LE GRAND ROBERT
DE LA
LANGUE FRANÇAISE

LE GRAND ROBERT
DE LA
LANGUE FRANÇAISE

deuxième édition

dirigée par
ALAIN REY

du

DICTIONNAIRE ALPHABÉTIQUE
ET ANALOGIQUE DE LA LANGUE FRANÇAISE
de **PAUL ROBERT**

R

DICTIONNAIRES LE ROBERT - PARIS

Nouvelle édition augmentée

© 2001 DICTIONNAIRES LE ROBERT - VUEF
27, rue de la Glacière, 75013 PARIS

ISBN 2-85036-673-0 (édition complète).
ISBN 2-85036-675-7 (tome 2)

tome 2

CHAS - ENTH

On trouvera en tête du premier volume les préfaces de Paul Robert et d'Alain Rey, l'explication des signes conventionnels, abréviations et conventions, les principes de la transcription phonétique, les correspondances des principales datations lexicales ainsi que la liste des collaborateurs de l'ouvrage ; et en fin d'ouvrage (tome VI) les annexes suivantes : dérivés de noms propres (de personnes et de lieux), tableaux des conjugaisons, bibliographie et listes des suffixes.

C

chas - czimbalum

1. CHAS [ʃa; ʃa] n. m. — Déb. XIIIᵉ, *chãas; cas*, XIIIᵉ; orig. incert., p.-ê. du lat. *capsus*, masc. de *capsa* (→ Châsse) ou du lat. *cassus* «creux».

♦ **1** Trou (d'une aiguille) par où passe le fil. *Enfiler un fil dans le chas d'une aiguille.*

1 L'aiguille mousse aux doigts, je conduis la laine captive du chas oblong.   COLETTE, l'Étoile Vesper, p. 215.

Loc. *Vouloir faire passer un chameau par le chas d'une aiguille.* → Aiguille.

♦ **2** Techn. Carré de métal percé d'un trou par où passe un fil à plomb.

♦ **3** Fig. (au sens érotique de «trou, pertuis» et avec infl. de l'homonyme *chat*) :

2 C'était là toute une autre affaire que quand la déesse cache son chas ou ses seins, par une pudeur dont personne ne lui sait gré (...)
        Léon DAUDET, les Bacchantes, 1931, p. 254.

HOM. 2.Chas, chat, schah.

2. CHAS [ʃa; ʃa] n. m. — 1606; d'un anc. verbe **chaasser, chasser* «enduire», dér d'un lat. **catapsare* «caresser».

Techn. Pâte de grain, colle d'amidon dont on se sert pour enduire le fil de la chaîne dans certains tissages, afin qu'il soit plus résistant et qu'il glisse plus facilement.

CHASME [ʃasm] n. m. — 1836, Stendhal; adaptation de l'angl. *chasm*, lui-même adapté du lat. *chasma* [kasma] «gouffre».

Littér., rare. Gouffre, abîme.

(...) il y a des auberges sur la rive américaine et sur la rive anglaise, des moulins et des manufactures au-dessous du chasme.
        CHATEAUBRIAND, Mémoires d'outre-tombe, I, 305.

(1836). Par métaphore. *«Le "chasme" entre ces deux êtres* (Lucien et son père) *était trop profond»* (Stendhal, *Lucien Leuwen*, t. 3, 1836, p. 287, *in* T.L.F.). → Chiasme.

CHASSE [ʃas] n. f. — V. 1175; dér. de *chasser*.

▊ ♦ **1** (V. 1175). Action de chasser, de poursuivre les animaux* (→ **Gibier**) pour les attraper ou les tuer, afin de les manger, de les détruire ou par goût sportif. *Art, technique de la chasse.* → **Cynégétique**; **fauconnerie, tenderie, vénerie; chasser, chasseur.** *La chasse, le plus ancien des sports. Saint Hubert, patron des grandes chasses. La chasse et la cueillette, dans les sociétés traditionnelles.*

1 (...) une occupation nouvelle qui l'intéresse par sa nouveauté, qui le tienne en haleine, qui lui plaise, qui l'applique, qui l'exerce, une occupation dont il se passionne, et à laquelle il soit tout entier. Or, la seule qui me paraît réunir toutes ces conditions est la chasse. Si la chasse est jamais un plaisir innocent, si jamais elle est convenable à l'homme (...) Émile a tout ce qu'il faut pour y réussir; il est robuste, adroit, patient, infatigable (...) La chasse endurcit le cœur aussi bien que le corps; elle accoutume au sang, à la cruauté.   ROUSSEAU, Émile, IV.

1.1 Chasse à courre, chasse à tir, tout cela est ignoble et sans excuse. On ne chasse pas pour se nourrir; si c'était une excuse, le seul chasseur excusable serait le braconnier. Celui-là vend son gibier et en vit toute l'année.
        J. RENARD, Journal, 1ᵉʳ oct. 1905.

Aller à la chasse, aimer la chasse. — Loc. *Faire bonne chasse :* tuer du gibier.

... DE CHASSE : utilisé pour la chasse (dans des syntagmes figés). *Rendez-vous* de chasse.* — *Pavillon* de chasse* (→ **Muette**, vx). *Terrain de chasse* (sens propre et fig.). — *Partie de chasse :* chasse organisée.

Tableau de chasse : l'ensemble des animaux abattus, parfois présentés devant les chasseurs; la liste des animaux abattus. Fig. → **Tableau.** — *Droit de chasse. Permis* de chasse.* — *Société de chasse*, regroupant des chasseurs sur un territoire de chasse donné. — (Vêtements). *Habit, casquette, veste, culotte, bottes de chasse.* — *Armes de chasse. Fusil* de chasse. Munitions de chasse.* → **Balle, cartouche, cendrée, chevrotine, plomb.** *Poudre de chasse.* — *Chiens de chasse :* chiens sélectionnés, dressés pour une forme de chasse : chiens d'arrêt (braque, épagneul, pointer, setter), chiens courants (basset, griffon...), chiens d'équipage ou de meute (→ **Meute**; et, ci-dessous, chasse à courre), chiens quêteurs (spaniel), chiens rapporteurs (labrador...), chiens de terrier (fox-terrier, teckel...). → **Chien.** — *Oiseaux de chasse* (→ ci-dessous, c). → **Fauconnerie.** *Engins, filets de chasse* (→ ci-dessous, c).

2 *(...) je (...) m'interdis de ressembler à ces mauvais chiens de chasse qui chassent pour leur propre compte.*
Julien BENDA, Lettres à Mélisande.

Prov. *Qui va à la chasse perd sa place* : s'expose à perdre sa place, son emploi, celui qui l'abandonne momentanément.

2.1 *Claudiquant, pestant contre sa jambe qui le faisait souffrir, il a gagné la ville haute, non sans entendre, peut-être, sur son passage, tombant d'une fenêtre entrouverte derrière laquelle bougeait l'ombre d'un de ces êtres qui savent tout et jouent les corbeaux dans les petites villes, une chanson ironique du genre : «qui va à la chasse perd sa place», ou «quand tu tenais la caille il fallait la plumer».*
Suzanne PROU, la Terrasse des Bernardini, p. 63.

Spécialt. (Formes de chasse). **ⓐ CHASSE À COURRE.** *Chasse à courre, à cor et à cri* (→ **Courre**), dite aussi *chasse à bruit, chasse noble, chasse royale* : chasse avec des chiens, où sont exclus armes et engins. *Chasse à courre du cerf, du chevreuil, du daim...* (→ **Vénerie**), *du loup* (→ **Louveterie**), *du sanglier* (→ **Vautrait**)... *Équipage de chasse à courre* (maître d'équipage, veneur, piqueur, valet de chiens ; meute). *Tenue de chasse* (→ **Bouton**). *Livrée de chasse* (de valet). → **Chasseur**, II. — *Chasse* (employé seul, dans ce sens). *Être passionné de chasse.* → **Vénerie.** — *(Une, des chasses). Partie de chasse à courre. Une chasse* (à courre). *Suivre une chasse. Meute*, *relais de chiens d'une chasse. Allée, chemin de l'animal de chasse* (→ **Voie**), *de chiens* (→ **Contre-pied**), *chemin repéré par les veneurs* (→ **Brisée**). — *... de chasse. Corne de chasse. Cor de chasse* (expr. abusive). → **Trompe.** *Air, fanfare*, sonnerie, ton de chasse.* → **Appel, débucher, hallali...** — Ellipt. *Sonner une chasse. Cri de chasse.* → **Taïaut.** *Cri des chiens à la chasse* (→ **Clatir**). *Péripéties d'une chasse* (à courre). → **Quêter ; débucher, débusquer ; dépister, rembucher, requêter ; lancer ; courir, refuir, relancer ; rabattre,** et aussi **battre** (les buissons), **buisson** (faire buisson creux) ; **bien-aller, lancé, nappe, récri, suraller ; piqueur, veneur,** 1. **trolle.** *Forcer l'animal de chasse* (→ **Aboi** : les abois), *l'achever* (→ **Servir**) *au couteau de chasse, à l'épieu, au pied* (→ **Curée**). *La Chasse du Burgrave, ballade de Hugo.*

3 *Il tient un livre où il écrit toutes les chasses, depuis le lancer jusqu'à l'hallali, avec les ruses, les débûchers, les rembûchers (sic), et à quelle heure juste la curée, et où, et à qui les honneurs et tout.*
M. GENEVOIX, Forêt voisine, p. 73.

Petite vénerie ou chasse à courre du lièvre, du lapin, du renard. — Grande vénerie ou chasse à la grosse bête, au chamois, à l'ours... → **Bête** (bête sauvage). *Hure de sanglier coupée à la chasse.*

ⓑ CHASSE À TIR (vieilli) ou (mod. et cour.) **CHASSE AU FUSIL ; CHASSE.** — REM. L'emploi du mot non qualifié fait en général référence ce sens, de nos jours. — *La chasse s'est faite autrefois avec des armes de jet,* puis avec *l'arbalète*. *Arme, carabine, fusil pour la chasse.* → **Fusil.** *Lieu, à la chasse, aménagé pour le tir* (→ **Tiré**), *pour le passage des chasseurs* (→ **Layon**). *Chasse en se postant* (→ **Affût, poste**), *en parcourant la campagne.* — Vx. *Chasse à la billebaude*, sans plan.* — *Chasse organisée.* → **Battue, traque.** *Phases de la chasse.* → **Déguîter ; bouquer** (faire bouquer), **débouler, déguerpir ; ajuster, viser, canarder, tirer** (à l'arrêt, au déboulé*, au vol), **coup** (coup double), **doublé.** *Chasse sous chien.* — *Chasse de nuit aux petits oiseaux.* → **Fouée.** *Chasse du lapin au furet.* → **Furetage.** *Chasse au gibier d'eau. Chasse*

aux canards. *Chasse au moment de la passe* d'un gibier. — *La cervaison*, période de la chasse au cerf. — *Artifices pour attirer le gibier à la chasse.* → **Appât, appeau** (et appeler), 4. **chanterelle, pipeau,** 1. **pipée ; frouer.** — *Ouverture, fermeture de la chasse. Dîner d'ouverture* (cit. 6) *de chasse. Chasse ouverte, permise, autorisée* (→ ci-dessus *permis de chasse*). *Chasse sans autorisation.* → **Braconnage.** *Revenir bredouille de la chasse. Société de chasse. Accessoires, équipement pour la chasse.* → **Carnassière, carnier, gibecière.** *Revenir de (la) chasse, rentrer de la chasse. Retour de (la) chasse.*

... **EN CHASSE** (avec quelques verbes). *Partir, se mettre, être... en chasse.*

4 *(...) quand on est bien lesté, on se lève, on siffle les chiens, on arme les fusils, et on se met en chasse.*
Alphonse DAUDET, Tartarin de Tarascon, II, p. 19.

(Une, des chasses). **Partie de chasse.** *Les chasses au gros gibier en Afrique.* → **Safari.**

ⓒ (Autres formes de chasse). *Chasse avec des oiseaux.* → **Fauconnerie, volerie.** *Oiseaux dressés pour la chasse* (oiseaux de chasse). → **Autour, faucon, gruyer, milan.**

Chasse aux engins. → **Collet, glu, gluau, volant ; piège, piégeage, trappe, trappeur, traquet... Filets* pour la chasse.* → **Allier** (ou **hallier**), **lacet, lacs, panneau, poche, tendue, tirasse, toile** (toiles), **tonnelle.** *Chasse au miroir.* → **Miroir.**

Chasse sous terre, destinée à détruire les animaux nuisibles, par furetage, asphyxie (fumée, gaz...). *Chasse au blaireau.*

ⓓ Loc. (Selon le lieu de chasse). *Chasse au bois, au marais.*

ⓔ *Chasse sous-marine* : sport consistant à plonger pour poursuivre le poisson, pratiqué par des plongeurs (chasseurs* sous-marins) munis d'armes spéciales (fusil* sous-marin, etc.). → **Pêche** (sous-marine).

♦ **2** Le fait de rechercher des animaux (autres que le gibier) pour les prendre. *Chasse aux escargots, aux crabes.* — *Chasse aux papillons,* avec un filet.

4.1 *Et bras d'ssus bras d'ssous vers les frais bocages*
Ils vont à la chasse aux papillons.
Georges BRASSENS, la Chasse aux papillons.

Chasse à... : recherche de (fruits, légumes sauvages). *Chasse aux champignons.*

♦ **3** Période où l'on a le droit de chasser. *La chasse est ouverte. Pendant la durée de la chasse* (ambigu avec le sens «partie de chasse»).

♦ **4** Partie d'une terre, d'un domaine, réservée pour la chasse. *Autrefois, le Grand Veneur était chef de la vénerie et les louvetiers* veillaient sur les chasses du roi. Capitaine* des chasses. Posséder une belle chasse, une chasse giboyeuse* (→ **Chute**, cit. 2.2). *Chasse réservée.* → **Garenne.**

CHASSE GARDÉE. *C'est chasse gardée, ici.* → **Garde-chasse ; garder.** Au fig. Activité qu'on se réserve exclusivement. *Ah non, pas cette fille, chasse gardée !*

♦ **5** Les personnes (→ **Chasseur**) et les chiens qui chassent. *La chasse a passé par là. La chasse s'éloigne. Suivre la chasse.*

♦ **6** (1635). Le gibier pris ou tué à la chasse. *Une bonne, une mauvaise chasse. Manger la chasse d'un chasseur.*

♦ **7** Poursuite qu'un animal fait d'un autre.

5 *L'aigle donnait la chasse à maître Jean Lapin,*
Qui droit à son terrier s'enfuyait au plus vite.
LA FONTAINE, Fables, II, 8.

♦ **8** Loc. ÊTRE EN CHASSE, en chaleur (se dit de la femelle de certains animaux à l'époque où elle recherche le mâle). → **Rut.** *Chienne en chasse.*

II ♦ **1** (V. 1175). Poursuite ; action de poursuivre. *Une chasse impitoyable.* Loc. littér. *Faire la chasse, donner la chasse. On donna la chasse à un parti de cavalerie ennemie* (Académie).

6   (...) Que me faudra-t-il faire ?
— Presque rien, dit le chien, donner la chasse aux gens
Portant bâtons et mendiants.
LA FONTAINE, Fables, I, 5.

7   La chasse s'activait ; les agents de Desmaret étaient sur les dents, mais on pensait bien que, vu l'effet des plus terribles menaces, toutes les portes se fermeraient devant l'homme pourchassé.
Louis MADELIN, Hist. du Consulat et de l'Empire,
L'avènement de l'Empire, V, p. 50-51.

Loc. mod. *Chasse à l'homme :* poursuite d'un homme (pour le prendre, l'arrêter, le tuer...). — *La chasse aux sorcières*.*

Fig. *Faire la chasse aux abus, au vice.*

♦ **2** **ⓐ** (XVᵉ). Mar. Poursuite (d'un bâtiment ou d'un avion ennemi).

Dans quelques expressions verbales : *donner la chasse à un navire, le prendre en chasse ; prendre un bombardier en chasse ; recevoir la chasse :* être poursuivi ; *prendre chasse :* battre en retraite pour éviter le chasseur.

... de chasse (dans des syntagmes nominaux). *Pièces de chasse,* placées à la proue d'un bateau (par opposition aux *pièces de retraite*). — *Pointer un canon en chasse,* pour qu'il tire le plus possible vers l'avant. *Ordre de chasse :* formation d'escadre.

(1936). Loc. cour. *Avion de chasse :* avion très rapide chargé d'intercepter les avions ennemis et de protéger les appareils amis. → **Chasseur.** — (1931). *Escadrille de chasse. Aviation de chasse.*

ⓑ *La chasse :* ensemble des avions de chasse ; partie de l'aviation chargée de l'interception des avions ennemis. *Posséder une chasse nombreuse, moderne, bien armée. Éviter la chasse ennemie. La chasse américaine, soviétique. Pilote de chasse,* pilotant un avion de chasse.

8   La chasse fasciste tomba des nuages supérieurs : sept Fiat de face (...) Le groupe le plus élevé de la chasse gouvernementale donna toute sa vitesse et fila à leur rencontre. (...) Les chasses s'étaient battues à deux kilomètres de là, et, même attaqué, Leclerc eût dû faire son bombardement, parallèlement au barrage : aux chasseurs de combattre.
MALRAUX, l'Espoir, p. 652-654 (1937).

♦ **3** (De *chasser,* I., 2.). Recherche ardente, tenace. *(Être) à la chasse à, de... Être à la chasse de livres rares. La chasse aux idées. La chasse aux emplois. Une chasse à l'héritage.*

Faire la chasse au mari, à la riche héritière.

III (Correspond à *chasser,* I., 3. et II., v. intr.). ♦ **1** Techn. Écoulement rapide donné à une retenue d'eau pour nettoyer un conduit, dégager un chenal... *Bassin, écluse de chasse.*

(1901, *in* D.D.L.). Spécialt. Cour. **CHASSE D'EAU :** dispositif entraînant une chasse d'eau, servant à nettoyer la cuvette des waters. *Chasse à réservoir. Actionner la chasse d'eau. — Tirer la chasse d'eau, la chasse, la chasse des cabinets :* faire fonctionner la chasse d'eau (à l'origine, on tirait sur une chaîne pour déclencher la chasse).

9   (...) ma main levée cherchait en tâtonnant le bout de la chaîne. La chasse d'eau s'est déclenchée dans un tonnerre de cataracte (...)
M. TOURNIER, le Roi des Aulnes, p. 52.

Rare (autres syntagmes, avec un nom désignant un liquide, un fluide) :

10   (...) le dreyfusisme, comme une chasse d'air, avait fait, il y a quelques jours, voler jusqu'à elle (*Mᵐᵉ Sazerat, une antisémite*) M. Bloch.
PROUST, le Côté de Guermantes, t. I, Folio,
t.p. 347-348.

11   Autour de lui l'on mange beaucoup, l'on boit peu, et si son ouïe était d'une finesse surhumaine il entendrait un énorme bruit de manducation coupé parfois de fracassantes chasses de vin ou de bière au-dessus de la sourde rumeur de la fonction stomacale.
A. PIEYRE DE MANDIARGUES, la Marge, p. 148.

♦ **2** Techn. **ⓐ** Liberté de course laissée à certaines parties de machines pour qu'elles puissent se prêter à des irrégularités de mouvement. → **Jeu.** *La chasse des roues. Chasse de l'essieu avant. Donner de la chasse à un essieu. — Angle* de chasse d'une moto.*

ⓑ (Ce qui sert à chasser). Battant du métier à tisser. Outil utilisé pour refouler un métal. — Outil de tailleur de pierre, qui sert à enlever un excédent de matière. — Burin de tonnelier (→ Chassoir).

ⓒ (Ce qui est chassé, repoussé). Typogr. Nombre de lignes qu'une page d'impression a de plus qu'un certain modèle donné. — Encombrement horizontal d'une lettre ou d'un signe typographique. Reliure. Partie de la couverture qui déborde les livres reliés.

CHÂSSE [ʃas] n. f. — 1285, *chasse ; casse,* forme normande, v. 1150 ; du lat. *capsa.* → Caisse.

I ♦ **1** (V. 1150). Coffre, en général précieux, où l'on garde les reliques d'un saint. → **Fierte.** *Châsse de bois doré, d'or. La châsse de sainte Geneviève.* — Loc. (1842, *in* D.D.L.). *Être paré comme une châsse* (→ Attifer, cit. 3) : être richement habillé.

1   En soirée, à Amsterdam, des dames parées comme des châsses, immobiles dans leurs fauteuils, ressemblant à des statues.
TAINE, Philosophie de l'art, t. I, III, I, 1.
Porter qqch. comme une châsse, avec beaucoup de soin, de respect.

♦ **2** Techn. Monture servant d'encadrement. *La châsse d'un verre de lunette, d'un bijou. La châsse d'une balance :* le fer qui soutient le fléau. — (1184, *casse*). Vx. Manche (d'un couteau). — Techn. Élément du manche (d'un instrument chirurgical). *Les châsses et la lame d'une lancette.*

II (1833 ; de l'argot anc. *châssis* «œil» (1803), lui-même de *chasse*). Argot fam. Œil. *Elle a de belles châsses.* → **Mirettes.** REM. On trouve souvent le mot au masculin.

2   (...) le cinéma sans couleur doit s'avouer impuissant à rendre la céruléinité (*caractère céruléen, bleu*) de ses châsses.
R. QUENEAU, Loin de Rueil, p. 40.
Loc. *Coup de châsse :* coup d'œil.

3   En trombe, sur la pointe des pieds, j'ai remonté un étage. Au passage, j'ai filé un coup de châsse éclair dans la cabine.
Albert SIMONIN, Touchez pas au grisbi, p. 18.

DÉR. et COMP. Chasseau, châssis. Enchâsser.

CHASSÉ [ʃase] n. m. — 1752 ; de *chasser.*

♦ **1** Danse. Temps où une jambe exécute un pas glissé tandis que l'autre se rapproche, semblant chasser la première dont elle va occuper la place sur le sol.

♦ **2** (1905, *in* Petiot). Sports. En boxe française, en savate, «Coup de pied porté par détente directe de la jambe en frappant avec le talon au corps ou à la jambe» ; en ski, «Mouvement de translation latérale des skis parallèles à plat, pour amorcer un virage» (Petiot).

COMP. (De 1.) **Chassé-croisé.** ◊ HOM. Chasser.

CHASSEAU [ʃaso] n. m. — 1848, Chateaubriand ; de *châsse.*

Techn. ou didact. Niche funéraire.

CHASSE-CLOU [ʃasklu] n. m. — Av. 1850, Balzac ; de *chasser,* et *clou.*

Techn. Outil servant à enfoncer profondément les clous. *Des chasse-clous.* Syn. : *chasse-pointe* [ʃaspwɛ̃t] n. m.

CHASSÉ-CROISÉ [ʃasekRwaze] n. m. — 1839, au sens 2 ; de *chassé,* et *croisé.*

♦ **1** (1863). Danse. Pas figuré où le cavalier et sa danseuse passent alternativement l'un devant l'autre. → **Chassez-huit.**

1 (...) au coup de cloche suivant un chassé-croisé répartit ces quatre personnes en deux couples hétérosexuels. Petit-Pouce choisit la brune frisée et Paradis prit la décolorée.
R. QUENEAU, Pierrot mon ami, éd. L. de Poche, p. 19.

♦ **2** Cour. Échange réciproque et simultané de place, de situation ; démarches réciproques qui se succèdent sans amener un changement sensible. *Des chassés-croisés.*

2 Je ne m'oriente pas toujours à travers ce chassé-croisé de conversations.
SAINTE-BEUVE, Correspondance, II, p. 388.

CHASSE-FUSÉE [ʃasfyze] n. m. — Av. 1898 ; de *chasser,* et *fusée.*

Techn. (artill.). Instrument servant à enfoncer les fusées dans un projectile creux. *Des chasse-fusées.*

CHASSE-GALERIE [ʃasgalRi] n. f. — 1829 (p.-ê. 1791) ; de 1. *chasse,* et *gallery* ou *galerie,* de *galler* «cheval», de *gaille* (1455), même sens (cf. *chasse gaillère* (Bourbonnais), d'après P. Rézeau.

Régional (Ouest de la France et Canada). Ronde nocturne des sorciers ou des loups-garous. *Des chasse-galeries.* — Par ext. Tapage.

CHASSE-GOUPILLE [ʃasgupij] n. m. — 1842, *in* D.D.L. ; de *chasser,* et *goupille.*

Techn. (armurerie). «Outil qui sert à enfoncer les goupilles ou à les faire sortir de leur logement» (Littré). *Des chasse-goupilles.*

CHASSELAS [ʃasla] n. m. invar. — 1718 ; *chacelas,* 1680, *in* Richelet ; *chasselat,* 1673 ; de *Chasselas* (Saône-et-Loire).

Raisin blanc de table cultivé notamment en treille, en espalier.

Par métonymie. Vin blanc produit par ce cépage.

DÉR. **Chasselatier.**

CHASSELATIER [ʃaslatje] n. m. — Mil. XXᵉ ; de *chasselas.*

Techn. Viticulteur spécialiste du chasselas. *Les chasselatiers du Moissagais, de Thomery.*

C'est en adoptant le palissage vertical individuel de chaque pousse et en proportionnant la hauteur de l'espalier à la vigueur des souches que les chasselatiers de la vallée moyenne de la Garonne peuvent obtenir un feuillage bien réparti et ces grappes bien dégagées sur le cep qui font la renommée du Chasselas doré de Moissac.
Louis LEVADOUX, la Vigne et sa culture, p. 108.

CHASSE-MARÉE [ʃasmaRe] n. m. invar. — XVᵉ ; *Cacemaree,* n. pr., 1260 ; de *chasser,* et *marée.*

♦ **1** Voiturier qui apportait le poisson du littoral vers les marchés intérieurs.

(XVᵉ). Vx. Voiture rapide pour porter la marée sur les marchés. *Des chasse-marée.* — Fam. *Aller un train* ou *d'un train de chasse-marée :* aller fort vite.

♦ **2** Mar. Petit bâtiment côtier à deux ou trois mâts servant au cabotage, au transport de la marée. *Bourcet** *de chasse-marée.*

CHASSE-MOUCHE [ʃasmuʃ] n. m. — 1555 ; de *chasser,* et *mouche.*

♦ **1** Instrument (souvent petit balai fait d'une touffe de crins) pour écarter les mouches. → **Émouchoir.**

Ils *(les matelots)* prenaient des airs de triomphateurs, sous des parasols magnifiques ; ou bien jouaient négligemment de l'éventail et agitaient des chasse-mouches de plumes.
LOTI, Figures et Choses, Trois journées de guerre..., II, p. 243.

♦ **2** (1798). Vx. Filet à cordons pendants dont on couvre la tête, les flancs des chevaux pour les garantir des mouches.

♦ **3** Par métonymie. Rare. Personne chargée de faire fonctionner le chasse-mouches d'un personnage important.

CHASSE-NEIGE [ʃasnɛʒ] n. m. invar. — 1834 ; de *chasser,* et *neige.*

♦ **1** Didact. Vent violent qui chasse la neige. → **Blizzard ;** → Météore, cit. 1.1. *De terribles chasse-neige.*

1 Mais, au milieu de ce chasse-neige, aussi terrible que s'il se fût produit sur quelque contrée polaire, ni Cyrus Smith, ni ses compagnons ne purent, malgré leur envie, s'aventurer au-dehors, et ils restèrent renfermés pendant cinq jours, du 20 au 25 août.
J. VERNE, l'Île mystérieuse, t. I, p. 285.

♦ **2** (Av. 1877, Scholle). Cour. Dispositif en éperon, muni de versoirs, qu'on adapte à l'avant d'une locomotive, d'un camion, pour déblayer les voies ferrées ou les routes obstruées par la neige.

(1873, A. Daudet). Le véhicule ainsi équipé. *Le chasse-neige a dégagé la route. Des chasse-neige.* «*Le chasse-neige* (d'une locomotive) *déblayait aisément un mètre de neige*» (→ Neige, cit. 5).

♦ **3** (1908, *in* Petiot). Ski. Position de freinage obtenue en écartant les talons des skis et en rapprochant les spatules en V, pour appui sur les carres intérieures. «*Les chasse-neige* (...) *ne doivent être réalisés qu'à vitesse très modérée*» (J. Franco, le Ski, p. 28). — En appos. *Virage chasse-neige,* dans lequel les skis gardent cette position. *Virage chasse-neige terminé skis parallèles.* → **Stem.**

2 Marco, qu'épouvantait la moindre dénivellation, prenait des leçons particulières et, sous prétexte d'acquérir du style, s'exerçait indéfiniment au chasse-neige.
S. DE BEAUVOIR, la Force de l'âge, p. 293.

CHASSE-PIERRES ou **CHASSE-PIERRE** [ʃaspjɛR] n. m. — 1842, *in* D.D.L. ; de *chasser,* et *pierre.*

Techn. anc. Appareil placé à l'avant des locomotives et composé de deux tiges de fer qui arrivent à quelques centimètres des rails afin d'en écarter les obstacles (pierres, etc.). *Des chasse-pierres.*

CHASSEPOT [ʃaspo] n. m. — 1866 ; du nom de l'inventeur (1833-1905).

Fusil de guerre à aiguille utilisé par l'armée française de 1866 à 1874. — En appos. *Fusil chassepot.*

Mais il s'agissait d'une guerre relativement économique et Marx raisonnait en fonction du fusil chassepot qui est une arme d'écolier.
CAMUS, Actuelles I, p. 359.

Allus. hist. «*Les chassepots partiraient* (→ 1. Partir, cit. 27) *d'eux-mêmes*».

CHASSER [ʃase] v. — V. 1150, *chacier;* d'un bas lat. **captiare,* formé sur le p. p. *captus* du lat. *capere* «attraper» (cf. aussi le fréquentatif *captare;* → Capter).

[I] V. tr. **♦ 1 [a]** Poursuivre (un animal, des animaux) pour le(s) tuer ou le(s) prendre. → **Chasse.** — REM. L'animal poursuivi étant rarement individualisé, le compl. est généralement construit avec l'article défini à sens général. — *Chasser le lièvre, le perdreau. Chasser le cerf* (à la chasse* à courre). — *Il va chasser le lion, la panthère en Afrique. Chasser des buffles.* → **Boucaner.** — Par plais. *Chasser la casquette.*

1   Le malheureux déclara formellement qu'il était las de chasser la casquette et qu'il allait, avant peu, se mettre à la poursuite des grands lions de l'Atlas.
        Alphonse DAUDET, *Tartarin de Tarascon,* IX, p. 63.

2   J'ai chassé ainsi des canards, le soir, dont je me moquais bien (...) Je le tirais en parlant d'autre chose : ça ne les dérangeait guère.
        SAINT-EXUPÉRY, *Pilote de guerre,* XX, p. 159.

(Le sujet désigne un animal). Poursuivre (une proie). *Le lion chasse les gazelles, les gnous.*

Absolt. *Il aime chasser. Il est allé chasser :* il est parti à la chasse.

Chien qui chasse pour son compte (→ Chasse, cit. 2).

(Avec un compl. de moyen ; avec ou sans compl. direct). *Chasser (le lapin, etc.) au fusil, à la carabine... Chasser à courre.* → **Chasse; courre.** — *Chasser au chien courant* (avec des chiens courants).

2.1   Tous ces hommes, à l'exception du paysagiste Maldant, professaient pour les champs un mépris profond. Rocdiane et Landa y allaient chasser, il est vrai, mais ils ne goûtaient dans les plaines et dans les bois que le plaisir de regarder tomber sous leurs plombs, pareils à des loques de plumes, les faisans, cailles ou perdrix, ou de voir les petits lapins foudroyés culbuter comme des clowns, cinq ou six fois de suite sur la tête, en montrant à chaque cabriole la mèche de poils blancs de leur queue. Hors ces plaisirs d'automne et d'hiver, ils jugeaient la campagne assommante.
        MAUPASSANT, *Fort comme la mort,* éd. 1889, p. 244-245.

Fig., absolt. *Chasser sur les terres d'autrui* (→ **Braconner**) : empiéter sur ses droits.

Prov. *Bon chien chasse de race :* par atavisme ; fig., c'est héréditairement qu'on a telle ou telle qualité — *Leurs chiens ne chassent pas ensemble,* se dit de deux personnes qui ne s'entendent pas très bien.

[b] Trans. ind. *Chasser à...* (le compl. désigne le gibier). *Chasser à la perdrix, aux perdrix, au sanglier.*

[c] Par ext. (le compl. désigne des animaux qui ne sont pas du gibier). *Chasser les papillons.*

[d] Par anal., mar. *Chasser un navire,* le poursuivre, lui donner la chasse. → **Chasse,** II., 2. — *Chasser la terre,* s'en approcher, la reconnaître.

♦ 2 Rechercher avec ténacité afin d'obtenir pour soi. → **Chasse,** II., 3. *Chasser les antiquités. Chasser la gloire.* — Fam. *Chasser le mari :* chercher à se marier (en parlant d'une femme).

2.2   (...) il chassa la femme durant trois jours et il eut deux aventures.
        MONTHERLANT, *le Démon du bien,* 1927, p. 1368, *in* T.L.F.

♦ 3 (V. 1160). Pousser devant soi ; faire marcher en avant. → **Pousser; chasse,** III. *Chasser les vaches aux champs.* — (Sujet n. de chose). *Le vent chasse la neige, les nuages.* → **Balayer.**

3   Qu'ils soient comme la poudre et la paille légère
  Que le vent chasse devant lui.   RACINE, *Esther,* I, 5.

4   Des petites filles bretonnes chassent devant elles des troupeaux de moutons dans les bruyères (...)
        LOTI, *Mon frère Yves,* IX, p. 40.

Techn. (Compl. n. de chose; correspond à *chasser,* II., 2., 3., 5.). Pousser, faire glisser à force. *Chasser les cercles des tonneaux.* → Chassoir.

Fig. (Avec un compl. prépositionnel locatif). Diriger, emporter (qqn) dans une direction psychologique.

5   Les obstacles dont sa vie était faite le chassaient dans l'érotisme, non dans l'amour.
        MALRAUX, *la Condition humaine,* p. 137.

♦ 4 (V. 1173). Mettre, pousser dehors (qqn, un animal, qqch.), forcer de sortir. → **Bouter, débusquer, déloger, dénicher, disparaître** (faire disparaître), **écarter, éliminer, exclure, expulser, forcer, fuir** (faire fuir), **mettre** (dehors, en fuite), **ôter, refouler, rejeter,** et aussi le suff. *-fuge. Chasser des mouches importunes. Vermifuge qui chasse les vers. Chasser un poison hors du corps.* → **Purger; vomir.** (Abstrait). *Chasser un sort.* → **Conjurer, exorciser.** — (Compl. n. de personne). Vieilli. *Chasser l'ennemi du territoire.* → **Libérer, vaincre.** — REM. C'est cette valeur du verbe qui a donné le sens III de *chasseur* (soldat). — *Chasser un indésirable.* → **Congédier, éconduire, reconduire, refouler.** *Chasser qqn hors de son pays.* → **Bannir, exiler.** *Chasser un hérétique hors de l'Église.* → **Excommunier.** *Chasser qqn de son trône, de son poste.* → **Détrôner, démettre, évincer.** *Chasser un domestique, un employé.* → **Congédier, remercier, renvoyer, séparer** (se séparer de), **vider** (fam.); → Mettre à la porte*. — Passif et p. p. → ci-dessous, cit. 7.

6   Est-ce moi qui vous quitte, ou vous que moi chassez?
        MOLIÈRE, *les Femmes savantes,* IV, 2.

7   Ô dieux hospitaliers, que vois-je ici paraître?
  Dit l'animal chassé du paternel logis.
        LA FONTAINE, *Fables,* VII, 16.

8   Lorsque le Roi, contre elle enflammé de dépit,
  La chassa de son trône, ainsi que de son lit.
        RACINE, *Esther,* I, 1.

9   (...) Quand j'eus chassé tout ce monde comme une troupe de bêtes galeuses (...)
        LOTI, *Aziyadé, Solitude,* XXVII, p. 74.

Fam., par exagér. Faire sortir de sa maison, mettre à la porte. *Les maçons, les peintres me chassent de chez moi.* — Fig. (avec ou sans compl. prépositionnel en *de*). *Le suit nous chassa* (du bois). *Le jour chasse les ténèbres.* → **Dissiper.** *Chasser une mauvaise odeur.* (Compl. n. abstrait). Écarter. *Chasser le chagrin, l'ennui, les soucis. Chasser une idée, un souvenir, une image de son esprit.*

10   L'amour ordinaire est chassé de la maison par avarice.
        STENDHAL, *De l'amour,* p. 316.

11   Un silence, puis un bruit de sièges remués et de voix chassèrent cette vapeur de songe (...)
        MAUPASSANT, *Fort comme la mort,* p. 113.

Loc. prov. *La faim chasse le loup du bois* (→ Bois, cit. 20). (1690). *Un clou chasse l'autre,* en parlant d'une personne, d'une chose qui en écarte une autre, lui succède. — *Chassez le naturel, il revient au galop :* on ne perd jamais ses mauvaises habitudes. → Changer, cit. 43.

♦ 5 Régional (Savoie, Suisse). Pousser (qqn) à travailler beaucoup (le sujet désigne un patron, un contremaître, etc.). — Au passif. *Être chassé,* débordé de travail.

[II] V. intr. Être poussé en avant. **♦ 1** *Les nuages chassent du nord, du sud,* ils viennent du nord, du sud.

12   (...) le vent chassait du sud-est, et, par conséquent, il les poussait de dos.
        J. VERNE, *l'Île mystérieuse,* t. I, p. 84.

♦ 2 (1678). Mar. *Chasser sur ses ancres,* en parlant d'un navire qui entraîne ses ancres par suite d'une tenue insuffisante du fond. *L'ancre chasse,* elle laboure le fond. *Bâtiment qui chasse à la côte*, qui risque de se jeter à la côte.

♦ **3** (1688). **Typogr.** Occuper beaucoup d'espace, en parlant d'un caractère. *Ce caractère chasse plus que tel autre.* → **Chasse,** III., 2., c.

♦ **4** **Danse.** Exécuter un chassé*. *Chassez!*

♦ **5** (1886; cyclisme, *in* Petiot). Déraper, patiner. — (1906; autom.). *Cette voiture chasse. Les roues chassent.*

13 Le traîneau chasse un peu malgré les efforts de l'homme, patine un instant et enfin atteint les arbres.
Jean-Yves SOUCY, Un dieu chasseur, p. 98.

CONTR. Accueillir, admettre, recevoir. — **Embaucher, engager.** — **Quitter.** — Cultiver, entretenir, évoquer. ◊ **DÉR.** Chasse, chasseresse, chasseur, chassoir. → **COMP.** Pourchasser, rechasser. — **Entrechat. — Chasse-clou, chasse-goupille, chasse-marée, chasse-mouches, chasse-neige, chasse-pierres, chasse-pointe, chasse-rivet, chasse-roue. — Chassé-croisé, chassez-huit.** → **HOM.** Chassé (danse).

CHASSERESSE [ʃasʀɛs] n. f. et adj. — Av. 1305, *chaceresse*; de *chass(er)*, et *-eresse*.

Poét. Chasseuse. → Chasseur. *Une Diane chasseresse* (→ Archer, cit. 7). — N. f. *Une chasseresse.*

CHASSE-ROUE [ʃasʀu] n. m. — 1842, Stendhal; de *chasse*, et *roue.*

Techn. (ancien). Borne* ou arc métallique placé à l'angle d'une porte, d'un mur... pour en écarter les roues des voitures. → **Bouteroue.** *Des chasse-roues.*

CHASSEUR, CHASSEUSE [ʃasœʀ, ʃasøz] n. — Déb. XIIIᵉ; de *chasser*.

I ♦ **1** (Déb. XIIIᵉ). **a** Personne qui pratique la chasse. *Un bon, un mauvais chasseur. Un grand chasseur.* → **Giboyeur.** *C'est un Nemrod*, un chasseur adroit et infatigable. Une chasseuse enragée* (fém. rare). → aussi **Chasseresse.** *Les chasseurs sont rentrés bredouilles*. Sac de chasseur.* → **Gibecière.** *Le chasseur et ses chiens*. Chasseur sans permis.* → **Braconnier.** *Chasseur qui tend des collets* (→ **Colleteur**)*, qui utilise des trappes* (→ **Trappeur**)*, qui traque* (→ **Traqueur**)*. Chasseur de bœuf sauvage.* → **Boucanier.** *Chasseur de phoques. Chasseur de fourrures* : trappeur.

1 Il fut un vaillant chasseur devant l'Éternel; c'est pourquoi l'on dit : Comme Nimrod (*Nemrod*), vaillant chasseur devant l'Éternel.
BIBLE (SEGOND), Genèse, X, 9.

Par anal. (en parlant des animaux). *Ce chien est un bon chasseur.*

La balle (cit. 2.3) *au chasseur* : jeu où l'un des joueurs *(le chasseur)* essaie de toucher les autres avec une balle.

b *Chasseur sous-marin* : plongeur qui pratique la chasse* sous-marine.
Chasseur de papillons. Chasseur de champignons.

c N. f. **CHASSEUSE** : araignée qui ne tisse pas de toile et qui poursuit ses proies.

d Loc. **CHASSEUR DE TÊTES,** se dit d'Indiens d'Amazonie, qui poursuivaient et tuaient leurs ennemis, conservant leurs têtes comme trophées. — **Fig.,** **mod.** (trad. de l'amér. *headhunter*). Personne chargée du recrutement de cadres dirigeants. *Chasseurs d'hommes.*

Hist. (allus. aux chasses aux sorcières* des puritains américains). **CHASSEUR DE SORCIÈRES** : personne qui participait au mouvement anti-communiste de McCarthy aux États-Unis, dont le but était d'écarter les communistes du pouvoir.

♦ **2** (De *chasser*, I., 2.). Dans quelques syntagmes. Personne qui recherche avec ténacité à obtenir (qqch.). *Chasseur d'images* : photographe, cinéaste à la recherche d'images, de scènes originales — *Chasseur de son* : personne à la recherche d'enregistrements sonores originaux. — *Chasseur d'autographes.* — *Chasseur de millions.* — (Adapt. angl. des États-Unis : *hunter*). *Chasseur de primes* : dans les histoires de l'Ouest, Aventurier qui cherche à obtenir les primes promises pour la capture ou la destruction de criminels.

Chasseur : homme qui cherche à conquérir les femmes. → **Dragueur.**

1.1 L'œil critique de maquignon ne se posait plus sur leurs fesses pour en évaluer la consistance, dire *je prends* ou dire *je rejette*. Du mollet à la cuisse ne remontait plus l'œil plissé du chasseur-dragueur. Les seins se baladaient comme bon leur chantait. Les femmes n'étaient plus gibier.
Michèle PERREIN, Entre chienne et louve, p. 154.

♦ **3** Par appos. *Lapin, poulet chasseur* : lapin, poulet cuisiné avec une sauce comprenant des champignons, des échalotes, des herbes hachées et du vin blanc *(sauce chasseur).*

II N. m. (1813). Ancienn. Domestique en livrée de chasse (valet de chasse à courre) qui montait derrière la voiture de son maître. **Mod.** Domestique revêtu d'une livrée et attaché à un hôtel, à un restaurant. → **Groom** (→ Ascenseur, cit. 1). *Le Chasseur de chez Maxim's,* titre d'une pièce de Y. Mirande et G. Quinson.

III ♦ **1** (1670; de *chasser*, I., 4. → Chasse, II., 1.). Se dit de certains corps de troupes *(les chasseurs)* et des soldats *(un, des chasseurs)* qui les constituent. *Chasseurs d'Afrique* : corps de cavalerie* légère française montée ou motorisée (ancienn). *Un chasseur d'Afrique.* — *Chasseurs à pieds, chasseurs alpins,* corps d'infanterie. *Un régiment de chasseurs. Le troisième chasseurs* : le troisième régiment de chasseurs. *Béret de chasseur alpin. Le cor de chasse, insigne du chasseur.* — Loc. *Pas de chasseur* : petits pas rapides (→ Allure, cit. 1).

♦ **2** (1831; correspond à *chasse*, II., 2., a). **Mar.** Navire de faible tonnage le plus souvent destiné à poursuivre les sous-marins. *Chasseur de sous-marins.* — Petit navire équipé pour la chasse à la baleine ou la liaison avec les flottilles de grande pêche.

(Correspond à *chasse*, II., 2., a et b). Avion léger, rapide et maniable destiné aux combats aériens. — Syn. : *avion de chasse.* → **Chasse** (cit. 8 et *supra*). *Chasseur à réaction. Chasseur de nuit. Chasseur d'escorte. Chasseur d'assaut. Chasseur-bombardier.*

2 T., mitrailleur à bord de l'appareil, subit une tentative d'attaque de la part d'un chasseur ennemi. Mais le chasseur, ses mitrailleuses s'étant enrayées, fit demi-tour.
SAINT-EXUPÉRY, Pilote de guerre, II, p. 27.

CHASSEZ-HUIT [ʃaseɥit] n. m. — 1830; composé de la 2ᵉ pers. du plur. de l'impér. de *chasser*, et de *huit*.

Danse. Chassé-croisé exécuté par les quatre couples d'un quadrille, et qui marque souvent la fin de la danse.

(...) la contredanse continua. Au dernier chassez-huit, ma tante Lucie entra dans la chambre de ma mère (...)
G. SAND, Histoire de ma vie, t. II, 1855, p. 72, *in* T. L. F.

CHASSIE [ʃasi] n. f. — Av. 1105, *chacide*; *chacie*, 1245; orig. obscure, probablt issu d'un lat. pop. *caccīta*, dér. du rad. de *cacare*. → **Chier.**

Humeur gluante qui s'amasse sur le bord des paupières. *Une chassie visqueuse* (→ Boue, cit. 3).

1 Il se lava les yeux, pour ôter une épaisse chassie dont ils étaient pleins. A.-R. LESAGE, Gil Blas, IV, VII, p. 245.

2 C'est le produit mixte des glandes ciliaires et des glandes de Meibomius qui, en se concrétant, dans certains cas le long du bord libre des paupières, constitue cette matière onctueuse et agglutinante, connue sous le nom de *chassie*.
L. TESTUT, Traité d'anatomie, t. III, p. 683.

3 Pauvre, mais sale (...) de la chassie aux yeux, au coin des lèvres, des ongles noirs (...)
J. RENARD, Journal, 26 oct. 1905.

4 (...) les yeux bouchés par la fatigue, agrémentés d'une chassie naissante. R. QUENEAU, le Chiendent, p. 66.

DÉR. Chassieux. ◊ **HOM. Châssis.**

CHASSIEUX, EUSE [ʃasjø, øz] adj. et n. — 1342, *chacieux;* de *chassie*.

Qui a de la chassie. *Paupières, yeux chassieux.* → Pied-de-poule, cit.

Je soulevai ma tête aux yeux chassieux, aux oreilles remplies de cire, ma tête tondue de jeune forçat (...)
DRIEU LA ROCHELLE, la Comédie de Charleroi, p. 34.

N. (Rare). *Un chassieux, une chassieuse :* personne qui a de la chassie.

CHÂSSIS [ʃasi] n. m. — V. 1160, *chasiz;* de *châsse*, et suff. *-is*.

♦ **1** Cadre (de bois, de métal...) destiné à maintenir en place les éléments d'une surface assemblée (planches, vitres, tissu, papier...). → **Bâti, cadre, charpente.** *Coller, poser des châssis. Châssis plaqué sur un autre.* → **Contre-châssis.** *Châssis garni de toile et occupant le fond d'un cadre.* → **Carrée.** *Châssis d'une aile de moulin. Le châssis d'un paravent*.* — *Châssis qui maintient une tapisserie au mur.* → **Porte-tapisserie.**

0.1 (...) ce local qui servait aussi de garage à vélos, encombré de caisses, de cartons vides, à demi occupé par un énorme amoncellement de gravats, et contre un mur deux ou trois de ces grands châssis sur lesquels on colle les affiches des films au-dessus de la porte d'entrée (...)
Claude SIMON, le Vent, p. 86.

Techn. Dispositif de bois sur lequel un vitrier porte ses vitres.

Archit. *Châssis de pierre :* dalle qui en reçoit une autre en feuillure. *Châssis d'un escalier :* bâti de la rampe.

♦ **2** (V. 1160). Encadrement (d'une ouverture, d'un vitrage); vitrage encadré. *Châssis de verre servant de cloison.* → **Vitrage.** *Châssis des portes* et des fenêtres*.* → **Fermeture.** *Châssis fixe.* → **Chambranle.** *Châssis à demeure, châssis dormant. Châssis mobile,* se rabattant sur le dormant. *Châssis à fiches. Châssis mouvant, ouvrant. Châssis à croisée*, à guillotine*, à tabatière*.* → **Fenêtre.** *La battée* d'un châssis de fenêtre. Traverse du châssis d'un vitrail.* → **Barlotière.** *Châssis d'aérage :* châssis garni de lames mobiles qu'on soulève à volonté pour laisser pénétrer l'air.* — *Châssis d'une persienne.*

1 Au-dessus de la rue (...) elle se penchait autant que le permettaient les grilles et les châssis de bois dissimulateurs.
LOTI, les Désenchantées, III, p. 36.

Hortic. (ancienn). Panneau, et, par ext., dispositif d'un abri* vitré. *Châssis de verre. Bâche*, caisse* recouverte d'un châssis. Cultures en serres et sous châssis.*

♦ **3** (1433). **Arts.** Cadre sur lequel on fixe la toile par des clous (→ **Broquette**) après l'avoir tendue. *Châssis à clefs,* qui permet de régler la tension de la toile. *Formats standardisés des châssis* (figure, paysage, marine, ...).

2 (...) j'avais les mains noires de charbon et toutes les toiles, arrachées de leur châssis, gisaient en vrac, froissées par mes allées et venues insouciantes, allègres, à peine fébriles.
Maurice CLAVEL, le Tiers des étoiles, p. 21.

Châssis de broderie, de dentelle : châssis sur lequel la broderie, la dentelle est tendue.

Théâtre. Panneaux sur lesquels on peint ou on fixe des éléments du décor. → Praticable, cit. 3.

♦ **4** (1611). **Imprim.** Cadre dans lequel on serre la composition. *Châssis garantissant les marges et les blancs.* → **Frisquette.** — *Châssis de presse à bras.* → **Tympan.**

Techn. *Châssis à mouler. Châssis à couler le plomb.* → **Éponge.**

♦ **5** (1866). **Photogr.** Cadre, panneau, châssis (au sens 1) utilisé au cours du développement.
Châssis-presse ou *positif :* cadre à volets pour l'exposition du négatif à la lumière. *Châssis négatif.*

♦ **6 Techn.** Charpente ou bâti (de machines, de véhicules).
(1864). **Spécialt, cour.** *Le châssis d'une automobile :* ensemble métallique supportant la carrosserie. *Carrosserie* métallique soudée à un châssis. Châssis intégré.* → **Coque.** *Châssis poutre.*
Véhicule (hippomobile ou automobile) dépourvu de carrosserie.

3 Là, Mr. Fogg examina un assez singulier véhicule, sorte de châssis, établi sur deux longues poutres, un peu relevées à l'avant comme les semelles d'un traîneau, et sur lequel cinq ou six personnes pouvaient prendre place.
J. VERNE, le Tour du monde en 80 jours, p. 280.

Le châssis d'un wagon, d'une locomotive. Châssis de roues (→ **Bogie, boggie**). — Vx. *Châssis d'atterrissage d'un avion.* → **Train.**

Loc. fam. *Un beau châssis :* un beau corps robuste (de femme, en général).

4 Juliette Doucet est grande et a une belle gorge (...) On dit d'elle : quel beau châssis !
Roger VAILLAND, 325 000 francs, p. 13.

5 Mᵐᵉ Clairnette — la belle Didine (...) robuste créature, du modèle *grand châssis* (...)
Francis CARCO, les Belles Manières, p. 19.

♦ **7 Techn.** Charpente destinée à supporter qqch. — Assise de la charpente d'une maison.

Mines. *Le châssis d'un puits, d'une galerie de mine.* → **Charpente.**

Milit. *Châssis d'un canon.* → **Affût.**

Pharm. *Châssis de blanchet*.* → **Carrelet.**

HOM. Chassie.

CHASSOIR [ʃaswaʀ] n. m. — XVᵉ; de *chasser*, I., 3., et *-oir*.

Techn. Instrument servant à chasser, à enfoncer les cercles des tonneaux.

CHASTE [ʃast] adj. et n. — V. 1135; du lat. ecclés. *castus* «exempt de, pur de...».

♦ **1** (V. 1135). **Relig.** ou **littér.** Qui s'abstient des plaisirs charnels jugés illicites et des pensées impures. → **Ascétique, continent, pur, sage, vertueux.** *Femme, fille chaste.* → **Honnête.** *Aussi chaste qu'une vierge* (→ Montaniste, cit.). *La chaste Suzanne. Diane, la chaste déesse* (→ Archère, cit. 7). *Le chaste Hippolyte. Les chastes sœurs :* les Muses.

1 Rends-toi digne du nom de ma chaste moitié.
CORNEILLE, Horace, IV, 7.

2 (...) ce n'est pas toujours par valeur et par chasteté que les hommes sont vaillants et que les femmes sont chastes.
LA ROCHEFOUCAULD, Maximes, I, p. 243.

3   Élevé dans le sein d'une chaste héroïne,
    Je n'ai point de son sang démenti l'origine
    (...)
    J'ai poussé la vertu jusques à la rudesse.
    On sait de mes chagrins l'inflexible rigueur.
    Le jour n'est pas plus pur que le fond de mon cœur.
                                RACINE, Phèdre, IV, 2.

4   C'est moi qui sur ce fils chaste et respectueux
    Osai jeter un œil profane, incestueux.
                                RACINE, Phèdre, V, 7.

5   (...) une humanité chaste ignorerait la plupart des maux
    dont nous sommes accablés (...)
                                F. MAURIAC, la Pharisienne, XI.

Mod. Qui s'abstient volontairement de toute relation sexuelle. *Des fiancés chastes, totalement
chastes.*

N. Rare. *Un, une chaste :* personne qui est chaste.

◆ **2** Plus cour. (Choses, actions). Conforme à la chasteté, plein de chasteté. → **Décent, innocent, modeste,
pudique, pur; spirituel.** *Tempérament, cœur, amour
chaste. Un chaste baiser. De chastes propos. Les
chastes oreilles de qqn.* — Par plais. *Cela blesse,
offense vos (nos, ses...) chastes oreilles.* → **Angélique,
innocent; prude, pudique.**

6   Chastes sont les oreilles
    Encor que les yeux soient fripons.
                                LA FONTAINE, Fables, *in* LITTRÉ.

7   *(Un)* des laquais cria tout haut qu'elles étaient plus chastes
    des oreilles que de tout le reste du corps.
                                MOLIÈRE, la Critique de l'École des femmes, III.

8   Ce n'était pas le désir de satisfaire les sens, mais l'amour
    de la fécondité qui présidait à ces chastes mariages.
                                BOSSUET, Hist. des Variations, Déf., 1ᵉʳ Disc.

9   Enfin d'un chaste amour pourquoi vous effrayer?
                                RACINE, Phèdre, I, 1.

10 Ah! le voici. Grands Dieux! À ce chaste maintien
    Quel œil ne serait pas trompé comme le mien?
                                RACINE, Phèdre, IV, 2, Variante.

11 (...) un regard tout baigné de chaste amour et de tendresse
    angélique.
                                Th. GAUTIER, le Capitaine Fracasse, t. II, p. 50.

12 Et nous sortîmes avec précaution, comme si nous avions
    craint de déplaire aux yeux chastes du jour naissant.
                                E. FROMENTIN, Une année dans le Sahel, p. 184.

13 En ce moment, leur étreinte était si chaste, que la
    grand'mère Yvonne s'étant réveillée, ils demeurèrent
    devant elle comme ils étaient, sans aucun trouble.
                                LOTI, Pêcheur d'Islande, V, p. 238.

14 Amour chaste, amour mystique, où leurs deux jeunesses
    fusionnaient dans le même élan vers l'avenir (...)
                                MARTIN DU GARD, les Thibault, t. I, p. 84.

Qui cache ce qu'il est inconvenant de montrer. *Des
vêtements chastes.*

(Av. 1676). Vx (littér., arts). Qui est pur. *Un style chaste.*

CONTR. Concupiscent, corrompu, cynique, débauché, dissolu, érotique, immodeste, impudique, impur, incontinent,
indécent, lascif, libidineux, licencieux, lubrique, luxurieux,
sensuel, vicieux, voluptueux. — Illicite, obscène. ◊ DÉR.
Chastement.

CHASTEMENT [ʃastəmɑ̃] adv. — V. 1135; de *chaste.*

D'une manière chaste. *Embrasser qqn chastement.
Elle a couché avec son cousin, mais chastement.*

1   (...) peu parlent de l'humilité humblement; peu de la chas-
    teté chastement.
                                PASCAL, Pensées, VI, 377.

2   L'amour le moins honnête, exprimé chastement,
    N'excite point en nous de honteux mouvement (...)
                                BOILEAU, l'Art poétique, IV.

3   (...) Gaud détourna les lèvres par ignorance de ce baiser-
    là, et, aussi chastement que le soir de leurs fiançailles, les
    appuya au milieu de la joue d'Yann, qui était froidie par
    le vent, tout à fait glacée.
                                LOTI, Pêcheur d'Islande, IV, VII, p. 256.

CHASTETÉ [ʃastəte] n. f. — 1180; du lat. *castitas,* de
castus, (→ Chaste); a remplacé l'anc. franç. *chastée,*
dér. de *chaste.*

◆ **1** (1180). Vertu qui consiste à s'abstenir de tout
plaisir charnel jugé illicite (par une religion, une
morale sociale) et de toute pensée considérée
comme impure; comportement d'une personne
chaste. → **Ascétisme, continence, pureté, sagesse,
vertu.** *La chasteté de qqn, sa chasteté. Une chasteté volontaire, forcée. — La chasteté des mœurs. —
Chasteté féminine.* → **Honnêteté.** *Chasteté conjugale.*
Absolt. *La chasteté* (vertu religieuse). — (V. 1656).
Vœu de chasteté : vœu qui impose la continence
absolue, le célibat aux prêtres. *La vestale* qui
avait manqué à son vœu de chasteté était enterrée
vivante. Le vœu de chasteté des prêtres et des religieux.* → **Célibat.**

1   La vie religieuse consiste en trois parties essentielles, pau-
    vreté, obéissance, chasteté.   PATRU, *in* LITTRÉ.

2   (...) que dira-t-on qui soit bon? La chasteté? Je dis que
    non, car le monde finirait.
                                PASCAL, Pensées, VI, 385.

3   La chasteté eut ses martyrs aussi bien que la foi.
                                BOSSUET, Hist., I, II, *in* LITTRÉ.

4   Elle porte (...) la chasteté jusqu'au continuel crucifiement
    de sa chair.
                                FLÉCHIER, Panégyrique de sainte Thérèse,
                                in LITTRÉ.

5   Il y avait autour de la jeune fille un tel parfum de chas-
    teté, un tel charme de vertu que Phœbus ne se sentait pas
    complètement à l'aise auprès d'elle.
                                HUGO, Notre-Dame de Paris, II, VII, 8.

5.1 (...) ces mornes accumulations de scènes érotiques et cri-
    minelles dont l'aspect figé dans les romans de Sade, laisse
    paradoxalement au lecteur le souvenir d'une hideuse chas-
    teté.   CAMUS, l'Homme révolté, p. 454.

Loc. *Ceinture* de chasteté.*
Abstinence volontaire de relations sexuelles.

5.2 Tu es trop belle pour prêcher la chasteté.
                                ÉLUARD, Donner à voir, Man Ray p. 197.

(Une, des chastetés). **ⓐ** Manifestations de la chasteté.

5.3 Enfin, après une cérémonie religieuse, où les anges eux-
    mêmes semblent lui faire fête, l'enfant pieuse, roma-
    nesque, ignorante, se trouve livrée à un homme qui sait ce
    que c'est que l'amour, lui! Que vont devenir les pudeurs,
    les rêves, les chastetés de la jeune fille, en retombant du
    ciel sur la terre?
                                DUMAS fils, l'Ami des femmes, 1864, IV, 9, p. 173,
                                in T. L. F.

ⓑ Personne chaste.

6   Le monde n'est pas aux vicieux, comme se l'imaginent les
    chastetés torturées.
                                BERNANOS, les Grands Cimetières sous la lune,
                                p. 36.

◆ **2** Littér. (en parlant d'inanimés). Pureté. *La chasteté
du ciel.*

(Av. 1654). Littér., arts (vx). *La chasteté d'un style.*

CONTR. Concupiscence, corruption, cynisme, débauche,
dépravation, dissipation, immodestie, impudeur, impureté, incontinence, indécence, lasciveté, licence, lubricité,
luxure, sensualité, vice, volupté. — Obscénité.

CHASUBLE [ʃazybl] n. f. — Fin XIIᵉ; du bas lat. *casubla*
désignant un vêtement, de *casula* «manteau à capuchon».

◆ **1** (Fin XIIᵉ). Vêtement sacerdotal en forme de manteau à deux pans, que le prêtre revêt par-dessus
l'aube et l'étole, pour célébrer la messe. *Chasuble à
manches.* → **Dalmatique.** *Chasuble brodée, chasuble
de damas, de soie, de drap d'or. La chasuble, orne-
ment* sacerdotal.*

La paroisse n'avait que trois chasubles : une violette, une
noire et une d'étoffe d'or (...) Un agneau d'or y dormait

sur une croix d'or, entourés de larges rayons d'or. Le tissu, limé aux plis, laissait échapper de minces houppettes ; les ornements en relief se rongeaient et s'effaçaient.
ZOLA, la Faute de l'abbé Mouret, I, I, p. 3.

♦ **2** (1893). Vêtement sans manches qui a cette forme. — En appos. *Robe chasuble, manteau chasuble. Elle portait une robe chasuble sur un chemisier.*

DÉR. **Chasublerie, chasublier.**

CHASUBLERIE [ʃazybləʀi] n. f. — 1863, Littré ; de *chasuble.*

Fabrique, commerce de chasubles, d'ornements d'église.

Une bonne fourrure, de saison, n'est vraiment smart qu'égale au vingtième de poids de l'ivrogne. Ainsi les vend-on en notre grande Chasublerie de Saint-Sulpice.
A. JARRY, Almanach du Père Ubu, Pl., p. 538.

CHASUBLIER, IÈRE [ʃazyblije, ijɛʀ] n. — Fin XIIIe ; de *chasuble.*

♦ **1** Personne qui fabrique, vend des chasubles, des ornements d'église. — En appos. *Maître chasublier.*

♦ **2** N. m. Armoire d'une sacristie dans laquelle sont rangées les chasubles.

1. **CHAT, CHATTE** [ʃa, ʃat] n. — V. 1170 ; du bas lat. *cattus.*

I ♦ **1** Petit mammifère familier à poil doux, aux yeux oblongs et brillants, à oreilles triangulaires, se nourrissant de petits animaux (traditionnellement, de souris qu'il aime à chasser) et de la nourriture que ses maîtres lui servent ; spécialt, le mâle (→ **Matou**) adulte. *Chat domestique.* → (fam.) **Miaou** (enfantin), **minet, minou, mistigri.** *Relatif au chat.* → **2. Cataire.** *Chat coupé, châtré. Chat blanc, bleu, crème, gris, noir, roux ; écaille, pie ; marbré, tigré. Chat à poil court, à poil long. Chat commun, chat de gouttière. Chat de race* : abyssin, chartreux, siamois ; birman, persan (dit ancienmt *chat angora). Les Chats,* poème de Baudelaire (*Fleurs du Mal,* 35 et 52). *Le chat botté,* héros d'un conte de Perrault. *Les griffes, les moustaches, les yeux fendus du chat. Il ne faut jamais couper les moustaches* (cit. 9) *à un chat. La queue du chat. Le chat miaule* (→ **Miaou, miaulement**). *Le chat ronronne, fait le gros dos. Le chat fait ses griffes. Le chat rentre ses griffes, fait patte de velours*. La souplesse, l'élégance du chat. Chat souricier, tueur de souris, de rats. Avoir un chat. Le chat de la voisine.* «C'est la mère Michel *Qui a perdu son chat»* (chanson). *Donner du lait, du poisson, du mou à son chat. — Une portée de petits chats* (chattée). — *Boyau de chat.* → **Catgut.** *Peau de chat. Pelage, fourrure du chat.* — *Chat retourné à l'état sauvage.* → **Haret.**

1 (...) Raminagrobis
Fait en tous lieux un étrange ravage.
Ce chat, le plus diable des chats,
S'il manque de souris, voudra manger des rats.
LA FONTAINE, la Ligue des rats.

2 Mon fils, dit la Souris, ce doucet est un Chat,
Qui, sous son minois hypocrite (...)
LA FONTAINE, Fables, VI, 5.

3 Il y a des chats toujours au guet, malicieux et infidèles, et qui font patte de velours (...)
LA ROCHEFOUCAULD, Maximes, p. 374.

4 Le chat ne nous caresse pas, il se caresse à nous.
RIVAROL, l'Esprit de Rivarol, p. 54.

5 Les amoureux fervents et les savants austères
Aiment également, dans leur mûre saison,
Les chats puissants et doux, orgueil de la maison,
Qui comme eux sont frileux et comme eux sédentaires.
BAUDELAIRE, les Fleurs du mal, Spleen et Idéal,
«Les chats».

(...) ce coquin de chat maigre qui soufflait comme un 6 diable au-dessus de ma tête.
Alphonse DAUDET, Lettres de mon moulin, p. 26.

L'idéal du calme est dans un chat assis. 7
J. RENARD, Journal, 30 janv. 1889.

Le chat (...) Quand il a bien joué, il va rêver ailleurs (...) 8 assis dans la boucle de sa queue, la tête bien fermée comme un poing.
J. RENARD, Histoires naturelles, «Le chat».

CHATTE (n. f.) : femelle du chat. *Une chatte et ses chatons. La chatte a mis bas.* → **2. Chatonner.**

REM. Le féminin *chatte* est courant, mais on emploie le masc. *chat* dans tous les cas où le sexe n'est pas pertinent, et au pluriel (neutralisé).

La chatte siamoise, tout à l'heure morte d'aise sur le mur 9 tiède, ouvre soudain ses yeux de saphir dans son masque de velours sombre...
COLETTE, Histoires pour Bel-Gazou,
«Le dernier feu», p. 138.

La chatte dehors miaula pour entrer et se dressa contre la 10 grillage abaissé, en le grattant délicatement comme une joueuse de harpe.
COLETTE, la Naissance du jour, p. 151.

Loc. *Herbe aux chats* (appréciée par les chats). → **1. Cataire, valériane.**

(Lang. enfantin). *Un gros chat* : un félin ressemblant au chat (lion, panthère, tigre...). → ci-dessous, 6.

♦ **2** Loc. **a** Compar. et métaph. *(Chat, chatte). S'étirer, bâiller, se pelotonner comme un chat. Être gourmand comme un chat.* — *Elle est gourmande, friande comme une chatte.* — *Être câlin, caressant comme un chat* (→ **Chatterie**). — *Être à l'affût, guetter sa proie comme un chat guette la souris.*

Une chatte n'y retrouverait* pas ses petits.

(Seulement au masc.). *Jouer avec sa victime comme un chat avec une souris.* — *Être, vivre comme chien et chat* : éprouver de l'antipathie, de la haine l'un pour l'autre. — *Jouer au chat et à la souris* : s'épier par jeu sans vouloir se rencontrer.

Mon interlocuteur devenait de plus en plus perplexe. Il 10.1 commença à jouer au chat et à la souris.
MALRAUX, Antimémoires, Folio, p. 227.

Retomber comme un chat sur ses pattes (au fig.) : se tirer adroitement d'une situation difficile. — *Jeter le chat aux jambes de qqn,* lui susciter des embarras.

Vous m'allez jeter le chat aux jambes. 11
RACINE, Lettres, 1662.

Courir comme un chat maigre, très vite. — *Passer comme un chat sur la braise* : aller très vite ; (fig.) passer très rapidement sur un fait douteux. — *Écrire comme un chat,* d'une manière illisible, désordonnée. → **Griffonner.**

... DE CHAT. *Des yeux de chat* : des yeux humains qui évoquent ceux du chat (forme, éclat...). → Nyctalope, cit. 2. — (1885). *Une écriture de chat, des pattes de chat* : une écriture très petite et peu lisible (→ **Pattes de mouche***). — *Une toilette de chat* : une toilette sommaire. — Fam. *Du pipi* (cit. 5) *de chat* : boisson insipide.

b Loc. fig. (seulement n. m.). *Avoir un chat dans la gorge* : être enroué. *Acheter chat en poche,* sans connaître, sans examiner l'objet qu'on achète. *Vendre chat en poche,* sans montrer ce que l'on vend.

N'allez pas acheter chat en poche. 12
J.-F. REGNARD, le Bal, 6.

De la bouillie pour les chats. → **Bouillie,** cit. 4. — *Il n'y a pas un chat* : il n'y a absolument personne*, le lieu est désert.

Pas un chat dans les rues du village ; tout le monde était 13 à la grand'messe.
Alphonse DAUDET, Lettres de mon moulin,
«Le poète Mistral», p. 153.

C'est le chat !, réponse ironique faite à une excuse à laquelle on ne croit pas. *Ce n'est pas moi qui ai cassé ce vase ! — Non, c'est le chat ! — Il n'y a pas de quoi fouetter un chat* : la faute, l'affaire est insignifiante ; ne mérite pas de punition (→ **Bagatelle**).

14 (...) il n'y a pas de quoi fouetter un chat dans la petite espièglerie qu'il vient de faire.
D'ALEMBERT, Lettre à Voltaire, 4 févr. 1773.

Emporter le chat : partir sans dire au revoir.

Avoir d'autres chats à fouetter, d'autres affaires en tête, plus importantes.

14.1 Pour ma part, dites-le-vous bien, j'ai d'autres chats à fouetter que d'aller me ruer sous les chars !...
CÉLINE, Guignol's band, p. 313.

14.2 Il se demanda s'il ne ferait pas mieux de descendre carrément dans les rues par quelque escalier intérieur. «Et puis, après ? se dit-il. En admettant même que les fous qui m'ont poursuivi aient désormais d'autres chats à fouetter, ce qui n'est pas sûr, je vais être en plein dans la mélasse.»
J. GIONO, le Hussard sur le toit, p. 135.

Appeler un chat un chat : appeler* les choses par leur nom.

15 J'appelle un chat un chat, et Rolet un fripon.
BOILEAU, Satires, 1.

Donner sa langue au chat : s'avouer incapable de trouver une solution.

15.1 Je ne doutai pas un instant que ce ne fût Pierre et préférai donner ma langue au chat.
Maurice CLAVEL, le Tiers des étoiles, p. 107.

15.2 Quel est le mot qui révèle aussitôt chez celui qui l'emploie que la chose que le mot désigne lui manque ? Vous donnez votre langue au chat ? Eh bien, c'est le mot goût, ha, ha...
N. SARRAUTE, Vous les entendez ?, p. 169.

Prov. *La nuit, tous les chats sont gris* : dans l'obscurité, on confond aisément les personnes, les choses.

16 Hé, monsieur le difficile, ne sais-tu pas bien que la nuit tous les chats sont gris ?
SCARRON, le Roman comique, I, 13.

Quand le chat n'est pas là, les souris dansent : quand le maître est absent, les subordonnés s'émancipent.

16.1 Mais on se croit donc tout permis, comme si nous n'étions pas là... quand le chat n'est pas là les souris dansent... pour oser raconter cyniquement ses escapades, révéler ses petites excursions solitaires, s'en vanter...
N. SARRAUTE, Vous les entendez ?, p. 134.

Chat échaudé craint l'eau froide : une mésaventure rend prudent.

17 Quoique chat échaudé ait la réputation de craindre l'eau froide (...)
VOLTAIRE, Lettres en vers et en prose, 105.

Il ne faut pas réveiller le chat qui dort : il ne faut pas aller imprudemment au devant des difficultés, des dangers. On dit aussi : *ne réveillez pas le chat qui dort*. → **Réveiller**. — *À bon chat, bon rat* : la défense vaut l'attaque.

18 Mais à bon chat bon rat, et ce n'est pas merveille,
Si les femmes souvent leur rendent la pareille.
J.-F. REGNARD, le Distrait, I, 8.

(1672). Appellatif familier et affectueux. *Oui, mon chat* (à un enfant, à une femme). → **Chatte**, I., 2.

18.1 À moins, ajouta-t-il en se tournant vers sa femme, que tu ne veuilles rester seule, mon petit chat !
FLAUBERT, Mᵐᵉ Bovary, Folio, p. 301.

♦ 3 (1532). Vx ou archaïsme. **CHAT FOURRÉ** : juge, magistrat. → **Fourrer** ; et aussi **grippeminaud**.

♦ 4 (1852). *Chat, chat perché ; chat coupé ; chat sans but* : jeux de poursuite où celui qui poursuit doit toucher un autre joueur, qui prend ce rôle. *Jouer au chat perché* (Académie), *à chat perché. Les buts de chat perché. Crier «chat» en touchant celui qu'on poursuit.*

Et il n'était pas le moins agile dans ces courses au *chat* 18.2 *coupé* de la caserne des Célestins.
Ed. et J. DE GONCOURT, Manette Salomon, p. 367.

Le chat : le joueur qui doit poursuivre et toucher les autres joueurs, à ce jeu.

Malgré l'étrangeté de la comparaison, tout a lieu exacte- 19 ment comme au jeu de *chat perché*. Celui qui est «*chat*» *passe* sa qualité en touchant un joueur de la main, mais il doit éviter d'être retouché aussitôt par celui-ci, car il redevient *chat* du fait même. L'homme qui fait maintenir la veuve pour émettre en elle sa semence est strictement comparable à l'enfant qui, au lieu de fuir le joueur *chat*, l'attend de pied ferme et se dispose à lui rendre sans tarder, en le touchant immédiatement après avoir été touché, la qualité spéciale, contagieuse et dangereuse comparable à bien des égards à l'état de souillure que constitue le fait d'être *chat*.
Roger CAILLOIS, l'Homme et le Sacré, p. 188.

♦ 5 (1931). Danse. **SAUT DE CHAT** : «série de bonds latéraux au cours desquels les jambes s'écartent tout en se repliant (l'une après l'autre)» (M. Bourgat).

♦ 6 (N. m. seulement). Zool. Mammifère carnivore (*Félidés*) dont le chat (1., *felis domesticus*) est le type. → **Félin**. *Chat sauvage.* → **Guépard, ocelot, once, serval ; chat-pard, chat-tigre.** *Chat cervier. Chat ocelé, tigré.*

REM. On désigne aussi les femelles par le masculin.

II Par anal. ♦ 1 Vx. Instrument à griffes. → **Grappin**.

(1845 ; adapt. angl. *cat o'nine tails*). **CHAT À NEUF QUEUES** : fouet à neuf lanières, employé autrefois pour les châtiments corporels, dans la marine anglaise.

Peint. *Or de chat* : or massif utilisé pour dorer les statuettes. Syn. : *or de Judée*.

♦ 2 Zool. (par référence aux moustaches du chat). *Chat marin* : espèce de phoque. *Poisson chat*. → **Poisson**.

♦ 3 Météor. *Queue de chat* : petit nuage blanc allongé.

III (Déb. XVIIᵉ, *Parades*, de T. S. Gueullette, *in* Cellard et Rey). Fam., érotique. Sexe de la femme. → **Chatte**, II. ; **chagatte**.

Impossible de ne pas évoquer, comme malgré soi, le petit 20 chat qui dort à la jonction légère de ces lignes de lingerie.
Louis CALAFERTE, No man's land, II, p. 138.

DÉR. et COMP. **Chatière**, 2. **chaton, chatoyer, chatte, chattée, chattemite, chatterie. Chat-huant, chat-pard, chat-tigre. Langue-de-chat, œil-de-chat.** ◊ HOM. 1. et 2. **Chas, schah.**

2. CHAT [tʃat] n. m. — 1999 ; empr. à l'angl. *chat* «bavardage», spécialisé sur Internet.

Anglic. Technique de communication en temps réel sur Internet par échange de messages écrits, le plus souvent grâce à un logiciel spécial. *Choisir un canal de chat* (syn. : *salon de discussion*). — Conversation par échange instantané de messages écrits entre des internautes identifiés par un pseudonyme. *Participer à un chat* (*chatter* [tʃate] v. intr.).

On pourrait écrire *tchat* (attesté 2000) et *tchatter*. — Équivalent français proposé : *causette*.

CHÂTAIGNE [ʃatɛɲ] n. f. — 1180, *chastaigne* ; du lat. *castanea* «châtaigne, châtaignier».

♦ 1 (1180). Fruit du châtaignier, formé d'une masse farineuse enveloppée d'une écorce lisse de couleur brun rougeâtre et renfermée dans une cupule verte, hérissée de piquants. → **Marron**. *Enveloppe de la châtaigne.* → **Bogue**. Loc. *Une châtaigne sous bogue*. *Manger des châtaignes bouillies, rôties* (→ Biroulade, régional). *Châtaignes grillées.* — Spécialt. Techn. Fruit du châtaignier (variétés fruitières), lorsqu'il est cloisonné, l'amande étant divisée en plusieurs (2 à 4 ou 5) «graines». REM. Lorsque le fruit est unique (amande entière dans la bogue); → **Marron.** *La châtaigne présente une face aplatie, le marron, plus gros, est sphérique.*

1 Pour nous, ce sont des châtaignes qui font notre ornement; j'en avais l'autre jour trois ou quatre paniers autour de moi; j'en fis bouillir, j'en fis rôtir, j'en mis dans ma poche; on en sert dans les plats (...)
Mme DE SÉVIGNÉ, 210, 11 oct. 1671.

♦ **2** *Châtaigne de, du...,* désignant le fruit d'autres espèces d'arbres. — (1561). *Châtaigne d'eau.* → 1. **Macle.** — *Châtaigne de cheval.* → **Marron.** — *Châtaigne du Brésil* ou *noix du Brésil. Châtaigne de terre* : racine comestible d'une plante *(Bunium bulbocastanum).*

(1564). *Châtaigne de mer* : oursin.

Zool. Plaque cornée des membres du cheval, de l'âne, du mulet, etc.

Couleur châtaigne, couleur de châtaigne. → **Châtain.** — Appos. (ou adj. invar.). (1925, *in* D.D.L.). *Une robe châtaigne.*

2 (...) une chevelure bouclée, raisonnablement longue, aux tons de châtaigne mûre.
G. DUHAMEL, Biographie de mes fantômes, III, p. 39.

3 Pour maman, ce pull châtaigne à grosses côtes, en laine du pays. Yanny HUREAUX, la Prof, p. 18.

♦ **3** (1866). Fam. Coup* de poing. → **Marron** (fam.). *Il lui a flanqué une châtaigne.* → **Castagne** (argot).

4 Il l'injuriait (...) Il aurait dû lui mettre une châtaigne, c'est sûr.
Geneviève DORMANN, Je t'apporterai des orages, p. 87.

DÉR. Châtaigner, châtaignier, châtain.

CHÂTAIGNER [ʃateɲe] v. intr. — 1927; de *châtaigne* «coup de poing», et *-er.*

Fam. Se battre à coups de poing. → **Cogner.** «*Ce sont des gosses de 17 à 19 ans. Ils arrivent par bandes et commencent à "châtaigner", pour le plaisir*» (l'Express, n° 1135, 9 avr. 1973, p. 97).

Par ext. Se battre durement.

— Rien de précis. L'Espagne maintiendra la nonbelligérance si l'Italie entre en guerre. La plus grande partie de l'Armée des Flandres est sauvée. Ça a châtaigné dur à Dunkerque où nos troupes se sont embarquées pour l'Angleterre!
Armand LANOUX, le Commandant Watrin, p. 134.

HOM. Châtaignier.

CHÂTAIGNERAIE [ʃateɲʀɛ] n. f. — 1538, *chastaigneraye*; de *châtaign(ier),* et *-eraie.*

Lieu planté de châtaigniers, plantation de châtaigniers.

CHÂTAIGNIER [ʃateɲe] n. m. — 1697; *chastaignier,* v. 1165; de *châtaigne.*

♦ **1** Arbre de grande taille, vivace, à feuilles dentées *(Fagacées*; n. sc. : *Castanea),* très commun dans les régions tempérées et dont le fruit est la châtaigne* ou (fruit unique par bogue) le marron*. *Châtaignier forestier,* cultivé pour son bois. *Châtaignier cultivé pour ses fruits.* → **Marronnier** (1.). *Maladie du châtaignier.* → **Encre** (3.). *Châtaignier de Chine (Castanea mollissima). Une allée de châtaigniers.* L'écorce de châtaignier est utilisée en tannerie.

Par métonymie. Bois de cet arbre. *Le châtaignier est employé dans la charpente, la tonnellerie. Treillage en bois de châtaignier. Cercle de tonneau en châtaignier.* → **Feuillard.**

♦ **2** (Qualifié; désignant des espèces voisines). *Châtaignier nain,* ou chincapin. *Châtaignier du Brésil.* → aussi **Marronnier.**

♦ **3** a (1536). *Pomme de châtaignier* : variété de pomme à chair dure, à peau striée de rouge.
b N. f. invar. (1732). Pomme de châtaignier.

(...) les châtaignier couperosées, les reinettes blondes (...)
ZOLA, le Ventre de Paris, t. II, p. 99.

DÉR. Châtaigneraie. ◊ **HOM. Châtaigner.**

CHÂTAIN, AINE [ʃatɛ̃, ɛn] adj. et n. — 1839, *châtaine*; *chastain,* av. 1345; *chastaigne,* v. 1300; de *châtaigne.*

♦ **1** Adj. De couleur brun clair, rappelant celle de la châtaigne (ne s'emploie guère qu'en parlant des cheveux, etc.). *Poils, cheveux, sourcils châtains.* — REM. Le fém. *châtaine* (XIXe s.) est admis par l'Académie, 8e éd., mais demeure rare. — *Des nattes châtaines.*

(Personnes). Qui a le poil châtain, les cheveux châtains.

1 Ne te fie pas aux femmes blondes (...) ni aux noires (...) ni aux châtaines. CLAUDEL, l'Échange, I.

Subst. *Un châtain. Les blondes et les châtaines.*

♦ **2** N. m. Couleur de la châtaigne. *Cheveux d'un châtain clair, d'un beau châtain.* — Appos. ou adj. invar. *Châtain clair, foncé, cendré, roux* (→ **Auburn).**

2 Ses cheveux n'étaient que châtain foncé; mais à distance, ils brillaient presque noirs en recouvrant la nuque de leur conque épaisse.
Pierre LOUŸS, la Femme et le Pantin, I, p. 21.

CHATAIRE [ʃatɛʀ] n. f. → 1. **Cataire.**

1. CHÂTEAU [ʃato] n. m. — 1080, *chastel, in Chanson de Roland*; du lat. *castellum,* de *castrum* «camp».

♦ **1** Demeure féodale fortifiée et défendue par un ensemble de fossés, de constructions. → **Bastille, citadelle, fort, forteresse.** *Château fort, château féodal* (syntagmes utilisés pour lever l'ambiguïté possible avec les autres sens). *Château fort, en Allemagne* (→ **Burg).** *Relatif à un château.* → **Castral** (didact.). *Les constructions, les parties d'un château* (→ **Donjon, muraille, rempart, tour, tourelle; arbalétrier, barbacane, créneau, échauguette, hourd, mâchicoulis, meurtrière...).** *Enceinte d'un château* (→ **Fortification, bastion, courtine, douve, enceinte, fossé, lice).** *La herse, le pont-levis, la sarrasine d'un château. Avant-corps, arrière-corps d'un château. Chapelle d'un château. Cour d'honneur, avant-cour, arrièrecour, corps de garde d'un château. Souterrains d'un château.* → **Oubliette.** *Ruines d'un château médiéval. Le château de Pierrefonds, de Combourg.*

1 Au fond de la cour, dont le terrain s'élevait insensiblement, le château se montrait entre deux groupes d'arbres. Sa triste et sévère façade présentait une courtine portant une galerie à mâchicoulis, denticulée et couverte. Cette courtine liait ensemble deux tours inégales en âge, en matériaux, en hauteur et en grosseur, lesquelles tours se terminaient par des créneaux surmontés d'un toit pointu, comme un bonnet posé sur une couronne gothique. (...) Un large perron, raide et droit (...) remplaçait sur les fossés comblés l'ancien pont-levis; il atteignait la porte du château, percée au milieu de la courtine. Au-dessus de cette porte on voyait les armes des seigneurs de Combourg (...)
(...) Mêlez à cela *(les grandes salles),* dans les diverses parties de l'édifice, des passages et des escaliers secrets, des cachots et des donjons, un labyrinthe de galeries couvertes et découvertes, des souterrains murés, dont les ramifications étaient inconnues (...) voilà le château de Combourg.
CHATEAUBRIAND, Mémoires d'outre-tombe, I, II.

Par ext. Forteresse. *Le château de Vincennes.*

♦ **2** (1606). Habitation seigneuriale ou royale (souvent, à l'origine, *château* au sens 1). → **Palais.** *Le château des Tuileries, de Fontainebleau. Châteaux de la Renaissance. Les châteaux de la Loire. Le château de Versailles.* — Absolt (au XVIIe). *Le Château :* la résidence royale. — (1836). Par métonymie. La cour, le roi.

2   Ces gens (...) ne sortent pas du Louvre ou du Château *(le château de Versailles),* où ils marchent et agissent comme chez eux (...)   LA BRUYÈRE, les Caractères, VIII, 18.

♦ **3** Habitation du maître d'une grande propriété ; vaste et belle maison* de plaisance, à la campagne. → **Castel, demeure, gentilhommière, hôtel, manoir, résidence.** *Acheter un château, un petit château. Le propriétaire du château. Sa maison est un véritable château.*

3   Quand on sait se préserver du poison mortel de l'ennui, on se trouve bien plus à son aise dans son château que dans le tumulte de Paris.   VOLTAIRE, Lettre à Florian, 29 nov. 1764.

4   Sur le revers d'une de ces collines décharnées qui bossuent les Landes, entre Dax et Mont-de-Marsan, s'élevait, sous le règne de Louis XIII, une de ces gentilhommières si communes en Gascogne, et que les villageois décorent du nom de château.   Th. GAUTIER, le Capitaine Fracasse, t. I, p. 1.

Par métonymie. Les habitants d'un château. *Tout le château attendait le visiteur sur le perron.*

Spécialt. *Les châteaux du Bordelais* (qui donnent leur nom à des crus. → **Bordeaux).** — (1849). Propriété productrice de vins (qu'il y ait ou non un château). *Château-Margaux, Château-Yquem.* — Fam., par plais. *Château-la-Pompe :* eau du robinet. *Mener une vie de château,* une vie oisive et opulente. Fam. *C'est la vie de château, pourvu que ça dure !*

♦ **4** Loc. fig. *Faire, bâtir des châteaux en Espagne :* échafauder des projets chimériques, utopiques. *Un rêveur qui ne fait que bâtir des châteaux en Espagne.*

5   Quel esprit ne bat la campagne ?
Qui ne fait châteaux en Espagne ?   LA FONTAINE, Fables, VII, 10.

6   (...) enchantés de ce projet en apparence, mais au fond le prenant tous pour un pur château en Espagne, dont on cause en conversation sans vouloir l'exécuter en effet.   ROUSSEAU, les Confessions, II.

7   Château de cartes, château de Bohême, château en Espagne (...) telles sont les premières stations à parcourir pour tout poète.   NERVAL, Petits châteaux de Bohême, Troisième château, Pl., t. I, p. 95.

♦ **5** *Château de cartes.* → **Carte** (cit. 12).
Château branlant. → **Branlant** (cit. 2).
Château de sable : construction (en forme de château...) que les enfants font avec du sable humide, au bord de la mer.

7.1   Châteaux de sable qu'il élevait (...) à la marée montante pour lutter contre la lame.   A. FRANCE, les Désirs de Jean Servien, 1882, p. 168, *in* T.L.F.

♦ **6** (1704). CHÂTEAU D'EAU. **ⓐ** Tour surmontée d'un grand réservoir à eau, fournissant l'eau sous pression.

7.2   (...) je vis tourner la locomotive sur l'extrême plaque tournante, je vis le château d'eau, je vis le chauffeur se laver les mains (...)   J. GIRAUDOUX, Simon le pathétique, p. 187.

ⓑ Grande fontaine à nombreux bassins.

7.3   Auprès de nous s'ébruitaient les cascades du château d'eau de la ville.   GIDE, les Nourritures terrestres, 1897, p. 179, *in* T.L.F.

♦ **7** (V. 1168). Mar. Superstructure élevée sur le pont supérieur d'un navire. *Château d'avant, d'arrière, château de proue, de poupe. Long château, court château.*

Les officiers étaient sur le château de poupe avec les passagers (...)   8
CHATEAUBRIAND, le Génie du christianisme, I, I, 12.

À chaque minute du jour et de la nuit, l'un d'eux devait être   9
à l'écoute, sur le château, entre les embarcations de sauvetage, dans la baraque trapue que surmontait, comme une girouette trop grêle, le losange du goniomètre.   Roger VERCEL, Remorques, p. 24.

♦ **8** (V. 1275). Blason. *Château fondu,* dont la partie supérieure est seule représentée.

DÉR. **Châtelé, châtelet.** — V. aussi **Castel, châtelain.**

2. CHÂTEAU [ʃato ; ʃato] n. m.
Abrév. de *châteaubriant.*

CHATEAUBRIAND [ʃatobʀijã] ou **CHÂTEAUBRIANT** [ʃatobʀijã] n. m. — 1856, *châteaubriant,* La Châtre ; *chateaubriand,* 1866 ; orig. incert. ; p.-ê. du nom de l'écrivain Chateaubriand, parce que l'invention de ce plat serait due à son cuisinier Montmirel ; ou du nom de la ville de Châteaubriant (Loire-Atlantique).

Épaisse tranche de filet de bœuf grillé. → **Bifteck** (vieilli), **steak, tournedos.** *Un châteaubriant, un chateaubriant aux pommes.*

(...) le cuisinier Montmirel, le grand Montmirel, inventeur (...) du beefsteak Chateaubriand, cuit entre deux tranches d'aloyau (...)   A. MAUROIS, Chateaubriand, VIII, 2, p. 332.

Sauce chateaubriand : sauce brune qui accompagne le chateaubriand, et, par ext., les grillades.
Abrév. cour. : *un château saignant. Pommes château :* pommes de terre tournées au beurre, servies avec le chateaubriand.

CHÂTELAIN, AINE [ʃatlɛ̃, ɛn] n. et adj. — 1155, *chastelain ;* du lat. *castellanus* «celui qui habite un château fort», de *castellum.* → 1. Château.

Ⅰ Ⓐ N. m. ♦ **1 ⓐ** Seigneur d'un château féodal.
ⓑ Seigneur venant après le baron dans la hiérarchie nobiliaire (→ Baron, cit. 2).

♦ **2** Celui qui possède un château de plaisance, qui y réside. *Un riche châtelain.*

Ⓑ N. f. ♦ **1** (V. 1170). Femme d'un châtelain.

♦ **2** (1840). Propriétaire d'un château de plaisance. → Manoir, cit. 2.

Ⅱ Adj. (1611). ♦ **1** *Seigneur châtelain.*
Autrefois les seigneurs châtelains de Picardie n'allaient guère voir les seigneurs châtelains des Allobroges (...)   VOLTAIRE, Lettre à Florian, 29 nov. 1764.

Juge châtelain : juge qui rendait la justice pour le seigneur châtelain.

♦ **2** Rare. Qui ressemble à un château. *Maison châtelaine.* — Qui concerne un châtelain. — (1838). *Chaîne châtelaine.* → **Châtelaine.**

DÉR. **Châtelaine, châtellenie.**

CHÂTELAINE [ʃatlɛn] n. f. — 1844 ; de *châtelain,* adj. :
chaîne châtelaine.
Ancienn. Chaîne de ceinture (syn. : *chaîne châtelaine).* — Sautoir à gros chaînons.

CHÂTELÉ, ÉE [ʃatle] adj. — V. 1396, *chastellé ; castellé,* v. 1297 ; de l'anc. franç. *chastel.* → 1. Château.
Blason. Chargé de plusieurs châteaux.

CHÂTELET [ʃatlɛ] n. m. — 1155, *chastelet;* dér. de l'anc. franç. *chastel* (→ 1. Château), et *-et*.

♦ **1** (1155). Anciennt. Petit château fort. — Ancienne forteresse transformée en siège de la justice royale, en prison. *Le grand, le petit Châtelet. Place du Châtelet* : place de Paris, située sur l'emplacement du grand Châtelet.

♦ **2** Rare. Petit château (3.). → **Gentilhommière, manoir.**

♦ **3** Techn. Réunion des montants verticaux qui soutiennent les hautes lisses de certains métiers à tisser.

CHÂTELLENIE [ʃatɛlni] n. f. — 1260, *chatelenie;* de *châtelain.*

♦ **1** Histoire. Seigneurie et juridiction d'un seigneur châtelain. *Droit de châtellenie.*

♦ **2** L'étendue de terres placée sous la juridiction d'un châtelain.

CHAT-HUANT [ʃaɥɑ̃; ʃaɥɑ̃] n. m. — Fin XIVᵉ; *chahuan,* v. 1265; d'un lat. vulg. *cavannus,* altéré d'après *chat,* et *huer.*

Rapace nocturne (→ **Chouette**) possédant deux touffes de plumes (semblables à des oreilles de chat) et dont le cri est sonore. Spéciait. → **Hulotte.** *Des chats-huants* [ʃaɥɑ̃; ʃaɥɑ̃]. *Le cri du chat-huant.*

1 Une souris tomba du bec d'un chat-huant (...)
   LA FONTAINE, Fables, IX, 7.

2 Le soldat se remit en route au crépuscule,
   Heure trouble assortie au cri du chat-huant (...)
   HUGO, la Légende des siècles, X,
   Le cycle héroïque chrétien, «Le jour des rois», VI.

DÉR. V. **Chouan** (étym.).

CHÂTIER [ʃatje] v. tr. — Xᵉ, *castier;* du lat. *castigare* «corriger».

♦ **1** (V. 1170). Littér. ou vieilli. Infliger à (qqn) une peine sévère pour corriger. → **Corriger, punir.** *Châtier un coupable, un criminel pour faire un exemple. Châtier un enfant corporellement.* → **Battre.** *Châtier les rebelles. Dieu châtie les hommes. Châtier qqn de* (qqch., une faute), *pour* (une faute, un défaut).

1 Car l'Éternel châtie celui qu'il aime,
   Comme un père l'enfant qu'il chérit.
   BIBLE (SEGOND), Proverbes, III, 12.

2 Qui te rend si hardi de troubler mon breuvage?
   Dit cet animal plein de rage.
   Tu seras châtié de ta témérité.
   LA FONTAINE, Fables, I, 10.

3 Je me souviens qu'une fois que mon père me châtiait *(mon frère)* rudement et avec colère, je me jetai impétueusement entre deux, l'embrassant étroitement.
   ROUSSEAU, les Confessions, I.

4 (...) vous êtes le maître à tous ici. Mais, comme cela est contre nature, et que vous y arrivez par des moyens que Dieu réprouve, Dieu vous châtie, vous rendant encore plus malheureux que vous ne le seriez en obéissant au lieu de commander.
   G. SAND, la Petite Fadette, XXXVIII, p. 243.

(V. 1375). Prov. *Qui aime bien châtie bien* : corriger qqn c'est témoigner de l'intérêt, de l'affection qu'on lui porte.

Équit. *Châtier un cheval,* lui donner des coups pour le forcer à obéir.

Fig. *Châtier une faute* (→ Penaud, cit. 2). *Châtier l'audace, l'insolence de qqn.* — (Sujet n. de chose)

5 Le rire châtie certains défauts à peu près comme la maladie châtie certains excès, en frappant des innocents, épargnant des coupables, visant à un résultat général et ne pouvant faire à chaque cas individuel l'honneur de l'examiner séparément. H. BERGSON, le Rire, p. 201.

♦ **2** (V. 1130). Relig. ou littér. *Châtier son corps :* imposer à son corps des privations, des souffrances dans un but pratique ou par ascétisme*. → **Mortifier.**

6 Je châtiais allégrement ma chair, éprouvant plus de volupté dans le châtiment que dans la faute — tant je me grisais d'orgueil à ne pas pécher simplement.
   GIDE, les Nourritures terrestres, I.

7 C'était (...) un bègue intermittent, en ce sens qu'il avait adopté cette infirmité, fait maint et maint exercice, châtié la carcasse et obtenu, finalement, gain de cause.
   G. DUHAMEL, Biographie de mes fantômes, X, p. 183.

Spéciait. *Châtier ses nerfs, sa voix,* les maîtriser.

♦ **3** (1661). Littér., arts. Rendre plus correct et plus pur (le style). → **Corriger, épurer, perfectionner, polir, raboter, rectifier, retoucher, revoir.** *Châtier son style.* — Pron. :

8 Rubens ne se châtie pas, et il fait bien. En se permettant tout, il vous porte au delà de la limite qu'atteignent à peine les plus grands peintres; il vous domine, il vous écrase sous tant de liberté et de hardiesse (...)
   E. DELACROIX, Écrits, t. II, p. 73.

◆ **SE CHÂTIER** v. pron. Réfl. *Se châtier :* châtier (2.) son corps.

◆ **CHÂTIÉ, ÉE** p. p. adj. (En parlant du style). Qui vise à une correction et une pureté parfaites. → **Académique, classique, dépouillé, épuré, poli, pur.** *Un style châtié. — Un auteur châtié,* qui a un style châtié.

9 Son style était plus suivi et plus châtié.
   BOSSUET, Hist. des Variations, 9, *in* LITTRÉ.

CONTR. Récompenser. — Encourager. ◊ DÉR. Châtieur, châtiment. ◄ COMP. (Du p. p.) Inchâtié.

CHATIÈRE [ʃatjɛʀ] n. f. — V. 1275; de *chat.*

♦ **1** Petite ouverture pratiquée au bas d'une porte pour laisser passer les chats.

1 Le chat gris qu'il avait dérangé dans le salon, la nuit passée, mit la tête à la chattière *(sic),* se glissa en dépétrant ses pattes du trou, une après l'autre, et vint se frotter à lui en ronronnant.
   J. GIONO, le Hussard sur le toit, p. 118.

Par ext. Petite ouverture.

2 À cet énorme temple *(d'Angkor)* on accède par une chatière, répétée, bien visible et exaltée, comme un petit trou noir dans le château central.
   CLAUDEL, Journal, sept.-oct. 1921, Pl., t. I, p. 521.

Ouverture secrète pour épier.

3 Monsieur le Prince, en arrière du service, regardait par la chatière et s'applaudissait de sa malice noire.
   SAINT-SIMON, Mémoires, 75, 227, *in* LITTRÉ.

♦ **2** Techn. Ouverture pratiquée dans un bassin pour permettre l'écoulement des eaux.
(Av. 1755). Trou d'aération dans les combles.
Vx. Dans certains théâtres, Petite porte grillagée de la caisse.

♦ **3** (1803). Piège pour prendre les chats.

♦ **4** Passage étroit où l'on ne peut passer qu'en rampant.

4 Le franchissement des étroitures présente tous les degrés de difficultés. Se méfier, en particulier, du passage des chatières basses et plus ou moins sinueuses où l'on s'engage et d'où l'on ne peut pas sortir.
   Félix TROMBE, la Spéléologie, p. 46.

CHÂTIEUR, EUSE [ʃatjœʀ, øz] n. — 1846, Bescherelle; de *châtier.*

Littér. et vieilli. Personne qui châtie (qqn, un groupe). → **Punisseur.**

Cette déplorable façon de gouverner jeta enfin dans le dernier désespoir ce maître de la paix et de la guerre, ce distributeur de couronnes, ce châtieur des nations.
   SAINT-SIMON, Mémoires, 403, 12, *in* LITTRÉ.

CHÂTIMENT [ʃatimɑ̃] n. m. — V. 1170, *chastiement;* de *châtier.*

Littér. ou style soutenu (le mot neutre est : *punition*). Peine* sévère infligée à une personne que l'on veut corriger, et, par ext., punition. → **Expiation, pénitence, prix, punition, répression.**

(Un, des châtiments). Châtiment corporel. → **Correction, coup, peine, supplice.** *Châtiment léger. Châtiment sévère, rigoureux, cruel. Un juste châtiment. Un châtiment exemplaire. Le châtiment d'une offense, d'une injure.* → **Vengeance.** *Le juste châtiment de sa faute.* → **Prix, salaire.** *Châtiment de la justice.* → **Justice** (vindicative). *Châtiment politique.* → 1. **Politique,** cit. 17. *Châtiment de Dieu. Châtiment de l'enfer.* → **Dam, damnation.** *Infliger un châtiment. Recevoir, subir un châtiment. Être digne de châtiment.* → **Corde** (mériter la). — *Les Châtiments,* œuvre de V. Hugo. *Crime et Châtiment,* roman de Dostoïevski.

1 (...) pour faire un châtiment
   Qui pût servir d'exemple, et dont toute sa suite
   Se souvint à jamais comme d'une leçon.
             LA FONTAINE, Fables, IX, 5.

2 *(Qu'il)* reçoive un juste châtiment de la dureté qu'il a eue pour moi !   MOLIÈRE, George Dandin, III, 6.

3 L'autre est un imposteur digne de châtiment.
             MOLIÈRE, Amphitryon, III, 5.

4 (...) ne lui infligez *(à l'enfant)* aucune espèce de châtiment, car il ne sait ce que c'est qu'être en faute.
             ROUSSEAU, Émile, II.

5 Voilà comment le luxe, la dissolution et l'esclavage ont été de tout temps le châtiment des efforts orgueilleux que nous avons faits pour sortir de l'heureuse ignorance où la sagesse éternelle nous avait placés.
             ROUSSEAU, Disc. sur les sciences et les arts, I, p. 11.

6 (...) tout mène à la récompense ou au châtiment, deux formes de l'éternité.
             BAUDELAIRE, les Paradis artificiels, p. 275.

7 Je vous ménage un châtiment exemplaire, si vous allez contre ma volonté.
             A. DE MUSSET, les Caprices de Marianne, II, 3.

8 Le châtiment de ceux qui ont beaucoup aimé les femmes est de les aimer toujours.
             Joseph JOUBERT, Pensées, V, 52.

9 Pécuchet objecta que les châtiments corporels sont quelquefois indispensables.
             FLAUBERT, Bouvard et Pécuchet, Pl., t. II, p. 927.

CONTR. **Récompense; encouragement; prime.**

CHATIVE [ʃativ] n. f. — 1907; orig. inconnue; p.-ê. à rattacher au lat. *captivus.*

Régional (Lorraine). Au plur. Alluvions déposées par les crues de la Moselle.

CHATOIEMENT [ʃatwamɑ̃] n. m. — 1819; *chatoyement,* av. 1788; de *chatoyer.*

♦ 1 Reflet changeant de ce qui chatoie. → **Miroitement.** *Le chatoiement d'une soierie.*

Nous irons voir la vitrine d'Hermès, à cause d'un foulard pourpre et gris, d'un large ruban ancien rouge et rose, d'un chatoiement qui assemble, sur un champ violet, le feu assoupi des vieilles fleurs, une grappe de joyaux d'or, écailleux comme des poissons (...)
             COLETTE, l'Étoile Vesper, p. 159.

♦ 2 Fig. et littér. *Le chatoiement d'un style, d'une musique.*

1. **CHATON** [ʃatɔ̃] n. m. — 1616; *chastun,* v. 1165; du francique **kasto* «caisse» (cf. all. *Kasten*) ou, d'après P. Guiraud, du lat. *capsa* «châsse».

♦ 1 (V. 1165). Tête d'une bague où s'enchâsse une pierre précieuse. *Enchâsser, sertir un brillant dans un chaton.*

(1780). La pierre. *Bague à large chaton plat. Chaton plat d'une chevalière.* → **Chevalière.**

1 (...) des bagues aux chatons finement travaillés (...)
             Th. GAUTIER, le Roman de la momie, II, p. 59.

2 (...) il porte une grosse bague chinoise en pierre dure, dont le chaton, taillé avec art et minutie, représente une jeune femme à demi étendue sur le bord d'un sofa, un de ses pieds nus reposant encore à terre, le buste soulevé sur un coude et la tête renversée en arrière.
             A. ROBBE-GRILLET, la Maison de rendez-vous, p. 75.

♦ 2 [a] Anat. *Chaton cricoïdien :* partie postérieure du cartilage cricoïde qui ressemble à une bague avec chaton.

[b] (1704). Bot. Enveloppe verte des noisettes; partie du gland qui s'y trouve enchâssée. — REM. Ce sens, métaphore du 1., peut être aussi rattaché à 2. *Chaton,* II.

3 Le gland est à demi enchâssé dans un chaton qui le préserve de toute meurtrissure parmi les rameaux d'un arbre.
             BERNARDIN DE SAINT-PIERRE,
             Harmonies de la nature, 1814, p. 95, *in* T. L. F.

DÉR. 1. **Chatonner.**

2. **CHATON** [ʃatɔ̃] n. m. — 1261; de *chat,* et *-on.*

I Jeune chat*. *Une portée de chatons :* une chattée.

0.1 La chatte emporte sans précaution le chaton par la peau du cou. Comme un paquet. Mais le petit chat ronronne de plaisir, car ces apparentes bourrades recouvrent une entente intime et maternelle.
             M. TOURNIER, le Roi des Aulnes, p. 340.

II (Allus. à la queue d'un chat, à la douceur du poil du chat). ♦ 1 (1530). Bot. Inflorescence formée de fleurs unisexuées en forme d'épi duveteux. *Chatons de coudrier, de noyer, de saule. Arbres à chatons.* → **Amentifère.** *Épi en forme de chaton.* → **Amentiforme.**

1 Les chatons verdâtres des noisetiers alternèrent avec les chatons jaunâtres des saules.
             Paul BOURGET, le Disciple, IV, p. 224.

2 Autour de chaque chaton semblait flotter une poussière de pollen, une petite clarté blonde que le soleil ne faisait point pâlir.   M. GENEVOIX, Forêt voisine, V, p. 50.

Fleurs mâles (de certains conifères). Un chaton de pin.

♦ 2 Fam. Petits amas de poussière d'aspect cotonneux qui s'accumulent sous les meubles. → **Mouton.**

3 On a regardé sous le buffet (...) Mais l'on n'en a ramené que de gros chatons de poussière, que l'on était gêné de voir, parce qu'ils semblaient démentir les prétentions bien connues de Mᵐᵉ Maillecottin à la propreté.
             J. ROMAINS, les Hommes de bonne volonté, V, p. 58.

DÉR. 2. **Chatonner.**

1. **CHATONNER** [ʃatɔne] v. intr. — 1832; de 1. *chaton.*

Techn. (joaill.). Sertir (une pierre) dans le chaton (1. Chaton) d'une bague.

HOM. 2. **Chatonner.**

2. **CHATONNER** [ʃatɔne] v. intr. — 1530; «marcher comme un chat», v. 1185; de 2. *chaton* «petit chat».

♦ 1 Rare. Mettre bas, en parlant d'une chatte.

♦ 2 (1922, Henri Pourrat). Bot., agric. Se couvrir de chatons, en parlant d'un végétal.

HOM. 1. **Chatonner.**

CHATOUILLANT, ANTE [ʃatujɑ̃, ɑ̃t] p. prés. et adj. — XVIIᵉ; *chatouillard,* XVIᵉ; de *chatouiller.*

♦ 1 Rare. Qui produit, par des attouchements, des sensations vives provoquant un rire convulsif (→ **Chatouiller**). *Caresses chatouillantes.*

♦ 2 Fig., littér. Qui chatouille l'amour-propre; qui plaît, qui flatte.

1 *(Louis)* a versé de sa bouche à ses grâces brillantes
De deux précieux mots les douceurs chatouillantes (...)
MOLIÈRE, la Gloire du Val-de-Grâce, 300.

2 Il y goûtait mille joies chatouillantes, béat (...)
ZOLA, le Ventre de Paris, t. I, p. 96.

1. CHATOUILLE [ʃatuj] n. f. — 1787; de *chatouiller*.

♦ 1 Action de chatouiller. *Faire des chatouilles à qqn.* → **Chatouillement, papouille.** — *Sensation qui en résulte. Détester les chatouilles.*

Lambert et le Blondinet se jettent sur Moûlu, le ceinturent et le clouent sur le sol à la renverse, Gassou lui chatouille les flancs. Moûlu frissonne, râle, bave, rit et soupire : «Arrêtez! Arrêtez les gars! Faites pas les cons! Je peux pas supporter les chatouilles».
SARTRE, la Mort dans l'âme, 1949, p. 256, *in* T.L.F.

Par ext. → **Chatouillement** (2.).

♦ 2 *La chatouille* : l'action de chatouiller. → **Chatouillement.**

HOM. 2. **Chatouille**; formes du v. **chatouiller.**

2. CHATOUILLE [ʃatuj] n. f. — 1552, Rabelais; probablt altér. par *chat* du moy. franç. *satouille.*

Régional. Larve de la lamproie.

HOM. 1. **Chatouille**; formes du v. **chatouiller.**

CHATOUILLEMENT [ʃatujmɑ̃] n. m. — 1580; *catouillement*, v. 1390; de *chatouiller*.

♦ 1 V. 1390. *(Un, des chatouillements).* Action de chatouiller (qqn). → **Attouchement, caresse, titillation; chatouillis.** *Le chatouillement de qqn par qqn* (rare). *Être sensible au chatouillement.* → 1. **Chatouille.** *Craindre, redouter le chatouillement.* → **Chatouilleux** (→ Chatouiller, cit. 0.1, Proust). — *Sensation qui résulte d'un chatouillement.*

♦ 2 (1801). *Léger picotement qui se produit sur certaines parties du corps. Éprouver un chatouillement dans la gorge. Chatouillement énervant, désagréable.* → **Agacerie, démangeaison, excitation, picotement, prurit.**

♦ 3 Littér. Action de chatouiller (3.) les organes des sens, les sens. *Le chatouillement du palais, de l'oreille.*

(...) le chatouillement des sens est suivi de si près par la joie, et la douleur par la tristesse, que la plupart des hommes ne les distinguent point (...)
DESCARTES, les Passions de l'âme, 94.

CHATOUILLER [ʃatuje] v. tr. — XIIᵉ; orig. incertaine.

♦ 1 *Faire à (qqn) des attouchements légers et répétés sur la peau, en produisant (chez lui) des sensations agréables ou pénibles qui provoquent un rire convulsif. Chatouiller légèrement qqn.* → **Caresser, titiller, toucher.** *Chatouiller à la plante des pieds* (Académie).

0.1 Car son oncle, par plaisanterie, chatouillait volontiers Jean, supplice qui lui était si atroce qu'il trouvait la mort préférable à une vie où on peut être placé sans défense, même une fois par semaine, à côté d'une personne qui vous chatouille, d'autant qu'il avait sur le chatouillement, parce que sa mère le craignait pour Jean à cause de sa nervosité, des idées obscures qui en faisaient quelque chose peut-être d'obscène et certainement de cruel.
PROUST, Jean Santeuil, Pl., p. 349.

(Le compl. désigne une partie du corps). Il lui chatouillait les flancs (→ 1. Chatouille, cit.).

Par métaphore (la cit. 1 est en emploi absolu) :

1 Je suis charmé de votre remerciement; j'en étais même un peu inquiet, je vous l'avoue, car, en chatouillant, on n'est jamais sûr de ne pas trop gratter (...)
SAINTE-BEUVE, Correspondance, t. I, p. 282 (éd. Calmann-Lévy).

2 La mort de millions d'inconnus nous chatouille à peine et presque moins désagréablement qu'un courant d'air.
PROUST, le Temps retrouvé, I, éd. La Gerbe, p. 107.

Par euphém. (érotique). *Chatouiller une femme*, la caresser discrètement. → **Peloter.**

Manège. Chatouiller un cheval de l'éperon, le toucher légèrement avec l'éperon.

Loc. Chatouiller les côtes à qqn, le battre, le frapper (sujet n. de personne); lui donner une sensation de satisfaction (sujet n. de personne ou de chose).

2.1 (...) il *(Jeanlin)* continuait à rire, plein d'un immense dédain pour Lydie et Bébert. Jamais on n'avait vu des enfants si cruches. L'idée qu'ils gobaient toutes ses bourdes, et qu'ils s'en allaient les mains vides, pendant qu'il mangeait la morue, au chaud, lui chatouillait les côtes d'aise.
ZOLA, Germinal, 1885, p. 1370, *in* T.L.F.

♦ 2 *Faire subir un léger picotement à (qqn, une partie du corps).* → **Agacer, exciter, picoter.** *Il sent quelque chose qui lui chatouille la gorge* (Hatzfeld). *Ça me chatouille.* → **Gratter.** «*Est-ce que ça vous chatouille, ou est-ce que ça vous gratouille?*» → **Gratouiller** (cit. 3, Romains).

2.2 (...) un frisson de vent, rien qu'un frisson, caresse la mer, fait à peine frémir, en la chatouillant, sa peau bleue et moirée.
MAUPASSANT, la Vie errante, p. 28.

♦ 3 Littér. *Exciter doucement (le goût, l'odorat, l'ouïe) par des impressions agréables.* → **Piquer** (→ Âne, cit. 3). *Chatouiller le palais.* → **Flatter, titiller.** *Parfum qui chatouille l'odorat. Cette musique lui chatouille les oreilles.* → **Charmer.**

3 (...) Ce mets
Lui chatouillait fort le palais.
LA FONTAINE, Contes, XI, «Pâté d'anguille».

4 (..) si elle lui chatouillait un peu la vue elle ne lui entrait pas pour cela dans le cœur.
G. SAND, François le Champi, XVII, p. 122.

(Av. 1625). *Exciter doucement (qqn) par un sentiment, une émotion agréable.* → **Émouvoir.** *Chatouiller qqn à l'endroit sensible*, lui faire plaisir. → **Plaire.** *Chatouiller l'amour-propre de qqn.* → **Flatter** (→ Aumaille, cit. 1; caresser, cit. 21).

5 La louange chatouille et gagne les esprits (...)
LA FONTAINE, Fables, I, 14.

6 Ces noms de roi des rois et de chef de la Grèce,
Chatouillaient de mon cœur l'orgueilleuse faiblesse.
RACINE, Iphigénie, I, 1.

7 Pourquoi ne conviendrais-je pas que ce jugement *chatouille de mon cœur l'orgueilleuse faiblesse*?
CHATEAUBRIAND, Mémoires d'outre-tombe, III, VI.

8 (...) maintenant que vous êtes vêtu comme un marquis, n'êtes-vous pas moins point chatouillé de l'envie d'assister à la toilette d'une fille d'Opéra (...)
FRANCE, la Rôtisserie de la reine Pédauque, Œ., t. VIII, p. 92.

◆ SE CHATOUILLER v. pron. *Se chatouiller soi-même. Enfants qui se chatouillent.*

Loc. (Réfl.). *Se chatouiller pour se faire rire* : se forcer à rire quand on n'en a pas de sujet ou qu'on n'en a pas envie.

(Récipr.) :

9 La source de la joie est au-dedans, j'en conviens; et rien n'est plus attristant que de voir des gens mécontents d'eux et de tout, qui se chatouillent les uns les autres pour se faire rire.
ALAIN, Propos, 27 déc. 1907, Amitié.

♦ **CHATOUILLÉ, ÉE** p. p. adj. *Des enfants chatouillés qui hurlent de rire.* — (Au sens érotique). *Des rires de filles chatouillées.*

N. *Le chatouilleur et le chatouillé.*

CONTR. Calmer. — Blesser. — Déplaire. ◊ DÉR. Chatouillant, 1. chatouille, chatouillement, chatouilleur, chatouilleux, chatouillis.

CHATOUILLEUR, EUSE [ʃatujœʀ, øz] adj. et n. — 1636; repris 1886; de *chatouiller*.

Qui chatouille. *Des caresses délicatement chatouilleuses.* — N. *Le chatouilleur et le chatouillé.*

CHATOUILLEUX, EUSE [ʃatujø, øz] adj. — Av. 1564; *catoilleux*, 1370, au sens 1; *chatoulleux*, av. 1498; de *chatouiller*.

♦ **1** (Avec un n. de personne). Qui est sensible au chatouillement. → **Sensible; douillet.**

1 Ah! de grâce, laissez, je suis fort chatouilleuse.
MOLIÈRE, Tartuffe, III, 3.

1.1 Il voulut la saisir à la taille, mais il reçut des chiquenaudes sur les doigts, tandis qu'elle ajoutait :
— Non, pas de jeux de main, s'il vous plaît ! Je suis comme les chevaux, moi; je suis chatouilleuse (...)
ZOLA, Son Excellence Eugène Rougon, t. I, p. 137.

Sensible à un léger picotement (organe). *Gorge chatouilleuse.*

Cheval chatouilleux, sensible à la cravache, à l'éperon. — Par compar. : → ci-dessus, cit. 1.1. *Cheval à la bouche chatouilleuse*, sensible au mors.

♦ **2** (Avec un n. de chose). Vx. Qui chatouille. → **Excitant.** *Impression chatouilleuse. Excitation chatouilleuse.*

2 (...) de peur que l'image de cette nudité ne fît une impression trop chatouilleuse dans l'esprit de l'auditeur (...)
CORNEILLE, Examen de Polyeucte.

♦ **3** (1544). Littér., vx. Sensible à des sensations agréables provoquées par d'autres sens que le toucher. *Un palais chatouilleux*, très sensible, fin.

♦ **4** (Personnes). Qui manifeste de la susceptibilité, se fâche aisément, réagit vivement. *Être très chatouilleux sur le point d'honneur. Un homme chatouilleux.* → **Irritable, ombrageux, susceptible.**

3 Ce grand seigneur a des sentiments généreux. Il se croit d'une race supérieure, et se dit que noblesse oblige. Il est plus chatouilleux que personne sur le point d'honneur, et risque sans difficulté sa vie pour la moindre insulte (...)
TAINE, Philosophie de l'art, t. I, I, II, VII.

4 Il (*Bonaparte*) s'en énervait, — et plus encore, — car il était le plus chatouilleux des hommes, — à l'idée exaspérante que Londres le leurrait, le trompait, se jouait de lui.
Louis MADELIN, le Consulat, XIX,
La rupture de la paix d'Amiens, p. 308.

4.1 Verrier se gardait bien d'apparaître dans la transaction, mais acceptait volontiers la moitié du courtage. Sindy, lui, n'avait pas les moyens de se montrer chatouilleux.
Roger NAÏM, l'Ère des truands, p. 24.

Par ext. *Amour-propre, caractère chatouilleux. Une susceptibilité chatouilleuse* (→ Épiderme* sensible).

5 Je ne vous dis pas que je sois vexé. Dieu merci, je n'ai pas l'amour-propre si chatouilleux.
J. ROMAINS, M. Le Trouhadec..., p. 141.

♦ **5** Vieilli. *Une question chatouilleuse*, de nature à heurter des susceptibilités. → **Délicat.**

CHATOUILLIS [ʃatuji] n. m. — 1891; de *chatouiller*, et suffixe nominal -*is*. → Gratouillis.

Fam. Petit chatouillement.

(...) les miettes impondérables dont il devinait la chute dans sa paume par un léger, presque imperceptible chatouillis (...)
Claude SIMON, la Route des Flandres, p. 64.

CHATOYANT, ANTE [ʃatwajɑ̃, ɑ̃t] adj. — V. 1760; p. prés. de *chatoyer*.

♦ **1** Qui chatoie, a des reflets changeants. → **Brillant, changeant.** *Étoffe, pierre chatoyante. Reflet chatoyant. Couleurs chatoyantes. Plumage chatoyant.*

(...) cette lumière irisée de reflets chatoyants.
Ed. et J. DE GONCOURT, Journal, 1895, p. 712,
in T. L. F.

♦ **2** Fig. et littér. *Style chatoyant*, où les images sont nombreuses, variées et pittoresques. → **Coloré, imagé.**

CHATOYER [ʃatwaje] v. intr. [CONJUG.: *noyer*.] — 1742; de *chat*, et -*oyer*, par analogie sur les reflets de l'œil du chat, qui brille dans l'obscurité, etc.

♦ **1** Changer de couleur, avoir des reflets différents suivant le jeu de la lumière. → **Briller, étinceler, miroiter, pétiller.** *Des pierres précieuses, des étoffes qui chatoient.* → **Rutiler.**

1 (...) curieux de voir à la lumière briller et chatoyer sa chaîne d'or (...)
Th. GAUTIER, le Capitaine Fracasse, t. II, p. 33.

2 Aux lueurs colorées que laissent filtrer les vitraux, toute cette magnificence de conte oriental chatoie, miroite, étincelle dans la pénombre (...)
LOTI, Jérusalem, VIII, p. 94.

♦ **2** Fig. et littér. Jeter un éclat varié, changeant. *Style qui chatoie.* → **Briller, séduire.**

DÉR. Chatoyant.

CHAT-PARD [ʃapaʀ] n. m. — 1704; *chatpard*, 1690; comp. de *chat*, et *pard* «panthère», du lat. class. *pardus* «léopard, panthère».

Félin au pelage de couleur fauve tacheté de noir, appelé scientifiquement *lynx du Portugal*. → **Lynx.** *Des chats-pards.*

REM. La forme *chatpard* (voir ci-dessous) n'est plus en usage.

1 On y trouve (*en Norvège*) aussi des chatpards. J'en ai vu un, entre autres, qu'on avait amené à Copenhague; il était d'une grandeur monstrueuse.
HUGO, Han d'Islande, Œ. compl., t. VI,
p. 162 (1823).

CHÂTRER [ʃatʀe] v. tr. — 1121; *chastrer*; du lat. class. *castrare*. → Castrer.

♦ **1** (1121). Rendre (un homme, un animal mâle) impropre à la reproduction en mutilant les testicules; au sens extensif (techn.), rendre (un mâle ou une femelle, un être humain ou un animal) impropre à la reproduction. → **Castration; affranchir** (II., 2.), **émasculer.** *Châtrer un homme.* → **Castrer; castrat.** *Châtrer un taureau, un bélier, un cheval.* → **Bretauder; bistourner.**

1 Çà qu'on l'attrape, qu'on le grippe,
Çà qu'on le châtre, qu'on l'étripe.
SCARRON, Virgile travesti, IV.

2 Elle (*la société chrétienne*) ne sait même pas prendre sur elle de châtrer les dégénérés (...)
GIDE, les Faux-monnayeurs, III, XI, p. 420.

♦ **2** Fig. *Châtrer un livre, un ouvrage littéraire*, le mutiler en retranchant les passages jugés trop forts. → **Castrer** (fig.). — *Châtrer qqch. de...* (→ ci-dessous, au p. p.).

2.1 Châtrez «désopilant», et vous avez «désolant».
J. RENARD, Journal, 11 juin 1894.

♦ **3** Hortic. *Châtrer des fraisiers, des melons, des concombres* : enlever les stolons (tiges souterraines), les fleurs superflues.

(1486). *Châtrer une ruche*, en enlever la cire ou le miel.

♦ **CHÂTRÉ, ÉE** p. p. adj. et n. m.

♦ **1** *Homme châtré*; n. m. (vieilli) *un châtré*. → **Castrat** (cit. 2), **eunuque.** — *Une voix de châtré*, aiguë.

3　(...) un petit châtré, organiste d'une église.
　　　　　　SCARRON, le Roman comique, I, XV, p. 104.

4　Nous avons fini par sortir avec un ami de Romain Romain, un céramiste qui a d'assez beaux yeux et une voix de châtré.　Jacques LAURENT, les Bêtises, p. 379.

Animal châtré. Cheval châtré. → **Hongre** (contr. : *entier*). *Coq châtré.* → **Chapon.** *Chat châtré.* → **Couper,** p. p.

♦ **2** (1690). Fig. Amoindri, mutilé. *Style, livre châtré.* **Rare et littér.** *Châtré de (qqch.)* : amputé de (qqch.).

5　(...) la Chine châtrée de ses bois, forêts naines et frisées au fer par ces professeurs de bouquets qui viennent à domicile (...)
　　　　　　Paul MORAND, Rien que la Terre, p. 34.

DÉR. Châtreur, châtron.

CHÂTREUR, EUSE [ʃatRœR, øz] n. et adj. — 1416, *castreur; chastreur,* 1585; de *châtrer.*

♦ **1** N. Rare. Personne dont le métier est de châtrer les bêtes. *Un châtreur de chiens.*

♦ **2** Castrateur, castratrice.

1　(...) Salomé elle-même, fille implacable et châtreuse (...)
　　　　　　Michel LEIRIS, l'Âge d'homme, p. 108 (1946).

Par métaphore :

2　Il regarda au loin, au-dessus de l'Océan; il lui sembla distinguer la Tour Eiffel, mais c'était une erreur. L'horizon, châtreur universel, ne laissait rien émerger.
　　　　　　R. QUENEAU, le Chiendent, p. 120-121 (1932).

CHÂTRON [ʃatRɔ̃] n. m. — 1907; de *châtrer.*
Régional. Jeune bœuf.
J'entends sonner dans l'ombre les cornes des châtrons qui se heurtent en jouant.
　　　　　　J. RENARD, Journal, 9 août 1907.

CHATTE [ʃat] n. f. — Avant 1250, *chate;* fém. de *chat.*

I ♦ **1** Femelle du chat (→ Chat, cit. 9, 10 et *supra*).

♦ **2** Fig. Terme d'affection à l'adresse d'une femme, d'une petite fille (→ Chat, cit. 18.1, et *supra*). *Oui, ma chatte, ma petite chatte.*

♦ **3** Femme caressante, lascive. *C'est une vraie chatte.*
Adj. *Elle est chatte, câline. «Des manières chattes»* (Littré). → **Chatterie.**

II **Fam., érotique.** Sexe de la femme. → **Chagatte, chat** (III.); **minette.**

1　Je *vois* la chatte de Germaine. La crevasse salée, la source (...) Une goutte baveuse en bas des petites lèvres.
　　　　　　André HARDELLET, Lourdes, lentes..., p. 28.

2　Mais elle s'est déshabillée? oui enfin non elle a tout soulevé quoi t'as vu sa chatte?
　　　　　　Tony DUVERT, Paysage de fantaisie, p. 47.

DÉR. Chagatte.

CHATTÉE [ʃate] n. f. — 1680; de *chat.*
Rare. Portée de chatons.

CHATTEMITE [ʃatmit] n. f. et adj. — 1295, *chatemite;* de *chatte,* fém. de *chat,* et *mite,* anc. nom populaire du chat.

♦ **1** N. f. Personne qui affecte des manières douces et modestes pour tromper son entourage. *Faire la chattemite. Un ton de chattemite.*

1　C'était un Chat vivant comme un dévot ermite, Un Chat faisant la chattemite (...)
　　　　　　LA FONTAINE, Fables, VII, 16.

Que maudit soit l'amour, et les filles maudites
Qui veulent en tâter, puis font les chattemites!
　　　　　　MOLIÈRE, le Dépit amoureux, V, 3.　　2

— (...) Dès les premiers jours j'avais deviné ton manège!　3
Monsieur faisait la chattemite! Monsieur distribuait sourires et clins d'yeux et compliments!
　　　　　　H. TROYAT, le Vivier, p. 101.

♦ **2** Adj. (vieilli). *Des manières chattemites.* Syn. (vx) : *chattemiteux.*

(...) son médecin l'aimait mieux auprès de lui qu'à deux　4
cents lieues, car, à deux cents lieues, les chattemite visites à dix francs ne peuvent pas beaucoup se multiplier.
　　　　　　BARBEY D'AUREVILLY, les Diaboliques,
　　　　　　　　　　«Le dessous de cartes...».

DÉR. Chattemiteux.

CHATTEMITEUX, EUSE [ʃatmitø, øz] adj. — 1893; de *chattemite.*
Vx. Syn. de *chattemite* (adj.).

CHATTERIE [ʃatRi] n. f. — 1558, «ruse, friponnerie»; de *chat, chatte.*

♦ **1** Vieilli. Caresse*, câlinerie douceureuse. → **Cajolerie.** *Faire des chatteries à qqn. Chatterie insinuante, perfide. Chatterie innocente, enfantine.*

(*Elle*) lui racontait des histoires, s'entretenait avec lui dans　1
des monologues sans fin, pleins de gaietés mélancoliques et de chatteries babillardes.
　　　　　　FLAUBERT, Mᵐᵉ Bovary, I, I.

Il n'était point d'attentions, de délicatesses, de chatteries　2
qu'elle n'eût pour son mari (...)
　　　　　　MAUPASSANT, Clair de lune, «Les bijoux».

Spécialt. Attitude douce et câline destinée à tromper qqn.

♦ **2** Mod. (surtout au plur.). Choses délicates à manger. → **Douceur** (des douceurs), **friandise, gâterie.** *Aimer les chatteries. Offrir quelques chatteries.*

Je ne savais pas que la liberté n'est pas une récompense, ni　3
une décoration qu'on fête dans le champagne. Ni d'ailleurs un cadeau, une boîte de chatteries propres à vous donner des plaisirs de babines.　　CAMUS, la Chute, p. 154.

CHATTERTON [ʃatɛRtɔn] n. m. — 1882, *in* Rey-Debove et Gagnon; *mastic Chatterton,* 1869, *in* Année sc. et industr. 1870, p. 98; du nom de l'inventeur.

Ruban isolant et adhésif composé de goudron de colophane, de résine et de gutta-percha. *Recouvrir un fil électrique de chatterton. Un rouleau de chatterton.*

Je tiens ce fil dans la main droite. Cet autre, dans la main gauche. Un bout est tout tortillé. L'autre forme une petite boucle. Je n'ai qu'à passer le tortillé dans la boucle et à le rabattre en forme de crochet, puis à tordre le tout dans du chatterton avec ma petite pince (...)
　　　　　　B. CENDRARS, Moravagine, *in* Œ. compl., t. IV,
　　　　　　　　　　　　　　p. 147.

DÉR. Chattertoné.

CHATTERTONÉ, ÉE [ʃatɛRtɔne] adj. — 1906; de *chatterton.*
Recouvert de chatterton, réparé avec du chatterton. *Fil électrique chattertoné.*

CHAT-TIGRE [ʃatigR] n. m. — 1688; comp. de *chat,* et *tigre.*

Chat* sauvage de grande taille. → **Margay, ocelot, serval.** *Des chats-tigres.*

Les Arabes nous avertissent de ne pas marcher sans nos armes, et de ne nous avancer qu'avec précaution, parce que ces épais taillis sont le repaire de quelques lions, de panthères et de chats-tigres. Nous n'en vîmes aucun; mais nous entendîmes souvent dans l'ombre du fourré des rugissements et des bruits semblables à ceux que font les grands animaux en perçant les profondeurs des bois.
　　　　　　LAMARTINE, Voyage en Orient, t. II, 1835, p. 20,
　　　　　　　　　　　　　　in T.L.F.

CHAUD, CHAUDE [ʃo, ʃod] adj., n. m. et adv. — 1080; *chaut*, v. 1170; *chauz*, 1165; du lat. *caldus*, *calidus* «ctaud».

I Adj. **A** ♦ **1** (Opposé à *froid*, *frais*). Qui est à une température plus élevée que celle du corps humain; dont la chaleur* donne une sensation particulière (agréable, ou douloureuse : brûlure). *Eau chaude. Eau minérale chaude.* → **Thermal.** *Établissement de bains chauds* (thermes). *Prendre un bain chaud. À peine chaud.* → **Tiède.** *Très, trop chaud.* → **Bouillant, brûlant.** *Rendre chaud.* → **Chauffage; attiédir, bouillir, chauffer, échauder, réchauffer.** *Four, poêle chaud. Le radiateur est chaud. Le fer (à repasser) est encore chaud, qui sort de cuisson. Boire du lait tout chaud, que l'on vient de traire.* — *Loc. Air chaud. Bouche d'air chaud.* — *Soupe chaude. Repas chaud,* comportant des *plats chauds. Manger du pain chaud, un mets tout chaud,* qui sort de cuisson. *Boire du lait tout chaud, que l'on vient de traire.* — *Loc. Ni chaud, ni froid.* → **Tiède.** — *Avoir les mains chaudes, le front chaud* (la chaleur étant estimée par quelqu'un d'autre; → ci-dessous, au sens subjectif B.). *En parlant de l'atmosphère, du temps. Les climats* chauds.* → **Torride; équatorial, tropical.** *Temps chaud et humide.* → **Mou.** *Une journée chaude. L'heure la plus chaude du jour.* — *Loc. La saison chaude :* l'été. — *Une chambre chaude.* → **Étuve, four, serre.** *Une atmosphère de serre* chaude.*

1 Que faisiez-vous au temps chaud?
LA FONTAINE, Fables, I, 1.

2 La nuit était admirable, calme, chaude, ardemment étoilée comme une nuit de canicule.
E. FROMENTIN, Un été dans le Sahara, III, p. 224.

Qui réchauffe ou garde la chaleur de l'atmosphère. → **Chaleur,** *et les composés du préfixe* **thermo-.** *Un soleil chaud. Le soleil n'est pas très chaud. Vents chauds* (→ Bouffée, cit. 2 et 3). *Un lainage chaud. Manteau bon et chaud. Couverture chaude.*

♦ **2** (Opposé à *froid*, *refroidi*). Qui a gardé la chaleur naturelle ou transmise. *Le moteur est encore chaud. Avoir, tenir les pieds chauds. Battre la semelle pour avoir les pieds chauds. Avoir la joue toute chaude, le front chaud de fièvre.* — *Par métonymie.* → ci-dessous, cit. 3.

3 Le soufflet sur ma joue est encore tout chaud.
RACINE, les Plaideurs, II, 5.

4 L'air de la nuit donnait à penser que l'on respirait l'haleine d'un grand corps endormi, chaud, oppressant.
Edmond JALOUX, les Visiteurs, XXVIII, p. 217.

Loc. fam. (Personnes). *Elle est chaude comme une caille.*

Loc. métaphorique ou fig. Battre le fer pendant qu'il est chaud (→ Battre, cit. 9 *et supra*). *Apporter une nouvelle toute chaude,* toute récente. *Servir tout chaud, tout bouillant ce que l'on vient d'entendre, sans délai. Je viens vous dire tout chaud..., sans tarder. Le rendre tout chaud :* se venger sur-le-champ. *C'est trop chaud, on ne peut y toucher :* c'est une chose délicate, dangereuse.

Le corps, le mort est encore chaud, se dit d'un cadavre qui n'a pas encore pris la rigidité et le froid cadavériques (→ Appliquer, cit. 1).

Spécialt (en parlant d'aliments cuisinés). *Mange tant que c'est chaud. Buffet, repas chaud. Plats chauds. Hors-d'œuvre chauds; desserts chauds* (les hors-d'œuvre, les desserts étant plus souvent froids). *REM.* L'emploi de l'antonyme *froid* est plus caractérisé (*viande froide,* par ex., n'a pas d'équivalent avec *chaud*).

(Dans une exclamation). *Chauds, les marrons!*

♦ **3** *Physiol. Animaux à sang chaud,* se dit des organismes dont le sang est à température constante.
→ **Homéotherme.**

♦ **4** *Phys. nucl.* Dont la radioactivité exige des précautions spéciales. *Laboratoire chaud.*

♦ **5** *Loc. fig. Pleurer à chaudes larmes*. Faire des gorges chaudes. Jouer à main* chaude.*

♦ **6** *Loc. Chaud devant!* [ʃodavɑ̃] : exclamation des serveurs de restaurant demandant le passage («attention devant, c'est chaud!»). — *Par ext. Fam.* S'emploie pour demander le passage, et aussi pour : «ça va chauffer». «*Alors là, attention!... Chaud devant, je tache!»* (Gérard Jugnot, sketch, 1981).

B (D'une partie du corps). Qui donne une sensation de chaleur. *Avoir, se sentir le front chaud; avoir les mains chaudes, brûlantes de fièvre.* → **Fiévreux.** — *Par ext. Fièvre chaude :* fièvre ardente accompagnée de délire.

5 Cet hôte était alors dans une chambre à côté de la cuisine, prêt à rendre l'âme d'une fièvre chaude qui lui avait si fort troublé l'esprit qu'il s'était cassé la tête contre une muraille (...)
SCARRON, le Roman comique, II, VI, p. 183.

C *Fig.* ♦ **1** Qui est ardent, sensuel (s'oppose à *froid*). *Avoir un tempérament chaud.* → **Amoureux, ardent.** *Être chaud comme braise. Avoir les mains froides et le cœur* chaud. Mains froides, chaudes amours. Avoir le sang* chaud.*

Être chaude, en chaleur*, en rut*, en parlant de la femelle de certains animaux.

Loc. C'est un chaud lapin.*

Loc. (1690). *Vx. Être chaud des reins,* paillard. — *Loc. mod.* (1790, au fém., argot des Halles). *Chaud de la pince.* → Pince (cit. 5.2).

(Adapt. de l'angl. *hot,* du sens «épicé, fort»). *Fam. Quartier chaud,* où se pratique la prostitution, quartier réservé. *Rue chaude.* — *REM.* Cet anglicisme ne correspond à aucun usage de *froid.*

♦ **2** *Vx.* Qui a de la passion, de l'ardeur (s'oppose à *froid*).

6 Près d'un esprit si chaud et si fort emporté
Suréna dans ma cour est-il en sûreté?
CORNEILLE, Suréna, V, 2.

Mod. Avoir la tête chaude :* s'emporter facilement.
→ **Bouillant, emporté, fougueux, vif.**

7 Ma femme bien souvent a la tête un peu chaude (...)
MOLIÈRE, les Femmes savantes, II, 5.

7.1 Tu seras donc toujours la même tête chaude, et partout impatient comme devant l'ennemi?
BARBEY D'AUREVILLY, les Diaboliques,
«À un dîner d'athées».

Par métonymie. Une tête chaude : une personne qui s'emporte facilement.

7.2 Les Français dans l'ensemble ou bien nous détestent ou nous exploitent. Dans le meilleur des cas, ils feignent l'indifférence. Il y a bien trois ou quatre têtes chaudes, qui signent des pétitions en notre faveur : c'est pour se soulager.
Alain BOSQUET, les Bonnes Intentions, p. 304.

♦ **3** (Personnes). Qui met de l'animation, de la passion dans ce qu'il fait. → **Ardent, chaleureux, empressé, enthousiaste, fanatique, fervent, passionné, pressant, zélé.** *De chauds admirateurs. Un chaud partisan de...* → **Décidé, déterminé.** — *Ne pas être très chaud. Je ne suis pas très chaud pour l'aider, après ce qu'il a dit sur moi. Se montrer peu chaud pour une affaire.* → **Emballé** (fam.).

8 (...) J. J. Weiss qui ne passait point pour un chaud partisan du régime, mais dont la compétence était reconnue pour un tel poste.
Georges LECOMTE, Ma traversée, p. 181.

8.1 J'en avais parlé à ma femme qui n'était pas chaude, mais qui finalement avait accepté, et j'avais fait ma demande pour partir là-bas.
Jean FERNIOT, Pierrot et Aline, p. 241.

(Sentiments). *Chaude amitié, chaude conviction.*

♦ **4** Où il y a de l'animation, de la lutte, de la passion. *La bataille fut chaude.* → **Âpre, dur, sanglant, sévère.** *La campagne législative fut chaude. L'alerte fut chaude* (→ Alerte, cit. 4). *Chaude alarme. Une chaude discussion.* → **Animé, vif.**

9   Remettez-vous, Monsieur, d'une alarme si chaude.
                              MOLIÈRE, Tartuffe, V, 7.

(1967 ; souvent par calque de l'angl. *hot*). *Guerre* chaude. Points* chauds. Des mois chauds, un printemps chaud,* marqués par une agitation politique et sociale. «*Chaud! chaud! chaud! le printemps sera chaud!*» (slogan).

Fam. *Ça devient chaud, trop chaud, filons!* → **Dangereux, risqué.**

♦ **5** Qui exprime vivement et donne une impression de chaleur (**fig.**), de passion. *Un style chaud. Chaude éloquence,* entraînante. *Une voix* chaude.*
— Peint. *Tons chauds, coloris chauds,* en parlant de couleurs brillantes, vigoureuses. *Le coloris chaud de Rubens.*

10   (...) un arsenal de tons chauds à l'usage des coloristes.
                   FLAUBERT, Correspondance, t. I, p. 330.

11   (...) une voix d'homme, chaude et grave, bien timbrée quoique sourde (...)
          MARTIN DU GARD, les Thibault, t. I, p. 174.

11.1   Labarbe est un homme volumineux, au coffre sonore, à la voix chaude, vibrante et bien timbrée (...)
        GIDE, Voyage au Congo, *in* Souvenirs, Pl., p. 775.

♦ **6** Régional (Ouest de la France et Canada). IVRE. *Se mettre chaud :* s'enivrer.

♦ **7** Fam. (d'abord argotique). Coûteux, difficile (Bruant, *in* Cellard et Rey).

♦ **8** *Abcès* chaud.*

II N. — REM. Cet emploi est moins lexicalisé que celui de *froid* qui y correspond. → 2. Froid. ♦ **1** N. m. (Employé avec *froid*). *Le chaud :* haute température. → **Chaleur.** *Craindre, souffrir le chaud et le froid. Craindre le chaud autant que le froid.* — Loc. fig. Vieilli. *Souffler le chaud et le froid :* imposer sa volonté, faire la loi (→ Faire la pluie* et le beau temps) ; se montrer tantôt optimiste, tantôt pessimiste, tantôt favorable (à une entreprise, un projet, etc.), tantôt hostile, etc. — *Prendre, attraper un chaud et froid,* un refroidissement.

♦ **2** AU CHAUD : dans des conditions telles que la chaleur ne se perde pas. *Garder, tenir qqch. au chaud. Mettre un plat au chaud. Être bien au chaud chez soi.*
Fig. et fam. *Avoir, garder, tenir de l'argent au chaud,* disponible.

♦ **3** Nominal (après un verbe). AVOIR CHAUD. *Avoir chaud, très chaud, trop chaud.* — Fam. *On crève de chaud, ici!* — Fig. *On a eu chaud!* (→ On l'a échappé* belle!).
FAIRE CHAUD (impers.). *Il fait chaud, assez chaud. Il y fait chaud comme dans un four.* — Fig. *Il y faisait chaud,* en parlant d'un combat violent, d'une affaire sérieuse, d'une discussion vive. *Il fera chaud, quand j'accepterai :* je n'accepterai pas de sitôt.
Tenir chaud. Un vêtement qui tient chaud, qui garde ou augmente la chaleur naturelle.
(Personnes). *Prendre chaud.* → **Échauffer** (s'), **suer, transpirer.** — REM. *Prendre froid* est plus courant.

12   Mais non, mon garçon, répondait le savant en s'épongeant car il avait pris chaud dans la course.
        G. DUHAMEL, le Voyage de P. Périot, V, p. 103.

Fam. *Ça fait chaud :* cela donne une impression de chaleur.

Loc. fig. *Cela ne fait ni chaud ni froid (à qqn) :* c'est indifférent* (à qqn).

Toutes ces belles raisons qui sont l'ornement de votre conscience ne me font ni chaud ni froid.   13
                M. AYMÉ, la Tête des autres, I, 12.

(...) cette Constitution nouvelle, à ses yeux si dangereuse pour la démocratie, ne m'a fait à moi ni chaud ni froid (...) 14
      F. MAURIAC, le Nouveau Bloc-notes 1958-1960,
                            p. 133.

Trois agents entrent brusquement. Ils vont peut-être nous 15
emmener au dépôt. Cette perspective ne me fait ni chaud ni froid.
       Patrick MODIANO, les Boulevards de ceinture,
                          p. 103.

♦ **4** Loc. adv.
À CHAUD : en mettant au feu, en chauffant. *Marqué à chaud. Soluble à chaud. Étirer un métal à chaud.*
(1906, *in Rev. gén. des sc.,* n° 19, p. 901). Chir. *Opérer* à chaud,* en période de fièvre, de crise, pendant qu'il y a des phénomènes inflammatoires.
Fig. Au moment où l'événement vient de se produire.

La rébellion d'Algérie a éclaté, non par hasard, à ce 16
moment précis, alors qu'au Maroc et en Tunisie il fallait régler «à chaud» le passage d'un état à l'autre, établir des rapports nouveaux (...)
      F. MAURIAC, Bloc-notes 1952-1957, p. 385.

III Adv. ♦ **1** (Du sens I, A, 1). *Servir chaud. Buvez chaud. Manger chaud.*

♦ **2** Fig. (Rare). → **Chaudement.**

(Aux courses) nous faisions des souhaits ardents. On ne 17
prie pas si chaud dans les nefs d'églises.
         Henri CALET, la Belle Lurette, p. 162.

♦ **3** Fam. *Ça coûte chaud.* → **Cher.**

CONTR. Frais, froid, gelé, glacé. – Calme, flegmatique, indifférent. ◊ DÉR. Chaude, chaudeau, chaudement. – COMP. Chaude-pisse. – Chaud-froid. – HOM. Chaut (forme du v. chaloir : peu me chaut) ; chaux, show.

CHAUDE [ʃod] n. f. — 1611 ; de *chaud.*

♦ **1** (1611). Techn. Degré de chaleur qu'on donne au métal, au verre, pour le travailler. *Donner une chaude, deux chaudes au fer. Pour forger un fer à cheval, il faut deux chaudes.*

♦ **2** (1823). Régional. Feu vif qu'on allume pour se réchauffer promptement. → **Flambée.** *Faire une chaude, une petite chaude avant de se coucher.*
Loc. prov. *À la chaude, sur la chaude :* sur l'heure, immédiatement.

CHAUDEAU [ʃodo] n. m. — Fin XIIᵉ ; de *chaud,* et *eau.*

♦ **1** Ancient ou régional. Bouillon chaud.

♦ **2** Lait chaud, sucré et aromatisé (versé sur des œufs, etc.).

CHAUDEMENT [ʃodmã] adv. — V. 1173 ; de *chaud, chaude.*

I ♦ **1** (V. 1173). De manière à conserver sa chaleur. *Être vêtu chaudement, chaudement vêtu. Tu n'es pas habillé assez chaudement.*
Fam. *Aller chaudement :* avoir chaud, trop chaud. *Comment allez-vous ? — Chaudement.*

♦ **2** (V. 1385). Fig. Avec chaleur*, animation. *Poursuivre chaudement un ennemi. Acclamer, applaudir, féliciter chaudement qqn. Remercier chaudement qqn.* → **Chaleureusement, vivement.** *Être chaudement appuyé, recommandé.* — Avec passion. *Défendre chaudement la cause, les intérêts, la réputation de qqn.*

Vieilli (sur le plan physiologique) :

1 Quel est l'objet de l'homme qui jouit, n'est-il pas de donner à ses sens toute l'irritation dont ils sont susceptibles, afin d'arriver mieux et plus chaudement, au moyen de cela, à la dernière crise (...)   SADE, *Justine...*, t. I, p. 192.

♦ **3** Peint. Avec des couleurs chaudes. *Un paysage chaudement coloré.*

♦ **4** (1544). Rapidement.

2 Monsieur, êtes-vous un homme?... alors enlevez-moi et chaudement.
   E. LABICHE, *Si jamais je te pince!*, III, 14 (1856).

II Rare (sens concret). Avec chaleur.

3 (...) la lumière est couleur soleil, couleur feu de bois (...) Elle sent la fourrure, le poivre et la lavande, la peau d'Afrique, le thym, la terre brûlée, elle fait suer chaudement au grand fauve toutes ses odeurs de brousse.
   Georges NAVEL, *Travaux*, p. 102.

CHAUDE-PISSE [ʃodpis] n. f. — XIIIᵉ; *chaude-lance*, 1837; comp. de *chaude*, et *pisse* «urine».

Fam. Blennorragie. *Attraper, avoir une chaude-pisse. Soigner des chaudes-pisses dans un service de vénérologie.*

— Tu as donc revu cette bonne Rachel. J'aurais désiré des détails là-dessus. Fais-tu beaucoup d'infamies? as-tu regobé quelque chaude-pisse.
   FLAUBERT, Lettre à Louis Bouilhet, 2 juin 1850, *in* Correspondance, t. I, Pl., p. 633.

REM. La variante *chaude-lance* [ʃodlɑ̃s] (1837, Vidocq; de *lance* «pluie», d'où «urine») est plus marquée et donc plus rare.

CHAUDERIE [ʃodʀi] n. f. — 1819, Boiste; *chaudarie*, 1782; *chaveri*, 1711; empr. à une langue de l'Inde avec infl. de *chaud, chaude.*

Ancienn. (t. de relations). Auberge qui reçoit gratuitement les voyageurs de passage, en Inde. «*Il admire des danseuses dans une chauderie en respirant du vétiver*» (Balzac, *César Birotteau*, 1837, p. 54, *in* T. L. F.).

CHAUD-FROID [ʃofʀwa] n. m. et adj. — 1863, Littré; comp. de *chaud*, et *froid*.

♦ **1** N. m. Mets que l'on prépare à chaud, avec de la volaille, du gibier, et que l'on mange froid, entouré de gelée ou de mayonnaise. *Des chauds-froids de poulets. Servir un chaud-froid de volaille.*

♦ **2** Adj. Qui associe des températures élevées et des températures basses. *Dispositif chaud-froid.* — N. m. *Un chaud-froid.*
Qui associe des couleurs vives et des couleurs ternes. *Contraste chaud-froid.*

CHAUDIÈRE [ʃodjɛʀ] n. f. — V. 1230; *caldere*, déb. XIIᵉ; *jaldière*, av. 1105; du bas lat. *caldaria* «chaudron», de *caldus*. → Chaud.

♦ **1** (V. 1120). Ancienn. Récipient métallique où l'on fait chauffer, bouillir ou cuire qqch. → **Chaudron.** *Chaudière de cuisine. Chaudière à teinture. Chaudière de raffineur. Chaudière d'alambic.* → **Cucurbite.**

1 (...) il est aux enfers des chaudières bouillantes Où l'on plonge à jamais les femmes mal vivantes
   MOLIÈRE, l'École des femmes, III, 2.

Le contenu d'une chaudière. *Une chaudière de sucre. Une chaudière de lessive.*
Régional (Canada). Seau métallique.

♦ **2** Récipient où l'on transforme de l'eau en vapeur, pour fournir de l'énergie thermique (chauffage), mécanique ou électrique. — (1831, *in* D.D.L.). *Chaudière à vapeur. La chaudière d'un chauffage central.*

Chaudière mixte, qui assure à la fois le chauffage central et la production d'eau chaude sanitaire. *Fabricant de chaudières.* → **Chauffagiste, chaudiériste.** *Chaudière d'usine. Chaudière de locomotive, de bateau à vapeur* (→ Pression, cit. 1.1). *La, les chaudières d'une chaufferie* (cit. 2). *Chaudière à charbon, à mazout. Surface de chauffe* d'une chaudière. Chaudière tubulaire. Chaudière multitubulaire, aquatubulaire* (présentant des tubes remplis d'eau autour desquels circulent les gaz chauds), *ignitubulaire* (où les tubes plongés dans l'eau sont parcourus intérieurement par l'air chaud), *sans faisceau tubulaire, à vaporisation instantanée. Pièces et appareils d'une chaudière.* → **Bouilleur, déjecteur, flotteur, foyer, injecteur, régulateur, reniflard, soupape** (de sûreté), **tube.** *Clapets, manomètres d'une chaudière. Dépôts (calcin, tartre) à l'intérieur des chaudières. Nettoyer une chaudière.* → **Désencroûter, désincruster, détartrer.** *Réparer une chaudière.* — *Chauffeur* chargé de la chaudière.* — *Fabrication de chaudières.* → **Chaudronnerie.** — *Chaudière qui éclate, qui explose sous la pression de la vapeur.*

Pour garder sa pression, il brûlait à quai, immobile, des 2 tonnes et des tonnes de charbon, dans les foyers de ses trois chaudières, devant lesquelles veillaient toujours trois chauffeurs.   Roger VERCEL, *Remorques*, I, p. 17.

♦ **3** Géogr. Grand cratère. → **Caldeira.**

DÉR. Chaudiériste, chaudron, chaudrée.

CHAUDIÉRISTE [ʃodjeʀist] n. m. — 1975, C. I. L. F.; de *chaudière*.

Techn. Spécialiste de l'étude et de la fabrication des chaudières. → aussi **Chauffagiste.**

CHAUDRÉE [ʃodʀe] n. f. — XIIIᵉ, *chauderée*; de *chaudière*, au sens de «bouilloire, marmite, chaudron».

Régional. Soupe au poisson.

CHAUDRON [ʃodʀɔ̃] n. m. — 1329; *chauderon*, au XIIᵉ et encore *in* Académie jusqu'en 1740; du rad. de *chaudière*, et *-ron.*

♦ **1** Petite chaudière généralement en cuivre, à anse mobile, et qui sert aux usages de la cuisine.
Gare la cage ou le chaudron!
   LA FONTAINE, *Fables*, I, 8.   1

Les trois sorcières *(dans Macbeth)* arrivent au milieu des 2 éclairs et du tonnerre, avec un grand chaudron dans lequel elles font bouillir des herbes (...)
   VOLTAIRE, Lettre à Duclos, 25 déc. 1761.

Par ext. Son contenu. → **Chaudronnée.** *Un chaudron de soupe.*

(...) un petit chaudron noir bouillait doucement sur la 3 braise.   H. BOSCO, le Jardin d'Hyacinthe, p. 68.

Blason. Meuble représentant ce récipient.

♦ **2** (1893, *in* D.D.L.). Couleur d'un brun cuivré. → **Chaudronné.** — En appos. (ou adj. invar.). *Un manteau chaudron.*

♦ **3** (1704). Fig. Mauvais instrument de musique (par allusion au son que rend un chaudron sur lequel on frappe). *Ce piano est un chaudron, un vrai chaudron.* → **Casserole.** *Battre le chaudron* : faire du bruit.

♦ **4** Techn. Haute genouillère évasée (de botte). *Bottes à chaudrons.*

(...) le premier piqueux était un homme qui commençait 4 à lutter contre l'âge. Droit dans ses bottes boueuses dont le chaudron lui montait à mi-cuisses sous la basquine de sa livrée (...)   M. DRUON, la Chute des corps, I, II, p. 21.

♦ **5** Chasse. Mode de rabat où les chasseurs sont placés en cercle et avancent vers le centre.

DÉR. Chaudronné, chaudronnée, chaudronnerie, chaudronnier.

CHAUDRONNÉ, ÉE [ʃodʀɔne] adj. — 1848; de *chaudron.*

Vieilli. Qui a l'aspect, la couleur d'un chaudron.

Prague était niché dans un trou de montagnes qui portaient leur ombre noire sur un tapon de maisons chaudronnées.
CHATEAUBRIAND, Mémoires d'outre-tombe, t. IV, p. 247, (1848), *in* T.L.F.

CHAUDRONNÉE [ʃodʀɔne] n. f. — 1474; de *chaudron.*

Vieilli. Contenu d'un chaudron.

1 S'il nous ennuie, je lui jette une chaudronnée d'eau bouillante dans les jambes et un landier à la tête.
G. SAND, François le Champi, XVII, p. 122.

2 (...) sur le poêle bas, enragé de feu, à côté d'une chaudronnée de son pour les cochons, la cafetière soufflait une si bonne odeur qu'Angélo trouva cette pièce toute noire de suie tout à fait charmante.
J. GIONO, le Hussard sur le toit, p. 11-12.

CHAUDRONNERIE [ʃodʀɔnʀi] n. f. — 1611, Cotgrave; dér. de *chaudron.*

♦ 1 Industrie, commerce du chaudronnier.

♦ 2 (1680). Marchandise fabriquée et vendue par le chaudronnier; récipients en cuivre, en fer ou en acier, chaudières... *Grosse chaudronnerie :* objets destinés à la grande industrie. → **Distillation** (appareil de). *Petite chaudronnerie :* objets de faibles dimensions réservés aux usages domestiques (ustensiles de cuisine). *Chaudronnerie d'art.* → **Dinanderie.** — *Opérations de chaudronnerie :* traçage, découpage, perçage, cintrage, emboutissage, assemblage, rivetage, soudure, planage.

♦ 3 Lieu où se fabrique, où se vend la chaudronnerie. *Une chaudronnerie artisanale, industrielle.*

CHAUDRONNIER, IÈRE [ʃodʀɔnje, jɛʀ] n. et adj. — 1277; dér. de *chaudron.*

♦ 1 N. Artisan qui fabrique et vend des ustensiles de petite chaudronnerie. *Métier, boutique de chaudronnier.* → **Chaudronnerie.** *Chaudronnier d'art.* → **Dinandier.** *Cisailles, gouge de chaudronnier.* — En appos. *Maître chaudronnier. Apprenti chaudronnier.*

Par métaphore (au sens de «artisan grossier»).

Un impertinent conseiller désirait qu'il *(l'auteur)* mît au bas des feuillets la traduction de toutes les phrases latines (...) pour l'intelligence (...) de ceux de messieurs les maçons, chaudronniers ou perruquiers qui rédigent certains journaux.
HUGO, Han d'Islande, 1823, p. 12, *in* T.L.F.

♦ 2 Adj. Qui concerne la chaudronnerie. Qui s'occupe de chaudronnerie. *L'industrie chaudronnière.*

CHAUFFAGE [ʃofaʒ] n. m. — V. 1220; de 1. *chauffer.*

♦ 1 Action de chauffer; production de chaleur. → **Chauffe.** *Le chauffage d'un appartement, d'une chaudière.* — *De chauffage :* destiné au chauffage. *Le charme, le chêne, le platane constituent un bon bois de chauffage. Appareils de chauffage.* → **Aérotherme, brasero, calorifère, chaudière, cheminée, poêle, radiateur, thermosiphon, réchaud; bassinoire, bouillotte, chaufferette, moine.**

Absolt. *Dépenser beaucoup pour le chauffage* (du logement, de l'habitation). *Frais, charges de chauffage. Avoir le chauffage et l'éclairage :* être chauffé et éclairé gratuitement.

♦ 2 Manière de chauffer. *Un chauffage économique. Chauffage au bois* (cit. 38, et *supra*). *Chauffage au charbon, au gaz, à l'essence, au pétrole, au mazout.* → **Combustible.** *Chauffage par l'électricité. Chauffage par circulation d'air chaud, d'eau chaude, de vapeur.* → **Thermosiphon.** *Chauffage par pulsion d'air chaud* (→ Aérotherme). *Chauffage par le plancher. Chauffage par rayonnement direct, par rayonnement infrarouge. Chauffage direct, indirect, par contact, par convexion, par accumulation. Chauffage solaire.* — *Chauffage central,* par distribution de la chaleur provenant d'une source unique pour un immeuble. *Entretien du chauffage central.* → **Chauffagiste.** *Chauffage individuel. Chauffage urbain, collectif.* — *Chauffage d'appoint.*

(...) Ah, vous pouvez le dire, les Godin *(poêles)*, il n'y a rien de tel, ça vaut le chauffage central. Ça ne s'éteint jamais.
N. SARRAUTE, le Planétarium, p. 92.

Vx. *(Droit de) chauffage :* droit de couper du bois dans une forêt pour se réchauffer.

♦ 3 Les installations qui chauffent (chaudière, notamment). *Le chauffage est détraqué, est en panne.*

CONTR. **Réfrigération, refroidissement.** ◊ DÉR. **Chauffagiste.**

CHAUFFAGISTE [ʃofaʒist] n. — D.i. (v. 1960-70); de *chauffage.*

Spécialiste du chauffage central (installation, réparation, dépannage). *La chaudière est en panne, il faut faire venir le chauffagiste. Plombier-chauffagiste.*

CHAUFFANT, ANTE [ʃofã, ãt] adj. — XXᵉ; du p. prés. de 1. *chauffer.*

Qui chauffe, produit de la chaleur. *Surface chauffante, plaque chauffante. Couverture chauffante.*

CHAUFFARD [ʃofaʀ] n. m. — 1898, D.D.L.; de *chauffeur,* et suff. péj. *-ard.*

Mauvais conducteur d'automobiles; automobiliste dangereux. *Il s'est fait écraser par un chauffard. Va donc, eh, chauffard !* (→ Chauffeur du dimanche*).

CHAUFFE [ʃof] n. f. — XIVᵉ, «combustible»; déverbal de 1. *chauffer.*

♦ 1 Fait de chauffer (1. Chauffer, I., 1., techn.); entretien du feu, de la pression d'une chaudière. *Conduire la chauffe.* → **Chauffeur.** — (Surtout dans : *... de chauffe*). *Contrôle de chauffe.* — (1838). *Surface de chauffe :* la partie d'une chaudière qui est en contact avec la flamme du foyer. *Les tubes de chaudière augmentent la surface de chauffe.* — (1876). *Chambre de chauffe :* compartiment d'un bateau où se trouvent les foyers des chaudières. → **Chaufferie.** *Parquet de chauffe :* parquet de la chaufferie — *Bleu de chauffe :* combinaison de chauffeur, de travailleur manuel.

1 (...) un employé municipal en bleu de chauffe (...)
A. ROBBE-GRILLET, la Maison de rendez-vous, p. 35.

2 (...) Johnson (...) a juste le temps de sauter à bord, où il se trouve subitement au milieu de la foule silencieuse des petits hommes en bleus de chauffe ou pyjamas noirs qui se rendent à leur travail, bien que le jour ne soit pas encore levé.
A. ROBBE-GRILLET, la Maison de rendez-vous, p. 212.

♦ 2 (1701). Lieu où le combustible est brûlé, dans un fourneau de fonderie, une chaufferie* de navire. *Porte de chauffe.*

♦ 3 Techn. ou régional. Fait de chauffer (1. Chauffer, II., intrans.), de se réchauffer à l'excès.

3   Très tôt, pour éviter la chauffe du lait dans les bouilles, l'aluminium chantait aux croisées des chemins où passent les ramasseurs.
                              Hervé BAZIN, Qui j'ose aimer, 27, p. 240.

♦ **4** (1783). Action de distiller. → **Distillation** — Par métonymie. Le produit qui en résulte.
HOM. Formes des v. 1. chauffer, 2. chauffer.

CHAUFFE- Élément de noms composés, tiré du v. 1. *chauffer*. → **Chauffe-assiettes, chauffe-bain, chauffe-biberon, chauffe-doux, chauffe-eau, chauffe-la-couche, chauffe-linge, chauffe-lit, chauffe-pieds, chauffe-plats.**

CHAUFFE-ASSIETTES
ou **CHAUFFE-ASSIETTE** [ʃofasjɛt] n. m. — 1845, Bescherelle ; de *chauffe-*, et *assiette*.
Appareil servant à chauffer ou à maintenir chaudes les assiettes. *Chauffe-assiettes électrique.*
D'un geste rapide, Nicolas coupa le courant du four et mit en marche le chauffe-assiettes.
                              Boris VIAN, l'Écume des jours, I, p. 14.

CHAUFFE-BAIN [ʃofbɛ̃] n. m. — 1889-1890, *Année sc. et industr.*, p. 498 ; de *chauffe-*, et *bain*.
Appareil qui produit de l'eau chaude, pour les usages d'hygiène. *Des chauffe-bains à gaz, électriques.* → **Chauffe-eau.**
(...) tu vas passer dans la salle de bains et tâcher de laisser tes regrets sous la douche (...)
Il s'était levé. Elle bondit à sa suite.
— Ne te rhabille pas tout de suite. Dans l'armoire, à droite du chauffe-bain, tu trouveras des burnous (...) des pyjamas (...)
                              GIDE, les Faux-monnayeurs, I, VII, *in* Romans, Pl., p. 979.

CHAUFFE-BIBERON [ʃofbibʀɔ̃] n. m. — V. 1960 ; de *chauffe-*, et *biberon*.
Petit appareil électrique servant à chauffer les biberons. — Au plur. *Des chauffe-biberons.*

CHAUFFE-DOUX [ʃofdu] n. m. invar. — 1831, Balzac ; de *chauffe-*, et *doux* (II., adverbe).
Archéol. Caisse de fer remplie de braise ou de cendre chaude servant de poêle mobile, au moyen âge, dans les maisons et les églises.

CHAUFFE-EAU [ʃofo] n. m. — 1902, *in* D.D.L. ; de *chauffe-*, et *eau*.
Appareil producteur d'eau chaude. — Au plur. *Des chauffe-eau* (invar.) ou *des chauffe-eaux* (normalisé). *Chauffe-eau instantanés, à accumulation. Chauffe-eau électrique, à gaz. Chauffe-eau solaire*, qui utilise l'énergie solaire. *Chauffe-eau d'une salle de bains.* → **Chauffe-bain.**
Une armoire à glace. Un buffet-vaisselier pour les livres. Une cuisine sombre, avec chauffe-eau.
                              Claude COURCHAY,
                              La vie finira bien par commencer, p. 24.

CHAUFFE-LA-COUCHE [ʃoflakuʃ] n. m. invar. — 1813 ; composé de *chauffe-*, *la*, et 1. *couche*.
Fam. et vx. Homme qui se laisse mener par les femmes (Goncourt, 1892 ; A. Hermant, 1907 : «*ce qu'on appelait autrefois un chauffe-la-couche*»; *in* T.L.F.).

CHAUFFE-LINGE [ʃoflɛ̃ʒ] n. m. — 1753, *Encyclopédie* ; de *chauffe-*, et *linge*.
Appareil pour tenir chaud le linge de corps.

CHAUFFE-LIT [ʃofli] n. m. — 1471 ; de *chauffe-*, et *lit*.
Ancienn. Appareil servant à chauffer un lit. → **Bassinoire, moine** (II., 4.) — Au plur. *Des chauffe-lits.*

CHAUFFE-PIEDS [ʃofpje] n. m. invar. — 1381, repris 1680 ; de *chauffe-*, et *pied*.
Petit réchaud pour les pieds. → **Chaufferette.**

CHAUFFE-PLAT [ʃofpla] n. m. — 1890 ; de *chauffe-*, et *plat*.
Réchaud pour tenir les plats, les assiettes au chaud pendant le repas. → **Chaufferette** (2). *Des chauffe-plats.*

1. CHAUFFER [ʃofe] v. tr. et intr. — Mil. XIIe ; d'un lat. pop. *calefare*, lat. class. *calefacere*. → Caléfaction.

[I] V. tr. ♦ **1** Élever la température de (qqch.) ; rendre chaud, plus chaud. *Chauffer de l'eau à 100° :* faire bouillir*. Chauffer des aliments.* → **Cuire.** *Chauffer qqch. dans une étuve* (→ **Étuver**), *à la braise* (→ **Braiser**), *au four. Chauffer trop fort une viande.* → **Brûler, calciner, griller, surchauffer.** *Chauffer ce qui a refroidi.* → **Réchauffer.** *Le soleil chauffe l'atmosphère.* → **Embraser.** *Chauffer le four. Chauffer progressivement un four.* → **Attremper.** *Ce poêle chauffe toute la maison.* — Absolt. *Ce poêle chauffe bien. La houille chauffe plus que le bois.* — *Chauffer des draps.* → **Bassiner.** *Chauffer un métal, du fer, au rouge, à blanc.* → **Bleuir; blanc** (cit. 20, et *supra*). **incandescence.** Au p. p. **CHAUFFÉ À BLANC** (→ Blanc, cit. 19.2) ; par métaphore (→ ci-dessous, cit. 1) ; fig. (→ ci-dessous, Chauffé, p. p. adj., 2.).

Le ciel chauffé à blanc, s'étendait comme un miroir d'étain au-dessus du village, à demi consumé déjà par une demi-journée de soleil sans nuages.   1
                              E. FROMENTIN, Une année dans le Sahel, p. 181.

La boulangerie, la machine du bateau, chauffaient tellement les faux ponts, que dix des forçats moururent de chaleur.   1.1
                              ZOLA, le Ventre de Paris, t. I, p. 130.

(...) il chauffe les semelles de ses bottes au foyer habitué à rissoler les vôtres (...)   2
                              COURTELINE, Boubouroche, I, 3.

Ce qu'il chauffe votre poêle, dites-moi... Qu'est-ce que c'est que cette marque ? Un Godin ? Mais ça chauffe le tonnerre, ces machins-là...   2.1
                              N. SARRAUTE, le Planétarium, p. 91.
REM. La deuxième occurrence est en emploi absolu, *le tonnerre* ayant une fonction adverbiale.

Techn. Mettre en service (un appareil qui doit être chauffé). *Chauffer une chaudière, une locomotive.*
Loc. *Chauffer les oreilles (de qqn)*, l'exaspérer. → **Échauffer.**

Nature, marâtre ou mère ? aucune importance : je salue en toi le comble du relatif. Mais ne viens pas me chauffer les oreilles en ramenant ta fraise.   2.2
                              J.-L. BORY, Ma moitié d'orange, p. 72.

♦ **2** Régional (Canada ; de *chauffeur*). Conduire (une automobile).

♦ **3** Fig. et fam. *Chauffer qqn ; chauffer qqn à blanc*, l'exciter, attiser son zèle. — *Chauffer un candidat*, le préparer intensément à un examen. → **Bachoter.** — *Chauffer une femme*, lui faire une cour pressante, la serrer de près.
Chauffer une affaire, la mener rondement.

[II] V. intr. ♦ **1** Devenir chaud. *Le four chauffe. Faire chauffer de l'eau, un bain.* Fig. *Le bain chauffe :* un orage se prépare. *Faire chauffer des aliments* (sans cuire). → **Réchauffer.** — Loc. fam. *Faites chauffer la colle*! : il y a de la casse.
La locomotive, le navire chauffe : les feux sont allumés, le départ est proche. → **Pression** (être sous pression).

(1906). S'échauffer à l'excès, dangereusement. *Le moteur, le palier chauffe; l'essieu, la roue chauffe,* par suite d'un mauvais fonctionnement. → **Échauffer** (s').

◆ **2** Produire de la chaleur. *Cet appareil chauffe bien. Le coke chauffe mieux que le bois.*

Prov. Vieilli. *Ce n'est pas pour vous que le four chauffe :* ce qui se prépare ne vous concerne pas, n'est pas pour vous.

◆ **3** (1830, *in* D.D.L.). **Fig.** et **fam.** *Ça chauffe, ça va chauffer :* la chose devient grave, sérieuse, vive. → 3. **Barder** (→ Chaud, I., C., 4.).

◆ **4** Argot mus. (adapt. franç. de l'angl. *hot* «chaud»). Avoir un rythme excitant. *Ce pianiste de jazz a une bonne technique, mais il ne chauffe pas. Un orchestre qui chauffe. Un chanteur de rock qui chauffe terrible. Une salle qui chauffe,* survoltée, surexcitée.

◆ **SE CHAUFFER** v. pron.

◆ **1** S'exposer à la chaleur. *Se chauffer au soleil. Se chauffer près d'un radiateur.*

(Faux pron.). *Se chauffer les mains, les pieds.*

3 (...) j'aperçus quelqu'un assis dans mon fauteuil, et qui se chauffait les pieds en me tournant le dos.
       MAUPASSANT, les Sœurs Rondoli, p. 112.

Loc. fig. *Se chauffer le cœur.* → **Réchauffer, réconforter.**

4 Et pourtant c'eût été si bon, au milieu de tant de deuils et de tristesse, d'avoir un peu d'amour pour se chauffer le cœur!
       Alphonse DAUDET, le Petit Chose, II, XVI.

◆ **2** Chauffer son logement. *Se chauffer au bois, au charbon. Ils se chauffent à l'électricité.*

Loc. prov. Fig. *Nous ne nous chauffons pas du même bois :* nous n'avons pas les mêmes idées, les mêmes habitudes. — *Montrer de quel bois on se chauffe,* de quoi l'on est capable (→ Bois, cit. 40).

◆ **3** Se mettre en condition, en train. → **Échauffer** (s').

◆ **4** (Avec valeur de passif). *Ce fourneau se chauffe au bois.*

◆ **CHAUFFÉ, ÉE** p. p. adj.

◆ **1** Rendu, devenu chaud.

◆ **2** Fig. Excité, encouragé. — Loc. *Chauffé à blanc*, exalté à l'extrême.

CONTR. Attiédir, glacer, rafraîchir, réfrigérer, refroidir. ◇ **DÉR.** et **COMP.** Chauffage, chauffant, chauffe, chauffe-ferrette, chaufferie, chauffeur, 2. chauffeuse, chauffoir. Préchauffer, rechauffer, surchauffer. Inchauffable. — V. Chauffe- et composés. ← HOM. 2. **Chauffer.**

2. CHAUFFER [ʃofe] v. tr. — 1840, v. intr., «détrousser les passants»; probablt de l'ital. pop. *ciuffare* [tʃufare], fourbesque *zuffare,* p.-ê. par le marseillais *tchouffer;* rattaché à 1. *chauffer* comme une métaphore analogue à celle de *étouffer, griller;* la paronymie avec *choper* a dû jouer.

Argot, puis fam. Voler, dérober. → **(fam.) Choper, chouraver, faucher.** *Se laisser chauffer sa montre. Il lui a chauffé ses meilleures idées.*

Vx. Prendre (qqn) sur le fait. *Il s'est fait chauffer.*

HOM. 1. Chauffer.

CHAUFFERETTE [ʃofʀɛt] n. f. — 1398; *chaufereto,* 1379; dér. de 1. *chauffer.*

◆ **1** Boîte à couvercle percé de trous, dans laquelle on met de la braise, de la cendre chaude, pour se chauffer les pieds. → **Brasero, couvet** (VX), **réchaud.**

(...) ce Bilboquet pratiquait à son égard la politique des menus soins, que j'appelle encore la politique des chaussons et de la chaufferette.
       G. DUHAMEL, Cri des profondeurs, II, p. 43.

◆ **2** Petit réchaud de table. → **Chauffe-plat.**

◆ **3** Arbor. Appareil utilisé pour lutter contre les gelées dans les vergers.

◆ **4** Régional (Canada). Appareil de chauffage d'une automobile.

CHAUFFERIE [ʃofʀi] n. f. — 1334; de 1. *chauffer.*

◆ **1** (1334). Rare. Action, fait de chauffer.

◆ **2** (1723). Techn. Forge où l'on réduit le fer en barres.

◆ **3** (1873). Mod. Chambre de chauffe d'une usine, d'un navire, où sont placées les chaudières. — Local d'un immeuble où se trouvent les chaudières de chauffage.

1 La chaufferie étant ouverte, on entrevoyait d'autres monstres alignés dans l'ombre. Très âcre, il en venait un vieux relent de mâchefer qui se mêlait à l'odeur encore écœurante de la graisse.
       H. BOSCO, Un rameau de la nuit, II, p. 64.

2 Je suis descendu par cinq fois pour recharger la chaudière, obsédé par le souvenir de Nestor dont la mort par asphyxie dans la chaufferie de Saint-Christophe hantait cette veillée ardente.
       M. TOURNIER, le Roi des Aulnes, p. 349.

CHAUFFEUR [ʃofœʀ] n. m. — 1680; de 1. *chauffer.*

Ⅰ ◆ **1** Personne qui est chargée d'entretenir le feu d'une forge, d'une chaudière. *Chauffeur-mécanicien de bateau, de locomotive.*

1 Là, il s'engagea comme chauffeur à bord d'un navire appelé à longer les côtes occidentales de l'Afrique.
       Raymond ROUSSEL, Impressions d'Afrique, p. 236.

En appos. (rare). *Ouvrier chauffeur.*

◆ **2** (1798). Hist. Malfaiteur qui torturait ses victimes en leur brûlant les pieds, pour leur arracher des aveux sur le lieu où elles cachaient leur argent. *La célèbre bande de chauffeurs d'Orgères.*

◆ **3** Fig. et vx. Celui qui excite, stimule; celui qui excite les femmes (Balzac, *in* T. L. F.).

Ⅱ (1896). **a** Vieilli. Conducteur (occasionnel) d'une automobile. → **Automobiliste, conducteur.** *Un bon, un excellent chauffeur. Le chauffeur et les passagers. Un mauvais chauffeur* (→ **Chauffard**). **Loc. mod.** *Un chauffeur du dimanche :* un mauvais conducteur.

b Mod. Personne dont le métier est de conduire une automobile. *Chauffeur de maître. Il ne conduit pas, il a un chauffeur. Mon chauffeur vous reconduira. Chauffeur en livrée. Casquette de chauffeur. — Louer une voiture avec, sans chauffeur; location de voitures sans chauffeur.*

2 Un chauffeur en manteau de caoutchouc blanc ouvrit la portière d'un beau coupé surbaissé aux longues lignes raides.
       A. MAUROIS, Bernard Quesnay, XXIV, p. 158.

Plus cour. *Un chauffeur de camion* (→ **Camionneur, routier**). — *Chauffeur de taxi.* → **Taxi;** et aussi **bricolier** (3.). *Le chauffeur du taxi a refusé de nous charger. — Il y a un taxi en station, mais le chauffeur n'est pas là. Elle est chauffeur de taxi.* → **Taxite.** *Femme chauffeur* (→ **Chauffeuse**). — *Un chauffeur d'autobus, de car.* → **Machiniste** (3.). *Le chauffeur du bus, du car.*

Ⅲ (1894). Techn. Appareil servant à chauffer. *Chauffeur de permanente.*

3   Dans la *(permanente)* tiède, c'est la chaleur du «chauffeur»
    qui frise (...) elle avait recours au *chauffeur*. Une pince en
    matière plastique qu'elle laissait chauffer sur les barres
    d'un appareil à gaz. Pour modérer le *chauffeur*, entre lui
    et le cheveu elle plaçait le *protecteur*.
                        P. GUTH, le Mariage du naïf, XII, p. 116.

DÉR. Chauffard, 1. **chauffeuse.**

1. CHAUFFEUSE [ʃoføz] n. f. — 1897; de *chauffeur*.
Rare. Femme qui conduit une automobile. — Plus
cour. Femme qui conduit un taxi, un autobus, un
camion (mais on dit plus souvent *chauffeur*).

HOM. 2. **Chauffeuse.**

2. CHAUFFEUSE [ʃoføz] n. f. — 1830; de 1. *chauffer*.
Chaise basse pour se chauffer près du feu.

Assis bas sur une chauffeuse bancale, les mains en avant,
devant l'âtre qui fut celui de Bertine (...)
                        Hervé BAZIN, Cri de la chouette, p. 153.
Petit fauteuil bas sans accoudoirs.

HOM. 1. **Chauffeuse.**

CHAUFFOIR [ʃofwaʀ] n. m. — 1680; de 1. *chauffer*.

♦ **1** (1680). Ancient. Salle commune dans un monastère, un hospice, une prison, où l'on pouvait se
chauffer.

1   Si nous récitions nos prières
    Dans le crépuscule du soir
    Avec des lèvres régulières,
    Avant d'allumer les lumières,
    Je ne serais pas au chauffoir.
              Germain NOUVEAU, Autres poèmes, «Aux saints»,
                        Pl., p. 678.
Spécialt. *Chauffoir public* : salle chauffée ouverte
aux pauvres.

♦ **2** Par métonymie. Appareil qui chauffe.

♦ **3** Techn. Bassin où se fait le début de l'évaporation
de l'eau de mer (syn. : *partènement*).

♦ **4** Fig. et vx. Établissement où les élèves se préparent activement aux examens.

2   (...) demi-pensionnaire seulement. C'est déjà trop (...) sans
    doute tous ces chauffoirs se valent (...) Je n'y serais pas
    entré du tout si je n'avais pas eu à rattraper le temps où
    j'ai été malade.
              GIDE, les Faux-monnayeurs, I, XII, *in* Romans, Pl.,
                        p. 1010.

CHAUFOUR [ʃofuʀ] n. m. — 1311, *chauffour*; *cauffor*,
1248; composé de *chaux*, et *four*.
Technique.

♦ **1** Four à chaux*.

♦ **2** Par ext. Endroit où l'on serre le bois et la pierre
à chaux destinés au four.

DÉR. Chaufourage, chaufournier.

CHAUFOURAGE [ʃofuʀaʒ] n. m. — XVIᵉ; de *chaufour*.
Techn. (vx). → **Chaulage.**

CHAUFOURNIER [ʃofuʀnje] n. m. — XVIᵉ; *caufornier*,
1200; de *chaufour*.
Techn. (ancient). Ouvrier qui travaille dans un four
à chaux. → aussi **Chaulier.**

1   Ce n'est pas qu'il songe à coucher dans les carrières de
    Montmartre, mais il aura de longues conversations avec
    les chaufourniers.
                        NERVAL, les Nuits d'octobre, p. 101.

2   (...) c'était l'amîn, ou prud'homme, des chaufourniers,
    homme retors, souvent suspecté de fraude (...) et l'on disait
    de lui que le soir il attirait les femmes dans son four-à-
    chaux.   ARAGON, le Fou d'Elsa, p. 214.

CHAULAGE [ʃolaʒ] n. m. — 1764; de *chauler*.

♦ **1** Agriculture. Action de chauler (1.); son résultat.
Le chaulage des terres. → **Amendement, engrais.** *Le
chaulage des graines, des raisins, des arbres. Chaulage par immersion, par aspersion* (→ Binage, cit. 1,
Flaubert). — *Un chaulage réussi.*

En dépit des chaulages pernicieux (...) Bouvard, l'année
suivante, avait devant lui une belle récolte de froment.
              FLAUBERT, Bouvard et Pécuchet, Pl., t. II, p. 36.

♦ **2** Action de chauler (2.). *Le chaulage d'un mur,
d'une maison.*

CHAULER [ʃole] v. tr. — 1372; on trouve aussi *chauter*
et *chauder* jusqu'au XIXᵉ; de *chaux*, et -*er*, avec consonne intercalaire *l*.

♦ **1** Agric. Traiter par la chaux. *Chauler des terres*,
répandre de la chaux en poudre pour les rendre
poreuses et fertiles. → **Amender.** *Chauler des
graines* : passer les semences des céréales au
lait de chaux pour les débarrasser de la carie, du
charbon. *Chauler des arbres* : enduire le tronc de
lait de chaux pour détruire les insectes. *Chauler
des raisins*, les arroser de lait de chaux pour
empêcher les passants d'en manger.

♦ **2** Blanchir à la chaux. *Chauler un mur.*
→ 2. **Échauder.**

Absolument :

J'aveugle les fenêtres au Nord, je nivelle le sol de la por-   1
cherie, je restaure les gypseries effritées, j'enduis, gratte,
badigeonne, chaule, surélève, dégage.
              François NOURISSIER, le Maître de maison, p. 34.

♦ **CHAULÉ, ÉE** p. p. adj.

♦ **1** Agric. Traité par la chaux.

♦ **2** Blanchi à la chaux.

(...) ce village avec ses maisons basses aux toits de bardeau   2
groupées autour d'une grosse église, trapue, aux murs
chaulés (...)   M. TOURNIER, le Roi des Aulnes, p. 180.

Dans un renfoncement où la peinture, qui fut brune,   3
s'écaille, la porte est à deux vantaux étroits, garnis de carreaux chaulés dont plusieurs ont été remplacés par du
carton.

              A. PIEYRE DE MANDIARGUES, la Marge, p. 83-84.

DÉR. Chaulage, chauleuse, chaulier. ◊ **COMP.** Échauler,
déchauler, rechauler.

CHAULEUSE [ʃoløz] n. f. — 1929; de *chauler*.
Agric. Appareil à chauler.

CHAULIER [ʃolje] n. m. — 1610; de *chaux*, et -*ier*, avec
consonne intercalaire *l*.
Techn. (ancient). Celui qui exploite un four à
chaux. *Ce chaulier emploie plusieurs chaufourniers*.

CHAULMOOGRA [ʃolmugʀa] n. m. — 1904, in *Rev.
gén. des sc.*, nᵒ 9, p. 428; *chaulmoogre*, 1845, Bescherelle; angl. *chaulmoogra*, d'orig. bengali.
Techn. (pharm., etc.). Huile extraite des graines
de plusieurs arbres indiens (dont *Taraktogenos
kurzii*), utilisée autrefois dans le traitement de la
lèpre.

CHAUMAGE [ʃomaʒ] n. m. — 1393; de *chaumer*.
Agriculture.

♦ **1** Action de couper le chaume* qui reste attaché
au sol après la moisson.

♦ **2** (1798). Vx. Temps où se fait cette opération. *À
la fin du chaumage.*

HOM. Chômage.

CHAUMARD [ʃomaʀ] n. m. — 1846, Bescherelle; orig. inconnue.

Mar. Élément de l'accastillage de pont destiné à guider les amarres et à les faire travailler selon l'angle convenable en les préservant des frottements contre des arêtes vives. *Chaumard de fonte* (navires), *de bronze, de nylon* (embarcations). *Chaumard avant, arrière; bâbord, tribord.*

CHAUME [ʃom] n. m. — 1195; du lat. *calamus* «tige de roseau, de céréales». → Calame.

♦ **1** (1195). Tige des céréales. → **Paille.** — Spécialt. Partie de la tige qui reste sur pied après la moisson. → **Éteule.** *Couper le chaume.* → **Chaumer,** *étraper. Enterrer le chaume.* → **Chaumer, déchaumer.** *Brûler le chaume.* → **Écobuer.**

0.1 Ou la grêle s'abat et fauche la moisson;
Ou la gelée arrive, et suspend un glaçon
À chaque grain de blé qui tremble au bout du chaume.
A. JARRY, Ontogénie, Pl., t. I, p. 126.

0.2 Il y avait des prés et des chaumes. Dans les prés, des vaches abandonnées par les paysans belges et dans les champs, le blé récemment coupé, encore là, en javelles.
DRIEU LA ROCHELLE, la Comédie de Charleroi, p. 23-24.

♦ **2** (Surtout au plur.). Champ où le chaume est encore sur pied.

1 (...) il ne rencontra que le blaireau qui fuyait dans les chaumes, et la chouette qui sifflait sur son arbre.
G. SAND, la Petite Fadette, XXI, p. 152.

2 Puis, au bord du champ, il vit, à trois pas d'intervalle, des perdrix rouges qui voletaient dans les chaumes.
FLAUBERT, Trois contes,
«La légende de saint Julien l'Hospitalier», II.

♦ **3** (1275). Collectif. *(Le chaume, du chaume).* Paille qui couvre le toit des maisons. → **Glui.** *Un toit de chaume. Anciennes maisons paysannes à toits de chaume.* → **Chaumière** (1). *Il vient de faire mettre un toit de chaume à sa villa.* → **Chaumière** (2).

3 Les légendes toujours mêlent quelque fantôme
À l'obscure vapeur qui sort des toits de chaume (...)
HUGO, la Légende des siècles, XV, «Éviradnus», III.

4 Toujours ce chaume et ce granit brut qui jettent encore dans les villages bretons une note de l'époque primitive.
LOTI, Mon frère Yves, XLVI, p. 115.

(Le chaume; un chaume). Toit à couverture de chaume.

5 Le pauvre en sa cabane où le chaume le couvre (...)
MALHERBE, Consolation à M. Du Périer.

6 Le chaume dresse au vent sa plume de fumée (...)
HUGO, les Châtiments, IV, 10.

7 Les maisons des paysans, coiffées d'un chaume poli par le temps, se confondaient avec les champs voisins (...)
A. MAUROIS, les Silences du colonel Bramble, I, p. 16.

Littér., vx. *Un chaume :* une maison à toit de chaume. → **Chaumière.**

8 (...) Les princes verront les chaumes préférés
Au faîte ambitieux de leurs palais dorés.
CORNEILLE, l'Imitation de J.-C., I.

Fig. (poét., vx). *Être né sous le chaume :* être d'humble condition. *Le chaume et le marbre :* la chaumière et le palais*.

♦ **4 Bot.** Tige cylindrique, fistuleuse des plantes graminées *(Culmifères).*

Littér. Paille.

9 Dans le sous-sol d'une boulangerie un grillon chante, et on voudrait l'en faire sortir, comme de son trou avec un chaume, en fouillant de la canne dans le soupirail.
GIRAUDOUX, Simon le pathétique, 1926, p. 242,
in T. L. F.

♦ **5** (V. 1150; du bas lat. *calma* «haut plateau dénudé»). Régional (Vosges). Sommet dénudé d'une hauteur; pâturage des hauts sommets (surtout au pluriel).

10 La faîte des collines est dénudé, ou du moins semble couvert d'herbes rases, à la manière des «chaumes» vosgiens (...)
GIDE, Voyage au Congo, *in* Souvenirs, Pl., p. 698.

REM. Dans ce sens, le mot est parfois féminin.

11 Défense aux gens de passer, comme, aux moutons, de paître sur la chaume. Je l'ai louée pour la saison à une alouette qui vient d'y faire son nid.
J. RENARD, Journal, 10 mai 1905.

DÉR. Chaumer, chaumet, chaumier. — Chaumière. Chaumine. ◊ **HOM.** Chôme. — Formes des v. chaumer, chômer.

CHAUMER [ʃome] v. tr. et intr. — 1355; de *chaume.* Agriculture.

♦ **1** V. tr. Arracher, couper le chaume* de (un champ) après la moisson. → **Déchaumer, étraper.** *Chaumer un champ de blé.*

♦ **2** V. intr. *Chaumer dans un champ.*

DÉR. Chaumage. ◊ **COMP. Déchaumer.** → **HOM.** Chômer.

CHAUMES [ʃom] n. m. pl. → **Chaume** (5.).

CHAUMET [ʃome] n. m. — 1863; de *chaume.* **Agric.** Outil servant à arracher les chaumes.

CHAUMIER [ʃomje] n. m. — 1863; de *chaume.* Agriculture.

♦ **1** Personne qui coupe le chaume. — Ouvrier qui couvre de chaume les habitations.

♦ **2** Tas de chaume.

CHAUMIÈRE [ʃomjɛʀ] n. f. — 1666, Furetière, *Roman bourgeois;* de *chaume.*

♦ **1** Petite maison traditionnelle rustique et pauvre, couverte de chaume*. *Une chaumière de paysan, de bûcheron.* → **Cabane, chaumine.** — **Poét.** *L'humble toit d'une chaumière; la chaumière et le palais.*

1 (...) la sœur grise court administrer l'indigent dans sa chaumière (...)
CHATEAUBRIAND, le Génie du christianisme, IV, III, 6.

2 Sur les chaumières dédaignées
Par les maîtres et les valets,
Joyeuse, elle *(la nature)* jette à poignées
Les fleurs qu'elle vend au palais.
HUGO, les Voix intérieures, V, 1.

3 Là-bas, sous les arbres s'abrite
Une chaumière au dos bossu;
Le toit penche, le mur s'effrite,
Le seuil de la porte est moussu.
Th. GAUTIER, Émaux et Camées, «Fumée».

4 Une pauvre chaumière isolée, au détour d'un chemin, et c'est tout.
LOTI, Mon frère Yves, XVII, p. 64.

Loc. *Une chaumière et un cœur,* idéal de l'homme simple et sensible.

5 Je raffole des autocars locaux. Ils me transfigurent. Je deviens naïve, je crois au bonheur. Je suis persuadée que les autres sont heureux. Premier arrêt, un voyageur descend, il s'en va retrouver une chaumière et un cœur.
Violette LEDUC, la Folie en tête, p. 554.

Loc. fam. *Une histoire qui fait pleurer dans les chaumières :* une histoire très sentimentale — *La Veillée des chaumières,* titre d'un recueil périodique de récits simples et sentimentaux, destiné en principe à une clientèle rurale. *Un style veillée des chaumières, poét.*

♦ **2 Mod.** Maison d'agrément à toit de chaume (dans ce sens, *chaumière* peut désigner une maison luxueuse).

CONTR. Palais.

CHAUMINE [ʃomin] n. f. — 1606; adj., *maison chaumine*, 1486; dér. de *chaume*, et suff. *-ine*.

Vieilli. Petite chaumière*.

1 *(Un pauvre Bûcheron)* tâchait de gagner sa chaumine enfumée. LA FONTAINE, Fables, I, 16.

2 Je fume comme la chaumine
Où se prépare la cuisine
Pour le retour du laboureur.
BAUDELAIRE, les Fleurs du mal, Spleen et Idéal,
«La pipe».

CHAUSSAGE [ʃosaʒ] n. m. — 1435; de *chausser*.

Technique ou histoire.

◆ **1** Agric. Action d'entourer de terre (le pied d'un arbre, d'une plante).

◆ **2** Techn. Remise à neuf des bassins d'un marais salant.

◆ **3** Hist. Droit payé au seigneur pour l'entretien des chaussées, au moyen âge.

CHAUSSANT, ANTE [ʃosɑ̃, ɑ̃t] adj. — 1690; p. prés. de *chausser*.

Commerce.

◆ **1** Qui chausse bien. *Ces mocassins sont très chaussants.*

◆ **2** Qui a pour fonction de chausser le pied. *Article chaussant :* pantoufle, sandale (spécialt, à l'exception des *chaussures*).

CHAUSSE [ʃos] n. f. — 1398; *chauce*, XIIᵉ; du lat. vulg. *calcea*, de *calceus* «soulier»; cf. ital. *calza*. → Caleçon.

◆ **1** (Mil. XIIᵉ). Au plur. Vx ou hist. Partie du vêtement masculin qui couvrait le corps depuis la ceinture jusqu'aux genoux (haut-de-chausses; → **Culotte, grègue, haut-de-chausses**) ou jusqu'aux pieds (bas-de-chausses; → 2. **Bas, gamache, guêtre, jambière**). *Une paire de chausses.*

1 Il voit que (...) sa chemise est par-dessus ses chausses.
LA BRUYÈRE, les Caractères, XI, 7.

Fig. Vx (ou archaïsme littér.). *Être, courir, hurler, aboyer après les chausses de qqn, coller aux chausses de qqn,* le poursuivre, le harceler. → **Trousse** (être aux trousses). *Tenir qqn au cul et aux chausses,* le harceler, le serrer de près.

2 Ils étaient une douzaine de possédés après mes chausses (...)
MOLIÈRE, Monsieur de Pourceaugnac, II, 4.

3 (...) l'on n'est point plus ravi que de vous tenir au cul et aux chausses (...) MOLIÈRE, l'Avare, III, 1.

4 La meute des envieux ne cessera d'aboyer à tes chausses (...) FRANCE, la Vie en fleur, XXVIII, p. 322.

Tirer ses chausses : s'enfuir, partir (→ Se tirer).

5 (...) il m'a fallu tirer mes chausses au plus vite (...)
MOLIÈRE, la Princesse d'Élide, V, 1.

Faire dans ses chausses : avoir très peur. → **Culotte** (I., 1.).

C'est sa femme qui porte les chausses, qui commande. → **Culotte** (I., 1.).

◆ **2** (1740). Bande d'étoffe du costume de cérémonie des membres de l'Université, portée sur l'épaule. → **Épitoge**.

◆ **3** (XIVᵉ). Techn. Filtre, entonnoir en étoffe. *Chausse à filtrer.* — (1552, *chausse d'Hippocras*). **Anciennt.** *Chausse d'Hippocrate, chausse à hypocras,* utilisée en pharmacie.

Tuyau qui s'adapte sous la cuvette des W.C. — Syn. : *botte.*

Pêche. Goulet en forme d'entonnoir (de certains filets).

◆ **4** Blason. Pièce honorable, chevron plein, retourné pointe en bas (opposé à *chape*).

DÉR. Chaussette, chausson. ◊ **COMP.** Haut-de-chausses. — **HOM.** Formes du v. **chausser.**

CHAUSSÉE [ʃose] n. f. — V. 1135, *chauciee;* var. *cauchie, chaucie* au lat. vulg. **calciata (via)* «route *(via)*», soit «couverte d'un mortier de chaux *(calx)*», soit «foulée par le talon *(calx)*».

◆ **1** Partie principale et médiane d'une voie publique. → **Route, rue** (→ Macadam, cit. 1). *La chaussée et les bas-côtés* d'une route, et les *trottoirs* d'une rue. *Chaussée bombée, relevée. Chaussée en déclive. Chaussée empierrée, pavée, goudronnée, asphaltée. L'asphalte, le macadam de la chaussée. Chaussée empierrée recouverte de ciment* (→ Macadam-ciment). *Les couches* (ou *assises*) d'une chaussée. *Les bandes* d'une chaussée; *les lignes blanches d'une chaussée signalisée. Chaussée défoncée, déformée, effondrée, ravinée. Chaussée lisse, glissante. Paver, dépaver, refaire la chaussée. La nivelette permet de niveler les chaussées. Déblayer avec un chasse-neige une chaussée enneigée. Chaussée bordée de ruisseaux, de fossés. Une chaussée romaine, gallo-romaine.* → **Voie.**

1 Ils occupaient la chaussée et les trottoirs, laissant à peine le passage aux voitures.
J. ROMAINS, les Hommes de bonne volonté, XVI, p. 169.

2 Johnson lâche le vieillard et s'éloigne d'un pas vif, pour se mettre bientôt à courir, poursuivi par les cris du Chinois, debout au milieu de la chaussée (...)
A. ROBBE-GRILLET, la Maison de rendez-vous, p. 90.

Loc. *Les Ponts et Chaussées.* → **Pont.**

◆ **2** (1309, *chaucie*). Techn. Élévation de terre servant à retenir l'eau d'un cours d'eau, d'un étang, etc., et pouvant servir de voie de passage. → **Digue, levée, remblai, talus.** *Chaussée d'étang, chaussée de retenue. Chaussée dans un marais, un marécage, un pré inondable. Chaussée sur maçonnerie, sur pilotis.* «La chaussée qui joignait l'île (...) à la terre» (H. Malo, *in* T.L.F.).

◆ **3** Géogr. (cour. dans des noms propres). Écueil sous-marin de forme allongée, affleurant l'eau. *La chaussée de Sein.*

Loc. (1886). *Chaussée des Géants :* ensemble de colonnes basaltiques (d'abord en Irlande du Nord, dans le comté d'Antrim), dont le sommet évoque un gigantesque pavement. → aussi **Orgue** (orgues basaltiques).

◆ **4** (1752). Techn. Pièce (pignon) d'une montre portant l'aiguille des minutes. *Chaussée lanternée,* ajustée à friction sur l'axe.

COMP. Rez-de-chaussée. ◊ **HOM.** Formes du v. **chausser.**

CHAUSSE-PIED [ʃospje] n. m. — 1549; de *chausser,* et *pied.*

Lame incurvée façonnée sur la forme du talon et dont on se sert pour faciliter l'entrée du pied dans la chaussure. → **Corne** (à chaussures). *Chausse-pied en corne, en métal, en matière plastique. Des chausse-pieds.*

1 Il avait fini de lacer la chaussure droite; il restait là, le chausse-pied à la main, l'œil morne et les lacets de la gauche gisaient à terre comme des couleuvres écrasées par un camion. R. QUENEAU, le Chiendent, p. 205.

(1630). **Par métaphore et vx.** Ce qui aide, ce qui facilite qqch.

2 Une charge était le chausse-pied du mariage.
FURETIÈRE, le Roman bourgeois, II, 33.

CHAUSSER [ʃose] v. tr. — 1552; *chaucier*, 1155; *calcer*, v. 1100; du lat. *calceare* «mettre des chaussures».

♦ **1** Mettre à ses pieds (des chaussures*). *Chausser des pantoufles, des espadrilles, des bottes. Chausser ses plus beaux souliers.*

1 Et il était comme le jardinier devenu roi qui, obligé à chausser les sandales de pourpre, regrette ses sabots lourds de glaise et de pauvreté.
Francis JAMMES, le Roman du lièvre, III.

Ellipt. *Chausser du 38, du 40,* porter des chaussures de cette pointure.

(Avec un compl. second en *à*). Mettre aux pieds de qqn. *Chausser des souliers à qqn. Chausser des bottines à un enfant.*

Loc. fig. *Chausser le cothurne*, le brodequin* (→ Brodequin, cit. 2 et 3). — *Chausser les bottes de qqn,* se mettre à sa place.

Par anal. *Chausser les étriers,* y enfoncer les pieds. — *Chausser les éperons à qqn,* en le recevant chevalier.

2 L'officiant me chaussa les éperons en me donnant l'accolade. CHATEAUBRIAND, Itinéraire..., III, 39.

Chausser des skis, des patins.

Fam. *Chausser des lunettes, des besicles,* les ajuster sur son nez.

3 Il fallait que M. de Janson chaussât mieux ses lunettes.
Mᵐᵉ DE SÉVIGNÉ, 1286, 12 juil. 1690.

♦ **2** (Compl. n. de personne). Mettre une chaussure à (qqn). *Il se fait chausser par son valet de chambre. Il faut chausser cet enfant. Chausser qqn de bottes.* → **Botter.**

Par anal. *Chausser un cheval,* garnir ses sabots de fers. → **Ferrer.**

Fournir (qqn) en chaussures. *Ce cordonnier, ce bottier chausse toute ma famille. Il se fait chausser chez X... — Absolt. Ce chausseur chausse bien.*

Fig. et vx. *Il n'est pas facile, pas aisé à chausser,* à contenter, à satisfaire.

♦ **3** (Sujet n. de la chaussure). Aller* (bien ou mal). *Ce soulier me chausse bien. — Intrans. Cette botte ne chausse pas bien. — C'est un 38, mais ce modèle chausse petit.*

Fam. et vieilli. *Cela me chausse,* me convient. → **Botter,** fig. (→ Trouver chaussure* à son pied).

♦ **4** Agric., hortic. Entourer le pied de (une plante) de terre, pour faciliter le développement. *Chausser un arbre.* → 1. **Butter,** 1. **enchausser.**

♦ **5** Garnir de pneus (une voiture).

◆ **SE CHAUSSER** v. pron.

♦ **1** Mettre ses chaussures. *Se chausser avec un chausse-pied. S'habiller, se coiffer et se chausser. — Se chausser de sandales.*

♦ **2** Fig. *Se chausser d'une opinion, d'une idée,* s'entêter dans cette opinion, y être très attaché. → **Enticher** (s').

◆ **CHAUSSÉ, ÉE** passif et p. p.

♦ **1** *Être bien, mal chaussé. Il était chaussé de bottines.*

4 (...) Ramuntcho cheminait par le sentier de mousse, sans bruit, chaussé de semelles de cordes, souple et silencieux dans sa marche de montagnard.
LOTI, Ramuntcho, I, I, p. 4.

Prov. *Les cordonniers sont toujours les plus mal chaussés :* on manque souvent des choses que l'on est en situation d'avoir avec le plus de facilité.

(Le subst. désigne la jambe ou le pied). *Pieds chaussés de bandelettes, de chiffons, de sabots.* Vx. *Jambes, pieds chaussés de bas de soie.* → (par ext.) **Gainer, ganter.**

Loc. *S'enfuir un pied chaussé et l'autre nu :* fuir précipitamment.

♦ **2** Fig. et vx. *Être chaussé d'une opinion,* entêté, entiché.

5 Chose étrange de voir comme avec passion
Un chacun est chaussé de son opinion!
MOLIÈRE, l'École des femmes, I, 1.

♦ **3** Blason. *Écu chaussé* (contr. : *chapé*).

♦ **4** Équit. *Cheval haut chaussé,* dont les balzanes montent jusqu'au genou ou au jarret.

♦ **5** (En parlant d'une voiture). Garni de pneus. *Voiture chaussée de pneus neufs.*

CONTR. Déchausser. ◊ **DÉR.** et **COMP.** Chaussage, chaussant, chausseur, chaussure. Enchausser, rechausser. Chausse-pied. V. Déchausser. ◄ **HOM.** Chaussée.

CHAUSSES [ʃos] n. f. pl. → **Chausse.**

CHAUSSETIER [ʃos(ə)tje] n. m. — 1337, *cauchetier; chaucier,* v. 1270; de *chaussette.*
Anciennt. Personne qui fabrique ou vend des bas, des chaussettes, des articles de bonneterie, etc. → **Bonnetier** (cf. anc. Chaussier, ière : personne qui fabrique des chausses).

— Vos qualités? (demanda l'huissier). — Chaussetier à l'enseigne des *Trois Chaînettes,* à Gand.
HUGO, Notre-Dame de Paris, I, 4.

CHAUSSE-TRAPE [ʃostʀap] n. f. — 1430, *chausses trapes; chauchetrepe,* av. 1220; *cauketrepe,* v. 1180; composé de l'anc. franç. *chauchier* «fouler» (→ Cauchemar), et de *treper* (→ Trépigner). REM. La graphie *chausse-trape* est ancienne et seule acceptée par l'Académie, jusqu'à la 9ᵉ éd. (1988); on pourrait préférer *chausse-trappe,* pour harmoniser avec *trappe.*

♦ **1** (V. 1340). Trou recouvert, cachant un piège. → **Piège** (→ Pénétrable, cit. 1.1). *Prendre des bêtes sauvages dans des chausse-trapes. Tomber dans une chausse-trape.* — Par extension :

1 (...) le demi-homme (Ragotin) fut tiré de sa chausse-trape et ne fut pas plutôt sur ses pieds qu'il courut à une épée.
SCARRON, le Roman comique, II, VII, p. 194.

1.1 C'était (...) une véritable tonnelle et un endroit plat recouvert de zinc. Malgré sa soif évidente, Angélo attendit d'être arrivé pour boire. Il se méfiait des chausse-trapes et du vertige. J. GIONO, le Hussard sur le toit, p. 124-125.

Fig. → **Écueil, embûche, piège, ruse.**

2 (..) la destinée est piège et l'homme tombe dans des chausse-trapes. HUGO, l'Homme qui rit, II, VIII, VII.

3 (...) jamais la route n'avait été plus semée de chausse-trapes. Louis BARTHOU, Mirabeau, p. 236.

3.1 Au cours des années, sans armes, on a dû se défendre de tant de pièges, de chausse-trappes (...) On a vécu comme on a pu, chacun se tire d'affaire à sa manière; il n'y a ni bien, ni mal.
Suzanne PROU, la Terrasse des Bernardini, p. 130.

♦ **2** (1284; *chauche trepe* «foule-trépigne», sorte de chardon). Ancienn. Engin de guerre, formé d'une pièce de fer à quatre pointes, et servant à interdire le passage à la cavalerie. *S'enferrer sur des chausse-trapes.*

4 Louis XI (...) fit semer dix-huit mille chausse-trapes dans les fossés. DUCLOS, Louis XI, III, 415, in HATZFELD.

5 Des bourses, des hameçons, des chausse-trapes, toute sorte d'engins, furent confectionnés.
FLAUBERT, Trois contes, «La légende de saint Julien l'Hospitalier», I.

CHAUSSETTE [ʃosɛt] n. f. — Fin XVᵉ, *chaucete; cauchete,* 1282; *chalcette,* mil. XIIᵉ; de *chausse.*

♦ **1** Vx. Bas court (d'homme ou de femme). → **Bas, demi-bas, mi-bas.**

1 (...) et jusqu'à mes chaussettes, je ne puis rien souffrir qui ne soit de la bonne ouvrière.
MOLIÈRE, les Précieuses ridicules, 9.

2 Leurs irréprochables chaussettes, à orteil séparé, ne font pas de bruit; on n'entend, quand elles passent, qu'un frou-frou d'étoffe. LOTI, Mme Chrysanthème, XLIX, p. 254.

Loc. (Vx). *Chaussette en laine* (Fromentin, *in* T. L. F.) : bas* de laine.

♦ **2** Mod. Vêtement tricoté qui couvre le pied et le bas de la jambe (hommes) et le mollet (hommes, femmes, enfants). *Chaussettes courtes.* → **Socquette.** *Chaussettes de laine, de fil, de coton, de nylon. Tricoter des chaussettes. Faire des trous à ses chaussettes. Repriser des chaussettes. Support-chaussettes, fixe-chaussettes.* → **Jarretière,** 1. (vx). *Marcher en chaussettes. — Chaussettes russes :* bandelettes enveloppant le pied.

Pop. *Chaussettes à clous,* se dit spécialt des souliers ferrés utilisés comme arme (1909), et de ceux de la police. — Argot (autom.). Pneu clouté.

3 Ce sont les chaussettes à clous
Compagnes chéries des humbles gendarmes
Parure en même temps qu'arme
C'est là tout le charme
Des chaussettes à clous.
Boris VIAN, la Java des chaussettes à clous.

4 (...) débouchant bruyamment du Parc, où Hans venait une fois de plus de les instruire à coups de chaussette *(sic)* à clous, ses hommes s'avançaient vers la police.
Francis CARCO, les Belles Manières, p. 69.

Loc. *Laisser tomber qqn, qqch. comme une vieille chaussette,* comme un objet sans importance.
Retourner qqn comme une vieille chaussette, le faire changer d'opinion sans effort.
(Par jeu de mots avec *chaussure*). *Trouver chaussette à son pied.*

♦ **3** Par anal. de forme. Filtre (→ **Chausse,** 3.) à café en étoffe. *Passer le café dans une chaussette. La chaussette traditionnelle est souvent remplacée aujourd'hui par les filtres en papier.* — Pop. (par un jeu sur les sens 2 et 3). *Jus de chaussette :* mauvais café.

♦ **4** Techn. Tube fait d'une étoffe synthétique à laquelle le tissage confère une grande élasticité dans le sens horizontal et une élasticité nulle dans le sens vertical, conçu pour freiner une personne dans sa chute (matériel de sécurité destiné à l'évacuation rapide des bâtiments, notamment en cas d'incendie). *Chaussette d'évacuation.*

DÉR. Chaussetier.

CHAUSSEUR, EUSE [ʃosœʀ, øz] n. — 1883; de *chausser.*

♦ **1** Fabricant (fabricante), vendeur (vendeuse) de chaussures. Syn. cour. : *marchand de chaussures*.

♦ **2** Personne qui fournit (qqn) en chaussures, notamment en chaussures faites sur mesure. → **Bottier.**

REM. Le fém. est rare.

CHAUSSIER, IÈRE [ʃosje, jɛʀ] n. → **Chaussetier.**

CHAUSSON [ʃosɔ̃] n. m. — Après 1150; de *chausse,* et *-on.*

♦ **1** (Après 1150). Chaussure (1.) souple, légère, que l'on met à la maison pour être plus à l'aise. → **Pantoufle, savate.** *Chaussons de feutre.* — (1830, *in* D. D. L.). *Des chaussons de lisière,* fabriqués avec des lisières (cit. 1) de drap. *Chaussons de castor* (→ Polaire, cit. 2). *Chaussons de basane que l'on porte dans les sabots.* → **Kroumir.**

Sur le plancher ciré, les chaussons de feutre ont dessiné des chemins luisants, du lit à la commode, de la commode à la cheminée, de la cheminée à la table.
A. ROBBE-GRILLET, Dans le labyrinthe, p. 12.

2 Sans se retourner, tandis qu'il descend les premières marches, il sait qu'elle le suivra des yeux, avant qu'elle n'aille ailleurs sur ses chaussons de feutre gris qui glissent en silence.
A. PIEYRE DE MANDIARGUES, la Marge, p. 15.

Figuré :

3 (...) la politique des menus soins, que j'appelle encore la politique des chaussons et de la chaufferette.
G. DUHAMEL, Cri des profondeurs, II, p. 43.

Vx. *Chaussons de bal :* chaussures légères pour danser.

Chaussette tricotée que l'on met aux nouveau-nés. *Tricoter des chaussons pour la layette d'un bébé.*

Cout. *Point de chausson :* point en ligne brisée pour assembler ou orner.

(1627). Spécialt. Chaussure souple employée pour certains exercices. → **Espadrille.** *Chausson d'escrimeur.* — Spécialt. *Chausson de danse :* chausson à bout renforcé pour faire des pointes.

♦ **2** (1844). Fig. Sorte de lutte à coups de pieds. → **Savate** (3.). *Pratiquer la canne* (1. Canne, cit. 4) *et le chausson.*

4 Pour le chausson, c'est l'élève de Lozès. Il n'ignore que l'escrime, parce qu'il n'aime pas les pointes (...)
NERVAL, les Nuits d'octobre, II.

♦ **3** (1783). Par anal. Pâtisserie formée d'un rond de pâte feuilletée replié contenant de la compote, de la marmelade, de la confiture. *Chausson aux pommes, aux prunes. Chausson aux pommes à la manière alsacienne.* → **Strudel.** *Manger des chaussons.*

♦ **4** Menuis. Pièce métallique ornant le pied de certains meubles.

DÉR. Chaussonnier. ◊ **HOM. Formes du v. chausser.**

CHAUSSONNIER [ʃosɔnje] n. m. — 1841; de *chausson,* et *-ier.*

Techn. Fabricant de chaussons, de pantoufles.

La plupart des chaussonniers, qui n'ont pu livrer aux usines le travail de la semaine, travaillent encore (...)
O. MIRBEAU, le Journal d'une femme de chambre, p. 63.

CHAUSSURE [ʃosyʀ] n. f. — 1611; *chauceüre,* v. 1174; de *chausser,* et *-ure.*

♦ **1** (V. 1174). Vx ou indéterminé (sens large). *La chaussure.* Partie du vêtement qui entoure et protège les pieds contre le froid, les aspérités du chemin, etc. → **Babouche,** 2. **botte, bottillon, bottine, brodequin, chausson, cothurne, escarpin, espadrille, galoche, mocassin,** 2. **mule, pantoufle, patin, sabot, sandale, savate, socque, snow-boot, soulier;** et aussi 2. **bas, chaussette.**

1 Il faut juger des femmes depuis la chaussure jusqu'à la coiffure exclusivement, et à peu près comme on mesure le poisson entre queue et tête.
LA BRUYÈRE, les Caractères, III, 5.

2 Une grande taille ne songe point à se rehausser en exhaussant sa chaussure.
BOSSUET, *in* LAFAYE, Dict. des synonymes, Hausser, exhausser, rehausser.

3 Nous cherchons à agrandir notre figure par des chaussures élevées. BUFFON, Morceaux choisis, p. 83.

4 Ils n'avaient des chaussures qu'à un pied, pour ne pas glisser si facilement dans la boue.
ROLLIN, Hist. ancienne, Œ., III, p. 547, *in* POUGENS.

5 Il quitte sa chaussure légère et prend des souliers ferrés.
Mme DE GENLIS, les Veillées du château, I, p. 503.

6 (...) ils portent (...) des souliers à l'Alcibiade; c'est une espèce de chaussure dont Alcibiade a donné la première idée. BARTHÉLEMY, Anacharsis, XX, *in* LITTRÉ.

REM. Les citations 3 et 4 où *chaussure* est au pluriel peuvent être interprétées au sens restreint de «soulier», ci-dessous.

◆ **2** Cour. (sens étroit). Syn. de *soulier*. → **Ballerine, bottillon, bottine, boots, brodequin, escarpin, mocassin, soulier** (→ fam. **Bateau, croquenot, écrase-merde, godasse, godillot, grolle, péniche, pompe, ribouis, sorlot, tatane**). — *Parties d'une chaussure.* → **Bout, carre, claque, contrefort, empeigne, languette, œillet, quartier, semelle, talon, tige, tirant, trépointe.** — *Chaussure d'homme ; de femme. Chaussure montante ; chaussure basse* (→ **Richelieu**). *Chaussures à talons hauts, à talons plats. Chaussure décolletée. Chaussure à lacets, à boucle, à crochets, à boutons, à bride, à pattes, à élastiques, à fermeture éclair. Chaussure de cuir, de daim. Chaussure de caoutchouc.* → **Caoutchouc, snow-boot.** *Chaussures vernies. Chaussures de ville. Chaussure de marche.* → **Pataugas.** *Chaussures de sport. Chaussures de basket,* utilisées par les joueurs de basket-ball. → **Basket.** *Chaussures de tennis.* → **Tennis.** *Chaussure de ski,* etc. → **Après-ski.** *Chaussures à semelle de cuir, de crêpe ; chaussure cloutée, à crampons. Chaussure à bout pointu, à la poulaine. Chaussure orthopédique. Taille d'une chaussure.* → **Pointure.** — *Cuirs* à chaussures.* → **Box-calf, chevreau, mollèterie, veau...** *Fabriquer, tailler, monter, clouer, piquer, cambrer des chaussures. Fabrication des chaussures.* → **Cordonnerie.** *Fabricant, marchand de chaussures.* → **Bottier, chausseur, cordonnier.** *Chaussures sur mesure, de confection.* — *Chaussures neuves. Vieilles chaussures, chaussures usées, éculées, percées, déformées. Ressemeler* ; rapiécer des chaussures.* → **Carreler.** — *Chaussures sales, crottées. Cirer, décrotter des chaussures* (→ **Cirage, cireur**). *Faire reluire des chaussures. Brosse* à chaussures.* — *Mettre, enlever ses chaussures* (→ **Chausser, déchausser**). *Porter des chaussures. Pieds* (cit. 2) *un peu rosés par la pression de la chaussure. Mettre des embauchoirs dans ses chaussures. Se servir d'un chausse-pied*, d'un tire-boutons* pour mettre ses chaussures. Chaussures qui blessent. Briser* des chaussures.*

7   Mes chaussures étaient percées, volontiers hydrophiles.
         G. DUHAMEL, Chronique des Pasquier, III, III.

Loc. fig. Vx. *Une chaussure à tous pieds :* une chose banale, admise par tous.

(1611). Mod. *Trouver chaussure à son pied :* trouver, rencontrer ce qui convient, et, spécialt, une femme, un mari (→ Marier, cit. 7). *Cet homme a trouvé chaussure à son pied,* il a rencontré la femme qui lui convenait.

8   Excepté quelques vieux hobereaux à l'esprit grand seigneur, qui, comme son parrain, le comte d'Avice, l'avaient vue enfant, et qui, d'ailleurs, ne s'émeuvant pas de grand-chose, regardaient comme tout simple qu'elle eût trouvé une chaussure meilleure à son pied que cette sandale de maître d'armes qu'elle y avait mise, Hauteclaire Stassin, en disparaissant, n'eut personne pour elle.
         BARBEY D'AUREVILLY, les Diaboliques, «Le bonheur dans le crime».

9   Michel a horreur des prostituées : ce qu'il voit dans le salon de cet établissement de province ne le fait pas changer d'avis (...) Tandis que le brigadier s'éclipse avec l'une des filles, Michel avoue avec embarras à la sous-maîtresse qu'il n'a pas trouvé chaussure à son pied.
         M. YOURCENAR, Archives du Nord, p. 256.

◆ **3** (1938). Industrie, commerce des chaussures. *Les ouvriers de la chaussure. Être, travailler dans la chaussure. Mouvement syndical, grève dans la chaussure.*

CHAUT (peu me chaut) [pøməʃo] → **Chaloir.**

CHAUVE [ʃov] adj. — V. 1180, *cauve, chauve,* adj. fém.; *chals,* adj. masc., v. 1165; forme fém. à l'emploi masc., après 1250; du lat. *calvus.*

◆ **1** Qui n'a plus ou presque plus de cheveux. → **Dégarni, déplumé, pelé** (pop.). *Crâne, tête, front chauve* (→ **Boule*** de billard). *Être, devenir chauve par alopécie*, pelade** (→ **Calvitie**). — Fam. *Il est chauve comme un œuf, comme une bille, comme un genou.* Cf. N'avoir plus un poil sur le crâne, le caillou*, d'alfa sur le ciboulot (vieilli), de cresson sur la fontaine, et aussi avoir la boule à zéro. — *La perruque, les cheveux postiches d'une femme chauve. La Cantatrice chauve,* pièce de Ionesco.

Chevelu sur le front, et chauve par derrière.   1
         Mathurin RÉGNIER, Satires, X.
Cette couronne de lauriers que mettait César pour empê-   2
cher qu'on ne vît qu'il était chauve.
         MONTESQUIEU, Correspondance, 2.
(...) il était si chauve, qu'il ne lui restait qu'un toupet de   3
cheveux par derrière (...)
         A. R. LESAGE, Gil Blas, VII, 2.
Chauve, quand il se découvre, on croit qu'il ôte sa chemise.   3.1
         J. RENARD, Journal, 18 juil. 1899.
(...) il avait une tête chauve en forme d'œuf.   4
         A. MAUROIS, les Discours du Dr O'Grady, VII, p. 75.

N. *(Un, une chauve).*

Par ext. Dépourvu de poils.

— (...) Vous avez remarqué les sourcils ?... Elle n'en a   4.1
plus !... C'est dessiné au crayon à la place !... Si vous frot-
tiez avec le doigt tout partirait !... Il resterait de la peau
chauve !...   H. TROYAT, le Vivier, p. 165.

Par anal. Se dit des oiseaux dont la tête est dégarnie de plumes. → **Déplumé.**

◆ **2** Fig. et littér. Pelé, dénudé. *Des collines chauves. Une nuit sur le mont Chauve,* poème symphonique de Moussorgsky.

(...) des dômes coiffés de glace, des sommets chauves ou   5
conservant quelques rayons de neige comme des mèches
de cheveux blancs (...)
         CHATEAUBRIAND, Mémoires d'outre-tombe, IV, II.
Grandes ombres de nuages sur les collines brunes et   5.1
chauves au loin.
         DRIEU LA ROCHELLE, la Comédie de Charleroi, p. 191.

Loc. Vx. *L'occasion est chauve,* rare et difficile à saisir (cf. Saisir la fortune par les cheveux).

(...) l'occasion, qui est chauve, ne revient plus.   6
         SAINT-SIMON, Mémoires, 31, 100, in LITTRÉ.

COMP. **Chauve-souris.** ◊ HOM. Formes du v. **chauvir** (ils **chauvent,** que je **chauve**).

CHAUVE-SOURIS [ʃovsuʀi] n. f. — 1180, *chalve suriz;* comp. de *chauve,* et *souris,* cet animal ayant des poils ras sur la tête; bas lat. *calva sorices* «souris chauve», altér. de *cawa sorix* «souris chouette».

◆ **1** Mammifère à ailes membraneuses soutenues par de très longs doigts (n. sc. : *chiroptère*). *Principaux types de chauves-souris.* → **Noctule, oreillard, pipistrelle, rhinolophe, rhinopome, roussette, sérotine, vampire, vespertilion.** *Les chauves-souris volent la nuit. Les chauves-souris sont insectivores ou frugivores.*

Une Chauve-Souris donna tête baissée   1
Dans un nid de Belette (...)
         LA FONTAINE, Fables, II, 5.
Nuits assez mauvaises. Gêné par les chauves-souris qui   1.1
pénètrent dans ma chambre malgré les nattes que je mets
devant ma fenêtre (...)
         GIDE, Voyage au Congo, in Souvenirs, Pl., p. 820.
La chauve-souris aux yeux crevés sait pourtant éviter les   2
fils que l'on a tendus dans la pièce où la voici qui vole
sans s'y heurter.
         GIDE, Journal, Feuillets d'automne, nov. 1947.

3 Une chauve-souris vint, de son battement d'ailes précipité et mou, frôler les cheveux de Mme de Fontanin, qui ne put retenir un léger cri.
MARTIN DU GARD, les Thibault, t. II, p. 275.

En appos. Par compar. *Manche chauve-souris :* manche longue à emmanchure très large.

♦**2 Par anal. Mar.** Ferrure la plus élevée d'un gouvernail, s'étendant en forme d'ailes le long de l'étambot.

CHAUVIN, INE [ʃovɛ̃, in] adj. — 1843; du nom de *(Nicolas) Chauvin,* type du soldat enthousiaste et naïf de l'Empire, mis en scène par Cogniard dans *la Cocarde tricolore.*

♦**1 Vx.** Patriote valeureux, courageux.

1 Je remarque avec attendrissement que vous *(Barbès)* êtes resté chauvin, comme disent nos jeunes beaux esprits de Paris, c'est-à-dire guerrier et chevalier (...)
G. SAND, Correspondance, t. V, 1812-76, p. 163, *in* T. L. F.

REM. Le mot n'a pris sa valeur péj. (2.) que tard dans le cours du XIXe s.; le sens positif de «patriote» est encore chez Barrès, L. Daudet (1935).

♦**2** Qui a ou manifeste un patriotisme fanatique et belliqueux. → **Cocardier, patriotard.** *Esprit chauvin et borné. Caractère chauvin. Ardeur chauvine. Journal chauvin.*

2 Si Bloch nous avait fait des professions de foi méchamment antimilitaristes une fois qu'il avait été reconnu «bon», il avait eu préalablement les déclarations les plus chauvines quand il se croyait réformé pour myopie.
PROUST, À la recherche du temps perdu, t. XIV, p. 62.

Par ext. Qui a une admiration outrée, partiale et exclusive pour son pays. *Il est chauvin et méprise tous les étrangers.* → **Xénophobe.**

N. *(Un, une chauvine).*

CONTR. Impartial, xénophile. ◊ **DÉR.** Chauvinique, chauvinisme, chauviniste.

CHAUVINIQUE [ʃovinik] adj. — Av. 1865; de *chauvin.*
Vx. De caractère chauvin. *«La démocratie s'est faite chauvinique»* (Proudhon, *in* T. L. F.).

CHAUVINISME [ʃovinism] n. m. — 1834; de *chauvin.*
Caractère de ce qui est chauvin; nationalisme*, patriotisme agressif et exclusif. *Donner dans le chauvinisme. Un chauvinisme excessif, outré, absurde, exclusif, à courte vue.* → **Fanatisme, xénophobie.**

1 (...) cette maladie qu'on nous reprochait autrefois et qu'on appelait le *chauvinisme.*
FUSTEL DE COULANGES, Questions contemporaines, p. 68.

2 Les partisans du drapeau tricolore protestaient contre «les honteux traités de 1815»; leur patriotisme (dont la caricature s'appela *chauvinisme*) s'exprimait par une attitude belliqueuse (...) qui devait se prolonger jusqu'à nos jours sous le nom de nationalisme.
Ch. SEIGNOBOS, Hist. sincère de la nation franç., p. 279.

Attitude qui consiste, pour un Français, à ne trouver bon que ce qui est français, jusqu'à la mauvaise foi et au refus de l'évidence.

3 La splendeur du match passa leurs espérances. L'équipe française, hélas, fut battue, trois essais contre deux, l'honneur était sauf. Mais trève de chauvinisme frivole !
Jean-Louis CURTIS, le Roseau pensant, p. 16.

Attitude intolérante à l'égard des étrangers, dans quelque domaine que ce soit. *Le chauvinisme des spectateurs anglais, français, dans une rencontre sportive.*

Par ext. Esprit de clocher*. — **Spécialt.** *Le chauvinisme des supporters d'un club sportif.*

CHAUVINISTE [ʃovinist] adj. et n. — 1859; de *chauvin.*

♦**1 Vx.** Chauvin.

♦**2 N. m.** (calque de l'angl. *male chauvinist*). *Chauviniste mâle :* homme sexiste, phallocrate.

CHAUVIR [ʃovir] v. intr. [CONJUG.: *partir,* sauf aux personnes du singulier du prés. de l'indic. et de l'impér., comme *finir.*] — XIIIe, «faire la chouette»; probablt du lat. *cavannus* «chouette».
Littér. *Chauvir des oreilles,* les dresser, en parlant de l'âne, du mulet, du cheval. *Le cheval chauvit, les chevaux chauvent des oreilles.*

1 Ils (...) chauvent des oreilles comme ânes d'Arcadie *(au)* chant des musiciens.
RABELAIS, Pantagruel, III, Prologue.

2 On m'avait donné une jument (...) ombrageuse et pleine de caprices : assez vive image de ma fortune, qui chauvit sans cesse des oreilles.
CHATEAUBRIAND, *in* Pierre LAROUSSE.

HOM. V. **Chauve.**

CHAUX [ʃo] n. f. — 1155; du lat. class. *calx, calcis* «chaux».

♦**1** (1155). Oxyde de calcium* (CaO), blanc, obtenu par la calcination du calcaire*, qui s'appelle alors *pierre à chaux* ou *pierre à plâtre.* — **REM.** On dit aussi *chaux vive* dans ce sens (→ ci-dessous, cit. 1.2). *Chaux hydratée* ou *chaux éteinte :* hydroxyde de calcium Ca(OH)₂. *Four à chaux,* où la chaux est calcinée. → **Chaufour.** *Chaux hydraulique,* qui durcit sous l'eau. *Chaux maigre,* qui n'augmente pas au contact de l'eau (par oppos. à *chaux grasse*).
Eau de chaux : solution de chaux. *L'eau de chaux est utilisée comme contrepoison et aussi comme remède contre la gastrite.*
Blanc de chaux : enduit composé de chaux éteinte étendue d'eau, utilisé dans le traitement des peaux (→ **Plamée; chamoisage**), en agriculture (→ **Chaulage**), dans le blanchiment des murs (→ **Échaudage**). *Lait de chaux :* suspension d'hydroxyde de calcium dans l'eau.

1 Dans la Romagne (...) une multitude de villes, avec leurs maisons enduites d'une chaux de marbre, sont perchées sur le haut de diverses petites montagnes comme des compagnies de pigeons blancs.
CHATEAUBRIAND, Mémoires d'outre-tombe, III, XII.

1.1 La salle d'auberge était longue, aux murs nus, passés à la chaux, au plafond barré de grosses poutres brunes.
H. TROYAT, le Vivier, p. 206.

Chaux vive : oxyde de calcium anhydride (CaO).

1.2 Ces pierres, décomposées par la chaleur, donnèrent une chaux vive, très grasse, foisonnant beaucoup par l'extinction, aussi pure enfin que si elle eût été produite par la calcination de la craie ou du marbre. Mélangée avec du sable, dont l'effet est d'atténuer le retrait de la pâte quand elle se solidifie, cette chaux fournit un mortier excellent.
J. VERNE, l'Île mystérieuse, t. I, p. 169.

Remuer la chaux. → **Bouler. Couler de la chaux.** *Morceau de pierre dans la chaux.* → **Pigeon.** *Mélange de chaux et d'argile.* → **Ciment.** *Mélange de chaux et de sable.* → **Crépi, mortier** (→ Plâtrer, cit. 1).

2 Le mur du jardin et de la chènevière était crépi à chaux et à sable.
G. SAND, la Mare au diable, XII, p. 101.

Loc. *Bâtir à chaux et à sable, à chaux et à ciment :* bâtir très solidement. — **Fig.** *Être bâti à chaux et à sable, à chaux et à ciment :* être d'une constitution robuste*. → **Bâtir** (cit. 52 et 54).

2.1 C'est à ce fond de robustesse, hérité probablement des Porphyre et d'Hélène, que le débauché, l'ascète, le voyageur durent successivement leur salut. Des frontières de la Chine à l'Indus et à l'Euphrate, les souffrances et les épreuves firent rarement défaut : il fallait être construit à

chaux et à sable pour y résister.
　　　　　J. D'ORMESSON, la Gloire de l'empire, p. 244.

2.2　Où trouver un coin pour établir un campement, pour édifier à chaux et à sable une demeure provisoire afin d'y exposer l'Arche d'Alliance enfermée dans un container de plomb.　　　　Jean CAYROL, Histoire d'un désert, p. 212.

◆ **2** Vx. *Chaux sodée :* mélange de chaux et de soude. *Sels de chaux. Carbonate* (cit.) *de chaux et de magnésie.* → **Dolomie.** *Chlorure de chaux.* → **Chloropicrine.** *Chlorure de chaux en composition avec l'alcool.* → **Chloroforme.** *Pectate de chaux.* → **Amphibole.** *Phosphate naturel de chaux.* → **Phosphorite ;** *apatite. Sulfate, hydrate de chaux.* → **Gypse.**

3　Une aorte (...) incrustée de sels de chaux, comme dans l'artériosclérose, se trouve exposée à la rupture.
　　　　　P. VALLERY-RADOT, Notre corps..., p. 41.

DÉR. Chauler, chaulier. ◊ **COMP. Échauder, échauler. — Chaufour.** ◆ **HOM. Chaud, chaut** (forme du v. **chaloir**), **show.**

CHAVIRABLE [ʃaviʀabl] adj. — XXᵉ ; de *chavirer*.
Qu'on peut chavirer (II.). *Une embarcation facilement chavirable.*

CONTR. Inchavirable.

CHAVIRAGE [ʃaviʀaʒ] n. m. 1839 ; de *chavirer.* → **Chavirement.**

CHAVIREMENT [ʃaviʀmɑ̃] n. m. — 1846 ; de *chavirer.*
Rare.

◆ **1** Fait de chavirer. — Syn. : *chavirage*.

◆ **2** Par ext. Action de renverser, de retourner.

1　(...) les rats des villages écroulés ; les rats de la bataille et des morts, renversés en large eau noire par le chavirement de la terre.
　　　J. GIONO, le Grand Troupeau, 1931, p. 250,
　　　　　　　　　　　　　　　　in T.L.F.

Figuré :

2　Ce grand chavirement de toutes les valeurs qui demeuraient pour nous des raisons de vivre.
　　　　GIDE, Ainsi soit-il, 1951, *in* Souvenirs, Pl., p. 1164.

CHAVIRER [ʃaviʀe] v. intr. et tr. — 1687 ; du provençal *cap vira* «tourner la tête en bas».

I V. intr. ◆ **1** (1687). En parlant d'un navire, s'incliner de telle sorte que l'eau entre par les ouvertures du pont et le fait se retourner sur lui-même. → **Basculer,** 2. **capoter, couler, renverser** (se), **sombrer.** *La barque, le navire, l'embarcation chavire. La risée* (2. Risée) *a fait chavirer le voilier.* → **Dessaler** (cf. Faire capot, faire chapeau).

1　Nous fûmes deux fois près de chavirer.
　　　　　CHATEAUBRIAND, Itinéraire..., 26.

◆ **2** Se renverser. *Ses yeux chavirèrent.* → **Révulser** (se). *Un regard chaviré.*

(1830). Par ext. → **Chanceler, tanguer, trébucher, vaciller.** *Chavirer comme un homme ivre. Tout semblait chavirer autour de lui.*

2　Épouvante ! Le paysage chavire.
　　　MARTIN DU GARD, les Thibault, t. VIII, p. 152.

◆ **3** Fig. S'abîmer, sombrer. *Son esprit, son cœur chavirèrent de douleur. Avoir le cœur, l'estomac chaviré.* → **Barbouiller.**

3　Ainsi les nations les plus grandes chavirent !
　　　　　HUGO, l'Année terrible, Janv. 1871, 13.

4　Ses yeux semblaient promettre un esprit à jamais chaviré sur les eaux malades du regret.
　　　　　PROUST, les Plaisirs et les Jours, p. 167.

5　(*Mᵐᵉ de Fontanin*) chavirait sous le chagrin.
　　　MARTIN DU GARD, les Thibault, t. VIII, p. 64.

II V. tr. ◆ **1** (1701). Mar. Faire chavirer. *Chavirer un navire pour le réparer.* → **Cabaner. — Par ext.** → **Bousculer, renverser.** *Chavirer l'arrimage* (cit. 2) *d'un navire.*

Ils (*des matelots*) entrèrent, chavirant les chaises, en même temps qu'une rafale du vent d'ouest couchait la flamme des lampes.　　　　LOTI, Mon frère Yves, IV, p. 23.　　　6

◆ **2** (Sujet n. de personne). *Chavirer la tête, les yeux,* les renverser.

(...) elle chavirait ses prunelles, combien plus souples que les boutons à bascule, elle essayait de remuer les oreilles, d'aviver ses regards.　　　GIRAUDOUX, Églantine, p. 13.　　7

◆ **3** (1833, *in* D.D.L.). Fig. Émouvoir, perturber (qqn). → **Renverser, retourner.** *Cela m'a chaviré. — (Au p. p.). J'en suis tout chaviré,* ému, retourné.

DÉR. Chavirable, chavirage, chavirement.

CHEAP [tʃip] (prononcé avec un i long) adj. invar. — 1979 ; mot angl. «bon marché, médiocre».

Anglic. De qualité médiocre. *Cette reliure a un aspect cheap.* «*Des mélodies amples et chantantes, des histoires simples et d'un romantisme un peu "cheap"*» (*l'Express,* nᵒ 1481, 24 nov. 1979). → **Facile, simplet** (→ De pacotille*).

CONTR. Chic, raffiné, sophistiqué.

CHÉBEC [ʃebɛk] n. m. — 1758, *chebek, chabek* ; ital. *sciabecco* ; esp. *jabeque* ; arabe *šǎbbāk* «petit bateau à trois mâts».

Mar. Ancien petit trois-mâts de la Méditerranée, à voiles et à rames.

(...) les étranges chébecs (...) aux formes d'une élégance orientale (...) qui devaient être identiques aux navires des Sarrasins et des Barbaresques.
　　　　　　VALÉRY, Variété III, p. 238.

CHÈCHE [ʃɛʃ] n. m. — 1866 ; var. *chech,* 1918 ; *sesse,* 1676 ; *seisse,* 1657 ; arabe *šāš* «pièce d'étoffe qu'on roule autour de la calotte du turban» ; du nom ancien de la ville de Tachkent. → Chéchia.

En pays arabe, Longue écharpe de tissu léger, qui peut servir de coiffure, etc. *Le chèche fut adopté par les troupes coloniales françaises d'Afrique du Nord.*

Je veux que vous soyez pour moi comme un chèche. On appelle chèches des écharpes arabes que l'on peut plier dans tous les sens, dont on peut faire tout ce qu'on veut (...)
　　　　　MONTHERLANT, le Démon du bien, p. 99.

CHÉCHIA [ʃeʃja] n. f. — 1855 ; *chachia,* 1845 ; *chachie,* 1575 ; arabe *šāšiyya,* de *šāš,* anc. nom de la ville de Tachkent, où l'on fabriquait des bonnets au moyen âge. → aussi Chèche.

Coiffure* en forme de calotte, en usage dans certains pays d'islam. → **Fez.** *Des chéchias rouges. La chéchia remplaçait le bonnet de police, dans les troupes coloniales françaises* (tirailleurs, zouaves...). *Porter la chéchia.*

(...) une petite chéchia rouge, pareille à la calotte des enfants de chœur, garnissait à peine le sommet de leur jolie tête chauve.
　　　　E. FROMENTIN, Une année dans le Sahel, p. 219.

CHECK-LIST [tʃɛklist ; ʃɛklist] n. f. — 1953, *in* Höfler ; mot angl., de *to check* «contrôler», et *list* «liste».

Anglic. (Aviat., astronaut.). Liste d'opérations successives destinée à vérifier sans omission le bon fonctionnement de tous les équipements vitaux d'un avion, d'un engin, avant son départ. — Équivalent franç. : *(liste de) contrôle* ; aviat. : *pointage.*

CHECK-UP [tʃɛkœp; ʃɛkœp] n. m. invar. — V. 1960; mot angl. «vérification complète», de to check up «vérifier». Anglicisme.

♦ **1** Méd. Examen systématique de l'état de santé d'une personne (équivalent français : *bilan* * de santé*). *Se faire faire un check-up; se soumettre à un check-up, à des check-up.* — REM. On écrit normalement *des check-up,* mais la francisation de l'emprunt conduit à adopter la marque du pluriel :

Il alla consulter le spécialiste que lui avait indiqué Hubert (...) L'appartement, fruit d'innombrables check-ups, était somptueux.
Jean-Louis CURTIS, le Roseau pensant, p. 161.

♦ **2** Vérification, bilan. *Un check-up financier.*

CHÉDAIL [ʃedaj] n. m. — XIVᵉ, «capital, patrimoine»; du lat. *capitale,* comme le franç. *cheptel.*

Régional (Suisse). Matériel d'exploitation d'une ferme (opposé au *bétail*). — Loc. *Mise de chédail* (ellipt. : *mise*) : vente aux enchères du matériel.

Le chédail étant misé, il s'agit de se montrer plus généreux encore *(pour offrir à boire)* au moment de vendre le cheptel. A.-L. CHAPPUIS, À petit feu, p. 19.

CHEDDAR [tʃedaʀ; ʃedaʀ] n. m. — 1895, *in* Höfler; nom d'un village anglais.

Fromage à pâte dure, fait de lait de vache (forme cylindrique, pâte souvent colorée).

CHEDDITE [ʃedit] n. f. — 1908, *Larousse mensuel,* nᵒ 16; du nom de *Chedde,* village de Haute-Savoie où cette substance fut fabriquée pour la première fois.

Techn. Explosif à base de chlorate (de potassium, de sodium) et de dinitrotoluène.

CHEESEBURGER [tʃizbœʀgœʀ] n. m. — 1972; mot anglo-amér. (1938), de *cheese* «fromage», et de *(ham)burger.*

Anglic. Hamburger au fromage.

CHEESE-CAKE [(t)ʃizkɛk] n. m. — 1979; mot angl. «gâteau au fromage».

Anglic. Gâteau au fromage blanc (à l'origine, pâtisserie new-yorkaise de la communauté juive). *Des cheese-cakes.*

CHEF [ʃɛf] n. m. — Fin IXᵉ, *chieef;* du lat. *caput* «tête».

Ⅰ Vx, didact. ou littér. ♦ **1** (Fin IXᵉ). → **Tête** (→ Couvre-chef).

1 Sa barbe *(de Charlemagne)* est blanche, et tout fleuri son chef. J. BÉDIER, la Chanson de Roland, VIII, p. 11.

2 Immolez donc ce chef que les ans vont ravir,
Et conservez pour vous le bras qui peut servir.
CORNEILLE, le Cid, II, 8.

3 Par mon chef, c'est un siècle étrange que le nôtre !
MOLIÈRE, l'Étourdi, I, 5.

4 Le chef orné de longs cheveux en tresses.
VOLTAIRE, l'Ingénu, 1.

Spécialt. Reliquaire* contenant les ossements de la tête d'un saint. *Le chef de saint Jean-Baptiste. Le chef de saint Denis* (en anc. franç. : *le chef saint Denis*).

♦ **2** Techn. *Le chef d'une étoffe,* l'extrémité par laquelle on a commencé à la fabriquer. *Tisseur* de chefs.*

♦ **3** Blason. *Chef de l'écu :* pièce honorable qui est en haut de l'écu. → **Blason** (rebattement des pièces honorables). *Chef bandé, barré, vergeté,* etc.

♦ **4** Loc. littér. (1643). **DE SON CHEF, DE SON PROPRE CHEF** : en vertu de son autorité propre, de sa propre initiative, de lui-même. *Faire quelque chose de son propre chef. Cette affirmation n'est pas de son*

chef : ce n'est pas lui qui le prétend. — (Avec d'autres pronoms). *Je l'ai fait de mon (propre) chef. Ils se sont définis de leur propre chef comme...*

Notre prince a des dépendants 5
Qui, de leur chef, sont si puissants
Que chacun d'eux pourrait soudoyer une armée.
LA FONTAINE, Fables, I, 12.

Je menai votre fils chez toutes les dames de ce quartier 6
(...) il ira bientôt de son chef.
Mᵐᵉ DE SÉVIGNÉ, 1118, 5 janv. 1689.

C'était un certain et ci-devant abbé Reniant, — un nom 6.1
fatidique ! — lequel, dans cette société à l'envers de la
Révolution, qui défaisait tout, s'était fait, de son chef, de
prêtre sans foi, médecin sans science, et qui pratiquait
clandestinement un empirisme suspect et, qui sait ? peut-
être meurtrier.
BARBEY D'AUREVILLY, les Diaboliques,
«À un dîner d'athées».

Dr. *Venir de son chef :* être appelé en son nom personnel avec les droits attachés à son degré de parenté vis-à-vis du défunt.

Avoir des biens de son chef, de son côté. *Il possède cette propriété du chef de son père* (→ Apport, cit. 3). — *Du chef de...* : en vertu des droits de...

Les enfants ou leurs descendants succèdent (...) par égales 7
portions et par tête, quand ils sont tous au premier degré
et appelés de leur chef : ils succèdent par souche, lorsqu'ils
viennent tous ou en partie par représentation.
Code civil, art. 745.

♦ **5** (XIIIᵉ). Littér. Article, point principal d'un exposé, d'une discussion. *Les chefs d'un discours* (surtout dans : *classer sous tel chef*).

On peut la classer *(la littérature)* sous ces trois chefs prin- 8
cipaux; philosophie, histoire, éloquence.
CHATEAUBRIAND, le Génie du christianisme, III,
II, 1.

Dr. et cour. Élément distinct d'une action en justice, groupé avec d'autres dans une même procédure. *Statuer sur chacun des chefs d'une demande. Se pourvoir en cassation contre plusieurs chefs d'un arrêt.* — (1614). *Chef d'accusation. Les chefs d'une accusation.*

Loc. (littér. ou didact.). **AU PREMIER CHEF.** → Gravité, importance. *Il est coupable au premier chef. Il importe, au premier chef, que... :* il est essentiel, capital que... → 1. Capital.

Ⅱ Plus cour. ♦ **1** (V. 1173). Personne qui est à la tête (de qqch.), qui dirige, commande, gouverne, jouit d'un certain pouvoir. → **Animateur, berger, commandant, conducteur, despote, directeur, dirigeant, dominateur, entraîneur, fondateur, maître, meneur, pasteur, patron, responsable, tête**; *-archie, -arque.* *La responsabilité du chef, d'un chef. L'autorité, le pouvoir, les directives, les ordres du chef. La volonté du chef. Chefs hiérarchiques.* → **Hiérarchie.** *Le chef de qqn, son chef.* → **Supérieur.** *Respecter ses chefs. Obéir à ses chefs. Discuter les ordres du chef* (→ Autorité, cit. 43). *Nom donné à des chefs, dans l'histoire, en politique.* → **Titre;** suff. *-arque* (polémarque, tétrarque, triérarque); et aussi **cinquante-nier, doge, dynaste, magistrat; administrateur, gouverneur.**

Ainsi que la tête est comme le chef du corps, 9
Et que le corps sans chef est pire qu'une tête :
Si le chef n'est pas bien d'accord avec la tête (...)
MOLIÈRE, le Dépit amoureux, IV, 2.

Il harangua tout le troupeau, 10
Les chefs, la multitude, et jusqu'au moindre agneau.
LA FONTAINE, Fables, IX, 18.

(...) le chef, l'animateur, l'entraîneur qu'était Bonaparte. 11
Louis MADELIN, Hist. du Consulat et de l'Empire,
t. V, 3.

12 La discipline exige que le subordonné respecte le chef; elle exige aussi que le chef soit digne d'être respecté, et que lui-même respecte les lois.

A. MAUROIS, Études littéraires, Saint-Exupéry, t. II, p. 258.

Les chefs de l'Église, de la hiérarchie* religieuse; de l'armée, etc. (→ ci-dessous, 3. et 4.).

Spécialt. Celui qui dirige un groupe social (tribu, etc.). *Le grand chef. Un chef arabe.* → **Cheik.** *Chef indien.* → **Cacique, sachem.** Fam. *D'accord, grand chef!*

En Afrique. *Chef coutumier :* notable investi de pouvoirs selon la tradition. *Chef traditionnel* (→ **Chef-ferie**, cit. 2; et ci-dessous chef de village).

♦ **2 a** Personne qui sait se faire obéir. *Un tempérament de chef. La race des chefs. L'Enfance d'un chef,* nouvelle de Sartre.

2.1 Qu'est-ce qui soudain jaillissait ? Un chef. Non seulement un homme, un chef. Non seulement un homme qui se donne, mais un homme qui prend. Un chef, c'est un homme à plein ; l'homme qui donne et qui prend dans la même éjaculation.

DRIEU LA ROCHELLE, la Comédie de Charleroi, p. 70.

b Fam. **PETIT CHEF :** chef situé assez bas dans la hiérarchie, et qui affecte de commander comme s'il détenait un grand pouvoir. *Un insupportable petit chef.* — On trouve aussi *cheffaillon* n. m. — Loc. *Jouer au petit chef :* exercer une domination excessive, tatillonne, ou faire preuve d'un excès d'autorité.

♦ **3** Personne qui dirige un groupe de personnes, dans un système réglé par les institutions sociales, et notamment dans un système hiérarchisé. **a** Personne (homme, sauf dans les sociétés matriarcales) sur qui repose la responsabilité du groupe familial. → **Famille**, et aussi **maison** (maître de maison). — *Le chef de la famille :* celui de qui sont issus les membres de la famille (→ **Patriarche**, cit. 3); anciennt en dr. franç. : le mari. → **Famille.** *Chef de la famille et du culte familial.*

13 C'est moi qui tiens le rang de chef de la famille.
MOLIÈRE, les Femmes savantes, V, 2.

14 De même que dans la famille l'autorité était inhérente au sacerdoce, et que le père, à titre de chef du culte domestique, était en même temps juge et maître, de même, le grand-prêtre de la cité en fut aussi le chef politique.
FUSTEL DE COULANGES, la Cité antique, III, 9, p. 206.

Loc. *Chef de famille.*

15 Sa mère surtout baissa la tête et ne dit plus mot; elle respectait les volontés de ce fils, de cet aîné qui avait presque rang de chef de famille (...)
LOTI, Pêcheur d'Islande, II, IV, p. 98.

b Seulement dans **CHEF DE... :** personne en titre (dans quelques syntagmes). *Le chef de l'État.* → **Monarque; empereur, prince, roi, souverain;** président. — *Chef d'État. Un, des chefs d'État. Réception réservée aux chefs d'État étrangers.* — *Chef du gouvernement : Premier ministre** (anglic. : *premier*), *président* du Conseil.* — *Le chef de cabinet* d'un ministre.*

Chef de service. → **Directeur;** et aussi **sous-chef.** *Chef de bureau. Chef de section, de groupe.* — (En Afrique). *Chef de mission* (de la Coopération).

Le chef de l'Église (romaine). → **Pape.**

Chef de clan, chef de tribu*. Chef de village, chef traditionnel, (en Afrique). → **Chefferie** (→ ci-dessus, II., 1.).

c Dans un corps hiérarchisé militaire ou paramilitaire, Celui qui commande (→ ci-dessous, cit. 16 à 18). *Les soldats et leurs chefs.* → **Officier, sous-officier.** *Le grade d'un chef.* → **Gradé.** *Obéir à ses*

chefs. *L'exemple des chefs. Le généralissime, chef suprême des armées.* — En appos. *Caporal chef.*

16 Cette ardeur, qui des chefs passe aux moindres soldats, Anime tous les cœurs, fait agir tous les bras.
CORNEILLE, Poésies diverses, 231.

17 On attendait que les chefs de l'armée se déclarassent.
FÉNELON, Télémaque, XV.

18 En Italie les chefs de l'armée et les grands industriels, effrayés par l'agitation communiste parmi les ouvriers, soutinrent le petit parti nationaliste appelé *«fasciste»* (...)
Ch. SEIGNOBOS, Essai d'une hist. comparée des peuples..., XX, p. 448.

CHEF DE... *Les grands chefs d'armées.* → **Capitaine** (littér.). *Chef d'armée, de corps d'armée, de division, de brigade.* → **Général.** *Chef d'état-major*. Chef d'état-major général. Chef de poste. Chef de bataillon, de groupe, d'escadron.* → **Commandant.** *Chef de section.* → **Lieutenant, sous-lieutenant, adjudant.** — REM. La terminologie n'emploie pas de syntagme comportant le mot *chef* pour le colonel (qui commande un régiment), le capitaine (qui commande une compagnie — ou un peloton). *Chef de groupe.* → **Maréchal** (des logis), **sergent.** *Chef de pièce, de patrouille, de chambre, de corvée.* → **Caporal.** — *Chef de musique.* Mar. *Chef mécanicien. Chef de feu*. Chef de file*. Chef de pièce, de quart, de timonerie, de tranche, de nage, de rade, de hune. Chef de gamelle*.* — (1856). Sports. *Chef de nage*.* — *Chef de bord* (d'un yacht de croisière). → 1. **Skipper** (3.). — REM. Les officiers de marine (→ Amiral; commandant; capitaine, lieutenant, enseigne (de vaisseau)) ne sont pas dénommés par ce mot.

Aviat. *Chef des navigateurs, des pilotes.* — *Chef de bord. Chef pilote. Chef de patrouille* (aérienne).

Chef scout → **Cheftaine** (→ Scoutmestre). *Chef de patrouille, de sizaine.* — Alpin. *Chef de cordée*.*

Chef de tribu, de clan. Chef traditionnel, en Afrique (→ **Chefferie**). *Chef indien.* — Fig. et fam. (Iron.). *Le grand chef à trois plumes :* le patron (dans une entreprise).

PETIT CHEF. → ci-dessus, II, 2. b.

d Personne qui dirige, commande effectivement (sans que cela corresponde à un titre, mais dans une hiérarchie de fait). *Chef de bande* (brigands, gangsters, vandales). *C'est toi, le chef ? C'est elle le chef. Elle est le chef d'une bande de filles, de garçons.* Personne que les autres suivent. *Chef de doctrine, d'école, de secte* (artistique, littéraire, religieuse). → **Coryphée.** *Chef de parti.*

Chef de file. → **File.**

e Dans la vie professionnelle. **CHEF DE...,** le compl. désignant une entité (*chef d'entreprise*), un groupe humain (*chef d'équipe*), un matériel ou un lieu de travail (*chef de chantier, de train...*). Personne qui dirige, commande...

Chef d'entreprise. → **Directeur, patron, P.D.G.;** fam. **boss, singe** (B., 5.). *Chef d'établissement.* → **Directeur.** *Chef de clinique.* → **Patron.** — *Chef d'atelier, chef d'équipe.* → **Contremaître.** *Chef de chantier.* — (1882, Zola). *Chef de rayon,* dans un grand magasin. *Chef des ventes.*

Chef de gare*. Chef de station (transports en commun). *Chef de dépôt*. Chef de train.* — *Chef de district, de section,* d'un district, d'une section ferroviaire.

(1740). *Chef de cuisine :* cuisinier qui dirige l'ensemble du personnel d'une cuisine (→ ci-dessous, 5.).

19 (...) pour un ambassadeur, un bon chef de cuisine est un auxiliaire peut-être plus précieux qu'un bon chef de cabinet.
Louis MADELIN, Talleyrand, V, 37.

20 Pendant trois semaines, j'ai obéi, du matin au soir, à des chefs d'équipes, pareils à des gardes-chiourmes.
MARTIN DU GARD, les Thibault, t. VI, p. 226.

REM. En parlant d'une femme, on dit *le chef, un chef* ou *femme chef* ou (→ ci-dessous, 9.) *la chef* (plus marqué ou spécial : cour. en milieu professionnel); le fém. morphologique *cheffesse* semble rare.

♦ **4** (1813, *in* D.D.L.). **CHEF D'ORCHESTRE** : personne qui dirige* l'orchestre. → **Maestro; directeur** (→ Orchestre, cit. 7, et, fig., cit. 9).

20.1 (...) il n'y a pas eu de chef d'orchestre dans cette guerre (...) chacun est entré dans la danse longtemps après l'autre (...)
PROUST, le Temps retrouvé, Pl., t. III, p. 794 (1927).

Absolt. *Le chef et l'orchestre.*
Chef de chœurs. Le chef des chœurs.

♦ **5** (De : *chef de cuisine*, au sens 3). **CHEF CUISINIER**, et, absolt (1836), **CHEF** : cuisinier professionnel. → **Coq, queux** (maître queux). *Il est chef dans un restaurant. Gâteau, pâté du chef :* dans un menu, Gâteau, pâté... préparé en principe par le chef selon sa recette. — (Appellatif). *Chef, deux steaks saignants !*

♦ **6** Appos. (Milit.). *Adjudant-chef, sergent-chef, médecin-chef. Gardien-chef.*
(Appellatif). *Chef :* sergent-chef. *Oui, chef!*
(En appos. à un nom fém.). *Infirmière-chef. Gardienne-chef* (→ ci-dessous, 9.).

♦ **7** Fam. Personne remarquable. → **As, champion.** *C'est un chef. Bravo, t'es un chef!* — (En appellatif; à une personne qui n'a pas de statut hiérarchique : client, etc.). *D'accord, chef, on y va!* → **Patron.**

♦ **8** Loc. adv. **EN CHEF** : en qualité de chef; en premier. *Ingénieur* en chef. Rédacteur* en chef* (abrév. fam. : *rédac chef*). — (1919). *Général en chef.* → **Généralissime.**

21 Son maître fut réduit à garder les brebis,
Non plus berger en chef comme il était jadis.
LA FONTAINE, Fables, IV, 2.

22 En quelques jours, le général en chef a pourvu à tout, assigné à chacun sa tâche.
Louis MADELIN, Hist. du Consulat et de l'Empire, t. II, p. 251.

Avoir le commandement en chef (→ Armée, cit. 13).

♦ **9** N. f. **LA CHEF** : femme qui porte un titre de chef (surtout : infirmière, gardienne de prison, etc.). → **Cheffesse** (rare). *Il faut prévenir la chef.*

23 Faut donc que je récupère ces paperasses, profitant de ce que je vais à la fouille pour me réapprovisionner en timbres. Chopper la Chef un matin, à l'heure où elle est encore à jeun. Ouais, plus elle boit, plus elle voit clair, cette femme !
A. SARRAZIN, la Cavale, p. 88.

24 Elle saute sur son vélo, elle est à trois heures à l'hôpital, sa chef est contente d'elle.
Violette LEDUC, la Folie en tête, p. 413.

CONTR. **Inférieur, second, soldat, subalterne, subordonné.** — **Collaborateur.** ◇ DÉR. **Chef-d'œuvre, chefferie, cheffesse, chef-lieu.** — **Couvre-chef, sous-chef.** — **Permis-chef.**

CHEF-D'ŒUVRE [ʃɛdœvʀ] n. m. — XIIIᵉ; v. 1268, *chief-d'oevre;* composé de *chef* (I.), et *œuvre.*

♦ **1** (V. 1268). Anciennt. Œuvre capitale et difficile qu'un compagnon devait faire pour recevoir la maîtrise dans sa corporation.

1 Nul artisan n'est agrégé à aucune société (...) sans faire son chef-d'œuvre.
LA BRUYÈRE, Disc. à l'Académie, Préface.

Mod. *Le chef-d'œuvre (de qqn) :* la meilleure œuvre (d'un auteur). *C'est son chef-d'œuvre* (→ ci-dessous, par ext., cit. 4).

♦ **2** (1508). Fig. *Le chef-d'œuvre de... :* œuvre la plus parfaite, la meilleure (de...). → ci-dessous, cit. 2, 4 et 5. — Absolt. Œuvre accomplie en son genre (notamment dans le domaine artistique, littéraire). → ci-dessous, cit. 3, 5.1 et 5.2. — Au plur. *Des chefs-d'œuvre.*

Le chef-d'œuvre de l'esprit, c'est le parfait gouvernement (...)
LA BRUYÈRE, les Caractères, X, 32. 2

(...) les chefs-d'œuvre ne sont jamais que des tentatives heureuses. Console-toi de ne pas faire de chefs-d'œuvre, pourvu que tu fasses des tentatives consciencieuses.
G. SAND, François le Champi, Avant-propos, p. 17. 3

Le chef-d'œuvre littéraire de la France est peut-être sa prose abstraite, dont la pareille ne se trouve nulle part.
VALÉRY, Regards sur le monde actuel, Images de la France, p. 130. 4

Le trio en si bémol à l'archiduc doit demeurer inscrit parmi les plus hauts chefs-d'œuvre de l'intelligence et de la sensiblité humaines.
Édouard HERRIOT, la Vie de Beethoven, p. 230. 5

On doit en finir avec cette idée des chefs-d'œuvre réservés à une soi-disant élite, et que la foule ne comprend pas (...)
A. ARTAUD, le Théâtre et son double, En finir avec les chefs-d'œuvre, Idées/Gallimard, p. 103. 5.1

Ne pas oublier qu'un chef-d'œuvre témoigne d'une dépravation de l'esprit. (Rupture avec la norme). Changez-le en acte. La société le condamnerait. C'est, du reste, ce qui se passe d'habitude.
COCTEAU, Journal d'un inconnu, p. 210. 5.2

♦ **3** *Un chef-d'œuvre de...* (suivi d'un nom abstrait) : ce qui est parfait en matière de... → **Prodige.** *Accomplir, déployer des chefs-d'œuvre d'habileté, d'intelligence.* — *Des chefs-d'œuvre de sottise.*

N'oubliez pas tout à fait M. d'Harouys, dont le cœur est un chef-d'œuvre de perfection.
Mᵐᵉ DE SÉVIGNÉ, 281, 30 mai 1672. 6

Ses manières avec la princesse sa femme, sont un chef-d'œuvre de convenance (...)
CHATEAUBRIAND, Mémoires d'outre-tombe, IV, 7. 7

♦ **4** (1559). Iron. et vx. *Il a fait là un beau chef-d'œuvre :* il a commis une action maladroite, regrettable.

CONTR. **Ébauche; navet.**

CHEFFERIE [ʃɛfʀi] n. f. — 1845, Bescherelle; de *chef,* et *-erie.*

♦ **1** Admin. Circonscription territoriale placée sous les ordres d'un officier du génie, ou d'un inspecteur des eaux et forêts. → **Arrondissement.**

Un avant-projet sommaire avait bien été étudié un an auparavant, mais la chefferie de Nice, dont je dépendais, en avait sans doute oublié l'existence.
Raymond ABELLIO, Ma dernière mémoire, t. II, p. 69. 1

♦ **2** En Afrique, Territoire sur lequel s'exerce l'autorité d'un chef traditionnel.

♦ **3** Autorité d'un chef traditionnel (chef de village, de tribu), en Afrique; qualité de chef.

«Vous ne serez donc pas des chefs comme moi ?... 2
— Oh! non», répondis-je...
Le chef parut ulcéré et comme si j'avais paru mépriser ses fonctions, il me demanda agressivement :
«Mais, pourquoi donc? Pourquoi pas? Pourquoi, hein?
— Chef, dis-je en riant, la chefferie est héréditaire, elle ne se donne pas à l'école.
— Ah bon!», fit-il rassuré.
Mongo BETI, Mission terminée, *in* Pages africaines, III, p. 64.

CHEFFESSE [ʃɛfɛs] n. f. — Av. 1867, au sens 1 ; de *chef.*

♦ **1** Vx. Femme d'un chef traditionnel ou femme possédant une dignité de chef, dans certaines sociétés. «*Les femmes de la cour, cheffesses ou princesses*» (Loti, 1882, *in* T.L.F.).

♦ **2** Pop. et rare. Femme qui dirige (Richepin, *in* T.L.F.).

♦ **3** (1960). Rare. Femme qui dirige un service. → **Chef** (9., la chef).

REM. 1. L'emploi le plus usuel est *chef : c'est elle le chef, la chef; elle est chef.* 2. On écrit parfois *chefesse.*

CHEF-LIEU [ʃɛfljø] n. m. — 1257, «château principal»; composé de *chef,* et *lieu.*

♦ **1** Vx. Maison centrale, maison mère (d'un ordre religieux).

♦ **2** (1752). Mod. En France, Ville qui est le centre administratif (d'une circonscription territoriale). *Chef-lieu de département.* → **Préfecture.** *Chef-lieu d'arrondissement, de canton, de commune.* — Absolt. *Des chefs-lieux. Aller jusqu'au chef-lieu.*

1   Abordant ensuite la géographie de la France, Laubé demanda le chef-lieu d'une foule de départements cités au hasard.
     Raymond ROUSSEL, Impressions d'Afrique, p. 222.

Spécialt. *Aller au chef-lieu,* au chef-lieu du département, à la ville qui est le siège de la préfecture.
Par métaphore. Vx. Lieu où naissent les grandes idées, où ont lieu les grands événements. → **Centre; capitale.**

2   (...) l'on félicitait surtout l'Académie d'avoir préparé le grand œuvre *(la Révolution),* et d'avoir été le chef-lieu, le centre, le mobile de la liberté de penser.
     NERVAL, les Illuminés, 1852, p. 333, *in* T. L. F.

CHEFTAINE [ʃɛftɛn] n. f. — Après 1916; de l'angl. *chieftain* «chef de clan, etc.», du moy. angl. *cheftayne,* de l'anc. franç. *chevetaine,* fém. de *chevetain* «capitaine», du lat. *capitaneus.*

Jeune fille, jeune femme responsable d'un groupe de jeunes scouts (louveteaux), de guides, d'éclaireuses. *Cheftaine de louveteaux, de jeannettes.*

(...) j'ai croisé une voiture de la Croix-Rouge qui semblait sur le point de démarrer. Je suis montée au fond entre une infirmière ultra-chic, une demoiselle de Hérédia, et qui ne l'oubliait pas, et une grande cheftaine à lunettes (...)
     S. DE BEAUVOIR, la Force de l'âge, p. 464.

REM. Le masc. *cheftain,* modernisation de l'anc. franç. *chevetain,* se rencontre encore chez Chateaubriand *(Mémoires d'outre-tombe,* I) à propos de Chilpéric. On a employé à la même époque (dans une traduction de l'anglais) la forme anglaise *chieftain,* dans ce même sens.

CHEIK, CHEIKH ou **SCHEIK** [ʃɛk] n. m. — 1631; *cheque,* 1598; *schet,* 1568; *seic,* 1309; arabe *šāyh* «vieillard».

♦ **1** Chez les Arabes, Homme respecté pour son grand âge, ses connaissances.

♦ **2** Chef de tribu (dans un pays arabe).

1   Ils jugèrent que mon domestique était le scheik.
     CHATEAUBRIAND, Itinéraire..., II, 103.

2   Le cheik de la vallée vint nous visiter, s'excusant d'avoir été retenu (...) dans des pâturages éloignés où gîtaient ses brebis.   LOTI, Jérusalem, III, p. 16.

HOM. Chèque.

CHÉIL- ou **CHIL-, CHÉILO-** ou **CHILO-** Élément, tiré du grec *kheilos* «lèvre», et entrant dans la composition de mots savants de médecine, de chirurgie, de sciences naturelles. → **Chéilalgie** ou **chilalgie; chéilite; chéilophagie** ou **chilophagie; chéiloplastie** ou **chiloplastie; chéiloraphie** ou **chiloraphie.** — **Chéilanthe.** → aussi **Chéiline.**

CHÉILALGIE [keilalʒi] ou **CHILALGIE** [kilalʒi] n. f. — 1842, *cheilalgie; chilalgie,* 1892; de *chéil-, chil-,* et *-algie.*
Méd. Douleur aux lèvres.

CHÉILANTHE [keilãt] adj. — 1842; de *chéil-,* et *-anthe.*
Bot. Qui a des fleurs labiées.

CHÉILINE ou **CHEILINE** [keilin] n. f. — 1802; du rad. du grec *kheilos* «lèvre» (→ Cheil-), d'après le lat. sc. *cheilinus.*
Zool. Poisson acanthoptère *(Labridés),* vivant dans l'océan Indien, et dont la lèvre supérieure est extensible.

CHÉILITE [keilit] n. f. — 1933; de *chéil-* et *-ite.*
Méd. Inflammation des lèvres.

CHÉILO- ou **CHILO-** → **Chéil-** ou **chil-.**

CHÉILOPHAGIE [keilofaʒi] ou **CHILOPHAGIE** [kilofaʒi] n. f. — 1903, in *Rev. gén. des sc.,* n° 17, p. 893; de *chéilo-, chilo-,* et *-phagie.*
Méd. Tic qui consiste à se mordiller les lèvres.

CHÉILOPLASTIE [keiloplasti] ou **CHILOPLASTIE** [kiloplasti] n. f. — 1855, Nysten; de *chéilo-, chilo-,* et *-plastie.*
Chir. Restauration partielle ou totale des lèvres.

CHÉILORAPHIE [keilorafi] ou **CHILORAPHIE** [kilorafi] n. f. — 1933; de *chéilo-, chilo-,* et du grec *rhaptô* «je couds».
Chir. Suture des lèvres (pour assurer provisoirement l'immobilité de la bouche et de la partie inférieure du visage).

CHÉIR- ou **CHÉIRO-** Élément, tiré du grec *kheir, kheiros* «main», et qui entre dans la composition de nombreux mots savants. Ex. : *chéiranthe, chéirolépis.* → aussi **Chir-** ou **chiro-.**

CHÉIRANTHE [keirãt] n. m. — 1845; de *chéir-,* et *-anthe.*
Bot. Giroflée (n. scientifique).

CHEIRE [ʃɛr] n. f. — 1886; dial. auvergnat, d'une racine préindo-européenne *kar(r)-* «pierre».
Régional (Auvergne). Coulée volcanique qui présente des inégalités (scories). — **Syn. :** → **Aa.**

Mais au-dessous une longue cheire boursouflée, un mur de scories (...) tombait droit dans la mer.
     Hervé BAZIN, les Bienheureux de la Désolation, p. 131.

HOM. Chair, chaire, cher, chère.

CHÉIRO- → **Chéir-.**

CHÉIROLÉPIS [keirolepis] n. m. — xxe; *chirolepis,* 1892; de *chéiro-,* et du grec *lepis, lepidos* «écaille».
Zool. Poisson ganoïde fossile de la famille des *Palaconiscidés.*

CHÉIROMYS [keiromis] n. m. — 1842; de *chéiro-,* et grec *mus* «rat, souris», à cause de l'aspect des pattes.
Zool. Aye-aye* (nom savant). — **REM.** On dit, on écrit aussi *chiromys* [kiromis].

CHÉIROPTÈRES [keirɔptɛr] n. m. → **Chiroptères.**

CHÉL-, CHÉLI-, CHÉLO- Élément, tiré du grec *khêlê* «pince» et servant à former des composés savants. → **Chélate, chélateur, chélicère, chéliforme, chéloïde.**

CHÉLATE [kelat] n. m. — Mil. xxᵉ; de *chél-*, et *-ate*.

Chim. Composé complexe, inactif, en général de couleur vive, constitué par un corps organique et un ion métallique. *Les chélates jouent un rôle dans la précipitation des métaux au cours des analyses chimiques. «(...) voilà dix ans que le professeur Kenneth Raymond et son équipe du laboratoire Lawrence y étudient (à Berkeley) sans relâche des corps aux noms insolites : les "chélates". Ces molécules — du grec chela qui sert à désigner les pinces de crabe — ont une particularité : elles enserrent et prennent dans leurs tenailles tous les ions métalliques qui rôdent dans leurs parages»* (*le Point*, 9 juin 1980, p. 101). → aussi **Chélateur.**

CHÉLATEUR [kelatœʀ] adj. et n. m. — Mil. xxᵉ; de *chél-*, l'atome de métal étant «pincé» entre des atomes électronégatifs, et *-ateur*.

Didact. Relatif aux corps qui ont une affinité élective pour les sels alcalino-terreux et les métaux, avec lesquels ils forment des composés solubles stables, où l'élément associé perd ses propriétés ioniques. *Agent chélateur. «L'agent chélateur forme, avec le métal dont on veut débarrasser l'organisme, un complexe soluble, stable, non ionisé, non toxique, et rapidement éliminé par le rein»* (Garnier, *Dict. des termes techn. de médecine*).

N. m. *Un chélateur* : substance qui favorise la précipitation des ions métalliques sous forme de composés inactifs. → **Chélate.** *On utilise des chélateurs dans le traitement des intoxications par les métaux.*

DÉR. **Chélation.**

CHÉLATION [kelasjɔ̃] n. f. — Mil. xxᵉ; de *chélateur*.

Didact. (phys., biol.). Processus physico-chimique de fixation d'ions positifs multivalents (calcium, plomb, mercure, etc.) par des corps dits *chélateurs* ou *agents chélateurs*. — Application thérapeutique de ce processus au traitement de certaines intoxications. *Guérison par chélation d'une intoxication au plomb, au cobalt.*

CHELEM ou **SCHELEM** [ʃlɛm] n. m. — 1784; de l'angl. *slam*, d'orig. obscure.

♦ **1** Réunion, dans la même main, de toutes les levées dans certains jeux de cartes (boston, whist, bridge...). → **Capot** (vx). *Faire le chelem. Réussir le petit chelem*, toutes les levées moins une. — (1906, *in* Höfler). *Le grand chelem*. — REM. On a écrit aussi *schlem* (vx; 1893).

1 (...) les fusils chômaient, au grand déplaisir du capitaine Hod; mais deux «schlems», qu'il fit dans une seule soirée, lui rendirent sa bonne humeur habituelle.
J. VERNE, la Maison à vapeur, p. 171.

Adj. *Faire qqn chelem* (var. graphique : *chlemm*; → Règle, cit. 3).

♦ **2** (V. 1960). Série complète de victoires, dans un sport de compétition. *L'équipe de France de rugby a gagné, a fait le grand chelem.*

2 (...) Rod Laver (...) cette saison-là, mettait à son actif le «grand chelem», c'est-à-dire la victoire, au cours de la même saison, dans les quatre grands championnats mondiaux (...) Jeux et Sports, p. 1380, 1968, *in* T.L.F.

CHÉLI- → Chél-.

CHÉLICÉRATES [keliseʀat] n. m. pl. — 1901, Heymons; de *chélicèr(e)*, et *-ates*.

Zool. Groupe (super-classe ou sous-embranchement) des arthropodes, comprenant tous les animaux munis d'appendices céphaliques en forme de pinces ou crochets (au lieu d'antennes) [→ **Chélicère**], à corps segmenté, formé d'un prosome (tête et thorax) et d'un opisthosome (abdomen) [35 000 espèces actuelles]. *Les Mérostomes, Arachnides, Euptérydes, Limules, Scorpions... sont des Chélicérates.* — Au sing. *Un chélicérate.*

CHÉLICÈRE [keliseʀ] n. f. — 1846; lat. mod. *chelicera*, Latreille; de *chéli-*, et *-cère*.

Zool. Appendice céphalique des arachnides, crochet (araignées) ou pince (scorpions).

DÉR. **Chélicérates.**

CHÉLIDOINE [kelidwan] n. f. — V. 1260, *in* D.D.L.; *célidoine*, déb. xiiᵉ; lat. *chelidonia*, grec *khelidonia*, de *khelidôn* «hirondelle».

♦ **1** Bot. Plante dicotylédone (*Papavéracées*) appelée aussi *grande chélidoine* ou *éclaire*, herbacée, à fleurs jaunes, dont le suc laiteux passait pour guérir les verrues. *La chélidoine est encore appelée herbe aux verrues, aux boucs, herbe de l'hirondelle.*

Quand on a commencé de prescrire le principe actif de la chélidoine, ou chélidonine, dans le traitement du cancer, j'ai songé naturellement, que, depuis des siècles, les gens de chez moi appliquent le suc jaune de la chélidoine (...) pour détruire les verrues, qui sont des tumeurs bénignes.
G. DUHAMEL, Biographie de mes fantômes, X, p. 185.

♦ **2** *Petite chélidoine* : ficaire*, plante utilisée, comme la grande chélidoine, pour guérir les verrues.

♦ **3** Minér. Variété d'agate que l'on trouve sous la forme de petits cailloux roulés.

CHÉLIFORME [kelifɔʀm] adj. — 1863; de *chéli-*, et *-forme*.

Didact. Qui a la forme d'une pince.

CHELINGUER [ʃlɛ̃ge] v. intr. → **Schlinguer.**

CHELLÉEN, ÉENNE [ʃeleɛ̃, ɛɛn] adj. et n. m. — 1882; de *Chelles*, localité de la région parisienne, et *-éen*.

Préhistoire.

♦ **1** Époque la plus ancienne de l'ère quaternaire. — Syn. : *abbevillien*. *Débris de l'époque chelléenne retrouvés dans les graviers de Chelles.*

N. m. *Le chelléen.*

♦ **2** Qui est caractéristique de cette époque. *Instrument chelléen.*

CHÉLO- → Chél-.

CHÉLOÏDE [kelɔid] n. f. — 1817, Alibert; de *chél-*, et *-oïde*.

Méd. Boursouflure fibreuse indurée et ramifiée, formée sur la peau au niveau d'une cicatrice.

Des photos montrent des hommes mutilés, des dos brûlés, des corps couverts de ces affreuses tumeurs cutanées qu'on appelle des chéloïdes.
S. DE BEAUVOIR, Tout compte fait, p. 309.

DÉR. **Chéloïdien.**

CHÉLOÏDIEN, IENNE [kelɔidjɛ̃, jɛn] adj. — 1903, Janet; de *chéloïde*.

Méd. D'une chéloïde. *Cicatrice chéloïdienne.*

CHÉLON- ou **CHÉLONO-** Élément, tiré du grec *khelônê* «tortue», et qui sert à former des termes de zoologie. Ex. : *chélonée, chélonidés, chéloniens, chélonographe, chélonographie, chélonophage.*

CHÉLONÉE [kelɔne] n. f. — 1800, Agassiz, Cuvier ; de *chélon-*, et *-ée.*
Zool. (vx). Grande tortue de mer, qui vit dans les mers chaudes. REM. J. Verne (*l'Île mystérieuse*, t. I, p. 308) emploie le mot au sens de *chélonien.*

CHÉLONIDÉS [kelɔnide] n. m. pl. — V. 1950 ; de *chélon-*, et *-idés.*
Zool. Famille de tortues (*Chéloniens*) de grande taille, à carapace plate, à nageoires, vivant surtout dans l'eau (Ex. : caouane, tortue à écaille [→ Caret], tortue verte, tortue bâtarde). — Au sing. *Un chélonidé.*

CHÉLONIEN [kelɔnjɛ̃] n. m. et adj. — 1799, *in* Cottez ; de *chélon-*, et *-ien.*
Zoologie.

I A N. m. pl. *Les chéloniens.* Ordre de reptiles (*Anapsides*) caractérisés par une carapace de plaques cornées qui enveloppent le corps et d'où émerge la tête, les membres et la queue. → **Tortue.** *Les Chéloniens se divisent en deux sous-ordres* (selon l'axe de la courbe du cou) : *les Cryptodires* (cou replié dans le sens vertical ; cinq super-familles), *et les Pleurodires* (cou replié horizontalement ; deux familles). — Au sing. *Un chélonien.*

II Adj. (*Chélonien, chélonienne*). Qui ressemble à une tortue.
Qui appartient à l'ordre des Chéloniens. *Reptile chélonien.*

CHÉLONO- → Chélo-.

CHÉLONOGRAPHE [kelɔnɔgraf] n. m. — 1863, Littré ; de *chélono-*, et *-graphe.*
Didact. Naturaliste qui s'occupe des tortues.

CHÉLONOGRAPHIE [kelɔnɔgrafi] n. f. — Déb. xxᵉ ; de *chélono-*, et *-graphie.*
Didact. Partie des sciences naturelles qui traite des tortues.

CHÉLONOPHAGE [kelɔnɔfaʒ] adj. — 1898 ; de *chélono-*, et *-phage.*
Didact. Qui mange des tortues.

CHÊMER (SE) [ʃeme] v. pron. — 1441 ; ital. *scemare*, pron. *scemarsi* «s'amoindrir», d'un lat. pop. *exsemare*, du bas lat. *sematum* «à moitié vide».
Régional (vx). S'affaiblir par consumption. *Cet enfant se chême.*
HOM. V. Schème.

CHEMIN [ʃ(ə)mɛ̃] n. m. — 1080, *Chanson de Roland* ; du lat. pop. *camminus*, mot d'orig. celtique.

I A (Abstrait). ◆ **1** (Après 1150). Direction, voie d'accès. *Prendre le chemin de...* → **Direction.** *Tenir le chemin de...* : aller vers... — Loc. (1538). *Se mettre en chemin.* → **Partir.** *Aller son chemin ; poursuivre, passer son chemin* : continuer à marcher, ne pas s'arrêter. → **Passer** (→ ci-dessous, cit. 1). — Loc. *Aller, poursuivre son petit bonhomme** (cit. 8 et 9) *de chemin. Suivre un chemin, le bon chemin,* celui qui convient pour se rendre où l'on veut aller. *Demander son chemin. Montrer, indiquer à qqn son chemin.*

Rebrousser chemin : revenir sur ses pas (→ Tourner* bride). *Perdre son chemin, s'écarter de son chemin, se tromper de chemin, prendre le mauvais chemin.* → **Égarer** (s'), **perdre** (se). *Passer par un autre chemin. Barrer le chemin. Couper le chemin. Se frayer un chemin* (→ **Passage**). *Ouvrir le chemin d'un lieu.* → **Accès.**

(1498). Distance*, espace à parcourir pour aller d'un lieu à un autre. → **Parcours, route, trajet.** *La ligne droite est le plus court chemin d'un point à un autre. Faire, parcourir le chemin qui sépare deux villes. Faire le chemin d'une seule traite, par étapes. Ils ont fait plusieurs fois le chemin d'ici à... Ils ont fait une partie du chemin, la moitié du chemin ; ils sont à mi-chemin. Faire un bout* de chemin avec qqn. Rester à mi-chemin, à moitié chemin. Parcourir, battre les chemins. Être toujours sur les chemins, par voie et par chemin,en voyage** (→ Par monts et par vaux*). — *Faire du chemin, beaucoup de chemin en une étape. Combien de chemin avez-vous fait ?* — Loc. (vieilli). *Abattre du chemin.* → **Avancer, marcher.**

Passez votre chemin, la fille, et m'en croyez.   1
         LA FONTAINE, Fables, III, 1.

Nos gaillards pèlerins,   2
Par monts, par vaux, et par chemins,
Au gué d'une rivière à la fin arrivèrent.
         LA FONTAINE, Fables, II, 10.

Quel chemin a-t-il pris ? la porte ou la fenêtre ?   3
         RACINE, les Plaideurs, II, 7.

J'en rends grâces au ciel, qui m'arrêtant sans cesse   4
Semblait m'avoir fermé le chemin de la Grèce.
         RACINE, Andromaque, I, 1.

Savez-vous le chemin que ma mule a fait aujourd'hui ?   5
         MOLIÈRE, l'Amour médecin, II, 3.

REM. Cet emploi est ambigu ; *chemin* désigne à la fois la direction et la distance.

J'errai un moment parmi les grands corridors tout noirs,   6
tâtant les murs pour essayer de retrouver mon chemin.
         Alphonse DAUDET, le Petit Chose, I, V.

Je marcherai bien comme cela pendant des lieues (...)   7
Nous allons descendre jusqu'aux prés Sainte-Claire (...) Là
(...) nous rebrousserons chemin.
         ZOLA, la Fortune des Rougon, I, p. 26.

André Stévenol parvint à grand'peine à se frayer un   8
chemin dans la foule qui bordait des deux côtés la vaste
avenue poussiéreuse.
         Pierre LOUŸS, la Femme et le Pantin, I, p. 17.

Il reprit vaguement son chemin vers la ville, baissant le   9
front sous une inexprimable honte.
         Pierre LOUŸS, Aphrodite, V, p. 66.

Loc. *Le chemin des écoliers* : le chemin le plus long (au propre et au figuré).

Je leur dis que j'étais un jeune fils de famille (...) qui se   10
rendait chez des parents (...) par le vrai chemin des écoliers (...)   Th. GAUTIER, Mᵉˡˡᵉ de Maupin, V, p. 87.

Monsieur Jadis rentrait chez lui par le chemin qui lui   10.1
convenait le mieux : celui des écoliers.
         A. BLONDIN, Monsieur Jadis, p. 172.

Le chemin de la croix*. Un chemin de croix.

Le chemin de Damas : la route sur laquelle Saint Paul se rendant à Damas fut converti à la suite d'un miracle (Bible, *Actes des Apôtres*, IX, 3-4). — Fig. *Trouver son chemin de Damas* : se convertir*, s'amender.

Et si la foi fondait sur lui à l'improviste, comme un aigle ?   10.2
S'il rencontrait son chemin de Damas ?
         Jean-Louis CURTIS, le Roseau pensant, p. 215.

Le chemin de Saint Jacques (de Compostelle) : la route de pèlerinage menant à Saint-Jacques ; (fig.) la voie lactée.

Le chemin du Paradis : un chemin étroit, un défilé où l'on ne passe qu'un par un.

Loc. *Chemin faisant* : pendant le trajet. — *En chemin* : en cours de route. *Rester en chemin. Ils l'ont rencontré en chemin.*

11 Il accourait ; un Mont en chemin l'arrêta.
LA FONTAINE, Fables, IX, 7.

12 Parbleu, chemin faisant, je te le veux conter.
MOLIÈRE, les Fâcheux, II, 6.

Temps passé à cheminer. *Tromper le chemin* : s'occuper pendant la durée du chemin. *Deux heures de chemin.*

♦ **2** (1343). Espace parcouru par un corps qui se meut, se déplace. *Chemin parcouru par un projectile.* → **Trajectoire.** *Le chemin du piston dans le cylindre.* → **Course.** *Les herbes se frayent un chemin à travers les cailloux.*

13 Le germe, hanté par le soleil, trouve toujours son chemin à travers la pierraille du sol.
SAINT-EXUPÉRY, Pilote de guerre, XXIV, p. 206.

Mar. (vx). *Chemin d'un navire.* → **Cinglage.** *Chemin est.*

B (Concret). ♦ **1** (V. 1100). Voie spécialement aménagée dans la campagne (par oppos. à *rue*) pour permettre d'aller sans difficulté d'un lieu à un autre. → **Route, voie.** — Spécialt. Bande déblayée assez étroite qui suit les accidents du terrain (opposé à *route, allée, avenue...*). → **Piste, sente, sentier, tortille.** *Chemin montant.* → **Côte, grimpette, montée, raidillon, rampe.** *Chemin descendant.* → **Descente.** *Chemin large, étroit. Chemin droit ; sinueux, serpentant, tortueux, en zigzags. Les coudes, les tournants du chemin. Le chemin se sépare en deux.* → **Bifurcation, embranchement, fourche, patte d'oie.** *Les chemins aboutissent à une demi-lune*. Croisée de chemins.* → **Carrefour, étoile.** *Chemin ronceux. Chemin boueux, bourbeux, caillouteux, empierré, rocailleux. Chemin enneigé, ensablé. Chemin anfractueux, crevassé, craquelé, escarpé. Les ornières, les fondrières, les cahots du chemin. Les cailloux, les pierres du chemin.* → **Caillasse.** *Chemin cahoteux, raboteux, dangereux, difficile, pénible* (→ **Casse-cou**). *— Chemin impraticable, infréquenté, désert. Chemin carrossable. Chemin fréquenté, battu*.*

Chemin creux : chemin enfoncé entre des parties plus hautes (dans les pays de bocage).

Chemin de terre : chemin non empierré au travers des champs, des bois (→ ci-dessous, cit. 22, 23.1 et 23.2).

Vx. **GRAND CHEMIN** : route de grande communication. — Loc. mod. *Voleur* de grand chemin.*

14 Pour assassiner le monde et pour voler sur les grands chemins.
PASCAL, Récit.

15 Les rivières sont des chemins qui marchent, et qui portent où l'on veut aller.
PASCAL, Pensées, I, 17.

16 Dans un chemin montant, sablonneux, malaisé,
Et de tous les côtés au soleil exposé (...)
LA FONTAINE, Fables, VII, 9.

17 Vu d'en haut, ce chemin ressemble à un ruban plié et replié (...)
CHATEAUBRIAND, Mémoires d'outre-tombe, IV, II.

18 Le chemin, ou plutôt le sentier à peine tracé qu'il suivait, traversait un maquis récemment brûlé.
MÉRIMÉE, Colomba, XVII.

19 Il s'en allait donc par les chemins solitaires.
FRANCE, Thaïs, p. 23.

20 Et, quittant le domaine, elle se trouve sur le chemin craquelé par la chaleur, entre les fougères des talus.
Francis JAMMES, Clara d'Ellébeuse, I.

21 Le chemin qui, venant de Jouy, longe le val de Bièvres sur la rive gauche est étroit et nonchalant.
G. DUHAMEL, Chronique des Pasquier, V, I, p. 9.

22 (...) à la sortie du village, la route se continue par un chemin de terre abrupt, plein de fondrières desséchées.
MARTIN DU GARD, les Thibault, t. VIII, p. 141.

Ce chemin qui serpente est bon, et tout parfumé d'herbes 23 sèches, de résines amères.
H. BOSCO, le Jardin d'Hyacinthe, I, p. 18.

Nous quittâmes le chemin de terre et prîmes un sentier. 23
DRIEU LA ROCHELLE, la Comédie de Charleroi, p. 20-21.

Je l'avais croisée pour la première fois dans un chemin de 23 terre où une charrette venait de passer, soulevant une lente poussière blanche qui retombait en fardant les buissons de sorte que Françoise souffla sur les mûres avant de les porter à sa bouche.
Jacques LAURENT, les Bêtises, p. 196-197.

Construire, percer, ouvrir un chemin. Se frayer un chemin à travers des fourrés (→ Machette, cit. 1). *Entretenir un chemin. Viabilité d'un chemin. Chaussée d'un chemin* (→ **Chaussée, macadam, pavement**). *Jetée sur un chemin. Élargir un chemin. Garnir de graviers un chemin.* → **Engraver.** *Impôt, droit de péage, prestation pour l'entretien des chemins.*

(Syntagmes ; admin. et cour.). *Chemin vicinal*. Chemin rural*. Chemin de déblai. Chemin de traverse. Chemin (vicinal) de grande communication. Chemin de montagne. Chemin muletier* (cit. 2). *Chemin forestier.* → **Cavée, laie, layon, lé.** *Chemin d'exploitation,* servant à l'exploitation rurale. *— Chemin privé.*
(1690). *Chemin de halage, sur une berge*.* → **Berme, marchepied, tirage.**

Chemin de douane*, chemin des douaniers, de douaniers, par ex., le long du rivage.

Vx. *Chemin salier* : chemin utilisé pour le transport du sel.

Vx. *Chemin ferré* : chemin empierré (encore chez Pesquidoux, 1925, *in* T. L. F.).

Loc. *Vieux comme les chemins* : très vieux.

♦ **2** (1676). **CHEMIN DE RONDE*** : (anciennt) corridor maçonné construit le long du parapet, au-dessus du fossé ; (mod.) partie du terre-plein au-dessus de la banquette.

(1676). *Chemin couvert* : partie de la contrescarpe entre le parapet et le fossé, sorte de galerie*.

Ils vous étourdissent (...) de courtines et de chemin cou- 2
vert (...)
LA BRUYÈRE, les Caractères, XII, 99.

Il y a, en dehors des murs, une sorte de chemin de ronde 2
que, chaque soir, je suis dans l'obscurité.
LOTI, Jérusalem, XVIII, p. 211.

Chemin de service : voie aménagée sur un échafaudage.

♦ **3** Par ext. *Chemin d'escalier* : bande de tapis disposée sur les marches. *— Chemin de table* : bande d'étoffe disposée sur une table.

Espace dégagé formant voie.

De l'une à l'autre est tracé un étroit chemin de parquet 2
luisant ; un second chemin va de la table jusqu'au lit.
A. ROBBE-GRILLET, Dans le labyrinthe, p. 18 (1959).

Techn. *Chemin de roulement pour billes. Chemin de glissement.*

Tissage :

Chemin. — L'ensemble des fils constituant le motif complet. Ce motif se répète dans le sens de la largeur du tissu ; s'il est repris deux, trois, cinq fois on dit que l'étoffe est à deux, trois, cinq chemins.
Michèle BEAULIEU, les Tissus d'art, Petit glossaire technique, p. 128.

Aviat. *Chemin de roulement* (des aéronefs), sur un aérodrome.

♦ **4** (D'après l'angl. *railway*). *Chemin de fer.* → **Chemin de fer.**

II Par métaphore ou fig. ♦ **1** (V. 1360). Conduite qu'il faut suivre pour arriver à un but. → **Moyen, voie.** *Il n'arrivera pas à ses fins par ce chemin, il n'en prend* pas le chemin. *Sa guérison est en bon chemin, suit le bon chemin. L'affaire est en bon chemin.* → **Réussir.** *Le bon chemin, le droit chemin. Être dans le droit chemin. — Le chemin de... : le chemin que suit... ; le chemin qui mène à...* (parfois ambigu). *Le chemin de la vertu, de la perfection. Les Chemins de la liberté,* œuvre romanesque de Sartre. *Le droit chemin de la raison* (→ Cabrer, cit. 8). *Le chemin du crime. — Le chemin de la vie ; le chemin de la gloire. S'avancer sur le chemin de la vie* (→ Avancer, cit. 52 et -53). — *Chemins qui ne mènent nulle part,* titre français d'une œuvre de Heidegger.

26 (...) ceux qui abandonnent les sentiers de la droiture afin de marcher dans des chemins ténébreux, qui trouvent de la jouissance à faire le mal, qui mettent leur plaisir dans la perversité, qui suivent des sentiers détournés, et qui prennent des routes tortueuses (...)
BIBLE (SEGOND), Proverbes, II, 13-15.

27 (...) Vous m'avez au crime enseigné le chemin.
CORNEILLE, Cinna, V, 2.

28 Cher frère, c'est pour moi le chemin du trépas.
CORNEILLE, Rodogune, V, 4.

29 Tant plus le chemin est long *(dans l'amour),* tant plus un esprit délicat sent le plaisir.
PASCAL, Discours sur les passions de l'amour.

30 (...) et ceux qui ne marchent que fort lentement peuvent avancer beaucoup davantage, s'ils suivent le droit chemin, que ne font ceux qui courent et qui s'en éloignent.
DESCARTES, Discours de la méthode, I.

31 Nous ne prenons guère le chemin de nous rendre sages.
MOLIÈRE, l'Impromptu de Versailles, 4.

32 On rencontre sa destinée
Souvent par des chemins qu'on prend pour l'éviter.
LA FONTAINE, Fables, VIII, 16.

33 Quand il sera temps nous remettrons cette affaire en chemin.
Mme DE SÉVIGNÉ, 1361, 7 août 1693.

34 (...) lorqu'il se représentait plus particulièrement sa propre vie, *(elle lui apparaissait)* comme un chemin nettement tracé, une ligne droite, qui menait infailliblement quelque part.
MARTIN DU GARD, les Thibault, t. III, p. 225.

(V. 1360). Vx. *Aller le droit chemin :* agir avec sincérité, droiture, loyauté. — Vieilli. *Prendre des chemins de traverse,* des moyens détournés. → **Faux-fuyant.** — Loc. vieillie. *Par voie et (par) chemins :* par tous les moyens qui s'offrent.

35 L'ambitieux, ou, si l'on veut, l'avare
S'en va par voie et par chemin.
LA FONTAINE, Fables, VII, 12.

36 Il y a pour arriver aux dignités ce qu'on appelle ou la grande voie ou le chemin battu ; il y a le chemin détourné ou de traverse, qui est le plus court.
LA BRUYÈRE, les Caractères, VIII, 49.

Loc. mod. *Je n'irai pas par quatre chemins :* j'agirai franchement, sans ambages, sans détours ; j'irai droit au but*.

37 (...) je suis rond en affaires et je n'y vais pas par quatre chemins.
GIDE, Robert, I, 9.

1 — Monsieur Oriol, je viens causer affaires avec vous. Je n'irai pas d'ailleurs par quatre chemins pour m'expliquer. Voici. Vous avez découvert tantôt une source dans votre vigne (...)
MAUPASSANT, Mont-Oriol, p. 69.

2 (...) je me permets de vous accoster en tout bien tout honneur. Je n'irai pas par quatre chemins : vous m'excitez.
Violette LEDUC, la Bâtarde, p. 281.

(Personnes ; choses). *Faire du chemin.* → **Aboutir, aller** (loin), **parvenir, progresser, réussir.** *L'idée a fait son chemin. — Faire son chemin. Il fera une belle carrière.*

3 (...) celui qui est en faveur (...) se sert d'un bon vent qui souffle, pour faire son chemin (...)
LA BRUYÈRE, les Caractères, VIII, 26.

4 (...) je ne désespère pas de lui voir faire un chemin digne de son mérite.
ROUSSEAU, Julie ou la Nouvelle Héloïse, II, 9.

5 (...) mais cette pensée avait fait son chemin en lui, elle avait déposé un vague sédiment d'inquiétude (...)
Jean Louis CURTIS, le Roseau pensant, p. 14.

Ouvrir, tracer, montrer le chemin : donner l'exemple ; agir le premier, entreprendre. → **Exemple** (donner l'exemple), **voie** (montrer la voie). — *Cela lui facilite le chemin,* lui prépare la voie.

40 Le chemin est encore ouvert au repentir.
RACINE, Bajazet, II, 1.

41 Si mon œuvre n'est pas un assez bon modèle,
J'ai du moins ouvert le chemin :
D'autres pourront y mettre une dernière main.
LA FONTAINE, Fables, XI, Épilogue.

Vieilli. *Suivre les chemins battus, le grand chemin :* suivre les usages établis, ne pas s'écarter de la banalité (→ **Routine).** *S'écarter du grand chemin.*

42 (...) il est bien malaisé de trouver quelque chose de nouveau, sans s'écarter un peu du grand chemin.
CORNEILLE, Examen de Nicomède.

Prov. Vx. *À chemin battu, il ne croît pas d'herbe :* il n'y a pas de profit dans une affaire où il y a trop de concurrents.

Vieilli. *Chemin semé de roses. Chemin fleuri, de fleurs. Chemin de velours :* voie facile, agréable pour arriver à un but ; (concret) chemin dessiné sur une pelouse. — *Chemin pierreux, épineux, difficile, malaisé.*

43 Chemin pierreux est grande rêverie ;
Escobar sait un chemin de velours.
LA FONTAINE, Ballade sur Escobar, in LITTRÉ.

44 Aucun chemin de fleurs ne conduit à la gloire.
LA FONTAINE, Fables, X, 14.

Vx. *Aller son grand chemin :* accomplir qqch. sans effort, sans y entendre de finesse. — Mod. *Il va son chemin, il va toujours son chemin sans se laisser détourner* (→ Aller, cit. 116).

45 (...) j'irai toujours mon chemin ; je ne suis mal avec personne.
Mme DE SÉVIGNÉ, 1174, 9 mai 1689.

46 Je me trouve fort bien d'aller mon grand chemin ; il me semble que je n'ai que dix ans (...)
Mme DE SÉVIGNÉ, 453, 6 oct. 1675.

Mod. *Aller son petit bonhomme** (cit. 8, 9 et *supra) de chemin.*

EN CHEMIN : en marche, en cours de route, avant d'avoir achevé ce qu'on a commencé. → **Pendant.**

47 — Eh ! mon ami, la mort te peut prendre en chemin (...)
LA FONTAINE, Fables, VIII, 27.

S'arrêter en chemin ; (vx) *en beau* (cit. 60) *chemin.* — *S'arrêter à mi-chemin, à moitié chemin* (→ Arrêter, cit. 30 et 49).

Couper, barrer le chemin à qqn, se mettre en travers de sa route. → **Empêcher.** *Croiser, traverser** le chemin de qqn,* lui faire obstacle*. → **Déranger.**

SUR (LE, SON) CHEMIN. *Se mettre sur le chemin de qqn. Menacer qqn de se mettre sur son chemin.*

48 N'admirez-vous point la bizarre disposition des choses de ce monde, et de quelle manière elles viennent croiser notre chemin ?
Mme DE SÉVIGNÉ, 279, 23 mai 1672.

49 Tout ce qui vaque est recherché par des familles si désolées, qu'on est honteuse d'aller barrer leur chemin inutilement.
Mme DE SÉVIGNÉ, 433, 21 août 1675.

50 Pour couper tout chemin à nous rapatrier (...)
MOLIÈRE, le Dépit amoureux, IV, 4.

Trouver qqn, qqch. sur son chemin : trouver une chose, une personne qui s'oppose aux entreprises que l'on a commencées.

51 (...) il faut que vous soyez bien malheureux de trouver en votre chemin un événement si extraordinaire !
Mme DE SÉVIGNÉ, 954, 25 févr. 1685.

52 Il ne faisait pas bon se trouver sur son chemin.
Antoine HAMILTON, Mémoires du comte de Grammont, 8.

Vieilli. *Trouver une pierre sur son chemin,* un obstacle. — Iron. *Mener qqn par un chemin où il n'y a pas de pierres,* le mener rudement, sans ménagements. — (Au sens de «distance»). *Faire la moitié du chemin :* faire des avances* à quelqu'un.

53 Assurez-vous que votre frère fera la moitié du chemin.
MASSILLON, Carême, Pardon.

Il a su trouver le chemin de son cœur : il a su se faire aimer de cette personne.

54 Si (...) je pouvais trouver le chemin de son cœur.
MOLIÈRE, le Bourgeois gentilhomme, III, 6.

55 Antoine s'inquiète : s'il retrouve la trace de son frère, retrouvera-t-il le chemin de son cœur?
MARTIN DU GARD, les Thibault, t. IV, p. 17.

Faire sortir de son chemin. → **Dérouter, désorienter, dévoyer.**

Aller, poursuivre son chemin : ne pas se laisser détourner.

Prov. *Tous les chemins vont, mènent à Rome :* on peut arriver au même endroit, au même but, par des voies diverses, des moyens différents.

56 Ils s'y prirent tous trois par des routes diverses :
Tous chemins vont à Rome; ainsi nos concurrents
Crurent pouvoir choisir des sentiers différents.
LA FONTAINE, Fables, XII, 27.

Prov. *Qui trop se hâte reste en chemin.*

♦ **2** Loc. (sc.). *Chemin critique :* l'un des ensembles d'opérations, de tâches successives dont la durée d'exécution, incompressible, apparaît comme un délai minimal pour l'exécution de la totalité d'un projet.

DÉR. et COMP. Acheminer, chemineau, cheminer. — Chemin de fer.

CHEMIN DE FER [ʃ(ə)mɛ̃dfɛʀ] n. m. — 1784; 1823, date de la mise en service du chemin de fer de Saint-Étienne à Andrézieux; trad. de l'angl. *railway*.

♦ **1** Vx. Chemin formé par deux rails parallèles sur lesquels roulent les trains. → **Voie.**

1 De cette époque *(1829)* date une ère nouvelle pour les chemins de fer. Jadis les rails étaient tout; maintenant ils n'occupent dans le système qu'une place secondaire. Aujourd'hui les chemins de fer ne devraient s'appeler que des chemins à locomotives ou des chemins à vapeur.
ARAGO, Rapport de 1838.

REM. Peu de temps après l'apparition du terme, *chemin de fer* n'était pas encore lexicalisé et ses éléments pouvaient s'employer séparément.

2 Sur le fer des chemins qui traversent les monts.
A. DE VIGNY, la Maison du berger.

♦ **2** (1866). Le moyen de transport utilisant la voie ferrée; l'exploitation de ce moyen de transport (→ **Ferroviaire**). — *Voie de chemin de fer.* → **Accotement, ballast, butoir, cavalier, contrecœur, contre-rail, coussinet, crémaillère, éclisse, entre-voie, longrine, rail, remblai, sabotage** (des traverses), **tire-fond, traverse, trénail.** *Ligne de chemin de fer.* → **Infrastructure, ligne, superstructure, voie; aiguillage, aiguille, barrière, bifurcation, bosse, branchement, coupement, courbe, croisement, embranchement, garage** (voie de garage), **heurtoir, lacet, ouvrage** (d'art), **passage** (à niveau), **plaque** (tournante), **pont, profil** (d'une voie), **raccordement** (voie de raccordement), **rampe, rocade, tracé** (d'une voie), **tranchée, transbordeur, tunnel, viaduc.** *Recharger, empierrer une voie de chemin de fer. Systèmes de sécurité du chemin de fer.* → **Signalisation; balisage, block-system, crocodile, disque, enclenchement, sémaphore, serrure** (électrique), **signal.** *Matériel roulant des chemins de fer.* → **Locomotive, traction, train, voiture, wagon;** et aussi **autorail, bogie, draisine, fourgon, funiculaire, lorry, micheline, sleeping-(car), tender, tracteur, truck, vistadôme;** **convoi, 4. rame.** *Chemin de fer à voie normale; à voie étroite* (→ Tacaud, tortillard). *Chemin de fer à voie unique, double... Chemin de fer d'intérêt local, départemental. Chemin de fer Decauville. Chemin de fer rapide.* → **Direct, express,**

rapide. *Chemin de fer intercontinental. Chemin de fer transsibérien, transandin* (→ les comp. de Trans-). *Chemin de fer omnibus**. *Chemin de fer à vapeur.* — (1892). *Chemin de fer électrique. Électrification des chemins de fer.* — *Chemin de fer aérien, souterrain* (→ **Téléférique**). *Chemin de fer à crémaillère.* — Vx. *Chemin de fer urbain.* → **Tramway, métro.** *Chemin de fer métropolitain de Paris.* → **Métropolitain.** *Chemin de fer de ceinture**. *Chemin de fer circulaire.*

Services des chemins de fer : traction, exploitation, voie et bâtiment. Réseau*, *compagnie** *de chemins de fer.* → **Locomotion, matériel** (roulant), **traction, voie; marchandise, trafic** (et **colis, consigne, enregistrement, messagerie**), **voyageur** (et **bagage, billet, carte, contrôle, correspondance, déclassement, tarif**). *Horaire, indicateur des chemins de fer. L'indicateur Chaix des chemins de fer* (→ Chaix, n. m.). — *Station de chemin de fer.* → **Gare; débarcadère, quai, terminus, tête** (de ligne). — *Faire un voyage, un trajet en chemin de fer* (→ Accompagnement, cit. 4). *Transport par chemin de fer, par chemin de fer et route.* → **Ferroutage.** *Le chemin de fer dessert** *cette localité.* — *Employés des chemins de fer.* → **Aiguilleur, chauffeur, chef** (de dépôt, de district, de gare, de section, de traction, de train), **cheminot, commis, contrôleur, équipe** (homme d'équipe), **facteur, garde-barrière, garde-frein, lampiste, mécanicien, piqueur, serre-frein.** — *Accident de chemin de fer* (→ **Dérailler, télescoper; déraillement, télescopage**).

REM. Au sens concret (ensemble formé par la locomotive et les wagons), *chemin de fer* est vieilli ou du moins d'emploi assez rare : on dit *train**.

Cependant voici que, là-bas derrière moi, quelque chose de laid, de noirâtre, de tapageur, d'idiotement empressé, passe, vite, vite, ébranle la terre, trouble ce calme délicieux par des sifflets et des bruits de ferraille : le chemin de fer (...)
LOTI, Figures et Choses, «Instant de recueillement», p. 51.

(...) ce train d'une heure vingt-deux que je m'étais plu trop longtemps à chercher dans l'indicateur des chemins de fer (...)
PROUST, À la recherche du temps perdu, t. IV, p. 59.

Ce fut pourtant à une station de chemin de fer, au-dessus d'un buffet, en lettres blanches sur un avertisseur bleu, que je lus le nom (...) de Balbec.
PROUST, À la recherche du temps perdu, t. IV, p. 73.

La langue populaire abonde en transpositions (...) À priori pourrait-on dire, telle appellation est destinée à être supplantée, ainsi les chemins de fer à voie étroite : *tacauds, tortillards,* remplacent la lourde désignation administrative.
F. BRUNOT, la Pensée et la Langue, II, VIII, p. 78.

Thiers disait que le chemin de fer n'était qu'un jouet. Arago croyait que les voyageurs contracteraient sous les tunnels des fluxions de poitrine et des pleurésies.
Pierre GAXOTTE, Hist. de France, t. II, p. 430.

(...) sur la levée du chemin de fer, à l'entrée du pont, se dressa (...) une bonne baraque, bien plantée contre le parapet de pierre. De là partaient les fils d'acier qui, courant le long de la voie, faisaient, très loin, bouger les bras lumineux et les disques de la signalisation, étoilant de leurs feux multicolores les abords de la gare.
H. BOSCO, Antonin, II, p. 164.

REM. Dans cet exemple, le mot retrouve son sens initial de «voie».

♦ **3** (1866). Entreprise qui exploite des lignes de chemin de fer. *Les chemins de fer français* (S. N. C. F.). *Employé des chemins de fer.* → **Cheminot.**

♦ **4** Chemin de fer en miniature servant de jouet aux enfants. → **Modèle** (réduit). *Chemin de fer mécanique, électrique. Il a acheté un chemin de fer à son fils.*

♦ **5** Jeu d'argent, variété de baccara*. *Jouer au chemin de fer dans un casino.*

9 Au Frolics on avait joué un jeu d'enfer
Un vieil homme hésitant sur le seuil apparut
Il avait tiré à cinq au chemin de fer.
                    ARAGON, le Roman inachevé, p. 159.

♦ **6** (1929). En appos. *Tringle chemin de fer* : tringle à rideaux formée d'un rail métallique.

1. **CHEMINEAU** [ʃ(ə)mino] n. m. — 1897 ; de *chemin,* et *-eau.*

Celui qui parcourt les chemins à la recherche de travail, et qui vit de petites besognes, d'aumônes ou de larcins. → **Bohémien** (vx), **clochard, mendiant, ribleur, rôdeur, trimardeur, vagabond.**

Il y a plus de trente ans qu'il a quitté le pays et qu'il marche, chemineau ou mendiant.
                    J. RENARD, Journal, 1905.

REM. Deux formes féminines sont attestées : *chemineaude* [ʃ(ə)minod] (1896, M. Lefèvre, *in* T.L.F.) et *cheminote* [ʃ(ə)minɔt] (M. Schwob, *in Dict. des mots sauvages*).

HOM. 1. Cheminot, 2. cheminot.

2. **CHEMINEAU** [ʃ(ə)mino] n. m. → 2. **Cheminot.**

CHEMINÉE [ʃ(ə)mine] n. f. — V. 1170 ; du bas lat. *caminata* «salle pourvue d'une cheminée», puis «cheminée», de *caminus* «âtre», grec *kaminos.*

♦ **1** (Sens général). Dispositif formé d'un foyer et d'un tuyau qui sert à évacuer la fumée ; spécialt, la cheminée considérée surtout dans son foyer. → **Âtre, foyer.** *Parties d'une cheminée.* → **Âtre, avaloir, avant-foyer, cadre, capuchon, chambranle** (cit. 2), **chantignole, conduit, contrecœur, croissant, ébrasement, écran, encadrement, enchevêtrure, fond, fronton, fumivore, garde-cendres, garde-feu, grille, hotte, jambage, languette, linteau, manteau, mitre, pare-étincelles, poterie, rideau, soubassement, souche, soupente, tablette, tablier, tabourin, trappe, trémie, trumeau, tuyau.** *Cheminée avec, sans hotte. Allumer du feu, brûler du bois, du charbon, faire une flambée dans la cheminée,* dans l'âtre. → **Chauffage.** *Passer la soirée devant la cheminée* (→ Au coin* du feu). *Cheminée encrassée par la suie. Tuyau de cheminée coudé.* → **Dévoiement.** *Ramoner une cheminée. Accessoires disposés dans la cheminée.* → **Chenet, landier, marmouset, pelle, pincette, soufflet.** *Cheminée qui fume.* → **Fumée.** *La cheminée ronfle, tire bien.* → **Tirage.**
Cheminée de cuisine. — (1763, *in* D.D.L.). *Cheminée à la prussienne :* sorte de poêle que l'on adapte à la cheminée. — *Cheminée encastrée* (foyer noyé dans le mur), *demi-encastrée, en épi. Cheminée centrale.* — (Incluant le tuyau). *Une haute cheminée* (→ ci-dessous, 3.).

1 Pourvu que, blasonnée
D'un écusson altier,
La haute cheminée,
Béante, illuminée,
Dévore un chêne entier   HUGO, Odes, v, 25, 4.

2 Je possédais une petite cheminée de fonte émaillée, dite, je ne sais pourquoi, cheminée prussienne.
                    G. DUHAMEL, le Temps de la recherche, VIII, p. 117.

♦ **2** Partie inférieure de ce dispositif (cheminée, 1.) qui avance dans une pièce et sert d'encadrement. *Cheminée de pierre, de marbre, de plâtre, de briques, de maçonnerie. Cheminée à tablette. Garnir*

une cheminée de bibelots. Garniture de cheminée. — (1888, *in* D.D.L.). *Dessus de cheminée.*

3 Une cheminée haute dont les jambages étaient de bois grossièrement cannelé, laissait paraître à une crémaillère, une marmite pleine de pommes de terre.
                    LAMARTINE, les Confidences, Raphaël, 14.

3.1 Il y a la cheminée, dont il n'a encore presque rien retenu : une cheminée ordinaire, en marbre noir, surmontée d'une grande glace rectangulaire ; son tablier de fer, levé, laisse voir un amas de cendres grises, légères, mais pas de chenets ; sur la tablette repose un objet assez long, pas très élevé (...)
                    A. ROBBE-GRILLET, Dans le labyrinthe, p. 191.

Fig. et vieilli. *Agir sous la cheminée, sous le manteau de la cheminée.* → **Manteau** (cit. 17).

Loc. vieillie. *Faire une croix à la cheminée* (pour noter un événement mémorable).

♦ **3** (V. 1160). Partie supérieure du conduit qui évacue la fumée et qui est visible sur le toit. *Le vent abattit quelques cheminées. Chapeau, champignon de cheminée,* surmontant la souche.
Hirondelle de cheminée, des cheminées : l'hirondelle commune, qui accroche parfois son nid aux cheminées.
Spécialt. *Cheminée de locomotive, de machine à vapeur.* — *Cheminée de navire. Paquebot à trois cheminées. Cheminée carénée. — Cheminée d'usine :* tuyau de maçonnerie surmontant un foyer, un fourneau d'usine. *On voyait au loin les cheminées des usines, de la fabrique.*

4 Les cheminées des usines poussaient d'immenses panaches bruns qui s'envolaient par le bout.
                    FLAUBERT, Mᵐᵉ Bovary, III, v.

5 Un groupe d'immenses cheminées d'usines et de fonderies, qu'alimentent chaque jour quatre ou cinq grands vapeurs anglais chargés de charbon, projettent dans le ciel, par leurs bouches géantes, des vomissements tortueux de fumée, retombés aussitôt sur la ville en une pluie noire de suie (...)   MAUPASSANT, la Vie errante, III, p. 37.

Feu de cheminée. → 1. **Feu.**

Par anal. de forme. *Cheminée des fées :* colonne ou pyramide argileuse coiffée d'un bloc (qui l'a protégée de l'érosion).
Loc. fig. *Coiffure en cheminée :* coiffure de femme en hauteur, au moyen âge.

♦ **4** (1649). *Cheminée d'un volcan, cheminée volcanique,* par où passent les matières volcaniques.

6 Quant à la cheminée volcanique qui établissait la communication entre les couches souterraines et le cratère, on ne pouvait en estimer la profondeur par le regard, car elle se perdait dans l'obscurité.
                    J. VERNE, l'Île mystérieuse, t. I, p. 132 (1874).

(1868, *in* Petiot). Alpin. Corridor vertical étroit.

7 Je passe d'une brèche à l'autre par une cheminée rocheuse de dix mètres de hauteur à peine, presque un escalier, et c'est à cet instant que se produit l'incident qui aurait pu ruiner tous nos espoirs.
                    R. FRISON-ROCHE, Nanhanni, p. 147.

♦ **5** Trou, conduit cylindrique. *Cheminée d'aération. Cheminée d'appel* (d'une mine) : sorte de prise d'air.
Aviat. *Dépression d'air.* → **Trou** (d'air).
Mus. Petit cylindre qui s'adapte à un tuyau d'orgue pour modifier le timbre.

♦ **6** Techn. *Cheminée d'équilibre :* ouvrage (ou formation naturelle) servant de régulateur de pression dans un système hydraulique.

8 Le gouffre de la Hennemorte fonctionne d'ailleurs encore en *cheminée d'équilibre,* le niveau des eaux passant probablement, en crue, de – 446 à – 346.
                    Félix TROMBE, la Spéléologie, p. 22.

♦ **7** Imprim. «Intervalles de mots malencontreusement en regard sur plusieurs lignes successives, donnant à l'œil l'impression d'un long couloir

blanc à travers la page» (Voyenne, 1967, *in* T. L. F.).
→ Escalier.

HOM. Formes du v. **cheminer.**

CHEMINEMENT [ʃ(ə)minmɑ̃] n. m. — V. 1288, *cheminemant; de cheminer,* et *-ment.*

A (Actif). ♦ **1** Action de cheminer. → **Marche.** *Un lent cheminement.* — (V. 1288). **Milit.** Marche progressive (dans une offensive, dans les travaux offensifs d'un siège...). *Le cheminement des sapeurs s'effectuait sous le feu de l'ennemi.* → **Approche** (*supra* cit. 13), **progression** (→ ci-dessous, B.).

♦ **2** Avance lente, progressive (d'une chose). *Le cheminement des eaux.*

Techn. Ch. de fer. *Le cheminement du rail :* déplacement d'un rail dans le sens de la longueur, provoqué par les frottements ou une déformation de la voie. — **Horlog.** Déplacement angulaire du balancier.

(V. 1460). **Fig.** *Le cheminement de la pensée, d'une idée.* → **Avance, marche, progrès.** *Un cheminement lent.*

(...) un moment, et pas davantage, de ce lent et merveilleux cheminement de l'humanité vers plus de bien.
MARTIN DU GARD, Jean Barois, II, VI, p. 334.

♦ **3** (1899). **Topogr.** Méthode de levée par mesures d'angles successives. *Cheminement au goniomètre, à la planchette déclinée.*

B Par métonymie. ♦ **1** Milit. (→ ci-dessus, A., 1.). Itinéraire protégé, dérobé à la vue et au tir direct de l'ennemi. *Suivre un cheminement.*

♦ **2** Aviat. Route imposée à un avion. «*Lorsqu'un avion de tourisme veut pénétrer dans ces couloirs (...) il doit en demander obligatoirement l'autorisation. S'il l'obtient, il devra suivre des "cheminements" précis*» (*l'Express,* 2 oct. 1978, p. 100).

CHEMINER [ʃ(ə)mine] v. intr. — V. 1168; de *chemin.*

♦ **1** (V. 1168). Faire du chemin, et, **spécialt,** un chemin long et pénible, que l'on parcourt lentement. → **Aller, marcher, trimer.** *Cheminer lentement, avec peine. Cheminer pendant des heures, sans trêve.*

1 (...) voit-on que j'aie besoin de carrosse ou de chaise pour cheminer? MOLIÈRE, le Mariage forcé, 1.

2 Nous levâmes le camp, et nous cheminâmes pendant une heure et demie avec une peine excessive dans une arène blanche et fine.
CHATEAUBRIAND, Mémoires d'outre-tombe, II, IV.

3 (...) dans la plaine, deux imperceptibles voyageurs, qui cheminent en hâte et fuient, le dos au vent.
E. FROMENTIN, Un été dans le Sahara, p. 3.

4 *(Il)* cheminait seul, d'un pas inégal et lent, sous les ormes du Mail. FRANCE, le Mannequin d'osier, XII, p. 368.
Par métonymie. Littér. (en parlant d'une voie). S'étendre.

4.1 La route cheminait à perte de vue.
FRANCE, le Lys rouge, 1894, p. 314, *in* T. L. F.

♦ **2** (Sujet n. de choses). Avancer, et, **spécialt** (mod.), avancer lentement. *L'eau chemine dans le lit du ruisseau.*

5 Je vis les vents et les nuées cheminer dessous (*sous*) mes pieds. VOITURE, Lettres, 9.
(Choses abstraites). **Fig.** *L'esprit, la pensée chemine.* → **Progresser.**

6 (...) sa pensée tantôt chemine avec la sourde lenteur de la taupe, tantôt s'élance du vol de l'aigle.
FRANCE, les Opinions de J. Coignard, XII, p. 431.

7 Ainsi, malgré tout, les idées cheminaient, et d'innombrables semences tombaient dans les sillons ouverts.
JAURÈS, Hist. socialiste..., t. V,
La Révolution en Europe, p. 194.

8 (...) des êtres (...) qui comprennent mal le son des paroles, ayant reçu mission d'entendre cheminer les pensées.
COLETTE, la Naissance du jour, p. 230.

Loc. fig. (Vx). *Cheminer droit :* ne pas faire d'erreurs — *C'est un homme qui cheminera.* → **Chemin** (faire son).

♦ **3** (1863). **Milit.** Progresser vers une place assiégée, effectuer des travaux d'approche, de sape, etc.

♦ **4** **Topogr.** Effectuer une levée par cheminement.

DÉR. Cheminement. ◊ **HOM.** V. **Cheminée.**

1. CHEMINOT [ʃ(ə)mino] n. m. — 1899; *chemineau,* 1891; de *chemin* (*de fer*), et suff. *-ot,* ou extension de *chemineau.*

Employé de chemin de fer. *Les cheminots et les traminots*. Grève des cheminots.*

Nos sages montent dans un train de luxe (...) Cependant les cheminots bourrent le caillou et changent les rails; le forgeron martelle; le mineur creuse. Mais qui pense à cela? Il ne s'agit que d'obtenir une place dans le Pullman (...)
ALAIN, Propos, 10 mars 1931, Pl., t. II, p. 994.

HOM. 1. Chemineau, 2. cheminot.

2. CHEMINOT ou **CHEMINEAU** [ʃ(ə)mino] n. m. — Av. 1855, Flaubert; forme normande par attr. de *chemin,* de l'anc. franç. *simenel,* du lat. **siminellus,* de *simila* «fleur de farine».

Régional (Ouest de la France). Gâteau à pâte lourde.

Il *(Homais)* tenait à sa main, dans un foulard, six cheminots pour son épouse.
Madame Homais aimait beaucoup ces petits pains lourds, en forme de turban, que l'on mange dans le carême avec du beurre salé : dernier échantillon des nourritures gothiques, qui remonte peut-être au siècle des croisades, et dont les robustes Normands s'emplissaient autrefois, croyant voir (...) des têtes de Sarrasins à dévorer.
FLAUBERT, Mme Bovary, III, VII.

HOM. 1. Chemineau, 1. cheminot.

CHEMISAGE [ʃ(ə)mizaʒ] n. m. — 1892; de *chemiser.*
Technique.

♦ **1** Action de chemiser; manière dont une chose est protégée par une chemise. → **Revêtement.**

♦ **2** Par métonymie. Garniture protectrice. *Chemisage de maçonnerie.*

CHEMISE [ʃ(ə)miz] n. f. — XIe-XIIe; *chamisae,* X^e; du lat. tardif *camisia,* IVe, époque où ce vêtement apparaît.

I ♦ **1** Vêtement léger, couvrant le torse, et porté souvent à même la peau. *Chemise longue, courte. Chemise à manches longues. Chemise à col, sans col.* — *Chemise d'homme* (→ ci-dessous); *de femme, d'enfant, de bébé* (élément de la layette). — *Chemise en tissu léger. Chemise de coton, de flanelle, de tricot. Chemise de laine.* — *Parties d'une chemise.* → **Col, corps, empiècement, manche, manchette, pan; jabot, plastron** (syntagmes cour. : *col de chemise, manche de chemise, pan de chemise*). *Le devant, le derrière de la chemise.* — *La chemise de qqn,* celle qu'il porte. *Les chemises de qqn,* celles qu'il possède. *Mettre, enlever sa chemise. Passer, enfiler une chemise. Changer de chemise.* — *Vêtements antiques tenant lieu de chemise :* chiton, tunique*, etc. *Chemises anciennes, à guimpe*, à jabot de dentelle, à plastron.* — *Être en chemise :* ne rien porter sur sa chemise (→ ci-dessous, c, locutions).

Nous avions de la peine, Thiriot et moi, à ne pas éclater de rire, de voir Voltaire en chemise, gambadant de colère et apostrophant le roi de Prusse.
MARMONTEL, Mémoires, IV, *in* LITTRÉ.

Anciennt. Chemise de femme : sous-vêtement qui se portait sous le corset. → **Linge** (de corps). *Chemise-culotte.* → aussi **Combinaison, parure.**

Mod. Chemise américaine : sous-vêtement de tricot. **a** Plus cour. *Chemise d'homme, chemise* : vêtement léger, qui se porte à même la peau ou sur un tricot de corps, et couvre le torse. *Col de chemise. Chemise à col anglais, sans col, à col détachable. Manche de chemise. Se mettre en manches de chemise* (→ ci-dessous, c). *Chemise à manches longues, courtes.* → **Chemisette.** — *Pan* de chemise.* → **Bannière** (fam.). *Chemise à pans, sans pans.* — *Chemise de ville, chemise habillée,* destinée à être portée sous le veston. *Chemise de cérémonie, de soirée. Chemise de smoking, à plastron, amidonnée, glacée, empesée.* — *Chemise de sport* (portée aussi par les femmes). *Chemise Lacoste* (marque de vêtements de sports et d'abord de tennis). *Chemise blanche, claire, de couleur* (→ 1.Barbeau, cit. 2), *à carreaux, à rayures, milleraies. Chemise blanche, bleue, noire* (→ aussi 3, ci-dessous, spécialt). *Chemise en coton, en popeline, en soie, de soie. Chemise en laine, en velours. Elle porte une chemise à carreaux et des jeans, une chemise d'homme et une cravate. Chemise de sport.*

2 Dans un nuage de batiste
Elle ébaucha ses fiers contours.
Glissant de l'épaule à la hanche,
La chemise aux plis nonchalants,
Comme une tourterelle blanche,
Vint s'abattre sur ses pieds blancs.
Th. GAUTIER, Émaux et Camées,
«Poème de la femme».

3 Il la blaguait *(la repasseuse)* sur les chemises d'homme. Alors, elle était toujours dans les chemises d'homme... Pourtant, elle continuait (...) elle avait marqué cinq grands plis à plat dans le dos, en introduisant le fer par l'ouverture du plastron ; elle rabattait le pan de devant et le plissait également à larges coups.
— Ça, c'est la bannière ! dit-elle en riant plus fort (...)
ZOLA, l'Assommoir, v, t. I, p. 186.

3.1 Enfin paraissaient les chemises, cette mode qui semble être le premier essai et le commencement d'audace des modes du Directoire : les chemises à la Jésus, les chemises à la Floricourt, les chemises doublées en rose, avec lesquelles les femmes jouaient la nudité.
Ed. et J. DE GONCOURT, la Femme au XVIIIᵉ s., II,
p. 71.

4 Quand nous partîmes d'Irlande, nous emportions chacune, comme la plus chère des parures, une chemise blanche comme la neige, une chemise de nuit de noces. Sur la mer, il advint qu'Iseut déchira sa chemise, et pour la nuit de noces je lui ai prêté la mienne.
J. BÉDIER, Adaptation de Tristan et Iseut, v.

4.1 Les hommes de lettres, ruinés par leurs éditeurs, achetèrent des chemises toutes faites dans les magasins de confection, et les rastaquouères eux-mêmes, voyant que la vogue l'abandonnait *(le pauvre chemisier),* allèrent se faire faire des chemises à Londres.
Valery LARBAUD, le Pauvre Chemisier, I.

4.2 Colette portait d'ordinaire des chemises Lacoste et des cravates dont elle combinait les nuances avec hardiesse et bonheur (...)
S. DE BEAUVOIR, la Force de l'âge, p. 164.

4.3 (...) les vêtements ne m'allaient pas aussi bien au commencement qu'à la fin. Surtout la chemise, dont pendant longtemps je ne pouvais fermer le col, ni par conséquent arborer le faux-col, ni réunir les pans, avec une épingle, entre mes jambes, comme ma mère me l'avait montré.
S. BECKETT, la Fin,
in Nouvelles et textes pour rien, p. 72.

b CHEMISE DE NUIT : long vêtement de nuit, analogue à une robe, porté pour dormir par les hommes (normalement jusqu'au début du XXᵉ siècle, plus rarement dans les années 1920 et 1930) et par les femmes. *Le bourgeois du XIXᵉ siècle en chemise de nuit et bonnet de coton.* — *Elle préfère les pyjamas à la chemise de nuit. Une chemise de nuit*

douillette, chaude. Chemise de nuit courte. → **Baby doll** (anglic.), **nuisette.**

4.4 Il enfilait sa chemise de nuit (...) une chemise de nuit classique, comme toutes les chemises de nuit d'homme, brodée de rouge.
ARAGON, les Beaux Quartiers, p. 284.

c Loc. *Être en bras, en manches de chemise* : ne pas porter de veste, de veston (se dit surtout des hommes). *Être en gilet et en bras de chemise.* — REM. L'expression signifie en général «en corps de chemise» ; elle date de l'époque où ne pas porter de veste signalait une tenue non bourgeoise ou très négligée (dans la bourgeoisie).

4.5 Tout un personnel haletant, suant, en manches de chemise, s'empresse à sa besogne (...)
Paul MORAND, New-York, p. 55.

EN CHEMISE : sans autre vêtement que la chemise longue (chemise de nuit, etc.) ou qu'une chemise courte et un vêtement de dessous couvrant le bas du corps. (→ ci-dessus, cit. 1). — REM. L'expression ne signifie plus jamais «sans veste» ; on dit alors : *en bras de chemise.* — Vx. *Nu en chemise.*

Par métaphore. (Vieilli). *Pomme de terre en chemise* (→ En robe* des champs, en robe* de chambre). — *Nègre en chemise* : entremets de chocolat nappé de crème fouettée (la crème blanche est comparée à une chemise). — *Ail en chemise* : gousses d'ail entières, cuites avec leur peau.

♦2 *Anciennt* (emplois spéciaux). *Chemise de mailles.* → **Cotte, haubert, jaseran** (ou **jaseron**). — *Chemise de mortification.* → **Cilice, haire.** — *Chemise ardente* : chemise enduite de soufre, dont on revêtait les condamnés au feu, pour le supplice. *Chemise de soufre, soufrée* (Bernanos, in T.L.F.).

5 Les chemises ensoufrées du Saint-Office sont l'étendard contre lequel les protestants sont à jamais réunis.
VOLTAIRE, Essai sur les mœurs, p. 140.

♦3 *Chemise d'uniforme,* caractérisant certaines formations politiques paramilitaires. — Par ext. Membre d'une telle formation. *Les chemises rouges.* → **Garibaldien.** *Les chemises brunes.* → **Hitlérien, nazi.** *Les chemises noires.* → **Fasciste.** — Rare (au sing.). *Une chemise brune.*

6 (...) ni les gens de gauche, ni les gens de droite ne sont en mesure de s'affronter réellement. Ils ne réussiront qu'à crever le grand collecteur et l'égout commencera de vomir sa fange, jusqu'à ce que l'étranger, jugeant le niveau atteint, envoie ses égoutiers, chemises brunes ou chemises noires. Avez-vous compris, nigauds !
BERNANOS, les Grands Cimetières sous la lune, I,
IV, p. 130.

6.1 Deux chemises noires se sont approchés ; que faisions-nous dehors, à pareille heure ? Notre qualité de touristes nous valut leur indulgence, mais ils nous prièrent fermement de rentrer nous coucher.
S. DE BEAUVOIR, la Force de l'âge, p. 161.

♦4 (1791, *in* D.D.L.). Loc. fig. (sur l'idée de vêtement de dessous, qui se change fréquemment). *Changer de qqch. comme de chemise,* constamment (→ **Changer,** cit. 36).

6.2 C'est une question de propreté : il faut changer d'avis comme de chemise.
J. RENARD, Journal, 17 oct. 1902.

Se soucier, se moquer d'une chose comme de sa première chemise, n'y accorder aucun intérêt, aucune attention.

6.3 Mais Manuel a beau se moquer de Marx, Lénine et Trotsky comme de sa première chemise (encore qu'il attache une certaine importance à la propreté de la seule et unique qu'il possède), Frank peut l'écouter pendant des heures sans lassitude ni malaise.
Régis DEBRAY, l'Indésirable, p. 113-114.

(Sur l'idée de vêtement porté sur la peau, d'intimité). Vx. *Être dans la même chemise que qqn.* Mod. et fam. *Être comme cul et chemise* : être des amis très intimes, inséparables. *«Ces deux-là, c'est cul et chemise»* (Sartre).

Fam. *Je ne suis pas dans sa chemise* : je ne peux pas me mettre à sa place (→ Dans sa peau*).

Vx. *Cacher qqn, qqch. dans sa chemise, entre (sa) peau et (sa) chemise* : dissimuler, cacher (qqn, qqch.) soigneusement (Vidocq, *in* T.L.F.).

Prov. *Entre la chair et la chemise, il faut cacher le bien qu'on fait* (Académie).

(Sur l'idée de vêtement essentiel, de propriété la plus modeste). *Avec sa chemise* : avec pour seuls biens ses vêtements (A. France, *in* T.L.F.). *Donner, jouer, vendre jusqu'à sa (dernière) chemise*, tous ses biens. *Laisser dans une affaire jusqu'à sa dernière chemise*, s'y ruiner. *Vendre sa chemise* (même sens).

7　J'y vendrai ma chemise; et je veux rien ou tout.
　　　　　　　　　　　　　　RACINE, les Plaideurs, I, 7.

Ⅱ ♦ 1 (1752). Couverture (cartonnée, toilée) dans laquelle on insère les pièces d'un dossier*. *Ranger des papiers dans une chemise.*

♦ 2 Housse servant à protéger un meuble.

♦ 3 Hortic. Couche de paille protégeant les couches de champignons.

♦ 4 (1753, «partie inférieure du haut fourneau»). Techn. Revêtement de protection. — *Chemise de maçonnerie* : crépi, enveloppe de mortier. *Chemise de cylindres d'automobile. Chemise d'un canon, d'un projectile, d'une machine...* (→ Chemiser).

DÉR. et COMP. Chemiser, chemiserie, chemisette, chemisier. — Enchemiser. ◊ HOM. Formes du v. chemiser.

CHEMISER [ʃ(ə)mize] v. tr. — 1838; de *chemise* (II.). Techn. Garnir d'un revêtement protecteur.

Cuis. Garnir un moule d'un papier beurré ou d'une préparation (gelée, caramel) pour faciliter le démoulage après la cuisson.

DÉR. Chemisage. ◊ HOM. V. Chemise.

CHEMISERIE [ʃ(ə)mizRi] n. f. — 1845, Bescherelle; de *chemise*, et *-erie*.

♦ 1 Industrie, commerce de la chemise (d'homme), des accessoires (cravates, pochettes), des sous-vêtements masculins (caleçons).
Par métonymie. Ensemble des marchandises que produit cette industrie.

♦ 2 Magasin d'habillement masculin où l'on vend surtout des chemises. *Tenir une chemiserie.* → **Chemisier** (I.). *Acheter une chemise, des caleçons et des chaussettes dans une chemiserie.* → aussi **Bonneterie.**

CHEMISETTE [ʃ(ə)mizɛt] n. f. — V. 1220; de *chemise*, et *-ette*.

♦ 1 Chemise d'homme à manches courtes. — REM. On dit plutôt *chemise.*

♦ 2 (1869). Petite blouse ou corsage à manches courtes (femmes; enfants).

1　Dans la même nuance de sentiment qui lui avait fait baiser sa chemisette, et non sa peau, il tenait dans sa main le bord de sa robe.
　　　　　　　　　　　MONTHERLANT, Pitié pour les femmes, p. 73.

2　La clarté qui vient du couloir, où j'ai allumé la minuterie en passant devant le bouton électrique, fait briller les cheveux blonds, la chair pâle et la chemisette de la jeune femme.
　　　　　　　　　　　A. ROBBE-GRILLET,
　　　　　　　　Projet pour une révolution à New York, p. 15.

♦ 3 Vx. Devant de chemise d'homme en linge fin.

♦ 4 Vx. Chemise de femme brodée ou plissée, portée sous une robe décolletée.

CHEMISIER, IÈRE [ʃ(ə)mizje, jɛR] n. — 1806; n. f., *chemisière*, 1596; de *chemise*, et *-ier.*

Ⅰ N. m. et f. Fabricant ou marchand de chemiserie; personne qui tient une chemiserie.

Il était une fois un pauvre chemisier dont les chemises allaient bien, mais les affaires mal.　　　　　　　1
　　　　　　Valery LARBAUD, le Pauvre Chemisier, I.

C'est embêtant qu'il y ait un homme dans la boutique, car　2
elle est gentille, la petite chemisière!
　　　　　　Valery LARBAUD, le Pauvre Chemisier, II.

Ⅱ N. m. (1926). Corsage de femme, à col, fermé par-devant. *Chemisier à manches longues.* — Appos. *Robe chemisier*, dont le haut forme chemisier.

Au cinéma, elle ôta son manteau, découvrant un che-　3
misier blanc un sweater de laine fine, d'un jaune poussin
très recherché, comme on en voit dans les vitrines du faubourg Saint-Honoré.
　　　　　　Roger VAILLAND, Bon pied, bon œil, p. 221.

CHÉMORÉCEPTEUR [kemoResɛptœR] n. m. → **Chimiorécepteur.**

CHÉMOSIS [kemozis] n. m. — 1846, Bescherelle; du grec *khêmosis* «inflammation de la conjonctive».

Méd. Bourrelet inflammatoire, rose, formé autour de la cornée de l'œil par la conjonctive tuméfiée.

CHÊNAIE [ʃɛnɛ] n. f. — 1600, *chesnaie*; *chenaye*, 1542; *chesnoie*, 1240; var. *casnoit*, 1079; de *chêne*, et *-aie*.

Plantation, bois de chênes. → **Glandaie** (région.).

La femme lui montra sa route qui, de l'autre côté de la vallée, montait dans les chênaies.
　　　　　　J. GIONO, le Hussard sur le toit, p. 12.

CHENAL, AUX [ʃənal, o] n. m. — Déb. XIIIᵉ; réfection d'après *canal*, de l'anc. franç. *chanel*, var. *chenel*, du lat. *canalis*.

♦ 1 Passage ouvert à la navigation entre un port, une rivière ou un étang et la mer, entre des rochers, des îles, dans le lit d'un fleuve. → **Canal, passe.** *Aménagement, entretien d'un chenal.* → **Balisage, dérochement, désobstruction, dragage.** *Chenaux du rivage languedocien.* → **Grau** (→ Berge, cit. 2). *Suivre un chenal en navigant.* → **Chenaler.**

Par métaphore.

«(...) tu seras dans une mer de filles». «Mer», évidemment, n'est pas le mot qui convient, et plus justement, le Nîmois eût parlé de canal ou de ruisseau, voire de rigole (...) Entre la mendiante et Sigismond l'étroit chenal est plein de gens qui vont et viennent, à cette heure où la ville s'anime de nouveau, comme si elle avait enfin digéré le déjeuner pesant et tardif.
　　　　　　A. PIEYRE DE MANDIARGUES, la Marge, p. 20.

♦ 2 Courant d'eau établi pour le service d'une usine, le fonctionnement d'un moulin.

♦ 3 Géol. *Chenal pro-glaciaire* : vallée creusée par les eaux glaciaires.

♦ 4 (1475). Techn. → **Chéneau.**

DÉR. Chenaler. ◊ HOM. Formes du v. chenaler.

CHENALER [ʃənale] v. intr. — 1674; de *chenal.*

Techn. (navig.). Naviguer en suivant les sinuosités d'un chenal.

CHENAPAN [ʃ(ə)napɑ̃] n. m. — 1739; *schnaphan*, 1694; *snaphaine* «maraudeur», 1551; de l'all. *Schnapphahn* «voleur de grand chemin».

♦ **1** Vx. Individu qui n'a ni règle morale ni délicatesse naturelle. → **Bandit, vaurien.** *Il n'a pas de conscience, il est capable de tout, c'est un vrai chenapan.*

♦ **2** Mod. Enfant, adolescent turbulent. → **Coquin, galopin.** *Sortez d'ici, petits chenapans !*

CHENÂTRE [ʃənɑtʀ] ou **CHENASTRE** [ʃənastʀ] adj. — 1628; de *chenu* «bon», et *-âtre*.

Argot, vx. Bon, beau. → **Chenu.**

CHENAU [ʃ(ə)no] n. f. — 1402, *chinaul* (Lausanne); 1450, *chanaul*; du lat. *canalis*. → Chenal.

Régional (Suisse). Canal demi-cylindrique fixé au bord inférieur d'un toit pour y recueillir les eaux de pluie. → **Chéneau, gouttière.** *Une chenau de bois, de fer.* — REM. On écrit aussi *cheneau*.

HOM. Pl. de **chenal.**

CHÊNE [ʃɛn] n. m. — Fin XIIIᵉ; de l'anc. franç. *chasne* (fin XIᵉ), du bas lat. **cassanus,* mot gaulois.

Grand arbre (*Cupuliféracées ; n. sc. Quercus*) atteignant 25 à 40 m de hauteur, à fleurs monoïques en chatons, à feuilles lobées (caduques), répandu surtout dans l'hémisphère Nord (→ Arbuste, cit.). *Réputé pour sa longévité, le chêne peut vivre plus de cinq cents ans. Fruit du chêne.* → **Gland.** *Bois, plantation de chênes.* → **Chênaie, glandaie** (régional). — *Chêne et Chien,* poème de R. Queneau (→ ci-dessous, cit. 7.2). — *Le chêne, arbre sacré dans de nombreuses cultures antiques. Les chênes druidiques ; le gui du chêne.* — *Képi à feuilles de chêne des généraux français* (la *couronne de chêne* était une récompense chez les Romains. → Laurier). — *Emploi de l'écorce de chêne en corroyage.* → **Tan, tanin.** — *Bois de chêne,* utilisé pour la charpenterie, l'ameublement, le tonnelage (→ **Douvain, merrain**), le charronnage, parfois le chauffage. *Un parquet de chêne.*

1 Il laisserait debout maint chêne et maint sapin
  Dont chacun respectait la vieillesse et les charmes.
  > LA FONTAINE, Fables, XII, 16.

2 Sous un chêne aussitôt il va prendre son somme,
  Un Gland tombe : le nez du dormeur en pâtit.
  > LA FONTAINE, Fables, IX, 4.

3 Une couronne de feuilles de chêne (...) devenait inestimable parmi les soldats, qui ne connaissaient pas de plus belles marques que celles de la vertu, ni de plus noble distinction que celle qui venait des actions glorieuses.
  > BOSSUET, Hist., III, 6, *in* LITTRÉ.

4 Les chênes pourrissaient autrefois dans les forêts ; ils sont façonnés aujourd'hui en parquet.
  > VOLTAIRE, Dialogues, 4.

5 Un eubage vêtu de blanc monta sur le chêne et coupa le gui avec la faucille d'or de la Druidesse.
  > CHATEAUBRIAND, les Martyrs, IX.

6 Souvent sur la montagne, à l'ombre du vieux chêne,
  Au coucher du soleil, tristement je m'assieds.
  > LAMARTINE, Premières Méditations, I,
  «L'isolement».

7 Cinq vieux chênes, germant dans ces concavités,
  Y penchent en tous sens leurs troncs creux et voûtés (...)
  Le plus vieux, suspendu sur l'une des ravines,
  La couvre comme un pont de ses larges racines (...)
  > LAMARTINE, Jocelyn, 2ᵉ époque.

7.1 La diversité des arbres faisait un spectacle changeant (...) Il y avait des chênes rugueux, énormes, qui se convulsaient, s'étiraient du sol, s'étreignaient les uns les autres, et, fermes sur leurs troncs, pareils à des torses se lançaient avec leurs bras nus des appels de désespoir, des menaces furibondes, comme un groupe de Titans immobilisés dans leur colère.
  > FLAUBERT, l'Éducation sentimentale, Pl., t. II,
  p. 356.

7.2 Le chêne lui est noble et grand il est fort et il est puissant il est vert il est vivant il est haut il est triomphant (...) Du chêne la branche se tend vers le ciel
  > R. QUENEAU, Chêne et Chien, p. 82.

Spécialt. *Chêne rouvre.* → **Rouvre.** *Chêne gallifère.* → **Galle.** *Chêne truffier.* — *Chêne vert* (→ **Yeuse**) : chêne à feuillage persistant, propre à la région méditerranéenne. *Les glands de chêne vert torréfiés fournissent le «café de glands doux».* — *Chêne kermès :* chêne méditerranéen dont l'insecte parasite (→ **Cochenille, kermès**) donne un colorant rouge. → aussi **Chêne-liège.**

8 Les pentes sont entièrement couvertes de broussailles, et les sommets se couronnent avec gravité de chênes verts, de chênes-lièges et d'arbres résineux.
  > E. FROMENTIN, Un été dans le Sahara, I, p. 12.

8.1 L'essence de beaucoup la plus importante qui a dû revêtir presque partout la région *(méditerranéenne)* avant l'apparition de l'homme, est le Chêne-vert *(Quercus Ilex)*; le Chêne-liège *(Quercus suber)* le remplace dans les terrains siliceux, enfin le Chêne-kermès *(Quercus coccifera)* occupe de sa broussaille naine les sols pierreux et rocailleux ; son nom patois, *garoulia,* en Languedoc, d'où on fait *garrigue,* sert à désigner les espaces déboisés et broussailleux où il domine habituellement avec les Cistes.
  > E. DE MARTONNE, Traité de géographie physique,
  t. III, p. 1298.

Loc. fig. *Pousser, être fort comme un chêne.*

9 Aussi poussa-t-il comme un chêne, il acquit de fortes mains, de belles couleurs.
  > FLAUBERT, Mᵐᵉ Bovary, I, 1, p. 10.

DÉR. et COMP. **Chênaie, chêneau, chênette. Chêne-liège. Feuille de chêne.** ◊ HOM. **Chaîne.**

CHENEAU [ʃ(ə)no] n. f. → **Chenau.**

CHÊNEAU [ʃɛno] n. m. — 1551, *chesneau; kaisniel,* 1323; de *chêne.*

Didact. Jeune chêne. — REM. On trouve régionalement la var. *chêneteau* [ʃɛnto] (A. de Châteaubriant, Genevoix, *in* T. L. F.).

CHÉNEAU [ʃeno] n. m. — 1680; *chesneau,* 1459; altér. de *chenau,* forme dial. de *chenal.*

Rigole qui longe le toit, recueille les eaux de pluie et les conduit à la gargouille* ou au tuyau de descente. → **Gouttière.** *Chéneau en zinc, en plomb, en pierre.*

1 Elle pleurait comme le chéneau du toit.
  > J. RENARD, Journal, 9 oct. 1896.

2 Cette mansarde meublée d'un seul canapé poussiéreux était un lieu de rêve et de retraite idéal. Quand il pleuvait, l'ensemble des pentes de la toiture avec ses chéneaux et ses gouttières composait une musique complexe et sanglotante que l'on écoutait en regardant tomber la nuit.
  > M. TOURNIER, le Vent Paraclet, p. 13.

Par ext. Lamelle qui couvre le chéneau. → **Bavette.**

CHÊNE KERMÈS [ʃɛnkɛʀmɛs] n. m. → **Chêne; kermès.**

CHÊNE-LIÈGE [ʃɛnljɛʒ] n. m. — 1793 (la réf. 1600, O. de Serres, semble erronée); de *chêne,* et *liège.*

Variété de chêne méditerranéen, à feuillage persistant, dont l'écorce fournit le liège. *Une forêt de chênes-lièges.*

CHENET [ʃ(ə)nɛ] n. m. — 1287; de *chien,* les chenets ayant figuré, à l'origine, de petits chiens ou autres animaux accroupis.

Chacune des pièces métalliques jumelles, qu'on place à l'intérieur d'une cheminée perpendiculairement au fond et sur lesquelles on dispose les bûches (→ 3. Poêle, cit. 2). *Chenets de cuivre, de fer, de fonte. Chenets à pommes, à têtes. Une paire de chenets.* — *Petits chenets.* → **Chevrette, marmouset** (ancienn). *Grands chenets de cuisine à crochets sur lesquels on place les viandes qu'on veut faire havir*.* → **Hâtier, contre-hâtier, landier** (ancienn).

1 (...) sous le manteau d'une vaste cheminée Renaissance dont on avait enlevé les chenets.
COURTELINE, Messieurs les ronds-de-cuir, 6ᵉ tableau, III, p. 260.

Fig. et vieilli. *Vivre les pieds sur les chenets,* dans un paresseux confort.

2 Les pieds sur les chenets étendus sans façons,
Je pousse la fleurette et conte mes raisons.
J.-F. REGNARD, le Joueur, II, 4, *in* LITTRÉ.

CHÊNETEAU [ʃɛnto] n. m. → **Chêneau.**

CHÊNETTE [ʃɛnɛt] n. f. — 1855; de *chêne.*
Régional.

♦ **1** Plante médicinale de la famille des *Rosacées,* appelée aussi *thé des Alpes, thé de Suisse* (n. sc. : *dryas*). → **Dryade** (II.).

♦ **2** Germandrée*.

HOM. Chaînette.

CHÈNEVIÈRE [ʃɛnvjɛʀ] n. f. — 1296; 1226, *chaneviere;* du lat. pop. **canaparia,* de *canapus* (→ Chanvre); cf. *canebière, cannebière,* dans le Sud-Est.
Régional ou vieilli. Champ où croît le chanvre.
→ **Chanvrière** (chanvrier, 3.).

1 Quand la chènevière fut verte,
L'Hirondelle leur dit : «Arrachez brin à brin
Ce qu'a produit ce maudit grain,
Ou soyez sûrs de votre perte».
LA FONTAINE, Fables, I, 8.

2 Chacun a bâti à neuf quelque grange ou quelque pressoir avec jardin, chènevière, saulaie autour de sa demeure.
P.-L. COURIER, Gazette du village, nᵒ 4.

CHÈNEVIS [ʃɛnvi] n. m. — 1268, *chenevis;* 1ʳᵉ moitié XIIIᵉ, *chanevis;* du lat. pop. **canaputium,* de *canapus* (→ Chanvre).
Graine de chanvre dont se nourrissent les oiseaux.

Nous avons retenu un litre d'asticots chez notre Barbillon, sur la place (...) Il y a dans cette même maison du pain de chènevis, ce n'était point mon affaire (...) en tout cas je serai prêt à l'aube et ma périssoire à l'eau.
A. JARRY, Correspondance, *in* Œ. compl., Pl., t. I, p. 1066.

CHÈNEVOTTE [ʃɛnvɔt] n. f. — 1461; du rad. de *chènevis, chènevière,* suff. *-otte.*
Vieilli ou régional. Partie ligneuse du chanvre* dépouillé de son écorce, utilisée pour le chauffage. *Une flambée de chènevottes.*

1 À petit feu de chenevottes
Tôt allumées, tôt éteintes (...)
VILLON, les Regrets de la belle Heaumière.

2 Elle *(une vieille)* a connu les chènevottes qu'on trempait dans le soufre et qui servaient d'allumettes. Il y en avait toujours dans un pot, sur la cheminée.
J. RENARD, Journal, 6 sept. 1899.

CHENIL [ʃ(ə)ni] ou, plus souvent [ʃ(ə)nil] n. m. — 1387; probabt d'un lat. pop. **canile,* dér. de *canis* (→ Chien), formé d'après *caprile* («étable à chèvres», *ovile* «bergerie», etc. (attestés).

I ♦ **1 Techn.** Abri pour les chiens (de chasse).

1 Au lieu de dogues noirs jappant dans le chenil (...)
HUGO, la Légende des siècles, II, IV, «Les lions».

2 Alors seulement ils *(les chiens)* consentent à gagner le chenil, et là en tout en lapant leur écuellée de soupe (...)
Alphonse DAUDET, Lettres de mon moulin, «L'installation», p. 11.

♦ **2 Cour.** Lieu où l'on héberge les chiens contre paiement; où l'on élève, achète et vend les chiens de race.

♦ **3 Fig.** Logement, local sale et en désordre. *C'est un vrai chenil.* → **Écurie, porcherie.**

Il atteignait le troisième palier, lorsque Ovide, son garçon de bureau, sortit du chenil ténébreux qui l'abritait (...)   3
COURTELINE, Messieurs les ronds-de-cuir, 1ᵉʳ tableau, II, p. 30.

II Régional (notamment Suisse; prononcé [ʃni]). ♦ **1** Désordre (concret et figuré).

♦ **2** Débris, objets de rebut. → **Détritus.** — *Du chenil :* des objets sans valeur.

Ils *(les vieillards)* entassent du chenil, ils arrivent avec tout leur commerce et il faut tout débarrasser à leur décès.   4
Jacques CHESSEX, Portrait des Vaudois, p. 174.

CHENILLE [ʃ(ə)nij] n. f. — XIIIᵉ; lat. pop. *canicula «petite chienne», d'après la tête de la larve, comparée à celle d'un chien.

I Larve des Lépidoptères (papillons*), à corps allongé formé d'anneaux, souvent velu. *La chenille est nuisible aux arbres et aux plantes dont elle ronge les feuilles et les fleurs. La chenille file une enveloppe où elle s'enferme* (→ **Cocon**) *et se transforme en papillon* (→ **Chrysalide**). *Groupement de chenilles.* → **Chenillère, peloton** (de chenilles). *Chenilles processionnaires*.* — *La chenille, les chenilles d'une espèce de papillons, du machaon* (cit.). *Chenille du mûrier.* → **Bombyx** (ver à soie). *La chenille du blé,* dite aussi *ver gris, larve de l'agrotis*. Chenille de la vigne.* → **Pyrale.** *Chenille des arbres fruitiers* ou *chenille fileuse.* → **Hyponomeute.** *Chenille du noisetier, du saule, du hêtre,* ou *chenille arpenteuse.* → **Géomètre.** *Chenille qui vit dans le tronc des arbres.* → **Zeuzère.** *Lutte contre les chenilles.* → **Échenillage, écheniller.** *Insectes, carabes destructeurs de chenilles.*

Si Locke eût réfléchi un moment aux idées innées des animaux, il se fût convaincu que c'est par elles qu'une chenille sortant de son œuf (...) se choisit une retraite sous une branche (...) qu'elle s'y file une coque avec un art admirable.   1
BERNARDIN DE SAINT-PIERRE, Harmonies de la nature, V.

(...) ils *(les tramways)* répandaient leur charge à même le sol et repartaient vers la ville, l'un touchant l'autre, comme les chenilles processionnaires.   2
G. DUHAMEL, le Temps de la recherche, VII, p. 94.

Par compar. (vieilli). *Être laid comme une chenille.* — **Fig.** *C'est une chenille,* une personne repoussante au physique et au moral.

II Par anal. ♦ **1** (1680). Fil fantaisie formé par des petits brins de soie pris dans chaque torsion du fil de coton ou de soie. *Résille de chenille.*

♦ **2** Crinière de casque, allongée.

♦ **3** Fusée qui éclate en forme de chenille lumineuse.

♦ **4** (1922). Élément de transmission articulé, isolant du sol les roues d'un véhicule pour lui permettre de se déplacer sur tous les terrains et de franchir certains obstacles. → **Caterpillar** (marque). *Véhicule muni de chenilles, véhicule à chenille.* → **Chenillé; autochenille, char** (d'assaut), **chenillette, tank, tracteur.** *Roue dentée entraînant la chenille.* → **Barbotin.**

Le char d'infanterie est tout simplement un tracteur sur chenilles (...) Les chenilles lui permettent de franchir les tranchées, sa masse de traverser les réseaux de barbelés (...)   A. MAUROIS, Terre promise, XVII, p. 118.   3

Il *(le char)* s'était jeté sur la route vide, et courait avec son chahut de chenilles sous le fracas des mitrailleuses antitanks.   4
MALRAUX, l'Espoir, II, II, V.

5   Quelquefois, un morceau de mur résiste. Alors le bull-dozer s'arc-boute contre lui (...) Les deux chenilles patinent dans les gravats en jetant des étincelles.
J.-M. G. LE CLÉZIO, les Géants, p. 182.

DÉR. Chenillé, chenillère, chenillette. ◊ COMP. Autochenille, écheniller.

CHENILLÉ, ÉE [ʃ(ə)nije] adj. — xxᵉ ; de chenille (II., 4.).
Muni de chenilles. *Véhicule chenillé.*

COMP. Semi-chenillé.

CHENILLÈRE [ʃ(ə)nijɛʀ] n. f. — 1642 ; *chenillière*, déb. xVIIᵉ ; de *chenille.*
Nid de chenilles (I.).

CHENILLETTE [ʃ(ə)nijɛt] n. f. — 1783 ; dér. de *chenille.*

I Régional. Plante dont la gousse enroulée ressemble à une chenille (n. sc. : *scorpiure*).

II (1951). Petit véhicule automobile sur chenilles. *Chenillettes militaires*, assurant le ravitaillement et les transports dans la zone des combats. *Les chenillettes d'une expédition.*

Nous avons fait à peine une heure de chenillette sur le Slidre Fjord en direction de l'Est, que nos nouveaux compagnons qui fouillent à la jumelle les collines de la péninsule de Fosheim, découvrent un troupeau de bœufs musqués.
R. FRISON-ROCHE,
Peuples chasseurs de l'Arctique, p. 366.

CHÉNOPODE [kenɔpɔd] n. m. — 1842 ; lat. bot. *chenopodium*, grec *khênopous* «patte d'oie».

Bot. Plante dicotylédone (*Chénopodiacées*), scientifiquement appelée *chenopodium* ou *ansérine*, croissant dans les régions chaudes et tempérées, herbacée, annuelle ou vivace, commune dans les cultures. *Variétés de chénopodes :* la fausse ambroise ou thé du Mexique, la patte d'oie des murs, la patte d'oie rouge, l'arroche puante ou vulvaire, le *chénopode blanc* (toxique).

DÉR. Chénopodiacées.

CHÉNOPODIACÉES [kenɔpɔdjase] n. f. pl. — 1819, *chénopodées; de chénopode*.

Bot. Famille de plantes dicotylédones apétales (chénopode, arroche, betterave, bette, épinard). — Syn. : *salsolacées*. — Au sing. *Une chénopodiacée.*

(...) il pouvait se rencontrer quelque utile plante qu'il ne fallait point dédaigner, et le jeune naturaliste fut servi à souhait, car il découvrit une sorte d'épinards sauvages de la famille des chénopodiacées (...)
J. VERNE, l'Île mystérieuse, t. I, p. 331.

CHENU, UE [ʃəny] adj. — 1080, *canu;* du bas lat. *canutus*, de *canus* «blanc».

♦ 1 Littér. Dont les cheveux sont devenus blancs de vieillesse. *Tête chenue. Un vieillard chenu et voûté.* — Par ext. *Vieillesse chenue.*

1   (...) ce petit vieillard frêle (*M. de Freycinet*), menu et chenu, «la souris blanche», comme le surnommaient ses contemporains, avait déjà lu ses journaux du matin (...)
Georges LECOMTE, Ma Traversée, L'habit vert,
p. 528.

2   Je serai un vieux tassé, un vieux chenu. On dira : *c'est le Père Péguy qui s'en va.*
Ch. PÉGUY, Victor-Marie, comte Hugo, XII, 1,
23 oct. 1910, p. 25.

3   Au bout de cette allée, passait un maître d'hôtel chenu et absorbé qui poussait (...) un chariot chargé de cassolettes.
A. BLONDIN, Monsieur Jadis, p. 164.

Par métaphore :

Mars est un vieux monde qui a des rides — craquelé et lisse   4
comme une vieille porcelaine — une vieille boule chenue et ridée.
CLAUDEL, Journal, 1ᵉʳ mars 1908, Pl., t. II, p. 131.

♦ 2 Littér. Blanc, blanchi. *Des montagnes chenues.* — Chauve. *Des arbres chenus*, vieux arbres dont la cime est dépouillée.

♦ 3 (1628, d'après *vin chenu*). Pop. et vieilli. Qui est de qualité supérieure. → **Excellent, fameux, parfait.** — N. m. *Du chenu :* du bon. *C'est du chenu*, de la bonne qualité. — REM. Dans ce sens, on trouve au xIxᵉ s. (Vidocq, Hugo) l'adv. *chenument.*

CHEPTEL [ʃtɛl] ou, plus souvent [ʃɛptɛl] n. m. — 1762 ; *chatel, chetel*, fin xIᵉ ; *p* ajouté d'après le lat. *capitale* «ce qui constitue le principal d'un bien», de *caput.* → Capital.

♦ 1 Dr. Contrat de bail «par lequel l'une des parties donne à l'autre un fonds de bétail pour le garder, le nourrir et le soigner, sous les conditions convenues entre elles» (Code civil, art. 1800). *Bail à cheptel. Cheptel simple*, qui accorde la moitié du profit au preneur en lui faisant supporter la moitié de la perte. — *Cheptel à moitié* (chacun des contractants fournit la moitié des bestiaux qui demeurent communs pour le profit et pour la perte). — *Cheptel de fer, cheptel à métayage* (le métayer, à l'expiration du bail, devant laisser des bestiaux d'une valeur égale à celle qu'il a reçue).

S'il n'y a pas de temps fixé par la convention pour la durée   1
du cheptel, il est censé fait pour trois ans.
Code civil, art. 1815.

— Il s'agit d'un bail à cheptel... je n'ai pas besoin de vous   1.1
dire ce que c'est que le bail à cheptel... Vous avez des connaissances pratiques.
— Dites toujours !
— Nous avons le cheptel simple... le cheptel à moitié et le cheptel de fer.
E. LABICHE, le Baron de Fourchevif, 12.

♦ 2 (1835). Le bétail qui forme le fonds, dans le contrat de cheptel.

Le preneur doit les soins d'un bon père de famille à la   2
conservation du cheptel.
Code civil, art. 1806.

Cour. Ensemble des bestiaux. *Le cheptel ovin, porcin d'une région.*

♦ 3 Agric. Capital d'exploitation d'une ferme représenté par les instruments de travail (*cheptel mort*) et par le bétail (*cheptel vif*).

Le bétail d'une ferme constitue le cheptel vivant, c'est une   3
partie importante de l'exploitation du cultivateur.
Omnium agricole, p. 116.

CHÉQUARD [ʃekaʀ] n. m. — 1893 ; de *chèque*, et suff. péj. *-ard.*

Hist. Politicien accusé d'avoir accepté de l'argent (des chèques) pour soutenir l'affaire du canal de Panama. — Par ext. Politicien corrompu.

CHÈQUE [ʃɛk] n. m. — 1861, in Höfler ; *check*, 1788 ;~ angl. *check*, de *to check* «contrôler».

Écrit par lequel une personne (→ **Tireur**) donne l'ordre à un établissement financier de remettre, soit à son profit, soit au profit d'un tiers, une certaine somme à prélever sur le crédit (de son compte ou de celui d'un autre). → **Tiré.** *Chèque bancaire. Formule de chèque. Un carnet de chèques.* → **Chéquier.** *Un chèque de cent francs. Payer par chèque. Versement par chèque. Tirer, émettre, libeller un chèque. Faire un chèque. Chèque sur telle banque. Chèque sur Paris, sur Londres*, payable à Paris, à Londres. *Le bénéficiaire d'un chèque. Chèque sans* *provision*, chèque en bois** (fam.). *Chèque de cavalerie ; chèque de complaisance. Mettre son acquit* au verso d'un chèque. La signature d'un chèque* (→ Postdater, cit.). *Endosser un chèque.* → **Endossement** (ou **endos**). *Toucher un chèque. Faire porter un chèque au crédit de son compte.* → **Virement.**

1 Le chèque contient : 1° La dénomination de chèque, insérée dans le texte même du titre et exprimée dans la langue employée pour la rédaction de ce titre ; 2° Le mandat pur et simple de payer une somme déterminée ; 3° Le nom de celui qui doit payer (tiré) ; 4° L'indication du lieu où le payement doit s'effectuer ; 5° L'indication de la date et du lieu où le chèque est créé ; 6° La signature de celui qui émet le chèque (tireur).

Décret du 30 oct. 1935, art. 1ᵉʳ.

(1953). *Chèque en blanc :* chèque que le tireur a signé sans indiquer la somme que le tiré devra payer. — Loc. fig. *Donner un chèque en blanc à qqn,* le laisser libre de choisir, de décider. (→ Donner carte* blanche).

2 Les conseils de travailleurs ne permettraient pas seulement d'écarter les parasites, mais aussi d'éviter la représentation globale, le «chèque en blanc» : lorsque je vote pour un député ou pour un président de la République, sur la base territoriale, je lui délègue et lui aliène en bloc mes responsabilités pour plusieurs années.

Roger GARAUDY, Parole d'homme, p. 215.

(1863, *in* Höfler ; attestation isolée, 1858). *Chèque barré,* sur lequel le tireur ou le bénéficiaire a tracé deux barres parallèles dans le but de subordonner le payement du chèque à l'intervention d'une banque, d'un agent de change ou d'un bureau de chèques postaux (→ Barrer, cit. 8). *Les dispositions légales en vigueur ont répandu, depuis 1979, l'usage des chèques «prébarrés» à l'impression.*

Chèque documentaire, valable s'il est accompagné de certains documents.

Chèque au porteur, payable au porteur. — *Chèque à ordre*.*

Chèque certifié, sur lequel le tiré certifie que la provision du tireur permet de payer le chèque. → **Certification.** (Au Canada). *Chèque visé.*

Chèque circulaire, tiré par une banque sur elle-même et payable indistinctement dans toutes ses agences.

(1918). **CHÈQUE POSTAL** : chèque tiré sur l'Administration des Postes qui joue, dans ce cas particulier, le rôle de banquier. *Compte chèque postal* (abrév. : *C. C. P.*). → **Compte.** — *Chèque postal d'assignation,* dont le montant est remis en espèces au bénéficiaire. — Absolt. *Chèque. Chèque de virement,* dont le montant est porté au compte postal du bénéficiaire. — *Chèque nominatif* ou *chèque de retrait,* établi au profit du tireur lui-même.

(1953 ; de l'angl. *traveller check*). **CHÈQUE DE VOYAGE** : titre permettant au porteur de toucher des fonds dans un autre pays que le pays d'émission. *Des chèques de voyage en dollars, en yens.*

En appos., pour former des composés. *Chèque-essence.* — (1963, *in* Höfler). *Chèque-restaurant :* ticket délivré par un employeur aux employés de son entreprise, qui correspond à une certaine somme dont il règle une partie et qui est destiné à payer les repas pris au restaurant.

DÉR. **Chéquard, chéquier.** ◊ HOM. **Cheik.**

CHÉQUIER [ʃekje] n. m. — 1877 ; de *chèque.*
Carnet de chèques. *Faire une demande de chéquier à la banque. La souche d'un chéquier. Un chéquier de vingt-cinq chèques.*

COMP. **Porte-chéquier.**

CHER, ÈRE [ʃɛʀ] adj. et adv. — 980, *chier ;* du lat. *carus* «aimé, coûteux».

I ♦ **1** (En parlant des personnes). Attribut ou épithète (en général antéposé). Qui est aimé. Pour qui on éprouve une vive affection. *Ses enfants lui sont chers. L'ami le plus cher. Ses chers amis. Se séparer des êtres qui nous sont chers.* → **Adoré, aimé, chéri,** et aussi **carissime** (rare). *Un être cher.*

(...) rien au monde ne m'a été si cher que vous (...) 1
MOLIÈRE, Dom Juan, IV, 6.

Hermione, Seigneur, peut m'être toujours chère ; 2
Je puis l'aimer, sans être esclave de son père (...)
RACINE, Andromaque, I, 2.

Nos enfants nous sont chers longtemps avant qu'ils puis- 3
sent le sentir et nous aimer à leur tour (...)
ROUSSEAU, Julie ou la Nouvelle Héloïse, IV, Lettre 1.

Aimer, c'est savourer, aux bras d'un être cher, 4
La quantité de ciel que Dieu mit dans la chair (...)
HUGO, la Légende des siècles, XXXVI, 22.

On n'est jamais si seul dans la vie, que la boue que certains 5
nous jettent n'éclabousse à la fois quelques autres qui nous
sont chers. GIDE, Corydon, p. 23.

♦ **2** (Épithète, av. le nom). Dans des tournures amicales, des formules de politesse. *Cher Monsieur. Cher ami. Chers Messieurs. Chers frères. Chers auditeurs. Cher lecteur.*

Avec une nuance de familiarité, de bonhomie ou de condescendance. *Mon cher monsieur. Mon cher ami.* — N. *Mon cher, ma chère.* — Avec une pointe de préciosité. *Cher ! Très cher ! Oui, ma chère !*

Mon Dieu ! ma chère, que ton père a la forme enfoncée 6
dans la matière !
MOLIÈRE, les Précieuses ridicules, 5.

Le lion tint conseil, et dit : «Mes chers amis (...)» 7
LA FONTAINE, Fables, VII, 1.

J'abuse, cher ami, de ton trop d'amitié. 8
RACINE, Andromaque, III, 1.

Il est donc certain, mes chers auditeurs, que (...) 9
BOURDALOUE, les Dominicales,
2ᵉ dimanche après Pâques.

Je suis un paresseux, mon cher philosophe... je passe des 10
six mois sans écrire à mes amis.
VOLTAIRE, Lettres, 19 juin 1741.

Je me sens très vieux, mon cher. Je suis une machine 11
usée (...)
MARTIN DU GARD, Jean Barois, III, 3, p. 464.

♦ **3** (Choses). Que l'on considère comme précieux. → **Estimable, précieux.** *Sa mémoire nous est chère. Des habitudes qui me sont chères.* — (Par métonymie du sens 1). → ci-dessous, cit. 12, 13 et 14.

J'ignore le destin d'une tête si chère (...) 12
RACINE, Phèdre, I, 1.

(...) sa chère main toute moite des sueurs de l'agonie. 13
Alphonse DAUDET, le Petit Chose, II, XV, p. 377.

(...) bonheur de découvrir soudain ce visage si cher parmi 14
les inconnus qui descendaient du train.
A. MAUROIS, Terre promise, XLV, p. 316.

En parlant des choses. *Les biens qui nous sont chers.*

Guenille si l'on veut, ma guenille m'est chère. 15
MOLIÈRE, les Femmes savantes, II, 7.

La plus soudaine mort me sera la plus chère. 16
RACINE, Britannicus, V, 7.

(...) qu'il vous est cher d'avoir sans cesse devant vous 17
Ce tableau de l'objet de vos vœux les plus doux (...)
MOLIÈRE, la Gloire du Val-de-Grâce, 217.

Jamais je n'hésite à voir en face le visage inattendu que 18
nous dévoile chaque heure nouvelle, et à lui sacrifier les
images trompeuses, si chères soient-elles, que je m'en faisais d'avance.
R. ROLLAND, le Voyage intérieur, p. 13.

Fam. (Choses concrètes). *Sa chère voiture. Sa voiture, sa maison lui est chère.*

Que l'on caresse en imagination. *Nos vœux les plus chers. Les chères espérances.*

Spécialt (en parlant du temps*). → **Précieux.** *Ces instants nous sont chers.*

19 (...) il faut se hâter, chaque heure nous est chère (...)
RACINE, la Thébaïde, I, 6.

II **A** (XIᵉ). Surtout attribut; postposé en épithète. ◆ **1** *Qui est d'un prix élevé.* → **Coûteux, onéreux; prix** (hors de prix); **chérot** (fam.). *Ces vêtements sont chers, trop chers.* → **Inabordable.** *Cela est cher.* → **Salé; coup** (de barre, de fusil). *Ce n'est pas cher. C'est pas cher. Devenir plus cher.* → **Renchérir.** — Fam. *Il y a mieux, mais c'est plus cher.* — *Une voiture chère.*

◆ **2** *Qui exige de grandes dépenses.* → **Dispendieux.** *La vie est chère à Paris. Dans les années chères. La vie devient chère* (→ **Enchérir**). *Lutte contre la vie chère.*

◆ **3** (Personnes, entreprise). *Qui fait payer un prix élevé. Ce marchand est cher. Ce médecin est trop cher. Ces magasins sont chers.*

B Adv. *À haut prix.* → **Chèrement.** *Vendre cher* (cf. Vendre au poids de l'or; fam. Saler* le client). *Acheter, payer, coûter cher. Acheter cher, pas cher et vendre plus cher. Cela me coûte cher. Il fait cher vivre dans cet hôtel. Ce livre vaut cher.* Fam. *Je l'ai eu pour pas cher.* — *Cela ne vaut pas cher.* Fig. *Il ne vaut pas cher,* en parlant d'une personne d'un caractère peu estimable, ou d'une chose sans valeur. — *Ne pas donner cher (d'une chose),* considérer qu'elle n'a pas grande valeur, ou qu'elle court de grands dangers. *Je ne donne pas cher de ta peau, en ce moment!* — *Il me le payera cher,* se dit pour marquer l'intention de se venger d'une injure reçue (→ Il s'en repentira*). *Faire payer cher ses services.* — *La victoire a coûté cher,* elle a été obtenue au prix de grands efforts, de grands sacrifices. *Cette expérience lui coûte cher,* elle entraîne pour lui des inconvénients importants. *Vendre sa vie* : se défendre vaillamment jusqu'à la dernière minute. → **Chèrement.**

20 Quel que soit le plaisir que cause la vengeance,
C'est l'acheter trop cher que l'acheter d'un bien
Sans qui les autres ne sont rien.
LA FONTAINE, Fables, IV, 13.

21 C'est un ordre des dieux qui jamais ne se rompt
De nous vendre un peu cher les grands biens qu'ils nous font.
CORNEILLE, Cinna, II, 1.

22 Mais que vos yeux sur moi se sont bien exercés!
Qu'ils m'ont vendu bien cher les pleurs qu'ils ont versés!
RACINE, Andromaque, I, 4.

23 Le vrai bonheur coûte peu; s'il est cher, il n'est pas d'une bonne espèce.
CHATEAUBRIAND, Mémoires d'outre-tombe, I, II.

24 Le champ de bataille est si étroit, qu'il n'y a pas un pied carré de cette terre, vraiment à nous, car elle nous a coûté cher, qui n'ait recueilli quelques gouttes d'un sang regrettable.
E. FROMENTIN, Un été dans le Sahara, p. 131.

25 Il semblait clair, au moins, qu'elle ne retournerait pas vers eux (*ses parents*); sa vie était dans la grande maison, elle était une Bernardini : n'avait-elle pas payé assez cher pour le devenir?
Suzanne PROU, la Terrasse des Bernardini, p. 109.

CONTR. **Désagréable, détestable, odieux.** — **Dérisoire, insignifiant, négligeable.** — **Gratuit, marché** (bon marché); 2. **œil** (à l'œil, fam.). ◊ DÉR. **Chèrement, chérir, chérot.** — V. **Cherrer, cherté.** ⟶ COMP. **Renchérir.** ⟶ HOM. **Chair, chaire, cheire, chère.**

CHERCHER [ʃɛʀʃe] v. tr. — XVIᵉ; *cerchier*, 1080; du bas lat. *circare* «aller autour», de *circum*.

◆ **1** (1210). *S'efforcer de découvrir, de trouver ou de retrouver (qqn ou qqch.).* → **Rechercher; recherche; découverte.** *Chercher qqn en explorant, en fouillant un lieu, en furetant. Chercher qqn dans la foule. Je vous ai cherché partout* (→ Frapper* à toutes les portes). *Tiens, vous voilà, justement je vous cherchais.* — *Chercher qqn du regard,* tenter de l'apercevoir parmi d'autres personnes.

Chercher un mot, un renseignement dans le dictionnaire. Je cherche les raisons de... (→ ci-dessous, cit. 14). *Chercher qqch. dans sa tête* (→ ci-dessous, cit. 15). *Chercher la vérité, la beauté* (→ ci-dessous, cit. 16 et 17). *Chercher des prétextes* (→ ci-dessous, cit. 19). — Loc. prov. *Chercher une aiguille* dans une botte de foin.* — *Chercher la petite bête*.* — *Chercher des poux* dans la tête de quelqu'un.*

1 Un bûcheron perdit son gagne-pain :
C'est sa cognée; et, la cherchant en vain,
Ce fut pitié là-dessus de l'entendre.
LA FONTAINE, Fables, V, 1.

2 (...) Me cherchiez-vous, Madame?
Un espoir si charmant me serait-il permis?
RACINE, Andromaque, I, 4.

3 — (...) Le pompeux appareil qui suit ici vos pas
N'est point d'un malheureux qui cherche le trépas.
— Hélas! qui peut savoir le destin qui m'amène?
L'amour me fait ici chercher une inhumaine,
Mais qui sait ce qu'il doit ordonner de mon sort,
Et si je viens chercher ou la vie ou la mort?
RACINE, Andromaque, I, 1.

4 Elle fit mine de chercher sa bourse, qu'elle avait dans sa poche (...)
G. SAND, François le Champi, VIII, p. 73.

5 Il avait essayé de boire. Son geste déraillait, cherchait la carafe ailleurs que sur la chaise (...)
COCTEAU, les Enfants terribles, p. 215.

◆ **2** (1538). *Essayer de découvrir par un effort de pensée (la solution d'une difficulté, une idée, etc.). Chercher la solution d'un problème. Chercher une preuve* (→ ci-dessous, cit. 11). *Chercher un moyen, le moyen d'en sortir. Chercher une idée de roman.*

Spécialt. *Faire effort pour se souvenir de... Chercher le nom d'une personne rencontrée. Chercher qqch. dans sa tête, sa mémoire, dans ses souvenirs. Chercher des souvenirs dans sa mémoire* (→ ci-dessous, cit. 13). *Chercher ses mots* : hésiter en parlant, ne pas avoir la parole facile (→ ci-dessous, cit. 20). — *Qu'allez-vous chercher là?* → **Imaginer, inventer, supposer.** *Chercher midi* à quatorze heures.*

Chercher la vérité. Chercher Dieu (→ ci-dessous, cit. 7, 8 et 10).

Absolt. *Se livrer à des recherches, dans le domaine intellectuel et scientifique, ou dans une quête religieuse. Tu n'as pas assez cherché.* → **Calculer, examiner, scruter; réfléchir.** *Sans aller chercher si loin* (→ ci-dessous, cit. 12). *«Je ne cherche pas, je trouve»* (Picasso).

6 Demandez et l'on vous donnera; cherchez et vous trouverez (...)
BIBLE (CRAMPON), Évangile selon saint Matthieu, VII, 7.

7 (...) c'est ce que l'Écriture nous marque, quand elle dit en tant d'endroits que ceux qui cherchent Dieu le trouvent.
PASCAL, Pensées, IV, 242.

8 Il y a trois sortes de personnes : les unes qui servent Dieu, l'ayant trouvé; les autres qui s'emploient à le chercher, ne l'ayant pas trouvé; les autres qui vivent sans le chercher ni l'avoir trouvé.
PASCAL, Pensées, IV, 257.

9 (...) je ne puis approuver que ceux qui cherchent en gémissant.
PASCAL, Pensées, VI, 421.

10 Console-toi, tu ne me chercherais pas, si tu ne m'avais trouvé.
PASCAL, Pensées, VII, 553.

11 Dieu fait bien ce qu'il fait. Sans en chercher la preuve
En tout cet univers et l'aller parcourant,
Dans les citrouilles je la treuve.
LA FONTAINE, Fables, IX, 4.

12 (...) et, sans aller chercher si loin (...) l'on a joué de notre temps des pièces saintes de M. de Corneille (...)
MOLIÈRE, Tartuffe, Préface.

13 Cela datait de loin, de très loin, c'était perdu dans cette brume où l'esprit semble chercher à tâtons les souvenirs et les poursuit, comme des fantômes fuyants, sans les saisir.
MAUPASSANT, Contes, «L'infirme», p. 122.

14 Je cherche les raisons de leur conduite sans pouvoir les découvrir. FRANCE, l'Anneau d'améthyste, x, p. 154.

15 Elle cherchait dans sa tête quelque vœu à accomplir.
FLAUBERT, Mme Bovary, I, VI.

16 Réalisme, idéalisme, autant de brumes à travers lesquelles l'homme aveugle cherche la vérité.
J. RENARD, Journal, 17 janv. 1903.

17 La beauté est une chose qu'il est rare d'atteindre quand on la cherche. CLAUDEL, Positions et Propositions, p. 222.

18 Au fond, toute âme humaine est cela (...) Une fragile lumière en marche vers quelque abri divin, qu'elle imagine, cherche et ne voit pas.
A. MAUROIS, le Cercle de famille, II, VII, p. 167.

19 Je cherche des prétextes pour me voiler à moi-même la seule raison qui me fait agir, qui est la charité.
MONTHERLANT, le Démon du bien, I, Le journal de Costals, p. 60.

20 (...) Grand qui semblait toujours chercher ses mots, bien qu'il parlât le langage le plus simple.
CAMUS, la Peste, p. 29.

♦ **3** (XVIIe). **CHERCHER À** (et l'infinitif) : essayer de parvenir à. → **Efforcer** (s'), **évertuer** (s'), **tâcher, tendre, tenter, viser.** *Chercher à savoir, à se renseigner, à connaître, à deviner. Chercher à comprendre. Faut pas chercher à comprendre.*

21 *(Je)* trottais comme un jeune rat
Qui cherche à se donner carrière (...)
LA FONTAINE, Fables, VI, 5.

22 *(Il)* Entra dans sa boutique, et, cherchant à manger,
N'y rencontra pour tout potage (...)
LA FONTAINE, Fables, V, 16.

23 (...) ne cherchez jamais à employer l'autorité là où il ne s'agit que de raison (...)
VOLTAIRE, Dict. philosophique, Autorité.

24 (...) un nom qu'on cherche à se rappeler et à la place duquel on ne trouve que du néant, un néant d'où une heure plus tard, sans qu'on y pense, s'élanceront d'elles-mêmes en un seul bond, les syllabes d'abord vainement sollicitées.
PROUST, À la recherche du temps perdu, t. III, p. 128.

25 Une sorte de poésie se dégageait de tout son être, qui venait, je crois, de ce qu'il *(un camarade russe)* se sentait faible et cherchait à se faire aimer.
GIDE, Si le grain ne meurt, I, III, p. 86.

26 (...) un vieux colonel l'y avait pris en amitié et cherchait à le caser.
A. MAUROIS, les Discours du Dr O'Grady, XVI, p. 169.

CHERCHER À CE QUE. *Cherchez à ce qu'on soit content de vous.*

♦ **4** (1538). Essayer d'obtenir. — (Une personne). *Chercher une femme,* et, vieilli, *chercher femme,* pour se marier. — (Une place). *Chercher un emploi, une situation.* — (Une chose). *Chercher un appartement.* — Loc. *Chercher fortune*. — Chercher son salut dans la fuite. Chercher du secours. —* Loc. *Chercher querelle* à quelqu'un. — Chercher la paix, la solitude.*

27 Ce vizir quelquefois cherchait la solitude (...)
LA FONTAINE, Fables, XI, 4.

28 La gent trotte-menu s'en vient chercher sa perte.
LA FONTAINE, Fables, III, 18.

29 Que le bon soit toujours camarade du beau,
Dès demain je chercherai femme (...)
LA FONTAINE, Fables, VII, 2.

30 Un loup survient à jeun, qui cherchait aventure (...)
LA FONTAINE, Fables, I, 10.

31 Allons, camarade, allons chercher fortune autre part (...)
MOLIÈRE, les Précieuses ridicules, 16.

32 À quoi bon chercher notre bonheur dans l'opinion d'autrui, si nous pouvons le trouver en nous-mêmes?
ROUSSEAU, Disc. sur les sciences et les arts, II, p. 23.

(...) il est bon qu'une femme honnête et sage puisse cher- 33 cher auprès d'une fidèle amie les consolations, les lumières et les conseils qu'elle n'oserait demander à son mari sur certaines matières.
ROUSSEAU, Julie ou la Nouvelle Héloïse, Lettre VII.

L'homme cherche, la vierge attend, la femme attire (...) 34
HUGO, la Légende des siècles, XXXIX, L'amour.

Évariste s'enfuit et court chercher auprès d'Élodie l'oubli, 35 le sommeil, l'avant-goût délicieux du néant.
FRANCE, Les dieux ont soif, XVIII, p. 184.

Mais lui, avec un sourire, chercha les lèvres de sa femme 36 encore et les reprit bien vite entre les siennes, comme un altéré à qui on a enlevé sa coupe d'eau fraîche.
LOTI, Pêcheur d'Islande, IV, VII, p. 257.

(XVIe). **Spécialt.** Ne pas éviter (un mal). *Il l'a cherché, c'est bien fait pour lui!*

♦ **5** (XVIIe). Aller, faire, envoyer, venir prendre (qqn ou qqch.). → **Prendre, quérir, requérir.** *Venez me chercher ce soir. Allez chercher le médecin.*

J'aime : je viens chercher Hermione en ces lieux, 37
La fléchir, l'enlever, ou mourir à ses yeux.
RACINE, Andromaque, I, 1.

(...) faites-moi chercher, et je serai trop heureuse d'ac- 38 courir.
PROUST, À la recherche du temps perdu, t. I, p. 269.

(...) être artiste ou romancier consiste à posséder la lampe 39 du mineur qui permet à l'homme d'aller par delà sa conscience claire chercher les trésors obscurs de sa mémoire et de ses possibilités.
A. THIBAUDET, Gustave Flaubert, p. 82.

Bonheur d'aller le chercher, hier, à Saint-Raphaël. 40
A. MAUROIS, Terre promise, XLV, p. 316.

Fam. *Chercher quelqu'un,* lui chercher querelle, avoir une attitude agressive envers lui. *Si tu me cherches, tu vas me trouver!* : je suis disposé à me battre.

(...) quand ils disaient que la France, l'Angleterre et la 40.1 Russie «cherchaient» l'Allemagne, (ils) ont rendu possible, au moment d'Agadir, une guerre qui d'ailleurs n'a pas éclaté.
PROUST, le Côté de Guermantes, Pl., t. II, p. 406.

En revanche, notre ami me reproche d'avoir *attaqué,* dans 40.2 le «Bloc-Notes», un innocent père dominicain, et Bourdet, et Mandouze (...) Si ce père, que je ne connaissais pas, ne m'avait pas cherché, il ne m'aurait pas trouvé.
F. MAURIAC, le Nouveau Bloc-notes 1958-1960, p. 234.

♦ **6** Pop. → **Atteindre** (un chiffre, un prix). *Ça va chercher dans les mille francs :* le prix atteindra environ mille francs.

◆ **SE CHERCHER** v. pron.

♦ **1** (Réfl.). Vx. S'examiner. Mod. et cour. Chercher sa vraie personnalité.

Maintenant je me cherche, et ne me trouve plus. 41
RACINE, Phèdre, II, 2.

Il se cherchait à travers l'amas de sentiments acquis, que 42 l'éducation impose à l'enfant comme une seconde nature.
R. ROLLAND, Jean-Christophe, t. II, p. 57.

♦ **2** (Récipr.). *Se chercher l'un l'autre,* mutuellement : être à la recherche l'un de l'autre, tendre à l'union. *Regards qui se cherchent.*

Nous nous cherchions l'un l'autre (...) 43
RACINE, Alexandre le Grand, III, 6.

Ils *(les matelots)* se cherchent, ils se trient, par âmes à peu 44 près semblables, ou seulement par enfants des mêmes villages, tous ceux entraînés aux grandes fatigues d'un métier si dur (...) LOTI, Matelot, XXII, p. 85.

Fam. Se manifester mutuellement une attitude agressive. *Ils sont très querelleurs et passent leur temps à se chercher.*

◆ **CHERCHÉ, ÉE** p. p. adj. Vx. Recherché. «*Des poses étudiées, cherchées*» (Balzac). *Des effets très cherchés, en art.*

CONTR. Trouver. ◊ **DÉR.** Chercheur. — **COMP.** Rechercher.

CHERCHEUR, EUSE [ʃɛrʃœr, øz] n. et adj. — 1636;
cercheur, 1538; de *chercher.*

I ♦ **1** (Rare ou loc.). Personne qui cherche (qqch.).
Un chercheur, (rare) *une chercheuse d'aventures. Un
chercheur de trésor, de minerais rares.* — Cour. *Chercheur d'or.* → **Orpailleur.**

1   Quatre chercheurs de nouveaux mondes (...)
                  La Fontaine, Fables, x, 15.

2   Il surveillait les mouvements de la pensée de son frère,
  comme il eût surveillé les coups de bêche d'un chercheur
  de trésors. M. Barrès, la Colline inspirée, iii, p. 54.

    Par métaphore :

2.1 (...) Je cherche le mot juste (...) Il n'y a que des mots définitifs. Il n'y a pas d'autres mots. J'ai ma fièvre de chercheur
  d'or pour le trouver ce mot : le diamant d'une ouvrière.
              Violette Leduc, la Folie en tête, p. 72.

♦ **2** Adj. *Un esprit chercheur,* avide de découvertes.
→ **Curieux, investigateur.** — Littér. Qui quête. → **Scru-
tateur.** *Un regard chercheur.*

2.2 La manière chercheuse, anxieuse, exigeante, que nous
  avons de regarder la personne que nous aimons (...)
            Proust, À l'ombre des jeunes filles en fleurs, Pl.,
                                t. I, p. 489.

♦ **3** N. *Un chercheur :* personne qui se consacre à
la recherche scientifique. → **Savant, scientifique.** *Il,
elle est chercheur.* — REM. Le fém. *chercheuse* semble
rare.

3   Par des mesures successives, par des empiétements calculés, l'État assujettit le travail des chercheurs; non seulement il en oriente l'application, mais il le sollicite et le
  détermine à l'origine.
            G. Duhamel, le Temps de la recherche, xi, p. 149.

4   (...) la création de la technique microscopique (...) stimula
  vivement la curiosité des chercheurs, en même temps
  qu'elle les exerçait à l'observation patiente, minutieuse,
  soutenue.
                              Jean Rostand,
          Esquisse d'une histoire de la biologie, p. 13.

Titre, dans la recherche* scientifique. *Les chercheurs du C. N. R. S. Une équipe de chercheurs et
d'ingénieurs du C. N. R. S. Elle est chercheur dans un
laboratoire de physique, à telle section. Chercheurs
et ingénieurs. Chercheurs et assistants de recherche.*

II N. m. (Choses). *Chercheur de télescope* (1889) : petite
lunette adaptée à un télescope pour délimiter le
point du ciel à observer. *Chercheur de détecteur à
galène. Chercheur de fuites,* ou *cherche-fuites :* appareil servant à découvrir des fuites de gaz.

Adj. *(Chercheur, chercheuse). Tête chercheuse* (d'une
fusée), qui recherche la cible à l'aide d'un système
automatique.

CHÈRE [ʃɛr] n. f. — 1567; *chière,* 1080; du bas lat. *cara*
«visage», grec *kara* «tête, visage».

♦ **1** Vx. Visage. — Loc. (vx ou archaïsme littér.). *Faire
bonne chère à qqn,* lui faire bon visage, bon accueil.
→ **Accueil, réception.** *Il ne sait quelle chère lui faire :*
il ne sait comment le recevoir (Académie).

1   (...) elle s'en va à la cour, et cet hiver elle sera si aise, qu'elle
  fera bonne chère à tout le monde.
            Mᵐᵉ DE Sévigné, Lettres, date incertaine, I.

1.1 C'était le fils des domestiques qui assumait précédemment
  les fonctions de chauffeur-cocher-factotum, et Tiffauges ne
  devait ce changement dans sa vie qu'à l'ordre de mobilisation qui venait d'envoyer le jeune homme sur le front
  russe. Les parents lui firent d'abord mauvaise chère, mais
  leur hostilité se fatigua vite (...)
             M. Tournier, le Roi des Aulnes, p. 209.

♦ **2** Mod. **FAIRE BONNE CHÈRE** : faire un bon repas.
→ **Bombance, ripaille.**

Nourriture. *La chère était délectable, exquise.*
→ **Table** (supra cit. 6). *Faire maigre chère.*

2   Voilà commencement de chère et de festin;
  Mettons-le en notre gibecière.
                  La Fontaine, Fables, v, 3.

3   Je leur cède *(aux grands)* leur bonne chère (...) mais je
  leur envie le bonheur d'avoir à leur service des gens qui
  les égalent.   La Bruyère, les Caractères, IX, 3.

4   (...) c'était un ecclésiastique, qui ne songeait qu'à bien
  vivre, c'est-à-dire qu'à faire bonne chère; et sa prébende,
  qui n'était pas mauvaise, lui en fournissait les moyens.
            A. R. Lesage, Gil Blas, I, i, p. 3.

5   Le repas était gai : animés par le vin et la bonne chère
  (...) les comédiens se livraient aux plus folles espérances.
           Th. Gautier, le Capitaine Fracasse,
                  XI. → **Animer**, cit. 42.

6   Bonne personne d'intérieur (...) experte sur la chère, et l'aimant fine, serrée pour la maison, gaspilleuse pour soi (...)
          Montherlant, Pitié pour les femmes, p. 22.

Prov. *Il n'est chère que de vilain :* lorsqu'un avare
se décide à donner un repas, il traite ses invités
avec un faste excessif.

♦ **3** Loc. Vx. *Chère lie.* → **2. Lie.**

HOM. **Chair, chaire, cheire, cher.**

CHÈREMENT [ʃɛrmã] adv. — 1080; de *cher, chère.*

♦ **1** D'une manière affectueuse et tendre. → **Affectueusement, tendrement.** *Aimer chèrement qqn. Conserver chèrement un souvenir.* → **Amoureusement,
pieusement; sollicitude** (avec sollicitude).

1   (...) ne sois point rebelle à mon commandement,
  Qui te donne un époux aimé si chèrement.
                  Corneille, le Cid, v, 6.

1.1 (...) elle est favorite de Zobéide, épouse du calife, qui l'aime
  d'autant plus chèrement, qu'elle l'a élevée dès son enfance,
  et qu'elle se repose sur elle de toutes les emplettes qu'elle
  a à faire.
          A. Galland, les Mille et une Nuits, t. I, p. 378.

Vx. Affectueusement.

2   Après cette gronderie toute maternelle, laissez-moi vous
  embrasser chèrement et tendrement (...)
            Mᵐᵉ DE Sévigné, 954, 25 févr. 1685.

♦ **2** À haut prix, d'un prix élevé. → **Cher** (II.). Vx.
Acheter, payer, vendre chèrement. — Fig. et mod.
Il paya chèrement son succès, en consentant de
grands sacrifices. — *Payer chèrement un plaisir.*

3   Le prince répondit (...) qu'il n'était ni assez habile, ni assez
  sot pour payer si chèrement une *passade.*
          Voltaire, Politique et Législation probab. de
                        Justice, *in* Littré.

Fig. *Vendre chèrement sa vie,* la défendre vaillamment, jusqu'à la mort.

CHÉRER [ʃeʀe] v. intr. → **Cherrer.**

CHERFAIX [ʃɛrfɛ] n. m. — 1867; var. dial. de *cerfeuil,*
nom pop. donné aussi à ces larves; cf. les dial. *cherfeuil,
cherfen, cherfey,* etc.

Pêche. Larve de phrygane employée comme appât.
«*La pêche à la sauterelle et au cherfaix*» (Au bord
de l'eau, nᵒ 366, p. 22).

CHERGUI [ʃɛrgi] n. m. — XXᵉ; arabe maghrébin, arabe
class. *šǎrqīy* «qui est relatif à l'Orient».

Géogr. Vent chaud et sec qui souffle du sud-est (au
Maroc). → **Sirocco.**

CHÉRIF [ʃerif] n. m. — 1552, Rabelais; *sérif,* 1528; ital.
sceriffo; arabe *šǎrīf,* proprt «honnête, noble».

Didact. Prince descendant de Mahomet par sa fille
Fatima.

Par ext. Prince, chez les Arabes. → **Chérifat.**

DÉR. **Chérifat, chérifien.** ◊ HOM. **Shérif.**

CHÉRIFAT [ʃerifa] n. m. — 1842; de *chérif*.

Didact. Dignité de chérif. — Territoire gouverné par un chérif.

CHÉRIFIEN, IENNE [ʃerifjɛ̃, jɛn] adj. — 1918; *chériffien*, 1869; de *chérif*.

Vx. Relatif au chérif. — Mod. *L'empire chérifien* : le Maroc. — Par ext. Du Maroc.

Avant toute chose, la puissance chérifienne a été rétablie dans tout son éclat, et nous devons bénir Dieu d'avoir un Sultan qui, le premier, donne à tout son peuple l'exemple de la piété, de la justice et de la bonté (...)
L.-H. LYAUTEY, Paroles d'action, 1927, p. 195.

CHÉRIR [ʃerir] v. tr. — 1155; de *cher*.

◆ **1** (Compl. n. d'animé : personne, animal). Aimer tendrement, avoir beaucoup d'affection pour (une personne, un être vivant...). → **Affectionner, aimer; cœur** (porter dans son cœur). *Chérir ses enfants, sa femme. Chérir qqn avec dévouement. Chérir qqn tendrement, follement, éperdument.*

1 Un homme chérissait éperdument sa chatte :
Il la trouvait mignonne, et belle, et délicate (...)
LA FONTAINE, Fables, II, 18.

2 Toutes les affections de celle-ci s'étaient concentrées dans son fils aîné; non qu'elle ne chérît ses autres enfants, mais elle témoignait une préférence aveugle au jeune comte de Combourg.
CHATEAUBRIAND, Mémoires d'outre-tombe, I, I.

3 (...) si je ne l'aime point, je me sens très capable de le chérir.
BALZAC, Mémoires de deux jeunes mariées, Pl., t. I, p. 188.

4 Félicité lui en fut reconnaissante comme d'un bienfait, et désormais la chérit avec un dévouement bestial et une vénération religieuse.
FLAUBERT, Trois contes, «Un cœur simple», III.

5 À force de t'avoir aimée pour ce que tu n'étais pas, j'ai appris à te chérir pour ce que tu es.
F. MAURIAC, Souffrances et Bonheur du chrétien, I, p. 89.

Chérir le souvenir, la mémoire de qqn. → **Vénérer.** *Chérir sa patrie.*

◆ **2** (Compl. n. de chose). S'attacher, être attaché à (qqch.). *Chérir la solitude.* — Se complaire obstinément à. *Chérir son malheur.*

6 Qui chérit son erreur ne la veut pas connaître.
CORNEILLE, Polyeucte, II, 3.

7 Homme libre, toujours tu chériras la mer!
BAUDELAIRE, les Fleurs du mal, XIV, «L'homme et la mer».

8 On est incurable quand on chérit sa souffrance.
FLAUBERT, Correspondance, t. III, p. 178.

9 Le langage de l'affection chérit des formes qui expriment la tendresse. Comme elle dit à son enfant : *ma* **petite** *chérie*, la mère dit aussi : *donne ta* **menotte**, *tends-moi ton* **peton**, *etc.*
F. BRUNOT, la Pensée et la Langue, XVI, II, p. 657.

◆ **3** Attacher un grand prix à (qqch.). → **Estimer, préférer, priser.**

10 On ne peut trop chérir votre chère santé (...)
MOLIÈRE, Tartuffe, III, 3.

11 Sensible à l'amitié, il la cultivait avec soin, mais il la voulait modérée; il en chérissait les liens, il en aurait redouté la chaîne.
MARMONTEL, Mémoires, XI.

12 (...) la bonne dame, en vraie Normande, chérissait, par-dessus tout, *le bien*, moins pour la sécurité du capital que pour le bonheur de fouler le sol vous appartenant.
FLAUBERT, Bouvard et Pécuchet, p. 274.

◆ **SE CHÉRIR** v. pron. Avoir une affection réciproque. *Des frères qui se chérissent.*

13 Le devoir de se chérir réciproquement n'emporte-t-il pas celui de se plaire?
ROUSSEAU, Julie ou la Nouvelle Héloïse, IV, Lettre, X.

◆ **CHÉRI, IE** p. p. adj. et n.

◆ **1** Tendrement aimé. *Enfant chéri de ses parents.*

Sur cet enfant chéri j'ai donc jeté la vue.
C'est mon sang : tout est plein déjà de ses autels.   14
LA FONTAINE, Fables, XI, 2.

La nation chérie a violé sa foi (...)   15
Pour rendre à d'autres dieux un honneur adultère.
RACINE, Esther, I, 4.

Figuré :

(...) Masséna une bonne armée, et l'Empereur l'appellera,   16
un jour, «l'enfant chéri de la victoire» (...)
Louis MADELIN, l'Avènement de l'Empire, XX, p. 258.

◆ **2** N. (déb. XIXᵉ). *Le chéri de ses parents.* (Par plais., fam.). *Le chéri de ces dames.* Fam. *Le chéri à sa maman.* → **Chouchou.** *Mon chéri, ma chérie, ma petite chérie, etc.*, expressions familières et affectueuses. → **Affection** (termes d'affection). — (Sans possessif). *Oui, chéri.*

Il alla d'abord à Henri et lui dit : «Je voudrais parler à   17
ton père.» Henri lui dit : «Est-ce encore pour cette stupide affaire, mon chéri? Que tu es bête de te tourmenter pour cela, mon cher petit!»
PROUST, Jean Santeuil, Pl., p. 688.

CONTR. Abhorrer, détester, haïr. — Mépriser. — (Du p. p.) Haïssable. ◇ DÉR. Chérissable. → HOM. (Du p. p.) Cherry, sherry.

CHÉRISSABLE [ʃerisabl] adj. — 1559; de *chérir*.

Vx. Qui doit d'être chéri. *Un bien chérissable entre tous.* «*Un excitant et chérissable chef-d'œuvre*» (l'*Express*, 24 oct. 1977, p. 35).

CHÉROT [ʃero] adj. m. — 1883; *chéro*, adv.; de *cher* (II.).

Fam. Trop cher, coûteux.

C'était super et chérot. Bien que Paul soit plein aux as en ce moment, il a fait la grimace quand il a vu les prix sur le menu.
R. QUENEAU, le Dimanche de la vie, p. 188.

CHERRER ou **CHÉRER** [ʃere] v. intr. — Av. 1883; de *cher*, d'abord «frapper, foncer», puis sens mod., 1915; de *cher*.

Argot vieilli. Exagérer. — Se moquer de quelqu'un en exagérant. → **Charrier.** — Loc. *Cherrer dans les bégonias*.

CHERRY [ʃeri] n. m. — 1891; *cherry-brandy*, 1855; *cherri-brandy*, attestation isolée, 1847; mot angl. «eau-de-vie de cerise», de *cherry* «cerise».

Liqueur de cerise. *Des cherries.*

(...) nous buvions de grandes rasades de Cherry Rocher; nous avions pour cette liqueur un goût immodéré (...)
S. DE BEAUVOIR, la Force de l'âge, p. 241.

HOM. Chéri, sherry.

CHERTÉ [ʃerte] n. f. — V. 1210; «affection», Xᵉ; du lat. *caritas*, de *carus* «cher», refait sur *cher*; de *cher*.

État de ce qui est cher (II.); prix élevé. → **Coût, prix.** *Grande, excessive cherté des vivres* (Académie). *La cherté des grains* (→ Ressentir, cit. 2). *Cherté des prix. Cherté du crédit. La cherté de la vie. La rareté fait la cherté. Entrer dans une période de cherté.*

On parla de la cherté du blé et la mère Blanchet remarqua,   1
comme elle le faisait tous les soirs, qu'on mangeait trop de pain.
G. SAND, François le Champi, I, p. 32.

C'est la cherté de l'argent et des capitaux qui entretient la 2
misère dans notre pays.
PROUDHON, in P. LAROUSSE.

(...) si la cherté d'un objet est une cause d'engouement pour 3
un nombre infime d'acheteurs, le nombre de ceux qu'elle écarte est tellement supérieur que (...)
COLSON, Traité d'économie politique, t. I, p. 297.

4 L'avilissement de l'argent, la cherté de la vie, conséquence de la guerre et peut-être aussi de l'afflux subit de l'or américain, avaient créé du mécontentement *(sous Henri II).*
J. BAINVILLE, Hist. de France, VIII, p. 154.

CONTR. **Marché** (bon marché, n. m.).

CHÉRUBIN [ʃeʀybɛ̃] n. m. — 1080; lat. ecclés. *cherubin;* de l'hébreu *keroûbim,* de *keroûb.*

◆1 Ange de l'Ancien Testament.

1 Il mit devant le jardin de délices des Chérubins, qui faisaient étinceler une épée de feu, pour garder le chemin qui conduisait à l'arbre de vie.
BIBLE (SACY), Genèse, III, 24.

Représentation de cet ange qui ornait le tabernacle hébreu.

2 Voulez-vous que d'impurs assassins
Viennent briser l'autel, brûler les chérubins.
RACINE, Athalie, V, 2.

◆2 (Dans le christianisme). Ange du second rang de la première hiérarchie.

Icon. Tête d'enfant, avec des ailes, qui représente cet ange.

◆3 ⓐ Loc. fig. ou par compar. *Beau, joli, gracieux comme un chérubin. Avoir une face, un teint de chérubin,* un visage rond et des joues colorées.

ⓑ Charmant enfant. *C'est un chérubin. Chérubin,* personnage du *Mariage de Figaro,* de Beaumarchais. — (Terme d'affection). *Mon petit chérubin.*

3 Vous savez ce qu'ils viennent de m'apprendre ces deux chérubins, la bouche en cœur? Qu'ils s'aiment.
J. ANOUILH, la Valse des toréadors, V, p. 231.

REM. Dans ce sens, un fém. *chérubine* est attesté.

CHÉRUSQUE [ʃeʀysk] n. f. — 1811, Mérimée; orig. obscure.

Hist. Collerette garnie de dentelle tombant sur les épaules (à la mode après la fraise*).

CHERVIS [ʃɛʀvi] n. m. — 1538; arabe *harawiya,* du grec *karon,* avec infl. du lat. *careum.* → Carvi.

Plante dicotylédone *(Ombellifères)* à racine comestible. → **Cumin.**

CHESTER [ʃɛstɛʀ] n. m. — 1843; de *Chester,* ville d'Angleterre.

Fromage anglais renommé (à pâte pressée et chauffée).

Autour d'elle, les fromages puaient (...) Là (...) s'élargissait un cantal géant, comme fendu à coups de hache; puis venaient un chester, couleur d'or (...)
ZOLA, le Ventre de Paris, 1874, t. II, p. 105.

CHÉTIF, IVE [ʃetif, iv] adj. — 1080, *chaitif* «prisonnier»; du lat. pop. *°cactivus,* croisement du lat. *captivus,* et du gaul. *°cactos* «prisonnier».

◆1 (Animés). De faible constitution; d'apparence débile. *Enfant chétif,* de petite taille. → **Avorton, gringalet, mauviette; débile, faible, malingre, rachitique.** *Il est assez chétif. Complexion, mine chétive.* — (Animaux). *Un chien souffreteux et chétif.* — (Plantes). *Arbre, arbuste chétif.* → **Rabougri.**

1 La chétive pécore
S'enfla si bien qu'elle creva.
LA FONTAINE, Fables, I, 3.

2 Madeleine était devenue si chétive et fluette que c'était pitié. G. SAND, François le Champi, XVII, p. 123.

3 Par la suppression des malingres, on supprime la variété rare... les plus belles fleurs étant données souvent par les plantes de chétif aspect.
GIDE, Journal 1889-1939, Feuillets, Pl., p. 99.

N. *(Un, des chétifs).* Personne chétive. *Les chétifs et les malingres* (rare au fém.).

◆2 (Choses). Littér. Sans valeur, insuffisant. *Une récolte chétive.* → **Dérisoire, maigre, mauvais, misérable, pauvre, piteux.** *Une réception, un repas chétif.* → **Chiche, mesquin.** — *Un écrivain chétif.* → **Piètre.**

4 (...) il est par sa gloire *(Jésus-Christ)* tout ce qu'il y a de grand, étant Dieu, et par sa vie mortelle tout ce qu'il y a de chétif et d'abject. PASCAL, Pensées, XII, 785.

5 M. de Laléande, qui promène (...) une vie médiocre et des rêves chétifs.
PROUST, les Plaisirs et les Jours, p. 130.

6 Vous êtes insatiable! me dit-il en levant les épaules. Et vous ne me demandez rien que de chétif et de sordide.
G. DUHAMEL, Cri des profondeurs, VIII, p. 157.

CONTR. **Fort, robuste, solide, vigoureux.** ◊ DÉR. **Chétivement, chétivité.**

CHÉTIVEMENT [ʃetivmã] adv. — V. 1190; de *chétif.* Littér. D'une manière chétive.

CHÉTIVITÉ [ʃetivite] ou **CHÉTIVETÉ** [ʃetivte] n. f. — XIIᵉ, *chaitiveté* «captivité»; de *chétif.* Littér. Fait d'être chétif.

CHÉTOPODES [ketɔpɔd] n. m. pl. — 1846; du grec *kête* «crinière», et *pous, podos* «pied».

Zool. Groupe d'annélides * marins caractérisés par un faisceau de soies locomotrices sur chaque anneau. — Au sing. *Un chétopode.*

CHEVAGE [ʃəvaʒ] n. m. — 1763; de *chever.* Techn. Action de chever. *Le chevage du verre.*

CHEVAINE [ʃəvɛn] n. f. → **Chevesne.**

CHEVAL, AUX [ʃ(ə)val, o] n. m. — Fin XIᵉ; du lat. *caballus* «mauvais cheval» (mot gaul.), qui a supplanté le lat. class. *equus.*

I ◆1 Grand mammifère à crinière, plus grand que l'âne, domestiqué par l'homme comme animal de trait et de transport. Spécialt. Le mâle (opposé à *jument*); le mâle adulte (opposé à *poulain*). Zool. Mammifère ongulé solipède *(Équidés). L'hipparion*, ancêtre du cheval. *Cheval sauvage.* → **Mustang, tarpan.** *Chevaux redevenus sauvages.* → **Marron** (cheval marron). *Capturer un cheval au lasso*. *Animaux fabuleux à corps de cheval.* → **Centaure, hippogriphe, licorne, pégase.** *Cheval-cerf* : hippotragus.

1 La plus noble conquête que l'Homme ait jamais faite est celle de ce fier et fougueux animal qui partage avec lui les fatigues de la guerre et la gloire des combats.
BUFFON, Hist. nat. des animaux, Le cheval.

2 Le cheval semble sur son déclin : il a été le plus admirable serviteur de l'homme dont il fut le plus puissant instrument de civilisation : dès qu'il fut ferré et garni d'un collier, il prit à sa charge la plus lourde part de la peine des hommes qui lâchèrent sur lui les courbait sur la glèbe et posèrent la hotte qui accablait leurs épaules. Le cheval donc les libéra de l'esclavage et du servage et il n'est pas bien sûr que cela, l'homme l'ait nettement compris. Puis le chemin de fer supprima la diligence; l'automobile chassa le cheval de la route; le canon lui enleva la suprématie dans les batailles; l'avion de guerre dispersa ses formations. Enfin le camion le supplanta dans les services de guerre de l'arrière et le tracteur va se charger à sa place des labours et des moissons.
Raymond AMIOT, le Cheval, p. 11.

3 (...) le cheval peut être considéré dans sa race : *normand, percheron;* dans sa nature physique : *cheval, jument, hongre, étalon;* dans sa couleur : *alezan, bai;* dans son emploi : *limonier, sous-verge, cheval d'armes, de selle;* dans sa valeur : *rosse, haridelle.* De la *haquenée* et du *palefroi* au *pur-sang* du *Grand Prix,* quelle revue à faire! Et les mots s'attachent tout naturellement aux choses.
F. BRUNOT, la Pensée et la Langue, II, VIII, p. 79.

Étude du cheval. → **Hippologie** (→ le préf. Hippo-, du grec *hippos* «cheval»). *Cheval entier. Cheval reproducteur.* → **Étalon.** *Cheval châtré.* → **Hongre.** *Femelle du cheval.* → **Jument** (cavale; haquenée, poulinière...). «*Ce petit cheval était une jument* (...) *elle valait* (cit. 2) *son pesant d'or*» (Balzac). *Produits du cheval.* → **Poulain, pouliche; bardot, mule** (cheval et ânesse); **mulet** (âne et jument). *Cri du cheval.* → **Hennissement.** *Excréments du cheval.* → **Crottin, pissat.** *Fumier de cheval.* **Anatomie du cheval** (termes spéciaux). → **Chanfrein, ganache, larmier, naseau, sous-barbe** (tête); **croupe, encolure, garrot, poitrail, trapèze.** *Le dos, les flancs, les pattes du cheval (pattes de devant :* épaule, coude, bras et avant-bras, genou; *de derrière :* cuisse, fesse, gigot, grasset, jambe, jarret, canon). → **Boulet, couronne, paturon, pied, sabot.** *Partie antérieure et postérieure du cheval.* → **Avant-main, arrière-main, train.** *Aplombs* du cheval. Concavité du dos chez le cheval.* → **Ensellure.** *Cheval trop ensellé. Cheval court de reins et vigoureux.* → **Goussaut.** *Cheval bien gigoté, bien culotté,* dont la cuisse est de bonne épaisseur. *Cheval bien croupé. Cheval arqué, bouleté, brassicourt, cagneux, court-jointé ou long-jointé, désuni, efflanqué, encastelé, épointé, féru, jarreté; large, ouvert ou serré du devant, du derrière; panard, pinçard, rampin, sol-batu... Cheval bégu. Cheval trapu, bouleux, vigoureux. Cheval poussif.*

4   (...) *des chevaux aux jambes grêles et tendues, au cou dressé, au mors neigeux d'écume* (...)
       MAUPASSANT, la Femme de Paul, p. 8.

5   *Sur ses prairies fortement vallonnées (du Boulonnais) galopent des chevaux à la tête forte, au chanfrein droit, aux yeux petits, à l'encolure contournée, à la crinière double, au poitrail large et musculeux, au dos un peu ensellé, à la croupe charnue.*
       A. BILLY, Sainte-Beuve, sa vie et son temps, t. I,
       p. 15.

Crins, poils de cheval (→ **Crinière, pelage, robe**). *Couleurs du cheval.* → **Alezan, arzel, aubère, bai, baillet, balzan, blanc, brun, cavecé, châtain, clair, fauve, gris, isabelle, louvet, marron, miroité, moucheté, noir, pie, pinchard, pommelé, rouan, rubican, saure, souris, tigré, tisonné, truité, zain...** *Un cheval alezan, pie...* (→ 1. Pie, cit. 5 et *supra*). *Particularités de la robe du cheval* (marques, taches...). → **Balzane** (cit. 1), **épi, frisure, ladre, liste, raie, zébrure.** *Cheval qui boit blanc, dans son blanc*.*

Races de chevaux. — Cheval andalou, anglais, anglo-normand, arabe, ardennais, auvergnat, barbe, belge, berrichon, boulonnais, bourbonnien, breton, camarguais, cauchois, circassien, comtois, corse, danois, flamand, hanovrien, hollandais, hongrois, kabyle, kirghize, klepper, landais, limousin, lorrain, mecklembourgeois, mongol, navarrais, normand, percheron, persan, picard, poitevin, russe, tartare, tcherkess, turc... Cheval d'Espagne. → **Genet.** *Cheval pur sang,* de race pure. → **Pur-sang.** *Cheval pur sang d'un an.* → **Yearling.** *Cheval demi-sang. Cheval de petite taille.* → **Poney.** *Livres généalogiques des chevaux.* → **Stud-book.**

Cheval grand et beau. → **Coursier** (poét.). *Cheval de bataille.* → **Destrier.** *Cheval d'armes.* **Armure** (cit. 4) *du cheval de bataille. Un cheval caparaçonné. Chevaux de régiment de cavalerie*. Chevaux de remonte. Cheval de cérémonie.* → **Palefroi.** *Cheval de parade. Cheval de carrousel, de fantasia. Chevaux de cirque.* → **Cavalerie.**

Cheval de course, d'une écurie* de courses. → **Coureur, crack, favori, fond** (cheval de), **mileur, outsider, sauteur, trotteur...** → aussi **Course, courtine** (argot), **hippique** (concours), **hippisme, hippodrome, turf...** *Faire courir des chevaux, les entraîner, les engager.*

Ce cheval, monté par tel jockey, a distancé ses concurrents, sauté, franchi l'obstacle (→ **Steeple-chase**). *Performance d'un cheval. Disqualifier un cheval. Ces chevaux sont arrivés tête à tête.* → **Dead-heat.** *Jouer un cheval gagnant, placé. Cheval de polo*. Cheval de chasse.* → **Hunter.** *Cheval de selle*.* → **Équitation; monture.** *Cheval de louage.* → **Locatis** (vx). *Cheval de bât*, de charge, de somme*. Cheval de trait, de voiture, de fiacre, de carrosse. Équipage* de six chevaux. Atteler, harnacher un cheval.* → **Attelage, harnachement, harnais.** *Cheval côtier, limonier, porteur, sous-verge, timonier. Atteler* un cheval en arbalète, en flèche, à la volée... Conducteur de chevaux.* → **Charretier, cocher, conducteur.** *Cheval de poste, de relais. Cheval de ferme, de charrue, de labour. Foulage par les pieds des chevaux* (→ Battage, cit. 1). *Cheval de manège* (→ Besogne, cit. 6). *Cheval de boucherie* (→ **Hippophagie**). *Viande de cheval. Peau, cuir de cheval* (→ **Chagrin**). *Équarrir un cheval.* → **Équarrissage.** *Marchand de chevaux.* → **Maquignon.**

Le cheval de selle doit avoir les épaules plates, mobiles   6
et peu chargées; le cheval de trait, au contraire, doit les
avoir grosses, rondes et charnues.
       BUFFON, Hist. nat. des animaux,
       Les quadrupèdes, t. I, p. 49.

(Il n'admire) Que les femmes de race et les chevaux de   7
prix!   HUGO, les Chants du crépuscule, XII.

Il compara, pour finir, les gens du monde aux chevaux   8
de course qui ne servent à rien, à vrai dire mais qui sont
la gloire de la race chevaline.
       MAUPASSANT, Fort comme la mort, p. 78.

L'état-major réclama ses chevaux : on les mit au piquet   9
dans les allées, les écuries étant insuffisantes.
       A. MAUROIS, les Discours du Dr O'Grady, I, p. 6.

Loc. techn. Cheval bien mis, bien dressé. Cheval à deux fins (selle et voiture). *Cheval de carrière, destiné au travail à l'extérieur. — Cheval de jeu :* cheval de course faisant le jeu d'un autre cheval de la même écurie, estimé meilleur.

Cheval ardent, fougueux, franc du collier, fringant, impétueux, tride, vaillant, vif. Cheval piaffeur. Cheval léger à la main. Cheval obéissant. Cheval ombrageux, récalcitrant, rétif, vicieux. → **Fingard, guincheur, raminque.** *Cheval fatigué.* → **Fortrait, fourbu.** *Mauvais cheval.* → **Bidet, bique** (vieille), **bourrin, bourrique, canasson, carne, criquet, haridelle, mazette, rossard, rosse, rossinante.** *Cheval bon pour la réforme.* → **Rancart** (bon à mettre au rancart). *— Le cheval,* en langage enfantin. → **Dada.** *Crier hue! au cheval pour le faire avancer.* → **Hue; dia.**

Pour mieux entendre ce que feraient par eux-mêmes des   10
chevaux fougueux, il faut les considérer sans bride et sans
conducteur qui les pousse ou qui les retienne.
       BOSSUET, Traité de la connaissance de Dieu, III, 9.

(...) le cheval est fier, ardent, impétueux.   11
       BUFFON, Hist. nat. des animaux, L'âne.

Dressage, élevage, traitement du cheval. → **Hippotechnie; manège.** *Dresser, confirmer, élever un cheval. Logement, habitat du cheval.* → **Ferme, haras; écurie, box, litière...** *Alimentation du cheval.* → **Affenage, avoine, foin, fourrage, paille...; abreuvement, abreuvoir.** *Laver, nettoyer, soigner un cheval.* → **Aiguayer, bouchonner, brosser, épousseter, étriller, panser** (cit. 1). *Les garçons d'écurie s'occupent des chevaux.* → **Lad, palefrenier, valet.** *Couverture du cheval.* → **Chabraque, housse.** *Couper les oreilles* (→ **Bretauder**)*, la queue* (→ **Anglaiser, courtauder**) *d'un cheval; lui couper la corne des sabots avec une bute... Ferrer, déferrer un cheval.* → **Fer** (à cheval)*, ferrure, maréchal* (maréchal-ferrant). *Attacher les chevaux.* → **Accouer, brider; longe, plate-longe.** *Entraves pour les chevaux.* → **Abot, billot...** *Castration d'un cheval.* → **Castrer, châtrer; bretauder, hongrer.**

Maladies, blessures, vices du cheval. → **Bleime, capelet, colique, cornage, courbature, crapaud, encastelure, enchevêtrure, enclouure, entretaillure, éparvin, éponge, exostose, faimvalle, farcin, fic, fièvre, fortraiture, fourbure, gourme, gras-fondu, immobilité, jarde, javart, lampas, malandre, morfondure, morve, osselet, pousse, râpes, rouvieux, seime, suros, tic, tranchée** (colique), **vertigo, vessigon**... *Cheval couronné, épointé, féru. Médecine des chevaux.* → **Hippiatrie; hippiatre, vétérinaire; brouillamini** (emplâtre), **cade** (huile de cade)... *Flamme, lancette pour saigner un cheval. Instruments pour assujettir un cheval.* → **Morailles, serre-nez, tord-nez,** 2. **travail, trousse-pied.**

Monter un cheval. → **Chevaucher; cavalier, écuyer; équitation, manège, monte, voltige.** *Monter un cheval à califourchon*, en amazone*, en croupe*. (À cheval). Monter à cheval avec un montoir; sans selle, à poil. — Enfourcher son cheval. Se tenir bien à cheval, sur son cheval.* → **Arçon** (être ferme sur ses arçons), **assiette** (avoir une bonne assiette), **étrier, selle** (être bien en selle). — *Rassembler son cheval. Cravacher, cingler son cheval.* → **Cravache.** *Éperonner son cheval.* → **Éperon** (appuyer, serrer l'éperon); **piquer** (piquer des deux). *Pousser, diriger son cheval sur... Tirer brusquement sur les rênes* du cheval.* → **Saccader.** *Faire faire des caracoles à son cheval.* → **Caracoler.** *Tenir son cheval en bride. Lâcher, laisser la bride sur le cou du cheval. Promenade, course à cheval, partie de cheval.* → **Cavalcade, galopade.** *Lancer, pousser son cheval à fond de train. Tomber de cheval.* → **Arçon** (perdre, vider ses arçons). *Chute de cheval. Fatiguer, harasser son cheval en allant ventre* à terre.* → **Brûler, claquer, crever, estrapasser, forcer.** *Le cheval est tout couvert d'écume*, fourbu, fortrait, rendu... Laisser souffler son cheval. Descendre de cheval :* mettre pied à terre. — *Remonter à cheval. Être toujours à cheval.* → **Selle** (avoir continuellement le cul sur la selle). — *Avoir la passion des chevaux.* → **Hippomanie.** *Costume, culotte* de cheval, de cavalier.*

Loc. adj. et adv. À CHEVAL [aʃval] : sur un cheval (→ d'autres exemples ci-dessus, et ci-dessous, 2.). *Aller à cheval. Gendarmes à cheval. Auberges qui logeaient à pied et à cheval,* les piétons et les cavaliers.

12 Tu me verras souvent à te suivre empressé,
Pour monter à cheval rappelant mon audace,
Apprenti cavalier galoper sur ta trace.
BOILEAU, Épîtres, VI.

13 En vain *(il)* monte à cheval pour tromper son ennui :
Le chagrin monte en croupe et galope avec lui.
BOILEAU, Épîtres, V.

14 (...) lâchant les rênes à ses chevaux fumants de sueur, *(il)* était tout penché sur leurs crins flottants (...)
FÉNELON, Télémaque, V.

15 Un cavalier qui gourmande la bouche de son cheval en fait bientôt une rosse.
FÉNELON, Lettres spirituelles, 193.

15.1 Villars détacha d'Aubusson (...) avec cinq cents chevaux.
SAINT-SIMON, Mémoires, III, 408.

16 Chez tous les peuples anciens les chevaux n'avaient ni étrier ni selles, et les cavaliers étaient sans bottes.
ROLLIN, Hist. ancienne, t. XI, I, p. 391.

17 (...) une chute de cheval m'attendait au début de ma route (...)
CHATEAUBRIAND, Mémoires d'outre-tombe, II, IV.

18 Éperonné, botté, prêt à monter à cheval, il attend le bouteselle.
P.-L. COURIER, I, 227.

19 Le cheval, qui ne sent ni le mors ni la selle (...)
HUGO, les Orientales, XXXIV, «Mazeppa».

20 Laurence avait une amazone vert-bouteille pour se promener à cheval (...)
BALZAC, Une ténébreuse affaire, Pl., t. VII, p. 481.

21 (...) je revins à leur rencontre ventre à terre; quand je fus près d'eux, je retins mon cheval lancé sur ses quatre pieds

et je l'arrêtai court : ce qui est, comme tu le sais ou comme tu ne le sais pas, un vrai tour de force.
Th. GAUTIER, Mᴸᴸᵉ de Maupin, VII, p. 145.

22 (...) il piqua son cheval et s'élança derrière le loup.
MAUPASSANT, Clair de lune, «Le loup», p. 55.

23 (...) un peu aussi comme un cavalier se laisse porter par son cheval, tout en ne cessant pas de l'exciter et de le guider.
J. ROMAINS, les Hommes de bonne volonté, XVII, p. 176.

Loc. fam. *Je l'emmerde à pied, à cheval et en voiture,* de toutes les façons.

23.1 Naturellement Jacques lui répond sans hésitation qu'il l'emmerde et copieusement même et à pied aussi bien qu'à cheval.
R. QUENEAU, Loin de Rueil, p. 150.

Allures du cheval. → **Allure; amble, aubin, canter, entrepas, galop, mésair, pas, trac, train, traquenard, trot.**

24 (...) un beau grand cheval *(qu'il)* faisait penader, sauter, voltiger, ruer et danser tout ensemble, aller le pas, le trot, l'entrepas, le galop, les ambles, le hobin *(l'aubin)*, le traquenard (...)
RABELAIS, Gargantua, XII.

25 Il serait bon d'exercer les chevaux à galoper alternativement sur le pied gauche aussi bien que sur le droit.
BUFFON, Hist. nat. des animaux, Les quadrupèdes, t. I, p. 36.

Mouvements et attitudes du cheval. → **Appui, ballottade, bronchement, cabriole, caracole, coup** (coup de rein), **courbette, croupade, dérobade, ébrouement, écart, emballement, enchevêtrement, estrapade, foulée, incartade, parade, pétarade, piaffement, regimbement, ruade, saccade, ticage, tortillement, trépignement, trottinement, vire-volte, volte.** *Le cheval dresse les oreilles* (→ **Chauvir, pointer**), *remue continuellement la queue* (→ **Quoailler**), *remue la tête de bas en haut* (→ **Encenser**), *ronge son mors, prend le mors aux dents, se cabre, rue, s'emballe, court ventre à terre, désarçonne son cavalier. Recevoir un coup de pied de cheval. Le cheval exécute des courbettes* (→ **Falquer**), *traîne une jambe de devant* (→ **Faucher**)... *Le cheval boite, fait un faux pas* (→ **Broncher, chopper**), *s'enchevêtre dans la longe de son licou. Cheval qui fait une chute, tombe les quatre fers en l'air.*

26 Le cheval (...) reculait toujours, ronflant, soufflant et bronchant comme un cheval effarouché qu'il était.
SCARRON, le Roman comique, II, 13.

27 Malheureux laisse en paix ton cheval vieillissant,
De peur que tout à coup, efflanqué, sans haleine,
Il ne laisse en tombant son maître sur l'arène.
BOILEAU, Épîtres, X.

28 Des chevaux sautaient, caracolaient, se cabraient dans la foule comme des chiens qui caressent leurs maîtres.
CHATEAUBRIAND, Mémoires d'outre-tombe, II, 2.

29 Le coup passa si près que le chapeau tomba
Et que le cheval fit un écart en arrière.
HUGO, la Légende des siècles, XLIX, «Après la bataille».

30 Quatre chevaux qu'il ne pouvait retenir accéléraient leur train (...)
FLAUBERT, Trois contes, «Un cœur simple», IV.

31 On entend piaffer, sur les pavés dangereux, les chevaux des magnifiques équipages (...)
LOTI, les Désenchantées, II, IV, p. 61.

32 Je vagabonde cette nuit autour de Vial à la manière du cheval que l'obstacle importune, et qui fait le gentil, avec mille folâtreries de cheval, devant la barrière.
COLETTE, la Naissance du jour, p. 107.

33 (...) le cheval *(de la carriole)*, un énorme cheval gris pommelé, souffla, secoua son collier, puis se mit à attendre, avec cet air qu'ont les chevaux de se résigner à tout faire, et même à rester immobile, pour prendre du repos.
H. BOSCO, Un rameau de la nuit, IV, p. 126.

34 Joseph donnait des coups de tête, comme un cheval qui encense (...)
G. DUHAMEL, Chronique des Pasquier, VIII, X.

Allus. hist. et littér. *Mon royaume pour un cheval !,* exclamation de Richard III à la bataille de Bosworth, alors qu'il cherchait à s'enfuir (il fut tué par Henri Tudor), dans la pièce de Shakespeare. *Le cheval :* l'équitation. *Aimer, adorer le cheval. Faire une heure de cheval chaque jour.* — *Faire du cheval :* monter à cheval.

Parler cheval avec qqn, hippologie, manège, équitation...

♦ **2 Loc. adj. et adv. À CHEVAL** [aʃval]) : à califourchon (une jambe d'un côté, et l'autre de l'autre). *Être à cheval sur une branche d'arbre.* — Fig. *Être à cheval sur les principes,* y tenir rigoureusement. *Il est très à cheval sur la hiérarchie, sur ses prérogatives.*

34.1 L'anglais d'Anouk était une perfection musicale : « J'avais des gouvernantes anglaises (...) mon père est très à cheval sur la qualité d'un accent. »
Christine ARNOTHY, *Un type merveilleux,* p. 73.

Une partie d'un côté, une partie de l'autre. *Outil agricole qui travaille à cheval sur les rangées cultivées. Être à cheval sur deux périodes.* → **Chevaucher.**
— **Figuré :**

34.2 La famille Grummer, à cheval sur la Suisse, l'Alsace et le pays de Bade, a poussé une forte branche à Paris. Ils sont anciens, nombreux et en général fort riches.
DRIEU LA ROCHELLE, *La Comédie de Charleroi,* p. 134.

Vx. DE CHEVAL. *Homme de cheval :* cavalier.

Techn. *Huile de cheval,* extraite des tissus adipeux du cheval.

Fig. et fam. *Une fièvre de cheval :* une fièvre violente. *Une purge de cheval.* → **Drastique, énergique.** *Remède, médecine de cheval.*

35 (...) je vendais souvent aux hommes de bonnes médecines de cheval (...)
BEAUMARCHAIS, *le Barbier de Séville,* I, 2.

(1963, *in* D.D.L.). En grande quantité. *Une dose de cheval.*

♦ **3** a Homme grossier, brutal. *C'est un cheval, un vrai cheval.*

36 C'est un brutal
Un vrai cheval
Franc animal (...)
MOLIÈRE, *le Bourgeois gentilhomme,* Ballet,
1ᵉʳ entrée.

37 Comment ? grand cheval de carrosse.
MOLIÈRE, *le Bourgeois gentilhomme,* II, 2.

Mod. *C'est un vrai cheval de labour,* un travailleur obstiné, infatigable.

Fam. *C'est un grand cheval,* une grande femme d'allure masculine.

37.1 Frau Darn, un grand cheval de femme, toute en jambes, en bras et en nez a manifesté la plus grande méfiance en voyant s'arrêter devant chez elle un cavalier à l'uniforme indéfinissable.
M. TOURNIER, *le Roi des Aulnes,* p. 345.

C'est un vrai cheval, une personne infatigable et qui a une santé de fer.

b **Loc. fam.** *C'est pas le mauvais cheval :* il n'est pas méchant.

La mort du petit cheval : une chose, une circonstance, une situation extrêmement fâcheuse, dommageable.

c (1829). **CHEVAL DE RETOUR.** → **Récidiviste.**

37.2 S'ils arrivaient à leurs fins, cherchez les noms des chevaux de retour que nous verrions reparaître au timon (...)
F. MAURIAC, *Bloc-notes 1952-1957,* p. 109.

♦ **4 Loc.** (où *cheval* a le sens 1). **MONTER SUR SES GRANDS CHEVAUX :** s'emporter, le prendre de haut.

38 Je vous loue (...) de n'être point monté sur vos grands chevaux pour vous plaindre du maréchal d'Estrées.
Mᵐᵉ DE SÉVIGNÉ, 883, 24 juin 1681.

Ne te mets donc pas en colère. Ne monte plus sur tes 39 grands chevaux.
G. DUHAMEL, Chronique des Pasquier, VI.

Cela ne se trouve pas sous le pas (le sabot), dans le pas d'un cheval : c'est une chose difficile à trouver.

Croit-il (...) que mille cinq cents livres se trouvent dans le 40 pas d'un cheval ?
MOLIÈRE, les Fourberies de Scapin, II, 7.

Fig. (1690). **CHEVAL DE BATAILLE :** argument, sujet favori, auquel on revient. → **Dada.**

Selle* à tous chevaux.

Prov. *Changer son cheval borgne contre un aveugle*.*
— *On ne change pas de chevaux au milieu du gué*.*
— *Il n'est si bon cheval qui ne bronche*.* — *À méchant cheval, bon éperon :* il faut beaucoup de fermeté dans les affaires difficiles.

♦ **5 N. m. pl.** (vx). **CHEVAUX :** cavaliers, soldats qui combattaient à cheval.

II (Emplois analogiques et figurés). ♦ **1** Représentation plus ou moins sommaire d'un cheval.

CHEVAL DE BOIS, jouet d'enfant. *Chevaux de bois des manèges, des foires.* Par ext. *Les, des chevaux de bois :* manège* circulaire représentant des animaux (à l'origine des chevaux), mais aussi des avions, voitures, etc. *Aller sur les chevaux de bois.*

(...) c'est sur les chevaux de bois de la fête foraine de 41 Gournay-en-Bray que je me retrouve (...) les cuisses nues des petits garçons s'écrasent contre les flancs vernis de leurs montures à demi-cabrées qui menacent le ciel de leurs gueules béantes et de leurs yeux fous. L'escadron puéril plane à un mètre du sol (...)
M. TOURNIER, le Roi des Aulnes, p. 81.

Pop., vieilli. *Manger avec les chevaux de bois :* se passer de manger.

(1946). **CHEVAL-ARÇONS, CHEVAL D'ARÇONS :** appareil de gymnastique, gros cylindre rembourré sur quatre pieds, qui sert à des exercices de saut, de voltige.

CHEVAL DE TROIE : cheval de bois gigantesque dans les flancs duquel les guerriers se cachèrent pour pénétrer dans Troie. — Par ext. Moyen secret pour s'introduire chez l'ennemi, chez l'adversaire.
— Cf. par jeu de mots, *le Joual de Troie,* texte critique sur le *joual*.*

(...) les Grecs, qui par mille moyens 42
Par mille assauts, par cent batailles,
N'avaient pu mettre à bout cette fière cité,
Quand un cheval de bois, par Minerve inventé,
D'un rare et nouvel artifice,
Dans ses énormes flancs reçut le sage Ulysse.
LA FONTAINE, Fables, II, 1.

Cheval-jupon, cheval-frou, déguisement en cheval dans les folklores.

(1891). **LES PETITS CHEVAUX** a Jeu de hasard simulant une course où l'on fait avancer des marques (petits chevaux) avec des dés.

b Jeu de hasard, jeu de casino comparable dans son principe à la roulette et dans lequel les chances sont représentées par des figurines de chevaux en rotation autour d'un axe.

(...) il se promit de risquer au jeu les quelques pièces blan- 43 ches qu'il devait à la générosité de Laubé. Certain casino de Tripoli (...) contenait un jeu de petits chevaux dont la mise pouvait convenir aux bourses les plus modestes.
Raymond ROUSSEL, Impressions d'Afrique, p. 225.

♦ **2** (1611). *Cheval marin :* hippocampe.

♦ **3** (1572). *Cheval de frise.* → **Frise.**

♦ **4** (1830). **CHEVAL-VAPEUR** (abrév. : *ch*), ou simplement *cheval :* unité de travail équivalent à 75 kilogrammètres par seconde.

Autom., techn. Une automobile de 45 chevaux au frein (opposé à *chevaux frein,* ci-dessous).

44 (...) la joie d'être blindé, trente-six chevaux vapeur, des tuyères (...)   J.-M. G. LE CLÉZIO, le Déluge, p. 278.

(1892, *in* T.L.F.). Techn. (par métonymie). *Petit cheval, cheval alimentaire :* petite machine auxiliaire (pompe à vapeur, etc.).

Cour. *Cheval fiscal* (abrév. : *CV*), équivalant à un sixième environ du litre de cylindrée. *Une quatre chevaux :* une voiture de quatre chevaux fiscaux (nom d'un modèle de la marque Renault, très populaire naguère). *Une deux chevaux Citroën.* — On écrit aussi : *deux-chevaux* (abrév. fam : *deuch'*); *quatre-chevaux.*

45 (...) l'enquête sur la jeunesse en 69 (qui avait passionné Robert), son voyage en Auvergne, en 2 chevaux («sur la piste des anciens volcans») (...)   F. MALLET-JORIS, le Jeu du souterrain, p. 126.

♦ 5 (Trad. de l'angl. *horse*). Argot. Héroïne (drogue).

DÉR. Chevaler, chevalet, chevau-légers.

CHEVALEMENT [ʃ(ə)valmɑ̃] n. m. — 1694; de *chevaler.*

Assemblage de madriers et de poutres qui supportent un mur, une construction qu'on reprend en sous-œuvre. → Étai. — *Chevalement d'un puits de mine :* chevalet qui porte les poulies sur lesquelles passent les câbles.

Ces constructions, à la lueur indécise de la lune, revêtent des formes spectrales : ce sont les *chevalements* des mines (...)   Louise MICHEL, La Misère, t. III, p. 619.

CHEVALER [ʃ(ə)vale] v. tr. — V. 1420; de *cheval.*

Technique.

♦ 1 (1676). Étayer avec des chevalements. *Chevaler un mur.*

♦ 2 (1723). *Chevaler les cuirs,* les travailler sur le chevalet.

DÉR. Chevalement.

CHEVALERESQUE [ʃ(ə)valʀɛsk] adj. — 1642; adapt. de l'ital. *cavalleresco,* d'après *chevalier; chevalereux,* XVIe.

♦ 1 Hist. Qui a le caractère d'un chevalier; digne d'un chevalier. *Règles chevaleresques. Bravoure, courtoisie, générosité chevaleresque. Conduite chevaleresque. Les traditions chevaleresques* (→ Plaisanterie, cit. 8). *Goûts chevaleresques. Littérature chevaleresque,* de chevalerie*.

1 (...) il avait cependant cette espèce d'honneur chevaleresque qui, à l'armée, fait excuser les plus grands excès.   BALZAC, les Marana, Pl., t. IX, p. 793.

2 (...) on vit alors se développer, avec une exagération énorme, une passion inconnue à la grave et mâle antiquité, je veux dire l'amour chevaleresque et mystique.   TAINE, Philosophie de l'art, t. I, I, II, VI.

♦ 2 Littér. Qui présente des qualités morales analogues à celles qui étaient exigées du chevalier : courage, générosité, dévouement, fidélité. → Généreux. *Un adversaire chevaleresque.*

Cour. D'un dévouement généreux, désintéressé (actes, comportements). *Des façons, des manières chevaleresques.*

DÉR. Chevaleresquement.

CHEVALERESQUEMENT [ʃ(ə)valʀɛskəmɑ̃] adv. — 1836; de *chevaleresque.*

Littér. D'une manière chevaleresque.

CHEVALERIE [ʃ(ə)valʀi] n. f. — V. 1165; «exploit chevaleresque», 1080; de *chevalier.*

A Hist. ♦ 1 Institution militaire d'un caractère religieux, propre à la noblesse féodale. *Les règles de la chevalerie étaient la bravoure, la courtoisie, la loyauté, la protection des faibles* (→ Chevalier). *Les siècles de la chevalerie. Actes de chevalerie.* → Chevaleresque. — *Chevalerie errante :* les chevaliers* errants. — *Romans de chevalerie :* œuvres d'imagination où sont décrits les exploits, les mœurs, les amours des chevaliers. *La bibliothèque bleue comprenait de nombreux romans de chevalerie. Don Quichotte, grand lecteur de romans de chevalerie.*

1 La chevalerie, à son origine, était une institution sacrée, un ordre qui obligeait ses profès à des vœux solennels, à de nombreuses observances.   OZANAM, *in* Pierre LAROUSSE.

2 (La chanson de geste) a popularisé en le magnifiant un nouvel idéal de chevalerie (...)   Pierre GAXOTTE, Hist. des Français, t. I, p. 276.

♦ 2 Le corps des chevaliers, la cavalerie noble. *L'élite, la fleur, la fine fleur de la chevalerie.*

♦ 3 Ordre militaire et religieux institué pour combattre les infidèles. → Ordre, cit. 39. *Ordre de chevalerie du Saint-Sépulcre.*

B Mod. Distinction honorifique (instituée dans divers États). *Être décoré de plusieurs ordres de chevalerie.*

3 L'anoblissement *(à la fin de l'ancien régime)* peut résulter de la collation d'un ordre de chevalerie, par exemple de la croix de Saint-Louis; c'est une survivance de la chevalerie du moyen âge.   Fr. OLIVIER-MARTIN, Précis d'hist. du droit franç., p. 376.

CHEVALET [ʃ(ə)valɛ] n. m. — 1429, *quevallet, chevales; cevalet* «petit cheval», XIIIe; de *cheval,* et suff. *-et.*

♦ 1 (1559). Anciennt. Instrument de supplice ou de torture.

0.1 (...) je parvins ainsi à la hauteur de la fenêtre de la grande salle souterraine (...) Ma malheureuse compagne était étendue sur un chevalet, les cheveux épars et destinée sans doute à quelque effrayant supplice où elle allait trouver, pour liberté, l'éternelle fin de ses malheurs (...)   SADE, Justine..., t. I, p. 216 (1791).

0.2 Le programme comporte ensuite un divertissement dans le style du Grand-Guignol, qui s'intitule «Meurtres rituels» (...) Le décor est resté le même (...) (un vaste cachot voûté [...]); il nécessite seulement quelques accessoires complémentaires tels que roues, croix ou chevalets.   A. ROBBE-GRILLET, la Maison de rendez-vous, p. 99-100.

♦ 2 (1429). Support qui sert à tenir à la hauteur voulue l'objet sur lequel on travaille. *Chevalet de scieur de bois* (→ Baudet, chèvre), *de menuisier* (→ Banc, II.), *de tonnelier* (→ Marotte). *Chevalet de cardeur, de charpentier. Corroyeur travaillant sur le chevalet.* → Chevaler; chevalement. *Chevalet d'un puits de mine.*

1 On se sert pour cela *(broyer le chanvre)* d'une sorte de chevalet surmonté d'un levier en bois, qui, retombant sur des rainures, hache la plante sans la couper.   G. SAND, la Mare au diable, Appendice I, p. 147.

Tréteau de charpente.

♦ 3 Support, trépied. *Chevalet d'un tableau noir, chevalet de peintre,* qui supporte le tableau, la toile.

1.1 (Louise) déballa un objet plié, qui, une fois redressé dans sa position ordinaire, formait un chevalet rigoureusement vertical. Une toile neuve, bien tendue sur son cadre intérieur, fut posée à mi-hauteur du chevalet et maintenue solidement par un crampon à vis que Louise abaissa jusqu'au niveau demandé.   Raymond ROUSSEL, Impressions d'Afrique, p. 197.

Tableau de chevalet : tableau de petite dimension.

2 (...) ses tableaux dits de chevalet, ses esquisses, ses grisailles, ses aquarelles, etc.
> BAUDELAIRE, Curiosités esthétiques, XII,
> L'œuvre et la vie de Delacroix, IV.

♦ **4** (1564). Techn. (mus.). Mince pièce de bois placée d'aplomb sur la table de certains instruments à cordes pour soutenir les cordes tendues. *Chevalet d'un violon.*

HOM. Formes du v. **chevaler.**

CHEVALIER [ʃ(ə)valje] n. m. — V. 1130; *chevalier,* 1080; du lat. *caballarius,* d'après *cheval.*

I ♦ **1** Antiq. Dans l'ancienne Rome, Membre de l'ordre équestre, intermédiaire entre les patriciens et les plébéiens.

1 (...) Servius n'abaissa la puissance du patriciat qu'en fondant une aristocratie rivale. Il créa douze centuries de chevaliers choisis parmi les plus riches plébéiens ; ce fut l'origine de l'ordre équestre, qui fut dorénavant l'ordre riche de Rome.
> FUSTEL DE COULANGES, la Cité antique, IV, 10,
> p. 381.

♦ **2** Hist., cour. Seigneur féodal possédant un fief suffisamment important pour assurer l'armement à cheval.

Noble admis dans l'ordre de la chevalerie. → **Chevalerie ; paladin, preux.** *Galanterie, vaillance du chevalier. Chevalier loyal, noble. Chevalier discourtois, félon. Jeune noble faisant son apprentissage de chevalier.* → **Bachelier, page, varlet.** *Écuyer* d'un chevalier. Veillée d'armes d'un chevalier. Armer, recevoir chevalier.* → **Accolade, adoubement.** *Couronne héraldique de chevalier. Cor des chevaliers* (→ **Olifant**). *L'amour courtois, idéal du chevalier.* → **Cour** (d'amour). *Défi de chevalier à chevalier.* → **Cartel.** *Combat de chevaliers* (→ **Champion, tenant**), *en champ clos* (→ **Joute, tournoi**). *Bayard, le chevalier sans peur et sans reproche. Exploits de chevaliers célébrés dans les chansons de geste, les romans de* chevalerie*. *Le Chevalier au lion, le Chevalier à la charrette,* de Chrétien de Troyes. *Les chevaliers de la Table ronde,* compagnons du roi Arthur.

2 Des chevaliers français tel est le caractère.
> VOLTAIRE, Zaïre, II, 3.

3 Beau chevalier qui partez pour la guerre,
Qu'allez-vous faire
Si loin d'ici ? A. DE MUSSET, Barberine, III.

4 Le chevalier breton, tout comme le troubadour méridional, se reconnaît le vassal d'une Dame élue.
> D. DE ROUGEMONT, l'Amour et l'Occident, p. 22.

Hist. *Chevalier du guet :* commandant d'une garde qui faisait le guet dans les grandes villes.

Loc. *Chevalier errant :* chevalier qui allait par le monde pour redresser les torts, combattre dans les tournois et acquérir du renom.

5 Seigneur aventurier, s'il te prend quelque envie
De voir ce que n'a vu nul chevalier errant,
Tu n'as qu'à passer ce torrent.
> LA FONTAINE, Fables, X, 13.

Fig. *Chevalier de la Triste Figure :* homme d'aspect malheureux, par allusion au personnage de Don Quichotte.

Vieilli. *Être un vrai chevalier :* avoir de la noblesse, de la courtoisie dans ses procédés. — Fig. *Se faire le chevalier de qqn,* prendre sa défense. *Le chevalier d'une dame,* celui qui lui rend des soins assidus. On dit plutôt, de nos jours, *chevalier servant.*

6 Chevalier servant d'Aziyadé qu'il adore ; il est jaloux pour elle, plus qu'elle, et m'épie à son service, avec l'adresse d'un vieux policier. LOTI, Aziyadé, VIII, p. 84.

♦ **3** (1538). Membre d'un ordre honorifique. → **Chevalerie** (3.). *Les Chevaliers teutoniques. Chevalier de l'Annonciade, de Malte, du Saint-Sépulcre. Templier, chevalier de l'ordre du Temple. Commandeur d'un ordre de chevaliers.*

Membre d'un ordre honorifique, et, spécialt, (dans un ordre où il y a plusieurs grades) personne qui a le grade le moins élevé. *Chevalier de Saint-Michel, du Saint-Esprit. Chevalier de la Toison d'or, de l'ordre de la Jarretière.* — *Chevalier de l'ordre de la Légion d'honneur, du Mérite agricole* (→ **Décoration**). *Porter la croix, la décoration de chevalier.*

♦ **4** Dans la noblesse, Celui qui est au-dessous du baron*. *Le chevalier des Grieux* (dans *Manon Lescaut*).

♦ **5** [a] (1633). Fig. *Chevalier de l'industrie* (vieilli), *d'industrie :* individu qui vit d'expédients. → **Aigrefin, escroc.**

7 Je m'associai ensuite avec des chevaliers d'industrie, qui cultivèrent si bien mes heureuses dispositions, que je devins en peu de temps un des plus forts de l'ordre
> A. R. LESAGE, Gil Blas, V, 1.

8 Eux, des comtes ! des vicomtes ! Tout au plus des chevaliers d'industrie. Ce sont des escrocs, des gens de basse police, vous dis-je. Louise MICHEL, la Misère, t. II, p. 404.

[b] (XVIIIᵉ). Loc. fam. *Chevalier de la manchette :* homosexuel.

[c] Loc. Argot. *Chevalier du bidet :* souteneur.

II Oiseau charadriiforme (*Charadriidés-scolopacinés*), scientifiquement appelé *tringa,* au bec droit, grêle, long et incurvé vers le haut, aux tarses longs et grêles. → **Bécasson.** *Les chevaliers sont des échassiers migrateurs.* — *Chevaliers à pieds rouges.* → **Gambette.** *Chevalier combattant*.*

DÉR. **Chevalière.**

CHEVALIÈRE [ʃ(ə)valjɛʀ] n. f. — 1821; de *bague à la chevalière.*

Bague à large chaton plat sur lequel sont gravées des armoiries, des initiales.

La boîte contient, en outre (...) une bague, une chevalière en argent ou en alliage de nickel, telle que les ouvriers s'en fabriquent communément à l'usine, qui est marquée «H. M.» (...)
> A. ROBBE-GRILLET, Dans le labyrinthe, p. 214.

CHEVALIN, INE [ʃ(ə)valɛ̃, in] adj. — 1119; du lat. *caballinus,* de *caballus* (→ Cheval), d'après *cheval.*

♦ **1** Qui tient du cheval, qui a rapport au cheval. *Bête chevaline.* → **Cheval, jument.** *Races chevalines.*

1 J'ai, dit la bête chevaline,
Un apostume sous le pied.
> LA FONTAINE, Fables, V, 8.

Boucherie chevaline, où l'on vend de la viande de cheval. → **Hippophagique.**

♦ **2** Qui évoque le cheval. *Œil, profil chevalin. Un sourire chevalin,* qui découvre de grandes dents. *Un rire chevalin,* dont la sonorité évoque un hennissement.

2 Dès qu'il s'animait (...) le blanc de son grand œil chevalin s'injectait d'un peu de sang.
> MARTIN DU GARD, les Thibault, t. VI, p. 128.

CHEVAL-VAPEUR [ʃ(ə)valvapœʀ] n. m. → **Cheval** (II., 4.).

CHEVANCE [ʃəvɑ̃s] n. f. — Fin XIIᵉ; de *chevir.*

Vx et dial. Biens, fortune.

CHEVAUCHANT, ANTE [ʃ(ə)voʃɑ̃, ɑ̃t] adj. — 1808; de chevaucher.

Qui chevauche (3.), se recouvre en partie. *Tuiles chevauchantes. Dents chevauchantes.*

CHEVAUCHÉE [ʃ(ə)voʃe] n. f. — 1190; de chevaucher.

♦ **1** (1240). Dr. anc. Obligation pour le vassal d'accompagner le suzerain dans de courtes expéditions militaires. — Tournée d'inspection faite par des envoyés du Roi dans les circonscriptions administratives.

♦ **2** Littér. Promenade, course à cheval. *Une longue chevauchée. Faire plusieurs lieues d'une chevauchée.* → **Traite.** *La chevauchée des Valkyries.*

Par métaphore. → **Incursion, investigation.**

Ce furent alors de grandes chevauchées à travers les idées (...) Les contradictions qui divisent les grands esprits la tourmentaient et elle cherchait à mettre d'accord ces lumières de diverses couleurs qui voltigeaient autour d'elle. A. MAUROIS, Lélia, I, V, p. 58.

♦ **3** Par métonymie. Littér. Troupe de personnes à cheval. → **Cavalcade.**

HOM. **Chevaucher.**

CHEVAUCHEMENT [ʃ(ə)voʃmɑ̃] n. m. — 1814; «fait d'aller à cheval», v. 1360; de chevaucher, 3.

Croisement de deux objets qui se recouvrent en partie, qui empiètent l'un sur l'autre. *Chevauchement des lettres, des signes.*

Géol. → **Charriage.**

CHEVAUCHER [ʃ(ə)voʃe] v. — 1080, chevalchier; du bas lat. caballicare, de caballus. → Cavaler.

♦ **1** V. intr. (Vx ou littér.). Aller à cheval. → **Cavalcader** (vx).

1 Tristan chevauchait avec Iseut, et, par crainte d'une embûche, il avait revêtu son haubert sous ses haillons.
J. BÉDIER, Tristan et Iseut, XI, p. 124.

♦ **2** V. tr. (XIIIᵉ). Être à cheval, à califourchon sur. *Les sorcières chevauchent des manches à balais.*

Figuré :

2 Une paire de lunettes chevauche le nez aux grandes narines membraneuses.
G. DUHAMEL, Chronique des Pasquier, V, p. 215.

Spécialt. Se placer sur (une femelle, une femme) et la posséder sexuellement (en parlant du mâle, de l'homme). → **Sauter** (fam.).

♦ **3** V. intr. (1690). Choses. Se recouvrir en partie, empiéter, être à cheval l'un sur l'autre. → **Croiser** (se), **recouvrir** (se). *Tuiles qui chevauchent.* → **Chevauchant, chevauchement.** *Dent qui chevauche.* → **Surdent.**

3 Des livres, des paperasses, d'innombrables brochures chevauchaient sur les rayons (...)
P.-J. TOULET, la Jeune Fille verte, p. 241, in T.L.F.

Imprim. *Lettres, lignes qui chevauchent,* qui montent l'une sur l'autre. → **Empiéter, mordre** (sur).

4 Puis, vers la fin de la nouvelle page, les lignes chevauchaient tout à fait.
LOTI, les Désenchantées, LVI, p. 255.

Pron. *Se chevaucher* (même sens).

5 Les arbres s'enchevêtrent, leurs ronces se chevauchent.
COCTEAU, la Difficulté d'être p. 16.

DÉR. **Chevauchant, chevauchée, chevauchement, chevaucheur.** ◊ HOM. **Chevauchée.**

CHEVAUCHEUR, EUSE [ʃ(ə)voʃœR, øz] n. — XIIIᵉ, chevocheor; forme mod. au XVᵉ; enregistré comme vieux aux XVIIᵉ-XVIIIᵉ; de chevaucher.

♦ **1** N. m. (Vx ou littér.). Homme qui chevauche, fait des chevauchées.

♦ **2** N. m. et f. Personne qui chevauche (qqch.). «*Chevaucheur de manche à balai*» (Hugo, in T.L.F.).

CHEVAU-LÉGERS [ʃ(ə)voleʒe] n. m. pl. — Fin XVᵉ; de cheval, et léger.

Anciennt. Corps de cavalerie de la garde du souverain. — Au sing. *Un chevau-léger :* un cavalier de ce corps.

Les bonnes gens s'égayaient de son flamand nasillard, appris chez les chevau-légers du régiment de Cassel, et plus encore de sa taille fine, de ses mollets avantageux, de ses jolies hanches, de son pas dansant.
BERNANOS, Monsieur Ouine, p. 36.

CHEVÊCHE [ʃəvɛʃ] n. f. — 1530, chevesse; chevoiche, XIIIᵉ; orig. incert., probablt du bas lat. cavannus. → Chat-huant.

Oiseau rapace nocturne ou strigiforme, de petite taille, appelé aussi *chouette chevêche,* ou *chouette noctuelle, trembleur.*

Ils échangent, hulottes et chevêches, effraies et grands-ducs, des rires tremblés, des sanglots, des sifflements doux, et aussi ces cris poignants qu'entendaient seules les nuits. 1
COLETTE, la Paix chez les bêtes, «Les chats-huants», p. 173.

Il n'y a plus qu'une bande plus claire à l'horizon : deux che- 2
vêches chuintent aux deux bouts de l'invisible, se répondent de minute en minute, relayées par un hibou plus proche qui hue dans un vieux peuplier.
Hervé BAZIN, Cri de la chouette, p. 244.

Appos. *Chouette chevêche.*

CHEVELÉ, ÉE [ʃəvle] adj. et n. f. — 1337, chevellé; de chevel, cheveu*.

♦ **1** Adj. (XVIᵉ). Blason. Dont les cheveux sont d'un émail particulier. *Tête d'argent chevelée de gueules.*

♦ **2** N. f. (1701). Bot. → **Marcotte.**

CHEVELU, UE [ʃəvly] adj. et n. m. — XIIᵉ; de chevel, cheveu*.

♦ **1** Garni de cheveux. *Le cuir chevelu.* → **Cuir.**

Bot. *Racine chevelue,* terminée par de nombreux filaments. → **Radicelle.** — N. m. (1690). *Le chevelu :* partie filamenteuse de la racine.

♦ **2** Qui a de longs cheveux touffus. *Un vieillard chevelu. Des hippies chevelus.* Par métonymie. *La Gaule chevelue :* partie de la Gaule où les habitants portaient de longs cheveux (ainsi nommée par les Romains).

D'abord ce sont des chapeaux et puis des turbans et puis 1
des têtes chevelues et puis des têtes rasées.
FONTENELLE,
Entretien sur la pluralité des mondes, 1ᵉʳ soir.

Subst. (surtout masc.). *Clodion le chevelu. Une bande de chevelus.*

♦ **3** Poét. (Choses). *Astre chevelu.* → **Comète.** *Arbre chevelu, forêt chevelue. Mont chevelu,* couvert d'arbres.

J'ai vu la nymphe Écho porter ses doux concerts 2
Sur les monts chevelus, sur les rochers déserts.
J.-B. ROUSSEAU, Églogue.

Les palmiers chevelus, pendant au front des tours, 3
Semblaient d'en bas des touffes d'herbes.
HUGO, les Orientales, I, VI.

CONTR. **Chauve, dénudé, pelé, rasé, tondu.**

CHEVELURE [ʃəvlyʀ] n. f. — 1080, *cheveleüre ; de chevel, cheveu*, et suff. collectif -ure.*

♦ **1** Ensemble des cheveux*. → **Perruque**. *Une chevelure maigre, abondante. Une chevelure blanche.*

1 Au niveau de la nuque, la chevelure féminine se termine d'une façon très précise avec deux prolongements latéraux formés de cheveux frisés et parfois un prolongement médian symétrique de la mèche centrale du front.
   A. BINET, les Formes de la femme, III, p. 47.

Chevelure détachée du crâne. → **Scalp**. *Les chasseurs de chevelures :* Indiens qui scalpent* les têtes pour garder la chevelure comme trophée.

Spéciat. Cheveux longs et fournis. *Une belle chevelure. Une chevelure épaisse.* → **Toison**. *Une longue chevelure.* → **Crinière** (fam.). *Une chevelure emmêlée.* → **Tignasse** (fam.). *Chevelure blonde, brune... Chevelure frisée, bouclée, ondulée, ondoyante, flottante... Arranger, peigner sa chevelure. La chevelure,* poème de Baudelaire.

2 Sur ta chevelure profonde
Aux âcres parfums (...)
   BAUDELAIRE, les Fleurs du Mal, Spleen et Idéal,
   XXVIII, «Le serpent qui danse».

3 Oui, une chevelure, une énorme natte de cheveux blonds, presque roux, qui avaient dû être coupés contre la peau, et liés par une corde d'or.
   MAUPASSANT, «La chevelure.»

4 (...) l'allure libre, la longue chevelure éparse en crinière, la mise presque élégante, elle allait seule avec lui (...) errer jusqu'à la nuit close. LOTI, Matelot, XXV, p. 95.

5 Cette chevelure était éclatante et profonde, douce comme une fourrure, plus longue qu'une aile, souple, innombrable, animée, pleine de chaleur.
   Pierre LOUŸS, Aphrodite, I, p. 13-14.

6 La masse ciselée de sa chevelure blonde amenuisait sa figure de perle (...)
   Edmond JALOUX, le Jeune Homme au masque, II,
   p. 36.

7 Un large peigne en main, Justin Weill s'efforçait de rejeter en arrière et de lisser en la mouillant un peu sa chevelure couleur de flamme.
   G. DUHAMEL, Chronique des Pasquier, VII, V.

♦ **2** Poét. *La chevelure des arbres,* leur feuillage. *Chevelure d'une racine.* → **Chevelu**.

8 Il sent la chevelure affreuse des racines,
Entrer dans son cercueil (...)
   HUGO, les Contemplations, VI, VI, 11.

9 Et les chevelures des arbres
Frissonneront sous le ciel noir.
   HUGO, les Châtiments, I, 1.

10 (...) la moisson blondissante,
Chevelure des sillons.
   NERVAL, Poésies, «Les papillons».

11 (...) il se peut aussi que ce mélange de dénuement et de grandeur, de marches forcées et de chevelures de saules trempant dans les champs inondés par les rivières en crue, de fusillades et de soudains silences (...) c'était pour moi Conrad, et non la guerre, et l'aventure en marge d'une cause perdue.
   M. YOURCENAR, le Coup de grâce, p. 230.

Chevelure d'une comète, traînée lumineuse qui la suit.

CHEVER [ʃəve] v. tr. — V. 1170 ; du lat. *cavare.* → **Caver**.

Techn. Creuser. *Chever du verre,* le rendre concave. — Au p. p. *Un verre de montre chevé.* — (1690). *Chever une pierre précieuse,* la creuser par-dessous pour en éclaircir la teinte.

DÉR. **Chevage.**

CHEVESNE [ʃəvɛn] n. m. — V. 1220 ; *chevenne,* 1432 ; du lat. pop. **capitinem,* proprt «grosse tête», de *caput, -itis* «tête». → **Chef.**

Poisson cyprinidé qui vit dans les eaux douces, à dos brun et ventre argenté, et que l'on appelle aussi *dard, meunier* ou *vandoise.*

1 Le temps se lève. À huit heures, je m'en vais à la pêche. Le chevesne au sang. En novembre, le chevesne ne veut plus que du sang.
   Roger VAILLAND, 325 000 francs, p. 223.

2 (...) un soleil déclinant tamisé par les saules distribuait des ronds de lumière glauque, soluble dans l'eau elle-même parcourue d'orbes molles chaque fois que, par en dessous, la remontée à l'air d'un dyptique, le suçon d'un chevesne en touchaient la surface (...)
   Hervé BAZIN, Cri de la chouette, p. 225.

REM. On écrit aussi *chevaine* ou *chevenne.*

CHEVET [ʃ(ə)vɛ] n. m. — V. 1450 ; *chevez,* v. 1774 ; du lat. *capitium,* de *caput* «ouverture d'un vêtement par laquelle on passe la tête».

Ⅰ ♦ **1** Partie du lit où l'on pose sa tête. → **Tête** (d'un lit).

1 Pour les malades, le monde commence au chevet et finit au pied de leur lit.
   BALZAC, la Peau de chagrin, Pl., t. IX, p. 236.

DE CHEVET. *Image, lampe, table de chevet,* qui sont à la tête du lit.

2 Il l'aidait à disposer les coussins, à brancher une lampe de chevet sur la prise électrique.
   MARTIN DU GARD, les Thibault, t. VII, p. 209.

2.1 (...) la torpeur dans laquelle son corps au moins se trouvait ; il prend sur le bois de la table de chevet, le bracelet-montre auquel il s'étend il y avait laissé. Presque cinq heures et demie, lit-il au cadran dans le faible jour (...)
   A. PIEYRE DE MANDIARGUES, la Marge, p. 11.

Par ext. *Livre de chevet :* livre de prédilection. → **Bible, bréviaire.** Fig. (vx). *Épée de chevet :* ce sur quoi l'on s'appuie en toute occasion ; idée fixe, dada.

3 Voilà leur épée de chevet, de l'argent.
   MOLIÈRE, l'Avare, III, 1.

♦ **2** AU CHEVET (de qqn). *(Veiller) au chevet d'un malade,* (rester) auprès de lui pour le soigner.

4 Madeleine ne s'épargna pas et passa trois nuits debout au chevet de sa belle-mère, qui rendit l'esprit entre ses bras.
   G. SAND, François le Champi, IV, p. 48.

5 Ils étaient au chevet de cette usine mourante comme à celui d'un malade qui déjà ne peut plus parler.
   A. MAUROIS, Bernard Quesnay, XVII, p. 108.

♦ **3** Vx. Coussin allongé, à la tête du lit. → **Traversin.**

6 Allons sur le chevet rêver quelque moyen
D'avoir de l'incrédule un plus doux entretien.
   CORNEILLE, le Menteur, III, 6.

7 (...) la tête dans les mains, les yeux se dérobant, comme indignes, à la clarté du jour, et le visage caché dans un chevet (...) SAINTE-BEUVE, Volupté, XIX, p. 186.

Ⅱ (XIIIe, picard *caveç*). ♦ **1** Archit. Partie d'une église qui se trouve à la tête de la nef, derrière le chœur. → **Abside.** *Chevet gothique, roman.*

8 Un cimetière entoure le chevet de cette église, et plus loin se trouve le presbytère.
   BALZAC, Séraphîta, Pl., t. X, p. 462.

9 L'église, extérieurement, du côté du chevet, très ancienne : gothique roman, en pierres de diverses couleurs.
   E. DELACROIX, Journal, 5 août 1850.

Extérieur du chœur.

♦ **2** (1842). Minér. Lit d'un filon.

CONTR. **Pied** (de lit). ◊ HOM. Formes du v. **chever.**

CHEVÊTRE [ʃəvɛtʀ] n. m. — Déb. XIIe ; du lat. *capistrum* «licou».

Vieux ou technique.

♦ **1** Vx. Licou (d'une bête de somme).

♦ **2** (1741). *Chir.* Bandage utilisé pour les fractures de la mâchoire.

♦ **3** *Mod. Techn.* Élément de charpente (bois, acier, béton...) disposé horizontalement et longitudinalement, pour réunir des éléments porteurs, supporter un tablier (pont), etc.

COMP. Déchevêtrer, enchevêtrer.

CHEVEU [ʃ(ə)vø] n. m. — 1080, *chevel;* du lat. *capill-, proprt* «chevelure».

♦ **1** Poil* qui recouvre le crâne de l'homme. → **Chevelure; capill-, trich-.** (S'emploie surtout au pluriel : *les cheveux.* → fam. Cresson, crins, douilles, mousse, persil, plumes, poil, tifs...). *Les cheveux sont des phanères*. Partie de la peau où poussent les cheveux.* → **Cuir** (chevelu). *Ses cheveux sont plantés bas.* → **Plantation.** *Naissance des cheveux. Les cheveux croissent par la racine.* → **Bulbe.** *Cheveux fins, gros, vigoureux, secs, gras, ternes, brillants. Cheveux plats, lisses. Cheveux raides (comme des cordes, comme des baguettes de tambour). Cheveux drus, rebelles. Cheveux souples. Cheveux frisés.* → **Bouclé, crépelé, crépu, ondé, ondulé.** *Cheveux soyeux. Cheveux laineux (→ Lanugineux) comme de l'étoupe. Cheveux vaporeux.*

1   Il *(le duc de Bourgogne)* avait des cheveux châtains si crépus et une telle quantité qu'ils bouffaient à l'excès.
    SAINT-SIMON, Mémoires, 822, 211.

2   Dans l'espèce humaine, les cheveux ne deviennent laineux que sur les nègres (...)
    BUFFON, Hist. nat. des hommes, Suppl., XI.

3   Ô Corse à cheveux plats, que ta France était belle
    Au grand soleil de Messidor !
    A. BARBIER, Iambes et poésie, «L'Idole».

4   (...) ces cheveux ondulés comme la mer et noués négligemment derrière la tête (...)
    Th. GAUTIER, Mᵘᵉ de Maupin, IV, p. 56.

5   Chéri distingua un large dos, le bourrelet grenu de la nuque au-dessous de gros cheveux gris vigoureux (...)
    COLETTE, la Fin de Chéri, p. 78.

6   Elle penchait, sur des papiers, ses cheveux crépelés à reflet roux, son joli front d'institutrice.
    COLETTE, la Fin de Chéri, p. 10.

7   Le vent agitait ses cheveux rebelles.
    F. MAURIAC, le Nœud de vipères, p. 85.

Couleur des cheveux. → **Pigment.** *Cheveux noirs, d'ébène. Cheveux aile de corbeau, qui ont des reflets bleus. Avoir des cheveux bruns** (→ **Brunet, brunette**). *Cheveux châtains*. *Cheveux roux* (→ **Carotte, rouge**). *Cheveux blonds*. *Cheveux d'or. La Fille aux cheveux de lin,* prélude de Debussy. *Cheveux gris* (→ **Grison; grisonnant**). *Cheveux poivre et sel. Le premier cheveu blanc. Cheveux blancs* (→ **Chenu; canitie**), *argentés. Cheveux de neige. Fig. Respectez les cheveux blancs :* respectez la vieillesse.

8   Tes cheveux qui d'un or non pareil
    Surmontent la blondeur des rayons du soleil.
    Amadis JAMYN, Poésies, II, 80.

9   (...) d'admirables cheveux noirs vernis et brillants comme l'aile du corbeau (...)   Th. GAUTIER, la Toison d'or, I.

10 Les cheveux blancs, drus et courts, avivaient son œil sous d'épais sourcils gris.
    MAUPASSANT, Fort comme la mort, I, 1.

11 (...) ses cheveux châtains, massés sous un chapeau de feutre noir, luisaient dans la lumière avec des reflets fauves.   Paul BOURGET, le Disciple, IV, p. 228.

12 Vous serez l'honneur de ma vieillesse, admirable élève, la gloire de mes cheveux blancs.
    Ch. PÉGUY, Œ., t. I, p. 379.

13 (...) ses cheveux roux, durs et broussailleux, plantés comme de l'herbe sur son front bas (...)
    MARTIN DU GARD, les Thibault, t. I, p. 82.

14 (...) la brosse hirsute des cheveux poivre et sel (...)
    MARTIN DU GARD, les Thibault, t. VI, p. 239.

Changements dans la couleur des cheveux. Cheveux qui deviennent bruns (→ **Brunir, brunissage, brunissement; foncer**), *blonds* (→ **Blondir; décolorer**), *gris* (→ **Grisonner**), *blancs* (→ **Blanchir**). *Se décolorer les cheveux.* → **Oxygéner.** *Se faire éclaircir des mèches de cheveux* (→ **Balayage**). *Se teindre les cheveux.* → **Teinture.** *Se passer les cheveux à la camomille, à la feuille de noyer, au henné.*

15 Son crâne aride nourrissait à peine quelques cheveux teints en noir.   FRANCE, le Lys rouge, VI, p. 74.

16 Des yeux au henné, des cheveux au henneh, un trop joli visage, avec un mauvais sourire.
    LOTI, les Désenchantées, IV, p. 62.

17 (...) le rouge mal réussi de ses cheveux et leurs racines blanchissantes.   COLETTE, Chéri, p. 137.

Avoir beaucoup de cheveux. Cheveux abondants, drus, épais. → **Chevelure; crinière, tignasse, toison.** *Avoir peu de cheveux. Avoir le cheveu rare.* → **Clairsemé, maigre.** *Ne pas avoir de cheveux.* → **Atrichie, calvitie; chauve.** *Un flot, une forêt, une masse de cheveux. Une mèche, une touffe de cheveux.* → **Épi, houppe, toupet.**

18 (...) il était si chauve, qu'il ne lui restait qu'un toupet de cheveux par derrière (...)
    A. R. LESAGE, Gil Blas, VII, 2.

19 Elle avait une forêt de grands cheveux noirs, naturellement bouclés, qui lui tombaient au jarret (...)
    ROUSSEAU, les Confessions, IX.

20 (...) il avait rougi jusqu'à l'épi qui étoilait la naissance des cheveux (...)
    MARTIN DU GARD, les Thibault, t. II, p. 264.

Avoir les cheveux en désordre, en bataille, en broussaille, emmêlés, hirsutes. → **Décoiffé, dépeigné, ébouriffé, échevelé.** *Cheveux en coup de vent.*

21 La plaintive élégie, en longs habits de deuil
    Sait, les cheveux épars, gémir sur un cercueil.
    BOILEAU, l'Art poétique, II.

22 Une petite aux cheveux ébouriffés en nuage d'or (...)
    LOTI, Ramuntcho, I, I, p. 16.

23 (...) des saules laissant tomber leurs feuillages sur l'eau comme une femme aux cheveux dépeignés.
    A. MAUROIS, Climats, I, V, p. 45.

Démêler, coiffer, peigner les, ses cheveux (→ **Brosse; peigne**). *Cheveux qui tombent lorsqu'on se peigne.* → **Démêlure, peignure.** — *Porter les cheveux courts, longs, dans le dos. Cheveux flottants, tombant sur les épaules. Le pli des cheveux,* leur mouvement naturel. *Séparation des cheveux.* → **Raie.** — *Arranger les cheveux.* → **Coiffer; coiffeur;** et aussi **ajuster, attacher, cordeler, cordonner, crêper, natter, relever, retrousser, tirer, tordre, torsader, tortiller, tresser.** *Disposition des cheveux.* → **Coiffure; bandeau** (cit. 3), **chignon, coque, favori, frange, frison, guiche, mèche, natte, queue, rouleau, torsade, tortillon, toupet, tresse.** *Objets qui tiennent les cheveux.* → **Barrette, épingle, nœud, peigne** (de cheveux), **pince, ruban, serre-tête.** *Filet à cheveux.* → **Résille, réticule.**

24 Ses cheveux, dont les deux bandeaux noirs semblaient chacun d'un seul morceau, tant ils étaient lisses, étaient séparés sur le milieu de la tête par une raie fine, qui s'enfonçait légèrement selon la courbe du crâne et, laissant voir à peine le bout de l'oreille, ils allaient se confondre par derrière en un chignon abondant, avec un mouvement ondé vers les tempes (...)
    FLAUBERT, Mᵐᵉ Bovary, II, p. 15.

25 Elle avait des cheveux superbes; plantés rudes et droits sur le front, ils se rejetaient puissamment en arrière, ainsi qu'une vague jaillissante, puis coulaient le long de son crâne et de sa nuque, pareils à une mer crépue, pleine de bouillonnements et de caprices, d'un noir d'encre. Ils étaient si épais qu'elle ne savait qu'en faire. Ils la gênaient. Elle les tordait en plusieurs brins, de la grosseur d'un poignet d'enfant, le plus fortement qu'elle pouvait, pour qu'ils tinssent moins de place, puis elle les massait derrière sa tête. Elle n'avait guère le temps de songer à sa coiffure, et il arrivait que ce chignon énorme, fait sans glace et à

la hâte, prenait sous ses doigts une grâce puissante. À la voir coiffée de ce casque vivant, de ce tas de cheveux frisés qui débordaient sur ses tempes et sur son cou comme une peau de bête, on comprenait pourquoi elle allait tête nue, sans jamais se soucier des pluies ni des gelées.

ZOLA, la Fortune des Rougon, I, p. 16.

Défaire les, ses cheveux. → **Dénatter, dénouer, dérouler, détresser.**

Couper les cheveux de qqn, à qqn. → **Désépaissir, effiler, rafraîchir, tailler, tondre, tonsurer.** *Se couper, se faire couper les cheveux.* — (1822, *in* D.D.L.). *Une coupe de cheveux.* — *Cheveux coupés court, taillés en brosse...* (→ **Coiffure**).

26 Son visage dormant, qu'allongeait un reste de cheveux dressés en brosse autour de la calvitie, accusait la cinquantaine.

MARTIN DU GARD, les Thibault, t. I, p. 38.

Friser les cheveux de qqn, ses cheveux (→ **Bichonner, boucler, calamistrer, frisotter, onduler, rouler, roulotter**). *Mèche de cheveux frisés.* → **Boucle, frisette, frison, ondulation.** *Procédés pour friser, mettre en forme les cheveux.* → **Bigoudi, brushing** (anglic.), **fer** (à friser), **indéfrisable, mise** (en plis), **ondulation, papillote, permanente** (permanent, 3. et cit. 6). *Lavage des cheveux.* → **Shampooing.** *Lustrer les cheveux* (→ **Brillantine, cosmétique, gel, pommade**). *Cheveux plaqués, gominés. Poudrer ses cheveux. Brosse à cheveux.*

27 Il se fait mettre des papillotes et fait poudrer ses cheveux en attendant qu'on batte la générale (...)

VAUVENARGUES, Thersite.

28 Miss Bell, n'est-ce pas cette jeune personne qui a l'air, avec ses cheveux jaunes frisottés, d'un petit chien d'appartement?

FRANCE, le Lys rouge, I, p. 10.

Maladies, affections des cheveux. → **Pelade, pellicule, plique** ou **trichome, séborrhée, teigne, trichophytie.** *Décoloration congénitale des cheveux.* → **Albinisme, leucotrichie.** *Chute des cheveux. Perdre ses cheveux. Cheveux cassants, cheveux fourchus. Parasite des cheveux.* → **Pou.** *Soin des cheveux.* → **Capilliculture**; **brûlage, épointage, lotion** (capillaire).

Faux cheveux. → **Chichi** (II.), **moumoute, perruque, postiche.**

Cheveux d'Absalon, célèbres pour leur longueur. *Cheveux de Samson* : cheveux dans lesquels résidait la force merveilleuse de Samson, et qui furent coupés à son insu par Dalila.

Collectiv. Le cheveu : les cheveux. *Avoir le cheveu rare, fin, épais.*

♦ **2** Loc. *Cheveux au vent* : cheveux libres de toute attache. **EN CHEVEUX** : tête nue, sans chapeau (s'est dit au XIXᵉ s. des femmes du peuple, lorsque les bourgeoises comme les aristocrates ne sortaient jamais sans chapeau). *Sortir en cheveux. Femme en cheveux.*

28.1 Cependant, parmi la foule plus rare, couraient des femmes en cheveux, redescendues après avoir allumé le feu, en se hâtant pour le dîner; elles bousculaient le monde, se jetaient chez les boulangers et les charcutiers, repartaient sans traîner (...)

ZOLA, l'Assommoir, t. II, p. 234.

29 Elle avait noué sur sa tête un foulard qui cachait ses cheveux, ses oreilles, ses joues. Un foulard gris. Pourquoi? D'habitude, elle venait en cheveux.

H. BOSCO, Hyacinthe, p. 41.

29.1 Ainsi, par exemple, dit maman, tu as un chapeau sur la tête (...) — Eh bien, je vais enlever mon chapeau ; je rêve de ne plus porter de chapeau. — Je déteste les filles en cheveux, dit papa. Ça fait mauvais genre.

Benoîte et Flora GROULT, Journal à quatre mains, p. 114.

Loc. fig. *Se prendre aux cheveux* : se quereller, se battre. *S'arracher les cheveux* : être furieux et désespéré (→ Arracher, cit. 50).

Faire dresser les cheveux sur la tête à qqn, lui inspirer un sentiment d'horreur.

30 Je ne sentis point cette horreur qui fait dresser les cheveux sur la tête et qui glace le sang dans les veines (...)

FÉNELON, Télémaque, II.

(1875, *in* D.D.L.). *Avoir mal aux cheveux* : avoir mal à la tête pour avoir trop bu. *Avoir mal aux cheveux et la gueule de bois.*

30. — J'ai mal aux cheveux, fils... Tu n'aurais pas un flacon de raide dans ta voiture?

SAN-ANTONIO, le Secret de Polichinelle, p. 93.

Se faire des cheveux, des cheveux blancs : se faire du souci. → **Poing**, cit. 10. — *Tiré par les cheveux* : amené d'une manière forcée et peu logique. — *Saisir l'occasion* aux cheveux, par les cheveux,* la saisir rapidement.

31 C'est une occasion qu'il faut prendre vite aux cheveux.

MOLIÈRE, l'Avare, I, 5.

32 Il y a des figures claires et démonstratives, mais il y en a d'autres qui semblent un peu tirées par les cheveux, et qui ne prouvent qu'à ceux qui sont persuadés d'ailleurs.

PASCAL, Pensées, X, 650.

Au sing. *Un cheveu. Fin comme un cheveu* : extrêmement fin (→ **Capillacé, capillaire**).

Avoir un cheveu sur la langue : zézayer.

À un cheveu près : à très peu de chose près. *Cela a tenu à un cheveu, il s'en est fallu d'un cheveu* : cela a failli arriver, se réaliser. *Ne pas toucher à un cheveu* (d'une personne), ne pas porter la main sur elle. *Ne pas ôter un cheveu* (à une personne), ne rien lui ôter de son mérite.

33 Ce que je viens de dire sur les affinités d'imagination et destinée entre le chroniqueur de René et le chantre de Childe-Harold n'ôte pas un seul cheveu à la tête du barde immortel (*Byron*).

CHATEAUBRIAND, Mémoires d'outre-tombe, I, 9.

33. Il faut savoir qu'un seul des cheveux de ces hommes (*les internés politiques dans les camps allemands*) a plus d'importance pour la France et l'univers entier qu'une vingtaine de ces hommes politiques dont des nuées de photographes enregistrent les sourires. Eux, et eux seuls, ont été les gardiens de l'honneur et les témoins du courage.

CAMUS, Actuelles I, La chair, mai 1945, Pl., p. 304.

(1866). Fam. *Il y a un cheveu!* : il y a un ennui.

33. (...) tout semblait me destiner à la carrière métropolitaine la plus régulière. Pourtant, il y avait un cheveu, j'avais naguère publié dans une revue un article qui n'avait pas eu l'heur de plaire à certains des grands chefs dont dépendait ma destinée.

L.-H. LYAUTEY, Paroles d'action, p. 460.

Arriver, venir comme un cheveu, des cheveux sur la soupe : arriver à contretemps, mal à propos.

(Idée de finesse). *Couper les cheveux en quatre* : subtiliser à l'excès. *C'est un coupeur de cheveux en quatre!*

34 Vous allez dire que je donne dans le rigorisme, que je coupe les cheveux en quatre.

J. ROMAINS, Knock, p. 95.

Prov. *On ne peut peigner un diable qui n'a pas de cheveux* : on ne peut tirer quelque chose de quelqu'un qui n'a rien.

♦ **3** Fêlure très fine (dans la faïence, la porcelaine).

35 Des étrangers, des provinciaux peuvent — de bonne foi — prétendre que Notre-Dame, la Sainte-Chapelle, les tours de Saint-Louis, le Louvre, Saint-Julien-le-Pauvre, le dôme des Invalides, le Panthéon, l'Arc de Triomphe demeurent tels qu'ils étaient, sans «un cheveu», comme disent les antiquaires, sans une fêlure (...)

Francis CARCO, Nostalgie de Paris, p. 21.

CHEVEUX D'ANGE ⓐ Guirlandes d'arbre de Noël.

ⓑ Vermicelles très fin.

ⓒ Tranches de cédrat*, d'orange ou de citron, confites et coupées en lanières très minces.

Bot. *Cheveu-de-la-Vierge* : fleur de la viorne. *Cheveu-de-Vénus* : adiante ou capillaire.

36 — Mais non, répondit Mme de Villeparisis tout en disposant plus près d'elle le verre où trempaient les cheveux de Vénus que tout à l'heure elle recommencerait à peindre, c'était une habitude à M. Molé, tout simplement.
PROUST, le Côté de Guermantes, éd. Folio, p. 231.

DÉR. Chevelé, chevelu, chevelure. ◊ **COMP.** Décheveler, écheveler.

CHEVILLAGE [ʃ(ə)vijaʒ] n. m. — 1808 ; de *cheviller*.

♦ **1** Action de cheviller.

Malgré toutes ses recherches dans la *Virginie* (*l'épave*), Robinson n'avait pu trouver ni une vis ni un clou. Comme il ne disposait pas non plus de vilebrequin, l'assemblage des pièces par chevillage lui était également interdit.
M. TOURNIER, Vendredi (...), p. 28.

♦ **2** Ensemble des chevilles (d'un ouvrage).

CHEVILLARD [ʃ(ə)vijaʀ] n. m. — 1856 ; de *cheville* (I., 3.).

Boucher qui vend la viande à la cheville ; boucher en gros.

CHEVILLE [ʃ(ə)vij] n. f. — V. 1160 ; du lat. pop. *cavicula*, du lat. class. *clavicula* «petite clef».

I ♦ **1** Tige de bois ou de métal dont on se sert pour boucher un trou, assembler des pièces. *Cheville carrée, ronde. Cheville conique.* → **Épite.** *Cheville d'assemblage**. → **Axe, boulon, clou, dent-de-loup, enture, fenton, goujon, goupille, taquet** *L'atteloire, cheville qui fixe les traits du cheval au timon. Cheville bouchant un trou de tonneau.* → **Broche, fausset.** *Cheville plate qui maintient une roue sur l'essieu.* → **Esse.** *Cheville assujettissant les tire-fonds des traverses de voie ferrée.* → **Trenail.** — Mar. *Cheville d'amarrage**. → **Cabillot.** *Cheville de chêne employée dans les constructions.* → **Gournable.** *Cheville du trou d'écoulement des eaux d'un canot.* → **Nable.** — *Clou plat traversant une cheville pour la fixer.* → **Clavette.** *Repoussoir** *pour chasser une cheville. Enfoncer, ficher, planter une cheville.*

1 (...) un nœud est une espèce de cheville adhérente à l'intérieur du bois.
BUFFON, Hist. nat., t. VIII, p. 182, *in* LITTRÉ.

CHEVILLE OUVRIÈRE ▯**a** (1635). Grosse cheville qui joint l'avant-train avec le corps d'une voiture, d'une charrue, d'un affût... *Lunette de cheville ouvrière d'un canon.*

▯**b** (1700). Fig. Agent, instrument essentiel d'une entreprise, d'un organisme. *Être la cheville ouvrière d'un complot, d'une association, d'une affaire.* → **Centre, pivot.**

2 (...) ils se choisirent d'une commune voix pour leur chef. Je justifiai bien leur choix par une infinité de friponneries que nous fîmes, et dont je fus, pour ainsi parler, la cheville ouvrière.   A. R. LESAGE, Gil Blas, V. I, p. 323.

3 Vingt ans de suite, effacée, silencieuse, infatigable, elle avait été la cheville ouvrière de la maison (...)
MARTIN DU GARD, les Thibault, t. VIII, p. 202.

.1 Après les prouesses dans la résistance de Marseille j'étais devenu en Suisse la cheville ouvrière de l'OVS qu'on savait d'obédience communiste (...)
Jacques LAURENT, les Bêtises, p. 234.

Rare. *Cheville maîtresse :* cheville ouvrière. Au fig. → **Centre,** cit. 9.

Loc. fig. et fam. *Être en cheville avec qqn,* lui être associé.

.2 (...) entre le vol et la présence à Dorges du mystérieux M. Prosper, on ne pouvait douter qu'une corrélation n'existât. C'était elle que Barnabé avait pour mission d'établir.

— Tous ces mirontons-là m'ont l'air d'être en cheville, songeait-il (...)
Francis CARCO, les Belles Manières, p. 75.

♦ **2** (1599). Mus. Pièce de bois ou de métal qui sert à donner la tension voulue aux cordes (d'un violon, d'une harpe, d'une guitare, d'un piano).

♦ **3** (V. 1200). Tenon pour accrocher. *Pendre qqch. à une cheville.* — Spéciat. *Viande vendue à la cheville,* dépecée et accrochée à des chevilles, qui est revendue en gros et demi-gros aux bouchers (→ **Chevillard**).

II (XIIe). Saillie des os de l'articulation du pied, formée en dedans par le tibia, en dehors par le péroné (→ **Malléole**) ; partie située entre le pied et la jambe. *Se cogner les chevilles en marchant. Se fouler la cheville. Avoir la cheville fine* (→ **Attache,** cit. 10 et *supra*). *Robe qui arrive à la cheville.*

4 Il s'était renversé au fond du fauteuil et fumait : le croisement des jambes découvrait jusqu'à la cheville son pied qu'il balançait indolemment.
MARTIN DU GARD, les Thibault, t. I, p. 123.

Par plaisanterie (→ I., 1.) :

4.1 *7 Novembre.* Une petite fille, avec de jolies chevilles ouvrières.   J. RENARD, Journal, 7 nov. 1887.

Fig. *Ne pas aller, ne pas arriver**, *ne pas venir à la cheville de qqn,* lui être très inférieur.

5 (...) ta mère est une femme exceptionnelle. Elle mérite d'être traitée non seulement avec respect, mais avec vénération. Je ne connais pas de femme qui lui vienne à la cheville.
G. DUHAMEL, Chronique des Pasquier, II, XIX, p. 412.

III (1609). Terme de remplissage permettant la rime ou la mesure ; expression inutile à la pensée. → **Redondance,** 1. ; **bourre,** C. ; → Rime, cit. 8. *Poésie bourrée de chevilles.*

6 Cheville ! redondance inutile !   ROUSSEAU, Émile, II.

7 À la face des dieux est ce qu'on appelle une cheville ; il ne s'agit point ici de dieux et d'autels ; ces malheureux hémistiches qui ne disent rien parce qu'ils semblent en trop dire, n'ont été que trop souvent imités.
VOLTAIRE, Commentaire sur Corneille, Othon, I, 1.

8 Pitoyable Laure, qui aimait Pétrarque à cause de ces sonnets hebdomadaires, pleins de chevilles et dont chacun d'ailleurs n'était qu'une cheville entre deux moments d'oubli !
GIRAUDOUX, les Aventures de Jérôme Bardini, p. 77.

9 (...) les cinq intermédiaires hurlèrent sans trêve de piteux alexandrins, que les spéculateurs (...) improvisaient hâtivement à grands renforts de chevilles.
Raymond ROUSSEL, Impressions d'Afrique, p. 37.

DÉR. Chevillard, cheviller, chevillette, chevillon. ◊ **HOM.** Formes du v. **cheviller.**

CHEVILLER [ʃ(ə)vije] v. tr. — 1155 ; de *cheville.*

♦ **1** Joindre, assembler (des pièces) avec des chevilles*. *Cheviller une porte, une table.*

♦ **2** Fig., rare. Remplir de mots inutiles. *Cheviller des vers.* Absolt. *Un poète qui cheville.*

♦ **CHEVILLÉ, ÉE** p. p. adj. *Ouvrage de menuiserie entièrement chevillé.*

1 (...) une fois qu'on avait franchi la porte massive, chevillée de longs clous à tête quadrangulaire, on tombait au milieu d'une troupe d'épée qui se croisaient dans la cour, s'interpellant, se querellant et jouant entre eux.
DUMAS, les Trois Mousquetaires, t. I, p. 36.

Loc. fig. *Avoir l'âme chevillée au corps :* avoir la vie dure.

2 Ces vieux chevaux de labour, ils ont l'âme chevillée au corps !   ZOLA, la Terre, II, p. 128.

DÉR. Chevillage.

CHEVILLETTE [ʃ(ə)vijɛt] n. f. — V. 1275; de *cheville*.
Vieux ou technique.

♦ **1** Petite cheville. «*Tire la chevillette, la bobinette cherra*» (Perrault).

♦ **2** Pièce ronde et longue qui sert à tendre un cordeau.

CHEVILLIÈRE [ʃ(ə)vijɛʀ] n. f. — 1828, à Lyon; du rad. de *cheveu*.

Régional (Savoie, Lyon, Suisse). Ruban métrique de un ou deux décamètres, s'enroulant dans une boîte de protection.

L'ingénieur s'agitait, déroulait sa chevillière, mesurait à droite, mesurait à gauche.
  Maurice ZERMATTEN, la Colère de Dieu, p. 369.

HOM. Formes du v. **cheviller**.

CHEVILLON [ʃ(ə)vijɔ̃] n. m. — 1680; «petite cheville en bois», XIIIᵉ; de *cheville*.
Technique.

♦ **1** Bâton tourné joignant les montants du dossier d'une chaise.

♦ **2** Bâton des ourdisseurs.

HOM. Formes du v. **cheviller**.

CHEVIOTTE [ʃəvjɔt] n. f. — 1872; angl. *cheviot* (1856) «mouton d'Écosse», élevé dans les monts Cheviot».

Laine des moutons d'Écosse; étoffe faite avec cette laine. *Veste de cheviotte.*

REM. La variante *cheviot* [ʃəvjo], n. m., a été en usage au XIXᵉ s. : «... *le cheviot et la toile*» (Verlaine).

CHEVIR [ʃəviʀ] v. tr. ind. — XIIᵉ; lat. vulg. *capire*, lat. *capere* «prendre».

Vx. *Chevir de... (qqch., qqn)* : venir à bout de, disposer de...

REM. Le mot a vécu jusqu'au XVIIᵉ s., où il est qualifié de «bas et burlesque» (Trévoux, 1704). Molière le met dans la bouche de M. Dimanche (*Dom Juan*, IV, 3).

DÉR. **Chevance.**

CHÈVRE [ʃɛvʀ] n. f. — 1675; *chièvre*, 1119; du lat. *capra*.

I ♦ **1** Mammifère ruminant ongulé *(Bovidés-caprinés)*; spécialt, individu de l'espèce domestique, issue de la *chèvre de Perse (capra hircus)*. → **Bique.** *La chèvre, dotée de cornes arquées, à pelage fourni, est apte à grimper et à sauter. De la chèvre.* → **Caprin.** — Spécialt. La femelle de cette espèce (opposé à *bouc*); la femelle adulte (opposé à *chevreau*). → fam. **Bique, biquette.** *Chèvre d'Europe, au profil droit, aux oreilles dressées. L'ægagre**, *chèvre sauvage d'Europe.* → **Bouquetin.** *Chèvre naine à poils ras* (en Afrique noire). → **Cabri** (2.). *Chèvre du Levant.* → **Menon.** *Chèvre nubienne aux oreilles pendantes et à poil court. Chèvre cachemire, chèvre d'Angora**, *à toison longue, fine, épaisse et soyeuse. — La chèvre est cavicorne** *(a des cornes creuses). Chèvre sans cornes. Barbe, barbiche de chèvre. Mamelles, pis de la chèvre. Cri de la chèvre* (→ **Béguéter, bêler, chevroter**). *Chèvre qui se dresse* (→ **Cabrer**), *qui saute* (→ **Cabriole**), *qui broute. La réputation de la chèvre a donné lieu à diverses dénominations* (→ **Capricant, caprice, capricieux**). *— Mâle de la chèvre.* → **Bouc.** *Chèvre qui met bas.* → **Biqueter, chevroter.** *Petits de la chèvre.* → **Biquet, cabri, chevreau, chevrillon.** *Petite chèvre.* → **Chevrette.** *Lait de chèvre. Fromage de chèvre. — Cuir de chèvre tanné.* → **Maroquin.** *Peau de chèvre qu'on mettait sur les chevaux de selle.* → **Chabraque.** *Tissu*

en poil de chèvre. → **Cachemire, cilice, mohair.** *Fil de suture fait d'intestins de chèvre* (et non plus de boyaux de chat). → **Catgut.** *— Divinités à tête, à pieds de chèvre.* → **Ægipan, bouquin, capricorne, capripède, chèvre-pied, satyre.**

> Dès que les chèvres ont brouté,   1
> Certain esprit de liberté
> Leur fait chercher fortune (...)
> Un rocher, quelque mont pendant en précipices,
> C'est où ces dames vont promener leurs caprices (...)
>   LA FONTAINE, Fables, XII, 4.

> La chèvre a quelque chose de tremblant et de sauvage 2
> dans la voix, comme les rochers et les ruines où elle aime
> à se suspendre (...)
>   CHATEAUBRIAND, le Génie du christianisme, t. I,
>   v, 5.

> La chèvre aux fauves yeux qui rôde au flanc des monts (...) 3
>   HUGO, la Légende des siècles, LVII, «Petit Paul».

> (...) qu'elle était jolie la petite chèvre de M. Seguin! Qu'elle 4
> était jolie avec ses yeux doux, sa barbiche de sous-officier,
> ses sabots noirs et luisants, ses cornes zébrées et ses longs
> poils blancs qui lui faisaient une houppelande! (...) et
> puis docile, caressante, se laissant traire sans bouger, sans
> mettre son pied dans l'écuelle.
>   Alphonse DAUDET, Lettres de mon moulin,
>   «La chèvre de M. Seguin», p. 32.

♦ **2** Par compar. ou par métaphore. *Un visage de chèvre, allongé et malicieux. — Sauter, bondir, grimper comme une chèvre, avec agilité* (→ **Capricant**). *Sentier, chemin de chèvre, escarpé et étroit. — Être fantasque, impatient comme une chèvre* (→ **Capricieux, étymologie**).

Loc. fig. *Devenir chèvre* : s'énerver jusqu'à perdre la tête. *— Faire devenir chèvre, faire tourner (qqn) en chèvre* : faire enrager (cf. Faire tourner en bourrique).

> — Alors, maintenant, ces pâtes? Tu nous les fais porter 4.
> ou non? — Mais tout de suite! dit le gros homme que ce
> changement d'humeur chez son client réconfortait. Vous
> n'avez pas plaisir qu'à me tourner en chèvre.
>   Francis CARCO, les Belles Manières, 1947, p. 13.

> Brindon me demanda ce que j'avais fait du chat blessé et je 4
> lui dis que simplement je l'avais changé en oiseau. «Vous
> me ferez donc devenir chèvre», me dit-il plaisamment.
>   Robert PINGET, Graal Flibuste, p. 159.

Être amoureux (cit. 9) *d'une chèvre coiffée*, amoureux de n'importe quelle femme.

Ménager la chèvre et le chou : ne pas prendre parti; réserver sa décision jusqu'à ce qu'un parti l'emporte.

> (...) il aime à ménager la chèvre et les choux. Il a mal 5
> ménagé la chèvre, et ne mangera pas même les choux.
>   Mᵐᵉ DE SÉVIGNÉ, Lettres, 262, 6 avr. 1672.

Loc. prov. *Où la chèvre est attachée, il faut qu'elle broute* : il faut se contenter de son sort.

♦ **3** Par métonymie. Peau, fourrure de chèvre. — Viande de chèvre. — Fromage de chèvre. Plur. *Des chèvres* ou (invar.) *des chèvre.*

> (...) y a-t-il un assez grand nombre de fromages? Ce goût 6
> de Bertrand pour les chèvre dont il y a au moins quatre
> sortes (...) Ce choix des chèvre est magnifique. Ronds et
> roux, les secs petits crottins de Chavignol et quelques Saint-
> Marcelin moins dorés voisinent avec les vertes pyramides
> tavelées des Valençay et de longs, d'onctueux Sainte-Maure
> marbrés de jaune.
>   Claude MAURIAC, le Dîner en ville, p. 227-228.

II (1753). Techn. ♦ **1** Appareil de levage* composé le plus souvent de trois poutres disposées en faisceau dont le sommet soutient une poulie manœuvrée à l'aide d'un treuil. → **Bigue, cabre, grue.** *Chèvre à trois pieds. Chèvre à haubans. Chèvre verticale. Chèvre de tranchée. Chèvre à déclic.*

Chevalet* *pour soutenir une pièce de bois (que l'on façonne, que l'on scie...).* → **Cabre, cabri.**

♦ **2** *Pied-de-chèvre* : levier de métal dont l'une des extrémités est taillée en pied de chèvre.

DÉR. Chevreau, chevreter, chevrette, chevron. ◊ **COMP.** Chèvre-pied. — V. aussi **Chèvrefeuille.**

CHEVREAU [ʃəvʀo] n. m. — V. 1170, *cheverel, chevrel;* var. anc. *chevrot,* de *chèvre.*

♦ **1** Le petit de la chèvre. → **1. Bicot, biquet, cabri, chevrotin.** *Bondir comme un chevreau. Chevreau têtard* (à la mamelle), *broutard.*

Moi, je me plais auprès de mes jeunes chevreaux.
Je m'occupe à leurs jeux. J'aime leur voix bêlante.
     André CHÉNIER, Bucoliques, v, «La Liberté».

♦ **2** (1841, Balzac, *in* D.D.L.). Peau de chèvre ou de chevreau qui a été tannée. *Chaussures, gants de chevreau.*

DÉR. (Par la forme *chevrot*) **Chevrotain, chevroter, chevrotin.**

CHÈVREFEUILLE [ʃɛvʀəfœj] n. m. — XIIᵉ, *chevrefoil, chevrefueil; chèvrefeuil* encore au XVIIᵉ; bas lat. **caprifolium* «feuille de chèvre, de bouc», de *capra* «chèvre», et *folium* «feuille».

Plante dicotylédone *(Caprifoliacées),* scientifiquement appelée *lonicera;* arbrisseau à tige volubile, à feuillage caduc ou persistant, à fleurs élégantes et parfumées. *Les chèvrefeuilles sont mellifères; certaines variétés sont cultivées comme ornementales. — Chèvrefeuille grimpant. — Le lai du chèvrefeuille,* poème de Marie de France.

1   Elle *(la reine)* remarque sur le sol la branche de coudrier où le chèvrefeuille s'enlace fortement (...)
          J. BÉDIER, Tristan et Iseut, XVII, p. 180.
2   Pour le prestige de notre jardin, fallait-il davantage qu'un chèvrefeuille centenaire et infatigable, que la glycine en cascatelles et le rosier cuisse-de-nymphe?
          COLETTE, Flore et Pomone, *in* Gigi, p. 152.

CHÈVRE-PIED [ʃɛvʀəpje] adj. et n. m. — 1549, Ronsard; de *chèvre,* et *pied.*

Vx et littér. Qui a des pieds de chèvre. → **Capripède.** *Satyre chèvre-pied,* ou *chèvre-pieds.* — N. m. *Des chèvre-pieds.* — **Mod. et par plais.** Satyre. «*Ce chèvre-pied de Farou...*» (Colette).

CHEVRETER [ʃəvʀəte] ou **CHEVRETTER** [ʃəvʀete] v. intr. [**CONJUG.**: (pour chevreter) *acheter.*] — 1573; *chievreter,* 1551; de *chèvre.*

Rare. Mettre bas, en parlant des chèvres. → **Chevroter.**

CHEVRETTE [ʃəvʀɛt] n. f. — XIIIᵉ; de *chèvre.*

Ⅰ ♦ **1** Petite chèvre. → **Biquet** (biquette).

♦ **2** (1611). Femelle du chevreuil. *Des chevrettes et leurs faons* (→ Brocard, cit.).

Ⅱ Techn. ♦ **1** (1610). Chenet. Trépied métallique qui supporte les casseroles sur le feu.

♦ **2** Bouteille à huile, à col étroit.

Ⅲ (1551). **Régional.** Crevette* rose (→ **Bouquet**).

Des astéries, des chevrettes, des méduses apparaissaient puis disparaissaient sous les longues franges entrelacées des algues et des mousses vertes.
          Jean CAYROL, Histoire de la mer, p. 53.

CHEVREUIL [ʃəvʀœj] n. m. — 1690; *chevroel,* déb. XIIᵉ, puis *chevreul* jusqu'au XVIIᵉ; du lat. *capreolus,* de *capra.* → **Chèvre.**

♦ **1** Mammifère ongulé *(Cervidés),* scientifiquement appelé *capreolus,* assez petit (0,70 m au garrot), à robe fauve et ventre blanchâtre. *Le bois d'un chevreuil porte rarement plus de deux andouillers*. Premier bois du chevreuil.* → **Broche.** *Chevreuil gracieux, rapide. Chevreuil d'un an.* → **Brocard.** *Femelle du*

chevreuil. → **Chevrette.** *Petit chevreuil.* → **Chevrillard** (cit.), **chevrotin.** *Cri du chevreuil* (→ **Bramer, raire**). *Chasse au chevreuil.* → **Chasse** (à courre). *Courir un chevreuil. La dardière, piège à chevreuil. — Cuissot, filet, longe d'un chevreuil. Ragoût de chevreuil.*

Là le chevreuil, champêtre et doux,   1
Bondit aussi dessus les houx,
En courses incertaines (...)
          RACINE, Poésies diverses,
          Promenades de Port-Royal, III.
Le chevreuil laisse des impressions plus fortes et qui don-   2
nent aux chiens plus d'ardeur et plus de véhémence d'appétit que l'odeur du cerf.
          BUFFON, Hist. nat. des animaux, Chevreuil.
Une frise de chevreuils roux trottant à la lisière d'un bois,   3
— brocarts, chevrettes et faons à la file —, le col tendu, les
oreilles droites, bien détachés les uns des autres comme
pour mieux déployer, sur le fond de feuilles sombres, l'harmonie souple de leurs allures !
          M. GENEVOIX, Forêt voisine, x, p. 122.

♦ **2** (1699). **Régional (Canada).** Cerf de Virginie.

DÉR. Chevrillard.

CHEVRIER, ÈRE [ʃəvʀije, ɛʀ] n. — 1241, *chavrier;* lat. *caprarius,* de *capra.* → **Chèvre.**

Ⅰ Celui, celle qui mène paître les chèvres. → **Berger** (de chèvres). *Des chevriers et leurs troupeaux.*

Ⅱ N. m. Variété de haricot blanc.

CHEVRILLARD [ʃəvʀijaʀ] n. m. — 1739; de *chevreuil.* Petit du chevreuil*. → **Chevrotin, faon.**

Trois chevreuils bien roux qui, tranchant sur le vert de l'airial, bougeaient (...) Dans l'herbe, caressés par les fougères, broutent le père, la mère, un petit (...) Je les ai bien regardés tout à l'heure, chevreuil, chevrette et chevrillard (...)
          Michèle PERREIN, Entre chienne et louve, p. 484.

CHEVRILLON [ʃəvʀijɔ̃] n. m. — Attesté 1849, G. Sand; mot régional, dimin. de *chevril,* lui-même dimin. de *chèvre.*

Régional. Petit de la chèvre.

CHEVRON [ʃəvʀɔ̃] n. m. — V. 1210; *chevrun,* v. 1160; du lat. pop. **caprio* ou **capro, -onis,* de *capra.* → **Chèvre.**

♦ **1** Pièce de bois équarri sur laquelle on fixe des lattes qui soutiennent les éléments (ardoises, tuiles...) de la toiture. → **Charpente** (pièce de); **madrier.** *Chevron de ferme, de long pan. Assemblage de chevrons sur un faîte.* → **Enfourchement, faîtage.** *Les guigneaux supportent les chevrons entre lesquels passe un tuyau de cheminée. Planche placée à l'extrémité des chevrons d'un comble.* → **Chanlatte.** *Le chevron est également employé en architecture comme ornement.*

♦ **2** (V. 1275). **Blason.** Pièce honorable en forme de V renversé. *Chevron abaissé, alaisé, appointé, brisé, couché, éclaté, enlacé, ondé, ployé, renversé, rompu.*

♦ **3** (1771). Galon en V renversé porté sur les manches. → **Brisque; chevronné.**

(...) mon père,
Fier vétéran âgé de quarante ans de guerre,
Tout chargé de chevrons.
          HUGO, Feuilles d'Automne, VI.

(XXᵉ). *En chevron :* dont la disposition rappelle celle d'un chevron. *Motif en chevron :* motif décoratif formant des chevrons successifs, des zigzags. → Arête* de poisson. — *Des chevrons* ou, collectif, *du chevron* (même sens). **Appos.** *Un complet chevron,* à chevrons. *Tissu à chevrons* (croisé de laine ou coton, à côtes en zigzags). — **Techn.** *Engrenage à chevrons,* à saillies en V.

DÉR. Chevronner.

CHEVRONNAGE [ʃəvrɔnaʒ] n. m. — 1838; *chevronnage*, 1832; de *chevronner*.

Technique.

◆ **1** Action de chevronner.

◆ **2** Ensemble des chevrons d'un comble. — Ouvrage fait en chevrons.

CHEVRONNÉ, ÉE [ʃəvrɔne] adj. — XIIIᵉ; de *chevronner*.

I ◆ **1** Disposé en chevrons; garni de chevrons. *Étoffe chevronnée.*

◆ **2** (1228). Blason. Garni de chevron(s). *Écu chevronné.*

II ◆ **1** (1837; argot). Qui a des galons d'ancienneté. → **Briscard** (→ Camp, cit. 2).

1 (...) Du vieux héros tout chevronné.
Th. GAUTIER, Émaux et Camées,
«Vieux de la vieille».

◆ **2** Mod. *Un conducteur chevronné.* → **Expérimenté.**

2 Je m'arrache à cette contemplation d'une peinture deux fois mauvaise, et par l'idée qu'elle nous donne de l'art académique, et par les pensées funèbres qu'elle éveille chez un académicien aussi chevronné que je le suis.
F. MAURIAC, le Nouveau Bloc-notes 1958-1960,
p. 342.

CHEVRONNER [ʃəvrɔne] v. tr. — 1260; de *chevron*.

Techn. Garnir de chevrons. *Chevronner un comble.*

DÉR. **Chevronnage, chevronné.**

CHEVROTAIN [ʃəvrɔtɛ̃] n. m. — Fin XVIIIᵉ; de *chevrot*. → Chevreau.

Ruminant de petite taille, sans cornes, à longues canines supérieures formant défenses, vivant en Afrique et en Asie.

Il n'a tué d'abord que des chevrotains (...) Certains avaient bien une poche au ventre, mais elle ne contenait que du musc. Henri FAUCONNIER, Malaisie, p. 107.

HOM. **Chevrotin.**

CHEVROTANT, ANTE [ʃəvrɔtɑ̃, ɑ̃t] adj. — 1805; p. prés. de *chevroter*.

◆ **1** Qui chevrote. *Voix chevrotante,* tremblante et cassée. — (Personnes) *Un vieillard tout chevrotant.*

Elle la fit chanter et toucher le piano. Elle y fut parfaitement ridicule, n'ayant qu'une voix chevrotante et fausse, une mauvaise méthode, et par contre une vanité et une assurance imperturbables.
STENDHAL, Journal, 1805, t. II, p. 89.

◆ **2** Vx ou littér. Qui est agité d'un tremblement. *Des mains chevrotantes.*

CONTR. **Assuré.**

CHEVROTEMENT [ʃəvrɔtmɑ̃] n. m. — 1542, *chevrotement*; de *chevroter*.

◆ **1** Caractère de la voix qui chevrote, tremblement de la voix qui ressemble au bêlement de la chèvre. *Le chevrotement d'un vieillard.* — Paroles chevrotées. *Un, des chevrotements.*

1 Sa voix, de plus en plus entrecoupée, avait un chevrotement de vieillesse (...) LOTI, Matelot, VI, p. 29.
Son, cri semblable à un chevrotement.

2 (...) tous les bruits secrets de la forêt, frouement d'une dame blanche en chasse, chevrotement d'une hase en rut, tapements de pattes d'un lapin (...)
M. TOURNIER, le Roi des Aulnes, p. 188.

◆ **2** Fig. Plainte niaise. → **Bêlement, jérémiade.**

3 L'attitude précise, à égale distance du militarisme imbécile et des chevrotements pacifistes, est épineuse à établir.
J.-R. BLOCH, Deux hommes se rencontrent, p. 92.

CHEVROTER [ʃəvrɔte] v. — 1566, «mettre bas» (→ Chevreter); de *chevrot* «chevreau»; rad. *chèvre*.

I V. intr. ◆ **1** Mettre bas, en parlant de la chèvre. → **Chevreter.**

◆ **2** Bêler*, en parlant de la chèvre.

II (Correspond à *chevrotement*). ◆ **1** V. intr. (1706). Parler, chanter d'une voix tremblotante. *Chanteur qui chevrote. Vieillards dont la voix chevrote.*

1 Contre la muraille du temple (...) ce sont les lamentations de Jérémie qu'ils redisent tous, avec des voix qui chevrotent en cadence, au dandinement rapide des corps.
LOTI, Jérusalem, XIII, p. 159.

◆ **2** V. tr. Prononcer, chanter (qqch.) d'une voix chevrotante*.

1.1 Le jour passe et renaît. Les vieilles, comme des automates à la mécanique lassée, se couchent et se lèvent, trottent menu, esquissent des gestes lents, chevrotent de petites phrases qui sont toujours les mêmes, ou peu s'en faut.
Suzanne PROU, la Terrasse des Bernardini, p. 15.

Passif et p. p. : *Trilles chevrotés.*

2 (...) il ne jouait jamais que des airs nationaux, des airs chevrotés par les grand'mères aux veillées (...)
Alphonse DAUDET, Numa Roumestan, I, p. 23.

DÉR. **Chevrotant, chevrotement.**

CHEVROTIN [ʃəvrɔtɛ̃] n. m. — 1596; *chivrotin* «chevreau», 1277; de *chevrot*. → Chevreau.

Technique ou rare.

◆ **1** Petit du chevreuil (au-dessous de six mois). → **Chevrillard, faon.** *Chevrette avec son chevrotin.*

◆ **2** (1367). Techn. Peau de chevreau corroyée. *Gants de chevrotin.* → **Chevreau.**

◆ **3** (1802). Petit fromage au lait de chèvre.

DÉR. **Chevrotine.** ◊ HOM. **Chevrotain.**

CHEVROTINE [ʃəvrɔtin] n. f. — 1697; de *chevrotin*.

Petite balle* sphérique, gros plomb pour tirer le chevreuil, les bêtes fauves. *Remplir une cartouche de chevrotines. Fusil chargé à chevrotines, de chevrotines pour la chasse au sanglier.*

À ce propos, vous souvenez-vous de la façon dont vous avez déguerpi, la trouille au cul, comme on dit, lorsque mon fils a tiré une balle de chevrotine en l'air?
M. DURAS, Un barrage contre le Pacifique, p. 291.

CHEWING-GUM [ʃwiŋgɔm] n. m. — 1904, *in* Höfler; de l'angl. *to chew* «mâcher», et *gum* «gomme».

Anglic. Gomme à mâcher. *Paquet de chewing-gum. Mastiquer du chewing-gum. Faire des bulles de chewing-gum.* → **Bubble-gum** (cit.). — Plur. *Chewing-gums.*

1 Daniel avait sorti de sa poche un paquet de *chewing-gum.*
MARTIN DU GARD, les Thibault, t. IX, p. 27.

Par abrév. : *chewing* [ʃwiŋ] :

2 — Tiens, Marine, sois gentille, fais un saut chez le boulanger. Tu garderas un franc pour t'acheter du chewing. (Je déteste la voir mâcher du chewing, mais quand on se sent dans son tort...).
Benoîte et Flora GROULT, Il était deux fois, p. 91.

CHEZ [ʃe] prép. — V. 1150, *chies;* anc. franç. *chiese* «maison», lat. *casa.* — REM. Prononciation : la liaison se fait après *chez* (ex. : *chez elle* [ʃezɛl]).

◆ **1** ⓐ Dans la demeure* de, au logis* de. *Venez chez moi. Il est allé, il est parti, il est rentré chez lui. Nous rentrons chez nous. Chacun chez nous. Chacun chez soi. Il reste chez lui. Faites comme chez vous :* mettez-vous à l'aise, ne vous gênez pas.
Venez me voir chez moi, je vous ferai festin.
LA FONTAINE, Fables, IV, 11.

2 N'eussiez-vous pas mieux fait
De le laisser chez vous, en votre cabinet,
Que de le changer de demeure?
LA FONTAINE, Fables, IV, 20.

3 Un ignorant hérita
D'un manuscrit qu'il porta
Chez son voisin le libraire.
LA FONTAINE, Fables, I, 20.

4 **Chez** signifie proprement : *dans la maison de. Il s'est*
réfugié **chez** *ses parents.*
F. BRUNOT, la Pensée et la Langue, III, XI, p. 425.

Comment ça va chez vous? : comment se porte
votre maisonnée, votre famille?

CHEZ (et le plur.). *Être invité chez des amis.* **CHEZ**
(et un nom propre précédé de l'art. défini). *Aller dîner*
chez les Durand, chez le couple, dans la famille
des Durand.

Avec un pronom. *Chez moi, chez toi, chez vous.*

Fig. Être partout chez soi, se sentir chez soi : ne pas
être gêné, être partout à sa place.

5 Enfin, la beauté strictement physique affiche une façon
arrogante d'être partout chez soi.
COCTEAU, le Grand Écart, I, p. 9.

Précédé d'une autre préposition *Je viens de chez moi.*
Ils passèrent par chez nous. Il habite près de chez
son ami. Loin de chez lui. Devant, derrière chez moi.

6 (...) je voudrais que vous passassiez par chez nous.
VOLTAIRE, Lettre à Marmontel, 23 avr. 1766.

b Dans le local professionnel de. *Je vais chez le*
coiffeur, chez l'épicier, chez le libraire (forme correcte ;
cf. la forme pop. : *aller au coiffeur*). — Dans le service,
l'émission de. *Il a appris son métier chez le direc-*
teur financier. Il passe demain à la télé, chez Untel.

c N. m. invar. (1690). **CHEZ-MOI** [ʃemwa], **CHEZ-SOI**
[ʃeswa] : domicile personnel (avec valeur affective).
Avoir un chez-soi. → **Home.** *Mon chez-moi. Il n'y a*
pas de petit chez-soi, rien ne vaut un chez-soi.

7 (...) on en aime mieux son chez-soi.
VOLTAIRE, Lettre à Villette, 8 juil. 1765.

8 Été au Petit-Trianon pour pénétrer dans le chez-soi intime
de Marie-Antoinette.
Ed. et J. DE GONCOURT, Journal, p. 167.

9 (...) j'entrevois la possibilité de faire un chez-moi de cette
case où soufflent tous les vents, et je la trouve moins
désolée. LOTI, Aziyadé, Solitude, XX, p. 61.

d **CHEZ NOUS** : dans le pays, la région du locuteur.
— Loc. adj. (fam.). *Bien de chez nous* : typiquement
français (avec une nuance de chauvinisme satisfait;
souvent repris ironiquement). *Un petit repas bien de*
chez nous.

9.1 (...) je me laissais aller aux sensations honnêtes que donnaient le calme de l'ensemble, l'air frais et le ciel bien de
chez nous où couraient de petits nuages.
Robert PINGET, Graal Flibuste, p. 32.

e Avec le nom d'une entreprise, d'un magasin. *On va*
manger chez le chinois d'à-côté (au restaurant chinois). — *Des gateaux de chez le pâtissier X, de*
chez X. — Loc. fam. (surtout oral). Adj. ou nom. DE CHEZ
et adj. ou n. répété : intensif. *Il est nul de chez nul :*
complètement nul.

♦ **2** Dans le pays de. → **Parmi.** *Porter la guerre chez*
l'ennemi. Chez les Anglais... — (Temporel). *Au temps*
de. Chez les Grecs, chez les Romains... — Fig. Parmi.
L'instinct chez les bêtes, chez les animaux. Il passe
chez eux pour un lâche. → **Auprès de.**

10 (...) Rodilart passait, chez la gent misérable,
Non pour un chat, mais pour un diable.
LA FONTAINE, Fables, II, 2.

11 (...) la raison, d'ordinaire,
N'habite pas longtemps chez les gens séquestrés.
LA F ONTAINE, Fables, VIII, 10.

12 Que de restitutions, de réparations, la confession ne fait-
elle pas faire chez les catholiques !
ROUSSEAU, Émile, III.

Chez (et un subst. à valeur collective). → **Dans.** *Ce phé-*
nomène a été observé chez les tribus indiennes...

♦ **3** En la personne, dans l'esprit, dans le caractère
de qqn. *C'est une réaction courante chez lui. Il y a*
chez lui une mauvaise volonté invincible.

Châtier en autrui ce qu'on souffre chez soi? 13
CORNEILLE, Polyeucte, III, 5.

(...) faire entrer chez vous le désir des sciences (...) 14
MOLIÈRE, les Femmes savantes, III, 4.

♦ **4** Dans les œuvres de. *On trouve ceci chez Molière,*
chez Balzac... → **Dans.**

(...) Sillery (...) s'attache 15
À vouloir de nouveau,
Sire loup, sire corbeau,
Chez moi se parlent en rime (...)
LA FONTAINE, Fables, VIII, 13.

Vous trouverez dans les poètes, chez l'Arioste, chez Ludo- 16
vici le Vénitien, chez Pulci, les plus vives attaques contre
les moines (...) TAINE, Philosophie de l'art, II, 4, 1.

Vaugelas a condamné la locution : chez Plutarque, chez 17
Platon, pour dire dans Plutarque, dans Platon ; Marg.
Buffet et Chifflet sont de son avis ; Th. Corneille ratifie cette
sentence (...) à quoi on répondra d'abord que la locution
est ancienne puisqu'elle est dans Montaigne, ensuite qu'elle
se justifie, n'étant qu'une extension de chez, qui signifie :
dans l'esprit de (...) LITTRÉ, Dictionnaire, art. Chez.

CONTR. V. Hors, dehors.

CHI [ki] n. m. — Mot grec.
Vingt-deuxième lettre de l'alphabet grec.

CHIADE [ʃjad] n. f. — 1835, «brimade» à Saint-Cyr; de
chier.

I Trivial et vx. Défécation (Goncourt, *in* T. L. F.).

II (De *chiader*). Argot des écoles. Travail acharné,
action de chiader*.

Ces examens étaient précédés, chaque fois, d'une période
de révision d'une dizaine de jours — le *temps de chiade*, où
la vie de l'École s'immobilisait, se concentrait, atteignait à
l'extrême de sa compression et de son rendement.
Raymond ABELLIO, Ma dernière mémoire, t. II,
p. 19.

CHIADER [ʃjade] v. tr. et intr. — 1863; de *chiade*,
d'abord «brimade» (v. 1835), de *ça chie (dur)* «l'affaire
est poussée» (Esnault).

Argot des écoles, puis fam. Travailler, préparer (un
examen, etc.). *Chiader son bac.* — *Chiader une ques-*
tion, l'étudier spécialement, à fond.

— Je parierais que tu vas chiader tes cours pour nos petits
génies (...), me lance-t-il (...)
Yanny HUREAUX, la Prof, p. 56-57.

♦ **CHIADÉ, ÉE** p. p. adj. Bien fait ; aussi : difficile. *Un*
problème chiadé.

DÉR. Chiadeur.

CHIADEUR, EUSE [ʃjadœʀ, øz] adj. et n. — 1878; de
chiader.

Argot. Élève, étudiant qui travaille de façon
acharnée. → **Bûcheur.**

CHIALER [ʃjale] v. intr. — 1847; de *chiailler*, dimin. de
chier.

Fam. → **Pleurer.**

Tu vas pas chialer, rapport au temps? dit-il (*le Corse*). 1
Francis CARCO, Jésus-la-Caille, p. 28.

La tête tournée vers le carreau mouillé, je regarde la rue 2
morne, et j'ai envie de chialer par-dessus le balcon, de
grossir de mes larmes le caniveau qui tord des eaux grises,
je voudrais m'en aller, me liquéfier.
A. SARRAZIN, la Cavale, p. 202.

CONTR. Rire. ◊ **DÉR. Chialeur.**

CHIALEUR, EUSE [ʃjalœʀ, øz] n. et adj. — 1883; de *chialer.*

Fam. Personne qui chiale*, pleure. *Quelle chialeuse, cette gamine!* — Adj. *Des gosses chialeurs.* → **Pleurard.**

REM. On trouve aussi la forme *chialard, arde* [ʃjalaʀ, aʀd].

CHIANT, CHIANTE [ʃjɑ̃, ʃjɑ̃t] adj. — 1920; de *chier,* 2. : *faire chier.*

Fam., vulg. Qui ennuie ou contrarie, qui fait chier*. → **Emmerdant, suant.** *C'est chiant! Ce qu'il peut être chiant!* → **Ennuyeux.** *Sois pas chiante!* — Loc. *Chiant comme la pluie* : très chiant.

Dès le premier jour, imposez-vous comme le voisin bruyant, grincheux, colérique, intolérant. Bref, devenez en peu de temps *le* voisin chiant de votre immeuble, celui auquel chacun évite toute nuisance de peur de se le mettre personnellement à dos. Vous gagnez ainsi votre tranquillité en inspirant la crainte.   *Actuel,* févr. 1980, p. 97.

Var. *Chiatique* [ʃjatik] adj. (1975, M. Audiard).

CONTR. Marrant, sympa.

CHIANTI [kjɑ̃ti] n. m. — V. 1795, *in* D.D.L.; région d'Italie.

Vin rouge estimé de la province de Sienne (Italie). *Boire du chianti. Une fiasque de chianti. De bons chiantis* (plur. francisé).

CHIARD [ʃjaʀ] n. m. — 1894; «chieur», adj. : *la peur chiarde,* v. 1530; de *chier,* et suff. péj. *-ard.*

Pop. Enfant. → **Môme.** *Une bande de chiards insupportables.*

La voix de la mère de Jean essayait d'être suavement compatissante. Étant la seule femme au déjeuner, c'était à elle de montrer de la sensibilité. Et elle nommait enfant ce que dans la solitude elle appelait *le chiard.*
          Jean GENET, Pompes funèbres, p. 111.

CHIASMA [kjasma] ou **CHIASME** [kjasm] n. m. — 1554, repris XIXᵉ; *chiasmos,* 1821; grec *khiasma* «croisement».

I **CHIASME.** Rhét. Figure formée de deux groupes de mots dont l'ordre est inverse (ex. : *Blanc bonnet et bonnet blanc; Il faut manger pour vivre et non pas vivre pour manger*).

II **CHIASMA.** (1863). Anat. Structure se présentant sous la forme d'un entrecroisement. — Spécialt. *Chiasma optique* : croisement des fibres des deux bandelettes optiques au-dessus de la selle turcique. (Adj. : *chiasmatique*). — REM. On trouve aussi *chiasme* (rare) :

(...) nous portons le diagnostic de méningite gommeuse basilaire intéressant le chiasme et la région du *tuber cinereum.*
          B. CENDRARS, Moravagine, *in* Œ. compl., t. IV, p. 257.

CHIASSE [ʃjas] n. f. — 1611; le premier emploi est fig. → Chier (II.).

Familier.

I ♦ **1** (1718). Excrément (d'insecte). → **Chiure.** *Chiasse de mouche.* — Fig. Ce qu'il y a de plus vil.

Pendant que nous sommes la chiasse du genre humain.
          VOLTAIRE, Lettre à d'Argental, 4 avr. 1762.

♦ **2** (1894). Colique. *Avoir la chiasse.* — Fig. Avoir peur.

♦ **3** Ennui, difficulté. *Quelle chiasse!* → **Chiotte.**

II (1578, *chiace*). Vx. (Hist. des sc.). Écume (des métaux). *Chiasse de fer.*

CHIATIQUE [ʃjatik] adj. — D.i. (XXᵉ); de *chiant,* avec un suff. pseudo-scientifique (probablt argot d'une grande école).

Fam. Ennuyeux, chiant*. «*Tu es super chiatique, tonton, quand tu es amoureux*» (→ Yoyoter, cit.).

CHIBOUQUE [ʃibuk] n. f. ou **CHIBOUK** [ʃibuk] n. m. — 1831; *chibouk,* 1849; turc *tchiboucq* «tuyau».

Pipe turque à long tuyau. — REM. On a écrit *chibouck.*

J'entre et je sors, accoutumée   1
Aux blondes vapeurs des chiboucks,
Et parmi les flots de fumée (...)
          Th. GAUTIER, Émaux et Camées,
                    «Ce que disent les hirondelles».

(...) une étagère hollandaise se dressait devant un râtelier   2
de chibouques (...)
          FLAUBERT, l'Éducation sentimentale, I, IV.

Te peindre en ton divan et tenant ton chibouk,   3
Parmi tes tapis turcs (...)
          Germain NOUVEAU, Sonnets du Liban,
                    «Kathoum», Pl., p. 546.

CHIBRE [ʃibʀ] n. m. — 1836; var. de *chivre,* 1628, dans l'*Argot réformé*; orig. incert.; probablt d'une forme dial. de *chèvre,* par allus. au bouc.

Vulg. Pénis. — REM. On trouve chez A. Boudard le dérivé *chibrer* [ʃibʀe] «posséder sexuellement» (*in* Cellard et Rey).

CHIBRELI [ʃibʀəli] n. m. — D.i.; probablt forme dial. de *chevreau* au fém. (*chivrelle,* anc. lyonnais, *in* F.E.W.) ou de *chievrete* «musette» de même orig., lat. *cabra* (→ Cabrette), à cause des bonds ou de la musique de la danse.

Régional, didact. (folklore). Danse populaire de Bourgogne, du Nivernais.

CHIC [ʃik] n. m. et adj. — 1793; *chique,* 1803; p.-ê. all. *Schick,* abrév. de *Geschik* «tenue», ou de *chiquer* «donner un petit coup», puis «dessiner rapidement et à grands traits».

I N. m. ♦ **1** Vx (au XIXᵉ). Facilité à peindre des tableaux à effet. — Dans d'autres arts. → Poncif, cit. 3, Baudelaire. — Loc. mod. **DE CHIC.** *Travailler, peindre de chic,* d'imagination, sans modèle. — *Écrire de chic,* du premier jet. *Il a fait ça de chic, sans brouillon, sans préparation.*

Quand le professeur vint jeter les yeux sur ce que j'avais   1
fait, il me dit (...) : «Cela est plein de chic et de ficelles; vous avez une patte d'enfer (...)»
          Th. GAUTIER, les Jeune-France, 351 (1832),
                    in MATORÉ.

Le chic est l'abus de la mémoire; encore le chic est-il plutôt   2
une mémoire de la main qu'une mémoire du cerveau.
          BAUDELAIRE, Salon de 1846.

Je pourrais, certes, à l'aide d'un fond de cuisine littéraire, 2.1
faire de chic le portrait de (...) mes ascendants (...)
          M. YOURCENAR, Archives du Nord, p. 166.

♦ **2** Adresse, facilité à faire qqch. avec élégance. → **Aisance, désinvolture, facilité, savoir-faire.** *Il a le chic pour faire cela.* — (1821, *in* D.D.L.). *Avoir le chic pour* : réussir parfaitement à. *Tu as le chic pour m'énerver!*

♦ **3** Élégance* hardie, désinvolte. → **Caractère, chien, originalité, tournure.** *Il a du chic. Son chapeau a du chic. C'est le grand chic cette année* (→ **Mode;** → Monocle, cit. 1.1). *Il fait ceci par chic* (→ **Chiqué.**)

(...) ce blanc-bec qui, avec tant d'aisance, tant de chic, tant   3
de jeunesse, tenait tête à plus fort que lui (...)
          COURTELINE, Boubouroche, Nouvelle, IV.

Chic fut à l'origine un terme militaire; avoir du *chic*   4
signifia d'abord avoir de la tenue (all. *schick*) à une époque où l'officier allemand passait pour un modèle de maintien, sinon d'élégance.   A. DAUZAT, les Argots, p. 83.

♦ **4** Vx. Argot des écoles. *Un chic* : une ovation, un ban*.

II Adj. Invar. ♦ **1** → **Élégant.** *Une toilette chic.* → **Alluré** (fam.). *Elle est très chic,* très bien habillée. Syn. fam. : *chicos* [ʃikos].

Adv. (1933). *S'habiller chic. Ces escarpins chaussent très chic.*

Les gens chic (→ Les gens bien). *Un dîner, une réception chic.* → (vieilli) **Sélect, smart.** — (Comportement). *C'est très chic de dire, de penser ça.*

5 Ah ! c'est beau ! et vous parlez bien, vous. Vous êtes quelqu'un de vraiment (...) vraiment chic, et ce que vous avez de l'éducation !
   Luc DIETRICH, le Bonheur des tristes, p. 103.

♦ **2** (Intensif). Beau, agréable. → **Bath, beau, chouette.** *On a fait un chic voyage.*

♦ **3** (Personnes ; actions). Sympathique, généreux, serviable. → **Bon, brave.** *C'est un chic type, un chic copain.* — *Tu n'es pas chic avec lui. C'est chic de sa part. Ce n'est pas chic.* — REM. Cet emploi tend à vieillir.

6 C'est une femme mariée, tout ce qu'il y a de sérieuse. Elle lui envoie de l'argent toutes les semaines parce qu'elle a bon cœur. Ah ! c'est une chic femme.
   PROUST, le Temps retrouvé, Pl., t. III, p. 813.

♦ **4** (1970). Loc. **BON CHIC BON GENRE** [bɔ̃ʃikbɔ̃ʒɑ̃ʀ] (*bon chic est probablt formé d'après bon genre*, dans le chic et le bon genre et adj. : il est chic, il est bon genre*) : élégance de bon ton, discrète et traditionnelle. — Adj. *Un restaurant bon chic bon genre. Un jeune cadre bon chic bon genre.* — Abrév. fam. *B. C.-B. G.* ou *B. C. B. G.* [besebeʒe].

7 «B. C.-B. G. : bon chic, bon genre». L'expression n'est pas toute neuve. Mais elle est de plus en plus fréquemment utilisée. On l'employait avec un petit côté sarcastique, hier, dans les années sur lesquelles pesaient encore mai 68, ses jeans et ses cheveux longs. Temps révolu. Le septennat de M. Giscard d'Estaing était, à l'image du président, très B. C.-B. G. (...) Le B. C.-B. G. a cessé d'être «rétro». Il est sans complexe la marque du jeune cadre, de la jeune fille à marier.
   J. PLANCHAIS, *in* le Monde, 7 févr. 1982.

7.1 Très vite ton mysticisme lavé, repassé, empesé a débouché sur le B. C. B. G.
   P. — Traduis, please.
   V. — Bon Chic Bon Genre. Barbie du faubourg Saint-Honoré.
   Mariella RIGHINI, la Passion, Ginette, p. 105-106.

III Interj. fam. Marquant le plaisir, la satisfaction. *Chic alors !* (→ Au poil).

8 Nous procédons alors à des allocations supplémentaires d'argent de poche. Les «chic alors !» qui les accueillent nous rappellent que nous n'avons à faire qu'à des enfants.
   François NOURISSIER, le Maître de maison, p. 221.

CONTR. (Du n.) **Difficulté, maladresse. — Banalité, vulgarité.** — (De l'adj.) **Inélégant ; fagoté. — Moche, vache** (fam.). ◊ DÉR. et COMP. **Chicard, chiqué, chiquement. Coprurchic.**

1. **CHICA** [tʃika] n. f. — D.i. ; mot esp., «petite».
Danse des Antilles.

2. **CHICA** [ʃika] n. m. — D.i. ; lat. bot. *chica.*
Teinture extraite du *bignonia chica.*

CHICANDARD [ʃikɑ̃daʀ] ou **CHICOCANDARD** [ʃikɔkɑ̃daʀ] adj. m. — V. 1850, terme alors à la mode ; de *chicard.*
Vx. Chicard, qui a du chic (cf. Flaubert, Labiche, etc.).

CHICANE [ʃikan] n. f. — 1582 ; de *chicaner.*

♦ **1** Difficulté (incident...) suscitée dans un procès, sur un détail, pour embrouiller l'affaire. → **Avocasserie, dilatoire** (procédé).

♦ **2** Péj. Procédure. *Les détours, les interprétations de la chicane.* — (Av. 1664). *Gens de chicane* : ceux qui s'occupent de procédure : avoués, agréés, huissiers..., et aussi : Les gens d'humeur processive.

1 (...) les braves ont plus d'adresse et d'esprit pour éviter la mort, que les gens de chicane n'en ont pour conserver leur bien.
   LA ROCHEFOUCAULD, Maximes, 221.

2 Là (*dans la grande salle du Palais*), sur des tas poudreux de sacs et de pratique Hurle tous les matins une Sibylle étique :
On l'appelle Chicane ; et ce monstre odieux Jamais pour l'équité n'eut d'oreilles ni d'yeux (...)
   BOILEAU, le Lutrin, V.

3 (*Robespierre*) ne pouvait se faire à la sophistique du barreau, aux subtilités de la chicane.
   MICHELET, Hist. de la Révolution franç., t. I, p. 479.

♦ **3** (Av. 1654). Objection captieuse, contestation faite de mauvaise foi. → **Argutie, artifice, contestation, contradiction, contrariété, équivoque, ergoterie, subtilité.** — Controverse où l'on dispute sur des mots. → **Logomachie.** *Les chicanes des sophistes.*

♦ **4** Querelle. → **Altercation, bisbille, dispute, ergotage, tracasserie.** *D'interminables chicanes entre voisins.* → **Discussion ; chipotage.** — *Chercher chicane à qqn. Esprit de chicane.*

4 L'admiration que je vous ai vouée percera, j'espère, à travers les petites chicanes que je me suis permis de vous faire sur des détails.
   SAINTE-BEUVE, Correspondance, 14 oct. 1835, t. I, p. 553.

5 (...) les *Provinciales,* œuvre de discussion subtile, de chicane habile et retorse, de raillerie froide, d'ironie mesurée et précise (...)
   Émile FAGUET, Études littéraires, XVIIᵉ s., Pascal, p. 182.

6 (...) la forme voulant primer le fond, la lettre cherchant chicane à l'esprit.
   H. BERGSON, le Rire, I, 1, p. 40.

♦ **5** (Concret). Passage en zigzag qu'on est obligé d'emprunter. *Chicanes d'un barrage de police.*

Dans un circuit automobile, Passage en zigzag matérialisé destiné à réduire la vitesse des voitures.

(1931). Ski. Figure d'un slalom, comprenant 3, 4 portes ou plus, verticales ou obliques.

Passage en zigzag destiné à laisser passer certains éléments. *Chicanes d'une position retranchée, protégeant contre les tirs adverses.*

Passage tortueux.

7 Promenade (...) aux Endless Caverns (...). L'intérieur exfolié du rocher, replis de coquille, conduits, détours, corridors, chicanes, tout un travail souterrain.
   CLAUDEL, Journal, 20 avr. 1928, Pl., t. I, p. 814.

EN CHICANE : en zigzag ; en disposition irrégulière.

Techn. Dispositif en zigzag permettant de modérer l'écoulement d'un fluide. *Établissement de chicanes* (*chicanage,* n. m.).

CONTR. **Droiture, loyauté. — Accord, conciliation, entente.**

CHICANER [ʃikane] v. — V. 1460 ; orig. obscure, p.-ê. croisement d'un rad. expressif *tchitch-* exprimant la petitesse (→ Chicot, 1. chiche, cf. esp. *chico*), et suff. d'après *ricaner ;* pour P. Guiraud, il s'agit d'un fréquentatif de *chiquer* «donner un petit coup», d'un doublet de *chicoter, chicailler,* le suff. étant une altér. de *-ener* (**chiquener*) d'après *hagner* «critiquer qqn, mordre».

♦ **1** V. intr. User de chicane dans un procès. → **Avocasser, contester ; incident** (provoquer, soulever des incidents).

On en vient au partage, on conteste, on chicane. Le juge sur cent points tour à tour les condamne.
   LA FONTAINE, Fables, IV, 18.

♦ **2** V. intr. *Chicaner sur, à propos de...* Élever des contestations mal fondées, chercher querelle sur des vétilles. → **Chipoter, contester, disputer, épiloguer, ergoter, objecter, pointiller, vétiller ;** → Chercher la petite bête, noise, des poux. *Chicaner sur tout.* → **Arguer, argumenter, discuter.**

2 Vous chicanez donc inutilement sur le principe, lorsque vous êtes obligé de vous taire sur les conséquences.
> PASCAL, Réfutation de la réponse à la 12ᵉ lettre, *in* LITTRÉ.

2.1 Ne chicanons pas sur les mots. Haïr ou aimer, dans votre langue, c'est tout un.
> BERNANOS, Monsieur Ouine, *in* Œ. roman., Pl., p. 1424.

♦ **3** V. tr. Chercher querelle à (qqn). *Chicaner qqn sur (pour) qqch., à propos de qqch.*

3 Il ne faut point s'amuser à chicaner les poètes pour quelques changements qu'ils ont pu faire dans la fable (...)
> RACINE, Andromaque, 2ᵉ Préface.

4 Si l'auteur m'émeut, s'il m'intéresse, je ne le chicane pas, je ne sens que le plaisir qu'il m'a donné.
> VOLTAIRE, Lettre à Laharpe, déc. 1775.

Mar. *Chicaner le vent :* serrer le vent de trop près, sur un voilier ; ralentir le bateau en cherchant à faire un près trop serré (faute de barre).

Vieilli. *Chicaner qqch. (à qqn),* contester mesquinement (→ **Lésiner, marchander**).

5 (...) un sous-officier de l'ex-Garde impériale à qui l'on chicanait sa pension de retraite.
> BALZAC, les Paysans, Pl., t. VIII, p. 130.

6 Oh ! qui l'eût dit (*à toi Napoléon*)...
Qu'un jour à cet affront il te faudrait descendre
Que trois cents avocats oseraient à ta cendre
Chicaner ce tombeau !
> HUGO, les Chants du crépuscule, II, « À la colonne », I.

7 Mais qu'on nie son génie musical (*de Berlioz*) (...), qu'on puisse chicaner cette force prodigieuse (...) est lamentable et risible.
> R. ROLLAND, Musiciens d'aujourd'hui, p. 24.

♦ **4 Fam.** Causer du tourment à (qqn). *Cela me chicane :* cela m'inquiète, me tracasse.

♦ **SE CHICANER** v. pron. récipr. → **Chamailler** (se), **disputer** (se), **taquiner** (se).

CONTR. Accepter ; accord (donner son accord ; être, tomber d'accord), **céder ; paix, repos** (laisser en). ◊ **DÉR. Chicane, chicanerie, chicaneur, chicanier.**

CHICANERIE [ʃikanʀi] n. f. — XVᵉ, *chiquanerie* ; de *chicaner.*

Fait de chicaner. → **Chicane, ergotage, ergoterie.**

1 Monsieur, je ne m'entends à la chicanerie (...)
> Mathurin RÉGNIER, Satires, VIII, v, 114.

2 (...) toute l'inanité des chicaneries de mauvaise foi.
> COURTELINE, Messieurs les ronds-de-cuir, 6ᵉ tableau, I.

3 Sans verser dans la chicanerie ou les conversations mondaines, il vote chaque fois qu'il le juge inévitable : à quoi bon nier l'existence de la République, si l'on veut en réformer les mœurs (...)
> Alain BOSQUET, les Bonnes Intentions, p. 130.

CHICANEUR, EUSE [ʃikanœʀ, øz] n. et adj. — V. 1460 ; de *chicaner.*

♦ **1 N.** Personne qui chicane, qui aime à chicaner. → **Plaideur, procédurier.** *Chicanneau, le chicaneur des « Plaideurs »* (de Racine). *Une chicaneuse.*

1 Des chicaneurs viendront nous manger jusqu'à l'âme,
Et nous ne dirons mot ! Mais, s'il vous plaît, Madame,
Depuis quand plaidez-vous ?
> RACINE, les Plaideurs, I, 7.

2 Un chicaneur de profession, un effronté, et qui se mêle de toutes sortes d'affaires.
> LA BRUYÈRE, les Caractères de Théophraste, « De l'image d'un coquin ».

♦ **2 Adj.** (1564). *Juge, plaideur, procureur chicaneur.* → **Chicanier** — *Gent chicaneuse.* → **Avocassier.** *Humeur chicaneuse.* → 1. **Processif.** — *Esprit chicaneur.* → **Pointilleux, vétilleux.**

3 Qu'on se garde surtout de me mettre trop près
De quelque procureur chicaneur et mauvais ;
Il ne manquerait pas de me faire querelle ;
Ce serait tous les jours procédure nouvelle (...)
> J.-F. REGNARD, le Légataire universel, IV, 6.

CONTR. Arrangeant, conciliant, facile.

CHICANIER, IÈRE [ʃikanje, jɛʀ] n. et adj. — Av. 1573 ; de *chicaner.*

Personne qui chicane sur les moindres choses. → **Coupeur** (de cheveux en quatre), **disputailleur, ergoteur, vétilleur.** Adj. *Une personne chicanière.* → **Chicaneur.** Par ext. *Procédé chicanier.*

1 (...) le Bas-Normand, rusé, cauteleux, sournois et chicanier (...)
> MAUPASSANT, Clair de lune, p. 133.

2 (...) nos pauvres chicaniers de village avec leurs griefs de clocher, leurs querelles de clan, leurs haines inexpiables, leurs préjugés, leurs chimères ?
> G. DUHAMEL, la Défense des lettres, II, v, p. 157.

CONTR. Arrangeant, conciliant, facile.

CHICANO [tʃikano] n. m. — 1977 ; mot de l'esp. d'Amérique *chicano* « mexicain », passé en angl. des États-Unis (attesté 1968). Le mot est une altér. locale de *Mexicano* en pays chihuahua.

Souvent péj. et raciste. Mexicain qui vit aux États-Unis. *Les Chicanos de Californie, des grandes métropoles.* — Adj. *Un accent chicano.*

CHICARD, ARDE [ʃikaʀ, aʀd] adj. et n. m. — 1840 ; de *chic.*

Vieux.

♦ **1 Fam.** Qui a du chic. *« Un restaurant chicard »* (Corbière). → **Chicandard** (vx).

♦ **2 N. m.** Déguisement de carnaval, plus ou moins grotesque.

DÉR. Chicandard ou **chicocandard.**

CHICHA [ʃiʃa ; tʃitʃa] n. f. — 1893, Heredia ; *vin de chiche,* 1545 ; esp. *chicha* (1521), d'un mot indien de Panama.

Maïs fermenté ; boisson préparée avec ce maïs (psychotrope).

Le peyotl, le mescal, la chicha mastiquée n'ont pas beaucoup d'effet sur moi.
> J.-M. G. LE CLÉZIO, Haï, p. 7.

1. CHICHE [ʃiʃ] adj. — V. 1165 ; p.-ê. d'un rad. onomatopéique *tchitch-* exprimant l'idée de petitesse (→ **Chicaner**), ou du lat. *ciccum* « reste, chose de rien ».

♦ **1 Vieilli.** (Personnes). Qui répugne à dépenser ce qu'il faudrait. → **Avare, ladre, parcimonieux, serré.** **Prov.** *Il n'est festin que de gens chiches* (→ **Chère** : il n'est chère que de vilain).

1 D'une casaque donc fort riche,
Grand signe qu'il n'était pas chiche,
Cloanthus il rémunéra.
> SCARRON, Virgile travesti, V.

2 Il la tua (*la poule aux œufs d'or*), l'ouvrit, et la trouva semblable
À celles dont les œufs ne lui rapportaient rien,
S'étant lui-même ôté le plus beau de son bien.
Belle leçon pour les gens chiches !
> LA FONTAINE, Fables, V, 13.

Fig. et mod. *Être chiche de ses paroles, de ses regards, de compliments.*

3 (*La belle*) N'était chiche de ses regards (...)
> LA FONTAINE, Contes, III, VII, « Nicaise. »

Il est un peu chiche, trop chiche de compliments. Il n'a pas été chiche de conseils.

♦ **2** Littér. Peu abondant. *Une chiche récompense.*
→ **Chétif, mesquin.**

4   Lui, au contraire, observait la vieille paysanne, admirant que (...) des révolutions, des guerres, de tant d'histoire, elle n'eût rien connu, hors le cochon qu'elle nourrissait et de qui la mort à chaque Noël, humectait de chiches larmes ses yeux chassieux.
                    F. MAURIAC, le Baiser au lépreux, p. 11.

CONTR. Généreux, large, libéral, prodigue. — Abondant, copieux, riche. ◊ DÉR. Chichement. V. Chichi. ➤ HOM. 3. Chiche.

2. CHICHE (POIS) [pwaʃiʃ] → **Pois.**

3. CHICHE [ʃiʃ] interj. et adj. — 1866; probablt de 1. *chiche.*

Familier.

♦ **1** Exclamation de défi : je vous prends au mot. *Tu n'oserais jamais. — Chiche! — Chiche que j'y arrive!* : je parie que j'y arrive!

1   Une bonne oreille sert à tout (...) je reconnais les modèles des armes, les yeux bandés, rien qu'à en écouter une rafale. — Allons! Vous n'allez pas me faire croire (...) — Chiche! On fera l'expérience un jour (...)
                    Régis DEBRAY, l'Indésirable, p. 159.

♦ **2** Adj. (seulement attribut). *Être (ne pas être) chiche de faire qqch.* : être (ne pas être) capable de... *T'es pas chiche de lui parler!*

2   (...) On s'en prend une, de récré, demain? (...) T'es chiche de sécher? — ANNE : Moi? Justement, j'ai un enterrement demain, alors la maîtresse, elle pourra rien dire.
                    Benoîte et Flora GROULT, Il était deux fois, 1968, p. 439.

CHICHE-KEBAB [ʃiʃkebab] n. m. — Mil. XXᵉ; mot turc. → Kebab.

Brochette de mouton, d'agneau à l'orientale. → **Kebab.** — Au plur. *Des chiche-kebabs,* ou (invar.), *des chiche-kebab.* «*Damas : les garçons en livrée servent de sompueux chiche-kebab aux familles de commerçants, d'industriels et de fonctionnaires...*» (*le Nouvel Obs.*, sept. 1972, nᵒ 410, p. 32).

On y mangeait du riz et des boulettes de viande en brochette dans une grande épingle. Elle appelait cela du chiche-kebab.   R. SABATIER, Alain et le Nègre, p. 71.

CHICHEMENT [ʃiʃmā] adv. — 1539; de 1. *chiche.*

Vieilli ou littér. D'une manière chiche. *Vivre chichement,* pauvrement, mesquinement. → **Modestement, parcimonieusement, petitement.**

1   Le galant pour toute besogne,
Avait un brouet clair; il vivait chichement.
                    LA FONTAINE, Fables, I, 18.

2   Les malades (...) à qui l'on mesure si chichement une nourriture choisie (...)
                    BALZAC, le Cousin Pons, Pl., t. VI, p. 537.

3   (...) au milieu de petites cours chichement ombragées.
                    Ch. MAURRAS, Anthinéa..., p. 36.

4   Tout ce monde vivait chichement et s'habillait à petits frais rue Saint-André-des-Arts, chez Latreille, fripier en renom.
                    G. DUHAMEL, Chronique des Pasquier, IV, VII, p. 132.

CONTR. Généreusement, largement; copieusement.

CHICHETÉ [ʃiʃte] n. f. — Mil. XIᵉ; de 1. *chiche.*

Vx. Économie sordide. → **Ladrerie, lésine.**

CHICHI [ʃiʃi] n. m. — 1886, Courteline, *faire du chichi;* redoublement du rad. onomatopéique *tchitch-,* ou de 1. *chiche,* avec l'idée de petitesse.

Ⅰ ♦ **1** Comportement qui manque de simplicité; manières affectées. → **Affectation, mignardise, minauderie.** *Faire des chichis.* → **Cérémonie, embarras, façon, girie (pop.), manière, simagrée.** — *Pas tant de chichis!* — Collectif. *Du chichi.*

Courteline trouve que tous ces gens font bien du chichi.   1
                    J. RENARD, Journal, 6 nov. 1894.

Son habileté avait été de lui accorder sans chichis tout   2
ce qu'il eût accordé à une femme facile, et pour le reste d'être ce qu'elle était : une petite un peu vieux jeu.
                    MONTHERLANT, le Démon du bien, p. 42.

♦ **2** Déploiement de cérémonie, souci exagéré du protocole. *En voilà un chichi! Gens à chichi.*

Ⅱ (1897). Boucle frisée de cheveux postiches. *1900, époque des chichis.*

CONTR. Simplicité, franquette (bonne). ◊ DÉR. Chichiteux.

CHICHITEUX, EUSE [ʃiʃitø, øz] adj. — 1920; de *chichi.*

Fam. Qui aime à faire des chichis, des manières. *Elle est un peu chichiteuse.* → **Pimbêche.**

(En parlant d'une chose). Prétentieux, d'un raffinement excessif.

(...) elle distribuait à l'ameublement quelques mauvaises notes :
Ravissant citronnier dix-huit-cent-trente! Un peu chichiteux pour un homme (...)
                    COLETTE, Julie de Carneilhan, p. 49.

CHICLÉ [tʃikle] n. m. — 1922; mot esp., de l'aztèque *tzictli.*

Latex qui découle notamment du sapotier*. *Le chiclé est utilisé dans la préparation des chewing-gums.*
On rencontre la var. *chicle* [ʃikl], nom féminin.

CHICOCANDARD [ʃikɔkãdaʀ] adj. m. → **Chicandard.**

CHICON [ʃikɔ̃] n. m. — 1651; var. de *chicot* «trognon».

♦ **1** Variété de laitue. → **Romaine.**

♦ **2** Régional (Belgique). Endive (dite aussi *chicorée de Bruxelles* ou *Witloof*).

CHICORACÉES [ʃikɔʀase] n. f. pl. — 1835; de *chicorée.*

Bot. Sous-famille des *Composacées**, comprenant notamment la chicorée, le pissenlit, le salsifis. — Au sing. *Une chicoracée.*

Harbert ne revenait guère d'une excursion sans rapporter quelques végétaux utiles. Un jour, c'étaient des échantillons de la tribu des chicoracées, dont la graine même pouvait fournir par la pression une huile excellente; un autre, c'était (...)
                    J. VERNE, l'Île mystérieuse, t. I, p. 410 (1874).

CHICORÉE [ʃikɔʀe] n. f. — XIIIᵉ, *cikoré;* du lat. médiéval *cicorea,* lat. *cichoreum,* grec *kikhorion.*

♦ **1** Plante herbacée (*Composacées*) dont les feuilles se mangent en salade. *Chicorée sauvage,* à fleurs bleues : barbe de capucin, mignonnette, witloof (dite improprement *endive** et, régional, *chicon**). — *Chicorée à café,* dont la racine torréfiée donne un succédané du café. — *Chicorée cultivée :* chicorée frisée, scarole.

♦ **2** Feuilles de chicorée cultivée, qui se mangent en salade. *Assaisonner une chicorée.*

♦ **3** Racine torréfiée de la chicorée. Infusion de cette racine. *Boire une tasse de chicorée. Mélange de chicorée et de café.*

♦ **4** (1694; repris XIXᵉ). Habillement. Ruche froncée ou plissée.

Le col ? Il n'y en a pas, de col ! C'est ouvert en V devant et derrière, entouré d'une chicorée de mousseline de soie et fermé par un chou de ruban rouge.
　　　　　WILLY (COLETTE), *Claudine à l'école*, p. 219.

Archit. Ornement sculpté imitant la feuille découpée de la chicorée. *Volutes, oves, fleurons et chicorées.*

DÉR. Chicoracées. ◊ HOM. Chicorer.

CHICORER (SE) [ʃikɔʀe] v. pron. — Mil. XXᵉ; 1975, Michel Audiard, *in* Cellard et Rey; orig. incert.; p.-ê. de *chiquer* (1821), avec attr. de *chicorée*, au fig. «ivresse», 1855.

Pop. Se battre. — Trans. (seulement factitif). *Il s'est fait chicorer.* — REM. Le déverbal *chicore* [ʃikɔʀ] n. f., «coup; rixe», est attesté (Audiard, Guillo, *in* Cellard et Rey).

HOM. Chicorée.

CHICOS [ʃikos] adj. → Chic, II.

CHICOT [ʃiko] n. m. — 1581; *cicot*, 1553; du rad. expressif *tchitch*-, exprimant la petitesse. → 1.Chiche.

♦ **1** Reste d'une branche, d'un tronc brisé ou coupé. (Se dit aussi en terme de blason). *Les chicots des genévriers.* → Préambulaire, cit.

1　En cinq minutes Mathieu abat et débite deux chicots secs et une épinette verte.
　　　　　Jean-Yves SOUCY, *Un dieu chasseur*, p. 86.

♦ **2** Petit morceau de bois cassé.

♦ **3** (1611). Plus cour. Morceau qui reste d'une dent; dent cassée, usée ou cariée.

2　Il était là celui-là, avec son sourire crénelé par les chicots (...)　　　A. BLONDIN, *Un singe en hiver*, p. 131.

♦ **4** Littér. Moignon, tronçon (par métaphore de 1., 2. ou 3.).

3　(...) le village apparaissait complètement en ruines; il ne restait que des chicots de murs.
　　　　　J. GIONO, *le Hussard sur le toit*, p. 366.

DÉR. 1.Chicoter. V. Chicote.

CHICOTE ou **CHICOTTE** [ʃikɔt] n. f. — 1840, *chicote; chicotte*, 1921; port. *chicote*, probablt empr. au fr. *chicot*.

Rare (sauf en franç. d'Afrique). Fouet à lanières nouées (peau de buffle, d'hippopotame...), servant notamment à infliger des punitions corporelles.

1　Des gardes, s'ils (*les récolteurs de caoutchouc*) tombaient, les relevaient à coups de chicote.
　　　　　GIDE, *Voyage au Congo*, 1927, *in* Souvenirs, Pl., p. 741.

2　Ils me traitaient de sale «pato» et vantaient les mérites de mes aïeux : eux, au moins, savaient se servir de la chicote.
　　　　　Jean LARTÉGUY, *les Prétoriens*, p. 519.

CHICOTEMENT [ʃikɔtmɑ̃] n. m. — Mil. XXᵉ; de 2. *chicoter.*

Rare. Cri de la souris. → Couinement.

Et je ne parle pas des chicotements nocturnes, des sarabandes au ras des plafonds dans les faux-greniers !
　　　　　Hervé BAZIN, *Cri de la chouette*, 1972, p. 229.

1. CHICOTER [ʃikɔte] v. tr. — XVIIᵉ; *chiquoter*, 1611; de *chicot.*

Vx. Couper de manière à laisser un chicot; déchiqueter.
Chicoter le cou (1851) : couper le cou.

HOM. 2.Chicoter.

2. CHICOTER [ʃikɔte] v. — 1583; p.-ê. de *chicaner*, et suff. -*oter.*

I ♦ **1** V. intr. Vx. Se quereller pour des vétilles. → Chicaner.

♦ **2** V. tr. «*Elle pourrait nous chicoter*» (Huysmans).

II V. intr. (1845, *chicotter*; «marmotter», 1829; orig. onomat.). Rare. Pousser son cri, en parlant de la souris. → Couiner.

DÉR. Chicotement. ◊ HOM. 1.Chicoter.

CHICOTIN [ʃikɔtɛ̃] n. m. — 1564; *cicotrin*, 1478; *cicotin*, XVᵉ; altér. de *socotrin*, de *Socotora*, nom de l'île d'où cet aloès est originaire.

Vx. Suc très amer extrait d'un aloès; poudre amère que l'on extrait de la coloquinte. — Mod. *Amer comme chicotin* : très amer.

CHICOTTE [ʃikɔt] n. f. → Chicote.

CHIÉE [ʃje] n. f. — 1834; de *chier.*

Fam., vulg. Grande quantité. → Tapée.

Ce qui fait un peu désordre, par contre, c'est son blaze, une chiée de noms pas commodes à prononcer ni à retenir (...)
　　　　　A. SARRAZIN, *la Cavale*, p. 28.

CHIÉMENT [ʃjemɑ̃] adv. — D. i. (mil. XXᵉ?); de *chié*, p. p. de *chier**.

Fam., vulg. D'une manière remarquable. «*Elle est chiéement* (sic) *bien*» (Tony Duvert, *in* Cellard et Rey).

CHIEN, CHIENNE [ʃjɛ̃, ʃjɛn] n. — 1080, *chen*; du lat. *canis.*

I **A** ♦ **1** Mammifère domestique (*Carnivores; Canidés*), d'une espèce dont il existe de nombreuses races (→ ci-dessous) élevées pour remplir certaines fonctions auprès de l'homme; individu et, spécialt, mâle (opposé à *chienne*) et adulte (opposé à *chiot, petit*) de cette espèce. → Canin, et préf. cyn(o)-. *Un chien, une chienne.* → fam. Cabot, chienchien, toutou; clébard, clebs. *Chien de race; chien bâtard. Chiens perdus sans collier* (par métaphore, titre d'un roman de G. Cesbron). *Un grand chien, un petit chien. Un jeune chien. Un vieux chien. Chien errant, trouvé. Chien savant, dressé. Chien méchant.* — N. m. (Collectif). *Le chien, ami, compagnon fidèle de l'homme.* — REM. On emploie le masc., *un chien*, chaque fois que le sexe n'est pas pertinent ou qu'on l'ignore. Dans les syntagmes (*chien de garde, de chasse, d'agrément...*), le fém. semble rare.

1　Cependant l'*Exaudiat* avançait toujours chemin, lorsque dix ou douze chiens, qui suivaient une chienne de mauvaise vie, vinrent à la suite de leur maîtresse se mêler parmi les jambes des musiciens (...)
　　　　　SCARRON, *le Roman comique*, I, xv.

2　Le chien est le seul animal dont la fidélité soit à l'épreuve; le seul qui entende son nom et qui reconnaisse la voix domestique.
　　　　　BUFFON, *Hist. nat. des animaux*, Le chien.

3　Le Chien meurt en léchant le maître qu'il chérit.
　　　　　VOLTAIRE, *Discours en vers sur l'homme*, IV.

4　Les plus zélés partisans du chien doivent confesser que cet animal a de l'audace dans les yeux; que plusieurs sont hargneux; qu'ils mordent quelquefois des inconnus en les prenant pour des ennemis de leurs maîtres (...) Ce sont là probablement les raisons qui ont rendu l'épithète de *chien* une injure (...)
　　　　　VOLTAIRE, *Dict. philosophique*, Chien.

5　On dit que, lorsqu'on rencontre un chien furieux, si on a le courage de marcher gravement, sans se retourner, et d'une manière régulière, le chien se contente de vous suivre pendant un certain temps en grommelant entre ses dents; tandis que, si on laisse échapper un geste de terreur, si on fait un pas trop vite, il se jette sur vous et vous dévore; car, une fois la première morsure faite, il n'y a plus moyen de lui échapper.

A. DE MUSSET,
la Confession d'un enfant du siècle, I, II.

6 Le chien (...) est un animal religieux. Sauvage, il adore la lune et les clartés flottantes sur les eaux. Ce sont ses dieux, et il leur adresse, la nuit, de longs hurlements. Domestique, il se rend favorables, par ses caresses, les génies puissants qui disposent des biens de la vie, les hommes.

FRANCE, l'Anneau d'améthyste, VI, Œ., t. XII, p. 102.

7 On y est accueilli par de braves chiens aux yeux de reconnaissance tendre, d'humbles chiens de rue (...)

LOTI, Suprêmes visions d'Orient, I, p. 18.

Relatif au chien. → **Canin.** *Exposition de chiens. Généalogie d'un chien.* → **Pedigree.** *Accouplement du chien et de la chienne.* → **Chaleur** (être en chaleur), **chasse** (être en chasse); *chienner. Croiser des chiens.* → **Mâtiner.** *Petit du chien.* → **Chiot.** *Une portée de petits chiens. Cri du chien.* → **Aboyer** (cit. 1), **clabauder, clatir, glapir, gronder, hurler** (à la lune, à la mort), **japper.** *Chien qui fait le beau, happe le morceau qu'on lui jette, lèche. Le chien lape sa soupe. Odorat, flair* du chien. *— Art de chasser avec des chiens.* → **Cynégétique, vénerie.**

8 Le chien ne perd pas l'objet de sa poursuite; il voit, de l'odorat, tous les détours du labyrinthe, toutes les fausses routes où on a voulu l'égarer.

BUFFON, Hist. nat. des animaux, Le chien.

9 Les hommes en général ressemblent aux chiens qui hurlent quand ils entendent de loin d'autres chiens hurler.

VOLTAIRE, Fragments historiques, III.

10 Les chiens au chenil aboyèrent tous, et l'éclat de leurs voix retentissait sans qu'il parût personne.

FLAUBERT, Mᵐᵉ Bovary, III, VIII.

Robe, soie, poil long ou *ras d'un chien. Couleur du dos d'un chien.* → **Mantelure.** *Chien truité,* marqueté, tacheté. *Gueule, museau du chien. Canines, crocs du chien.* → **Dentée, morsure.** *Oreilles droites* ou *tombantes d'un chien. Nez du chien.* → **Truffe.** *Queue de chien en balai, en trompette, en fouet. Chien puni qui se sauve la queue entre les jambes, la queue basse, l'oreille basse. Chien dont on a coupé la queue et les oreilles.* → **Courtaud; essoriller.** *Pattes du chien. Chien à jambe droite, à jambe torse. Chien à grosses pattes.* → **Pataud, pattu.** *Ergot du chien.* → **Éperon.** *Chien épointé, dont l'os de la cuisse est cassé. Jarret du chien.*

11 (...) un petit chien tout parfumé, d'une beauté extraordinaire, des oreilles, des soies, une haleine douce, petit comme Sylphide, blondin comme un blondin (...)

Mᵐᵉ DE SÉVIGNÉ, 467, 13 nov. 1675.

12 (...) puis les chiens tout suants, avec des langues jusqu'à terre (...)

Alphonse DAUDET, Lettres de mon moulin,
«Installation», p. 10.

13 C'était un grand chien des hautes terres, à longs poils, avec des crocs durs et un air de franchise au combat qui rassurait. H. BOSCO, l'Âne Culotte, p. 162.

Dressage, élevage, traitement du chien, des chiens. Chien attaché (→ **Accouple, chaîne, harde, laisse;** *collier,* **muselière**). *Les chiens sont muselés* (cit. 1). *Logement du chien.* → **Chenil, loge, niche.** *Mettre un chien à la fourrière*. Museler, démuseler un chien. Siffler un chien pour le faire venir. Faire coucher un chien. Donner la soupe, la pâtée à un chien. Le chien ronge son os. Pains de chiens.* → **Creton.** *Épucer, essoriller, tondre un chien. Tondeur de chiens. Caresser un chien.*

14 Comment! disait-il en son âme,
Ce chien, parce qu'il est mignon,
Vivra de pair à compagnon
Avec monsieur, avec madame,
Et j'aurai des coups de bâton?
LA FONTAINE, Fables, IV, 5.

Jusqu'au chien du logis il s'efforce de plaire.   15
MOLIÈRE, les Femmes savantes, I, 3.

Il en usa comme les dresseurs de chiens : il employa la   16
faim, la bastonnade (...)
SAINT-SIMON, Mémoires, 231, 87.

(...) les bons chiens qu'on était habitué à voir rôder partout,   17
inoffensifs et courtois, toujours si touchés de la moindre caresse. LOTI, Suprêmes visions d'Orient, I, p. 20.

N. m. *Chien de chasse*, sélectionné et éventuellement dressé pour la chasse. Femelle du chien de chasse.* → 3. **Lice.** *Action du chien à la chasse.* → **Arrêter, barrer, bourrer, brailler,** 1. **briller, chasser, curée, flairer, halener, piller, quêter, quoailler, rabattre. — Ameuter, coupler, découpler, harder, déharder, relayer les chiens. Rompre* les chiens* (→ ci-dessous, **fig.**). *Appuyer*, effiler*, exciter, rebaudir les chiens. Valet de chiens.* → **Piqueur;** → **Piqueux,** cit. *Voiture pour transporter les chiens de chasse.* → **Dog-cart.** *Meute*, harde, houraillis de chiens. — Chien couchant, chien d'arrêt, qui lève le gibier en plaine et le ramène quand il est abattu. Chien qui chasse à vue, par l'odorat. Chien qui va le nez au vent.* → **Flairer.** *Chien courant, qui donne de la voix quand il est sur la piste du gibier.* → **Piste,** cit. 2. *— Chien ratier*. — *Vx. Chiens dévorants.*

Des lambeaux pleins de sang, et des membres affreux   18
Que des chiens dévorants se disputaient entre eux.
RACINE, Athalie, II, 5.

Le caractère naturel du Français est composé des qualités du singe et du chien couchant. Drôle et gambadant   19
comme le singe, et dans le fond très malfaisant comme lui; il est, comme le chien de chasse, né bas, caressant, léchant son maître qui le frappe, se laissant mettre à la chaîne, puis bondissant de joie quand on le délie pour aller à la chasse.
CHAMFORT, Maximes et pensées, III, p. 87.

Gondran passe sa bêche dans la courroie du carnier et   20
se charge. Au bas des escaliers, il siffle son chien. Labri, qui dormait sous un rosier, vient, s'étire, bâille, renifle la besace, suit, et Gondran écoute joyeusement le grignotis des petites pattes onglées, derrière lui.
J. GIONO, Colline, p. 45.

Une heure plus tard il est seul dans le bois, bien seul,   21
suivant Acteur (le chien) qui mène, la truffe au ras des feuilles mortes. Le chien, à cinq mètres devant et à plein collier la longue laisse de cuir; et Daguet (le piqueur), cependant, un peu incliné en arrière, le maintient d'une poigne tranquille, tandis que devant lui, bien en vue, il espace les brisées.
M. GENEVOIX, Forêt voisine, IX, p. 116.

Chien d'agrément. Chien d'appartement. Chien de manchon : très petit chien, que les femmes pouvaient abriter dans leur manchon — *Chien de garde* (→ **Paisible,** cit. 9). *Le chien de garde veille* (→ **Cerbère**). *Lâcher les chiens. Chien guidant un aveugle. Chien d'aveugle. Chien policier. Chiens de surveillance. Chiens de l'armée. Chiens militaires. — Maître de chien,* chargé du dressage et de l'emploi d'un chien. → **Maître-chien.** *Chien sanitaire. Chien de trait,* qu'on attelle au traîneau. *Chiens groenlandais, esquimaux. Chien de berger surveillant son troupeau.*

Il était un berger, son chien et son troupeau.   22
Quelqu'un lui demanda ce qu'il prétendait faire
D'un dogue de qui l'ordinaire
Était un pain entier (...)
LA FONTAINE, Fables, VIII, 18.

Mais le plus touchant encore ce sont les chiens, ces braves   23
chiens de berger, tout affairés après leurs bêtes et ne voyant qu'elles dans le *mas.*
Alphonse DAUDET, Lettres de mon moulin,
«Installation», p. 11.

Maladies du chien. → **Hydrophobie, rage;** *gale,* **rouvieux, tique.** *Blessures du chien.* → **Aggravée, butture, décousure.** *Un chien pelé, galeux.*

24 Un vieux chien, galeux, infirme, qui pataugeait dans les flaques de cambouis (...)
MARTIN DU GARD, les Thibault, t. II, p. 255.

Races, types de chiens. → **Airedale, barbet, basset, beagle, berger, bichon, bleu** (d'Auvergne), **bouledogue,** 2. **boxer, braque,** 3. **briquet, bull-terrier, caniche, carlin, chou-pille, chow-chow, clabaud, cocker, colley, corniaud, dalmatien, danois, doberman, dogue, épagneul, fox-hound, fox-terrier, griffon, havanais, houret, king-charles, levrette, lévrier, limier, loulou, malinois, mastiff, mâtin, pékinois, pointer, poitevin, ratier, retriever, roquet, saint-bernard, setter, shetland, skye-terrier, sloughi, teckel, terre-neuve, terrier, vautre.**

REM. La nomenclature des races de chiens est plus abondante, elle comprend de nombreux emprunts (notamment des anglicismes) et des syntagmes formés avec *chien* ou avec le nom d'une race *(berger, lévrier...)*. On classe les chiens en groupes : *chiens de berger, chiens de garde et de protection, chiens de trait, terriers, teckels, chiens courants, chiens de chasse et chiens d'arrêt, chiens d'agrément et de compagnie, lévriers.* — Les *chiens de chasse* (au sens large) se divisent en *chiens d'arrêt, chiens courants, chiens d'équipage, chiens quêteurs, chiens rapporteurs* et *chiens de terrier.*

(1690). *Le Grand Chien, le Petit Chien* (constellations). → **Canicule.**

♦**2** Tout animal de l'espèce des *Canidés. Chien, chienne sauvage.* → **Dingo, otocyon.**

B (Emplois fig.). N. m. (sauf au sens 4., où *chienne* est possible). ♦**1** (1866). Fig. Charme, attrait (surtout des femmes). *Elle a du chien.* → **Allure ;** → Piment, cit. 5.

25 (...) l'habit bleu lui donnait beaucoup de chien.
G. DUHAMEL, Récits des temps de guerre, XXXVI, p. 135.

25.1 La jeune personne à laquelle je pense est d'une bonne et ancienne maison de l'Artois (...) Brune, belle, et même mieux que belle : elle a du chien.
M. YOURCENAR, Archives du Nord, p. 284.

♦**2** (1883). À LA CHIEN. *Coiffure, cheveux à la chien,* avec une frange lisse disposée sur le front. *Se coiffer à la chien.*

25.2 La femme du jeune notaire d'X... n'avait pas froid aux yeux. Elle se permettait les décisions brusques et gamines d'une femme qui copiait les robes de «ces dames du château», chantant en s'accompagnant elle-même et portait les cheveux à la chien.
COLETTE, la Maison de Claudine, p. 105.

25.3 Nous avions treize, quatorze ans, l'âge du chignon prématuré, de la ceinture de cuir bouclée au dernier cran, du soulier qui blesse, des cheveux à la chien qu'on a coupés (...) à l'école, pendant la leçon de couture, d'un coup de ciseaux à broder.
COLETTE, la Maison de Claudine, Ybanez est mort, éd. L. de Poche, p. 111-112.

Loc. Vx. *Oreilles* (cit. 41) *de chien* (mèches plates).

♦**3** Loc. **DE CHIEN.** *Avoir, éprouver un mal de chien :* rencontrer bien des difficultés. *Un métier, un travail de chien,* très pénible. — *Vie de chien,* misérable, difficile. *Temps de chien :* très mauvais temps, temps détestable. — Loc. *Il fait un temps à ne pas mettre un chien dehors,* un temps exécrable. — *Quel chien de temps !* → **Sale.** *Chienne de vie !*

26 Et il me faut reconnaître, sinon par expérience personnelle, du moins par raisonnement, que cette chienne de vie (le mot est de Madame de Sévigné) a quelquefois du bon, bien que je ne m'en sois pas aperçu.
FRANCE, la Vie en fleur, XXVIII, p. 319.

27 Travellini sortit de la pluie avec sa gravité habituelle, et, sans manifester le moindre étonnement de nous rencontrer, par ce temps de chien, dans ces lieux de désolation, il nous parla (...)
H. BOSCO, Un rameau de la nuit, II, p. 54.

Père Ubu : Ah ! le chien de temps, il gèle à pierre fendre et la personne du Maître des Finances s'en trouve fort endommagée.
A. JARRY, Ubu roi, IV, 5 (1896).

Mar. *Coup de chien :* coup de gros temps (grain, coup de vent, etc.).

Il (...) se posait en homme dangereux (...) disait qu'il fallait guillotiner la moitié de ces gredins *(les hommes politiques)* et déporter l'autre moitié «au prochain coup de chien».
ZOLA, le Ventre de Paris, t. I, p. 95.

♦**4** Péj. (et terme d'injure). Vx, littér. ou allus. hist. Personne méprisable. → **Canaille.** *Ah, le chien, la chienne !* → **Chienne,** II, 1.

Je suis un chien, un traître, un bourreau détestable (...)
MOLIÈRE, l'Étourdi, V, 6.

Chien de... Chiens de chrétiens ! (formule prêtée aux musulmans). *Fils de chien !*

Je te ferai changer de note, chien de philosophe enragé.
MOLIÈRE, le Mariage forcé, 5.

(...) ce chien de tailleur-là (...)
MOLIÈRE, le Bourgeois gentilhomme, II, 4.

Il en sort tous les jours de nouveaux, de ces chiens d'Allemands, de leur damnée forteresse.
A. DE MUSSET, Lorenzaccio, I, 2.

Si je n'avais pas fait l'enfant tout à l'heure (...) j'aurais encore deux coups à tirer, alors qu'il ne m'en reste qu'un, se dit-il (...) désormais je ne peux tirer qu'un seul de ces chiens.
J. GIONO, le Hussard sur le toit, p. 103.

(En emploi adjectif). Mod. Dur, méchant ; avare. *C'est un bon bougre, il n'est pas trop chien.* — Rare. *Elle est un peu chienne. «Prendre sa tête la plus chienne»,* dure, revêche (Goncourt, *in* T. L. F.).

Ah ! non, pour sûr, ces rapiats n'étaient pas larges des épaules, et toutes ces manigances venaient de leur rage à vouloir paraître pauvres. Eh bien ! On leur donnerait une leçon, on leur prouverait qu'on n'était pas chien.
ZOLA, l'Assommoir, t. I, p. 258.

Comme le garçon avait l'air d'hésiter, la chanteuse dit :
Oui, allez, ce n'est pas pour la boîte, ça. C'est moi qui paie.
Et elle ajouta :
Ce qu'ils peuvent être chiens, ici !
M. DRUON, les Grandes Familles, II, IV, p. 63.

Loc. mod. *Chien de quartier :* adjudant (→ **Cabot**). — *Le chien du commissaire :* le secrétaire du commissaire de police.

Traiter (qqn) comme un chien, très mal, sans égard ni pitié.

Pour ses employés, pour ses domestiques, et ils sont nombreux, il les traite comme des chiens et les décourage toujours.
G. DUHAMEL, Chronique des Pasquier, VIII, V, p. 332.

Tuer qqn comme un chien, de sang-froid, sans aucune pitié.

Cet homme a été mon ami ; aujourd'hui je ne me ferais aucun scrupule de le tuer comme un chien.
CHATEAUBRIAND, Mémoires d'outre-tombe, I, V.

Mourir comme un chien, sans soin, sans secours, abandonné. *Enterrer qqn comme un chien,* sans aucune cérémonie.

Alors, stupide, mal à l'aise, il s'arrêta (...) Une grande lâcheté l'envahissait (...) À cette heure, il était seul, il pouvait crever, sur le pavé, comme un chien perdu.
ZOLA, le Ventre de Paris, t. I, p. 50.

Fig. (argot hippique). Cheval de course de très mauvaise qualité, sans valeur. → Veau, II, 2.

Loc. fig. et fam. *C'est (ce sera) le chien pour... :* on a (on aura) du mal à...

Mais c'est plutôt le chien pour trouver un coin tranquille. Partout il s'est fréquenté de nos jours.
ARAGON, Blanche..., I, I, p. 14.

♦**5** Loc. fig. *Garder à qqn un chien de sa chienne,* lui garder rancune et se promettre de se venger de lui. — *Leurs chiens ne chassent pas ensemble.* → Chasser.

Recevoir qqn comme un chien dans un jeu de quilles, le recevoir très mal. *Arriver, venir comme un chien dans un jeu de quilles,* mal à propos.

34 J'ai maintes fois remarqué que vous aviez un fâcheux penchant à vous jeter étourdiment dans les entretiens sérieux comme un chien dans un jeu de quilles.
FRANCE, la Rôtisserie de la reine Pédauque, Œ., t. VIII, p. 17.

Se regarder en chiens de faïence, se considérer avec méfiance.

4.1 Chacun s'était assis avec les siens, en deux groupes séparés, les guérilleros d'un côté, les militants de la ville de l'autre (...) On commençait à se regarder en chiens de faïence. Régis DEBRAY, l'Indésirable, p. 269.

Rompre les chiens : interrompre un entretien* mal engagé.

35 (...) craignant des questions plus précises (...) il rompit délibérément les chiens.
MARTIN DU GARD, les Thibault, t. III, p. 188.

S'entendre, vivre comme chien et chat, en se disputant constamment (→ Chat).

36 Bien ensemble, maman et la Bonne-Mère? (...) Comme chien et chat, oui!... LOTI, Ramuntcho, I, VII, p. 85.

Ne pas être bon à jeter aux chiens : ne pas valoir grand-chose. On dit dans le même sens, *ne pas valoir les quatre fers d'un chien :* ne rien valoir (les chiens n'ayant pas de fers, à la différence des chevaux). → Vx. *Agir comme un chien fouetté,* de fort mauvaise grâce. — *Jeter, donner sa langue au chien* (cf. Donner sa langue au chat, plus cour.). — *Avoir du crédit comme un chien à la boucherie* : n'avoir aucun crédit. *Cela n'est pas fait pour les chiens,* on peut, on doit s'en servir, l'utiliser.

6.1 J'oubliais un détail typique : la fruitière de madame la capitaine vint donner cette note de morale : — C'est le devoir de tous les honnêtes gens de prévenir le mari quand il est ridicule : le divorce n'est pas fait pour les chiens! GORON, l'Amour à Paris, t. I, p. 48.

Être comme un chien à l'attache : n'avoir aucune liberté.

Faire le chien couchant : être flatteur, obséquieux, lâche, veule.

37 On se trompait; on en fut pour les frais de courage : on avait compté sur ma platitude, sur mes pleurnicheries, sur mon ambition de chien couchant, sur mon empressement à me déclarer moi-même coupable, à faire le pied de grue auprès de ceux qui m'avaient chassé : c'était mal me connaître.
CHATEAUBRIAND, Mémoires d'outre-tombe, III, IX.

38 (...) pourquoi ne se rebiffe-t-il pas davantage, au lieu de prendre ces airs de chien couchant?
PROUST, À la recherche du temps perdu, t. X, p. 113.

Faire le jeune chien; être bête comme un jeune chien, être étourdi, folâtre, par analogie avec les mouvements désordonnés des jeunes chiens. *Faire le chien fou, le chien enragé.* Le *chien-chien à sa mémère* (allus. au langage bêtifiant adressé aux chiens).

Avoir un caractère de chien, un mauvais caractère.

39 Il a un caractère de chien, mais les autres n'ont pas de caractère du tout.
A. MAUROIS, Terre promise, XXII, p. 147.

C'est un chien qui aboie à la lune, en parlant d'une personne présomptueuse. *Les chiens aboient, la caravane* passe. *Faire comme le chien du jardinier qui ne mange pas de choux et ne laisse pas les autres en manger* : empêcher autrui d'utiliser ce qui lui rendrait service, mais dont on ne veut pas.

Entre chien et loup : au crépuscule, quand la nuit commence à tomber et que l'on ne saurait distinguer un chien d'un loup. Cf. la féminisation (emploi d'auteur) : *Entre chienne et louve,* titre d'un ouvrage de M. Perrein.

Je crains l'entre chien et loup quand on ne cause point (...) 40
Mme DE SÉVIGNÉ, 467, 13 nov. 1675.

Le Point-du-jour : quartier au nom qui pourrait susciter 40.1 l'image plutôt riante de l'approche de l'aurore, mais auquel le mépris qu'avaient en ce temps-là les gens d'Auteuil pour ce quartier plus pauvre que le leur contribuait à donner une allure indécise d'entre chien et loup, une teinte de grisaille légèrement patibulaire.
Michel LEIRIS, Biffures, p. 33.

Littér. *Entre loup et chien :* à l'aube.

On atteignait l'heure entre loup et chien où les gens sen- 40.2 sibles se confient, où les criminels avouent, où les plus silencieux eux-mêmes luttent contre le sommeil à coup d'histoires ou de souvenirs.
M. YOURCENAR, le Coup de grâce, p. 135.

Interj. *Nom d'un chien!* juron familier. → Nom, cit. 26.

Oh! nom d'un chien de nom d'un chien! y va s'étaler dans 40.3 le fromage (...)
COURTELINE, les Gaîtés de l'escadron, p. 75.

Merci, mon chien! (se dit à un enfant qui dit «merci» sans appellatif, pour l'inciter à ajouter un plus convenable).

♦ **6** (*Chien,* au sens 1.). **Prov.** *Bon chien chasse de race,* il est bon chasseur de naissance (→ Chasser). *Chien en vie vaut mieux que lion mort :* il vaut mieux vivre misérablement que d'être mort après avoir été puissant.

Car pour l'homme qui est parmi les vivants, il y a de 41 l'espérance; mieux vaut un chien vivant qu'un lion mort.
BIBLE (CRAMPON), l'Ecclésiaste, IX, 4.

Qui veut noyer son chien l'accuse de la rage : tout prétexte est bon quand on veut se débarrasser de qqn ou de qqch.; on invente des torts à ceux qu'on veut sanctionner.

Qui veut noyer son chien l'accuse de la rage. 42
MOLIÈRE, les Femmes savantes, II, 5.

Autant vaut être mordu d'un chien que d'une chienne : il est inutile de fuir un mal pour en rencontrer un autre qui n'est pas moindre. *Tous les chiens qui aboient ne mordent pas :* les personnes qui crient le plus ne sont pas le plus à craindre. *Chien hargneux a toujours l'oreille déchirée :* le querelleur ne se retire jamais indemne. — *Un chien regarde bien un évêque :* nul ne doit se fâcher d'être regardé; la différence de rang autorise cependant les relations. — *Qui m'aime aime mon chien.*

Allus. hist. *C'est le chien de Jean de Nivelle, il s'enfuit quand on l'appelle,* en parlant d'une personne qui se dérobe quand on a besoin d'elle. — *C'est Saint Roch et son chien,* se dit de deux personnes qui ne se quittent jamais.

♦ **7** Loc. fig. LES CHIENS ÉCRASÉS : les faits divers de peu d'importance, en journalisme. *Il fait les chiens écrasés.*

▣ Seulement n. m. ♦ **1** *Chien de mer :* squale. → **Aiguillat; rousette.** — *Chien-dauphin.* → **Lamie.**

♦ **2** (Fin XVIᵉ). Pièce coudée de certaines armes à feu qui portait le silex et de nos jours guide le percuteur. *Chien d'un fusil de chasse.* (1585, *in* D.D.L.). *Abattre le chien.*

C'était un fusil à piston. Je le pris et fis jouer le chien à la 43 gâchette. Comme il y avait encore une capsule, je retins le déclic et le chien se reposa doucement.
H. BOSCO, Hyacinthe, p. 59.

Par anal. *Être couché en chien de fusil,* les genoux ramenés sur le corps. *Ramassé en chien de fusil :* le corps courbé sur les genoux.

Antoine, ramassé derrière elle en chien de fusil, se 44 redressa (...) s'accouda confortablement.
MARTIN DU GARD, les Thibault, t. III, p. 21.

Elle se tourna, en chien de fusil, le front contre le mur. 45
Mais elle ne retrouva pas son agréable demi-somme (...)
COLETTE, Julie de Carneilhan, p. 75.

♦ **3** Loc. *Chien-assis* [ʃjɛ̃asi]. Voir ce mot.

♦ **4** Jeux. Talon du jeu, au tarot. *Faire le chien. Il y a six cartes dans le chien.*

DÉR. **Chenet, chenil. — Chiénage, chienchien, chiennaille. — Chiennée, chienner, chiennerie.** — Cf. aussi les dér. du lat. *canis* (cagne, canaille, caniche, canidés, canin) et du grec *kunos* (préf. cyn- : cynégétique, cynique, cynisme, cynocéphale, cynodrome, cynoglosse; cyon). ◊ COMP. **Chien-assis, chiendent, chien-loup, tue-chien** (V. Colchique).

CHIÉNAGE [ʃjenaʒ] n. m. — Mill. XIXᵉ; de *chien*.

Hist. Droit du seigneur et obligation du vassal à nourrir un certain nombre de chiens de chasse.

CHIEN-ASSIS [ʃjɛ̃asi] n. m. — 1929; de *chien*, et *assis*.

Techn. Lucarne en charpente, en saillie sur la couverture d'une maison, et servant à donner du jour à un comble. *Des chiens-assis* [ʃjɛ̃asi].

CHIENCHIEN [ʃjɛ̃ʃjɛ̃] n. m. — 1875, *chien-chien*, in D.D.L.; redoublement enfantin de *chien*.

Fam., iron. Petit chien. *C'est le chienchien à sa mémère. —* Var. : *chien-chien (des chiens-chiens; des chienchiens).*

1 (...) Eugénie soupire de la manière lasse, désabusée, bruyante qui lui est familière, tandis que Bertrand opine avec un air poli et que l'autre idiote participe pour une fois à la conversation, son chienchien, vous pensez.
Claude MAURIAC, le Dîner en ville, p. 248.

2 — Devant *la Régalade* poursuit Hélène : Il lui faut du croissant cuit au feu de bois à mon chien-chien. Je te jure, quel poème, ce Gilbert !
Yanny HUREAUX, la Prof, p. 81.

CHIENDENT [ʃjɛ̃dã] n.m. — 1551; de *chien*, et *dent*.

♦ **1** Herbe vivace (*Graminées*), à racines développées, nuisible aux cultures. *Chiendent à balai.* → **Andropogon.** *Chiendent pied de poule,* aussi appelé *patte de poule. Chiendent ruban. Chiendent des Canaries.* → **Alpiste.** *Chiendent des chiens. Le chiendent rampant est utilisé en médecine pour préparer une tisane diurétique.*

♦ **2** Racine de chiendent séchée. *Brosse de chiendent.*

♦ **3** (1690). Fig. et fam. (Collectif). → **Difficulté, embarras.** *Voilà le chiendent.* → Cactus (un, des cactus).

CHIENLIT [ʃjɑ̃li] n. f. — 1534; de *chier, en,* et *lit.*

♦ **1** Vieilli ou littér. Masque de carnaval.

1 L'hypocrisie et le mensonge grouillaient partout. Les mots et les gestes les plus quotidiens étaient des masques, des déguisements, des chienlits.
Marie CARDINAL, les Mots pour le dire, p. 316.

REM. Le sens de «masque de carnaval bizarrement accoutré» est attesté en 1740; selon P. Larousse, l'évolution de sens est la suivante. Le mot *chie-en-lit* aurait désigné le «bout de chemise malpropre qui sort par la fente postérieure de la culotte d'un enfant», puis un «morceau de chiffon ou de papier que l'on attache par plaisanterie au vêtement de quelqu'un». Mais ces acceptions sont hypothétiques.

2 La bacchanale, jadis couronnée de pampres (...) aujourd'hui avachie sous la guenille mouillée du Nord, a fini par s'appeler la chie-en-lit.
HUGO, les Misérables, *in* P. LAROUSSE.

Par ext. Chanson, air de carnaval qui accompagnait les cris de «*à la chie-en-lit!*» (attesté en 1832).

3 Cet être braille, raille, gouaille, bataille (...) psalmodie tous les rythmes depuis le De Profundis jusqu'à la Chie-en-lit (...)
HUGO, les Misérables, III, I, III.

(V. 1860). *Un, des chie-en-lit.* Invar. Personne habillée d'une manière excentrique. «*Les chie-en-lit qu'on appelle les petites dames...*» (P. Larousse).

♦ **2** N. f. (1862). Mascarade tumultueuse et désordonnée.

On en est à la chienlit, monsieur (...) On en est à la mascarade, au corso carnavalesque. On se déguise en pierrot, en arlequin, colombine ou en grotesque pour échapper à la mort.
J. GIONO, le Hussard sur le toit, p. 270. 4

Fig. Mascarade, déguisement grotesque.

Désordre. → **Pagaïe.** «*La réforme, oui; la chienlit, non*» (mots attribués au général de Gaulle, en mai 1968).

CHIEN-LOUP [ʃjɛ̃lu] n. m. — 1775; trad. angl. *wolf-dog;* de *chien*, et *loup.*

Chien qui ressemble au loup. → **Berger** (allemand). *Des chiens-loups.*

CHIENNAILLE [ʃjɛnaj] n. f. — XIIᵉ; de *chien*, et suff. *-aille.*

Vieux.

♦ **1** Troupe de chiens.

J'ai fini par surprendre, malgré les cris de la chiennaille, un pas humain, des bruits humains.
G. DUHAMEL, les Maîtres, p. 306. 1

♦ **2** Fig. Canaille (collectif).

Messire, répondit-il d'une voix rauque, s'il se trouve en toute cette chiennaille... Il désignait de la main ouverte l'assemblée des prévôts.
M. DRUON, la Reine étranglée, p. 180. 2

CHIENNE [ʃjɛn] n. f. — Fém. de *chien.*

I Femelle du chien. → **Chien, I., A.**

II Fig. ♦ **1** (Au sens B., 4. de *chien*). Rare. Terme d'injure à l'égard d'une femme. — Adj. Elle est chienne. «*Madame me l'avait donné, Madame n'est pas chienne comme vous*» (Zola, in T.L.F.).

♦ **2** Plus cour. (par compar. ou fig.). Femme lubrique. *C'est une chienne, une chienne en chaleur.*

Vous savez, je ne suis pas une chienne. Je ne me mets pas les pattes en l'air quand on siffle!
ZOLA, l'Assommoir, Pl., t. II, p. 681.

CHIENNÉE [ʃjene] n. f. — 1611; de *chien.*

Rare. Portée de petits chiens, de chiots.

CHIENNER [ʃjene] v. intr. — 1492; de *chien.*

Rare (en parlant d'une chienne). Mettre bas.

CHIENNERIE [ʃjɛnʀi] n. f. — V. 1210; de *chien.*

♦ **1** Vx. Ensemble de chiens.

Péj. Comportement humain comparé à celui d'un chien (→ Cynique), d'une chienne.

♦ **2** (V. 1450). **ⓐ** Impudeur (d'une femme, comparée à une chienne en chaleur). *Une, des chienneries :*

Qu'il est difficile d'être une femme. Je me sens concernée et intriguée par les chienneries de toutes ces femmes qui sont d'abord des femelles avant d'être des êtres humains.
Benoîte et Flora GROULT, Journal à quatre mains, p. 138. 1

ⓑ Littér. Attitude cynique quant à l'amour.

(...) faute de pouvoir se donner la morale et les valeurs dont il a clairement senti la nécessité, on sait assez que Breton a choisi l'amour. Dans la chiennerie de son temps, et ceci ne peut s'oublier, il est le seul à avoir parlé profondément de l'amour.
CAMUS, l'Homme révolté, *in* Essais, Pl., p. 507. 2

♦ **3** (1669). Fig. Dureté; ladrerie (vieilli). — Péj. et mod. *Cette chiennerie de métier.* → **Chien.**

CHIER [ʃje] v. — XIIIᵉ; du lat. *cacare*, esp. *cagar;* → Caguer; chiader, chialer.

Familier et vulgaire.

I V. intr. ♦ **1** Se décharger le ventre des excréments. → **Faire**. *Aller chier. Avoir envie de chier.*

1 Guy déjà à l'émouvante attitude d'un chien qui chie. Il pousse, son regard est fixe, ses quatre pattes sont rapprochées sous son corps arc-bouté; et il tremble, de la tête à l'étron fumant.
Jean GENET, *Journal du voleur*, p. 238.

2 (...) ce qui me fait penser que chier ne convient pas pour quelqu'un comme le cheval qui a la défécation sèche, poudreuse, filandreuse, parce que chier, qu'on le veuille ou non, ça suppose du glissant, du giclant, du liquide, enfin moi je trouve (...)
Jacques LAURENT, *les Bêtises*, p. 269.

REM. En franç. d'Afrique, le verbe peut s'employer sans connotation vulgaire (I. F. A.).

♦ **2** Fam. **FAIRE CHIER (qqn)**, l'embêter, le contrarier. → **Emmerder, suer** (faire suer); **tartir** (argot). *Tu nous fais chier! Il commence à me faire chier, ce type! Viens pas me faire chier!*

3 Il n'était pas rentré parce qu'il ne savait pas l'adresse! (...)
— Je vais te le faire tatouer sur la poitrine! répète : 44, avenue de Saxe.
— Merde, me dit-il. Me fais pas trop chier tout de même. Je plongeai dans le silence. Oui. Il ne fallait pas exagérer, n'est-ce pas.
Christiane ROCHEFORT, *le Repos du guerrier*, I, IV, p. 92.

4 Pourquoi que tu veux l'être, institutrice?
— Pour faire chier les mômes, répondit Zazie.
R. QUENEAU, *Zazie dans le métro*, p. 29.

Ça me fait chier : ça m'ennuie, ça m'est désagréable. — *Fait chier!* (même sens). — *On se fait chier, ici :* on s'ennuie. → **Emmerder** (s'). — *Se faire chier à faire qqch.,* se donner du mal pour le faire.

5 On peut même lui dire qu'on s'est fait chier, qu'on a même fini par faire nos devoirs tellement c'était le sombre dimanche.
Joseph JOFFO, *Baby-foot*, p. 20.

♦ **3** Loc. fam. (métaphore du sens 1.). *Chier dans sa culotte, dans son froc :* avoir peur. — *Chier dans les bottes de quelqu'un,* lui jouer un tour impardonnable. — *Chier dans la colle :* exagérer, dépasser la mesure. — *Chier dans la main de quelqu'un,* manifester une ingratitude profonde à son égard.
Chier sur (qqn, qqch.) : mépriser, témoigner du mépris pour. → **Pisser** (sur), et ci-dessous, II., 3.

6 N'oublie pas de chier sur *la Renaissance*, journal littéraire et artistique, si tu le rencontres.
RIMBAUD, *Lettre à Ernest Delahaye, juin 1872*, Pl., p. 269.

À chier (en fonction d'adj.). Déplaisant, désagréable. *Il a un goût à chier. — Il est vraiment à chier, ce type!* → Chiant. *Envoyer chier* (qqn) : le rembarrer. → **Paître, promener** (envoyer). — *Va chier!*

En chier : être dans une situation difficile, pénible, désagréable. *T'as signé, c'est pour en chier!* (apostrophe traditionnelle aux engagés, dans l'armée; employé souvent par plais. à l'adresse de qqn qui ne peut pas se dérober à une obligation, à une contrainte pénible). *Y a pas à chier :* c'est inévitable; c'est évident.

7 Parfaitement, elle ne vous a pas dénoncé, il n'y a pas à chier. Elle vous savait pendant quatre ans dans cette cave aux Champs-Élysées comme Juif, elle ne vous a pas dénoncé par amour.
É. AJAR (R. GARY), *l'Angoisse du roi Salomon*, p. 282.

♦ **4** Impers. *Ça chie, ça va chier :* les choses se gâtent, vont se gâter. — *Ça (ne) chie pas :* cela n'a pas d'importance.

II V. tr. ♦ **1** Expulser (des excréments). Loc. *Chier des cordes :* évacuer péniblement des excréments durcis.

♦ **2** Mettre au monde un enfant (cf. J. Genet, *in* Cellard et Rey).

♦ **3** Mépriser (qqn). «*Marre? Je les chie, tu veux dire*» (Georges Arnaud, *in* Cellard et Rey).

♦ **CHIÉ, ÉE** p. p. adj. Réussi. *C'était chié!* — (Personnes). Étonnant, drôle. *Une chiée nana. Il est chié, ce mec!* Loc. *Tout chié :* absolument ressemblant. → **Craché**. *C'est le portrait de son père, tout chié!* → Tout craché*.

DÉR. et COMP. **Chiant, chiard, chiée, chienlit, chierie, chieur, chiotte, chiure.** (Du p. p.) **Chiément.**

CHIERIE [ʃiʁi] n. f. — XVIᵉ, «déjections»; de *chier*.
Fam., vulg. Chose très ennuyeuse, contrariante ou contraignante. → **Emmerdement**. *Quelle chierie!*

1 Ô Nature! ô ma mère!
Quelle chierie! et quels monstres d'innocence (sic), ces paysans. Il faut, le soir, faire deux lieux (sic), et plus, pour boire un peu. La *mother* m'a mis là dans un triste trou.
RIMBAUD, *Lettre à Ernest Delahaye, mai 1873*, Pl., p. 271-272.

2 Maintenant elle revoulait plus partir! Ah là! la chierie!
CÉLINE, *Guignol's band*, p. 110.

CHIEUR, CHIEUSE [ʃjœʁ, ʃjøz] n. — XXᵉ; de *(faire) chier.*
Fam., vulg. Qui embête, contrarie qqn. → **Emmerdeur**. *Quel chieur, ce type!*

CHIFFE [ʃif] n. f. — 1611; dial. (Nord, Ouest) *chipe* «chiffon», 1306; du moy. angl. *chip* «petit morceau», avec infl. du moy. franç. *chiffre* «objet sans valeur».

♦ **1** Rare. Étoffe de mauvaise qualité. → **Chiffon**. *C'est de la chiffe.*
Loc. compar., cour. *Il est mou comme une chiffe, plus mou qu'une chiffe.* → 1. Mou, cit. 11 et 17.

♦ **2** Fig. Personne sans caractère. *C'est une chiffe molle* (→ **Mou, veule**).

D'ailleurs, il n'aura pas même le courage d'y aller, à la police. Je le connais, moi, c'est une chiffe, une poule mouillée, il se dégonfle toujours.
B. CENDRARS, *Moravagine*, *in* Œ. compl., t. IV, p. 133.

CONTR. **Dur, énergique.** ◊ DÉR. **Chiffon.**

CHIFFON [ʃifɔ̃] n. m. — 1607; de *chiffe* (1.).

♦ **1** Morceau de vieille étoffe. *Vieux chiffons. Garder, ramasser, vendre des chiffons. Chiffons de laine, de soie. Effilocher des chiffons* (→ **Bourre, charpie**). *Commerce des chiffons.* → **Chiffonnier**. *Industrie des chiffons :* triage ou délissage, effilochage, carbonisage... *Chiffons de lin, de coton vendus aux fabricants de papier, de carton.* → **Drille, peille, pilot.**

1 Les portes de l'armoire à glace béaient sur un fouillis de lingeries et de chiffons.
M. VAN DER MEERSCH, *l'Élu*, p. 70.

Chiffon à meuble, à poussière, à chaussures : morceau de toile, de laine, de coton servant à enlever la poussière. — Régional. *Chiffon de parterre.* → **Serpillière**.

♦ **2** Collectif. **LE CHIFFON**. *Récupération du chiffon pour la fabrication du papier.* — Par métonymie. *Du chiffon, du pur chiffon :* papier d'excellente qualité, fait avec du chiffon.

♦ **3** Vêtement froissé, fripé, détérioré (→ **Chiffonner**). *Ta chemise est un vrai chiffon!*

EN CHIFFON : chiffonné. *Plier, mettre des vêtements en chiffon*, les disposer sans aucun soin.

2 Du blanc, un peu de rouge, un chiffon de rabat (...)
             Mathurin RÉGNIER, Satires, XI.

♦ 4 CHIFFON DE PAPIER : papier froissé ; mauvais papier. — (1752). Document sans valeur, sans importance ; traité qu'on signe sans avoir l'intention de le respecter (expression attribuée au chancelier allemand Bethmann-Hollweg, qui l'aurait appliquée en 1914 au traité garantissant la neutralité de la Belgique).

Vx. *Un chiffon :* un papier de mauvaise qualité.

3 Excusez le chiffon sur lequel je vous écris ; rien n'est plus rare que le papier en ce pays-ci.
             P.-L. COURIER, Lettres, I, 172.

♦ 5 Fam. (Plur.). Vêtements de femme, objets de parure. **→ Fripe, nippe(s).** *Ne s'occuper que de chiffons.* — Loc. *Parler chiffons.*

4 (...) les deux Parisiens parlent politique. Les jeunes personnes, qui s'ennuient un peu, s'entretiennent de chiffons et de leurs amoureux de l'an dernier (...)
             M. YOURCENAR, Archives du Nord, p. 107.

DÉR. Chiffonner, chiffonnier.

CHIFFONNADE [ʃifɔnad] n. f. — 1832 ; *chifonade*, 1750 ; de *chiffonner*.

Cuisine

♦ 1 Préparation de salade (laitue, oseille...), coupée en fines lanières, fondue au beurre et assaisonnée. *Chiffonnade de laitue au cerfeuil.*

♦ 2 Coupe (du jambon ou de préparations analogues) en tranches si fines qu'elles présentent un aspect chiffonné. *Viande des Grisons en chiffonnade.*

CHIFFONNAGE [ʃifɔnaʒ] n. m. — 1835 ; fig. «contrariété», 1740 ; de *chiffonner*.

♦ 1 Action de chiffonner. État de ce qui est chiffonné.

♦ 2 (Par antiphrase). Petit travail d'aiguille qui demande de l'habileté, du goût (→ Chiffonner, II.).

Mme Cygne aîné dit qu'il ne s'agit pas de flûte pour l'instant mais de chiffonnage, et que sa sœur n'a jamais su tenir une aiguille dans ses doigts.
             Suzanne PROU, la Terrasse des Bernardini, p. 106.

CHIFFONNEMENT [ʃifɔnmã] n. m. — 1845 ; de *chiffonner*.

Rare.

♦ 1 Action de chiffonner ; état de ce qui est chiffonné.

♦ 2 Fig. Contrariété, léger ennui (→ Chiffonner, I., 3.).

(...) elle m'a trop souvent voué aux ténèbres pour accepter sans chiffonnement de me voir briller comme une vedette harcelée par les demandes d'interviews.
             Pierre DANINOS, Un certain Monsieur Blot, p. 168.

CHIFFONNER [ʃifɔne] v. tr. — 1650, au sens I, 2, *in* D.D.L. ; de *chiffon*.

I ♦ 1 (1673). Froisser, mettre en chiffon. **→ Bouchonner, friper, froisser, plisser ; tapon** (mettre en). *Chiffonner une robe, un vêtement.* **Pron.** *Tissu qui se chiffonne,* qui garde les faux plis.

1 Quelque lettre qu'il déchire ou chiffonne un moment après.   ROUSSEAU, Julie ou la Nouvelle Héloïse, II, 2.

1.1 Le vieux Gisors chiffonna le morceau de papier mal déchiré sur lequel Tchen avait écrit son nom au crayon, et le mit dans la poche de sa robe de chambre.
             MALRAUX, la Condition humaine, Pl., p. 47.

Littér. (Sujet n. de chose) :

Le vent à chiffonner les fougères s'amuse (...)   2
             HUGO, la Légende des siècles, XXVI,
             «Le groupe des Idylles», XXI.

♦ 2 Vieilli. *Chiffonner qqn*, le bousculer, déranger le bon ordre de ses vêtements. **Fam.** *Chiffonner une femme,* déranger sa toilette en prenant des libertés avec elle.

C'est un badin qui la chiffonne.   3
             GOMBAUD, Épîtres, livre I (1657), dans RICHELET.

♦ 3 (Abstrait ; sujet n. de chose). Mod. → Chagriner, contrarier, ennuyer, intriguer, taquiner. *Cette nouvelle le chiffonne. Cette histoire me chiffonne un peu ; ça me chiffonne.* — **Passif.** *Être chiffonné par quelque chose* (→ ci-dessous, p. p., 3.).

(...) tu es une fille discrète, nous avons des secrets   4
ensemble, je puis te dire ce qui me chiffonne l'esprit (...)
             BALZAC, Albert Savarus, Pl., t. I, p. 825.

II Intrans. S'intéresser aux chiffons (5.), s'occuper à de petits travaux de couture. *Elle aime à chiffonner.*
→ Chiffonnage, 2.

Quand un homme n'a plus rien à construire ou à détruire,   4.1
il est très malheureux. Les femmes, j'entends celles qui
sont occupées à chiffonner et à pouponner, ne comprendront sans doute jamais bien pourquoi les hommes vont
au café et jouent aux cartes.
             ALAIN, Propos, 29 janv. 1909, L'ennui.

REM. On rencontre ce verbe, en emploi d'auteur, au sens de «faire commerce de chiffons» (→ Brocanter, cit. 1.1).

♦ CHIFFONNÉ, ÉE p. p. adj.

♦ 1 Froissé. *Étoffe toute chiffonnée.* **→ Fripé.**

♦ 2 (XVIIIᵉ). **Fig.** *Figure, mine, minois chiffonné :* visage fatigué. Dont les traits sont peu réguliers mais agréables.

C'était un petit minois éveillé, chiffonné.   5
             ROUSSEAU, les Confessions, V.

(...) sa figure *(de l'abbé Delille),* laide, chiffonnée, animée   6
par son imagination, allait à merveille à la nature coquette
de son débit, au caractère de son talent et à sa profession
d'abbé.
             CHATEAUBRIAND, Mémoires d'outre-tombe, I, VIII,

(...) un nez chiffonné de trottin parisien (...)   7
             Valery LARBAUD, Fermina Marquez, V, p. 37.

♦ 3 Fig. Contrarié, tracassé. *Il semble tout chiffonné.*

CONTR. Défroisser, repasser. ◊ DÉR. Chiffonnade, chiffonnage, chiffonnement.

CHIFFONNIER, IÈRE [ʃifɔnje, jɛʁ] n. — 1640 ; de *chiffon*.

I N. ♦ 1 Personne qui ramasse les vieux chiffons pour les vendre (**→ Biffin, chineur,** et aussi 3. **biffe,** 2. **chine**). *La hotte, le crochet traditionnels du chiffonnier.*

Un comptoir immense partage en deux la salle, et sept ou   1
huit chiffonnières, habituées de l'endroit, font tapisserie
sur un banc opposé au comptoir (...) Mon compagnon
m'avertit qu'il fallait payer une tournée aux chiffonnières
pour se faire un parti dans l'établissement en cas de dispute.
             NERVAL, les Nuits d'Octobre.

Les chiffonniers de l'Abbé Pierre surgissaient alors, sollicitant la charité dans un climat persuasif de hold-up.   2
             A. BLONDIN, Monsieur Jadis, p. 74.

♦ 2 Par compar. *Se disputer, se battre comme des chiffonniers,* d'une manière âpre et bruyante. — *Vêtu comme un chiffonnier :* fripé, sale. **→ Vagabond.**

II ♦ 1 N. m. (1800 ; *chiffonnière,* 1759). Meuble haut, à nombreux tiroirs superposés, servant aux femmes pour serrer leurs «chiffons» (5.), les travaux d'aiguille, des bijoux, des papiers. **→ Commode.** *Chiffonnier à sept tiroirs.* **→ Semainier.**

♦ **2** N. f. Petit meuble de dame, à tiroirs (moins haut que le chiffonnier ; → ci-dessus).

3 Je savais (...) qu'elle ne quittait jamais sa mère ; — qu'elle travaillait habituellement près d'elle, à la même chiffonnière, dans l'embrasure de cette salle à manger, qui leur servait de salon.
BARBEY D'AUREVILLY, les Diaboliques, «Le rideau cramoisi».

CHIFFRABLE [ʃifʀabl] adj. — 1875, in Littré, Suppl. ; de chiffrer.

Qu'on peut chiffrer, exprimer par des chiffres, coder selon un chiffre... (→ Chiffre).

CONTR. **Inchiffrable.**

CHIFFRAGE [ʃifʀaʒ] n. m. — 1853 ; de chiffrer.

♦ **1** Mus. Le fait de chiffrer ; manière dont une basse, un accord sont chiffrés.

♦ **2** (1866). Chiffrement*.

♦ **3** (1877). Notation par des chiffres. Évaluation en chiffres.

CHIFFRE [ʃifʀ] n. m. — 1485 ; du lat. médiéval cifra «zéro» (cf. anc. franç. cifre «zéro», XIIIᵉ), empr. à l'arabe ṣifr «vide» ; zéro (→ Zéro), p.-ê. par l'ital. Chiffre.

Ⅰ ♦ **1** Chacun des caractères servant à représenter les nombres. Les chiffres arabes (1, 2, 3, 4, 5, 6, 7, 8, 9, 0). Les chiffres romains (I, V, X, L, C, D, M). Un nombre* de deux, de trois, de plusieurs chiffres. Écrire un nombre en chiffres ou en lettres (→ aussi **Alphanumérique**). Une colonne de chiffres. Aligner des chiffres. → **Calculer.** Chiffres astronomiques*. Le chiffre d'une date. Chiffre d'une fraction. Chiffres décimaux. — Fig. C'est un zéro en chiffre, en parlant d'une personne qui n'a aucune valeur. Par ext. Les chiffres, la science des chiffres. → **Mathématique(s) ; arithmétique ; calcul.**

1 Il s'était rencontré avec M. Leibniz (...) sur l'idée singulière d'une arithmétique qui n'aurait que deux chiffres, au lieu que la nôtre en a dix. FONTENELLE, Lagny.

(Sing. collectif) :

1.1 Il y a des prodiges du chiffre. Évariste Galois, Rimbaud des mathématiques, mort à vingt ans (le 29 mai 1832) victime des pédagogues, après avoir écrit soixante pages qui ouvrent encore des perspectives inconnues aux hommes de science.
COCTEAU, Journal d'un inconnu (en note), p. 170.

♦ **2** Cour. Nombre représenté par les chiffres. Le chiffre des dépenses. → **Montant, somme, total.** Chiffre rond*. En chiffres ronds. Le chiffre du budget. Le chiffre des naissances, des décès, de la population. Chiffre exprimant un rapport. → **Indice, taux.**

(1891, in D.D.L.). Comm. **CHIFFRE D'AFFAIRES** : total des ventes effectuées pendant la durée d'un exercice commercial. Abrév. → **C.A.,** 1. Déterminer le chiffre d'affaires d'une entreprise. Chiffre d'affaires faible, important. Taxe sur le chiffre d'affaires. — Ellipt. Chiffre : chiffre d'affaires. Chiffre net. Chiffre brut. Faire du chiffre : avoir une politique d'augmentation du chiffre d'affaires.

♦ **3** Mus. Caractère numérique placé au-dessus ou au-dessous des notes de la basse pour indiquer les accords (tierce, quinte...) qu'elle comporte. → **Chiffrer (mus.).**

Ⅱ ♦ **1** Caractère numérique ou d'écriture de convention employé dans une écriture secrète (→ **Cryptographie**). Écrire en chiffres (opposé à écrire en clair). — Par anal. Signe de convention servant à correspondre secrètement. — (Collectif). Le chiffre, l'ensemble de ces signes. → **Code.** Faire un chiffre.

Changer de chiffre. Avoir le secret du chiffre. — La clef du chiffre, ce qui permet de comprendre ou de chiffrer des dépêches secrètes. → **Chiffrer, déchiffrer ; chiffrement, déchiffrement, grille.** Service du chiffre : bureau civil ou militaire où l'on chiffre et déchiffre les dépêches secrètes. Être affecté au chiffre.

2 Je trouvai des tas de dépêches, tant de la cour que des autres ambassadeurs, dont il n'avait pu lire ce qui était chiffré, quoiqu'il eût tous les chiffres nécessaires pour cela.
ROUSSEAU, les Confessions, VII.

3 J'ai avec Caulaincourt un chiffre et un signe convenus par lesquels il m'avertira, par exemple, si l'empereur accepte ou non les propositions de paix.
TALLEYRAND, in Louis MADELIN, Talleyrand, III, XXVI, p. 269.

3.1 Vous ne connaissez pas la nouvelle technique : le surcodage en lettres ? Des cryptogrammes anodins (...) — Je vais immédiatement lancer un appel radio, au Q. G. qu'ils préviennent tout de suite le service du Chiffre, à l'Intérieur.
Régis DEBRAY, l'Indésirable, p. 309.

Chiffre d'une serrure, d'un coffre-fort : ensemble des caractères dont la composition conditionne l'ouverture de la serrure. → **Combinaison.**

♦ **2** Entrelacement de lettres initiales. → **Marque, monogramme.** Marquer de l'argenterie, du linge au chiffre, aux chiffres de qqn. Faire graver son chiffre (sur un cachet...).

4 En 1747 nous allâmes passer l'automne en Touraine, au château de Chenonceaux, maison royale sur le Cher, bâtie par Henri second pour Diane de Poitiers, dont on y voit encore les chiffres (...)
ROUSSEAU, les Confessions, VII.

5 La fleur capucine (...) brode de ses chiffres de pourpre les murs sacrés.
CHATEAUBRIAND, le Génie du christianisme, III, V, 2.

DÉR. **Chiffrer.**

CHIFFREMENT [ʃifʀəmɑ̃] n. m. — Déb. XVIIᵉ ; de chiffrer.

Opération par laquelle on chiffre (Ⅱ.) un message (codage).

CHIFFRER [ʃifʀe] v. — 1515 ; de chiffre.

Ⅰ (→ Chiffre, I.). ♦ **1** V. intr. Vx. Utiliser les chiffres pour calculer. → **Compter.**

1 Je l'ai vu calculer, nombrer, chiffrer, rabattre.
J.-B. ROUSSEAU, Rép. à Chaul., in LITTRÉ.

♦ **2** V. tr. Numéroter*, dénombrer à l'aide de chiffres. Chiffrer les pages d'un registre.

Évaluer* en chiffres. Chiffrer ses revenus, ses dépenses annuelles. Chiffrer (qqch.) à... : calculer précisément en chiffres.

(Pron. passif). Ses dépenses se chiffrent à tant par mois. Chiffrer (qqch.) par : évaluer de façon vague (qqch.). Opération qui se chiffre par plusieurs millions de déficit, de bénéfice.

Mus. Noter au moyen de chiffres. Chiffrer un accord. — Au p. p. Basse chiffrée.

♦ **3** V. intr. S'additionner. Ça finit par chiffrer !, par coûter cher.

Ⅱ V. tr. (→ Chiffre, II.). ♦ **1** Écrire, noter en chiffre, en un code conventionnel et secret. Chiffrer une correspondance secrète, un télégramme. — Au p. p. Message chiffré.

1.1 Dans ma poche le petit carnet où leurs noms sont chiffrés est doué de puissance consolatrice.
Jean GENET, Journal du voleur, p. 266.

♦ **2** Orner d'un chiffre. — Au p. p. Papier, linge chiffré.

2 Dans un portefeuille chiffré d'une couronne de comte, les photographies de Mme de Fontanin, de Daniel, de Jenny, voisinaient avec celles, dédicacées, d'une chanteuse viennoise.   MARTIN DU GARD, les Thibault, t. VI, p. 69.

♦ **CHIFFRÉ, ÉE** p. p. adj. Voir ci-dessus à l'article.

DÉR. **Chiffrable, chiffrage, chiffrement, chiffreur.**

CHIFFREUR, EUSE [ʃifʀœʀ, øz] n. — 1529, *chyfreux;* de *chiffrer.*

♦ **1** Rare. Personne qui note, transcrit en chiffres.

♦ **2** Employé, employée du chiffre (II.) qui fait le chiffrement*.

CHIGNARD, ARDE [ʃiɲaʀ, aʀd] adj. et n. — 1877; de *chigner.*
Fam., vieilli. (Personne) qui a l'habitude de chigner, de pleurnicher. → **Pleurard, pleurnichard.** *Un môme chignard.*

CHIGNER [ʃiɲe] v. intr. — 1807; *chignant,* av. 1794; de *rechigner,* par aphérèse.
Fam., vieilli. → **Grogner, pleurer, pleurnicher.**
DÉR. **Chignard.**

CHIGNOLE [ʃiɲɔl] n. f. — 1753; de l'anc. franç. *ceoignole,* XIIe, du lat. pop. **ciconiola* «petite cigogne», de *ciconia.* → Cigogne.

♦ **1** Techn. Dévidoir de passementier.

♦ **2** (1905). Fam. Mauvaise voiture (à cheval, puis automobile). → Tacot. — Par ext. Toute automobile. *Je vais te montrer ma nouvelle chignole.*

♦ **3** Perceuse à main, ou, rare, électrique. *Acheter une chignole et quelques forets.* → **Perceuse.**
Ensemble, nous nous rendons sur les lieux, équipés de chignoles à main et de masques. Une heure plus tard, une dizaine de trous de 5 mm sont percés en demi-plongée, pour mesurer l'épaisseur des tôles avant de prendre une décision (...)   Bernard MOITESSIER, Cap Horn à la voile, p. 83.

CHIGNON [ʃiɲ5] n. m. — 1611; *chaaignon, chaignon* «nuque», XIIe; du lat. pop. **catenio, -onis* «chaîne des vertèbres», de *catena.* → Chaîne.

♦ **1** Vx. Partie postérieure du cou. → **Nuque.**

1 Les emboîtements les plus remarquables *(des os)* sont ceux de l'épine du dos qui règne depuis le chignon du cou jusqu'au croupion.   BOSSUET, Traité de la connaissance de Dieu..., *in* LITTRÉ.

♦ **2** (1725). Partie de la chevelure* relevée et groupée derrière sur la tête (disposition réservée en principe aux femmes, dans les cultures occidentales, mais pratiquée par les hommes dans de nombreuses civilisations). *Chignon uni, natté, frisé. Un petit chignon. Cheveux tordus en chignon* (→ Tortillon). *Se coiffer en chignon. Se faire un chignon. Défaire son chignon. Un faux chignon.*

2 Car sur sa nuque d'ambre fauve
Se tord un énorme chignon
Qui, dénoué, fait dans l'alcôve
Une mante à son corps mignon.   Th. GAUTIER, Émaux et Camées, «Carmen».

3 Virginie venait de sauter à la gorge de Gervaise. Elle la serrait au cou, tâchait de l'étrangler. Alors, celle-ci, d'une violente secousse, se dégagea, se pendit à la queue de son chignon, comme si elle avait voulu lui arracher la tête.   ZOLA, l'Assommoir, t. I, 1, p. 32.

4 Ils *(les Annamites)* secouent leurs robes bleues (...) tordent leurs longues chevelures, rajustent leurs chignons comme des femmes.   LOTI, Figures et Choses..., v, p. 272.
Créper le chignon d'une femme, tirer ses cheveux. — Fig. *Se créper le chignon :* se battre, se disputer (→ Guignol, cit. 5).

CHIHUAHUA [ʃiwawa] n. m. — De *Chihuahua,* ville du Mexique.
Très petit chien à museau pointu, le plus souvent à poils courts, originaire du Mexique. *Une (chienne) chihuahua. Des chihuahuas.*
Sur la table, devant lui, il y avait une nichée de *chihuahuas,* à peine plus grands que des souris et qui paraissaient faits de gélatine rose. Il était en train de les nourrir au compte-gouttes.   R. GARY, Chien blanc, p. 114.

CHIISME [ʃiism] n. m. — D.i.; de *chiite.*
Doctrine religieuse des chiites*.
REM. On écrit aussi *chi'isme, shiisme* et *shi'isme.*

CHIITE [ʃiit] adj. et n. — 1765, *Encyclopédie; schiaïte* et *schiite,* 1740; *schiah,* 1697, Herbelot; *schaï,* 1653; proprt «sectaire», de l'arabe *šiyéi* «sectateur, parti».
Relatif à la secte musulmane des partisans d'Ali et de ses descendants, et à l'islamisme particulier qu'ils professent (thème de la Passion de Hussein, du retour de l'imam après sa mort, etc.). *Les musulmans iraniens sont en majorité chiites. Doctrines, groupes, mouvements chiites* (druzes, duodécimains, ismaïliens...). *Chef religieux chiite.* → **Ayatollah.** — N. *Des chiites.* — REM. On écrit aussi *chi'ite, shiite* et *shi'ite.*

(...) ce sont deux mondes religieux différents qui vont s'établir et s'affronter : l'islam sunnite, pour lequel la prophétie de Mahomet a scellé à tout jamais la révélation, et pour qui les califes ne sont que les *«commandeurs des croyants»* investis, par les hommes, de pouvoirs politiques, militaires et religieux; l'islam chiite, qui, au contraire, se situe dans la continuité d'une révélation devant être transmise par les Imams.   Pierre BLANCHET, *in* le Nouvel Observateur, 25 nov. 1983, p. 49.

CHIL- → Chéil-.

CHILE [tʃile] ou **CHILI** [tʃili] n. m. — Attesté 1676; répandu mil. XXe; mot espagnol.
Piment* fort, en usage en Amérique latine comme assaisonnement *(du chile).* — **CHILE CON CARNE** [tʃilekɔnkaʀne] ou **CHILI CON CARNE** [tʃilikɔnkaʀne] n. m. Ragoût pimenté (au *chile)* de viande *(carne)* hachée, de haricots rouges, parfois de tomates, d'oignons, etc. (plat mexicain).

CHILIEN, ENNE [ʃiljɛ̃, ɛn] adj. et n. — Av. 1740; de *Chili.*
Du Chili. *L'économie chilienne. Un poète chilien.* — N. Habitant ou originaire du Chili. *Les Chiliens.*
Spécialt. De l'espagnol parlé au Chili. *Idiotisme chilien* ou *chilénisme* [ʃilenism] n. m.
DÉR. **Chilienne.**

CHILIENNE [ʃiljɛn] n. f. — XXe; de *chilien.*
Chaise longue en toile, sans accoudoirs.

CHILO- → Chéil-.

CHIMÉRAL, ALE, AUX [ʃimeʀal, o] adj. — XXe; de *chimère.*
Biol. Relatif aux chimères (4.).
(...) vous allez jusqu'à composer des organes de structure mixte ou chimérale en amalgamant des tissus de poulet avec des tissus de souris (...)   Jean ROSTAND, Réponse au discours de réception à l'Acad. franç. de M. E. Wolff, 19 oct. 1972, *in* le Monde, 20 oct. 1972.

CHIMÈRE [ʃimɛʀ] n. f. — XIIIᵉ; du lat. *chimæra*, grec *khimaira* «la Chimère», monstre mythologique.

♦ **1 Myth.** Monstre fabuleux qui a la tête et le poitrail d'un lion, le ventre d'une chèvre, la queue d'un dragon, et qui crache des flammes. *Sur l'ordre de Iobatès, Bellérophon tua la Chimère.* — **Fig.** Assemblage monstrueux (vx).

1 Quelle chimère est-ce donc que l'homme? Quelle nouveauté, quel monstre, quel chaos, quel sujet de contradiction, quel prodige! PASCAL, Pensées, VII, 434.

2 Rabelais surtout est incompréhensible : son livre est une énigme, quoi qu'on veuille dire, inexplicable; c'est une chimère; c'est le visage d'une belle femme avec des pieds et une queue de serpent, ou de quelque autre bête plus difforme; c'est un monstrueux assemblage d'une morale fine et ingénieuse, et d'une sale corruption. LA BRUYÈRE, les Caractères, I, 43.

♦ **2** (1538). **Littér.** (ou langue écrite). Vaine imagination; projet irréalisable. → **Fantasme, fantôme, folie, idée, illusion, imagination, mirage, rêve, songe, utopie, vision; chimérique.** *Se repaître de chimères. Caresser une chimère, sa chimère. Se forger, se créer des chimères. Bayer aux chimères.* → **Rêver.** *Le pays des chimères :* l'Eldorado. *De vaines, de folles, de vagues chimères. Quittez ces chimères.* — **Fam.** *C'est là sa chimère,* son rêve, son idée fixe. — *Les Chimères,* sonnets de G. de Nerval.

3 Quelles chimères ne tombent point dans l'esprit des hommes pendant qu'ils dorment! LA BRUYÈRE, les Caractères, VIII, 68.

4 Mes douces chimères me tenaient compagnie, et jamais la chaleur de mon imagination n'en enfanta de plus magnifiques. ROUSSEAU, les Confessions, IV.

5 (...) l'imagination ne pare plus rien de ce qu'on possède; l'illusion cesse où commence la jouissance. Le pays des chimères est en ce monde le seul digne d'être habité; et tel est le néant des choses humaines, que hors l'Être existant par lui-même, il n'y a rien de beau que ce qui n'est pas. ROUSSEAU, Julie ou la Nouvelle Héloïse, VI, VIII.

6 Ô chimères! dernières ressources des malheureux! ROUSSEAU, Julie ou la Nouvelle Héloïse, II, XXIV.

7 (Napoléon) mêlait les idées positives et les sentiments romanesques, les systèmes et les chimères, les études sérieuses et les emportements de l'imagination, la sagesse et la folie. CHATEAUBRIAND, Mémoires d'outre-tombe, III, I.

8 (...) je caressais une folle chimère. A. DE MUSSET, Poésies nouvelles, «Une soirée perdue».

9 (...) la chimère capricieuse et farouche, toujours prête à déployer ses ailes inquiètes (...) Th. GAUTIER, la Toison d'or, II.

10 Le sac de la Ville Éternelle (...) effraya l'Europe comme un présage (1527). Peut-être la chrétienté, lointain souvenir de l'unité perdue, était-elle déjà une illusion. Elle ne fut plus qu'une chimère. J. BAINVILLE, Hist. de France, VIII, p. 145.

11 Admettre dès le principe que la raison n'expliquera pas tout, c'est renoncer d'avance et c'est donner prise à la chimère (...) G. DUHAMEL, Chronique des Pasquier, VI, III.

♦ **3** (1808; par anal. avec le monstre de la mythologie). Poisson chondroptérygien holocéphale (ou chimériforme) au corps allongé et nu avec livrée d'argent. *La chimère est aussi appelée rat de mer.*

♦ **4** (XXᵉ). **Biol.** Organisme (animal, plante créée artificiellement par greffe) composé de tissus de type génétiquement différents (appartenant à des génotypes différents). *Des chimères.* → **Chimérisme.** «*Les chimères sont des animaux dont le corps est formé d'un mélange de cellules de constitution génétique différente, provenant de deux embryons ou plus, différents*» (la Recherche, 1975; n° 94, p. 978). — *Des souris-chimères.*

CONTR. Fait, raison, réalité, réel. ◊ **DÉR. Chiméral, chimérique.**

CHIMÉRIQUE [ʃimeʀik] adj. — 1580; de *chimère.*

♦ **1** Qui est produit par l'imagination (comme la chimère de la mythologie). → **Imaginaire.** *Un être chimérique.* → **Monstre.** *La coquecigrue, animal chimérique.* → **Inexistant.** *Songes, imaginations, rêves chimériques.* → **Fabuleux, fantastique, fou, illusoire, imaginaire, impossible, invraisemblable, irréalisable, irréel, utopique, vain;** → 1. Roman, cit. 6. — **Spécialt.** Qui tient du mythe, est irréalisable, impossible à faire, à obtenir... *Projet, conception chimérique.* → **Vue** (vue de l'esprit); billevesée... Cf. Châteaux en Espagne (bâtir des). *Opinions chimériques. La quadrature du cercle, problème chimérique. Espérance chimérique.* → **Ombre.**

1 (...) Étant de ces gens-là qui sur les animaux Se font un chimérique empire. LA FONTAINE, Fables, VII, 1.

2 Je n'estime pas que l'homme soit capable de former (...) un projet plus vain et plus chimérique, que de prétendre (...) échapper à toute (...) critique. LA BRUYÈRE, Disc. sur Théophraste.

3 Je m'aperçus bientôt que tous ces auteurs étaient entre eux en contradiction presque perpétuelle, et je formai le chimérique projet de les accorder, qui me fatigua beaucoup et me fit perdre bien du temps. Je me brouillais la tête, et je n'avançais point. ROUSSEAU, les Confessions, VI.

4 (...) si on peut dire qu'il y a une part d'illusion dans des espérances trop hâtives, du moins elles n'ont rien de chimérique. JAURÈS, Hist. socialiste..., t. VIII, p. 69.

N. m. *Le chimérique :* le domaine des vaines imaginations.

5 (...) la stupidité du père Soupe atteignait (...) aux limites les plus reculées du chimérique et de l'irréel. COURTELINE, Messieurs les ronds-de-cuir, 2ᵉ tableau, II.

♦ **2** (1669). Qui se complaît dans les chimères. *Homme chimérique.* → **Rêveur, romanesque, utopiste, visionnaire.** *Esprit chimérique.* → **Creux, faux.**

6 Cet homme a un esprit chimérique qui se repaît de vaines imaginations. FURETIÈRE, Dictionnaire, art. *Chimérique.*

7 Enflant d'un vain orgueil son esprit chimérique (...) BOILEAU, l'Art poétique, III, in LITTRÉ.

8 Bouillon était l'homme le plus chimérique qui ait jamais vécu en nos jours, et le plus susceptible des chimères les plus folles en faveur de sa vanité. SAINT-SIMON, Mémoires, 45, 17, in LITTRÉ.

9 Ce sont bien, eux aussi (les esprits chimériques), des coureurs qui tombent et des naïfs qu'on mystifie, coureurs d'idéal qui trébuchent sur les réalités, rêveurs candides que guette malicieusement la vie. H. BERGSON, le Rire, I, II.

CONTR. Positif, réel, solide, vrai. ◊ **DÉR. Chimériquement.**

CHIMÉRIQUEMENT [ʃimeʀikmã] adv. — 1662; de *chimérique.*
Littér. D'une manière chimérique.

CHIMICAGE ou **CHIMIQUAGE** [ʃimikaʒ] n. m. — 1895, Année sc. et industr., p. 227; de (allumette) *chimique.*
Techn. Opération par laquelle on trempe les allumettes dans le bain chimique.

CHIMIE [ʃimi] n. f. — 1554, *chymie;* lat. médiéval *chimia,* de *alchimia.* → **Alchimie.**

♦ **1** Science qui a pour objet l'étude de la constitution des divers corps, de leurs transformations et de leurs propriétés. *Chimie pure : chimie générale, chimie descriptive. Chimie minérale. Chimie organique*. *Chimie biologique.* → **Biochimie.** *Chimie nucléaire, chimie physique*, *chimie quantique. Chimie analytique. Branches spécialisées de la* *chimie.* → **Cristallochimie, électrochimie, magnétochimie, photochimie, radiochimie, stéréochimie, thermochimie.** *Chimie appliquée : chimie agricole* (→ **Agrochimie**), *animale* (→ **Zoochimie**), *médicale, pharmaceutique* (→ **Pharmacie**). *Chimie industrielle* (industries du bois, de la cellulose, de la céramique, des colorants, des combustibles, des corps gras, des engrais, des explosifs, des métaux, des matières plastiques, des parfums, du verre ; industries de synthèse). → Carbochimie, pétrolochimie (ou pétrochimie). *Histoire de la chimie.* → aussi **Alchimie, iatrochimie.** — *Un monde dominé par la biologie et la chimie.* → 1. Pouvoir, cit. 30.

Méthodes employées en chimie (→ **Analyse, synthèse ;** expérience, observation). *Notation* ∗ *en chimie.* → **Formule, symbole ; élément, radical, dérivé ; chaîne, cycle, fonction, série, substituant** (en chimie organique). *Les lois de la chimie. La nomenclature, la terminologie de la chimie.* — *Étudier, apprendre la chimie. Professeur de chimie ; cours, leçon, travaux pratiques de chimie.*

1 Je me souviens que, voulant donner à un enfant du goût pour la chimie, après lui avoir montré plusieurs précipitations métalliques, je lui expliquais comment se faisait l'encre.   ROUSSEAU, Émile, III.

2 (...) les sciences qui ne s'occupent que des propriétés des corps voient vieillir dans un instant leur système le plus fameux. En chimie, par exemple, on pensait avoir une nomenclature régulière ; et l'on s'aperçoit maintenant qu'on s'est trompé. Encore un certain nombre de faits, et il faudra briser les cases de la chimie moderne.
      CHATEAUBRIAND, le Génie du christianisme, III, II, 2.

3 *(On peut définir)* la chimie comme ayant pour but général *d'étudier les lois des phénomènes de composition et de décomposition qui résultent de l'action moléculaire et spécifique des diverses substances, naturelles ou artificielles, agissant les unes sur les autres.*
      A. COMTE, Philosophie positive, II, VIII.

4 La division de la chimie en *inorganique* et en *organique* ne peut pas être conservée (...) la chimie organique présente un caractère bâtard, moitié chimique, moitié biologique.
      A. COMTE, Philosophie positive, II, VIII (cf. ch. VIII à XIII).

5 C'est ici que votre chimie intervient avec ses souveraines clartés (...) Bunsen et d'autres (...) ont démontré cette vérité capitale : la chimie du soleil est la même que celle de la Terre (...) La chimie dès lors cesse d'être une science terrestre, comme la géologie ; elle est une science qui domine au moins tout le système solaire, et qui très probablement s'étend au delà (...) La Chimie (...) nous fait atteindre une époque de l'histoire où la distinction des systèmes de mondes n'existait pas.
      RENAN, Lettre à Berthelot, Août 1863, Œ. compl., t. I, p. 641.

6 Avec la chimie s'introduisent (...) les notions d'être ou de substance individuelle. La plupart des vieilles formules de la métaphysique y sont en quelque sorte réalisées sous une forme concrète.
      BERTHELOT, Réponse de Berthelot à Renan, *in* RENAN, Œ. compl., t. I, p. 668.

VOCABULAIRE DE LA CHIMIE : Voir tableaux pages suivantes.

♦ **2** Fig., littér. Transformation profonde, secrète. → Alchimie. *La chimie de l'art. Une chimie subtile.*

7 Les arbres, à peu près à la moitié du tronc pour les plus grands, baignaient dans la lumière du soleil couchant qui par une chimie mystérieuse semblait volatiliser leurs branches brunes, leurs feuilles vertes, en un vague feuillage d'or, et la réalité rustique du jardin devenait à cette hauteur un tableau céleste.
      PROUST, Jean Santeuil, Pl., p. 780.

DÉR. Chimique, chimisme, chimiste, chimiluminescence, chimisorption, chimiosynthèse, chimiotactisme, chimiotaxie, chimiothérapie. ◊ **COMP. Agrochimie, astrochimie, biochimie, carbochimie, cosmochimie, cristallochimie, cytochimie, électrochimie, géochimie, magnétochimie, pétrolochimie, photochimie, radiochimie, stéréochimie, thermochimie, zoochimie. – HOM. Shimmy.**

CHIMIO- Premier élément de substantifs composés, dérivé de *chimie.*

CHIMIO [ʃimjo] n. f. → **Chimiothérapie.**

CHIMIOLUMINESCENCE [ʃimjolyminesɑ̃s] n. f. — 1929 ; de *chimio-*, et *luminescence*, d'après l'angl. *chimioluminescence* (1905).
Chim. Lumière visible produite par une réaction chimique et qui ne s'accompagne pas de dégagement de chaleur.

CHIMIORÉCEPTEUR [ʃimjoʀesɛptœʀ] n. m. — Av. 1970 ; de *chimio-*, et *récepteur.*
Physiol. Récepteur∗ sensible aux stimulations chimiques. On dit aussi *chémorécepteur* [kemoʀesɛptœʀ]. *Réflexes respiratoires et vasculaires déclenchés par le chimiorécepteur carotidien.*

CHIMIOSYNTHÈSE [ʃimjosɛ̃tɛz] n. f. — Mil. XXᵉ ; d'abord en all., Pfeffer, déb. XXᵉ ; de *chimio-*, et *synthèse.*
Biochim. Synthèse de substances organiques, réalisée par des bactéries utilisant l'énergie de diverses réactions exothermiques.
Le médicament moderne, au lieu de se récolter ou de se cultiver, *se construit,* et se construit rationnellement (...) Il a fallu isoler le germe, chercher des espèces voisines plus prolifiques, provoquer des mutations, puis définir les structures chimiques et enfin réaliser par chimiosynthèse des dérivés actifs pour obtenir la gamme actuelle d'antibiotiques, très riche et très différenciée.
      A. LE GALL et R. BRUN, les Malades et les Médicaments, p. 37.

CHIMIOTACTIQUE [ʃimjotaktik] adj. — 1903, in *Rev. gén. des sc.,* nº 1, p. 52 ; de *chimiotactisme.*
Didact. Du chimiotactisme. *Pouvoir chimiotactique* (→ Chimiotactisme, cit.).

CHIMIOTACTISME [ʃimjotaktism] n. m. — 1903, in *Rev. gén. des sc.,* nº 16, p. 851 ; *chimiotaxie,* 1897 ; de *chimio-*, et *tactisme.*
Didact. Orientation des déplacements cellulaires, selon les substances chimiques du milieu.
Prenons l'exemple de l'afflux leucocytaire déclenché dans certains cas et pas dans d'autres en vertu d'un pouvoir chimiotactique positif ou négatif des bactéries. En réalité, le chimiotactisme ne dépend pas exclusivement des bactéries, il dépend tout autant de certaines constantes biologiques appartenant à la victime.
      V. VIC-DUPONT, la Maladie infectieuse, p. 41.
DÉR. Chimiotactique.

CHIMIOTHÉRAPEUTE [ʃimjoteʀapøt] n. — Mil. XXᵉ ; de *chimiothérapie.*
Didact. Spécialiste en chimiothérapie. *Importance du chimiothérapeute dans les traitements antinéoplasiques. Une chimiothérapeute.*

CHIMIOTHÉRAPIE [ʃimjoteʀapi] n. f. — 1911 ; de *chimio-*, et *-thérapie.*
Didact. Traitement par des substances chimiques. *Abus de la chimiothérapie en psychiatrie.*

1 J'ai vu la chimiothérapie ou thérapeutique par les agents chimiques presque complètement délaissée dans le traitement des infections (...)
      G. DUHAMEL, Biographie de mes fantômes, X, p. 185.

Spécialt. Dans les affections telles que le cancer, qui relèvent aussi d'autres thérapeutiques. *Associer chimiothérapie et radiothérapie.*

2 (...) Ce n'est rien du tout. Seulement, par simple prudence, n'est-ce pas, il faudrait faire quelques radios... et envisager

VOCABULAIRE DE LA CHIMIE

1. *Constitution et état des corps*

→ **Atome**; **isotope, isomère** (nucléaire). — **Ion**; **anion, cation**. — **Molécule** (mono-, di-..., polyatomique; macromolécule). — **Électron** (doublet, octet), **neutron, proton**. — **Liaison** (chimique). — **Énergie, masse** (atomique, moléculaire), **nombre** (atomique, quantique : spin), **orbitale, spectre** (atomique, moléculaire; continu, discontinu). — **Gaz** (parfait, réel), **liquide, solide**. — **Colloïde** (gel, sol), **cristalloïde**.

Absorbant
Absorbat
Accepteur (d'hydrogène, d'oxygène)
Activateur
Additif
Adsorbant
Adsorbat
Agent (dispersant, siccatif)
Catalyseur
Coagulant
Concentré
Condensat
Culot
Dépôt
Diluant
Dissolvant

Distillat
Donneur (d'hydrogène, d'oxygène)
Échantillon
Électrolyte
Éluant
Émulsion
Entraîneur
Esprit
Essence
Excès
Extrait
Filtrat
Fixateur
Fluide
Fondant
Hydrophile

Hydrophobe
Impureté
Indicateur (coloré)
Initiateur (de polymérisation)
Intermédiaire (instable)
Isomère
Liqueur
Mélange
Micelle
Monomère (polymère, copolymère)
Oxydant
Oxydo-réducteur
Précipité
Produit
Phase (dispersante, dispersée)

Réactif (sélectif, spécifique)
Réducteur
Résidu
Soluté
Solution (molaire, normale, saturée, tampon)
Solvant
Stabilisateur (ou stabilisant)
Sublimé
Substrat
Surnageant
Suspension
Système (chimique)
Traceur (radioactif)
Vapeur (insaturée, saturée, sursaturée)

VOCABULAIRE DE LA CHIMIE

2. *Propriétés des corps*

Absorptivité (absorption)
Acidité
Activité
Adsorption
Affinité
Alcalinité
Allotropie (anisotropie, isotropie)
Atomicité
Basicité
Calorifique (pouvoir calorifique)
Causticité
Chélation
Chimiluminescence
Coagulabilité
Coefficient (d'activité, d'absorption)
Cohésion
Combustibilité (combustible, comburant)
Conductibilité
Constante (radioactive; de dissociation...)
Coordinence
Covalence

Degré (d'oxydation, d'ionisation)
Densité
Désorption
Effet (inducteur; tampon; isotopique)
Efflorescence
Électronégativité
Équivalence (chimique, électrochimique)
Eutexie
Facteur (stérique)
Fluorescence
Fugacité
Fusibilité
Hydratation
Indice (d'acidité, etc.)
Inflammabilité
Ionisation
Isomérie
Isomorphisme
Luminescence
Mésomérie
Métamérie
Miscibilité
Molarité
Molécularité (d'une solution; équimolécularité)

Mouillabilité
Normalité
Passivité
Passivation
pH
Phosphorescence
pOH
Poids (atomique, moléculaire, spécifique)
Point (de condensation, de congélation, de fusion, d'ébullition, eutectique, fixe, isoélectrique)
Polarité
Polymérie
Potentiel (d'oxydoréduction, d'ionisation...)
Pureté
Radioactivité (artificielle, naturelle)
Réactivité
Résonance
Rf
rH
Saturabilité
Solubilité

Spécificité
Stabilité
Stéréoisomérie
Structure (moléculaire : primaire, secondaire, tertiaire, quaternaire)
Température (de fusion...)
Titre
Valence
Viscosité
Volatilité
Volume (atomique, moléculaire...)

Voir aussi :
Atome-gramme
Chaleur (atomique, de dissolution, de formation, de neutralisation, de réaction, spécifique)
Endothermique
Enthalpie
Entropie
Équilibre (chimique)
Exothermique
Mole
Molécule-gramme
Vitesse (de réaction...)

Vocabulaire de la chimie
3. Opérations et processus chimiques

Activation (d'une réaction)
Addition (→ Réaction)
Agrégation
Analyse (→ Procédés d'analyse, ci-après)
Barbotage
Calcination
Carbonisation
Catalyse
Centrifugation
Clivage
Coagulation
Combinaison
Combustion
Composition
Concentration
Condensation
Congélation
Cristallisation
Décantation
Décomposition
Déconcentration
Dédoublement
Défécation
Déflegmation
Dépolymérisation
Désactivation
Désagrégation
Déshydratation
Désintégration
Désoxydation

Dessiccation (exsiccation)
Désubstitution
Désursaturation
Détection
Digestion
Dialyse
Dilution
Dissociation
Dissolution
Distillation (fractionnée)
Dosage
Ébullition
Échange (→ Réaction)
Échauffement
Électrolyse
Élimination (→ Réaction)
Élution
Essai
Évaporation (fractionnée)
Explosion
Extraction
Fermentation
Filtration
Fixation
Floculation
Fluidification
Fractionnement
Fusion

Hydratation
Identification (→ Analyse)
Isomérisation
Lavage
Lessivage
Liquation
Liquéfaction
Lixiviation
Lyophilisation
Manipulation
Mélange
Mesure
Méthode (chimique, physico-chimique)
Minéralisation
Neutralisation
Oxydation
Oxydo-réduction
Pasteurisation
Percolation
Permutation
Pesée
Photosynthèse
Polymérisation
Précipitation
Préparation
Procédé
Pulvérisation
Purification
Pyrogénation

Réaction
Réactivation
Rectification
Réduction
Refroidissement
Rinçage
Saturation
Séchage
Sédimentation
Séparation (électrochimique)
Siphonnage
Solidification
Stabilisation
Stérilisation
Sublimation
Substitution (→ Réaction)
Sursaturation
Synérèse
Synthèse
Tamponnage
Test
Titrage
Traitement (chimique)
Transmutation
Transvasement
Transposition (→ Réaction)
Tri
Volatilisation

Vocabulaire de la chimie
Procédés d'analyse

Calorimétrie
Chromatographie
Colorimétrie
Coulométrie
Cristalloscopie
Cryométrie

Docimasie
Ébulliométrie
Électrodialyse
Électrographie
Électrophorèse
Fluorimétrie

Gazométrie
Gravimétrie
Hétérométrie
Microscopie
Néphélométrie
Polarographie

Polarovoltrie
Potentiométrie
Spectroscopie
Thermogravimétrie
Tonométrie
Volumétrie

VOCABULAIRE DE LA CHIMIE
Opérations spécifiques

Alcoylation	Décarboxylation	Estérification	Nitrosation
Aldolisation	Dénitrification	Éthérification	Nitruration
Anhydrisation	Désacidification	Fluoration	Phosphorylation
Bromuration	Désamination	Halogénation	
Carboxylation	Déshydrogénation	Hydrogénation	Saccharification
Cétolisation	Désoxydation	Ioduration	Saponification
Chloruration	Désulfuration	Méthylation	Sulfonation
Cyclisation	Énolisation	Nitrification	Sulfuration

Réactions de dégradation, de destruction (→ -lyse)

Acidolyse	Ammoniolyse	Photolyse	Radiolyse
Alcoolyse	Hydrolyse	Pyrolyse	Thermolyse

Procédés techniques et industriels

Ablation	Berginisation	Cracking (Craquage)	Pyrogénation
Acétification	Cémentation	Cyanuration	Raffinage
Adoucissement (d'eau)	Chloration	Dénaturation	Revivification
Amalgamation	Coupellation	Lévigation	Vulcanisation

VOCABULAIRE DE LA CHIMIE
4. Appareils utilisés en chimie

Agitateur	Colonne (de distillation, etc.)	Échangeur	Mortier
Alambic		Électrode	Moufle
Aludel	Compte-gouttes	Électrolyseur	Paillasse
Ampoule	Compteur (de radio-activité)	Entonnoir	Pipette
Aspirateur	Condenseur	Éprouvette	Pissette
Autoclave	Cornue	Épuiseur	Pompe (à eau, à mer-cure...)
Balance	Coupelle	Étuve	
Ballon (gradué, jaugé, de mesure)	Creuset	Eudiomètre	Pulvérisateur
Barboteur	Cristallisoir	Évaporateur	Retorte
Bécher	Cuve (à électrolyse, à réaction)	Filtre	Siphon
Bougie (filtre)	Cuvette	Fiole	Stérilisateur
Burette	Défécateur	Flacon	Thermomètre
Capsule	Dessiccateur	Hotte	Tube (à essai)
Centrifugeuse	Dialyseur	Humecteur	Tuyau
Cloche	Digesteur	Matras	Vase (à réaction)
		Mélangeur	

Voir aussi :

Arc (électrique)	Four	Micropipette	Thermobalance
Bain-marie	Fourneau	Pince (à creusets)	Trépied
Bec	Goupillon	Porte-éprouvette	Trompe (à eau)
Brûleur	Lampe	Scintillateur	Ultracentrifugeuse
Chalumeau	Microburette	Tamis	Ultrafiltre

→ aussi les suffixes **-graphe, -mètre, -scope.**

NOMENCLATURE CHIMIQUE
Corps chimiques

a. Corps simples ou éléments

Hydrogène (H). — Alcalins (métaux alcalins : Li, Na, K, Rb, Cs, Fr). — Alcalino-terreux (Be, Mg; et, appelés parfois *alcalino-terreux vrais* : Ca, Sr, Ba, Ra). — Métaux de transition (Sc, Ti, V, Cr, Mn, Fe, Co, Ni, Cu, Zn, Y, Zr, Nb, Mo, Tc, Ru, Rh, Pd, Ag, Cd, Hf, Ta, W, Re, Os, Ir, Pt, Au, Hg; lanthanides ou *terres rares* : La, Ce, Pr, Nd, Pm, Sm, Eu, Gd, Tb, Dy, Ho, Er, Tm, Yb, Lu; actinides : Ac, Th, Pa, U et transuraniens : Np, Pu, Am, Cm, Bk, Cf, Es, Fm, Md, No, Lr). — Bore (famille du bore : les éléments constituant le sous-groupe de la troisième colonne du tableau de la classification périodique : B, Al, Ga, In, Tl). — Carbone (famille : C, Si, Ge, Sn, Pb). — Azote (famille : N, P, As, Sb, Bi). — Chalcogènes (O, S, Se, Te, Po). — Halogènes (F, Cl, Br, I, At). — Gaz rares (He, Ne, Ar, Kr, Xe, Rn).

b. Corps composés

1. *Inorganiques.* → **Métal, métalloïde** (semi-métal), **non-métal; alliage.** Acide (monoacide, diacide, triacide, oxacide), anhydride. — Base (et hydrate [alcali], hydroxyde). — Ampholyte. — Sel. — Oxyde (bioxyde, peroxyde, protoxyde, sesqui-oxyde). → aussi : **Accepteur** (d'électron [acide], de proton [base]), **donneur** (d'électron [base], de proton [acide]); **complexe** (molécule, ion [ammonium, hydronium, oxonium...]), **ligant** (coordinat); **bromo-, chloro-, iodo-, nitro-...; -ique, -eux, -hydrique; -ate, -ite, -ure,** etc.

2. *Organiques* (composés du carbone*). → **Carbure, hydrocarbure; iso-, cyclo-; méta-, ortho-, para-; mono-, di-, tri-... poly-; super-,** etc.).

I. *Hydrocarbures saturés* (→ -ane, -yle)

A. *Acycliques* (ou *aliphatiques*). → **Alcane** (paraffine) [méthane, éthane, propane, butane; pentane, hexane, heptane], **alcoyle** (alkyle) [méthyle, éthyle, propyle, butyle, amyle].

B. *Cycliques.* → **Cyclane** (cyclopropane, cyclobutane).

II. *Hydrocarbures insaturés*

A. *Éthyléniques.* → **-ène-** [-adiène, -atriène-], **-ènyle** [butènyle; vinyle, allyle] : a) *Acycliques.* → **Alcène** (oléfine) [éthylène, propylène, propène], **butylène** (butène); b) *Cycliques.* → **Cyclène** (cyclohexène; pinène).

B. *Acétyléniques.* → **-yne** (-adiyne, -atriyne) : a) *Acycliques.* → **Alcyne** (acétylène); b) *Cycliques.* → **Cycloalcyne.**

C. *Diéthyléniques.* → **Diène** (allène, butadiène, isoprène; → Buna, caoutchouc, élastomère, guttapercha).

III. *Hydrocarbures aromatiques* (→ **Arène, aryle**)

A. *Benzéniques.* → **Benzène** (benz[o]-, phényl-)

B. *À chaînes latérales.* → **Benzyle** (toluène), **benzylidène**

C. *À noyaux complexes.* → **Naphtalène; anthracène, phénanthrène; anthraquinone, pyrène;** et aussi **stér-** (-ane, -ide, -ique...)

IV. *Dérivés des hydrocarbures*

A. *Halogénés* (→ **Chloroforme, iodoforme; néoprène, fréon**) *et organométalliques*.*

B. *Hydroxylés.* → **Hydroxyle** (oxhydrile); **alcool** (hydroxy-, -ol) [méthanol, éthanol, propanol, butanol], **alcoolate; polyalcool** (polyol) [glycérol]; **phénol** (phénol-) [crésol, naphtol].

C. *Éther-oxydes.* → **Alcoxyle** (-oxy-), **époxyde.**

D. *Thioalcools* (thiols). → **-thiol, mercapto-** (mercaptan).

E. *Azotés.* → **Amine** (-amine, amin[o]-), **arylamine; imine; imide** (imido-); **diazoïque.**

F. *Carbonylés.* → **Carbonyle** (carbonyl-, oxo-); **aldéhyde** (-al) [méthanal (formol)], **éthanal, propénal** (acroléine), **aldol; cétone** (-one) [propanone, butanone, acétone], **cétol; quinone.**

G. *Fonction carboxyle et ses dérivés.* → **Carboxyle** (carboxy-, -[oï]que [acrylique, benzoïque, caprique, maléique, malonique]); **acyle** (acétyle, acéto-); **cétène; ester** (céride, stéride); **amide** (-amide); **nitrile** (-carbonitrile, cyano-).

N. B. Certains dérivés jouant un rôle important dans les échanges biologiques ont été regroupés ci-dessous : VI.

V. *Composés hétérocycliques :*

furan(n)e, thiophène, pyrrol(e), indol; pyridine, quinoléine, acridine, pipéridine.

VI. *Composés importants dans les échanges biologiques.*

A. *Glucides.* → **Sucre; ose** (-ose) [aldose, cétose; arabinose, glucose (gluc[o]-), mannose, xylose]; **oside :** saccharose (sacchar-), lactose (lact[o]-); amidon, cellulose, glycogène.

B. *Lipides.* → **Lipo-; butyrique, laurique; stéarique.**

C. *Acides nucléiques.* → **ADN, ARN; nucléo-** (-side, -tide); **purique** (adénine, guanine), **pyrimidique** (cytosine, thymine, uracile); **ribose, désoxyribose;** et aussi **AMP, ADP, ATP.**

D. *Protides.* → **Amino-acide** (alanine, arginine, aspartique, glutamique, histidine, lysine); **créatine, noradrénaline, adrénaline; peptide, protéine** (albumine, globuline; thrombine, actine, myosine;

collagène, kératine; hémoglobine, chlorophylle; caséine), **enzyme** (-ase) [coagulase, invertase, pectase, peptidase], **hormone** (insuline, ocytocine, vasopressine).

E. *Stérols et stéroïdes* (cholestérol; androstérone, testostérone; folliculine, progestérone).

F. *Vitamines* (pyridoxine, riboflavine, thiamine).

G. *Antibiotiques* (auréomycine, pénicilline, streptomycine, tyrothricine).

H. *Alcaloïdes :* apomorphine, atropine, cocaïne, héroïne, LSD (acide lysergique), morphine, nicotine, réserpine, théophylline.

une petite chimiothérapie avant de pratiquer l'ablation totale du foie, de la rate et du gros intestin. Voilà. C'est deux cents francs.

Pierre DESPROGES,
Vivons heureux en attendant la mort, p. 12.

Abrév. cour. : *chimio* [ʃimjo] n. f. *Séances de chimio.*

3   DEUXIÈME COUP DE FIL : — Alors?
LA MALADE : — C'est un cancer.
DEUXIÈME COUP DE FIL : — Ah bon? Eh bien, j'espère que tu ne te laisses pas impressionner. Ça n'est plus rien de nos jours, tu le sais. Un coup de bistouri, une chimio (et il paraît qu'on ne perd même plus ses cheveux), une petite radiothérapie et tu seras remise à neuf. Tchao!

Élisabeth GILLE,
le Crabe sur la banquette arrière, p. 25.

DÉR. Chimiothérapeute, chimiothérapique.

CHIMIOTHÉRAPIQUE [ʃimjoteʀapik] adj. — 1922; de *chimiothérapie.*

Didact. Qui concerne la chimiothérapie*.

CHIMIOTROPISME [ʃimjotʀɔpism] n. m. — 1899; de *chimio-*, et *tropisme.*

Didact. Tropisme de nature chimique.

CHIMIQUAGE [ʃimikaʒ] n. m. → **Chimicage.**

CHIMIQUE [ʃimik] adj. — 1556; de *chimie.*

◆ **1** Relatif à la chimie*, aux corps qu'elle étudie. *Notation, formule, symbole chimique. Propriétés chimiques d'un corps. Opération, réaction chimique. Analyse chimique. Énergie chimique. Éléments chimiques. — Nomenclature chimique.*

◆ **2** *Produits chimiques* : corps obtenus à l'aide de procédés chimiques; **spécialt.** matières premières industrielles de l'industrie chimique. *Navire spécialisé dans le transport des produits chimiques.* → **Chimiquier.** — *Industrie chimique.*

(...) de l'eau (...) un liquide, sans odeur ni couleur, transparent, bon à boire (...); du groupe énorme des caractères ou propriétés physiques et chimiques qui s'accompagnent et constituent l'eau, je ne sais pas quelle chose.

TAINE, De l'intelligence, IV, I, 1, 3.

Subst. *Les chimiques* : les produits chimiques.

Vx. *Allumettes chimiques* : allumettes au phosphore qui s'allument par frottement.

◆ **3** **Cour.** Produit par une synthèse chimique (et non pas naturel ou biologique).

DÉR. Chimiquement. ◊ **COMP. Biochimique, électrochimique.**

CHIMIQUEMENT [ʃimikmã] adv. — 1610; de *chimique.*

D'après les lois, les formules de la chimie. *De l'eau chimiquement pure. Obtenir un produit chimiquement.*

CHIMIQUER [ʃimike] v. tr. — Mil. XXe; de *(allumette, bain) chimique.*

Techn. Pratiquer le chimicage de...

DÉR. Chimicage ou chimiquage.

CHIMIQUIER [ʃimikje] n. m. — Années 1990; de *chimique* dans *(produits) chimiques*, et *-ier*, d'après *pétrolier, vraquier*, etc.

Mar., comm. Cargo transportant des produits chimiques. *«Le surcoût (...) engendré par la construction de trois "chimiquiers" norvégiens»* (*le Point*, 10 oct. 1998, p. 59).

CHIMISME [ʃimism] n. m. — 1838; de *chimie.*

◆ **1** **Didact.** Ensemble de propriétés ou de phénomènes considérés du point de vue de la chimie. *Chimisme gastrique* : composition du suc gastrique étudiée lors d'épreuves physiologiques spéciales.

Ainsi, j'étais mon maître. C'était mon plus cher désir. Je pouvais continuer mes travaux sur le chimisme pathogénique.   1

B. CENDRARS, Moravagine, in Œ. compl., t. IV, p. 69.

◆ **2** **Littér.** Processus considéré comme analogue à une transformation chimique.

Ainsi, par le chimisme même de son mal, après qu'il avait fait de la jalousie avec son amour, il recommençait à fabriquer de la tendresse, de la pitié pour Odette.   2

PROUST, Du côté de chez Swann, Pl., t. I, p. 304.

CHIMISTE [ʃimist] n. — 1548; de *chimie.*

Personne qui s'occupe de chimie, pratique et étudie la chimie. → **Biochimiste.** *Chimiste expert. Chimiste de laboratoire. Ingénieur chimiste. Une chimiste.*

Les chimistes et tous ceux qui emploient leur temps à faire des expériences.   1

MALEBRANCHE, De la recherche de la vérité, II, II, VIII, 4.

Les physiciens et les chimistes viennent avec leurs balances, leurs thermomètres, leurs machines électriques, leurs instruments d'optique, leurs cornues, leurs réactifs (...)   2

TAINE, De l'intelligence, IV, I, 1, 3.

CHIMONANTHE [kimɔnãt] n. m. — Mil. XIXe (1846, Bescherelle); la plante a été introduite en Europe en 1766; lat. bot. *chimonanthus* (Lindley), du grec *kheimôn* «hiver», et suff. *-anthe.*

Bot. Arbuste originaire d'Orient (*Calycanthacées*), importé du Japon en Europe, fleurissant l'hiver, dont les fleurs blanches et rouges dégagent une odeur agréable.

(...) j'aurai des chimonanthes l'hiver, au lieu de daphnés. Le chimonanthe, fleur de décembre, a autant de couleur et d'éclat qu'un petit copeau de liège. Son mérite est unique, et le révèle. En un lieu limousin, où j'ignorais sa présence, par temps de neige je l'ai guetté, cherché, trouvé dans un air glacé où me guidait sa fragrance. Grisâtre, terne sur sa branche, mais doué d'un grand moyen de séduire, — quand je pense au chimonanthe, je pense au rossignol.

COLETTE, Flore et Pomone, in Gigi, p. 181.

CHIMPANZÉ [ʃɛ̃pãze] n. m. — 1738, *quimpezé*; d'une langue d'Afrique occidentale.

Singe* anthropoïde, arboricole, de grande taille, qui vit en Afrique. *Le chimpanzé se nourrit surtout de fruits. L'intelligence du chimpanzé.*

Par compar. *Grimper comme un chimpanzé. Avoir une allure de chimpanzé.*

Seul, le portier égaie la situation, de sa tête de chimpanzé officiel qu'écrase l'ampleur phénoménale d'une casquette officielle aussi.

COURTELINE, Messieurs les ronds-de-cuir, I, II.

CHINAGE [ʃinaʒ] n. m. — 1753; de *chiner.*

◆ **1** Le fait de chiner (1.).

◆ **2** → **Chinure.**
Fig. Bigarrure.

(...) une variété d'œillets laquelle n'était pas moitié aussi belle, aussi «panachée» de «chinages» (...) que celles qu'ils avaient obtenues depuis longtemps (...)

PROUST, le Côté de Guermantes, Pl., t. II, p. 437.

CHINCHARD [ʃɛ̃ʃaʀ] n. m. — 1875, in D. D. L. ; chincara, 1785 ; apparenté à l'esp. chicharro.

Poisson marin de la famille des *Carangidés* (nom sc. : *Trachurus trachurus*) au corps fusiforme marqué d'une ligne latérale sinueuse, à la chair comestible mais peu appréciée. *Conserves de chinchards.*

CHINCHILLA [ʃɛ̃ʃila] n. m. — 1789 ; chinchille, 1598 ; mot esp., de chinche «punaise ; mammifère puant» ; du lat. cimex, icis.

♦ **1** Petit mammifère rongeur *(Chinchillidés)* qui vit au Pérou et au Chili.

♦ **2** Sa fourrure gris perle (une des plus chères). *Une garniture de chinchilla. Toque de chinchilla.*

Elle avait dans une figure rondelette des yeux noirs et souriants et ne manquait ni du boa de chinchilla, ni du carnet de visites, ni de la montre à la poignée de l'ombrelle, ni des paroles sur l'influenza, sur le nombre des soirées, sur la mort qui venait d'emporter tant de jeunes femmes du grand monde «qu'elle avait souvent vues chez une cousine».   PROUST, Jean Santeuil, Pl., p. 784.

Appos. (par compar. avec la fourrure de chinchilla). *Chat persan chinchilla.*

1. **CHINE** [ʃin] n. m. — XIXᵉ ; «plante», 1572 ; nom du pays.

♦ **1** (1866). Papier de luxe. *Du chine et du japon.*

♦ **2** (1855). N. m. Porcelaine de Chine. *Un vase en vieux chine.* Ellipt. *Un chine* : une pièce de porcelaine de Chine.

Si, pourtant, je ne suis pas surpris de ne pas lui avoir demandé alors avec qui elle descendait les Champs-Élysées (...) je le suis un peu de ne pas avoir raconté à Gilberte qu'avant de la rencontrer ce jour-là, j'avais vendu une potiche de vieux chine pour lui acheter des fleurs (...)   PROUST, le Temps retrouvé, Pl., t. III, p. 695.

2. **CHINE** [ʃin] n. f. — 1873 ; de 2. chiner.

Fam. (assez rare).

♦ **1** Brocante. — Ensemble des chineurs*.

♦ **2** Vente de porte à porte. *Vente à la chine.*

1. **CHINER** [ʃine] v. tr. — 1753 ; de Chine, pays d'où vient le procédé.

Faire alterner des couleurs sur les fils de chaîne avant de tisser une étoffe, de manière à obtenir un dessin, le tissage terminé. *Chiner une étoffe.*

♦ **CHINÉ, ÉE** p. p. adj. Plus cour. *Un tissu, un écheveau chiné. Une robe beige chinée de bleu.*

1 En dépit de ses cheveux rejetés en arrière, de son costume chiné, de sa chemise de soie grise, son visage gardait quelque chose de 1900, de sa jeunesse.   MALRAUX, la Condition humaine, Pl., p. 68.

Par métaphore, littéraire :

2 Printemps. Le talus chiné de neige se reflétant dans l'eau verte les mille baguettes des arbustes dépouillés. L'air froid et le soleil chaud.   CLAUDEL, Journal, mars 1909, Pl., t. I, p. 87.

DÉR. **Chinage, chinure.**

2. **CHINER** [ʃine] v. tr. — 1847 ; probablt altér. d'échiner «travailler dur», proprt «fatiguer les reins», les colporteurs portant leur marchandise sur l'échine.

♦ **1** Chercher des occasions (chiffonnier, brocanteur, amateur d'objets). → 2. **Chine, chineur.** — Vendre de porte à porte de menus objets.

1 Se réveillant le lendemain matin, n'ayant plus le sou (...) Va ramasser à la Madeleine de vieilles fleurs pour chiner.   A. JARRY, les Jours et les Nuits, Pl., p. 802.

♦ **2** (1889 ; de «duper le client»). Critiquer sur le ton de la plaisanterie ironique. → **Moquer, plaisanter, railler, taquiner** (cf. fam. Mettre en boîte).

2 Ce n'est pas pour chiner ; mais vrai ! (...) vous êtes gai les jours d'enterrement !   COURTELINE, Messieurs les ronds-de-cuir, VI, II.

♦ **3** (Par attr. de chigner). Protester. → **Râler, rouspéter.**

3 Émile croit que je me moque de lui comme les autres. Il se détourne, chine plus fort et du pied râpe la terre. Philippe agacé le secoue.
«Si tu ne te tais pas, dit-il, je vais te flanquer une paire de calottes. Au moins tu sauras pourquoi tu pleures.»   J. RENARD, Bucoliques, in Œ., Pl., t. II, p. 196.

DÉR. 2. **Chine, chineur.**

CHINETOQUE ou **CHINETOC** [ʃintɔk] n. — 1918, argot de la marine ; de chinois, et suff. pop. sur toc, toqué.

Fam. et péj. (mot raciste). Chinois, Chinoise. *Les Chinetoques.*

Le vaccin, répéta François. On a commencé par les nègres, les chinetoques. Y en a qu'étaient malades ; même à bord, tu peux pas descendre sans qu'on t'ait piquoué.   Francis CARCO, Brumes, p. 42.

CHINEUR, EUSE [ʃinœʀ, øz] n. — 1847 ; de 2. chiner.

♦ **1** N. m. Brocanteur. — On dit aussi chinois, par plaisanterie.

1 (...) la maison du chineur où Renée et lui allaient chercher des plats d'étain et des fixés. Les jours où le couple (...) s'adorait, une nostalgie de plats d'étain (...) le poussait vers ce vieux brocanteur, et tous deux revenaient heureux vers la maison, elle, portant les étains, tout alourdie, lui, portant les fixés, tout léger (...)   GIRAUDOUX, les Aventures de J. Bardini, p. 43.

♦ **2** N. Personne qui chine (→ 2. Chiner, 2.) ; moqueur.

2 Et comme j'avais ajouté à demi ironiquement : «J'ai souffert toutes les tortures de la jalousie», Albertine, usant du langage propre soit au milieu vulgaire d'où elle était sortie, soit au plus vulgaire encore qu'elle fréquentait : «Quel chineur vous faites ! Je sais bien que vous n'êtes pas jaloux. D'abord vous me l'avez dit, et puis ça se voit, allez !»   PROUST, la Prisonnière, Pl., t. III, p. 332.

CHINOIS, OISE [ʃinwa, waz] adj. et n. — 1610 ; chinese, 1602 ; de Chine.

I **A** Adj. ♦ **1** De Chine ; relatif à la Chine. → **Sino-.** *Le peuple chinois. L'économie, la société chinoise. La population chinoise est la plus importante du monde.* — *L'ancien empire chinois.* → **Céleste** (céleste empire). *Les anciens fonctionnaires chinois.* → **Mandarin.** *La république chinoise de Sun-yat-sen. La république populaire chinoise. L'histoire chinoise. Les dynasties chinoises. La diaspora chinoise dans le monde.* — *Mots désignant des réalités traditionnelles chinoises* (croyances, philosophies, religions). → **Confucianisme, tao, taoïsme ; yin** (et yang). *Le bouddhisme* chinois. *Bonzes chinois. Mandarins chinois. Pagode chinoise.* — *La sapèque, le taël, anciennes monnaies chinoises. Monnaie chinoise moderne* (République populaire de Chine). → **Yen-min-piao,** et aussi **yuan.** *Anciennes mesures chinoises* : li, yu. *Mots français d'origine chinoise* : kaolin, nankin, poussah, thé. *«Perdre la face», «tigre de papier», expressions calquées de formules chinoises.* — *L'art chinois ancien, moderne. Musique chinoise. Le théâtre, l'opéra chinois* (traditionnel). — *La médecine traditionnelle chinoise, basée sur l'acupuncture*, l'application de moxas... La gymnastique chinoise.* — *Étude de la civilisation chinoise.* → **Sinologie.** *Traits particuliers à la culture chinoise.* → **Sinité.** *La langue chinoise.* → ci-dessous *le chinois. La Pensée chinoise,* ouvrage de M. Granet.

1 Je ne sais quels lettrés de nos climats se sont effrayés de l'antiquité de la nation chinoise (...) Laissez tous les lettrés chinois, tous les mandarins, tous les empereurs reconnaître *Fo-hi* pour un des premiers qui donnèrent des lois à la Chine. VOLTAIRE, Dict. philosophique, Chine.
Spécialt **a** Peuplé de Chinois. *Le quartier chinois de San Francisco.*
b De la langue chinoise. → ci-dessous, C., *le chinois. Grammaire chinoise. L'écriture chinoise. Les caractères chinois.* → **Caractère, idéogramme ; clé** (ou radical), **trait.** *Mots chinois monosyllabiques, dissyllabiques* (écrits en un ou deux caractères). *Caractères chinois simples, complexes. — Calligraphie, poésie chinoise.*
c Favorable à la Chine populaire, à sa politique. → **Maoïste, prochinois.** — N. *La Chinoise,* film de J.-L. Godard.

♦ **2** Qui vient de Chine ou rappelle le style, les manières, les mœurs de Chine, d'Extrême-Orient.
→ **Chinoiserie.** *Bronze, dragon, magot* chinois. Lanterne chinoise. Paravent chinois. La laque chinoise,* vernis renommé.

2 Il s'y voyait mille choses étranges et charmantes, des magots chinois, des écrans de soie, des paravents de laque (...) FRANCE, le Petit Pierre, XVI, p. 103.
La cuisine chinoise (pékinoise, cantonaise, du Seu-Tchouan). *Plats chinois* (potage aux «nids d'hirondelle», aux ailerons de requins, pâté impérial, canard et porc laqué*, riz cantonais, etc.), *soupe chinoise. Cuisine chinoise à la vapeur. — Restaurant chinois* (hors de Chine) : restaurant extrême-oriental.
Loc. *Pavillon chinois :* petit kiosque à toit pointu et découpé. — *Chapeau chinois, bonnet* (cit. 3) *chinois* ou *pavillon chinois* (instrument de musique).
→ **Chapeau,** II., 6. — *Boulier chinois. — Broderie chinoise,* de soie rehaussée d'or. — *Jeux chinois :* exercices, tours d'adresse propres aux troupes chinoises.
Loc. fig. *Supplice chinois,* très cruel, raffiné. *Casse-tête chinois.* → **Casse-tête.** — *Ombres chinoises.*
→ **Ombre** (cit. 40).
Bot. *Bigaradier chinois* (qui produit les chinois, II., 1.).

♦ **3** Fig. (par allus. à l'écriture chinoise). *C'est assez chinois,* bizarre et compliqué (→ ci-dessous, C., 2.).

B N. m. et f. *Un Chinois, une Chinoise :* habitant(e) ou personne originaire de la Chine ; spécialt, de l'ethnie majoritaire en Chine, les Hans. *Les yeux «bridés» des Chinois. Les Chinois de Chine populaire. Les Chinois de Taïwan.* → **Formosan** (vieilli), **taïwanais.** *Les Chinois de Californie. La minutie, l'impassibilité, la politesse attribuées traditionnellement aux Chinois. La langue des Chinois :* le chinois (ci-dessous).

2.1 La seconde manière *(d'écrire)* est de représenter les mots et les propositions par des caractères conventionnels, ce qui ne peut se faire que quand la langue est tout à fait formée et qu'un peuple entier est uni par des loi communes, car il y a déjà ici double convention : telle est l'écriture des Chinois, c'est là véritablement prendre les sons et parler aux yeux. ROUSSEAU, Essai sur l'origine des langues, v.

3 Le caractère des Chinois forme un certain mélange, qui est en contraste avec le caractère des Espagnols. Leur vie précaire fait qu'ils ont une activité prodigieuse, et un désir si excessif du gain, qu'aucune nation commerçante ne peut se fier à eux. MONTESQUIEU, l'Esprit des lois, XIX, 10.
(En parlant de non-Chinois). *Il a une tête de Chinois,* d'un Jaune d'Extrême-Orient, d'un asiatique.

4 Antoine (...) considérait (...) cette figure de Chinois blond et ces lunettes d'or derrière lesquelles deux petits yeux bridés

papillotaient sans cesse avec une expression joyeuse.
MARTIN DU GARD, les Thibault, t. I, p. 160.

♦ **2** (1820, *in* D. D. L.). Fig. Individu à l'allure bizarre dont on se méfie. *Qui est ce Chinois-là ?* — Personne qui subtilise à l'excès. *Quel Chinois !* → **Chinoiserie.**

C N. m. ♦ **1** (1616, *in* D. D. L). *Le chinois :* langue parlée en Chine par 90 % des Chinois (les Hans), sous des formes dialectales variées, et écrite de manière unifiée au moyen d'idéogrammes. *Chinois ancien, moderne. Les tons du chinois. Écrire le chinois. Le chinois cantonais* (le cantonais) *ou* yue ; *le chinois officiel ou* putonghua (langue parlée commune), *ou* guoyu (langue nationale), *issu du dialecte mandarin** (Chine du Nord). *Transcription officielle du chinois en caractères latins.* → **Pinyin.** *Le chinois littéraire traditionnel* (seulement écrit) *ou* wenyan.
Ce qu'on appelle «langue commune» *(putonghua)* est la langue officielle de la République populaire de Chine, définie par référence à l'usage, relativement homogène, du nord du pays — la prononciation étant plus précisément calquée sur le parler de la capitale, Pékin —, et dont les règles grammaticales sont celles observées dans les écrits du style réaliste et familier qu'on appelle *baihua.* Mais dans les provinces maritimes du Sud-Est, on parle des dialectes *(fangyan),* fort différents entre eux et aussi éloignés du mandarin que peuvent l'être le toscan ou le provençal du français. La langue commune est, là, véritablement une seconde langue qu'on apprend à l'école. Les différences ne portant pas seulement sur la prononciation, mais aussi sur le vocabulaire et la grammaire. Les écarts dans ce domaine vont parfois très loin ; par exemple, le système de la négation n'est pas le même en mandarin et en cantonais.
On peut considérer néanmoins qu'il existe un vaste ensemble doué d'une homogénéité réelle, le «chinois», qui inclut les formes anciennes, la langue commune et les dialectes, par opposition aux langues des peuples voisins, birman, vietnamien, thai, etc.
Bien que ces langues «étrangères» aient subi l'influence du chinois (prestige technique), influence manifestée par des apports massifs de vocabulaire, l'opposition reste nette entre un dialecte chinois comme le cantonais ou le *minyu* et une langue non chinoise, même fortement sinisée comme le vietnamien.
Viviane ALLETON, Grammaire du chinois, p. 5-6.

4.1

♦ **2** (1790, *in* D. D. L.). Fig. *C'est du chinois :* c'est incompréhensible (par allus. à l'écriture chinoise. → **Hébreu**).
→ **Chinoiser, chinoiserie.**

Mais une femme en colère, à quoi bon l'écouter ? Je vois bien vite que c'est du chinois absolument ; je n'y comprendrai rien de grand, rien de beau, rien d'humain, aucune pensée, enfin pour tout dire.
ALAIN, Propos, «Savoir écouter», 6 nov. 1913, Pl., p. 166.

5

II ♦ **1** N. m. (1832). Petite orange amère (fruit du *bigaradier chinois*) que l'on cueille, généralement verte, pour la faire confire. *L'écorce du chinois sert dans la fabrication du curaçao.*

♦ **2** Petite passoire fine, conique (comme un chapeau chinois).
Le tout a mijoté quarante minutes avant de passer au chinois, et j'ai poivré cinq minutes avant de servir.
Pierre ACCOCE, le Polonais, p. 74.

6

DÉR. Chinoiser, chinoiserie.

CHINOISER [ʃinwaze] v. — 1841, Balzac ; de *chinois.*

I V. tr. Vx. Rendre chinois ; donner des caractères chinois à... → **Siniser.** — Au p. p. :
Les habitants du Toumet occidental, comme bien on peut se l'imaginer, ont complètement perdu l'originalité du caractère mongol. Ils se sont tous plus ou moins *chinoisés,* et on en rencontre beaucoup parmi eux qui n'entendent pas un mot de la langue mongole.
É.-R. HUC, Souvenirs d'un voyage... Chine, t. I, p. 146.

III V. intr. (1896, «parler argot»; de *chinois* I., C., 2.;
→ Chinoiserie, 2.). Discuter de façon pointilleuse.
→ **Ergoter.** *Il est toujours à chinoiser!*

CHINOISERIE [ʃinwazʀi] n. f. — 1839; de *chinois.*

◆ **1** Bibelot qui vient de Chine ou qui est dans le
goût chinois. *Une étagère garnie de chinoiseries.*
Objet d'art venu de Chine, apprécié en Occident.

1   Vous admirez mes chinoiseries? Tous ces vases, que mon
    grand-père a rapportés du Tonkin (...) Vous en emportez
    deux aujourd'hui.
                    Alain BOSQUET, les Bonnes Intentions, p. 206.

(Sing. collectif) :

2   Le goût de la chinoiserie et de la japonaiserie, ce goût nous
    l'avons eu des premiers.
                    Ed. et J. DE GONCOURT, Journal, t. III, p. 180.

Hist. des arts. Décor ou élément de décor inspiré par
la Chine et l'Orient, dans le style du XVIIIᵉ siècle
occidental (baroque).

3   Les dessinateurs attitrés de la manufacture s'attachèrent
    (...) à copier littéralement les perses et les indiennes venues
    d'Orient (...) Les compositions à personnages furent sou-
    vent confiées à des artistes du dehors qui peuplèrent d'un
    monde artificiel des paysages d'opéra-comique. J.-B. Huet
    dessina de nombreuses chinoiseries d'une légèreté et d'une
    fantaisie charmantes.
                    Michèle BEAULIEU, les Tissus d'art, p. 102.

◆ **2** (1845; de *chinoiser*). Fig. Complication inutile et
extravagante. *Des chinoiseries administratives.*

4   Toutes ces chinoiseries de forme, toutes ces subtilités de
    mandarin déliquescent me semblent bien vaines.
                    PROUST, À la recherche du temps perdu, t. III,
                                                              p. 60.

5   Mais elle répondait vaillamment, riait à son tour des
    heures que lui-même perdait à l'École Normale, à propos
    de chinoiseries pédagogiques.
                    ZOLA, Paris, t. II, p. 54.

CHINOOK [ʃinuk] adj. et n. m. — 1925; *chinouk*, 1878,
pour désigner le jargon fait de *chinook* et d'angl.; mot
indien d'Amérique, par l'anglais.

Didactique.

I Relatif à une ethnie indienne d'Amérique du Nord
(Oregon, côte du Pacifique). — N. m. La langue de
ces populations.

    (...) dans son ouvrage sur le *Langage* (...) Vendryes a
    montré également que la syntaxe du français moderne
    se rapprochait étrangement de celle du chinook (...) Pour
    revenir à la syntaxe chinook, celle-ci met ensemble dans
    une phrase, d'une part tous les morphèmes (indications
    grammaticales, l'échafaudage, la structure syntaxique) et
    de l'autre, tous les sémantèmes (données concrètes). Pour
    reprendre l'exemple même de Vendryes, on ne dira pas :
    «Le gendarme a-t-il jamais rattrapé son voleur?» mais : *«Il
    l'a-t-il jamais attrapé, le gendarme le voleur?»*
                    R. QUENEAU, Bâtons, chiffres et lettres, p. 79-80.

II N. m. Géogr. Vent chaud et sec des Montagnes
Rocheuses.

CHINTZ [ʃints] n. m. — 1933, in Höfler; *chint*, 1753; mot
angl., altér. de *chint(s)*; du hindi.

Toile de coton imprimée, souvent glacée, et utilisée
surtout pour l'ameublement. *Rideau de chintz.*

1   Herbert, tu tiens beaucoup à ce chintz? On ne t'a jamais
    dit que le chintz noir et rose t'allait comme un sautoir de
    perles à un bouledogue?
                    COLETTE, Julie de Carneilhan, p. 48.

2   (...) Amples housses de chintz aux teintes passées. Pois
    de senteur dans les vieux vases. Des chardons rougeoient,
    des bûches flambent dans les cheminées (...)
                    N. SARRAUTE, Vous les entendez?, p. 8.

CHINURE [ʃinyʀ] n. f. — 1819; de 1. *chiner.*
Aspect de ce qui est chiné. *La chinure d'une étoffe.*

CHIONIS [kjɔnis] n. m. — 1828; 1798, «bec de cet
oiseau», in D.D.L.; lat. *chionis*, du grec *chiôn, -onos*
«neige».

Zool. Échassier, de la famille des chionidés, à plumage blanc et au bec fort et conique, qui vit sur
les rivages des mers australes.

L'unique oiseau antarctique qui n'a pas les pattes palmées
est le chionis alba, de la taille d'un pigeon, au corps blanc,
avec les paupières lie de vin et le bec jaune verdâtre.
                    ROUCH, les Régions polaires, p. 192, in D.D.L., II, 3.

CHIOT [ʃjo] n. m. — Fin XIXᵉ; *chiau*, 1551; forme dial. de
l'anc. franç. *chael*; du lat. *catellus.*

Jeune chien. *Une chienne et ses chiots. Une portée
de chiots.* → **Chiennée.**

On lui confiait les petits chats à lécher, les chiots des lices
étrangères.
                    COLETTE, Hist. pour Bel-Gazou, VI, «La Toutouque».

CHIOTTE [ʃjɔt] n. f. — 1885, au plur., in D.D.L.; de *chier.*

Familier, vulgaire.

A Au plur. Cabinet d'aisances. → **Cabinet.** *Aller aux
chiottes. Où sont les chiottes? — La corvée de
chiottes,* à la caserne.

Je double la file et, mon ange aux fesses, je gravis les   1
marches que je connais bien, car le chemin des chiottes
est le même que celui du cabinet. Du cabinet du juge
d'instruction, je veux dire.
                    A. SARRAZIN, la Cavale, p. 305.

Aux chiottes!, exclamation pour conspuer qqn.
Aux chiottes, l'arbitre!

J'avais mal dormi, le poil de mon menton râpeux grat-   2
tait douloureusement sous ma paume, un dépôt verdâtre
encrassait mes dents (...) J'ai crié : «Quelle gueule! Mais
quelle gueule! Allez, aux chiottes!» tandis que mes deux
mains enserraient mon cou et faisaient le geste de dévisser
ma tête.   M. TOURNIER, le Roi des Aulnes, p. 52.

B Au sing. ◆ **1** (Rare). Cabinet d'aisances.

(...) dans une petite chiotte où le papier de soie est   3
comme ailleurs mais où tout à l'heure, en peignoir de
satin et mules roses, dépeignée, dépoudrée et poudreuse
viendra débourrer lourdement quelque demoiselle d'honneur; dans une petite chiotte d'où les gardes solides ne
m'arrachent pas avec brutalité, car y chier devient un acte
important qui a sa place dans la vie où je roi m'a convié.
                    Jean GENET, Journal du voleur, p. 93.

REM. Dans ce sens, on dit aussi *un chiotte* (n. m.).

◆ **2** (1918). Voiture automobile. → **Chignole.**

◆ **3** Fig. Ennui, désagrément (souvent dans des
tours exclamatifs). *Quelle chiotte! C'est la chiotte!*
→ **Chierie.**

CHIOURME [ʃjuʀm] n. f. — 1635; *chourme*, déb. XIVᵉ;
ital. *ciurma*, du lat. *celeusma* «chant de galériens».

Vx ou didactique.

◆ **1** Ancient. Ensemble des forçats et des hommes
libres qui ramaient sur une galère.

Rien n'est plus inhumain que de prolonger l'état d'un   1
galérien au delà du terme prescrit; ne dites pas qu'on
manquerait d'hommes pour la chiourme si on observait
cette justice; la justice est préférable à la chiourme.
                    FÉNELON, Direction pour la conscience d'un roi,
                                                    in LITTRÉ.

◆ **2** Didact. ou littér. Ensemble des condamnés d'un
bagne. → **Bagnard, forçat.**

Il *(Jean Galmot)* était l'homme de l'aventure : et l'aventure   2
n'est pas ce qu'on imagine, un roman. Elle ne s'apprend
pas dans un livre. Elle n'est faite ni pour les romantiques
attardés ni pour les chiourmes. L'aventure est toujours une
chose vécue, et pour la connaître, il faut avant tout être à
la hauteur pour la vivre (...)
                    B. CENDRARS, Rhum, p. 49.

COMP. Garde-chiourme (plus cour.).

CHIP [ʃip] n. m. — V. 1980; angl. «copeau, pastille». → Chips.

Anglic. Techn. (électron.). Petite pastille de silicium (non encapsulé). — Recomm. off. : *puce**. *Les chips d'un microprocesseur.* «*Au royaume des semiconducteurs et de leurs applications à la microélectronique, le silicium est roi. On ne parle que des chips, des circuits intégrés, etc., en silicium*» (*la Recherche*, mai 1980, p. 580).

1. CHIPER [ʃipe] v. tr. — xviiiᵉ; de l'anc. franç. *chipe* «chiffon».

Techn. (ancienn). Tanner (des peaux) en les cousant et en les remplissant de tan. (On dit aussi *auvergner*).

2. CHIPER [ʃipe] v. tr. — 1759; anc. franç. *chipe* «chiffon». → Chipoter.

♦ **1** Fam. (légèrement vieilli ou langage enfantin). Prendre, dérober par surprise (qqch. de peu de valeur). → **Voler; barboter, choper, piquer;** → Pickpocket, cit. 1.

1 (...) deux voleurs qui m'ont «chipé» la moitié de mon argent.
　　　　Serge BOURGOGNE, Mémoires, p. 285, *in* BRUNOT, Hist. de la langue franç., IX, p. 997.

2 Ce qui me chagrine, c'est qu'on va t'empaumer, on va la chiper tout ce que tu as.
　　　　STENDHAL, la Chartreuse de Parme, IV, p. 76.

Par extension :

3 L'Allemagne pense à rompre son encerclement; l'Angleterre à anéantir la marine germanique, et à chiper aux Allemands leur commerce et leurs colonies.
　　　　MARTIN DU GARD, les Thibault, t. VII, p. 89.

♦ **2** Vx (avec un sujet et un compl. de personne). Prendre sur le fait, arrêter. *Se faire chiper.*

3.1 Dans les cellules à deux, les défiants se dépêchaient de clouer une couverture entre leur toile et le camarade pour n'être pas chipés.
　　　　Ed. et J. DE GONCOURT, Manette Salomon, p. 57.

♦ **CHIPÉ, ÉE** p. p. et adj. *Portefeuille chipé.* — Vx. Fig. (Personnes). *Être chipé.* → **Amoureux, épris.**

4 J'sais pas si t'es chipée pour un autre, mais, sans boniment, ça se vaut.
　　　　Francis CARCO, Jésus-la-Caille, II, IV, p. 107.

DÉR. **Chipeur.**

CHIPEUR, EUSE [ʃipœR, øz] n. et adj. — 1829; de 2. chiper.

Fam. (lang. enfantin, etc.). Qui chipe, dérobe.

Hardi et chipeur comme un gamin de Paris.
　　　　BALZAC, la Maison Nucingen, 1838, Pl., t. V, p. 607.

HOM. **Shipper.**

CHIPIE [ʃipi] n. f. — 1821, *chipi*; p.-ê. de 2. chiper, et de *pie*; ou, d'après P. Guiraud, déverbal de **chipier* «vétiller, chicaner», doublet de *chipoter.*

Femme, fille acariâtre, difficile à vivre. → **Mégère, pimbêche.** *C'est une chipie, une vieille chipie.* — En interj. *Vieille chipie! Sale chipie!*

CHIPOLATA [ʃipɔlata] n. f. — 1742; ital. *cipollata* [tʃi pollata], de *cipolla* «oignon». → Ciboule.

♦ **1** Vx. Ragoût à l'oignon.

♦ **2** Mod. Saucisse longue et mince. *Des chipolatas grillées.* Abrév. fam. : *chipo* [ʃipo] n. f. *Des chipos.*

♦ **3** Fig. et pop. (vulg.). Sexe de l'homme.

CHIPOTAGE [ʃipɔtaʒ] n. m. — 1671, Mᵐᵉ de Sévigné; de *chipoter.*

Action de chipoter. — Marchandage, discussion mesquine.

(...) J'ai toujours eu horreur des chipotages (...) qui énervent, font perdre du temps et empêchent de travailler.
　　　　Georges LECOMTE, Ma traversée, p. 294.

CHIPOTER [ʃipɔte] v. intr. — 1561; de *chipe* «chiffon, lambeau». → Chiper.

♦ **1** (1704). Manger par petits morceaux, du bout des dents, et sans plaisir. → **Grignoter.**

♦ **2** Fig. Travailler, agir avec lenteur, en s'arrêtant à des vétilles. → **Hésiter, tatillonner.** — Spécialt. Marchander mesquinement. → **Barguigner (vx), chicaner.** — Discuter sur des riens.

Vivent les gens faciles en affaires! la vie est trop courte　　1 pour chipoter.
　　　　VOLTAIRE, Lettre à Chauvelin, 3 oct. 1760.

♦ **SE CHIPOTER** v. pron.

Fam. Se disputer à propos de vétilles. → **Chamailler** (se). *Ces enfants passent leur temps à se chipoter.*

♦ **CHIPOTÉ, ÉE** p. p. adj.

(...) Édouard Estaunié (...) à qui je venais d'épargner une　　2 élection chipotée et humiliante (...)
　　　　Georges LECOMTE, Ma traversée, p. 414.

REM. Cet emploi suppose un emploi transitif du verbe : *chipoter une élection.*

DÉR. **Chipotage, chipoteur.**

CHIPOTEUR, EUSE [ʃipɔtœR, øz] n. et adj. — 1585; de *chipoter.*

Personne qui chipote (1. ou 2.). → **Chicaneur, ergoteur.** — REM. La forme *chipotier, ière* [ʃipɔtje, jɛR], recommandée par l'Académie, semble aujourd'hui tombée en désuétude.

Depuis qu'il avait mis les pieds chez nous, tout changeait. Céline était devenue méconnaissable : douce, affectée, chipoteuse.
　　　　Geneviève DORMANN, le Chemin des dames, p. 35.

CHIPPENDALE [ʃipɛndal] adj. invar. — 1922, *in* Höfler; de *T. Chippendale*, ébéniste anglais.

Didact., techn. Qui appartient à un style de mobilier anglais du xviiiᵉ siècle. *Des commodes chippendale.* — N. m. invar. Style chippendale. *Se meubler en chippendale.*

(...) un enfant déguisé en marquis qui avait fui un intérieur en chippendale (...)
　　　　GIRAUDOUX, les Aventures de Jérôme Bardini, p. 178.

CHIPS [ʃips] n. f. pl. — 1920; *chip*, n. f., 1911, *in* Höfler; mot angl. «copeau(x)». → Chip.

Pommes de terre frites en minces rondelles. *Un sachet de chips.*

Au Ritz (...) se heurter devant le bar à (...) ma psychana-　　1 lyste (...) qui se croit obligée d'accepter le verre que je suis obligée de lui offrir. — «Où en êtes-vous? me demande-t-elle en dévorant les olives et les chips, où en sont vos problèmes? Vos culpabilités?»
　　　　Jacques LAURENT, les Bêtises, p. 465.

Adj. ou appos. *Pommes chips.* — Rare. *Pommes de terre chips.*

Nous possédâmes un hôtel peint en bleu, un bistrot où　　2 les pommes de terre chips craquaient plus qu'ailleurs, le cinquième banc d'un square.
　　　　A. BLONDIN, les Enfants du bon Dieu, p. 153.

1. CHIQUE [ʃik] n. f. — 1792; «petite boule», 1573; p.-ê. all. *schicken* «envoyer»; P. Guiraud y voit une orig. dial., probablt le provençal *chico* «morceau», ou le normand *chique* «morceau de pain», du lat. *cicca*.

◆ **1** Morceau de tabac à mâcher. → **Carotte.** *Mâcher, mastiquer sa chique.* → **Chiquer.**

1 Glapisson ôta sa chique, la mit dans le turban de son bonnet de police (...)
E. SUE, le Colonel de Surville, I.

1.1 C'était un vieillard (...) Il avait un visage racorni comme une noix. Il chiquait avec des lèvres noires en mouvement (...) — «C'est surtout le diable pour avoir un peu de tabac. Ils ont mis la chique à prix d'or. Ça coûte, les vices!»
J. GIONO, le Hussard sur le toit, p. 326-327.

Loc. fam. *Jus de chique :* liquide noirâtre. — *Mou comme une chique :* sans énergie (d'une personne). — (Av. 1865). *Couper la chique à qqn,* l'interrompre brutalement (→ Couper le sifflet). — (Compl. n. de chose) :

1.2 Aller en enfer, c'est la grâce que je demande, et là continuer à me maudire, et eux qu'ils me voient de là-haut et m'entendent, ça pourrait lui couper la chique à leur félicité.
S. BECKETT, Têtes-mortes, p. 19.

(1894). *Avaler sa chique :* mourir. — (1833). *Poser, déposer sa chique :* se taire par obligation; céder sa place, s'effacer (→ Abandonner, lâcher le morceau).

2 (...) l'homme qui n'a pas le cœur de déposer sa chique quand le moment en est venu, et de céder sa place aux autres, est un égoïste et un lâche!
COURTELINE, Messieurs les ronds-de-cuir,
4e tableau.

◆ **2** Régional (Belgique; Wallonie liégeoise). Fam. Bonbon. → aussi **Boule.**

◆ **3** (1901). Fam. Enflure de la joue.

◆ **4** (1753, *Encyclopédie*). Petit cocon peu fourni en soie; la soie de ce cocon.

DÉR. 1. Chiquer. ◊ **HOM.** Chic.

---

2. CHIQUE [ʃik] n. f. — 1640; du précédent, à cause de la boule formée par l'insecte sous la peau.

Puce *(Sarcopsylla penetrans)*, parasite de l'homme et de divers animaux domestiques et sauvages, dont la femelle fécondée peut s'enfoncer sous la peau et y déterminer des lésions inflammatoires. *La piqûre de la chique peut favoriser le développement du tétanos et de la gangrène gazeuse.*

1 Extraction pénible d'une chique monstre, qui me laisse le pied tout endolori.
GIDE, Voyage au Congo, in Souvenirs, Pl., p. 725.

2 Les chiques du Congo n'étaient rien. Ici elles surabondent. Elles respectent un peu nos pieds blancs et ceux, particulièrement cornés, je suppose, de nos porteurs; mais ceux de nos pauvres boys, aux pieds chaussés, en sont couverts. Et je n'avais vu (...) la chique qu'enkystée; mais Zézé nous appelle pour nous en montrer quatre, cinq, six, courant sur son pied, à la recherche d'une gerçure ou d'un endroit tendre.
GIDE, Retour du Tchad, VIII, in Souvenirs, Pl.,
p. 997.

HOM. Chic.

CHIQUÉ [ʃike] n. m. — 1834, «chic», puis péj.; de *chic.* Fam. Affectation*. → **Bluff, épate, esbroufe.** *Faire du chiqué :* prendre, se donner des airs; aussi : feindre, simuler. → **Manière** (faire des); **frimer.** *C'est du chiqué! — Au chiqué. Il fait ça au chiqué.*

1 On sentait le chiqué, comme dans les livres des auteurs qui s'efforcent pour parler argot.
PROUST, À la recherche du temps perdu, t. XIV,
p. 161.

2 Je ne prétends pas non plus le faire à la populaire, après tout; Péguy, il ne faut pas qu'il la ramène (comme il aurait dit dans ses bons moments) : il le fait drôlement à la populaire et souvent; le chiqué ne manque pas chez lui.
R. QUENEAU, Bâtons, chiffres et lettres, p. 55.

CONTR. Naturel, simplicité. ◊ **DÉR.** 2. Chiquer.

CHIQUEMENT [ʃikmã] adv. — 1858; de *chic.*

◆ **1** Fam. Avec chic, élégance. *Elle était chiquement fringuée.*

◆ **2** Fam. D'une manière chic, amicale et généreuse. *Il m'a très chiquement proposé de l'argent.*

Là-dessus, les deux garçons (...) apportent un gâteau (...) Et il est de taille, le gâteau! Y en aura pour tout le monde (...) — Eh bien, madam' Belhôtel, dit Ernestine, vous avez chiquement fait les choses. Pour une noce, c'est une noce.
R. QUENEAU, le Chiendent, p. 280.

REM. Sans être vieux, cet adv. n'est plus à la mode.

CHIQUENAUDE [ʃiknod] n. f. — 1530, *chicquenode;* p.-ê. du rad. onomatopéique *tšikk-* exprimant la petitesse, et la finale de *baguenaude* (les gousses de baguenaudier qui éclatent font partir les graines en tous sens); pour P. Guiraud, le mot est rattaché à *chiquer* «donner un petit coup», finale *-aude* par double suffixation diminutive (*-ine, -ole, -otte*).

◆ **1** Coup donné avec un doigt que l'on a plié contre le pouce et que l'on détend ensuite brusquement. → **Pichenette.** *Donner, recevoir une chiquenaude. Chiquenaude au visage* (→ **Croquignole,** vx), *au nez* (→ **Nasarde,** vx). *Projeter une boulette de pain d'une chiquenaude.*

1 Il ne lui faisait pas plus (...) mal que *(vous ne)* feriez *(en)* baillant une chiquenaude sur une enclume de forgeron.
RABELAIS, Pantagruel, II, 29.

2 (...) je vais t'épousseter le nez avec des chiquenaudes.
HUGO, Notre-Dame de Paris, X, 3.

3 La lucarne du coucou évolua hors de son cadre, comme sous la poussée d'une chiquenaude (...)
COURTELINE, Messieurs les ronds-de-cuir,
5e tableau, II.

◆ **2** Fig. Légère impulsion.

4 Je ne puis pardonner à Descartes; il aurait bien voulu, dans toute sa philosophie, pouvoir se passer de Dieu; mais il n'a pu s'empêcher de lui faire donner une chiquenaude, pour mettre le monde en mouvement; après cela, il n'a plus que faire de Dieu.
PASCAL, Pensées, II, 77.

5 La chiquenaude de Descartes, les choses vues à l'envers. Il n'y a pas eu une chiquenaude, il y a eu un appel produit par un vide, le vide causé par la nomination de la chose.
CLAUDEL, Journal, avr.-mai 1930, Pl., p. 910.

DÉR. Chiquenauder.

CHIQUENAUDER [ʃiknode] v. intr. — XIXe, Ch. Cros; de *chiquenaude.*

Rare. Faire des chiquenaudes.

---

1. CHIQUER [ʃike] v. tr. et intr. — 1792; de 1. *chique.*

◆ **1** Mâcher (du tabac, une substance thérapeutique, excitante...). → 1. Chique, cit. 2. *Tabac à chiquer. Chiquer du bétel, de la kola.*

1 Les femmes tapent avec un bâton sur les fruits du palmier doum afin d'amollir la pulpe ligneuse que l'on chique comme le bétel.
GIDE, Voyage au Congo, in Souvenirs, Pl., p. 827.

◆ **2** (1798). Pop. et vx. *Chiquer le légume, les légumes* (ou : *la légume,* pop.), et absolt, *chiquer :* manger. *Il n'y a rien à chiquer, ici!*

2 Allons, Finot, à table! Chiquons les légumes!
BALZAC, César Birotteau, Pl., t. V, p. 442.

3 Tous ces poilus-là (...) i'leur faut ses aises. I's préfér't mieux aller s'installer chez une mouquère de l'endroit, à une table exprès pour eux, pour chiquer la légume, et la rombière leur carre dans son buffet leur vaisselle, leurs boîtes de conserve et tout leur bordel pour le bec (...)
H. BARBUSSE, le Feu, t. II, p. 49.

DÉR. Chiqueur (1.).

2. **CHIQUER** [ʃike] v. tr. et intr. — 1823; de *chiqué*.

♦ **1** Argot vieilli. Faire, dessiner, exécuter (une œuvre, un travail) avec adresse. — Placer habilement, de manière à produire un bel effet.

1 Et à la place de la Diane, nous chiquerons un Maillol. Dame! les cuisses seront plus larges et les tétons moins jolis.
J. ROMAINS, les Hommes de bonne volonté,
t. XXII, p. 227.

♦ **2** (1873). Fam. et vx. Faire du chiqué, du bluff.

♦ **3** Loc. mod. *Il n'y a pas (y a pas) à chiquer* : il n'y a pas à se faire d'illusion; il n'y a pas à hésiter.

2 Chalumot la lut attentivement, l'examina recto verso, et dit à Comparois, dans un sourire glorieux :
— Y a pas à chiquer, ce sont de vrais soldats! La permission est tout c'qu'il y a d'réglementaire.
Yves GIBEAU, Allons z'enfants, p. 161.

DÉR. Chiqueur (2.).

CHIQUEUR, EUSE [ʃikœR, øz] n. — 1793, Hébert; de 1. et 2. *chiquer*.

♦ **1** Personne qui chique du tabac. *Les fumeurs et les chiqueurs.*

♦ **2** (1866). Vx. Personne qui fait du chiqué.
— Chiqueur! sale tante! eh! lope! éclata-t-elle en se renversant de rage sur l'oreiller.
Francis CARCO, Jésus-la-Caille, II, IV, p. 107.

CHIR-, CHIRO- Élément, tiré du grec *kheir*, *kheiros* «main», et qui entre dans la composition de nombreux mots savants. → Chirognomonie, chirographie, chirographique, chirologie, chiromancie, chiromégalie, chiromètre, chiroplaste, chiropraxie, chiroptères, chiroteuthis; macrochirie. → aussi **Chéir-**.

CHIRAGRE [kiRagR] n. f. et adj. — 1560; *cyragre*, 1360; grec *kheiragra*, formé d'après *podagra* (→ Podagre), par remplacement de *pod-* «pied» par *kheir* «main». → Chir-.

Médecine.

♦ **1** N. f. Goutte* localisée aux mains. — Goutte des pattes (oiseaux).

♦ **2** Adj. et n. Qui souffre de chiragre. — N. *Un, une chiragre.* — Par ext. Impotent (→ aussi **Podagre**).

Lorsqu'on me questionne à ce sujet, je fais la bête. Je m'efforce de passer pour un chiragre! Et je concentre mes délices en songeant comme j'assombrirais les visages si je disais ce que mes instruments m'ont laissé entrevoir de surprenant et d'inexploré!...
VILLIERS DE L'ISLE-ADAM, Tribulat Bonhomet,
p. 45.

CHIRAL, ALE, AUX [kiRal, o] adj. — 1970; empr. à l'angl. *chiral* (1894) «de la main», du grec *kheir* «main». → Chir-; chirurgie.

Sc. (D'abord en cristallographie, puis en biologie). Se dit d'un objet qui n'est pas superposable à son image dans un miroir plan (ce qui est le cas de la main). *Élément chiral. Atomes chiraux. Les formes chirales des cristaux.* — On emploie aussi le substantif *chiralité* [kiRalite] n. f. (1970) «propriété d'un objet chiral».

CHIROGNOMONIE [kiRognɔmɔni] n. f. — 1843; *chiro-*, et *-gnomonie*.
Didact. et vx. Étude du caractère par l'étude de l'aspect des mains.

CHIROGRAPHAIRE [kiRɔgRafɛR] adj. — 1532; lat. impérial *chirographarius*.

Dr. *Créance chirographaire*, créance dépourvue de sûreté donnant un droit de préférence pour faire remplir les engagements d'un débiteur. — **Par ext.** *Créancier chirographaire*, qui dispose d'une telle créance.

(Aux créanciers *gagistes* et *hypothécaires*) on oppose les *créanciers chirographaires* (*créanciers cédulaires* ou *céduliers*, dans l'ancienne langue), qui sont porteurs d'un titre de créance ordinaire *(chirographum, cedula)* [...] ils sont réduits à *une pure action personnelle* contre le débiteur.
M. PLANIOL, Traité élémentaire de droit civil,
t. II, p. 814.

CONTR. Hypothécaire.

CHIROGRAPHE [kiRɔgRaf] n. m. — XIIIᵉ; *cyrographe*, 1172; lat. *chirographum*, grec *kheirographon* «engagement écrit».
Didact. Acte diplomatique revêtu d'une signature autographe.

CHIROGRAPHIE [kiRɔgRafi] n. f. — 1808, autre sens; 1839, Boiste, «expression par signes gestuels»; de *chiro-*, et *-graphie*.
Didact. et vx. Étude des lignes de la main. → **Chiromancie.**

CHIROGRAPHIQUE [kiRɔgRafik] adj. — Av. 1845; de *chiro-*, et *-graphique*.
Didact. et vx. Relatif à la chirographie.

CHIROLOGIE [kiRɔlɔʒi] n. f. — 1755; de *chiro-*, et *-logie*.
Didactique.

♦ **1** Vx. Art de s'exprimer par des signes faits avec la main.

♦ **2** Mod. Étude des caractéristiques de la main, susceptible de donner des indications sur le caractère d'une personne.

REM. L'adj. *chirologique* [kiRɔlɔʒik] est virtuel.

CHIROMANCIE [kiRɔmãsi] n. f. — 1419, *cyromancie*; de *chiro-*, et *-mancie*.
Art de deviner l'avenir, le caractère de qqn par l'inspection de sa main, des lignes* de la main. → **Chirographie** (vx). *Faire de la chiromancie* : lire dans les lignes de la main. — **Par ext.** (l'origine du mot n'étant plus perçue). Divination.

Il suffira de dire qu'il s'est mêlé de deviner, sans exprimer si c'est par la chiromancie ou par un pacte avec le démon.
PASCAL, les Provinciales, 10.

DÉR. Chiromancien.

CHIROMANCIEN, IENNE [kiRɔmãsjɛ̃, jɛn] n. — 1546, *chiromantien*; de *chiromancie*.
Personne qui pratique la chiromancie. — (XIXᵉ). Par ext. Diseur, diseuse de bonne aventure. *Une chiromancienne.* → **Voyante.** — Appos. ou adj. *Des gitanes chiromanciennes.*

1 L'on souffre dans la république les chiromanciens et les devins (...) LA BRUYÈRE, les Caractères, XIV, 69.

2 Avant d'accomplir aucun projet, Flore, très superstitieuse, consultait toujours la mère Angélique, vieille intrigante familière et bavarde, à la fois tireuse de cartes, chiromancienne, astrologue et prêteuse sur gages (...)
Raymond ROUSSEL, Impressions d'Afrique,
p. 270-271.

CHIROMÉGALIE [kiRomegali] n. f. — Mil. XXᵉ; de *chiro-*, et *-mégalie*.
Didact. Hypertrophie des mains. → **Macrochirie.**

CHIROMÈTRE [kiʀɔmɛtʀ] n. m. — 1892; de *chiro-*, et *-mètre*.

Techn. Instrument utilisé par les gantiers pour mesurer la main.

CHIROMYS [kiʀɔmis] n. m. → **Chéiromys.**

CHIRONOMIE [kiʀɔnɔmi] n. f. — 1753; grec *kheironomia* «pantomime»; de *kheir* «main». → Chiro-.
Didactique.

♦ **1** Antiq. Art des gestes (mains, bras, etc.) dans la comédie et la chorégraphie antiques.

♦ **2** Mus., rare. Art de diriger (un orchestre ou des chœurs), de battre la mesure.

CHIROPLASTE [kiʀɔplast] n. m. — 1845; de *chiro-*, et *-plaste*.

Vx. Machine adaptée à un clavier de piano pour donner une position correcte aux doigts de l'apprenti instrumentiste.

CHIROPRACTEUR [kiʀɔpʀaktœʀ] n. m. — 1937; angl. *chiropractor* (1904), de *chiropractic*. → Chiropraxie.

Méd. et cour. Praticien de la chiropraxie. — REM. Le fém. régulier est *chiropractrice* [kiʀɔpʀaktʀis]; il semble inusité.
Recomm. off. : *chiropraticien, ienne* [kiʀɔpʀatisjɛ̃, jɛn].
— Abrév. fam. : *chiro* [kiʀo] (1975, R. Beauvais, *le Français kiskose*).

CHIROPRAXIE [kiʀɔpʀaksi] ou **CHIROPRACTIE**
[kiʀɔpʀakti] n. f. — 1938, *chiropraxie*, in Höfler; *chiropractie*, 1950; angl. *chiropractic* (1903), de *chiro-* (→ Chir-), et *practic* «pratique».

Méd. et cour. Traitement médical par manipulations effectuées sur diverses parties du corps (notamment la colonne vertébrale; → **Vertébrothérapie**). — REM. Recomm. off., au Québec : *chiropratique* [kiʀɔpʀatik] (1927, in Höfler).

CHIROPTÈRES [kiʀɔptɛʀ] ou **CHÉIROPTÈRES**
[keiʀɔptɛʀ] n. m. pl. — 1797, *cheiroptères*; de *chiro-*, *chéiro-*, et *-ptère*.

Zool. Ordre de mammifères placentaires, dont les membres antérieurs allongés portent des phalanges très développées soutenant une membrane formant aile; ils sont insectivores ou frugivores. → **Chauve-souris.** — Au sing. *Un chiroptère, un chéiroptère.*

CHIROTEUTHIS [kiʀotøtis] n. m. — 1892; de *chiro-*, et grec *teuthis* «calmar» ou «seiche».

Zool. Mollusque céphalopode, type d'une famille (*Décapodes, Dibranches*) possédant deux longs tentacules munis à leur extrémité d'un organe visuel et portant des filets gluants (tentacules transformés).

CHIRURGICAL, ALE, AUX [ʃiʀyʀʒikal, o] adj.
— 1370, *cirurgical*; lat. *chirurgicalis*.

♦ **1** Relatif à la chirurgie*. *Science chirurgicale. Techniques chirurgicales. Opération* (cit. 5), *intervention chirurgicale. Acte chirurgical* (→ Opération, cit. 7). *Antenne* chirurgicale d'un service de santé. Ambulance chirurgicale* (→ Autochir). *Instruments chirurgicaux.* → **Chirurgie.**

♦ **2** Fig. (1990; pour rendre l'angl. des États-Unis *surgical strike* 1965). *Attaque, frappe chirurgicale* (dans un contexte militaire) : attaque, frappe d'une extrême

précision, supposée ne détruire que l'objectif et épargner l'entourage.

DÉR. et COMP. **Chirurgicalement. Électrochirurgical, médico-chirurgical, neurochirurgical, psychochirurgical.**

CHIRURGICALEMENT [ʃiʀyʀʒikalmɑ̃] adv. — 1844; de *chirurgical*.

♦ **1** D'une manière chirurgicale; du point de vue chirurgical. *Traiter un ulcère, un cancer chirurgicalement.*

♦ **2** Par la chirurgie.
Polie, menue, ronde, c'était une tête blessée, couchée sur sa litière. Une tête pour ainsi dire détachée chirurgicalement du reste du corps, et que la respiration traversait à la manière d'un souffle étranger.
J.-M. G. LE CLÉZIO, le Déluge, p. 105.

CHIRURGIE [ʃiʀyʀʒi] n. f. — 1171, *cirurgie*; lat. méd. *chirurgia*, grec *kheirourgia* «opération manuelle».

Méd. Partie de la thérapeutique médicale qui comporte une intervention manuelle et instrumentale (intervention sanglante ou manœuvre externe) sur l'organisme humain (→ Opération, cit. 6). *Apprendre, enseigner, exercer la chirurgie. Manuel, traité de chirurgie. École, société, académie de chirurgie. — Petite chirurgie : opérations simples (plâtres, ponctions, sondages, petites incisions, etc.). Chirurgie générale; chirurgie cardio-vasculaire, digestive, gynécologique, neurologique* (→ **Neurochirurgie, psychochirurgie**), *orthopédique* (→ **Orthopédie, traumatologie**), *pulmonaire, urinaire; chirurgie de l'œil* (→ **Ophtalmologie**), *de l'oreille* (→ **Oto-rhinolaryngologie**). *Chirurgie plastique et esthétique : chirurgie des formes. Chirurgie néonatale, infantile. Chirurgie expérimentale, scientifique. Chirurgie des infections, chirurgie physiologique, chirurgie de transplantation. Chirurgie préventive, conservatrice, réparatrice. Chirurgie sous microscope* (→ **Microchirurgie**). *Chirurgie du cœur, chirurgie cardiaque. Chirurgie à cœur* ouvert, à cœur fermé. — Les services de chirurgie d'un hôpital.* — Abrév. fam. : *chir* (1979, in *Dico-plus* (D. D. L.), mais très antérieur. → Autochir).

La connaissance des processus de réparation a donné naissance à la chirurgie moderne. Sans l'existence des fonctions adaptives, le chirurgien serait incapable de traiter une plaie. Il n'agit pas sur les mécanismes de la guérison. Il se contente de les guider. Il s'efforce, par exemple, de placer les bords d'une plaie, ou les extrémités d'un os brisé, dans une position telle que la régénération puisse se faire sans cicatrice défectueuse et sans déformation. Pour ouvrir un abcès profond, suturer un os fracturé, faire une opération césarienne, extirper un utérus, une portion de l'estomac ou de l'intestin, soulever la voûte du crâne et enlever une tumeur du cerveau, il doit faire de longues incisions, de vastes plaies. Les sutures les plus exactes ne suffiraient pas à rapprocher les plaies si l'organisme ne savait pas se réparer lui-même. La chirurgie moderne est basée sur l'existence de ce phénomène. [1]
Alexis CARREL, l'Homme, cet inconnu, v, p. 943.

Sans doute, l'évocation de la chirurgie n'est plus aussi terrifiante que jadis : il y a une centaine d'années, l'acte chirurgical était encore un épouvantail, un suprême recours, quand il devait s'attaquer aux viscères et ne pas se borner aux amputations de membres ou aux indispensables réparations de blessures. C'était l'extrême urgence, et presque le désespoir, qui avaient alors l'initiative des opérations. Mais comme la chirurgie a, depuis cette époque, grandi presque démesurément en puissance, en hardiesse, en moyens et en résultats, la fréquence et la sûreté de son intervention ont, dans la même proportion, modifié le sentiment public à son égard. [2]
VALÉRY, Variété V, Discours aux chirurgiens, p. 44.

Quant au nez de Cléopâtre, c'est une affaire de chirurgie esthétique assez banale en somme. On eût un peu enlaidi cette pernicieuse beauté, et la face du monde y eût peutêtre gagné. [3]
VALÉRY, Variété V, Discours aux chirurgiens, p. 45.

LEXIQUE DE LA CHIRURGIE : Voir tableaux pages suivantes.

Chirurgie dentaire, chirurgie bucco-dentaire. → **Dentisterie, odontostomatologie, odontologie, orthodontie, stomatologie; dent, dentiste; abrasion, appareil** (dentaire), **arracher, avulsion, bridge, couronne, dentier, détartrage, extraction, gingivectomie, inlay, obturation, onlay, plombage, prothèse, pulpectomie, râtelier; cautère, clef** (à dents), **davier, drille, élévateur, excavateur, fouloir, fraise, levier** (dentaire), **miroir** (dentaire), **obturateur, pied-de-biche, pince** (à dents), **roulette.**

COMP. **Électrochirurgie, microchirurgie, neurochirurgie, psychochirurgie, téléchirurgie.**

CHIRURGIEN, IENNE [ʃiʀyʀʒjɛ̃, jɛn] n. — 1175, *cirurgien*, n. m.; du lat. *chirurgia*, du grec (emprunt) *kheirourgia.*

♦ **1** Spécialiste en chirurgie (→ **Opérateur, praticien**). *Le chirurgien opère avec l'aide de ses assistants.* → **Assistant; opérer.** *Mauvais chirurgien* (→ fam. **Boucher, charcutier**). — *Matériel, trousse, instruments du chirurgien.* → **Chirurgie.** *Calotte, bavette, casaque de chirurgien. Chirurgien-major*, dans l'armée. Profession de chirurgien. La vie de chirurgien.* → Matériel, cit. 3.

1 Tout ceci demande un si riche recueil de facultés, une mémoire si prompte et si pleine, une science si sûre, un caractère si soutenu, une présence d'esprit si vive, une résistance physique, une acuité sensorielle, une précision des gestes si peu communes, que la coïncidence de tant de ressources distinctes, dans un individu, fait du chirurgien un cas tout à fait peu probable à observer, et contre l'existence duquel il serait prudent de parier.
VALÉRY, Variété V, Discours aux chirurgiens, p. 48.

2 Les chirurgiens ont, pour leur ministère, une passion jalouse, ce qui les amène à juger avec un peu de rigueur certains d'entre eux (...)
Il *(un chirurgien)* ne se contentait certes pas de toucher la peau à l'iode et de faire des expéditions *(de blessés)* vers la province : il débridait largement, laissait les plaies ouvertes, drainait, nettoyait, étalait le mal au grand jour (...)
J'ai vu, de près, évoluer la chirurgie des traumatismes et la lutte contre l'infection des plaies. Ce patient travail des praticiens de chez nous m'a, d'années en années, inspiré de l'admiration.
G. DUHAMEL, la Pesée des âmes, I, p. 45-46.

3 En 1890, l'asepsie est adoptée partout. Le temps ne fera qu'y apporter quelques améliorations. Aujourd'hui, les mêmes procédés de stérilisation sont utilisés, le chirurgien se nettoie les mains puis enfile des gants de caoutchouc stériles comme en 1890. On sait qu'il y a ajouté l'emploi d'une «casaque» stérile, qu'il revêt avant l'opération, ainsi qu'une «calotte», une «bavette», qui lui permettent de parler et respirer sans véhicule de germes; enfin des «bottes», qui lui évitent d'introduire avec ses chaussures des souillures venant de l'extérieur.
Cl. D'ALLAINES, Histoire de la chirurgie, p. 90.

Elle est chirurgien. — REM. La forme fém. *chirurgienne* [ʃiʀyʀʒjɛn] ne paraît guère en usage; recomm. off. au Québec.

4 Aurait-elle été potière? Architecte? Ciseleuse? Chirurgienne? Ou jardinière?
Marie CARDINAL, les Mots pour le dire, p. 322.

Abrév. fam. : *chirurgo* [ʃiʀyʀgo] n. (cf. Thérame, 1974, *in* D.D.L.)

♦ **2** (1728). N. m. *Chirurgien dentiste.* → **Dentiste.** — Abrév. fam. (argot de métier) : *chirdent* [ʃiʀdɑ̃t].

COMP. **Neurochirurgien, psychochirurgien.**

CHISEL [ʃizɛl] ou à l'anglaise [tʃajzɛl] n. m. — V. 1980; mot angl., empr. à l'anc. franç. *chisel*, forme de *cisel* «ciseau».

Anglic., agric. Machine agricole, gros cultivateur à dents plates et incurvées.

CHISTERA [ʃisteʀa] n. f. ou m. — 1891, *in* Höfler; mot basque *xistera* (par la graphie espagnole), empr. lat. *cistella.*

Instrument d'osier en forme de gouttière recourbée, qui prolonge le bras du joueur, et sert à lancer la balle à la pelote* basque. *Grande, petite chistera.*

CHITINE [kitin] n. f. — 1821; du grec *khitôn* «tunique», et suff. *-ine.*

Didact. Substance organique de structure semblable à celle de la cellulose (polysaccharide), constituant de la cuticule des insectes et des crustacés, et de la membrane de certains champignons.

DÉR. **Chitineux.**

CHITINEUX, EUSE [kitinø, øz] adj. — 1876; de *chitine.*

Didact. Relatif à la chitine. *Couche, enveloppe chitineuse.*

CHITON [kitɔ̃] n. m. — 1866 (cf. aussi *chitonisque*, 1753); mot grec. → Chitine.
Didactique.

I Antiq. grecque. Tunique.

Au mois d'Hécatombéon, mon peuple entier se portait vers moi *(Minerve)*, conduit par ses magistrats et par ses prêtres. Puis s'avançaient en robes blanches avec des chitons d'or, les longues files des vierges tenant des coupes, des corbeilles, des parasols (...)
FLAUBERT, la Tentation de saint Antoine, 1874, Pl., t. I, p. 165.

II Zool. Mollusque *(Amphineures*)* type d'une famille *(Chitonidés)*, connu à l'état fossile depuis le cambrien et encore répandu dans toutes les mers du globe. *La face dorsale des chitons est protégée par des plaques calcaires articulées.*

CHIURE [ʃjyʀ] n. f. — 1642, *chieûre*; de *chier.*

Fam. Excrément (d'insectes, de mouches). → **Chiasse.** *Des chiures de mouches.*

(...) deux glaces, pleines de chiures de mouches.
ZOLA, l'Assommoir, t. I, p. 104. 1

Excrément (de petits animaux).

Mais de même que dans les coquilles d'escargots la chiure appréciée des gourmets demeure jusqu'au fin fond (...)
R. QUENEAU, Loin de Rueil, p. 144. 2

CHI VA PIANO VA SANO [kivapjanovasano]. — Mots italiens.

(Prov. italien). Qui va lentement va sûrement. On ajoute parfois la fin du proverbe, *Chi va sano va lontano* [kivasanovalɔ̃tano] : qui va sûrement va loin (→ Qui veut voyager loin* ménage sa monture).

CHLAMYDE [klamid] n. f. — Av. 1502, *clamide*; lat. *chlamys, -ydis*, grec *khlamus, -udos* «tunique».

Didact. (Antiq.). Manteau court et fendu, agrafé sur l'épaule, que portaient les cavaliers grecs et que les Romains adoptèrent par la suite.

Au bas de la montagne, au moment qu'elle allait être décollée, voyant tomber l'agrafe de la chlamyde du bourreau, elle dit *(la martyre de Verceil)* à cet homme : «Voilà une agrafe d'or qui vient de tomber de ton épaule; ramasse-la, de crainte de perdre ce que tu n'as gagné qu'avec beaucoup de travail». 1
CHATEAUBRIAND, Mémoires d'outre-tombe, III, I.

Toute d'argent vêtue, une sorte de chlamyde courte avec des plis de manches (...) 2
VALÉRY, Cahiers, t. II, Pl., p. 473.

LEXIQUE DE LA CHIRURGIE

Actes chirurgicaux

Ablation
Abouchement
Abrasion
Abscis(s)ion
Affrontement
Amputation
Anastomoser
Ancrage
Appareiller
Aspiration
Attrition
Avancement
Avivement
Avulsion
Bandage
Badigeonnage
Biopsie
Bloc
Blocage
Bougirage
Bourrage (plaie)
Boutonnière
Brèche
Brisement (forcé)
Brochage
Canulation
Capitonnage
Cathétérisme
Cautérisation
Cerclage
Circoncision
Clampage
Clivage
Clouage
Coaptation
Confection (d'un moignon)
Contention
Contre-extension
Contre-incision
Contre-ouverture

Couture
Coupure
Cryoapplication
Curage
Curetage
Débridement
Décanulement
Décapitation
Décapsulation
Déclampage
Décollement
Décortication
Dédolation
Dénudation
Dérivation
Désinfection
Désobstruction
Détersion
Détubage
Dévascularisation
Dialyse
Diathermocoagulation
Diérèse
Dilatation
Discission
Dissection
Divulsion
Drainage
Écarter
Éclisser
Écraser
Électrocoagulation
Élongation
Enchevillement
Enclouage
Engrènement
Entaille
Énucléation
Épluchage
Éradication
Étincelage

Éversion
Évidement
Éviscération
Évulsion
Excavation
Excision
Excoriation
Exentération
Exérèse
Exploration
Expression
Exsufflation
Extension
Extirpation
Extraction
Fenestration
Filipuncture
Fistule
Forage
Forcipressure
Galvanocautérisation
Garrottage
Gouger
Grattage
Hémostase
Hydrotomie
Immobilisation
Implantation
Incision
Inclusion
Injection
Insensibilisation
Insufflation
Intubation
Irrigation
Ligature
Meulage
Mobilisation
Néostomie
Nœud (de chirurgien)

Occlusion
Opacification
Pansement
Paracenthèse
Parage (d'une plaie)
Perforation
Perfusion
Péritomie
Pexie
Photocoagulation
Ponction
Raclage
Ramisection
Râper
Reconstitution
Réduction
Réimplantation
Remodelage
Résection
Revascularisation
Saignée
Scarification
Section
Sondage
Stéréotaxie
Subincision
Surjet
Stypage
Suture
Taille
Tamponnement
Taxis
Thermocautérisation
Thermocoagulation
Transfixion
Transfusion
Transposition
Trépanation
Tubage
Tunnellisation
Vissage

Voir aussi :

Analgésie
Anaplastie
Anesthésie
Anesthésiste
Antisepsie
Asepsie
Autogreffe
Autoplastie
Autotransfusion
Autotransplantation
Banque* (d'organes, du sang, d'artères, d'os, de peau...)

Choc (opératoire)
Circulation* (collatérale, croisée (vieilli), extracorporelle...)
Codex
Donneur* (d'organes, du sang,...)
Greffe
Greffon
Hétérogreffe
Hétéroplastie
Homogreffe
Homoplastie
Hypotension

Hypothermie
Implant
Instrumentiste
Intervention (chirurgicale)
Isogreffe
Lambeau
Narcose
Néoplastie
Neurochirurgien
Opérateur
Opération* (aveugle, à chaud, à froid...)

Opéré
Opérer
Organoplastie
Plasticien
Pompiste
Prémédication
Prothèse
Réanimation* (pré-, per-, postopératoire)
Rejet (greffe)
Réopérer
Transplant
Voie* (d'abord, opératoire...)

LEXIQUE DE LA CHIRURGIE
Matériel et instruments chirurgicaux

Agrafe
Aiguille
Aiguillon
Alêne
Amorceur
Anse
Appareils de conten-
 tion (→ Bandage;
 extenseur, fixateur;
 pansement; plâtre), de
 maintien (→ Corset),
 de soutien (→ Stéréo-
 taxique).
Appareillage
Arceau
Artériodème
Aspirateur
Attelle* (à extension
 continue, métallique,
 plâtrée...)
Bandage
Bande
Bistouri
Bougie* (à boule, con-
 ductrice, dilatante,
 élastique, exploratrice,
 filiforme, rigide...)
Brayer
Brise-pierre (→ Litho-
 claste)
Broche
Brouteur
Burin
Canule
Cadre
Capeline
Cataplasme
Catgut
Cathéter
Cautère
Ceinture (orthopédique)
Champ (opératoire)
Charpie
Chevêtre
Cisailles
Ciseau
Ciseaux* (courbés, à
 énucléer, pointus, à
 point mousse, à os, à
 pansement, à plâtre...)

Clamp
Clip
Clou
Cœur-poumon (artificiel)
Coin
Compresse
Corset
Coton (hydrophile)
Couteau* (à ampu-
 tation, interosseux,
 lancéolaire, à sous-
 astragalienne...)
Crampon
Crânioclaste
Crochet* (mousse, à
 os, petit, à strabisme,
 tranchant...)
Cryocautère
Cryode
Cuiller (à cataracte)
Cuirasse (orthopédique)
Curette* (à adénoïdes,
 à os, tranchante, uté-
 rine...)
Davier
Défibrillateur
Dilatateur
Dispositif
Drain
Écarteur
Éclisse
Écraseur
Élargisseur
Électrolyseur
Emplâtre
Endoprothèse
Érigne
Érisiphake
Étrier
Explorateur
Extension
Extracteur
Fil (de suture)
Forceps
Forcipressure
Foret
Fraise

Galvanocautère
Garrot
Gaze
Gouge
Goutte-à-goutte
Gouttière
Grattoir
Harpon
Insufflateur
Lacs
Lame
Lancette
Laser
Lime
Lithoclaste (→ Brise-
 pierre)
Litholabe
Lithotriteur
Marteau
Masque
Matériel (de suture)
Mèche
Meule
Microinstrument*
 (microaiguille, micro-
 ciseaux, microclamp,
 micromanipulateur,
 porte-microaiguille...)
Minerve
Monitoring
Ostéosynthèse
Ouate
Ouvre-bouche
Pansement
Pêche-fil
Perce-crâne
Perceuse
Perforateur
Phacoémulsificateur
Pince* (à agrafes, chi-
 rurgicale, courbe, à
 griffes, droite, hémo-
 statique, à forcipres-
 sure...)
Porte-aiguille
Porte-bougie
Porte-fil

Porte-greffe
Porte-lacs
Porte-tampon
Pose-ligatures
Psychrophore
Râpe
Rasoir
Respirateur
Retracteur
Rugine
Scalpel
Scarificateur
Scialytique
Scie
Seringue
Serre-fil
Serre-fine
Serre-nœud
Serretelle
Séton
Sonde
Sparadrap
Spatule
Spéculum
Stripper
Stylet
Table (d'opération;
 fam. : billard)
Tampon
Tenaculum
Tenaille
Tenette
Thermocautère
Tire-balles
Tire-fond
Tourniquet
Transforateur
Trépan
Tréphine
Trilabe
Trocart
Trousse (de chirurgien)
Urétreurynter
Valve
Ventouse
Vis

Voir aussi les éléments : -scope, -stat, -tome.

Explorations chirurgicales (→ -scopie, -graphie)

Amnioscopie
Antroscopie
Aortographie
Artériographie
Arthroscopie
Cardioscopie
Caverноscopie
Cavographie
Cérébroscopie
Cœlioscopie
Colofibroscopie
Colposcopie
Culdoscopie

Cystoscopie
Discographie
Échoencéphalographie
Échotomographie
Électroencéphalographie
Électrocardiographie
Électrocorticographie
Encéphalographie
Endodiascopie
Endofibroscopie
Endoscopie
Fibroscopie
Galactographie

Gastrobiopsie
Gastrofibroscopie
Gastroscopie
Laparoscopie
Lymphographie
Médiastinoscopie
Myélographie
Œsophagoscopie
Œsofibroscopie
Péritonéoscopie
Phlébographie
Pleuroscopie
Portographie

Pyélographie
Radiographie
Rectoscopie
Rectosigmoïdoscopie
Scanographie
Scintigraphie
Thermographie
Tomographie
Urétrocystographie
Urétrocystoscopie
Urétroscopie
Ventriculographie
Xérographie

LEXIQUE DE LA CHIRURGIE

Interventions thérapeutiques

Adénectomie (ou Adé-
noïdectomie)
Amygdalectomie
Angiotomie
Anoplastie
Aponévrectomie
Appendicectomie
Artériectomie
Artériotomie
Arthrodèse
Arthrolyse
Arthroplastie
Arthrostomie
Arthrotomie
Blépharorraphie
Bronchotomie
Cœcoplicature
Capsulectomie
Cardiolyse
Cardiopuncture
Cardiotomie
Castration
Céphalotomie
Césarienne
Cholécystectomie
Cœliotomie
Colectomie
Coloplication
Colpocléisis
Colpohystérectomie
Colpostricture
Commissurotomie
Cranioclasie
Cystectomie
Cysticolithotripsie
Dénervation
Déperiostage
Dermatoplastie
Désarticulation
Désinsertion
Désinvagination
Duodénoplastie
Embolectomie
Embryectomie

Endartériectomie
Endectomie
Énervation
Entéro-anastomose
Entéro-cystoplastie
Entérotomie
Épiphysiodèse
Érisiphaque
Éveinage
Exarticulation
Excochléation
Gangliectomie
Gastrectomie
Glossotomie
Hémisphérectomie
Hémorroïdectomie
Hépatectomie
Hernioplastie
Hystérectomie
Hystérocolpectomie
Hystéro-ovariectomie
Hystéropexie
Hystérotomie
Iliectomie
Iriodésis
Kératotomie
Laminectomie
Laparotomie
Laryngotomie
Laryngotrachéotomie
Lifting
Ligamentoplastie
Lipectomie
Lithectomie
Lithoclastie
Lithopaxie
Lithotomie
Lithotritie
Lobectomie
Lobotomie
Lombotomie
Mammoplastie
Manchonnage

Mastoïdectomie
Méatostomie
Médullectomie
Méloplastie
Méniscectomie
Mésopexie
Myélotomie
Myomectomie
Myoplastie
Néphrectomie
Néphrolithotomie
Neurotomie
Névrotomie
Œsophagoplastie
Oncotomie
Ophtalmoplastie
Orbitotomie
Orchidectomie
Orthomorphie
Ostéoplastie
Ostéotomie
Otectomie
Ovariectomie
Pallidectomie
Parathyroïdectomie
Pariétectomie
Parotidectomie
Patellectomie
Péricardectomie
Périnéorraphie
Phacoérisis
Pharyngectomie
Pharyngoplastie
Phlébotomie
Platinectomie
Pleurotomie
Plombage
Pneumothorax
Pneumotomie
Pollicisation
Polypectomie
Posthectomie (cour. : cir-
concision)

Prostatectomie
Pyélotomie
Rectotomie
Rhinoplastie
Rithydectomie (cour. :
face-lift ou lifting)
Salpingoplastie
Scalénotomie
Sclérectomie
Séquestrectomie
Spéléotomie
Sphinctéroplastie
Splénectomie
Staphyloplastie
Stomatoplastie
Stripping
Surrénalectomie
Sympathectomie
Synovectomie
Tarsectomie
Ténolyse
Ténotomie
Thoracentèse
Thoracolaparotomie
Thoracoplastie
Thoracotomie
Thyroïdectomie
Thyrotomie
Topectomie
Trachéostomie
Trachéotomie
Tringlage (plus cour. :
stripping)
Turbinectomie
Tympanoplastie
Urétérolithotomie
Uranoplastie
Vagotomie
Valvuloplastie
Varicotomie
Vasoligature
Vasotomie

Éléments suffixaux :

-clasie (ex. : *cranioclasie*)
-clastie (ex. : *lithoclastie*)
-cléisis (ex. : *colpocléisis*)
-désis (ex. : *iriodésis*)
-ectomie (ex. : *aponévrectomie*)
-érisis (ex. : *phacoérisis*)

-ligature (ex. : *vasoligature*)
-lyse (ex. : *arthrolyse*)
-morphie (ex. : *orthomorphie*)
-paxie (ex. : *lithopaxie*)
-pexie (ex. : *mésopexie*)
-plastie (ex. : *arthro-
plastie*)

-plication (ex. : *coloplication*)
-plicature (ex. : *cœcoplicature*)
-puncture (ex. : *cardio-
puncture*)
-rraphie (ex. : *blépharorraphie*)

-stomie (ex. : *arthro-
stomie*)
-tomie (ex. : *artériotomie*)
-tripsie (ex. : *cysticolithotripsie*)
-tritie (ex. : *lithotritie*)
-stricture (ex. : *colpostricture*)

CHLAMYDOMONAS [klamidɔmɔnas] n. f. — 1845, sous la forme *chlamydomonade*; lat. sc., du grec *khlamus, -udos* (→ Chlamyde), et *monas* «unité» (→ Monade).

Biol. Protiste flagellé, unicellulaire qui vit dans les eaux polluées. *«Les chlamydomonas sont des algues unicellulaires, pourvues d'un grand chloroplaste et donc vertes, capables de photosynthèse (...) les chlamydomonas se prêtent assez bien à l'analyse génétique»* (*la Recherche*, juin 1982, p. 768).

CHLASS ou **CHLASSE** [ʃlas] adj. → 1. **Schlass.**

1. CHLEUH, E [ʃlø] adj. et n. — 1891; *Chellouh*, 1866; mot berbère.

Se dit de populations berbères du Maroc occidental, de leur culture et de leur langue. — N. m. *Le chleuh :* cette langue.

2. CHLEUH, E [ʃlø] adj. et n. — 1939, chanson de Pierre Dac «Je vais me faire chleuh» (*in* Jacques Plessis, *Pierre Dac*, p. 86-87); «soldat des troupes territoriales (argot des soldats, au Maroc)», 1914; «frontalier ne parlant pas le français : comtois ou alsacien», 1936. → 1. Chleuh.

Fam. et péj. Allemand, Allemande (en tant qu'ennemi, pendant la Deuxième Guerre mondiale). → Boche, cit. 2. *Un avion chleuh.*

REM. 1. On rencontre les var. graphiques *chleu, e, schleu, e* et *schleuh, e.*
2. Le mot est parfois fait invar. en genre.

1 — On a fauché des tablettes de phosphore aux Schleuhs dans le maquis (...)
S. DE BEAUVOIR, les Mandarins, p. 562 (1954).
2 Les Chleuhs cherchaient Raymond Guyot, le communiste, ils sont venus faire une perquisition chez ma belle-mère, ils ont tout saccagé, éventré les matelas, etc.
Jean FERNIOT, Pierrot et Aline, p. 216.
3 Un bout de robe dépasse d'une ruine : une chleu s'est fait descendre, justice !
Alain BOSQUET, les Bonnes Intentions, p. 10.

CHLINGUER [ʃlɛ̃ge] v. → **Schlinguer.**

CHLOASMA [klɔasma] n. m. — 1855; du rad. du grec *khloazein* «être de la couleur vert pâle des jeunes pousses».

Méd. Taches pigmentées irrégulières du visage, observées surtout pendant la grossesse *(masque de grossesse).*

CHLOR-, CHLORO- Élément, du grec *khlôros* «vert», entrant dans la composition de mots savants où il indique soit la présence de chlore*, soit la couleur verte. Voir à l'ordre alphabétique.

CHLORAGE [klɔraʒ] n. m. — 1891; de *chlorer.*

Techn. Opération qui consiste à soumettre à l'action du chlore (des matières textiles ou des tissus). *Le chlorage rend la laine irrétrécissable, permet de faciliter la teinture ou l'impression des textiles.*

(...) l'impression n'est vraiment utile que lorsque la laine a été préalablement chlorée. Le chlorage (...) s'effectue soit par action du chlore gazeux, soit par un passage rapide du tissu dans une cuve contenant une solution d'hypochlorite alcalin acidulée par l'acide chlorhydrique ou par l'acide sulfurique (...) La pièce (...) lavée et séchée (...) passe alors dans une machine à imprimer.
Charles MARTIN, la Laine, p. 83.

CHLORAL [klɔral] n. m. — 1831; de *chlore*, et *al(cool).*

Chim. Aldéhyde* du chlore (CCl_3–CHO), incolore, huileux, d'une odeur piquante, d'une saveur caustique, qui bout à 97°. *Le chloral hydraté* ou *hydrate de chloral*, solide blanc utilisé comme soporifique.

M. Jérôme démasqua ses batteries : il resterait au lit. C'était sa manière d'ignorer les obsèques et les noces de son entourage. En ces conjonctures solennelles, il avalait un cachet de chloral et tirait ses rideaux.
F. MAURIAC, le Baiser au lépreux, p. 58.

DÉR. Chloralisme.

CHLORALISME [klɔralism] n. m. — xxᵉ; de *chloral.*

Méd., pathol. Troubles provoqués par l'abus du chloral (apathie et confusion mentale, ou au contraire état d'agitation et nervosité).

CHLORAMINE [klɔramin] n. f. — xxᵉ; de *chlor-*, et *amine.*

Chim. Substance antiseptique et stérilisante dérivée du chlore.

CHLORAMPHÉNICOL [klɔrãfenikɔl] n. m. — 1947; nom déposé, du rad. de *chlore.*

Pharm. Antibiotique actif sur un grand nombre de bactéries (staphylocoques, streptocoques, bacilles de la typhoïde, de la coqueluche, du typhus exanthématique).

CHLORATE [klɔrat] n. m. — 1816; de *chlor-*, et *-ate.*

Chim. Sel de l'acide chlorique. *Chlorate de soude, de potasse.*

DÉR. Chloraté.

CHLORATÉ, ÉE [klɔrate] adj. — Mil. xixᵉ; de *chlorate.*

Chim., techn. Qui contient un chlorate. *Désherbant chloraté.*

CHLORATION [klɔrasjɔ̃] n. f. — 1922; de *chlor-*, et *-ation.*

Techn. Traitement de l'eau par le chlore pour la stériliser (→ Javellisation).

CHLORE [klɔr] n. m. — 1815; grec *khlôros* «vert, d'un jaune verdâtre».

Chim. et cour. Corps simple, métalloïde (symb. : Cl; masse at. : 35,5; nᵒ at. 17), jaune verdâtre, d'odeur suffocante, dangereux à respirer, de densité 2,5, assez facile à liquéfier et assez soluble dans l'eau. *Le chlore ne se trouve pas dans la nature à l'état pur, on l'extrait en général du chlorure de sodium par électrolyse. — Propriétés oxydantes, décolorantes, antiseptiques du chlore. — Utilisation du chlore, des composés du chlore, comme narcotiques ou anesthésiants.* → **Anesthésie; chloral, chloroforme, éthyle** (chlorure d'), **méthyle** (chlorure de); *comme gaz asphyxiants* (→ **Chloropicrine, phosgène**) *et comme produits de blanchiment, de nettoyage, de désinfection.* → **Chlorure** (chlorures décolorants), **javel** (eau de).

Il va assainir, purifier l'âme d'un mourant, quoi de plus simple ! C'est jeter du chlore dans une maison où vient de s'achever une maladie infectieuse.
M. BARRÈS, la Colline inspirée, xv, p. 254.

Corps de la famille du chlore. → **Halogène.**

Composé hydrogéné du chlore : acide chlorhydrique* ou (vx) muriatique (ClH).

Composés oxygénés du chlore : anhydride et acide hypochloreux (Cl_2O et HClO; sels : hypochlorites), anhydride et acide chloreux (Cl_2O_3 et $HClO_2$; sels : chlorites), peroxyde ou bioxyde de chlore, acide chlorique ($HClO_3$; sels : chlorates), acide perchlorique ($HClO_4$; sels : perchlorates).

DÉR. et COMP. Chloral, chloré, chloreux, chlorure. — V. aussi les éléments **Chlor-** et **chloro-.**

CHLORÉ, ÉE [klɔʀe] adj. — 1838; de *chlore*.

Chim. et cour. Qui contient du chlore. *Eau chlorée d'une piscine.*

DÉR. **Chlorer.** ◊ COMP. **Organochloré.**

CHLORELLE [klɔʀɛl] n. f. — 1929; du grec *khlôros* «vert». → Chlor-.

Bot. Algue verte unicellulaire d'eau douce. *Les chlorelles sont utilisées en laboratoire pour l'étude de la photosynthèse. La chlorelle pourrait servir d'aliment humain. Culture des chlorelles.*

CHLORER [klɔʀe] v. tr. — Fin XIXe (*chloré* est antérieur); de *chloré*.

♦ **1** Techn. Transformer en chlorure. → **Chlorurer.**

♦ **2** Cour. Mêler de chlore. *Chlorer l'eau d'une piscine.*

DÉR. **Chlorage.**

CHLOREUX, EUSE [klɔʀø, øz] adj. — 1824; de *chlore*.

Chim. *Acide chloreux :* acide du chlore non isolé ($HClO_2$).

CHLORHYDRATE [klɔʀidʀat] n. m. — 1848; de *chlorhydrique*.

Chim. Sel hydraté (surtout sel organique) de l'acide chlorhydrique.

CHLORHYDRIQUE [klɔʀidʀik] adj. — 1834; de *chlor-*, et *-hydrique*.

Chim. *Gaz chlorhydrique :* chlorure d'hydrogène (HCl). *Acide chlorhydrique*, ou (VX) *muriatique :* solution de gaz chlorhydrique dans l'eau, liquide incolore, fumant, corrosif. — Syn. cour. : *esprit-de-sel*. *Le suc gastrique renferme une certaine proportion d'acide chlorhydrique* (→ **Hyperchlorhydrie, hypochlorhydrie**). *Sels de l'acide chlorhydrique :* chlorhydrates, chlorures.

DÉR. **Chlorhydrate.** ◊ COMP. (Du rad.) **Anachlorhydrie, hyperchlorhydrie, hypochlorhydrie.**

CHLORIQUE [klɔʀik] adj. — 1814; de *chlor-*, et *-ique*.

Chim. *Acide chlorique* ($HClO_3$).

CHLORITE [klɔʀit] n. m. — 1831; de *chlor-*, et *-ite*.

Chim. Sel de l'acide chloreux ($HClO_2$).

CHLORO- → Chlor-.

CHLOROBENZÈNE [klɔʀobɛzɛn] n. m. — 1869; de *chloro-*, et *benzène*.

Chim. Dérivé monochloré du benzène (C_6H_5Cl).

COMP. **Dichlorobenzène, paradichlorobenzène.**

CHLOROCALCITE [klɔʀokalsit] n. f. — 1899; de *chloro-*, et *calcite*.

Chim. Chlorure de calcium, avec sodium et potassium à symétrie cubique.

CHLOROCARBONATE [klɔʀokaʀbɔnat] n. m. — Déb. XXe; de *chloro-*, et *carbonate*.

Chim. Sel ou ester de l'acide chlorocarbonique MCO_2-Cl.

CHLOROFIBRE [klɔʀofibʀ] n. f. — 1965; de *chloro-*, et *fibre*.

Techn. Fibre synthétique à base de chlorure de vinyle (→ **Rhovyl**), utilisée dans le textile pour ses propriétés triboélectriques.

CHLOROFLUOROCARBONE [klɔʀoflyɔʀokaʀbɔn] n. m. — 1979; angl. des États-Unis *chlorofluorocarbon*, 1977, de *chloro-*, *fluoro* (→ Fluor) et *carbon*.

Chim. Composé du chlore et du fluor (*hydrocarbure fluoré* ou *chlorofluoroalcane*), utilisé sous forme gazeuse ou liquide comme réfrigérant ou comme propulseur dans les bombes aérosols (→ **Fréon**). — Abrév. : *C. F. C* [seɛfse]. *Les chlorofluorocarbones seraient responsables de la diminution de la couche d'ozone de la stratosphère.*

CHLOROFORME [klɔʀɔfɔʀm] n. m. — 1834; de *chloro-*, et du rad. de *(acide) formique*.

Liquide incolore ($CHCl_3$), dérivé du méthane, de densité 1,51, d'une saveur sucrée, d'une odeur éthérée, employé en chimie comme solvant, en chirurgie et en médecine comme anesthésique*. *Endormir qqn au chloroforme. Tampon de chloroforme.*

Le médecin, quand il suppose que c'est le chloroforme qui a endormi la victime, fait une conjecture (...)
　　　　ALAIN, De l'hypothèse et de la conjecture,
　　　　in les Passions et la Sagesse, Pl., p. 1125.

DÉR. **Chloroformer.**

CHLOROFORMER [klɔʀɔfɔʀme] v. tr. — 1856; *chloroformiser*, 1847; de *chloroforme*.

♦ **1** Anesthésier, endormir au chloroforme. *Chloroformer un malade.*

♦ **2** Fig. *Chloroformer les consciences, les esprits* (→ **Anesthésier, endormir**, fig.).

Les journaux, suivant leur criminelle habitude, n'ont 1
cherché qu'à chloroformer le pays.
　　　　GIDE, Journal, 10 mai 1918.

(...) sauvés par l'accoutumance peut-être, chloroformés par 2
l'habitude, abrutis, endormis contre le sein de la famille
maternelle et toute-puissante.
　　　　F. MAURIAC, Thérèse Desqueyroux, X, p. 176.

♦ **CHLOROFORMÉ, ÉE** p. p. adj. «Des victimes chloroformées» (Giraudoux). — *Une opinion chloroformée.* Qui contient du chloroforme. *Eau chloroformée.*

REM. En emploi trans. comme au p. p., on a employé au XIXe s. la var. *chloroformiser* [klɔʀɔfɔʀmize].

CONTR. **Réveiller.** ◊ DÉR. **Chloroformisation.**

CHLOROFORMISATION [klɔʀɔfɔʀmizasjɔ̃] n. f. — 1847; de *chloroformiser*, var. de *chloroformer* : *chloroformisé*, 1850.

Méd. Action de chloroformer, anesthésie par le chloroforme.

CHLOROPHYCÉES [klɔʀofise] n. f. pl. — 1890; de *chloro-*, et grec *phukos* «algue» (→ Phyco-).

Bot. Ordre d'algues, dites *«algues vertes»* (parce que chez elles la chlorophylle n'est pas combinée avec un autre pigment) qui vivent dans l'eau douce ou salée, les lieux humides et qui se multiplient par œufs ou par spores. → **Algue.** — Au sing. *Une chlorophycée.*

CHLOROPHYLLE [klɔʀɔfil] n. f. — 1817; de *chloro-*, et *-phylle*.

♦ **1** Bot. et cour. Matière colorante verte des plantes, présente dans les feuilles, à structure moléculaire proche de celle de l'hémoglobine, jouant un rôle essentiel dans la synthèse des glucides à partir du gaz carbonique. → **Photosynthèse; pigment** (2.). *La lumière, facteur nécessaire à la production de la chlorophylle. Décoloration des plantes, due à l'absence de chlorophylle.* → **Albinisme** (2.), **chlorose** (3.).

◆ **2** Les plantes vertes ; la verdure. *«Les océans de chlorophylle»* (Cendrars, *in* T. L. F.).

DÉR. **Chlorophyllien.**

CHLOROPHYLLIEN, IENNE [klɔʀɔfiljɛ̃, jɛn] adj.
— 1874 ; de *chlorophylle*.

Bot. De la chlorophylle, qui a trait à la chlorophylle. *Assimilation, fonction chlorophyllienne :* action propre à la chlorophylle et qui consiste, sous l'action de la lumière, à fournir de l'énergie pour les réactions de synthèses organiques qui se marquent par l'absorption de dioxyde de carbone et le rejet d'oxygène. — *Les plantes chlorophylliennes sont autotrophes*.*

Les végétaux la nuit.

L'exhalaison de l'acide carbonique par la fonction chlorophyllienne, comme un soupir de satisfaction qui durerait des heures, comme lorsque la plus basse corde des instruments à cordes, le plus relâché possible, vibre à la limite de la musique, du son pur, et du silence.
Francis PONGE, le Parti pris des choses, p. 85.

CHLOROPICRINE [klɔʀɔpikʀin] n. f. — 1878 ; de *chloro-*, du rad. de *(acide) picrique*, et suff. *-ine.*

Chim., techn. Liquide huileux et incolore, obtenu en traitant l'acide nitrique par le chlorure de chaux, très toxique et dégageant un gaz suffocant et lacrymogène que l'on utilise pour la destruction d'animaux nuisibles (insectes, rats...). *La chloropicrine a été employée comme gaz de combat.*

CHLOROPLASTE [klɔʀɔplast] n. m. — 1890, *chloroplastide* ; de *chloro(phylle)*, et *-plaste* (→ Plaste).

Biol. Organite* (grain de chlorophylle) qui assure la photosynthèse chez les végétaux verts.

CHLOROPRÈNE [klɔʀɔpʀɛn] n. m. — Mil. XXe ; de *chloro-*, et *-prène* (→ Néoprène).

Chim., techn. Dérivé du butadiène qui donne par polymérisation un caoutchouc synthétique, le néoprène.

CHLOROQUINE [klɔʀɔkin] n. f. — 1953 ; angl. *chloroquine*, 1946 ; de *chloro-*, et *quin(oléine).*

Méd. Médicament employé dans le traitement du paludisme et de certaines arthrites. Syn. plus cour. : *nivaquine* (nom déposé).

CHLOROSE [klɔʀoz] n. f. — 1753 ; *chlorosis*, 1694 ; lat. médiéval *chlorosis* ; du grec *khlôros* «vert, d'un jaune verdâtre», d'où «pâle».

◆ **1** **Méd.** Maladie (appelée ancienn *les pâles couleurs* ou *anémie essentielle des jeunes filles*) caractérisée par la teinte jaune verdâtre que prend la peau et qui est une anémie par carence en fer.

Mangée de chlorose, trop grande pour ses douze ans, elle avait la laideur molle et bouffie, les cheveux rares et décolorés de son sang pauvre (...) ZOLA, la Terre, p. 50.

◆ **2** Par métaphore ou littér. Étiolement, anémie. *La chlorose d'une société.*

◆ **3** **Bot.** Étiolement des plantes caractérisé par leur décoloration (due à l'absence de chlorophylle).
→ aussi **Albinisme,** 2.

CHLOROSULFURE [klɔʀosylfyʀ] n. m. — 1846 ; de *chloro-*, et *sulfure.*

Chim. Sel ou mélange de sels renfermant, entre autres, du chlore et du soufre.

CHLOROTIQUE [klɔʀɔtik] adj. — 1766 ; lat. méd. *chloroticus*, de *chlorosis*. → Chlorose.

Médecine ou littéraire.

◆ **1** Qui a rapport à la chlorose, est affecté de chlorose.

Julie-Marie s'épuisait en corvées pour soulager sa mère ; la fillette en devenait chlorotique, mais ne relâchait pas l'effort (...)
Herbert LE PORRIER, le Luthier de Crémone, p. 106.

N. *Un, une chlorotique.*

Par métaphore : *«Ces pêches chlorotiques»* (Colette, *in* T. L. F.). *«Vertus chlorotiques»* (Mounier, *in* T. L. F.).

◆ **2** Dû à la chlorose. *Pâleur chlorotique.*

Je le fumais comme je pouvais et je pissais dessus quand il faisait sec. Ce n'était peut-être pas ce qu'il fallait. Il verdit, mais il n'y eut jamais de fleur, rien qu'une tige flasque garnie de feuilles chlorotiques.
S. BECKETT, Nouvelles, p. 83.

CHLORPROMAZINE [klɔʀpʀomazin] n. f. — 1952, P. Charpentier et collaborateurs, aussi *chloropromazine* ; de *chlor-*, et *prom(eth)azine*. REM. Dénomination commune internationale.

Pharm. Poudre cristalline blanche ($C_{17}H_{19}ClN_2S$) soluble dans l'eau et l'alcool, à propriétés pharmacologiques multiples, qui notamment exerce une action sédative, hypnotique et anticonvulsivante sur le système nerveux central, et inhibe l'action du système sympathique. *La chlorpromazine est un neuroleptique.*

La chlorpromazine (Largactil) en est le prototype *(des phénothiazines).* Produite par les Laboratoires Rhône-Poulenc-Specia, elle fut introduite en thérapeutique en 1952. D'abord utilisée par H. Laborit et coll., dans la composition de leur «cocktail lytique» (...) destiné à la pratique de l'hibernation artificielle, ces auteurs avaient mentionné que le médicament utilisé seul produisait un effet de «désintéressement» et qu'il était appelé à des applications psychiatriques (...) Avec J. Delay et coll., dans une série de communications présentées de mai à juillet 1952, nous avons posé les principes de la cure neuroleptique — ou traitement prolongé continu systématiquement appliqué avec la chlorpromazine seule (...)
Pierre DENIKER, la Psychopharmacologie, p. 68-69.

Dans les asiles l'introduction des tranquillisants majeurs, la *chlorpromazine* (plus célèbre en France sous le nom de *largactyl)* ou la *réserpine* a transformé l'atmosphère. Ces «camisoles chimiques» ont relégué les autres au magasin des accessoires, donné aux maisons de fous le calme des hôpitaux ordinaires. L'agitation disparaît ; l'anxiété, la confusion sont considérablement réduites. Leur emploi est tel que, dans toute l'Europe, je n'ai pas trouvé un seul établissement où sous divers noms, la chlorpromazine ne figurât pas sur le cahier des soins ou le plateau du soigneur. La France seule, en 1957, en a consommé deux tonnes et demie ! Hervé BAZIN, la Fin des asiles, p. 39.

CHLORURAGE [klɔʀyʀaʒ] n. m. — 1864, *Année sc. et industr.*, p. 394 ; de *chlorurer.*

Didact., techn. Opération par laquelle on chlorure (une substance).

CHLORURE [klɔʀyʀ] n. m. — 1815 ; de *chlore.*

◆ **1** **Chim.** Composé du chlore, sel résultant de la combinaison de l'acide chlorhydrique avec une base. — *Chlorure de sodium* (NaCl). → **Sel** (marin). → ci-dessous, cit. *Chlorure de potassium.* → **Sylvine.** *Chlorure cuivreux* (CuCl), *chlorure cuivrique* ($CuCl_2$). *Propriétés caustiques, antiseptiques du chlorure de zinc** ($ZnCl_2$). *Emploi du chlorure d'éthyle*, du chlorure de méthyle* comme anesthésiques. Chlorure de polyvinyle. — Protochlorures : chlorures les moins riches en chlore.* → **Calomel ; mercure** (protochlorure de). *Perchlorures : chlorures les plus riches en chlore.*

♦ **2** Techn. *Chlorures (décolorants)* : mélanges industriels de chlorures et d'hypochlorites alcalins, utilisés à des fins de blanchiment, nettoyage, désinfection. → **Javel** (eau de). — *Chlorure de chaux* (CaOCl$_2$) : mélange de chlorure de calcium et d'hypochlorite de chaux, employé comme désinfectant et utilisé dans la préparation du chloroforme* et de la chloropicrine.

> De ce chlorure de sodium, qui n'est autre que le sel marin, Cyrus Smith avait facilement extrait la soude et le chlore. La soude, qu'il fut facile de transformer en carbonate de soude, et le chlore, dont il fit des chlorures de chaux et autres, furent employés (...) précisément au blanchiment du linge.
>
> J. VERNE, l'Île mystérieuse, t. II, p. 777 (1874).

DÉR. et COMP. Chlorurer, chloruré. — Déchlorurer. — Perchlorure, protochlorure.

CHLORURÉ, ÉE [klɔʀyʀe] adj. — 1831 ; de *chlorure*.
Didact. Transformé en chlorure, ou qui contient un chlorure. *Roches chlorurées.*

CHLORURER [klɔʀyʀe] v. tr. — 1863 ; de *chlorure*.
Didact., techn. Combiner avec le chlore (un corps autre que l'oxygène et l'hydrogène) pour obtenir un chlorure. — On dit plutôt *chlorer.*

DÉR. Chlorurage.

CHNOQUE ou **CHNOCK** [ʃnɔk] n. et adj. → **Schnock.**

CHNOUF [ʃnuf] n. f. → **Schnouff.**

CHOANES [kɔan] n. f. pl. — 1546 ; grec *khoanê* «entonnoir».
Anat. Orifices postérieurs des fosses nasales, dans l'arrière-nez.

> Le phylum des Choanata, caractérisé par la présence de choanes ou sacs nasaux communiquant avec l'arrière-bouche (narines internes), réunira tous les animaux porteurs de choanes, c'est-à-dire quelques poissons (...) et tous les Tétrapodes.
>
> A. TÉTRY, in Encycl., Pl., Zoologie, t. I, p. 47.

DÉR. Choanichtyens.

CHOANICHTYENS ou **CHOANICHTHYENS**
[kɔaniktjɛ̃] n. m. pl. — Mil. xxᵉ ; de *choane(s)*, et *-ichtyens.*
Zool. Poissons à choanes ouverts (une des grandes divisions des poissons*).

> Chez les Choanichthyens, les sacs olfactifs font communiquer la cavité buccale avec l'extérieur ; cette structure est réalisée chez tous les Tétrapodes. D'autre part, les nageoires paires acquièrent une disposition de leurs pièces squelettiques telle que l'on a été conduit à y voir une étape vers le membre marcheur des Tétrapodes. Mais cela n'est pas suffisant pour faire des Choanichthyens les poissons les plus évolués : un grand nombre d'autres caractères sont restés primitifs.
> On divise les Choanichthyens en Crossoptérygiens, dont on n'a longtemps connu que des exemples fossiles, et en Dipneustes, ou poissons à double respiration.
>
> R. et M.-L. BAUCHOT, les Poissons, p. 64.

CHOC [ʃɔk] n. m. — 1521 ; déverbal de *choquer*.

♦ **1** Entrée en contact de deux corps solides qui se rencontrent violemment ; ébranlement qui en résulte. → **Collision, coup, heurt, percussion.** — REM. Le verbe correspondant est plutôt *heurter* que *choquer*. *Choc brusque, violent. Le choc et le bruit d'une explosion. Le choc de qqch.*, que produit qqch. en se déplaçant et en heurtant. *Le choc de qqch. sur, contre qqch. Le choc du marteau sur l'enclume.* → **Martèlement.** *Le choc des gouttes de pluie contre la vitre.* → **Battement.** *Le choc des verres, des épées.*

→ **Cliquetis.** *Choc de navires* (→ **Abordage**)*, de voitures* (→ **Carambolage, collision**)*, de deux trains* (→ **Tamponnement, télescopage**). → aussi **Accident.** *Choc d'une boule qui en touche deux d'un coup.* → **Carambolage.** *Choc des vagues qui brisent sur le rivage.* → **Ressac.** *Dispositif destiné à garantir des chocs, à les amortir, à les recevoir* (→ **Amortisseur, borne, butée, butoir, pare-chocs, tampon ; antichoc**)*. Mouvement communiqué par un choc.* → **Impulsion.** *Rendre un son sous le choc* : résonner, claquer. *Produire un choc. Renverser, culbuter qqch. au premier choc. Vaciller, tituber, bondir sous le choc. Souffrir d'un choc. Choc terrible, sanglant, meurtrier. Meurtrissures, contusions, blessures, lésions dues à un choc. Commotion à la suite d'un choc. Choc qui renverse, disperse, bosselle, déforme, aplatit, écrase, fêle, brise, fracasse, met en pièces, broie, réduit en morceaux* (→ Acier, cit. 9). *Résister au choc.* — Sc. *Onde* de choc.

> Les vaisseaux anglais, beaucoup plus petits que ceux des Espagnols, ne devaient pas résister au choc de ces citadelles mouvantes (*l'Invincible Armada*).   1
>
> VOLTAIRE, Essai sur les mœurs, 166.

> Toutes les glaises se durcissent au feu, et peuvent même   2
> y acquérir une si grande dureté qu'elles étincellent par le choc de l'acier.
>
> BUFFON, Hist. nat. des minéraux, t. I, in LITTRÉ.

> Et Jacques (*le mécanicien*), d'une pâleur de mort, vit tout,   3
> comprit tout, le fardier en travers (*de la voie*), la machine lancée, l'épouvantable choc (...) tandis qu'il avait déjà dans les os la secousse de l'écrasement (...) Et la Lison (*la locomotive*), fumante, soufflante, dans ce rugissement aigu qui ne cessait pas, vint taper contre le fardier, du poids énorme des treize wagons qu'elle traînait.
>
> ZOLA, la Bête humaine, X, p. 328-329.

> Il y avait comme une sorte de flux et de reflux de sons (*de*   4
> *la cloche*)*;* d'abord, le choc formidable du battant contre l'airain du vase, ensuite une sorte d'écrasement de sons qui se diffusaient (...)
>
> HUYSMANS, Là-bas, XXII, p. 302.

Bruit, ébranlement résultant d'un choc. *On entendait des chocs sourds.*

> Le navire roule et geint affreusement. L'être à l'être se   5
> cramponne et on perçoit le battement d'angoisse d'un cœur unique, les coups sourds de la machine qui cogne et lutte contre la mer, les chocs rythmés, et de plus en plus durs et violents, de cette mer démontée contre la coque.
>
> VALÉRY, Autres rhumbs, p. 24.

♦ **2** Rencontre violente (d'hommes). *Le choc de deux armées ennemies* (→ **Bataille, combat, lutte**)*. Soutenir, supporter le choc de l'adversaire. Tenir bon devant le choc. Résister au choc. Succomber, plier sous le choc.* — Vx. *Le choc d'une arme.*

> Mourir d'un coup de lance ou du choc d'une pique.   6
> Mathurin RÉGNIER, Satires, VI.

> (...) des baïonnettes tordues par la violence du choc.   7
> Ph.-P. SÉGUR, Hist. de Napoléon, VI, 8, in LITTRÉ.

> La pâle mort mêlait les sombres bataillons.   8
> D'un côté c'est l'Europe et de l'autre la France.
> Choc sanglant ! (...)
> HUGO, les Châtiments, V, XIII, II.

> Ô France, tous les jours c'était quelque prodige,   9
> Chocs, rencontres, combats (...)
> On battait l'avant-garde, on culbutait le centre (...)
> On allait ! en avant !   HUGO, les Châtiments, II, VII, I.

DE CHOC. **ⓐ** *Troupes, unités de choc :* qui sont toujours en premières lignes. → **Commando.** *Armes de choc.*

> (...) il préparait l'insurrection (...) ces quartiers atroces (...)   9.1
> — ceux où les troupes de choc étaient le plus nombreuses, — palpitaient du frémissement d'une multitude à l'affût.
>
> MALRAUX, la Condition humaine, in Romans, Pl., p. 19 (1933).

ⓑ (Dans un combat idéologique, intellectuel ou social). *Patron de choc* (ou *de combat*). *Un nationaliste de choc.*

9.2 (...) quel évêque de choc nous rappellera que la France ne peut être à la fois consacrée à saint Michel et au Manitou esséfiot[1], que l'hérésie fondamentale est la démocratie (...)
Jacques PERRET, Bâtons dans les roues, p. 267.
1. Cf. S.F.I.O.

9.3 Il s'agit, on le sait sans doute, d'un beau docker indolent et légèrement brute (Marlon Brando), dont la conscience s'éveille peu à peu grâce à l'Amour et à l'Église (donnée sous forme d'un curé de choc, de style spellmanien).
R. BARTHES, Mythologies, p. 67.

♦ 3 (Abstrait). Rencontre violente, brutale. *Le choc des opinions, des caractères, des passions, des intérêts.* → **Conflit, opposition, rencontre.** *Un choc d'opinions. Du choc des idées jaillit la lumière. Sentir en soi le choc des pensées, des sentiments, les sentir affluer et remuer en soi.* — Émotion brutale. *Choc psychologique.* → **Stress, traumatisme.** *Éprouver un choc, une émotion inattendue.* → **Émotion.** *Cela m'a donné un choc. Les chocs de l'existence.* → **À-coup, cahot, revers, vicissitude.** *Ce choc a ébranlé sa santé, sa raison.* — (Domaine social, collectif). *Le choc des cultures. Le choc des langues* (français et anglais) *au Québec.*

10 Tel on l'avait vu dans tous ses combats, résolu, paisible, occupé sans inquiétude de ce qu'il allait faire pour les soutenir, tel fut-il à ce dernier choc *(l'article de la mort).*
BOSSUET, Oraison funèbre du prince de Condé.

11 Il *(l'homme)* tourne au moindre vent, il tombe au moindre choc,
Aujourd'hui dans un casque et demain dans un froc.
BOILEAU, Satires, VIII.

12 (...) et comme chacun songe à son intérêt, personne au bien commun, et que les intérêts particuliers sont toujours opposés entre eux, c'est un choc perpétuel de brigues et de cabales, un flux et un reflux de préjugés, d'opinions contraires, où les plus échauffés, animés par les autres, ne savent presque jamais de quoi il est question.
ROUSSEAU, Julie ou la Nouvelle Héloïse, II, XIV.

13 (...) ces chocs mystérieux que notre âme, dégagée en quelque sorte des liens terrestres et retirée dans ce qu'elle a de plus immatériel, reçoit sans presque en avoir la conscience (...)
E. DELACROIX, Écrits, t. II, p. 82.

14 Il a été prouvé que, chez les natures très nerveuses et très surexcitées, quand un sens reçoit un choc qui l'émeut trop fortement, l'ébranlement de cette impression se communique, comme une onde, aux sens voisins qui le traduisent à leur manière.
MAUPASSANT, la Vie errante, II, p. 21.

15 *(Antoine)* devinait le choc des pensées que cette lecture pouvait suggérer à Jacques (...)
MARTIN DU GARD, les Thibault, t. IV, p. 56.

16 À l'origine de tout amour, il y a *un choc,* provoqué soit par l'admiration, soit par quelque accident qui a révélé une entente ou fait naître un désir.
A. MAUROIS, Un art de vivre, II, 2.
→ aussi Amplitude, cit. 3 ; atténuer, cit. 5 ; brutalité, cit.7.
(Avec des connotations positives). Effet violent, efficace (propagande, publicité). → aussi **-choc.** *«Le poids des mots, le choc des photos»* (slogan publicitaire d'un hebdomadaire parisien). *«Chic et choc»* (autre slogan) : à la fois original, étonnant et distingué.
Crise économique, financière brutale. *Le choc pétrolier de 1973.*

♦ 4 Spécialt. (1865 ; trad. angl. *shock*). *Choc opératoire, traumatique, anesthésique.* → **Commotion.** *État** de choc. Choc anaphylactique* ; choc amphétaminique*. Choc infectieux. Choc thermique :* brusque élévation de la température du corps.

♦ 5 (1842). **CHOC EN RETOUR** : ensemble des phénomènes parfois provoqués par la foudre à un endroit éloigné de celui où elle est tombée. — Par ext. Contrecoup* d'un choc, d'un événement sur la personne qui l'a provoqué ou sur le point d'où il est parti. → **Boomerang, retour** (effet en retour), **ricochet.**

17 En Magie, tout acte connu, publié, est perdu. Quant au choc en retour, il faut également être avisé, si l'on veut, sans être tout d'abord atteint, refouler les sorts sur la personne qui les dépêche.
HUYSMANS, Là-bas, XX, p. 270.

18 La plupart des gens nouveaux que j'ai rencontrés m'ont écrit parce qu'ils aimaient mes livres : les relations qui se sont créées entre nous, c'est moi qui les ai provoquées par une sorte de choc en retour.
S. DE BEAUVOIR, Tout compte fait, p. 45.

COMP. **Antichoc, électrochoc, hydrochoc, pare-chocs, pneumo-choc.**

-CHOC Élément final de noms composés, signifiant «qui provoque un choc psychologique (surprise, intérêt, émotion...)». *Un discours-choc. Des prix-choc. Des mesures-choc. Une idée choc.* REM. Les composés s'écrivent avec ou sans trait d'union, et *-choc* y est généralement invariable.

CHOCARD [ʃɔkaʀ] n. m. — 1803, Boiste ; var. de *choucas.*
Régional. Oiseau noir à bec jaune, voisin de la corneille.
(...) Martin, levant la tête, vit un carrousel de chocards, qui planaient en deux cercles contrariés.
Corinna BILLE, Vénus, p. 211-212.

CHOCHOTTE [ʃɔʃɔt] n. f. — 1901 ; p.-ê. var. de *cocotte* I., 1.
Fam. et péj. Qui est maniéré, prétentieux (souvent allus. à l'homosexualité masculine). *Chochotte, va !* — Adj. *«Une garden-party un peu chochotte...»* (le *Nouvel Obs.,* 11 mars 1974). → **Snob.**

CHOCOLAT [ʃɔkɔla] n. m. — 1634, in D.D.L. ; *chocolate,* 1598 ; esp. *chocolate, chocollatl,* lui-même empr. au nahuatl, langue indienne du Mexique.

♦ 1 Substance alimentaire (pâte solidifiée) faite d'amandes de cacao grillées, broyées, avec du sucre, de la vanille ou d'autres aromates. → **Cacao.** — Abrév. fam. (1894, in D.D.L.) : *choco. Du choco. Fabrication du chocolat :* triage des amandes de cacao, grillage, décorticage, broyage, mélange avec le sucre, réduction de la pâte en boudins dans une boudineuse, dépôt dans des moules, refroidissement, extraction, pliage dans du papier d'étain... *Une tablette, une bille* (régional) *de chocolat.* → **Plaque ; barre,** 2. **bille, tablette.** *Chocolat au lait, aux noisettes. Chocolat fondant, praliné. Du chocolat suisse. Chocolat blanc. Petit pain au chocolat. Chocolat en poudre, granulé, pour la cuisson. Acheter du chocolat chez l'épicier.* — *Entremets, mousse, soufflé, bavaroise, gâteau, éclair, bûche, petit four, glace au chocolat.* Ellipt. *Une glace chocolat.* — *En chocolat. Œufs de Pâques, lapins en chocolat. Cigarettes* en chocolat.*
(1901, in D.D.L.). *[Un, des chocolats].* Bonbon au chocolat. → **Bouchée, croquette, crotte, truffe.** *Offrir des chocolats. Acheter des chocolats dans une confiserie.*
Boisson faite de poudre de chocolat ou de cacao délayée dans du lait ou de l'eau. *Une tasse de chocolat. Chocolat viennois :* chocolat liquide chaud, avec de la crème Chantilly. *Servir le chocolat dans une chocolatière* (→ Bassin, cit. 2). *Faire mousser le chocolat.* → **Moussoir.** *Aimer le chocolat mousseux, onctueux, crémeux, velouté, vanillé, parfumé.* — *Tasse, consommation de chocolat. Un chocolat fumant. Commander un thé et un chocolat. Un grand chocolat et deux croissants.* — *Chocolat glacé. Chocolat liégeois*.*

1 Je pris avant-hier du chocolat pour digérer mon dîner, afin de bien souper ; et j'en ai pris hier pour me nourrir et pour jeûner jusqu'au soir : voilà de quoi je le trouve plaisant ; c'est qu'il agit selon l'intention.

Mme DE SÉVIGNÉ, *in* Pierre LAROUSSE.

2 Les dames espagnoles du nouveau monde aiment le chocolat jusqu'à la fureur, au point que, non contentes d'en prendre plusieurs fois par jour, elles s'en font quelquefois apporter à l'église (...) et le révérend père Escobar, dont la métaphysique fut aussi subtile que sa morale était accommodante, déclara formellement que le chocolat à l'eau ne rompait pas le jeûne (...)

A. BRILLAT-SAVARIN, Physiologie du goût, t. I, p. 142.

3 Des pyramides de chocolat de la compagnie coloniale (...) garnissaient les planches de l'étalage.

GONCOURT, Germinie Lacerteux, VII, *in* LITTRÉ.

4 La grosse araignée (...) quittait le plafond au bout d'un fil, droit au-dessus de la veilleuse à huile où tiédissait, toute la nuit, un bol de chocolat. Elle (...) empoignait de ses huit pattes le bord de la tasse, se penchait tête première et buvait jusqu'à satiété. Puis elle remontait, lourde de chocolat crémeux, avec les haltes, les méditations qu'impose un ventre trop chargé.

COLETTE, la Maison de Claudine, Ma mère et les bêtes, p. 68.

♦ **2** *Couleur chocolat*, ou, ellipt., *chocolat* (appos. ou adj. invar.) : de couleur brun rouge plus ou moins foncé. *Des visages, des teints chocolat.*

♦ **3** Adj. invar. (1886, *faire le chocolat* «faire le naïf», probablt des clowns *Footit* et *Chocolat*, ce dernier grimé en nègre, de manière naïvement raciste). **Fam.** *Être chocolat* : être frustré, privé d'une chose sur laquelle on comptait. *Ils sont chocolat.* «*Elle a peur de repartir chocolat*» (Paul Bourget, *in* T.L.F.).

DÉR. Chocolaté, chocolaterie, chocolatier.

CHOCOLATÉ, ÉE [ʃɔkɔlate] adj. — 1771; de *chocolat.*

Parfumé au chocolat. → **Cacaoté.** *Bouillie chocolatée. Lait chocolaté. Milk-shake chocolaté.*

CHOCOLATERIE [ʃɔkɔlatʀi] n. f. — 1835; de *chocolat.*

Fabrique de chocolat.

CHOCOLATIER, IÈRE [ʃɔkɔlatje, jɛʀ] n. — 1694; de *chocolat.*

♦ **1** Personne qui fabrique, qui vend du chocolat. → **Confiseur.**

♦ **2** N. f. (1671). Récipient où l'on verse le chocolat avant de le servir.

Le chocolat vous remettra ; mais vous n'avez point de chocolatière, j'y ai pensé mille fois ; comment ferez-vous ?

Mme DE SÉVIGNÉ, Lettre à Mme de Grignan, 11 févr. 1671.

CHOCOTTE [ʃɔkɔt] n. f. — 1882; p.-ê. du rad. de *chicot* ou de *choquer* (dents choquées).

Argot anc. *Les chocottes* : les dents. «*Brosse à chocottes*» (*in* Esnault). — Au sing. (moins cour.). *Une chocotte.*

1 (...) il chevrote... il crisse... c'est son rire... toutes ses chocottes qui s'entrecognent... ses mâchoires qui claquent... comme un tic qui le prend... une crise... et puis il s'arrête (...)

CÉLINE, le Pont de Londres, p. 174.

(1916, argot milit.). Loc. fam. *Avoir les chocottes* : avoir peur (claquer des dents ; → Avoir les jetons). *Les chocottes* : la peur.

2 (...) saturé de la morne angoisse des bombes atomiques (...) il s'est bien régalé d'un subtil relent de trouille ancestrale, de ces bonnes vieilles chocottes qui resserrent le clan (...)

Jacques PERRET, Bâtons dans les roues, p. 200.

CHOÉPHORE [kɔefɔʀ] n. — 1838; grec *koêphoros*, de *phoros* «porteur», et *khoê* «libation».

Didact. (antiq.). Celui, celle qui, chez les Grecs, portait les offrandes destinées aux morts. *Les Choéphores*, tragédie d'Eschyle.

CHŒUR [kœʀ] n. m. — 1568, *cœur, chore*; *quer, cuer*, v. 1120; lat. *chorus*; grec *khoros*.

▮ ♦ 1 (1568). Troupe de personnes qui dansent et chantent ensemble.

Chœur de pasteurs et de bergères qui dansent (...) Quatre 1 bergers et deux bergères (...) se prenant par la main, chantèrent cette chanson à danser, à laquelle les autres répondirent.

MOLIÈRE, la Princesse d'Élide, Intermède, VI.

Spécialt. *Chœur de théâtre grec ou imité de la tragédie grecque* : ensemble de choreutes* qui déclament en dansant des vers lyriques destinés à présenter ou à commenter l'action. *Celui qui organise les danses du chœur.* → **Chorège.** *Le chef du chœur.* → **Coryphée.**

C'est elle *(Salomith)* qui introduit le chœur chez sa mère. 2 Elle chante avec lui, porte la parole pour lui, et fait enfin les fonctions de ce personnage des anciens chœurs qu'on appelait coryphée. J'ai aussi essayé d'imiter des anciens cette continuité d'action qui fait que leur théâtre ne demeure jamais vide, les intervalles des actes n'étant marqués que par des hymnes et par des moralités du chœur, qui ont rapport à ce que se passe.

RACINE, Préface d'Athalie.

La scène ouvre dans Sophocle par un chœur de Thébains 3 prosternés aux pieds des autels.

VOLTAIRE, Œdipe, 3ᵉ lettre.

Ce que récite, chante un chœur. *Les chœurs de Sophocle. La poésie des chœurs d'Esther, chez Racine.*

♦ 2 (1760). Vx. Ensemble de danseurs qui exécutent une même danse. → **Ballet** (corps de). *Dame, fille de chœur* : danseuse qui ne danse que dans les chœurs.

J'aimerais mieux avoir affaire à des filles de chœur d'opéra 4 qu'à des philosophes; elles entendraient mieux raison.

VOLTAIRE, Lettre à d'Argental, 14 juil. 1760.

(...) Un chœur dansant de jeunes filles. 5

HUGO, les Orientales, XVIII, «L'enfant grec».

(...) c'est un chœur dansant d'Océanides qui vient consoler 6 Prométhée sur son rocher.

Francis DE MIOMANDRE, la Danse, p. 10.

♦ 3 Mod. Réunion de chanteurs (→ **Choriste**) qui exécutent un morceau d'ensemble. → **Chorale.** *Un chœur d'enfants. Faire partie des chœurs de l'Opéra.* → Orchestre, cit. 5. *Être soprano dans un chœur. Chœur et orchestre sous la direction de...*

Ensemble des personnes qui chantent la messe. → **Chantre.** *Le chœur répond au célébrant.* → **Répons.** — Ensemble de dignitaires ecclésiastiques. → **Chapitre.**

Moi, dit le cheffecier *(le chantre)*, je suis maître du chœur; 7 qui me forcera d'aller à matines?

LA BRUYÈRE, les Caractères, XIV, 26.

♦ 4 (1704). Composition musicale destinée à être chantée par plusieurs personnes. → **Choral, hymne.** *Chœur à l'unisson. Chœur à quatre parties. Chœur à trois voix.* → **Chant.** *Les chœurs de Haendel.*

Deux ou trois hautbois (...) mènent un chœur éperdument 8 joyeux de voix d'hommes, scandé par une trentaine de tambours de basque et par une légion de castagnettes.

LOTI, Figures et Choses, «Messe de minuit», p. 98.

♦ 5 (1690). Théol. Nom donné à certaines hiérarchies. *Le chœur des anges* (→ **Ange**, cit. 10), *des saints, des martyrs.*

♦ **6** (1869). Fig. *Le chœur, un chœur de...*, réunion de personnes qui ont une attitude commune, un but commun. *Le chœur des flatteurs. Le chœur des rieurs, des mécontents. Un chœur de mécontents.*

Par métaphore littéraire. Harmonie d'une troupe organisée.

9 Et vous (...) étoiles (...)
(...) cadençant vos pas à la lyre des cieux,
Nouez et dénouez vos chœurs harmonieux (...)
LAMARTINE, *Méditations*, II, 8.

10 Ce chœur de suppliants vint se former en ligne et s'arrêta pour reprendre haleine.
A. MAUROIS, *Bernard Quesnay*, IV, p. 27.

Bruit d'ensemble. → **Concert, orchestre, symphonie.** *Le chœur des élèves qui font la lecture. Le chœur des grillons.*

11 (...) l'aurore se levait, rougissante d'être nue parmi les chœurs des oiseaux dont hésitaient à se moduler les sifflements, tant leurs ailes étaient accablées d'amour et de rosée.
Francis JAMMES, *le Roman du lièvre*, II.

♦ **7** EN CHŒUR : ensemble, unanimement. → **Chorus** (faire), **concert** (agir de). *Chanter en chœur. Reprendre un refrain en chœur. S'ennuyer en chœur. Tous en chœur !*

12 Dans Upsal, où les Jarls boivent la bonne bière
Et chantent, en heurtant les cruches d'or, en chœur (...)
LECONTE DE LISLE, *Poèmes barbares*,
«Le cœur de Hialmar».

12.1 Et c'est en chœur à présent, récitant avec ensemble le même texte tous les trois, de la même voix neutre et saccadée où aucune syllabe ne dépasse, qu'ils donnent la conclusion de l'exposé (...)
A. ROBBE-GRILLET,
Projet pour une révolution à New York, p. 41.

II (1367; *quer*, v. 1140). Partie d'une église située devant le maître-autel, où se tiennent les chantres* et le clergé pendant l'office divin. *Le chœur d'une église, d'une cathédrale. Le chœur de cette église a été construit vers la nef. Allée qui tourne autour du chœur.* → **Déambulatoire.** *Extrémité de la nef située derrière le chœur.* → **Chevet, choréa.**

13 Les garçons à droite, les filles à gauche, emplissaient les stalles du chœur; le curé se tenait debout près du lutrin (...)
FLAUBERT, *Trois contes*, «Un cœur simple», III.

14 Au murmure des litanies, qui se chantent à demi-voix dans le lointain du chœur, une impression étrangement funèbre se dégage de cet amas de femmes (...)
LOTI, *Figures et Choses*, «Messe de minuit», p. 95.

Loc. *Enfant de chœur* [ãfãdkœR]. → **Enfant.**

CONTR. Seul, solo, récital. ◊ COMP. Avant-chœur. ← HOM. Cœur.

CHOFAR ou SCHOFAR [ʃɔfaR] n. m. — 1920; mot hébreu.

Didact., relig. hébraïque. Corne de bélier que les juifs utilisent comme instrument à vent (le jour de l'an et dans les occasions solennelles). *Le chofar (schofar) du grand rabbin.*

L'heure solennelle était venue où allait retentir le son rauque du schofar, de la corne de bélier, qui résonna pour la première fois sur le mont Sinaï au milieu des éclairs et du tonnerre, et par laquelle, en ce premier jour de l'année (...) le Saint des Saints (...) rassemble devant lui l'immense troupeau de ses Juifs.
Jérôme et Jean THARAUD, *l'Ombre de la croix*, II, p. 67.

CHOIR [ʃwaR] v. intr. [CONJUG.: *je chois, tu chois, il choit* (les autres personnes manquent au présent); *je chus, nous chûmes; chu, chue*, au p. p. — Les autres formes sont vieillies : *je choirai* ou *cherrai, nous choirons* ou *cherrons; je choirais* ou *cherrais, nous choirions* ou *cherrions.* — Se conjugue avec *avoir*.] — 1080,

cheoir; cadit «il chut», Xe; du lat. *cadere* «tomber» (→ Cadence; chance).

♦ **1** Vx ou littér. Être entraîné de haut en bas. → **Tomber, écrouler** (s'). → Angoisse, cit. 2; appréhension, cit. 3; astrologue, cit. 1; bœuf, cit. 11; bouse, cit. 2. C'est tout un de choir ou de trébucher (*in* Cotgrave). *Choir dans le vide* (→ Adverse, cit. 2). *Se laisser choir dans un fauteuil. Il a chu* : il est tombé. — Vieilli. *Laisser choir ce qu'on porte.*

Las ! voyez comme en peu d'espace,   1
Mignonne, elle a dessus la place
Las ! las ! ses beautez laissé cheoir.
RONSARD, À sa maistresse.

Pour dernier accablement, son adversaire, en le quittant, 2
lui donna un coup de pied, au haut de la tête, qui le fit
aller choir sur le cul au pied des comédiennes, après une
rétrogradation fort précipitée.
SCARRON, le Roman comique, X, p. 43.

Un jeune enfant dans l'eau se laissa choir,   3
En badinant sur les bords de la Seine.
LA FONTAINE, Fables, I, 19.

(...) Est-ce que l'on doit choir,   4
Après avoir appris l'équilibre des choses?
MOLIÈRE, les Femmes savantes, III, 2.

— Tire la chevillette, la bobinette cherra.   5
Ch. PERRAULT, Contes, «Le Petit Chaperon Rouge».

(...) les enfants ont trouvé, au pied de l'if, un petit nid chu 6
à terre (...)
GIDE, Journal, 31 mars 1916.

L'arbre (...) chut dans une autre direction.   7
Edmond JALOUX, la Chute d'Icare, p. 2,
in GREVISSE.

Pendant une bouffée de silence, épaisse comme une   8
brume, je viens d'entendre choir sur la table voisine les
pétales d'une rose qui n'attendait pas, elle aussi, que d'être
seule pour défleurir.   COLETTE, l'Étoile Vesper, p. 40.

(...) si l'averse choit soudain en rideau déroulé.   9
COLETTE, la Paix chez les bêtes, Bel-Gazou et Buck.

Elle avait laissé choir sa valise.   10
MARTIN DU GARD, les Thibault, t. IV, p. 167.

♦ **2** Cour. et fam. *Laisser choir.* → **Abandonner, plaquer.** *Après de belles promesses, il nous a laissés choir* (→ **Oublier**). *Il a menacé de tout laisser choir* (fam. : laisser tomber).

DÉR. et COMP. Chape-chute. V. Chute, méchant, et aussi déchoir, échoir.

CHOISIR [ʃwaziR] v. tr. — Déb. XIIe; gotique *kausjan* «éprouver, goûter» (cf. all. *kiesen* «choisir»).

♦ **1** Prendre* de préférence, faire choix de... → **Dévolu** (jeter son dévolu sur...); **adopter, élire, préférer.** — (Compl. n. de personne). *Choisir ses amis. Choisir un mari, une femme. Choisir une carrière.* → **Embrasser.** *On l'a choisi pour ce poste.* → **Désigner, distinguer, nommer.** — (Compl. n. de chose). *Choisir ses lectures.* → **Sélectionner.** *Choisir un livre dans sa bibliothèque. Choisir ses mots. Choisir des meubles. Choisir un bibelot parmi d'autres. Je l'ai choisi entre mille. Il faut lui choisir les morceaux. Choisir qqch. avec soin, avec discernement.* → **Trier** (sur le volet). — Absolt. *Il a mis longtemps à choisir.*

Quand il fut jour, il (*Jésus*) appela ses disciples, en il choisit 1
douze d'entre eux, à qui il donna le nom d'apôtres (...)
BIBLE (CRAMPON), Évangile selon saint Luc, VI,
13 (→ Apôtre, cit. 1).

Parmi vingt veaux je veux choisir   2
Le plus gras et t'en faire offrande.
LA FONTAINE, Fables, VI, 2.

(...) Je crois qu'il est bon de pourvoir Henriette,   3
De choisir un mari (...)
MOLIÈRE, les Femmes savantes, II, 8.

Il est utile à l'homme de connaître tous les lieux où l'on 4
peut vivre, afin de choisir ensuite ceux où l'on peut vivre
le plus commodément.   ROUSSEAU, Émile, V.

5 Il ne faut choisir pour épouse que la femme qu'on choisirait pour ami, si elle était homme.
>   Joseph JOUBERT, Pensées, VIII, 9.

6 (...) Je t'ai choisi
Entre mille, entre tous,
Comme choisit l'amour,
Comme une cime est choisie de la foudre,
Je t'ai choisi.   VALÉRY, Poésies, «Amphion».

7 Le rôle du corps n'est pas d'emmagasiner les souvenirs, mais simplement de choisir (...) le souvenir utile (...)
>   H. BERGSON, Matière et Mémoire, p. 197.

8 À partir d'un certain âge, on ne choisit plus tant ses amis, que l'on est choisi par eux.
>   GIDE, Journal, 28 oct. 1944.

9 (...) je dispose de plusieurs chemins que j'aime également et que je choisis tour à tour selon la couleur du ciel ou la couleur de mon âme.
>   G. DUHAMEL, le Temps de la recherche, x, p. 134.

10 Pourquoi, parmi des milliers d'hommes et de femmes rencontrés, choisissons-nous tel être plutôt que tel autre pour en faire le centre de nos pensées?
>   A. MAUROIS, Un art de vivre, II, I, p. 51.

♦ 2 Se **décider*** entre deux ou plusieurs partis ou plusieurs solutions en adoptant (l'une d'elles). *Choisir une chose ou une autre.* → ci-dessous, cit. 11. → **Engager** (s'), **opter, prononcer** (se), **trancher.** *Choisir de deux choses l'une.* Vx. *Choisir de deux choses.* → ci-dessous, cit. 13. *Choisir si l'on part, si l'on reste. — Choisir de* (et inf.). *Il a choisi de partir, de rester, de se marier.* — Absolt (ou intrans.). → ci-dessous, cit. 12, 14, 15, 16, 18. *Choisir parmi plusieurs choses. Il n'ose pas, ne peut pas choisir. Il faut choisir.* → **Décider** (se), **trancher, parti** (prendre parti); → Il faut qu'une porte soit ouverte ou fermée. *Choisir, c'est renoncer.*

11 C'est à vous de choisir mon amour ou ma haine.
>   CORNEILLE, Rodogune, III, 4.

12 Puisqu'il faut choisir, voyons ce qui nous intéresse le moins. Vous avez deux choses à perdre : le vrai et le bien, et deux choses à engager : votre raison et votre volonté, votre connaissance et votre béatitude; et votre nature a deux choses à fuir : l'erreur et la misère.
>   PASCAL, Pensées, III, 233.

13 Vous n'avez qu'à trancher, et choisir de nous deux.
>   MOLIÈRE, le Misanthrope, V, 2.

14 Mais nous ne choisissons pas. Notre destin choisit. Et la sagesse est de nous montrer dignes de son choix, quel qu'il soit.   R. ROLLAND, le Voyage intérieur, p. 141.

15 La nécessité de l'option me fut toujours intolérable; choisir m'apparaissait non tant élire, que repousser ce que je n'élisais pas.
>   GIDE, les Nourritures terrestres, IV, I, p. 69.

16 Choisir n'est pas exclure, ni préférer sacrifier.
>   Ch. MAURRAS, Anthinéa..., p. 9.

17 La quiétude... C'est le bien de ceux qui ont à jamais choisi une part de leur destin, et rejeté l'autre.
>   COLETTE, la Paix chez les bêtes,
>   «Jardin zoologique».

18 L'homme qui refuse de choisir parce que tout le séduit invoque souvent sa «nature artiste». Comme si un Dante, un Wagner, un Rodin n'avaient pas su choisir, prendre un parti, et renoncer aux autres.
>   Julien BENDA, la France byzantine, p. 34.

Allus. littér. (Absolt). «*Devine, si tu peux, et choisis, si tu l'oses*» (Corneille, *Héraclius*, IV, 4).

Prov. *De deux maux, entre deux maux, il faut choisir le moindre.* — (Absolt). *Souvent qui choisit prend le pire.*

♦ **SE CHOISIR** v. pron.

(Faux pron.). Choisir pour soi. *Se choisir un avocat. Se choisir une compagne. Se choisir qqch. :* choisir qqch. pour soi.

19 Je conseille à un auteur né copiste, et qui à l'extrême modestie de travailler d'après quelqu'un, de ne se choisir pour exemplaires que ces sortes d'ouvrages (...)
>   LA BRUYÈRE, les Caractères, I, 64.

20 Ils employèrent quelques jours à se choisir une demeure.
>   LOTI, Matelot, XVIII, p. 65.

Récipr. *Ils se sont choisis :* ils ont fait choix l'un de l'autre.

♦ **CHOISI, IE** p. p. adj. (XVIIᵉ).

♦ 1 Vx. Pris de préférence. *Israël, le peuple choisi de Dieu.* → **Appelé, élu, prédestiné.**

21 (...) il y avait toujours au cœur de la Judée des hommes choisis qui prédisaient la venue de ce Messie, qui n'était connu que d'eux.   PASCAL, Pensées, IX, 613.

♦ 2 Qui a été choisi parmi d'autres. *Œuvres choisies. Poésies choisies. Des morceaux choisis.* → **Anthologie.**

21.1 (...) il m'a chargé de t'apporter un cadeau. Regarde. Les œuvres complètes de Victor Hugo. Reliées en cuir de Russie. — Ce sont des morceaux choisis, fis-je observer. — Choisis, tu te rends compte! s'exclama Gustave avec un peu de mélancolie.
>   M. AYMÉ, le Vin de Paris, L'indifférent, p. 21.

♦ 3 (1664). Excellent. → De choix (5.). *Parler un langage choisi.* → **Châtié, correct.** *Un langage choisi et fleuri.* → **Précieux.** *S'exprimer en termes choisis.* → **Élégant.** *Société choisie, la plus choisie :* bonne société. → **Élite** (→ fam. Crème, fleur). *Des vins choisis.*

22 Je l'ai entendu (...) il a une voix de crécelle et il parle en termes choisis (...)
>   FRANCE, le Crime de S. Bonnard, Œ., t. II, p. 403.

23 (...) un être absolument privilégié, recherché, adulé par la société la plus choisie (...)
>   PROUST, À la recherche du temps perdu, t. IX,
>   p. 122.

CONTR. **Abstenir** (s'), **attendre, hésiter, réserver** (se), **temporiser.** ◊ DÉR. **Choix.**

CHOIX [ʃwa] n. m. — 1155; de *choisir.*

♦ 1 Action de choisir, décision par laquelle on donne la préférence à une chose, une possibilité en écartant les autres. → **Option,** cit. 2; **adoption, sélection.** *Faire un bon, un mauvais choix. Un choix éclairé. C'est un choix digne de vous. Le choix de qqn, son choix :* le choix qu'il ou elle fait. *Faire son choix. Son choix est fait.* → **Décision, résolution.** *Fixer, arrêter son choix. Porter son choix sur* (qqn, qqch.). → **Choisir.** — *Le choix de qqn, de qqch.* (par qqn), *le choix qui porte sur... Faire choix de qqn.* → **Désignation, nomination.** — *Désapprouver un choix. Influencer le choix de qqn. Le choix d'un député par les électeurs.* → **Élection.** «*Le bon choix*» (formule de propagande électorale). *Un choix politique difficile. Le choix d'une carrière. Le choix d'un mobilier. Le choix des mots.*

1 (...) je ne sais si le style
Pourra vous en paraître assez net et facile,
Et si du choix des mots vous vous contenterez.
>   MOLIÈRE, le Misanthrope, I, 2.

2 L'on voit les amants vanter toujours leur choix;
Jamais leur passion n'y voit rien de blâmable,
Et dans l'objet aimé, tout leur devient aimable.
>   MOLIÈRE, le Misanthrope, II, 4.

3 Albe de trois guerriers a-t-elle fait le choix?
— Je viens pour vous l'apprendre. — Eh bien! qui sont les trois?   CORNEILLE, Horace, II, 2.

4 Avant que tous les Grecs vous parlent par ma voix,
Souffrez que j'ose ici me flatter de leur choix (...)
>   RACINE, Andromaque, I, 2.

5 Le choix de la nourrice importe d'autant plus que son nourrisson ne doit point avoir d'autre gouvernante qu'elle.
>   ROUSSEAU, Émile, I, p. 34.

6 M. Bourais l'éclaira sur le choix d'un collège. Celui de Caen passait pour le meilleur. Paul y fut envoyé (...)
>   FLAUBERT, Trois contes, «Un cœur simple», II.

7 Il y a dans certaines destinées des hasards qui ressemblent à un choix.   Louis BARTHOU, Danton, p. 26.

8 «Allons...» soupira-t-elle, comme si le choix de ce restaurant à quarante-cinq kilomètres de Paris n'était qu'une concession de plus aux caprices d'un despote.
>   MARTIN DU GARD, les Thibault, t. VI, p. 12.

Spécialt, psychan. *Choix de la névrose* (→ **Névrose**) : «Ensemble de processus par lesquels un sujet s'engage dans la formation de tel type de psychonévrose plutôt que de tel autre» (Laplanche et Pontalis). — *Choix de l'objet.* → **Objet.**

♦ **2** Pouvoir, liberté de choisir (actif); existence de plusieurs partis entre lesquels choisir (passif). *On lui laisse le choix. Choix entre deux partis.* → **Alternative, dilemme.** *Choix impératif. Imposer un choix à qqn* (→ Mettre le marché en mains; c'est à prendre ou à laisser). — (Dans des expressions). *Avoir le choix. Vous avez le choix.* — *C'est à votre choix. À son choix :* à sa guise, à son gré, à sa volonté, comme il lui plaira. — *N'avoir que l'embarras* du choix.*

9 (...) il y a abondance de sujets, seulement c'est l'embarras du choix. LOTI, Aziyadé, Solitude, XXV, p. 67.

10 Tout choix est effrayant, quand on y songe : effrayante une liberté que ne guide plus un devoir.
GIDE, les Nourritures terrestres, p. 18.

11 Je crois maintenant que l'homme est incapable de choix et qu'il agit toujours cédant à la tentation la plus forte.
GIDE, Journal, Feuillets, 1893.

Acheter qqch. au choix. Au choix! Avancement, promotion au choix, sur proposition (opposé à *à l'ancienneté*).

Vx et littér. *Sans choix :* sans discernement, sans goût. *Acheter sans choix. Travailler sans méthode, sans choix. Ne faire preuve d'aucun choix.*

12 Du reste, aucun choix dans ses relations. Sa facile humeur, la vivacité de son caprice le jetaient à la tête du premier venu et le reprenaient aussi lestement.
Alphonse DAUDET, Numa Roumestan, III, p. 51.

♦ **3** (XVIIᵉ; concret). Ensemble de choses parmi lesquelles on peut choisir. *Ce magasin offre un très grand choix d'articles.* → **Assortiment, collection, éventail, réunion.** *Vous avez du choix. Ce rayon manque de choix. Le choix est limité.*

13 Nous avions de l'italique et, en outre un assez bon choix de caractères accessoires : médicis, égyptienne, antique (...)
G. DUHAMEL, Chronique des Pasquier, V, VIII.

♦ **4** Ensemble de choses choisies pour leurs qualités. → **Sélection.** *Un choix éclectique*, excellent... Un choix de livres. Choix de poésies* (ou *morceaux choisis**). → **Anthologie, recueil.** *Un heureux choix de mots.*

♦ **5** (1675). Le meilleur d'une marchandise. DE CHOIX : de prix, de qualité. → **Choisi**, 3. *Un morceau de choix* (cf. Morceau de roi). *Une marchandise de choix, de premier choix* (→ **Surchoix**). *Un candidat de choix :* un bon candidat.

14 Gaud se sentit un peu rassurée en voyant qu'ils étaient tous ainsi à bord de cette Léopoldine, qui avait vraiment un équipage de choix.
LOTI, Pêcheur d'Islande, V, II, p. 273.

CONTR. Abstention, hésitation, temporisation. — Obligation. — (De *de choix*) Médiocre. ◊ COMP. Surchoix. ◆ HOM. Formes des verbes **choir, choyer.**

CHOKE-BORE [tʃɔkbɔʀ; ʃɔkbɔʀ] ou **CHOKE** [tʃɔk; ʃɔk] n. m. — 1878; mot angl., de *to choke* «étrangler», et *bore* «âme d'une arme à feu».
Anglic. Étranglement à l'extrémité du canon de certains fusils de chasse pour regrouper les plombs.
DÉR. **Choke-bored.**

CHOKE-BORED [tʃɔkbɔʀd; ʃɔkbɔʀd] adj. invar. — 1890; mot angl., de *choke-bore.*
Anglic. Qui est muni d'un choke-bore.

CHOL- ou **CHOLÉ-** Élément, du grec *kholê* «bile», qui entre dans la composition de mots de médecine. Voir à l'ordre alphabétique.

CHOLAGOGUE [kɔlagɔg] adj. — 1560; de *chol-*, et grec *agein* «conduire».
Physiol., méd. Se dit des substances qui facilitent l'évacuation de la bile. *Remède cholagogue.* — N. m. *Un cholagogue.*

CHOLÉCYSTITE [kɔlesistit] n. f. — 1838; de *cholé-*, et *cystite.*
Méd. Inflammation de la vésicule biliaire.

CHOLÉCYSTOTOMIE [kɔlesistɔtɔmi] n. f. — 1891; de *cholé-*, et *cystotomie.*
Méd. Incision de la vésicule biliaire. — REM. Ne pas confondre avec *cholécystostomie* [kɔlesistɔstɔmi] (n. f.; attesté xxᵉ) : abouchement de la vésicule biliaire à la peau, et avec *cholécystectomie* [kɔlesistektɔmi] (n. f.; attesté en 1893) : ablation de la vésicule.

CHOLÉDOQUE [kɔledɔk] adj. m. — 1560; lat. méd. *choledochus*, grec *kholêdokhos*; de *kholê* «bile», et *dekhestai* «recevoir».
Anat. *Canal cholédoque*, qui conduit la bile dans le duodénum. N. m. *Le cholédoque.*

CHOLÉMIE [kɔlemi] n. f. — 1859; de *chol-*, et *-émie.*
Médecine.
♦ **1** Passage d'éléments de la bile dans le sang. → **Jaunisse.**
♦ **2** Taux de la bile dans le sang.

CHOLÉRA [kɔleʀa] n. m. — 1546, *cholere*; lat. *cholera*; grec *kholera* «choléra».
♦ **1** Très grave maladie épidémique caractérisée par des selles fréquentes, des vomissements, des crampes, un grand abattement. *Choléra asiatique*, le «vrai choléra», causé par le *vibrion cholérique. Un cas de choléra foudroyant.* → **Cholérique**, cit. 1. *Choléra atténué.* → **Cholérine.** *Vaccination contre le choléra.* → **Anticholérique.** — *Le choléra s'est appelé familièrement (jusqu'au XIXᵉ s.) «trousse-galant».* — *Choléra morbus* [kɔleʀamɔʀbys] ou *choléra nostras* [kɔleʀanɔstʀas], ou, absolt, *choléra :* gastro-entérite (généralement salmonellose* dont les manifestations rappellent celles du choléra vrai). *Le bacille virgule, agent du choléra.*
Mon père m'a conté comment un de ses camarades mourut du choléra par persuasion.
ALAIN, Magie, *in* les Passions et la Sagesse, Pl., p. 81.
Loc. fam. *Choisir entre la peste et le choléra*, entre deux maux également redoutables, entre deux désagréments équivalents.
♦ **2** Par métaphore. Influence néfaste, dévastatrice, mortelle. → **Épidémie, peste.** «Cet égoïsme (...) c'est le pire des choléras» (Lamartine, *in* T. L. F.).
♦ **3** Fam. et vieilli. (*Un, des choléras*). Personne méchante, nuisible (→ **Peste**). *C'est un vrai choléra, cette bonne femme!*
DÉR. **Cholériforme, cholérine.**

CHOLÉRÉTIQUE [kɔleʀetik] adj. et n. m. — Mil. xxᵉ; de *chol-*, et grec *airetikos* «qui prend».
Méd. Se dit de médicaments stimulant la sécrétion de la bile. → **Cholagogue.** — N. m. *Le boldo est un cholérétique.*

CHOLÉRIFORME [kɔleʀifɔʀm] adj. — 1844; du rad. de *choléra*, et *-forme.*
Méd. Qui a l'apparence du choléra. *Diarrhée cholériforme.*

CHOLÉRINE [kɔleʀin] n. f. — 1831 ; du rad. de *choléra*.
Méd. Forme atténuée de choléra, caractérisée par une forte diarrhée.

CHOLÉRIQUE [kɔleʀik] adj. et n. — 1806 ; grec *kholerikos* «relatif au choléra».
Méd. Qui concerne le choléra. *Vibrion cholérique. Diarrhée cholérique.* Qui est atteint du choléra.

1   Il y eut un cas de choléra foudroyant. Le malade fut emporté en moins de deux heures (...) Son faciès était éminemment cholérique (...) ses joues se décharnèrent à vue d'œil, ses lèvres se retroussèrent sur ses dents pour un rire infini ; enfin il poussa un cri qui fit fuir tout le monde.
           J. GIONO, le Hussard sur le toit, p. 222.

N. *Un, une cholérique. Soigner les cholériques.*

2   Il avait parié qu'il coucherait dans les draps d'un cholérique.
           ALAIN, Magie, *in* les Passions et la Sagesse, Pl., p. 81.

COMP. Anticholérique. ◊ **HOM.** Colérique.

CHOLESTÉROL [kɔlɛsteʀɔl] n. m. — 1829 ; de *cholestér(ine)*, et *-ol*, de *stérol*.
Biochim. et cour. Substance grasse (stérol) qui se trouve dans la plupart des tissus et humeurs de l'organisme (cerveau, plasma sanguin — environ 1 g par litre —, bile), provenant des aliments et synthétisée par l'organisme (foie, corticosurrénale). *Le cholestérol peut former des calculs biliaires et provoquer l'artériosclérose.* (→ Athérosclérose, cit. 1). *Taux de cholestérol* (ellipt. *surveiller son cholestérol*).

De fait, l'état général était à la limite du délabrement. Large excédent de cholestérol. Traces d'albumine. Trace d'urée (...)
           Jean-Louis CURTIS, le Roseau pensant, p. 163.

Syn. (vieilli) : *cholestérine* [kɔlɛsteʀin] n. f. (1816 ; t. dû à Chevreul ; de *cholé-*, grec *stereos* «solide», et *-ine*).

DÉR. Cholestérolémie. — V. Stérol.

CHOLESTÉROLÉMIE [kɔlɛsteʀɔlemi] ou **CHOLESTÉRINÉMIE** [kɔlɛsteʀinemi] n. f. — 1878, *cholestérémie* ; de *cholestérol, cholestérine*, et *-émie*.
Méd. Présence dans le sang de cholestérol ; taux de cholestérol. *Dosage de la cholestérolémie.*

(...) chez le grand vieillard, la cholestérolémie n'est pas supérieure à celle de l'adulte ; à un certain âge, on note même un fléchissement.
           Léon BINET, Gérontologie et Gériatrie, p. 47.

CHOLÉTHÉRAPIE [kɔleteʀapi] n. f. — XXᵉ ; de *cholé-*, et *-thérapie*.
Méd. Emploi de la bile comme médicament.

CHOLIAMBE [kɔljãb] n. m. — 1829 ; grec *khôliambos*, de *khôlos* «boiteux», et *iambos* «jambe».
Didact. Vers iambique, trimètre terminé par un iambe suivi d'un spondée. → Choriambe.

CHOLINE [kɔlin] n. f. — 1870 ; de *chol-*, et *-ine*.
Biochim. Matière azotée (amine-alcool), présente dans les tissus vivants (animaux ou végétaux) surtout sous forme d'esters, qui joue un rôle important dans l'utilisation des lipides par le foie et dont les sels exercent une action stimulante sur le système nerveux. → Acétylcholine.

COMP. Cholinergie. — V. Cholinergique. ◊ **HOM.** Colline.

CHOLINERGIE [kɔlinɛʀʒi] n. f. — Av. 1959 (in Garnier et Delamare) ; de *choline*, et *-ergie*, d'après *cholinergique*.
Physiol. Libération d'acétylcholine. *La transmission synaptique du système nerveux central est réglée par la cholinergie.*

CHOLINERGIQUE [kɔlinɛʀʒik] adj. — Av. 1959 (in Garnier et Delamare) ; angl. *cholinergic*, H. H. Dale, 1934, de *cholin(e)* «choline», et du grec *ergon* «travail». → -ergie.
Physiol. Qui libère de l'acétylcholine ; qui est stimulé par l'acétylcholine. *Nerfs cholinergiques et nerfs adrénergiques.*

CHOLIQUE [kɔlik] adj. — 1838 ; de *chol-, cholé-*, et *-ique*.
Biochim. *Acide cholique :* acide de formule $C_{24}H_{40}O_5$ présent dans la bile.

HOM. 1. et 2. Colique.

CHOLURIE [kɔlyʀi] n. f. — 1907 ; de *chol-*, et *-urie*.
Méd. Présence dans l'urine des éléments de la bile.

CHÔMABLE [ʃomabl] adj. — XVᵉ, *chommable* ; de *chômer*.
Qui peut ou doit être chômé. *Fête chômable. Jour chômable. Ce jour n'est pas chômable.*

CONTR. Ouvrable.

CHÔMAGE [ʃomaʒ] n. m. — 1273 ; de *chômer*.

♦ **1** Vx. Action de chômer* (1.), de ne pas travailler (volontairement). *Le chômage des dimanches, des jours de fête. Se reposer un jour de chômage.*

♦ **2** Vieilli. Interruption du travail. *Industrie exposée au chômage. Le chômage d'une usine, d'une mine. Temps passé sans travailler.*

(...) il ne faut pas oublier que l'hiver arrive et que, par les grands froids, le bois est difficile à travailler. Comptons donc sur quelques semaines de chômage (...)   0.1
           J. VERNE, l'Île mystérieuse, t. II, p. 768.

♦ **3** (Répandu XIXᵉ). Mod. ⓐ Inactivité forcée due au manque de travail, d'emploi. *Être au chômage.* → **Chômeur.** *Ouvriers en chômage. Réduire des ouvriers au chômage en fermant une usine. Allocation, indemnité, secours de chômage. Assurance*-chômage. Chômage résultant d'une crise économique, de reconversions industrielles. Chômage structurel. Chômage frictionnel*. Chômage saisonnier ; partiel* (par réduction des horaires). Chômage technique :* chômage partiel avec réduction imposée des horaires de travail. «(Le) secrétaire général adjoint (...) a brutalement durci le ton (...) En clair, la C. F. D. T. annonce qu'à toute mesure de chômage technique elle est prête à répondre par l'occupation» (le Nouvel Obs., mars 1975, nº 540, p. 38). *Lutter contre le chômage. Mesure, politique contre le chômage* (dite «antichômage»).

Le chômage, c'est-à-dire l'interruption de travail par suite   1
du renvoi de l'ouvrier et de la difficulté pour lui de s'embaucher ailleurs — renvoi causé soit par la morte-saison, soit par une crise économique entraînant la suspension ou le ralentissement de la production, soit par la fermeture d'atelier à la suite d'événements tels qu'incendie, faillite, décès du patron, etc. — constitue le plus fréquent, et, disons aussi, le plus incompréhensible de tous les risques pour le salarié.
           Charles GIDE, Économie politique, t. II, p. 396.

Le chômage engendre le chômage.   2
           A. MAUROIS, B. Quesnay, XXV, p. 162.

Il y a en Amérique, comme en tout pays, un chômage   3
endémique et même avant la crise *(de 1929)*, on comptait environ deux millions de chômeurs.
           A. MAUROIS, les Chantiers américains, p. 21.

Var. fam. : *chômedu* [ʃomdy] n. m. (signifie aussi «chômeur»). *Être au chômedu.*

(...) les grues grises se mouvaient avec lenteur parmi   4
cette flotte disparate. Ce qui surprenait, c'était combien les hommes restaient clairsemés dans tout ce bigntz *(bin'z).*

La main-d'œuvre devient de plus en plus inutile. Quelques pelus pour actionner des mécaniques, et puis ça va bien. Dockers ? Zob ! Au chômedu !
     SAN-ANTONIO, Chauds, les lapins !, p. 62.

b Par métonymie. Ensemble des chômeurs. *L'importance du chômage.* Administration qui s'occupe des personnes en chômage. *S'inscrire au chômage. Aller pointer au chômage.*

CONTR. **Activité, occupation, travail.** ◊ HOM. **Chaumage.**

CHÔMÉ, ÉE [ʃome] adj. — 1690; de chômer 1., trans.
Où l'on doit cesser le travail (→ **Chômer**, 1.). *Fête chômée. Jour chômé et payé.*

CHÔMER [ʃome] v. intr. et tr. — XIIᵉ; du bas lat. d'orig. grecque, *caumare* «se reposer durant la chaleur». → Calme.

♦ **1** Vx. **a** V. intr. Suspendre son travail pendant les jours fériés. *Chômer entre deux jours fériés.* → **Pont** (faire le pont).

b V. tr. (Compl. désignant une durée). *Chômer la fête d'un saint,* ou, ellipt, *chômer un saint.* → **Fêter.** *Les jours que l'on chôme.* → **Chômé.**

1 Laissons venir la fête avant que la chômer.
     MOLIÈRE, le Dépit amoureux, I, 1.

2 Le mal est que dans l'an s'entremêlent des jours
Qu'il faut chômer, on nous ruine en fêtes.
     LA FONTAINE, Fables, VIII, 2.

3 On *chôme* en cessant de travailler ou en se reposant. On peut *fêter* un jour sans le *chômer,* et la preuve, c'est qu'il y a des *fêtes chômées* et d'autres qui ne le sont pas. *Les jours chômés* ou les *fêtes chômées* diminuent les gains de l'ouvrier en l'obligeant à rester oisif.
     LAFAYE, Dict. des synonymes, Suppl., p. 150.

♦ **2** V. intr. (1333, en parlant d'un moulin «cesser son activité»; répandu au XIXᵉ). **Mod.** Cesser le travail par suite de l'absence d'emploi, de l'inactivité économique (→ Chômage, cit. 1). *Chômer une semaine sur deux. Chômer pendant la morte-saison. Chômer par suite d'une crise économique. Cet ouvrier chôme depuis trois mois.* → **Chômeur.** *L'industrie textile chôme. Usine qui chôme.*

♦ **3** V. intr. (XIIIᵉ). Fig. Être improductif. *Laisser chômer son argent. Les capitaux chôment. La politique chôme :* la vie politique est calme. **Cour.** (négatif). *Son esprit ne chôme pas,* reste actif.

4 Je m'attends à tout, et au pire, et mon imagination ne chôme pas.   GIDE, Journal, 20 janv. 1943.

Spécialt. *Laisser les terres chômer,* en jachère. → **Reposer.**

♦ **4** V. tr. ind. Vx. **CHÔMER DE** (qqch.) : manquer de qqch. *Chômer de besogne. Chômer d'argent, d'amour... Ne pas chômer d'ouvrage. N'épargnez pas le bois, vous n'en chômerez point, on ne vous en laissera pas chômer.*

CONTR. **Travailler.** — **Occuper** (s'occuper, être occupé). — **Avoir** (à profusion). ◊ DÉR. **Chômable, chômage, chômé, chômeur.** ◄ HOM. **Chaumer.**

CHÔMEUR, EUSE [ʃomœʀ, øz] n. — 1876; de chômer.
Travailleur qui se trouve involontairement privé d'emploi (→ **Sans-emploi, sans-travail**). *Les chômeurs et les personnes sans-travail, et les oisifs. C'est un chômeur, il est chômeur en ce moment. Des chômeurs à la recherche d'un emploi. Le nombre des chômeurs est fonction inverse de l'activité économique. Indemnité allouée aux chômeurs* (indemnité de chômage). — **Spécialt,** admin. Personne qui est considérée comme au chômage (selon les critères

administratifs en cours). *Le nombre des chômeurs a augmenté, diminué.* → aussi **Demandeur** (d'emploi). — Au fém. *Elle est chômeuse. Une chômeuse.* — Var. fam. : *chômedu* [ʃomdy] n. (signifie aussi «chômage»). *Il est chômedu.*

1 Dans une lettre à Fouché, il déclarera *(Bonaparte)* qu'aucun ouvrier ne doit avoir un prétexte à chômer et que tout chômeur doit trouver son emploi aux chantiers ouverts.
     Louis MADELIN, le Consulat, XIII,
     La restauration du travail, p. 213.

2 Ce fut probablement *(en 1930, aux États-Unis)* le temps de la plus grande souffrance des chômeurs; car c'était celui où personne ne s'occupait d'eux. Ils n'avaient pas le droit d'exister (...) Vers la fin de 1931 les plus aveugles durent reconnaître que des millions de gens souffraient et que la charité privée était tout à fait incapable de suffire à une tâche gigantesque.
     A. MAUROIS, les Chantiers américains, p. 22.

3 *Kuhle Wampe* de Brecht, qui n'eut qu'un médiocre succès, ne nous enthousiasma pas non plus; on y retrouvait, en chômeuse, l'adorable Herta Thill, et le film était «engagé» d'une façon si virulente que von Papen le fit interdire (...)
     S. DE BEAUVOIR, la Force de l'âge, p. 148.

CHONDR-, CHONDRO- Élément, du grec *khondros* «cartilage», qui entre dans la composition de mots savants de zoologie et d'anatomie. Voir à l'ordre alphabétique.

CHONDRICHTYENS [kɔ̃dʀiktijɛ̃] n. m. pl. — Mil. XXᵉ; de chondr-, ichty- (grec *ikhthus* «poisson»; → Ichty(o)-), et -iens.
Zool. Poissons cartilagineux (opposé à *ostéichtyens,* osseux). — Au sing. *Un chondrichtyen.*

CHONDRIFIÉ, ÉE [kɔ̃dʀifje] adj. — XXᵉ (cf. *chondrification,* 1910, in Rev. gén. des sc., n° 16, p. 711); de chondr-, et -ifié.
Zool. *Tissu chondrifié,* minéralisé, parvenu à l'état de cartilage.

CHONDRIOME [kɔ̃dʀijom] n. m. — 1924; du grec *khondrion* «granule», et -ome.
Biol. Ensemble des chondriosomes* de la cellule.

CHONDRIOSOME [kɔ̃dʀijozom] n. m. — 1931; du grec *khondrion* «granule», et -some.
Biol. Organite cellulaire de structure complexe, formant des corpuscules isolés *(mitochondries),* des chapelets *(chondriomites)* et des bâtonnets *(chondriocontes),* jouant un rôle important dans le métabolisme cellulaire.

CHONDRITE [kɔ̃dʀit] n. f. — 1855, Nysten; de chondr-, et -ite.
Méd. Inflammation d'un cartilage.
COMP. **Ostéochondrite.**

CHONDRO- → **Chondr-.**

CHONDROBLASTE [kɔ̃dʀoblast] n. m. — 1897; de chondro-, et -blaste.
Biol. Cellule du cartilage.

CHONDROCOSTAL, ALE, AUX [kɔ̃dʀokɔstal, o] adj. — 1878; de chondro-, et costal.
Anat. Qui se rapporte aux cartilages costaux et aux côtes.

CHONDROÏTINE [kɔ̃dʀɔitin] n. f. — 1899, Nouveau Larousse Illustré; de chondroït(ique), et -ine.
Biochim. Polysaccharide azoté présent dans le cartilage sous forme d'acide chondroïtine-sulfurique. (On a dit aussi *acide chondroïtique). La chondroïtine a pu être isolée à partir de la cornée de bœuf.*

CHONDROÏTIQUE [kɔ̃dRɔitik] adj. — 1890, P. Larousse, *Deuxième Suppl.*; de *chondr(o)-, -ite* (suff. servant à former les noms d'une série de sucres), et *-ique* (d'après l'all. *chondroïtsäure* «acide chondroï- tique», 1861.

Biochim. → **Chondroïtine.**

CHONDROLOGIE [kɔ̃dRɔlɔʒi] n. f. — 1762; de *chondro-*, et *-logie.*

Didact. Partie de l'anatomie* qui traite des carti- lages.

CHONDROSTÉENS [kɔ̃dRɔsteɛ̃] n. m. pl. — 1911; comp. sav. du grec. *khondros* (→ Chondr-), et *osteon* «os».

Zool. Superordre de poissons vertébrés *(Ostéich- tyens)*, à écailles ganoïdes, dont la plupart sont fossiles. *Les esturgeons sont des chondrostéens.* — Au sing. *Un chondrostéen.*

CHONDROSTOME [kɔ̃dRɔstom] n. m. — 1842; de *chondro-*, et *-stome.*

Zool. Poisson physostome *(Cyprinidés)*, appelé aussi *hotu* (I.) et *nase.*

CHOPE [ʃɔp] n. f. — 1845; 1842, *choppe* ou *schoppe* (Gautier); all. *schoppen.* → Chopine.

◆ 1 Récipient cylindrique destiné à boire la bière. *Chope en étain, en grès, en verre. L'anse d'une chope. Chope à couvercle de métal.*

1 Des deux côtés de la lourde chope où il engloutissait son nez, les yeux de Boubouroche flambaient comme des yeux d'ours.   COURTELINE, Boubouroche, Nouvelle, p. 38.

◆ 2 Le contenu d'une chope. *Boire une chope de bière.* → Chopine.

2 Ô pauvre vieux, tu vis en paix, tu bois ta chope.   HUGO, les Années funestes, XII.

CHOPER [ʃɔpe] v. tr. — 1800; var. de *chiper*, d'après *chopper.*

Populaire et familier.

◆ 1 Voler (qqch.). → **Chiper.** *Il a chopé une montre.*

◆ 2 Arrêter, prendre (qqn). *Le voleur s'est fait choper.*

Ce ne serait pas toi, des fois?
— Moi! fit Simon.
— Naturellement! On te choperait la main dans le sac, tu dirais non.   Francis CARCO, les Belles Manières, p. 77.

◆ 3 Attraper. *J'ai chopé un bon rhume. Il a chopé une contravention.*

DÉR. **Chopin.** ◊ HOM. **Chopper.**

CHOPIN [ʃɔpɛ̃] n. m. — 1815; «mauvais tour», v. 1179; de *choper.*

Pop. Aubaine, occasion, profit.

— Tu dois m'en vouloir, dit *(Popo)*, je t'éloigne de tes pénates, mais c'est un tel chopin de te rencontrer!...   A. BLONDIN, Monsieur Jadis, p. 33.

Spécialt. *Faire, trouver un chopin, un beau chopin :* trouver un homme ou une femme dont on tire de l'argent.

CHOPINE [ʃɔpin] n. f. — XIIᵉ; de l'all. *schoppen* (→ Chope), et suff. *-ine.*

◆ 1 Ancienne mesure de capacité contenant la moitié d'un litre. Mod. (Canada). Mesure de capa- cité pour les liquides valant une demi-pinte*, ou deux demiards*, soit 0,568 litre.

◆ 2 Cour. Mesure d'un demi-litre. *Boire une chopine de vin, de bière. Payer chopine.*

Fam. Bouteille, verre (de vin). *Tu nous payes la cho- pine?* (surtout rural). → 3. **Canon.**

(...) tous les trois passèrent dans l'autre salle d'où le père Jules surveillait son cheval en vidant une chopine de blanc.   Francis CARCO, les Belles Manières, p. 115.

DÉR. **Chopiner.**

CHOPINER [ʃɔpine] v. intr. — 1482, *choppiner*; de *cho- pine.*

Fam. Boire à l'excès (du vin).

(...) profitant des réserves de vieilles bouteilles accumulées dans la cave du presbytère (...) elle se mit à chopiner, et à chopiner avec tel manque de discernement qu'elle piquait parfois du nez dans les bassines.   G. CHEVALLIER, Clochemerle, p. 52.

1. CHOPPER [ʃɔpe] v. intr. — V. 1175, *çoper*; orig. incert., probablt d'un rad. onomatopéique *tsopp-* (cf. esp. *zopo*, ital. *zoppo* «boîteux»), p.-ê. avec infl. de *cho- quer* pour l'initiale.

Vieux ou littéraire.

◆ 1 Heurter du pied contre qqch. → **Achopper, bron- cher, buter, trébucher; pas** (faire un faux pas). *Chopper sur une pierre* (→ Achoppement, cit. 3). *Chopper à un obstacle. Ce cheval choppe en marchant.*

Pourquoi l'ai-je frappé? répétait-il, parlant toujours à voix   0.1
basse. Il fallait que je fusse hors de moi! Sa pensée chop- pait à ce seul obstacle.   BERNANOS, l'Imposture, in Œ. roman., Pl., p. 359.

◆ 2 Vx ou littér. Se tromper grossièrement. *Il a choppé lourdement.*

(...) Toi dont la trahison   1
A fait si lourdement chopper notre raison,
Approche, scélérat (...)   CORNEILLE, Clitandre, V, 4, variante.

Tout-le-monde, pour les habiles et les gens d'esprit, c'est un   2
pauvre homme de bien, qui n'y voit guère, heurte, choppe, qui barbouille, ne sait trop ce qu'il dit.   MICHELET, Hist. de la Révolution franç., t. I, p. 285.

Cette petite victoire est de grand sens. Elle me montre que   3
mon instrument est encore de bon service, à la condition, toutefois, qu'on ne le laisse pas chopper.   G. DUHAMEL, Inventaire de l'abîme, V, p. 70.

2. CHOPPER [(t)ʃɔpœR] n. m. — 1937, *in* Höfler; mot angl., de *to chop* «couper en morceaux, hacher».

Anglicisme.

I Didact. (préhist.). Instrument préhistorique issu d'un galet et destiné à couper.

Dès l'apparition du percuteur, du chopper, des bois de   1
cervidés taillés, les opérations de section, de broyage, de modelage, de grattage, de fouissement émigrent dans l'outil.   A. LEROI-GOURHAN, cité *in* la Recherche, n° 52, janv. 1975.

II (1974). Moto. Moto de sport d'origine américaine, avec un guidon aux branches relevées et une roue avant petite au bout d'une fourche longue et très oblique. *Moto montée en chopper* (ou *choppérisée* [(t)ʃɔperize]). — Abrév. fam. : *un chop* (1973, *in* D. D. L.).

Drôle de machine (...) La selle très basse, en forme de   2
canapé tortueux. Le guidon en «T», très haut. Roue arrière énorme, roue avant petite et grêle, sans garde-boue, loin devant, au bout d'une fourche interminable, profil cou- pant, plus fin que celui des motos normales, d'où le nom de *chopper* — hachoir en anglais.   le Nouvel Obs., 27 juil. 1974, p. 42, *in* REY-DEBOVE et GAGNON, Dict. des anglicismes.

CHOP SUEY [ʃɔpswi; ʃɔpsɥɛ] n. m. — Répandu v. 1960; mot chinois cantonais, «morceaux mêlés», empr. par l'anglais (1888, aux États-Unis; *in Oxford Suppl.*).

Plat chinois de viande (morceaux de bœuf, poulet) avec des légumes, frit à l'huile de sésame ; l'accompagnement de légumes. *Poulet chop suey.* — REM. La graphie *shop-suey* est aberrante.

> Les endroits de nuit fréquemment vous servent un plat chinois, *shop-suey* ou *chow-mien.*
> Paul MORAND, New York, p. 150.

CHOQUABLE [ʃɔkabl] adj. — Mil. XIXᵉ ; de *choquer.*
Rare. Qui se choque, est choqué facilement. *C'est un individu peu choquable. Elle n'est pas facilement choquable.*

> C'est sur ce public choquable et scandalisable à gogo que Balzac a lancé son trouffion physiquement amoureux d'une panthère (...)
> Jean-Louis BORY, Ma moitié d'orange, p. 62.

CONTR. Inchoquable.

CHOQUANT, ANTE [ʃɔkã, ãt] adj. — 1650 ; de *choquer.*

♦ **1** Qui étonne désagréablement (vieilli ; → Désagréable), et, spécialt (mod.), Qui heurte la délicatesse, la bienséance. → Déplacé, grossier, inconvenant, malséant, rebutant, révoltant ; fort (2. Fort : c'est trop fort). Cf. aussi angl. *shocking. Un ton choquant. Des propos choquants.* → Cru, cynique. *Paroles, attitudes, manières choquantes.*

1 Je trouve le mariage une chose tout à fait choquante (...)
MOLIÈRE, les Précieuses ridicules, 5.

2 Mais je ne lui veux point la passion choquante
De se rendre savante afin d'être savante.
MOLIÈRE, les Femmes savantes, I, 3.

3 Qu'y a-t-il donc de plus choquant, de plus contraire à l'ordre, que de voir un enfant impérieux et mutin commander à tout ce qui l'entoure et prendre impudemment le ton de maître avec ceux qui n'ont qu'à l'abandonner pour le faire périr ? ROUSSEAU, Émile, II.

(Dans le domaine intellectuel). *Une erreur choquante.*

4 Que la comparaison n'ait rien de choquant prouve que la tentative est digne de respect.
A. MAUROIS, Études littéraires, J. Romains.

♦ **2** Rare. Anglic. Qui peut provoquer des troubles du psychisme, un ébranlement grave sur l'organisme humain. *Une intervention chirurgicale choquante.*

CONTR. Agréable, attrayant, bienséant, charmant, complaisant, conciliant, engageant, harmonieux, séduisant.

CHOQUER [ʃɔke] v. tr. — Déb. XIIIᵉ ; néerl. *schokken,* ou angl. *to chock* «heurter», onomatopée.

♦ **1** Vx. Donner ou choc plus ou moins violent à, contre (qqn, qqch.). → Heurter ; choc, secousse. *Choquer un passant, un meuble. Le navire choque le quai. Le taureau choque la muraille de ses cornes.* → Buter, frapper.

Pron. *Se choquer.*

1 Parfois, malgré les précautions, les bateaux se choquaient et les mariniers échangeaient des injures ou se frappaient de leurs rames.
Th. GAUTIER, le Roman de la momie, p. 67.

Pron. Spécialt (vieilli). Se dit de la rencontre et du combat de deux armées. *Quand les deux armées vinrent à se choquer* (Académie). → Choc. — Vx. *S'aller choquer :* aller se choquer.

2 Des armées qui se vont choquer.
RACINE, Traductions.

Mod. *Les épées se choquent,* se heurtent. → Entrechoquer (s').

(Sujet n. de personne). Faire se heurter (des choses). *Choquer des barres de fer, des cymbales. Choquer une chose contre une autre.* Spécialt. Mod. *Choquer les verres.* → Boire (cit. 20), trinquer, toaster.

2.1 Elle remplit sa tasse, la choqua contre celle de Phémie.
BERNANOS, Un crime, in Œ. roman., Pl., p. 728.

Absolt et vx. *Voulez-vous choquer ? Choquons.* → Trinquer.

> Les vieux choquaient l'épée, enfants, choquons les verres. 3
> HUGO (*in* LITTRÉ).

♦ **2** (1640). Contrarier ou gêner (qqn) dans ses goûts, sa susceptibilité, etc. (→ Atteindre, déplaire, rebuter, révolter) et, spécialt, en agissant contre les bienséances (→ Blesser, effaroucher, heurter, offenser, offusquer, scandaliser). *Vous l'avez choqué par vos propos déplacés. Il a dit cela pour me choquer. Cette façon d'agir me choque. Ce qui me choque en lui, c'est son air d'être revenu de tout. Sa vulgarité me choque. Le comportement de cet acteur a choqué l'opinion.* → Indigner, soulever. — *Ça me choque.* — (Passif et p. p.). *Être choqué par qqch. Elle est facilement choquée.* → Choquable.

> Il y a une sorte de politesse qui est nécessaire dans le commerce des honnêtes gens : elle leur fait entendre raillerie et elle les empêche d'être choqués et de choquer les autres par de certaines façons de parler trop sèches et trop dures, qui échappent souvent sans y penser, quand on soutient son opinion avec chaleur. 4
> LA ROCHEFOUCAULD, Maximes, De la société.

> Le voyageur anglais Burney (...) est choqué, à chaque pas (*en Allemagne*) par la grossièreté des exécutions musicales (...) 5
> R. ROLLAND, Voyage musical au pays du passé, p. 208.

(Compl. nom abstrait). Agir, aller contre, être opposé à qqch. → Contrarier. *Choquer la bienséance, le bon sens, la raison. Choquer l'honneur, la vérité. Choquer l'amour-propre, la susceptibilité, la vanité de quelqu'un.*

> Si on soumet tout à la raison, notre religion n'aura rien de mystérieux et de surnaturel ; si on choque les principes de la raison, notre religion sera absurde et ridicule. 6
> PASCAL, Pensées, IV, 273.

> Avec ces Français, il n'est pas permis de dire la vérité quand elle choque leur vanité. 7
> STENDHAL, la Chartreuse de Parme, II, p. 72.

> Il suffirait qu'une pensée fût extraordinaire, qu'elle choquât le sens commun, pour que je m'en fisse aussitôt le champion, au risque d'avancer les sentiments les plus blâmables. 8
> A. DE MUSSET, la Confession d'un enfant du siècle, II, IV, p. 111-112.

> Nulle crainte de choquer la sensibilité physique : il (*Rubens*) va jusqu'au bout de l'horrible, à travers les tortures de la chair suppliciée et tous les soubresauts de l'agonie hurlante. Nulle crainte de choquer la délicatesse morale ; il fera de sa Minerve une mégère qui sait se battre, de sa Judith une bouchère accoutumée à saigner, de son Pâris, un goguenard expert en un amateur friand. 9
> TAINE, Philosophie de l'art, t. II, III, II, p. 53.

> Le cynisme triste des êtres qui l'entouraient choquait son puritanisme ancestral (*de Quesnay*). 10
> A. MAUROIS, Bernard Quesnay, VII, p. 49.

♦ **3** Faire une impression désagréable sur (un sens, l'organe d'un sens). → Frapper. *Cette couleur criarde choque la vue. Bruits, sons, musiques qui choquent l'oreille.* → Écorcher. *Ces propos choquent les oreilles chastes. Le mot me choque.* → Sonner (mal).

> Une robe toujours m'avait choqué la vue ! 11
> RACINE, les Plaideurs, II, 6.

Absolt. *Sa voix criarde choque. Ce spectacle choque.* Étonner, surprendre désagréablement. *Le baroque, l'étrange choquent souvent.*

♦ **4** (Adapt. de l'angl. *to shock ;* surtout passif et p. p.). Faire subir un choc, un traumatisme à (qqn). *Il a été choqué par son échec.*

> Dîner et réception au Min(istère) des A(ffaires) Étr(angères). Abondance de gens vieux, malades, choqués et branlants. CLAUDEL, Journal, 27 août 1928. 12

♦ **5** Mar. Diminuer la raideur d'un cordage tendu. *Choquer une écoute,* la laisser filer, lui donner du mou. — Par ext. *Choquer une voile.* — Absolt :

13   Si le bateau lofe, Françoise choquera vite l'artimon. S'il abat, Françoise bordera à mort et choquera immédiatement après l'embardée.

> Bernard MOITESSIER, Cap Horn à la voile, p. 166.

♦ **SE CHOQUER** v. pron.

♦ **1** → ci-dessus, 1.

♦ **2** (Au sens 2). *Il, elle se choque facilement.*

CONTR. **Charmer, complaire, concilier, engager, flatter, plaire, séduire.** ◊ DÉR. **Choc, choquable, choquant.** — COMP. **Entrechoquer.**

CHORAGIQUE [kɔʁaʒik] adj. — 1811, Chateaubriand; grec *khoregikos,* d'après le lat. *choragus.* → Chorège.

Didact. Du chorège* ou de la chorégie. → **Chorégique.**

CHORAL, ALE, ALS [kɔʁal] adj. et n. m. — 1827, *in* D.D.L.; *choraux* «enfants de chœur», 1743; du rad. du lat. *chorus* «chœur».

♦ **1** Adj. Qui a rapport aux chœurs* (I., 3.). *Une société chorale* (→ Chorale; orphéon). *Des chants chorals,* ou (rare) *choraux* [kɔʁo].

1   Je me souvenais fort bien des classes de chant choral où nos instituteurs, pour la fête de la Victoire, en 1919, nous avaient entraînés à *La Marseillaise* et au *Chant du départ,* mais *L'Internationale,* non.

> Raymond ABELLIO, Ma dernière mémoire, t. II, p. 13.

♦ **2** N. m. Chant religieux interprété par un chœur. *Le choral de Luther, premier hymne des protestants.*

2   C'est à Luther qu'on doit l'invention du choral, chant populaire religieux, simple et austère à la fois, auquel il donna une allure lyrique et biblique inconnue jusqu'alors.

> Initiation à la musique, p. 374.

Composition pour orgue sur le thème d'un choral. Écrire un choral. Les chorals harmonisés par Pachelbel, par J.-S. Bach.

HOM. **Chorale, corral.**

CHORALE [kɔʁal] n. f. — V. 1926; → Choral.

Société musicale qui exécute des œuvres vocales, des chœurs. → **Chœur.** *Il chantait dans la chorale du quartier. Il dirige la chorale* (→ Chef* de chœurs).

HOM. **Choral, corral.**

CHORBA [ʃɔʁba] n. f. — XXᵉ; mot arabe d'Algérie.

Soupe algérienne.

La vieille Daïba (tout en surveillant sa chorba qui mijotait)... racontait des départs précipités sur des chevaux ailés (...) Elle soulevait le couvercle de sa marmite de terre, dégageant à chaque fois une fameuse odeur de menthe et d'épices (...)

> Marie CARDINAL, les Mots pour le dire, p. 125-126.

CHORDAL, ALE, AUX [kɔʁdal, o] adj. — 1904, *in* Rev. gén. des sc., n° 21, p. 974; *cordal,* 1897; de *chorde.*

Didact. (embryol.). De la chorde dorsale, qui concerne la chorde (ou corde) dorsale.

HOM. (Du plur.) **Cordeau.**

CHORDE [kɔʁd] n. f. — Fin XIXᵉ; lat. sc. *chorda (dorsalis).*

Didact. (embryol.). *Chorde dorsale,* syn. de *corde dorsale.* → **Corde** (IV., 3.).

Ainsi la première ébauche déterminée, la chorde dorsale, induit la différenciation d'une nouvelle ébauche, le système nerveux, dont l'emplacement et la destinée sont définitivement fixés.

> E. WOLFF, *in* Sciences, n° 1, 5 9.

DÉR. **Chordal.** ◊ HOM. **Corde.**

CHORÉA [kɔʁea] n. f. — D. i. (XXᵉ); du lat. *chorus* «chœur».

Didact. (archit.). Ensemble des chapelles disposées en demi-cercle derrière le chœur d'une église. → **Chevet** (II., 1.).

1. CHORÉE [kɔʁe] n. m. — 1753; *corée,* 1644; lat. *choreus,* du grec *khoreios.* → **Trochée.**

HOM. **2. Chorée.**

2. CHORÉE [kɔʁe] n. f. — 1827; «danse», 1558; dér. du lat. *chorea,* grec *khoreia* «danse».

Médecine.

♦ **1** Maladie nerveuse microbienne appelée aussi *danse de Saint-Guy* parce qu'elle se manifeste par des mouvements rappelant ceux de la danse, accompagnés de convulsions brèves de certains muscles (→ **Choréique**).

Aline : «J'avais été sérieusement malade, une chorée, disent les médecins, une maladie des nerfs».   1

> Jean FERNIOT, Pierrot et Aline, p. 41.

♦ **2** Ensemble de manifestations pathologiques caractérisé par des contractions des muscles. *Chorée gesticulatoire,* à contractions lentes. *Chorée électrique,* à contractions rapides. *Chorée fibrillaire,* accompagnée de vives douleurs, de troubles psychiques. *Chorée héréditaire. Grande chorée, chorée hystérique :* accès hystériques. *Chorée molle* ou *paralytique.*

(...) un grand écrivain allemand (...) qui, atteint d'une affreuse chorée, tirait la langue en marchant, de façon   2 spasmodique, comme s'il gobait des mouches.

> M. DRUON, Rendez-vous aux enfers, III, XIII, p. 256.

♦ **3** *Chorée mentale :* instabilité mentale des enfants, souvent accompagnée de retards psychiques.

DÉR. **Choréique.** ◊ HOM. **1. Chorée.**

CHORÈGE [kɔʁɛʒ] n. m. — XVIᵉ; *chorague,* av. 1543; admis Académie, 1798; grec *khorêgos,* de *khoreia* «danse». → **2. Chorée.**

Didactique.

♦ **1** Dans la Grèce antique, Citoyen chargé d'organiser à ses frais un chœur de danse pour une représentation théâtrale (→ **Chorégie, choragique**).

♦ **2** Rare. Personne qui dirige une troupe d'acteurs.

DÉR. **Chorégie.**

CHORÉGIE [kɔʁeʒi] n. f. — 1832; de *chorège.*

Antiq. Fonction de chorège; charges attachées à cette fonction.

CHORÉGIQUE [kɔʁeʒik] adj. — XIXᵉ; de *chorège, chorégie.*

Antiq. Qui appartient à la chorégie. *Monument chorégique,* consacré au dieu par le chorège gagnant d'un concours dramatique.

CHORÉGRAPHE [kɔʁeɡʁaf] n. — 1786; aussi *choréographe* au XVIIIᵉ; dér. de *chorégraphie.*

Personne qui règle les pas et les figures des danses destinées à la scène. *Le chorégraphe des ballets de Stravinsky. Une remarquable chorégraphe.*

Le chorégraphe s'inspire d'une œuvre littéraire, musicale ou picturale, pour composer un thème dansant qui s'apparentera à la production initiale. Il en bâtit les phases, en détaille les nuances, dans des combinaisons de lignes et de mouvements expressifs.

> Marcelle BOURGAT, Technique de la danse, p. 37.

CHORÉGRAPHIE [kɔregrafi] n. f. — 1701; aussi *choréographie* au XVIIIᵉ; comp. du grec *khoreia* «danse», et *graphein*. → -graphie.

Didact. ou littéraire.

♦ **1** Vx. Technique de description des danses (sur le papier) au moyen de signes spéciaux. — On dit aujourd'hui *notation chorégraphique*, ou, absolt, *notation*.

♦ **2** Arts. Art de composer des ballets, d'en régler les figures* et les pas*. *Régler un ballet, régler une chorégraphie.*

DÉR. Chorégraphier.

CHORÉGRAPHIER [kɔregrafje] v. — 1953; de *chorégraphie*.

♦ **1** V. tr. Faire la chorégraphie de, concevoir une chorégraphie sur (une œuvre). *Chorégraphier une œuvre musicale.*

♦ **2** V. intr. Faire des chorégraphies. *Depuis qu'elle ne danse plus, elle chorégraphie.*

CHORÉGRAPHIQUE [kɔregrafik] adj. — 1832; de *chorégraphie*.

Didact. ou littéraire.

♦ **1** Qui a rapport à la chorégraphie. *Signe, notation chorégraphique.*

♦ **2** Qui a rapport à la danse.

(...) cet équilibre sur les *pointes* qui constitue le *nec plus ultra* de la virtuosité chorégraphique (...)
Francis DE MIOMANDRE, Danse, p. 31.

CHORÉGRAPHIQUEMENT [kɔregrafikmã] adv. — 1863; de *chorégraphique*.

Didact. et rare. Relativement à la chorégraphie, à la danse.

(...) l'une de nos préoccupations était, chorégraphiquement, d'attraper le frémissement d'épaule qui constituait le fin du fin pour danser le *shimmy.*
Michel LEIRIS, l'Âge d'homme, p. 192.

CHORÉIQUE [kɔreik] adj. — 1833, *Journal de méd. et de chir. pratiques, in* D.D.L.; de *chorée.*

Didact. (méd.). Relatif à, atteint de chorée. *Des convulsions choréiques. Accidents, troubles choréiques.*
N. (*Un, une choréique*). Malade atteint de chorée.

CHOREUTE [kɔrøt] n. m. — 1866; du grec *khoreutês.*
Antiq. Membre d'un chœur, dans le théâtre grec. → **Chœur.**

L'agilité des acrobates qui se risquèrent dans l'arène après que les choreutes, les danseuses, puis les lutteurs eussent cédé la place.
GIDE, Thésée, *in* Romans, Pl., p. 1423.

CHORIAL, ALE, AUX [kɔrjal, o] adj. — 1878; du rad. de *chorion.*
Didact. Du chorion. *Plaques, villosités choriales.*

REM. On trouve également la forme *chorional, ale, aux* [kɔrjɔnal, o], adj. (1906, *in* Rev. gén. des sc., n° 10, p. 461).

CHORIAMBE [kɔrjãb] n. m. — 1644, terme de métrique; lat. *choriambicus*, grec *khoriambos*, de *khoreia* «trochée», et *iambos.* → Iambe.
Didact. (métrique gréco-latine). Pied* composé d'un trochée* et d'un iambe* (→ Choliambe).

CHORIAMBIQUE [kɔrjãbik] adj. — 1636; du lat. *choriambicus.* → Choriambe.
Didact. Où figure le choriambe. *Un vers, un poème choriambique.*

CHORION [kɔrjɔ̃] n. m. — 1541; grec *khorion*, même sens.

♦ **1** Embryol. Membrane extérieure de l'œuf fécondé. Membrane externe du trophoblaste (mammifères) qui assure le contact avec les tissus maternels (muqueuse utérine) et joue un rôle dans la nutrition de l'embryon. *Du chorion* (→ Chorial).

♦ **2** Histol. Couche superficielle, hérissée de papilles, du derme cutané. — Couche conjonctive profonde d'une membrane muqueuse ou séreuse.

DÉR. Chorial. ◊ **COMP.** Amnio-chorion.

CHORISTE [kɔrist] n. — 1359; lat. ecclés. *chorista*, du lat. class. *chorus.*

♦ **1** Membre d'un chœur. *Choriste d'un chœur antique.* → **Choreute.**

♦ **2** Mod. Personne qui chante dans les chœurs*. *Les choristes de l'Opéra.*

Au signal répété, les choristes se retournent vers l'image du soleil éternel, et font voler des roses effeuillées sur son passage.
CHATEAUBRIAND, le Génie du christianisme, IV, 1, 7.

N. m. Chantre du chœur (d'une église). → **Chantre.**

HOM. Coryste.

CHORIZO [ʃɔrizo] ou, à l'espagnole, [tʃɔriso] n. m. — Mil. XIXᵉ (*in* Gautier, *Voyage en Espagne*); répandu XXᵉ; mot espagnol.

Saucisse espagnole très pimentée, de faible section, de consistance dure (à la différence de la *soubressade*, dont la recette est voisine).

Un des principaux comestibles que l'on tire du cochon est le chorizo, c'est-à-dire un certain saucisson fait de viande de porc, de viande de veau hachée, fortement épicée, fumée, et conservée comme le jambon.
A. DUMAS père, Grand dict. de la cuisine.

CHOROGRAPHE [kɔrɔgraf] n. — 1863; de *chorographie.*
Vx. Spécialiste de chorographie; géographe topographe.

CHOROGRAPHIE [kɔrɔgrafi] n. f. — 1547; lat. *chorographia*, du grec *khôra* «contrée», et *graphê* «description».
Vx. Partie de la géographie consacrée à la description d'un pays. → **Géographie, topographie.**

DÉR. Chorographe, chorographique.

CHOROGRAPHIQUE [kɔrɔgrafik] adj. — 1567; de *chorographie.*
Vx. Qui est relatif à la chorographie. *Description, carte chorographique.* → **Topographique.**

CHOROÏDE [kɔrɔid] n. f. — 1538; grec *khoroeidês*, de *khorion* «membrane», et *eidos* «aspect» (→ -oïde).
Anat. Membrane interne qui tapisse la partie postérieure de l'œil. *La choroïde est située entre la sclérotique et la rétine. Couche pigmentaire de la choroïde.* → **Uvée.** — (En emploi apposé). *Membrane, plexus choroïde.*

DÉR. Choroïdien, choroïdite.

CHOROÏDIEN, IENNE [kɔrɔidjɛ̃, jɛn] adj. — 1839; de *choroïde.*
Anat. Qui a rapport à la choroïde. *Glande choroïdienne.*

CHOROÏDITE [kɔʀɔidit] n. f. — 1858 ; de *choroïde*, et *-ite*.

Méd. Inflammation de la choroïde.

CHOROLOGIE [kɔʀɔlɔʒi] n. f. — Mil. xxᵉ ; du grec *khôra* «contrée, espace», et suff. *-logie*.

Didact. (biogéographie). Science qui étudie les aires de répartition des espèces vivantes ; cartographie de cette répartition.

CHORONYMIE [kɔʀɔnimi] n. f. — V. 1960, au Québec ; du grec *khôra* «contrée» (→ Chorographie), et *-onymie*.

Didact. (géogr.). Étude de la dénomination des surfaces et zones (englobant la toponymie* et incluant d'autres systèmes désignatifs : rues, voies, etc.).

CHORTEN [ʃɔʀtɛn] n. m. — xxᵉ ; tibétain *mch'od-rten*.

Didact. Monument religieux des pays de bouddhisme lamaïque (Népal, marches tibétaines, Tibet, Chine) formé d'une base le plus souvent cubique surmontée de gradins de surface décroissante, d'un dôme bulbeux parfois redoublé et achevé par une flèche annelée. *Dérivé du stoûpa indien, le chorten symbolise la doctrine bouddhique.*

CHORUS [kɔʀys] n. m. — xvᵉ ; lat. *chorus* «chœur». → Chœur.

♦ **1 Vx.** Reprise en chœur* et à l'unisson d'un solo de chant (surtout dans : *faire chorus*).

1 J'y ferais chorus au refrain d'une vieille chanson.
ROUSSEAU, *Émile*, IV.

Bruit d'ensemble. → **Chœur, concert.**

2 (...) un chorus universel de haine et de proscription.
BEAUMARCHAIS, *le Barbier de Séville*, II, 3 (→ Calomnie, cit. 5.).

Mod. *Faire chorus* : se joindre* à d'autres pour dire comme eux ; être du même avis. → **Approuver.**

3 Je n'aurais pu paraître «en train» qu'à condition de faire chorus avec eux *(Valéry et Cocteau)* et déjà je me reprochais assez d'être venu pour les entendre.
GIDE, *Journal*, 3 nov. 1920.

♦ **2** (Mil. xxᵉ ; angl. *chorus* «refrain»). **Jazz.** Durée des harmonies qui forment le thème, utilisée de manière personnelle par un (solo) ou plusieurs instrumentistes. *Prendre un chorus. Un chorus de trompette.*

4 La large part d'improvisation accordée au soliste (les «chorus») et la coutume qui veut que chaque groupement mette lui-même au point un «arrangement» original sur le thème choisi font qu'il importe peu dans le jazz de savoir ce que l'on joue du moment où l'on sait quels sont ceux qui jouent.
Lucien MALSON, *les Maîtres du jazz*, p. 14.

CHOSE [ʃoz] n. f. — xiiᵉ ; *cosa*, 842 ; du lat. *causa* qui a pris le sens de *chose* en lat. jurid., après avoir éliminé *res*.

Ⅰ Ce qui existe de manière identifiable et isolable ; être (concret ou abstrait, réel ou apparent, connu ou inconnu). → **Être, événement, objet.** *L'auteur, le créateur de toutes choses. La chose que je redoute le plus, c'est...* → **Ça, ce, ceci, cela, cet** (ce que, tout ce que). *C'est une chose bien agréable que de rencontrer un ami. Toutes choses égales d'ailleurs. Avant toute* chose :* premièrement. *Chaque* chose.*

1 Ce qu'on appelle humeur est une chose trop négligée parmi les hommes (...)
LA BRUYÈRE, *les Caractères*, XI, 9.

2 S'il fallait toujours employer chaque chose selon ses principales propriétés, peut-être ferait-on moins de bien que de mal aux hommes.
ROUSSEAU, *Julie ou la Nouvelle Héloïse*, V, II.

Ce que décident ici-bas les plus petites choses, ce que les objets et les circonstances en apparence les moins importants amènent de changements dans notre fortune, il n'y a pas, à mon sens, de plus profond abîme pour la pensée.
A. DE MUSSET, la Confession d'un enfant du siècle, II, 1. 3

Et Ève s'en alla, docile à son Seigneur, 3.1
En son bosquet de roses,
Donnant à toutes choses
Une parole, un son de ses lèvres de fleur :
Chose qui fuit, chose qui souffle, chose qui vole...
Charles VAN LERBERGHE, La Chanson d'Ève, 1904, «C'est le premier matin du monde».

♦ **1** *Les choses* : le réel, par oppos. à l'apparence. → **Fait, phénomène, réalité.** *Les choses parleront d'elles-mêmes. Les choses telles qu'elles sont. Il faut bien voir les choses. Regarder les choses en face :* ne pas craindre d'affronter la réalité. *Aller au fond des choses, jusqu'au bout des choses. Je n'aime pas sa façon de présenter les choses.*

(Opposé à *idée, mot*). **Spécialt.** *(La chose, les choses). Le mot (le nom) et la chose. Les Mots et les Choses,* titre d'un ouvrage de M. Foucault. *L'idée et la chose. Le projet et la chose. Appeler les choses par leur nom :* parler franchement. *Le nom ne fait rien à la chose,* ne change rien à la réalité qu'il exprime.

Chacun se dit ami ; mais fol qui s'y repose : 4
Rien n'est plus commun que ce nom,
Rien n'est plus rare que la chose.
LA FONTAINE, *Fables*, IV, 17.

(...) le chemin est long du projet à la chose. 5
MOLIÈRE, *Tartuffe*, III, 1.

L'emportement de la satire est inutile ; il suffit de montrer 6
les choses telles qu'elles sont. Elles sont assez ridicules par elles-mêmes.
J. RENARD, *Journal*, 23 juil. 1898.

Le propre de l'intuition cartésienne, c'est de porter non sur 7
une chose mais sur un acte.
L. BRUNSCHVICG, *Descartes*, Rieder, p. 24.

Les choses tiennent la place des êtres. Les objets ne déçoi- 8
vent pas ; ils donnent toujours exactement le plaisir que l'on attend d'eux. Les objets ne trahissent pas (...)
A. MAUROIS, *Terre promise*, XLVI, p. 320.

Philos. *La chose en soi* : l'être en tant qu'il existe indépendamment des conditions de perception et des circonstances, par oppos. à *phénomène*. → **Noumène, substance.** (Chez Hegel). *La chose même (die Sache selbst)* : l'absolu.

♦ **2** **Plus cour.** Réalité matérielle non vivante (souvent opposable à *être*). → **Objet ;** fam. **bidule, machin, truc.** *Les actes, les événements et les choses. Les êtres (vivants) et les choses.*

Cour. Objet concret indéterminé ou non spécifié. *Offrir quelques petites choses.* → **Babiole, bagatelle.** *Un tas de choses.* → **Attirail.** *Il faudrait beaucoup de choses pour meubler cet appartement. Le prix des choses. — Il aime les bonnes choses,* les mets savoureux.

J'ai quelques petites choses à vous envoyer. 9
RACINE, *Lettres*.

(Désignant une réalité qui a été vivante) :

Gilieth aperçut, toute noire sur la neige, une chose 10
décharnée et sans tête, le corps de Mulot torturé par les Riffains.
P. MAC ORLAN, *la Bandera*, XVII, p. 208.

Dr. Objet matériel susceptible d'appropriation. → **Bien ; capital, patrimoine, possession, propriété, richesse.** *Les personnes et les choses. Choses consomptibles*. Choses fongibles*. Choses communes*. Choses hors du commerce*. Chose léguée*. Chose mobilière.*

Loc. (en parlant de personnes). *Être la chose de qqn,* être sous sa dépendance, lui appartenir corps et biens.

11 Il n'osait plus la manier brutalement, la saisir, la frapper, la pétrir comme sa chose mauvaise et rétive, mais sa chose à lui.   FRANCE, le Lys rouge, XXI.

Loc. **LEÇON DE CHOSES** : enseignement dispensé pour donner aux enfants des notions élémentaires à partir de l'observation d'objets usuels et de produits de la nature. — Par ext. Expérience décisive.

11.1 Ma femme de chambre ne voulait pas rester non plus, il y a eu des scènes homériques. Malgré tout, j'ai tenu ferme le gouvernail, et c'est une véritable leçon de choses qui n'aura pas été perdue pour moi.
                        PROUST, À l'ombre des jeunes filles en fleurs, Pl., t. I, p. 597.

♦ **3** (Surtout plur.). Ce qui a lieu, ce qui se fait, ce qui existe. → **Affaire, circonstance, condition, événement, fait.** *Les choses de la terre. Les choses humaines. Les choses de ce monde. Les choses d'ici-bas. — Les Choses de la vie,* titre d'un roman de Paul Guimard. *L'ordre des choses. Tout ceci est dans l'ordre des choses :* tout ceci est normal. *Le cours naturel des choses. La réalité des choses. La nature des choses. Par la force des choses. Il se passe ici des choses bizarres. C'est une chose commune.* → **Banalité.** *Faire de grandes choses, des choses admirables, héroïques, incroyables.* → **Acte, action.** *Dans cet état de choses :* dans cet ensemble de circonstances, d'événements. → **Conjoncture.** *Laisser aller les choses. Les choses vont, tournent mal. Les choses se corsent, se gâtent, n'iront pas loin. Il ne faut pas brusquer, précipiter, accélérer les choses. Il y a (ce sont) des choses qui marquent.* — Loc. *Ce sont des choses qui arrivent**. — *Faire bien les choses :* traiter ses invités avec largesse. *Le hasard fait bien les choses. Ne pas faire les choses à moitié, à demi :* ne rien négliger. — (1632, *in* D.D.L.) *Toutes choses cessantes* (cf. Toutes affaires cessantes). — *De deux choses l'une..., ou bien..., ou bien...* → **Alternative, choix, possibilité...** — *Juger d'une chose comme un aveugle des couleurs,* en mal juger. *La moindre chose l'ennuie. On ne peut lui demander la plus petite chose. Aucune, nulle chose ne l'étonne* (→ **Rien**).

12 En toute chose il faut considérer la fin.
                        LA FONTAINE, Fables, III, 5.

13 Mes amis, dit le solitaire,
Les choses d'ici-bas ne me regardent plus (...)
                        LA FONTAINE, Fables, VII, 3.

14 Mais que fait ce discours aux choses d'aujourd'hui ?
                        MOLIÈRE, Tartuffe, V, 3.

15 C'est un homme (...) qui ne fait les choses que pour la gloire et pour la réputation.   MOLIÈRE, le Sicilien, X.

16 La présence et la réputation de ce prince achevèrent de rétablir toutes choses.
                        RACINE, les Campagnes de Louis XIV.

17 Mon ami, me dit-elle, je pars pour Genève ; ma poitrine est en mauvais état, ma santé se délabre au point que toutes choses cessantes il faut que j'aille voir et consulter Tronchin.   ROUSSEAU, les Confessions, IX.

18 Quand on n'a point d'argent, on est dans la dépendance de toutes choses et de tout le monde.
                        CHATEAUBRIAND, Mémoires d'outre-tombe, IV, 1.

19 Rêve de grandes choses, cela te permettra d'en faire au moins de toutes petites.
                        J. RENARD, Journal, 9 mai 1894.

20 Les grandes choses sont accomplies par des hommes qui ne sentent pas l'impuissance de l'homme. Cette insensibilité est précieuse.
                        VALÉRY, Regards sur le monde actuel, II, p. 68.

21 Qui s'intéresse à beaucoup de choses, beaucoup de choses lui sont données.
                        CLAUDEL, Feuilles de Saints, sainte Thérèse, p. 67.

22 (...) elle n'a jamais l'idée que les choses puissent tourner mal.   MARTIN DU GARD, les Thibault, t. IV, p. 288.

22.1 Quelle belle nuit nous avons passée ! Dans un petit cabaret où nous échouâmes par hasard (dans notre amitié le hasard fait bien les choses) (...)
                        Claude MAURIAC, le Temps immobile, p. 314.

Je te faisais remarquer que c'était dans l'ordre des choses et qu'on ne pouvait exiger de ces trusts américains d'engrais chimiques qu'ils facilitent le travail des artisans du Front (...)   Régis DEBRAY, l'Indésirable, p. 166.   22.2

Loc. *C'est la moindre des choses :* c'est le moins qu'on puisse faire.

— Le vice-président du Conseil, tout de même... Lorsque   22.3
je l'ai vu filer comme un voleur j'ai été me présenter à lui. C'était la moindre des choses...
                        Claude MAURIAC, le Temps immobile, p. 437.

♦ **4** *La chose :* ce dont il s'agit. → **Objet, sujet; affaire.** *Je vais vous expliquer la chose. La chose parle d'elle-même,* elle est évidente (→ Cela se passe de commentaires). — *La chose est d'importance. C'est la même chose :* il s'agit du même cas (opposé à c'est autre chose). — *Comment a-t-il pris la chose? Prendre une chose à cœur**. *Qu'est-ce que cela fait à la chose? La chose est décidée. La chose est faite. C'est chose faite,* réglée, convenue. *Considérez la chose en son entier. La chose a changé de face. La chose va bien. Convenez de la chose avec lui. Il faut apporter un remède à la chose. La chose ne lui a pas beaucoup plu.* — *Les choses* (même valeur). *Mettre les choses au point* (→ 1. Point, cit. 17).

Et les choses n'iront que jusqu'où vous voudrez.   23
                        MOLIÈRE, Tartuffe, IV, 4.

(...) s'il est vrai que ce soit chose faite.   24
                        MOLIÈRE, le Dépit amoureux, III, 8.

Ayant ainsi raccommodé la chose, la grosse Catherine alla   25
faire sa soupe et n'y pensa plus.
                        G. SAND, François le Champi, V, p. 57.

Le fermier, qui connaissait ces sortes d'affaires, voulut   26
prendre la chose en plaisanterie. Il prétendit que son péché n'était pas si grave, puisqu'il ne consistait qu'en paroles (...)   G. SAND, la Mare au diable, XIV, p. 124.

— Non... Une danseuse ! je crois qu'elle me trompe !   26.1
— Oh ! ça...
— Ce n'est pas pour la chose... mais c'est humiliant...
                        E. LABICHE, la Chasse aux corbeaux, III, 5.

(...) Dieu merci, vous ne connaîtrez jamais chose pareille !   27
                        E. FROMENTIN, Un été dans le Sahara, II, p. 134.

Une chose semble sûre : c'est que toutes les mesures   28
d'ordre purement politique ne doivent pas aboutir à grand'chose.
                        DUHAMEL, Récits des temps de guerre, IV.

Les choses : les événements. *Les choses n'iront pas loin :* cela ne durera pas. *Les choses ne pressent pas. Les choses se passaient il y a longtemps. Comment vont les choses, ici ?*

Tandis que ces choses se passaient dans le Pays-Bas.   29
                        RACINE, les Campagnes de Louis XIV.

♦ **5** (Désignant l'objet du discours ou du jugement). *C'est une chose étrange, effrayante, inouïe, incroyable, incomparable, importante, sérieuse... C'est une bien triste chose. Chose étonnante, il est venu. Voilà une chose inattendue. C'est une bonne chose, une excellente chose. Voilà une bonne chose de faite.* — Spécialt. Ce qu'on isole pour le considérer, pour en juger. *Il y a de belles choses* (→ vieilli Des beautés), *des choses intéressantes dans ce livre, dans ce film. J'ai relevé quelques petites choses désagréables dans cet article.* — (Avec dire, répéter, etc.). Paroles, discours. *Dire des choses choquantes. Il lui a dit des choses désobligeantes. Dire de bonnes choses, de bonnes paroles.* — *Dites-lui bien des choses de ma part :* faites-lui mes compliments (→ Faites-lui mes amitiés**). (1840). Fam. *Bien des choses à votre femme.* — *Dire bien des choses (de, sur qqn),* dire des choses (agréables ou désagréables). *Ce n'est pas une chose croyable. Ne dire qu'une seule chose. Dire ceci est une chose, dire cela en est une autre. Parlons de choses sérieuses. Il lui répète cent fois la même chose. Il a raconté une chose amusante. Veux-tu que je te dise une chose ? Tu n'es pas sérieux.*

30 Je te dis toujours la même chose, parce que c'est toujours
la même chose.   MOLIÈRE, Dom Juan, II, 1.

31 Les choses que dit un enfant ne sont pas pour lui ce
qu'elles sont pour nous; il n'y joint pas les mêmes idées.
ROUSSEAU, Émile, II.

32 Peut-être chacun de nous n'a-t-il qu'une seule chose à dire
dans sa vie, et ceux qui ont tenté de parler plus longtemps
furent de grands ambitieux.
Pierre LOUŸS, Aphrodite, III, II, p. 144.

33 Elles n'avaient presque rien dit, que des choses enfantines
ou quelconques (...)
LOTI, les Désenchantées, XI, p. 100.

34 (...) il en bavait, tant la chose lui paraissait exorbitante (...)
COURTELINE, Messieurs les ronds-de-cuir,
5ᵉ tableau, 2.

35 (...) il y a des choses que l'on peut dire aux autres; et
d'autres, qu'on ne peut dire qu'à soi-même... Et d'autres,
qu'on ne peut même pas se dire à soi-même.
VALÉRY, l'Idée fixe, p. 48.

♦ **6** Dr. Cause. *La chose jugée :* ce qui a été décidé
par le juge pour mettre fin à un procès. *Jugement
passé en force de chose jugée. L'autorité de la chose
jugée.* → **Autorité** (cit. 30).

♦ **7** (1372; lat. *res publica.* → République). *La chose
publique :* ensemble des questions relatives aux
intérêts généraux d'un pays, d'une collectivité
régionale ou locale. → **Public, république; État.**

♦ **8** Vieilli. Désignant une personne :

35.1 Un grand seigneur méchant homme est une terrible
chose (...)   MOLIÈRE, Dom Juan, I, 1.

II Loc. ♦ **1** AUTRE CHOSE. *Ceci est autre chose, tout
autre chose :* c'est une autre affaire. → **Différent.**
N'avez-vous pas autre chose à dire ? — Loc. littér.
Autre chose... autre chose... : c'est une chose..., c'est
une chose toute différente ... *Autre chose de dire
ceci, autre chose de faire cela. Je vais vous dire, vous
montrer autre chose. Ne pourriez-vous pas parler
d'autre chose? Elle pensait à autre chose. C'était
autre chose, bien autre chose, tout autre chose que
ce qu'il avait prévu. J'ai autre chose à faire que
de vous attendre. Voilà autre chose!,* pour marquer qu'un événement inattendu se produit. —
Fam. (oral). *Tiens, v'là aut'chose !*

36 N'avez-vous, Nicomède, à lui dire autre chose?
CORNEILLE, Nicomède, II, 3.

37 Je ne veux point d'autre chose pour témoigner qu'elle *(cette
comédie)* ne vaut rien.
MOLIÈRE, Critique de l'École des femmes, 5.

38 Autre chose d'agir avec un père, autre chose de répondre
devant un juge.   BOSSUET, Pénitence, 1.

39 Sur le bord de la fosse, ils étaient en train de faire des
discours à n'en plus finir, si je peux m'exprimer ainsi.
Soudain, je dis à mon collègue ici présent : «Tiens! voilà
autre chose.» Ce monsieur-là venait de basculer entre deux
tombes.   A. BLONDIN, Monsieur Jadis, p. 86.

REM. *Autre chose,* expression composée, n'entraîne pas le
féminin. *Je cherche autre chose d'aussi beau* (Hanse).

♦ **2** QUELQUE CHOSE. Loc. composée indéfinie, masc.
(abrév. : qqch.). *Posséder quelque chose. Manquer
de quelque chose. Est-ce qu'il vous manque quelque
chose? Je vais préparer quelque chose; quelque chose
à manger. Faire quelque chose.* → **Occuper** (s'occuper
à). *Avez-vous quelque chose à faire, à dire? Faites,
dites quelque chose.* → N'importe quoi. *Quelque chose
a bougé; j'ai vu quelque chose bouger. Quelque chose
de grand, d'étonnant, d'ennuyeux.*

40 Il y a en vous quelque chose de surnaturel.
VOITURE, Lettres, *in* Littré.

41 De loin c'est quelque chose, et de près, ce n'est rien.
LA FONTAINE, Fables, IV, 10.

42 J'estime toutefois qu'il ne nous est pas défendu d'y ajouter
quelque chose, pourvu qu'il ne détruise rien de ces vérités
dictées par le Saint-Esprit.
CORNEILLE, Examen de Polyeucte.

43 Il me faut suer sang et eau pour faire quelque chose qui
mérite de vous l'adresser.   RACINE, Lettres.

44 Il la traite sérieusement *(une affaire de rien),* et comme
quelque chose qui est capital.
LA BRUYÈRE, les Caractères, VIII, 61.

45 Aimer est quelque chose, et le reste n'est rien.
A. DE MUSSET, Poésies nouvelles, «Idylle».

C'est quelque chose, c'est déjà quelque chose : c'est
mieux que rien. — (Exclam.). *C'est quelque chose! :*
c'est un peu fort! *C'est quelque chose, cet aplomb
qu'il a! — Il est arrivé à quelque chose :* il a réussi.
Spécialt. (Pour satisfaire un besoin, remédier à une
situation désagréable...). *Faites quelque chose au
lieu de vous lamenter! Il est malheureux, il faut
faire quelque chose,* lui venir en aide. *Voulez-vous
prendre quelque chose?,* un peu de nourriture,
une boisson. — *Chercher, trouver quelque chose,* ce
que l'on recherche (suivant les contextes). *Il cherche
quelque chose dans la banque, un emploi. Je voudrais quelque chose au centre de Paris,* un logement. *Avez-vous trouvé quelque chose?*

45.1 Elle ne broncha que lorsque j'inventai que je n'avais pas
dîné, et s'affola comme une mère. Il n'était pas trop tard
pour qu'elle allât chercher quelque chose. Elle se chargeait
de courir à deux pas jusqu'au café-épicerie dont elle connaissait une porte dérobée.
Jacques LAURENT, les Bêtises, p. 100.

Compter pour quelque chose : avoir du prix, du
mérite. *Votre opinion compte pour quelque chose.*
— *Il est pour quelque chose dans cette affaire,* il y
a pris part, il y contribue.
Il lui est arrivé quelque chose, un accident, un
ennui. *Il a quelque chose, mais ne veut pas en
parler.* → **Difficulté, embarras, ennui.** Par euphém.
Il est arrivé quelque chose à votre oncle (il a eu
un accident, il est mort...). *Serait-il arrivé quelque
chose? J'ai arrangé mes affaires pour le cas où il
m'arriverait quelque chose.*

46 À la maison, on ne s'apercevait de rien; mais moi, je
voyais bien que Jacques avait quelque chose.
Alphonse DAUDET, le Petit Chose, I, IV.

Il y a quelque chose, un mystère, du louche. *Il y a
quelque chose entre eux.* → **Malentendu; désaccord;
intrigue.**

Il y a quelque chose comme une semaine. → **Environ.**

46.1 Il y a quelque chose comme 4 000 cafés ultra-modernes
à Tokyo, où l'on vous sert à boire et la compagnie d'une
«serveuse».
Henri MICHAUX, Un Barbare en Asie, p. 209.

Se croire quelque chose : se prendre pour quelqu'un
d'important. → **Quelqu'un.**

47 Pour être plus qu'un roi, tu te crois quelque chose.
CORNEILLE, Cinna, III, 4.

Être quelque chose : avoir une fonction importante.
→ Être quelqu'un* (I., C., 1.).

REM. Dans l'expression *quelque chose que...,* équivalente
à *quelle que soit la chose que...,* chose demeure au
féminin. *Quelque chose que je lui aie dite, il n'aurait
pas dû s'en formaliser.*

♦ **3** *Grand-chose.* → **Grand** (II., 4.).

♦ **4** PEU DE CHOSE : une chose (acte, objet) peu
importante. → **Peu.** *Ne me remerciez pas, c'est peu
de chose. Il faut peu de chose pour que je me sente
bien.*

III ♦ **1** N. m. (Substituable à n'importe quel autre nom que
l'on ne peut se rappeler, ou dont on veut éviter l'emploi).
→ **Bidule, machin, truc, trucmuche.** *Ce Monsieur...
chose était bien ennuyeux. Le Petit Chose,* roman
d'A. Daudet. *Donnez-moi un... chose.*

48 (...) dis eh chose tu m'en files un bout?
Tony DUVERT, Paysage de fantaisie, p. 34.

♦ 2 Par euphém. **a** *Dire des choses, faire des choses* (que la décence oblige de taire). — *Faire des choses : faire l'amour.* → Faire ça* (1. Ça, 6.).

49 Il n'était pas tout à fait vierge, ayant fait des choses incomplètes avec une lycéenne à l'issue du concours général (...)
Jacques LAURENT, les Bêtises, p. 17.

50 (...) les putains ne sentent rien. Chaque mot est une passe. Adjectif, tu viens? Dis, tu viens, chéri? Je te ferai des choses, adjectif, tu monteras au ciel.
Violette LEDUC, la Folie en tête, p. 586.

b *La chose :* l'acte sexuel. → 1. Ça (6.). — Loc. *Être porté* (cit. 16.1, Mirbeau) *sur la chose.*

Organe sexuel. *«Coupez-vous la chose aux enfants? Il serait Monsieur sans queue»* (Rabelais; → Queue, cit. 6).

IV (1739). En valeur d'adjectif. **♦ 1** TOUT CHOSE. *Être tout chose,* alangui. *Elle était toute chose.*

51 (...) moi je donne des coups de langue dans l'oreille, vous devenez sourde et vous êtes toute chose disait la langue gourmande de Fernande dans l'oreille de Juliette. Elles s'aimèrent toutes les trois un long moment (...)
Violette LEDUC, la Folie en tête, p. 132.

Fam. *Se sentir tout chose :* éprouver un malaise difficile à analyser, se sentir bizarre. → **Souffrant; déconcenancé, désappointé, interdit, triste.**

♦ 2 Fam. *Être un peu chose,* un peu niais, stupide.

CONTR. Rien. ◊ **DÉR. Choser, chosette, chosifier, chosisme, chosiste.**

CHOSER [ʃoze] v. tr. — 1752; de *chose.*
Pop. et régional. S'occuper de (qqch.); faire. *«J'ai mon fait à choser»* (Hugo, *les Travailleurs de la mer, in* T. L. F.).

CHOSETTE [ʃozɛt] n. f. — XIIIᵉ; de *chose.*
Fam. et vx. Petite chose; petit objet ou ouvrage agréable. *«Une amusante chosette à écrire»* (J. Renard). — *La chosette :* l'amour physique (→ Chose, III., 2.).

CHOSIFICATION [ʃozifikasjɔ̃] n. f. — 1831; de *chosifier.*
Didact. Le fait de rendre semblable aux choses; de réduire (l'homme) à l'état d'objet. → **Réification.**
Aucun contact humain, rien des rapports de domination, et de soumission qui transforment (...) l'homme indigène en instrument de production.
À mon tour de poser une équation.
Colonisation = Chosification.
Aimé CÉSAIRE, Disc. sur le colonialisme, p. 21.

CHOSIFIER [ʃozifje] v. tr. — XXᵉ (1943, Sartre, *l'Être et le Néant*); de *chose,* et *-ifier.*
Didact. (philos.). Rendre semblable à une chose. → **Réifier.**
DÉR. Chosification.

CHOSISME [ʃozism] n. m. — 1936, Sartre, *l'Imagination;* de *chose,* et *-isme.*
Didact. (philos.). Le fait de considérer (des objets de connaissance) comme des choses.

CHOSISTE [ʃozist] adj. — 1943, cit. 1; de *chose,* et *-iste.*
Philos. Qui concerne ou soutient le chosisme.

1 L'angoisse (...) s'oppose à l'esprit de sérieux qui saisit les valeurs à partir du monde et qui réside dans la substantification rassurante et chosiste des valeurs.
SARTRE, l'Être et le Néant, I, I, 5, p. 77.

2 Il y a dans toute situation médicale un double aspect :

1° Un aspect technique, objectif, «chosiste». «Madame, dit le médecin, les résultats des investigations cliniques, radiologiques, histologiques sont concluants : vous avez un cancer du sein».
C. KOUPERNIK, Un traitement d'exception, *in* la Nef, n° 31, p. 156.

CHOTT [ʃɔt] n. m. — 1849, *in* D.D.L.; arabe d'Algérie, arabe class. *šắṭṭ* «bord d'un fleuve».
Lac salé (en Afrique du Nord). → **Sebkha.**

1 Les *chotts* du Sahara et des Hauts-Plateaux Algériens sont des cuvettes généralement vides d'eau, couvertes de pareilles croûtes (croûtes salines) et qui se remplissent pour peu de temps après des pluies occasionnelles.
E. DE MARTONNE, Traité de géographie physique, t. I, p. 444.

2 Il veut faire entrer le désert dans l'ère de la guérilla. Attaques, attentats, tentatives de meurtre, usage de faux, soulèvement des sables, occupation des chotts (...)
Jean CAYROL, Histoire d'un désert, p. 47.

CHOU [ʃu] n. m. — XIIᵉ, *chol, chou;* du lat. *caulis.*

♦ 1 Bot. Plante dicotylédone *(Cruciféracées),* scientifiquement appelée *brassica,* annuelle, bisannuelle ou vivace, cultivée comme potagère (rare dans cet emploi général).
Cour. Une des espèces comestibles de cette plante, en particulier (quand le mot est employé sans qualificatif), le chou cabus ou pommé, à gros bourgeon terminal. *Planter des choux* (→ Agir, cit. 1). *Feuilles de chou. Cœur* du chou. Le trognon*, les côtes d'un chou.* — Partie comestible et consommée du chou. *Soupe aux choux. Chou farci. Perdrix aux choux* (→ 2. Bisque, cit. 1). — *Variétés de choux. Choux pommés : choux cabus*, à feuilles lisses, choux de Milan, à feuilles cloquées.* → **Pommé** (→ Pommeler [se], cit. 1). *Chou d'York. Chou frisé d'Écosse.*

1 J'ai vu, dit-il, un chou plus grand qu'une maison. Et moi, dit l'autre, un pot aussi grand qu'une église. Le premier se moquant, l'autre reprit : «Tout doux : On le fit pour cuire vos choux».
LA FONTAINE, Fables, IX, 1.

2 Astiqués, encaustiqués, métalliques, gorgés de tout le suc qu'ils vont, avec leur grande racine froide, puiser au fond de la terre, les choux forment, au bout du potager, un bataillon vigoureux (...) Ils sont si gras, si musclés, si trapus que leur seul aspect signifie : «C'est nous les choux, les choux de la soupe aux choux, les choux au gras, les choux farcis, les choux au gros cœur, à l'odeur puissante».
G. DUHAMEL, les Plaisirs et les Jeux, III, 9.

2.1 Tout le long de la rue du Pont-Neuf, on déchargeait, les tombereaux acculés aux ruisseaux, les chevaux immobiles et serrés, rangés comme dans une foire. Florent s'intéressa à une énorme voiture de boueux, pleine de choux superbes, qu'on avait eu grand'peine à faire reculer jusqu'au trottoir (...)
ZOLA, le Ventre de Paris, t. I, p. 22.

Chou rouge, que l'on consomme cru, en salade ou macéré dans le vinaigre. *Chou de Bruxelles,* à longues tiges donnant des bourgeons comestibles. — *Chou cabus, chou quintal,* qui sert à préparer la choucroute. — *Chou cultivé pour son inflorescence hypertrophiée.* → **Chou-fleur; brocoli.** *Chou cultivé pour ses racines.* → **Chou-rave, chou-navet, turnep.** — *Chou rutabaga*. Choux fourragers,* pour l'alimentation du bétail : *chou vert,* ou *cavalier, chou branchu, chou moellier; chou de Chine* ou *chou chinois. Chou cultivé pour ses graines oléagineuses.* → **Colza, navette.**

2.2 Passez-moi encore des choux rouges, demanda à la gauche de Rouletabille la petite cousine... et versez-moi de la sauce. G. LEROUX, Rouletabille chez Krupp, p. 199.

♦ 2 *Chou palmiste :* bourgeon terminal du palmier. → **Arec.**

2.3 Les navires qui venaient s'y approvisionner *(à Más à Tierra)* en eau, choux palmistes et viandes battaient

pavillon espagnol (...)
M. TOURNIER, le Vent Paraclet, p. 209.

Chou de chien. → **Mercuriale.** — *Chou de mer.*
→ **Crambe.**

♦ **3** Loc. fam. *Feuille de chou :* papier, écrit, journal*
de peu de valeur.

Bête comme chou. → **Simple, enfantin.** *Le problème
est bête comme chou,* facile à comprendre. *Être bête
comme un chou,* très bête*.

Être dans les choux, dans l'embarras ; être dans
une mauvaise situation, subir un échec, être mis
hors du jeu, etc.

2.4   Vous venez du golf, Octave ? (...) Ça a-t-il bien marché ? (...)
— Oh ! ça me dégoûte, je suis dans les choux, répondit-il.
PROUST, À l'ombre des jeunes filles en fleurs, Pl.,
t. I, p. 878.

2.5   Cependant, Théocrate VI *(un cheval)* avait perdu son
avance et finissait dans les choux.
M. AYMÉ, le Passe-muraille, p. 36.

Entrer dans le chou : attaquer, donner des coups*,
et aussi, entrer en collision avec... — (1761, *in* D. D. L.).
Faire chou blanc : ne pas réussir une affaire
(→ **Échouer**) ; faire un coup nul. — N. m. (Rare) *Un
chou blanc :* un échec.

2.6   Comment ! ... moi ! ... je pourrais épouser... après dix-sept
choux blancs... ? nom d'un petit bonhomme !
E. LABICHE, Un monsieur qui prend la mouche, 9.

Faire ses choux gras : tirer profit d'une affaire
avantageuse.

S'y entendre comme à ramer des choux : ne rien
savoir faire (puisque les choux ne se rament pas).

Aller planter ses choux : se retirer à la campagne.
Envoyer qqn planter ses choux, le destituer, le renvoyer.

3   *(Il)* se fit partout des querelles, reçut des affronts qu'un
valet n'endurerait pas et finit, à force de folies, par se
faire rappeler et renvoyer planter ses choux.
ROUSSEAU, les Confessions, VII.

Ménager la chèvre et le chou (→ **Chèvre,** cit. 5 et
supra).

♦ **4** (1752, *in* D. D. L.). *Mon chou, mon petit chou* (fém. :
*choute**). Expressions de tendresse. → **Chouchou.**
Vous êtes un vrai chou. Mon chou, mon petit chou.

4   — Alors, mon chou, je t'ai fait peur ?
— C'est bien elle ! s'écria le chou joyeusement.
— Tu as parlé à papa ?
— Oui, dit le chou.
R. QUENEAU, les Fleurs bleues, p. 80.

Adj. (invar.). Gentil, mignon, charmant. *Ce qu'elle est
chou !* (ou *choute**). → **Gentil, joli.**

5   Vous allez être tout à fait chou, vous allez dédicacer quelques livres : ces dames sont des admiratrices passionnées.
S. DE BEAUVOIR, les Mandarins, p. 266.

N. m. Ce qui est gentil, charmant.

6   Avec double torsade rose et noire, spécifia le couturier.
C'est d'un chou !
Francis CARCO, les Belles Manières, p. 69.

Un bout de chou* [butʃu] : un petit enfant.

♦ **5** (1689). Nœud, rosette de ruban ou d'étoffe dont
la forme rappelle celle du chou. → **Bouffette, chouchou** (II), **choupette.** *Un bonnet de nuit orné de
choux.*

♦ **6** *Chou à la crème, chou :* pâtisserie* légère et
soufflée. *Petit chou fourré.* → **Profiterole.** — *Pâte à
choux,* dont on fait les choux.

♦ **7** Argot (par anal. de forme). Tête. — Fam. *Ne rien
avoir dans le chou :* être stupide.

7   À un point tel qu'ils n'ont, alors que le loufiat s'apporte
avec le soufflé Rothschild, qu'à échanger un regard pour
comprendre qu'une pensée commune vient, simultanément, de leur traverser le chou (...)
A. SIMONIN, Hotu soit qui mal y pense, p. 48, 1971.

DÉR. Chouchou, choute.

CHOUAN [ʃwã] n. m. — 1793 ; de Jean *Chouan,* surnom
de Jean Cottereau, l'un des chefs des insurgés de
l'Ouest, qui avait comme signe de ralliement le cri du
chouan, forme régionale de *chat-huant.*

Insurgé royaliste de l'Ouest qui faisait la guerre
de partisans contre la Révolution. *Les Chouans,*
roman de Balzac (1829).

DÉR. Chouanner, chouannerie.

CHOUANNER [ʃwane] v. intr. — 1794 ; de *chouan.*

Vx. Faire la guerre à la façon des chouans.

Peut-être chouannait-il pour chouanner.
BARBEY D'AUREVILLY, le Chevalier des Touches,
p. 78.

CHOUANNERIE [ʃwanʀi] n. f. — 1794 ; de *chouan.*

Histoire.

♦ **1** Insurrection des chouans.

♦ **2** Ensemble des chouans ; leur mouvement.

CHOUCAS [ʃuka] n. m. — 1530, selon Bloch ; p.-ê. formation onomatopéique.

Oiseau passeriforme (*Corvidés*), scientifiquement
appelé *coloens,* et, régionalement, *grole**. *Le choucas
a la taille d'un pigeon, un plumage noir ; il se nourrit
de grains et d'insectes. Choucas vivant en colonies
dans les clochers, les ruines.* → **Corneille.**

1   J'allais tirer les choucas qui nichaient dans les pierres du
vieux château.   FRANCE, la Vie en fleur, XI, p. 155.

2   Une femme avec deux petits enfants disait : «Croa-croaca
croa-croaca-croa crô crô...» Ça, c'était un choucas.
J.-M. G. LE CLÉZIO, les Géants, p. 156.

CHOUCHOU, OUTE [ʃuʃu, ut] n. — 1780, *in* D. D. L., t.
d'affection ; redoublement de l'appellatif *chou, choute*
(→ chou, 4).

Fam.

I Favori, préféré. *Le petit chouchou. C'est sa chouchoute.*

1   Certains professeurs, si prompts à étiqueter leurs têtes
de Turc ou leurs chouchous, passaient parfois plusieurs
semaines sans mettre un nom sur mon visage.
Pierre DANINOS, Un certain Monsieur Blot, p. 15.

2   Et ce dont tu rêves, pauvre idiote ! c'est d'aller faire ta chouchoute là-bas, de profiter du fric des gogos dont ton père
ravale le portrait.   Hervé BAZIN, Madame Ex, p. 182.

II N. m. (De *chou,* 5). Morceau de tissu froncé autour
d'un élastique, et servant à retenir les cheveux.
Cheveux noués par un chouchou. Des chouchous.

DÉR. Chouchouter. ◊ **HOM. Chow-chow.**

CHOUCHOUTAGE [ʃuʃutaʒ] n. m. — 1951, Montherlant ; de *chouchouter.*

Action de chouchouter.

Le chouchoutage de Franck avait instantanément
déclenché de furieuses jalousies. Sauf Fiona, la petite
Anglaise. Et ça avait été bien après la collection,
quand José, en un soir, était devenue la coqueluche de
tout le monde.
Geneviève DORMANN, Je t'apporterai des orages,
p. 100.

CHOUCHOUTER [ʃuʃute] v. tr. — 1842 ; de *chouchou.*

Dorloter, gâter. *Elle chouchoute trop ses enfants. Il
se fait chouchouter par le prof.*

DÉR. Chouchoutage.

CHOUCROUTE [ʃukʀut] n. f. — 1768 ; *sorcrote,* 1739 ;
empr. de l'alsacien *sûrkrût,* all. *Sauerkraut,* de *sûr* «aigre»,
et *krût* «herbe», avec adapt. par attr. de *chou* et de
croûte.

Mets préparé avec des choux débités en fins rubans que l'on fait légèrement fermenter dans une saumure. *Choucroute fraîche, en tonneaux.* — Plat fait de choucroute accompagnée de charcuterie. *Charcuterie d'une choucroute garnie* (plat de côte, jarret de porc, saucisses, lard...). *Choucroute alsacienne, d'Alsace. Boire de la bière avec la choucroute. — Choucroute en conserve. Ouvrir une boîte de choucroute.*

(...) des garçons (...) commençaient à servir, accompagnée de demis de bière enrhumés, une choucroute pouacre parsemée de saucisses paneuses, de lard chanci, de jambon tanné et de patates germées, apportant ainsi à l'appréciation inconsidérée de palais bien disposés la ffine efflorescence de la cuisine ffransouèze.
Zazie, goûtant au mets, déclara tout net que c'était de la merde (...)
— Notre choucroute alsacienne ne plaît pas à la petite demoiselle ? demanda le vicieux loufiat (...)
R. QUENEAU, Zazie dans le métro, XII, Folio, p. 130-131.

1. CHOUETTE [ʃwɛt] n. f. — 1175; dimin. de l'anc. franç. *choue,* d'un lat. vulg. *cawa,* francique* *kawa.* → Chathuant.

◆ **1** Oiseau rapace nocturne de la famille des strigidés *(Strigiformes)* ne portant pas d'aigrettes sur la tête (à la différence des *hiboux**). Chouette blanche.* → **Harfang.** *Chouette chevêche* ou *chouette noctuelle.* → **Chevêche.** *Chouette des bois.* → **Hulotte.** *Chouette des clochers.* → **Effraie, strix.** *L'ægolie, chouette pattue. Chouette épervière. — Les gros yeux ronds de la chouette. Cri de la chouette.* → **Chuinter, huer, hululer.** *Le chuintement lugubre de la chouette.*

1 Le caractère distinctif de ces deux genres *(hibou et chouette),* c'est que tous les hiboux ont deux aigrettes de plumes en forme d'oreilles droites de chaque côté de la tête, tandis que les chouettes ont la tête arrondie, sans aigrettes et sans aucune plume proéminente.
BUFFON, Hist. nat. des oiseaux, t. II, p. 104.

2 (...) il a le retrait de la face et les broussailles effilées de la chouette.
André SUARÈS, Trois hommes, «Ibsen», III, p. 106.

◆ **2** Fig. *Une vieille chouette :* vieille femme laide, acariâtre. *Avoir des yeux de chouette,* de gros yeux ronds.

Argot. Femme.

3 À chaque étreinte qu'il la serre il me cligne, tortille, elle me refait de l'œil ! à chaque bécot ! elle a le diable au fingue *(sic)* la chouette !
CÉLINE, Guignol's band, p. 370.

2. CHOUETTE [ʃwɛt] adj. — 1830; p.-ê. emploi fig. du précédent; déjà dans Rabelais : *jolie comme une belle petite chouette;* cf. aussi ital. *civetta* «chouette» et «femme coquette».

Fam. → **Agréable, beau, élégant, joli.** *Une chouette fille. Un chouette chapeau. C'est chouette :* c'est digne d'admiration, d'éloge. → **Bath, épatant.** *Elle est chouette. Une chouette voiture. C'est drôlement chouette. Il est pas chouette, ton copain. S'est acheté une bagnole très chouette. — Pop. Une chouette de bagnole.*

1 Monsieur Bluette est un brave homme, toi tu es un bon garçon, les camarades sont des chouettes types.
A. ALLAIS, l'Affaire Blaireau, p. 46.

2 (...) il cherchait une place. Seulement, ayant de chouettes extras pour l'instant, il ne se pressait pas d'en trouver.
O. MIRBEAU, le Journal d'une femme de chambre, p. 163.

3 (...) et l'époux qui aidant, à l'heure du Jugement dernier, sa jeune femme à sortir du tombeau lui appuie la main contre son propre cœur pour la rassurer et lui prouver qu'il bat vraiment, est-ce aussi assez chouette comme idée, assez trouvé ?
PROUST, À l'ombre des jeunes filles en fleurs, Folio, p. 499.

(Sur le plan moral). → **Chic, sympa.** *Il a été très chouette avec nous. Allez, sois chouette !*

Interj. *Ah, chouette alors ! Chouette !* → **Chic.**

4 Arrivé là, Rouletabille ne fut pas maître de dissimuler un mouvement de satisfaction :
«Chouette ! dit-il entre ses dents. On entre par la porte B...»
G. LEROUX, Rouletabille chez Krupp, p. 181.

Var. fam. : *chouettos* [ʃwɛtos], (vx) *chouettard, arde* [ʃwɛtaʀ, aʀd] (1846, *in* D. D. L.).

DÉR. Chouettement.

CHOUETTEMENT [ʃwɛtmã] adv. — 1843; de 2. *chouette.*

Fam. De façon chouette. → **Épatamment.** *«Le type le plus chouettement mis»* (Morand).

CHOU-FLEUR [ʃuflœʀ] n. m. — 1611; de *chou,* et *fleur,* pour traduire l'ital. *cavolofiore.*

◆ **1** Chou d'une variété dont les inflorescences forment une masse blanche, charnue et comestible. → aussi **Brocoli.** *Des choux-fleurs. Préparer du chou-fleur au gratin.*

Sur le carreau de la rue Rambuteau, il y avait des tas gigantesques de choux-fleurs, rangés en piles comme des boulets, avec une régularité surprenante. Les chairs blanches et tendres des choux s'épanouissaient, pareilles à d'énormes roses, au milieu des grosses feuilles vertes (...)
ZOLA, le Ventre de Paris, t. I, p. 28.

◆ **2** (Par anal. de forme). Botte de muguet composée de 500 à 1 000 brins.

◆ **3** Loc. fam. *Avoir les oreilles en chou-fleur :* avoir les oreilles boursouflées (à la suite de coups, par exemple).

CHOUÏA ou **CHOUYA** [ʃuja] n. m. et adv. — 1866; arabe maghrébin *chouïa,* arabe class. *šáysän fášáysän* «petit à petit», puis «un peu».

Familier.

◆ **1** Loc. adv. *(Un chouya, un chouïa).* Un petit peu. *Tu veux de la gnôle ? — Un chouïa.*

1 Dis donc, Gil, t'as pas picolé un chouïa ?
— Ten fais pas, gosse. C'est avec mon pognon.
Jean GENET, Querelle de Brest, p. 244.

Devant un adjectif :

2 (...) il sortit de cet endroit un chouïa lugubre en utilisant une porte sur laquelle on avait écrit «Entrée» (...)
R. QUENEAU, le Dimanche de la vie, p. 83.

◆ **2** adv. (1935). *Chouya :* beaucoup (en phrase négative). *Il n'y en a pas chouya.*

3 On a du rhum, dit Dandieu. Pas chouya : juste une gorgée pour chacun.
SARTRE, la Mort dans l'âme, p. 172 (1949).

4 La beauté, moi je peux t'en causer. La beauté, ça ne veut souvent pas dire chouïa. Celui qui voudrait juger sur la mine...
M. AYMÉ, le Vin de Paris, «Traversée de Paris», p. 58.

CHOUINER [ʃwine] ou **CHOUGNER** [ʃuɲe] v. intr. — 1889; *chouigner* en argot; du rad. expressif *ouign-* exprimant un grognement d'animal (porc, canard). → Couiner, coin-coin.

Région. ou fam. Pleurnicher.

Les enfants se mirent à chougner, à griffer, à faire endêver leurs parents (...)
Jacques ROUBAUD, la Belle Hortense, p. 170.

CHOULEUR [ʃulœʀ] n. m. — 1954; de *chouler* (t. de mar.) «charrier un chargement».

Techn. Appareil monté sur chenilles ou sur pneus, muni d'une benne mécanique, et destiné à charger des matériaux.

CHOU-NAVET [ʃunavɛ] n. m. — 1732; de *chou,* et *navet.*

Chou dont la racine a l'apparence d'un gros navet. *Le chou-navet s'apparente au rutabaga*. Des choux-navets.*

CHOUPETTE [ʃupɛt] n. f. — Déb. xxᵉ; probablt de *chou* «coque de rubans». → Chou (5.).

Fam. Houppe, houppette. — Nœud, chou* de ruban qu'on met dans les cheveux des petites filles.

Quand j'ai vu Micheline, toute pomponnée, avec une choupette, les yeux brillants, j'ai dit : «On dirait une chinoise».
Jean FERNIOT, Pierrot et Aline, p. 84 (1973).

CHOU-PILLE [ʃupij] n. m. — xvIIᵉ; comp. de *chou,* cri du chasseur pour exciter son chien, et *pille,* impér. de *piller.*

Vén. Chien d'arrêt qui ne quête que sous le fusil.

CHOUQUE [ʃuk] ou **CHOUQUET** [ʃukɛ] n. m. — 1835, *chouque; chouquet,* 1678; «petite souche, billot», 1381; forme normanno-picarde de *souche.*

Mar. Gros billot de bois servant à assembler un mât supérieur avec la tête du mât inférieur. *Le bas-mât est uni au mât de hune par un chouquet* (Académie, 1835).

Anciennt. Billot où un condamné à la décapitation posait sa tête.

CHOUQUETTE [ʃukɛt] n. f. — Attesté 1950; croisement probable avec *chou* d'un dér. de *chouque,* var. régionale de *souche.*

Petit chou (6.) recouvert de grains de sucre. *Acheter des chouquettes pour manger avec une glace.*

CHOU-RAVE [ʃurav] n. m. — xvIᵉ; de *chou,* et *rave.*

Variété de chou cultivée pour ses racines. *Des choux-raves.*

HOM. Formes du v. **chouraver.**

CHOURAVER [ʃurave] v. tr. — 1938, Esnault; romani *tchorav,* même sens.

(Répandu dans l'usage fam., étudiant, etc., v. 1960).

Argot. Voler, prendre.

Qui c'est qui a vu ma gamelle, bonsoir? Marquée A. L. QUI a chouravé ma gamelle?
A. SARRAZIN, la Cavale, p. 145.

Abrév. (*chouraver* étant traité comme un javanais infixé en -*av*-) : *chourer* (même sens). *Il s'est fait chourer son portefeuille.*

CHOURIN [ʃurɛ̃] n. m. → Surin.

CHOURINER [ʃurine] v. tr. — 1828; var. de *suriner.*

Argotique et vx. Tuer ou blesser à coups de couteau. → Suriner.

CHOURINEUR [ʃurinœr] n. m. — 1842; var. de *surineur.*

Argotique et vx. Assassin qui tue au couteau (mot répandu par E. Sue, dont un personnage porte ce nom, dans les Mystères de Paris). — Var. : *surineur*.*

1 Ainsi ce boucanier, ainsi ce chourineur
A fait d'un jour d'orgueil un jour de déshonneur.
HUGO, les Châtiments, VI, 11.

2 (...) le couteau eût mieux valu, sans doute, le rudimentaire couteau du chourineur filial !
Léon BLOY, le Désespéré, p. 9.

CHOUROUN [ʃurun] n. m. Syn. régional de *aven* (cit. 1).

CHOUTE [ʃut] adj. et n. f. — xxᵉ; fém. pop. de *chou* pris adjectivement. → Chou.

Fam. Mignonne, gentille. *Ce qu'elle est choute !* — N. f. *Oui, ma choute.*

Sur deux tréteaux noirs assez bas reposait le petit cercueil où sa fillette était enfermée.
— Elle dort, la pauvre choute.
Jean GENET, Pompes funèbres, p. 62.

HOM. Shoot; formes du v. shooter.

CHOUYA [ʃuja] n. m. et adv. → Chouïa.

CHOW-CHOW [ʃoʃo; ʃuʃu] n. m. — 1898; *in* Höfler; mot angl., du jargon anglo-chinois.

Chien d'origine chinoise, à abondant pelage uni, et dont le sens de l'orientation est remarquable. *Des chows-chows.*

HOM. Chouchou.

CHOYER [ʃwaje] v. tr. [CONJUG.: *noyer*.] — 1541; *chuer, chouer,* xIIIᵉ, d'orig. obscure; on a proposé le gallo-roman **cavicare, caucare,* de *cavere* «prendre garde», l'anc. franç. *choe* «chouette», en raison de la tendresse maternelle de cet oiseau; P. Guiraud évoque l'anc. wallon *chouer* «essuyer», du lat. *exsucare.*

♦ 1 Soigner avec tendresse, entourer de prévenances, de soins. → Cajoler, combler, entourer, mignarder, mignoter, soigner. *Elle choie ses enfants. Choyer à l'excès.* → Gâter.

Je t'ai toujours choyé, t'aimant comme mes yeux.   1
LA FONTAINE, Fables, VIII, 22.

Il prétendait n'être aimé de personne, lui qu'on avait toujours choyé et gâté plus que tous les autres dans la famille.   2
G. SAND, la Petite Fadette, XXXI, p. 206.

Avoir de grands égards pour (qqn), chercher à plaire à (qqn). *Il le choie pour gagner son amitié.* → Caresser.

♦ 2 (Compl. n. de chose concrète). S'occuper avec grand soin de (qqch.). *Il choie sa collection de médailles, sa bibliothèque.*

De peur de voir finir mon argent, je le choie.   3
ROUSSEAU, les Confessions, I.

♦ 3 (Compl. n. de chose abstraite). Entretenir avec tendresse, complaisance (une idée, un sentiment, un état). → Cultiver, entretenir. *Choyer un préjugé, une idée, une théorie.*

Et comment détruire *l'absurde,* — que nous choyons et   4
cultivons — quand il nous est délicieux?
VALÉRY, l'Idée fixe, p. 14.

♦ SE CHOYER v. pron.

Se soigner.

(...) la colère fait mal;   5
Et je veux me choyer, quoi qu'enfin il arrive.
MOLIÈRE, l'Étourdi, II, 7.

♦ CHOYÉ, ÉE p. p. adj. *Enfant choyé, gâté par ses parents.* — Littér. *Rêve choyé.*

HOM. (De certaines formes). V. Choir, choix.

CHRÉMATISTIQUE [krematistik] adj. et n. f. — 1839; du grec *krêmatistikê* «science de la richesse», de *khrêmata* «les richesses».

Didact. Relatif à la production des richesses. *Conception chrématistique de l'économie,* qui prône la production intensive des biens de consommation, sans considération de leur utilité.

N. f. Partie de l'économie politique qui traite de la production des richesses.

Toute la chrématistique se résume à rechercher une production abondante et à peu de frais (...)
René GONNARD,
Histoire des doctrines économiques, VI, III.

CHRÊME [kʀɛm] n. m. — XVIᵉ; *cresme*, v. 1140; lat. ecclés. *chrisma*, du grec *khrisma* «onction, huile».

Liturgie. Huile consacrée, employée pour les onctions dans certains sacrements, certaines cérémonies des Églises catholique et orthodoxe. → **Huile, onction, onguent; sacrement.** *Le saint chrême est formé d'huile d'olive mêlée de baume.*
Baissez la tête, enfant, pour que le chrême y tombe!
LAMARTINE, Jocelyn, V, p. 182.
Loc. (Vx : langue class.). *Renier chrême et baptême :* être poussé à bout, amené à des excès par impatience, etc.

HOM. **Crème**; formes du v. **crémer**.

CHRÉMEAU [kʀemo] n. m. — V. 1175; de *chrême*.

Vx. Bonnet dont on coiffe l'enfant après l'onction du baptême.
— Oui, répondit celui-ci. C'est madame de Liorents qui portait le chrémeau.
Il dut donner des détails. Le chrémeau était le bonnet de baptême. Ni l'un ni l'autre de ces messieurs ne savaient cela; ils se récrièrent.
ZOLA, Son Excellence Eugène Rougon, t. I, p. 115.
Toile qui recouvre un autel nouvellement consacré.

-CHRÈSE Élément, du grec *khrêsis* «usage», entrant dans la composition de mots savants. → **Antichrèse, catachrèse.**

CHRESTOMATHIE [kʀɛstɔmati] n. f. — 1623, repris 1806; du grec *khrêstomatheia* «recueil de textes utiles», de *khrêstos* «utile», et *manthanein* «apprendre».

Didact. Recueil de morceaux choisis tirés d'auteurs classiques. → **Anthologie, florilège.** *Chrestomathie grecque; arabe. Chrestomathie médiévale* (française).

CHRÉTIEN, IENNE [kʀetjɛ̃, jɛn] adj. et n. — XIIᵉ; *chrestien; christian*, 842; lat. ecclés. *christianus*, grec *khristianos*, du grec *khristos*. → Christ.

I Adj. ♦ **1** (Personnes). Qui professe la foi en Jésus-Christ. *Le monde chrétien. Le peuple chrétien* (→ Catholique, cit. 2). *Une âme chrétienne.*
1 Le peuple juif, moqué des gentils; le peuple chrétien persécuté. PASCAL, Pensées, XI, 704.
2 J'eusse été près du Gange esclave des faux dieux, Chrétienne dans Paris, musulmane en ces lieux.
VOLTAIRE, Zaïre, I, 1.
Le Roi Très Chrétien, titre pris par les rois de France. *Sa Majesté très chrétienne.*
2.1 Les rois très chrétiens ne l'ont été que par antiphrase (...)
F. MAURIAC, Bloc-notes 1952-1957, p. 398.

♦ **2** (Choses). Qui appartient, est propre au christianisme (→ **Christianisme**). *La foi, la morale* (cit. 4), *la religion chrétienne. L'Église chrétienne. Recevoir le baptême chrétien. Confirmation chrétienne.* → **Communion.** *Religions chrétiennes. Rite chrétien d'Espagne.* → **Mozarabe.** *Mener une vie chrétienne,* conforme à la doctrine du christianisme. *La charité, vertu chrétienne. — L'ère chrétienne,* qui commence à l'année présumée de la naissance de Jésus-Christ, et dans laquelle on compte les années à partir de cette date. *— L'art chrétien.*
3 La vie chrétienne que je vous propose, si pénitente, si mortifiée, si détachée des sens et de nous-mêmes (...)
BOSSUET,
Sermon pour la profession de Mlle La Vallière.

Qui est empreint d'influence chrétienne, témoigne de cette influence. *Traditions chrétiennes. Morale, civilisation, culture chrétienne. Humanisme chrétien.*
4 Je n'ai pas la foi religieuse. Je suis, présentement, ce que j'appelle, pendant les heures d'amertume, un agnostique désespéré, ce que j'appellerai plus tard, ayant pesé les idées et les mots, un agnostique chrétien.
G. DUHAMEL, les Espoirs et les Épreuves, I, p. 10.
Spécialt. Qui est conforme à la générosité du parfait chrétien. → **Bon, charitable, généreux.** — *Vous n'exprimez pas là un sentiment chrétien.* — Qui s'accorde avec la justice, la morale. → **Honnête.** *C'est un moyen peu chrétien pour s'enrichir.*
Régional (Canada). Humain. *Ce que vous faites n'est pas chrétien.*
REM. Les emplois fig. de *catholique* sont de nature très différente.

II N. ♦ **1** Personne qui professe le christianisme*. → **Brebis, ouaille; élu, fidèle; catholique, orthodoxe, protestant, réformé** (→ Persécuter, cit. 1). *Les premiers chrétiens. Une jeune chrétienne. Mourir en chrétien, en bon chrétien. Un vrai chrétien :* un chrétien authentique, par oppos. aux *chrétiens du dimanche* (fam.), qui ne pratiquent leur foi que le dimanche. *— Chrétien jacobite.* → **Copte.** *Nom que l'arabe donne au chrétien.* → **Roumi.**
5 Ce fut à Antioche que, pour la première fois, les disciples furent appelés chrétiens.
BIBLE (SEGOND), Actes des Apôtres, XI, 26.
6 Il y a peu de vrais Chrétiens, je dis même pour la foi. Il y en a bien qui croient, mais par superstition; il y en a bien qui ne croient pas, mais par libertinage : peu sont entre deux. PASCAL, Pensées, IV, 256.
7 (...) nous confessons l'amour que Dieu a pour nous; c'est là toute la foi des chrétiens (...)
BOSSUET, Oraison funèbre de Anne de Gonzague.
8 Faire de son devoir son mérite par rapport à Dieu, son plaisir par rapport à soi-même, et son honneur par rapport au monde, voilà en quoi consiste la vraie vertu de l'homme et la solide dévotion du chrétien.
BOURDALOUE, Pensées, t. I, p. 397.
9 Ma conviction religieuse, en grandissant, a dévoré mes autres convictions; il n'est ici-bas chrétien plus croyant et homme plus incrédule que moi.
CHATEAUBRIAND, Mémoires d'outre-tombe, IV, X.
10 Il (Paul) reçut le baptême presque aussitôt. Les doctrines de l'Église étaient si simples qu'il n'eut rien de nouveau à apprendre. Il fut sur-le-champ chrétien, et parfait chrétien.
RENAN, les Apôtres, Œ. compl., t. IV, p. 583.
11 Le chrétien navigue à contre-courant; il remonte les fleuves de feu : concupiscence de la chair, orgueil de la vie. L'humaniste, lui, s'épuise à ne pas les descendre trop vite, à interrompre le glissement.
F. MAURIAC, Souffrances et Bonheur du chrétien, p. 159.
Polit. *Chrétiens progressistes :* chrétiens qui collaborent avec les partis de gauche pour mener leur action politique. *Chrétiens de gauche. Chrétiens traditionalistes, conservateurs.*
Fam. et vx. Chez les peuples chrétiens, Homme, individu.
12 (...) jamais je ne vis un plus hideux chrétien.
MOLIÈRE, l'École des femmes, II, 3.
Il fait un temps à ne pas laisser un chrétien dehors : il fait un temps de chien*. — Vx. Parler chrétien :* parler un langage intelligible.
13 Il faut parler chrétien, si vous voulez que je vous entende.
MOLIÈRE, les Précieuses ridicules, 6.
♦ **2** Fig. et rare. (*Un chrétien*). → **Bon-chrétien** (variété de poire).

CONTR. Agnostique, athée, gentil, hérétique, infidèle, païen.
◊ DÉR. Chrétiennement. — COMP. Antichrétien; démocrate-chrétien, social-chrétien. — Étouffe-chrétien.

CHRÉTIENNEMENT [kʀetjɛnmã] adv. — XVIᵉ; de *chrétien.*

D'une manière chrétienne. *Vivre, mourir chrétiennement.*

CHRÉTIENTÉ [kʀetjẽte] n. f. — V. 1050, *cristientet* «loi chrétienne»; d'après le lat. ecclés. *christianitas,* de *christianus.*

♦ **1** Ensemble des peuples chrétiens, et des pays où le christianisme domine. *La chrétienté primitive. Chrétienté divisée par l'hérésie, menacée par l'infidèle.*

1 Ce grand temple de la paix dans lequel toutes les nations de la chrétienté doivent entrer.
        VOITURE, Lettres, 186, *in* LITTRÉ.

2 (...) si (...) la chrétienté était restée ce qu'elle était, une communion, si le christianisme était resté ce qu'il était, une religion du cœur.
        Ch. PÉGUY, Notre jeunesse, p. 133.

♦ **2** Vx. Communauté chrétienne. *Les chrétientés orientales.*

CHRISCRAFT [kʀiskʀaft] n. m. — 1958, *in* Höfler; mot angl., marque déposée, avec la finale *craft* «embarcation».

Anglic. Canot à moteur de la marque de ce nom. — Par ext., abusivt. Canot automobile dont le moteur est à l'intérieur de la coque (par opposition au hors-bord), quelle que soit sa marque.

1 Pour comble de malchance, ils ont fait connaissance d'autres jeunes gens à chriscraft. Et je suis resté seul sur la plage avec ce damné canot pneumatique tandis que les enfants étaient invités à bord d'un coursier pétaradant.
        Pierre DANINOS, Un certain Monsieur Blot, p. 109.

2 Dans l'entre-deux guerres, la construction américaine avait largement répandu un type de canot glisseur rapide dit *runabout* identifié sous sa marque «Chriscraft», équivalent sur l'eau de la *Buick* ou de la *Ford.*
        Jean GIORDAN, le Yachting, p. 24.

CHRISMAL, ALE, AUX [kʀismal, o] n. m. et adj. — Av. 1732, Fleury, *in* Trévoux; lat. chrét. *chrismal, chrismalis.*

Liturgie.

♦ **1** N. m. Vase contenant l'huile du sacrement de l'extrême-onction.

♦ **2** Adj. Relatif au saint chrême*.

CHRISME [kʀism] n. m. — 1819; grec *khrismon.*

Didact. Monogramme du Christ formé des deux premières lettres grecques de son nom. *Le chrisme se rencontre sur des monuments, des édifices chrétiens. Poisson, symbolisant un chrisme du Christ.* → **Ichthys**; et aussi **inri.** *Étendard marqué du chrisme.* → **Labarum.**

CHRIST [kʀist] n. m. — Xᵉ; lat. ecclés. *christus,* du grec *khristos* «oint», trad. de l'hébreu *mâschiâkh.* → Messie.

♦ **1** Titre attribué à un envoyé de Dieu, oint* pour sauver le peuple, dans le judaïsme.

0.1 (...) ce n'est point cette parenté qui fait de lui un christ, titre déjà donné à Cyrus, et qui lui transmet son autorité comme fondateur de religion (...)
        E. BURNOUF, la Science des religions, p. 172.

1 (...) ceux qui avaient reçu une onction sainte, par exemple des rois comme David ou des Grands Prêtres, portaient le titre d'*oint* du Seigneur, en araméen *Meschiah,* messie, en grec *Christos.* C'est de ce terme qu'on désignera tout naturellement le mystérieux médiateur qui viendra, au nom de Dieu, assurer la «rédemption d'Israël» et le jugement.
        DANIEL-ROPS, Histoire sainte, IV, III, p. 378.

Dans le christianisme, Nom donné à Jésus de Nazareth qui s'unit sans se confondre au Père et au Saint-Esprit dans la Sainte-Trinité. *Le christ Jésus. Jésus le Christ* ou *Jésus-Christ* [ʒezykʀi] (abrév. : *J.-C.*), et, absolt, *Christ* (usage des chrétiens de l'Église réformée). *Jésus-Christ, le Verbe. Le Christ, Rédempteur, Sauveur, Seigneur* (→ Antéchrist, cit. 2; assoupissement, cit. 9). *La parole du Christ* (→ **Christique**).

2 Je sais que le Messie doit venir (celui qu'on appelle Christ); quand il sera venu, il nous annoncera toutes choses. Jésus lui dit : Je le suis, moi qui te parle.
        BIBLE (SEGOND), Évangile selon saint Jean, IV, 23.

Fam. *Avoir une figure de Christ,* une figure rappelant celle que la tradition et les arts attribuent au Christ.

♦ **2** Image représentant Jésus-Christ. *Christ en croix*.* → **Crucifix.** *Un christ d'ivoire. Baiser un christ, le christ* (Académie). *Les christs des chemins de croix, des vitraux d'église. Une tête de Christ ceinte de la couronne d'épines. Christ sur un calvaire*. Christ ceint d'une auréole. Christ en gloire*, en majesté** (→ **Amande, mandorle**). — *Le Christ mort,* tableau de Mantegna.

3 Aux carrefours, les vieux christs qui gardaient la campagne étendaient leurs bras noirs sur les calvaires, comme de vrais hommes suppliciés (...)
        LOTI, Pêcheur d'Islande, III, XII, p. 188.

CONTR. Antéchrist. ◊ DÉR. et COMP. Christique. Christologie.

CHRISTE-MARINE ou **CRISTE-MARINE** [kʀist(ə)maʀin] n. f. — XVᵉ, *crete marine;* adapt. du lat. sc. *cretanus marinus,* altér. du lat. *crista,* du grec *khrêtmos* «fenouil de mer».

♦ **1** Crithme maritime *(Ombellifères)* dont la tige est comestible (confite au vinaigre).

♦ **2** Inule *(Composacées).* → Crithme (faux crithmum).

CHRISTIANIA [kʀistjanja] n. m. — 1906; mot norv., anc. nom d'Oslo.

Ski. Virage ou arrêt exécuté skis parallèles, par opposition aux techniques (→ **Chasse-neige, stem**) dans lesquelles les skis convergent. *Christiania léger. Christiania amont et christiania aval. Christiania arrêt.* — REM. Sans être à proprement parler vieilli, le mot tend à sortir de l'usage. On dit plus volontiers aujourd'hui *virage parallèle* (pour *skis parallèles*).

CHRISTIANISATION [kʀistjanizasjɔ̃] n. f. — 1843; de *christianiser.*

Action de christianiser; état de ce qui est christianisé.

On mesure ainsi combien récente, à l'Est de l'Elbe et surtout de l'Oder, est la christianisation de l'Allemagne.
        André SIEGFRIED, l'Âme des peuples, V, I, p. 114.

CHRISTIANISER [kʀistjanize] v. tr. — Fin XVIᵉ; grec *khristianizein,* de *khristianos.* → Chrétien.

Rendre chrétien. → **Évangéliser,** et aussi **catholiciser.** — Au p. p. *Pays païen christianisé par l'action de missionnaires.*

1 Ces prêtres implantés dans des lieux saints plus antiques qu'eux-mêmes font songer aux protestants utilisant, après les avoir dénudées, les cathédrales, ou aux chrétiens christianisant les temples de Rome.
        M. YOURCENAR, Archives du Nord, p. 29.

♦ **SE CHRISTIANISER** v. pron.

Se convertir au christianisme. *Les peuples d'Afrique du Nord ne se sont pas christianisés.* S'imprégner d'idées, de sentiments empruntés au christianisme.

2 C'est l'abstraction barbare, que l'Islam seul civilisera sans la perdre. De l'art byzantin elle acceptera l'écriture, non la transcendance hantée. L'art ne se christianise pas en glissant le visage du Christ dans les entrelacs des nomades.
MALRAUX, les Voix du silence, p. 226.

CONTR. Athéiser, paganiser. ◊ DÉR. Christianisation.

CHRISTIANISME [kristjanism] n. m. — XIIIᵉ; lat. ecclés. *christianismus*, grec *khristianismos*, de *khristianos*. → Chrétien.

Doctrine religieuse fondée sur l'enseignement, la personne et la vie de Jésus-Christ; la religion, la communauté chrétienne. *Le Dieu du christianisme.* → **Trinité; monothéisme.** *Christianisme primitif.* → **Judéo-christianisme.** *Christianisme universaliste de saint Paul.* → **Paulinisme.** *Les apôtres*, premiers propagateurs du christianisme. Convertir qqn au christianisme. Les commandements du christianisme se résument en l'amour de Dieu et du prochain. La Bible, texte essentiel du christianisme. Défense du christianisme.* → **Apologétique.** *Dogmes du christianisme.* → **Coexistence, communion** (des saints), **confession, consubstantialité, consubstantiation, incarnation, monothéisme, rémission** (des péchés), **résurrection, transsubstantiation, trinité, vie** (éternelle) [cf. rôle de Jésus-Christ prophète, roi et sacrificateur]. *Sacrements* du christianisme. Principales fêtes du christianisme.* → **Annonciation, Ascension, Circoncision, Nativité, Noël, Passion, Vendredi** (saint), **Pâques, Résurrection, Transfiguration.** *Religions* qui pratiquent le christianisme.* → **Catholicisme; orthodoxe** (Église); **protestantisme, réforme.** *Les schismes* qui ont divisé le christianisme.* → **Hérésie; arianisme, donatisme, gnose, particularisme; réforme.** *Christianisme orthodoxe, libéral. Christianisme étroit, puritain, sectaire. Christianisme large, tolérant.* → *Le Génie du christianisme,* œuvre de Chateaubriand.

1 Que ses douleurs l'ont rendue savante dans la science de l'Évangile, et qu'elle a bien connu la religion et la vertu de la croix, quand elle a uni le christianisme et les malheurs!
BOSSUET, Oraison funèbre de la reine d'Angleterre.

2 Des églises dont les ferveurs ne le cèdent en rien à celles du christianisme naissant.
BOURDALOUE, Panégyrique de saint François Xavier.

3 L'instituteur divin du christianisme, vivant dans l'humilité et dans la paix, prêcha le pardon des outrages; et sa sainte et douce religion est devenue, par nos fureurs, la plus intolérante de toutes, et la plus barbare.
VOLTAIRE, Essai sur les mœurs, 7.

4 Le christianisme est une religion toute spirituelle, occupée uniquement des choses du ciel; la patrie du chrétien n'est pas de ce monde. Il fait son devoir, il est vrai, mais il le fait avec une profonde indifférence pour le bon ou mauvais succès de ses soins. Pourvu qu'il n'ait rien à se reprocher, peu lui importe que tout aille bien ou mal ici-bas. Si l'État est florissant, à peine ose-t-il jouir de la félicité publique; il craint de s'enorgueillir de la gloire de son pays : si l'État dépérit, il bénit la main de Dieu qui s'appesantit sur son peuple.
ROUSSEAU, Du contrat social, IV, VIII, p. 332.

5 Le christianisme a été prêché par des ignorants et cru par des savants, et c'est en quoi il ne ressemble à rien de connu.
J. DE MAISTRE, Considérations sur la France, v.

6 Ce ne serait rien connaître que de connaître vaguement les bienfaits du christianisme : c'est le détail de ses bienfaits, c'est l'art avec lequel la religion a varié ses dons, répandu ses secours, distribué ses trésors, ses remèdes, ses lumières : c'est ce détail, c'est cet art qu'il faut pénétrer.
CHATEAUBRIAND, le Génie du christianisme, IV, VI, 1.

7 Le christianisme est parfait : les hommes sont imparfaits. Or, une conséquence parfaite ne peut sortir d'un principe imparfait.
Le christianisme n'est donc pas venu des hommes.
S'il n'est pas venu des hommes, il ne peut être venu que de Dieu.
S'il est venu de Dieu, les hommes n'ont pu le connaître que par révélation.
Donc le christianisme est une religion révélée.
CHATEAUBRIAND, le Génie du christianisme, IV, VI, 13.

8 Les origines du christianisme, en effet, doivent être placées au moins sept cent cinquante ans avant Jésus-Christ, à l'époque où apparaissent les grands prophètes, créateurs d'une idée entièrement nouvelle de la religion.
RENAN, Discours et Conférences, Œ. compl., t. I, p. 910.

9 Ceux qui ont fait la légende de Jésus ont une part presque égale à la sienne dans l'œuvre du christianisme; celui qui a fait la légende de l'Église primitive a pesé d'un poids énorme dans la création de la société spirituelle où tant de siècles ont trouvé le repos de leurs âmes.
RENAN, les Évangiles, Œ. compl., t. V, p. 304.

10 Le christianisme (*à l'époque pré-moyenâgeuse*) reposait non sur des croyances ou des traditions populaires, mais sur la révélation d'une vérité absolue contenue dans des livres saints destinés à l'humanité entière.
Ch. SEIGNOBOS, Hist. sincère de la nation franç., III, p. 69.

11 Il n'est pas douteux que le christianisme ait été une transformation profonde du judaïsme. On l'a dit bien des fois : à une religion qui était encore essentiellement nationale se substitua une religion capable de devenir universelle. À un dieu qui tranchait sans doute sur tous les autres par sa justice en même temps que par sa puissance, mais dont la puissance s'exerçait en faveur de son peuple et dont la justice concernait avant tout ses sujets, succéda un dieu d'amour et qui aimait l'humanité entière.
H. BERGSON, les Deux Sources de la morale et de la religion, III, p. 254.

12 (...) ce que l'Église préparait, au milieu de la désagrégation du monde, c'était une civilisation fondée sur l'homme, une société dont la raison déterminante fût la personne (...) En renouvelant les bases mêmes de l'homme, en rendant leur sens à ses valeurs, le christianisme se trouvait donc rassembler les éléments de la cité future. La cité future, c'est la fraternité chrétienne, où chacun se sent aimé, soutenu; où chacun trouve la liberté spirituelle et la possibilité de l'épanouissement moral. Cette représentation grandiose d'une humanité reçue le trait-de-force du christianisme au moment de la grande débâcle du monde antique.
DANIEL-ROPS, l'Église des apôtres, p. 673.

CONTR. Agnosticisme, antichristianisme, athéisme, paganisme. ◊ COMP. Néo-christianisme.

CHRISTIQUE [kristik] adj. — Av. 1892; de *Christ.*

Qui a rapport à la personne du Christ. «*Il existe deux films sur Lourdes (...) on en a fait un troisième (...) boitillant sans cesse entre la religion de l'auteur et l'irréligion du réalisateur, à la mystique moins christique que sacristique* (de sacristie)» (*le Nouvel Obs.*, 15 nov. 1957, p. 37).

Le jeune clergé veut accomplir la véritable mission de l'Église; il veut réaliser dans le monde la parole christique : *Mihi fecisti,* ce que vous avez fait à ce pauvre, c'est à moi que vous l'avez fait.
Jean-Louis CURTIS, le Roseau pensant, p. 259.

CHRISTMAS [kristmas] n. m. — 1837, Vigny; mot angl., de *mass* «messe», et *Christ.*

Fête de Noël, dans les pays anglophones. → **Noël.** «*Nous avons eu ici l'autre jour notre petit christmas d'enfants pauvres*» (Hugo, *Correspondance, in* T. L. F.).

Les préparatifs du dîner de Christmas occupèrent longtemps Aurelle et le Padre. Ce dernier trouva chez un fermier une dinde digne des tables royales (...)
A. MAUROIS, les Silences du colonel Bramble, p. 121.

CHRISTOLOGIE [kʀistɔlɔʒi] n. f. — 1836; de *Christ*, et *-logie*.

Théol. Partie de la théologie chrétienne qui étudie la personne et la doctrine du Christ. *La christologie du Nouveau Testament.*

CHRISTOPHORE [kʀistɔfɔʀ] n. m. — 1866; grec *khristophoros*, de *Khristos* (→ Christ), et *-phoros* (→ -phore).

Didact. (relig.). Celui qui porte le Christ, symboliquement (comme saint *Christophe* porte l'enfant Jésus).

CHROM-, CHROMO- Élément, du grec *khrôma, -atos* «couleur» (→ aussi **Chromat-**, ou **chromato-**, et le suff. **-chrome**), qui entre dans la composition de nombreux mots savants. Voir à l'ordre alphabétique.

CHROMAGE [kʀomaʒ] n. m. — xxᵉ; de *chromer*.

Action de chromer; son résultat. *Le chromage d'un pare-chocs.*

CHROMAT-, CHROMATO- → Chrom-.

CHROMATE [kʀɔmat] n. m. — 1797; de *chrom(e)*, et *-ate*.

Chim. Sel formé par la combinaison de l'acide chromique et d'une base. *Chromate neutre. Chromate oxydant.* → **Bichromate.** *Chromate jaune* (de potassium). *Chromate de plomb* ou *jaune de chrome. Chromate rouge* : bichromate de potassium.

DÉR. **Chromaté.** ◊ COMP. **Bichromate.**

CHROMATÉ, ÉE [kʀɔmate] adj. — 1808, Cuvier; de *chromate*.

Chim. Qui contient un sel de chrome. *Fer chromaté.*

CHROMATICITÉ [kʀɔmatisite] n. f. — xxᵉ; de *chromatique*.

Phys. Ensemble des caractères physiques qui contribuent à la sensation colorée propre à une lumière.

CHROMATIDE [kʀɔmatid] n. f. — xxᵉ; de *chromat-*, et *-ide*.

Biol. Chacune des deux parties d'un chromosome* résultant de sa division longitudinale (par division des centromères) au cours de la méiose. «*la duplication a eu lieu, les chromatides apparaissent avant que se séparent les chromosomes analogues qui, néanmoins, conservent des points de jonction qu'ils conservent tandis que se forme un fuseau vers les pôles opposés*» (*Sciences et Avenir*, nᵒ 418, déc. 1981, p. 65).

CHROMATINE [kʀɔmatin] n. f. — 1896; de *chromat-* (→ Chrom-), et *-ine*.

Biol. Matière chimiquement assimilable à l'ADN, et qui, dans le noyau des cellules, fixe les colorants. *La chromatine, constituant des chromosomes*. L'hétérochromatine* (1935, Heitz), *variété de chromatine ne disparaissant pas, comme la chromatine normale* (ou *euchromatine*) *du noyau lors de la télophase.*

1 C'est Flemming qui désigne sous le nom de chromatine la substance dont sont faites les particules colorantes du noyau, et qui lui montre, en 1880, que, lors de la division cellulaire, la division des particules se fait dans le sens de la longueur.

Jean ROSTAND,
Esquisse d'une histoire de la biologie, p. 175.

On sait (...) que la plupart des chromosomes possèdent les 2 deux sortes de chromatines en quantité variable et qu'il y a des régions euchromatiques et d'autres hétérochromatiques. Au repos, les régions hétérochromatiques ont tendance à s'agglomérer : elles forment ainsi le *chromocentre* des cellules salivaires, chez la Drosophile.

Raymond HOVASSE, in Encycl. Pl., Biologie, p. 235.

DÉR. **Chromatinien.**

CHROMATINIEN, IENNE [kʀɔmatinjɛ̃, jɛn] adj. — V. 1920; de *chromatine*.

Biol. Relatif à la chromatine; constitué de chromatine. «*Les services doivent disposer d'un laboratoire de cytogénétique développé selon les trois méthodes principales d'étude des aberrations chromosomiques : la recherche du corpuscule chromatinien de Barr par analyse des frottis d'épithélium buccal (...)*» (*la Recherche*, juin 1970, p. 126).

CHROMATIQUE [kʀɔmatik] adj. et n. f. — xivᵉ; lat. *chromaticus*, du grec *khrôma* «couleur, ton musical».

I Mus. et cour. Qui procède par demi-tons consécutifs (par oppos. à *diatonique*). *Gamme, échelle chromatique. Succession chromatique ascendante, descendante.* — *Demi-ton chromatique*, formé par deux notes qui portent le même nom, mais dont l'une est altérée. → **Apotome.**

L'appel commença en tons et demi-tons, comme une 1 gamme chromatique.

P. MAC ORLAN, la Bandera, XIII, p. 159.

Vx (langue class.). *Musique chromatique*, et, n. f., *la chromatique* : musique douce, langoureuse. → **Bémol** (*supra* cit. 3).

Il y a de la chromatique là-dedans. 2

MOLIÈRE, les Précieuses ridicules, 9.

II Didact. ♦ **1** Relatif aux couleurs. *Construction chromatique. Fonction chromatique de certains animaux* (tel le caméléon). — *Couleur chromatique*, comportant une longueur d'onde spécifiante. *Ton chromatique.*

Opt. *Aberration* chromatique*, due à une réfraction inégale des différentes couleurs d'une lumière complexe. *Objectif corrigé de l'aberration chromatique.* → **Apochromatique**; et aussi **achromatique.**

N. f. Vx. Partie de l'optique traitant de la dispersion et de la recomposition de la lumière, des raies spectrales, de la théorie des couleurs.

♦ **2** Arts. Relatif à la couleur, en peinture. *Qualités chromatiques d'une toile. Génie chromatique et génie plastique.* — *Abstraction* chromatique* : peinture abstraite basée sur l'utilisation de la couleur.

III (1897). Didact. (biol.). Du chromosome. → **Chromosomique.** *Réduction chromatique* : réduction du nombre de chromosomes dans la méiose. — *De la chromatine**, qui a rapport à la chromatine.

Van Beneden fait une autre constatation capitale, à savoir 3 que le noyau des cellules reproductrices mûres contient *deux fois moins* de chromosomes que le noyau des cellules germinales qui leur donnent naissance. Boveri, en 1887, confirmera cette importante découverte de la loi de *réduction chromatique.*

Jean ROSTAND,
Esquisse d'une histoire de la biologie, p. 175.

CONTR. **Achromatique.** ◊ DÉR. (Du I.). **Chromatiquement.** — (Du II.). **Chromaticité.** → COMP. **Apochromatique, isochromatique.**

CHROMATIQUEMENT [kʀɔmatikmã] adv. — 1552; de *chromatique*.

Mus. D'une manière chromatique, par demi-tons.

CHROMATISER [kʀɔmatize] v. tr. — 1877; grec *khrô-matizein* «colorer», de *krôma*. → Chromatique.

I Didact. Donner une teinte irisée à...

II Mus. Rendre chromatique. *Chromatiser une gamme.*

CHROMATISME [kʀɔmatism] n. m. — 1829; grec *khrômatismos* «coloris», de *khrôma* «couleur».

I Didact. ou littér. ◆ **1** Ensemble de couleurs. → **Coloration, couleur.**

1 (...) les chromatismes légendaires, sur le couchant.
RIMBAUD, Illuminations, «Soir historique».

◆ **2** Palette d'un peintre, couleurs qu'il utilise de préférence; ensemble des couleurs d'une œuvre picturale. → **Tonalité.**

2 Et le chromatisme des seigneurs des chasses voisines de ces baigneuses, malgré une palette curieusement proche de celle de Doura, n'a rien de commun avec celui d'aucun portrait de saint (...)
MALRAUX, la Métamorphose des dieux, p. 128.

II (1899; de *chromatique*, I., d'après *chromatisme*, I.). Mus. Caractère de ce qui est chromatique.

COMP. V. **Isochromatisme.**

CHROMATO- → Chrom-.

CHROMATOGÈNE [kʀɔmatɔʒɛn] adj. — 1852; de *chromato-* (→ Chrom-), et *-gène*.

Didact. (biol.). Qui produit une substance colorante (dans un organisme).

On a encore décrit, ou plutôt supposé, dans l'épaisseur du derme, d'autres glandes destinées à la sécrétion de l'épi-derme (appareil kératogène) et à la sécrétion de la matière colorante contenue dans l'épiderme (appareil chromato-gène).
J. BÉCLARD, Éléments d'anatomie générale, p. 213 (1852).

CHROMATOGRAMME [kʀɔmatɔgram] n. m. — Mil. xxᵉ; le mot aurait été forgé en russe par Tswett (1906); de *chromato(graphie)*, et *-gramme*.

Didact. Tableau obtenu par la chromatographie.

La chromatographie appliquée aux divers fromages a du reste révélé que chaque sorte présentait son chromato-gramme particulier et qu'il y avait donc une relation entre la présence de telles ou telles substances, avec la saveur caractéristique de la variété considérée.
André ECK, le Lait et l'Industrie laitière, p. 57.

CHROMATOGRAPHIE [kʀɔmatɔgrafi] n. f. — 1949; de *chromato-* (→ Chrom-), et *-graphie*.

Didact. Méthode d'analyse chimique par absorption sélective des constituants d'un mélange par une matière pulvérulente (les couches obtenues peuvent être diversement colorées). — REM. Le procédé lui-même date de 1906 (→ Chromatogramme).

DÉR. **Chromatographique.** — V. **Chromatogramme.**

CHROMATOGRAPHIQUE [kʀɔmatɔgrafik] adj. — 1955; de *chromatographie*.

Qui a rapport à la chromatographie. *Analyse chromatographique.*

CHROMATOPHILE [kʀɔmatɔfil] adj. et n. → **Chromophile.**

CHROMATOPHORE [kʀɔmatɔfɔʀ] n. m. et adj. — 1872; *chromophore*, 1838; de *chromato-*, et *-phore*.

Biol. Cellule du derme de certains animaux, riche en pigment, qui peut se dilater ou se rétracter.

(...) l'animal peut, à volonté, étaler ses chromatophores noirs, rouges, verts, bleus... et ainsi éteindre ou modifier instantanément sa couleur, comme nous changeons celle de nos lampes électriques en intercalant un verre coloré.
CLAUDEL, Journal, nov. 1927.

Adj. *Tissu chromatophore.*

CHROMATOPSIE [kʀɔmatɔpsi] n. f. — 1948; de *chromat-*, et *-opsie*.

Didactique.

◆ **1** Physiol. Vision des couleurs.

◆ **2** Pathol. Trouble de la perception des couleurs caractérisé par l'impression de voir colorés des objets incolores, ou par la perception de couleurs différentes des couleurs réelles. → **Daltonisme.**

CHROME [kʀom] n. m. — 1797, Vauquelin; *crome* (mus.) «dièse», 1562; empr. au grec *khrôma* «couleur», à cause des composés très colorés du métal.

◆ **1** Métal gris, brillant, très dur (symb. *Cr*; n° at. 24; p. at. 51,996; dens. 7,18 à 7,20; temp. de fusion 1 890 °C). *On obtient le chrome par réduction de l'oxyde par l'aluminium. Minerais contenant du chrome : fer chromé ou chromite; chromate de plomb (jaune de chrome). Composés oxygénés du chrome : protoxyde, oxyde de chrome; sesquioxyde de chrome (utilisé dans la fabrication de colorants pour la porcelaine); anhydride chromique. Les hydrates de chrome donnent des colorants (vert de chrome...). Sels de chrome.* → **Chromate** (sels oxygénés : sels chromeux, sels chromiques). *Alliages au chrome : fer, chrome, charbon (ferrochrome); fer, nickel, chrome (nichrome); aciers au chrome (aciers inoxydables). Le chrome peut prendre un très beau poli. Le chrome sert de catalyseur dans de nombreuses réactions.*
Loc. *Rouge, brun de chrome. Alun de chrome,* utilisé en teinture, tannerie.

◆ **2** Pièce métallique en acier chromé (spécialt, dans la carrosserie d'une automobile). *Nettoyer les chromes de sa voiture.*

De fait nous avons un peu vagué autour (de la voiture), plutôt pour ne pas nous attraper, tandis que sans rien voir elle cajolait les chromes !
Maurice CLAVEL, le Tiers des étoiles, p. 172.

DÉR. **Chromate, chromer, chromique.** ◊ COMP. **Ferro-chrome, nichrome.**

-CHROME, -CHROMIE Éléments, tirés du grec *khrôma, -atos* «couleur», et qui entrent dans la composition de nombreux mots savants. → **Achromatine, achromatique, achromatisme, achromatopsie, achromie, aluchromie, autochrome, dichromatique, héliochromie, lithochromie, métallochromie, monochrome, orthochromatique, panchromatique, photochromie, polychrome, stéréochromie, trichrome, trichromie, typochromie.** → aussi **Chrom(o)-, chromat(o)-.**

CHROMER [kʀome] v. tr. — xxᵉ; *chromé*, xixᵉ, La Châtre; de *chrome*.

Recouvrir (un métal) de chrome. *Chromer un acier.* — Tanner (un cuir) à l'alun de chrome.

◆ **CHROMÉ, ÉE** p. p. adj. *Acier chromé.* — *Cuir chromé, veau chromé.*

N. m. *Du chromé :* du métal chromé.

(...) figure-toi qu'ils ont été mettre sur cette porte en chêne massif une plaque de propreté et une poignée de porte en chromé (...)
N. SARRAUTE, le Planétarium, p. 29.

DÉR. **Chromage.**

CHROMINANCE [kʀɔminɑ̃s] n. f. — 1957; angl. *chrominance*, 1952; du grec *khrôma* «couleur», d'après *luminance*.

Télév. Représentation des informations relatives à la couleur d'une image de télévision. *Signal de chrominance.*

CHROMIQUE [kʀomik] adj. — 1797; de *chrome*.

Chim. *Acide chromique* (H_2CrO_4), *anhydride chromique* (CrO_3) : composés oxygénés du chrome. — *Chlorure chromique* ($CrCl_3$).

CHROMISTE [kʀomist] n. — V. 1880; de *chromo* (*chromolithographie*).

Techn. Technicien spécialisé dans le choix et l'emploi des encres de couleur, en lithographie. — Technicien retoucheur en photogravure, héliogravure, offset.

CHROMO [kʀɔmo; kʀomo] n. m. — 1872; abrév. de *chromolithographie*.

Image lithographique en couleurs. — Péj. Toute image en couleurs (avec une idée de mauvais goût, de vulgarité). *Un chromo naïf. Le bariolage d'un chromo. Des chromos complètement kitsch.*

1 (...) partout des dorures communes, des petits tableaux, des «chromos» vulgaires (...)
LOTI, Jérusalem, IV, p. 46.

2 Les bourgeois n'ont que le goût du chromo.
Paul LÉAUTAUD, Passe-temps, p. 81.

2.1 (...) les murs couverts de papier à ramages grossiers (...) les chromos (...) les fleurs artificielles émergeant des vases japonais gagnés à la foire (...)
N. SARRAUTE, le Planétarium, p. 104.

Par ext. (à propos d'une peinture, d'une description, etc.). Tableau, représentation de mauvais goût. *Tomber dans le chromo.*

2.2 — Donc Barrès décrit le ciel liquéfié se réfléchissant dans la lagune...
— Je vois d'ici le chromo!
— Mais non, attendez....
Claude MAURIAC, le Dîner en ville, p. 230.

REM. L'emploi de *chromo* au fém. (sur *chromolithographie*) est très peu fréquent. Cependant, certains auteurs s'y tiennent.

3 Entre le fer du lit, qui forme médaillon décoratif, et la chromo (...)
GIDE, Journal, Voyage en Andorre, 1910.

DÉR. V. **Chromiste**.

CHROMO- → Chrom-.

CHROMODYNAMIQUE [kʀomodinamik] n. f. — D. i. (v. 1980); empr. à l'angl. *chromodynamics* (1976), de *chromo-* (→ Chromo-), à cause de la propriété des quarks nommée arbitrairement «couleur», et de *dynamique*.

Phys. *Chromodynamique quantique* : théorie quantique des interactions fortes, fondée sur les nombres quantiques d'un «champ de couleur» (considérés comme analogues aux quanta de l'électrodynamique quantique pour les interactions électromagnétiques). *La chromodynamique étudie notamment les interactions fortes entre les hadrons* mettant en œuvre les quarks* et les gluons*. La chromodynamique est une théorie de jauge** (IV., 2.).

CHROMOGÈNE [kʀomoʒɛn; kʀomoʒɛn] adj. et n. m. — 1863; de *chromo-*, et *-gène*.

♦ 1 Adj. Susceptible de produire un pigment ou de permettre la pigmentation. *Substance, facteur chromogène.*

♦ 2 N. m. Biol. Substance incolore susceptible de produire un pigment. — (Génétique). Facteur responsable de la pigmentation.

Chim. Molécule organique colorée.

CHROMOGRAPHE [kʀomɔgraf; kʀomograf] n. m. — Attesté 1932; de *chromo-*, et *-graphe*.

Techn. Instrument permettant de tirer un dessin à plusieurs exemplaires.

CHROMOLITHOGRAPHIE [kʀomolitɔgrafi] n. f. — 1837; de *chromo-*, et *lithographie*.

Technique.

♦ 1 Procédé d'impression lithographique par lequel on obtient des images en plusieurs couleurs. → Lithographie.

♦ 2 Image obtenue par la chromolithographie. → Chromo.

Ah! Ah! Le décor change : ce sont les dahlias qui sont géants : rouges, blancs, disposés comme pour une chromolithographie (...)
Max JACOB, le Cornet à dés, p. 85.

DÉR. **Chromo**. V. **Chromiste**.

CHROMOPHILE [kʀomɔfil] adj. et n. — 1903, in *Rev. gén. des sc.*, n° 21, p. 1102; de *chromo-*, et *-phile*.

Didact. (biol.). Se dit des éléments histologiques qui possèdent une grande affinité pour les matières colorantes. *Cellules chromophiles.*

REM. On dit aussi *chromatophile* [kʀomatɔfil].

CHROMOPHOTOGRAPHIE [kʀomofɔtɔgrafi] n. f. — 1892; de *chromo-*, et *photographie*.

Vx. Photographie en couleurs.

CHROMOPROTÉINE [kʀomopʀɔtein] n. f. — 1926; de *chromo-*, et *protéine*; cf. angl. *chromoprotein*, 1924.

Biochim. Protéine liée à une molécule qui lui donne une couleur particulière. *L'hémoglobine est une chromoprotéine.*

CHROMOSCOPE [kʀomɔskɔp; kʀomoskɔp] n. m. — 1896; de *chromo-*, et *-scope*.

Techn. Appareil optique pour la vision des clichés orthochromatiques.

CHROMOSOME [kʀomozom] n. m. — 1888; mot all., du grec *khrôma* «couleur» (→ Chromo-), et *sôma* «corps» (→ -some).

Biol. et cour. Chacun des éléments essentiels du noyau cellulaire, de forme déterminée et en nombre constant (presque toujours pair) pour chaque espèce (46 chez l'homme), formés de chaînes d'A. D. N. organisées en gènes* et porteurs des facteurs déterminants de l'hérédité. *Les chromosomes furent rendus visibles par des colorants au cours de la division cellulaire grâce à la chromatine* qu'ils renferment* (d'où leur nom). → Gène; chromatique, chromosomique (→ Chromatine, cit. 2). *Chromosome géminé, bivalent* (ou diade). *Paires de chromosomes. Nombre haploïde, nombre diploïde de chromosomes. Chromosomes identiques* (→ Autosome) *et paire de chromosomes sexuels dissemblables* (mâle XY; femelle XX; ou mâle X, femelle XX). → Caryotype. *Centromère* d'un chromosome. Étude, carte des chromosomes. Remaniement de la structure des chromosomes par translocation.*

(...) nous savons que l'héritage vital réside essentiellement dans la région plus dense de la cellule qui porte le nom de *noyau*, et, plus précisément, dans des particules qu'on appelle *Chromosomes* parce qu'elles absorbent électivement certaines matières colorantes (...) Les chromosomes (...) sont de minuscules filaments à peine gros comme des microbes (...) Ils sont en nombre fixe dans chaque espèce vivante. Jean ROSTAND, l'Homme, III, p. 47.

DÉR. Chromosomique ou **chromosomien**. ◊ **COMP. Hétérochromosome. — V. Allosome, autosome, gonosome.**

CHROMOSOMIQUE [kʀomozomik; kʀɔmɔzɔmik] ou (rare) **CHROMOSOMIEN, IENNE** [kʀomozomjɛ̃, jɛn; kʀɔmɔzɔmjɛ̃, jɛn] adj. — 1931; de *chromosome.*
Didact. (biol.). Relatif aux chromosomes, aux facteurs héréditaires dont ils sont le support. *Analyse, examen chromosomique.* → **Chromatique.** *Évolution chromosomique d'une espèce. Carte chromosomique d'une espèce. La constitution chromosomique des «mongoliens» est anormale.*
Ses observations *(de Van Beneden)* portent sur un ver nématode, parasite de l'intestin du cheval, l'*Ascaris megalocephala*, qui, en raison du très petit nombre de ses chromosomes, se prêtait tout particulièrement à la numération chromosomique.
Jean ROSTAND,
Esquisse d'une histoire de la biologie, p. 175.

CHROMOSPHÈRE [kʀɔmɔsfɛʀ] n. f. — 1873; de *chromo-,* et *sphère.*
Astron. Couche moyenne de l'atmosphère solaire, entre la photosphère et la couronne solaire, visible seulement lors des éclipses totales.
DÉR. Chromosphérique.

CHROMOSPHÉRIQUE [kʀɔmɔsfeʀik] adj. — Av. 1877; de *chromosphère.*
Astron. Qui concerne la chromosphère. *Des éruptions chromosphériques. Réseau chromosphérique* (formé par les spicules* sur le pourtour des supergranules).

CHROMOTHÉRAPIE [kʀɔmoteʀapi] n. f. — Mil. XXᵉ; de *chromo-,* et *-thérapie.*
Didact. «Emploi des propriétés sédatives ou excitantes des couleurs dans un but thérapeutique (peinture des murs et du mobilier, éclairage coloré, etc.)» (Manuila).

CHROMOTYPOGRAPHIE [kʀɔmotipɔgʀafi] ou **CHROMOTYPIE** [kʀɔmotipi] n. f. — 1866, *chromotypographie; chromotypie,* 1884; de *chromo-,* et *typographie, -typie.*
Techn. Impression typographique en couleurs; épreuve obtenue par ce procédé.

CHRONAXIE [kʀɔnaksi] n. f. — 1909, Lapicque, t. de psychol.; de *chron(o)-,* et grec *axia* «valeur».
Physiol. Temps minimum d'excitation; spécialt, temps pendant lequel un courant électrique doit parcourir un nerf, un muscle, pour l'exciter.
Sur l'animal normal, éveillé, en bon état, les centres changent la chronaxie des nerfs (moteurs, sensitifs, organiques); certains ont alors une chronaxie supérieure, d'autres, une chronaxie inférieure à la chronaxie de constitution : ce sont là des chronaxies qui traduisent la *subordination* des nerfs aux centres (*chronaxie de subordination* de L. Lapicque).
Paul CHAUCHARD,
le Système nerveux et ses inconnues, p. 65.
DÉR. Chronaxique.

CHRONAXIQUE [kʀɔnaksik] adj. — 1937; de *chronaxie.*
Physiol. De la chronaxie.

-CHRONE → **Chrono-.**

CHRONICITÉ [kʀɔnisite] n. f. — 1835, Académie; de 2. *chronique.*
Didact. (d'abord méd.). État de ce qui est chronique. *Chronicité d'une maladie, d'un phénomène.*

1. **CHRONIQUE** [kʀɔnik] n. f. — 1213; lat. *chronica, -orum,* grec *khronika (biblia)* «annales».
◆**1** Recueil de faits historiques, rapportés dans l'ordre de leur succession. → **Annales, histoire, mémoires, récit.** *Les chroniques de Froissart, de Commynes.*
Histoire d'une famille ancienne et noble. *Les chroniques de Louis XI, de Charles VIII.* — Spécialt. *Le Livre des Chroniques,* dans l'Ancien Testament. → **Paralipomène.**
Sous le nom d'histoire de l'Europe, je ne voyais qu'une collection de chroniques parallèles qui s'entremêlaient par endroits. 1
VALÉRY, Regards sur le monde actuel,
Avant-propos, p. 14.
Récit qui met en scène des personnages réels ou fictifs et évoque des faits sociaux, historiques, authentiques. *Les Chroniques italiennes,* de Stendhal.
◆**2** Ensemble des nouvelles qui circulent sur les personnes. → **Bruit.** — (1690). *Chronique scandaleuse.* → **Calomnie, cancan, médisance, ragot.** — *Défrayer la chronique :* occuper le centre des propos. *Son absence prolongée a défrayé la chronique. Chronique mondaine.* → **Potin.** — REM. L'emploi au pluriel, dans ce sens, est archaïque.
Ces histoires de morts lamentables, tragiques, 2
Dont Paris tous les ans peut grossir ses chroniques.
BOILEAU, Satires, X, *in* LITTRÉ.
(...) la chronique scandaleuse de tous les consuls français. 3
CHATEAUBRIAND, Itinéraire..., 30, *in* LITTRÉ.
◆**3** (1812). Cour. Article de journal ou de revue, émission de radio, de télévision, consacrés à certaines nouvelles et à leurs commentaires. → **Article, courrier, nouvelle.** *Chronique artistique, théâtrale, littéraire, musicale. Chronique politique, diplomatique, financière. Chronique mondaine. La chronique des tribunaux. Chroniques judiciaires* (→ Pitoyable, cit. 2.1).
J'ai été bien coupable d'attendre si longtemps de vous remercier du plaisir que m'ont fait vos belles chroniques. 4
SAINTE-BEUVE, Correspondance, t. I, 69,
31 mai 1829.
DÉR. 1. Chronique, chroniquer, chroniqueur.

2. **CHRONIQUE** [kʀɔnik] adj. — XIVᵉ; de 1. *chronique.*
◆**1** Méd. Se dit de maladies qui durent longtemps et se développent lentement. → **Chronicité.** *Maladie, affection chronique. Entérite chronique. Bronchite passée à l'état chronique.* → **Invétéré.**
(...) je trouve que votre fille a une maladie chronique et qu'elle peut péricliter si on ne lui donne du secours (...) 1
MOLIÈRE, l'Amour médecin, II, 5.
◆**2** Qui dure (en parlant de ce qui est dommageable, fâcheux). *Chômage, mévente chronique.*
Ce que cette sorte de *perpétuelle menace* pesant sur les 2
hommes qui avaient la charge de gouverner, cet état presque chronique de crise, ces marchandages (...) auront pu coûter au pays est proprement incalculable.
Ch. DE GAULLE, Mémoires de guerre, p. 264,
in T. L. F.
CONTR. Aigu. ◊ **DÉR. Chronicité, chroniquement.**

-CHRONIQUE, -CHRONISME Éléments, du grec *khronos* «temps», qui entrent dans la composition de nombreux mots, le plus souvent didactiques. → **Anachronique, anachronisme, isochronisme,**

parachronisme, prochronisme, synchronique, synchronisme, tautochronisme. → aussi **Chrono-**.

CHRONIQUEMENT [kʀɔnikmɑ̃] adv. — 1835; *croniquement*, astron., XIVᵉ; de 2. *chronique*.

De façon chronique. *«Ses doigts chroniquement frémissants»* (Colette).

CHRONIQUER [kʀɔnike] v. — XIVᵉ; de 1. *chronique*.

♦ **1** V. tr. Traiter sous forme de chronique.

♦ **2** V. intr. (1866). Faire des chroniques.

1 S'il est difficile de dire ce que c'est qu'une bonne chronique, il n'est pas difficile de constater que les chroniques mauvaises en tant que chroniques pullulent (...) Bien chroniquer, si l'on veut m'autoriser à fabriquer ce mot, c'est bien saisir ce qui se passe (...)
Léon-Paul FARGUE, Commentaire, *in* G. BAUËR, les Billets de Guermantes, p. 13.

2 (...) véritable héros de la curiosité, de l'information, de l'inédit, de l'inconnu, de l'impossible, c'était un de ces intrépides observateurs qui écrivent sous les balles, «chroniquent» sous les boulets, et pour lesquels tous les périls sont des bonnes fortunes.
J. VERNE, l'Île mystérieuse, t. I, p. 15.

CHRONIQUEUR, EUSE [kʀɔnikœʀ, øz] n. — XVᵉ; de 1. *chronique*.

♦ **1** N. m. Auteur de chroniques historiques. → **Historien, mémorialiste.** *Les grands chroniqueurs du moyen âge.*

1 *(De l'avènement des Valois jusqu'à l'époque de la Renaissance)* la chronique (...) a tout envahi. On «chronique» en vers, et on chronique en prose. Chroniqueur Eustache Deschamps, et chroniqueur Georges Chastelain. La très sage Christine de Pisan, et Froissard lui-même (...) ne sont également que des chroniqueurs.
F. BRUNETIÈRE, Hist. de la littérature franç., t. I, 3, p. 29.

♦ **2** N. m. (qu'il s'agisse d'un homme ou d'une femme). Rare. Personne qui rapporte des nouvelles, vraies ou fausses, répandues sur certaines personnes.

♦ **3** N. (1811). Celui, celle qui est chargé(e) d'une chronique dans un journal, une émission de radio, de télévision. *Un chroniqueur parlementaire. Une chroniqueuse littéraire, dramatique, judiciaire* (→ Accréditif, cit.). *Il est chroniqueur sportif dans un grand journal du soir.*

2 Comment! on t'offre une place de chroniqueur dans un bon journal de Paris, et tu as l'aplomb de refuser (...)
Alphonse DAUDET, Lettres de mon moulin, «La chèvre de M. Seguin».

3 (...) les rédactrices en chef des grandes revues féminines étaient assises de droit au premier rang. Derrière elles (...) étaient placées les chroniqueuses de mode des journaux (...)
M. DRUON, Rendez-vous aux enfers, II, III, p. 107.

REM. On utilise aussi la forme *chroniqueur* pour le féminin. *Elle est chroniqueur judiciaire.*

CHRONO [kʀɔno] n. m. Fam. → **Chronomètre, chronométreur.**

CHRONO-, -CHRONE Éléments, du grec *khronos* «temps» (ex.: *chronomètre; isochrone, synchrone*). —
Outre les mots savants traités dans le présent dictionnaire, on peut signaler des formations littéraires, du type:

Je sais trop moi-même, à mon humble niveau, ce que c'est que de défendre désespérément ses journées contre les dévoratrices de temps, contre les chronophages.
F. MAURIAC, le Nouveau Bloc-notes 1958-1960, p. 226.

CHRONOBIOLOGIE [kʀɔnobjɔlɔʒi] n. f. — V. 1970; de *chrono-*, et *biologie*.

Didact. (biol.). Étude des rythmes* biologiques, ou biorythmes. *Les applications médicales de la chronobiologie. Spécialiste de la chronobiologie (chronobiologiste,* n.).

CHRONOGRAMME [kʀɔnɔgʀam] n. m. — 1752; de *chrono-*, et *-gramme*.

♦ **1** Inscription, souvent en latin, qui concerne un événement célèbre et dont les lettres numérales fournissent une date.

C'est ordinairement une bonne inscription que celle dont on se sert pour écrire les chronogrammes; ainsi dans ce vers latin: *FrancorVM tVrbIs sICVLVs fert f Vnera vesper*, les lettres numérales ainsi rangées MCCLVVVVVVII (1282), donnent l'année des vêpres siciliennes.
LITTRÉ, Dictionnaire, art. *Chronogramme.*

♦ **2** (1956). Statist. Graphique ou diagramme représentant les séries ordonnées dans le temps (s'oppose à *histogramme*).

CHRONOGRAPHE [kʀɔnɔgʀaf] n. m. — 1849; de *chrono-*, et *-graphe*.

Techn. Instrument enregistreur des durées. → **Chronomètre** (cour.). *Chronographe mécanique* (à aiguilles); *à quartz. Utilisation des chronographes en médecine* (asthmomètre, pulsomètre...), *en physique, pour le sport...*

CHRONOGRAPHIE [kʀɔnɔgʀafi] n. f. — Mil. XXᵉ; «historiographie de l'ordre chronologique», av. 1505; de *chrono-*, et *-graphie*.

Biol. Mesure de la durée d'un phénomène ou d'une action.

CHRONOLOGIE [kʀɔnɔlɔʒi] n. f. — 1579; grec *khronologia*, de *khronos* «temps», et *logos* «discours».

Didactique et courant.

♦ **1** Science de la fixation des dates des événements historiques. → **Histoire; annales** (cit. 2), **calendrier, éphéméride, fastes.** *Erreur de chronologie.* → **Anachronisme, parachronisme, prochronisme.** *La chronologie des temps modernes se base sur les annales, calendriers, éphémérides.*

1 Ils *(Paul et Virginie)* ne connaissent (...) d'autre chronologie que celle de leurs vergers (...)
BERNARDIN DE SAINT-PIERRE, Paul et Virginie, p. 59.

2 Pour juger un homme, au moins faut-il être dans le secret de sa pensée, de ses malheurs, de ses émotions; ne vouloir connaître de sa vie que les événements matériels, c'est faire de la chronologie, l'histoire des sots!
BALZAC, la Peau de chagrin, Pl., t. IX, p. 84.

3 La chronologie et la géographie, a-t-on dit, sont les deux yeux de l'histoire. FRANCE, le Petit Pierre, VIII, p. 37.
Œuvre rédigée pour présenter dans leur déroulement des événements datés. *Composer une chronologie.*

♦ **2** Succession des événements dans le temps. → **Diachronie, histoire.** *Établir la chronologie d'une époque, d'une vie* (→ ci-dessus, cit. 1).

DÉR. Chronologique, chronologiste. ◊ COMP. Dendrochronologie, téphrochronologie.

CHRONOLOGIQUE [kʀɔnɔlɔʒik] adj. — 1584; de *chronologie*.

Didact. et cour. Relatif à la chronologie. *Table, abrégé chronologique. Liste chronologique. Respecter l'ordre* chronologique. Rétablir le déroulement chronologique des faits.

(...) rien n'est plus difficile dans cette grave histoire que de garder respect à l'ordre chronologique.
STENDHAL, Souvenirs d'égotisme, p. 15.

DÉR. **Chronologiquement.**

CHRONOLOGIQUEMENT [kʀɔnɔlɔʒikmã] adv.
— 1827, in D.D.L.; de *chronologique*.

Didact. et cour. Selon l'ordre chronologique. *Histoire racontée chronologiquement.*

CHRONOLOGISTE [kʀɔnɔlɔʒist] n. — 1637; «chroni-queur», 1560; de *chronologie*.

Didact. Spécialiste de chronologie.

CHRONOMÉTRAGE [kʀɔnɔmetʀaʒ] n. m. — 1894; de *chronométrer*.

Détermination précise de la durée (d'une action, d'un processus...). «*Un nouveau système de chrono-métrage va être expérimenté demain, au Vélodrome d'Hiver, pendant la séance d'entraînement*» (l'*Écho de Paris*, p. 4, 12 déc. 1895).
Comme tu es mécanicien, on a pensé que tu pourrais nous dépanner. Tu expropries et tu vérifies le moteur (...)
— C'est pour tout de suite?
— Non, on a encore des chronométrages à faire (...)
Régis DEBRAY, l'Indésirable, p. 291.

CHRONOMÈTRE [kʀɔnɔmɛtʀ] n. m. — 1701; de *chrono-*, et -*mètre*.

◆ **1** **a** Didact. Instrument servant à mesurer le temps. → **Chronographe.**
b Cour. Montre de précision, techniquement appelée *chronographe*. → **Montre.** *Chronomètre à échappement libre, avec balancier compensateur et échappement isochrone. Cadran, aiguilles, barillet, ressort, pignons, fusée d'un chronomètre. Chrono-mètre en or.* — Abrév. : *chrono* [kʀɔno]. — Fam. *Faire du 120 (km/h) chrono*, mesurés au chronomètre (opposé à *au compteur*).

1 Tout en pilotant mon tréteau à cent trente chrono sur l'au-toroute de l'Ouest, je fais le point de la situation.
SAN-ANTONIO, le Secret de Polichinelle, p. 161.

(Sports). *Un chrono* : un temps chronométré.

REM. Dans le langage sportif, *chrono* tend à remplacer *chronomètre.*

2 Il faisait beau quand il est venu repérer les lieux. Et quand il est venu faire ses essais à bord d'une petite Fiat, chrono en main, à peu près vers la même heure.
Régis DEBRAY, l'Indésirable, p. 301.

Spécialt. Montre de précision ayant obtenu un «bulletin officiel de marche». *Chronomètre de marine (de poche, de bord). Chronomètre étalon. État absolu d'un chronomètre : correction donnant l'heure moyenne de Greenwich. Marche diurne d'un chronomètre* : variation de l'état absolu en un jour.

◆ **2** Fig. *Réglé comme un chronomètre.* → **Exact, régu-lier.**

DÉR. **Chronométrer, chronométrie** (2.).

CHRONOMÉTRER [kʀɔnɔmetʀe] v. tr. [CONJUG.: *céder*.]
— 1893; de *chronomètre*.

Mesurer avec précision, à l'aide d'un chronomètre, la durée de (un événement, en sports, indus-trie, etc.). *Chronométrer une épreuve sportive, une course.*

DÉR. **Chronométrage, chronométreur.**

CHRONOMÉTREUR, EUSE [kʀɔnɔmetʀœʀ, øz] n.
— 1885, in Höfler; de *chronométrer*.

◆ **1** Personne qui chronomètre, est chargée de chro-nométrer la durée d'une épreuve sportive.
Eugène sommeille en escaladant l'Aubisque où il passe en tête. Les chronométreurs signalent qu'eu égard à son avance il est virtuellement maillot jaune.
J. CAU, la Pitié de Dieu, p. 223.

◆ **2** Techn. Technicien, technicienne chargé(e) d'ap-précier la conformité du travail des ouvriers aux normes de temps, de qualité. *Chronométreur ana-lyseur,* capable d'analyser les stades d'une fabrica-tion, les mouvements d'une opération, etc. — Abrév. fam. : *chrono* (1936, in D.D.L.).
Chronométreurs, démonstrateurs luttaient contre l'ou-vrier. En l'observant travailler, montre en main, le chronométreur paraissait compter loyalement le temps nécessaire à l'usinage d'une pièce. Après quoi, il fixait le temps valable pour toute la série.
Georges NAVEL, Travaux, p. 62.

CHRONOMÉTRIE [kʀɔnɔmetʀi] n. f. — 1838; de *chrono-*, et -*métrie*.

◆ **1** Didact. Science de la mesure du temps.

◆ **2** (1899; de *chronomètre*). Techn. Fabrication des chronomètres.

DÉR. **Chronométrique.**

CHRONOMÉTRIQUE [kʀɔnɔmetʀik] adj. — 1832; de *chronométrie*.

◆ **1** Didact. Du chronomètre; relatif à la mesure exacte. *Des observations chronométriques.*

◆ **2** Cour. Rigoureusement calculé (en parlant d'un temps). *Une exactitude, une précision chronomé-trique.*

DÉR. **Chronométriquement.**

CHRONOMÉTRIQUEMENT [kʀɔnɔmetʀikmã] adv.
— 1873; de *chronométrique*.

Didact. D'une façon chronométrique, par un chro-nomètre.
Déjeunant, dînant au club à des heures chronométrique-ment déterminées, dans la même salle, à la même table, ne traitant point ses collègues, n'invitant aucun étranger, il ne rentrait chez lui que pour se coucher, à minuit précis, sans jamais user de ces chambres confortables que le Reform-Club tient à la disposition des membres du cercle.
J. VERNE, le Tour du monde en 80 jours, p. 5.

CHRONOPATHOLOGIE [kʀɔnopatɔlɔʒi] n. f. — V. 1970; de *chrono-*, et *pathologie*.

Didact. (méd.). Altération morbide des rythmes bio-logiques. «*On groupe, actuellement, sous le nom de chronopathologie les altérations morbides de biorythmes intéressant un nombre plus ou moins grand de fonctions. Le domaine le plus étudié, et le moins malconnu, concerne les altérations de rythmes consécutifs à une détérioration anatomo-physiologique définie*» (la *Recherche*, mars 1971, p. 250).

DÉR. **Chronopathologique.**

CHRONOPATHOLOGIQUE [kʀɔnopatɔlɔʒik] adj.
— V. 1970; de *chronopathologie*.

Didact. Relatif à la chronopathologie.

CHRONOPHOTOGRAPHE [kʀɔnofɔtɔgʀaf] n. m.
— 1899; de *chrono-*, et *photographe*.

Didact. Appareil destiné à prendre des photogra-phies successives d'un objet en mouvement. *Le chronophotographe ou pistolet photographique est l'ancêtre du cinéma*.*

CHRONOPHOTOGRAPHIE [kʀɔnofɔtɔgʀafi] n. f.
— 1882; de *chrono-*, et *photographie*.
Didact. Analyse du mouvement par des photographies répétées.
DÉR. **Chronophotographique.**

CHRONOPHOTOGRAPHIQUE [kʀɔnofɔtɔgʀafik]
adj. — 1895; de *chronophotographie*.
Didact. Relatif à la chronophotographie. *Un appareil chronophotographique.* «*Inventeur incontesté de la chronophotographie, Marey avait eu, en effet, un rôle capital dans l'avènement du cinématographe, ce procédé que le tout premier brevet pris par Louis Lumière décrit comme "un appareil servant à l'obtention et à la vision des épreuves chronophotographiques"*» (*Sciences et Avenir*, juin 1980, p. 95).

CHRYS-, CHRYSO- Élément, du grec *khrusos* «or», entrant dans la composition de mots savants.

CHRYSALIDE [kʀizalid] n. f. — 1593; du lat. *chrysal(l)is, -idis*, du grec *khrusos* «or», en raison de l'aspect de certaines chrysalides.

♦ **1** Nymphe des lépidoptères, forme intermédiaire entre le stade de chenille et le stade de papillon. → **Nymphe.** *Les chrysalides sont dites emmaillotées* (recouvertes d'une enveloppe). *Chrysalide nue, aérienne ou enterrée. Chrysalide enfermée soit dans un abri de feuilles liées par des fils de soie, soit dans un cocon* formé par un fil de soie continu. Chrysalide du ver à soie.*

1 Ver, chrysalide et papillon, l'insecte rampa sur l'herbe, suspendit son œuf d'or aux forêts, ou trembla dans le vague des airs.
  CHATEAUBRIAND, le Génie du christianisme, I, IV, 5.

Enveloppe de l'insecte à l'état de chenille, avant qu'il ne devienne papillon. *Insecte qui sort de sa chrysalide.*

2 (...) le grand fracas insaisissable de la chrysalide rompue, l'aile humide et ployée, la première patte qui tâte un monde inconnu, l'œil féerique dont les facettes reçoivent le choc de la première image terrestre (...)
  COLETTE, Flore et Pomone, in Gigi, p. 140-141.

♦ **2** Loc. métaphorique ou fig. (1814). *Sortir de sa chrysalide :* sortir de l'obscurité, prendre son essor. — *Cette institution, cette entreprise est encore dans sa chrysalide* (cf. Encore dans l'œuf).

CHRYSANTHÈME [kʀizãtɛm] n. m. — 1750; *chrysanthemon*, 1543; du grec *khrusos* «or», et *anthemon* «fleur».
Plante dicotylédone (*Composacées*) annuelle ou vivace, cultivée comme ornementale, et dont les premiers spécimens connus étaient jaunes. *Chrysanthème simple ou double. Chrysanthème des moissons* (dit aussi *marguerite colorée*). *Chrysanthème des prés ou grande marguerite. Chrysanthème d'automne. Le chrysanthème est cultivé pour ses variétés multicolores comme plante ornementale. Chrysanthèmes de la Toussaint.*
Fleur composée, sphérique, de cette plante.

Comme mes feux arrachés par un grand coloriste à l'instabilité de l'atmosphère et du soleil, afin qu'ils vinssent orner une demeure humaine, ils m'invitaient, ces chrysanthèmes, et malgré toute ma tristesse, à goûter avidement pendant cette heure du ciel ces plaisirs si courts de novembre dont ils faisaient flamber près de moi la splendeur intime et mystérieuse (...)
  PROUST, À l'ombre des jeunes filles en fleur, Pl., t. III, p. 234.

CHRYSÉLÉPHANTIN, INE [kʀizelefãtɛ̃, in] adj.
— 1863; de *chrys-*, grec *elephas, -antos* «ivoire», et suff. *-in, -ine.*
Didact. (antiq.). *Sculpture chryséléphantine*, dans laquelle on employait l'or et l'ivoire. *La statue chryséléphantine de Minerve par Phidias.*

1 Les parcelles d'or et d'ivoire ne retiendraient point la beauté de la statue chryséléphantine.
  ALAIN, Platon, in les Passions et la Sagesse, Pl., p. 868.

2 Les navires passaient en entrant sous une gigantesque allégorie chryséléphantine du soleil qui a donné naissance, par contamination, à la légende du colosse de Rhodes.
  J. D'ORMESSON, la Gloire de l'Empire, t. II, p. 410.

CHRYSIDÉS [kʀizide] n. m. plur. — Fin XIXᵉ; de *chrys-*, et *-idés.*
Zool. Famille d'insectes hyménoptères (sous-ordre des *Apocrites*, super-famille des *Béthyloïdes*), à larves parasitaires d'Hyménoptères, aux vives couleurs métalliques. — Nom cour. : *guêpe-coucou;* nom sc. : *chrysis.* — Au sing. *Un chrysidé.*

CHRYSO- → **Chrys-.**

CHRYSOBÉRYL [kʀizobeʀil] n. m. — 1834; de *chryso-* (→ Chrys-), et *béryl.*
Didact., techn. Pierre précieuse constituée par de l'aluminate naturel de béryllium. — SYN. : *cymophane. L'alexandrite*, chrysobéryl de couleur verte.* — REM. La graphie *chrysobéril* (cf. Gautier, *Constantinople*, p. 128) semble archaïque.

CHRYSOCALE [kʀizɔkal] ou **CHRYSOCALQUE** [kʀizɔkalk] n. m. — 1823, *chrysocale; chrysocalque*, 1819; *crisocane*, 1372; de *chryso-* (→ Chrys-), et grec *khalkos* «cuivre».
Techn. Alliage de cuivre, étain et zinc, qui imite l'or.

1 Une velléité de fausse élégance lui faisait porter cependant des boucles d'oreilles de mauvais goût et une chaîne de chrysocale.
  A. DE MUSSET, les Deux Maîtresses, III.

2 Nous regardions la mer et je faisais remarquer à Jeanne le faisceau lumineux sur l'eau, comme un éclat d'or. «C'est du chrysocale» m'avait-elle répondu.
  François-Marie BANIER, la Tête la première, p. 140.

CHRYSOCARPE [kʀizɔkaʀp] adj. — 1863; de *chryso-* (→ Chrys-), et *-carpe.*
Bot. Qui a des fruits de couleur d'or.

CHRYSOCOLLE [kʀizɔkɔl] n. f. — 1690; grec *khrusokolla* «soudure d'or», de *khrusos* «or».
Didact. Silicate de cuivre hydraté, de couleur jaune pâle, que les Anciens employaient pour souder l'or.

CHRYSOLITHE [kʀizɔlit] n. f. — 1598; *crisolite*, 1121; lat. *chrysolithus;* du grec *khrusos* «or», et *lithos* «pierre».
Vx. Pierre précieuse de teinte dorée (comme le péridot, la topaze). — On écrit parfois *chrysolite.*

CHRYSOLOGUE [kʀizɔlɔg] adj. — 1846; de *chryso-* (→ Chrys-), et *-logue.*
Vx. Qui parle avec éloquence. *Plusieurs pères de l'Église grecque sont dits chrysologues. Pierre Chrysologue, archevêque de Ravenne, au Vᵉ siècle.* → **Chrysostome.**

CHRYSOMÈLE [kʀizɔmɛl] n. f. — 1789; de *chryso-* (→ Chrys-), et *-mèle.*
Zool. Insecte coléoptère au corps épais, brillant (famille du doryphore : *Chrysomélidés*). *Les larves de la chrysomèle se nourrissent d'arbrisseaux divers.*

CHRYSOPÉE [kʀizɔpe] n. f. — Attesté 1846; de *chryso-* (→ Chrys-), et grec *poiein* «faire».

Alchim. Art (prétendu) de faire de l'or.

CHRYSOPRASE [kʀizɔpʀaz] n. f. — XIIᵉ; lat. *chrysoprasus*; de *chrysos* (→ Chrys-), et grec *prason* «poireau» (plante d'un vert tendre).

Didact. Variété de calcédoine* d'un vert pâle.

(...) quand les hiboux dans leurs simarres, aux yeux d'espoir, aux yeux menteurs, dans leurs simarres chamarrées, soulevant leurs ailes d'emphase, dardent leurs yeux de chrysoprase vers le ciel noir.
　　　　A. JARRY, les Minutes de sable mémorial, *in* Œ. compl., t. I, Pl., p. 233.

CHRYSOSTOME [kʀizostom] adj. — 1740; de *chryso-* (→ Chrys-), et *-stome*.

Qui a la bouche* d'or. → **Chrysologue.** — Épithète donnée à quelques pères de l'Église en raison de leur éloquence. *Saint Jean Chrysostome.*

CHRYSOTHÉRAPIE [kʀizoterapi] n. f. — XXᵉ; de *chryso-* (→ Chrys-), et *-thérapie*.

Didact. Utilisation d'or colloïdal ou de sels d'or dans un but thérapeutique. *Inflammations buccales traitées par chrysothérapie.* — REM. On dit aussi *aurothérapie.*

CHTIMI ou **CH'TIMI** [ʃtimi] n. et adj. — Av. 1914; expr. patoise; probablt de *ch'ti* «chétif», et *mi* «moi»; cf. Pauvre de moi.

Fam. Français de la région du Nord. *Les ch'timis.* — *Le ch'timi :* le patois des ch'timis.

1　Le voisin est sûrement du Nord, blond, pas trop petit, avec une peau de lait (...) Et alors? dit le ch'timi.
　　　　SARTRE, la Mort dans l'âme, p. 200.

2　Permanence inconsciente d'appartenance régionale ou, plus précisément, d'appartenance à une culture au sens large du terme, qui trouve son expression maximale quand la région a gardé sa langue : breton, provençal, basque, plat-deutsch des Alsaciens ou même ch'timi...
　　　　Planète, nᵒ 4, févr. 1969, Pourquoi les régions?, p. 21.

Adj. *Un accent ch'timi.*

3　Son accent «chtimi» m'amuse. Je pense à nouveau à Fabienne, féroce d'être maintenue à Béthune. Je pousserai la table près de la fenêtre. Je vais vivre au faîte de ces marronniers.　　Yanny HUREAUX, la Prof, p. 62.

Abrév. chti [ʃti]. *Les chtis. — Il, elle est chti.*

CHTONIEN, IENNE [ktɔnjɛ̃, jɛn] adj. — 1819; trad. du lat. *chtonius*; du grec *khthôn, khthonos* «terre».

Myth. Surnom de plusieurs divinités infernales, que l'on supposait résider dans les cavités de la terre. *Les puissances chtoniennes.*

1　Tout ce que l'on peut dire, c'est qu'en deçà de la vie, à sa limite abstraite, une chaleur qui n'est que chaleur est d'essence chtonienne, et appartient aux ténèbres extérieures, comme il convient à la fonction de ce sein protecteur où nous fûmes tous enfermés et couvés et dont il nous fallut à tout prix sortir pour trouver *notre* être avant d'affirmer l'Être.
　　　　Raymond ABELLIO, Ma dernière mémoire, t. I, p. 21.

2　(...) on dirait qu'elle sort de dessous un masque (ainsi, dit-on, les masques de la tragédie grecque avaient une fonction magique : donner à la voix une origine chtonienne, la déformer, la dépayser, la faire venir de l'au-delà souterrain).
　　　　R. BARTHES, Fragments d'un discours amoureux, p. 132.

REM. La graphie étymologique (du grec), *chthonien*, tend à disparaître.

CHTOUILLE [ʃtuj] n. f. — 1889; altér. de *jetouille*, de *jeter* «émettre une humeur par un orifice du corps», et finale *-ouille*.

Argot. Maladie vénérienne (blennorragie [→ **Chaudepisse**], syphilis).

Je la vois d'ici, la femme. Encore heureux s'il n'a pas attrapé la chtouille.
　　　　ARAGON, les Beaux Quartiers, p. 374.

C. H. U. [seaʃy] n. m. — 1958; abrév. de *Centre hospitalier universitaire.*

Centre hospitalier universitaire. *«Les C.h.u. (...) ne disposent que de 180 000 lits ? Il n'y a qu'à en créer d'autres. Et si l'on décidait d'enseigner la médecine dans les hôpitaux dits de deuxième catégorie, où passent toutes sortes de malades, le nombre d'étudiants serait multiplié et la formation donnée serait bien meilleure que dans les C.h.u., trop spécialisés»* (Paris-Match, nᵒ 1278, 3 nov. 1973, p. 51). — REM. La graphie ci-dessus est propre à la presse hebdomadaire.

CHUCHETER [ʃyʃte] v. intr. — 1752; «chuchoter», XIVᵉ; de l'onomat. *tchutch-* → Chuchoter.

Rare. Crier (en parlant du moineau). → **Gazouiller.**

CHUCHOTAGE [ʃyʃɔtaʒ] n. m. — 1782; de chuchoter.

Rare. Bruit d'une conversation à voix basse. → **Chuchotement.**

CHUCHOTEMENT [ʃyʃɔtmɑ̃] n. m. — 1579; de chuchoter.

♦ **1** Action de chuchoter*. → **Murmure, susurrement.** *Percevoir un léger chuchotement. Les chuchotements d'une conversation. On entendait un léger chuchotement.* → **Chuchotis.** *Cris et Chuchotements,* film d'Ingmar Bergman.

(...) de longs chuchotements de jeunes filles, des rires étouffés (...)　　LAMARTINE, Graziella, IV, XXX, p. 149.　1

(Animaux). → Bas, cit. 83.

(...) tous les jours, on entend arriver du sud d'innombrables chuchotements d'oiseaux.
　　　　E. FROMENTIN, Un été dans le Sahara, II, p. 86.　2

♦ **2** Bruit léger et confus. *Le chuchotement du feuillage, de l'eau.*

Mille petits bruits, imperceptibles chuchotements de la solitude (...)　　　　　　　　　　　　　　　　　　3
　　　　Th. GAUTIER, le Capitaine Fracasse, t. I, p. 10.

Il attendit avec résignation les paroles malveillantes qu'elle venait sans doute lui adresser. Mais elle ne disait rien. Il entendait seulement le plancher pourri qui grinçait sous ses pas et le chuchotement de sa robe.　　　3.1
　　　　H. TROYAT, le Vivier, p. 79.

♦ **3** Par ext. (du sens 1). Conversation chuchotée; paroles chuchotées. → **Chuchoterie.**

(...) un couple, étroitement penché au-dessus d'une table, perdu dans un chuchotement insaisissable.　　　4
　　　　COLETTE, la Fin de Chéri, p. 107.

CONTR. Silence. — Fracas.

CHUCHOTER [ʃyʃɔte] v. — 1611; *chucheter,* XIVᵉ; onomatopée.

♦ **1** V. intr. Parler bas, indistinctement, en remuant à peine les lèvres. → **Murmurer, susurrer.** *Des élèves chuchotent en classe. Parler en chuchotant.* → **Bas** (parler bas, dire les messes basses). *Chuchoter à l'oreille de qqn.* → **Souffler.** — *Voix qui chuchote.*

Laurent entendit une voix presque enjouée, presque gaie qui chuchotait (...)　　　　　　　　　　　　　　　1
　　　　G. DUHAMEL, Chronique des Pasquier, VIII, V, p. 330.

2 Ils me soignent silencieusement et bien. Mais jamais jusqu'ici ils ne m'ont adressé la parole. Quand ils se trouvent ensemble dans la chambre, ils ne se parlent pas. Avant d'entrer, ils chuchotent parfois derrière la porte.
H. Bosco, Hyacinthe, p. 163.

♦ **2** V. tr. Dire (qqch.) à voix basse. *Chuchoter quelques mots à l'oreille de qqn.* → **Souffler.**

♦ **3** Produire un bruit confus, indistinct. → **Bruire** (→ Caqueter, cit. 2).

3 Le sang chuchotait à ses oreilles comme si, dans une coquille, elle eût écouté la mer.
F. Mauriac, Génitrix, p. 104.

4 (...) ce poste de T.S.F. invisible, qui chuchotait comme un jet d'eau. Sartre, l'Âge de raison, XIV, p. 237.

CONTR. Taire (se). — Crier, hurler. ◊ DÉR. Chuchotage, chuchotement, chuchoterie, chuchoteur, chuchotis.

CHUCHOTERIE [ʃyʃɔtʀi] n. f. — 1650; de *chuchoter.*
Fam. et vx. Conversation, entretien de personnes qui chuchotent, qui affectent le mystère dans leurs bavardages. → **Chuchotement, susurration.** *De secrètes et continuelles chuchoteries.*

C'était, avec mes amis, des chuchoteries continuelles; tout était mystère et secret pour moi dans mon ménage, et pour ne pas m'exposer sans cesse à des orages, je n'osais plus m'informer de ce qui s'y passait.
Rousseau, les Confessions, VIII.

REM. Le mot est le plus souvent employé au pluriel.

CHUCHOTEUR, EUSE [ʃyʃɔtœʀ, øz] adj. et n. — 1694; *chucheteur,* 1653; de *chuchoter.*
Qui chuchote. *Des fillettes chuchoteuses.* — *Des voix chuchoteuses.* — N. *Un chuchoteur, une chuchoteuse.*

CHUCHOTIS [ʃyʃɔti] n. m. — 1895; de *chuchoter.*

♦ **1** Léger chuchotement. *Le silence était rompu par quelques chuchotis.*

♦ **2** Bruit très léger et confus. *Les chuchotis de l'eau.*

On dirait que le chuchotis de l'eau dans les arbres et le tic tac de cette montre sont la voix même du silence plutôt qu'un bruit qui le trouble.
J. Green, Journal (1941-1943), p. 165, 27 oct. 1941.

CHUINTANT, ANTE [ʃɥɛ̃tɑ̃, ɑ̃t] adj. et n. f. — 1819; de *chuinter.*

♦ **1** Qui chuinte.

1 La foule envahit la route et les champs, dense, tenace, implacable : une inondation. Pas un bruit sauf le frottement chuintant des semelles contre la terre.
Sartre, la Mort dans l'âme, p. 22.

2 Un verre se vide, un autre se remplit, un troisième avale par mégarde un mégot qui, en touchant le liquide, jette un cri chuintant.
Alain Bosquet, les Bonnes Intentions, p. 176-177.

♦ **2** Phonét. Se dit d'une consonne fricative articulée comme une sifflante, mais avec la langue plus creusée et avec la projection des lèvres en avant (ex. : *ch-, j-* [ʃ, ʒ], en français). — N. f. *Une chuintante* : une consonne chuintante.

CHUINTEMENT [ʃɥɛ̃tmɑ̃] n. m. — 1873; de *chuinter.*

♦ **1** Action de chuinter. — Rare. Son d'une consonne chuintante*. — Vice de prononciation consistant dans la substitution du son *ch* [ʃ] au son *s* [s].

♦ **2** Bruit continu et assourdi (d'une chose). → aussi **Sifflement.** *Le chuintement de la vapeur. Chuintement des pneumatiques d'une voiture sur la chaussée humide.*

1 Le silence était prodigieux. Je pensais au bruit des machines, au chuintement de la vapeur comme à des chansons anciennes (...)
G. Duhamel, Cri des profondeurs, v, p. 88.

Son guide, devant lui, porte des semelles en caoutchouc à ses souliers de daim gris; le chuintement de ses pas est à peine perceptible.
A. Robbe-Grillet, Dans le labyrinthe, p. 101.

La porte jubile, et même la serrure, d'habitude grincheuse, a des chuintements délicieux.
Alain Bosquet, les Bonnes Intentions, p. 272.

CHUINTER [ʃɥɛ̃te] v. intr. — 1776; orig. onomat.

♦ **1** Pousser son cri (en parlant de la chouette). *La chevêche* (cit. 2) *chuinte.*

♦ **2** Prononcer les consonnes sifflantes (*s* [s] et *z* [z]) comme des chuintantes* (*ch* [ʃ] et *j* [ʒ]). *Chuinter en parlant.*

♦ **3** (Choses). Faire entendre un sifflement, un chuintement. → **Siffler.** *Jet de vapeur qui chuinte.*

DÉR. **Chuintant, chuintement.**

CHURRIGUERESQUE [ʃyʀigeʀesk] adj. — 1893; esp. *churrigueresco,* du nom de l'architecte Churriguera.
Hist. des arts. Style baroque espagnol de la fin du XVIIe et du début du XVIIIe siècle (analogue au *plateresque**).
Cet art churrigueresque mérite d'être reconnu pour une étape nouvelle du baroque européen.
V.-L. Tapié, le Baroque, p. 103.

CHUT [ʃyt] interj. et n. m. — Av. 1550; onomatopée.

♦ **1** Interj. Se dit pour avertir de faire silence. → **Silence, taire** (taisez-vous). *Faire chut! en mettant un doigt sur la bouche.*

Après que la reine eut dit chut,
Chacun prit un siège et se tut.
Scarron, Virgile travesti, II.

Une femme, âgée de quatre-vingt-dix ans, disait à M. de Fontenelle, âgé de quatre-vingt-quinze : «La mort nous a oubliés.» — «Chut!» lui répondit M. de Fontenelle en mettant le doigt sur sa bouche.
Chamfort, Caractères et anecdotes, p. 210.

La radio au début n'existait pas. Puis un jour, papa a construit un poste à galène, avec un casque. Il ne fallait pas faire de bruit, chut chut taisez-vous.
Jean Ferniot, Pierrot et Aline, p. 30.

♦ **2** N. m. *Des chuts énergiques. Il voulut parler malgré les chuts.*

DÉR. 2. **Chuter.** ◊ HOM. **Chute**; formes des v. 1. **chuter,** 2. **chuter.**

CHUTE [ʃyt] n. f. — 1360, *cheute*; réfection de *cheolte* (XIIe), p. p. fém. de *choir,* du lat. pop. **cadecta,* p. p. substantivé au fém. de *cadere.* → **Choir.**

I Fait de choir, de tomber*. **A** (Concret). ♦ **1** (Choses). Fait de ne pas rester droit, de s'écrouler. → **Croulement, écrasement, effondrement.** *La chute d'un pan de mur.* → **Écroulement.** *La chute d'une masse de terrain.* → **Éboulement.** *Ce mur est proche de sa chute.* → **Chancelant.** *Les alpinistes ont été ensevelis par la chute d'une masse de neige.* → **Avalanche.** *Soutenir, étayer qqch. pour en éviter la chute. Arrêter la chute de quelque chose.*

(Ma foi) si ferme à présent, si loin de chanceler,
Que la chute du ciel ne pourrait l'ébranler.
Corneille, Cinna, v, 3.

Longtemps après sa chute (de la bombe), on voit fumer encore
La bouche du mortier, large, noire et sonore.
Hugo, Odes, III, 6.

♦ **2** (Choses). Fait de tomber plus bas, faute d'un support. *Une chute de cinq mètres.* (XVIIe). Sc. *Loi de la chute des corps.* → **Pesanteur.** *Chute libre,* d'un corps abandonné sans vitesse initiale et soumis à son seul poids. *Tomber en chute libre. Chute uniformément accélérée.* → **Accélération** (cit. 2), **mouvement.** — Fig. *En chute libre. Les prix sont en chute libre* (→ ci-dessous, B., 5.). *Sa popularité est en chute libre.* — *La chute d'un météore. La chute d'une bombe.* — **POINT DE CHUTE** : point atteint par le projectile à la fin de sa trajectoire ; fig. (av. 1945, *in* D.D.L.), endroit où l'on s'arrête, après avoir exercé une activité, après un voyage, etc.

2.1 Elle eut le geste de quelqu'un qui laisse là sa couture, parce que son lait se sauve. Le dé tomba, l'aiguille tomba et la chemise sur le tout. Pourquoi ces chutes l'une après l'autre ?   André BAILLON, *Délires*, «La montre».

2.2 Entendez par là : trois semaines dans une propriété du Midi, une croisière sur un yacht d'armateur qui héberge une clientèle surréaliste et, comme point de chute, quelque chasse de Sologne, avec petit château Louis XIII.
Pierre DANINOS, *Un certain Monsieur Blot*, p. 207.

Théâtre. *La chute du rideau* : le baisser du rideau, et, par métonymie, la fin du spectacle, quand le rideau tombe. *Ce critique est parti avant la chute du rideau.*

♦ **3** *Chute de pluie, de neige.* → **Précipitation.** *Abondantes chutes de neige sur les Alpes.* — (1671). **CHUTE D'EAU** ou **CHUTE** : déplacement vertical d'une masse d'eau produit par la différence de niveau entre deux parties consécutives d'un cours d'eau. *Des chutes d'eau naturelles.* → **Cascade, cataracte,** saut. *Les chutes du Niagara. Chute artificielle. La chute d'un barrage. Le mur* de chute d'une écluse.*

3 (...) quand on a vu la cataracte du Niagara, il n'y a plus de chute d'eau.
CHATEAUBRIAND, *Mémoires d'outre-tombe,* IV, II.

4 (...) la chute d'un jeu d'eau donnait à un bassin l'effervescence du lait qui bout.
Edmond JALOUX, *les Visiteurs,* V, p. 49.

♦ **4** *La chute du jour* : le moment où la nuit arrive. → **Crépuscule, tombée** (de la nuit) ; **fin** (du jour).

♦ **5** (1534). Action de se détacher (de son support naturel), de devenir caduc. *La chute des cheveux, des poils.* → **Alopécie.** *La chute des ongles.* Bot. *La chute des feuilles* (→ **Défoliation**), et, par métonymie, l'automne. — *La chute de l'écorce des arbres* (→ **Exfoliation**), *des fleurs* (→ **Défloraison**).

♦ **6** Méd. Affaissement, abaissement (d'un organe). → **Descente, prolapsus, ptôse.** *La chute de la luette, de la matrice.*

♦ **7** (Personnes). Fait de tomber, de perdre l'équilibre, soit en allant au sol, soit en allant plus bas, si le sol ou un support manque (→ ci-dessus, sens 2). *Faire une chute.* → **Tomber ;** fam. **bûche, gadin, gamelle, pelle ; cabriole, culbute, glissade,** 2. **plané, trébuchement.** *Une chute de cheval, de bicyclette.* → **Accident.** *Une mauvaise chute. Il s'est foulé le pied dans sa chute.* — *Chute à pic, chute de cinq mètres.* → **Plongeon.**

4.1 (...) un peu étourdie de ma chute, je fus quelques instants avant de me relever (...)   SADE, *Justine...,* t. I, p. 218.

Fait de tomber dans le vide.

5 (Il) éprouvait la vertigineuse horreur de la chute mêlée d'attirance qu'inspire la suspension au-dessus d'un gouffre.
Th. GAUTIER, *le Capitaine Fracasse,* t. II, XVII, p. 223.

(1819, *in* Höfler). Réception du corps sur le sol, après un saut. *Chute contrôlée d'un parachutiste.* → **Roulé-boulé.**

B (Abstrait). ♦ **1** (XIVe). Personnes. Fait de passer dans une situation plus mauvaise, d'échouer. → **Déconfiture, défaite, échec, faillite, insuccès.** *La chute de Napoléon. Entraîner qqn dans sa chute. La chute*

suit de près le triomphe. → **Capitole** (*supra* cit. 3). *Plus dure sera la chute. Il ne resta pas longtemps en cour, sa chute fut rapide.* → **Disgrâce.** *Ses malversations provoquèrent sa chute.*

6 Il te peut, en tombant, écraser sous sa chute.
CORNEILLE, *Cinna,* I, 1.

7 J'avais prévu ma chute en montant sur le faîte.
Je m'y suis trop complu ; mais qui n'a dans la tête
Un petit grain d'ambition ?
LA FONTAINE, *Fables,* X, 9.

La chute d'un auteur, et, par ext., *la chute d'une pièce de théâtre.* → (fam.) **Four.**

8 La surprise des œuvres nouvelles provoquant une rupture entre les coutumes de l'esprit et la nouveauté qu'on lui soumet, le public trébuche. Il y aura donc chute et rire.
COCTEAU, *la Difficulté d'être, Du rire,* p. 182.

♦ **2** (1587 ; en parlant des institutions, du gouvernement). Fait de succomber à une opposition, à une résistance, etc. → **Culbute, renversement.** *La forte opposition à la politique sociale du ministère amena sa chute. La chute d'un cabinet, du gouvernement.* → **Crise.** *La lente chute d'un régime.* → **Décadence, écroulement, ruine.** *La chute de l'Empire romain. S'acheminer vers sa chute.*

9 Je te dirai que, depuis la chute du ministère Villèle, je vois les choses comme ceci : quoique le nouveau ministère soit mou (...) il n'est pas mauvais (...)
SAINTE-BEUVE, *Correspondance,* t. I, 60, 3 janv. 1829.

10 Mais la chute du Cabinet dont il faisait partie (*M. Édouard Herriot*) rendit caduc son projet de loi qui ne fut pas repris par son successeur.
Georges LECOMTE, *Ma traversée,* p. 370.

11 Devant l'écroulement si brutal de l'œuvre royale, qui, de chutes en chutes, de crises en crises, ira à sa totale désagrégation (...)
DANIEL-ROPS, *Histoire sainte,* III, II, p. 213.

♦ **3** Fait de tomber, d'être pris, de capituler, de se rendre. *La chute d'une place forte, d'une ville assiégée.* → **Capitulation, reddition.** *La chute de la Bastille.* → **Prise** (→ Bruit, cit. 39).

♦ **4** (1680). Action de tomber moralement, de perdre une situation meilleure, de déchoir. → **Déchéance, faute, péché.** — Relig. *La chute des anges,* punissant la faute des anges révoltés contre Dieu. *La Chute d'un ange,* poème de Lamartine. — *La chute d'Adam,* et, absolt, *la chute.* → **Péché** (originel). *Se relever de sa chute par la pénitence. Être une occasion de chute, de péché pour les autres.* → **Scandale.**

12 Dans le crime il suffit qu'une fois on débute ;
Une chute toujours attire une autre chute.
BOILEAU, *Satires,* X.

13 Il me fit sentir que l'enthousiasme des vertus sublimes était peu d'usage dans la société, qu'en s'élançant trop haut on était sujet aux chutes (...)
ROUSSEAU, *les Confessions,* III.

14 (...) il ne manque à l'amour que la durée pour être à la fois l'Eden et l'Hosanna sans fin de la chute.
CHATEAUBRIAND, *Mémoires d'outre-tombe,* I, VIII.

Littér. et vx. Spécialt. Faute contre la chasteté (le plus souvent en parlant d'une femme). → **Déchéance, faute, pas (faux pas).**

♦ **5** Écon. *La chute d'une monnaie,* dépréciation. → **Dévaluation, effondrement.** *La chute des assignats. La chute du mark, du franc. Chute des cours en Bourse. Chute des prix.* → **Baisse.**

15 La chute du franc, commencée depuis 1916, devenait de mois en mois plus sensible. Chaque jour, le prix de tous les articles nécessaires à la vie s'élevait quelque peu.
G. DUHAMEL, *les Espoirs et les Épreuves,* II, p. 34.

♦ **6** Brusque diminution de valeur (d'une variable). *Chute de potentiel, de pression, de tension. En une nuit, la chute de température fut très importante.* → **Baisse.** — (Abstrait). *La chute du moral des troupes.*

♦ **7** Ling. Disparition (d'un phonème, d'un groupe de phonèmes). → **Aphérèse, apocope, syncope.**

II Par métonymie. ♦ **1** Partie où une chose se termine, s'arrête, cesse. → **Extrémité, fin.** *La chute d'un toit, sa pente. Chute en pente. — La chute des reins :* le bas du dos.

16 La duchesse de Bourgogne revint les épaules, les bras, les seins découverts, la chute des reins bien marquée.
SAINT-SIMON, *Mémoires,* 2, 235.

♦ **2** Mar. *La chute d'une voile. — Chute au mât :* distance entre le milieu de la ralingue d'envergure et celui de la ralingue de bordure. *Chute au point :* longueur de la ralingue de côté.

♦ **3** Littér. et rare. *La chute des temps :* la fin des temps.

17 (...) à la chute des temps, le Juge viendra, dans le hourra des foudres, châtier le monde.
HUYSMANS, *En route,* p. 15.

♦ **4** (1654, en littérature). Didact. (prosod.). *La chute d'une période, d'une phrase musicale :* la partie finale sur laquelle tombe la voix. → **Cadence.** *La chute d'un vers. La chute d'un madrigal,* le trait qui le termine.

18 — La chute en est *(du sonnet)* jolie, amoureuse, admirable.
— La peste de ta chute ! Empoisonneur du diable,
En eusses-tu fait une à te casser le nez !
MOLIÈRE, *le Misanthrope,* I, 2.

19 Il n'y a pas longtemps qu'ils *(les prédicateurs)* avaient des chutes ou des transitions ingénieuses.
LA BRUYÈRE, *les Caractères,* XV, 5.

♦ **5** Archit. *Chute de festons, d'ornements :* sculpture de fruits, de fleurs pendant en bouquets.

♦ **6** Morceau d'étoffe, de cuir, de pellicule, etc., qui reste après une coupe et est inutilisé. *Les chutes d'un atelier de coupe. Les chutes.* → **Déchet.** *Jeter les chutes aux chiffons. Des chutes de film. Des chutes de métal.*

III Par métonymie. Endroit, espace où une chose, un animal tombe. ♦ **1** (Chasse). Lieu où certains oiseaux migrateurs s'arrêtent à la tombée du jour. *La chute des canards, des bécasses.*

♦ **2** (Astrol.). Signe dans lequel une planète est dite avoir le moins d'influence.

CONTR. **Ascension, croissance, levée, montée, pousse, triomphe. — Relèvement.** ◊ DÉR. **1. Chuter.** → COMP. **Chapechute.** → HOM. **Chut,** formes des v. **1. chuter, 2. chuter.**

1. CHUTER [ʃyte] v. intr. — 1823; de *chute.*

♦ **1** Fam. Faire une chute. → **Tomber; choir.** — Fig. et littér. Pécher.

1 Et si je chute, continue-t-il, je me relève et je vais quand même vers le Seigneur !
J. GREEN, *Ce qui reste de jour,* 14 oct. 1969, p. 190.

♦ **2** Fig. **a** À certains jeux de cartes, Ne pas effectuer les levées prévues.
b (Sports). Subir une défaite. *Malgré une défense très vive, l'équipe nationale a chuté.*

♦ **3** Fig. Régional et fam. Échouer.

2 Qu'est-ce qu'il se passait au juste en 1922 ? Essayez de poser la question à d'autres pour voir. De quoi faire chuter les candidats à la radio.
ARAGON, *Blanche...,* I, II, p. 30.

Tomber (au théâtre). → **1. Tomber** (I., 3.).

3 On cause de la pièce des DEUX SŒURS, jouée hier, et absolument chutée, et que la princesse, dans un sentiment de bienveillance pour Girardin, soutient mordicus, et contre tous, être un succès (...)
Ed. et J. DE GONCOURT, *Journal,* t. II, p. 223.

♦ **4** Fig. Baisser. *La surproduction a fait chuter les prix. — Diminuer. Le nombre des candidats a chuté ces dernières années.*

2. CHUTER [ʃyte] v. — 1834; de *chut.*
Rare.

♦ **1** V. intr. Crier, faire chut. *La pièce commençait; pour faire taire quelques spectateurs, on chuta.*

♦ **2** V. tr. *Chuter (qqn, qqch.) :* accueillir (qqn, qqch.) par des chuts. *Chuter une pièce, des acteurs.*

CHUTNEY [ʃœtnɛ] n. m. — 1964; mot angl., de l'hindi *chatni.*
Condiment d'origine indienne composé de fruits, de légumes (plus rarement, de produits de la mer : crevettes) confits avec du piment, des herbes aromatiques, des épices diverses, dans du vinaigre sucré. *Chutney à la mangue, à la tomate.*

CHVA [ʃva; ʃwa] n. m. → **Schwa.**

CHYLE [ʃil] n. m. — V. 1360, *chile;* du lat. méd. *chylus,* grec *khulos* «suc».
Physiol. Liquide laiteux résultant de la transformation dans l'intestin des aliments mélangés aux sucs digestifs et absorbé par les vaisseaux lymphatiques. → **Chylifère; fibrine.** *Le chyle passe, par les villosités intestinales, dans les vaisseaux chylifères (veines lactées) qui le portent dans le sang. Le canal thoracique porte le chyle dans la veine sous-clavière.*

1 Quand elles *(les nourrices)* ont des nourrissons bourgeois, on leur donne des pots-au-feu, persuadé que le potage et le bouillon de viande leur font un meilleur chyle et fournissent plus de lait.
ROUSSEAU, *Émile,* I.

2 Sous le nom de chyle, elles *(les substances nutritives)* forment un liquide blanchâtre absorbé par la paroi intestinale, où plongent les veinules qui les amènent au foie par la veine porte. L'eau et les sels solubles qui figurent parmi les substances rapidement absorbées suivent la voie veineuse, avec les hydrates de carbone et les albuminoïdes, tandis que la plus grande partie des graisses passe par les chylifères intestinaux.
P. VALLERY-RADOT, *Notre corps,* VII, p. 94.

DÉR. **Chyleux, chylifère, chylification.** ◊ COMP. (Du même rad.) **Achylie.**

CHYLEUX, EUSE [ʃilø, øz] adj. — 1546; de *chyle.*
Physiol. Qui appartient au chyle. Qui contient du chyle. *Épanchement chyleux. Pleurésie chyleuse.*

CHYLIFÈRE [ʃilifɛʀ] adj. et n. m. — 1665; de *chyle,* -i- de liaison, et -*fère.*
Physiol. Qui transporte le chyle. *Les vaisseaux chylifères,* ou, n. m., *les chylifères :* vaisseaux lymphatiques des villosités intestinales qui absorbent le chyle.

CHYLIFICATION [ʃilifikasjɔ̃] n. f. — Attesté 1932; de *chyle.*
Physiol. Formation du chyle dans l'intestin grêle et dans les vaisseaux chylifères.

CHYME [ʃim] n. m. — XVᵉ; du lat. méd. *chymus,* grec *khumos* «humeur».
Physiol. Bouillie que forme la masse alimentaire au moment où elle passe dans l'intestin après avoir subi l'action de la salive et du suc gastrique.
D'acide qu'il était dans l'estomac, le chyme devient alcalin au contact du grêle, et subit l'action de multiples ferments.
P. VALLERY-RADOT, *Notre corps,* VII, p. 93.

DÉR. **Chymification.** ◊ COMP. **Chymotrypsine.**

CHYMIFICATION [ʃimifikasjɔ̃] n. f. — 1811; de *chyme,* -i- de liaison, et -*fication* (→ -*fier*).
Rare. Transformation des aliments en chyme.
→ **Digestion** (stomacale).

CHYMOTRYPSINE [ʃimotʀipsin] n. f. — Mil. xxᵉ; de *chyme*, et *trypsine*.

Chim., biol. Enzyme pancréatique qui intervient dans la digestion des protéines.

CHYPRE [ʃipʀ] n. m. — Déb. xivᵉ; du nom de l'île de *Chypre*.

◆ **1** (1798; *chipré*, 1795). Ancienn (le *chypre* n'est plus guère connu en France depuis environ 1850). Vin que l'on récolte à Chypre. *Une bouteille de chypre.*

◆ **2** (1771). Parfum composé de diverses essences (bergamote, santal, patchouli, mousse de chêne). *(...) cette fougère et ce chypre dont Renée avait parfumé pour toujours, par lotions et par pâtes, leur union (...)* Giraudoux, les Aventures de Jérôme Bardini, p. 9. On emploie aussi l'adj. *chypré, ée*, «qui a une note de chypre» (d'un parfum).

CHYPRIOTE [ʃipʀijɔt] adj. et n. — 1685, *chypriot*; *cypriote*, 1721; de *Chypre*.

Habitant ou personne originaire de l'île de Chypre. *Des enfants chypriotes.* — N. *Des Chypriotes.* Relatif à cette île. *L'art chypriote.* N. m. Dialecte grec parlé dans cette île. *Le (dialecte) chypriote.*

REM. La graphie *cypriote* [sipʀijɔt], la plus commune au xixᵉ s., semble aujourd'hui n'être utilisée que quand on parle de l'antiquité.

CHYTRIDIALES [kitʀidjal] n. f. plur. — xxᵉ; du grec *khutris* «vase», et suff. *-ales*.

Bot. Champignons* unicellulaires, microscopiques, primitifs, dont certaines espèces vivent en saprophytes dans le sol, dans l'eau, la plupart étant parasites d'organismes (algues, champignons, plantes supérieures, animaux). — Au sing. *Une chytridiale.*

REM. La forme *chytridinées* [kitʀidine] n. f. plur., est archaïque.

Ci [sei] Symbole du curie (2. Curie).

1. CI [si] adv. — xiiᵉ; abrév. de *ici*.

◆ **1** Dr. Ici (opposé à *là*). *Les témoins ci-présents.* — Loc. *Ci-gît* : ici est enterré. → **Gésir.**

1 *Ci* a disparu au xviᵉ s. comme adverbe, sauf dans l'expression *ci-gît*, et dans quelques composés : *ci-après, ci-contre, ci-joint, par-ci par-là, de-ci de-là.* F. Brunot, la Pensée et la Langue, III, xi, ii, p. 423.

Comptab. (*Ci* se met avant la somme totale qu'il annonce). *Deux mètres de drap à 50 francs, ci 100 francs.*

REM. Sauf dans cette expression de comptabilité, *ci* est toujours suivi ou précédé d'un trait d'union.

◆ **2** Cour. Placé immédiatement devant un adjectif ou un participe, *ci* marque la proximité dans l'espace. *Ci-inclus, use* [siɛkly, yz] : contenu dans cet envoi. — *Ci-joint, jointe* [siʒwɛ̃, ʒwɛ̃t], *ci-annexé, ée* [sianɛkse] : joint, annexé au présent document. *La copie ci-incluse. La pièce ci-jointe.*

REM. Quand des adjectifs ou participes ainsi construits précèdent le nom, l'usage est de les laisser invariables. *Vous trouverez ci-joint les documents. Vous trouverez ci-inclus une copie de ma première lettre. Ci-annexé les pièces justificatives.*

Joint aux noms précédés de l'adj. démonstratif *ce, cette, ces* (→ 1. Ce, cit. 4 et *supra*) et aux pronoms démonstratifs *celui, celle, ceux, celles* (→ Celui-ci), *ci* ajoute une idée d'actualité, de proximité. *Cet homme-ci. Ce livre-ci. À ces heures-ci. Ces jours-ci.*

Ci, employé par opposition à *là*, permet de distinguer deux personnes ou deux choses.

◆ **3** Loc. adv. Avec les prépositions *dessus, dessous, devant, après, contre, ci* forme des locutions adverbiales qui marquent ce qui précède ou ce qui suit. *Ci-dessus* : plus haut, supra; *ci-dessous* : plus bas, infra; *ci-après* : un peu plus loin; *ci-contre* : en regard, vis-à-vis. *Ci-devant* : précédemment.

Spécialt (sous la Révolution). *Un ci-devant noble.* — (Emploi absolu, devenu courant pendant la période révolutionnaire). *Un ci-devant* (n. m.) : un gentilhomme, un noble. *Les ci-devant.*

2 Talleyrand, ci-devant noble, ci-devant prêtre, ci-devant évêque, avait trahi les deux ordres auxquels il appartenait. Louis Madelin, De Brumaire à Marengo, viii, p. 118.

Au fém. *Une ci-devant.*

3 Constance porte la robe sombre et le grand fichu de l'ère révolutionnaire *(...ses yeux)* nous regardent avec une froide bienveillance dans laquelle il entre de l'amusement et de la bonté. Les lèvres rentrées répondent faiblement au sourire des yeux. Cette ci-devant n'a pas l'air sot. M. Yourcenar, Archives du Nord, p. 92.

De-ci de-là : de côté et d'autre. → **Côté**; **bric** (de bric et de broc).

Par-ci par-là : en divers endroits, de côté et d'autre. — Fig. À diverses reprises; de temps à autre.

HOM. 2. **Ci**, 1. **si**, 2. **si**, 3. **si**, **six**, **scie**.

2. CI [si] pron. démonstratif. — xixᵉ; abrév. de *ceci*.

Cette chose-ci : ceci. → **Ceci**; **voici**. — (Employé avec *ça*). *Demander ci et ça*, telle chose, telle autre. *Faire ci, faire ça.*

Tout le temps derrière son vieux, à le monter contre les bonshommes : «— Il t'a fait ci, il t'a fait ça!» Roger Vercel, Remorques, p. 135.

Loc. adv. Fam. *Comme ci comme ça* : tant bien que mal. → **Comme.** — Forme fam. : *couci-couça* [kusikusa]. *«Comment vous portez-vous? comme ci comme ça».*

N. Pop. *(Un ci et un ça; une ci et une ça).* Personne remplie de défauts (que l'on préfère ne pas énumérer, ou que l'on ne peut énumérer).

HOM. 1. **Ci**, 1. **si**, 2. **si**, 3. **si**, **six**, **scie**.

CIAO [tʃao] interj. — V. 1950; mot ital., de *schiavo* «esclave» puis «serviteur», employé comme exclam. de départ.

Fam. Au revoir!, adieu! — REM. Cet emprunt à la mode a remplacé *bye bye*!, vieilli.

1 *(Elle)* raflait son sac à main, soupirait et disait : «Bon, j'y vais! Ciao!» J. Cau, la Pitié de Dieu, p. 135 (1961).

2 Enfin, du moment que tu es contente... dit Marina sans trop de conviction — Ciao! F. Mallet-Jorris, le Jeu du souterrain, p. 113.

On écrit aussi, phonétiquement, *tchao*! ou *chao*!

3 Il se leva, vint vers Marcou et lui tendit la main : «Chao!» dit-il. Camus, les Muets, *in* l'Exil et le Royaume, p. 89.

CIBARRE [sibaʀ] n. m. — 1728; dér. d'une forme altérée de *cible, cibe*, avec un suff. empr. à un patois.

Régional (Suisse). Marqueur* (2.) à la cible. — REM. On écrit parfois *cibare*.

Si le festival des vieilles cibles cibles a un côté folklorique, il puise son essence principale dans la lutte sportive que se livrent les cibarres pour s'attribuer le titre tant envié de roi du tir. Nouvelliste et Feuille d'avis du Valais, 23 août 1977, p. 9.

CIBICHE [sibiʃ] n. f. — 1881; de *ci(garette)*, et suff. libre *-biche.*

Fam. (vieilli). Cigarette.

CIBISTE [sibist] n. et adj. — 1980 ; de l'amér. *C.B.* [sibi], sigle de *Citizen's Band* «fréquence réservée au public».

Américanisme. Personne qui communique avec une autre au moyen d'un émetteur de radio amateur. → **Citizen band.** «*Jusqu'à présent, l'utilisation d'appareils CB, en vente libre en France, était interdite à bord des véhicules. La "CB" n'en a pas moins connu un essor considérable en France depuis quelques mois : les "cibistes" émettaient de manière "sauvage" sur 27 MHZ avec une puissance de 4 watts et sur une quarantaine de canaux*» (*Libération*, 20 nov. 1981, p. 24). — On a recommandé d'employer *bépiste* [bepist] (de *B. P.*, bande publique). Le *Journal officiel* préconise le terme *cébiste* (24 juin 1982), mais *cibiste* semble seul courant.

Adj. *Le code cibiste.*

CIBLAGE [siblaʒ] n. m. — V. 1980 ; de *cibler* (2.).

Action de déterminer le public auquel un produit est destiné. *Le ciblage d'un produit de grande consommation, d'une émission de télévision.*

CIBLE [sibl] n. f. — 1693, à côté de *cibe* ; alémanique suisse *schïbe*, all. *Scheibe* «disque, cible».

◆ **1** But que l'on vise et contre lequel on tire avec une arme lançant un projectile (arme de jet : arc, etc. ; arme à feu, etc.). *Cercles concentriques d'une cible. Prendre qqch. pour cible*, le viser avec précision ; le viser, tirer dessus. *Tirer à la cible. Atteindre le disque noir au centre de la cible.* → **Mouche** (faire mouche). *Il a manqué, touché la cible. — Cible fixe, mobile. Cible pivotante.* → **Quintaine.** *Figure d'oiseau servant de cible.* → **Papegai.** *Les cibles d'un pas de tir. Marqueur à la cible.* → **Cibarre** (régional), **marqueur.**

1 Avec la certitude et la rapidité
Du javelot cherchant la cible (...)
HUGO, la Légende des siècles, LVIII, II.

◆ **2** Fig. Point de mire, objet de critiques (dans quelques expressions). *Servir de cible aux railleries de qqn. Être la cible des quolibets.* → **Butte** (être en). *Prendre qqn pour cible*, l'attaquer. *Je ne tiens pas à être la cible de ses attaques, de ses méchancetés.*

2 En Italie et en Allemagne, les Français sont la raison de tous les malheurs, la cible de toutes les balles (...)
BALZAC, le Cousin Pons, Pl., t. VI, p. 576.

3 Ces *Fils*, leurs prénoms anglo-saxons, leurs naïves préséances, seront, dans ses premiers livres, l'une des cibles que Mauriac percera de flèches très aiguës.
A. MAUROIS, Études littéraires, François Mauriac, t. II, p. 14.

◆ **3** Objectif visé (en publicité, en étude de marché, etc.) ; partie du public que l'on veut atteindre. → **Cibler.** — *Cœur de cible :* clientèle qui correspond le mieux à un produit, qui est recherchée en priorité. «*Les fameuses ménagères de moins de 50 ans, cœur de cible des publicitaires*» (*TéléObs.*, 11 janv. 1996).

(Trad. de l'angl. *target*). **Appos.** *Langue cible*, celle dans laquelle on doit traduire la langue «source» (notamment en traduction automatique).

◆ **4** Sc. (phys.). Corps exposé à un bombardement de particules, à un messager chimique. **Appos.** *Atome cible. Organe cible :* en radiothérapie, organe qui reçoit un bombardement de particules destiné à détruire une tumeur. *Cellule cible.*

(Météor.). **Appos.** *Ballon cible*, équipé d'un réflecteur métallisé qui permet son repérage.

DÉR. Cibler, ciblerie.

CIBLER [sible] v. tr. — V. 1970 ; de *cible* (3.).

Techn. (publicité, etc.).

◆ **1** Chercher à faire correspondre (un produit) à une cible (3.), à un public. — **Passif et p. p.** *Ce produit a été mal ciblé. Produit mal ciblé. Cibler une campagne publicitaire*, en définir l'objectif, la cible.

◆ **2** Délimiter, circonscrire en tant que cible (3.). *Cibler la clientèle d'un produit.* — **Par ext.** *Cibler un public*, le viser par une action publicitaire.

DÉR. Ciblage.

CIBLERIE [siblǝri] n. f. — 1866 ; de *cible.*

Techn. ou régional (Suisse). Emplacement où se trouvent les cibles ; abri des cibles et des marqueurs (→ Cibarre, cit.).

CIBOIRE [sibwar] n. m. — XIIᵉ, *civoire* ; lat. ecclés. *ciborium*, grec *kibôrion* «fruit du nénuphar d'Égypte» (dont on faisait des coupes).

◆ **1** (1382, *cibore*). Vase sacré en forme de coupe où l'on conserve les hosties consacrées pour la communion des fidèles (→ Nourriture, cit. 8). *Le saint ciboire. Ciboire doré, d'argent. Enfermer le ciboire dans le tabernacle. Linge qui recouvre le ciboire.* → **Pavillon.**

1 Le ciboire renferme les saintes hosties, la nourriture de l'âme. FRANCE, l'Orme du mail, Œ., t. XI, p. 112.

2 Les ciboires se remplissaient, se vidaient sans cesse, les mains des prêtres se fatiguaient à distribuer le pain de vie (...) ZOLA, Lourdes, p. 15.

◆ **2** Autre forme pour *ciborium**.

CIBORIUM [siborjɔm] n. m. — V. 1850 ; empr. du lat. → Ciboire.

Archéol. Baldaquin qui couvrait le tabernacle du maître-autel des basiliques chrétiennes.

CIBOULARD [sibular] n. m. → **Ciboulot.**

CIBOULE [sibul] n. f. — XIIIᵉ ; *cibole*, 1180 ; provençal *cebola*, du lat. *cæpulla*, dimin. de *cæpa* «oignon».

◆ **1** Plante monocotylédone (*Liliacées*), vivace, à bulbe allongé brun rouge, dont les feuilles fistuleuses sont employées dans les assaisonnements, comme condiment... → **Ciboulette, cive.** *La ciboule est une variété d'ail.*

(...) j'occupe deux clercs (...) Voici le premier... quant à l'autre, dans ce moment, il plante des ciboules !
E. LABICHE, Un monsieur qui a brûlé une dame, 4.

◆ **2** Pop. et vieilli. Tête. *Tu n'as rien dans la ciboule.* → **Ciboulot.**

DÉR. Ciboulette, ciboulot.

CIBOULETTE [sibulɛt] n. f. — 1486 ; de *ciboule.*

Plante (*Liliacées*) voisine de la ciboule, à petits bulbes réunis par les racines en une masse compacte, dont les feuilles creuses et pointues sont employées comme condiment. *La ciboulette a une saveur plus douce que la ciboule.* → **Civette.**

CIBOULOT [sibulo] n. m. — 1883 ; de *ciboule* «oignon», d'après *boule* «tête».

Pop. Tête ; crâne. *Avoir une idée dans le ciboulot.* → **Cabèche, caberlot, caboche.** — On dit parfois *ciboulard* [sibular] (1893).

CICATRICE [sikatʀis] n. f. — 1314; du lat. *cicatrix, -icis*.

◆ **1** Marque laissée par une plaie après la guérison; tissu fibreux qui remplace une perte de substance ou une lésion inflammatoire. → **Stigmate.** *Cicatrice de coupure, d'écorchure, de blessure, de brûlure* (cit. 1), *de fracture. Cicatrice à la face.* → **Balafre.** *Un visage couvert de cicatrices. Les cicatrices de variole font le visage en écumoire. Cicatrice du cordon ombilical.* → **Nombril.** *Cicatrice indélébile. Avivement d'une cicatrice pour la suturer. L'inodule, élément du tissu de cicatrice.*

1 Enfin la cicatrice fait une fort bonne mine de vouloir s'avancer, et pour la presser encore davantage, nous ôtons l'huile (...) et nous mettons de l'onguent noir (...) qui ne nuira pas à la poudre de sympathie, pour fermer entièrement la boutique (...)
   Mᵐᵉ DE SÉVIGNÉ, 951, 4 févr. 1685.

2 Leurs officiers étaient dignes d'eux ou le devenaient; car, pour conserver l'ascendant de son grade sur de pareils hommes, il fallait avoir à leur montrer des cicatrices et pouvoir se citer soi-même.
   Ph.-P. SÉGUR, Hist. de Napoléon, III, 3.

3 Il avait sur le front, entre les sourcils, une petite cicatrice assez profonde, qui souvent, de bleuâtre qu'elle était, devenait noire (...)
   A. DE VIGNY, Servitude et grandeur militaires, III, II, p. 181.

4 Vous rappelez-vous des signes franchement caractéristiques? Grain de beauté? Tache de vin? Marques de petite vérole? Cicatrices?
   J. ROMAINS, les Hommes de bonne volonté, t. II, XIII, p. 136.

5 Une cicatrice définitive se forme. Cette cicatrice est obtenue par la collaboration de deux tissus, le tissu conjonctif qui remplit la plaie, et les cellules épithéliales qui viennent de ses bords.
   Alexis CARREL, l'Homme, cet inconnu, VI, IV, p. 242.

Cicatrice, cicatrice tribale : scarification pratiquée sur les enfants, dans certaines ethnies africaines. → **Scarification.**

Bot. *Cicatrice (foliaire) :* marque que laissent les différentes parties d'un végétal, une fois tombées, sur l'organe qui les portait.

Géol. Point de rupture d'une avalanche.

◆ **2** (XVIIᵉ). Traces laissées par un événement destructeur (guerre, catastrophe, etc., déprédations); ruines à peine relevées. → **Brèche, lézarde, (fig.) mutilation.**

6 Ce pays *(la Vendée)* portait, comme un vieux guerrier, les mutilations et les cicatrices de sa valeur. Des ossements blanchis par le temps et des ruines noircies par les flammes frappaient les regards.
   CHATEAUBRIAND, Mémoires d'outre-tombe, II, II.

7 Les maisons arabes ont tant de cicatrices, qu'on ne peut reconnaître, et ici moins qu'ailleurs, si c'est le temps, la négligence ou la main d'un ennemi qui les a faites.
   E. FROMENTIN, Un été dans le Sahara, II, p. 117.

◆ **3** Trace d'une blessure, d'une souffrance morale. *Les cicatrices du cœur, de l'âme.*

8 Le cœur endurci par les cicatrices mêmes des coups qu'on lui a portés, est devenu plus insensible, on arrive aisément à cet état d'indifférence, à cette quiétude indolente dont on aurait rougi quelques années auparavant.
   BUFFON, Disc. sur la nature des animaux, *in* LITTRÉ.

9 Quiconque aima jamais porte une cicatrice;
   Chacun l'a dans le sein, toujours prête à s'ouvrir;
   Chacun la garde en soi, cher et secret supplice,
   Et mieux il est frappé, moins il en veut guérir (...)
   A. DE MUSSET, Poésies nouvelles, «Lettre à Lamartine».

10 Tout mon cœur te bénit, bonté consolatrice!
   Je n'aurais jamais cru que l'on pût tant souffrir
   D'une telle blessure, et que sa cicatrice
   Fût si douce à sentir.
   A. DE MUSSET, Poésies, «Souvenir».

La vie avait raison de tout; pas de plaie qui ne devienne 11 cicatrice.
   MARTIN DU GARD, les Thibault, t. III, p. 229.

DÉR. Cicatriciel.

CICATRICIEL, IELLE [sikatʀisjɛl] adj. — 1845, cit. 1; de *cicatrice*.

Pathol. Qui se rapporte ou est dû à une cicatrice. *Bourrelet, rétrécissement, tissu cicatriciel. Lésion, suture cicatricielle.*

1 Il ne reste plus tard aucune trace des solutions de continuité, c'est à l'absorption du tissu cicatriciel, qui tend toujours à disparaître, que l'on doit de ne plus rencontrer de substance intermédiaire entre les parties divisées.
   A. JAMAIN, Manuel de petite chirurgie, p. 361 (1845).

2 Coupures, brûlures, estafilades, callosités, tavelures indélébiles et bourrelets cicatriciels racontaient la lutte opiniâtre qu'il avait menée si longtemps pour en arriver à ce petit bâtiment trapu et ailé.
   M. TOURNIER, Vendredi..., p. 35.

CICATRICULE [sikatʀikyl] n. f. — 1501, «petite cicatrice»; lat. méd. *cicatricula*, de *cicatrix*. → Cicatrice.

(1743). **Biol.** Disque germinatif de l'œuf.

CICATRISABLE [sikatʀizabl] adj. — 1845; attestation isolée, XVᵉ; de *cicatriser*.

Qui peut se cicatriser. *Blessure cicatrisable.* — **Fig.** *C'est une douleur difficilement cicatrisable.*

CONTR. Incicatrisable.

CICATRISANT, ANTE [sikatʀizɑ̃, ɑ̃t] adj. et n. m. — XVᵉ; de *cicatriser*.

Qui favorise, accélère la cicatrisation. *Baume, pansement cicatrisant. Action, propriété cicatrisante.* → **Épulotique.** — **N. m.** *Un cicatrisant.*

Quel admirable cicatrisant que les années qui coulent sur une plaie!
   René FALLET, Y a-t-il un docteur dans la salle? p. 301.

CICATRISATION [sikatʀizasjɔ̃] n. f. — 1314; de *cicatriser*.

◆ **1** ⓐ Processus par lequel sont réparées diverses lésions (plaies, blessures, etc.). → **Guérison, néoformation, reconstitution, régénération, réparation** (→ Chirurgie, cit. 1).

1 Le caractère adaptif de la cicatrisation s'observe clairement dans les plaies superficielles. Ces plaies sont exactement mesurables. Elles se réparent à une vitesse calculable par les formules du Noüy. Elles nous permettent ainsi d'analyser la marche de leur cicatrisation. On remarque d'abord qu'une plaie ne se cicatrise que si sa cicatrice est utile.
   Alexis CARREL, l'Homme, cet inconnu, VI, III, p. 241.

ⓑ **Zool.** Faculté régénératrice propre à certains animaux, pouvant aller jusqu'à la reproduction d'un membre.

Arbor. Processus de régénération après un greffage, une blessure. → **Recouvrement.**

◆ **2** (Abstrait). Consolation, réconciliation (→ Cicatriser, cit. 2 et 3). *Cicatrisation d'une blessure morale.* → **Adoucissement, apaisement.**

2 Combien facilement la vie se reforme, se referme. Cicatrisations trop faciles. Laisser-aller à ce bonheur médiocre qui est le plus grand ennemi du vrai bonheur.
   GIDE, Journal, 16 sept. 1914.

CONTR. Avivement, saignement. — Exaspération.

CICATRISER [sikatʀize] v. — 1314; du lat. méd. *cicatrizare*, de *cicatrix*. → Cicatrice.

▌I▐ V. tr. ◆ **1** Faire guérir, faire se refermer (une plaie). *Cicatriser une plaie, une brûlure.* — Par ext. (le complément désigne la partie du corps où siège la plaie). *Le traitement a cicatrisé sa jambe.*

Absolt. *Le repos cicatrise.*

1　Le caporal (...) allait mieux. Sa blessure n'était point grave. Il léchait la plaie comme un chien pour la cicatriser plus vite.　　　　　　P. MAC ORLAN, la Bandera, XVII, p. 209.

◆ **2** Fig. Faire oublier (les souffrances de l'âme). → **Cicatrice** (3.). *Cicatriser une blessure d'amour-propre, une plaie causée par un deuil, une séparation, une déception...*, en adoucir la douleur. → **Apaiser, consoler, fermer, guérir.**

2　(...) il irait se cacher dans une solitude où il finirait peut-être par cicatriser ses plaies et ne plus sentir que les sourdes douleurs dont tressaillent jusqu'à la mort les mutilés.　　　MAUPASSANT, Notre cœur, II, VI, p. 203.

Absolument :

3　J'ai longtemps, pour mon compte, tenu ma plaie à l'état vif et presque à dessein (...) Puis je me suis dit par moments que c'était une séparation bien définitive; qu'il était trop simple à moi de penser à un retour, que rien chez vous ne saignait de mon côté et qu'il fallait songer à cicatriser aussi.
　　　　　　SAINTE-BEUVE, Correspondance, t. I, 308, 21 août 1833.

▌II▐ V. intr. Se cicatriser. *C'est une blessure longue à cicatriser.*

◆ **SE CICATRISER** v. pron.

◆ **1** Se fermer. *Sa plaie se cicatrise, s'est cicatrisée. La blessure ne se cicatrise pas, saigne toujours.* — Syn. : *cicatriser* (intransitif).

◆ **2** (Blessure morale). S'apaiser.

4　Les pauvres femmes n'osent pas même avouer qu'elles ont éprouvé ce supplice cruel *(la jalousie)*, tant il leur donne de ridicules. Une plaie si douloureuse ne doit jamais se cicatriser entièrement.
　　　　　　STENDHAL, De l'amour, XXXVII, p. 141.

5　Cette blessure qu'il ne faut pas laisser se cicatriser, mais qui doit demeurer toujours douloureuse et saignante, cette blessure au contact de l'affreuse réalité.
　　　　　　GIDE, Journal, 15 août 1934.

CONTR. Aviver, ouvrir, rouvrir. — Saigner, vif (être à vif).
◊ DÉR. Cicatrisable, cicatrisant, cicatrisation.

CICER [siseʀ] n. m., ou **CICEROLE** [sisʀɔl] n. f. → **Pois** (chiche).

CICÉRISME [siseʀism] n. m. — Mil. XXᵉ; de *cicer* «pois-chiche».

Méd. Intoxication alimentaire par des pois-chiches ou des légumes analogues.

CICÉRO [siseʀo] n. m. — 1550; de *Cicero*, forme lat. de *Cicéron*, ce genre de caractère ayant été adopté pour la première édition des œuvres de Cicéron en 1458.

Technique.

◆ **1** Hist. des techn. Caractère d'imprimerie de douze points typographiques (points Didot), soit 4,5 mm.

◆ **2** Mod. Unité de mesure typographique de 4,5 mm. → **Douze** (n. m.).

CICÉRONE [siseʀɔn] n. m. — 1753; ital. *cicerone*, emploi figuré du nom de l'orateur romain *Cicéron*, par allus. à la verbosité des guides.

Vieilli ou plais. Guide* appointé qui explique aux touristes les curiosités d'une ville, d'un musée, d'un monument. *Des cicerones* (Académie) ou (plus cour.) *des cicérones.*

1　Le *cicerone* du lieu nous montra, dans une ravine noire, la copie d'un temple dont je devais admirer le modèle dans la brillante vallée du Céphise.
　　　　　　CHATEAUBRIAND, Mémoires d'outre-tombe, I, IX.

1.1　La visite commence peu après. Je suis le guide, buvant ses moindres paroles. Après nous avoir fait traverser une immense salle du Moyen Âge, aux vastes cheminées, il nous montre un petit escalier. C'est celui que prenaient les accusés pour se rendre au Tribunal révolutionnaire (...) Je m'engage dans l'étroit escalier qui a vu tant de choses. Mais déjà notre cicérone s'éloigne.
　　　　　　Claude MAURIAC, le Temps immobile, p. 159.

Le cicérone de qqn, personne qui, bénévolement, assume, dans une certaine occasion, les fonctions de cicérone. *La maîtresse de maison a été notre cicérone.*

L'Attaché, *avec un étonnement respectueux (à Metternich) :* Quoi! vous daignez être mon cicérone?　　　2
　　　　　　Edmond ROSTAND, l'Aiglon, IV, 1.

CICÉRONIEN, IENNE [siseʀɔnjɛ̃, jɛn] adj. — XIVᵉ; du lat. *ciceronianus*, de *Cicero* «Cicéron».

De Cicéron, qui a rapport à Cicéron, qui rappelle la manière de Cicéron. *Éloquence cicéronienne;* fig. et fam. (vx), manière pompeuse de s'exprimer.

CICINDÈLE [sisɛ̃dɛl] n. f. — 1548, «ver luisant»; sens actuel, 1754; du lat. *cicindela*, rac. *candere* «briller».

Insecte coléoptère carnassier, aux couleurs bariolées (*Cicindélidés*). «*Les cicindèles exhalent une odeur de rose très caractéristique*» (Poiré, *Dict. des sciences*).

CICLOSPORINE [siklospɔʀin] n. f. → **Cyclosporine.**

CICONIIDÉS [sikɔniide] n. m. pl. — 1846, *ciconinées;* lat. *ciconia* «cigogne».

Zool. Famille d'oiseaux échassiers dont le type est la cigogne. → **Cigogne, marabout, ombrette.** — Au sing. *Un ciconiidé.*

CICUTAIRE [sikytɛʀ] n. f. — 1555; du lat. *cicuta* «ciguë».

Didact. et vx. → **Ciguë.**

CICUTINE [sikytin] n. f. — 1843; du lat. *cicuta* «ciguë».

Didact. (chim., pharm.). Alcaloïde extrait de la ciguë, utilisé comme calmant antispasmodique. — On l'appelle aussi *conicine* [kɔnisin], ou *conine* [kɔnin].

-CIDE Suffixe, du lat. *-cida* (n. d'agents) et *-cidium* (n. d'actions), de *-cid-*, forme en composition de la racine de *caedere* «tuer» (cf. *decidere* → Décider), et suff. *-a* et *-(i)um* respectivement. Il entre dans la composition de nombreux adjectifs et noms. — Ex. : *autruicide, bactéricide, coricide, déicide, fongicide, fratricide, homicide, infanticide, insecticide, lapicide, liberticide, matricide, microbicide, parasiticide, parricide, pesticide, régicide, suicide, tyrannicide, vermicide.*

CI-DESSOUS [sid(ə)su], **CI-DESSUS** [sid(ə)sy] adv. → **1. Ci.**

CI-DEVANT [sid(ə)vɑ̃] adv. et n. → **1. Ci.**

CIDRE [sidʀ] n. m. — XIIIᵉ, *sidre, cisdre; sizre* «boisson forte», mil. XIIᵉ; du lat. ecclés. *sicera* «boisson enivrante», grec ecclés. *sikera*, de l'hébreu *chekar*.

♦ **1** Boisson obtenue par la fermentation alcoolique du jus de pomme. *Cidre de Normandie, de Bretagne, du Havre. Un bol, une bolée de cidre. Pommes à cidre* (opposées aux *pommes à couteau,* fruits de table). *Opérations de la fabrication du cidre :* triage, lavage et broyage des pommes; cuvage de la pulpe; pressurage et trempage (rémiage) du marc; fermentation (ou bouillaison) du moût; mise en barriques, en citernes, en bouteilles. *Le bouillage ou première fermentation du cidre. Le durcissement, la fleur, le noircissement, la graisse, le verdissement, maladies du cidre. Cidre tué,* atteint de noircissement. *Cidre mannisé,* aigri sous l'influence d'un ferment qui transforme son sucre en mannise*. — Cour. *Cidre pur jus,* fabriqué sans addition d'eau. *Petit cidre,* qui renferme moins de 3,5º d'alcool ou moins de 12 g par litre de matières minérales. *Eau-de-vie de cidre.* → **Calvados.** *Cidre bouché :* cidre qu'on garde dans des bouteilles analogues à celles du champagne. *Cidre mousseux,* champagnisé à un degré moindre. *Cidre doux,* moelleux et sucré. *Un cidre doux, bien frais, limpide, ambré, doré, étincelant, pétillant, mousseux, bouqueté, fruité, savoureux. Du cidre nouveau* (cit. 5).

1   Le cidre doux en bouteilles poussait sa mousse épaisse autour des bouchons (...)
         FLAUBERT, Mᵐᵉ Bovary, I, IV.

2   Le cidre jaune luisait, joyeux, clair et doré, dans les grands verres.
         MAUPASSANT, les Contes de la Bécasse,
         «Farce normande», p. 103.

3   Voyons, et notre cidre, comment le trouvez-vous? demanda la femme du sonneur. Il est un peu vert, hein?
    — Non, il est de saveur gamine mais de tampée franche, répondit Durtal. HUYSMANS, Là-bas, XXII, p. 302.

4   Après m'avoir offert dans un cabaret du faubourg deux moques d'un cidre très dur, qui me fit mal à la tête, il m'emmena dans sa carriole au village de Saint-Pierre (...)
         FRANCE, la Vie en fleur, XI, p. 152.

♦ **2** (Qualifié). Vx. Boisson préparée avec le jus fermenté d'autres fruits. *Cidre de pomme et de poire.* → **Halbi.** *Cidre de poire.* → **Poiré.**

DÉR. **Cidrerie, cidricole, cidrier.**

CIDRERIE [sidʀəʀi] n. f. — 1872; de *cidre.*

♦ **1** Industrie du cidre. *La cidrerie et la brasserie.*

♦ **2** Usine ou local où l'on fabrique le cidre. *Une cidrerie industrielle.*

CIDRICOLE [sidʀikɔl] adj. — 1907; de *cidre.*
Technique.

♦ **1** Relatif au cidre, à sa production. *Industrie cidricole.*

♦ **2** Producteur de cidre. *Une région cidricole.*

CIDRIER, IÈRE [sidʀije, jɛʀ] adj. et n. — XXᵉ; de *cidre.*
Techn. Qui a rapport au cidre. → **Cidricole.** *Industrie cidrière.*
N. (rare au fém.). Producteur de cidre. *Ce cidrier fabrique son calvados.* → **Bouilleur** (de cru).

Cie [kɔ̃paɲi] Abréviation.
(Écrit). Compagnie*. *... et Cie* (et compagnie), après un nom de personne, dans une raison sociale, dans le nom d'une entreprise. — Titre d'un roman de Jean-Richard Bloch.

CIEL, plur. **CIEUX** ou **CIELS** [sjɛl, sjø, sjɛl] (le pluriel *ciels* désigne une multiplicité réelle ou une multiplicité d'aspects; *cieux* est un pluriel collectif qui comporte souvent une nuance affective, et qui est remplaçable par le singulier, sauf dans l'expression *sous d'autres cieux*) n. m. — IXᵉ; du lat. *cœlum.*

I Didact. (hist. des idées, antiq., etc.). Chacune des sphères transparentes concentriques à la terre et tournant autour d'elle, auxquelles les astres étaient supposés être accrochés et qui en expliquaient les mouvements. — Plur. : *ciels. Les Anciens n'étaient pas d'accord quant au nombre des ciels. Le ciel de Mars. Le ciel des étoiles ou huitième ciel. Ciel le plus éloigné de la terre où habitaient les dieux.* → **Empyrée.** *Fluide subtil qui emplissait le ciel au-delà de l'atmosphère terrestre.* → **Éther.** — Myth. *Atlas condamné à porter le ciel.*

1   Je connais un homme (...) qui fut ravi (...) jusqu'au troisième ciel (...)
         BIBLE (SACY), 2ᵉ épître aux Corinthiens, XII, 2.

2   Si l'on avait demandé à Homère dans quel ciel était allée l'âme de Sarpédon, et où était celle d'Hercule, Homère eût été bien embarrassé; il eût répondu que ces harmonieux. VOLTAIRE, Dict. philosophique, XXVI, p. 101.

Loc. *Être au troisième* (vx), *au septième ciel,* dans le ravissement.

3   Cette prédilection l'emporte; elle le ravit au troisième ciel, ou elle le fait descendre jusqu'à cette fureur vernale, où la convoitise de l'homme s'adresse à l'enfance.
         André SUARÈS, Trois hommes, «Dostoïevski», IV,
         p. 238.

Cour. *Être au septième ciel :* atteindre un stade intense de plaisir (notamment, sexuel).

II (Plur. *cieux*). ♦ **1** Apparence de l'espace extraterrestre, vu de la terre; voûte où semblent se mouvoir les astres. *Copernic donna la première explication du ciel. La gravitation des astres dans le ciel. Zone du ciel qui contient les douze constellations parcourues par le soleil.* → **Zodiaque.** *Points projetés dans le ciel par la verticale d'un observateur.* → **Nadir, zénith.**

Rare et littér. Espace où se meuvent les astres. → **Cosmos.** *La terre et le ciel, les cieux. L'infini des cieux.*

4   Les cieux racontent la gloire de Dieu, et l'étendue manifeste l'œuvre de ses mains.
         BIBLE (SEGOND), Psaumes, XIX, 2.

5   Le soleil semble s'être oublié dans les cieux (...)
         MOLIÈRE, le Dépit amoureux, V, 2.

6   L'homme (...) dont l'art audacieux
Dans le tour d'un compas a mesuré les cieux?
         BOILEAU, Satires, VIII.

7   Puisque la révolution diurne du ciel n'est qu'une illusion produite par la rotation de la terre.
         LAPLACE, Exposition du système du monde, II, 1.

8   Quand (l'homme), descendant du dôme où s'égaraient ses yeux,
Atome, il se mesure à l'infini des cieux (...)
         LAMARTINE, Harmonies..., II, 4.

9   (...) il faudra partir, quand la Grande Ourse se sera renversée dans le ciel immense. Nous suivons chaque nuit son mouvement régulier (...)
         LOTI, Aziyadé, Salonique, XX, p. 31.

♦ **2** Vx et didact. Ensemble des étoiles et des planètes. → **Univers.** *Étude du ciel.* → **Astronomie, cosmographie;** 1. **urano-, uranographie, uranométrie.**

10   Eh! qui guide les cieux et leur course rapide?
         LA FONTAINE, Fables, IX,
         Discours à Madame de La Sablière.

Loc. fig. (Mod.). *Remuer ciel et terre :* mettre tout en œuvre.

11   J'ai remué ciel et terre pour vos intérêts.
         RACINE, Lettres, Œ., t. VII, p. 172.

♦ **3** Astrol. Disposition des astres considérée du point de vue de leur influence sur la destinée de l'homme. — *Influence du ciel.* → **Astrologie, carte** (du ciel), **thème** (astral). *Lire dans les cieux.*

12   Je ne suis pas un grand prophète,
     Cependant je lis dans les cieux
     Que bientôt ses faits glorieux
     Demanderont plusieurs Homères (...)
                   LA FONTAINE, Fables, XII, 9.

13   S'il ne sent point du ciel l'influence secrète,
     Si son astre en naissant ne l'a formé poète (...)
                   BOILEAU, l'Art poétique, 1.

III ♦ **1** Cour. Partie du ciel (II.) visible, qui est limitée par l'horizon (plur. : *cieux*). *L'étendue du ciel. La voûte du ciel.* → **Firmament; calotte, coupole, dôme** (du ciel). *Points du ciel où le soleil touche l'horizon.* → **Occident, orient.** *L'aspect changeant du ciel. Un ciel étoilé, parsemé d'étoiles. Pan du ciel* (→ 1. Pan, cit. 6). *L'état du ciel.* → **Atmosphère** (et → ci-dessous, 4.).

14   La gentille alouette, avec son tire-lire,
     Tire l'ire à l'iré, et tire-lirant, tire
     Vers la voûte du ciel...
           DU BARTAS, *in* LAROUSSE du XXᵉ s., art. *Tire-lirer.*

15   Tombe sur moi le ciel pourvu que je me venge !
                   CORNEILLE, Rodogune, V, 2.

16   Souffrez que ma vertu dans mon cœur rappelée
     Vous consacre une foi lâchement violée
     Mais si ferme à présent, si loin de chanceler,
     Que la chute du ciel ne pourrait l'ébranler.
                   CORNEILLE, Cinna, V, 3.

17   (...) Celui de qui la tête au ciel était voisine.
           LA FONTAINE, Fables, I, 22, «Le chêne et le roseau».

18   Les horizons de mer, légèrement vaporeux se confondaient avec ceux du ciel.
          CHATEAUBRIAND, Itinéraire..., I, *in* LITTRÉ.

19   (...) le grand ciel de cristal élargissait sa voûte sur la plaine immense de la mer (...)
          TAINE, Philosophie de l'art, t. II, IV, I, IV.

20   Ce fut un coup terrible. Il me sembla que le ciel croulait.
          Alphonse DAUDET, le Petit Chose, I, I.

21   Les fascistes arrivaient sur le groupe des trois multiplaces (...) Pas un avion de chasse républicain dans le ciel.
          MALRAUX, l'Espoir, p. 804.

Loc. *Sous le ciel* : ici-bas, au monde. *Sous le ciel de Grenade* : à Grenade. *Sous d'autres cieux* : dans un autre, en d'autres pays. — *À ciel ouvert* : en plein air. *Une piscine à ciel ouvert.* — Fig. Au grand jour. *Mettre à ciel ouvert des dossiers compromettants.* — *Entre ciel et terre* : en l'air, et à une certaine hauteur. *Au ciel. Lever les yeux, les bras, les mains au ciel,* les lever vers le ciel, en haut. — Fig. *Élever qqn au ciel,* exalter son mérite, l'admirer. → **Nue** (porter aux nues). — *Du ciel. Tomber du ciel* : arriver à l'improviste, comme par miracle. — Par ext. Être stupéfait, ne rien comprendre. *Avoir l'air de tomber du ciel* (→ Tomber de la lune, des nues).

22   Il leur tomba du ciel un roi tout pacifique.
          LA FONTAINE, Fables, III, 4.

23   On ne voit rien de si beau sous le ciel.
          MOLIÈRE, Mélicerte, I, 3.

24   Triste, levant au ciel ses yeux mouillés de larmes (...)
          RACINE, Britannicus, II, 2.

25   Jeunes et tendres fleurs, par le sort agitées,
     Sous un ciel étranger comme moi transplantées (...)
          RACINE, Esther, I, 1.

26   (...) loué, exalté, et porté jusqu'aux cieux par de certaines gens qui se sont promis de s'admirer réciproquement.
          LA BRUYÈRE, les Caractères, I, 24.

27   La bombe tomba, et, comme si elle eût projeté la terre contre l'avion, tous reçurent la neige dans le ventre. Pujol sauta de son siège, à ciel ouvert tout à coup.
          MALRAUX, l'Espoir, p. 807.

Peint. Partie (d'un tableau, d'un décor) représentant le ciel. *Les ciels de Van Gogh.*

♦ **2** Châssis fixé au-dessus d'un lit et auquel on suspend des rideaux. → **Baldaquin, dais.** *Des ciels de lits.*

27.1   Lauren est allongée sur le couvre-lit de fourrure, entre les quatre colonnes soutenant le ciel qui forme au-dessus d'elle comme un dais.
          A. ROBBE-GRILLET, la Maison de rendez-vous,
                        p. 214.

♦ **3** Techn. Voûte, plafond (d'une carrière). *Ciel d'une carrière. Carrière à ciel ouvert,* exploitée à découvert.

28   À plus forte raison sont-ils incapables de vous dire si le terrain ne repose pas sur un ciel de carrière.
          J. ROMAINS, les Hommes de bonne volonté, t. IV,
                      Éros de Paris, IV.

♦ **4** (Qualifié, selon son aspect dû au temps* ; plur. : *des ciels*). État de l'atmosphère. *Ciel bleu, ciel d'azur ; ciel gris, sombre. Ciel clair, pur, transparent, calme, serein. Ciel vaporeux, brumeux, embrumé, brouillé, pommelé, nuageux, chargé, couvert, pluvieux, orageux. Ciel changeant, tourmenté, menaçant. Ciel bas, ciel lourd, ciel de plomb. Ciel qui se couvre, s'assombrit.* → **Nuage.** *Ciel qui s'éclaircit.* → **Éclaircie, embellie ; échappée, trouée** (de ciel). *La luminosité du ciel. Couleurs qui illuminent le ciel après l'orage.* → **Arc-en-ciel.** *L'eau du ciel.* → **Pluie.** — Poét. (style bibl.). *Le feu du ciel.* → **Foudre.** *Ciel d'airain,* qui ne donne pas d'eau (→ Airain, cit. 10).

29   Les cieux par lui fermés et devenus d'airain (...)
                   RACINE, Athalie, I, 1.

30   (...) peut-être le ciel se sera mis au beau.
                   RACINE, Lettres.

31   Jamais deux yeux plus doux n'ont du ciel le plus pur
     Sondé la profondeur et réfléchi l'azur.
          A. DE MUSSET, Poésies nouvelles, «Lucie».

32   Quand le ciel bas et lourd pèse comme un couvercle
     Sur l'esprit gémissant en proie aux longs ennuis (...)
          BAUDELAIRE, les Fleurs du mal, LXXVIII.

33   Les soleils mouillés
     De ces ciels brouillés (...)
          BAUDELAIRE, les Fleurs du mal, LIII.

34   Nous avancions avec peine dans une terre sablonneuse, écrasés sous un ciel de plomb.
          E. FROMENTIN, Un été dans le Sahara, p. 106.

35   (...) le ciel d'azur qui répand sur la baie de Naples sa sérénité lumineuse.
          FRANCE, le Crime de S. Bonnard, Œ., t. II, p. 418.

36   Le ciel est par-dessus le toit
     Si bleu, si calme.   VERLAINE, Sagesse, III, 6.

37   Dans le ciel très couvert, très épais, il y avait çà et là des déchirures, comme des percées dans un dôme, par où arrivaient de grands rayons couleur d'argent rose.
          LOTI, Pêcheur d'Islande, I, I, p. 12.

38   Le ciel pleut lourdement sur l'eau feuillue des douves.
          Francis JAMMES, Élégie seconde, IV.

39   (...) c'était comme le ciel encore empourpré du matin où partout pointe et brille l'or.
          PROUST, À l'ombre des jeunes filles en fleurs,
                      t. III, p. 168.

40   (...) un ciel pâle et comme lavé — un ciel strié par les vols de martinets.
          F. MAURIAC, l'Enfant chargé de chaînes, p. 96.

41   (...) les étoiles se détachaient avec éclat sur un ciel d'un bleu de velours sombre.
          A. MAUROIS, les Silences du colonel Bramble,
                      XVII, p. 169.

Espace qui n'est pas masqué par les nuages. *Échappée, trouée de ciel, de ciel bleu, dégagé.* → **Éclaircie, embellie.**

Prov. *Ciel pommelé et femme fardée ne sont pas de longue durée* : la beauté artificielle, chez une femme, est aussi éphémère qu'un ciel pommelé (lequel annonce le plus souvent l'arrivée prochaine du mauvais temps).

Climat. *Le ciel clément de la Touraine.*

♦ **5** (1844, *in* D.D.L.). *Bleu ciel, bleu de ciel :* bleu clair rappelant la couleur du ciel. → **Bleu; azuré, azuréen, azurin, cérulé.** — (1898, *in* D.D.L.). Absolt. Appos. ou adj. invar. *Cravate de soie ciel. Des robes ciel.*

41.1 Ces fleurs sont d'un rose vraiment céleste, dit Legrandin, je veux dire *couleur de ciel* rose. Car il y a un *rose* ciel comme il y a un *bleu* ciel.
PROUST, le Côté de Guermantes, I, 1920, p. 213, *in* T.L.F.

IV ♦ **1** (Opposé à *la Terre*). *Le ciel, les cieux :* le séjour des dieux. → **Au-delà, céleste** (séjour), **là-haut.** *Satan fut précipité du haut du ciel.* «*Notre père qui êtes aux cieux...*» (premiers mots de la prière *Notre père*). *Le royaume des cieux. Son âme est allée au ciel. Monter au ciel.* → **Ascension, assomption.** *Préférer les joies de la terre à celles du ciel. Les saints du ciel. La reine du ciel.* → **Vierge.** *Messager du ciel.* → **Ange; mercure.** *Ciel des dieux grecs.* → **Olympe.** *Fils du ciel.* → **Chinois.**

42 En ces jours-là parut Jean le Baptiste, prêchant dans le désert de Judée et disant «Repentez-vous, car le royaume des cieux est proche».
BIBLE (CRAMPON), Évangile selon saint Matthieu, III, 1-2-3.

43 Celui qui règne dans les cieux, et de qui relèvent tous les empires (...)
BOSSUET, Oraison funèbre de la reine d'Angleterre.

44 La déesse Discorde ayant brouillé les dieux,
Et fait un grand procès là-haut pour une pomme,
On la fit déloger des cieux.
LA FONTAINE, Fables, VI, 20.

45 Moi, qui suis, comme on sait, en terre et dans les cieux,
Le fameux messager du souverain des Dieux.
MOLIÈRE, Amphitryon, Prologue.

46 «Fils de Saint Louis, montez au ciel», dit le prêtre qui assistait Louis XVI au baptême du sang.
CHATEAUBRIAND, Mémoires d'outre-tombe, IV, 9.

47 Entends du haut des cieux le cri de nos besoins.
LAMARTINE, Méditations, I, 16.

48 Deux êtres que dans l'ombre unit un saint mystère
Passent en s'aimant sur la terre,
Comme deux exilés du ciel!   HUGO, Odes, IV, 2.

Fig. Lieu surnaturel, divin. «*Les beaux arts ouvrent la porte du ciel...*» (→ 1. Porte, cit. 27).

♦ **2** Séjour des bienheureux, des élus à qui est accordée la vie éternelle. → **Paradis, patrie** (céleste). *Mériter le ciel. Aspirer à la béatitude du ciel.* — Fig. *Être au ciel :* être parfaitement heureux.

49 Je prétendais autant qu'aucun autre à gagner le ciel.
DESCARTES, Discours de la méthode, I, 11.

50 Entre nous, et l'enfer ou le ciel, il n'y a que la vie entre deux, qui est la chose du monde la plus fragile.
PASCAL, Pensées, II, 213.

51 (...) un avant-goût de la béatitude du ciel.
BOURDALOUE, Pensées, t. I, p. 376.

♦ **3** Par métonymie (en général au sing. : *le ciel*). La divinité; la providence. *La justice, la clémence du ciel. Un coup du ciel. Un présent du ciel. Les biens du ciel. C'est une bénédiction du ciel. Le feu du ciel.* → **Colère, courroux, foudre, vengeance** (divine). — Bibl. *Nourriture du ciel.* → **Manne.** — Loc. *C'est le ciel qui l'envoie. Le ciel m'est témoin; j'en atteste le ciel.* — *Menacer le ciel; remercier, bénir le ciel. Rendre grâce, rendre grâces au ciel.*

52 J'en rends grâces au ciel, qui m'arrêtant sans cesse
Semblait m'avoir fermé le chemin de la Grèce (...)
RACINE, Andromaque, I, 1.

53 Si le ciel t'eût, dit-il, donné par excellence
Autant de jugement que de barbe au menton.
LA FONTAINE, Fables, III, 5.

54 Ne trouves-tu pas (...) quelque chose du Ciel, quelque effet du destin, dans l'aventure inopinée de notre connaissance?   MOLIÈRE, le Malade imaginaire, I, 4.

(...) Le sort, les démons, et le Ciel en courroux   55
N'ont jamais rien produit de si méchant que vous.
MOLIÈRE, le Misanthrope, IV, 3.

Le ciel défend, de vrai, certains contentements (...)   56
MOLIÈRE, Tartuffe, IV, 5 (→ Accommodement, cit. 2).

C'est un dédommagement que le ciel leur accorde *(aux*   57
aveugles).
Joseph JOUBERT, Pensées, V, XVIII (→ Aveugle, cit. 38).

Spécialt (dans l'anc. Chine). *Le fils du ciel :* l'empereur (→ L'empire céleste*).

Interj. *Ciel!, cieux!,* marquant la surprise, la crainte, la joie, etc. *Ciel! Ô ciel! Cieux! Ô cieux! Juste ciel* ou *justes cieux!*

(...) Oh! juste Ciel, je tremble!   58
MOLIÈRE, le Dépit amoureux, III, 3.

Ciel! que mon destin est bizarre et cruel.   58.1
A. GALLAND, les Mille et une Nuits, t. II, p. 21.

(Formules de remerciement). *Béni soit le ciel! Le ciel soit loué!* — (Formules de souhait). *Plût au ciel...! Fasse le ciel...!* — (Formule de malédiction). *Que le ciel te confonde!*

Loué soit le Ciel!   MOLIÈRE, le Mariage forcé, 10.   59

Plût au Ciel que je fusse capable de (...)   60
MOLIÈRE, George Dandin, I, 6.

Homme, ou qui que tu sois,   61
Diable, conclus; ou bien que le ciel te confonde!
RACINE, les Plaideurs, III, 3.

Au nom du ciel! (formule de supplication). *Au nom du ciel, essayez de tenir votre langue!* — Syn. : *je vous en prie, s'il vous plaît, par pitié!*

Et qui donc, au nom du ciel, s'est jamais avisé que Mon-   62
therlant avait mis Dieu dans sa poche?
A. MAUROIS, les Silences du colonel Bramble, p. 224.

Prov. *Aide-toi, le ciel t'aidera* (cit. 5 et 22).

CONTR. Terre. — Ici-bas. — Enfer. — Diable. ◊ COMP. Arc-en-ciel.

CIERGE [sjɛʀʒ] n. m. — XIIᵉ; du lat. *cereus,* adj. pris subst., de *cera* «cire».

♦ **1** Chandelle* de cire, longue et effilée, en usage dans le culte d'un grand nombre d'Églises chrétiennes, qui en font l'objet d'une bénédiction liturgique et lui connaissent une signification symbolique. *L'Église catholique exige que deux cierges au moins brûlent sur l'autel pendant la célébration de la messe. Cierges qu'on allume pour une cérémonie religieuse.* → **Luminaire.** *Cierges de la Chandeleur*. Cierge pascal,* que l'on bénit le Samedi saint et que l'on allume pendant le temps pascal. *Cierge pontifical,* qu'on allume à Rome sur l'autel où se célèbre la messe pontificale. *Cierge de premier communiant. Tenir un cierge à la procession. Brûler un cierge à un saint,* en remerciement dans une chapelle dédiée à ce saint, devant sa statue, ou près de sa châsse. *Elle brûle un cierge à saint Antoine pour retrouver son porte-monnaie. Allumer des cierges autour d'un catafalque. Cierge postiche auquel on ajuste une cire.* → **Rouloir.** — *Appareils sur lesquels on place les cierges.* → **Candélabre, chandelier, herse, torchère** (→ Abside, cit. 2). *Ustensile pour éteindre les cierges.* → **Éteignoir.** *Rayonnement des cierges* (→ Assoupir, cit. 8). *La lueur jaune, clignotante, tremblotante des cierges.*

La lampe brûlait jaune et jaune aussi les cierges.   1
SAINTE-BEUVE, Poésies, «Les rayons jaunes», *in* LITTRÉ.

Dans toutes les églises du royaume, le Saint-Sacrement   2
demeure exposé nuit et jour et de grands cierges brûlent pour la guérison de l'enfant royal.
Alphonse DAUDET, Lettres de mon moulin, «Ballades en prose», I, p. 127.

3   Et enfin, on pénètre comme un flot dans l'obscurité de
l'église, embaumée d'encens, où des cierges brûlent, au
fond, devant les vieux tabernacles étincelants d'or.
                                              LOTI, Figures et Choses...,
                                        «Passage de procession», p. 114.

Fig. *Brûler, devoir un cierge à qqn,* lui manifester sa
reconnaissance, être son obligé. *Devoir un beau, un
fameux cierge à qqn,* lui devoir une grande reconnaissance (→ Devoir une fière chandelle* à qqn).
Être droit comme un cierge, très droit, raide.

♦ **2** Argot (vx). Agent de police (car il se tient droit,
raide).

♦ **3** [a] Plante dicotylédone *(Cactées)* d'Amérique
tropicale, scientifiquement appelée *cereus* ou *ciri-
nosum,* qui forme de hautes colonnes verticales.
[b] Plante dont la forme pyramidale rappelle celle
d'un chandelier d'église. *Cierge amer ou laiteux.*
→ **Euphorbe** (amer). *Cierge de Notre-Dame.* → **Molène.**

DÉR. Ciergier.

CIERGIER [sjɛʀʒje] n. m. — Fin XVᵉ; de *cierge.*
Techn. Fabricant ou marchand de cierges. — **REM.**
Le fém. *ciergière* [sjɛʀʒjɛʀ] est virtuel.

C.I.F. [seiɛf] Abrév. → **C.A.F.**

CIGALE [sigal] n. f. — XVᵉ, *sigalle;* provençal *cigala,* du
lat. *cicada.*

♦ **1** Insecte hémiptère-homoptère *(Rhynchotes-
Cicadidés)* dont les quatre ailes sont membraneuses. *La cigale suce la sève des végétaux; sa
larve passe quatre années dans le sol. La timbale,
organe stridulant de la cigale mâle. La cigale chante,
craquette, stridule. La stridulation des cigales. Être
assourdi par le crépitement, le grincement des
cigales. La cigale, «avant-courrière des chaleurs»*
(R. Belleau).

1   La cigale ayant chanté
     Tout l'été (...)
                    LA FONTAINE, Fables, I, 1, «La cigale et la fourmi».

2   Rien que la vibration de l'air chaud et le cri strident des
cigales, musique folle, assourdissante, à temps pressés,
qui semble la sonorité même de cette immense vibration
lumineuse (...)
                              Alphonse DAUDET, Lettres de mon moulin,
                                        «Les deux auberges», p. 185.

Fig. (par référence à la fable de La Fontaine; → ci-dessus,
cit. 1). Personne imprévoyante.

♦ **2** *Cigale de mer :* squille* (crustacé).

♦ **3** Techn. (mar.). Anneau, organeau d'une ancre* ou
d'un grappin.

DÉR. Cigalière, cigalon. — V. Cigalier.

CIGALIER [sigalje] n. m. — 1878; provençal *cigalié,*
nom des membres d'une société d'hommes de lettres
et d'artistes, fondée à Paris en 1876.
Hist. Membre de la société littéraire *la Cigale.*

Pour parler net, le livre m'a paru un évanouissement.
Entendons-nous ! Que le garçon jette au diable cette «Dau-
deterie» (il imite Daudet), qu'en tous cas, il ne m'ait pas
l'air d'un provençal () ou d'un cigalier ! (...)
                         J. VALLÈS, Lettre à G. Puissant, 1878, p. 202,
                                                       in D.D.L., II, 5.

CIGALIÈRE [sigaljɛʀ] n. f. — 1876; de *cigale.*
Régional. Terrain inculte où abondent les cigales.

CIGALON [sigalɔ̃], **CIGALOU** [sigalu] n. m. — 1542,
Du Pinet (aussi *cigalat); cigalou,* 1868 in Littré Suppl.;
de *cigale,* probablt par un dér. provençal de *cigala*
(→ Cigale).
Régional (Provence). Cigale.

1. CIGARE [sigaʀ] n. m. — 1775; *cigarro,* 1688; esp.
cigarro, d'orig. incert., p.-ê. du maya *zicar* «fumer», ou
encore de l'esp. *cigarra* «cigale» (lat. *cicada*), par comparaison.

♦ **1** Petit rouleau de feuilles de tabac que l'on
fume. *Cigares de La Havane.* → **Havane, londrès,
panatella, trabuco** (vx). *Cigares de Manille. Fumer
un gros cigare, un cigare de gros module* (→ fam.
Barreau de chaise). *Petit cigare rappelant la cigarette.* → **Cigarillo, ninas, señoritas.** *Instrument pour
couper les cigares* (→ **Coupe-cigare**), *pour les fumer*
(→ **Fume-cigare; porte-cigares**). *Allumer un cigare
avec une allumette, un allumoir, un briquet, un
allume-cigare. Un cigare fort. Odeur du cigare. La
fumée, la cendre d'un cigare. Fabrication de cigares
à la main* (→ **Cigarière**), *avec des moules, à la
machine. Poupée du cigare, constituée par l'intérieur
ou tripe, et la sous-cape ou première enveloppe.
Cape ou robe du cigare, qui entoure la poupée.
— Bague d'un cigare. Offrir une boîte de cigares.*

1   Le cigare est le complément indispensable de toute vie
oisive et élégante.   G. SAND, in Pierre LAROUSSE.

2   Le patio était plein de légionnaires entrevus comme des
fantômes dans la fumée des pipes, des cigares et des cigarettes.   P. MAC ORLAN, la Bandera, XVI, p. 191.

3   Le relieur, qui n'a pas fumé depuis des années, voudrait
tenir un gros cigare entre ses lèvres, présenter aux passants qu'il rencontre cette saillie orgueilleuse du visage, et
ce petit feu rougeâtre qui respire en même temps que la
poitrine.
                    J. ROMAINS, les Hommes de bonne volonté, t. III,
                                    Les amours enfantines, VI, p. 97.

4   (...) la main brune (...) tenant entre deux doigts un de ces
petits cigares noirs, à peine plus gros qu'une cigarette (...)
                                        Claude SIMON, le Vent, p. 50.

*Odeur de cigare. On sentait dans le salon le cigare
froid.*

Par anal. (Qualifié). Petit rouleau de feuilles d'une
plante autre que le tabac. *Un cigare d'eucalyptus.*

♦ **2** Régional (Belgique). Remontrance. → **Engueulade.**
Donner, passer un cigare à qqn (→ Passer un savon*,
sonner les cloches*).

DÉR. 2. Cigare, cigarette, cigarière. ◊ **COMP. Allume-cigare,
coupe-cigare, fume-cigare, porte-cigares.**

2. CIGARE [sigaʀ] n. m. — 1915, in Esnault (1926, *y aller
du cigare* «risquer la peine de mort»; cf. l'argot anc.
coupe-cigare «guillotine»); de 1. *cigare.*

Pop. Tête. *Avoir mal au cigare. Recevoir un coup sur
le cigare.* — Esprit.

J'ai un puzzle dans le cigare, ça faisait déjà un moment
que je gambergeais (...)
                                        A. SARRAZIN, la Cavale, p. 69.

CIGARETTE [sigaʀɛt] n. f. — 1831; encore *cigaret* en
1834; rare av. 1840; de 1. *cigare.*

♦ **1** Petit rouleau de tabac haché et enveloppé dans
un papier fin. → (fam.) **Cibiche, clope, pipe, sèche,
tige, tronc.** *Un paquet de cigarettes; une cartouche
de cigarettes. Feuille de papier à cigarette. Rouler
une cigarette. Cigarette opiacée. Filtre d'une cigarette. Il ne fume que des cigarettes à bout filtre*
(ou, ellipt, *des cigarettes filtre). Nocivité, taux de goudron, de nicotine d'une cigarette. Offrir, prendre une
cigarette. Allumer* (cit. 0.1) *une cigarette. Fumer*,
brûler, griller* une cigarette. Secouer une cigarette
pour en faire tomber la cendre.* → **Cendrier.** *Éteindre,
écraser sa cigarette. Rejeter au loin le bout de sa
cigarette. Un vieux bout de cigarette.* → **Clope** (n. m.),
mégot (cit. 1). — *Accessoires du fumeur de cigarettes.*
→ **Allumette, allumoir, briquet, fume-cigarette, porte-
cigarettes.** *Cigarette roulée à la main* (→ fam. Une
roulée*). *Cigarette manufacturée* (→ fam. Une cousue*,

une toute cousue). *Cigarette blonde* (→ **Blonde**, N. f.), *brune* (→ **Brune**, N. f.), *française* (gauloise, gitane...), *américaine* (n. f. : *une américaine*), *anglaise. Cigarettes russes. Cigarette de tabac du Levant.* → **Khédive** (cit.). — Loc. *La cigarette du condamné**.

0.1 Parfois, elle roulait une cigarette, soufflait du coin des lèvres des jets de fumée minces, devenait plus attentive.
ZOLA, le Ventre de Paris, t. I, p. 226.

1 L'étui d'argent brilla entre ses doigts ; elle en reconnut le claquement sec, et ce tic qu'il avait de tapoter la cigarette sur le dos de sa main avant de la glisser sous la moustache.   MARTIN DU GARD, les Thibault, t. I, p. 122.

2 Il prit la cigarette offerte, l'alluma au briquet tendu. Il l'enfonçait dans sa bouche, la mouillait d'une salive abondante (...)   M. GENEVOIX, Forêt voisine, VII, p. 77.

3 Un amant plus attentif eût remarqué les cigarettes jetées à peine allumées, ce perpétuel mouvement de l'index pour faire tomber la cendre (...)
F. MAURIAC, le Mal, XI, p. 171.

4 (...) il lui demandait où elle avait caché le trésor on l'avait nous il était déjà enterré c'était des boîtes de coco des rouleaux de réglisse des cigarettes filtre (...)
Tony DUVERT, Paysage de fantaisie, p. 49.

Odeur de cigarette. *Ses vêtements sentent la cigarette.*

♦ **2** (Qualifié). Petit rouleau d'une plante autre que le tabac, hachée et enveloppée dans une feuille de papier. *Des cigarettes de belladone, d'eucalyptus.*

♦ **3** Gâteau sec roulé en forme de cigarette. *Achète donc des cigarettes pour manger avec la glace* (on dit aussi, dans ce sens, *cigarette russe). — Cigarette en chocolat* : friandise formée d'un cylindre de chocolat enveloppé de papier à cigarettes.

DÉR. et COMP. Fume-cigarette, porte-cigarettes. V. Cibiche.

CIGARIÈRE [sigaʀjɛʀ] n. f. — 1863 ; de 1. *cigare*.
Ouvrière qui fabrique des cigares (→ **Robeuse**), et, par ext., qui travaille dans une manufacture de tabacs. *Les cigarières de Cuba.*

CIGARILLO [sigaʀijo] n. m. — V. 1929 ; *cigarille*, 1866 ; mot esp., «cigarette», dimin. de *cigarro*. → Cigare.
Petit cigare de faible diamètre.

1 (...) les objets variés dont le tiroir était plein (...) cartes postales, boîtes d'allumettes italiennes, paquet de cigarillos *La Nueva Habana* (...)
J.-M. G. LE CLÉZIO, le Déluge, I, p. 48.

2 Mme Léonie Prouillot, enveloppée dans une robe de chambre sino-japonaise, était assise jambes croisées dans un fauteuil, et fumait un cigarillo.
R. QUENEAU, Pierrot mon ami, éd. L. de Poche, p. 167.

CI-GÎT [siʒi] → **Gésir.**

CIGLER ou **SIGLER** [sigle] v. tr. — 1925 ; de *sigle*, argot, «pièce de 20 ou 24 F» (1836), selon Esnault.
Argot. Payer. *Cigler son loyer.*

Et mes factures... *c'est vous autres qu'allez les cigler ?*... Pas deux sacs, je vous avancerai !...
A. SIMONIN, Hotu soit qui mal y pense, p. 128.

CIGOGNE [sigɔɲ] n. f. — 1113 ; provençal *cegonha ;* du lat. *ciconia ;* a remplacé l'anc. franç. *soigne, ceoigne.*

♦ **1** Oiseau ciconiiforme (*Échassiers, Ciconiidés*) scientifiquement appelé *ciconia*, aux longues pattes, au bec rouge, long, droit, fendu jusque sous les yeux. *La cigogne blanche fait son nid sur les toits ; elle se nourrit de grenouilles, lézards, serpents, poissons, insectes, petits rongeurs. La cigogne noire niche dans les forêts. Les cigognes sont des oiseaux migrateurs. Cri de la cigogne.* → **Claqueter, craqueter, glottorer.**

La cigogne au long bec n'en put attraper miette (...)   1
LA FONTAINE, Fables, I, 18.

On attribue à la cigogne des vertus morales dont l'image   2
est toujours respectable : la tempérance, la fidélité conjugale, la piété filiale et paternelle.
BUFFON, Hist. nat. des oiseaux, La cigogne.

Plus d'une d'entre ses rêveries allait s'y percher, comme   3
les cigognes sur les toits d'Alsace.
J. ROMAINS, les Hommes de bonne volonté, t. IV, XXI, p. 227.

REM. La cigogne est un oiseau traditionnel et symbolique de l'Alsace, l'une des branches terminales de sa migration et où il est devenu d'une extrême rareté (alors qu'il est courant, par exemple, au Maroc).

LOC. fam., vieilli. *Une mère cigogne*, en parlant d'une femme très maternelle (→ **Mère poule**). — *Cou de cigogne* : cou très long.

Cigogne à sac. → **Marabout.**

♦ **2** (Par anal. de forme avec le cou, le bec de la cigogne). Techn. Dispositif de levage (levier, etc.) à forme recourbée.

DÉR. **Cigogneau.**

CIGOGNEAU [sigɔɲo] n. m. — 1555 ; *cegoignal, cegoignel,* XIIe ; *cigoigneau,* XIIIe ; de *cigogne.*
Rare. Petit de la cigogne.

REM. On trouve parfois les formes *cicognat* [sikɔɲa], *cicon(n)eau* [sikɔno], *cicogneau* [sikɔɲo] n. m.

CIGUË [sigy] n. f. — 1611 ; *ceguë,* XIIe ; anc. franç. *ceuë,* refait d'après le lat. *cicuta.*

♦ **1** Plante des chemins et des décombres (*Ombelliféracées*), très toxique. *Ciguë aquatique*, appelée scientifiquement *cicuta virosa (cicutaire vénéneuse, vireuse). — Petite ciguë,* appelée scientifiquement *æthusa (éthuse-ciguë ou faux persil). — Grande ciguë,* appelée scientifiquement *conium*, et communément *ciguë tachetée* ou *ciguë de Socrate. — Ciguë d'eau,* appelée scientifiquement *phellandrium (œnanthe phellandre,* ou *phellandre). Le maceron est voisin de la ciguë.* → **Cicutine.**

♦ **2** Poison extrait de la grande ciguë. *Socrate fut condamné à boire la ciguë.*

CI-INCLUS [siɛ̃kly], **CI-JOINT** [siʒwɛ̃] → 1. Ci (1.).

CIL [sil] n. m. — XIIe ; du lat. *cilium.*

♦ **1** Poil qui garnit le bord libre des paupières et protège le globe oculaire. *Cil palpébral. Avoir de longs cils. Battre des cils. Battement des cils.* → **Cillement ; ciller, cligner.** *Frange des cils. Ombre des cils* (→ Azuré, cit. 3). *Qui concerne les cils, un cil.* → **Ciliaire.**

(...) ses yeux *(de Paul)*, qui étaient noirs, auraient eu un peu   1
de fierté, si les longs cils qui rayonnaient autour comme des pinceaux, ne leur avaient donné la plus grande douceur.
BERNARDIN DE SAINT-PIERRE, Paul et Virginie, p. 28.

L'ombre des cils palpitait sur ses joues.   2
MARTIN DU GARD, les Thibault, t. V, p. 234.

Faux-cils, élément de maquillage des yeux (que l'on adapte au bord des paupières).

(Une brune) aux grands yeux verts enchâssés d'immenses   3
faux cils (...)
S. DE BEAUVOIR, les Belles Images, p. 151.

♦ **2** Biol. Filament fin, mobile, du cytoplasme de certains organismes unicellulaires (bactéries, protozoaires), qui assure leur déplacement. *Cils vibratiles des protozoaires.* → **Ciliés.**

Zool. *Cils des mollusques.* → **Cirre.**

Histol. Prolongement cytoplasmique (des cellules épithéliales de certaines muqueuses : bronches, intestin). → **Flagelle.**

♦ **3** Bot. Poils soyeux bordant certaines parties des plantes. *Cils d'une feuille.*

DÉR. **Ciller.** — (Du lat. cilium) V. **Ciliaire, cilié.** — V. **Sourcil.**
◊ HOM. **Sil.**

CILIAIRE [siljɛʀ] adj. et n. m. — 1665 ; du lat. *cilium.*
Didactique.

♦ **1** Qui appartient aux cils. *Zone ou corps ciliaire de l'œil. Procès ciliaires :* replis saillants de la choroïde en arrière de l'iris. *Artères, veines, glandes ciliaires. Muscles, nerfs ciliaires.*

Si je faisais jouer le nerf ciliaire ?... pensai-je. — Mais je rejetai bien vite cette idée inutile, — oiseuse, même.
VILLIERS DE L'ISLE-ADAM, Tribulat Bonhomet, p. 168.

N. m. *Ciliaire :* nerf ciliaire.

♦ **2** Qui est garni de cils. *Bord ciliaire des paupières.*

CILICE [silis] n. m. — XIIIᵉ, *ciliz, celice ;* lat. ecclés. *cilicium* «étoffe en poil de chèvre de Cilicie».

Chemise, ceinture de crin ou d'étoffe rude que l'on porte sur la peau par pénitence, mortification religieuse. → **Haire.** *Porter, prendre le cilice.*

1 Mais d'où vient cet air sombre, et ce cilice affreux,
Et cette cendre enfin qui couvre vos cheveux ?
RACINE, Esther, I, 3.

2 Il se fit un cilice avec des pointes de fer. Il monta sur les deux genoux toutes les collines ayant une chapelle à leur sommet.
FLAUBERT,
la Légende de saint Julien l'Hospitalier, III.

3 Tous gardaient la continence, portaient le cilice et la cuculle, dormaient sur la terre nue après de longues veilles (...) accomplissaient chaque jour les chefs-d'œuvre de la pénitence.
FRANCE, Thaïs, p. 4.

Fig., vieilli. Épreuve longue et douloureuse. *L'inconduite de son fils a été pour elle un cilice.*

HOM. **Silice.**

CILIÉ, ÉE [silje] adj. et n. m. — 1786, *Encyclopédie ;* lat. sc. *ciliatus,* de *cilium* «cil».

♦ **1** Qui est garni de poils, de cils. — REM. On trouve, en parlant des cils de l'homme, la forme *cillé* de. *De grands yeux cillés de noir.* — Sc. nat. *Feuille, graine ciliée. Poil, stigmate cilié. Aile, membrane ciliée.*

(...) tel un aliment tout à fait semblable à une boule de chair descendant doucement le long de l'œsophage, sur le tapis vivant de cellules ciliées.
J.-M. G. LE CLÉZIO, la Fièvre, p. 124.

♦ **2** N. m. pl. Embranchement de protozoaires pourvus de cils vibratiles *(fouets* ou *flagellums)* qui servent à la locomotion et à la nutrition. *Les ciliés,* appelés (vieilli) *infusoires, se multiplient par division ; on les classe en* ciliés (proprement dits) *et en* tentaculifères. → **Infusoire.** — Au sing. *Un cilié.*

CILLEMENT [sijmɑ̃] n. m. — 1530 ; de *ciller.*

Action de ciller. *Avoir un continuel cillement d'yeux.*

(...) pendant toute la journée, pas un cillement n'avait démenti son apparente indifférence.
S. DE BEAUVOIR, les Mandarins, p. 288.

CILLER [sije] v. — 1121, intrans. ; de *cil.*

♦ **1** **a** V. tr. Littér. ou style soutenu. Fermer rapidement (les yeux) en rapprochant les cils de deux paupières jusqu'à ce qu'ils se touchent. → **Cligner.** *Ciller les yeux, les paupières* (vx), *des yeux.*

b V. intr. *Une grande lumière, un grand bruit inattendu font ciller.*

Il n'a même pas vu remuer les lèvres de l'homme, assis à la table sous l'unique ampoule restée allumée dans la salle ; la tête n'a pas eu le moindre hochement, les yeux n'ont même pas cillé ; et la bouche est toujours close.
A. ROBBE-GRILLET, Dans le labyrinthe, p. 30.

♦ **2** Fig. V. intr. (Négatif). *Ne pas ciller :* rester immobile, ferme. *Elle se mit brusquement à crier, mais il ne cilla pas.* — *Personne n'ose ciller devant lui :* tout le monde a peur, personne ne bouge. → **Broncher.**

♦ **3** Techn. (à propos des vieux chevaux). *Ciller* ou *se ciller :* avoir les sourcils qui blanchissent.

CONTR. Ouvrir. — Écarquiller. ◊ DÉR. **Cillement.**

CIMAISE [simɛz] n. f. — XIIᵉ, *cimese ;* empr. du lat. *cymatium,* grec *kumation* «petite vague», de *kuma* «vague». REM. La graphie *cymaise* se rencontre encore au XXᵉ s., mais elle est archaïque.

♦ **1** Techn. (archit.). Moulure qui forme la partie supérieure d'une corniche.

♦ **2** Moulure à hauteur d'appui sur les murs d'une chambre. *Cimaise qui couronne le lambris.* — Peint. Moulure à hauteur d'appui sur laquelle on place la première rangée des tableaux d'une exposition. *Avoir les honneurs de la cimaise.*

1 L'ambition des peintres qui exposent aux Salons est d'obtenir les honneurs de la cymaise, c'est-à-dire d'avoir leurs tableaux placés bien en vue, au niveau de l'œil des spectateurs.
Louis RÉAU, Dict. d'art, art. *Cymaise.*

2 La peinture d'histoire agonise au XVIIIᵉ siècle, bien qu'elle seule ait droit à la cimaise à côté du portrait. Rien ne retient le glissement de la peinture, à travers les rêves et les ballets de Watteau, vers la scène de genre et la nature morte.
MALRAUX, les Voix du silence, p. 98.

CIME [sim] n. f. — XIIᵉ, *cyme ;* du lat. *cyma* «pousse» et, en lat. médiéval, «pointe d'arbre», du grec *kuma* «vague», proprt «ce qui est gonflé».

♦ **1** Extrémité pointue (d'un arbre, d'un rocher, d'une montagne). → **Sommet.** *Grimper jusqu'à la cime d'un sapin.* — Par métonymie. *La cime d'un bois, de la forêt. Les cimes neigeuses d'une chaîne de montagnes. Des cimes neigeuses. Cimes inaccessibles. La cime d'un clocher, d'une maison.* → **Faîte.** *Cime anguleuse et saillante.* → **Arête.** — *La cime d'un casque.* → **Cimier.** *La cime des vagues, des flots.* → **Crête.**

1 (...) *cime* (...) signifie un *sommet* aigu ou la partie la plus élancée d'un corps terminé en pointe (...) Les deux mots sont usités en parlant des montagnes ; mais le sommet est la partie qui les termine en haut, de quelque manière que ce soit, par un plateau, par exemple, et la cime est cette même partie, quand elle est pointue, ou en forme de pyramide.
LAFAYE, Dict. des synonymes, Sommet, cime...

2 D'un talus à l'autre, les cimes des premiers pins se rejoignaient et, sous cet arc, s'enfonçait la route mystérieuse.
F. MAURIAC, Thérèse Desqueyroux, I, p. 47.

Vx et poét. *La double cime,* le mont à double cime : le Parnasse.

♦ **2** Abstrait. Littér. Ce qu'il y a de plus élevé, de plus grand, de plus noble. → **Faîte, summum.** *La cime des honneurs. Voler, courir de cime en cime.*

3 L'esprit humain a une cime
Cette cime est l'idéal.
HUGO, W. Shakespeare, I, II, II.

4 Déliées de toute adhérence humaine, deux âmes s'élèvent sans effort jusqu'à la dernière cime de l'amour, s'étreignent subtilement en Dieu.
MARTIN DU GARD, Jean Barois, Le goût de vivre, I, V, p. 37.

CONTR. Bas, base, pied, racine. ◊ DÉR. 1. **Cimier,** 2. **cimier.**

CIMENT [simɑ̃] n. m. — Fin XIIᵉ; du lat. *cæmentum* «pierre naturelle».

♦ **1** Matière solide, à base de silicate et d'aluminate de calcium, obtenue par cuisson et qui, mélangée avec un liquide, forme une pâte durcissant à l'air ou dans l'eau. → **Mortier.** *Le ciment industriel est à base d'argile et de calcaire.* → **Calcaire, chaux.** *Fabrique de ciment.* → **Cimenterie.** *Pierre à ciment.* → **Craie.** *Fabrication du ciment : mélange à sec ou par délayage, lévigation, malaxage, dessiccation, cuisson* (en fours rotatifs), *mouture ou pulvérisation, dépoussiérage. Sac de ciment.* — **Techn.** *Ciment à prise* lente, à prise rapide. Ciment Portland, ciment métallurgique, ciment de laitier,* contenant du laitier de haut-fourneau. *Ciment mixte :* mélange de ciment Portland, de sable, etc. *Ciment blanc :* chaux hydraulique contenant du ciment. *Ciment magnésien, alumineux. Ciment hydraulique, ciment romain,* durcissant dans l'eau.

Matériaux agglomérés par du ciment. → **Aggloméré.** *Mélange de ciment, de sable, de cailloux.* → **Béton.** *Mélange de ciment et d'amiante.* → **Amiante-ciment, fibrociment.** *Construction, mur, pilier en ciment. Enduire de ciment; lier des pierres avec du ciment; sceller au ciment. Revêtement en ciment. Empierrement d'une chaussée lié au moyen de ciment.* → **Macadam-ciment.** *Remplir un joint de ciment.* → **Jointoyer.**

1   Qu'on me loue enfin ce tombeau, blanchi à la chaux avec les lignes du ciment en relief — très loin sous terre.
            RIMBAUD, Illuminations, «Enfance», V.

2   Les grands projecteurs (...) cessèrent d'épandre du haut des pylônes en ciment leur triste clarté rougeâtre (...)
            VAN DER MEERSCH, l'Élu, p. 83.

Ciment armé, dans lequel on a noyé une armature métallique. — REM. On emploie souvent (inexactement) l'expression *ciment armé* pour *béton armé.* → **Béton.**

3   Par exemple il était prêt à défendre l'emploi redondant du ciment armé et du fer, soit en invoquant la nature, qui adore ce genre de procédés (les organismes sont pleins de détails de structure qui font double emploi), soit en rappelant que le ciment armé lui-même est déjà un mariage du ciment et du fer. «Moi, je les mélange à un degré au-dessus. Dans mon ciment je noie des tiges. Dans mon ciment armé, je noie des poutrelles».
            J. ROMAINS, les Hommes de bonne volonté, t. V,
            Les superbes, XXVII, p. 287.

Ciment volcanique : mélange de brai et d'huiles lourdes.

3.1   L'étanchéité des terrasses est obtenue par superposition de trois à quatre feuilles de carton goudronné collées entre elles par un mélange brai-huile anthracénique appelé *ciment volcanique.*
            Jean BECK, le Goudron de houille, p. 67.

♦ **2** Matière durcissante servant à l'obturation des cavités dentaires et à la rétention des prothèses fixes. → **Amalgame.**

3.2   Comme il lui était interdit d'arrêter de sourire, d'un sourire de chez le dentiste, ne fermez pas la bouche avant que le ciment ait pris, surtout!
            ARAGON, Blanche..., I, IV, p. 72.

Produit adhésif utilisé en orfèvrerie, bijouterie. Mise en ciment d'une pièce.

3.3   Les pièces travaillées au ciselet, lorsqu'elles sont en métal mince, offrent une élasticité qui fait rebondir l'outil à chaque coup. Afin d'éviter cet inconvénient on les met en ciment, c'est-à-dire qu'on les garnit d'un produit spécial adhérent et à la fois résistant et plastique. Il offre un appui au métal, évitant les vibrations et permettant l'enfoncement des parties qui doivent être *descendues.*
            Luc LANEL, l'Orfèvrerie, p. 17.

♦ **3** Sc. **a** Histol. Substance qui lie les cellules épithéliales.

b Géol. Substance qui lie, agrège certaines roches. *Ciment des grès, des schistes.*

♦ **4** Par compar. ou par métaphore. Ce qui sert de lien, de moyen d'union. → **Lien; mortier** (fig.). *Une œuvre, une amitié dure comme du ciment.* — Fig. Ce qui est durable, solide.

4   Il sentait chaque jour le ciment qui le liait à son compagnon se solidifier davantage.
            P. MAC ORLAN, la Bandera, VII, p. 84.

Loc. *Fait, bâti à chaux et à ciment,* solidement. → **Chaux.**

DÉR. Cimentaire, cimenter, cimenterie, cimentier. ◊ COMP. Amiante-ciment, ferro-ciment, fibrociment, macadam-ciment.

CIMENTAGE [simɑ̃taʒ] n. m. — 1877; de *cimenter.* Technique.

♦ **1** Action de cimenter; résultat de cette action. → **Cimentation.**

♦ **2** En joaillerie, Opération par laquelle l'ouvrier fixe la gemme qui doit être travaillée.

CIMENTAIRE [simɑ̃tɛʀ] adj. — 1877; de *ciment.*

♦ **1** Techn. (bâtiment). Rare. Qui est propre au ciment. *Mélange cimentaire.*

♦ **2** Biol. (histol.). Qui caractérise le ciment unissant les cellules épithéliales.

CIMENTATION [simɑ̃tasjɔ̃] n. f. — 1845; *cémentation,* XVIᵉ; de *cimenter.*

♦ **1** Techn. Action de cimenter; processus par lequel s'effectue cette action. → **Cimentage.**

♦ **2** Géol. Processus par lequel se forme le ciment qui lie certaines roches. *La cimentation des schistes.*

CIMENTER [simɑ̃te] v. tr. — Fin XIIIᵉ; de *ciment.*

♦ **1** Réunir, assembler avec du ciment; enduire de ciment. *Cimenter des pierres. Cimenter un bassin.* — Au p. p. *Sol cimenté, rue cimentée.*

1   Dans les chambres, on entendait un brouhaha de voix, un fracas de crosses de fusil qui retombaient une à une sur le sol cimenté.   P. MAC ORLAN, la Bandera, XV, p. 186.

Par ext. Consolider (qqch.) en se solidifiant. → **Amalgamer, consolider;** et aussi **lier, unir.**

2   (...) les arbres déracinés s'assemblent sur les sources. Bientôt les vases les ciment, les lianes les enchaînent, les plantes y prenant racine de toutes parts, achèvent de consolider ces débris.
            CHATEAUBRIAND, Atala, Prologue, p. 38.

2.1   Il n'était pas vraisemblable, non plus, que les assiégeants eussent barré le fleuve en amont d'Irkoutsk, puisqu'ils savaient que les Russes ne pouvaient attendre aucun secours par le sud de la province. Avant peu, d'ailleurs, la nature aurait elle-même établi ce barrage, en cimentant par le froid les glaçons accumulés entre les deux rives.
            J. VERNE, Michel Strogoff, p. 429.

♦ **2** (XVIᵉ). Abstrait. Rendre plus ferme, plus solide. → **Affermir, consolider, lier, raffermir, sceller, unir.** *Cimenter la paix par une alliance* (Littré). *Cimenter une amitié.*

3   Mais depuis que l'Église eut, aux yeux des mortels, De son sang en tous lieux cimenté ses autels (...)
            BOILEAU, le Lutrin, VI.

4   (...) un attachement (...) qui ne s'est cimenté que par une estime réciproque.   ROUSSEAU, les Confessions, IX.

5   (...) l'idée de voir ainsi soudainement changées toutes ces douces relations de vie et de cœur qui s'étaient établies et comme cimentées à notre insu entre elle et moi (...)
            LAMARTINE, Graziella, IV, IX, p. 115.

6   Parfois le plaisir cimente des unions que la raison ni le cœur ne comprennent.
            A. MAUROIS, Lélia, II, I, p. 75.

Pron. Prendre consistance. *Leur amitié se cimente.*

CONTR. Délier, désagréger, desceller, desserrer, désunir, ébranler, saper. ◊ **DÉR.** Cimentage, cimentation.

CIMENTERIE [simɑ̃tʀi] n. f. — XXᵉ (attesté 1953); de *ciment*.

♦ **1** (*La cimenterie*). Industrie du ciment.

♦ **2** (*Une, des cimenteries*). Usine où se fabrique le ciment.

CIMENTIER [simɑ̃tje] n. m. — 1680; *cymentier*, fin XVᵉ; de *ciment*.

Techn. Ouvrier qui travaille dans une cimenterie, et, par ext., qui emploie le ciment. *Boucharde de cimentier.*

(...) l'homme savant se défait bien vite de cette partie du savoir qui est contemplation, enviant aussitôt la dextérité du maçon ou du cimentier (...)
ALAIN, le Monde humain,
in les Passions et la Sagesse, Pl., p. 84.

REM. Le fém. *cimentière* [simɑ̃tjɛʀ] est virtuel.

CIMETERRE [simtɛʀ] n. f. — XVᵉ; ital. *scimitarra*, du persan.

Sabre oriental, à lame large et recourbée. → **Épée, sabre; badelaire, yatagan.** *Cimeterre turc.*

1 (...) il s'élève sur ses étriers et veut frapper à son tour Codadad de son redoutable cimeterre.
A. GALLAND, les Mille et une Nuits, t. II, p. 429.

2 Ali sous sa pelisse avait un cimeterre (...)
HUGO, les Orientales, XIII.

CIMETIÈRE [simtjɛʀ] n. m. — XIIIᵉ; *cimetire*, XIIᵉ; du lat. ecclés. *coemeterium*, grec *koimêtêrion* «lieu où l'on dort».

♦ **1** Lieu où l'on enterre les morts. → **Camposanto** (cit. 1), **champ** (des morts), **charnier** (VX), **columbarium, nécropole, ossuaire** (cf. fam. Le boulevard des allongés). *Cimetière souterrain.* → **Catacombe, crypte.** *Cimetière militaire. Porter un mort au cimetière.* → **Enterrement, inhumation; crémation, crématoire** (four), **incinération.** *Le gardien, les fossoyeurs d'un cimetière. Les tombes d'un cimetière.* → **Caveau, sépulture, tombe.** *Les mausolées, la lanterne des morts d'un cimetière. Les morts qui reposent dans les cimetières.* → **Cadavre, corps, 3. mort.** *Feux* follets des cimetières. Les cimetières appartiennent aux communes. Concession temporaire, perpétuelle dans un cimetière. — Le Cimetière marin,* poème de Valéry. *Les Grands Cimetières sous la lune,* ouvrage de Bernanos.

1 Le mot de dormir ne se peut approprier qu'aux corps, dont est venu le mot de cimetière, qui vaut autant comme dormitoire.
CALVIN, Institution de la religion chrétienne, 803.

2 Il approuve avec douleur l'enseigne d'un marchand hollandais qui, ayant mis pour titre *À la paix perpétuelle,* avait fait peindre dans le tableau un cimetière.
FONTENELLE, Leibniz, *in* LITTRÉ.

3 Il faudrait qu'on ne recueillît rien de ce qui croît dans nos cimetières, et que leur herbe même eût une inutilité pieuse.
Joseph JOUBERT, XIII, 34.

4 On eût dit, en voyant ces morts mystérieux
(...) Que, dans le cimetière où le cyprès frissonne,
(...) Tous ces assassins s'éveillaient brusquement (...)
HUGO, les Châtiments, «Nox», V.

5 Mes chers amis, quand je mourrai,
Plantez un saule au cimetière (...)
Et son ombre sera légère
À la terre où je dormirai.
A. DE MUSSET, Poésies nouvelles, «Lucie».

6 Au pied de la chapelle, sur l'un des côtés, l'on a rangé les restes du cimetière (...)
André SUARÈS, Trois hommes, I, «Pascal», p. 19.

Il a déjà fait achat de la concession, au cimetière de Nesles, 7
car il veut reposer, plus tard, dans le village de ses pères.
G. DUHAMEL, Chronique des Pasquier, VI, X, p. 366.

Je pénétrai dans le petit cimetière avoisinant. Il restait 8
là quelques pierres tombales envahies de ronces et deux croix de fer qui chaviraient. Dans le fond de l'enclos, contre la muraille, on voyait une tombe fraîche, avec un pot de porcelaine blanche posé à même la terre mouillée.
H. BOSCO, Hyacinthe, p. 216.

Lieu solitaire, désert, désolé, calme comme un cimetière.

Loc. (Fam.). *Envoyer, expédier qqn au cimetière,* le faire mourir. — (Vieilli). *Rendre les cimetières bossus*.* — *Aller droit au cimetière,* à la mort.

♦ **2** Lieu où beaucoup de personnes sont mortes. *Le champ de bataille, la ville après le siège, n'étaient plus que de vastes cimetières.*

♦ **3** (Qualifié adj. ou compl. en *de*). Lieu où l'on rassemble les restes d'animaux, des objets hors d'usage. *Un cimetière de voitures.* — (1964). *Cimetière radioactif :* lieu aménagé pour recevoir des déchets radioactifs. — Absolt. «*Les scientifiques veulent ainsi étudier les effets à long terme de l'entreposage, dans le granit, de "cendres" nucléaires, pour voir si un tel environnement constituerait un cimetière convenable*» (Sciences et Avenir, sept. 78, p. 9).

Fig. *Le cimetière d'une civilisation disparue.* «*Les musées* (cit. 3), *cimetières des arts*».

(...) cette retraite jusqu'où ne parviennent pas les rumeurs 9
et les fracas de la grande ville moderne. C'est le cimetière d'un peuple et d'une civilisation.
G. DUHAMEL, Scènes de la vie future, XI, p. 169.

CONTR. Berceau, naissance (lieu de).

CIMEX [simɛks] n. m. — D. i. (XXᵉ ?); lat. *cimex, -icis.*
Zool. Punaise.

DÉR. Cimicaire.

CIMICAIRE [simikɛʀ] n. f. — 1866; du lat. *cimex.* → Cimex.

Bot. Renonculacée dont l'odeur passe pour chasser les punaises, dite aussi *actée** ou *chasse-punaises.*

1. CIMIER [simje] n. m. — XIIᵉ; de *cime.*

♦ **1** Ornement (panache, etc.) qui forme la partie supérieure, la cime (d'un casque).

Son casque est enfoui sous les ailes d'une hydre (...)
Au moment du départ, l'archevêque de Vienne
A béni son cimier de prince féodal.
HUGO, la Légende des siècles, X,
Le cycle héroïque, «Le mariage de Roland».

Par ext. (littér. et VX). Celui qui mène le combat.

♦ **2** Blason. Pièce que l'on met au-dessus du timbre du casque surmontant l'écu.

2. CIMIER [simje] n. m. — 1665; «queue du cerf», XIIᵉ; de *cime* «pousse, touffe d'arbre».

Techn. (boucherie). Pièce de viande sur le quartier de derrière du bœuf, du cerf, du chevreuil. *Un cimier de chevreuil.*

CIMMÉRIEN, IENNE [simeʀjɛ̃, jɛn] adj. et n. — 1732, *ténèbres cimmériennes; cymmerien,* 1559; du lat. *Cimmerii,* grec *Kimmerioi,* nom d'un peuple mythique de l'Antiquité.

Didact. (myth.). Qui a rapport aux habitants d'un pays obscur et froid, qu'Homère situait près du séjour des morts. — N. *Les Cimmériens,* habitants de ce pays.

Littér. et rare. *Ténèbres cimmériennes, froid cimmérien,* du pays des Cimmériens.

CINABRE [sinabʀ] n. m. — 1394, *sinabre*; *cenobre*, XIIIᵉ; du lat. *cinnabaris*, grec *kinnabari*.

♦ **1** Chim. Sulfure de mercure (HgS) de couleur rouge, d'où l'on tire ce métal. *Des troncs d'arbre barbouillés de cinabre* (→ Piédestal, cit. 2).

1 La mauvaise vapeur et qualité du soufre et vif-argent, dont le cinabre est composé.   Ambroise PARÉ, XXVI, 14.

2 (...) ce rouge ne se tire pas seulement de matières animales ou végétales (...) mais aussi de minéraux comme le cinabre, le *minium* (...)
Ed. et J. DE GONCOURT, la Femme au XVIIIᵉ s., II, p. 141.

♦ **2** (1552). Littér. Couleur rouge de ce sulfure. → **Vermillon.**

CINCHONINE [sɛ̃kɔnin] n. f. — 1820; du lat. bot. *cinchona*, nom donné au quinquina par Linné.

Chim. Alcaloïde extrait du quinquina et utilisé en thérapeutique contre la malaria. *La cinchonidine* [sɛ̃kɔnidin] *est un stéréo-isomère de la cinchonine.*

CINCLE [sɛ̃kl] n. m. — 1780; grec *kigklos*.

Oiseau passereau *(Turdidés)*, qui plonge dans les cours d'eau pour chercher sa nourriture. — Appos. «*Bécasseaux cincles*» (*la Chasse*, nº 229, p. 57).

CINÉ [sine] n. m. — 1905; abrév. de *cinéma*.

Fam. Cinéma. *On va au ciné.* → **Cinoche, 2. kino.**

1 À nous la vie de palace! fit Mulot, en crachant par la portière. On ira boulotter chez Térésa (...) Qu'est-ce qu'on donne au ciné?
P. MAC ORLAN, la Bandera, VI, p. 71.

2 On imagine très bien (...) ce machinal accompagnement qu'exécutait le pianiste dans les premières salles de ciné durant la projection d'un film.
Francis CARCO, Nostalgie de Paris, p. 43.

1. CINÉ- Élément tronqué tiré du grec *kinêma, -atos* «mouvement» (→ 1. **Cinéma-**). Voir à l'ordre alphabétique.

2. CINÉ- Élément tiré de *cinéma* (→ 2. **Cinéma-**). — Ex.: *ciné-club, cinéphile*, etc. Voir à l'ordre alphabétique.

CINÉASTE [sineast] n. — 1922; de 2. *ciné-*, d'après l'italien.

Personne qui exerce une activité créatrice et technique ayant rapport au cinéma*. → **Metteur** (en scène), **opérateur, réalisateur.** *Une cinéaste de talent.*

COMP. Télécinéaste. V. Téléaste, vidéaste.

CINÉ-CLUB [sineklœb] n. m. — 1920; de 2. *ciné-*, et *club*.

Club d'amateurs de cinéma, où l'on organise des projections de films de qualité, où l'on étudie la technique, l'histoire du cinéma. *Des ciné-clubs.*

Par ext. Salle où ont lieu les projections, les débats.

Je n'irai plus au Ciné-Club du foyer socio-éducatif, seule sortie que je m'accordais, le jeudi.
Yanny HUREAUX, la Prof, p. 168.

CINÉGRAPHE [sinegʀaf] n. — 1929; de *cinégraphie*.

Vx. Personne qui s'occupe de cinégraphie.

CINÉGRAPHIE [sinegʀafi] n. f. — 1917; de 2. *ciné-*, et *-graphie*.

Vx (dans le langage de la critique, v. 1930). Art cinématographique.

(...) l'œuvre capable de briser avec les routines du cinéma commercial et de lancer la cinégraphie dans une voie nouvelle (...)
A. ARTAUD, À propos du cinéma, Œ. compl., t. III, p. 83.

DÉR. Cinégraphe, cinégraphier, cinégraphique.

CINÉGRAPHIER [sinegʀafje] v. tr. — 1917; de *cinégraphie*.

Vx. Prendre en film. → **Cinématographier, tourner.**

À l'origine, les frères Lumière se contentaient de cinégraphier la vie pure et simple.
P. HENRY, les Cahiers du mois, 1925, nº 16-17, p. 199, *in* D. D. L., II, 6.

CINÉGRAPHIQUE [sinegʀafik] adj. — 1917; de *cinégraphie*.

♦ **1** (1929). Vx. Du cinéma, en tant qu'art. → **Cinématographique.**

D'un geste large et cinégraphique (...)
R. QUENEAU, Pierrot mon ami, éd. L. de Poche, p. 70.

♦ **2** Vx. Qui a trait aux scénarios ou à la critique de films. *Critique cinégraphique.*

CINÉMA [sinema] n. m. — 1899; abrév. de *cinématographe*.

♦ **1** Procédé permettant d'enregistrer photographiquement et de projeter des vues animées. → **Photographie.** *Prises de vues de cinéma.* → **Caméra** (différentes parties : boîtes-magasins; couloir; fenêtre; griffe, came, croix de Malte d'entraînement; objectifs, tourelle, plate-forme, trépied). — *Film de cinéma.* → **Bande** (et bande son), **film, pellicule, piste; celluloïd, émulsion; image, photogramme, vue.** — *Projection de cinéma.* → **Projecteur; écran.** — *Invention du cinéma par les frères Lumière.* → **Cinématographe.** *Ancêtres du cinéma.* → **Chronophotographe, kinétoscope, lanterne** (magique), **ombre** (ombres chinoises), **phénakistiscope, phonoscope, praxinoscope, stroboscope, zootrope.** *Cinéma sonore, parlant. Prise de son de cinéma.* → **Enregistrement, sonorisation; doublage, post-synchronisation.** *Reproduction du son d'une bande sonore de cinéma* (par galvanomètre, oscillographe ou cellule photo-électrique; amplificateur; microphone). *Cinéma en noir et blanc; cinéma en couleurs.* → **Trichromie; tétrachromie; technicolor.** *Cinéma en format réduit, en huit millimètres.* → aussi **Super-huit.** *Cinéma en format professionnel. Cinéma en polyvision*, en grand format.* → **Cinémascope, cinérama.** — *Cinéma en relief.* → **Anaglyphe; stéréoscope.**

♦ **2** Art de composer et de réaliser des films cinématographiques (le seul adj. correspondant est *cinématographique*). *Le cinéma est appelé septième art. Cinéma d'animation** (3.). *Réaliser un film de cinéma.* → **Filmer, réaliser, tourner; mise** (en scène); **cadrage, champ, contrechamp, off, panoramique, plongée** (et contre-plongée), **travelling; plan** (plan général, moyen, américain, premier plan, gros plan); **détail, intérieur(s), extérieur(s); ouverture** (et fermeture); **fondu** (et fondu enchaîné); **zoom; claquette, grue, panoramique.** *Plateau, studio de cinéma.* → **Plateau, studio; rampe, réflecteur, spot, sunlight** (fam. **casserole**); **perche** (à son); **girafe.** *Scénario d'un film de cinéma.* → **Scénario; découpage, dialogue, synopsis.** *Effet comique de cinéma.* → **Gag.** *Le montage donne au cinéma son rythme.* → **Montage, monter, monteur** (monteuse); **collure, moviola, mixer, rush; flash-back.** *Trucage de cinéma.* → **Accéléré, ralenti, surimpression, transparence, truc.** *Personnel du cinéma.* → **Cinéaste; cameraman, opérateur; metteur** (en scène), **réalisateur; scénariste; acteur, comédien, star, vedette; documentariste; scripte, script-girl; décorateur, maquilleur, électricien, ingénieur** (du son), **perchman, régisseur; monteur.** *Faire du cinéma* : jouer dans un film; ou encore, mettre en scène un film; exercer un des métiers du cinéma. — *Aimer le cinéma* (→ Acétocellulose, cit. 2). *Amateur de cinéma.* → **Cinéphile; ciné-club, cinémathèque.** *Critique de cinéma. Histoire du cinéma; théorie du cinéma. Revues de cinéma.*

1 Les événements extérieurs, les accidents, les traumatismes, appartiennent au cinéma; il sied que le roman les lui laisse.
GIDE, les Faux-monnayeurs, 1ʳ part., VIII, p. 97.

2 Il est certain que les ressources du cinéma, arrivé à l'âge adulte, sont venues répondre (...) au besoin qu'éprouve l'esprit moderne d'exprimer le dynamisme et le foisonnement du monde où il plonge.
J. ROMAINS, les Hommes de bonne volonté, t. I,
Le 6 octobre, Préface, p. XV.

3 C'est (...) parce que le cinéma est encore dans l'enfance qu'il importe de l'éclairer, de le guider, de discuter sur sa nature, ses moyens et ses tendances (...) Je sais que de jeunes hommes font un effort admirable pour arracher le septième art (...) à la routine, à la calembredaine, à la série industrielle.
G. DUHAMEL, Manuel du protestataire, v,
p. 142-143.

4 La description (...) de cette technique *(du cinéma)* nous fait espérer que, par elle, le public se rendra compte des qualités spéciales du cinéma; nous ne parlerons plus d'esthétique, mais ce sera la technique même qui prouvera (...) que le cinéma n'est ni théâtre, ni peinture, ni roman, ni abstraction. L'*outillage* du cinéma montrera la gamme infinie ouverte à l'esprit inventif du spectacle; la *réalisation*, par des exemples de scénarios et par le rôle du metteur en scène, de l'acteur, de la musique, etc., montrera ce qui est cinéma et ce qui n'est qu'enregistrement cinématographique. La *diffusion* montrera comment on atteint le public, de la réclame à la critique, en passant par les salles de projection.
LO DUCA, Technique du cinéma (P. U. F.), Introd.,
p. 5.

5 Un art est né sous nos yeux (...) il s'est assimilé rapidement des éléments pris à tout le savoir humain. Ce qui fait la grandeur du cinéma, c'est qu'il est une somme, une synthèse aussi de beaucoup d'autres arts. Le cinéma est encore une industrie (...) Avant de montrer une bobine d'un grand film moderne, il faut au préalable dépenser plusieurs millions (...)
G. SADOUL, Hist. d'un art, Le cinéma, Préf., p. 5-6.

Cinéma professionnel, cinéma d'amateur. — Applications du cinéma : cinéma scientifique. → **Microcinéma.** *— Le cinéma documentaire* (→ Audiovisuel, cit. 2). *— Le cinéma d'aventures, le cinéma politique, comique. Les classiques du cinéma.* → **Film.** *Cinéma pour enfants. — Le cinéma français, italien, américain...,* ensemble des œuvres produites par cet art en France, en Italie, etc. → (Styles) *Cinéma expressionniste, réaliste, vériste... Le cinéma hollywoodien. — Cinéma-vérité :* conception dérivée du *ciné-œil** de Dziga Vertov, selon laquelle on peut atteindre plus de réalisme en modifiant les procédés du film de fiction commercial au profit d'une plus grande spontanéité. *Cinéma d'auteur.* → aussi **Caméra** (stylo). *L'industrie du cinéma; l'économie du cinéma.* → **Producteur, distributeur, exploitant;** et aussi **circuit** (de salles, de programmation). *Être dans le cinéma.* → aussi **Coproduction, festival, festivalier, série, star-system.** *Hautes récompenses du cinéma.* → **César, oscar.**
Cinéma en coproduction internationale. Les grandes firmes américaines de cinéma. Cinéma parallèle : production à budget limité, indépendant, conçue comme solution de rechange au cinéma commercial traditionnel.

♦3 Projection cinématographique (*dans séance de cinéma*).

♦4 *(Un, des cinémas).* Salle de spectacle où l'on projette des films cinématographiques. *Un grand cinéma. Programmation d'un cinéma. Cinéma d'art, d'essai, d'exclusivité. Cinéma de quartier. Cinéma*

permanent. *Cinéma à plusieurs salles.* → **Complexe** (cinématographique). *Ouvreuses de cinéma. Des cinémas. Aller au cinéma.* → fam. **Ciné, cinoche.**

Dans le centre de cette ville (...) les cinémas sont nombreux 6 (...) Ils donnent le spectacle «permanent» (...)
G. DUHAMEL, Manuel du protestataire, v, p. 139.

♦5 Fig. et fam. (Péj.). *C'est du cinéma :* c'est invraisemblable. *Toute cette histoire, c'est du cinéma !,* du bluff, du roman (fig.). — *Tu as vu ça au cinéma,* réplique pour signifier qu'on ne croit pas à une histoire. — *Il nous a fait tout un cinéma,* une démonstration affectée, toute une mise en scène (fig.). → Faire son cirque. → **Cabotiner.** *Les gestes, les effets, rien n'y manquait, quel cinéma :* quelle comédie. → **Chiqué.** — Loc. fam. *Se faire (un) du cinéma :* se monter la tête, s'imaginer les choses comme on souhaiterait qu'elles soient. *Il se fait son cinéma personnel, son petit cinéma intérieur.*

(...) le bout des choses, qu'est jamais beau, qu'est jamais 7 gai, dès qu'on consent à être un peu plus clairvoyant, à pas se faire de cinéma.
A. SIMONIN, Touchez pas au grisbi, p. 114.

Il a le chic pour convaincre les gens que leurs tuyaux 8 et leurs intestins vont être bientôt tapissés de tartre et de calcaire, empierrés comme des routes ! Quel cinéma il peut leur faire, oui, oui pardon, je m'égare.
F. NOURISSIER, le Maître de maison, p. 58.

DÉR. Ciné, cinoche. ◊ COMP. Cinémascope. Microcinéma, télécinéma.

1. **CINÉMA-** Élément, du grec *kinêma, -atos* «mouvement». → aussi 1. **Ciné-.**

2. **CINÉMA-** Élément tiré de *cinéma, cinématographe.* → aussi 2. **Ciné-.**

CINÉMASCOPE [sinemaskɔp] n. m. — 1953; de 2. *cinéma-,* et *-scope*; marque déposée.

♦1 Procédé de cinéma sur écran large par déformation de l'image (anamorphose) restituée à la projection. *Écran de cinémascope.* — (1966, *in* D.D.L.). **Abrév. :** *scope* [skɔp] n. m. *Film en cinémascope.*

Pour une raison purement technique d'ailleurs, la profon- 1 deur de champ en cinémascope (qui ne peut se permettre d'utiliser un objectif d'une focale plus courte que 50 mm) s'obtient grâce à l'accentuation des contrastes (...)
J.-L. GODARD, Cahiers du cinéma, nº 68, févr. 1957,
in Collection des Cahiers, p. 62.

♦2 Représentation d'un film sur écran large.

(...) Zazie lui demandait s'ils avaient la tévé. 2
— Non, dit Gabriel, j'aime mieux le cinémascope, ajouta-t-il avec mauvaise foi.
— Alors, tu pourrais m'offrir le cinémascope.
R. QUENEAU, Zazie dans le métro, 1959, p. 31.

DÉR. Cinémascopique.

CINÉMASCOPIQUE [sinemaskɔpik] adj. — 1957; de *cinémascope.*

♦1 Projeté sur écran de cinémascope; tourné pour le cinémascope.

♦2 Digne d'un film de cinémascope.

(...) il regardait la mer, la plage lugubre (pas cette espèce de décor cinémascopique de la côte d'Azur, avec pins repiqués et rochers repassés au rouge minium chaque début de saison)... Claude SIMON, le Vent, p. 223.

CINÉMATHÈQUE [sinematɛk] n. f. — 1921; de 2. *cinéma-,* et suff. *-thèque.*

Endroit où l'on conserve les films de cinéma.

Par ext. Organisme par les soins duquel sont présentés périodiquement les films conservés; salle de cinéma où les projections ont lieu (absolt. : *la Cinémathèque française*, à Paris). *Aller voir un film ancien à la Cinémathèque ou dans un cinéma d'essai.*

(...) dans les petites salles de quartier où il avait repéré des programmes alléchants; nous n'allions pas là seulement pour nous divertir; nous y apportions le même sérieux que les jeunes dévots d'aujourd'hui quand ils entrent dans une cinémathèque.
S. DE BEAUVOIR, la Force de l'âge, p. 53.

CINÉMATIQUE [sinematik] n. f. et adj. — 1834, Ampère; mot tiré du grec *kinêmatikos*, de *kinêma* «mouvement» (→ 1. Cinéma-).

Didactique.

♦ **1** N. f. Partie de la mécanique qui étudie les mouvements, indépendamment des causes qui les produisent et de la nature des mobiles. → **Mécanique, mouvement**. «*On distingue la cinématique du point qui introduit les notions de trajectoire, vitesse et accélération et la cinématique du solide qui s'intéresse à la répartition des vitesses des différents points du solide mobile*» (Bouvier et George). *Application de la cinématique.* → **Dynamique.**

♦ **2** Adj. Relatif au mouvement, à son étude scientifique. *Formule cinématique. Viscosité cinématique d'un fluide.*

Disons un mot, à présent, du processus cinématique qu'implique une promenade en forêt. Ce processus est fort simple. Il consiste, dans le chef du promeneur, à opter pour l'une des mille façons de coordonner entre eux, par la marche, les intervalles d'une certaine quantité de troncs contigus (...)
Paul COLINET,
Éléments initiatiques aux promenades en forêt,
in Phantomas, n° 14, mai 1959.

CINÉMATOGRAPHE [sinematɔgraf] n. m. — 1893; du grec *kinêma* «mouvement» (→ 1. Cinéma-), et *-graphe*.

Didactique.

♦ **1** Hist. Appareil capable de reproduire le mouvement par une suite de photographies, inventé par les frères Lumière. → **Cinéma.** *L'invention, les perfectionnements du cinématographe Lumière.*

♦ **2** Vx ou didact. Cinéma. — REM. Certains utilisent le mot pour insister sur des connotations artistiques et l'opposer à *cinéma*, plus industriel et vulgaire (c'est le cas de Robert Bresson, après Cocteau).

1 Le cinématographe a cinquante ans (...) Fort peu pour une Muse qui s'exprime par l'entremise de fantômes et d'un matériel encore en enfance si on le compare à l'usage de l'encre et du papier.
COCTEAU, la Difficulté d'être, p. 74.

2 Le cinématographe est un art. Il se délivrera de l'esclavage industriel dont les platitudes ne l'incriminent pas plus que les mauvais tableaux et les mauvais livres ne discréditent la peinture et les lettres.
COCTEAU, la Difficulté d'être, p. 78.

DÉR. Cinéma, cinématographie, cinématographier, cinématographique.

CINÉMATOGRAPHIE [sinematɔgrafi] n. f. — 1895; de *cinématographe*.

Didact. Le cinéma en tant que technique ou art. → **Cinéma** (2.), **cinématographe** (2.). *La cinématographie chinoise, iranienne.*

COMP. Microcinématographie.

CINÉMATOGRAPHIER [sinematɔgrafje] v. tr. — 1897; de *cinématographe*.

Vieilli. Prendre en film. → **Filmer, tourner.** — Au p. p. *Scène cinématographiée.*

Quantité de métiers à tisser, occupés le plus souvent par des enfants. Marc cinématographie un de ceux-ci, tout jeune encore, d'une habileté prodigieuse.
GIDE, Voyage au Congo, *in* Souvenirs, Pl., p. 823.

CINÉMATOGRAPHIQUE [sinematɔgrafik] adj. — 1896; de *cinématographe*.

Qui se rapporte au cinéma. *Art, technique cinématographique. Pellicule, film cinématographique* (→ Acétocellulose, cit. 1). *Industrie cinématographique. Film, spectacle, séance cinématographique. Complexe* cinématographique. Institut des hautes études cinématographiques* ou *I.D.H.E.C.* [idɛk]. — REM. Cet adjectif, à la différence de *cinématographe*, est resté usuel en l'absence d'un adjectif correspondant à *cinéma*.

Quelques-uns voulaient que le roman fût une sorte de défilé cinématographique des choses. Cette conception était absurde.
PROUST, le Temps retrouvé, Pl., t. III, p. 882.

DÉR. Cinématographiquement.

CINÉMATOGRAPHIQUEMENT [sinematɔgrafikmã] adv. — 1907; de *cinématographique*.

Didact. ou vieilli. D'une manière cinématographique.

La vie de partout se précipite, se bouscule, animée d'un mouvement fou (...) et disparaît cinématographiquement comme les arbres, les haies, les murs, les silhouettes qui bordent la route (...)
O. MIRBEAU, la 628-E8, le Départ, p. 7.

CINÉMOGRAPHE [sinemɔgraf] n. m. — Mil. XXᵉ; de *cinémo-*, du grec *kinêma* «mouvement» (→ 1. Cinéma-), et *-graphe*.

Techn. Instrument qui mesure et enregistre les vitesses.

CINÉMOMÈTRE [sinemɔmɛtr] n. m. — 1904, in Rev. gén. des sc., n° 3, p. 158; de *cinémo-*, du grec *kinêma* «mouvement» (→ 1. Cinéma-), et *-mètre*.

Techn. Indicateur de vitesse.

CINÉ-ŒIL [sineœj] n. m. — 1928; calque du russe *kino-glaz*, de *kino* «cinéma» (→ 2. Kino), et *glaz* «œil».

Didact. (hist. du cinéma). Théorie d'un groupe de cinéastes russes, visant à reproduire la vie le plus objectivement possible. «*Dans l'un de ses fracassants manifestes, paru en 1923, Vertov s'écriait, lyrique : "Je suis le ciné-œil. Je suis l'œil mécanique. Je suis la machine qui vous montre le monde comme elle seule peut le voir"*» (l'Express, 24 janv. 1972, p. 45). *Le ciné-œil est proche du cinéma*-vérité contemporain.*

CINÉ-PARC [sinepark] n. m. — V. 1970; mot québécois, de 2. *ciné-*, et *parc*.

(Au Québec). Cinéma en plein air (équivalent franç. de l'angl. *drive-in*). *Des ciné-parcs.*

CINÉPHAGE [sinefaʒ] n. — 1967; de 2. *ciné-*, et *-phage*.

Fam. Personne qui va voir, «consomme» de nombreux films (distinct de *cinéphile*). *C'est une cinéphage enragée.* «*Un bouquin qui s'adresse aux cinéphages en herbe*» (Studio, 1ᵉʳ mai 1997, p. 132).

CINÉPHILE [sinefil] n. et adj. — 1912; de 2. *ciné-*, et *-phile.*

Didact. Amateur et connaisseur en matière de cinéma. *Les cinéphiles qui fréquentent les ciné-clubs*, lisent les revues de cinéma.* → aussi **Cinéphage.**

Au dossier que des cinéphiles ont consacré au cinéma hitlérien, il y a ce nouvel élément à verser : la production nazie était arrivée à fabriquer une œuvre qui enchanta la matinée de deux Juifs.

Joseph JOFFO, Un sac de billes, p. 95.

CINÉRAIRE [sineʀɛʀ] adj. et n. f. — 1732; lat. bot. *cineraria,* du lat. *cinis, cineris* «cendre». → Cendre.

I Adj. Qui renferme ou est destiné à renfermer les cendres d'un mort. *Vase, urne cinéraire.*

1 La lune, se levant dans un ciel pur, entre deux urnes cinéraires à moitié brisées.   CHATEAUBRIAND, René.

2 (...) Maint rêve vespéral brûlé par le Phénix
Que ne recueille pas de cinéraire amphore.
MALLARMÉ, Plusieurs sonnets, IV, Pl., p. 68.

II N. f. (1807; *cineraria,* 1803). Plante dicotylédone (*Composacées*) aux fleurs colorées, aux feuilles cendrées. *Cinéraire des jardins. Cinéraire maritime.*

3 Souvent, ayant vu à la boutonnière de M. de Montesquiou une fleur et l'ayant remarquée, ce connaisseur consommé des beautés artistiques de la nature d'un mot l'enflamma d'amour pour la rose mousseuse, le calice de la gentiane dont le bleu est si profond, l'admirable couleur des cinéraires.   PROUST, Jean Santeuil, Pl., p. 332.

CINÉRAMA [sineʀama] n. m. — 1912, *Cinérama-Théâtre;* marque déposée reprise à l'angl., de *-rama* pour *-orama;* cf. *Cinéorama,* en français, 1896.

Procédé de cinéma sur plusieurs grands écrans juxtaposés (trois projecteurs; trois images), par analyse et reconstitution de l'image (à la différence de la polyvision).

(...) il voyait deux images nettement décalées dans le sens de la hauteur. Comme la jointure floue du Cinérama, mais en plaçant un écran plus bas. Diplopie.

Claude COURCHAY,
La vie finira bien par commencer, p. 83.

CINÉRITE [sineʀit] n. f. — 1845; du lat. *cinis, cineris.* → Cendre.

Géol. Dépôt de cendres volcaniques stratifiées.

CINÉROMAN [sineʀɔmɑ̃] n. m. — 1918; de 2. *ciné-,* et 1. *roman.*

Hist. du cinéma. Film à épisodes (1920-1930). — Film qui donne la primauté au récit et à une action mouvementée. «*Le nouveau cinéroman d'Arthur Bernède, mis en scène par M. Jean Kemm, retrace la période la plus mouvementée et la plus émouvante de la vie du célèbre ex-bagnard*» (*l'Écho de Paris,* 23 févr. 1923).

Mod. Roman populaire (en dessins, en photos), tiré d'un film.

REM. On écrit aussi *ciné-roman.*

-CINÈSE ou **-KINÈSE** Élément, du grec *kinêsis* «mouvement». → aussi **-cinésie.**

CINÉ-SHOP [sineʃɔp] n. m. — 1971; de 2. *ciné-,* et angl. *shop.*

Anglic. Boutique de vente de matériel (disques, livres, affiches, etc.) en rapport avec le cinéma. «*Depuis un an, une vingtaine de ciné-shops ont ouvert dans six salles parisiennes*» (*l'Express,* 6-12 nov. 1972).

-CINÉSIE ou **-KINÉSIE** Élément, du grec *-kinêsia* «faculté de se mouvoir», de *kinein* «mouvoir». → aussi **-cinèse.**

CINÉTHÉODOLITE [sineteɔdɔlit] n. m. — 1973; de 1. *ciné-,* et *théodolite.*

Didact. (sc.). Instrument de visée mesurant sur un film cinématographique les variations des angles de gisement et de site d'un axe optique maintenu sur le mobile dont on veut restituer la trajectoire.

CINÉTIQUE [sinetik] adj. et n. f. — 1877; grec *kinêtikos* «qui met en mouvement; qui se meut», de *kinêtos* «mobile», de *kinein* «mouvoir» (→ -cinésie).

Didactique.

♦ **1** Adj. Qui a le mouvement pour principe. *Théorie cinétique des gaz, de la matière. Énergie cinétique :* moitié de la force vive d'un point matériel en mouvement ($1/2\ m\ v^2$).

(1920). *Art cinétique :* forme d'art plastique fondée sur le caractère changeant d'une œuvre par effet optique (mouvement réel ou virtuel).

♦ **2** N. f. *Cinétique chimique :* étude de la vitesse et du mécanisme des réactions chimiques.

Théorie expliquant un ensemble de phénomènes par le mouvement de la matière.

♦ **3** Sémiol. → **Kinésique.**

COMP. **Autocinétique, électrocinétique, hétérocinétique, homocinétique, monocinétique, pharmacocinétique.**

CINÉ-TIR [sinetiʀ] n. m. — Mil. XXᵉ; de 1. *ciné-,* et *tir.*

Techn. (milit.). Tir sur un objectif mobile.

CINÉTOGENÈSE [sinetoʒɛnɛz; sinetoʒənɛz] n. f. — 1897; de *cinéto-,* du grec *kinêtos* (→ Cinétique), et *-genèse.*

Biol. Développement des organes sous l'effet du fonctionnement répété.

CINGALAIS, AISE ou **CINGHALAIS, AISE** [sɛ̃galɛ, ɛz] adj. et n. — 1751, *chingulais;* tamoul *cingala,* par l'anglais.

Se dit des habitants d'origine indo-européenne et de religion bouddhiste de la partie sud et ouest de Ceylan (Sri-Lanka).

REM. L'adjectif géographique de Ceylan est *ceylanais, aise* [selanɛ, ɛz], empr. à l'angl. *ceylanese. Les Cinghalais, les Veddas aborigènes, les Tamouls, etc., forment la population ceylanaise.*

N. m. *Le cingalais :* la langue indo-aryenne parlée par les Cingalais.

1. CINGLAGE [sɛ̃glaʒ] n. m. — 1762; *singlage,* 1340; de 1. *cingler.*

Mar. (Rare et vx). Chemin que fait ou peut faire un navire en vingt-quatre heures.

2. CINGLAGE [sɛ̃glaʒ] n. m. — 1827; de 2. *cingler.*

Techn. Opération métallurgique qui consiste à faire disparaître les pores du métal (par compression ou choc). → **Cingleur.**

CINGLANT, ANTE [sɛ̃glɑ̃, ɑ̃t] adj. — Av. 1850; *chinglant* «flexible», v. 1375; de 2. *cingler.*

♦ **1** Qui cingle. *Il court sous une pluie cinglante.*

Durtal le connaissait, ce moment délicieux où l'on reprend haleine, encore abasourdi par ce brusque passage d'une bise cinglante à une caresse veloutée d'air.
HUYSMANS, la Cathédrale, p. 7.

♦ **2** Abstrait. (Plus cour.). Qui blesse. → **Blessant, cruel, sévère, vexant.** *Une remarque, une leçon cinglante. Il répondit avec une ironie cinglante.*

CONTR. **Affable, aimable, amène, doux.**

CINGLÉ, ÉE [sɛ̃gle] adj. et n. — 1925; 1882, «ivre», *in* Esnault; cf. *se cingler le blair* «s'enivrer», 1878; de 2. *cingler*.

Fam. Un peu fou. → **Cinoque, cintré, dingue, toqué.** *Il est à moitié cinglé. Non, mais ça va pas, tu es complètement cinglé, de faire ça! Ce gosse va me rendre cinglée.*

1 — Je suppose que vous n'avez pas besoin du conseil d'un avocat pour savoir ce que vous avez à faire.
— Mais si. Je n'y vois plus clair, moi! Je deviens cinglé!...
H. TROYAT, la Tête sur les épaules, p. 125.

N. *Un, une cinglé(e).*

2 (...) tous les agités, tous les anxieux, tous les cinglés qui composent le plus clair de nos sociétés.
G. DUHAMEL, Cri des profondeurs, II, p. 34.

3 Causer avec papa la moitié de la journée et soigner des cinglés pendant l'autre moitié, tu parles d'une existence!
S. DE BEAUVOIR, les Mandarins, p. 61.

HOM. 1. **Cingler,** 2. **cingler.**

1. CINGLER [sɛ̃gle] v. intr. — XVᵉ; *sigler,* 1080; *singler,* XIVᵉ, par attraction de 2. *cingler;* empr. au scandinave *sigla.*

Mar. Faire voile* dans une direction. → **Avancer** (s'), **marcher, naviguer, progresser; route** (faire). *Le navire cingle vers Le Cap.* — **REM.** En t. de marine, *cingler* s'applique à «la route d'un navire sous voiles» (Gruss, qui note que le terme est tombé en désuétude).

1 (...) si j'étais libre, le premier navire cinglant aux Indes aurait des chances de m'emporter.
CHATEAUBRIAND, Mémoires d'outre-tombe, IV, VI.

1.1 À cinq heures du matin, l'ancre fut levée. Pencroff prit un ris dans sa grande voile et mit le cap à l'est-nord-est, de manière à cingler directement vers l'île Lincoln.
J. VERNE, l'Île mystérieuse, t. II, p. 507.

Par métaphore, littér. → **Voguer.**

2 Il y a des gens qui gagnent à être extraordinaires; ils voguent, ils cinglent dans une mer où les autres échouent et se brisent (...)
LA BRUYÈRE, les Caractères, XI, 96.

3 Le 10 juin, Siéyès dit, en entrant dans l'assemblée : «Coupons le câble, il est temps». Depuis ce jour, le vaisseau de la Révolution, malgré les tempêtes et malgré les calmes, retardé, jamais arrêté, cingla vers l'avenir.
MICHELET, Histoire de la Révolution franç., t. I, p. 99.

CONTR. Arrêter (s'), ancre (jeter l'ancre, être à l'ancre). ◊ **DÉR.** 1. **Cinglage.** ← **HOM.** **Cinglé,** 2. **cingler.**

2. CINGLER [sɛ̃gle] v. tr. — XIVᵉ; *singler,* XIIIᵉ et jusqu'au XVIIᵉ; altér. de *sangler* «donner des coups de sangle», problabt d'après une forme régionale; cf. le lat. *cingula* «ceinture».

I ◆**1** (Sujet n. de personne). Frapper fort (qqn, un animal, une partie du corps...) avec un objet mince et flexible. → **Baguette, corde, cordelette, cravache, fouet, lacet, lanière, sangle, verge...** *Il lui cingla les jambes d'un bon coup de fouet.* → **Battre, cravacher, flageller, fouailler, fouetter...** *Cingler un cheval.* — (Sujet n. de la chose qui cingle). → ci-dessous, cit. 1.

1 Le fouet du postillon cingla les quatre chevaux d'attelage, et la voiture se mit à rouler vers Paris.
E. FROMENTIN, Dominique, IV, p. 63.

2 Le capitaine à tête de fleuve les sépara en les cinglant tous deux avec une lanière en cuir d'hippopotame.
LOTI, Mon frère Yves, LXXXVII, p. 208.

Au participe passé :

3 (...) je l'ai vue saisir sa cravache qui était sur une chaise et vlan! un grand coup cinglé à travers la figure de Hirsch!
MARTIN DU GARD, les Thibault, t. III, p. 75.

Absolt. *Coup de fouet qui cingle.* → **Cinglon** (vx).

(1765). **Spécialt. Techn.** Marquer d'une ligne (une surface) au moyen d'une corde tendue, enduite de craie, de charbon, qu'on écarte et qu'on laisse revenir brusquement.

◆**2 Par anal.** Frapper, fouetter (le sujet désigne le vent, la pluie, la neige...; le compl. désigne une chose, une partie du corps). *Le vent cingle le visage. Le sable cinglant leurs jambes.* — **Absolt.** → ci-dessous, cit. 4. *Le vent cingle.* → **Couper, fouetter.**

4 Une grosse pluie, qui était venue, passait aussi tout en biais, horizontale, et ces choses ensemble sifflaient, cinglaient, blessaient comme des lanières.
LOTI, Pêcheur d'Islande, II, I, p. 77.

5 (...) de temps en temps, un vol de pluie ou de grêle venait cingler les carreaux.
G. DUHAMEL, Chronique des Pasquier, VII, XXVII, p. 247.

Cingler le visage de qqn.

6 Le vent était glacial. Il me cinglait la figure, me coupait la peau. J'avançais, tête basse.
H. BOSCO, le Jardin d'Hyacinthe, Sidonie, IV, p. 109.

◆**3 Fig.** Exciter (les nerfs, le désir, une pulsion...). → **Attiser.**

7 Les éclairs se succédaient sans interruption, cinglant les nerfs.
MARTIN DU GARD, les Thibault, t. VII, p. 283.

8 (...) ce fut comme un coup de fouet qui cingla son désir.
MARTIN DU GARD, les Thibault, t. II, p. 118.

◆**4 Attaquer*** violemment (qqn) avec des paroles qui n'admettent pas de réponse. → **Blesser, critiquer, fouailler, moucher** (fam.), **vexer.**

9 La joie de crâner, tu comprends, de cingler quelqu'un d'une réplique.
R. DORGELÈS, les Croix de bois, XV, p. 282.

II (1765). **Techn.** Battre (le fer) au sortir des fours. → **Corroyer, forger.**

10 (...) le résultat définitif que une loupe de fer, réduite à l'état d'éponge, qu'il fallut cingler et corroyer, c'est-à-dire forger, pour en chasser la gangue liquéfiée.
J. VERNE, l'Île mystérieuse, t. I, p. 201.

DÉR. 2. **Cinglage, cinglant, cinglé, cingleur, cinglon, cinglure.** ◊ **HOM.** **Cinglé,** 1. **cingler.**

CINGLEUR [sɛ̃glœr] n. m. — 1866; de 2. *cingler.*

Technique (métallurgie).

◆**1** Marteau-pilon utilisé pour le cinglage du fer. → 2. **Cinglage,** 2. **cingler** (II.).

◆**2** *Cingleur,* ou, appos., *ouvrier cingleur :* ouvrier chargé du cinglage du fer. — **REM.** Le fém. est virtuel.

En face de chaque four et lui correspondant, un marteau-pilon, mis en mouvement par la vapeur d'une chaudière verticale logée dans la cheminée même, occupait un ouvrier «cingleur». Armé de pied en cap de bottes et de brassards de tôle, protégé par un épais tablier de cuir, masqué de toile métallique, ce cuirassier de l'industrie prenait au bout de ses longues tenailles la loupe incandescente et la soumettait au marteau.
J. VERNE, les Cinq cents Millions de la Bégum, p. 70.

CINGLON [sɛ̃glɔ̃] n. m. — Av. 1799, «singlon»; de 2. *cingler.*

Vx. Coup (de fouet) qui cingle.

(...) il me donne une vingtaine de coups depuis le milieu du ventre jusqu'au bas des cuisses, puis me les faisant écarter, il frappa rudement dans l'intérieur de l'antre que je lui ouvrais par mon attitude. — Voilà, dit-il, l'oiseau que je veux plumer : quelques cinglons ayant, par les précautions qu'il prenait, porté fort avant, je ne pus retenir mes cris.
SADE, Justine..., t. I, p. 183.

CINGLURE [sɛ̃glyr] n. f. — V. 1950; de 2. *cingler.*

Rare. Action de cingler, et, fig., blessure morale.

CINGULUM [sɛ̃gyləm] n. m. — 1843, t. de bot.; mot lat., «ceinture».

Didact. Partie de la couronne dentaire des incisives et des canines, présentant un bourrelet de l'émail près du sillon lingual.

CINNAME [sinam] n. m. — XIIIe, *cename*; du lat. *cinnammum*, du grec *kinnammon*. → Cinnamome.

Vx ou littér. Cinnamome (2.). *Arbre à cinname.*

Camphriers, arbres à cinname à fruits mousseux comme des savons (...)
Paul MORAND, Rien que la Terre, p. 205.

DÉR. Cinnamique.

CINNAMIQUE [sinamik] adj. — 1834; de *cinname*.

Chim. Se dit de l'acide ($C_9H_8O_2$) ou de l'aldéhyde (C_9H_8O) extraits du baume du Pérou.

CINNAMOME [sinamɔm] n. m. — 1636; *chinnamome*, XIIIe; du lat. *cinnamomum*, du grec *kinnamômon*, de *kinnammon*. → Cinname.

♦ **1** Bot. Genre d'arbrisseau aromatique *(Lauracées)* originaire des régions chaudes de l'Asie. *Cinnamome camphre* (cinnamomum camphora). *Cinnamome cannelier**.

♦ **2** Didact. ou littér. Aromate tiré du cinnamome cannelier (*Cinnamomum zeylanicum*, de Ceylan), utilisé par les Anciens. → **Cannelle** (→ Cassolette, cit. 2).

Quand il *(Tétrarque)* entra dans sa chambre *(celle de Hérodias)*, du cinnamome fumait sur une vasque de porphyre (...)
FLAUBERT, Trois contes, «Hérodias», II.

CINOCHE [sinɔʃ] n. m. — 1935, Esnault; du rad. de *cin(éma)*, et suff. argotique *-oche*.

Pop. Cinéma. *Aller au cinoche.* → **Ciné.**

(...) il avait mis un moment à s'apercevoir, se rendre compte (...) qu'elle était non seulement une femme mais la femme la plus femme qu'il eût encore jamais vue, même en imagination : «Même au cinoche, dit-il. Mince!»
Claude SIMON, la Route des Flandres, p. 119.

CINOQUE [sinɔk] adj. et n. — 1930, *in* Chautard; var. graphique de *sinoque**.

Fam., vieilli. Fou; imbécile. → **Sinoque.** — **REM.** Cette graphie peut provenir de l'attraction de *cinglé.* — *Elle est un peu cinoque. Un, une cinoque.*

Tu ne me feras pas croire qu'il y a tant de cinoques dans cet immeuble.

— Mon singe *(le gérant)* s'occupe de vingt immeubles à Paris. C'est partout comme ça. Aujourd'hui la plupart des gens sont cinglés.
P. GUTH, le Naïf locataire, p. 85.

HOM. Synoque.

CINQ [sɛ̃k] adj. et n. m. — 1080, *cinc*; du lat. pop. *cinque*, lat. class. *quinque*.

I Adj. (Prononcé [sɛ̃] devant consonne; [sɛ̃k] dans les autres cas). ♦ **1** Adjectif numéral cardinal, invariable. Quatre plus un. *Les cinq doigts de la main. Les cinq sens. Étoile à cinq branches. Tragédie en cinq actes. Une pièce de cinq francs.* → **Thune** (pop.). *Cinq cents, cinq mille. Cinq dixièmes.*

1 Il quitte libéralement cent millions d'or et il fait le sévère pour cinq sous.
BOSSUET, Sermons, Satisfaction..., 2.

2 Je répondis en lui couvrant la face de mes cinq doigts.
VOLTAIRE, le Pauvre Diable.

3 L'orchestre composé de cinq artistes de banlieue (...)
MAUPASSANT, la Femme de Paul, p. 26.

4 Ceux qui ont cinq enfants légitimes (...)
Code civil, art. 436.

Le conseil des Cinq-Cents. → **Conseil.**
Ensemble de cinq choses de même nature. → **Penta-, quinqua-, quinte.** *Cinq fois.* → **Quintuple; quintupler.** *Cinquante, ou cinq fois dix. Cinq enfants jumeaux.* → **Quintuplé.** *Gouvernement à cinq chefs.* → **Pentarchie.** *Cinq musiciens jouant ensemble.* → **Quintette.** *Réunion de cinq villes.* → **Pentapole.** *Ensemble de cinq exercices d'athlétisme.* → **Pentathlon.** *Cinq*

numéros d'un jeu.* → **Quine.** *Cinq cartes qui se suivent.* → **Quinte.** *Figure à cinq côtés.* → **Pentagone.** *Polyèdre à cinq faces.* → **Pentaèdre.** *Cinquain, strophe de cinq vers.* → **Quintil.** *Vers de cinq syllabes.* → **Pentamètre.** *Intervalle de cinq notes.* → **Quinte.** *Corolle à cinq pétales.* → **Pentapétale.** *Les cinq premiers livres de la Bible.* → **Pentateuque.** *Les cinq parties du monde.* — *Espace de cinq ans.* → **Lustre.** *Chose qui dure cinq ans ou se reproduit tous les cinq ans.* → **Quinquennal.**

Quatre ou cinq, cinq ou six : un petit nombre de...

5 Ils demandaient fort peu, certains que le secours
Serait prêt dans quatre ou cinq jours.
LA FONTAINE, Fables, VII, 3.

6 Cinq ou six coups de bâton (...) ne font que ragaillardir l'affection.
MOLIÈRE, le Médecin malgré lui, I, 2.

Ellipt. *Passez me voir demain, je serai là de deux à cinq,* de deux heures à cinq heures. — **Fam.** (pour main). *Tu en veux cinq* (doigts) *sur la figure?*

J'aimerais être seul cinq minutes. Dans cinq minutes : très bientôt. *Cinq minutes! :* Attendez! — **Ellipt. Fam.** *Le train part à cinq,* cinq minutes passé l'heure. *Il était moins cinq :* cinq minutes de plus et cela arrivait. **LES CINQ LETTRES,** euphémisme pour le juron «merde». (→ Lettre, cit. 4). *Je lui ai dit les cinq lettres.*

♦ **2** Adjectif numéral ordinal, invariable. → **Cinquième, quinto.** *Numéro cinq. Chambre cinq. Tome cinq. Charles cinq.* → **Quint.** *Prendre le thé à cinq heures* (→ Five o'clock, anglic.). — **Ellipt. Fam.** *Le cinq heures :* le goûter (plus souvent : *le quatre heures*).

Ellipt. *Le cinq avril. Partir le cinq. Tous les cinq du mois. Il est cinq ou sixième.*

II N. m. [sɛ̃k]. ♦ **1** Nombre premier. *Le nombre cinq. Cinq et quatre font neuf. Cent trente-cinq. Nombre divisible par cinq.* → **Quinaire.** *Un virgule cinq :* un et demi. *Compter de cinq en cinq. Ils sont venus tous les cinq. Objets placés cinq par cinq.* → **Quinconce.** *Cinq pour cent* :* cinq centièmes. *Prêter à cinq pour cent.* — **Vx.** *De l'argent au denier cinq,* qui rapporte vingt pour cent.

7 Cent francs au denier cinq combien font-ils? — Vingt livres.
BOILEAU, Satires, VIII.

8 Trois et deux font cinq, et cinq font dix.
MOLIÈRE, le Malade imaginaire, I, 1.

Un cinq à sept, réception de «petit soir» entre cinq et sept heures; (plus cour.) rendez-vous, rencontre érotique dans l'après-midi.

Carte à jouer marquée de cinq points. *Le cinq de pique. Double cinq :* domino marqué de dix points.

Loc. pop. *Cinq et trois font huit,* se dit d'un boiteux. — (Loc. fam.). *En cinq sec :* très rapidement.

9 Les efforts qu'il avait multipliés, avec son air de ne pas y toucher pour empêcher Joseph Pasquier de se débarrasser, en cinq sec, de cette affaire impossible (...)
G. DUHAMEL, Chronique des Pasquier, X, x, p. 456.

Un, deux... sur cinq (fractions). — **Loc.** *Je vous reçois cinq sur cinq,* parfaitement (langage des télécommunications militaires).

♦ **2** Chiffre qui représente ce nombre (5). *Le cinq romain. Le cinq arabe. Il fait ses cinq comme des S. Linge marqué d'un cinq.*

10 (...) Des bouts de fumée en forme de cinq
Sortaient drus et noirs des hauts toits pointus.
VERLAINE, Poèmes saturniens, «Eaux fortes», I.

DÉR. Cinquième. ◊ **HOM.** Ceint, sain, saint, sein, seing.

CINQUANTAINE [sɛ̃kãtɛn] n. f. — XIIIe, *cinquantene*; de *cinquante*.

Nombre de cinquante ou d'environ cinquante. *Une cinquantaine d'enveloppes.* — (1694). **Spécialt**. *Approcher de la cinquantaine* (de cinquante ans), en parlant de l'âge de qqn. → **Quinquagénaire.**

1 Il porte gaillardement sa cinquantaine (...)
   MARTIN DU GARD, les Thibault, t. III, p. 22.

2 «Je vais avoir la cinquantaine,» écrivait Stendhal (par un choix étrange) sur la ceinture de son pantalon, et le même jour il établissait avec soin la liste des femmes qu'il avait aimées.   A. MAUROIS, Un art de vivre, V, 1, p. 193.

DÉR. Cinquantenier.

CINQUANTE [sɛ̃kɑ̃t] adj. et n. m. — 1080; du lat. pop. *cinquaginta*, lat. class. *quinquaginta*.

I ♦ **1** Adjectif numéral cardinal, invariable. → **Quinqua-.** *Cinquante pages. Cinquante francs. Cinquante mille. Un demi-siècle ou cinquante ans. Une personne de cinquante ans.* → **Cinquantenaire, quinquagénaire.** *Celui qui dirige cinquante hommes.* → **Cinquantenier.** *Ensemble de cinquante choses de même nature.* → **Cinquantaine.**

1 Alors, Dieu dit à Noé (...) la longueur de l'arche sera de trois cents coudées, sa largeur de cinquante coudées (...)
   BIBLE (CRAMPON), Genèse, 6, 13.

2 Le bel âge est à plus de cinquante ans, et moins de soixante : tout y est tragique, la mort est derrière la toile pour faire le dénouement.
   André SUARÈS, Trois hommes, «Ibsen», VI, p. 146-147.

3 L'empereur Charles VI mourut au mois d'octobre 1740, à l'âge de cinquante-cinq ans.
   VOLTAIRE, le Siècle de Louis XIV, 5.

Cinquante endroits, cinquante fois... : un grand nombre de... → **Trente-six, cent.** *Je ne vous le répéterai pas cinquante fois.*

4 Il y a sans exagérer cinquante endroits (...)
   BOSSUET, les Nouveaux Mystiques, 4.

5 J'appartiens à un peuple de paysans qui cultivent avec amour, depuis des siècles, cinquante prunes différentes et qui trouvent à chacune un goût délicieusement incomparable.
   G. DUHAMEL, Scènes de la vie future, XV, p. 231.

♦ **2** Adjectif numéral ordinal, invariable. → **Cinquantième.** *Numéro cinquante. La page cinquante.*

II N. m. Le nombre cinquante. *Cinq fois dix font cinquante. Cent cinquante. Cinquante-sept. Cinquante pour cent* * : la moitié. *Deux virgule cinquante :* deux et demi.

(Valeur ordinale). *Le cinquante :* le numéro cinquante (d'une voie). *Il habite dans l'avenue, au cinquante.*

DÉR. Cinquantaine, cinquantième, cinquantenaire.

CINQUANTENAIRE [sɛ̃kɑ̃tnɛʀ] adj. et n. — 1775; de *cinquante,* d'après *centenaire.*

♦ **1** Rare. Qui a cinquante ans d'âge. *Cet homme est cinquantenaire. Un monument cinquantenaire.* — N. m. et f. Personne qui a cinquante ans, quinquagénaire. *Un, une cinquantenaire.* → **Quinquagénaire.**

♦ **2** N. m. Cinquantième anniversaire. *Le cinquantenaire de son entrée en fonction.* → **Jubilé.** *Le cinquantenaire du cinéma.*

CINQUANTENIER [sɛ̃kɑ̃tənje] n. m. — XIIIᵉ; de *cinquantaine.*

Hist. médiévale. Celui qui commandait une compagnie de cinquante hommes.

CINQUANTIÈME [sɛ̃kɑ̃tjɛm] n. et adj. — XIIIᵉ; de *cinquante.*

I Qui succède au quarante-neuvième. ♦ **1** Adjectif numéral ordinal. *Le cinquantième chapitre. Article cinquantième.* → **Cinquante.** *Mettre un cachet aux cinquantièmes pages des livres. Cinquantième année d'une fonction.* → **Jubilé.** *Cinquantième anniversaire.* → **Cinquantenaire.** *Le cinquantième jour avant Pâques.* → **Quinquagésime.**

♦ **2** N. m. et f. *Il est le, elle est la cinquantième de sa classe. Le trois cent cinquantième jour.*

II Se dit d'une fraction d'un tout divisé également en cinquante. ♦ **1** Adj. *La cinquantième partie des revenus.*

♦ **2** N. m. *Le cinquantième d'une quantité; d'un bénéfice. Je n'en ai pas encore fait le cinquantième :* je n'ai presque rien fait.

CINQUIÈME [sɛ̃kjɛm] adj. et n. — 1175, *cinquisme;* de *cinq.*

I Qui succède au quatrième. ♦ **1** Adjectif numéral ordinal. → **Quint** (vx). *La cinquième rue à gauche. Le cinquième étage,* et, ellipt. (n. m.), *le cinquième. Il habite au cinquième, au cinquième (à) droite, (à) gauche. Cinquième édition. Cinquième acte. Être dans la cinquième classe,* ou, ellipt., *en cinquième. Monter de cinquième en quatrième. Professeur de cinquième. L'auriculaire, cinquième doigt de la main. Cinquième jour de la décade républicaine.* → **Quintidi.**

Je voudrais être à un cinquième étage avec une vieille servante et 1 500 livres de revenu.
   D'ALEMBERT, Art. du Card. Dubois, X, p. 97, in LITTRÉ, Dict., art. Étage.

Loc. *Être la cinquième roue du carrosse.* → **Roue.**

♦ **2** N. m. et f. *Se présenter le cinquième. Être le vingt-cinquième d'une liste. Elle est née la cinquième.*

II Se dit d'une fraction d'un tout divisé également en cinq. ♦ **1** Adj. *La cinquième partie d'un héritage.*

♦ **2** N. m. *Consacrer un cinquième du budget au loyer. Les trois cinquièmes des gens...,* un peu plus de la moitié. *Je n'en crois pas le cinquième :* je n'en crois presque rien.

DÉR. Cinquièmement.

CINQUIÈMEMENT [sɛ̃kjɛmmɑ̃] adv. — 1550; de *cinquième.*

En cinquième lieu. → **Cinq, quinto.**

CINTRAGE [sɛ̃tʀaʒ] n. m. — 1869; mar., 1694; de *cintrer.*

Techn. Opération par laquelle on cintre une pièce. → **Courbure.** *Le cintrage d'un ouvrage en ciment armé. Cintrage au four des feuilles de verre.* → **Bombage.**

HOM. Ceintrage.

CINTRE [sɛ̃tʀ] n. m. — 1300; de *cintrer.*

♦ **1** Courbure hémisphérique concave de la surface intérieure (d'une voûte, d'un arc). → **Arc, arceau, cerceau, voûte.** *Cintre en anse* * de panier.*

Archit. Figure en arc de cercle. *La tablette du cintre d'une arcade.* → **Imposte.** *Les claveaux* * d'un cintre.*

Au dehors (*du château*), le claveau du cintre offrait encore l'écusson des Soulanges.
   BALZAC, les Paysans, Pl., t. VIII, p. 32.

(1676). **PLEIN CINTRE** : cintre dont la courbure est un demi-cercle. *Voûte, arcade en plein cintre, de plein cintre. Voûte romane* en plein cintre.* — (**N. m.**). *Le plein cintre* (opposé à *arc brisé*). — Vx. *Le cintre :* le plein cintre.

2 Ils s'en vont raisonnant de l'ogive et du cintre.
HUGO, les Feuilles d'automne, XXVIII.

3 Je suis allé une fois à Oxford, où j'ai admiré la chapelle du collège de Christ-Church, où il y a de l'architecture saxonne, à piliers massifs, à pleins cintres et à ornements à *zigzags* (...)
SAINTE-BEUVE, Correspondance, t. I, 51,
26 août 1828, p. 103.

Cintre surbaissé, dont la courbure elliptique repose sur le grand axe. *Cintre surmonté,* dont la courbure elliptique repose sur le petit axe.

♦ 2 (1549). Techn. (charpenterie). Échafaudage en arc de cercle sur lequel on construit les voûtes. *Poser, lever les cintres.* → **Armature, coffrage.**

♦ 3 (1753). Techn. (théâtre). Le rang de loges le plus élevé. *Loges du cintre.* — Partie du théâtre située au-dessus de la scène, entre le décor et les combles.

♦ 4 (1900). Cour. Dispositif en bois, en métal ou en matière plastique servant à suspendre les vêtements. → **Porte-manteau ; pince-jupe, porte-jupe.**

♦ 5 (Sports). Partie incurvée d'un guidon (de vélo de course).

HOM. Ceintre.

CINTRÉ, ÉE [sɛ̃tre] adj. — 1926, d'abord en argot des cyclistes, de *cintrer,* par métaph. (cf. *tordu*). Le mot a bénéficié de la paronymie avec *cinglé.*
Fam. et vieilli. (Personnes). Un peu fou, bizarre. → **Cinglé, dingue.** *Il est un peu cintré.*

HOM. Ceintrer, cintrer.

CINTRER [sɛ̃tre] v. tr. — XVᵉ ; en wallon, *voûte chintrée,* 1349 ; du lat. pop. *cincturare de cinctura «ceinture».

♦ 1 Archit. Bâtir en cintre* ; donner la forme du cintre à (qqch.). *Cintrer une galerie, une porte.*

♦ 2 Techn. et cour. Rendre courbe, concave ou convexe (ce qui était droit ou plan). → **Bomber, cambrer, courber.** *Cintrer des plaques de métal. Cintrer une barre, un rail, un tuyau.* — Absolt. *Machine, presse à cintrer. Cintrer à la vapeur.*

♦ 3 (1611 ; du sens «entourer, ceindre»). Cour. Rendre (un vêtement) ajusté à la taille. *Cintrer une redingote.*

♦ 4 Argot scol. (vieilli). → **Coller, tordre.** *Il s'est fait cintrer à son examen.*

♦ **CINTRÉ, ÉE** p. p. adj. *Fenêtre cintrée. Toit cintré. Veste bien cintrée,* ajustée, serrée à la taille.

(...) la chapelle, d'un style pauvre et maussade, lourdement coiffée de tuiles, présentait son pignon nu, percé d'un œil de bœuf et d'une porte cintrée (...)
FRANCE, Les dieux ont soif, p. 142.

Vx. *Dos cintré* (→ Bastonnade, cit. 2). → **Courbé.**

CONTR. Décintrer, redresser. ◊ **DÉR. Cintrage, cintre, cintré, cintreuse.** ◆ **HOM. Ceintrer, cintré.**

CINTREUSE [sɛ̃trøz] n. f. — 1927 ; de *cintrer.*
Techn. Machine qui effectue le cintrage des tubes. *Cintreuse pour tôles.*

CIPAL [sipal] n. m. — Av. 1848 ; abrév., par aphérèse, de (*garde*) *municipal.*

Pop., vx. Garde municipal. → **Municipal.** «*Des flics, des cipaux, un peu de populo* (cit. 2) *désœuvré*» (Romains).

1 Aussitôt, tous trois se laissèrent glisser à terre en prenant bien soin de ne se relever qu'après que la voiture se fut éloignée, à cause du cipal qui était derrière.
L. FORTON, les Aventures des Pieds-Nickelés,
in l'Épatant, 1908, p. 15.

2 Mené par les longs couloirs sombres du Palais, Crainquebille ressentit un immense besoin de sympathie. Il se tourna vers le garde de Paris qui le conduisait et l'appela trois fois :
— Cipal !... Cipal !... Hein ? cipal !... (...) Cipal, vous trouvez pas qu'ils parlent trop vite ?
Mais le soldat marchait sans répondre ni tourner la tête.
A. FRANCE, Crainquebille..., III.

CIPAYE [sipaj] n. m. — 1768 ; *sepay,* 1750, et aussi *cipay* ; venu de l'Inde par l'intermédiaire du portugais, du mot persan *sipahi* «cavalier». → Spahi.

Anciennt. (Hist.). Soldat hindou au service d'une armée européenne.

En 1857, la grande révolte des cipayes éclata. Le prince Dakkar en fut l'âme. Il organisa l'immense soulèvement.
J. VERNE, l'Île mystérieuse, t. II, p. 804.

CIPOLIN [sipɔlɛ̃] n. m. — 1693 ; *cipollini,* 1676 ; empr. graphique de l'ital. *cipollino* [tʃipollino], de *cipolla* «oignon».

Techn. Marbre dont les veines gris-vert, jaune-vert rappellent la coupe de l'oignon. *Les cipolins sont des calcaires cristallisés renfermant des lamelles de mica, de silicates lourds...*

(...) et le mica, barré de tricolore, déjà campé derrière une table de marbre vert, incrusté de griotte et de cipolin.
H. BAZIN, Cri de la chouette, p. 93, 1972.

CIPPE [sip] n. m. — 1718 ; lat. *cippus* «colonne».

Didact. (archéol.). Petite colonne sans chapiteau ou colonne tronquée qui servait de borne, de monument funéraire. → **Stèle.** *Tombeau surmonté d'un cippe. Inscription d'un cippe.* — REM. Gautier emploie le mot au féminin :

Une chapelle souterraine, assez négligée, renferme les sépultures de Villiers de l'Ile-Adam (*sic*), de la Valette et d'autres grands maîtres couchés dans leurs armures sur des cippes armoriées, soutenues par des lions, des oiseaux et des chimères (...)
Th. GAUTIER, Constantinople, p. 32.

CIRAGE [siraʒ] n. m. — 1554 ; de *cire,* et suff. d'action -*age.*

♦ 1 Rare. Action de frotter à la cire, au cirage (2.) (les parquets, les cuirs, etc.) pour faire briller. Résultat de cette action. *Le cirage d'un parquet. Un cirage brillant, glissant.*

1 Ce pauvre diable, du matin au soir et, s'il le faut, du soir au matin, cire tous les souliers de tous les voyageurs, apportant à ce service tout le soin et toute la régularité désirable. Le lustre de son cirage est si beau que nous en faisons compliment à l'hôte rubicond.
Rodolphe TÖPFFER, Voyages en zigzag, 1837,
16ᵉ journée, p. 59.

♦ 2 (1680). Cour. Composition dont on se sert pour rendre les cuirs brillants. *Cirage acajou, blanc, jaune, noir. Cirage incolore. Cirage crème, liquide. Brosse* à cirage. Mettre trop de cirage sur ses chaussures. Enduire ses souliers de cirage.* → **Cirer.**

2 L'étonnement de Macaire sur ce point était dû à la qualité spéciale des cuirs, aux teintures dont on les imprègne en cordonnerie fine, ainsi qu'à l'abondance et à la diversité du cirage.
J. ROMAINS, les Hommes de bonne volonté, t. IV,
Éros de Paris, VIII, p. 77.

3 J'ai sous mon armoire une petite caisse pleine de brosses de dureté variables, de chiffons de vraie laine et surtout de boîtes de cirage de teintes diverses, du noir pur au blanc incolore en passant par toute la gamme des fauves. J'aime faire varier de jour en jour la couleur d'une paire de chaussures en la traitant avec des crèmes aux teintes savamment dosées.
M. TOURNIER, le Roi des Aulnes, p. 54.

Fig., fam. *Noir comme du cirage* : très noir.

♦ **3** Fam. (D'abord argot des aviateurs). *Être dans le cirage* (en parlant d'une visibilité mauvaise) : ne plus rien voir (cf. Pot au noir). — (1935). Par ext. Ne plus rien comprendre, ne plus savoir où on en est. → **Brouillard** (être dans le brouillard).

4 (...) qu'est-ce que tu fais maintenant?
— Je suis dans le cirage, dit Pierrot avec résolution.
R. QUENEAU, Pierrot mon ami, éd. L. de Poche, p. 51.

(1950). *Être dans le cirage, en plein cirage* : être ivre (cf. Être noir).

♦ **4** Techn. (valeur active, comme 1.). Action de préparer les toiles cirées.

CIRCADIEN, IENNE [siʀkadjɛ̃, jɛn] adj. — 1968, Larousse ; du lat. *circa diem* «presque un jour».

Sc. Se dit des phénomènes biologiques cycliques selon une alternance de 20 à 24 heures. *Rythme* circadien* (au-dessous, on parle de rythme *ultradien**). *L'alternance veille-sommeil est une des manifestations fondamentales des rythmes circadiens.* «*Pour chaque animal, toutes les périodes d'enregistrement sont réalisées à la même heure de la journée, afin de contrôler les facteurs de variation circadienne*» (la Recherche, déc. 1979, p. 1188).

CIRCAÈTE [siʀkaɛt] n. m. — 1820 ; comp. du grec *kirkos* «faucon», et *aetos* «aigle».

Zool. Oiseau rapace diurne (Aquilidés), de taille moyenne, au corps robuste. *Le circaète est encore appelé aigle Jean le Blanc, milan blanc, offroy.*

CIRCASSIEN, ENNE [siʀkasjɛ̃, ɛn] adj. et n. — 1584 ; de *Circassie*, région du Caucase septentrional.

♦ **1** De la Circassie. → **Tcherkesse.** *Langue circassienne. Cheval circassien. Le kama, grand poignard circassien.* — Originaire de cette région. *Populations circassiennes.* — N. *Un, une Circassien(ne).*

♦ **2** N. f. (1838). Vx. Tissu de laine et coton.

♦ **3** (1789). Vx. Robe, souvent en gaze, à la mode au XVIIIᵉ siècle.

(...) et de là bientôt la vogue universelle des *polonaises*, des *circassiennes* (...) adopté(e)s par les femmes de toutes les conditions, appropriées à chaque rang et dont le perpétuel changement vidait la bourse de tous les maris.
Ed. et J. DE GONCOURT, la Femme au XVIIIᵉ s., II, p. 67.

CIRCÉE [siʀse] n. f. — 1572 ; du lat. *circæa*, de *Circé*, célèbre magicienne.

Bot. Plante dicotylédone (Onagrariées), vivace, communément appelée *herbe aux sorcières* ou *herbe à la magicienne*.

CIRCINÉ, ÉE [siʀsine] adj. — 1863, *in* Littré, «qui est roulé sur soi-même»; du lat. *circinatum* «disposé en cercle».

Méd. Se dit des lésions de la peau disposées en segments de cercle. *Impétigo circiné.*

CIRCON- Élément correspondant au lat. *circum* «autour». → **Circoncision...**; et aussi **circum-**.

CIRCONCIRE [siʀkɔ̃siʀ] v. tr. [CONJUG.: *suffire*, sauf p. p., *circoncis, ise.*] — 1190 ; lat. ecclés. *circumcidere* «couper (cidere) autour».

♦ **1** Enlever rituellement le prépuce de (un enfant mâle) par excision. → **Circoncision.** *Les juifs, les mahométans font circoncire leurs enfants mâles* (Académie). — Passif. *Être circoncis.* → **Circoncis.** — Pron. *Se circoncire,* au fig. : devenir juif ou musulman.

Vous vous circoncirez ; et ce sera un signe d'alliance entre moi et vous. À l'âge de huit jours, tout mâle parmi vous sera circoncis (...) Un mâle incirconcis, qui n'aura pas été circoncis dans sa chair, sera exterminé du milieu de son peuple : il aura violé mon alliance.   1
BIBLE (SEGOND), Genèse, XVII, II, 12, 14.

Il *(Dieu)* veut qu'Abraham accepte de se circoncire, lui et les siens.   DANIEL-ROPS, le Peuple de la Bible, p. 25.   2

♦ **2** Méd. Exciser le prépuce de (un homme). — Exciser* (une femme).

DÉR. **Circoncis.**

CIRCONCIS, ISE [siʀkɔ̃si, iz] adj. et n. m. — XIIᵉ ; de *circoncire.*

♦ **1** Sur qui on a pratiqué la circoncision. *Musulman circoncis.* — REM. Le fém. s'emploie (rarement) pour *excisée.*

♦ **2** N. m. (1690). Celui qui a subi la circoncision. *Un circoncis.* — Fig. Celui qui est de religion juive ou musulmane. (...) — Péj. Nom donné (par les chrétiens) aux musulmans et aux juifs.

Ainsi opinait l'auteur de ma vie, juif, fils de juif, procréateur de juifs, héritier et ancêtre, aboutissant et origine de deux lignées de circoncis.
A. ARNOUX, Carnet de route du Juif errant, p. 10.

CONTR. **Incirconcis.**

CIRCONCISION [siʀkɔ̃sizjɔ̃] n. f. — 1190 ; du lat. ecclés. *circumcisio*, de *circumcidere.* → Circoncire.

[I] ♦ **1** Ablation rituelle du prépuce pratiquée sur les jeunes garçons juifs et musulmans. *La circoncision de Jésus-Christ,* et, absolt, *la Circoncision,* fête chrétienne du 1ᵉʳ janvier.

(...) Dieu donna à Abraham l'alliance de la circoncision ; et ainsi, Abraham, ayant engendré Isaac, le circoncit le huitième jour (...)   1
BIBLE (SEGOND), Actes des Apôtres, VII, 8.

La circoncision n'était qu'un signe, *Gen.* XVII, 11.   2
PASCAL, Pensées, IX, 610.

Il n'est point extraordinaire que Dieu, qui a sanctifié le baptême si ancien chez les Asiatiques, ait sanctifié aussi la circoncision (...) On a déjà remarqué qu'il est le maître d'attacher ses grâces aux signes qu'il daigne choisir.   3
VOLTAIRE, Dict. philosophique, Circoncision.

Je revois une circoncision... Qui n'a pas assisté à cette scène n'a rien vu du nerf profond de l'existence... Le bébé mâle, dans son berceau, bien paré... La famille, les amis, les témoins... L'arrivée du rabbin opératoire, souple, à son affaire... Avec son petit barda pharmacie... L'agitation angoissée des femmes... Au bord de l'évanouissement ou de la curiosité soufflée... Les hommes avec leurs chapeaux sur la tête... La Passe... Le grand passage... «Hébreu» veut dire «passeur»... Sortie d'Égypte... Incision de l'hiéroglyphe à vif...   Ph. SOLLERS, Femmes, p. 213.   3.1

♦ **2** Ablation chirurgicale du prépuce. *Un phimosis traité par la circoncision.*

[II] (1660). Fig. (langue mystique). *Circoncision du cœur, des lèvres* : retranchement des mauvais désirs, des passions, des mauvaises paroles.

(...) saint Paul est venu apprendre aux hommes que (...) la circoncision du corps était inutile, mais qu'il fallait celle du cœur (...)   PASCAL, Pensées, X, 670.   4

[III] Techn. Incision annulaire pratiquée sur les branches des arbres. *Circoncision de la vigne.*

CONTR. (Du sens I, 1). **Incirconcision.**

CIRCONFÉRENCE [siʀkɔ̃feʀɑ̃s] n. f. — V. 1265 ; du lat. *circumferentia*, de *circumferre* «faire le tour». → Périphérie.

♦ **1** Ligne courbe plane et fermée dont tous les points sont à égale distance d'un point intérieur ou centre ; pourtour d'un cercle. *La circonférence est divisée en 360 degrés* ou en 400 grades*. Portion de circonférence.* → **Arc.** *Surface inscrite entre deux circonférences concentriques.* → **Couronne.** Didact. (géom.). Longueur du cercle. *La circonférence est égale au produit du diamètre du cercle par* π (pi) *ou du rayon par* 2π. — REM. Pour les autres courbes fermées, on dit *longueur*, *périmètre*.

(...) le cercle que Saturne décrit a plus de six cents millions de lieues de diamètre, et par conséquent plus de dix-huit cents millions de lieues de circonférence (...)
LA BRUYÈRE, les Caractères, XVI, 43.

♦ **2** Littér. Tour, pourtour (d'une chose de forme approximativement circulaire). *Embrasser la circonférence d'un arbre. La circonférence d'une ville.* → **Enceinte, périphérie.**

DÉR. Circonférentiel.

CIRCONFÉRENTIEL, IELLE [siʀkɔ̃feʀɑ̃sjɛl] adj. — 1858 ; de *circonférence*.
Didact. Qui concerne la circonférence, la longueur du cercle. *La vitesse circonférentielle de la roue.*

CIRCONFLEXE [siʀkɔ̃flɛks] adj. et n. m. — 1550 ; *circonflect*, 1529 ; lat. *circumflexus* (trad. du grec *perispômené* «sinueux»), de *flexus* «courbé».

♦ **1** Se dit d'un signe d'accentuation grecque (˜), et, par anal., d'un signe français en forme de V renversé (^) placé sur certaines voyelles longues et spécialement sur celles qui ont été allongées par la chute de l'une des deux consonnes qui la suivaient (*pâte* pour *paste*), ou comme signe diacritique. *Un accent* circonflexe* (par ext.), voyelle allongée correspondant à une lettre voyelle française s'écrivant avec cet accent ; → ci-dessous, cit. 1). — N. m. Absolt. *Un circonflexe.* — Par ext. *Un ô circonflexe* (→ Binôme, cit.).

1 Et elle appuie bien fort sur les accents circonflexes (...)
LOTI, Mme Chrysanthème, XLVI, p. 234.
1.1 L'accent circonflexe est l'hirondelle de l'écriture.
J. RENARD, Journal, 8 mai 1901.

♦ **2** Par plais. En forme d'accent circonflexe (formant un angle). — Vx. *Jambes circonflexes.* → **Tortu, travers** (de). — Mod. *Avoir des sourcils circonflexes.*

2 (...) La jambe torte et circonflexe.
BEAUMARCHAIS, le Barbier de Séville, II, 13.
3 (...) des sourcils circonflexes et dont le poil se rebroussait en virgule (...)
Th. GAUTIER, le Capitaine Fracasse, t. I, VIII, p. 279.

CONTR. Droit, rectiligne.

CIRCONLOCUTION [siʀkɔ̃lɔkysjɔ̃] n. f. — XIIIᵉ ; lat. *circumlocutio*, de *circum* «autour», et *locutio* (→ Locution), trad. du grec *periphrasis* (→ Périphrase).
Didact., littér. ou style soutenu. Manière d'exprimer sa pensée d'une façon indirecte. → **Ambage** (cit. 1), **détour, périphrase.** *Faire des circonlocutions.* → **Phraser** (→ fam. Tourner autour du pot). *Parler par circonlocutions. Faire des circonlocutions pour annoncer une mauvaise nouvelle. Après de longues circonlocutions... Évitons les circonlocutions et allons droit au but.*

1 (...) il n'était pas nécessaire de parler si longtemps et de faire tant de circonlocutions (...)
Ch. PÉGUY, Œuvres, t. XII, p. 434.

Ces charitables circonlocutions dont on use pour annoncer à la famille une nouvelle pénible, effrayante, dont on redoute que l'esprit, la raison, ne la supportent pas.
Claude SIMON, le Palace, p. 93.

CONTR. Clarté, franchise, netteté.

CIRCONSCRIPTIBLE [siʀkɔ̃skʀiptibl] adj. — Fin XIVᵉ ; lat. *circumscriptus*, de *circumscribere*. → Circonscrire.
Géom. Se dit d'une figure que l'on peut circonscrire. *Tout polygone régulier est circonscriptible à un cercle.* → aussi **Inscriptible.**

CIRCONSCRIPTION [siʀkɔ̃skʀipsjɔ̃] n. f. — Fin XIIᵉ ; lat. *circumscriptio*, du supin de *circumscribere*. → Circonscrire.

♦ **1** Vx. Limite qui borne l'étendue d'un corps. → **Circonférence.**

♦ **2** (1648). Géom. Action de circonscrire une figure à une autre. *Circonscription d'une circonférence à un polygone régulier.*

♦ **3** (1835). Mod. Division d'un pays, d'un territoire. *Circonscription territoriale. Secteurs d'une circonscription. Circonscriptions administratives françaises.* → **Département, préfecture ; arrondissement, canton, commune ;** et aussi (dans d'autres pays) **canton, échevinage, province, district.** *Ancienne circonscription financière.* → **Généralité.** *Ancienne circonscription huguenote.* → **Cercle.** *Circonscription de l'antiquité romaine.* → **Ethnarchie, exarchat.** *Circonscription hongroise* (→ **Comitat**)*, grecque* (→ **Monarchie, nome**)*, turque* (→ **Sandjak, vilayet**)*, algérienne* (→ **Willaya**)*. Circonscriptions ecclésiastiques.* → **Diocèse, paroisse ; consistoire ; éparchie, patriarchat.** *Circonscription militaire.* → **Région, division, subdivision ;** et aussi **capitainerie, chefferie...** — Spécialt. *Circonscription électorale* ou *circonscription.* → **Collège.** *Faire le tour de sa circonscription.*

(...) le député d'Orléans est exactement le délégué d'Orléans à soutenir les intérêts orléanais *contre* les délégués des autres circonscriptions, qui eux-mêmes en font autant.
Ch. PÉGUY, Œuvres, t. I, p. 382.

CIRCONSCRIRE [siʀkɔ̃skʀiʀ] v. tr. [CONJUG.: *écrire*.] — 1361 ; du lat. *circumscribere*, de *circum*, et *scribere* «écrire».

♦ **1** Décrire une ligne qui borne, qui limite tout autour. *Circonscrire un espace. Circonscrire sa propriété.* Géom. Tracer une figure dont les côtés sont tangents à une circonférence. — *Circonscrire un polygone à un cercle :* tracer une circonférence qui passe par les sommets de tous les angles du polygone. → **Exinscrit.**

♦ **2** Abstrait. Renfermer en de certaines bornes. → **Borner, limiter.** *Circonscrire son sujet. Circonscrire le domaine de ses investigations. Circonscrire une question.* — Pron. *Le débat se circonscrit autour de cette idée.* → **Délimiter** (se).

(Le compl. désigne un phénomène concret qui menace de s'étendre). *Circonscrire une épidémie, un incendie,* l'empêcher de dépasser une limite. → **Enrayer, freiner, juguler, restreindre.**

1 (...) elle se targuait (*l'Allemagne*) follement de pouvoir, en temps voulu, circonscrire le brasier, faire la part du feu !
MARTIN DU GARD, les Thibault, t. VII, p. 160.

♦ **CIRCONSCRIT, ITE** p. p. adj. *Courbe circonscrite à un polygone. Ville circonscrite par des remparts.* → **Entouré.**

Ce bourg est le chef-lieu d'un canton populeux circonscrit par une longue vallée.
BALZAC, le Médecin de campagne, Pl., t. VIII, p. 317.

Incendie rapidement circonscrit.

3　(...) comme ici l'eau surabonde, l'incendie a vite été circonscrit, puis maté.
　　　　GIDE, Journal, La marche turque, 1914.

Méd. Dont les limites sont bien marquées. *Inflammation, tumeur circonscrite.*

4　Au-dessus du poignet, un phlegmon superficiel, bien circonscrit, semble déjà collecté.
　　　　MARTIN DU GARD, les Thibault, t. III, p. 112.

(Abstrait). *Désirs, besoins circonscrits,* bien délimités. *L'esprit humain est circonscrit,* enfermé (dans des limites), borné.

5　Je savais, en méditant sur ces matières, que l'entendement humain, circonscrit par les sens, ne les pouvait embrasser dans toute leur étendue ; je m'en tins donc à ce qui était à ma portée, sans m'engager dans ce qui la passait.
　　　　ROUSSEAU, Rêveries..., 3ᵉ promenade.

6　Il y a certains désirs, parfois circonscrits à la bouche, qui, une fois qu'on les a laissés grandir, exigent d'être satisfaits (...)
　　　　PROUST, À la recherche du temps perdu, t. XII, p. 131.

CONTR. Élargir, étendre. ◊ **DÉR.** (Du même rad.) V. **Circonscriptible, circonscription.**

CIRCONSPECT, ECTE [siʀkɔ̃spɛ(kt), ɛkt] adj. et n. — XIVᵉ ; lat. *circumspectus,* de *circum,* et *specere* «regarder». → Circonspection.

Qui prend bien garde à ce qu'il dit et fait. → **Attentif, avisé, discret, prudent, réfléchi, réservé, sage.** *Un diplomate circonspect. Être trop circonspect. Il n'est pas assez circonspect dans le choix de ses amis.*

1　Imprudents et peu circonspects (...)
　　　　LA FONTAINE, Fables, XII, 1.
2　M. de Villèle écoutait, résumait et ne concluait point : c'était un grand aideur d'affaires ; marin circonspect, il ne mettait jamais en mer pendant la tempête (...)
　　　　CHATEAUBRIAND, Mémoires d'outre-tombe, III, VII.
3　(...) Antoine (...) sous ce masque débonnaire, veillait, circonspect, résolu à temporiser, mais prêt à tout.
　　　　MARTIN DU GARD, les Thibault, t. IV, p. 49.
4　Le jeune homme est souvent sot et timide. L'homme mûr, trop poli, trop circonspect.
　　　　J. ROMAINS, les Hommes de bonne volonté, t. V, Les superbes, XXIII, p. 198.

N. Littér. *Les circonspects ont égard aux circonstances, au milieu.*

(Choses ; actes). Qui marque de la circonspection. *Il tient un langage circonspect. Conduite, démarche circonspecte.*

5　Il est des amitiés circonspectes qui, craignant de se compromettre, refusent des conseils dans les occasions difficiles, et dont la réserve augmente avec le péril des amis.
　　　　ROUSSEAU, Julie ou la Nouvelle Héloïse, II, Lettre V, p. 194.

REM. Sans être du registre littéraire, l'adj. est surtout employé dans un style écrit ou soutenu.

CONTR. Aventureux, étourdi, imprévoyant, imprudent, inattentif, inconsidéré, léger, téméraire. — Confiant.

CIRCONSPECTION [siʀkɔ̃spɛksjɔ̃] n. f. — XIVᵉ ; lat. *circumspectio,* de *circum* «autour», et *specere* «regarder».

Surveillance prudente que l'on exerce sur ses paroles, ses actions, en prenant garde à toutes les circonstances. → **Discrétion, réflexion, réserve, retenue, sagesse.** *Avoir de la circonspection.* → **Observer** (s'). *Il agit avec circonspection.* → **Attention, considération, discernement, précaution, prudence.** *User de circonspection. Apporter, mettre beaucoup de circonspection dans le règlement d'une affaire.* → **Diplomatie, mesure, modération.** *Parler avec circonspection, avec ménagement.* → **Sobriété.** *Circonspection fière et distante.* → **Quant-à-moi,**

quant-à-soi. *Sans circonspection. La circonspection vient avec l'âge. Faire preuve de maturité et de circonspection. Il est d'une circonspection excessive, c'est un timide, un trembleur.*

1　Il faut procéder avec circonspection, et ne rien faire, comme on dit, à la volée (...)
　　　　MOLIÈRE, l'Amour médecin, II, 5.
2　Je me résolus d'aller si lentement, et d'user de tant de circonspection en toutes choses que, si je n'avançais que fort peu, je me garderais bien au moins de tomber.
　　　　DESCARTES, Disc. de la méthode, II.
3　Il *(Danton)* avait cet instinct du grand qui fait le génie, et cette circonspection silencieuse qui fait la raison (Garat).
　　　　BARTHOU, Danton, p. 12.
4　(...) cette circonspection, cette réserve, qui sont, dans la jeunesse, les signes ordinaires de l'orgueil (...)
　　　　G. DUHAMEL, le Temps de la recherche, VIII, p. 108.

CONTR. Étourderie, imprévoyance, imprudence, inattention, légèreté, témérité. — Confiance.

CIRCONSTANCE [siʀkɔ̃stɑ̃s] n. f. — 1260 ; du lat. *circumstantia,* de *circumstare* «se tenir *(stare)* autour».

♦ **1** (Souvent au plur.). Particularité qui accompagne et conditionne un fait, un événement, une situation. → **Accident, climat, condition, détermination, donnée, modalité, particularité.** *Étudier, examiner, observer, peser, remarquer les circonstances d'une situation, d'un événement* (→ Examiner, voir la face des choses). *Tenir compte des circonstances.* → **Opportunisme.** *Cela dépend des circonstances. C'est une circonstance particulière dont il ne faut pas tenir compte. Rapporter toutes les circonstances d'un événement. Exposer un fait jusque dans ses moindres circonstances* → **Détail.** *Des circonstances défavorables, mauvaises, fâcheuses, pénibles* (cit. 5) ; *favorables, inespérées. Être placé dans de bonnes circonstances. Selon la nature des circonstances* (→ La couleur du temps*).

1　Il y a de légères et frivoles circonstances du temps qui ne sont plus stables, qui passent, et que j'appelle des modes : la grandeur, la faveur (...) les joies, la superfluité.
　　　　LA BRUYÈRE, les Caractères, XIII, 31.
2　La noblesse de soi est bonne (...) mais elle est accompagnée de tant de mauvaises circonstances, qu'il est très bon de ne s'y point frotter.　　MOLIÈRE, George Dandin, I, 1.
3　Vous pouvez imaginer quelle douleur et quel agrément pour un commerce rempli de toute l'amitié et de toute la confiance possible (...) Ajoutez-y la circonstance de leur mauvaise santé, qui les rendait nécessaires l'un à l'autre.
　　　　Mᵐᵉ DE SÉVIGNÉ, 797, 5 avril 1680.
4　*(Dans ces lois)* on distingue avec finesse les cas, on y pèse les circonstances.
　　　　MONTESQUIEU, l'Esprit des lois, XXX, 19.
5　L'expérience ne sert de rien ; un même fait ne se reproduit jamais dans les mêmes circonstances.
　　　　Pierre LOUŸS, les Aventures du roi Pausole, IX, p. 66.
6　Les circonstances dans lesquelles nous sommes placés, la pression des événements, la tension de nos âmes qui lui répond, ont, parmi bien d'autres effets, l'effet de nous faire sentir de plus en plus énergiquement notre intime participation à une existence plus grande que la nôtre, qui est celle de la France.
　　　　VALÉRY, Regards sur le monde actuel, Pensée et art français, p. 176.
7　Il n'y a pas toujours pensé, parce qu'une pensée d'homme politique avant de s'orienter définitivement, est soumise aux sollicitations des circonstances.
　　　　J. ROMAINS, les Hommes de bonne volonté, t. V, Les superbes, XXIV.

Gramm. *Complément de circonstance,* servant à préciser des rapports de temps, de lieu, de manière, de cause, de condition. → **Circonstanciel.** *Conjonction, adverbe de circonstance.*

Dr. *Circonstances aggravantes :* ensemble des faits explicitement visés par la loi et en considération desquels le juge doit prononcer une peine plus sévère que celle prévue comme sanction normale. → **Culpabilité, responsabilité.** — Par ext. *Circonstances atténuantes** (cit. 1 et 2). *Bénéficier des circonstances atténuantes.*

8 Saint Paul n'est saint qu'avec des circonstances atténuantes. Il n'est entré au ciel que par la porte des artistes.
HUGO, l'Homme qui rit, II, III, 3.

Circonstances et dépendances : dans les actes notariés, Accessoires d'un bien immeuble. *Vendre une maison avec toutes ses circonstances et dépendances.*

♦2 Ce qui constitue, caractérise le moment présent. → **Actualité, conjoncture, état** (des choses), **événement, heure** (heure actuelle), **moment, situation, temps.** — LES CIRCONSTANCES, ou (collect. et plus rare) LA CIRCONSTANCE (→ ci-dessous, cit. 11) : la situation. *Étant donné les circonstances. Dans les circonstances actuelles, présentes :* de nos jours. → **Aujourd'hui** (→ À l'heure actuelle, par le temps qui court). — *Des circonstances impérieuses, urgentes, difficiles. Traverser des circonstances critiques* (→ Être dans une position difficile, dans une mauvaise passe...). *C'est une circonstance regrettable.* → **Accident, incident.** *Les diverses circonstances de la vie.* → **Épisode.** *Un concours* de circonstances.* → **Cas, coïncidence, éventualité, hasard, incidence** (→ ci-dessous, cit. 13). *Obéir, se soumettre, se plier aux circonstances. Agir selon, suivant, d'après les circonstances. En raison, du fait des circonstances. Être forcé d'agir par les circonstances. Tenir compte de ce qu'exigent les circonstances (ou la circonstance). Quand les circonstances s'y prêtent, le demandent. Profiter des (ou de la) circonstance(s). Il y a des circonstances où il vaut mieux... En pareille circonstance. C'est une circonstance exceptionnelle.* → **Chance.** *Circonstance opportune. Des circonstances imprévues, imprévisibles.* → **Contingence.** *Se montrer à la hauteur de la circonstance.*

DE CIRCONSTANCE : qui est fait ou est utile pour une occasion particulière (→ ci-dessous, cit. 12). *Un ouvrage, un discours, une répartie de circonstance.* → **À-propos, opportunité.** *Prendre une mesure de circonstance. Un habit de circonstance. Une figure de circonstance* (spécialt, grave et triste). *Ce n'est pas de circonstance* (→ Ce n'est pas de saison). *C'est l'homme de la circonstance :* c'est l'homme qu'il faut.

9 Nous attendons toujours, pour nous exécuter, l'instant où nous sommes forcés par les circonstances.
MIRABEAU, Collection, t. IV, p. 70.

10 Il est, dit-on, des circonstances où on tait la vérité par délicatesse. É. DE SENANCOUR, De l'amour, p. 159.

11 (...) les artistes empruntent les ailes de la circonstance, ils croient se grandir en se faisant les hommes d'une chose, en devenant les souteneurs d'un système, et ils espèrent changer une coterie en public.
BALZAC, les Comédiens sans le savoir, Pl., t. VI, p. 47 (→ Célébrité, cit. 6).

12 (...) avec leurs instruments ornés de longs rubans flottants, et jouant une marche de circonstance.
G. SAND, la Mare au diable, Appendice, I, p. 145.

13 Un étonnant concours de circonstances, et de volontés, et d'audaces, avait réuni là (...) ces hôtes qui (...) semblaient voués par leur destinée première à ne se rencontrer jamais. LOTI, les Désenchantées, XXXIV, p. 197.

14 Pausole connaissait l'art d'échapper à tous les regrets en changeant la définition du bonheur sous la dictée des circonstances.
Pierre LOUŸS, les Aventures du roi Pausole, II, p. 80.

15 Rien ne m'a plus frappé que l'aptitude des vivants à s'accommoder et à se donner les formes qui conviennent aux circonstances.
VALÉRY, Variété IV, Disc. en l'honneur de Gœthe, p. 104.

(...) Talleyrand (...) sacrilège du fait des circonstances. 16
Louis MADELIN, Talleyrand, XXXIX, p. 424 (→ Blasphémateur, cit.).

(...) si vous dites à un criminel que sa faute ne tient pas 17 à sa nature ni à son caractère, mais à de malheureuses circonstances, il vous en sera violemment reconnaissant... Pourtant, il n'y a pas de mérite à être honnête, ni intelligent, de naissance. Comme on n'est sûrement pas plus responsable à être criminel de nature qu'à l'être de circonstance. CAMUS, la Chute, p. 96.

♦3 Événement particulier (considéré comme l'occasion de qqch.). *Pour (dans) la circonstance, vous pouvez compter sur lui.* → **Occasion, occurrence.** *Dans cette circonstance exceptionnelle...*

DÉR. Circonstancié, circonstanciel, circonstancier.

CIRCONSTANCIÉ, ÉE [siRkɔ̃stɑ̃sje] adj. — 1468 ; de *circonstance.*

♦1 Vieilli. Didact., littér. ou style soutenu. Exposé avec toutes les circonstances. *Événements circonstanciés.*
Des faits récents, connus et circonstanciés. 1
LA BRUYÈRE, les Caractères, XIV, 53.

♦2 Mod. Qui comporte de nombreux détails. *Un rapport circonstancié, détaillé.* — Vx. *Faire un détail circonstancié,* minutieux.

(...) ces directeurs spirituels inépuisables en doux conseils, 2 qui, du fond de leur cellule ou à travers la grille des confessionnaux, vieillards vierges en cheveux gris, sondaient si avant les particularités de la vie secrète et des plus circonstanciés détours (...)
SAINTE-BEUVE, Volupté, IV, p. 29.

CIRCONSTANCIEL, IELLE [siRkɔ̃stɑ̃sjɛl] adj. — 1747 ; de *circonstance.*

♦1 Gramm. Se dit des mots ou des propositions qui apportent une détermination secondaire de circonstance. *Complément circonstanciel de temps, de lieu, de but, de manière, etc. Proposition circonstancielle* (aussi, n. f., une circonstancielle).

♦2 Qui indique une, des circonstance(s) ; qui est en rapport avec les circonstances. *Une déclaration purement circonstancielle,* d'opportunité.

CIRCONSTANCIER [siRkɔ̃stɑ̃sje] v. tr. — 1632 ; de *circonstance.*

Didact. Exposer (un fait) en détaillant les circonstances. → **Détailler, préciser.** — Établir en détaillant la description des circonstances. *Circonstancier un rapport.*
Au p. p. → **Circonstancié.**

CIRCONVALLATION [siRkɔ̃valasjɔ̃] n. f. — 1640 ; du lat. *circumvallare* «entourer d'un retranchement», de *vallus* «pieu, palissade».

Techn. (fortif.). Tranchée garantie de palissades et de parapets qu'établissent des assiégeants autour de la place assiégée pour lui couper ses communications. → **Fortification ; contrevallation, redoute.** *Ligne de circonvallation. Les circonvallations d'une place forte.*

Mais une fois qu'ils eurent franchi la ligne de circonvallation et qu'ils se trouvèrent en plein air, d'Artagnan, qui ignorait complètement ce dont il s'agissait, crut qu'il était temps de demander une explication.
DUMAS, les Trois mousquetaires, t. II, p. 527.

CIRCONVENIR [siRkɔ̃vniR] v. tr. [CONJUG.: *venir.*] — 1355, au sens 1 ; du lat. *circumvenir* «venir autour, assiéger, accabler».

♦1 Vx ou littér. Entourer (qqn, qqch.) de tous côtés.

Par ext. Délimiter les contours de (un objet).

♦ **2** Abstrait. Vx. Établir les limites de (un sujet, une question).

♦ **3** (V. 1370). Mod. (Compl. n. de personne). Agir sur (qqn) avec ruse et artifice, pour parvenir à ses fins, obtenir ce que l'on souhaite. *Circonvenir ses juges.* → **Tromper ; abuser,** (fam.) **emberlificoter, embobeliner, embobiner, emmitonner, endormir, entortiller.** *Circonvenir son auditoire. Je l'ai circonvenu comme il faut.* → **Endoctriner ;** et aussi **entreprendre** (sur).

0.1 Madame Alban circonvint la famille Brinchanteau (...)
M. JOUHANDEAU, la Jeunesse de Théophile, p. 189.

(Compl. n. de chose). Littéraire :

1 La marche de l'étatisme, ses progrès, son empire chaque jour grandissant, voilà des phénomènes inquiétants et qui s'efforcent de circonvenir cette belle et pure liberté dont jadis parlaient nos maîtres.
G. DUHAMEL, le Temps de la recherche, XI, p. 149.

♦ **CIRCONVENU, UE** p. p. adj.

Concilié, séduit.

2 J'ai sujet d'appréhender de me voir supplanté par un tel rival et que Madame ne soit circonvenue par la qualité de Vicomte. MOLIÈRE, la Comtesse d'Escarbagnas, 5.

3 L'humilité trempe les forts. Adroitement circonvenue, il arrive qu'elle épargne aux médiocres les affres de l'humiliation (...)
BERNANOS, les Grands Cimetières sous la lune, p. 260.

CIRCONVOISIN, INE [siʀkɔ̃vwazɛ̃, in] adj. — 1387 ; lat. médiéval *circumvicinus*, de *circum* «autour», et *vicinus* «qui est près de...».

Didact. ou littér. (Souvent au plur.). Qui est situé autour, tout près de. → **Avoisinant, proche, voisin.** *Les lieux circonvoisins.* → **Alentour** (alentours). *Villages circonvoisins. Communes circonvoisines.*

CONTR. Éloigné, lointain. ◊ **DÉR. Circonvoisiner.**

CIRCONVOISINER [siʀkɔ̃vwazine] v. — XXe ; de *circonvoisin*, d'après *voisiner*.

Littér. Être circonvoisin, se trouver autour de (un lieu).

(...) dans les quartiers vieux ou les baraquements tout neufs qui circonvoisinent les ports (...)
B. CENDRARS, Bourlinguer, p. 263.

CIRCONVOLUTION [siʀkɔ̃vɔlysjɔ̃] n. f. — Fin XIIIe ; du lat. *circumvolutus* «roulé autour», de *circum*, et *volutus*, de *volvere*.

♦ **1** Enroulement, sinuosité autour d'un point central. *Décrire des circonvolutions :* faire des cercles autour d'un point. — *Les circonvolutions d'une coquille.* → **Spire.**

♦ **2** Spécialt (chose enroulée). *Les circonvolutions intestinales :* l'enroulement des intestins dans l'abdomen. — *Les circonvolutions cérébrales :* les saillies sinueuses à la surface du cerveau et du cervelet.

1 Le cerveau (...) présente une surface plissée partagée par des sillons ou scissures en un certain nombre de lobes, dont les nombreux replis forment les circonvolutions cérébrales. P. VALLERY-RADOT, Notre corps..., p. 112.

2 Son cerveau s'est endommagé sans doute à la circonvolution de Broca, en laquelle réside la faculté de discourir. Cette circonvolution est la troisième circonvolution frontale à gauche en entrant. Demandez au concierge (...)
A. JARRY, Ubu cocu, V, 3, Pl., t. I, p. 513.

3 Hyperpolis était un visage, un corps. Un cerveau aussi, et la jeune fille Tranquillité circulait le long de ses méandres, à l'intérieur du labyrinthe des circonvolutions.
J.-M. G. LE CLÉZIO, les Géants, p. 53.

♦ **3** Fig., vx. Paroles détournées. *Parler en usant de circonvolutions :* tourner autour de son sujet, sans le traiter directement. → **Circonlocution, circuit** (→ Tourner autour du pot).

CIRCUIT [siʀkɥi] n. m. — 1257 ; *circuite,* fém., 1220 ; lat. *circuitus,* de *circuire, circumire* «faire le tour».

♦ **1** Distance à parcourir pour faire le tour d'un lieu, d'un espace déterminé. → **Cercle, circonférence, contour, pourtour, tour.** *Le circuit d'une ville.* → **Enceinte.** *Avoir quatre kilomètres de circuit. Boucler le circuit.*

1 Cette ville (...) qui prétendait égaler Paris même par la grandeur de son circuit.
RACINE, les Campagnes de Louis XIV.

♦ **2** Chemin* (en général long et compliqué) parcouru pour atteindre un lieu déterminé. *Faire un long circuit pour parvenir chez qqn.* → **Détour.**

2 Il mène souvent à la terre de promesse par les circuits arides du désert.
MASSILLON, Myst. Soum., *in* LITTRÉ.

EN CIRCUIT FERMÉ : en revenant à son point de départ. — Selon un ordre, un système fermé.

2.1 Jusqu'à l'achèvement de l'industrie, les hommes travaillent en circuit fermé, indéfiniment renouvelable, l'engrais naturel et les déchets reviennent à la terre, le mot pollution n'a à peu près aucun sens.
A. SAUVY, Croissance zéro ?, p. 20.

(1932). Parcours organisé au terme duquel on revient généralement au point de départ. → **Parcours, périple, promenade, randonnée, tour, trajet, voyage.** *Le circuit des lacs. Faire le circuit des châteaux de la Loire.*

3 Nous adoptions un circuit à la fois fantaisiste et raisonnable ; et nous nous mettions en route.
J. ROMAINS, les Hommes de bonne volonté, III, Amours enfantines, XXIII, p. 316.

(1902, *in* Petiot). Itinéraire de course organisé sur un parcours en boucle, qui aboutit généralement à son point de départ. → **Tour.** *Le circuit du Tour de France. Les étapes du circuit.* — Spécialt (courses automobiles). *Le circuit de Paris. Le circuit des Vosges.* → **Course ; rallye.** — Piste spéciale destinée à l'étude des automobiles, ou aux compétitions automobiles. → **Autodrome.** *Circuit automobile. Le circuit de Montlhéry.*

L'épreuve sportive elle-même. *Participer au circuit du Mans.*

Parcours fait d'éléments emboîtables, sur lequel on peut faire circuler des automobiles miniatures. *Il préfère les circuits aux trains électriques.*

Parcours imposé aux avions se présentant pour atterrir, au-dessus d'un aérodrome (*circuit d'attente*, ou *circuit*).

♦ **3** Fig., vx. Ensemble de paroles dites avant de venir au fait. *Faire un long circuit de paroles.* → **Circonlocution, circonvolution, périphrase.** *Un long circuit de raisonnements.*

4 La persuasion artificielle de la philosophie, quoique formée lentement par de longs circuits (...)
FONTENELLE, Éloge des Académiciens, Louis Carré.

5 Ce monsieur me déclare, après plusieurs circuits, que j'avais inspiré de l'intérêt à madame Montgicourt la veuve !
E. LABICHE, le Clou aux maris, 4.

♦ **4** Suite ininterrompue de conducteurs électriques. *Circuit fermé,* permettant le passage du courant. *Couper le circuit.* → **Bouton** (4.), **commutateur, coupe-circuit, interrupteur, relais.** *Circuit ouvert,* dans lequel le courant ne passe plus. *Rétablir, fermer le circuit. Circuit perturbé par un court-circuit.* → **Court-circuit.** *Mettre une lampe en circuit,* l'intercaler dans un circuit. *Mise en* *circuit. Mettre hors circuit :* supprimer un conducteur d'un circuit. — *Circuit magnétique*.* — *Circuit d'entrée d'un amplificateur.*

Électron. et cour. **CIRCUIT IMPRIMÉ :** circuit où les fils sont remplacés par des impressions linéaires de substance conductrice sur une plaque isolante.

CIRCUIT INTÉGRÉ : circuit électronique constitué d'un ensemble de diodes, de résistances, de transistors intégrés sur une pastille de matériau semiconducteur (en général du silicium), et assurant une fonction électronique complexe. → **Microprocesseur, puce** (II., 1.). *Fiabilité des circuits intégrés.*

6   Comme l'indique leur nom, ils *(les circuits intégrés)* «intègrent» en un même fragment de matière tous les composants traditionnels d'un circuit électronique : les transistors, qui contrôlent et amplifient le courant électrique, les diodes, qui transforment en courant alternatif un courant continu, les capacités, qui l'emmagasinent, et les résistances, qui le bloquent.   *L'Express*, 8-14 mai 1967.

Cybern. Réseau constitué par l'ensemble des chaînes d'action et de réaction. → **Boucle** (6.).

Loc. fig. **ÊTRE HORS CIRCUIT :** ne pas (ne plus) être impliqué dans une affaire (→ Ne pas être dans le coup*, dans la course*).

♦ **5** Écon. et cour. Succession d'opérations, d'actions qui aboutissent au point de départ. *Circuit suivi par des capitaux.* → **Circulation.**

Mouvement qui relie les entrepreneurs au marché des services et des produits, et vice versa.

Circuit de distribution (→ Canal, III., 4.), *de commercialisation.* — *Circuit court,* qui comporte des relations directes entre le producteur et le consommateur. *Circuit long,* qui comprend l'intervention d'un ou de plusieurs intermédiaires entre le producteur et le détaillant. — *Circuit de gros, de détail.*

7   Les circuits de distribution des savons et détergents se subdivisent en trois grandes catégories : le circuit de gros, le circuit de détail, le circuit intégré.
             Emmanuel MAYOLLE,
         les Industries du savon et des détergents, p. 93.

(V. 1970). *Circuit parallèle :* voies d'écoulement des marchandises, d'informations, etc., qui ne suivent pas les canaux classiques.

(1936). Cin. *Circuit de salles* ou *circuit :* ensemble de salles de cinéma appartenant au même propriétaire. *Circuit de programmation :* ensemble de salles de cinéma appartenant à la même entreprise de programmation.

♦ **6** Ensemble de tuyauteries, vannes ou autres dispositifs assurant l'écoulement d'un fluide. *Circuit d'alimentation. Circuit de circulation* d'eau.* — *Circuit de refroidissement** (d'un réacteur nucléaire) : système permettant de faire circuler un fluide caloporteur en vue d'extraire la chaleur d'une source de chaleur primaire telle que le cœur d'un réacteur nucléaire. → **Boucle** (6.). *Circuit primaire, circuit secondaire du circuit de refroidissement.*

COMP. (Du 4.) **Coupe-circuit, court-circuit, microcircuit.**

CIRCULABILITÉ [siʀkylabilite] n. f. — 1846, Proudhon, *in* D.D.L.; de *circulable.*

Didact. Fait d'être circulable. «*Toute cité devrait être conçue en fonction de la plus grande circulabilité et communicabilité*» (*Planète,* n° 4, févr. 1969, p. 42).

CIRCULABLE [siʀkylabl] adj. — 1846, Proudhon, «qu'on peut mettre en circulation»; de *circuler.*

Rare. Où l'on peut circuler. *Espace circulable.*

DÉR. **Circulabilité.**

CIRCULAIRE [siʀkylɛʀ] adj. et n. — 1314; *circulere,* v. 1265; lat. *circularis,* de *circulus.* → Cercle.

I ♦ **1** Qui décrit un cercle. *Mouvement circulaire.* → **Giratoire, rotatoire.** *Révolution circulaire d'un astre.*

Ce fut dans l'antiquité une opinion générale que le mouvement uniforme et circulaire, comme étant le plus parfait, devait être celui des astres.   1
         LAPLACE, Exposition du système du monde, V, 2,
                              in LITTRÉ.

Fonction circulaire : fonction d'une ligne trigonométrique ou de l'arc de cercle correspondant.

Qui décrit des courbes fermées. *Le vol circulaire des hirondelles.*

(En parlant d'un geste). Qui décrit un arc de cercle. *Un regard circulaire.*

La face enflammée, les yeux dardés, elle trépignait sur   1.1
place, ouvrait les bras au ciel, tel un énorme oiseau poussif
qui cherche à prendre son essor, tournait sur elle-même,
dans un envol circulaire de la jupe (...)
                 H. TROYAT, le Vivier, p. 117.

Fig. Qui embrasse un domaine. *Jeter un regard circulaire sur le cinéma américain.*

♦ **2** Qui a ou rappelle la forme d'un cercle. *Figure, surface, forme circulaire. Construction de forme circulaire.* → **Cirque, rotonde.**

(...) De l'astre au front d'argent la face circulaire.   2
                 LA FONTAINE, Fables, XI, 6.

Loc. *Scie* circulaire.*

Anat. *Canaux demi-circulaires :* petits canaux osseux situés en arrière du vestibule de l'oreille interne. — N. m. *Circulaire du cordon :* enroulement du cordon autour du cou du fœtus.

Chemin de fer circulaire. → **Ceinture.** — (1885). *Voyage circulaire,* dont l'itinéraire ramène au point de départ. → **Circuit.** *Billet circulaire,* pour un circuit, un voyage circulaire.

Si vous allez à Naples ce soir, disposez donc de ce billet   3
circulaire.
         GIDE, les Caves du Vatican, II, 12ᵉ tableau.

♦ **3** (Abstrait). **a** (1678). *Raisonnement circulaire :* raisonnement dans lequel la conclusion ramène aux prémisses. → **Cercle** (vicieux).

b Méd. (Vx). *Folie circulaire :* folie intermittente, périodique, cyclique.

c *Définitions circulaires :* énoncés définitoires tels que le premier renvoie au second et le second au premier (ex. : *Grand : qui n'est pas petit ; Petit : qui n'est pas grand). Raisonnement circulaire :* cercle* vicieux. → **Circularité.**

II N. f. (1787; de *lettre circulaire,* 1654). Lettre reproduite à plusieurs exemplaires et adressée à plusieurs personnes à la fois. *Circulaire polycopiée, imprimée. Envoyer une circulaire. Circulaire administrative. Circulaire ministérielle,* qui contient les instructions d'un ministre.

Il est certain qu'en France, en dépit de décrets et de cir   4
culaires absurdes, tout va plutôt mieux qu'ailleurs.
         A. MAUROIS, les discours du Dr O'Grady, XVII,
                              p. 187.

DÉR. **Circulairement.**

CIRCULAIREMENT [siʀkylɛʀmɑ̃] adv. — V. 1370; de *circulaire.*

D'une manière circulaire. *Se mouvoir circulairement.*

(...) l'émouchet qui planait circulairement dans le ciel.   1
         CHATEAUBRIAND, Mémoires d'outre-tombe, I, 7.

La serveuse, du reste, n'a pas découvert de sujet d'intérêt   2
dans ce secteur et son regard achève de balayer circulairement la salle (...)
         A. ROBBE-GRILLET, Dans le labyrinthe, p. 173.

CIRCULANT, ANTE [siʀkylɑ̃, ɑ̃t] adj. — 1745; de *circuler.*

Didact. ou littér. Qui est en circulation, qui se déplace d'un lieu à un autre. *Exposition circulante.* → **Ambulant.** — (1849). Vieilli. *Bibliothèque circulante,* dont les livres passent aux divers abonnés.

1   Ce fut une convulsion terrible pendant cent ans, accompagnée d'un infiniment inutile et lamentable rappel des âmes. Notre circulante sphère parut rouler au travers des autres planètes comme un arrosoir de sang.
                        Léon BLOY, le Désespéré, p. 140.

Physiol. *Anticoagulant circulant.*

(Abstrait). *Capitaux circulants. Espèces circulantes.*

2   On désigne sous le nom de capitaux *circulants* ceux qui ne peuvent servir qu'une seule fois, parce qu'ils doivent disparaître dans l'acte même de la production, par exemple le blé qu'on sème (...)
                Charles GIDE, Cours d'économie politique, p. 192.

CIRCULARITÉ [siʀkylaʀite] n. f. — 1611; attestation isolée, XVIᵉ; du lat. *circularis* «circulaire». → Circulaire.

Didactique.

◆ **1** Caractère de ce qui est circulaire.

1   (...) cette circularité du temps demeurait le secret des dieux, sa courte vie était pour moi un segment rectiligne dont les deux bouts pointaient absurdement vers l'infini (...)   M. TOURNIER, Vendredi..., p. 218.

◆ **2** (Abstrait). *La circularité d'un raisonnement,* qui constitue un cercle* vicieux. *La circularité d'une série de définitions.*

2   Comme toute «science», le marxisme ne dessina jamais qu'un *modèle codé,* et sa rationalité artificielle fut ensuite attribuée, par une circularité vicieuse, au processus historique particulier qui l'avait rendu possible, en sorte que ce modèle, un jour, dès qu'à mes yeux l'histoire se compliqua, perdit pour moi son sens et ses prises.
           Raymond ABELLIO, Ma dernière mémoire, t. II, p. 27.

CIRCULATEUR [siʀkylatœʀ] n. m. — 1668; lat. *circulator* «celui qui forme cercle autour de lui», de *circulari,* «former un groupe» (dans ce sens au XVIᵉ).

◆ **1** Vx. (Méd.). Partisan de la théorie de la circulation du sang (lorsque celle-ci était controversée, au XVIIᵉ siècle).

◆ **2** Techn. Dispositif de contrôle du débit de l'eau de chauffe dans une installation de chauffage. *Circulateur d'eau.*

CIRCULATION [siʀkylasjɔ̃] n. f. — 1361; lat. *impérial circulatio,* du supin de *circulare.* → Circuler.

◆ **1** Vx. Mouvement circulaire. *La circulation des planètes.* → **Révolution.**

◆ **2** (1667, Pascal). *La circulation du sang, la circulation sanguine,* mouvement du sang qui part du cœur vers toutes les parties du corps au moyen des vaisseaux et revient vers le cœur après s'être purifié au niveau des poumons. → **Sang.** *Circulation artérielle, capillaire, cardiaque, veineuse. Petite circulation* (pulmonaire). *Grande circulation* (générale). *Souffrir d'une mauvaise circulation. Troubles de la circulation. Atrophie de la circulation. — La circulation lymphatique.* → **Lymphe.**

1   Nulle souffrance errante dans le corps. L'impression d'une circulation aisée, et d'un très léger spasme viscéral, qu'un nerveux ne peut guère éviter quand il atteint le seuil de l'allégresse physique.
          J. ROMAINS, les Hommes de bonne volonté, IV, Éros de Paris, XX, p. 215.

2   Déjà les mouvements nerveux s'atténuaient : la circulation reprenait son cours.
          MARTIN DU GARD, les Thibault, t. IV, p. 149.

Le sang effectue donc un double circuit : l'un court, allant 3 du ventricule droit aux poumons et à l'oreillette gauche, l'autre très étendu, entre le ventricule gauche, les organes et l'oreillette droite. C'est à ces deux circuits qu'on donne le nom de petite et grande circulation, correspondant à la circulation pulmonaire et à la circulation générale.
          P. VALLERY-RADOT, Notre corps..., p. 40.

CIRCULATION CROISÉE : technique chirurgicale dans laquelle un individu en bonne santé «prête» son cœur et ses poumons à l'opéré, pour assurer une circulation suffisante à ce dernier pendant une opération à cœur ouvert. *La circulation croisée fut remplacée par les appareils de circulation extracorporelle.*

Par anal. *La circulation de la sève* dans les plantes. Circulation ascendante* (sève brute). *Circulation descendante* (sève élaborée).

(XIXᵉ). Mouvement des fluides (liquides, gaz). *Circulation de l'air :* mouvement par lequel l'air se renouvelle dans un lieu fermé. → **Aération, courant** (d'air).

Techn. *La circulation d'eau :* le mouvement de l'eau en circuit fermé. *Un circuit de circulation d'eau chaude.*

Biol. Transformations subies par les molécules chimiques constitutives de la cellule vivante.

Techn. (météor.). Ensemble des configurations des mouvements atmosphériques.

◆ **3** (Personnes, véhicules). Cour. Action d'aller et de venir en utilisant les voies de communication. *La circulation des piétons, des passants, des voitures. La circulation automobile. — La circulation aérienne.* Absolt. *La circulation,* celle des véhicules. *Circulation intense. Circulation routière, circulation urbaine. Gêner, arrêter, interrompre, entraver la circulation. Agent qui règle la circulation. Les accidents* de la circulation, les embarras de la circulation.* → **Bouchon, embouteillage, encombrement, ralentissement.** *Livrer une route à la circulation. Détourner la circulation.* → **Bifurcation, détour, déviation.** *Circulation à sens unique; circulation alternée. Circulation réglementée. — Voie à grande circulation. Couloir* de circulation.*

4   C'était pourtant dans ce Paris menacé d'étouffement que la circulation atteignait alors la plus grande rapidité qu'on lui ait connue.
          J. ROMAINS, les Hommes de bonne volonté, XVIII, p. 203.

5   L'industrie de l'automobile est désormais dominée par les problèmes conjoints de la circulation, du stationnement et de la stabulation.
          G. DUHAMEL, Manuel du protestataire, p. 130.

5.1 La Circulation entre parmi les fonctions sociales et se classe au premier rang. Ce qui entraîne la priorité des parkings, des accès, de la voirie adéquate. Devant ce «système», la ville se défend mal.
          Henri LEFEBVRE, la Vie quotidienne dans le monde moderne, p. 191.

La circulation des trains. → **Chemin de fer, trafic.** *Circulation à voie unique, à voie double. Mettre un nouveau matériel en circulation.* → **Service** (en). — *Circulation des voyageurs. Permis de circulation. Carte de circulation :* titre qui autorise qqn à se déplacer dans certaines conditions. → **Coupe-file, laissez-passer, passeport.**

Ensemble des véhicules qui circulent. *Détourner la circulation. On entendait le bruit de la circulation.*

Loc. fig., fam. *Disparaître de la circulation :* ne plus donner signe de vie. *Cela fait bien trois mois qu'il a disparu de la circulation.*

◆ **4** (1694). Ensemble des échanges économiques, des transactions indispensables pour fournir des biens aux producteurs et pour transférer les produits aux consommateurs. → **Commerce, échange,**

transaction, transport. *La circulation des biens.*
Droit de circulation : impôt qui se perçoit à l'occasion du transport de certaines marchandises, de boissons.

6 Les échanges déterminant une double circulation : une circulation idéale de droits qui changent de titulaire, une circulation matérielle réalisée par un transport des biens dans l'espace.

> Paul REBOUD, Précis d'économie politique, I, IV,
> 1, p. 319.

Circulation de l'argent, des effets de commerce, des capitaux. → **Roulement.** *Circulation monétaire* (cit.). — *Mettre des espèces, des billets, des marchandises en circulation, lancer dans la circulation.* → **Émission ; cours.** *Retirer une monnaie de la circulation.*

7 Cependant, c'est un fait que les 53 milliards de lingots entassés à la Banque de France ont pour contre-partie le gonflement de notre circulation de billets, qui atteint cette semaine *(le 12 janv. 1931)* le chiffre record de 79 milliards (...)

> J. BAINVILLE, la Fortune de la France, p. 260.

Droit de circulation : impôt perçu à l'occasion du transport des boissons.

Par ext. (Personnes). Mouvement (des savants, des techniciens, des spécialistes) entre plusieurs pays.

♦ **5 EN CIRCULATION** (emplois spéciaux mentionnés plus haut). *Mettre un livre, un écrit en circulation,* le faire passer de main en main, le répandre, le livrer au public. → **Diffusion, lancement.** *Mise en circulation de fausses nouvelles,* propagation. → **Transmission.**

8 L'amie de ma femme a la franchise de lui transmettre ce potin en circulation.

> Georges LECOMTE, Ma traversée, p. 519.

Lancer dans la circulation, mettre en circulation (un produit, une nouvelle...), les répandre dans le public.

COMP. Recirculation.

CIRCULATOIRE [siʀkylatwaʀ] adj. — 1549 ; de *circuler,* et suff. *-atoire.*

Relatif à la circulation du sang. *L'appareil circulatoire.* → **Angiologie ; artère, cœur, sang, vaisseau, veine.** *Le mouvement circulatoire. Fonction circulatoire. Appareil circulatoire* : ensemble des vaisseaux qui assurent la circulation du sang et de la lymphe.

Assurer la vie de nos tissus, c'est-à-dire leur apporter à la fois l'oxygène et la nourriture dont ils ont besoin, emporter leurs déchets, tel est le rôle de l'appareil circulatoire.

> P. VALLERY-RADOT, Notre corps, p. 34.

COMP. Neurocirculatoire.

CIRCULER [siʀkyle] v. intr. — 1361 ; du lat. *circulare,* de *circulus.* → Cercle.

♦ **1** Vx. (Choses). Se mouvoir circulairement.

1 La terre est une des planètes qui circulent autour du soleil.

> LAPLACE, Exposition du système du monde, II,
> Préface.

♦ **2 Par ext.** (Fluides). Passer dans un circuit. *Le sang circule dans le corps.* → **Circulation** (1.). *Le chyle circule dans les vaisseaux. La sève circule dans les plantes.*

♦ **3** (Personnes). Aller d'un lieu à un autre ; se déplacer sur les voies de communication (quelle que soit la direction suivie). → **Circulation** (2.). *Les passants circulent.* → **Passer, promener** (se). *Les automobiles circulent lentement dans cette rue. Faire circuler. Défense de circuler. Le droit de circuler. Circulez!,* ordre que les agents de police donnent à la foule de se disperser, de ne pas stationner. *Allons, circulez, il n'y a rien à voir.* —

Loc. fam. *Circulez, y a rien à voir,* formule pour éconduire, interrompre, décourager.

2 Les passants sont rares et circulent le fanal à la main (...)

> LOTI, Aziyadé, Mané, Thécel, Pharès, XII, p. 206.

3 (...) j'ai eu moins de mal à circuler avec ma bagnole (...)

> J. ROMAINS, les Hommes de bonne volonté, V,
> Les Superbes, XXVIII, p. 292.

4 Tous les bons observateurs se demandent avec angoisse : «Où mettra-t-on ces voitures ? Comment pourront-elles circuler ?» Les villes sont, dès maintenant, impraticables.

> G. DUHAMEL, Manuel du protestataire, p. 129.

4.1 Paradis faisait circuler pour qu'on n'ait pas la vue bouchée au premier rang.

> R. QUENEAU, Pierrot mon ami, p. 13.

♦ **4** (Le sujet désigne un fluide : air, fumée...). Se renouveler par une circulation.

5 L'air de la nuit circulait librement par les hautes et larges fenêtres et répandait une délicieuse fraîcheur en agitant une gerbe d'eau, jaillie d'un bassin de marbre au centre de la pièce.

> M. BARRÈS, Un jardin sur l'Oronte, p. 18.

6 Mais sur le jardin du Luxembourg l'horizon blêmissait ; des vapeurs circulèrent dans l'avenue, et enveloppèrent d'ouate les touffes noires des cimes.

> MARTIN DU GARD, les Thibault, t. I, p. 63.

♦ **5** (1719). Choses. Passer, aller de main en main. *L'argent, la monnaie, les capitaux circulent. Faire circuler des effets de commerce.* → **Circulation** (3.). — *Faire circuler qqch.* : spécialt, faire passer autour d'une table. *On fit circuler les plats, les vins.*

♦ **6** (Av. 1778 ; le sujet désigne des nouvelles, des idées, etc.). Se répandre. → **Courir, propager** (se). *Ce bruit circule dans la ville.* — Trans. *Faire circuler une histoire.* → **Colporter.** *Faire circuler un écrit, un livre, un pamphlet. Il fit circuler qu'il abandonnait son poste.*

7 Sophie faisait encore circuler d'autres bruits particulièrement alarmants (...)

> MÉRIMÉE, Hist. du règne de Pierre le Grand, p. 11.

(En tournure impersonnelle). *Il circule* (un bruit, une rumeur, des ragots, etc.).

8 Aussi hors des milieux socialistes, il circule à son sujet beaucoup de plaisanteries.

> J. ROMAINS, les Hommes de bonne volonté,
> Éros de Paris, IX, p. 89.

♦ **7** Décrire des courbes. *La route circulait à flanc de colline.*

DÉR. Circulable, circulant, circulatoire.

CIRCUM- Préposition latine signifiant «autour», qui entre dans la formation de nombreux mots. → **Circumduction...** ; et aussi **circon-.**

Cette circumambulation enferme les énergies bienfaisantes du dedans et, en même temps, forme barrière contre les assauts redoutables du dehors.

> Roger CAILLOIS, l'Homme et le Sacré, p. 62.

CIRCUMDUCTION [siʀkɔmdyksjɔ̃] n. f. — 1562, *circonduction ;* du lat. *circumductio,* de *circumducere* «conduire *(ducere)* autour».

(1830). Sc., sports. Mouvement de rotation autour d'un axe ou d'un point central. *Circumduction du tronc, du bras.*

CIRCUMLUNAIRE [siʀkɔmlynɛʀ] adj. — Mil. XXᵉ ; de *circum-,* et *lunaire.*

Didact. Qui existe, se produit autour de la Lune. *Le lancement d'un satellite circumlunaire.*

CIRCUMNAVIGATION [siʀkɔmnavigasjɔ̃] n. f. — 1788, *circonnavigation ;* de *circum-,* et *navigation.*

Didact. Voyage maritime autour d'un continent ou du globe. → **Périple.**

Que faisait pendant cette traversée l'inspecteur Fix, si malencontreusement entraîné dans un voyage de circumnavigation ?
J. VERNE, le Tour du monde en 80 jours, 1873, p. 128.

CIRCUMPOLAIRE [siʀkɔ̃mpɔlɛʀ] adj. — 1752, *circonpolaire ; circumpolaire,* 1700 ; *circumpolaire,* 1838 ; de *circum-,* et *polaire.*

Didact. Qui est ou a lieu autour d'un pôle. *Expédition circumpolaire.* — REM. On a écrit *circompolaire.*

Pour employer une comparaison moins ambitieuse qu'on ne croirait, puisque nous sommes tous faits de la même matière que les astres, ces êtres bougent dans le temps, inversant leurs positions comme les étoiles circumpolaires au cours de la nuit, ou, comme les constellations du Zodiaque (...)
M. YOURCENAR, Archives du Nord, p. 343.

CIRCUMTERRESTRE [siʀkɔ̃mtɛʀɛstʀ] adj. — 1878 ; de *circum-,* et *terrestre.*

Didact. Qui est situé autour de la Terre. *Un mouvement circumterrestre.*

CIRE [siʀ] n. f. — 1080 ; du lat. *cera.*

I Substance grasse sécrétée par certains animaux (notamment les abeilles) ou extraite de quelques végétaux (résine) et utilisée par l'homme. *Qui produit de la cire.* → **Cérifère, cirier ;** et aussi **cér(i)-, céro-.** *Qui a l'apparence de la cire.* → **Cireux.** *L'ambre* a *la consistance de la cire.* ♦ **1** a (Début XIIe) *Matière molle, jaunâtre et fusible, élaborée par les abeilles (cire d'abeille). Alvéoles de cire d'une ruche. Ruche à cadres munis de cire gaufrée. Gâteau de cire.* → **Gaufre, rayon.** *Pain de cire.* → **Marquette.** *Cire vierge :* cire naturelle. *Séparer le miel de la cire.* → **Démieller.** *Blanchiment de la cire. Grêloir pour l'égouttage de la cire. Combustion de la cire. La cire fond vers 63°. Utilisation de la cire. Incorporation de la cire à une substance.* → **Incération.** *Onguent, emplâtre à base de cire.* → **Cérat.** *Cold-cream,* cosmétique à la cire.
b *Substance plastique à base de cire d'abeille. Objets en cire. Couler de la cire dans un moule. Cierge, bougie en cire, de cire. Médaille en cire, bénite par le pape.* → **Agnus dei** (1). *Poupée, figurine de cire. Les personnages en cire du musée Grévin. Cire à modeler.* → **Céroplastique, modelage.** *Tablettes de cire sur lesquelles écrivaient les Romains. Cire à épiler.*

1 Après que les ruches sans miel
N'eurent plus que la cire, on fit mainte bougie.
LA FONTAINE, Fables, IX, 12.

2 (...) les poses d'une femme qui envoûte, qui enfonce une épingle dans une figurine de cire.
COCTEAU, les Enfants terribles, p. 205.

2.1 (...) elle contemple un instant la jeune femme de cire, vêtue d'une robe identique en soie blanche, ou bien son propre reflet dans la vitre, ou bien la laisse en cuir tressé que le mannequin tient de la main gauche (...)
A. ROBBE-GRILLET, la Maison de rendez-vous, p. 14.

Spécialt (prothèse dentaire). *Cire dentaire :* cire d'abeille alliée à diverses matières grasses organiques pour la confection de maquettes d'essayage. *Cire à inlays. — Cires d'articulés :* maquettes en cire.
Par métonymie. *(Une, des cires).* Objet en cire. *Musée de cires, cabinet de cires.* — Bougie, cierge de cire. Collectif. *La cire :* le luminaire, l'ensemble des cierges d'une église. *«Les funérailles ont coûté tant pour la cire»* (Académie).
♦ **2** Substances analogues. a *Cire de cochenille. Cire de suint de mouton.*

b *Cire végétale :* résine analogue à la cire des abeilles et qui coule de certains arbres. *Arbre à cire.* → **Myrica.** *Palmier à cire.*
c *Cire minérale. Cire fossile.* → **Ozocérite.**
d Mélange d'hydrocarbures saturés, plus fin que la paraffine.

♦ **3** Préparation (de cire — animale ou végétale — et de solvants — essence de térébenthine, etc.) pour l'entretien des parquets. → **Cirage, encaustique.** *Un parquet enduit de cire.* → **Cirure.** *Frotter un parquet avec de la cire.* → **Cirer.** *Une cire douce et odorante.*

♦ **4** Techn. Mélange à base de cires (animales, végétales), pour la gravure initiale sur disques phonographiques. — Par métaphore (littér.). Le disque lui-même.

Non fièvre de l'or, comme au Far West, mais fièvre de la cire. Nos romanciers, nos poètes devraient la chanter. Il y a de l'épopée là-dedans. 2.2
P. GUTH, Lettre ouverte aux idoles, Sheila, p. 94.

♦ **5** Par anal. Cour. (non scientifique). Sécrétion jaunâtre qui se fixe dans les oreilles (→ **Cérumen**), au bord des paupières (→ **Chassie**). *Bouchon de cire.*

♦ **6** Loc. (Déb. XIIIe ; du sens 1, a). *Être jaune comme cire :* avoir un teint très jaune. → **Cireux.** — (Du sens 1, b). *Un caractère de cire,* très malléable. — Loc. (1688). *C'est une cire molle ; on le manie comme de la cire.* — *Un cœur de cire.*

Si elle *(Pauline)* n'a pas été bien élevée, c'est à vous à raccommoder toute cette cire, qui est encore assez molle pour prendre la forme que vous voudrez. 3
Mme DE SÉVIGNÉ, 1126, 21 janv. 1689.

(...) dès que la présence sacramentelle s'évanouit, le cœur charnel, cire vivante, en garde l'empreinte (...) 4
F. MAURIAC, Souffrances et Bonheur du chrétien, p. 101.

Comme la cire au feu, se dit de qqch. qui disparaît très vite.

Comme la cire se fond au feu, 5
Les méchants disparaissent devant Dieu.
BIBLE (SEGOND), Psaumes, LXVIII, 3.

Sembat avait raison : les démocraties ne sont pas faites pour la guerre : elles s'y fondent comme la cire au feu. 6
MARTIN DU GARD, les Thibault, t. IX, p. 124.

♦ **7** *Cire, cire à cacheter, cire d'Espagne :* substances qui s'amollissent à la chaleur, composées de gomme laque et de résine diversement colorée. *Cacheter une lettre, un paquet à la cire. Cachet de cire* (→ Apposer, cit. 2). *Bâton* de cire. *Cire à sceller.* *Scellés fixés à la cire molle. Sceau à la cire.*

♦ **8** Arts. (Du sens 1, b). *Moulage à cire perdue :* procédé consistant à mouler de l'argile autour d'un modèle en cire, qui fond lorsqu'on coule le métal dans le moule. *Coulée à cire perdue.* — *Cire perdue :* objet obtenu suivant ce procédé.

II (1284). Zool. Membrane molle qui recouvre la base du bec chez les oiseaux. *La cire, appelée aussi ceroma, s'étend chez les échassiers et les palmipèdes sur presque tout le bec. Les narines sont percées dans la cire.*

DÉR. Cirer, cireux, cirier. ◊ COMP. Ciroplaste. ← HOM. Cirre, formes du v. cirer, sire.

CIRÉ [siʀe] n. m. — 1896, *Année sc. et industr.,* p. 475 ; de *cirer.*

Vêtement imperméable de tissu huilé (anc.) ou plastifié (mod.). *Un ciré de marin. Porter un ciré jaune.*

Tous les hommes portaient le ciré des marins, capuchon rabattu sur leur uniforme. 1
MALRAUX, la Condition humaine, p. 60.

2 Dans l'angle rentrant de l'immeuble d'en face, je viens de voir distinctement le ciré noir, rendu plus brillant encore par la pluie, qui luit dans la clarté jaune du proche réverbère.
>   A. ROBBE-GRILLET,
>   Projet pour une révolution à New York, p. 43.

HOM. **Cirer.**

CIRER [siʀe] v. tr. — Fin XIIᵉ ; de *cire.*

♦ **1** Enduire, frotter de cire. *Cirer un parquet, des meubles, pour les nettoyer, les faire reluire.* → **Briller** (faire briller), **encaustiquer, frotter.** — Techn. *Cirer une étoffe.* → **Glacer.**

♦ **2** Enduire de cirage. *Cirer des souliers, un objet de cuir.*

1 Assis à la terrasse d'un café, place d'Espagne, Fernando Lucas suivait avec ravissement les mouvements du jeune Arabe qui lui cirait ses souliers jaunes de fantaisie.
>   P. MAC ORLAN, la Bandera, IX, p. 101.

♦ **3** Loc. fam. *Cirer les bottes à qqn,* le flatter par bassesse. → **Lécher.**

♦ **CIRÉ, ÉE** p. p. adj.

Enduit de cire. *Parquet ciré. Chaussures bien cirées.*

2 (...) ils sont heureux de sentir que leurs habits sont neufs, leurs parquets cirés, leurs vitres luisantes.
>   TAINE, Philosophie de l'art, t. II, V, III, V, p. 307.

3 (...) il s'agit bien, en effet, de Salvador Dali, vêtu à son habitude avec une extravagante élégance, — gilet printanier, constellé de fleurs à la Botticelli, canne au pommeau serti de pierre, — et la moustache cirée et le teint cireux.
>   Claude MAURIAC, le Temps immobile, p. 441.

Par ext. *Toile* cirée,* enduite d'un vernis qui la rend imperméable. — Vx. *Manteau ciré.* → **Ciré,** N. m.

CONTR. **Crotter, salir.** ◊ DÉR. **Cirage, ciré, cireur, cirure.** → HOM. **Ciré.**

CIREUR, EUSE [siʀœʀ, øz] n. — 1837 ; de *cirer.*

♦ **1** Personne qui cire. *Une cireuse de parquets.*
N. m. Spécialt. Celui dont le métier est de cirer les chaussures. *Un cireur de bottes. Un petit cireur* (cf. ital. *sciuscia*).

1 (...) il y a tout un monde de mioches à la peau noire, métis de kabyles, d'arabes, de nègres et de blancs, fourmilière de cireurs de bottes, harcelants comme les mouches (...)
>   MAUPASSANT, Au soleil d'Alger, p. 27.

2 Serait-il possible qu'elle eût marché pieds nus, en exhibant ces jolis pieds à côté des boîtes des cireurs qui sont en leur habituel lieu, devant les tables du bar ?
>   A. PIEYRE DE MANDIARGUES, la Marge, p. 157.

♦ **2** N. f. (1925, *in* D.D.L). Appareil ménager qui cire les parquets. *Une cireuse-décapeuse.*

CIREUX, EUSE [siʀø, øz] adj. — Déb. XVIᵉ ; de *cire.*

♦ **1** Qui a la consistance de la cire. *Matière cireuse.*

♦ **2** (1856). Qui a l'aspect blanc jaunâtre de la cire. *Visage, teint cireux* (→ Ciré, cit. 3). *Il était d'une pâleur cireuse.*

1 (...) sans rien pour cacher leurs visages bouffis ou cireux, leurs pauvres faces violacées, qu'on eût dit barbouillées avec la lie de vin.
>   R. DORGELÈS, les Croix de bois, VII, p. 149.

2 Car son teint cireux unifiait le visage et les cheveux blancs (...) et la barbiche, également blanche (...)
>   Claude LÉVI-STRAUSS, Tristes tropiques, p. 7.

CIRIER [siʀje], **CIRIÈRE** [siʀjɛʀ] n. — Fin XIIᵉ ; de *cire.*

♦ **1** Personne qui travaille la cire ; qui vend des cierges, des bougies. — REM. Dans ce sens, le fém. *cirière* est virtuel.

Vanhoenacker, le cirier, marguillier de sa paroisse de Valenciennes, le bon centurion de réserve résigné à être guerrier (...)
>   A. LANOUX, le Commandant Watrin, p. 42-43.

♦ **2** N. f. (1771). Bot. Arbre à cire. → **Myrica.** — Appos. *Arbre cirier.*

♦ **3** N. f. (1845). Zool. *Cirière :* abeille ouvrière produisant la cire (→ Abeille, cit. 5). — Appos. *Abeille cirière.*

CIRON [siʀɔ̃] n. m. — XIIIᵉ ; *seiron,* après 1050 ; altér. de *suiron,* empr. de l'anc. haut all. **seuro.*

♦ **1** ⓐ Insecte aptère qui vit dans les aliments, les détritus (acarien du fromage).
Littér. Insecte minuscule.

(...) cette lourde citerne d'eau stagnante où couraient les cirons et les moustiques (...)   0.1
>   J.-M. G. LE CLÉZIO, la Fièvre, p. 114.

ⓑ Petite vésicule de la gale.

♦ **2** Fig., vx. Symbole de l'extrême petitesse.

Qu'un ciron lui offre *(à l'homme)* dans la petitesse de son   1
corps des parties incomparablement plus petites (...)
>   PASCAL, Pensées, II, 72.

Dame fourmi trouva le ciron trop petit,   2
Se croyant, pour elle, un colosse.
>   LA FONTAINE, les Fables, I, 7.

(...) nos triangles, multipliés même à l'échelle des fourmis   3
et des cirons, et même des cirons de cirons, ne seront jamais que des références, par rapport auxquelles nous dresserons la carte de la chose (...)
>   ALAIN, Entretiens au bord de la mer, IV,
>   *in* les Passions et la Sagesse, p. 1297.

CIROPLASTE [siʀoplast] n. m. — D. i. ; de *cire,* et suff. *-plaste.*

Vx. Sculpteur sur cire ou sur une matière molle.

(...) aussi agiles que ces ciroplastes qui font un buste devant nous en cinq minutes, les quelques mots que l'inconnue va nous dire préciseront cette forme (...)
>   PROUST, À l'ombre des jeunes filles en fleurs,
>   Folio, p. 536.

CIRQUE [siʀk] n. m. — V. 1355 ; du lat. *circus.*

♦ **1** Vaste enceinte où les Romains célébraient les jeux publics (courses de chars, combats de gladiateurs, naumachies, etc.). → **Amphithéâtre, arène, carrière.** *Cirque de forme ovale. Gradins*, arène*, méta*, podium*, vomitoire* d'un cirque antique. Jeux du cirque.* → **Belluaire, char** (course de chars, de chevaux), **gladiateur ; naumachie.**

Les jeux par excellence, c'étaient ceux du cirque : *circenses.*   1
Ils ne se conçoivent pas en dehors des édifices dont ils tiennent leur nom et qui, bâtis exprès pour eux, déployèrent des dimensions variables sur le plan uniforme d'un long rectangle dont les petits côtés s'incurvent en hémicycles.
>   J. CARCOPINO, la Vie quotidienne à Rome..., III, 3,
>   p. 245.

♦ **2** (1832 ; empr. à l'angl. *circus* «piste circulaire pour les chevaux», le spectacle équestre britannique étant à l'origine de ce spectacle en France puis dans le monde entier). Cour. Lieu de spectacle comportant une piste circulaire où ont lieu des exercices (d'équitation, de domptage, d'équilibre...), des exhibitions, des pantomimes, etc. ; ensemble du matériel et du personnel nécessaire à ce genre de spectacle. *Cirque ambulant, forain. La caravane d'un cirque. Tente, mâts, gradins, piste, tremplin d'un cirque. Le chapiteau du cirque.* → **Chapiteau.** *Personnel d'un cirque. Les gens du cirque, dits gens du voyage.* → **Acrobate, clown** (et **auguste**), **dompteur, écuyer, équilibriste, gymnaste, pitre** (cf. Homme-canon, homme-obus). *Orchestre d'un cirque. Musique de cirque.* — Fig. *Musique tapageuse. Cavalerie, ménagerie d'un cirque. Garçon de cirque chargé du soin des bêtes.* → **Belluaire** (2.). *Spectacle d'un cirque.* → **Équitation, gymnastique ; voltige.** — *Aller au cirque. Emmener des enfants au cirque.*

2 (...) les cinq mille places assises du Cirque Royal étaient toutes occupées, mais les travées étaient pleines de manifestants debout (...)
MARTIN DU GARD, les Thibault, t. VII, p. 51 (→ Battement, cit. 3).

3 On peut voler à ton âge
Le cirque est un cerf-volant
Sur ses voiles, sur ses cordages,
Volent les voleurs d'enfants.
COCTEAU, Poèmes, p. 164.

Entreprise qui organise ce genre de spectacle. *Le cirque Barnum. Un grand cirque allemand.* — Absolt. *Le cirque. Aimer le cirque. L'Opéra chinois tient à la fois du théâtre, de la musique et du cirque.*

REM. R. Queneau (*Pierrot mon ami,* p. 120) forge l'adj. *cirqueux,* substantivé au sens de «celui qui appartient au personnel d'un cirque» (2.), probablt d'après le n. fam. *théâtreux.*

♦ 3 Fig., fam. [a] Comportement outrancier plus ou moins affecté et bouffon. → **Comédie, séance.** *Arrêtez ce cirque, ça ne prend pas !* → **Cinéma.**

4 Il marmonnait : «Je vais bien te forcer à remonter, moi, tu vas voir, petite imbécile. Qu'est-ce que c'est que ce cirque, je vous demande un peu !»
J. DUTOURD, les Horreurs de l'amour, p. 656.

5 Ils entrèrent dans le bistrot. Des journalistes à la poursuite de Pinero. Puig, très à son aise, leur indiqua l'hôtel, là-bas, qui dominait le village. Les types démarrèrent en trombe. «Manquait plus que ça, dit Puig. Ça va être un vrai cirque. C'est vraiment un si grand peintre que ça ?»
H.-F. REY, les Pianos mécaniques, p. 212.

[b] Activité désordonnée. — Endroit où une telle activité se donne cours, lieu où règnent la confusion, la gabegie. *Quel cirque, cette boîte !*

♦ 4 (Fin XVIII°). Géol. et cour. Amphithéâtre de parois abruptes, entourant un fond accidenté de roches moutonnées, avec lacs ou marécages, et fermé le plus souvent par une barre qui ressemble à un verrou (De Martonne). *Le cirque de Gavarnie.*
Par anal. Dépression circulaire de la surface de la Lune, de Mars. *Cirque lunaire. Le cirque Hipparque.*

CIRRE ou **CIRRHE** [siʀ] n. m. — 1545 ; du lat. *cirrus* «filament».

♦ 1 Zool. Appendice fin faisant saillie sur des parties variables du corps de certains animaux (pattes des cirripèdes, barbillons des poissons, certaines plumes dépourvues de barbes chez les oiseaux). *Cirres de mollusques, de vers.* → **Cil.**

♦ 2 Bot. Filament grêle constituant l'organe de fixation des plantes grimpantes à leur support. → **Vrille.**

DÉR. V. **Cirripèdes.** ◊ HOM. Cire, sire.

CIRRHOSE [siʀoz] n. f. — 1805 ; du grec *kirros* «roux», et suff. *-ose.*

♦ 1 Méd. Affection du foie caractérisée par des granulations d'un jaune roux qui empêchent les fonctions de l'organe. → **Hépatite.** *Cirrhose graisseuse, pigmentaire. Cirrhose alcoolique. Cirrhose paludéenne.* — Cour. (pléonasme). *Cirrhose du foie.* — Spécialt. Cour. Cirrhose alcoolique du foie. *Arrête de boire, ou gare la cirrhose !*

Mais il mourut, trois ans plus tard, victime de la cirrhose qui terrassait, l'un après l'autre, tous les champions de la chopine. G. CHEVALLIER, Clochemerle, p. 412.

♦ 2 Sclérose diffuse (de certains organes). *Cirrhose pancréatique, rénale.*

DÉR. **Cirrhotique.**

CIRRHOTIQUE [siʀɔtik] adj. et n. — 1892 ; de *cirrhose.*

Méd. (à propos d'un organe). Qui est atteint de cirrhose. *Un foie cirrhotique.* Qui est la manifestation d'une cirrhose. *Une sclérose cirrhotique.* — N. (1904, in *Rev. gén. des sc.,* n° 6, p. 320). *Un, une cirrhotique :* une personne atteinte de cirrhose.

CIRRIPÈDES [siʀiped] n. m. pl. — Déb. XIX° ; du lat. *cirrus* «filament», et *-pède.*

Zool. Ordre d'animaux arthropodes antennifères, de la classe des crustacés entomostracés, marins, au corps recouvert de plaques calcaires soudées ensemble, ou libres. *Les cirripèdes possèdent en général trois ou six paires de pattes. Ils vivent dans la coquille des mollusques ou en parasites sur l'abdomen d'autres crustacés. Types principaux des cirripèdes.* → **Anatife, balane, sacculine.** — Au sing. *Un cirripède.*

CIRROCUMULUS [siʀokymylys] n. m. — 1830, Bailly de Merlieux, *Résumé complet de météorologie ;* de *cirrus,* et *cumulus.*

Didact. (météor.). Nuage en flocons séparés (ciel moutonné). — REM. On écrit aussi *cirro-cumulus.*

Lorsqu'ils (*les cirrus*) se transforment en cirro-cumulus, nuages soyeux, *sans ombre,* ressemblant à des friselis sur un lac, c'est que le quelque chose tend à se confirmer.
Bernard MOITESSIER, Cap-Horn à la voile, p. 235.

CIRROSTRATUS [siʀostʀatys] n. m. — 1830 (→ Cirrocumulus) ; de *cirrus,* et *stratus.*

Didact. (météor.). Nuage élevé, en voile blanchâtre presque translucide. — REM. On écrit aussi *cirro-stratus.*

CIRRUS [siʀys] n. m. — 1830, cit. ; du lat. *cirrus* «filament».

Didact. (météor.). Nuage élevé (10 km) et léger qui s'effiloche.

Cirrus. Nuage ressemblant à une touffe de cheveux ou de plumes, à lignes parallèles, ondulées ou divergentes, mal terminées dans la direction de leur mouvement. Cette espèce de nuage est toujours la moins dense et occupe les régions les plus élevées ; quelquefois elle couvre le disque du soleil d'un voile transparent, et d'autres fois forme des groupes distincts de traînées parallèles ou de lignes sinueuses.
C. BAILLY DE MERLIEUX,
Résumé complet de météorologie, 1830, p. 118.

COMP. **Cirrocumulus, cirrostratus.**

CIRSE [siʀs] n. m. — 1793 ; *cirsion,* XVI° ; lat. bot. *cirsium.*

Bot. Plante de la famille des Composées, groupant une partie des chardons (chardon laineux, acaule, crépu, lancéolé, penché...). *Les cirses* (ou *cirsium*) *et les carduus sont appelés* chardons.

Il marcha sur la droite de la route frappant les cirses (...) à coups de bâton vigoureux.
Robert SABATIER, les Noisettes sauvages, p. 142.

CIRURE [siʀyʀ] n. f. — 1645 ; de *cirer.*

Vx. Enduit de cire préparée. *Une bonne cirure, une mauvaise cirure* (Académie).

CIS- Préfixe latin signifiant «en deçà» (→ **Citérieur**) et entrant dans la composition de mots savants. → **Cisalpin, cisjuran, cispadan, cisrhénan.**

CONTR. Trans-.

CIS [sis] adj. — 1895, *position cis ;* empr. à l'all. *cis* (1888, Baeyer), du lat. *cis* «en deçà de».

Chim. Se dit d'un isomère organique dans lequel les atomes ou les radicaux sont situés du même côté de la molécule asymétrique (s'oppose à *trans*). *Isomères cis et isomères trans.* → **Cis-trans, cistron.**

HOM. **Six.**

CISAILLAGE [sizajaʒ] n. m. — Mil. XXᵉ; de *cisailler*.
Techn. Action de cisailler (une feuille de métal) suivant un tracé donné.

1. **CISAILLE** [sizaj] n. f. — 1214, «ciseau pour couper le tissu» du lat. pop. *cisaculum*, lat. class. *cæsalia* «ciseau».

◆ 1 (Souvent au plur.). Gros ciseaux servant à couper les métaux en feuilles, à élaguer les arbres (→ **Élagueur**), à couper de grosses épaisseurs de papier, etc. *Les cisailles ordinaires se manœuvrent à la main. Cisailles à batterie pour tailler les haies. Cisailles d'horticulteur, de jardinier.* → **Sécateur; cueilloir.** — *Cisailles de chirurgien.*

◆ 2 (Souvent au sing.). Appareil à deux lames, dont l'une est mobile, servant à découper des tôles, du carton fort, etc. *Cisaille de zingueur, de chaudronnier. Cisaille de tôlier.* → **Cisoires.** *Cisaille d'établi. Cisaille de ferblantier,* dont l'une des branches est fixe, l'autre se mouvant à la main. *Cisaille à guillotine,* formée de deux lames coupantes dont l'une est fixe et l'autre animée d'un mouvement de va-et-vient vertical. *Cisaille circulaire,* dont les lames coupantes sont deux disques au bord tranchant. *Cisaille à vapeur, hydraulique. Cisaille de relieur.* — *Couper des têtes de boulon à la cisaille.*

DÉR. **Cisailler.** ◊ HOM. 2. **Cisaille.**

2. **CISAILLE** [sizaj] n. f. — 1324; subst. verb. de *cisailler*.
Rognure de métal. *De la cisaille d'argent.* — Spécialt. Rognure qui provient de la fabrication des monnaies. *Fondre de la cisaille.*

CISAILLEMENT [sizajmɑ̃] n. m. — 1635; de *cisailler*.

◆ 1 Action de cisailler. → **Cisaillage.**

◆ 2 Rupture de deux pièces de métal contiguës par suite de forces entraînant le déplacement de l'une par rapport à l'autre. *Rivets, boulons rompus par cisaillement. Résistance au cisaillement.*

◆ 3 Fig. Action d'interrompre brutalement la continuité de (qqch.). → **Cisailler** (4.).
Le cisaillement des communications ferroviaires, suivant le tracé général : Limoges - Clermont-Ferrand - Le Puy - Albi - Foire, en vue (...) d'isoler la zone sud-ouest.
    Ch. DE GAULLE, Mémoires de guerre, t. II, p. 690.

◆ 4 (V. 1967). Techn. Croisement à niveau de deux courants de circulation (routes, rues...). — Ch. de fer. Croisement de deux voies ferrées.

CISAILLER [sizaje] v. tr. — 1450; de 1. *cisaille.*

◆ 1 (Sujet n. de personne). Couper* (qqch.) avec une ou des cisaille(s). *Cisailler la brochure d'un livre.* → **Ébarber.** *Cisailler les branches d'un arbre.* → **Élaguer.** *Cisailler des fils de fer barbelés.*
Spécialt. Couper, avec des cisailles, des pièces de monnaie fausses ou de rebut.

◆ 2 (Sujet n. de chose). Techn. User (qqch.) par cisaillement (2.). *Le frottement cisaille les boulons.*

◆ 3 (Sujet n. de chose). Couper, entailler avec un instrument tranchant. → **Taillader.**
(...) il s'est mis, par en-dessous, à me marteler le visage. Il m'a porté ainsi quatre coups (...) le troisième m'a cisaillé la joue (...)
    Paul VIALAR, Risques et Périls,
    La mort est un commencement, p. 28.

Fig. Censurer (un texte).

◆ 4 Fig. Interrompre la continuité d'une chose, et, spécialt, rompre une ligne de défense ennemie. *Cisailler l'arrière d'une ligne.*

◆ 5 Fig. *Cisailler qqn,* le stupéfier, le rendre incapable d'agir. *Toutes ces nouvelles m'ont cisaillé.*

◆ 6 (1937). Autom. «(...) prendre un virage en vitesse, en braquant légèrement plusieurs fois et en rendant la main entre chaque braquage» (Petiot).

DÉR. **Cisaillage, cisaillement.**

CISALPIN, INE [sizalpɛ̃, in] adj. — 1596; de *cis-*, et *alpin.*
Situé en deçà des Alpes. *Gaule cisalpine :* région occupée par des populations celtiques et située en deçà des Alpes par rapport aux Romains, c'est-à-dire au-delà des montagnes qui séparent la France de l'Italie (Lombardie-Piémont).

(...) les écrivains latins (...) distinguaient entre la Gaule 1
cisalpine et la Gaule transalpine, la première sur le versant oriental des Alpes (...)
    Pierre GAXOTTE, Hist. des Français, I, p. 44.

Hist. *République cisalpine,* fondée par Bonaparte en 1797, au nord de l'Italie.

Il fallait (...) profiter de la défaite de l'Autriche, de l'abat- 2
tement de Pitt qui (...) se montrait disposé à reconnaître les conquêtes de la Révolution (...) la République cisalpine d'Italie, annexe de la République française.
    J. BAINVILLE, Hist. de France, p. 383.

CONTR. **Transalpin.**

CISEAU [sizo] n. m. — V. 1160, var. anc. *cisel;* du lat. pop. *cisellus,* altér. de *cœsellus, de cœsus, de cœdere* «couper».

I (Sing. et plur.). Outil d'acier, tranchant à l'une de ses extrémités, et servant à travailler le bois, le fer, la pierre... *Ciseau à bout droit, à bout rond. Ciseau mousse* de serrurier. *Le manche d'un ciseau. Affûter, émoudre un ciseau. Travailler, tailler au ciseau.* → **Sculpter.** *Ouvrage de ciseau,* de sculpture. *Ciseau de sculpteur.* → **Bouchard, riflard, rondelle.** *Ciseau de graveur.* → **Berceau, burin, ciselet, gouge, grattoir, matoir, pointe, repoussoir.** *Ciseau d'orfèvre.* → **Ciselet, cisoir.** *Ciseau de menuisier, de charpentier.* → **Bédane, besaiguë, biseau, ébauchoir, fermoir, gouge, gougette, plane, poinçon.** *Ciseau de marbrier.* → **Ognette.** *Ciseau à déballer,* ou *ciseau à froid,* dont l'extrémité n'est pas tranchante, et qui sert de levier...

Et Yahweh dit à Moïse : «Si tu m'élèves un autel de pierre, 1
tu ne le construiras point en pierres taillées, car en levant ton ciseau sur la pierre, tu la rendrais profane (...)»
    BIBLE (CRAMPON), Exode, XX, 24-25.

Un bloc de marbre était si beau 2
Qu'un statuaire en fit l'emplette ?
«Qu'en fera, dit-il, mon ciseau ?
Sera-t-il dieu, table ou cuvette ?»
    LA FONTAINE, Fables, IX, 6.

(...) la longueur des nuits favorisait encore un peu mes 2.1
démarches : depuis deux mois je les préparais sans qu'on s'en fût douté; je sciais peu à peu avec un mauvais ciseau que j'avais trouvé, les grilles de mon cabinet; déjà ma tête y passait aisément (...)   SADE, Justine..., t. I, p. 215.

Comment fais-tu, Michel-Ange, pour couper le marbre par 3
tranches, ainsi qu'un enfant qui sculpte un marron ? de quel acier étaient faits tes ciseaux invaincus ?
    Th. GAUTIER, Mⁱˡᵉ de Maupin, VI, p. 118.

Ciseau de calfat : outil de fer servant à enfoncer l'étoupe dans les coutures des bordages.

Fig. Travail, manière du sculpteur. *On reconnaît là le ciseau de Michel-Ange.* — Par ext. Personne qui travaille au ciseau, particult, sculpteur.

II CISEAUX (plur.). ◆ **1** (XIIe). Instrument formé de deux branches d'acier, tranchantes sur une partie de leur longueur (lame), réunies et croisées en leur milieu sur un pivot (entablure). *Les anneaux d'une paire de ciseaux. Trancher d'un coup de ciseaux. Ciseaux de couturière, de tailleur, de coupeur. Ciseaux de brodeuse. Ciseaux à ongles.* → **Onglier.** *Ciseaux à papier, à carton.*

4 Et, soudain, avec un bruit crissant et glouton, les ciseaux mordaient le drap.
> G. DUHAMEL, *Chronique des Pasquier*, I, p. 56.

4.1 Sur le drap blanc qui recouvre la table pliante effilée, spécialement conçue pour cet usage, elle a posé en outre une paire de grands ciseaux de couturière, en acier chromé, dont elle vient de se servir pour couper un fil qui dépassait, à la couture de l'ourlet inférieur ; les deux lames aiguës, ouvertes en V, brillent dans la lumière d'une lampe à col de cygne dont elles renvoient de multiples rayons.
> A. ROBBE-GRILLET,
> *Projet pour une révolution à New-York*, p. 79.

Techn. *Ciseaux de chirurgien, ciseaux de Richter... Ciseaux coudés,* dans lesquels la lame et la branche forment un angle. *Ciseaux à cuiller,* à lames courbées. *Ciseaux de jardinier.* → **Cueille-fleurs, sécateur.** *Ciseaux servant à couper la mèche d'une chandelle.* → **Mouchette.** *Ciseaux servant à tondre la laine des moutons.* → **Forces.** *Grands ciseaux utilisés dans l'industrie.* → 1. **Cisaille.**

REM. Quant à la désignation, le français ne peut distinguer l'objet unique (appelé *des ciseaux*) de la pluralité ; on dira : *une paire, des paires de ciseaux.*

Myth. *Les ciseaux de la Parque :* les ciseaux avec lesquels Atropos coupe le fil de la vie.

5 C'était un grand homme *(le docteur Sangrado)* sec et pâle, et qui, depuis quarante ans pour le moins, occupait le ciseau des Parques.
> A.-R. LESAGE, *Gil Blas*, II, II, p. 76.

Fig. *Faire un livre à coups de ciseaux, avec des ciseaux et de la colle,* le composer en empruntant largement à d'autres livres. → **Compiler, piller, plagier.**

Fig. *Les ciseaux de la censure :* l'action des censeurs (qui effectuent des coupures dans un livre, un article, un film, etc.).

◆ **2** EN CISEAUX : par une disposition croisée.

[a] Mar. *Mettre les voiles en ciseaux :* mettre les voiles de l'avant d'un bord et celles de l'arrière de l'autre bord.

6 Chichester était arrivé à la conclusion que *Gipsy-Moth II* ne marchait pas plus vite au «grand largue presque vent arrière», qu'au plein vent arrière avec les voiles en ciseaux, c'est-à-dire grand-voile sur un bord et génois tangonné sur l'autre.
> Bernard MOITESSIER, *Cap Horn à la voile*, p. 96.

[b] (1906, *in* Petiot). Sports. *Sauter en ciseaux* (→ Rouleau, cit. 6), *donnant un coup de ciseaux :* sauter en levant l'une après l'autre les jambes, comme les lames d'une paire de ciseaux. *Le saut en ciseaux.*

◆ **3** *Un ciseau :* un mouvement effectué en ciseaux. — Spécialt. Saut en ciseaux. — Prise de lutte ou de catch où les jambes enserrent l'adversaire. — (1819, *in* Petiot). Mouvement de gymnastique au sol qui consiste à croiser les jambes en ciseaux.

DÉR. V. **Ciselet.**

CISELAGE [sizlaʒ] n. m. — 1611 ; de *ciseler.*
→ **Cisellement.**

CISELER [sizle] v. tr. [CONJUG.: *geler.*] — Déb. XIIIe ; de *ciseau.*

◆ **1** Travailler avec un ciseau (des ouvrages de métal, de pierre...). *L'orfèvre qui a ciselé ce bijou.*

Ciseler un détail de sculpture. → **Sculpter.** *Ciseler une statue. Art de ciseler l'ivoire, le métal.* → **Toreutique.**

◆ **2** (1860). Fig. Travailler minutieusement, dans le moindre détail. → **Parfaire, polir.** *Ciseler son style. Ciseler des vers.*

◆ **3** Cuis. Inciser (une pièce) pour qu'elle ne se déchire pas à la cuisson ou pour en faciliter la cuisson. *Ciseler une viande, un poisson.*

Tailler en menus morceaux aux ciseaux (une herbe aromatique). *Ciseler du persil.*

◆ **4** Vitic. Pratiquer le cisellement de (une grappe, des grappes d'une vigne).

◆ **CISELÉ, ÉE** p. p. adj. *Vaisselle ciselée,* ornée de ciselures.

Un candélabre tout couvert de fleurs ciselées brûlait au 1 fond, et chacune de ses huit branches en or portait dans un calice de diamants une mèche de byssus.
> FLAUBERT, *Salammbô*, VII, p. 127.

Fig. *Un visage délicatement ciselé. — Coiffure ciselée,* apprêtée avec art.

La masse ciselée de sa chevelure blonde amenuisait sa 2 figure de perle (...)
> Edmond JALOUX, *le Jeune Homme au masque*, II,
> p. 36.

CONTR. (Du sens 2). Bâcler. ◊ DÉR. Ciselage, ciseleur, cisellement, ciselure.

CISELET [sizlɛ] n. m. — 1491 ; dimin. de *cisel, ciseau**.

Techn. Petit ciseau, le plus souvent sans tranchant (bronziers, orfèvres, graveurs). *Finissage au ciselet.* → **Ciselure.**

(...) là encore *(dans l'opération de la ciselure)* le marteau est l'instrument principal. Mais cette fois, léger et flexible, il agit sur le métal par l'intermédiaire de petits outils d'acier, sorte de ciseaux émoussés, longs de douze à treize centimètres, appelés *ciselets,* que l'ouvrier tient de la main gauche, perpendiculairement à la surface du métal et sur lesquels il frappe à petits coups rapides.
> Luc LANEL, *l'Orfèvrerie*, p. 15.

CISELEUR [sizlœR] n. m. — XVIe ; de *ciseler.*

◆ **1** Personne dont le métier est de ciseler. → **Bijoutier, orfèvre.** *Un ouvrier ciseleur.*

(...) du marbre, de la pierre, du bronze et du bois sculptés 1 par des mains géniales, ou bien de l'or, de l'argent, de l'ivoire et du cuivre, vagues matières métamorphosées en chefs-d'œuvre sous les doigts de fées des ciseleurs.
> MAUPASSANT, *Notre cœur*, II, VII, p. 220.

(...) des ouvrages sur l'art de l'argenterie, sur les poinçons 2 des vieux ciseleurs.
> PROUST, *À la recherche du temps perdu*, t. XII,
> p. 206.

◆ **2** Fig., rare. Écrivain délicat, qui cisèle son style.

REM. Le fém. *ciseleuse* [sizløz] est virtuel.

CISELIN [sizlɛ̃] n. m. — D. i. ; mot savoyard, du piémontais *sigilin,* dimin. d'un dér. du lat. *situla* «seau», qui a donné *seille* en français.

Régional. Récipient métallique.

Une bonne vieille nettoyait les ciselins de tôle sous le jet violent du bachal.
> R. FRISON-ROCHE, *Premier de cordée*, p. 183 (1941).

CISELLEMENT ou **CISÈLEMENT** [sizɛlmã] n. m. — 1876 ; de *ciseler.*

Vitic. Action de couper les grains défectueux d'une grappe de raisin, pour favoriser la croissance des autres.

CISELURE [sizlyʀ] n. f. — 1307; de *ciseler*.

♦ **1** Techn., arts. Art du ciseleur. → **Argenterie, bijouterie, gravure, laque, orfèvrerie.** *Ciselure sur fondu :* finissage au ciselet des objets dont la forme a été obtenue par la coulée du métal fondu. *Ciselure repoussée*, dans laquelle le ciseleur crée lui-même la forme. *Ciselure prise sur pièce*, ou sculpture du métal dans la masse. *Outils nécessaires à la ciselure* (burin, ciselet, échoppe, gouge, grattoir, marteau, masque, matoir, molette, ognette, recingle, rifloir).

♦ **2** (1611). Cour. Ornement ciselé. → **Glyphe, gravure.** *Ciselure délicate.* — Figuré :

Une des merveilles de cette caverne, c'était le roc. Ce roc, tantôt muraille, tantôt cintre (...) était par places brut et nu, puis, tout à côté, travaillé des plus délicates ciselures naturelles (...)
HUGO, les Travailleurs de la mer, II, I, 13.

♦ **3** (1840). Fig. et littér. Art minutieux de l'écrivain.

CISJURAN, ANE [sisʒyʀã, an] adj. — 1818, Sainte-Beuve, *in* T. L. F.; de *cis-*, et *juran*, de *Jura*.

Didact. Situé en deçà du Jura (opposé à *transjuran*).

CISOIR [sizwaʀ] n. m. — XIVᵉ; du lat. *cisorium*, de *cæsus*, de *cædere* «couper». → Ciseau.

Techn. Ciseau d'orfèvre.

HOM. **Cisoires.**

CISOIRES [sizwaʀ] n. f. plur. — XIIIᵉ; du bas lat. *cisoria*. → Cisoire.

Techn. Cisaille de chaudronnier, de tôlier, dont le manche est monté sur un pied.

HOM. **Cisoir.**

CISPADAN, ANE [sispadã, an] adj. — D. i.; de *cis-*, et *padan* «du Pô», d'après l'italien.

Didact. Situé en deçà du Pô (opposé à *transpadan*).

CISRHÉNAN, ANE [sisʀenã, an] adj. — D. i.; de *cis-*, et *rhénan*.

Didact. Situé en deçà du Rhin (opposé à *transrhénan*).

CISTACÉES [sistase] n. f. pl. — Fin XIXᵉ; *cistacé*, adj., 1869; lat. mod. *cistaceœ*, de *cistus*. → 1. Ciste.

Bot. Famille de plantes spermatophytes angiospermes (ordre des Pariétales) comprenant des arbrisseaux répandus dans la zone méditerranéenne; ils ont soit cinq carpelles (→ Ciste), soit trois (→ Hélianthème). — Syn. anc. : *cistinées*. — Au sing. *Une cistacée.*

1. CISTE [sist] n. m. — 1572; *cisthe*, 1557; lat. impérial *cistos, cisthos*, empr. grec *kisthos*.

Arbrisseau des régions méditerranéennes (*Cistacées*; n. sc. *Cistus*), dont les jeunes pousses sécrètent une résine visqueuse appelée *ladanum*, employée en parfumerie. *Des feuilles de ciste.*

Les bouquets des cistes pourpres ou blancs chamarraient la rauque garrigue, que les lavandes embaumaient.
GIDE, Si le grain ne meurt, I, II, p. 38.

REM. On trouve aussi la graphie *cyste*.

2. CISTE [sist] n. f. — 1771; attestation isolée 1ʳᵉ moitié XIVᵉ, «cercueil»; lat. *cista*, grec *kistê* «panier».

♦ **1** Antiq. Corbeille qu'on portait en pompe dans les mystères de Cérès, de Bacchus, de Cybèle, et qui contenait les objets affectés au culte de ces divinités.

♦ **2** (1876). Archéol. Construction funéraire («coffre de pierre»), de forme rectangulaire, d'époque mégalithique.

On rattache parfois aux monuments mégalithiques, les *cistes*, ou *cists* (*stone cists* en anglais, *kistvaen* en breton, *hällkista* en suédois), du latin *cista* — corbeille, coffres rectangulaires, généralement enterrés — tout juste assez spacieux, au moins en France, pour servir de tombeau à une personne. Ils constituent des diminutifs de dolmens, mais la distinction reste parfois indéterminée.
Fernand NIEL, Dolmens et Menhirs, p. 12.

CISTERCIEN, IENNE [sisteʀsjɛ̃, jɛn] adj. et n. m. — 1447; *cistericien*, 1403; de *Cistercium*, n. lat. de *Cîteaux*.

Qui appartient à l'ordre religieux de Cîteaux. *Moine cistercien. Abbaye cistercienne.* — Arts. *L'art cistercien*, forme d'art roman pratiquée pour les constructions de l'ordre de Cîteaux, au moyen âge.

Promenade à Logum Kloster, ancien monastère cistercien au milieu de la triste lande Slesvigoise.
CLAUDEL, Journal, 22 mars 1920.

N. m. *Un cistercien* : un religieux de cet ordre, fondé au XIᵉ siècle par l'abbé Robert, et réformé au XIIᵉ siècle par saint Bernard. → **Trappiste.**

CISTINÉES [sistine] n. f. plur. Vx. → **Cistacées.**

CISTOLE [sistɔl] n. f. — 1856; *cisticole*, 1866; p.-ê. réduction de *cisticole*, de *ciste* «panier».

Régional. Petite fauvette dont une espèce commune vit dans le Midi de la France.

HOM. **Systole.**

CIS-TRANS [sistʀɑ̃s] adj. — 1957; *isomère cis-trans*, 1933; de *cis*, et de *trans*, d'après l'allemand. → Cis.

Biol. *Test cis-trans :* test qui permet de connaître l'effet de la configuration relative sur l'expression de deux mutations chez un double hétérozygote. — *L'isomérie cis-trans.*

CISTRE [sistʀ] n. m. — 1559, n. f.; n. m., av. 1590, Tabourot; altér. d'après *sistre*, de *citre* (Louise Labé, av. 1566), du lat. *cithara* (→ Cithare), p.-ê. par l'ital.

Didact. (hist. de la mus.). Instrument de musique à cordes, analogue à la mandoline et qui était en usage aux XVIᵉ et XVIIᵉ siècles. → **Luth.**

HOM. **Sistre.**

CISTRON [sistʀɔ̃] n. m. — 1957, Benzer; de *cis-*, et *-tron*, selon le modèle des mots scientifiques en *-tron*.

Biol. Unité fonctionnelle d'un gène intervenant dans les phénomènes de mutation et de recombinaison des gènes.

CISTUDE [sistyd] n. f. — 1775; lat. zool. *cistudo*, de *cistus* «corbeille», et *testudo* «tortue».

Zool. Reptile chélonien, tortue palustre scientifiquement appelée *Emys*, qui vit surtout dans la vase.

CITADELLE [sitadɛl] n. f. — 1495; ital. *cittadella* «petite cité», de *città* «ville, cité».

♦ **1** Forteresse* commandant une ville. → **Château** (château fort), **fortification, oppidum.** *Le Capitole, citadelle de Rome. La citadelle d'Anvers. Citadelles au Maghreb.* → **Casbah.** *Citadelle avancée, postée sur une éminence, sur un promontoire. Les citadelles grecques étaient bâties sur les acropoles*. La Cadmée, citadelle de Thèbes. Casemates, enceinte, fossés, remparts, créneaux d'une citadelle.*

Se réfugier, s'enfermer, être bloqué dans la citadelle. La citadelle, dernier réduit de la défense. Serrer de près, assiéger, investir, attaquer, occuper, démolir, raser une citadelle. Citadelle prise d'assaut, à revers, par surprise. Citadelle imprenable, inexpugnable. Chasser, expulser de la citadelle la garnison ennemie. Citadelle à court de vivres, de munitions, qui capitule, ouvre ses portes. Livrer les clefs de la citadelle. Planter, arborer son drapeau sur la citadelle. Citadelle menaçante, qui tient la ville sous ses canons. Interner un prisonnier dans une citadelle.

1 (...) il entreprend de s'emparer de Porto-Bello (...) ville très forte munie de canons et d'une garnison considérable. Il arrive sans artillerie, monte à l'escalade de la citadelle sous le feu du canon ennemi ; et, malgré une résistance opiniâtre, il prend la forteresse.
VOLTAIRE, Essai sur les mœurs, CLII, p. 431.

2 On le conduisit *(le duc du Maine, après la conspiration de Cellamare)* dans la citadelle de Dourlans où il fut gardé par un officier (...) qui le traita avec toute l'impolitesse et la dureté d'un véritable geôlier.
Mᵐᵉ DE STAAL DE LAUNAY, Mémoires, *in* LITTRÉ.

3 Du sommet, par le mois de mai où le siège commença, le regard s'étend sur deux paysages et comme sur deux mondes différents (...) Gergovie est la citadelle avancée qui garde les sentiers du haut pays et qui surveille les routes et les moissons d'en bas.
Camille JULLIAN, Vercingétorix, XIII, IV, p. 196.

4 Le parc des Buttes-Chaumont fait penser à des clairons, à des fanfares d'assaut, à une bataille qui rampe victorieusement au flanc d'une citadelle.
J. ROMAINS, les Hommes de bonne volonté, IV, VI, p. 47.

Spécialt. Forteresse servant de prison. *La «citadelle de Parme»* (où Fabrice est conduit en prison dans *la Chartreuse de Parme* de Stendhal, chap. XV et suivants).

Par compar. ou par anal. Littér. *Une citadelle mouvante, flottante :* un grand navire de combat (→ Choc, cit. 1). *Se retrancher dans un abri comme dans une citadelle.*

5 Contre les assauts d'un Renard
Un arbre à des Dindons servait de citadelle,
Le perfide ayant fait tout le tour du rempart,
Et vu chacun en sentinelle (...)
LA FONTAINE, les Fables, XII, 18.

♦ 2 Fig., littér. Centre où l'on défend des idées. *La citadelle d'une doctrine, d'un idéal,* lieu d'où ils se concentrent, rayonnent. → **Boulevard, capitale, ralliement** (point de ralliement). *Rome, citadelle du catholicisme. Genève, citadelle du calvinisme.*

6 De toutes les tribus et de toutes les cités belges et celtiques, on se rendit en masse dans la ville éduenne. Elle devint pour quelques jours la tête et la citadelle de la Gaule entière (...) L'enthousiasme populaire étouffa tous les égoïsmes (...)
Camille JULLIAN, Vercingétorix, XV, IV.

♦ 3 Par métaphore, littér. (en parlant d'un cerveau, d'une intelligence). *Une citadelle de connaissances,* qui possède un «arsenal» de connaissances.

7 (...) une vaste et forte tête, un crâne puissant, le front haut, large, droit, une forteresse de doctrine, une citadelle d'érudition et de théologie.
André SUARÈS, Trois hommes, II, «Pascal», p. 21.

Par métaphore. (Littér. ou plais.). Lieu, chose qui est en butte aux intrigues, aux assauts, aux convoitises.

8 Le pouvoir est une citadelle constamment assiégée par la servilité, la flatterie, l'obséquiosité, l'ambition, le besoin.
É. DE GIRARDIN, *in* Pierre LAROUSSE.

Par plais. (en parlant d'une femme). *Une citadelle qui capitule.*

CITADIN, INE [sitadɛ̃, in] adj. et n. — XIIIᵉ ; de l'ital. *cittadino*, de *città* «cité».

♦ 1 Adj. De la ville, qui a rapport à la ville. → **Urbain.** *Populations, habitudes citadines.*

Un lieu à la fois citadin et rustique. 1
J. ROMAINS, les Hommes de bonne volonté, IV, XXI, p. 226.

Le jeu entre le temps et l'espace libres et le temps et l'espace 2
domestiques est resté assez large jusque tout récemment, sauf en milieu urbain où le cadre totalement humanisé a toujours été le gage de l'efficacité du dispositif citadin.
A. LEROI-GOURHAN, le Geste et la Parole, t. II, p. 185.

(1828). Anciennt. *Voiture citadine :* voiture publique analogue au fiacre. — N. f. (1830, *in* D.D.L.) *Une citadine.*
Mod. Comm. Voiture adaptée par sa taille et sa maniabilité aux conditions de circulation en ville.

♦ 2 N. (le fém. semble rare). Habitant d'une ville. *Un citadin. Un citadin de...* → **Citoyen** (3.).
Hist. (en Italie). Habitant qui n'appartenait pas à la noblesse.

CONTR. Campagnard, champêtre, paysan, rustique.

CITATEUR, TRICE [sitatœr, tris] ou **CITEUR, EUSE** [sitœr, øz] n. — 1696, *citateur ; citeur,* av. 1688 ; de *citer.*
Celui, celle qui cite (qqn, un texte), qui a l'habitude de faire des citations. *Le citateur de ce passage a fait une erreur.*

CITATION [sitasjɔ̃] n. f. — V. 1355 ; lat. *citatio, -onis* «citation en justice», du supin de *citare.* → Citer.

♦ 1 Dr. Sommation de comparaître en justice, signifiée par huissier ou par lettre recommandée du greffier, à une personne jouant le rôle de témoin ou de défendeur. *Notifier, recevoir une citation. Citation pour contravention.*

Spécialt. Sommation de comparaître devant le juge de paix, le tribunal de simple police ou le tribunal correctionnel. — *Citation devant les tribunaux civils ou de commerce.* → **Ajournement, assignation.**

Citation directe, signifiée par exploit d'huissier et par laquelle, en matière de simple police ou correctionnelle, le prévenu ou la personne civilement responsable sont sommés de comparaître devant la juridiction compétente.

Les citations pour contraventions de police seront faites à 1
la requête du ministère public ou de la partie qui réclame, et, en matière forestière, à la requête des agents forestiers.
Code d'instruction criminelle, art. 145.

Citation en conciliation. → **Conciliation.**

La citation, assujettie aux mêmes formes que les citations 2
ordinaires, doit énoncer sommairement l'objet de la conciliation.
DALLOZ, Nouveau répertoire, nᵒ 24, art. Conciliation.

Cédule de citation. → **Cédule.** *Acte de citation. Donner, notifier une citation.*

Acte notifiant une citation. Les témoins doivent présenter leur citation au tribunal.

♦ 2 Cour. Action de citer, de prélever et de réutiliser un fragment de texte ; fragment emprunté à un texte authentifié, utilisé dans un autre texte, dans une intention didactique ou esthétique, pour illustrer ou appuyer ce qui est écrit. *La citation d'une phrase de Shakespeare* (action de citer). — *(Une, des citations).* → **Bribe, exemple, extrait, passage, texte** (→ Revendicateur, cit. 2). *Citation orale, écrite. Chercher une citation. Tirer une citation d'un ouvrage faisant autorité. Prendre, relever une citation dans* un livre. *Donner la référence d'une citation. Justifier ses citations. Multiplier les citations. Émailler, entrelarder, farcir, hérisser, illustrer, larder, orner, remplir, saupoudrer, truffer un discours de citations. Une citation à l'appui d'une opinion. Citation abrégée, déformée, tronquée. Citation textuelle, authentique. Mettre une citation entre guillemets. Citation en tête d'un ouvrage.* → **Épigraphe.** *Citation aphoristique.* → **Maxime, sentence.** «*Un dictionnaire* (cit. 3) *sans citation est un squelette*» (Voltaire). *Exemples* et citations littéraires d'un dictionnaire. Dictionnaire, recueil de citations françaises, étrangères.* → **Anthologie, florilège.**

3 Je vous ai dit que cette citation avait été tronquée, et que deux ou trois phrases littéraires, très circonspectes, du commencement, avaient été mises de côté.
    SAINTE-BEUVE, Correspondance, t. I, 8 déc. 1832,
    p. 266.

4 Le premier point du «*Sermon sur la mort*», cet admirable premier point, qui contient les plus brûlantes paroles qui soient, parties des lèvres de Bossuet, se termine par des citations d'Arnobe et du Psalmiste (...)
    Émile FAGUET, Étude littéraires, XVIIᵉ s., Bossuet,
    p. 413.

5 Une citation est une référence : Danton se suffit à lui-même. Il s'appuie sur les vérités d'expérience.
    Louis BARTHOU, Danton, p. 12.

6 Ses naïves confessions sont pleines de bonne humeur, de drôlerie, d'exubérance : il les farcit de citations dans toutes les langues, de vers de son invention, de morales de mirliton.
    R. ROLLAND, Voyage musical au pays du passé,
    p. 108.

7 Aucune prose plus que la sienne *(celle de Péguy)*, sauf peut-être celle de Montaigne et de Rabelais, n'est hérissée de citations.
    A. MAUROIS, Études littéraires, Charles Péguy,
    t. I, p. 235-236.

Loc. **FIN DE CITATION** : locution orale par laquelle on signale que des paroles qu'on rapporte (et qu'on n'assume pas) se terminent et que l'on va parler pour son propre compte. → **Sic** (→ Fermer les guillemets*).

♦ **3** Mention honorable d'un militaire, d'une unité, distingués par une action d'éclat. *Citation à l'ordre du jour. Citation à l'ordre du régiment, de la division, de l'Armée. Il a obtenu plusieurs citations.* — Par ext. Texte de cette mention.
Par anal. Citation d'un élève au tableau d'honneur. → **Inscription.**

CITÉ [site] n. f. — XIᵉ, *citet;* du lat. *civitas, -atis.*

♦ **1** Didact. (hist. antique). Fédération autonome de tribus groupées sous des institutions religieuses et politiques communes. *Athènes, cité démocratique. Sparte, cité aristocratique. Les rivalités des cités grecques* (→ Assujettir, cit. 14). *La religion de la cité* (→ Attribut, cit. 4; autorité, cit. 16). *Les dieux, le culte, la constitution, les magistrats, les colonies de la cité. Héros fondateur de cité.* → **Éponyme** (héros). — *La Cité antique,* ouvrage de Fustel de Coulanges.

1 A l'instant, au lieu de la personne particulière de chaque contractant, cet acte d'association produit un corps moral et collectif, composé d'autant de membres que l'assemblée a de voix, lequel reçoit de ce même acte son unité, son *moi* commun, sa vie et sa volonté. Cette personne publique, qui se forme ainsi par l'union de toutes les autres, prenait autrefois le nom de *cité* (...)
    ROUSSEAU, Du contrat social, I, VI, p. 244.

2 (...) la cité a été une confédération de groupes constitués avant elle (...)
Cité et ville n'étaient pas des mots synonymes chez les anciens. La cité était l'association religieuse et politique des familles et des tribus; la ville était le lieu de réunion, le domicile et surtout le sanctuaire de cette association (...)
Le don du droit de cité à un étranger était une véritable

violation des principes fondamentaux du culte national, et c'est pour cela que la cité, à l'origine, en était si avare.
    FUSTEL DE COULANGES, la Cité antique,
    p. 148-151 et 229.

DROIT DE CITÉ : droit d'accomplir les actes, de jouir des privilèges réservés aux membres de la cité. — Ellipt. *La cité. Accorder la cité à un groupe d'hommes.* — *Privation du droit de cité (atimie).*
Loc. (1829). *Avoir droit de cité :* avoir un titre à être admis, à figurer.

(...) tout relève de l'art; tout a droit de cité en poésie.   2.1
    HUGO, les Orientales, Préface.

(...) il y a beau temps que le roman a mis en scène des personnages d'homosexuels, et si l'homosexuel n'a pas encore droit de cité dans la société civile, dans la société romanesque c'est chose faite.   2.2
    M. TOURNIER, le Vent Paraclet, p. 256.

♦ **2** Par métonymie. Territoire, capitale de la cité. *Cité de peu d'étendue. L'acropole*, l'enceinte sacrée, le prytanée, les temples, les théâtres d'une cité grecque.*

Quelquefois ils *(les Romains)* abusaient de la subtilité des termes de leur langage. Ils détruisirent Carthage, disant qu'ils avaient promis de conserver la cité et non pas la ville.   3
    MONTESQUIEU,
    Grandeur et décadence des Romains, VI, p. 139.

♦ **3** Mod. (Didact. ou littér.; du sens 1). *La cité* : l'État considéré sous son aspect juridique, la communauté politique. → **État, nation, république.** *Les lois de la cité, le dévouement, l'obéissance à la cité. La famille et la cité.* → **Patrie.**

♦ **4** Cour. (du sens 2). Ville importante considérée spécialement sous son aspect de personne morale, mais parfois sous son aspect concret. *Les échevins, les institutions, les annales de la cité. Une cité intellectuelle, commerçante.* «*Une cité plus grosse que Paris*» (La Fontaine, *Fables,* V, 10). *Les carrefours, artères, faubourgs, monuments de la cité. Bourdonnement de la cité* (→ Bourdonner, cit. 2). — *Cité maritime, lacustre, sur pilotis. Les cités mortes.* → **Ville** (ville morte).

Pleure, Jérusalem, pleure, cité perfide (...)   4
Le Seigneur a détruit la reine des cités.
    RACINE, Athalie, III, 7.

(...) aucun Moscovite ne se présente; aucune fumée du moindre foyer ne s'élève; on n'entend pas le plus léger bruit sortir de cette immense et populeuse cité.   5
    Ph.-P. SÉGUR, Hist. de Napoléon, VIII, 4, *in* LITTRÉ.

Loin de moi les cités et leur vaine opulence !   6
Je suis né parmi les pasteurs.
    LAMARTINE, Nouvelles méditations, Préludes.

Que la vieille cité, devant moi, sur sa couche   7
S'étende; qu'un soupir s'échappe de sa bouche,
Comme si de fatigue on l'entendait gémir.
    HUGO, les Feuilles d'automne, XXXV, II.

Et dans l'énervement des nuits chaudes et calmes,   8
Berçant ta gloire éteinte, ô Cité, tu t'endors
Sous les palmiers, au long frémissement des palmes.
    J.-M. DE HEREDIA, les Trophées,
    «À une ville morte».

Cité sainte : centre religieux, lieu de pèlerinage important, lieu d'origine d'une religion (notamment : Jérusalem).

♦ **5** (XIVᵉ). Partie la plus ancienne d'une ville (correspondant souvent à une forteresse, à une enceinte fortifiée). *L'île de la Cité,* berceau de Paris. *Les remparts de la Cité de Carcassonne. La Cité de Londres,* vieux quartier des affaires, qui embrasse sous son vocable le monde de la finance, le haut commerce londoniens.

Paris est né, comme on sait, dans cette vieille île de la Cité qui a la forme d'un berceau. La grève de cette île fut sa première enceinte, la Seine son premier fossé.   9
    HUGO, Notre-Dame de Paris, III, II.

10 Au lendemain du traité (d'Amiens), la Cité de Londres, elle-même, restait sur une plus grande réserve; elle avait naguère beaucoup pesé sur Addington en faveur de la paix; elle y avait vu la perspective enchanteresse de milliers de ballots de coton et de milliers de machines s'écoulant au delà de la Manche, sans parler des denrées coloniales (...) mais les lampions s'éteignaient à peine que le monde des affaires lui-même commençait à déchanter.
Louis MADELIN, le Consulat, XVII, p. 274.

Archéol. *Cité lacustre* : village construit sur pilotis.

♦ **6** Agglomération de pavillons et de jardins tirant son unité soit de sa situation à l'abri d'une clôture, en retrait d'une grande artère (*cité Bergère, cité Trévise*, à Paris...), soit de sa destination en faveur d'un groupe particulier de personnes. — **Loc.** (1848). CITÉ OUVRIÈRE (cit. 14) : lot de logements économiques destinés aux familles ouvrières. — *Cité agricole.* — CITÉ-JARDIN : cité renfermant des espaces libres. *Des cités-jardins.* — CITÉ UNIVERSITAIRE, pour loger les étudiants à proximité d'une faculté. — CITÉ-DORTOIR (ou *ville-dortoir*), pour loger des personnes à proximité de leur travail. «*l'ennui planant sur les rares rescapés qui, dans la journée, sillonnent la cité-dortoir vide*» (*l'Express*, p. 42, 14 août 1972). — *Des cités-dortoirs.* Cité de transit, cité d'urgence : ensemble d'habitations provisoires, de construction légère, servant à l'hébergement de personnes sans abri (personnes réfugiées, déplacées, sinistrées, etc.). — À Québec, *Cité parlementaire* : ensemble des bâtiments du parlement.

11 J'ai, par suite, applaudi de grand cœur à la construction des cités universitaires où les jeunes gens sont délivrés de mille soucis exhaustifs, où la vie est saine, facile, bien réglée et quand même libre.
G. DUHAMEL, Biographie de mes fantômes, XI, p. 222.

1.1 Ces cités-jardins, étalées le long de la route, forment un décor sans épaisseur.
GIDE, Voyage au Congo, *in* Souvenirs, Pl., p. 722.

Groupe d'immeubles muni d'équipements collectifs (parkings, commerces, aires de jeux) et habité par des personnes à revenus modestes, souvent des immigrés. *La cité des 4 000, à la Courneuve. Les cités de la banlieue.* — **Spécialt.** *Les cités* : les banlieues* difficiles. *Les jeunes cités. Le langage des cités.*

♦ **7** Par anal. *La cité des abeilles* (cit. 14) : la ruche. *La cité des fourmis* : la fourmilière.

♦ **8** (Av. 1630; littér. ou dans des titres). **Fig.** Se dit de toute construction idéale. *La cité d'Utopie. Bâtir la cité nouvelle* : refaire le monde sur d'autres bases. *La Cité des dames*, ouvrage féministe de Christine de Pisan.

Spécialt (relig. cathol.). *La cité future* : le paradis. *La cité de Dieu* : l'Église (sur terre); l'assemblée des saints, le Paradis (au ciel). *La Cité de Dieu*, ouvrage de Saint-Augustin. *La Cité sainte* : l'Église.

12 Cité sainte dont toutes les pierres sont vivantes (...) Cité qui se répand par toute la terre et s'élève jusqu'aux cieux pour y placer ses citoyens.
BOSSUET, Oraison funèbre de Marie-Thérèse d'Autriche.

CONTR. Campagne, désert. ◊ **DÉR. Citoyen.** ◄ **HOM. Citer.**

CITER [site] v. tr. — Mil. XIIIᵉ; du lat. *citare* «convoquer en justice».

♦ **1** ⓐ Sommer (qqn) à comparaître en justice. → Ajourner, appeler (en justice), assigner, convoquer, intimer, traduire (en justice). *Citer qqn devant un tribunal, en police correctionnelle, devant le juge de paix. On l'a fait citer comme témoin à charge. Citer un débiteur en conciliation.* → Citation.

L'ange rassemblera les débris de nos corps; 1
Il les ira citer au fond de leur asile.
LA FONTAINE, Odes, VI, 8.

Les Capétiens purent citer à leur cour de justice des 2 princes plus puissants qu'eux comme les Plantagenets.
J. BAINVILLE, Hist. de France, V, p. 58.

ⓑ (Attesté 1903; esp. *citar*). **Taurom.** Faire venir (le taureau) en l'appelant.

Alban alla droit vers le taureau, le cita. Il fut au peu saisi 2.1 quand la bête arriva sur lui.
MONTHERLANT, les Bestiaires, p. 421 (1926).

♦ **2** Rapporter (qqch.) selon un texte, à l'appui de ce que l'on avance; utiliser un passage écrit de (qqn). → **Citation** (2.). *Citer la loi. Citer un passage d'un auteur. Le prédicateur cite une phrase de l'Évangile. Citer une autorité pour s'en prévaloir.* → **Alléguer.** *Il a cité fidèlement un long passage de la pièce. Je me suis borné à citer vos propos.* — *Citer faux, juste, textuellement, exactement* (qqch.). *Citer un texte par allusion.* → **Viser.** — **Absolt.** Faire des citations. *Il a la manie de citer.*

Il citait des références, dictait des notes bibliographiques. 3
J. ROMAINS, les Hommes de bonne volonté, IV, XV, p. 146.

Au p. p. *Un passage bien, mal cité. Les ouvrages cités.* → **Référence.** *Ouvrage (déjà) cité,* dont on a déjà indiqué le titre. — REM. *Op. cit.,* abrév. du lat. *opere citato* «dans l'ouvrage cité», sert à indiquer un ouvrage déjà cité.

Citer un auteur, un fragment de ses écrits. *Il cite souvent Hugo.* — Par ext. *Citer qqn,* rapporter ses paroles.

Il l'admire à tous coups, le cite à tout propos. 4
MOLIÈRE, Tartuffe, I, 2.

♦ **3** Reproduire (des paroles déjà prononcées ou écrites). → **Alléguer, mentionner, produire, rappeler, rapporter.** *Citer les paroles de qqn.* — Par ext. *Citer son auteur, ses sources, ses références* : désigner celui de qui on tient une nouvelle, un fait. *Citer un fait important.*

Citer quelques exemples, pour prouver ce que l'on prétend. *Citer un exemple à l'appui.* — **Spécialt.** *Citer un fait dans un procès-verbal.* → **Consigner, indiquer.**

Ce que je sais, Iris, c'est qu'en ces animaux 5
Dont je viens de citer l'exemple,
Cet esprit n'agit pas, l'homme seul est son temple.
LA FONTAINE, Fables, IX, Disc. à Mᵐᵉ de La Sablière.

Et Thibaudet cite, à l'appui, une lettre de je ne sais quel 6
collègue suggérant (...)   GIDE, Journal, 15 juil. 1922.

♦ **4** Désigner (une personne, une chose) comme digne d'attention. → **Évoquer, indiquer, invoquer, nommer, signaler.** *Citer un beau trait d'intelligence, de caractère. Citer qqn pour sa bravoure. Citer un exploit. Citer une femme pour son élégance.*

On peut trouver encor quelque femme fidèle 7
Sans doute, et dans Paris, si je sais bien compter,
Il en est jusqu'à trois que je pourrais citer.
BOILEAU, Satires, X.

Non... D'abord, même si vous me citiez nommément les 8
faits et les personnes, je serais probablement déjà très embarrassé.
J. ROMAINS, les Hommes de bonne volonté, III, XXII, p. 292.

Citer (qqn) *en exemple* : donner en exemple.

♦ **5** Milit. Décerner une citation* militaire à (qqn). *Citer un soldat, un officier, une unité à l'ordre de l'armée. Il a été deux fois cité et décoré. Les sous-officiers cités.*

◆ **SE CITER** v. pron. réfl. (au sens 2).

9   Rien n'est plus désagréable qu'un homme qui se cite lui-même à tout propos.
LA ROCHEFOUCAULD, Réflexions diverses, 173, 6,
in LITTRÉ.

DÉR. Citateur ou citeur. ◊ **COMP.** Précité. ➤ **HOM.** Cité.

CITÉRIEUR, EURE [siteʀjœʀ] adj. — XVᵉ; du lat. *cite-rior*.

Didact. (géogr.) et rare. Qui est en deçà d'un point donné. → **Cis.** *L'Inde citérieure est en deçà du Gange. La Gaule citérieure.*

CONTR. Ultérieur.

CITERNE [sitɛʀn] n. f. — XIIᵉ, *cisterne*; du lat. *cisterna*, de *cista* «coffre».

◆ **1** Réservoir dans lequel on recueille et conserve les eaux de pluie. *Citerne creusée dans le roc. Une citerne de maçonnerie. Le trop-plein d'une citerne. Vider le trop-plein d'une citerne dans un puisard. Eau de citerne. Citerne à purin.*

1   (...) Nous courons follement
Chercher des sources bourbeuses
Ou des citernes trompeuses
D'où l'eau fuit à tout moment.
RACINE, Poésies diverses, 59.

2   Une source qui, pendant les mois de chaleur, coulait faiblement, permettait de tenir la citerne toujours pleine.
P. MAC ORLAN, la Bandera, X, p. 116.

Fig., littér. Ce qui recueille des renseignements, des idées. → **Puits.** *Une citerne d'informations.*

◆ **2** ⓐ Cuve fermée (contenant un carburant, un liquide). *Citerne à mazout, à vin,* destinée à contenir du mazout, du vin. *Une citerne de, pleine de...* — Contenu d'une citerne.
Compartiment contenant la cargaison à bord des pétroliers.
En composition. *Camion-citerne* (→ **Camion**); *semi-remorque citerne. Navire-citerne* (→ **Navire**), *bateau-citerne, cargo-citerne.* → **Avion-citerne, wagon-citerne.**
ⓑ (Désignant le véhicule; le navire). Mar. *Citerne flottante :* petit navire servant à porter l'eau douce aux bâtiments en rade.
Rare. Camion-citerne (→ **Camion**), wagon-citerne.

◆ **3** Anat. (Qualifié : adj. ou compl. en *de*). Partie du corps considérée comme un réservoir de fluide lymphatique. *Citerne de Pecquet :* dilatation lombaire du canal thoracique. *Citernes basales de l'encéphale,* qui contiennent du liquide céphalo-rachidien.

DÉR. Citerneau. ◊ **COMP.** Avion-citerne, wagon-citerne.

CITERNEAU [sitɛʀno] n. m. — V. 1600; de *citerne.*
Techn. Petit réservoir où l'eau de pluie s'épure avant de passer dans la citerne.

Je courus jusqu'au fond du jardin; là, dans un petit citerneau du potager, je trempai mon mouchoir, l'appliquai à mon front (...)
GIDE, la Porte étroite, I, *in* Romans, Pl., p. 500.

CITEUR, EUSE [sitœʀ, øz] n. → Citateur.

CITHARE [sitaʀ] n. f. — 1361; *kitaire,* XIIIᵉ; lat. *cithara,* grec *kithara* «lyre». → Cistre, guitare.

Musique.

◆ **1** Instrument antique analogue à la lyre. *Joueur de cithare.* → **Citharède.**

1   Tandis qu'il gardait les troupeaux de son père, David aimait à composer des poèmes, en s'accompagnant de la cithare.   DANIEL-ROPS, Histoire sainte, III, I, p. 173.

Il prit au passage une courtisane chinoise (...) À côté de lui
dans l'auto, les mains sagement appuyées sur sa cithare,
elle avait l'air d'une statuette Tang (...)
MALRAUX, la Condition humaine, p. 193-194.

◆ **2** Mod. Instrument de musique à cordes parallèles grattées ou frappées, sans manche. *La table d'harmonie d'une cithare. Cithare ennéacorde*. Cithare utilisée par les musiciens tsiganes, hongrois.

REM. On trouve une forme *kitaire* (XIIIᵉ), esp. *quittarah,* arabe *qîtârâh,* même sens.

DÉR. V. **Citharède, cithariste.** ◊ **HOM.** Sitar.

CITHARÈDE [sitaʀɛd] n. m. — 1562; lat. *citharœdus,* grec *kitharôdos,* de *kithara.* → Cithare.
Antiq. (Grèce). Chanteur qui s'accompagnait à la cithare (lyre).

REM. Le fém. est virtuel.

CITHARISTE [sitaʀist] n. — 1220, *cistariste;* lat. *citha-rista,* grec *kitharistês,* de *kithara.* → Cithare.
Mus. Joueur de cithare (2.).

Le Hongrois Skarioffszky, cithariste de grand talent, qui,
habillé en tzigane, exécutait sur son instrument de prodigieuses acrobaties, payées à prix d'or dans les deux
mondes par les organisateurs de concerts.
Raymond ROUSSEL, Impressions d'Afrique,
p. 218 (1932).

CITIZEN BAND [sitizənbãd] n. f. — 1977, amér. *citizens band* «fréquence réservée au public».
Américanisme. Bande de fréquence radio utilisable par les automobilistes pour des conversations de hasard. → **C. B., cibiste.** «*La prochaine législation de la "Citizen band", annoncée mercredi par le secrétariat d'État aux P. T. T., devrait constituer un compromis entre quelque cent vingt mille "cibistes" et les pouvoirs publics*» (*Libération,* 20 nov. 1981, p. 24).

REM. L'équivalent francisé usité au Québec est *bande* publique ou *B. P.* [bepe].

CITOLE [sitɔl] n. f. — Après 1150; du rad. du lat. *cithara* «cithare», avec un élément terminal d'orig. obscure.
Hist. de la mus. Au moyen âge, Instrument de musique à cordes pincées, à corps allongé et à manche très court.

CITOYEN, ENNE [sitwajɛ̃, ɛn] n. — XVIᵉ, «concitoyen»; *citeien,* XIIᵉ; de *cité.*

◆ **1** N. m. (XVIIᵉ). Hist. Dans l'antiquité, Celui qui appartient à une cité* (1.), en reconnaît la juridiction, est habilité à jouir, sur son territoire, du droit de cité et est astreint aux devoirs correspondants (→ Attribut, cit. 4; bâtard, cit. 2). *Les prérogatives attachées au titre de citoyen romain.*

1   On reconnaissait le citoyen à ce qu'il avait part au culte
de la cité, et c'était de cette participation que lui venaient
tous ses droits civils et politiques (...) La participation au
culte entraînait avec elle la possession des droits. Comme
le citoyen pouvait assister au sacrifice qui précédait l'assemblée, il y pouvait aussi voter. Comme il pouvait faire
les sacrifices au nom de la cité, il pouvait être prytane et
archonte. Ayant la religion de la cité, il pouvait en invoquer la loi et accomplir tous les rites de la procédure.
FUSTEL DE COULANGES, la Cité antique, XII,
p. 226 et 230.

◆ **2** N. m. et f. (1751). Mod. Personne considérée comme personne civique (→ **Ressortissant**); se dit particulièrement des nationaux d'un pays qui vit en république, et (suivi d'un nom de ville), de toute personne qui remplit les conditions requises pour avoir le droit de cité (aujourd'hui purement honorifique) dans cette ville (→ Abus, cit. 3; agent, cit. 8;

anachorète, cit. 1; antérieur, cit. 2; arbitraire, cit. 9; attentat, cit. 9; attroupement, cit. 12; brutalité, cit. 5; capacité, cit. 8). *Un citoyen français, une citoyenne française et un sujet britannique. Jean-Jacques Rousseau, le citoyen de Genève. La Déclaration des droits de l'homme et du citoyen. Accomplir son devoir de citoyen.* → **Voter.** *Aux armes, citoyens!,* refrain de la Marseillaise. *Admettre un étranger au nombre des citoyens.* → **Naturaliser.** *Citoyen d'honneur* d'une ville. Simple citoyen,* qui ne remplit aucune charge honorifique.

Personne qui respecte les libertés démocratiques. *Agir en citoyen.* → **Démocrate, républicain.** *Un bon, honorable citoyen. Un vrai citoyen, une âme de citoyen :* une personne qui met le bien de l'État au premier rang de ses préoccupations. → **Patriote.** *Un grand citoyen,* qui a rendu d'éminents services à son pays. — (XVIIe; repris XXe). *Citoyen du monde, de l'univers,* qui met l'intérêt de l'humanité au-dessus du nationalisme.

2 Celui-là se pouvait dire citoyen du monde avec autant de droit que cet autre des Athéniens qui s'en vantait.
      VOITURE, Lettres, 126, *in* LITTRÉ.

3 Ces mots de *sujet* de de *souverain* sont des corrélations identiques dont l'idée se réunit sous le seul mot de citoyen.
      ROUSSEAU, Du contrat social, III, 13.

♦ **3** (1790). Hist. (Révolution franç.). *Citoyen, Citoyenne,* appellation qui remplaça Monsieur, Madame, Mademoiselle. *La citoyenne Tallien.* — Personne. *La jeune citoyenne. Ce citoyen se distingue par son ardent patriotisme.*

(Dans certains pays socialistes). *Camarades! citoyens!*

Adj. *Un roi citoyen,* démocrate. *Louis-Philippe, le roi citoyen. Soldat citoyen,* qui faisait partie de la garde civique.

4 Je me rendis *(à son retour d'émigration)* chez Ginguené (...) On lisait encore sur la loge de son concierge : *«Ici on s'honore du titre de citoyen, et on se tutoie. Ferme la porte, s'il vous plaît.»*
      CHATEAUBRIAND, Mémoires d'outre-tombe, II, I.

♦ **4** Vieilli. Habitant d'une ville. *Être pour quelques semaines citoyen de...* — Fig. et par plais. (poét.). *Citoyen de l'enfer, de l'Olympe, des bois...* — (En parlant d'animaux). *Les citoyennes des étangs :* les grenouilles.

5 Un citoyen du Mans, chapon de son métier (...)
      LA FONTAINE, les Fables, VIII, 21.

♦ **5** (1694). Fam. *Un drôle de citoyen :* un individu bizarre, déconcertant. *Qu'est-ce que c'est que ce citoyen-là?* → **Individu, oiseau** (fam.), **type, zèbre** (fam.). *Pauvre comme le citoyen Job* (→ Aristocrate, cit. 3).

6 Quelle joie, en effet (...)
De voir autour de soi croître dans sa maison,
Sous les paisibles lois d'une agréable mère,
De petits citoyens dont on croit être père !
      BOILEAU, Satires, X.

7 Drôle de citoyen, Tesson. Il a passé quinze années en Indochine, il ne s'est installé ici qu'en 55. Alors, là-bas, vous savez... Tous ces types-là ils ont pris des habitudes.
      François NOURISSIER, le Maître de maison, p. 219.

♦ **6** Adj. (Répandu en France après l'élection d'un majorité socialiste). Conforme à l'esprit civique*. *Une attitude citoyenne, un réflexe républicain et citoyen.*

CONTR. **Barbare, étranger.** — **Sujet.** ◊ DÉR. **Citoyenneté.** → COMP. **Concitoyen.**

CITOYENNETÉ [sitwajɛnte] n. f. — 1783; de *citoyen* (2).

♦ **1** Qualité de citoyen. *Acquérir la citoyenneté française.* — *Avoir la double, la triple citoyenneté :* être

reconnu juridiquement comme citoyen de deux, trois pays.

Partisan de la majorité à dix-huit ans (puisqu'à cet âge il y a des filles qui ont déjà des enfants et des garçons susceptibles de se faire tuer : ce qui dans les deux cas mérite bien la citoyenneté) j'ai toujours dit aux enfants que je les émanciperais à la première requête.
      Hervé BAZIN, Cri de la chouette, p. 190.

♦ **2** (De *citoyen,* 6). Esprit civique. → **Civisme.**

CITRAL [sitʀal] n. m. — 1906, *in Rev. gén. des sc.,* n° 8, p. 389; du lat. *citrus.*

Didact. (chim.). Aldéhyde de plantes odorantes utilisé en parfumerie (notamment dans la préparation de l'ionone).

CITRATE [sitʀat] n. m. — 1782; du rad. du lat. *citrus* «citron», et suff. -*ate.*

Chim. Sel de l'acide citrique. *Papier au citrate d'argent.*

CITRE [sitʀ] n. m. — 1600, «espèce de citrouille»; «fruit du cédratier», XIIIe; du lat. médiéval *cetrus* «fruit du cédratier», ou du bas lat. *citrum.*

Régional. Pastèque à chair blanche.

CITRIN, INE [sitʀɛ̃, in] adj. et n. f. — Mil. XIIe; lat. médiéval *citrinus,* du lat. *citrus* «citron».

♦ **1** Adj. Littér. De la couleur du citron. → **Citron** (1.).
Le ciel à l'aube était parfaitement pur, d'une pâleur citrine   1
d'une acidité attendrie (...)
      GIDE, Carnets d'Égypte, *in* Souvenirs, Pl., p. 1055.

♦ **2** N. f. (Fin XIIe). Minéral. *(Pierre) citrine :* pierre semi-précieuse, dite aussi *fausse topaze.*
(...) un collier de topazes — qui doivent être des citrines,   2
mais qui font de l'effet.
      Hervé BAZIN, Cri de la chouette, p. 195.

♦ **3** *Amanite citrine* ou *citrine :* champignon vénéneux au chapeau d'un jaune citron.

HOM. (Du fém.) **Citrine.**

CITRINE [sitʀin] n. f. — 1832; du lat. *citrus.*

Biochim. Substance à propriétés vitaminiques (vitamine C), isolée du citron.

HOM. **Citrine** (fém. de *citrin*).

CITRIQUE [sitʀik] adj. — 1782; du lat. *citrus.*

Chim. *Acide citrique :* triacide-alcool que l'on peut extraire du jus de citron, de groseille, etc.

CITRON [sitʀɔ̃] n. m. et adj. invar. — 1398; du lat. *citrus* «citronnier», *citreum* «citron», p.-ê par croisement avec *limon.*

[I] ♦ **1** Fruit du citronnier (→ **Citrus**), de couleur jaune clair et de saveur acide. → **Agrume, limon, poncirus.** *Écorce, zeste de citron. Rondelle, rouelle, tranche, tailladin de citron. Jus de citron. Presser, épreindre* (vx) *un citron. Citron pressé :* boisson rafraîchissante faite de jus de citron naturel (éventuellement sucré). *Boissons au citron, au jus de citron.* → **Citronnade, limonade; grog, punch.** *Thé au citron. Liqueur à base de citron.* → **Citronnelle.** *Bonbons au citron. Glace au citron. Essences aromatiques du citron* (utilisées en parfumerie, dans la fabrication de l'eau de Cologne, de cosmétiques, de savons...). *Crème au citron. Poulet au citron.* — *Sauce africaine au citron.* → **Yassa.** *Le citron est un antiscorbutique, un antirhumatismal.*

1 L'écorce du citron contient une huile essentielle avec laquelle on prépare des liqueurs et des parfums; on l'utilise *(le citron)* en confiserie; sa pulpe sert à fabriquer l'acide citrique, le citrate de chaux, etc., son jus, à assaisonner certains aliments et à confectionner un grand nombre de boissons (citronnade, limonade, etc.).
Paul ROBERT, les Agrumes dans le monde, p. 26.

2 Si tu as soif, l'alcarazas est là dehors, et les citrons.
COLETTE, la Naissance du jour, p. 150.

3 (...) la claire salive qui salue le citron frais coupé, l'oseille crue, la mordante pimprenelle.
COLETTE, Flore et Pomone, *in Gigi*, p. 159.

4 Ils étaient arrivés sur le port. Alberte et Théo les attendaient.
Ce jeune garçon buvait en silence un citron pressé; le nez dans son verre, il suçotait ses pailles; le deuxième volume des *Misérables* traînait dans le sucre et l'eau de Seltz.
R. QUENEAU, le Chiendent, p. 193.

Loc. fig. *Être jaune comme un citron :* avoir le teint très jaune. — *Presser qqn comme un citron.* → **Pressurer.**

4.1 L'existence perdait toute valeur; les choses toute signification (...) L'univers pressé comme un citron ne lui apparaissait plus que comme une épluchure méprisable (...)
R. QUENEAU, le Chiendent, p. 206.

◆ 2 Pop. Tête. → **Cassis.** *Se presser le citron :* faire beaucoup d'efforts pour comprendre quelque chose.

5 Soudain il s'arrêta simultanément de rire et de marcher et se tapa sur le citron.
R. QUENEAU, le Dimanche de la vie, p. 104.

◆ 3 Argot milit. Grenade offensive.

6 Foutez-moi des grenades plein vos poches et en bas!... Y en a qui ont bien hésité trois secondes (...) mais j'avais mes anciens dans le tas, c'était déjà sur mes talons à se bourrer de citrons. Les autres ont suivi (...)
Roger VERCEL, Capitaine Conan, XIV, p. 242.

II Adj. invar. Qui est de la couleur du citron. *Couleur citron. Une robe citron. Étoffes citron.*

7 Demain, je mettrai ma robe citron et tu me reconnaîtras de loin.
J. CAU, la Pitié de Dieu, p. 20.

DÉR. Citronné, citronnelle, citronnier.

CITRONNADE [sitʀɔnad] n. f. — 1856, Lachâtre; de *citron*, et suff. *-ade.*
Boisson faite de jus de citron et d'eau sucrée.

CITRONNÉ, ÉE [sitʀɔne] adj. — 1621, *in* D.D.L.; de *citron.*
Qui sent le citron. *Odeur citronnée.* — Où l'on a mis du jus de citron. *Tisane, eau citronnée.*

CITRONNELLE [sitʀɔnɛl] n. f. — V. 1601; de *citron.*

◆ 1 **ⓐ** Plante contenant une huile essentielle à odeur citronnée (*armoise citronnelle* ou *aurone, mélisse, verveine odorante*).
ⓑ (En Afrique). Graminée des jardins (*Cymbopogon citratus*) à odeur citronnée, utilisée en infusions.
Des deux côtés bordée de citronnelles, la route semble une allée de parc.
GIDE, Voyage au Congo, *in* Souvenirs, Pl., p. 722.

◆ 2 (1740). Liqueur préparée avec des zestes de citron dans l'eau-de-vie (appelée autrefois *eau des Barbades*).

CITRONNIER [sitʀɔnje] n. m. — 1486; de *citron.*

◆ 1 Arbre du genre Citrus (*Citrus limonium*; Aurantiacées), qui produit le citron. *Une plantation de citronniers.*

◆ 2 Bois de cet arbre utilisé en ébénisterie. *Un petit meuble en citronnier.*

CITROUILLE [sitʀuj] n. f. — 1549; *citrole*, 1256; du lat. *citreum* «citron», par anal. de couleur.

◆ 1 Courge* arrondie et volumineuse d'un jaune orangé (*cucurbita pepo*). *Un potage à la citrouille.* — *La citrouille des contes de fées,* transformée en carrosse.
Une citrouille ressemble à un carrosse.
ALAIN, De la métaphore *in* les Passions et la Sagesse, Pl., p. 101.

◆ 2 Pop. → **Tête.** *Recevoir un coup sur la citrouille.*

CITRUS [sitʀys] n. m. pl. — 1869; mot latin.
Bot. Arbre (*Aurantiacées*; ordre des *Rutales*) qui produit les fruits appelés agrumes*. → **Oranger; citronnier; mandarinier...** *Un, des citrus.*

CIVADIÈRE [sivadjɛʀ] n. f. — 1525; du provençal mod. *civadiero.*
Mar. anc. Voile carrée du mât de beaupré.

CIVE [siv] ou **CIVETTE** [sivɛt] n. f. — Fin XIIᵉ, *chive; civette*, 1549; du lat. *cæpa* «oignon». → Ciboule.
Régional. Ciboule; ciboulette.
HOM. 2. Civette.

CIVELLE [sivɛl] n. f. — 1753, *Encyclopédie*; «espèce de lamproie», 1555; du rad. lat. *cæcus* «aveugle».
Didact. Jeune anguille qui arrive de la mer des Sargasses pour remonter les rivières. → **Pibale.** *Récolte des civelles pour l'élevage.*
Il faut voir cette multitude de Civelles, grosses comme des vers de forte taille, remonter par millions le courant de la Somme et de la Loire (...)
Paul VIVIER, la Pisciculture, p. 97.

CIVELOT [sivlo] n. m. — Av. 1927, cit.; de *civil*, n. m. abrégé en *cive*, et suff. *(el)ot.*
Fam. Civil (opposé à *militaire*).
Qu'est-ce qu'ils avaient comme pétoche, ici, les culs-terreux (...)
— Vous ne vous battiez pas : c'était de même pas aux civelots à commencer.
SARTRE, la Mort dans l'âme, p. 169 (1949).

CIVET [sivɛ] n. m. — XIIᵉ, *civé; civet*, 1636, selon Bloch, «ragoût aux cives». → Cive.
Ragoût (de lièvre, de lapin, de gibier) cuit avec du vin, des oignons, etc. *Civet de lapin, de lièvre. Civet de chevreuil. Civet de marcassin. Manger du civet, un civet.*
Le marquis, justement, s'interrogeait avec une certaine angoisse, mais c'était sur la question du civet de lièvre.
J. ROMAINS, les Hommes de bonne volonté, III, XI, p. 154.

1. **CIVETTE** [sivɛt] n. f. → **Cive.**

2. **CIVETTE** [sivɛt] n. f. — 1467; ital *(gatto) zibetto*; de l'arabe *zåbåd* «sorte de musc produit par la civette».

◆ 1 Mammifère carnivore (*Viverridés*) dont le corps atteint soixante-quinze centimètres, au pelage gris jaunâtre taché de noir. → **Genette, zibeth.** *La civette ressemble à la martre; elle possède une poche sécrétant une matière odorante.*

◆ 2 Matière onctueuse et odorante sécrétée par la civette; parfum que l'on en extrait.
(...) ils apportaient des étoffes très riches de différents pays (...) du musc, de l'ambre gris, du camphre, de la civette (...)
A. GALLAND, les Mille et une Nuits, t. II, p. 152.

◆ 3 Fourrure de civette. *Étole en civette.*

CIVIÈRE [sivjɛʀ] n. f. — XIIIᵉ; orig. incert.; p.-ê. d'un lat. pop. *cibaria* «véhicule pour le transport des provisions», du lat. *cibus.*

♦**1** Dispositif muni de bras (→ **Brancard**), destiné à être porté par des hommes et à transporter des fardeaux. → **Bard, bayart, brancard.** *Charger des pierres, du fumier sur une civière. Civière à mortier.* → **Oiseau.**

Brissac me mit sur une civière à fumier et il me fit porter par deux paysans.   RETZ, IV, 324, *in* LITTRÉ.

♦**2** Cour. Ce dispositif, pour transporter les malades, les blessés. *Charger un malade, un blessé, un mort sur une civière.* → **Litière.** *Porteur de civière.* → **Brancardier.**

CIVIL, ILE [sivil] adj. et n. m. — 1290; lat. *civilis,* de *civis.* → Citoyen.

I ♦**1** (XVIᵉ). Vieilli (ou dans des expressions). Relatif à l'ensemble des citoyens*. *La vie, la société civile.* — Loc. cour. *Guerre* civile : guerre entre les citoyens d'un même État (cf. *Guerre intestine*). *Les barricades, les émeutes d'une guerre civile.* → **Révolution.** — Littér. *Troubles civils. Discorde civile.*

1   (...) la guerre civile est le règne du crime (...)   CORNEILLE, Sertorius, I, 1.

2   Un parti qui causa quelque émeute civile (...)   MOLIÈRE, l'Étourdi, IV, 1.

Vx. *L'ordre civil, les lois civiles, les vertus civiles,* propres à la vie en société organisée. → **Civique.**

3   Les vertus civiles, qui font toute la douceur et toute l'harmonie de la société.   MASSILLON, Conty, *in* LITTRÉ.

4   Je veux chercher si, dans l'ordre civil, il peut y avoir quelque règle d'administration légitime et sûre (...)   ROUSSEAU, Du contrat social, I.

Mod. *Droits civils,* que la loi civile garantit à tous les citoyens. *L'exercice, la jouissance des droits civils.* — *Liberté civile,* liberté d'exercer ces droits. *Privation des droits civils* (dite *mort* civile*), abolie en 1854. *Les droits civils et les droits politiques.* — *Le droit civil* (opposé à *droit criminel, commercial, public, constitutionnel...*). → **Droit.** *Étude du droit civil; professeur* (→ **Civiliste**), *cours de droit civil. À l'intérieur du droit privé, le droit civil se distingue de la procédure et du droit commercial* (cf. Planiol, *Droit civil,* Introd., p. 10).

5   Le droit civil étant ainsi devenu la règle commune des citoyens (...)   ROUSSEAU, De l'inégalité parmi les hommes, II.

6   Solon donna donc au peuple les droits civils et non les droits politiques.   FUSTEL DE COULANGES, Leçons à l'impératrice..., p. 55.

7   L'exercice des droits civils est indépendant de l'exercice des droits politiques, lesquels s'acquièrent et se conservent conformément aux lois constitutionnelles et électorales.   Code civil, art. 7 (Loi du 26 juin 1889).

État civil. Officier de l'état civil. Acte (cit. 12) *de l'état civil. Registre de l'état civil.* → aussi **État.**

Liste civile. → **Liste.**

Année civile, jour civil, adoptés pour les actes de la vie civile (opposé à *astronomique*). → **Année, jour.**

♦**2** (1290). Dr. Relatif aux rapports entre les individus (opposé à *criminel*). Relatif aux infractions aux lois. *Code* civil. *Matière civile; procédure* civile. *Procès* civil, tribunal* civil (opposé à *tribunal correctionnel*). *Chambre* civile. Audience civile.*

(1611). **PARTIE CIVILE.** — (En matière criminelle). *Se constituer, se porter, se rendre partie civile :* demander des dommages-intérêts pour un préjudice causé, en dehors de la peine entraînée par le délit.

Intérêts civils : dédommagement que demande la partie civile. *Requête* civile (Code de procédure civile,* Première partie, L. IV, titre 2, art. 480 et suivants).

Toute personne qui se prétendra lésée par un crime ou   8 délit pourra en rendre plainte et se constituer partie civile (...)   Code d'instruction criminelle, art. 63.

N. m. *Le civil et le criminel. Poursuivre qqn au civil,* devant le tribunal civil.

(...) Juge du civil comme du criminel.   9   RACINE, les Plaideurs, II, 13.

♦**3** (1718). Qui n'est pas militaire. *Un emploi civil. Ingénieur civil. Les autorités civiles. Un vêtement civil. Retourner à la vie civile.*

La vie civile n'est pas clémente pour les anciens légion-   10 naires.   P. MAC ORLAN, la Bandera, VII, p. 84.

Ses habits civils lui semblaient tissés en toile d'araignée et   11 ses souliers pouvaient se comparer à des ailes.   P. MAC ORLAN, la Bandera, XIX, p. 229.

C'est un soldat encore, ou plutôt la moitié d'un soldat, car   11.1 il est vêtu d'un calot et d'une vareuse militaires, mais avec un pantalon civil de couleur noire et des souliers en daim gris.

    A. ROBBE-GRILLET, Dans le labyrinthe, p. 96-97.

N. m. Homme qui n'est ni militaire, ni religieux. *Les militaires et les civils.* → **Bourgeois, pékin.** *S'habiller en civil. Dans le civil :* dans la vie civile. *Que fait-il dans le civil?*

Car nous voyons passer ces hommes qui, même quand   11.2 ils portent le déguisement des civils, sont plus que ce qu'ils ont l'air d'être et, comme des dieux qui prenaient des formes d'hommes, sont «les militaires en civil».   PROUST, Jean Santeuil, Pl., p. 653.

Les civils : les personnes qui n'appartiennent pas à l'armée.

Il n'avait pas l'intention de heurter le patriotisme des   12 civils; et personnellement il ne répugnait pas à la perspective d'une guerre (...)   J. ROMAINS, les Hommes de bonne volonté, III, XIV, p. 188.

N. m. *Le civil :* la vie civile. — *Dans le civil :* hors de la situation définie (par le contexte), appartenance à un groupe, etc., assimilé à l'armée.

— Qu'était Borodine, demande Méry, «dans le civil», je veux   12.1 dire : hors du Parti? — Journaliste, je crois.   MALRAUX, Antimémoires, Folio, p. 451.

♦**4** Qui n'est pas religieux. *Mariage civil,* contracté devant l'autorité civile. *Enterrement civil,* effectué sans cérémonie religieuse.

II (1460). Vieilli. Qui observe les usages de la bonne société. → **Affable, aimable, courtois, empressé, galant, honnête, poli;** civilité. *Un homme civil ayant du savoir-vivre*. *Il n'a pas été très civil à mon égard.*

Autrefois le rat de ville   13 Invita le rat des champs, D'une façon fort civile, À des reliefs d'ortolans.   LA FONTAINE, Fables, I, 9.

(...) les vieillards sont galants, polis et civils (...)   14   LA BRUYÈRE, les Caractères, VIII, 74.

CONTR. (Du sens I) Naturel, sauvage... — Politique (droit). — Astronomique (année). — Criminel, commercial. — Militaire. — Religieux. — (Du sens II). Brutal, grossier, discourtois, impoli, malhonnête, rustre. ◊ DÉR. Civilement, civiliser, civiliste, civilité.

CIVILEMENT [sivilmɑ̃] adv. — XIVᵉ; de *civil.*

I ♦**1** Dr. En matière civile* (I., 2.). *Poursuivre, juger qqn civilement,* selon la voie civile. *Être civilement responsable :* être responsable du dommage provoqué par des personnes dont on a légalement la charge (par ex., des enfants mineurs).

Vx. *Être mort civilement* : avoir perdu ses droits civils.

♦ **2** (Opposé à *religieusement*). *Se marier civilement*, sans cérémonie religieuse, à la mairie. *Il avait demandé à être enterré civilement.*

II Littér. ou vieilli (correspond à *civil*, II.). Avec civilité.
➙ **Gracieusement, honnêtement, poliment.** *Traiter qqn civilement. Agir, parler civilement.*

1 Mais je vois Jupiter, que fort civilement
Reconduit l'amoureuse Alcmène.
MOLIÈRE, Amphitryon, I, 2.

2 A-t-elle écouté, pour sa fille, votre proposition?
— Oui, fort civilement. MOLIÈRE, l'Avare, IV, 3.

CONTR. Impoliment, incivilement.

CIVILISABLE [sivilizabl] adj. — Fin XVIIIᵉ; de *civiliser*.

Qui peut être civilisé. *Des peuplades difficilement civilisables, à peine civilisables.*

CONTR. Incivilisable.

CIVILISATEUR, TRICE [sivilizatœr, tris] adj. et n. — 1829; de *civiliser*.

Qui transmet, qui répand la civilisation. *Peuple civilisateur. Rôle civilisateur. Religion, philosophie civilisatrice. Puissance, force civilisatrice de l'art, de la littérature.*

1 L'art émeut. De là sa puissance civilisatrice.
HUGO, Post-scriptum de ma vie, Utilité du beau.

N. *Un grand civilisateur.*

2 S'il y a lieu de faire confiance aux possibilités d'adaptation, la distorsion existe pourtant et la contradiction est présente entre une civilisation aux pouvoirs presque illimités et un civilisateur dont l'agressivité est restée la même qu'au temps où tuer le renne avait le sens de survivre.
A. LEROI-GOURHAN, le Geste et la Parole, t. II, p. 259.

CIVILISATION [sivilizasjɔ̃] n. f. — 1756, Mirabeau; «acte de justice», 1732; de *civiliser*.

♦ **1** Rare. Fait de se civiliser ou d'être civilisé.
➙ **Avancement, évolution, progrès.** *La civilisation progressive des peuplades d'Océanie. Obstacles opposés à la civilisation d'un pays.*

1 Au commencement de la civilisation (...)
TURGOT, Pensées et fragments, *in* LITTRÉ.

1.1 La Religion est sans contredit le premier et le plus utile frein de l'humanité; c'est le premier ressort de la civilisation.
MIRABEAU, l'Ami des hommes, I, VIII (1756), *in* D.D.L., II, 11.

♦ **2** (1808). Cour. (*La civilisation*). Ensemble des caractères communs aux vastes sociétés les plus cultivées, les plus évoluées de la terre; ensemble des acquisitions des sociétés humaines (opposé à *nature, barbarie*).

2 Civilisation! grand mot dont on abuse, et dont l'acception propre est ce qui rend civil. Il y a donc civilisation par la religion, la pudeur, la bienveillance, la justice; car tout cela unit les hommes.
Joseph JOUBERT, Pensées, XVIII, 1.

3 Les Français, en traversant Rome, y ont laissé leurs principes : c'est ce qui arrive toujours quand la conquête est accomplie par un peuple plus avancé en civilisation que le peuple qui subit cette conquête (...)
CHATEAUBRIAND, Mémoires d'outre-tombe, III, XII.

4 L'amour est le miracle de la civilisation. On ne trouve qu'un amour physique et des plus grossiers chez les peuples sauvages ou trop barbares (...)
STENDHAL, De l'amour, XXVI, p. 93.

5 Je ne doutais plus que la civilisation comme on la nomme, ne fût une barbarie savante et je résolus de devenir un sauvage.
FRANCE, le Jardin d'Épicure, p. 229.

Des restes de barbarie traînent encore, dit M. Bergeret, 6
dans la civilisation moderne.
FRANCE, le Mannequin d'osier, Œ., t. XI, p. 360.

Jamais, et nulle part, dans une aire aussi restreinte et 7
dans un intervalle de temps si bref, une telle fermentation des esprits, une telle production de richesse n'a pu être observée.

C'est pourquoi et par quoi s'est imposée à nous l'idée de concevoir l'étude de la Méditerranée comme l'étude d'un dispositif, j'allais dire d'une machine, à faire de la civilisation. VALÉRY, Regards sur le monde actuel, p. 317.

(...) les préjugés sont les pilotis de la civilisation. 8
GIDE, les Faux-monnayeurs, I, II, p. 17.

La civilisation n'est autre chose que l'acceptation, par les 9
hommes, de conventions communes.
A. MAUROIS, Un art de vivre, II, VII, p. 136.

Tout peut, tout doit toujours être perfectionné. C'est la loi 10
de la civilisation : la loi même de la vie (...) Mais, par étapes!
MARTIN DU GARD, les Thibault, t. V, p. 224.

(*L'homme*) apprenant à maîtriser les forces matérielles, à 11
discipliner ses instincts et à user de sa raison, créant de toutes pièces les industries et les techniques, les sciences et les arts, les philosophies, les lois et les morales, il s'est écarté toujours davantage de ses humbles origines. Tout ce que l'homme a, de la sorte, ajouté à l'Homme, c'est ce que nous appelons en bloc la civilisation.
Jean ROSTAND, l'Homme, IX, p. 129.

(...) la civilisation c'est de la culture qu'on applique et qui 11.1
régit jusqu'à nos actions les plus subtiles, l'esprit présent dans les choses; et c'est artificiellement qu'on sépare la civilisation de la culture et qu'il y a deux mots pour signifier une seule et identique action.
A. ARTAUD, le Théâtre et son double, Préface,
Idées/Gallimard, p. 11.

♦ **3** (*Une, des civilisations*). Ensemble de phénomènes sociaux à caractères religieux, moraux, esthétiques, scientifiques, techniques, communs à une grande société ou à un groupe de sociétés.
➙ **Culture** (II., 2. et 3.). *La civilisation chinoise, égyptienne, grecque. Les civilisations pré-colombiennes d'Amérique. La civilisation méditerranéenne. Civilisation occidentale.* — Cet ensemble caractérisé par un trait fondamental dominant. *La civilisation du bronze, du fer. La civilisation industrielle a triomphé au XXᵉ siècle. La civilisation des loisirs.* — *Aire de civilisation* : surface géographique sur laquelle s'étend l'influence d'une civilisation.

La civilisation antique, après sa destruction, a encore 12
puissamment contribué à la civilisation moderne par les monuments écrits et figurés qui sont restés d'elle, et que la Renaissance étudia.
RENAN, Dialogues et Fragments philosophiques,
II, Œ. compl., t. I, p. 593.

Nous autres civilisations, nous savons maintenant que 13
nous sommes mortelles.
VALÉRY, Variété I, La crise de l'esprit, p. 1.

Je crois bien, Messieurs, que l'âge d'une civilisation se 14
doit mesurer par le nombre des contradictions qu'elle accumule, par le nombre des coutumes et des croyances incompatibles qui s'y rencontrent et s'y tempèrent l'une l'autre; par la pluralité des philosophies et des esthétiques qui coexistent et cohabitent si souvent dans la même tête.
VALÉRY, Variété I, IV, p. 35.

Une civilisation est un héritage de croyances, de coutumes 15
et de connaissances, lentement acquises au cours des siècles, difficiles parfois à justifier par la logique, mais qui se justifient d'elles-mêmes, comme des chemins, s'ils conduisent quelque part, puisqu'elles ouvrent à l'homme son étendue intérieure.
SAINT-EXUPÉRY, Pilote de guerre, XIV, p. 104.

L'Égypte, les pays du Levant, la Grèce, l'Italie et l'Afrique 16
du Nord avaient produit des civilisations d'abord différentes et parfois adverses qui, finalement, s'étaient unies en une civilisation que l'on pouvait dire méditerranéenne et qui s'était, par la suite, associé toute l'Europe, pays fertile en génie.
G. DUHAMEL, la Défense des lettres, IV, I, p. 276.

C'est, pour les Toulon, comme pour bien d'autres Français, 17
de situation modeste, la découverte du monde et l'entrée

dans ce qu'on appelle la «civilisation des loisirs».
Jean FERNIOT, Pierrot et Aline, p. 203.

CONTR. **Barbarie, incivilisation, sauvagerie. — Nature** (état de nature).

CIVILISER [sivilize] v. tr. — 1568; de civil (II.).

♦ **1** Faire passer (une collectivité, ses membres) à un état social plus évolué (ou considéré comme tel), dans l'ordre moral, intellectuel, artistique, technique. → **Civilisation**; **affiner, améliorer** (cit. 1), **dégrossir, éduquer, policer.** Les Grecs ont civilisé l'Occident. — Pron. Un peuple, une nation qui se civilise.

1 L'art civilise par sa puissance propre.
HUGO, Post-scriptum de ma vie, Utilité du beau.

REM. L'emploi de ce mot relève d'une conception exclusive et généralement ethnocentrique de la «civilisation», jugée du point de vue de la culture qui s'exprime.

♦ **2** Fam. Rendre (qqn) plus poli, plus affable. → **Apprivoiser, polir.** Il faut civiliser ce butor. — Pron. Il se civilise à votre contact.

♦ **CIVILISÉ, ÉE** p. p. adj. et n. Doté d'une civilisation, d'une culture élaborée ou jugée telle. → **Cultivé, éduqué, poli, policé.** Peuple, pays civilisé. L'homme civilisé.

2 Le Sauvage n'a que des sentiments, l'homme civilisé a des sentiments et des idées.
BALZAC, la Cousine Bette, Pl., t. VI, p. 165.

3 Il y a chez le Slave un côté enfant, comme chez tous les peuples primitivement sauvages, et qui ont plutôt fait irruption chez les nations civilisées qu'ils ne se sont réellement civilisés.
BALZAC, la Cousine Bette, Pl., p. 331.

3.1 (...) il peut foutre
Debout comme un singe avisé;
Il est donc très-civilisé.
BAUDELAIRE, Amœnitates belgicæ, «La civilisation belge».

4 Il (Gœthe) naît dans une époque, dont nous savons aujourd'hui qu'elle fut délicieuse. Il s'élève dans ce siècle de plaisirs et d'encyclopédie; où, pour la dernière fois, les conditions les plus exquises de la vie civilisée se sont trouvées réunies.
VALÉRY, Variété IV, p. 101.

5 Comme dans toutes les nations du monde, moins les gens sont civilisés, plus ils méprisent les étrangers.
Valery LARBAUD, Amants, heureux amants, p. 127.

N. (rare au fém.). Un civilisé. Les civilisés.

6 La Russie c'est la seconde «bête noire» de Talleyrand : il a pour les Russes une sorte d'horreur de civilisé raffiné pour un «peuple de barbares».
Louis MADELIN, Talleyrand, II, IX, p. 106.

CONTR. **Abrutir, animaliser, bestialiser. — Barbare, brut, inculte, primitif, sauvage.** — (Du p. p.). **Incivilisé.** ◊ DÉR. **Civilisable, civilisateur, civilisation.**

CIVILISTE [sivilist] n. — XIXᵉ; de (droit) civil.

Didact. (dr.). Spécialiste du droit civil (jurisconsulte, professeur, étudiant spécialisé). C'est une brillante civiliste de la faculté de droit de Paris.

CIVILITÉ [sivilite] n. f. — 1361; lat. civilitas, de civilis. → Civil.

♦ **1** Vieilli. Observation des convenances, des bonnes manières en usage dans un groupe social. → **Civil** (II.); **courtoisie, politesse; affabilité, amabilité, honnêteté, sociabilité.** Formule de civilité. Les règles de la civilité. → **Manière** (bonnes manières), **usage.** Manquer de civilité.

1 Le mot de civilité ne signifiait pas seulement parmi les Grecs la douceur et la déférence mutuelle qui rend les hommes sociables (...)
BOSSUET, Disc. sur l'Hist. universelle, III, 5.

2 (...) un neveu de Mᵐᵉ de Challeux qui lui faisait entendre, par manière de civilité, qu'il la trouvait bien faite.
RACINE, Lettre XXXII à son fils, in LITTRÉ.

Que vous avez peu de civilité de ne pas saluer les gens 3 quand vous les approchez!
MOLIÈRE, George Dandin, I, 4.

La politesse flatte les vices des autres, la civilité nous 4 empêche de mettre les nôtres au jour.
MONTESQUIEU, l'Esprit des lois, XIX, 16.

Elle reconnut le roi; mais sans en témoigner la moindre 4.1 surprise, sans même se lever pour lui faire civilité et pour le recevoir, comme s'il eût été la personne du monde la plus indifférente, elle se remit à la fenêtre comme auparavant.
A. GALLAND, les Mille et une Nuits, t. II, p. 274.

Vieilli. La civilité puérile et honnête : les règles élémentaires du savoir-vivre (par allus. au titre d'anciens traités des bons usages).

♦ **2** (Littér. ou style soutenu). Une, des civilités, démonstration, de civilité, de politesse. Présenter ses civilités. → **Baisemain** (faire ses baisemains, vx), **chose** (dire bien des choses), **compliment, devoir, hommage, salutation.** Faire des civilités; combler, accabler qqn de civilités. Agréez mes civilités. Civilités excessives. → **Cérémonie.**

La différence qu'il y a de leurs manières brusques (des 5 maris) aux civilités des galants.
MOLIÈRE, l'Impromptu de Versailles, 1.

Je lui ai rendu toutes les civilités qui sont dues à un 6 homme de son mérite.
Charles DE SÉVIGNÉ, 1423, 9 juil. 1695.

Loc. Vx. Faire civilité de qqch. à qqn, présenter par politesse.

— Cela n'est pas civil, d'aller voir un homme que vous avez 7 tué.
— Au contraire, c'est une visite dont je lui veux faire civilité.
MOLIÈRE, Dom Juan, III, 5.

CONTR. **Grossièreté, impolitesse, incivilité, insolence, malhonnêteté, rusticité. — Injures.**

CIVIQUE [sivik] adj. — 1504, couronne civique (des Romains); lat. civicus.

♦ **1** (Av. 1781). Mod. Relatif au citoyen. Droits, devoirs civiques. — Dégradation* civique (→ Arbitraire, cit. 9). — Garde civique (vieilli) : garde national(e).

♦ **2** Propre au bon citoyen. Courage, vertu(s) civique(s). → **Patriotique, citoyen** (6). — Instruction civique, portant sur les devoirs du citoyen. Sens civique. → **Civisme** (2.).

L'objet et l'institution générale d'une bonne et civique éducation.
TURGOT, Œuvres, t. III, p. 534.

REM. On emploie dans ce sens l'adv. civiquement [sivikmã].

Antiq. Couronne civique, décernée au soldat romain qui avait sauvé un citoyen. — Hist. Carte civique : certificat de civisme délivré sous la Révolution.

CONTR. **Antipatriotique.** ◊ COMP. et CONTR. **Anticivique, incivique.** → DÉR. **Civisme.**

CIVISME [sivism] n. m. — 1770; de civique.

♦ **1** Vx. Dévouement, zèle du citoyen pour sa patrie. → **Patriotisme.**

Hist. Certificat de civisme, délivré pendant la Révolution française aux citoyens considérés comme irréprochables.

♦ **2** Mod. Sens des devoirs collectifs au sein d'une société. Le civisme et l'individualisme peuvent entrer en conflit. Avoir du civisme, manquer de civisme. Faire qqch. par civisme.

Ce civisme (...) ce dévouement à la chose publique, en vertu desquels chacun, tout en revendiquant son quant-à-soi, estime devoir s'encadrer dans la communauté et collaborer à la vie sociale.
André SIEGFRIED, l'Âme des peuples, IV, II, p. 96.

COMP. **Anticivisme, incivisme.**

Cl [seɛl] Symbole chimique du *chlore*.

cl Abréviation de *centilitre*.

CLABAUD [klabo] n. m. — Fin XVe; du rad. onomat. de *clapper*.

♦ 1 Rare. Chien courant à oreilles pendantes, qui aboie furieusement. — **Par ext.** Chien qui aboie mal à propos. → **Aboyeur.**

♦ 2 Fig., vx. Personne qui crie beaucoup et sans raison.

DÉR. Clabauder. ◊ HOM. Clabot.

CLABAUDAGE [klabodaʒ] n. m. — 1560; de *clabauder*.

♦ 1 Rare. Aboiements forts et répétés. *Le clabaudage des chiens.*

♦ 2 (1614, *in* D.D.L.). Fig., littér. Fait de crier à tort et à travers. — **Spécialt.** Fait de rapporter des médisances; paroles malveillantes. → **Clabauderie.**

Le clabaudage de la petite ville m'a été évité pendant dix mois, environ. C'est tout ce que je voulais (...)
     J.-R. BLOCH, Deux hommes se rencontrent, p. 63.

CLABAUDER [klabode] v. intr. — 1564; de *clabaud*.

♦ 1 Rare. Aboyer* fort et souvent (→ Basset, cit. 1).

1   Des chiens, dans le jardin galeux, clabaudaient à l'écho de leur voix (...)
     G. DUHAMEL, Chronique des Pasquier, III, VI, p. 64.

Vén. Aboyer mal à propos, hors de la voie (en parlant des chiens de chasse).

♦ 2 Fig., littér. Crier sans motif; protester, faire des reproches sans sujet et d'une façon malveillante. → **Aboyer, criailler.** — *Clabauder contre tout le monde. Clabauder sur qqn. On clabaude.* → **Cancaner, critiquer, dénigrer, médire, rouspéter.**

2   On me laissa clabauder, on m'encouragea même, on faisait *chorus*; mais l'affaire en resta toujours là, jusqu'à ce que, las d'avoir toujours raison et jamais justice, je perdis enfin courage, et plantai là tout.
     ROUSSEAU, les Confessions, VII.

3   J'habite à trop de milliers de mètres d'altitude au-dessus des bas-fonds où clapotent et clabaudent de tels sales papotages, pour que je puisse être éclaboussé par les plaisanteries d'une Verdurin, s'écria-t-il *(Swann)* [...].
     PROUST, À la recherche du temps perdu, t. II, p. 96.

REM. D'abord considéré comme familier, ce sens est aujourd'hui littéraire ou relève du style soutenu.

CONTR. Taire (se). — Louer. ◊ DÉR. Clabaudage, clabauderie, clabaudeur.

CLABAUDERIE [klabodʀi] n. f. — 1611; de *clabauder*.

Littér. Clameur(s), criaillerie(s). *Une, des clabauderies.* — Médisance de personnes qui clabaudent. → **Cancan, commérage, potin, ragot.**

1   Les écrivains, qui sont souvent les artisans de la renommée dont ils manient la trompette, se font la part assez belle dans ce festin de clabauderie.
     G. DUHAMEL, Défense des lettres, II, XV, p. 218.

2   Heureusement, il n'y avait que lui pour savoir ménager la chèvre et le chou. On en était bien sûr en haut lieu et voilà pourquoi il était maintenu malgré les clabauderies de la presse.   Louise MICHEL, la Misère, t. I, p. 122.

CLABAUDEUR, EUSE [klabodœʀ, øz] adj. et n. — 1554; de *clabauder*.

Rare ou littéraire.

♦ 1 Se dit d'un chien, d'un animal dont le cri est bruyant.

♦ 2 Personne qui clabaude (2.).

CLABOT [klabo] ou **CRABOT** [kʀabo] n. m. — 1927; *clabot; crabot*, 1929; du rad. germ. **krappa* «crampon, crochet».

Techn. Accouplement de deux pièces mécaniques (arbres, etc.) par saillies et rainures. Dent d'un embrayage à griffes.

DÉR. Clabotage. ◊ HOM. Clabaud.

CLABOTAGE [klabotaʒ] ou **CRABOTAGE** [kʀabotaʒ] n. m. — 1929; autre sens, XIXe; de *clabot*.

Technique.

♦ 1 Fait d'assembler par un clabot. Assemblage par clabot.

♦ 2 Spécialt (surtout *crabotage*). Embrayage par clabot, utilisé dans certains véhicules automobiles, pour obtenir un rapport entre l'arbre moteur et les roues, donnant plus de puissance à ces dernières; ce rapport. *Employer le crabotage pour se tirer d'un terrain boueux, franchir un obstacle.*

Les roues patinent, puis calent. Le chauffeur passe le crabotage. Les quatre roues motrices hésitent, puis se décident.   Roger BORNICHE, le Ricain, p. 209.

CLABOTER [klabote] v. intr. — 1899; p.-ê. var. de *claquer* «mourir». → Clamser.

Pop. Mourir.

— (...) Ceux qui ne sont pas arrachés par les éclats sont assommés par le vent du machin, ou clabotent asphyxiés sans avoir le temps de souffler ouf.
     H. BARBUSSE, le Feu, t. II, II, XIX, p. 14.

CLAC [klak] — V. 1480; onomatopée.

Interjection imitant un bruit sec, un claquement.
→ **Clic, clic-clac.**

HOM. Claque.

CLACKSON [klaksɔn; klaksɔ̃] n. m.

→ **Klaxon.** — REM. On trouve aussi des variantes en *cl-* de *klaxonner*.

À midi moins le quart, le chauffeur clacsonnait devant la porte (...)   M. AYMÉ, Travelingue, p. 50.

CLACTONIEN, IENNE [klaktɔnjɛ̃, jɛn] adj. et n. m. — D. i.; de *Clacton-on-Sea*, ville de l'Essex.

Didact. (géol., paléont.). Se dit de l'industrie préhistorique du paléolithique inférieur (*Acheuléen*), caractérisée par des éclats de silex de facture grossière. *Éclat clactonien. La civilisation clactonienne est plus évoluée que l'abbevillienne, sa contemporaine.* — N. m. La période de cette industrie. *Le clactonien.*

CLADE [klad] n. m. — V. 1960; grec *klados* «rameau», par l'angl. *clade*, J. S. Huxley, 1957.

Sc. nat. Groupement de plusieurs embranchements de plantes ou d'animaux ayant une même organisation et une évolution phylétique commune (identifié parfois au *phylum**). *Le clade des Protostoniens groupe la majorité des invertébrés.*

CLADISME [kladism] n. m. — 1978; angl. des États-Unis *cladism*, 1971, de *clade*. → Clade.

Biol. Classification des êtres vivants fondée sur les relations phylogénétiques. *Le cladisme structural est fondé sur la seule distribution des caractères.*
→ **Cladistique.**

CLADISTIQUE [kladistik] adj. et n. f. — 1978 ; angl. *cladistic*, 1963, de *clade*. → Clade.

Biologie.

♦ **1** Adj. Du cladisme. *Analyse cladistique*, qui étudie le sens des transformations évolutives des caractères.

♦ **2** N. f. *La cladistique*. → **Cladisme.**

CLADO- Élément, du grec *klados* «rameau».

CLADONIE [kladɔni] ou (vx) **CLADONE** [kladɔn] n. f. — D. i. ; lat. sc. *cladonia*.

Bot. Lichen, dont une espèce sert de nourriture aux rennes, et qui servait de remède contre les aphtes.

CLAFOUTI (rare) ou **CLAFOUTIS** [klafuti] n. m. Répandu xixᵉ (1869) ; mot du Centre ; de *clafir* «remplir, fourrer» ; lat. *clavo figere*. Gâteau cuit au four et composé de farine, de lait, d'œufs et de fruits. *Clafoutis aux cerises. Clafoutis berrichon, limousin.*

CLAIE [klɛ] n. f. — 1306 ; *cleie*, 1155 ; du bas lat. **cleta*, mot gaulois.

♦ **1** Ouvrage en osier formant un treillis à claire-voie. *Claie servant à égoutter les fromages* (→ **Caget, clayon, clisse, éclisse, volette**), *à trier des graines* (→ **Crible, sas**), *à faire sécher des fruits. Claie de pâtissier.* → **Clayon.** *La volette, claie sur laquelle on épluchait la laine.*

♦ **2** Treillage en bois ou en fer. — (Pour cribler). *Cribler, passer* de la terre, du sable, sur une claie.* → **Sas, tamis.** — (Pour servir de clôture). *Claie métallique.* → **Grille, treillage.** — *Claie de parc à bestiaux, de pâturage.* → **Clôture.** *Claie faite de branches d'arbre entrelacées. Claie de branchages servant d'obstacle sur un champ de course. Claie qui sert d'abri en horticulture.* → **Abri, brisevent.** — (Pour servir de séparation). *Claie utilisée à la pêche.* → **Bordigue, nasse.** *L'écrille, claie qui bouche un étang pour y retenir le poisson. Claie servant de parapet, bouchant un fossé...* → **Fascine.**

Claie de portage : armature d'un sac à dos ; ce sac.

Anciennt. *Traîner sur la claie (un corps)* : traîner sur une claie le corps d'un suicidé, d'un supplicié, par une peine infamante. — Loc. vieillie. *Traîner qqn sur la claie*, le traiter publiquement d'une façon outrageante. → **Conspuer, vilipender ; maltraiter.**

Nous nous nommons le peuple, et sommes une plaie.
Le genre humain saignant est traîné sur la claie.
HUGO, la Légende des siècles,
«La vision de Dante», VII.

♦ **3** Au plur. Reliure. Bandes de toile, de peau collées entre les rubans sur les dos et les gardes.

DÉR. **Clayère, clayette, clayon, clayonnage, clayonner.**

CLAIR, CLAIRE [klɛʀ] adj., n. m. et adv. — xIVᵉ ; *clar*, xᵉ (d'où *clarine*, etc.) ; *cler*, xIIᵉ ; du lat. *clarus*.

I Adj. (en général placé après le n., en épithète). **A** Concret. ♦ **1** Qui a l'éclat du jour, de la lumière. → **Éclatant, lumineux.** *Un jour clair. La lune est claire* (Académie). *L'argent est un métal clair. Un feu clair. Le bois sec fait un feu très clair.* — (Antéposé). *Le clair soleil* (littéraire).

1 Adieu donc, clairs soleils si divins et si beaux (...)
Mathurin RÉGNIER, Plainte.

2 Du côté asiatique, une grande lune claire commence de monter ; comme d'habitude, elle change peu à peu le Bosphore en coulée de vermeil et d'argent.
LOTI, Suprêmes visions d'Orient, p. 42.

(1690). Qui reçoit beaucoup de lumière (en parlant d'un lieu). *Une église claire. Galerie claire. Cette chambre est assez claire, très claire.*

3 (...) au pied du mont solitaire et clair, encore baigné de lumière, s'étalait à présent la vallée, les plaines peuplées, fertiles, noyées de brume, endeuillées par le soir.
VAN DER MEERSCH, l'Élu, p. 218.

Chambre* claire.

Temps clair, sans nuage. → **Lumineux, serein.** *Espace clair.* → **Éclaircie.** *Il fait clair.*

4 Tous les jours se levaient clairs et sereins pour eux.
RACINE, Phèdre, IV, 6.

♦ **2** (1690). Qui est d'une teinte peu foncée, qui est faiblement coloré. *Couleur claire. Étoffe claire. Des yeux bleu clair. Un regard clair. Cheveux châtain clair. Clair-brun ; clair-brunes.*

Teint clair. Avoir le teint clair, le teint frais, pur ou pâle et rosé (opposé à *mat, chaud*). — Peint. *Des tons clairs. Une nuance claire. Vert clair. Rouge clair.*

5 Et voici les yeux, qui sont toute la vie. Clairs, pâles, de vieille ardoise (...)
André SUARÈS, Trois hommes, «Dostoïevski», II, p. 210.

6 Les doubles rideaux sont tirés, et leurs gros plis luisent dans la lumière, luisent d'un reflet sans couleur spéciale, celui des étoffes claires et veloutées.
J. ROMAINS, les Hommes de bonne volonté, IV, Éros de Paris, XV, p. 165.

Vieilli. → **Brillant, luisant, net, poli.** *Des armes claires. Vaisselle claire*, que rien ne macule. → **Parquet clair,** propre.

♦ **3** (xIIᵉ). Peu serré. *Un tissu clair*, qui laisse passer le jour. *Une toile trop claire*, à tissage trop lâche. *De la gaze bien claire. Un bois clair*, peu touffu. → **Clairsemé, rare.** *Une chevelure claire*, peu fournie. *Les blés sont clairs.*

Vx. *Claire voie.* → **Claire-voie.**

Peu dense, peu épais. *Un bouillon clair. Un clair brouet* (→ **Apprêt, cit. 1**). *Une purée, une sauce trop claire*, d'une consistance trop légère. → **Léger.** *Un vin clair.* → **Clairet.**

Un œuf clair, qui garde sa transparence, n'étant pas fécondé.

♦ **4** Pur et transparent. *Un ruisseau très clair*, très limpide. *De l'eau claire* : de l'eau pure, qui n'est troublée par rien. *Une claire fontaine. Vitres claires.* → **Net.**

7 Le long d'un clair ruisseau buvait une colombe.
LA FONTAINE, Fables, II, 12.

Loc. fam. *Faire de l'eau claire* : ne pas réussir.

♦ **5** (xIIᵉ). Sons. Qui est net et pur. → **Aigu, argentin.** *Son, timbre clair. Note claire du clairon** (→ **Buccinateur, cit.**). *Sonnette claire du bétail.* → **Clarine.** *Caisse claire* : tambour à son clair. *D'une voix claire.*

8 (...) et là, d'une voix claire,
Devant quatre témoins assistés d'un notaire.
RACINE, les Plaideurs, II, 4.

B Abstrait. ♦ **1** (xIVᵉ). Aisé, facile à comprendre. → **Explicite, intelligible, lumineux, net.** *Style clair. Termes clairs et concis. Des idées claires et précises. Savoir s'exprimer d'une façon claire. «Est-ce clair ? avez-vous saisi ?» Il n'y a rien de plus clair. C'est très clair, peu clair.* — *Poésie peu claire.* — *Cet auteur n'est pas clair.*

9 Ce qui n'est pas clair n'est pas français.
RIVAROL, De l'universalité de la langue française.

10 Cela est si clair, qu'il me semble aussitôt prouvé que dit.
P.-L. COURIER, Œuvres, p. 7.

11 (...) il est fort difficile de rendre clair par les mots ce qui est obscur encore dans notre pensée.
FLAUBERT, Correspondance, t. II, p. 72.

12 Il faut qu'une phrase soit si claire, qu'elle fasse plaisir au premier coup, et pourtant, qu'on la relise à cause du plaisir qu'elle a fait.　　J. RENARD, Journal, 16 mai 1903.

12.1 Ce qu'il y a de latin, c'est ce besoin de se servir des mots pour exprimer des idées qui soient claires. Car pour moi les idées claires sont, au théâtre comme partout ailleurs, des idées mortes et terminées.
　　A. ARTAUD, le Théâtre et son double, Idées/Gallimard, p. 59.

13 Il arrive que cette expérience même, qui devrait le mieux nous renseigner, nous embrouille, et que nous n'avons jamais moins d'idées claires que là justement où nous devrions en avoir davantage.
　　J. PAULHAN, Entretien sur des faits divers, I, Un portrait de Briand.

♦ **2** (Fin XIIIe ; dr.). Manifeste, sans équivoque. → **Apert** (littér.), **apparent, certain, évident, manifeste, net, sûr.** *La chose est claire. C'est clair :* cela tombe sous le sens. *Clair pour tout le monde.* → **Notoire, palpable.** *La conclusion en est claire. Conséquence, raison très claire. — Ces procédés sont peu clairs. Sa conduite n'est pas claire. Cette affaire n'est pas claire,* elle est embrouillée, suspecte.

14 Vous déguisez en vain une chose trop claire.
　　CORNEILLE, Horace, I, 2.

15 *(Voyons de quel air)* Vous voulez soutenir un mensonge si clair.　　MOLIÈRE, le Misanthrope, IV, 3.
Il est clair que... C'est clair. Il s'est fichu de nous, c'est clair.

16 Il est trop clair, d'ailleurs, que les nouvelles formes de société qui s'ébauchent aujourd'hui ne font pas de l'existence du luxe intellectuel une de leurs conditions essentielles.
　　VALÉRY, Regards sur le monde actuel, Notre destin et les Lettres, p. 208.

17 (...) il est évident, sûr, certain, avéré, manifeste, clair, acquis, établi, reconnu (...) qu'elle a toujours fait son devoir.
　　BRUNOT, la Pensée et la Langue, p. 500-501 (→ Affirmation, cit. 2).

Fam. *Son affaire est claire :* il ne peut échapper ; il sera puni (→ Son compte* est bon).

♦ **3** (1694). *Avoir l'esprit clair :* avoir beaucoup de clairvoyance*, de jugement*. → **Délié, lucide, pénétrant, perspicace, sûr.** *Une intelligence claire et vive* (→ Audacieux, cit. 6).

♦ **4** Calme, doux, paisible, heureux, serein. *Les heures claires de la vie. Les Heures claires,* ouvrage de Verhaeren.

18 Les visiteurs sont innombrables dans les grandes heures claires ou sombres de la vie ; mais ils s'éloignent quand celle-ci dure trop longtemps.
　　Edmond JALOUX, les Visiteurs, XXXI, p. 244.

19 (...) je soupçonne (...) ces sentiments, clairs et calmes, de flotter sur un monde de ténèbres ou de feux assoupis.
　　H. BOSCO, Un rameau de la nuit, p. 177.

Loc. fig. *Clair comme de l'eau de source, comme de l'eau de roche, comme du cristal, du cristal de roche ; clair comme le jour :* très net, très clair (concret et abstrait). *Sa déclaration est claire comme de l'eau de roche* (→ Candeur, cit. 5).

20 Un vivier vous attend, plus clair que fin cristal.
　　LA FONTAINE, Fables, X, 10.

II N. m. (1553). ♦ **1** Vx. Clarté, jour. — Mod. *Il fait clair :* il fait jour. — Loc. *Au clair. Mettre (le) sabre au clair,* hors du fourreau, au grand jour. → **Dégainer.**

CLAIR DE LUNE. *Un beau clair de lune. Il y a clair de lune.* «*Au clair de la lune*» (chanson populaire). «*Tout ça n'vaut pas Un clair de lune à Maubeuge*» (chanson).

21 Ces jeux se célébraient au clair de lune.
　　RACINE, Remarques sur Pindare.

22 Elle avait un éclat d'une blancheur lumineuse ; elle me faisait penser à un beau diamant, brillant au clair de lune.
　　A. MAUROIS, Climats, I, 7, p. 62.

Clair de Terre : clarté que la Terre renvoie dans l'espace (visible, par ex., de la Lune).

22 Le crépuscule n'était pas le crépuscule, c'était le clair de Terre sur la Lune, s'épanchant d'un disque cinquante fois plus gros que celui dont il avait l'habitude.
　　Colette AUDRY, l'Autre Planète, p. 78.

♦ **2** Peint. Partie éclairée (d'un tableau).

22 J'étais incertain si je mettrais dans l'ombre davantage, ou si je mettrais des clairs plus vifs.
　　E. DELACROIX, Journal, 10 juin 1847, t. I, p. 320.

23 (...) l'opposition des clairs et des noirs est, dans le même tableau, plus ou moins forte et plus ou moins ménagée.
　　TAINE, Philosophie de l'art, t. II, V, IV, IV, p. 335.

Les clairs d'une tapisserie : les laines, les soies d'une couleur claire.

♦ **3** Techn. Partie peu serrée, qui laisse passer le jour. *Les clairs d'une étoffe, d'un bas :* les endroits où les fils à demi usés laissent passer le jour sans qu'il y ait de trou.

♦ **4** Loc. techn. *Tirer au clair :* clarifier, filtrer (un liquide).
Cour. *Mettre, tirer au clair.* → **Éclaircir, élucider.** *Il faut tirer cette affaire au clair.*

24 (...) elle n'avait jamais tiré au clair quelles étaient les attributions de Jérôme.
　　MARTIN DU GARD, les Thibault, t. V, p. 257.

Être au clair (sur, à propos de...) : être éclairé, avoir une idée claire.

24 Le reste... Il est trop tard pour s'en tenir aux impressions, trop tôt pour dominer la réflexion. Je suis loin d'être au clair sur tout cela.　　F. GIROUD, Si je mens, p. 272.

♦ **5** **EN CLAIR :** non chiffré (→ **Chiffre**) et non codé. — Exprimé clairement. *En clair, vous voulez dire que...*

♦ **6** **LE PLUS CLAIR... :** la partie la plus importante ; la plus grande partie. *Passer le plus clair de son temps à... Il a dépensé le plus clair de ses économies.* — *Le plus clair de l'affaire, c'est que... :* ce qui est le plus certain...

25 Cette crainte éternelle qu'ils avaient de se perdre faisait le plus clair de leur amour.
　　Alphonse DAUDET, le Petit Chose, II, XII.

26 Le plus clair de nos pensées, aux instants de loisir, allait naturellement vers les choses de l'amour.
　　G. DUHAMEL, Biographie de mes fantômes, II, p. 31.

III Adv. ♦ **1** (1080). D'une manière claire. → **Clairement.** *Voir clair :* distinguer par la vision. *Ne pas voir clair :* être aveugle ; être dans le noir, l'obscurité, au propre et au fig. *Commencer à voir clair dans une affaire :* commencer à savoir, à comprendre. — *Y voir très clair :* être très pénétrant, avisé ; connaître parfaitement une question. *Voir clair dans l'esprit de quelqu'un.*

27 On voit clair au travers de mes paroles, et je ne veux mettre aucun voile au-devant des sentiments que j'ai pour vous.
　　Mme DE SÉVIGNÉ, 160, 24 avr. 1671.

28 Vous parlez devant un homme (...) qui peut aisément voir clair dans l'histoire que vous ferez.
　　MOLIÈRE, l'Avare, V, 5.

29 Je commence à voir clair dans cet avis des Cieux.
　　RACINE, Athalie, II, 6.

30 J'avais toujours un extrême désir d'apprendre à distinguer le vrai d'avec le faux pour voir clair en mes actions et marcher avec assurance en cette vie.
　　DESCARTES, Discours de la méthode, I.

31 On les admire *(les biographes qui jugent Sainte-Beuve)* d'y voir si clair dans une âme si contradictoire et d'y faire si bien la part du bien et du mal — du mal préférablement.
　　A. BILLY, Sainte-Beuve, sa vie et son temps, t. I, p. 201.

♦2 *Parler clair,* avec une voix nette, sonore. — Fig. Parler sans réticence, sans ménagement, sans détour. → **Franchement, nettement.** *Parler clair et net.* Haut et clair (même sens).

Clair et net : tous frais déduits. Cela lui rapporte clair et net tant par mois.

CONTR. Abscons, abstrus, ambigu, confus, difficile, embrouillé, énigmatique, hermétique, incompréhensible, inintelligible, fumeux, obscur. — Brumeux, couvert, nébuleux, nuageux, noir. — Foncé, opaque, sombre. — Grave, rude. — Compact, consistant, dense, épais, trouble. — Douteux, équivoque, louche, ténébreux. ◊ DÉR. Claire, clairement, clairet, clairière, clairon, clarine. — V. Clarinette. — COMP. Claire-voie, clair-obscur, clairsemé, clairvoyance. — HOM. Claire, clerc.

CLAIRANCE [klɛʀɑ̃s] n. f. — 1973 ; adapt., d'après *clair,* de l'angl. *clearance.*

♦1 Biol. Coefficient d'épuration, correspondant à l'aptitude d'un tissu, d'un organe, à éliminer une substance d'un fluide organique (recomm. off.).

♦2 Aviat. Autorisation donnée par le contrôle pour l'exécution d'une phase d'un plan de vol. Mar. Autorisation donnée à un navire de faire mouvement.

REM. Recomm. off. pour remplacer l'anglais *clearance,* employé en français professionnel.

CLAIRE [klɛʀ] n. f. — Av. 1708 ; de *clair.*

♦1 Techn. Bassin peu profond dans lequel se fait l'affinage des huîtres. *Dans les claires, les huîtres se nourrissent des organismes microscopiques en suspension dans l'eau, notamment la navicule* bleue qui donne leur couleur verte aux marennes. Claire où le verdissement des huîtres ne se fait pas.* → **Bouder** (I., 2.). — (Plus cour.). *Huître de claire,* qui a subi l'affinage dans une claire. *Fine de claire :* huître qui a séjourné en claire plusieurs semaines ; *spéciale de claire,* qui a séjourné en claire plusieurs mois.

Les huîtres naissent dans la mer. Elles demeurent quelques années dans les parcs sur le rivage, puis elles font un séjour dans les claires où elles prennent leur teinte verte et je crois plus de saveur. Elles doivent ces vertus au mélange de l'eau de mer et de l'eau douce qui suinte des marais, et aussi à une algue inconnue. C'est une culture très simple, mystérieuse, et qui n'a pas changé depuis l'antiquité.
J. CHARDONNE, les Destinées sentimentales, p. 378.

♦2 Huître de claire. *Manger des claires. Une douzaine de claires.*

HOM. Clair, clerc.

CLAIREMENT [klɛʀmɑ̃] adv. — XIIᵉ, *clerement* ; de *clair.*

♦1 (Concret). D'une manière claire. → **Distinctement, nettement, précisément.** *Distinguer clairement les virages de la route. Entendre clairement les paroles d'une chanson.*

1   Mais supposons ici que, d'un lieu qu'on peut prendre,
On vous fît clairement tout voir et tout entendre.
MOLIÈRE, Tartuffe, IV, 3.

♦2 (Abstrait). D'une manière claire à l'esprit. → **Détour** (sans détour), **explicitement, intelligiblement, nettement, simplement.** *Expliquer clairement une histoire. Envisager clairement une situation. Avouer clairement son opinion.* → **Franchement.** *Clairement et simplement.*

2   Ce que l'on conçoit bien s'énonce clairement,
Et les mots pour le dire arrivent aisément.
BOILEAU, l'Art poétique, I.

3   Si le Ciel me donne un avis, il faut qu'il parle un peu plus clairement, s'il veut que je l'entende.
MOLIÈRE, Dom Juan, V, 4.

4   Il me les avait racontés naïvement, clairement, et je l'avais écouté avec intérêt.
G. SAND, la Mare au diable, II, p. 25.

CONTR. Confusément, indistinctement, obscurément.

CLAIRET, ETTE [klɛʀɛ, ɛt] adj. et n. m. — XIIᵉ, *claret* ; de *clar, clair.*

Qui est d'une couleur ou d'une consistance un peu claire. *Du vin clairet,* et, ellipt., *du clairet :* vin rouge léger.

(...) en moins d'un quart d'heure, la grosse boiteuse réussit à leur servir une omelette de bonne mine, du pain bis et du vin clairet.
G. SAND, la Mare au diable, VII, p. 59.

Fig. *Une voix clairette,* aiguë. → **Aigrelette, perçante.**

CONTR. Épais, foncé, fort. — Grave (voix). ◊ DÉR. Clairette.

CLAIRETTE [klɛʀɛt] n. f. — 1846 ; *clarette,* 1829 ; de *clairet.*

Cépage blanc du Midi ; vin mousseux qu'il produit. *Clairette de Limoux, de Die.* → **Blanquette.**

CLAIRE-VOIE [klɛʀvwa] n. f. — 1344, *clere voye* ; de *clair,* et *voie.*

♦1 Clôture à jour. → **Barrière, claie, grillage, grille, treillage, treillis ; gril** (techn.). *Regarder par une claire-voie. Les jours*, les trous d'une claire-voie.* — Au plur. *Des claires-voies.*

1   Le taureau avait acculé Félicité contre une claire-voie (...)
FLAUBERT, Trois contes, « Un cœur simple », II, p. 20.

2   Quinette, enhardi par cette première démarche, traversa de nouveau la rue, poussa la claire-voie (...)
J. ROMAINS, les Hommes de bonne volonté, II, Le crime de Quinette, VII, p. 74.

Archit. Rangée de fenêtres situées en haut des nefs des églises gothiques.

♦2 Loc. À CLAIRE-VOIE : qui présente des vides, des jours. *Porte, fenêtre à claire-voie.* → **Pousser, cit. 7.** *Volet à claire-voie.* → **Persienne.** *Plancher à claire-voie. Clôture, palissade à claire-voie. Parc* (cit. 2) *à claire-voie. Caisse à claire-voie.* → **Cageot, claie ; emballage.** *Panier à claire-voie.*

3   (...) le gros loquet poussé sur la petite porte à claire-voie (...)
Alphonse DAUDET, Lettres de mon moulin, « Installation », p. 11.

Tissu à claire-voie, qui n'est pas tissé serré. — *Semer à claire-voie :* semer en espaçant beaucoup les graines.

Par métaphore :

4   Quant aux vérités que l'intelligence — même des plus hauts esprits — cueille à claire-voie, devant elle, en pleine lumière, leur valeur peut être très grande (...)
PROUST, le Temps retrouvé, Pl., t. III, p. 898.

CONTR. Fermé, opaque, plein ; serré.

CLAIRIÈRE [klɛʀjɛʀ] n. f. — 1660, *clairiere* ; de *clair.*

♦1 Endroit dégarni d'arbres dans un bois, une forêt. → **Clair, échappée, éclaircie, trouée ; clairsemé.** *Déboucher au grand jour dans une clairière. Une clairière ensoleillée. Chercher une clairière pour y dresser le camp, pour y allumer du feu.*

1   La maison forestière était un peu à l'écart de la route, dans une petite clairière que prolongeait au fond et à gauche une longue trouée entre les arbres, comme une piste pour cavaliers.
J. ROMAINS, les Hommes de bonne volonté, t. V, Les superbes, XXIII, p. 202.

2   Je débouchai sur le bord d'une clairière éblouissante creusée dans un affaissement du sol et tout entière entourée d'arbres.
H. BOSCO, l'Âne Culotte, p. 44.

Par compar. ou métaphore :

3 Penser, c'est chercher des clairières dans une forêt.
J. RENARD, Journal, 28 mars 1894.

4 Ton sourire est pareil aux clairières des bois (...)
Francis JAMMES, la Jeune Fille nue,
in Choix de poèmes, p. 124.

♦ **2** Techn. Endroit d'une toile tissé peu serré.

CONTR. Futaie. — Cœur (de la forêt), fond (des bois).

CLAIR-OBSCUR [klɛrɔpskyʀ] n. m. — 1668; adapt. de l'ital. *chiaroscuro*, employé en franç., 1596; de *clair* et *obscur*.

♦ **1** Peint. Effet de contraste produit par les lumières et les ombres des objets représentés. — Au plur. *Des clairs-obscurs.*

1 Les Italiens ignoraient l'art de la perspective et du clair-obscur. VOLTAIRE, Essai sur les mœurs, 121.

Ensemble de lumières et d'ombres douces, fondues et nuancées. *Les clairs-obscurs de Rembrandt.*

2 Ses blancheurs de marbre et de neige
Se fondent amoureusement
Comme, au clair-obscur du Corrège,
Le corps d'Antiope dormant.
Th. GAUTIER, Émaux et Camées, «La nue».

3 Un reflet tempérait par sa lueur argentée ce que l'ombre, baignant les chairs et le vêtement, aurait eu de trop noir, et produisait cet effet magique si recherché des peintres, qu'ils appellent «clair-obscur» en leur langage.
Th. GAUTIER, le Capitaine Fracasse, t. II, XIII, p. 120.

♦ **2** Lumière tamisée et douce. → **Pénombre.** *Le clair-obscur d'un sous-bois. Je circulais dans ce clair-obscur* (→ Peinture, cit. 14).

4 Dans le frais clair-obscur du soir charmant qui tombe.
HUGO, les Contemplations, I, «Aurore», III.

5 Clair-obscur aimable d'un salon d'entresol; deux lampes allumées au mur; la nappe, les couverts espacés (...)
J. ROMAINS, les Hommes de bonne volonté, t. V, Les superbes, XII, p. 92.

Par métaphore ou fig. → **Ambiguïté, doute, incertitude, vague.**

6 O divin clair-obscur du langage enfantin !
HUGO, la Légende des siècles, XXXVI, «Le groupe des idylles», XXII.

7 La création, la vie, le destin, ne sont pour l'homme qu'un immense clair-obscur.
HUGO, Post-scriptum de ma vie, «Tas de pierres», III.

CONTR. Teinte (plate). — Clarté, netteté. — Certitude. — Ténèbres. ◊ **DÉR.** Clair-obscuriste.

CLAIR-OBSCURISTE [klɛrɔpskyʀist] n. — 1876; de *clair-obscur.*

Rare. Peintre spécialiste des clairs-obscurs.

CLAIRON [klɛrɔ̃] n. m. — XIIIᵉ, *cleron*; de *cler, clar, clair**, dans *un son clair.*

♦ **1** Instrument à vent (cuivre) analogue à la trompette, sans pistons ni clés, à son clair et puissant. *Son, sonnerie de clairon. Sonner, jouer du clairon* (→ **Claironner**). *Le clairon est en usage dans l'infanterie* (→ Trompette* de cavalerie).

1 L'air est pur, la route est large,
Le clairon sonne la charge (...)
Paul DÉROULÈDE, les Chants du soldat, «Le clairon».

2 En tête, la musique jouait la marche du régiment; et, à la reprise victorieuse des clairons, il me sembla que les dos las se redressaient.
R. DORGELÈS, les Croix de bois, XI, p. 236.

3 D'un fort lointain venait, limpide et précise, une sonnerie de clairon.
G. DUHAMEL, Chronique des Pasquier, III, VII, p. 83.

♦ **2** Personne, soldat qui sonne du clairon. *Les clairons du régiment, de la clique**, *d'une fanfare. Le clairon X.* — Appos. *Matelot clairon.* → **Biniou** (argot milit.).

3.1 À peine un futur clairon s'exerçait-il dans les jardins lumineux sur un clairon d'argent. Tout dormait entre Rhin, Atlantique et Pyrénées (...)
GIRAUDOUX, Siegfried et le Limousin, p. 290.

4 En passant devant le colonel, les clairons s'arrêtèrent de sonner et, le visage tourné vers le chef, ils saluèrent avec leurs instruments en décomposant un mouvement de parade assez compliqué.
P. MAC ORLAN, la Bandera, VI, p. 66.

♦ **3** Mus. Dans un orgue, Jeu d'anche à l'octave de la trompette.

♦ **4** Zool. Insecte coléoptère (*Cléridés*), appelé aussi *trichode.*

DÉR. Claironner.

CLAIRONNANT, ANTE [klɛrɔnɑ̃, ɑ̃t] adj. — Av. 1914, au fig.; p. prés. de *claironner.*

♦ **1** Qui est comparable au son du clairon (en parlant de la voix, d'un cri). *Une voix claironnante,* forte et aiguë.

1 (...) disant de cette voix impersonnelle, soumise et claironnante dont il annonçait les commandes : «Si Señor !» (...)
Claude SIMON, le Palace, coll. 10/18, p. 20.

♦ **2** Qui claironne (2.), proclame avec éclat ou affectation qqch.

2 Ce raisonnement très logique m'inspirait plus de confiance dans la victoire de l'armée française que toutes les lignes Maginot et tous les discours claironnants de nos chefs bien-aimés. R. GARY, la Promesse de l'aube, p. 234.

CLAIRONNEMENT [klɛrɔnmɑ̃] n. m. — Fin XIXᵉ; *cleronnement,* 1578; de *claironner.*

Action de claironner. *Le claironnement d'une voix, de qqn.* — (*Un, des claironnements*). Phrase claironnée (P. Guth, *in* D.D.L.).

CLAIRONNER [klɛrɔne] v. — 1559; de *clairon.*

♦ **1** V. intr. Vx. Jouer du clairon. → **Sonner.**

1 (...) Des trompes et clairons, qui d'un haut accord sonnent
Qui dégoisent leurs voix, qui cornent et claironnent.
BUTTET, Épithalame du duc de Savoie, p. 371, in HUGUET.

Mod. Parler, s'exprimer d'une voix aiguë et forte.

♦ **2** V. tr. (XIXᵉ). Mod. Fig. Annoncer avec éclat, affectation. *Claironner son succès, sa victoire.* → **Publier.**

2 (...) je courais de l'avant, et, quittant les sentiers, fouillais, de-ci de-là, le taillis, la campagne, claironnant mes découvertes. GIDE, Si le grain ne meurt, I, I, p. 34.

DÉR. Claironnant, claironnement.

CLAIRSEMÉ, ÉE [klɛrsəme] adj. — 1175; de *clair,* et *semé.*

♦ **1** Qui est peu serré, répandu de distance en distance. → **Éparpillé, épars, espacé.** *Les arbres clairsemés d'une clairière. Blé clairsemé. Une tête aux cheveux très clairsemés,* presque chauve.

♦ **2** Fig. Peu dense. → **Rare.** *Population clairsemée. Les beautés clairsemées d'un ouvrage. Spectateurs clairsemés dans une salle.*

C'était une vraie foule, bien qu'elle fût un peu clairsemée, elle cheminait lentement, un lourd destin de foule semblait l'écraser. SARTRE, l'Âge de raison, IX, p. 133.

CONTR. Compact, dense, nombreux, pressé, serré.

CLAIRSEMER [klɛRsəme] v. tr. — 1579, Du Bartas ; de *clairsemé*, d'après *semer*.

Rare. Rendre clairsemé. → **Éclaircir.** — Pronominal :

La banlieue se clairsème en îlots de cultures maraîchères (...)   Robert PINGET, Graal Flibuste, p. 12.

CLAIRVOYANCE [klɛRvwajɑ̃s] n. f. — 1580 ; de *clairvoyant*.

Vue exacte, claire et lucide des choses. → **Acuité, discernement, finesse, flair** (fam.), **lucidité, nez** (fam.), **pénétration, perspicacité.** *Rien n'échappe à sa clairvoyance, c'est un Argus*. Analyser la situation avec clairvoyance. Faire preuve de clairvoyance.*

1 Quoiqu'il *(Danton)* eût une grande clairvoyance, qui sondait l'avenir, il était impulsif.
          Louis BARTHOU, Danton, p. 162.

2 J'avais pris l'habitude d'analyser les propos d'Odile avec une redoutable clairvoyance (...)
          A. MAUROIS, Climats, I, XII, p. 96.

CONTR. Aveuglement.

CLAIRVOYANT, ANTE [klɛRvwajɑ̃, ɑ̃t] adj. — 1121, *clerveant* ; de *clair*, et *voyant*.

♦ **1** Vieilli. Qui voit clair, qui a la vue bonne (opposé à *aveugle*). → **Voyant.**

1 Je deviens à peu près aveugle, Monsieur. Un petit garçon qui passe pour être plus aveugle que moi, et qui vous a servi comme s'il était clairvoyant, s'est un peu mêlé des affaires de Ferney.
          VOLTAIRE, Lettre à Chauvelin, 13 févr. 1763.

N. *Les aveugles et les clairvoyants.*

1.1 Ivan Ogareff s'était relevé, et, croyant avoir bon marché de l'aveugle, il se précipita sur Michel Strogoff.
Mais, d'une main, l'aveugle saisit le bras du clairvoyant, et de l'autre, détournant son arme, il le rejeta une seconde fois à terre.   J. VERNE, Michel Strogoff, p. 486.

♦ **2** Fig. Qui a de la clairvoyance. *Esprit clairvoyant.* → **Fin, intelligent, lucide, pénétrant, perspicace, sagace.** *Un œil clairvoyant* (→ Avoir les yeux ouverts).

2 Pour l'œil clairvoyant, la modestie n'est guère qu'une forme, plus visible, de la vanité.
          J. RENARD, Journal, 23 mai 1904.

3 Le moi sait justifier toutes ses démarches, parce qu'au fond il n'en justifie aucune : aveugle et brutal, il ne s'en soucie point ; clairvoyant et dans la pleine possession de son génie, il en sait le ridicule (...)
          André SUARÈS, Trois hommes, «Ibsen», VII, p. 163.

Nom :

4 Les mystères de cour souvent sont si cachés
Que les plus clairvoyants y sont bien empêchés.
          CORNEILLE, Nicomède, III, 4.

Par métaphore. *Un clairvoyant :* un médium. → **Extra-lucide.**

CONTR. Aveugle. ◊ **DÉR. et COMP. Clairvoyance. Inclairvoyant.**

CLAM [klam] n. m. — 1803, Volney (une fois en 1784), *in* Höfler ; angl. *clam* (déb. XVIᵉ) «mollusque bivalve», 1624, sens amér. ; anc. angl. *clamm* «lien, constriction» (→ Clamp, étym.).

Mollusque bivalve marin, coquillage comestible (n. sc. : *venus mercenaria*). — Équivalent normalisé, au Canada : *palourde américaine.*

1 Le *Clam (Venus mercenaria)* est un coquillage importé d'Amérique et acclimaté depuis quelques années dans la région de la Seudre (...) Ce mollusque vit enfoncé dans la vase ou le sable mou à 10 cm de profondeur. On le pêche au râteau en France. Il se mange cru, au naturel ou avec quelques gouttes de citron. En Amérique, il est servi dans sa coquille avec une sauce rouge (tomate et piment).
          Louis LAMBERT, les Coquillages comestibles, p. 92.

(...) quelques vieux wagons sans roues, engravés dans le sable, à l'intérieur desquels les noctambules viennent manger des palourdes, des *clams.*
          Paul MORAND, New-York, p. 71.

2

Robinson ce matin-là glanait, sur la grève fraîchement découverte par le jusant, des espèces de clams à la chair un peu ferme mais savoureuse qu'il pouvait conserver toute la semaine dans une jarre remplie d'eau de mer.
          M. TOURNIER, Vendredi..., p. 56.

3

CLAMECER [klamse] v. intr. → **Clamser.**

CLAMER [klame] v. tr. — XIIᵉ ; lat. *clamare* «crier».

Manifester (ses sentiments, ses convictions) en termes violents, par des cris. → **Crier, hurler.** *Clamer son indignation, son mécontentement, sa douleur. Clamer son innocence.* → **Proclamer, publier.** *Clamer des vers.* → **Déclamer.**

1 (...) élan de ces foules qui, envers et contre tout, clamaient, par toute l'Europe, leur volonté de paix.
          MARTIN DU GARD, les Thibault, t. VII, p. 83.

Absolt. Pousser des cris, hurler.

2 (...) il reçut violemment au visage le cri, le cri délirant de la foule, dont le grouillement énorme, en bas, clamait toujours.   ZOLA, Rome, p. 290.

CONTR. Taire (se). ◊ **COMP. Acclamer, déclamer, proclamer.**

CLAMEUR [klamœR] n. f. — V. 1050 ; du lat. *clamor*, accusatif *clamorem* «cri».

Littéraire ou style soutenu.

♦ **1** Ensemble de cris confus et sonores. → **Bruit, cri, tumulte, vacarme.** *Une bruyante clameur. Une clameur tumultueuse. Une immense clameur. Les clameurs d'une assemblée. Les clameurs de la foule.* → **Cri, hurlement, tumulte, vocifération.** *Clameur de haro.* → **Haro.**

1 Dom pourceau criait en chemin
Comme s'il avait eu cent bouchers à ses trousses.
C'était une clameur à rendre les gens sourds.
          LA FONTAINE, Fables, VIII, 12.

2 À ce nom *(Bonaparte)*, une immense clameur s'éleva ; sur tous les bancs, conservateurs, modérés, jacobins, anarchistes, les députés s'étaient, dans un seul mouvement, levés aux cris de *Vive la République !*
          Louis MADELIN, Hist. du Consulat et de l'Empire, t. II, XXII, p. 308.

3 Périot, comme il gravissait les marches, entendit venir vers lui et vers ceux qui l'accompagnaient, une clameur fervente, mêlée de battements de mains, de trépignements.
          G. DUHAMEL, le Voyage de P. Périot, II, p. 37.

♦ **2** Fig. (souvent au plur.). Vieilli. *Braver les clameurs des sots. Les clameurs des mécontents.* → **Clabauderie, critique, injure, protestation, réclamation, réprobation, tollé.**

4 Que de voix vont s'élever contre moi ! J'entends de loin les clameurs de cette fausse sagesse qui nous jette incessamment hors de nous, qui compte toujours le présent pour rien (...)   ROUSSEAU, Émile, II.

CONTR. Calme, paix, silence.

CLAMP [klɑ̃p] n. m. — 1856 ; «pièce de bois», 1643 ; mot angl. d'orig. germanique, désignant de nombreux appareils servant à serrer, fermer.

Chir. Pince à deux branches, servant à comprimer un conduit (spécialt, un vaisseau), une cavité ou des tissus qui saignent. **Syn. :** *pinces occlusives. Clamp aortique.*

(...) il posa délibérément deux pinces sur l'aorte, arrêtant complètement le sang (...) puis coupa le canal artériel. Quinze minutes plus tard la suture était faite, les clamps pouvaient être enlevés.
          Claude D'ALLAINES, Chirurgie du cœur, p. 45.

DÉR. Clamper.

CLAMPAGE [klɑ̃paʒ] n. m. — 1953; de *clamper.*

Chir. Interruption (d'un conduit naturel) par serrage au moyen de pinces (clamps).

(...) tout le reste de l'organisme supportant sans dommage cette absence de circulation, ce manque d'oxygène pendant les 20 minutes que durait l'interruption (le «clampage») de l'aorte.

Claude D'ALLAINES, Chirurgie du cœur, p. 44.

CLAMPER [klɑ̃pe] v. tr. — V. 1950; de *clamp,* et pour traduire l'angl. *to clamp;* le franç. a eu les comp. *reclamper, acclamper,* du sens ancien de *clamp.*

Chir. Interrompre en serrant (un conduit naturel, notamment un conduit sanguin) au moyen de pinces occlusives (clamps).

CONTR. et COMP. Déclamper. ◊ DÉR. Clampage.

CLAMPIN [klɑ̃pɛ̃] n. m. — XVIIᵉ; orig. incert.; p.-ê. var. de *clopin.* → Clopin-clopant.

♦ **1** Régional. Celui qui reste en arrière des autres au cours d'une marche. → **Retardataire, traînard.** *Ce clampin est toujours à musarder, à flâner.* «*Ces "clampins" acharnés à casser du bois* (en ski)» (*le Nouvel Obs.,* p. 75; 27 nov. 1979).

♦ **2** Fam., vieilli. Paresseux, fainéant.

REM. Le fém. n'est pas attesté.

Allez, oust (...) *au boulot, le clampin! Tu as ton papier?*
ARAGON, les Beaux Quartiers, p. 496.

♦ **3** Mod., fam. Individu quelconque; type, bonhomme. *Qu'est-ce que c'est que ce clampin? Il y avait à tout casser trois malheureux clampins.*

CLAMSER, CLAMECER [klamse] ou **CLAMPSER** [klɑ̃pse] v. intr. — 1876; orig. incert., p.-ê. d'orig. onomatopéique, de radicaux expressifs concurrents *kla-* ou *kra-,* ou de *crampe* «convulsion d'agonie», les finales *m* et *p* + *ser* demeurant obscures.

Pop. Mourir. → **Calancher, claboter.** *Il est clamsé :* il est mort.

1 *Hier encore elle n'allait pas plus mal, mais elle a passé aujourd'hui vers midi. Ce n'est pas de veine. Juste à présent qu'on arrête le vaccin, elle clampse.*
Francis CARCO, Brumes, p. 138.

2 (...) *de la voir rigoler ça m'a chamboulé; tout comme si son mari venait d'être tué d'hier — mais quoi! Y a une paye qu'il est clamsé, le pauv' gars.*
H. BARBUSSE, le Feu, t. I, I, XII, p. 69.

REM. On trouve de nombreuses variantes à la fin du XIXᵉ s. : *cramser* (1878), *crampser* (1883), *crapser* (1867), etc.

CLAN [klɑ̃] n. m. — 1746; angl. *clan,* du gaélique *clann* «famille».

♦ **1** Tribu écossaise ou irlandaise, formée d'un certain nombre de familles ayant un ancêtre commun. *Le tartan d'un clan.*

♦ **2** (1746, Prévost, *Hist. générale des voyages*). Ethnol. Groupe formé d'un ou de plusieurs lignages*. → **Horde, tribu;** → Phratrie, cit. — *Unité religieuse du clan.* → **Totem.** *Vie familiale du clan. Mariage entre membres de clans différents* (→ Exogamie). *Chef de clan. Clan patrilinéaire, matrilinéaire :* groupe composé de parents ayant à l'origine un ancêtre unique en ascendance masculine (→ **Patriclan**), féminine (→ **Matriclan**). → **Lignée;** et aussi **clanique, clanisme.**

1 *Les membres d'un clan sont généralement incapables d'établir leur lien généalogique avec l'ancêtre éponyme, ce qui distingue ce groupe du lignage qui est un ensemble de parents entre lesquels on peut toujours tracer des liens généalogiques.*
M. PANOFF et M. PERRIN, Dict. de l'ethnologie, p. 61.

Les mœurs y furent celles des clans, jaloux les uns des 2 *autres; nulle unité; ni le sens de l'État, ni l'audace d'une pensée originale; point d'art : car la Cité est le premier étage du bel ordre où l'église de l'art se fonde.*
André SUARÈS, Trois hommes, I, «Ibsen», p. 73.

♦ **3** *Clan de scouts :* groupement de boy-scouts aînés. → **Routier.**

♦ **4** (1808, *in* Höfler). Cour. Petit groupe formé de personnes qui ont des idées, des goûts communs. → **Association, bande, caste, classe, coterie, parti.** *Former un clan. Esprit de clan.* → **Chapelle** (esprit de chapelle). → Avant-garde, cit. 2.

Pour faire partie du «petit noyau», du «petit groupe», du 3 *«petit clan» des Verdurin, une condition était suffisante mais elle était nécessaire : il fallait adhérer tacitement à un credo* (...)
PROUST, Du côté de chez Swann, Pl., t. I, p. 188.

Vx. *Un clan de brigands,* une bande organisée.

♦ **5** Opposition de deux groupes qui ont des points de vue différents. → **Camp.** *La réunion devenait houleuse : la salle s'était divisée en deux clans.*

DÉR. (Du sens 2) Clanique. ◊ COMP. Matriclan, patriclan.

CLANDÉ [klɑ̃de] n. m. — 1948; *in* Esnault; dimin. de *clandestin.*

Argot.

♦ **1** Maison de prostitution clandestine (depuis la suppression officielle des maisons de tolérance, en 1946). → **Bordel.**

♦ **2** (1953, Esnault). Tripot clandestin.

♦ **3** Loc. adv. *En clandé :* clandestinement.

(...) *on te montera tes repas, tu auras la radio, tu seras peinarde : toute une chambre pour toi. Avant, tu sais, ils faisaient un peu hôtel aussi...*
— *Et ils continuent en clandé, au prix fort?*
A. SARRAZIN, l'Astragale, p. 52.

CLANDESTIN, INE [klɑ̃dɛstɛ̃, in] adj. et n. — V. 1355; lat. *clandestinus,* de *clam* «en secret».

♦ **1** (Choses; actions...). Qui se fait en cachette et qui a (généralement) un caractère illicite. → **Secret, subreptice.** *Journal, écrit clandestin. La réunion clandestine d'un conventicule*. Démarche clandestine. Commerce, trafic, marché clandestin.* → **Contrebande; noir** (marché noir), **prohibé.** *Maison, lieu clandestin. Maison de jeu clandestine.* → **Clandé.** *Exercice clandestin de la médecine.* → **Marron** (médecin marron). — *Mariage clandestin,* contracté en dehors des conditions de publicité prescrites par la loi.

Tu es l'insolence, fripon, de t'engager sans le consentement 1 *de ton père, de contracter un mariage clandestin?*
MOLIÈRE, les Fourberies de Scapin, I, 3.

Sa façon d'entrer, l'air préoccupé qu'elle gardait, mêlé à 2 *son sourire, laissaient assez voir qu'elle n'avait pas la pratique des rendez-vous clandestins.*
J. ROMAINS, les Hommes de bonne volonté, t. III, XX, p. 275.

N. m. *Avoir horreur du clandestin et de l'illégal.*

♦ **2** (Personnes). Qui vit en marge des lois par nécessité; qui se soustrait à la procédure normale. Loc. *Passager clandestin,* embarqué en cachette sans titre de transport. *Travailleurs (immigrés) clandestins :* travailleurs qui ont passé illégalement une frontière pour trouver du travail.

N. *Un clandestin.* — Spécialt. Résistant pendant la Seconde Guerre mondiale (→ **Clandestinité**). — REM. Dans cet emploi, le féminin est virtuel.

CONTR. Autorisé, avoué, légal, licite, public, reconnu. ◊ DÉR. Clandestinement, clandestinité.

CLANDESTINEMENT [klɑ̃dɛstinmɑ̃] adv. — 1398; de *clandestin*.

D'une manière clandestine. → **Cachette** (en), **manteau** (sous le), **secrètement, subrepticement**; → (argot) En clandé (3.). *Se marier clandestinement. Voyager clandestinement* (→ **Incognito**). *Déménager clandestinement* (→ Sans tambour* ni trompette; à la cloche de bois).

1 (...) de petits journaux clandestinement imprimés, dont il m'arrivait des exemplaires, me signalaient à l'animadversion des écoles.
SAINTE-BEUVE, Correspondance, I, p. 323-324.

2 Il y avait quinze ans de cela, quinze ans qu'elle était revenue, clandestine, à une tombée de nuit pareille à celle-ci. LOTI, Ramuntcho, I, I, p. 11.

3 (...) trois grands nègres autour d'une table jouent aux dés; clandestinement, car les jeux d'argent sont interdits.
GIDE, Voyage au Congo, in Souvenirs, Pl., p. 699.

CONTR. **Jour** (au grand jour), **librement**.

CLANDESTINITÉ [klɑ̃dɛstinite] n. f. — Fin XVIᵉ; de *clandestin*.

♦ 1 Caractère de ce qui est clandestin. *Vivre, travailler dans la clandestinité.*

♦ 2 Dr. Vice d'une chose faite en secret, contrairement à la loi. *La clandestinité empêche la validité du mariage.*

♦ 3 État de ceux qui mènent une existence clandestine. *Entrer dans la clandestinité. Beaucoup de résistants ont vécu dans la clandestinité pendant l'occupation allemande de 1940 à 1944.* → Risque, cit. 4. — *La clandestinité :* ensemble des personnes vivant clandestinement (notamment, de 1940 à 1944). → **Résistance.**

CLANGUEUR [klɑ̃gœr] n. f. — Av. 1527, «son éclatant»; lat. *clangor* «cri retentissant d'oiseau».

Littér. ou didact. Cri retentissant (de certains oiseaux). *La clangueur de l'oie.*

CLANIQUE [klanik] adj. — 1935; de *clan*.

Sociol. Du clan (2.). *Organisation clanique.*

Cette qualité qui affecte dans son essence la personnalité de chacun est inscrite dans sa chair par le tatouage et manifestée aux autres par le nom clanique.
Roger CAILLOIS, l'Homme et le Sacré, p. 90.

CLANISME [klanism] n. m. — V. 1980; de *clan*, probablt d'après l'angl. *clanism*, 1880.

♦ 1 Anthrop. Organisation d'une ethnie en clans.

♦ 2 Sociol. Comportement d'individus qui recherchent l'intérêt de leur groupe sans tenir compte des règles sociales et des lois de la société. — REM. On trouve aussi l'adj. *claniste* [klanist].

CLAP [klap] n. m. — 1952, in I.G.L.F.; mot angl, de *to clap* «choquer».

Anglic., cin. Petit tableau sur lequel est numérotée chaque prise de chaque séquence d'un film, muni d'un claquoir signalant le commencement de chaque tournage de plan; ce claquoir. → **Claquette, 1.** — Bruit fait par le claquoir. *Attention, on commence au clap!*

COMP. **Clapman.**

CLAPER [klape] v. intr. — 1917; de *clapet* «bouche».

Argot. Manger (→ **Becter**).

Elle surveille du coin de l'œil l'invité. Il se tient rudement bien. Foutre! Quelle distinction! Il a dû claper dans le monde, probable.
R. QUENEAU, Pierrot mon ami, éd. L. de Poche, p. 31.

CLAPET [klapɛ] n. m. — 1516; de *clapper*.

♦ 1 Soupape en forme de couvercle à charnière. → **Obturateur, soupape, valve.** *Clapet d'aspiration, de refoulement d'une pompe à liquide. Clapet de condenseur* ou *clapet de pied; clapet de tête* ou *de bâche d'une pompe à air. Clapet de retenue, de sûreté,* pour empêcher le retour en arrière d'un fluide. *Clapet sphérique, hémisphérique, annulaire.* — *Clapet de cheminée; de ventilation.*

1 Quant au clapet, c'était une plaque de bois articulée par une charnière en cuir et doublée d'un joint découpé dans un vieux sac à main. Cet ensemble surprenant ressemblait à un bricolage à la Dubout, mais ça crachait l'eau gros comme ça!
Bernard MOITESSIER, Cap Horn à la voile, p. 84.

Par anal. Petit volet mobile.

2 Sous la vitre horizontale, le billard *(électrique)* étalait sa petite ville : couloirs avec lumière rouge (...) Champignons jaunes, champignons rouges, pastilles vertes et rouges. Espèces de parapets blancs, montés sur des ressorts, clapets de métal.
J.-M. G. LE CLÉZIO, le Déluge, 1966, p. 87.

♦ 2 (1907, *boîte à clapet*). Fam. Bouche (qui parle). *Ferme ton clapet :* tais-toi. *Celle-là, elle a un de ces clapets!,* elle est très bavarde.

CLAPIER [klapje] n. m. — 1395; *glapier*, 1365; du provençal *clapier* «pierreux, cailouteux», de *clap* «tas de pierres», d'un rad. préroman *klappo-* «roche».

♦ 1 Vx. Ensemble des terriers d'une garenne*. — Par ext. Mod. Réduit, abri où l'on élève les lapins. *Clapier en ciment, sous hangar. Le râtelier, la mangeoire, la litière d'un clapier. Lapin de clapier :* lapin élevé dans un clapier.

1 Prends-moi dans mon clapier trois lapins de garenne,
Et chez mon procureur porte-les ce matin.
RACINE, les Plaideurs, I, 6.

Un clapier : un lapin de clapier.

2 En lapins de garenne ériger nos clapiers.
BOILEAU, Satires, 3.

♦ 2 Fig. Petit logement malpropre; endroit insalubre. *Leur logement dans le quartier ancien est un vrai clapier.*

Vx. Lieu de prostitution.

3 Par le Seigneur lui-même (...) cette terre fut nommée un clapier de p...
P.-L. COURIER, la Gazette du village, nᵒ 4, in LITTRÉ.

♦ 3 (1707). Méd. Vx. Foyer d'infection. *Un clapier purulent.*

♦ 4 Alpin. Amoncellement de roches (en montagne).

DÉR. V. 1. **Clapir** (se).

1. CLAPIR (SE) [klapir] v. pron. — 1727; du rad. de *clapier*.

Rare. Se cacher dans un trou, en parlant d'un lapin. → **Blottir** (se), **tapir** (se). — Au p. p. : *Un lapin clapi dans son terrier.*

HOM. 2. **Clapir.**

2. CLAPIR [klapir] v. intr. — 1701; var. de *glapir*.

Rare. Crier, en parlant du lapin.

HOM. 1. **Clapir** (se).

CLAPMAN [klapman] n. m. — V. 1950; faux anglic., de *clap*, et de l'angl. *man* «homme», pris comme élément.

Faux anglic. Cin. Personne qui manœuvre le clap. *Des clapmans.* — REM. S'agissant d'une femme, la forme *clapwoman* serait logique.

CLAPOT [klapo] n. m. — 1886; déverbal de *clapoter.*

Mar. Succession de vagues courtes et irrégulières qui ne se forment pas en lames (à la différence de la houle). *Le clapot de la Méditerranée, des raz de la Manche.* «*Les virements de bord sont étonnamment faciles, même dans le clapot*» (*Bateaux,* n° 100, p. 75). → **Clapotis.**

Il (*le mistral*) reste irrégulier mais maniable — force 4 à 5 — pendant une heure, ce qui donne le temps de rouler ou de se mettre à l'abri. Il ne soulève qu'un violent clapot qui mouille, mais «chahute» peu sauf au bout de deux ou trois jours, ce qui est rare en été.
Jean GIORDAN, le Yachting, p. 82.

CLAPOTAGE [klapɔtaʒ] ou **CLAPOTEMENT** [klapɔtmã] n. m. — Déb. XVIII°, *clapotage; clapotement,* 1832; de *clapoter.*

♦ **1** Fait de clapoter; bruit d'un liquide qui clapote. → **Clapotis.** *Le clapotement (le clapotage) de la mer, des vagues.*

♦ **2** Petit bruit semblable à celui de l'eau qui clapote. — REM. Dans ce sens, *clapotage* semble rare. *Le clapotement des voix.*

1 Antoine est d'abord assourdi par le clapotement des voix.
FLAUBERT, la Tentation de saint Antoine, II, p. 29.

2 (...) le clapotement des semelles sur la glaise.
J. ROMAINS, les Hommes de bonne volonté, t. II, XX, p. 224.

3 (...) il entendait le clapotement des rames qui dominait à intervalles réguliers le léger ressac de l'eau contre les berges. MALRAUX, la Condition humaine, p. 129.

4 Le martèlement des pas se changea en clapotement, puis reprit : les soldats s'étaient arrêtés et repartaient dans une autre direction.
MALRAUX, la Condition humaine, p. 108.

♦ **3** (1905, in *Rev. gén. des sc.,* n° 20, p. 910). Méd. *Clapotage :* bruit produit dans un estomac, un intestin dilaté par de petites secousses pratiquées sur la paroi abdominale. *Clapotage gastrique.*

REM. *Clapotage* a été supprimé dans Académie, Huitième éd., 1932, mais semble toujours employé, notamment au sens médical.

CLAPOTANT, ANTE [klapɔtã, ãt] adj. — 1866; de *clapoter.*

Qui clapote. → **Clapoteux.** *Des vagues clapotantes.*

CLAPOTER [klapɔte] v. intr. — 1611, *clapeter;* de *clapper,* et suff. *-oter.*

♦ **1** En parlant d'une surface liquide légèrement agitée, se couvrir d'ondes, de vagues qui font un bruit caractéristique en s'entrechoquant (→ **Clapotis**). *La mer, le lac clapotaient.*

♦ **2** Produire de petits bruits semblables à un clapotis.

1 L'herbe givrée mouillait ses souliers; il entendait sous ses pas clapoter la vase.
F. MAURIAC, le Mal, VIII, p. 107.

2 (...) une partie du liquide retomba dans l'assiette en clapotant. SARTRE, le Sursis, p. 95.

Par métaphore :

3 J'habite à trop de milliers de mètres d'altitude au-dessus des bas-fonds où clapotent et clabaudent de tels sales papotages, pour que je puisse être éclaboussé par les plaisanteries d'une Verdurin...
PROUST, À la recherche du temps perdu, t. II, p. 96.

DÉR. **Clapot, clapotage** ou **clapotement, clapotant, clapoteux, clapotis.**

CLAPOTEUX, EUSE [klapɔtø, øz] adj. — 1730; de *clapoter.*

Rare. Se dit d'une étendue liquide agitée de clapot. → **Clapotant.** *Une mer clapoteuse.*

Le vent, le courant, le peu d'étendue du bassin rendaient les eaux clapoteuses.
Th. GAUTIER, Constantinople, p. 69.

Les 2 jours suivants, Mer du Nord assez clapoteuse. Vue de la côte du Danemark le lundi à 5 h. Skagerrak.
CLAUDEL, Journal, juil.-août 1919.

CLAPOTIS [klapɔti] n. m. — 1792; de *clapoter.*

Bruit et mouvement de l'eau qui clapote. *Le clapotis des vagues, de la marée.*

(...) l'eau captive dans le bassin du port ne faisait entendre qu'un clapotis confus (...)
MARTIN DU GARD, les Thibault, t. III, p. 101.

Mar. Agitation de la mer produite par la rencontre de houles de sens contraire. → **Clapot.**

CLAPPEMENT [klapmã] n. m. — 1834; *clapement,* 1831; *clap'ment,* 1801, in D.D.L.; de *clapper.*

Action de clapper (→ Badigoinces, cit. 2).

CLAPPER [klape] v. intr. — 1834; «frapper», XII°; d'un rad. onomatopéique *klapp-.*

Produire un bruit avec la langue en la détachant brusquement du palais. *Clapper de la langue. — Faire clapper sa langue.*

Blazius, clappant de la langue, proclama le vin bon et se versa de nombreuses rasades (...)
Th. GAUTIER, le Capitaine Fracasse, t. II, p. 49.

Produire un bruit analogue à un clappement de langue.

Les battements d'ailes, la criaillerie des femmes, leur raucité donnaient un accompagnement sonore qui devint vite intolérable : le désert clappait, claquetait, clapotait; on aurait dit des pas de géants sur la vase ou dans la boue.
Jean CAYROL, Histoire d'un désert, p. 107.

DÉR. **Clapet, clapoter, clappement.** ◊ HOM. **Claper.**

CLAQUADE [klakad] n. f. — Mil. XX°; de 1. *claquer.*

Méd. Technique de massage qui comporte des percussions répétées de masses musculaires avec le plat de la main.

CLAQUAGE [klakaʒ] n. m. — 1901; de 1. *claquer.*

♦ **1** (1895, in Petiot). Méd., sports. «Accident musculaire (déchirement, élongation) dû au surentraînement ou à un effort excessif» (Petiot). *Le coureur, victime d'un claquage, a dû abandonner.*

La plante des pieds lui faisait toujours mal et le haut des cuisses, tout près des hanches, mais il n'avait ni blessure ni claquage musculaire, quelques ampoules seulement (...)
A. LANOUX, le Commandant Watrin, p. 33.

♦ **2** Fam. Effondrement provoqué par une fatigue extrême.

Quelque temps après son ami était tombé mystérieusement malade. Il avait trop travaillé. Ses recherches n'avançaient pas. Claquage, anémie cérébrale.
Maurice CLAVEL, le Tiers des étoiles, p. 165.

♦ **3** Électr. Destruction d'un matériau sous l'effet d'un champ électrique ou de la chaleur. *Claquage d'un condensateur. Claquage thermique.*

CLAQUANT, ANTE [klakã, ãt] adj. — XX°; de 1. *claquer.*

♦ **1** Qui claque (1.), fait un bruit sec et fort. *Un volet claquant, une porte claquante.* → **Battant.**

Passé la nuit, blottis contre une île, entre les touffes de papyrus; un peu à l'abri — ce qui n'a pas empêché le navire de chahuter toute la nuit, avec un vacarme de chaînes, de baleinières cognées, de portes claquantes.
GIDE, Voyage au Congo, in Souvenirs, Pl., p. 845.

Brusque, tranchant. *Un ton claquant.*

2 Vous n'avez pas entendu que j'ai promis le secret à mon indicateur, me dit-il d'une voix claquante.
PROUST, le Côté de Guermantes, Pl., t. II, p. 560.

♦ **2** Fam. Qui fatigue, éreinte. → **Crevant.** *Une marche claquante. Ce boulot est complètement claquant.*

1. CLAQUE [klak] n. f. — 1306; de 1. *claquer.*

I ♦ **1** Coup* donné avec le plat de la main. *Donner, recevoir; ficher, flanquer, foutre* (fam.), *allonger une claque sur la joue.* → **Baffe** (fam.), **calotte** (fam.), **gifle, soufflet; emplâtre** (fam.). *Donner des claques sur les fesses d'un enfant.* → **Fessée.** *Il lui administra une claque retentissante. Sa mère lui a donné une paire de claques.* → **Taloche** (fam.). *Une bonne petite claque.*

1 (...) la cloison mitoyenne (...) permettait aux échos de filtrer, à savoir : lancé de chaussures d'un bout à l'autre de la pièce par le vide des libres espaces (...) silences interminables et inquiétants, coupés de claques retentissantes (...)
COURTELINE, Petite histoire de Boubouroche, p. 20.

1.1 Je passe devant une chambre, et j'entends des claques. Autre chambre, autres claques. Le *Raffles* était devenu le refuge des colères de tous les couples de Singapour.
MALRAUX, Antimémoires, Folio, p. 471.

Loc. fam. *Figure, tête à claques :* personne déplaisante, agaçante.

♦ **2** (1801). *La claque :* personnes que l'on paie pour applaudir un spectacle. → **Claqueur.** *La claque s'efforça de soutenir la pièce. Chef de claque. Faire la claque.*

1.2 La claque permet à l'auteur de faire comprendre au public comment il a voulu son drame. C'est une soupape de sûreté afin que des enthousiasmes maladroits ne crépitent point quand il faut se taire. Mais la claque est une direction de foule; dans un théâtre qui soit un théâtre et où l'on joue une œuvre qui, etc., nous ne croyons après M. Maeterlinck, qu'à l'applaudissement du silence.
A. JARRY, Ubu roi, Pl., p. 414-415.

Par jeu sur les sens I, 1 et I, 2 :

1.3 J'écrivis l'*Étoile au Front* que je fis repésenter au Vaudeville. Nouveau tumulte, nouvelle bataille, mais où mes partisans étaient cette fois beaucoup plus nombreux. Au troisième acte l'effervescence devint telle qu'il fallut, au milieu d'une scène, baisser le rideau pour ne le relever qu'au bout d'un certain temps.
Pendant le second acte, un de mes adversaires ayant crié à ceux qui applaudissaient : «Hardi la claque!», Robert Desnos lui répondit : «Nous sommes la claque et vous êtes la joue.»
Raymond ROUSSEL,
Comment j'ai écrit certains de mes livres, p. 36.

♦ **3** (1877). Fam. *En avoir sa claque :* être exténué, et, fig., être dégoûté de qqch. → **Marre** (en avoir marre). *Je ne vous écoute plus, j'en ai ma claque.* → La mesure est pleine; en avoir par-dessus la tête.

2 — Mes amours?... Tu charries... J'ai assez de toi à m'aimer et, t'sais, j'en ai ma claque.
Francis CARCO, Jésus-la-Caille, V, p. 52.

3 J'en avais ma claque, non des films, mais des gens qui s'agitent autour.
Jean-Louis BORY, Ma moitié d'orange, p. 119.

♦ **4** Fig., fam. Préjudice plus ou moins humiliant. *Il a pris une bonne claque à la Bourse,* il a fait une grosse perte.

II ♦ **1** **a** N. f. plur. (1743). Vx ou régional (Canada). Sorte de socques qui protégaient les souliers d'hommes des intempéries. «*Des claques en caoutchouc*» (Flaubert, l'*Éducation sentimentale,* in T. L. F.). — REM. Au Québec, on dit *claques* ou *caoutchoucs**, *couvre-chaussure* désignant une chaussure de protection plus complète.

b Régional (Bretagne). Sabot* à empeigne et contrefort de cuir.

♦ **2** (1830). Loc. Fam. *Prendre ses cliques et ses claques.* → **Cliques.**

♦ **3** (1890). Techn. Partie de la chaussure qui entoure le pied. → **Empeigne.**

III ♦ **1** (1750). Anciennt. *Chapeau à claque* (vieilli), *chapeau claque* (→ Talon, cit. 7), ou, n. m., *un claque :* chapeau cylindrique (haut-de-forme) qui s'aplatit et qu'on peut mettre sous le bras.

♦ **2** N. m. Anciennt. Bicorne ou tricorne utilisé dans certains corps (armée, administration) et qui peut s'aplatir. — Appos. *Des «tricornes claques»* (Hugo, *les Misérables,* in T. L. F.).

HOM. 2. Claque.

2. CLAQUE [klak] n. m. — 1883, Macé, au sens 1; mot argotique d'orig. obscure; cf. *claqueur* «souteneur», 1828, et *claquedent,* même sens, 1879.

♦ **1** Fam. et vulg. Maison de tolérance. → **Bordel.**

1 D'aller à la messe m'interdit pas d'aller au claque; Simon ne s'en faisait pas faute, avec les copains; prudent du reste, à cause des maladies, mais décidé.
Roger IKOR, les Fils d'Avrom, Les eaux mêlées, p. 439.

2 — J'ai rencontré dans les claques, pardon : dans les maisons, des... disons, en employant un mot suranné pour ne pas vous effaroucher : des catins, qui ne manquaient pas de...
Claude MAURIAC, le Dîner en ville, p. 222.

♦ **2** (1886, Macé). Vx. Maison de jeux. → **Tripot.**

HOM. 1. Claque.

CLAQUE- Élément de mots (substantifs) composés, souvent familiers ou argotiques, tiré du verbe 1. *claquer.*

CLAQUEDENT [klakdã] n. m. — Déb. XVIᵉ; 1450, n. propre; de *claque-,* et *dent.*

♦ **1** Fam., vx. Gueux, misérable (qui tremble de froid et claque des dents). — REM. On a dit aussi *claque-faim* (1866), *claque-soif* (1866), *claque-patin* ou *claque-patins* (autre métaphore).

♦ **2** Vx, fam. Maison de jeu. — (1879). Maison de prostitution. → 2. **Claque.**

CLAQUEMENT [klakmã] n. m. — 1552; de 1. *claquer.*

♦ **1** Action, fait de claquer; choc, bruit qui en résulte. → **Claque; clic, clac.** — (De 1. *claquer,* A., 1.). Fait de claquer. *Claquement des dents,* sous l'effet du froid, de la peur (→ **Tremblement**). — (De 1. *claquer,* A., 2.). Fait, pour qqn, de claquer (des dents, des mains). *Claquement de langue.* → **Clappement.** *Les claquements de mains du public.* → **Applaudissement.** *Claquement des doigts* (→ Castagnette, cit. 2). — Spécialt. Bruit de ce qui claque. *Le claquement d'un fouet, d'une porte, d'une portière de voiture. Claquement sec, bref, rapide, répété, sourd.*

1 Mais les charretiers grognèrent à peine, détournèrent un regard maussade, et firent des hu-hau et des claquements de fouet.
J. ROMAINS, les Hommes de bonne volonté, t. V, XXVII, p. 290.

2 On entendit le claquement sec des crans de sûreté des couteaux ouverts tout d'un coup.
P. MAC ORLAN, la Bandera, VII, p. 81.

Rare. (De 1. *claquer,* B., trans.). *Le claquement de la porte* (par qqn).

♦ **2** Sports. *Claquement d'un muscle.* → **Claquage, déchirure, froissement.** *Claquement tendineux.*

♦ **3** Méd. Bruit sec que l'on entend en auscultant différentes régions du cœur. *Claquement d'ouverture, de fermeture de la mitrale.*

CLAQUEMURER [klakmyʀe] v. tr. — 1644; p.-ê. de *à claquemur* «dans un endroit si étroit que le mur claque». Pour P. Guiraud, *claquemur* représente **calquemur*, du provençal *calcar* «presser, serrer», d'où *à calquemur* «comprimé par le mur», la métathèse du *l* étant due à une confusion avec *claquer.*

♦ **1** Enfermer (qqn) comme dans une prison étroite. → **Cloîtrer, emprisonner, enfermer; boucler** (fam.).

1 Vous nous accusez de l'avoir claquemuré, scellé même avec des pierres et du plâtre!
BALZAC, Une ténébreuse affaire, Pl., t. VII, III, p. 607.

♦ **2** Enfermer (qqn) à l'étroit. — (Sujet n. de chose abstraite). *Les troubles claquemuraient les gens chez eux.*

♦ **SE CLAQUEMURER** v. pron.
(Réfl.). Se tenir enfermé chez soi.

♦ **CLAQUEMURÉ, ÉE** p. p. adj. *Rester claquemuré chez soi,* enfermé. *Des gens claquemurés.*

2 Je pouvais rentrer à l'aube ou lire au lit toute la nuit, dormir en plein midi, rester claquemurée vingt-quatre heures de suite, descendre brusquement dans la rue.
S. DE BEAUVOIR, la Force de l'âge, p. 16.

CONTR. Délivrer, libérer.

1. CLAQUER [klake] v. — 1508; onomat. → Clac.

A V. intr. ♦ **1** (Sujet n. de chose). Produire un bruit sec et assez fort. *Faire claquer ses doigts, ses lèvres, sa langue. Un fouet qui claque.* — Fig., vx. *Faire claquer son fouet* : faire le fier, se donner de l'importance, vouloir faire preuve d'autorité (→ Autre, cit. 49). — *Un drapeau qui claque au vent. Une porte, un volet qui claque.* → **Battre.** *Faire claquer la porte,* la fermer violemment. *Attention, ne fais pas claquer la porte! Le courant d'air fait claquer les portes* → aussi ci-dessous, B., Claquer la porte, et fig.

1 Cyrus Smith et ses compagnons furent comme atterrés en voyant que, sous l'empire d'une terrible émotion, ses dents claquaient comme celles d'un fiévreux.
J. VERNE, l'Île mystérieuse, t. II, p. 530 (1874).

1.1 Le mal dont j'ai parlé m'envahissait aussi, peu à peu. Je le sentais gronder en moi, comme de grandes eaux lointaines! — Allons! allons! disons la chose! Mes dents se mirent à claquer follement! la sueur coula sur mes tempes.
VILLIERS DE L'ISLE-ADAM, Tribulat Bonhomet, p. 62 (1887).

2 Le gourmet venait de lamper un trait de vin et reposait sa timbale. Il fit claquer sa langue (...)
G. DUHAMEL, Chronique des Pasquier, VII, III, p. 21.

3 (...) les balles miaulent au-dessus de la tranchée, très bas, et plusieurs claquent sur le parapet, comme des coups de fouet.
R. DORGELÈS, les Croix de bois, V, p. 100.

4 Ses dents claquent, tout son corps tremble. Oh! qu'il fait froid sous le gros édredon rouge.
Jérôme et Jean THARAUD, l'Ombre de la croix, VIII, p. 195.

Par métaphore :

4.1 Le vent faisait claquer l'été sur les places comme un drapeau.
Maurice CARÊME, la Grange bleue, «Le retour du Moi».

♦ **2** (Sujet n. de personne; compl. en *de* désignant une partie du corps). *Claquer des doigts* : faire claquer ses doigts. — *Claquer des dents* : avoir les dents qui claquent (de froid, de peur, etc.); fig. avoir froid, peur. → **Grelotter, trembler.**

— (...) il claque de peur quand il parle au roi maintenant. 5
— Comment : il claque de peur?
— Je veux dire : il claque des dents, de peur du roi.
GIDE, Saül, III, 1.

Loc. fam. *Claquer du bec* (au sens 1 de *bec*). *Oiseau qui claque du bec.* Fig. (Au sens 2 de *bec*). Avoir faim, soif; être privé.

(...) la fièvre me faisait claquer du bec comme une cigogne 5.1
au bord d'un marécage (...)
Th. GAUTIER, le Capitaine Fracasse, p. 109.

♦ **3** (Sujet n. de chose). Fam. Se casser, se rompre; éclater. → **Péter** (fam.). *Un verre, un joint qui claque.* Fig., fam. Échouer. *L'affaire lui a claqué dans les mains, les doigts.* → **Péter.**

J'ai fait tout ce que j'ai pu, j'ai tenté l'impossible. Tout m'a 5.2
claqué dans les mains... Je ne vous demande que quinze jours.
René FLORIOT, La vérité tient à un fil, p. 29.

♦ **4** (1842). Fam. (Sujet n. de personne ou d'être animé). Mourir. → **Crever.** *Il a claqué, il vient de claquer* (→ ci-dessous, B., 5.).

(...) je refusais la direction de l'infirmerie, convaincu que 6
ces pauvres bougres allaient claquer dans leur cave si on ne les évacuait pas sur-le-champ.
MARTIN DU GARD, les Thibault, t. IX, p. 244.

B V. tr. ♦ **1** (1648). Compl. n. de personne. Donner une claque à (qqn); frapper (qqn) d'une claque. → **Gifler.** *Arrête, ou je te claque!*

♦ **2** (Compl. n. de chose). Faire claquer, mouvoir avec violence de manière à produire un claquement. *Claquer une porte.* Fig. *Claquer la porte au nez de qqn* : refuser de voir, de recevoir qqn. *Il n'a rien voulu écouter et est parti en claquant la porte.* — *Claquer la langue,* produire un bruit sec en la détachant du palais.

Comme il y avait du courant d'air, j'ai dû laisser l'impres- 6.1
sion que j'avais claqué la porte extrêmement fort.
G. DUHAMEL, Chronique des Pasquier, VIII, XIII, p. 429.

♦ **3** (1732, *in* D.D.L.). Vx. *Claquer un acteur, un spectacle,* l'applaudir en battant des mains. → **1. Claque** (I., 2.); **claqueur.**

♦ **4** (1861, argot). Fam. *Claquer de l'argent,* le dépenser. → **Dissiper, gaspiller, manger** (fam.). *Claquer un héritage, sa fortune. Il a claqué cinq cents francs en une soirée. Il a tout claqué.*

♦ **5** (XXᵉ). Fam. (Compl. n. d'être animé). Fatiguer à l'excès. → **Éreinter, fatiguer.** *Claquer un cheval.* — Pron. *Il se claque pour préparer son examen.* — (Sujet n. de chose). *Cette excursion les a claqués.* — Au p. p. *Je suis complètement claqué.*

(...) nous étions ruinés, claqués d'énervement et de 7
fatigue (...)
GIDE, Journal, 1ᵉʳ janv. 1910.
Fam. (Même sens que A., 4.). *Il est claqué,* mort.

♦ **6** Fam., sports. *Claquer un muscle, un tendon. Se claquer un muscle, un tendon,* le déchirer par un effort trop brutal. → **Déchirer** (se), **froisser** (se); **claquage.**

♦ **7** Fam., rare. Mettre (qqch.) hors d'usage. → **Casser.** — Au p. p. *Le mécanisme est claqué.*

Quelle heure est-il, demanda Van, ma montre est claquée. 8
— Sept heures, pile.
Armand LANOUX, le Commandant Watrin, p. 15.

DÉR. et COMP. Claquade, claquage, claquant, 1. claque, claquement, claquet, claqueter, claquette, claquoir. (Du sens B, 3) **1. Claque** (I., 2.), **claqueur. V. Claque-.**

2. CLAQUER [klake] v. tr. — 1863, Littré; de 1. *claque, II., 3.*

Techn. Garnir (une bottine) d'une claque.

CLAQUET [klakɛ] n. m. — V. 1460 ; de 1. *claquer.*

♦ **1** Techn. (ancienn). Petite latte placée sur la trémie d'un moulin, et qui claque continuellement. *Le bruit du claquet.*

♦ **2** Vx, fam. *Sa langue va, lui va comme un claquet de moulin,* en parlant d'une personne bavarde.

DÉR. **Claqueter.**

CLAQUÈTEMENT [klakɛtmã] n. m. → **Claquettement.**

CLAQUETER [klakte] ou **CLAQUETTER** [klakete] v. intr. [CONJUG.: *jeter.*] — 1530 ; de 1. *claquer,* suff. *-eter.*

Rare. Faire une série de claquements de bec (cigogne) ; glousser, caqueter (poule).

DÉR. **Claquettement.**

CLAQUETTE [klakɛt] n. f. — 1539, «crécelle» ; de 1. *claquer,* ou déverbal de *claqueter.*

♦ **1** Petit instrument formé de deux planchettes réunies par une charnière, et servant à donner un signal. *La claquette d'un cérémoniaire dans un office religieux.*

(1934). Au cinéma, Dispositif formé de deux planchettes solidaires d'un tableau, qui permet de synchroniser le son et l'image au début d'une séquence filmée. *Claquette portant le numéro du plan tourné.* Syn. : *clap* (anglic.), *claquoir.*

Au moment où scénario, prise de vue et de son, éclairage, plans et trucs sont prêts à entrer en action, au moment où les magasins ont leur charge de film vierge, on entend sur le plateau le bruit sec d'une *claquette* : il s'agit de deux planchettes à charnière qu'on frappe l'une contre l'autre devant la caméra, au début de toute prise de vue ; enregistrée à la fois par la caméra et par le micro, la claquette assure la synchronisation du film. On tourne.
             LO DUCA, Technique du cinéma, p. 64.

♦ **2** Instrument de musique formé de deux bandes de cuir garnies de grelots.

♦ **3** Spécialt (au plur.). *Danseur à claquettes,* dont les semelles portent des lames de métal qui permettent de marquer le rythme. *Faire des claquettes, en dansant* : produire des claquements rythmiques avec ses semelles, sur le plancher.

Par ext. Ce type de danse. *Pratiquer les claquettes. Faire des claquettes. École de danse et de claquettes.*

CLAQUETTEMENT [klakɛtmã] n. m. — 1538, «claquement de dents» ; de *claqueter.*

Rare. Son émis par la cigogne ou la poule qui claquette. — REM. On écrit aussi *claquètement.*

De Rabat, je me rappelle surtout le claquettement des cigognes perchées sur les tours crénelées, couleur de pain brûlé, parmi des lauriers-roses.
             S. DE BEAUVOIR, la Force de l'âge, p. 338.

CLAQUETTER [klakete] v. intr. → **Claqueter.**

CLAQUEUR [klakœʀ] n. m. — 1781 ; de 1. *claquer.*

Vx. Personne engagée pour applaudir un artiste, un spectacle. → 1. **Claque** (I., 2.). *Un succès de claqueurs.* — Par ext. (vx). Personne qui approuve avec excès.

Bergotte, comme un claqueur chargé quand on rappellera Sarah Bernhardt de dire : «Non, tous tous», disait : «Non, tout, tout.»
             PROUST, Jean Santeuil, Pl., p. 799.

REM. Le fém. *claqueuse* est virtuel.

CLAQUOIR [klakwaʀ] n. m. — Fin XIXe ; de 1. *claquer.*

(1931). Cin. → **Claquette,** 1. «*Comment on repère, par tableau et par claquoir, le début de chaque scène au point de vue image et au point de vue son*» (*l'Illustration,* p. 21, 2 mai 1931).

CLARIFIANT, ANTE [klaʀifjã, ãt] adj. et n. m. — XXe ; de *clarifier.*

Didactique, technique ou littéraire.

♦ **1** Adj. Qui clarifie. *Des propos clarifiants.*

Il y a le monde, l'histoire, et l'homme. Il y a l'imaginaire, et le symbolisme, et l'écriture clarifiante. L'emploi de toutes les puissances du discours ne va pas sans une double dissolution du langage littéraire et courant.
         Henri LEFEBVRE, la Vie quotidienne dans le monde moderne, p. 11.

♦ **2** N. m. Techn. Agent qui permet de clarifier un liquide quelconque (moût, bière, vin, etc.). *En brasserie, on utilise des clarifiants obtenus avec de la colle de poisson.*

CLARIFICATION [klaʀifikasjɔ̃] n. f. — Déb. XVe, fig. ; de *clarifier.*

♦ **1** (1690). Concret. Action de clarifier (un liquide). → **Décantation, défécation, épuration, purification.** *Clarification par ébullition, par englobement, par entraînement, par filtration, par décantation. La clarification de l'eau, d'un sirop.*

♦ **2** Abstrait. → **Éclaircissement.** *La clarification d'une situation. Une clarification logique. Cela demande quelques clarifications, cela demande clarification.*

CLARIFIER [klaʀifje] v. tr. — XIIe, «glorifier» ; du lat. ecclés. *clarificare* «glorifier» ; du lat. *clarus* «illustre». → Clair.

♦ **1** (XVIe). Vx. Rendre clair ou plus clair (un liquide trouble). *Clarifier du vin de copeaux*, clarifier du lait.* → **Couler.** *Clarifier de l'eau.* — Au p. p. :

Plus, une vingt-huitième, une prise de petit-lait clarifié, et dulcoré, pour adoucir (...) et rafraîchir le sang de Monsieur (...)   MOLIÈRE, le Malade imaginaire, I, 1.   1

♦ **2** Mod. Rendre pur (un liquide) en éliminant les suspensions étrangères. → **Décanter, déféquer, épurer, filtrer, purifier.** *Clarifier un sirop, une liqueur. Clarifier du sucre.* — Pron. *Le vin rouge se clarifie plus rapidement que le vin blanc.* — Au p. p. *Vin clarifié.*

♦ **3** (1393). Abstrait. Rendre plus clair, plus aisé à comprendre. → **Éclaircir, élucider.** *Clarifier une situation embrouillée. Clarifier ses idées. Il a rapidement clarifié le problème. Aérer un exposé pour le clarifier.*

(...) il louait au contraire la littérature française de clarifier, de «filtrer» les idées.   2
        A. MAUROIS, Études littéraires, Jacques de Lacretelle, t. II, p. 210.

Pron. *Se clarifier* : devenir clair. *Depuis son intervention, la situation se clarifie.*

CONTR. **Embrouiller, épaissir, louchir, troubler.** ◊ DÉR. **Clarifiant, clarification.**

CLARINE [klaʀin] n. f. — XVIe ; de *clair* sous la forme *clar.*

Littér. ou régional. Sonnette attachée au cou du bétail lorsqu'il paît dans les forêts, les montagnes. *Clarines des vaches, des béliers.* → **Campane, sonnaille.**

On entendait, sur toute la montagne, sonner, de-ci, de-là, les clarines des bestiaux qui somnolaient dans les alpages.   1
      G. DUHAMEL, Biographie de mes fantômes, XII, p. 240.

C'est pourquoi, à la fin du jour, on rencontre par les chemins tant de petits troupeaux qui se dirigent vers les collines. En pleine nuit, très tard, on entend quelquefois leurs clarines tinter, au loin (...)   2
        H. BOSCO, l'Âne Culotte, p. 120.

(...) au temps où les caravanes traversaient encore la grand-place d'Ispahan précédées de leur petit âne-guide au collier de perles bleues, dans le bruit des clarines (...)   3
        MALRAUX, Antimémoires, Folio, p. 86.

CLARINETTE [klaʀinɛt] n. f. — 1753; de *clarin* «hautbois», mot provençal; du lat. *clarus*. → Clair.

♦ **1** Instrument de musique à anche ajustée sur un bec, et dont le tuyau est terminé par un pavillon peu ouvert. *Les clefs d'une clarinette. Clarinette basse.* → **Basset.** *Clarinette ordinaire. Petite clarinette. Registre d'une clarinette :* chalumeau, médium, clairon, aigu. *Clarinette alto, basse, contrebasse. Concerto pour clarinette et orchestre.* **Par ext.** Technique de cet instrument. *Apprendre la clarinette et le saxo soprano.*

♦ **2** Personne qui joue de cet instrument. → **Clarinettiste.** — REM. Ne s'emploie guère qu'en attribut. *Être clarinette dans un orchestre.*

Cet homme était clarinette solo à l'Opéra de la ville.
J. GIONO, le Hussard sur le toit, p. 334 (1951).

♦ **3** Loc. fam. et vulg. *Clarinette baveuse :* sexe de l'homme.

DÉR. **Clarinettiste.**

CLARINETTISTE [klaʀinetist] n. — 1821, *in* D.D.L.; de *clarinette.*

Personne qui joue de la clarinette. → **Clarinette, 2.** *Le répertoire des clarinettistes. Clarinettiste classique, de jazz. Une excellente clarinettiste d'orchestre.*

CLARISSE [klaʀis] n. f. — 1631; du nom de sainte *Claire,* fondatrice de cet ordre, au XIIIᵉ s.

Religieuse de l'ordre de Sainte-Claire. *Couvent de clarisses. Entrer chez les clarisses.*

CLARTÉ [klaʀte] n. f. — 1080, *Chanson de Roland, clartet; claritet,* v. 1000 (Saint Léger); l'orthographe *clarté, clairté* date du XVIᵉ; du lat. *claritas,* dér. de *clarus.* → Clair.

A Concret. ♦ **1** Lumière qui rend les objets visibles d'une façon nette et distincte. → **Lumière.** *Une clarté bleuâtre, laiteuse, froide, blafarde. Douce clarté. Clarté diffuse. Faible clarté.* → **Lueur, nitescence.** *Clarté de l'aurore, du crépuscule.* → **Demi-jour.** *Répandre de la clarté.* → **Éclairer.** *La clarté intense du soleil. Très vive clarté.* → **Éclat, embrasement.** *Une trop grande clarté éblouit. Clarté de la lune.* → **Clair,** II. *Mélange de clarté et d'ombre.* → **Clair-obscur.** *Une clarté artificielle.* — *«La clarté déserte de ma lampe...»* (→ Papier, cit. 15, Mallarmé).

1 Cette obscure clarté qui tombe des étoiles
   Enfin avec le flux nous fit voir trente voiles (...)
   CORNEILLE, le Cid, IV, 3.

2 Le soleil nous luit tous les jours,
   Tous les jours sa clarté succède à l'ombre noire (...)
   LA FONTAINE, Fables, II, 13.

3 Cependant sur la tour, les monts, les bois antiques,
   L'ardent foyer jetait des clartés fantastiques (...)
   HUGO, Ballades, VIII.

4 (...) c'était au milieu de l'ombre, une clarté très douce, baignant les objets d'une lueur diffuse et tendre.
   ZOLA, le Dʳ Pascal, I, p. 5.

5 Toute la ville était éclairée par un petit nuage éblouissant qui s'était arrêté sur la lune, et le ciel était adouci de clarté (...)
   Pierre LOUŸS, Aphrodite, III, p. 39.

6 Qu'est-ce qu'il y a de plus mystérieux que la clarté? (...)
   Quoi de plus capricieux que la distribution, sur les heures et sur les hommes, des lumières et des ombres?
   VALÉRY, Eupalinos, p. 68.

7 (...) quand on la regarde, cette peau, au plein jour de là-bas, quand la lumière frise l'épaule ou la hanche, il y a, sur cette soie mordorée, des clartés bleues (...) comme une impalpable poudre d'acier, comme un perpétuel reflet de lune (...)   MARTIN DU GARD, les Thibault, t. III, p. 42.

7.1 Ce n'est pas la même lumière et elle n'éclaire pas directement l'endroit où le soldat se tient, qui reste dans la pénombre. C'est, à l'autre bout du corridor, une clarté artificielle, jaune et pâle, qui provient de la branche droite du couloir transversal. Un rectangle lumineux se découpe ainsi dans la paroi.
   A. ROBBE-GRILLET, Dans le labyrinthe, p. 59.

À la clarté de : sous l'éclairage de. *Il lisait le soir à la clarté d'une lampe à pétrole.*

Littér. Vx. *Jouir de la clarté du jour, de la clarté :* vivre. *Revoir la clarté du jour, revoir la clarté. Perdre la clarté du jour, perdre la clarté* (Académie). — **Au plur. :**

8 Qui de nous des clartés de la voûte azurée
   Doit jouir le dernier?   LA FONTAINE, Fables, XI, 8.

Vx. Flambeau. *Apporter une clarté.*

Littér. (au plur.). Source de lumière. *Les clartés de la nuit, de l'aurore.*

♦ **2** (1538). Qualité de ce qui est clair, transparence, limpidité. *La clarté du verre. Clarté de l'eau.* → **Limpidité.** — **Par anal.** *La clarté du teint,* netteté, éclat. — *La clarté d'une vaisselle bien lavée, d'une pièce d'argenterie.*

B (1268, «renommée, caractère illustre»). **Abstrait.** ♦ **1** (1580, Montaigne). Caractère de ce qui est intelligible, se comprend sans effort excessif. → **Netteté, perspicuité, précision.** *La clarté d'une phrase, d'un texte, d'un discours. S'exprimer, parler avec clarté.* → **Clairement.** *Écrit, récit, discours plein de clarté. Clarté d'un style pur et élégant.* → Atticisme (cit. 4); poète (cit. 2). *Il résuma les faits avec un grand souci de clarté. La solution apparut avec toute la clarté possible. La clarté d'une démonstration.*

9 La clarté est la bonne foi des philosophes.
   VAUVENARGUES, Réflexions et Maximes, 372.

10 (...) la syntaxe française est incorruptible. C'est de là que résulte cette admirable clarté, base éternelle de notre langue. Ce qui n'est pas clair n'est pas français (...)
   RIVAROL,
   Disc. sur l'universalité de la langue franç., p. 26.

11 Ne pas oublier que la seule qualité à rechercher dans le style est la clarté.   STENDHAL, Journal, p. 25.

12 La clarté, comme l'exactitude, tient aux choses et naît de la distinction des idées; la perspicuité, comme la correction, tient à l'expression et naît des bonnes qualités du style.
   LAFAYE, Dict. des synonymes, Clarté.

13 La clarté est la politesse de l'homme de lettres.
   J. RENARD, Journal, 7 oct. 1892.

14 Quoi qu'il en soit, notre langue (...) est justement fameuse pour la clarté de sa structure, qui jointe à un goût fréquent chez nous des définitions et des précisions abstraites, fit concevoir et réaliser tant de chefs-d'œuvre d'organisation verbale, — des pages d'une perfection d'architecture telle qu'elles semblent exister et s'imposer indépendamment de leur sens, des images ou des idées qu'elles portent, et même de leurs vertus sonores (...)
   VALÉRY, Regards sur le monde actuel,
   Pensée et art français, p. 183.

15 (...) besoin de rigueur, horreur du vague et de cette apparente clarté dont se contentent presque tous les hommes, et, conscience de ce besoin de rigueur, besoin de remettre en question le langage et d'exiger des mots un contenu précis.
   A. MAUROIS, Études littéraires, t. I, Valéry, III, p. 21.

16 La clarté des textes est un signe de l'honnêteté des esprits.
   A. MAUROIS, Études littéraires, t. II, Duhamel, IV, p. 111.

Qualité de ce qui est sans ambiguïté. *Avoir de la clarté dans l'esprit, dans les idées. Clarté d'esprit.* → **Lucidité.**

♦ **2** Vieilli ou littér. Vérité lumineuse. *Ses recherches ont projeté quelque clarté sur ce sujet.* → **Lueur, lumière.**

17 Étrange aveuglement!
   — Éternelles clartés!   CORNEILLE, Polyeucte, IV, 3.

18 C'est ici que votre chimie intervient avec ses souveraines clartés.
> RENAN, Dialogues et Fragments philosophiques, Œ. compl., t. I, p. 170.

Loc. *En pleine, en toute clarté* : très clairement.

◆ **3** Vieilli (au plur.). Connaissances d'un certain niveau de culture. → **Connaissance, idée, notion.** *Avoir des clartés sur un sujet donné. Avoir des clartés de tout.*

19 Je consens qu'une femme ait des clartés de tout ;
Mais je ne lui veux point la passion choquante
De se rendre savante afin d'être savante (...)
> MOLIÈRE, les Femmes savantes, I, 3.

CONTR. Nébulosité, obscurité, ombre. — Ambiguïté, confusion, trouble. — Ambage, chaos.

CLASE [klaz] n. f. — D. i. ; du grec *klasis* «action de briser».

Géol. Fracture de l'écorce terrestre ; faille dans une masse minérale (→ Clastique).

CLASH [klaʃ] n. m. invar. — 1962, *in* Höfler ; angl. *clash* «fracas».

Américanisme. Conflit, désaccord violent. *«Il y a, aux États-Unis, un risque de clash social qui n'avait jamais existé jusqu'ici»* (l'*Express*, 21 août 1972, p. 70).

CLASIE [klazi] n. f. — Mil. XXᵉ ; du grec *klasis* «action de briser». → aussi Clase.

Didact. (méd.). Rupture. *«Celle-ci* (la paradentose ou pyorrhée) *étant une lyse et non une clasie»* (P.-L. Rousseau, *les Dents*, p. 114).

-CLASIE Élément, du grec *klasis* «action de briser». → -claste.

1. CLASS ou **CLAS** [klas] adv. — 1901 ; arabe *khlas* (il a fini) «pas du tout» (adv.), «fin» (n. f.), selon Esnault.

Argot. Assez. — **REM.** S'emploie comme *marre. En avoir clas. C'est clas.*

J'en avais clas et reclas d'excuser éternellement tout le monde. Qui me pardonnait, à moi ? Personne !
> Albert SIMONIN, Touchez pas au grisbi, p. 138.

HOM. 2. Class, classe.

2. CLASS [klas] adj. — 1979 ; de *classe*, II., B., 3.

Fam. Qui a de la classe. → **Chic, classe** (II, C). *Un bar très class. Tu es très class, ce soir !*

HOM. 1. Class, classe.

CLASSABLE [klasabl] adj. — 1888, Verlaine ; *inclassable* est antérieur ; de *classer*, et *-able*.

Qu'on peut classer, répartir en classes. *Objets classables en catégories ; difficilement classables. Ce personnage n'est pas classable.*

1 Cependant, j'ai aimé ou j'aimerai plusieurs fois dans ma vie. C'est donc que mon désir, tout spécial qu'il soit, s'accroche à un type ? Mon désir est donc classable ?
> R. BARTHES, Fragments d'un discours amoureux, p. 43.

N. m. *Le classable* : ce qu'on peut classer.

2 L'intraitable manie qui consiste à ramener l'inconnu au connu, au classable, berce les cerveaux. Le désir d'analyse l'emporte sur les sentiments.
> A. BRETON, Manifeste du surréalisme, p. 16.

CONTR. Inclassable.

CLASSAGE [klasaʒ] n. m. — 1906, Alain-Fournier, *Correspondance* ; de *classer*.

◆ **1** Rare. Action de classer. → **Classement, classification.**

◆ **2** Techn. Séparation des fibres (cellulose, matières textiles) en catégories de longueur, solidité, etc., par une machine appelée *classeuse**.

CLASSE [klas] n. f. — V. 1355 ; du lat. *classis* «classe de citoyens».

I Dans un groupe social, Ensemble de personnes qui ont en commun une fonction, un genre de vie, une idéologie, etc., et qui sont envisagées comme un sous-ensemble distinct et important de la société. → **Caste, catégorie, clan, état, gent, groupe, ordre.** *Hiérarchie des classes.* → Armature, cit. 2.

1 Toute société est composée de groupes de personnes rapprochées par leur fonction sociale et par le genre de vie qu'elles ont adopté ; on appelle ces groupes des classes. Ces classes se forment spontanément. La seule question qui se pose est celle de savoir si le droit doit tenir compte de l'existence des classes pour définir la situation juridique de leurs membres.
> O. MARTIN, Précis d'hist. du droit franç. n° 127.

◆ **1** Hist. Dans l'ancienne Rome, Chacune des catégories, entre lesquelles les citoyens étaient répartis (d'après le montant de leur fortune).

2 Servius Tullius établit le cens ou le dénombrement des citoyens distribués en certaines classes.
> BOSSUET, Hist., I, 7, *in* LITTRÉ.

3 La cité antique, comme toute société humaine, présentait des rangs, des distinctions, des inégalités. On connaît, à Athènes, la distinction originaire entre les Eupatrides et les Thètes ; à Sparte, on trouve la classe des Égaux et celle des Inférieurs ; en Eubée, celle des chevaliers et celle du peuple. L'histoire de Rome est pleine de la lutte entre les patriciens et les plébéiens (...)
> FUSTEL DE COULANGES, la Cité antique, IV, 1.

4 Au plus bas degré, il y a les humbles, les *humiliores*, la plèbe des petites gens (...) Au-dessus d'eux, se tiennent les gens comme il faut, les *honestiores*, les «bourgeois» de ce temps (...) Ceux-ci, d'ailleurs, se subdivisent en plusieurs catégories : la plus infime (...) ne saurait prétendre à servir l'État (...) et, par conséquent, ne mérite pas le beau nom de classe : *ordo*. La notion d'*ordo* n'intervient que plus haut encore. D'abord, à la base, avec l'ordre équestre (...) Ensuite, au sommet, avec l'ordre sénatorial (...)
> J. CARCOPINO, la Vie quotidienne à Rome..., I, II, I, 1, p. 72.

Sous l'Ancien Régime, Catégorie sociale déterminée à laquelle on appartenait soit par la naissance, soit par la vocation (clergé). *Les clercs, les nobles, les roturiers et les serfs, classes du moyen âge. Noblesse, clergé, tiers état, classes de l'Ancien Régime. Classes privilégiées.* → **Aristocratie.**

4.1 (...) tu veux que perpétuellement soumis et dégradés, pendant que cette classe qui nous maîtrise a pour elle toutes les faveurs de la fortune, nous ne nous réservions que la peine, l'abattement et la douleur, que le besoin et que les larmes, que les flétrissures et l'échafaud !
> SADE, Justine..., t. I, p. 37.

◆ **2** (1788). *Classe* ou *classe sociale* : ensemble de personnes de même condition ou de niveau social analogue, qui ont une certaine conformité d'intérêts, de mœurs. — Vx. *Hautes classes.* → **Élite** (→ fam. Crème, gratin). *Basses classes.* → **Populace ; pègre.** — Mod. *Classes moyennes.* → 1. **Moyen,** cit. 4, 5, 6, 6.1. *Classe dirigeante* (→ Pragmatique, cit. 2), *gouvernante, dominante. Classe bourgeoise.* → **Bourgeoisie.** *Classe industrielle, agricole... Classe ouvrière* (cit. 15.1). — (1791). *La classe laborieuse.* → **Peuple, plèbe, prolétariat.**

(Mil. XIXᵉ). Spécialt. Dans les théories socialistes, et notamment, marxistes, L'un des deux groupes, opposés par la détention du capital (pour le groupe dominant) et la production de la plus-value du travail (pour le groupe dominé). *Classe dominante, capitaliste* (identifiée ou non à la *classe bourgeoise*). *Classe exploitée.* → **Prolétariat.** *Lutte des classes.* → **Lutte,** (cit. 6.1, 8 et *supra*). *Société sans classes* : le communisme*, où, après le stade socialiste de la «dictature du prolétariat», l'opposition engendrée par le capitalisme aurait disparu. — REM. Les cit. suivantes prennent en général le mot dans un sens plus large que cette acception.

5   On dit souvent qu'il n'y a plus de classes et qu'il faut même éviter de prononcer ce mot. Le mot de classe n'implique pourtant en soi qu'une idée de classification. Nous ne le prenons point ici dans un sens agressif, mais seulement (...) comme exprimant (...) une certaine communauté de conditions sociales et par suite une communauté d'intérêts (...)
Le socialisme d'aujourd'hui ne voit que deux classes en lutte : ceux qui possèdent et ceux qui ne possèdent pas, c'est-à-dire le Capital et le Travail, et, d'après eux, cette lutte séculaire ne tardera pas à se dénouer par la victoire du Travail (...) comme il n'y aura plus de classes, évidemment il n'y aura plus de lutte de classes.
              Charles GIDE, Cours d'économie politique, II, II,
                                                      p. 198.

6   (...) il n'est pas du tout certain que la paix sociale soit jamais établie par l'écrasement bourgeois de la classe bourgeoise sous la classe prolétarienne.
              Ch. PÉGUY, Œ. compl., t. XI, p. 53 à 57.

7   Toute division de l'humanité en deux groupes ou, comme on dit encore, en deux «classes» est dangereuse, et en somme artificielle.
              A. MAUROIS, Un art de vivre, III, 3, p. 114.

8   (...) le tragique du conflit des classes lui échappait dans un pays où le plus pauvre est propriétaire, n'aspire qu'à l'être davantage ; où le goût commun de la terre, de la chasse, du manger et du boire, crée entre tous, bourgeois et paysans, une fraternité étroite.
              F. MAURIAC, Thérèse Desqueyroux, VI, p. 106.

9   Ce qu'il veut, c'est ne pas moisir dans la condition de travailleur. Il ne sait pas encore ce que c'est que les classes sociales ; mais il a déjà l'idée de changer de classe.
              J. ROMAINS, les Hommes de bonne volonté,
                                                   t. XXIV, p. 281.

9.1 Pourtant effacez : *parti communiste, Front populaire* ; inscrivez à la place : *votre destin*, et vous tenez le mot de notre destin. La classe ouvrière divisée, le fascisme gagne.
              F. MAURIAC, le Nouveau Bloc-notes 1958-1960,
                                                      p. 58.

9.2 (...) il n'est pas d'erreur plus profonde et plus mortelle pour l'avenir, que de confondre sous la même étiquette de «classes moyennes», des réalités sociales absolument hétérogènes telles que les «classes moyennes traditionnelles» (petits paysans, artisans, et commerçants) en constante régression (...) et les couches en pleine expansion, d'ingénieurs, de cadres, et de techniciens de toute nature (...)
              Roger GARAUDY, Parole d'homme, p. 220.

... **DE CLASSE.** *Intérêts de classe. Conscience de classe* : conscience d'appartenir à une classe et notamment à la classe exploitée (dans l'optique d'une prise de conscience à implications politiques).

9.3 La classe ouvrière ne peut pas ne pas être profondément déçue. La première parmi les couches et classes sociales, elle éprouve cette frustration. Sa «conscience de classe» se rétablit difficilement et cependant ne peut disparaître. Elle devient «malentendu» des classes mais s'présente à ce titre, en toute revendication.
              Henri LEFEBVRE, la Vie quotidienne dans le
                                       monde moderne, p. 175-176.

II **A** (Sans idée de hiérarchie). ◆**1** (XVIIᵉ). Ensemble (d'individus ou d'objets qui ont des caractères communs). → **Catégorie, division, espèce, série, sorte ; classification.** *Diviser les hommes, les choses en classes nettes, tranchées, définies. Livre qui s'adresse à toutes les classes de lecteurs. Ranger qqch. par classes.* → **Classer, étiqueter.** *Appartenir à une classe, faire partie de la classe des...* — *Navires*

de même classe, du même type. — *Former une classe à part* (→ Amitié, cit. 12).

(...) il est de la classe de ces avocats dont le proverbe dit   10
qu'ils sont payés pour dire des injures.
              LA BRUYÈRE, les Caractères, XIV, 49.

Vous le concevez donc, *Thérèse*, il n'est aucun pouvoir, de   10.
quelque nature que vous puissiez le supposer, qui puisse parvenir à vous arracher de nos mains, et il n'y a ni dans la classe des choses possibles, ni dans celle des miracles, aucune sorte de moyen qui puisse réussir à vous faire conserver plus longtemps cette vertu dont vous êtes si fière (...)
              SADE, Justine..., t. I, p. 147.

La ressemblance est une qualité bien secondaire (...) ce qui   11
est intéressant, ce n'est pas l'individu, c'est le type, c'est la synthèse de toute une race et de toute une classe.
              A. MAUROIS, les Discours du Dʳ O'Grady, XVI,
                                                      p. 173.

Les cinq classes de l'Institut : les cinq académies de l'Institut* de France.

◆**2** Spécialt, didact. **a** Log. Ensemble d'objets de connaissance réunis par la présence de caractères communs et correspondant à un concept* ou notion. *Chaque concept de la logique en compréhension correspond à une classe en extension.*

b (1733). Sc. Grande division du règne animal ou végétal, immédiatement inférieure à l'embranchement*. → **Classification.** *Les poissons, les oiseaux, les mammifères sont des classes de l'embranchement des vertébrés. La classe des mammifères se subdivise en ordres, groupes, familles.* → **Sous-classe.**

c (1903, in *Rev. gén. des sc.*, nº 18, p. 859). Math. *Classe d'équivalence :* dans un ensemble où l'on a défini une relation* d'équivalence R, sous-ensemble qui contient tous les éléments équivalents à un élément x de cet ensemble (*classe d'équivalence de x modulo R ;* → **Modulo**). *L'élément x est le représentant de la classe d'équivalence modulo la relation R. Classe de congruence :* classe d'équivalence dont la relation d'équivalence est une congruence*.

d Statist. Groupe d'unités présentant une caractéristique dont la valeur se situe entre certaines limites déterminées. *Classes d'âge :* répartition d'une population selon les âges. *Classes creuses :* classes nettement moins nombreuses que celles qui les encadrent, du fait d'événements (guerres, etc.) ayant contrarié la natalité.

e Ling. Répartition des unités linguistiques selon leur fonction, leur sens. *Classe grammaticale, lexicale. Classe d'adjectifs, de substantifs. Classe fonctionnelle de mots.* → **Catégorie** (grammaticale). *Classe ouverte, fermée.*

f Autom. Ensemble des voitures comprises entre deux cylindrées.

B (Avec l'idée de hiérarchie). ◆**1** Grade, rang attribué (à certaines personnes ou à certaines choses en fonction de leur importance, de leur valeur, de leur qualité) selon un jugement. *Appartenir à la classe la plus haute.* — Loc. *Première, deuxième classe. Ingénieur de première classe. Soldat de première classe, de deuxième classe,* appartenant aux échelons les plus bas dans la hiérarchie militaire. Ellipt. *Un deuxième classe.* — *Préfecture de première classe.*

Hors classe (en général, au-dessus de la première classe). *Professeur hors classe.*

Degré de confort dans certains moyens de transport (chemin de fer, avions, bateaux). *Wagon de première, de deuxième classe,* ou, ellipt, *wagon de première, de seconde classe. Voyager en seconde classe.* — *Prendre une seconde classe.* — Loc. *Enterrement de première classe.* → **Enterrement.**

Ce steam-boat, d'ailleurs, était fort bien aménagé, et les   11.
passagers, suivant leur condition ou leurs ressources, y

occupaient trois classes distinctes. Michel Strogoff avait eu soin de retenir deux cabines de première classe, de sorte que sa jeune compagne pouvait se retirer dans la sienne et s'isoler quand bon lui semblait.
      J. VERNE, Michel Strogoff, p. 94 (1876).

12   Malgré la différence des classes, la vie nous emporte tous ensemble, à grande vitesse, dans un seul train, vers la mort. COCTEAU, le Grand Écart, IX, p. 172.

♦ **2** Valeur, qualité (surtout dans : ... de classe). *Il est d'une tout autre classe; ils n'ont pas la même classe.* → **Carrure.** *Un coquin de première classe, de grande classe.* — *Des produits de première classe,* de première qualité, de premier choix; *de seconde classe,* d'une qualité moyenne. — Absolt. *De classe :* de grande qualité. *Un immeuble, un appartement de classe.* → **Standing.**
Hors classe : au-dessus de ce qui est classé. → **Exceptionnel.** *Immeuble hors classe.* — *Un comédien hors classe.*
Sports. Ensemble des qualités personnelles, physiques et morales, d'un sportif. *Acquérir une classe internationale.*

♦ **3** Absolt. *La classe :* la distinction, l'élégance (selon la hiérarchie des jugements de valeur d'une société, d'un groupe). *Il, elle a de la classe, une classe folle. Ça, c'est le style, la classe !*

C Adj. Fam. Chic, distingué. → 2. **Class.** *Un type très classe. Ça fait classe, cette voiture !* → **Classieux.**

III ♦ **1** (XVIe). Division des élèves d'un établissement scolaire d'enseignement primaire ou secondaire, selon les degrés d'études. *Classe primaire. Classes de l'enseignement secondaire.* → **Cycle.** *La classe de terminale, de première. Être en seconde classe,* et, ellipt, *en seconde. Grandes classes,* ou *classes supérieures,* par oppos. à *petites classes. Classe de sixième, de cinquième, de quatrième, de troisième. Classes élémentaires. Classes nouvelles,* où l'enseignement est donné par des méthodes actives. *Maître chargé de telle classe. Camarade de classe. Être admis, passer dans la classe supérieure. Redoubler une classe. Sauter une classe. Il tient la tête de la classe. Il est le premier de sa classe* (→ Distribution, cit. 1). — *Classe préparatoire* aux grandes écoles :* chacune des deux classes supérieures des lycées, où l'on prépare aux concours d'entrée aux grandes écoles. *Classes préparatoires littéraires* (lettres supérieures ou hypokhâgne*, première supérieure ou khâgne*), *classes préparatoires scientifiques* (mathématiques* supérieures ou hypotaupe*, mathématiques* spéciales ou taupe*). *Élèves des classes préparatoires aux grandes écoles* (→ argot scol. Carré, cube, bicarré).

13   Il ouvrait les yeux, il battait des paupières, comme un enfant à qui le maître d'école vient de proposer un problème «de la classe au-dessus».
      J. ROMAINS, les Hommes de bonne volonté, t. II, IV, p. 50.

Ensemble des élèves qui suivent le même programme. *Une classe turbulente. Classe studieuse, forte,* où il y a beaucoup de bons élèves. *Donner congé à une classe. Des classes trop nombreuses.* Loc. Fam. *La petite classe,* les enfants, les plus jeunes ou ceux qui se comportent comme des enfants. *Du calme, la petite classe !*

♦ **2** L'enseignement qui est donné en classe; la durée de cet enseignement. → **Cours, leçon.** *Une classe d'histoire, de chant... Avant, pendant, après la classe. Troubler la classe. Suivre la classe. Faire, finir ses classes,* en parlant d'un élève qui fait ses études. *Faire la classe,* en parlant d'un maître qui enseigne. *Ce professeur fait bien la classe. Préparer*

sa classe.* → **Cours, leçon.** *Je n'aime pas qu'on parle pendant la (ma) classe.*

D'ordinaire, au commencement de la classe, il se faisait un 14 grand tapage qu'on entendait jusque dans la rue : les pupitres ouverts, fermés, les leçons qu'on répétait très haut, tous ensemble, en se bouchant les oreilles pour mieux apprendre, et la grosse règle du maître qui tapait sur les tables.
      Alphonse DAUDET, Contes du lundi, «La dernière classe».

Les classes venaient de finir; les externes étaient sortis, les 15 autres s'amusaient dans une cour éloignée.
      LOTI, Matelot, III, p. 10.

Mon père (...) dirigeait à la fois le Cours Supérieur, où 16 l'on préparait le brevet d'instituteur, et le Cours Moyen. Ma mère faisait la petite classe.
      ALAIN-FOURNIER, le Grand Meaulnes, I, p. 1.
      REM. Cet exemple peut aussi être compris au sens 1.

Plur. *La rentrée des classes :* le commencement de l'année scolaire.

Spécialt. *Classe de neige :* enseignement donné l'hiver, dans un lieu où les sports de montagne sont praticables; école où se fait cet enseignement. — *Classes vertes, classes de mer,* à la campagne, à la mer, pour les enfants des villes. — *Classe de découverte :* séjour d'une classe hors de l'école pendant lequel les élèves partagent leur temps entre l'étude et le sport ou l'observation.

♦ **3** **a** Salle de classe. *Une classe de dessin, de musique,* spécialement équipée pour cette sorte d'enseignement. *Entrer dans la classe. Garçon de classe* (ancienn). — *Le mobilier de la classe. Se faire mettre à la porte de la classe. La classe d'un instituteur, d'un professeur, sa classe. La classe d'un élève, sa classe. Ma classe est plus grande, plus belle que la tienne.*

(...) M. Hamel immobile dans sa chaire et fixant les objets 17 autour de lui, comme s'il avait voulu emporter dans son regard toute sa petite maison d'école (...) depuis quarante ans, il était là, à la même place, avec sa cour en face de lui et sa classe toute pareille. Seulement les bancs, les pupitres s'étaient polis, frottés par l'usage.
      Alphonse DAUDET, Contes du lundi, «La dernière classe».

b *La classe :* l'école. — Loc. *Aller en classe, être en classe,* à l'école, au lycée. *Elle ne va pas encore en classe, on la met à la crèche. Demain, il y a classe :* l'école est ouverte, l'enseignement se donne.

c (Plur.). Ensemble des études. → **Scolarité.** — Fig. *Faire ses classes :* acquérir de l'expérience.

La IVe République doit, pour une large part, la suite 17.1 ininterrompue de ses désastres et sa ridicule fin, à un personnel politique mal préparé, qui n'avait pas fait ses classes.
      F. MAURIAC, le Nouveau Bloc-notes 1958-1960, p. 115.

IV (Fin XVIIIe). ♦ **1** Contingent militaire ou naval des conscrits nés la même année. *La classe de 1980;* (cour.) *la classe 1980. Appeler une classe sous les drapeaux* (→ Caporal, cit. 2). *Classes de recrutement. Classe de mobilisation :* effectifs réellement appelés. — Fam. *Être bon pour la classe,* apte au service militaire.

♦ **2** *Être de la classe,* du contingent qui doit être libéré dans l'année où l'on est.
La libération. *Vive la classe !* → **Quille.**

La classe ! mot magique! cautère moral du troupier. 18
      COURTELINE, le Train de 8 h. 47, p. 53.

♦ **3** *Faire ses classes :* recevoir l'instruction militaire, en parlant d'une recrue.

DÉR. 2. **Class, classer.** ◊ COMP. **Sous-classe, superclasse.** → HOM. 1. **Class,** 2. **class.** — Formes du v. **classer.**

CLASSEMENT [klasmã] n. m. — 1784 ; de *classer*.

I ◆ 1 Action de distribuer en classes, de distinguer dans une pluralité des ensembles caractérisés par des traits communs, de les répartir selon un ordre* ; résultat de cette action. → **Arrangement, classification** (cit. 1), **ordre** (mise en), **taxinomie.** *Un classement approximatif, provisoire, définitif, rigoureux. Classement alphabétique, alphanumérique. Un classement méthodique, logique. Classement des idées suivant un plan. Classement par ordre de matières, par catégories, par genres. Divisions, subdivisions d'un classement.* → **Partie, section, série.** *Classement de personnes* (→ Caste, cit. 2). *Classement judiciaire de créanciers.* → **Collocation.** *Classement des faits sociaux pour leur étude.* → **Statistique.** *Classement de mots.* → **Nomenclature.** *Classement de nombres.* → **Numériclature.** *Tableau* permettant le classement des détails d'un tout. Le classement de papiers dans un classeur*, de livres dans une bibliothèque.* → **Rangement ; catalogue, fiche, index, répertoire.** *Marque du classement des pièces dans un inventaire.* → **Cote.**

1 Sur des fiches, des bandes de carton grosseur moyenne, rangées alphabétiquement par noms d'auteurs. C'est le seul classement pratique.
Antoine ALBALAT, l'Art d'écrire, III, p. 30 (→ 1. Fiche).

Classement des routes : répartition des routes en nationales, départementales et chemins vicinaux.

◆ 2 Attribution d'une place, d'un rang à qqn ou à qqch. (selon le mérite, la valeur). *Prendre la tête d'un classement, du classement. Le classement final d'un concours*. Le classement des concurrents. Classement des candidats admis à un examen. Donner à des élèves leur classement trimestriel. Avoir un bon classement* : être bien classé. *Classement de fonctionnaires en vue de l'avancement au choix. Classement hiérarchique.* → **Hiérarchie, rang.**

2 Je cherche ici non à me moquer mais à nous mettre en garde, les uns et les autres, contre ces classements dont nous avons pris le pli au collège avec les manuels de littérature : chaque poète y recevait sa place définitive et sa note éternelle.
F. MAURIAC, Bloc-notes 1952-1957, p. 348.

Spécialt (sports). *Un classement par équipes, par points.*

Fait d'inclure un hôtel, un restaurant dans une catégorie de l'hôtellerie ; son résultat. *Classement deux étoiles, trois étoiles.*

II (De *classer*, II.). Décision administrative ou judiciaire qui met fin à l'instruction d'une affaire. *Le classement d'une affaire.*

CONTR. Confusion, déclassement, désordre, enchevêtrement, fouillis (fam.). **◊ COMP. Surclassement.**

CLASSER [klase] v. tr. — 1756 ; de *classe*.

I ◆ 1 (Le compl. désigne une pluralité). Diviser et répartir (des éléments) en classes* (II.), en catégories. → **Classement, classification, taxinomie ; différencier, diviser, répartir, séparer.** *Classer des plantes, des insectes.*

1 Il osa former le projet de décrire et de classer tous les êtres de la nature. CONDORCET, Linné, *in* LITTRÉ.

◆ 2 (Le compl. peut être au sing.). Placer dans une classe, ranger dans une catégorie. *On classe les mandariniers dans le genre citrus.* → **Grouper.** *Classer par séries* (→ **Sérier**), *par catégories* (→ **Catégoriser**). *Classer qqch., un objet suivant le genre, le type, la qualité... Classer sous des chefs* (cit. 8), *des rubriques... variées. Classer une personne dans tel groupe social.* → **Cataloguer.** — (Sujet n. de chose) *Ce détail vous classe dans telle catégorie.*

Pron. *Le lapin se classe parmi les rongeurs.* — **REM.** Dans ce sens, le mot comporte souvent l'idée d'un classement* hiérarchisé.

2 Certaines toilettes, à Paris, par le fini de leur détail et la ligne de leur ensemble, classent une femme aussi certainement qu'un officier son uniforme et ses galons.
Paul BOURGET, Un divorce, I, p. 3.

3 Je hais les classifications, je hais les classificateurs ! Sous prétexte de vous classer, ils vous limitent, ils vous rognent, on sort de leurs pattes amoindri, mutilé, avec des moignons ! MARTIN DU GARD, les Thibault, t. IV, p. 97.

Mettre au nombre, au rang (de). *Classer qqn parmi, dans...* — **Pron.** *Se classer :* être classé. *Se classer parmi les meilleurs, les pires.* — *On peut classer ce tableau parmi les chefs-d'œuvre.* → **Élever** (au rang, au niveau). *Classer un édifice comme monument historique,* le faire entrer dans la catégorie des monuments historiques.

◆ 3 (Avec l'idée d'une hiérarchie). *Classer des étudiants, des écoliers,* leur attribuer une place dans une liste, de manière à sanctionner leur travail. *Classer un élève, le classer troisième sur huit.*

Classer un vin, un cru, le faire entrer dans la catégorie des vins d'appellation contrôlée.

Sports. Faire figurer (qqn, une équipe) dans un classement.

Fam. Placer dans une classe peu appréciée. *Classer un individu,* le juger définitivement. *Je l'ai tout de suite classé.*

◆ 4 Mettre (des choses, des personnes) dans un certain ordre ; mettre à sa place dans un classement. → **Arranger, ordonner, placer, ranger, trier.** *Classer dans des archives.* → **Archiver.** *Classer des papiers. Classer, ficher, répertorier des documents. Classer par ordre alphabétique, chronologique, numérique, par ordre de grandeur.* — **Pron. passif.** → ci-dessous, cit. 4, 5.

4 La pensée est une terre vierge et féconde dont les productions veulent croître librement, et, pour ainsi dire, au hasard, sans se classer, sans s'aligner en plates-bandes comme des bouquets dans un jardin classique de Le Nôtre, ou comme les fleurs du langage dans un traité de rhétorique. HUGO, Odes et Ballades, Préface, 1826.

5 Les amis, à la longue, finissent par se classer dans l'ordre de la délicatesse de leur tact.
VALÉRY, Autres rhumbs, p. 185.

6 Après-midi, achevé de ranger mes papiers, c'est-à-dire de classer par séries les pages d'anciens carnets qui me paraissent valoir d'être conservées, et déchirer tout le reste.
GIDE, Journal, 5 mars 1916, p. 546.

7 Je tâcherai de l'intéresser au travail, en l'obligeant à me les classer *(des carrés de papier peint)* par ordre de prix, par types de motifs, par couleurs, que sais-je ?
J. ROMAINS, les Hommes de bonne volonté, t. II, IX, p. 100.

Compl. au sing. Insérer, placer dans un classement. *Cette fiche n'a pas été classée. Veux-tu classer ce papier.*

II Fig. *Classer une affaire,* ranger son dossier, la considérer comme terminée. — **Fam.** *Classer une question,* ne plus vouloir y revenir.

◆ CLASSÉ, ÉE p. p. adj.

◆ 1 ⓐ Mis en ordre selon des critères déterminés. *Plantes classées,* distribuées par classes scientifiques.

Réparti selon un ordre de mérite : *Cru, vin classé.* — *Un candidat bien classé.* — *Sportif correctement classé ; mal classé* (surclassé ou sous-classé).

Fam. *Cet individu est définitivement classé,* mal considéré, classé au bas de la hiérarchie.

7.1 (...) pas moyen de s'expliquer. On est classé une fois pour toutes. CAMUS, la Chute, p. 57.

Un château classé (dans la catégorie des monuments historiques), *un site classé* (soumis à une réglementation destinée à préserver un environnement présentant un intérêt historique, archéologique, etc.).

b Rangé dans un ordre déterminé. *Fiches classées.*

8 J'y vis les fiches, rigoureusement classées, qui contenaient le passé et l'avenir des Thibault.
A. MAUROIS, Études littéraires, t. II, Martin du Gard, I, p. 167.

♦ **2 (Du sens II).** Réglé définitivement. *L'affaire est classée. Affaire classée.*

9 L'affaire du Collège de Navarre n'était nullement «classée». Un des larrons que Colin et François s'étaient adjoints avait été saisi, conduit à la torture où il avait parlé. La police recherchait Villon.
Francis CARCO, Nostalgie de Paris, p. 91.

CONTR. Brouiller, déclasser, déranger, embrouiller, enchevêtrer, mêler. — Achever, poursuivre, terminer. ◊ DÉR. Classable, classage, classement, classeur. ✦ COMP. Déclasser, interclasser, reclasser, surclasser. — (Du p. p.) Inclassé.

CLASSEUR, EUSE [klasœR, øz] n. — 1811; de *classer.*

♦ **1 Personnes.** **a** (1902). Rare. Personne spécialisée dans le classement des dossiers. «*Polyglotte, rédactrice, classeuse?*» (Giraudoux, *l'Apollon de Bellac*).
b Techn. *Classeur-assortisseur de peaux.* → **Assortisseur** (assortisseur-classeur).

♦ **2 N. m.** Cour. Portefeuille ou meuble à compartiments qui sert à classer des papiers. *Cartons*, casiers* d'un classeur.* → **Cartonnier.** *Classeur horizontal, vertical. Classeur contenant des chemises, des dossiers.*
Meuble, casier, boîte de rangement. *Classeur pour diapositives.*

♦ **3** Reliure à feuillets mobiles destinée au classement de papiers, de documents. *Classeur à anneaux, à tirettes. Ranger ses notes de cours dans un classeur. Intercalaires pour classeurs.*

♦ **4 N. f.** Techn. Appareil destiné au classage* (2.) de la cellulose, de la pâte à papier, etc.
Machine de bureau qui permet de classer des pièces comptables et d'en totaliser les montants.

CLASSICISANT, ANTE [klasizizɑ̃, ɑ̃t] adj. — XXᵉ; de *classique, classicisme,* et *-isant.*
Didact. Qui a des affinités avec le classicisme, des tendances classiques. *Un maniérisme «où apparaissent (...) les premiers signes d'une réaction classicisante»* (V.-L. Tapié, *le Baroque*, p. 110).

CLASSICISME [klasisism] n. m. — V. 1825 (opposé à *romantisme*); de *classique.*

♦ **1** Vx. Doctrine des partisans exclusifs de la tradition classique* (I., 3. ou I., 4.) dans la littérature et dans l'art. *Classicisme et romantisme.*

1 (...) il y a ici une recrudescence de classicisme, de siècle de Louis XIV, de goût pour *Esther* et de dilettantisme académique.
SAINTE-BEUVE, Correspondance, t. II, p. 337.

2 Et si l'on a pu dire enfin que le romantisme avait pris en tout le contre-pied du classicisme, la grande raison en est que le classicisme avait fait de l'impersonnalité de l'œuvre d'art l'une des conditions de sa perfection.
BRUNETIÈRE, Manuel de l'hist. de la littérature franç., III, p. 425.

♦ **2** Ensemble des caractères propres aux œuvres littéraires et artistiques de l'antiquité et du XVIIᵉ siècle, telles qu'elles ont été définies, jugées par les théoriciens de la fin du XVIIᵉ siècle (en France). *L'union «du cartésianisme et de l'art dans le classicisme»* (Lanson).

C'est par ce rationalisme *(en littérature)* que se définit essentiellement, selon nous, le classicisme français.
R. JASINSKI, Hist. de la littérature franç., t. I, p. 257, note.

4 Dans la littérature et l'art le classicisme, qui a donné ses plus beaux fruits, se prolonge encore (vers 1680). Véritable «Père de l'Église», Bossuet oppose aux ennemis du catholicisme la pure doctrine de la tradition. Racine fait jouer *Esther* (1689) et *Athalie* (1691). La Fontaine publie son XIIᵉ livre de *Fables* (1694).
R. JASINSKI, Hist. de la littérature franç., p. 275.

Spécialt (théâtre). Caractère d'une pièce qui respecte la règle des trois unités.

♦ **3** Caractère classique (I., 7.). *Un tailleur d'un classicisme strict.*

CONTR. Romantisme; réalisme; modernisme. — Individualisme, originalité. ◊ DÉR. Classiciste.

CLASSICISTE [klasisist] n. — 1926, Bremond; de *classicisme.*
Didact. Partisan du classicisme.

CLASSIEUX, IEUSE [klasjø, jøz] adj. — 1985; de *classe,* adj. «chic, distingué». → 2. Class.
Fam. Qui a de la classe, de l'allure.
— Je ne sais pas ce qui nous a pris, dit Anaïs qui poursuivait son idée. Un plan d'urgence, tu comprends. On a baisé dans la cabine.
— Classieux!
Yann QUEFFÉLEC, Disparue dans la nuit, p. 94.

CLASSIFICATEUR, TRICE [klasifikatœR, tRis] adj. et n. — 1816, *in* D. D. L.; de *classifier,* d'après *classification.*
Didactique, littéraire ou technique.

♦ **1 (Personne).** Qui établit des classifications, range par classes. → **(didact.) Taxinomiste.**
Adj. *Un goût classificateur, une rage classificatrice.*

♦ **2 N. m.** Ling. Élément morphologique qui marque l'appartenance à une classe d'une unité du lexique. → **Indice** (de classe).

♦ **3 N. m.** Appareil qui isole les particules trop grosses de minerai et les renvoie dans le broyeur.

CLASSIFICATION [klasifikasjɔ̃] n. f. — 1763, selon Bloch; de *classe* ou de *classifier,* du lat. *classis.* → Classe.
Action de distribuer par classes, par catégories; résultat de cette action. → **Classement, délimitation.** *Science des classifications.* → **Systématique, taxinomie, typologie.** *Les divisions d'une classification. Places, rangs d'une classification.* → **Hiérarchie.** *Classification dichotomique*, hiérarchique. Classification méthodique, rigide, rigoureuse* (→ Accommoder, cit. 15; classer, cit. 3). *Classification naturelle* ou *génétique,* utilisant un ensemble de caractères. *Unité de classification.* → **Taxon.** *Une classification qui se fonde sur un seul caractère arbitrairement considéré est artificielle. La classification des lois, des sciences, des mots, des idées. Classification des maladies.* → **Nosologie.**

1 Le classement est l'action de ranger effectivement d'après un certain ordre : le classement des papiers. La classification est l'ensemble des règles qui doivent présider au classement effectif ou qui déterminent idéalement un ordre dans les objets.
LITTRÉ, Dict., art. *Classification.*

2 Il ne faut pas prétendre à des classifications rigoureuses. Partout les catégories voisines se pénètrent.
F. BRUNOT, la Pensée et la Langue, I, I, p. 6.

3 (...) la sélection, la classification, l'expression des faits qui nous sont conservés ne nous sont pas imposées par la nature des choses; elles devraient résulter d'une analyse et de décisions explicites (...)
VALÉRY, Regards sur le monde actuel, Avant-propos, p. 14.

4   (...) une sorte de hiérarchie, une classification des ouvrages
    des hommes selon la durée qu'on présumait attachée à
    leur action.
                              VALÉRY, Regards sur le monde actuel,
                              Notre destin et les lettres, p. 207.

Sc. nat. *Classification des animaux* (→ **Zootaxie**), *des
minéraux, des végétaux.* → **Règne.** *Classification en
botanique et en zoologie.* → **Classe, embranchement,
espèce, famille, genre, ordre, tribu, type, variété.**
Classification décimale, fondée sur la numérotation décimale. *Classification décimale universelle*
(C. D. U.), utilisée en bibliographie. *La classification périodique des éléments,* en chimie.

DÉR. Classificatoire.

CLASSIFICATOIRE [klasifikatwaʀ] adj. — 1874, Littré,
Suppl.; du rad. de *classification.*

Didactique.

♦ **1** Qui constitue une classification ou y contribue.
→ **Classificateur.**

Enfin, l'évolution des travaux sur ou contre le totémisme a
mis au premier plan le système *classificatoire* décrit dans
le chapitre *L'organisation du monde.*
                              Roger CAILLOIS, l'Homme et le Sacré, p. 5.

♦ **2** Ethnol. *Parenté classificatoire,* basée sur des critères de rapports sociaux, neutralisant la distinction entre parents directs et collatéraux (père-
oncle, etc.).

CLASSIFIER [klasifje; klasifje] v. tr. — V. 1500; d'après
un lat. fictif *classificare,* formé de *classis* «classe», et
ficare «faire». → Classification.

Didact. ou style soutenu. Répartir selon une classification. *Classifier les sciences.* — Absolt. Faire, établir
des classifications.

DÉR. Classificateur. — V. Classification.

CLASSIQUE [klasik] adj. et n. — 1548; lat. *classicus* «de
première classe», de *classis.* → Classe.

I Adj. ♦ **1** (XVIᵉ-XVIIIᵉ). Vx. Qui mérite d'être imité. —
(1611). Mod. Qui est considéré comme un modèle,
qui fait autorité en quelque matière. *«L'ouvrage de
ce jurisconsulte, de ce médecin est devenu classique»*
(Académie). *La terre classique de la liberté.*

♦ **2** (1680). Qu'on enseigne dans les classes. *Les
auteurs classiques du programme.* → ci-dessous, Les
classiques (II., 2.).

1   Au sens littéral du terme, est «classique», tout auteur
    étudié dans les classes et digne de former les esprits. Les
    Romantiques sont aujourd'hui devenus «classiques».
                              R. JASINSKI, Hist. de la littérature franç., t. I, p. 255.

2   Vous me faites grand plaisir en m'apprenant que l'Aca-
    démie va rendre à la France et à l'Europe le service de
    publier un recueil de nos auteurs classiques, avec des
    notes qui fixeront la langue et le goût.
                              VOLTAIRE, Lettre à Duclos, 10 avr. 1761.

♦ **3** (XVIIIᵉ). Qui appartient à l'antiquité gréco-latine,
considérée comme la base de l'éducation et de la
civilisation. *Langues classiques :* le grec et le latin.
*Études classiques. Il a entrepris des études de lettres
classiques* (opposé à *lettres modernes*).

2.1 Il n'y a pas d'enseignement qui soit par lui-même démo-
    cratique ou aristocratique. Taine a vu dans l'enseignement
    classique et dans les vieilles humanités la source de l'esprit
    révolutionnaire.
                              A. THIBAUDET, Réflexions sur la littérature,
                              p. 250 (1936).

♦ **4** (1802; d'après l'all.). Qui appartient aux grands
auteurs du XVIIᵉ siècle et à leur époque, considérés comme exprimant un idéal de raison, de
sentiment du beau, de naturel, lié au respect de
lois tirées de la littérature antique. (S'emploie surtout

par oppos. à *romantique*). *Théâtre, poésie, littérature
classique.*

3   On prend quelquefois le mot classique comme synonyme
    de perfection. Je m'en sers ici dans une autre acception, en
    considérant la poésie classique comme celle des anciens,
    et la poésie romantique comme celle qui tient de quelque
    manière aux traditions chevaleresques.
                              Mᵐᵉ DE STAËL, De l'Allemagne, II, XI.

4   (...) certains critiques sont convenus d'honorer désormais
    du nom de *classique* toute production de l'esprit antérieure
    à notre époque, tandis que la qualification de *romantique*
    serait spécialement restreinte à cette littérature qui grandit
    et se développe avec le dix-neuvième siècle.
                              HUGO, Préface des Odes, 1824.

5   (→ cit. 1). Mais l'épithète s'est spécialement attachée aux
    grands auteurs du XVIIᵉ siècle et à leurs continuateurs.
    «École», a-t-on dit après coup, en faisant abstraction des
    particularités d'époques et de personnes. L'«école clas-
    sique» s'est définie en quelque sorte rétrospectivement, au
    XIXᵉ siècle, par opposition avec les novateurs romantiques.
    Elle est apparue comme ayant si pleinement continué les
    chefs-d'œuvre gréco-latins, fleur des humanités scolaires et
    modèles littéraires impérissables, comme ayant en même
    temps porté à un si haut degré de plénitude les vertus de
    l'esprit français, qu'à son tour elle semblait atteindre la
    perfection suprême et fixer le plus pur de notre tradition.
                              R. JASINSKI, Hist. de la littérature franç., t. I, p. 255.

Répertoire classique, qui ne comprend que des
œuvres classiques.

Qui a les caractères esthétiques (mesure, raison,
respect des règles, division par genres, etc.) de la
période classique. *Style classique* (opposé à *romantique,* puis à *baroque* et *archaïque*). *Suivre les traditions classiques. «Un souci de styliste classique»*
(→ Arcadien, cit.). — *Période classique, pré-classique
et post-classique. Pseudo-classique :*

6   Une imitation froide et servile des modèles antiques est
    qualifiée de pseudo-classique.
                              Louis RÉAU, Dict. d'art, art. *Classique.*

♦ **5** *Musique classique,* d'une période arbitrairement limitée (XVIIIᵉ siècle), dont J.-S. Bach est
le principal représentant (en musicologie); cour. :
musique des grands auteurs de la tradition musicale occidentale (opposé à *folklorique, légère, de
variété*). — Syn. : *grande musique. Il préfère le jazz
à la musique classique. Concert classique,* ne comportant que des œuvres classiques. → ci-dessous, II.,
3. : *Le classique.*

Danse classique : ensemble de pas et de mouvements qui servent de base à la danse enseignée
dans les écoles de danse traditionnelles (opposé
à *danse moderne*). *Apprendre la danse classique à
l'Opéra.*

Peint., sculpt. Qui s'inspire des modèles antiques. *La
peinture classique du premier Empire.*

Par anal. *Beauté classique,* conforme aux modèles
antiques (→ Apollinien, 2.).

♦ **6** Écon. *École classique,* nom donné à un groupe
d'économistes anglais et français considérés
comme les fondateurs de l'économie politique
(fin du XVIIIᵉ siècle, début du XIXᵉ siècle).

♦ **7** a (Objets concrets). Qui est conforme aux usages,
ne s'écarte pas des règles établies, de la mesure.
Un veston de coupe classique. → **Sobre, traditionnel.**
b (Abstractions). Qui est conforme aux habitudes.
→ **Habituel.** — Péj. Qui ne s'écarte pas de la banalité. → **Banal, ordinaire.** Fam. *C'est le coup classique.*
→ **Courant.**

7   La petite ville roupillait éperdument, sous un semis
    d'étoiles. Le train classique lança son cri connu.
                              R. QUENEAU, Pierrot mon ami, éd. L. de Poche,
                              p. 147.

II N. m. ♦ **1** *Auteur classique* (→ ci-dessus I., 2., 3., 4.).
Les grands classiques. Il connaît ses classiques par

cœur. Les classiques et les romantiques. → Perruque, cit. 5.

Peintre, musicien classique.

♦ **2** Ouvrage classique (au sens 2). *Collection des classiques latins, français.* — Par ext. Ouvrage classique (au sens 1). *C'est un classique du genre.*

♦ **3** Musique classique. *Il aime le classique.*
Par anal. (Cin.). Film considéré comme un modèle du genre. *Cette salle ne projette que des classiques.*

♦ **4** Fam. (cour. au Canada). *Un classique :* une chose normale, habituelle dans une situation donnée.

♦ **5** N. f. et adj. (1896, *in* Petiot). *Une classique* (ou *une épreuve classique*) : épreuve sportive importante et que la tradition a consacrée. *Cette année, il a remporté toutes les classiques.*

CONTR. **Moderne, romantique. — Baroque. — Original, excentrique.** ◊ DÉR. **Classicisme, classiquement.** ➝ COMP. **Néo-classique, postclassique, préclassique, pseudoclassique.**

CLASSIQUEMENT [klasikmɑ̃] adv. — 1809 ; de *classique.*

♦ **1** De manière classique. *Une œuvre construite classiquement.*

♦ **2** Habituellement (➝ **Classique,** I., 7.).
Ces fugues sont fréquentes. Ça se termine classiquement par une rentrée au bercail.
ARAGON, les Beaux Quartiers, p. 402.

-CLASTE Élément tiré du grec *klastos* «brisé». ➝ **Iconoclaste.**

CLASTIQUE [klastik] adj. — 1834 ; anat., 1822 ; du grec *klastos* «brisé».

♦ **1** Géol. Qui provient de la fragmentation d'une autre roche (→ **Clase**). *Roches clastiques* (➝ **Détritique**).
Les roches clastiques comme le silex ou les quartzites, soumises à un choc violent, libèrent des éclats qui présentent sur leur plan d'éclatement une surface conchoïdale, le bulbe de percussion.
A. LEROI-GOURHAN, le Geste et la Parole, t. I, p. 130.

♦ **2** Anat. Se dit de pièces anatomiques artificielles et démontables.

♦ **3** Psychol., psychiatrie. Se dit d'actes, de comportements violents marqués par le bris d'objets. *Geste clastique. Crise clastique.*

COMP. **Pyroclastique.**

CLASTO- Élément, du grec *klastos* «brisé». ➝ **-claste.**

CLATHRE [klatʀ] n. m. — 1778, Lamarck ; *clathrus,* 1753 ; mot du lat. sc. créé par Micheli, 1729, de *clatri, clatrorum* «barreaux», du grec.

Bot. Champignon gastéromycète à partie aérienne découpée et ajourée, formant une sorte de cage arrondie à orifices polygonaux.

CLATIR [klatiʀ] v. intr. — 1690 ; altér. de *glatir* par attract. de *clapir.*
Rare. En parlant d'un chien de chasse, pousser des cris aigus et répétés. ➝ **Glapir.** *Les chiens clatissent pour annoncer la prise du gibier.*

CLAUDE [klod] n. m. — 1752, prénom.
Fam. et vx. Sot, niais (encore chez A. France, 1907, *in* T. L. F.).

CLAUDÉLIEN, IENNE [klodeljɛ̃, jɛn] adj. — D. i. (xxᵉ) ; du nom de Paul *Claudel,* dramaturge français (1868-1955).
Littér. De Claudel. *La dramaturgie claudélienne.* — Qui évoque Claudel, l'art de Claudel. *Versets claudéliens.* → Védique, cit. Malraux.

CLAUDICANT, ANTE [klodikɑ̃, ɑ̃t] adj. — xivᵉ, repris au xixᵉ ; empr. au p. prés. du lat. *claudicare* «boiter».

♦ **1** Littér. Qui révèle une claudication. ➝ **Boiteux.** *Une marche claudicante.*
(...) de son pas claudicant, «Autun» descendait de la tribune.   Louis MADELIN, Talleyrand, I, III, p. 41.   [1]
C'était un petit avorton au teint allumé, à l'œil fripon, à la démarche claudicante (...)   [2]
GIDE, Si le grain ne meurt, II, p. 62.
Par anal. *Un rythme claudicant.*

♦ **2** Fig. Mal fait, mal formé. *Des arguments claudicants.* ➝ **Boiteux.**

CLAUDICATION [klodikasjɔ̃] n. f. — xiiiᵉ ; lat. *claudicatio,* de *claudus* «boiteux».

♦ **1** Littér. Action de boiter. ➝ **Boiter ; boiterie ;** → Boitage, cit. *La claudication de qqn. Une claudication légère.* — Infirmité d'une personne qui boite. *Byron était atteint de claudication.*
Bonami étant bel homme, ayant surtout ce qu'on appelle du chic, et où une démarche traînante (causée ici par ce pied de bois) peut entrer comme un élément important, sa légère claudication, son coquet pied de bois ne détourna pas la sympathie des femmes (...)
PROUST, Jean Santeuil, Pl., p. 738.

♦ **2** Méd. *Claudication intermittente :* irrégularité de la démarche avec sensation de crampe au mollet, due à une insuffisance circulatoire artérielle *(artérite).*

CLAUDIQUER [klodike] v. intr. — V. 1880 ; de *claudicant.*
Littér. ou par plais. Boiter.
Nous nous sommes mis en marche. C'est à ce moment que je me suis aperçu que Pérez claudiquait légèrement.   [1]
CAMUS, l'Étranger, *in* Récits et nouvelles, Pl., p. 1133.

Casque de fer, jambe de bois,   [2]
Le roi revenait de la guerre,
Jambe de bois, casque de fer,
Il claudiquait, mais chantait clair
À la tête de ses soldats.
Maurice CARÊME, la Grange bleue, «Le retour du roi» (1961).

CLAUSE [kloz] n. f. — xivᵉ ; «vers, rime», fin xiiᵉ ; bas lat. *clausa,* de *claudere* «clore», employé avec le sens du lat. class. *clausula.*

♦ **1** Dr. et cour. Disposition particulière (d'un acte). ➝ **Condition, convention, disposition.** *Les clauses d'un contrat, d'un testament, d'une loi. Les clauses du traité d'Utrecht. Insérer une clause. Respecter, violer une clause. Il y a une clause qui stipule que... Ce n'est pas stipulé dans les clauses. Clause expresse, clause tacite. Clause soumise à arbitrage.* ➝ **Compromissoire** (clause compromissoire). *Clause dont la violation annule l'acte.* ➝ **Commissoire** (clause commissoire). *Le réméré, clause spéciale d'une vente. Clause résolutoire*. *Clause destinataire,* qui indique la destination. *Clause conditionnelle, casuelle, restrictive :* clause soumise à des conditions. *Clause de style :* clause que l'on retrouve habituellement dans tous les contrats de même nature. *Les clauses de style et les clauses particulières. Clauses pénales*. *Clause d'attribution. Clause d'irresponsabilité.*

1   La clause pénale est celle par laquelle une personne, pour assurer l'exécution d'une convention, s'engage à quelque chose en cas d'inexécution.   Code civil, art. 1226.

2   (...) le traité de paix est accepté avec ses clauses les plus dures (...)   LOTI, Figures et Choses..., v, p. 276.

3   Je ne suis liée que pour deux ans; et, en principe, les clauses multiples de mon contrat me protègent.
       J. ROMAINS, les Hommes de bonne volonté, t. II, p. 116.

4   Entre Volat et Tancogne existait un pacte tacite, aux clauses multiples et délicates, de ces clauses qu'un papier officiel ne pourra jamais mentionner.
       M. GENEVOIX, Raboliot, II, 1, p. 66.

♦2 Loc. cour. CLAUSE DE STYLE : formule insérée dans un texte par habitude; fig. : disposition toute formelle, sans importance.

CLAUSTRA [klostRa] n. f. ou m. ou **CLAUSTRE** [klostR] n. m. — Mil. XXᵉ; lat. *claustra* «clôture».

Techn. Cloison légère et décorative constituée d'éléments, soit non jointifs, soit évidés. *Une claustra de tuiles creuses. Des claustras ou des claustres.* «*Quand deux filles partagent la même chambre, elles aiment à avoir chacune un coin bien à elle. C'est facile grâce à cette séparation légère et décorative, une* claustra *en grillage brodé*» (*Femmes d'aujourd'hui*, 7 oct. 1970). — REM. La forme *claustre* semble très rare. Seul *claustra* (n. m.) est usuel en franç. d'Afrique. *Mur en claustras* (I.F.A.). *Claustra boîte aux lettres* (à fentes étroites, I.F.A.).

CLAUSTRAL, ALE, AUX [klostRal, o] adj. — 1394; lat. médiéval *claustralis*, de *claustrum* «cloître».

♦1 Didact. [a] Relig. Relatif au cloître. *La vie claustrale. La discipline, les rigueurs claustrales. Les offices claustraux. — Bâtiments claustraux.* → ci-dessous, 2.

[b] Fig. Qui rappelle la vie du cloître. → **Ascétique, monacal, monastique, religieux.**

(...) par ces après-midi paisibles où le chant des cigales, quelques gammes de piano animent seuls le silence claustral de la ville (...)
       Alphonse DAUDET, Numa Roumestan, IV, p. 71.

♦2 N. m. pl. *Les claustraux :* les bâtiments qui dépendent d'un cloître, en particulier le dortoir, le réfectoire, etc.

DÉR. Claustration, claustrer.

CLAUSTRATION [klostRasjɔ̃] n. f. — 1791, méd.; dér. de *claustrer.*

♦1 Didact. Action d'enfermer dans un cloître, et résultat de cette action. *Achever sa vie dans la claustration.*

♦2 (1842). Littér. État de celui qui est enfermé dans un lieu clos, isolé du monde. → **Emprisonnement, isolement** (→ Brimade, cit. 2).

1   Il (*Danton*) préférait les lectures dans les bois et dans les champs à la monotonie de la claustration scolaire.
       Louis BARTHOU, Danton, p. 9.

2   Je renonçai à mes courses et me confinai à la Commanderie. Cette claustration ne me pesait point, au contraire. Elle offrait à mes divagations toute l'étendue d'une oisiveté monotone.   H. BOSCO, Hyacinthe, p. 84.

CONTR. Liberté. — Libération.

CLAUSTRE [klostR] n. m. → **Claustra.**

CLAUSTRER [klostRe] v. tr. — 1845; mot refait sur *claustral* ou sur le lat. *claustrare*, de *claustra* «cloître».

♦1 Littér. et vx. Enfermer dans un cloître (→ le doublet *cloîtrer*).

♦2 Enfermer, isoler dans un endroit clos. → **Cloîtrer, emprisonner, séquestrer.** Rare, sauf au p. p. : *Il reste claustré chez lui.*

♦ SE CLAUSTRER v. pron.

S'enfermer. → **Retirer** (se retirer du monde). — Fig. → **Murer** (se). *Se claustrer dans le silence.*

Rendu à sa mauvaise humeur, le jeune homme se claustra en un farouche mutisme.
       COURTELINE, Messieurs les ronds-de-cuir, 2ᵉ tableau, II, p. 71.

CONTR. Libérer.

CLAUSTROPHOBE [klostRɔfɔb] adj. et n. — Fin XIXᵉ; de *claustrophobie.*

Didact. Atteint de claustrophobie. — Par exagér. Qui n'aime pas à être enfermé dans un lieu clos.

Abrév. fam. : *il, elle est claustro* [klostRo].

CLAUSTROPHOBIE [klostRɔfɔbi] n. f. — 1880; de *claustrer*, et *-phobie.*

Didact. Phobie des lieux clos; angoisse d'être enfermé (mot médical qui tend à passer dans le langage courant, comme *claustrophobe*).

1   Crainte (...) des espaces : agoraphobie, claustrophobie.
       Th. RIBOT, Physiologie des sentiments, II, p. 221.

2   — C'était épouvantable, dit Martial. Je me voyais enfermé dans un cercueil.
— Claustrophobie, dit Hubert, péremptoire. Tu dois être atteint d'une légère claustrophobie.
       Jean-Louis CURTIS, le Roseau pensant, p. 138.

Abrév. fam. : *claustro* [klostRo] (1972, *in* D.D.L.). *Faire de la claustro.*

CLAUSULE [klozyl] n. f. — 1541; *clausele* «condition», 1323; bas lat. *clausula*, de *clausa*. → Clause.

Didactique

♦1 Dernier membre (d'une strophe, d'une période oratoire, d'un vers).

♦2 Mus. Étendue de chaque ton ou mode, du grave à l'aigu.

CLAVAGE [klavaʒ] n. m. — 1872, Viollet-le-Duc; de *claveau*, par un verbe *claver*, et suff. *-age.*

Archit. Mise en place de la clef (d'un arc, d'une voûte). — Ensemble des claveaux.

CLAVAIRE [klaveR] n. f. — 1778, Lamarck; lat. sc. *clavaria* (1697), de *clava* «massue».

Champignon basidiomycète hyménomycète (*Clavariées*), charnu, simple ou rameux, dont certaines variétés sont comestibles, d'autres non. *La clavaire raide est vénéneuse. Clavaire cendrée. Clavaire jolie* ou *clavaire menotte.*

-CLAVE Suffixe, du lat. *clavis* «clef», entrant dans la composition de plusieurs mots. → **Autoclave, conclave, enclave.**

1. **CLAVEAU** [klavo] n. m. — 1380, Godefroy; *clavel, claveau* «goupille», v. 1160; du lat. *clavellus*, dimin. du lat. *clavis.* → Clef, II., 2.

Archit. Pierre taillée en coin, utilisée dans la construction des linteaux, des voûtes, des corniches. → **Voussoir.** *Mise en place du claveau.* → **Clavelage.** *Les claveaux d'une arcade.* → **Clef** (de voûte), **sommier.** *Les faces d'un claveau :* extrados, intrados, lit, tête. *Claveau droit, engrené, dérobé. Claveau à crossettes.*

Au dehors (*du château des Aigues*), le claveau du cintre offrait encore l'écusson des Soulanges (...)
       BALZAC, les Paysans, Pl., t. VIII, II, p. 32.

HOM. 2. Claveau.

2. CLAVEAU [klavo] n. m. — Déb. XIIIᵉ, *clavel;* du bas lat. *clavellus* «pustule», dimin. de *clavus* «clou».

Médecine vétérinaire.

♦ **1** Clavelée.

♦ **2** Matière purulente qui apparaît dans les boutons de la clavelée et qu'on utilise comme vaccin. — Virus de la clavelée.

HOM. 1. Claveau.

CLAVECIN [klavsɛ̃] n. m. — 1680; *clavessin,* 1611; du lat. médiéval *clavicymbalum;* de *clavis* (→ Clé), et *cymbalum* «cymbale».

Instrument de musique à un ou plusieurs claviers, et à cordes métalliques pincées (à la différence du piano*, du clavicorde*). *Jouer du clavecin. Instruments voisins du clavecin.* → **Épinette, virginal.** *Languette de bois d'un clavecin* (→ **Sautereau**).

1 Un soir, nous étions seuls, j'étais assis près d'elle,
Elle penchait la tête, et sur son clavecin
Laissait, tout en rêvant, flotter sa blanche main.
A. DE MUSSET, Poésies nouvelles, «Lucie».

2 *(Le clavecin est un)* instrument à clavier — généralement double — et à cordes pincées, ce qui le distingue net du piano dont les cordes sont frappées par des martelets feutrés. Le pincement est obtenu par des becs de plume ou de cuir durci, fichés dans des planchettes que les touches du clavier actionnent et qu'on nomme *sautereaux.*
Initiation à la musique, p. 171.

Méthode de clavecin. — Le Clavecin bien tempéré, œuvre de J.-S. Bach.

DÉR. Claveciniste.

CLAVECINISTE [klavsinist] n. — 1694; de *clavecin.* Celui, celle qui joue du clavecin. *La grande claveciniste Wanda Landowska.*

CLAVELÉ, ÉE [klavle] adj. → **Claveleux.**

CLAVELÉE [klavle] n. f. — V. 1460; *clavel,* 1379; du bas lat. *clavellus,* de *clavus* «clou», et suff. *-ée.*

Maladie contagieuse, due à un virus filtrant et qui atteint spécialement les ovidés. (On dit aussi *claveau*). → **Épizootie.** *La clavelée est caractérisée par une éruption de pustules sur la peau et les muqueuses. La clavelée est appelée aussi* variole du mouton. *Inoculer la clavelée.* → **Claveliser.**

DÉR. V. Claveliser. ◊ HOM. Clavelé (V. Claveleux).

CLAVELEUX, EUSE [klavlø, øz] adj. — 1448; de *clavel.* → 2. Claveau.

Médecine vétérinaire.

♦ **1** Qui est atteint de la clavelée (on dit aussi *clavelé, ée*). *Des moutons claveleux.*

♦ **2** Relatif à la clavelée. *Fièvre claveleuse.* — (1903, in *Rev. gén. des sc.,* n° 12, p. 684). *Virus claveleux.*

CLAVELISATION [klavlizasjɔ̃] n. f. — 1890; de *claveliser.*

Vétér. Action de claveliser.

CLAVELISER [klavlize] v. tr. — 1832; du rad. de *clavelée.*

Vétér. Inoculer le virus de la clavelée pour préserver un animal de cette maladie. *Claveliser les moutons.*

DÉR. Clavelisation.

CLAVETAGE [klavtaʒ] n. m. — 1892; de *claveter.*

Techn. Assemblage de deux pièces au moyen de clavettes. — (1938, in D. D. L.). Chir. Opération qui consiste à introduire un greffon osseux en clavette, entre le tibia et l'astragale.

CLAVETER [klavte] v. tr. [CONJUG.: *jeter.*] — 1907; *claveté,* 1861; de *clavette.*

Techn. Fixer par une clavette. *Claveter une poulie sur un arbre de transmission.* — Chir. Fixer par clavetage.

DÉR. Clavetage.

CLAVETTE [klavɛt] n. f. — 1160, «petite clef»; de *clef.* → Clef.

Petite cheville plate que l'on passe dans l'ouverture d'un boulon, d'une grosse cheville pour l'immobiliser (→ **Assemblage**). *Clavette de boulon, d'essieu. Clavette de sûreté. Clavette d'arrêt d'une scie.*

(...) une mécanique parfaite (...) où tous les mouvements s'enchaînaient naturellement, par le seul jeu des bielles pivotant sur des axes (...) de clavettes d'acier, de vis sans fin.
J.-M. G. LE CLÉZIO, la Fièvre, p. 111.

Chir. *Greffon osseux en clavette.* → Clavetage.

DÉR. Claveter.

CLAVICEPS [klavisɛps] n. m. — Fin XIXᵉ; mot lat. sav., de *clava* «massue», et *caput* «tête»; d'abord adj. masc. «qui a la tête en forme de massue» (zool.).

Bot. Champignon ascomycète *(Pyrénomycètes),* parasite des graminées. *Le claviceps détermine la maladie appelée* ergot de seigle *(formation de sclérotes).*

CLAVICORDE [klavikɔrd] n. m. — 1776, Encyclopédie, Suppl.; *clavicordium,* 1514; lat. *clavis* «clé», et *cordium* «corde».

Didact. Instrument à clavier et à cordes frappées (à la différence du clavecin*), ancêtre du piano-forte.

Indolence, musique, siestes, babillages de dames, entre maris et cavaliers servants, parmi une nuée d'amis, de parasites, de joueurs de clavicorde, dont aucun ne quitte de l'œil les tables, où les pyramides de vaisselle d'étain attendent l'arrivée des plats.
Paul MORAND, Venises, p. 108.

CLAVICORNES [klavikɔrn] n. m. pl. — Déb. XIXᵉ; de *clava* «massue», et *corne.*

Zool. Groupe de familles d'insectes coléoptères hétérogastres à antennes épaissies à leur extrémité en forme de massue. *Les dermestes et les hétérocères appartiennent au groupe des Clavicornes.* — Au sing. *Un clavicorne.*

CLAVICULAIRE [klavikylɛr] adj. — V. 1560; de *clavicule.*

Anat. Qui appartient à la clavicule. *Os claviculaire.*

COMP. Sous-claviculaire.

CLAVICULE [klavikyl] n. f. — 1541; du lat. *clavicula* «petite clef», de *clavis.* → Clé.

Anat. Os long, en forme d'S allongé, formant la partie antérieure de la ceinture scapulaire (→ **Épaule**). *Chacune des deux clavicules s'arc-boute sur le sternum pour rejoindre l'omoplate. Fracture de la clavicule. Creux derrière la clavicule.* → **Salière.**

1 Rappelons que le membre supérieur s'articule avec le tronc par l'intermédiaire de l'omoplate, reliée elle-même au sternum par la clavicule.
P. VALLERY-RADOT, Notre corps..., p. 24.

2 On voyait en effet sur la radio l'appareillage des clavicules, fracturées à plusieurs reprises, le cal des côtes brisées et ressoudées.
Joseph PEYRÉ, Sang et Lumières, p. 219.

DÉR. Claviculaire, claviculé. ◊ COMP. (Du rad.) Sous-clavier.

CLAVICULÉ, ÉE [klavikyle] adj. — 1805; de *clavicule.*

Didact. Qui est pourvu de clavicules. *Les animaux claviculés.*

CLAVIER [klavje] n. m. — V. 1160, «gardien des clefs»; mod., 1419; du lat. *clavis* «clé».

Ⅰ ♦ 1 (XIIᵉ). Vx. Personne qui garde des clés.

♦ 2 (1580). Vx. Anneau de métal réunissant des clés.

♦ 3 Régional (Midi). Chaîne que les femmes portent à la ceinture pour attacher des ciseaux.

Ⅱ Mod. et cour. **♦ 1** Ensemble des touches* de certains instruments de musique (piano, clavecin, orgue...), sur lesquelles on appuie les doigts pour obtenir les sons. *Simple clavier. Les claviers d'un orgue, d'un clavecin. Accordéon à clavier. Clavier transpositeur*. *Clavier de plusieurs octaves. Mettre les doigts sur le clavier. Se mettre au clavier. Posséder, savoir son clavier* : être familiarisé avec toutes les touches de l'instrument.

1 Selon les diverses façons que l'organiste remue les doigts sur le clavier (...) DESCARTES, l'Homme, *in* LITTRÉ.
2 Elle frappait sur les touches avec aplomb, et parcourait du haut en bas tout le clavier sans s'interrompre.
     FLAUBERT, Mᵐᵉ Bovary, I, VII.
Mus. Instrument à clavier. *Musique pour le clavier.*

♦ 2 (1857). Ensemble des touches permettant d'actionner (un appareil). *Le clavier d'une machine à écrire, d'une machine à calculer, d'une linotype* (→ **Claviste**), *du terminal d'un ordinateur.*

♦ 3 (1768; du sens Ⅱ, 1). Ensemble des sons que peuvent émettre un instrument, une voix. *Le clavier d'un instrument, d'une voix.* → **Étendue, portée, registre, tessiture.**

♦ 4 Fig. Ensemble des possibilités d'une personne (dans un domaine donné). *Le clavier des sentiments, des caractères, des sensations.* → **Gamme; ensemble, série** (→ Chair, cit. 26). — Ensemble des moyens dont dispose un artiste. → **Registre.** *Cet écrivain a un vaste clavier.*

3 *(l'organe du sens)* est donc un immense clavier, sur lequel l'objet extérieur exécute tout d'un coup son accord aux mille notes provoquant ainsi, dans un ordre et en un seul moment, une énorme multitude de sensations élémentaires correspondant à tous les points intéressés du centre sensoriel.
     H. BERGSON, Matière et Mémoire, p. 138.

DÉR. **Claviste.**

CLAVISTE [klavist] n. — XIXᵉ; de *clavier* (de linotype). Techn. (imprim.). Personne chargée de la composition d'un texte (monotypiste, linotypiste, photocompositeur). → **Compositeur.** *C'est une ancienne dactylo; elle est devenue une excellente claviste.*

CLAYÈRE [klɛjɛʀ] n. f. — 1856, Lachâtre; de *claie.* → Cloyère.
Techn. Parc à huîtres fermé de claies et rempli par la mer à marée haute. → **Vivier.**

CLAYETTE [klɛjɛt] n. f. — XXᵉ; autre sens, XIXᵉ (Littré, 1863); de *claie.*

♦ 1 Emballage à claire-voie utilisé pour le transport des denrées périssables. → **Cageot.** — Petite claie. → **Clayon.**
(...) l'étuve où les fromages moites, les légumes blessés s'abandonnent sur les clayettes, attendant d'être remis au froid pour se resserrer, reprendre forme et couleur pour la présentation du lendemain.
     A. SARRAZIN, la Traversière, p. 94 (1966).

♦ 2 Support réglable à claire-voie d'un réfrigérateur. *Clayette à volet. Clayettes réglables, rabattables.*

CLAYMORE [klɛmɔʀ] n. f. — 1823; mot angl., «épée». Hist. Grande et large épée* des guerriers écossais, maniée à deux mains. → **Espadon.**

CLAYON [klɛjɔ̃] n. m. — 1642; *claon*, déb. XIVᵉ; de *claie.* Technique ou régional.

♦ 1 Petite claie*. — Syn. : *clayette.* — Spécialt. Petite claie servant à égoutter les fromages, à faire sécher les fruits. — Petite claie ronde de pâtissier.

♦ 2 Élément de clôture.
Devant lui deux clayons de genêt rétrécissaient encore le sentier, que barrait complètement, entre eux, la trappe d'un assommoir.   M. GENEVOIX, Raboliot, p. 282.

DÉR. **Clayonnage, clayonner.**

CLAYONNAGE [klɛjɔnaʒ] n. m. — 1694; de *clayon.* Technique.

♦ 1 Assemblage de pieux et de branches d'arbres en forme de claie, destiné à soutenir des terres, à défendre contre les eaux le bords d'une rivière, à abriter une terrasse. — Par ext. Clôture faite d'un assemblage de branches.

♦ 2 Préparation et pose d'un tel ouvrage. *Faire du clayonnage.*

CLAYONNER [klɛjɔne] v. tr. — 1845; de *clayon*, ou dér. régressif de *clayonnage.*
Techn. Garnir de clayonnages. *Clayonner un talus, une tranchée, un fossé.* — p. p. adj. *Un auvent clayonné.*
(...) Rossi s'en était allé trouver en douce le colonel pour se plaindre que les tranchées n'étaient pas à sa taille et lui demander de les faire approfondir, rehausser les parapets et clayonner les boyaux pleins d'eau (...)
     B. CENDRARS, la Main coupée, *in* Œ. compl., t. X, p. 10.

CLÉ [kle] n. f. — → **Clef.**

CLEAN [klin] adj. — 1981; mot angl., «propre, net».
Anglic. Fam. Qui a un air propre, soigné. *Elle est clean. Aspect, allure clean.* «La mode clean se caractérise par les cheveux courts, les lofts déserts meublés de tables métalliques, les murs blancs et les néons roses ou bleus» (*Lire*, sept. 1982).

CLEARANCE [klirãs] n. f. — → **Clairance.**

CLEARING [kliriŋ] n. m. — 1912; *clearing-house* «chambre de compensation», 1865; mot angl., «compensation».
Anglic. Comm., fin. *Opérations, accord de clearing* : procédé de compensation des créances et des dettes entre les banques (→ **Compensation**); accord de compensation, le plus souvent bilatéral, selon lequel le produit des exportations d'un pays est utilisé pour le règlement de ses importations, de manière à atteindre l'équilibre des échanges avec ses partenaires.
Clearing-house : chambre de compensation.

CLÉBARD [klebaʀ] n. m. — 1934, *in* Esnault; de *cleb(s)*, et suff. *-ard.*

♦ 1 Fam. Chien. → **Clebs.** *Un petit clébard, un vieux clébard.*
1 Un clébard passant crottant lui permit d'essayer son ustensile *(un balai)* sur le bout du trottoir (...)
     R. QUENEAU, le Dimanche de la vie, p. 215.
2 — On les a attendus, déclara Gilles en entrant. On leur a expliqué que leur clébard nous avait attaqués. Ils étaient sceptiques, mais ils ne savaient pas quoi dire. Ils l'ont emporté. Vous avez eu peur? demanda-t-il à Jeanne.
     Jacques LAURENT, les Bêtises, p. 80.

♦ 2 Argot milit. Caporal.

CLEBS [klɛps] n. m. — 1920; *cleb*, 1863; arabe maghrébin *klâb*, arabe class. *kîlâb* «chiens» (pluriel).

Pop. Chien. → **Cabot, clébard.** → Morganer, cit. 1.

1　Il était magnifiquement propre, le poil souple et luisant, la truffe brillante, déjà bien retapé par les bonnes pâtées (...) Plus rien de commun avec le misérable clebs sauvé de la strangulation par le père Raimondet. C'est un autre chien (...)　　　　J. DUTOURD, Pluche, XII, p. 196.

Var. graphique : *klebs.*

2　Il revint escorté d'un chien perdu qu'il avait ramassé sur la route. Il disait, en faisant claquer sa langue contre son palais : «Viens, Klebs, viens Toutou de mon cœur.»
　　　　G. DUHAMEL, Chronique des Pasquier, V, VII.

La forme *cleb* est archaïque.

3　Jean de Pierrefeu, qui vient de mourir, avait recueilli un de ces chiens errants ou plutôt c'était cet animal qui trouvant le gîte à son goût, avait fini par l'adopter (...) Toto s'était réservé — dans le contrat tacite qui le liait à son nouveau maître — de sortir et de rentrer aux heures qu'il s'était promises (...)
　　— Où va cette bête? se demandait Pierrefeu que ces sorties hebdomadaires étonnaient par leur régularité. Drôle de cleb!　　　　Francis CARCO, Nostalgie de Paris, p. 141.

DÉR. Clébard.

CLÉDAR [kledaʀ] n. m. — 1716; *clédat*, Genève, 1636; probablt du provençal *cledas, cledat*, assimilé avec les dér. en *-ard* du rad. gaulois **clêta* → Claie.

Régional (Suisse, Savoie, Jura). Porte à claire-voie, fermant l'entrée d'un pâturage, d'un jardin, etc. — Var. : *clédal* (*in* Toepffer), *clédat* (*in* Littré, *Suppl.*).

CLEF ou **CLÉ** [kle] n. f. — 1080, *clef*, plur. *clez*; du lat. *clavis*. REM. La forme *clef* reste fréquente, surtout dans la langue littéraire, mais elle recule devant *clé.*

I (Ce qui sert à ouvrir). ♦ **1** Instrument de métal servant à faire fonctionner le mécanisme d'une serrure*. → **Carouble** (argot). *Clef bénarde*. Clef forée* (→ **Broche**). *Clef de sûreté. Clef passe-partout*. Clef diamant. Clef à béquille. La clef d'une porte, d'une armoire, d'une malle, d'un coffre-fort, d'un cadenas. Des clefs de voiture. Les différentes parties d'une clef.* → **Anneau, branche** (ou tige), **panneton; bouterolle, canon, dent, forure.** *Un jeu de clefs. Trousseau de clefs.* → **Porte-clefs; clavier.** *Vous prendrez la clé chez la concierge. Mettre, introduire, tourner, essayer la clef dans la serrure. Clé tordue, faussée. — Une double clef :* un double de la clef. — *La bonne* (*la mauvaise*) *clef,* celle qui correspond (ou non) à la serrure que l'on veut ouvrir ou fermer. *Vous vous êtes trompé, ce n'est pas la bonne clef.*

1　Dans le silence, le trousseau de clefs qu'il avait tiré de sa poche tinta gaiement.
　　　　MARTIN DU GARD, les Thibault, t. IV, p. 197.

2　Le garçon de nuit ouvre les draps, remet la clef dans la serrure fatiguée, puis ferme la porte en s'en allant.
　　　　J. ROMAINS, les Hommes de bonne volonté, t. III, VI, p. 102.

À CLÉ, À CLEF. *Une porte qui ferme à clef,* qui est munie d'une serrure. *Porte fermée à clef.*

3　Je me reculai vers la porte qui donnait directement sur le palier. Mais elle était fermée à clef.
　　　　H. BOSCO, Hyacinthe, p. 190.

Loc. fig. *Tenir la clé de... :* avoir seul le libre accès au contenu de qqch. — Fig. *Avoir la clé de la situation.*

Vous avez la serrure, nous avons la clef (*clé*) : vous avez beau faire, nous obtiendrons ce que nous voulons.

Donner un tour de clé. Louer une maison clefs (*clés*) *en main :* jouir immédiatement de la location.

(1902, *in* D. D. L.). *Clés en main :* prêt à l'usage. *Acheter une usine clés en main.*

Laisser la clé sur la porte, dans la serrure. — *Mettre la clé sous la porte.* Au fig. Partir furtivement, disparaître, déménager; faire faillite.

SOUS CLÉ, SOUS CLEF : dans un endroit fermant et fermé à clef. *Mettre qqn sous clé,* le tenir enfermé. → **Verrou** (sous les verrous). *Il est sous clé.*

Clé de contact (*d'une voiture automobile*) : la clé qui permet de mettre en marche ou d'arrêter le moteur. *Les clés d'une voiture* (de contact, des portes, etc.). *Je te prête la voiture : voilà les clés.*

Fausse clé : clef fabriquée sans la permission du possesseur de la serrure et destinée à ouvrir celle-ci irrégulièrement, clandestinement, etc. → **Crochet, passe-partout, rossignol.** *Forcer, fausser une clé. Clé spéciale,* destinée à ouvrir plusieurs serrures.

4　Sont qualifiés fausses clefs tous crochets, rossignols, passe-partout, clefs imitées, contrefaites, altérées, ou qui n'ont pas été destinées par le propriétaire, locataire, aubergiste ou logeur, aux serrures, cadenas, ou aux fermetures quelconques auxquelles le coupable les aura employées.
　　　　Code pénal, art. 398.

4.1　(...) M. du *Harpin* me remit deux fausses clefs dont l'une devoit ouvrir l'appartement du voisin, l'autre son secrétaire dans lequel était la boîte en question (...)
　　　　SADE, Justine..., t. I, p. 31.

Vx (surtout écrit *clef*). *Les clefs d'une ville :* les clefs utilisées pour ouvrir ou fermer les portes dans une ville fortifiée. — *Présenter, remettre les clefs de la ville* (*à un vainqueur*) : se soumettre, se rendre. → **Capituler** (cit. 2).

5　On apportait au Roi (...) les clefs des places.
　　　　RACINE, les Campagnes de Louis XIV.

Remettre, présenter les clefs de la ville (*à un hôte*) : donner les clefs en signe de bienvenue.

Blason (écrit *clef*). *Clefs posées en pal, en sautoir. Clefs couchées, adossées.*

♦ **2** (1268). Souvent écrit *clef.* Fig. Place forte, position stratégique qui commande l'entrée d'un pays, d'une région déterminée. *Les Thermopyles étaient la clef de la Grèce. Sedan est une des clefs de la France.*

6　Il livra le Havre de Grâce, c'est-à-dire la clef du royaume.
　　　　BOSSUET, Défense de la tradition...

Par ext. *Occuper une position clé,* une position essentielle. *Industrie clé,* de laquelle dépendent beaucoup d'autres industries. — REM. On écrit *industrie-clé, position-clé,* etc. → -clé ou -clé.

♦ **3** (XIVᵉ; fig. du sens 1). Loc. *La clef* (*clé*) *des champs :* la liberté. *Avoir la clef des champs :* être libre d'aller où l'on veut (cf. Avoir les coudées franches). *Donner la clé des champs à qqn. Prendre la clé des champs.* → **Champ.**

7　Dès que j'eus la clef des champs, je ne demandai pas mon reste (...)　　A. R. LESAGE, Don Guzman..., III, 1.

(Surtout écrit *clef*). *Les clefs de saint Pierre, du pape :* l'autorité du Saint-Siège. — *Les clefs du royaume des Cieux, les clefs du Paradis :* clefs symboliques qui ouvrent (ou ferment) l'accès au Paradis. — *Les Clefs du royaume,* trad. du titre d'un roman de A. J. Cronin. — *Le pouvoir des clefs :* le pouvoir que l'Église romaine reconnaît aux prêtres de lier et de délier les fidèles de leurs péchés. → **Confession.**

8　Et je te donnerai les clefs du royaume des Cieux : tout ce que tu lieras sur la terre sera lié dans les cieux et tout ce que tu délieras sur la terre sera délié dans les cieux.
　　　　BIBLE (CRAMPON), Évangile selon saint Matthieu, XVI, 19.

9　L'allusion aux clefs est encore plus profondément sémite : aujourd'hui, en pays arabe, on rencontre des propriétaires qui pour manifester leur superbe, s'en vont, ayant, pendues à chaque côté de l'épaule, de grosses clefs (...)
　　　　DANIEL-ROPS, Jésus en son temps, p. 294.

♦ 4 (1680). Ce qui donne accès ; ce qui permet d'aborder un problème, une science. → **Introduction**. *La philosophie est la clef de la théologie. Les mathématiques sont la clé de toute science.*

10 Les langues sont la clef ou l'entrée des sciences, et rien davantage (...) LA BRUYÈRE, les Caractères, XII, 19.

11 La clef de toutes les sciences est sans contredit le point d'interrogation, nous devons la plupart des grandes découvertes au : Comment ? et la sagesse dans la vie consiste peut-être à se demander à tout propos : Pourquoi ?
BALZAC, la Peau de chagrin, Pl., t. IX, p. 225.

12 De l'algèbre qui procède tout entière du dynamisme de l'intelligence, Descartes disait qu'elle est «la clé de toutes les autres sciences».
L. BRUNSCHVICG, Descartes, p. 61.

(Dans des titres). *Clés (clefs) pour... Clefs pour la Chine*, ouvrage de Claude Roy.

♦ 5 Ce qui explique, ce qui permet de comprendre. → **Explication, secret, sens, signification.** *La clef, la clé du mystère. La clé d'un système* : le point capital qui éclaire tout le système. → **Capital.** *La clé d'une affaire.* → **Solution.**

13 Il me faut, comme vous dites, la carte et la clef de vos sentiments (...)
Mme DE SÉVIGNÉ, 1260, 1er févr. 1690.

14 Cette doctrine donne la clef des mondes divins, explique l'existence par des transformations où l'homme s'achemine à de sublimes destinées (...)
BALZAC, le Lys dans la vallée, Pl., t. VIII, p. 812.

15 (...) c'est lui (*Sainte-Beuve*) bien souvent, dans une étude, dans un portrait, qui donne la clef de ce qui, ailleurs, reste inexpliqué ou obscur.
J. BAINVILLE, Hist. de France, Avant-propos, p. 9.

16 Un enfant rêve à la clé de tous mes livres, et les amours enfantines n'y manquent pas, et les premiers baisers, et la première solitude, tout ce que j'ai chéri dans la musique de Mozart.
F. MAURIAC, Discours prononcé à Stockholm, (Remise du prix Nobel 1952).

(1919, *in* D.D.L.). Spécialt. *Roman, livre à clef, à clefs (à clé, à clés)* : ouvrage qui met en scène des personnages et des faits réels, mais déguisés par l'auteur.

17 Dans ce livre, où il n'y a pas un seul fait qui ne soit fictif, où il n'y a pas un seul personnage «à clefs», où tout a été inventé par moi selon les besoins de ma démonstration (...)
PROUST, À la recherche du temps perdu, t. XIV, p. 183.

18 (...) à la vérité s'était-elle vengée (*Mme de Staël*) à sa façon, en écrivant *Delphine*, roman à clé où chacun avait reconnu Talleyrand simplement travesti.
Louis MADELIN, Talleyrand, V, XL, p. 444.

La clef (clé) du chiffre : la connaissance du code utilisé pour rédiger des messages secrets, permettant de les déchiffrer. → **Chiffre.**

19 Toute musique dont on ne sent point la mesure ressemble, si la faute vient de celui qui l'exécute, à une écriture en chiffres dont il faut nécessairement trouver la clef pour en démêler le sens.
ROUSSEAU, Lettre sur la musique française.

La clef des songes : ce qui permet d'expliquer les rêves ; ouvrage qui prétend donner cette explication.

Didact. Bot. *Clé de détermination* (ou *clé dichotomique*) : procédé que l'on emploie dans une flore pour aider le lecteur à trouver le nom d'une espèce, et qui consiste à lui demander de choisir entre deux caractères, à de nombreuses reprises, pour qu'il détermine la plante (se dit aussi en zoologie, notamment en parasitologie).

♦ 6 (Av. 1407). Mus. Signe mis au commencement d'une portée et qui indique, par sa forme et sa position sur la ligne de la portée, le nom de la note placée sur cette ligne. *Clef* (ou *clé*) *de sol, de fa, d'ut. Mettre un bémol, un dièse à la clé. L'armature de la clé donne la tonalité.* → **Armature.**

On voit que, pour rapporter une clef à l'autre, il faut les 20 rapporter toutes deux sur le clavier général, au moyen duquel on voit ce que chaque note de l'une des clefs est à l'égard de l'autre (...)
ROUSSEAU, Dict. de musique, Clef.

Loc. fig. *À la clef, à la clé* : avec qqch. à la fin de l'opération. *Nous avons dîné avec du champagne à la clé.*

(...) on avait échangé des énigmes avec enjeu à la clef (...) 21 DANIEL-ROPS, le Peuple de la Bible, III, I, p. 191.

Ling. Dans l'écriture chinoise, Élément d'un caractère complexe, correspondant à une classe à l'origine sémantique, à une «rubrique destinée à faciliter (...) une recherche pratique dans les lexiques et, sans doute, un apprentissage plus aisé de l'écriture» (Marcel Granet, *la Pensée chinoise*, p. 47). *La clé se place dans différentes positions.*

(*Les caractères chinois sont*) formés d'un élément pris pho- 22 nétiquement et d'un autre élément indiquant en gros l'ordre d'idées auquel le mot se rapporte. Le premier élément est la «phonétique» et le second la «clef». Ainsi *sāng* «gosier» est formé de *sāng* «mûrier» pris phonétiquement avec addition de la clef *kóu* «bouche».
P. PELLIOT, *in* Notices sur les caractères étrangers anciens et modernes, 1927, cité par Viviane ALLETON, l'Écriture chinoise, p. 34.

II Par anal. **♦ 1** (1401). Techn. (écrit *clef* ou *clé*). Outil servant à serrer ou à démonter certaines pièces (écrous, boulons...). *Clef de serrage. Clef plate, double. Clef crocodile. Clef en tube. Clef à griffes, à douille, à mâchoires dentées. Clefs tricoises*. *Clef à molette.* — (1898). *Clef (clé) anglaise* ou *à mâchoires mobiles. Clé universelle.* — *Clé dynamométrique,* permettant d'effectuer un serrage réglé en m/kg. — *Clé à bougie,* servant à démonter les bougies d'un moteur à explosion.

Clef de pressoir. — *Clef d'un robinet.* → **Manette.** *Clef d'un poêle* : disque à l'intérieur du tuyau pour activer ou ralentir le tirage. — *Clef de montre, de pendule,* servant à remonter le ressort ou à faire pivoter les aiguilles. — *Clef d'un ressort.* — *Clé servant à ouvrir les boîtes de conserves* (→ **Ouvre-boîte**); fam. *Clé à sardines,* instrument formé d'une tige métallique dont une extrémité est fendue et l'autre recourbée en poignée, au moyen duquel on ouvre certaines boîtes de conserve (en particulier, les boîtes de sardines) par enroulement du couvercle (parfois, par enroulement d'une bande métallique scellant circulairement le couvercle à la boîte). — *Clef de dentiste* ou *clef de Garengeot. Clef de chirurgien.* — *Clef de barrage,* utilisée pour ouvrir une bouche d'incendie, une plaque d'égout.

Techn. Interrupteur ou inverseur (dans un appareil électrique). Commande manuelle à deux positions.

Mus. *Clef d'accordeur.* → **Accordoir.**

(1611). *Clef de charpente* : pièce de bois servant à serrer les moises d'un assemblage.

♦ 2 (XIIIe). Écrit *clef.* Archit. **CLEF DE VOÛTE** (ou *clef*) : pierre en forme de coin placée à la partie centrale d'une voûte et servant à maintenir en équilibre les autres pierres. *Clef d'archivolte*. *Clef de platebande. Clef d'arcade.* → **Claveau.** *Clef en pointe de diamant. Clef à bossage*, *à crossette*. *Clef pendante.*

Fig. *La clef de voûte d'une argumentation, d'un système philosophique* : le point important, la partie essentielle, capitale du système, qui commande l'équilibre et la logique du raisonnement. → **Voûte.**

Mar. *Clef de gouvernail* : cale en fer fixée dans la lanterne du gouvernail, et servant à empêcher l'enlèvement accidentel de ce dernier. — *Clef de mât* : pièce de fer qui traverse la caisse d'un mât.

♦ **3** (XIIIᵉ, en parlant de la corde d'une arbalète). Mus. *Clef d'un instrument à vent*, qui commande les trous du tuyau de l'instrument. *Les clefs d'une clarinette. — Clef de violon, de piano, de harpe :* chevilles qui permettent de tendre ou de détendre les cordes de ces instruments.

♦ **4** Sports (lutte, judo, 1906, *in* Petiot). Prise par laquelle on immobilise l'adversaire. *Il lui a fait une clé au bras.*

23   Je bondis en arrière trois ou quatre bras m'enlacent on me fait une clef autour du cou je mords une main j'ai le goût de doigts sales sur les lèvres.
Tony DUVERT, Paysage de fantaisie, p. 109.

COMP. Demi-clef. — Porte-clefs.

-CLEF ou (plus souvent) **-CLÉ** Élément de formation signifiant «qui est très important, dont le reste dépend». *Position-clé des troupes. Les postes-clés d'une administration. Un problème-clé. Les mots-clés d'un texte, d'une époque.*

1   Parce qu'à notre époque
De productivité
Il faut des spécialistes à tous les postes-clés (...)
Boris VIAN, Textes et Chansons, «Les pirates».

2   Remplaçons maintenant le mot fiction par celui de fantastique. On retombe alors sur l'une des réflexions-clé d'André Bazin dans le premier chapitre de *Qu'est-ce que le cinéma ?*
J.-L. GODARD, Jean-Luc Godard, *in* Coll. des Cahiers du cinéma, p. 213.

3   C'est assez dire qu'en définissant un certain nombre de mots-clés, en les rendant suffisamment clairs aujourd'hui pour qu'ils soient demain efficaces, nous travaillons à la libération et nous faisons notre métier.
CAMUS, Actuelles I, *in* Essais, Pl., p. 1583.
(Avec un nom désignant une personne). *Le témoin-clé* (*in* P. Gilbert).

CLÉISTO- Élément, du grec *kleistos* «fermé» (→ -clasie).

CLÉISTOGAME [kleistogam] adj. — D. i. (XXᵉ); de *cléisto-*, et *-game*.
Bot. Se dit des fleurs qui, à maturité, restent closes, et dont la fécondation se fait par autogamie. → **Autogame.**

CLÉMATITE [klematit] n. f. — 1572; *clematide*, 1556; lat. *clematitis*, grec *klêmatitis*, de *klêma* «sarment».
Plante dicotylédone (*Renonculacées*), vivace, à tige herbacée ou ligneuse et grimpante, à fleurs en bouquets (n. sc. : *clematis*); ces fleurs. *Tonnelles, treillages garnis de clématites. Clématite des haies* ou *berceau de la Vierge, herbe aux gueux. Clématite cultivée*, à fleurs blanches, roses ou violettes.
La clématite, chargée de ses étoiles blanches relevées au cœur par le bouquet jaune de ses étamines frisées, encadrait l'appui.
BALZAC, le Curé de village, Pl., t. VIII, p. 623.

CLÉMENCE [klemãs] n. f. — 1268; *clementia*, Xᵉ; du lat. *clementia*, de *clemens*. → Clément.
♦ **1** Littér. Vertu qui consiste, de la part de celui qui dispose d'une autorité, à pardonner les offenses et à adoucir les châtiments. → **Bonté, douceur, générosité, humanité, indulgence, magnanimité, miséricorde.** *La clémence du ciel, de Dieu. Dieu de clémence. La clémence des rois. La clémence de Titus. Un trait, un acte de clémence. User, faire preuve de clémence. Implorer la clémence de ses juges, la clémence du vainqueur. Une clémence aveugle.*

1   La clémence des princes n'est bien souvent qu'une politique pour gagner l'affection des peuples.
LA ROCHEFOUCAULD, Maximes, 15, p. 245.

Une jeune Souris, de peu d'expérience,
Crut fléchir un vieux Chat, implorant sa clémence (...)   2
LA FONTAINE, Fables, XII, 5.

(...) la clémence est la plus belle marque   3
Qui fasse à l'univers connaître un vrai monarque.
CORNEILLE, Cinna, IV, 3.

(...) qu'est-ce que la générosité, la clémence, l'humanité,   4
sinon la pitié appliquée aux faibles, aux coupables, ou à
l'espèce humaine en général?
ROUSSEAU, De l'inégalité parmi les hommes, I,
p. 59.

Je t'ai crié : — Par où faut-il que je commence?   5
Et tu m'as répondu : — Mon fils, par la clémence!
HUGO, Hernani, IV, 5.

(...) la clémence est la seule lumière qui puisse éclairer   6
l'intérieur d'une grande âme. La clémence porte le flambeau devant toutes les autres vertus.
HUGO, Notre-Dame de Paris, X, 5.

Toute juste cause se gagne, Monsieur, et je bénis la clé-   7
mence du ciel.
COURTELINE, Messieurs les ronds-de-cuir,
6ᵉ tableau, II.

♦ **2** (1893; de *clément*, 2.). Fig. Douceur du climat, des éléments. *La clémence de la température, du temps.* → **Douceur.**

(...) il se dit que le printemps est, à Paris, plein de clé-   8
mence (...)
COURTELINE, Messieurs les ronds-de-cuir,
4ᵉ tableau, II.

CONTR. Inclémence; cruauté, rigueur, sévérité.

CLÉMENT, ENTE [klemã, ãt] adj. — 1213; du lat. *clemens*.
♦ **1** Littér. Qui manifeste de la clémence. → **Exorable, généreux, humain, indulgent, magnanime, miséricordieux.** *Le Dieu clément. Roi clément. Se montrer clément.* → **Épargner.**

Je viens à vous, Seigneur! confessant que vous êtes   1
Bon, clément, indulgent et doux, ô Dieu vivant!
HUGO, les Contemplations, IV, XV, «À Villequier».

Porté à la douceur, tranquille. *Il est d'une humeur clémente.* → **Bienveillant, bon, doux.**
(Choses). Exempt de rigueur.

La vie civile n'est pas clémente pour les anciens légion-   2
naires.
P. MAC ORLAN, la Bandera, VII, p. 84.

♦ **2** (Av. 1850). Fig. et cour. (en parlant du climat, du temps). Doux. *Un ciel clément. Une température clémente. Un hiver clément*, peu rigoureux.

CONTR. Cruel, inclément, inexorable, inflexible, rigide, rigoriste, rigoureux, sévère.

CLÉMENTINE [klemãtin] n. f. — 1902; du nom du moine de Misserghin, le Père *Clément*. → Clémentinier, cit.
Fruit du clémentinier, voisin de la mandarine, à peau fine.
DÉR. Clémentinier. ◊ **HOM. Clémentines.**

CLÉMENTINES [klemãtin] n. f. pl. — Av. 1539; du nom du pape *Clément V*.
Hist. relig. Décrétales rédigées par le pape Clément V et publiées par le pape Jean XXII.
HOM. Clémentine.

CLÉMENTINIER [klemãtinje] n. m. — XXᵉ; de *clémentine*.
Bot. Plante dicotylédone (*Aurantiacées*), hybride du bigaradier et du mandarinier.
Parmi les hybrides du mandarinier, signalons le *clémentinier* qu'obtint le Père Clément, de la Trappe de Misserghin (Oranie), par croisement d'un oranger amer et d'un mandarinier.
Paul ROBERT, les Agrumes, p. 25.

CLENCHE [klɑ̃ʃ] n. f. — XIIIe, *clenque;* mot picard, du francique **klinka* «levier oscillant», cf. all. *Klinke.*

♦ **1** Techn. Petit bras de levier dans le loquet* d'une porte, et qui prend appui sur le mentonnet. *Lever, abaisser la clenche* (→ **Déclencher, enclencher**). *Porte fermée à la clenche.*

Pas d'erreur, c'est un bistrot encore ouvert. Saturnin appuie sur la clenche, pousse et, provoquant un carillon, entre. R. QUENEAU, le Chiendent, p. 98 (1932).

♦ **2** Régional (Belgique). Poignée de porte.

DÉR. Clenchette.

CLENCHETTE [klɑ̃ʃɛt] n. f. — D. i. (Bachelard, 1957, *in* T. L. F.); de *clenche.*

Régional. Petite clenche.

CLEPHTE ou **KLEPHTE** [klɛft] n. m. — Déb. XIXe; *klefth,* 1827; grec *klephtês, kleptês* «voleur». → Klepto-mane.

Didact. Montagnard de l'Olympe et du Pinde, qui tirait ses ressources du brigandage.

Un klephte a pour tous biens (...)
Un bon fusil bronzé par la fumée, et puis
La liberté sur la montagne. HUGO, les Orientales, XXI.

CLEPSYDRE [klɛpsidʀ] n. f. — 1566; *clepsidre,* XIVe; lat. *clepsydra,* grec *klepsydra* «qui vole l'eau».

Didact. Horloge* qui servait à mesurer le temps en faisant écouler de l'eau d'un vase dans un autre muni d'une échelle horaire.

1 Quoique les clepsydres ou horloges à eau, si usitées chez les anciens, aient été entièrement abolies parmi nous par les horloges à roues infiniment plus justes et plus commodes (...) FONTENELLE, Amontons, *in* LITTRÉ.

2 Après quelques tâtonnements, il choisit de confectionner une manière de clepsydre assez primitive. C'était simplement une bonbonne de verre transparent dont il avait percé le cul d'un petit trou par où l'eau fuyait goutte à goutte dans un bac de cuivre posé sur le sol. M. TOURNIER, Vendredi..., p. 66.

CLEPTOMANE ou **KLEPTOMANE** [klɛptɔman] n. — 1906; *cleptomane; kleptomane,* 1896; du grec *kleptês* «voleur», et suff. *-mane.*

Personne qui a une tendance pathologique à voler des objets sans utilité pour elle.

1 Il s'agissait du prince Savellini, cleptomane incorrigible qui, malgré son immense fortune, hantait les gares de chemins de fer et en général tous les lieux encombrés par la foule, faisant chaque jour, avec la plus miraculeuse habileté, une abondante moisson de montres et de porte-monnaie. Raymond ROUSSEL, Impressions d'Afrique, p. 342.

2 Mon nom, mes références, ma seule adresse du Carlton auraient prouvé que je ne suis pas un voleur, mais un kleptomane. Valery LARBAUD, Barnabooth, Journal, p. 191.

CLEPTOMANIE ou **KLEPTOMANIE** [klɛptɔmani] n. f. — 1872; *cleptomanie; kleptomanie,* 1906; du grec *kleptês* «voleur», et suff. *-manie.*

Tendance morbide du cleptomane; fait de voler par une impulsion.

CLERC [klɛʀ] n. m. — X[e]; du lat. ecclés. *clericus* «membre du clergé», puis «lettré», grec *cleros.*

♦ **1** Celui qui est entré dans l'état ecclésiastique (→ **Clergé**) par réception de la tonsure*. *Clerc ton-suré. — Clerc régulier,* lié aux règles d'un ordre religieux. *Clerc minoré.* → 1. Minoré.

1 Un clerc mondain ou irréligieux, s'il monte en chaire, est déclamateur. LA BRUYÈRE, les Caractères, XV, 24.

Vx. Celui qui étudie pour devenir ecclésiastique. (À Rome). *Clerc de la Chambre :* prélat officier de la chambre apostolique.

♦ **2** [a] Vx. Personne instruite. → **Lettré, savant.** *C'est un clerc, il est clerc. C'est un grand clerc.*

Un loup quelque peu clerc prouva par sa harangue 2
Qu'il fallait dévouer ce maudit animal (...) LA FONTAINE, Fables, VII, 1.

Pardieu, les plus grands Clercs ne sont pas les plus fins. 3 Mathurin RÉGNIER, Satires, III.

Il *(l'homme)* aurait aimé, jadis, de réunir les mérites de 4 l'athlète et du clerc, d'avoir des membres puissants aux ordres d'une cervelle ingénieuse. G. DUHAMEL, Chronique des Pasquier, VIII, I, p. 264.

[b] Loc. mod. **GRAND CLERC.** *Être grand clerc. Il est grand clerc en la matière.* → **Compétent, expert.** *Il ne faut pas être grand clerc pour savoir...*

Mod. (littér.). Intellectuel. *La Trahison des clercs,* ouvrage de J. Benda (1927).

♦ **3** (1275). Employé des études d'officiers publics et ministériels, et, *particulièrement,* stagiaire se prépa-rant aux fonctions de notaire, d'avoué, d'huissier. *Clerc de notaire* (syntagme le plus cour., dans ce sens, le mot employé seul étant ambigu, de par sa brièveté et ses homonymes). *Clerc d'avoué.*

Les avocats reconnaissent aussitôt celui qui fut d'abord 4.1 clerc d'avoué. ALAIN, le Travail enfantin, *in* les Passions et la Sagesse, Pl., p. 109-110.

Anciennt. *Clerc de procureur.*

Absolt (désigne surtout un *clerc de notaire*). *Maître clerc, premier clerc, clerc principal. Un clerc copiste. Un clerc chargé de bordereaux* (→ Commissaire*-priseur. cit.). *Petit clerc :* jeune clerc chargé de menus tra-vaux, de courses. → **Saute-ruisseau.**

Loc. fig. **PAS DE CLERC :** faute, erreur, maladresse par inexpérience, ignorance, imprudence. → 1. **Pas,** cit. 22.

Ma langue, en cet endroit, 5
A fait un pas de clerc (...) MOLIÈRE, le Dépit amoureux, I, 4.

(...) il *(Haugwitz)* comprenait, du coup, l'effroyable erreur 6 où l'on était à Berlin quand on croyait pouvoir dicter la loi à Paris, et le pas de clerc qu'il venait de faire. Louis MADELIN, Hist. du Consulat et de l'Empire, IX, p. 116.

CONTR. (Du 1.) Laïque. — (Du 2.) Béotien, ignorant, inculte. ◊ **DÉR. Clergeon, clergie. ◄ HOM. Clair, claire.**

CLERGÉ [klɛʀʒe] n. m. — X[e], *clergié;* du lat. ecclés. *clericatus* de *clericus.* → Clerc.

Ensemble des ecclésiastiques (d'une église, d'un pays, d'une ville). → **Église.** *Relatif au clergé.* → **Clé-rical.** *Le clergé catholique. Le clergé romain. Le clergé de France. Le clergé du diocèse de Paris. Le clergé de la paroisse. Clergé séculier.* → **Séculier; curé, évêque.** *Clergé régulier.* → **Régulier; abbé, moine, ordre** (ordres religieux), **règle, religieux.** *Les membres du clergé. Être opposé à l'intervention du clergé dans les affaires publiques.* → **Anticlérical.**

Baronius prouve que le vœu de célibat était général parmi 1 le clergé dès le sixième siècle. CHATEAUBRIAND, le Génie du christianisme, I, I, VIII. (→ Célibat, cit. 8.)

(Il) apportait au milieu du clergé de Paris, si tolérant et 2 si éclairé, cette âpreté du catholicisme provincial (...) BALZAC, Une double famille, Pl., t. I, p. 969.

Le clergé, bien que soumis à des règles immuables, se 3 recrutait dans la société laïque et ne pouvait éviter de se transformer en même temps qu'elle. Ch. SEIGNOBOS, Essai d'une hist. comparée des peuples... IX, p. 170.

Spécialt. Ensemble des ecclésiastiques de la religion catholique romaine. *L'Assemblée du clergé. Le haut clergé. Le bas clergé.* → **Prêtraille.** *Distinctions honorifiques du clergé.* → **Cardinal, chanoine, prélat.** *La sécularisation des biens du clergé* (→ **Séculariser).** *Le clergé, premier ordre du Royaume de France.*

4 On avait dépossédé le clergé *(sous la Révolution),* en partie pour qu'il fût moins fort. On devait redouter qu'il restât fort parce qu'on l'avait dépossédé.
J. BAINVILLE, Hist. de France, XVI, p. 339.

CLERGEON [klɛRʒɔ̃] n. m. — XIVᵉ; «petit clerc», XIIᵉ; de *clerc, g* d'après *clergé.*

♦ **1** Fam. et vieilli. Enfant de chœur.
(...) tous purent entendre distinctement le bruissement de soie de sa jupe sur le tas de terre et les sanglots étouffés des clergeons.
BERNANOS, Monsieur Ouine, p. 175 (1946).

♦ **2** Vx. Petit clerc de procureur.

CLERGIE [klɛRʒi] n. f. — 1190; de *clerc, g* d'après *clergé.*

Vx. Condition de clerc. Instruction, science des clercs. — *Bénéfice, privilège de clergie :* privilège en vertu duquel les clercs d'autrefois étaient jugés par la juridiction ecclésiastique.

CLERGYMAN [klɛRʒiman] n. m. — 1844; attestation isolée, 1815; mot angl., de *clergy* «clergé», et *man* «homme».

♦ **1** Pasteur anglo-saxon. — Plur. *Des clergymen* [klɛR ʒimɛn]. *Habit, col de clergyman.*

1 (...) la seule et vraie cause de sa conversion à rebours était la fuite de sa femme avec le clergyman du village...
A. MAUROIS, les Silences du colonel Bramble, p. 191.

♦ **2** Anglic. Vêtement ecclésiastique qui ressemble à un costume civil et est porté par le clergé anglican et catholique. *Porter un clergyman.*

2 Ajoutons que ce mot de *clergyman* (...) tend à prendre chez nous la valeur non pas de «membre du clergé», mais de «costume ecclésiastique». Au lieu de dire «tel prêtre est habillé en clergyman», on dira «il porte *un clergyman».* On le dit déjà couramment dans le milieu professionnel des tailleurs : «Oui, nous vendons des clergyman *(sic)»...* Ici, l'abus est caractérisé (...) L'équivalent que suggère le Conseil *(Conseil linguistique de l'Office du Vocabulaire français)* est *complet ecclésiastique.*
Lettre de l'Office du Voc. franç., *in* Vie et Langage, 1962, p. 490.

CLÉRICAILLE [klerikaj] n. f. — Attesté 1899; du rad. du lat. *clericus* (→ Clerc), et suff. *-aille.*

Péj., vx. Le clergé. «*Toute la boulange* (les boulangistes) *et toute la cléricaille»* (Clemenceau, *in* T. L. F.).

CLÉRICAL, ALE, AUX [klerikal, o] adj. — XIIᵉ; lat. *clericalis,* de *clericus.* → Clerc.

♦ **1** Qui est relatif au clergé. *Fonctions cléricales. La vie cléricale. Ordres cléricaux.*

♦ **2** (1815). Qui a rapport à l'influence du clergé en politique; qui est favorable à cette influence. *Parti clérical.* → **Cléricalisme.** *Opinion cléricale. Journal clérical* (→ Calotte, cit. 3.1). — N. (rare au fém.). *Un clérical; les cléricaux :* les partisans du cléricalisme. → fam. **Calotte, calotin.**

1 Même dans vingt, dans trente ans, il restera la preuve vivante que la plus haute culture moderne, reçue à l'abri de toute influence cléricale, non seulement n'est pas incompatible avec la foi, mais peut y ramener.
J. ROMAINS, les Hommes de bonne volonté, t. V, XVII, p. 122.

Une bonne part du clergé de France n'est plus cléricale et 2 le sera de moins en moins.
F. MAURIAC, Bloc-notes 1952-1957, p. 207.

CONTR. **Laïc.** ◊ DÉR. **Cléricaliser, cléricalisme.** ◂ COMP. et CONTR. **Anticlérical.**

CLÉRICALISER [klerikalize] v. tr. — 1873; de *clérical.*

Vieilli. Rendre clérical, plus clérical (2.).

CLÉRICALISME [klerikalism] n. m. — 1855; de *clérical.*

Opinion de ceux qui sont partisans d'une immixtion du clergé dans la politique. *Cléricalisme et anticléricalisme.*

Et je ne fais que traduire les sentiments intimes du peuple de France en disant du cléricalisme ce qu'en disait un jour mon ami Peyrat : Le cléricalisme? voilà l'ennemi!
GAMBETTA, Disc. à la Chambre des députés, 4 mai 1877.

CONTR. et COMP. **Anticléricalisme** (plus courant).

CLÉRICATURE [klerikatyR] n. f. — 1429; du lat. médiéval *clericatura,* de *clericus.* → Clerc.

Didactique.

♦ **1** État, condition des clercs, des ecclésiastiques. → **Clergie.** *Entrer dans la cléricature.*

Après quatre ans de théologie faits comme ils peuvent l'être par obéissance, il quitta la cléricature, et par pitié et par amour pour les mathématiques (...)
FONTENELLE, Ozanam, *in* LITTRÉ.

♦ **2** (1781). Vx. État, condition de clerc de notaire ou d'officier ministériel.

CLÉROMANCIE [kleRɔmɑ̃si] n. f. — 1740, *cléromance,* Trévoux; comp. du grec *klêros* «sort», et *manteia* «divination».

Didact. Art de prédire l'avenir par le tirage au sort.

CLÉROUQUE [kleRuk] n. m. — Mil. XIXᵉ; du grec *klêroukhos,* de *klêros* «lot», et *ekhein* «avoir».

Didact. Colon grec de l'antiquité, qui restait citoyen de la mère patrie.

DÉR. **Clérouquie.**

CLÉROUQUIE [kleRuki] n. f. — 1877; de *clérouque.*

Didact. Colonie de clérouques.

CLIC [klik] interj. et n. m. — XVᵉ; onomatopée. → Clique.

I Onomatopée symbolisant un claquement sec. → **Clac, clic-clac, cloc.** — N. m. :

Il le reprit *(le calibre seize),* fit jouer les verrous; l'arme s'ouvrit avec un joli «clic», et il regarda la lampe à travers les canons.
M. PAGNOL, la Gloire de mon père, t. I, p. 189.

II (*Klik,* 1866, Larousse). ♦ **1** Phonét. Phonème articulé par une double occlusion du passage buccal sans participation de la respiration (ex. : le son noté *ts-ts,* en français). — REM. On écrit aussi *click. Langues à clics,* où les clics ont valeur de phonème. *Le hottentot est une langue à clics.*

♦ **2** Pression exercée avec le doigt sur une souris d'ordinateur (→ **Cliquer).** *Sélectionner une application par un clic. Double clic :* double pression avec la souris.

HOM. **Clique, cliques.**

CLIC-CLAC [klikklak] interj. et n. m. invar. — 1836; onomat. par redoublement, du type *tic-tac*, etc. → Clac, clic.

♦ **1** Bruit provenant d'un claquement sec et répété. *Clic-clac!*

1 Les socques de la vieille Marthe claquaient déjà sur les marches — clic, clac — et plus sourds, dans l'herbe humide — floc, floc.
> BERNANOS, Sous le soleil de Satan, *in* Œ. roman., Pl., p. 238.

N. m. *Le clic-clac d'un fouet.*

2 (...) grand-mère toujours présente (j'entends d'ici sa radio dans les intervalles du clic-clac de ma machine) (toujours ma chère vieille Hermès, depuis 1938 ou 1939)...
> Claude MAURIAC, le Temps immobile, p. 263.

♦ **2** N. m. invar. Canapé transformable en lit, qui se plie en deux (en faisant ce bruit). → **Convertible.** *Des clic-clac.*

1. CLICHAGE [kliʃaʒ] n. m. — 1809; dér. de 1. *clicher.*
Typogr. Opération par laquelle on fait un cliché pour la reproduction. → **Stéréotypage, stéréotypie.** *Clichage d'un livre, d'une gravure. Clichage par électrolyse.* → **Galvanoplastie, électrotypie.**

HOM. 2. **Clichage.**

2. CLICHAGE [kliʃaʒ] n. m. — 1866; du wallon *cliche,* var. de *clique**, désignant un loquet, un taquet.
Techn. Appareil placé à l'orifice d'un puits de mine, et qui retient les cages par un système de taquets.

HOM. 1. **Clichage.**

CLICHE [kliʃ] n. f. — 1836; de *clicher* «foirer» (1536), en dial. normand; onomat. → 1. *Clicher.*
Fam. Diarrhée. → **Colique.** *Avoir la cliche.*

1 (...) des filles (...) qui défilent avec des gueules crispées comme si elles avaient la cliche.
> Geneviève DORMANN, Je t'apporterai des orages, p. 100.

Par ext. Peur intense. → **Frousse, trouille; pétoche.**

2 (...) je la ferais valoir, cette cliche-là, parce que ce n'est pas la colique, c'est la frousse, mais la frousse-maladie qui vous fait s'en aller un bonhomme en eau (...)
> Roger VERCEL, Capitaine Conan, XII, p. 193.

CLICHÉ [kliʃe] n. m. — 1809; admis Académie 1878; p. p. de 1. *clicher.*

♦ **1** Techn. (typogr.). Plaque portant en relief la reproduction d'une page de composition, d'une gravure ou d'une image, et permettant le tirage de nombreux exemplaires sans détériorer l'original. *Reproduction* avec un mastic formant un cliché.* → **Polycopie, polytypie.** *Cliché en alliage, en plomb. Cliché en cuivre.* → **Galvano; électrotype.** *Cliché en caoutchouc, en plastique* (→ **Offset,** et aussi **plastotypie**). *Cliché en bois.* → **Xylographie.** *Cliché en papier composé à la main ou à la machine à écrire.* → **Stencil.** *Cliché d'une planche d'imprimerie, servant pour les rééditions.* → **Stéréotype; impression.** *Cliché d'une page, d'un dessin. Cliché au trait* (→ **Zincogravure**), *à teintes plates* (→ **Similigravure**). *Cliché pour l'impression des étoffes. Cliché métallique d'une photographie* (→ **Héliogravure, photogravure, phototypogravure**). *Cliché monté.*

♦ **2** (1865, *Rev. des Cours sc.,* II, p. 119). Cour. Image négative d'une photo obtenue à la chambre noire. → **Épreuve** (négative), **négatif, pellicule, phototype;** → Photographie, cit. 3. *Tirer des épreuves positives d'après un cliché. Un cliché net, vigoureux. Retoucher un cliché. Agrandir des clichés photographiques. Copie d'un cliché.* → **Contretype.** — Par ext. Photo.

De beaux clichés. — *Des clichés radiographiques. Prendre des clichés d'une fracture.*

♦ **3** Idée ou expression trop souvent utilisée. → **Banalité, lieu** (commun), **poncif, redite.** *C'est un vieux cliché. Une conversation pleine de clichés. «Cheveux d'or», «lèvres vermeilles», «teint de rose», «aurore aux doigts de rose» sont des clichés de style. Éviter les clichés* (→ Accent, cit. 5). *Il ne pense que par clichés.*

1 Il *(La Bruyère)* tâche d'éviter tous les clichés : clichés de vocabulaire, clichés de construction et de mouvement.
> Gustave LANSON, l'Art de la prose, p. 124.

2 Le cliché est un mot de passe commode en conversation pour se passer de sentir.
> Max JACOB, Conseils à un jeune poète, p. 19.

3 Quelle erreur de croire que c'est en se laissant aller à soi qu'on est ou devient le plus personnel ! Ce qui vous vient d'abord et naturellement à l'esprit, ce sont des lieux communs, des clichés (...)
> GIDE, Journal, 24 nov. 1928.

4 À vouloir reprendre les clichés et les phrases patriotiques d'une époque où l'on est arrivé à irriter les Français avec le mot même de patrie, on n'apporte rien à la définition cherchée *(de ce que veut la France).*
> CAMUS, Actuelles I, *in* Essais, Pl., p. 267.

CONTR. Épreuve (positive). — **Invention, nouveauté, originalité, personnel** (idée), **trouvaille.**

CLICHEMENT [kliʃmã] n. m. — 1836; de 2. *clicher.*
Didact. Défaut de prononciation qui se caractérise, pour les chuintantes, par une expiration de l'air sur les côtés de la langue ou, pour les sifflantes, par une application imparfaite des bords de la langue contre les dents inférieures.

1. CLICHER [kliʃe] v. tr. — Fin XVIIIᵉ; onomat. d'après le bruit de la matrice tombant sur le métal en fusion.

♦ **1** Techn. (typogr.). Faire le cliché* de..., en coulant une matière fondue dans l'empreinte qu'on a prise d'une forme à reproduire. → **Stéréotyper.** *Clicher une page. Clicher un fleuron, une vignette. Empreinte servant à clicher les planches d'imprimerie.* → **Flan.** Absolt. *Cet ouvrier sait clicher* (→ **Clicheur**).

♦ **2** Fig. et littér. Reproduire fidèlement; imiter.
La connaissance intellectuelle, en tant qu'elle se rapporte à un certain aspect de la matière inerte, doit au contraire nous en présenter l'empreinte fidèle, ayant été clichée sur cet objet particulier.
> H. BERGSON, l'Évolution créatrice, p. VIII (1907).

♦ **CLICHÉ, ÉE** p. p. adj. *Des pages bien (mal) clichées.* — *Des phrases, des formules clichées,* stéréotypées. → **Cliché** (n. m.) 3.

DÉR. 1. **Clichage, cliché, clicherie, clicheur.**

2. CLICHER [kliʃe] v. intr. — 1836; orig. onomatopéique, le mot évoquant le défaut de prononciation.
Didact. Prononcer de façon défectueuse les chuintantes ou les sifflantes. → **Clichement.**

DÉR. **Clichement.**

CLICHERIE [kliʃri] n. f. — 1866; de 1. *clicher.*
Atelier de clichage (1. **Clichage**).

CLICHEUR [kliʃœr] n. m. — 1835, Académie; de 1. *clicher.*
Typogr. Ouvrier chargé de faire les clichés. — Par appos. *Ouvrier clicheur. Monotypiste clicheur.* — REM. Le fém. *clicheuse* est virtuel.

CLICK [klik] n. m. → **Clic.**

CLIENT, ENTE [klijɑ̃, ɑ̃t] n. — 1437; *clienton,* 1345; lat. *cliens, clientis.*

I (Le plus souvent au masc.). ♦ **1** Hist. de l'antiq. À Rome, Plébéien qui se mettait sous la protection d'un patricien appelé *patron. Les clients devaient le dévouement personnel à leur patron* (→ Attacher, cit. 68).

1 Cette admirable institution des patrons et des clients fut un chef-d'œuvre de politique et d'humanité.
ROUSSEAU, Du contrat social, IV, 4.

♦ **2** (1538). Par anal. (vx). Personne qui se place sous la protection de qqn. → **Protégé.**

2 (...) la foule innombrable de clients ou de courtisans dont la maison d'un ministre se dégorge plusieurs fois le jour (...) LA BRUYÈRE, les Caractères, IX, 51.

II ♦ **1** Personne qui requiert des services moyennant rétribution. *Le client d'un homme d'affaires,* celui qui le charge de défendre ses intérêts. *Le client, la cliente d'un notaire, d'un avocat, d'un officier ministériel... Gérer la fortune d'un client. Gagner le procès d'une cliente.*

3 Quelqu'un a besoin de lui dans une affaire qui est facile; il va le trouver (...) Le client sort, reconduit, caressé (...)
LA BRUYÈRE, les Caractères, IX, 48.

4 Le nom d'un pareil avocat fera bien de l'honneur à son client. VOLTAIRE, Lettre à d'Argental, 15 juin 1765.

5 Vous êtes avocat! Vous avez le devoir au contraire de recourir à toutes les ruses pour défendre vos clients.
GIRAUDOUX, la Folle de Chaillot, II, p. 142.

Client, cliente d'un médecin*, d'un dentiste... : personne qui confie sa santé à un praticien. → **Malade, patient.** *Soigner un client. Le docteur ne reçoit les clients que sur rendez-vous.*

6 Le médecin qui déclare la guerre à ses clients, et leur tourne le dos, l'excellente idée!
André SUARÈS, Trois hommes, «Ibsen», VI, p. 156.

(En parlant de services analogues à ceux des commerçants; → ci-dessous, 2.). *Le client, la cliente d'un coiffeur, d'un couturier, d'un cordonnier; client d'un hôtel, d'un taxi.* → **Pratique** (vx).

♦ **2** (1826). Personne qui achète. → **Acheteur.** *Client qui traite des affaires.* → **Acquéreur, amateur, preneur.** *Être client pour un fonds de commerce, pour des actions... Un client sérieux.*

7 (...) six étages largement assis (...) avec deux bonnes boutiques dans le bas; de quoi intéresser, à l'occasion, un client en quête d'un placement tranquille.
J. ROMAINS, les Hommes de bonne volonté, t. IV, IV, p. 22.

8 Avant la guerre, les clients, êtres augustes dont on ne parlait qu'avec une terreur respectueuse, imposaient sans efforts leurs caprices cruels à des industriels divisés et toujours affamés de travail.
A. MAUROIS, Bernard Quesnay, VI, p. 38.

Absolt (cour.). Personne qui achète dans un magasin, consomme dans un lieu public. → **Chaland, pratique** (vx). *Magasin plein de clients.* → **Achalandé.** *Attendre le client* : ne rien vendre. *Vendeur occupé à servir un client. Être aimable, empressé envers les clients. Un client difficile, exigeant. Attirer les clients par la publicité, les remises, les soldes, les primes. Client de passage* (opposé à *habitué*). *Un client, une cliente assidu(e), fidèle* (→ ci-dessous, absolt, 3.). *Les clients d'un bar, d'un restaurant.* — Collectif. *Le client a toujours raison* (principe de l'art de vendre).

9 Il poussa la porte d'un petit café, à cette heure complètement vide de clients.
P. MAC ORLAN, la Bandera, I, p. 13.

Abrév. fam. → **Clille.**

♦ **3** (1832). Personne qui se sert toujours au même endroit. → **Habitué; fidèle.** *Il est client de la banque*

X. *Être cliente de tel coiffeur, de tel marchand. Servez-le bien, c'est un client. Ménager un client, une cliente. La maison ne fait crédit qu'aux clients. Perdre un client. Faire un nouveau client. Agent qui visite les clients* (→ **Démarcheur, représentant**).

♦ **4** Écon. N. m. → **Consommateur, importateur.** *La Belgique est un très gros client de la France sur le marché automobile.*

Adj. (aussi au fém.). *Les pays clients. Les sociétés clientes.*

Quoi qu'il en soit, nous pourrons identifier, sans difficultés, les entreprises clientes ou non. Cette liste devra être établie pour plusieurs années, ce qui permettra de souligner les variations de notre clientèle en tant qu'entreprise et non en tant que volume d'affaires traitées. 10
Fernand BOUQUEREL, les Études de marchés, p. 38.

♦ **5** Fam. et péj. Individu. → **Type.** *C'est un drôle de client!* — REM. Cet emploi ne semble pas reçu au féminin.

♦ **6** (Souvent au plur.). Fam. Personne qui défend des intérêts collectifs. *Les clients d'un parti politique.* → **Clientèle** (II., 3.).

CONTR. Patron. — **Commerçant, fournisseur, marchand, vendeur.**

CLIENTÈLE [klijɑ̃tɛl] n. f. — 1352; du lat. *clientela,* de *cliens, clientis.*

I Didact. Hist. de l'antiq. Ensemble des clients d'un patricien (→ **Client,** I., 1.). — Institution par laquelle les prolétaires se mettaient sous la dépendance des citoyens riches.

(1516). Relation qui existe entre protecteur et protégé. *Les rapports de clientèle entre patron et employé.*

II ♦ **1** Ensemble de clients qui recourent, moyennant rétribution, aux services d'une même personne ou qui s'adressent habituellement à elle. *La clientèle d'un avocat, d'un notaire. Vendre la clientèle avec l'étude*. Clientèle d'un médecin. Clientèle d'une agence. Se faire une clientèle.*

Sa réputation de guide, quelquefois amusant, lui attirait la clientèle des grands hôtels. 1
P. MAC ORLAN, la Bandera, XX, p. 249.

♦ **2** (1832). Ensemble d'acheteurs. *Avoir une grosse clientèle. Clientèle provinciale, étrangère. Clientèle de choix. Avoir la clientèle des éditeurs. Ils ne se font pas concurrence car ils n'ont pas la même clientèle. Les caprices de la clientèle. Fournir une clientèle.* → **Achalandage.** *Visiter la clientèle.* → **Prospection.** *Indemnité de clientèle :* indemnité que doit verser le patron au démarcheur dont il résilie le contrat. *La clientèle d'un magasin, d'un marchand. Attirer la clientèle. Clientèle d'habitués. La clientèle de passage est aussi importante que les habitués.*

De rétribution, il n'en acceptera aucune pour le moment, 2 mais je lui donnerai mon linge à blanchir et je lui procurerai la clientèle de mes camarades de la *Triomphante.*
LOTI, Mᵐᵉ Chrysanthème, III, p. 37.

Ils ont trouvé une nouvelle formule : travailler pour une 3 clientèle franchement populaire, que les autres dédaignaient plus ou moins.
J. ROMAINS, les Hommes de bonne volonté, t. II, VI, p. 57.

Ensemble de clients habitués. *La clientèle d'un restaurant.*

♦ **3** Fig. (ou par référence occasionnelle au sens I). Ensemble des gens qui soutiennent un parti politique, qui fréquentent habituellement un milieu. → **Adepte, public; clientélisme.** *Une clientèle d'admirateurs. La clientèle d'un parti politique. Une clientèle électorale.*

4   (...) un fonctionnarisme sans cesse accru, immense, avide, malfaisant, en qui la République croit s'assurer une clientèle et qu'elle nourrit pour sa ruine.
> FRANCE, l'Orme du mail, Œ., t. XI, p. 151.

♦ **4** Fait d'être client, d'acheter. *Il voulait obtenir la clientèle de cette riche famille.* — Écon. *La clientèle d'un marché commercial.* → **Marché.** *S'assurer la clientèle de l'Amérique du Sud.*

DÉR. **Clientélisme.**

CLIENTÉLISME [klijɑ̃telism] n. m. — 1972; de *clientèle* (3.).

Fait, pour un homme politique ou un parti, de chercher à élargir son influence par des procédés démagogiques d'attribution de privilèges et d'avantages. — REM. On trouve aussi l'adj. *clientéliste* [klijɑ̃telist].

CLIFOIRE [klifwaʀ] n. f. — 1694; *cliquefoire*, 1611; de *clique*, de l'anc. v. *cliquer* (→ Clique), et *foire* «diarrhée».

Régional (Centre, Ouest). Vieilli (cf. cependant A. Arnoux, 1946, *in* T. L. F.). Jouet en forme de seringue, que les enfants fabriquent avec une tige de sureau et dont ils se servent pour lancer de l'eau. → **Canonnière.**

CLIGNANT, ANTE [kliɲɑ̃, ɑ̃t] adj. — 1866; de *cligner*.
Littéraire.

♦ **1** Qui cligne (œil).

1   Je le regardais avec ses yeux clignants, encore un peu suintants au soleil, et je me disais qu'après tout il n'était pas sympathique Robinson.
> CÉLINE, Voyage au bout de la nuit, p. 353.

2   Ça tournait à des tabagies à tout découper au couteau... Que tout le monde en pleurnichait ferme les yeux piqués et tout clignants, rouges, brûlants au poivre à la suie... à bien d'autres fumées encore, plus âcres, qui filtraient de partout du fleuve (...)
> CÉLINE, Guignol's band, p. 140.

♦ **2** Qui s'allume et s'éteint. *Des lumières clignantes.*
→ **Clignotant.**

CLIGNEMENT [kliɲmɑ̃] n. m. — V. 1560; *cloignement* au XIIIᵉ; de *cligner*.

♦ **1** Action de cligner. *Clignement d'yeux dû à la surprise, à une lumière trop vive.*

1   (...) sa prunelle franche regardait bien, quoique troublée par ce clignement que donne aux pêcheurs la réverbération des vagues.
> HUGO, les Travailleurs de la mer, I, I, VI.

♦ **2** Battement rapide des paupières (en signe d'intelligence, pour attirer l'attention). → **Cligner,** II., B. *Faire un clignement d'œil* (ou, rare, *d'yeux*) *à l'adresse de qqn.* → **Clin d'œil, coup** (d'œil), **œillade.** → Air, cit. 9.

2   Déconcerté par le sourire complice et le clignement d'œil qu'Antoine lui décochait, il hésita une seconde (...)
> MARTIN DU GARD, les Thibault, t. IX, p. 33.

3   (...) et dans un malin clignement d'œil qui rendait un hommage discret à sa finesse (...)
> COURTELINE, Messieurs les ronds-de-cuir, 4ᵉ tableau, III, p. 157.

4   Quelques rares lumières, pareilles à des clignements d'yeux qui vont s'éteindre, rougissaient çà et là des lucarnes sur les toits (...)
> HUGO, les Travailleurs de la mer, III, I, I, p. 445.

♦ **3** Fig. et littér. Action de briller par intermittence.
→ **Clignotement, scintillement.**

5   (...) le clignement de quelques éclairs lointains blêmissait par instants le ciel.
> MARTIN DU GARD, les Thibault, t. II, p. 154.

CONTR. **Fixité.**

CLIGNE-MUSETTE [kliɲmyzɛt] n. f. — 1662; *clignemusse*, 1462; de l'impér. de *cligner*, et *musette*, de l'anc. franç. *musser* «cacher».

Vx. Jeu de cache-cache au cours duquel un enfant ferme les yeux pendant que d'autres se cachent.
→ **Cache-cache.**

CLIGNER [kliɲe] v. — 1155; p.-ê. d'un bas lat. *cludiniare*, de *cludinare*, de *cludere* «fermer».

I V. tr. (Sujet n. d'être animé). ♦ **1** Fermer à demi (les yeux) pour rétrécir le champ visuel, afin de mieux distinguer l'objet précis qu'on regarde. *Les myopes clignent les yeux pour mieux accommoder*. *Scruter la foule en clignant les yeux* (→ Auréole, cit. 2).

1   (...) dans la lucarne carrée, au-dessous de la poulie à fourrage, n'eût-elle pas aperçu, en clignant des yeux, ces deux taches pâles dans le foin (...)
> COLETTE, Histoires pour Bel-Gazou, III, Où sont les enfants? p. 22.

♦ **2** Fermer et ouvrir rapidement (les yeux), sous l'influence d'une émotion vive, d'une lumière trop forte, etc. *Cligner les yeux en regardant une vive lumière. Cligner un œil.* — *Cligner les paupières.*
→ **Ciller, clignoter.**

2   Quelquefois le soleil traversant les nuages la forçait à cligner ses paupières, pendant qu'elle regardait les voiles au loin et tout l'horizon (...)
> FLAUBERT, Trois contes, «Un cœur simple», III, p. 49.

II **A** ♦ **1** V. intr. (Le sujet désigne les yeux, les paupières). Se fermer et s'ouvrir de manière instinctive, ou sous l'influence d'une émotion, d'une lumière trop forte. *Ses yeux clignaient. La lumière vive faisait cligner ses yeux.*

3   (...) sur ses prunelles éblouies ses paupières commencèrent de cligner.
> FRANCE, l'Orme du mail, Œ., t. XI, p. 144.

4   Un nouveau tic faisait sans cesse cligner l'œil gauche.
> MARTIN DU GARD, les Thibault, t. VIII, p. 80.

♦ **2** Littér. S'allumer et s'éteindre par intermittence (source lumineuse). → **Clignoter** (cour.), **scintiller.** *Des lumières clignaient dans le port.*

B V. tr. ind. (Sujet n. de personne). *Cligner des yeux. L'hypnotiseur ne doit pas cligner des yeux lorsqu'il endort son sujet. Il a reçu la gifle sans cligner des yeux* (ou, intr.), *sans cligner.* → **Broncher.** Spécialt. *Cligner de l'œil* : fermer et ouvrir rapidement un œil pour faire un signe, pour aguicher. → **Clin d'œil, coup** (d'œil), **œillade.**

5   Alors, l'Espagnol qui le regardait faire, cligna de l'œil dans la direction des filles.
> P. MAC ORLAN, la Bandera, III, p. 35.

♦ **CLIGNÉ, ÉE** p. p. adj.
(En parlant des yeux). Plissés, fermés à demi par un clignement.

6   Belette s'arrêta au bord du bois, les yeux clignés sur les lointains et, en écoutant les voix, la vie lui parut plus heureuse.
> M. AYMÉ, la Vouivre, p. 251.

7   (...) deux petits yeux gris clair, entourés de rides fines et perpétuellement clignés, qui lui donnaient un air de malice, tantôt dure et tantôt cordiale.
> G. CHEVALLIER, Clochemerle, p. 8.

DÉR. **Clignant, clignement, clignoter.** ◊ COMP. **Cligne-musette.** — **Clin d'œil.**

CLIGNOTANT, ANTE [kliɲɔtɑ̃, ɑ̃t] adj. et n. m. — 1546; p. prés. de *clignoter*.

♦ **1** Qui clignote. *Des yeux clignotants.*

(1805). Vx. *Membrane clignotante des oiseaux.* → **Nictitant.**

♦ **2** Fig. Qui s'allume et s'éteint par intermittence. → **Scintillant, intermittent, vacillant.** *Une lumière clignotante.*

1 (...) en plein soleil, se tenait un cercle de gens accroupis (...) avec des yeux clignotants sous l'éclat du jour et qu'on eût dit fermés.
E. FROMENTIN, Un été dans le Sahara, I, p. 28.

2 Moi, j'allais, rêvant (...)
Sous l'œil clignotant des bleus becs de gaz.
VERLAINE, Poèmes saturniens, «Eaux-fortes», I.

3 Les lampadaires de la place de la Concorde elle-même ne ponctuaient ce vaste espace que de clignotantes lueurs.
Georges LECOMTE, Ma traversée, p. 67.

Feu clignotant. → ci-dessous, 3.

♦ **3** N. m. (V. 1950). Dispositif lumineux à lumière intermittente, servant à indiquer la direction que va prendre un véhicule. → **Clignoteur.** *La commande des clignotants est au volant. Répétiteur de clignotants.* → aussi **Feu** (feux lumineux).

4 Jacques fait ses appels de phares mais voilà l'autre qui met son clignotant et qui tourne pour prendre une route sur notre gauche.
Jean FERNIOT, Pierrot et Aline, p. 235.

Les clignotants : les feux de signalisation (lorsqu'ils s'allument et s'éteignent régulièrement). — Au sing. *Un clignotant. Tu tourneras à droite au clignotant.*

5 (...) une place vers le soir, quand il ne fait déjà plus jour et pas tout à fait nuit, et que les clignotants, verts et rouges, ont l'air de chats qui s'éveillent à l'ombre.
ARAGON, Blanche..., I, VIII, p. 133.

♦ **4** N. m. (1965). Fig. Écon. Signal de dépassement fréquent d'une valeur, au-delà d'un seuil, et dont l'apparition signale un danger (dans un plan, un programme économique); par ext., l'indice lui-même. «*Les clignotants, grande innovation du IVe Plan*» (in la Clé des Mots, 1973).

CONTR. Fixe.

CLIGNOTEMENT [kliɲɔtmɑ̃] n. m. — 1546; de *clignoter.*

♦ **1** Action de clignoter. *Le clignotement des yeux.* → **Battement** (des paupières, des cils). *Un clignotement d'yeux continuel.*

♦ **2** (1823). Action de se produire par intermittence (lumière). → **Scintillement, vacillement.** *Le clignotement des lumières de la ville.*

CLIGNOTER [kliɲɔte] v. — Fin XVe; *cligneter* au XIIIe; dér. de *cligner.*

A V. intr. ♦ **1** Cligner coup sur coup rapidement et involontairement. *Ses yeux, ses paupières clignotent. Le besoin de sommeil lui fait clignoter les yeux.* → **Battre** (des paupières, des cils).

1 Ses petits yeux noirs clignotaient, brûlés par les larmes et l'insomnie.
MARTIN DU GARD, les Thibault, t. VII, p. 218.

♦ **2** (1869). Fig. Éclairer et s'éteindre alternativement à très brefs intervalles. → **Scintiller.** *La lampe clignote et va s'éteindre.* → **Trembloter.**

2 Une heure plus tard, il entra en contact avec la nuit criblée d'étoiles. Elles clignotaient par milliers au-dessus de sa tête.
P. MAC ORLAN, la Bandera, XX, p. 255.

3 Les caractères qui clignotent, qui brillent ou simplement qui sont illuminés sur l'autre bord du Paralelo se présentent à Sigismond avec plus d'acuité que les mots espagnols, allemands, anglais, français ou italiens qu'ils composent.
A. PIEYRE DE MANDIARGUES, la Marge, p. 99.

B V. tr. ind. (Sujet n. de personne). *Clignoter des yeux.*

DÉR. **Clignotant, clignotement, clignoteur.**

CLIGNOTEUR [kliɲɔtœR] n. m. — Attesté 1948; de *clignoter.*

En franç. de Belgique. Feu clignotant. → **Clignotant,** 3.

CLILLE [klij] n. — 1931; abrév. phonétique de *client.*

Argot fam. Client, cliente.

CLIMAT [klima] n. m. — XIIe; lat. *climatis*, du grec *klima* «inclinaison (d'un point de la terre par rapport au soleil)».

♦ **1** Ensemble des circonstances atmosphériques et météorologiques (d'une région, d'un lieu du globe). *Éléments du climat d'un lieu.* → **Aridité, humidité, précipitation, pression** (atmosphérique), **saison, sécheresse, température, vent.** — Absolt. *Facteurs du climat :* altitude, latitude, situation par rapport à la mer, relief. *Influence du climat sur les êtres vivants* (→ **Bioclimat).** — *Un, des climats. Variation des climats.* → **Glaciaire** (périodes glaciaires), **glaciation.** *Science des climats.* → **Climatologie.** *Classification des climats* suivant qu'ils sont *inter-tropicaux* (équatoriaux et tropicaux), classés suivant le régime des pluies et toujours chauds sauf le climat dit «chinois»; *subtropical* (ou *désertique*); *extra-tropicaux*, classés suivant la température en *climats tempérés* (méditerranéens, océaniques, polonais), *froid* (russo-sibérien), *glacial* (polaire). — *Modifications apportées à un climat, suivant qu'il est maritime, continental, climat de moussons, de montagne.* — REM. Un adjectif tiré du nom d'une région-type s'applique à tout climat du même type : *le climat méditerranéen du Cap, de Valparaiso, le climat alpin des Pyrénées, le climat chinois de la Floride.* — *Climat spécifique d'une petite région.* → **Microclimat, mésoclimat.**

1 Le climat est un *ensemble de phénomènes qui se tiennent.* Température, vent, humidité, pluie, sont dans une corrélation étroite et donnent à chaque pays une physionomie reflétée généralement par la végétation.
E. DE MARTONNE, Traité de géographie physique, t. I, II, I, p. 108.

Changer de climat. → **Déclimater.** *Accoutumer à un nouveau climat.* → **Acclimater.** — *Se faire, résister, succomber à un climat, au climat; s'accommoder, se trouver bien, souffrir, être victime du climat. Être fatigué, abattu, éprouvé par le climat. Bon, mauvais climat. Climat morbide, insalubre, pernicieux, malsain, anémiant, déprimant, débilitant, pénible, accablant, épuisant, meurtrier, à fièvres, à malaria, à paludisme... Climat salubre, sain, excellent, tonifiant, vivifiant, remontant, revigorant. Climat désagréable, rude, sévère, brûlant, torride, glacé, humide, brumeux, pluvieux. Climat doux, trop doux, amollissant. Climat agréable, heureux, frais, ensoleillé, lumineux, délicieux, printanier, paradisiaque. Climat uniforme, fixe. Climat variable, instable, contrasté, capricieux.* — (Adj. avant le nom). *Un très désagréable climat. Un excellent, un bon, un meilleur climat. — Comment est le climat, ici? Le climat est médiocre, il fait* souvent mauvais. Bienfaits, avantages, méfaits, inconvénients, dangers, surprises d'un climat. — Influences du climat sur la végétation, sur les êtres, leur conformation* (→ 2. Canon, cit. 3), *les coutumes* (→ Arabe, cit. 1), *les croyances, le culte, la morale, les arts, la littérature, les lois.*

2 Des lois dans le rapport qu'elles ont avec la nature du climat.
MONTESQUIEU, l'Esprit des lois, XIV.

♦ **2** (Fin XIVe; souvent au plur.). Par métonymie (vieilli). Le lieu où règne le climat. *Avoir visité tous les climats.* — Dans des loc. littér. Contrée, pays, région... *Sous ces climats, dans nos climats.*

3 (...) on ne voit rien de juste ou d'injuste qui ne change de qualité en changeant de climat. Trois degrés d'élévation du pôle renversent toute la jurisprudence, un méridien décide de la vérité (...) Plaisante justice qu'une rivière borne ! Vérité au deçà des Pyrénées, erreur au delà.
PASCAL, Pensées, V, 294.

♦ 3 (Mil. XIXᵉ). Fig. Atmosphère morale, conditions de la vie. → Ambiance, milieu. *Trouver son climat, le climat qui convient. Climat social, politique. Le climat d'une réunion. Climats,* roman d'André Maurois.

4 Je demande à l'amour un climat tiède, caressant, que la famille m'a refusé (...)
A. MAUROIS, Climats, II, V, p. 180.

5 J'éprouve, près de vous, la sensation d'être enfin dans mon vrai climat !
MARTIN DU GARD, les Thibault, t. VI, p. 222.

6 Les gens de mon âge ont entendu parler de la guerre pendant toute leur vie. Ce n'est pas un climat favorable à l'activité commerciale et industrielle.
G. DUHAMEL, Cri des profondeurs, V, p. 79.

7 Pour un «jeune», à l'époque, on imagine mal le nombre de difficultés qu'il devait surmonter avant — non pas d'être célèbre — mais admis dans les quelques salons plus ou moins littéraires où se fondent les réputations. Celui de Rachilde, en dépit du «climat» qu'y avait préparé Jarry au moment d'*Ubu roi* et de la bonne humeur de celle que nous appelions «la patronne», n'était point ouvert à tout le monde.
Francis CARCO, Ombres vivantes, p. 201.

DÉR. Climatique, climatiser, climatisme. ◊ COMP. Acclimater, bioclimat, bioclimatologie, climatologie, climatothérapie, climatron, déclimater. — Mésoclimat, microclimat.

CLIMATÈRE [klimatɛʀ] n. m. — 1546; lat. *climacter,* grec *klimaktêr,* proprt «étape, échelon à franchir», de *klima.* → Climat.

Didact. (méd.). Étape de la vie (appelée aussi *âge critique*) marquant la fin de la période génitale active chez la femme (→ Ménopause) et un ralentissement de l'activité sexuelle chez l'homme (→ Andropause).

CLIMATÉRIQUE [klimatɛʀik] adj. — 1554, du grec *klimaktêrikos,* dér. de *klimaktêr* «échelon, degré». → Climatère.

♦ 1 Vx (t. d'antiq.). Adj. ou n. f. Se dit des années de la vie humaine échelonnées suivant des multiples de 7 ou de 9, en particulier de la 49ᵉ, de la 81ᵉ, et surtout de la 63ᵉ, ou *grande climatérique,* ces années étant considérées comme difficiles à franchir.

1 Il épouse une vieille antique
Qui compte plus de vingt printemps
Après son an climatérique.
MAYNARD, Poésies, in LITTRÉ.

N. f. Année climatérique.

1.1 J'avais dû changer depuis mon expulsion du sous-sol. Le visage notamment avait dû atteindre la cinquantaine. Le sourire humble et naïf ne venait plus, ni l'expression de misère candide, contenant les étoiles et les fuseaux.
S. BECKETT, Nouvelles, p. 95.

Se dit d'une période qui présente un caractère dangereux (→ Critique). *L'année climatérique de la femme, de l'homme.*

2 Les États ont leurs années climatériques aussi bien que les hommes. VOLTAIRE, in P. LAROUSSE.

♦ 2 (1812, selon Bloch-Wartburg; utilisé par Gautier, Proudhon, etc.; l'adjectif *climatique* n'apparaissant pas avant la fin du XIXᵉ s., *climatérique,* malgré la condamnation des puristes — Littré, qui signale et condamne aussi *climatorial* — s'est employé normalement dans ce sens au XIXᵉ s.). Vieilli. → Climatique. — REM. Malgré l'Académie (huitième éd.) qui l'a autorisé *(les conditions climatériques d'un pays),* cet usage est souvent condamné.

Déjà, à cette époque, les froids s'étaient fait sentir. Ainsi qu'il arrive sur ce territoire, soumis à des conditions climatériques particulières, l'automne paraissait devoir s'absorber dans un précoce hiver.
J. VERNE, Michel Strogoff, p. 414.

CLIMATIQUE [klimatik] adj. — V. 1870-80, E. Reclus; de *climat.*

Qui a rapport au climat. *Influence, modification climatique.* → Climatérique, 2. (vieilli). — (1912). *Station climatique,* où l'on envoie les malades à cause des vertus curatives du climat. *Lycée climatique,* situé dans une station climatique, et accueillant en internat des élèves de santé fragile (ou de jeunes sportifs se destinant à la compétition de haut niveau). — N. *Un, une climatique* : un, une malade soigné(e) dans une station climatique.

DÉR. Climatiquement. — V. Climatisme.

CLIMATIQUEMENT [klimatikmɑ̃] adv. — D. i. (XXᵉ); de *climatique.*

Rare. Du point de vue du climat. *«On savait déjà (...) que l'évolution des espèces est très rapide dans les zones géologiquement et climatiquement instables que constituent les archipels»* (Sciences et Avenir, nº 38, 1982, p. 72).

CLIMATISATION [klimatizasjɔ̃] n. f. — V. 1920, M. Vinot; de *climatiser.*

Moyens employés pour obtenir, dans un lieu fermé, une atmosphère constante (température, humidité), à l'aide d'appareils. → Climatiseur, et aussi l'anglic. conditionnement (d'air).

Le mot «Climatisation» est usité aujourd'hui pour désigner l'ensemble des dispositifs de conditionnement de l'air visant à réaliser automatiquement une atmosphère salubre et agréable dans les locaux habités. Cette heureuse expression est due à M. Maurice Vinot et ne nous vient pas d'Amérique, contrairement à ce que beaucoup s'imaginent : c'est une justice à rendre à l'un des techniciens qui ont contribué le plus au développement de cette science nouvelle.
IZARD, Mémento de physique industrielle, p. 134 (1921).

(1985). Abrév. fam. : *la clim* [klim]. *La clim est en panne. Acheter une voiture avec la clim.*

CLIMATISER [klimatize] v. tr. — 1935, au p. p., probablt antérieur (→ Climatisation); de *climat.*

♦ 1 Maintenir (un lieu) à une température agréable et à un taux d'humidité convenable. *Climatiser un hôtel.*

♦ 2 Équiper (un local) de la climatisation.

REM. Comme l'usage du chauffage de locaux et son expression linguistique sont antérieurs, on dit alors *chauffage, chauffer. Climatiser* et ses dérivés s'emploient surtout pour «entretenir à une température fraîche». *Les États-Unis ont été qualifiés de «cauchemar climatisé»* (air-conditioned nightmare).

♦ **CLIMATISÉ, ÉE** p. p. adj.

Dont l'air est maintenu à une température agréable (et, spécialt, fraîche) par les procédés de la climatisation*. *Appartement, restaurant climatisé. — Voiture climatisée. — Par ext. Air climatisé.* → Conditionné.

1 Ils me confinaient dans des hôtels surchauffés, des restaurants climatisés, des bureaux solennels, des appartements de luxe et ça n'était pas facile de leur échapper.
S. DE BEAUVOIR, les Mandarins, p. 302.

2 Je hais cette eau stérilisée, fade, qui me coule dans la gorge. Je hais cette fenêtre fermée et l'air climatisé. Je hais le bambou et les fétiches nègres à deux dollars. Je hais les voyages et les paysages tropicaux.
F. SAGAN, les Merveilleux Nuages, p. 28.

3   La petite pendule de Senghor sonne un coup dans le bureau climatisé de Dakar, et l'air chaud tremble derrière les fenêtres.
> MALRAUX, les Chênes qu'on abat, p. 234.

DÉR. **Climatisation, climatiseur.**

CLIMATISEUR [klimatizœR] n. m. — 1955; de *climatiser*.

♦ 1 Appareil de climatisation.
Géronimus découvrit ce qu'il recherchait : une jeep des sables ayant déjà servi pour un film, d'un jaune paille, basse sur roues, légère, avec climatiseur, sièges réglables en continu, insensible au vent latéral, phares escamotables, arceau de sécurité (...)
> Jean CAYROL, Histoire d'un désert, p. 28.

♦ 2 Professionnel qui assure la climatisation de locaux. — REM. Dans cet emploi, le féminin est virtuel.

CLIMATISME [klimatism] n. m. — 1945, *in* D.D.L.; de *climat, climatique*, d'après *thermalisme*.
Didact. Ensemble des questions d'ordre thérapeutique, administratif et social que soulève l'existence des stations climatiques. *C'est un expert en matière de climatisme.*

CLIMATOLOGIE [klimatɔlɔʒi] n. f. — 1834; de *climat*, et *-logie*.
Didact. Étude de l'action des phénomènes climatiques et météorologiques sur les différentes parties du globe, de leurs réactions mutuelles et des différents climats. *La climatologie biologique; la climatologie météorologique* (→ Bioclimatologie, biométéorologie; météorologie).
Si dans ces sortes de colonisations on arrive assez facilement à vaincre les difficultés d'ordre matériel qui se présentent chaque jour et à imposer par un travail acharné et une volonté de fer, dûment outillés, un ordre nouveau aux lois séculaires de la nature, au point de transformer pour toujours l'aspect d'un pays vierge et la climatologie d'une contrée, il n'est pas aussi aisé de maîtriser l'élément humain.
> B. CENDRARS, l'Or, *in* Œ. compl., t. II, p. 172.

DÉR. **Climatologique, climatologiste** ou **climatologue.**
◊ COMP. **Écoclimatologie.**

CLIMATOLOGIQUE [klimatɔlɔʒik] adj. — 1838; de *climatologie*.
Didact. Qui se rapporte à la climatologie. *Cartes climatologiques* (→ Isobare, isotherme).

CLIMATOLOGISTE [klimatɔlɔʒist] ou **CLIMATOLOGUE** [klimatɔlɔg] n. — V. 1950; de *climatologie*.
Didact. Personne qui s'occupe de climatologie (géophysicien spécialisé).
(...) les chutes de neige posent un autre problème auquel le climatologue doit réserver toute son attention : il s'agit des conditions atmosphériques dans lesquelles la neige tombe.
> Ch.-P. PÉGUY, la Neige, p. 10.

CLIMATOTHÉRAPIE [klimatoteRapi] n. f. — 1876; de *climat*, et *-thérapie*.
Méd. Traitement des divers troubles de l'organisme et des maladies par utilisation des propriétés propres aux divers climats.

DÉR. **Climatothérapique.**

CLIMATOTHÉRAPIQUE [klimatoteRapik] adj. — 1953, Quillet; de *climatothérapie*.
Méd. De la climatothérapie.

CLIMATRON [klimatR5̃] n. m. — 1967; de *climat*, et suff. de *phytotron, cyclotron*, etc.
Sc. Appareil simulant les différentes conditions de climat du globe.

CLIMAX [klimaks] n. m. — 1753, au sens I; grec *klimax* «échelle; gradation».

Ⅰ Rhétor. Figure par laquelle le discours s'élève ou s'abaisse progressivement.

Ⅱ (Angl. *climax*, v. 1900, du grec). Sc. Terme, point culminant (dans une progression). — Spécialt :
a Biogéographie. État de saturation.
b Méd. Intensité maximale (d'une maladie).
c Physiol. et cour. Orgasme.

CLIN [klɛ̃] n. m. — XIIᵉ; dér. de l'anc. franç. *cliner*, lat. *clinare* «incliner».

♦ 1 Mar. Disposition des bordages d'une embarcation se chevauchant l'un l'autre au lieu d'être joints bord à bord. *Assemblage à clins; embarcations à clins. Border à clins.* «*Autre problème technique important : celui de la construction dite "à clin". On sait que ce type de construction, où les bordages se recouvrent, était caractéristique des navires scandinaves*» (*Sciences et Avenir*, nᵒ 388, juin 1979, p. 80).

♦ 2 Techn. Panneau à recouvrement partiel dans un revêtement extérieur. «*Les constructions légères* (de murs) *sont généralement composées : d'une ossature* (...) *d'un revêtement extérieur* (*en bois massif : clins ou frises verticales, en contre-plaqué...*)» (J.-C. Reggiani, *Industrie et commerce du bois*, p. 86).

CLIN D'ŒIL [klɛ̃dœj] n. m. — Mil. XVᵉ, *cling d'un œil*; déverbal de *cligner*.

♦ 1 Mouvement rapide de la paupière par lequel l'œil se ferme et s'ouvre aussitôt. → Clignement. — Au plur. *Des clins d'œil, d'yeux.* — Spécialt. *Faire un clin d'œil à qqn*, lui faire signe de l'œil. → Cligner; coup (d'œil), œillade. *Un clin d'œil amusé, complice. Un clin d'œil provocant.* → Œil (faire de l').

Non, non, point de clin d'œil et point de raillerie.   1
> MOLIÈRE, l'Étourdi, III, 4.

(...) sa confiance, son naturel, les demi-sourires et clins   2
d'œil dont il soulignait certaines saillies (...)
> MARTIN DU GARD, les Thibault, t. III, p. 128.

♦ 2 (XVIᵉ). Fig. EN UN CLIN D'ŒIL, et, plus rare, D'UN CLIN D'ŒIL, DANS UN CLIN D'ŒIL : en un temps très court. *S'habiller en un clin d'œil. Disparaître en un clin d'œil.*

Votre service est médiocre, c'est l'affaire d'un clin d'œil; il   2.1
s'agit de frotter et nettoyer trois fois la semaine cet appartement de six pièces (...)
> SADE, Justine..., t. I, p. 29 (1791).

(...) toute apparence de respect et même d'urbanité disparut en un clin d'œil.   3
> STENDHAL, la Chartreuse de Parme, II, p. 247.

Et, en un clin d'œil, tous les petits se sauvèrent, penauds   4
et confus (...)   LOTI, Pêcheur d'Islande, XVI, p. 211.

CLINFOC [klɛ̃fɔk] n. m. — 1792; empr. à l'all. *klein Fock* «petit (*klein*) foc».
Mar. Voile* très légère amurée sur un bout-dehors, à l'extrémité du bout-dehors du granc foc.

(...) j'entendis bien le grincement de la bôme et le claquement sec de la grande voile (...) Une brise légère la gonfla et Guénolé ajouta un clinfoc au foc déjà tendu.
> P. MAC ORLAN, l'Ancre de miséricorde, p. 71.

CLINICAT [klinika] n. m. — 1866; de *clinique*.
Didact. Fonction de chef de clinique. — Concours qui donne accès à cette fonction.

CLINICIEN, IENNE [klinisjɛ̃, jɛn] adj. et n. — 1838; de *clinique*.

Didact. (mais répandu). Médecin* qui étudie les maladies et établit ses diagnostics par l'examen direct des malades. → **Praticien.** — Adj. ou appos. *Un médecin clinicien. Psychologue clinicien.* — Figuré :

Quand on voulait des pronostics sur le XXᵉ siècle finissant, il fallait toujours consulter les Américains : ils étaient, de loin, les meilleurs cliniciens de l'époque.
　　　　Jean-Louis CURTIS, le Roseau pensant, p. 294.

REM. Le masc. et le fém. sont en concurrence en parlant d'une femme : *Madame X est une excellente clinicienne ; elle est clinicienne. Le docteur Suzanne X est un bon clinicien.*

CLINIQUE [klinik] adj. et n. f. — 1586; n. f., 1626; lat. *clinicus*, adj. et n., du grec *klinikos*, de *klinein* «être couché».

♦ **1** Adj. Didact. Qui concerne le malade au lit; qui observe directement, au lit des malades, les manifestations de la maladie. *Médecine clinique ; descriptions, leçons cliniques* (→ Cas, cit. 15). *Examens cliniques*, et, absolt, *les cliniques* : épreuves pratiques que doivent passer les futurs médecins.

1　Quand il eut passé les ultimes examens que l'on nomme «les cliniques», dans le langage de l'École, mon père forma le projet de s'établir à Paris.
　　　　G. DUHAMEL, Inventaire de l'abîme, x, p. 145.

Par anal. *Psychologie clinique*, qui étudie les conduites.

♦ **2** N. f. Didact. Méthode qui consiste à faire un diagnostic par l'observation directe. *La clinique est souvent opposée aux méthodes du laboratoire. Pratiquer la clinique.* — (1808). Enseignement médical qu'un patron donne à ses élèves au chevet des malades, et ensemble des connaissances acquises de cette manière. *Professeur de clinique.* — Par ext. Local où est donné cet enseignement.

♦ **3** N. f. (1814). Service hospitalier où est donné l'enseignement d'une discipline médicale. *Clinique ophtalmologique.* — Loc. *Chef de clinique* : médecin qui assure un enseignement dans un service de clinique.

Cour. Établissement public ou privé, dirigé par un médecin *chef de clinique*, et dans lequel les malades sont opérés ou soignés. → **Maison** (de santé), **polyclinique.** *Accoucher dans une clinique. Clinique d'accouchement. Clinique infantile. Clinique privée.* — *La clinique est plus onéreuse que l'hôpital* (→ Beau, cit. 35).

2　Les accoucheurs, et ils ont certes raison, engagent les femmes en mal d'enfant à se rendre dans des *cliniques* où sont rassemblées toutes les conditions propres à résoudre une conjoncture difficile, à pratiquer au besoin quelque opération délicate.
　　　　G. DUHAMEL, les Espoirs et les Épreuves, IV, p. 53.

CONTR. Empirique, théorique. ◊ DÉR. Clinicat, clinicien, cliniquement. ◄ COMP. Anatomoclinique. — Policlinique, polyclinique.

CLINIQUEMENT [klinikmɑ̃] adv. — 1852; de *clinique*.

Didact. Du point de vue clinique. *C'est cliniquement vrai, cliniquement prouvé.*

«Il n'y a rien», disait-il, «vous voyez, je suis allé regarder moi-même, car je n'aime pas m'en laisser accroire, rien que je n'aie moi-même mille fois déjà étudié cliniquement, catalogué et expliqué».
　　　　N. SARRAUTE, Tropismes, p. 76.

CLINO- Élément, du grec *klinein* «pencher» et «être couché». → **Clinomètre.**

CLINOMÈTRE [klinɔmɛtʀ] n. m. — 1846; mot angl., 1811; du grec *klinein* «être couché» (→ Clino-), et *metron* (→ -mètre).

Didact. Instrument destiné à mesurer l'inclinaison d'un plan, d'une route par rapport à un plan horizontal. *Le clinomètre d'un navire, d'un avion. Clinomètres utilisés en géomorphologie, en volcanologie, en sismologie.* «*Les clinomètres font eux aussi appel à une bille, suspendue cette fois au bout d'un fil très fin, en quartz (...) Ces appareils, comme leur nom ne l'indique pas d'une manière absolument limpide, mesurent les inclinaisons*» (Sciences et Avenir, nº 375, mai 1978, p. 81).

REM. On trouve aussi la forme *clinoscope*.

DÉR. **Clinométrie.**

CLINOMÉTRIE [klinɔmetʀi] n. f. — XXᵉ; de *clinomètre*.

Didact. Étude des inclinaisons, des pentes, au moyen des clinomètres.

CLINO-RHOMBIQUE [klinoʀɔ̃bik] adj. → **Monoclinique.**

1. CLINQUANT, ANTE [klɛ̃kɑ̃, ɑ̃t] adj. — XIVᵉ; de *clinquer*, rad. onomatopéique *klink-*. → Clinquant, n. m.

♦ **1** Régional. Qui clinque, sonne (bruit métallique). → **Clinquer** (régional).

Et leurs chevaux libérés, étriers fous et clinquants, galopaient à vide et dévalaient vers nous de très loin (...) 　　　1
　　　　CÉLINE, Voyage au bout de la nuit, p. 35.

♦ **2** (XIVᵉ; repris XIXᵉ). Qui brille d'un éclat trop voyant, dont l'éclat est vulgaire. *Des bijoux clinquants. Une décoration trop clinquante.* → **Tapageur;** et aussi 2. **Clinquant.** — Qui brille mais est sans valeur.

Ici tout est bon marché, clinquant et camelote, sauf les 　　　2
boutiques d'objets religieux.
　　　　Paul MORAND, New York, p. 87.

(...) son bavardage même, son débit de trouvailles, cet 　　3
ordre calculateur d'une profusion pas chère, tout cela
fonde une Poésie clinquante et économique (...)
　　　　R. BARTHES, Mythologies, p. 159.

CONTR. Discret, silencieux.

2. CLINQUANT [klɛ̃kɑ̃] n. m. — XVIᵉ; mil. XVᵉ, *clicquant;* p. prés. de l'anc. v. *clinquer, cliquer* «faire du bruit». → Clique.

♦ **1** Lamelle brillante, d'or ou d'argent, dont on rehausse certaines parures et broderies. — Par ext. Lamelle de cuivre doré ou argenté qui imite le vrai clinquant. *Le papillotage du clinquant. Un habit passementé de clinquant.*

(...) il n'y a que la pauvre noblesse qui se pare de clinquant 　　1
usé et de peluche pelée.
　　　　GUEZ DE BALZAC, Lettres, in LITTRÉ.

♦ **2** (1680). Par anal. Mauvaise imitation de métaux, pierreries, bois précieux. → **Camelote, faux, quincaillerie, simili, verroterie.** *Le faux éclat, le mauvais goût du clinquant. Meubles, bijoux de clinquant.*

Son mari, que choquait un peu cet amour du clinquant, 　　2
répétait souvent : «Ma chère, quand on n'a pas le moyen
de se payer des bijoux véritables, on ne se montre parée
que de sa beauté et de sa grâce, voilà encore les plus rares
joyaux».
　　　　MAUPASSANT, Clair de lune, «Les bijoux», p. 175.

Spécialt. Techn. Métal en feuilles très minces. *Clinquant de laiton, d'aluminium.*

♦ **3** (1667). Fig. Éclat trompeur, tapageur. — En matière de style, Abus de figures de rhétorique, d'effets faciles et de mauvais goût. *Le clinquant de l'esprit.*

3   À Malherbe, à Racan, préférer Théophile,
Et le clinquant du Tasse à tout l'or de Virgile (...)
BOILEAU, Satires, 9.

4   Il faut éviter, dans l'appareil des solennités, le clinquant,
le papillotage (...)
ROUSSEAU, Considérations sur le gouvernement
de la Pologne.

5   (...) la pompe, le clinquant, le brio des courses *(de tau-reaux)* espagnoles.
Alphonse DAUDET, in LITTRÉ, Suppl.

CLINQUER [klɛ̃ke] v. intr. — xxᵉ, formes dialectales;
du rad. onomatopéique *klink-;* même racine que *quin-cailler, clinquant.*

Régional. Sonner, cliqueter (objets métalliques).

(...) voici les esclaves qui tressaillent un peu, on a du mal à
les faire se tenir, ils reniflent, ils s'ébrouent et font clinquer
leurs chaînes.
CÉLINE, Voyage au bout de la nuit, p. 273.

DÉR. 1. Clinquant (1.).

1. CLIP [klip] n. m. — 1932, *in* Höfler; mot angl. «attache,
agrafe».

♦ **1** Cour. Petit bijou* monté sur une pince, qui se
porte en boucle d'oreille ou s'agrafe sur un vêtement. → **Attache. (Var.** abusive : *un clips).*

Les femmes avaient des manteaux de zibeline, de pesants
bracelets d'or, de gros brillants, des clips.
Francis CARCO, les Belles Manières, p. 120.

♦ **2** Chir. Agrafe chirurgicale (pour pincer un vaisseau, servir de repère, etc.). → 2. **Clipper.**

Pince à dénuder (utilisée en électronique).

DÉR. (Du sens 2). 2. **Clipper.** ◊ **HOM.** 2. **Clip.**

2. CLIP [klip] n. m. — 1983; mot amér., proprt «extrait».

Anglic. Film vidéo utilisant des effets spéciaux
et réalisé pour promouvoir une chanson, un
disque, un groupe. *Mettre en scène, tourner un
clip* (→ Vidéaste). *«Le clip, c'est le cinéma issu de
la musique. Ça n'a plus rien à voir avec le récit
linéaire traditionnel. Ce sont des fantasmes, des
rêves. C'est l'émotion que procure la musique qui
te donne l'image.»* (le Nouvel Obs., nᵒ 971, 17 juin
1983, p. 53). *«Il arrive aussi que les chanteurs
français tournent leurs clips en France. Le désert
national du clip était si aride que Jack Lang a dû
l'arroser d'une manne ministérielle pour voir fleurir
quelques productions»* (l'Express, nᵒ 1702, 17 févr.
1984, p. 89).

REM. On dit aussi *vidéoclip,* n. m., ou *clip vidéo.*

La société du spectacle a généré le clip vidéo. (...) Depuis sa
naissance il y a trois ans, le vidéoclip a beaucoup évolué.
D'expérimental et de branché qu'il était à ses débuts, il
semble bien être devenu la forme la plus populaire de
communication, le champ d'application idéal (parce que
le plus percutant et le plus immédiat) des trucages sophis-
tiqués et avant gardistes de la vidéographie, le lieu privilégié, enfin, de l'expression musicale contemporaine en
même temps qu'un outil promotionnel de tout premier
plan.
Libération, 7 nov. 1983.

HOM. 1. **Clip.**

1. CLIPPER [klipœʀ] n. m. — 1848; angl. *clipper* «qui
coupe (les flots)», de *to clip.*

Vieilli ou marine.

♦ **1** Voilier* fin de carène capable d'une vitesse relativement élevée. → **Navigation. — Var.** graphique (vx) :
klipper.

1   Les clippers eux-mêmes de New York et de Boston, jau-
geant plus de deux mille tonneaux, débarquent leurs marchandises à quai. Ces clippers, à la coupe élégante et

élancée, viennent souvent en trois mois des ports des États-
Unis sur l'Atlantique, alors que nos navires mettent encore
cinq à six mois pour arriver à San Francisco.
L. SIMONIN, Voyage en Californie,
in le Tour du monde, 1862, t. I, p. 6.

♦ **2** (1854). Canot de plaisance, de forme effilée.

♦ **3** (1939). Vieilli. Avion de transport transocéanique.

Jusqu'aux Clippers et aux Caravelles, l'avion n'est pas dis-   2
cuté, Concorde l'est, non sans motifs.
Emmanuel BERL, le Virage, p. 55.

2. CLIPPER [klipe] v. tr. — Mil. xxᵉ; de 1. *clip,* 2.

Chir. Serrer, maintenir avec un, des clips.

CLIQUART [klikaʀ] n. m. — 1499, *in* D.D.L.; de *clique.*

♦ **1** Géol. Mince couche de gypse.

♦ **2** Techn. Variété de pierre à bâtir.

CLIQUE [klik] n. f. — xivᵉ; de l'anc. franç. *cliquer* «faire
du bruit».

I ♦ **1** (1694). Fam. Coterie, groupe de personnes peu
estimables. → **Bande, cabale.** *Un chef de bande et sa
clique. Toute la clique était là.*

Puzzini ameute sa clique, me dénonce au ministre, arme   1
l'autorité pour me persécuter.
P.-L. COURIER, Lettres, ii, 14.

Gervaise avait installé dans son appartement sa sœur   1.1
Agathe et ses deux frères Claude et Justin, tous trois aussi
envieux qu'elle-même; cette clique infernale faisait la loi,
criant et gesticulant du matin au soir.
Raymond ROUSSEL, Impressions d'Afrique,
p. 326-327.

♦ **2** Polit. (Péj.). Groupe d'intérêts.

Pourtant, la clique dirigeante accepte la formation de cou-   1.2
ches de la population qui ne sont pas encore des classes,
mais qui pèsent sur la politique communiste (...)
MALRAUX, Antimémoires, Folio, p. 553.

II (1883). Ensemble des tambours et des clairons
d'une musique militaire. → **Fanfare.** *La clique du
régiment. Défiler clique en tête.*

Le réveil fut sonné en fanfare, par toute la clique et la   2
musique rassemblées devant la tribune dans la grande
cour du camp.   MAC ORLAN, la Bandera, VIII, p. 98.

Le pupitre, c'était lui *(mon grand-père),* car le chef de la   3
clique militaire disposée sur la place du village l'avait
choisi parmi les enfants du premier rang des badauds
pour porter sa partition.
M. TOURNIER, le Vent Paraclet, p. 250.

DÉR. Cliquart. ◊ **HOM. Clic, cliques;** formes du v. **cliquer.**

CLIQUER [klike] v. intr. — 1306; onomatopée. → Clic.

♦ **1** Vx. Faire un bruit sec (→ **Cliqueter).**

♦ **2** (Angl. *to click).* Mod. Inform. Actionner le bouton
d'une souris pour effectuer une sélection sur
l'écran d'un ordinateur. *Cliquer et relâcher le
bouton. Cliquer pour sélectionner un objet.* — **REM.**
Double-cliquer «cliquer deux fois» est mal formé.

CLIQUES [klik] n. f. pl. — 1866; du régional *cliques*
«jambes», d'après les onomatopées *clic* et *clac.*

Régional. Sabots de bois. — **Fig. et fam.** *Prendre ses
cliques et ses claques :* s'en aller, en emportant ce
que l'on possède.

(...) on ne tue pas une femme même si elle vous emmerde ;
ensuite, on n'a pas où cela peut mener. Je n'ai pas
envie de monter sur l'échafaud en vue de donner ma tête
au son. Aussi ai-je pris mes cliques et mes claques et me
voilà ici (...)   R. QUENEAU, le Vol d'Icare, p. 166.

HOM. Clic, clique.

CLIQUET [klikɛ] n. m. — 1230; de l'anc. franç. *cliquer.* → Clique.

♦ **1** Taquet mobile autour d'un axe, et servant à empêcher une roue dentée de tourner dans le sens contraire à son mouvement (→ **Encliqueter**). *Le cliquet d'arrêt d'un compteur.*

♦ **2** Techn. Pièce de fermoir d'un bracelet.

CLIQUETANT, ANTE [kliktã, ãt] adj. — 1555; de *cliqueter.*

Qui produit un cliquetis.

Une suite d'os s'accrochant et s'emboîtant bizarrement les uns dans les autres, une suite de vieux ustensiles grinçants et cliquetants, voilà ce qu'était un squelette (...)
Claude SIMON, la Route des Flandres, p. 60.

CLIQUÈTEMENT ou **CLIQUETTEMENT** [kli kɛtmã] n. m. — 1542; xve, *clicquettement;* de *cliqueter.*
Bruit de ce qui cliquette. → **Cliquetis** (plus courant).
Les boutons tournèrent rapidement en faisant un petit cliquettement clair.
Boris VIAN, l'Écume des jours, XXIX, p. 100 (1946).

CLIQUETER [klikte] v. intr. [CONJUG.: *jeter.*] — 1230; de l'anc. franç. *cliquer.* → Clique.
Produire un cliquetis* (→ Bracelet, cit. 1). *Faire cliqueter des clés. Le moteur de la voiture cliquette.*
C'était un train composé de vieux wagons démodés et sans couloirs. Il craquait de toute sa charpente et cliquetait de toutes ses vitres.
G. DUHAMEL, Chronique des Pasquier, IX, VIII, p. 92.
DÉR. Cliquetant, cliquètement, cliquetis.

CLIQUETIS [klikti] n. m. — XIIIe, *cliketis;* de *cliqueter.*

♦ **1** Suite de bruits secs et brefs que produisent certains corps qui s'entrechoquent. → **Bruit.** *Cliquetis de chaînes, de verres, de vaisselle. Cliquetis d'armes, d'épées. Le cliquetis d'une machine à écrire.*

1 J'entendais le cliquetis des clefs et des chaînes, le bruit des sergents de ville et des espions, le pas des soldats, le mouvement des armes, les cris, les rires, les chansons dévergondées des prisonniers mes voisins (...)
CHATEAUBRIAND, Mémoires d'outre-tombe, IV, II.

2 (...) on entendait un cliquetis de voix, l'air sentait le parfum et la malveillance (...)
S. DE BEAUVOIR, les Mandarins, p. 342.

♦ **2** (1752). Fig. *Un cliquetis de mots, d'images,* etc. : assemblage de mots, d'images, etc., qui réussissent plus à éblouir qu'à convaincre. → **Verbiage.** *Un cliquetis d'arguments, d'antithèses.*

CLIQUETTE [klikɛt] n. f. — 1230; de l'anc. franç. *cliquer.* → Clique.

♦ **1** Vx. Claquette; crécelle, heurtoir. *Jouer des cliquettes.* «*Secouant ses écus comme un ladre* (lépreux) *sa cliquette*» (Gautier, le Capitaine Fracasse, p. 138).

1 Des ombres convergent vers une lumière d'autrefois, coupée de ruelles où les lumignons tremblent au fond de la Chine éternelle. Le dernier marchand s'enfonce, son bambou sur l'épaule, au son décroissant de sa cliquette. MALRAUX, Antimémoires, Folio, p. 405.
Bruit de cliquette : bruit analogue à celui d'une cliquette. → **Cliquetis.**

2 (...) aux quatre coins de l'horizon s'élève le même bruit de cliquette des autres mécaniques toutes pareilles à la sienne *(des faucheuses-lieuses).*
B. CENDRARS, Bourlinguer, p. 165.

♦ **2** Régional. Petit levier pour fixer une persienne.

3 (...) vers cinq heures, à la tombée du jour, les enfants qui s'en revenaient de la classe, traînant leurs sabots sur le trottoir, frappaient tous avec leurs règles la cliquette des auvents, les uns après les autres.
FLAUBERT, Mme Bovary, Folio, p. 281.

CLIQUETTEMENT [klikɛtmã] n. m. → **Cliquètement.**

CLISSAGE [klisaʒ] n. m. — 1866; de *clisser.*

♦ **1** Techn. Action de clisser (une bouteille). — Enveloppe d'osier qui protège une bouteille, un récipient fragile.

♦ **2** (1909). Chir. Action de clisser (un membre fracturé).

CLISSE [klis] n. f. — 1160, *clice;* p.-ê. croisement de *claie,* et *éclisse.*
Techn., régional. Petite claie d'osier servant à faire égoutter les fromages, à protéger des verres, des bouteilles... → **Éclisse.**
DÉR. Clisser.

CLISSER [klise] v. tr. — 1461; de *clisse.*

♦ **1** Techn. Garnir (une bouteille) de clisses. — Au p. p. (plus cour.). *Bouteilles clissées.*

♦ **2** Chir. Mettre des éclisses autour de (un membre fracturé).
DÉR. Clissage.

CLITORIDECTOMIE [klitɔRidɛktɔmi] n. f. — Mil. xxe; de *clitoris,* et *-ectomie.*
Didact. Ablation du clitoris. → **Excision.**

CLITORIDIEN, IENNE [klitɔRidjɛ̃, jɛn] adj. et n. f. — 1764, → cit. 1; de *clitoris.*
Didactique.

♦ **1** Adj. Relatif au clitoris. *Le gland clitoridien; le capuchon clitoridien. Orgasme clitoridien. Sensibilité clitoridienne. — Sexualité clitoridienne.*

1 Outre la masturbation ou la souillure manuelle, il est une autre souillure qu'on pourroit appeler *clitoridienne,* dont l'origine connue remonte jusqu'à la seconde *Sapho.*
M. TISSOT, l'Onanisme, dissertation sur les maladies produites par la masturbation, Marc Chapuis et Cie, Lausanne, 1764, p. 64.

♦ **2** Adj. et n. f. (Personnes : femmes; opposé à *vaginale*). Dont la sexualité clitoridienne est développée.

2 Auparavant, je regardais une bonne femme pour voir si elle me plaisait; maintenant, je la regarde et je me demande : et si ce n'est pas une clitoridienne? Si c'est une vaginale?
R. GARY, Au-delà de cette limite, votre ticket n'est plus valable, p. 25.

CLITORIS [klitɔRis] n. m. — 1611; grec *kleitoris.*
Anat. et cour. Petit organe érectile situé à la partie antérieure de la vulve*, à la jonction de l'extrémité supérieure des petites lèvres. → (fam.) Berlingot, bouton, haricot. *Le gland, le frein du clitoris. Érection du clitoris.* — Abrév. fam. : *clito* (1972, *in* D.D.L.); antérieurement *cli-cli,* 1953; aussi *clit,* d'après l'anglais).

1 (...) Sous son capuchon
Folichon
Le clitoris s'abrite
Rose ermite.
Th. GAUTIER, l'Épouseur de famille, *in* ZWANG, le Sexe de la femme.

2 Le clitoris est un organe érectile impair et médian, situé à la partie supérieure et antérieure de la vulve. Il est, chez les femmes, l'homologue considérablement réduit du pénis de l'homme. L. TESTUT, Traité d'anatomie, t. V, p. 442.
DÉR. Clitoridien. ◊ COMP. Clitoridectomie.

CLIVABLE [klivabl] adj. — 1838; de *cliver.*
Qui peut être clivé. *Des lamelles clivables.*

CLIVAGE [klivaʒ] n. m. — 1753; de *cliver*.

♦ **1** Action de cliver, de se cliver. *Le clivage des ardoises. Le clivage des diamants par le joailler.* Propriété (des substances cristallisées) de se réduire en lames suivant certaines directions planes.
Loc. *Plan de clivage :* plan suivant lequel on peut cliver une pierre précieuse (un diamant, en particulier).
Séparation par niveaux. Biol. *«Peu de temps après l'ovulation et la fertilisation, l'œuf de souris subit une division ou clivage dans l'oviducte»* (la *Recherche*, p. 981, nov. 1978).

♦ **2** (1932). Abstrait. Séparation par plans, par niveaux. *Problème, point sur lequel se fait un clivage politique. Le clivage des opinions, entre des opinions. Clivages idéologiques.*
1   (...) toutes sortes de choix individuels et de clivages de destinées.
            J. ROMAINS, les Hommes de bonne volonté, t. I, p. 207.
2   Un nouveau clivage social prenait vie sous son regard.
            J. GRACQ, le Rivage des Syrtes, p. 316.
3   Le clivage se situe ailleurs : entre les livres qui ne modifient pas ma position de sujet et ceux qui m'arrachent à moi-même.
            S. DE BEAUVOIR, Tout compte fait, p. 166.

♦ **3** Psychan. *Clivage du moi :* coexistence, au sein du moi, de deux attitudes psychiques contradictoires vis-à-vis de la réalité extérieure.

CLIVER [klive] v. tr. — 1723; 1582, *clivé*; du néerl. *klieven* «fendre»; cf. all. *klieben*, angl. *to cleave*.

♦ **1** Fendre (un corps minéral, un diamant) dans le sens naturel de ses couches lamellaires. — Pron. *Le mica se clive en fines lamelles* (clivures). — Au p. p. *Un corps minéral clivé.*

♦ **2** Fig. Séparer un ensemble en parties. *Cliver les éléments d'une démonstration.*
DÉR. **Clivable, clivage, cliveur.**

CLIVEUR [klivœʀ] n. m. — 1892; de *cliver*.

♦ **1** Techn. Ouvrier qui opère le clivage. *Cliveur de diamants.* — REM. Dans ce sens, le féminin *cliveuse* est virtuel.

♦ **2** Chir. Instrument tranchant qui permet de prélever des greffons ou de scinder tissus ou organes.

CLOACAL, ALE, AUX [klɔakal, o] adj. — 1838; de *cloaque*.

♦ **1** Didact. Du cloaque, relatif au cloaque (4.). *Orifice cloacal des oiseaux, des reptiles.*

♦ **2** Littér. Qui évoque un cloaque (1., 2.), qui tient du cloaque (par la saleté, ou par la situation, l'obscurité, etc.). — Fig. (correspondant au sens 3 de *cloaque*). *Une littérature immonde et cloacale.*
Le phare de l'île de Bran est un phare obscur, souterrain et cloacal, comme après avoir trop regardé le soleil. Des vagues n'y déferlant point, on ne s'y guide non plus par le bruit.
            A. JARRY, Gestes et opinions du Dʳ Faustroll, Pl., p. 676-677.

CLOAQUE [klɔak] n. m. — 1355; du lat. *cloaca*, grec *kluzein* «nettoyer».

♦ **1** Lieu destiné à recevoir des immondices. → **Bourbier, décharge, égout, sentine.** *Tomber dans un cloaque.* — Spécialt. n. f. ou n. m. *La grande cloaque* ou *le grand cloaque de Rome :* égout bâti par les Tarquins (*cloaca maxima*, en latin).

Il y en a d'autres (*d'autres maux*) cachés et enfoncés   1 comme des ordures dans un cloaque, je veux dire ensevelis sous la honte (...) et dans l'obscurité (...)
            LA BRUYÈRE, les Caractères, X, 7.
Il (*Napoléon*) proclame (...) que désormais Moscou n'est   2 plus qu'un amas de décombres, qu'un cloaque impur et malsain, sans importance politique et militaire.
            Ph. P. SÉGUR, Hist. de Napoléon, IX, 6.
Si le lac de Genève devient un cloaque, le Rhône deviendra   2.1 un égout et les habitants de Vienne n'en souffriront pas moins que ceux de Lausanne.
            Emmanuel BERL, le Virage, p. 32-33.

♦ **2** Endroit où croupissent des eaux sales, des ordures. — Lieu malpropre, malsain. *Ces logements sont des cloaques.*
(...) l'infirmerie (...) était devenue un cloaque immonde, où   3 bouillonnaient deux pieds d'eau boueuse et noire, avec des fioles brisées, des odeurs de tous les remèdes répandus.
            LOTI, Mon frère Yves, XXVII, p. 88.

♦ **3** Fig. et littér. Foyer de corruption (morale ou intellectuelle). *Un cloaque d'impureté, de vices, d'erreurs.* → **Bas-fonds, boue.**
Quelle chimère est-ce donc que l'homme ? Quelle nou-   4 veauté, quel monstre, quel chaos, quel sujet de contradiction, quel prodige ! Juge de toutes choses, imbécile ver de terre ; dépositaire du vrai, cloaque d'incertitude et d'erreur : gloire et rebut de l'univers.
            PASCAL, Pensées, VII, 434.
Dès qu'une nouvelle fille est arrivée dans ce cloaque   4.1 impur, dès qu'elle y est à jamais soustraite à l'univers, on en réforme aussitôt, & voilà chère fille, voilà le complément de nos douleurs (...)
            SADE, Justine..., t. I, p. 172-173.
On en était arrivé aux mœurs des anthropophages de   5 la Nouvelle-Zélande, à l'abrutissement ignoble des Calédoniens et des Papous, au plus bas fond du cloaque humain (...)
            TAINE, Philosophie de l'art, t. I, I, II, VI, p. 78.

♦ **4** (1746). Zool. Chez les oiseaux, les reptiles, les marsupiaux, Orifice commun des cavités intestinale, urinaire et génitale. *La paroi, les muscles, l'intérieur du cloaque.*
DÉR. **Cloacal.**

CLOC [klɔk] interj. et n. m. — Onomatopée, sur *clac* et *clic*, d'après l'alternance vocalique normale.
Onomatopée imitant un bruit sec, la chute d'une goutte d'eau, une détonation légère, etc. — N. m. :
Parlez-moi au contraire du soupir victorieux des iris en travail, de l'arum qui grince en déroulant son cornet, du gros pavot écarlate qui force ses sépales verts un peu poilus avec un petit «cloc», puis se hâte d'étirer sa soie rouge sous la poussée de la capsule porte-grains, chevelue d'étamines bleues !
            COLETTE, Flore et Pomone, in Gigi, p. 140.

1. CLOCHARD, ARDE [klɔʃar, ard] n. — 1895; de *2. clocher* «boiter». → *2.* Cloche.
Personne socialement inadaptée, qui n'a pas de domicile, erre sans but, et n'a d'autre ressource que la mendicité. → *2.* **Cloche, clodo, clopinard, mendiant, vagabond ;** → *2.* Cloche, cit. 3. *Clochard des villes, des grands chemins.* → **Chemineau.** *Une clocharde avec son litron. Les truands* du moyen âge, ancêtres de nos clochards. L'argot des clochards.*
(...) un clochard mélancolique dont l'occupation principale   1 est de suivre l'image des nuées sur le flot souillé de la Seine (...)   G. DUHAMEL, Cri des profondeurs, I, p. 9.
— C'est quand même des trucs pas permis. Vous avez des   2 filles-mères qui deviennent putes pour élever leur fille et puis la fille se fait belle et riche et la mère devient une vieille clocharde et meurt de froid dans la rue. Merde.
           É. AJAR, (R. GARY), l'Angoisse du Roi Salomon, p. 223.
DÉR. **Clochardiser.** ◊ HOM. *2.* **Clochard.**

2. CLOCHARD [klɔʃaʀ] n. f. — V. 1975; orig. inconnue.
Variété de pomme reinette. *Une clochard.* — (Collectif). *De la clochard. Elle est belle, ma clochard!* — Appos. *Des pommes clochards.*

HOM. 1. Clochard.

CLOCHARDISATION [klɔʃaʀdizasjɔ̃] n. f. — 1957, G. Tillion; de *clochardiser.*

Fait de se clochardiser, pour une personne ou un ensemble de personnes; transformation (d'un groupe social), telle que les personnes qui le composent se trouvent privées de travail, d'abri et de stabilité et peuvent être comparées ou assimilées à des clochards. → **Paupérisation.**

Il y a la destruction du temps, qui fait, de la torture au ralenti, la condition humaine elle-même; le corps devenu le plus insidieux ennemi, le terrible réveil qui rend au malheur toute sa nouveauté, la suppression de tout signe individuel, la clochardisation et les coups incessants dans un monde qui appelle la mort.
MALRAUX, *Antimémoires*, Folio, p. 604-605.

CLOCHARDISER [klɔʃaʀdize] v. tr. — 1957, G. Tillion; de *clochard.*

Réduire (une personne, un groupe social) à l'état de clochard, à une situation misérable. *L'aggravation de la situation économique clochardise une partie de la population mondiale.* — Pron. *Se clochardiser.*

Le produit (le haschich) peut gravement handicaper l'avenir des adolescents anxieux, à la personnalité fragile, qui connaissent des difficultés sexuelles ou affectives. Beaucoup se retrouveront à vingt-cinq ans avec les problèmes qu'ils auraient dû régler entre seize et dix-neuf, et les risques sont réels de les voir se clochardiser.
Claude OLIEVENSTEIN,
Il n'y a pas de drogués heureux, p. 289.

DÉR. Clochardisation.

1. CLOCHE [klɔʃ] n. f. — Déb. XIIᵉ; du bas lat. *clocca*, mot d'orig. celtique.

♦ **1** Instrument creux, évasé, en métal sonore, dont on tire des vibrations retentissantes et prolongées en le frappant les parois, de l'intérieur avec un battant* ou de l'extérieur avec un marteau* (→ **Timbre**). *Grosse cloche.* → **Bourdon**; (poét.) *airain, bronze. Petite cloche.* → **Campane, clochette, sonnette.** *Petite cloche suspendue au cou du bétail.* → **Clochette; bélière, campane** (VX), **clarine, sonnaille, sonnette;** → Prairie, cit. 2. *Parties d'une cloche.* → **Anse, battant, bélière, brayer, gorge, hune, œil** (du battant), **panse.** *Fonte d'une cloche.* → **Coulée, diapason, fonderie, moulage, tracé.** *Montage d'une cloche.* → **Mouton, sommier.** *Tour où sont suspendues les cloches.* → **Beffroi, campanile, clocher, clocheton.** *Le sonneur de cloches. Le balancement des cloches.* → **Branle, brimbalement, volée.** *Sons assourdissants, bourdonnement des cloches sur la place, le parvis de l'église. La voix lointaine, affaiblie, grave, émouvante, argentine, harmonieuse des cloches dans la campagne. Ensemble de cloches accordées.* → **Carillon.** *Donner un coup de cloche. Frapper une cloche d'un seul côté.* → **Copter, piquer.** *Piquer l'heure sur une cloche. La cloche de l'hôtel de ville sonnait le couvre-feu, le tocsin. La cloche du château annonce les repas, la cloche du collège, du monastère, les différents exercices. Les cloches de l'église appellent les fidèles aux offices, égrènent leurs sons pour l'angélus, tintent pour le glas, carillonnent, sonnent à toute volée pour les baptêmes* (→ Carillon, cit. 3), *les mariages. Les cloches se taisent du jeudi au samedi saint* (on dit qu'elles sont à Rome). *Le retour des cloches. Les cloches de*

Pâques. Le baptême des cloches. Être parrain, marraine d'une cloche. La date, la devise, le nom gravés sur une cloche. Le caractère religieux, liturgique, symbolique, poétique des cloches.

Oh! quel cœur si mal fait n'a tressailli au bruit des cloches 1
de son lieu natal (...)
CHATEAUBRIAND, René.

(...) le sourd tintement des cloches suspendues 2
Au cou des chevreaux dans les bois.
LAMARTINE, Nouvelles méditations, «Les préludes».

D'abord la vibration de chaque cloche monte droite, pure, 3
et pour ainsi dire isolée des autres, dans le ciel splendide
du matin (...) HUGO, *Notre-Dame de Paris*, I, III, 2.

(...) penché (de l'intérieur d'une des tours de Saint-Sulpice) 4
sur le précipice, il discernait maintenant, sous ses jambes,
de formidables cloches pendues à des sommiers de chêne
blindés de fer, des cloches au vase de métal sombre, des
cloches d'un airain gras, comme huilé, qui absorbait sans
les réfracter les rayons du jour.
(...) une cloche (...) entrait en branle. Et tout à coup, elle
sonna, prit son élan, et son battant, semblable à un gigantesque pilon, broya dans le bronze du mortier des sons
terribles. La tour tremblait, la margelle sur laquelle il se
tenait trépidait comme le plancher d'un train; un grondement, continuel, énorme, roulait brisé par le fracassant
éclat des coups. HUYSMANS, *Là-bas*, III, p. 30.

Puis tintent les cloches sonnant 4.1
Les messes premières,
À rire dans l'air
Ainsi qu'envolés (...)
Max ELSKAMP, la Rue Saint-Paul.

— Ça vient du côté de la gare. 5
D'autres cloches et clochettes, des timbres de vélos, des
trompes d'autos, et même des casseroles accompagnaient
maintenant la cloche.
MALRAUX, l'Espoir, I, I, p. 638.

Fig. *Déménager* à la cloche de bois.* — Vx. *Donner un coup de cloche à qqn,* un avertissement. — Mod. (fam.). *Sonner la cloche, les cloches à qqn,* le réprimander énergiquement. *Il s'est fait sonner les cloches par son père.*

Richard était furieux. Il n'aimait pas recevoir de reproches 6
pour une question de service (...) Il allait retourner rue
de la Pompe, voir la jolie concierge qui l'avait mystifié.
L'enfant de chœur allait lui sonner les cloches.
René FLORIOT, La vérité tient à un fil, p. 162.

Prov. *Le Bon Dieu lui-même a besoin de cloches :* il est nécessaire de se faire connaître, d'asseoir sa renommée. — *Qui n'entend qu'une cloche n'entend qu'un son :* on ne peut juger d'une affaire quand on n'a pas entendu toutes les parties.

Loc. *Son de cloche :* opinion (sur un événement). *Je voudrais entendre un autre son de cloche.* — Vx. *Fondre la cloche :* prendre une décision.

♦ **2** (1538). Objet creux qui recouvre, protège. **ⓐ** Appareil industriel ou de laboratoire, coupe en dôme utilisée dans les expériences de chimie, de physique, etc. *Cloche de verre d'une machine à vide. Cloche à oxygène,* utilisée en médecine.

ⓑ *Cloche* (1675), *cloche à melon :* coupe en verre de forme hémisphérique que l'on retourne sur les melons (et, plus simplement, sur les plantes fragiles, les jeunes pousses, etc.) pour les protéger du froid. *Mettre des melons, des concombres sous cloche. Retourner ses cloches pour la nuit.*
(XIXᵉ). *Cloche à fromage,* sous laquelle on place le fromage pour l'empêcher de se dessécher. — *Cloche en métal pour tenir les plats au chaud.* → **Dessus-de-plat.**

♦ **3** EN CLOCHE : en forme de cloche. — (1706). Bot. *Fleurs en cloche,* fleurs monopétales dont la corolle évoque la forme d'une cloche. *La campanule, le volubilis, fleurs en cloche.* → **Clochette.**
(XXᵉ). *Courbe en cloche :* courbe de Gauss, correspondant à la distribution statistique la plus fréquente.

♦ 4 (1678). **CLOCHE À PLONGEUR** : dispositif à l'abri duquel on peut séjourner sous l'eau (il se forme une bulle d'air en dessous). — Mod. Caisson sous pression.

♦ 5 Méd. (vieilli). Ampoule séreuse due à un frottement, à une brûlure. → **Cloque.**

♦ 6 N. m. (1904, in D.D.L.). Chapeau de femme de forme hémisphérique, sans bords. *Un cloche.* — Appos. (ou adj.). *Des chapeaux cloches.*

7 Quand j'ai connu Blanche, elle portait un petit chapeau de feutre, cloche, très enfoncé, d'un feutre extraordinairement tendre, léger, mou (...)
ARAGON, Blanche..., II, II, p. 199.

Paletot cloche, qui n'est pas serré à la taille. *Jupe cloche.*

♦ 7 (1902, Berthelot). Zool. Vésicule natatoire. — *Cloches natatoires :* méduses craspédotes en forme de cloche, dépourvues de manubrium, et constituant un appareil locomoteur des Siphonophores*.

♦ 8 Pop. (vieilli). Tête. — (1819). Loc. mod. (fam.). *Se taper la cloche :* bien manger, se régaler ; faire un repas plantureux.

DÉR. 1. **Clocher,** 3. **clocher** (v.), **clochette.**

2. CLOCHE [klɔʃ] n. f. — 1898 ; *être à la cloche,* 1882 (→ Clochard) ; *cloche* (n. m.) «boiteux», v. 1300 ; du v. *clocher*, avec infl. de 1. *cloche.*

♦ 1 Fam. Personne incapable, niaise et maladroite. *Quelle cloche ! C'est une vieille cloche.* — Adj. *Il, elle est vraiment trop cloche.* — (Choses). Bête, niais. *Un discours un peu cloche.*

1 «Dépêche-toi de te faire faire une robe, ma pauvre mère, tu es quand même trop cloche», me dit-elle en jetant dans mes bras un tissu duveteux aux riches couleurs d'automne.
S. DE BEAUVOIR, les Mandarins, p. 161.

2 Rentrer, rentrer, que tout éclate et qu'elle en crève ! Je consolerais l'architecte ! Entre-temps je laissais attendre ma réponse et elle semblait s'angoisser, la cloche !
Maurice CLAVEL, le Tiers des étoiles, p. 75.

♦ 2 Fam. **[a]** *La cloche :* l'ensemble des clochards ; la situation des clochards. *«Filer la comète* (cit. 3.1) *et la cloche»* (Bruant).

3 C'est nous les mômes,
Les mômes de la cloche,
Clochard's qui s'en vont,
Sans un rond en poche ;
C'est nous les paumées (...)
Édith PIAF, les Mômes de la cloche.

[b] Clochard. → **Clodo, clopinard.**

4 Un individu comme moi, un pané, autant dire une cloche, pas sortable, habillé aux puces, qu'est-ce que c'est pour un sous-préfet ?
M. AYMÉ, le Vin de Paris, «La bonne peinture», p. 194.

CLOCHEMENT [klɔʃmɑ̃] n. m. — 1363 ; de 2. *clocher.* Rare. Fait d'être bancal. — Fig. Mauvais fonctionnement.

CLOCHE-PIED (À) [aklɔʃpje] loc. adv. — V. 1400 ; de 2. *clocher,* et *pied.*
En tenant un pied en l'air et en sautant sur l'autre. *Aller, sauter à cloche-pied. Jeu où l'on saute à cloche-pied.* → **Marelle.**
L'enfant passa à cloche-pied sur le trottoir.
M. DURAS, Moderato cantabile, p. 33.

1. CLOCHER [klɔʃe] n. m. — XIIe ; de 1. *cloche.*

♦ 1 Bâtiment élevé qui fait partie d'une église et dans lequel on place les cloches. *La flèche, l'aiguille, le coq, les clochetons, les abat-son, l'horloge du*

clocher. Clocher de pierre, de marbre, de granit, de tuiles, d'ardoise, de bois ; roman, gothique, Renaissance ; pointu, bulbeux, rond, carré, polygonal, pyramidal, massif, trapu, aplati, bas, élevé, élancé, effilé, élégant, svelte, uni, dentelé, sculpté, fouillé, croulant, moussu. Les clochers à jour de Bretagne. Clocher séparé. → **Campanile.** *Le clocher d'un beffroi. Clocher en forme de tour.* → **Tour** (d'église).

1 Et si nous montons sur la cathédrale (...) qu'a-t-on fait de ce charmant petit clocher qui s'appuyait sur le point d'intersection de la croisée, et qui non moins frêle et non moins hardi que sa voisine la flèche (...) de la Sainte-Chapelle, s'enfonçait dans le ciel plus avant que les tours, élancé, aigu, sonore, découpé à jour ?
HUGO, Notre-Dame de Paris, III, I.

2 C'était, dans la nuit brune,
Sur le clocher jauni,
La Lune,
Comme un point sur un i.
A. DE MUSSET, Premières poésies,
«Ballade à la Lune».

3 (...) le clocher de Creizker, le géant des clochers bretons, baignant dans le ciel bleu, en pleine lumière, ses fines découpures grises marbrées de lichens jaunes.
LOTI, Mon frère Yves, II, p. 11.

Spécialt (vx ; adapt. de l'angl. *steeple chase*). *Course au clocher :* course à cheval à travers champs, à qui arrivera le premier à un but désigné, en franchissant tous les obstacles comme si l'on allait droit à un clocher.

4 Avez-vous jamais vu les courses d'Angleterre ?
On prend quatre coureurs, — quatre chevaux sellés ;
On leur montre un clocher, — puis on leur dit : Allez !
Il s'agit d'arriver, — n'importe la manière.
A. DE MUSSET, Premières poésies,
«À quoi rêvent les jeunes filles», I, IV.

Prov. *Il faut placer le clocher au milieu de la paroisse,* mettre à la portée de tous ce qui sert à tous.
Allus. hist. *L'aigle volera de clocher en clocher jusqu'aux tours de Notre-Dame,* phrase qui figure dans la proclamation de Napoléon au retour de l'île d'Elbe, et que l'on cite pour signifier que le succès escompté sera foudroyant.

♦ 2 Par métonymie. Paroisse, commune (où se trouve le clocher, l'église). *N'avoir jamais quitté son clocher. — ... DE CLOCHER. Querelles, compétitions, rivalités de clocher,* purement locales, insignifiantes. *Esprit de clocher :* attachement étroit à son village, au milieu dans lequel on vit. → **Chauvinisme.** *Patriotisme* (cit. 4) *de clocher.*

5 Il n'est ni le «député», chargé de lutter à tout prix contre le pouvoir central pour faire triompher, au détriment même des intérêts généraux, les intérêts de clocher des régions qu'il administre (...)
L.-H. LYAUTEY, Paroles d'action, p. 13.

6 — Quoi qu'il en soit, consacrer un tiers du journal à cette élection de Nancy, c'est faire la part trop belle à la politique intérieure, qui reste, en France, une politique de clocher, comme il y a cinquante ans.
Jean-Louis CURTIS, le Roseau pensant, p. 298.

DÉR. **Clocheton.** ◊ HOM. 2. **Clocher,** 3. **clocher.**

2. CLOCHER [klɔʃe] v. intr. — V. 1120 ; du lat. pop. *cloppicare,* de *cloppus* «boiteux».

♦ 1 Vx. Marcher en boitant. → **Boiter, claudiquer, clopiner.** *Clocher du pied droit, gauche, des deux pieds.* — Prov. *Il ne faut pas clocher devant les boiteux.* → **Boiteux.**

1 (...) C'est grand'honte
Qu'il faille voir ainsi clocher ce jeune fils (...)
LA FONTAINE, Fables, III, 1.

♦ 2 (XIIIe). Mod. (Abstrait). Être défectueux ; aller de travers. *Raisonnement, combinaison qui cloche.* → **Défectueux.** *Il y a qqch. qui cloche,* qui ne va pas. *Vers qui cloche,* qui ne répond pas à la mesure.

2 (...) ceux qui veulent gloser, doivent bien regarder chez
eux s'il n'y a rien qui cloche.
                              MOLIÈRE, les Fourberies de Scapin, II, 1.

3 (...) quand j'avais presque fini de manger, je m'arrêtais
avec le même air; alors lui de recommencer à chercher
ce qui clochait sans jamais faire quelque chose d'utile,
modifiant la position de la salière par rapport à l'huilier,
et la cuillère à dessert par rapport à l'assiette (...)
                              Henri MICHAUX, Un barbare en Asie, p. 56.

DÉR. 1. Clochard, clochement. ◊ COMP. Cloche-pied (à).
➤ HOM. 1. Clocher, 3. clocher.

3. CLOCHER [klɔʃe] v. — Mil. XVIᵉ; de 1. cloche.

I Vx. ◆ 1 V. intr. Sonner avec une cloche, des cloches.

◆ 2 V. tr. Annoncer (un événement) à la cloche, et,
spéciaIt, annoncer l'arrivée ou le départ d'un train
à coups de cloche.

II V. tr. (de 1. cloche, 2.). Hortic. Mettre sous cloche.
Clocher des melons.

HOM. 1. Clocher, 2. clocher.

CLOCHETER [klɔʃte] v. intr. [CONJUG.: jeter.] — Fin XIIIᵉ; de clochette.

Vieilli. Faire sonner une clochette (G. Sand, in
T.L.F.).

CLOCHETON [klɔʃtɔ̃] n. m. — Fin XVIIᵉ; «clochette», 1526; de 1. clocher, d'après clochette.

◆ 1 Petit clocher. *Un clocheton d'ardoise.*

◆ 2 Ornement en forme de petit clocher pyramidal,
décorant les contreforts, la base des flèches, les
angles d'un édifice. *Clocheton élancé, élégant, frêle,
délicat, dentelé, sculpté, ciselé, fouillé. Les clochetons
ouvragés du gothique tardif.*

(...) levant mes yeux émerveillés sur ces clochetons qui
semblent des fusées parties vers le ciel et sur tout cet
emmêlement incroyable de tourelles, de gargouilles, d'ornements sveltes et charmants (...)
                              MAUPASSANT, Clair de lune,
                              la Légende du Mont Saint-Michel.

◆ 3 Blason. *Clochetons de contre-vair.*

CLOCHETTE [klɔʃɛt] n. f. — XIIᵉ; de 1. cloche.

◆ 1 Petite cloche. → Campane (vx). *Clochette pour
appeler ou avertir.* → Sonnette. *Clochette frappée par
un marteau.* → Timbre. *Clochette en forme de boule.*
→ Grelot. *Clochettes d'un chapeau chinois. Substitution de la crécelle* à la clochette liturgique, du
jeudi au samedi saint. Clochettes suspendues au cou
du bétail.* → Bélière, campane, clarine, sonnaille, sonnette.

1 Le silence n'est interrompu autour de moi que par le tintement de la clochette de deux génisses restées dans l'étable
voisine (...)
                              CHATEAUBRIAND, Mémoires d'outre-tombe, IV, II.

2 (...) les clochettes se mirent à tintinnabuler le plus joyeusement du monde avec leurs petites voix grêles, argentines
et cuivrées (...)
                              Th. GAUTIER, le Capitaine Fracasse, t. II, XI, p. 63.

◆ 2 Fleur dont la corolle évoque par sa forme
une petite cloche (→ Campaniforme). *Les clochettes
du liseron, du muguet.* — (Qualifié, dans les noms
de plantes portant ces fleurs). *Clochette des bois
(→ Jacinthe), des blés (→ Liseron), des murs (→ Campanule), d'hiver (→ Perce-neige).*

3 Des plantes grimpantes, balançant des clochettes de toutes
couleurs et accrochant leurs vrilles à un treillage solide (...)
                              Th. GAUTIER, le Capitaine Fracasse, t. II, XXII,
                              p. 331.

DÉR. Clocheter.

CLODO ou CLODOT [klɔdo] n. m. — 1926; de clo(chard), et l'élément -dot, de (cra)dot.

Fam. Clochard. *Un repaire de clodos. Il a l'air d'un
clodo avec ce costume.*

(...) ça peut pas durer comme ça, tu vas finir clodo, fau-   1
drait voir à ce que tu ramasses un peu de pognon.
                              J. CAU, la Pitié de Dieu, p. 45.

(...) une charmante église *(Saint-Médard)* restée très rus-   2
tique dans son bouquet de verdure qui a l'air d'un jardin
de curé gracieusement ouvert aux clodos et joueurs de
bille.
                              Jacques PERRET, Bâtons dans les roues, p. 259.

Appos. «*La mode clodo, jean rapiécé et veste du père
destinée à la poubelle, voilà un autre objet de fiction*»
(*F Magazine*, nᵒ 25, mars 1980, p. 52).

Adj. (Rare) :

(...) mon air de plus en plus clodo et fatigué fait carte de   3
priorité et je finis par m'asseoir.
                              A. SARRAZIN, la Cavale, 1965, p. 18.

CLOISON [klwazɔ̃] n. f. — 1160, «enceinte fortifiée»; du lat. pop. *clausio, -ionis*, dér. de clausus «clos».

◆ 1 (1538). Paroi qui limite une pièce et l'isole du
reste de la maison. → Mur. *La charpente d'une
cloison. Les ais, l'entrevous d'une cloison.* → Colombage, galandage, hourdage (ou hourdis). *Cloison de
planches jointives.* → Jointive. *Cloison de bois, de
brique, de maçonnerie. Vitrage servant de cloison.
Minceur, épaisseur, résistance d'une cloison. Cloisons qui étouffent les sons. Écouter derrière la
cloison. Abattre, percer une cloison. Boxes, cases
séparées par des cloisons qui n'atteignent pas le plafond.* — Archit. *Mur de cloison* ou *mur de refend*
(opposé à *gros mur*).

(...) je suis le pas de *Rosalie,* elle me place près d'une   0.1
cloison assez mal jointe, pour laisser entre les planches
qui la forment, plusieurs jours suffisans à distinguer tout
ce qui se passe dans la chambre voisine.
                              SADE, Justine..., t. I, p. 106.

Un bruit de voix et de rires, étouffé par les cloisons, les   1
portes et les tentures, parvenait jusque dans la paix à demi
ténébreuse de l'escalier.
                              G. DUHAMEL, Chronique des Pasquier, VII, VI,
                              p. 45.

Cloison coulissante des maisons japonaises. → Shoji.
*Cloison en planches protégeant les spectateurs d'une
course de taureau.* → Talanquère.

◆ 2 Mar. Séparation (sur un navire). *Cloisons en
planches.* → Bardis. *Cloisons métalliques. Cloison
étanche,* construite en sorte qu'elle résiste à la pression extérieure de l'eau. *Cloison d'abordage, d'incendie.*

◆ 3 [a] (1732). Ce qui divise intérieurement l'intérieur
d'une cavité, détermine des cases, des compartiments, des loges.

Bot. Lames séparant les loges à l'intérieur de certains fruits. → Membrane. *Cloisons interpositives,*
entre deux feuilles opposées. → aussi Médiastin.
— Anat. → Diaphragme, luette, médiastin, ménisque
(cloison). *Cloison des fosses nasales. Cloisons du
cœur.*

Le diaphragme, qui est une cloison charnue dans son tour   2
et membraneuse à son centre (...)
                              BOSSUET, Traité de la connaissance de Dieu, II, 2.

Cette silique est composée de deux valvules posées l'une   3
sur l'autre, et séparées par une cloison fort mince appelée
médiastin.
                              ROUSSEAU, Lettre élémentaire sur la Botanique.

[b] Ce qui divise un objet fabriqué. *Les cloisons
d'un émail cloisonné*.*

(Armurerie). Partie pleine qui sépare deux rayures,
à l'intérieur du canon d'une arme à feu.

♦ **4** (Abstrait). Ce qui divise (des personnes, des groupes sociaux). → **Barrière, division, séparation.** *Cloison entre des êtres, des castes. Une cloison étanche les séparait.*

4 (...) rien qui pût faire tomber une bonne fois ces cloisons que la vie, que leurs natures, que leur fraternité peut-être, élevaient entre eux !
MARTIN DU GARD, les Thibault, t. VI, p. 81.

5 Entre la masse des travailleurs et elle, jeune bourgeoise de 1914, les cloisons de classes étaient aussi étanches que celles qui séparaient les castes de la civilisation antique (...)
MARTIN DU GARD, les Thibault, t. VI, p. 229.

6 (...) la Province n'a jamais su abattre les cloisons.
F. MAURIAC, la Province, p. 8.

DÉR. **Cloisonnage, cloisonné, cloisonnement, cloisonner.**

CLOISONNAGE [klwazɔnaʒ] n. m. — 1505, «cloison»; de *cloison.*

Techn. Action de poser des cloisons (→ **Comparti- mentage**); ensemble de cloisons.

CLOISONNÉ, ÉE [klwazɔne] adj. et n. m. — 1752; de *cloison.*

♦ **1** Divisé par des cloisons. *Thalle cloisonné. Coquille cloisonnée.*

Émaux cloisonnés, où de minces arêtes de métal figurent le dessin et sertissent la pâte d'émail (opposé à *champlevé**).

N. *Un beau cloisonné.*

1 Il a cassé les potiches du prince Korisky, des vieux cloi- sonnés dont les morceaux se revendraient bien encore cinq louis, l'un dans l'autre. En supposant qu'elle *marche* pour le même prix, elle y perd toute la différence des cloi- sonnés entiers.
A. JARRY, l'Amour en visites, Pl., t. I, p. 854-855.

♦ **2** (Abstrait). Séparé d'une manière arbitraire. *Des enseignements cloisonnés.*

2 Elle *(l'ouverture au réel)* se rencontre à l'état accompli chez ces génies à directions multiples, comme Léonard de Vinci, Leibniz, Goethe, qui se meuvent à l'aise dans les catégories de l'esprit habituellement les plus cloisonnées.
E. MOUNIER, Traité du caractère, p. 643.

DÉR. **Cloisonnisme.**

CLOISONNEMENT [klwazɔnmɑ̃] n. m. — 1845; de *cloison.*

♦ **1** Manière dont une chose est cloisonnée (divi- sion, séparation). → **Cloisonnage.**

♦ **2** (Abstrait). Division entre des personnes, des choses. *Le cloisonnement des partis politiques.*

Nous avons mis entre parenthèses le problème de notre espèce et envisagé la catastrophe probable de notre civi- lisation, sans nous demander si elle ne pourrait pas avoir, sur l'espèce elle-même des effets que ses sœurs défuntes n'avaient pas eus. Le monde est devenu un, et nos esprits accoutumés aux cloisonnements ne s'en ren- dent pas compte.
Emmanuel BERL, le Virage, p. 31 (1972).

CONTR. **Décloisonnement.**

CLOISONNER [klwazɔne] v. tr. — 1803; de *cloison.*

♦ **1** Diviser, séparer par des cloisons. *Cloisonner une pièce.* → **Compartimenter.**

♦ **2** Abstrait (de *cloison*, 4.). Séparer, diviser en groupes distincts.

La différence des grades ne cloisonne plus leurs rapports.
COCTEAU, Journal d'un inconnu, p. 72.

♦ **CLOISONNÉ, ÉE** p. p. adj. Voir à l'ordre alphabétique.

CONTR. **Décloisonner.**

CLOISONNISME [klwazɔnism] n. m. — Mil. XXᵉ; de *cloisonné,* et *-isme.*

Hist. de l'art. Style de peinture où les zones de cou- leurs par à-plats sont cernées.

(...) principes redevables à Gauguin : le *cloisonnisme* et le *synthétisme.* Le premier, imitant les émaux «cloisonnés» ou les vitraux sertis de plomb, cerne d'arabesques sinueuses et fortement appuyées des surfaces de couleurs pures juxta- posées sans transition. Ce qui va entraîner une mise en page et une composition nouvelles : remontée de la ligne d'horizon, suppression de la perspective et de l'espace naturalistes.
Maurice GIEURE, la Peinture moderne, p. 27-28.

CLOÎTRE [klwatʀ] n. m. — 1165, *clostre* «enceinte»; du lat. *claustrum* «enceinte»; l'*i* est dû à l'attraction de *cloison.*

♦ **1** Partie d'un monastère interdite aux profanes et fermée par une enceinte (→ **Clôture**). *Le cloître des chartreux.*

Le monastère lui-même. → **Abbaye, couvent** (→ Asile, cit. 20; cadet, cit. 3; cellule, cit. 3). *Se retirer, se jeter, s'ensevelir, finir ses jours dans un cloître. Enfermer, emprisonner, murer dans un cloître.* → **Claustrer, cloîtrer, encloîtrer.** *Les grilles du cloître. Du cloître.* → **Claustral.**

Un cloître est l'époux qu'il me faut. 1
LA FONTAINE, Fables, VI, 21.

Cloîtres silencieux, voûtes des monastères, 2
C'est vous, sombres caveaux, vous qui savez aimer !
Ce sont vos froides nefs, vos pavés et vos pierres,
Que jamais lèvre en feu n'a baisés sans pâmer.
A. DE MUSSET, Poésies nouvelles, «Rolla», IV.

♦ **2** Par métonymie. Le fait de vivre dans un cloître; la règle, la vie du cloître. → **Claustration, réclusion.** *Les austérités du cloître.* Par ext. → **Retraite.**

Mon impression, à moi, que je garde, est le désir d'être de 3
plus en plus retiré du monde et dans un cloître d'études et d'oubli.
SAINTE-BEUVE, Correspondance, I, p. 27.

♦ **3** Lieu situé à l'intérieur d'un monastère, ou con- tigu à une église cathédrale ou collégiale, et com- portant une galerie à colonnes qui encadre une cour ou un jardin carré (→ **Préau**). *Le cloître de St- Trophime, à Arles. Logis de chanoines donnant sur le cloître de la cathédrale. Le cloître, promenoir des moines, propice à la méditation.*

Comment peut-on ne pas adorer les cloîtres, ces lieux tran- 4
quilles, fermés et frais, inventés, semble-t-il, pour faire naître la pensée (...) pendant qu'on va à pas lents sous les longues arcades mélancoliques ?
Comme elles paraissent bien créées pour engendrer la son- gerie, ces allées de pierre, ces allées de menues colonnes enfermant un petit jardin qui repose l'œil sans l'égarer, sans l'entraîner, sans le distraire !
MAUPASSANT, la Vie errante, «La Sicile», p. 105.

♦ **4** (Vx) par anal. Enceinte fermée, réservée aux demeures des chanoines. *Le cloître Notre-Dame, le cloître Saint-Merry, à Paris.*

DÉR. **Cloîtrer, cloîtrier.**

CLOÎTRER [klwatʀe] v. tr. — 1623; de *cloître.*

♦ **1** Faire entrer comme religieux (religieuse) dans un monastère fermé. *Cloîtrer une jeune fille.*

♦ **2** Relig. *Cloîtrer un couvent :* décréter qu'un cou- vent observera la clôture.

♦ **3** Fig. Enfermer, mettre à l'écart (qqn).

♦ **SE CLOÎTRER** v. pron.

♦ **1** Faire profession dans un monastère fermé.

Ce fut le 8 juillet 1866 que Bernadette quitta Lourdes. Elle 0.1
partait pour se cloîtrer, à Nevers, au couvent de Saint- Gildard, la maison mère des Sœurs qui desservaient l'Hos- pice, où elle avait appris à lire, où elle vivait depuis huit ans.
ZOLA, Lourdes, p. 272.

♦ **2** Vivre à l'écart du monde. → **Enfermer** (s'), **retirer** (se). *Se cloîtrer dans ses occupations, ses idées,* s'abstraire de tout ce qui y est étranger.

1 (...) j'ai été et suis affairé à achever un second volume de roman, lequel est dans un train d'idées si différent de la politique ou des choses de dehors que j'ai dû m'y cloîtrer pour ainsi dire, afin de ne pas trop perdre l'inspiration.
    SAINTE-BEUVE, Correspondance, t. I, 15 déc. 1833, p. 409.

♦ **CLOÎTRÉ, ÉE** p. p. adj.

Se dit des religieux qui vivent à l'intérieur d'un cloître (→ Cloître, 1.) ou de la partie du monastère qui se trouve en deçà de la clôture.
Fig. Qui vit à l'écart du monde.

2 (...) une obstination de femme cloîtrée au fond de ses devoirs.   ZOLA, Pot-Bouille, p. 234.

3 Le jour suivant, cloîtrés par une pluie fine et persistante, les deux enfants durent renoncer à leur promenade quotidienne.
    Raymond ROUSSEL, Impressions d'Afrique, p. 230.

COMP. Encloîtrer.

CLOÎTRIER, IÈRE [klwatʀije, ijɛʀ] n. et adj. — V. 1170; de *cloître*.

Vx. (Personnes). Qui vit dans un cloître. — N. *Un cloîtrier, une cloîtrière.*

CLONAGE [klɔnaʒ] n. m. — V. 1970; de *cloner*.

Biol. Reproduction d'un individu (végétal ou animal) à partir d'une de ses cellules; technique permettant d'obtenir un ensemble de cellules à partir d'une seule. *Plante obtenue par clonage.* → (fam.) Plante-éprouvette. «(Le) *clonage devrait permettre de produire un individu complet, non plus à partir de la fusion de deux cellules sexuelles, mais à partir de n'importe quelle cellule normale du corps*» (la Recherche, nov. 1970, p. 524). *Le clonage d'animaux par transfert d'un noyau cellulaire dans un ovocyte énucléé a été réalisé d'abord sur des batraciens, puis sur des mammifères* (années 1980) : *souris, ovins, bovins. Clonage transgénique* (d'animaux ou de plantes transgéniques).

Le plus bel exemple de ce «miroir bionique» et de cette «nécrose narcissique» : le clonage, forme limite de l'autoséduction : du Même au Même sans passer par l'Autre.
    J. BAUDRILLARD, De la séduction, p. 227.

CLONAL, ALE, AUX [klɔnal, o] adj. — 1961; de *clone*. → Clone.

Biol. Relatif à un clone, aux clones, au clonage. *Sélection clonale.*

COMP. Monoclonal.

CLONE [klɔn] n. m. — 1953 en biol.; répandu v. 1980; angl. *clon* (1903) puis *clone* (1905; C.L. Pollard), d'abord en botanique; du grec *klôn* «pousse».

♦ **1** Biol. **a** Descendance d'un individu par multiplication végétative (bourgeonnement, etc.), ou par parthénogénèse (espèce animale); individu de cette descendance.

1 La catégorie systématique que nous propose la botanique, c'est le *clone* qui représente la population issue par voie apomictique d'une même plante. Ceci dit, un cépage peut être défini comme une collection de clones suffisamment apparentés entre eux pour qu'il soit permis au vigneron de les confondre sous un même nom. Ce qui reste indéterminé, c'est le nombre de clones qui composent un cépage (...)
    Louis LEVADOUX, la Vigne et sa culture, p. 25.

2 S'il se matérialise, c'est la mort imminente — c'est cette proposition fantastique qui est aujourd'hui littéralement réalisée dans le clonage : le clone est la figure même de la mort, mais sans l'illusion symbolique qui fait son charme.
    J. BAUDRILLARD, De la séduction, p. 228.

b Grand nombre de molécules ou de cellules identiques issues d'une molécule ou cellule ancestrale. Individu obtenu par clonage (notamment dans les récits d'anticipation).

♦ **2** Fig. «*Le disque de musique classique a limité son horizon : être un clone presque parfait du concert, une reconstitution clinique*» (Libération, 16 mars 1984). — Spécialt. Copie d'un ordinateur, compatible avec les programmes et les matériels périphériques du modèle.

DÉR. Clonal, cloner.

CLONER [klɔne] v. tr. — 1979, probablt antérieur (→ Clone); de *clone*, pour traduire l'angl. *to clone* (1959).

Biol. Procéder au clonage* de (une cellule, une substance organique, un individu); reproduire par clonage. «*C'est l'une de ces hormones* (...) *que vient de cloner l'équipe américaine* (...) *les chercheurs* (...) *ont identifié et isolé les gènes qui dirigent la production dans les cellules humaines, de ces deux hormones. Ils ont ensuite intégré ces gènes dans des cellules qui, ainsi génétiquement transformées, se sont mises à synthétiser ces structures biologiques.*» (le Monde, 28 févr. 1984, p. 13).
Fig. (non scientifique). Reproduire d'une manière strictement conforme à un modèle. — Au p. p. «*Une foule de petites beautés d'HLM, clonées sur le look* Champs-Élysées...» (Libération, 16 mars 1984).

DÉR. Clonage.

CLONIE [klɔni] n. f. — V. 1970; dér. sav. du grec *klonos* «agitation».

Méd. Secousse musculaire brève et involontaire.

CLONIQUE [klɔnik] adj. — 1808; dér. du grec *klonos* «agitation».

Méd. Caractérisé par des convulsions nombreuses et violentes. *Stade clonique de l'hystérie.*

CLONUS [klɔnys] n. m. — 1862; du grec *klonos* «agitation».

Méd. Succession de contractions rythmées déclenchées par la traction brusque de certains muscles, traduisant une exagération des réflexes. → Clonique. *Clonus de la rotule, du pied, de la main.*

CLOPE [klɔp] n. — 1902, *piquer un clope*, Esnault; *ciclope*, 1899, *in* Chautard; de *ci(garette)*, par substitution d'élément.

♦ **1** N. m. Pop., puis fam. (Vieilli). Bout de cigare, de cigarette. *Ramasseur de clopes :* ramasseur de bouts de cigarettes (G. Sandry, *Dict. de l'argot moderne*).

Je triturais dans ma poche le mégot de la Gauloise que le routier m'avait donnée (...) J'avais un clope, un vrai clope de Gauloise, et j'étais libre de le jeter ou de l'émietter. J'avais laissé là-haut mon papier à rouler et mes allumettes. Rolande, Rolande, j'ai un beau mégot et je ne peux pas le fumer (...)   A. SARRAZIN, l'Astragale, p. 23.

♦ **2** N. f. Fam. (Mod.). Cigarette. *Passe-moi une clope. Acheter un paquet de clopes.*

♦ **3** *Des clopes!* rien du tout (cf. La peau!). → Clopinettes. *Il gagne des clopes :* il ne gagne pas grand-chose.

DÉR. Cloper. V. Clopinettes.

CLOPER [klɔpe] v. tr. — Attesté 1983; de *clope*.

Fam. Fumer une, des cigarettes. *Elle clope beaucoup; elle clope comme une malade.*

CLOPINARD [klɔpinaʀ] n. m. — 1947; de *clopiner*, *clopin* (→ Clopin-clopant), par la même image que *clochard*.

Pop. Clochard. → 2. **Cloche, clodo.**

Ce matin, dans mon atelier, deux hommes sont entrés sur leurs pieds, deux tordus, deux paumés, deux clopinards de la mistoufle qui crevaient de faim et des figures de déterrés.
M. AYMÉ, le Vin de Paris, «La bonne peinture», p. 206.

CLOPIN-CLOPANT [klɔpɛ̃klɔpã] loc. adv. — 1668; de l'anc. franç. *clopin* «boiteux», et *clopant*, p. prés. de *cloper* «boiter».

♦ **1 Fam.** En clopinant. → **Clopiner.** *Aller clopin-clopant.*

1 Mes gens s'en vont à trois pieds,
Clopin-clopant, comme ils peuvent,
L'un contre l'autre jetés,
Au moindre hoquet qu'ils treuvent *(trouvent).*
LA FONTAINE, Fables, V, 2.

2 (...) elle avait eu la force de se relever et, clopin-clopant, se sauvait avec son bâton.
LOTI, Pêcheur d'Islande, VI, p. 161.

♦ **2 Fig. et fam.** D'une manière irrégulière. → **Cahin-caha, couci-couça.** *Le commerce va clopin-clopant.*

CLOPINER [klɔpine] v. intr. — V. 1330; *clopigner,* 1155; de l'anc. franç. *clopin* «boiteux».

Fam. Marcher avec peine, en traînant le pied. → **Boiter, clocher.** *Clopiner avec des béquilles* (cit. 1).

1 Des groupes de petits blessés clopinaient vers l'ambulance (...)
G. DUHAMEL, Récits des temps de guerre, t. I, p. 69.

2 Cette fois, j'étais vraiment l'ancien combattant, supputant déjà l'art d'accommoder la défaite. L'Arc de triomphe sur ma gauche, les Invalides à droite épaulaient le décor de l'épopée dont j'accomplissais en clopinant le dernier parcours. A. BLONDIN, Monsieur Jadis, p. 45 (1970).

DÉR. Clopinard.

CLOPINETTES (DES) [deklɔpinɛt] n. f. pl. — 1925; étym. obscure, p.-ê. de *clope* «mégot».

Pop. Rien. *Ils ont eu des clopinettes.* — **Loc. adv.** Rien du tout (cf. Des clous!, des clopes!). — *Des clopinettes!* : vous pouvez toujours attendre!

Vous êtes un faux frère, lui dit-il. Signez un papier.
— Transigeons, dit l'abbé. Quinze jours d'indulgence?
— Des clopinettes, dit le gardien.
Boris VIAN, l'Automne à Pékin, p. 35.

CLOPORTE [klɔpɔʀt] n. m. — 1538; *choplote,* XIIIᵉ; origine incertaine.

♦ **1** Animal crustacé malacostracé *(Isopodes)* qui vit sous les pierres, dans les lieux sombres et humides. *Le cloporte se nourrit de débris organiques. Cloporte des murs. Cloporte de mer* (→ **Ligie**). *Cloporte roulé en boule sous une pierre.*

1 (...) plus fourmillant de cloportes et d'insectes dégoûtants qu'une pierre posée sur le terrain humide d'une cave.
Th. GAUTIER, Mˡˡᵉ de Maupin, VI, p. 109.

2 (...) vos théologiens et vos philosophes raisonnent comme des cloportes de Versailles ou des Tuileries qui croiraient que l'humidité des caves est faite pour eux et que le reste du château n'est point habitable.
FRANCE, la Rôtisserie de la reine Pédauque, Œ., t. VIII, p. 106.

♦ **2 Par compar.** *Vivre comme un cloporte,* confiné chez soi.

3 Si nous avions reçu beaucoup d'amis, si nous ne nous étions pas terrés comme des cloportes sous une pierre (...)
Edmond JALOUX, Fumées dans la campagne, XVIII, p. 147.

♦ **3 Fig. Pop.** Concierge.

CLOQUAGE [klɔkaʒ] n. m. — 1866; de *cloquer*.

Techn. Apparition ou présence de cloques sur une surface peinte ou vernie (→ aussi **Bullage**).

CLOQUE [klɔk] n. f. — 1750; forme picarde de *cloche,* ayant le sens de «bulle».

♦ **1** Maladie qui attaque les feuilles de certains arbres, et particulièrement celles du pêcher.

♦ **2** (1866). **Cour.** Petite poche de la peau, pleine de sérosité. → **Ampoule, bulle, phlyctène**; → Bubon, cit. 2. *Il est couvert de cloques. Percer des cloques. Appliquer de l'acide picrique sur une brûlure* pour empêcher la formation de cloques.*

1 Au milieu des taches, des points plus ardents se créent, autour de ces points, la peau se soulève en cloques comme des bulles d'air sous l'épiderme d'une larve, et ces bulles sont entourées de cercles (...)
A. ARTAUD, le Théâtre et son double, «Le théâtre et la peste», Idées/Gallimard, p. 26.

2 (...) elle pouvait éclore, développer son œuf, écraser sa chair inerte, se vautrer sur la boue, polluer les couleurs distinctes, gonfler sa cloque née de l'action d'un fer rouge. J.-M. G. LE CLÉZIO, le Déluge, p. 18.

♦ **3** Boursouflure dans l'épaisseur d'un matériau de revêtement (peinture, papier peint...). → aussi **Bulle,** II., 1.

♦ **4** (1901). **Loc. fam.** *Être en cloque,* enceinte*. *Mettre (une femme) en cloque,* la rendre enceinte.

3 Demain, il faudra mentir encore, dire à Babouchka qu'il faut manger alors que le mieux serait qu'elle cesse de nourrir son agonie, penser au petit Genêt qui se développe dans la petite Cartier, téléphoner à la mère du coupable pour lui dire que nous sommes en cloque et que ce qu'elle avait prédit est arrivé.
Benoîte GROULT, Il était deux fois, p. 408.

DÉR. Cloqué. — Cloquer.

CLOQUÉ, ÉE [klɔke] adj. — 1832; de *cloque*.

♦ **1** Qui présente des cloques, des boursouflures. *Feuilles cloquées. Peinture cloquée.*

♦ **2** (1929). *Étoffe cloquée,* gaufrée. — **N. m.** *Du cloqué.*

CLOQUER [klɔke] v. — XVIIIᵉ; de *cloque*.

♦ **1 V. intr.** Se soulever par places en formant des cloques. → **Boursoufler.** *Peinture qui cloque. Sa peau cloque.* — **Pron.** *Se cloquer.*

La peinture jaune s'était déjà cloquée au milieu du panneau. H. TROYAT, la Malandre, p. 7.

♦ **2 V. tr.** *Cloquer une étoffe,* y imprimer des dessins en relief. → **Gaufrer.**

DÉR. Cloquage.

CLORE [klɔʀ] v. tr. [CONJUG.: **Usité seulement aux formes suivantes** : *je clos, tu clos, il clôt; rarement ils closent; je clorai, etc.; je clorais, etc.; que je close, etc.; clos* (impér.); *clos, close* (p. p.).] — Av. 1150; du lat. *claudere.*

♦ **1 Vx ou littér.** Boucher ce qui est ouvert pour empêcher l'accès. → **Fermer.** *Clore avec une barrière* (→ **Barrer**), *un mur* (→ **Murer**), *un fossé, une haie...* (→ Balustrade, cit. 3). *Clore un passage. Clore la porte, les persiennes d'une chambre,* les fermer hermétiquement (→ Argent, cit. 59; cendre, cit. 2). — **Absolt.** *Cette porte ne clôt pas.*

1 On *ferme* proprement une porte ou ce qui a une porte, et par conséquent un objet de peu d'étendue (...) *Clore,* comme *clôture,* qu'il sert à former et qu'il rappelle, suppose quelque chose de plus vaste (...) Ce qui est *fermé* l'est dans le moment, car il est destiné à se *fermer* et à s'ouvrir alternativement; mais ce qui est *clos* est *fermé* à jamais ou pour longtemps, d'une manière fixe et constante

(...) *Fermer* est moins rigoureux que *clore*. Pour qu'une chambre soit *fermée*, il suffit que les portes et les fenêtres aient cessé d'être ouvertes; pour qu'elle soit *close*, il faut de plus qu'il n'y ait aux portes et aux fenêtres aucun passage donné à l'air et au froid.
LAFAYE, Dict. des synonymes, Clore.

1.1 Dans la principale chambre était au milieu une grande table fixée en terre, pour manger ou pour travailler; trois autres portes revêtues de fer closaient cette chambre; point de ferrures de notre côté; d'énormes verroux de l'autre.
SADE, Justine..., t. I, p. 157.

Clore l'œil, la paupière. → **Dormir.** *Clore les yeux de qqn :* assister à la mort de qqn; abaisser les paupières d'un mourant qui expire.

Fig. et mod. *Clore la bouche, le bec à qqn,* l'empêcher de parler; **fig.,** le faire taire par un argument irréfutable (→ Bec, cit. 8).

2 Il menaça Madeleine de lui clore la bouche d'un revers de main (...) G. SAND, François le Champi, IX, p. 79.

Clore la marche : être le dernier d'une troupe en marche.

♦ **2** (Fin XIIᵉ). Vieilli. Entourer d'une enceinte. → **Enclore, enfermer.** *Une ligne de fortification clôt la ville. Clore un jardin, un terrain, un vignoble.* — *Se clore :* entourer sa propriété de barrières, de murs... → **Clôture.**

♦ **3 Fig.** et littér. Mettre un terme à (qqch.). → **Achever, arrêter, finir, terminer.** *Clore une négociation, un marché.* → **Contracter; contrat** (passer un contrat). *Clore un inventaire, un procès-verbal. Clore un compte*.*

3 (...) je vais voir l'élection du chef de la chrétienté; ce spectacle est le dernier grand spectacle auquel j'assisterai dans ma vie; il clora ma carrière.
CHATEAUBRIAND, Mémoires d'outre-tombe, III, XII.

4 Mais qui peut espérer de clore jamais un dictionnaire de langue française?
É. LITTRÉ, Comment j'ai fait mon dictionnaire, p. 31.

Cour. Déclarer terminé. *Clore un débat, une discussion. Clore la séance d'une assemblée. Clore un incident.*

♦ **CLOS, CLOSE** p. p. adj. (V. 1130).

♦ **1** Fermé. *Espace clos.* → **Enceinte.** *Champ* (cit. 5) *clos.* → **Clos, enclos; camp.** Spécialt. *Combat singulier, tournoi en champ* clos.* — *Maison bien close, hermétiquement close. Volets clos. Trouver porte close :* ne trouver personne. *Huis clos.* → **Huis.** — (1886). Chim. *Un vase clos.* → **Vase,** cit. 5 et *supra.* — Loc. *Vivre en vase clos,* confiné.

5 Son âme est comme un vase clos : nulle crainte n'y peut entrer. GIDE, Œdipe, I.

6 (...) il avait laissé les volets hermétiquement clos (...)
MARTIN DU GARD, les Thibault, t. IV, p. 275.

7 Le domaine (...) était clos de murs sur environ un kilomètre, et pour le surplus, de haies très épaisses, ou d'un treillage, ou parfois de deux.
J. ROMAINS, les Hommes de bonne volonté, t. V, p. 75.

(1931, *in* D.D.L.). *Maison close,* de prostitution. → **Bordel.**

Yeux mi-clos. Avoir les yeux clos : être mort. — Fig. *Agir les yeux clos,* en toute confiance; et aussi, à l'aveuglette. *Avoir la bouche close :* garder le silence, un secret. (Cf. Bouche cousue).

8 Le raisonneur parti, l'aventureux se lance, Les yeux clos, à travers cette eau.
LA FONTAINE, Fables, X, 13.

9 Le cœur lui battait comme dans les plus fortes fièvres, et son visage aux yeux clos était inondé de rose et de moiteur.
J. ROMAINS, les Hommes de bonne volonté, t. V, p. 269.

Clos et couvert : à l'abri des intempéries. *Le propriétaire doit tenir son locataire clos et couvert.* — Subst. *Assurer le clos et le couvert.*

Clos et coi : dans l'expectative; ou tranquillement chez soi. *Se tenir clos et coi.*

Dans les visites qui sont faites, 10
Le renard se dispense et se tient clos et coi.
LA FONTAINE, Fables, VIII, 3.

Fig. *À la nuit close :* quand la nuit est complètement tombée.

Nous repartons vers sept heures du matin, pour n'arriver 10.1
à Kinchassa qu'à la nuit close.
GIDE, Voyage au Congo, *in* Souvenirs, Pl., p. 690.

Testament mystique clos, cacheté et scellé (cf. Code civil, Art. 976). *Lettre close :* ordre du roi, scellé et secret. — **Fig.,** vieilli. Chose qui demeure incompréhensible. *C'est pour moi lettre close.*

Le fond de cette intrigue est pour moi lettre close (...) 11
MOLIÈRE, le Dépit amoureux, II, 1.

♦ **2** Achevé, terminé. *La séance, la session est close* (→ Assise, cit. 8). — *L'incident est clos. Compte, exercice clos.*

Pâques closes. Se dit du dimanche de Quasimodo qui termine les fêtes pascales.

CONTR. Déboucher, déclore, dégager, écarter, ouvrir, percer. — Commencer. ◊ **DÉR.** et **COMP.** Clos, déclore, éclore, enclore, forclore. — V. **Clôture.** ⁃ **HOM.** Chlore, clause (close).

CLOS [klo] n. m. — 1150; p. p. substantivé de *clore*.
Terrain cultivé et clos de haies, de murs, de fossés. *Clos d'arbres fruitiers* (→ Attenant, cit. 1). *Un clos normand.*

Le parfum de l'enfer flottait sur ce clos mi-bourbonnais mi-auvergnat.
GIRAUDOUX, Juliette au pays des hommes, p. 22.

(Surtout dans des noms propres). Terre plantée de vignes (→ **Vignoble**) et close de murs. *Le clos Vougeot donne un bourgogne* réputé.*

DÉR. Closeau, closerie, closier*. ◊ **HOM.** Clos (adj.). — V. **Clore.**

CLOSEAU [klozo] n. m. — 1309, *closel*; de *clos*.
Vieilli. Petit clos. — Régional (Ouest) Pièce de terre spécialisée pour les plantes sarclées.

CLOSE-COMBAT [klozkɔ̃ba] n. m. — 1966; mot angl., «combat rapproché».
Anglic., milit. Combat corps à corps.

(...) le coup sur la nuque est le *b, a, ba* du close-combat, la première chose qu'on enseigne aux membres des commandos et des services secrets.
Michel DÉON, les Poneys sauvages, p. 395.

CLOSERIE [klozʀi] n. f. — 1449; de *clos*.

♦ **1** Petit clos qui comprend une maison d'habitation. — Petite parcelle de vigne.

À peine le groupe s'est-il pelotonné pour jouir de la sécurité et du repos que la défaillance d'une cloison de toile, de la closerie de branchage, l'oblige à s'arracher à la candeur de la niche pour affronter le cinglant et le tranchant avant de réintégrer la fragile tanière pour y attendre une nouvelle alerte. Jacques LAURENT, les Bêtises, p. 525.

♦ **2** (À Paris). Au XIXᵉ siècle, Jardin consacré à des amusements publics. *La Closerie des lilas.*

CLOSIER, IÈRE [klozje, jɛʀ] n. — V. 1225; de *clos*.
Vieilli. Fermier, fermière d'une closerie.

Ma pauvre Germaine, voilà mon départ encore retardé. Règle les closiers. À bientôt des nouvelles.
Alphonse DAUDET, l'Immortel, p. 181.

CLOSTRIDIES [klɔstʀidi] n. f. pl. — 1925; lat. sav. *clostridium* (1880, Prazinowski), du grec *klôstêr* «fuseau».

Biol. Bactéries anaérobies sporulées de la flore intestinale, dont certaines sont les agents de maladies (tétanos, botulisme, gangrène gazeuse), d'autres étant responsables de la fermentation butyrique. *Les clostridies sont utilisées dans la production industrielle d'acétone et d'alcool butylique.* Au sing. *Une clostridie.*

CLÔTURE [klotyʀ] n. f. — xiie; d'un lat. pop. *clausitura*, pour *clausura*, rac. *claudere*. → Clore.

◆ **1** Ce qui sert à obstruer le passage, à enclore un espace. → **Barrière, enceinte, fermeture.** *La clôture d'un jardin, d'un parc, d'un terrain, d'une propriété. Propriété sans clôture. Clôture de haies vives, de fossés*. Clôture à claire-voie*. Clôture en ronce* artificielle.* → **Barbelé.** *Clôture faite de pieux fichés en terre les uns à côté des autres.* → **Palissade.** *Clôture métallique.* → **Grille, herse.** *Clôture imitant les mailles d'un filet.* → **Treillage, treillis.** *Pointes qui empêchent l'escalade d'une clôture.* → **Artichaut.** *Clôture dont on entourait les places fortes, les champs* clos.* → **Lice.** *Clôture qui, dans une église, isole le chœur.* → **Balustre, cancel.** *Clôture interdisant l'entrée d'un parc. Clôture de champ, de pâturage.* → **Claie, échalier, haie** (→ Bocage, cit. 3). *Clôture endommagée. Brèche dans une clôture. Rupture faite avec violence dans une clôture.* → **Bris.**

1 Est réputé *parc* ou *enclos*, tout terrain environné de fossés, de pieux, de claies, de planches, de haies vives ou sèches, ou de murs de quelque espèce de matériaux que ce soit, quelles que soient la hauteur, la profondeur, la vétusté, la dégradation de ces diverses clôtures (...)
  Code pénal, art. 351.

2 Quiconque aura, en tout ou en partie, comblé des fossés, détruit des clôtures, de quelques matériaux qu'elles soient faites, coupé ou arraché des haies vives ou sèches (...)
  Code pénal, art. 456.

(1344). Enceinte d'un monastère, interdite aux laïcs, où les religieux vivent cloîtrés. → **Cloître,** 1. — Fig. *Obligation de garder le cloître*. Vœu de clôture. Violer la clôture monastique.*

3 (...) je vous ai dérobée à la clôture d'un couvent (...)
  MOLIÈRE, Dom Juan, I, 3.

4 Une retraite profonde, une clôture impénétrable, une obéissance entière.
  BOSSUET, Oraison funèbre de Mlle La Vallière,
  in LITTRÉ.

5 (...) il lui semblait qu'elle avait jusqu'alors vécu cloîtrée, et que les limites de sa clôture, reculant soudain, lui découvraient un horizon insoupçonné.
  MARTIN DU GARD, les Thibault, t. VI, p. 221.

◆ **2** Rare. Action de clore. → **Fermeture** (courant).

5.1 Inhospitalier de nature, le Français soigne d'une manière défensive ses abords immédiats, s'entoure d'églantier, d'épine noire et de genévrier; il barbèle au besoin son jardin, et sa première débauche d'imagination est pour la clôture. COLETTE, Flore et Pomone, *in* Gigi, p. 181.

... DE CLÔTURE : qui sert à clore. *Mur*, porte* de clôture* (→ Barricader, cit. 4).

◆ **3** (1415). Action de terminer, d'arrêter définitivement une chose, ou de la déclarer terminée. → **Conclusion, fin.** *La clôture d'un compte, d'un inventaire, d'un procès-verbal. Clôture d'une séance.* → **Levée.** *Séance de clôture. Clôture d'une délibération, d'une discussion, des débats. Clôture d'une session parlementaire.* → **Achèvement.** *Demander la clôture. Parler pour, contre la clôture. Vote de clôture. Ouverture, clôture d'un scrutin. Prononcer la clôture à la majorité.*

6 M. de Champcenais avait donc pris l'habitude de ne considérer comme du gain que les sommes liquides dont il

pouvait disposer à la clôture d'un exercice, sans gêner en rien la marche de son affaire.
  J. ROMAINS, les Hommes de bonne volonté, t. III,
  XIII, p. 180.

Dr. *Clôture de l'instruction* : mesure prise dans une instance civile par ordonnance du juge de la mise en état lorsque l'affaire est en état d'être renvoyée devant le tribunal pour être plaidée. *Ordonnance de clôture.*

Suspension temporaire. *Dernier jour de vente avant la clôture.*

La clôture des cotations, à la Bourse (→ Clôturer, II.).

Didact. Fait de clore, d'arrêter, de terminer (un ensemble dynamique).

CONTR. Dégagement, ouverture, percée. — Commencement, début. ◊ DÉR. Clôturer.

CLÔTURER [klotyʀe] v. — 1787; de *clôture.*

I V. tr. ◆ **1** (1795). Fermer, entourer* avec une clôture. → **Clore, enclore, fermer.** *Clôturer un jardin, un champ.*

◆ **2** Fig. Déclarer terminé, clos; mettre fin à (qqch., un processus). → **Clore,** 3.; **achever, terminer.** *Clôturer un compte. Clôturer les débats, la discussion. Clôturer la séance.* → **Lever.** *Clôturer la session des Chambres. Clôturer une fête, une saison théâtrale.*

Il clôtura la discussion d'un «Fort bien» qui puait le fiel à plein nez (...) 1
  COURTELINE, Messieurs les ronds-de-cuir,
  4e tableau, III, p. 159.

(...) les parlementaires observent que *clôturer* un débat, ce 2
n'est pas le clore, mais «prononcer la clôture», idée sensiblement différente.
  A. DAUZAT, Études de linguistique franç., p. 14.

(Abstrait). **Didact.** Rendre complet, clos.

II V. intr. (avec compl. circonstanciel). **Bourse.** Mettre fin aux opérations boursières, à la fin d'une séance (→ Clôture, 3.). *La Bourse a clôturé en baisse.* — Par ext. *Le dollar, l'action X clôturait hier à (tel cours).*

À deux heures et quart, Sonchelles cotait 1550, et c'est à 3
ce cours qu'on clôtura.
  Maurice DRUON, les Grandes Familles,
  p. 262 (1948).

◆ **SE CLÔTURER** v. pron. S'enfermer à l'intérieur d'une clôture.

CLOU [klu] n. m. — 1080; du lat. *clavus.*

I ◆ **1** Petite tige de métal à pointe et le plus souvent à tête, qui sert à fixer, assembler, suspendre... *La tête, la pointe d'un clou. Clou à tête.* → **Broquette, pointe.** «*La tête grimaçante d'un maître clou*» (→ Anneau, cit. 0.2). *Clou à tête plate, ronde. Clou à tête ouvragée servant d'ornement.* → **Bossette, cabochon.** *Clou sans tête.* → **Clavette, cheville, chevillette.** *Étêter un clou. Clou à crochet. Clou en U à deux pointes.* → **Cavalier, crampillon.** *Clou en cuivre, en bronze; clou doré. Clou de tapissier. Clou à ardoises. Clous à souliers.* → **Becquet, caboche, semence.** *Clous à chevaux. Blesser un cheval avec un clou de ferrure.* → **Enclouer.** *Clou à large tête qu'on enfonce à la main.* → **Punaise.** *— Clous et rivets, et vis. — Boîte à clous.* → **Cloutière.** *Enfoncer, fixer un clou avec un marteau. Planter des clous.* → **Clouer; clouage, clouement, cloutage.** *Percer un trou à l'aide d'une vrille avant d'enfoncer un clou* (→ **Avant-clou**). *Rabattre, river un clou.* → **River.** *Arracher les clous avec un pied-de-biche, des tenailles, un tire-clou.* → **Déclouer, désenclouer.** *Meuble monté à clous. Fermer le couvercle d'une caisse avec des clous. Objet* accroché, suspendu à un clou (→ Cage, cit. 4). *Souliers à clous. Une porte bardée de clous. Fabrication des clous.* → **Clouterie.** *Instrument qui coupe à longueur les tringles de métal servant à la fabrication des clous.* → **Bistoquet.**

1 Il y porte une corde, et veut avec un clou
Au haut d'un certain mur attacher le licou.
                              LA FONTAINE, *Fables*, IX, 16.

2 Aussitôt de longs clous il prend une poignée :
Sur son épaule il charge une lourde coignée (...)
                              BOILEAU, *le Lutrin*, II.

3 (...) les objets auxquels je tenais un peu étaient restés suspendus ou fixés, comme les meubles, aux panneaux des murs par des clous et des cornières de fer.
                              LOTI, *Mon frère Yves*, XXIX, p. 95.

4 Ferdinand se mit à planter des clous et Claire à défaire ses bagages.
                              G. DUHAMEL, *Chronique des Pasquier*, IV, XI.

Par métaphore :

5 Ah ! malheur à celui qui laisse la débauche
Planter le premier clou sous sa mamelle gauche !
                              A. DE MUSSET, *Premières poésies*,
                              «La coupe et les lèvres», IV, 1.

Loc. *Être maigre comme un clou*, très maigre. *Être comme un clou.*

Chir. Tige métallique, pointue à une extrémité, servant à maintenir les fragments osseux dans certaines fractures.

♦ **2** *Tête de clou :* ornement figurant la tête d'un clou. **Techn.** *Caractères typographiques en têtes de clous.* → **Garniture de clous.** → **Cloutage.**

5.1 (...) les chaussures, en changeant plusieurs fois de position, ont tassé la neige dans leurs alentours immédiats, laissant par endroit des taches plus jaunes, des morceaux durcis à demi soulevés, et les marques profondes des têtes de clous rangées en quinconces.
                              A. ROBBE-GRILLET, *Dans le labyrinthe*, p. 18 (1959).

♦ **3 Spécialt** (au plur.). **Fam.** *Les clous :* passage pour piétons. → **Clouté** (passage). *Traverser dans les clous, en dehors des clous. Prenez les clous !*

♦ **4 Loc. fig. Vx.** *Ne tenir ni à fer ni à clou*, ou *ni à clou ni à cheville :* être peu solide. — **Vx.** *Compter les clous de la porte :* attendre très longtemps.

Vieilli. *Ne pas donner un clou de qqch.*, considérer comme sans valeur. **Mod.** *Ça ne vaut pas un clou :* cela ne vaut rien.

6 (...) je ne donnerais pas un clou de tout l'esprit qu'on peut avoir.   MOLIÈRE, *les Précieuses ridicules*, IX.

Fam. *Faire qqch. pour des clous*, pour rien. — *Ne pas en faire (ficher, foutre) un clou :* ne rien faire. — (1886). *Des clous !* : réponse négative et ironique à une demande (*tu n'auras que des clous*, sous-entendu). → *Des clopes !, des clopinettes !*

7 Boris eut un rire bref : — Des clous ! dit-il simplement.
                              SARTRE, *l'Âge de raison*, 11.

7.1 — Tu lui avais tout de même bien promis qu'elle hériterait de ton commerce.
— Des clous !
                              R. QUENEAU, *le Dimanche de la vie*, p. 57.

River son clou à qqn. → **River.**

Un clou chasse* l'autre. **Vx.** *Un clou repousse l'autre* (même sens).

II Fig. ♦ **1** (1823). **Fam.** Mont-de-piété (où l'on accroche les objets gagés). *Il a porté sa montre au clou.* → **Gage** (mettre en).

8 — Tiens, porte ça au clou.
— Tu ne veux pas que je porte aussi les enfants ? demande-t-elle. Hein ! si l'on prêtait sur les enfants, ce serait un fameux débarras !   ZOLA, *l'Assommoir*, t. I, p. 13.

9 Nous avons d'abord payé mes dettes, puis nous en sommes arrivés à mettre «au clou» les diamants de Mme Daudet. Elle tenait ses comptes en bonne ménagère, mais le mot de mont-de-piété lui faisait peur, elle inscrivait sur son livre : Là-bas.
                              J. RENARD, *Journal*, 25 févr. 1891.

Argot, vx. Poste de police, prison. *Passer la nuit au clou.*

♦ **2** (1878 ; du *clou* auquel on accroche qqch. pour attirer l'attention). *Le clou du spectacle, de la soirée... :* ce qui accroche le plus l'attention, la meilleure attraction*.

(...) le clou de la soirée est sans conteste un long monologue, joué par Lady Ava elle-même, seule en scène depuis le début jusqu'à la fin de l'acte.   9.1
                              A. ROBBE-GRILLET, *la Maison de rendez-vous*, p. 100.

♦ **3** (1908). Mauvais véhicule (bicyclette, automobile). → **Bagnole, guimbarde.** *Sa bicyclette est un vieux clou.*

Quand le curé entra sur son clou dans la cour de Voiturier,   10
celui-ci était encore en conversation avec les gendarmes de Sénecières qui tenaient leurs vélos à la main.
                              M. AYMÉ, *la Vouivre*, p. 190.

En attendant, nous serions bien heureux d'avoir des vélos   11
pour ne pas user nos galoches d'Aurillac. On ne trouve plus un seul vélocipède à Paris. Je couve mon vieux clou comme une Rolls.
                              B. et F. GROULT, *Journal à quatre mains*, p. 78.

III ♦ **1** (1170). **Fam.** Petit furoncle. — **Méd.** *Clou hystérique, phtisique :* douleur qui rappelle la piqûre d'un clou. — **Méd. vétér.** *Clou de rue :* blessure de la région plantaire due à un corps étranger pointu, et fréquente chez les bêtes de somme.

♦ **2** (XIIIe). *Clou de girofle* [kludʒiRɔfl] : bouton du giroflier, utilisé comme épice. → **Girofle.**

DÉR. Clouer, clouter, cloutière. V. **Clouterie, cloutier.**
◊ **COMP.** Avant-clou, chasse-clou, pare-clous.

CLOUAGE [kluaʒ] ou (rare) CLOUEMENT [klumã]
n. m. — 1611, *cloilage* et *clouement* ; de *clouer.*

♦ **1 Techn.** Action, manière de clouer. *Bois qui fend au clouage.*

♦ **2 Jeu d'échecs.** *Clouage :* situation d'une pièce clouée ; coup par lequel on cloue une pièce adverse.

CLOUER [klue] v. tr. — 1138, *cloer* ; de *clou.*

♦ **1** Fixer, assembler avec des clous. *Clouer une caisse, un tapis. Clouer une gravure au mur. Clouer le couvercle d'une caisse ;* par ext. *clouer une caisse* (→ **Fermer**).

(...) je n'aime pas à faire souffrir une grenouille, à arra-   1
cher les pattes à une guêpe et à clouer une chauve-souris vivante contre un arbre.
                              G. SAND, *la Petite Fadette*, XVIII, p. 129.

Mar. *Clouer le pavillon*, le fixer au mât avec des clous pour montrer la ferme intention de ne pas se rendre.

♦ **2** (1773, *in* D.D.L.). Fixer avec un objet pointu. → **Ficher.** *Clouer qqch. avec une flèche, une lance... Il le cloua au sol d'un coup d'épée.*

Clouer qqn dans son cercueil, fixer le couvercle du cercueil. — (Passif). *Être cloué entre quatres planches* (cit. 7).

(...) à sa mort on le cloue (*l'homme*) dans une bière (...)   2
                              ROUSSEAU, *Émile*, I, p. 13.

♦ **3** (1680). **Fig.** Réduire à l'immobilité, maintenir sur place. → **Fixer, immobiliser, retenir.** *Une maladie l'avait cloué au lit. La surprise la cloua sur sa chaise.* — Passif (plus cour.). *Être cloué*, rester cloué sur place (par la peur, l'émotion, la stupeur, etc.).

Il faut que je reste là cloué sur une chaise ou debout,   3
planté comme un piquet, sans remuer ni pied ni patte, n'osant point courir, ni sauter, ni chanter, ni crier, ni gesticuler quand j'en ai envie (...)
                              ROUSSEAU, *les Confessions*, XII.

4   L'on s'empare de Napoléon par trahison, les Anglais le clouent dans une île déserte de la grande mer, sur un rocher élevé de dix mille pieds au-dessus du monde.
BALZAC, le Médecin de campagne, Pl., t. VIII,
p. 469.

4.1   Enjolras, traversé de huit coups de feu, resta adossé au mur comme si les balles l'y eussent cloué.
HUGO, les Misérables, V, I, XXIII.

5   Ta gouvernante, la pauvre créature, est aujourd'hui clouée dans son lit par un rhumatisme rigoureux.
FRANCE, le Crime de S. Bonnard,
Œ., t. II, II, p. 449.

Spécialt. Jeu d'échecs. *Clouer (une pièce adverse)*, la mettre dans une situation telle qu'elle ne puisse plus faire mouvement sans que le roi de même couleur ne soit en échec, ou l'une des pièces majeures en prise. *Clouer un cavalier, un fou, une tour.*

♦ **4** Loc. *Clouer qqn, qqch. au pilori**, le signaler à l'indignation publique.

6   (...) quoi, ces émigrés honnis cloués au pilori, «vomis par la nation», ces aristocrates restés de purs royalistes, on les ferait maintenant rentrer en masse !
Louis MADELIN, le Consulat, XI,
Les «masses de granit», p. 167.

♦ **5** Loc. fig. (Fam.). *Clouer le bec à qqn*, le réduire au silence. → Rabattre le caquet*, en boucher un coin*, river* le clou.

7   (...) il ergote volontiers, ne cherchant du reste pas à convaincre l'adversaire, mais à lui clouer le bec et à avoir le dernier mot (...)   GIDE, Journal, 13 janv. 1943, p. 79.

8   Il me traitait de folle avec Dicky. Il a fallu que je le lui apporte empaillé pour lui prouver qu'il existait et lui clouer le bec.   GIRAUDOUX, la Folle de Chaillot, II, p. 108.

♦ **CLOUÉ, ÉE** p. p. adj.

♦ **1** Fixé, assemblé avec des clous. *Une caisse clouée.* N. m. *Du cloué :* montage à clous (d'une chaussure), par opposition au montage cousu.

♦ **2** Immobilisé (→ ci-dessus, sens 3). — **Spécialt. Échecs.** *Pièce clouée.*

♦ **3** Blason. Se dit d'une figure dont les clous sont d'un émail particulier.

CONTR. Déclouer, désenclouer. ◊ DÉR. et COMP. Clouage, cloueur. Déclouer, enclouer, reclouer.

CLOUEUR, EUSE [kluœʀ, øz] n. — 1611 ; de *clouer.*

♦ **1** Ouvrier, ouvrière qui, dans la peausserie, fixe les peaux sur une planche pour qu'elles prennent leur forme.

♦ **2** N. f. (XXᵉ). **CLOUEUSE :** appareil automatique à clouer les caisses.

CLOUTAGE [klutaʒ] n. m. — Fin XIXᵉ ; de *clouter.*

♦ **1** Action de clouter ; son résultat. *Le cloutage d'un pneu.*

♦ **2** Disposition de clous décoratifs.

CLOUTARD, ARDE [klutaʀ, aʀd] n. — 1940 ; de *(Saint-)Cloud.*
Fam. Élève ou ancien élève de l'École normale supérieure de Saint-Cloud. *Les cloutards et les sévriennes.*

CLOUTÉ, ÉE [klute] adj. — XVIᵉ ; p. p. de *clouter.*

♦ **1** Garni de clous. *Une ceinture cloutée. Des chaussures cloutées. Des pneus cloutés.*

1   Une lourde porte de bois, arrondie dans le haut et cloutée comme une porte de presbytère, était à demi ouverte.
ALAIN-FOURNIER, le Grand Meaulnes, XIII, p. 76.

Par anal. Cuis. *Oignon clouté*, piqué de clous* de girofle.

♦ **2** PASSAGE CLOUTÉ : passage destiné aux piétons, limité naguère par une double rangée de grosses têtes de clous spéciaux placés en travers de la chaussée, actuellement matérialisé par des bandes peintes sur le sol (syn. admin. : *passage pour piétons*). → **Clou** (I., 3. : les clous).

1.1   Il y eut un feu rouge ; la voiture s'immobilisa devant le passage clouté et les silhouettes des gens défilèrent rapidement.   J.-M. G. LE CLÉZIO, le Déluge, p. 96.

♦ **3** Fig. et littér. Dont le dessin rappelle une garniture de clous. *Un ciel clouté d'étoiles.*

2   Mais le radieux paon-de-jour, en velours cramoisi, frappé d'yeux bleuâtres, clouté de turquoises (...) attend, confiant, la main qui l'emprisonne.
COLETTE, la Paix chez les bêtes, «Les papillons»,
p. 185.

CLOUTER [klute] v. tr. — Déb. XVIIᵉ ; *cluter*, 1290 ; de *clou*, ou du dimin. *clouet* (→ Cloutier).

♦ **1** Garnir de clous. *Clouter la coque d'un bateau* (→ **Mailletage**). — Au p. p. *Passage clouté*.*

♦ **2** Cuis. Faire pénétrer (dans une viande, un poisson...) une épice, une substance en minces bâtonnets. — Au p. p. *Oignon clouté* (de clous de girofle).

DÉR. Cloutage, clouté.

CLOUTERIE [klutʀi] n. f. — 1486 ; *cloueterie*, déb. XIIIᵉ ; de *clou* ou de 1. *cloutier.*
Techn. Fabrication, commerce des clous. — Atelier où sont fabriqués les clous.

CLOUTIER, IÈRE [klutje, jɛʀ] n. — XIIIᵉ ; probablt contraction de *clouetier, de *clouet*, dimin. de *clou.*
Techn. Personne qui fabrique, vend des clous.
DÉR. V. Clouterie.

CLOUTIÈRE [klutjɛʀ] n. f. — 1771 ; de *clou.*
Technique.
♦ **1** (Fin XIVᵉ, *clouyère*). Pièce de fer percée de trous, utilisée pour former les têtes des clous, des vis.
REM. On trouve aussi les formes *clouière, cloutère, clouvière.*

♦ **2** Boîte à compartiments, dans laquelle on range les clous selon leur grosseur.

CLOVISSE [klɔvis] n. f. — 1838 ; *clouisse*, 1611 ; provençal *clauvisso*, de *claure* «fermer». → Clore.
Régional. (Provence). Coquillage comestible du genre Vénus (*Venerupis* ; sous-genre *Tapes*). → **Palourde.**

Kep est réputé pour ses fruits de mer (...) Un public cossu se régalait de moules marinières, de clovisses et de crabes farcis.
Claude COURCHAY,
La vie finira bien par commencer, p. 227.

DÉR. Clovissière.

CLOVISSIÈRE [klɔvisjɛʀ] n. f. — XXᵉ ; de *clovisse.*
Techn. Râteau à long manche muni d'un filet, pour la pêche aux clovisses.

CLOWN [klun] n. m. — 1823 ; *claune*, 1817 ; angl. *clown* «rustre, farceur».

♦ **1** Vx (ou hist.). Personnage grotesque de la farce anglaise. → **Bouffon.** *Le rôle des clowns chez Shakespeare.*

♦ **2** Mod. Comique de cirque qui, très maquillé (jusqu'à être méconnaissable) et habillé de manière grotesque, fait des pantomimes et des scènes de farce. → **Bouffon** (cit. 2), **paillasse, pitre**. *Le personnage appelé couramment clown est en termes techniques de cirque un auguste. Cabrioles, contorsions, grimaces de clown. Lazzis, facéties, farces, tours d'un numéro de clown. Types de clowns : clowns blancs, augustes et excentriques. Un clown triste. Clowns musiciens. Le maquillage, le grimage du clown.*

1 La maréchale entraîna Frédéric, Hussonnet faisait la roue, la Débardeuse se disloquait comme un clown, le Pierrot avait des façons d'orang-outang (...)
FLAUBERT, l'Éducation sentimentale, II, I.

2 Elle se donnait ainsi des airs de maîtresse de maison animée, presque pétulante ; comme le clown qui du milieu de la piste envoie des serpentins à un cercle d'écuyères.
J. ROMAINS, les Hommes de bonne volonté, II, XIV, p. 185.

Spécialt (techn. : cirque). *Clown blanc*, et, absolt, *clown* (opposé à l'*auguste* et aux autres pitres) : personnage à la face blanche, à la coiffure tronconique, aux habits pailletés. *Des clowns et des augustes.* — REM. Graphie plais. *cloune* :

3 Je le rejoignis quinze jours plus tard et m'y fis engager comme cloune. R. QUENEAU, Loin de Rueil, p. 71.

♦ **3** (1858). Personne dont les gestes ou les paroles ressemblent au comportement d'un clown. → **Farceur**. *Quel clown !* → **Pitre**. *Faire le clown.* → **Charlot, guignol.** — Personne qu'on ne peut prendre au sérieux, à cause de son incompétence ou de son inconsistance. → **Fantoche, marionnette, pantin.** *Prendre qqn pour un clown.*

Adj. *Être un peu clown*, un peu ridicule.

4 L'un (*un porteur*) en particulier, une sorte de grand diable, l'air d'un Mohican (...) dégingandé, un peu clown, blagueur.
GIDE, Voyage au Congo, *in* Souvenirs, Pl., p. 771.

DÉR. Clownerie, clownesque, clownesse.

CLOWNERIE [klunʀi] n. f. — 1842, *in* Höfler ; de *clown.*

♦ **1** Vieilli. Farce, tour de clown.

♦ **2** Pitrerie. *Arrête tes clowneries !*

♦ **3** Mod. Pitrerie verbale (→ **Pirouette**), et, par ext., mauvaise plaisanterie. *Faire des clowneries.* → **Facétie, singerie.** *Des clowneries politiques.*

(...) l'action est si bien déterminée par une éducation rigide, que la clownerie verbale d'un Shaw reste une acrobatie inoffensive (...)
A. MAUROIS, les Discours du Dr O'Grady, XIII, p. 140.

CLOWNESQUE [klunɛsk] adj. — 1878 ; de *clown.*

♦ **1** Qui a rapport au clown.

♦ **2** Digne d'un clown.

Lu en wagon *le Grand Écart* de Jean Cocteau (...) durant le premier quart du livre, qui est arrivé, par bon vouloir, à me donner le change, amusé d'autre part par l'extrême ingéniosité des images et la brusquerie clownesque de certaines présentations. GIDE, Journal, 18 mai 1923.

CLOWNESSE [klunɛs] n. f. — 1884, Huysmans ; de *clown.*

Rare et littér. Femme clown (au sens de «clown blanc»).

(...) d'ordinaire, le clown soliloque ou dialogue. Vous, Annie (*Cordy*), vous êtes une clownesse impériale. Vous menez toute une troupe non à la baguette mais à la vitalité.
P. GUTH, Lettre ouverte aux Idoles, Annie Cordy, p. 118.

CLOYÈRE [klwajɛʀ] n. f. — 1771 ; de *cloye, cloie*, var. de *claie.*

Techn. Panier servant à expédier du poisson, et particulièrement des huîtres. → **Bourriche.** *La cloyère contient généralement vingt-cinq douzaines d'huîtres.*

1. **CLUB** [klœb] n. m. — 1702, en parlant de l'Angleterre ; 1733, en France ; angl. *club* «réunion, cercle».

♦ **1** Société où l'on s'entretenait de questions politiques. *Le club des Cordeliers, des Jacobins.* — (1790). *Club monarchique.*

1 Des admissions faciles, d'hommes ardents, impatients, avaient renouvelé le club (*des Jacobins*).
MICHELET, Hist. de la Révolution franç., t. I, p. 510.

1.1 Quand les journées de février ensanglantèrent Paris, il fut navré, il courut les clubs, demandant le rachat de ce sang «par le baiser fraternel des républicains du monde entier». Il devint un de ces orateurs illuminés qui prêchèrent la révolution comme une religion nouvelle, toute de douceur et de rédemption.
ZOLA, le Ventre de Paris, t. I, p. 69-70.

(Mil. XXᵉ). Par anal. Organisation politique différente des partis. «*Le débat atteignait son apogée avec l'intervention des clubs politiques (club Jean Moulin par exemple)*» (J.-P. Courthéoux, *Politique des revenus*, p. 27).

♦ **2** Cercle* où des habitués (membres*) viennent passer leurs heures de loisir, pour bavarder, jouer, lire. *Aller au club. Passer la soirée à son club. Inviter un ami à dîner au club.*

2 (...) j'ai mon club. C'est là que je traite mes amis, que je lis les journaux et les magazines, que je fume et me repose.
G. DUHAMEL, Scènes de la vie future, IX, p. 142.

3 Ses relations anglaises venaient le chercher à l'hôtel, le conduisaient à quelque restaurant des alentours de Leicester Square. On l'avait reçu une fois dans un club de Piccadilly.
J. ROMAINS, les Hommes de bonne volonté, t. V, XXVI, p. 247.

3.1 Pour nous créer une source d'occupations et d'amusements, Julliard émit alors la pensée de fonder, au moyen d'un groupement d'élite, une sorte de club étrange dont chaque membre serait tenu de se distinguer soit par une œuvre originale, soit par une exhibition sensationnelle.
Raymond ROUSSEL, Impressions d'Afrique, p. 292.

Vieilli. *Club de nuit.* → **Boîte** (de nuit).

Spécialt. Lieu de plaisir réservé à des membres inscrits.

♦ **3** Société constituée pour aider ses membres à exercer diverses activités désintéressées (sport, voyage...). → **Association.** *Le club alpin. Le touring-club. Club sportif. Club nautique. Club d'automobilistes* (→ Automobile*-club). *Club de fans.* → **Fan-club.**

4 Des jeunes gens en sweaters et coiffés de casquettes anglaises discutaient, autour du «monument au footballeur inconnu», les dernières nouvelles des grands clubs de la région. P. MAC ORLAN, la Bandera, II, p. 21.

Organisation vendant des marchandises ou des services à des personnes, moyennant une adhésion de principe (qui est en fait un acte commercial).

♦ **4** Petit groupe de personnes qui sont dans la même situation. Loc. *Bienvenue au club !* : bienvenue parmi nous !

♦ **5** (1934, *in* Höfler). Large et profond fauteuil de cuir. — (1953). Appos. *Fauteuil club.*

5 Voilà, n'est-ce pas, deux fauteuils de cuir très ordinaires en apparence, le genre «clubs» anglais comme il y en a dans certaines salles de cinéma.
N. SARRAUTE, le Planétarium, p. 105.

♦ **6** Appos. *Cravate club*, à rayures obliques.

DÉR. Clubiste. ◊ COMP. Aéro-club. V. Club-house.

2. CLUB [klœb] n. m. — 1882; mot angl., «gros bâton».

Anglic. Crosse de golf. *Le caddie* transporte les clubs des joueurs au long du parcours. Club à face ouverte.* → **Spoon.**

1 Une de ces inconnues poussait devant elle (...) sa bicyclette; deux autres tenaient des «clubs» de golf (...)
PROUST, À l'ombre des jeunes filles en fleurs, Pl., t. I, p. 788.

2 Il y avait aussi de temps en temps un beau golf, où femmes et hommes se livraient des batailles conduites par assauts successifs (...) mission (...) qui convenait le mieux à leur esprit, à leur ambition : poser une balle de bois par terre et taper dessus avec un club !
GIRAUDOUX, les Aventures de Jérôme Bardini, p. 124.

CLUB-HOUSE [klœbaus] n. m. — 1934; mot angl. «pavillon».

Anglic. (Critiqué). Dans un club sportif, Bâtiment réservé aux membres et mettant à leur disposition des équipements ou des services (bar, restaurant, etc.). *Le club-house d'un golf. Des club-houses.* — Recomm. off. : *pavillon, maison de club.*

CLUBISTE [klybist] n. m. — 1784; de 1. *club.*

♦ 1 Hist. Membre d'un club politique (sous la Révolution).

♦ 2 (1784). Vx. Membre d'un club (2.). → **Cercleux.**

♦ 3 Membre d'une association sportive.

CLUBMAN [klœbman] n. m. — 1784; de *club,* sur le modèle de *sportsman, tennisman.*

Vieilli. Habitué des cercles, des clubs (2.). — REM. On emploie *clubiste** pour désigner les membres des clubs politiques.

1 Si cette conscience lui adressait quelque reproche, c'était d'avoir, deux ans après le commencement de sa liaison avec Desforges, trompé ce charmant homme avec un clubman très à la mode, qu'elle avait enlevé à l'époque des courses de Deauville à une des femmes de son intimité.
Paul BOURGET, Mensonges, p. 168.

2 La baronne Otto Butzinghen et son ami, le vicomte Lahyrais, clubman, sportsman, joueur et tricheur.
O. MIRBEAU, le Journal d'une femme de chambre, p. 208.

CLUE [kly] n. f. — 1956; mot provençal, de même origine que *cluse*.*

Géogr. et régional (rare). Cluse en canyon. *Les clues de Haute-Provence.*

CLUNISIEN, IENNE [klynizjɛ̃, jɛn] adj. — 1864; de *Cluny.*

Arts, hist. relig. Relatif à l'ordre de Cluny et à l'architecture monastique (style roman) qu'il promut.

1 Le premier grand travail dont il ait été chargé a été la restauration de l'église de Vézelay (...) chef-d'œuvre des architectes clunisiens (...)
SAINTE-BEUVE, Nouveaux lundis, Viollet-le-Duc, t. VII, p. 196.

2 (...) Cluny est l'âme de ce moyen âge mobile qui se déplace et se propage par ondes continues sur les chemins, vers Saint-Jacques-de-Compostelle et vers l'oratoire Saint-Michel du mont Gargano. Ce n'est pas dire, loin de là, que l'art roman est tout clunisien, qu'il faille chercher à Cluny même l'origine historique de ses principales manifestations (...)
Henri FOCILLON, l'Art d'Occident, p. 57-58.

CLUPÉIDÉS [klypeide] n. m. pl. — 1846; *clupéide,* 1838; lat. *clupea* «alose».

Zool. Famille de poissons téléostéens abdominaux, au corps oblong, couvert d'écailles lisses. *Types principaux des Clupéidés :* alose, brévoortia, clupea, élops, mégalops ou tarpon, étruméus, hareng, harengule, mélette ou sprat, ilisha, lutodéira, pomalobus, sardine, sardinelle. — Au sing. *Un clupéidé.* — REM. On rencontre une forme francisée de *clupea :* «*petits animaux articulés, gades, scombres, clupées...*» (J. Cayrol, *Histoire de la mer,* p. 114).

CLUSE [klyz] n. f. — 1832; «défilé», 1538; lat. *clusa,* var. de *clausa,* de *claudere* «fermer».

Géogr. et régional. Coupure étroite et encaissée creusée perpendiculairement à une chaîne de montagnes. (→ aussi **Clue**). *Une cluse. La cluse de Nantua. Cluse vive :* cluse empruntée par un cours d'eau. *Cluse morte,* qui n'est plus traversée par une rivière.

1 Ce réseau est constitué par des tracés longitudinaux parallèles aux plis (...) et des tracés obliques ou transversaux, correspondant à des sections généralement encaissées (vallées appelées *cluses*).
E. DE MARTONNE, Traité de géographie physique, II, p. 704.

2 Il se trouvait dans une prairie doucement vallonnée, coupée de cluses et de talus que couvrait un pelage d'herbes de section cylindrique — comme des poils — et de couleur rosâtre.
M. TOURNIER, Vendredi ..., p. 127.

CLUSIACÉES [klyzjase] n. f. pl. — 1869; de *clusie,* et -*acées.*

Bot. Famille de plantes phanérogames angiospermes, classe des *Dicotylédones dialypétales,* appelées aussi *guttifères,* comprenant des arbres ou arbrisseaux exotiques. *Types principaux de Clusiacées :* clusie; allanblackia, calaba, canella, garcinia, mesua, pentadesma. — Au sing. *Une clusiacée.*

CLUSIE [klyzi] n. f. — 1850; de *Clusius,* nom d'un botaniste.

Bot. Plante dicotylédone (*Clusiacées;* n. sc. : *clusia*), arbre ou arbrisseau grimpant et épiphyte, et qui produit de la gomme-gutte.

DÉR. **Clusiacées.**

CLUSTER [klœstœʀ] n. m. — 1965; mot angl. «agglomérat».

Anglic. Didact. Groupement d'un petit nombre d'objets. Spécialt. Groupe relativement serré d'objets célestes. — Ling. Groupe de consonnes qui se suivent. — Biol. Répétition de la même séquence de nucléotides (d'un ADN).

Mus. Résonance de plusieurs notes jouées simultanément au clavier avec le poing, la paume ou l'avant-bras. «*Un thème harmonique bâti sur une opposition de clusters et d'accords de trombones (...)*» (Opéra de Paris, 1ᵉʳ nov. 1983).

CLYPÉASTRE [klipeastʀ] n. m. — 1869; du lat. *clypeus* «bouclier», et *aster* «astre».

Zool. Animal échinoderme de la classe des *Échinides.* → **Oursin.**

CLYSOIR [klizwaʀ] n. m. — 1834; dér. du grec *kluzein* «laver».

Méd. anc. Long tube dont une extrémité est munie d'une canule et l'autre évasée en entonnoir, et servant à prendre des lavements (→ **Clystère**). *Clysoir à pompe* ou *clysopompe.*

CLYSOPOMPE [klizopɔp] n. m. — 1836; de *clyso-*, tiré du grec *kluzein* «laver», et 2. *pompe*.

Méd. anc. Clysoir* à pompe (pour donner les clystères).

(...) le jeune homme, un brun à barbe noire et à lunettes, promenant éternellement dans les escaliers de l'hôtel le cylindre d'un clysopompe (...)
Ed. et J. DE GONCOURT, Journal, t. III, p. 111.

REM. Littré fait le mot du féminin.

CLYSTÈRE [klistɛR] n. m. — 1256; du grec *kluzein* «laver».

Vx (ou hist. méd.). Lavement, injection médicamenteuse dans le rectum. → **Lavement.** *Administrer un clystère. Seringue à clystère.* → **Clysoir, clysopompe.**

(...) un petit clystère (...) pour amollir, humecter, et rafraîchir les entrailles de Monsieur.
MOLIÈRE, le Malade imaginaire, I, 1.

Cm [seɛm] Symbole chimique du curium.

cm Symbole du centimètre. — *cm²* : centimètre carré. *cm³* : centimètre cube.

CNÉMIDE [knemid] n. f. — 1788; du grec *knêmis* «jambière».

Didact. Chaussure montante portée par les soldats grecs, pour se protéger le bas des jambes.

1 Toutes les figures disparaissaient à moitié dans la visière des casques; des cnémides en bronze couvraient toutes les jambes droites (...) FLAUBERT, Salammbô, VIII.

Var. graphique : *knémide.* → Fustanelle, cit.

2 (...) il avait les plus belles knémides piquées, brodées, historiées et floconnées de houppes de soie rouge qu'il soit possible d'imaginer (...)
Th. GAUTIER, Constantinople, p. 41.

CNIDAIRES [knidɛR] n. m. pl. — Av. 1884, trad. Claus; lat. zool. *cnidarius*, grec *knidê* «ortie».

Zool. Embranchement d'animaux diploblastiques à symétrie radiaire, à appareil digestif fermé, pourvus de cellules urticantes (*cnidoblastes* ou *nématocystes*). On distingue *six classes chez les cnidaires* (anciennt *Cœlentérés*) : hydraires, hydrocoralliaires, siphonophores, automéduses (hydrozoaires), alcyonaires (ou octocoralliaires) et hexacoralliaires. → **Corail, coraux** (anthrozoaires). *Phase fixée* (→ **Polype**) *et phase libre* (→ **Méduse**) *des cnidaires. Les cnidaires et les cténaires*. — Au sing. *L'acalèphe est un cnidaire.*

CNIDOBLASTE [knidɔblast] n. m. — 1878, Larousse, *Suppl.*; de *cnido-*, du grec *knidê* «ortie», et *-blaste*.

Didact. (zool.). Cellule des *cnidaires*, formée d'une enveloppe protoplasmique et d'une capsule remplie d'un liquide urticant, dite *cnidocyste. Les cnidoblastes de certaines espèces de méduses* (cuboméduses) *peuvent provoquer des troubles entraînant la mort chez l'homme.*

Co [seo] Symbole chimique du cobalt.

CO- Préfixe tiré du lat. *co-*, de *cum* «avec», et qui indique la réunion, l'adjonction, la simultanéité. Il sert à former un grand nombre de mots composés (voir à l'ordre alphabétique).

(...) un assez grand nombre de noms français commencent par *co*, qui y apporte l'idée d'un accompagnement, d'une simultanéité : *cohéritier*, qui hérite en même temps. D'instinct *co* s'ajoute à des noms pour leur donner une signification analogue : *coéquipier, cofermier, coinculpé, copropriétaire, colistier.*
F. BRUNOT, la Pensée et la Langue, II, V, p. 60.

Le préfixe fonctionne quasi librement, avec des noms désignant une fonction juridique partagée, un titre, un rôle (politique et social), un métier, une activité, une condition commune. En science, il forme des noms désignant un processus (*co-agglutination, co-polymérisation*) ou une substance, des adjectifs et des verbes exprimant une action commune.

COACCUSÉ, ÉE [koakyze] n. — 1734, *in* D.D.L.; de *co-*, et *accusé.*

Dr. Personne qui est accusée en même temps qu'une autre.

COACERVAT [koasɛRva] n. m. — Mil. xxᵉ; dér. sav. du lat. *coacervatum*, de *coacervare* «mettre en tas»; cf. moy. franç. *coacerver* «amasser» (J. Bouchet, 1517).

Biol. Système liquide formé de couches de solutions colloïdales de concentrations différentes.

Système formé de deux phases en équilibre qui «sont toutes deux des solutions isotropes, de concentrations différentes» (E. Mayolle, *les Industries du savon et des détergents*, p. 50).

DÉR. Coacervation.

COACERVATION [koasɛRvasjɔ̃] n. f. — Mil. xxᵉ; de *coacervat.*

Biol. Formation d'un coacervat. *«Sur le plan industriel, un certain nombre de techniques sont exploitées depuis plusieurs années : la polymérisation interfaciale (...) la coacervation ou séparation de phase»* (*Sciences et Avenir*, nº spécial, 1979, p. 82).

COACH [kotʃ] n. m. — 1832, «diligence»; mot angl., du franç. *coche.*

Anglicisme.

♦ **1** **Vx.** Grande voiture fermée à deux portes latérales. *Des coaches.*

Sur les trottoirs, au milieu de la chaussée, sur les rails des tramways, malgré le passage incessant des coaches et des omnibus (...)
J. VERNE, le Tour du monde en 80 jours, p. 217.

♦ **2** (1929, *in* Höfler). **Vieilli.** Automobile fermée, à deux portes et quatre glaces, dont les dossiers avant se rabattent pour permettre d'accéder aux places arrières.

♦ **3** (1932, *in* Petiot). **Mod. Sports.** Personne chargée de l'entraînement d'une équipe, d'un sportif. → **Entraîneur.**

COACQUÉREUR [koakeRœR] n. m. — 1805; *coacqueresse*, fém., 1617; de *co-*, et *acquéreur.*

Dr. Personne qui acquiert en même temps qu'une autre le même bien en commun.

COACTIF, IVE [koaktif, iv; kɔaktif, iv] adj. — 1282; lat. *coactivus* «forcé», puis «contraignant» (sens actif de *cogens*).

Didact. Qui a le droit ou le pouvoir de contraindre. *Autorité coactive.*

COACTION [koaksjɔ̃; kɔaksjɔ̃] n. f. — XIIIᵉ; lat. *coactio*, de *cogere* «contraindre».

Didact. Action de priver de la liberté de choix. → **Contrainte.**

DÉR. (De *cogere*) **Coactif.**

COADAPTATEUR, TRICE [koadaptatœR, tRis] n. — V. 1965; de *co-*, et *adaptateur.*

Cin., télév. Personne qui, en collaboration avec une autre, adapte une œuvre pour le cinéma, la radio, la télévision.

COADAPTATION [koadaptasjɔ̃] n. f. — V. 1970 ; de *coadaptateur* et *adaptation*.

Cin., télév. Adaptation (d'une œuvre) par plusieurs adaptateurs en collaboration. → Coadaptateur.

COADJUTEUR, TRICE [koadʒytœʀ, tʀis ; kɔad ʒytœʀ, tʀis] n. — V. 1265 ; bas lat. *coadjutor* «celui qui aide», de *co-*, et *adjuvare* «aider». → Adjuvant.

♦ **1** N. m. Relig. Ecclésiastique nommé pour aider un prélat à remplir ses fonctions et généralement destiné à lui succéder. *Coadjuteur d'un évêque, d'un archevêque.* Religieux qui a des fonctions d'adjoint. — Appos. *Frère coadjuteur.*

♦ **2** N. f. (1680). Relig. Religieuse adjointe à une abbesse, à une prieure, à la supérieure d'un couvent et destinée à lui succéder.

♦ **3** N. Par ext. Rare. Personne qui aide ou remplace qqn. → Adjoint, aide, assesseur, auxiliaire, suppléant.
Maurice Barrès et Henri de Régnier, qui étaient pour ainsi dire les coadjuteurs de Stéphane Mallarmé à la présidence.
           Georges LECOMTE, Ma traversée, p. 207.

DÉR. Coadjutorerie.

COADJUTORERIE [koadʒytɔʀʀi ; kɔadʒytɔʀʀi] n. f. — 1680 ; *coadjuterie*, 1617 ; de *coadjuteur*.

Relig. Qualité, charge de coadjuteur, de coadjutrice.

COADMINISTRATEUR, TRICE [koadminist ʀatœʀ, tʀis] n. — 1862, Flaubert ; de *co-*, et *administrateur*.

Dr., admin. Personne qui administre en même temps que d'autres. *Elle est coadministratrice d'une société.* — On écrit aussi *co-administrateur, trice.*

COAGULABILITÉ [kɔagylabilite] n. f. — 1837, in D.D.L. ; de *coagulable*.

Didact. Fait d'être coagulable, de pouvoir se coaguler. *Coagulabilité du lait, du sang. Durée de coagulabilité.*

COMP. Hypercoagulabilité, hypocoagulabilité.

COAGULABLE [kɔagylabl] adj. — Fin XVIᵉ ; de *coaguler*.

Didact. Qui peut coaguler, être coagulé. *Des liquides organiques coagulables.*

DÉR. Coagulabilité. ◊ **COMP. Incoagulable.**

COAGULANT, ANTE [kɔagylɑ̃, ɑ̃t] adj. et n. m. — 1827 ; p. prés. de *coaguler*.

Didact. Qui coagule. — N. m. (1845). Substance qui favorise la coagulation. *La présure est un coagulant du lait.* → Coagulase, coagulateur.

COMP. Anticoagulant.

COAGULASE [kɔagylaz] n. f. — 1906, *Nouveau Larousse Illustré, Suppl.* ; de *coaguler*, et *-ase*.

Didact. (chim., biol.). Diastase coagulante.
(...) à son niveau (*du furoncle*) les staphylocoques sécrètent une coagulase qui provoque dans les petites veines au contact une thrombose extensive.
        V. VIC-DUPONT, la Maladie infectieuse, p. 48.

COAGULATEUR, TRICE [kɔagylatœʀ, tʀis] adj. — 1854 ; de *coaguler*.

Didact. Qui produit la coagulation. *Action coagulatrice de l'alcool. Effet coagulateur de substances coagulantes*.*

COAGULATION [kɔagylasjɔ̃] n. f. — 1360 ; de *coaguler*.

Didactique et courant.

♦ **1** Processus par lequel un fluide organique (sang, lait) se transforme en masse solide (→ Coagulum), qui laisse sourdre un liquide transparent. — Méd. *Temps de coagulation :* temps que le sang met à coaguler (dans un tube, une éprouvette, etc.). → **Agglutination, floculation, prise.** *Substance qui s'oppose à la coagulation du sang.* → **Anticoagulant.** Rare et vieilli. État d'un liquide coagulé. → **Caillebotis, coagulum.**

♦ **2** Fig. Processus par lequel des intérêts, des sentiments, etc., se figent, se cristallisent.
(...) partout où elle (*la mort*) se présente, il se forme comme une coagulation d'intérêt, de curiosité (...)
      Edmond JALOUX, les Visiteurs, XXX, p. 231.

CONTR. Liquéfaction. ◊ **COMP. Électrocoagulation.**

COAGULER [kɔagyle] v. — XIIIᵉ ; lat. *coagulare*. → Cailler.

A V. tr. ♦ **1** Transformer (une substance organique liquide) en une masse solide de consistance plus ou moins molle. → **Caillebotter (VX), cailler, figer, grumeler, solidifier.** *Coaguler un liquide par le froid.* → **Congeler.** *Coaguler du sang, une solution d'albumine. La présure coagule le lait.*
L'eau y est (*dans les pays chauds*) d'un usage admirable ; les liqueurs fortes y coaguleraient les globules.   1
      MONTESQUIEU, l'Esprit des lois, XIV, 10.

♦ **2** Fig. Faire prendre. «*Coagulant les votes des minorités ethniques, des Noirs, des ouvriers et des pauvres, mobilisant les forces militantes des syndicats* (les démocrates américains...)» (*le Nouvel Obs.*, 13 nov. 1978, nᵒ 731, p. 49).

B V. intr. Se transformer en coagulum. — Syn. : *se coaguler.*

◆ **SE COAGULER** v. pron. (Du trans.).

♦ **1** Se transformer par coagulation. → **Prendre.** *Partie du sang qui se coagule.* → **Cruor.**
Montesquieu parle d'un lent épaississement de la sève, qui   2
progressivement se coagule, devient opaque (...)
      GIDE, Journal, 12 févr. 1929.

♦ **2** Fig. Se figer, se cristalliser.
(...) mais les sentiments gardés trop longtemps au dedans   3
de nous semblent s'y coaguler, et on ne les fait plus refouler, même en les aspirant par la blessure qu'on a faite.
      BARBEY D'AUREVILLY, Une histoire sans nom, p. 71.

◆ **COAGULÉ, ÉE** p. p. adj. *Sang coagulé.* → **Coagulum, caillot.** — Fig. *Foule coagulée.*

CONTR. Fondre, liquéfier. ◊ **DÉR. Coagulable, coagulant, coagulase, coagulateur, coagulation.**

COAGULUM [kɔagylɔm] n. m. — 1743 ; *coagule*, fin XVIᵉ ; lat. *coagulum*, de *coagulare*. → Coaguler.

Didactique (sciences).

♦ **1** Masse de substance coagulée. → **Caillot, coagulation.** — Au plur. *Des coagulums* (rare : *coagula*).
Tenez : voilà lusqu'est visqueux de la plèvre, vous voyez ? Et le ventricule gauche contracté ; et le ventricule droit plein d'un coagulum noirâtre (...)
      J. GIONO, le Hussard sur le toit, p. 34.

♦ **2** Substance coagulante. *La présure est un coagulum.*

COALESCENCE [kɔalesɑ̃s] n. f. — 1537 ; du lat. *coalescere* «se souder».

Didactique ou littéraire.

A ◆ **1** Biol. Soudure de deux surfaces tissulaires en contact (par ex., les lèvres d'une plaie). → **Conglutination.**

◆ **2** Chim. Réunion de particules liquides en suspension en particules plus grosses. *La coalescence de gouttelettes.*

◆ **3** Ling. Contraction de deux ou plusieurs éléments phoniques en un seul.

B Fig. Réunion, fusion d'éléments proches.

(...) la perception complète ne se définit et ne se distingue que par sa coalescence, avec une image-souvenir que nous lançons au-devant d'elle.

H. BERGSON, Matière et Mémoire, p. 136.

DÉR. **Coalescent.**

COALESCENT, ENTE [kɔalesɑ̃, ɑ̃t] adj. — 1850, Bescherelle ; de *coalescence.*

Didact. Réuni à un élément proche.

(...) les voix du récit vont, viennent, s'effacent, se chevauchent ; on ne sait qui parle ; cela parle, c'est tout : plus d'image, rien que du langage. Mais l'autre n'est pas un texte, c'est une image, une et coalescente.

R. BARTHES, Fragments d'un discours amoureux, p. 129.

COALISER [kɔalize] v. — 1791 ; dér. de *coalition,* correspondant au lat. *coalescere.*

I SE COALISER v. pron. ◆ **1** Former une coalition*. → **Allier** (s'), **liguer** (se), **unir** (s'). *Ces deux partis se sont coalisés. Les puissances européennes se coalisèrent contre Napoléon.*

◆ **2** S'unir pour mener une action commune. → **Concerter** (se), **joindre** (se). *Les ouvriers se coalisent pour poser des revendications.*

◆ **3** Fig. et littér. Se mêler.

Les amours-propres alarmés, les envies surprises par le début heureux d'un auteur, se coalisent et guettent la seconde publication du poète, pour prendre une éclatante revanche (...)

CHATEAUBRIAND, Mémoires d'outre-tombe, II, v.

II V. tr. COALISER : faire se coaliser. → **Ameuter, grouper, réunir.** *Il a coalisé tout le monde contre nous. Coaliser les nations contre un ennemi commun.*

◆ **COALISÉ, ÉE** p. p. adj. et n. (Fin XVIIIᵉ ; → Coaliser).

Uni dans une coalition. *Les puissances coalisées.* — N. m. *Les coalisés.* → **Allié.**

Fig. *«L'ignorance et la mauvaise foi coalisées»* (Littré).

CONTR. **Brouiller, désunir, opposer, rompre, séparer.**

COALITION [kɔalisjɔ̃] n. f. — 1544, relig. ; dér. du lat. *coalitus,* de *coalescere* «s'unir» ; rare jusqu'au XVIIIᵉ où le mot est repris à l'angl. *coalition* (1718).

◆ **1** Réunion momentanée (de puissances, de partis ou de personnes) dans la poursuite d'un intérêt commun. → **Alliance, association, confédération, entente, ligue.** *Une coalition de... Coalition politique.* → **Bloc, front.** *Ministère, gouvernement de coalition,* comprenant des membres de plusieurs groupes parlementaires. — Hist. *Les sept coalitions des puissances européennes contre la Révolution française et Napoléon 1ᵉʳ.*

1 (...) la Ligue des Nations devra être, avant toutes choses, un moyen de prolonger après la guerre, par une institution stable, la coalition du monde civilisé contre l'Allemagne et l'Autriche.

MARTIN DU GARD, les Thibault, t. IX, p. 234.

(...) à Vienne, on cherchait déjà à nouer, contre la France, 2 une nouvelle coalition et l'on était résolu à rompre le traité.

Louis MADELIN, l'Ascension de Bonaparte, XV, Le séjour à Paris, p. 225.

◆ **2** (1836). Anciennt. Entente* (entre ouvriers [→ **Syndicat**], patrons, commerçants, ou industriels) dans un but économique, professionnel ... *Le délit de coalition a été abrogé en 1864. Coalition en vue d'une grève*, d'un lock-out. Les meneurs, les organisateurs d'une coalition.*

◆ **3** Fig. (souvent péj.). Union, association. *La coalition des intérêts, des passions.*

Il y eut alors entre artistes une coalition de cervelles, une 3 fonte d'âmes.   HUYSMANS, En route, p. 8.

CONTR. **Discorde, rupture, scission.** ◊ DÉR. **Coaliser.**

COALTAR [kɔltaʀ] n. m. — 1850 ; de l'angl. *coal* «charbon», et *tar* «goudron».

Anglic. Techn. Goudron obtenu par la distillation de la houille. *Le coaltar est utilisé pour imprégner les bois* (par injection, enduit) *et en thérapeutique, comme désinfectant et antiseptique.*

J'étais dans le secteur, occupé à repeindre au coaltar un 1 bout de canalisation.

Pierre GASCAR, les Bêtes, p. 103.

Leur vieux bateau. Il a besoin d'être écopé, l'eau affleure le 2 caillebotis. Mais le fond a été repassé au coaltar, le bordé repeint, les tolets graissés (...)

Hervé BAZIN, Cri de la chouette, p. 159.

Appos. (1917, in Esnault). Pop. *Rouge coaltar* : vin rouge de mauvaise qualité.

Loc. fam. (1958, in Esnault). *Être dans le coaltar* : être dans une situation difficile ; être hébété, ahuri, inconscient, etc. (→ Être dans le brouillard, le cirage).

DÉR. **Coaltarer** ou **coaltariser.**

COALTARER [kɔltaʀe] ou **COALTARISER** [kɔltaʀize] v. tr. — 1866 ; de *coaltar.*

Techn. (vx). Enduire, imprégner de coaltar.

COAPTATION [kɔaptasjɔ̃] n. f. — 1834, Landais ; «adjonction, proportion», Bersuire, XIVᵉ ; lat. *coaptatio,* de *coaptare* «ajuster».

Didactique.

◆ **1** Chir. Rapprochement et ajustement des bords d'une plaie, des fragments d'un os fracturé ou de deux extrémités articulaires luxées.

Gédéon Spilett expliqua alors à Cyrus Smith qu'il croyait 1 devoir, avant tout, arrêter l'hémorragie, non pas fermer les deux plaies, ni provoquer leur cicatrisation immédiate (...).

Cyrus Smith l'approuva complètement, et il fut décidé qu'on panserait les deux plaies sans essayer de les fermer par une coaptation immédiate.

J. VERNE, l'Île mystérieuse, t. II, p. 688.

◆ **2** (V. 1930, Cuénot). Biol. Dispositif organique formé de parties séparées et agencées fonctionnellement.

Enfin fréquents sont aussi les exemples frappants de dispositifs spéciaux offrant un agencement de parties comparable à celui d'outils conçus par l'homme. C'est ce que CUÉNOT a appelé des *coaptations.* Elles se trouvent réalisées de toutes pièces chez l'individu, au cours du développement, préalablement à tout usage.

M. CAULLERY, les Étapes de la biologie, p. 118.

DÉR. **Coapteur.**

COAPTEUR [kɔaptœʀ] n. m. — XXᵉ ; du rad. de *coaptation.*

Chir. Appareil permettant d'opérer une coaptation. — Spécialt. Attelle métallique pour maintenir réunis les deux fragments d'un os fracturé.

COARCTATION [kɔaʀktɑsjɔ̃] n. f. — 1838; du lat. *coarctare*.

Didact. (méd., etc.). Rétrécissement d'un conduit naturel, spécialt, de l'isthme de l'aorte. *La coarctation aortique est une très grave malformation congénitale.*

COARCTÉ, ÉE [kɔaʀkte] adj. — 1478; lat. *coarctatus*, de *coarctare*, de *co-*, et *arctare*, de *arctus* «serré, étroit». Cf. moy. franç. *coarcter* «réprimer», 1547. → Coarté.

Didact. Qui présente une coarctation.

(1805, Cuvier). Zool. *Chrysalide coarctée*, dont la larve est entièrement enfermée.

COARTÉ, ÉE [kɔaʀte] adj. — 1946, Mounier, all. *koartiert*, 1921, Rorschach; du lat. *coartatus*, p. p. de *coartare* «serrer ensemble, resserrer, contraindre», de *co-* «avec», et *artare* «serrer, resserrer», de *artus* «serré, étroit». → Coarcté.

Psychol. (dans l'interprétation du test de Rorschach). Dont l'expression est limitée par une forte inhibition affective. *Les sujets coartés ne se déclarent ni comme introversifs* ni comme extratensifs*.* → aussi **Ambiéqual**. *«Il (Rorschach) y ajoute le type coarté (qui n'interprète ni par couleur ni par mouvement) : maniaque ou dépressif, et le type ambiéqual (interprète par la couleur autant que par le mouvement)»* (Mounier, *Traité du caractère*, 1946, p. 16, in T. L. F.). — N. *Un coarté, une coartée.*

COASSEMENT [kɔasmɑ̃] n. m. — 1600; de *coasser*.

♦ 1 Cri de la grenouille, du crapaud.

1 Pas d'autre bruit que le coassement rythmé des grenouilles. GIDE, Journal, 31 mai 1949.

2 Et soudain, presque sous nos pieds, un grave coassement de grenouille montait en bulle, et crevait mollement, nous arrêtait, anxieux d'une fondrière, d'un marécage aux traîtres profondeurs. M. GENEVOIX, Forêt voisine, p. 87.

♦ 2 (1832). Fig. et littér. Propos désagréables, malveillants.

REM. Ne pas confondre avec *croassement*.

COASSER [kɔase] v. intr. — XVIᵉ, *coaxer*; du lat. *coaxare*, grec *koax*, onomatopée.

♦ 1 Pousser son cri (en parlant de la grenouille, du crapaud).

REM. La confusion avec *croasser** a été faite par La Fontaine (*Fables*, II, 4) et par Voltaire (in Littré).

Des grenouilles coassaient «Paris-Beurre», des corbeaux croassaient «Paris-Beurre»... Je me reprenais, je luttais, j'allais chercher mes dernières forces sur les mains jointes des trafiquants assis dans les camions. Violette LEDUC, la Folie en tête, p. 29 (1970).

♦ 2 (Déb. XVIIIᵉ). Fig. et littér. Tenir des propos désagréables. → **Cabaler, clabauder, criailler.** *Les envieux coassent contre lui.*

DÉR. Coassement.

COASSOCIÉ, ÉE [kɔasɔsje] n. — Fin XVIᵉ; de *co-*, et *associé*.

Écon., dr. Personne associée à d'autres (dans une entreprise financière, commerciale, industrielle). — REM. On écrit aussi *co-associé*.

COASSURANCE [kɔasyʀɑ̃s] n. f. — 1876; de *co-*, et *assurance*.

Dr. Assurance par plusieurs assureurs en commun (ou *coassureurs*, représentés par un apériteur). — REM. On écrit aussi *co-assurance*.

COATI [kɔati] n. m. — 1558; du tupi, par l'intermédiaire du portugais.

Zool. Mammifère carnivore *(Procyonidés)* au corps allongé, au museau terminé en groin. *Le coati vit en Amérique du Sud. Des coatis* [kɔati].

COAUTEUR [kootœʀ] n. m. — 1863; de *co-*, et *auteur*.

♦ 1 Personne qui a collaboré à une œuvre littéraire écrite par plusieurs auteurs (→ **Collaborateur**). *Le professeur X et ses coauteurs, et les coauteurs du traité.*

♦ 2 Dr. Auteur d'un crime en même temps que d'autres (se distingue de *complice*).

REM. On écrit aussi *co-auteur*.

COAXIAL, IALE, IAUX [kɔaksjal, jo] adj. — 1911; de *co-*, et *axial*.

Techn. Qui a le même axe qu'un autre objet. *Fiche mâle à deux conducteurs coaxiaux.* → **Jack**. *Câble coaxial*, ou, n. m. (1976), *un coaxial* : câble formé de deux conducteurs concentriques isolés. *Hélices coaxiales.*

À petite distance on se sert du câble coaxial ; celui adopté en France est formé d'un cylindre intérieur de 5 millimètres de diamètre enveloppé par un cylindre extérieur de 18 millimètres de diamètre. Entre les deux des disques de 2 millimètres d'épaisseur placés à 25 millimètres les uns des autres maintiennent le centrage du conducteur intérieur. P. GRIVET et P. HERRENG, la Télévision, p. 99.

1. COB [kɔb] n. m. et adj. — 1880; mot anglais.

Techn. (Élevage, équitation, etc.). Cheval demi-sang, à l'encolure épaisse et courte, dont la queue est coupée. — Adj. (→ aussi Ponette, cit. Colette).

Le brave Gilou, ses fesses larges posées sur une jument cob, avait pris l'air maussade et irritable du vieux veneur dès que le cerf est attaqué. M. DRUON, la Chute des corps, II, x, p. 178.

2. COB [kɔb], **COBA** [kɔba], **COBE** [kɔb] n. m. → **Kob**.

COBALT [kɔbalt] n. m. — 1723; all. *Kobalt*, var. de *Kobold* «lutin». → Nickel, étymologie.

Corps simple (symb. *Co*; p. at. 59 env.; nᵒ at. 27), métal dur, blanc-gris à reflets, de densité 8,9, fondant difficilement, peu malléable, que l'on trouve allié au fer et au nickel dans les météorites, et dans les minerais arséniés (smaltite) ou sulfoarséniés. *Le cobalt sert à préparer un certain nombre de colorants. Bleu de cobalt (→ Safre). Alliages du cobalt, à propriétés magnétiques remarquables. Dépôt électrolytique de cobalt.* → **Cobaltage**. *Sels bleutés du cobalt.*

Le ciel était d'un bleu de cobalt pur (...) E. FROMENTIN, Un été dans le Sahara, p. 105. 1

Tons de *cobalt* apparaissant dans les masses de verdure du fond et parfois doré des devants. E. DELACROIX, Journal, 10 oct. 1849. 2

Cobalt radioactif ou *radiocobalt* (dont le *cobalt 60*), source de rayons γ, utilisé en thérapeutique. *Bombe* au cobalt* (irradiations médicales). → 1. **Bombe**.

DÉR. Cobaltage, cobalteux, cobaltique, cobaltite. ◊ COMP. Cobalthérapie ou cobaltothérapie, cobamide.

COBALTAGE [kɔbaltaʒ] n. m. — 1890; de *cobalt*.

Techn. Opération qui consiste à recouvrir un métal d'une couche de cobalt pour le protéger de l'oxydation.

COBALTEUX, EUSE [kɔbaltø, øz] adj. — 1900; de *cobalt*.

Chim. Se dit des composés du cobalt bivalent.

COBALTHÉRAPIE [kɔbalteʀapi] ou **COBALTO-THÉRAPIE** [kɔbaltoteʀapi] n. f. — V. 1960; de *cobalt*, et -*thérapie*.

Méd. Utilisation thérapeutique du rayonnement du cobalt radio-actif (bombe* au cobalt). *«Utiliser des injections intraveineuses d'un peroxyde huileux (...) en même temps que la radiothérapie et la cobalthérapie»* (Science et Vie, nᵒ 592, p. 118).

COBALTIQUE [kɔbaltik] adj. — 1845; de *cobalt*.
Chim. Se dit des composés du cobalt trivalent.

COBALTITE [kɔbaltit] n. f. — Mill. xxᵉ; de *cobalt*.
Minér. Carbonate naturel de cobalt.

COBAMIDE [kɔbamid] n. m. ou f. — V. 1960; de *cob(alt)*, et *amide*.
Chim., biol. Noyau de la vitamine B_{12} porteur du cobalt, à six fonctions amide. *Le* (ou *la*) *cobamide joue dans l'organisme un rôle de coenzyme.*

COBAYE [kɔbaj] n. m. — 1820; du lat. zool. *cobaya* (1775), du tupiguarani, par le portugais.

♦ **1** Mammifère rongeur (*Caviidés*; n. sc. : *cavia*), au pelage à fond blanc taché de roux ou de noir. — Syn. : *cochon d'Inde. Le cobaye est élevé pour sa chair, comme animal d'agrément et pour servir de sujet d'expériences dans les laboratoires* (physiologie, médecine). *Les cobayes d'une animalerie.*

♦ **2** Loc. *Servir de cobaye* : être utilisé comme sujet d'expérience. Par ext. *Cobaye* : sujet d'expérience.

1 Vous êtes des cobayes, chers hommes, et des cobayes fort mal utilisés, puisque les épreuves que vous subissez ne sont infligées, variées, répétées qu'au petit bonheur.
VALÉRY, Regards sur le monde actuel, p. 201.

2 (...) une expérience psychologique dont vos livres tireraient profit. Je serais votre cobaye, et une espèce de cobaye particulièrement rare et précieuse : le cobaye lucide.
MONTHERLANT, les Jeunes Filles, *in* Romans, Pl., t. I, p. 1017.

COBÉA ou **COBÆA** [kɔbea] n. f. — 1801; lat. bot. *cobæa*, mot créé en l'honneur du missionnaire *Cobo*.
Bot. Arbrisseau originaire d'Amérique tropicale, à tige grimpante (liane) et à grandes fleurs bleues (famille des *Polémoniacées*; dicotylédone). — Var. francisée : *cobée* [kɔbe] n. f.

(...) un perchoir de treillage pour la cobée violette à langues de dragon (...)
COLETTE, Flore et Pomone, *in* Gigi, p. 180.

COBELLIGÉRANT, ANTE [kobeliʒeʀɑ̃, ɑ̃t; kobɛlli-ʒeʀɑ̃, ɑ̃t] n. m. et adj. — 1794, *co-belligérant, in* D.D.L.; de *co-*, et *belligérant*.
Didact. Pays qui est en guerre en même temps qu'un allié contre un ennemi commun. → **Allié, coalisé.** *Un, des cobelligérants.* — Adj. *Les nations cobelligérantes.*

COBITIDÉS [kɔbitide] n. m. pl. — 1846, *cobitide*, Bescherelle; dér. sav. du lat. sc. *cobitis* (1839, Boiste, *Suppl.*).
Zool. Famille de poissons téléostéens physostomes abdominaux. *Types principaux de cobitidés :* acanthopsis ou cobitis, misgurne. → **Loche.** — Au sing. *Un cobitidé.*

COBLA [kɔbla] n. f. — V. 1960; mot esp., «ensemble de musiciens jouant des sardanes».
Hispanisme. Troupe de musiciens catalans.
Je suis venue ici, il y a deux ans. Réginald avait donné une fête pour un anniversaire de je ne sais plus lequel. Devant la maison, il faisait danser tout le village avec la cobla du pays. C'était très joli.
H.-F. REY, les Pianos mécaniques, p. 165.

COBOL [kɔbɔl] n. m. — 1967, *in* Höfler; acronyme de l'angl. *co(mmon) b(usiness) o(riented) l(anguage)*.
Inform. Langage de programmation évolué, utilisé surtout pour l'écriture des programmes de gestion.

COBRA [kɔbʀa] n. m. — 1856; sous la forme *cobra capel*, 1587, puis 1670, et *cobra de capello*, 1701; du port. *cobra de capello* «couleuvre (cobra) chapeau».
Reptile ophidien (*Protéroglyphes*), scientifiquement appelé *naja*, remarquable par la dilatabilité de son cou, qui forme un capuchon orné d'un motif rappelant des lunettes (d'où le nom de *serpent à lunettes*) et par la toxicité de son venin. → **Naja.** *Le cobra d'Arabie* ou *aspic de Cléopâtre.*

1. COCA [kɔka] n. — 1568; mot espagnol, *coca, cuca*, d'une langue du Pérou.

♦ **1** N. m. ou f. Plante dicotylédone, arbrisseau d'Amérique dont les feuilles contiennent un alcaloïde, la *cocaïne* (famille des *Linacées*, nom sc. : *erythroxylon coca*). → Bétel, cit. 2. — Syn. (rare) : *cocaïer*, n. m.

♦ **2** N. f. *La coca* : la substance extraite de la feuille du *coca. La coca est un stimulant et un aliment d'épargne. Vin de coca. Boisson à la coca* (→ **Coca-cola**). *«Une trentaine de jeunes toxicomanes péruviens, consommateurs de "pâte de coca", une drogue assez répandue en Amérique du Sud.»* (la Recherche, nᵒ 151, janv. 1984, p. 8).

2. COCA [kɔka] n. m. → **Coca-cola.**

3. COCA [kɔka] n. f. → **Cocaïne.**

COCA-COLA [kɔkakɔla] n. m. invar. — Répandu en France v. 1945; nom de marque américain, 1886, date de son lancement à Atlanta (États-Unis); nom déposé.
Boisson gazéifiée (initialement fabriquée à base de coca*) comportant des grains de cola aux vertus stimulantes. → Bulleux, cit. 1. *Une bouteille de coca-cola. Un coca-cola :* une bouteille de coca-cola. *Des coca-cola.*

1 Des pasteurs, du coca-cola et des voitures... C'est toujours à ça que ça revient, la démocratie occidentale.
Boris VIAN, l'Équarrissage pour tous, *in* Théâtre, p. 321.

2 Brogan ne tenait pas en place; il allait chercher au comptoir une bouteille de coca-cola, il glissait un nickel puis un autre dans la boîte à disques...
S. DE BEAUVOIR, les Mandarins, p. 313 (1954).

Abrév. (1966). **COCA**, n. m. *Du coca. Une bouteille de coca.* — *Un coca :* un verre de coca-cola. *Un coca rondelle*, servi avec une rondelle de citron.

3 On se réunit
Avec les amis
Tous les mercredis
Pour faire des snobisme-parties
Il y a du coca
On déteste ça (...)
Boris VIAN, Je suis snob, *in* Textes et Chansons, p. 28-29.

Altération plaisante : *caco-calo* (R. Queneau, Zazie dans le métro).

REM. On rencontre aussi l'abréviation américaine *coke*, n. m. (1909 aux États-Unis), qui tend à se répandre, notamment au Canada. *«Des jeunes de tous âges, et même des moins jeunes, dialoguaient avec des machines en sirotant des "cokes"»* (le Nouvel Obs., nᵒ 995, 2 déc. 1983, p. 95).

COCAGNE [kɔkaɲ] n. f. — Fin XIIᵉ; orig. incert., mot méridional : provençal, ital. Pour P. Guiraud, il s'agit d'un mot roman, p.-ê. de *cocca* «coquille, objet rond» ou de *coquera* «faire cuire». *Coucagno* est attesté en provençal au sens de «pain de pastel», et *coco* au sens de «brioche».

♦ **1** Vx, littér. Réjouissance.

1 Je vois des cocagnes pour un peuple immense, des feux d'artifice (...)   VOLTAIRE, Lettre à Catherine II, 147.

♦ **2** Loc. mod. *Pays de cocagne* : pays imaginaire où l'on a tout en abondance. → Macaronique, cit. 1. *Vie de cocagne.*

2 Paris est pour le riche un pays de cocagne.
               BOILEAU, Satires, VI.

3 Le pays de Cocagne est sans aventures, merveille par soi-même. Le merveilleux, comme le sacré dont il semble le domaine mineur, appartient au Tout-Autre, à un monde parfois consolant et parfois terrible, mais d'abord différent du réel.   MALRAUX, les Voix du silence, p. 512.

♦ **3** Loc. *Mât de cocagne* : mât de section circulaire, dressé dans les fêtes publiques et au sommet duquel sont suspendus des objets ou des friandises qu'il faut aller détacher en grimpant.

COCAÏER [kɔkaje] n. m. → 1. **Coca**, 1.

COCAÏNE [kɔkain] n. f. — 1856, Lachâtre; de *coca*, suff. *-ine*.

Chim. Alcaloïde ($C_{17}H_{21}NO_4$) extrait des feuilles du coca ou produit par synthèse. *Sel, sulfate de cocaïne. Utilisation thérapeutique du chlorhydrate de cocaïne.* → **Cocaïnisation** — Substance préparée à partir de la cocaïne (ou d'un sel de cet alcaloïde), à propriétés médicales (anesthésiques, analgésiques, toniques...) et qui peut agir comme stupéfiant*. *Poudre de cocaïne. Injection de cocaïne. Prise de cocaïne.* → (argot) **Ligne, sniff**. *Toxicomanies par cocaïne.* → **Cocaïnisme, cocaïnomanie.**

Abrév. fam. → 5. **Coco.** On rencontre aussi *coca*, n. f., et *coke*, n. f. (plus cour.) : «*Contrairement aux U.S.A., la coke reste en France confinée au petit milieu des nuiteux élitistes*» (*Libération*, 22 déc. 1983).

DÉR. **Cocaïnique, cocaïnisation, cocaïnisme.** ◊ COMP. **Cocaïnomane, cocaïnomanie.**

COCAÏNIQUE [kɔkainik] adj. — 1891, *in* D.D.L.; de *cocaïne.*

Chim. De la cocaïne. *Assuétude cocaïnique.* → **Cocaïnisme.**

COCAÏNISATION [kɔkainizasjɔ̃] n. f. — 1896; de *cocaïn(e)*, et *-isation.*

Méd. Emploi thérapeutique du chlorhydrate de cocaïne en solution.

COCAÏNISME [kɔkainism] n. m. — 1897; de *cocaïne.*

Méd. Intoxication par la cocaïne.

COCAÏNOMANE [kɔkainɔman] n. — 1897; de *cocaïne*, et *-mane.*

Personne intoxiquée par un usage fréquent de cocaïne. → **Toxicomane.** *Un, une cocaïnomane.*

COCAÏNOMANIE [kɔkainɔmani] n. f. — 1890; de *cocaïne*, et *manie.*

Toxicomanie* par la cocaïne.

COCARD [kɔkaʀ] n. m. → **Coquard.**

COCARDE [kɔkaʀd] n. f. — 1530; de l'anc. franç. *coquart, coquard*, de *coq* «sot, vaniteux».

I ♦ **1** Ancienn. Insigne* de forme et de couleur variables que l'on portait sur la coiffure. → **Emblème.** *Cocarde militaire. Cocarde tricolore, noire, rouge.* (1789). Hist. *Cocarde tricolore;* (1790) *cocarde nationale* : insigne des partisans de la Révolution, puis emblème des républicains. *Cocarde blanche,* insigne des royalistes légitimistes.

Loc. Vx. *Prendre la cocarde* : se faire soldat.

Par ext. Vx. Nation, parti (dont la cocarde est l'emblème).

♦ **2** Insigne aux couleurs nationales. *Cocarde tricolore.*

(...) il s'était (...) orné de tricolore, portant à son «chapeau rond» une énorme cocarde «de six pouces carrés» (...)
      Louis MADELIN, Talleyrand, V, XXXVII, p. 403.

♦ **3** (1835). Vx. Ornement en ruban, plumet, pompon garnissant les chapeaux de femme. *Un chapeau avec une cocarde de rubans.*

♦ **4** Dans certaines courses de taureaux ou de vaches (landaises), Rosace qu'il faut placer sur la tête de l'animal (Landes) ou arracher de son front (Provence).

II (1858). Fam. et vx. → **Tête.** Loc. *Taper sur la cocarde,* en parlant de l'effet enivrant d'un vin. — (1861). Vx. *Avoir sa cocarde* : être ivre (→ Se cocarder).

DÉR. **Cocardeau, cocarder (se), cocardier.**

COCARDEAU [kɔkaʀdo] n. m. — 1843; de *cocarde.*
Régional. Giroflée.

COCARDER (SE) [kɔkaʀde] v. intr. — 1877; de *avoir sa cocarde,* II.

Pop., vx. → **Boire, enivrer** (s'), **griser** (se).

COCARDIER, IÈRE [kɔkaʀdje, jɛʀ] adj. — 1858; de *cocarde.*

♦ **1** Qui porte la cocarde (4.), en parlant d'un taureau. *Taureau cocardier.* — N. m. *Un cocardier* : un taureau cocardier.

♦ **2** Fig. ⓐ (Personnes). Vieilli. Qui aime les décorations, les uniformes.

ⓑ (Personnes; choses). Mod. D'un patriotisme exalté, chauvin, militariste. → **Chauvin, patriotard.** *Il est un peu cocardier.* → **Nationaliste.** *Un article cocardier; une déclaration cocardière.*

1 Je ne sais pas ce que j'ai. Je ne suis pourtant pas cocardier, mais ça me fait plaisir de voir un officier Prussien.
           J. RENARD, Journal, 6 mai 1902.

2 (...) si tu as pensé au sabre, c'est simplement par goût de la fioriture et de la gloriole parce que tu sais t'en servir d'une façon merveilleuse (...) parce que tu ne pourras jamais te guérir de tes façons cocardières qui t'ont déjà rendu maintes fois ridicule.
        J. GIONO, le Hussard sur le toit, p. 140.

N. *Être un cocardier intransigeant.* → **Chauvin.**

3 Le choléra est une saloperie, mais le reste est une saloperie encore pire. Ne faites pas le cocardier.
        J. GIONO, le Hussard sur le toit, p. 102.

COCASSE [kɔkas] adj. — 1742; de *coquard* (→ Cocarde) avec changement de suffixe.

Fam. Qui est d'une étrangeté bouffonne, qui étonne et fait rire. → **Amusant, bouffon, comique, drôle, risible.** *Un homme cocasse.* → **Original.** *Histoire cocasse. C'était tout ce qu'il y a de plus cocasse. Des gloussements cocasses* (→ Redire, cit. 5).

1   En mettant tout pour le mieux, disait la plus âgée, d'une voix cocasse et suraiguë qu'elle cherchait vainement à adoucir (...)
ALAIN-FOURNIER, le Grand Meaulnes, p. 90.

2   (...) le détraquement cérébral de Letondu apparaissait prodigieusement farce et cocasse.
COURTELINE, Messieurs les ronds-de-cuir,
3e tableau, p. 106.

N. m. Caractère de ce qui est d'un comique absurde. Ensemble des traits risibles d'une personne, d'une situation, etc.

3   Le cocasse, nuance nouvelle du rire et du comique, diffère du rire classique, de l'ironie, de l'humour. Ni la situation ni l'action ne font rire ; il n'y a pas de situation ni d'action bien définies ; dans le cocasse il n'en est pas besoin. La « crédibilité » du récit ne fait plus problème. Cette question disparaît comme les référentiels. Ce qui donne un grand sentiment d'aisance, de liberté langagière. S'il subsiste un terrain, un lieu commun, c'est le quotidien, que l'on quitte sur les ailes du langage. Le rire vient des mots et seulement des mots. C'est un comique langagier, formel : la *vis comica* des jeux de mots, calembours, contrepèteries, allitérations et assonances, utilisés méthodiquement.
Henri LEFEBVRE, la Vie quotidienne dans le
monde moderne, p. 261.

CONTR. Sérieux. ◊ DÉR. Cocassement, cocasserie.

COCASSEMENT [kɔkasmã] adv. — 1894, Bloy ; de *cocasse.*

D'une manière cocasse. *Il se moque du gouvernement assez cocassement. Il est cocassement solennel.*

COCASSERIE [kɔkasʀi] n. f. — 1836 ; de *cocasse.*

♦ 1 *(Une, des cocasseries).* Action, parole cocasse. *Débiter des cocasseries.* → **Baliverne, calembredaine.** — Situation, chose cocasse.

♦ 2 *(La cocasserie).* Caractère cocasse. → **Bouffonnerie, drôlerie.** *La cocasserie d'une situation, du style. Une bande dessinée d'une cocasserie désopilante.* → **Cocasse (n. m.).**

COCCACÉES [kɔkase] n. f. pl. — XXe, *in* Larousse, 1929 ; lat. sc., de *coccus* « grain », suff. *-acées,* lat. *-aceus.*

Bot. Groupe de plantes cryptogames protophytes bactériacées comprenant celles qui présentent des éléments ronds, sphériques ou ovoïdes. → **Bactérie.** — Au sing. *Une coccacée.*

COCCI-, COCCO- Premier élément de mots didactiques, du lat. *coccus* « grain », grec *kokkos.*

COCCIDÉS [kɔkside] ou **COCCIDES** [kɔksid] n. m. pl. — 1898 ; du grec *kokkos* « graine », et *-idés.*

Zool. Famille d'insectes hémiptères (ordre des Homoptères), dont le type est le coccus. → **Coccus, cochenille.** — Au sing. *Un coccidé, un coccide.*

COCCIDIE [kɔksidi] n. f. — 1890, *in* Encycl. Berthelot ; 1846, en bot. ; lat. sc. *coccidium,* du lat. *coccus,* grec *kokkos* « grain ».

Didact. Protozoaire *(Sporozoaires)* parasite des cellules de l'épithélium de nombreux animaux invertébrés et de certains organes (intestin, foie, rein) d'animaux supérieurs (surtout le lapin).

DÉR. Coccidien, coccidiose.

COCCIDIEN, IENNE [kɔksidjɛ̃, jɛn] adj. — 1906, *in* Rev. gén. des sc., n° 15, p. 677 ; de *coccidie.*

Didact. Des coccidies ; provenant des coccidies. *Troubles coccidiens.*

COCCIDIOSE [kɔksidjoz] n. f. — 1901, *in* D.D.L. ; de *coccidi(e),* et *-ose.*

Didact. Affection hépatique extrêmement grave, due aux coccidies, et qui atteint les ruminants, le porc, le lapin, les oiseaux.

-COCCIE → **-coque.**

COCCIFORME [kɔksifɔʀm] adj. — 1903, *in* Rev. gén. des sc., n° 22, p. 1130 ; de *cocci-,* et *-forme.*

Didact. Qui a la forme d'un grain. *Bactéries cocciformes.* → **Coccus ; coccobacille.**

COCCINELLE [kɔksinɛl] n. f. — 1754 ; lat. mod. *coccinella,* du lat. *coccinus* « écarlate », de *coccum* « cochenille ».

Cour. Insecte coléoptère *(Coccinellidés)* au corps hémisphérique, aux couleurs vives, communément appelé *bête à Bon Dieu* (la variété la plus caractéristique a des élytres orangés à points noirs).

Un point rouge qui se meut en haut de son flanc gauche, c'est une coccinelle qui s'est posée sur le revers de son veston, sans qu'il l'ait vue venir (trop absorbé par l'image évoquée). Il prend entre deux doigts, délicatement, le petit coléoptère qui ressemble à une minuscule tortue décorée au pinceau dans le goût suisse allemand (...)
A. PIEYRE DE MANDIARGUES, la Marge, p. 163.

Fam. Nom d'une voiture populaire (modèle de Volkswagen).

COCCO- → **Cocci-.**

COCCOBACILLE [kɔkobasil] n. m. — 1891 ; de *coccus,* et *bacille,* d'après l'allemand.

Hist. méd. Nom donné par Pfeiffer (1891) au virus de la grippe. Vx. Petit bacille court de forme ovale.

COCCOLITE [kɔkɔlit] n. f. — D. i. ; de *coccus* et *-lite* (→ -lithe).

Minér. Plaque calcaire enveloppant certaines algues du groupe des chrysophycées, dites *coccolithophoracées,* constituant un élément important du plancton marin. *Coccolites fossiles des vases pélagiques.*

COCCUS [kɔkys] n. m. — 1752, bot. ; du lat. *coccum* « grain rouge ».

♦ 1 Bot., vx. Kermès.

♦ 2 Zool. Insecte hyménoptère *(Coccidés)* vivant sur une cactée.

♦ 3 (1896). Bactérie de forme arrondie (streptocoque, etc.). → **-coque.**

Plur. : *des coccus* ou *des cocci* [kɔksi].

COCCYGIEN, IENNE [kɔksiʒjɛ̃, jɛn] adj. — 1753 ; de *coccyx.*

Anat. Du coccyx, de la région du coccyx. *Vertèbres coccygiennes.*

COMP. Sacro-coccygien.

COCCYX [kɔksis] n. m. — 1541 ; grec *kokkux* « coucou », en raison de l'analogie de forme avec le bec d'oiseau.

Anat. Petit os situé à l'extrémité inférieure de la colonne vertébrale, articulé avec le sacrum. *Du coccyx.* → **Coccygien.**

Le sacrum et le coccyx sont unis l'un à l'autre par un ligament interosseux et des ligaments périphériques.
L. TESTUT, Traité d'Anatomie, t. I, p. 523.

Euphém. plais. *Se faire mal au coccyx,* au derrière.

DÉR. Coccygien.

1. COCHE [kɔʃ] n. f. — 1175; p.-ê. du lat. pop. *cocca (ital. *cocca), de *coccum. → Coccus.

♦ **1** Vx ou régional. Entaille faite dans un corps solide (le plus souvent, le bois). → **Encoche.** *La coche d'une arbalète, d'une flèche. Faire une coche sur un bâton.*
Par ext. Entaille.
Cette vallée est une coche de deux mille pieds de profondeur entaillée dans un plein bloc de granit.
     CHATEAUBRIAND, Mémoires d'outre-tombe, IV, II.

♦ **2** → **Marque.** *Faire une coche sur un carnet.* → **Cocher.**

DÉR. **Cocher, cochoir.** ◊ COMP. **Décocher, encoche.**

2. COCHE [kɔʃ] n. f. — XIIIᵉ; de *cochon.

♦ **1** Vx ou régional. Femelle du cochon. → **Truie.**

♦ **2** Fig. et pop. (Vx.) Femme grosse et vulgaire.

3. COCHE [kɔʃ] n. m. — 1283; fém. jusqu'au XVIᵉ; anc. néerl. *cogge, du bas lat. *caudica* «sorte de bateau» avec infl. de 4. *coche* à partir du XVIᵉ.

Anciennt. **COCHE D'EAU** : grand chaland de rivière, halé par des chevaux, et qui servait au transport des voyageurs.
Le *Burchiello* était jadis le seul moyen de transport, celui de Montaigne, du Président De Brosses, de Goethe, et de Casanova dont les Mémoires s'ouvrent par une si jolie description de ce coche dont le musée Correr possède une maquette d'époque (...)
     Paul MORAND, Venises, p. 106.
Mod. *Coche* ou *coche de plaisance* : recomm. offic. pour *house-boat* (d'après *coche d'eau*), qui semble inusitée.

4. COCHE [kɔʃ] n. m. — 1545; all. *Kutsche*, soit du hongrois *kocsi*, de *Kocs* (n. de ville), soit du tchèque *cotchi* (1440 ?), de *Košice* (n. de ville).

♦ **1** Anciennt. Grande voiture tirée par des chevaux, qui servait au transport des voyageurs. *La diligence a succédé au coche. Conducteur de coche.* → 1. **Cocher.**

1   Dans un chemin montant, sablonneux, malaisé,
Et de tous les côtés au soleil exposé,
Six forts chevaux tiraient un coche.
     LA FONTAINE, Fables, VII, 9.

Loc. (Par allus. à la fable de La Fontaine). *Être, faire la mouche* du coche.*

♦ **2** Loc. fig. *Manquer le coche; louper, rater le coche* (fam.) : perdre l'occasion de faire une chose utile, profitable.

2   Petit-Pouce estima qu'il était de son intérêt de coller aux chausses du grand patron afin de ne pas louper le coche.
     R. QUENEAU, Pierrot mon ami, éd. L. de Poche, p. 97.

3   À un ensemble de sentiments complexes s'ajouta celui d'un dernier coche qu'il ne fallait pas manquer.
     Emmanuel BERL, le Virage, p. 111.

DÉR. **Cocher, cochère.**

COCHELET [kɔʃlɛ] n. m. — D. i.; var. de *coquelet*, de *coq.*

Vx, régional. Jeune coq. → **Cochet.**

COCHENILLAGE [kɔʃnijaʒ] n. m. — 1723; de *cocheniller.*

Techn. Bain de teinture de cochenille.

COCHENILLE [kɔʃnij] n. f. — 1578; *cossenille*, 1567; esp. *cochinilla* «cloporte», de *cochino* «cochon», appliqué au XVIᵉ (au Mexique) à la cochenille.

♦ **1** Insecte hémiptère (*Homoptères; Coccidés*) dont une espèce (cochenille du nopal) fournit une teinture rouge écarlate. *Cochenille du nopal, de l'oponce. Cochenille sylvestris. Cochenille de Pologne.*

♦ **2** La teinture elle-même. *Teindre en cochenille.*
(...) ce rouge ne se tire pas seulement de matières animales ou végétales comme la cochenille, le santal rouge, le bois de Fernambouc, mais aussi de minéraux comme le cinabre, le minium de minéraux de plomb, de soufre et de mercure calcinés au feu de réverbère.
     Ed. et J. DE GONCOURT,
     la Femme au XVIIIᵉ siècle, II, p. 141.

♦ **3** N. f. pl. **COCHENILLES.** Vx. Une des trois divisions formant avec les aleurodes et les pucerons ou *aphidiens* le sous-ordre des insectes hémiptères phytophtires. — Au sing. *Une cochenille.*

DÉR. **Cocheniller.**

COCHENILLER [kɔʃnije] v. — 1671; de *cochenille.*

♦ **1** V. intr. Récolter la cochenille.

♦ **2** V. tr. Plonger (une étoffe) dans un cochenillage.

DÉR. **Cochenillage.**

1. COCHER [kɔʃe] n. m. — 1560; de 4. *coche.*
Personne qui conduit une voiture de maître ou une voiture publique hippomobile. → **Conducteur;** automédon (par plais.), postillon. *Cocher de grande maison. Cocher de fiacre.* → (Vx) **Colignon** (cit.), **voiturin.** Loc. vx. *Avoine** (4.) *des cochers.*

1   Est-ce à votre cocher, Monsieur, ou bien à votre cuisinier, que vous voulez parler? car je suis l'un et l'autre.
— C'est à tous les deux.   MOLIÈRE, l'Avare, III, 1.

2   (...) un vieux cocher à carrick, qui conduisait une haridelle (...)
     FRANCE, la Vie en fleur, XXIX,
     p. 337. (→ Canasson, cit. 1).

3   En cette fin de 1908, le cochers raillent encore les pannes d'automobiles : les arrêts inopinés en pleine côte (...)
     J. ROMAINS, les Hommes de bonne volonté, t. III,
     XII, p. 164.

Vx et fam. *Fouette, cocher!* : ordre donné au cocher de fouetter ses chevaux pour partir. — Fig., mod., par plais. *Fouette, cocher!* : *Allons! En avant!*
Mythol. *Le cocher céleste, le cocher du soleil* : le conducteur du char du soleil. → **Phaéton** (étym.). *La constellation du Cocher* (Auriga).

REM. En parlant d'une femme, on dit (ou on disait) : *elle est cocher; femme-cocher.* La forme *cochère*, n. f., signalée in *Larousse mensuel* 1907, p. 22, semble rare.

HOM. 2. **Cocher.**

2. COCHER [kɔʃe] v. tr. — Déb. XIVᵉ; de 1. *coche.*

♦ **1** Vx. Faire une coche, une entaille à (qqch.).

♦ **2** Par ext. Marquer d'un trait, d'un repère. *Cocher des noms sur une liste.* → **Noter.** — Au p. p. (par métaphore, littéraire) :
La pensée la plus inquiète avait son reflet parfait et paisible, et la route blanche, cochée jusqu'à l'infini de ses seules bornes, était la seule mesure humaine de tout ce repos.
     GIRAUDOUX, Simon le Pathétique, p. 146.

HOM. 1. **Cocher.**

CÔCHER [koʃe] v. tr. — 1680; altér. de l'anc. franç. *chauchier* (déb. XIIIᵉ), *caucher;* du lat. *calcare* «presser, fouler».

Rare. Couvrir la femelle (en parlant des oiseaux).

REM. On trouve aussi la forme *cocher*, sans accent.

COCHÈRE [kɔʃɛʀ] adj. f. — 1611; de 4. *coche*.

Porte cochère : porte dont les dimensions permettent l'entrée d'une voiture dans la cour d'une maison. *Une maison à porte cochère.* «*Entrée cochère*» (Colette). *Porte cochère et porte piétonne.*

1 Richelieu avait été réduit à taxer les portes cochères de Paris (...)   VOLTAIRE, le Siècle de Louis XIV, 2.

2 (...) chaque fois que la porte cochère s'ouvrait, la concierge appuyait sur un bouton électrique qui éclairait l'escalier (...)
      PROUST, À la recherche du temps perdu, t. IX, p. 166.

Loc. fig. *Ouvrir les yeux comme des portes cochères*, les garder très ouverts (sous l'effet d'une émotion).

COCHERELLE [kɔʃʀɛl] n. f. — 1836; de *coche*, forme régionale de *coque*, désignant des champignons de forme arrondie (coulemelle, etc.).

Lépiote* élevée (champignon comestible). → **Coulemelle.**

COCHET [kɔʃɛ] n. m. — Déb. XIIIᵉ; de *coq*.

Vieilli. Jeune coq. → **Cochelet; coquelet.**

COCHEVIS [kɔʃvi] n. m. — 1327; *coquevil*, 1289; origine obscure; p.-ê., selon P. Guiraud, de *coq* «crête» et de l'anc. franç. *chevier* «lever la tête».

Oiseau passeriforme (Passereau, Alaudidés) scientifiquement appelé *galérida*. → **Alouette** (*alouette cochevis* ou *alouette huppée*). *Le cochevis est plus grand que le moineau et a la tête ornée d'une huppe érectile.*

COCHINCHINOIS, OISE [kɔʃɛ̃ʃinwa, waz] n. et adj. — 1721, *in* D.D.L.; de *Cochinchine*, partie méridionale du Viêt-nam.

De Cochinchine. → **Vietnamien.**

Spécialt. *Race cochinchinoise* : race de gallinacés originaire de la Cochinchine.

COCHLÉAIRE [kɔkleɛʀ] adj. — 1805; du lat. *cochlea* «escargot».

Spiralé comme la coquille de l'escargot. — Anat. *Appareil, organe cochléaire* : partie de l'oreille interne qui communique avec le limaçon (cochlée). *Nerf cochléaire* : ensemble des fibres nerveuses qui transmettent les impressions auditives au cerveau.

COCHLÉARIA [kɔklearja] n. m. ou **COCHLÉAIRE** [kɔkleɛʀ] n. f. — 1599, *cochlearia*; *cochléaire*, 1669; lat. bot. → **Cuiller.**

Bot. Plante des lieux humides (Crucifèracées), à feuilles incurvées en forme de cuiller, dont une variété, dite *herbe-aux-cuillers*, *herbe-au-scorbut*, était cultivée pour ses propriétés antiscorbutiques. *Une espèce de cochléaire* (Cochlearia armoracia) *sert de condiment.* → **Raifort.**

Jasper Hobson s'était muni d'une certaine quantité de graines qu'il comptait semer quand la saison serait venue. C'étaient principalement des graines d'oseille et de cochlearias, dont les propriétés antiscorbutiques sont très appréciées sous ces latitudes.
      J. VERNE, le Pays des fourrures, II, XIV, p. 190.

COCHLÉE [kɔkle] n. f. — 1845; du lat. *cochlea* «escargot», suff. -*ée*.

Anat. Conduit de l'oreille interne, de forme hélicoïdale. → **Limaçon.**

COCHOIR [kɔʃwaʀ] n. m. — XVIIIᵉ; de 1. *coche*.

Techn. (anciennt). Hache de tonnelier, à lame recourbée.

COCHON [kɔʃɔ̃] n. m. — V. 1270, E. Boileau; comme nom propre, 1091; orig. incert. Signifie en anc. franç. «jeune porc»; on a proposé l'onomat. *kos, kos* servant à appeler les porcs, ainsi que le bas lat. *cutio* «cloporte»; P. Guiraud rapproche *coche* «truie» de *coche* «cénelle, fruit de l'églantier», suggérant une forme *coccum* «cochenille»; il propose aussi le roman *codica* «souche», suff. -*on*.

Ⅰ ◆ **1** Animal domestique, porc élevé pour l'alimentation (le plus souvent châtré; opposé à *verrat**). → **Goret, porc, pourceau.** *Engraisser, élever des cochons.* — *Cochon de lait* : petit cochon non sevré. → **Cochonnet, porcelet.** *Cochon à l'engrais*, en train d'être engraissé. *Cochon gras, bon à tuer. Femelle du cochon.* → 2. **Coche, truie.** *Une truie et ses petits cochons.* → **Cochonnée; porcelet.** *Le cochon se vautre dans la fange, fouille la terre de son groin. Cri du cochon.* → **Grognement, grogner.** *Vendre un cochon. Marchand de cochons. Tuer un cochon, le cochon. Saler un cochon. Soies du cochon.*

Par ext. La viande de cet animal. → **Porc.** *Manger de la viande de cochon, manger du cochon.* → **Charcuterie, cochonnaille** (fam.). *Groin, oreilles, pieds, queue de cochon. Graisse du cochon.* → **Panne.** *Peau de cochon.* → **Couenne.** — *Fromage de cochon* : pâté fait avec la chair de la tête (joues) du cochon. (On dit plus souvent *fromage de tête*).

1 Après donc qu'elle (*Circé*) leur eut donné à boire, elle les frappa d'une baguette (*les compagnons d'Ulysse*), et les renferma dans un toit à cochon; et ils prirent tous la figure de cochon, la tête, la voix, le corps et le poil.
      RACINE, Remarques sur l'Odyssée d'Homère, X.

2 Nous sommes juifs comme vous, ne mangeant point de cochon, point de boudin.
      VOLTAIRE, Philosophie, III, 174.

3 Je nommai le cochon par son nom; pourquoi pas?
      HUGO, les Contemplations, I, 7.

4 (...) un fort cochon, bon à tuer, rond comme une bedaine de chaume.
      ZOLA, la Faute de l'abbé Mouret, p. 466.

5 À l'extrémité du camp, les cochons, noirs comme des sangliers, grognaient rageusement en donnant de la tête contre la porte des soues, car l'heure de leur souper approchait.
      P. MAC ORLAN, la Bandera, VII, p. 82.

Par ext. *Cochon sauvage.* → **Sanglier.** — *Cochon d'Amérique, cochon noir.* → **Pécari.**

◆ **2** (Qualifié). Autres mammifères. *Cochon d'Inde* (cour.), ou *cochon de Barbarie.* → **Cobaye.** — *Cochon des blés.* → **Hamster.**

Cochon de mer. → **Marsouin.**

◆ **3** Loc. *comme un cochon*, loc. adv. (péj.; intensif des idées de saleté, grosseur, abjection, négligence...). *Être gros, gras comme un cochon. Sale comme un cochon.* — *Écrire comme un cochon*, très mal, salement. *Manger comme un cochon*, malproprement. — *Soûl comme un cochon* : très ivre. — *Bête comme cochon, comme trente-six cochons* : très bête.

Avoir des yeux, de petits yeux de cochon, petits et enfoncés.

Loc. fam. *Nous n'avons pas gardé les cochons ensemble* : nous n'avons rien de commun (se dit pour indiquer à qqn que sa familiarité est déplacée).

5.1 — Vous d'v'nez sourd, père Taupe.
— Un moment. D'abord, j'vous permets pas de m'appeler père comme ça, on n'a pas gardé les cochons ensemble. Hein.
      R. QUENEAU, le Chiendent, p. 337.

Fam. *Ils sont copains, camarades comme cochons* : ils sont dans des rapports de grande familiarité, de familiarité excessive.

Fam. *Un cochon n'y retrouverait pas ses petits* : c'est un très grand désordre.

Fam. Il a une tête de cochon, un caractère de cochon, un mauvais caractère, très entêté. → **Obstiné**; → Tête de lard*.

Fam. Se demander, ne pas savoir si c'est du lard* ou du cochon.

Loc. prov. Des perles* aux cochons; de la confiture aux (pour les) cochons.

II N. et adj. (1611). **COCHON, ONNE** [kɔʃɔ̃, ɔn]. **♦ 1** Personne malpropre, sale. → **Porc.** Petite cochonne! Regarde comment tu manges! tu es un vrai cochon! Quel cochon!

Adj. Il est vraiment trop cochon. (Choses). Des manières cochonnes.

♦ 2 Personne d'une sexualité grossière (rare au fém.). — Vx. Mener une vie de cochon, de débauche.

Adj. Ce qu'il est cochon! Taisez-vous, vieux cochon! Ce cochon de Morin, nouvelle de Maupassant. → **Débauché, dégoûtant, dépravé, vicieux.**

♦ 3 Personne grossière et immorale. Quel cochon! Ah la cochonne!

5.2 «Non, voyez-vous, conclut-elle, c'est une cochonne.» Une telle expression était rendue possible à Mme de Guermantes par la honte qu'elle descendait du milieu des Guermantes agréables à la société des comédiennes, et aussi parce qu'elle greffait cela sur un genre XVIIIᵉ siècle qu'elle jugeait plein de verdeur, enfin parce qu'elle se croyait tout permis.
PROUST, le Temps retrouvé, Pl., t. III, p. 1028.

Cochon qui s'en dédit!, formule pour renforcer une promesse, un serment. → Parier, cit. 3.1.

Jouer un tour de cochon à qqn, le desservir, le trahir. → **Cochonnerie, tour** (sale tour).

6 Quel est (...) ce gros cochon qui me disait tant de mal de la pièce (...) VOLTAIRE, Candide, XXII.

7 Il ne faut pas que ce cochon meure, car avant de mourir, il serait capable de me «donner».
P. MAC ORLAN, la Bandera, XVI, p. 200.

♦ 4 (Sans contenu précis). → Salaud; saleté. — Loc. (1926, in D.D.L.). Les cochons de payants : les clients. — (Choses). Encore ce cochon de brouillard! Un cochon de métier : un métier pénible. → Un métier de chien*.

8 (...) son ciel trop bleu, ses rues ramonées par ce cochon de vent du nord deux cent soixante-cinq jours de l'année et les cent autres suintants d'humidité (...)
Claude SIMON, le Vent, p. 112.

♦ 5 Adj. (Choses). Libidineux, grossier dans le domaine sexuel (personnes ou, plus souvent, choses). Des histoires cochonnes. → **Égrillard, paillard**; **cochonceté, cochonnerie**. — Spécialt. Cinéma, film cochon, pornographique.

9 J'aime bien entendre des choses cochonnes (...) mais je n'aime pas en lire (...)
O. MIRBEAU, le Journal d'une femme de chambre, p. 75.

10 L'Européen veut pouvoir toucher. L'air de ses tableaux est épais. Ses nus sont presque toujours cochons, même dans les sujets tirés de la Bible. La chaleur, le désir, les mains les tripotent.
Henri MICHAUX, Un barbare en Asie, p. 182.

11 Il a signé deux ou trois manifestes en faveur d'un assassin condamné à mort ou d'un film cochon interdit par la censure. J. DUTOURD, Pluche, XI, p. 170.

♦ 6 Loc. fam. C'est pas cochon, pas cochon du tout : c'est réussi, c'est beau, agréable, bon, etc. (→ C'est pas sale, pas dégueulasse; c'est pas mal).

III Jeux de boules. → **Cochonnet.**

CONTR. **Propre, pur.** ◊ DÉR. et COMP. 2. **Coche, cochonceté, cochonnaille, cochonnée, cochonnement, cochonner, cochonnerie, cochonnet. Rince-cochon.**

COCHONCETÉ [kɔʃɔ̃ste] n. f. — 1884, in D.D.L.; de cochon, d'après méchanceté (infl. sémantique de saleté).
Fam. Cochonnerie (B., 2.); action ou propos obscène.

Sur ce qu'il n'y a pas de cochoncetés dans son roman, dit 1 Zola, Magnard aurait été tenté de publier son roman dans le Figaro, mais il a eu peur de cette publicité!
Ed. et J. DE GONCOURT, Journal, 15 juil. 1891, t. VIII, p. 206.

Merde de merde, je veux pas dans ma maison d'une petite 2 salope qui dise des cochoncetés comme ça.
R. QUENEAU, Zazie dans le métro, Folio, p. 21.

COCHONNAILLE [kɔʃɔnaj] n. f. — 1772; de cochon.
Fam. Charcuterie (avec l'idée d'abondance et de préparations simples, campagnardes). → **Charcutaille.** Manger de la cochonnaille, des cochonnailles. Un buffet de cochonnailles.

(Les fèves) sont contenues dans un plat de terre à feu presque pareil et (...) sont garnies presque des mêmes cochonnailles.
A. PIEYRE DE MANDIARGUES, la Marge, p. 206.

COCHONNÉE [kɔʃɔne] n. f. — 1642; de cochon.
Agric. Portée d'une truie.
HOM. Cochonner.

COCHONNEMENT [kɔʃɔnmɑ̃] adv. — 1833, Baudelaire, Correspondance; de cochon.
Rare. D'une manière sale (→ Cochon, II., 1.). → **Salement.**

COCHONNER [kɔʃɔne] v. — 1403; de cochon.
I V. intr. (Rare). Mettre bas (en parlant de la truie).

II V. tr. Fam. **♦ 1** (1808). Faire (un travail) salement. Cochonner un ouvrage, un devoir. → **Saloper.**

Je recommence, et peu à peu, peu en lui cochonnant la pièce que je ne me rappelle même pas, je la lui fais sentir (...) J. RENARD, Journal, 12 nov. 1901.

♦ 2 Salir. Cochonner son pantalon. → **Maculer, souiller, tacher.** Ta chemise est complètement cochonnée.
HOM. Cochonnée.

COCHONNERIE [kɔʃɔnʀi] n. f. — 1688, «action indécente»; fin XVIIᵉ, titre d'un texte de Vauban sur l'élevage des porcs; de cochon.

A (La cochonnerie). Malpropreté. Il est d'une cochonnerie répugnante.

B (Une, des cochonneries). **♦ 1** Chose sale ou mal faite (→ Cochonner, II.). Chose sans valeur, de mauvaise qualité. Il ne vend que des cochonneries. C'est de la cochonnerie. — Par antiphrase. Ce n'est pas mauvais du tout, cette petite cochonnerie!

Elle sortait de la charcuterie. 1
— Elle est polie, cette grande bête de Quenu! s'écria-t-elle, heureuse de se soulager. Est-ce qu'elle ne vient pas de me dire que je ne vendais que du poisson pourri! Ah! je vous l'ai arrangée (...) En voilà une baraque, avec leurs cochonneries gâtées qui empoisonnent le monde!
ZOLA, le Ventre de Paris, t. I, p. 118.

♦ 2 Action, propos obscène. → **Cochon, II., 2.** Dire, raconter des cochonneries. → **Cochonceté, obscénité.**

Je me disais bien qu'au bout du compte vous alliez me 2 débiter des cochonneries.
R. QUENEAU, Zazie dans le métro, Folio, p. 126.

♦ 3 Action méprisable. Vous avez fait une belle cochonnerie en ne me prévenant pas de leur arrivée. → **Cochon** (un tour de cochon), **entourloupette, vacherie.**

COCHONNET [kɔʃɔnɛ] n. m. — XIIIᵉ ; de *cochon.*

♦ **1** Rare. Petit cochon, cochon de lait. → **Porcelet.**

♦ **2** Techn. Dé à douze faces marquées de un à douze.

♦ **3** (1534). Cour. Petite boule servant de but aux joueurs de boules. → **Cochon** (III.); **bouchon** (II., B.). Par ext. Jeu de boules.

Quand on est bien éreinté par dix heures d'exercice, et quelquefois plus, on garde la force de se laver, d'aller boire un bock frais et de commencer d'interminables parties de cochonnet.
J.-R. BLOCH, Deux hommes se rencontrent, p. 314.

♦ **4** Techn. Partie visible d'un bâti de porte (ou d'un dormant de fenêtre).

COCHYLIS [kɔkilis] ou **CONCHYLIS** [kɔ̃kilis] n. m. — Av. 1844, *in* d'Orbigny ; *conchyle* «coquillage», 1765 ; lat. sc. *conchylis,* du grec *kogkulion* «coquille, pourpre».
Zool. Papillon dont la chenille dévore les feuilles de la vigne (→ Eudémis, cit.).

COCKER [kɔkɛʀ] n. m. — 1863 ; mot angl., ellipse de *woodcocker* «bécassier».
Petit chien de chasse, à longues oreilles tombantes.

(...) je voyais les bonnes gens du quartier tirer le cordon de sonnette du «père Chéron» en tenant sous leur bras un fox, un vieux cocker, ou un matou malade.
Francis CARCO, Nostalgie de Paris, p. 142.

COCKNEY [kɔknɛ] adj. et n. — 1750, «Londonien» ; mot angl. *cocken-ey,* pour *cocken-egg* «œuf de coq», sobriquet du Londonien.
Londonien caractérisé par son langage populaire (celui de l'East End). — REM. Le fém. n'est pas attesté par les dictionnaires, mais rien ne s'oppose à ce qu'on dise : *une cockney.*

1 Cela prouve que l'ami dont j'ai fait la rencontre est un de ces *badauds* enracinés que Dickens appellerait cockneys, — produits assez communs de notre civilisation et de la capitale.
NERVAL, les Nuits d'octobre, II, Pl., t. I, p. 100.
N. m. (1933, *in* Höfler). Variété d'anglais parlé par les cockneys. — Adj. (1927). *Accent cockney.*

2 Son anglais qui avait paru excellent à l'Université le laissait démuni en présence du cockney des rues.
M. YOURCENAR, Archives du Nord, p. 261.

COCKPIT [kɔkpit] n. m. — 1889 ; angl. *cockpit,* proprt «fosse pour le combat de coqs».

♦ **1** Mar. Creux à ciel ouvert aménagé dans le pont d'un yacht.

Les exigences de la longue croisière et le désir de pouvoir embarquer nos enfants me faisaient souhaiter un volume intérieur important avec une cabine arrière protégeant le cockpit central.
Bernard MOITESSIER, Cap Horn à la voile, p. 39.
(1966). Autom. *Le cockpit d'une voiture de course.*

♦ **2** (1939). Aviat., astronaut. Habitacle du pilote. → **Cabine.**

COCKTAIL [kɔktɛl] n. m. — 1860 ; emploi isolé, 1822 ; *cock-tail* «homme abâtardi», 1755 ; mot anglo-amér. «queue de coq», n'existant pas dans cet emploi ; évolution de sens obscure.

♦ **1** Boisson constituée d'un mélange de liquides dosés selon des proportions précises, dans la composition duquel entre l'alcool. *Cocktail au gin, au whisky, au cognac, au champagne. Préparer un cocktail dans un shaker.* — Par anal. (Boissons sans alcool). *Cocktail de jus de fruits. Cocktail sans alcool.*

Heureusement qu'avant chaque banquet à l'eau froide (c'était le temps de la prohibition), il y avait le cocktail qui en Amérique, est une nécessité impérieuse, un cordial indispensable.
CLAUDEL, l'Élasticité américaine, *in* Œ. en prose, Pl., p. 1207.

♦ **2** (Réemprunt à l'angl., dans *shrimp, crabe cocktail*). Hors-d'œuvre froid à base de crustacés et de crudités, servi dans une coupe. *Cocktail de crevettes, de crabe.*

♦ **3** (1929, *in* Höfler). Réunion mondaine avec buffet (→ Buffet, lunch). *Être invité à un cocktail. Robe de cocktail.* — REM. On trouve parfois la graphie francisée *coquetèle.*

(...) la vie des hommes de Lettres est une fête perpétuelle et se passe à courir les banquets, les générales, les inaugurations et les coquetèles mondains.
M. AYMÉ, Travelingue, p. 179.

♦ **4** (V. 1950). **COCKTAIL MOLOTOV** [kɔktɛlmɔlɔtɔf] : bouteille explosive emplie d'un mélange inflammable. *Des cocktails Molotov.*

El Medico fourra son poing sous le nez du jeune lieutenant. «Et celui-là, tu sais comment il parle ? Il parle comme les gars de Teruel qui faisaient sauter les chars boches avec des bouteilles d'essence, les cocktails Molotov !»
A. LANOUX, le Commandant Watrin, p. 184.

Aujourd'hui, c'est du napalm que l'adulte met dans la tête des enfants et il est étonnant qu'il s'étonne quand l'enfant fabrique des cocktails molotov même avant d'être adolescent.
J. PRÉVERT, Choses et autres, p. 159 (1972).

♦ **5** (1928, *in* Höfler). Fig. Mélange inattendu ou dangereux. *Un cocktail d'alcool et de neuroleptiques. Cocktail lytique*.* — Abstrait. *Un curieux cocktail d'idées.*

1. COCO [koko ; koko] n. m. — 1525, *cocho* ; *noix de coco,* 1610 ; de l'ital., puis espagnol, portugais *coco* «croquemitaine», d'après l'aspect de la noix.

♦ **1** Fruit du cocotier*, plus souvent appelé *noix de coco* (sauf en franç. d'Afrique, où *coco* est seul usuel). *Lait, eau de coco. Amande de coco.* → **Coprah.** *Huile de coco. Beurre de coco. Fibre de coco. Cordages, tapis en fibre de coco.*

J'aperçois un canot vide sur le rivage, emplissons-le de cocos, jetons-nous dans cette petite barque, laissons-nous aller au courant (...) VOLTAIRE, Candide, XVII.

(...) ici, il faut douze cocos pour obtenir un litre d'huile. En Indochine il en fallait seulement dix, ils étaient plus gros : on presse la pulpe râpée dans un linge pour extraire le lait, puis on fait bouillir. L'eau s'évapore, l'huile reste.
Bernard MOITESSIER, Cap Horn à la voile.

Noix* de coco. — Loc. fig. *À la noix de coco.* → À la noix.

♦ **2** (1808 ; d'après le «lait» de coco). Boisson faite avec de l'eau et du jus de réglisse. *Marchand de coco. Boire un verre de coco.*

♦ **3** Fam. et vx. Boisson alcoolisée (vin, eau-de-vie) médiocre.

DÉR. (Du sens 1) **Cocotier.**

2. COCO [koko ; koko] n. m. — XIXᵉ ; de 1. *coco.*
Familier.

♦ **1** Tête. *Il a le coco fêlé,* l'esprit dérangé. *Dévisser le coco :* étrangler.

♦ **2** Ventre, estomac. → Cacheter, cit. 3. *Se remplir le coco. En avoir plein le coco. Mets-toi ça dans le coco.*

(...) il faut manger avant de boire. Nous avons marché avec juste un peu de thé dans le coco. Soyez bien contente d'avoir du maïs. D'ailleurs je vais faire la polenta au vin blanc. Ça coupe la fatigue.
J. GIONO, le Hussard sur le toit, p. 350.

3. COCO [kɔko; koko] n. m. — 1821; réduplication onomatopéique de *coque* «coquille (d'œuf)», et onomat. → Cot, cot, cocorico.

♦ **1** Fam. (langage enfantin). Œuf*. *Tu veux un coco?*

♦ **2** (Orig. inconnue; p.-ê. du sens 1, par un usage analogue à «ma poule», «ma poulette»...) Terme d'affection adressé à un enfant, ou, plus rarement, à un adulte. *Mon petit coco.* → **Cocotte.**

Tas encore touché à ton bandage, enfant d'veau, verminard! tonitrue-t-il. J'vas te l'refaire parce que c'est toi, mon coco, mais, si tu y r'touches, tu verras ce que je te ferai!
H. BARBUSSE, le Feu, t. II, II, XXI, p. 45.

♦ **3** N. m. pl. (1872). Variété de haricots dont le grain a la forme d'un œuf. *Écosser des cocos.*

DÉR. V. **Cocotte.**

4. COCO [kɔko; koko] n. m. — 1790; orig. incert., peut-être antiphrase des emplois hypocoristiques : *mon coco.* → ci-dessus, 3. Coco.

Fam. Individu, personnage bizarre, antipathique, dangereux. → **Type, zèbre...** *Un vilain coco, un drôle de coco. C'est un joli coco!*

1 Il y a des cocos, dont nous nous servons, qui ne sont pas à prendre avec des pincettes.
J. ROMAINS, les Hommes de bonne volonté, t. II, p. 208.

1.1 (...) un coco capable de refuser une proposition comme ça en vous racontant je ne sais quelle histoire à dormir debout (...)
Claude SIMON, le Vent, p. 25.

2 En France, tu peux toujours appeler le type à qui tu t'adresses «Monsieur le président». En France, un coco quelconque est toujours président de quelque chose (...)
G. DUHAMEL, Chronique des Pasquier, IV, I.

5. COCO [kɔko; koko] n. f. — 1922, cit.; abrév. de *cocaïne.*

Fam. Cocaïne*. *Prendre de la coco.* — REM. on trouve aussi l'abrév. *coc* (1970, in D. D. L.).

1 (...) une affectation, une prétention vulgaires que nous détestons tellement, comme par exemple les gens qui croient spirituel de dire «de la coco» pour «de la cocaïne».
PROUST, le Temps retrouvé, Pl., t. III, p. 752.

2 — On a vu un inspecteur de la Mondaine, tout à l'heure.
— Il vient d'arrêter une équipe qui trafiquait avec la drogue... Au fait, Silien, c'est un peu ton truc, je crois, l'héroïne, ... la coco?
J.-P. MELVILLE, le Doulos (scénario), in l'Avant-Scène, 1963, p. 23.

6. COCO [kɔko; koko] n. et adj. — 1941, in T.L.F.; de *communiste.*

Fam. et péj. Communiste. *Les cocos.* — Adj. *La presse coco. Il, elle est coco.*

«Le conformisme, ça ne lui va pas, même teint en rouge». Julien ricana : «Tu vas te faire si bien étriller par les cocos que tu n'auras plus envie de chanter dans leurs chœurs».
S. DE BEAUVOIR, les Mandarins, p. 365.

7. COCO [kɔko; koko] adj. — 1879; aphérèse de *rococo*, avec infl. des emplois péj. de *coco.*

Fam. et vieilli. Vieillot et un peu ridicule.

Il y a quelque quinze ans, quand M. Paul Géraldy faisait représenter *Les Noces d'argent*, une des héroïnes de cette pièce (...) disait :
«Ah! les soirs italiens... la douceur des lacs... oui, je sais, cela vaut devenu "coco" aujourd'hui...» «Coco» : si seulement ce n'était que cela (...)
G. BAUËR, les Billets de Guermantes, avr. 1938, p. 246.

COCODÈS [kɔkɔdɛs] n. m., **COCODETTE** [kɔkɔdɛt] n. f. — V. 1845; onomat., d'après le cri de la poule.

Vx (à la mode de 1850 à 1900 environ).

♦ **1** N. m. Gandin aux manières excentriques, d'une élégance ridicule.

Je n'arrive pas à croire que ce vieux cocodès a trempé dans le vol de mon Fabergé.
DUTOURD, Mémoires de Mary Watson, p. 214.

♦ **2** N. f. **COCODETTE** : femme provocante, de mœurs légères.

COCON [kɔkɔ̃] n. m. — 1600, *coucon;* du provençal *coucoun,* de la même rac. que *coque.*

♦ **1** Enveloppe formée par un long fil de soie enroulé, dont les chenilles de nombreux insectes (notamment les lépidoptères) s'entourent pour se transformer en chrysalide.

Spécialt. Cocon du ver à soie. → **Soie; magnan, magnanerie.** *Cocon parfait; cocon défectueux, étranglé, ouvert... Dévider un cocon.*

1 (...) un flocon
Retors et fin comme la soie
Que l'on dévide du cocon.
Th. GAUTIER, Émaux et Camées, «Diamant du cœur».

2 (...) cette substance dont se décharge le ver à soie en fabriquant son cocon l'empoisonnerait s'il la gardait en lui.
GIDE, Journal, 1947.

Enveloppe soyeuse dans laquelle certaines araignées déposent leurs œufs.

♦ **2** Loc. fig. *S'enfermer, se retirer dans son cocon :* s'isoler, se retirer dans la solitude (→ Rentrer dans sa coquille*).

♦ **3** Ce qui enveloppe, entoure comme un cocon. *«La jeune étoile est formée au sein d'un épais "cocon" de matière opaque...»* (la Recherche, mai 1979, p. 565). — *Mise sous cocon d'une centrale atomique* (par isolement du circuit primaire, etc.).

DÉR. Coconner, coconnière.

COCONNAGE [kɔkɔnaʒ] n. m. — 1866; de *coconner.*
Techn. Formation des cocons dans une magnanerie.

COCONNER [kɔkɔne] v. intr. — 1845; de *cocon.*
(En parlant du ver à soie). Filer un cocon. *Les vers commencent à coconner.*

DÉR. Coconnage.

COCONNIÈRE [kɔkɔnjɛr] n. f. — 1767; de *cocon.*
Techn. Lieu de stockage des cocons. → **Magnanerie.**

COCONTRACTANT, ANTE [kokɔ̃traktɑ̃, ɑ̃t] n. — XVIe; de *co-,* et *contracter.*
Dr. Chacune des personnes qui sont parties à un contrat.

COCOONING [kokunin] n. m. — V. 1988; mot angl., d'un verbe tiré de *cocoon,* emprunté au franç. *cocon.*
Anglic. Situation d'une personne qui recherche le confort, la sécurité (dans son logis, sa famille). *Les adeptes du cocooning.*

COCORICO [kɔkɔriko] n. m. — 1862; *coquerycoq,* 1547; onomat. du chant du coq.

Cri du coq. *Pousser un cocorico.* — Fig. *Chanter cocorico :* crier victoire. Spécialt. Avoir une attitude triomphaliste d'un nationalisme naïf (allus. au coq gaulois, symbole de la France). — REM. On trouve aussi la forme *coquerico* [kɔkəriko].

Un porteur d'hebdomadaires singeait à la fois le caquètement de la poule pondeuse et le cocorico du coq victorieux (...)
René FALLET, le Triporteur, p. 352.

COCOTER ou **COCOTTER** [kɔkɔte] v. intr. — 1900; *gogoter*, 1881; origine obscure, p.-ê. de 1. *cocotte*, I., 3.

Fam. Sentir mauvais. → **Puer.** *Cocotter du bec :* avoir mauvaise haleine. — *Ça cocotte, ici !*

COCOTERAIE [kɔkɔtʀɛ] n. f. — 1929; du rad. de *cocotier*, et *-aie*, sur le modèle de *bananeraie*.

Rare. Plantation de cocotiers.

Le paiement se fait en nature : sur deux sacs de coprah, il y en a un pour O'Conor, un pour le propriétaire de la cocoteraie.
Bernard MOITESSIER, *Cap Horn à la voile*, p. 150.

COCOTIER [kɔkɔtje] n. m. — 1677; de 1. *coco*.

◆ **1** Plante monocotylédone; arbre (palmier*) élevé, au tronc élancé surmonté d'un faisceau de feuilles et portant des fruits disposés en grappes. *Fruit du cocotier.* → 1. **Coco** (ou *noix de coco*). *Plantation de cocotiers.* → **Cocoteraie.** *Cocotier de Guinée,* de petite taille. *Cocotier des Seychelles, des Maldives.*

1 (...) le cocotier, si abondant sur les archipels du Pacifique, semblait manquer à l'île, dont la latitude était sans doute trop basse.
«Quel malheur! dit Harbert, un arbre si utile et qui a de si belles noix!» J. VERNE, l'Île mystérieuse, t. I, p. 153.

◆ **2** Loc. fam. (d'après la coutume attribuée aux peuplades océaniennes de faire monter les vieillards dans les cocotiers et de sacrifier ceux qui n'ont pas la force de s'y maintenir). *Faire monter au cocotier :* abandonner, priver de ressources (les vieillards). *Secouer le cocotier :* se débarrasser de personnes à charge (notamment des vieillards); fig. tenter de modifier des habitudes (dans un groupe). *S'agripper, se cramponner au cocotier* (d'un vieillard; d'un homme d'un certain âge, par rapport à de plus jeunes) : se défendre contre l'injustice des jeunes et, par ext., s'accrocher à ses privilèges, défendre une position acquise.

2 Le hasard — un hasard dirigé, j'imagine — dans un dîner par petites tables me fait asseoir entre Nathalie Sarraute et Alain Robbe-Grillet. Si mon premier mouvement fut de me cramponner au cocotier, je sus très vite que je pouvais lâcher mes mains.
F. MAURIAC, le Nouveau Bloc-notes 1958-1960, p. 210.

DÉR. Cocoteraie.

1. COCOTTE [kɔkɔt] n. f. — 1808; orig. incert., probablt onomat. → 3.Coco.

I ◆ **1** Poule* (dans le langage enfantin).

COCOTTE EN PAPIER : carré de papier plié de manière à figurer sommairement une silhouette d'oiseau. *Faire des cocottes* (distraction traditionnellement prêtée aux bureaucrates oisifs).

1 L'épais ruissellement des velours s'arrête devant le bec surpris d'une cocotte en papier!
MALRAUX, l'Homme précaire et la Littérature, p. 253.

◆ **2** Fig. Terme d'affection familière. *Ma petite cocotte* (avec la valeur de fém. de 3. *coco*, 1.). → **Poule, poulette.**

◆ **3** [a] (1789). Fam., vieilli. Fille, femme de mœurs légères. → **Courtisane, demi-mondaine, poule** (fam.). *Une grande cocotte.*

2 Les terrasses du Weber, du café de la Paix, du «Napo» servaient de lieux d'exhibition aux gloires du Journalisme, de la Politique, de la Banque, du Théâtre. On se montrait des actrices, des «cocottes» célèbres, des financiers illustres ou décavés.
Francis CARCO, *Nostalgie de Paris*, p. 123.

[b] *Sentir, puer la cocotte,* le parfum bon marché, de qualité médiocre.

◆ **4** Terme d'encouragement adressé à un cheval. *Hue, cocotte !*

II (Orig. obscure). Vx. Blépharite, gonorrhée. — Fièvre aphteuse des bovins :

3 Ses bêtes ont la cocotte. Il les fait lever d'un coup de pied entre les fesses, ou, avec la pointe de son couteau, il les pique sur le dos. J. RENARD, *Journal*, 16 sept. 1901.

DÉR. (Du sens I, 3) **Cocotterie, cocotteux, cocottisme.**

2. COCOTTE [kɔkɔt] n. f. — 1807; p.-ê. de *cocasse*, *coquasse* «marmite», altér. de l'anc. franç. *coquemar*; pour P. Guiraud, *cocotte* et *coquasse* sont tous deux issus de *coque* «coquille».

Marmite faite d'un matériau épais, qui permet des cuissons prolongées à feu doux. *Cocotte en fonte.* — (En appos.). *Poulet cocotte,* cuit à feu doux dans une cocotte. *Œufs cocotte,* cuits au four dans un récipient spécial, pour que le jaune reste liquide. *Cocotte-minute* (marque déposée). → **Autocuiseur.**

(...) la salle de bains de Franck est en fait une moitié de placard dans lequel on peut trouver une sorte de récipient grand comme deux cocottes-minute qu'il honore en général du nom de baignoire.
Joseph JOFFO, *Baby-Foot*, p. 188.

3. COCOTTE [kɔkɔt] n. f. — 1886, dans les Vosges; de 1. *cocotte.*

Régional (Canada). Pomme de pin. — Aussi écrit *cocote.*

COCOTTERIE [kɔkɔtʀi] n. f. — 1866; de 1. *cocotte*, I., 3.

Fam., vx. Ensemble, monde des cocottes. → **Demi-monde.**

(...) chaque jeudi, la haute cocotterie passait par là, se rendant au Casino, au grand train de ses roues fragiles et de ses postillons d'emprunt.
Alphonse DAUDET, *Fromont jeune et Risler aîné*, p. 189.

COCOTTEUX, EUSE [kɔkɔtø, øz] adj. — 1878, Goncourt; de 1. *cocotte*, I., 3.

Fam., vx. Propre aux cocottes, au demi-monde.

COCOTTISME [kɔkɔtism] n. m. — 1878; de 1. *cocotte*, I., 3.

Fam., vx. Goût pour les cocottes (1. Cocotte, I., 3.).

COCRÉANCIER, IÈRE [kɔkʀeɑ̃sje, jɛʀ] n. — 1753; de *co-*, et *créancier*.

Rare. Personne qui, en même temps que d'autres, a une créance sur un même débiteur.

COCTION [kɔksjɔ̃] n. f. — 1560; lat. *coctio, coctionis.* → Cuisson, décoction.

Didactique ou littéraire.

◆ **1** Action de la chaleur sur les matières organiques. → **Cuisson.**

◆ **2** Digestion* des aliments dans l'estomac.

1 La coction, comment se ferait-elle en l'estomac, si le cœur n'y envoyait de la chaleur par les artères?
DESCARTES, *Discours de la méthode*, 5.

◆ **3** Figuré et littéraire.

2 Il ignorait le plaisir qu'on peut prendre à le retarder, et toutes les saveurs que développe cette coction de la concupiscence.
J. ROMAINS, les Hommes de bonne volonté, t. V, VIII, p. 70.

COCU, UE [kɔky] n. et adj. — XIVᵉ; on suppose traditionnellement une var. de *coucou*, la femelle de cet oiseau
pondant ses œufs dans le nid d'autres oiseaux, mais
le coucou n'est pas «cocu», il fait les autres «cocus»;
P. Guiraud suppose un sémantisme analogue à celui de
dupe; le *cocu* est «coiffé» métaphoriquement, c'est-à-
dire trompé; or le *coucou* est une fleur arrondie, et la
coque une «coquille».

Familier.

♦ **1** 〔a〕 N. m. Homme dont la femme est infidèle;
mari ou amant trompé*. → **Cornard** (fam). — Loc.
(1558). *Cocu en herbe*, celui qui est menacé de l'être.
Cocu en gerbe, celui qui l'est après son mariage.
— *Sganarelle* ou le *Cocu imaginaire*, comédie de
Molière. *Le Cocu magnifique*, pièce de Crommel-
lynck. — (Formule). *Les cocus au balcon*! *«Si tous
les cocus avaient des clochettes...»* (chanson).
〔b〕 Adj. m. *Il est cocu. «Il est cocu, le chef de gare...»*
(chanson).

1 (...) elle ne vous tiendra foi ni loyauté conjugale, ains
   (mais) à autrui s'abandonnera, et vous fera cocu (...)
   Il dit vrai, tu seras cocu, homme de bien, je t'en
   assure, tu auras de belles cornes (...)
   RABELAIS, Pantagruel, III, 14.

2 Il n'est (...) cocu qui veut. Si tu es cocu, *ergo* ta femme sera
   belle (...) *ergo* tu auras des amis beaucoup (...)
   RABELAIS, Pantagruel, III, 28.

3 Et quant à moi, je trouve, ayant tout compassé,
   Qu'il vaut mieux être encor cocu que trépassé.
   MOLIÈRE, Sganarelle, 17.

4 Si n'être point cocu vous semble un si grand bien,
   Ne vous point marier en est le vrai moyen.
   MOLIÈRE, l'École des femmes, v, 9.

5 Pourquoi me marierais-je? Le mieux qui puisse m'arriver,
   en me mariant, est de n'être pas cocu, ce que j'obtiendrai
   encore plus sûrement en ne me mariant pas.
   CHAMFORT, Caractères et Anecdotes, p. 257.

〔c〕 Fém. (rare). *Cocue*: femme dont le mari, l'amant
est infidèle. — Adj. *Elle est cocue.*

♦ **2** Fig. Trompé. *Son associé l'a fait cocu. Après cette
décision de leur parti, les militants se sentent complètement cocus.* — Au fém.:

6 (...) ce mot de Mᵐᵉ d'Osmont abîmant la duchesse de Berry,
   lors de son arrestation en Vendée, et à laquelle on demandait pourquoi elle était si dure pour la princesse et qui
   répondait: «Elle nous a fait toutes cocues!»
   Ed. et J. DE GONCOURT, Journal, t. I, p. 303.

♦ **3** Loc. *Une chance, une veine de cocu*, extraordinaire (d'après la croyance représentée par le
dicton: heureux au jeu, malheureux en amour).

♦ **4** Terme d'injure sans contenu précis. *Va donc,
eh, cocu! Bande de cocus, minables!*

7 Tas de cocus, débrouillez-vous tout seuls! Moi, je vous fous
   ma démission! Mais vous me regretterez!
   M. AYMÉ, le Passe-muraille,
   «les Bottes de sept lieues», p. 191.

DÉR. Cocuage, cocufier.

COCUAGE [kɔkɥaʒ], cour. [kɔkyaʒ] n. m. — XVᵉ; de
cocu.

Fam. Fait d'être cocu; état de celui, de celle qui est
cocu(e).

1 Quand on prend comme il faut cet incident fatal
   Cocuage n'est point un mal.
   LA FONTAINE, Contes, II, 17.

2 Leur condition de célibataire écartait les gars des joies du
   cocuage réciproque et colonial.
   Claude COURCHAY,
   La vie finira bien par commencer, p. 150.

COCUFIER [kɔkyfje] v. tr. — 1660, Molière, *Sganarelle
ou le Cocu imaginaire*; de *cocu*, d'après les verbes en
-fier, lat. -ficare.

Familier.

♦ **1** Faire cocu. → **Tromper; actéoniser** (VX), **coiffer.**

1 Les femmes ne deviennent désintéressées en matière
   d'amour que plus tard, quand leur affaire est faite et
   qu'elles ont l'esprit libre pour cocufier leurs maris.
   J. ROMAINS, les Hommes de bonne volonté, t. IV,
   XV, p. 148.

♦ **2** Fig. Duper, tromper.

2 Si les hommes ne craignaient pas d'être volés, assassinés,
   cocufiés et opprimés, il n'y aurait point de morale, et pas
   de Dieu, ou un Dieu *tout autre*, — et *probablement plus
   pur, plus vraisemblable, plus profond* (...)
   VALÉRY, Cahiers, t. II, Pl., p. 602.

♦ **COCUFIÉ, ÉE** p. p. adj. *Des hommes cocufiés.* — N.
Un cocufié.

COCYCLIQUE [kosiklik] adj. — XXᵉ; de *co-*, et
cyclique. → Cycle.

Math. Situé sur un même cercle. *Des points cocy-
cliques.*

CODA [kɔda] n. f. — 1821, *in* D.D.L.; mot ital., proprt
«queue».

♦ **1** Fin, conclusion (d'un morceau de musique). *La
coda d'une fugue. Des codas.*

1 Quant au final, c'est trop fin et trop rapide pour être facilement saisi par la masse des auditeurs; et sans la coda
   gigantesque qui le termine, aujourd'hui même le public
   du Conservatoire en serait peu frappé.
   BERLIOZ, Beethoven (1834), *in* D.D.L., II, 12.

2 (...) Beethoven avait saisi tout le mouvement, d'un seul
   trait, concevant, du même coup, le début et la coda (...)
   R. ROLLAND, le Chant de la résurrection, p. 495.

♦ **2** Dernière partie (d'un pas de deux).

♦ **3** Par anal. (littér.). Partie terminale (d'un écrit).

3 (...) plus d'un lecteur n'a vu dans le roman *(les Météores)*
   que l'histoire d'Alexandre et a été déçu par sa mort qui,
   se situant aux deux tiers du livre, laisse une immense et
   incompréhensible coda.
   M. TOURNIER, le Vent Paraclet, p. 250.

CODAGE [kɔdaʒ] n. m. — Mil. XXᵉ; de *coder.*

♦ **1** Techn. Transformation d'un message (texte en
clair, etc.) selon un code (4.).

♦ **2** Organisation (d'un message) selon un code.
→ **Encodage.**

CONTR. Décodage.

CODANT, ANTE [kɔdã, ãt] adj. — V. 1970; p. prés.
de *coder.*

Didact. Qui met en code (des informations). *«Il
n'existe aucune relation stérique directe entre le triplet codant et l'acide aminé codé»* (Jacques Monod,
le Hasard et la Nécessité, p. 43).

CODE [kɔd] n. m. — 1220; du lat. jurid. *codex* «planchette, recueil».

♦ **1** Recueil de lois, de textes ayant force de loi.
→ **Législation, loi.**

Spécialt. En parlant des codes romains. *Le code théodo-
sien. Le code de Justinien*, et, absolt, *le Code. Le Code
et le Digeste*.

Recueil d'ordonnances royales, sous l'Ancien
Régime. *Le code Louis*, contenant les ordonnances
de Louis XIV.

Mod. Ensemble des lois et dispositions légales relatives à une matière spéciale et réunies par le législateur. *Livre, article d'un code. Commentaires sur le
code.*

(1793, *projet de décret sur le Code civil, in* D. D. L.). **CODE CIVIL,** rédigé de 1800 à 1804, connu sous le nom de *Code Napoléon,* et traitant de l'effet et de l'application des lois (Introd.), des personnes (L. I), des biens et des différentes modifications de la propriété (L. II), de l'acquisition de la propriété (L. III).

1 En composant la Chartreuse, pour prendre le ton je lisais chaque matin deux ou trois pages du Code civil, afin d'être toujours naturel.
STENDHAL, Lettre à Honoré de Balzac, 30 oct. 1840.

2 (...) ce *Code civil* qui, préparé, discuté et voté en si peu d'années reste, après plus d'un siècle et quart, le fondement du droit non seulement en France, mais dans une grande partie des nations civilisées.
Louis MADELIN, le Consulat, XII, La dernière «masse», p. 183.

3 Ce n'est (...) point par une plate flatterie, mais par le plus juste hommage que le Code civil devait recevoir le nom de *Code Napoléon* sous lequel il a passé à la postérité.
Louis MADELIN, le Consulat, XII, p. 203.

Code de procédure* civile. — Code de commerce, voté en 1808, modifié par la suite, et traitant du commerce en général (L. I), du commerce maritime (L. II), de la faillite et de la banqueroute (L. III), des tribunaux de commerce (L. IV).

Code pénal (1810) traitant des peines (L. I), des personnes punissables (L. II), des crimes et délits (L. III) et des contraventions de police (L. IV). — Ancienn. *Code d'instruction criminelle* (1809); mod. *Code de procédure pénale* (1957), traitant de la police judiciaire et de la justice en matière criminelle. — *Codes de justice militaire. — Code forestier. — Code rural. — Le Code du travail.*

Par ext. Toute édition d'un code. *Ouvrir, consulter le code. Code annoté.*

Absolt. *Le Code :* un code (civil, pénal...) selon les contextes; les lois. *Se tenir dans les marges du code. Connaître le code,* les lois, le droit. *C'est dans le code :* c'est légal.

♦ 2 Décret ou loi étendue, réglant un domaine particulier. — (1922). **CODE DE LA ROUTE,** et, absolt, **LE CODE,** décret du 31 déc. 1922 réglant les conditions du roulage des voitures. *Apprendre le code de la route pour passer le permis de conduire. Prendre des leçons de code dans une auto-école. — Préparer, passer le code,* l'épreuve de code de la route du permis de conduire.

3.1 Je connais le code de la route, moi.
R. QUENEAU, Zazie dans le métro, p. 144.

(1941, P. Morand, *l'Homme pressé*). *Phares code* ou *codes* (plus cour.) : phares de puissance réduite, prescrits par le code de la route dans certaines circonstances (syn. : *feux de croisement*). *Se mettre en codes, en code. Allumer, éteindre ses codes.*

3.2 Elle effleurait à peine la pédale de frein. Code, phare, code. Première, seconde.
Max GALLO, la Baie des Anges, III, p. 286.

♦ 3 Ensemble de règles, de préceptes, de prescriptions. → **Règlement.** *Le code de la morale, du goût. Le code de l'honneur.* → **Catéchisme, évangile** (fig.). *Un code d'honneur.*

4 (...) le code de la politique *(au XV* e *s.)* était rédigé par Machiavel, ce code qui permettait tout aux souverains, même l'assassinat; tout excepté de ne pas réussir.
FUSTEL DE COULANGES, Leçons à l'Impératrice sur les origines de la civilisation française, p. 221.

5 Tu devrais bien (...) écrire une sorte de manuel qui apprendrait aux femmes à vivre en paix avec l'homme qu'elles aiment, un code de la vie à deux (...)
COLETTE, la Naissance du jour, p. 34.

6 Il n'avait pas oublié le code de la politesse britannique (...)
A. MAUROIS, les Discours du D r O'Grady, XIX, p. 205.

♦ 4 (1866). Système ou recueil de conventions constituant un ensemble de signes. *Code international des signaux :* répertoire des signaux, signes Morse, pavillons et flammes employés dans la marine, avec leur signification. — *Code télégraphique.* — (1972). *Code postal* (à cinq chiffres), permettant de coder les adresses, pour faciliter la mécanisation du tri du courrier. — *Code secret,* permettant d'échanger des informations secrètes, le code n'étant connu que de quelques personnes. → **Chiffre.** — *Code à barres* (ou *code-barres*) : code imprimé sur l'emballage de certains produits (alimentaires, notamment), composé d'une série de fines barres groupées par zones, et qui permet d'identifier ces produits par lecture optique. *Le code à barres est utilisé dans les processus automatisés de stockage, de tri, d'expédition,* etc.

EN CODE : selon un code. *Communiquer en code ou en langue naturelle.*

7 (...) cinq ans sur les chalutiers de Terre-Neuve où il faut être aussi toujours à l'affût, afin de capter les indications que se donnent, en code, les bateaux concurrents.
Roger VERCEL, Remorques, p. 23.

♦ 5 Sc. En français, cet emploi vient de l'extension du sens 4 : *code secret, code de signaux;* dans son sens strictement technique, il calque l'anglais *code,* employé par Shannon et Weave *(Théorie de l'information).* Tout système rigoureux de correspondance entre ensembles de signes. → **Codification, conversion.**

8 Le texte que j'écris en ce moment — c'est un «message» — est dactylographié, mais destiné à la typographie. Le passage de l'un des instruments à l'autre exige quelques précautions : La typographie possède un clavier plus riche (des caractères *italiques,* par exemple); pour conserver à la traduction toute sa rigueur, je dois donc me servir d'un «code» : une méthode pour désigner, avec le clavier dactylographique, ce que je désire voir ultérieurement réaliser par le clavier typographique. Ainsi je soulignerai ce qui devra être composé en italique.
On pourrait multiplier les exemples : il suffit de voir qu'on peut toujours établir un système de conventions (ou code) qui permette des traductions fidèles entre claviers inégalement fournis (...)
G.-T. GUILBAUD, la Cybernétique, p. 51.

Théorie de l'information, cybern. Organisation d'un système de signes susceptibles de transmettre de l'information. *C'est la permanence du code qui permet la communication au moyen de messages* (formés de signes sélectionnés et ordonnés). *Code alphanumérique. Code détecteur d'erreurs.*

(Av. 1916, Saussure). Ling. Le système de signes qui permet la production de messages (énoncés, phrases) dans une langue naturelle. → **Langue.** *Le code comprend la grammaire de la langue et les unités indispensables du lexique. Le code met en forme un contenu à transmettre.* → **Coder, encodage, encoder, encodeur.** *Interpréter un message selon son code.* → **Décodage, décoder, décodeur.** — (Dans ces autres systèmes informationnels, appelés métaphoriquement *langages). Le code gestuel, le code graphique. Codes visuels. Codes et canaux. — D'un code.* → **Codique.**

9 Il convient de distinguer *(dans la «parole» opposée au système de la «langue») :* 1° les combinaisons par lesquelles le sujet parlant utilise le code de la langue en vue d'exprimer sa pensée personnelle (...)
F. DE SAUSSURE, Cours de linguistique générale, Introd., II, p. 31.

10 La langue apparaît réglée par un code; or ce code est lui-même une règle écrite, soumise à un usage rigoureux, l'orthographe.
F. DE SAUSSURE, Cours de linguistique générale, Introd., VI, p. 47.

Biol. **CODE GÉNÉTIQUE** : ensemble des arrangements nucléotidiques du matériel génétique qui permet la transmission de l'«information» génétique déterminant la spécificité des protéines synthétisées. → aussi **Codon**.

11 Les *caractères héréditaires* de la cellule sont contenus dans les *chromosomes* qui sont eux-mêmes constitués par des *gènes*, lesquels contiennent en majeure partie de l'*ADN*. Ce sont ces molécules d'acide désoxyribonucléique qui représentent le «Code» des caractères héréditaires. Le Code ne comprend que quatre lettres qui représentent les quatre bases : Adénine, Guanine, Thymine, Cytosine. Cet alphabet très restreint permet cependant un grand nombre de combinaisons (...)
A. GOUDOT-PERROT, Cybernétique et Biologie, p. 15.

12 La structure et les propriétés d'une protéine sont définies par la séquence *(l'ordre linéaire)* des radicaux amino-acides dans le polypeptide. Cette séquence est déterminée par celle des nucléotides dans un segment de fibre de l'ADN. Le code génétique *(sensu-stricto)* est la règle qui associe, à une séquence polynucléotidique donnée, une séquence polypeptidique.
Jacques MONOD, le Hasard et la Nécessité, p. 238.

DÉR. et **COMP. Coder, codifier, codique. Codon. Décoder, encoder. Digicode. Sous-code.**

CODÉBITEUR, TRICE [kodebitœr, tris] n. — 1611 ; de *co-*, et *débiteur*.
Dr. Personne qui doit une somme en même temps que d'autres, à une même personne.

CODÉCISION [kodesizjɔ̃] n. f. — 1966 ; de *co-*, et *décision*.
Décision prise en commun par plusieurs organismes compétents. *Le principe de codécision entre le Conseil des ministres européen et le Parlement de Strasbourg.*

CODÉINE [kodein] n. f. — 1832 ; du grec *kôdeia* «pavot», et suff. *-ine*.
Chim. Alcaloïde extrait de l'opium ou préparé par synthèse à partir de la morphine. *La codéine a des propriétés narcotiques et est utilisée comme sédatif de la toux.*

CODEMANDEUR, ERESSE [kodmãdœr, -drɛs] n. et adj. — 1771 ; de *co-*, et *demandeur*.
Dr. Qui est demandeur en même temps que d'autres, dans une même action. *La codemanderesse.*

CODÉPUTÉ [kodepyte] n. m. — XIXᵉ ; de *co-*, et *député*.
Rare. Personne qui est député conjointement avec d'autres. — REM. Le fém. normal est *codéputée*.

CODER [kɔde] v. tr. — Mil. XXᵉ ; de *code*.
♦ **1** Sc. Mettre en code (4.) ; procéder au codage de. → **Encoder.**
♦ **2** Produire selon un code (5.). → **Encoder.**
♦ **CODÉ, ÉE** p. p. adj.
Qui appartient à un code (4. ou 5.). *Éléments codés.* — Spécialt, ling. Qui fait partie du code de la langue, n'est pas formé librement. *Les mots composés, les expressions et syntagmes lexicalisés*, les locutions... sont codés.*
Qui est mis en code. → Codant.

DÉR. et **COMP. Codeur. Transcoder.**

CODÉTENTEUR, TRICE [kodetãtœr, tris] n. — XVIᵉ ; de *co-*, et *détenteur*.
Dr. Personne qui détient avec d'autres (un bien, une succession).

CODÉTENU, UE [kodetny] n. — 1828 ; de *co-*, et *détenu*.
Personne qui est détenue en même temps qu'une ou plusieurs autres personnes. *Les codétenus d'une prison, d'une cellule. Le condamné et ses codétenus. Une codétenue.*
Accusé du meurtre d'un gardien, il se prépare à affronter avec deux de ses codétenus, un procès : mais il sait que sa vie est en danger.
S. DE BEAUVOIR, Tout compte fait, p. 168.

CODEUR [kɔdœr] n. m. — V. 1960 ; de *coder*.
Techn. Dispositif servant à coder une information ou à changer son code (5.). *Codeur-décodeur.*

CODEX [kɔdɛks] n. m. — 1651 ; mot lat. → Code.
♦ **1** Pharm. Recueil de formules pharmaceutiques et de médicaments autorisés par les organismes compétents. → **Formulaire.** *Les formules, les médicaments du Codex.*
♦ **2** Didact. (Sens du lat. *codex*). Dans l'Antiquité ou au moyen âge, Ensemble de feuilles écrites cousues ensemble, comme les tablettes enduites de cire, et reliées *(par oppos. au* volumen, enroulé). Plur. *Des codices* [kɔdisɛs] ou [kɔdikɛs].

CODICILLAIRE [kɔdisilɛr] adj. — XVIᵉ ; de *codicille*.
Didact. Contenu dans un codicille. *Clause, legs codicillaire.*

CODICILLE [kɔdisil] n. m. — 1269, *codicelle ;* lat. *codicillus* «tablette», de *codex*. → Code.
Didact. Acte postérieur à un testament le modifiant, le complétant ou l'annulant.

1 Je le lui donne par un codicille, révoquant à cet effet tous les testaments antérieurs.
VOLTAIRE, Lettre à d'Argental, 17 janv. 1763.

2 *(Il)* s'inquiète et voudrait faire à son testament je ne sais quel codicille pour avantager son petit-fils.
GIDE, Journal, mai 1905.

3 (...) ceci n'est pas mon testament. Mon testament est déjà fait et déposé chez un notaire. Ceci est un codicille. Je vous désigne comme mon héritier.
R. QUENEAU, Pierrot mon ami, éd. L. de Poche, p. 180.

DÉR. Codicillaire.

CODICOLOGIE [kɔdikɔlɔʒi] n. f. — 1961 ; du lat. *codex, codicis* (→ Code), et suff. *-logie*.
Didact. Étude scientifique des documents manuscrits (en tant qu'objets archéologiques). → **Paléographie.**
C'est tout récemment que l'archéologie du livre manuscrit s'est constituée en discipline autonome. M. Charles Samaran lui a donné (...) l'appellation un peu rébarbative, mais commode, de codicologie, sous laquelle elle est aujourd'hui couramment désignée (...)
La codicologie étudie les matériaux servant à la confection du livre manuscrit, et leur mise en œuvre.
Gilbert OUY, les Bibliothèques, *in* Encycl. Pl., l'Histoire et ses méthodes, p. 1088.

DÉR. Codicologue.

CODICOLOGUE [kɔdikɔlɔg] n. — 1961 ; de *codicologie*.
Didact. Spécialiste de codicologie. → **Archiviste, bibliothécaire, paléographe.** *L'existence de catalogues de manuscrits datés «fourniront aux codicologues des termes de comparaison»* (Gilbert Ouy, *in* l'Histoire et ses méthodes, Encycl. Pl., p. 1089).

CODIFICATEUR, TRICE [kɔdifikatœʀ, tʀis] n. et adj. — 1846; de *codifier*.

Didact. ou littér. Personne qui codifie (qqch.). *Les codificateurs de cette législation.* — Fig. *Les codificateurs des habitudes sociales.* — Adj. *Une action codificatrice et normalisatrice.*

CODIFICATION [kɔdifikasjɔ̃] n. f. — 1819; de *codifier*.

♦ **1** Action de codifier; résultat de cette action. *La codification des lois.*

♦ **2** Inform. Correspondance entre un élément d'information et une combinaison d'un «langage». → **Codage; assignation** (sémantique). *Codification (ou code, 5.) binaire.*

♦ **3** Fig. *La codification de la langue.* → **Normalisation.**

CODIFIER [kɔdifje] v. tr. — 1831; de *code*.

♦ **1** Réunir des dispositions légales dans un code. *Codifier la législation du travail; le droit aérien.*

♦ **2** Par ext. Rendre rationnel; ériger en système organisé, cohérent. → **Normaliser, systématiser.**

1 Le premier effort des grands Français du XVIᵉ siècle a été d'enrichir et de codifier la langue.
G. DUHAMEL, Défense des lettres, IV, I, p. 281.

2 On codifiait un petit lot de principes.
Georges LECOMTE, Ma traversée, III, p. 81.

DÉR. **Codificateur, codification.**

CODIQUE [kɔdik] adj. — V. 1965; de *code*.
Didact. Du code, d'un code (5.).

CODIRECTEUR, TRICE [kɔdiʀɛktœʀ, tʀis] n. — 1842; de *co-*, et *directeur*; d'abord écrit *co-directeur*.
Personne qui dirige en même temps que d'autres, et avec les mêmes droits.

(...) je devais prendre un poste (...) Je cherchai un moyen de m'y fixer. Le riche cousin influent qui avait autrefois aidé mon père me recommanda à une des codirectrices de l'Europe nouvelle, Mᵐᵉ Poirier (...)
S. DE BEAUVOIR, la Force de l'âge, p. 57.

CODIRECTION [kɔdiʀɛksjɔ̃] n. f. — 1866; de *co-*, et *direction*.
Direction commune (par plusieurs codirecteurs). *Assumer la codirection d'un journal.*

CODOMINANCE [kɔdɔminɑ̃s] n. f. — V. 1970; de *co-*, et *dominance*.
Biol. Absence d'une relation dominance-récessivité entre deux gènes alléomorphes, se traduisant par la manifestation simultanée des caractères qu'ils portent. *La codominance forme un nouvel individu d'un type intermédiaire par rapport à ceux dont il provient.*

CODON [kɔdɔ̃] n. m. — 1968; de *code* (génétique).
Biochim. Triplet de nucléotides* voisins d'un acide nucléique, désigné par les initiales des noms des trois bases respectives, et dont l'ordre séquentiel constitue l'information qui commande et spécifie la synthèse cellulaire des acides aminés. → **Ribonucléique, ribosome.** «*La construction de la chaîne de protéines (...) s'arrête dès que le ribosome rencontre sur son trajet les codons de terminaison*» (la *Recherche*, juin 1970). *Codon et anticodon*.

COMP. **Anticodon.**

CODONATAIRE [kɔdɔnatɛʀ] n. — 1762; de *co-*, et *donataire*.
Personne qui reçoit une donation avec une ou plusieurs autres.

CODONATEUR, TRICE [kɔdɔnatœʀ, tʀis] n. — Mil. XIXᵉ; de *co-*, et *donateur*.
Dr. Personne qui fait une donation avec une ou plusieurs autres.

COÉCHANGISTE [koeʃɑ̃ʒist] n. — D. i.; de *co-*, et *échangiste*, 1.
Dr. Personne qui fait un échange avec une autre, par rapport à cette dernière. Syn. : *copermutant*.

COÉDITER [koedite] v. tr. — Mil. XXᵉ; de *co-*, et *éditer*.
Éditer en coédition. — Au p. p. *Un album de photos coédité par un éditeur allemand et un français.*

COÉDITEUR, TRICE [koeditœʀ, tʀis] n. — Mil. XXᵉ; de *co-*, et *éditeur*.
Éditeur qui coédite un ouvrage avec un ou plusieurs autres éditeurs.

COÉDITION [koedisjɔ̃] n. f. — Mil. XXᵉ; de *co-*, et *édition*.
Édition d'un même ouvrage en collaboration, par plusieurs éditeurs. Ouvrage ainsi édité. *Une coédition internationale.*

COÉDUCATION [koedykasjɔ̃; kɔedykasjɔ̃] n. f. — 1877; de *co-*, et *éducation*.
Éducation, dans un même établissement, de garçons et de filles. → **Mixité.**

COEFFICIENT [kɔefisjɑ̃] n. m. — 1750; de *co-* «avec», et *efficient*.

♦ **1** Sc. Nombre qui multiplie la valeur d'une quantité algébrique. → **Facteur.** *Affecter une quantité d'un coefficient. Les coefficients d'un polynôme, d'une équation* algébrique. — Cour. Valeur relative d'une épreuve d'examen. *Les mathématiques ont un fort coefficient.* — Écon. Facteur appliqué à une valeur. *Coefficient des prix, des salaires. Coefficient du coût de la vie.*

1 (...) nous avons un système de relèvement automatique des salaires quand le coefficient du prix de la vie augmente.
A. MAUROIS, Bernard Quesnay, XXXVI, p. 243.

♦ **2** Phys. Nombre caractérisant une propriété. *Coefficient de dilatation* (accroissement de l'unité de volume d'un corps quand la température est élevée d'un degré). *Coefficient d'écrasement, d'élasticité. Coefficient de frottement. Coefficient angulaire. Coefficients calorimétriques d'un corps.*

♦ **3** Cour. Facteur, pourcentage. *Coefficient d'erreur* : pourcentage d'erreur possible (dans une mesure, etc.).
Fig. Facteur constitutif (d'un événement, d'un phénomène).

2 Le temps me semble de plus en plus le facteur universel, le grand coefficient de l'éternel «devenir».
RENAN, Dialogues et Fragments philosophiques, Œ. compl., t. I, p. 155.

♦ **4** Chir. dent. *Coefficient masticatoire* : chiffre conventionnel indiquant la valeur fonctionnelle des dents antagonistes.

CŒLACANTHE [selakãt] n. m. — 1890, Encycl. Berthelot; lat. zool. *cœlacanthus*, 1842, Agassiz; du grec *koïlos* «creux», et *akantha* «épine».

Grand poisson osseux, très primitif *(Crossoptérygiens)*, connu depuis qu'on l'a découvert vivant (1935) : on le croyait fossile.

CŒLENTÉRÉS [selãteʀe] n. m. pl. — 1890; grec *koïlos* «creux», et *enteron* «intestin».

Zool., anciennt. Cnidaires. — REM. Certains spécialistes utilisent ce terme et emploient *Cnidaires* dans un sens plus restreint :

Les Cœlentérés se divisent en deux embranchements : Les *Cnidaires*, pourvus de cellules urticantes spéciales, les *cnidoblastes*.
Les *Cténaires*, dépourvus de cnidoblastes, mais possesseurs de *colloblastes*, de *palettes ciliées* et d'un organe des sens particulier : le *statocyste aboral*.
O. TUZET, Cœlentérés, *in* Encycl. Pl., Zoologie, t. I, p. 467.

CŒLIAQUE [seljak] adj. — 1560; *celiaque*, 1545; dér. sav. du grec *koïlia* «ventre, intestin».

Anat. Qui a rapport aux intestins. *Artère cœliaque. Maladie cœliaque. Tronc cœliaque :* grosse artère née de l'aorte abdominale. Var. (rare) : *céliaque.*

CŒLIO- Premier élément de mots didact. (anat., physiol., méd.), du grec *koïlia* (→ Cœliaque).

CŒLIOSCOPIE [seljɔskɔpi] n. f. — V. 1970; de *cœlio-*, et *-scopie*.

Didact. Examen endoscopique de la cavité abdominale. → Laparoscopie, péritonéoscopie. — REM. On trouve parfois *célioscopie* [seljɔ-] et *coelioscopie* [kɔljos kɔpi].

CŒLIOTOMIE [seljɔtɔmi] n. f. — 1901, *in* D.D.L.; de *cœlio-*, et *-tomie*, d'après l'angl. *cœliotomy*, 1881.

Chir. Ouverture chirurgicale de la cavité abdominale.

CŒLOMATES [selɔmat] n. m. pl. — 1890 (→ Acœlomates); lat. zool. *Cœlomata*, 1877, Lankaster, du grec *koïlôma* (→ Cœlome).

Didact. (zool.). Animaux qui possèdent un cœlome, donc des tissus de type conjonctif et des organes différenciés provenant du mésoderme. → Cœlome. — Au sing. *Un cœlomate.* — Appos. ou adj. *Vers cœlomates.* — S'oppose à *acœlomates.*

CŒLOME [selɔm] n. m. — Av. 1878, Larousse, *Suppl.*; mot créé en all. par Haeckel; grec *koïlôma* «partie creuse», de *koïlos* «creux».

Didact. (embryol.). Cavité comprise entre les deux feuillets du mésoderme et qui forme la cavité générale du corps de l'embryon. On dit aussi *cavité cœlomique. Formé au sein du mésoderme, le cœlome donne naissance, chez les mammifères, aux cavités péritonéale et pleuro-péricardique.*

(...) le fond de la cavité de l'archentéron s'amincit bientôt et se dilate en une vésicule aplatie, qui s'isole en une cavité indépendante, l'*entérocœle*, ébauche de la future *cavité générale* de l'embryon, ou *cœlome*, et celle-ci forme ainsi un troisième feuillet blastodermique, compris entre les deux premiers et appelé *mésoderme.*
Maurice CAULLERY, l'Embryologie, p. 31.

DÉR. et COMP. Acœlomates, cœlomates, cœlomique.

CŒLOMIQUE [selɔmik] adj. — 1893; de *cœlome*.

Didact. Du cœlome. *Cavité, liquide cœlomique. Parois cœlomiques.*

CŒLOSTAT [selɔsta] n. m. — 1895, *Année sc. et industr.* 1896, p. 27; de *cœlo-*, var. de *cœlio*, et *-stat.*

Didact. Appareil permettant de ramener la lumière émise par un objet céleste (en mouvement par rapport à l'observateur) sur un point fixe. *Cœlostat adapté à un spectographe. Cœlostat pour l'observation d'une éclipse en avion.*

COEMPTION [koãpsjɔ̃; kɔãpsjɔ̃] n. f. — 1788; lat. *coemptio.*

Dr. rom. Achat réciproque.

CŒNESTHÉSIE [senɛstezi] n. f. → Cénesthésie.

CŒNO- Élément de mots didact., du grec *koïnos* «commun», désignant la présence simultanée de plusieurs éléments dans un même organe (ex. : *cœnogamète*, n. m., *«gamète à plusieurs noyaux»*) ou encore signifiant «de même nature» (ex. : *cœnogénétique*, adj., «se dit de l'embryologie "condensée" des espèces sans formes larvaires, où l'embryon a déjà la forme adulte»). Var. : *céno-.*

CŒNOCYTE ou **CÉNOCYTE** [senɔsit] n. m. — XXᵉ; de *cœno-*, et *-cyte*; cf. angl. *cœnocyte*, 1900.

Biol. Tissu formé d'un cytoplasme continu, avec plusieurs noyaux. → Syncytium; plasmode (cit.). *Cellules anastomotiques d'un cœnocyte.* → Énergide. *Le tissu cardiaque est un cœnocyte.*

DÉR. Cœnocytique.

CŒNOCYTIQUE ou **CÉNOCYTIQUE** [senɔsitik] adj. — XXᵉ; de *cœnocyte*; cf. angl. *cœnocytic*, 1912.

Biol. D'un cœnocyte; formé par un cœnocyte. → Syncytial. *Phase de développement cœnocytique de l'ovule de l'if, précédant la phase cellulaire. Thalle cœnocytique de champignons inférieurs.*

CŒNOZOÉCIE ou **CÉNOZOÉCIE** [senozɔesi] n. f. → Zoécie.

COENTREPRISE [koãtʀəpʀiz] n. f. — 1990; de *co-*, et *entreprise.*

Recomm. off. pour *joint venture.*

CŒNURE [senyʀ] n. m. → Cénure.

COENZYME [koãzim; kɔãzim] n. m. ou f. — 1909, *co-enzyme*, in *Rev. gén. des sc.*, nᵒ 8, p. 382; de *co-*, et *enzyme*, d'après l'all. *ko-enzym*, 1908.

Biochim. Substance complexe, molécule organique attachée à une enzyme*, et qui la rend active. → aussi Apoenzyme.

COMP. Acétylcoenzyme.

COÉPOUSE [koepuz] n. f. — 1970; de *co-*, et *épouse.*

Chacune des épouses d'un polygame, par rapport aux autres épouses. — REM. Ce mot est usuel en français d'Afrique.

Dans l'après-midi un palabre fut convoqué et assis. Mariam vint, on la présenta à Salimata : «Voilà ta coépouse, considère-la comme une petite sœur; les gens du village l'ont envoyée pour t'aider dans ton grand et magnifique travail accompli au service du mari Fama.»
KOUROUMA, les Soleils des indépendances, p. 157.

COÉQUATION [koekwasjɔ̃; kɔekwasjɔ̃] n. f. — XVIᵉ; lat. *coæquatio*, de *co-*, et *æquatio*, de *æquare* «rendre égal».

Vx. Répartition* proportionnelle de l'impôt entre les contribuables.

COÉQUIPIER, IÈRE [koekipje, jɛʀ; kɔekipje, jɛʀ] n.
— 1892, *co-équipier; de co-* «avec», et *équipier.*

Personne qui fait équipe avec une autre dans une course, un rallye.

La balle leur paraît lente, leurs adversaires et leurs co-équipiers plus gauches encore. Mais ils en sourient : que d'exploits possibles sur ce terrain !
Jean PRÉVOST, Plaisirs des sports, p. 142.

Par ext. ⇢ Équipier.

COERCIBILITÉ [kɔɛʀsibilite] n. f. — 1838; *de coercible.*

Phys. Caractère de ce qui est coercible.

COERCIBLE [kɔɛʀsibl] adj. — 1798; lat. *coercere* «contraindre», et suff. *-ible.*

◆ **1 Phys.** Qui peut être comprimé. ⇢ **Compressible.** *Gaz coercible.*

◆ **2 Rare.** Qui peut être maîtrisé (dans des constructions négatives ou restrictives). *Un rire à peine coercible.*

CONTR. Dilatable, incoercible, incompressible. ◊ **DÉR. Coercibilité. ⇠ COMP. et CONTR. Incoercible.**

COERCITIF, IVE [kɔɛʀsitif, iv] adj. — 1559; *de coercitus,* p. p. *de coercere.* ⇢ *Coercible.*

◆ **1 Didact. ou littér.** Qui exerce une contrainte, une coercition. *Pouvoir, moyen coercitif. Force coercitive.*

◆ **2 Phys.** *Champ coercitif :* champ magnétique capable de détruire l'aimantation d'un barreau aimanté. *Force coercitive.*

DÉR. (Du sens 2) Coercitivité.

COERCITION [kɔɛʀsisjɔ̃] n. f. — 1529, *coërcition; cohercion,* 1255; lat. *coercitio, coercitionis de coercere.*

Didact. et littér. Pouvoir, action de contraindre. **⇢ Contrainte; coercitif.** *Le droit de coercition est un moyen légal de contrainte pour assurer l'exécution d'une obligation. Exercer une coercition.*

COERCITIVITÉ [kɔɛʀsitivite] n. f. — D. i. (mil. XXᵉ); *de coercitif,* 2.

Phys. Caractère d'un aimant qui résiste à l'action d'un champ magnétique, garde ses propriétés magnétiques.

COESRE ou **COÈRE** [kwɛʀ] n. m. — 1596; orig. inconnue.

Argot anc. *Le grand coesre :* le «roi» des gueux, des mendiants, dans certaines associations secrètes du moyen âge.

COESSENTIEL, ELLE, ELS [koesɑ̃sjɛl] adj. — 1585; *de co-,* et *essentiel.*

Didact. Qui a la même essence.

COÉTERNEL, ELLE [koetɛʀnɛl] adj. — 1611, *coéternel; coeternal,* emploi isolé, v. 1170; lat. *coæternus, de co-,* et *æternus.*

Théol. Qui existe de toute éternité avec un autre. *Le Fils, coéternel au Père.*

En parlant (...) avec son Fils, il *(Dieu)* parle en même temps avec l'Esprit tout-puissant, égal et coéternel à l'un et à l'autre. BOSSUET, Disc. sur l'hist. universelle, II, 1.

CŒUR [kœʀ] n. m. — 1508; *cuer,* v. 1130; *quors,* v. 1050; du lat. *cor, cordis.*

❚ A ◆ 1 Organe central de l'appareil circulatoire. Chez l'homme, Viscère musculaire situé entre les deux poumons et dont la forme est à peu près celle d'une pyramide triangulaire à sommet dirigé vers le bas, en avant et à gauche. ⇢ **Cardiaque ; -carde, cardi-;** fam. **battant, palpitant.** *En forme de cœur.* ⇢ **Cardioïde.** *Enveloppes du cœur.* ⇢ **Endocarde, péricarde.** *Muscle du cœur.* ⇢ **Myocarde.** *Cavités du cœur.* ⇢ **Oreillette, valvule, ventricule.** — Spécialt (méd.; inconnu de l'usage courant). *Cœur droit* (oreillette et ventricule droits), où circule le sang veineux; *cœur gauche* (oreillette et ventricule gauches), où circule le sang artériel. — *Mouvements du cœur.* ⇢ **Battement; battre, palpitation, pulsation.** *Contraction* (⇢ **Systole**), *dilatation* (⇢ **Diastole**) *du cœur. Lésions du cœur :* angiocardite, cardite, coronarite, endocardite, myocardite, péricardite. *Troubles cardiaques :* angine de poitrine, arythmie, bradycardie, cardialgie, collapsus, cyanose, dyspnée, souffle, tachycardie. — Loc. *Radiographie du cœur.* ⇢ **Angiocardiographie; cardiographie.** *Opération chirurgicale à cœur ouvert,* à l'intérieur du cœur. *À cœur fermé* (rare) : qui n'exige pas l'ouverture des parties du cœur. — *Greffe du cœur :* transplantation* cardiaque. — Littér. *Percer le cœur :* tuer.

(...) je me percerais le cœur de mille coups, si j'avais eu la moindre pensée de vous trahir.   1
MOLIÈRE, Dom Juan, II, 2.

C'est peu que de vouloir, sous un couteau mortel,   2
Me montrer votre cœur fumant sur un autel (...)
RACINE, Iphigénie, III, 6.

Dans ce récit de 1924, je racontais l'opération d'un garçon   3
nommé Rossignol, qui portait une plaie du cœur et que nous avions guéri. J'écrivais donc ces mots : «Si tu vis encore, dans ton hameau natal, rappelle-toi, Rossignol, que j'ai tenu, entre mes mains, ton cœur glissant et musclé comme un poisson».
G. DUHAMEL, la Pesée des âmes, XIII, p. 310.

Le cœur, organe central de l'appareil circulatoire, est un   4
muscle creux jouant à la fois le rôle d'une pompe aspirante ou foulante, appelant dans ses cavités le sang qui circule dans les veines, le chassant d'autre part dans les deux artères aorte et pulmonaire et, par l'intermédiaire de celles-ci, dans tous les réseaux capillaires de l'organisme.
L. TESTUT, Traité d'anatomie, t. II, p. 4.

(...) appuyons le doigt au-dessous et en dedans du   5
mamelon, au niveau du cinquième espace intercostal gauche. Là, nous sentirons battre la pointe du cœur. Appliquons l'oreille à cet endroit. Nous entendons distinctement deux bruits : l'un à la pointe, sourd et prolongé, l'autre à la base, plus clair, plus bref, comme les bruits d'une montre (...)
P. VALLERY-RADOT, Notre corps..., p. 43.

(...) les efforts musculaires, les maladies fébriles, les émo-   6
tions, la colère, accélèrent les battements du cœur, tandis que le sommeil les ralentit. Sous l'influence de causes diverses, en particulier une mauvaise nouvelle, ou un coup violent porté à l'estomac, le cœur peut s'arrêter pendant quelques instants, en même temps que la respiration : la syncope est réalisée.
P. VALLERY-RADOT, Notre corps..., p. 46.

(...) s'arrêtant toutes les deux marches, reprenant souffle,   7
attendant que se calment un peu les battements précipités de son cœur (...)   GIDE, Journal, 18 août 1930.

Tant que mon cœur battra : tant que je vivrai.

L'absence ne te sont rien quand on aime.   8
Tant que mon cœur battra,
Toujours il te dira :
Rappelle-toi.
A. DE MUSSET, Poésies nouvelles, «Rappelle-toi».

Cet organe, chez certains animaux, faisant partie des abats. *Cœur de veau aux carottes.*

◆ **2** (XIIᵉ). La poitrine, surtout dans : *sur, contre le, mon, son... cœur. Il la pressa, la serra tendrement sur son* *cœur, contre son cœur. Mettre, appuyer la main sur son cœur. La main sur le cœur* : dans une attitude théâtrale.

9 Quand un chanteur met la main sur son cœur, cela veut dire d'ordinaire : je l'aimerai toujours !
BAUDELAIRE, Curiosités esthétiques, Salon de 1846, x, «Du chic et du pareil».

10 *(Il)* portait sur son cœur, soulevé de terre, un enfant presque endormi de giration, qui laissait baller sa tête, et pendre ses bras (...)
COLETTE, la Naissance du jour, p. 210.

♦ **3** Estomac (dans quelques expressions). *J'ai encore mon dîner sur le cœur. Avoir mal au cœur* : avoir des nausées. → **Haut-le-cœur.** *Avoir le cœur sur le bord des lèvres* : être prêt à vomir. *Avoir le cœur barbouillé. Un mal, des maux de cœur.* Fam. *Le mal au cœur.*

11 J'ai quelquefois des maux de cœur.
MOLIÈRE, le Malade imaginaire, III, 10.

12 Quelque mal de cœur que me causât le balancement de la voiture (...)
MARMONTEL, Mémoires, II.

Fig. *Soulever le cœur (de qqn).* → **Dégoûter, écœurer.**

13 (...) ces flatteurs insipides (...) dont toutes les flatteries ont une douceur fade qui fait mal au cœur à ceux qui les écoutent ?
MOLIÈRE, l'Impromptu de Versailles, 4.

14 Et la satiété, qui succède au désir,
Amène un tel dégoût quand le cœur se soulève,
Que je ne sais, au fond, si c'est mon plaisir.
A. DE MUSSET, Poésies nouvelles, «Idylle».

(Choses). *Rester sur le cœur.* Fig. *Avoir, garder une injure sur le cœur* (→ fam. Je ne l'ai pas digéré).

15 (...) Je ne mâche point ce que j'ai sur le cœur.
MOLIÈRE, Tartuffe, I, 1.

16 J'ai ce soufflet fort sur le cœur.
MOLIÈRE, le Sicilien, 12.

17 Le silence de cet homme injuste me resta sur le cœur (...)
ROUSSEAU, les Confessions, VIII.

18 (...) grâce à elle, j'ai pu voir le ministre lui-même, tout à loisir, déballer mes dossiers — et tout ce que j'avais sur le cœur (...)
MARTIN DU GARD, les Thibault, t. IX, p. 120.

B Par anal. ♦ **1** (XVIe). Ce qui a la forme ou rappelle la forme du cœur humain (forme traditionnelle assez arbitraire, deux quarts de cercles accolés terminés en pointe vers le bas). *Cœur suspendu à un collier* : bijou en forme de cœur. *Cœur à la crème* : fromage à la crème en forme de cœur.

18.1 C'était tout petit, Pornichet, un petit peu sauvage, mais il y avait le facteur, des pêcheurs, des marchands de cœurs à la crème (...) J. PRÉVERT, Choses et autres, p. 30.

Fam., fig. *Faire la bouche en cœur* : affecter l'amabilité. → **Minauder.**

Aux cartes, Une des quatre couleurs, dont les points sont figurés par des cœurs. *As de cœur. Couper à cœur* (→ ci-dessous, cit. 47).

19 Et par un six de cœur, je me suis vu capot.
MOLIÈRE, les Fâcheux, II, 2.

Bot. *Cœur de Marie, Cœur de Jeannette.* → **Diélytre.**
Techn. Forme de taille à facettes du diamant.

♦ **2** (XIIIe). La partie centrale (de qqch.). → **Centre, milieu.** *Le cœur d'une laitue, d'un fruit.* → **Trognon.** *Cœur d'artichaut*. Cœur de palmier*. Le cœur du bois.* → **Aubier, duramen** ; → Arbre, cit. 19.

20 Les vieilles souches *(de vigne)* sont pourries jusqu'au cœur, et le fruit n'en vaut guère.
P.-L. COURIER, I, 272, in LITTRÉ.

21 (...) son tourment qui le rongeait comme un ver au cœur d'une amande (...)
P. MAC ORLAN, la Bandera, XVIII, p. 219.

Spécialt. Partie centrale (d'un fromage). «*Le cœur dur du Saint-Paulin (...) offre l'aspect (à la coupe) d'un camembert jeune...*» (A. Eck, le Lait et l'Industrie laitière, p. 59). — Loc. *À cœur*, se dit des fromages dont la pâte est *faite* dans toute l'épaisseur. *Un camembert fait à cœur* (→ À point).

21.1 (...) s'introduire sous la cloche à fromage où se font à cœur les doctrines double crème.
Jacques PERRET, Bâtons dans les roues, p. 191 (jeu de mots sur *fromage*, fig., «occupation lucrative»).

Le cœur d'une ville. → **Centre.**

22 Voilà *(l'ennemi)* dans le cœur du royaume (...)
LA BRUYÈRE, les Caractères, X, 11.

23 Le pays des golfes endormis, où la mer pénètre au cœur des montagnes, s'y frayant un chemin de ruisseau (...)
André SUARÈS, Trois hommes, «Ibsen», I, p. 71.

Cœur d'un réacteur nucléaire, sa partie active. *Cœur réactif, nucléaire.*

Cœur de croisement, de traversée (en chemin de fer).

♦ **3** Fig. *Au cœur de l'hiver, de l'été, de la nuit* : au plus fort de l'hiver, de l'été, de la nuit.

24 On était au cœur d'un hiver extrêmement rude.
Antoine HAMILTON, Mém. du comte de Grammont, 8.

25 De midi à une heure c'est le cœur du jour.
H. BOSCO, Un rameau de la nuit, IV, p. 164.

Le cœur du sujet, de la question : le point essentiel, capital. *Le cœur du débat.* → **Vif.** *Le cœur d'une cible* (en publicité).

II (XIe). ♦ **1** Par métaphore. Le siège des sensations et émotions.

Les sentiments que nous éprouvons sont toujours accompagnés par des actions réflexes du cœur ; c'est du cœur que viennent les conditions de manifestation des sentiments, quoique le cerveau en soit le siège exclusif.
Claude BERNARD, cité par Paul CHAUCHARD, le Cœur et ses maladies.

Agiter, faire battre le cœur. → **Émouvoir.** *Les palpitations* (cit. 1 et 2) *du cœur. Serrement, pincement* (cit. 2) *de cœur. L'angoisse au cœur. Une douleur, un chagrin, qui arrache, brise, crève, fend, gonfle, perce, serre le cœur. Avoir le cœur gros. Avoir la rage au cœur.* Prov. *Cœur qui soupire n'a pas ce qu'il désire.* — *L'effroi, la crainte glace, transit le cœur. Avoir la joie au cœur. Le cri* du cœur.*

26 (...)

27 Le cœur gros de soupirs et frémissant d'horreur.
CORNEILLE, Rodogune, III, 1.

28 À te revoir, j'ai de la joie au cœur.
MOLIÈRE, Amphitryon, I, 1.

29 Je sens d'aise mon cœur tressaillir par avance.
MOLIÈRE, les Femmes savantes, III, 2.

30 Je me sens tout tribouiller le cœur quand je te regarde.
MOLIÈRE, George Dandin, II, 1.

31 Le voici. Vers mon cœur tout mon sang se retire.
J'oublie, en le voyant, ce que je viens lui dire.
RACINE, Phèdre, II, 5.

32 Il devrait y avoir dans le cœur des sources inépuisables de douleur pour de certaines pertes.
LA BRUYÈRE, les Caractères, IV, 35.

33 Ce spectacle nous fendit le cœur.
LAMARTINE, Graziella, «Épisode», XIX, p. 51.

34 (...) à cet instant où mon cœur est brisé par un abandon si cruel et une trahison si basse (...) [s'écrie Bettine, abandonnée par son amant].
A. DE MUSSET, Bettine, 18.

35 (...) tâchons d'apaiser ce pauvre cœur qui saute comme un petit oiseau (...)
G. SAND, la Mare au diable, VI, p. 55.

36 Le Petit Chose, perché sur le haut de la diligence, sentit, en entrant dans la ville, le froid le saisir jusqu'au cœur.
Alphonse DAUDET, le Petit Chose, I, V.

37 J'avais le cœur serré et toutes les peines du monde à retenir mes larmes (...)
Alphonse DAUDET, le Petit Chose, I, III.

38 Et pourtant c'eût été si bon, au milieu de tant de deuils et de tristesse d'avoir un peu d'amour pour se chauffer le cœur !
Alphonse DAUDET, le Petit Chose, II, XVI.

39 Du coup son cœur bondit ; ses yeux s'allument (...)
Alphonse DAUDET, le Petit Chose, II, XVI.

40 Il pleure dans mon cœur
Comme il pleut sur la ville.
Quelle est cette langueur
Qui pénètre mon cœur?
VERLAINE, Romances sans paroles, III.

41 Elle (ma mère) me les reprochait (mes torts et mes fautes)
avec un accent si douloureux que j'en avais le cœur
déchiré. FRANCE, le Petit Pierre, I, p. 11.

42 L'appartement était grand et froid. L'horrible silence qui
y régnait me glaçait le cœur.
FRANCE, le Petit Pierre, IX, p. 54.

43 Il revenait le cœur en désarroi, le cœur en tumulte et en
détresse. LOTI, Ramuntcho, II, II, p. 209.

44 Une immense joie dilatait son cœur (...)
GIDE, les Faux-monnayeurs, III, XI, p. 410.

45 Le cerveau vidé, le cœur dans un étau (...)
MARTIN DU GARD, les Thibault, t. VIII, p. 152.

46 Épousez-moi, Line chérie, je ne peux vous regarder sans
que le cœur me saute dans la gorge.
G. DUHAMEL, Chronique des Pasquier, VIII, XII,
p. 422.

47 Tu as dit : «Il nous fend le cœur» pour lui faire comprendre que je coupe à cœur. Et alors il joue cœur, parbleu! M. PAGNOL, Marius, III, 1.

♦ 2 Loc. (Le cœur, siège du désir, de l'humeur).
Accepter, avouer, consentir... de bon cœur, de grand
cœur, de tout cœur, de gaieté de cœur. → Plaisir (avec),
volontiers.

48 — La foi que vous m'avez donnée publiquement? — Moi?
je ne vous l'ai point donnée de bon cœur, et vous me l'avez
arrachée. MOLIÈRE, George Dandin, II, 2.

49 J'accepte de grand cœur pour jeudi votre bonne invitation
en vous demandant seulement la permission de ne venir
qu'après 5 heures.
SAINTE-BEUVE, Correspondance, 335,
27 nov. 1833, t. I, p. 403.

50 Ce n'est pas de gaieté de cœur qu'il renonce aux certitudes
métaphysiques. Nul défi de mécréant agressif.
A. MAUROIS, Études littéraires, t. II, Duhamel, II,
p. 90.

De tout son cœur : de toutes ses forces.

51 Je hais de tout mon cœur les esprits colériques (...)
MOLIÈRE, Sganarelle, 17.

52 Je t'écoute de tout mon cœur.
GIDE, les Nouvelles Nourritures, p. 11.

Si le cœur vous en dit : si vous en avez le désir,
l'envie, le goût. Avoir, prendre qqch. à cœur, y
prendre un intérêt passionné. N'avoir de cœur à
rien. → Enthousiasme, entrain, goût, intérêt, zèle. Je
n'ai pas le cœur à rire.

53 (...) vous prenez la chose fort à cœur.
MOLIÈRE, les Précieuses ridicules, 1.

54 (...) Si le cœur vous en dit?
MOLIÈRE, le Dépit amoureux, V, 3.

55 Cette femme, que je comblais d'attentions, de soins, de
petits cadeaux, et dont j'avais extrêmement à cœur de me
faire aimer. ROUSSEAU, les Confessions, VIII.

56 Je n'ai plus deux jours de suite de bonne santé; cela me
fait enrager, car je n'ai cœur à rien au milieu de mes
souffances.
CHATEAUBRIAND, Mémoires d'outre-tombe, III,
XIII.

57 Bien qu'on ait du cœur à l'ouvrage,
L'Art est long et le temps est court.
BAUDELAIRE, les Fleurs du mal, XI, «Guignon».

58 Pour moi qui n'ai rien tant à cœur que d'y voir clair, je
reste ahuri devant l'épaisseur de mensonge où peut se
complaire un dévot.
GIDE, les Faux-monnayeurs, I, XII, p. 138.

59 Si je pensais que cette civilisation fût le prolongement de
celle qui, depuis trente ou quarante siècles, a (...) enrichi,
orné, ennobli le patrimoine de l'espèce, de quel cœur ne
chanterais-je pas ses louanges.
G. DUHAMEL, Scènes de la vie future, XV, p. 248.

À cœur joie : avec délectation, jusqu'à satiété. S'en
donner à cœur joie.

60 Il s'enfonça à cœur joie dans les mauvaises pensées, et, à
mesure qu'il y plongeait plus avant, il sentait éclater en
lui-même un rire de Satan.
HUGO, Notre-Dame de Paris, IX, 1.

61 On entend les hirondelles chanter à cœur joie; on devine
que dehors le printemps resplendit (...)
LOTI, les Désenchantées, IV, p. 51.

D'un cœur léger : avec insouciance et plaisir
(→ Accepter, cit. 10).

62 Cet argent suffit à payer notre retour, et nous nous embarquons le cœur léger, et la bourse aussi.
LOTI, Aziyadé, LXIV, p. 173.

Tenir au cœur (vx), tenir à cœur : être considéré
comme très important.

63 Diantre! l'amour vous tient au cœur de bon matin.
RACINE, les Plaideurs, I, 6.

64 Une beauté me tient au cœur.
MOLIÈRE, Dom Juan, I, 2.

65 Cette galère lui tient au cœur.
MOLIÈRE, les Fourberies de Scapin, II, 7.

66 Insistant sur un sujet qui lui tenait à cœur, il reprit (...)
FRANCE, Histoire comique, I, p. 10.

♦ 3 Le siège de l'affectivité (sentiments, passions).
Les sentiments que le cœur éprouve, ressent. → Sensibilité; sentiment; affection, attachement, inclination, passion, tendresse. Engourdir son cœur dans
l'oubli (→ 1. Pouvoir, cit. 32). — Le cœur de qqn,
son cœur. Écouter son cœur. Avoir un cœur tendre,
sensible, fidèle. Un cœur débordant de tendresse.
Porter qqn dans son cœur. — (Spécialt. → Amour). Un
cœur ardent, embrasé, enflammé d'amour. Un cœur
blessé qui saignera toujours. → Plein, cit. 17. Cœur
épris. Cœur fidèle. Cœur volage (fam. Cœur d'artichaut*). Offrir, refuser son cœur. Épouser selon son
cœur, par amour. Union des cœurs. — Prov. Loin des
yeux, loin du cœur.

67 Je me sens un cœur à aimer toute la terre (...)
MOLIÈRE, Dom Juan, I, 2.

68 On disait l'autre jour (...) que la vraie mesure du mérite
du cœur, c'était la capacité d'aimer.
Mme DE SÉVIGNÉ, 255, 9 mars 1672.

69 Cesser d'aimer, preuve sensible que l'homme est borné, et
que le cœur a ses limites.
LA BRUYÈRE, les Caractères, IV, 34.

70 L'amour (...) n'est que le roman du cœur : c'est le plaisir
qui en est l'histoire.
BEAUMARCHAIS, le Mariage de Figaro, V, 7.

71 Mon cœur, lassé de tout, même de l'espérance,
N'ira plus de ses vœux importuner le sort (...)
LAMARTINE, Premières méditations, VI,
«Le vallon».

72 Le cœur d'un homme vierge est un vase profond.
Lorsque la première eau qu'on y verse est impure,
La mer y passerait sans laver la souillure,
Car l'abîme est immense, et la tache est au fond.
A. DE MUSSET, Premières poésies,
«La coupe et les lèvres», IV, 1.

73 Ah! Barberine, loin des yeux, loin du cœur.
A. DE MUSSET, Barberine, I, 1.

74 Voici des fruits, des fleurs, des feuilles et des branches
Et puis voici mon cœur, qui ne bat que pour vous.
Ne le déchirez pas avec vos deux mains blanches
Et qu'à vos yeux si beaux l'humble présent soit doux.
VERLAINE, Romances sans paroles, Aquarelles,
«Green».

75 Autrefois on rêvait de posséder le cœur de la femme dont
on était amoureux; plus tard sentir qu'on possède le cœur
d'une femme peut suffire à vous en rendre amoureux.
PROUST, À la recherche du temps perdu, t. I, p. 266.

75.1 Et toutes ces lèvres qui m'avaient embrassé, ces cœurs qui
m'avaient aimé (c'est bien avec le cœur que l'on aime, n'est-
ce pas, ou est-ce que je confonds avec autre chose?), ces
mains qui avaient joué avec les miennes (...)
S. BECKETT, Premier amour, p. 17.

Loc. ... *de cœur. Ami de cœur* : ami très cher. *Affaire de cœur*, d'amour.

Jeunesse de cœur : fraîcheur de sentiments. *Un cœur toujours jeune.* → Adieu, cit. 11; affection, cit. 1; âge, cit. 19; aimer, cit. 40; appétit, cit. 23.

76 (...) on n'a plus le cœur jeune impunément quand le corps a cessé de l'être. ROUSSEAU, les Confessions, X.

77 Jeunesse de visage et jeunesse de cœur.
A. DE MUSSET, Poésies nouvelles, «Lucie».

78 Un sentiment nouveau, une flamme de tendresse, embrasait son vieux cœur.
MARTIN DU GARD, les Thibault, t. III, p. 252.

Spécialt (quant à la sensibilité morale, aux capacités de compassion). *Le cœur de qqn, son cœur. Son cœur est sensible, dur.* — Loc. métaphorique. *Un cœur d'acier, de pierre* (cit. 2). *Un cœur, son cœur dur, dur comme de la pierre* (cit. 3.1). — Par métonymie. La personne, quant à sa sensibilité. *C'est un cœur dur, impitoyable, un cœur d'acier* (vx; → ci-dessous, cit. 80).

79 (...) si ton cœur sensible
À la compassion peut se rendre accessible (...)
CORNEILLE, Médée, IV, 5.

80 Quoi? dans leur dureté ces cœurs d'acier s'obstinent!
CORNEILLE, Horace, III, 2.

81 Pour attendrir mon cœur, on a recours aux larmes?
RACINE, Iphigénie, III, 6.

♦ 4 Bonté, sentiments altruistes (dans quelques expressions). *Avoir du cœur.* → **Altruisme, bienveillance, charité, compassion, délicatesse, dévouement, générosité, pitié, sensibilité.** *Avoir un cœur d'or.* — *Homme, femme de cœur.* — *Être sans cœur, manquer de cœur. C'est un sans-cœur.* → **Sans-cœur.**

82 (...) au moins se doit-on à soi-même de rendre honneur à l'humanité souffrante ou à son image, et de ne point s'endurcir le cœur à l'aspect de ses misères.
ROUSSEAU, Julie ou la Nouvelle Héloïse, V, II.

Par métaphore du sens propre :

83 Mon cœur ne bat que par sympathie; je ne vis que par autrui (...) GIDE, les Faux-monnayeurs, I, VIII, p. 93.

BON CŒUR : altruisme spontané. *Il a bon cœur* (quasi syn. de *il a du cœur*, ci-dessus). *Bon cœur et mauvais caractère.* — Par métonymie. *C'est un bon (un excellent) cœur.* — Loc. *À votre bon cœur*, formule destinée à solliciter la générosité de qqn.

Fam. *Avoir le cœur sur la main* : être généreux.

84 Les natures au cœur sur la main ne se font pas l'idée des jouissances solitaires de l'hypocrisie, de ceux qui vivent et peuvent respirer, la tête lacée dans un masque.
BARBEY D'AUREVILLY, les Diaboliques, «Le dessous de cartes...».

85 Saurai-je jamais rien dire des êtres ruisselants de vertu et qui ont le cœur sur la main? Les «cœurs sur la main» n'ont pas d'histoire; mais je connais celle des cœurs enfouis et tout mêlés à un corps de boue.
F. MAURIAC, Thérèse Desqueyroux, Prologue, p. 8.

À cœur ouvert. Recevoir qqn à cœur ouvert, avec une sympathie chaleureuse.

86 Nous étions reçus à cœur ouvert partout, et toujours il fallait manger et boire.
LOTI, Mon frère Yves, XXI, p. 72.

S'adresser, parler au cœur. Un artiste qui chante, joue avec son cœur. Lettre pleine de cœur. → **Sensibilité, sentiment.**

87 (...) l'écrivain (*Lamennais*) s'adresse par toutes les tendresses, à l'esprit par tous les artifices, à l'âme par tous les enthousiasmes.
HUGO, Littérature et Philosophie mêlées, p. 68.

88 Elle disait, en effet, qu'on ne joue bien qu'en jouant avec son cœur. FRANCE, Histoire comique, II, p. 30.

89 (...) des mélodies spontanées, qui parlent simplement au cœur. R. ROLLAND, Musiciens d'autrefois, p. 233.

Mots qui viennent du cœur.

90 L'huile et les parfums réjouissent le cœur; telle la douceur d'un ami dont le conseil vient du cœur.
BIBLE (CRAMPON), Proverbes, XXVII, 9.

91 (...) certains mots venus du cœur toucheraient le lecteur davantage que tous ces raisonnements plus ou moins captieux, c'est précisément pour cela que, ces mots, je ne les ai point prononcés. GIDE, Journal, 1918, Feuillet 2.

Toucher le cœur. Aller au cœur, droit au cœur. → **Émouvoir.**

92 *(Ce poète)* alla droit au cœur, il eut des soupirs, pour échos et des larmes pour applaudissements.
LAMARTINE, Premières méditations, Préface.

♦ 5 (XIIᵉ). Littér. Source des qualités de caractère, siège de la conscience. *Avoir un cœur bien né, haut placé.* — *Noblesse, bassesse, petitesse du cœur.* → **Âme.**

93 Ramenez cet ingrat tremblant à mes genoux,
Le repentir au cœur, les pleurs sur le visage.
CORNEILLE, Pertharite, II, 1.

94 Le bon cœur est chez vous compagnon du bons sens (...)
LA FONTAINE, Fables, XII, 23.

95 Le jour n'est pas plus pur que le fond de mon cœur.
RACINE, Phèdre, IV, 2.

96 Un noble cœur ne peut soupçonner en autrui
La bassesse et la malice
Qu'il ne sent point en lui. RACINE, Esther, III, 9.

97 Le vers se sent toujours des bassesses du cœur.
BOILEAU, l'Art poétique, IV.

98 La Feuillade (...) un cœur corrompu à fond, une âme de boue. SAINT-SIMON, Mémoires, III, 196.

99 L'instruction fait tout; et la main de nos pères
Grave en nos faibles cœurs ces premiers caractères.
VOLTAIRE, Zaïre, I, 1.

100 À tous les cœurs bien nés que la patrie est chère!
VOLTAIRE, Tancrède, III, 1.

101 L'égalité, notre passion naturelle, est magnifique dans les grands cœurs, mais, pour les âmes étroites, c'est tout simplement de l'envie.
CHATEAUBRIAND, Mémoires d'outre-tombe, t. V, p. 444.

102 Il accepte, comme l'hostie, la mort avec un cœur simple et obéissant. CLAUDEL, Feuilles de saints, IX.

103 Dostoïevski, le cœur le plus profond, la plus grande conscience du monde moderne.
André SUARÈS, Trois hommes, «Dostoïevski», V, p. 272.

104 Cet ennemi des siens, ce cœur dévoré par la haine et par l'avarice, je veux qu'en dépit de sa bassesse vous le preniez en pitié. F. MAURIAC, le Nœud de vipères, Avant-propos.

Vx. *Avoir du cœur*, de l'honneur, de la fierté. → **Courage.**

105 Rodrigue, as-tu du cœur? CORNEILLE, le Cid, I, 5.

106 Un orgueil noble et juste, et digne d'une reine
Qui soutient avec cœur et magnanimité
L'honneur de sa naissance et de sa dignité.
CORNEILLE, Pompée, III, 1.

107 Cette fille a du cœur, et dans l'adversité
Elle sait conserver une noble fierté (...)
MOLIÈRE, l'Étourdi, I, 4.

Mod. *Le cœur lui manqua et il s'enfuit. Il n'aura pas le cœur de faire cela. Donner, avoir du cœur à l'ouvrage.*

108 Mais je n'aurais jamais le cœur
De pouvoir préférer l'un de vous deux à l'autre.
MOLIÈRE, Psyché, I, 3.

109 Le cœur me manque.
MOLIÈRE, la Critique de l'École des femmes, 3.

110 (...) pour fortifier mon cœur et mon esprit contre les amertumes de la vie. Mᵐᵉ DE SÉVIGNÉ, 593.

Loc. (où *cœur* est plutôt compris au sens II, 1).

111 Quand on se vante d'avoir la tête solide, le cœur bien accroché, les nerfs à toute épreuve.
G. DUHAMEL, Chronique des Pasquier, V, X.

♦ **6** Par métonymie. La personne considérée dans ses sentiments, ses affections, notamment amoureuses. *Conquérir, gagner les cœurs. Bourreau* des cœurs.*

112 Je vous offre mon bras. Puis-je espérer encore
Que vous accepterez un cœur qui vous adore ?
       RACINE, Andromaque, I, 4.

113 Charmant, jeune, traînant tous les cœurs après soi.
       RACINE, Phèdre, II, 5.

114 Réunissons trois cœurs qui n'ont pu s'accorder.
       RACINE, Andromaque, V, 5.

115 On sentait qu'une multitude de cœurs pensaient à vous, une multitude de cœurs inconnus, chauds comme le dessous d'un édredon.
       G. DUHAMEL, Récits des temps de guerre, IV, p. 21.

T. **d'affection.** *Mon cœur, Mon cher cœur, Mon petit cœur.* → **Amour.**

116 Il faut que je l'appelle et Mon cœur et M'amie.
       MOLIÈRE, les Femmes savantes, II, 9.

117 Quelle joie en effet, quelle douceur extrême,
De se voir caresser d'une épouse qu'on aime !
De s'entendre appeler «petit cœur», ou «mon bon».
       BOILEAU, Satires, X.

Loc. *Joli comme un cœur.*

Faire le joli cœur, le beau, le galant.

117.1 C'est alors que, soudain, je vis Matigot. Tué, bien tué, net, pâle, pur (...) Matigot était garçon boucher, mauvais coucheur, joli cœur. Naturellement, la mort lui donnait de la noblesse.
       DRIEU LA ROCHELLE, la Comédie de Charleroi, p. 44.

♦ **7** La vie intérieure ; la pensée intime, secrète (de qqn). *Renfermer qqch. dans son cœur. Du fond de son cœur, dans le secret de son cœur :* dans son for intérieur. → **Dedans, fond.** — Loc. *Sonder les cœurs, les reins* et les cœurs.*

118 C'est moi qui suis le Seigneur qui sonde les cœurs, et qui éprouve les reins (...)
       BIBLE (SACY), Jérémie, XVII, 10.

119 Je sais comme je parle, et le Ciel voit mon cœur.
       MOLIÈRE, Tartuffe, I, 6.

120 *(Parfois)* Il est bon de cacher ce qu'on a dans le cœur.
       MOLIÈRE, le Misanthrope, I, 1.

121 La constance des sages n'est que l'art de renfermer leur agitation dans leur cœur.
       LA ROCHEFOUCAULD, Maximes, 20.

122 Roxane dans son cœur peut-être vous pardonne.
       RACINE, Bajazet, II, 5.

123 (...) pendant que la bouche accuse, le cœur absout.
       A. DE MUSSET, Bettine, XVII.

124 Ce que la bouche s'accoutume à dire, le cœur s'accoutume à le croire.   BAUDELAIRE, Œuvres, t. II, p. 424.

125 Ton nom est dans mon cœur comme dans un grelot.
       Edmond ROSTAND, Cyrano de Bergerac, III, 6.

126 (...) en exact analyste, j'avais cru bien connaître le fond de mon cœur.
       PROUST, À la recherche du temps perdu, t. XIII, p. 8.

Loc. *En avoir le cœur net :* savoir exactement ce qui en est, ne plus avoir de doute.

127 (...) je me dis qu'aujourd'hui même je vais non pas les épier, mais parler à Yves bien franchement, pour en avoir le cœur net (...)
       LOTI, Mᵐᵉ Chrysanthème, XLVIII, p. 250.

Épancher, ouvrir son cœur. → **Avouer, confier** (se), **livrer** (se). *Parler à cœur ouvert,* avec effusion. *La voix* du cœur.*

128 Son cœur transparent comme le cristal ne peut rien cacher de ce qui s'y passe.   ROUSSEAU, 2ᵉ dialogue.

129 C'est du fond du cœur que je parle.
       MOLIÈRE, Monsieur de Pourceaugnac, I, 3.

130 *(Je veux que)* Le fond de notre cœur dans nos discours se montre.   MOLIÈRE, le Misanthrope, I, 1.

131 On ne lâche aucun mot qui ne parte du cœur.
       MOLIÈRE, le Misanthrope, I, 1.

(...) pour vous confirmer ici mes sentiments,
Souffrez qu'à cœur ouvert, Monsieur, je vous embrasse.
       MOLIÈRE, le Misanthrope, I, 2.   132

La sincérité est une ouverture de cœur.
       LA ROCHEFOUCAULD, Maximes, 62.   133

Le cœur sent rarement ce que la bouche exprime.
       CAMPISTRON, Pompeia, II, 5.   134

Je n'aurais pas moins dit quand je n'aurais rien promis, car un continuel besoin d'épanchement met à tout moment mon cœur sur mes lèvres.
       ROUSSEAU, les Confessions, IV.   135

(...) le silence est pénible lorsque le cœur déborde.
       GIDE, Pages de journal, 30 oct. 1939.   136

(...) c'est bon, une fois par hasard, de pouvoir parler à cœur ouvert.
       MARTIN DU GARD, les Thibault, t. IX, p. 57.   137

♦ **8** **PAR CŒUR :** de mémoire. *Apprendre, connaître, savoir, retenir, réciter par cœur.*

Et cent autres babioles que je sais quelquefois par cœur.
       Mᵐᵉ DE SÉVIGNÉ, 346.   138

(...) on retient par cœur malgré soi et voilà pourquoi nous disons retenir par cœur, car ce qui touche le cœur se grave dans la mémoire.
       VOLTAIRE, Dict. philosophique, Art dramatique.   139

Qui de nous, Lamartine, et de notre jeunesse,
Ne sait par cœur ce chant, des amants adoré,
Qu'un soir, au bord du lac, tu nous as soupiré ?
       A. DE MUSSET, Poésies nouvelles, «Lettre à Lamartine».   140

(...) les petites rues descendaient, montaient, s'enlaçaient comme pour égarer le passant attardé (...) mais André en savait par cœur les détours.
       LOTI, les Désenchantées, XVII, p. 130.   141

Ils évoquèrent le souvenir d'autres matches fameux. Ils en connaissaient par cœur le déroulement, comme on sait par cœur des poèmes.
       J.-L. CURTIS, le Roseau pensant, p. 20.   141

Par ext. *Connaître qqn par cœur,* connaître parfaitement son caractère, sa vie.

(...) votre homme arrive ; je l'ai étudié une bonne grosse demi-heure, et je le sais déjà par cœur.
       MOLIÈRE, Monsieur de Pourceaugnac, I, 2.   142

Fam., vieilli. *Dîner par cœur :* se passer de dîner.

♦ **9** Absolt. **LE CŒUR :** le sentiment, l'intuition mêlée d'affects. — Opposé à *raison, esprit* (analytique). — Avec la même valeur : *son cœur et son esprit ; un cœur soumis à la raison.*

Le cœur a ses raisons, que la raison ne connaît point.
       PASCAL, Pensées, IV, 277.   143

Un cœur se laisse prendre et ne se raisonne pas.
       MOLIÈRE, Tartuffe, III, 3.   144

L'esprit est toujours la dupe du cœur.
       LA ROCHEFOUCAULD, Maximes, 102.   145

L'homme croit souvent se conduire lorsqu'il est conduit et pendant que par son esprit il tend à un but, son cœur l'entraîne insensiblement à un autre.
       LA ROCHEFOUCAULD, Maximes, 43.   146

Hippocrate arriva dans le temps
Que celui qu'on disait n'avoir raison ni sens
Cherchait dans l'homme et dans la bête
Quel siège a la raison, soit le cœur, soit la tête.
       LA FONTAINE, Fables, VIII, 26.   147

Quelle mésintelligence entre l'esprit et le cœur !
       LA BRUYÈRE, les Caractères, XI, 91.   148

Oserai-je dire que le cœur seul concilie les choses contraires et admet les incompatibles.
       LA BRUYÈRE, les Caractères, XI, 73.   149

On dit bien quand le cœur conduit l'esprit.
       Mᵐᵉ DE TENCIN, Correspondance avec Richelieu, p. 384.   150

Les grandes pensées viennent du cœur.
       VAUVENARGUES, Réflexions et Maximes, p. 127.   151

La raison ne connaît pas les intérêts du cœur.
       VAUVENARGUES, Réflexions et Maximes, 124, p. 43.   152

Au lieu d'écouter son cœur, qui la menait bien, elle écouta sa raison, qui la menait mal.
       ROUSSEAU, les Confessions, V.   153

54 L'art ne fait que des vers, le cœur seul est poète.
André CHÉNIER, Élégies, XXI.

55 Ah! frappe-toi le cœur, c'est là qu'est le génie.
C'est là qu'est la pitié, la souffrance et l'amour (...)
A. DE MUSSET, À mon ami Édouard B.

56 On n'écrit pas avec son cœur, mais avec sa tête encore
une fois, et si bien doué que l'on soit, il faut toujours cette
vieille concentration qui donne vigueur à la pensée et relief
au mot. FLAUBERT, Correspondance, t. II, p. 136.

57 Mon cœur, si ma raison lui donne tort de battre, c'est à
lui que je donne raison.
GIDE, les Nouvelles Nourritures, p. 32.

58 Le cœur, dès qu'il s'en mêle, engourdit et paralyse le cerveau. GIDE, les Faux-monnayeurs, I, XVIII, p. 203.

59 Ce que nous appelons mouvements du cœur n'est que le
bousculement irraisonnable de nos pensées.
GIDE, Journal, 2 avr. 1929.

60 Il cédait plus volontiers aux impulsions du cœur qu'aux
remontrances de la raison (...)
G. DUHAMEL, le Temps de la recherche, XVI, p. 225.

Spécialt. Intuition. *L'intelligence du cœur. Le cœur
me le dit.* → **Pressentiment.**

61 C'est le cœur qui sent Dieu, et non la raison; voilà ce que
c'est que la foi : Dieu sensible au cœur, non à la raison.
PASCAL, Pensées, IV, 278.

62 Nous connaissons la vérité non seulement par la raison *(le
raisonnement)*, mais encore par le cœur : c'est de cette dernière sorte que nous connaissons les premiers principes
(...) C'est sur ces connaissances du cœur et de l'instinct
qu'il faut que la raison s'appuie, et qu'elle y fonde tout
son discours. PASCAL, Pensées, IV, 282.

63 Je n'ai point cédé, j'en conviens, à de grandes lumières
surnaturelles : ma conviction est sortie du cœur, j'ai pleuré
et j'ai cru.
CHATEAUBRIAND, le Génie du christianisme,
1re Préface.

64 Le cœur n'apprend que par la souffrance, et je crois,
comme Kant, que Dieu ne s'apprend que par le cœur.
RENAN, Souvenirs d'enfance..., Appendice.

65 L'intelligence et le cœur sont deux régions sympathiques
et parallèles; l'une ne s'élargit pas sans que l'autre s'agran-
disse; l'une ne se hausse pas sans que l'autre s'élève.
HUGO, Post-scriptum de ma vie, p. 6.

66 (...) et si tu *(lecteur)* n'as jamais eu le cœur mordu — mordu
jusqu'à crier – par le pressentiment des choses futures (...)
Alphonse DAUDET, le Petit Chose, II, XV.

67 Les vérités découvertes par l'intelligence demeurent stériles.
Le cœur est seul capable de féconder ses rêves.
FRANCE, les Opinions de J. Coignard, Œ., t. VIII,
p. 510.

68 L'intuition est une vue du cœur dans les ténèbres.
André SUARÈS, Trois hommes, «Dostoïevski», V,
p. 261.

69 C'est vers les ressources du cœur que se tourne notre
espoir. Trahis par cette intelligence savante dont les
œuvres formidables ont parfois le visage même de la
bêtise, nous aspirons au règne du cœur : tous nos désirs
vont vers une civilisation morale, seule capable de nous
exalter, de nous assouvir, de nous protéger, d'assurer
l'épanouissement réel de notre espèce.
G. DUHAMEL, Possession du monde, X, 2, p. 228.

DÉR. V. **Courage.** ◇ COMP. **Accroche-cœur, brise-cœur,
cache-cœur, casse-cœur, cœur-poumon, contre-cœur** (à),
crève-cœur, écœurer, haut-le-cœur. ◆ DÉR. et COMP. (Du
lat. *cor, cordis*) **Accord, cardia, cardialgie, cardiaque, cardiotonique, cardite, concorde, cordial, cordiforme, discord,
miséricorde, précordial.** ◆ HOM. **Chœur.**

CŒUR-POUMON [kœrpumɔ̃] n. m. — V. 1970; de
cœur, et poumon.

Chir. Mécanisme, appareillage destiné à suppléer
l'arrêt momentané de la circulation centrale,
notamment au cours d'une opération à cœur
ouvert; le sang, prélevé dans les veines caves,
s'écoule dans un *réservoir veineux,* passe dans un
oxygénateur, puis après passage dans divers appareils, est refoulé au moyen d'une *pompe artérielle*
dans l'artère fémorale. *Le cœur-poumon permet
d'établir une circulation extra-corporelle.*

COEXISTENCE [kɔɛgzistɑ̃s] n. f. — 1554; de *co-,* et
existence.

♦ 1 Existence* simultanée. *La coexistence des trois
personnes divines.*

Le mystère de la Trinité, c'est l'éternelle coexistence de trois   1
personnes. BOSSUET, 6e avertissement à Jurieu, I, 1.
(1801). → **Concomitance.**

La coexistence en un même esprit d'un poète, d'un phi-   2
losophe, d'un mémorialiste et d'un romancier était nécessaire pour que fût écrite la Comédie Humaine d'une des
époques les plus confuses et les plus tristes de l'histoire.
A. MAUROIS, Études littéraires, Jules Romains,
t. II, V, p. 160.

♦ 2 (1953). Polit. **COEXISTENCE PACIFIQUE** : principe
de tolérance réciproque de l'existence du groupe
adverse de nations (entre nations et «blocs» socialistes et capitalistes). *La coexistence pacifique est
un premier pas vers la détente.*

Plus la coexistence pacifique s'établira et se renforcera, et   3
plus aussi une guerre de type colonial deviendra insupportable aux deux grands Empires réconciliés.
F. MAURIAC, le Nouveau Bloc-notes 1958-1960,
p. 251.

Fig. Accord, absence de rivalité ou d'hostilité réciproque sans élément positif.

Là-dessus, nous sommes tout à fait d'accord : à chacun   4
ses occupations et son milieu.
— Une espèce de coexistence pacifique?
— Si tu veux.
S. DE BEAUVOIR, les Belles Images, p. 250.

CONTR. **Incompatibilité. — Guerre** (froide).

COEXISTER [kɔɛgziste] v. intr. — 1771; de *co-,* et
exister.

Exister* ensemble, en même temps. *Qualités qui
coexistent avec des défauts chez un même homme.*

Donc ces hantises ont dû coexister ensuite avec mes tourments religieux, leur donnant des prétextes, nourrissant
la nuée des scrupules secondaires.
J. ROMAINS, les Hommes de bonne volonté, IV,
VII, p. 63.

(Avec l'idée, pour les personnes, de se supporter). *Ils
n'arrivent pas à coexister.* → Cohabiter.

◆ **COEXISTANT, ANTE** p. prés. et adj.
Qui coexiste.

CONTR. **Précéder, préexister; succéder, suivre.**

COEXTENSIF, IVE [kɔɛkstɑ̃sif, iv; kɔɛkstasif, iv] adj.
— 1893; de *co-,* et *extensif.*

Log. Qui possède ou est capable de posséder la
même extension*. *Concepts coextensifs. Coextensif
à...*

COEXTRUSION [kɔɛkstʀyzjɔ̃] n. f. — V. 1970; de *co-,*
et *extrusion.*

Techn. Extrusion* par plusieurs extrudeurs simultanément, permettant de réaliser des matériaux
composites.

COFACTEUR [kɔfaktœʀ] n. m. — XXe; de *co-,* et *fac-
teur.*

Facteur associé à une grandeur, une réaction ou
un événement. *Les cofacteurs d'une maladie.* — Biochim. Petite molécule nécessaire à l'activité d'une
enzyme. → **Coenzyme.**

COFFERDAM [kɔfɛʀdam] n. m. — 1891 (*Année sc. et
industr.* 1892, p. 147); de l'angl. *coffer* «coffre», et *dam*
«digue».

Techn. (mar.). Séparation formée par deux cloisons
transversales entre un compartiment à cargaison
et la chambre des machines... (Gruss).

COFFIN [kɔfɛ̃] n. m. — XIIIᵉ ; du bas lat. *cophinus,* grec *kophinos* «panier». → Couffin.

Techn. (agric.). Étui que le faucheur remplit d'eau et porte à la ceinture pour mettre sa pierre à aiguiser.

COFFINER [kɔfine] v. intr. — 1660 au p. p. ; de *coffin, couffin* «corbeille».

Techn. Se cintrer dans le sens de la largeur (planche, panneau de bois). *Lame de parquet qui coffine.*

COFFIO ou **COFFIOT** [kɔfjo] n. m. — 1948 ; des formes dialectales sans *r* (famille de *coffin,* lat. *cophinus*) qui ont plusieurs dérivés en *-ot, -eau* : *coffineau, coffiniau* (Bourges, 1840), *coffinias* ; la forme dialectale la plus proche est *coufiot* «petit coffre».

Argot, puis **fam.** (vieilli). Coffre-fort.

Y a du photographe d'anthropométrie, un légiste alerté au pied levé, des brancardiers, et, plus précieuse attention de Monsieur le Contrôleur, un serrurier spécialiste de l'ouverture des coffiots (...)
Albert SIMONIN, Hotu soit qui mal y pense, p. 211.

COFFRAGE [kɔfraʒ] n. m. — 1838 ; de *coffre.*

♦ **1** Charpente qui maintient les terres d'une tranchée, d'une galerie de mine. — Dispositif qui moule et maintient le béton que l'on coule. → **Banchage.** *Planches de coffrage. Enlever le coffrage après que le ciment a pris.*

Les surfaces les plus atteintes par la corrosion (à l'emplacement de l'ancienne cuisine et des W.-C.) avaient reçu un coffrage en ciment, coulé par l'intérieur.
Bernard MOITESSIER, Cap Horn à la voile, p. 86.

♦ **2** Action de poser des coffres. *Procéder au coffrage.*

CONTR. Décoffrage.

COFFRE [kɔfR] n. m. — Fin XIVᵉ ; *cofre,* v. 1165 ; du bas lat. *cophinus.* → Coffin.

♦ **1** Meuble de rangement en forme de caisse qui s'ouvre en soulevant le couvercle. *Cases, compartiments d'un coffre. Fermoir, ferrures d'un coffre. Coffre droit, bombé. Coffre à bois, à outils, à linge, à jouets. Meubles en forme de coffre.* → **Huche, layette, malle, pétrin, saloir.** *Petit coffre.* → **Boîtier, cassette, coffret, écrin.**

1 Il n'y avait là qu'un seul meuble, mais monumental : un coffre.
Plus haut que moi, avec deux serrures de bronze, une à chaque battant, et, aux deux angles, des bêtes sculptées, des aigles (...) En largeur surtout et en profondeur, il affirmait sa force. Ses panneaux de noyer aux bizarres figures sournoisement luisaient.
H. BOSCO, Un rameau de la nuit, IV, p. 135.

♦ **2** (1291). Caisse où l'on range de l'argent, des choses précieuses. **Spécialt.** → **Coffre-fort ;** argot **coffiot.** *Les coffres des banques. Avoir un coffre à la banque. La chambre des coffres. Percer un coffre.*

2 Demain, vous irez louer une case de coffre dans une banque (...)
J. ROMAINS, les Hommes de bonne volonté, t. II, VIII, p. 37.

Fig. *Les coffres de l'État* : le Trésor public. *Ce haut fonctionnaire est accusé d'avoir puisé dans les coffres de l'État.*

♦ **3** (1690). Espace aménagé pour le rangement, souvent à l'arrière d'une voiture (→ **Malle**). *Le coffre arrière de cette voiture est spacieux et peut recevoir un volume important de bagages. Ferme le coffre à clé.*

♦ **4** Élément ayant la forme de coffre. *Le coffre d'un piano,* la caisse. *Coffre d'un orgue.* → **Buffet, cabinet.** — *Le coffre d'une brouette,* la caisse que l'on charge. **Mar.** *Coffre d'un navire,* la coque. → **Arcasse.** *Coffre d'amarrage :* grosse bouée destinée à l'amarrage des bâtiments sur rade.

♦ **5** (XVIᵉ). **Fam.** Thorax. → **Poitrine ; buffet, caisse.** *Avoir du coffre :* avoir une solide carrure, avoir du souffle. *Il a un coffre impressionnant. Quel coffre!* *Avoir le coffre solide :* avoir une bonne constitution.

3 Cette aventure m'arriva mal à propos pour ma santé, qui depuis quelque temps s'altérait sensiblement. Je ne sais d'où venait qu'étant bien conformé par le coffre et ne faisant d'excès d'aucune espèce, je déclinais à vue d'œil.
ROUSSEAU, les Confessions, V.

4 (...) je ne porte pas de flanelle, je n'attrape aucun rhume, le coffre est bon !
FLAUBERT, Mᵐᵉ Bovary, II, XI, p. 118.

5 Si tu avais eu un vélo convenable, tu m'aurais suivi... — Non. Je n'ai pas ton coffre. Je suis sûr que tu battrais Maroussel au sprint (...)
H. TROYAT, la Tête sur les épaules, p. 33.

Fig. *Avoir du coffre,* de l'audace, du courage.

6 La maison appartenait à un vendeur d'esclaves. Ah! On ne cachait pas son jeu, en ce temps-là! On avait du coffre, on disait : «Voilà (...) je vends de la chair noire.»
CAMUS, la Chute, p. 53.

Boucherie. Ensemble formé par les deux carrés et les deux poitrines (cage thoracique).

DÉR. Coffrage, coffrer, coffret. ◊ **COMP. Coffre-fort, encoffrer.**

COFFRE-FORT [kɔfRəfɔR] n. m. — 1543 ; de *coffre,* et *fort.*

Coffre métallique à parois renforcées (blindées, etc.), à fermeture complexe, destiné à recevoir de l'argent, des valeurs, des objets précieux... → argot **Coffiot.** *Serrure de sûreté d'un coffre-fort. Chiffre, combinaison secrète d'un coffre-fort. Des coffres-forts.*

Le coffre-fort contenait quelques titres, mais surtout d'anciens registres de comptes et tout ce qui concernait la gestion de la fortune.
MARTIN DU GARD, les Thibault, t. IV, p. 224.

COFFRER [kɔfRe] v. tr. — 1544, «mettre dans un coffre» ; de *coffre.*

♦ **1** **Fam.** (Sujet et compl. n. de personne). → **Emprisonner.** *Faire coffrer un voleur. Se faire coffrer.*

1 S'il ne me paye aujourd'hui, je le ferai coffrer demain.
J.-F. REGNARD, le Retour imprévu, 12, in LITTRÉ.

2 — Je vais te faire coffrer pour mendicité, dit l'agent.
SARTRE, l'Âge de raison, I, p. 9.

♦ **2** (Compl. n. de chose). **Techn.** Poser un coffrage sur... *Coffrer une dalle de béton.*

CONTR. Libérer ; décoffrer.

COFFRET [kɔfRɛ] n. m. — V. 1265 ; de *coffre.*

♦ **1** Petit coffre*, généralement orné, où l'on serre des objets précieux, des documents. *Coffret de tabletterie. Coffret ciselé, sculpté. Cadenas d'un coffret. Coffret à bague* (→ **Baguier**), *à bijoux* (→ **Écrin**), *à reliques* (→ **Reliquaire**).

(...) je les avais tous (vos portraits), dormant au fond d'un coffret secret, dans un sachet de satin !
LOTI, les Désenchantées, XIX, p. 136.

Par anal. Emballage élégant et luxueux. *Ce parfum vous sera offert dans un coffret raffiné.* — *Coffret de disques :* série de disques présentés en coffret. → Album.

♦ **2** **Techn.** Petit coffre. *Coffrets en matière isolante pour branchements électriques (coffrets de sécurité). Coffret de manœuvre.*

COFFREUR [kɔfʀœʀ] n. m. — 1955; de *coffrer* «poser un coffrage».

Techn. Ouvrier qui fabrique et met en place les coffrages des ouvrages en béton armé.

COFIDÉJUSSEUR [kofideʒysœʀ] n. m. — 1753; de *co-*, et *fidéjusseur*.

Dr. Chacune des personnes qui cautionnent un même débiteur, pour une même dette.

COFINANCER [kofinãse] v. tr. — 1987; de *co-*, et *financer*.

Financer (un projet, une entreprise) à plusieurs. *Sociétés de production qui cofinancent un film.* — Au p. p. *Entreprise cofinancée par plusieurs banques.* — REM. Le dérivé *cofinancement* [kofinãsmã] n. m. (1987) s'emploie aussi.

COFONDATEUR, TRICE [kofɔ̃datœʀ, tʀis] n. — 1982; de *co-*, et *fondateur*.

Personne qui fonde, ou a fondé (une entreprise) avec une ou plusieurs autres personnes. *Les trois cofondateurs d'une société commerciale.* — REM. On emploie aussi *cofondation*, n. f.

COFUSION [kofyzjɔ̃] n. f. — D. i. (xxᵉ); de *co-*, et *fusion*.

Techn. Fusion simultanée de plusieurs matières.

COGÉRANCE [koʒeʀãs] n. f. — 1869; de *co-*, et *gérance*.

Dr. Gérance en commun (par des *cogérants*).

COGÉRANT, ANTE [koʒeʀã, ãt] n. — xxᵉ; de *co-*, et *gérant*.

Dr. Personne exerçant une cogérance.

COGÉRER [koʒeʀe] v. tr. [CONJUG.: *céder*.] — Mil. xxᵉ; de *co-*, et *gérer*.

Dr. Gérer en commun, dans une cogérance* ou une cogestion*. — Au p. p. *Usine cogérée.*

COGESTION [koʒɛstjɔ̃] n. f. — 1945; de *co-*, et *gestion*.

Dr. Administration, gestion en commun; spécialt, gestion de l'entreprise, assurée en commun par le chef d'entreprise et les salariés. → **Autogestion, participation** (à la gestion).

COGITATION [koʒitasjɔ̃] n. f. — xiiᵉ; lat. *cogitatio*, de *cogitare* «penser».

♦ **1** Didact. et vx. Action de fixer sa pensée sur un objet. → **Penser, réfléchir.** — REM. Signalé comme «vieux langage» dans Académie, *Compl.*, en 1842, le mot est repris en philosophie vers la fin du xixᵉ s.

♦ **2** (Déb. xixᵉ : 1833, P. Borel). Par ext. (fam.). Pensée, réflexion.

Mes cogitations récentes, continua Pigeon, m'incitent au contraire à affirmer que nous ne sommes pas d'accord sur le dernier point.   Boris VIAN, Vercoquin, p. 75.

COGITER [koʒite] v. — 1450; repris comme archaïsme, 1869; lat. *cogitare*.

V. intr. Fam., par plais. Réfléchir. *Ne le dérange pas; il cogite.*

V. tr. *Qu'est-ce que tu cogites?*

COGITO [koʒito] n. m. — 1834, Vigny; de *cogito, ergo sum*, mots latins signifiant *«je pense, donc je suis»*.

Argument philosophique sur lequel Descartes, dans le *Discours de la méthode*, construit son système. *Le cogito cartésien. L'apodicticité** (cit. 1 et 2) *du cogito.*

Les penseurs du xixᵉ siècle ont été, en quelque sorte, éblouis et hypnotisés par le *Cogito.* Ils s'y sont attachés et ils s'y sont enfoncés de toutes leurs forces et ils n'ont tiré de conséquences, des inductions, des théories et toute une philosophie que du *Cogito* et du principe d'évidence dont le *Cogito* est la formule (...)
On rétrécit Descartes à le renfermer dans le Cogito.
                Émile FAGUET, Études littéraires, xviiᵉ s., p. 67-68 (→ Assurer, cit. 43).

Par ext. Expérience subjective de la pensée rationnelle (dans quelque philosophie que ce soit). *Des cogito ou des cogitos.*

COGNAC [kɔɲak] n. m. — 1806; *coignac*, 1754, *in* D. D. L.; de *Cognac*, ville de Charente.

♦ **1** Eau-de-vie de raisin réputée de la région de Cognac. *Le cognac est le produit de la distillation du vin par brouillis et repasses**. Qualités des cognacs suivant la nature du sol qui a produit les raisins :* Fine Champagne (→ **Fine**) [Grande Champagne et Petite Champagne], Borderies... — Par métonymie. *Boire, humer un cognac. Il en est à son cinquième cognac.*

Un petit verre de cognac est près de lui, sur une petite table approchée suffisamment pour qu'il puisse le boire et faire éprouver à son gosier une sensation différente et aussi forte sans avoir à se déranger.   PROUST, Jean Santeuil, Pl., p. 287.

Abrév. pop. (vx) : *cogne* [kɔɲ] n. m. (1866, Delvau).

♦ **2** Adj. invar. De la couleur orangée du cognac.

Il est sensible à toutes les nuances qui séparent un lainage tabac d'un pull cognac.   S. DE BEAUVOIR, Tout compte fait, p. 183.

COGNAGE [kɔɲaʒ] n. m. — xxᵉ, argot parisien, *in* Wartburg, «rixe, coups et blessures»; de *cogner*.

Rare. Action de cogner; échange de coups.

Les premiers combats de boxeurs sans gloire ne furent que du cognage disgracieux, mais les hommes y allaient à toute force, ne se ménageant pas.
     Pierre HAMP, la Peine des hommes (Moteurs), p. 164.

COGNASSE [kɔɲas] n. f. — 1561; *coignasse*, 1534; de *coing*.

Rare. Fruit du cognassier non greffé.

DÉR. **Cognassier.**

COGNASSIER [kɔɲasje] n. m. — 1571; *coignassier*, 1558; de *cognasse*.

Arbre fruitier *(Rosacées)* qui produit les coings. — *Cognassier du Japon* : arbuste ornemental *(Rosacées)*, aux fleurs rouges ou orangées.

(...) un brasier de cognassiers du Japon (...)
     COLETTE, Flore et Pomone, *in* Gigi, p. 158.

COGNAT [kɔɡna] n. m. — xiiiᵉ; lat. *cognatus*, de *co-* «avec», et *gnatus*, pour *natus* «né».

Dr. rom. Parent par parenté naturelle (biologique), en particulier par les femmes. *Agnats* et cognats.*

Parmi les cognats, il y a les agnats, liés par le sang du côté des mâles *(a patre cognati)*, il y a aussi les parents par les femmes.   GIFFARD, Précis de droit romain, nᵒ 302.

DÉR. **Cognatique.** V. **Cognation.**

COGNATION [kɔɡnasjɔ̃] n. f. — 1520; «la parenté, les parents», v. 1170; lat. *cognatio*, de *cognatus*. → Cognat.

Dr. rom. Parenté naturelle reposant sur la consanguinité sans distinction de lignes, paternelle ou maternelle (→ **Cognat**). *Agnation* et cognation.*

COGNATIQUE [kɔgnatik] adj. — xxᵉ; de *cognat*.
Dr. rom. De la cognation.

1. COGNE [kɔɲ] n. m. — 1800, argot; déverbal de *cogner*.

Pop. Agent* de police, gendarme. → **2. Bourre, flic.**

1 Le Parisien policé — ou «cogné» (ô étymologie!) a-t-il conscience du droit que lui donne la loi :
«Nul n'est obligé à prendre plaisir à être cogné et à ne rouspéter point, s'il n'est cogné par des "cognes" en uniforme.»
JARRY, Spéculations, «L'arme prohibée»,
Œ. compl., t. VII, p. 83 (1902).

2 Or, sous tous les cieux sans vergogne,
Cest un usag' bien établi,
Dès qu'il s'agit d'rosser les cognes
Tout l'monde se réconcili'.
Georges BRASSENS, Hécatombe,
in Poèmes et Chansons, p. 19.

2. COGNE [kɔɲ] n. f. — 1887, Zola; déverbal de *cogner*.

♦ **1** Fam. Fait de cogner, bagarre. «*Cest pas des bagarres (...) on va attaquer un autre groupe (...) Cest déjà arrivé qu'on vienne chercher la cogne*» (entretien avec un «rocker», févr. 1978, in *le Nouvel Obs.*, 16 oct. 1978, p. 81).

♦ **2** Pop. et vx. *La cogne* : la police (→ 1. Cogne).

COGNÉE [kɔɲe] n. f. — V. 1100, *cuignée*; du lat. pop. *cuneata*, de l'adj. *cuneatus* «en forme de coin», de *cuneus* «coin».

Grosse hache* à biseau étroit utilisée pour abattre les arbres, fendre le gros bois, etc. *Cognée de bûcheron, de charpentier. Cognée bien emmanchée* (→ Bois, cit. 43). *Petite cognée.* → **Hachereau.**

1 Un bûcheron perdit son gagne-pain :
C'est sa cognée (...)   LA FONTAINE, Fables, V, 1.

2 L'empereur (...) comme un arbre en proie à la cognée.
HUGO, les Châtiments, IV, «L'expiation».

3 (...) il manque assurément des cyprès ; une cognée barbare et imbécile a été mise dans le bois des Ombres.
LOTI, Suprêmes visions d'Orient, I, p. 17.

Fig. *Mettre la cognée à l'arbre, au pied de l'arbre.* → **Entreprendre.**

Loc. *Jeter le manche après la cognée* : se décourager par lassitude, dégoût. → **Abandonner, renoncer.**

4 Alors, c'est déjà fini, tes beaux projets ? Tu jettes le manche après la cognée (...)
F. MALLET-JORIS, le Jeu du souterrain, p. 85.

HOM. Cogner.

COGNEMENT [kɔɲmɑ̃] n. m. — Av. 1907; de *cogner*.
Rare.

♦ **1** Le fait de cogner. → **Heurt.**

♦ **2** Bruit de ce qui cogne; bruit de coups. — Spécialt. Bruits sourds dans un moteur.

COGNER [kɔɲe] v. — XIIIᵉ; «coincer», fin XIIᵉ; du lat. *cuneare* «enfoncer un coin», de *cuneus* «coin».

A V. tr. dir. ♦ **1** Vx ou fam. Heurter, frapper sur (qqch.). *Cogner un clou. Se cogner la tête* : cogner sa tête. *Cogner involontairement un meuble.*

1 (...) quels sont ses outils ? est-ce le coin ? Sont-ce le marteau ou l'enclume? où fend-il, où cogne-t-il son ouvrage ?
LA BRUYÈRE, les Caractères, XII, 20.

Mod. (avec un compl. indirect). «*Quelqu'un cogne ses sabots sur le seuil*» (Alain-Fournier, in T.L.F.). «*Contre les vitres un arbre cognait ses branches*» (P.-J. Toulet, in T.L.F.).

Fig. *Se cogner la tête contre les murs* (face à un problème) : se heurter à des difficultés insurmontables.

♦ **2** Pop. (Compl. n. de personne ou d'animé). Battre, rosser (→ Coller, cit. 13.2). *Arrête, ou je te cogne!*

B V. tr. ind. (*Cogner à, contre, sur...*). Frapper fort, à coups répétés (contre, sur).

C'était comme un clou sur lequel il ne cessait de cogner.   2
P. MAC ORLAN, la Bandera, XV, p. 185.

Cogner à (contre, sur) la porte. → **Heurter.** *Cogner au mur, au plafond, pour faire cesser le bruit chez les voisins.*

Nanon vint cogner au mur pour inviter son maître à descendre.   3
BALZAC, Eugénie Grandet, p. 117.

Un pauvre homme passait dans le givre et le vent.   4
Je cognai sur ma vitre ; il s'arrêta devant
Ma porte, que j'ouvris d'une façon civile.
HUGO, les Contemplations, V, «En marche», IX.

(Sujet n. de chose). *Un volet qui cogne contre le mur.*
→ **Taper.**

C V. intr. (ou absolu.) ♦ **1** Frapper, heurter. *J'entends quelque chose qui cogne. Quelle émotion! mon cœur cogne*, bat violemment.

Spécialt. Fam. ou régional. Heurter à la porte de qqn.

♦ **2** Fam. Porter des coups. *Cogner dur; comme un sourd. Ce type ne sait que cogner.*

(...) il aimait cogner, lui aussi : même qu'il cognait dur !   5
MARTIN DU GARD, les Thibault, t. III, p. 75.

Il la repousse brutalement (*une femme*), et l'on croit qu'il   6
va cogner.
GIDE, Voyage au Congo, in Souvenirs, Pl., p. 702.

♦ **3** Spécialt (en parlant d'un moteur). Faire entendre des bruits sourds (→ **Cognement**).

Trois mille pistons. Six mille soupapes. Tout ce matériel   7
grince, racle et cogne.
SAINT-EXUPÉRY, Pilote de guerre, Pl., p. 320.

(En parlant d'un tir d'artillerie) :

Le secteur venait de se calmer : une canonnade de routine,   8
peu de lueurs dans un ciel sombre. C'était au loin vers
l'Argonne que ça cognait dans le noir (...)
DRIEU LA ROCHELLE, la Comédie de Charleroi,
p. 298-299.

♦ **4** Fig., fam. Sentir mauvais. → **Cocoter.** *Ouvrez la fenêtre, ça cogne ici!* — REM. Un dér. *cognotter*, dans ce sens, est attesté (Y. Gibeau, *Allons z'enfants*, p. 489).

Et puis alors l'odeur terrible!... comme ça quand il bouge...   9
Il lui monte des bouffées du corps... des os enfin... de
la carcasse... il cogne de partout... quelque chose à pas
croire!...   CÉLINE, le Pont de Londres, p. 177.

♦ **SE COGNER** v. pron.

♦ **1** Se heurter. *Il est maladroit ! Il se cogne partout. Se cogner à (contre) quelque chose.*

♦ **2** (1834). Se battre. *Se cogner avec qqn.* — (Récipr.). *Ils se sont violemment cognés.* — Spécialt, vx. Se battre (à la guerre).

♦ **3** Fig. *Se cogner au mur* : se heurter à des difficultés.

Dans la nuit où nous sommes tous, le savant se cogne au   10
mur, tandis que l'ignorant reste tranquillement au milieu
de la chambre.   FRANCE, le Jardin d'Épicure, p. 62.

DÉR. Cognage, 1. cogne, 2. cogne, cognement, cogneur.
◇ HOM. Cognée.

COGNEUR, EUSE [kɔɲœʀ, øz] n. — 1877; de *cogner*.
Personne qui cogne, frappe. — Spécialt. **a** Personne violente, qui aime frapper, se battre aux poings.
b Boxeur, joueur de tennis doté d'une frappe puissante. *Les cogneurs de fond de court.*
c Pianiste au toucher vigoureux.

COGNITICIEN, IENNE [kɔgnitisjɛ̃, jɛn] n. — 1983; du lat. *cognoscere* «connaître».
Didact. Spécialiste de l'intelligence artificielle, chargé d'intégrer dans un système expert* les informations d'un champ de connaissance.

COGNITIF, IVE [kɔgnitif, iv; kɔnitif, iv] adj. — 1541; attestation isolée v. 1370; du lat. *cognitum*, supin de *cognoscere* «connaître».
Didactique.
♦ **1** Qui est capable de connaître. *Faculté cognitive.* → **Cognition.**
♦ **2** (Reprise et diffusion mil. xxᵉ, sous l'infl. de l'angl. *cognitive*). Qui concerne la connaissance. *L'activité cognitive.*

L'extraction brusque du colt hors de la veste dans une parabole impeccable ne signifie nullement la mort, car l'usage indique depuis longtemps qu'il s'agit d'une simple menace, dont l'effet peut être miraculeusement retourné : l'émergence du revolver n'a pas ici une valeur tragique, mais seulement cognitive.
R. BARTHES, Mythologies, 1957, p. 72.

Ling. *Fonction cognitive* (dans la communication, le langage). → **Référentiel.**
Sciences cognitives : l'ensemble des sciences qui concernent la connaissance et ses processus (*psychologie cognitive*, linguistique, psycholinguistique, logique, certains aspects de l'informatique). *Sciences cognitives et neurosciences*.

COGNITION [kɔgnisjɔ̃; kɔnisjɔ̃] n. f. — xivᵉ, *connission*; lat. *cognitio*.
Philos. Acte de connaître. Connaissance*, en général.

COGNITIVISME [kɔgnitivism] n. m. — V. 1980; de *cognitif*.
Didact. Ensemble des sciences cognitives.

COGNITIVISTE [kɔgnitivist] n. et adj. — 1985 comme nom; de *cognitif*.
Didactique.
♦ **1** N. Spécialiste des sciences cognitives (sens plus large que *cogniticien*).
♦ **2** Adj. Relatif aux sciences cognitives. *Études cognitivistes.*

COGNOSCIBLE [kɔgnɔsibl] adj. — 1878; bas lat. *cognoscibilis*, de *cognoscere* «connaître»; cf. anc. provençal *conoisible*.
Didact. Accessible à la connaissance; qui peut être connu. → **Connaissable.** — REM. Le dér. *cognoscibilité*, n. f., *est* attesté (1900). *La cognoscibilité de l'univers.*
CONTR. Incognoscible.

COHABITANT, ANTE [koabitɑ̃, ɑ̃t] adj. et n. — xviiiᵉ; p. prés. de *cohabiter* (cf. cit.).
(Personnes). Qui cohabite. — Var. anc. : *co-habitant.* — N. :

Ce succès jamais démenti, lui concilia singulièrement le respect et la confiance, non seulement de ses Co-habitants, mais encore de tous ceux des Bourgs circonvoisins.
RESTIF DE LA BRETONNE, la Vie de mon père, p. 217.

COHABITATION [koabitasjɔ̃; kɔabitasjɔ̃] n. f. — 1704; *choabitacion*, attestation isolée, xiiiᵉ; lat. *cohabitatio*, du supin de *cohabitare*. → **Cohabiter.**
♦ **1** Situation de personnes qui vivent, habitent ensemble; d'une personne qui habite avec une ou plusieurs autres. — Par euphém. Concubinage.

♦ **2** (1836). Voisinage, fréquentation.

♦ **3** (1981, V. Giscard d'Estaing; répandu 1983). **Polit.** Dans le cadre constitutionnel de la Vᵉ République, Coexistence d'un président de la République (élu pour sept ans) et d'un gouvernement de tendance opposée (opposition devenue majorité). *Alternance* (4.) *et cohabitation.* — REM. Le dér. *cohabitationniste*, adj. et n. «relatif à; partisan de la cohabitation» (attesté 1985) est relativement courant.

COHABITER [koabite; kɔabite] v. intr. — 1541; «vivre comme époux», fin xivᵉ; lat. *cohabitare* (→ Habiter).
♦ **1** Habiter, vivre avec une autre personne, ensemble. → **Cohabitation.** *Cohabiter avec qqn. La crise du logement les oblige à cohabiter.*

Ce qu'il me faudrait, ce sont des journées planes, et si vides (...) Pour cela, il faut ne dépendre de personne, ne cohabiter avec personne, n'avoir pas d'affaires.
MONTHERLANT, le Démon du bien, p. 24.

♦ **2** Fig. Coexister. *Diverses théories cohabitent dans son esprit.*

♦ **3** (1985). **Polit.** Être dans la situation dite cohabitation* (3.). — REM. Le dér. *cohabitable*, adj., est mal formé. «*Le plus cohabitable des ministres*» (*l'*Express, 3 oct. 1985).

DÉR. Cohabitant. — (Du lat.) V. **Cohabitation.**

COHÉRENCE [kɔerɑ̃s] n. f. — 1524; lat. *cohærentia*, de *cohærens*. → **Cohérent.**
♦ **1** (1585). **Didact.** Union* étroite des éléments. → **Adhérence, agrégation, cohésion, connexion, homogénéité.** *La cohérence des éléments, des parties.*

Dans le bois, la cohérence longitudinale est bien plus considérable que l'union transversale. [1]
BUFFON, Expérience sur les végétaux, *in* LITTRÉ.

Les choses ou les parties, entre lesquelles il y a *cohérence*, sont jointes ou unies l'une *avec* l'autre; les choses ou les parties entre lesquelles il y a *adhérence*, sont simplement jointes ou unies l'une *à* l'autre. C'est-à-dire qu'il y a connexion entre les premières, elles forment un tout; et liaison seulement, jonction entre les dernières, elles ne sont qu'attachées l'une à l'autre (...) [2]
LAFAYE, Dict. des synonymes, p. 145.

♦ **2** Cour. Liaison, rapport étroit d'idées qui s'accordent entre elles. «Absence de contradiction et de disparate entre les parties d'un argument, d'une doctrine, d'un ouvrage.» (Lalande). *S'exprimer avec cohérence.* → **Logique.** *Son raisonnement manque de cohérence. Cohérence entre divers éléments. Cohérence des idées, des parties d'un ensemble.*

Puisque maintenant il est bien entendu qu'il ne s'agit que d'une fin d'ivresse, la cohérence et la vraisemblance strictes importent peu. [3]
J. ROMAINS, les Hommes de bonne volonté, t. V, XXIV, p. 233.

Caractère cohérent (d'un ensemble). *La grande cohérence de ce parti.* → **Unité.**

CONTR. Décohérence, désagrégation. — (Du sens 2) **Confusion, incohérence.**

COHÉRENT, ENTE [kɔerɑ̃, ɑ̃t] adj. — 1524; lat. *cohærens*, de *cohærere* «adhérer ensemble».
♦ **1** Didact. Qui présente de la cohérence*, de l'homogénéité. → **Homogène.** *Roche cohérente sinon massive* (→ Caverne, cit. 3).
Spécialt (phys.). Dont le déphasage ne varie pas dans le temps, dont les radiations sont en synchronie (syn. : *en phase*). *Sources lumineuses cohérentes.* — *Oscillateur cohérent* (fam. : un *coho*), en radar.

♦ **2** (1798). Cour. (abstrait). Qui se compose de parties liées et harmonisées entre elles. → **Harmonieux, logique, ordonné, rationnel.** *Idées cohérentes. Discours cohérent dans toutes ses parties. Conduite cohérente. Un programme cohérent.*

1 Cette mère n'avait jamais eu rien de cohérent avec sa fille ; elle ne sut deviner aucune des véritables difficultés qui l'obligeaient à ne pas profiter des avantages de la Restauration, et à continuer sa vie solitaire.
BALZAC, le Lys dans la vallée, Pl., t. VIII, p. 848.

2 Réserve faite quant au fond, je dois reconnaître que ses lettres forment un tout, parfaitement cohérent.
MARTIN DU GARD, les Thibault, t. IX, XVI, p. 190.

(Personnes). *Une équipe cohérente.* → **Homogène.** *Un groupe cohérent. Un amalgame peu cohérent de mécontents.*

CONTR. V. **Incohérent.** ◊ DÉR. **Cohérer.**

COHÉRER [kɔeʀe] v. [CONJUG.: *céder.*] — 1897 ; de *cohérent,* et suff. verbal.

♦ **1** V. intr. Phys. Devenir cohérent (1.). *«Les molécules s'ordonnent, se pressent, "cohèrent"...» (Année sc. et industr.* 1898 [1897], p. 50).

♦ **2** V. tr. Rendre cohérent. *Cohérer des arguments.*

COHÉREUR [kɔeʀœʀ] n. m. — 1890 ; dér. sav. du lat. *cohærere* «adhérer avec».

Phys., ancient. Détecteur d'ondes hertziennes inventé par Branly.

Le rêve est production de *ce qu'il faut* pour que la sensation (isolée) (généralement de la sensibilité générale) soit, *par le plus court possible, et par les moyens de fortune de l'état d'absence,* — par le zig-zag de l'étincelle et non par système de cohéreurs ordonnés — (probabilité) — perçue.
VALÉRY, Cahiers, t. II, Pl., p. 153.

COHÉRITER [kɔeʀite ; kɔeʀite] v. intr. — 1866 ; de *co-,* et *hériter.*

Dr. Hériter avec d'autres personnes (d'un même héritage).

COHÉRITIER, IÈRE [kɔeʀitje, jɛʀ ; kɔeʀitje, jɛʀ] n. — 1411 ; de *co-,* et *héritier.*

Dr. Personne qui hérite en même temps que d'autres, dans un même héritage.

COHÉSIF, IVE [kɔezif, iv] adj. — Av. 1866 ; dér. du lat. *cohæsum,* supin de *cohærere* «adhérer ensemble». Didactique.

♦ **1** Qui joint, unit, resserre. *Force cohésive.* «*Termes cohésifs entre eux»* (Dubos, *in* T. L. F.).

♦ **2** Qui est formé d'éléments qui adhèrent ensemble.

Leur matière grasse et cohésive avait permis aux machines d'y couper comme dans une monstrueuse pâtisserie, n'y laissant ni protubérances, ni sillons, ni ombres portées.
Jean RAY, les Derniers Contes de Canterbury, p. 120.

COHÉSION [kɔezjɔ̃] n. f. — 1740 ; lat. *cohæsio, cohæsionis,* de *cohærere* «adhérer ensemble». → Cohérent.

♦ **1** Force* par laquelle les molécules homogènes des corps adhèrent entre elles. → **Adhérence, agrégation, cohérence** (cit. 2) ; et aussi **inhérence.** *Force de cohésion qui rapproche.* → **Attraction.** *Résultat de la cohésion des parties d'un tout.* → **Ensemble.** *Contact par contiguïté, par cohésion. Cohésion des mortiers, du plâtre...*

1 La *cohérence* résulte de la *cohésion :* l'une marque l'état, l'autre la force. Si les corps perdaient leur *cohérence,* si Dieu suspendait l'action de la force de *cohésion,* tout serait réduit en poussière (BUFF.).
LAFAYE, Dict. des synonymes, p. 191.

Résistance d'une pellicule protectrice (lubrifiant, etc.) à l'écrasement.

♦ **2** (1823). Caractère d'unité dans les parties (d'un ensemble). → **Cohérence, connexion.** *Maintenir, renforcer la cohésion d'un groupe. La cohésion nécessaire des parties d'un État.*

2 Il faut le dire, dans ce grand corps *(l'Allemagne),* beaucoup de choses habituées ensemble par une longue cohésion, quoiqu'en réalité hétérogènes, paraissaient faire unité.
MICHELET, Extraits historiques, Histoire du XIXᵉ siècle, p. 386.

3 Une force de direction constante, qui est à l'âme ce que la pesanteur est au corps, assure la cohésion du groupe en inclinant dans un même temps les volontés individuelles.
H. BERGSON, les Deux Sources de la morale et de la religion, IV, p. 283.

4 (...) la cohésion de l'armée, en face de l'armée ennemie, est faite de l'équilibre heureux où se maintiennent — émules et non rivales, non sujettes l'une de l'autre, mais secourablement dépendantes — les forces de ces chefs valeureux.
GIDE, Ajax, 1.

♦ **3** (1832). Cohérence, unité logique (d'une pensée, d'un exposé, d'une œuvre...). *Ce récit a une cohésion parfaite.* → **Harmonie, logique.**

5 L'histoire doit avoir pour objet l'unité vivante de l'esprit humain. Elle doit donc maintenir la cohésion de toutes ses pensées.
R. ROLLAND, Musiciens d'autrefois, p. 8.

6 Il attirait à lui une nuée d'idées éparses et partielles, leur donnant sens et cohésion.
J. ROMAINS, les Hommes de bonne volonté, t. III, IX, p. 133.

CONTR. **Confusion, décohésion, désagrégation, dispersion, incohésion.**

COHOBATION [kɔɔbasjɔ̃] n. f. — 1615 ; de *cohober.*

Chim. Action de cohober ; son résultat (concentration par distillations répétées).

COHOBER [kɔɔbe] v. tr. — 1620 ; lat. des alchimistes *cohobare ;* de l'arabe *qŭhbăh* «couleur brunâtre».

♦ **1** Chim. Distiller à plusieurs reprises pour obtenir un liquide plus concentré.

♦ **2** Fig. Condenser. — Au p. p. *«Le suc cohobé» d'un roman* (Huysmans).

DÉR. **Cohobation.**

COHORTE [kɔɔʀt] n. f. — 1213 ; lat. *cohors, cohortis.*

♦ **1** Antiq. rom. Corps d'infanterie qui formait la dixième partie de la légion romaine. *La cohorte était composée de centuries*.* *Cohortes prétoriennes, plus fortes que les cohortes des légions.*

1 La légion de Fer et la Foudroyante occupaient le centre de l'armée de Constance. En avant de la première ligne paraissaient les Vexillaires (...) Ils tenaient levés les signes militaires des cohortes, l'aigle, le dragon, le loup, le minotaure (...)
CHATEAUBRIAND, les Martyrs, VI.

♦ **2** Littér. et vx. Troupe de combattants. *De vaillantes cohortes. Rallier ses cohortes. La cohorte des Anges. Célestes cohortes.*

2 N'y reste-t-il que vous et vos saintes cohortes ?
RACINE, Athalie, III, 7.

Mod. et fam. Troupe* de gens, d'individus. *Une joyeuse cohorte. Cohorte nombreuse. La cohorte des gens de lettres. S'avancer, défiler en cohorte.* → **Cortège, groupe.**

3 Il fut tout étonné d'ouïr cette cohorte
Le proclamer monarque au lieu de son roi mort.
LA FONTAINE, Fables, X, 13.

4 La Société des Gens de Lettres défila donc en tête du cortège, derrière une vaste pancarte établie par les organisateurs pour indiquer à la foule, compacte sur les trottoirs, le caractère de notre cohorte, très nombreuse parce que la plupart de nos sociétaires et adhérents avaient répondu à mon appel.
Georges LECOMTE, Ma traversée, p. 395.

Littér. (Choses). *«La cohorte des religions et des métaphysiques»* (Gautier).

♦ **3** Démogr. Ensemble des individus ou des couples ayant vécu un événement semblable pendant la même période de temps.

COHUE [kɔy] n. f. — 1235, «halle»; «siège d'une assemblée de justice, en Normandie», 1318; p.-ê. d'un verbe *cohuer*, de *huer* «appeler»; le sens médiéval est parfois repris en histoire.

♦ **1** (1638). Assemblée nombreuse et tumultueuse. → **Foule, multitude.** *Cohue grouillante. Se faufiler dans la cohue* (→ Agile, cit. 5). *Une cohue de combattants.* → **Mêlée.**

1   (...) une cohue officielle (...) remplit (car il y a eu bousculade) d'un brouhaha peu conforme à la solennité du lieu et du moment (...)
Louis MADELIN, l'Avènement de l'Empire, XV, Le sacre de Notre-Dame, p. 205.

2   (...) une cohue de soldats qui jouaient des coudes et s'écrasaient les pieds.
R. DORGELÈS, les Croix de bois, II, p. 25.

♦ **2** (Av. 1660). Cour. Bousculade, confusion, désordre, tumulte qui règnent dans une assemblée nombreuse. *Il y avait trop de cohue à ce bal. Quelle cohue! Fuir la cohue, les hordes.*

3   Un désordre, un chaos, une cohue énorme (...)
RACINE, les Plaideurs, III, 3.

4   La voilà arrivée dans la cohue de ce grand magasin sans qu'elle se soit aperçue du moment où elle décidait d'y venir.
J. ROMAINS, les Hommes de bonne volonté, t. IV, XVII, p. 191.

Une cohue de voitures. — Fig., littér. *Une cohue «de lueurs»* (Huysmans), *«de vagues»* (Queffelec, *in* T. L. F.). — (Abstrait). *Une cohue d'idées extravagantes. «Une cohue d'intérêts et de passions contraires»* (A. France).

♦ **3** Rare (sens étym.). Foire, marché.
CONTR. Calme, silence.

COI, COITE [kwa, kwat] adj. — 1080, *quei*; fém., 1798; du lat. pop. *quetus*, lat. class. *quietus.* → Quiet.

Vx et littér. Qui se tient tranquille, immobile et silencieux. — Loc. mod. *Se tenir coi, coite. Demeurer, rester coi. En rester coi.* → **Abasourdi, muet, sidéré, stupéfait** (→ fam. En être comme deux ronds de flan*). *Rester coi devant des arguments* (→ Aligner, cit. 3).

1   Avec cela, sans être malade, j'ai des jours de souffrance qui me font rester coi et farouche.
SAINTE-BEUVE, Correspondance, 321, 10 oct. 1833.

2   Le peuple obéit à sa voix *(le prophète Nathan)*;
Moi-même, devant lui, comme un enfant, je me tiens coi (...)   GIDE, Bethsabée, 1.

Vx. *En rester clos et coi.*
REM. Le fém. est rare.
CONTR. Agité, bavard, bruyant, tourmenté. ◊ **HOM. Quoi.**

COIFFAGE [kwafaʒ] n. m. — 1849, G. Sand, «ensemble de la coiffure»; de *coiffer.*

♦ **1** Action de coiffer (qqn).

♦ **2** Action de recouvrir (qqch.).

Spécialt (chir. dent.). *Coiffage de la pulpe, coiffage pulpaire*, par lequel on recouvre la pulpe dentaire (ou ce qui en est conservé) d'une substance non irritante.

COIFFANT, ANTE [kwafã, ãt] adj. — XXᵉ; de *coiffer.*

Qui coiffe bien. *Un chapeau coiffant.* → **Seyant.** *Coupe* (de cheveux) *coiffante.*

La ligne Romance est très coiffante. Elle est d'inspiration romantique (...) Des bandeaux cernent l'ovale du visage (...) Dans la nuque, les cheveux sont très courts et relevés.
P. GUTH, le Mariage du naïf, XII, p. 111.

N. m. Caractère de ce qui coiffe bien. *Avec sa coupe étudiée, ce chapeau vous assure un coiffant jeune.*

COIFFE [kwaf] n. f. — 1080; du bas lat. *cofea*, VIᵉ; du germanique *kufia* «casque».

♦ **1** Coiffure* féminine en tissu faisant partie des costumes régionaux traditionnels, portée aujourd'hui encore à la campagne. → **Bavolet, béguin, bigouden, capeline, colinette.** *Coiffe des dames du XVᵉ siècle. Coiffe paysanne. Coiffe de Boulonnaise, de Hollandaise. Les coiffes bretonnes. Une coiffe empesée. Le fond, la passe, les barbes, les ailettes d'une coiffe.*

Pour moi, je riais sous ma coiffe.   1
Mᵐᵉ DE SÉVIGNÉ, 159, 22 avr. 1671.

Une coiffe, un bout de ruban sont pour les filles autant   2
d'affaires importantes.   FÉNELON, XVII, 83.

(...) elle était presque charmante avec son corsage de drap   3
brodé, sa coiffe blanche à grandes ailes, et sa large collerette rappelant les fraises à la Médicis.
LOTI, Mon frère Yves, XXXVII, p. 107.

Elle se levait, massive, la tête auréolée par sa coiffe pay-   4
sanne plaquée derrière l'occiput, ronde et blanche comme fromage frais.   M. GENEVOIX, Raboliot, II, 3, p. 97.

Coiffe des religieuses. → **Cornette.**
Par anal. *Coiffe de cuir enveloppant la tête des oiseaux de fauconnerie.* → **Chaperon.**

♦ **2** (1680). Doublure (d'un chapeau, d'un casque, d'un képi). → **Calotte.**

Elle agitait le chapeau de paille de son mari, qui ne se   5
retournait pas. Le chapeau de paille était vieux, la coiffe craqua dans ses mains.
GIRAUDOUX, les Aventures de Jérôme Bardini, p. 29.

♦ **3** ⓐ (1690). Vx. Portion des membranes fœtales entraînées par la tête de l'enfant lors de l'accouchement (→ **Coiffé**).

ⓑ Biol. *Coiffe céphalique* (du spermatozoïde). → **Acrosome, capuchon.**

ⓒ Membrane qui enveloppe les intestins des animaux de boucherie, du porc. → **Mésentère; crépine.**

♦ **4** (1704). Bot. Enveloppe de la capsule (des mousses). — *Coiffe d'une racine*, sorte de capuchon qui la termine.

♦ **5** Techn. Partie qui couvre (chape, rebord). — Rebord du dos d'un livre relié.

Enveloppe d'un métal flexible, de cire, qui recouvre le bouchon (d'une bouteille). *Ouvrir la coiffe au couteau avant de déboucher.*

Extrémité profilée (d'une fusée, d'un lanceur), destinée à la protection de la charge utile. *Coiffe éjectable, largable, ouvrante.*

DÉR. Coiffer.

COIFFER [kwafe] v. tr. — V. 1280; de *coiffe.*

Ⅰ ♦ **1** (Sujet et compl. n. de personne).

ⓐ Couvrir la tête de (qqn). *Coiffer qqn d'une casquette. Coiffer qqn, se coiffer (d'un chapeau).* → **Chapeauter.** *Coiffer d'un casque* (→ Casquer), *d'un capuchon* (→ Encapuchonner). — Orner, parer la tête de (qqn). *Coiffer un enfant d'une couronne de fleurs.* → **Couronner.** — Au p. p. *Être coiffé d'un feutre.*

Oriante revint, coiffée d'un diadème, les cheveux sur les   1
épaules, à la fois reine et suppliante, brûlante de désespoir et de fierté.   M. BARRÈS, Un jardin sur l'Oronte, p. 108.

2 Quand il fut prêt, il se coiffa d'un feutre gris dont le bord était rabattu par-devant.
P. MAC ORLAN, la Bandera, I, p. 10.

3 Ils étaient coiffés d'un fez arrondi, de couleur rouge, et surmonté d'une petite queue, comme celle d'un melon.
P. MAC ORLAN, la Bandera, VI, p. 73.

Le chapeau qui le coiffe. Absolt. *Cette toque coiffe bien.* → **Coiffant.**

Fig., fam. *Coiffer son mari (de cornes),* le tromper.

b Rare. (Ambiguïté avec le sens III). Fournir (qqn) de couvre-chefs. *La modiste qui lui la coiffe.* — Pron. *Se coiffer chez un grand chapelier.*

♦2 Mettre sur sa tête. *Coiffer un chapeau, un casque.*

4 Il se trouva dehors (...) sans presque avoir su qu'il revêtait un imperméable léger, coiffait un chapeau mou.
COLETTE, la Fin de Chéri, p. 141.

Fig. *Coiffer la couronne, la mitre, la tiare :* être élevé à la dignité de roi, d'évêque, de pape.

5 Ce fut la dernière fois que Talleyrand coiffa la mitre et officia sous la chape de drap d'or.
Louis MADELIN, Talleyrand, I, IV, p. 48.

(1840, *in* D. D. L.). Loc. fam. *Coiffer sainte Catherine,* se dit à propos d'une jeune fille encore célibataire à vingt-cinq ans. → **Catherinette.**

5.1 Jouandon se trouvait en butte aux manœuvres d'une intrigante nommée Gervaise, qui, ayant coiffé sainte Catherine à cause de sa laideur et de sa pauvreté, s'était mis en tête d'épouser le planteur opulent.
Raymond ROUSSEL, Impressions d'Afrique, p. 326.

♦3 Recouvrir (qqch.), surmonter de (qqch.). *Coiffer une bouteille. Coiffer une lampe d'un abat-jour de soie.*

(Sujet n. de chose). Recouvrir. *Navire qui se fait coiffer par une vague.* → **Capeler.**

6 La neige coiffait les collines et traînait en plaques à demi fondues dans les creux d'un sol calciné.
MARTIN DU GARD, les Thibault, t. IV, p. 43.

7 (...) il faut espérer qu'on n'aura pas besoin des casemates avant que les coupoles ne les coiffent.
ARAGON, les Communistes, mai 1940, I.

II Fig. ♦1 Vx. Séduire (qqn) en le coiffant d'une idée (en la lui mettant dans la tête). — Pron. (1599). *Se coiffer de (qqn, qqch.) :* s'enticher, s'éprendre de (qqn, qqch.).

8 Fille se coiffe volontiers
D'amoureux à longue crinière.
LA FONTAINE, Fables, IV, 1.

9 Si on n'y songe pas assez *(à son ouvrage),* si on y songe trop, on s'entête, et on s'en coiffe.
PASCAL, Pensées, VI, 381.

10 (...) elle était au lit, belle et coiffée à coiffer tout le monde.
Mᵐᵉ DE SÉVIGNÉ, 539, 19 mai 1676.

11 (...) au milieu de ses disputes et de ses enragements contre François, elle s'était coiffée de lui tout doucement et sans se méfier du tour que lui jouait le diable.
G. SAND, François le Champi, XXII, p. 158.

♦2 (1906, *in* Petiot). Dépasser d'une tête à l'arrivée d'une course. — (1939). *Coiffer un concurrent,* le dépasser. *Se faire coiffer (au, sur le poteau) :* être battu (au dernier moment, sur la ligne d'arrivée).

♦3 Vén. Attraper l'animal poursuivi aux oreilles (en parlant du chien). *Meute qui coiffe le cerf.* — Fig. et vieilli. Prendre, attraper (qqn).

11.1 Disons le mot, votre mère était une femme entretenue, madame! qui a fini sordidement, comme toutes ses pareilles quand elles ne réussissent pas à coiffer un imbécile à temps.
J. ANOUILH, la Valse des toréadors, IV, p. 195.

♦4 (1954). Réunir sous son autorité, être à la tête de. → **Chapeauter** (fig.). *Le directeur coiffe les services commerciaux.*

III (Fin XIIIᵉ). Arranger les cheveux de (qqn). → **Peigner.** *Coiffer qqn.* — Pron. *Se coiffer* (→ Après, cit. 58). *Elle est en train de se coiffer. Se faire coiffer par une amie. Se coiffer en brosse*.*

(...) voir se coiffer, le soir,
Lise, une épingle entre les lèvres,
Éblouissement d'un miroir.
HUGO, la Légende des siècles, LVI,
«Rupture avec ce qui amoindrit». 12

Absolt. *Savoir coiffer. Aller se faire coiffer :* se rendre chez le coiffeur.

♦ **SE COIFFER** v. pron. → ci-dessus I., 1.; II., 1.; III.

♦ **COIFFÉ, ÉE** p. p. adj.

♦1 Qui porte une coiffe, une coiffure. *Une femme coiffée d'un béret* (→ Aigrette, cit. 3). → **Chapeauté.**

Ils échangeaient des rigolades avec des colons robustes coiffés de grands chapeaux de feutre noir. 13
P. MAC ORLAN, la Bandera, XIX, p. 232.

Spécialt. *Un enfant coiffé,* né avec une partie des membranes fœtales lui couvrant la tête. → **Coiffe,** 3., à la suite. — Loc. fig. *Être né coiffé :* avoir de la chance.

(...) puisque tu n'as quitté ta patrie que pour chercher quelque bon poste, il faut que tu sois né coiffé, pour être tombé entre nos mains. 14
A.-R. LESAGE, Gil Blas, I, IV, p. 15.

Il prenait un petit peu de champ pour me contempler mieux à l'aise... 14.1
— Vous êtes coiffé!... J'avais pas de chapeau.
— Coiffé! Coiffé du Destin! Parfaitement! Et là! L'Aura! là, je le vois! (...) Il me la voyait! Il me la décrivait dans l'air! un petit cercle autour de ma tête!...
CÉLINE, Guignol's band, p. 321.

♦2 (Animaux, choses). Recouvert, surmonté.

Les bœufs attelés, indolents et forts — coiffés tous de la 15
traditionnelle peau de mouton couleur de bête fauve qui leur donne l'air de bisons ou d'aurochs — traînaient ces chariots lourds (...)
LOTI, Ramuntcho, II, II, p. 213.

La maison était coiffée d'un grenier haut. 16
COLETTE, Histoires pour Bel-Gazou, III,
«Où sont les enfants?», p. 17.

La Copine disposa le café, une lampe à opium coiffée de 17
son chapeau de verre (...)
COLETTE, la Fin de Chéri, p. 168.

♦3 (Personnes). Épris (de qqn), entiché (de qqch.). *Il en est coiffé!*

Et que de son Tartuffe elle paraît coiffée! 18
MOLIÈRE, Tartuffe, I, 2.

♦4 Dont les cheveux sont en ordre. *Elle est toujours bien, mal coiffée. Être coiffée en chignon, avec des nattes.*

♦5 Loc. fam. (au sens 1 de *coiffé*). *Chien coiffé, chèvre coiffée :* personne très laide. *Il serait amoureux d'une chèvre coiffée :* il aime toutes les femmes, jusqu'aux plus laides. — *Le premier chien coiffé (venu) :* n'importe qui.

C'est délicieux! En sorte que je suis à la merci du premier 19
chien coiffé venu (...)
COURTELINE, Boubouroche, 2, p. 155.

CONTR. Décoiffer; décoiffé. ◊ DÉR. Coiffage, coiffant, coiffeur, coiffure. ◄ COMP. Décoiffer, recoiffer.

COIFFEUR, EUSE [kwafœr, øz] n. — 1669, *coifeur, coifeuse; de coiffer,* III.

Personne qui fait le métier de soigner et d'arranger les cheveux. → **Artiste** (capillaire); **capilliculteur, figaro;** (fam.) **merlan** (cit. 2, 3). *Coiffeur pour hommes,* celui qui coiffe et fait la barbe. → (ancienn.) **Barbier, perruquier.** *Apprenti, garçon coiffeur. Allez chez le coiffeur. Se faire couper, rafraîchir les cheveux par le coiffeur. Shampooing, friction, mise en plis, permanente, teinture exécutée par le coiffeur. Ciseaux, peigne, rasoir, tondeuse, séchoir* *de coiffeur. Tête en bois sur laquelle le coiffeur présente une coiffure, une perruque.* → **Marotte.**

1 Sur un signe affirmatif de la jeune femme elle lui peigna ses cheveux blonds tout en désordre (...) en noua les boucles soyeuses avec des nœuds de velours et s'acquitta de sa besogne en coiffeuse qui sait son métier.
Th. GAUTIER, *le Capitaine Fracasse*, t. II, p. 201.

2 Il s'habilla donc à la hâte et s'en alla se faire raser et peigner chez son coiffeur qui le reconnut.
P. MAC ORLAN, *la Bandera*, XIX, p. 233-234.

3 Au coiffeur avait succédé la manucure.
J. ROMAINS, *les Hommes de bonne volonté*, t. III, X, p. 136.

REM. Le fém. *coiffeuse* désigne plus souvent l'employée d'une maison de coiffure qu'une femme coiffeur.

Des minutes de coiffeur : de longs moments (d'attente).

4 Voilà. Mais i m'semble qu'ça fait bien cinq minutes que j'parle. — Cinq minutes de coiffeur même, dit Saturnin poliment. — Alors j'me dépêche.
R. QUENEAU, *le Chiendent*, p. 303.

COIFFEUSE [kwaføz] n. f. — 1901, *in* D.D.L.; de (se) *coiffer*, III.

Petite table de toilette munie d'une glace devant laquelle les femmes se coiffent, se fardent... *Une coiffeuse en acajou.*

1 Germaine avait ajouté une belle psyché Directoire, une coiffeuse Louis XVI, deux fauteuils de la même époque, et des bibelots.
J. ROMAINS, *les Hommes de bonne volonté*, t. II, XI, p. 108.

2 Elle va s'asseoir sur un petit siège rond (...) devant la coiffeuse à miroir. Elle s'observe dans la glace avec une lente attention (...) puis commence à se démaquiller avec application (...)
A. ROBBE-GRILLET, *la Maison de rendez-vous*, p. 102.

COIFFURE [kwafyʀ] n. f. — 1718; *coeffure*, 1538; *coeffeure*, av. 1528; de *coiffer*.

I (→ Coiffer, I.). ♦ **1** Vieilli. *La coiffure* (collectif), parfois opposé à *la chaussure*. Ce qui sert à couvrir la tête ou à l'orner.

1 L'autre mois, on l'emploie à changer tous les jours
Quelque chose à l'habit, au linge, à la coiffure.
Le deuil enfin sert de parure,
En attendant d'autres atours.
LA FONTAINE, *Fables*, VI, 21.

♦ **2** *(Une, des coiffures).* Objet fabriqué servant à couvrir la tête (pour abriter, protéger, orner...). → **Couvre-chef** (VX); **béret, bonnet, calotte, chapeau, coiffe, toque; couronne, diadème.** *Mettre, porter une coiffure.* → **Coiffer** (se). *Enlever sa coiffure.* → **Découvrir** (se). *Coiffure de tissu arrangée sur la tête.* → **Crêpe, fanchon, madras, mantille, marmotte, mouchoir, serre-tête, turban, voile; filet, résille, réticule.** *Coiffure servant à porter des objets sur la tête.* → **Bourrelet, tortillon.** *Coiffure traditionnelle des femmes russes.* → **Kakochnik.** *Coiffe, bords, bride, jugulaire, visière d'une coiffure. Armature soutenant une coiffure* (→ Arcelet). *Coiffures antiques* (pschent), *anciennes* (atour, attifet, hennin; fontange, garcette), *orientales* (→ **Chéchia, fez, keffieh, kippa, tarbouch; turban**). *Coiffures militaires* (→ **Béret, 1. bob, bonnet, calot, casque, casquette, chapska, képi, shako**), *ecclésiastiques* (→ **Barrette, calotte, chapeau, mitre, tiare; cornette**), *de magistrat* (→ **Mortier, toque**).

2 Je veux une coiffure, en dépit de la mode,
Sous qui toute ma tête ait un abri commode.
MOLIÈRE, *l'École des maris*, I, 1.

3 Plus de coiffures élevées jusqu'aux nues, plus de casques, plus de rayons, plus de bourgognes, plus de jardinières.
Mᵐᵉ DE SÉVIGNÉ, 1321, 15 mai 1691.

Elle paraît ordinairement avec une coiffure plate et 4 négligée, en simple déshabillé (...)
LA BRUYÈRE, *les Caractères*, III, 73.

(...) elles portent une haute coiffure rigide, pailletée d'ar- 5 gent ou d'or, qui est un peu comme le hennin de notre moyen âge occidental et que recouvre un voile «à la Vierge» (...)
LOTI, *Jérusalem*, IV, p. 42.

Deux hommes parurent (...) ils s'assirent, à la même 5.1 minute, sur le même banc. Pour s'essuyer le front, ils retirèrent leurs coiffures que chacun posa près de soi; et le petit homme aperçut, écrit dans le chapeau de son voisin : Bouvard; pendant que celui-ci distinguait aisément dans la casquette du particulier en redingote le mot : Pécuchet.
FLAUBERT, *Bouvard et Pécuchet*, Pl., t. II, p. 713.

REM. *Coiffure* a un sens très général; on lui préfère souvent des mots plus précis (*chapeau, bonnet,* etc.) à cause de la confusion que font naître les deux sens du mot. On l'emploie chaque fois qu'on ne peut ou ne veut déterminer l'objet.

II (1694, *coeffure à boucles;* → Coiffer, III.). ♦ **1** Arrangement particulier des cheveux*. → aussi 2. **Coupe** (A., 4.). *Une coiffure apprêtée. Une coiffure négligée, en coup de vent. Coiffure raide, coiffure bouclée.* → **Anglaise, boucle.** *Coiffure à raie; sans raie. Coiffure à cheveux longs.* → **Natte, torsade, tresse.** *Coiffure à cheveux réunis derrière la tête.* → **Catogan, chignon, queue.** *Coiffure ornant les oreilles.* → **Aile** (de pigeon), **bandeau, macaron.** *Coiffure relevée, roulée.* → **Coque, rouleau.** *Coiffure qui descend sur le front.* → **Accroche-cœur; frange.** *Coiffure à mèche bombée au-dessus du front.* → **Banane.** *Coiffure à cheveux courts. Coiffure en brosse*, à la Bressant. Coiffure à la Titus :* coiffure en casque plate et sans raie. *Coiffure afro*; coiffure rasta* (composée de petites nattes). *Coiffure à la chien. Coiffure à la caniche, à l'Aiglon,* bouclé très court et sans raie. *Coiffure à la Jeanne d'Arc,* courte et raide, avec une frange. *Épingles, peignes, rubans, ornements qui tiennent une coiffure. Une coiffure seyante. Défaire une coiffure.* → **Cheveu.** *Elle change souvent de coiffure. Spécialiste de la coiffure.* → **Coiffeur.**

Sa coiffure lui seyait à ravir : ses cheveux, nattés en petites 6 tresses comme ceux d'une odalisque ou d'une médaille de Sabine, se festonnaient en bandeau des deux côtés du front.
CHATEAUBRIAND, *Mémoires d'outre-tombe*, IV, IV.

(...) d'épaisses nattes de cheveux roulés en colimaçon au- 7 dessus des oreilles — coiffure conservée des temps très anciens et qui donne encore un air d'autrefois aux femmes paimpolaises.
LOTI, *Pêcheur d'Islande*, I, III, p. 21.

Ses cheveux de soie jaune, comme on en met aux poupées, 8 se partageaient en drôles de petites mèches, rebelles aux coiffures.
LOTI, *Figures et Choses...*, Passage d'enfant, p. 8.

La miniature représente une jeune dame à coiffure tri- 9 lobée — une grosse coque en haut, une grappe de boucles, genre chipolatas, sur chaque tempe.
COLETTE, *l'Étoile Vesper*, p. 98.

♦ **2** Métier, technique du coiffeur (→ **Capilliculture**). *Travailler dans la (haute) coiffure. La coiffure est un métier fatigant. Salon de coiffure :* atelier de coiffeur. *École de coiffure.*

COIN [kwɛ̃] n. m. — XIIᵉ; du lat. *cuneus* «coin à fendre».

I ♦ **1** Pièce de bois ou de métal, de forme prismatique triangulaire, utilisée pour fendre des matériaux, serrer et assujettir certains objets, certaines parties d'objets. *Le bondieu, l'ébuard, coins pour fendre les bûches. Coin pour tailler les blocs d'ardoise.* → **Alignoir.** *Assujettir avec des coins* (→ **Coinçage, coincement**). *Coin de fer pour affermir le manche d'un outil. Coin utilisé dans le boisage des puits de mines.* → **Picot.** *Coin pour caler un meuble boiteux.* → **3. Cale,** 3. *Ôter les coins.* → **Décoincer.** *Coin de calfat.* → **Patarasse.**

1 (...) quels sont ses outils ? est-ce le coin ? sont-ce le marteau ou l'enclume ? LA BRUYÈRE, les Caractères, XII, 20.

En forme de coin. → **Cunéiforme** (écriture). *Os de la boîte crânienne inséré en coin.* → **Sphénoïde.** *Se rétrécir en (forme de) coin.*

Techn. *Coin* (ou *pièce de coin*) *d'un conteneur. Coins de toiture, de plancher.*

♦2 Morceau d'acier gravé en creux qui sert à frapper les monnaies et les médailles. → **Matrice.** *Monnaie à fleur de coin,* que le frottement n'a pas encore usée et qui est aussi nette qu'à sa sortie de dessous le coin (par opposition à la *monnaie fruste,* usée par le frottement).

1.1 Le traiteur se retira fort content d'avoir été payé en belles pièces d'or à fleurs de coin : on n'en voyait pas d'autres dans le palais du calife.
A. GALLAND, les Mille et une Nuits, t. III, p. 28.

1.2 Si l'on considère qu'un coin pouvait battre environ quinze mille pièces avant d'être remplacé, on peut estimer la valeur de ces émissions à quelque 120 000 livres.
Georges DUBY, Guerriers et Paysans, p. 149.

Poinçon* de garantie pour marquer les bijoux, les pièces d'argenterie et d'orfèvrerie.

Fig. → **Empreinte, marque, sceau.** Loc. *Cela est frappé, est marqué à tel coin :* on y reconnaît tel caractère, tel cachet. *Une réflexion marquée au coin du bon sens. — Marqué au coin de l'auteur, de l'ouvrier* (cit. 11).

2 *(Des vers)* marqués au coin de l'immortalité !
BOILEAU, Épîtres, X.

II ♦1 Angle rentrant ou saillant formé par la rencontre de deux ou trois lignes, de deux ou trois surfaces. *Figure géométrique à quatre coins* (→ **Carré, quadrilatère**). *Coin d'une feuille de papier replié.* → **Corne.** *Marquer la page en repliant le coin. Coins de métal, de cuir qui garnissent les angles d'un registre, d'un livre. — Manger sur le coin d'une table. Le coin du mouchoir, d'un tapis. Coins datés* (d'une feuille de timbres).

3 À terre, un coin du tapis est relevé, le milieu du tapis forme un pli disgracieux, et le dessin usé cache à peine la corde.
J. ROMAINS, les Hommes de bonne volonté, t. V, XXI, p. 165.

Les quatre coins d'une chambre, les quatre angles.
→ **Encoignure, renfoncement ;** fam. **coinstot.** *— Punir un enfant en le mettant au coin.*

3.1 Quand on n'était pas sage, on allait au coin avec une queue d'artichaut dans la bouche pour bien comprendre l'amertume de la faute.
J. PRÉVERT, Choses et autres, p. 35.

Étagère, meuble de coin, de forme triangulaire.
→ **Écoinçon, encoignure.** — Par ext. *Au coin du feu.* — *Coin-de-feu :* siège carré à dossier angulaire ; vêtement d'intérieur. — Fig. *Ne pas quitter le coin de son feu,* son chez-soi.

4 C'était un temps à garder le coin du feu.
Mᵐᵉ DE SÉVIGNÉ, 1248, 1ᵉʳ janv. 1690.

5 Nous passâmes cette première soirée chez nous, assis au coin du feu comme en hiver.
Alphonse DAUDET, le Petit Chose, II, XIV.

6 Il revoit le divan, le coin où il s'est mis, les coussins où il s'est appuyé.
J. ROMAINS, les Hommes de bonne volonté, t. II, X, p. 104.

Les coins d'un compartiment de wagon. Retenir une place de coin, un coin. Coin fenêtre, coin couloir. — S'asseoir, se chauffer au coin de la cheminée, à l'angle de la cheminée.

6.1 Julie l'accompagna, elle lui avait retenu un coin fenêtre de troisième classe (...)
R. QUENEAU, le Dimanche de la vie, p. 70.

Le coin de la rue : l'endroit où deux rues se coupent.

Envoyez des soldats à chaque coin des rues. 7
CORNEILLE, Héraclius, III, 4.

Fam. *Allez donc chez le marchand du coin,* le plus proche. *Le marchand, le bistrot, l'épicier... du coin :* le premier (marchand, bistrot, etc.) venu.

Montrez-lui quelque chose de très simple (...) n'importe 7 quoi, un objet quelconque, un homme, une œuvre d'art, il juge souvent plus mal, plus faux que l'épicier du coin (...) il ne comprend absolument rien (...)
N. SARRAUTE, le Planétarium, p. 306.

Rencontrer qqn au coin d'une rue, par surprise.

Le coin d'un bois : l'endroit où une route coupe un bois ; la corne* que fait l'orée d'un bois. — Fig. *Mourir au coin d'un bois, d'une haie,* sans secours et sans assistance. *Avoir une mine à demander l'aumône au coin d'un bois :* avoir une mine patibulaire. *On n'aimerait pas le rencontrer au coin d'un bois* (même sens). → **Bois.**

(...) si jamais je le rencontre au coin d'un bois, il passera 8 un mauvais quart d'heure. A. JARRY, Ubu roi, I, 1.

Par ext. *Le coin de la bouche, des lèvres.* → **Commissure.** *Coins de la bouche qui montent jusqu'aux oreilles* (→ Bouche, cit. 4, et aussi cit. 5 et 7). — *Le coin des yeux.* — *(Au, du coin...). Avoir des rides au coin de l'œil. Regarder* du coin de l'œil. *Regarder en coin,* de côté. *Sourire en coin,* imperceptible et railleur.

(...) ma belle-fille regarde les Rochers du coin de l'œil, 9 comme moi, mourant d'envie d'aller s'y reposer.
Mᵐᵉ DE SÉVIGNÉ, 1175, 11 mai 1689.

M. Morin avait la face pleine et de grosses lèvres dont les 10 coins retroussés rejoignaient des favoris poivre et sel.
FRANCE, le Petit Pierre, XVI, p. 94.

Moi, je rêvais d'en être *(de la police).* Je m'en ouvris à 10 Sieffer, un inspecteur de la mondaine que j'avais eu la chance de rencontrer. Il m'écouta, sourire en coin mais avec une sollicitude paternelle et voulut bien me prendre dans son service.
Patrick MODIANO, les Boulevards de ceinture, p. 149.

Jeu des quatre coins ; les quatre coins : jeu où les quatre joueurs qui occupent les angles d'un quadrilatère doivent changer de coin tandis qu'un cinquième joueur essaye d'occuper un coin libre. *Jouer aux quatre coins.* — Par compar. :

Quantité de gros lézards gris fuient devant nos pas et 10 regagnent le tronc de l'arbre le plus proche, comme à un jeu des quatre coins.
GIDE, Voyage au Congo, in Souvenirs, Pl., p. 687.

♦2 Petit espace (d'une maison, d'un pays) ; portion de champ, de domaine. *Être logé dans un petit coin. Se retirer dans un coin.* — Loc. *Coin de terre. Posséder, cultiver un coin de terre.*

(...) cachée en un coin de ce vaste édifice (...) 11
RACINE, Athalie, V, 1.

Elle *(Mᵐᵉ de la Tour)* résolut de cultiver avec son esclave 12 un petit coin de terre (...)
BERNARDIN DE SAINT-PIERRE, Paul et Virginie, p. 16.

(...) le réchaud à repasser, équipé en gril à braise, encom- 13 brait un coin de la terrasse (...)
COLETTE, la Naissance du jour, p. 60.

Ce petit coin de forêt nous paraît plus beau que tout ce que 13 nous avons vu dans notre longue promenade aux environs d'Eala.
GIDE, Voyage au Congo, in Souvenirs, Pl., p. 706.

Fureter dans les coins.

Mon chameau de concierge est censé me faire mon 14 ménage trois jours par semaine. Je ne suis pas sur son dos. Je vous dirai que j'aime autant qu'elle ne furète pas trop dans les coins.
J. ROMAINS, les Hommes de bonne volonté, t. V, XXI, p. 166.

Au figuré :

15 Chez Mauriac, le renouvellement n'est pas dans le décor, ni dans la troupe, mais dans l'analyse des passions. Il creuse toujours le même coin de terre, mais chaque fois plus profondément.
> A. MAUROIS, Études littéraires, F. Mauriac, t. II, V, p. 60.

Par ext. *Apercevoir un coin de ciel bleu.* (Avec un subst. en appos.). *Salle de séjour avec coin cuisine. Coin repas. Coin bureau.*

♦ **3** Endroit retiré, peu exposé à la vue ou peu fréquenté. → fam. **Coinstot.** *Jetez cela dans un coin. Se cacher dans un coin. Chercher qqch. dans tous les coins et recoins. — Vivre dans un coin de province. Un coin retiré dans la campagne. Acheter une maison dans un petit coin tranquille. Je ne suis jamais allé dans ce coin-là. — C'est un coin idéal pour la pêche. Pêcheur qui a ses coins* (→ ci-dessous, cit. 20.1).

16 Je vous plains : car pour moi, dans ce péril extrême,
Je saurai m'éloigner, ou vivre en quelque coin.
> LA FONTAINE, Fables, I, 8.

17 Il se cache en un coin, respire et prend courage.
> LA FONTAINE, Fables, IV, 21.

18 Qu'heureux est le mortel qui, du monde ignoré,
Vit content de soi-même en un coin retiré.
> BOILEAU, Épîtres, VI.

19 Dans quelque coin du monde que j'achève ma vie, soyez sûr, Monseigneur, que je ferai continuellement des vœux pour vous.
> VOLTAIRE, Au roi de Prusse, 26 août 1736.

20 C'est si bien le coin que je cherchais, un petit coin parfumé et chaud, à mille lieues des journaux, des fiacres, du brouillard (...)
> Alphonse DAUDET, Lettres de mon moulin, «Installation».

0.1 L'ancien bras de la Filature, où ne stagnait d'ordinaire qu'un peu d'eau croupie sous les ronces, coulait à plein, comme autrefois, avant 1914. Deux ou trois vieux du pays en parlaient encore comme du meilleur coin pour les grosses truites — et l'eau courait sous mes yeux, indubitable.
> André HARDELLET, Lourdes, lentes..., p. 157.

Emplacement réservé (à des objets, une activité). *Le coin des livres, des disques. C'est le coin des balais. Le coin du bricolage.* — Partie (d'un espace) que l'on réserve à son usage personnel. *Ici, c'est mon coin.* Fig. *Rester dans son coin.*

Par euphém. **LE PETIT COIN** : les cabinets. *Aller au petit coin.*

Rubrique réservée à une activité (dans un périodique). *Le coin des philatélistes, du bricoleur.* → **Rubrique.**

♦ **4** Loc. *Les quatre coins de...* → **Bout, extrémité.** *Les quatre coins du pays, du monde. Chercher aux quatre coins de la ville.* → **Partout.**

21 Cet esprit de discorde et de défiance qui soufflait la guerre aux quatre coins de l'Europe.
> RACINE, Disc. à l'Académie.

22 (...) comme des appels successifs de trompe pour un rassemblement qui doit se faire des quatre coins de l'horizon.
> J. ROMAINS, les Hommes de bonne volonté, t. IV, XXIII, p. 253.

♦ **5** Partie infime (d'une surface).

23 Je vis d'elle *(Bella)* le seul coin de chair qui fût fatigué, qui portât trace de la vie, ses paupières.
> GIRAUDOUX, Bella, II, p. 43.

Fig. Petite partie ou endroit reculé. *Avoir une idée dans le coin de la tête. Garder un souvenir dans le coin de sa mémoire. Fouiller les coins de sa conscience.*

24 Il fallait ramasser dans tous les coins de ma conscience un tas de vieux péchés qui traînaient là depuis sept ans.
> Alphonse DAUDET, le Petit Chose, I, I.

♦ **6** Loc. (Idée de lieu retiré, difficile d'accès). *Connaître une question dans les coins,* parfaitement.

25 Oh ! nous continuerons d'écrire (...) Vous dites : «Souveraines et vastes chimères», et nous ne comprenons pas. Nous remuons la tête avec un sourire, car nous la connaissons, celle-là, et dans les coins.
> J. RENARD, Journal, avril 1896.

(1859). Loc. fig. *Blague dans le coin* (→ 2. **Blague,** cit. 1.2) : blague laissée de côté ; sérieusement.
→ 1. **Plante,** cit. 1.

En boucher un coin à qqn, le remplir d'étonnement.
→ 1. **Boucher** (cit. 2.2, 2.3 et *supra*).

CONTR. Centre, milieu. ◊ **DÉR. et COMP. Coincer, coinstot, écoinçon, encoigner, recoin.** V. **Cogner.** → **HOM. Coing, coint.**

COINÇAGE [kwɛ̃saʒ] n. m. — 1863 ; de *coincer.*
Le fait de coincer. — Spécialt (ch. de fer). Action de serrer les rails avec des coins.

COINCEMENT [kwɛ̃smɑ̃] n. m. — V. 1890 ; de *coincer.*

♦ **1** État de ce qui est coincé. — Spécialt. Blocage dans le fonctionnement d'une pièce mécanique.
(1927, in Petiot). Alpin. Mouvement d'escalade où l'on coince son pied, sa jambe, son poing..., le poids du corps assurant la solidité de la prise. → **Verrou.**

1 Il atteignit l'endroit où la fissure se resserre jusqu'à ne plus permettre que le coincement précaire d'un genou et d'un bras.
> R. FRISON-ROCHE, Premier de cordée, p. 63.

♦ **2** Fig. Blocage dû à une difficulté qui survient.

2 Il en était à ce moment où, sommé soudain de fonctionner dans une nouvelle langue, l'esprit est exposé à des coincements et blocages de mécanismes.
> J. ROMAINS, les Hommes de bonne volonté, t. V, XXVI, p. 250.

COINCER [kwɛ̃se] v. [CONJUG.: *placer.*] — 1773, *coinser* ; de *coin.*

I V. tr. ♦ **1** Assujettir, fixer avec des coins (I., 1.). *Coincer des rails.* — Par ext. → **Bloquer, immobiliser,** serrer. *Coincer un mécanisme, un organe mécanique avec une clavette, une cheville.* — Immobiliser (un dispositif mobile) par accident. *Elle a coincé sa fermeture éclair.*

Pron. *Se coincer :* se bloquer sous l'action d'un agent extérieur, cesser de fonctionner. *Ce mécanisme se coince, s'est coincé.*

Loc. fam. *Coincer la bulle.* → 1. **Bulle** (cit. 5.2 et *supra*) ; 2. **buller.**

♦ **2** [a] Immobiliser, serrer dans un espace étroit. *Les motards ont coincé la voiture du chauffard contre le trottoir. Il nous a coincés dans une encoignure pour nous raconter ses malheurs.*

[b] Fam. Rendre impraticable. *La foule coinçait le passage, la sortie.* → **Bloquer.** — *La glace coince les tuyaux.*

♦ **3** Fig. et fam. (Compl. n. de personne). Mettre dans l'impossibilité de se mouvoir, retenir. *Se faire coincer :* se faire prendre. *On a coincé le voleur.* → **Pincer.**

1 Hier, si je l'avais coincé, je l'étranglais comme une gerboise.
> P. MAC ORLAN, la Bandera, VII, p. 86.

Réduire à l'impuissance. *Il l'a coincé sur cette question.*

1.1 «Ni avec vous ni sans vous...» Plus qu'aucun intellectuel communiste, Sartre aura été coincé entre ces deux impossibilités.
> F. MAURIAC, le Nouveau Bloc-notes, 1958-1960, p. 360.

II V. intr. (syn. de *se coincer*). ♦ **1** Être coincé, bloqué. *Dispositif qui coince.*

♦2 Fam. (Personnes). Être bloqué, incapable d'avancer, de fonctionner. *Il coince sur les maths.*

♦ COINCÉ, ÉE p. p. adj.

♦1 Fixé; bloqué, immobilisé.

2 J'ai mis longtemps à ouvrir la porte, parce qu'une pièce du loquet était rouillée et coincée.
> J. ROMAINS, les Hommes de bonne volonté, t. III, XIX, p. 270.

Retenu par des agents extérieurs.

3 Coincée, heurtée, précipitée, c'est merveille si la caisse arrive entière.
> GIDE, Voyage au Congo, *in* Souvenirs, Pl., p. 688.

♦2 Fam. Pris, réduit à l'impuissance. *Être coincé comme un rat.*

4 Il s'était retrouvé avec une dizaine de fournisseurs aux trousses qui le tenaient pour responsable, et lui avaient coupé tout crédit. Il était absolument coincé.
> Roger NAÏM, l'Ère des truands, p. 18.

♦3 Fam. Inhibé, incapable de s'exprimer. *Elle est timide et coincée. Il est complètement coincé. — Un petit sourire coincé.*

DÉR. Coinçage, coincement, coinceur. V. Coincher. ◊ **COMP.** Décoincer, recoincer.

COINCETOT [kwɛ̃sto] n. m. → **Coinstot.**

COINCEUR [kwɛ̃sœʀ] n. m. — Après 1950; de *coincer,* et suff. *-eur.*

Alpin. En escalade artificielle, Instrument que l'alpiniste coince dans les fissures. *Coinceurs emboîtables. Coinceur pour fissures larges, pour fissures ouvertes.*

COINCHER [kwɛ̃ʃe] v. tr. — Av. 1928, au p. p., Genevoix; p.-ê. forme régionale (normande, picarde) de *coincer.*

Régional. Contrer (à la belote, la manille).

♦ COINCHÉ, ÉE p. p. adj.

Où l'on peut coincher. *Belote, manille coinchée.* — N. f. *«J'aime bien (...) faire une petite coinchée au café du coin»* (l'*Express,* 12 déc. 1977, p. 187).

Le patron (...) y organisait de gigantesques parties de billard, de belote, de coinchée et de «tout atout sans atout».
> R. SABATIER, les Allumettes suédoises, p. 83.

COÏNCIDENCE [kɔɛ̃sidɑ̃s] n. f. — 1464, *coincidance* «similitude»; de *coïncider.*

♦1 (1753). Géom. Propriété qu'ont des lignes, des surfaces, de se recouvrir exactement quand on les superpose. *Coïncidence de figures homologues.*

♦2 (1791). Cour. Fait de se produire en même temps. → **Correspondance, simultanéité, synchronisme.** *La coïncidence entre deux faits, d'un fait et d'un autre.*

1 La vertu n'amène pas le bonheur, le crime n'amène pas le malheur; la conscience a une logique, le sort en a une autre; nulle coïncidence.
> HUGO, les Travailleurs de la mer, III, III, II.

Électron. *Montage en coïncidence.*

♦3 Événements qui arrivent ensemble par hasard. → **Rencontre.** *Par une coïncidence.* → **Concours** (de circonstances). *Coïncidence curieuse, étonnante, remarquable. Quelle coïncidence!*

2 Oh! je suis entré bien par hasard. Ou plus exactement, par une assez curieuse coïncidence.
> J. ROMAINS, les Hommes de bonne volonté, t. II, XI, p. 110.

CONTR. Différence, divergence, opposition; succession.

COÏNCIDENT, ENTE [kɔɛ̃sidɑ̃, ɑ̃t] adj. — 1534; de *coïncider.*

Didact. Qui coïncide (dans l'espace ou dans le temps). *Surfaces coïncidentes. Symptômes coïncidents d'une maladie. — Des faits coïncidents.* → **Simultané.**

CONTR. Divergent, opposé; précédent, suivant. ◊ **HOM.** (P. prés. de *coïncider*) Coïncidant.

COÏNCIDER [kɔɛ̃side] v. intr. — V. 1370; lat. médiéval *coincidere* «tomber ensemble», de *co-,* et *incidere;* → **Incident.**

♦1 (1753). Géom. Se recouvrir exactement sur tous les points. *Deux cercles de même rayon coïncident.*

♦2 (1794). Arriver, se produire en même temps. *Sa venue coïncide avec l'événement. Les deux faits coïncidèrent. Faire coïncider quelque chose avec (et) quelque chose.* → **Accorder.** *Coïncider ensemble.*

1 (...) cet anachronisme qui empêche si souvent le calendrier des faits de coïncider avec celui des sentiments.
> PROUST, Sodome et Gomorrhe, I.

♦3 (XIXᵉ). Correspondre exactement. → **Accorder** (s'), **confondre** (se), **recouper** (se). *Les deux témoignages coïncident. Ses qualités coïncident avec les vôtres.*

2 L'idéal du critique, dit Thibaudet, est de coïncider avec l'esprit créateur du romancier.
> Julien BENDA, la France byzantine, p. 42.

CONTR. Diverger. — Précéder, suivre. ◊ **DÉR.** Coïncidence, coïncident.

COIN-COIN [kwɛ̃kwɛ̃] onomat. et n. m. invar. — 1748, Fontenelle; onomat. relativement arbitraire pour évoquer le grognement du porc (G. Sand, 1858), le cri du canard, etc. (d'autres langues ont des formes différentes pour les mêmes sons).

Onomat. *Faire coin-coin.* — N. m. *Faire, pousser des coin-coin.*

Var. *Un couin* (pour éviter l'homographie avec *coin*).

(...) l'avocat d'Albin Fage, ce terrible ricaneur de Margery dont le «couin» nasillard fait pouffer, rien qu'à l'entendre, la salle et le tribunal.
> Alphonse DAUDET, l'Immortel, p. 357.

CO-INCULPÉ, ÉE ou **COÏNCULPÉ, ÉE** [koɛ̃kylpe; kɔɛ̃kylpe] n. — 1869; de *co-* «avec», et *inculpé.*

Dr. Personne inculpée en même temps que d'autres, pour le même délit.

J'avoue être coupable de tout ce dont on m'incrimine. J'ajoute que tous les co-inculpés ont participé à tous mes... disons forfaits, ou qu'ils en ont eu connaissance.
> ARAGON, Anicet, XV, p. 196.

COING [kwɛ̃] n. m. — 1552; *cooing,* v. 1170, le *g* d'après *cognassier; cooin,* 1138; lat. *cotoneum,* grec *Kudonia (mala)* «pomme de Cydonea».

Fruit du cognassier* greffé, âpre et astringent. → **Cognasse.** *Les coings ne se consomment que cuits. Confiture de coings.* → **Cotignac.** *Gelée, pâte de coings. Sirop de coing employé en médecine comme édulcorant. La bandoline était préparée avec des pépins de coings.*

1 Noué rouillé comme un falot
Et cahotant comme un éclair
Le coing réserve sa saveur
> ÉLUARD, le Livre ouvert, II, *in* Pl., t. I, p. 1085.

Fig. et fam. *Être jaune comme un coing* : avoir le teint très jaune.

2 (...) une petite femme maigre, souffreteuse, jaune comme un coing (...)
> Alphonse DAUDET, le Petit Chose, I, V.

DÉR. Cognasse. ◊ **HOM.** Coin, coint.

COINSTOT [kwɛ̃sto] n. m. — 1901; de *coin*.

Fam. Coin (encognure ou endroit). *Il (n') y a personne dans le coinstot.*

(...) on a fait exprès d'en semer sur la route, des gens qui ont vécu dans ce coinstot.
R. QUENEAU, Pierrot mon ami, éd. L. de Poche, p. 141.

REM. On écrit aussi *coincetot*.

COINT, COINTE [kwɛ̃, kwɛ̃t] adj. — Mil. xiᵉ; lat. *cognitus* «connu», d'où «sage, habile».

Archaïsme médiéval. Joli, charmant.

HOM. (Du masc.) Coin, coing.

COINTREAU [kwɛ̃tro] n. m. — xxᵉ; nom propre, marque déposée.

Liqueur à base d'orange de la marque *Cointreau. Du Cointreau.* — Par métonymie. *Un Cointreau.*

Un vermouth cassis, Ernest, et un Cointreau. Le Cointreau, c'est excellent pour la santé. Ça tonifie.
ARAGON, Anicet, xv, p. 190.

COÏT [kɔit] n. m. — 1575; *cohit*, 1304; lat. *coitus*, de *coire* «aller ensemble».

Accouplement du mâle avec la femelle. → **Copulation.** *Coït interrompu* (ou didact. *coitus interruptus*) : interruption du coït, opérée par l'homme avant d'atteindre l'orgasme (pratiquée dans un but contraceptif; syn. : *rapport réservé*).

Par métaphore :

O ruffians! bâtards de la fortune obscène, Nés du honteux coït de l'intrigue et du sort!
HUGO, les Châtiments, I, v.

DÉR. Coïter.

COITE ou **COITTE** [kwat] n. f. → 1. **Couette.**

COÏTER [kɔite] v. intr. — 1850, Flaubert; de *coït*.

Didact. S'accoupler; faire l'acte sexuel, faire l'amour*.

Brunelleschi, lui, est tout à fait enraciné à la terre, et c'est terrestrement et sexuellement qu'il désire Selvaggia. Il ne pense qu'à coïter.
A. ARTAUD, l'Ombilic des limbes, *in* Œ. compl., t. I, p. 57.

COITUS INTERRUPTUS [kɔitysɛtɛʀyptys] n. m. → **Coït** (interrompu).

COJOUISSANCE [kɔʒwisãs; kɔʒwisãs] n. f. — 1835; de *co-*, et *jouissance*.

Dr. Le fait de jouir en même temps du même bien; jouissance (2. ou 3.) simultanée.

1. COKE [kɔk] n. m. — 1816; *coak*, 1797; *coucke*, 1758; mot anglais.

Résidu solide de la carbonisation ou de la distillation de certaines houilles* grasses. *Production du coke.* → **Cokéfaction.** *Four à coke. Fabrique de coke.* → **Cokerie.** *Coke métallurgique,* servant au chauffage des hauts fourneaux. *Coke de gaz :* résidu de la fabrication du gaz d'éclairage, enlevé par délutage*. *Semi-coke* ou *coalite. Coke de pétrole,* tiré de brai de pétrole. *Usage domestique du coke en agglomérés*. *Coke en stock,* titre d'un album de Hergé.

1   Le coke a concentré tout le carbone de la houille, le combustible solide; sous un moindre poids, il donne une plus grande chaleur : il en faut donc moins jeter dans la fournaise; nouvel avantage d'employer le coke au lieu de la houille crue.
L. SIMONIN, le Creusot et les Mines de Saône-et-Loire, *in* le Tour du monde, 1867, t. I, p. 182.

2   Je l'entendis qui soupirait en remuant le coke dans le poêle.   H. BOSCO, Un rameau de la nuit, p. 52.

DÉR. Cokéfier, cokerie. ◊ HOM. Coq, coque.

2. **COKE** [kɔk] n. f. → **Cocaïne,** 2.

3. **COKE** [kɔk; kok] n. m. → **Coca-cola.**

COKÉFACTION [kɔkefaksjɔ̃] n. f. — 1921; de *cokéfier*.

Techn. Transformation de la houille en coke (par la chaleur).

COKÉFIABLE [kɔkefjabl] adj. — 1923; de *cokéfier*.

Techn. Qui peut être transformé en coke. *Charbon, houille cokéfiable.*

COKÉFIER [kɔkefje] v. tr. — 1911; de 1. *coke*.

Techn. Transformer en coke. *Charbon qui peut être cokéfié* (→ **Cokéfiable**).

DÉR. Cokéfaction, cokéfiable.

COKERIE [kɔkri] n. f. — 1882; de 1. *coke*.

Techn. Usine où l'on produit, où l'on traite le coke.

COL [kɔl] n. m. — 1080; du lat. *collum.* → **Cou.**

I ♦ 1 Vx ou littér. Cou.

Je devais vous avoir dépeint (...) La posture du Dieu; son col était penché (...)   1
LA FONTAINE, Psyché, I, p. 83.

Grand, maigre de la maigreur des antiques, avec les bras   2 musculeux, le col et la carrure d'un athlète (...)
LOTI, Mon frère Yves, III, p. 15.

Est-ce une cangue, est-ce un carcan   3 Qui lui tient le col de la sorte?
Laurent TAILHADE, Au pays du mufle, «À marier».

(...) la duchesse se tenait à gauche de l'escalier, déjà enve-   4 loppée dans son manteau à la Tiepolo, le col enserré dans le fermoir de rubis (...)
PROUST, Sodome et Gomorrhe, II.

♦ 2 (Mil. xivᵉ). Partie étroite, rétrécie (d'un récipient). *Col de bouteille.* → **Goulot.** *Le col d'une cornue, d'un matras, d'un vase. Col d'une tuyère.*

En un vase à long col et d'étroite embouchure.   5
LA FONTAINE, Fables, I, 18.

Techn. Bouteille de boisson. *Entreprise vinicole qui produit 10 millions de cols par an.*

♦ 3 (1478). Anat. *Col de la vessie* (ou *col vésical*) : zone de jonction entre la vessie et la partie postérieure de l'urètre. *Col de l'utérus* (ou *col utérin*) : partie inférieure de l'utérus, reliée au corps de cet organe par l'isthme, et s'ouvrant dans le vagin (→ Museau* de tanche). *Examen du col de l'utérus au colposcope, permettant le dépistage des états cancéreux.* → **Colposcopie.** — Partie la plus étroite (de certains os). *Col du fémur, de l'humérus, du péroné, du radius. Fracture du col du fémur.*

II (1635). Dépression formant passage entre deux sommets montagneux. → **Brèche, défilé, détroit, gorge, pas, port.** *Les cols des Alpes, des Pyrénées. Le col du Simplon. Enneigement d'un col. Col praticable, accessible aux véhicules. Traversée, passage d'un col.* — *Le comportement d'un cycliste dans les cols.*

(...) parvenu au col qui attache les deux principaux som-   6 mets du mont Ganghour (...)
CHATEAUBRIAND, Mémoires d'outre-tombe, t. II, p. 383.

III (xiiᵉ). **♦ 1** Partie du vêtement qui entoure le cou (→ **Collet, collerette, fraise, gorgette;** et aussi **cravate, guimpe, rabat**). *Col de chemise. Col mou, souple. Chemise à col tenant. Pied, pointes d'un col. Col anglais, italien, français,* formes de cols de chemises d'homme. *Col ouvert, col boutonné. Col baleiné. Col empesé, col dur; col en celluloïd* (vieilli).

Boutons de col. Faux col, col amovible. — (1871, Zola). *Col cassé** (fam. *Col à manger, à bouffer de la tarte). Col droit. Col chinois :* col officier fait d'une bande étroite et droite. SYN. COUR. : *col Mao* (et *col Nehru,* d'après l'angl.). — *Col rabattu,* comportant un rabat important. → Lavallière, cit. 1; mourir, cit. 47; poisson, cit. 12. — *Col de robe, (de) chemisier. Col châle*. Col Claudine, col Danton, col Médicis...,* formes de cols de vêtements de femme. *Col de dentelle, de guipure, de velours.* — *Col d'une veste, d'un manteau, d'un pardessus* (cit.). *Col de fourrure, col d'astrakan, de vison.* — *Chandail à col roulé, à col cheminée* (formé d'une bande de tricot à côtes repliée sur elle-même). — *Cols d'ecclésiastiques. Col romain, gallican, jésuite.*

7 (...) M. Cottrau, grand jeune peintre à moustaches, à chapeau de paille, à blouse, au col de chemise rabattu, au costume bizarre.
CHATEAUBRIAND, Mémoires d'outre-tombe, t. V, p. 404.

8 (...) les plis de son menton se pinçaient à tout instant entre les pointes de son col (...)
MARTIN DU GARD, les Thibault, t. I, p. 13.

9 L'homme (...) avait en effet (...) un long pardessus de drap noir à col de loutre (...)
J. ROMAINS, les Hommes de bonne volonté, t. V, p. 36.

10 (...) une blouse à grand col marin (...) Le bleu du col est très clair, très lavé (...)
J. ROMAINS, les Hommes de bonne volonté, t. III, p. 59.

11 Son cou puissant apparut, bien dessiné dans l'échancrure de la chemise kaki dont le col souple retombait sur celui de la vareuse en drap léger.
P. MAC ORLAN, la Bandera, VI, p. 76.

12 *(L'enfant)* porte à présent un pantalon (...) que recouvre jusqu'aux hanches un gros tricot de laine à col roulé.
A. ROBBE-GRILLET, Dans le labyrinthe, p. 90.
(1881, *in* D.D.L.; t. de mode). *Col marin*.*

COL BLEU (fam.). **a** *Le col bleu des marins de l'État.* — Par métonymie. Marin de l'État. *Un col-bleu.* *«Quand on est dans les cols-bleus On n'a jamais froid aux yeux»* (chanson : *C'est nous les gars de la Marine).*

b (Par oppos. au *col blanc,* ci-dessous). Ouvrier de l'industrie.
(1957, *in* D.D.L.). **COL BLANC** (trad. de l'angl. *white collar).* Employé (de bureau, de magasin). *Les cols blancs et les ouvriers.*

♦ **2** Loc. *Le faux col d'un verre de bière,* la mousse. *Un demi sans faux col.*

CONTR. Évasement. — Mont, sommet. ◊ DÉR. et COMP. **Col-de-cygne, collet, coltiner, décolleter, garde-col.** V. **Cou.** → HOM. **-cole** (suff.), **colle.**

COL- → **Con-** (lat. *cum*).

COLA [kɔla] n. m. et f. — 1610. → Kola.
♦ **1** Kola, graine comestible du kolatier. *Cola* ou *noix de cola.* → **Kola.**
♦ **2** Boisson à base de kola. → **Coca-cola** (marque déposée), **kola.**

COLAS [kɔla] n. m. — 1721; prénom, de *Nicolas.*
Vx. Homme niais, stupide. — Adj. Imbécile.
Loc. *(Colas,* nom propre). *La vache à Colas :* les protestants.

COLASPIDÈME [kɔlaspidɛm] n. m. — V. 1890; lat. zool., du grec *kolos* «tronqué», et *aspis, aspidos* «bouclier».
Zool. Insecte coléoptère appelé aussi *babotte, négril,* nuisible à la luzerne et aux plantes fourragères.

COLATEUR [kɔlatœr] n. m. — 1866; dér. sav. du lat. *colare* «filtrer».
Techn. Canal d'écoulement des eaux d'irrigation.

COLATIER [kɔlatje] n. m. → **Kolatier.**

COLATURE [kɔlatyr] n. f. — XIVᵉ; dér. du lat. *colare* «filtrer».
Didactique.
♦ **1** Action de filtrer (un liquide). → **Filtration.**
♦ **2** Liquide obtenu en pharmacie galénique par divers procédés (décoction, infusion).

COLBACK [kɔlbak] n. m. — 1799; *kolpach,* 1753; var. en *kal-* (*kalepak,* 1653); turc *qalpâq* «bonnet de fourrure».

♦ **1** Ancienne coiffure militaire, sorte de bonnet à poil en forme de cône tronqué, orné à sa partie supérieure d'une poche conique en drap (→ **Flamme**) garnie d'un gland. *Colback noir, tigré.* — On écrit parfois *colbac, colbaque* et *kolback;* nombreuses variantes anciennes *(kalpack, kalpak).*

1 (...) de l'étoffe dans laquelle se taillaient les maréchaux à cette époque, le fils Mesnilgrand avait fait les guerres de l'Empire, ayant sur son colback tous les panaches de l'espérance; mais le tonnerre final de Waterloo avait brûlé jusqu'à ras de terre ses dernières ambitions.
BARBEY D'AUREVILLY, les Diaboliques, «À un dîner d'athées».

1.1 Le cavalier Bobislas se souleva légèrement sur ses étriers et, d'un mouvement aisé, se tournant à saint Pierre avec une inclination du colback, répondit d'une voix mâle et pleine d'assurance :
— C'est la catin du régiment!
M. AYMÉ, le Passe-muraille, «Légende poldève».

♦ **2** (1899; par attr. de *col).* Fam. Col, collet. *Il l'a attrapé par le colback.*

2 ... Hop! Je le saisis au colbac... Ah! mon petit mariole!... je l'emporte dans une encoignure comme ça tout vif le poisson!... à mon poing gauche suspendu!
CÉLINE, Guignol's band, p. 278 (1951).

COLBERTISME [kɔlbɛrtism] n. m. — 1797; de *Colbert.*
Hist. de l'écon. Système économique pré-industriel préconisé par Colbert, basé sur le protectionnisme et le développement des manufactures.

COLCHICINE [kɔlʃisin] n. f. — 1838; mot all. (Geiger et Hesse), du lat. bot. *colchicum.* → Colchique.
Chim., biol. Alcaloïde extrait des graines de colchique, employé dans le traitement de la goutte, et en biologie pour inhiber la mitose (en thérapeutique, pour neutraliser les cellules prolifèrantes, cancéreuses ou non, verrues, condylomes, etc.).

1 La colchicine, alcaloïde extrait du Colchique automnal, est un poison extrêmement violent pour les animaux à sang chaud.
Jean ROSTAND, Idées nouvelles de la génétique, p. 52 (en note).

2 En traitant par la colchicine les anthères au moment de la maturation, on obtient des grains de pollen diploïdes (...) Les premières expériences concernant les propriétés polyploïdisantes de la colchicine ont été effectuées sur le Datura (...)
Jean ROSTAND, Idées nouvelles de la génétique, p. 53.

DÉR. **Colchiciner.**

COLCHICINER [kɔlʃisine] v. tr. — XXᵉ; de *colchicine.*
Chim., biol. Traiter à la colchicine. *Cellules colchicinées* (J. Rostand, *Idées nouvelles de la génétique,* p. 55).

COLCHIQUE [kɔlʃik] n. m. — 1680; *colchicon*, 1545; lat. *colchicum*, grec *kolkhikon*, plante de *Colchide*, pays de l'empoisonneuse Médée.

Plante vivace *(Liliacées)* herbacée, bulbeuse, vénéneuse (→ **Colchicine**), à fleurs rose tendre ou mauves. (On l'appelle aussi *flamme nue, narcisse d'automne, safran bâtard, tue-chien, veilleuse, veillotte*). *Les Colchiques*, poème d'Apollinaire (→ Cerne, cit. 4).

1 (...) les sveltes colchiques déroulent frileusement leurs pétales de gaze mauve.
　　　　Laurent TAILHADE, les Noces de Messidor, VI.

2 Il y a encore le colchique d'automne, vénéneuse veilleuse, qui empoisonne les prairies de son mauve distingué (...)
　　　　COLETTE, l'Étoile Vesper, p. 21.

3 (...) une lisière où les premiers colchiques mettaient des touches mauves (...)
　　　　M. TOURNIER, le Roi des Aulnes, p. 183.

DÉR. Colchicine.

COLCOTAR [kɔlkɔtar] n. m. — 1492, var. ancienne *colcothar*; arabe *qûlqûṯâr*.

Oxyde ferrique artificiel (Fe₂O₃) utilisé pour le polissage (dit commercialement : *rouge d'Angleterre*). — Variété d'oxyde ferrique naturel.

COLD-CREAM [koldkrim] n. m. — 1857; *cold cream*, 1827; mot angl. «crème froide».

Anglic. Crème pour la peau obtenue par émulsion d'eau (ou d'eau de rose) dans un mélange de blanc de baleine, cire d'abeille et huile d'amandes douces.

À force d'eau tiède, de savon, de pierre ponce, de peignes fins et de cold-cream, on tanne les enfants tout vifs, et on leur rend l'épiderme d'une pureté, d'un grain, d'une transparence inimaginables.
　　　　Th. GAUTIER, Pochades,
Caprices et zigzags (1845), p. 176, *in* MATORÉ.

COL-DE-CYGNE [kɔldəsiɲ] n. m. — 1832; de *col* (cou) de *cygne*.

♦ 1 Robinet ou conduit à double courbe. *Des cols-de-cygne.*

REM. On dit également *un robinet à col de cygne*, et (vieilli) *un cou* de cygne*.

♦ 2 Techn. Pièce cintrée à double courbe.

Cette traverse tenait lieu de la barre courbe qui, dans les berlines suspendues sur des cols de cygne, rattache les deux essieux l'un à l'autre.
　　　　J. VERNE, Michel Strogoff, p. 132-133 (1876).

-COLE Élément, du lat. *colere* «cultiver; habiter», et servant à former des adjectifs relatifs à la culture, à la production; ou à l'habitat. → notamment **Aéricole, agricole, apicole, aquicole, arboricole, arénicole, arvicole, avicole, calcicole, cavernicole, déicole, floricole, gallicole, herbicole, ignicole, lignicole, orbicole, ostréicole, piscicole, rupicole, salicole, séricicole, sylvicole, terricole, tubicole, vinicole, viticole.**

COLECTOMIE [kɔlɛktɔmi] n. f. — 1890; 1882, en angl.; de *côl(on)*, et *-ectomie*.

Chir. Ablation partielle ou totale du côlon.

On appelle *colectomie* l'opération qui consiste à enlever un segment du gros intestin. En théorie, l'opération paraît très simple. L'abdomen ouvert, le segment envisagé est coupé, puis les deux sections rapprochées par des points de suture. Après quoi, la brèche abdominale est refermée.
　　　　Cl. D'ALLAINES, Histoire de la chirurgie, p. 117.

COLÉGATAIRE [kolegatɛr] n. — 1596, *collegataire*; de *co-*, et *légataire*.

Dr. Personne qui reçoit un legs en même temps que d'autres.

COLÉOPTÈRE [kɔleɔptɛr] n. m. — 1754; grec *koleopteros*, de *koleos* «étui», et *pteron* «aile».

Zool. et cour. Insecte à quatre ailes, dont deux (→ **Élytre**) sont cornées à reflets brillants (carabes, scarabées...).

Par compar. «Une espèce de casque de coléoptère monstrueux...» (L. Bloy).

N. m. pl. *Les Coléoptères* : ordre d'insectes *(Ptérygotes)* à élytres cornées, à antennes, à pièces buccales broyeuses.

1 Il collectionnait des insectes rares, des lépidoptères et des coléoptères qu'il préparait adroitement avant de les fixer par de longues épingles dans des boîtes à fond de liège.
　　　　P. MAC ORLAN, la Bandera, V, p. 53.

2 L'ordre des Coléoptères groupe des Insectes d'aspect souvent très différent, mais ayant tous les caractères communs suivants : métamorphoses complètes, pièces buccales broyeuses, quatre ailes dissemblables, les deux ailes antérieures, ou élytres, étant cornées et contiguës à l'état de repos, les deux postérieures étant membraneuses et repliées au repos.
Les larves (...) Leur tête est bien distincte et porte des antennes formées de trois ou quatre articles (...)
On connaît environ 300 000 espèces de Coléoptères, mais un très grand nombre d'espèces est encore inconnu et il est certain que leur nombre réel est très largement supérieur au million.
　　　　A. VILLIERS, in Zoologie, t. II, Encycl. Pl., p. 696.

On divise les Coléoptères en quatre sous-ordres : Hétérogastres (bostryches, buprestes, cantharides, capricornes, charançons, chrysomélides, clavicornes, coccinelles, dermestes, élatarides, malacodermes, scolytes, ténébrions); Haplogastres (histers, hydrophiles, scarabées, staphylins); Adéphages et Archostémates (abdomen à «arceau vertical»); carabes, dytiques, gyrins; Cupédides.

COLÈRE [kɔlɛr] n. f. — 1416, *colere*; du lat. *cholera*, du grec *khôlê* «bile», et fig. «colère».

I ♦ 1 Mécontentement violent et passager qui s'accompagne d'agressivité dans le comportement ou le discours. → **Courroux** (littér.), **emportement, exaspération, fureur, furie, irritation, rage, rogne.** *Propension à la colère.* → **Irascibilité, irritabilité, susceptibilité, violence.** *Franc jusqu'à la colère.* → Pousser, cit. 18. *Accès, crise, mouvement de colère. Être rouge, blême de colère; suffoquer, trembler, trépigner de colère. Parler avec colère* (→ Bougonner, crier, injurier, jurer, pester). *Être dans une colère noire, bleue, terrible. Être dans une colère blanche :* éprouver une colère froide qui fait pâlir le visage. *La colère de qqn, sa colère. S'abandonner à sa colère. Laisser exploser sa colère* (→ Décharger sa bile*, sortir de ses gonds*). *Sentir la colère monter* (→ Sentir la moutarde* monter au nez). *Passer sa colère sur qqn, sur qqch. Rentrer, retenir sa colère* (→ Serrer les poings*). **EN COLÈRE.** *Être en colère :* manifester sa colère. → **Hors** (de soi); fam. **bisquer, fulminer, fumer, maronner, rager, râler, rogner.** *Se mettre en colère* (→ cit. 2). → **Éclater, fâcher** (se), **irriter** (s'). *Il est constamment en colère :* il ne décolère* pas. *Mettre qqn en colère* (→ **Agacer, courroucer, crisper, énerver, exaspérer, fâcher, irriter**).

1 Agréable colère !
Digne ressentiment à ma douleur bien doux !
Je reconnais mon sang à ce noble courroux (...)
　　　　CORNEILLE, le Cid, I, 5.

2 — Sire, répond l'agneau, que Votre Majesté
Ne se mette pas en colère (...)
　　　　LA FONTAINE, Fables, I, 10.

3 La colère du roi, comme dit Salomon,
Est terrible, et surtout celle du roi lion (...)
　　　　LA FONTAINE, Fables, VIII, 14.

4 (...) je suis contre elle dans une colère épouvantable.
　　　　MOLIÈRE, l'Amour médecin, I, 3.

5 On ne fait point de distinction dans les espèces de colères, bien qu'il y en ait une légère et quasi innocente, qui vient de l'ardeur de la complexion, et une autre très criminelle, qui est, à proprement parler, la fureur de l'orgueil.
> LA ROCHEFOUCAULD, Maximes supprimées, 601.

6 Je n'ai jamais vu un pareil regard : quand la colère y montait, la prunelle étincelante semblait se détacher et venir vous frapper comme une balle.
> CHATEAUBRIAND, Mémoires d'outre-tombe, VII, p. 26.

7 Je sortis indigné, le cœur gros de colère et de haine.
> FRANCE, le Petit Pierre, VII, p. 34.

8 Une profonde colère, froide et secrète, le dévorait (...)
> André SUARÈS, Trois hommes, I, «Pascal», p. 13.

8.1 Quand un petit enfant pleure et crie, il se produit un phénomène purement physique que lui-même ne soupçonne pas (...) Ses cris lui font mal à lui-même et l'irritent encore plus. Les menaces, les éclats de voix, grossissent encore l'avalanche. C'est la colère même qui entretient la colère.
> ALAIN, Propos, 8 mai 1913, Effervescence.

8.2 (...) une femme en colère, à quoi bon l'écouter? (...) Un homme en colère n'offre pas un texte plus clair. Quand un homme jure après ses bottes, ou après son bouton de col, ce discours ne vaut pas que j'on l'écoute. Ce qui est juste à dire, c'est que la femme en colère a peut-être plus de volubilité; elle est insensée plus ingénuement (...) Ce n'est toujours que du bruit.
> ALAIN, Propos, 6 avr. 1913, Savoir écouter.

9 Ni ce matin ni ce soir, trancha madame Brigitte, blême de colère.
> F. MAURIAC, la Pharisienne, IX, p. 124.

10 Elle joue un peu féroce, s'exaspère vite et semble savourer sa colère comme un plaisir (...)
> COLETTE, la Paix chez les bêtes, «La Shâh», p. 37.

11 La colère me rend malade, elle m'empoisonne. Je respire mal, mon cœur bat au hasard, mes articulations sont pleines de sable, je me sens l'estomac houleux (...)
> G. DUHAMEL, Chronique des Pasquier, VI, VI, p. 318.

12 Je t'écris dans le feu d'une colère dont je ne peux me rendre maître.
> G. DUHAMEL, Chronique des Pasquier, III, VI.

13 (...) Clemenceau, lui, est orateur comme certaines femmes sont belles. Par sursauts. Il faut qu'on le foute en colère.
> J. ROMAINS, les Hommes de bonne volonté, t. V, XXIV, p. 216.

Absolt. *La colère est l'un des sept péchés capitaux.*

♦ 2 (*Une, des colères*). Accès, crise de colère. → **Crise.** *Avoir des colères terribles, fréquentes, faciles* (→ Être soupe* au lait). Fam. *Piquer, prendre, faire une colère. Cet enfant pique des colères incompréhensibles.*

14 Berthe Sammécaud partit, là-dessus, dans une de ces colères, où l'éducation disparaît soudain comme un maquillage dans la sueur.
> J. ROMAINS, les Hommes de bonne volonté, t. V, X, p. 150.

15 Le seul défaut de caractère qu'on lui trouve, c'est une disposition à des colères violentes, quand on le contrarie sur un détail quelquefois infime.
> J. ROMAINS, les Hommes de bonne volonté, t. V, X, p. 160.

16 Papa se mit à sourire, son calme devint effrayant et nous comprîmes tous qu'il était parti, sans retour, pour une colère majuscule, une colère telle qu'un homme n'en fait pas trois d'aussi belles dans sa vie.
> G. DUHAMEL, Chronique des Pasquier, XIX, p. 208.

♦ 3 Relig. et littér. *La colère céleste, la colère divine. Jour de colère* (lat. *Dies iræ*). *Les enfants de colère* (Bible, Épître de saint Paul aux Éphésiens II, 3), qui sont réprouvés par la colère divine.

17 Pressé de toutes parts des colères célestes (...)
> CORNEILLE, Pompée, I, 1.

18 Ô Satan (...)
Père adoptif de ceux qu'en sa noire colère
Du paradis terrestre a chassés Dieu le Père.
> BAUDELAIRE, les Fleurs du mal, «Révolte», CXX.

Poét. Déchaînement violent des éléments. → **Fureur, tempête.** *La colère du vent, des flots.*

II Adj. (1505; vx). Vieilli ou régional. Porté, par tempérament, à la colère. *Il, elle est colère.*

19 (...) je lui dis que sa femme, c'était la plus difficile, la plus méchante, la plus colère du monde (...)
> Mᵐᵉ DE SÉVIGNÉ, 433, 21 août 1675.

19 (*Kirilov, chez Dostoïevski*) est puéril et colère, passionné, méthodique et sensible.
> CAMUS, le Mythe de Sisyphe, in Essais, Pl., p. 184.

Vx, littér., ou avec une intention d'archaïsme plaisant. Qui dénote la colère. *Un regard, une voix colère.* — Qui est en colère. *Bébé est colère.*

20 La vanité ne me donnait que trop de penchant à cette humeur colère.
> ROUSSEAU, Émile, IV.

21 Le passereau est l'oiseau de tous les pays du monde; nous l'avons trouvé partout (...) et toujours avec son caractère vif, pétulant et querelleur, toujours avec son piaulement incisif et colère.
> É.-R. HUC, Souvenirs d'un voyage dans la Tartarie..., t. I, p. 293.

CONTR. Calme, douceur, modération. ◊ DÉR. et COMP. **Colérer, coléreux, colérique. — Décolérer, encolérer.**

COLÉRER [kɔlere] v. [CONJUG.: céder.] — 1541; de *colère.*

♦ 1 V. tr. Vx. Mettre (qqn) en colère. «*Ce qui attristait et colérait lord Byron*» (Balzac, in T.L.F.).

Pron. Se mettre en colère.

Je me colérais contre moi-même, je m'adressais les plus durs reproches (...)
> Th. GAUTIER, Mˡˡᵉ de Maupin, VIII, p. 192.

♦ 2 V. intr. Régional. *Passer son temps à colérer contre la lenteur des choses.*

COLÉREUSEMENT [kɔlerøzmɑ̃] adv. — 1863, Goncourt; de *coléreux, euse.*

Avec colère. → **Agressivement, furieusement, violemment.**

COLÉREUX, EUSE [kɔlerø, øz] adj. — 1574, repris XIXᵉ (Goncourt, etc.); on disait dans la langue soutenue : *colère*, adj., ou *colérique;* de *colère.*

♦ 1 Qui est prompt à se mettre en colère. → **Agressif, atrabilaire, bilieux, emporté, hargneux, irascible, violent;** fam. **râleur, rouspéteur.** *Un enfant coléreux. Caractère, tempérament coléreux.*

1 *Coléreux* n'est pas français. Ne dites pas, *Cet homme est coléreux, fort colère.*
> J.-F. MICHEL, Dict. des expressions vicieuses, 1807.

2 On s'entretient de la colère (...)
Et que les enfants, assez prompt à remarquer les faiblesses d'autrui, de dire : «C'est Michel (...) qui est coléreux. Hier, il poursuivait André, tenant dans sa main une grosse pierre (...)»
> ALAIN, Propos, 31 janv. 1914, Le signe de la croix.

Par anal. «*Deux ou trois poules, piailleuses, coléreuses...*» (Gide, *Si le grain ne meurt*, Pl., p. 446). N. «*Un vieux coléreux qui rossait les domestiques...*» (P. Morand, *Louis et Irène*). *Une grande coléreuse.*

♦ 2 Qui dénote la colère. *Voix coléreuse.* → **Furieux.**

♦ 3 Empreint de colère. *Inquiétude, joie coléreuse.*

CONTR. Calme, doux, tranquille. ◊ DÉR. Coléreusement.

COLÉRIQUE [kɔlerik] adj. — 1256; de *colère.*

♦ 1 Vx. Bilieux, atrabilaire.

♦ 2 (1370). Mod. Coléreux. *Un homme colérique. Un tempérament colérique.* → **Irascible.**

1 Je hais de tout mon cœur les esprits colériques,
Et porte grand amour aux hommes pacifiques (...)
> MOLIÈRE, Sganarelle, 17.

2 On ne peut nier, en effet, que malgré un caractère colérique, il n'ait eu ce qu'on appelle du bonté, et qui est plutôt de la tendresse.
> MICHELET, Hist. de la Révolution franç., p. 294.

N. *Un, une colérique.* — Spécialt en caractérologie : émotif, actif, primaire.

CONTR. Calme. ◊ HOM. Cholérique.

COLETA [kɔleta] n. f. — Av. 1927, A. Arnoux; mot esp., «natte».

Tauromachie. Petit chignon postiche porté par les toreros.

Il n'est jusqu'à la *coleta,* petit chignon (aujourd'hui postiche) que les *toreros* portent comme signe de leur profession, qui ne rappelle la tonsure des prêtres.
Michel LEIRIS, l'Âge d'homme, p. 81 (1946).

COLÉUS [kɔleys] n. m. invar. — 1866; lat. sc. *coleus,* grec *koleos* «étui».

◆ 1 Bot. Plante dicotylédone *(Labiacées)* des régions tropicales, cultivée en serre, en appartement et en jardin pour son feuillage richement coloré, rose ou pourpre (et dans les hybrides, jaune, vert, violet), avec de nombreuses taches.

◆ 2 Techn. Matière colorante rouge qu'on tire d'une variété de cette plante (on emploie aussi l'orthographe latine *coleus,* sans accent).

Je me souviens d'une *(jeune fille)* au teint roux de coleus, aux yeux verts, aux deux joues rousses (...)
PROUST, Sodome et Gomorrhe, Pl., t. II, p. 839.

COLIBACILLAIRE [kɔlibasilɛʀ] adj. — 1921; de *coli-bacille.*

Méd. Qui est causé ou aggravé par la présence du colibacille. *Une salpingite colibacillaire.*

COLIBACILLE [kɔlibasil] n. m. — 1895; grec *kôlon* «gros intestin», et *bacille.*

Biol., méd. et cour. Bacille vivant normalement dans le système intestinal, où il peut être responsable d'infections. → **Colibacillose.** *Utilisation du colibacille comme matériel d'expérience en urologie.*

DÉR. Colibacillaire, colibacillose.

COLIBACILLOSE [kɔlibasiloz] n. f. — 1897; de *coli-bacille.*

Méd. et cour. Toute infection causée par le colibacille. *Colibacillose intestinale, urinaire.*

COLIBRI [kɔlibʀi] n. m. — 1640; mot d'orig. obscure, qui ne semble pas provenir du caraïbe des Antilles.

◆ 1 Oiseau passeriforme *(Trochilidés),* de très petite taille, à livrée brillante, à long bec, vivant dans les régions tropicales. *Les colibris sont appelés aussi oiseaux-mouches ou avicules* (VX). *Colibris d'Amérique. Colibris d'Asie, d'Afrique. L'améthyste, colibri d'Amazonie.*

1 (...) des colibris étincellent sur le jasmin des Florides (...)
CHATEAUBRIAND, Atala, Prologue, p. 41.

2 Le vert colibri, le roi des collines (...)
LECONTE DE LISLE, Poèmes barbares, «Le colibri».

◆ 2 En franç. d'Afrique. Souïmanga *(Nectariniidés).*

COLICHEMARDE [kɔliʃmaʀd] adj. f. — 1838; altér. de *Kœnigsmark,* homme de guerre suédois (XVIIᵉ), l'inventeur supposé.

Ancienn. *Lame colichemarde :* lame d'épée, large dans sa première moitié, puis brusquement effilée en carrelet. — N. f. *Une colichemarde.*

Un Schell (...) Parle d'escrime et démontre, prend une colichemarde et enseigne le coup infaillible, un roulement de contre de quarte, le bras étendu en marchant (...)
J. RENARD, Journal, 4 nov. 1893.

COLICINE [kɔlisin] n. f. — Mil. XXᵉ; de *coli(bacille),* et élément final de *(streptomy)cine.*

Méd. Antibiotique produit par des bactéries (colibacilles, etc.) et dont l'action porte sur les bactéries analogues.

COLICITANT, ANTE [kɔlisitɑ̃, ɑ̃t; kɔlisitɑ̃, ɑ̃t] n. m. et adj. — 1835; de *co-,* et lat. *licitans* «qui enchérit».

Dr. Chacun de ceux au profit desquels se fait une vente par licitation*. — Par ext. *Avoué colicitant.*

COLIFICHET [kɔlifiʃɛ] n. m. — 1640; altér. de *coeffichier,* ornement de lingerie au XVᵉ, «ce qu'on fichait sur la coiffe», de *coeffe* «coiffe», et *ficher.*

◆ 1 Petit objet de fantaisie, sans grande valeur. → **Babiole, bagatelle, bimbelot, brimborion, frivolité, futilité, rien...** *Des colifichets de femme* (→ Babiole, cit. 5).

Colifichets dont certaines femmes sont si passionnées. 1
FÉNELON, De l'éducation des filles, 11.

Comment se peut-il que vous soyez si fidèle et si généreux, 2 après n'avoir pas eu de honte de me vendre des colifichets quatre fois au-dessus de leur valeur?
VOLTAIRE, Vision de Babouc.

Par métaphore. Ornement d'un goût mesquin; surcharge décorative de mauvais goût. «*Église du XVᵉ siècle et portail de la renaissance, roman contrefait, avec des colifichets en sculpture*» (Michelet, *Journal,* 1842, *in* T. L. F.).

◆ 2 Par anal. (avec la légèreté des colifichets).
ⓐ (1803). Biscuit léger que l'on donne aux oiseaux.
ⓑ (1828). Céramique. Support de cuisson destiné à rendre le plus léger possible le point de contact avec la poterie.

COLIFORME [kɔlifɔʀm] adj. et n. m. — 1946; empr. à l'angl. *coliform* (1906), de *coli* dans *Bacillus* ou *Bacterium coli,* et *form.* → Forme.

Biol. Se dit de bactéries gram négatives, présentes dans le côlon, dont la recherche dans l'eau et le dénombrement permettent d'évaluer la contamination fécale. *Bacilles coliformes.* — N. m. *La présence excessive de coliformes dans l'eau, indice de pollution.*

COLIGNON ou **COLLIGNON** [kɔliɲɔ̃] n. m. — 1856; du nom d'un cocher parisien, qui assassina un de ses clients.

Fam. et péj. (VX). Cocher de fiacre.

Un brave homme de cocher que j'avais l'habitude de prendre, me disait chaque fois que j'arrivais à la station : «Monsieur peut monter sans crainte; elle a eu son avoine.» *Elle,* c'était sa jument, une pouliche de robe acajou, bien soignée, qui répondait au prénom d'Élisa.
J'avais gagné la sympathie du colignon en le priant un soir d'arrêter sur le pont Caulaincourt pour ne point fatiguer Élisa et j'étais descendu de voiture.
Francis CARCO, Nostalgie de Paris, p. 227.

COLIMAÇON [kɔlimasɔ̃] n. m. — 1529, *colimasson; caillemasson; caillemasson,* 1390; altér. d'un normanno-picard *cali-maçon,* de *ca-,* et *limaçon.* → Limace.

◆ 1 Escargot. → **Limaçon.**

◆ 2 Loc. adv. **EN COLIMAÇON :** en hélice. *Escalier, rampe en colimaçon.*

Il descendait le petit escalier en colimaçon qui faisait communiquer l'entresol avec la salle du café (...) 1
MARTIN DU GARD, les Thibault, t. V, p. 285.

◆ 3 (1928). Escalier en colimaçon.

Couloir. Escalier. Femme qui monte en courant d'étage en 2 étage, tout au long de l'étroit colimaçon où son tablier gris tournoie en spirale. Porte.
A. ROBBE-GRILLET, Dans le labyrinthe, p. 96.

REM. On rencontre un fém. plaisant *colimaçonne* (Franc Nohain, 1898).

1. COLIN [kɔlɛ̃] n. m. — 1380; altér. d'après *Colin* (Nicolas), du moy. franç. *cole*, néerl. *kool (visch)*, angl. *coal (fish)* «poisson-charbon», en raison de la couleur du dos.

Poisson de mer à chair estimée, aussi appelé *lieu* noir* ou parfois *merlan noir*. — REM. *Colin* est également le nom donné dans la région parisienne notamment, au merlu*. *Tranche, darne de colin.*

DÉR. Colineau.

2. COLIN [kɔlɛ̃] n. m. — 1759; «grèbe», 1611; «espèce de goéland», 1555; de *Colin*, abrév. de *Nicolin*, de *Nicolas*.

Petit oiseau d'Amérique *(Colin de Californie, de Virginie)*, voisin des cailles et des perdrix.

COLINÉAIRE [kɔlineɛʀ; kɔlineʀ] adj. — XXᵉ; de *co-*, et *linéaire*.

Math. Situé sur une même droite. *Points, vecteurs colinéaires.*

COLINEAU ou **COLINOT** [kɔlino] n. m. — Mil. XXᵉ; de 1. *colin*.

Jeune colin, de petite taille. *Une tranche de colineau.*

COLINETTE [kɔlinɛt] n. f. — 1771; de *Colin*, nom propre.

Anciennt. Coiffe* de femme que l'on utilisait comme bonnet* de nuit.

COLIN-MAILLARD [kɔlɛ̃majaʀ] n. m. — 1532; de *Colin*, et *Maillard*, noms de personnes.

Jeu où l'un des joueurs, les yeux bandés, doit chercher les autres à tâtons, en saisir un et le reconnaître. *Jouer à colin-maillard, au colin-maillard.*

1   Le roi de Pologne joue presque tous les soirs à colin-maillard : on dit qu'on le fait jouer de peur qu'il ne s'endorme.   RACINE, Notes historiques, XXXV.

Fig. *Jouer à colin-maillard :* se livrer à une recherche à l'aveuglette.

2   On connaît cet univers où ne cesse de se jouer un jeu de colin-maillard sinistre, où l'on avance toujours dans la fausse direction, où les mains tendues griffent le vide, où tout ce qu'on touche se dérobe (...)   N. SARRAUTE, l'Ère du soupçon, p. 45.

COLIN-TAMPON [kɔlɛ̃tɑ̃pɔ̃] n. m. — 1573; de *Colin*, nom propre, et *tampon* (d'après tambour).

♦ **1** Vx. Batterie de tambour des Suisses.

♦ **2** (1695). Fam., vieilli. *Je m'en moque comme de Colin-Tampon :* je n'en ai pas le moindre souci (→ fam. et mod. *Je m'en tamponne,* je m'en *tape*).

Colin-Tampon est le nom d'une batterie de tambour des soldats suisses et le surnom de ces soldats, donné, dit-on, après la bataille de Marignan (mais le mot écrit n'est attesté qu'en 1573). *Colin* (variante de *Colas, Nicolas*) entre dans de nombreux surnoms péjoratifs; *tampon* ou *tambour* représente le déverbal de *tamponner* («celui qui cogne, tape, bourre») avec l'influence de *tambour.* Au XVIIᵉ s., un *colin-tampon* ou un *tampon* est un «gros homme ridicule» (idée de «bourre») et le surnom est devenu une désignation comique et péjorative sans grand rapport avec les tambours suisses (...) L'expression a sans doute dû son succès au mot *tampon* qui véhicule le sémantisme de «enfoncer, bourrer» (et en général tous les verbes reliés à la sexualité masculine) et correspond à «être indifférent» (...)
Mais qu'il soit Dreyfusard ou non, cela m'est parfaitement égal.

puisqu'il est étranger. Je m'en fiche comme de colin-tampon.
(M. PROUST, À la recherche du temps perdu, t. II, p. 678.)
    Alain REY et Sophie CHANTREAU, Dict. des locutions.

1. COLIQUE [kɔlik] n. f. — Mil. XIIIᵉ; lat. *colica*, de *colicus* «qui souffre de la colique», grec *kôlikos*, de *kôlon*. → Côlon.

♦ **1** Méd. et cour. (souvent plur.). Douleur, survenant sous forme d'accès violent, ressentie au niveau des viscères abdominaux. → Colite, entérite, tranchée. *Souffrir de coliques. Être en proie, sujet à des coliques. Coliques spasmodiques* (→ Entéralgie), *flatulentes* (→ Borborygme, flatuosité). *L'élixir parégorique, remède analgésique des coliques.*

Sa fièvre est augmentée avec une colique dans les boyaux.   1
    Mᵐᵉ DE SÉVIGNÉ, 334.

Des coliques aiguës leur donnant des convulsions (...)   2
    ROUSSEAU, Émile, 1.

Avouez qu'il est plaisant que j'aie attrapé ma soixante et   3
seizième année en ayant tous les jours la colique (...)
    VOLTAIRE, Lettre à Thiriot, 9 août 1769.

Douleur abdominale due à la contraction d'un organe creux. *Coliques utérines. Coliques menstruelles.* → Dysménorrhée. — *Colique appendiculaire. Colique hépatique, vésiculaire,* due à l'obstruction des canaux biliaires par un calcul. — *Colique néphrétique,* due à l'obstruction des uretères par un calcul.

Loc. méd. *Colique de plomb, de cuivre :* intoxication par le plomb (→ Saturnisme), le cuivre. — *Colique de miserere,* produite par un étranglement intestinal. → Occlusion, péritonite.

♦ **2** Cour. (au sing.). Diarrhée. → Chiasse (vulg.). *Avoir la colique.*

(1852). Fig. *Avoir la colique :* avoir peur. → Trouille. *Donner la colique (à qqn) :* faire peur. — *Père la colique :* poltron.

♦ **3** Personne, chose ennuyeuse. *Quelle colique, ce type-là !*

HOM. Cholique.

2. COLIQUE [kɔlik] adj. — 1627; *colique passion* «souffrance du côlon, colique», 1475; lat. *colicus*. → 1. Colique.

Méd. Du côlon. *Artères coliques.*

HOM. Cholique.

COLIS [kɔli] n. m. — 1723; ital. *colli* (plur. de *collo* «cou») «charges portées sur le cou». → Coltiner.

♦ **1** Objet destiné à être expédié, remis à qqn et préparé, enveloppé à cet effet. → Bagage, ballot, charge, fardeau, paquet, sac. *Faire, ficeler, plomber un colis. Trimballer de nombreux colis. Envoyer, expédier un colis.* → Envoi, expédition. *Arrimage* des colis. Les colis des prisonniers. Acheminer un colis par route, par chemin de fer, en grande, en petite vitesse. Colis envoyé par bateau, par avion. Colis léger, lourd, encombrant. Groupage, manutention des colis. Déposer ses colis à la consigne. Porter, transporter des colis. Dédouaner un colis. Retirer un colis à la poste, à la gare. Qu'est-ce qu'il y a dans ce colis ?* — (1880). *Colis postal,* expédié par la poste.

Il est aisé de gagner Archambault, où nous attend Marcel   1
de Coppet, par une route beaucoup plus courte, et plus
aisée surtout; c'est celle que suivent les colis postaux et
les gens pressés (...)
    GIDE, Voyage au Congo, in Souvenirs, Pl., p. 733.

♦ **2** Fig. et fam. Personne encombrante, ou que l'on peut manipuler comme un colis. → Paquet.

2 *(Le condamné à mort)* n'est plus un homme, mais une chose qui attend d'être maniée par les bourreaux (...) Quand les fonctionnaires, dont c'est le métier de tuer cet homme, l'appellent un colis, ils savent ce qu'ils disent. Ne pouvoir rien contre la main qui vous déplace, vous garde ou vous rejette, n'est-ce pas, en effet, être comme un paquet ou une chose (...)
CAMUS, Réflexions sur la guillotine, *in* Essais, Pl., p. 1040.

COLISTIER, IÈRE [kɔlistje, jɛʀ] n. — 1926, n. m.; de *co-,* et *liste.*

Personne qui est candidate sur la même liste qu'une autre, dans le scrutin de liste.

Je manque d'expérience, en matière de roublardises électorales.
— Non (...) Vous n'êtes pas si naïf que ça (...) Il y a la question de vos colistiers. Ça ne vous amuse pas de tirer la voiture encadré d'une paire d'imbéciles.
J. ROMAINS, les Hommes de bonne volonté, t. XXII, p. 81.

COLITE [kɔlit] n. f. — 1824; du grec *kôlon* «gros intestin». → Colique.

Méd. Inflammation du côlon (→ **Intestinal**). *Colite catarrhale, ulcéreuse, muco-membraneuse. Souffrir, être atteint de colite.*

DÉR. Colitique. ◊ **COMP. Entéro-colite.**

COLITIGANT, ANTE [kɔlitigɑ̃, ɑ̃t] n. — 1481, *collitigant;* de *co-,* et *litigant* «celui qui a un procès».

Dr. Chacun des plaideurs engagés dans un procès à sujets multiples.

COLITIQUE [kɔlitik] adj. — 1934; de *colite.*

Méd. Relatif à la colite. *Inflammation colitique.* — (Personnes). Sujet à une colite. — N. (1965). *«Les colitiques, sujets à des accès de diarrhée»* (Dr Néfert, in *Guérir*, oct. 1967).

COLLABO [kɔ(l)labo] n. — V. 1940; 1865, in *Dico-plus,* au sens 1 de *collaborateur;* abrév. de *collaborateur.*

♦**1** Collaborateur* (2.).

1 (...) le virus s'était infiltré en lui à son insu. Quand il fulminait contre les Boches et les collabos, il croyait faire comme tout le monde; en réalité, ses motifs n'étaient pas ceux de tout le monde, et c'est un peu une querelle personnelle qu'il avait avec les Boches et les collabos.
Roger IKOR, les Fils d'Avrom, Les eaux mêlées, p. 662.

2 L'éternelle querelle des amis d'Odette n'obtint que mon attention la plus lâche. On disputa des collabos à Paris, des attentistes vichyssois, des nuances de la Résistance (...)
Jacques LAURENT, les Bêtises, p. 217.

♦**2** Partisan de la collaboration avec l'ennemi, avec un régime contesté.

3 (...) Pablo Neruda, alors en exil, l'un de ceux qui avaient dénoncé avec la plus grande fermeté les «collabos» chiliens de l'époque.
Roger GARAUDY, Parole d'homme, p. 115.

COLLABORATEUR, TRICE [kɔ(l)labɔʀatœʀ, tʀis] n. — 1755; dér. du lat. *collaborare.* → Collaborer.

♦**1** Personne qui travaille avec une ou plusieurs autres personnes à une œuvre commune. → **Adjoint, aide, associé, collègue, coopérateur, second.** *Les collaborateurs d'une publication littéraire. Engager un collaborateur. Remercier ses collaborateurs* (→ Bref, cit. 6; bourreau, cit. 6).

1 (...) nous travaillerons ensemble, comme deux collaborateurs bien d'accord (...)
LOTI, les Désenchantées, XXIII, p. 153.

2 — Quand on les prend jeunes, on peut en faire les compagnes les plus dévouées, les collaboratrices les plus sûres, continua-t-il.
M. DURAS, Un barrage contre le Pacifique, p. 210.

Adj. (Rare). *Une activité collaboratrice.*

♦**2** Au cours de l'occupation allemande dans plusieurs pays d'Europe (1939-1945), Partisan d'une collaboration politique, économique, voire militaire avec l'Allemagne. (On a dit aussi *collaborationniste*).

3 (...) le retour des collaborateurs qui se trouvaient maintenant dans les prisons où ils avaient tenu les autres (...)
G. DUHAMEL, Cri des profondeurs, XI, p. 208.

Par ext. Personne qui collabore avec un ennemi (politique, social).

COLLABORATION [kɔ(l)labɔʀasjɔ̃] n. f. — 1829; «travaux d'un couple», 1753; du lat. *collaborare.* → Collaborer.

♦**1** Action de travailler en commun (avec qqn). Résultat de cette action. *La collaboration d'un spécialiste à une revue, à un journal. Apporter sa collaboration à une œuvre.* → **Aide, appui, concours, coopération, participation.** *Demander la collaboration de qqn, d'un groupe.*

1 (...) j'allai le trouver rue des Canettes, près de l'église Saint-Sulpice, aux bureaux de cette Revue où, bien entendu, toute collaboration était gratuite et bénévole.
Georges LECOMTE, Ma traversée, p. 232.

2 Ça suppose le contrôle, la collaboration prolongée, permanente, de spécialistes.
J. ROMAINS, les Hommes de bonne volonté, t. V, XIV, p. 106.

En collaboration : par plusieurs collaborateurs. *Ils ont écrit ce traité en étroite collaboration avec X. Ouvrage en collaboration.* → **Collectif.**

♦**2** (1940). Attitude des personnes qui, durant l'occupation allemande (1939 à 1944-45), désiraient appliquer une politique favorable à l'«Europe nouvelle» dominée par les nazis, en coopération avec l'Allemagne (notamment en France). *Avoir milité dans la collaboration. Être accusé de collaboration.* → **Collaborateur** (2.).

DÉR. Collaborationnisme, collaborationniste.

COLLABORATIONNISME [kɔ(l)labɔʀasjɔnism] n. m. — 1920, in D.D.L.; de *collaboration.*

Rare. Le fait de collaborer avec qqn, un groupe, de manière systématique. *«Collaborationnisme de classes»* (J. Maxe, in D.D.L.). — Attitude des collaborationnistes.

COLLABORATIONNISTE [kɔ(l)labɔʀasjɔnist] adj. et n. — 1929, sens gén., in D.D.L.; de *collaboration.*

Qui est partisan d'une politique de collaboration (spécialt, v. 1940, du sens 2). → **Collabo, collaborateur** (2.).

Parfois en flânant dans la rue, il lui semblait reconnaître un trafiquant du noir à l'insolence de son ventre, ou un collaborationniste à la lueur perverse d'un regard et il sentait à son poing frémir le glaive d'un archange.
M. AYMÉ, le Vin de Paris, «Le faux policier», p. 161.

COLLABORER [kɔ(l)labɔʀe] v. tr. ind. — 1830; bas lat. *collaborare,* de *co-* et *laborare* «travailler».

♦**1** *Collaborer à (qqch.) :* travailler en collaboration. *Collaborer à une revue, à un journal.* → **Coopérer, participer** (à). *Seconder qqn en collaborant à son œuvre. — Collaborer avec qqn (à qqch.). Ils ont collaboré pour ce projet.*

1 Certes, il n'ignorait pas que dans les affaires de contre-espionnage la police collabore avec les militaires (...)
J. ROMAINS, les Hommes de bonne volonté, t. IV, XIX, p. 206.

2 Plus tard, elle avait longtemps collaboré à la petite correspondance des journaux de modes (...)
MONTHERLANT, les Jeunes Filles, p. 70.

♦ **2** Absolt. Agir en tant que collaborateur (2.).

COLLAGE [kɔlaʒ] n. m. — 1544; de *coller*.

I ♦ **1** Action de coller. *Le collage d'une affiche par un colleur d'affiche.* — État de ce qui est collé. *Un collage résistant.*

♦ **2** Arts. Composition picturale faite de papiers découpés et collés sur la toile, éventuellement intégrés à une partie peinte. → **Papier** (collé). *Les collages de Braque, de Picasso.* — Le procédé par lequel on fait de telles compositions.

1 L'imagier, désormais, surtout par le procédé du collage, en juxtaposant des éléments empruntés isolément à des ensembles innocents, s'ingénie à inventer des rencontres saugrenues d'objets disparates (...)
Roger CAILLOIS, Esthétique généralisée, III, p. 34.

Fig. Œuvre d'art, ou récit composé d'éléments disparates juxtaposés.

2 Quand j'eus l'idée de cet ouvrage où se trouvent confrontés souvenirs d'enfance, récit d'événements réels, rêves et impressions effectivement éprouvées, en une sorte de collage surréaliste ou plutôt de photomontage (...)
Michel LEIRIS, l'Âge d'homme, p. 15.

♦ **3** Techn. Assemblage par adhésion. — Adhérence d'un véhicule au sol.

♦ **4** Fig. et fam. (souvent péj.). Situation d'un homme et d'une femme qui vivent ensemble sans être mariés. → **Concubinage**; → Être à la colle.

3 Je me suis marié jeune, avec 40 000 francs de dette, par amour et par raison, par crainte de la noce et du collage.
J. RENARD, Journal, février 1891.

4 Mais tu ne peux donc pas écrire un livre qui ne soit d'amour, d'adultère, de collage mi-incestueux, de rupture ?
COLETTE, la Naissance du jour, p. 28.

II Techn. Addition de colle dans la préparation (de qqch.). *Le collage du papier, des étoffes, dans l'industrie.* → **Apprêt**. — *Collage des vins* : opération qui a pour but de clarifier le vin en précipitant les matières en suspension qu'il contient, par coagulation d'une matière organique. *Collage du champagne. Collage du vin avec du blanc d'œuf, de la gélatine.*

CONTR. (Du sens 1) **Décollage**. ◊ COMP. Décollage, recollage, surcollage.

COLLAGÈNE [kɔlaʒɛn] adj. et n. m. — 1869, adj.; 1873, n. m.; de *colle*, et *-gène*.

Chim., biol. *Substances collagènes*, susceptibles de devenir solubles en se transformant en des corps ayant l'apparence et les propriétés générales de la colle de poisson ou de la gélatine. *Fibres collagènes qui composent l'armature protéinique.*

En règle générale, la masse totale de tissu interstitiel *augmente régulièrement* avec l'âge, alors que la masse totale des parenchymes actifs diminue. Les fibres collagènes paraissent plus épaisses et plus compactes.
Léon BINET, Gérontologie et Gériatrie, p. 29.

N. m. Protéine de la substance intercellulaire du tissu conjonctif, qui se transforme en gélatine par cuisson.

DÉR. **Collagénose**.

COLLAGÉNOSE [kɔlaʒenoz] n. f. — 1956; de *collagène*.

Méd. Maladie caractérisée par une dégénérescence du collagène de diverses structures organiques. *La sclérodermie est une collagénose.*

COLLANT, ANTE [kɔlã, ãt] adj. et n. m. — 1572; p. prés. de *coller*.

♦ **1** Qui adhère, qui colle. → **Adhésif, conglutinant, gluant, poisseux, visqueux.** *Marcher difficilement dans une boue collante.* — Loc. *Papier collant* (→ Appui, cit. 17) : papier enduit de colle sèche sur une de ses faces, qui adhère si on la mouille. — N. m. Ruban adhésif (terme proposé pour remplacer *scotch**). → aussi **Adhésif; autocollant.**

♦ **2** (Vêtements). Qui s'applique exactement sur une partie du corps. → **Ajusté, étroit, serré.** *Un pantalon collant. Une robe collante moulait son corps.*

(...) ces femmes en robe collante, aux joues découvertes, aux beaux yeux fixes, accoutumées aux hardiesses du regard, semblent toutes singulières dans ce monde universellement voilé.
E. FROMENTIN, Une année dans le Sahel, p. 31.

N. m. (1860, *in* D. D. L.). *Un collant* : pantalon, maillot collant. *Danseuse en collant.*

Sous-vêtement, vêtement composé d'une culotte et de bas en une seule pièce. *Le collant, entre 1950 et 1970, a progressivement remplacé la gaine, les jarretelles.*

Il est là, en train de se passer le collant de skis *(sic)* de Marie-Noire. Elle le lui a prêté. Comme ça il aura bien chaud.
ARAGON, Blanche..., II, VII, p. 291.

Il s'excite, ce siècle, par voie d'affiches, de livres, de films, d'articles de journaux, de mini-jupes, de bottes, de collants.
P. GUTH, Lettre ouverte aux idoles, Sheila, p. 89.

♦ **3** Fam. (Personnes). Qui est importun, indiscret et ennuyeux, dont on ne peut se débarrasser. → **Importun.** *Ce qu'il est collant!* (→ Pot de colle). *Il est collant comme la glu* (→ Poisse, colle de pâte).

(...) il y a des tas de types qui viennent vous faire du plat, sous prétexte de s'amuser avec cet ustensile.
— Ça c'est vrai. Il y en a qui sont collants... Pas moyen de s'en débarrasser. Et bêtes par-dessus le marché... Et bêtes...
R. QUENEAU, Pierrot mon ami, éd. L. de Poche, p. 22.

(...) c'est affreux de connaître tant de gens, ils surgissent à chaque instant de partout, obséquieux, anxieux, collants, regards qui s'accrochent, mains tendues (...)
N. SARRAUTE, le Planétarium, p. 165.

CONTR. Sec. — **Bouffant, large**. — **Discret**. ◊ COMP. Autocollant, thermocollant.

COLLANTE [kɔlãt] n. f. — 1900; de *coller* «recaler». Fam. (Argot scol.). Convocation pour un examen. *J'ai reçu ma collante, je passe lundi.*

COLLAPSER [kɔlapse] v. intr. — 1985; empr. à l'angl. *to collapse* «s'évanouir» (→ Collapsus). Fam. S'évanouir. *Il a failli collapser en la voyant.*

COLLAPSOTHÉRAPIE [kɔlapsoterapi] n. f. — 1910; de *collapsus*, et *-thérapie*. Méd. Méthode thérapeutique qui consiste à mettre le poumon au repos en provoquant un collapsus (2.), afin de permettre la cicatrisation des lésions.

COLLAPSUS [kɔlapsys] n. m. — 1785; mot lat., p. p. substantivé de *collabi* «s'affaisser». Médecine.

♦ **1** État pathologique caractérisé par un malaise soudain, intense (avec ou sans perte de connaissance), une baisse de la tension, une accélération du pouls, des sueurs froides (→ Algidité). *Collapsus cardio-vasculaire. Tomber en collapsus.*

(...) je vous parie qu'il y en a *(des malades, atteints du choléra)* d'étendus sous les genêts. Mais en cas de collapsus foudroyant, ils vont se fourrer dans des endroits dont vous n'avez pas idée.
J. GIONO, le Hussard sur le toit, p. 51.

Littér. Lassitude extrême, faiblesse absolue.

♦ **2** Affaissement d'un organe, dû à une compression d'origine pathologique. *Collapsus pulmonaire, dû à un épanchement pleural, une tumeur.* → **Collapsothérapie.**

DÉR. et COMP. **Collapsothérapie.**

COLLARGOL [kɔlaʀgɔl] n. m. — 1903, in *Rev. gén. des sc.*; marque déposée; de *coll(oïde)*, *arg(ent)*, et suff. *-ol.* Chim., méd. Argent colloïdal. *Le collargol, remède contre les maladies d'origine infectieuse.*

COLLATAIRE [kɔlatɛʀ] n. m. — XVIIIᵉ; du rad. de *collateur.* Dr. relig. Celui que le collateur pourvoyait d'un bénéfice. → **Bénéficiaire.**

COLLATÉRAL, ALE, AUX [kɔlateʀal, o; kɔlateʀal, o] adj. — Déb. XIVᵉ, *colateral*; lat. médiéval *collateralis*, de *latus*, *lateris* «côté».

♦ **1** Didact. Qui est latéral par rapport à quelque chose; situé sur le côté. [**a**] Sc. nat., anat. *Artère collatérale* : artère presque parallèle à celle dont elle est issue. — N. f. *Les collatérales.*

1   L'aorte d'abord thoracique, puis abdominale, fournit un tronc commun pour l'irrigation du foie et de la rate, l'intestin et les reins recevant des collatérales directes.   P. VALLÉRY-RADOT, Notre corps..., p. 37.

Qui est placé de part et d'autre d'une structure. *Sillon collatéral du bulbe, de la moelle.*

[**b**] Archit. *Nef collatérale* : nef latérale d'une église, par rapport à la nef centrale. → **Bas-côté.** — (1526). *Chapelles collatérales.*

N. m. *Un collatéral* : une nef collatérale. *Les collatéraux sont moins hauts que la nef centrale.*

[**c**] (1740). Géogr. *Points collatéraux* : points qui sont au milieu de deux points cardinaux. → **Rose** (des vents). *Les quatre points collatéraux* : Nord-Est, Nord-Ouest, Sud-Est, Sud-Ouest.

N. m. *Les cardinaux et les collatéraux.*

♦ **2** (V. 1275, n. m. pl.) Dr. *Parents collatéraux* : membres d'une même famille descendant d'un auteur commun. *Les frères, les sœurs, les oncles, les cousins sont des parents collatéraux.* — N. *Les collatéraux.* — *Ligne collatérale* : ligne formée par les parents collatéraux, par oppos. à *ligne directe. Héritier collatéral. Succession collatérale.*

2   Il n'y a que ceux qui ont eu de vieux collatéraux, ou qui en ont encore, et dont il s'agit d'hériter, qui puissent dire ce qu'il en coûte.   LA BRUYÈRE, les Caractères, V, 42.

3   (...) la porte ouverte toute grande aux chicanes des collatéraux (...)
                        COURTELINE, Messieurs les ronds-de-cuir,
                                                    5ᵉ tableau, I.

♦ **3** (Abstrait). Qui est secondaire et parallèle (idées, etc.). *Les idées centrales et collatérales.*

CONTR. **Central.** — **Indirect.** ◊ DÉR. **Collatéralement.**

COLLATÉRALEMENT [kɔlateʀalmã; kɔlateʀalmã] adv. — 1585; de *collatéral.* Dr. En ligne collatérale.

COLLATEUR [kɔlatœʀ] n. m. — V. 1460; lat. ecclés. *collator*, de *conferre* «conférer». Dr. relig. Celui qui avait le droit de conférer un bénéfice ecclésiastique. → Collatif, cit.

Si on donne un bien temporel pour un bien spirituel non pas comme prix, mais comme un motif qui porte le collateur à le donner, est-ce simonie?
                                        PASCAL, les Provinciales, 12.

DÉR. **Collatif.**

COLLATIF, IVE [kɔlatif, iv] adj. — 1461; du rad. de *collateur*, et suff. *-if.* Dr. Qui peut être conféré. *Bénéfice collatif. Dignité collative.*

En effet, si certains bénéfices étaient encore attachés à la fonction (bénéfices «à charge d'âmes») et d'autres électifs, la plupart étaient «collatifs», c'est-à-dire reportés autoritairement. Le premier collateur était le roi, mais d'autres autorités laïques disposaient de la collation : les «patrons», héritiers des fondateurs ou donateurs d'églises, les officiers du Parlement, par droit d'indult.
                    Alain REY, Antoine Furetière..., *in* FURETIÈRE,
                                                        Dict., p. 23.

COLLATION [kɔlasjɔ̃] n. f. — 1276; lat. médiéval *collatio*, le lat. classique n'a que le sens II «comparaison, confrontation»; de *collatus*, p. p. de *conferre.*

[**I**] ♦ **1** (1276; le lat. médiéval *collatio* a ce sens au XIIᵉ s.). Anc. dr. Action de conférer (à qqn un titre, un bénéfice ecclésiastique). *La collation d'un bénéfice* (→ Collatif, cit.). *Le dévolu, dénonciation d'une collation irrégulière.* — *Droit de nommer à un bénéfice. Avoir la collation de l'ordinaire.*

♦ **2** Action de conférer (un grade universitaire). *La collation d'une licence, d'un doctorat.*

[**II**] (1361; lat. class. *collatio*, spécialisé dans ce sens). Action de comparer entre eux (des manuscrits, des textes, des documents). → **Confrontation, examen...** (On dit aussi *collationnement*).

Les clercs de la vie commune, aux Pays-Bas, s'occupaient   1
de la collation des originaux dans les bibliothèques (...)
                    CHATEAUBRIAND, le Génie du christianisme, IV,
                                                        VI, V.

J'avais dépassé quarante ans; la médecine grecque m'oc-   2
cupait entièrement, sauf quelques excursions littéraires
qu'accueillaient des journaux quotidiens et des revues. Je
donnais chez M. J.-B. Baillière une édition d'Hippocrate,
texte grec, avec collation de tous les manuscrits que je
pus me procurer (...)
                    É. LITTRÉ, Comment j'ai fait mon dictionnaire, p. 1.

[**III**] (XIIIᵉ; lat. chrét. *collatio* «conférence, discussion»). ♦ **1** Vx. Action de conférer avec qqn. — (1287). Spécialt. Anciennt. Dans les monastères, courte conférence qui se tenait le soir et après laquelle les moines prenaient quelque nourriture.

♦ **2** (1595). Dîner léger que prennent les catholiques les jours de jeûne. *Faire collation. Prendre une légère collation.*

♦ **3** (1453, «léger souper»). Mod. et cour. Repas léger, pris le plus souvent au cours de l'après-midi ou de la soirée. → **En-cas, goûter, lunch, quatre heures** (fam. et enfantin), **souper.**

(Il) nous a donné la collation où nous avons mangé des   3
fruits ... et bu du vin (...)
                    MOLIÈRE, les Fourberies de Scapin, II, 7.

La collation vient, composée de quelques laitages, de gau-   4
fres, d'échaudés, de merveilles, ou d'autres mets du goût
des enfants et des femmes.
                    ROUSSEAU, Julie ou la Nouvelle Héloïse, IV,
                                                    Lettre X, p. 65.

Ensuite, je veux qu'on m'apporte une collation bien servie,   5
composée de choses japonaises raffinées.
                    LOTI, Mᵐᵉ Chrysanthème, III, p. 25.

DÉR. **Collationner.**

COLLATIONNEMENT [kɔlasjɔnmã] n. m. — 1865; t. de télécommunications, 1861; de *collationner.* Action de collationner; son résultat. → **Collation,** II. *Le collationnement de ces deux textes est méticuleusement fait.*

COLLATIONNER [kɔlasjɔne] v. — XIVᵉ; de *collation*.

I V. tr. **♦1** Comparer* (des manuscrits, des textes et leurs reproductions). → **Confronter, examiner, réviser, vidimer.** *Collationner un écrit avec l'original*, vérifier la concordance des formes entre les deux textes. *Collationner deux manuscrits, deux éditions.* Spécialt. Vérifier la conformité de (une dactylographie, une épreuve d'imprimerie) avec l'original.

1 (...) l'ennui d'un long travail me donne des distractions si grandes, que je passe plus de temps à gratter qu'à noter *(la musique)*, et que si je n'apporte la plus grande attention à collationner mes parties, elles font toujours manquer l'exécution.
  ROUSSEAU, les Confessions, IV.

2 (...) il achevait de s'abîmer la vue en collationnant des textes pour une publication de *Documents sur le Protestantisme* (...)
  MARTIN DU GARD, les Thibault, t. VI, p. 41.

♦2 Vérifier l'ordre des cahiers, des feuillets (d'un livre), des éléments (d'une liste).

II V. intr. (1549; vieilli). Prendre une collation* (III., 3.). → **Manger; casser** (la croûte).

DÉR. **Collationnement, collationneur.**

COLLATIONNEUR, EUSE [kɔlasjɔnœʀ, øz] n. — Mil. XXᵉ; de *collationner*, I.

♦1 Personne qui collationne (I., 1. ou 2.).

♦2 N. f. Machine qui compte et collationne des données.

COLLE [kɔl] n. f. — 1268, *cole;* lat. pop. *colla*, grec *kolla*.

♦1 Substance (naturelle ou de synthèse) permettant de lier par adhérence deux matières, deux objets. *Colle obtenue par dessiccation de la gélatine animale ou végétale* (→ **Colloïde**). → **Empois, glu, poix.** *Bouteille de colle. Tube, pot, bâton de colle. Pinceau à colle. Enduire de colle une affiche. Badigeonner qqch. de colle. Faire fondre la colle.* — Loc. cour. *Colle forte.* — Techn. *Colle de peaux* ou *colle de baquet, colle-matières :* colle animale préparée avec des déchets d'abattoirs, de tannerie. *Colle minérale. Colle au caoutchouc. Colle gomme*. Colle à la gutta-percha. Colle d'amidon.* — *Colle de poisson*, préparée avec les vessies natatoires de certains poissons. → **Ichtyocolle.** *Colle d'esturgeon.* — *Colle liquide :* colle dissoute dans l'eau. *Colle de bureau.* — *Colle pâteuse extra-forte :* mélange de colle de poisson et de silicate de soude. *Colle à porcelaine. Colle à bois.* → **Futée, oreillons.** — *Colle à bouche, colle blanche :* colle additionnée de sucre, de glycérine, de citron...* — *Colle végétale, colle de pâte*, préparée avec de la gélatine végétale obtenue à partir d'algues marines. → **Agar-agar, gélose.** *Colles synthétiques* (à base d'élastomères*). *Colles contact.* — *Préparation industrielle des colles. Échaudage, soutirage, moulage, séchage, découpage des colles.*

1 Ces filets sont de fil de chanvre, qu'ils achètent des marchands. Ils les frottent souvent d'une certaine colle rouge, qu'ils font avec de l'écaille de poisson séchée à l'air.
  J.-F. RÉGNARD, Voyage en Laponie, p. 147 (1731).

(Utilisations autres que l'adhérence). *Peinture à la colle :* peinture à laquelle on ajoute de la colle pour mieux fixer les couleurs (→ **Détrempe**). *Enduit à la colle, de colle.* — *Apprêt* à la colle* (étoffes, etc.). → **Encollage.**

2 Il ne lui donne point l'enduit de colle, cet enduit ne se donnant que pour empêcher les impressions à l'huile de passer au travers d'une toile grasse et claire.
  DIDEROT, Peinture en cire, Œ., t. XV, p. 344.

Colle végétale ou animale utilisée pour faciliter la précipitation des matières en suspension dans un liquide et le clarifier. → **Collage.**

Spécialt. Colle séchée qui enduit une surface de papier pour le rendre adhésif, collant*. *Humecter la colle d'un timbre-poste.*

Loc. fam. *Faites chauffer la colle !* (allus. aux anciennes colles, qu'il fallait faire chauffer avant l'emploi) : quelque chose vient d'être cassé, brisé.

♦2 Par compar. ou métaphore. Matière gluante, visqueuse, qui adhère. *Ce terrain est argileux; quand il pleut, c'est de la vraie colle, c'est de la colle.* Spécialt (plus cour.). Se dit de pâtes, de riz, de féculents trop cuits, qui adhèrent.

3 Et il verse dans mon assiette une sorte de colle immangeable.
  GIDE, Feuillets, *in* Journal 1889-1939, Pl., p. 349.

Techn. *Mettre, remettre en colle :* former une solution épaisse.

4 La cuisson est effectuée après avoir rendu au savon son homogénéité par addition d'eau, ce qui, en terme de métier, s'appelle *remettre en colle.*
  Emmanuel MAYOLLE, les Industries du savon et des détergents, p. 57.

♦3 Fig. et fam. Vieilli. Chose ennuyeuse, qui embarrasse. *«Quelle colle et quelle poisse !»* (Colette, *in* T. L. F.). → **Poisse.** — Vx. Attitude ou parole trompeuse (dit «englue»).

Loc. fam. **POT** (cit. 10.1) **DE COLLE** : personne dont on ne peut se débarrasser. → **Collant.** *C'est un véritable pot de colle ! Quel pot de colle !* — (En fonction d'adj.). *Ce que tu peux être pot de colle !* → **Collant.**

♦4 Loc. adv. (1880; de *se coller*). Pop. **À LA COLLE.** *Être, vivre à la colle*, en concubinage. → **Collage** (I., 4.).

5 Quand on me demandait si j'étais marié, je n'avais pas de mots vrais pour répondre. Rien que des mots faux. On trouvait pour moi : *Tu vis à la colle.*
  Georges NAVEL, Travaux, p. 97.

5.1 Ils se sont rencontrés. Mon père, sur l'instant, se fit tatouer un cœur allégorique, traversé d'une flèche, sous le biceps gauche, parce qu'il était amoureux. Ils se sont mis «à la colle», c'est l'expression de ce temps, je suis venu, et on est parti tous les trois.
  Henri CALET, la Belle Lurette, p. 9.

♦5 (1840; spécialisation du sens 2). Argot scol. Exercice d'interrogation préparatoire aux examens, aux concours. *Passer une colle, une colle blanche.* Question embarrassante (posée à un candidat ou non) qui exige des connaissances, de l'astuce. *Poser une colle.* → **Problème, question.**

6 Reste de se poser des colles et d'essayer de les résoudre. De se faire une idée d'un tableau possible, de copier cette idée jusqu'à ce que le tableau lui ressemble. D'organiser une rencontre entre l'abstrait et le concret.
  COCTEAU, Journal d'un inconnu, p. 117.

7 Vous méritez qu'on vous pousse (sic) une colle : dites-moi, je vous prie, quels sont ces bruits que vous prétendez entendre si bien.
  MONTHERLANT, Pitié pour les femmes, p. 90 (1936).

(1880). Punition qui contraint un élève à venir en classe en dehors des heures de cours. → **Consigne, retenue.** *Avoir une colle le jeudi de 2 à 4 heures. Faire sa colle.*

8 Ils te chahutaient ?
  — Pas vraiment. Au début, je les tenais à coup de colles (...) Je leur ai dit un jour, faites ce que vous voulez, mais je ne veux pas de bruit (...) Si j'entends un bruit, je vous colle.
  J.-M. G. LE CLÉZIO, le Déluge, VIII, p. 163.

DÉR. **Coller, colleur.** ◊ HOM. V. **Col.**

COLLECTAGE [kɔlɛktaʒ] n. m. — 1517; *coletage*, v. 1410; de *collecter*.

Action de collecter. → **Ramassage.**

COLLECTE [kɔlɛkt] n. f. — Déb. XIIIᵉ, *collete*; lat. *collecta*, de *colligere* «placer ensemble, recueillir».

♦ **1** Liturg. Courte prière* que le prêtre lit à la messe entre le Gloria et l'Épître, et dont le texte varie avec l'office du jour. → **Oraison**.

♦ **2** (1395). Anciennt. Levée des impositions. *Collecte de la taille, de la capitation.*

♦ **3** (1690). Action de recueillir des dons, des objets divers au profit d'une œuvre, d'une personne. → **Quête**. *Faire une collecte pour, au profit d'une œuvre. Organiser une collecte pour l'érection d'une statue. Participer à une collecte. Le produit d'une collecte.*

1 On dîne, et après le repas, on fait une collecte pour les pauvres.   VOLTAIRE, Phil., II, 43, *in* LITTRÉ.

2 Des dîners de bienfaisance ont lieu tous les deux mois, avec collectes en gants blancs et tenues de soirée (...)
                    Alain BOSQUET, les Bonnes Intentions, p. 129.

Action de recueillir, de ramasser des produits, chez le producteur ou en vue d'un traitement approprié. → **Collectage**. *La collecte des œufs, du lait, dans les fermes.* → **Ramassage**. *La collecte des ordures ménagères.*

Inform. *Collecte des données* :* processus de transfert de données d'un ou plusieurs points vers un point central.

DÉR. **Collecter.**

COLLECTER [kɔlɛkte] v. tr. — 1557; 1320, passif, «être assujetti à une contribution»; de *collecte.*

♦ **1** Réunir par une collecte. *Collecter des fonds, des dons.*

♦ **2** Ramasser en se déplaçant (le compl. est au plur. ou désigne une substance de manière «non comptable»). *Collecter le lait.*

Réunir (des éléments dispersés). *Collecter les vieilles bouteilles pour recycler le verre.*

(...) il désignait la rigole. Devant la porte de la remise, elle collectait et canalisait vers un ruisseau lointain les eaux sanglantes (...)   Pierre GASCAR, les Bêtes, p. 63.

♦ **SE COLLECTER** v. pron. passif (1869).

Pathol. Se rassembler en une accumulation purulente. *Le pus se collecte en un unique furoncle.* — Au p. p. *Abcès collecté.*

DÉR. **Collectage.**

COLLECTEUR, TRICE [kɔlɛktœr, tris] n. et adj. — 1315, *in* D.D.L.; bas lat. *collector*, de *colligere.*

I N. ♦ **1** Personne qui collecte (qqch.). — N. m. Anciennt. Celui qui était chargé de la collecte de la taille. (On dit encore *collecteur d'impôts.* → **Percepteur**).

♦ **2** N. m. Organe ou dispositif qui recueille ce qui était épars.

(1898). Électr. Ensemble d'éléments conducteurs (lames) destinés à recueillir le courant induit. *Collecteur en cylindre d'une dynamo*.* → **Inducteur, induit.** *Moteur à collecteur.*

Radio. *Collecteur d'ondes* (antenne, cadre).

Techn. *Collecteur de chaudière :* partie cylindrique des chaudières tubulaires, remplies d'eau ou de vapeur. *Collecteur d'admission, d'alimentation, d'échappement.* — Ensemble de conduits coudés où le gaz abandonne le goudron, dans la distillation de la houille (on dit aussi *tuyaux d'orgue*). — *Tuyère conique dont le rétrécissement accélère le mouvement du fluide qui la traverse.* → **Convergent**.

(1877). Support artificiel (de roche, de bois, etc.) aménagé pour que se fixent les embryons d'huîtres, le naissain de moules (→ **Bouchot**). *«Éviter que les jeunes huîtres, trop serrées sur les collecteurs, ne se déforment»* (A. Boyer, les Pêches maritimes, p. 80).

Inform. *Collecteur de données*.*

♦ **3** N. m. Spécialt (trav. publ.). Conduite qui recueille le contenu d'autres conduites. *Collecteur d'eaux pluviales.* → **Drain**. *Collecteur principal.*

1 Le collecteur général de la rive gauche, du même type que le collecteur secondaire des quais de la rive droite (...) De ce collecteur secondaire partent un certain nombre d'égouts principaux (...)
                    L. FIGUIER, l'Année scientifique et industrielle 1875, p. 291 (1874).

II Adj. Qui recueille. — (1862). *Égout collecteur.* — Électr. *Barre collectrice* (de courant).

2 Plantations de derricks, pompes à balanciers alignés en quinconce, stations collectrices flottantes, service de pompage, réservoirs sont regroupés en isolats (...)
                    Régis DEBRAY, l'Indésirable, p. 71.

COLLECTIF, IVE [kɔlɛktif, iv] adj. et n. — XIIIᵉ; lat. *collectivus* «ramassé», du supin de *colligere.* → Collecte.

I Adj. ♦ **1** Qui comprend ou concerne un ensemble de personnes ou de choses. *Travail collectif.* → **Équipe** (en), **groupe** (en). *Les auteurs d'un ouvrage collectif. Œuvre, entreprise collective. Faire une démarche, une réclamation collective. Démission collective. Contrat* collectif. Convention collective. Responsabilité collective. Morale collective. La psychologie collective. Tendances collectives. L'âme collective. Conscience collective,* du groupe social, de la collectivité. → **Social**. *L'inconscient collectif étudié par Jung.* — *Comportement collectif. Enthousiasme collectif; peur, joie, angoisse collective. Punition collective.*

1 Les particuliers meurent, mais les corps collectifs ne meurent point. Les mêmes passions s'y perpétuent, et leur haine ardente, immortelle comme le démon qui l'inspire, a toujours la même activité.
                    ROUSSEAU, Rêveries..., 1ʳᵉ Promenade.

2 (...) l'immense être humain appelé France (...) s'était affronté en une gigantesque querelle collective avec cet autre immense conglomérat d'individus qu'est l'Allemagne.
                    PROUST, À la recherche du temps perdu, t. XIV, p. 94.

3 L'esprit du régime nouveau qui partout se répand sur le monde relève de la série remplaçant la qualité, de l'action collective se substituant à l'initiative de chacun (...)
                    André SIEGFRIED, l'Âme des peuples, III, I, p. 52.

4 Il n'y avait plus alors de destins individuels, mais une histoire collective (...)   CAMUS, la Peste, p. 187.

Propriété collective. → **Collectivisme**. — *Billet collectif* (de groupe). — *Antenne collective.*

♦ **2** Log. Se dit d'un terme singulier et concret représentant un ensemble d'individus. *Le Sénat, l'Académie, la pègre sont des termes collectifs.* — Par ext. *Proposition collective :* proposition ayant pour sujet un terme collectif. — *Sujet collectif, pris au sens collectif :* sujet représenté par un terme pluriel ou par plusieurs termes réunis, lorsque la proposition est indivise (opposé à *distributif*). *Donner à un mot un sens collectif. Considérer un terme d'une manière collective.* — N. m. *Un collectif :* un mot collectif. — Gramm. *Nom collectif :* terme singulier représentant un ensemble d'individus. *Peuple, foule, ensemble... sont des collectifs.* — REM. Accord des collectifs, selon qu'on insiste sur la notion d'ensemble ou sur les éléments qui le composent. Ex. : *«Une multitude de sauterelles a infesté ces campagnes»* (Littré). *«Une foule de gens diront qu'il n'en est rien»* (Académie).

II N. ◆ **1** N. m. **a** Ensemble des dispositions d'un projet de loi de finance. *Le collectif budgétaire. La vignette* de l'impôt sur les voitures, le timbre des permis de chasse, font partie du collectif budgétaire.* **b** (1930, *in* D.D.L.). Équipe, groupe (de travail, de recherche).

◆ **2** N. f. Sports. Course, sortie collective (alpinisme).

◆ **3** N. f. UNE COLLECTIVE : un groupement d'intérêts, un syndicat de producteurs (en matière de publicité). *La publicité collective est parfois «assurée par des collectives de labels»* (B. de Plas et H. Verdier, *la Publicité*, p. 15).

CONTR. **Individuel, particulier. — Distributif, partitif.** ◊ DÉR. **Collectivement, collectiviser, collectivisme, collectivité.**

COLLECTION [kɔlɛksjɔ̃] n. f. — 1371, méd.; lat. *collectio* «action de réunir», du supin de *colligere*. → Collecte.

I ◆ **1** (Sens gén.). Didact. ou littér. Réunion d'objets, concrets ou abstraits. → **Accumulation, amas, assemblage, assortiment, ensemble, groupe, réunion.** *Une collection d'objets divers.* → **Quantité, variété.** *Toute une collection.* → **Appareil, attirail.** *Une collection d'individus.* → **Foule, nombre** (un grand nombre).

1   Au Palais-Bourbon, le psychologue trouve une collection complète d'individus propres à lui rendre intelligible, région par région, la nationalité française.
M. BARRÈS, Leurs figures, p. 16.

2   (...) les peuples, en tant qu'ils ne sont que des collections d'individus (...)
PROUST, À la recherche du temps perdu, t. X, p. 236.

3   Il comptait avoir dans ce local non un véritable dépôt, mais une collection de rouleaux-spécimens.
J. ROMAINS, les Hommes de bonne volonté, t. II, IX, p. 95.

Fam. *Une belle collection d'imbéciles.*

◆ **2** (1755). Cour. Réunion d'objets ayant un intérêt esthétique, scientifique, historique, ou une valeur provenant de leur rareté. *Une belle, une riche collection. Les collections du Louvre. Collection publique; privée* (ou *particulière*). *Les collections d'un musée. La collection Durand,* donnée ou léguée par M. Durand. *Pièce de collection. Faire collection de... Faire des collections.* → **Collectionner, colliger.** *Collection d'amateur. Collections de curiosités, de bibelots.* → **Bibelotage, vitrine.** *Collection de tableaux, de peintures.* → **Galerie, pinacothèque.** *Collection d'images, de portraits* (→ **Iconographie**), *de photographies* (→ **Album**), *de livres* (→ **Bibliothèque**), *de disques* (→ **Discothèque**), *de timbres* (→ **Philatélie**), *de cartes postales* (→ **Cartophilie**). *Collection de médailles* (→ **Numismatique**). *Collection de jouets* (→ **Joujouthèque, ludothèque**), *de films* (→ **Cinémathèque**), *de documents sur l'information* (→ **Médiathèque**), *etc.* (→ le suff. -**thèque**). *Collection d'insectes, de papillons, de coquillages* (coquillier), *de plantes* (herbier), *d'animaux aquatiques* (aquarium, 2.), *etc.* — *Avoir le goût, la manie de la collection* (→ **Collectionnisme**). *Faire collection d'objets préhistoriques.* — Abrév. fam. (1980) : *collec* [kɔlɛk] n. f.

4   Sa collection de timbres est estimée par lui à soixante mille francs.   GIDE, Journal, 14 janv. 1943.

5   À la faveur de diverses courses, j'ai, ces temps derniers, eu la chance de revoir deux grands musées de notre Île-de-France et de réfléchir, une fois de plus, sur le goût de la collection, sur l'avenir de la collection, sur la place que pourrait occuper la collection, dans les sociétés futures.
G. DUHAMEL, Manuel du protestataire, II, p. 60.

Fig. et fam. *Faire collection de... :* avoir, recueillir beaucoup de...* → **Collectionner,** 2. *Il fait collection de contraventions.*

Fam. et iron. *Ne pas déparer la collection :* être aussi affecté que les autres d'un défaut physique ou moral.

◆ **3** (1680). Série d'ouvrages, de publications ayant une unité. *Ouvrage publié dans telle collection. Directeur de collection. Collection pour la jeunesse.* → aussi **Bibliothèque.** Spécialt. Recueil des numéros d'une publication. *La collection reliée de tel hebdomadaire.*

◆ **4** Ensemble de modèles présentés en même temps. *Collection de jouets d'un voyageur de commerce. Présenter sa collection.* — Spécialt (haute couture). *La sortie des collections d'été, d'hiver. Robe de collection. Collection de prêt*-à-porter.*

II Méd. Amas de pus. *Collection purulente.*

CONTR. **Individu.** ◊ DÉR. **Collectionner, collectionneur.**

COLLECTIONNABLE [kɔlɛksjɔnabl] adj. — 1939; de *collectionner.*

Rare. Digne d'être collectionné; qui peut être collectionné.

COLLECTIONNER [kɔlɛksjɔne] v. tr. — 1840; de *collection.*

◆ **1** Réunir pour faire une collection (2.). → **Accumuler, amasser, assembler, grouper, réunir.** *Collectionner des objets d'art. Collectionner des bibelots.* → **Bibeloter.** *Collectionner des livres.* → **Bibliophilie.** *Collectionner de vieux papiers, des objets divers, des souvenirs* (→ Bric-à-brac, cit.). *Les enfants collectionnent des coquillages, des cailloux.*

Il collectionnait des insectes rares, des lépidoptères et des coléoptères qu'il préparait adroitement avant de les fixer par de longues épingles dans des boîtes à fond de liège.
P. MAC ORLAN, la Bandera, V, p. 53.

Absolt. → Collectionneur, cit. 2.

◆ **2** Fig., fam. *Il collectionne les contraventions, les échecs,* il en a beaucoup. → **Accumuler.** — *Collectionner les aventures. Elle collectionne les amants. Cet acteur américain collectionne les femmes.*

Avec un compl. d'objet au sing. Littér., rare. «*Elle collectionne le bonheur*» (Gide, *in* T.L.F.).

DÉR. **Collectionnable, collectionnisme.**

COLLECTIONNEUR, EUSE [kɔlɛksjɔnœr, øz] n. — 1828; de *collection.*

Personne qui fait une, des collections. → **Amateur; bibliophile, numismate, philatéliste** (→ Artiste, cit. 10). *Un collectionneur de tableaux. C'est un collectionneur enragé.* — Spécialt. Collectionneur d'objets ou d'œuvres d'art. *L'importance des grands collectionneurs dans la diffusion de l'art cubiste. Collectionneur qui expose, lègue ses collections.*

1   (...) ces échanges, bonheur ineffable des collectionneurs ! Le plaisir d'acheter des curiosités n'est que le second; le premier, c'est de les brocanter.
BALZAC, le Cousin Pons, Pl., t. VI, p. 532.

2   Les collectionneurs qui collectionnent pour collectionner, ces maniaques, et il n'en manque pas, qui dépensent une fortune pour ranger sous vitrines aussi bien des boutons de culotte que des livres rares, peu importe.
B. CENDRARS, Bourlinguer, p. 342.

Fig. et fam. *C'est un collectionneur d'aventures (galantes), une collectionneuse d'amants. La Collectionneuse,* film d'É. Rohmer.

Adj. (en attribut). *Elle est très collectionneuse.*

COLLECTIONNISME [kɔlɛksjɔnism] n. m. — 1902, *in* D.D.L.; de *collectionner.*

Pathol. Habitude considérée comme pathologique, qui consiste notamment à rassembler des objets quelconques sans valeur objective.

COLLECTIVEMENT [kɔlɛktivmã] adv. — 1568; de *collectif.*

De façon collective; ensemble. *Collectivement et solidairement. Il les a remerciés collectivement.* — Gramm. Cheveu *est pris collectivement dans* il a le cheveu noir.

COLLECTIVISATION [kɔlɛktivizasjɔ̃] n. f. — 1871; de *collectiviser.*

Didact. Le fait de collectiviser (des moyens de production). *La collectivisation de l'industrie. Collectivisation forcée.* — Son résultat. *Collectivisation partielle des terres.*

Le dialogue du capital et du travail est faux parce qu'il est au passé. La collectivisation des moyens de production ne peut opérer une réduction de l'aliénation par elle-même; elle ne peut l'opérer que si elle est la condition préalable de l'acquisition par l'individu humain de l'intelligence de l'objet technique individué.

Gilbert SIMONDON, Du mode d'existence des objets techniques, p. 119.

COLLECTIVISER [kɔlɛktivize] v. tr. — Fin XIXᵉ; de *collectif.*

♦ **1** Didact. (polit. écon.). Mettre (les moyens de production) aux mains de la collectivité. *Collectiviser des terres, l'industrie.* → **Collectivisation.** *Collectiviser en mettant aux mains de l'État (→ Étatiser), des travailleurs.*

♦ **2** Rare. Rendre collectif.

On a beaucoup insisté sur la critique radicale à laquelle Freud avait soumis la religion, comparant la liturgie à un rituel obsessionnel collectivisé (...)

D. ANZIEU, le Moment de l'apocalypse, *in* la Nef, nᵒ 31, p. 130.

DÉR. Collectivisation.

COLLECTIVISME [kɔlɛktivism] n. m. — 1836; de *(propriété) collective.*

♦ **1** Socialisme non étatiste et non centralisateur. *Le collectivisme allemand au XIXᵉ siècle.*

Le socialisme marxiste révolutionnaire, en France, à la fin du XIXᵉ siècle. → **Communisme, socialisme.**

♦ **2** Régime social et doctrine de la propriété des moyens de production (et d'échange) par la collectivité. → **Communisme, marxisme** (→ aussi Mutuellisme). *Collectivisme étatique, autogestionnaire.*

0.1 — Mais enfin, expliquez-moi, qu'est-ce que c'est que votre collectivisme? — Le collectivisme, c'est la transformation des capitaux privés, vivant des luttes de la concurrence, en un capital social unitaire, exploité par le travail de tous (...) Imaginez une société où les instruments de la production sont la propriété de tous, où tout le monde travaille selon son intelligence et sa vigueur, et où les produits de cette coopération sociale sont distribués à chacun, au prorata de son effort. ZOLA, l'Argent, p. 42 (1891).

1 Le collectivisme (c'est) la substitution nécessaire et progressive de la propriété sociale (soit nationale, soit municipale) à la propriété capitaliste.

MILLERAND, le Socialisme réformiste français, p. 25-27, *in* LALANDE.

2 Le collectivisme, pour se distinguer de tous les autres systèmes socialistes qui l'ont précédé, s'intitule *socialisme scientifique.*

Charles GIDE, Cours d'économie politique, II, p. 182.

CONTR. Capitalisme, libéralisme. ◊ DÉR. Collectiviste.

COLLECTIVISTE [kɔlɛktivist] n. et adj. — 1869; de *collectivisme.*

♦ **1** N. Partisan du collectivisme; qui professe le collectivisme. → **Communiste, socialiste; partageux** (fam. et vx).

Nous savons ce que pensent les mutuellistes et les collec-1 tivistes de la propriété; nous ne pouvons pas ignorer que la liquidation sociale serait à l'ordre du jour (...)

Journal des débats, 27 oct. 1869.

(...) les collectivistes (...) déclarent que leur but n'est point 2 d'étendre indéfiniment les fonctions de l'État, mais de les supprimer successivement (...) Socialisation ne veut donc pas dire étatisation.

Charles GIDE, Cours d'économie politique, II, p. 181.

♦ **2** Adj. Qui a rapport au collectivisme. *Doctrine collectiviste.* → **Socialiste.** — Qui est régi selon le collectivisme. *Une société collectiviste.*

(...) nous, Occidentaux, auxquels les robots socialistes chi-3 nois, portés par la révolution collectiviste et culturelle la plus radicale, c'est-à-dire la plus grande vague de fraternité jamais connue, viendront rapprendre le Christ.

Raymond ABELLIO, Ma dernière mémoire, t. I, p. 57.

COLLECTIVITÉ [kɔlɛktivite] n. f. — 1836; de *collectif.*

♦ **1** Ensemble d'individus groupés naturellement ou pour atteindre un but commun. → **Communauté, groupe, société.** *La collectivité nationale.* → **Nation.** *Les collectivités professionnelles.* → **Association, syndicat.** *La collectivité et l'individu.*

Le problème consiste à ménager l'individu, tout en recon-1 naissant qu'il doit s'intégrer dans la collectivité. La France n'en a pas encore trouvé la solution.

André SIEGFRIED, l'Âme des peuples, III, III, p. 62.

Il existe des bandits à la Légion comme il en existe dans 2 toutes les collectivités d'individus qui ne sont sélectionnés que par l'estimation de leur force physique, de leur courage et de leur mépris pour la mort violente.

P. MAC ORLAN, la Bandera, V, p. 54.

Spécialt. Circonscription administrative dotée de la personnalité morale. *Le budget des collectivités locales.*

Les collectivités publiques : l'ensemble des établissements publics.

♦ **2** Possession en commun. *La collectivité des moyens de production (→* **Collectivisme;** *nationalisation, propriété).*

♦ **3** Vx. Caractère collectif (de qqch.).

COLLÈGE [kɔlɛʒ] n. m. — 1308; du lat. *collegium* «groupement, confrérie».

I ♦ **1** Corps de dignitaires; confrérie religieuse. — Antiq. rom. *Le collège des artisans, des marchands.* → **Corporation.** — Corps de personnes revêtues d'une même dignité, de fonctions sacrées. *Le collège des pontifes, des augures* (cit. 1). Relig. *Un collège de chanoines.* → **Chapitre; collégial.** (1546). Mod. *Collège des cardinaux. Le Sacré collège.*

Il *(le pape)* reçut l'adoration du sacré collège. 1

RETZ, Mémoires, An 1665.

♦ **2** (1812). *Collège électoral,* ou, ellipt, *collège :* ensemble des électeurs d'une circonscription. *La convocation du collège électoral. Président d'un collège (électoral).*

II ♦ **1** (1549; *colliege,* 1462). Établissement d'enseignement. — Spécialt. **a** (1795). **COLLÈGE DE FRANCE,** établissement d'enseignement supérieur, fondé par François Iᵉʳ *(Collège royal). Professeur au Collège de France. Suivre un cours au Collège de France.*

b (1848). Établissement d'enseignement du premier cycle du second degré. *Aller au collège. Collège moderne, technique. Collège d'enseignement secondaire* (C.E.S.). *Collèges d'enseignement technique* (C.E.T.), *remplacés depuis 1975 par les lycées d'enseignement professionnel* (L.E.P.). — *Les années de* *collège. Amitié, ami de collège. — Collège libre (éta-blissement privé).* → **École, institution.** *Un collège de jésuites, d'oratoriens. Professeur de collège. Être en pension dans un collège. Mettre un enfant au collège.*

2 Je la passai *(l'année),* hélas! (...) au collège où je débutais sans le moindre brio...
LOTI, Figures et Choses..., «Vacances de Pâques», I, p. 27.

3 «Ce prolongement déguisé du collège!...» reprit Jacques. «Ces cours, ces leçons, ces gloses à l'infini! (...)»
MARTIN DU GARD, les Thibault, t. IV, p. 91.

C (Angl. *college*). Établissement scolaire dépendant de certaines universités étrangères. *Les collèges d'Oxford, de Cambridge.*

4 Le voisinage, signalé par le prospectus, du fameux collège d'Eton y répandait même une ombre des plus aristocrati-ques.
J. ROMAINS, les Hommes de bonne volonté, t. V, XXVI, p. 244.

◆ **2** Par métonymie. L'ensemble des collégiens. *La ren-trée du collège.*

◆ **3** Fig., péj. Vieilli. *De collège* : d'école. *Tragédie, poésie de collège.* → **Scolaire.**

DÉR. Collégial, collégien.

COLLÉGIAL, ALE, AUX [kɔleʒjal, o] adj. — 1350; de *collège.*

◆ **1** Relig. Qui a rapport à un collège (de chanoines). *Chapitre collégial. Église collégiale* : église qui, sans être cathédrale, possède un chapitre de chanoines. — N. f. (1663). *Une collégiale.*

Un de ses bâtards trouva le moyen d'être chanoine d'une collégiale.
VOLTAIRE, Philosophie, II, 419, in LITTRÉ.

◆ **2** Qui est exercé par un groupe, collectivement. *Juridiction collégiale. Pouvoir collégial. Direction col-légiale* (→ **Collégialité**).

REM. Dans ce sens, on emploie l'adverbe *collégialement* [kɔleʒjalmɑ̃].

◆ **3** (Au Québec). *Cours collégial,* ou, n. m., *un col-légial* : cours de formation générale et profes-sionnelle, situé entre le secondaire et l'université. → **Cégep.**

◆ **4** Rare. Du collège (II.), de l'école.

DÉR. Collégialité.

COLLÉGIALITÉ [kɔleʒjalite] n. f. — Av. 1961, Larousse; de *collégial.*

Didact. Caractère de ce qui est collégial (2.).

COLLÉGIEN, IENNE [kɔleʒjɛ̃, jɛn] n. et adj. — 1743; de *collège,* II.

◆ **1** Élève d'un collège. → **Écolier, lycéen.**

Dans les rues de Winchester, les collégiens sortent en veste rouge, coiffés d'un chapeau de paille, genre canotier.
J. GREEN, Journal, 22 mai 1976, La terre est si belle.

◆ **2** Jeune personne sans expérience (→ Enfant de chœur*). *Se conduire en collégien, en collégienne. Traiter qqn en (comme un) collégien.* «Aimer en col-légien» (Balzac, *in* T.L.F.).

◆ **3** Adj. Vieilli. De collège, de l'école. «Persécutions col-légiennes» (Maurois, *in* T.L.F.).

COLLÈGUE [kɔlɛg; kɔllɛg] n. — Av. 1520; lat. *collega.* → Collège.

◆ **1** Personne qui exerce une fonction officielle, par rapport à ceux qui exercent une fonction ana-logue. → **Confrère.** *Le, les collègues de qqn; des collègues. Mon collègue au Conseil d'État. Un futur*

collègue (→ Aspic, cit. 5). *C'est ma collègue. Mon cher collègue. Ses collègues du bureau, du ministère.*

Collègue se dit de ceux qui sont revêtus des mêmes fonc- 1
tions ou qui ont une même mission : on est collègue dans un collège, au sénat, au corps législatif, dans un conseil municipal, etc. Confrère se dit de ceux qui appartiennent à une même société, à un même corps, sans avoir rien à faire de particulier au nom de cette société. On est con-frère à l'Académie et dans toutes les sociétés académiques. Les hommes revêtus des mêmes grades, comme les avo-cats entre eux, les médecins entre eux, les marchands qui vendent les mêmes objets, par exemple, les libraires entre eux, se traitent de confrères.
LITTRÉ, Dict., art. *Collègue.*

Que cet oisillon jaseur fasse sa thèse et la soutienne. Il 2
trouvera mon collègue Quicherat ou quelque autre pro-fesseur de l'école pour lui montrer son béjaune.
FRANCE, le Crime de S. Bonnard, II, IV, *in* Œ., t. II, p. 377.

Les autres assistants *(à l'enterrement de Félix)* devaient être 3
des voisins ou des collègues. Une couronne portait l'ins-cription : «À notre collègue regretté».
Jean-Louis CURTIS, le Roseau pensant, p. 83.

Par ext. Se dit de personnes qui exercent le même type d'activité. *Vous jouez du violon? Mais alors, nous sommes collègues.*

◆ **2** (1872). Fam. et régional (sud de la France). Cama-rade. *Comment ça va, collègue?* (équivalant à «*mon vieux*»).

COLLENCHYME [kɔlɑ̃ʃim] n. m. — 1866; du grec *kolla* «colle», et *enkuma* «épanchement».

Bot. Tissu de soutien de certains végétaux, formé de cellulose.

COLLER [kɔle] v. — 1320; de *colle.*

I V. tr. **A** ◆ **1** Faire adhérer (qqch.); joindre et fixer (deux, plusieurs choses) à l'aide de colle. **a** (Deux compl.). *Coller une étiquette sur une bouteille,* faire adhérer sa surface à celle de la bouteille. *Coller un timbre sur une enveloppe, des vignettes sur un album. Coller un prospectus au mur* (rare)*, sur le mur, sur un mur. Coller du papier de tapisserie au mur* (→ **Tapisser**). — *Coller deux pièces de bois, deux surfaces l'une à l'autre. Je les ai collés l'un sur l'autre.*

b (Un compl. au plur.). Faire adhérer (deux, plu-sieurs choses). *Coller deux pièces de bois ensemble. Coller des lamelles de bois pour faire du contre-plaqué*.*

c (Un compl.). *Il colle des affiches.* → **Colleur.** *Coller du papier, des rouleaux de papier pour tapisser.*

Avec une équipe de la section socialiste, je passai une 0.1
partie de mes nuits à coller des affiches.
Raymond ABELLIO, Ma dernière mémoire, t. II, p. 116.

Coller les éléments de (qqch.). *Coller un film, au montage.* → **Monter.** Absolt. *Presse à coller.* → **Col-leuse,** 2.

◆ **2** (XVIᵉ). Techn. Enduire, imprégner de colle. *Coller une toile,* pour lui donner de l'apprêt. → **Encoller.** *Coller du papier,* pour l'empêcher de boire.

(1376). Clarifier (du vin) avec de la colle (→ **Collage**).

Je croyais savoir coller le vin (...) 1
ROUSSEAU, les Confessions, VI.

◆ **3** (Sujet n. de chose). Faire adhérer; par ext., rendre gluant (le compl. est unique). *Le sang avait collé ses cheveux.* «*La sueur colle la peau*» (T.L.F.). *Paupières collées par le sommeil.*

Sans voir la porte, en deux sauts, il a été dehors. Il avait 2
encore les yeux collés de sommeil.
J. GIONO, Regain, II, p. 57.

3   (...) lorsque l'affreuse soif des nuits de déveine colle la
langue des joueurs (...)
　　　　　Laurent TAILHADE, le Paillasson, III, p. 35.

♦ 4 Par ext. *Coller* (le corps, qqn, une partie du
corps) *contre, sur, à* (qqch.) : appliquer étroitement (contre, sur...). → **Appuyer.** *Coller son visage
contre la vitre. Coller son oreille à une porte,* pour
écouter. *Coller son corps contre un mur.* → **Plaquer.**

4   La senora pourtant, contre sa jalousie,
Collant son front rêveur à sa vitre noircie (...)
　　　　　A. DE MUSSET, Premières poésies, «Don Paez», IV.

5   Elle collait son oreille à la porte de communication, et ne
perdait pas un mot de l'entretien.
　　　　　J. ROMAINS, les Hommes de bonne volonté, t. III,
　　　　　　　　　　　　　　　　　　　XVIII, p. 245.

Fig. *Coller qqn au mur* (pour le fusiller).

5.1 En octobre, deux officiers allemands ayant été descendus,
l'un à Nantes, l'autre à Bordeaux, quatre-vingt-dix-huit
Français furent collés au mur (...)
　　　　　S. DE BEAUVOIR, la Force de l'âge, p. 512 (1960).

Fig. *Coller son regard*, son œil*, ses yeux sur qqn,
sur qqch.* → **Fixer, regarder.**

6   Le duc eut sans cesse les yeux collés sur moi pendant que
je lui parlai.　　　SAINT-SIMON, Mémoires, I, 114.

B Fam. **♦ 1** (1844, Vidocq). *Coller une chose à qqn,*
la lui remettre d'autorité, l'obliger à l'accepter.
→ **Donner; ficher, flanquer, mettre** (fam.). *Coller une
gifle à qqn.* → **Envoyer.** — *Coller la, sa main quelque
part,* flanquer, mettre. → Panier, cit. 10.

7   Moyennant le partage de la commission, la concierge
essayait de coller à ses locataires quelques flacons de
parfum, ou d'eau de Cologne.
　　　　　J. ROMAINS, les Hommes de bonne volonté, III,
　　　　　　　　　　　　　　　　　　　XXIII, p. 313.

Vx (sans compl. second en à) :

7.1 «Mettons dix-huit cents francs qu'on mangeait (oh! pas
plus!) du 1ᵉʳ janvier à la Saint-Sylvestre. Donc, collez dix-
huit mille balles, et ça y est.»
　　　　　J. VALLÈS, l'Insurgé (1886), in D. D. L., II, 1.

♦ 2 (Forme pron.). *Se coller qqch.,* se l'imposer, se l'infliger.

7.2 (...) nous avions été retrouver le chef de Kongourou, nous
collant ainsi six kilomètres supplémentaires.
　　　　　GIDE, Voyage au Congo, in Souvenirs, Pl., p. 753.

Se coller (qqch.) : se donner, se mettre à soi-même.
→ **Ficher** (se), **flanquer** (se), **foutre** (se). *Il s'est collé
une indigestion.* — Loc. fam. (Avec un second compl.).
*Se coller un petit verre derrière la cravate, dans le
gosier, dans le fusil*. S'en coller plein la lampe. Se
coller qqch. dans la tête.* «Colle-toi ça dans le fusil
(cit. 8)».

♦ 3 Fam. → **Mettre; ficher, flanquer.** *Collez ça dans un
coin! On l'a collé en prison.*

8   Et le préfet, l'administrateur, le chef de cabinet, tous, je
les colle en prison, aussi sec. Vous m'avez compris?
　　　　　M. AYMÉ, la Tête des autres, IV, 5.

8.1 Je le vois ces temps-ci parce qu'il m'a confié... il faudrait
dire «collé» sa femme, au bureau, pour l'occuper, et qu'il
vient à l'occasion leur rendre visite.
　　　　　M. CLAVEL, le Tiers des étoiles, p. 43.

♦ 4 (1832, in D. D. L.). Fam. *Coller un élève,* lui poser une
question à laquelle il ne peut répondre. → **Colle**
(→ Faire sécher). — (1853, in D. D. L.). Infliger une
retenue, une «colle» à. → **Consigner, punir;** → Colle,
cit. 8.

Coller un candidat, le refuser à un examen.
→ **Ajourner, refuser.** — (Passif et p. p.). *Il a été collé
à son examen.* → **Échouer.** *Je suis collé* (opposé à
reçu).

♦ 5 Fam. *Coller qqn,* rester obstinément avec lui. *Il
me colle!* → **Collant** (3).

II V. intr. et tr. ind. **♦ 1** Adhérer fortement (d'une substance enduite de colle : *ça colle bien,* ou plus souvent,
d'une substance gluante, adhésive...). *Ce papier colle.
Langue qui colle (au palais).*

Adhérer (au fond d'un ustensile de cuisine).
→ Téflon, cit. 2.

♦ 2 (1829). Fig. Être ajusté, collant. *Un pantalon qui
colle.*

♦ 3 Spécialt. **COLLER À...** *Voiture qui colle à la route,*
qui a une excellente adhérence à la chaussée. —
Coller à la roue, se dit d'un cycliste qui suit de
très près son entraîneur, ou un autre concurrent
(intrans., 1895, in Petiot, art. *Coller*).

Fig. *Coller à :* s'adapter étroitement. *Coller à la
pensée de qqn,* s'y appliquer étroitement pour la
comprendre. *Mot qui colle à une idée,* qui la traduit exactement.

9   Les œuvres les plus belles sont celles où il y a le moins
de matières; plus l'expression se rapproche de la pensée,
plus le mot colle dessus et disparaît, plus c'est beau.
　　　　　FLAUBERT, Correspondance, t. II, p. 71.

Loc. *Coller à la peau :* faire partie intégrante du
caractère; pénétrer profondément (qqn). *Le fatalisme «qui lui colle à la peau et peut-être à l'âme»*
(Colette). — Par métaphore →

9.1 Peur de vieillir, d'être trahie, de souffrir (...) Cette peur-là,
c'est le cilice qui colle à la peau de l'Amour naissant et se
resserre sur lui, à mesure qu'il grandit.
　　　　　COLETTE, la Vagabonde, éd. Albin Michel,
　　　　　　　　　　　　　　　　　　　p. 286 (1910).

♦ 4 (1906, F. de Chirac). Intrans. → **Aller.** *Ça colle :* cela
va bien. → **Bicher, boumer.** *Qu'est-ce qui ne colle
pas?*

Spécialt. *Ça colle! :* d'accord*.

9.2 Ah! ça, c'est une chouette idée, répondirent en chœur
Riboulingue et Filochard, sûrement, on va rigoler, allons-
y, ça colle!
　　　　　L. FORTON, les Aventures des Pieds-Nickelés,
　　　　　　　　　　　　　　in l'Épatant, 1908, p. 24.

♦ SE COLLER v. pron.

♦ 1 (Personnes, choses). S'appliquer étroitement
contre. *Se coller à une porte. Se coller contre qqn.*
→ **Serrer** (se).

10 (...) n'avoir que le loisir de se coller à un mur pour lui
faire place (*à un prince qu'on a rencontré*).
　　　　　LA BRUYÈRE, les Caractères, XI, 7.

11 Ce moyen ne réussit qu'à les préserver d'une chute de
cheval, car le brouillard rampait et semblait se coller à
la terre humide.
　　　　　G. SAND, la Mare au diable, VII, p. 62.

12 Gisèle ne lâchait toujours pas la main de son Jacquot et
elle se collait silencieusement contre lui, avec la sensualité
d'un animal jeune.
　　　　　MARTIN DU GARD, les Thibault, t. I, p. 271.

Par métaphore :

13 C'était comme une végétation d'angoisse et d'ennui qui
recouvrait les murs, envahissait les escaliers, les corridors,
se collait aux carreaux des fenêtres (...)
　　　　　Edmond JALOUX, les Visiteurs, XX, p. 157.

♦ 2 (Personnes). **a** Rester obstinément fixé à un
endroit; imposer à qqn une présence importune.
L'enfant se collait aux jupes de sa mère.

13.1 Cela lui apprendra à être plus discrète (...) Elle n'a pas
besoin de venir fourrer son nez partout. Pourquoi se colle-
t-elle à nous sans qu'on lui demande?
　　　　　PROUST, À l'ombre des jeunes filles en fleurs,
　　　　　　　　　　　　　　　　　　Folio, p. 554.

b Fam. *Se coller avec qqn.* → **Collage** (I., 4.).

13.2 (...) ma concierge (...) s'est collée, un mois plus tard, avec
un faraud à belle voix. Il la cognait (...)
　　　　　CAMUS, la Chute, p. 44.

ⓒ Fam. *Se coller à, s'y coller :* commencer (un travail, etc.); accepter (qqch.). *C'est une corvée, mais il faut s'y coller.*

♦ 3 (Passif). Choses. Être, rester collé. *Ça se colle tout seul* (→ **Autocollant**).

♦ COLLÉ, ÉE p. p.

♦ 1 Fixé par de la colle. *Timbre collé* (sur une enveloppe). *Feuilles collées* (l'une à l'autre). — *Le papier collé sur le mur.* → Colleur, cit.
Loc. **PAPIERS COLLÉS**. → **Papier** (cit. 17 et *supra*). — *Vin collé.*
Par ext. *Visage collé à, contre une vitre.*

13.3 (...) les escargots aiment la terre humide. *Go on,* ils avancent collés à elle de tout le corps.
Francis PONGE, le Parti pris des choses, p. 51.

Par métaphore :

14 Elle *(Solange)* était collée à lui comme une ventouse, et elle ne se décollerait que le jour où il l'arracherait et la jetterait, quitte à la briser.
MONTHERLANT, le Démon du bien, p. 253.

♦ 2 *Élève collé.* — N. *Les collés :* les consignés.

♦ 3 Fam. *Ils sont collés* (ensemble). → ci-dessus Se coller, 2., b.

CONTR. Arracher, décoller, déprendre, détacher. — Écarter (s'). — Désintéresser (se). ◊ **DÉR.** Collage, collant, colleur. → **COMP.** Contrecoller, 2. décoller, recoller, surcoller. Incollable, thermocollable. → **HOM.** (De formes conjuguées). Collet, colley.

COLLERETTE [kɔlʀɛt] n. f. — 1309; de *collier.*

♦ 1 Anciennt. Tour de cou généralement plissé que les hommes portaient à l'époque d'Henri IV. → **Collet, fraise.**

♦ 2 Petit collet de linge fin porté parfois par les femmes. → **Gorgerette.** *Collerette de batiste, de tulle.* — *Collerette de Pierrot.*

♦ 3 Techn. Cercle autour d'un tuyau. → **Collet.**
Étiquette allongée mise sur les bouteilles au-dessus de la grande étiquette (étiquette de corps). — Étiquette circulaire (sur une bobine, etc.).

♦ 4 Bot. Involucre des ombellifères. — Partie du chapeau adhérant au stipe (chez les champignons supérieurs).

COLLET [kɔlɛ] n. m. — Fin XIᵉ, «cou»; dimin. de *col.*

Ⅰ («Petit cou»). **♦ 1** (1393). Partie d'une bête de boucherie entre la tête et les épaules. → **Cou.** *Collet de veau, de mouton.*

♦ 2 (V. 1550). Nœud coulant pour prendre certains animaux (au cou). → **Lacet, lacs.** *Braconnier qui tend des collets à lapin.*

0.1 (...) des centaines de petits animaux, semblables à des lapins, s'enfuirent dans toutes les directions (...) Mais le reporter était bien résolu à ne pas quitter la place avant d'avoir capturé au moins une demi-douzaine de ces quadrupèdes (...) Avec quelques collets tendus à l'orifice des terriers, l'opération ne pouvait manquer de réussir.
J. VERNE, l'Île mystérieuse, t. I, p. 255 (1874).

Par ext. Chasse, pêche au collet. *Le collet est prohibé.*

♦ 3 Didact. ou techn. (de *col* ou de *cou*). Partie en saillie autour (d'un objet circulaire, d'une pièce mécanique). → **Collier.** *Collet d'une bouteille :* bourrelet autour du goulot. *Collet du palier de butée* (d'un arbre de transmission). *Collet d'une ancre,* où les bras s'assemblent à la verge. *Collet d'un tuyau, d'un tube.*
(1704). Sc. nat. (bot.). Anneau ou partie circulaire entre la racine et la tige (point de départ de la tige; syn. : *nœud vital*). — Anat. *Collet de l'uretère.*

Spécialt (plus cour.). Partie (d'une dent) entre l'émail et le cément, qui touche la gencive. *Le collet de la dent* (→ **Cervical**, 3).

1 Le collet, intermédiaire à la couronne et à la racine, est nettement délimité, du côté de la couronne, par une ligne irrégulière qui répond à la limite même de l'émail.
L. TESTUT, Traité d'anatomie, t. IV, p. 56.

Ⅱ (Partie du vêtement qui entoure le cou). **♦ 1** (XIIIᵉ). Vx ou loc. → **Col, collerette.** *Un collet de dentelle, de fourrure. Les collets d'un carrick*. Collet montant, rabattu.*

2 (...) un grand collet, une épée, et des dentelles (...)
MOLIÈRE, Tartuffe, 2ᵉ placet.

3 (...) un grand manteau déplié qui a un collet de velours brodé d'un galon d'argent.
FLAUBERT, Mᵐᵉ Bovary, II, I, p. 48.

4 (...) le collet du paletot dressé jusqu'au lobe des oreilles.
COURTELINE, Messieurs les ronds-de-cuir,
5ᵉ tableau, III.

Collet d'ecclésiastique. → **Rabat.** Loc. métonymique. Vx. *Un petit collet.* → **Abbé.**

♦ 2 En loc. **ⓐ** Loc. adj. **COLLET MONTÉ** [kɔlɛmɔ̃te] : qui affecte l'austérité, la pruderie (comme les femmes qui portaient un collet très haut). *Ils sont trop collet monté.* → **Affecté, guindé.**

4 — Il faut se mettre en tenue pour l'oncle Hubert? — Non. Ce que j'en dis... Moi, je te trouve très bien comme ça. Mais l'oncle Hubert est un peu collet monté.
Jean-Louis CURTIS, le Roseau pensant, p. 30.

ⓑ AU COLLET. *Prendre qqn au collet, lui sauter au collet, mettre la main au collet de qqn,* saisir violemment. → **Colleter.**

5 (...) il *(le marquis)* se mit à ricaner d'une façon si méprisante, que je'us le geste de le prendre au collet pour le faire sortir de son banc (...)
Alphonse DAUDET, le Petit Chose, I, IX.

Fig. Arrêter, faire prisonnier. — *Se prendre au collet* (pour se battre). → **Colleter** (se).

DÉR. Colleter, colletin, coltin. ◊ **HOM.** Colley.

COLLETAGE [kɔltaʒ] n. m. — 1874; de *colleter.*
Rare. Action, fait de se colleter (propre et fig.).
Nul comme lui n'avait connu l'odieux colletage avec la phrase récalcitrante, le mot qui se défend.
COURTELINE, le Train de 8 h 47, I, p. 32 (1888).

COLLETER [kɔlte] v. tr. [CONJUG.: *jeter.*] — 1580, *coleter;* de *collet.*

♦ 1 Rare. Saisir qqn au collet* pour lui faire violence. → **Attaquer.** *Colleter rudement son adversaire.* → ci-dessous Se colleter (cour.).

♦ 2 Rare. Prendre avec un collet. *Colleter des lapins.* Absolt. *Braconnier qui collette la nuit.*

♦ 3 Littér. (Sujet n. de chose). Entourer le cou de (qqn). (Passif). «*Le ruban vert dont elles sont colletées*» (Colette, *in* T. L. F.).

♦ SE COLLETER v. pron. → **Affronter** (s'), **battre** (se), **lutter.** *Se colleter avec qqn. Se colleter comme des voyous.*

1 (...) quelques-uns d'entre eux *(des ennemis)* se colletèrent même avec quelques-uns de nos officiers.
RACINE, Lettres, 88, 3 avr. 1691.

2 (...) je n'ai nulle envie de me colleter avec vous *(le commissaire et ses hommes),* je vais me lever et vous suivre : donnez-vous, je vous prie, la peine de vous asseoir.
CHATEAUBRIAND, Mémoires d'outre-tombe, t. V,
p. 352.

Fig. *Se colleter avec la misère, avec mille difficultés.* → **Débattre** (se), **empoigner** (s').

3 (...) c'était le temps surtout où il colletait avec ses vices (...)
HUYSMANS, En route, p. 177.

4 Il la considérait vraiment comme incapable de se colleter avec la vie (...)
F. SAGAN, la Chamade, p. 104.

♦ **COLLETÉ, ÉE** p. p. adj.

Blason. Se dit d'un animal dont le collier est d'un
émail différent de celui du corps.

DÉR. Colletage, colleteur.

COLLETEUR [kɔltœʀ] n. m. — 1752; de *colleter.*

Celui qui tend des collets pour prendre du gibier.
→ **Braconnier.** — REM. Le fém. est virtuel.

COLLETIN [kɔltɛ̃] n. m. — Fin XVIe; de *collet.*

♦ **1** Ancienn. Pièce d'armure qui protégeait le cou
et les épaules.

♦ **2** (1580, «pourpoint sans manche»; dial. — Vosges —
«gilet»). Gilet ou courte veste des terrassiers.

1   C'était un fort, un beau garçon de vingt-deux ans au plus,
rasé, ne portant que de petites moustaches, l'air gaillard,
avec son vaste chapeau enduit de craie et son colletin de
tapisserie, dont les bretelles serraient son bourgeron bleu.
ZOLA, le Ventre de Paris, t. I, p. 31.

2   Un petit colletin noir sur leur chandail, ils *(les terrassiers)*
partaient orner de leurs belles silhouettes l'autobus, le trottoir, le métro (...) J'admirais les terrassiers, assez fiers de
leur métier pour en porter le costume en ville. De la poche
de leur colletin dépassait un journal, *l'Humanité,* le plus
souvent, *le Populaire, le Libertaire.*
Georges NAVEL, Travaux, p. 168.

COLLEUR, EUSE [kɔlœʀ, øz] n. — 1544; de *coller.*

♦ **1** Personne qui fait le métier de coller (du papier
de tapisserie, des affiches). *Colleur d'affiches.*

— Il y a des défauts dans le papier collé sur le mur. Ce
n'est pas ton père qui aurait fait ça. Il était ceci et cela,
mais comme colleur de papier il n'avait pas son pareil. À
Limoges, il avait posé dans le salon une frise de la longueur d'un rouleau en un seul morceau, sans un accroc.
MONTHERLANT, les Lépreuses, *in* Romans, Pl.,
p. 1464.

♦ **2** Argot des écoliers. Professeur qui interroge les
élèves en vue d'un examen, qui fait passer une
colle (2.).

♦ **3** Fam. et rare. Importun. → **Collant** (adj.).

COLLEUSE [kɔløz] n. f. — Déb. XXe; de *coller.*

Technique.

♦ **1** Machine à coller les étoffes.

♦ **2** Appareil servant à coller les films (photographie, montage cinématographique).

COLLEY [kɔlɛ] n. m. — 1877; angl. *collie.*

Chien de berger écossais.

(...) deux colleys blancs, courtois, qui ressemblent à leur
maître. COLETTE, la Vagabonde, p. 43.

HOM. Collet.

COLLIER [kɔlje] n. m. — 1268, *collier; coler,* v. 1170; lat.
collarium, de *collum.* → Cou.

♦ **1** (1389). Parure qui se porte autour du cou
(→ **Bijou**). *Collier très long, tombant sur la poitrine.*
→ **Sautoir** (en). *Collier serré autour du cou* (fam. *collier de chien*). *Collier à chaînons.* → **Chaîne.** *Collier de
perles.* → **Rang.** *Collier de corail, d'ivoire, d'ambre, de
coquillages, de fleurs. Collier de diamants.* → **Rivière.**
Collier en or. Collier de fantaisie. Collier antique.
→ **Torque.** *Enfiler, défiler un collier. Le fil, les perles,
le fermoir d'un collier* (→ Carcan, cit. 3; boîte, cit. 1).

1   (...) je lui faisais *(à Atala)* des colliers avec des graines
rouges d'azalea (...)
CHATEAUBRIAND, Atala, «Les chasseurs».

2   Elle portait des colliers de perles fausses, des bracelets en
similor (...)
MAUPASSANT, Clair de lune, «Les bijoux», p. 175.

(Elles) ont des sequins enfilés pour colliers, et, pour coif-   3
fure, des catogans de soie verte.
LOTI, Aziyadé, Salonique, X, p. 16.

Ce collier que j'ai mis à ton cou   4
Tous mes serviteurs le connaissent;
Chacun d'eux obéit à celui qui le porte;
C'est le collier du roi (...)
GIDE, le Roi Candaule, II, 1.

Chaîne que portent les chevaliers de certains
ordres. *Porter une décoration en collier. Collier de
l'Ordre du Saint-Esprit.* — Fig. et vx. *Un grand collier :*
personnage important, influent.

(...) il parvint, malgré des concurrents très jaloux, à être   5
élu définiteur de sa province, ou, comme on dit, un des
grands colliers de l'ordre.
ROUSSEAU, les Confessions, V.

♦ **2** Par anal. Marque circulaire sur le cou. *Collier
de Vénus,* se dit des légers sillons que certaines
femmes ont au cou (v. aussi autre sens *infra* cit. 7).

Ajoutons, pour compléter la morphologie du féminin,   6
l'existence de plusieurs plis cutanés circulaires qui sont
des plis de flexion, et semblent être un attribut de beauté
puisqu'on les désigne sous le nom de collier de Vénus.
Paul RICHER, Nouvelle anatomie artistique,
«La femme», p. 159.

(...) ce triple collier de Vénus qu'une main invisible   7
enfonce, chaque jour, un peu plus dans ma chair (...)
COLETTE, la Vagabonde, I, p. 45.

(Autre sens). *Collier de Vénus* (allus. à *vénérien*) :
papules qui marquent le haut de la poitrine,
autour du cou (symptôme de syphilis).

Collier de barbe : barbe courte taillée régulièrement et rejoignant les cheveux des tempes (→ Bati-
foler, cit. 4 et 8). Syn. : *barbe en collier, barbe collier.*
Absolt. *Il porte le collier.*

Pas un poil ne dépassait la ligne de son collier blond,   8
qui, contournant la mâchoire, encadrait comme la bordure d'une plate-bande sa longue figure terne (...)
FLAUBERT, Mme Bovary, II, I.

(1694). Poils, plumes du cou d'une couleur différente (du pelage ou du plumage) : *pigeon à collier;
chat noir avec un collier blanc.* — Figuré :

(Ils) s'assirent sur un banc de pierre, devant un bassin   9
rond, entouré de roses jaunes qui lui formaient un collier
d'ambre (...)
Edmond JALOUX, le Jeune Homme au masque, I,
p. 2.

♦ **3** ⓐ Cercle en matière résistante qu'on fait porter
à certains animaux pour pouvoir les attacher. *Collier de chien; collier à chien. Collier en cuir, à cabochon, à grelots. Anneau, plaque d'identité d'un collier
de chien. Collier des limiers.* → 2. **Botte,** 4. *Tirer un
chien par le collier* (→ **Laisse**). *Chiens perdus sans
collier* (roman de Cesbron).

(...) le collier dont je suis attaché (...)   10
LA FONTAINE, Fables, I, 5.

Tout chien circulant sur la voie publique, en liberté ou   11
même tenu en laisse, doit être muni d'un collier portant,
gravés sur une plaque de métal le nom et demeure de
son propriétaire.   Décret du 6 octobre 1904, art. 9.

Collier de force : collier muni de pointes en dedans,
servant au dressage des chiens d'arrêt.

Courroie, corde qui sert à attacher par le cou
les bêtes aux champs, à l'étable. *Collier de vache;
chèvre au collier.*

Spécialt. Partie du harnais qui entoure le cou des
bêtes attelées. *Le collier d'un cheval est composé des
coussins et des attelles. Courroie joignant les attelles
du collier.* → **Mancelle.** *Peau de mouton recouvrant le
collier.* → **Bisquain.** *Cheval de collier :* cheval de trait.
— *Collier de chasse,* ensemble de lanières remplaçant le collier et pouvant être tenues d'une seule
main.

Loc. FRANC DU COLLIER. *Cheval franc du collier :* qui tire avec énergie. — **Fig.** *Être franc du collier :* agir franchement et hardiment.

12 (...) il pourrait bientôt vivre en repos et *franc du collier.*
NERVAL, la Bohème galante,
«La main enchantée», p. 33.

Loc. COUP DE COLLIER. *Donner un coup de collier :* fournir un effort énergique mais momentané pour mener à bien une entreprise déjà commencée.

13 Que d'un coup de collier le genre humain s'en tire!
HUGO, les Années funestes, VIII.

14 (...) la continuité qui seule mène à bonne fin les grandes besognes. Les coups de collier intermittents, quelque énergiques qu'ils soient, y valent peu; ce qui y vaut, c'est l'assiduité qui ne s'interrompt jamais.
LITTRÉ, Comment j'ai fait mon dictionnaire..., p. 22.

À plein collier : sans ménager ses efforts.

b Cercle de métal, assujetti autour du cou (d'un esclave, d'un prisonnier). → **Carcan.**
Loc. fig. *Être sous le collier.* → **Joug.** *Collier de misère, collier :* travail pénible et assujettissant. → **Chaîne** (cit. 12). *Prendre, reprendre le collier.*

15 (...) la pauvre servante fidèle qui est capable de mourir sous le collier comme un bon cheval (...)
G. SAND, François le Champi, XX, p. 144.

16 Moi, j'ai repris depuis longtemps mon collier habituel, mon cercle d'occupations et d'études (...)
SAINTE-BEUVE, Correspondance, 493,
28 sept. 1835, t. I, p. 545.

♦ **4 Techn.** Cercle qui sert de renfort. → Collerette, 3.; collet, I., 3. *Collier de serrage :* bague métallique réglable pour serrer certains objets cylindriques. *Collier de tuyau :* cercle qui permet de maintenir un tuyau contre un mur, un toit, etc.

DÉR. Collerette.

COLLIGATION [kɔ(l)ligasjɔ̃] n. f. — 1866; 1313, «alliance»; lat. *colligatio* «liaison», de *colligere.* → Colliger.

Log. Le fait de colliger des abstractions pour une induction ou pour une synthèse.

COLLIGER [kɔ(l)liʒe] v. tr. [CONJUG.: *bouger*.] — 1539; lat. *colligere* «réunir». → le doublet Cueillir.
Littéraire.

♦ **1** Réunir en un recueil. → **Recueillir.** — Faire une collection. *Colliger des meubles, des livres.*

1 Quand Jeannot sera roi, il promulguera plus d'édits en un an que n'en colligea dans tout son règne l'empereur Justinien.
FRANCE, les Opinions de J. Coignard, Œ., t. VIII, p. 392.

♦ **2** (1548). **Log.** Relier (des abstractions) en vue d'une synthèse.

2 Exposer, développer, juger, colliger (...)
S. DE BEAUVOIR, la Force de l'âge, p. 229.

DÉR. Colligation.

COLLIGNON [kɔliɲɔ̃] n. m. → **Colignon.**

COLLIMATEUR [kɔlimatœʀ] n. m. — 1864, *Année sc. et industr.*, p. 96; de *collimation.*

♦ **1** Partie d'une lunette qui assure la collimation. *Collimateur de visée.*

♦ **2 Aviat.** Dispositif de visée au moyen duquel on ajuste le tir des armes de bord, sur un avion de chasse. — **Loc. fig.** *Avoir, prendre, garder (qqn) dans son collimateur,* le surveiller très étroitement; se préparer à l'attaquer.

Donc, nous laissons provisoirement s'agiter tout ce joli monde, en le gardant dans notre collimateur.
Pierre NORD, Miss Péril jaune, p. 43.

Collimateur de pilotage : dispositif de visualisation présentant les indications d'un groupe d'instruments de vol dans le champ de vision normal du pilote.

COLLIMATION [kɔlimasjɔ̃] n. f. — 1646; lat. *collimare,* pour *collineare.*

Didact. (astron.). Orientation d'un instrument d'optique dans une direction précise, pointage.

DÉR. Collimateur.

COLLINAIRE [kɔlinɛʀ] adj. — 1838; de *colline.*
Didactique.

♦ **1** Où se trouvent des collines. *Un paysage collinaire.*

♦ **2** Qui pousse sur les collines. *Plantes collinaires.*

COLLINE [kɔlin] n. f. — 1555; bas lat. *collina,* de *collis* «colline».

Petite élévation de terrain en pente douce, de forme arrondie. → **Éminence, hauteur, relief.** *Les collines du Perche. Petite colline.* → **Butte, coteau** (→ régional 2. Aspre, baou...). *Les géographes considèrent que la limite entre colline et montagne correspond à une hauteur moyenne de 500 m. Colline très arrondie.* → **Mamelon.** *Le sommet, le pied d'une colline. Penchant d'une colline* (→ **Flanc, versant**). *Collines qui ondulent à l'horizon* (→ Bossuer, cit. 1). *Les sept collines de Rome.* — **Poét.** *La double colline.* → **Parnasse.** *La Colline inspirée,* de Barrès (1913).

Sur le penchant de quelque agréable colline bien 1 ombragée j'aurais une petite maison rustique (...)
ROUSSEAU, Émile, IV.

Au delà s'élève une double rangée de collines dorées, der- 2 niers mouvements du sol, qui, douze lieues plus loin, vont expirer dans la plaine immense et plate (...)
E. FROMENTIN, Un été dans le Sahara, p. 5.

(...) la Sierra s'incline en collines décoratives jusqu'à la 3 plaine de Madrid (...)   MALRAUX, l'Espoir, p. 489.

L'épaule des collines soulevait la brume, la déchirait. 4
F. MAURIAC, le Nœud de vipères, p. 73.

Ces «montagnes» palestiniennes, sont plutôt de grosses 5 collines, tantôt arrondissant l'échine, tantôt découpant un relief vigoureux sur l'horizon des petites plaines.
DANIEL-ROPS, le Peuple de la Bible, II, p. 119.

DÉR. Collinaire, collinette. ◊ **HOM. Choline.**

COLLINETTE [kɔlinɛt] n. f. — 1596; de *colline.*
Régional. Petite colline.

COLLISION [kɔlizjɔ̃] n. f. — 1480; lat. *collisio,* du supin de *collidere* «frapper contre».

♦ **1** Choc de deux corps qui se rencontrent. → **Impact.** *Collision entre deux wagons de chemin de fer.* → **Accident, télescopage.** *Collision entre deux avions, deux voitures; de deux voitures, d'une voiture et d'une moto. Entrer en collision (avec...). — Collision de particules élémentaires dans un accélérateur. Anneaux* * *de collision.*

♦ **2** Lutte (de deux groupes, de deux partis qui en viennent aux mains). → **Échauffourée, rencontre.** — *En collision. Les grévistes entrèrent en collision avec la police.*

(...) à cette époque de la Restauration, des collisions 1 sanglantes avaient eu lieu, sur plusieurs points du royaume (...)
BALZAC, les Paysans, Pl., t. VIII, p. 152.

Fig. Conflit. → **Désaccord, heurt, opposition.** *La collision des intérêts.* — **REM.** Ne pas confondre avec *collusion.*

2 Cette cohabitation dans une même personne de deux entités qui ne vont guère ensemble se faisait chez lui sans collision trop sensible (...)
RENAN, Souvenirs d'enfance..., v, 1, p. 200.

CONTR. Entente. ◊ **DÉR. Collisionner, collisionneur.**

COLLISIONNER [kɔlizjɔne] v. tr. — 1901 ; de *collision.*
Rare ou iron. Heurter par collision. — Au p. p. *Voiture collisionnée par un autobus.*

Absolt :

Et s'il ne l'a pas fait exprès *(le bateau),* collisionnant en d'involontaires zigzags et tenant bâbord pour tribord, alors c'est (...) *le bateau ivre.*
A. JARRY, Gestes, Naufrageurs, in Œ. compl., t. VII, p. 106 (1901).

COLLISIONNEUR [kɔlizjɔnœr] n. m. — 1985 ; de *collision.*

Phys. Accélérateur de particules sans cible fixe, dans lequel des faisceaux de particules, circulant en sens inverse, produisent des collisions frontales. *Collisionneur à électrons.*

COLLOBLASTE [kɔloblast] n. m. — 1929 ; du grec *kolla* «colle», et *-blaste* «cellule».
Zool. Cellule adhésive des cténophores (→ Cténaires) servant à capter les proies.
La proie engluée par quelques colloblastes se débat et provoque le déclenchement des colloblastes voisins.
Paul BOUGIS, le Plancton, p. 34.

COLLOCATION [kɔ(l)lɔkasjɔ̃] n. f. — 1411 ; attestation isolée, XIVᵉ ; lat. *collocatio* «placement», du supin de *collocare.* → Colloquer.

◆ **1** (1690). Dr. Classement des créanciers dans l'ordre que la loi a assigné pour leur paiement. Classement.

◆ **2** Régional (Belgique). Dr. Internement, emprisonnement. → 1. Colloquer, 3. *«Les médecins avaient personnellement vu et examiné l'habitant de Liernu avant d'appliquer la mesure de collocation»* (Le bourgmestre d'Eghezée et deux médecins inculpés, *le Soir,* 11 oct. 1982).

◆ **3** Sc. (log., ling.). Position (d'un objet, d'un élément) par rapport à d'autres ; proximité dans une chaîne.

DÉR. 1. Colloquer. ◊ **HOM. Colocation.**

COLLODION [kɔlɔdjɔ̃] n. m. — 1848 ; grec *kollôdês* «collant», de *kolla* «colle».
Techn. Dissolution de coton-poudre dans de l'éther alcoolisé, utilisée en chirurgie et en photographie. *Le collodion est un agglutinatif*. Panser une petite plaie avec des bandelettes enduites de collodion.*
Cet appareil *(photographique),* muni d'un puissant objectif, était très complet. Substances nécessaires à la reproduction photographique, collodion pour préparer la plaque de verre (...)
J. VERNE, l'Île mystérieuse, t. II, p. 564-565.

DÉR. Collodionné.

COLLODIONNÉ, ÉE [kɔlɔdjɔne] adj. — 1869 ; de *collodion.*
Techn. Qui contient du collodion ; enduit de collodion. *Plaque collodionnée.*

COLLOÏDAL, ALE, AUX [kɔlɔidal, o] adj. — 1855 ; de *colloïde.*

Chim. Des colloïdes. *État colloïdal* : état d'une substance dispersée dans un solvant lorsque ses molécules sont groupées en micelles* portant une charge électrique de même signe (la substance ne peut traverser une membrane semi-perméable). *Systèmes colloïdaux* : aérosols, émulsions, solutions, suspensions, fumées. *La rupture de l'état colloïdal produit l'agglomération des micelles et constitue la floculation*.*

COLLOÏDE [kɔ(l)lɔid] n. m. — 1845, méd. ; angl. *colloid,* du grec *kolla* «colle», et *-oïd.* → -oïde.
Chimie.

◆ **1** (1863). Corps à l'état colloïdal*, qui a l'apparence de la colle, de la gelée. → **Aérogel.** *La plasticité, l'élasticité des colloïdes* (opposé à *cristalloïdes*).

◆ **2** Solution dans laquelle la substance introduite dans l'excipient reste en suspension, non dissoute (par suite de l'état colloïdal de ses éléments).
Adj. *Substance colloïde* (biol.).
Chaque vésicule comprend une seule couche de cellules épithéliales qui limitent une cavité remplie d'une matière homogène, la *substance colloïde,* qui représente la sécrétion de la glande.   Pierre REY, les Hormones, p. 18.
Méd. Gélatineux ; caractérisé par des productions gélatineuses.

DÉR. Colloïdal, colloïdo-.

COLLOÏDO- Premier élément de mots de sciences (chim., biol.), en relation avec les colloïdes ou l'état colloïdal. Ex. : *colloïdothérapie,* n. f.

COLLOQUE [kɔ(l)lɔk] n. m. — 1495 ; lat. *colloquium* «entretien», de *col- (cum),* et *loqui* «parler».

◆ **1** Vieilli ou littér. Entretien entre deux ou plusieurs personnes. *Un bref, un court colloque. Tenir un colloque amical.* → **Dialogue, entretien.** *Le Colloque sentimental* (1869), de Verlaine.
Un couple, occupé de lui-même, ne connaît pas de brefs colloques.   COLETTE, la Naissance du jour, p. 186. 1
Spécialt et iron. Entretien secret qui a l'apparence d'une grave discussion (→ Brasser, cit. 3). *Ne troublons pas leur colloque.*
Puis, observant les colloques particuliers qui tendaient à 2
se former autour des verres de porto, et les airs un peu empêchés que prenaient les gens, Haverkamp s'avisa qu'il ne serait pas maladroit de s'éclipser quelques minutes.
J. ROMAINS, les Hommes de bonne volonté, t. V, XXII, p. 190.

◆ **2** Débat entre plusieurs personnes sur les questions de doctrine. → **Conférence, discussion.** *Un colloque scientifique, économique.*
Spécialt. Débat organisé, avec moins de participants que le congrès*. → **Séminaire, symposium, table** (ronde). *Participer à des colloques internationaux.*

DÉR. 2. Colloquer.

1. COLLOQUER [kɔ(l)lɔke] v. tr. — XIIᵉ, «placer» ; lat. *collocare,* de *col- (cum-),* et *locus* «lieu». → Coucher.

◆ **1** Vx. Placer tant bien que mal. → **Reléguer.** *Colloquer un ami sous les combles.*
(Compl. n. de chose). Donner pour se débarrasser. *Je lui ai colloqué tous ces vieux bibelots.*

◆ **2** (1690). Dr. *Colloquer des créanciers,* les inscrire dans l'ordre prescrit par la loi pour leur paiement.

◆ **3** Régional (Belgique). Incarcérer ; interner. → **Collocation, 2.** *«Didier nous dit (...) qu'il a été colloqué pendant plus d'une année dans un hôpital psychiatrique»* («Le goût de vivre», les Sans-Logis, bulletin liégeois, nᵒ 12, 1976).

2. **COLLOQUER** [kɔ(l)lɔke] v. intr. — 1850; attestation isolée, v. 1520; de *colloque*.

Rare et iron. Faire des colloques. → **Converser, discuter, entretenir** (s'). *Colloquer avec qqn. Ils ont colloqué ensemble.*

COLLU [kɔly] n. m. — 1941; pris aux dialectes de Savoie, var. dial. de *couloir*, fréquente dans l'Est de la France (l'Ouest a des formes en *coul-*), aussi avec le sens d'«égouttoir pour le fromage», etc.; du lat. *colare* «couler».

Régional. Couloir de montagne.

Le couloir Whymper n'est pas à proprement parler un véritable collu, bien délimité comme celui de la face nord. C'est plutôt un large cirque en éventail (...)
R. FRISON-ROCHE, Premier de cordée, p. 304 (1941).

COLLURE [kɔlyʀ] n. f. — 1611, *colleure* «collage»; de *coller*.

Action de coller; son résultat. — (1936). Cin. Soudure de plusieurs parties d'une pellicule cinématographique (→ **Montage, raccord**) ou d'une bande magnétique.

(...) voici des plans lisses et ronds abandonnés sur l'écran comme un galet sur le rivage (...) Puis, comme une vague, chaque collure vient y imprimer et effacer le mot souvenir, le mot bonheur, le mot femme, le mot ciel (...) La mort aussi (...)
J.-L. GODARD, Jean-Luc Godard (à propos de «Méditerranée», de J.-D. Pollet), in Coll. des Cahiers du cinéma, p. 340.

HOM. Colure.

COLLUSION [kɔ(l)lyzjɔ̃] n. f. — 1321; lat. *collusio*, de *colludere*; de *col-* (*cum*), et *ludere* «jouer».

♦ **1** Dr. et cour. Entente secrète entre adversaires au préjudice d'un tiers. → **Complicité.**

♦ **2** → **Accord, arrangement, entente, intelligence; manœuvre** (en général péj.). *Collusion entre des associés. — Collusion d'intérêt.* «*Elle m'accuse de collusion et de combine avec l'apothicaire*» (A. Arnoux, in T. L. F.).

Faut-il se parler, faut-il s'écrire, est-il besoin de pacte ou de serments pour former cette collusion?
LA BRUYÈRE, les Caractères, XIV, 60.

DÉR. Collusoire.

COLLUSOIRE [kɔ(l)lyzwaʀ] adj. — 1336; de *collusion*, d'après les adj. en *-oire*.

Dr. Qui est fait par collusion. *Arrangement, fraude collusoire.*

COLLUTOIRE [kɔ(l)lytwaʀ] n. m. — 1803; dér. du lat. *colluere* «laver».

Médicament de consistance semi-liquide destiné à agir sur les gencives et les parois de la cavité buccale (Garnier). *Badigeonner les gencives avec un collutoire. Appliquer un collutoire au fond de la gorge avec un porte-coton.*

COLLUVION [kɔ(l)lyvjɔ̃] n. f. — 1959; de *co-*, et *alluvion*.

Géol. Fin dépôt résultant d'un remaniement voisin.

DÉR. Colluvionnement.

COLLUVIONNEMENT [kɔ(l)lyvjɔnmɑ̃] n. m. — V. 1960; de *colluvion*.

Géol. Formation d'une colluvion (sur un sol). *Le colluvionnement des terres cultivées, des steppes.*

COLLYRE [kɔliʀ] n. m. — 1120, *collire*; lat. *collyrium*, grec *kollurion* «onguent».

Médicament en général liquide, qui s'applique sur la conjonctive de l'œil. *Collyre en pommade, en hydrolé. Collyre sec.*

Vx. Produit de beauté pour souligner les yeux.

COLMATAGE [kɔlmataʒ] n. m. — 1845; de *colmater*.

Action de colmater; le fait de se colmater.

♦ **1** Comblement (d'une dépression) par des dépôts limoneux. → **Alluvionnement.** *Le colmatage d'une lagune.*

♦ **2** Obturation (d'une couche poreuse ou fibreuse, ou d'un appareil) par dépôt de particules solides ou liquides.

♦ **3** Fig. Milit. Le fait de combler en rétablissant des lignes de défense rompues par l'adversaire. *Le colmatage d'un front.*

COLMATER [kɔlmate] v. tr. — 1820; ital. *colmata*, de *colmare* «combler».

♦ **1** Exhausser (un bas-fond), modifier la nature de (un sol) en y faisant séjourner de l'eau riche en limon, qui se dépose. *Colmater un sol raviné, infertile.*

♦ **2** Obturer. → **Boucher, fermer, luter.**

(...) une jonque si pourrie qu'au milieu de l'océan Indien, le navigateur devait plonger pour colmater les plus grosses voies d'eau.
Bernard MOITESSIER, Cap Horn à la voile, p. 11.

Fig. *Colmater une brèche, une lacune*, la combler en arrangeant les choses (peut être compris comme fig. du sens 3).

♦ **3** Fig. Milit. Réduire (une percée, une avance locale de l'ennemi) en rétablissant la continuité d'un front. *Colmater une brèche.*

DÉR. Colmatage.

COLO [kɔlo; kolo] n. f. → **Colonie,** 5. (colonie de vacances).

1. **COLOBE** [kɔlɔb] n. m. — XIIIᵉ; franco-provençal *colobion*, bas lat. *colobium*, du grec *kolobos* «tunique sans manches», même étym. que 2. *colobe*.

Anciennt. Longue tunique sans manche, au moyen âge. → **Dalmatique.**

2. **COLOBE** [kɔlɔb] n. m. — 1834; lat. sc. *colobus*, Illiger, 1811; grec *kolobos* «tronqué», le singe n'ayant pas de pouce antérieur.

Zool. Singe cercopithèque d'Afrique, dont les poils dorsaux sont utilisés en fourrure. *Colobe noir, colobe bai. Colobe magistrat,* dit *singe noir, capucin.*

DÉR. Colobidés.

COLOBIDÉS [kɔlɔbide] n. m. pl. — 1949; de 2. *colobe.*

Zool. Famille des singes appelés colobes. — Au sing. *Un colobidé.* → **2. Colobe.**

La famille des Colobidés a été l'objet dans les débuts de ce siècle d'une vogue dont elle se serait bien passée et qui lui a valu une destruction presque complète (...) Le point de départ de cet engouement ne s'explique avec quelque vraisemblance que si l'on considère l'animal vivant lui-même et notamment le magnifique COLOBE CAUDATUS d'Afrique orientale, dont le corps, couvert de poils noirs brillants, porte sur les épaules et les flancs d'amples franges d'un blanc pur que prolonge sur la queue un long panache de même couleur (...)
René THÉVENIN, les Fourrures, p. 72.

COLOBOME [kɔlɔbom] n. m. — xxe ; du grec *kolobôma* «partie tronquée».

Pathol. Malformation congénitale des structures de l'œil ayant l'aspect d'une fissure, due à un défaut de fermeture des fentes fœtales. *Colobome de l'iris, du cristallin, de la paupière.*

COLOCASE [kɔlɔkaz] n. f. — 1547, *colocasse;* lat. des bot. *colocasia;* arabe *qŭlqās,* du grec.

Plante tropicale monocotylédone *(Aroïdées)* dont la racine est riche en fécule. — On l'appelle aussi *taro*.*

Que tirais-je à la gourde de colocase ?
Quelque liqueur d'or, fade et qui fait suer.
     RIMBAUD, Poèmes, «Larme», Pl., p. 149.

COLOCATAIRE [kɔlɔkatɛR] n. — 1834; de *co-*, et *locataire.*

Personne qui est locataire avec d'autres dans le même immeuble.

COLOCATION [kɔlɔkasjɔ̃] n. f. — Mil. xxe ; de *co-*, et *location.*

Location commune avec d'autres locataires* *(colocataires),* dans un même immeuble. *Être en colocation.*

HOM. Collocation.

COLOGARITHME [kɔlɔgaRitm; kɔlɔgaRitm] n. m. — 1891; de *co-*, et *logarithme.*

Math. Logarithme de l'inverse d'un nombre ($\operatorname{colog} a = \log 1/a = -\log a$).
— Abrév. : *colog* [kɔlɔg].

COLOMBAGE [kɔlɔbaʒ] n. m. — 1340; de 2. *colombe.*

♦ **1** **Archit.** Système de charpente* en pan de mur, dont les vides sont garnis d'une maçonnerie légère **(→ Hourdis).** *Le colombage des maisons alsaciennes, normandes. Solive de colombage.* → 2. **Colombe.**

♦ **2** **Cour.** (souvent au plur.). La charpente apparente. *Maison à colombages.*

De-ci de-là on aperçoit encore d'anciennes maisons à colombages, aux fenêtres encorbellées, décorées de bois sculpté (...)
     S. DE BEAUVOIR, Tout compte fait, p. 250.

COLOMBAIRE ou **COLUMBAIRE** [kɔlɔbɛR] n. m. — D. i.; francisation du lat. *columbarium.*

→ **Columbarium.**

(...) on ne saurait oublier les colombaires, tombeaux collectifs pour gens modestes, constitués par de vastes chambres (...)
     G. CONTENAU et V. CHAPOT, l'Art antique, p. 341.

1. COLOMBE [kɔlɔb] n. f. — V. 1120, *colombe; colomb,* ixe ; lat. *columba.*

♦ **1** **a** **Littér.** Pigeon*, considéré comme le symbole de la douceur, de la tendresse, de la pureté, de la paix. *La colombe gémit, roucoule. La tendre, la fidèle, la pure colombe. La blanche colombe. La colombe, oiseau de Vénus. Dans l'iconographie chrétienne la colombe est le symbole de l'âme, du Saint-Esprit. La colombe de l'Arche, symbole de la paix* **(→** Rameau d'olivier*).

1 *(Noé)* lâcha de nouveau la colombe hors de l'arche, et la colombe revint vers lui sur le soir, et voici, une feuille d'olivier toute fraîche était dans son bec; et Noé reconnut que les eaux ne couvraient plus la terre.
     BIBLE (CRAMPON), Genèse, IV, VII, 10-11.

2 Le long d'un clair ruisseau buvait une colombe (...)
     LA FONTAINE, Fables, II, 12.

(...) une colombe rauque   3
Gémit tout doucement dans un peuplier glauque.
     Francis JAMMES, Élégie première,
     Choix de poèmes, p. 89.

Par comparaison :

Ce toit tranquille, où marchent des colombes (...)   4
     VALÉRY, le Cimetière marin.

La colombe eucharistique. → **Péristère.**

b Par métaphore. Être faible, sans défense.

Depuis quelques jours j'ai mon fils avec moi (...) je ne   4.1
pouvais plus laisser cette colombe à la portée des vautours
français. Je voyais arriver la conscription (...)
     J. DE MAISTRE, Correspondance, 1786-1805,
     in T.L.F.

(Trad. de l'angl.; 1967). Partisan d'une politique de détente, d'apaisement (par oppos. à *faucon**).

♦ **2** **Zool.** Nom de certaines espèces du genre pigeon.
→ **Colombidés; biset, colombin, ramier.**

♦ **3** **Fig., vx.** Jeune fille pure, candide. *Être pur, innocent.* — Loc. plais. *La bave du crapaud n'atteint pas la blanche colombe.*

C'est lui *(Louis XIV)* qui rassembla ces colombes timides,   5
Éparses en cent lieux, sans recours et sans guides.
     RACINE, Esther, Prologue.

T. d'affection. *Oui, ma colombe.*

En parlant d'amoureux (Labiche). → **Pigeon.**

DÉR. Colombelle, 1. colombier, colombophile.

2. COLOMBE [kɔlɔb] n. f. — 1334; doublet de *colonne,* par confusion entre *columna* et *columba.*

Technique.

♦ **1** Solive de colombage.

♦ **2** (1611). Outil de tonnelier servant à raboter les douves. → **Varlope.**

DÉR. Colombage, 2. colombier.

COLOMBELLE [kɔlɔbɛl] n. f. — V. 1250; de 1. *colombe.*

Poét. Petite, jeune colombe.

COLOMBICULTURE [kɔlɔbikyltyR] n. f. — 1920; lat. *columba,* et *culture.*

Didact. Élevage des pigeons. — On emploie aussi *colombiculteur, trice,* n., éleveur, éleveuse de pigeons.

COLOMBIDÉS ou **COLUMBIDÉS** [kɔlɔbide] n. m. pl. — 1863; de *colombe,* et suff. *-idé.*

Zool. Famille d'oiseaux comprenant les pigeons*, les tourterelles*. — Syn. : *colombins, pigeons.* — Au sing. *Un colombidé.*

1. COLOMBIER [kɔlɔbje] n. m. — V. 1120, *columbier;* de 1. *colombe.*

Vieux ou littéraire.

♦ **1** Construction souvent élevée, destinée à loger des pigeons. → **Fuie, pigeonnier.** *Les boulins* (cit.) *d'un colombier. Colombier à pied,* garni de boulins jusqu'à la base. *Colombier pour l'élevage des pigeons voyageurs. La rue du Vieux-Colombier, à Paris.*

Cette famille habitait une métairie, qui n'attestait sa   1
noblesse que par un colombier.
     CHATEAUBRIAND, Mémoires d'outre-tombe, t. I,
     p. 76.

(...) il y avait pour Landry et la petite Fadette un bon   2
refuge dans la tour à Jacot, qui est un ancien colombier
de redevance, abandonné des colombiers depuis de longues
années (...)   G. SAND, la Petite Fadette, XXVI, p. 176.

Il y eut ensuite (ou peut-être en même temps) une odeur   3
qui ressemblait (mais en plus vaste) à celle des colombiers
mal tenus, de la fiente de pigeons qui a un acide si âcre.
     J. GIONO, le Hussard sur le toit, p. 219.

♦ **2** **Vx.** Galerie supérieure d'un théâtre, située sous les combles (→ **Poulailler,** mod.).

2. COLOMBIER [kɔlɔ̃bje] n. m. — 1808; de 2. *colombe*.

Mar. Pièce en bois verticale d'un berceau (→ **Ber**). *Les colombiers sont attachés d'un bord à l'autre par des cordages qui les serrent contre la quille du navire.*

3. COLOMBIER [kɔlɔ̃bje] n. m. — 1739; nom du fabricant.

Grand format de papier. *Colombier commercial* (0,90 m × 0,63 m).

1. COLOMBIN, INE [kɔlɔ̃bɛ̃, in] adj. et n. m. — V. 1227, *columbin*; lat. *columbus*, de *columba*. → 1. Colombe.

♦ 1 Vx. Relatif à la colombe, au pigeon. — (XVᵉ). Spécialt, vieilli. Qui est de la couleur dite «gorge de pigeon». *Soie colombine.*

♦ 2 *Pigeon colombin,* ou, n. m., *un colombin.*

DÉR. (et **HOM.** au fém.) **Colombine.**

2. COLOMBIN [kɔlɔ̃bɛ̃] n. m. — 1844; orig. douteuse, p.-ê. de 2. *colombe* («poutre»).

Ⅰ Techn. Rouleau de pâte servant à la fabrication de poteries.

Ⅱ ♦ 1 Techn. → **Colombine.**

♦ 2 (1867, dans l'argot des comédiens; avec infl. de *colombine*). Fam. Étron.

Par métaphore :

1   (...) les vieilles selles de l'histoire (...) Partout où le temps a fait un beau colombin dégoûté vous verrez nos patriotes, accroupis, reniflant, le visage enflammé.
S. BECKETT, Premier amour, p. 27.

Avoir les colombins : avoir peur.

2   Et y a aussi ce salaud d'obus nouveau qui pète après avoir ricoché dans la terre et en être sorti et rentré une fois ou deux, sur des six mètres... Quand j'sais qu'y en a en face, j'ai les colombins.
H. BARBUSSE, le Feu, t. II, ii, XIX, p. 15.

HOM. 1. **Colombin.**

COLOMBINE [kɔlɔ̃bin] n. f. — 1701; de 1. *colombin.*

Techn. Fiente de pigeon. *La colombine est un excellent engrais.* → **Guano.**

HOM. Fém. de 1. **Colombin.**

COLOMBIUM ou **COLUMBIUM** [kɔlɔ̃bjɔm] n. m. → **Niobium.**

1. COLOMBO [kɔlɔ̃bo] n. m. — 1791; *columbé*, 1768; bantou *kolumb*, refait d'après *Colombo*, capitale de Sri Lanka (Ceylan).

Bot. Plante à tiges grimpantes, à fruits charnus, à racines jaunâtres, qui pousse en Afrique tropicale et à Madagascar. *La racine de colombo était employée en médecine pour ses effets apéritifs, toniques dus à la colombine. — Sirop, vin, teinture de colombo.*

2. COLOMBO [kɔlɔ̃bo] n. m. — 1931; du nom de la capitale du Sri Lanka; mot désignant le curry, importé au XIXᵉ par les Indiens aux Antilles.

♦ 1 Mélange d'épices d'origine indienne (coriandre, ail, piment, curcuma, cannelle). → **Curry.**

♦ 2 Plat antillais à base de viande, de volaille ou de poisson, assaisonné de ce mélange d'épices. *Colombo de poulet, de porc. —* Appos. *Mouton colombo.*

COLOMBOPHILE [kɔlɔ̃bɔfil; kɔlɔ̃bofil] adj. et n. — 1855, *le Charivari, in* D.D.L.; du lat. *columbus* «pigeon», et grec *philos* «ami».

Qui élève, dresse des pigeons voyageurs. → **Péri-stéraphile; colombiculture.** *Société colombophile.*

1   (...) je déclare qu'avant de continuer la discussion, la Chambre doit discuter la loi sur les pigeons voyageurs. Les députés étaient presque tous colombophiles (...)
MALRAUX, Antimémoires, Folio, p. 455.

Centre colombophile, d'élevage de pigeons voyageurs.

2   Ce jeune homme accomplissait à cette époque son service militaire et j'avais reçu de lui (...) une lettre timbrée de Sfax, portant le cachet du centre *colombophile* auquel il était détaché.
A. BRETON, l'Amour fou, IV, p. 87.

N. *Un, une colombophile.*

3   Ce travail extrêmement pacifique (je ne vois que les colombophiles, s'il y en a encore dans l'armée, pour avoir une fonction plus douce et plus poétique).
S. DE BEAUVOIR, la Force de l'âge, p. 440.

DÉR. Colombophilie.

COLOMBOPHILIE [kɔlɔ̃bɔfili; kɔlɔ̃bofili] n. f. — 1878; de *colombophile.*

Élevage, dressage des pigeons voyageurs. → **Colombiculture.**

1. COLON [kɔlɔ̃] n. m. — V. 1310; du lat. *colonus*, de *colere* «cultiver».

♦ 1 Dr. Cultivateur d'une terre dont le loyer est payé en nature. → **Fermier, métayer.** — (1748). *Colon partiaire :* cultivateur, agriculteur qui partage avec le propriétaire le produit de la récolte. → **Colonage.** *Le marayon qui exploite un marais salant est un colon partiaire.*

Hist. Personne libre attachée au sol qu'elle exploitait. *La condition des colons du moyen âge était supérieure à celle des serfs*. → **Colonat.**

0.1   Cette même mobilité a d'autre part rompu la coïncidence entre le statut du manse et celui des agriculteurs qui l'exploitent : des manses libres sont tenus par des esclaves, des manses serviles par des «colons», c'est-à-dire des travailleurs réputés libres.
Georges DUBY, Guerriers et Paysans, p. 99.

♦ 2 Vx. Cultivateur.

1   Les inondations du Nil durent, pendant des siècles, écarter tous les colons d'une terre submergée quatre mois de l'année.
VOLTAIRE, Essai sur les mœurs, Introd.

2   Plusieurs colons laissent leurs héritages en friche.
VOLTAIRE, *in* Pierre LAROUSSE.

♦ 3 (1663). Mod. Personne qui est allée peupler, exploiter une colonie. *Les colons grecs de Sicile. Les premiers colons d'Amérique.* → **Pionnier.** *Les colons anglais d'Australie. Les colons français d'Algérie, d'Afrique noire. La vie rude des colons du bled. Concession* accordée à un colon. *Une femme colon.*

3   (...) cette bonne femme d'Alsace jetée sur un sol de feu où il ne pousse pas un chou. Comme elle devait souvent penser au pays perdu (...)
En me quittant, elle ajouta : «Savez-vous si on donnera des terres en Tunisie ? On dit que c'est bon par là. Ça vaudra toujours mieux qu'ici (...)»
Tous nos colons installés au delà du Tell en pourraient dire à peu près autant.
MAUPASSANT, Au soleil, p. 44.

4   Il considère les buveurs, ses clients, de l'œil dont un colon du bled considère les indigènes.
J. ROMAINS, les Hommes de bonne volonté, t. IV, iii, p. 18.

Habitant d'une colonie; ressortissant de la métropole qui ne vit pas sur le territoire de celle-ci (opposé à *indigène*, et à *métropolitain*).

♦ **4** Membre d'un groupe d'individus de même origine, fixés dans un autre lieu (→ **Colonie,** 5.).

5 Un mois est passé depuis mon départ de Paris, et il n'en reste plus qu'un bien court jusqu'à ce que je revoie les colons de la rue Blanche.
SAINTE-BEUVE, Correspondance, t. I, 10, 14 sept. 1822.

6 Nous aimons, colons éparpillés sur la côte, les dîners impromptus, parce qu'ils nous réunissent pour une heure ou deux.
COLETTE, la Naissance du jour, p. 195.

Enfant d'une colonie (de vacances; pénitentiaire).

7 Mon séjour à Mettray (*une colonie pénitentiaire*) ne paraît avoir été qu'une longue noce coupée de drames sanglants où j'ai vu des colons se cogner, faire d'eux des tas de chair saignante (...)
J. GENET, Miracle de la rose, p. 108.

CONTR. Autochtone, indigène. ◊ DÉR. Colonage, colonat. V. Colonie, coloniser.

2. COLON [kɔlɔ̃] n. m. — 1890; abrév. de *colonel.*
Fam. Colonel. *Le colon passera le régiment en revue.* Par ext. *Mon colon! Ben, mon colon!* [bɛ̃mɔ̃kɔlɔ̃], exclamation ironique ou admirative.

CÔLON [kolɔ̃] n. m. — 1314; lat. *colon,* grec *kôlon.*
Anat. Portion moyenne du gros intestin. *Le côlon ascendant :* partie de l'intestin faisant suite au cæcum; à la face intérieure du foie, il se coude (coude droit) et devient le *côlon transverse;* au niveau de la rate, après le coude gauche ou splénique, le *côlon descendant* gagne la fosse iliaque qu'il parcourt obliquement *(côlon iliaque);* dans le petit bassin, le *côlon pelvien* aboutit au rectum. — *Affection du côlon.* → **Colopathie.** *Inflammation du côlon.* → **Colique, colite.** *Accumulation d'air dans le côlon.* → **Aérocolie.** — *Examen du côlon au coloscope*.*

Le côlon (...) s'étend du cæcum au rectum. Il est ainsi appelé du mot grec *koluo,* j'arrête, parce que c'est principalement dans l'intérieur du côlon que séjournent les matières fécales avant leur expulsion (...)
L. TESTUT, Traité d'anatomie, t. IV, I, 8, p. 433.

DÉR. et COMP. Colite. Colopathie. Coloscope. Aérocolie. Dolichocôlon, mégacôlon, mésocôlon. V. 1. et 2. Colique.

COLONAGE [kɔlɔnaʒ] n. m. — 1800; de 1. *colon.*
Dr. Exploitation du sol par un colon. *Bail à colonage partiaire* ou *à partage de fruits.* → **Métayage.**

COLONAT [kɔlɔna] n. m. — 1811; de 1. *colon.*
Hist. Condition du colon romain ou médiéval. — État de colon; ensemble des colons.

(...) l'expression *colonica* pour qualifier les tenures englobées dans la *villa* exprime la filiation qui relie ce mode d'exploitation au colonat du Bas-Empire.
Georges DUBY, Guerriers et Paysans, p. 50.

COLONEL, ELLE [kɔlɔnɛl] n. — 1556; *colonnel,* av. 1544; ital. *colonnello,* de *colonna* «colonne d'armée».

♦ **1** N. m. Officier supérieur qui commande un régiment, ou une formation, un service de même importance (→ **2. Colon**). *Un colonel d'infanterie, d'artillerie. Colonel d'aviation. Colonel d'intendance. Colonel d'état-major,* qui ne commande pas un régiment. *Les cinq galons d'un colonel. Le grade de capitaine* de vaisseau dans la marine correspond à celui de colonel.* — *Le Colonel Chabert,* roman de Balzac. *Le colonel Fabien, héros de la Résistance.*

1 Près du poste de garde, le colonel faisait les cent pas entre son capitaine adjudant-major et un colonel français des tirailleurs nord-africains.
P. MAC ORLAN, la Bandera, VI, p. 66.

♦ **2** N. f. **a** (1689, Mᵐᵉ de Sévigné). Vieilli. La femme d'un colonel. *Madame la colonelle.*

b Femme ayant le grade de colonel.

♦ **3** (En fonction d'adj.). Hist. *Compagnie colonelle :* première compagnie d'un régiment, commandée par un *colonel général* (→ **Général**), sous l'Ancien Régime.

Littér. Propre à un officier supérieur.

Il n'avait jamais dans le regard cette menace indécise, ni   2
dans la voix cette dureté colonelle, qui s'associent chez la plupart des hommes d'une façon étrangement gênante.
M. AYMÉ, Travelingue, p. 208.

COMP. Lieutenant-colonel.

COLONIAL, ALE, AUX [kɔlɔnjal, o] adj. et n. — 1776; du lat. *colonia.* → Colonie.

♦ **1** Adj. Relatif aux colonies*. *Régime colonial; expansion coloniale* (→ **Colonialisme, impérialisme**). *Le système dit du pacte* (cit. 4) *colonial. Législation coloniale, droit colonial. Banque coloniale. Comptoir colonial. Marchandises, denrées coloniales, produits coloniaux,* provenant des colonies. — Anciennt. *Armée coloniale, troupes coloniales* (→ **Armée,** cit. 11), depuis 1961 : *troupes de marine. École coloniale.* — *Casque* colonial.*

C'est à mon second séjour à Madagascar, en 1900, que je fis   0.1
mon vrai début dans le rôle de Chef colonial, exerçant une action politique, administrative, économique, tout autant que militaire, éloigné du pouvoir central, faisant l'apprentissage des responsabilités et des décisions, ayant charge de populations indigènes nombreuses et diverses, et de Colonies françaises et étrangères.
L.-H. LYAUTEY, Paroles d'action, p. 34.

Les raisons qui ont, jadis, engagé la France dans cette   1
grande aventure dite, par les historiens, de l'expansion coloniale sont infiniment trop complexes pour qu'il soit possible et juste de les ramener à l'idée de profit, ou encore à l'idée de volonté de puissance.
G. DUHAMEL, Consultation aux pays d'Islam, p. 120.

Il pensait à ce camarade d'enfance, officier au Maroc, qui   2
avait fait toute une carrière coloniale, et qui parlait des «indigènes».
J. ROMAINS, les Hommes de bonne volonté, t. I, XVI, p. 171.

♦ **2** N. m. Militaire de l'armée coloniale. *Un colonial. Un vieux colonial à la barbe fauve.* → Recrue, cit. 2.
Habitant des colonies. → **Colon.**

Mer assez houleuse. Nombreux malades. De vieux colo-   3
niaux se plaignent : «journée terrible; vous n'aurez pas pire».
GIDE, Voyage au Congo, 1927, *in* Souvenirs, Pl., p. 685.

♦ **3** N. f. Les troupes coloniales. *Servir dans la coloniale.*

Une fois ou deux, alors qu'elle rentrait à l'Hôtel Central,   4
des soldats de la coloniale l'avaient abordée. Mais c'était sans doute à cause des robes de Carmen parce que les soldats de la coloniale n'abordaient que les putains.
M. DURAS, Un barrage contre le Pacifique, p. 223.

CONTR. Métropolitain. ◊ DÉR. Colonialisme, colonialiste. – COMP. Anticolonial, postcolonial.

COLONIALISME [kɔlɔnjalism] n. m. — 1902, Péguy; de *colonial.*

♦ **1** Système d'expansion coloniale. → **Colonisation.**

♦ **2** Système politique qui préconise la mise en valeur et l'exploitation de territoires dans l'intérêt du pays colonisateur. → **Impérialisme.** *La lutte des pays du tiers monde contre le colonialisme et le racisme. La fin des colonialismes classiques.* → **Décolonisation.**

Aussi bien l'actuelle déroute des colonialismes ou plutôt leur camouflage subtil et redondant (...) ne peut-elle apparaître que comme le produit et le sommet ambigus de cette révolte du sang, ainsi gros d'une révolution et d'une intégration qu'il serait bien futile de motiver par un désordre économique et social (...)

> Raymond ABELLIO, Ma dernière mémoire, t. I,
> p. 102.

Par ext. *Colonialisme économique.*

COMP. Anticolonialisme, néo-colonialisme.

COLONIALISTE [kɔlɔnjalist] adj. et n. — 1903, Péguy; *coloniste*, 1776; de *colonial.*

♦ 1 Adj. Relatif au colonialisme. *Politique colonialiste.*

♦ 2 N. Partisan du colonialisme. *Colonialistes hostiles à la décolonisation.*

Qui prône l'expansion coloniale. «*Les romans colonialistes d'avant-guerre...*» (Sartre, *in* T. L. F.).

CONTR. et COMP. Anticolonialiste.

COLONIE [kɔlɔni] n. f. — 1579; à propos de l'Antiquité, 1308; lat. *colonia.* → Colon.

♦ 1 Vx ou hist. Réunion, groupe de personnes parties d'un pays pour aller en habiter, en exploiter un autre. → **Peuplement, émigration.** *Envoyer une colonie outre-mer. Les colonies grecques s'établirent autour de la Méditerranée.*

1 L'effet ordinaire des colonies est d'affaiblir les pays d'où on les tire, sans peupler ceux où on les envoie.

> MONTESQUIEU, Lettres persanes, 122.

2 Environ deux siècles après la guerre de Troie, une colonie de ces Ioniens fit un établissement sur les côtes de l'Asie, dont elle avait chassé les anciens habitants.

> BARTHÉLEMY, Anacharsis, 72.

♦ 2 Mod. La population qui se perpétue à l'endroit où se sont fixés les fondateurs (→ 1. **Colon,** 2.). *La colonie prospère, s'accroît.*

♦ 3 (1635). Le lieu où vivent les colons. *Une colonie vaste, étendue. Colonie fertile, aride.* — Au plur. Ensemble des territoires colonisés (→ ci-dessous, 4.). *Vivre aux colonies, habiter les colonies.*

3 M. Ulloa arriva dans la colonie avec quatre-vingts hommes de sa nation; la prise de possession devait, dans les règles ordinaires, suivre son débarquement.

> G.-T. RAYNAL, Hist. philosophique..., XVI, 2.

4 (...) un valet tel qu'on en trouve beaucoup sur les côtes d'Espagne et dans les colonies; c'était un quart d'Espagnol né d'un métis (...)

> VOLTAIRE, Candide, XIV.

♦ 4 Établissement fondé par une nation appartenant à un groupe dominant dans un pays étranger à ce groupe, moins développé, et qui est placé sous la dépendance et la souveraineté du pays occupant dans l'intérêt de ce dernier (→ aussi **Mandat, protectorat, tutelle**). *Ensemble de colonies* (→ **Empire, union**). *L'administration, les fonctionnaires d'une colonie* (→ **Gouverneur, résident**). *Les colonies anglaises* (→ **Commonwealth, dominion**), *espagnoles, françaises. Colonie de peuplement, d'exploitation. L'émancipation, l'indépendance des colonies.* → **Décolonisation.** *Colonies assimilées à des départements* (cf. Département d'outre-mer).

5 Leurs terres où ils fondent une colonie.

> BOSSUET, Hist., I, 8, *in* LITTRÉ.

6 C'est une grande querelle que celle de l'Angleterre avec ses colonies : savez-vous, mon ami, par où nature veut qu'elle finisse ? Par une rupture.

> DIDEROT, Sur les lettres d'un fermier.

7 (...) des colonies peuvent être parfois à peu près complètement assimilées aux provinces ou aux départements, comme c'est le cas pour quelques-unes de nos vieilles colonies françaises; mais le plus souvent, les colonies sont soumises à un régime tout à fait particulier qui ne ressemble en rien à celui des communes ou des provinces de la métropole.

> LE FUR, Précis de droit international public, n° 150.

♦ 5 a (1859). COLONIE PÉNITENTIAIRE : établissement spécial pour jeunes délinquants. Anciennt. Territoire colonial où les condamnés aux travaux forcés purgeaient leur peine.

b (1879, *colonie d'enfants;* de l'all.). COLONIE DE VACANCES : groupement d'enfants des villes que l'on fait séjourner à la campagne. → aussi **Camp** (de vacances).

7.1 Il a été tenté en Saxe, en 1879, dans les écoles du pays, un essai dont parle la *Gazette d'Augsbourg,* essai qui, d'après ce journal, a parfaitement réussi, et qui, pour cette raison, doit être continué à l'avenir. Il s'agit de colonies d'enfants pendant les vacances scolaires.
(Le) président d'une Société d'hygiène (...) eut l'idée d'essayer ce qu'il appela les *colonies d'enfants,* à établir pendant les vacances scolaires. D'après son plan, des enfants pauvres et chétifs des écoles de la ville devaient être, pendant les grandes vacances, envoyés à la campagne.

> L. FIGUIER, l'Année scientifique et industrielle
> 1880, p. 337 (1879).

Abrév. fam. COLO, N. f. «*La "colo" est revenue comme chaque année avec l'été dans ce coin de Bretagne (...) Plougasnou, c'est un peu la capitale des "colos"*» (le *Nouvel Obs.,* 23 juil. 1973, p. 36).

♦ 6 (1835). Ensemble des personnes d'une même nationalité, d'une même région ou d'une même ville, qui habitent un autre pays, une autre région ou ville. *La colonie russe de Paris. La colonie française de Londres. La colonie auvergnate, bretonne de Paris.* — Groupe d'hommes vivant en communauté. *Une petite colonie de bohèmes, d'artistes.* → **Communauté.**

8 M. Lenormant m'a donné des nouvelles de la colonie de Dieppe et de l'agréable vie que vous y menez (...)

> SAINTE-BEUVE, Correspondance, 482,
> 15 juil. 1835, t. I, p. 531.

9 (...) la grande salle qui servait de cuisine et de lieu de réunion à toute la famille, il faudrait dire la colonie, car la longueur de la table indiquait le séjour habituel d'une quarantaine de personnes.

> BALZAC, le Médecin de campagne, Pl., t. VIII,
> p. 382.

♦ 7 (1767). Réunion (d'animaux) vivant en commun. *Colonie d'abeilles* (cit. 1). → **Essaim, ruche.** *Une colonie de castors.*

Sc. nat. Réunion d'individus d'une même espèce, nés les uns des autres par bourgeonnement, scissiparité et restant unis. *Colonie de protozoaires, d'hydraires, de coralliaires* (→ **Corail, hydre**). — Biol. *Colonie microbienne :* ensemble de bactéries d'une même espèce ou variété, entretenues au laboratoire pendant plusieurs générations (→ **Culture**).

CONTR. Métropole. — Individu.

COLONISABLE [kɔlɔnizabl] adj. — 1838; de *coloniser.* Qui peut être colonisé. *Territoires colonisables.*

COLONISATEUR, TRICE [kɔlɔnizatœR, tRis] adj. et n. — 1835; de *coloniser.*

♦ 1 Qui colonise. *Nation colonisatrice.* — N. *Les colonisateurs :* ceux qui colonisent, fondent ou exploitent une colonie (opposé à *colonisé*). → Colonisation, cit. 0.1.

♦ 2 Adj. Sc. *Cellule colonisatrice.*

COLONISATION [kɔlɔnizasjɔ̃] n. f. — 1769; angl. *colonization* (1770), de *(to) colonize.* → Coloniser.

♦ 1 Le fait de peupler de colons; de transformer en colonie. *La colonisation de l'Amérique, puis de l'Afrique, par l'Europe.*

0.1 En posant la question terriblement actuelle de la colonisation et du droit qu'un continent croit avoir d'en asservir

un autre, *(la conquête du Mexique)* pose la question de la supériorité, réelle, celle-là, de certaines races sur d'autres (...) elle oppose la tyrannique anarchie des colonisateurs à la profonde harmonie morale des futurs colonisés.
A. ARTAUD, le Théâtre et son double,
Idées / Gallimard, p. 192.

♦ 2 Mise en valeur, exploitation des pays devenus colonies. → **Colonialisme, impérialisme.**

1 La colonisation agricole *(de l'Algérie)* allait, en peu d'années, mais au prix d'efforts héroïques, transformer les plaines et les villes. En 1847, on comptait déjà plus de cent mille colons (...)
Pierre GAXOTTE, Hist. des Français, t. II, p. 452.

2 On a souvent opposé la colonisation de *mise en valeur* à celle de *peuplement* en soutenant que la grande propriété était la plus avantageuse pour la valorisation du sol et la petite pour l'accroissement de la population française.
Paul ROBERT, les Agrumes dans le monde, p. 11.

Fait d'annexer, d'utiliser à des fins publicitaires, mercantiles. *La colonisation des sites.*

♦ 3 Sc. Occupation d'un terrain (plantes), d'une zone de l'organisme (germes).

CONTR. Décolonisation.

COLONISER [kɔlɔnize] v. tr. — 1790; de *colonie*, probablt d'après l'angl. *to colonize*, 1622.

♦ 1 Peupler de colons.

1 Notre histoire coloniale est la plus glorieuse qu'ait jamais eue un peuple européen; mais nous n'avons vraiment colonisé (au XVIIIe s.), c'est-à-dire peuplé de notre race, que les régions du Canada, les Antilles, les îles de la Réunion et Maurice.
A. RAMBAUD, Hist. de la civilisation franç., t. II,
p. 253.

♦ 2 Faire d'un pays une colonie (3.). *Coloniser un pays pour le mettre en valeur, en exploiter les richesses.*

1.1 Pourquoi cette Europe, qui a conquis les cinq parties du monde, a-t-elle honte de les avoir colonisées? Nous nous reprochons d'avoir bâti Casablanca, alors que les Romains étaient tout fiers d'avoir détruit Carthage.
Emmanuel BERL, le Virage, p. 59.

Réduire (un peuple, un groupe social) à l'état d'habitants d'une colonie. *Coloniser les tribus indiennes.*

♦ 3 Fig. Envahir, occuper.

Sc. Occuper (un terrain, une zone de l'organisme), en parlant de plantes, de micro-organismes. — **Passif et p. p.**

2 (...) elle serait restée (...) debout (...) pendant dix heures consécutives, plutôt que de poser sa jupe sur ce siège colonisé par les microbes!
MARTIN DU GARD, les Thibault, t. III, p. 263.

♦ COLONISÉ, ÉE p. p. adj. et n.

Qui subit la colonisation. — N. *Un colonisé* (opposé à *colonisateur*). *Les colonisés :* les peuples colonisés.

3 Les sacrifices consentis, les souffrances endurées par nos amis les colonisés depuis un quart de siècle n'auront pas été vains. Bientôt, rien, à leurs yeux, ne viendra ternir l'éclat de la civilisation française, puisqu'elle ne leur sera plus imposée par un occupant étranger et qu'ils pourront l'aimer librement.
Daniel GUÉRIN, Au service des colonisés, Préface,
p. 23-24.

CONTR. et COMP. Décoloniser. ◊ DÉR. Colonisable, colonisateur.

COLONNADE [kɔlɔnad] n. f. — 1740; *colomnade*, 1694; *colonnate*, 1675; de *colonne*.

♦ 1 File de colonnes sur une ou plusieurs rangées, décorant un édifice ou formant un ensemble architectural. *Les colonnades des temples grecs. La colonnade du Bernin, à Saint-Pierre de Rome. La colonnade du Louvre due à Perrault.*

C'est une grande galerie voûtée et enrichie intérieurement d'une colonnade qui règne de droite et de gauche.
DIDEROT, Salon de 1767.

♦ 2 Littér. Rangée (d'éléments longs et verticaux) formant un alignement. *La colonnade des arbres de part et d'autre d'une allée.*

COLONNAIRE [kɔlɔnɛR] adj. — 1556, *colomnaire*; *columpnaire*, v. 1380; lat. *columnaris*, de *columna*. → Colonne.

Rare. Qui a la forme d'une colonne.

Spécialt (métall.). Qualifie une structure cristalline formée dans les couches externes de lingots métalliques.

COLONNE [kɔlɔn] n. f. — Déb. XIIIe; *colompne*, XIIe; du lat. *columna* «colonne», d'après l'ital. *colonna*.

Ⅰ ♦ 1 Archit. Support vertical, ordinairement de section circulaire, dans un édifice (→ **Montant, pied-droit, pilastre, pilier**). *Petite colonne.* → **Colonnette.** *Colonne de marbre, de pierre, de métal, de bois* (→ **Poteau**). *Colonne monolithe, à tambours. Parties d'une colonne.* → **Base, piédestal, socle, soubassement, stylobate; contracture, escape, fût, tambour, tige, tronc; abaque, architrave, chapiteau, tailloir.** *Calibre, diamètre, galbe d'une colonne* (→ **Module**). *Le demi-diamètre du fût de colonne servant de module* aux Grecs. *Ornements, moulures d'une colonne.* → **Armille, astragale, bague, bande, boudin, canal, cannelure, congé, côte, enroulement, hélice, griffe, listel, pampre, plinthe, rudenture, scotie, strie, tore, volute.** — *Colonne adossée, engagée,* partiellement intégrée dans un mur, un pilier (→ **Demi-colonne, dosseret, pilastre**). *Colonne accostée, flanquée de pilastres. Colonne feinte, en trompe-l'œil. Colonne annelée, baguée, cannelée, crucifère, hermétique, incrustée, moulée, rudentée, serpentine, striée, torse, unie. Colonne cylindrique, fuselée, galbée, renflée, tronquée. Colonne simple; colonnes accolées, accouplées, adossées, doublées, en faisceau, gémellées, géminées, groupées, jumelées, liées. Colonne cornière.* — *Styles de colonnes : colonne égyptienne, assyrienne, perse, attique, dorique, ionique, corinthienne, composite, toscane. Colonnes d'une église romane, gothique, Renaissance, classique. Colonne sculptée. Les statues-colonnes des portails de Chartres. Statue jouant le rôle de colonne.* → **Atlante, cariatide, télamon.** — *Rangée de colonnes.* → **Colonnade; arcature, balustrade, galerie, péristyle, portique, propylée.** *Les colonnes d'une arcade*, d'un cloître*, d'une galerie*. Espace entre deux colonnes.* → **Entrecolonnement.** *Colonnes en ordonnance systyle.* — *Colonnes supportant un balcon*, un plafond* (→ **Hypo-style**), *une voûte. Édifice à colonnes.* → suff. **-style** (hypostyle, péristyle...) et **-ptère** (monoptère, périptère...).

1 Les Grecs ont tourné l'élégante colonne corinthienne avec son chapiteau de feuilles sur le modèle du palmier.
CHATEAUBRIAND, le Génie du christianisme, III, I,
8.

2 Elles *(les âmes du moyen âge)* aspirent au gigantesque (...) amoncellent les colonnes en piliers monstrueux (...)
TAINE, Philosophie de l'art, I, II, VI, 4.

3 Le fond de l'église sombre était tout de vieux ors étincelants, avec une profusion de colonnes torses, d'entablements compliqués (...)
LOTI, Ramuntcho, I, III, p. 31.

4 Douces colonnes, aux
Chapeaux garnis de jour
Ornés de vrais oiseaux
Qui marchent sur le tour,
Douces colonnes, ô
L'orchestre de fuseaux!
VALÉRY, Charmes, «Cantique des colonnes».

5 Des colonnes aux fûts minces, aux bases minutieusement
ouvrées, aux chapiteaux formés de deux avant-trains de
taureaux soudés (...)
          DANIEL-ROPS, le Peuple de la Bible, IV, I, p. 286.

Par compar. ou métaphore (poét.) :

6 Ses jambes sont des colonnes d'albâtre,
posées sur des bases d'or pur.
Son aspect est celui du Liban,
élégant comme le cèdre.
          BIBLE (CRAMPON), Cantique des Cantiques, V, 15.

♦ **2** Monument formé d'une colonne isolée.
→ **Aiguille, cippe, obélisque, stèle.** *Colonne com-
mémorative, funéraire, rostrale, triomphale. La
colonne Trajane, la colonne Vendôme.* — Fig. et vx.
Élever* une colonne à la gloire de qqn, le célébrer.
Colonne milliaire : fût de colonne servant de borne
sur les voies romaines. — *Colonne gnomonique*.*
Par ext. *Colonne Morris :* édicule cylindrique, où
l'on affiche les programmes de spectacles, etc., à
Paris (→ Lunettes, cit. 3.1).

6.1 Les théâtres jouaient à bureaux fermés. Ils commençaient
à trois heures de l'après-midi. Les colonnes Morris affi-
chaient plus de trente pièces différentes. *Le Vieux Colombier* donnait *Huis clos.*
          D. LAPIERRE et L. COLLINS, Paris brûle-t-il ?, t. II,
                                                    p. 18.

♦ **3** Montant, pied cylindrique soutenant une table,
un ciel de lit. *Lit à colonnes.*

♦ **4 Par métaphore.** *Les Colonnes d'Hercule :* les deux
montagnes du détroit de Gibraltar.

♦ **5** (XVIᵉ). Fig., littér. → **Soutien, support.** *Les colonnes
de l'État.*

7 (...) du plus ferme empire ébranlant les colonnes (...)
          RACINE, Alexandre, II, 2.

II Par anal. Se dit d'objets qui se dressent, ou dont
la forme allongée évoque une colonne. ♦ **1** (1797).
COLONNE VERTÉBRALE : l'ensemble formé par la
suite des vertèbres et le canal vertébral qu'elles
forment, où passe la moelle* (cit. 8) épinière (chez
tous les vertébrés). → **Échine, épine** (dorsale), **rachis.**
→ Dorsal, cit. 1 ; flexion, cit. ; squelette, cit. 3. *Déviation
de la colonne vertébrale.* → **Cyphose, lordose, scoliose**
(→ Difforme, cit. 3). *Se rompre, se casser la colonne
vertébrale.*

8 S'étant brisé la colonne vertébrale à la chasse, elle passait
la majeure partie de son temps étendue.
          A. BILLY, Sainte-Beuve, sa vie et son temps, I,
                                  Le romantique, 33, p. 233.

9 Le squelette de l'homme est constitué par un axe central,
la colonne vertébrale, véritable clef de voûte de l'édifice,
terminée par le sacrum et le coccyx.
          P. VALLERY-RADOT, Notre corps..., p. 23.

♦ **2** (1694). *Colonne d'air, d'eau, de mercure :* masse
(de fluide) dans un tube vertical. *Colonne barométrique.* — **Par ext.** *Une colonne de fumée, de feu.* — *La
colonne positive d'un tube à gaz.*

Figuré :

10 Puis, tout à coup, voyez, car il semble qu'en certains
instants l'oreille aussi a sa vue, voyez s'élever au même
moment de chaque clocher comme une colonne de bruit,
comme une fumée d'harmonie.
          HUGO, Notre-Dame de Paris, I, III, 2.

♦ **3** (Av. 1615). L'une des sections qui divisent verticalement une page manuscrite ou imprimée. *Ce
livre est imprimé sur deux, trois colonnes. Cet article
se trouve en quatrième colonne du journal. Titres
sur deux, trois colonnes. Titre sur cinq colonnes à la
une,* occupant la largeur de cinq colonnes en tête
de la première page (toute la largeur de la page
lorsque le journal est composé sur cinq colonnes,
ce qui était généralement le cas naguère pour les
quotidiens). — *Colonne de chiffres. La colonne des*

unités, des dizaines. — *Graphique en colonnes. Les
colonnes d'un graphique.*

11 Mais, au-dessous, écrit avec un autre stylo quelques jours
plus tôt, couvrant les deux colonnes, en lettres larges :
TOLÈDE (...)   MALRAUX, l'Espoir, p. 531.

Inform. Ensemble des emplacements rangés sur
une même verticale.

♦ **4** (1680). Corps de troupe disposé sur peu de front
et beaucoup de profondeur. *Colonne d'infanterie,
d'artillerie. Marcher en tête de colonne. Compagnie
marchant colonne par deux, colonne par quatre.
Défiler colonne par huit. Colonne serrée. Armée
disposée en trois colonnes.* — *Colonne d'attaque.
Colonne d'observation.* — (1795). *Colonne mobile :*
corps de troupe se déplaçant pour surveiller une
région, y réprimer des rébellions, etc. — *Colonne
de camions, de chars d'assaut.* → **File.**

12 En colonne par quatre, les légionnaires fourbus, les yeux
hors de la tête et la bouche sèche graviront péniblement
le raidillon qui accédait au fort (...)
          P. MAC ORLAN, la Bandera, XI, p. 135.

13 (...) ils allaient tenter de défendre contre les colonnes motorisées des Italiens leur village de cailloux.
          MALRAUX, l'Espoir, p. 778.

Loc. (trad. de l'esp. ; de la *cinquième colonne,* qui de
l'intérieur soutint les *quatre colonnes* qui attaquaient
Madrid, en 1936). **CINQUIÈME COLONNE :** les services
secrets d'espionnage ennemi sur un territoire.

13.1 «La Cinquième Colonne, une fameuse trouvaille, hein ?»,
le type à tête de maître d'école le regardant de nouveau
(...) disant : «Tu ne crois pas à la Cinquième Colonne ?»
          Claude SIMON, le Palace, p. 25.

Par anal. Troupe, groupe (d'hommes, de véhicules,
d'animaux), qui affecte une forme allongée. → **File.**

14 La colonne *(des manifestants),* endiguée entre de sombres
façades, avançait toujours, d'un glissement lent, implacable.   MARTIN DU GARD, les Thibault, t. VII, p. 65.

15 Leur interminable colonne *(des voitures des maraîchers)*
bringuebalait sur les pavés avec un grincement de café
qu'on moud.
          MARTIN DU GARD, les Thibault, t. V, p. 264.

16 Ce n'était qu'une colonne de moutons qui rentrait au
douar.   P. MAC ORLAN, la Bandera, XV, p. 185.

♦ **5** Formation géologique en forme de colonne.
Colonnes basaltiques (→ **Orgue**).

♦ **6** (XXᵉ). *Colonne montante,* groupant les canalisations (gaz, électricité) d'un immeuble. — *Colonne à
plateaux* (de distillation). — *Colonne de direction :*
arbre de commande de la direction (d'un véhicule
automobile).

CONTR. Front, ligne (milit.). ◊ **DÉR. et COMP. Colonnade,
colonnette. — Entrecolonnement.**

COLONNETTE [kɔlɔnɛt] n. f. — 1546 ; de *colonne.*
Petite colonne*. *Les colonnettes d'un triforium,
d'une architrave. De fines colonnettes. Chapiteau*
(cit. 2) *d'une colonnette.*

1 De hautes colonnettes, minces comme des roseaux, supportaient la voûte des coupoles, décorées de reliefs imitant
les stalactites des grottes.
          FLAUBERT, Trois contes,
          «Légende de saint Julien l'Hospitalier».

2 Le plafond très bas est supporté par d'innombrables colonnettes métalliques, creuses, dont les quatre faces sont aju-
rées de dessins à fleurs, datant d'une époque révolue.
          A. ROBBE-GRILLET,
          Projet pour une révolution à New York, p. 30.

COLOPATHIE [kɔlɔpati] n. f. — 1929 ; de *côlon,* et
-pathie.
Pathol. Affection du côlon. *Malade souffrant d'une
colopathie.*

COLOPHANE [kɔlɔfan] n. f. — 1704; *colofaigne*, 1580; *colaphonie, colofonie*, XIIIᵉ; lat. *colophonia*, grec *kolophônia*, proprt «résine de Colophon», Kolophon, ville de Lydie.

Résine dont on frotte les crins de l'archet d'un instrument à cordes. → **Arcanson**. *La colophane résulte de la distillation de la térébenthine. L'acide abiétique*, acide carboxylique qui est le constituant essentiel de la colophane. Un succédané de colophane s'obtient par la combinaison de l'aldéhyde formique avec le phénol.*

Quand il s'apercevait qu'on était loin derrière lui, il s'arrêtait à reprendre haleine, cirait longuement de colophane son archet, afin que les cordes grinçassent mieux (...)
FLAUBERT, Mᵐᵉ Bovary, Folio, p. 53.

COLOPHANER [kɔlɔfane] v. tr. — 1932; au p. p., 1910; de *colophane*.

Techn. (mus.). Enduire de colophane. *Colophaner le crin d'un archet.*

COLOPHON [kɔlɔfɔ̃] n. m. — 1888; grec *kolophôn* «achèvement, couronnement».

Didact. Note finale d'un ouvrage écrit, fournissant les références de cet ouvrage et donnant les indications relatives à son impression.

COLOQUINTE [kɔlɔkɛ̃t] n. f. — 1372; *colloquintide*, v. 1300 (lat. *coloquinthida*); lat. *colocynthis*, grec *kolokunthis*.

♦ **1** Plante dicotylédone *(Cucurbitacées)* scientifiquement appelée *Citrullus collocynthis. Les fruits de la coloquinte, presque ronds, de la taille d'une orange, de coloris variés, répandent une odeur désagréable et possèdent une saveur très amère.* → **Chicotin**. *La coloquinte était employée comme purgatif.*

1 (...) une maisonnette de garde-barrière bardée de coloquintes, de roses trémières et de dahlias (...)
COLETTE, Flore et Pomone, *in* Gigi, p. 159.

♦ **2** Fruit non comestible de cette plante, parfois utilisé comme élément ornemental d'appoint dans la composition des coupes de fruits, les décorations florales, etc.

2 Quantité de gourdes parfaitement rondes, comme des coloquintes, de la grosseur d'un œuf d'autruche, jonchent le sol (...)
GIDE, Voyage au Congo, 1927, *in* Souvenirs, Pl., p. 725.

♦ **3** (1809). Fam. Tête. *Recevoir un coup sur la coloquinte.* Loc. *Taper sur la coloquinte. Le soleil nous tapait sur la coloquinte.*

COLORABLE [kɔlɔrabl] adj. — 1873, Wurtz; de *colorer*.

Didactique.

♦ **1** Qui est susceptible de fixer les colorants. *La structure colorable du chromosome.*

♦ **2** Littér. Qui peut se colorer (Proust, *in* T. L. F.).

COLORAGE [kɔlɔraʒ] n. m. — 1842, Michelet; de *colorer*.

Technique.

♦ **1** Vx. Teinture.

♦ **2** Mod. Opération par laquelle on colore (un produit alimentaire, etc.) par addition de colorant.

COLORANT, ANTE [kɔlɔrã, ãt] adj. et n. m. — 1690; de *colorer*.

♦ **1** Adj. Qui colore. *Substances, matières colorantes. Plonger une étoffe dans un bain colorant. La chlorophylle, l'oxyhémoglobine, principes colorants.* — *Shampooing colorant.*

Elle pilait du henné dans un petit mortier de cuivre. Ses 1 talons nus étaient barbouillés de la pâte colorante qui ressemblait à de la bouse de vache.
P. MAC ORLAN, la Bandera, XII, p. 139.

♦ **2** N. m. *(Un colorant)*. Substance colorée qui peut se fixer à une matière pour la teindre. → **Couleur, teinture.** *Colorants utilisés en peinture*, en teinture. Colorants chromophores et colorants chromogènes. Colorants végétaux* (bois de teinture, décoctions de plantes...), *animaux* (insectes : cochenille...), *minéraux* (métalloïdes : charbon, soufre; métaux : argent, cobalt, cuivre, vanadium...). *Colorants artificiels,* synthétiques dérivant de carbures de la série de l'anthracène, du benzène. L'acide azotique, l'acide picrique, servent à préparer des colorants. Colorant acide, basique. Chimie, industrie des colorants. Colorants utilisés dans l'industrie alimentaire (colorants alimentaires). Exiger des bonbons sans colorants artificiels, sans colorants. — Principaux colorants. → **Alizarine, aniline, carthamine, cobalt, cochenille, coralline, curcuma, éosine, érythrosine, fluorescéine, fuchsine, garancine, hématoxyline, indigo, indophénol, induline, mauvéine, méthylène** (bleu de), **naphtalène, nerprun, purpurine, quercitrine, rocou, rosaniline, safran, sépia, stil-de-grain, thionine, tournesol, xylidine...** *Colorants alimentaires :* curcumine, lactoflavine, cochenille, amarante, érythrosine, indigotine, chlorophylle, caramel, caroténoïdes, xanthophylle, anthocyanes, certains métaux (argent, aluminium...).

(...) Sigismond a pris son petit déjeuner (...) il s'est défié 2 de la gelée pourpre qui sur le plateau demeure et qui pourrait être de la courge agrémentée de tomate ou d'un colorant chimique.
A. PIEYRE DE MANDIARGUES, la Marge, p. 117.

CONTR. et COMP. Décolorant.

COLORATION [kɔlɔrasjɔ̃] n. f. — 1370; de *colorer*.

♦ **1** Rare. Action de colorer (qqch.). *La coloration des métaux.* → **Métallochromie.** — Spécialt (biol.). Imprégnation par un colorant.

Techn. (coiffure). Teinture. *Se faire faire une coloration* (après une décoloration du cheveu).

♦ **2** État de ce qui est coloré. → **Couleur.** *Une coloration brillante, éclatante, vive. Coloration des fruits. La coloration de la peau, du teint.* → **Carnation, pigmentation.** *Coloration maladive de la peau dans diverses affections* (cyanose, jaunisse...). — *Coloration naturelle des bois, des liquides, des métaux, des pierres. Coloration artificielle des étoffes. La coloration que donne la lumière solaire, la lumière électrique.* → **Éclat.**

Puis l'exiguïté, les colorations, l'éclairage de la pièce conseillaient le propos intimes, et semblaient leur promettre la plus douillette discrétion.
J. ROMAINS, les Hommes de bonne volonté, t. III, XV, p. 193.

♦ **3** Fig. *La coloration d'un sentiment,* son aspect particulier (→ **Colorer,** 3.). *Coloration vocale.* → **Coloris,** cit. 6. *Coloration acoustique.*

CONTR. Décoloration.

COLORATUR [kɔlɔratyr] adj. et n. f. invar. — Mil. XXᵉ; all. *Koloratur*, de l'italien.

Mus. Se dit d'une chanteuse qui pratique la *coloratura. Soprano coloratur.* — N. f. *Une coloratur :* une virtuose du bel canto à vocalises. — Plur. *Des coloratur.*

Des dames hautes à forte poitrine, c'est-à-dire à voix de koloratur *(sic),* de petits hommes gros, c'est-à-dire des ténors (...)
GIRAUDOUX, Siegfried et le Limousin, p. 84.

COLORATURE [kɔlɔʀatyʀ] ou **COLORATURA** [kɔlɔʀatyʀa] n. f. — Mil. xxᵉ; all. *Koloratur* ou ital. *coloratura*, de *colorare* «colorer».

Mus. Musique vocale ornée de vocalises, trilles, portando, etc. → **Bel canto**.

-COLORE Élément tiré du lat. *color* «couleur», qui entre dans la composition de nombreux mots. → **Bicolore, ignicolore, incolore, multicolore, omnicolore, quadricolore, tricolore, unicolore, versicolore...**

COLORECTAL, ALE, AUX [kolɔʀɛktal, o] adj. — 1988; de *côlon*, et *rectal*.

Méd. Qui concerne à la fois le côlon et le rectum. *Cancer colorectal. Tumeur colorectale.* — On écrit parfois *colo-rectal.*

COLORER [kɔlɔʀe] v. tr. — 1160; dér. anc. de *couleur*, refait sur le lat. *colorare*.

♦ **1** Revêtir de couleur; donner une certaine teinte à (qqch.). → **Teindre, teinter; bleuir, brunir, jaunir, rougir, verdir**. *Le soleil colore le couchant. L'hémoglobine colore le sang. Colorer qqch. en bleu, en rouge... avec des colorants, avec de la peinture.* → **Colorier, peindre**. *Colorer en brun doré* (→ **Mordorer**), *en gris* (→ **Cendrer**)... *Colorer avec du nitrate d'argent* (→ **Nitrater**). *Colorer un produit alimentaire. Colorer une matière plastique, du verre, un tissu. Absolt* (→ ci-dessous, cit. 3). — *Pron. Les raisins commencent à se colorer. Ses joues se coloraient légèrement* (→ **Rosir**). → ci-dessous, cit. 2 et 4.

1 Colorer, c'est donner une couleur naturelle ou artificielle, mais sans autre intention que cette couleur même. Colorier, c'est apposer avec art des couleurs sur quelque chose. Un verre coloré est un verre qui a une teinte de couleur quelconque comme un verre bleu, un verre rouge, et en général les vitraux de nos églises; un verre colorié est un verre qui représente quelque dessin qu'on a tracé dessus (...)
LITTRÉ, Dict., art. *Colorer.*

2 (...) sa joue tout à coup se colore, ses beaux yeux errent et se troublent, un flot de vie a monté, et comblé son jeune sein. Elle est femme (...)
MICHELET, la Femme, p. 183.

3 A peu d'exceptions près, on peut établir comme règle que l'orange colore, le vert neutralise, le violet ombre.
Henri GUERLIN, l'Art enseigné par les maîtres, p. 91.

4 (...) de légers nuages passaient sur elle *(la mer)*, mais ils se coloraient alors de nuances bleues dont la pâleur était profonde comme la gelée d'une méduse ou le cœur d'une opale.
PROUST, les Plaisirs et les Jours, p. 194.

♦ **2** (Surtout pron.). Abstrait. Donner un aspect particulier, caractéristique à (qqch.). → **Empreindre**.

5 La passion colore et empoisonne les moindres mouvements de l'âme.
G. DUHAMEL, Entretiens dans le tumulte, I.

6 (...) cette tendresse attentive que je voue naturellement aux objets de mon étude et qui se colore de curiosité, de piété, de scepticisme, d'ironie, selon les heures.
G. DUHAMEL, Chronique des Pasquier, I, I.

♦ **3** (XIIIᵉ). Littér. Donner une belle apparence à (qqch.), présenter sous un jour, sous un aspect favorable. *Colorer une action par une explication, une excuse.* — Vx (langue class.). *Colorer un acte d'une excuse, d'un prétexte.* — (Sans compl. second). *Colorer une faute, un mensonge, une lâcheté.* → **Farder, orner, revêtir**.

7 L'ingrat, d'un faux respect colorant son injure (...)
RACINE, Britannicus, I, 1.

8 Quelle excuse pouvons-nous trouver pour colorer nos rébellions?
BOSSUET, Purification, 2.

9 On y apprend à plaider avec art la cause du mensonge, à ébranler à force de philosophie tous les principes de la vertu, à colorer de sophismes subtils ses passions et ses

préjugés, et à donner à l'erreur un certain tour à la mode selon les maximes du jour.
ROUSSEAU, Julie ou la Nouvelle Héloïse, II, Lettre XIV, p. 228.

→ **Embellir**. *L'imagination colore tout.* — Rare (avec un compl. indirect). *L'imagination lui colorait tout en rose.* — *Colorer son style*, lui donner de la couleur, de la force, de l'éclat, le rendre vivant. *Colorer un récit.*

♦ **COLORÉ, ÉE** p. p. adj.

♦ **1** Qui présente de vives couleurs, de la couleur. *Horizon coloré par l'aurore.* — *Avoir le teint* coloré*, rouge et vermeil. → **Enluminé, poupin**. — *Vin coloré*, très rouge; d'un rouge noir.

10 Le peintre dispose sur un plan des pâtes colorées dont les lignes de séparation, les épaisseurs, les fusions et les heurts doivent lui servir à s'exprimer.
VALÉRY, Variété I, p. 238.

♦ **2** Fig. COLORÉ DE... → **Empreint**.

11 Le sourire froid, détaché, railleur, le sourire qui m'a, si longtemps, donné du malaise, est soudain coloré d'une sorte de tendresse.
G. DUHAMEL, Chronique des Pasquier, III, V.

♦ **3** Fig. Animé, expressif. *Conversation colorée*, pittoresque. *Style* coloré. Récit coloré*, abondant en expressions vivantes, imagées. → **Imagé, vivant**.

12 Lors même que la pensée est colorée par l'imagination ou animée par le sentiment, elle nous frappe d'autant plus qu'elle est plus spirituelle, c'est-à-dire plus vive, plus finement saisie, et d'une combinaison à la fois plus juste et plus nouvelle dans ses rapports.
MARMONTEL, Œuvres, t. IX, p. 416.

13 (...) il bourrait une pipette de bois, qu'il *(A. Daudet)* fumait en animant de sa parole colorée et pittoresque, aux intonations tour à tour gaies, tendres, la conversation.
Georges LECOMTE, Ma traversée, p. 273.

CONTR. Décolorer. — Pâle. ◊ DÉR. Colorable, colorage, colorant, coloration. — COMP. Décolorer, recolorer.

COLORIAGE [kɔlɔʀjaʒ] n. m. — 1830; de *colorier*.

♦ **1** Action de colorier; son résultat. *Un mauvais coloriage, trop vif.*

(...) ce vieil enfant n'avait qu'une passion au monde : la passion du coloriage.
Alphonse DAUDET, le Petit Chose, I, XIV.

(Un, des coloriages). Image à colorier, coloriée. *Album de coloriages pour les enfants.*

♦ **2** Couleurs vives, heurtées. → **Bariolage**.

COLORIER [kɔlɔʀje] v. tr. — 1550; de *coloris*.

Appliquer des couleurs* sur (une surface; spécialt, du papier). → **Enluminer**. *Colorier une carte, une estampe, une gravure. Colorier un verre* (→ **Colorer**, cit. 1). — Absolt. *Manière de colorier aux crayons de couleur, à l'encre, à la peinture à l'eau.* → **Lavis**. *Colorier avec du carmin.* → **Carminer**. *Album à colorier. Images à colorier.* → **Coloriage**.

1 Colorier est un terme de peinture, c'est donner à un objet, par un assortiment *(sic)* convenable de *couleurs*, l'éclat, l'air, l'apparence qu'il doit avoir.
LAFAYE, Dict. des synonymes, Couleur, coloris.

♦ **COLORIÉ, ÉE** p. p. adj. *Carte coloriée. Planche coloriée.* — Fig. Qui a de l'éclat.

2 Nos historiens ne songent qu'à faire des portraits fortement coloriés (...)
ROUSSEAU, Émile, IV.

DÉR. Coloriage.

COLORIMÈTRE [kɔlɔʀimɛtʀ] n. m. — 1855; de *color* «couleur», et *mètre* «mesure».

Didact. Instrument servant à mesurer l'intensité de coloration d'un liquide.

DÉR. Colorimétrie, colorimétrique.

COLORIMÉTRIE [kɔlɔʀimetʀi] n. f. — 1891; de *colorimètre.* → *-métrie.*

Didactique.

◆ **1** Mesure de l'intensité de coloration de certains corps (liquides, verres teintés, etc.).

◆ **2** Chim. Utilisation d'indicateurs colorés pour déterminer le pH d'une solution.

COLORIMÉTRIQUE [kɔlɔʀimetʀik] adj. — 1875; de *colorimètre.*

Didact. Qui concerne la colorimétrie. *Analyse, dosage colorimétrique.*

COLORIS [kɔlɔʀi] n. m. — 1615; adj., XVIᵉ; ital. *colorito,* de *colorire* «colorier».

◆ **1** Effet visuel qui résulte du choix, du mélange et de l'emploi des couleurs dans un tableau. → **Couleur.** *Les coloris, le coloris dominant d'une peinture. Coloris chaud, vif, vigoureux. Coloris frais, tendre, éteint* (→ Blanchâtre, cit. 1). *Beauté, perfection, vigueur d'un coloris. Ce tableau pèche par le coloris. Gamme de coloris d'un décorateur.*

1 Malgré leurs efforts, il manquait
Le coloris de la nature;
Sous ses yeux, des Amours badins
Ranimaient ces touches savantes
Avec un pinceau que leurs mains
Trempaient dans les couleurs brillantes
De la palette de Rubens.
VOLTAIRE, le Temple du goût.

2 La vigueur et l'éclat du coloris sont deux choses diverses; on est éclatant sans vigueur, et vigoureux sans éclat.
DIDEROT, Salon de 1767, t. XIV, p. 323, *in* POUGENS.

◆ **2** Couleur (du visage, des fruits). → **Carnation.** *Le coloris d'une pêche. Vivacité du coloris. Le coloris des joues.* → **Teint.**

3 Quand j'ai bu du vin de Champagne, j'ai, le lendemain, le coloris obscur, les nuances brouillées et des erreurs au teint qui me vieillissent de dix années.
J.-F. REGNARD, Critique du Légataire universel, 8, *in* LITTRÉ.

◆ **3** Caractère vivant et imagé (du style). → **Éclat.** *Coloris du style. Ce style manque de coloris.*

4 Je lis avec grand plaisir un morceau de Montaigne, que je n'avais pas lu depuis deux ans. Son style peint supérieurement son caractère. C'est peut-être le style français qui a le plus de coloris. STENDHAL, Journal, p. 89.

5 Entre autres conseils remarquables, et qu'il faut retenir pour se rendre compte du style, Buffon recommande «qu'on ajoute le *coloris* à l'*énergie* du dessin». Il veut qu'on donne à chaque objet une forte lumière; il exprime le désir que *chaque pensée soit une image.*
Antoine ALBALAT, l'Art d'écrire, IV, p. 48.

◆ **4** Musique :

6 Le *coloris,* comme le mot lui-même l'indique, est la coloration vocale que l'on donne à ce qu'on interprète; selon la musique et les paroles qu'on chante, le *coloris* de la voix doit varier (...) Tantôt sombre, tantôt lumineux, tantôt monotone et tantôt changeant, le *coloris* de la voix doit refléter l'état d'âme que le musicien a voulu traduire.
Initiation à la musique, p. 141.

DÉR. Colorier, coloriste.

COLORISATION [kɔlɔʀizasjɔ̃] n. f. — 1863; «changement de couleur survenant dans certaines substances», 1690; dér. du lat. *color, coloris* «couleur».

◆ **1** Techn. Application de couleurs sur un corps par un procédé technique. *Colorisation électromagnétique.*

◆ **2** (1986; empr. à l'angl. des États-Unis *colorization*). Anglic. Mise en couleur de films en noir et blanc, par un procédé électronique. *Colorisation digitale d'un classique du cinéma. La colorisation détruit la qualité esthétique du noir et blanc.*

COLORISER [kɔlɔʀize] v. tr. — 1986; empr. à l'angl. *to colorize* (1979), du lat. *color, coloris* «couleur».

Anglic. Mettre en couleurs (un film en noir et blanc) par la colorisation. — P. p. adj. *Version colorisée d'un film.*

COLORISTE [kɔlɔʀist] n. — 1660; de *coloris.*

◆ **1** Peintre remarquable dans le coloris. → Mélange, cit. 1; peintre, cit. 2. *«C'est dans les écoles vénitienne et flamande qu'on trouve les meilleurs coloristes»* (Littré).

Les meilleurs tableaux du Douanier (H. Rousseau) sont 1 d'un grand coloriste, à mille lieux *(sic)* de la couleur naïve (...) MALRAUX, les Voix du silence, p. 506.

Absolt. Peintre qui donne une importance essentielle à la couleur, par opposition au dessinateur qui s'attache à la ligne des objets. *Les coloristes et les dessinateurs.*

Sur tout cet ensemble d'hommes et d'animaux (...) les 2 cèdres et les pins, disposés par larges bouquets, jetaient une ombre fraîche, brisée çà et là par quelque trouée de rayons solaires. Rien de plus pittoresque que ce tableau, pour lequel le plus violent des coloristes eût épuisé toutes les couleurs de sa palette.
J. VERNE, Michel Strogoff, p. 265.

Adj. *Être plutôt coloriste que graphiste.*

Dans presque tous les peintres qui ne sont pas coloristes, 3 on remarque toujours des vides (...)
BAUDELAIRE, Salon de 1846, IV, Delacroix.

Fig. Écrivain dont le style est imagé. *Ce brillant coloriste brosse dans son roman une vaste fresque historique.*

◆ **2** N. Personne qui colorie des estampes, des cartes. → **Enlumineur.**

◆ **3** Spécialiste de la couleur, en matière de décoration, d'esthétique industrielle. *C'est «de l'esthétique industrielle que se réclament les* coloristes-conseils» (D. Huisman et G. Patrix, l'Esthétique industrielle, p. 41).

◆ **4** Spécialiste de la coloration en matière capillaire (anciennt : *teinturière*).

REM. Le fém., *une coloriste,* semble rare aux sens 1 et 2.

COLOSCOPE [kɔlɔskɔp] n. m. — V. 1970; de *côlon,* et *-scope.*

Méd. Instrument flexible et pourvu d'un appareillage optique destiné à l'examen visuel de l'intérieur du côlon (→ **Coloscopie**).

DÉR. Coloscopie.

COLOSCOPIE [kɔlɔskɔpi] n. f. — V. 1970; de *coloscope.*

Méd. Examen visuel de l'intérieur du côlon avec un coloscope.

COLOSSAL, ALE, AUX [kɔlɔsal, o] adj. — Av. 1596; de *colosse.*

◆ **1** (Concret). Extrêmement grand*. → **Démesuré, énorme, formidable, gigantesque, herculéen, immense, impressionnant, majestueux, monstrueux (péj.), monumental, titanesque.** *Taille colossale. Une statue colossale* (→ Balustrade, cit. 1). *Proportions colossales* (→ Arche, cit. 9). *Des monuments colossaux. Voûte colossale.*

(Florent) en vint à éprouver une véritable amitié pour la 1 Normandie (...) mais jamais il n'alla plus loin (...) Elle lui semblait colossale, très lourde, presque inquiétante, avec sa gorge de géante (...)
ZOLA, le Ventre de Paris, t. I, p. 211.

REM. L'Académie considère que le masc. pluriel n'est guère usité ; on le rencontre cependant :

2   (...) les ossatures gigantesques, les tailles et les carrures herculéennes, les muscles rouges et colossaux, les têtes barbues et truculentes (...)
TAINE, Philosophie de l'art, t. II, III, II, III, p. 56.

Ordre colossal : style architectural où les colonnes se prolongent sur deux étages (ou plus).

Techn. (arts). *Statue colossale :* représentation humaine sculptée plus grande que nature (échelle supérieure à 1).

♦ **2** (Abstrait). Énorme, immense. *Un État d'une puissance colossale. Ressources colossales. Un pouvoir colossal.* → **Extraordinaire.** *La colossale richesse d'un magnat de la finance.* → **Fabuleux, fantastique.**

♦ **3** N. m. *Le goût, la manie du colossal.*

3   On n'écrit plus kolossal qu'avec un k, mais au fond, ce devant quoi on s'agenouille c'est bien du colossal.
PROUST, le Temps retrouvé, Pl., t. III, p. 779.

REM. Le mot, parfois écrit *kolossal,* donne lieu à plaisanterie par allusion à ses emplois en allemand, comiques en français *(kolossale finesse !).* L'influence de l'allemand est sensible dans cet emploi :

4   Ah ! quel repas ! quel charme de la situation, de spectacle, de bien-être ! Quelle colossale satisfaction d'appétits colossaux, au moyen de ce colossal saucisson, si bien approprié à cette colossale nature ! ! !
Rodolphe TÖPFFER, Voyages en zigzag, 1837, 18ᵉ journée, p. 69.

CONTR. **Infime, lilliputien, minuscule ; microscopique, petit.**
◊ DÉR. **Colossalement.**

COLOSSALEMENT [kɔlɔsalmɑ̃] adv. — 1833, Gautier, in D. D. L. ; de *colossal.*

D'une manière colossale (surtout en emploi abstrait). *Il est colossalement riche.* → **Immensément ; formidablement.**

COLOSSE [kɔlɔs] n. m. ou (rare) f. — 1495, *collosse ;* lat. *colossus,* grec *kolossos.*

♦ **1** N. m. Statue d'une grandeur extraordinaire. *Le colosse de Rhodes.*

Techn. (arts). Statue colossale (échelle supérieure à 1).

♦ **2** (1615, in D.D.L.). Homme, animal de haute et forte stature, d'une grande force apparente. *Cet homme est un véritable colosse.* → **Géant, hercule.**

1   Dame fourmi trouva le ciron trop petit,
Se croyant, pour elle, un colosse.
LA FONTAINE, Fables, I, 7.

2   (...) le corps tassé, bien d'aplomb sur ses jambes, il *(Jaurès)* s'immobilisa, face au public, il semblait un colosse trapu qui tend le dos (...)
MARTIN DU GARD, les Thibault, t. VII, p. 55.

(En parlant d'une femme). Rare :

3   La sixième était du même âge ; grosse comme une tour, grande à proportion, de beaux traits, un vrai colosse dont les formes étaient dégradées par l'embonpoint (...)
SADE, Justine..., t. I, p. 145.

Adj. *Une femme colosse.* → **Colossal.**
N. f. Rare. *Une colosse.*

4   Certes, je rencontrai beaucoup de pauvres filles cherchant aventures, mais elles étaient (...) maigres à geler sur pied si elles s'étaient arrêtées. J'ai un faible, vous le savez, j'aime les femmes nourries. Plus elles sont en chair, plus je les préfère. Une colosse me fait perdre la raison.
MAUPASSANT, Mᵐᵉ Fifi, p. 169.

♦ **3** N. m. (1666). Personne ou institution considérable, très puissante. *Le colosse américain.* — Loc. *Colosse aux pieds d'argile :* puissance dont la base est fragile (→ Argile, cit. 8). *Renverser, terrasser un colosse. Chute du colosse.*

Fam. Personne qui domine (dans un certain domaine). → **Géant.** *Les colosses de la littérature.*

CONTR. **Lilliputien, myrmidon, nabot, nain, pygmée.**

COLOSTRUM [kɔlɔstRɔm] n. m. — 1585 ; *colostre,* 1564 ; mot latin.

Physiol. Premier lait d'une accouchée. *Le colostrum, légèrement purgatif, favorise l'expulsion du méconium.*

COLP-, COLPO- Élément de mots savants, du grec *kolpos* «creux, giron», pris au sens de «vagin», utilisé pour former des mots désignant des maladies, des examens, des traitements et des opérations du vagin. — Ex. : *colpectomie,* n. f. (ablation) ; *colpite,* n. f. (inflammation du vagin et du col de l'utérus) ; *colpocèle,* n. f. (prolapsus) ; *colpocléisis,* n. m. (fermeture du canal vaginal) ; *colpocystogramme,* n. m. (examen radiologique) ; *colpopathie,* n. f. (affection du vagin) ; *colpoplastie,* n. f. (création d'un vagin artificiel) ; *colpotomie,* n. f. (incision). → **Colposcope, colposcopie,** et l'élément **vagino-.**

COLPORTAGE [kɔlpɔRtaʒ] n. m. — 1723 ; de *colporter.*

♦ **1** Action de colporter. Métier du colporteur. *Règlements sur le colportage. — Littératures de colportage,* se dit des ouvrages populaires diffusés par colporteurs, du XVIᵉ au XIXᵉ siècle.

♦ **2** Fig. *Le colportage des idées, d'une doctrine.* → **Divulgation, propagation.**

COLPORTER [kɔlpɔRte] v. tr. — 1539 ; de l'anc. franç. *comporter,* du lat. *comportare* «transporter», de *com-* (*cum-*), et *portare* (→ Porter) ; refait d'après *cou, col.* → Coltiner.

♦ **1** Transporter avec soi (des marchandises) pour vendre. *Colporter son bagage sur le dos, sur une petite voiture. Colporter des marchandises, des livres* (→ Article, cit. 15).

1   Les contrebandiers en amorces devaient les colporter chez les filles (...)
P. MAC ORLAN, la Bandera, XI, p. 126.

♦ **2** Transmettre (une information) à de nombreuses personnes (souvent péj.). → **Divulguer, propager, rapporter, répandre.** *Colporter une nouvelle, une histoire scandaleuse, la raconter à l'un et à l'autre. Colporter de faux bruits*, des cancans*. Comptez sur lui pour colporter la nouvelle, il est discret comme une trompette* (très indiscret).

2   Jusqu'au soir, de bureau en bureau, il fut colporter la nouvelle.
COURTELINE, Messieurs les ronds-de-cuir, 5ᵉ tableau, I, p. 172.

3   Nous savions par cœur ses vers. On colportait des traits de lui, on citait ses mots.
MARTIN DU GARD, les Thibault, t. IV, p. 93.

DÉR. **Colportage, colporteur.**

COLPORTEUR, EUSE [kɔlpɔRtœR, øz] n. — 1533 ; adj., 1388 ; de *colporter.*

♦ **1** (Fém. rare). Marchand ambulant qui vend ses marchandises de porte en porte. → **2. Camelot.** *Colporteur qui parcourt les campagnes, va de ville en ville. Colporteur d'articles de mercerie, de toiles, de livres. Le ballot d'un colporteur.* → **2. Balle, 2.**

1   Tout de suite, Alexis Abéli quitta la terre pour prendre le métier de son beau-père, qui était colporteur et partit sur les grands chemins.
Raymond ABELLIO, Ma dernière mémoire, t. I, p. 83.

Adj. *Un marchand colporteur.*

2 (...) ils choisirent tous deux la même cravate lilas au mercier colporteur qui promenait sa marchandise de porte en porte sur le dos de son cheval percheron (...)
G. SAND, la Petite Fadette, II, p. 15.

◆ **2** Fig. *Un colporteur de nouvelles,* celui qui propage les nouvelles autour de lui. *Elle est très bavarde; c'est une terrible colporteuse de cancans. Des colporteurs d'idées, de doctrines.* → **Propagateur.**

COLPOSCOPE [kɔlpɔskɔp] n. m. — XXᵉ (*in* Larousse, 1960); de *colpo-,* et *-scope.*

Méd. Appareil comportant une source lumineuse et un système optique grossissant, destiné à l'examen visuel du vagin et du col de l'utérus. → **Colposcopie.**

COLPOSCOPIE [kɔlpɔskɔpi] n. f. — Mil. XXᵉ (*in* Manuila, 1970); de *colpo-,* et *-scopie.*

Méd. Examen visuel du vagin et du col de l'utérus au moyen d'un colposcope*. *Pratiquer une biopsie cervicale au cours d'une colposcopie.*

COLT [kɔlt] n. m. — 1862, *le Tour du monde,* p. 6; *revolver colt,* 1867, J. Verne; nom de l'inventeur; marque déposée.

Revolver de la marque Colt (courant dans les histoires de l'Ouest américain). *Le cow-boy tira son colt. Des colts.* — Abusivt. Revolver, quelle qu'en soit la marque.

(En parlant d'un jouet) :

1 (...) il emporte le revolver un vrai Colt modèle 1851 que Claude lui avait promis avec quatre rouleaux d'amorces c'est un revolver à barillet et on tire vingt coups de suite (...)
Tony DUVERT, Paysage de fantaisie, p. 211.

Mod. Pistolet automatique américain (11,43 mm) de la marque Colt.

2 Vingt secondes plus tard, le premier coup de flingue. Au son, j'ai reconnu le Colt de Fifi-le-Dingue.
Albert SIMONIN, Touchez pas au grisbi, p. 19.

COLTIN [kɔltɛ̃] n. m. — 1866, sans doute antérieur; 1836 au fig., comme déverbal de *coltiner;* var. graphique de *colletin.*

◆ **1** Ancienn. Colletin (1. ou 2.).

◆ **2** (XIXᵉ). Pièce de cuir protégeant le cou et les épaules des coltineurs*, des forts des Halles, et prolongeant une coiffure; cette coiffure.

◆ **3** Fig. (déverbal de *coltiner*). a̲ Argot, vx. Force (Vidocq).

b̲ (1954). Argot, vieilli. Besogne pénible. *Il ne renâcle pas devant le coltin.* — Mod. Travail. *«C'était pas le coltin qui convenait»* (A. Simonin, *in* T. L. F.). → **Boulot.**

HOM. Colletin.

COLTINAGE [kɔltinaʒ] n. m. — 1878; de *coltiner.*

Action de coltiner. — Fig., fam. (correspond à *se coltiner*). *Le coltinage d'une corvée.*

COLTINER [kɔltine] v. tr. — 1835; «prendre au collet», 1790; pour *colletiner,* de *collet,* de *col* «cou».

◆ **1** a̲ Porter (un fardeau) sur le cou, les épaules (la tête étant protégée par un coltin*).

b̲ Porter (une charge). → **Transbahuter.**

1 Comme il était vigoureux, quand il apportait un paquet, même lourd et encombrant, il le coltinait tout seul.
G. DUHAMEL, Chronique des Pasquier, X, IV, p. 350.

Musgrave décida avec courage que les travailleurs n'auraient pas de repos et se contenteraient de prendre, tout en coltinant, un léger repas sur le pouce.
A. MAUROIS, les Discours du Dr O'Grady, VII, p. 79.

◆ **2** V. pron. Fam. SE COLTINER *(qqch.).* → **Exécuter; faire.** *Je ne vais pas me coltiner seul tout ce travail. On s'est coltiné un sacré boulot.* → **Taper** (se).

DÉR. Coltin (3.), coltinage, coltineur.

COLTINEUR, EUSE [kɔltinœR, øz] n. — 1824, *colletineur;* de *coltiner.*

◆ **1** Vx. Personne qui coltine. — N. m. Ancient. Portefaix* coiffé du coltin et qui porte de lourds fardeaux sur la tête, les épaules. → **Porteur.** *Coltineurs qui déchargent une voiture. Coltineurs de charbon* (→ **Docker).** *«Les champignons coiffés comme des coltineurs»* (J. Renard, *Journal*).

◆ **2** Pop., vx. Ouvrier, ouvrière médiocre (Huysmans, *in* T. L. F.).

COLTIS [kɔlti] n. m. — 1769; p.-ê. altér. de *colletis,* de *collet,* dans un sens techn. ancien «partie de la charpente du navire».

Mar. Le premier couple* d'un navire, à l'avant.

COLUBRIFORMES [kɔlybRifɔRm] n. m. pl. — 1900; du lat. *coluber, colubri* «couleuvre», et *-forme.*

Zool. Groupe de reptiles ophidiens dépourvus de crochets à venin. *Types principaux de colubriformes.* → **Boa, couleuvre, élaphis, eunecte, python.** — Au sing. *Un colubriforme.*

COLUBRIN, INE [kɔlybRɛ̃, in] adj. — 1501, «rempli de serpents»; lat. *colubrinus,* de *colubra* «couleuvre, serpent».

(1863). Didact. et rare. Relatif à la couleuvre.

COLUMBARIUM [kɔlɔ̃baRjɔm] n. m. — 1752, antiq.; lat. *columbarium,* proprt «colombier».

◆ **1** Antiq. rom. Bâtiment sépulcral qui contenait des niches propres à recevoir des urnes mortuaires.

◆ **2** Mod. Édifice où l'on place les urnes cinéraires (dans les cimetières où se pratique l'incinération). *Le columbarium du Père-Lachaise. Au plur. Des columbaria* ou (plus cour.) *des columbariums.* — REM. On dit parfois aussi *colombaire** ou *columbaire* (rare).

COLUMELLE [kɔlymɛl] n. f. — 1611; «luette», 1546; lat. *columela,* dimin. de *columna* «colonne».

Didactique.

◆ **1** Petite colonne.

◆ **2** (1755). Zool. Axe de la coquille des gastéropodes. — Axe calcaire de certains polypiers (coraux).

Anat. Axe central conique du limaçon de l'oreille interne.

COLUMNAIRE [kɔlymnɛR] adj. — XVᵉ, *columpnaire;* lat. *columnaris,* de *columna.* → **Colonne.**

Didactique.

◆ **1** En forme de colonne.

◆ **2** Concernant une colonne. *«Inscription columnaire, ou verticale...»* (Baudelaire, *in* T. L. F.).

COLURE [kɔlyR] n. m. — V. 1360; lat. *colorus,* du grec *kolouros.*

Astron. Chacun des deux grands cercles de la sphère qui se coupent à angles droits aux deux pôles et qui passent, l'un par les points solsticiaux *(colure des solstices)*, l'autre par les points équinoxiaux *(colure des équinoxes)*. Les colures marquent les quatre saisons de l'année.

HOM. Collure.

COL-VERT ou **COLVERT** [kɔlvɛʀ] n. m. — 1611, *couvert; de col, et vert.*

Canard sauvage commun. *Des cols-verts.* On écrit aussi *colvert (des colverts).* «Il faut bien peu d'eau pour attirer sarcelles et colverts...» (*la Chasse,* n° 229, p. 20).

(...) la pièce d'eau, jamais curée, rétrécie au midi par la grande roselière, asile chéri des cols-verts (...)
Hervé BAZIN, Cri de la chouette, p. 159.

COLZA [kɔlza] n. m. — 1762; *colzat,* 1664, *in* D.D.L.; néerl. *coolzaad,* littéralt «semence *(zaad)* de chou *(kool)*».

Variété de choux *(Cruciféracées),* plante à fleurs jaunes, cultivée comme engrais vert, comme plante fourragère, on en tirer une huile propre à l'éclairage et au graissage, et, purifiée, à l'alimentation. *Le colza est aussi appelé* grosse navette. *Champ de colza. — Huile de colza.*

Les blés étaient verts; ils s'étendaient au loin dans la plaine onduleuse (...) où les colzas éblouissaient la vue comme des carrés d'or.
E. FROMENTIN, Dominique, III, p. 51.

DÉR. Colzatier.

COLZATIER, IÈRE [kɔlzatje, jɛʀ] n. — Mil. XXᵉ; de *colza.*

Agriculteur, agricultrice qui cultive le colza.

Sur la fleur *(de colza)* éclose et chimiquement empoisonnée, l'abeille a puisé un suc mortel qui décime les ruchers d'alentour. On me dit que les apiculteurs font aux colzatiers un procès (...)
Jacques PERRET, Bâtons dans les roues, p. 277.

COM- Élément, du lat. *cum* «avec». → Con-.

1. COMA [kɔma] n. m. — 1658; grec *kôma, -atos* «sommeil profond», probablt par le lat. méd. *coma.*

État pathologique caractérisé par une perte de conscience, de sensibilité et de motilité, avec conservation relative des fonctions végétatives. *Entrer, être dans le coma. Coma profond. —* Méd. *Coma dépassé :* coma très profond et total où la survie est assurée uniquement par des moyens artificiels (respiration artificielle, stimulateur cardiaque, perfusion intraveineuse). *Coma diabétique, hépatique, urémique. Mettre un malade atteint de tétanos en coma provoqué.*

1 L'état n'empire pas (...) Certains symptômes semblent indiquer que le coma est moins profond.
MARTIN DU GARD, les Thibault, t. V, p. 265.

2 Nous eûmes la chance que le diagnostic du médecin fût rapide et sûr : il s'agissait d'une crise de coma hypoglycémique, due à une trop forte piqûre d'insuline.
R. GARY, la Promesse de l'aube, p. 174.

Par anal. *Le coma de l'ivresse.*

DÉR. et COMP. Comateux, comatogène. ◊ HOM. Comma.

2. COMA [kɔma] n. f. — Av. 1953 (*in* Quillet); angl. *coma,* même sens et «pourtour nébuleux du noyau d'une comète», lat. *coma,* grec *komê* «chevelure (d'une comète)». → Comète.

Opt. Aberration géométrique d'un système optique centré qui donne une image en aigrette des objets situés hors de son axe. *La coma résulte de l'astigmatisme.*

DÉR. V. Comatique. ◊ HOM. Comma.

COMAC [kɔmak] adv. et adj. — D. i.; de *comme* aco.* Argot. Très bien. Exceptionnel, remarquable. *Un mec comac.* — Var. : *comaco* [kɔmako].

COMANDANT, ANTE [kɔmãdã, ãt] n. — 1878, P. Larousse; de *co-,* et *mandant.*

Dr. Personne qui, en même temps qu'une ou plusieurs autres, donne mandat à qqn.

COMATEUX, EUSE [kɔmatø, øz] adj. — 1616, selon Hatzfeld; du lat. méd. *coma* (→ Coma), et suff. *-ateux.*

◆1 Qui a rapport au coma. *État comateux.*
Par ext. Caractérisé par l'évanouissement, le sommeil profond.

Mammouth engloutit le contenu en deux gigantesques gorgées d'une demi-pinte chacune et sombra dans le néant d'une nuit comateuse.
René FALLET, le Triporteur, p. 313.

◆2 Qui est dans le coma. — N. *Un comateux, une comateuse.*

◆3 Qui évoque le coma, l'abrutissement. *Il avait un air ahuri, à moitié comateux.*

COMATIQUE [kɔmatik] adj. — Av. 1961 (*in* G.L.E.); formation savante, du grec *koman* «être chevelu», d'après 2. *coma.*

Opt. Qui présente la coma*. *Image comatique donnée d'une étoile par un miroir parabolique.*

COMATOGÈNE [kɔmatɔʒɛn] adj. — V. 1970; de *comato-,* élément tiré de *coma* (→ Comateux), et *-gène.*

Méd. Qui détermine le coma. *L'insulinothérapie est comatogène* (coma hypoglycémique).

COMBAT [kɔ̃ba] n. m. — 1538; déverbal de *combattre.*

◆1 Action de deux ou de plusieurs adversaires armés, de deux armées... qui se battent; phase d'une bataille. → Action, assaut, baroud (fam.), choc, engagement, mêlée, rencontre; -machie. *Les combats d'un conflit.* → Conflit, guerre, lutte (armée). *Combat défensif. Combat offensif. Petit combat.* → Échauffourée, escarmouche.

La *bataille* a lieu entre deux armées : elle suppose un grand déploiement de troupes, et d'ordinaire, elle est plus décisive. Il faut moins de combattants et d'appareils pour qu'il y ait *combat* : il n'y en avait que quelques-uns dans le combat des Horaces, et il suffit qu'il y en ait deux dans le combat singulier (...) Dans une bataille, on peut quelquefois distinguer plusieurs combats comme ceux de la cavalerie et de l'infanterie (...)
LAFAYE, Dict. des synonymes, Bataille, combat.

Combat terrestre. Combat d'avant-garde*, d'arrière-garde* (ou *d'avant-gardes, d'arrière-gardes). Combat à découvert*. Combat d'artillerie, de cavalerie, d'infanterie. Combat à l'arme blanche.* → Corps (corps à corps). *— De combat :* de guerre. *Char de combat.* → Char. *Gaz de combat. Avion de combat. Bâtiment, navire de combat. Tenue de combat.* → Battle-dress (anglic.); tenue (*supra* cit. 9). *Groupe de combat :* subdivision fonctionnelle d'une section d'infanterie en action. *— Combat aérien. Combat naval. Branle-bas* de combat. Position de combat.* → Ligne (de bataille). → Artillerie, cit. 2. *Marcher au combat. Offrir le combat.* — Littér. *Livrer combat.* *— Commencer, ouvrir le combat.* → Assaillir, attaquer. *Soutenir le combat. Art de conduire, de mener le combat.* → Tactique. *— Combat acharné, opiniâtre, désespéré. Combat sanglant.* → Massacre. *Au fort du combat. La chaleur* du combat.* — Loc. *Être mis* HORS DE COMBAT, dans l'impossibilité de poursuivre la lutte, que l'on soit désarmé, ou que l'on soit blessé ou fait prisonnier. *Ennemis hors de combat. — Mourir en plein combat. Remporter l'avantage du combat.* → **Vaincre; victoire.** *Se retirer sans combat. Perdre le combat.* → **Défaite.** *Fuir le combat. Faire cesser le combat.* → **Cessation** (des hostilités, etc.).

2 Et le combat cessa faute de combattants.
CORNEILLE, le Cid, IV, 3.

3 Toi-même tu l'as vu courir dans les combats,
Emportant après lui tous les cœurs des soldats,
Et goûter, tout sanglant, le plaisir et la gloire
Que donne aux jeunes cœurs la première victoire.
RACINE, Bajazet, I, 1.

4 Les combats ne font pas toujours le succès de la guerre, et il est pour les généraux un art supérieur à celui de gagner des batailles.
ROUSSEAU, Disc. sur les sciences et les arts, II, p. 18.

5 Les plus grands obstacles sont franchis sans doute, mais vous avez encore des combats à livrer, des villes à prendre, des rivières à passer (...)
BONAPARTE,
Proclamation du 7 floréal à l'Armée d'Italie.

6 Le soir tombait; la lutte était ardente et noire.
Il avait l'offensive et presque la victoire (...)
Sa lunette à la main, il observait parfois
Le centre du combat, point obscur où tressaille
La mêlée, effroyable et vivante broussaille (...)
HUGO, les Châtiments, V, XIII, L'expiation, II.

7 Car qui oserait préférer à la gloire d'aller pour la Patrie souffrir de la faim, souffrir de la soif, s'enliser dans les boues, mourir, la perspective de rester loin du combat dans la nourriture et la tranquillité (...)
GIRAUDOUX, Amphitryon 38, p. 29.

8 (...) Soult est entré sans combat à Augsbourg (...)
Louis MADELIN, l'Avènement de l'Empire, XXII, p. 276.

Combat individuel. Techniques de combat. Combat rapproché, expression proposée pour remplacer l'anglic. *close combat**.

Au moyen âge. *Combats de chevalerie**. *Combat singulier.* → **Duel.** — *Combat judiciaire,* dont l'issue décidait entre l'accusateur et l'accusé ou leur champion. — *Combat en champ** *clos. Combat courtois**, d'homme à homme. → **Joute, tournoi.** *Combat à outrance,* qui se terminait par la mort de l'un des adversaires, par opposition au *combat à plaisance,* pour le divertissement des dames. *Se défier au combat.* → **Défi, provocation.**

9 La loi salique ne permettait point la preuve par le combat singulier.
MONTESQUIEU, l'Esprit des lois, XXVIII, 14.

10 Malgré les clameurs des ecclésiastiques, l'usage du combat judiciaire s'étendit tous les jours en France (...)
MONTESQUIEU, l'Esprit des lois, 17.

Combat légendaire des dieux et des géants. → **Gigantomachie.**

♦ **2** Le fait de se battre. → **Bagarre, bataille, rixe.**

11 Mulot, surpris lui-même par la fureur de son grand copain, qui debout au milieu du combat, semblait le génie même de la catastrophe, attrapa Lucas par un bras et le mit dehors, tandis que Gilieth, une chaise de fer à la main, marchait résolument sur le groupe provocateur.
P. MAC ORLAN, la Bandera, VII, p. 81.

Fig. Dispute, querelle.

12 J'ai, pour les querelles de famille, une très profonde aversion. Comme je n'ai pas une horreur moindre pour la dissimulation et la lâcheté, force m'est, parfois, de relever le gant et d'accepter le combat.
G. DUHAMEL, Chronique des Pasquier, X, VI, p. 389.

13 À la vérité, elle montrait avec Michèle assez de patience et presque toujours, c'était elle qui fuyait le combat devant la petite fille agressive.
F. MAURIAC, la Pharisienne, II, p. 21.

♦ **3** Littér. (au plur.). *Les combats :* la guerre.

14 Je chante les combats (...)
BOILEAU, l'Art poétique, III, in LITTRÉ.

Le Dieu que nous servons est le Dieu des combats (...) 15
RACINE, Esther, I, 5.

♦ **4** Antiq. Exercice, jeu de lutte où les champions disputaient un prix. *Lieu du combat.* → **Arène** (cit. 11 et *supra*). *Combats d'athlètes**. *Sports** *de combat. Combat du ceste**. *Combat à la course. Combat à coups de poing.* → **Pugilat.** *Les combats du cirque**. *Combat contre les bêtes féroces. Les combats de gladiateurs.* → **Hoplomachie.** *Combat naval.* → **Naumachie.**

16 Le premier combat fut celui de la lutte; un Rhodien d'environ trente-cinq ans surmonta tous les autres qui osèrent se présenter à lui.
FÉNELON, Télémaque, V.

Mod. *Combat de boxe**, *de catch**. — Absolt. *Le combat :* la boxe, le catch, la lutte... *Les arts du combat.* → **Martial** (arts martiaux).

16.1 (...) il essaye de me surprendre un peu de travers, esquisse une attaque, et fuit. Je vais vers lui; j'aime le combat à bonne portée, et je cherche ses yeux (...)
J. PRÉVOST, Plaisirs des sports, 1925, p. 83.

Action violente (d'animaux qui se battent ou que l'on fait se battre). *Combat de coqs. Coqs de combat.*

17 Longtemps entre nos coqs, le combat se maintint.
LA FONTAINE, Fables, VII, 13.

Lutte de l'homme contre (un animal). Loc., vx. *Combat de taureaux.* → **Course** (de taureaux), **tauromachie.**

♦ **5** Fig., littér. *Combat de...* : lutte, opposition dans le domaine de..., en ce qui concerne... *Un combat d'esprit, de générosité.* → **Antagonisme, émulation; assaut.**

18 (...) leurs guerres d'esprit *(des auteurs),* et leurs combats de prose et de vers.
MOLIÈRE, la Critique de l'École des femmes, 6.

19 Dans les combats d'esprit, savant maître d'escrime,
Enseigne-moi, Molière, où tu trouves la rime.
BOILEAU, Satires, II.

Lutte (d'une personne, de sentiments) contre les obstacles, les difficultés; lutte (des sentiments, des passions). *Combat des sentiments de l'âme.* → **Débat** (de conscience). *Combat* (de l'homme, de qqn) *contre les passions. Prendre parti après bien des combats. Les combats qui se livrent dans son cœur. Livrer combat à... — L'agonie, ultime combat de la nature contre la mort.*

20 O rigoureux combat d'un cœur irrésolu (...)
CORNEILLE, Cinna, IV, 2.

21 Chaque assaut à mon cœur livrait mille combats.
RACINE, la Thébaïde, II, 1.

Spécialt. Action vive (pour convaincre, influencer).

22 Il a fallu bien des combats pour la faire résoudre à porter des habits fort simples et fort modestes.
RACINE, Lettres.

(Sans compl.). *La vie est un combat.* → **Lutte.** *Une vie de combat.*

23 La vie d'un homme de lettres est un combat perpétuel, et on meurt les armes à la main.
VOLTAIRE, Lettre à d'Argental, 3 nov. 1766.

24 Cette vie est un combat perpétuel, et la philosophie est le seul emplâtre qu'on puisse mettre sur les blessures qu'on reçoit de tous côtés.
VOLTAIRE, Lettre à Mᵐᵉ du Deffand, 3 oct. 1764.

25 (...) il n'y a point de bonheur sans courage, ni de vertu sans combat.
ROUSSEAU, Émile, V.

26 Je suis un révolté (...) Mon existence sera une existence de combat.
J. VALLÈS, le Bachelier, p. 204.

27 L'existence tout entière est un combat; la vie, c'est de la victoire qui dure (...)
MARTIN DU GARD, Jean Barois, Le goût de vivre, I, I, p. 23.

Lutte (de qqn) contre une catégorie de personnes.

28 (...) il vit qu'il lui fallait demeurer obscur, ou perdre ses forces dans un combat misérable contre les sots et une nuée d'absurdes ennemis.
André SUARÈS, Trois hommes, II, «Ibsen», p. 88.

Combattre, soutenir le bon combat (lat. *certa* (combats) *bonum certamen fidei* (le bon combat de la foi)) : lutter pour la bonne cause.

29 J'ai combattu le bon combat.
BIBLE (SEGOND), 2ᵉ Épître à Timothée, IV, 7.

(Avec deux n. de choses). *Le combat de la vie et de la mort, de l'art et de la nature.* — (1879). Loc. **DE COMBAT.** → De choc*. (Fréquent, notamment dans la langue du journalisme, depuis 1966). *Une littérature de combat. Un homme de combat.* → **Combatif.** *Un patron de combat.*

COMBATIF, IVE [kɔ̃batif, iv] adj. — 1893; de *combattre.*

◆ **1** Qui est porté au combat, à la lutte. → **Agressif, bagarreur, pugnace** (littér.). *Esprit, instinct combatif. Humeur combative. — Un vendeur combatif; un athlète combatif.* → **Accrocheur.**

(...) *Jacques avait l'habitude de la tenir (la tête) rejetée en arrière, dans une attitude un peu arrogante ou, pour le moins, combative.*
MARTIN DU GARD, les Thibault, t. IV, p. 55.

N. *C'est un combatif.* → 3. **Battant.**

◆ **2** Quant au combat. *Valeur combative d'une armée, d'une troupe.*

REM. On écrit parfois *combattif.*

COMBATIVITÉ [kɔ̃bativite] n. f. — 1839; de *combattre.*

◆ **1** Penchant, goût du combat. *La combativité d'une troupe, son ardeur belliqueuse* (→ **Moral**).

1 (...) *dans l'exaltation présente de sa force et de sa combativité, il ne connaît plus d'entraves morales ni de scrupules* (...)
LOTI, Ramuntcho, II, IX, p. 271.

2 (...) *dans une guerre de positions, la troupe qui est traitée avec trop de ménagements perd toute combativité et finit par tomber en proie à l'adversaire.*
G. DUHAMEL, la Pesée des âmes, X, p. 252.

◆ **2** (1897, *in* Petiot). *Esprit de lutte. Ce syndicat sait faire preuve de combativité. La combativité d'un polémiste.* → **Agressivité.**

COMBATTANT, ANTE [kɔ̃batã, ãt] n. et adj. — XIIᵉ; p. prés. de *combattre.*

I N. (le fém. est rare). ◆ **1** Personne (le plus souvent : homme) qui prend part à un combat, à une guerre. → **Guerrier, soldat.** *Une armée de cent mille combattants.* → **Homme.** *Le moral des combattants. Les amazones, farouches combattantes.*

1 Thèbes pouvait faire sortir ensemble dix mille combattants par chacune de ses portes.
BOSSUET, Hist., III, 3, *in* LITTRÉ.

Spécialt. *Les combattants d'une armée,* ceux qui se battent, par opposition aux *non-combattants* (de l'Intendance, du Service sanitaire, etc.). *Le nombre des combattants était égal de part et d'autre. La vaillance, l'intrépidité des combattants. Les combattants, les combattantes d'une révolution, de la Résistance...* (→ aussi **Guérillero**).

2 Nommons des combattants pour la cause commune (...)
CORNEILLE, Horace, I, 3.

3 Allez, vils combattants, inutiles soldats;
Laissez-là ces mousquets trop pesants pour vos bras (...)
BOILEAU, Épîtres, IV.

4 La guerre, ce n'est pas l'acceptation du risque. Ce n'est pas l'acceptation du combat. C'est, à certaines heures, pour le combattant, l'acceptation pure et simple de la mort.
SAINT-EXUPÉRY, Pilote de guerre, XVIII.

Loc. *Parcours** (cit. 3.1) *du combattant.* **ANCIENS COMBATTANTS** : combattants d'une guerre, groupés en associations après la fin de cette guerre.

◆ **2** Adj. Qui combat effectivement. *Troupes combattantes. Unité combattante. Les personnels des armes combattantes et les assimilés**. — *Chevalier combattant* (oiseau); *poisson combattant.* → ci-dessous, II.

◆ **3** Fam. Personnes qui se battent. → **Adversaire, antagoniste, rival.** *Séparer les combattants.*

C'est à coups de crosses de fusil que l'on calmait les combattants avant de les emmener cuver leur vin dans les locaux disciplinaires.
P. MAC ORLAN, la Bandera, VI, p. 75.

Fig. et fam. *Le combat cessa faute de combattants* (allus. au vers du *Cid.* → **Combat,** cit. 2), se dit par plaisanterie quand tout le monde se retire d'une discussion, d'une réunion.

II N. m. Zool. ◆ **1** (1775). Oiseau charadriiforme échassier *(Charadriidés),* scientifiquement appelé *philomachus,* ou *machète,* et communément *chevalier combattant.* — Le combattant, oiseau migrateur, niche dans les marécages et les prairies, se nourrit de petits animaux et de plantes; le mâle se bat au printemps, contre d'autres mâles.

◆ **2** Poisson d'Extrême-Orient, aux vives couleurs. — Adj. *Poissons combattants.*

COMBATTIF, IVE [kɔ̃batif, iv] adj. → **Combatif.**

COMBATTRE [kɔ̃batʀ] v. [CONJUG.: *battre.*] — 1080, *cumbatre;* du lat. pop. **combatere,* bas lat. *combattuere,* de *cum* «avec», et *battuere.* → Battre.

I V. tr. ◆ **1** Se battre, lutter* contre (qqn), notamment avec des armes. → **Battre** (se); **assaillir.** → Être aux prises* avec. *Combattre un adversaire. Combattre l'ennemi. — Combattre les bêtes féroces.* — Par ext. Faire la guerre à. *Napoléon combattit l'Europe.*

Je te donne à combattre un homme à redouter : 1
Je l'ai vu, tout couvert de sang et de poussière,
Porter partout l'effroi dans une armée entière.
CORNEILLE, le Cid, I, 5.

Lorsque la série des révolutions eut amené l'égalité entre 2
les hommes et qu'il n'y eut plus lieu de se combattre pour
des principes et des droits, les hommes se firent la guerre
pour des intérêts.
FUSTEL DE COULANGES, la Cité antique, XII, p. 397.

◆ **2** (Compl. n. de personne ou de chose). S'opposer à, lutter contre. *Combattre les contradicteurs, un argument.* → **Attaquer, contredire, réfuter.** *Combattre une hérésie. Combattre la passivité, la lâcheté.*

Je tiens aussi difficile de combattre un ouvrage que le 3
public approuve, que d'en défendre un qu'il condamne.
MOLIÈRE, les Fâcheux, Préface.

Car enfin ce n'est rien d'avoir à combattre l'indifférence 4
ou les rigueurs d'une beauté qu'on aime (...)
MOLIÈRE, le Sicilien, 2.

Je n'aurais pas eu chaque matin à pallier des fautes, à 5
combattre des erreurs.
CHATEAUBRIAND, Mémoires d'outre-tombe, t. II,
p. 97.

Il n'est pas en matière de littérature une seule opinion 6
qu'on ne combatte aisément par l'opinion contraire.
FRANCE, le Jardin d'Épicure, p. 177.

La plupart répugnent visiblement à attaquer le mal dans 7
ses racines, à combattre franchement l'esprit de subordination des masses allemandes devant la chose militaire (...) MARTIN DU GARD, les Thibault, t. V, p. 75.

(...) cet habile manœuvrier renouvela contre les deux asso- 8
ciés la manœuvre favorite de l'Empereur et, pour les combattre, les divisa.
A. MAUROIS, Bernard Quesnay, XXX, p. 201.

◆ **3** Aller contre, s'efforcer d'arrêter (un mal, un danger). *Combattre un incendie. Combattre le froid.* — (Sujet n. de chose). *Médicaments qui combattent avec succès telle maladie. Les moyens pour combattre la misère.* — Domaine psychologique. (Sujet n.

de personne ou de chose). *Combattre ses penchants, ses habitudes. Penchant qui en combat un autre.*

9   (...) le propre de la miséricorde est de combattre la paresse en exhortant aux bonnes œuvres (...)
PASCAL, Pensées, VII, 497.

10   Jamais (...) je ne croirai que vous ne pourriez pas combattre votre jalousie, si vous le vouliez.
G. SAND, la Petite Fadette, XXXVIII, p. 244.

II V. tr. ind. (construction : *contre, avec*) et v. intr. ♦ **1** Livrer combat. *Combattre contre, avec son ennemi. Combattre avec ses alliés contre un ennemi.* — Absolt ou intrans. Faire la guerre. → **Battre** (se); **barouder** (argot milit.). *Combattre pied à pied. Combattre corps à corps. Combattre en bataille rangée. Combattre sur terre, sur mer, dans les airs* (→ Chasse, cit. 8). *Combattre avec de grandes forces. Combattre avec une poignée d'hommes. Combattre à armes égales.* — *Combattre avec acharnement, courage, énergie, vaillance. Combattre sans ruse.* — *Combattre pour une cause, un idéal* (en faisant la guerre, etc.).

11   On ne vainc qu'en combattant.
ROTROU, Saint Genest, V, 1.

12   Mon Dieu! j'ai combattu soixante ans pour la gloire.
VOLTAIRE, Zaïre, II, 3.

13   Vos hommes savent se battre, mais ils ne savent pas combattre.
MALRAUX, l'Espoir, p. 26.

♦ **2** Lutter contre (un obstacle physique ou moral, un danger, un mal). *Combattre contre les tentations. Combattre contre la faim, la maladie, la mort. Combattre pour une cause.* — *Combattre pour triompher de difficultés, vaincre une passion.*

14   Pour ne la plus aimer j'ai cent fois combattu! (...)
RACINE, Bérénice, V, 7.

15   (...) elle *(ma mère)* avait combattu pouce à pouce, usant la patience des uns, désarmant la brusquerie des autres, rayonnant de bonne foi, de volonté, savante aussi, et bonne calculatrice.
G. DUHAMEL, Chronique des Pasquier, II, XII, p. 345.

(Sujet n. de chose). *Combattre pour qqn, un groupe, en faveur de.* — Dans le contexte de la guerre :

16   Les maladies qui désolèrent l'armée ennemie combattirent pour Louis XIV.
VOLTAIRE, le Siècle de Louis XIV, 21.

♦ **COMBATTU, UE** p. p. adj. *L'ennemi combattu pied à pied ne progresse plus.* — Fig. *La thèse combattue (par l'orateur). Une passion combattue.*

17   Les agitations d'un cœur combattu par la tendresse et le repentir.   VOLTAIRE, Lettre à Cailleau (1772).

18   Les coups continuaient dans la porte. Une voix cria : «Claude! Claude!». Lui, ne bougeait toujours point, combattu pourtant, les lèvres blanches, les yeux à terre.
ZOLA, l'Œuvre, p. 132.

CONTR. Apaiser, concilier, pacifier. — **Approuver, appuyer, soutenir.** ◊ **DÉR. Combat, combatif, combativité, combattant.**

COMBE [kɔ̃b] n. f. — Fin XIIᵉ; repris XVIIIᵉ; du gaul. *cumba* «vallée».

Régional. Dépression en forme de coupure dans une montagne. → **Ravin, vallée.** *Les combes du Jura sont des entailles dans l'anticlinal d'un plissement.*

1   Combe est un mot très-français qui signifie une vallée étroite et courte, creusée entre deux montagnes (...) il n'y a pas un village dans tout le royaume où cette expression ne soit parfaitement intelligible; mais on la omise dans le Dictionnaire, parce qu'il n'y a point de combe aux Tuileries, aux Champs-Élysées et au Luxembourg.
Charles NODIER, Contes, «La combe de l'homme vert», p. 383.

2   Ce n'était pas la même combe de forêt, mais elle ressemblait tant à l'autre, par sa longue pente veloutée de feuilles sèches, par sa lumière libre et dorée, qu'on la reconnaissait quand même.
M. GENEVOIX, Forêt voisine, XIII, p. 191.

Petite vallée encaissée.

(Angélo) trouva Giuseppe et sa troupe installée dans un lieu charmant. C'était une haute combe tapissée d'herbe drue sous d'immenses chênes. Une source fraîche coulait en fontaine dans un vieux pétrin enfoncé dans la terre.
J. GIONO, le Hussard sur le toit, p. 226 (1951).   3

DÉR. Combette.

COMBETTE [kɔ̃bɛt] n. f. — 1615; de *combe.* Rare, régional. Petite combe.

COMBIEN [kɔ̃bjɛ̃] adv. (interrog. et exclam.). — XIᵉ; de l'anc. franç. *com* «comme», et *bien.*

♦ **1** Dans quelle mesure, à quel point. → **Comme.** *Si vous saviez combien je l'aime! J'ai constaté combien il faut agir vite. Vous verrez combien le monde est méchant.* → **Si.** — *Combien il a changé!* → **Que** (fam. Ce que).

Que ton amour a de charme, ma sœur fiancée!   1
Combien ton amour est meilleur que le vin,
Et l'odeur de tes parfums, que tous les aromates!
BIBLE (CRAMPON), Cantique des cantiques, IV, 10.

Combien le trône tente un cœur ambitieux!   2
RACINE, Bajazet, V, 4.

On ne voit point mieux le ridicule de la vanité, et combien   3
elle est un vice honteux, qu'en ce qu'elle n'ose se montrer (...)   LA BRUYÈRE, les Caractères, XI, 66.

Littéraire :

Combien me plaît cet homme modeste, dont l'œuvre admi-   3.1
rable montre ce que pourrait obtenir une administration
intelligente et suivie.
GIDE, Voyage au Congo, 1927, *in* Souvenirs, Pl., p. 714.

Combien tu es lourd! est remplacé en langue populaire   4
par : *ce que* tu es lourd!
F. BRUNOT, la Pensée et la Langue, XVII, V, p. 691.

REM. Dans le style soutenu, *combien* peut précéder directement l'adjectif ou l'adverbe. *Combien rares sont ceux qui ont la foi!*

(...) aucun d'eux *(les arbres inconnus)* n'est sensiblement   4.1
plus haut que nos arbres d'Europe, mais quelles ramifications puissantes, et combien largement étalées!
GIDE, Voyage au Congo, *in* Souvenirs, Pl., p. 846.

On mesure ainsi combien récente, à l'Est de l'Elbe et sur-   5
tout de l'Oder, est la christianisation de l'Allemagne.
André SIEGFRIED, l'Âme des peuples, V, I, p. 114.

♦ **2 COMBIEN DE** (dans une phrase interrog.) : quelle quantité, quel nombre. *Combien a-t-il de livres? Depuis combien de temps, de jours, êtes-vous ici?*

Combien aviez-vous d'années lorsque nous fîmes connais-   6
sance?   MOLIÈRE, le Mariage forcé, 1.

Il vous faudra combien de temps pour vous remettre en   7
forme? — Je crois quelques heures.
MALRAUX, l'Espoir, p. 475.

Combien de troupes, Martial, en plus du train blindé? —   8
Deux mille hommes de police et une brigade d'infanterie.
MALRAUX, la Condition humaine, p. 221.

REM. Lorsque *combien de* est suivi d'un nom au pluriel, l'accord se fait au pluriel. *Combien d'heures s'écoulèrent! je ne sais plus. Combien de fleurs a-t-il cueillies?* (mais : *combien a-t-il cueilli de fleurs?*).

Absolt. Quelle quantité (distance, temps, prix, etc.). *Combien y a-t-il d'ici à la mer? Combien cela coûte-t-il? Combien vous dois-je? Combien? Ça fait combien?* (fam.). *Combien sont-ils?* — REM. L'accord se fait avec le nom sous-entendu.

Pop. (faute). *Combien qu'ils sont?*

Exclam. Une grande quantité, un grand nombre. *Combien de fois ne lui a-t-on pas répété! Combien en a-t-on vus! On l'a averti depuis qui sait combien (de temps)!*, depuis longtemps. *Je ne sais combien de,* beaucoup.

Il y a je ne sais combien *(de temps)* que je vous dis de me   9
la chasser.   MOLIÈRE, le Malade imaginaire, I, 6.

10   Combien dans cet exil ai-je souffert d'alarmes !
Combien à vos malheurs ai-je donné de larmes (...)
           RACINE, Andromaque, I, 1.

11   Combien voit-on de gens austères pour les autres, doux
pour eux-mêmes !   FLÉCHIER, I, p. 196.

12   Oh ! combien de marins, combien de capitaines,
Qui sont partis joyeux pour des courses lointaines (...)
       HUGO, les Rayons et les Ombres, XLII, Oceano nox.

13   Mais sa *(la France)* force de cramponnement est
effroyable. Elle fait songer au mot de Valéry : «Combien de gens meurent dans les accidents, pour ne pas
lâcher leur parapluie.»   GIDE, Journal, 25 janv. 1931.

14   A cinquante kilomètres, elle *(la locomotive)* attrape je ne
sais combien de balles : on n'en parle plus — du mécanicien non plus.   MALRAUX, l'Espoir, p. 474.

15   Si tu venais, tu risques de rester je ne sais pas combien
de temps avec tes disponibilités sur les bras, à regarder
grimper les cours (...)
         N. SARRAUTE, le Planétarium, p. 279.

♦ **3 N. m.** *Le combien.* → **Quantième.** — REM. *Combien*
devrait s'employer pour le nombre, et *quantième* (vx)
pour le rang *(le quantième êtes-vous ? Je suis le sixième)*;
toutefois l'usage exige : *Le combien êtes-vous ? Le sixième.*
— *Le combien sommes-nous ?* ne peut plus être considéré
comme familier, *quantième* étant inusité dans la langue
parlée.

16   Il me paraissait que la scène (...) était située (...) pendant
des vacances. Les enfants rêvent toujours vacances. Le
combien sommes-nous ?
       ARAGON, Blanche..., III, I, p. 353.

*Tous les combien ? Tous les combien passe l'au-
tobus ?*, interrogeant sur la fréquence, est critiquable d'un
point de vue normatif, mais difficilement remplaçable.

♦ **4** *Ô combien !* (Souvent en incise). Avec la valeur de
«beaucoup ; très». *Un personnage équivoque, ô combien !* (construction très fréquente dans la langue des
médias). — *(Sans ô).* «*L'installation combien symbolique de Yasser Arafat à Tunis*» (A. Fontaine, in *le
Monde*, 16 sept. 1982, p. 3).

♦ **5** Loc. conj. **COMBIEN QUE.** Vx ou littér. → **Bien** (que),
encore (que).

17   Car c'est la grand-nuit que par toutes les routes
Les chrétiens sont en marche vers Bethléem
Et nous, combien que peu nombreux nous faisons notre
peloton.
       CLAUDEL, Corona benignitatis anni dei, 1915,
               éd. Seghers, p. 153.

DÉR. **Combientième.**

COMBIENTIÈME [kɔ̃bjɛ̃tjɛm] adj. — XXᵉ ; de *com-
bien.*

Pop. (faute). Qui est à un rang (qu'on ignore).
→ **Quantième.** N. *C'est le, la combientième ?* — REM.
On dit aussi *combienième* [kɔ̃bjɛnjɛm].

(...) j'aime mieux être le premier à Rueil que le je ne sais
combienième à Paris.
       R. QUENEAU, Loin de Rueil, éd. Gallimard, p. 31.

COMBINABLE [kɔ̃binabl] adj. — 1781, in D.D.L.; de
combiner.

Qui peut être combiné.

La personnalité est par là comparable, combinable avec
toute chose connaissable — Et le Moi est inconnaissable.
       VALÉRY, Cahiers, t. II, Pl., p. 295.

COMBINAISON [kɔ̃binɛzɔ̃] n. f. — 1669; altér. de
combination; bas lat. *combinatio*, de *combinare* «combiner».

♦ **1** Assemblage d'éléments dans un arrangement
déterminé. → **Arrangement.** — *La combinaison harmonieuse de divers éléments. Des combinaisons
de dessins qui s'entrecroisent, s'entrelacent. Combinaison de couleurs, de lignes, de mouvements.*

→ **Composition, constitution, disposition, mosaïque,
organisation.**

Toutes les combinaisons sont possibles avec le mouve-   1
ment ; donc dans ce mouvement éternel, il fallait absolument que la combinaison de l'univers actuel eût sa
place (...)
       VOLTAIRE, Philosophie, Homélies, I, Sur l'athéisme.

*Le style byzantin est une combinaison du style gréco-
latin et de l'inspiration orientale, avec l'inspiration
orientale.* → **Alliance, amalgame, mélange, réunion.**
Combinaison de sons. → **Accord, contrepoint, harmonie.** *Les idées naissent de la combinaison des
mots.* → **Association.**

(...) le talent ne consiste pas à se servir sèchement des mots,   2
mais à découvrir les nuances, les images, les sensations
qui résultent de leurs combinaisons.
       Antoine ALBALAT, l'Art d'écrire, IV, p. 39.

(...) il y a lieu de se souvenir qu'on ne parle et qu'on   3
n'écrit pas par mots isolés, simples ou composés, mais
par groupes de mots, qui entrent en combinaison suivant
les besoins de l'idée.
       F. BRUNOT, la Pensée et la Langue, I, I, p. 4.

Il *(Wagner)* se plaît à des combinaisons de contrepoint qui   4
sont des merveilles d'ingéniosité.
       Henri LICHTENBERGER, Richard Wagner, p. 193.

(...) le faux est susceptible d'une infinité de combinaisons ;   5
mais la vérité n'a qu'une manière d'être.
       ROUSSEAU, Discours sur les sciences et les arts, II,
               p. 13.

Que d'amours commencent par la crainte ou la haine ; et   6
l'horreur, c'est la combinaison de la crainte et de la haine,
élevées à leur plus haute puissance, dans les âmes timides
révoltées.
       BARBEY D'AUREVILLY, Une histoire sans nom,
               p. 124-125.

Fig. Arrangement, plus voulu que fortuit (de faits,
d'événements, voire d'objets). *Faire, échafauder
une combinaison de...* → **Échafaudage** (fig.). *Épuiser
les combinaisons. Juste combinaison des forces.*
→ **Équilibre.** *Combinaison en chaîne.* → **Enchaînement** (→ aussi 3.).

(...) il échafauda une combinaison de mensonges qui   7
lui permit de s'absenter, d'accompagner Rachel jusqu'au
bateau.   MARTIN DU GARD, les Thibault, t. III, p. 92.

Toute machine suppose combinaison, arrangement de   8
parties tendant à un même but.
       DIDEROT, Recherches philosophiques, Œ., t. II,
               p. 443.

(1845). *Combinaison ministérielle :* réunion de
ministres qui composent un ministère déterminé.
→ **Composition ; équipe.**

Ce qu'il a promis hier, aussi nettement que sa manière le   9
comporte, c'est un portefeuille dans une prochaine combinaison.
       J. ROMAINS, les Hommes de bonne volonté, t. V,
               XXVIII, p. 302.

Math. Chacune des manières de grouper une collection d'objets ; choix d'un nombre déterminé
d'objets différents parmi un nombre plus grand.
*Combinaison de n objets pris p à p (p<n). Calcul
des combinaisons.* → **Combinatoire ;** et aussi **probabilités.**

♦ **2** (1671). Chim. Union chimique de plusieurs corps
pour en former un nouveau. → **Synthèse.** *La combinaison de deux volumes d'hydrogène et d'un volume
d'oxygène donne de l'eau. Corps permettant la combinaison de deux autres.* → **Catalyseur.** *Lois de combinaison des corps. Tendance des corps à former
une combinaison.* → **Affinité.** — *Corps résultant de
cette opération.* → **Combiné, composé.**

Le sulfate de mercure doux forme une combinaison stable   10
et n'est pas décomposé par l'eau.
       BERTHELOT, Institut Mémoire Science, t. III, p. 231.

Figuré :

11 Désagrégée et finie, cette combinaison d'atomes qui avait donné momentanément son petit sourire et l'expression de ses yeux.
LOTI, Figures et Choses..., «Passage d'enfant», p. 25.

♦ **3** (1763). Fig. Organisation précise (de moyens) en vue d'assurer le succès d'une entreprise. → **Agencement, arrangement, mise** (en œuvre), **moyen ; combine** (fam.). *Combinaison financière, politique. Combinaison politique louche* (cf. ital. *combinazione*). *Il a inventé toute une combinaison pour venir sans qu'on le sache.* → **Artifice, calcul, machination, manœuvre, manigance, stratagème.** Fam. *Trouvez une combinaison pour en sortir !* → **Système, truc.**

12 — Mon Dieu, c'est une petite combinaison pas trop mauvaise et pas gênante, que Lafeuille a mise sur pied.
J. ROMAINS, les Hommes de bonne volonté, t. V, XXV, p. 237.

13 On gagne bien sa vie. Vous pensez, j'étais en combinaison avec un schipchandler.
P. MAC ORLAN, la Bandera, IV, p. 42.

Pop. *En voilà une combinaison !* → **Complication.**

♦ **4** (1895 ; adapt. de l'angl. *combination garment* ou *combination*, 1884). **[a]** Sous-vêtement féminin en tissu léger, descendant jusqu'aux genoux, comportant un haut remplaçant la chemise et une partie tenant lieu de jupon. → **Combine** (fam.) ; **fond** (de robe). *Elle était en combinaison.*
[b] (1920, *in* D.D.L.). Vêtement de travail ou de combat réunissant en une seule pièce la veste et le pantalon. → **Bleu.** *Combinaison de parachutiste, de pilote ; de mécanicien.* → **Salopette.** — *Combinaison spatiale ; combinaison de vol* (des astronautes). *Combinaison anti-g* (cit.). — *Combinaison de plongée :* vêtement enveloppant le corps, qui protège les plongeurs sous-marins des effets de l'immersion. *Combinaison de planche à voile. Combinaison isotherme.* — *Combinaison de ski.*

14 Il portait une combinaison d'aviateur en toile bleue déteinte dans laquelle il était nu ; le col ouvert laissait voir un thorax velu et décharné.
MARTIN DU GARD, les Thibault, t. VIII, p. 80.

15 (...) Ceux qui portaient les combinaisons de mécanicien à fermeture éclair, devenues l'uniforme des milices (...)
MALRAUX, l'Espoir, p. 460.

♦ **5** Système d'ouverture (d'un coffre-fort ou d'une serrure) qui ne fonctionne que par suite d'une manipulation déterminée ; arrangement d'éléments (chiffres, lettres) permettant l'ouverture d'un tel système. *Connaître la combinaison du coffre.*

CONTR. **Analyse, décomposition, dissolution.** ◊ DÉR. **Combine.**

COMBINANT, ANTE [kɔ̃binɑ̃, ɑ̃t] adj. — XXᵉ ; de *combiner.*
Didact. Qui combine, effectue des combinaisons. *Une langue «analysante»* (cit., M. Foucault) *et combinante».*

COMBINARD, ARDE [kɔ̃binaʀ, aʀd] adj. — 1920 ; de *combine.*
Fam. et péj. Qui utilise des combines. → **Astucieux, débrouillard, madré, malin, resquilleur, roué.** *C'est un garçon combinard, rien ne lui est impossible.* — N. *Un combinard, une combinarde.*
CONTR. **Direct, rond** (en affaires).

COMBINAT [kɔ̃bina] n. m. — 1939 ; russe *kombinat*, de même orig. que *combiner.*

Didact. (écon.). En U. R. S. S. (et, par anal., dans d'autres pays socialistes), Groupement de plusieurs industries connexes (par intégration*). → **Complexe.**

COMBINATEUR, TRICE [kɔ̃binatœʀ, tʀis] n. et adj.
— Déb. XVIIIᵉ, Saint-Simon ; de *combiner,* et suff. *-ateur* (→ *-eur*).
♦ **1** Vx. (Personnes). Qui fait des combinaisons, qui combine des éléments. — N. *Un combinateur, une combinatrice.*
Adj. → **Combinatoire.**
♦ **2** N. m. (1877, *Année sc. et industr.*, p. 129). Mod. Techn. Appareil coordonnant les circuits de moteurs électriques. — *Combinateur à billes :* appareil simulant les combinaisons de voies nécessaires à la marche d'un wagon.

COMBINATOIRE [kɔ̃binatwaʀ] adj. et n. — 1732, philos. ; de *combiner,* et suff. *-atoire.*
♦ **1** Adj. (1819). Relatif aux combinaisons, à leur dénombrement et leur mise en ordre ; qui procède par combinaison d'éléments.
Math. *Analyse combinatoire :* calcul traitant des arrangements, permutations et combinaisons (utilisé dans le calcul des probabilités*).
Qui combine.

1 (...) associer le travail suivi de l'esprit et de ses forces combinatoires au délice poétique.
VALÉRY, Variété III, p. 12.

♦ **2** N. f. Arrangement d'éléments selon un certain nombre de combinaisons.

2 Pour fonder les genres, Tournefort a choisi comme caractère la combinaison de la fleur et du fruit. Non pas comme Césalpin, parce que c'étaient les parties les plus utiles de la plante, mais parce qu'ils permettaient une combinatoire qui était numériquement satisfaisante (...) Linné a calculé que les 38 organes de la génération, comportant chacun les quatre variables du nombre, de la figure, de la situation et de la proposition, autorisaient 5 776 configurations qui suffisent à définir les genres.
Michel FOUCAULT, les Mots et les Choses, I, V, 4, p. 153.

Analyse systématique des combinaisons possibles. *La combinatoire logique de divers facteurs.* — Ensemble de combinaisons possibles. *Une riche combinatoire.*

COMBINE [kɔ̃bin] n. f. — Fin XIXᵉ ; abrév. de *combinaison.*
Familier.
♦ **1** Moyen astucieux et souvent déloyal employé pour parvenir à ses fins. → **Combinaison, système, tour, tuyau, truc.** *Tu connais la combine pour entrer sans payer ?* (→ **Resquille**). *Il a obtenu le poste par combine.* → **Favoritisme, piston.** *Il a la bonne combine.* → **Planque.** *Qui utilise des combines.* → **Combinard.**

1 L'argent c'est le vol, la combine, je les déteste, je ne mange pas de ce pain-là(...)
GIRAUDOUX, la Folle de Chaillot, p. 145.

2 Ils attendent que les tanks ennemis arrivent. Doit y avoir une combine. MALRAUX, l'Espoir, p. 717.

3 — Que veux-tu que ça me foute ! avait-il répondu à Pilate. Je gagne suffisamment de pognon pour m'embarquer, sans y avoir mon pied *(ma part),* dans ta combine de paye.
Francis CARCO, les Belles Manières, p. 33.

♦ **2** (De *combinaison,* 4.). Vieilli. Combinaison (4.) de femme.

DÉR. **Combinard.**

COMBINÉ, ÉE [kɔ̃bine] adj. et n. m. — 1752, milit., p. p. de *combiner*.

I Qui forme une combinaison. → **Combiner**, p. p. adj.

II N. m. ◆ **1** Chim. Composé.

◆ **2** (1905, in *Rev. gén. des sc.*, n° 5, p. 190). Cour. Partie mobile d'un appareil téléphonique réunissant écouteur et microphone. *Reposer le combiné sur son support.*

1   Hartog (...) parlait dans un combiné excentrique muni d'un cadran à la base et d'un très long fil tire-bouchonné.
      J.-P. MANCHETTE, Folle à tuer, 7, p. 37.

2   Le jeune Texan semble endormi dans la cabine; le combiné pend dans le vide; quelqu'un parle encore; des «allô» fusent.
      Christine ARNOTHY, Un type merveilleux, p. 218.

Appareil réunissant récepteur-radio, tourne-disque, etc. *Combiné radio-pick-up.*

◆ **3** Techn. (aviat.). Appareil volant réunissant les caractères de l'avion, de l'hélicoptère.

◆ **4** (1960, *in* D.D.L.). Sous-vêtement féminin formé d'une gaine-culotte et d'un bustier.

◆ **5** Sports. Épreuve complexe. — En ski, Descente et slalom. *Le combiné quatre épreuves* (descente, slalom, fond* et saut). — *Classement obtenu dans cette épreuve. Le combiné descente-slalom :* classement par addition des places obtenues dans la descente et le slalom. *Combiné alpin :* épreuve formée de la descente et du slalom (épreuve organisée en 1924). *Combiné nordique :* fond et saut (1928).

3   Le *combiné nordique* est le classement général des coureurs qui se sont mesurés à la fois en fond et en saut, en fonction des résultats obtenus dans chacune de ces deux épreuves.
      François GAZIER, les Sports de la montagne, p. 119.

(En parachutisme). Épreuve qui combine la précision d'atterrissage et la voltige.

CONTR. **Simple.**

COMBINER [kɔ̃bine] v. tr. — XIIIe; du bas lat. *combinare* «unir deux choses ensemble», de *com-* (cum), et *bini*. → Binaire.

◆ **1** (1361). Assembler (deux ou plusieurs éléments), le plus souvent dans un arrangement déterminé. → **Arranger, assembler, associer, composer, disposer, ordonner, réunir, unir.** *Combiner des signes, des mouvements* (→ Chorégraphie, cit.), *des sons... Combiner des couleurs.* → **Assortir, marier.** *Combiner des mesures.*

1   Il *(Mallarmé)* aima les mots pour leur sens possible plus que pour leur sens vrai et il les combina en des mosaïques d'une simplicité raffinée.
      R. DE GOURMONT, le Livre des masques, p. 59.

2   Le soir dans ma chambre d'hôtel, j'allume toutes les lumières, je combine divers jeux de miroirs, je me cherche, tour à tour, de face, de profil, de dos, de trois-quarts.
      G. DUHAMEL, Scènes de la vie future, XI, p. 173.

Combiner des idées. → **Construire, spéculer.** *Combiner des sentiments, des désirs, des efforts.* → **Associer.**

3   Il *(Montalembert)* a cessé de voir les questions par un seul aspect; il unit deux choses contraires, il combine.
      SAINTE-BEUVE, Causeries du lundi, 5 nov. 1849, p. 90.

◆ **2** (1762). Chim. Unir (des corps simples) pour obtenir une combinaison. *Combiner du chlore avec du sodium.*

◆ **3** (Av. 1789). Organiser en vue d'un but précis. → **Agencer, calculer, concerter, élaborer, méditer, organiser, préparer.** *Combiner un voyage, une réunion. Combiner des projets. Combiner un*

mauvais coup. → **Machiner, magouiller** (fam.), **manigancer, ourdir, trafiquer, tramer.**

4   (...) penché sur le billard, il est en train de combiner un magnifique effet de recul (...)
      Alphonse DAUDET, Contes du lundi, «La partie de billard».

5   Nous venons d'imaginer et de combiner un tas de délicieux projets pour nous revoir.
      LOTI, les Désenchantées, XXVI, p. 164.

6   (...) quand je voyais qu'Albertine avait combiné à mon insu, en se cachant de moi, le plan d'une sortie que j'eusse fait au tout monde pour lui rendre plus facile et plus agréable si elle m'en avait fait le confident (...)
      PROUST, À la recherche du temps perdu, t. IX, p. 111.

◆ **SE COMBINER** v. pron.

Entrer dans une combinaison (1.). *Des couleurs qui se combinent.* → **Marier** (se). *La haine se combine à l'amour.* — (→ Combinaison, 2.). *Les métaux se combinent avec les acides.*

7   (...) l'art du législateur est de savoir fixer le point où la force et la volonté du gouvernement, toujours en proportion réciproque, se combinent dans le rapport le plus avantageux à l'État.
      ROUSSEAU, Du contrat social, III, II, p. 278.

8   Lorsqu'un acide et un oxyde se combinent ils se neutralisent en totalité ou en partie (...)
      THÉNARD, Traité de chimie, t. II, p. 280, in POUGENS.

9   (...) il est absurde de vouloir ramener les sentiments à des formules identiques; en se produisant chez chaque homme, ils se combinent avec les éléments qui lui sont propres, et prennent sa physionomie.
      BALZAC, la Vieille Fille, Pl., t. IV, p. 317.

◆ **COMBINÉ, ÉE** p. p. adj.

Qui forme une combinaison. *Tant de gentillesse et de malveillance combinées sont inconcevables.*

10   Cette accélération et ce retardement du mouvement de la lune sont un effet de l'attraction du soleil combinée avec l'attraction de la lune.
      CONDILLAC, l'Art de raisonner, III, 7.

11   (...) nos cœurs, qui sont faits intimement d'une énorme injustice et d'une petite justice combinées.
      VALÉRY, Monsieur Teste, Lettre d'un ami, p. 83.

12   (...) ce regard peureux, traqué que donnent l'inquiétude et la fatigue combinées.
      GIDE, Feuillets, in Journal 1889-1939, Pl., p. 353.

Milit. *Opérations combinées*, faites par plusieurs armées.

CONTR. **Disperser, isoler, séparer; décomposer.** — (Du p. p.) **Seul, simple.** ◊ DÉR. **Combinable, combinant, combineur.** — V. **Combinaison, combinatoire.**

COMBINEUR, EUSE [kɔ̃binœr, øz] n. et adj. — 1888, Daudet; de *combiner*.

Péjoratif et rare.

◆ **1** (Personnes). Qui combine (qqch.). — N. *«Un combineur d'affaires»* (A. Daudet).

◆ **2** Vieilli. → **Combinard.**

(...) les autres, en payant cinquante pour cent, reçoivent de l'argent à travers des surveillants combineurs.
      Henri CHARRIÈRE, Papillon, p. 236.

COMBISME [kɔ̃bism] n. m. — 1910, Péguy; du nom de Émile *Combes* (1835-1931), président du Conseil français, partisan de la séparation de l'Église et de l'État.

Hist. Ensemble des idées politiques anticléricales semblables à celles d'Émile Combes, concernant notamment les relations de l'Église et de l'État. → **Anticléricalisme.**

— Vous avez scellé le nom de Dieu au cœur du pauvre, dit *(le curé de Fenouille).* — L'image est belle, observa le docteur (...) mais ce n'est qu'une image et rien d'autre. A peine eût-elle signifié quelque chose au temps révolu du combisme.

BERNANOS, Monsieur Ouine, éd. Plon, p. 189.

DÉR. Combiste.

COMBISTE [kɔ̃bist] adj. — V. 1910; de *combisme*.

Hist. Qui est caractérisé par le combisme, l'anticléricalisme de Combes.

Il faudrait faire des vœux pour que notre patrie soit anéantie, si cela était utile au reste du monde (Ernest Renan). Le style est digne de la pensée. Sous le régime combiste la France reconnaissante a donné le nom de Ernest Renan à un croiseur.

CLAUDEL, Journal, 19 mai 1940, Pl., t. II, p. 313.

COMBLANCHIEN [kɔ̃blɑ̃ʃjɛ̃] n. m. — 1881; nom de village.

Techn. Calcaire dur utilisé en construction. *Façade en comblanchien.*

1. COMBLE [kɔ̃bl] n. m. — 1175, «tertre»; du lat. *cumulus* «amoncellement». → Cumuler.

I ♦ **1** Rare. Surcroît qui peut tenir au-dessus des bords d'une mesure déjà pleine. → **Supplément, surplus, trop-plein.** *Le comble d'un boisseau.*

♦ **2** Abstrait. Cour. **LE COMBLE DE** : le plus haut degré de. → **Apogée, apothéose, faîte, maximum, pinacle, sommet, summum, zénith.** *Le comble du ridicule. C'est le comble de la difficulté, de la réussite.* → **Triomphe.** *Être au comble de la joie.* → Être au septième ciel*. C'est le comble du malheur.* — Ellipt. *C'est le comble, c'est un comble !* : il ne manquait plus que cela (se dit d'une chose désagréable). → *C'est complet*, c'est trop fort*, cela dépasse* la mesure.* — *Mettre le comble à* : apporter un surplus, un excès de. *Ses sarcasmes ont mis le comble à ma confusion.* — *Pour comble, il pleuvait à verse.* Cf. Brochant sur le tout (vx), par surcroît. — *La mesure est à son comble* : la patience, les forces sont à bout. → **Limite** (la patience a des limites).

1 Dieux ! ce comble manquait à mon affliction.

CORNEILLE, la Veuve, IV, 3.

2 Je suis au comble de la joie !

LA FONTAINE, Fables, XI, 3.

3 (...) pour comble de gloire et de magnificence (...)

RACINE, Esther, II, 5.

4 (...) lire deux actes de *Britannicus*, en s'étonnant chaque fois davantage de ce comble de perfection.

E. DELACROIX, Journal, 5 oct. 1854.

5 Le dévouement, qui peut-être est chez la femme le comble de l'amour (...)

BALZAC, la Recherche de l'absolu, Pl., t. IX, p. 495.

6 (...) il se pâmait d'aise en me voyant, et même m'a-t-on assuré, en ne me voyant pas, ce qui est le comble de la tendresse.   A. JARRY, Ubu Roi, V, I, p. 152.

II (1260; d'après le sens pop. de *cumulus*, pour *culmen* «sommet»). ♦ **1** Construction surmontant un édifice et destinée à en supporter le toit*. → **Châssis, charpente, ferme.** *Comble métallique, comble en bois. Poutres qui forment un comble.* → **Arbalétrier, chevron, faîtage, panne, poinçon, sablière, semelle, tirant.** *Couverture d'un comble sur laquelle on pose les tuiles, les ardoises...* → **Lattis.** *Tuiles recouvrant les arêtes d'un comble.* → **Tanchis.** *Pans inclinés d'un comble.* → **Égout.** *Comble à un pan* (→ **Appentis**), *à deux pans* (→ **Bâtière**). *Portion du mur latéral comprise entre les deux pans d'un comble.* → **Pignon.** *Pans latéraux d'un comble.* → **Croupe.** *Comble pyramidal, en pavillon.* → **Aiguille, flèche.** *Comble plat.* → **Terrasse.** *Comble brisé* ou *à la Mansart*, dont les deux inclinaisons sur un même versant permettent de ménager des fenêtres dans le toit. *Versant inférieur d'un comble brisé.* → **Brisis.**

Comble à pans incurvés. Comble en poivrière pour les toits coniques, *en coupole*, pour les dômes. *Faux comble* ou *comble perdu* : partie du comble dans laquelle on ne peut aménager de logement. *Pièces de charpente à la jointure de deux combles contigus.* → 2. **Noue.**

♦ **2** Plus cour. *Le comble* ou *les combles* : partie la plus haute d'une construction. → **Couronnement, faîte, haut, sommet, toit** (→ Bâtir, cit. 6). *Aménager les combles en grenier, en appartement.* → **Attique, mansarde.** *Lucarne, chatière pratiquée dans un comble.* — Loc. *Sous les combles* : au dernier étage, sous les toits. *Il loge sous les combles, dans une chambre de bonne.*

(...) la petite chambre sous les combles où l'on étouffait (...) 7

Alphonse DAUDET, le Petit Chose, II, III, p. 194.

Le vent pénétrant dans les combles par quelque lucarne 8 mal jointe souleva l'immense peuple des tuiles dont le cliquetis doux se propagea tout le long des greniers.

H. BOSCO, Hyacinthe, p. 196.

Figuré :

La mer, la mer toujours recommencée ! (...) 9
O mon silence ! (...) Édifice dans l'âme,
Mais comble d'or aux mille tuiles, Toit !

VALÉRY, Poésies, «Le cimetière marin».

♦ **3** Loc. (1680). **DE FOND EN COMBLE** : depuis le haut jusqu'en bas. → De la cave au grenier. *Remuer la maison de fond en comble pour retrouver un objet. Détruire qqch. de fond en comble*, complètement. *Cet événement change mes projets de fond en comble,* complètement.

♦ **4** Fig., littér. Point culminant, plus haut degré. — REM. L'emploi figuré de ce mot n'est pas distingué dans l'usage de celui du sens I, *le comble d'une mesure* et *le comble d'un édifice* se prêtant aux mêmes comparaisons.

Quoi ? des ambassadeurs que Bérénice envoie 10
Viennent ici, dis-tu, me témoigner sa joie,
M'apporter son hommage et me féliciter
Sur ce comble de gloire où je viens de monter ?

CORNEILLE, Tite et Bérénice, II, 1.

CONTR. Bas, base, cave, fondation. — Minimum. ◊ DÉR. Combler.

2. COMBLE [kɔ̃bl] adj. — Fin XIIᵉ; de *combler*.

♦ **1** Qui est rempli par-dessus les bords. *Une mesure comble.* — Loc. fig. (1671). *La mesure est comble* : on ne peut rien ajouter, rien supporter de plus.

♦ **2** (1817). Rempli de monde. → **Plein.** *Impossible d'entrer dans la salle qui était comble.* Loc. *Faire salle comble* : attirer assez de spectateurs pour remplir une salle de spectacle. → en argot du spectacle, Bourrer, II., B., 3. — *Restaurant comble.* → Plein, cit. 10. *L'autobus est comble.* → **Bondé, bourré, complet.**

A Crouy, la petite chapelle du pénitencier était comble.

MARTIN DU GARD, les Thibault, t. IV, p. 265.

CONTR. Désert, vide.

COMBLEMENT [kɔ̃bləmɑ̃] n. m. — 1552; «action de compléter», 1515; de *combler*.

♦ **1** Le fait de combler, de boucher. *Le comblement d'un puits, d'un lac.*

Géol. *Terrain de comblement,* formé par des matières qui ont occupé un espace vide.

Météor. *Le comblement d'une dépression.*

♦ **2** (En parlant de qqn). Le fait d'être comblé (5.).

Le comblement est donc une précipitation : quelque chose se condense, fond sur moi, me foudroie. Qu'est-ce qui m'emplit ainsi ? Une totalité ? Non. Quelque chose qui, partant de la totalité, en vient à l'excéder : une totalité sans reste, une somme sans exception, un lieu sans rien à côté.

R. BARTHES, Fragments d'un discours amoureux, p. 65.

COMBLER [kɔ̃ble] v. tr. — V. 1150; du lat. *cumulare* «amonceler». → 1. Comble, I.

◆ **1** Rare. Remplir par-dessus les bords. *Combler une mesure.* → **Surcharger.**

Loc. fig. (V. 1585). **COMBLER LA MESURE** (cit. 21) : commettre une dernière action qui fait cesser la patience et l'indulgence des autres. → **Attiger** (pop.), **dépasser** (les bornes), **exagérer, passer** (la mesure...); → fam. Charrier, y aller* fort. *Il a comblé la mesure en ne répondant pas à ma lettre. Ses bêtises ont comblé la mesure.*

1 Mes crimes désormais ont comblé la mesure.
RACINE, Phèdre, IV, 6.

2 Vous avez comblé la mesure de vos calomnies.
PASCAL, les Provinciales, 16.

◆ **2** (1564). Compl. n. de personne. *Combler qqn de... :* donner à (qqn) qqch. à profusion. → **Abreuver, accabler, charger, couvrir, gorger.** Vx. *Combler qqn de maux, d'horreur.* Mod. *Combler qqn de cadeaux, de bienfaits, de gloire. Son arrivée me comble de joie.*

3 J'étais lasse d'un trône où d'éternels malheurs
Me comblaient chaque jour de nouvelles douleurs.
CORNEILLE, Rodogune, II, 3.

4 Tu trahis mes bienfaits, je les veux redoubler;
Je t'en avais comblé, je t'en veux accabler (...)
CORNEILLE, Cinna, V, 3.

5 (...) elle *(votre lettre)* me comble d'une joie si vive, qu'à peine mon cœur (...) la peut contenir.
Mᵐᵉ DE SÉVIGNÉ, 370, 15 janv. 1674.

6 (...) les amitiés dont M. et Mᵐᵉ de Luxembourg me comblaient (...)
ROUSSEAU, les Confessions, XI.

7 L'érudition de son employé le comblait d'aise (...)
COURTELINE, Messieurs les ronds-de-cuir, 3ᵉ tableau, I, p. 92.

REM. L'usage tend à ne donner au mot *combler* que les compléments qui expriment un avantage (par attraction de «vous me comblez», → ci-dessous, 5.).

◆ **3** Concret. (Compl. n. de chose; sujet n. de personne ou de chose). Remplir (un vide, un creux). → **Boucher.** *Les cantonniers, les terrassiers comblent les creux de la route.* → **Remblayer.** *Matériau qui sert à combler la route.* → **Remblai.** *Combler une vallée, un fossé, une ornière.* → **Aplanir, niveler.** *Combler un lac, une lagune, un puits, un port. Combler un jour, un interstice.* → **Obturer.**

8 L'année prochaine, ce sillon sera comblé et couvert par un sillon nouveau.
G. SAND, la Mare au diable, II, p. 26.

9 La neige est partout : elle comble les mille vallées creusées dans la puissante échine des montagnes, comme la moelle dans les vertèbres.
André SUARÈS, Trois hommes, I, «Ibsen», p. 69.

◆ **4** (Abstrait). *Combler une lacune, un manque. Combler un vide moral, un besoin.*

9.1 (...) je ne savais plus ni comment expliquer ma venue, ni comment combler tout à coup ce vide énorme de deux années qui mettait entre nous comme un abîme de secrets, de réticences, et d'obscurités.
E. FROMENTIN, Dominique, p. 247.

10 Les historiens du XIXᵉ siècle, plutôt que d'avouer leur ignorance *(sur certains faits historiques antérieurs au XVIᵉ siècle)*, ont tenu à constituer un exposé complet. Ils ont comblé les lacunes de nos connaissances soit par des légendes, soit par des conjectures sans fondement, soit par des raisonnements fondés sur des généralisations imprudentes.
Ch. SEIGNOBOS, Hist. sincère de la nation franç., p. 6.

Combler un déficit, le faire cesser par des apports de fonds.

Combler les silences, les vides* (dans une conversation).

10.1 Lui non plus ne comprenait pas un mot de ce bavardage didactique, mais il affichait un air intéressé de spécialiste. Il hochait la tête, émettait des grognements importants, comblait les silences par des exclamations prudentes :
— Bien sûr!... Le contraire m'eût étonné!... Parbleu!...
H. TROYAT, le Vivier, p. 67.

◆ **5** Spécialt. **a** *Combler les vœux de qqn,* les exaucer.

b (Compl. n. de personne; sujet n. de personne ou de chose). Satisfaire. *Cette relation, cette personne ne le (la) comble pas. Vous me comblez! :* vous êtes trop aimable. → **Gâter.** — (Sujet n. de chose). *Sa réussite ne suffit pas à le combler.* — Passif. *Être comblé.* → ci-dessous, p. p., 3.

11 Il est triste d'aimer sans une grande fortune et qui nous donne les moyens de combler ce que l'on aime (...)
LA BRUYÈRE, les Caractères, IV, 20.

12 Vous êtes trop et trop peu dans ma vie (...)
Trop peu pour me combler et me satisfaire.
MONTHERLANT, les Jeunes Filles, *in* Romans, t. I, Pl., p. 1016.

13 Le spectacle de la relève de la garde, à Saint-James, les combla tellement qu'ils y retournèrent trois matins de suite, comme à un office.
J. ROMAINS, les Hommes de bonne volonté, t. V, XXVI, p. 262.

◆ **COMBLÉ, ÉE** p. p. adj.

◆ **1** Qui est totalement rempli. → **Plein.** *Une vallée comblée.* — REM. Dans l'usage moderne, ne s'emploie que si le remplissage est solide.

14 (...) les arches du Pont-Neuf sont quasi comblées *(par la crue des eaux).* Mᵐᵉ DE SÉVIGNÉ, 127, 16 janv. 1671.

◆ **2** Fig. (Personnes). *Il revint comblé d'honneurs.* → **Accablé, abreuvé, chargé, couvert.** *Être comblé de dons.*

15 Mon petit naturaliste enorgueilli veut babiller, mais sur-le-champ je lui ferme la bouche, et l'emmène comblé d'éloges. ROUSSEAU, Émile, III.

16 Un jeune homme *(Alexandre le Grand),* comblé de tous les dons que puissent accorder à la fois la beauté, la force, le génie et l'intelligence (...)
DANIEL-ROPS, Hist. sainte, IV, p. 314.

◆ **3** (Personnes). Sans compl. *Je suis comblé.* → **Gâté, heureux, satisfait.**

CONTR. Creuser, vider. — Nuire. ◊ DÉR. 2. Comble, comblement.

COMBOURGEOIS, OISE [kɔ̃burʒwa, waz] n. — 1313; de *com-, con-,* et *bourgeois;* adapt. lat. médiéval *comburgensis,* 1249 à Fribourg.

Hist. (notamment, en Suisse). Personne qui possédait le droit de bourgeoisie en même temps que d'autres. → **Bourgeois.**

COMBRIÈRE [kɔ̃brijɛʀ] n. f. — 1681; provençal mod. *coumbriero* d'orig. obscure, cf. le moy. franç. *combres* «engin pour retenir le poisson», apparenté à *décombres* (rad. gaulois).

Régional. Filet servant à pêcher le thon, et certains autres poissons de grande taille.

COMBUGER [kɔ̃byʒe] v. tr. — 1687; mot du Sud-Ouest, de *com-*(lat. *cum-*), et d'une forme correspondant à *buer.* → **Buée.**

Techn. et régional. Imbiber d'eau (une futaille) pour gonfler les douves disjointes par la sécheresse.

COMBURANT, ANTE [kɔ̃byʀɑ̃, ɑ̃t] adj. — 1789; lat. *comburens*, p. prés. de *comburere* «brûler». → Comburer.

Techn., chim. Se dit d'un corps qui, en se combinant avec un autre corps, opère la combustion de ce dernier (le combustible*). — N. m. *L'oxygène, le soufre sont des comburants.*

COMBURER [kɔ̃byʀe] v. tr. — 1412; *comburir*, XIᵉ; lat. *comburere*.

♦ **1** Littér. et vx. Brûler, consumer.

♦ **2** (1866 au p. p.). Sc. (Le sujet désigne le comburant*). Se combiner avec, de manière à permettre la combustion* de (un corps). *L'oxygène permet de comburer les graisses de l'organisme.* — Passif et p. p. *Corps comburé.* → **Combustible.**

COMBUSTIBILITÉ [kɔ̃bystibilite] n. f. — 1571; de *combustible*.

Didact. Propriété qu'ont les corps d'être combustibles.

CONTR. Incombustibilité.

COMBUSTIBLE [kɔ̃bystibl] adj. et n. — 1390; de *combustion*.

I Adj. ♦ **1** Didact. Qui a la propriété de brûler. *Matière combustible.* — *Corps combustible :* corps qui a la propriété de se combiner avec un comburant* en dégageant de la chaleur (→ **Combustion**). — *Ce bois est à peine combustible, tant il est vert.*

♦ **2** (1762). Fig. et rare. Qui s'enflamme facilement. → **Ardent, enflammé, inflammable.** *Caractère, tempérament combustible.*

1 Comment se pouvait-il qu'avec des gens si combustibles, avec un cœur tout pétri d'amour, je n'eusse pas du moins une fois brûlé de sa flamme pour un objet déterminé? ROUSSEAU, les Confessions, IX.

II N. m. ♦ **1** (1793). Corps utilisé pour produire de la chaleur. *Puissance calorifique d'un combustible :* nombre de calories dégagées par la combustion de 1 kg de ce combustible (→ **Calorifique**). *Classification des combustibles. Combustibles solides naturels.* → **Anthracite, argol, bois** (de chauffage), **houille, lignite, tourbe.** *Combustibles solides artificiels.* → **Boghead, boulet, briquette, charbon** (de bois), **coke, métaldéhyde.** *Combustibles liquides.* → **Alcool, essence, goudron, huile** (minérale, lourde), **mazout, naphte, pétrole.** *Combustibles gazeux.* → **Acétylène, butane, gaz, méthane, propane.** *Combustibles fossiles.* → **Houille, pétrole.** — *Combustible nucléaire :* l'élément qui entretient la réaction en chaîne. *Combustible naturel,* en partie fissile. *Combustible pur. Combustible composé* (ex. : uranium enrichi).

♦ **2** Fam. Argent. → Carbure (3.).

2 Suce-la-Glace affirme qu'il a tout juste de quoi s'offrir le cinéma vendredi soir et que sa petite amie restera à la porte faute de combustible. René FALLET, le Triporteur, p. 50.

DÉR. Combustibilité. ◊ COMP. Bicombustible, hydrocombustible, incombustible, turbocombustible.

COMBUSTION [kɔ̃bystjɔ̃] n. f. — 1150; lat. *combustio*, du supin de *comburere* «brûler».

♦ **1** Didact. ou littér. Le fait de brûler entièrement par l'action du feu. → **Calcination, ignition, incendie, inflammation.** *Mettre qqch. en combustion. Combustion des morts.* → **Incinération.** Vx. Le fait de brûler, incendie.

(1753). Chim., phys. Combinaison d'un corps (→ **Combustible**) avec un comburant* (souvent, l'oxygène); réaction énergétique qui en résulte. *Combustion vive,* l'oxydation se faisant avec un dégagement de lumière et de chaleur (→ ci-dessus, le sens 1). *Combustion instantanée :* explosion. *Combustion d'un gaz dans un brûleur, un chalumeau. Moteur à combustion interne.* — *Ancienne explication chimique de la combustion* (vive). → **Phlogistique.** — *Combustion lente,* l'oxydation se faisant lentement et sans dégagement appréciable de chaleur. *La rouille* est une combustion lente.* — *Gaz, produits, résidus* (cendres*) *de combustion.* — Biol. *Combustion de l'air dans les poumons. Combustion des graisses. Combustion nucléaire :* transformation nucléaire d'atomes, provoquée par le fonctionnement d'un réacteur. *Combustion massique :* énergie totale libérée par la combustion nucléaire et rapportée à l'unité de masse du combustible (exprimée en mégawatt-jours par tonne).

♦ **2** (1559). Par métaphore ou fig. (du sens 1). Littér. Le fait de se consumer, de consumer.

1 Parfois, un infime instant, j'ai une impression fulgurante de présence et, au même moment d'immédiate absence, de combustion du temps, d'anéantissement. Claude MAURIAC, le Temps immobile, p. 516.

En combustion. → **Conflagration, effervescence.** «*Mettre la France en combustion*» (Green, *in* T. L. F.).

2 (...) je ne veux point la contrarier, ni lui parler de moutons quand elle a la tête tout en combustion pour le mariage. G. SAND, François le Champi, XXIII, p. 166.

COMP. Précombustion, postcombustion.

COME-BACK [kɔmbak] n. m. — 1961, *in* Höfler; mot angl., de *to come* «venir», et *back* (idée de retour).

Anglic. Retour d'une personnalité politique ou sportive, d'une vedette, dans l'actualité, après une période de relatif oubli.

COMÉDIE [kɔmedi] n. f. — 1361; du lat. *comœdia* «pièce de théâtre».

I (Sens large). **A** ♦ **1** Chez les Grecs, *Comédie ancienne :* pièce de théâtre où l'on représentait sur la scène les citoyens d'Athènes avec leurs noms. *Comédie moyenne,* celle où les citoyens n'étaient pas nommés. *Comédie nouvelle,* celle où l'on ne met plus en scène que des personnages d'imagination. *Thalie, la muse de la Comédie.*

1 Des succès fortunés du spectacle tragique
Dans Athènes naquit la comédie antique.
BOILEAU, l'Art poétique, III.

Chez les Romains, *Comédie latine,* celle que les Romains imitèrent de la comédie grecque, spécialement de la comédie nouvelle.

♦ **2** (XVIIᵉ). Vx. Pièce de théâtre. → **Pièce, spectacle; comique,** I, 1.

2 (...) faisant de cet ouvrage *(les Fables)*
Une ample comédie à cent actes divers
Et dont la scène est l'univers.
LA FONTAINE, Fables, V, 1.

3 On sait bien que les comédies ne sont faites que pour être jouées (...) MOLIÈRE, l'Amour médecin, Au lecteur.

4 Racine a fait une comédie qui s'appelle Bajazet (...)
Mᵐᵉ DE SÉVIGNÉ, 237, 13 janv. 1672.

5 Corneille (...) est inégal. Ses premières comédies (...) ne laissaient pas deviner qu'il dût ensuite aller si loin; comme ses dernières font qu'on s'étonne qu'il ait pu tomber de si haut. LA BRUYÈRE, les Caractères, I, 52.

Le théâtre. *« Un esprit de comédie... »*. → Acteur, cit. 9.

♦ 3 Vieilli. *La Comédie française :* la comédie illustrée par Molière, Regnard, etc. — (1677). Lieu où se joue la pièce de théâtre. → Théâtre. *Aller à la comédie.* — Loc. (1688). Vx. *Portier de comédie*, celui qui se fait payer pour ouvrir la porte, et, par ext., toute porte.

6   Pour moi, quand je ne les accompagnais point, je m'allais exercer dans toutes les salles des tireurs d'armes, ou bien j'allais à la comédie : ce qui est cause peut-être de ce que je suis passable comédien.
     SCARRON, le Roman comique, I, xv, p. 86.

7   Je m'offre à vous mener l'un de ces jours à la comédie, si vous voulez (...)
     MOLIÈRE, les Précieuses ridicules, 9.

8   Voilà un homme (...) que j'ai vu quelque part (...) Est-ce (...) aux Tuileries dans la grande allée, ou dans le balcon à la comédie ?   LA BRUYÈRE, les Caractères, VII, 13.

Vx. La troupe des comédiens. *Toute la comédie paraît dans la cérémonie du* Malade imaginaire. Mod. *La Comédie-Française :* le Théâtre français.

♦ 4 Représentation d'une pièce ; fait de jouer. *Jouer la comédie.* → Comédien. *Il joue très bien la comédie. Donner la comédie.*

B Fig. **♦ 1** (1666). Vieilli. *Donner la comédie :* se faire remarquer, se donner en spectacle par des manières originales et souvent ridicules (→ Cabotiner). Mod. (enfants). Attitude insupportable, désagréable. → Caprice. *Cessez votre comédie ! — Jouer la comédie :* affecter, feindre (des sentiments, des pensées que l'on n'a pas), se composer une attitude. → Mentir, tromper. *Tout cela est pure comédie.* → Déguisement, feinte, hypocrisie, invention, mensonge, plaisanterie, simulation. *Sa vie n'est qu'une comédie. C'est une comédie, une vraie comédie. Quelle comédie !*, en parlant d'un événement qu'on juge peu digne d'être pris au sérieux. — Fam. Manœuvres contraignantes. *Quelle comédie pour trouver un taxi, aux heures de pointe !* → Affaire, histoire. — Loc. Vieilli ou littér. *Se donner la comédie de (qqch.) :* se livrer au jeu de (qqch.).

9   (...) la véritable comédie qui se fait ici, c'est celle que vous jouez (...)   MOLIÈRE, la Comtesse d'Escarbagnas, 8.

10   Ce serait avoir une idée bien fausse de la nature humaine que de croire que cette religion des anciens était une imposture et pour ainsi dire une comédie.
     FUSTEL DE COULANGES, la Cité antique, III, VII, p. 194.

11   Il est assez rare que la société des femmes ne nous contraigne aimablement à la comédie ; et c'est pourquoi nous préférons parler avec les hommes, à moins que nous ne préférions la comédie.
     VALÉRY, Autres rhumbs, p. 221.

12   Le propre de la passion est de hausser la voix, de demander à toutes ses émotions un registre plus sonore, de former un centre de violence exemplaire ; et si elle y échoue, elle préfère encore la simulation à la certitude de sa défaillance. Il n'y a point d'amour sans une part de comédie.   Edmond JALOUX, les Visiteurs, III, p. 29.

13   Mais cette comédie du sport avec laquelle on berne et fascine toute la jeunesse du monde, j'avoue qu'elle me semble assez bouffonne.
     G. DUHAMEL, Scènes de la vie future, XII, p. 184.

14   Si tu n'aimes pas ton mari «physiquement» (...) mais si tu tiens à lui sentimentalement, affectueusement, joue-lui la comédie du désir (...) C'est si facile ! (...)
     A. MAUROIS, Terre promise, XXVIII, p. 195.

14.1   Martial était découragé (...) quant à se donner la comédie de la dévotion, de la ferveur *(religieuse)*, il n'y fallait pas songer : «Je suis trop prompt à la moquerie pour me berner ainsi moi-même».
     Jean-Louis CURTIS, le Roseau pensant, p. 266.

♦ 2 Littér. *La comédie humaine :* l'ensemble des actions humaines considéré comme se déroulant suivant des normes, pour atteindre à un dénouement. *La Comédie humaine,* œuvre de Balzac. *La Divine Comédie* (ital. *Commedia*), œuvre de Dante.

15   Le dernier acte est sanglant, quelque belle que soit la comédie en tout le reste : on jette enfin de la terre sur la tête, et en voilà pour jamais.
     PASCAL, Pensées, II, 210.

16   Dans un grenier où je fus enfermé à douze ans j'ai connu le monde, j'ai illustré la comédie humaine.
     RIMBAUD, Illuminations, «Vies».

II (1552). Mod. (sens étroit ; en relation avec *comique****).

♦ 1 Pièce de théâtre ayant pour but de divertir en représentant les travers, les ridicules des caractères et des mœurs d'une société (au début, elle dépeint les bourgeois). *Les comédies d'Aristophane* (→ Parabase). *La tragédie et la comédie antiques* (→ Socque). *La comédie et le drame* bourgeois, au XVIIIᵉ siècle. Les comédies de Molière. La comédie des Précieuses ridicules. L'intrigue, le nœud, le dénouement d'une comédie. Les acteurs, les personnages d'une comédie.* — Hist. littér. *La haute comédie,* celle par laquelle l'auteur se proposait d'étudier les mœurs, les caractères. Mod. *Comédie de mœurs. Comédie de caractères. Comédie d'intrigue, de situation. Comédie de cape* et d'épée. Comédie héroïque,* qui met en scène des personnages d'un rang élevé. *Comédie pastorale,* qui met en scène des bergers. *Une courte comédie.* → Proverbe, saynète ; farce ; sketch. *Comédie de boulevard*. Pièce ayant la forme d'une tragédie et le dénouement heureux d'une comédie.* → Tragi-comédie. *Adapter une comédie au, pour le cinéma, pour la télévision. Une comédie de situation de la télévision américaine* (→ anglic. Sitcom).

17   (...) ce sujet est mêlé avec une espèce de comédie en musique et ballet (...) Notre nation n'est guère faite à la comédie en musique.
     MOLIÈRE, le Grand Divertissement royal, I.

18   La comédie larmoyante qui, à la honte de la nation, a succédé au seul vrai genre comique, porté à sa perfection par l'inimitable Molière.
     VOLTAIRE, Lettre à Somarokof, 26 févr. 1769.

19   (...) plus la comédie est agréable et parfaite, plus son effet est funeste aux mœurs.
     ROUSSEAU, Lettre à M. d'Alembert, p. 148.

20   Une tragédie qui ne sera pas fondée sur un grand sujet ne sera jamais qu'une comédie (...)
     Émile FAGUET, Études littéraires, XVIIᵉ s., Corneille, p. 145.

Comédie larmoyante (→ ci-dessus, cit. 18) : genre en honneur au XVIIIᵉ siècle, proche du drame* bourgeois. *Comédie italienne,* issue de la *commedia dell'arte* (francisé par Stendhal : *comédie dell'arte*). → Commedia dell'arte. Vieilli. *Comédie à couplets,* à ariettes (cit. 2). → Vaudeville. — *Comédie-ballet*.* (1930). COMÉDIE MUSICALE (théâtre, cinéma) : spectacle où se mêlent la musique, le chant, la danse et un texte, sur une base narrative suivie (à la différence du music-hall). Spécialt (genre filmique). *La comédie musicale américaine.*

♦ 2 Le genre comique, au théâtre. *Préférer la comédie à la tragédie.*

21   Comme l'affaire de la comédie est de représenter en général tous les défauts des hommes (...)
     MOLIÈRE, l'Impromptu de Versailles, 4.

22   J'aime peu la comédie qui tient toujours plus ou moins de la charge et de la bouffonnerie.
     A. DE VIGNY, Journal d'un poète, p. 91.

23   (...) la comédie, qui est l'école des nuances.
     FLAUBERT, Bouvard et Pécuchet, p. 149.

24   La comédie à la même hauteur que la tragédie, en fait supérieure même à la tragédie, voilà le premier point à quoi tient Molière.
     Émile FAGUET, Études littéraires, XVIIᵉ s., Molière, p. 269.

♦ **3** Fig. *Un personnage de comédie* : une personne qu'on ne prend pas au sérieux. → **Comique.** *Valet de comédie. Roi de comédie.*

CONTR. **Tragédie. — Sincérité. — Sérieux** (chose sérieuse). ◊ DÉR. et COMP. **Comédien. Comédie-ballet** (V. **Ballet**). REM. On rencontre d'autres formes composées : **comédie-bouffe, comédie-farce, comédie-parade, comédie-vaudeville. —** V. aussi **Tragi-comédie.**

COMÉDIEN, IENNE [kɔmedjɛ̃, jɛn] n. — V. 1500, comediain; de comédie.

♦ **1** Personne qui joue la comédie* (I.), fait du théâtre : spécialt, acteur professionnel au théâtre, et, par ext., au cinéma, à la télévision. → **Acteur, artiste, mime.** *Une troupe de comédiens. L'art du comédien. Une comédienne de talent. Mauvais comédien.* → **Cabot, cabotin, ringard.** *Sous le personnage* (cit. 8) *se laisse encore deviner le comédien. Anciens comédiens ambulants.* → **Baladin ; histrion.** *Se faire comédien* (→ littér. et vx. Chausser le socque et le cothurne). *Le Paradoxe sur le comédien,* de Diderot.

1   La condition des comédiens était infâme chez les Romains et honorable chez les Grecs : Qu'est-elle chez nous ? On pense d'eux comme les Romains, on vit avec eux comme les Grecs.   LA BRUYÈRE, les Caractères, XII, 15.

2   Qu'est-ce que le talent du comédien ? L'art de se contrefaire, de revêtir un autre caractère que le sien, de paraître différent de ce qu'on est, de se passionner de sang-froid, de dire autre chose que ce qu'on pense, aussi naturellement que si l'on le pensait réellement et d'oublier enfin sa propre place à force de prendre celle d'autrui.   ROUSSEAU, Lettre à M. d'Alembert, p. 186.

3   On a dit que les comédiens n'avaient aucun caractère, parce qu'en les jouant tous ils perdaient celui que la nature leur avait donné, qu'ils devenaient faux, comme le médecin, le chirurgien et le boucher deviennent durs.   DIDEROT, Paradoxe sur le comédien, Pl., p. 1067.

4   (...) toutefois, comme le mensonge est la première nature des comédiens, ils y sont bien plus sincères (...)   André SUARÈS, Trois hommes, «Ibsen», II, p. 87.

REM. Alors que *acteur, actrice* est du langage très usuel, que *artiste* est plutôt populaire dans cette acception, *comédien, comédienne* est d'usage dans les milieux de théâtre.

♦ **2** (1673). Fig. **a** N. Personne qui se compose une attitude, feint, «joue la comédie». → **Hypocrite.** *Il est très bon comédien. Quelle comédienne !*

5   Les grimaces d'amour ressemblent fort à la vérité ; et j'ai vu de grands comédiens là-dessus.   MOLIÈRE, le Malade imaginaire, I, 4.

6   Le Pape (...) leva ses yeux en haut et dit, avec un soupir paisible (...)
— Commediante !
Bonaparte sauta de sa chaise et bondit comme un léopard blessé (...)
— Comédien ! Moi ! Ah ! je vous donnerai des comédies à vous faire tous pleurer comme des femmes et des enfants.   A. DE VIGNY, Servitude et Grandeur militaires, III, v, p. 207.

b Adj. (1687). Personnes. *Elle est un peu comédienne.* → **Cabotin.**
Littér. (et rare). *Manières comédiennes.* → **Affecté, feint, moqueur.**

7   Il faut empêcher les enfants de contrefaire les gens ridicules ; car ces manières moqueuses et comédiennes ont quelque chose de bas et de contraire aux sentiments honnêtes.   FÉNELON, XVII, 18.

♦ **3** (Opposé à *tragédien*). **a** Acteur comique. *Il est meilleur comédien que tragédien.*
b Rare. Auteur de comédies (Valéry, *in* T. L. F.).

CONTR. **Sincère, vrai.**

COMÉDOGÈNE [kɔmedɔʒɛn] adj. — 1981; de comédon, et -gène.

Didact. Susceptible de provoquer des comédons. *Crème de beauté non comédogène.*

COMÉDON [kɔmedɔ̃] n. m. — 1855; adapt. du lat. comedo, -onis «mangeur».

Didact. Petite accumulation de matière sébacée, à sommet noirâtre, qui bouche un pore de la peau. → **Acné, séborrhée** (syn. cour. : *point noir*). *Instrument pour extraire les comédons.* → **Tire-comédon.**

COMESTIBILITÉ [kɔmɛstibilite] n. f. — 1825, Brillat-Savarin; de comestible.

Didact. Caractère de ce qui est comestible.

COMESTIBLE [kɔmɛstibl] adj. et n. m. pl. — 1390; lat. médiéval comestibilis, de comestum, supin de comedere «manger».

I Adj. ♦ **1** Qui peut servir d'aliment à l'homme. *Denrées comestibles. Champignons comestibles.* → **Consommable, mangeable.** *Ce champignon est comestible, mais assez insipide. Sa cuisine est à peine comestible.*

♦ **2** Par métaphore ou fig. Fam. Qui excite le désir. → **Séduisant, tentant.**

1   Mais l'intéressant, c'est que Christiane paraissait décidée à parler. Le printemps lui réussissait. Elle s'était débrouillée pour se faire dorer, déjà, et dans son chemisier blanc, elle était tout à fait comestible.   Claude COURCHAY, La vie finira bien par commencer, p. 79.

♦ **3** Par métaphore (rare, littér.). Utilisable, acceptable, supportable ; (fam.) buvable.

2   (...) l'incantatoire magie du langage, des mots inventés dans l'espoir de rendre comestible — comme ces pâtes vaguement sucrées dans lesquelles on dissimule aux enfants les médicaments amers — l'innommable réalité (...)   Claude SIMON, la Route des Flandres, p. 156.

II N. m. pl. (1772). → **Aliment, alimentation.** *Boutique de comestibles. Marchands de comestibles,* de denrées alimentaires.

CONTR. **Immangeable, incomestible, vénéneux.** ◊ DÉR. **Comestibilité.**

COMÉTAIRE [kɔmetɛʁ] adj. — 1749, Buffon; de comète.

Astron. Des comètes. *Système cométaire. — L'astronomie cométaire,* qui étudie les comètes.

COMÈTE [kɔmɛt] n. f. — V. 1140; lat. cometa, grec komêtês, proprt «(astre) chevelu», de komê «chevelure».

♦ **1** Astre présentant un noyau brillant (tête) et une traînée gazeuse (chevelure et queue), qui décrit une orbite parabolique. *Les grandes comètes (comète de Halley, Encke, Faye, Biela, Brooks...) sont observées périodiquement.*

1   (...) le passage prodigieux de ces étoiles incendiées qu'on appelle comètes (...)   HUGO, William Shakespeare, V, II.

Loc. *L'année de la comète,* où l'on observe une comète très visible. *Le vin de la comète,* d'une telle année. *— Mode à la comète* (au XVIIIᵉ siècle).

2   En 1742, l'apparition d'une comète amène toute une mode à la comète.   Ed. et J. DE GONCOURT, la Femme au XVIIIᵉ s., II, p. 58.

♦ **2** Loc. fig. *Tirer des plans sur la comète* : faire des projets chimériques (→ Des châteaux* en Espagne).

3   (...) il disait avec un rire sympathique, parlant des Allemands : «Ça doit chauffer, notre vieux Joffre est en train de leur tirer des plans sur la comète.»   PROUST, le Temps retrouvé, Pl., t. III, p. 750.
REM. Le personnage ignore le sens de l'expression.

(1872, «vagabonder»). Vx. *Filer la comète : être sans logis* (→ Dormir à la belle étoile*), sans le sou.

3.1   Mais ça peut pas durer toujours,
Après la saison des amours
C'est la mistoufe *(sic)* et, ben souvent,
Faut s'les caler avec du vent...
Filer la comète et la cloche,
À la Bastoche.
              A. BRUANT, Dans la rue, «À la Bastoche».

♦ **3** Techn. Tranchefile* à l'usage des relieurs. — Petit ruban de satin, employé en garniture.

♦ **4** Blason, icon. Étoile à huit rayons et à queue ondoyante.

DÉR. Cométaire.

COMIC BOOK [kɔmikbuk] n. m. — Mil. XXᵉ; expr. amér.

(1940), de *comics** «bande dessinée», et *book* «livre».
Anglic. Petit livret de bandes* dessinées (distinct de l'album* et des «bandes» au sens strict publiées dans la presse. → 2. **Strip**). *Des comic books.* «*Lors de l'explosion du comic-book, au début des années 40, les récits de science-fiction furent le fer de lance du mouvement.* Superman, *le héros nᵒ 1, est doté de super-pouvoirs et est originaire d'une planète autre que la Terre»* (*Magazine littéraire*, nᵒ 95, déc. 1974, p. 23).

COMICE [kɔmis] n. m. — V. 1355; du lat. *comitium* «assemblée du peuple».

I N. m. pl. COMICES. ♦ **1** Antiq. rom. Assemblée* du peuple, pour l'élection des magistrats et pour d'autres affaires publiques. *Comices par curies, par centuries.*

1   Pour que les comices fussent légitimement assemblés, et que ce qui s'y faisait eût force de loi, il fallait trois conditions : la première, que le corps ou le magistrat qui les convoquait fût revêtu pour cela de l'autorité nécessaire ; la seconde, que l'assemblée se fît un des jours permis par la loi ; la troisième que les augures fussent favorables.
              ROUSSEAU, Du contrat social, IV, IV, p. 318.

♦ **2** (1789). Hist. Assemblée populaire appelée à voter sur un plébiscite (cit. 1). *Le peuple, convoqué dans ses comices.*

II N. m. (1760). COMICE AGRICOLE, ou, au plur., COMICES AGRICOLES : réunion, assemblée des cultivateurs d'une région qui se proposent de travailler au perfectionnement, au développement de l'agriculture. *Les concours, les prix, les récompenses d'un comice agricole, des comices.*

2   Appliquez-vous surtout à l'amélioration du sol, aux bons engrais, au développement des races chevalines, bovines, ovines et porcines ! Que les comices soient pour vous comme des arènes pacifiques (...)
              FLAUBERT, Mᵐᵉ Bovary, VIII, p. 97.
       REM. Il s'agit du texte du discours du préfet.

DÉR. Comicial.

COMICIAL, ALE, AUX [kɔmisjal, o] adj. → Comitial.

COMICO- Premier élément d'adjectifs composés familiers, signifiant «à la fois comique et...». Ex. : *comico-dramatique, comico-érotique, comico-policier.*

COMICS [kɔmiks] n. m. pl. — 1940, in Höfler; mot amér.,

de l'adj. *comic*, dans *comic strips* «bandes (dessinées) comiques», substantivé au pluriel.
Anglic. Série de dessins légendés formant récit. L'équivalent franç. est *bande dessinée* ou *dessins d'humour.* → aussi **Comic book**.

Est-ce qu'on se permet de vous forcer à (...) écouter dans le tintamarre les airs d'une délectable vulgarité diffusés par les juke-boxes ? (...) À lire des comics ?
              N. SARRAUTE, Vous les entendez ?, p. 127.

COMIQUE [kɔmik] adj. et n. m. — XIVᵉ; lat. *comicus*, grec *kômikos*.

I (Domaine du spectacle, du théâtre). ♦ **1** Littér. ou vx. De la comédie (I.), du théâtre, des comédiens. → **Théâtral.** *Ballet comique* (XVIᵉ-XVIIᵉ siècles). *Le Roman comique*, de Scarron, qui met en scène des comédiens. *Histoire comique*, d'A. France. Vx. *La muse comique :* Thalie.

♦ **2** Qui appartient à la comédie (II.). *Le génie comique. Pièce comique. Le genre, le style comique* (→ aussi **Héroï-comique, tragi-comique**). *Auteur comique.* — *Opéra-comique.* → **Opéra.**

Mais quoi! je chausse ici le cothurne tragique!   1
Reprenons au plus tôt le brodequin comique (...)
              BOILEAU, Satires, X.
Un homme de ce caractère entre sans masque dans une   2
danse comique (...)
              LA BRUYÈRE, les Caractères de Théophraste,
                     De l'image d'un coquin.
Il nous suffira d'appuyer sur le mot, de le grossir et de   3
l'épaissir pour le voir s'étaler en scène comique.
              H. BERGSON, le Rire, p. 109.
Acteur, chanteur, interprète comique.

♦ **3** N. Acteur, actrice qui est habituellement chargé de jouer des personnages comiques. → **Bouffon, clown, mime, pitre.** *C'est un bon comique. Jouer les comiques. Tenir l'emploi de comique. Un comique de music-hall. Comique troupier*.* — REM. Le fém. *une comique* est normal.

Il restait là, taciturne et triste comme sont les grands   4
comiques, l'oreille fermée à toutes les trivialités qui bourdonnaient à ses côtés.
              Alphonse DAUDET, le Petit Chose, II, XII, p. 333.
Loc. *C'est le comique de la troupe,* en parlant de quelqu'un qui, dans un groupe, distrait ordinairement les autres par ses bouffonneries. → **Boute-en-train.**
Fam. (ne semble pas employé au fém.). Personne qui suscite la dérision par son absence de sérieux. → **Fantaisiste, charlot, rigolo.** *C'est un comique, ce mec-là! Dis-donc, toi, le comique!*
(1561). *Auteur comique.*

♦ **4** N. m. *Le comique :* le genre comique, et, par ext., la comédie (au théâtre, au cinéma, etc.). Fig., vx. → **Brodequin, socque.** *Le haut comique. Le comique de caractère, de situation. Le comique burlesque.* → **Burlesque.** *Le comique de boulevard.* → **Boulevard.**

II (Sans idée de théâtre). ♦ **1** N. m. Le principe du rire ; ce qui fait rire.
Le comique, la puissance du rire est dans le rieur, nulle-   5
ment dans l'objet du rire.
              BAUDELAIRE, Curiosités esthétiques, p. 172.
Le comique est vite douloureux quand il est humain.   6
              FRANCE, le Jardin d'Épicure, p. 30.
Comme Lamartine, il *(mon père)* riait rarement, n'avait   7
nul sens du comique, ne pouvait souffrir la caricature et ne goûtait ni Rabelais, ni La Fontaine.
              FRANCE, le Petit Pierre, I, p. 9.
(...) il faut distinguer entre le comique que le langage   8
exprime et celui que le langage crée.
              H. BERGSON, le Rire, p. 104.
Le comique défait les passions et même les sentiments; la   9
frivolité les guette à leur naissance et les dissout dans son tourbillon.
              ALAIN, les Aventures du cœur, p. 35.

♦ **2** Adj. (1680). Qui provoque le rire. → **Amusant, bouffe, bouffon, burlesque, cocasse, désopilant, drôle, facétieux, hilarant, inénarrable, plaisant, risible**; fam. **bidonnant, boyautant, crevant, fendant, gondolant, impayable, marrant, pissant, pliant, poilant, rigolo, roulant, tordant.** *Histoire comique. Situation comique. Visage, tête comique. C'est assez comique.*

— (Comique volontaire). *Une histoire comique. Film comique.* — (Comique involontaire). → **Dérisoire, grotesque, ridicule, risible.** *Il est comique avec ses grands airs :* il prête à rire.

10 Adultère ! ... Il se représenta soudain tout ce que ce mot contenait d'usuel, de domestique, de ridicule, de gauchement tragique ou de platement comique, de saugrenu, de biscornu (...)
FRANCE, le Mannequin d'osier, Œ., t. XI, p. 299.

11 Est comique tout arrangement d'actes et d'événements qui nous donne, insérées l'une dans l'autre, l'illusion de la vie et la sensation nette d'un agencement mécanique.
H. BERGSON, le Rire, p. 69.

12 Il me montrait un visage si écarquillé, ouvert à toutes les conjectures, et si comique par sa nouveauté que (...) je ne pus garder mon sérieux.
COLETTE, la Naissance du jour, p. 99.

N. m. *Le comique de l'histoire, c'est que... Une situation du plus haut comique.*

CONTR. **Dramatique, grave, imposant, pathétique, sérieux, touchant, tragique, triste.** ◊ DÉR. **Comiquement.** ◆ COMP. **Héroï-comique, opéra-comique, tragi-comique.**

COMIQUEMENT [kɔmikmɑ̃] adv. — 1546; de *comique.*

◆ 1 D'une manière comique (II., 2.), risible. *Prendre un air effaré et rouler comiquement les yeux. Il s'agitait comiquement.*

◆ 2 Rare. D'une manière comique (I., 2.), en comique. *Jouer une scène très comiquement.*

CONTR. **Dramatiquement, gravement, sérieusement, tragiquement, tristement.**

COMITADJI [kɔmitadʒi] n. m. — Déb. xxᵉ; grec mod., comp. des mots grecs tirés de *comité* et *agitation.* → Agit-prop.

Hist. Combattant macédonien luttant contre la domination turque, au début du xxᵉ siècle, et faisant partie d'un «comité d'agitation».

COMITARD [kɔmitaʀ] n. m. — 1911, *in* D.D.L.; de *comité*, et suff. péj. *-ard.*

Péj. Membre d'un comité politique ou sportif.

COMITAT [kɔmita] n. m. — 1866; mot hongrois, du lat. *comitatus* «fief d'un comte» (*comes, -itis*).

Hist. Subdivision administrative, dans l'ancienne Hongrie.

COMITE [kɔmit] n. m. — xiiiᵉ; ital. *comito.*

Vx. Chef de nage sur une galère.

Est-ce que la marche d'une galère, son équilibre, sa vitesse, ne sont pas à la garde du comite? Il y a des moments où l'effort de la chiourme et le souffle de la tramontane me soûle comme un grand coup de vin (...) Je suis le maître de la cadence. M. AYMÉ, Vogue la galère, I, II, p. 15.

COMITÉ [kɔmite] n. m. — 1690; attestation isolée, *committé*, 1650; angl. *committee*, de *to commit* «confier»; du lat. *committere.* → Commettre.

◆ 1 Réunion de personnes prises dans un corps plus nombreux (assemblée, société...) pour s'occuper de certaines affaires, donner un avis. → **Commission.** *Nommer, élire, désigner un comité. Rôle, attributions, fonctions d'un comité. Réunions, délibérations, travaux, décisions du comité. Rapport du comité. Les membres, le président, le secrétaire d'un comité. — Comité consultatif; comité exécutif. Comité de conciliation* (→ Arbitrage, cit. 4); *comité d'action. Comité de bienfaisance, de patronage. Comité paritaire*. Comité d'accueil*. Comité de soutien.*

Le régent me dit qu'il formerait un comité (car on ne parlait plus qu'à l'anglaise) de quelques-uns du conseil de régence. 1
SAINT-SIMON, Mémoires, 466, 116, *in* LITTRÉ.

Lui, c'est un philanthrope; il est des comités 2
De secours, d'indigence; il régit des hospices (...)
ÉTIENNE, les Deux Gendres, I, 1.

(1945, *in* Höfler). **COMITÉ D'ENTREPRISE :** dans une entreprise, privée ou publique, Comité comprenant des représentants (élus) du personnel en vue de participer à la vie de cette entreprise. → Ouvrier, cit. 15. Abrév. : *C. E.* [seø]. — *Comité central d'entreprise* (dans les grandes entreprises; coiffant des comités d'établissement). Abrév. : *C. C. E.* [seseø]. «*La direction de Peugeot a annoncé au comité central d'entreprise la cession de ses parts*» (*l'Humanité*, 6 janv. 1984, p. 6).

Comité de censure. — Comité électoral.

(1835, *in* Höfler). Spécialt. **COMITÉ DE LECTURE,** chargé de lire, retenir ou rejeter les textes proposés pour l'édition, les pièces de théâtre proposées pour la scène. → Lecture, cit. 13.1, Céline.

(1757, *in* Höfler). **COMITÉ SECRET,** formé pour les délibérations secrètes d'une assemblée ordinairement publique. *Se constituer, se former en comité secret.* Écon. *Comité de gestion. Comité économique et social,* organisme régional créé en 1972. Hist. *Comité de salut public,* qui groupa en 1793 tout le pouvoir exécutif (désignation reprise en Algérie). — *Comité français de Libération nationale,* constitué à Alger en 1943.

REM. Le mot *comité* entre dans de nombreux syntagmes, pendant la période révolutionnaire : *comités civils, comité de discipline, de gouvernement, des domaines, des finances, des rapports, des recherches, des subsistances, des transports...* — *Comité général* (1791) : forme que pouvait prendre un conseil ou le corps législatif, pour discuter d'une question. *Comité militaire. Comités révolutionnaires.* Polit. *Comité central d'un parti. Le comité central du parti communiste.*

◆ 2 (1710). **PETIT COMITÉ :** réunion formée seulement d'intimes, de personnes choisies. *Dîner, réception en petit comité, en comité restreint.*

COMP. **Sous-comité.**

COMITIAL, ALE, AUX ou **COMICIAL, ALE, AUX** [kɔmisjal, o] adj. — V. 1355; lat. *comitialis,* de *comitium.* → Comices.

◆ 1 Qui a rapport aux comices. *Vote comicial* (ou *comitial*).

◆ 2 (1576). Méd. *Mal comitial :* épilepsie. (À Rome, l'assemblée des Comices se séparait lorsque quelqu'un souffrait d'une attaque d'épilepsie). *Attaque, crise comitiale,* d'épilepsie.

N. (1921, *in* D.D.L.). Épileptique.

COMP. **Anticomitial.**

COMMA [kɔma] n. m. — 1552; lat. *comma,* grec *komma* «membre de phrase», de *koptein* «couper».

◆ 1 Mus. Intervalle musical, non appréciable pour l'oreille, qui sépare deux notes enharmoniques (do dièse et ré bémol, mi dièse et fa...).

Les musiciens entendent par comma la huitième ou la neuvième partie du ton, la moitié de ce qu'ils appellent un quart de ton (...) pour des oreilles comme les nôtres un si petit intervalle n'est appréciable que par le calcul.
ROUSSEAU, Dict. de musique, Comma.

◆ 2 Rare. Signe graphique et typographique appelé couramment «deux points» (:). → **Deux-points.**

♦ **3** Vx. Pause, arrêt (dans une phrase).

HOM. 1. et 2. **Coma.**

COMMAND [kɔmɑ̃] n. m. — 1262; «commandement», v. 1050; déverbal de *commander.*

Dr. L'acheteur réel d'un bien, qui n'est pas nommé sur l'acte de transmission. — (1509). *Déclaration de command* : déclaration par laquelle on nomme le véritable acquéreur. — Par ext.; abusif. Déclaration par laquelle l'avocat (ancient, l'avoué), dernier enchérisseur dans une vente d'immeubles, nomme le véritable adjudicataire.

HOM. **Comment.**

1. **COMMANDANT, ANTE** [kɔmɑ̃dɑ̃, ɑ̃t] n. — 1671; «chef (d'un parti)», 1661; du p. prés. de *commander.*

♦ **1** Celui qui a un commandement militaire. → **Chef; capitaine, général.** — REM. Dans cet emploi, le mot est qualifié (en franç. mod.) pour éviter l'ambiguïté avec le sens 2. — *Le centurion* romain, commandant d'une compagnie de cent hommes.* (Vieilli). *Commandant de place, commandant d'armes* : dans une ville de garnison, L'officier le plus ancien dans le grade le plus élevé. *Le commandant de la 1ʳᵉ armée.* Syn. : *le général commandant* (verbe) *la 1ʳᵉ armée. Commandant de régiment, de division, de corps d'armée* (→ **Général**). *Commandant en chef; commandant en second. Commandant de région*. Commandant de compagnie* (→ **Capitaine**).

1 Il m'a demandé si je voulais devenir l'ordonnance du nouveau commandant de la compagnie.
P. MAC ORLAN, la Bandera, VI, p. 68.

REM. Le fém. est rare.

♦ **2** Titre donné aux chefs de bataillon, d'escadron, de groupe aérien et à tous les officiers dont les insignes de grade sont quatre galons. *Être promu, passer commandant. Le commandant est le moins élevé en grade des officiers supérieurs.* — *Commandant de gendarmerie,* (ancient) *de la garde nationale. Le commandant X. Le Commandant Watrin,* roman de A. Lanoux. — (Appellatif). *Mon Commandant* (les personnes n'appartenant pas à l'armée disent : *commandant*).

2 A-t-on jamais entendu répondre autre chose, chez nous, que : «Bien mon Commandant. Oui mon Commandant. Merci mon Commandant. Entendu mon Commandant.»
SAINT-EXUPÉRY, Pilote de guerre, p. 13.

♦ **3** Officier qui commande un navire, quel que soit son grade. *Commandant de navire, dans l'antiquité grecque.* → **Navarque.** — *Commandant d'escadre. Le commandant est sur la passerelle.*

Aviat. *Commandant de bord*.* → **Pilote** (chef pilote).

REM. Dans la marine, l'appellatif est *Commandant,* et non pas : *mon Commandant.*

2. **COMMANDANT, ANTE** [kɔmɑ̃dɑ̃, ɑ̃t] adj. — Av. 1694; du p. prés. de *commander.*

♦ **1** Littér. Qui aime à donner des ordres, à commander. → **Autoritaire, impérieux.** *Elle est un peu commandante.* — *Voix sèche et commandante.*

♦ **2** Rare. Qui commande (I., C.). — Fig. *«La place la plus haute et la plus commandante»* (Giono).

COMMAND-CAR [kɔmɑ̃dkaʀ] n. m. — V. 1945; mots angl., «voiture *(car)* de commandement».

Anglic. Milit. Véhicule de commandement d'une unité blindée. *Des command-cars.*

Quand il connut la nouvelle, le capitaine Raymond Dronne, du régiment de marche du Tchad, donna calmement ses ordres de départ à ses hommes. Puis, il décrocha le rétroviseur de son command-car et l'attacha à une branche de pommier. Et il entreprit de tailler sa florissante barbe rousse.
D. LAPIERRE et L. COLLINS, Paris brûle-t-il?, p. 250.

COMMANDE [kɔmɑ̃d] n. f. — 1213, «protection, dépôt»; déverbal de *commander.*

I (De *commander,* I., A. et B.). ♦ **1** (1625). Ordre par lequel un client, consommateur ou commerçant, demande une marchandise ou un service à fournir dans un délai déterminé (→ **Achat, ordre**). *Faire, passer une commande au fournisseur, à un artisan, à un commerçant. Recevoir, accepter, refuser une commande. Le garçon de restaurant prend les commandes des clients, des consommateurs.* — *Livre, carnet de commandes. Bon de commande.* — *Travail fait, exécuté sur commande, sur demande de l'acheteur* (→ ci-dessous, 2.). *Marchandise payable à la commande.*

(...) des commandes de cartes de visite, qu'elle ramassait
dans sa clientèle, et qu'elle faisait exécuter dans la maison
où je travaillais.
J. ROMAINS, les Hommes de bonne volonté, t. II,
V, p. 51.

Il *(le serveur)* prenait parfois cinquante commandes, au 2
vol, disparaissait dans les profondeurs odorantes de la
gargote (...)
G. DUHAMEL, Inventaire de l'abîme, v, p. 65.

Un gracieux serviteur porte la carte, part sans attendre 2.1
la commande. Ce n'est qu'au maître *(d'hôtel),* signalé par
son frac noir, évidemment, qu'il appartient d'enregistrer
les faims et les désirs.
A. PIEYRE DE MANDIARGUES, la Marge, p. 146-147.

La marchandise, le travail commandé. *Nous avons bien reçu votre commande. Livrer une commande. Ouvrage de commande,* exécuté spécialement pour une personne qui en a donné l'ordre, qui en a fait la demande.

(...) j'ai ajouté à ces tableaux, qui étaient de commande 3
(dans son discours à l'Académie), les louanges de chacun
des hommes illustres qui composent l'Académie française (...) LA BRUYÈRE, Disc. à l'Acad., Préface.

Dr. *Contrat de commande,* par lequel un auteur s'engage à créer une œuvre, puis à la livrer ou à en concéder quelques droits moyennant une rémunération.

♦ **2** (Dans des loc.). Demande, ordre ou obligation.

SUR COMMANDE : à la demande ou sur ordre. *Faire, réaliser qqch. sur commande ou spontanément.*

(...) il a beau tenir bon, et protester qu'il n'écrira pas sur 4
commande, il vit de sa plume (...)
André SUARÈS, Trois hommes, «Dostoïevsky», III,
p. 217.

Par ext. Inspiré et conduit par qqn d'autre.

La grève est réglementée et s'accomplit sans colère, sans 4.1
cette fureur qui emporte tout. Mais que vaut une révolte
sur commande?
F. MAURIAC, Bloc-notes 1952-1957, p. 66.

♦ **3** DE COMMANDE. **ⓐ** Vx. Obligatoire, prescrit. *Fêtes, jeûnes de commande.* → **Imposé.**

L'hospitalité n'est point de commande aux musulmans 5
envers les infidèles. VOLTAIRE, Charles XII, 6.

ⓑ Mod. Qui n'est pas sincère. → **Affecté, artificiel, feint, simulé.** *Rire, sourire de commande. Enthousiasme, zèle de commande. Larmes de commande* (→ Larmes de crocodile*). *Douleur de commande* (opposé à *sincère*).

La duègne, pour se conformer à la douleur de sa maî- 6
tresse, n'épargna pas les grimaces : elle laissa couler quelques pleurs de commande.
A.-R. LESAGE, le Diable boiteux, v, p. 63.

♦ **4** Dr. ecclés. Vx. EN COMMANDE, se disait d'un bénéfice ecclésiastique accordé à vie, en dépôt*, en garde.

II (De *commander* I., D.). ♦ **1** Mise en action; fait de commander (un mécanisme). *La commande d'une machine, d'un ascenseur. La commande et la reprise. Commande à distance.* → **Télécommande.** *Commande manuelle, mécanique, hydraulique, électrique, automatique. Commande à programme.* — *Organe, câble, levier, manette, système de commande* (→ ci-dessous, 2. : *une commande*). *Organe de commande d'un dispositif d'asservissement*. Poste de commande.*

♦ **2** (1494, «câble»). Par métonymie. **a** Cordage, câble d'amarrage.

b (1861). Organe capable de déclencher, d'arrêter, de régler des mécanismes. — *Commandes manuelles* (bouton, clé, manettes), *commandes au pied* (pédale). *Commande des freins.* **Inform.** *Clé permettant l'action externe d'un opérateur sur un calculateur. Le pupitre de(s) commande(s). Commande en boucle fermée, en chaîne ouverte... Commande chronométrique, numérique. Commande à programme. Commande optimale. Moteur à commande électrique. Commande par excentrique.* — **Aviat.** *Commande de direction, de profondeur* (→ Manche à balai). *Prendre les commandes. Être aux commandes.* — *Commande de vol* (spécialt, pilotage assisté). — *Commandes croisées.* — *Doubles commandes :* duplication des organes de commande.

7 (...) je m'efforce (...) de débloquer mon palonnier gelé (...) Et je pèse de tout mon poids sur les commandes rigides.
SAINT-EXUPÉRY, Pilote de guerre, p. 57.

Loc. *Tenir les commandes :* diriger, avoir en main une affaire. *Cf. Tenir la barre, le gouvernail. Passer les commandes (de qqch.) à qqn :* confier la direction (de qqch.) à qqn. *Reprendre les commandes (de qqch.) :* assumer à nouveau la direction, la gestion de. *S'emparer des commandes, se mettre aux commandes.*

8 — Empêcher les salauds de reprendre les commandes du pays, refuser de se commettre avec eux, ça nous regarde tous.   S. DE BEAUVOIR, les Mandarins, p. 287.

(*Levier, poste de commande, commande* au sens II., 1.). **Fig.** *S'emparer, disposer des leviers de commande (d'un pays, d'une affaire),* avoir la haute main sur. *Se ménager l'accès au poste de commande, aux postes de commande.*

9 Les technocrates sont aux leviers de commande. Les programmes des ordinateurs (...) ont une plus forte incidence sur l'évolution historique que n'importe quel programme électoral.
Jean-Louis CURTIS, le Roseau pensant, p. 270.
Action d'un opérateur humain sur une machine. → **Instruction.**

III Fig., rare. Direction, contrôle. *La commande des événements.*

HOM. Commende.

COMMANDEMENT [kɔmɑ̃dmɑ̃] n. m. — V. 1050; du verbe *commander,* au sens I.

A (De *commander,* I., A.). ♦ **1** **a** Vieilli. Action de commander (qqn). *Le commandement d'un supérieur (à ses subordonnés), son commandement.* — Le fait de commander, d'ordonner qqch.; ordre par lequel on commande. → **Injonction, ordre, prescription.** *Commandement verbal, écrit. Donner, transmettre un commandement. Obéir à un commandement. N'attendre que le commandement pour partir.*

1 À quelle heure (...) êtes-vous parti ? (...)
À huit heures trois quarts, Madame, comme votre commandement me l'avait ordonné.
MOLIÈRE, la Comtesse d'Escarbagnas, 6.

On a toujours la gloire d'avoir obéi vite à leurs commandements *(des rois).*   2
MOLIÈRE, l'Impromptu de Versailles, 1.
(Ils) N'attendent pour partir que vos commandements.   3
RACINE, Bérénice, I, 3.

b Mod. *Avoir un ton, une attitude de commandement. Avoir le commandement rude, bref. L'habitude du commandement. Aptitude au commandement.*

c (Dans l'armée). Ordre bref, donné à voix haute pour faire exécuter certains mouvements. *Un commandement bref, impératif. À mon commandement.* — Par ext. *Commandement au sifflet. Commandement au geste, à la voix.* — *Commandements en marine, en sports.*

Des commandements criés d'une voix inconnue et gutturale montaient le long des maisons qui semblaient mortes et désertes (...)   MAUPASSANT, Boule de suif, p. 9.   4

Au premier commandement, l'émotion redouble; au second, je me souviens machinalement de gonfler la poitrine et de me soulever un peu. Au coup de feu, je pars, trop tard.   Jean PRÉVOST, Plaisirs des sports, p. 108.   4.1

d Hist. Ordre écrit (d'une autorité civile). *Commandement du roi au Parlement. Lettre de commandement.* → **Jussion.**

♦ **2** (1539). Dr. Acte d'huissier, mettant un débiteur en demeure de satisfaire aux obligations résultant d'un acte authentique (Code de procédure civile, art. 593; 636, 673). → **Injonction, sommation.** *Faire commandement à qqn de payer.*

La saisie immobilière sera précédée d'un commandement à personne ou domicile ; en tête de cet acte, il sera donné copie entière du titre en vertu duquel elle est faite.   5
Code de procédure civile, art. 673.

♦ **3** (V. 1175). Relig. Règle de conduite édictée par l'autorité de Dieu, d'une Église. → **Loi, précepte, prescription, règle.** *Les dix commandements.* → **Décalogue** (Bible : *Exode,* XX ; *Deutéronome,* V). *Les six commandements de l'Église catholique. Observer les commandements. Violer un commandement.*

(Yahweh dit à Moïse) Mais toi, reste ici avec moi, et je te dirai tous les commandements, les lois et les ordonnances que tu leur enseigneras, pour qu'ils les mettent en pratique (...)   6
BIBLE (CRAMPON), Deutéronome, V, 28.

«si tu veux entrer dans la vie *(éternelle),* observe les commandements». Il lui dit : «Lesquels ?» Jésus dit : «C'est : Tu ne tueras point ; tu ne commettras point l'adultère ; tu ne déroberas point ; tu ne porteras point de faux témoignages ; honore ton père et ta mère, et : tu aimeras ton prochain comme toi-même.»   7
BIBLE (CRAMPON), Évangile selon saint Matthieu, XIX, 17-18-19.

Par ext. *Les commandements de la morale, de la foi.* → **Devoir, impératif, obligation.**

♦ **4** (V. 1616). Pouvoir, droit de commander. → **Autorité, direction, pouvoir, puissance ;** et les suff. **-archie, -archique.** *Avoir le commandement sur...* → **Commander.** *Aspirer au commandement. Donner, accepter, recevoir, prendre le commandement. L'expérience du commandement. Exercer le commandement. Priver qqn d'un commandement* (→ **Casser, dégrader, démettre, destituer ;** (fam.) **débouler, limoger).** *Le commandement d'une armée, d'une troupe, d'un régiment, d'une compagnie ; d'une escadre, d'un navire. Commandement en chef. Poste de commandement* (→ 2. **P.C.**). *Tourelle de commandement.* — *Bâton* de commandement.*

Le pouvoir le flatte moins que le commandement et sa publicité.   GIRAUDOUX, Bella, II, p. 47.   8

Dès que ce chef paraît, dès que le commandement devient énergique et précis, l'ordre succède au désordre (...) Sans commandement, point d'action militaire, point de vie nationale, point de vie sociale.   9
A. MAUROIS, Un art de vivre, IV, I, p. 146.

10 Manuel n'était discipliné ni par goût de l'obéissance ni par goût du commandement, mais par nature et par sens de l'efficacité. MALRAUX, l'Espoir, p. 121.

11 Mettez-vous en tenue, Gilieth, équipez-vous, avec vos armes et vous prendrez le commandement d'une patrouille. P. MAC ORLAN, la Bandera, XI, p. 131.

Avoir une troupe à son commandement. — Fig., vieilli. *Avoir à son commandement :* pouvoir se servir à volonté de...

12 Vous savez donc l'hébreu ? — L'hébreu ? parfaitement : J'ai dix langues, Cliton, à mon commandement. CORNEILLE, le Menteur, IV, 3.

13 (...) sa figure se voila sous cette réserve impénétrable que toutes les femmes, même les plus franches, semblent avoir à commandement. BALZAC, la Cousine Bette, Pl., t. VI, p. 138.

♦ **5** (1636). Par métonymie. Autorité militaire qui détient le commandement des forces armées. *Le haut commandement des armées.* → **État-major.** *Commandement suprême. Le commandement de l'air, de la marine.* — Ensemble des officiers généraux responsables d'une armée.

Territoire sur lequel s'exerce un commandement militaire. *Commandement de région, de division territoriale.*

♦ **6** (1902, *in* Petiot). Sport (course). Place en tête. *Il a pris le commandement. Il est au commandement :* il mène.

14 Il se piquait au jeu, et dans les lignes droites se mit à courir au même niveau que son rival, pour le priver du commandement de l'allure. Jean PRÉVOST, Plaisirs des sports, p. 184.

(1934). *Groupe de commandement :* peloton* de tête. «*Le groupe de commandement commença à voir ses effectifs s'effriter*» (les Sports, 1955, *in* D.D.L.).

B (De *commander*, I., C.). Rare. Le fait de commander. *Le commandement de la plaine par une position.*

CONTR. Défense, interdiction. — Obéissance, soumission. — Faiblesse, impuissance.

COMMANDER [kɔmɑ̃de] v. — 1080; *comander* «donner en dépôt», xe; lat. pop. *commandare,* de *commendare* «confier, recommander», de *com-,* et *mendare.*

I V. tr. **A** Ordonner. ♦ **1** **a** (Sujet n. de personne). *Commander qqch. à qqn :* enjoindre qqch. à qqn. → **Enjoindre, imposer, ordonner, prescrire.** *Il lui commande le silence. Faites ce que l'on vous commande.* — (Sans compl. second). *Il commandait l'attention. Arrêtez-vous, commanda-t-il.*

1 Puisqu'enfin ma prière a si peu de pouvoir,
Vous avez entendu ce que je vous demande,
Madame : je le veux, et je vous le commande.
RACINE, Iphigénie, III, 1.

2 (...) le rapport entre l'objet secondaire et le mot auquel il est rattaché varie suivant le sens de l'objet et suivant le sens du mot complété. Les nuances sont infinies (...) Verbes qui signifient commander : *ordonner, enjoindre, contraindre, obliger, conseiller, persuader, suggérer, recommander, souhaiter :* **je vous commande** *un mouvement et vous en faites un autre;* — **ordonner à un malade** *une cure à Vichy;* — **on lui a recommandé** *cette maison;* — *je vous souhaite le bonjour.* F. BRUNOT, la Pensée et la Langue, X, VI, p. 391-392.

(Le sujet désigne le regard, la voix, le geste de la personne qui commande).

3 Obéissant au regard énergique de Rouletabille qui lui commandait l'immobilité (...) G. LEROUX, Rouletabille chez le tsar, p. 54, *in* T.L.F.

Commander (à qqn) *de* (et inf.). *Il lui a commandé de venir, de faire cela.* — (Compl. n. de chose). Vieux :

4 Commander à vos yeux de garder le secret RACINE, Andromaque, III, 1.

b (Sujet n. de chose). Rendre absolument nécessaire, obliger. *Faire ce que les circonstances commandent.* → **Appeler, exiger, nécessiter, réclamer.** *Sa conduite commande l'admiration.* → **Attirer, imposer, inspirer.** *Son attitude commande l'attention.* → **Requérir.**

5 C'est une erreur de croire que le salut public puisse commander une injustice. CONDORCET, cité par MICHELET, Hist. de la Révolution franç., t. II, p. 227.

6 (...) je lui dis avec cet accent qui commande l'attention (...) BALZAC, le Lys dans la vallée, Pl., t. VIII, p. 829.

(Construit avec *de* et inf., *que* et subj., avec ou sans un compl. en *à*). *La raison commande d'attendre, qu'on attende. La raison nous commande de...* — (Sujet n. de personne ou de chose). *Commander une action, un sentiment à qqn.* → **Inspirer.**

c (Sujet n. de chose). *Commander qqch., commander de* (et inf.); *commander que* (et subj.) *de qqn,* exiger qqch. de qqn.

7 Et non seulement il *(le chef du Gouvernement)* doit se servir des bons éléments existants, mais son devoir et son intérêt lui commandent d'en créer de nouveaux. A. MAUROIS, Un art de vivre, IV, 4, p. 170.

♦ **2** *Commander qqn :* exercer son autorité sur (qqn) en lui dictant sa conduite. → **Contraindre, obliger.** *Il n'aime pas qu'on le commande.* → **Conduire, diriger, dominer, mener.** *Il commande ses subordonnés à la baguette.*

8 Ne saurais-tu juger, que, si je nomme un roi,
C'est pour le commander, et combattre sous moi ?
CORNEILLE, Rodogune, II, 2.

9 Je me souviens toujours que j'étais né pour les commander *(les femmes).* MONTESQUIEU, Lettres persanes, 9.

(Sujet n. de chose) :

9.1 La raison nous commande bien plus impérieusement qu'un maître; car en obéissant à l'un on est malheureux, et en désobéissant à l'autre on est un sot. PASCAL, Pensées, VI, 345.

♦ **3** (XVIe). Diriger dans le combat, dans l'action (ceux sur qui le sujet a un pouvoir hiérarchique).

10 Aimez ceux que vous commandez. Mais sans le leur dire. SAINT-EXUPÉRY, Vol de nuit, p. 63.

11 *Commander ses hommes et commander à des hommes* sont aussi séparés que par une fine nuance. Le premier signifie les *diriger vraiment.* F. BRUNOT, la Pensée et la Langue, IX, II, VII, p. 321.

a Avoir l'autorité hiérarchique sur (qu'on l'exerce par des ordres ou non). *Commander un régiment.* — Au p. prés. *Le général commandant la Région, commandant la 1re armée.* → **1. Commandant, 1.**

12 Ce kan de la petite Tartarie ne commandait point les armées du grand seigneur. VOLTAIRE, Hist. de l'Empire de Russie, II, 1.

b (Commandement effectif). *Commander une troupe au feu.* → **Conduire, mener.** (Vieilli). *Commander une troupe, des soldats pour l'attaque,* leur donner l'ordre de se tenir prêts pour l'attaque.

13 Par exemple, en Allemagne, il y a plus d'énergie dans un seul des régiments qui seraient commandés pour rétablir l'ordre que dans toute la social-démocratie. J. ROMAINS, les Hommes de bonne volonté, t. IV, XVI, p. 176.

Spécialt (par politesse). Vx ou pop. *Sans vous commander :* sans vouloir vous donner un ordre. *Vous n'avez (n'aurez) qu'à me commander :* il vous suffit de me donner l'ordre (d'agir, de venir...).

13.1 Monsieur, si je vous puis être utile en quelque chose, vous n'avez qu'à me commander. MOLIÈRE, les Fourberies de Scapin, I, 4.

♦ **4** *Commander qqch. :* donner l'ordre de; prescrire d'une manière autoritaire. *Commander une attaque, la retraite.* — Diriger (une action). *Commander la manœuvre.*

B (1675). *Commander une marchandise, un objet,* en faire la commande. (*Commander un meuble, un costume* (→ **Acheter**). *Commander un repas, une bouteille de vin.* → **Procurer** (se), **livrer** (se faire). *Commander qqch. par lettre, par téléphone.* — *Commander un travail, un service (à qqn),* lui en demander l'exécution.

14   (*Ce n'est qu'*) un petit impromptu (...) Il est le plus précipité de tous ceux que Sa Majesté m'ait commandés.
MOLIÈRE, l'Amour médecin, Au lecteur.

15   Bien qu'elle eût une cuisinière honorable, elle avait commandé deux plats (un poisson de belle taille, et des ris de veau garnis de quenelles dans une sauce aux champignons).
J. ROMAINS, les Hommes de bonne volonté, t. III, X, p. 135.

16   De son côté, Juan Moratin s'assit en face de son sauveteur et il commanda un pichet de vin pour donner de la valeur à ses remerciements.
P. MAC ORLAN, la Bandera, XX, p. 248.

C (Sujet et compl. n. de chose). ♦ **1** (1653). Fortif. Être en mesure de battre par l'artillerie. *Le fort, cette position d'artillerie commande la plaine* (→ **Clef** : position clef). — Par ext. Se dit d'un lieu plus élevé qu'un autre (→ **Dominer**).

17   (...) ce lieu qui commandait une vue immense.
CHATEAUBRIAND, Atala.

♦ **2** Constituer un lieu de passage obligé pour accéder à un autre endroit.

18   Le palier, très étroit, commandait de petits couloirs surélevés.
J. ROMAINS, les Hommes de bonne volonté, t. II, VI, p. 54.

D (Sujet et compl. n. de chose). Techn. Faire fonctionner. *Ce mécanisme commande l'ouverture des portes. Levier, pédale commandant les freins.* → **Commande** (II.).

II ♦ **1** V. tr. ind. **COMMANDER À** (qqn) : avoir, exercer une autorité sur (qqn). *Commander à qqn. Il leur commande durement, à la baguette.* — REM. La construction avec *à* avait dans la langue classique un équivalent avec *sur.*

19   Sur cent peuples nouveaux Bérénice commande.
RACINE, Bérénice, II, 2.

20   O vous qui commandez avec tant d'expérience sur des peuples innombrables.   FÉNELON, Télémaque, XX.

21   Il faut savoir souvent obéir à la femme pour avoir le droit de lui commander quelquefois.
HUGO, Post-scriptum de ma vie, L'âme, Tas de pierres, VI.

Commander à qqch. : imposer sa loi à qqch.

22   (...) jamais il (*Bonaparte*) ne parut à ce point commander aux événements (...)
Louis MADELIN, l'Avènement de l'Empire, XX, p. 252.

♦ **2** Absolt ou intrans. Exercer son autorité; donner des ordres et les faire exécuter. *Il ne sait pas commander. Qui est-ce qui commande ici? Quand je commande, on obéit!*

23   Qui n'a fait qu'obéir saura mal commander.
CORNEILLE, Pulchérie, 548.

24   Douce, familière, agréable, autant que ferme et vigoureuse, elle savait persuader et convaincre aussi bien que commander.
BOSSUET, Oraison funèbre de la reine d'Angleterre, *in* LITTRÉ.

25   Quand vous commanderez, vous serez obéi.
RACINE, Iphigénie, IV, 4.

26   J'étais maître en ces lieux, seul j'y commande encore (...)
VOLTAIRE, Alzire, V, 7.

27   Le droit de commander n'est plus un avantage
Transmis par la nature, ainsi qu'un héritage (...)
VOLTAIRE, Mérope, I, 3.

28   (...) celui qui a bonne tête et bon cœur commande partout (...)   G. SAND, François le Champi, XVIII, p. 133.

29   Il y a les hommes d'orgueil, qui ne peuvent souffrir d'égaux, qui veulent toujours commander et dominer.
F. DE LAMENNAIS, Paroles d'un croyant, XXXIV, p. 140.

30   Manuel avait appris de Ximenès comment on commande, il apprenait maintenant comment on dirige.
MALRAUX, l'Espoir, p. 160.

31   Gouverner et commander sont, en temps de paix, deux arts distincts. Commander, c'est conduire un groupe d'êtres humains, soumis au chef par une discipline, vers un but défini (...) Le dictateur est comme un chef d'armée; il commande plutôt qu'il ne gouverne.
A. MAUROIS, Un art de vivre, IV, 5, p. 175.

♦ **3** V. tr. ind. (1564). Fig. **COMMANDER À** (un sentiment, une réaction, une idée) : gouverner, maîtriser. *Commander à ses membres.*

a (Concret, physiologique) :
Commander à ses pleurs en cette extrémité,
C'est montrer, pour le sexe, assez de fermeté.
CORNEILLE, Horace, I, 1.

32

33   Léontine ne pouvait commander à ses jambes; elles se dérobaient.   Francis CARCO, l'Homme traqué, p. 85.

b (Abstrait, psychologique). *Commander à ses sentiments, à soi-même. Commander à son émotion.* → **Dominer**.

34   Notre volonté est une force qui commande à toutes les autres, lorsque nous la dirigeons avec intelligence.
BUFFON, Hist. nat. des minéraux, Introd.

35   Vous commandez à tout ici, hors à vous-même.
BEAUMARCHAIS, le Mariage de Figaro, V, 12.

36   L'intelligence chez lui (*Gœthe*) commande au sentiment (...)
Édouard HERRIOT, la Vie de Beethoven, p. 295.

♦ **SE COMMANDER** v. pron.

♦ **1** (Récipr.). *Se commander l'un l'autre, l'un à l'autre.*

37   Ces chefs fiers et du même âge (...) n'étaient guère propres à se commander l'un à l'autre.
Ph. P. SÉGUR, Hist. de Napoléon, VI, 16.

♦ **2** (Réfl.). → **Maîtriser** (se). «*Il se commanda et contint son émotion*» (Littré).

38   Dans les choses de peu, si tu ne te commandes,
Dis, quand te pourras-tu surmonter dans les grandes?
CORNEILLE, l'Imitation de J.-C., I, 11.

♦ **3** (Passif). Être obtenu par le commandement, par la volonté. *La sympathie ne se commande pas,* elle ne dépend pas de la volonté. → **Décréter** (se).

39   La religion se persuade et ne se commande point.
FLÉCHIER, Hist. de Théodose, II, 22.

♦ **4** (Correspond à I., C.; passif; concret). *Les pièces de cet appartement se commandent.* → **Communiquer**.

40   Dans l'appartement de ma grand-mère, toutes les pièces se commandaient (...)
GIDE, Si le grain ne meurt, I, II, p. 40.

♦ **COMMANDÉ, ÉE** p. p. adj. *Soldats bien, mal commandés.* — *Exercice commandé.* — Loc. *Service* commandé.*

N. (fém. rare). *Les commandés :* ceux qui reçoivent des ordres.

CONTR. Défendre, empêcher, interdire. — Accomplir, exécuter, obéir, observer (un ordre), obtempérer, servir. — Décommander. ◊ DÉR. Command, 1. et 2. commandant, commande, commandement, commanderie, commandeur. → COMP. Décommander, recommander.

COMMANDERIE [kɔmɑ̃dʀi] n. f. — 1387, *commanderie;* de *commander,* I., A.

Histoire.

♦ **1** Bénéfice affecté à certains ordres militaires. *Commanderie de Templiers. Commanderie de Malte. Titulaire d'une commanderie.* → **Commandeur.** *Améliorissement** fait par le commandeur à sa commanderie.*

♦**2** Résidence du commandeur.

1   Les chevaliers de Malte menèrent Zizin dans une de leurs
    commanderies.
                                    VOLTAIRE, Essai sur les mœurs, 107.

♦**3** Rare. Dignité de commandeur (d'un ordre).

2   Il avait ainsi, voilà quelques années, en égarant à dessein
    des papiers, échappé à la commanderie du Mérite agri-
    cole.   GIRAUDOUX, Églantine, p. 21.

COMMANDEUR [kɔmɑ̃dœʀ] n. m. — *1260, comman-
deor; 1167, comandere «chef»; de commander.*

♦**1** Hist. Chevalier d'un ordre militaire ou hospitalier, pourvu d'une commanderie. *Commandeur
de Malte, de l'Ordre teutonique. Dom Juan invita
à souper la statue du commandeur qu'il avait tué*
(Molière, *Dom Juan,* III, 7). — Fig. *La statue du commandeur :* l'instrument du destin, qui fait justice
d'un crime.

♦**2** (1814). Grade honorifique dans un ordre de chevalerie. *Être commandeur de la Légion d'honneur*
(grade au-dessus de l'officier). *Cravate de commandeur.*

♦**3** (Av. 1704, Galland). Hist. **COMMANDEUR DES
CROYANTS :** titre que prenaient les califes.

Je te répète que je suis le commandeur des croyants et le
vicaire, sur la terre, du maître des deux mondes.
                                    A. GALLAND, les Mille et une Nuits, t. II, p. 493.

♦**4** Vx. Contremaître qui surveillait les esclaves,
dans une plantation (Chateaubriand, *les Natchez,*
in T. L. F.).

COMMANDITAIRE [kɔmɑ̃ditɛʀ] n. — *1752, n. m.; de
commandite.*

♦**1** Dr. Bailleur de fonds dans une société en commandite. *Les commanditaires et le commandité.* Par
appos. *Associé(e) commanditaire.*

♦**2** Cour. (abusif en dr.). Personne qui finance une
entreprise (même s'il ne s'agit pas d'une commandite). → **Bailleur** (de fonds).

Je vous ai envoyé mon travail préparatoire au scénario
du *Maître de Ballantrae.* Il suffisait tel quel pour indiquer la ligne tant spirituelle qu'objective du scénario. Il
est suffisant en conséquence pour permettre à un commanditaire de se décider. Que le commanditaire lise le
roman.
                                    A. ARTAUD, Lettre à Mᵐᵉ Yvonne Allendy,
                                    19 avr. 1929, *in* Œ. compl., Pl., t. III, p. 162.

REM. Ne pas confondre avec *commendataire.*

COMMANDITE [kɔmɑ̃dit] n. f. — *1673; ital. accaman-
dita «dépôt, garde», avec infl. de commande.*

♦**1** Société formée de deux sortes d'associés, les
uns solidairement tenus des dettes sociales (*com-
mandités* ou *gérants*), les autres tenus dans les
limites de leur apport (*commanditaires* ou *bailleurs de fonds*). *Commandite par actions,* où l'apport des commanditaires consiste en titres négociables (→ **Action,** V.).

1   M. Thénezay objecta qu'il faudrait de toute façon limiter,
    donc spécifier, l'objet de cette commandite; puisqu'elle
    ne pouvait évidemment pas s'étendre à l'ensemble des
    affaires de l'agence.
                                    J. ROMAINS, les Hommes de bonne volonté, t. V,
                                    XII, p. 93.

♦**2** Fonds, capital versé par chaque membre d'une
société en commandite.

1.1 Moïse en reçut une description dithyrambique et doubla
     par télégramme sa commandite...
                                    GIRAUDOUX, Églantine, p. 157.

♦**3** *Travail en commandite :* salaire aux pièces collectif. *Ouvriers typographes travaillant en commandite.*

Le patron traite avec un groupe, une équipe d'ouvriers,   2
qui se charge d'exécuter un certain travail moyennant un
prix que ces ouvriers se répartissent entre eux comme bon
leur semble. Cela s'appelle (...) la *commandite d'atelier.*
                                    Charles GIDE, Cours d'économie politique, II,
                                                                              p. 339.

Par métonymie. *Une commandite :* association coopérative de typographies.

DÉR. **Commanditaire, commandité, commanditer.**

COMMANDITÉ, ÉE [kɔmɑ̃dite] n. — *1809; de commandite.*

Dr. Personne commanditée pour gérer les fonds
apportés par les commanditaires.

COMMANDITER [kɔmɑ̃dite] v. tr. — *1836; de commandite.*

♦**1** Dr. Fournir des fonds à une société en commandite sans participer à sa gestion (→ **Financer**).
Commanditer une entreprise.

♦**2** Financer. — REM. Le mot pourrait servir d'équivalent
franç. à l'anglic. *sponsoriser.*

(*Jérôme*) jouait à la Bourse, spéculait, commanditait des   1
inventions nouvelles (...)
                                    MARTIN DU GARD, les Thibault, t. III, p. 50.

Naturellement, je ne le signe pas... d'autant plus que j'y fais   2
mon éloge... Et puis, comme on finira bien par découvrir
que c'est moi qui la commandite, cette revue, je préfère
qu'on ne sache pas trop vite que j'y collabore.
                                    GIDE, les Faux-monnayeurs, *in* Romans, Pl., p. 962.

COMMANDO [kɔmɑ̃do] n. m. — *1945; mot angl.
«unité tactique de l'armée Boer», 1824, Revue des Deux
Mondes, in D.D.L.; «groupe de malfaiteurs», 1902; le
mot angl. est empr. à l'afrikaans, lui-même du port., de
commandar «commander».*

♦**1** Groupe de combat employé pour des opérations rapides, isolées ou pour la subversion. *Commando de parachutistes derrière les lignes ennemies. Un raid de commandos. Commando de ter-
roristes.*

Le 29 août un Boeing de la T.W.A. reliant Los Angeles à   1
Tel-Aviv, est détourné par un commando sur Damas.
                                    Alain BOSQUET, les Bonnes Intentions, p. 297.

Par plais. Groupe, essaim (agressif).

(...) Augustin s'aperçut qu'il (*le chien*) était mort. Un com-   2
mando de mouches s'en échappa en bourdonnant.
                                    G. CESBRON, Je suis mal, p. 160.

♦**2** Membre d'un commando. *C'est un ancien commando.*

COMME [kɔm] adv. et conj. — *Xᵉ, com; cum, 842; lat.
quomodo «de quelle façon», auquel on a ajouté les sens
de cum.* REM. *Comme est conjonction lorsqu'il introduit
une proposition subordonnée. Ex. : Agis comme tu le
veux. Il est adverbe lorsqu'il modifie le sens du verbe ou
de l'adjectif. Ex. : Comme il pleut! Il est comme égaré.*

I Conj. **A** Comparaison. ♦**1** De la même manière, au
même degré que. → **Également.** *Il a réussi comme
son frère.* → **Instar** (à l'instar), **moins** (non moins que). —
Loc. prov. *Comme on fait son lit, on se couche. Il écrit
comme il parle.* — (Comparaison de circonstances). *Il
agit comme s'il avait vingt ans* (condition)*; elle faisait
des signes comme pour nous appeler* (but)*; nous
nous écrirons comme lorsque nous étions séparés*
(temps).

1 Quand donc tu fais l'aumône, ne fais pas sonner de la trompette devant toi, comme font les hypocrites dans les synagogues et dans les rues (...)
   BIBLE (CRAMPON), Évangile selon saint Matthieu, VI, 2-3.

2 Jean s'en alla comme il était venu.
   LA FONTAINE, Épitaphe d'un paresseux.

3 Une sorte de bras dont il s'élève en l'air
Comme pour prendre sa volée (...)
   LA FONTAINE, Fables, VI, 5.

4 Il faut quelquefois couper la narration, comme quand elle est odieuse.
   RACINE, Livres annotés.

5 J'espère qu'il vous rendra aussi bon compte des vies de ce roi et de Louis XII (...) comme il a fait de celle de Louis onzième (...)
   LA BRUYÈRE, Lettre à Condé, 14 avr. 1685.

6 L'absence diminue les médiocres passions, et augmente les grandes, comme le vent éteint les bougies, et allume le feu.
   LA ROCHEFOUCAULD, Maximes, 276.

7 Elle se laissait aller au bercement des mélodies et augmente elle-même vibrer de tout son être comme si les archets des violons se fussent promenés sur ses nerfs.
   FLAUBERT, Mme Bovary, II, XV, p. 144.

REM. On intercale la préposition *de* entre *comme* et un infinitif : *rien n'est reposant comme de regarder la mer.*

8 C'est un métier que de faire un livre, comme de faire une pendule : il faut plus que de l'esprit pour être auteur.
   LA BRUYÈRE, les Caractères, I, 3.

9 C'est comme de mourir : vous ne voyez personne qui ne sache se tirer de ce dernier rôle.
   Mme DE SÉVIGNÉ, 437, 28 août 1675.

(Par ellipse du verbe de la subordonnée). Dans des comparaisons intensives. *Il est bavard comme une pie* (est bavarde), très bavard. *Ils se ressemblent comme deux gouttes d'eau. Riche comme Crésus.* — (Comparaison de circonstances). *Entrer dans une maison comme dans un moulin*. Il fait doux comme au printemps. Faire comme si.*

10 (...) elle est amère comme l'absinthe, aiguë comme un glaive à deux tranchants.
   BIBLE (CRAMPON), Proverbes, V, 4.

11 Un honnête homme peut être amoureux comme un fou, mais non pas comme un sot.
   LA ROCHEFOUCAULD, Maximes, 353.

12 Tous ces hommes qui m'ont sacrifiée, qui ont disposé de moi comme d'un accessoire dans leur vie.
   Mme DE STAËL, Delphine, V, 6.

13 Il est entré céans comme dans une auberge, sans dire bonjour ni bonsoir.
   G. SAND, François le Champi, XVII, p. 121.

3.1 Le mot le plus exaltant dont nous disposions est le mot COMME, que ce mot soit prononcé ou *tu*. C'est à travers lui que l'imagination humaine donne sa mesure et que se joue le plus haut destin de l'esprit. Aussi repousserons-nous dédaigneusement le grief ignare qu'on fait à la poésie de ce temps d'abuser de l'*image* et l'appellerons-nous, sous ce rapport, à une luxuriance toujours plus grande.
   A. BRETON, Signe ascendant, p. 10.

TOUT COMME : exactement comme. *Il sera médecin tout comme son père. C'est tout comme :* c'est la même chose. *Ils ne sont pas divorcés mais c'est tout comme.*

14 Toinette ! Drelin, drelin, drelin : tout comme si je ne sonnais point. MOLIÈRE, le Malade imaginaire, I, 1.

15 C'est justement tout comme...
   MOLIÈRE, l'École des femmes, II, 3.

16 Et je faisais claquer mon fouet tout comme un autre !
   RACINE, les Plaideurs, I, 1.

16.1 Il ne pleut pas, mais c'est tout comme ; un brouillard épais nous enveloppe et nous mouille.
   Rodolphe TÖPFFER, Voyages en zigzag, 1839, 14e et 15e journée, p. 181.

17 (...) il *(le protestant)* ne voyait dans le mal que l'absence du bien, tout comme dans l'ombre l'absence de lumière.
   GIDE, Dostoïevsky, p. 228.

COMME TOUT. Superlatif adjectival (fam. à l'orig.). → **Extrêmement.** *Ses cours sont ennuyeux comme tout. Elle est jolie comme tout.*

18 Il est maigre comme tout, ce paroissien-là.
   HUGO, les Misérables, IV, VI, 2.

18.1 Il pense à Célestin : bon garçon, farce comme tout, casé maintenant, déménageur chargé de la surveillance (...)
   G. NOUVEAU, le Manouvrier, Pl., p. 446.

◆ **2** Ainsi que, et. — REM. Par affaiblissement de sens, *comme* peut prendre une simple valeur copulative. *J'oublierai cela comme le reste. Ils sont paresseux, le père comme le fils. «Sur la terre comme au ciel».*

19 *(Pierre le Grand)* voulut accoutumer son peuple à la gloire comme aux travaux.
   VOLTAIRE, Hist. de l'Empire de Russie, I, 8.

20 Les enfants ont une disposition qui les porte à tellement égayer comme à grandir ce qui les entoure (...)
   E. FROMENTIN, Dominique, III.

21 Le Saint et l'artiste peuvent, après les tentations et les luttes, à se faire une vie d'ascèse.
   A. MAUROIS, À la recherche de Marcel Proust, VI, 4.

B Manière. ◆ **1** De la manière, de la façon que. *Riche comme il est, il pourra vous aider. Comme il vous plaira :* selon votre désir (trad. franç. de *As you like it*, comédie de Shakespeare).

22 J'aime (...) à aller et venir comme la tête me chante (...)
   ROUSSEAU, les Confessions, XII.

Comme on dit, comme je pense, comme il le prétend... (présente une opinion, une citation). → **Ainsi** (que).

23 Mais il n'est, comme on dit, pire eau que l'eau qui dort (...)
   MOLIÈRE, Tartuffe, I, 1.

24 Je ne suis pas rendu. Mais vous, comme je vois,
Vous plaidez. RACINE, les Plaideurs, I, 7.

25 (...) je retins mon cheval lancé sur ses quatre pieds et je l'arrêtai court : ce qui est, comme tu le sais ou comme tu ne le sais pas, un vrai tour de force.
   Th. GAUTIER, Mlle de Maupin, VII, p. 145.

Comme de juste (fam.), *comme de raison* (littér.) : comme il est juste, comme il est raisonnable.
COMME IL FAUT [kɔmilfo], fam. [kɔmifo] : bien. *Faites votre travail comme il faut.*

26 (...) appuyer comme il faut le dernier vers (...)
   MOLIÈRE,
   l'Impromptu de Versailles (→ Approbation, cit. 7).

Adj. (1750). Fam. *Une personne comme il faut.* → **Bien, convenable, distingué, rangé, respectable.** *Il est très comme il faut.*

26.1 Ils *(les Brissotins)* sont les honnêtes gens, les gens comme il faut de la république ; nous sommes les sans-culottes et la canaille.
   ROBESPIERRE, Disc. du 28 oct. 1792, in Œuvres, IX, 59.

27 Quand nous eûmes déjeuné tous deux dans l'auberge la plus comme il faut (...)
   LOTI, Mon frère Yves, X, p. 40.

◆ **2** Pour ainsi dire. *C'est quelque chose comme un paquet*, une sorte de paquet. *Cela fait quelque chose comme dix mille francs*, à peu près, approximativement.

Loc. (fam.). **COMME QUI DIRAIT** : en quelque sorte. *C'est comme qui dirait un petit château, une espèce de gentilhommière.*

28 C'est comme qui dirait trois fois plus grand.
   MOLIÈRE, le Dépit amoureux, II, 6.

Ellipt. (atténuatif). *Il était comme fou. Elle resta comme morte, par terre.*

29 (...) les feuilles *(de l'argentine)* sont comme argentées à leurs renvers *(revers)*. O. DE SERRES, 607.

30 (...) il a comme assassiné de son *babil* chacun de ceux qui ont voulu lier avec lui quelque entretien.
   LA BRUYÈRE, les Caractères de Théophraste, Du grand parleur.

31   Cet homme au premier abord un peu fermé ou plutôt
      comme enseveli au fond de lui-même.
                          Ed. et J. DE GONCOURT, Journal, p. 143.

32   On dit aussi : *quelque chose comme...* ou simplement
      *comme : c'est comme des élancements qui me donnent dans
      toute la mâchoire; — la Seine étroite... quelque chose comme
      une miniature du Rhin.*(DAUDET, *Jack*, 525); *— ils jetaient
      comme une lueur* (BALZAC, *Les Paysans*, 240).
                          F. BRUNOT, la Pensée et la Langue, I, II, IX, p. 81.

33   (...) on se sert des caractérisations ordinaires, en les faisant
      précéder de *comme : il resta* **comme étourdi ; — comme
      impatient** *de ma présence; — C'est cela... fit le prisonnier*
      comme se parlant *à lui-même* (DUMAS, Tul., 9).
                          F. BRUNOT, la Pensée et la Langue, IV, XVI, VII,
                                                          p. 671.

♦ **3 COMME QUOI.** ⓐ Vieilli. Disant que. *Faites-lui un
certificat comme quoi son état de santé nécessite du
repos.*

ⓑ Mod. (et fam.). D'où il s'ensuit que, ce qui prouve
que... *Il a quitté le pays : comme quoi il est impossible que tu l'aies vu.*

♦ **4 COMME CELA, COMME ÇA.** → **Ainsi.** *Comme ça,
tout le monde sera content. N'agissez pas comme
cela.*

34   Attendez. Cela ne va pas comme cela. J'ai amené des gens
      pour vous habiller en cadence (...)
                          MOLIÈRE, le Bourgeois gentilhomme, II, 5.

35   (...) j'aimerais un homme qui m'écrirait comme cela.
                          MOLIÈRE, la Comtesse d'Escarbagnas, 4.

35.1 (...) il est content de sa taille, content de sa peau, content
      comme ça.
                          Rodolphe TÖPFFER, Voyages en zigzag, 1838,
                                                          1ʳᵉ journée, p. 82.

Fam. *Comme ci, comme ça* : ni bien ni mal. *Comment allez-vous? Comme ci, comme ça.* → **Couci-
couça.**

35.2 — Dermuche, lui demanda le président, regrettez-vous
      votre crime? — Comme ci comme ça, Monsieur le Pré-
      sident, répondit Dermuche, je regrette sans regretter.
                          M. AYMÉ, le Vin de Paris, «Dermuche», p. 117.

Pop. *Comme ça,* soulignant une action ou un état.

35.3 — Alors, te v'là comme ça, Claudius! — Comme ça, me
      v'là !   G. CHEVALLIER, Clochemerle, p. 159.

Loc. exclam. *Comme ça!* : remarquable, épatant.
Une bagnole comme ça!

Argot. *Comme aco, comme ac* : comme ça. Var. :
comac*, comaco (adv. ou en valeur adj.).

♦ **5** Fam. En matière de, en ce qui concerne... (avec
des verbes marquant la possession). *Qu'est-ce que vous
avez, qu'est-ce qu'ils ont comme champagne* (sing.
collectif), *comme champagnes?... comme marques
de cigarettes?*

II Adv. (interrog. et exclam.). ♦ **1** (En concurrence avec
comment). *Tu sais comme il est,* comment il
est. *Regardez comme il court! Voyez comme...*
(→ 1. Auguste, cit. 12). — REM. Cette construction est
archaïque, sauf avec quelques verbes.

36   Vous a-t-on point dit comme on le nomme?
                          MOLIÈRE, l'École des femmes, I, 4.

37   Comme tu vas, bon Dieu! ne peux-tu marcher droit?
      — Et comme vous allez vous-même! dit la fille.
                          LA FONTAINE, Fables, XII, 10.

Loc. adv. (péj.). *Dieu sait comme* : d'une manière
que l'on ignore. *Ce travail a été fait Dieu sait
comme. Dieu sait comme il l'interprétera. — Il faut
voir* (fam. *faut voir*) *comme* (comment) est employé
emphatiquement pour mettre en évidence. *Il lui a
répondu, faut voir comme!,* d'une manière remarquable (→ Et comment* !).

38   Alors maman s'énerve : «Tu es folle, ce gosse est resté trois
      mois avec sa tante qui s'en est occupée faut voir comme,
      c'est normal qu'il ne veuille pas le lâcher comme ça!»
                          Jean FERNIOT, Pierrot et Aline, p. 173.

REM. Fréquent jusqu'au XVIIIᵉ s., l'emploi de *comme* (au
sens de *comment*) dans l'interrogation directe ou indirecte est aujourd'hui littér. ou vieilli, à moins qu'il ne soit
employé pour respecter l'euphonie.

♦ **2** (En concurrence avec *tel que*). *Je n'ai jamais rencontré d'intelligence comme la sienne. Un anniversaire comme celui-ci doit être fêté.*
Lui doit-on déclarer la chose comme elle est?   39
                          MOLIÈRE, le Misanthrope, I, 1.

Vous imaginez-vous, monsieur Oronte, qu'un homme   40
comme moi soit si affamé de femme?
— Vous imaginez-vous, monsieur de Pourceaugnac, qu'une
fille comme la mienne soit si affamée de mari?
                          MOLIÈRE, Monsieur de Pourceaugnac, II, 5.

Spécialt. Introduisant un exemple :
Les arbres résineux, comme le sapin, sont rarement   41
endommagés par les grandes gelées.
                          DU HAMEL et BUFFON,
                          Hist. naturelle des végétaux, 4.

♦ **3** Marque la qualité, l'attribution (devant un nom, un
adjectif). — REM. *Comme* tend alors à ne plus guère
présenter de valeur sémantique analysable. — *On le considère comme incapable de ce travail. Comme directeur, il est efficace. Mieux vaut l'avoir pour amie que
comme ennemie.* → **En, pour, tant** (en tant que).
Ils la traitent en reine, et nous comme ennemis.   42
                          RACINE, Andromaque, V, 5.

Aussi ne viens-je pas ici comme Cléante et sous l'appa- 43
rence de son amant, mais comme ami de son maître de
musique.   MOLIÈRE, le Malade imaginaire, II, 1.

L'argent, comme métal, a une valeur comme toutes les   44
autres marchandises.
                          MONTESQUIEU, l'Esprit des lois, XXII, 10.

Il aurait été tenté de nous regarder comme des intelli- 45
gences supérieures.
                          DIDEROT, Lettre sur les aveugles.

Est considéré comme armateur (...)   46
                          Loi du 13 déc. 1926 (→ Armateur, cit.).

Il a agi **comme tuteur** *des enfants.* **Comme représentant** 47
de ma maison, il avait droit à plus d'égards; — **comme
chaperon,** *vous m'avouerez que c'est un peu mince.*
                          F. BRUNOT, la Pensée et la Langue, IV, XVI, X,
                                                          p. 676.

♦ **4** Marque l'intensité (en concurrence avec *combien*).
Comme c'est cher! → **Que.** *Si vous saviez comme
c'est long!*
Comme à ce mot s'augmente sa douleur!   48
                          MOLIÈRE, l'Étourdi, II, 3.

Vous ne sauriez croire comme elle est affolée de ce   49
Léandre.   MOLIÈRE, le Médecin malgré lui, III, 7.

Comme tes lettres sont gentilles!   50
                          FLAUBERT, Correspondance, I, p. 298.

III Conj. ♦ **1** Marquant la cause (de préférence placé en
tête de phrase avec une valeur d'insistance). → **Parce
que, puisque.** *Comme il refusera, il est inutile de
compter sur lui. Comme elle arrive demain, il faut
préparer une chambre. Je l'ai chassé comme trop
insolent.*
Comme l'intention seule en forme le prix (...)   51
                          CORNEILLE, le Menteur, I, 2.

Mais, comme il n'y pouvait atteindre —   52
Ils *(les raisins)* sont trop verts, dit-il (...)
                          LA FONTAINE, Fables, III, 11.

(...) nous rappelons le passé, pour l'arrêter comme trop 53
prompt.
                          PASCAL, Pensées, t. II, II, 172 (→ Anticiper, cit. 1).

Comme elle ne pouvait emmener son chien Dick, affreux   54
bâtard de caniche et de barbet, Dundas en accepta gravement la garde.
                          A. MAUROIS, les Discours du Dʳ O'Grady, III, p. 38.

♦ **2** Marquant le temps (simultanéité). → **Alors** (que),
moment (au moment où), **tandis** (que). *Nous arrivâmes
comme il partait. Comme je commençais à m'endormir, j'entendis du bruit dans la maison.*

55 C'est, mon papa, qu'il est venu un homme dans la chambre de ma sœur comme j'y étais.
MOLIÈRE, le Malade imaginaire, II, 8.

56 (...) comme Antisthène levait un bâton pour le frapper s'il ne se retirait : Frappe, lui dit Diogène, en lui présentant la tête (...)
RACINE, Traductions, La vie de Diogène, p. 507.

57 La malle-poste arriva comme il faisait l'indifférent. Il y avait deux places libres.
STENDHAL, le Rouge et le Noir, II, I, p. 227.

CONTR. Contrairement. — Contre (par contre).

COMMEDIA DELL'ARTE [kɔmedjadɛlaʀte] ou [kɔmedjadɛlart] n. f. — Déb. xviie; mots italiens, signifiant «comédie de fantaisie».

Genre particulier de comédie dans laquelle, le scénario étant seul réglé, les acteurs improvisaient (francisé par Stendhal : *comédie dell'arte*).

Ce sont les premières idées de cette même police (...) qui ont privé l'Italie de ce beau genre de littérature indigène, la *comedia* (sic) *dell'arte*, celle qu'on jouait à l'impromptu, et que Goldoni crut remplacer par un plat dialogue.
STENDHAL, Vie de Rossini, XVI, p. 42-43 (1823).

COMMÉMORAISON [kɔ(m)memɔʀɛzõ] n. f. — 1386; de *commémorer*, ou du lat. *commemorare*. → Commémoration.

Liturgie. Mention que l'Église catholique fait d'un saint le jour de sa fête lorsque celle-ci est mise en concurrence avec une fête plus importante. → **Mémoire; commémoration.** *La commémoraison d'un saint, par la lecture d'une oraison, au cours de la messe.*

COMMÉMORATIF, IVE [kɔ(m)memɔʀatif, iv] adj. — 1598; du rad. de *commémoration*.

Qui rappelle le souvenir d'une personne, d'un événement. *Fête commémorative. Monument commémoratif. Plaque commémorative* (→ Apposer, cit. 1). *Timbre commémoratif,* émis pour commémorer un événement.

COMMÉMORATION [kɔ(m)memɔʀasjõ] n. f. — 1262, relig.; 1581, sens général; lat. *commemoratio,* de *commemorare.* → Commémorer.

♦ 1 Cérémonie destinée à rappeler le souvenir (d'une personne, d'un événement). → **Anniversaire** (cit. 2), **fête.** *La commémoration de la fête nationale, d'un armistice.* — Relig. *La commémoration des morts :* la fête que l'Église catholique célèbre le jour des morts (le 2 novembre). *La messe, commémoration du sacrifice de la croix.*

1 La solennité que nous célébrons n'est point comme les autres fêtes de l'année, une simple commémoration du mystère même de la descente du Saint-Esprit.
BOURDALOUE, Mystère de la Pentecôte, t. I, p. 429.

2 Le Christianisme, en choisissant pour la commémoration des trépassés l'heure ténébreuse de l'équinoxe d'automne, n'a pas peu contribué à saturer d'angoisse les esprits désenchantés.
Louis TAILHADE, Contes et poèmes en prose, «Mélancolies d'automne».

Spécialt (relig.). Mention que le prêtre fait des morts au cours de la prière du Canon, à la messe. → **Mémento.**

♦ 2 (Vx, sauf dans : *en commémoration de*). Mémoire, souvenir. *Garder un objet en commémoration de quelqu'un.*

COMMÉMORER [kɔ(m)memɔʀe] v. tr. — 1355, relig.; sens général, 1675; lat. *commemorare,* de com- (cum-), et *memorare.* → Mémorable.

Rappeler par une cérémonie le souvenir de (une personne, un événement). → **Fêter; commémoraison** (relig.), **commémoration.** *Commémorer la victoire. Commémorer une naissance, une mort.* → **Célébrer.** *Commémorer la réalisation d'un vœu par un ex-voto.*

(...) une rencontre si parfaite m'est singulièrement glorieuse, puisque j'ai devancé le chantre immortel *(Byron)* au rivage où nous avons eu les mêmes souvenirs, et où nous avons commémoré les mêmes ruines.
CHATEAUBRIAND, Mémoires d'outre-tombe, t. II, p. 148.

DÉR. Commémoratif.

COMMENÇANT, ANTE [kɔmãsã, ãt] adj. et n. — 1470; «qui est au début», v. 1500; p. prés. de *commencer.*

♦ 1 Adj. Qui commence, débute, est dans son premier développement. *Une science commençante. La matinée commençante.* — (Spatial). *Ligne commençante.*

♦ 2 N. Vieilli (par rapport à *débutant*). Personne qui en est encore aux premiers éléments d'un art, d'une science, d'une technique. → **Débutant.** *Un commençant inexpérimenté.* → **Novice;** → fam. **Bleu.** *Encourager un commençant. Méthode d'anglais pour les commençants.*

1 Cette forme de leçon était plus propre à encourager les commençants, qu'il faut sans cesse distraire de ce que l'étude a de pénible par quelque attrait de curiosité (...)
CONDORCET, Bucquet.

2 Il s'animait puérilement : — Si vous vouliez me permettre (...) de rédiger cet ouvrage (...) Bien sûr je ne suis qu'un commençant et c'est une besogne très délicate (...) mais j'ai tellement pénétré vos enseignements !
H. TROYAT, le Vivier, p. 90.

Grand commençant : débutant d'un âge scolaire déjà avancé. *Cours du soir pour grands commençants.*

CONTR. Expérimenté, expert, vétéran.

COMMENCEMENT [kɔmãsmã] n. m. — 1119; de *commencer.*

Le fait de commencer; ce qui commence.

♦ 1 Ce qui vient d'abord (dans une durée, un processus); première partie. → **Début.** — Proverbe :

1 La crainte de l'Éternel est le commencement de la sagesse; Tous ceux qui l'observent ont une raison saine.
BIBLE (SEGOND), Psaumes, CXI, 10.

Le commencement du siècle, de l'année, du mois, de la semaine. Le commencement du printemps (→ Apparition, arrivée), *du jour* (→ Aube, aurore, matin). — *Le commencement du monde.* → **Origine; création.** *Le commencement de la vie.* → **Naissance; enfance.** *Un commencement de vie.* → **Bourgeon; embryon, germe.**

2 Les plus grands risques de la vie sont dans son commencement; moins on a vécu, moins on doit espérer vivre.
ROUSSEAU, Émile, II.

Spécialt. Le fait (pour une chose) d'être à l'origine de..., de précéder normalement... → ci-dessus cit. 1.

3 (...) la justice qui est le commencement de la charité, et la charité qui est la consommation de la justice.
F. DE LAMENNAIS, Paroles d'un croyant, p. 48.

Le commencement des hostilités. → **Déclenchement, ouverture.** *Commencement d'un règne.* → **Avènement.** *L'heureux commencement d'une entreprise.* → **Prémice.** *Le commencement de la cérémonie, du spectacle.* — *Le commencement d'une institution, d'une idée.*

4 Des coups de pistolet, tirés par les jeunes gens et les enfants, annoncèrent le commencement de la noce.
G. SAND, la Mare au diable, Appendice, I, p. 145.

5 Il est naturel que l'idée morale ait eu son commencement et ses progrès comme l'idée religieuse.
FUSTEL DE COULANGES, la Cité antique, II, 9.

Un bon, un mauvais commencement. → **Départ.** *Le commencement d'un travail, d'une action.* → **Train** (mise en train). *Commencer par le commencement :* prendre les choses à leur début, partir de zéro.

5.1 Eh bien, Monsieur Cyrus, par où allons-nous commencer ? demanda le lendemain matin Pencroff à l'ingénieur ? — Par le commencement, répondit Cyrus Smith. Et en effet, c'était bien par le «commencement» que ces colons allaient être forcés de débuter.
J. VERNE, l'Île mystérieuse, t. I, p. 160.

6 Mais le commencement et la mise en train de la paix sont plus obscurs que la paix même, comme la fécondation et l'origine de la vie sont plus mystérieuses que le fonctionnement de l'être une fois fait et adapté.
VALÉRY, Variété I, La crise de l'esprit, p. 23.

Le commencement d'un discours (→ **Exorde, préambule, prologue**), *d'un livre* (→ **Introduction, préface**). *Commencement d'un raisonnement* (→ **Axiome, postulat, prémisse, principe**).

Sans compl. *Il ne sait que le commencement. «Ce que je sais le mieux, c'est mon commencement»* (Racine, *les Plaideurs*).

6.1 De quel cœur j'emboucherais la trompette en l'honneur de M. le Président du Conseil, si jamais il nous donnait sujet de nous réjouir ! Cela est possible après tout. Ce qu'il savait le moins bien, c'était peut-être son commencement.
F. MAURIAC, Bloc-notes 1952-1957, p. 214.

Loc. fam. *Le commencement de la fin :* l'arrivée imminente d'une catastrophe, d'une déchéance.

7 (...) il voyait venir une sourde joie les événements qui seraient pour Napoléon, disait-il *(Talleyrand)* «le commencement de la fin».
Louis MADELIN, Talleyrand, III, XXIV, p. 250.

Loc. *Il y a un commencement à tout :* on ne peut réussir parfaitement quelque chose dès le premier essai. *Dès le commencement. Depuis le commencement. Du commencement à la fin.* → **Bout** (de bout en bout). *Au commencement de sa vie,* et, absolt, *au commencement. Au commencement, les choses allaient bien.* Spécialt. *Au commencement :* avant toutes choses.

8 Au commencement Dieu créa le ciel et la terre.
BIBLE (CRAMPON), Genèse, I, 1.

9 Au commencement était le Verbe, et le Verbe était auprès de Dieu, et le Verbe était Dieu.
BIBLE (CRAMPON), Évangile selon saint Jean, I, 1.

10 (...) il y avait cependant des saints, comme Énoch, Lamech et d'autres, qui attendaient en patience le Christ promis dès le commencement du monde.
PASCAL, Pensées, IX, 613.

Spécialt (théol.). Premier principe, cause première. → **Fondement, principe, source.** *Dieu est le commencement et la fin de toutes choses.*

11 Je suis l'alpha et l'oméga, le premier et le dernier, le commencement et la fin.
BIBLE (CRAMPON), Apocalypse de saint Jean, XXII, 13.

♦ **2** Partie qui se présente, que l'on voit avant les autres (dans l'espace). → **Bord, bout, extrémité.** *Le commencement d'une rue, d'un couloir.* → **Entrée.**

♦ **3** Existence partielle. — Dr. *Commencement de preuve,* ce qui fournit, sans certitude, la présomption (d'une vérité, d'un fait...). *Commencement de preuve par écrit.* → **Testimonial.** *Commencement d'exécution.*

♦ **4** LES COMMENCEMENTS : les premiers développements, les débuts. *Les commencements de l'empire napoléonien. Ses commencements ont été pénibles. Avoir, connaître des commencements difficiles.* → **Apprentissage, début**(s). *Les commencements*

d'une technique nouvelle. → **Balbutiement, bégaiement.**

— Ah ? ça me fait plaisir, ce que vous me dites là... On est 11.1 si honteuse de soi dans les commencements...
Ed. et J. DE GONCOURT, Sœur Philomène, p. 114.

(1538). Spécialt. Les premières leçons, les premières notions, dans une science, un art. → **A. B. C., B. a.-ba, élément, rudiment**(s).

(...) presque en toutes choses les commencements sont 12 rudes (...)
ROUSSEAU, les Confessions, III, p. 125.

CONTR. Aboutissement, achèvement, but, conclusion, fin, issue, péroraison, terme.

COMMENCER [kɔmãse] v. [CONJUG.: *placer*.] — 1080; *commencier,* Xe, lat. pop. **cominitiare,* de *cum,* et *initiare* «commencer». → **Initier.**

I V. tr. ♦ **1** Faire la première partie de (qqch., une action, une activité...); donner un commencement à (qqch.). → **Amorcer, attaquer, débuter, démarrer, ébaucher, entamer, entreprendre, esquisser.** *Commencer un travail. Commencer une affaire, une entreprise.* → **Créer, fonder, former; instituer.** *Commencer bien ou mal une affaire.* → **Emmancher** (fam.), **engrener;** → se lancer* dans. *Commencer un discours. Commencer un débat, une discussion.* → **Ouvrir.** *Commencer un chant.* → **Entonner.** *Commencer les hostilités.* → **Déclencher, ouvrir.** *Commencer le combat.* → **Engager.** *Commencer un procès long et difficile.* → **Embarquer** (s'embarquer dans). *Commencer un traitement médical, une cure.* Fam. *Commencer un médicament.* — *Commencer un livre,* en entreprendre la lecture; et aussi, commencer de l'écrire.

Soit, ne commençons point un discours inutile. 1
MOLIÈRE, le Dépit amoureux, III, 4.

Je commence aujourd'hui cette lettre (...) par vous dire que 2 je viens de recevoir la vôtre (...)
Mme DE SÉVIGNÉ, 1233, 25 juin 1690.

Nous continuâmes notre voyage aussi allègrement que 3 nous l'avions commencé.
ROUSSEAU, les Confessions, III.

D'une voix retentissante, le prêtre commence la prière des 4 agonisants.
Alphonse DAUDET, Lettres de mon moulin, «L'agonie de la Sémillante».

Nous pouvons dès la semaine prochaine commencer les 5 travaux d'un établissement hydrominéral, dernier cri, sans avoir rien eu à payer que le prix du terrain.
J. ROMAINS, les Hommes de bonne volonté, t. V, XXII, p. 180.

Vieilli. (Compl. n. d'être animé). *Commencer un élève,* lui donner les premières leçons, les premiers rudiments d'une discipline. → **Initier.** *Commencer un cheval,* un chien, entreprendre de le dresser. Absolt. *Tu as fini ? Non, je n'ai même pas commencé ! Quand est-ce qu'on commence ?* → **Mettre** (s'y mettre).

♦ **2** Être au commencement de. — (Relativement à l'étendue; sujet n. de chose). *C'est cette maison qui commence la rue. Le mot qui commence la phrase.* — (Relativement à la durée; sujet n. de personne ou de chose). *Nous commençons l'année aujourd'hui.* → **Inaugurer, ouvrir.** *Il ne fait que commencer ses études. Les événements qui ont commencé l'année.*

♦ **3** Trans. ind. **COMMENCER DE** (et l'inf.; sujet n. de personne) : entreprendre ; être aux premiers instants (de l'action indiquée par le verbe). *L'orateur commence de parler.* — REM. Selon l'Académie, *commencer de* indiquerait une action qui aura de la durée et qui n'en est qu'à ses débuts, ce qui distinguerait l'emploi de *commencer à.* Cette distinction, négligée depuis Vaugelas, se fait désormais uniquement pour éviter un hiatus. Ex. : *La foule commença d'arriver* (pour *commença à arriver*).

6   Et déjà mon rival commence de paraître (...)
            MOLIÈRE, Dom Garcie, V, 3.

7   Puisque j'ai commencé de rompre le silence (...)
            RACINE, Phèdre, II, 2.

8   Aujourd'hui encore, un verbe comme *commencer* hésite entre *à* et *de* : *Je commence* **à avoir** *envie d'écrire* (FLAUBERT, *Lettre à* G. SAND, CXVI).
            F. BRUNOT, la Pensée et la Langue, II, IX, XIV,
            p. 338.

9   La chose la plus difficile, quand on a commencé d'écrire, c'est d'être sincère.
            GIDE, Journal, 31 déc. 1891, p. 27.

COMMENCER À... (même sens). *Il commençait à dormir lorsqu'on l'éveilla. Il commence enfin à comprendre. Commençons à manger.* — Absolt. *Nous allions commencer sans vous.* — Fam. *Tu commences à nous ennuyer. Je commence à en avoir assez :* j'en ai assez. — (Sujet n. de chose). Manifester le début d'un état, d'une action. *Ces fruits commencent à s'abîmer. Le remède commence à agir.* — Impers. *Il commence à pleuvoir.* — *Ça commence à devenir dangereux.* — Fam. *Ça commence à bien faire* !* → Ça suffit* !

10   Les Français, sous Louis XIII, commencèrent à se rendre recommandables par les grâces et les politesses de l'esprit ; c'était l'aurore du bon goût.
            VOLTAIRE, Essai sur les mœurs, 176.

11   Mais quand le nœud social commence à se relâcher et l'État à s'affaiblir (...)
            ROUSSEAU, Du contrat social, IV, 1.

12   Les montagnes commençaient à se couvrir de bouquets de bois.   CHATEAUBRIAND, Itinéraire..., 68.

13   (...) malgré ma confiance en mon noble guide, je commençais à croire que je m'étais abusé.
            SAINTE-BEUVE, Volupté, V.

14   On commence alors à comprendre qu'il y a d'autres devoirs que les devoirs envers l'État, d'autres vertus que les vertus civiques.
            FUSTEL DE COULANGES, la Cité antique, V, I, p. 423.

Spécialt. Avoir une activité pour la première fois. → **Essayer.** *Un enfant qui commence à parler, à lire.*

♦ **4 COMMENCER** (qqch.) **PAR** (qqch.). *Commencer son travail par la fin.* — (Sans compl. dir.). **COMMENCER PAR** (qqch.). *Par où allez-vous commencer ? Il faut commencer par le commencement. On commence par toi ?*

15   Ciel ! Que lui vais-je dire, et par où commencer ?
            RACINE, Phèdre, I, 3.

II   V. intr. ♦ **1 COMMENCER PAR** (qqch.) **:** débuter par. *La revue commença par un ballet.*

16   Qu'une vie est heureuse quand elle commence par l'amour et finit par l'ambition !
            PASCAL, Disc. sur les passions de l'âme.

COMMENCER PAR, suivi de l'infinitif :

17   On commence par être dupe,
  On finit par être fripon !
            Mme DESHOULIÈRES, le Désir de gagner au jeu.

♦ **2** Entrer dans son commencement (durée). *L'année commence au 1er janvier. Cela, ça commence bien, mal.* → **Partir.** *Dépêchez-vous, ça va commencer sans vous ! Le spectacle a commencé, il y a dix minutes.*

18   (...) j'ai arrêté encore un maître de philosophie, qui doit commencer ce matin.
            MOLIÈRE, le Bourgeois gentilhomme, I, 2.

19   Là où commence l'action de la justice, là doivent cesser les vengeances populaires.
            DANTON, *in* BARTHOU, Danton, p. 105.

(Espace). *La plaine commence juste après la rivière.*

♦ **SE COMMENCER** v. pron. réfl. *Ce travail doit se commencer tout de suite.*

CONTR. Aboutir, accomplir, achever, compléter, conclure, continuer, couronner, finir, poursuivre, terminer. — Terminer (se). ◊ DÉR. Commençant, commencement. - COMP. Recommencer.

COMMENDATAIRE [kɔmɑ̃datɛʀ] adj. et n. — 1468, commandataire ; lat. commendatarius, de commenda. → Commende.

Anciennt. Qui possède un bénéfice en commende. *Abbé commendataire.* — N. masculin :

Les revenus d'une telle communauté *(Saint-Pierre-Grigny),* administrée sur place par un prieur claustral (...) allaient souvent à un «commendataire».
            Alain REY, A. Furetière,
            imagier de la culture classique, p. 23.

REM. Ne pas confondre avec *commanditaire.*

COMMENDE [kɔmɑ̃d] n. f. — Fin XVIe ; commande, 1461 ; lat. ecclés. commenda, commanda, de commendare. → Commander.

Religion.

♦ **1** Administration temporaire d'un bénéfice ecclésiastique, confiée à un séculier en attendant la nomination d'un titulaire.

♦ **2** Par ext. Concession (→ **Collation**) d'un bénéfice à un ecclésiastique séculier ou à un laïque nommé par le roi. *Abbaye en commende.*

1   (...) la papauté confia volontiers à des clercs séculiers des abbayes ou des prieurés (...) C'est le système de la *commende.* D'abord simple expédient, il devint bientôt une source d'abus : les abbayes étaient délaissées et leurs revenus enrichissaient les hauts dignitaires de l'Église.
            Fr. OLIVIER-MARTIN, Précis d'hist. du droit franç.,
            n° 791, p. 280.

2   Ces bénéfices *(séculiers et réguliers)* n'étaient plus attachés à de véritables fonctions et, de par la *commende,* ils pouvaient aller à des clercs séculiers, et même à des laïques. La commende permettait de confier en garde, presque à n'importe qui, un bénéfice régulier, avec dispense de régularité et de résidence. Cette institution fut pour le pouvoir royal un moyen de répartir à sa guise les revenus d'un capital qui lui échappait et ainsi de faire pression sur la noblesse, plus tard sur la bourgeoisie montante.
            Alain REY, A. Furetière,
            imagier de la culture classique, p. 23.

DÉR. Commendataire. ◊ HOM. Commande.

COMMENSAL, ALE, AUX [kɔmɑ̃sal, o] n. — 1418 ; lat. médiéval commensalis, de com- (cum), et mensa «table».

♦ **1** Didact. (rare au sing.). Personne qui mange habituellement à la même table qu'une ou plusieurs autres. → **Hôte.** *Nous sommes commensaux. Les commensaux de qqn* (spécialt, ses invités à table).

1   (...) l'un singe et l'autre chat,
  Commensaux d'un logis (...)
            LA FONTAINE, Fables, IX, 17.

2   Peu à peu, venant passer la soirée, arrivaient les invités, hommes et femmes, des dîners précédents qui seraient aussi les commensaux de dîners ultérieurs.
            Georges LECOMTE, Ma traversée, p. 274.

Par ext. Hôte, familier (se dit de personnes ou d'animaux domestiques).

3   J'aidai donc ce garçon robuste et réservé, d'humeur parfois ombrageuse mais plein de franchise, et j'en fus remercié par de fréquentes invitations à la villa de la rue Maignan, où je tins bientôt le rang de commensal familier.
            Raymond ABELLIO, Ma dernière mémoire, t. I,
            p. 177.

♦ **2** (1880). Biol. Organisme qui vit en commensalisme.

DÉR. (De 1.) Commensalité. — (De 2.) Commensalisme.

COMMENSALISME [kɔmɑ̃salism] n. m. — 1874 ; de commensal.

Biol. Association d'organismes d'espèce différente, profitable pour l'un d'eux et sans danger pour l'autre (différant du *parasitisme**). → Mutualisme, symbiose.

COMMENSALITÉ [kɔmɑ̃salite] n. f. — 1549; de *commensal*.

Didact. Qualité de commensal (1.).

COMMENSURABILITÉ [kɔmɑ̃syʀabilite] n. f. — 1740; *commensurableté*, Oresme, v. 1370; de *commensurable*.

Didact. Qualité de ce qui est commensurable.

CONTR. **Incommensurabilité.**

COMMENSURABLE [kɔmɑ̃syʀabl] adj. — V. 1375; bas lat. *commensurabilis*, de *commensurare* «mesurer avec», de *com*- «avec», et *mensurare* «mesurer», dénominatif de *mensura* «mesure». → Mesure, mensuration.

Didact. Se dit d'une grandeur qui a, avec une autre grandeur, une commune mesure (spécialt, une partie aliquote commune). → **Comparable.** *Lignes, volumes commensurables. Nombres commensurables.*

(...) c'est par la monnaie que les biens d'espèces diverses deviennent commensurables, et peuvent se comparer.
ROUSSEAU, Émile, III.

CONTR. **Incommensurable, incomparable.** ◊ DÉR. **Commensurabilité.** ← COMP. V. **Incommensurable.**

COMMENT [kɔmɑ̃] adv. et n. m. invar. — 1080; de l'anc. franç. *com* «comme».

De quelle manière; par quel moyen.

I Adv. interrog. ◆ **1** (Interrogation directe). *Comment allez-vous? Comment faire? Comment cela?* : expliquez mieux. *Comment donc, comment diable, s'est-il enfui? Comment dites-vous?* Fam. *Comment t'as dit? — Comment?,* interrogation qui invite à répéter. → **Hein?, pardon?, plaire** (plaît-il?), **quoi?** *Comment dire, dirais-je?* (pour qu'on me comprenne). — REM. Cette expression est souvent en incise et sans point d'interrogation.

1   — Chut! — Comment? — Paix! — Quoi donc?
MOLIÈRE, George Dandin, I, 2.

2   Avec cette blessure au cœur, comment le gouvernement du roi Louis-Philippe fit-il face aux difficultés nombreuses qui l'assaillirent dès les premiers jours?
RENAN, Philosophie de l'hist. contemporaine, II.

3   Or, comment l'historien juge-t-il qu'un fait est notable ou non? Il en juge arbitrairement, selon son goût et son caprice, à son idée, en artiste enfin!
FRANCE, le Crime de Sylvestre Bonnard, Œ., t. II, p. 499.

4   Allo Avila? Comment ça va chez vous?
MALRAUX, l'Espoir, I, I, p. 419.

4.1   Mais elle n'a jamais eu pour Georges ni pour moi de ces, comment je dirais, de ces transports de grand-mère.
Jean FERNIOT, Pierrot et Aline, p. 60.

Ellipt. *Quand, où, comment* (cela se produira-t-il)?

4.2   Le cas était véritablement embarrassant (...) Il était évident que les colons finiraient par réintégrer leur domicile et en chasser les intrus, mais quand et comment? voilà ce qu'ils n'auraient pu dire.
J. VERNE, l'Île mystérieuse, t. I, p. 377.

Comment se peut-il que vous osiez me faire des reproches?, et, ellipt., *comment ose-t-il me faire des reproches?* → Possible (est-il possible).

5   Comment jugerais-je un homme que je n'ai vu qu'une après-midi.
ROUSSEAU, *in* BESCHERELLE.

6   Comment Wagner ne comprendrait-il pas admirablement le caractère sacré, divin du mythe, lui qui est à la fois poète et critique?
BAUDELAIRE, Œuvres, t. II, p. 495.

7   Comment pouvez-vous faire le moindre cas du délire d'un rêveur?
SUPERVIELLE, Shéhérazade, II, VIII.

Pour quelle raison. *Comment ça se fait?* (fam.). → **Pourquoi.** *Comment voulez-vous que je lui pardonne?*

Comment peut interroger sur la cause : «**Comment** ne lui avait-il pas écrit depuis trois mois qu'il était sans nouvelles?» (DAUDET, *Jack,* 628).
F. BRUNOT, la Pensée et la Langue, V, XXI, II, p. 805.   8

(...) comment voulez-vous que j'aime ce qui ne peut plus que m'attrister?
VALÉRY, Mon Faust, p. 76.   9

Comment n'êtes-vous pas avec les autres?
MALRAUX, la Condition humaine, V, p. 372.   10

◆ **2** (Interrogation indirecte). *Il ne sait comment elle prendra la chose.* → **Comme.** — Ellipt. *J'ai agi ainsi sans savoir ni comment ni pourquoi.*

REM. Entrant dans une tournure exclamative, *comment* peut perdre sa valeur interrogative initiale et être utilisé comme simple adverbe de manière, notamment dans la loc. (1576, *in* D.D.L.) *je ne sais comment. C'est fait je ne sais comment!* — Fam. (loc. adj. → ci-dessous cit. 13). *Il était tout je ne sais comment. Il faut voir comment! Dieu sait comment!* → **Comme.**

L'analyse montre la vraie voie par laquelle une chose a été méthodiquement inventée, et fait voir comment les effets dépendent des causes.
DESCARTES, Réponses aux 2ᵉˢ objections.   11

(...) vous ne sauriez croire comment l'erreur s'est répandue, et de quelle façon chacun est endiablé à me croire habile homme.
MOLIÈRE, le Médecin malgré lui, III, 1.   12

Vous voilà je ne sais comment.
MOLIÈRE, le Malade imaginaire, I, 6.   13

(...) tu ne sais comment assouvir ta rage impuissante.
BOSSUET, Oraison funèbre de Marie-Thérèse d'Autriche.   14

Par l'astronomie, la science humaine (...) arrive à entrevoir comment la terre s'est formée dans le système solaire.
RENAN, Dialogues et fragments philosophiques, p. 167.   15

N'importe comment : d'une manière quelconque; (euphém.) mal, sans soin.

(...) pour échapper, n'importe comment, avant qu'elle ait atteint son paroxysme, à cette souffrance dont l'étau se resserre!
MARTIN DU GARD, les Thibault, t. III, p. 105.   16

(...) incapables de comprendre les questions posées par le juge, mais que toujours ils traduisent quand même, très vite et n'importe comment (...)
GIDE, Voyage au Congo, *in* Souvenirs, Pl., p. 693.   16.

II N. m. invar. (Fin XVIIᵉ, Saint-Simon). La manière, la façon. *Chercher le pourquoi et le comment* : chercher la cause et le mécanisme (d'un fait, d'une chose). *Cessez de toujours analyser les pourquoi et les comment de vos actions!*

Voilà deux victoires en un jour; la seconde est sans mérite, il faudrait en deviner le comment.
STENDHAL, le Rouge et le Noir, I, X, p. 62.   17

Dans la question de l'immortalité de l'âme, on voit le pourquoi, on ne voit pas le comment.
HUGO, Post-scriptum de ma vie, Tas de pierres, VI.   18

Remplacer, chaque fois qu'il se peut le «pourquoi?» par le «comment?» c'est faire un grand pas vers la sagesse.
GIDE, Journal, 29 juil. 1934.   19

III Adv. exclam. ◆ **1** Marquant l'étonnement, l'indignation. → **Quoi.** — REM. Dans les sens 1 et 2, *comment* est souvent employé seul. — *Comment! c'est ainsi que tu me parles? Comment, tu es encore ici?*

Quoi? châtier mes gens n'est pas en ma puissance? — Comment vos gens? (...) — Hé bien! C'est mon valet. — C'est maintenant le nôtre. — (...) Et comment donc le vôtre?
MOLIÈRE, l'Étourdi, III, 4.   20

Comment, pendard? tu as l'audace d'aller sur mes brisées?
MOLIÈRE, l'Avare, IV, 3.   21

Comment! on t'offre une place de chroniqueur dans un bon journal de Paris et tu as l'aplomb de refuser (...)
Alphonse DAUDET, Lettres de mon moulin, «La chèvre de M. Seguin».   22

♦ 2 Marquant l'approbation. *Mais comment donc!* → **Évidemment, sûr!** (bien sûr!). *Puis-je entrer? Mais comment donc!* — Fam. *Et comment!* (→ Je te crois*! tu parles*! Je veux*!).

23 — C'était faux?
— Et comment!   MALRAUX, les Conquérants, I, p. 32.

24 Tu préférerais le contraire? — Et comment! dit le cycliste sans sourire. Et comment! que je préférerais le contraire!
    Robert MERLE, Week-end à Zuydcoote, p. 210.

IV COMMENT QUE. ♦ 1 Loc. conj. Vx ou littér. De quelque façon que.

25 Toutes ces gardes, comment qu'elles soient établies, ne sont point difficiles à passer.
    P.-L. COURIER, II, 186, *in* LITTRÉ.

♦ 2 Loc. adv., interrog. ou exclam. (Pop. et fautif). *Comment que ça va (qu'ça va)? Comment qu'on l'a remis à sa place! Comment qu'i' cause?*

26 «Comment que tu viens si tard?» demanda le jeune homme de vingt-deux ans au chauffeur.
    PROUST, le Temps retrouvé, Pl., t. III, p. 815.

27 «Une robe aussi. Pourquoi pas?», et en se tournant cette fois vers la fillette : *Comment que tu la veux?* (...)
    Claude SIMON, le Vent, p. 52.

HOM. **Command.**

COMMENTAIRE [kɔmɑ̃tɛʀ] n. m. — Av. 1577; pl., «mémoires», 1485; du lat. *commentarius*, de *commentari*. → Commenter.

♦ 1 Ensemble des explications, des remarques, des observations faites à propos d'un texte. → **Exégèse, explication, glose, note.** *Faire le commentaire d'un texte. Commentaire littéraire, didactique* (→ Explication* de textes). *Commentaire juridique, biblique. Commentaire d'Évangile. Commentaire précis, clair. Commentaire diffus, superficiel, paraphrastique.*

1 (...) faire périr le texte sous le poids des commentaires (...)
    LA BRUYÈRE, les Caractères, XIV, 72.

Commentaire critique, destiné à établir le meilleur texte d'un auteur.

♦ 2 (1675). Addition, explication apportée sur un sujet. *Appeler, nécessiter un commentaire,* un éclaircissement. — Fam. *Cela se passe de commentaire(s) :* c'est évident.

Spécialt. Opinion et interprétation que donne un journaliste (presse, radio, télévision) sur l'information qu'il rapporte. *Résumé des commentaires de l'étranger.*

2 La plupart *(des journaux)* d'ailleurs — et ce devait être un ordre, — s'abstenaient de tout commentaire *(sur la remise à la Serbie d'une note autrichienne).*
    MARTIN DU GARD, les Thibault, t. VI, p. 59.

Loc. fam. (souvent péj.). Sans commentaire! : la chose se suffit à elle-même.

♦ 3 (1690). Interprétation généralement malveillante que l'on donne au sujet des actions ou des propos de qqn. → **Bavardage, commérage, glose, médisance.** *Sa conduite donne lieu, prête à bien des commentaires.*

3 Il fit courir ma lettre dans tout Paris, avec des commentaires de sa façon; qui pourtant n'eurent pas tout le succès qu'il s'en était promis.
    ROUSSEAU, les Confessions, IX.

4 Et voilà comment les plus modestes des hommes (...) ne peuvent bouger sans encourir les commentaires lancés par d'innombrables bouches (...)
    Paul BOURGET, le Disciple, I, p. 41.

Fam. *Pas de commentaire; on vous épargne vos commentaires! :* vos observations, vos explications sont inutiles!

♦ 4 N. m. pl. **COMMENTAIRES :** chroniques, mémoires historiques (dans un titre). *Les Commentaires de César, de Monluc.*

Alors l'ennui de six mois d'hiver (...) lui paraissait son plus grand ennemi, et, pour le combattre, cet autre César y eût dicté ses commentaires.
    Ph. P. SÉGUR, Hist. de Napoléon, X, 6.   5

Au livre III des *Commentaires* de César sur la guerre des Gaules, il est raconté qu'après la défaite de Viridovix par G. Titulius Sabinus, le chef des Calètes fut mené devant César (...)
    Maurice LEBLANC, l'Aiguille creuse, p. 156.   6

COMMENTATEUR, TRICE [kɔmɑ̃tatœʀ, tʀis] n. — 1361; lat. *commentator*, de *commentari*. → Commenter.

♦ 1 Personne qui est l'auteur d'un commentaire littéraire, historique, philosophique, juridique. *Les commentateurs de la Bible.* → **Annotateur, glossateur.** *Averroès, le commentateur d'Aristote. Le commentateur d'une édition critique.* — REM. Dans ce sens, le fém. est virtuel.

Que tous les disciples d'Aristote assemblent tout ce qu'il y a de fort dans les écrits de leur maître ou de ses commentateurs.   1
    PASCAL, Traité de la pesanteur de l'air..., Conclusion.

(...) vous n'êtes arrêté dans la lecture que par les difficultés (...) où les commentateurs et les scoliastes eux-mêmes demeurent court (...)   2
    LA BRUYÈRE, les Caractères, XIV, 72.

♦ 2 N. (1904). Personne qui assure le commentaire d'une émission, notamment d'une émission d'actualités, à la radio, à la télévision. → **Éditorialiste, présentateur, speaker.**

COMMENTER [kɔmɑ̃te] v. tr. — 1314; lat. *commentari* «réfléchir, étudier»; de *com-* (*cum*), et *mens, mentis* «esprit».

♦ 1 Expliquer (un texte) par un commentaire*. → **Gloser.** *Commenter un poème.*

Par métonymie. *Commenter un philosophe* (→ Bourgeois, cit. 12), commenter son œuvre, une de ses œuvres.

♦ 2 (1675). Vieilli. Donner une interprétation de (souvent, une interprétation malveillante). *Commenter les faits et gestes de ses voisins.*

♦ 3 Faire des remarques, des observations sur (des faits) pour expliquer, exposer. *Commenter les nouvelles.*

(...) ils *(des Basques)* discutent les chances, commentent la force des joueurs et arrangent entre eux de gros paris d'argent.   1
    LOTI, Ramuntcho, I, IV, p. 52.

(...) une demi-douzaine de consommateurs commentaient les nouvelles du quartier, qui avait été le théâtre de plusieurs échauffourées sérieuses.   2
    MARTIN DU GARD, les Thibault, t. VI, p. 284.

Journaliste qui commente l'actualité (radio, télévision). → **Commentateur,** 2.

♦ COMMENTÉ, ÉE p. p. adj. *Texte commenté.* — *Nouvelles commentées.*

COMMÉRAGE [kɔmeʀaʒ] n. m. — 1761; «baptême», Rabelais, 1546; de *commère,* et suff. -*age* (cit.).

Bavardage malveillant. → **Cancan, potin, racontar.** *Des commérages futiles, malveillants* (→ Ragot). *Recueillir, colporter des commérages. Ce ne sont que des commérages, des faux bruits.*

A Paris, chaque ministère est une petite ville d'où les femmes sont bannies; mais il s'y fait des commérages et des noirceurs comme si la population féminine s'y trouvait.
    BALZAC, la Cousine Bette, Pl., t. VI, p. 370.

COMMERÇABLE [kɔmɛʁsabl] adj. — V. 1715; de *commercer*.

♦ **1** Vieilli. Qui peut se négocier dans le commerce. → **Négociable; bancable.** *Effet, billet commerçable* (→ Agent, cit. 13; banque, cit. 2).

♦ **2** Rare. Qui peut être mis en vente dans le commerce. *Des denrées commerçables.*

COMMERÇANT, ANTE [kɔmɛʁsã, ãt] adj. et n. — 1695; de *commercer*.

I Adj. ♦ **1** (1756). Vieilli. Qui commerce. *Un peuple, un esprit commerçant.*

1 Ce fut comme nation rivale, et non comme nation commerçante, qu'ils *(les Romains)* attaquèrent Carthage.
MONTESQUIEU, l'Esprit des lois, XXI, 14.

♦ **2** Mod. Où se trouvent de nombreux commerces. *Cette rue est très commerçante.*

♦ **3** (xxᵉ; personnes, attitudes). Qui manifeste le don du commerce. *Elle est vraiment très commerçante et sait retenir la clientèle. Il montre une amabilité toute commerçante.*

Qui fait prédominer l'aspect commercial d'une question. *Il est plus commerçant que gestionnaire, que financier.*

II N. ♦ **1** Personne qui fait du commerce (spécialt, du commerce de détail) par profession. → **Marchand, négociant.** *Corps, corporation des commerçants. Un commerçant honnête, scrupuleux. Commerçant avide* (→ **Mercanti**), *malhonnête* (→ **Trafiquant**). — *Commerçant en gros* (→ **Grossiste**), *en demi-gros, en détail* (→ **Détaillant**). *Un gros commerçant. Défendre les intérêts des petits commerçants. Boutique, magasin d'un commerçant.* → **Boutiquier** (péj.). *Se fournir chez le même commerçant.* → **Fournisseur.** — *Les clients, les concurrents d'un commerçant.* — *Syndicat, association de commerçants.*

2 Sont commerçants ceux qui exercent des actes de commerce et en font leur profession habituelle.
Code de commerce, art. 1.

3 Le parfumeur venait d'être élu juge au tribunal de commerce. Sa probité, sa délicatesse connue et la considération dont il jouissait lui valurent cette dignité qui le classa désormais parmi les notables commerçants de Paris.
BALZAC, César Birotteau, Pl., t. V, p. 353.

4 On appelle plus particulièrement *commerçants* les entrepreneurs qui achètent des objets pour les revendre sans les avoir transformés; c'est dans ce sens que l'on oppose leur profession à celle des *industriels* et des *agriculteurs*, qui fabriquent ou tirent du sol des produits dont eux aussi, d'ailleurs, vendent la majeure partie. Les observateurs superficiels considèrent souvent ces derniers comme des *producteurs*, tandis que les négociants ne seraient que des *intermédiaires*. Or, la fonction des uns ne se distingue de celle des autres que par une différence de *degré* dans l'importance des transformations que chacun d'eux fait subir aux produits qu'il a achetés pour en augmenter l'utilité avant de les revendre.
COLSON, Cours d'économie politique, t. IV, p. 5.

5 (...) les commerçants sont, dans l'économie moderne, extrêmement nombreux; mais en outre, ils sont de plus en plus étroitement spécialisés.
PIROU et BYÉ, Traité d'économie politique, t. I, II, p. 207.

♦ **2** Par ext., didact. Personne dont l'activité aboutit à un produit commercialisable. → Commerce, cit. 2, Valéry.

Péj. *Ce metteur en scène (cet écrivain, ce musicien, etc.) n'est qu'un commerçant,* il fait passer l'aspect commercial de son activité avant les autres aspects.

COMMERCE [kɔmɛʁs] n. m. — V. 1370; *commerque;* du lat. *commercium,* de *com-* (*cum*), et *merx.* → Marchand.

I ♦ **1** Didact. (sens très général). Opération qui a pour objet la vente d'une marchandise, d'une valeur ou l'achat de celle-ci pour la revendre après l'avoir transformée ou non. *Acte, opération de commerce.* → **Échange; achat, vente; négoce, trafic; circulation, transit, transport; banque, change.**

Dès qu'on s'écarte du régime primitif et patriarcal où 1 chaque groupe familial produit directement ce qui est nécessaire à sa consommation, toute entreprise industrielle ou agricole a pour but final la vente de la totalité ou de la majeure partie de ses produits, vente qui constitue une opération commerciale, sinon au point de vue légal, du moins au point de vue économique (...) En réalité, toute production qui n'a pas pour objet exclusif de satisfaire les besoins propres du producteur et de sa famille est liée à des opérations de commerce; d'autre part, tout commerce est production puisque son but est d'accroître la valeur des biens et des services qui en font l'objet en les mettant à la disposition du public dans des conditions telles qu'ils répondent mieux qu'auparavant à ses besoins.
COLSON, Cours d'économie politique, t. IV, p. 5 et 7.

Si «l'acte de commerce» est d'acheter dans l'intention 2 de revendre, commerçant est l'artiste ou auteur qui ne regarde, ne voyage, ne lit, et presque n'existe, que dans le dessein de produire — remettre sur le marché son impression.
VALÉRY, Rhumbs, p. 142-143.

Cour. Activité qui a pour objet la vente, la mise sur le marché de services (opposé à *agriculture* et *industrie*). *Travailler, être dans le commerce. Faire du commerce.* → **Marchand,** cit. 1. *École de commerce. Les nouvelles études, techniques et stratégies du commerce (études de marché et de motivation, stratégies de communication, études de prix, etc.).* → **Commercialisation, marketing** (anglic.), **mercatique, merchandising** (anglic.). — Fam. *Avoir la bosse du commerce.*

Écon. Partie du secteur tertiaire* qui consiste en opérations sur des marchandises. *Commerce et services.*

Comparé à l'agriculture et à l'industrie, le commerce nous 3 ouvre de nouvelles perspectives. Tandis que l'industriel se livre sur les choses à des transformations matérielles, tandis que l'agriculteur demande à la nature d'opérer elle-même ces transformations, l'œuvre du commerçant commence lorsque l'objet a reçu sa forme définitive et qu'il ne reste plus qu'à le mettre à la disposition du consommateur dans des conditions susceptibles d'éveiller ses désirs et de satisfaire ses besoins.
PIROU et BYÉ, Traité d'économie politique, t. I, II, p. 191.

Commerce électronique : ensemble des activités commerciales «en ligne», utilisant le réseau mondial Internet. — REM. On dit aussi *e-commerce* et *e-business* (anglic.).

Dr. Activité ayant pour objet «la spéculation* ou l'entremise dans la circulation des produits ou de l'argent» (Capitant). *Acte de commerce :* acte juridique donnant lieu à l'application des lois commerciales, soit pour toutes les personnes qui y sont parties, soit pour certaines d'entre elles seulement (actes mixtes) [Capitant]. *Cf. art. 632 et 633 du Code de commerce.*

La loi répute actes de commerce : 4
Tout achat de denrées et marchandises pour les revendre, soit en nature soit après les avoir travaillées et mises en œuvre, pour en mieux pour en louer simplement l'usage;
Toute entreprise de manufactures, de commission, de transport par terre ou par eau (...)
Code de commerce, art. 632.

Emblème du commerce. → **Caducée.** *Commerce avantageux, lucratif.* — *Faire le commerce de* (une denrée). *Professions de commerce.* → **Acheteur, agent, commerçant, commettant, commissionnaire,**

consignataire, correspondant, courtier, expéditeur, intermédiaire, mandataire, marchand, négociant, placier, transitaire, transporteur, vendeur; et aussi représentant, voyageur (de commerce). *Registre du commerce. Employé* de commerce.* → **Caissier, commis, emballeur, expéditeur, facteur, livreur.** — *Maison de commerce.* → **Compagnie, comptoir, factorerie, firme, filiale.** *Commerce intérieur, extérieur, international.* → **Exportation, importation.** *Balance du commerce. Convention, traité de commerce. Liberté* (→ **Libre-échange**), *réglementation du commerce extérieur* (→ **Protectionnisme**). *Marine, navire, port de commerce. Commerce en gros, de gros* (→ Marché, cit. 21), *de détail. Commerce maritime* (cit. 1). *Cela ne se trouve plus dans le commerce. Marchandise hors commerce. Prix, tarifs; bénéfice, déficit, faillite d'une maison de commerce.*
Loc. (vx). *Être en commerce avec...* : commercer* *avec... Faire le commerce d'une ville, d'un pays,* assumer (notamment) *les transports commerciaux.*

5 Les Phéniciens sont en commerce avec tous les peuples.
FÉNELON, Télémaque, IX.

6 Les Anglais et encore plus les Hollandais faisaient, par leurs vaisseaux, presque tout le commerce de la France (...)
VOLTAIRE, le Siècle de Louis XIV, 29.

7 Je suis bien persuadé avec vous que le pays où le commerce est le plus libre sera toujours le plus riche et le plus florissant.
VOLTAIRE, Lettre à Roubaud, 1er juil. 1769.

8 Pas un intant, il est vrai, il ne s'était douté qu'une grande guerre moderne pût favoriser le commerce des pétroliers, faire d'eux les fournisseurs éminents des armées, et de leur monopole un pilier intangible de la patrie.
J. ROMAINS, les Hommes de bonne volonté, III, XIII, p. 182.

Livres* de commerce : registres de comptabilité, livres de caisse. → **Journal; brouillard, brouillon;** copie (de lettres et d'inventaires).
Effet de commerce. → **Effet.**
Tribunal de commerce : tribunal statuant sur les litiges commerciaux. *Agréé* près le tribunal de commerce. Consul jouant à l'étranger le rôle de tribunal de commerce. Arbitre* du commerce* (ou arbitre rapporteur). — *Code* de commerce. Ministère du Commerce.* — *Bourse de commerce.* → 2. **Bourse.** — *Chambre* de commerce.*

♦ 2 (1798). *Le commerce :* le monde commercial, le corps des commerçants. *Le haut commerce* (vieilli) : l'ensemble des grands commerçants. *Le petit commerce.*

♦ 3 *Fonds de commerce :* entreprise qui a pour objet le commerce (1.). → **Boutique, débit, magasin.** *Ouvrir, tenir un commerce. Gérance* d'un commerce. Quitter, fermer son commerce.* → **Fermer** (boutique). *Enseigne* d'un commerce. Pratiques d'un commerce.* → **Achalandage, clientèle.** *Faire l'inventaire de son commerce.* → **Assortiment, réassortiment.** *Commerce à céder. Les commerces d'une ville.* — Collectif. *Ensemble d'entreprises commerciales. Un commerce concentré, intégré. Le commerce de gros, de détail..., le commerce indépendant. Le petit commerce.*

♦ 4 Fig. et péj. **a** Vieilli. Trafic (de choses morales, ou qui ne sont pas négociables). *Faire un mauvais* (vx : *un méchant, un vilain*) *commerce :* se mêler de quelque affaire malhonnête ou douteuse. *Commerce honteux, infâme.*

9 Que vois-je autour de moi, que des amis vendus (...)
Qui choisis par Néron pour ce commerce infâme
Trafiquent avec lui des secrets de mon âme ?
RACINE, Britannicus, I, 4.

b Loc. *Faire commerce de...* : vendre.
Faire commerce de son corps, de ses charmes : se prostituer.

♦ 5 Régional (Suisse). Ensemble de choses disparates. → **Attirail; (régional) chenil** (cit. 4).

II ♦ 1 (1540). Vx ou littér. Relations que l'on entretient dans la société. → **Fréquentation, rapport; relation.** *Avoir, entretenir un commerce d'amitié* (cit. 13) *avec qqn. Commerce de galanterie. Rompre tout commerce avec qqn. Fuir le commerce des hommes. Aimer le commerce des livres.* — *Le Nouveau Commerce* (titre de revue).

10 Le commerce des hommes y est merveilleusement propre *(à former le jugement),* et la visite des pays étrangers (...) pour frotter et limer notre cervelle contre celle d'autrui.
MONTAIGNE, Essais, I, XXV, De l'institution des enfants.

11 Nous plaisons plus souvent dans le commerce de la vie par nos défauts que par nos bonnes qualités.
LA ROCHEFOUCAULD, Maximes, 90.

12 Je vous déclare que je romps commerce avec vous.
MOLIÈRE, le Malade imaginaire, III, 5.

13 La flatterie est un commerce honteux qui n'est utile qu'au flatteur.
LA BRUYÈRE, les Caractères de Théophraste, De la flatterie.

14 Nous avions un commerce intime, sans vivre dans l'intimité.
ROUSSEAU, les Confessions, IX.

15 Même dans l'isolement et dans la retraite, il est bien des commerces consolateurs qui sont à votre main. Vous aimez l'étude, la poésie; la lecture seule des Anciens, des philosophes ou poètes, vous serait, j'en suis sûr, d'un grand charme.
SAINTE-BEUVE, Correspondance, 508, 18 déc. 1835.

16 Mais, dans le commerce ordinaire de la vie, il *(mon père)* se montrait grave et parfois sombre.
FRANCE, le Petit Pierre, I, p. 9.

17 Mais le commerce de personnages incomparables, — d'un philosophe avec un homme de guerre, d'un poète avec un prélat, d'un historien avec un auteur de romans ou de comédies, d'un diplomate avec un linguiste, s'engage dans les amours-propres et se développe dans toute l'étendue que l'on trouve entre deux curiosités croisées entre deux univers. Ce sont ici les différences qui rapprochent.
VALÉRY, Regards sur le monde actuel, p. 294.

18 (...) il faut, dans le commerce avec ses semblables, être plus conciliant et plus agréable.
A. MAUROIS, le Cercle de famille, II, I, p. 134.

♦ 2 (Dans *: ... de, d'un commerce,* et adj.). Manière de se comporter à l'égard d'autrui. → **Comportement, sociabilité.** *C'est un homme d'un commerce sûr :* c'est un homme discret. — Loc. mod. *Être d'un commerce agréable.*

19 Vit-on jamais prince d'un commerce plus aisé, plus libre, plus commode ?
BOSSUET, Condé.

20 C'était un homme de commerce aimable chez qui était resté beaucoup de l'esprit lettré du dernier siècle.
MAUPASSANT, Contes de la bécasse, «La bécasse».

♦ 3 Vx ou littér. (qualifié ou dans un syntagme verbal). Relations charnelles. *Commerce adultère. Commerce incestueux. Avoir commerce, ne pas avoir de commerce avec...*

21 Elle *(la prostituée chinoise)* lui a néanmoins proposé ses services, pour lui faire oublier son malheur, mais il l'a repoussée avec des airs de vertu outragée, disant (...) qu'il ne voulait plus d'ailleurs avoir de commerce avec aucune femme (...)
A. ROBBE-GRILLET, la Maison de rendez-vous, p. 120.

DÉR. **Commercer, commercial.**

COMMERCER [kɔmɛʀse] v. intr. [CONJUG.: *placer.*]
— 1405, *commerser; de commerce.*

♦ 1 Faire du commerce. *Commercer avec qqn dans un pays. La France commerce avec de nombreux pays.*

De même, c'est vers 1075 que l'abbé de Reichenau concède à tous les «paysans» de l'un de ses villages «le droit de commercer... afin qu'eux-mêmes et leurs descendants soient des marchands».

Georges DUBY, Guerriers et Paysans, p. 203.

◆2 (1748). Fig. et vieilli. Avoir des relations (avec autrui). *Commercer amicalement. On est parvenu à amener les sourds-muets à pouvoir commercer avec les autres hommes* (→ Art, cit. 35).

DÉR. **Commerçable, commerçant.**

COMMERCIAL, ALE, AUX [kɔmɛRsjal, o] adj. et n.
— 1749; de *commerce.*

◆1 Qui a rapport au commerce. *Droit commercial. Activité, affaire, entreprise commerciale. Nom commercial. Opérations, relations commerciales. — L'appareil commercial; les services commerciaux d'une entreprise.*

Si l'on considère tout cela sous le jour des affaires, sous le jour commercial, votre projet ne tient pas debout.

G. DUHAMEL, Chronique des Pasquier, V, v, p. 72.

Directeur commercial, qui, dans une entreprise, s'occupe des aspects commerciaux de l'activité.

Attaché, conseiller commercial :* agent, à l'étranger (auprès d'une ambassade), de l'expansion économique d'un État.

Dr. *Dette commerciale.* → Commercialité* d'une dette.

◆2 a Où sont groupés de nombreux commerces. *Centre, quartier commercial.*

b Qui est en vente dans le commerce. *Produits commerciaux.*

◆3 Péj. Qui est conçu, exécuté dans une intention lucrative, commerciale et pour plaire au plus grand public possible. *Une musique commerciale. C'est du jazz commercial. Il fait une peinture purement commerciale et non pas de qualité* (→ C'est un commerçant).

◆4 N. f. *Une commerciale :* une voiture automobile légère, transformable en véhicule utilitaire. → **Break, fourgonnette.**

◆5 N. Personne chargée des relations commerciales dans une entreprise. «*Les "commerciaux" se distinguent des "créatifs" en ce qu'ils portent une cravate*» (le Nouvel Obs., 10 avr. 1978, p. 52).

DÉR. **Commercialement, commercialiser, commercialité.**
◊ COMP. **Anticommercial, technico-commercial.**

COMMERCIALEMENT [kɔmɛRsjalmã] adv. — 1829; de *commercial.*

◆1 Sur le plan du commerce. *Produit commercialement rentable.*

◆2 D'une manière propre au commerce; comme un bon commerçant. *C'est une manière de diriger la société qui est plus valable commercialement que financièrement. Il accueille très commercialement la clientèle.*

COMMERCIALISABLE [kɔmɛRsjalizabl] adj.
— 1955; de *commercialiser.*

Qui peut être commercialisé. *Une denrée commercialisable.* «*Un autre phénomène intéressant est apparu tout récemment avec la création de nombreuses compagnies commerciales qui font appel à des chercheurs très qualifiés pour développer une recherche privée à but lucratif. Ainsi de nombreuses entreprises ont été créées (...) pour produire des anticorps monoclonaux commercialisables*» (Fondamental, juil. 1981, nᵒ 11, p. 23).

COMMERCIALISATION [kɔmɛRsjalizasjɔ̃] n. f.
— 1904, in Rev. gén. des sc., nᵒ 1, p. 43; attestation isolée, 1845; de *commercialiser.*

Action de commercialiser (1. et 2.). → Avilir, cit. 13.
→ **Marchéage, marketing** (anglicisme). — Figuré :

La réussite lui pèse : (...) il voudrait se persuader qu'un certain degré de malédiction serait préférable à cette commercialisation des bons sentiments (...)

Alain BOSQUET, les Bonnes Intentions, p. 143.

COMMERCIALISER [kɔmɛRsjalize] v. tr. — 1872;
attestation isolée, 1845; de *commercial.*

◆1 Dr. Rendre commercial. *Commercialiser une dette.*

◆2 Cour. Rendre (qqch.) l'objet d'un commerce. *Commercialiser un brevet d'invention.* → **Exploiter.** — Mettre (qqch.) dans le circuit commercial. *L'étude de ce produit est terminée; il peut être commercialisé.*

DÉR. **Commercialisable, commercialisation.**

COMMERCIALITÉ [kɔmɛRsjalite] n. f. — 1866; de *commercial.*

Dr. Qualité de ce qui est régi par le droit commercial. *La commercialité d'une dette.*

COMMÈRE [kɔmɛR] n. f. — V. 1275, «marraine»; lat. ecclés. *commater* «mère (mater) avec».

◆1 Vx. La marraine (d'un enfant), par rapport au parrain (→ **Compère**) et aux parents.

Il s'avisa de me prier de lui tenir un enfant, et me donna Mᵐᵉ Coccelli pour commère.   1

ROUSSEAU, les Confessions, V.

◆2 Vieilli ou régional. Terme d'amitié donné à une femme, entre voisins et gens qui ont des relations fréquentes. → **Cousine.** — Figuré :

Ma commère la carpe y faisait mille tours   2
Avec le brochet son compère.

LA FONTAINE, Fables, VII, 5.

Théâtre. Un des deux personnages principaux d'une revue. *La commère donne la réplique.* → **Animatrice.**

◆3 Mod. Femme qui sait toutes les nouvelles et les colporte. → **Bavard.** *Les commères du quartier* (→ Caqueter, cit. 1). *Propos de commère.* → **Commérage.** — Par ext. *Cet homme est une vraie commère.* → **Concierge** (fig.).

(...) au seuil des portes, les commères causaient et riaient   3
sur un diapason de dispute.

MARTIN DU GARD, les Thibault, t. I, p. 100.

◆4 Vx. Femme hardie, qui a de la tête, que rien ne rebute. *Une fine commère. Une maîtresse commère.*

DÉR. **Commérage, commérer.**

COMMÉRER [kɔmere] v. intr. [CONJUG.: *céder.*] — 1823;
autre sens, 1611; de *commère.*

Rare. Faire des commérages. → **Bavarder;** → Papoter, cit. 1.

Et il se mit à commérer, par métier et par plaisir.

ZOLA, Paris, t. I, p. 93.

COMMETTAGE [kɔmɛtaʒ] n. m. — 1752; de *commettre,* 5.

Mar. Confection d'un cordage par la réunion de brins, de torons tordus ensemble.

COMMETTANT, ANTE [kɔmɛtã, ãt] n. — XVIᵉ; de *commettre,* 3.

Dr. Personne qui confie à une autre le soin de ses intérêts. → **Mandant.**

COMMETTRE [kɔmɛtʀ] v. tr. [CONJUG.: *mettre*.] — XIIIᵉ; du lat. *committere* «mettre ensemble», de *com- (cum)*, et *mittere*. → Mettre.

♦ **1** Accomplir, faire (une action blâmable). *Commettre une maladresse, une inconvenance, des distractions, des imprudences. Commettre une injustice à l'égard de qqn. Commettre un délit, une erreur, un impair. Commettre une infidélité, une ingratitude, une lâcheté, un sacrilège, une trahison... Commettre des coquineries, des déprédations, des fraudes* (→ **Frauder**), *des horreurs, des cruautés. Commettre un péché.* → **Fauter, tomber** (dans le péché). *Commettre un attentat, un crime, un meurtre.* → **Consommer, perpétrer.** — Passif. *Le crime qui vient d'être commis.*

1 Le fermier,
   Laissant ouvert son poulailler,
   Commit une sottise extrême.
                    LA FONTAINE, Fables, XI, 3.

2 (...) qui commet la faute en porte la peine!
                    A. DE MUSSET, Théâtre, André del Sarto, p. 27.

3 (...) votre erreur n'est pas un crime, mais elle vous en fait commettre un; car elle vous entraîne à prêcher la guerre, qui est le plus grand de tous les crimes.
                    F. DE COULANGES, Questions contemporaines,
                    p. 109.

4 Mais M. de Lommérie est un catholique sincère, qui se préoccupe de la condition du peuple, et ne voudrait commettre ni le péché de dureté, ni celui d'injustice.
                    J. ROMAINS, les Hommes de bonne volonté, t. V,
                    XXVIII, p. 294.

Fam. et iron. Se rendre responsable de. *Il a commis un roman déplorable!*

4.1 (...) Je vis reparaître (...) Conrad (...) Il avait gardé une innocence d'enfant, une douceur de jeune fille, et cette bravoure de somnambule qu'il mettait autrefois à grimper sur le dos d'un taureau ou d'une vague : et ses soirées se passaient à commettre de mauvais vers dans le goût de Rilke.   M. YOURCENAR, le Coup de grâce, p. 148.

♦ **2** *Commettre qqn à... :* mettre (qqn) dans une charge. → **Charger** (de), **employer, préposer.** *Commettre qqn à un emploi, au soin de qqch.* — Vx. *Commettre qqn pour un travail.*

5 (...) Dieu (...) a commis tout un peuple pour la garde de ce livre (...)
                    PASCAL, Pensées, t. III, IX, 622 (→ Authentique,
                    cit. 10).

6 Je vous commets au soin de nettoyer partout (...)
                    MOLIÈRE, l'Avare, III, 1.

7 Le roi commit des membres de son conseil d'État pour vider les procès en dernier ressort.
                    VOLTAIRE, le Siècle de Louis XV, 36.

Dr. → **Désigner, nommer.** *Commettre un rapporteur, un huissier.*

8 Le juge (...) ordonne au bas de la requête que les parties comparaîtront devant lui au jour et à l'heure qu'il indique, et commet un huissier pour notifier la citation.
                    Code civil, art. 235.

♦ **3** Vieilli. *Commettre à* (qqn); *commettre au soin, à la garde de qqn :* remettre (qqn, qqch.) aux soins, à la garde de... → **Confier, remettre.** *Commettre des enfants au soin de qqn. Commettre à qqn le soin de blessés, la garde d'un dépôt...*

9 Je vous rends le dépôt que vous m'avez commis.
                    RACINE, Athalie, II, 7.

♦ **4** (1552). Vieilli. Exposer, mettre en danger. → **Aventurer, compromettre, exposer, risquer.** *Commettre l'avenir de qqn. Commettre sa réputation* (→ ci-dessous *se commettre*).

10 Aux affronts d'un refus craignant de vous commettre (...)
                    RACINE, Iphigénie, II, 4.

11 (...) il aime mieux passer pour un voleur, que s'exposer à perdre la vie que de commettre l'honneur de sa dame.
                    A.-R. LESAGE, le Diable boiteux, VII, p. 86.

Henri IV (*d'Allemagne*) ne fit que commettre son autorité 12
en écrivant au pape qu'il le déposait.
                    VOLTAIRE, Essai sur les mœurs, 46.

♦ **5** (1752). Techn. Confectionner (un cordage) en tordant ensemble plusieurs brins ou torons (→ **Commettage**). *Commettre des aussières en grelin.*

◆ **SE COMMETTRE** v. pron. (XVIIᵉ; du sens 4).

♦ **1** Avoir lieu (le sujet désigne un acte répréhensible). *Péchés qui se commettent dans l'ombre. Il se commit des excès* (→ Abolir, cit. 3).

♦ **2** Littér. ou style soutenu. Compromettre sa dignité, son caractère, ses intérêts. *Se commettre avec des gens méprisables. Vous ferez bien de ne vous pas commettre avec lui, c'est un homme dangereux* (Académie).

Il y a des gens d'une certaine étoffe ou d'un certain carac- 13
tère avec qui il ne faut jamais se commettre (...)
                    LA BRUYÈRE, les Caractères, V, 28.

Ces agaceries dont les femmes savent user sans se com- 14
mettre (...)   ROUSSEAU, les Confessions, VI.

→ **Exposer** (s').

(...) on ne doit point risquer l'affaire, et ce sont des suites 15
fâcheuses, où je n'ai garde de me commettre.
                    MOLIÈRE, l'Avare, IV, 3.

Je ne me dissimule pas qu'une crainte assez basse de m'en- 15.1
gager à fond contribuait à ma prudence à l'égard de la
jeune fille; j'ai toujours eu horreur de me commettre, et
quelle est la femme amoureuse avec laquelle on ne se
commet pas?
                    M. YOURCENAR, le Coup de grâce, p. 176.

◆ **COMMIS, ISE** [kɔmi, iz] p. p. adj.

♦ **1** Fait, exécuté (en parlant d'une action condamnable). *Un crime commis depuis peu.*

♦ **2** Nommé à une charge, préposé (→ **Commis, N. m.**). — Spécialt. *Huissier commis,* celui qui est désigné par un juge pour certaines opérations.

Les plus sages vieillards furent commis pour examiner 16
ses actions.   FÉNELON, Télémaque, VIII.

♦ **3** Confié, remis.

(...) parmi tous les enfants confiés à ses soins, elle n'en 17
avait jamais rencontré dont les dispositions fussent aussi
mauvaises que les miennes.
                    BALZAC, le Lys dans la vallée, Pl., t. VIII, p. 773.

♦ **4** Vx ou littér. Compromis, exposé. *Réputation commise.* — Engagé, impliqué.

Il y a de tels projets, d'un si grand éclat (...) que toute la 18
gloire et toute la fortune d'un homme y sont commises.
                    LA BRUYÈRE, les Caractères, XII, 115.

CONTR. Abstenir (s'). — **Démettre, retirer.** — **Respecter.** ◊ **DÉR.** (Du sens 5) **Commettage.** — (Du sens 3) **Commettant. Commis, commise.**

COMMINATION [kɔminasjɔ̃] n. f. — Mil. XIIᵉ; repris 1704; lat. *comminatio, onis,* de *comminari.* → Comminatoire.

Didactique.

♦ **1** Vx. Menace, annonce de malheurs futurs. — Relig. Menace de châtiment (à l'égard du pécheur).

♦ **2** Rhét. Figure («figure de pensée») par laquelle on menace, on effraie le destinataire.

Au contraire du séducteur, qui excite le désir et l'espoir, l'intimidateur tend à provoquer l'aversion et la crainte. À l'influence caractéristique de ce rôle semble convenir, en général, la *commination,* qui est «la menace ou l'annonce d'un malheur plus ou moins horrible, par l'image duquel on cherche à porter le trouble et l'effroi dans l'âme de ceux contre qui l'on se sent animé par la haine, la colère, l'indignation ou la vengeance». On remarque que, d'après les termes de cette définition, il ne s'agit pas d'une menace conditionnelle, d'un avertissement destiné à détourner l'adversaire d'une entreprise (...) Dans la commination, l'intimidation est une fin en soi. Son but est de

faire souffrir à l'adversaire, par anticipation, les maux qui l'attendent et qui lui sont présentés comme inévitables.
Cl. BREMOND, le Rôle d'influenceur,
in Communications, 16, 1970, p. 67.

COMMINATOIRE [kɔminatwaʀ] adj. — 1517; lat. médiéval *comminatorius; de com- (cum),* et *minari* «menacer».

♦ **1** Dr. Qui renferme la menace d'une peine légale, en cas de contravention. *Arrêt, disposition, jugement, sentence comminatoire. C'est suivant les circonstances qu'une sanction comminatoire est mise à exécution ou non. — Formuler en style comminatoire.* → **Comminer.**

1 Aucune des nullités, amendes et déchéances prononcées dans le présent Code n'est comminatoire.
Code de procédure civile, art. 1029.

♦ **2** Cour. (mais style soutenu). Qui constitue une mise en demeure, un avertissement ou une menace. *Propos comminatoire. Ton comminatoire. Lettre comminatoire.*

2 C'est à Florence que j'ai reçu la lettre comminatoire de Claudel que la page 478 des *Caves* a déclenchée.
GIDE, Journal, 28 mars 1914.

(Personnes). Littéraire :

3 Elle est redevenue douce tout à coup. Elle est près de Pierre, plus que jamais près de Pierre. Comminatoire mais prudente.
M. DURAS, Dix heures et demie du soir en été,
p. 129.

COMMINER [kɔmine] v. tr. — D. i.; lat. *comminari.* → Comminatoire.

En franç. de Belgique. Dr. Formuler (qqch.) en style comminatoire.

COMMINUTIF, IVE [kɔminytif, iv] adj. — 1824, *in* D. D. L.; dér. du lat. *comminuere* «briser».

Chir. *Fracture comminutive,* comportant de petits fragments d'os.

COMMIS [kɔmi] n. m. — 1675; adj., en picard, en wallon, v. 1320; du p. p. de *commettre.*

♦ **1** Vieilli ou admin. Agent subalterne (administration, banque, bureau, maison de commerce). → **Agent, employé.** *Commis d'un ministère. Commis des Douanes. Commis d'un grand magasin.* → **Vendeur.** *Commis d'un magasin de nouveautés.* → **Calicot** (vx). *Commis d'un banquier ou d'une maison de jeu.* → **Croupier.** *Premier commis. Commis expéditionnaire. Commis aux écritures* (→ **Facteur**).

1 Le *commis* a une *commission,* l'*employé* de l'*emploi;* le *commis* a un *commettant* dont il suit les instructions, l'*employé* un chef dont il exécute les ordres. *Commis* annonce quelque chose de plus relevé et de plus important : le *commis* a la confiance de celui qui lui *commet* le soin de ses affaires, et, pour s'en acquitter, il jouit d'une certaine indépendance, et peut faire preuve de beaucoup de talent (...)
LAFAYE, Dict. des synonymes, Commis, employé.

2 On y voit des commis,
mis
comme des princes,
qui jadis sont venus,
nus,
de leurs provinces. PANARD, *in* Pierre LAROUSSE.

3 Elle le comparait avec d'autres, avec trois ou quatre freluquets de Paris, commis, écrivassiers ou je ne sais quoi (...)
LOTI, Pêcheur d'Islande, I, v, p. 46.

3.1 Par son mariage, Thomas devint très riche, mais, toute sa vie, il conserva son emploi, commis peu payé, exact, discret, respecté, que l'on apercevait dans le bureau des employés, assis auprès d'un coffre-fort, sa tête blanche dépassant une pile de registres.
J. CHARDONNE, les Destinées sentimentales, I, p. 15.

Hist. *Premier commis :* fonctionnaire supérieur d'un ministère ou d'une administration. — Loc. mod. *Les grands commis de l'État.* → **Administrateur.**

3.2 On voit dans les Mémoires de Saint-Simon de ces grands commis qui partent pour les Flandres ou pour l'Italie, marquant en chemin les étapes, créant des magasins, laissant provision chez les banquiers (...) et faisant le chemin d'une armée. Mais il saute aux yeux que de tels hommes, puissants pour exécuter, ne le sont point du tout pour décider si l'on entreprendra ou non.
ALAIN, Propos, 29 juil. 1923,
Administration et gouvernement.

♦ **2** *Commis-greffier :* adjoint d'un greffier qui le supplée. «*Un commis-greffier, espèce de secrétaire judiciaire assermenté*» (Balzac). — Mar. *Commis aux vivres,* chargé du service des vivres à bord d'un navire.

♦ **3** (1792). Vieilli. **COMMIS VOYAGEUR,** qui voyage pour placer les marchandises d'une maison de commerce dont il est l'employé. → **Représentant, voyageur** (de commerce); → V.R.P. *Boîte à échantillons de commis voyageur. Histoires de commis voyageur :* histoires plaisantes, sans finesse.

4 Le Commis voyageur, personnage inconnu dans l'antiquité, n'est-il pas une des plus curieuses figures créées par les mœurs de l'époque actuelle ?
BALZAC, l'Illustre Gaudissart, Pl., t. IV, p. 11.

DÉR. 2. Commise.

1. COMMISE [kɔmiz] n. f. — 1315; de *commettre.*

♦ **1** Dr. féod. Confiscation par le suzerain du fief d'un vassal qui n'a pas rempli les obligations auxquelles il était tenu. *Fief tombé en commise.*

♦ **2** Vieilli. Confiscation de marchandises de contrebande.

2. COMMISE [kɔmiz] n. f. — 1931, Pagnol; de *commis;* une première fois av. 1900, Robida, *le Vingtième Siècle.* → Boursicotier, cit. 1.

Régional (sud de la France). Vendeuse (Pagnol, Audiberti, *in* T. L. F.). «*Une commise de librairie*» (Mauriac, cité par Hanse).

COMMISÉRATION [kɔmizeʀasjɔ̃] n. f. — V. 1160; lat. *commiseratio, de com- (cum),* et *miserari* «avoir pitié».

Littér. ou style soutenu. Sentiment de pitié qui fait prendre part à la misère des malheureux. → **Compassion, miséricorde.** *Élan de commisération.* → **Apitoiement, attendrissement.** *Éprouver, avoir de la commisération pour qqn. Sa commisération pour les malheureux. Témoigner de la commisération à qqn. Air, ton de commisération. Un mot de commisération.* → **Plaindre,** cit. 3. *Exciter la commisération de qqn, chez qqn.*

1 La *compassion* fait compatir, c'est-à-dire souffrir avec ceux qui souffrent, avec les affligés; la *commisération* fait prendre part à la misère, ou intéresse aux misérables, aux malheureux. La *compassion* (...) est plus douloureuse et plus vive; la *commisération* est plus modérée parce qu'elle correspond à des maux moins sensibles; elle a même des douceurs.
LAFAYE, Dict. des synonymes, Pitié, compassion...,
miséricorde.

2 L'homme qui ne connaîtrait pas la douleur ne connaîtrait ni l'attendrissement de l'humanité ni la douceur de la commisération.
ROUSSEAU, *in* LAFAYE, Dict. des synonymes,
Pitié..., compassion, miséricorde.

3 Elle m'a toujours paru aussi peu sensible pour autrui que pour elle-même : et quand elle faisait du bien aux malheureux, c'était pour faire ce qui était bien en soi, plutôt que par une véritable commisération.
ROUSSEAU, les Confessions, II.

4   Les autres habitants s'associaient à l'affliction de cette famille respectable par une sincère et pieuse commisération qui donnait à tous les visages la même expression, et qui monta jusqu'à l'effroi...

> BALZAC, le Curé de village, Pl., t. VIII, p. 614.

5   (...) ce visage où ne se lit aucune commisération, aucun attendrissement devant la souffrance humaine, aucune crainte de la heurter, et qui est le visage sans douceur, le visage antipathique et sublime de la vraie bonté.

> PROUST, À la recherche du temps perdu, t. I, p. 116.

CONTR. Dureté, indifférence, insensibilité.

COMMIS-GREFFIER [kɔmiɡʀefje] n. m. → **Commis.**

COMMISSAIRE [kɔmisɛʀ] n. — 1310; du lat. médiéval *commissarius*, de *committere* «préposer».

I Personne chargée de fonctions spéciales et temporaires. ♦ **1** *Commissaire du gouvernement* : technicien, technicienne désigné(e) par le gouvernement pour soutenir un projet de loi devant une assemblée législative. — Officier du ministère public près de certains tribunaux. *Commissaire du gouvernement près du conseil de guerre, du Conseil d'État.* — Hist. (N. m.). *Commissaires de la Convention. Commissaires de la République,* qui étaient envoyés avec pleins pouvoirs par le gouvernement de la IIᵉ République, et aussi par le gouvernement provisoire de la IVᵉ République, dans les départements. — *Haut-commissaire,* titre donné aux parlementaires qui, dans certains gouvernements, ont la direction de grands départements. *Le commissaire, le haut-commissaire au Plan, au Tourisme. Haut-commissaire à l'Énergie atomique.*
Représentant d'un État auprès d'un autre État protégé, associé, occupé... *Le haut-commissaire de France en... Madame X est haut-commissaire de...* (*haute-commissaire* ne s'emploie pas).

♦ **2** *Commissaire des comptes* (vieilli); *commissaire aux comptes* : agent de surveillance nommé par l'assemblée générale d'une société anonyme pour vérifier les comptes des administrateurs. *Le, la commissaire aux comptes.* — Expert-comptable qui, dans les sociétés ou les associations, centralise et révise les comptes.

♦ **3** (1845). Vx. N. m. *Commissaire d'un bal, d'un banquet, d'une fête* : celui qui est chargé de régler les préparatifs et d'en faire les honneurs.
(1858, *in* Petiot). Mod. (Sports). Personne qui vérifie qu'une épreuve sportive se déroule régulièrement. *La commissaire des épreuves de saut.*

♦ **4** (1866). Absolt. Membre d'une commission. *Être commissaire d'une commission parlementaire. Commissaires de la commission financière d'une société. Plusieurs des commissaires sont des femmes. Une commissaire.*

II Titre de fonctionnaires ou titulaires de charges permanentes. ♦ **1** **COMMISSAIRE DE POLICE**; absolt, **COMMISSAIRE** : officier de police judiciaire chargé de faire observer les règlements de police et de veiller au maintien de la paix publique. *Faire, porter sa plainte devant le commissaire, au commissaire.* → **Commissariat**, 3. (cit.). *Le, la commissaire d'un arrondissement, d'un quartier, d'une petite ville.* — *Le commissaire est bon enfant,* comédie de Courteline. *Commissaire divisionnaire*, principal* (le divisionnaire, le principal). *Commissaire central,* sous les ordres duquel sont placés les autres commissaires d'une même ville.

1   (...) je m'en vais faire ma plainte au commissaire du quartier (...)

> MOLIÈRE, le Mariage forcé, 5.

On n'a pas encore importé en Turquie le commissaire de   2
police français, qui vous dépiste en trois heures; on est libre d'y vivre tranquille et inconnu.

> LOTI, Aziyadé, XI, p. 191.

♦ **2** **COMMISSAIRE-PRISEUR** : officier ministériel chargé de l'estimation des objets mobiliers et de leur vente aux enchères.

La salle se remplit lentement d'intéressés et de curieux,   3
et après une demi-heure de retard le commissaire-priseur armé de son marteau d'ivoire, le clerc chargé de bordereaux, l'expert avec son catalogue et le crieur muni d'une sébile fixée au bout d'une perche, prirent place sur l'estrade avec une solennité bourgeoise.

> FRANCE, le Crime de S. Bonnard, Œ., t. II, p. 330.

REM. Le féminin régulier *commissaire-priseuse* semble inusité.

♦ **3** Mar. *Commissaire de la Marine, de l'Air* : officiers chargés de la comptabilité, de travaux administratifs. — *Commissaire du bord* : sur les paquebots, Administrateur des services des passagers et du ravitaillement.

Un commissaire, cela jauge, pèse, compte, répartit, en un   4
mot : mesure. On ne plaisante pas avec les poids et les volumes. Il y faut être exact, prévoyant, raisonnable. Drot, qui l'avait été, pendant plus de quarante années, respirait, même à la retraite, l'exactitude, la prévoyance et le bon sens professionnel.

> H. BOSCO, Un rameau de la nuit, p. 45.

♦ **4** Dans d'autres pays que la France. — (Adapt. du russe *narodnye kommissar*). *Commissaire du peuple,* ancient : en U. R. S. S., Personnalité assurant des fonctions ministérielles. → **Ministre.**
(En franç. du Zaïre). *Commissaire d'État* : ministre. *Commissaire du peuple* : membre du conseil législatif. *Commissaire politique. Commissaire urbain* : maire.

COMMISSARIAT [kɔmisaʀja] n. m. — 1752; de *commissaire.*

♦ **1** (1789). Qualité, emploi de commissaire; fonction de commissaire. *Obtenir un commissariat.* — *Haut-commissariat* : dignité de haut-commissaire. Par ext. Ensemble des services dépendant d'un haut-commissaire. *Le (haut-)commissariat à la jeunesse et aux sports. Commissariat à l'Énergie atomique* (C. E. A.).

♦ **2** *Commissariat maritime* : corps administratif de la marine. — *Commissariat de la marine,* fonction de commissaire (II., 3.) de la marine.

♦ **3** Bureau d'un commissaire de police. *Commissariat d'arrondissement. Commissariat central. Aller au commissariat.*

J'ai été témoin de la scène (...) l'agent s'était mépris : il
n'avait pas été insulté (...) L'agent maintint le marchand en état d'arrestation et m'invita à le suivre au commissariat (...) Je réitérai ma déclaration devant le commissaire.

> FRANCE, Crainquebille, III.

COMMISSION [kɔmisjɔ̃] n. f. — XIIIᵉ, mot du nord de la France; lat. *commissio,* de *committere* «préposer». → Commettre.

I Charge, mandat. → **Attribution, délégation, mission.** *Donner une commission. Charger d'une commission. Exécuter, faire, remplir une commission. S'acquitter fidèlement de sa commission. Outrepasser sa commission.* ♦ **1** Acte de l'autorité donnant charge et pouvoir pour un temps déterminé.

(...) Félix, qui avait la commission de l'Empereur pour faire   1
exécuter ses édits contre les chrétiens.

> CORNEILLE, Examen de Polyeucte.

(...) quelques-uns d'entre eux n'osèrent accepter la commis-   2
sion de plénipotentiaires (...)

> RACINE, Notes historiques, XXXVI.

Hist. Titre ou brevet qui conférait un emploi, un grade dans l'armée... → **Patente.** *Commission d'officier.*

Mod. (Dr.). *Commission rogatoire :* délégation faite par un tribunal ou un juge à un autre tribunal, à un juge d'une autre juridiction ou à un officier de police judiciaire pour accomplir un acte de procédure ou d'instruction.

2.1   Eh bien ! dit le juge (...) Nous allons vous établir une commission rogatoire (...) Au troisième coup de sonnette, une jeune femme est venue ouvrir (...) — Entrez, je vous prie. Invitation inutile : quand un policier a dans sa poche une commission rogatoire, il est partout chez lui.
René FLORIOT, La vérité tient à un fil, p. 60.

♦ **2 Dr., comm.** Charge qu'une personne (→ **Commettant**) confère à une autre (→ **Commis, commissionnaire**) pour que celle-ci agisse au nom du commettant. *Contrat de commission.*

(1606). Ordre qu'un négociant donne d'agir pour son compte à une autre personne. *Donner commission de... Avoir commission d'acheter des étoffes.*

Activité d'une personne qui se charge de l'achat, du placement de marchandises pour le compte d'un tiers, soit au nom de celui-ci (→ **Mandat**), soit en son nom personnel (→ **Commissionnaire**). *Faire la commission. Courtier, représentant à la commission. Maison de commission.*

♦ **3** (1675). Pourcentage qu'un intermédiaire perçoit pour sa rémunération. → **Courtage, ducroire, prime, remise, rémunération.** *Toucher quinze pour cent de commission sur des marchandises. Droits de commission. Commission d'un commis voyageur. Commission qu'un banquier retient sur ses effets.* → **Agio.**

3   Moyennant le partage de la commission, la concierge essayait de coller à ses locataires quelques flacons de parfum, ou d'eau de Cologne.
J. ROMAINS, les Hommes de bonne volonté, t. III, XXIII, p. 313.

Une commission secrète. → **Pot-de-vin, pourboire** (→ Dessous-de-table).

4   Bien qu'il eût indiqué lui-même plusieurs des entrepreneurs, dont la Société étudiait les propositions (...) il ne leur avait soutiré aucune commission secrète, et avait épluché leurs devis très sévèrement.
J. ROMAINS, les Hommes de bonne volonté, t. V, XXVII, p. 289.

♦ **4** (1690). Cour. (surtout au plur.). Marchandise achetée, message transmis, service rendu..., pour autrui. → **Course, emplette, message.** *Faire les commissions de qqn. Faire faire, envoyer faire une commission par un enfant. Garçon de courses, qui fait les commissions.* → **Chasseur, coursier.**

5   Je me charge des commissions importantes, des longues trottes, d'aller chez le pharmacien ou le médecin. «De votre côté, vous courez le village aux menues provisions».   J. RENARD, Poil de Carotte, Le programme.

(Au pluriel). Très cour. Provisions, denrées achetées pour un usage quotidien. *Faire la liste des commissions. Faire les commissions :* faire les courses nécessaires à l'approvisionnement quotidien. → **Course** (II., 1., faire les courses), **emplette** (2.). *Revenir, rentrer des commissions.*

6   Sur le seuil de l'épicerie, Jean relut la liste de ses commissions, toucha d'une main la poche gonflée de son manteau, et, portant un paquet sous le bras, monta chez Ségur.
J. CHARDONNE, les Destinées sentimentales, II, p. 225.

6.1   Quand je rentre des commissions, ils s'approchent de moi tous les quatre, voir ce que j'apporte dans mon sac.
M. AYMÉ, le Passe-muraille, p. 256.

Lang. enfantin. *La grosse, la petite commission :* les fonctions d'excrétion. → Caca, pipi.

(...) elle m'expliqua :   6.2
— Nous autres, les filles, nous devons nous arrêter pour faire les deux commissions. Les chevaux, les vaches font la grosse tout en courant (...) Au contraire, les garçons s'arrêtent pour faire la grosse, mais font pipi tout en courant.   B. CENDRARS, Bourlinguer, 1948, p. 130.

Ⅱ Réunion de personnes (→ **Commissaire**) déléguées pour étudier un projet, préparer ou contrôler un travail, prendre des décisions dans une affaire déterminée... → **Bureau, comité, sous-commission.** *Être membre d'une commission. Le président, le rapporteur de la commission. Commission nommée, désignée, élue par une assemblée. Rapport, conclusion, vœux de la commission. Amendement proposé par la commission. Renvoi à la, en commission.* — *Commissions parlementaires. Commission permanente, spéciale. Commission administrative, exécutive. Commission du budget. Commission des dommages, des bénéfices de guerre. Commission départementale, qui contrôle l'action préfectorale dans l'intervalle des sections du conseil général. Commission d'enquête. Commission d'arbitrage. Commission paritaire*. *Commission d'examen. Commission de développement économique régional* (C.O.D.E.R.), en France.

On m'assure qu'à Genève, on s'est occupé de la question,   7
je veux dire qu'on a formé une commission, laquelle a désigné un rapporteur.
Léon DAUDET, la Femme et l'Amour, III, p. 88.

Depuis longtemps, maintes expériences faites, je ne fonde   8
que des espoirs modestes sur ce qu'on appelle les travaux des commissions.
G. DUHAMEL, Manuel du protestataire, VI, p. 147.

Tribunal d'exception qui juge de faits graves. Commission militaire : tribunal militaire jugeant rapidement et sans recours.

(Au Canada). *Commission d'enquête :* commission dont les membres sont nommés par le gouvernement pour faire l'étude d'une question spécifique.

Hist. *Commission de police, commission consulaire exécutive, commission des émigrés, commission exécutive, législative, militaire, populaire, révolutionnaire* (sous la Révolution française).

DÉR. Commissionnaire, commissionner. ◊ **COMP. Sous-commission.**

COMMISSIONNAIRE [kɔmisjɔnɛʀ] n. — 1583; *commissionere*, 1506; de *commission*.

♦ **1 Comm.** Personne qui agit pour le compte d'autrui (→ **Commettant**) en matière commerciale (→ **Intermédiaire, mandataire**). — Spécialt. Personne qui agit pour le compte d'un commettant mais en son nom personnel. *Commissionnaire de vente et d'achat. Remettre des marchandises en dépôt* ou *en consignation* à un commissionnaire. *Commissionnaire exportateur, importateur, répartiteur. Commissionnaire en douanes.* → **Transitaire.** *Commissionnaire aux halles centrales de Rungis.* → **Mandataire.** *Commissionnaire de transport.* → **Chargeur, expéditeur.**

Le commissionnaire est celui qui agit en son propre nom   1
ou sous un nom social pour le compte d'un commettant. Les devoirs et les droits du commissionnaire qui agit au nom d'un commettant sont déterminés par le Code civil, livre III, titre XIII.   Code de commerce, art. 94.

Dans tous les pays de grande consommation, le négociant   2
reste dans son comptoir et agit par des commissionnaires qui sont quelquefois eux-mêmes des négociants très considérables.   J.-B. SAY, Cours, 1840, in LITTRÉ.

♦ **2** (1708). Vieilli. Personne qui fait une commission, une course pour qqn. *Un bon commissionnaire. Prendre un enfant comme commissionnaire.*

Personne dont le métier est de faire les commissions du public. → **Coursier, porteur.** *Donner un message, un paquet à un commissionnaire. Commissionnaire d'hôtel, de restaurant.* → **Chasseur, groom.**

COMMISSIONNER [kɔmisjɔne] v. tr. — 1462; de *commission.*

♦ **1** Dr. Attribuer une fonction, conférer un pouvoir à (qqn). → **Commission.** *Le gouvernement l'a commissionné pour...* — Au p. p. *Agent commissionné.*

♦ **2** Comm. Donner commission d'acheter ou de vendre.

♦ **3** En franç. d'Afrique. **a** V. tr. Charger (qqn) de faire une commission, des démarches. → **Mandater.**

b V. intr. Faire des achats, des commissions.

COMMISSOIRE [kɔmiswaʀ] adj. — XIIIᵉ; lat. *commissorius.*

Dr. Qui entraîne l'annulation d'un contrat. *Clause commissoire,* qui a pour effet de résilier un contrat quand elle n'est pas exécutée. *Pacte commissoire :* contrat de gage où le créancier devient propriétaire de la chose engagée si le débiteur ne paie pas au terme fixé. *Le pacte commissoire est interdit comme usuraire.*

COMMISSURAL, ALE, AUX [kɔmisyʀal, o] adj. — 1846; de *commissure.*

Anat. Relatif à une commissure. *Affection commissurale.*

COMMISSURE [kɔmisyʀ] n. f. — 1314; lat. *commissura,* de *committere* «joindre ensemble». → **Commettre.**

♦ **1** Anat. Point de jonction de deux ou plusieurs parties. *Commissure blanche, grise de la moelle. Commissures du cerveau.* — *Commissures des paupières.*

♦ **2** Spécialt (cour.). *Commissures des lèvres,* aux angles de la bouche.

1 On peut lire dans les yeux bien ouverts, bien vifs et bien arqués, et dans la commissure un peu ironique des lèvres, cette pointe de malice et de moquerie (...)
A. BILLY, Sainte-Beuve, sa vie et son temps, I, Le romantique, p. 19.

2 Deux rides profondes se creusent de part et d'autre de sa bouche dont les commissures s'abaissent et se tordent.
G. DUHAMEL, Chronique des Pasquier, VI, XII, p. 397.

DÉR. **Commissural, commissurotomie.**

COMMISSUROTOMIE [kɔmisyʀɔtɔmi] n. f. — Mil. XXᵉ; de *commissure,* et *-tomie.*

Méd. Section des commissures d'un orifice mitral rétréci, effectuée par dilatation de l'orifice ou à l'aide d'un instrument spécial (*commissurotome,* N. m.).

Souttar venait par cette première commissurotomie mitrale (en 1925) de créer une opération dont il existe à l'heure actuelle plusieurs milliers d'exemples.
Cl. D'ALLAINES, la Chirurgie du cœur, p. 57.

COMMODAT [kɔmɔda] n. m. — 1585; lat. jurid. *commodatum* «prêt à usage»; de *commodus* «commode, avantageux».

Dr. civ. Prêt à usage. → **Prêt** (art. 1875 du Code civil).

DÉR. **Commodataire.**

COMMODATAIRE [kɔmɔdatɛʀ] adj. et n. — 1584; de *commodat.*

Droit civil.

♦ **1** Adj. Qui a rapport au commodat. *Un contrat commodataire.*

♦ **2** N. Personne qui bénéficie d'un prêt par commodat.

1. COMMODE [kɔmɔd] adj. — 1475; lat. *commodus* «convenable, approprié; accommodant, bienveillant» (littéralt «qui est de mesure», de *com-* «avec», et *modus* «mesure»).

I (Choses). ♦ **1** (Concret). Qui se prête aisément et d'une façon appropriée à l'usage qu'on en fait. → **Convenable, pratique, propre.** *Une maison commode. Lieu commode pour la conversation. Chemin commode,* facile, rapide. *Outil, machine commode. Commode à manier.* → **Maniable.** — REM. *Commode à* (suivi d'un nom de chose) est aujourd'hui vieilli et remplacé par *commode pour (qqch.).*

1 (...) maisons (...) commodes à tout commerce.
LA BRUYÈRE, Disc. sur Théophraste.

2 (...) celle *(la salle à manger)* des de Saint-Papoul, avec ses quelque trente-cinq mètres carrés de surface, et ses proportions commodes, se prêtait à recevoir de nombreux convives.
J. ROMAINS, les Hommes de bonne volonté, t. III, XI, p. 143.

Vx. *Armoire commode.* → 2. **Commode.**

♦ **2** (Abstrait). Plus cour. Facile, simple. *Moyen commode. C'est commode. Commode à faire. Il est plus commode pour moi de prendre le train.* → **Aisé.** *Ce que vous me demandez là n'est pas commode.*

3 Ah ! que j'ai de dépit que la loi n'autorise
À changer de mari comme on fait de chemise !
Cela serait commode (...)   MOLIÈRE, Sganarelle, 5.

4 (...) c'est fort commode et fort doux de n'avoir qu'un mot à dire pour faire tout plier autour de soi.
G. SAND, la Petite Fadette, XXXVIII, p. 243.

5 Les moyens juridiques furent de tout temps commodes pour l'ambition.
FUSTEL DE COULANGES, Questions contemporaines, p. 49.

6 Peut-être au demeurant Dostoïevsky, pour une intelligence salonnière, n'était-il pas commode à saisir ou pénétrer du premier coup (...)   GIDE, Dostoïevsky, p. 4.

Fam. *C'est commode; c'est trop commode :* c'est une solution de facilité. *Répondre par une simple dénégation, c'est commode* (Académie). *C'est trop commode de nier.*

♦ **3** Vx. Agréable. *Une vie commode :* une vie tranquille et douce, où l'on a ses aises. → **Confortable.**

7 Ce n'est point l'or et l'argent qui procurent une vie commode, c'est le génie; un peuple qui n'aurait que ces métaux, serait très misérable.
VOLTAIRE, le Siècle de Louis XIV, 30.

II (Personnes; tendances ...). ♦ **1** (1654). Vieilli. D'un caractère facile et arrangeant. → **Accommodant.** *Avoir l'humeur, le caractère commode. Un maître commode à servir.* — Mod. (négatif). *C'est un homme qui n'est pas commode :* c'est un homme sévère, exigeant, ou encore, un homme avec lequel on ne peut plaisanter. *Être commode, peu commode à vivre.*

8 Il y a Sylvain qui n'est pas trop commode.
G. SAND, la Mare au diable, VI, p. 49.

9 Le fait est qu'il la connaissait pour point commode, maîtresse femme jusqu'au bout des ongles (...)
COURTELINE, Boubouroche, Nouvelle, p. 33.

♦ **2** (1661). Péj. Trop complaisant. → **Indulgent.** *Un mari commode.* — (1656). Vieilli. Qui manque d'exigence, de rigueur. *Vertu commode,* relâchée. *Dévotion, doctrine, morale commode.*

♦ 3 N. m. *Le commode :* ce qui est commode.

10 Il faut distinguer trois choses, le nécessaire, le commode, le superflu ; le nécessaire que la raison demande ; le commode que la sensualité recherche ; le superflu dont l'orgueil se pare et qui entretient le faste.
BOURDALOUE, Pensées, t. II, p. 493.

CONTR. Difficile, gênant, incommode, inutilisable, malaisé, pénible. — Acariâtre, austère, jaloux, rigoureux. ◊ DÉR. V. 2. Commode ; commodité. → COMP. Commodément.

2. **COMMODE** [kɔmɔd] n. f. — 1705 ; de 1. *commode :* armoire commode.

Meuble à hauteur d'appui, muni de tiroirs où l'on range (du linge, des objets...). → **Armoire, chiffonnier, semainier** (II., 2.). *Dessus de marbre d'une commode. Commode de bois d'acajou. Commode Louis XVI, Empire,* de style Louis XVI, Empire.

1 N'ayant pas de secrets, il se passait facilement de secrétaire, et l'incommodité des commodes était un fait démontré pour lui.   Th. GAUTIER, la Toison d'or, I.

2 Le lit des enfants, tiré au milieu de la pièce, découvrait la commode, dont les tiroirs laissés ouverts montraient leurs flancs vides.   ZOLA, l'Assommoir, t. I, I, p. 38.

COMMODÉMENT [kɔmɔdemɑ̃] adv. — 1544 ; de commode.

♦ 1 D'une manière commode, appropriée. *Choisir des chaussures qui permettent de marcher commodément.*

Vieilli. Facilement, agréablement. *«Les lieux où l'on peut vivre le plus commodément»* (Rousseau). → Choisir, cit. 4. — Mod. D'une manière confortable. *S'installer commodément,* à son aise (→ Attabler, cit. 1). → **Carrer** (se).

♦ 2 Péj. Trop facilement. *Il manifeste peu de scrupules et s'arrange bien commodément de la morale !*

COMMODITÉ [kɔmɔdite] n. f. — 1409 ; lat. commoditas, de commodus. → Commode.

♦ 1 Vieilli ou littér. Qualité de ce qui est commode. → **Agrément, avantage, confort, utilité.** *Commodité d'un lieu. Les dégagements font toute la commodité d'une maison* (Académie). *Le voisinage du parc nous procure la commodité de la promenade. Rechercher la commodité en tout. Pour plus de commodité...* → **Facilité.** *Pour la commodité du discours,* pour sa clarté.

1 Cette commodité de retoucher l'ouvrage
Aux peintres chancelants est un grand avantage (...)
MOLIÈRE, la Gloire du Val-de-Grâce, 251.

2 Mais, mon frère (...) faites-vous médecin vous-même. La commodité sera encore plus grande, d'avoir en vous tout ce qu'il vous faut.
MOLIÈRE, le Malade imaginaire, III, 14.

3 (...) c'est une simple hypothèse pour la commodité de mon raisonnement (...)
J. ROMAINS, les Hommes de bonne volonté, t. III, XXII, p. 289.

4 Mieux est de façonner le mal à notre usage, et même à notre commodité.   COLETTE, l'Étoile Vesper, p. 19.

♦ 2 Plur. *Les commodités de la vie :* ce qui rend la vie plus commode, plus agréable, plus confortable. → **Aise, confort.** *Apprécier les mille commodités de l'appartement moderne. Prendre ses commodités :* s'installer confortablement. — Vx. *«Les commodités de la conversation»* (formule des précieuses du XVIIᵉ s. reprise par Molière) : *les fauteuils.*

5 Vite, voiturez-nous ici les commodités de la conversation.
MOLIÈRE, les Précieuses ridicules, 9.

6 À la manière dont M. Dastier m'avait parlé de la Corse, je n'y devais trouver, des plus simples commodités de la vie, que celles que j'y porterais ; linge, habits, vaisselle, batterie de cuisine, papier, livres, il fallait tout porter avec soi.
ROUSSEAU, les Confessions, XII.

Venez vous réchauffer chez moi ; vous n'y trouverez pas 7
les commodités de la vie, mais vous y aurez un abri (...)
CHATEAUBRIAND, Atala, Le récit, Les chasseurs.

Une foule de petites commodités sont maintenant indispensables. 8
TAINE, Philosophie de l'art, t. I, II, IV, p. 149.

Mod. (Recomm. off., 1973, pour traduire l'angl. *utilities*). Équipements apportant à un logement, un ensemble d'habitations, un quartier, le confort et l'hygiène (voirie, eau potable, électricité, évacuation des eaux usées, etc.).

♦ 3 (1677). Spécialt (euphémisme vieilli). Lieux d'aisances. *Aller aux commodités.*

9 (...) quand je veux aller aux commodités satisfaire mes petits besoins !...
COURTELINE, Messieurs les ronds-de-cuir, 2ᵉ tableau, II, p. 67.

Les commodités, munies d'une seule demi-porte inférieure 10
et placées dans la salle, permettaient à leurs usagers de continuer la conversation commencée à la table (...)
R. QUENEAU, Loin de Rueil, p. 189.

CONTR. Désagrément, embarras, gêne, incommodité, inconvénient.

COMMODO → De commodo et incommodo.

COMMODORE [kɔmɔdɔr] n. m. — 1760, *in* Höfler ; mot angl. ; du néerl. *kommandeur,* d'orig. franç. → Commandeur.

Dans les marines de guerre britannique, américaine et néerlandaise, Officier qui vient immédiatement au-dessous du contre-amiral.

COMMONWEALTH [kɔmɔnwɛls] n. m. — 1948, Larousse ; mot angl., «communauté», abrév. de *Commonwealth of Nations.*

Ensemble des États et territoires émancipés de l'ancien Empire britannique, liés entre eux par le seul serment d'allégeance à la Couronne britannique. *Le terme de Commonwealth a remplacé celui d'Empire dès le traité de Londres en 1922.*

COMMOTION [kɔmɔsjɔ̃] n. f. — V. 1120, *commotium* ; lat. *commotio, -onis* «mouvement», de com-, et motio. → Motion.

♦ 1 Ébranlement soudain et violent. → **Choc, secousse ; explosion.** — Vieilli. *Commotions d'un tremblement de terre.* — (1753). *Commotion électrique,* due à une décharge électrique.

Mod. Ébranlement violent (de l'organisme ou d'une de ses parties : *commotion cérébrale, commotion de la rétine*) par un choc direct ou indirect, entraînant divers troubles, mais sans lésions apparentes. → **Traumatisme.** *Une commotion violente au cerveau.*

Ruiné, dépouillé, perdu ! 1
Il était resté sur le banc, comme étourdi par une commotion.   FLAUBERT, l'Éducation sentimentale, I, VI.

(...) il avait reçu de cet attentat stupide et heureusement 2
raté une forte commotion.
Georges LECOMTE, Ma traversée, p. 182.

♦ 2 Violente émotion morale. → **Bouleversement, ébranlement, trouble.** *La mort de son fils a été une terrible commotion pour elle.* → **Choc, traumatisme.**

(...) un intérieur nouveau où je pénétrais était toujours une 3
découverte agréable à mon cœur ; j'en recevais dès le seuil une certaine commotion (...)
SAINTE-BEUVE, Volupté, IV, p. 28.

La voix sévère de l'archidiacre frappa le pauvre diable 4
d'une telle commotion qu'il perdit l'équilibre avec tout son édifice (...)   HUGO, Notre-Dame de Paris, VII, II.

Elle se redressa sous la commotion de ce qu'elle venait 5
d'entrevoir (...)   LOTI, Ramuntcho, II, V, p. 248.

♦ 3 (XIVᵉ). Rare et vx. Changement social violent, ébranlement dû à une guerre, une révolution, un mouvement politique ou religieux. → **Désordre, tempête.**

DÉR. Commotionnel, commotionner.

COMMOTIONNANT, ANTE [kɔmosjɔnɑ̃, ɑ̃t] adj.
— 1938, Le Corbusier; p. prés. de *commotionner.*

Qui donne une forte émotion.

Mais commotionnant, clair, voici le timbre qui sonne, résonne (...)   PROUST, Jean Santeuil, Pl., p. 360.

COMMOTIONNEL, ELLE [kɔmosjɔnɛl] adj. — 1915;
de *commotion.*

Méd. Qui consiste dans une commotion (1. ou 2.). *La réaction commotionnelle engendrée par une violente explosion qu'a entendue le patient.*

COMMOTIONNER [kɔmosjɔne] v. tr. — 1875; de *commotion.*

(Sujet n. de chose). Frapper d'une commotion. *La décharge électrique, cette émotion l'a fortement commotionné.* → **Choquer, secouer, traumatiser.**
Au p. p. *Des réfugiés commotionnés.* — N. Personne qui a été frappée d'une commotion.

Ils n'ont rien, mon commandant, rien. Ce sont des commotionnés. Ils sont intacts, mais ils n'entendent rien et ne voient rien. Il faut les évacuer.
    Armand LANOUX, le Commandant Watrin, p. 174.

DÉR. Commotionnant.

COMMUABILITÉ [kɔmɥabilite] n. f. — 1845; de *commuable.*

Dr. Caractère de ce qui peut être commué. *La commuabilité d'une peine.* — REM. On trouve aussi *commutabilité.*

COMMUABLE [kɔmɥabl] ou COMMUTABLE [kɔmytabl] adj. — 1483, *commuable; commutable,* 1547; de *commuer.*

Dr. Qui peut être commué. *Peine commuable.*

DÉR. Commuabilité.

COMMUER [kɔmɥe] v. tr. — 1361; dr., 1548; du lat. *commutare* «échanger», sous l'influence de *muer.* → Commuter.

♦ 1 Dr. et cour. Changer (une peine) en une peine moindre. *Commuer une peine, une sentence.* → **Commutation.** *Commuer la peine de mort en celle de prison à vie.*

Rare (sujet n. de personne) :

Jean-Etienne, né à Saint-Nazaire, le 11 juillet 1840. Condamné à mort comme parricide, puis commué; fin, rusé, dangereux s'il n'est employé avec intelligence (bon à tout faire s'il est bien dirigé).
    Louise MICHEL, la Misère, t. II, p. 466.

♦ 2 (1906). Techn. *Commuer (qqch.)* : changer, transformer. «*Le courant alternatif* (...) *commué en courant unidirectionnel*» (*Rev. gén. des sc.,* 1906, p. 675).

DÉR. Commuable ou commutable.

COMMUN, UNE [kɔmœ̃, yn] adj. et n. m. — 842; lat. *communis.*

[I] Adj. **♦ 1** (XIIᵉ). Qui appartient, qui s'applique à plusieurs personnes ou choses, à un groupe. *D'un usage commun. Un puits, un passage commun. Cour commune. Terres communes* (→ **Communal**). *Maison commune.* → **Hôtel** (de ville), **mairie.** *La salle commune d'une maison, d'un café. Mur commun*

à *deux propriétés.* → **Mitoyen.** *Avoir des intérêts communs avec qqn. Tout est commun entre eux. Des goûts, des désirs communs. Un but commun.* → **Même.** *Avoir un caractère commun.* → **Comparable, identique, semblable.** *Des qualités communes. Des traits communs.* → **Analogie, ressemblance.** *C'est un point commun entre eux. Vivre dans une chambre commune. Avoir un ami commun,* en parlant de deux personnes qui ont pour ami une troisième personne. *Nos ennemis communs.*

Il hait autant que moi nos communs ennemis (...) 1
    RACINE, Mithridate, II, 3.

(...) unies *(les deux amies)* par les mêmes besoins, ayant 2
éprouvé des maux presque semblables (...) Tout entre elles était commun.
    BERNARDIN DE SAINT-PIERRE, Paul et Virginie, p. 22.

Ainsi conduite, l'explication sera complète, puisqu'elle 3
rendra compte à la fois des traits communs qui forment les écoles, et des traits distinctifs qui caractérisent les individus.
    TAINE, Philosophie de l'art, t. I, I, II, IX, p. 104.

Si la vérité de chacun est ce qui le grandit, nous pouvons, 4
vous et moi, qui ne sommes pas de même obédience, nous sentir rapprochés par notre goût commun de la grandeur, par notre amour commun de l'amour.
    A. MAUROIS, Études littéraires, Saint-Exupéry, t. II, III, p. 279.

T. de comparaison. *Avoir qqch. de commun avec qqch. d'autre. Deux choses qui ont qqch. de commun.* → **Rapport.** *Cela n'a rien de commun avec ceci,* de comparable, de semblable (→ Cela n'a rien à voir).

COMMUNE MESURE. *La commune mesure entre deux choses. Cela n'a pas de commune mesure.* → **Incommensurable, incomparable** (→ Abâtardir, cit. 3; aventure, cit. 19). *Sans commune mesure* (même sens).

COMMUN À : propre également à (plusieurs). *Mur mitoyen, commun à deux propriétés.*

Dr. *Droit commun.* → **Droit.** *Jugement*, arrêt commun. Avoir des ancêtres communs. Les biens communs,* par opposition aux *biens «propres»* dans la communauté du mariage. — *Souveraineté commune.* → **Condominium.**

Math. *Diviseur*, dénominateur* commun. Le plus grand commun diviseur.* → **P.G.C.D.** *Le plus petit commun multiple.* → **P.P.C.M.** *Grandeur commune.* → **Commensurable.** *Deux triangles qui ont un côté commun, un angle commun. Mise en facteur* commun.*

♦ 2 Qui se fait ensemble, à plusieurs. *Travail commun. Œuvre commune.* → **Collectif.** *Mener une action commune.* → **Coaliser** (se). *Vie commune des époux, vie commune de religieux. Faire cause commune avec qqn.* → **Associer** (s'). — *Programme commun,* qui a été établi par différents partis politiques unis (spécialt, *le programme commun de la gauche,* en France). — *D'un commun accord* [dœ̃kɔmœ̃nakɔʀ] : avec une communauté d'intentions, de décision, de volonté; par ext., ensemble (et en étant d'accord; → Accord). — *Faire bourse commune* : réunir ses ressources pour les gérer, les dépenser ensemble.

EN COMMUN. → **Communauté** (en), **concert** (de), **ensemble, société** (en). *Personnes qui vivent en commun. Travailler en commun.* → **Collaboration.** *Posséder des biens en commun.* → **Indivision.** *Mettre des biens en commun,* partager (→ **Communisme**).

La génisse, la chèvre et leur sœur la brebis 5
Avec un fier lion, seigneur du voisinage,
Firent société (...)
Et mirent en commun le gain et le dommage.
    LA FONTAINE, Fables, I, 6.

6 Chacun de nous met en commun sa personne et toute sa
puissance sous la suprême direction de la volonté générale; et nous recevons encore chaque membre comme
partie indivisible du tout.
ROUSSEAU, Du contrat social, I, VI, p. 244.

♦ **3** Qui appartient au plus grand nombre ou le
concerne. → **Général, public, universel.** *L'intérêt, le
bien commun. La volonté commune. Sens* commun.
Notre destinée commune. Les aspirations communes. L'utilité commune. Rendre qqch. commun
à tous* (en parlant de connaissances). → **Communiquer, divulguer, répandre, vulgariser.** *Objet d'usage
commun.* → **Courant.**

7 Je n'ai pour ennemis que ceux du bien commun (...)
CORNEILLE, Sertorius, III, I.

8 (...) les mutins virent
Que celui qu'ils croyaient oisif et paresseux
A l'intérêt commun contribuait plus qu'eux.
LA FONTAINE, Fables, III, 2.

9 (...) Rome le louait d'une commune voix (...)
RACINE, Britannicus, II, 6.

10 Les distinctions ne peuvent être fondées que sur l'utilité
commune.
Déclaration des droits de l'homme (Constitution
du 3 sept. 1791), art. 1ᵉʳ.

11 (...) la volonté commune ne se retrouve que peu ou point
dans chaque personne, qui pourtant en subit la contrainte
tout entière.
FRANCE, les Opinions de J. Coignard, Œ., t. VIII,
p. 324.

12 Je lis dans les lettres de Diderot à Falconet : «on doit
quelquefois plus à une erreur singulière qu'à une vérité
commune.» GIDE, Journal, 8 déc. 1924.

Gramm. *Nom commun,* qui appartient à tous
les individus de la même espèce (opposé à *nom
propre*). → **Appellatif.** *Nom commun masculin,
féminin, épicène.*

♦ **4** N. m. Vieilli. *Le commun de...* → **Ensemble, généralité.** *Le commun des hommes,* le plus grand
nombre, la plus grande partie. → **Foule, masse,
monde.**

13 L'amour a d'autres yeux que le commun des hommes.
RACINE, la Thébaïde, I, 5.

14 (...) au commun des êtres il convient une époque de liberté
dans la vie, et pour être solitaire il faut avoir le monde à
satiété. STENDHAL, Souvenirs d'égotisme, p. 271.

15 Le commun des Français fait si volontiers ses délices de
la crasse ignorance des plus illustres éléments de la géographie ! Ch. MAURRAS, Anthinéa, p. 110.

Mod. *Le commun, le commun des mortels :* la majorité (opposé à *les privilégiés*). → aussi II., 1.

15.1 Michel Bielski lui propose (...) le commerce des poètes difficiles, hérauts en ce monde de vérités que le commun
ignore. Il lui parle de Hölderlin, de Blake (...)
Alain BOSQUET, les Bonnes Intentions, p. 171.

♦ **5** Qui, étant adopté par le plus grand nombre, est
considéré comme dépourvu de distinction (terme
relatif, de jugement social).

ⓐ **Habituel, ordinaire.** → **Accoutumé, banal, courant,
naturel.** *Les règles, les façons communes. Langage
commun.* → **Usuel.** *Rien n'est si commun que...*

16 Se croire un personnage est fort commun en France (...)
C'est proprement le mal français.
La sotte vanité nous est particulière.
LA FONTAINE, Fables, VIII, 15.

17 (...) cela s'appelle de la ladrerie en langage commun.
Mᵐᵉ DE SÉVIGNÉ, 947, 31 déc. 1684.

18 (...) les choses extraordinaires et qui sortent des communes
règles (...) LA BRUYÈRE, les Caractères, XIV, 70.

ⓑ Péj. Empreint de vulgarité. → **Banal, plat, vulgaire.**

19 (...) je hais l'esprit satirique comme étant l'esprit le plus
petit, le plus commun et le plus facile de tous (...)
CHATEAUBRIAND, Mémoires d'outre-tombe, t. II,
p. 219.

(...) rien n'est plus irrésistiblement grotesque, monstrueu- 20
sement ordinaire, indignement commun, que ces gens qui
pleurent des parents aimés.
MAUPASSANT, la Vie errante, III, p. 48.

N. m. (dans : *hors du commun*). *Hors du commun*
(→ **Extraordinaire**). *Destinée, œuvre hors du
commun.*

Spécialt. Qui n'appartient pas à l'élite, n'est pas
distingué. → **Quelconque, trivial, vulgaire.** *Il a des
manières très communes.*

Ma versification n'est point un assemblage de sentiments 21
communs et d'expressions triviales que la rime seule soutienne ; c'est une poésie mâle qui émeut le cœur et frappe
l'esprit. LESAGE, le Diable boiteux, XIV.

♦ **6** Qui se rencontre fréquemment. → **Abondant,
fréquent, répandu.** *Une variété commune. Une espèce
des plus communes.*

Chaque année, en retrouvant mon jardin, même décon- 22
venue : disparition des espèces et des variétés rares :
triomphe des communes et des médiocres.
GIDE, Journal, 15 juin 1910.

Je m'empare de quelques beaux papillons porte-queue, 22.
jaune soufré maculés de noir, très communs ; et d'un autre
un peu moins fréquent, semblable au machaon (...)
GIDE, Voyage au Congo, *in* Souvenirs, Pl., p. 691.

(...) ils la classeraient parmi les dévotes de l'espèce la plus 23
commune. F. MAURIAC, la Pharisienne, XII.

Loc. *Peu commun :* exceptionnel, rare. *Une force peu
commune.*

LIEU COMMUN. → **Lieu,** IV.

REM. Dans l'histoire de cette expression, l'adjectif *commun*
est d'abord senti («commun à tous, collectif») puis, en
français moderne, sa valeur n'est plus analysée, les connotations péjoratives de *commun* l'emportent.

(...) j'ai pris soin de m'écarter des lieux communs et des 24
phrases proverbiales.
LA BRUYÈRE, Disc. à l'Académie, Préface.

Il y avait là, un ancien ministre, le curé d'une grande 25
paroisse, deux ou trois hauts fonctionnaires du gouvernement ; ils s'en tenaient aux lieux communs les plus
rebattus. FLAUBERT, l'Éducation sentimentale, II, II.

♦ **7** Sc. nat. Répandu. *Cerfeuil commun.*

Ⅱ N. m. ♦ **1** (V. 1160). Vx. Le peuple ; le «vulgaire».
— Loc. *Les gens du commun :* la partie la plus
nombreuse et la moins favorisée de la société. *Un
homme du commun* (aussi I., 5., subst.).

♦ **2** (1690). Liturgie. *Le commun des apôtres, des martyrs, des vierges... :* l'office que l'Église romaine a
réglé d'une façon générale pour tous ces cas.

♦ **3** N. m. pl. (1704). *Les communs :* les bâtiments
d'un château, d'une résidence, etc., servant aux
cuisines, aux garages, aux écuries... *De beaux communs de style Louis XIII.*

Une porte grinça sur ses gonds, très loin, du côté des com- 26
muns. H. BOSCO, Hyacinthe, p. 196.

Mais Théodore (...) n'avait pas regagné le réduit qu'il occu- 27
pait seulement l'hiver, préférant dormir dans les communs tant que la froidure ne l'en délogeait pas.
Suzanne PROU, la Terrasse des Bernardini, p. 154.

CONTR. **Différent, distinct, inaccoutumé, individuel, inhabituel, original, particulier, personnel, singulier. — Divis,
propre. — Distingué, exceptionnel, extraordinaire, rare,
recherché, spécial.** ◊ DÉR. **Communal, communauté, communément, communisme, communiste.**

COMMUNAL, ALE, AUX [kɔmynal, o] adj. et n.
— 1160, «public»; de *commun.*

♦ **1** Qui appartient à une commune. *École com-
munale. Collège communal. Archives communales.
La représentation communale.* → **Municipal** (conseil).
Champs, bois communaux (→ **Affouage**).

1   Plusieurs années après avoir quitté pour le lycée l'école communale de mon faubourg des Minimes, j'allais encore, chaque fois, présenter à mes anciens instituteurs mes notes de trimestre.
> Raymond ABELLIO, Ma dernière mémoire, t. I,
> p. 46.

N. m. pl. *Les communaux :* les terrains communaux (prés, bois) où peuvent paître les troupeaux.

N. f. *La communale :* l'école communale. *Aller à la communale. Il vient tout droit de la communale, il n'est pas très fort, pas très dégrossi.*

2   Tout au fond du stock d'injures que lui avait légué la communale, il cherchait le terme adéquat (...)
> Roger IKOR, les Fils d'Avrom, Les eaux mêlées,
> p. 382.

Régional (Belgique). *Conseil communal,* municipal. *Le collège des bourgmestres et échevins est choisi au sein du conseil communal. Maison communale :* mairie, hôtel de ville.

♦**2** Qui concerne la commune. *Le budget communal. Préconiser une plus grande autonomie communale.*

DÉR. Communalement, communaliser, communaliste.

COMMUNALEMENT [kɔmynalmɑ̃] adv. — 1866; de *communal.*

Admin. Au point de vue communal.

COMMUNALISER [kɔmynalize] v. tr. — 1842; de *communal.*

Dr., admin. Mettre sous la dépendance de la commune. *Communaliser un bois, un terrain.* — **Au p. p.** *Terrains communalisés.*

COMMUNALISTE [kɔmynalist] adj. et n. — 1871; de *communal.*

Administration, politique.

♦**1** (1902). Partisan de l'autonomie des communes.

♦**2 Hist.** Partisan de la Commune de Paris.

COMMUNARD, ARDE [kɔmynaʀ, aʀd] adj. et n. — 1871; de *commune,* d'après la *Commune révolutionnaire* de 1793.

♦**1 Hist.** (d'abord péj.). Partisan de la Commune de Paris, en 1871.

♦**2** Membre d'une commune* (5.) populaire, en Chine.

♦**3 Rare.** Membre d'une communauté (5.).

♦**4** (De *commun(iste),* et suff. péj. *-ard*). **Pop., péj.** Communiste.

COMMUNAUTAIRE [kɔmynotɛʀ] adj. — 1842; de *communauté.*

♦**1** Qui a rapport à la communauté. *Vie communautaire. Avoir l'esprit, le sens communautaire.*

Cicéron parle de leur cohésion, de leur sens communautaire, de leur esprit d'entreprise *(des Juifs).*
> DANIEL-ROPS, le Peuple de la Bible, IV, II, p. 336.

♦**2** Qui appartient, est propre à la Communauté (devenue Union) européenne. → **Européen.** *S'intéresser aux problèmes communautaires. Le droit communautaire. Dépenses communautaires. La préférence communautaire.*

♦**3** (En Belgique). Relatif aux différentes communautés (française, flamande, allemande) du pays.

COMP. Intracommunautaire.

COMMUNAUTÉ [kɔmynote] n. f. — XIIIᵉ de *commun.*

♦**1** État, caractère de ce qui est commun (à une personne et à une autre; à plusieurs personnes). *Une communauté d'intérêts, de goûts, de plaisirs, de peines entre plusieurs personnes. Communautés de vues, d'idées, de sentiments.* → **Accord, affinité, unanimité, unité.** *Communauté de devoirs, d'espérances. Communauté d'origine. Communauté d'intérêts entre plusieurs personnes.*

Les hommes sentent dans leur cœur qu'ils sont un même   1
peuple lorsqu'ils ont une communauté d'idées, d'intérêts, d'affections, de souvenirs et d'espérances.
> FUSTEL DE COULANGES,
> Questions contemporaines, p. 96.

(En parlant des biens matériels). *Posséder qqch. en communauté avec qqn,* en commun avec lui. → **Commun, indivision.**

♦**2** Groupe social dont les membres vivent ensemble, possèdent des biens communs, ont des intérêts, un but commun. → **Collectivité, corps, groupe, société.** *Communauté de travail.* → **Association, corporation.** — *Communauté nationale.* → **État, nation, patrie.** *Communauté d'habitants :* groupe d'habitants d'une commune jouissant de certains droits pour des raisons diverses. *La communauté d'habitants peut posséder des biens, des droits d'usage. Communauté linguistique. La communauté francophone, anglophone.*

Mais voici l'heure du danger. Alors on s'épaule l'un à   2
l'autre. On découvre que l'on appartient à la même communauté. On s'élargit par la découverte d'autres consciences.
> SAINT-EXUPÉRY, cité par A. MAUROIS,
> Études littéraires, t. II, I, p. 261.

Il avait connu ce «miracle», cette communauté mystique   3
des troupes au feu, cette épuration de l'individu, cette formation soudaine d'une âme collective et fraternelle (...)
> MARTIN DU GARD, les Thibault, t. IX, p. 32.

Polit. *COMMUNAUTÉ URBAINE :* groupe de communes autour d'une grande ville, associées pour la gestion de services d'intérêts communs. — *Communauté économique d'un groupe d'États.* → **Union.**

L'affaire coloniale... Il faut que je dise à tous ceux qui forment l'Empire : les colonies, c'est fini. Faisons ensemble   3.1
une Communauté. Établissons ensemble notre défense, notre politique étrangère et notre politique économique.
> MALRAUX, Antimémoires, Folio, p. 148.

Communauté européenne (cour. *le Marché* commun*).

Communauté de peuples. → 1. Peuple, cit. 6.

♦**3** (XVIᵉ). **Dr.** *Communauté entre époux :* régime matrimonial dans lequel tout ou partie des biens des époux sont communs et partagés après la dissolution du régime.

L'ensemble des biens composant la masse commune (opposé à *biens «propres»*). — *Communauté légale,* pour les époux qui n'ont pas fait de contrat de mariage *(communauté réduite aux acquêts). Communauté conventionnelle,* par contrat. *Apport à la communauté.*

La communauté qui s'établit à défaut de contrat ou par   4
la simple déclaration qu'on se marie sous le régime de la communauté (...)   Code civil, art. 1400.

La communauté se dissout : 1° par la mort de l'un des   5
époux, 2° «par l'absence déclarée», 3° par le divorce; 4° par la séparation de corps; 5° par la séparation de biens; 6° par le changement du régime matrimonial.
> Code civil, art. 1441.

♦**4** (1538). Groupe de religieux qui vivent ensemble et observent des règles ascétiques et mystiques. → **Congrégation, ordre.** *Communauté de moines, de cénobites. Communauté de prêtres, de chanoines. Communauté de clercs.* → **Séminaire.** *Communauté* de carmélites, de franciscains. *Les règles, la règle** *d'une communauté. Vivre en communauté. L'esprit d'une communauté. Vie de communauté.* → **Conventualité.** *Biens des communautés religieuses* (→ **Mainmorte**).

Maison religieuse où vit une communauté. → **Cloître, couvent, monastère.** *Visiter la communauté. Dîner à la communauté.*

6 Et ne voyons-nous pas que c'est justement dans les communautés les plus régulières et les plus austères qu'on témoigne plus de satisfaction.
BOURDALOUE, Pensées, t. II, p. 367.

7 Chez ces jeunes et ces simples, qui vivent là isolés du reste du monde, l'être individuel s'annihile, autant que dans les communautés religieuses (...)
LOTI, Matelot, XXII, p. 83.

♦ **5** (V. 1960). Groupe de personnes vivant en commun, mettant leurs moyens d'existence en commun. *Une communauté écologiste. Vivre dans une communauté, en communauté.*

DÉR. **Communautaire.**

COMMUNE [kɔmyn] n. f. — XIIe, *cornugne*; du lat. *communia*, pl. neutre substantivé de *communis*. → Commun.

♦ **1** Ancienn. Ville affranchie du joug féodal, et que les bourgeois administraient eux-mêmes; corps des bourgeois. → **Bourgeoisie** (1.); **ville** (franche, consulaire). *Certaines communes étaient administrées par un capitoul, un consul. L'affranchissement des communes. Les privilèges des communes.* → **Charte, franchise.**

1 La commune ne comprend que les bourgeois domiciliés dans son ban et liés par le serment de paix et d'assistance. Elle est administrée par un corps municipal d'*échevins*, de *pairs* ou de *jurés*, dirigé souvent par un maire *(major)*.
Fr. OLIVIER-MARTIN, Précis d'hist. du droit, p. 124.

♦ **2** (1793). Admin. et cour. La plus petite subdivision administrative du territoire français, administrée par un maire, des adjoints et un conseil municipal. → **Municipalité.** *Chef-lieu de commune. Siège de la commune.* → **Hôtel** (de ville), **mairie.** *Le territoire de la commune. Dictionnaire des communes.* — (Dans d'autres pays). *Magistrats des communes belges.* → **Bourgmestre.**

2 Il y a, dans chaque commune, un conseil municipal comprenant de 10 à 36 membres et une municipalité. Celle-ci est constituée par le maire, lequel a auprès de lui un ou plusieurs adjoints, ses suppléants éventuels.
Louis ROLLAND, Précis de droit administratif, p. 144.

Dr. Personne morale représentée par les habitants d'une commune. *Les biens de la commune. Le budget de la commune. La commune peut ester en justice, être assignée devant les tribunaux.*

Cour. Bourg, village. *Une petite commune rurale.*

♦ **3** (1789). Hist. La municipalité de Paris, qui devint Gouvernement révolutionnaire.

3 Le procédé consistait toujours à tenir les autorités municipales de Paris, la Commune et par elles (...) à entretenir dans les quartiers les plus exaltés (...) une agitation continuelle (...)
Pierre GAXOTTE, Hist. des Français, t. II, p. 278.

(1871). Le Gouvernement révolutionnaire de Paris (→ **Communard**).

4 La guerre civile entre le gouvernement légal de la France et la *Commune*, soutenue par les *fédérés* parisiens, se résuma en un siège de Paris par l'armée française.
Ch. SEIGNOBOS, Hist. sincère de la nation franç., XX, p. 451.

♦ **4** N. f. pl. (De l'angl. *commons*). *La Chambre des communes*, et, ellipt., *les Communes* : la chambre élective en Grande-Bretagne. → **Chambre** (basse).

Hist. *Les Communes* : les députés du Tiers-État.

5 Les députés des Communes, car le mot de Tiers-État est ici proscrit, comme un monument de l'Ancienne servitude.
ROBESPIERRE, Correspondance, 24 mai 1789, in D.D.L.

♦ **5** *Commune populaire* : en Chine, Ensemble administratif et économique groupant plusieurs villages.

DÉR. **Communard.**

COMMUNÉMENT [kɔmynemɑ̃] adv. — 1539; *commun(i)elment*, mil. XIIIe; *cumunalment*, v. 1160; de *commun*.

♦ **1** Suivant l'usage commun, ordinaire. → **Couramment, généralement, habituellement, ordinairement.** *On dit communément... Cela se fait communément.* — *Communément parlant; à parler communément* : selon la façon ordinaire de parler; selon l'opinion commune.

1 (...) l'idée extraordinaire qu'on se fait communément de ce pays.
E. FROMENTIN, Un été dans le Sahara, p. 184.

♦ **2** D'une manière habituelle. → **Généralement, habituellement.**

2 (...) il remplaçait communément, n'étant pas très spirituel, le trait par le calembour (...)
GIDE, Si le grain ne meurt, VIII, p. 207.

CONTR. **Exceptionnellement, extraordinairement, rarement.**

COMMUNIANT, ANTE [kɔmynjɑ̃, ɑ̃t] n. — 1531; de *communier*.

♦ **1** Personne qui communie. → **Communion.** — *Premier communiant, première communiante* : celui, celle qui fait sa première communion. — Ellipt. *Les communiants* : les premiers communiants. *Aube de communiant; voile de communiante.*

♦ **2** Fig. *Premier communiant, première communiante* : personne pure, innocente, naïve. → **Enfant*** de chœur.

COMMUNICABILITÉ [kɔmynikabilite] n. f. — 1722; «libéralité», 1282; de *communicable*.

Didact. Qualité de ce qui est communicable. «*La communicabilité d'une image singulière*» (Bachelard).

CONTR. **Incommunicabilité.**

COMMUNICABLE [kɔmynikabl] adj. — XVIe; «sociable», 1380; de *communiquer* ou empr. du bas lat. *communicabilis* «qui peut se communiquer, qui se communique» de *communicare* (→ Communiquer).

♦ **1** Rare. Qu'on peut faire communiquer. *Rivières communicables*, que l'on peut joindre par un canal.

♦ **2** Qui peut être communiqué (à...). *Feu communicable.* — Cour. (en parlant de la communication par signes). *Sens, idée communicable. Pensée communicable. Connaissance, savoir communicable.* — N. m. Rare. *Le communicable.*

Spécialt. Qui peut être communiqué, transmis (opposé à *secret*). *Dossier communicable.*

♦ **3** Qui se communique facilement. *Une joie communicable.* → **Communicatif.**

DÉR. **Communicabilité.** ◊ CONTR. **Incommunicable.**

COMMUNICANT, ANTE [kɔmynikɑ̃, ɑ̃t] adj. — 1761; «communautaire» (d'une secte), 1690; de *communiquer.*

♦ **1** Qui communique, qui établit une communication. *Vases** (5.) *communicants. Principe des vases* *communicants.* — *Routes communicantes. Pièces, chambres communicantes,* qui ont une porte commune par laquelle elles communiquent.

1 Deux chambres, demanda Norman.
On nous les donna communicantes. Il me fit choisir ; mais elles se ressemblaient à tel point que sans la porte de communication, qui dans l'une se trouvait à droite et dans l'autre à gauche, on aurait pu se tromper de chambre sans s'en apercevoir.
Philippe HÉRIAT, les Enfants gâtés, p. 99.

2 Il n'en restait plus qu'une *(chambre).* On proposa d'y coucher Paul et Gérard et de dresser un lit pour Élisabeth dans la salle de bain communicante.
COCTEAU, les Enfants terribles, v, p. 81.

◆ **2** Méd. *Artère, veine communicante. Rameau communicant,* dans le système nerveux.

Écon. *Économies, activités communicantes. Marchés communicants.*

◆ **3** Didact. Qui participe à un processus de communication (3. ou 5.). — N. (rare au fém.). *Les communicants sont l'émetteur et le récepteur du message.*

COMMUNICATEUR, TRICE [kɔmynikatœʀ, tʀis] n. et adj. — 1531 ; de *communiquer,* d'après *communication.*

◆ **1** Techn. Adj. Qui sert à mettre en communication. *Fil communicateur.* — N. m. (1866). Appareil transmettant un mouvement.

◆ **2** N. Personne qui met en communication. «*Ce dieu des dieux, le grand communicateur*» (Michelet, *Journal,* 1857, *in* T. L. F.).

Spécialt. **a** Journal. Correspondant local occasionnel (d'un journal).

b Personne qui communique (II., 1., spécialt) bien ; professionnel de la communication de masse, des relations publiques. *De bons communicateurs. Le grand communicateur d'un parti* (→ Porte-parole). «(Les) *dons de communicateur*» [d'un ministre] (*le Nouvel Obs.,* 19 avr. 1985). — REM. Le fém. semble peu usité : «*rien ne destinait Michèle (X) à devenir le grand communicateur de l'Élysée*» (*le Point,* 26 mai 1986).

COMMUNICATIF, IVE [kɔmynikatif, iv] adj. — Fin XVᵉ ; «libéral», 1282 ; bas lat. *communicativus,* du supin de *communicare.* → Communiquer.

◆ **1** Qui se communique facilement (attitudes, comportements). *Rire communicatif. Gaieté, ardeur communicative.*

1 L'ennui, que je sens quelquefois avec elle, vient de ma timidité qui me fait préparer ce que je dis comme un livre. Or, l'ennui est communicatif.
STENDHAL, Journal, p. 214.

◆ **2** (Personnes). Qui aime à communiquer ses idées, ses sentiments. → **Causant, confiant, expansif, exubérant, ouvert.** *Caractère peu communicatif.*

2 (...) vous savez que je suis communicative, et que je n'aime point à jouir d'un plaisir toute seule.
Mᵐᵉ DE SÉVIGNÉ, 491, 12 janv. 1676.

3 Si quelquefois encore il paraissait triste et en train de rêvasser, la Fadette le réprimandait, et tout aussitôt il devenait souriant et communicatif.
G. SAND, la Petite Fadette, XL, p. 252.

4 En somme, rien de moins communicatif que ce gentleman. Il parlait aussi peu que possible, et semblait d'autant plus mystérieux qu'il était silencieux.
J. VERNE, le Tour du monde en 80 jours, p. 4.

5 J'estime sa méfiance fondée et la partagerais volontiers si, comme vous le voyez, ma nature communicative ne s'y opposait. Je suis bavard, hélas ! et me lie facilement (...) Toutes les occasions me sont bonnes.
CAMUS, la Chute, p. 9-10.

CONTR. **Cachottier, dissimulé, secret, taciturne.**

COMMUNICATION [kɔmynikasjɔ̃] n. f. — 1365 «relations sociales» ; lat. *communicatio,* du supin de *communicare.* → Communiquer.

◆ **1** Action de communiquer* (qqch. à qqn) ; information, ensemble d'informations ainsi communiquées. *La communication d'une nouvelle, d'un renseignement, d'un avis (à qqn par qqn). La communication des idées* (→ **Diffusion**), *des sentiments* (→ **Effusion, expression, manifestation**).

La libre communication des pensées et des opinions est 1 un des droits les plus précieux de l'homme.
Déclaration des droits de l'homme (Constitution du 3 sept. 1791), art. II.

Dans quelques expressions. Le fait de transmettre à qqn une information écrite, un ensemble d'informations (textes, dossiers...). *Demander communication d'un dossier, d'une pièce. Prendre communication d'un dossier.* → **Compulser, étudier.**

EN COMMUNICATION. *Demander, recevoir un livre, un dossier, une pièce en communication. J'ai demandé le volume à la bibliothécaire, mais il était en communication.*

J'aurai cette copie en communication, je la lirai ou ne la 2 lirai pas selon le temps que j'aurai.
Ch. PÉGUY, Œ. compl., t. I, p. 43.

Dr. *Communication des pièces* : obligation imposée à toute partie dans un procès de soumettre aux autres parties les pièces dont elle fait état à l'appui de ses prétentions. *La communication des pièces se fait par acte d'avoué à avoué ou verbalement à l'audience.* — *Communication au Ministère public :* action de communiquer les dossiers d'une cause au membre du Parquet qui tient l'audience. *Communication d'office. Délai de la communication.*

Le procureur du Roi *(le procureur de la République)* pourra 3 néanmoins prendre communication de toutes les autres causes dans lesquelles il croira son ministère nécessaire ; le tribunal pourra même l'ordonner d'office.
Code de procédure civile, anc. art. 83.

Dans les trois jours du dépôt de la pièce, le défendeur 4 pourra en prendre communication au greffe sans déplacement (...)
Code de procédure civile, anc. art. 198.

◆ **2** La chose que l'on communique ; ensemble d'informations communiquées. → **Annonce, avis, dépêche, message, note, nouvelle, renseignement.** *Il a une communication à vous faire. Une communication du plus haut intérêt. Recevoir, donner, prendre, transmettre une communication.*

(...) c'est pour une communication de la plus haute importance. 5
COURTELINE, Messieurs les ronds-de-cuir, VI, I, p. 212.

Spécialt. Exposé oral ou écrit concernant un sujet déterminé, que l'on fait devant une société savante. *Adresser, faire une communication à l'Académie des sciences. Liste des communications d'un congrès, d'un colloque. Résumé d'une communication.*

◆ **3** Le fait de communiquer, d'établir une relation avec (qqn, qqch.). *Communication entre deux personnes. Communication réciproque.* → **Échange.** — Loc. (avec *en*). *Être en communication avec un ami, un correspondant.* → **Correspondance, liaison, rapport.** *Entrer en communication avec qqn, qqch. Mettre qqn (qqch.) en communication avec qqn (qqch.).*

(...) j'ai bien empêché qu'ils n'aient communication 6 ensemble.
MOLIÈRE, le Médecin malgré lui, III, 7.

Nous ne connaissons Dieu que par Jésus-Christ. Sans ce 7 médiateur, est ôtée toute communication avec Dieu (...)
PASCAL, Pensées, VII, 547.

Avec cette idée que je m'étais faite du rêve comme 8 ouvrant à l'homme une communication avec le monde

des esprits (...)
                    NERVAL, la Bohème galante, Le rêve et la vie.

Communication de pensée avec les autres. → **Communion, échange, transmission.**

9   Pour vous, non seulement je vous vois toujours brillant, mais j'entends une voix douce qui m'explique sans paroles, par une communication mentale, ce que vous devez faire.
                    BALZAC, le Lys dans la vallée, Pl., t. VIII, p. 906.

10 La musique n'est-elle pas l'exemple unique de ce qu'aurait pu être la communication des âmes ?
                    A. MAUROIS, À la recherche de Marcel Proust,
                    p. 196.

Absolt. **[a]** **Didact.** *Sciences de la communication :* ensemble des activités et connaissances concernant la communication, notamment la communication interhumaine (neurosciences*, sciences cognitives*, informatique*, certaines sciences humaines et sociales). — *Théories de l'information* *et de la communication.*

[b] **Sc.** Relation dynamique intervenant dans un fonctionnement. *Théorie des communications et de la régulation.* → **Cybernétique.**

[c] **Ling., sémiot.** Ensemble des processus d'échanges signifiants entre le sujet émetteur et le sujet récepteur (message verbal, codes gestuels, etc.). *Communication et langage*, et systèmes paralinguistiques. Étude du sens et de la communication.* → **Sémiotique.** *Communication et expression, et signification, et sémiosis.*

[d] **Cour.** Le fait de communiquer (II., 1., spécialt). *Service de (la) communication* (dans une entreprise). → **Relations* publiques.** *Techniques de communication* (→ ci-dessous, 5., *communication de masse*).

♦ **4** Ce qui permet de communiquer (II., 2.) dans l'espace, de passer d'un lieu à un autre ; passage d'un lieu à un autre. *Porte de communication. Voies, moyens de communication.* → **Circulation, transport.** *Communications difficiles, lentes, aisées, rapides entre deux villes, deux pays.*

11 (...) facilité des échanges, aisance des communications (...) dans un monde, hélas ! disparu où les hommes circulaient librement, sans barrières, sans quotas, sans passeports !
                    André SIEGFRIED, l'Âme des peuples, I, I, p. 8.

(1690). Artère, route. *Couper, fermer, rompre les communications.*

♦ **5** Moyen technique par lequel les personnes communiquent (souvent au plur.) ; message qu'elles se transmettent. → **Transmission.** *Une communication téléphonique, télégraphique.*

(1892). **Spécialt.** Message téléphonique. → **Appel.** *Recevoir, prendre une, la communication. Je vous passe votre communication.* → **Correspondant.** — *Couper, interrompre les communications entre une armée et sa base. Communication en P. C. V.* (→ **P.C.V.**) ; *communication avec préavis* (→ **P.A.V.**).

12 Maintenant il voulait télégraphier, faire quelque chose qui le mette en communication immédiate avec sa mère. Mais monsieur, nous avons le téléphone. On sonne. On répond tout de suite. Il demande la communication avec un tapissier qui habite dans sa maison.
                    PROUST, Jean Santeuil, Pl., p. 359.

Communication de masse (trad. de l'angl. *mass media*) : procédés de transmission de l'information à une grande quantité de personnes simultanément. → **Mass-media** (cit. 1). *Étude sociologique, sémiotique des communications de masse.*

DÉR. Communicationnel. ◇ **COMP. Intercommunication, radiocommunication, télécommunication, vidéocommunication.**

COMMUNICATIONNEL, ELLE [kɔmynikasjɔnɛl] adj. — 1975 ; de *communication.*

Didact. Qui concerne ou favorise la communication. *Les nouvelles techniques communicationnelles.*

COMMUNIEL, ELLE, ELS [kɔmynjɛl] adj. — 1939, cit. ; du rad. de *communier, communion,* et suff. didact. *-el.*

Didact. (ethnol.). Relatif à la participation religieuse ou magique.

La force impure (...) selon la définition de Strehlow, celle qui suspend brusquement la vie ou amène la mort de celui en qui elle s'est introduite, n'appartient pas à un clan déterminé, n'est un lien *communiel* pour personne, ne préside à la formation d'aucun corps moral doublant à la façon de l'Église ou de la religion officielle le corps social de l'État.
                    Roger CAILLOIS, l'Homme et le Sacré, p. 64 (1939).

COMMUNIER [kɔmynje] v. — Xᵉ ; du lat. chrét. *communicare* «participer à, s'associer à». → Communiquer.

♦ **1** **[a]** **V. intr.** Recevoir le sacrement de l'eucharistie. *Communier à Pâques. Communier fréquemment, tous les matins. Aller communier. Communier avant, pendant la messe. Communier de la main d'un évêque. Communier sous l'espèce* du pain* (→ **Hostie**), sous les espèces du pain et du vin* (→ pop. Avaler le luron*).

1   En 1855, il existait, à Paris, une association composée en majeure partie de femmes ; ces femmes communiaient, plusieurs fois par jour, gardaient les Célestes Espèces dans leur bouche (...)
                    HUYSMANS, Là-bas, V, p. 65.

[b] **Trans. (rare).** Donner la communion à (qqn). *Communier un enfant, un malade. Le prêtre a communié tous les fidèles.*

♦ **2** **Fig.** Être en union spirituelle, intellectuelle (avec qqn). → **Communion.** *Communier par, dans la douleur. Communier avec qqn dans le même sentiment, le même amour, les mêmes idées. Communier avec les sentiments de qqn.*

2   Il n'était pas le moins ému. Il se sentait admiré, aimé. Il communiait avec ces sentiments limpides que la cité laissait monter vers lui, par les voix, les regards, les mains tendues de ses représentants. Un attendrissement le gagnait, généreux.
                    M. GENEVOIX, Forêt voisine, XV, p. 250.

Par anal. Être en union (avec le monde physique).

3   Il me semble par là communier plus intimement avec la nature (...)
                    GIDE, Voyage au Congo, in Souvenirs, Pl., p. 774.

COMMUNION [kɔmynjɔ̃] n. f. — 1120 ; lat. chrét. *communio* «communauté».

♦ **1** Union de ceux qui professent une même foi. → **Communauté, union.** *La communion des fidèles.* → **Église ; chrétienté** (cit. 2). *Les communions chrétiennes.* → **Confession, secte.** *Appartenir à la même communion. La communion de l'Église romaine. Il est dans la communion de l'Église. Retrancher, exclure un membre de la communion.* → **Excommunier.**

La communion des saints : dogme chrétien selon lequel les Églises triomphante, militante et souffrante sont en union.

(Contexte non religieux). *Communion spirituelle.* → **Famille** (spirituelle). *La communion humaine.* → **Humanité, société.**

1   Il n'était point en sympathie avec les habitants de la ville. Faute de pouvoir sentir et comprendre comme eux, il était retranché de la communion humaine (...)
                    FRANCE, l'Anneau d'améthyste, t. XII, VI, p. 98.

♦ **2** (Qualifié, ou dans quelques tours : *en...*). Participation, union. *Communion d'idées, de sentiments, d'idéal, en un idéal.* — *En communion. Être en communion d'idées, de sentiments avec qqn.* → **Accord, correspondance, union.** *Être en communion avec la nature* (→ Assimiler, cit. 19).

2 Manger tête à tête surtout est une grande source d'intimité. C'est la satisfaction en commun d'un besoin de l'être matériel et, quand on y cherche un sens plus élevé, c'est une communion comme le mot l'indique.
G. SAND, Elle et Lui, IV, p. 92.

3 (...) ils s'étonnaient de ne pas se trouver très dissemblables ; mais non, au contraire, en parfaite communion d'idées et d'impressions (...)
LOTI, les Désenchantées, XIV, p. 114.

3.1 C'est à travers un texte, c'est-à-dire à travers une confession, c'est-à-dire en plongeant dans l'univers, c'est-à-dire dans les abîmes d'un autre que la communion peut s'accomplir (...) Intimité profonde, discrète, totale.
IONESCO, Journal en miettes, p. 146.

♦ **3** (V. 1200). **Relig. et cour.** Réception du sacrement de l'eucharistie. → **Banquet** (supra cit. 3), **cène**, **eucharistie**. La sainte communion (→ **Hostie**). — Communion pascale. Aller, se présenter à la communion. → **Table** (sainte) ; → Approcher, cit. 36 à 38. La première communion. Faire sa première communion (→ **Communiant**). Première communion privée, solennelle. — Fête, réception donnée dans une famille à l'occasion d'une première communion. Être invité à une première communion. (**fam.**) être de communion. — Renouveler sa première communion. → **Renouvelant, renouvellement.** Communion donnée à un moribond. → **Viatique.** Faire une bonne communion. Communion fréquente. Communion sacrilège. Donner, distribuer la communion (→ **Ciboire**). — La Communion de saint François d'Assise, œuvre de Rubens.

4 (...) ma ferveur, après la communion, ne fit que croître et pour atteindre son apogée l'an suivant.
GIDE, Si le grain ne meurt, I, VIII.

5 Jusque-là, il avait eu la hantise du péché mortel et de la communion sacrilège.
J. ROMAINS, les Hommes de bonne volonté, t. IV, VII, p. 58.

Liturgie. Partie de la messe (ou de l'office protestant) au cours de laquelle le prêtre communie et distribue la communion aux fidèles. Arriver pendant la communion. Sortir de l'église dès la communion. — **Spécialt.** Antienne que le prêtre lit, et que le chœur chante à la fin de la messe, et dont le texte varie avec l'office du jour.

CONTR. Excommunication. ◊ **DÉR. et COMP. Intercommunion, postcommunion. V. Communiel.**

COMMUNIQUÉ [kɔmynike] n. m. — 1853 ; p. p. de communiquer.
Avis (officiel ou non) qu'un service compétent communique au public. → **Annonce, avis, bulletin, note.** Communiqué des opérations, en temps de guerre. Lecture du communiqué.
Les communiqués officiels sont, de part et d'autre, des plus contradictoires, chacun n'annonçant que victoires, que retraites de l'adversaire, encerclement de l'ennemi.
GIDE, Journal, 11 déc. 1942.
Communiqués de la presse écrite, parlée. Communiqué d'une agence de presse.

COMMUNIQUER [kɔmynike] v. — XIVe ; du lat. communicare «être en relation avec».

I V. tr. ♦ **1** (1557). Faire connaître, faire savoir (qqch. à qqn). → **Dire, divulguer, donner, livrer, publier, transmettre.** Communiquer qqch. à qqn. Communiquer une nouvelle à ses amis. → **Mander.** Communiquer ses intentions, ses projets, ses desseins, ne les communiquer à personne. → **Confier, épancher, expliquer** (→ Faire part⁺ de...). Communiquer un renseignement. → **Livrer, révéler.** Communiquer son savoir, ses connaissances. → **Enseigner.** — Dr. Communiquer les pièces d'un procès (→ **Communication,** 1.).

J'ai quelque chose à vous communiquer. 1
MOLIÈRE, le Mariage forcé, 4.

Mais les gens qui croient avoir des indices, même très 2 faibles, ont raison, dans ces cas-là, de nous les communiquer.
J. ROMAINS, les Hommes de bonne volonté, t. II, XIII, p. 134.

Se communiquer des renseignements, des souvenirs. → **Échanger.**

(...) j'attendais les heures de promenades régulières, où les 3 anciens officiers aiment à se communiquer leurs souvenirs.
A. DE VIGNY, Servitude et Grandeur militaires, I, III, p. 58.

Pron. Vieilli. Se communiquer facilement : être communicatif. → **Confier** (se), **découvrir** (se), **exprimer** (s'), **ouvrir** (s'), **parler.**

Le maréchal de Joyeuse, qui ne se communiquait à personne et à qui il échappait de brusqueries fréquentes. 4
SAINT-SIMON, Mémoires, 29, 83.

Je me communique fort peu ; et de tous les gens que je 5 vois je n'en connais aucun.
MONTESQUIEU, Lettres persanes, 145.

♦ **2** Faire partager. Communiquer sa joie, son enthousiasme, sa gaieté à son entourage. → aussi **Infuser.**

J'ai créé l'homme saint, innocent, parfait, je l'ai rempli de 6 lumière et d'intelligence ; je lui ai communiqué ma gloire et mes merveilles. PASCAL, Pensées, VII, 430.

Du moins, malgré leurs fautes, les Girondins surent-ils, en 7 cette période, communiquer au pays le sublime enthousiasme qui atténuait le péril.
JAURÈS, Hist. socialiste de la Révolution franç., t. IV, p. 170.

Il y eut un temps où ma joie devint si grande, que je la 8 voulus communiquer, enseigner à quelqu'un ce qui dans moi la faisait vivre.
GIDE, les Nourritures terrestres, IV, I, p. 74.

♦ **3** (1740). **Sujet n. de chose.** Rendre commun à ; transmettre (qqch.). Corps qui communique son mouvement à un autre. → **Imprimer, transmettre.** Le soleil communique sa lumière et sa chaleur à la terre. — Figuré :

En harmonie avec cette vie reposée et sans autres émotions 9 que celles données par la famille, ces lieux communiquaient à l'âme leur sérénité.
BALZAC, le Lys dans la vallée, Pl., t. VIII, p. 800.

Pron. (Passif). Mouvement qui se communique. Feu qui se communique. → **Gagner ; envahir** (→ Choc, cit. 14).

(Sujet n. de personne ou de chose.) Communiquer une maladie à... → **Donner, passer, transmettre ; contagion.**

II V. intr. ♦ **1** Être, se mettre en relation avec. Communiquer avec un ami. Deux personnes qui communiquent entre elles. → **Correspondre.**

Entre ce père et ce fils, aucun langage pour communiquer, 10 aucune possibilité d'échanges : deux étrangers (...)
MARTIN DU GARD, les Thibault, t. IV, p. 249.

Lorsque je désire communiquer avec autrui, je dispose 10.1 d'une série de techniques anciennes ou nouvelles, dont il n'importe pas de savoir, pour le moment, si elles sont naturelles ou fabriquées : langages, écritures, moyens de stockage, de transport ou de multiplication du message, bandes enregistrées, téléphone, imprimerie, et ainsi de suite.
Michel SERRES, Hermès I, La communication, p. 39.

Sans compl. Le besoin, le refus de communiquer. «La fin du langage est de communiquer» (Sartre).

Si je bafouille, vous vous direz que je ne suis sûr de rien 10.2 (...) Si mes phrases sont correctes (...) vous vous direz que tout cela, c'est du chiqué (...) Communiquer, vous croyez que c'est si simple ?
Alain BOSQUET, les Bonnes Intentions, p. 175.

Spécialt. Transmettre de l'information; influencer le public par une transmission efficace d'idées, d'impressions, d'images symboliques. *Le gouvernement, ce ministre sait, ne sait pas communiquer. Une entreprise qui communique.* — REM. Emploi à la mode dans l'usage de la publicité, des médias, de la politique.

♦ **2** (1681). Sujet n. de chose : lieu, espace. Être en rapport avec, par un passage. → **Correspondre.** *Chambre qui communique avec une autre.* → **Communicant.** *Corridor qui fait communiquer plusieurs pièces.* → **Commander, desservir.** *Faire communiquer deux propriétés par une porte.* → **Relier.** *Route qui fait communiquer deux villes, deux pays.* → **Communication** (voie de).

11 Regardez aussi comme c'est commode, cette porte qui communique avec votre pièce à vous.
J. ROMAINS, les Hommes de bonne volonté, t. II, VI, p. 64.

♦ **COMMUNIQUÉ, ÉE** p. p. adj. *Avis, dossier communiqué. Message non communiqué.* — *Mouvement communiqué. Impulsion communiquée.* — → aussi **Communiqué,** N. m.

CONTR. Taire. — Garder. ◊ DÉR. Communicable, communicant, communicateur, communiqué. ← COMP. Soit-communiqué.

COMMUNISANT, ANTE [kɔmynizɑ̃, ɑ̃t] adj. — 1930 (n. m., 1933), *in* D. D. L.; du rad. de *communiste,* d'après *communiser.*

Qui sympathise avec les communistes; est empreint de communisme. *Des thèses communisantes. Il est communisant, mais n'en fait pas état* (→ Cryptocommuniste).

Tous ces ouvriers communistes ou communisants (...) achètent (...) «l'Huma».
S. DE BEAUVOIR, les Mandarins, p. 130.

COMMUNISATION [kɔmynizasjɔ̃] n. f. — 1941; de *communiser.*

Action de communiser. *La communisation de l'Europe de l'Est.*

Pour avoir voulu arrêter le communisme en Espagne par des moyens indignes, on donnera une chance sérieuse à la communisation de l'Europe, et si elle s'accomplit, l'Espagne sera communisée par-dessus le marché (...)
CAMUS, Actuelles II, Création et Liberté, *in* Essais, Pl., p. 785.

COMMUNISER [kɔmynize] v. tr. — 1919, v. pron., *Mercure de France, in* D. D. L.; de *communisme.*

(1921). Soumettre (une société) à l'influence des idées communistes; donner un régime communiste à (un pays, un État, une région).

DÉR. et COMP. Communisation. Décommuniser.

COMMUNISME [kɔmynism] n. m. — 1840; de *commun.*

♦ **1** Vx. Organisation économique et sociale fondée sur la suppression de la propriété privée au profit de la propriété collective. → **Collectivisme, égalitarisme, socialisme.** *Le communisme de Platon, platonicien. Le communisme des socialistes utopiques, de Babeuf* (babouvisme).

1 (...) le communisme, cette logique vivante et agissante de la Démocratie (...)
BALZAC, les Paysans, VI, Pl., t. VIII, p. 104 (1845).

2 Si le communisme paraît réalisable c'est sous des conditions qui sont précisément l'inverse de l'idéal libertaire.
Ch. GIDE, Cours d'économie politique, II, p. 178.

♦ **2** Système social prévu par Marx (et Engels), où les biens de production appartiennent à la communauté. *Le socialisme* d'État, stade transitoire vers le communisme.* → **Étatisme, socialisme.**

De ceux-là seuls je me sens frère, qui sont venus au communisme par amour, par grande exigence d'amour.   3
GIDE, Journal, Feuillets, II, été 1937.

♦ **3** Système politique, doctrine des partis communistes. → **Marxisme.** *Le communisme russe de 1917.* → **Bolchevisme.** *Le communisme léniniste* (→ **Léninisme; marxisme-léninisme**), *trotskiste* (→ **Trotskisme**), *stalinien* (→ **Stalinisme**). *Le communisme chinois, maoïste.* — *Le communisme français, italien, européen* (→ **Eurocommunisme**) *et son évolution.* Défendre, soutenir; combattre (→ **Anticommunisme**) *le communisme.*

La pensée de Karl Marx et d'Engels exerce déjà son attraction secrète sur toute la jeunesse intellectuelle chinoise, et   4 rien n'arrêtera (...) la marche finale de la communauté chinoise vers un collectivisme proche du communisme léniniste le plus orthodoxe.
SAINT-JOHN PERSE, Correspondance, 3 janv. 1917, *in* D. D. L., II, 6.

♦ **4** Ensemble des communistes, de leurs organisations. *Le communisme international.*

CONTR. Anticommunisme, capitalisme, fascisme, libéralisme. ◊ COMP. Anticommunisme, cryptocommunisme, eurocommunisme, postcommunisme.

COMMUNISTE [kɔmynist] adj. et n. — 1706 (cit. 0.1). «copropriétaire», 1769, Mirabeau; sens politique en 1832, Lamennais, *in* Bloch-Wartburg; de *commun,* et suff. *-iste.* → Communisme.

I Adj. et n. (Personnes). ♦ **1** Vx. Qui a le souci du bien commun, de la communauté.

Il a vécu en parfait honnest homme bon crestien fort charitable, estimé et aymé de tous, homme de bons sens, bon   0.1 comuniste.
J. SILVY, Livre de raison, 25 juil. 1706, cité par J. P. LASSALLE, *in* l'Humanité, févr. 1982.

♦ **2** Hist. Partisan du communisme*, du collectivisme. «*Comment je suis communiste et mon Credo communiste*» (Cabet, 1840). — N. *Les communistes babouvistes, proudhoniens.*

(1870). Vx. Partisan de la Commune de Paris. → **Communard.**

♦ **3** Mod. Partisan du communisme marxiste (→ Capitaliste, cit. 2.1). *Des ouvriers communistes. Être, devenir communiste. Communiste partisan de la 3ᵉ Internationale.* → péj. **Moscoutaire.**

Je suis communiste depuis le congrès de Tours 1922.   0.2
P. NIZAN, la Conspiration, p. 172.

Spécialt. Membre d'un parti se réclamant du communisme marxiste.

♦ **4** (Emploi spécial; plus courant). Membre d'un parti marxiste issu de la troisième Internationale. *Un communiste italien, espagnol.* — Spécialt (en France). Membre du Parti communiste (P. C. F.). *Les Communistes,* roman d'Aragon. *Un communiste militant.* → 6. **Coco.** (fam); **rouge** (supra cit. 8).

Les communistes sont disciplinés. Ils obéissaient aux   1 secrétaires de cellule, ils obéissent aux délégués militaires (...)
MALRAUX, l'Espoir, p. 546.

II Adj. ♦ **1** (Avec un subst. abstrait). Du communisme (1. ou 2.). «*Axiomes communistes*» (Renan). *Doctrines, théories communistes* (socialistes utopiques, ou, plus cour., marxistes). — *Le Manifeste communiste,* de Marx. — *Idées, propagande communistes.*

Un juif allemand, Marx, vivant à l'étranger, résuma le travail des socialistes en un système dogmatique qu'il exposa   2 en 1848, avant la révolution, dans le *Manifeste communiste* terminé par la formule : *Prolétaires de tous les pays, unissez-vous.*

Ch. SEIGNOBOS,
Hist. comparée des peuples d'Europe, XVII, p. 369.

♦ **2** (Groupes). Qui cherche à faire triompher la cause de la révolution sociale, selon les principes du communisme.

(Au sens large). *Parti communiste marxiste-léniniste. Ligue communiste révolutionnaire.*

(Au sens étroit, ci-dessus I., 4.). *Le parti communiste français, italien.* — *Partis communistes d'U. R. S. S. et des démocraties populaires. Le parti communiste bolchevik d'U. R. S. S.* (P. C. B). → **Bolchevik.** *Les apparatchiks* du parti communiste de l'U. R. S. S.*

3   Le parti communiste ne ressemble à aucun autre. Un socialiste, un radical, un modéré, acceptent un programme, versent des cotisations (...) mais leur vie individuelle (...) échappe à quiconque. Le parti communiste, au contraire, est à la fois une religion, une église, une communauté et un ordre.

Pierre GAXOTTE, Hist. des Français, t. II, p. 566.

4   — Permettez. La révolution passe pour moi avant le parti communiste. — (...) dans ces conditions, je dis que la défense concrète de ce que nous voulons défendre ne repose plus en premier lieu sur le prolétariat mondial, mais bien sur l'Union Soviétique et le parti communiste.

MALRAUX, l'Espoir, p. 548.

(Pers.). *Être, devenir communiste. Elle n'est plus communiste, elle a rendu sa carte du Parti. Des ouvriers communistes.*

♦ **3** Qui appartient aux organisations, aux États (d'abord l'U. R. S. S.) qui se réclament du marxisme. *Les internationales communistes. États, pays communistes.* — REM. Cet emploi n'appartient pas au langage officiel : les pays communistes sont dits *républiques socialistes*, démocraties populaires*.*

Par ext. *La politique, la stratégie communiste.*

REM. L'emploi du mot, depuis qu'il existe des partis communistes, s'est complètement modifié avec les structures de la vie politique. Au XIXᵉ s. (Michelet, G. Sand, Balzac, Renan...), le mot a la valeur de *collectiviste*, parfois de *communautaire.*

CONTR. Anticommuniste, capitaliste, fasciste, libéral. ◊ DÉR. Communisant, communiser. ← COMP. Anticommuniste.

COMMUNS [kɔmœ̃] n. m. pl. → **Commun.**

COMMUTABLE [kɔmytabl] adj. — Mil. XVIᵉ; doublet de *commuable;* de *commuter* ou empr. du lat. *commutabilis* «interchangeable», de *commutare* → Commuter.

Didact. Qui peut être commuté. *Éléments commutables,* qui peuvent commuter, être substitués l'un à l'autre.

COMMUTATEUR [kɔmytatœr] n. m. — 1858; dér du lat. *commutare* «changer». → Commuer, commuter.

Appareil permettant de modifier un circuit électrique ou les connexions entre circuits (→ **Interrupteur**). *Commutateur-inverseur. Commutateur universel. Les plots* d'un commutateur. Commutateur téléphonique.* → **Jack, relais.**

Ce qui est effrayant surtout dans l'électricité, c'est qu'elle est cachée. On ne la voit pas. On ne sait jamais où elle est. Parfois on croit qu'elle est ici, ou là, dans un fil, dans un commutateur, à l'intérieur de la petite boîte noire du tranformateur (...)

J.-M. G. LE CLÉZIO, les Géants, p. 195.

DÉR. Commutatrice. ◊ COMP. Autocommutateur.

COMMUTATIF, IVE [kɔmytatif, iv] adj. — XIVᵉ; dér. du lat. *commutare.* → Commuer.

♦ **1** Dr. Qui est relatif à l'échange. *Contrat commutatif,* dans lequel chacun des contractants reçoit l'équivalent de ce qu'il donne (par oppos. à *contrat aléatoire**). — *Justice commutative,* qui consiste dans l'égalité des choses échangées, dans l'équivalence des obligations et des charges (par oppos. à *justice distributive*).

♦ **2** Log. Se dit d'une opération portant sur deux ou plusieurs facteurs et dont le résultat ne change pas si l'on change l'ordre de ces facteurs. — Math. *Loi commutative :* loi de composition interne sur un ensemble, commutative pour tous les éléments de cet ensemble mis en relation par la loi (→ ci-dessous cit.). → **Commutativité.** *L'addition et la multiplication sont commutatives sur l'ensemble des nombres réels; la soustraction ne l'est pas* (→ **Anticommutatif**). — *Groupe commutatif,* dont la loi est commutative. → **Abélien.** *Anneau commutatif, corps commutatif,* dont la loi de multiplication est commutative. — *Algèbre commutative,* qui étudie les anneaux commutatifs.

Une loi interne est commutative si, pour tous *a, b* (éléments) de E (ensemble) :
$$a * b = b * a \ (* \text{ représente une loi de composition}).$$

Gaston CASANOVA, l'Algèbre de Boole, p. 34.

CONTR. Aléatoire, distributif. ◊ DÉR. Commutativité.
← COMP. Anticommutatif.

COMMUTATION [kɔmytasjɔ̃] n. f. — V. 1120, *commutatiun;* lat. *commutatio* «changement», du supin de *commutare.* → Commuer, commuter.

♦ **1** Didact. Substitution, remplacement. *La commutation des facteurs d'une opération. Commutation et permutation.*

Ling. Opération par laquelle on substitue les uns aux autres certains éléments phoniques ou sémantiques, permettant ainsi de constituer des paradigmes et de dégager les distinctions linguistiques pertinentes. *Principe de commutation,* selon lequel une distinction phonétique n'est reconnue comme pertinente que si elle est susceptible d'entraîner une distinction sémantique, et inversement.

♦ **2** Dr. *Commutation de peine :* grâce qui consiste dans la substitution d'une peine plus faible à la première peine. → **Commuer.**

♦ **3** (1903, in *Rev. gén. des sc.,* n° 16, p. 883). Établissement ou modification des connexions (entre systèmes, circuits). *Commutation de circuit.*

CONTR. (De 2.) Aggravation (de peine).

COMMUTATIVITÉ [kɔmytativite] n. f. — 1907; de *commutatif.*

Math., log. Caractère d'une opération, d'une loi de composition commutative (→ Associativité, cit.).

COMMUTATRICE [kɔmytatris] n. f. — 1912; de *commutateur.*

Électr. Appareil servant à transformer du courant continu en alternatif.

À la différence du convertisseur, la commutatrice n'utilise qu'un seul rotor, ce qui crée, en plus du couplage mécanique, un couplage magnétique entre les deux enroulements, interdisant la transformation du courant alternatif en courant continu, tandis que le convertisseur, au prix d'un rendement plus faible, peut effectuer cette transformation.

Gilbert SIMONDON,
Du mode d'existence des objets techniques,
Lexique, p. 258.

COMMUTER [kɔmyte] v. tr. — 1611; lat. *commutare* qui a donné par ailleurs *commuer*, de *com-* «avec, entièrement» et *mutare* «changer, échanger, déplacer» → Muter.

♦ **1** Changer par une substitution, une commutation. — Intrans. *Éléments qui peuvent commuter. Faire commuter deux éléments.*

♦ **2** Techn. Effectuer la commutation (3.) de (un circuit). *Commuter un circuit par un relais.* — Pronominal :

Quand l'homéostat d'Ashby se commute lui-même en cours de fonctionnement (car on peut attribuer à cette machine la faculté d'agir sur ses propres sélecteurs), il se produit un saut des caractéristiques qui anéantit tout fonctionnement antérieur ; (...) quand la machine change de formes en se commutant, elle ne se commute pas pour avoir telle autre forme orientée vers la résolution du problème ; il n'y a pas une modification de formes qui soit orientée par le pressentiment du problème à résoudre ; le virtuel ne réagit pas sur l'actuel (...)
Gilbert SIMONDON, Du mode d'existence des objets techniques, p. 144-145.

DÉR. **Commutable.**

COMOURANTS [kɔmuʁɑ̃] n. m. pl. — xxᵉ ; de *co-*, et *mourant*, p. prés. de *mourir.*

Dr. Personnes susceptibles de se succéder réciproquement et qui meurent simultanément (le fém. *comourantes* n'est pas en usage).

COMPACITÉ [kɔpasite] n. f. — 1752 ; du rad. de *compact.*

Didact. Qualité de ce qui est compact. — Phys. Rapport de la masse volumique à la masse spécifique d'un corps (ou rapport de la densité apparente à la densité absolue de ce corps).

Sitôt franchi le premier rideau d'arbres, j'eus l'impression de pénétrer dans un sanctuaire. Non que les arbres fussent d'aspect différent, non que la relative compacité de leur feuillage interceptât la lumière (...)
Robert PINGET, Graal Flibuste, p. 62.

COMPACT, ACTE [kɔpakt] adj. — 1377 ; lat. *compactus* «amassé», de *compingere* «assembler».

♦ **1** (Substance). Qui est formé de parties serrées, dont les éléments constitutifs sont très cohérents. → **Dense, serré.** *Terre compacte.* → **Lourd.** *Brouillard compact.* → **Épais, impénétrable.**

1   Tous corps compac(t)s et palpables.
PISAN, Chemin de Longue Estude, in HATZFELD.

2   Quoique l'or soit le plus compact et le plus tenace des métaux, il n'est néanmoins que peu élastique et peu sonore.   BUFFON, in LAFAYE.
Poudre compacte. — N. m. *Un compact :* une poudre compacte.

Par anal. *Édition compacte,* comportant beaucoup de matière sous un volume réduit ; dont les caractères sont serrés.

Phonét. Se dit des voyelles dont les deux formants principaux ont des fréquences très voisines (ex. : (a) en français).

♦ **2** (Ensemble). Dont les éléments sont très rapprochés les uns des autres. *Masse compacte. Une foule compacte s'est rassemblée autour de l'accidenté.*

2.1   (...) il ne fallait pas oublier que les convicts couraient peut-être les bois, et que, au milieu de ces épaisses forêts, un coup de fusil était vite tiré et reçu. De là, nécessité pour la petite troupe des colons de rester compacte et de ne diviser sous aucun prétexte.
J. VERNE, l'Île mystérieuse, t. II, p. 730.

(V. 1960 ; angl. *compact*). D'un faible encombrement ; présenté sous un volume réduit. *Chaîne (Hi*-Fi) compacte,* et, n. m., *un compact,* où sont rassemblés en un seul élément la platine, l'amplificateur et éventuellement le récepteur radio («tuner»). — *Un appareil photo compact. Un lave-vaisselle compact.*

(1982 ; angl. *compact disc*). *Disque* compact,* à codage numérique. (→ **Audionumérique**). — N. m. *Un compact.*

♦ **3** (Abstrait). Qui ne se laisse pas diviser ; massif. *Une majorité compacte. Un raisonnement compact,* condensé, ramassé. *Un silence compact.* → **Épais, lourd.**

3   Le silence est énorme et l'obscurité, à quelques pas, est si compacte, si coagulée, si poisseuse, que le soleil s'y éteindrait.   Léon BLOY, la Femme pauvre, I, XXXIV.

4   *(Ces adeptes)* forment aujourd'hui une masse passionnelle compacte, dont chaque élément se sent en liaison avec l'infinité des autres.
Julien BENDA, la Trahison des clercs, I, p. 96.

Par anal. (et littér.). Qui présente des formes ramassées. → **Massif.** *Sa silhouette compacte était apparue sur le seuil de la porte.* — Qui manque de finesse. *Elle fait montre d'un esprit compact.* → **Épais, lourd.**

♦ **4** Math. *Ensemble compact,* réduit à un point. — N. m. *L'intersection de compacts est elle-même compacte.* — *Espace métrique, topologique compact.*

CONTR. **Dispersé, épars, ténu.** ◊ DÉR. **Compacité, compactage, compacter, compaction.**

COMPACTABLE [kɔpaktabl] adj. — 1977 ; de *compacter.*

Que l'on peut compacter. *Bouteilles de plastique compactables.*

COMPACTAGE [kɔpaktaʒ] n. m. — 1952 ; de *compact* ou de *compacté.*

Techn. Action de compacter ; son résultat. Augmentation de la densité sèche (d'un sol). *Compactage par pression, percussion. Engin de compactage.* → **Compacteur.**

COMPACT-DISC [kɔpaktdisk] n. m. — 1979 ; marque déposée, mot formé en angl., de *compact* «compact», et *disc* «disque».

Anglic. Disque compact. → **Disque.**

COMPACTER [kɔpakte] v. tr. — 1963 ; p. p., 1938 ; de *compact.*

Techn. Rendre plus compact. *Compacter du béton.* — Réduire de volume en compressant. *Compacter les ordures ménagères.* — *Compacter des fichiers informatiques.*

DÉR. **Compactable, compacteur.** ◊ CONTR. et COMP. **Décompacter.**

COMPACTEUR [kɔpaktœʁ] n. m. — Mil. xxᵉ ; de *compacter.*

Techn. Appareil, engin de travaux publics destiné au compactage. — Appareil destiné à réduire sous un petit volume les ordures ménagères.

COMPACTION [kɔpaksjɔ̃] n. f. — D. i. ; de *compact.*

Géol., techn. Densification ; création d'un état compact (par tassement des roches).

COMPAGNE [kɔ̃paɲ] n. f. — Fin XIIᵉ, *compangne*; de l'anc. franç. *compain*. → Copain; compagnon.

♦ **1** Celle qui partage ou a partagé la vie, les occupations d'autres personnes (par rapport à elles). → (vx) **Compagnonne**. *Une compagne d'école, de classe; de travail, de jeux. La compagne d'une écolière. Allez rejoindre vos compagnes.* → **Camarade**.

1 J'étais le seul garçon dans cette ronde, où j'avais amené ma compagne toute jeune encore, Sylvie, une petite fille du hameau voisin (...)
> NERVAL, les Filles du feu, «Sylvie».

2 (...) aux heures du travail où l'ouvrière craignait tant la médisance de ses compagnes.
> PROUST, la Prisonnière, p. 142.

Personne qui accompagne* qqn (dans une activité, un déplacement...). *Compagne de voyage.* — **Par métaphore** :

3 Je quitte ma compagne, la Reuss *(une rivière)* qui m'avait amené, en la remontant, du lac de Lucerne, pour descendre au lac de Lugano avec mon nouveau guide, le Tessin.
> CHATEAUBRIAND, Mémoires d'outre-tombe, t. IV, 1848, p. 121, *in* T. L. F.

♦ **2** Littér. Épouse, femme; maîtresse.

4 La femme que vous m'avez donnée pour compagne m'a présenté du fruit de cet arbre; et j'en ai mangé.
> BIBLE (SACY), Genèse, III, 12.

5 Nous quittons les cités, nous fuyons aux montagnes, Nous laissons nos chères compagnes (...)
> LA FONTAINE, Fables, XI, 7.

(1568). Celle qui participe aux joies et aux épreuves (de qqn), qui partage le même idéal. *La compagne d'infortune* (de qqn).

6 Véronique, irréparablement enlaidie, deviendrait cette amie très douce, cette compagne bienfaisante des heures de lassitude intellectuelle et de tristesse, cette quasi-sœur qu'on avait rêvée et que la jolie femme ne pouvait être.
> Léon BLOY, le Désespéré, III, Le retour, p. 132.

♦ **3** (V. 1535). Chose (désignable par un nom féminin) qui va de pair avec (qqch.).

7 L'avarice, compagne et sœur de l'ignorance.
> LA FONTAINE, Fables, X, 4.

8 (...) l'oisiveté, plus féconde encore quand elle est compagne de servitude.
> P.-L. COURIER, Œuvres, p. 84.

♦ **4** (1691). Littér. Femelle (d'un animal). *Les cris plaintifs de l'ours, dont la compagne avait été tuée...* (Crèvecœur, 1801, *in* T. L. F.).

COMPAGNIE [kɔ̃paɲi] n. f. — V. 1050, *cumpainie*; du lat. pop. *compania*, de *com-* (cum) et *panis* «pain». → Compagnon.

♦ **1** Présence auprès de qqn, fait d'être avec qqn (dans quelques expressions). → **Société**. *Aller de compagnie avec...* → **Accompagner**. *Voyager de compagnie*, ensemble. → **Conserve** (de). *Sans compagnie* : seul. *En compagnie, avec la seule compagnie de... Se plaire en la compagnie de, apprécier la compagnie de, rechercher la compagnie de.* → **Présence**. *Être l'un pour l'autre une compagnie. Fausser compagnie à qqn.* → **Quitter**. *Tenir compagnie à qqn* : rester auprès d'une personne, et, fig. (en parlant des choses), se trouver auprès, aller de pair avec...

1 La vertu n'irait pas si loin si la vanité ne lui tenait compagnie.
> LA ROCHEFOUCAULD, Maximes, 200.

2 Capitaine renard allait de compagnie Avec son ami bouc des plus haut encornés.
> LA FONTAINE, Fables, III, 5.

3 (...) mon âme et mon corps marchent de compagnie.
> MOLIÈRE, les Femmes savantes, IV, 2.

4 Mˡˡᵉ Planude s'agenouillait à la Table sainte, avec un petit sac de titres et d'obligations ficelé pour sa chaste peau, en compagnie des médailles et scapulaires.
> Léon BLOY, la Femme pauvre, II, XVIII, p. 263.

Un homme seul est toujours en mauvaise compagnie. 5
> VALÉRY, l'Idée fixe, p. 163.

(...) il faussait poliment compagnie au Patron et se hâtait 6 de courir à ses affaires (...)
> MARTIN DU GARD, les Thibault, t. III, p. 129.

Loc. **... DE COMPAGNIE**. *Dame, demoiselle de compagnie* : personne appointée pour tenir compagnie à une autre. — Ancient. *La dame de compagnie d'une jeune fille.* → **Chaperon, porte-respect**.

(...) Camille a une dame de compagnie, Mᵐᵉ veuve Tribou, 7 qui ne la quitte jamais (...)
> Alphonse DAUDET, le Petit Chose, II, VI, p. 233.

Être de bonne, de mauvaise compagnie : être d'une société agréable, déplaisante; aussi (→ ci-dessous, 2.) : être bien, mal élevé.

Animal de compagnie : animal domestique élevé pour vivre dans la familiarité des personnes, pour leur faire une compagnie, par opposition aux animaux élevés à des fins purement utilitaires — pour leur viande, leur lait, leur fourrure, etc. (→ aussi ci-dessous, 5., *bête de compagnie*, dans un autre sens). *Les chiens et les chats sont les animaux de compagnie les plus répandus*.

♦ **2** (XVIᵉ). Vx. Réunion volontaire, souvent organisée, de personnes. → **Assemblée, réunion, société** (→ aussi Arriver, cit. 55; boire, cit. 21; caleter, cit. 1; chacun, cit. 1). *Une joyeuse compagnie. Être en nombreuse compagnie. La bonne compagnie* : la haute société (→ Bain, cit. 9). — Prov. *Il n'est si bonne compagnie qu'on ne quitte* : les choses les plus agréables ont une fin.

(...) — à préparer ma maison pour la compagnie qui doit 8 venir tantôt (...) — et toutes vos compagnies font tant de désordre céans, que ce mot est assez pour me mettre en mauvaise humeur.
> MOLIÈRE, le Bourgeois gentilhomme, III, 2.

(...) la bonne compagnie est de fort bonne compagnie. 9
> Mᵐᵉ DE SÉVIGNÉ, 659, 4 oct. 1677.

(...) que je fusse peuple à la guinguette et bonne compagnie 10 au Palais Royal.
> ROUSSEAU, Émile, IV.

Mod. *Une bonne compagnie* : un groupe de personnes choisies. → **Communauté**.

Ce qui restreint beaucoup notre recrutement tient en outre 10.1 à ce que notre Compagnie est (...) une bonne compagnie (...)
> F. MAURIAC, le Nouveau Bloc-notes, 1958-1960, p. 204.

Loc. **DE BONNE COMPAGNIE** : empreint de courtoisie, d'urbanité, d'affabilité. *Avoir, garder un ton, des manières de bonne compagnie.*

Dans la salle du petit théâtre, quelques commentaires 10.2 s'échangent alors, assez bas, sur un ton de bonne compagnie.
> A. ROBBE-GRILLET, la Maison de rendez-vous, p. 45.

♦ **3** (1636). Association de personnes que rassemblent des statuts communs. → **Société**. *Compagnie industrielle, commerciale, financière, coloniale* (→ Chocolat, cit. 3). *La Compagnie des Indes. Compagnie de transports en commun* (→ Autobus, cit. 1), *de chemins de fer, d'assurances... La Compagnie financière de Suez. Compagnie aérienne* : entreprise de transport aérien.

Histoire :

Ils concluaient avec les travailleurs des villages des compa- 10.3 gnies, des *societates*, de même allure que les associations de commerce : ils fournissaient le capital, le paysan son travail et ses soins; le bénéfice était partagé.
> Georges DUBY, Guerriers et Paysans, p. 292.

Et Cie (et compagnie), à la fin d'une raison sociale, désigne les associés qui n'ont pas été nommés.

(...) le sujet de ce roman *(... et Cᵉ)* consiste dans l'étude — je 10.4 préfère dire : le récit de l'ascension d'une famille de petits fabricants juifs d'Alsace qui optent pour la France en 71, triomphent de la concurrence, arrivent à la fortune, à la puissance, et se trouvent finalement, en l'espace de deux générations, victimes de cette puissance qu'ils ont ainsi créée, victimes avant tout de l'argent. Ce que je désigne sous cette dénomination mystérieuse de ... *et C*, c'est cette vague force anonyme qui détruit le premier terme positif et nominal de toute construction industrielle.

J.-R. BLOCH, *Deux hommes se rencontrent*, p. 128.

Fam. (après un n. pr.). *Et tous les autres.*

10.5   À ton âge, je savais Virgile et compagnie par cœur.

J. DE MAISTRE, *Correspondance*, 1808-1810 ; t. III, p. 142.

(Après un qualificatif péjoratif, laisse sous-entendre tous les synonymes envisageables) :

10.6   Meussieu Marcel son copain, i veulent met' la main sur l'argent du père Taupe. C'est voleur et compagnie. Mais on arrivera avant eux.

R. QUENEAU, *le Chiendent*, p. 163.

Compagnie savante. → **Collège, société.** *L'illustre compagnie :* l'Académie française.

11   Une sage Compagnie peut bien, comme une personne, considérer sa vie, interroger ses souvenirs, faire un examen de sa conscience (...)

VALÉRY, *Regards sur le monde actuel*, p. 291.

12   Il *(le conducteur de train)* allait alors rendre visite à deux ou trois collègues de la Compagnie (...) La Compagnie faisait les frais de toutes les conversations. On ne la ménageait pas. C'était quelque chose de grand, de sombre, de despotique, une redoutable divinité. On la traitait donc durement, puisqu'elle était dure, mais presque religieusement aussi, parce qu'elle était devenue pour ces gens simples, une Puissance obscure et sans visage, une abstraction : la Compagnie.   H. BOSCO, *Antonin*, p. 43.

(1706). Troupe théâtrale permanente. → **Théâtre; troupe** (cit. 1). *Les jeunes compagnies.*

12.1   Gémier m'ayant donc entendu, m'a dit que ce que je faisais pouvait intéresser Dullin et il m'a envoyé de sa part chez lui. Dullin m'a entendu jeudi et tout de suite après, j'étais reçu dans sa compagnie.

A. ARTAUD, *Lettre à Yvonne Gilles*, 1921, *in* Œ. compl., t. III, p. 121.

♦ 4 [a] (XIVᵉ). Vx ou hist. Réunion de gens armés (→ Avec, cit. 33). *Les grandes compagnies emmenées en Europe par Du Guesclin. Les compagnies d'ordonnance, instituées par Charles VII. Compagnies colonelles. — Les massacreurs des compagnies de Jéhu.* → **Troupe.**

[b] (V. 1650). *La Compagnie de Jésus :* les Jésuites, leur organisation. → **Jésuite.** — Absolt. *Un membre influent de la Compagnie.*

[c] Unité de formation d'infanterie placée sous les ordres d'un capitaine (appelé *commandant de compagnie). Les compagnies d'un bataillon, d'un escadron, d'un régiment. Compagnie d'accompagnement. Compagnie hors-rang. Les sections d'une compagnie.* — Ancienmt (jusqu'en 1910). *Compagnies de discipline,* où étaient incorporés ceux qui, dans leur vie militaire, avaient encouru une condamnation (remplacées en 1910 par des sections spéciales, jusqu'en 1975). → **Bataillon** (bataillons d'Afrique ; **Bat' d'Af**) ; **biribi, joyeux.**

13   Autrement dit son colonel de ce temps-là déplore de n'avoir pas pu l'envoyer aux compagnies de discipline.

J. ROMAINS, *les Hommes de bonne volonté*, t. II, XIV, p. 147.

14   Non (...) mais il y a, en ce moment, deux compagnies de la quatrième qui doivent relever les deux autres compagnies.

P. MAC ORLAN, *la Bandera*, XX, p. 252.

(1945). *Compagnies républicaines de sécurité* (C. R. S.) : formations mobiles de police, chargées d'assurer l'ordre public.

♦ 5 (1559). Groupe d'animaux de même espèce, qui vivent en colonie. *Compagnie de cerfs, de bêtes fauves.* → **Harde.** — *Bête de compagnie :* jeune sanglier qui ne quitte pas encore sa mère (→ aussi ci-dessus, 1., *animal de compagnie,* dans un autre sens).

— Fig. et fam. (vieilli). Se dit plaisamment d'une personne qui n'aime pas à rester ni à agir seule.

15   Le café est tout à fait disgracié ; le chevalier croit qu'il l'échauffe (...) et moi en même temps, bête de compagnie, comme vous me connaissez, je n'en prends plus (...)

Mᵐᵉ DE SÉVIGNÉ, 1079, 1ᵉʳ nov. 1688.

16   Vous savez que les perdreaux vont par bandes et nichent ensemble au creux des sillons (...) Notre compagnie à nous *(c'est un perdreau qui parle)* est gaie et nombreuse, établie en pleine sur la lisière d'un grand bois, ayant du butin et de beaux abris de deux côtés.

Alphonse DAUDET, *Contes du lundi*, II, «Les émotions d'un perdreau rouge».

CONTR. Absence, isolement, solitude.

COMPAGNON [kɔ̃paɲ5] n. m. — 1080, *cumpainz* ; lat. pop. **companio, -onis* «qui mange son pain *(panis)* avec *(cum)*». → Copain.

♦ 1 (Vieilli ou littér.). Homme, garçon qui partage habituellement ou occasionnellement la vie, les occupations d'autres personnes, par rapport à elles. → **Camarade, copain.** *Compagnon de table* (→ **Commensal**), *de chambrée* (→ Pousser, cit. 64), *d'études* (→ **Condisciple**), *de jeu* (→ **Partenaire**), *de travail* (→ **Collègue**), *d'exil. Compagnon d'armes. Les Compagnons de la Libération.*

1   Mieux vaut vivre à deux que solitaire ; il y a pour les deux un bon salaire dans leur travail ; car s'ils tombent, l'un peut relever son compagnon. Mais malheur à celui qui est seul, et qui tombe sans avoir un second pour le relever !

BIBLE (CRAMPON), l'Ecclésiaste, IV, 9-10.

2   Nourris ensemble, et compagnons d'école.

LA FONTAINE, *Fables*, X, 11.

3   On peut trouver un compagnon, mais non pas un ami fidèle.   LOTI, *Aziyadé, Solitude*, XXIII, p. 64.

Polit. *Compagnon de route (d'un parti) :* sympathisant actif. *Les compagnons de route du Parti communiste.*

Vieilli. *Un joyeux, un franc compagnon :* un homme plein d'entrain. → **Gaillard.** *Un hardi compagnon :* un homme audacieux et énergique.

De pair à compagnon : sur un pied d'égalité.

4   Rien n'égalise comme l'épée. Sous l'ancienne monarchie, les rois anoblissaient les hommes qui leur apprenaient à la tenir (...) Ces gentilshommes de province qui sentaient encore à plein nez leur monarchie, furent en peu de temps de pair à compagnon avec le vieux prévôt *(d'armes),* comme s'il eût été l'un des leurs.

BARBEY D'AUREVILLY, *les Diaboliques,* «Le bonheur dans le crime».

5   (...) ce franciscain que ses compagnons laissèrent un jour, seul dans le couvent.

HUYSMANS, *En route,* II, p. 162.

Spécialt. Celui qui accompagne* qqn dans un déplacement. *Compagnon de voyage.*

♦ 2 (1568). *Compagnon de...* (et nom psychologique) : celui qui partage les sentiments, l'idéal d'une autre personne, qui a subi les mêmes épreuves. → **Ami ; compagne.** *Compagnon, frère d'infortune.*

6   (...) il n'apercevait même plus ces compagnons de peine, ni les chômeurs que la mi-août n'épargnait pas.

Joseph PEYRÉ, *Matterhorn,* p. 175, *in* T.L.F.

(V. 1535 ; choses désignables par un n. m. ; → aussi Compagne). Ce qui va de pair avec (qqch.) ; ce qui est la consolation de (qqn).

7   Mes livres, les compagnons de ma vie.

MICHELET, *l'Oiseau,* Préf., p. XXV.

♦ 3 Vieilli. Mari ; amant (*compagne,* 2., reste plus vivant dans ce sens, sauf quand il s'agit d'un couple homosexuel masculin).

♦ 4 (1691). Littér. Le mâle, dans un couple d'animaux. *Il faut un compagnon à cet oiseau.*

♦ **5** (1455). Ancienn. Celui qui n'était plus apprenti («aspirant») et n'était pas, ou pas encore, maître. → **Artisan;** et aussi **alloué** (1.). *Les Compagnons du Tour de France* (titre d'un roman de George Sand). *Aspirant reçu compagnon après avoir présenté son chef-d'œuvre*. Boucles d'oreilles des anciens compagnons.* → **Joint.** *Cérémonie d'adieu à un compagnon quittant une ville du Tour de France.* → **Conduite.** *Compagnons du Devoir.* → 2. **Devoir,** III.

8 Mon oncle Joseph (...) est un paysan qui s'est fait ouvrier (...) Il est compagnon du devoir, il a une grande canne avec de longs rubans, et il m'emmène quelquefois chez la Mère des menuisiers *(l'hôtesse qui héberge les compagnons).*
J. VALLÈS, Jacques Vingtras *(L'Enfant),* 1879; S.l.n.d., p. 18.

9 Tous ces artisans qui franchissent, s'ils valent, les trois degrés d'apprentis, de compagnons, de maîtres, s'affinent dans leurs états, se muent en de véritables artistes.
HUYSMANS, Là-bas, VIII, p. 120.

10 (...) ces règlements de corporations qui exigeaient du *compagnon,* anxieux de devenir *maître,* l'épreuve d'un ouvrage dans lequel toutes les difficultés fussent affrontées et surmontées, toutes les conventions satisfaites, et qui pût enfin prendre place parmi les modèles de l'art.
VALÉRY, Regards sur le monde actuel, Les lettres françaises, p. 279.

Mod. Ouvrier qualifié, dans certaines professions artisanales.

Titre correspondant au deuxième degré de dignité dans la franc-maçonnerie.

♦ **6** Scout âgé de 18 à 21 ans, engagé dans un projet à but humanitaire.

DÉR. Compagnonnage, compagnonne, compagnonnique. — V. aussi les dérivés de *compain* (autrefois cas sujet de *compagnon*) accompagner, compagne, copain.

COMPAGNONNAGE [kɔ̃paɲɔnaʒ] n. m. — 1719; de *compagnon.*

♦ **1** Forme d'organisation ouvrière caractérisée par des sociétés d'aide mutuelle et de formation professionnelle dont les membres qualifiés se considèrent comme «compagnons» (et se désignent eux-mêmes par cette appellation). *Le compagnonnage, très vivant sous l'Ancien Régime, perpétue encore aujourd'hui ses traditions. Le musée du Compagnonnage de Tours. Le compagnonnage trouve son origine dans les métiers du bâtiment* (tailleurs de pierre, charpentiers, maçons, etc.).

Ancienn. Qualité de compagnon (5.). Temps du stage qu'un compagnon devait faire chez un maître.

♦ **2** Vieilli. (Souvent péj.). Relations de compagnons, entre deux ou plusieurs personnes. → **Copinage.** *Faire sa carrière grâce au compagnonnage.*

COMPAGNONNE [kɔ̃paɲɔn] n. f. — Fin XVIᵉ, G. Bouchet, «compagne», repris XIXᵉ; de *compagnon.*

Vx et plais. Compagne. — Femme masculine (cf. Balzac, *in* T. L. F.). → **Virago.**

COMPAGNONNIQUE [kɔ̃paɲɔnik] adj. — Déb. XXᵉ; de *compagnon.*

Didact. Relatif aux associations de compagnons, au compagnonnage (1.).
— La fête des Moteurs pourrait être la Saint-Eloi ou la Sainte-Barbe, car nous sommes ouvriers du métal mais aussi du feu. Personne n'a songé à reconstituer l'assemblée compagnonnique sous le patronage du saint du métier.
Pierre HAMP, la Peine des hommes (Moteurs), p. 186.

COMPARABILITÉ [kɔ̃paʀabilite] n. f. — 1832; de *comparable.*

Didact. Caractère de ce qui est comparable.
(...) l'observation des prix doit s'efforcer d'assurer la comparabilité des résultats dans le temps, par le maintien des conditions d'enquêtes sur la période la plus longue possible, tout en s'adaptant à l'évolution des comportements et des techniques.
A. MARC, l'Évolution des prix, p. 36.

COMPARABLE [kɔ̃paʀabl] adj. — Fin XIIᵉ; lat. *comparabilis,* de *comparare.* → Comparer.

(Construit avec *à* ou *avec*). Qui peut être comparé (avec qqn ou qqch.). → **Analogue, approchant, assimilable.** *Exactement comparable à...* → **Égal, semblable.** *Comparable aux grands hommes de l'Antiquité. Rien de comparable avec... Rien n'est comparable à...* (→ Agilité, cit. 4). *Il ne vous est pas comparable. Personnes, choses comparables, comparables entre elles. Ce n'est pas comparable.*

1 On te voyait dès lors, à toi seul comparable, Faire éclater partout ta conduite adorable.
CORNEILLE, Poésies diverses, 61.

2 Les biens les plus charmants n'ont rien de comparable Aux torrents de plaisirs qu'il répand dans son cœur.
RACINE, Esther, III, 9.

3 (...) la distance qui les sépare du génie est comparable aux espaces qui s'étendent entre les pâturages alpestres et les glaciers.
J. ROMAINS, les Hommes de bonne volonté, t. IV, XXII, p. 246.

Math. *Grandeurs comparables :* grandeurs de même espèce entre lesquelles on peut établir un rapport par comparaison. — *Grandeurs comparables par rapport à une unité.* → **Commensurable.**

CONTR. Incomparable. ◊ **DÉR.** Comparabilité.

COMPARAISON [kɔ̃paʀɛzɔ̃] n. f. — V. 1174, *comparisun;* lat. *comparatio,* du supin de *comparare.* → Comparer.

♦ **1** Fait d'envisager ensemble (deux ou plusieurs objets de pensée) pour (en) chercher les différences ou les ressemblances. → **Comparer; analyse, jugement, rapprochement.** *Faire des comparaisons injustes, blessantes. Établir une comparaison entre deux, plusieurs choses. Faire la, une comparaison de deux choses, entre deux choses. Juger par comparaison.* → **Comparativement.** — *Mettre une chose en comparaison avec une autre.* → **Balance, parallèle, regard.** *Tel projet ne peut entrer en comparaison avec tel autre. — Il n'y a pas de comparaison possible. Soutenir la comparaison. — ... de comparaison. Choisir un terme de comparaison.* → **Mesure** (commune mesure), **modèle, parangon.** *Élément, échelle de comparaison.* → **Critère, échelle, niveau, pied, rapport.** *Éléments de comparaison.* → **Analogie, différence, rapport, relation, ressemblance.** — *Comparaison de textes, d'écritures.* → **Collation, collationnement, confrontation, recension.**

1 Comme nous ne connaissons rien que par comparaison, dès que tout rapport nous manque, et qu'aucune *analogie* ne se présente, toute lumière fuit.
BUFFON, *in* LAFAYE, Dict. des synonymes, p. 340.

2 Par la *comparaison,* je remue les objets, je les transporte pour ainsi dire, je les pose l'un sur l'autre pour prononcer sur leur différence ou sur leur *similitude.*
ROUSSEAU, *in* LAFAYE, Dict. des synonymes, p. 948.

3 (...) elle avait l'esprit qui observe, qui fait des comparaisons, des remarques, des essais, et cela c'est un don de nature, on ne peut pas le nier.
G. SAND, la Petite Fadette, XXVI, p. 174.

4 La *comparaison* est faite par l'esprit, qui réunit les traits de ressemblance sous un même point de vue.
LAFAYE, Dict. des synonymes, Similitude, comparaison.

5   (...) subir l'épreuve des comparaisons, affronter la critique,
la jalousie, la concurrence, la raillerie et le dédain.
                    VALÉRY, Regards sur le monde actuel, p. 152.

Loc. prov. *Toutes comparaisons* (de personnes) *sont
odieuses.*

Gramm. *Adverbes de comparaison,* qui indiquent
un rapport de supériorité, d'égalité ou d'infériorité
(ex. : ainsi, autant, comme, même, de même que,
moins, plus). — *Degrés de comparaison.* → Comparatif, positif, superlatif. *Comparaison d'égalité, de
supériorité, d'infériorité.*

♦ 2 Loc. *En comparaison de... :* si l'on compare
avec... → Auprès, côté (à), égard (à l'), prix (au), proportion (en), rapport (par), regard (en), relativement,
vis-à-vis. — REM. La langue classique utilise la locution *à
comparaison de.*

6   (...) le peu que j'ai appris jusqu'ici n'est presque rien, à
comparaison de ce que j'ignore et que je ne désespère pas
de pouvoir apprendre (...)
                    DESCARTES, Discours de la méthode, VI.

7   (...) nous étions des géants en comparaison de la société
(...) qui s'est engendrée.
                    CHATEAUBRIAND, Mémoires d'outre-tombe, t. IV,
                                                          p. 93.

Absolument :

8   *(C'est une aventure)* À faire perdre la raison,
Et tous les maux de la nature
Ne sont rien en comparaison.
                    MOLIÈRE, Psyché, I, 1.

*Par comparaison à... Pour lui, c'est la misère, par
comparaison à sa richesse passée.* — Absolt. *La plupart des choses ne sont bonnes ou mauvaises que
par comparaison.*

9   On est parfait par comparaison aux états inférieurs.
                    BOSSUET, Oraisons, VI.

*Sans comparaison, hors de comparaison. C'est sans
comparaison :* c'est excellent, sans pareil, supérieur. *Préférer sans comparaison un lieu à un autre,*
le préférer de beaucoup, infiniment ; sans hésitation.

10 J'aime bien mieux, sans comparaison, être ici.
                    Mᵐᵉ DE SÉVIGNÉ, 583.

♦ 3 Rapport établi entre un objet et un autre
terme, dans le langage. → Allusion, image, métaphore. *Certaines comparaisons soulignent les différences, les oppositions.* → Antithèse, contraste. *Comparaison juste, ingénieuse, poétique.* — *Le premier,
le second membre d'une comparaison. Parler par
comparaison. «Beau comme le jour», «riche comme
Crésus», «gai comme un pinson», «prompt comme
l'éclair», «bavard comme une pie» sont des comparaisons.* → Comme. *Comparaisons et métaphores**
(cit. 1 et 5), *en rhétorique.*

11 Or, par comparaison (car la comparaison
Nous fait distinctement comprendre une raison,
Et nous aimons bien mieux, nous autres gens d'étude,
Une comparaison qu'une similitude,
Par comparaison donc (...)
                    MOLIÈRE, le Dépit amoureux, IV, 2.

12 La métaphore ou la comparaison emprunte d'une chose
étrangère une image sensible et naturelle d'une vérité.
                    LA BRUYÈRE, les Caractères, I, 55.

13 Elle lui sauta aux yeux, furieuse comme une lionne à qui
on a ravi ses petits (j'ai peur que la comparaison ne soit
ici trop magnifique).
                    SCARRON, le Roman comique, II, VII, p. 192.

14 Le papillon se brûle à la chandelle, continua le prince,
comparaison vieille comme le monde.
                    STENDHAL, le Rouge et le Noir, II, 24, p. 393.

15 Comme toute comparaison originale doit forcément, à la
longue, se banaliser, n'en jamais faire.
                    J. RENARD, Journal, 10 mars 1894.

16 Au terme actuel des recherches poétiques il ne saurait être
fait grand état de la distinction purement formelle qui a

pu être établie entre la métaphore et la comparaison. Il
reste que l'une et l'autre constituent le véhicule interchangeable de la pensée analogique et que si la première offre
des ressources de fulgurance, la seconde (qu'on en juge
par les «beaux comme» de Lautréamont) présente de considérables avantages de *suspension.* Il est bien entendu
qu'auprès de celles-ci les autres figures que persiste à énumérer la rhétorique sont absolument dépourvues d'intérêt.
                    André BRETON, Signe ascendant, p. 10.

Prov. *Comparaison n'est pas raison :* une comparaison n'est pas un argument, elle ne prouve rien.

COMPARAÎTRE [kɔ̃paʀɛtʀ] v. intr. [CONJUG.: *paraître.*]
— 1437; de l'anc. v. *comparoir**, lat. jurid. *comparere,*
refait d'après *paraître.*

♦ 1 Dr. Se présenter par ordre. → Comparoir. *Comparaître en jugement, en justice. Comparaître personnellement, en personne. Comparaître par avoué.
Comparaître devant un juge.* → Comparant, comparution. *Exploit d'huissier appelant une personne
à comparaître comme défendeur, comme témoin.*
→ Assignation, citation. *Ordre de faire comparaître.*
→ Mandat. *Faute, refus de comparaître.* → Défaut.

1   Quelques autres (...) ont payé l'amende pour n'avoir pas
comparu à une cause appelée.
                    LA BRUYÈRE, les Caractères de Théophraste,
                                          «Débit des nouvelles».

2   Un citoyen du Mans, chapon de son métier,
Était sommé de comparaître
Par-devant les lares du maître,
Au pied d'un tribunal nous nommons foyer.
                    LA FONTAINE, Fables, VIII, 21.

3   Dans les cas où les parties intéressées ne seront point
obligées de comparaître en personne, elles pourront se
faire représenter par un fondé de procuration spéciale et
authentique.   Code civil, art. 36.

Par anal. *Comparaître devant le tribunal de Dieu.*

4   Regarde avec quel front tu pourras comparaître
Devant le tribunal de ton souverain maître.
                    CORNEILLE, l'Imitation de J.-C.

5   Je suis d'avance pénétré de confusion à la pensée d'avoir
un jour à comparaître devant le Tribunal suprême.
                    MARTIN DU GARD, les Thibault, t. IV, p. 227.

♦ 2 Fig. Se présenter, se montrer.

6   Dans cette collection, ou plutôt dans cette vaste composition (...) Holbein a fait comparaître les souverains, les
pontifes, les amants, les joueurs, les ivrognes (...) tout le
monde de son temps et du nôtre (...)
                    G. SAND, la Mare au diable, I, p. 10.

CONTR. Défaut (faire défaut). ◊ DÉR. et COMP. Comparution.
Recomparaître.

COMPARANT, ANTE [kɔ̃paʀɑ̃, ɑ̃t] adj. et n. — V.
1390; du p. prés. de *comparoir.*

Dr. Qui comparaît en justice, devant un officier de
l'état civil ou un officier ministériel. *Parties com-
parantes.* — N. *Déclaration du comparant.*

Les officiers de l'état civil ne pourront rien insérer dans
les actes qu'ils recevront (...) que ce qui doit être déclaré
par les comparants.   Code civil, art. 35.

CONTR. Contumax, défaillant, non-comparant. ◊ COMP.
Non-comparant. ← HOM. Comparant (p. prés. de *comparer*).

COMPARATEUR, TRICE [kɔ̃paʀatœʀ, tʀis] n. m. et
adj. — 1836, → cit.; de *comparer.*

♦ 1 N. m. Didact., techn. Instrument destiné à
mesurer avec précision de très petites différences
de longueur, et, spécialt, la différence de longueur
de règles sensiblement égales.

Lorsqu'on a pour objet d'apprécier la différence de deux
longueurs qui passent pour être égales, de deux mètres
étalons, par exemple, on peut employer le *Comparateur,*
dont la précision est beaucoup plus grande que celle du
vernier. La pièce principale de cet instrument est un levier
coudé à branches inégales, dont la position est horizontale,

et qui est mobile sans aucun ballottement autour d'un axe vertical.

> G. LAMÉ, Cours de physique, Bachelier,
> p. 10-11 (1836).

♦ **2** Adj. Rare. Qui aime à comparer. *Esprit compa-rateur.*

COMP. Monocomparateur, stéréocomparateur.

COMPARATIF, IVE [kɔ̃paʀatif, iv] adj. et n. m. — 1290; lat. *comparativus,* du supin de *comparare.* → Comparer.

Qui contient ou établit une comparaison*. *Tableau comparatif. État comparatif des forces militaires de deux nations. Degré, état comparatif.* → **Diapason, niveau.** *Méthode, étude comparative. Anatomie comparative :* anatomie comparée.

Gramm. *La forme comparative,* et, n. m., *le comparatif,* exprime le second degré dans la signi-fication des adjectifs. *Comparatif de supériorité* (→ **Plus**), *d'égalité* (→ **Aussi**), *d'infériorité* (→ **Moins**), qui exprime une idée de supériorité, d'égalité ou d'infériorité par rapport au positif. — *Adjectifs, adverbes comparatifs* ou *de comparaison.* — *Adjectif au comparatif.*

1 Il ne reste en réalité que trois formes de comparatif : *meilleur, pire,* et *moindre,* auxquels il faut ajouter les anciens neutres *mieux, pis et moins (...)*
> F. BRUNOT, la Pensée et la Langue, XIX, II, v, p. 728.

2 (...) la langue moderne a emprunté des formes compara-tives, telles que *ultérieur.* Ce sont : *a) extérieur, intérieur, supérieur, inférieur, citérieur; b) antérieur, postérieur. Les premiers de ces adjectifs avaient originairement rapport au lieu, les seconds au temps.*
> F. BRUNOT, la Pensée et la Langue, XIX, II, v, p. 729.

DÉR. Comparativement.

COMPARATISME [kɔ̃paʀatism] n. m. — Av. 1957, *in* T. L. F.; de *comparer.*

Didact. Ensemble des études comparées. — Spécialt. Aspect comparatiste des études littéraires.

Le comparatisme, en écrivant l'histoire des relations lit-téraires internationales, montre qu'aucune littérature n'a jamais pu s'isoler sans s'étioler (...)
> M.-F. GUYARD, la Littérature comparée, p. 122.

COMPARATISTE [kɔ̃paʀatist] adj. et n. — V. 1900 (→ cit. 1); de *comparer.*

Didactique.

I Adj. ♦ **1** Relatif aux études comparées, en quelque domaine que ce soit.

1 Ce livre (*l'Abrégé de grammaire comparée... de Schleicher*) [...] évoque mieux qu'aucun autre la physionomie de cette école comparatiste, qui constitue la première période de la linguistique indo-européenne.
> F. DE SAUSSURE, Cours de linguistique générale,
> Introduction, p. 16.

Qui concerne l'étude des rapports entre plusieurs objets. *«Les perspectives comparatistes et psychogé-nétiques»* (J. Piaget).

♦ **2** Relatif à la littérature comparée. *«Certaines carences de la recherche comparatiste et même de l'histoire littéraire en général* (au XIXᵉ s.)*»* (M.-F. Guyard, *la Littérature comparée,* p. 30). *Les méthodes comparatistes.*

II N. Personne qui se spécialise dans l'étude d'une science comparée (langue, littérature).

2 La littérature comparée (...) c'est l'histoire des relations lit-téraires internationales. Le comparatiste se tient aux fron-tières, linguistiques ou nationales, et surveille les échanges de thèmes, d'idées, de livres ou de sentiments entre deux ou plusieurs littératures.
> M.-F. GUYARD, la Littérature comparée, p. 12.

COMPARATIVEMENT [kɔ̃paʀativmɑ̃] adv. — 1556; de *comparatif.*

Par comparaison. *Ce n'est bon que comparative-ment. Comparativement à autre chose.*

COMPARER [kɔ̃paʀe] v. tr. — Fin XIIᵉ; *cumparer,* v. 1120; lat. *comparare,* de *compar* «égal, pareil» (→ Pareil).

♦ **1** Examiner les rapports de ressemblance et de différence. → **Confronter, rapprocher; comparaison.** — REM. On dira dans ce sens *comparer à* et, surtout, *comparer avec. Comparer un écrivain avec un autre, à un autre. Comparer plusieurs artistes entre eux. Comparer deux choses ensemble. Comparer une copie avec l'original. Comparer des objets avec le modèle, le type.* → **Échantillonner.** *Comparer pour critiquer, juger, pour connaître les caractéristiques.* → **Analyser, évaluer, mesurer.** *Comparer les résultats de deux essais, de deux expériences. Comparer deux textes, deux écritures.* → **Collationner, confronter, vidimer.**

1 Il faut des châtiments dont l'univers frémisse; Qu'on tremble en comparant l'offense et le supplice.
> RACINE, Esther, II, 1.

2 Si je compare ensemble les deux conditions des hommes les plus opposées, je veux dire les grands avec le peuple (...)
> LA BRUYÈRE, les Caractères, IX, 25.

3 Les nuances de sens ou d'emploi qui distinguent les syno-nymes les uns des autres apparaissent bien plus claire-ment quand on les oppose et les compare que quand on se borne à les définir isolément.
> G. PARIS, Extrait du Journal des savants,
> oct.-nov. 1890, Compte rendu du Dict. général.

Absolt. *En comparant, nous étendons nos idées. Vous avez entendu les deux témoignages, comparez. Com-parer avant de choisir.*

♦ **2** Rapprocher en vue d'assimiler; mettre en parallèle. *Comparer à, avec. Ces choses ne sau-raient se comparer.*

4 Ne te compare point aux autres, mais à moi.
> PASCAL, Pensées, VII, 555.

5 Ils ont tous deux l'audace de vouloir comparer leurs pro-fessions à la mienne.
> MOLIÈRE, le Bourgeois gentilhomme, II, 3.

6 Quelque douleur que puissent causer les passions, il ne faut pas comparer les chagrins de la vie avec ceux de la mort.
> A. DE MUSSET,
> la Confession d'un enfant du siècle, p. 169.

7 Je l'ai comparé *(Flaubert)* à Corneille, et ici la ressemblance s'affirme encore. C'était le même esprit épique auquel les papotages et les fines nuances échappaient (...)
> ZOLA, Roman naturaliste, p. 185.

8 Leur courage, comme leur dévouement, pouvaient se com-parer au courage et au dévouement des légionnaires sous le feu (...) P. MAC ORLAN, la Bandera, VI, p. 74.

9 Les médecins ont montré que leur profession ne pouvait et ne devait se comparer avec nulle autre.
> G. DUHAMEL, Paroles d'un médecin,
> p. 38 (*in* HANSE).

♦ **3** Rapprocher des personnes ou des choses de nature ou d'espèce différente, dans une compa-raison (3.). *Comparer la vie à une aventure.*

10 (...) je compare cette soirée, ce ciel, ce paysage, éteints et cependant harmonieux et complets, à l'âme d'un paysan religieux et sage qui travaille et profite de son labeur (...)
> G. SAND, François le Champi, Avant-propos, p. 8.

11 Il compara, pour finir, les gens qui avaient des chevaux de course qui ne servent à rien, à vrai dire, mais qui sont la gloire de la race chevaline.
> MAUPASSANT, Fort comme la mort, p. 78.

♦ **COMPARÉ, ÉE** p. p. adj. *Les interprétations, les ver-sions comparées d'une même chanson.* — Spécialt. Qui étudie les rapports entre plusieurs objets d'étude (→ **Comparatiste**). *Anatomie comparée* (des espèces différentes). *Grammaire comparée,* étudiant les rapports entre langues. — (1806, *in* D.D.L.). *Littérature comparée,* étudiant les influences, les échanges entre littératures. — N. f. (Fam.) *Faire de la comparée.*

DÉR. **Comparateur, comparatisme, comparatiste.** V. **Comparatif.**

COMPAROIR [kɔ̃paRwaR] v. intr. (usité seulement à l'inf. et au p. prés. ; → Comparant). — XIIIᵉ ; lat. jurid. *comparere.* → Comparaître.

Vx. (Dr.). Comparaître en justice. *Assignation à comparoir.*

1 Et le juge signa deux de ces citations formidables qui troublent tout le monde, même les plus innocents témoins que la justice mande ainsi à comparoir sous de peines graves, faute d'obéir.
BALZAC, Splendeurs et Misères des courtisanes, Pl., t. V, p. 950.

2 Le 30 mars (...) je reçois une citation à comparoir comme prévenu d'une tentative de meurtre pour un coup de chapeau ! Comment trouvez-vous ça ?
E. LABICHE, Un monsieur qui prend la mouche, 4.

DÉR. **Comparant.**

COMPARSE [kɔ̃paRs] n. — 1798 ; n. f., «action de figurer dans un carrousel», 1669 ; ital. *comparsa* «personnage muet», proprt «apparition», p. p. de *comparire* «apparaître», du lat. *comparere* «apparaître». → Comparoir.

♦ **1** Techn. (théâtre). Acteur, actrice qui remplit un rôle muet. → **Figurant.**

♦ **2** Cour. Personnage dont le rôle est secondaire, parfois insignifiant. *Ce n'est qu'un comparse. Jouer le rôle de comparse, un rôle de comparse. Le protagoniste et les comparses.*

1 Chaque fois qu'un des postes importants du ministère venait d'être confié à un jurisconsulte de talent ou simplement à un sage, comme il ne fallait auprès de cette lumière qu'un comparse, Basquettot s'imposait.
GIRAUDOUX, Bella, IV, p. 98.

REM. *Comparse* est le plus souvent employé en référence à une situation particulière (activité collective, etc.) : *le comparse de qqn,* etc. En emploi absolu, le mot correspond à «personne effacée, sans personnalité».

2 Le drame de Laura, c'est d'avoir épousé un comparse.
GIDE, les Faux-monnayeurs, III, X, p. 399.

COMPARTIMENT [kɔ̃paRtimɑ̃] n. m. — 1546, Rabelais ; ital. *compartimento,* de *compartire* «partager», de *com-,* et *partire.* → Répartir.

♦ **1** (1749). Division pratiquée dans un espace pour loger des personnes ou des choses en les séparant. → **Case.** *Meuble formé d'un ensemble de compartiments.* → **Casier, classeur.** *Coffre, tiroir à compartiments. Boîte à compartiments des imprimeurs.* → **Casse.** *Petit compartiment individuel.* → **Cellule, loge.** *Compartiment d'un gâteau de cire.* → **Alvéole.** *Les compartiments d'un garage, d'une salle.* → **Box, stalle.**

(1855). Division d'une voiture de chemin de fer (voyageurs), délimitée par des cloisons. *S'installer dans un coin du compartiment. Compartiment réservé. Compartiment de fumeurs, pour non-fumeurs. Compartiment de première, deuxième classe. Les compartiments et le couloir. Voitures sans compartiments.*

1 Mettez-vous à l'affût dans un compartiment de troisième, si vous voulez surprendre l'âme d'un pays (...)
G. DUHAMEL, Récits des temps de guerre, t. II, IV, p. 68.

2 Les voyageurs évacuaient le couloir, s'entassaient dans les compartiments.
MARTIN DU GARD, les Thibault, t. IV, p. 116.

Mar. Cellule intérieure d'un navire. *Compartiment hermétiquement fermé. Compartiment étanche,* fermé par des cloisons étanches. — *Le compartiment des chaudières.* → **Chambre** (de chauffe*).

(Bourse). Abstrait. Groupe de valeurs de bourse dont les cours obéissent à des mouvements similaires.

2.1 Mais la Bourse est le grand moteur. J'ai remarqué que les cuprifères entraînent les autres compartiments. Je fais la Tharsis. Le Rio, ce n'est pas pour moi.
J. ROMAINS, Donogoo, I, II, p. 70 (1929).

Biol. *Compartiment cellulaire :* ensemble de cellules du même type, dans un système complexe et évolutif. *Compartiments des cellules-souches du sang.*

♦ **2** Par métaphore ou fig. Rare. *Les compartiments du cœur.* → **Pli, recoin.** *Classer des idées par compartiments.* → **Catégorie.**

♦ **3** Subdivision d'une surface (par des figures régulières). *Les compartiments d'un damier, d'un échiquier. Parterre de jardin à compartiments.* → **Carré.** *Les compartiments d'un plafond.* → **Caisson.**

3 (...) c'était une broderie de diamants fort gros, qui suivait les compartiments d'un velouté noir, sur un fond de couleur de paille.   Mᵐᵉ DE SÉVIGNÉ, 772, 17 janv. 1680.

4 Ils furent éblouis par la splendeur du plafond, divisé en compartiments octogones, rehaussé d'or et d'argent (...)
FLAUBERT, l'Éducation sentimentale, III, I, p. 352.

Compartiment de terrain : portion de terrain nettement délimitée.

5 La géographie de cette Méditerranée, où s'est formé l'esprit latin, porte à l'individualisme, à l'esprit social s'y limite au clan. Il s'agit d'une géographie de compartiments : petites plaines isolées, très vite limitées et encadrées par la montagne toujours proche.
André SIEGFRIED, l'Âme des peuples, II, II, p. 35.

♦ **4** (1884). Techn. Ornement fait de dorures à petits fers qui se mettent sur le plat ou sur le dos des livres. *Reliure à compartiments et à mosaïque.*

DÉR. **Compartimenter.**

COMPARTIMENTAGE [kɔ̃paRtimɑ̃taʒ] n. m. ou **COMPARTIMENTATION** [kɔ̃paRtimɑ̃tasjɔ̃] n. f. — 1892, *compartimentage ; compartimentation,* 1935 ; de *compartimenter.*

♦ **1** Division par compartiments. → **Cloisonnement.** Action de compartimenter. *Le compartimentage d'un navire.*

♦ **2** Fig. Séparation, isolement dans un ensemble.

1 Durant les années qui suivirent immédiatement le 11 novembre 1918, les nationalités étaient suffisamment mélangées et le compartimentage social assez atténué (...)
Michel LEIRIS, l'Âge d'homme, p. 187.

2 L'engagement affectif, le refus des compartimentations protectrices, la responsabilité, l'amour, tout cela n'engage que lui (*C. Rogers*) et cependant est ressenti comme un appel, d'autant plus redoutable qu'il ne nous est pas fait aucune violence.
M. PAGÈS, *in* C. ROGERS, le Développement de la personne, Préface, p. 11.

COMPARTIMENTER [kɔ̃paRtimɑ̃te] v. tr. — 1892 ; de *compartiment.*

♦ **1** Diviser en compartiments. *Compartimenter un navire de guerre,* le doter de cellules aux cloisons hermétiques. — Au p. p. *Une armoire compartimentée.*

♦ **2** (Abstrait). Diviser par classes, par catégories distinctes. *L'auteur a soigneusement compartimenté les questions.* → **Cloisonner, séparer.** — Au p. p. (plus cour.). *Une société très compartimentée.*

DÉR. **Compartimentage** ou **compartimentation.**

COMPARUTION [kɔ̃paʀysjɔ̃] n. f. — 1453, *comparucion*; de *comparu*, p. p. de *comparaître*.

Dr. Action de comparaître*. *Mandat de comparution. La comparution du prévenu. Comparution personnelle devant un juge, un tribunal, pour répondre d'une accusation. En cas de non-comparution.*
→ **Défaut.**

COMPAS [kɔ̃pa] n. m. — XIIᵉ, «mesure, règle»; de *compasser.*

♦ **1** Instrument composé de deux éléments rectilignes (jambes ou branches) joints par une charnière et que l'on écarte plus ou moins pour mesurer des angles, transporter des longueurs, tracer des circonférences. *Compas à pointes sèches. Compas porte-crayon. Compas tire-lignes. Compas à balustre*, à pièces de rechange.* → **Rallonge.** *Compas quart de cercle. Compas d'épaisseur* ou *compas sphérique* (→ **Maître-à-danser**), *dont les branches courbes servent à mesurer des épaisseurs, des calibres. Compas d'ellipse,* qui décrit cette courbe. *Compas de proportion,* dont les branches sont de petites règles divisées. *Compas de réduction,* pour tracer des figures proportionnelles au moyen de branches divisées et coulissant l'une sur l'autre. *Tourner, ouvrir, fermer le compas. Ouverture de compas. Décrire, tracer au compas un cercle, une circonférence.*

1 La pensée est semblable au compas qui perce le point sur lequel il tourne, quoique sa seconde branche décrive un cercle éloigné.
A. DE VIGNY, Journal d'un poète, p. 40.

1.1 À la lueur du foyer, *(Cyrus Smith)* tailla deux petites règles plates qu'il réunit l'une à l'autre par une de leurs extrémités, de manière à former une sorte de compas dont les branches pouvaient s'écarter ou se rapprocher. Le point d'attache était fixé au moyen d'une forte épine d'acacia (...)
J. VERNE, l'Île mystérieuse, 1874, t. I, p. 173.

(1676). Techn. Instrument analogue, servant à prendre des mesures. *Compas de charpentier, de menuisier, de tonnelier. Compas de chapelier, de cordonnier.*

Loc. fig. *Faire tout par règle et par compas* ou *par compas et par mesure,* avec circonspection, exactitude et minutie.

Avoir le compas dans l'œil : juger à vue d'œil, avec une grande précision.

2 Il avait le compas dans l'œil pour la justesse, les proportions, la symétrie. SAINT-SIMON, Mémoires, XII, 9.

Vieilli. *Avoir un bon compas,* une large enjambée. *Allonger, écarter le compas :* allonger le pas. → **Hâter.** *Les jambes en compas,* écartées (→ Appui, cit. 1).

3 Ses jambes, droites, menues et même assez longues, l'auraient agrandi si elles eussent été verticales; mais elles posaient de biais comme celles d'un compas très ouvert. ROUSSEAU, les Confessions, IV.

(1879). Fam. *Le compas, les compas :* les jambes. → **Jambe.**

3.1 Ils virent d'assez loin un homme qui marchait devant eux et que peu à peu ils rattrapèrent. C'était un piéton bien équipé (...) On pouvait lui donner dans les soixante ans mais il ouvrait solidement ses compas comme le juif errant en personne.
J. GIONO, le Hussard sur le toit, p. 332.

♦ **2** Loc. fig. *Ouverture de compas :* ouverture d'esprit, largeur de vue.

3.2 J'aime mieux la Correspondance de Voltaire. L'ouverture du compas y est autrement large !
FLAUBERT, Correspondance, 1876, éd. Conard, p. 384.

♦ **3** ⓐ (1575). Instrument indiquant la direction du Nord magnétique (rare en emploi absolu dans ce sens général, qui inclut *boussole*; → ci-dessous, cit. 5).

ⓑ Spécialt, techn. (opposé à *boussole*; plus courant dans ce sens restreint). Mar. (et aviat.). Instrument de navigation indiquant la direction du Nord magnétique et dont la partie utile est constituée par une plaque ronde graduée montée sur pivot (la *rose*), à laquelle sont assujettis des barreaux aimantés (à la différence de la *boussole,* dont la partie utile est une aiguille). *Compas de route* (→ 1. Pinnule, cit.), celui que l'homme de barre a sous les yeux, et qui lui sert à maintenir le bateau à son cap. *Compas de relèvement*, utilisé pour relever les amers. *Prendre un relèvement au compas. Compas d'embarcation, de doris,* de petite taille (et consistant parfois en une boussole, c'est-à-dire un *compas* entendu au sens général). *Compas à liquide,* ou, ellipt., *compas liquide,* dont la cuvette est remplie de liquide (eau alcoolisée, huile) pour amortir les mouvements de la rose. *Compas renversé* (ou *mouchard*), suspendu au-dessus d'une couchette (généralement celle du commandant, du commandant en second, qui peut ainsi surveiller la marche du navire en restant allongé). *Naviguer au compas. Cap* compas et cap vrai. Déviation d'un compas. Compas bien, mal compensé. Régulation d'un compas. Courbe de variation d'un compas.*

La rose est mobile autour de son axe : son *pivot,* et en principe immobile dans l'espace puisque fixe par rapport au nord. Elle est contenue dans l'*habitacle,* où elle est suspendue à la cardan pour n'être pas entraînée par les mouvements du navire. L'habitacle porte un repère matérialisant une *ligne de foi,* qui est l'axe du navire : les graduations se déplacent donc devant cette ligne. Leur lecture donne l'angle entre le nord du compas et l'axe du navire; c'est le *cap au compas* (Cc), le *cap vrai* (Cv) étant l'angle entre l'axe et le nord vrai du monde quand le nord indiqué par le compas ne coïncide pas exactement avec lui. La *variation* (W) du compas est alors la différence, en angle, entre ces deux nords.
CÉLERIER, Techn. de la navigation, III, p. 29. (éd. P.U.F.).

Par compar. (au sens a) :

Comme l'aiguille du compas demeure assez constante 5 tandis que la route varie, ainsi peut-on regarder les caprices ou bien les applications successives de notre pensée (...) VALÉRY, Rhumbs, p. 10.

ⓒ (Par ext., désignant des instruments fondés sur un autre principe que celui de l'aiguille aimantée). *Compas gyroscopique.* → **Gyrocompas.**

DÉR. (Du 1.) **Compassier.** ◊ **COMP.** (Du 3.) **Radiocompas.**

COMPASSEMENT [kɔ̃pasmɑ̃] n. m. — V. 1180; de *compasser.*

♦ **1** Techn. Action de mesurer au compas. *Le compassement d'une carte maritime.*

♦ **2** (Av. 1755). Fig. et littér. Caractère de ce qui est compassé, affecté. → **Raideur.** *Tout dans son comportement est marqué de froideur, de compassement.*

COMPASSER [kɔ̃pase] v. tr. — V. 1130, «mesurer, ordonner, régler»; lat. pop. *compassare* «mesurer avec le compas», de *com-,* et *passus* «pas».

♦ **1** Techn. Mesurer avec le compas. *Compasser le canon d'une arme à feu,* en vérifier le calibre. *Compasser des distances sur une carte.* — Mar. *Compasser une carte :* déterminer sur la carte le lieu où se trouve le navire. — Par ext. Tracer, disposer avec une rigoureuse exactitude.

♦ **2** Littér. Considérer avec attention, régler avec exactitude, minutie, et, par ext., avec exagération. → **Étudier, mesurer, peser.** *Compasser sa démarche, son langage. Il compasse son attitude, ses discours.*

Et quant à moi, je trouve, ayant tout compassé, 1 Qu'il vaut mieux être encor cocu que trépassé (...)
MOLIÈRE, Sganarelle, 17.

2 On voit des gens sincères, qui toujours ont à s'étudier, à compasser toutes leurs paroles et toutes leurs pensées.
FÉNELON, XVIII, 444, *in* LITTRÉ.

♦ **COMPASSÉ, ÉE** p. p. adj.

♦ **1** Littér. → **Étudié, mesuré, réglé.**

♦ **2** Cour. (en parlant des personnes et de leur comportement). Réglé trop rigoureusement, sans rien de libre, de simple, de spontané. → **Affecté.** *Un homme compassé. Il est solennel et compassé. Elle est aimable, mais trop compassée. — Manières compassées.*

3 (...) il *(l'amiral Collingwood)* était bon, mais froid, et, dans ses manières, ainsi que dans celles des officiers anglais, il y avait un point où tous les épanchements s'arrêtaient et où la politesse compassée se présentait comme une barrière sur tous les chemins.
A. DE VIGNY, Servitude et Grandeur militaires, III, VI, p. 220.

(Dans le domaine esthétique). *Style compassé. Une architecture froide et compassée.*

4 Le menuet garde l'allure compassée, noble et précieuse qu'il doit à ses origines, même si chaque musicien, Haydn ou Mozart, le nuance selon son propre génie.
Éd. HERRIOT, la Vie de Beethoven, p. 70.

CONTR. (Du p. p.) Aisé, libre, naturel, simple. ◊ DÉR. Compas, compassement.

COMPASSIER [kɔ̃pasje] n. m. — 1886; de *compas.*
Techn. Fabricant et réparateur de compas (1.).

COMPASSION [kɔ̃pasjɔ̃] n. f. — 1155; lat. chrét. *compassio,* de *compati* «souffrir». → Compatir.
Littér. ou style soutenu. Sentiment qui porte à plaindre et à partager les maux d'autrui. → **Pitié; apitoiement, commisération** (cit. 1), **miséricorde.** *Avoir de la compassion pour qqn. Un homme de cœur**, plein de compassion* (→ Saint, cit. 13). *Cœur accessible à la compassion.* → **Humanité, sensibilité.** *Être touché de compassion,* (vx) *ému de compassion. Un spectacle qui fait compassion. Inspirer de la compassion. Être digne de compassion. Leur dénûment excitait la compassion.*

1 Et, en voyant cette multitude d'hommes, il fut ému de compassion pour eux, parce qu'ils étaient harassés et abattus, comme des brebis qui n'ont pas de pasteur.
BIBLE (CRAMPON), Évangile selon saint Matthieu, IX, 36.

2 Ouf! Je me sens déjà pris de compassion.
RACINE, les Plaideurs, III, 3.

3 Il y a souvent plus d'orgueil que de bonté à plaindre les malheurs de nos ennemis : c'est pour leur faire sentir que nous sommes au-dessus d'eux que nous leur donnons des marques de compassion.
LA ROCHEFOUCAULD, Maximes, 463.

4 S'il est vrai que la pitié ou la compassion soit un retour vers nous-mêmes qui nous met en la place des malheureux (...)
LA BRUYÈRE, les Caractères, IV, 48.

5 La compassion est un amour qui s'afflige du mal de la personne qu'on aime.
FÉNELON, Dialogue des morts, 18.

6 Relu *le Cabinet des Antiques* et *le Père Goriot, Honorine* (...) où Balzac emploie le mot : «compatissance». Curieux de chercher s'il figure dans Littré. Il me semble que «compassion» suffisait.
GIDE, Journal, 3 juin 1949.

REM. On trouve également *compatissance* [kɔ̃patisɑ̃s] dans Chateaubriand (*Mémoires d'outre-tombe,* t. II, p. 65).

(1771). *Compassion de la Vierge :* fête catholique célébrée le vendredi qui précède les Rameaux, en mémoire des douleurs de la Sainte Vierge.

CONTR. Cruauté, dureté, indifférence, insensibilité, sécheresse (de cœur). ◊ DÉR. Compassionner (se).

COMPASSIONNER (SE) [kɔ̃pasjɔne] v. pron. — 1569; *compassionné* «touché de compassion», v. 1450; de *compassion.*
Vx, régional. Éprouver de la compassion. — Au p. p. :
(...) Landry était compassionné et attendri pour lui, trouvant tout le monde et lui-même dans le passé bien coupable envers les deux pauvres enfants de la mère Fadet (...)
G. SAND, la Petite Fadette, XXIV, p. 164.

COMPATIBILITÉ [kɔ̃patibilite] n. f. — 1570, de *compatible.*
Caractère, état de ce qui est compatible. → **Accord, convenance.** *Compatibilité d'humeur.*
Spécialt (sc.). **a** Physiol. *Compatibilité sanguine,* exigée, lors d'une transfusion, entre le sang du donneur et celui du receveur.
b Math. Propriété de systèmes compatibles; relation qui relie deux systèmes compatibles.
c Doc. Correspondances entre systèmes documentaires, établies par des descripteurs communs.
REM. Le mot a de nombreux emplois particuliers en biologie, génétique, chimie, médecine, informatique, etc. (→ aussi Compatible).
CONTR. Désaccord, disconvenance, incompatibilité. ◊ COMP. Biocompatibilité.

COMPATIBLE [kɔ̃patibl] adj. — 1447; lat. médiéval *compatibilis,* 1384; de *com-* «avec» et *patibilis* «supportable», ou de *compati* (→ Compatir) au sens tardif «permettre, admettre avec».

♦ **1** Qui peut s'accorder avec autre chose, exister en même temps. → **Accordable, conciliable.** *Des caractères compatibles. La fonction de préfet n'est pas compatible avec celle de député.*

Le Ciel ne m'a point fait (...)
Une âme compatible avec l'air de la cour (...)
MOLIÈRE, le Misanthrope, III, 5.   1

La vie spirituelle (...) est-elle compatible avec la vie charnelle?
F. MAURIAC, Souffrances et Bonheur du chrétien, p. 56.   2

Il ne croyait pas que l'amabilité et la solvabilité fussent des vertus compatibles.
A. MAUROIS, Bernard Quesnay, II, p. 12.   3

♦ **2** Sc. et techn. Math. *Relation compatible,* se dit d'une relation par rapport à une opération effectuée sur un ensemble, lorsqu'elle s'accorde à toutes les lois de l'ensemble considéré.
Système d'équations compatibles, admettant au moins une solution.
Inform. *Matériels compatibles,* qui peuvent fonctionner ensemble (malgré leur origine différente).
Méd. *Médicaments compatibles,* pouvant être administrés en même temps. → aussi **Compatibilité.**
CONTR. Incompatible, inconciliable. ◊ DÉR. Compatibilité. → COMP. Biocompatible. V. Incompatible.

COMPATIR [kɔ̃patiʁ] v. tr. ind. — 1541; *compati* «souffrir avec», de *com-* (*cum* «avec») et *pati* «supporter, souffrir» (→ Pâtir), d'après *pâtir.*

I Vx. (Sujet n. de chose abstraite). S'accorder, être compatible. *Son caractère ne peut compatir avec le mien.*
Une étroite amitié l'un à l'autre nous joint;
Mais enfin nos désirs ne compatissent point.
CORNEILLE, Attila, I, 3.   1

II (1635). Mod. (Sujet n. de personne). **COMPATIR À :** avoir de la compassion pour (une souffrance, un malheur). → **Apitoyer** (s'), **attendrir** (s'), **plaindre.** *Il compatit à notre douleur.* → **Condoléance.**
Je sens qu'à sa douleur je pourrais compatir (...)
RACINE, Bérénice, III, 4.   2

3   L'on s'insinue auprès de tous les hommes (...) en compatissant aux infirmités qui affligent leur corps.
LA BRUYÈRE, les Caractères, XI, 109.

4   Germain, qui était triste pour son compte, compatissait d'autant plus à son chagrin (...)
G. SAND, la Mare au diable, V, p. 46.

5   (...) on ne compatit qu'aux misères que l'on partage (...)
A. THIBAUDET, Gustave Flaubert, p. 80.

Absolt. *Croyez bien que je compatis !*

COMPATIR AVEC (qqn) : partager la souffrance de (qqn). *Il a du mal à compatir avec les autres, même quand il les voit très malheureux.*

DÉR. Compatissant.

COMPATISSANCE [kɔ̃patisɑ̃s] n. f. → Compassion.

COMPATISSANT, ANTE [kɔ̃patisɑ̃, ɑ̃t] adj. — 1692 ; de *compatir.*

Qui prend part aux souffrances d'autrui ; qui est inspiré par la compassion. → **Miséricordieux ; bon, charitable, humain, sensible.** *Être compatissant pour les vaincus. — Un regard compatissant.*

1   (...) cette charité si compatissante (...)
RACINE, Épitaphes, p. 10.

2   Elle se souvenait d'avoir été une enfant malheureuse et délaissée, et ses propres enfants furent stylés de bonne heure à être affables et compatissants pour ceux qui n'étaient ni riches ni choyés.
G. SAND, la Petite Fadette, XL, p. 253.

3   (...) la suivante favorite dit à sa maîtresse d'un ton câlin et compatissant, comme une jeune mère qui berce les petits chagrins de son nourrisson (...)
Th. GAUTIER, le Roman de la momie, II, p. 59.

CONTR. Dur, indifférent, insensible.

COMPATRIOTE [kɔ̃patʀijɔt] n. — 1396 ; bas lat. *compatriota,* de com- (cum), et *patria* «patrie».

Personne originaire du même pays qu'une autre. → **Patrie.** *Nous sommes compatriotes. Byron est le compatriote de Shelley. Il n'aime pas ses compatriotes. Épargner, secourir, aider un compatriote, une compatriote. Rechercher des compatriotes lorsqu'on est à l'étranger.*

1   (...) j'estime tous les hommes mes compatriotes et embrasse un Polonais comme un Français, postposant *(subordonnant)* cette liaison nationale à l'universelle et commune.   MONTAIGNE, Essais, III, IX.

2   Tous les étrangers ne sont pas barbares, et tous nos compatriotes ne sont pas civilisés (...)
LA BRUYÈRE, les Caractères, XII, 22.

3   Il faut bien quelquefois se battre contre ses voisins, mais il ne faut pas brûler ses compatriotes pour des arguments.
VOLTAIRE, Lettre à Gallitzin, 19 juin 1773.

4   Derrière lui une de ses compatriotes gesticulait, un drapeau américain de quarante centimètres sur la poitrine (...)   MALRAUX, l'Espoir, p. 456.

Personne originaire de la même province, de la même région (à l'intérieur d'un même pays). *Elle est bretonne comme moi, nous sommes compatriotes. Compatriotes de la même ville.* → **Concitoyen,** 2. **pays, payse** (régional).

COMPENDIEUSEMENT [kɔ̃pɑ̃djøzmɑ̃] adv. — V. 1282 ; de *compendieux.*

◆ 1 Vx. En abrégé. → **Brièvement, rapidement, succinctement.** — **REM.** Ce mot, dans l'usage juridique, signifiait «en résumé et sans rien omettre d'important».

1   Je vais, sans rien omettre, et sans prévariquer, Compendieusement énoncer, expliquer (...)
RACINE, les Plaideurs, III, 3.

◆ 2 (Déb. XIXᵉ ; à cause de l'usage du mot en droit, déjà ambigu au XVIIIᵉ s., → ci-dessus, cit. 1). Longuement, sans rien omettre.

---

2   (...) *compendieusement,* que vous employez tout au rebours de la signification pour dire abondamment, prolixement (...)   FLAUBERT, Salammbô, Appendice, p. 367.

3   *Compendieusement* a eu une aventure curieuse. La longueur du mot l'a fait prendre à contresens. Au lieu de *brièvement,* il a signifié *longuement.*
F. BRUNOT, la Pensée et la Langue, III, XI, C, VI, p. 451 (note).

Par ext. Minutieusement.

4   (...) il se livre longuement et compendieusement à la composition d'un de ces lavements, dont la recette est perdue depuis Molière (...)
Ed. et J. de GONCOURT, Journal, 19 oct. 1862.

COMPENDIEUX, EUSE [kɔ̃pɑ̃djø, øz] adj. — 1395 ; lat. *compendiosus,* de *compendium* «abrégé».

Vieux ou archaïsme.

◆ 1 Exprimé en peu de mots. → **Abrégé, concis, résumé, succinct.** *Un rapport compendieux.*

◆ 2 Qui s'exprime de façon concise. → **Laconique.**
C'était un homme de taille moyenne, de mine frigide et discrète (...) peu parleur, et compendieux quand il se mettait à parler.
BARBEY D'AUREVILLY, les Diaboliques,
«À un dîner d'athées» (1874).

REM. L'adjectif est archaïque et ne semble pas avoir pris le sens antinomique de «long, verbeux», à la différence de *compendieusement**.

CONTR. Abondant, long, verbeux. ◊ DÉR. Compendieusement.

COMPENDIUM [kɔ̃pɑ̃djɔm] n. m. — 1584 ; compendion, 1560 ; lat. *compendium* «abréviation».

Didact. Abrégé. → **Condensé, résumé.** *Un compendium de philosophie. Consulter des compendiums.*

(Déb. XVIIᵉ). **Figuré :**

1   L'*Essai* offre le compendium de mon existence, comme poète, moraliste, publiciste et politique.
CHATEAUBRIAND, Mémoires d'outre-tombe, t. II,
p. 107.

2   (...) la médecine étant un compendium des erreurs successives et contradictoires des médecins, en appelant à soi les meilleurs d'entre eux on a grande chance d'implorer une vérité qui sera reconnue fausse quelques années plus tard.
PROUST, À la recherche du temps perdu, t. VII,
p. 147.

COMPÉNÉTRATION [kɔ̃penetʀasjɔ̃] n. f. — 1876 ; «faculté de raisonner avec pénétration», av. 1821 ; de *compénétrer.*

Didact. Action de se compénétrer mutuellement. *«La compénétration des méthodes géométrique et mathématique»* (N. Bourbaki, *in* T. L. F.).

COMPÉNÉTRER [kɔ̃penetʀe] v. tr. — 1832 ; de com-, et *pénétrer.*

Didact. Pénétrer dans les parties les plus profondes des choses.

1   (...) Psychologie où rien n'est figé, ni même certain. Où personne n'est sûr de rien — ni de lui même. Où tout compénètre tout.
Claude MAURIAC, le Dîner en ville, p. 282.

◆ **SE COMPÉNÉTRER** v. pron.
Se pénétrer mutuellement. *L'esprit et le corps se compénètrent. Des systèmes philosophiques qui se compénètrent.*

2   Parfois, les événements se compénètrent, s'associent.
G. DUHAMEL, Chronique des Pasquier,
Le jardin des bêtes sauvages, p. 51.

DÉR. Compénétration.

COMPENSABLE [kɔ̃pɑ̃sabl] adj. — 1804; «qui peut compenser», 1580; de *compenser*.

Qui peut être compensé. *Une perte compensable par un gain dans un autre domaine. Le tort qu'on lui a causé est difficilement compensable.*

COMPENSATEUR, TRICE [kɔ̃pɑ̃satœʀ, tʀis] adj. et n. m. — 1829; n. m., «ce qui procure une compensation», 1789; de *compenser*.

I Adj. ◆ **1** Qui compense. *Indemnité compensatrice.* → **Compensatoire.** *Bénéfice compensateur d'une perte. Repos compensateur,* accordé en compensation d'un surcroît exceptionnel de travail.

Les territoriaux de France nous ont apporté l'appoint compensateur des contingents partis et nous ont permis de maintenir à notre armature toute sa solidité.
L. H. LYAUTEY, Paroles d'action, p. 136.

◆ **2** Qui corrige un effet par un autre. *Mécanisme compensateur.*

Pendule compensateur, et, n. m., *compensateur,* compensant les effets produits sur une horloge par les variations de température.

◆ **3** (1926, in D.D.L.). Relatif au mécanisme de compensation* (5.). → **Compensatoire.**

II N. m. Techn. Mécanisme destiné à contrebalancer les déficiences qui peuvent empêcher le bon fonctionnement d'un appareil (→ ci-dessus, I., 2.). — *Compensateur de dilatation,* pour les tiges et tuyaux métalliques. — (1873). *Compensateur magnétique,* destiné à corriger les effets des masses métalliques d'un bateau ou de sa charge sur les compas magnétiques. — Aviat. Volet auxiliaire destiné à corriger l'effet des réactions aérodynamiques sur les gouvernes d'un avion. → **Compensation.**

COMPENSATIF, IVE [kɔ̃pɑ̃satif, iv] adj. — 1845, → cit.; de *compenser*.

Rare. → **Compensatoire.**

Toute place qui ne serait qu'un simple préceptorat élémentaire, ne me semble guère pouvoir être acceptée, à moins d'avantages compensatifs.
RENAN, Lettres intimes, 1842-1845, p. 294-295.

COMPENSATION [kɔ̃pɑ̃sasjɔ̃] n. f. — 1290, *compensacion;* lat. *compensatio,* du supin de *compensare.* → Compenser.

◆ **1** **a** Fait de compenser (qqch.). *La compensation d'une perte, d'un désavantage* (par un gain, un avantage). – *À titre de compensation :* pour compenser.

1   (...) j'offre timidement une augmentation de cent francs à titre de compensation. Il accepte.
COURTELINE, Messieurs les ronds-de-cuir, 3ᵉ tableau, III, p. 117.

b Avantage qui compense (un désavantage). *Une compensation financière, matérielle à... Compensation reçue pour des services rendus ou des dommages causés.* → **Dédommagement, indemnité, récompense, réparation, retour, soulte.** *Demander, obtenir une compensation.*

2   Quitte à lui soutirer ensuite une compensation.
J. ROMAINS, les Hommes de bonne volonté, t. III, XIII, p. 176.

Compensation morale, intellectuelle... → **Consolation, correctif, dédommagement.** *Avoir, obtenir une compensation. Sans compensation :* sans rien pour compenser, pour atténuer.

3   (...) la nécessité d'une religion qui, prêchant la morale à tous et promettant une vie future de compensation aux misérables, lui semble *(à Bonaparte),* seule, capable de maintenir, sous quelque régime que ce soit, «l'ordre social».   Louis MADELIN, le Consulat, VII, p. 104.

4   (...) elle *(la dignité d'archichancelier)* fut accordée, à titre de compensation et de consolation, à Cambacérès, qui l'accepta froidement (...)
Louis MADELIN, l'Avènement de l'Empire, VIII, p. 101.

5   Le déclin, sans compensation. Pas de gloire. Aucune revanche à attendre.
J. ROMAINS, les Hommes de bonne volonté, t. III, XVIII, p. 249.

6   Décidément, la vie réservait des haltes, des reposoirs, des compensations, des dédommagements.
G. DUHAMEL, le Voyage de P. Périot, IX, p. 177.

c *En compensation :* à titre de compensation. → **Échange** (en), **revanche** (en). *Si l'appartement est petit, en compensation nous avons une vue magnifique. Mais, en compensation...*

◆ **2** Action, fait de compenser, de rendre égal. *Compensation entre les gains et les pertes.* → **Balance, égalité, équilibre.** *Compensation d'effets contraires, d'écarts...* → **Neutralisation.** — (1678). Philos. Système selon lequel les maux et les biens se compensent.

7   Quelque différence qui paraisse entre les fortunes, il y a néanmoins une certaine compensation de biens et de maux qui les rend égales.
LA ROCHEFOUCAULD, Maximes, 52.

8   On se demande si en comparant ensemble les différentes conditions des hommes, leurs peines, leurs avantages, on n'y remarquerait pas un mélange ou une espèce de compensation de bien ou de mal, qui établirait entre elles l'égalité, ou qui ferait du moins que l'un ne serait guère plus désirable que l'autre.
LA BRUYÈRE, les Caractères, IX, 5.

9   (...) les préjugés, en se combattant, se balancent, et cette compensation mutuelle et continue amène peu à peu l'opinion finale plus près de la vérité.
TAINE, Philosophie de l'art, t. II, V, I, II, p. 235.

10 Dans la suite d'une vie humaine, le jeu des compensations, en admettant qu'il s'opère toujours, n'a pas la simplicité d'un calcul de physique.
J. ROMAINS, les Hommes de bonne volonté, t. V, II, p. 17.

(1803). *Horloge, montre de compensation,* munie d'un compensateur.

Math. *Loi de compensation :* loi des grands nombres. — Techn. (mar., etc.). *Compensation d'un compas :* opération qui consiste à corriger l'influence du magnétisme du navire (induit par les moteurs, l'appareillage électrique et radioélectrique, etc.) sur le compas, en disposant à demeure près de celui-ci des masselottes métalliques de dimension appropriée.

Aviat. Correction de l'effet des réactions aérodynamiques sur les gouvernes d'un avion. → **Compensateur.**

◆ **3** Dr., écon. *Caisse de compensation :* organisme financier dont font partie plusieurs membres et qui compense des inégalités financières.

11 (...) certains états relatifs au fonctionnement de la caisse de compensation du cartel.
J. ROMAINS, les Hommes de bonne volonté, t. III, XVI, p. 215.

(1930). *Caisse de compensation :* organisme d'assurance destiné à répartir équitablement les charges sociales (ex. : allocations familiales).

Dédommagement donné à une personne pour remplacer l'exécution d'une obligation (cf. Capitant). → **Compensatoire.** *Compensation légale, conventionnelle, judiciaire. Compensation des dépens* * : répartition des dépens entre deux plaideurs.

Libération de deux personnes débitrices l'une de l'autre par la balance de leurs dettes réciproques.

12 Lorsque deux personnes se trouvent débitrices l'une envers l'autre, il s'opère entre elles une compensation qui éteint les deux dettes (...)   Code civil, art. 1289.

♦ **4** (1863, Littré). **Bourse.** Opération par laquelle les marchés à terme, achats et ventes, sont compensés, pour éviter les déplacements d'argent. *Cours de compensation :* cours uniforme auquel ces opérations sont censées avoir été conclues.

13   Les compensations sont établies d'après un cours uniforme déterminé par le syndic ou un agent de service, d'après les cours cotés le premier jour de la liquidation des différentes valeurs.

Code de commerce, I, v, art. 67.

Chambre de compensation : endroit où sont réglés les engagements entre banquiers. ➞ **Clearing** (house).

Accord bilatéral de paiement entre deux pays. ➞ **Clearing** (anglicisme).

♦ **5** (1912, en contexte, 1920, Claparède, pour le concept, *in* D.D.L.). **Psychol.** Mécanisme psychique inconscient permettant de soulager une souffrance intime (sentiment d'infériorité, déficience physique) par la recherche d'une satisfaction supplétive ou par des efforts pour redresser la fonction déficitaire. ➞ **Surcompensation ; compensateur, compensatoire.**

CONTR. Déséquilibre, inégalité. ◊ COMP. Décompensation, surcompensation.

COMPENSATOIRE [kɔ̃pɑ̃satwaʀ] adj. — 1823 ; de *compenser.*

Didact. Qui compense. ➞ **Compensateur ; compensatif.** *Indemnité compensatoire. Intérêts, prestations compensatoires. Montants compensatoires monétaires* (ou *agricoles*) : sommes reversées aux agriculteurs de la Communauté économique européenne pour compenser les disparités des prix agricoles dans les différents pays qui la composent. *Les montants compensatoires représentent théoriquement la différence entre les prix des produits agricoles exprimés en monnaie nationale et les prix considérés conventionnellement comme étant ceux du marché, fixés annuellement par accord entre les différents partenaires.*

Psychol. Relatif à la compensation (5.). ➞ **Compensateur** (I., 3.).

COMPENSÉ, ÉE [kɔ̃pɑ̃se] adj. — 1877 ; p. p. de *compenser.*

♦ **1** Équilibré. — **Mar., aviat.** *Gouvernail compensé. Compas compensé.* — (1877). **Méd.** *Affection, lésion compensée,* dont les effets sont atténués ou supprimés par des modifications de l'organisme qui tendent à en rétablir l'équilibre.

♦ **2** Cour. *Semelle compensée,* qui fait corps avec le talon (chaussures hautes).

♦ **3** (Abstrait). *Temps compensé :* en sport, Temps calculé en tenant compte des handicaps. — *Valeurs compensées* (en statistique).

COMP. Décompensé, surcompensé.

COMPENSER [kɔ̃pɑ̃se] v. tr. — 1277, «solder une dette» ; dans un sens extensif, fin XVᵉ ; lat. *compensare,* de *com-(cum),* et *pensare* (➞ Penser ; peser), littéralt «peser ensemble pour comparer, équilibrer».

♦ **1** Équilibrer (un effet négatif) par une chose considérée comme équivalente et positive. ➞ **Balancer, contrebalancer, équilibrer.**

(Sujet n. de personne). Donner, procurer (qqch.) à qqn, de manière à réparer un effet négatif. — Vieilli. (Le compl. désigne un objet matériel ou de l'argent). *Compenser la perte de qqch. par un cadeau.* ➞ **Dédommager.** — *Compenser une perte par un*

gain, sa perte par un gain, un déficit par un bénéfice... — *Compenser les services de qqn par une somme d'argent, une rémunération, une récompense.* ➞ **Indemniser ; récompenser** (qqn) ; **échanger** (qqch.). *Compenser les frais de qqn par une indemnité.* ➞ **Couvrir.** — Vieilli. *Compenser qqn de qqch.,* lui donner l'équivalent. ➞ **Dédommager.**

(...) il lui vint l'idée de faire à chacun des pauvres acquéreurs un petit avantage pour les compenser des intérêts qu'ils avaient déjà payés.

      G. SAND, François le Champi, XIX, p. 140.   1

(Le compl. désigne un avantage moral, intellectuel...). *Compenser un préjudice moral, une peine* (par un avantage). ➞ **Réparer ; rendre.** *Il essayait vainement de compenser tous les torts qu'il m'avait causés.* ➞ **Expier, racheter** (se racheter de). *Pour compenser, je t'emmènerai au cinéma.* ➞ **Peine** (pour la), **récompense** (en).

C'était le jour *(la Toussaint)* où l'on essayait de compenser   1.1
auprès du défunt l'isolement et l'oubli où il avait été tenu pendant de longs mois.   CAMUS, la Peste, p. 258.

(Le sujet désigne ce qui compense). Plus cour. *Son succès ne compense pas les échecs précédents.* ➞ **Balancer, contrebalancer, corriger, équilibrer, neutraliser, racheter, réparer.** *Ceci compense cela.* ➞ **Égaler.** *Le gain ne compense pas le déficit.* ➞ **Combler.** *Compenser de manière à rétablir l'équilibre, à égaliser... Aucun plaisir, aucune distraction ne pourra compenser cette peine. Rien ne pourra compenser l'injure, l'affront.* ➞ **Venger ; revanche.**

(...) il est indispensable que de telles âmes *(les convers)* existent pour compenser les nôtres ; ils sont les oasis divines d'ici-bas (...) où Dieu réside, alors qu'il a vainement parcouru le désert des autres êtres.   2

      HUYSMANS, En route, Préface, v.

Hélas ! Rien de plus mauvais pour un intestin délicat et   3
enclin à la constipation. Est-ce que dix minutes d'exercice supplémentaire peuvent compenser un petit morceau de râble ?

      J. ROMAINS, les Hommes de bonne volonté, t. III, XI, p. 155.

Absolt. *Il est jaloux mais très amoureux, cela compense.* ➞ **Rattraper.** «*L'hiver y est* (à Jersey) *triste et noir ; mais l'été compense*» (Hugo, *in* T.L.F.).

♦ **2** Rare. Équilibrer (une chose positive) par un équivalent négatif.

Il en faudra, des semaines de pluie, pour compenser cette   4
journée claire.

      G. DUHAMEL, les Pasquier, Le désert de Bièvre, p. 134, *in* T.L.F.

REM. L'emploi neutre (avec l'idée de réciprocité) est, comme pour le pronominal, beaucoup plus normal et usuel : *il y a de bonnes et de mauvaises choses là-dedans, les unes compensent les autres.* Cet emploi est normal dans les domaines d'où les jugements de valeur sont exclus, sciences, etc. (➞ ci-dessous, 3.).

♦ **3** Équilibrer (un effet, une force) par son contraire, son équivalent. *Force qui en compense une autre.*

Organiser (un système complexe), régler (un instrument) de manière que des effets contraires, des variations, etc., soient compensés. *Compenser un compas, un gouvernail.* ➞ **Compensé.**

♦ **4** Méd. Rétablir un équilibre physiologique menacé en contrebalançant les effets pathologiques de (une maladie). *Compenser une lésion valvulaire.*

(1926, *in* D.D.L.). Psychol. Chercher à soulager (une souffrance intime : sentiment d'une infériorité, réelle ou imaginaire) par la recherche d'une satisfaction supplétive. *Compenser qqch. par qqch.* — Absolt (1926, *in* D.D.L.). *Il cherche à compenser.* ➞ aussi **Surcompenser.**

♦ **SE COMPENSER** v. pron.

S'équilibrer. *Leurs caractères se compensent. Effets réciproques, forces, poussées... qui se compensent.*

5 La cause principale et peut-être unique de l'amélioration des terres est le mélange d'une autre terre différente, dont les qualités se compensent et font de deux terres stériles une terre féconde.
BUFFON, Hist. nat. des minéraux, t. I, p. 312.

6 L'inégalité des lots en nature se compense par un retour, soit en rente, soit en argent.   Code civil, art. 833.

7 La matière étendue, envisagée dans son ensemble, est comme une conscience où tout s'équilibre, se compense et se neutralise (...)
H. BERGSON, Matière et Mémoire, p. 245.

8 (...) ces deux inégalités, bien loin de s'opposer et de se compenser, s'ajoutent au contraire et s'alourdissent l'une l'autre.   Ch. PÉGUY, la République, p. 173.

CONTR. Accentuer, aggraver, ajouter (s'), **déséquilibrer.** ◊ DÉR. et COMP. Compensable, compensateur, compensatif, compensatoire, compensé. Décompenser, surcompenser. V. **Compensation.**

COMPÉRAGE [kɔ̃peraʒ] n. m. — V. 1175, *conparage*; de *compère.*

♦1 Vx ou régional. Affinité spirituelle entre le parrain et la marraine, et entre chacun d'eux et les parents de l'enfant baptisé.

♦2 (1794). Vx. Concours secret prêté à qqn qu'on fait semblant de ne pas connaître (→ **Compère,** 3.); entente entre les auteurs d'une supercherie. → **Complicité, connivence.** *Compérage d'un spectateur avec un charlatan.*

Tout ce qu'on en pourra écrire dans les journaux sera factice et faux comme tout ce qui est dans les journaux, coterie et compérage désormais organisés pour tromper le public.
SAINTE-BEUVE, Correspondance, t. II, p. 195.

COMPÈRE [kɔ̃pɛʀ] n. m. — 1174, *conpere*; du lat. ecclés. *compater*, littéralt «père (*pater*) avec».

♦1 Vx ou régional. Le parrain d'un enfant, par rapport à la marraine (→ **Commère**) et aux parents.

♦2 Fam. et vieilli (archaïque, rural ou ironique). Terme d'amitié entre gens qui ont des relations de camaraderie. *Bonjour, compère!* — Homme (avec une idée d'âge moyen, de bonnes relations). *Un rusé compère* : un homme adroit, retors. *Un bon compère* : un bon compagnon, d'humeur et de commerce agréables. *Un joyeux compère* : un bon vivant, toujours gai.

1 Selon les deux compères, toutes les femmes étaient infaillibles, à l'exception des leurs. Tous les maris étaient aveugles, sauf eux, dont la splendide lucidité n'avait d'ailleurs pas besoin de s'exercer, étant sans objet.
Jean-Louis CURTIS, le Roseau pensant, p. 177.

Loc. *Être compère et compagnon avec tout le monde* : être très familier. *Être compère et compagnon* : être inséparables. → **Cochon** (fam.). — (Dans des noms traditionnels). *Compère Guilleri* (personnage de chanson).

Fig. *Le brochet compère de la carpe* (→ Commère, cit. 1 et 2). *Compère le renard.* — REM. Cet emploi est vivant dans les contes créoles : *compère lapin,* etc.

Théâtre. *Le compère et la commère* d'une revue.

♦3 (1594). Mod. Celui qui, sans qu'on le sache, est de connivence avec un escamoteur, un charlatan, pour l'aider à exécuter ses tours. *Le compère d'un camelot, d'un prestidigitateur.* → **Baron** (argot).

Celui qui est secrètement d'intelligence avec qqn pour favoriser ses projets ou l'aider dans quelque supercherie.

En 1863, un jeune escroc danois arrivé la veille de New York et qu'il a rencontré dans une assemblée religieuse, lui prend ses papiers, le présente le lendemain à un compère qui se fait passer pour le secrétaire du Ministre de la Justice.   B. CENDRARS, l'Or, p. 249.

DÉR. et COMP. Compérage. V. **Compère-loriot.**

COMPÈRE-LORIOT [kɔ̃pɛʀlɔʀjo] n. m. — 1564, *Compere loriot,* au sens 1; orig. incert.; l'élément *compère* semble en relation avec le franco-provençal *pir-*; *loriot,* du lat. *aureolus* (→ Loriot) est influencé au sens 2 par le lat. *hordeolus* (→ Orgelet).

♦1 Loriot (oiseau).

♦2 (1838). Grain d'orge, petit bouton du bord de la paupière. → **Orgelet.**

Il lui survint un mal d'yeux, une sorte de compère-loriot qui dégénéra bientôt en ophtalmie.
Ed. et J. DE GONCOURT, Sœur Philomène, p. 50.

Plur. *Des compères-loriots (des compères-loriot* selon Académie, 8e éd., plur. qui introduit une difficulté inutile).

COMPÉTENCE [kɔ̃petɑ̃s] n. f. — 1596; «rapport», 1468; lat. *competentia,* de *competens,* p. prés. de *competere* «convenir à».

♦1 (1596). Dr. Aptitude reconnue légalement à une autorité publique de faire tel ou tel acte dans des conditions déterminées. → **Attribution, autorité, pouvoir, qualité.** *La compétence d'un préfet, d'un maire, d'un recteur d'Académie. Étendue, domaine d'une compétence.* → **Ressort.** *Être de la compétence de qqn.* → **Compéter.**

Aptitude (d'une juridiction) à connaître d'une cause, à instruire et juger un procès. *Cause relevant de la compétence de tel tribunal.* → **Justiciable.** *Compétence d'attribution* (lat. ratione materiæ), relativement au caractère de la cause (civil, pénal, administratif...). *Compétence territoriale* (lat. ratione personæ, ratione loci), relativement à la situation, au domicile des parties. *Contester, décliner, récuser la compétence d'une juridiction.* → **Déclinatoire, exception.** *Le tribunal a statué sur l'incompétence, a établi sa compétence. Conflit* de compétence.*

Le même jugement *(du tribunal de commerce)* pourra, en rejetant le déclinatoire, statuer sur le fond, mais par deux dispositions distinctes : l'une sur la compétence, l'autre sur le fond; les dispositions pourront toujours être attaquées par la voie de l'appel.
Code de procédure civile, ancien art. 425.

♦2 (1690). Cour. Connaissance approfondie, habileté reconnue qui confère le droit de juger ou de décider en certaines matières. → **Art, capacité, qualité, science.** *Faire appel aux grandes compétences d'un homme. Avoir de la compétence, des compétences. S'occuper d'une affaire avec compétence. Compétence d'expert, de spécialiste. Ce critique littéraire est plein de compétence.* — *Manquer de compétence. Il n'a pas de compétence particulière sur le sujet. Cela n'entre pas dans mes compétences. Ce n'est pas de sa compétence. Hors de sa compétence. Sortir de sa compétence* : aller au-delà de ses pouvoirs, de ses capacités. *Dépasser la compétence de qqn; outrepasser* (cit. 4) *les limites de sa compétence.*

2 Du moins devrait-il se taire sur les choses qui ne sont pas de sa compétence.
VOLTAIRE, Lettres en vers et en prose, 43.

3 Puis elle songea que sa maîtresse, peut-être, avait raison. Ces choses dépassaient sa compétence.
FLAUBERT, Trois contes, «Un cœur simple», III.

4 (...) la vigueur de cet esprit critique, cette compétence jamais en défaut et qui semblait le fruit de l'expérience plutôt que celui de la lecture ou de la compilation (...)
MARTIN DU GARD, les Thibault, t. V, p. 32.

(1903). Fam. *Une, des compétences* : une, des personne(s) compétente(s). *Consulter les compétences. Utiliser les compétences. C'est une compétence en la matière.*

5 Après quelques années de massacres stériles, on a compris qu'il fallait, selon la formule admise, «utiliser toutes les compétences» pour la guerre.

G. DUHAMEL, Récits des temps de guerre, t. II, p. 130.

♦ **3** Ling. (angl. *competence*, Chomsky). Système fondé par les règles (→ **Grammaire**, 2.) et les éléments auxquels ces règles s'appliquent (lexique), intégré par l'usager d'une langue naturelle et qui lui permet de former un nombre indéfini de phrases «grammaticales» dans cette langue et de comprendre des phrases jamais entendues. *La compétence est une virtualité dont l'actualisation (par la parole ou l'écriture) constitue la «performance». Acquérir la compétence d'une langue. — Compétence lexicale. —* Par ext. *Compétence culturelle, idéologique, etc.* : maîtrise des systèmes de référence sociaux (par un individu).

♦ **4** Biol. Caractère d'un tissu compétent* (3.).

6 Les différences spécifiques *(de la formation du cristallin)* sont en rapport avec les différences de vieillissement de l'ectoderme et se ramènent à un problème de compétence ectodermique. En effet, la compétence de l'ectoderme à donner un cristallin diminue à des vitesses différentes suivant les espèces. De plus, cette compétence ectodermique ne s'acquiert qu'au contact de l'endo-mésoderme céphalique.

Charles HOUILLON, Embryologie, p. 168 (1967).

CONTR. (Du 2). **Incompétence.**

COMPÉTENT, ENTE [kɔ̃petɑ̃, ɑ̃t] adj. — 1480; «approprié, suffisant», v. 1240; lat. *competens*, p. prés. de *competere* «convenir à».

♦ **1** Dr. Qui a droit de connaître d'une matière, d'une cause. → **Compétence.** *Le tribunal s'est déclaré compétent.* → **Retenir** (une cause). *Juge compétent. — En référer à l'autorité compétente.* Rare. (Choses). → **Convenable, légal, requis, suffisant.** *Âge compétent pour le mariage.*

♦ **2** (1680). Cour. (Personnes). Capable de bien juger d'une chose en vertu de sa connaissance approfondie en la matière. → **Capable, entendu, expert, maître, qualifié, savant.** *Un critique compétent. Il est compétent en archéologie. Ne pas être compétent.*

1 Nul, dans une littérature vivante, n'est juge compétent que des ouvrages écrits dans sa propre langue.

CHATEAUBRIAND, Mémoires d'outre-tombe, t. II, p. 143.

Fig. *Dans les milieux compétents* : dans les milieux bien informés.

♦ **3** Didact. (biol.). *Tissu compétent* : tissu qui, sous l'action d'un inducteur, est susceptible d'effectuer certaines différenciations. → **Compétence** (4.).

2 Certains auteurs ont tendance à restreindre le rôle des inducteurs à celui de stimulants banals et à exalter les propriétés des tissus compétents comme seuls responsables de la différenciation. Il est certain que le tissu compétent est l'effecteur de la différenciation (...)
Le tissu compétent contient certes en puissance presque tout ce qu'il faut pour réaliser l'une ou l'autre différenciation; il lui manque cet apport encore mal défini que lui fournit l'inducteur.

E. WOLFF, in Sciences, n° 1, 5 12-13.

CONTR. (Du sens 2). **Inapte, incapable, incompétent, ignorant.**

COMPÉTER [kɔ̃pete] v. tr. ind. — V. 1370; lat. *competere*, de *com-* (cum), et *petere.*

Dr. (vieilli).
♦ **1** Appartenir en vertu de certains droits à (qqn). Des effets de l'absence, relativement aux droits éventuels qui peuvent compéter à l'absent.

Code civil, I, IV, III, II.

♦ **2** Être de la compétence de. → **Ressortir.** *Cette affaire compète au tribunal de commerce.*

COMPÉTITEUR, TRICE [kɔ̃petitœʀ, tʀis] n. — 1402; lat. *competitor*, de *competere* «rechercher, briguer».

♦ **1** Didact. ou littér. Personne qui entre en compétition* avec d'autres, qui poursuit le même objet qu'un autre. → **Adversaire, candidat, concurrent; émule, rival.** *Les compétiteurs à la même dignité, au même titre, à la même charge, au même emploi. Compétiteurs qui postulent, qui revendiquent.* → **Aspirer, briguer.** *Compétiteurs dangereux. Compétiteurs heureux, malheureux. Ils sont compétiteurs dans cette affaire.*

On est très occupé de l'élection prochaine de l'Académie où se présente l'excellent M. Ballanche. Ce sera décidé au moment où vous recevrez cette lettre. Son compétiteur est M. Ancelot qui pourrait bien l'emporter sur notre philosophe.   SAINTE-BEUVE, Correspondance, t. II, p. 33.

♦ **2** (1860, in Petiot). Concurrent, dans une épreuve sportive. *Compétiteurs sportifs.* → **Challenge** (anglicisme).

♦ **3** Écon. Individu, société capable d'entrer en concurrence avec d'autres.

COMPÉTITIF, IVE [kɔ̃petitif, iv] adj. — 1907; angl. *competitive*, de même origine que *compétition.*

♦ **1** Vx. Qui concerne une compétition.

Mod. (Sports). *Course compétitive,* mettant en compétition plusieurs coureurs (opposé à *contre la montre*).

Psychol. Relatif à la compétition avec autrui. *«La volonté de puissance d'une personnalité névrotique et de ses satisfactions compétitives»* (J. Delay, Introduction à la médecine psychosomatique, p. 34).

♦ **2** (Mil. XXᵉ). Cour. Qui peut supporter la compétition créée par la concurrence commerciale du marché. *Entreprise compétitive. Prix compétitifs.* — Abusivt. Concurrentiel. *«La concurrence (...) s'est intensifiée et dans certains cas les prix, pour être compétitifs, ont dû revenir à un niveau inférieur...»* (Ingénieurs et Techniciens, n° 200, p. 23). *«La capacité compétitive de l'entreprise»* (le Figaro, 9 octobre 1967). — *Produit compétitif,* dont la vente est possible compte tenu de la concurrence. — Par ext. *«La voie d'eau (...) peut se révéler particulièrement compétitive»* (France-Europe, n° 16, p. 30), aussi rentable que les autres moyens de transport qui sont en concurrence avec elle. — REM. La plupart des emplois de ce mot à la mode remplacent prétentieusement d'autres adjectifs considérés comme trop usés (prix raisonnables, courants, étudiés; produit vendable, etc.).

DÉR. (Du sens 2) **Compétitivité.**

COMPÉTITION [kɔ̃petisjɔ̃] n. f. — 1759, *competition;* bas lat. *competitio,* du supin de *competere* «rechercher, briguer».

♦ **1** Recherche simultanée par deux ou plusieurs personnes (→ **Compétiteur**) d'un même avantage, d'un même résultat. → **Concours, concurrence, conflit, rivalité.** *La compétition de deux États. Compétition entre partis politiques. Compétition ardente, loyale.*

(...) la guerre est fondée sur la compétition, sur la rivalité, sur la concurrence (...)

Ch. PÉGUY, la République..., p. 19.

1

En compétition : en lutte par une compétition. — *Esprit de compétition.*

Une, des compétition(s). Sortir vainqueur d'une dure compétition. Compétition de clocher.* → **Lutte.** *Une dure compétition politique.* → **Bataille.**

2   À chaque instant les intérêts diffèrent, les conflits et les compétitions éclatent.
> J. BAINVILLE, Hist. de France, v, p. 70.

♦ **2** (Déb. xxᵉ). *Compétition (sportive).* → **Challenge, championnat, coupe, critérium, match ; épreuves.** *Compétitions de vitesse* (courses)*, d'athlétisme. Compétition ouverte aux amateurs et aux professionnels.* → **Open.**

Abrév. fam. (argot sportif). *Compé* (1973, *in* D.D.L.) ou *compét* [kɔpɛt] (1976, *in* D.D.L.).

♦ **3** Lutte, rivalité entre des entreprises. → **Concurrence ; compétitif.**

♦ **4** Biol. **a** Comportement simultané de plusieurs organismes ou ensembles vivants tendant à accaparer les ressources d'un milieu. *Compétition microbienne. Compétition entre espèces vivantes* (cf. *Lutte pour la vie*). *Importance de la notion de compétition en éthologie, en écologie.* **b** Action de deux ou plusieurs substances, en biochimie, en biologie, en pharmacologie.

COMPÉTITIVITÉ [kɔpetitivite] n. f. — 1960 ; de *compétitif* (2.).

Comm. Caractère de ce qui est compétitif. *Compétitivité des prix, des entreprises, d'un secteur économique.*

COMPIL ou **COMPILE** [kɔpil] n. f. — V. 1980 ; abrév. de *compilation.*

Fam. Compilation (I., 3.). *Une compil de Duke Ellington, des Beatles.*

COMPILATEUR, TRICE [kɔpilatœʀ, tʀis] n. — 1425 ; lat. *compilator,* du supin de *compilare.* → Compiler.

I ♦ **1** Didact. Personne qui réunit en un seul corps des documents dispersés. *Un compilateur, une compilatrice utile. Un médiocre compilateur de dictionnaires, d'encyclopédies.* — REM. Alors que l'angl. *compiler* désigne le rédacteur* qui met en œuvre les éléments rassemblés, *compilateur* ne désigne en français que la personne qui réunit les documents (→ Documentaliste) et les assemble ; en outre, le sens 2. rend l'emploi neutre difficile.

♦ **2** Péj. Auteur qui n'a rien d'original et qui emprunte aux autres. → **Plagiaire.** *Ce n'est qu'un compilateur* (s'oppose à *créateur*).

II Inform. (angl. *compiler*). N. m. Dans un ordinateur, Programme qui traduit en langage binaire, avant l'exécution, toutes les instructions établies en langage évolué (Basic, Fortran...). *Un compilateur compile, c'est-à-dire traduit le texte Basic en une suite de sous-programmes ou d'appels à des sous-programmes qui, lorsqu'ils seront exécutés, effectueront les mêmes tâches que l'interpréteur quand celui-ci interprète le programme d'origine non compilé. Le gain de temps est accompli en supprimant, lors de l'exécution, la phase de traduction : elle ne s'effectue qu'une seule fois lors de la compilation* (l'Ordinateur individuel, nᵒ 49, juin 1983, p. 163).

COMPILATION [kɔpilasjɔ̃] n. f. — V. 1230 ; lat. *compilatio.*

I ♦ **1** Didact. Action de compiler ; résultat de cette action. *Entasser des compilations* (→ Charger, cit. 14).

Recueil de documents et de textes empruntés à divers ouvrages et portant sur une matière. → **Collection, recueil.** *Une compilation d'érudit, de bénédictin.*

Cette compilation *(livres sibyllins)* fut publiée plusieurs fois   1
avec d'amples commentaires, surchargés d'une érudition presque toujours étrangère au texte, que ces commentaires éclaircissent rarement.
> VOLTAIRE, Dict. philosophique, Sibylle.

♦ **2** Livre fait d'emprunts et qui manque d'originalité. → **Plagiat, ramas.**

(...) mais il a fait tout cela comme une compilation, en thé-   2
sauriseur, sans jamais être capable de donner une forme à ses créations.
> André SIEGFRIED, l'Âme des peuples, V, v, p. 135.

♦ **3** (L'angl. *compilation* s'emploie à propos de cinéma depuis 1953). Disque (ou cassette) reprenant les succès d'un chanteur, les morceaux les plus connus d'un compositeur. → **Best of, compil.**

II (Angl. *compilation*). Inform. **(Anglic.).** Changement de langage aboutissant à un code binaire permettant la transmission de l'information. → **Compilateur** (II.).

DÉR. Compil.

COMPILER [kɔpile] v. tr. — 1190 ; lat. *compilare,* du rad. de *pilare* «piller».

I ♦ **1** Didact. Mettre ensemble (des extraits de divers auteurs, des documents provenant de différentes sources) pour former un recueil. *Compiler des documents.*

♦ **2** Péj. et absolt. *Passer sa vie à compiler.* → **Plagier.**

> Il entassait adage sur adage ;
> Il compilait, compilait, compilait ;
> On le voyait sans cesse écrire, écrire
> Ce qu'il avait jadis entendu dire,
> Et nous lassait sans jamais se lasser.
> VOLTAIRE, le Pauvre Diable (cf. Autrui, cit. 16).

II (Angl. *to compile*). Inform. **(Anglic.).** Changer de langage, transformer en code binaire. → **Compilateur** (II.).

COMPISSER [kɔpise] v. tr. — V. 1174 ; de *com-,* et *pisser.*

Vx ou plais. Arroser d'urine ; pisser sur... (→ Conchier, cit.).

Devant l'hôtel de Gap l'unique curiosité du pays, à ce que   1
je suppose, une énorme pierre, pourquoi pas un aérolithe que tous les chiens du pays viennent flairer et compisser.
> CLAUDEL, Journal, août 1930.

J'avais donc la fâcheuse habitude, ayant compissé ma   2
culotte, ou l'ayant conchiée, ce qui m'arrivait assez régulièrement au début de la matinée, vers dix heures dix heures et demie, de vouloir absolument continuer et achever ma journée, comme si de rien n'était.
> S. BECKETT, Nouvelles, p. 20.

Fig. Humilier de manière avilissante. → **Conchier.**

Qu'ils soient conchiés et qu'ils renaissent de leur emmer-   3
dement ! Qu'ils soient compissés et qu'ils renaissent de leur humiliation !
> R. QUENEAU, le Chiendent, Folio, p. 408.

COMPLAINDRE [kɔplɛ̃dʀ] v. tr. — V. 1150, Wace, au pronominal ; mentionné comme vx au xviiᵉ, Richelet ; du lat. pop. *complangere,* de *cum,* et *plangere* «plaindre».

Archaïsme. Plaindre (qqn) avec compassion. *«Ceux que les épouses savent dorloter et complaindre»* (Gide, *les Caves du Vatican, in* T.L.F.).

♦ **SE COMPLAINDRE** v. pron.

Se plaindre avec des lamentations. → **Complainte** (1.).

DÉR. Complainte.

COMPLAINTE [kɔ̃plɛ̃t] n. f. — 1175, «plainte en justice»; de *complaindre*.

[I] ♦ **1** Vx. Plainte accompagnée de lamentations. → **Lamentation, plainte.**

0.1   Ce seul bruit sensible, hors des murailles de Jérusalem, était la complainte monotone des femmes turques qui pleuraient leurs morts.
    LAMARTINE, Voyage en Orient, t. I, p. 431, *in* T.L.F.

Par métaphore ou fig. *La complainte des oiseaux, de la pluie.*

1   *(A)* jà *(déjà)* le rossignol doucement jargonné,
  Dessus l'épine assis, sa complainte amoureuse.
    RONSARD, l'Amour de Marie, III.

2   A vous seul en pleurant j'adresse ma complainte (...)
    Mathurin RÉGNIER, Élégies, V.

♦ **2** (1880). Chanson populaire d'un ton plaintif, dont le sujet est en général tragique ou pieux. → **Cantilène.** *La complainte du Juif errant.*

3   Chansons rudes et monotones dans les cabarets; vieux airs à bercer les matelots; vieilles complaintes venues de la mer (...)   LOTI, Pêcheur d'Islande, I, III, p. 35.

4   (...) et parfois la brise, si vous tendez l'oreille, vous apporte la voix douce de Dignimont, qui lamente une petite complainte de soldat ou de matelot (...)
    COLETTE, la Naissance du jour, p. 79.

[II] Dr. Plainte en justice (vx). — Spécialt. Action possessoire destinée à faire cesser un trouble apporté à la possession d'un immeuble.

COMPLAIRE [kɔ̃plɛʀ] v. tr. ind. [CONJUG.: *plaire.*] — V. 1370; lat. *complacere*, de *com-*, et *placere*, d'après *plaire.*

Littér. *Complaire à qqn*, lui être agréable en s'accommodant à ses goûts, à son humeur, à ses sentiments. → **Plaire, satisfaire.** *Il ne cherche qu'à vous complaire.*

1   (...) de me complaire on ne prend nul souci.
    MOLIÈRE, Tartuffe, I, 1.

2   (...) je ne songe qu'à complaire en toutes choses.   MOLIÈRE, le Malade imaginaire, I, 6.

3   Ce fut moins par vanité que dans le seul but de lui complaire.   FLAUBERT, Mᵐᵉ Bovary, III, 5.

♦ **SE COMPLAIRE** v. pron. (1556).

Cour. Trouver son plaisir, sa satisfaction. → **Plaire** (se); **délecter** (se). *Se complaire parmi les gens gais. Se complaire à, dans (qqch.)* : trouver un plaisir durable à, dans (cette chose). *Se complaire dans ses illusions. Se complaire dans son erreur.*

4   Il dut lui donner mille détails de toute sorte, ces détails minutieux où se complaît la curiosité jalouse et subtile des femmes (...)
    MAUPASSANT, Fort comme la mort, p. 12.

5   Comme Rubens, ils se sont complu à peindre la chair florissante et saine (...)
    TAINE, Philosophie de l'art, t. I, I, I, I, p. 4
    (cf. Chair, cit. 24).

6   Il a le malheur, il est vrai, de se complaire parmi la crapule (...)   Ed. et J. DE GONCOURT, Journal, p. 206.

7   Combien je déplore, Monsieur, d'avoir à vous gâter, aussi complètement que je vais avoir l'honneur de le faire, les illusions où vous vous complaisez!
    COURTELINE, Boubouroche, Nouvelle, p. 37.

8   Mais s'il *(Valéry)* connaît la douleur, il ne s'y complaît pas comme un Pascal.
    A. MAUROIS, Études littéraires, Paul Valéry, t. I,
    p. 48.

Se complaire à (et inf.) : aimer. *Il se complaît à me contredire.*

Vx. *Se complaire en, dans (qqn)* : trouver une grande satisfaction dans la fréquentation de (qqn).

REM. Aux temps composés, le participe passé (comme pour *plaire* et *déplaire*) reste en général invariable : *elle s'est complu à..., elles se sont complu dans cette attitude.*

CONTR. Blesser, déplaire, heurter, lâcher.

COMPLAISAMMENT [kɔ̃plɛzamã] adv. — 1680; de *complaisant*, d'après *plaisamment.*

Avec, par complaisance. *Il m'a écouté complaisamment.* — Spécialt. → **Complaisance** (4., spécialt). *Il parle complaisamment de lui.*

L'empereur s'y prêtait complaisamment *(au zèle de ses soldats)*, s'aidant de tout pour espérer, quand vinrent tout à coup les premières neiges; avec elle tombèrent toutes les illusions dont il cherchait à s'environner.
    Ph. P. SÉGUR, Hist. de Napoléon, VIII, 11.

COMPLAISANCE [kɔ̃plɛzãs] n. f. — 1361; du p. p. *(complaisant)* de *complaire.*

♦ **1** Disposition à s'accommoder, à acquiescer aux goûts, aux sentiments d'autrui pour lui plaire. → **Amitié** (cit. 4), **bienveillance. Bonté** (cit. 3), *charité et complaisance. Attendre qqch. de la complaisance de qqn. Montrer de la complaisance.* → **Amabilité, civilité, empressement, serviabilité.** *Faire une chose avec complaisance, par complaisance.* → **Politesse.** *La politesse donne l'apparence* (cit. 20) *de la complaisance. Auriez-vous la complaisance de* (et inf.) *...?* → **Obligeance.** *Abuser de la complaisance de qqn. Se plier par complaisance au désir de qqn.* → **Céder.** *Une basse complaisance.* → **Servilité.** *Complaisance indulgente. Une complaisance empreinte de condescendance*. Complaisance humble et soumise.* → **Déférence.** *Il a trop de complaisance à l'égard de cet incapable. — Complaisance pour, à l'égard de qqn.*

1   (...) pour moi, je tiens qu'il faut avoir une complaisance mutuelle, et qu'on ne se doit point marier pour se faire enrager l'un l'autre.   MOLIÈRE, le Mariage forcé, 2.

2   Je refuse d'un cœur la vaste complaisance
  Qui ne fait de mérite aucune différence (...)
    MOLIÈRE, le Misanthrope, I, 1.

3   J'attends du moins, j'attends de votre complaisance
  Que désormais partout vous fuirez ma présence.
    RACINE, Mithridate, II, 6.

4   Je feignis pourtant, par complaisance, d'ajouter foi à tout ce que me dit mon maître (...)
    A.-R. LESAGE, Gil Blas, IV, VII.

5   Il est bon d'avoir votre suffrage, mais je veux l'avoir par la force de la vérité, et je ne vous prierai pas même d'avoir la plus légère complaisance.
    VOLTAIRE, Lettres à Mᵐᵉ du Deffand, 30 juil. 1773.

6   Elle n'a point mauvais cœur, c'est moi qui vous le dis; à preuve qu'elle a souvent gardé mes petits enfants aux champs avec elle, par pure complaisance, quand ma fille était malade (...)
    G. SAND, la Petite Fadette, XXIV, p. 168.

7   La plupart des amitiés ne sont guère que des associations de complaisance mutuelle, pour parler de soi avec un autre.   R. ROLLAND, Jean-Christophe, t. III, p. 24.

♦ **2** *(Une, des complaisances).* — Vx. Acte fait en vue de complaire à qqn. *Lâches complaisances. De basses complaisances.*

8   Traître, pour les Romains tes lâches complaisances
  N'étaient pas à mes yeux d'assez noires offenses.
    RACINE, Mithridate, III, 1.

Mod. *Avoir des complaisances pour un homme.* → **Faveur, galanterie.** *Complaisance d'un mari qui ferme les yeux sur l'inconduite de sa femme.* → **Facilité.**

9   Cependant, le ménage vivait très heureux, au milieu des bavardages, des histoires qui couraient sur les complaisances du mari et sur les amants de la femme (...)
    ZOLA, Germinal, t. I, III, p. 110.

♦ **3** DE COMPLAISANCE. *Sourire, rire de complaisance*, en vue de plaire ou, simplement, de se montrer poli; peu sincère.

10   Beaucoup de simagrées dans tout cela. Mon contentement de les revoir est vif; mais je le joue, et mon rire est de complaisance.   GIDE, Journal, 15 oct. 1913.

Billet, effet, chèque de complaisance : billet, effet fictif que l'on signe pour obliger qqn, se prêter à un arrangement (couvrir une dette par exemple). *Signature de complaisance. Certificat de complaisance,* délivré dans des conditions illégales, à une personne qui n'y a pas droit.

◆ **4** Sentiment dans lequel on se complaît par faiblesse, indulgence, vanité. → **Contentement, délectation, plaisir, satisfaction.** *Parler de qqn avec complaisance, regarder avec complaisance, avec un œil de complaisance. La mère regarde son enfant avec complaisance. —* Spécialt. *Complaisance envers soi-même. S'écouter, se regarder avec complaisance :* être content, satisfait de soi. *Étaler ses grâces avec complaisance.* → **Beau** (faire le beau, *supra* cit. 108), **orgueil, vanité.** *Avoir une grande complaisance pour ce qu'on fait :* avoir haute opinion de son mérite.

11 Ne pensez-vous pas que la bonne opinion de soi-même et la complaisance qu'on a pour ses ouvrages, est un des péchés les plus dangereux?
        PASCAL, les Provinciales, IX.

12 Madame de Sévigné produisit sa fille à la cour dès qu'elle eut atteint sa seizième année, et se laissa aller avec trop de complaisance à l'orgueil maternel (...)
        Émile FAGUET, Études littéraires, XVIIᵉ s., p. 368.

13 Sans complaisance aucune envers soi-même, insatisfait sans cesse, exigeant jusqu'à l'impossible (...)
        GIDE, Dostoïevski, p. 61.

14 Vous êtes pleins de complaisance pour vous-mêmes, vous jugez toutes vos abominations avec mansuétude et ravissement.
        G. DUHAMEL, Chronique des Pasquier, VI, XIII, p. 406.

CONTR. **Dureté, sévérité.**

COMPLAISANT, ANTE [kɔ̃plɛzɑ̃, ɑ̃t] adj. — 1556; p. prés. de *complaire.*

◆ **1** Qui a de la complaisance* envers autrui. → **Aimable, bienveillant, empressé, obligeant, prévenant, serviable.** *Être, se montrer complaisant pour, envers qqn. Une personne complaisante pour tout le monde.* → **Civil** (vx), **poli.** *Un homme bon, charitable, naturellement complaisant. Complaisant avec humilité* (→ **Déférent**), *avec hauteur* (→ **Condescendant**), *avec indulgence* (→ **Indulgent**). *Les amis complaisants ne sont pas les plus sûrs. Caractère complaisant.* → **Arrangeant, commode, coulant, facile, indulgent.** *Lâchement complaisant.* → **Servile.** — Vx. *Complaisant à qqn.*

1 (...) Je hais tous les hommes :
Les uns, parce qu'ils sont méchants et malfaisants,
Et les autres, pour être aux méchants complaisants,
Et n'avoir pas pour eux ces haines vigoureuses
Que doit donner le vice aux âmes vertueuses.
        MOLIÈRE, le Misanthrope, I, 1.

2 (...) l'on désirerait de ceux qui ont un bon cœur qu'ils fussent toujours pliants, faciles, complaisants (...)
        LA BRUYÈRE, les Caractères, XI, 9.

3 Je me disais que je n'avais pas été assez patient, assez complaisant, assez caressant, que je pouvais encore vivre heureux dans une amitié très douce en y mettant du mien plus que je n'avais fait.
        ROUSSEAU, les Confessions, VI.

Spécialt. Qui ferme les yeux sur les intrigues galantes d'une personne. *Mari complaisant.* → **Commode.**

N. (rare au fém.). → **Flagorneur, flatteur** (→ Parasite, cit. 1).

4 (...) les gens puissants ne recherchent les faibles que pour avoir des complaisants, (...) on ne peut être complaisant qu'en flattant les passions d'autrui, bonnes et mauvaises.
        BERNARDIN DE SAINT-PIERRE, Paul et Virginie, p. 53.

5 Tout ce qui s'appelle en France courtisans, serviteurs, flatteurs, adulateurs, complaisants, flagorneurs et autres gens

vivant de bassesse et d'intrigues.
        P.-L. COURIER, Aux âmes dévotes.

◆ **2** Qui a ou témoigne de la complaisance envers soi-même. → **Indulgent.** — *Se regarder d'un œil complaisant.* → **Content, satisfait.** *Prêter une oreille complaisante à des propos flatteurs* (→ Avide, cit. 18).

6 Un esprit complaisant à lui-même, et toujours incliné vers ce qui le touche fortement, est un esprit à la dérive et livré aux forces.
        ALAIN, Mars ou la guerre jugée, LV, *in* les Passions et la Sagesse, Pl., p. 642.

CONTR. **Brutal, désobligeant, dur, grossier, malveillant, sévère.** ◊ COMP. **Complaisamment.**

COMPLANT [kɔ̃plɑ̃] n. m. — 1231; déverbal de *com- planter.*

◆ **1** Dr. *Bail à complant :* bail en vertu duquel un propriétaire concède une terre à un cultivateur, à charge pour celui-ci d'y planter ou d'y cultiver des arbres, de la vigne, et de lui remettre une certaine proportion des récoltes. *Le bail à complant est résolu sans formalité de justice si le preneur ne tient pas ses engagements. —* La redevance elle-même.

◆ **2** (Fin XVᵉ). Agric. Plant de vignes ou d'arbres.

COMPLANTER [kɔ̃plɑ̃te] v. tr. — 1551; lat. *complan- tare* «planter ensemble».
Agriculture.

◆ **1** Planter ensemble (des espèces différentes) sur (une terre). *Complanter un terrain de... et de...* — Au p. p. *Une terre complantée de vigne et de pommiers.*

◆ **2** Couvrir de plantations. → **Planter.** *Complanter un domaine d'orangers.*

DÉR. **Complant.**

COMPLÉMENT [kɔ̃plemɑ̃] n. m. — 1308 (de l'anc. franç. *complir* «remplir»); repris 1690; du lat. *comple- mentum,* de *complere* «remplir».

◆ **1** Ce qui s'ajoute ou doit s'ajouter à une chose pour qu'elle soit complète. → **Achèvement, couronnement.** *Le complément est intégré à la chose, le supplément* est extérieur. *Le dessert, complément du repas. Demander un complément d'information. Complément à un ouvrage imprimé* (→ **Addenda, annexe, appendice**), *à une lettre* (→ **Post-scriptum**), *à un testament* (→ **Codicille**). *Le complément d'une somme.* → **Appoint, reste, solde; soulte.**

1 Ce n'est pas (...) une partie essentielle du sacrement (...) elle n'est que le complément (...) le sacrement, sans cela, pourrait subsister.
        BOURDALOUE, Pensées, *in* LITTRÉ.

2 (...) l'idée, pour s'achever et trouver sa forme, a besoin des compléments et des accroissements que lui fournissent les esprits voisins.
        TAINE, Philosophie de l'art, t. I, I, II, 3, p. 60.

Complément de programme (au cinéma) : court métrage (généralement projeté avant le film).

◆ **2** (1747). Gramm. Mot (de fonction substantive) ou proposition qui se rattache à un autre mot ou à une autre proposition, et que l'on analyse comme de nature à en compléter ou en préciser le sens. → **Régime.** *Mot* (nom, pronom, infinitif) *pouvant faire fonction de complément. —* (Appos.). *Proposition complément.* → **Complétive.** *Le complément d'une proposition principale, du verbe, d'un nom. Nature du complément : déterminatif, explicatif, complément d'objet, d'attribution, de circonstance, d'agent* (avec un verbe passif). *Forme du complément : complément direct, indirect. Mot-outil introduisant un complément indirect.* → **Préposition.**

3 (...) on appelle aujourd'hui «*complément direct*» tout complément *rattaché directement au mot complété*, c'est-à-dire sans mot-outil. C'est à une construction que se rapporte désormais cette appellation. De sorte qu'un *complément direct* peut être un complément d'objet : *une mère gronde son enfant, elle ne le bat pas;* mais un complément direct peut être aussi tout à fait autre chose qu'un objet. Ainsi : *il empoisonne* l'ail, *il a couru* vingt pas, *elle va* le matin *à la clinique.*

F. BRUNOT, la Pensée et la Langue, IX, II, 1, p. 300.

◆ **3** Arithm. *Complément arithmétique : nombre* qu'il faut ajouter à un nombre entier pour obtenir la puissance de 10 qui lui est immédiatement supérieure. — (1690). Géom. *Complément d'un angle :* ce qu'il faut ajouter pour obtenir un angle droit. — Math. (théorie des ensembles). *Complément d'un ensemble* (inclus dans un ensemble E), ensemble des éléments de E qui n'appartiennent pas à cet ensemble. → **Complémentaire.**

En numération à base fixe, Nombre qu'il faut ajouter à un autre pour obtenir la base *(complément à la base).*

Astron. *Complément (de hauteur) d'un astre,* sa distance angulaire au zénith.

(1753). Mus. *Complément d'un intervalle,* ce qui lui manque pour faire l'octave.

◆ **4** (1904, in *Rev. gén. des sc.,* n° 13, p. 637). Biol. Substance protidique complexe du sérum sanguin, qui joue un rôle essentiel dans les réactions entre antigènes et anticorps dans le processus de l'immunité. — Syn. (vieilli) : *alexine.*

CONTR. Acompte, amorce, commencement. — Essentiel, principal. — Rudiment. — Sujet. ◊ DÉR. Complémentaire, compléter.

COMPLÉMENTAIRE [kɔ̃plemãtɛʀ] adj. et n. m.
— 1791; de *complément.*

◆ **1** Qui apporte un complément. *Renseignement complémentaire. Clause, article complémentaire.* → **Additionnel; codicillaire** (pour un testament). *Ressources complémentaires,* qui permettent d'équilibrer le budget.

1 Avec beaucoup d'ingéniosité, j'arrivais donc à me procurer des recettes non pas supplémentaires, mais, en vérité, modestement complémentaires.

G. DUHAMEL, Biographie de mes fantômes, XI, p. 220.

◆ **2** Spécialt (math.). *Angle, nombre, arc complémentaire.* → **Complément** (3.). *Triangle complémentaire d'un autre.* → **Médian.** *Ensemble complémentaire d'un autre ensemble,* son complément* (dans un ensemble les contenant). — N. m. *Le complémentaire d'un ensemble dans un autre ensemble.* — Chim. *Bases complémentaires des acides nucléiques* (adénine, thymine, cytosine, guanine, uracile). — Gramm. (Vx). *Proposition complémentaire.* → **Complétive.** — (1862). *Couleurs complémentaires,* dont la combinaison donne la lumière blanche. *Le rouge et le vert, couleurs complémentaires. Importance des couleurs complémentaires, dans la peinture impressionniste.* — *Jours complémentaires du calendrier révolutionnaire.*

N. m.

2 Les uns font de leur dieu, leur extrême; et les autres, leur contraire.
Il est, de ceux-ci, leur complémentaire.

VALÉRY, Cahiers, t. II, Pl. p. 660.

◆ **3** Ancient. *Cours complémentaires :* cours (supprimés en 1959) qui se situaient entre le certificat d'études primaires et le brevet élémentaire (supprimés eux aussi).

CONTR. Essentiel, initial, fondamental, principal. ◊ DÉR. Complémentairement, complémentarité.

COMPLÉMENTAIREMENT [kɔ̃plemãtɛʀmã] adv.
— 1903; de *complémentaire.*

Didact. ou littér. D'une façon complémentaire. *Des couleurs complémentairement associées.*

À propos : une bonne manière d'*allumer* les ténèbres : fourrez le soleil dans l'œil de l'observateur superficiel, il verra — complémentairement — trente-six mille nuits.

A. JARRY, le Périple de la littérature de l'art, «Ce que c'est que les ténèbres», in Œ. compl., t. VII, p. 148.

COMPLÉMENTARITÉ [kɔ̃plemãtaʀite] n. f. — 1907;
de *complémentaire.*

Didact. Caractère de ce qui est complémentaire. *La «dialectique est le sol philosophique sur lequel peut être établie la complémentarité des herméneutiques rivales de l'art, de la morale, et de la religion»* (P. Ricœur, in *la Nef,* n° 31, p. 126).

1 (...) le relief visible d'un objet équivaut à l'ensemble des vues stéréoscopiques qu'on prendrait sur lui de tous les points, et au lieu de voir dans le relief une juxtaposition des parties solides on pourrait aussi bien le considérer comme faisant de la *complémentarité réciproque* de ces vues intégrales, chacune donnée en bloc (...) chacune différente des autres et pourtant représentative de la même chose. Le Tout, c'est-à-dire Dieu, est ce relief même pour Leibniz, et les monades sont ces vues planes complémentaires les unes des autres : c'est pourquoi il y définit Dieu (...) «l'harmonie universelle», c'est-à-dire la complémentarité réciproque des monades.

H. BERGSON, l'Évolution créatrice, p. 351.

2 Au fil des ans, la femme considérée comme l'inférieure de l'homme, rétablissait l'équilibre de telle manière que l'inégalité devint complémentarité.

Jean FERNIOT, Pierrot et Aline, p. 282.

(Écon., admin.). *Complémentarité de deux économies. Complémentarité de deux biens,* dont la consommation est liée.

Sc. *Principe de complémentarité,* selon lequel les aspects corpusculaire et ondulatoire étudiés par la physique atomique sont des formes complémentaires d'un même objet de connaissance.

Biol. Ajustement stéréospécifique entre les bases azotées (dans la molécule d'A.D.N.).

COMPLÉMENTATION [kɔ̃plemãtasjɔ̃] n. f. — 1914,
Péguy; de *complémenter.*

Didactique.

◆ **1** Fait de fournir un complément à (qqch.).

◆ **2** (Au sens général). Fait de compléter, d'achever. — REM. La rareté du subst. verbal de *compléter* (*complètement,* n. m.) fait que *complémentation* fonctionne avec cette valeur.

◆ **3** Gramm. Fait de fonctionner comme complément.

COMPLÉMENTER [kɔ̃plemãte] v. tr. — XXᵉ; attestation isolée, 1891, Verlaine, au sens de «compléter»; de *complément.*

Didactique.

◆ **1** Être le complément de... (spécialt, en math.). — Pron. *Deux sous-ensembles qui se complémentent.*

◆ **2** (En emploi général). Fournir un complément à (qqch.). → **Compléter; achever.**

DÉR. Complémentation.

1. COMPLET, ÈTE [kɔ̃plɛ, ɛt] adj. — 1367; lat. *completus,* p. p. de *complere* «achever».

Après le nom, en épithète, sauf au sens 3.

◆ **1** Auquel ne manque aucun des éléments qui doivent constituer (ce qui est désigné par le nom), qu'il s'agisse d'un ensemble défini par avance ou d'une estimation subjective. *Habillement, assortiment, trousseau, nécessaire, service de table complet. Jeu complet d'outils. Un jeu complet de (52) cartes. Les œuvres complètes d'un auteur. «Des services complets d'argenterie»* (Las Cases, in T. L. F.). *Aliment complet,* qui réunit tous les éléments nécessaires à l'organisme humain. *Pain complet,* qui renferme aussi du son. *Petit déjeuner, café, thé complet,* avec pain, beurre, confiture. — Ellipt. (n. m.). *Un complet.* — Vx. *Costume complet.* → 2. **Complet.**

1   Il alla ouvrir et vit paraître Jeanne qui lui apportait un plateau couvert d'un thé complet.
           G. SAND, Jeanne, p. 271 (1844), *in* T. L. F.

♦**2** Qui a un ensemble achevé de qualités, de caractères. — (Personnes). *Un génie, un homme complet,* sans lacune. → **Accompli, achevé, universel.** *Un athlète complet.* — (Choses). *Donner une idée, une image complète de.* → **Adéquat** (→ Art, cit. 76; bourgeois, cit. 10). *Une étude complète.* → **Exhaustif.** *Une enquête complète, approfondie.* → **Compréhensif.** *Ruine, destruction complète.*

Qui ne contient aucun élément susceptible d'altérer. *Une joie complète,* sans mélange, parfaite. *La victoire est complète.* → **Absolu, entier, total.**

2   (...) avec une satisfaction qui lui fit bien espérer de la suite d'une fête si complète.
           MOLIÈRE, la Princesse d'Élide, Intermède VI.

3   (...) j'épouse Julie; et (...) pour rendre la comédie complète de tout point, vous épouserez Monsieur Tibaudier (...)
           MOLIÈRE, la Comtesse d'Escarbagnas, 9.

4   Nous voudrions des hommes complets, pour ne pas dire parfaits, sans songer si nous avons, si nous pouvons même avoir une idée bien assurée de la perfection, et si les hautes montagnes ne supposent pas les grandes vallées.
           MIRABEAU, Notice sur son grand-père, *in* LITTRÉ.

5   César est l'homme le plus complet de l'histoire parce qu'il réunit le triple génie du politique, de l'écrivain et du guerrier.
           CHATEAUBRIAND, *in* LAFAYE, Dict. des synonymes.

6   *L'égalité absolue,* qui présuppose la *soumission complète* à cette *égalité,* reproduirait la plus dure servitude (...)
           CHATEAUBRIAND, Mémoires d'outre-tombe, t. VI,
                                                         p. 326.

7   Ce monde à lui tout seul tel qu'il est, c'est difficile de nous persuader qu'il est complet et suffisant.
           CLAUDEL, Feuilles de saints,
                            Ode jubilaire,
                            600ᵉ anniversaire de la mort de Dante.

8   Disons tout de suite qu'aucune image romanesque ne saurait être complète. *La Comédie humaine* est une œuvre géante; ce n'est pas un tableau exhaustif de la France au dix-neuvième siècle.
           A. MAUROIS, Études littéraires, Jules Romains,
                                                         t. II, p. 154.

REM. Dans ce sens, *complet* s'emploie normalement en comparatif et superlatif. *Plus, moins complet; très complet. Un travail très complet, moins complet que...*
Par plais. *C'est complet!* : il ne manquait plus que cela! → **Bouquet, comble.**

♦**3** (Sens faible : avant [plus littér.] ou après le nom). *C'est un complet idiot.* → **Fieffé.** *Son intervention est d'un complet ridicule, d'un ridicule complet.* → **Achevé, parfait.** *Il est tombé dans un complet discrédit, dans un discrédit complet.* → **Total.**

9   Le nouveau duc de Mazarin était un fou complet, dont tous les témoins du siècle sont d'accord pour dénoncer l'extravagance.
           Émile HENRIOT, Portraits de femmes,
                            H. et Marie Mancini, p. 59.

♦**4** Tout à fait réalisé et (dans un sens temporel) écoulé. *À huit jours complets.* → **Franc** (à huit jours francs). *Dix années complètes.* → **Accompli, révolu.** — Vieilli. *Quand la nuit fut complète.* → **Clos** (à la nuit close).

Les parties complètes et les parties inachevées d'une œuvre d'art. → **Achevé, complété, terminé.**

10   J'ai été conduit à inférer qu'une partie de l'effet que produisent les statues de Michel-Ange est due à certaines disproportions ou parties inachevées qui augmentent l'importance des parties complètes.
           E. DELACROIX, Journal, 9 mai 1853.

Zool. *Insecte complet* (ou *parfait*), opposé à *larve, chrysalide...*

♦**5** Avec toutes les parties, tous les éléments qui le composent en fait. → **Entier, total.** *Son mobilier complet se réduit à deux chaises.* — *Collection d'œuvres d'art demeurée complète.* → **Intact.**

♦**6** N. m. (1829). Loc. AU COMPLET, AU GRAND COMPLET. → **Totalité** (en). *J'ai lu ses œuvres au complet.* → **Entier** (en), **in extenso, intégralement.** *Le parti, au complet, a approuvé son chef.* → **Unanimité** (à l'). *Conseil d'administration réuni au complet.* → **Plénière** (assemblée).

11   À onze heures, la cloche des Trembles annonçait le déjeuner : c'était le premier moment de la journée qui réunit la famille au complet et mît les deux enfants sous les yeux de leur père.
           E. FROMENTIN, Dominique, p. 24.

♦**7** Qui n'a plus de place disponible. → **Bondé, bourré, chargé, plein, rempli, surchargé.** *La liste est complète, on n'accepte plus aucune inscription.* → **Clos.** — Spécialt (en parlant d'un lieu où les places sont limitées). *Train, bus complet. C'est complet, on ne prend plus personne. Afficher «complet» au théâtre* (cf. Jouer à bureaux fermés). *Complet* (signale que l'on n'admet plus personne).

11   (...) l'omnibus (...) est déjà encombré de voyageurs... la plaque fatale est levée... Vous pouvez lire le mot : *complet!*
           Ch. PAUL DE KOCK, la Grande Ville, t. I,
                                                         p. 331 (1853).

CONTR. Incomplet. — Élémentaire, rudimentaire. — Ébauché, esquissé, superficiel. — Appauvri, diminué, élagué, réduit. — Désert, vide. ◊ DÉR. 1. Complètement, compléter, complétude. — V. aussi Complétif. ← COMP. et CONTR. V. Incomplet.

2. COMPLET [kɔ̃plɛ] n. m. — 1874; de *(vêtement, costume) complet.* → 1. **Complet.**

Vêtement masculin en deux (ou trois) pièces assorties : veste, pantalon (et gilet). — Syn. vieilli : *complet-veston. Des complets sur mesure, de confection.* → **Costume.** *Un complet en tweed.*

Il était le seul des invités à porter un smoking de couleur foncée (...) et tous les autres, ce soir, étaient en smoking blanc (...) ou bien en complets de ville de teintes diverses, foncées bien entendu.
           A. ROBBE-GRILLET, la Maison de rendez-vous, p. 21.

COMP. Complet-veston.

1. COMPLÈTEMENT [kɔ̃plɛtmã] adv. — Fin XIIIᵉ; de 1. *complet.*

♦**1** D'une manière complète. → **Entièrement, tout** (tout à fait)... *Lire un ouvrage complètement.* → **Bout** (jusqu'au bout, de bout en bout...), **long** (tout au). — *Traiter complètement un sujet.* → **Fond** (à); **épuiser.** *Citer complètement.* → **In extenso.** *Armer, équiper qqn complètement.* → **Pied** (des pieds à la tête; de pied en cap).

1   (...) quand on aime complètement, on aime ce que l'on aime tel qu'il est.
           FLAUBERT, Correspondance, t. II, p. 374.

2   Ils *(certains verbes)* expriment une action normale : a) Cette action est complètement accomplie, poussée jusqu'au bout : *parfaire, parachever, pourchasser.* b) Elle n'est pas exécutée jusqu'au bout. Il n'y a que demi-exécution. On use de entre : *entrouvrir la fenêtre; entrebâiller la porte* (...)
           F. BRUNOT, la Pensée et la Langue, II, VII, IV, p. 219.

♦ **2** Très courant. Tout à fait, vraiment. → **Absolument, parfaitement, totalement** (cf. À cent pour cent). *Il est complètement fou, idiot. Je suis complètement crevé, vanné. — Il s'en fiche complètement. J'ignore complètement...*

REM. Les contextes les plus fréquents concernent une réalité négative, pénible (cf. néanmoins «*complètement satisfait*», in T. L. F.).

3   Pierre Lafeuille se sentait, dans la même minute, tout à fait lucide et complètement idiot.
J. ROMAINS, les Hommes de bonne volonté, Verdun, p. 13.

CONTR. **Incomplètement, insuffisamment.**

2. **COMPLÈTEMENT** [kɔ̃plɛtmɑ̃] n. m. — 1750; de *compléter.*

Rare. Action de compléter. — REM. C'est le dér. du verbe didactique *complémenter* qui sert en fait de substantif d'action à *compléter.* → **Complémentation.** — Psychol. *Méthode, test de complètement,* qui consiste à faire compléter un système signifiant (dessin, phrase...) inachevé.

COMPLÉTER [kɔ̃plete] v. tr. [CONJUG.: *céder.*] — 1733; de 1. *complet.*

Rendre complet*. *Compléter une quantité, un nombre.* → aussi **Augmenter, enrichir.** *Compléter ses effectifs, une collection, un mobilier, une garde-robe. Compléter par une addition, un complément.* → **Complémenter.** *Compléter l'assortiment d'un magasin.* → **Assortir.** *Ajouter un détail pour compléter l'ensemble.* → **Rajouter, rapporter.** *Compléter une toilette par des accessoires.* → **Accessoiriser.** *Compléter une somme pour atteindre un chiffre rond*.* → **Arrondir.** *Compléter un séjour, un stage.* → **Achever.** *Compléter l'apparence, la valeur d'une chose.* → **Améliorer, embellir, perfectionner.** *Travailler pour compléter ses connaissances.* → **Combler** (ses lacunes). *Compléter son œuvre.* → **Parachever, parfaire.** *Pour compléter votre information... Son éducation a besoin d'être complétée.* — (Sujet n. de chose : ce qui complète). *Élément, somme qui complète.* → **Complémentaire, supplétif.**

1   Elle ajoutait l'appoint nécessaire pour compléter les vingt francs.   ZOLA, l'Assommoir, p. 537, *in* T. L. F.

(Compl. abstrait). *Compléter une impression, une illusion.* → **Couronner, parfaire.**

♦ **SE COMPLÉTER** v. pron.

♦ **1** (V. récipr.). Se rendre complet, se parfaire en s'associant. *Leurs caractères se complètent.* — (Personnes). *Ils se complètent.*

2   Lequel des deux, de l'employé ou du bureau, était le fruit naturel de l'autre, sa sécrétion obligée ? C'est ce qu'on n'eût su préciser. Le fait est qu'ils se complétaient mutuellement, qu'ils se faisaient valoir par réciprocité, étant au même titre sordides et misérables.
COURTELINE, Messieurs les ronds-de-cuir, 2ᵉ tableau, I.

♦ **2** (V. passif). Être complété. *Son trousseau se complète peu à peu. Un repas agréable se complète par un bon cigare.*

CONTR. **Décompléter. — Abréger, alléger, appauvrir, diminuer, réduire, restreindre. — Amorcer, commencer, ébaucher, esquisser.** ◊ DÉR. et COMP. 2. **Complètement. — Décompléter. — V. Complétion.**

COMPLÉTIF, IVE [kɔ̃pletif, iv] adj. et n. f. — 1503; lat. grammatical *completivus* (Vᵉ), de *complere* «achever».

Gramm. Se dit des propositions qui jouent le rôle de complément. *Proposition complétive d'objet; proposition relative complétive* (déterminative, explicative); *proposition complétive circonstancielle* (temporelle, causale, finale, consécutive, concessive ou oppositive, conditionnelle, comparative).

N. f. *Une complétive. Les complétives,* opposées aux *complétées.*

COMPLÉTION [kɔ̃plesjɔ̃] n. f. — 1954; «achèvement», au Canada, 1930; angl. *completion* (XVIIᵉ), ou bas lat. *completio,* de *completum,* supin de *complere.* → Compléter.

♦ **1** Philos. ou littér. Action de compléter. Son résultat. — Par ext. Réalisation minutieuse.

♦ **2** Psychol. Anglic. *Test de complétion.* → 2. **Complètement.**

♦ **3** Techn. (pétrole). Anglic. Ensemble des opérations qui permettent de mettre un puits en production.

COMPLÉTUDE [kɔ̃pletyd] n. f. — 1928; de 1. *complet,* d'après *incomplétude*.*

Didact. Caractère de ce qui est complet, achevé. → **Achèvement, finitude.**

1   Il y a par-dessus tout la complétude du nerf. Complétude qui tient toute la conscience, et les chemins occultes de l'esprit dans la chair.
A. ARTAUD, Bilboquet, Œ. compl., t. I, p. 236.

2   (...) nul ne peut assumer la réponse impossible (d'une complétude insoutenable), et l'errance continue.
R. BARTHES, Fragments d'un discours amoureux, p. 119.

(1969). Caractère d'un système hypothético-déductif* qui ne contient pas de propositions indécidables.

CONTR. **Incomplétude.**

COMPLET-VESTON [kɔ̃plɛvɛstɔ̃] n. m. — XXᵉ (1934, Larbaud); de 2. *complet,* et *veston.*

Vieilli. Complet (vêtement masculin). → 2. **Complet.** *Des complets-vestons.*

Des costumes d'une élégance ou d'une étrangeté fort inégales. Beaucoup de gilets de fantaisie. Des complets-veston (sic) d'employés, que relevait une cravate à chamarrures.
J. ROMAINS, les Hommes de bonne volonté, t. IV, XXII, p. 239.

COMPLEXE [kɔ̃plɛks] adj. et n. m. — XIVᵉ; lat. *complexus,* de *complexum,* supin de *complecti* «contenir».

I Adj. ♦ **1** Qui contient, qui réunit plusieurs éléments différents. *Question, problème complexe. Idée, projet complexe. Le caractère complexe d'une chose, d'un sujet.*

1   Le style simple est semblable à la clarté blanche. Il est complexe mais il n'y paraît pas.
FRANCE, le Jardin d'Épicure, p. 83.

2   (...) à l'instant où elle (*l'Allemagne*) semblait renoncer à exprimer son âme complexe et raisonneuse, pour épouser le style de la pensée latine (...)
R. ROLLAND, Voyage musical au pays du passé, p. 238.

3   (...) un sujet d'une étendue immense et qui, loin de se simplifier et de s'éclaircir par la méditation, ne fait que devenir plus complexe et plus trouble à mesure que le regard s'y appuie.   VALÉRY, Variété III, p. 198.

4   Hamlet est un personnage parfaitement humain, parce que complexe, parce que trouble.
Louis JOUVET, Réflexions du comédien, p. 58.

N. m. *Le complexe* : ce qui est complexe. *Aller du simple au complexe.*

4.1 Pour voir apparaître la grande idée de l'engendrement du complexe par le simple, du supérieur par l'inférieur, il faudra attendre jusqu'à Jean Lamarck.

Jean ROSTAND,
Esquisse d'une histoire de la biologie, p. 60.

Gramm. *Sujet, attribut complexe,* qui est déterminé par un ou plusieurs compléments.

Log. *Terme complexe,* qui est accompagné d'une explication ou d'une détermination. *Proposition, syllogisme complexe,* qui renferme un sujet, un attribut complexe.

Math. *Nombre complexe* : élément d'un ensemble (le *corps des nombres complexes,* noté $\mathbb{C}$ ou parfois **C**) dont les éléments sont de la forme $a + ib$, où a et b sont des nombres réels, i étant le nombre défini par $i^2 = -1$. *Dans l'écriture $a + ib$ d'un nombre complexe, le nombre a est la* partie réelle *de ce nombre, et b sa* partie imaginaire. *Nombre complexe conjugué* (ou, n. m., *le conjugué*) *d'un nombre complexe.* → **Conjugué**. *Écriture d'un nombre complexe sous la forme trigonométrique, sous la forme exponentielle. Interprétation géométrique des nombres complexes* → **Affixe, argument**. — *Espace vectoriel complexe* : espace vectoriel sur l'ensemble des nombres complexes. *Fonction complexe* : fonction à valeurs dans l'ensemble des nombres complexes. *Matrice complexe,* dont les éléments sont des nombres complexes. *Plan complexe* : plan affine euclidien utilisé pour représenter les nombres complexes.

N. m. *Un complexe* : un nombre complexe. *Les nombres réels sont des complexes dont la partie imaginaire est nulle.*

♦ **2** Cour. (souvent considéré comme abusif). Difficile, à cause de sa complication. → **Compliqué**. *Une situation, un problème, une affaire très complexe.* → **Embrouillé, emmêlé**. — *C'est complexe, très complexe !*

II N. m. (1781). ♦ **1** Physiol. Association de plusieurs phénomènes ou substances formant une entité ou concourant à une activité bien définie. *Complexe prothrombique* : ensemble des facteurs de la coagulation du sang.

♦ **2** Pathol. Ensemble de plusieurs lésions ou anomalies. *Complexe primaire,* constitué par la lésion tuberculeuse initiale et la réaction au niveau des ganglions proches. *Complexe ganglio-pulmonaire.*

♦ **3** Psychol. **a** Ensemble perçu globalement, sans analyse de ses parties composantes. → **Forme**. *La théorie des complexes,* dans la psychologie de la perception.

b (1906, *in* D. D. L.). Psychan. Ensemble des traits personnels acquis dans l'enfance, doués d'une puissance affective et généralement inconscients, chez un individu. — (1914). *Complexe d'Œdipe* : «attachement érotique de l'enfant au parent du sexe opposé» (Lagache). → **Œdipe**, 2. (→ Matrilinéaire, cit. ; nécrophilique, cit. ; père, cit. 12). — *Complexe de castration.* — *Complexe d'infériorité* : ensemble des conduites manifestant une lutte contre un pénible sentiment d'infériorité.

Cour. Ce sentiment. *Souffrir d'un complexe d'infériorité* (→ ci-dessous, *un complexe*).

4.2 (...) comment nous nous accommodons de nos petites angoisses morales, et si nous prendrons conscience de nos «complexes» (ceci dit en langage savant) ou bien si nos «complexes» nous étoufferont.

A. ARTAUD, le Théâtre et son double,
Idées/Gallimard, p. 60.

Chez certains sujets, le sentiment est mêlé d'émotions, d'idées, d'images, d'actes volontaires ou involontaires, de désirs, de regrets, de remords et tout cela forme ce que Freud n'a pas eu tort de nommer, dans son jargon particulier, «un complexe». 5

G. DUHAMEL, Manuel du protestataire, II, p. 74.

Aussi bien, sur les complexes, y aurait-il beaucoup à dire. Presque tout ce que déclare Freud sur ce qu'il appelle le complexe d'Œdipe est absurde et je dirai surtout inexact. Mais la notion du complexe d'infériorité restera sans doute longtemps dans les pensées des hommes. 6

G. DUHAMEL, Manuel du protestataire, p. 74.

Notons en passant seulement que les audaces de Gautier, si vives soient-elles, n'ont absolument rien de pervers et ne relèvent d'aucun «complexe» inquiétant ; c'est de la gaillardise naturelle, et à ciel ouvert (...) 7

Émile HENRIOT, les Romantiques, p. 210.

Ah ! çà, pensa-t-il, j'ai un complexe d'infériorité devant mon frère !   SARTRE, l'Âge de raison, VIII, p. 116. 8

REM. *«Le terme de complexe (...) a connu une désaffection progressive chez les psychanalystes, si l'on excepte les expressions de complexe d'Œdipe[1] et complexe de castration»* (Laplanche et Pontalis, Vocabulaire de la psychanalyse, p. 72).

1. On dit d'ailleurs «un Œdipe», dans ce sens.

c (1930). Cour. et fam. Sentiment (d'infériorité) ou angoisse, etc., auquel on attribue tout comportement inhibé, obsessif. *Eh bien, toi, tu n'as pas de complexes, au moins* : tu as de l'audace. *Elle a des complexes* : elle est timide, trop réservée. *Être bourré de complexes.* — *Avoir le complexe de...,* l'obsession.

Oh ! avez-vous bien fermé la porte ? Oui ? Vérifiez, s'il vous plaît. Pardonnez-moi, j'ai le complexe du verrou. 9

CAMUS, la Chute, p. 148.

Dès qu'elle ouvre la bouche, il la rabroue aussitôt, l'écrase. Au début, quand elle était jeune, elle en devenait toute timide, ça lui donnait des complexes (...) 10

N. SARRAUTE, le Planétarium, p. 26.

♦ **4** Chim. Molécule (ou ion) dans laquelle un atome central est lié à d'autres atomes ou groupes d'atomes en nombre supérieur à la charge ou au degré d'oxydation de l'atome central. Édifice formé d'ions ou de molécules venus se lier chimiquement soit à un atome isolé neutre ou ionisé, soit à un atome situé en position centrale d'une molécule, augmentant ainsi le nombre de liaisons issues de cet atome.

♦ **5** Math. Se dit de certains ensembles (de courbes, etc.).

♦ **6** (1918). Écon. Ensemble d'industries qui concourent à une même production. *Un grand complexe sidérurgique.*

Construction formée de nombreux éléments coordonnés. *Complexe routier, complexe urbain* (→ Grand ensemble*). *Complexe universitaire, hôtelier. Complexe sportif. Le complexe Desjardins,* à Montréal. — *Complexe cinématographique* : établissement qui comporte plusieurs salles de cinéma, présentant chacune un programme différent (on dit aussi *complexe multisalles*).

♦ **7** Par plais. Ensemble concret plus ou moins compliqué.

J'entrepris donc au moins de détruire les complexes de trèfle qui poussaient entre les pierres leurs surgeons. 11

ARAGON, Blanche..., III, I, p. 375.

Ensemble abstrait (d'éléments associés). → **Structure**.

Aller à l'église n'était plus que l'un des éléments du complexe dominical, avec les croissants le matin, le quadruple apéritif du midi, et le cinéma vespéral. 12

R. QUENEAU, le Dimanche de la vie, p. 291.

CONTR. (Du sens I) **Clair, incomplexe, simple**. ◊ DÉR. **Complexer, complexifier, complexisme, complexité**. — (Du sens II, 3) **Complexé, complexuel**.

COMPLEXÉ, ÉE [kɔ̃plɛkse] adj. et n. V. 1960; de *complexe** (II., 3., c, courant). Fam. et cour. Timide, inhibé; qui a des complexes*. → **Inhibé**; fam. **bloqué, coincé, refoulé.** *Un type gentil, mais un peu complexé. — Il est pas complexé, celui-là : il a du culot*.*

1 Il est devenu amoureux de moi, mais à sa façon.
— C'est-à-dire?
— Il est cinglé, complexé, protestant. Il me tournait autour sans jamais rien dire.
H.-F. REY, les Pianos mécaniques, p. 170.

2 Je pensais que dans le fond, Paul était un type malheureux, complexé et tout, et qui voulait cacher sa personnalité.
J.-M. G. LE CLÉZIO, le Déluge, I, p. 59.

N. *Un complexé, une complexée. «Les refoulés, les complexés...»* (→ Bloquer, cit. 4.6).

CONTR. **Sûr** (de soi).

COMPLEXER [kɔ̃plɛkse] v. tr. — V. 1960; de *complexe.*
→ Complexé.

♦ **1** Fam. Donner des «complexes», un sentiment d'infériorité, d'insuffisance à (qqn). *C'est fou ce que vous me complexez! Un rien le complexe.* → **Paralyser.**

Quoiqu'il en eût, Hugues et ses professionnels de la jeunesse prolongée (...) le «complexaient» un brin.
René FALLET, Y a-t-il un docteur dans la salle?, p. 67.

Pron. *Se complexer :* se donner des «complexes». *Pour un oui, pour un non, il se complexe et perd ses moyens.*

♦ **2** Sc. (chim.). Former un complexe d'ions, de molécules.

CONTR. (Du sens 1) **Décomplexer.**

COMPLEXIFICATION [kɔ̃plɛksifikasjɔ̃] n. f. — 1955; de *complexifier.*

Didact. Fait de rendre complexe, de devenir complexe.

1 C'est Teilhard qui, le premier, aurait mis en relief le caractère progressif de l'évolution organique, la «complexification» de la matière, puis de la vie.
J. ROSTAND, Inquiétudes d'un biologiste, Livre de poche, p. 46-47.

2 (...) la complexification des rapports sociaux, ou leur simplification, leur enrichissement ou leur appauvrissement (...)
Henri LEFEBVRE, la Vie quotidienne dans le monde moderne, p. 92.

COMPLEXIFIER [kɔ̃plɛksifje] v. tr. — 1951; de *complexe* (I.).

Didact. Rendre complexe. — Pron. Devenir complexe.

Sous l'action conjuguée de quelques conditions cosmiques fondamentales (...) l'Humanité est désormais destinée (...) à se complexifier et à s'agréger sur soi, toujours plus vite, et de plus en plus.
TEILHARD DE CHARDIN, l'Activation de l'énergie, p. 321, in D.D.L., II, 4.

DÉR. **Complexification.**

COMPLEXION [kɔ̃plɛksjɔ̃] n. f. — V. 1120, *complexiun;* lat. *complexio,* de *complexum.* → Complexe.

♦ **1** Littér. Ensemble des éléments constitutifs du corps humain, du point de vue fonctionnel. → **Constitution, nature, naturel** (n. m.), **tempérament.** *Bonne, mauvaise complexion. Complexion délicate, faible; robuste, forte. Complexion sanguine, bilieuse, lymphatique.* — Vieilli. *Teint* (→ ci-dessous, cit. 2). *Une complexion mate, de brun.*

1 On n'est point effronté par choix, mais par complexion; c'est un vice de l'être, mais naturel (...)
LA BRUYÈRE, les Caractères, VIII, 41.

D'une complexion blanche, aux yeux, aux cheveux noirs, le front aisément caressé de songes, d'un naturel très réfléchi et très sensible, il tenait de sa mère et de sa grand'mère, de cette lignée aimante des O'Neilly.
SAINTE-BEUVE, Volupté, XIX, p. 187.

2

C'était un garçon de mon âge à peu près, mais de complexion plus délicate, blond, mince (...)
E. FROMENTIN, Dominique, IV, p. 65.

3

Il se souvenait d'y avoir lu que la peste épargnait les constitutions faibles et détruisait surtout les complexions vigoureuses.
CAMUS, la Peste, p. 56.

4

♦ **2** Vx. Caractère, humeur. → **Inclination, tendance.** *De complexion mélancolique, triste, gaie, amoureuse.*

(...) vous êtes donc de complexion amoureuse (...)
MOLIÈRE, Monsieur de Pourceaugnac, II, 4.

5

COMPLEXISME [kɔ̃plɛksism] n. m. — Mil. xxe; de *complexe.*

Didact. (méd. homéopathique). Doctrine selon laquelle on accroît l'efficacité de la thérapeutique homéopathique si l'on administre simultanément plusieurs remèdes au malade. *Le complexisme* ou *homéopathie complexe.*

CONTR. **Unicisme.** ◊ DÉR. **Complexiste.**

COMPLEXISTE [kɔ̃plɛksist] n. — Mil. xxe; de *complexisme.*

Didact. (méd. homéopathique). Partisan du complexisme.

Les *complexistes* sont ceux qui prescrivent de très nombreux remèdes ensemble. Mais plus les remèdes sont nombreux, sur une prescription, et plus on s'éloigne des principes homéopathiques généralement admis.
Pierre VANNIER, l'Homéopathie, p. 113.

CONTR. **Hahnemannien, uniciste.**

COMPLEXITÉ [kɔ̃plɛksite] n. f. — 1755; de *complexe.*

♦ **1** État, caractère de ce qui est complexe*. *La complexité d'une situation. La complexité du caractère. Complexité des choses.* → **Complication.**

(...) entraînés que nous sommes, avec une rapidité qui s'accélère jusqu'à devenir inquiétante, dans un état de choses dont la complexité, l'instabilité, le désordre caractéristique nous égarent, nous interdisent la moindre prévision, nous ôtent toute possibilité de raisonner sur l'avenir.
VALÉRY, Regards sur le monde actuel, p. 197.

1

(...) la simplicité des phrases ne représentait pas avec une suffisante exactitude la complexité des choses.
A. MAUROIS, Un art de vivre, III, p. 15.

2

♦ **2** Difficulté*, due à la multiplicité des éléments. *Un problème d'une effroyable complexité.*

CONTR. **Simplicité. — Facilité.**

COMPLEXUEL, ELLE, ELS [kɔ̃plɛksɥɛl] adj. — 1942, *in* D.D.L.; de *complexe* (II., 3.).

Psychol. De la nature du (ou d'un) complexe. *«Une situation malade-médecin de nature complexuelle»* (Guy Palmade, *la Psychothérapie,* p. 77).

COMPLEXUS [kɔ̃plɛksys] n. m. — 1704; mot lat., p. p. de *complecti.* → Complexe.

Vieux.

♦ **1** Anat. Muscle extenseur, dit *transversaire épineux.*

♦ **2** (1903, in Rev. gén. des sc.). Ensemble des phénomènes caractérisant une maladie.

♦ **3** Didact. Ensemble complexe (syn. mod. : *complexe*). *Un «complexus linguistique»* (Saussure, Bally). *Complexus psychique.*

REM. Proust (le Côté de Guermantes, Pl., p. 287) emploie le mot au sens de «fait, action de conjoindre; conjonction».

COMPLIANCE [kɔ̃plijãs] n. f. — xxᵉ; mot angl., «harmonie, accord», de *to comply* «s'adapter»; lat. *complire*; cf. anc. franç. *complir* et le comp. moderne *accomplir*.

Anglic. Techn. Souplesse adaptative (d'un organe de dispositif électronique). *«la nécessité de réaliser des phonos dont le bras ait aussi une grande "compliance" verticale. (Le mot n'est pas dans le Littré; nous n'y pouvons rien : c'est le mot technique.)»* (*Science et Vie*, n° 594, p. 123).

COMPLICATION [kɔ̃plikasjɔ̃] n. f. — 1370, *complicacion;* bas lat. *complicatio,* du supin de *complicare.* → Compliquer.

♦ 1 (1794). Caractère compliqué (de qqch.). *La complication d'une machine. La complication des rouages d'un mécanisme.* → **Complexité, embrouillement.** *Complication d'un engrenage.* — Par anal. *Complication des routes, des voies de communication.* → **Labyrinthe, réseau.** *La situation est d'une complication inextricable.*

♦ 2 (*Une, des complications*). Concours de circonstances susceptibles de créer des embarras, d'augmenter une difficulté. → **Accident, embarras, ennui.** *Éviter, fuir les complications. Vous aimez les complications !* → **Alambiquage, bizarrerie, cérémonie, chinoiserie, détour.** *C'est une complication de plus* (en parlant d'un événement, d'une circonstance qui s'ajoute à une difficulté antérieure). → **Contretemps, difficulté, problème** (fam.); **accrochage, anicroche.** *Être retenu par une complication.* → **Empêchement.** *Se battre avec mille complications.* → **Difficulté, piège, traquenard.** *Les complications de la politique, d'une affaire, d'un contentieux.* → **Imbroglio.**

1   (...) les conférences diplomatiques n'avaient conduit qu'à des altercations violentes et des complications nouvelles.
          Mérimée, Hist. du règne de Pierre le Grand, p. 32.

2   Quand le visage d'en face est un visage de jolie fille, le sourire qu'il rend agit à son tour, produit son reflet, et il en résulte d'infinies mais aimables complications.
          J. Romains, les Hommes de bonne volonté, t. IV,
                              XVIII, p. 198.

3   On ne veut pas croire qu'un homme tel que Beethoven se soit découragé en présence de toutes ces complications que lui apportait le destin.
          Édouard Herriot, la Vie de Beethoven, p. 305.

Par métonymie. (littér.). *Une complication de...* (suivi d'un nom au plur.) : un ensemble compliqué. *«Cette complication de maux»* (Chateaubriand). *Une complication d'ornements.*

Spécialt. Difficulté, embarras. *Avoir des complications avec qqn, dans une affaire.*

♦ 3 Spécialt. (Plur.). Apparition de phénomènes morbides nouveaux au cours d'une maladie; ces phénomènes. → **Aggravation.**

4   — Vous l'auriez guéri haut la main.
     — Sans doute, quand il y aurait eu complication de douze maladies.
          Molière, Monsieur de Pourceaugnac, II, 1.

5   En ce qui concernait Jeanne, l'idée de complications nerveuses d'origine sexuelle, ou plus précisément encore d'un surmenage très particulier, lui avait une fois ou deux effleuré l'esprit, mais il ne s'y était pas arrêté.
          J. Romains, les Hommes de bonne volonté, t. III,
                              VIII, p. 124.

6   (...) il s'agissait d'une fièvre à complications inguinales, c'était tout ce qu'on pouvait dire (...)
          Camus, la Peste, p. 61.

CONTR. Simplicité, simplification. — Clarification.

COMPLICE [kɔ̃plis] adj. et n. — 1327, *complisse;* du bas lat. *complex, -icis* «uni étroitement», de *complecti.* → Complexe.

Ⅰ Adj. **♦ 1** (En emploi d'attribut). Se dit d'une personne qui en aide une autre à commettre un délit. → **Acolyte, affidé, compère, complicité.** *Être complice d'un vol.* → **Main** (prêter la main à), **mèche** (être de mèche), **part** (avoir part).

Par ext. *Complice de* (qqn, une action) : qui participe à une action répréhensible. → **Associé.** *Il est complice des légèretés, des mensonges de...*

Qui ne gueule pas la vérité, quand il sait la vérité, se fait   1
le complice des menteurs et des faussaires !
          Ch. Péguy, la République..., p. 14.

Forcés d'enchérir contre les Jésuites, les acquéreurs se   2
feraient en apparence complices de la spoliation.
          J. Romains, les Hommes de bonne volonté, t. V,
                              VI, p. 53.

Pour me prouver (...) que je ne suis pas dupe de cette   3
civilisation sans mesure et sans harmonie, que je ne suis
pas complice de ce gaspillage, de cette ruée (...)
          G. Duhamel, Scènes de la vie future, XIV, p. 216.

♦ 2 Adj. (épithète ou attribut). Qui favorise l'accomplissement d'une chose. *Une attitude complice. Le silence, la nuit complice. Un sourire complice,* qui dénote un accord secret.

Je lui prête à regret un silence complice.   4
          Corneille, Médée, III, 1.

Sans doute, son coup réussi, avait-il jugé plus prudent de   5
regagner la montagne et de se disperser dans les douars
complices.   P. Mac Orlan, la Bandera, XVII, p. 209.

Ⅱ N. *Un, une complice.* — Dr. Anciennt. *Complice d'adultère* (cit. 6). — Mod. (dr. et cour.). *Les complices d'un délit, d'un crime :* ceux qui y participent en le préparant, en le facilitant ou en aidant à sa consommation. *L'auteur du crime et ses complices ont été arrêtés.* → **Acolyte.** *Elle était sa complice.*

(...) les malfaiteurs n'aiment pas à trouver de la résistance   5.1
dans ceux qu'ils cherchent à séduire ; il n'y a malheureusement point de milieu dès qu'on est assez à plaindre
pour avoir reçu leurs propositions : il faut nécessairement
devenir dès-lors ou leurs complices, ce qui est fort dangereux, ou leurs ennemis, ce qui l'est encore davantage.
          Sade, Justine..., t. I, p. 32.

Ceux qui, connaissant la conduite criminelle des malfai-   6
teurs exerçant des brigandages ou des violences contre la
sûreté de l'État, la paix publique, les personnes ou les propriétés, leur fournissent habituellement logement, lieu de
retraite ou de réunion, seront punis comme leurs complices.   Code pénal, art. 61.

Fig. → **Aide, auxiliaire, compagnon.** *C'était le complice, la complice de ses fredaines.* — Littér. (Choses) :
On se glisse   7
Sans bruit, dans l'ombre, avec le hasard pour complice (...)
          Hugo, l'Année terrible, nov., III.

CONTR. Adversaire, ennemi, hostile. ◊ DÉR. Complicité.

COMPLICITÉ [kɔ̃plisite] n. f. — 1420; de *complice.*

♦ 1 Participation par assistance intentionnelle à la faute, au délit ou au crime commis par un autre. *Prouver, établir la complicité d'un suspect. Être accusé de complicité. Être lié par la complicité. Agir en complicité avec qqn. Complicité de...* (et nom du délit).

(...) la route de la vertu n'est pas toujours la plus sûre, et   0.1
(...) il y a des circonstances dans le monde où la complicité
d'un crime est préférable à la délation.
          Sade, Justine..., t. I, p. 96.

Même à la rigueur un meurtre commis à l'intérieur d'une   1
famille, et que la complicité de tous les proches maquille
en accident ou en suicide.
          J. Romains, les Hommes de bonne volonté, t. II,
                              II, p. 18.

♦2 Entente* profonde, spontanée et souvent inexprimée (entre personnes). *Il y a entre eux une complicité totale.*

2 L'intimité du lit établit entre deux êtres, même quand ils ont cessé de s'aimer, une sorte de complicité, d'alliance mystérieuse.
> MAUPASSANT, les Sœurs Rondoli, p. 188.

3 Si franc qu'on le suppose, le rire cache une arrière-pensée d'entente, je dirais presque de complicité (...)
> H. BERGSON, le Rire, I, p. 5.

4 (...) il y a toujours eu entre les deux pays *(Russie et Allemagne)* une obscure complicité, résultant, à une trouble profondeur, d'une sorte de lointaine parenté.
> André SIEGFRIED, l'Âme des peuples, V, II, p. 122.

Littér. (Choses) :

5 La nature a la quelque chose d'indéfinissable ; les arbres n'y sont point comme les autres arbres, et le ciel derrière ses nuages semble cacher une pensée secrète dont le mystère se communique aux pierres des maisons, à l'eau du fleuve, et leur prête un air de complicité sinistre.
> J. GREEN, Léviathan, p. 59.

Loc. (Vieilli). *Agir de complicité* (avec qqn).

CONTR. Désaccord. — Hostilité.

COMPLIES [kɔ̃pli] n. f. pl. — V. 1120, *la cumplie ;* du lat. ecclés. *completa (hora)* «heure qui achève l'office».

Liturgie. Dernière heure de l'office divin, qui se récite ou se chante le soir, après les vêpres. *Dire, chanter les complies.*

Elle portait une petite chaise tapissée et venait s'asseoir au milieu de son «Paradis» où elle disait «Complies» et une prière qui n'était qu'à elle pour la Justice.
> M. JOUHANDEAU, Tite-le-Long, M�**ˡˡᵉ** Pauline, p. 112.

Par ext. *Aller à complies,* à la récitation de cette prière.

COMPLIMENT [kɔ̃plimɑ̃] n. m. — 1604 ; esp. *complimiento,* de l'expression *cumplir con alguien* «être poli envers qqn», *complir* signifiant «accomplir (ses devoirs, les politesses requises)».

♦1 Paroles louangeuses que l'on adresse à qqn pour le féliciter. **→ Congratulation, éloge, félicitation, louange.** *Faire des compliments à qqn. Aimer, rechercher, fuir, redouter les compliments. Un compliment affectueux, sincère, flatteur, maladroit, hypocrite. —* Vx (langue class.). *Faire compliment à qqn de son succès.* **→ Complimenter.** *Je vous fais compliment d'agir ainsi.* **→ Féliciter.** *—* Mod. *Mes compliments !* **→ Chapeau** (*supra* cit. 5). *— Sans compliment :* sans flatterie. *—* **Franchement, ouvertement.** *—* Iron. *Eh bien ! je vous fais mes compliments !,* ou, ellipt., *mes compliments !,* exprime à qqn combien sa maladresse est remarquable (cf. *Bravo !,* c'est du joli !).

1 Le loup donc l'aborde humblement,
Entre en propos, et lui fait compliment
Sur son embonpoint qu'il admire.
> LA FONTAINE, Fables, I, 5.

2 (...) et, sans vous faire compliment, il y avait des choses à voir dans cette fête qui pouvaient m'attirer, si (...)
> MOLIÈRE, les Amants magnifiques, I, 2.

3 Elle était comme presque toutes les femelles, lesquelles s'imaginent qu'un compliment qu'on leur fait est la stricte expression de la vérité et que c'est un jugement qu'on porte impartialement, irrésistiblement, comme s'il s'agissait d'un objet d'art ne se rattachant pas à une personne.
> PROUST, Sodome et Gomorrhe, p. 117.

4 Pas d'insensibilité aux compliments. Nul n'y échappe, hormis l'homme souffrant. La plante humaine semble s'épanouir sous les louanges.
> VALÉRY, Rhumbs, p. 271.

5 Le compliment était pour elle si inespéré, qu'elle se demanda d'abord si l'enfermait pas d'ironie, et qu'ensuite, quand elle le crut sincère, elle rougit de reconnaissance.
> J. ROMAINS, les Hommes de bonne volonté, t. V, IV, p. 26.

Vx. *Compliment de condoléance,* que l'on fait à qqn à l'occasion d'un deuil pour marquer que l'on prend part à sa peine. **→ Condoléance (mod.).**

6 La femme du lion mourut :
Aussitôt chacun accourut
Pour s'acquitter envers le prince
De certains compliments de consolation (...)
> LA FONTAINE, Fables, VIII, 14.

♦2 Paroles de civilité, de politesse. *Mes compliments à votre femme. Je vous charge de mes compliments pour M. Un Tel. Faites bien mes compliments à...* **→ Chose** (dites bien des choses...). *Présenter, transmettre ses compliments à qqn. Les compliments que vous m'adressez... Formule de compliments. — Faiseur de compliments.* **→ Complimenteur.**

7 Je me retire (...) pour ne me voir point obligée à recevoir ses compliments.
> MOLIÈRE, George Dandin, II, 8.

8 Vous ne serez pas le seul à faire vos compliments, mon jeune homme. Il y en a déjà trois à la maison qui attendent comme vous.
> G. SAND, la Mare au diable, XII, p. 102.

Vieilli. *Point de compliments, s'il vous plaît ! Trêve de compliments ! Ne faisons point de compliments.* **→ Discours, phrase ; cérémonie, complication.**

9 (...) n'entrons point dans ce vain compliment :
Rien ne me fâche tant que ces cérémonies (...)
> MOLIÈRE, l'École des femmes, III, 4.

10 Finissons cela, de grâce, laissons les compliments, et songeons au portrait.
> MOLIÈRE, le Sicilien, 11.

♦3 Péj. et vieilli. Paroles vaines, qui dissimulent la pensée, l'intention réelle. *Tout cela est pur compliment.* **→ Phrase, verbiage.** *Ne vous laissez pas abuser par ses compliments !*

Iron. et vx. Paroles désobligeantes, voire injurieuses. **→ Sortie (fam.).** *Il m'a fait là un mauvais compliment. C'est un fâcheux compliment. Un étrange, un sot compliment. C'est un joli compliment ! Voilà un compliment flatteur !*

♦4 Petit discours adressé à qqn que l'on veut complimenter. *Compliment en vers, en prose. Apprendre, réciter, servir, débiter un compliment. Faire lire un compliment par un enfant. Compliment du jour de l'an, de fête, d'anniversaire. Tourner un compliment. Compliment bien tourné, bien troussé. Recueil de compliments.*

Loc. fam. *Rengainer son compliment :* supprimer ou ne pas achever ce que l'on se proposait de dire à quelqu'un.

CONTR. Admonestation, affront, blâme, injure, invective, observation, réprimande, reproche, sarcasme. ◊ DÉR. Complimenter.

COMPLIMENTER [kɔ̃plimɑ̃te] v. tr. — 1634 ; de *compliment.*

♦1 Faire un compliment, des compliments à (qqn). **→ Congratuler, féliciter, louer.** *Complimenter un élève pour son succès, de son succès à un examen. Complimenter qqn pour son exploit.* **→ Chapeau** (tirer son chapeau). *Complimenter qqn sur son mariage. Je ne vous complimente pas.*

Complimenter qqn de (et infinitif) :

Il la croyait plus raisonnable, la complimentait d'obéir à son mari.
> ZOLA, Son Excellence Eugène Rougon, p. 321, in T. L. F.

♦2 Absolt, vieilli. Faire des civilités, des politesses. **→ Flatter.** *C'est trop complimenter. Ne perdons pas notre temps à complimenter. Sans complimenter...*

♦ SE COMPLIMENTER v. pron.

Réfl. (Rare). Se féliciter. **—** **Récipr.** *Ils passent leur temps à se complimenter mutuellement.*

CONTR. Blâmer, injurier. ◊ DÉR. Complimenteur.

COMPLIMENTEUR, EUSE [kɔ̃plimɑ̃tœr, øz] adj. et
n. — V. 1660; n., 1623; de *complimenter*.

Qui fait trop de compliments. → **Bénisseur, flatteur.** *Personnage complimenteur.* — Par ext. (discours,
propos). Rempli de compliments.

0.1   Elles se surveillaient toutes deux (...) Quand elles se rencontraient, elles étaient très douces, très complimenteuses,
l'œil furtif sous la paupière à demi-close, cherchant les
défauts. Elles affectaient (...) de s'aimer beaucoup.
                    ZOLA, le Ventre de Paris, t. I, p. 115.

1   Celle (*une femme*) à qui il pouvait tenir indéfiniment les
propos les plus complimenteurs (...)
                    PROUST, Sodome et Gomorrhe, p. 126.

2   Visite de Giovani Papini, directeur de la revue *Leonardo*
(...) Trop complimenteur; mais semble tout de même
penser une partie de ce qu'il dit.
                    GIDE, Journal, 2 janv. 1907.

N. *Un complimenteur, une complimenteuse. Un
insupportable complimenteur.*

CONTR. Froid, sévère.

COMPLIQUÉ, ÉE [kɔ̃plike] adj. et n. — V. 1400; du
lat. *complicatus*, de *complicare*. → Compliquer.

◆ **1** Qui possède de nombreux éléments dont l'assemblage est difficile à comprendre. *Mécanisme
compliqué.* → **Complexe.** *Des explications compliquées; des phrases longues et compliquées.* → **Alambiqué, contourné, embarrassé, entortillé.** *Une histoire
très compliquée.* → **Confus.** — Qui est rendu plus difficile par des circonstances diverses. *Une intrigue
compliquée. Un sentiment compliqué.*

1   A un amour tel que le mien, il fallait une lutte pénible et
compliquée.
                    NERVAL, la Bohème galante, Le rêve et la vie,
                    p. 389.

2   A la première lecture, le livre (*l'Adolescent*, de Dostoïevsky)
ne m'avait pas paru si extraordinaire, mais plus compliqué que complexe, plus touffu que rempli, et, somme
toute, plus curieux qu'intéressant.
                    GIDE, Journal, mai 1903.

Spécialt. *Une maladie compliquée de (qqch.).* → **Complication** (3.).
*Une agressivité compliquée d'angoisse; une gêne
compliquée de vanité.*

◆ **2** Difficile à comprendre. *C'est trop compliqué
pour moi. C'est très compliqué à expliquer, à faire...
Problème très compliqué. Écoutez, ce n'est pas compliqué* (fam. *c'est pas compliqué), vous prenez la
première à droite.* — N. m. *Le compliqué s'oppose
au simple.*

◆ **3** (Choses concrètes). Difficile à réussir, à obtenir,
de par sa complexité, ou la complexité des opérations requises. *«Une mayonnaise très compliquée et
d'un fort bon goût»* (Gautier, *in* T. L. F.). — N. m. *«Des
choses succulentes, mais d'un compliqué...»* (Gyp, *in*
T. L. F.).

◆ **4** (Personnes; facultés humaines). Qui aime la complication. *Un esprit compliqué.* — N. (Fam.) *Un compliqué, une compliquée :* une personne compliquée.
Vous, vous êtes un compliqué.

3   — Où va-t-il en venir? dit la comtesse de Chiffrevas à sa
voisine, car, vraiment, ce ne peut être là le plus bel
amour de Don Juan!
Toutes ces compliquées ne pouvaient croire à cette simplicité!
                    BARBEY D'AUREVILLY, les Diaboliques,
                    «Le plus bel amour de Don Juan», p. 114.

CONTR. Clair, simple.

COMPLIQUER [kɔ̃plike] v. tr. — 1797; fin XVIIᵉ, sens
lat.; du lat. *complicare* «lier, rouler ensemble» et, au fig.,
«embarrasser».

◆ **1** Rare. Assembler (différentes choses) d'une
façon peu simple, assez confuse. → **Embarrasser,**
embrouiller. *Compliquer un mécanisme. Compliquer à l'excès les rouages d'une machine.*

◆ **2** Rendre difficile à comprendre. → **Alambiquer**
(vieilli), **embrouiller, entortiller, obscurcir; confus**
(rendre confus). *Vous compliquez les choses par
vos ratiocinations.* → **Chinoiser.** *Compliquer un
problème, une question. Compliquer une intrigue.*
→ **Emmêler.** *Compliquer une situation à plaisir.*
→ **Emberlificoter.**

Toute velléité de compliquer la situation, d'ajouter aux ris-   1
ques acquis ceux d'une nouvelle aventure, quelle qu'elle
puisse être, aurait presque un caractère de folie.
                    J. ROMAINS, les Hommes de bonne volonté, t. II,
                                                II, p. 12.

Sois donc plus simple! Il faut toujours que tu compliques   2
les choses!   Paul GÉRALDY, Toi et Moi, p. 21.

Compliquer l'existence, la vie de (qqn). — Loc. *Se compliquer la vie,* se la rendre plus difficile par son
propre comportement. *Ne pas se compliquer la vie :*
rechercher avant tout la facilité.

◆ **3** Rendre plus complexe, en multipliant les éléments. → **Diversifier, enrichir.** *Compliquer ses distractions, ses plaisirs, ses émotions.*

◆ **4** Rare. Rendre compliqué (qqn). *«Thérèse avait
troublé Bernard. Elle l'avait compliqué»* (Mauriac,
in T. L. F.).

◆ **SE COMPLIQUER** v. pron.

Devenir compliqué, plus compliqué. *Les choses se
compliquent. L'intrigue se complique au deuxième
acte.* → **Nouer** (se). — *Maladie qui se complique.*
→ **Aggraver** (s'), **complication** (3.).

(Il) entrevit que son intérêt (...) était de nouer avec ces gens,   3
qu'il se représentait encore à peine, le plus de liens possibles; que plus leurs relations se compliqueraient, mieux
il les tiendrait.
                    J. ROMAINS, les Hommes de bonne volonté, t. V,
                                                VI, p. 57.

Ses réactions se compliquaient. — *Se compliquer de
qqch. :* être rendu plus compliqué par...

◆ **COMPLIQUÉ, ÉE** p. p. Voir l'adjectif.

CONTR. Aplanir, démêler, éclaircir, simplifier.

COMPLOT [kɔ̃plo] n. m. — V. 1180, «accord commun»;
«conjuration», 1213; orig. inconnue; pour P. Guiraud
il s'agit du déverbal du verbe *com-peloter* «mettre
ensemble des petits bouts de corde en les serrant autour
de l'un d'eux», du rad. de *pelote*, avec chute de l'*e*
atone; on y retrouve, selon lui, les trois idées d'«assemblage», de «très serré» et de «recouvert» donc «caché».

◆ **1** Projet concerté secrètement contre la vie, la
sûreté de qqn, contre une institution. → **Conjuration, conspiration, machination.** *Faire, former,
machiner, monter, ourdir, préparer, tramer un complot.* → **Comploter; intrigue, menée, ruse.** *Arrêter,
découvrir, déjouer, dénoncer, dévoiler, éventer, miner
un complot* (→ Éventer la mèche*). — (Littér.) *Un noir,
un ténébreux complot.* — *Mettre qqn dans un complot. Tremper dans un complot.* — Vieilli. *Faire complot. Ils avaient fait complot de le tuer* (→ **Attentat**,
complot de se révolter (→ **Sédition**).

Et la main de Pallas trame tous ces complots (...)   1
                    RACINE, Britannicus, IV, 2.

Celui qui met un frein à la fureur des flots   2
Sait aussi des méchants arrêter les complots.
                    RACINE, Athalie, I, 1.

Il n'était bruit dans cette République que de scandales,   3
de fortunes foudroyantes ou foudroyées, de complots et
d'attentats.   VALÉRY, M. Teste, p. 91.

(...) le complot, enfin découvert, allait brusquement   4
avorter.
                    Louis MADELIN, l'Avènement de l'Empire, IV, p. 39.

Spécialt. *Complot contre la sûreté de l'État :* projet séditieux contre la sûreté intérieure.

5 L'attentat dont le but sera, soit d'exciter la guerre civile en armant ou en portant les citoyens (...) à s'armer les uns contre les autres, soit de porter la dévastation, le massacre et le pillage, dans une ou plusieurs communes, sera puni de *mort*.
Le complot (...) et la proposition de former ce complot, seront punis de peines portées en l'article 89 (...)
Code pénal, ancien art. 91.

♦ **2** Manœuvres secrètes concertées pour nuire (à qqn, à qqch.) dans quelque domaine que ce soit. → **Cabale, menée.**

6 (...) il a besoin que je sois environné de ténèbres impénétrables, et que son complot me soit toujours caché, sachant bien qu'avec quelque art qu'il en ait ourdi la trame, elle ne soutiendrait jamais mes regards.
ROUSSEAU, les Confessions, X.

♦ **3** Projet concerté secrètement entre quelques personnes (sans idée de nuire). *Mettre qqn dans le complot,* dans le secret. *Venez vous joindre à notre petit complot.*

DÉR. Comploter.

COMPLOTER [kɔ̃plɔte] v. — 1450; de *complot;* P. Guiraud suppose un verbe antérieur, d'où viendrait *complot*. → **Complot.**

♦ **1** V. tr. (Vieilli). Préparer par un complot. → **Machiner.** *Comploter la révolution.* — Trans. ind. (Mod.). *Comploter de tuer qqn.*

♦ **2** V. tr. Préparer secrètement et à plusieurs. → **Manigancer, tramer.** — Fam. *Qu'est-ce que vous complotez là? Nous avons comploté de vous offrir ce voyage.* → **Projeter.**

1 (...) pour venir ce jour-là, il avait renoncé à une belle partie de pêche aux écrevisses que les gars de la Priche avaient complotée toute la semaine (...)
G. SAND, la Petite Fadette, VII, p. 50.

♦ **3** V. intr. **ⓐ** Vieilli. Ourdir* des complots, conspirer. *Comploter contre quelqu'un.*

2 (...) enlever une fille à son père! — Assurément (...) je le dois quand ce père est assez barbare pour comploter contre les jours de sa fille.
SADE, Justine..., t. I, p. 131.

ⓑ Mod. Faire des intrigues, former des projets secrets en s'associant. → **Intriguer.**

DÉR. Comploteur.

COMPLOTEUR, EUSE [kɔ̃plɔtœʀ, øz] n. — 1571, au fém.; au masc., 1580; de *comploter*.

Personne qui complote. *Les comploteurs ont été démasqués.*

Par ext. (au sens fam. et plaisant de *comploter*). *Alors, les comploteurs, qu'est-ce que c'est que ces messes basses? Petite comploteuse, tu nous avais caché tout ça!*

COMPO [kɔ̃po] ou **COMPOTE** [kɔ̃pɔt] n. f. — 1875, *compo; composition,* 1885; de *composition,* et jeu de mots avec *compote.*

♦ **1** Fam. Composition (en vue d'un classement scolaire). *Préparer sa compo. Compote de maths.*

1 Oui, je sais : ce n'est jamais le samedi que Marine tombe malade; je sais qu'elle a compo de calcul demain, que je pars après-demain. Mais comment prouver devant des larmes vraies que la souffrance est simulée?
Benoîte et Flora GROULT, Il était deux fois..., p. 157.

2 — Et ça, qu'est-ce que c'est? — Les livres d'Aurélie, tu vois bien! — Tous ces livres pour deux jours? — J'ai une compote lundi.
Benoîte et Flora GROULT, Il était deux fois..., p. 143.

♦ **2** (Seulement *compo*). Composition typographique.

HOM. Compote.

COMPONCTION [kɔ̃pɔ̃ksjɔ̃] n. f. — XIIe; lat. chrét. *compunctio,* du supin de *compungere* «piquer».

♦ **1** Relig. Sentiment de tristesse, éprouvé devant notre indignité à l'égard de Dieu. *Éprouver une vive componction de ses fautes.* → **Contrition, repentir.** *Demander à Dieu la componction du cœur. S'approcher du sacrement de pénitence dans un sentiment de componction, avec componction.*

0.1 (...) je lui (...) dévoilais les saints dogmes et les sublimes mystères (...) Ô Mademoiselle, lui disais-je un jour en recueillant les larmes de sa componction, l'homme peut-il s'aveugler au point de croire qu'il ne soit pas destiné à une meilleure fin?
SADE, Justine..., t. I, p. 121.

0.2 Dimanche 8. La *Pagode des Manguiers* sous les masses étagées de ces édifices végétaux. Le Tonkin noir et brun sourd est le pays des larmes et de la componction.
CLAUDEL, Journal, févr. 1925.

♦ **2** Cour. Gravité recueillie et affectée. *Adopter un air, une attitude de componction. Baisser les yeux avec componction.*

1 (...) les gens qui s'adonnent aux pratiques de la dévotion contractent un caractère de physionomie uniforme; l'habitude de baisser les yeux, de garder une attitude de componction, les revêt d'une livrée hypocrite que les fourbes savent prendre à merveille.
BALZAC, Une double famille, Pl., t. I, p. 972.

1.1 Un ou deux inconnus viennent serrer les mains, s'incliner, regarder la terre humide et le cercueil tout simple. Seuls les professionnels ont une mine compassée, pleine de regrets parfaitement visibles quoique mâtinés de componction impeccable.
Alain BOSQUET, les Bonnes Intentions, p. 195.

Iron. Air sérieux, solennel.

2 L'hôtelier ramassa les louis avec componction et les fit glisser l'un après l'autre au fond de son escarcelle.
Th. GAUTIER, le Capitaine Fracasse, t. I, VIII, p. 276.

CONTR. Désinvolture, légèreté. ◊ DÉR. Componctueux.

COMPONCTUEUSEMENT [kɔ̃pɔ̃ktɥøzmɑ̃] adv. — 1887; de *componctueux.*

Littér., rare. Avec componction.

Nous y étions, le Constace allait agir sur le trop impressionnable enfant. Je dressai componctueusement l'oreille.
VILLIERS DE L'ISLE-ADAM, Tribulat Bonhomet, p. 56.

COMPONCTUEUX, EUSE [kɔ̃pɔ̃ktɥø, øz] adj. — 1889, Verlaine, mais antérieur (→ Componctueusement); de *componction,* d'après *onction, onctueux.*

Littér., rare. Empreint de componction; qui a de la componction.

DÉR. Componctueusement.

COMPONÉ, ÉE [kɔ̃pɔne] adj. — 1302; anc. franç. *compon,* de *compondre;* lat. *componere.* → Composer.

Blason. Divisé en fragments de couleurs alternées, dits *compons. Bordures, pièces componées.*

COMPONENTIEL, ELLE [kɔ̃pɔnɑ̃sjɛl] adj. — V. 1960; angl. *componential (analysis),* de *component* «élément».

Anglic. Didact. *Analyse componentielle :* analyse d'une structure en éléments simples, selon ses traits pertinents (linguistique, sémantique, anthropologie).

COMPORTE [kɔ̃pɔʀt] n. f. — 1469, «seau»; du lat. *comportare.* → Comporter.

Régional. Baquet* de bois servant au transport de la vendange. → **Baquet, benne** (cit.), **cuve.**

Le vendangeur armé de ciseaux coupe le raisin, et en remplit son panier dont il verse le contenu dans une comporte. Le bouvier vient avec sa charrette prendre les comportes pleines.
Claude MAURIAC, le Temps immobile, p. 333.

COMPORTEMENT [kɔ̃pɔʀtəmɑ̃] n. m. — 1475, repris fin XIXᵉ; de *comporter*.

◆ **1** Manière de se comporter*. → **Air, allure, attitude, conduite, manière**. *Le comportement d'un auditoire.* → **Réaction**. *Le comportement d'un élève en classe. Je n'admets pas ce comportement.* → **Procédé**. *Un comportement bizarre, incompréhensible.* → **Conduite**. *Avoir, prendre, garder tel comportement à l'égard de, envers, vis-à-vis de qqn, face à qqch.*

1 Les actions et comportements de la dame sont la règle et le compas de la volonté du mari.
Ph. DE MARNIX, Différ. de la relig., I, III, 6, *in* HUGUET, Dict. XVIᵉ s.

2 Pour reconnaître si c'est Dieu qui nous fait agir, il vaut bien mieux s'examiner par nos comportements au dehors que par nos motifs au dedans.
PASCAL, Fragment d'une lettre à M. Périer, 1661.

3 (...) le pauvre Sylvinet pensa aussi en lui-même à la manière dont il expliquerait son mauvais comportement vis-à-vis de son frère et de sa mère (...)
G. SAND, la Petite Fadette, X, p. 75.

4 En France, la répercussion de ce climat sur le tempérament des hommes s'exerce surtout par les vents, qui jouent dans leur vie un grand rôle : le comportement de chacun en est directement affecté.
André SIEGFRIED, l'Âme des peuples, II, II, p. 32.

5 Au delà de la sienne *(sa bibliothèque)*, Sainte-Beuve voit plus loin que la chose imprimée : les choses de l'âme, tout le comportement humain, idéal, sensible, affectif, réaliste.
Émile HENRIOT, les Romantiques, p. 215.

6 (...) nous montrer l'allure, la démarche, les comportements, les frissons de cette humanité si constante dans sa nature et si variable dans ses apparences.
G. DUHAMEL, Inventaire de l'abîme, XV, p. 223.

◆ **2** (1908, pour traduire l'angl. *behavior*). **Psychol.** Ensemble des réactions objectivement observables. *La psychologie du comportement* ou *psychologie de réaction.* → **Behaviorisme**. *Montrer des troubles du comportement. Une anomalie de comportement. Le comportement social, linguistique, sexuel, d'une personne, d'un groupe, d'une population.*
Par anal. *Étudier, observer le comportement d'un insecte, de souris. Études de comportement animal.* → **Éthologie**.

◆ **3** Didact. Manière d'être, de se mouvoir, etc. (d'un élément concret). — Biol., méd. *S'intéresser au comportement des chromosomes, de certaines cellules. Le comportement d'une particule, d'un électron, d'une molécule, d'un corps chimique en présence d'un autre.* → aussi **Action, effet, mouvement, réaction**.

DÉR. **Comportemental.**

COMPORTEMENTAL, ALE, AUX [kɔ̃pɔʀtəmɑ̃tal, o] adj. — Av. 1949; de *comportement*, pour traduire l'angl. *behavioral*.
Didact. Qui est relatif au comportement (2.). *Des troubles comportementaux. «(...) comment, outre son action sur l'hypophyse et la régulation hormonale, une neurohormone pouvait aussi déterminer, du moins chez l'animal, des réactions comportementales (...)» (Science et Vie,* mars 1978, nᵒ 373, p. 9).
DÉR. **Comportementaliste.**

COMPORTEMENTALISTE [kɔ̃pɔʀtəmɑ̃talist] adj. et n. — Av. 1970, *la Recherche;* de *comportemental.*
Didact. Behavioriste*.

COMPORTER [kɔ̃pɔʀte] v. tr. — V. 1450; «porter», XIIᵉ; lat. *comportare* «transporter; supporter», de *com-* (*cum*) et *portare*. → **Porter**.

◆ **1** Permettre d'être, d'aller avec; inclure en soi ou être la condition de. → **Admettre, contenir, emporter,** impliquer, inclure. *Toute règle comporte des exceptions. La situation comporte bien des avantages. Les inconvénients que comporte cette solution. La loi, la règle comporte tels effets* (→ **Autoriser**), *telles exceptions* (→ **Souffrir, tolérer**).

1 Cette place comporte plus de dépense que celle du capitaine.
Mᵐᵉ DE SÉVIGNÉ, 598, *in* LITTRÉ.

2 Les faiblesses humaines sont essentiellement lâches, elles ne comportent ni paix ni trève (...)
BALZAC, le Lys dans la vallée, Pl., t. VIII, p. 922.

3 Vous voyez bien que je suis trop jeune pour vous, puisque déjà vous me reprochez de parler sans raison ! Je ne puis pas avoir plus de raison que mon âge n'en comporte.
G. SAND, la Mare au diable, XI, p. 95.

4 Notre enfance comporte des douzaines de destinées en puissance.
A. THIBAUDET, Réflexions sur la littérature, 1936, Gallimard, p. 172.

5 Le plus grand *(des sentiments)* était la séparation et l'exil, avec ce que cela comportait de peur et de révolte.
CAMUS, la Peste, III, p. 185.

◆ **2** (Concret). Comprendre* en soi. *L'autoroute comporte deux voies séparées. Ce poème comporte mille vers. Le concours comporte trois épreuves.* → **Inclure**.

5.1 La maison comportait un rez-de-chaussée, un étage et un grenier spacieux (...)
G. DUHAMEL, Chronique des Pasquier, III, VI, p. 68.

REM. Ce sens est contesté par certains puristes.

◆ **SE COMPORTER** v. pron.

◆ **1** Se conduire, agir d'une certaine manière. → **Comportement**. *Se comporter en brave, comme un brave. Se comporter en homme de cœur. Comment s'est-il comporté devant cette nouvelle?* → **Réagir**. *Se comporter avec élégance. Nous ignorons comment il se comporte avec (envers, vis-à-vis de) ses inférieurs.* → **User** (en user avec).

6 Un homme dissimulé se comporte de cette manière : il aborde ses ennemis (...) et leur fait croire par cette démarche qu'il ne les hait point (...)
LA BRUYÈRE, les Caractères de Théophraste, De la dissimulation.

7 Il lui fut dit que la petite Fadette s'y était si bien comportée qu'il n'y avait point le plus petit blâme à lui donner.
G. SAND, la Petite Fadette, XXXIV, p. 222.

8 Ce que je peux te promettre, c'est d'être discret, invisible, de me comporter enfin, comme un parfait gentleman, de m'arranger enfin toujours pour sauver les apparences.
G. DUHAMEL, Chronique des Pasquier, II, XIX, p. 411.

◆ **2** (Choses). → **Fonctionner, marcher**. *Cette voiture se comporte bien sur la route. Ce navire se comporte bien par gros temps.*
Dr. *Vendre un immeuble tel qu'il se poursuit et se comporte, tel qu'il est.*

CONTR. **Exclure.** ◊ DÉR. **Comportement.**

COMPOSACÉES [kɔ̃pozase] ou **COMPOSÉES** [kɔ̃poze] n. f. pl. — 1815, *composées,* Lamarck et Candolle, in D.D.L.; *composacées,* XXᵉ (attesté 1948); de *composer,* *-ées, -acées.*

Bot. Famille de plantes dicotylédones gamopétales, très nombreuses (herbes, arbustes, arbres), à fleurs groupées en capitules *(fleurs composées);* ex. : *absinthe, artichaut, bardane, chicorée, chrysanthème, dahlia, edelweiss, laitue, marguerite, pissenlit, souci, topinambour. Les composacées comprennent trois tribus, les Tubuliflores* (corolle en tube; ex. : bleuet), *les Radiées* (ex. : pâquerette) *et les Liguliflores* (corolle soudée en tube à la base mais élargie en languette ou ligule; ex. : chicorée).
— Au sing. *Une composacée, une composée.*

1. COMPOSANT, ANTE [kɔ̃pozɑ̃, ɑ̃t] adj. — V. 1390 ; de *composer*.

Rare. Qui entre dans la composition de qqch. → **Élément.** *Corps composant.* → **2. Composant.** *Force composante.* → **Composante.**

DÉR. **2. Composant, composante.** ◊ HOM. **2. Composant.**

2. COMPOSANT [kɔ̃pozɑ̃] n. m. — XVIIIᵉ, Voltaire ; de 1. *composant*.

Didact. Élément qui entre dans la composition de qqch., qui remplit une fonction particulière. *Les composants d'une philosophie, d'une théorie.* → **Composante.**

(Déb. XIXᵉ). **Spécialt** (chim.). Élément d'un corps composé*. *Les composants de l'eau sont l'oxygène et l'hydrogène.*

Techn. Élément qui entre dans la composition d'un circuit électronique, d'un circuit* intégré. *Composants actifs et passifs. L'industrie des composants.*

L'analyse a prouvé que le neurone est étroitement comparable, par ses performances, aux composants intégrés d'une calculatrice électronique...

     Jacques MONOD, le Hasard et la Nécessité, p. 187.

Ling. *Le composant syntaxique.* → **Composante.**

HOM. **1. Composant.**

COMPOSANTE [kɔ̃pozɑ̃t] n. f. — 1863 ; de 1. *composant*.

♦ **1** Mécan. Chacune des forces qui, en se combinant, produisent une force résultante. → Math. *Composantes d'un vecteur*, nombres qui le déterminent, par rapport à une base*. → **Coordonnées.**

♦ **2** (1872). Didact. Élément dynamique (force) entrant en composition. — Cour. Élément (d'un ensemble complexe). → 2. **Composant.**

Tout ce petit volume est écrit de cette sorte, avec cet art de dissocier les composantes d'une idée ou d'un sentiment, où excellent Racine, Laclos, Voltaire, Stendhal.

     Émile HENRIOT, les Romantiques, p. 447.

Ling. L'une des parties constitutives de la grammaire d'une langue. *La composante phonologique, syntaxique.*

COMPOSÉ, ÉE [kɔ̃poze] adj. et n. → **Composer.**

COMPOSÉES [kɔ̃poze] n. f. pl. → **Composacées.**

COMPOSER [kɔ̃poze] v. — V. 1120 ; du lat. *componere* «mettre ensemble, arranger», de *com- (cum)*, et *ponere*, d'après *poser*.

I V. tr. ♦ **1** (1559). Former par l'assemblage, la combinaison de parties. *Composer un bouquet de fleurs.* → **Agencer, arranger, assembler, combiner, constituer, disposer, faire, former, organiser.** *Composer un remède, un breuvage, un plat.* → **Confectionner, préparer** (→ ci-dessous, cit. 3). — Par métaphore ou fig. (→ ci-dessous, cit. 4).

1   (...) ils n'ont ni aïeuls ni descendants : ils composent seuls toute leur race.   LA BRUYÈRE, les Caractères, II, 22.

2   Une armée est ordinairement composée de soldats à peu près du même âge, de la même taille, de la même force. Bien différente était la nôtre, assemblage confus d'hommes faits, de vieillards, d'enfants descendus de leurs colombiers (...)

     CHATEAUBRIAND, Mémoires d'outre-tombe, t. II, p. 42.

3   (...) il lui fit boire un breuvage que la petite Fadette lui avait appris à composer.

     G. SAND, la Petite Fadette, XXVI, p. 172.

4   Le jeune homme se persuade qu'un temps va venir où il lui sera facile de se ranger. Mais tu composeras dans ta jeunesse l'homme mûr, le vieillard que tu seras.

     F. MAURIAC, le Jeune Homme, p. 85.

(Sujet n. de chose). Être parmi les éléments constituants de... (sujet au sing. ou au plur.). *Pièces qui composent une machine.*

Les troupes qui composent une armée. Cette somme compose toute ma fortune.

5   (...) Aïscha regardait la photographie de Gilieth accrochée au-dessus de son lit au centre même de ce qui composait son trésor sentimental.

     P. MAC ORLAN, la Bandera, XIV, p. 161.

Par métaphore (dans un contexte analogue à celui du sens 2) :

6   C'est se méprendre étrangement sur le rôle de l'imagination poétique que de croire qu'elle compose ses héros avec des morceaux empruntés à droite et à gauche autour d'elle, comme pour coudre un habit d'Arlequin.

     H. BERGSON, le Rire, III, p. 128.

Composer (ou *former*) *un numéro de téléphone*, faire sur le cadran les chiffres successifs qui le composent.

6.1   C'est le premier mouvement qu'il fait vers la délivrance (...) en composant ce numéro : un simple numéro de téléphone comme les autres en apparence (...)

     N. SARRAUTE, le Planétarium, p. 88.

Se composer (qqch.) : composer, assembler, organiser pour soi. *Il s'est composé une belle bibliothèque.* — Fig. *Se composer une idée de qqch.*

♦ **2** (V. 1480). Faire, produire (une œuvre). → **Bâtir, créer, écrire, produire.** *Composer un livre, un poème, des vers. Composer une pièce, un scénario. Composer une page, une phrase, un discours. Composer un chef-d'œuvre. Composer avec application, soin, minutie.* → **Ciseler, polir, sculpter.** — Absolt. (→ ci-dessous, cit. 9). *Il compose mieux le soir que le matin.* → **Écrire, travailler.**

6.2   Composé et ébauché le matin la *Femme qui se peigne* et *Michel-Ange dans son atelier.*

     E. DELACROIX, Journal, 16 sept. 1849.

7   Quand le devoir de composer cette oraison de louange m'est apparu avec précision, je n'ai pas laissé de le trouver bien redoutable.   VALÉRY, Variété IV, p. 21.

8   Vous en avez un certain nombre qui composent les vers et qui mettent par là-dessus une mélodie. Mais quand il s'agit ensuite d'harmoniser, il faut qu'ils s'adressent à un copain.

     J. ROMAINS, les Hommes de bonne volonté, t. V, XXI, p. 167.

9   (...) qu'est-ce que composer ? c'est associer avec puissance.

     Henri GUERLIN, l'Art enseigné par les maîtres, p. 106.

10   (...) il arrive que des souvenirs d'âges divers se superposent dans la mémoire, se fondent et composent un tableau.

     FRANCE, le Petit Pierre, XVI, p. 98.

♦ **3** (1690). Écrire (une œuvre musicale). *Composer une sonate, un chœur. Composer une musique pour un opéra*, ou, ellipt., *composer un opéra.* → **Compositeur, composition.**

(1643, *in* D. D. L.). Absolt. *Composer sur un instrument. C'est un grand interprète, mais il ne compose pas.*

♦ **4** (1621). Imprim. Assembler des caractères pour former (un texte). *Composer un texte. Le texte est composé, on va commencer le tirage. Composer à la main, mécaniquement, photographiquement, automatiquement.* → **Composition.** — Absolt. *Calibrer avant de composer.*

11   Il eut, le premier, fini de composer quatre lignes. Picquenart, d'un geste adroit, les porta sur la galée et les noua d'une ficelle. Puis il retourna le tout, glissa le rouleau chargé d'encre, saisit une feuille de papier, une brosse et fit une épreuve.

     G. DUHAMEL, Chronique des Pasquier, V, VIII, p. 109.

♦ **5** (1559). Élaborer, adopter (une apparence, un comportement). → **Affecter.** *Composer son attitude, son maintien.* → **Contenance** (se donner, prendre une contenance). *Composer son visage.* → **Étudier.** *Composer son personnage.* — *Se composer un visage de circonstance.* — Vieilli. *Composer son discours, ses paroles* (→ ci-dessous, cit. 13).

12 Mais ceux qui de la cour ont un plus long usage
Sur les yeux de César composent leur visage.
RACINE, *Britannicus*, V, 5.

13 (...) l'on peut dire que *(la dissimulation)* c'est un certain art de composer ses paroles et ses actions pour une mauvaise fin.
LA BRUYÈRE, les *Caractères de Théophraste*,
De la dissimulation.

14 (...) il *(Bonaparte)* était naturel et vrai dans ce moment-là, il ne songeait point à se dessiner comme il fit depuis dans ses dialogues de Sainte-Hélène ; il ne songeait point à s'idéaliser, et ne composait point son personnage de manière à réaliser les plus belles conceptions philosophiques ; il était lui, lui-même mis au dehors.
A. DE VIGNY, *Servitude et grandeur militaires*, III, V, p. 210.

15 Arrivé sur les pas de sa femme, il la laissa pleurer copieusement, se composa, séance tenante, un visage non point recueilli, mais sérieux (...)
G. DUHAMEL, le *Voyage de P. Périot*, X, p. 181.

II V. intr. ♦ **1** (xv*e*). S'accorder (avec qqn ou qqch.) en faisant des concessions. → **Accommoder** (s'), **accorder** (s'), **entendre** (s'), **traiter, transiger.** *Composer avec ses créanciers. Composer avec l'ennemi.* → **Pactiser.** *Ils refusent de composer.* → **Négocier ; capituler.** *Il nous faut composer.* → **Céder.**

16 (...) me voyant pris, il fallut composer.
CORNEILLE, le *Menteur*, II, 5.

17 On ne compose jamais avec les tyrans.
DANTON, cité par BARTHOU, *Danton*, p. 78.

Fig. Transiger. *Composer avec sa conscience*.*

18 Il *(Montalembert)* n'a pas perdu ses convictions, mais il consent à entrer dans celles des autres, à compter et à composer avec elles.
SAINTE-BEUVE, *Causeries du lundi*, 5 nov. 1849.

19 Je fus lâche, et je composai avec ma déception.
COLETTE, *Histoire de Bel-Gazou*, IV,
Le curé sur le mur, p. 32.

20 Trop longtemps, ce monde a composé avec le mal, trop longtemps, il s'est reposé sur la miséricorde divine.
CAMUS, la *Peste*, p. 111.

♦ **2** Faire une composition (II., 2.). *Les élèves sont en train de composer.*

♦ **SE COMPOSER** v. pron.

♦ **1** Être composé de. *La maison se compose de deux étages. Cette œuvre se compose de trois volumes. La pièce se compose de quatre actes. Cette famille se compose de cinq enfants.* → **Comporter, comprendre.**

21 La reine l'avait reçu seul, dans ses appartements privés qui se composaient de trois petites pièces, moelleuses et sourdes à l'envi.
Pierre LOUŸS, *Aphrodite, Démétrios*, III, p. 41.

22 La méchanceté humaine, qui est grande, se compose, pour une large part, de jalousie et de crainte. Le malheur la désarme (...)
A. MAUROIS, le *Cercle de famille*, XIII, p. 294.

♦ **2** Se faire, se former.

23 (...) l'existence humaine est faite de dépouillements successifs et les choses de la vie, comme les ondes de l'océan, se composent et se décomposent sans cesse.
HUGO, *Post-Scriptum de ma vie*, V.

♦ **3** (Récipr.). S'arranger ensemble. → **Mêler** (se).

24 Et cet univers possédait une espèce de double fond philosophique où se composaient, dosés au hasard, marxisme, nietzschéisme, freudisme, lamaïsme, existentialisme.
M. AYMÉ, le *Confort intellectuel*, XI, p. 175.

♦ **4** (Réfl.). Vieilli. Composer son attitude. → **Déguiser** (se), **étudier** (s').

25 Il faut que votre sexe ait fait une étude bien réfléchie de l'art de se composer, pour réussir à ce point.
BEAUMARCHAIS, le *Mariage de Figaro*, II, 19.

♦ **COMPOSÉ, ÉE** p. p. adj. et n.

En valeur de participe. *Chose composée de plusieurs autres.*

26 (...) un bon clystère (...) composé avec catholicon double, rhubarbe, miel rosat et autres (...)
MOLIÈRE, le *Malade imaginaire*, I, 1.

26. Cet immeuble composé d'un vaste bâtiment, de nombreuses dépendances et de plusieurs hectares de terrain varié, avait appartenu aux jésuites.
J. ROMAINS, les *Hommes de bonne volonté*, t. V, VI, p. 51.

♦ **1** Adj. et n. Formé de plusieurs éléments. → **Complexe, composite.** *Des engrais composés. Un bouquet composé,* fait de fleurs différentes.

Rendu difficile par sa complication.

27 (...) conduire par ordre mes pensées, en commençant par les objets les plus simples et les plus aisés à connaître, pour monter peu à peu comme par degré jusqu'à la connaissance des plus composés (...)
DESCARTES, *Discours de la méthode*, II.

Dont les éléments sont strictement ordonnés ; qui obéit à un plan. → **Élaboré, ordonnancé, réglé.** — Au passif du verbe :

28 Un livre tel que je le conçois doit être composé, sculpté, posé, taillé, fini et limé, et poli comme une statue de marbre de Paros.
A. DE VIGNY, *Journal d'un poète*, p. 278.

Trop travaillé sur le plan esthétique. → **Fabriqué.**

29 Mounet-Sully dit le Testament de Murger (...) des vers de Gautier. C'est bien, mais c'est trop composé.
J. RENARD, *Journal*, p. 532.

♦ **2** **a** (1701). Bot. *Feuille composée,* formée de plusieurs folioles reliées à un pétiole commun. *Tige, racine composée. Fleurs composées.* — N. f. pl. *Les composées.* → **Composacées.**

b *L'œil composé des insectes.*

c (1585). Chim. *Corps composé,* constitué d'atomes d'espèces différentes.

N. m. *Un composé.* — Par métaphore. Ensemble formé de parties différentes. → **Alliage, amalgame, complexe, mélange.**

30 Ô Dieu ! qu'est-ce donc que l'homme ? (...) Est-ce un composé monstrueux de choses incompatibles (...)
BOSSUET,
Sermon pour la profession de M*me* La Vallière.

31 En attendant, je me répète le mot que Littré m'a dit un jour : «Ah ! mon ami, l'homme est un composé instable, et la terre une planète bien inférieure».
FLAUBERT, *Correspondance*, t. IV, p. 221.

32 Ainsi, la fusion des races a commencé dès les âges préhistoriques. Le peuple français est un composé. C'est mieux qu'une race. C'est une nation.
J. BAINVILLE, *Hist. de France*, I, p. 11.

33 Nous aimons les êtres parce qu'ils sécrètent une mystérieuse essence, celle qui manque dans notre formule pour faire de nous un composé chimique stable.
A. MAUROIS, *Climats*, IV, p. 34.

d Gramm. *Mot composé,* formé de deux ou plusieurs suites ininterrompues de lettres ou «mots» (ex. : *chemin de fer, pomme de terre ; grand-mère*) ou d'une particule placée devant un mot (ex. : *reprendre, antigel*). *Nom, adjectif composé.*

(1549). N. m. *Les composés et les dérivés*.* — N. B. Selon les linguistes, on distingue ou non les mots composés et les syntagmes lexicalisés (ou **synthèmes**).

34 Malgré une erreur courante, les composés sont très nombreux en français. Ils sont toujours formés de mots, les uns joints suivant les règles syntaxiques ordinaires : *aide de camp, Conseil d'État,* ce sont des juxtaposés ; les autres joints avec ellipse : *timbre-quittance* (timbre à *mettre sur* les quittances).
F. BRUNOT, la *Pensée et la Langue*, I, II, IV, p. 55.

Temps composé, formé de l'auxiliaire *(avoir, être)* et du participe passé du verbe. → **Surcomposé.**

e Log. *Terme composé,* formé de plusieurs termes unis par *et* ou par *ou.*

f Mécan. *Mouvement* composé. Vitesse* composée. Pendule* composé.*

g Arith., fin. *Intérêts* composés.*

♦ **3** (1559). Rare. Affecté, plein de componction. → **Compassé.** *Une attitude composée.* → **Apprêté, étudié.**

♦ **4** N. m. Math. Élément associé à un couple d'éléments par une loi de composition interne.

CONTR. Analyser, décomposer, défaire, dissocier. — (Du p. p.) **Simple, un.** — **Divisé.** — **Naturel, spontané.** ◊ **DÉR. et COMP. Composacées** ou **composées,** 1. **composant, composeuse, compositeur, composition. Décomposer, recomposer.** (Du p. p.) **Surcomposé.**

COMPOSEUSE [kɔ̃pozøz] n. f. — 1866; de *composer.*
Typogr. Machine à composer. *Anciennes composeuses à chaud, au plomb.* → **Linotype, monotype.** *Composeuse photographique.* → **Photocomposeuse.**

COMP. Photocomposeuse.

COMPOSITE [kɔ̃pozit] adj. et n. m. — 1361; lat. *compositus,* p. p. de *componere* «arranger». → Composer.

♦ **1** (1542). Qui participe de plusieurs styles d'architecture. *Ordre composite. Chapiteau composite.* → **Composé.** *Colonne composite.*
Ordre composite : ordre d'architecture romain, dans lequel le chapiteau réunit les feuilles d'acanthe du corinthien et les volutes de l'ionique (ordres grecs). — N. m. *Le chapiteau du composite.*

0.1 Entré dans tous les détours du vieux palais. Cour de marbre, fontaine au milieu; chapiteaux d'un mauvais composite; l'attique des pierres tout simple : délabrement complet. E. DELACROIX, Journal, 26 janv. 1832.

♦ **2** Formé d'éléments très différents, souvent disparates. *Mobilier composite.* → **Divers, hétéroclite, hétérogène.** *Assemblée composite.*

1 (...) un grand dîner dont je connaissais par hasard, au moins de nom, les dix invitées, aussi dissemblables que possible, parfaitement rejointes cependant, si bien que je ne vis jamais dîner si homogène bien que si composite.
PROUST, À la recherche du temps perdu, t. XI, p. 109.

2 Le mobilier est des plus composites. De très beaux sièges, Louis XV et Louis XVI, quelques petits meubles de la même époque, héritage de famille, sont répartis dans le grand salon, et dans la chambre de Madame.
J. ROMAINS, les Hommes de bonne volonté, t. I, III, p. 39.

♦ **3** Techn. Adj. et n. m. a *Matériau composite,* constitué de deux ou plusieurs matériaux différents dont l'association confère à l'ensemble des propriétés mécaniques supérieures à celles de chacun de ses constituants. *Matériaux composites à particules, à fibres; matériaux composites laminés* (→ **Sandwich**).
N. m. Matériau composite. *Composite verre-époxyde, bore-époxyde, bore-aluminium. Utilisation des composites dans le bâtiment, l'industrie chimique, l'industrie aéronautique, automobile.*

3 Quant aux «matériaux nouveaux» que sont les composites, ils exploitent un très vieux concept : renforcer une matrice peu fragile au choc mais peu résistante à la traction (ou à la compression) par des fils constitués d'un matériau très résistant, mais trop cassant et trop lourd pour être employé seul (tel le verre, par exemple). La plupart des composites actuels sont constitués d'une matrice en matière plastique armée, c'est-à-dire renforcée de fibres.
A.-Y. PORTNOFF, in l'État des sciences..., 1983-1984, p. 337.

b Aviat. *Avion composite* : ensemble formé de deux avions reliés de manière rigide, dont l'un porte l'autre (le porteur larguant le porté en cours de vol). *Avion composite expérimental.* — N. m. Avion composite. *Composite de bombardement.*

CONTR. Homogène, pur, simple.

COMPOSITEUR, TRICE [kɔ̃pozitœʀ, tʀis] n. — 1274, dr.; de *composer.*

I Dr. (rare). *Amiable* (cit. 2) *compositeur.*

II ♦ **1** (1549). Cour. Personne qui compose des œuvres musicales. *Un grand, un célèbre compositeur.* → **Musicien.** *Elle est compositrice* (rare); *elle est compositeur. Il est compositeur et chef d'orchestre. Germaine Tailleferre, compositeur français. La Société des auteurs et compositeurs dramatiques.* → aussi **Arrangeur, orchestrateur.**

Elle avait l'oreille assez juste, en effet, pour comprendre que ces musiciens jouaient médiocrement, qu'ils n'observaient pas toujours la mesure, que la qualité de leurs instruments répondait mal aux intentions du compositeur.
J. GREEN, Adrienne Mesurat, p. 96.

♦ **2** (1513). Imprim. Personne qui compose des lignes et des pages avec des caractères d'imprimerie. → **Typographe.** — Personne qui dirige, possède un atelier de composition. *Envoyer la copie au compositeur.*

♦ **3** Techn. *Compositeur de parfum* (→ Parfumeur, cit. 1).

COMP. Photocompositeur.

COMPOSITION [kɔ̃pozisjɔ̃] n. f. — V. 1155; de *composer.*

I ♦ **1** Action ou manière de former un tout*, un ensemble* en assemblant plusieurs parties, plusieurs éléments; disposition des éléments. → **Agencement, arrangement, assemblage, combinaison, constitution, disposition, formation, organisation, structure, synthèse.** *La composition d'un remède, d'un breuvage, d'un plat, d'un mets.* → **Confection.** *Composition d'un tout par association* d'éléments.*

1 Les vices entrent dans la composition des vertus, comme les poisons entrent dans la composition des remèdes : la prudence les assemble et les tempère, et elle s'en sert utilement contre les maux de la vie.
LA ROCHEFOUCAULD, Maximes, 182.

♦ **2** Nature des éléments. *Quelle est la composition de cette sauce ?* — *La composition d'une assemblée.*

2 L'état social et politique d'une nation est toujours en rapport avec la nature et la composition de ses armées.
FUSTEL DE COULANGES, la Cité antique, IV, VII, p. 327.

Chim. *La composition des corps.* → **Alliage, combinaison.** *Substances qui entrent dans la composition d'un composé.*

3 Elles avaient déclaré qu'à première vue cette eau avait une composition intéressante, possédait très probablement des propriétés curatives, et pouvait s'exploiter tout comme une autre.
J. ROMAINS, les Hommes de bonne volonté, t. V, XXII, p. 173.

♦ **3** (1636). Techn. (imprim.). a Action de composer (un texte); son résultat. *La composition et le tirage. Commencer la composition d'un ouvrage. Cet imprimeur assume la composition et le tirage. Composition à la main.* → **Compositeur.** *Composition mécanique.* → **Linotype; photocomposition.** *Composition informatisée.* → aussi **Saisie.** *La composition de cet ouvrage a coûté très cher.*

b Ensemble des caractères (plomb). *Serrer la composition dans un châssis.* — Abrév. fam. → **Compo.**

ⓒ Service d'une imprimerie qui se charge de la composition.

♦ 4 (1753). *Mécan. La composition des forces.* → **Résultante.**

♦ 5 Math. *Loi de composition*, permettant de faire correspondre une grandeur à un couple d'éléments d'un ensemble. *Loi de composition interne, externe.*

♦ 6 Ling. Formation des composés. *Dérivation et composition* (→ Parasynthétique, cit.).

II (XVIᵉ). **♦ 1** Action de composer (une œuvre intellectuelle, artistique); façon dont une œuvre est composée. → **Élaboration, rédaction.** *La composition d'un livre, d'un poème, d'un tableau.* — Loc. *De la composition de qqn :* composé par... *Il nous a montré des vers de sa composition.* → **Cru.**

3.1 Il y a toujours, dans la composition d'un roman par un professionnel expérimenté, une part de métier.
A. MAUROIS, Études littéraires, J. de Lacretelle, t. II, p. 246.

3.2 À mesure que j'y progresse, ordonnant ce que ma vie passée me propose, à mesure que je m'obstine dans la rigueur de la composition — des chapitres, des phrases, du livre lui-même — je me sens m'affermir dans la volonté d'utiliser, à des fins de vertus, mes misères d'autrefois.
Jean GENET, Journal du voleur, p. 65.

Spécialt. L'œuvre réalisée. *La Divine Comédie est une vaste et savante composition.* — Mus. *Composition pour orchestre à cordes.* — Peint. *Composition géométrique, abstraite.*

4 Ayant appris la composition du plus facile de tous les vers qui est l'hexamètre, j'eus la patience de scander presque tout Virgile. ROUSSEAU, les Confessions, VI.

5 C'est pour imaginer trop vite, que tant d'artistes d'aujourd'hui font des œuvres caduques et de composition détestable. GIDE, Journal, Feuillets 1893.

6 M. Hœpffner croit que le lai a été à l'origine une composition musicale, puis un poème chanté sur la harpe.
Émile HENRIOT, Portraits de femmes, Marie de France, p. 18.

7 C'est une grande composition digne du Véronèse pour l'ambition et le volume, mais qu'il faudrait peindre tout entière dans l'esprit du fameux *Bar* de Manet.
Francis PONGE, le Parti pris des choses, p. 70.

♦ 2 (1694). Exercice de rédaction que doit effectuer un élève sur un sujet littéraire donné. → **Devoir, dissertation, rédaction.** *Une composition française.*

8 Et j'étais là, après le déjeuner, peinant sur cette composition latine, guère plus avancée qu'au lundi de Pâques (...)
LOTI, Figures et Choses..., IV, p. 41.

Épreuves comptant pour un classement. *Les compositions trimestrielles. Corriger des compositions. Être premier, dernier en composition d'anglais* (abrév. fam. : *compo**, *compote*).

8.1 Le matin, chaque fois que la journée scolaire comportait une composition comptant pour le classement trimestriel (...)
Raymond ABELLIO, Ma dernière mémoire, t. I, p. 171.

III **♦ 1** (1538, *venir à composition*). Vx ou mod. (en loc.). Accord entre deux ou plusieurs personnes qui acceptent de transiger sur leurs prétentions respectives. → **Accommodement, accord, compromis.** *Entrer en composition avec.* → **Composer** (avec). *Venir à composition. Les ennemis refusèrent toute composition.* → **Concession, transaction.**

9 (...) ils demandèrent à capituler. Quoiqu'ils eussent attendu cette extrémité, le Roi ne laissa pas de leur accorder une composition honorable, et le gouverneur eut la triste consolation de sortir de sa citadelle par la brèche. RACINE, les Campagnes de Louis XIV.

10 Sur la discipline, on peut entrer en composition.
BOSSUET, Projet.

Hist. du dr. Compensation pécuniaire due par l'offenseur à l'offensé ou à sa famille. → **Wergeld.**

11 Le meurtre chez les Francs se rachetait par une composition pécuniaire.
CHATEAUBRIAND, Voyage en Amérique, 249.

12 Ils *(les Francs)* doivent accepter du coupable une composition proportionnée au crime et dont le taux est fixé par la coutume. La vengeance n'est possible que si la composition n'est pas payée; c'est le système connu des compositions légales.
F. OLIVIER-MARTIN, Précis d'hist. du droit franç. nᵒ III, p. 45.

♦ 2 Loc. cour. (1672). **DE BONNE COMPOSITION** : qui est accommodant, facile à vivre. → **Conciliant.** — *Il, elle est de meilleure, d'excellente composition.*

13 Savez-vous bien que je reçus hier seulement votre lettre du 19 mars par cet honnête marchand qui fait crédit, et qui ne presse pas trop? Plût à Dieu qu'il s'en trouvât ici présentement d'aussi bonne composition.
Mᵐᵉ DE SÉVIGNÉ, Lettre à Bussy-Rabutin, 24 avr. 1672, in D.D.L., II, 10.

CONTR. Analyse, décomposition, dissociation, dissolution. Désaccord, opposition. ◊ **COMP.** Décomposition, photocomposition, recomposition.

COMPOSSIBILITÉ [kɔ̃pɔsibilite] n. f. — 1922; de *compossible.*

Philos. Possibilité (pour une chose) d'exister en même temps (qu'une autre).

Selon les commentateurs on a pu successivement voir le rôle joué par la logique, la dynamique, l'histoire, la jurisprudence... Un fil tiré, dans ce labyrinthe, rend tout l'écheveau. Rendre compte synthétiquement de l'ensemble de ces compossibilités de recomposition est l'un des beaux problèmes du leibnizianisme.
Michel SERRES, Hermès I, la Communication, p. 131.

COMPOSSIBLE [kɔ̃pɔsibl] adj. — 1907; attestation isolée, v. 1370; de *co-*, et *possible.*

Philos. Qui peut exister en même temps qu'autre chose. → **Compatible.**

DÉR. Compossibilité.

COMPOST [kɔ̃pɔst] n. m. — 1721; mot angl., de l'anc. franç. *compost*, XIIIᵉ, «engrais composé». → Compote.

Engrais formé par le mélange fermenté de débris organiques avec des matières minérales. → **Humus** (→ Plantation, cit. 1). *Composts utilisables après un an de fermentation.*

1 Pécuchet fit creuser devant la cuisine un large trou et le disposa en trois compartiments, où il fabriquerait des composts pour pouvoir pousser des tas de choses (...)
FLAUBERT, Bouvard et Pécuchet, Pl., t. II, p. 688.

Par métaphore :

2 Toujours prêts à déguerpir à la minute, sans laisser de trace (...) tout ce compost hétéroclite, apparemment anonyme, mais identifiable, qui est comme l'odeur singulière que laisse un homme dans le trou où il dort.
Régis DEBRAY, l'Indésirable, p. 20.

DÉR. 1. Composter.

1. COMPOSTAGE [kɔ̃pɔstaʒ] n. m. — Mil. XXᵉ; de 1. *composter.*

Agric. Traitement (d'une terre) au compost*.

2. COMPOSTAGE [kɔ̃pɔstaʒ] n. m. — 1922; de 2. *composter.*

Action de perforer au composteur. *Le compostage des billets.*

1. COMPOSTER [kɔ̃pɔste] v. tr. — 1350, repris 1721; de *compost.*

Agric. Amender une terre avec du compost.

DÉR. 1. Compostage.

2. COMPOSTER [kɔ̃pɔste] v. tr. — 1740; de *composteur*.

♦ **1** Imprim. Utiliser un composteur dans la composition d'imprimerie. — Assembler sur le composteur.

♦ **2** (1922). Perforer (un billet de chemin de fer, une facture) à l'aide d'un composteur. — Au p. p. *Billets compostés*.

DÉR. 2. Compostage.

COMPOSTEUR [kɔ̃pɔstœʀ] n. m. — 1680; «ouvrier imprimeur qui composte», 1672; ital. *compositore*, de *comporre* «composer».

Technique.

♦ **1** Imprim. Réglette sur laquelle le compositeur assemble les caractères d'imprimerie. *Justifier le composteur.* → **Justifier.**

Nous tenions tous un composteur de la main gauche et nous faisions de notre mieux pour bien saisir, de la main droite, le caractère dans les cassetins, pour sentir ses encoches (...)
G. DUHAMEL, Chronique des Pasquier, V, VIII, p. 109.

♦ **2** Appareil mécanique portant des lettres ou des chiffres amovibles et servant à perforer des billets de chemin de fer, des factures. → 2. **Composter.**

DÉR. 2. Composter.

COMPOTE [kɔ̃pɔt] n. f. — XIᵉ, *composte* «aliments confits dans du vinaigre ou du sel»; lat. *composita*, de *componere* «mettre ensemble». → Composer.

♦ **1** Vx ou gastron. Ragoût* (de gibier). *Une compote de pigeons.* — Pâté ou terrine. *Compote de lapereau.*

♦ **2** Mod. et cour. Entremets fait de fruits coupés en quartiers ou écrasés, cuits avec de l'eau et du sucre (moins cuits que la confiture*, et moins sucrés). → aussi **Marmelade.** *Une compote de pommes, de poires. Fourrer une pâtisserie avec de la compote.* → **Chausson.**

1 Nous aperçûmes de loin une île de sucre avec des montagnes de compote.
FÉNELON, XIX, 38.

♦ **3** Loc. fam. (Déb. XVIᵉ). *Avoir les membres en compote,* douleureux, meurtris. *Avoir la tête en compote. Réduire qqn en compote.* → **Battre.**

2 Il me prend des tentations d'accommoder tout son visage à la compote (...)
MOLIÈRE, George Dandin, II, 2.

3 Gagnière, le dimanche d'auparavant, était sorti d'une audition de Wagner, avec un œil en compote.
ZOLA, l'Œuvre, p. 135.

DÉR. Compotier. ◊ HOM. V. Compo.

COMPOTIER [kɔ̃pɔtje] n. m. — 1746; *compoptier,* 1733; de *compote*.

♦ **1** Plat en forme de coupe. *Un compotier de cristal.*

1 Plus loin, la maison Guillout (...) étalait délicatement, derrière ses glaces, des paquets dorés de biscuits et des compotiers pleins de petits fours.
ZOLA, le Ventre de Paris, t. I, p. 44.

Par métonymie. *Un compotier de marmelade, de fruits,* le contenu d'un compotier.

2 Autour du compotier de reines-claude (sic) une guêpe bourdonnait, et toute la maison semblait ronronner avec elle sous la caresse de midi.
MARTIN DU GARD, les Thibault, t. II, p. 187.

Par compar. (à propos d'une vasque de fontaine) :

3 Au centre de leur pelouse, devant la terrasse à lions écailleux, s'élevait le compotier à trois plateaux étagés qui fournissait d'eau le bassin et ses poissons rouges.
COLETTE, Flore et Pomone, *in* Gigi, p. 148.

♦ **2** Argot. Tête. — Loc. *S'en faire péter le compotier :* s'efforcer en vain.

Mon salaud, faut pas qu'ça te la coupe, mais j'suis trop ancien au peloton pour qu'on essaye de me passer des curettes; et pour porter mon sabre sous le bras, macache, c'est midi sonné; tu t'en ferais péter le compotier. 4
COURTELINE, les Gaîtés de l'escadron, p. 314.

1. COMPOUND [kɔ̃pund; kɔmpawnd] adj. invar. et n. — 1874; mot angl., «composé».

Anglicisme. Technique.

♦ **1** *Machine compound :* machine à vapeur à plusieurs cylindres dans lesquels la vapeur se détend successivement. — N. f. *Une compound.*

♦ **2** (1887, *in* Höfler). Électr. *Enroulement, fil compound :* fil composé de différents métaux.

N. m. Composition isolante pour machines électriques.

♦ **3** N. m. Mélange destiné à un moulage (matières plastiques, etc.).

Si l'on utilisait une aiguille d'acier assez fine et une matière abrasive dans le *compound* du disque *(ardoise),* l'aiguille était émoussée après quelques tours du disque.
P. GILOTAUX, l'Industrie du disque, p. 59.

DÉR. Compoundage. ◊ HOM. 2. Compound.

2. COMPOUND [kɔmpund; kɔmpawnd] n. m. — 1892, *in* Rey-Debove et Gagnon; mot angl., altér. du malais *kampoug, kampœng* en afrikaans, «quartier clos».

Didact. Enclos où vivent et sont surveillés des ouvriers travaillant dans une mine de substances précieuses. *Les compounds des mines de diamants d'Afrique du Sud.*

HOM. 1. Compound.

COMPOUNDAGE [kɔ̃pundaʒ] n. m. — 1894, *in* Höfler; de 1. *compound.*

Techn. Association, combinaison de plusieurs éléments.

COMPRADOR ou **COMPRADORE** [kɔ̃pʀadɔʀ] n. m. et adj. — 1841, *compradore,* *in* D.D.L.; *comprador,* 1875 (cit. ci-dessous); mot portugais, «acheteur», de *comprar* «acheter», du lat. *comparare,* appliqué en Orient d'abord aux serviteurs chargés d'effectuer les achats (XVIIᵉ), puis aux intermédiaires commerciaux, notamment en Chine (XIXᵉ); le mot est connu en anglais, dans ce sens, depuis 1840.

♦ **1** Ancient. En Chine, commerçant fournissant les étrangers.

On y lit sur les enseignes du marché que «Ah-Yet», «Sam-Ching», «Canton Tom», et «Cheap Jack», sont prêts, comme *compradors* de vaisseaux, à fournir les quantités que l'on voudra de volaille, de viande de boucherie, de légumes et épiceries (...) au plus bas prix possible.
J. THOMSON, Voyage en Chine, *in* le Tour du monde, 1875, p. 361.

♦ **2** Polit. Commerçant (national ou étranger) servant les intérêts d'occupants coloniaux ou néocolonialistes, dans un pays soumis à ces intérêts. *«Rien n'appartient au Tchad. Nous, nous voulons installer le socialisme marxiste à la place de ce régime de compradores»* (Interview de responsables du «Frolinat», *in* Paris-Match, nᵒ 1367, 9 août 1975, p. 56). — Adj. (Mil. XXᵉ). *Activités compradores. Bourgeoisie compradore.*

COMPRÉHENSIBILITÉ [kɔ̃pʀeãsibilite] n. f. — 1829; de *compréhensible.*

Caractère de ce qui est compréhensible. → **Clarté, intelligibilité.**

Nous accordons aux psychanalystes que toute réaction humaine est, à priori, compréhensible. Mais nous leur reprochons d'avoir justement méconnu cette «compréhensibilité» initiale en tentant d'expliquer la réaction considérée par une réaction antérieure, ce qui réintroduit le mécanisme causal : la compréhension doit se définir autrement. Est compréhensible toute action comme projet de soi-même vers un possible.

SARTRE, l'Être et le Néant, p. 537.

CONTR. Incompréhensibilité.

COMPRÉHENSIBLE [kɔ̃pʀeɑ̃sibl] adj. — 1375 ; lat. *comprehensibilis*, de *comprehendere*.

♦ **1** Qui peut être compris, qui peut correspondre à une connaissance, à une représentation intellectuelle. → **Accessible, clair, intelligible, simple ; compréhensibilité** (cit.) ; et aussi **parler** (cela parle de soi). *Expliquer qqch. d'une manière compréhensible. Théorie, système plus ou moins compréhensible.* → **Concevable.** *Tenir des propos peu compréhensibles. Ce qui n'est pas compréhensible n'est pas explicable*.*

Dont on peut saisir la signification profonde et la raison d'être. — REM. Cet emploi, illustré par la cit. 1 ci-dessous, recouvre en partie l'acception donnée en 2.

1 Je viens de me rendre compte, après y avoir beaucoup pensé depuis quelque temps, qu'une séparation aussi totale n'est pas compréhensible, ne peut pas durer indéfiniment entre toi et moi.

J. ROMAINS, les Hommes de bonne volonté, t. IV, XVII, p. 187.

2 (...) si le surnaturel était compréhensible, il ne serait pas le surnaturel et (...) c'est justement parce qu'il outrepasse les facultés de l'homme qu'il est divin.

HUYSMANS, Là-bas, I, p. 14.

♦ **2** Qui s'explique facilement et peut être au moins partiellement approuvé, excusé. → **Concevable.** *Une attitude compréhensible.* → **Défendable ; cohérent.** *C'est très compréhensible ; il est compréhensible que...* → **Évident, naturel, normal ; humain.** *Sa réaction est excessive, mais bien compréhensible.*

3 Ce qu'il y a de joli dans son indignation compréhensible, c'est qu'elle ne protesta pas pour elle, mais pour la mémoire de Chassériau vilainement travesti dans ce récit (...)

Émile HENRIOT, Portraits de femmes, Alice Ozy et ses poètes, p. 374.

CONTR. Incompréhensible. ◊ **DÉR. Compréhensibilité.**

COMPRÉHENSIF, IVE [kɔ̃pʀeɑ̃sif, iv] adj. — 1501, repris XIXᵉ (1821, *in* D.D.L.) ; bas lat. *comprehensivus*, de *comprehendere*.

♦ **1** Vx. Qui a la faculté de comprendre, de saisir par l'esprit. *Une intelligence compréhensive.*

Philos. Qui atteint un grand nombre d'objets de pensée. *Pensée compréhensive, compréhensive des relations spatiales, temporelles.* — Théol. *Connaissance, science compréhensive* (de Dieu, et parfois de l'intuition humaine en relation avec Dieu).

(Avec infl. de l'angl. *comprehensive*). *Une enquête compréhensive, très compréhensive.* → **Complet.**

♦ **2** Mod. Qui est apte à comprendre autrui. → **Bienveillant, indulgent, large** (d'idées), **tolérant.** *Des parents compréhensifs. C'est un homme compréhensif : il vous excusera sûrement. Soyez compréhensive !*

1 Vous étiez, Sire, le meilleur et le plus compréhensif des sultans.   SUPERVIELLE, Shéhérazade, I, VII.

♦ **3** Qui embrasse dans sa signification un nombre plus ou moins grand d'êtres, d'idées. → **Étendu, extensif, large, vaste.** — REM. Cet emploi, relativement

courant, est contraire au sens logique du terme → ci-dessous, 4.

2 Le mot tiers état est évidemment plus étendu, plus compréhensif que celui de commune.

GUIZOT, *in* Pierre LAROUSSE.

3 C'est l'histoire *(celle de Gibbon)* la plus compréhensive qui se puisse voir...

SAINTE-BEUVE, Causeries du lundi, 29 août 1853.

4 Apaiser, c'est rendre la paix ; calmer, c'est rendre le calme. Comme calme est d'une signification plus étendue que paix, calmer est plus compréhensif qu'apaiser.

LITTRÉ, Dict., art. *Apaiser.*

5 Si telle est la portée économique du mot commerce, il est loin d'avoir juridiquement un sens aussi compréhensif.

COLSON, Cours d'économie politique, t. I, 1, p. 9.

♦ **4** Log. Qui comprend un nombre plus ou moins grand de caractères (par oppos. à *extensif*). «*Animal*» *est un terme moins compréhensif que* «*vertébré*». «*Homme*» *est un terme plus compréhensif que* «*mammifère*» : *il faut énumérer plus de caractères pour le définir ; mais il est moins extensif.*

CONTR. Borné, obtus. — Entier, impitoyable, incompréhensif, intolérant. — (Du sens 4) Extensif. ◊ **DÉR. Compréhensivement.** ← **COMP. Incompréhensif.**

COMPRÉHENSION [kɔ̃pʀeɑ̃sjɔ̃] n. f. — 1372, repris XVIIIᵉ ; lat. *comprehensio*, de *comprehendere*. → Comprendre.

♦ **1** Faculté de comprendre, d'embrasser par la pensée. → **Entendement, intelligence ; comprenette** (fam.), **comprenoire** (régional). *La compréhension de qqch. (par qqn). La compréhension de qqn, sa compréhension de qqch. Il a la compréhension lente. Cela dépasse ma compréhension.*

1 Avec cette prodigieuse compréhension de tout le détail et du plan universel de la guerre, on le voit toujours attentif à ce qui survient.

BOSSUET, Oraison funèbre du prince de Condé.

2 L'indulgence est la compréhension des causes du mal.

Max JACOB, Conseils à un jeune poète, p. 70.

3 (...) une compréhension intuitive, qui s'accompagne d'une trace de mimétisme.

J. ROMAINS, les Hommes de bonne volonté, t. III, II, p. 28.

4 M. le préfet (...) félicita (...) les ouvriers de leur intelligente compréhension de leurs intérêts corporatifs.

A. MAUROIS, Bernard Quesnay, XVIII, p. 118.

♦ **2** (Choses). Possibilité d'être compris. → **Clarté, compréhensibilité, intelligence.** *La ponctuation est utile à la compréhension d'un texte. — Les poèmes de Mallarmé, les textes de Heidegger sont d'une compréhension malaisée.*

♦ **3** Qualité par laquelle on comprend autrui. → **Bienveillance, indulgence, largeur** (d'idées), **mansuétude, tolérance.** *Être plein de compréhension à l'égard des autres. Avoir de la compréhension pour un coupable. Manquer de compréhension.*

♦ **4** La totalité des éléments signifiés par un signe. *La compréhension de ce terme est très étendue.*

Log. Ensemble des caractères qui appartiennent à un concept, le constituent et servent à le définir*. → **Compréhensif** (4.) ; **caractérisation, détermination** (opposé à *extension*). — REM. *Compréhension* peut s'entendre en divers sens, comme l'observe Lalande, qui propose pour les préciser des qualificatifs afin d'éviter les équivoques.

5 Une idée est «plus ou moins abstraite» qu'une autre, selon que sa compréhension — c'est-à-dire l'ensemble des caractères qu'elle évoque — est plus ou moins restreinte que celle de cette autre.

CUVILLIER, Petit voc. de la langue philosophique.

6 La compréhension d'une idée consiste dans le nombre des éléments qui la composent, dans celui des idées dont elle est formée ou extraite.
F. BRUNOT, la Pensée et la Langue, I, V, I, p. 135 (note).

CONTR. Incompréhension. — Obscurité. — Intolérance, obstination, sévérité. — Extension, indétermination.

COMPRÉHENSIVEMENT [kɔ̃pʀeɑ̃sivmɑ̃] adv.
— 1951; de compréhensif.

◆ 1 De manière compréhensive, indulgente.
Jean-sans-Tête hocha la tête, compréhensivement.
R. QUENEAU, le Dimanche de la vie, p. 213.

◆ 2 Didact. De manière compréhensive (4.); en embrassant un nombre plus ou moins grand de caractères. Définir un mot compréhensivement (s'oppose à extensivement).

COMPRENDRE [kɔ̃pʀɑ̃dʀ] v. tr. [CONJUG.: prendre.] — V. 1120; du lat. pop. comprendere, du lat. class. comprehendere, proprt «saisir» (→ Compréhension); les deux sens du mot existent dès Cicéron.

I Embrasser dans un ensemble. ◆ 1 (Sujet n. de chose). Contenir en soi en tant qu'élément constitutif. → Comporter, compter, englober; embrasser, impliquer, inclure, renfermer. La péninsule Ibérique comprend l'Espagne et le Portugal. Le concours comprendra trois épreuves. Le programme comprend une loterie.

1 — Roseau pensant... par l'espace, l'univers me comprend (sens I) et m'engloutit comme un point; par la pensée, je le comprends (sens II). PASCAL, Pensées, VI, 348.

2 La vente ou cession d'une créance comprend les accessoires de la créance, tels que caution, privilège et hypothèque. Code civil, art. 1692.

3 L'étage comprenait quatre pièces en enfilade, desservies par un couloir obscur.
MARTIN DU GARD, les Thibault, t. V, p. 50.

4 Avec l'Empire (ou plutôt le Commonwealth, comme on l'appelle désormais de préférence) le territoire relevant de l'influence britannique dans le monde comprend plus du quart de l'ensemble mondial.
André SIEGFRIED, l'Âme des peuples, IV, p. 79.

◆ 2 (Sujet n. de personne). Faire entrer dans un tout, une catégorie. → Compter; compte (faire entrer en ligne de compte), englober, inclure, incorporer, intégrer. Comprendre le voyage dans les frais généraux. Je le comprends dans mon équipe. Le recensement a été fait sans comprendre les étrangers, étrangers non compris (→ ci-dessous, compris). Comprendre dans un tout des éléments hétéroclites. → Mélanger, mêler.

5 Qu'ils ne soient point compris en l'exil de leur mère (...)
CORNEILLE, Médée, I, 3.

II (V. 1200, rare avant le XVe; sujet n. de personne). Appréhender par la connaissance; être capable de faire correspondre à (qqch.) une idée claire. Chose facile, difficile à comprendre. → Compréhensible. Chercher à comprendre qqch. Éclair d'intelligence, trait de lumière, idée lumineuse qui font comprendre subitement quelque chose.

Absolt. Il comprend, il ne comprend pas. — Tout comprendre. Ne rien comprendre. Il ne comprend rien à rien (cf. fam. N'y voir que du feu, n'y entraver, n'y piger que couic, que dalle).

◆ 1 Donner à (qqch.) un sens clair. → Déchiffrer, interpréter, piger (fam.), saisir, traduire. Comprendre l'énoncé d'un problème. Comprendre un discours, une explication (→ Suivre), une allusion (→ Entendre). Comprendre qqch. à... : comprendre un peu, en partie. Il n'y comprend rien; il ne comprend pas un mot à ce texte. — Comprendre qqch.

à demi-mot. → Mot. Faire comprendre qqch. à qqn, par qqn. → Apprendre, montrer; démontrer, prouver. — Comprendre un mot, connaître son sens*. Comprendre un mot de telle façon, l'interpréter. Comprendre une langue étrangère. → aussi Lire.

(Compl. n. de personne). Comprendre qqn, ce qu'il dit, écrit. Il prononce mal, on le comprend à peine. Se faire comprendre : être clair. — Comprendre un code, un schéma, une carte : savoir lire, déchiffrer*. — Absolt. (→ ci-dessous, cit. 6, 11 et 12). — Iron. Il comprend vite, mais il faut lui expliquer longtemps! : il met longtemps à comprendre.

6 (...) cette lenteur à comprendre (...) est la marque d'un bon jugement... MOLIÈRE, le Malade imaginaire, II, 4.

7 (...) je ne puis rien comprendre à ce baragouin.
MOLIÈRE, les Précieuses ridicules, 4.

8 Le grimoire d'un sorcier semble facile à comprendre en comparaison de plusieurs articles de nos codes et de nos coutumiers.
FRANCE, les Opinions de J. Coignard, Œ., t. VIII, XXI, p. 504.

9 S'il continuait à s'instruire, dévorant tout, le manque de méthode rendait l'assimilation très lente, une telle confusion se produisait, qu'il finissait par savoir des choses qu'il n'avait pas comprises. ZOLA, Germinal, t. II, p. 21.

10 (...) il (Yves) apprenait à comprendre les cartes marines (...)
LOTI, Mon frère Yves, XCIII, p. 226.

11 Qui se hâte a compris; il ne faut point s'appesantir : on trouverait que les plus clairs discours sont tissus de termes obscurs. VALÉRY, Monsieur Teste, p. 89.

12 Ce n'est pas du tout qu'elle soit incapable de comprendre; mais elle veut trop vite avoir compris.
GIDE, Journal, 14 janv. 1912.

13 Sammécaud fit semblant de comprendre les plaisanteries des sketches.
J. ROMAINS, les Hommes de bonne volonté, t. V, XXVI, p. 263.

Passif. Être compris.

14 (...) pour être compris, et aussi pour éviter toute fatigue inutile à l'interlocuteur, il faut se donner la peine de parler distinctement.
A. DAUZAT, le Génie de la langue franç., p. 12.

◆ 2 Se faire une idée claire des motifs, des causes de (qqch.). → Apercevoir, pénétrer, saisir, sentir, voir. Comprendre la rancune d'une personne; comprendre une attitude. → Admettre, approuver. Il comprendra votre attitude s'il est vraiment compréhensif*. Comprendre les causes, les motifs, les raisons... Faire comprendre à l'aide d'arguments, d'exemples. → Démontrer, prouver. Comprendre, savoir de quoi il retourne. Comprendre pourquoi, comment, de quelle manière... — Comprendre que... (suivi du subjonctif). Je ne comprends pas qu'il puisse s'ennuyer. Je comprends qu'il soit mécontent. → Concevoir.

15 Ô toi qui sais aimer, réponds, amant d'Elvire, Comprends-tu que l'on parte et qu'on se dise adieu?
A. DE MUSSET, Lettre à Lamartine.

16 (...) il me paraît impossible de comprendre les actes des hommes sans se représenter leurs motifs.
Ch. SEIGNOBOS, Hist. sincère de la nation franç., Introd., p. 9.

17 (...) certaines phrases de la sonate (...) apparaissaient comme tellement banales qu'on ne pouvait pas comprendre comment elles avaient pu exciter tant d'admiration.
PROUST, À la recherche du temps perdu, t. XII, p. 76.

18 Du désespoir de ce lévite, à peine sorti d'une adolescence attardée, elle n'avait jamais très bien compris les raisons secrètes. F. MAURIAC, le Sagouin, I, p. 29.

19 On comprend que des affinités électives aient uni Proust à Ruskin.
A. MAUROIS, À la recherche de Marcel Proust, IV, 2, p. 108.

20 Son renoncement, cet écrasement du cœur que j'ai eu sous les yeux, son désespoir dont j'ai souffert, ma pitié, ma révolte... tout cela je le comprends mieux aujourd'hui.
    J. CHARDONNE, les Destinées sentimentales,
                                    Pauline, p. 230.

(Compl. n. de personne). *Comprendre qqn. Je le comprends :* je comprends son attitude, ses réactions, etc. — Absolt. *Il tâche de comprendre afin de pardonner* (cit. 10).

Faire comprendre qqch. à, par qqn. Ce qui fait comprendre une chose obscure, difficile : explication, éclaircissement. → aussi **Clef** (du mystère...), **fil**, **mot** (de l'énigme).

♦ **3** Se rendre compte de (qqch.). → **Apercevoir** (s'), **sentir**, **voir**. *Comprendre la portée d'un acte; je comprends quelles difficultés il a pu rencontrer. Comprendre pourquoi, comment...* (suivi de l'indicatif). *Comprendre que...* (suivi de l'indicatif). *Je compris qu'il s'ennuyait en ma présence.*

21 Mais quand vous avez fait ce charmant «quoi qu'on die», Avez-vous compris, vous, toute son énergie?
                    MOLIÈRE, les Femmes savantes, III, 2.

22 S'il se vante, je l'abaisse; s'il s'abaisse, je le vante et le contredis toujours, jusqu'à ce qu'il comprenne qu'il est un monstre incompréhensible.
                                    PASCAL, Pensées, VI, 420.

23 J'ai mis, à comprendre que mon âpreté était un mensonge, autant de temps qu'à devenir vieille.
                                    COLETTE, l'Étoile Vesper, p. 92.

24 Il commençait à comprendre (...) qu'il ne s'agit pas de se mesurer, mais de s'assassiner.
                    MALRAUX, l'Espoir, p. 47 (→ Approcher, cit. 35).

25 (...) j'eus le sentiment que le visage de ma mère avait changé (...) il me fallait bien distinguer quelque chose de nouveau, de très triste et de très angoissant (...) Je compris tout cela soudain.
                                    DUHAMEL, les Pasquier,
                    Le jardin des bêtes sauvages, p. 36.

Absolt. Ah ! je comprends !; enfin j'ai compris ! → **Être** (j'y suis). *Tu comprends ?* (→ Tu **vois***?).

♦ **4** (Sens fort). Avoir une connaissance intuitive, une compréhension de (qqch. ou qqn). → **Connaître**, **savoir**, **sentir**. *Comprendre la nature, l'art. Comprendre la plaisanterie*, l'admettre sans se vexer. *Comprendre le caractère de qqn.* — (Compl. n. de personne). *Je ne comprends pas votre ami. Personne ne me comprend.* → **Incompris**. *Se comprendre* (récipr.). → **Accorder** (s'), **entendre** (s'). *Ils ne se sont jamais compris.* — *Se comprendre soi-même.*

26 Critiques et louanges m'abîment et me louent sans comprendre un mot de mon talent.
                    Th. GAUTIER, cité par Ed. et J. DE GONCOURT,
                                    Journal, t. I, p. 182.

27 Il est clair qu'en ce moment on découvre la nature; les écailles tombent des yeux; on vient de comprendre, presque tout d'un coup, tout le dehors sensible, ses proportions, sa structure, sa couleur.
                    TAINE, Philosophie de l'art, t. II, III, I, p. 18.

28 Jusque-là les hommes n'avaient compris l'autorité que comme un appendice du sacerdoce.
                    FUSTEL DE COULANGES, la Cité antique, IV, VIII,
                                    p. 348.

29 Je fais souvent ce rêve étrange et pénétrant
D'une femme inconnue (...)
Et qui n'est chaque fois, ni tout à fait la même
Ni tout à fait une autre, et m'aime et me comprend.
                    VERLAINE, Poèmes saturniens, VI,
                                    «Mon rêve familier».

30 L'infini est notre premier sens intellectuel; nous ne comprenons quelque chose que parce que nous comprenons Dieu (...)
                    Émile FAGUET, Études littéraires, XVIIᵉ s., p. 84.

31 Les expériences scientifiques sont faites d'après une idée préconçue qu'il s'agit de vérifier ou de contrôler afin de comprendre le phénomène et de saisir (*... la circonstance*)

qui constitue réellement son déterminisme (*du phénomène*).
                    Cl. BERNARD,
            Principes de médecine expérimentale, p. 37.

32 Ce qui permet la suffisance de certains insuffisants auteurs d'aujourd'hui, c'est leur incapacité de comprendre ce qui les dépasse, de jauger à leur juste valeur les grands écrivains du passé.   GIDE, Pages de journal, p. 27.

33 C'est sous cet angle qu'il faut envisager les États-Unis d'aujourd'hui si l'on se soucie de les comprendre.
            André SIEGFRIED, l'Âme des peuples, VII, III, p. 171.

33.1 (...) elle disait qu'elle «n'était pas comprise» : c'est ce que disent toutes les femmes en qui il n'y a rien à comprendre.
            MONTHERLANT, Pitié pour les femmes, p. 74.

34 Je ne dédaigne pas les autres. Bien loin de les dédaigner, je souhaiterais mieux les comprendre, car comprendre c'est déjà aimer.
            BERNANOS, les Grands Cimetières sous la lune,
                                    III, p. 78.

35 Comprendre le monde pour un homme, c'est le réduire à l'humain, le marquer de son sceau.
                    CAMUS, le Mythe de Sisyphe, p. 32.

Allus. historique :

35.1 À partir du «je vous ai compris !», lancé aux Algériens, il ne fut pas toujours aisé de le suivre (*de Gaulle*) dans tous ses cheminements.
            F. MAURIAC, le Nouveau Bloc-notes 1958-1960,
                                    p. 296.

Comprendre qqch. de telle ou telle manière. Comment comprenez-vous cette notion? Comprendre la société comme un rapport de forces (→ ci-dessus, cit. 28).

♦ **SE COMPRENDRE** v. pron.

(Réfl.). *Je me comprends :* je sais ce que je veux dire. → **Entendre** (s'), 2., c.

(Passif). *Cela se comprend de soi.* → **Évident**.

(Récipr.; au sens 4). *Ils n'arrivent pas à se comprendre. Ils sont fait pour se comprendre* (→ Bagarre, cit. 3).

♦ **COMPRIS, ISE** p. p. adj.

♦ **1** Contenu dans qqch. *Je vous cède mes terres, la ferme comprise* (ou *la ferme y comprise*). *Il s'est fâché avec toute sa famille, y compris sa sœur.* — REM. *Y* est facultatif lorsque *compris* suit le nom ; il est obligatoire lorsque *compris* précède le nom ; dans ce cas, *compris* est invariable. *Cela fait 500 francs, pourboire non compris. Tout compris.* → **Net**. *Ma voiture me coûte tant par mois, tout compris. Compris entre :* dans l'intervalle (→ Assimilable, cit. 1). → **Situé**. *L'espace compris entre le bassin et la grille du jardin. Jours compris entre deux dates.* — Géom. *Angle compris entre deux côtés égaux.*

36 (...) je trouve que la portion du cercle comprise entre les deux côtés de l'angle est la sixième partie du cercle.
                    ROUSSEAU, Émile, II.

37 (...) je connus tout, y compris une douleur inattendue (...)
            E. FROMENTIN, Dominique, VII, p. 117.

38 Les statues des empereurs divinisés avaient constitué des lieux d'asile dans l'État païen; la même faveur fut reconnue aux temples chrétiens, leurs dépendances et comprises.
                    A. ESMEIN,
            Cours élémentaire d'hist. du droit franç., p. 149.

39 La religion totale — foi comprise — a toujours été pour moi toxique; dès l'enfance (...)
            J. ROMAINS, les Hommes de bonne volonté, t. IV,
                                    VII, p. 57.

39.1 Cette ignorance ne l'empêcha pas de venir à bout de tout le repas, jusques et y compris la peau du saucisson et la croûte du gruyère.
            R. QUENEAU, le Dimanche de la vie, p. 85.

♦ **2** Dont le sens, les raisons, les idées sont saisis. → **Assimilé, enregistré, interprété, saisi**. *Une leçon comprise. Un texte mal compris*, et, par ext., *un auteur mal compris.* — Ellipt. *Compris ?* → **Vu** (fam.).

40 Si je siffle, tout le monde se rabat sur Barca. Compris? — Compris. MALRAUX, l'Espoir, p. 471.

0.1 Cent cinquante garçons bourdonnent dans la vaste salle à manger. J'ai tout de suite été avisé par le Père «qu'il n'y avait pas de micro». Compris. Me voilà délivré de la petite angoisse que c'eût été de parler «d'abondance du cœur» à cette jeunesse dont je ne sais rien.
F. MAURIAC, le Nouveau Bloc-notes 1958-1960, p. 22.

(En parlant d'un signe, d'un mot, d'une langue, d'un style).
Dont le signifié est connu. *«Cuider» n'est plus compris de nos jours. L'anglais est la langue la plus largement comprise en Asie du Sud-Est. Ce geste n'est pas compris de la même façon en Europe et en Chine.*

41 Parle droit! Parle sans fard et sans apprêt! Parle pour être compris! Compris, non pas d'un groupe de délicats, mais par les milliers, par les plus simples, par les plus humbles!
R. ROLLAND, Jean-Christophe, Introduction, XVII.

Bien compris?, formule employée dans les communications militaires, après un message, pour s'assurer de sa réception.

*1.2 Dans les automitrailleuses, après les embuscades, nous entendions : «Allô Panthère, ou Primevère, ou Dieu sait quoi! vous entendez? Le capitaine est mort. Bien compris?» Pas de réponse (...) Puis, nous entendions un grincement de scie, d'où sortait : «Bien compris. Ici, Panthère» et ainsi de suite.
MALRAUX, Antimémoires, Folio, p. 440.

CONTR. **Excepter, exclure, omettre. — Échapper, ignorer, méconnaître.** ◊ DÉR. **Comprenette, comprenoire.** ▬ COMP. **Incompris.**

COMPRENETTE [kɔ̃pʀənɛt] n. f. — 1896; de *comprendre.*
Fam. Faculté de comprendre. → **Compréhension, comprenoire** (régional). *Il a la comprenette un peu dure, rouillée. Avoir la comprenette difficilette.*
À qui n'a pas connu cette rage de creuser, ce démon du système, cette fièvre mentale, ce délire d'absolu, je pense qu'il manquera toujours quelque chose du côté de la comprenette. M. TOURNIER, le Vent Paraclet, p. 152.

COMPRENOIRE [kɔ̃pʀənwaʀ] n. f. — 1926; mot picard et normand; dér. dialectal de *comprendre* (surtout Nord et Ouest); cf. *comprenure* en Bourgogne et dans l'Est, *comprenette* à Paris.
Fam. Entendement, esprit. → **Comprenette.**
Je t'ai déjà dit que je l'avais balancé dans l'escalier, répondit-il avec une impatience agressive. T'as la comprenoire enrayée!
Roger VERCEL, Capitaine Conan, XII, p. 218.

COMPRESSE [kɔ̃pʀɛs] n. f. — 1539; «action de serrer, de presser», v. 1159; de l'anc. franç. *compresser* «presser sur». → Compresser, comprimer.
Morceau de linge fin plusieurs fois replié que l'on applique sur une partie malade. → **Pansement** (cit. 1). *Compresse stérilisée. Compresse de gaze. Mettre une compresse sur une plaie pour absorber la suppuration. S'appliquer une compresse d'eau chaude sur un abcès, une compresse d'eau froide sur le front.*

1 (...) il avait imbibé la compresse et l'avait prestement dépliée sur le nez de l'enfant.
MARTIN DU GARD, les Thibault, t. II, p. 141.

2 Il écarta la femme d'une poussée brusque, arracha la compresse qui couvrait le visage de la petite opérée (...)
MARTIN DU GARD, les Thibault, t. II, p. 144.

3 Sur cet œil malade, mon père appliqua pendant plusieurs jours des compresses à l'eau d'iris.
G. DUHAMEL, Inventaire de l'abîme, IV, p. 55.

COMPRESSER [kɔ̃pʀese] v. tr. — XIᵉ, repris de nos jours; de *com-,* et *presser.*
Serrer, presser. → **Comprimer.** — REM. Ce verbe et le p. p. *compressé* (pour *comprimer, comprimé*) sont critiqués par les puristes, mais usuels par analogie avec *presser, pressé.* — *On est un peu compressé dans le métro, aux heures de pointe.* → **Comprimé.**
CONTR. **Décompresser.**

COMPRESSEUR [kɔ̃pʀesœʀ] n. et adj. m. — 1824; nom d'un muscle, 1808; du lat. *compressus,* p. p. de *comprimere.* → Comprimer.
◆ 1 Appareil qui comprime les gaz ou les vapeurs. *Compresseur frigorifique. Compresseur à pistons. Compresseur d'un moteur Diesel.*
Renand passa devant un compresseur, un bloc d'acier trapu qui bourrait d'air les caissons, lors des opérations de renflouement.
Roger VERCEL, Remorques, p. 117.
Chir., méd. Instrument qui sert à comprimer un organe, une artère, un nerf, etc. *Compresseur urétral. Compresseur de Dupuytren.*

◆ 2 Adj. Qui comprime, tasse. *Un cylindre compresseur.*
Cour. ROULEAU COMPRESSEUR. → **Rouleau** (cit. 7 et *supra*). — Par métonymie. Engin de terrassement et de travaux publics, véhicule très lourd dont le train avant est constitué par un rouleau compresseur, et est utilisé notamment pour le compactage des agrégats (chaussées, etc.). — Fig. *Une politique de rouleau compresseur.* → **Rouleau.**
COMP. **Turbocompresseur.**

COMPRESSIBILITÉ [kɔ̃pʀesibilite] n. f. — 1680; de *compressible.*
Didactique.
◆ 1 Propriété qu'ont les corps de pouvoir diminuer de volume sous l'effet d'une pression. → **Coercibilité, élasticité.** *La compressibilité des liquides est plus grande que celle des solides. Loi de Mariotte sur la compressibilité des gaz.*
◆ 2 Fait de pouvoir être serré, restreint. *La compressibilité des dépenses, des frais. La compressibilité des effectifs.*
CONTR. **Incompressibilité.**

COMPRESSIBLE [kɔ̃pʀesibl] adj. — 1648; de *compressus* «comprimé».
◆ 1 Qui peut être comprimé. → **Coercible, comprimable, condensable, élastique.** *L'air est compressible* (→ Baromètre, cit. 2). *Les solides sont peu compressibles.*
Un fluide rare, transparent, compressible et élastique, qui environne un corps, en s'appuyant sur lui, est ce que l'on nomme son atmosphère.
LAPLACE, Exposition du système du monde, IV, 10.
◆ 2 Fig. Qui peut être diminué. *Des dépenses compressibles, que l'on peut restreindre. — Des sentiments, des pulsions difficilement compressibles.*
CONTR. **Dilatable, expansible, incompressible.** ◊ DÉR. **Compressibilité.** ▬ COMP. **Incompressible.**

COMPRESSIF, IVE [kɔ̃pʀesif, iv] adj. — 1478, *comprissif;* lat. médiéval *compressivus,* de *comprimere.* → Comprimer.
◆ 1 Didact. Qui sert à comprimer. — Chir. *Bandage compressif.*
◆ 2 Fig. Littér. et rare. *Mesures compressives, régime compressif,* contraires à la liberté. → **Comprimant, oppressif.**

C'était tout simple qu'une Turre-Cremata épousât un Sierra-Leone (...) même pour moi, élevée (...) dans cette dure et compressive étiquette qui empêcherait les cœurs de battre, si les cœurs n'étaient pas plus forts que ce corset de fer.
> BARBEY D'AUREVILLY, les Diaboliques, « La vengeance d'une femme » (1874).

CONTR. (Du sens 1) **Extensif.** — (Du sens 2) **Libéral.**

COMPRESSION [kɔ̃presjɔ̃] n. f. — 1314 ; lat. *compressio*, de *comprimere*. → Comprimer.

♦ **1** Action de comprimer ; résultat de cette action. → **Pression.** *Compression de l'air. La densité d'un corps est proportionnelle à sa compression. Pompe de compression.* — *Compression des marchandises destinées à être embarquées.* → **Estivage.** *Détruire par compression.* → **Écrasement.** — *Corps meurtri par compression.* → **Contus, contusion.**

1   Comme les différentes couches de l'atmosphère sont capables de dilatation et de compression (...)
> D'ALEMBERT, Œuvres, t. XIV, p. 29, *in* POUGENS.

Par métonymie. Ce qui est comprimé. — Spécialt (art). Œuvre obtenue par compression (de matériaux divers : voitures, etc.). *Les compressions du sculpteur César.*

♦ **2** (XVᵉ). Vx. Contrainte, oppression. *Mesures de compression :* mesures politiques contraires à la liberté. — (1878). Cour. *Compression des dépenses.* → **Économie, réduction, restriction.** *La compression du personnel.* → **Dégraissage.** *Une, des compressions de dépenses, de personnel.*

2   (...) après une si longue compression la démocratie ne devait pas s'arrêter à des réformes politiques, mais (...) elle devait arriver du premier coup aux réformes sociales.
> FUSTEL DE COULANGES, la Cité antique, IV, XIII, p. 411.

3   (...) resserré par la compression de sa case sociale et déjeté tout d'un côté par une spécialité et une monomanie comme les personnages de Balzac.
> TAINE, Philosophie de l'art, t. II, IV, II, III, p. 159.

Littéraire :

4   Les romanciers nous abusent lorsqu'ils développent l'individu sans tenir compte des compressions d'alentour.
> GIDE, les Faux-monnayeurs, III, VI, p. 351.

CONTR. Décompression, dilatation, expansion, extension. — Élargissement, gonflement. ◊ COMP. Décompression, précompression, thermocompression.

COMPRIMABLE [kɔ̃primabl] adj. — 1845 ; de *comprimer.*
Qui peut être comprimé. → **Compressible.**

COMPRIMANT, ANTE [kɔ̃primɑ̃, ɑ̃t] adj. — 1314 ; p. prés. de *comprimer.*
Didact. ou littér. Qui comprime (propre ou fig.). *« L'action comprimante de la justice »* (Claudel, *in* T. L. F.). → **Compressif.**

COMPRIMÉ [kɔ̃prime] n. m. — 1920 ; de *comprimer.*

♦ **1** Pastille pharmaceutique faite de poudre comprimée. *Prendre un comprimé d'aspirine.* → **Cachet** (abusif).
Spécialt. Pastille contenant sous un volume réduit des substances alimentaires. *Des comprimés de potages. Rêver du jour où l'on se nourrira de comprimés.*

♦ **2** Fig. Connaissances, informations condensées. *Absorber des comprimés de littérature, de droit. Mettre une théorie en comprimés.*

COMPRIMER [kɔ̃prime] v. tr. — Av. 1380 « opprimer, contenir (une manifestation) » ; lat. *comprimere*, de *com- (cum)*, et *premere* « serrer, presser ».

♦ **1** Exercer une pression sur (un corps) pour diminuer le volume. → **Compresser, presser, serrer ;** et aussi **diminuer, réduire, restreindre.** *Comprimer de l'air. Comprimer une artère pour éviter l'hémorragie.* — *Se comprimer le buste avec un corset. Comprimer qqch. pour le rendre plat.* → **Aplatir.** *Comprimer un objet contre qqch., entre deux choses.* → **Coincer, écraser, resserrer.** *Comprimer des marchandises destinées à être embarquées.* → **Estiver.** *Comprimer un corps pour en exprimer le suc.* → **Épreindre, presser.**

1   Jacques (...) comprimait le menton contre sa poitrine afin qu'aucun sanglot ne pût jaillir de sa gorge (...)
> MARTIN DU GARD, les Thibault, t. I, p. 140.

2   (...) le buste bien pris dans une robe de drap qui lui comprimait la gorge.
> G. DUHAMEL, Chronique des Pasquier, II, III, I.

3   Il se leva et son cœur battit si fort qu'il se comprima la poitrine des deux mains.
> P. MAC ORLAN, la Bandera, XV, p. 186.

♦ **2** (V. 1380). Abstrait. Empêcher de se manifester. → **Contraindre, empêcher, opprimer, refouler, réprimer, retenir.** *Comprimer des factions. Comprimer l'opinion. Comprimer sa colère, ses larmes, sa peur.*

4   Il y a au fond de presque tous les hommes je ne sais quel sentiment d'envie qui veille incessamment sur leur cœur pour y comprimer l'expression de la louange méritée, ou y enchaîner l'élan du juste enthousiasme.
> HUGO, Littérature et Philosophie mêlées, Journal des idées, Fantaisie.

5   Puis, il s'était habitué par degrés à comprimer ses sentiments, à se faire de son cœur un sanctuaire où il se retirait.
> BALZAC, le Cousin Pons, Pl., t. VI, p. 535.

6   Tout ce que la misère et les défiances d'un rétractile orgueil avaient, jusque-là, comprimé, fit explosion : l'ignorance, les niaises pudeurs, les crédulités jobardes, les lyriques éruptions, les attendrissements dangereux (...)
> Léon BLOY, le Désespéré, I, Le départ, p. 41.

Absolument :

7   Comprimez ! Opprimez ! Vous ne supprimerez pas.
> GIDE, Corydon, p. 50.

♦ **COMPRIMÉ, ÉE** p. p. adj.

♦ **1** Diminué de volume par pression. *De l'air comprimé. Machine-outil à air comprimé.* → **Pneumatique.** — *Être comprimé dans un train bondé.* — REM. On emploie parfois *compressé** (critiqué).

8   Il *(l'enfant)* était moins à l'étroit, moins gêné, moins comprimé dans l'amnios qu'il n'est dans les langes.
> ROUSSEAU, Émile, I.

9   Le son n'est-il pas une modification de l'air, comprimé, dilaté, répercuté ?
> BALZAC, Séraphita, Pl., t. X, p. 556.

10 (...) plus la source du jet d'eau est comprimée, plus il monte haut.
> Max JACOB, Conseils à un jeune poète, p. 18.

11 Alors sa taille, une fois libre, devint plus parfaite ; n'étant plus comprimée, ni trop amincie par le bas, elle reprit ses lignes naturelles, qui étaient pleines et douces (...)
> LOTI, Pêcheur d'Islande, I, V, p. 54.

12 Je lui trouvai le nez long, et cette figure comme comprimée entre deux battants de porte, qu'on voit aux gens qui croient dissimuler leurs contrariétés.
> COLETTE, la Naissance du jour, p. 159.

Aplati sur les côtés. *Un front comprimé.*

13 Le buffle a les cornes moins rondes et en partie comprimées.
> BUFFON, Hist. nat. des animaux, Le buffle.

♦ **2** Littér. ou style soutenu. Dont on empêche les manifestations. → **Opprimé, refoulé, réprimé.**

14 (...) je me vis sur le déclin de l'âge (...) sans avoir effleuré du moins cette enivrante volupté que je sentais dans mon

âme en puissance, et qui, faute d'objet, s'y trouvait toujours comprimée, sans pouvoir s'exhaler autrement que par mes soupirs. ROUSSEAU, les Confessions, IX.

15 (...) la vague heureuse est lancée au but comme un trait, tandis qu'une fois au-dessus du niveau commun, l'énergie humaine, jusque-là comprimée, réagit, se déploie, pose le pied où elle veut, et tient l'empire (...)
SAINTE-BEUVE, Volupté, VII, p. 61.

16 Ce mécontentement, pour ne pouvoir, sous ce régime dictatorial, s'exprimer à trop haute voix, était pourtant patent, et, pour être comprimé, n'était que plus violent.
Louis MADELIN, l'Ascension de Bonaparte, XIII, p. 181.

17 Ils se sentaient assez riches pour se permettre d'organiser une féerie à la mesure de leurs désirs comprimés.
P. MAC ORLAN, la Bandera, VI, p. 74.

CONTR. Décomprimer, desserrer, dilater, étendre. — Étaler, exhaler, exprimer, extérioriser, libérer, manifester. ◊ **DÉR. et COMP.** Comprimable, comprimant, comprimé. Décomprimer, surcomprimer.

COMPROMETTANT, ANTE [kɔ̃prɔmɛtɑ̃, ɑ̃t] adj.
— 1842; de compromettre.

Qui compromet ou peut compromettre. *Opinion compromettante. Avoir des relations compromettantes. Documents très compromettants. Un homme compromettant. Ce n'est pas compromettant* : cela ne présente aucun risque; cela n'engage à rien.

C'est à la limite n'importe quel travail social qui est «compromettant» et même «scandaleux», et cela dans la mesure même où ses produits, en échappant à leur créateur, nourrissent indistinctement honnêtes gens et crapules sans qu'on puisse en suivre indéfiniment la transformation et l'emploi.
Raymond ABELLIO, Ma dernière mémoire, t. II, p. 85.

COMPROMETTRE [kɔ̃prɔmɛtr] v. [CONJUG.: *mettre.*]
— 1283; lat. jurid. *compromittere*, de com- (cum), et promittere, d'après promettre.

♦ **1 V. intr. Dr.** Convenir avec son adversaire dans un litige de s'en rapporter pour la solution de celui-ci à la décision d'un arbitre. → Rapporter (s'en), référer (se); compromis; compromissoire (clause).

1 Toutes personnes peuvent compromettre sur les droits dont elles ont la libre disposition.
Code civil, art. 2059.

2 Le mandataire ne peut rien faire au delà de ce qui est porté dans son mandat : le pouvoir de transiger ne renferme pas celui de compromettre. Code civil, art. 1989.

(1580). **Fig. Vieilli.** S'en remettre, se soumettre à.

3 L'incertitude de mon jugement est si également balancée en la plupart des occurrences que je compromettrais volontiers à la décision du sort et des dés.
MONTAIGNE, Essais, II, 17.

♦ **2 V. tr.** (1690). Mettre dans une situation critique, en exposant au jugement d'autrui. → Exposer, impliquer. *Compromettre qqn en l'engageant dans des affaires peu honnêtes, en se servant de son nom. Jouer serré pour ne pas se laisser compromettre par un chantage* (cit. 1). *Se compromettre avec un misérable* (→ Avilir, cit. 4). *Craindre de se compromettre* (→ Circonspect, cit. 5). → Commettre (se). — *Compromettre sa santé. Compromettre son autorité, sa dignité, son honneur, son prestige, sa réputation.* → Risquer. *Compromettre l'honneur de qqn.* → Atteindre, blesser, entacher. *Compromettre ses chances.* → Diminuer. — **REM.** Dans ce sens, la forme transitive indirecte (avec *de...*), employée au XVIIe s. (→ ci-dessous, cit. 4), est aujourd'hui inusitée.

4 (...) il me serait honteux qu'il *(mon nom)* y passât *(à la postérité)* avec cette tache, et qu'on pût à jamais me reprocher d'avoir compromis de ma réputation.
CORNEILLE, Avertissement du Cid.

Un homme de cette conséquence *(un créole)...* ne se résoudrait jamais, par une vile et mécanique industrie de *(à)* compromettre l'honneur et la dignité de sa peau. 5
MONTESQUIEU, Lettres persanes, 78.

Il se peut que le ministère ne veuille pas se compromettre, en demandant grâce pour ceux dont l'entremise n'a pas été avouée par lui. 6
VOLTAIRE, Lettre à Richelieu, 30 mai 1772.

Les nuances infinies par lesquelles nos langues analytiques sont si supérieures, peuvent et doivent être étudiées. Mais il faut se garder des excès qui ne pourraient que compromettre une méthode féconde pour l'éducation de l'esprit. C'est une question de prudence et de tact. 7
F. BRUNOT, la Pensée et la Langue, II, X, XIV, p. 405.

L'amitié de Barras le *(Bonaparte)* compromet, aux yeux des gens plus qu'elle ne le sert. 8
Louis MADELIN, l'Ascension de Bonaparte, II, p. 21.

— Je regrette cette décision. Tu compromets ta carrière pour un scrupule honorable, mais déplacé. 9
J. CHARDONNE, les Destinées sentimentales, La femme de J. Barnery, p. 146.

Spécialt (en parlant d'un homme). Nuire à la réputation de (une femme) par ses actes, ses paroles, **spécialt,** en manifestant que l'on a des relations sexuelles avec elle (dans un contexte social réprobateur). *Compromettre une femme, une jeune fille.* — *Cette femme se compromet.*

Vous vous compromettez d'une horrible manière, et, si vous n'y prenez garde, vous allez vous perdre de réputation... Th. GAUTIER, Fortunio, p. 74. 10

◆ **COMPROMIS, ISE** p. p. adj.

Exposé à un dommage (matériel ou moral). *Place compromise par une démarche inconsidérée. Réputation compromise. Être gravement compromis par des indiscrétions. Il est plus que compromis, il est perdu* de réputation* (cf. Être pris, et, fam., cuit, fait, refait).

Les plus compromis de ses adhérents ne pensaient qu'à la fuite (...) 11
MÉRIMÉE, Hist. du règne de Pierre le Grand, p. 53.

Il se reprochait d'avoir subi depuis un mois l'enveloppement de Sammécaud et de s'être compromis, d'une façon peut-être irréparable. 12
J. ROMAINS, les Hommes de bonne volonté, t. III, XVI, p. 217.

(...) les pires situations demeurent aisées tant qu'aucune parole ne les a irréparablement compromises. 13
Edmond JALOUX, les Visiteurs, IV, p. 41.

Homme compromis, femme compromise, dont la réputation n'est pas intacte (en parlant d'une femme, concerne notamment les jugements négatifs concernant la sexualité).

CONTR. Justifier. — Affirmer, assurer, garantir. — Respecter. ◊ **DÉR.** Compromettant, compromission.

COMPROMIS [kɔ̃prɔmi] n. m. — XIIIe; lat. *compromissum*, du p. p. de *compromittere*. → Compromettre.

♦ **1 Dr.** Convention par laquelle les parties, dans un litige, recourent à l'arbitrage* d'un tiers. *Faire, dresser, passer, signer un compromis. Mettre en compromis une affaire douteuse, litigieuse.*

Le compromis pourra être fait par procès-verbal devant les arbitres choisis, ou par acte devant notaire, ou sous signature privée. 1
Le compromis désignera les objets en litige et les noms des arbitres, à peine de nullité.
Code de procédure civile, art. 1005 et 1006.

Convention provisoire par laquelle deux personnes constatent leur accord sur les conditions d'une vente, en attendant l'acte notarié de régularisation.

♦ **2** Arrangement* dans lequel on se fait des concessions mutuelles. → Accord, amiable (cit. 2); composition; transaction (→ Mezzo-termine). *En arriver,* *consentir à un compromis. Compromis branlant, chancelant, imparfait* (→ Cote* mal taillée).

2 Qui part d'une équivoque ne peut aboutir qu'à un compromis.
> BERNANOS, les Grands Cimetières sous la lune, p. 234.

3 (...) il avait refusé d'accepter un nécessaire compromis entre la perfection du temple grec et le chaos originel.
> A. MAUROIS, Études littéraires, Jacques de Lacretelle, t. II, p. 221.

♦ **3** (Fin XIXᵉ). Fig. État, situation intermédiaire, moyen terme.

4 Un chapeau noir qui était un compromis entre le melon et le haut-de-forme. M. AYMÉ, la Jument verte, p. 29.

DÉR. Compromissoire.

COMPROMISSION [kɔ̃prɔmisjɔ̃] n. f. — 1262, «compromis»; de *compromis*, p. p. de *compromettre*.

Littéraire ou style soutenu. (Souvent au pluriel).

♦ **1** (1787). Action de transiger avec ses principes. → **Accommodement.**

♦ **2** (1860). Action, parole par laquelle on est compromis. *Être exposé à des compromissions. Consentir à toutes les compromissions.*

COMPROMISSOIRE [kɔ̃prɔmiswaʀ] adj. — 1848; de *compromis*, et *-oire*, d'après *compromission*.

Dr. Relatif au compromis. → **Arbitrage.** *Clause compromissoire :* clause insérée dans un contrat et par laquelle les parties s'engagent, en cas de contestation, à s'en remettre à des arbitres (Code de commerce, art. 631).

COMPTA [kɔ̃ta] n. f. → **Comptabilité.**

COMPTABILISABLE [kɔ̃tabilizabl] adj. — Mil. XXᵉ (attesté 1964); de *comptabiliser*.

Qui peut être comptabilisé. *Résultats, sommes comptabilisables.*

COMPTABILISATION [kɔ̃tabilizasjɔ̃] n. f. — Mil. XXᵉ (attesté 1957); de *comptabiliser*.

Action de comptabiliser; son résultat. Fait d'être comptabilisé. *La comptabilisation des recettes et des dépenses.*

COMPTABILISER [kɔ̃tabilize] v. tr. — 1900; de *comptable*.

♦ **1** Inscrire dans la comptabilité; établir (une valeur) d'après les techniques comptables.

♦ **2** Par métaphore ou fig. Évaluer quantitativement. *Comptabiliser les chances de succès.* — Pron. :

L'avenir m'inspire une confiance irréfléchie. Oui, tant pis pour les chiffres : un an, deux ans, six mois. La vie ne se comptabilise pas.
> Pierre MOUSTIERS, la Mort du pantin, p. 173.

DÉR. Comptabilisable, comptabilisation.

COMPTABILITÉ [kɔ̃tabilite] n. f. — 1579; de *comptable*.

♦ **1** Tenue des comptes; ensemble des comptes tenus selon les règles. → **Compte.** *Apprendre la comptabilité. Cours de comptabilité. Règles de la comptabilité. Comptabilité bien, mal tenue. La comptabilité d'une entreprise, d'une industrie, d'un magasin... La comptabilité d'un médecin, d'un pharmacien... Comptes, éléments d'une comptabilité.* → **Actif, avoir; crédit, profit; débit, doit, passif; perte; capital, espèce(s), valeur(s); solde.** *Comptabilité matières,* qui se rapporte aux objets matériels en magasin. Tableau de comptabilité.* → **Balance, bilan.** *Livres de comptabilité.* → **Livre** (de copie de lettres, journal, inventaires); **brouillard, brouillon, mémorial, sommier.** *Double d'un registre de comptabilité.* → **Contrepartie.** — *Tenir, gérer une comptabilité. Examiner, vérifier la comptabilité d'une entreprise. L'inspecteur du fisc veut voir votre comptabilité. Comptabilité en partie simple* (→ **Unigraphie**), dans laquelle le commerçant n'établit le compte que de la personne à qui il livre ou de qui il reçoit. *Comptabilité en partie double.* → **Digraphie.** — *Comptabilité informatisée.*

(...) il existe dans la pratique un grand nombre de livres auxiliaires ou facultatifs; ils varient suivant l'importance des maisons de commerce et leur spécialité. La plupart se réfèrent à une catégorie particulière d'opérations (livre de caisse, livre de traites et billets, livre de factures et commissions, etc.). Le seul dont l'objet soit général est le *grand-livre.* Ce registre est indispensable pour la tenue de la comptabilité en partie double. Toutes les opérations y figurent deux fois à des comptes différents, dont les uns sont les comptes généraux, correspondant aux divers éléments de l'actif et du passif de la maison, les autres des comptes particuliers, concernant chacun de ses fournisseurs et clients habituels. Ce mode de comptabilité présente les meilleures garanties d'exactitude.
> Léon LACOUR, Précis de droit commercial, nᵒ 58.

Comptabilité publique : «ensemble des règles qui concernent la gestion des finances publiques, c'est-à-dire la préparation, le vote, l'exécution et le contrôle du budget de l'État, ainsi que des budgets des collectivités et établissements publics» (Dalloz, *Nouveau répertoire*). *Agent de la comptabilité publique.* → **Comptable, ordonnateur.**
Comptabilité économique ou *nationale :* présentation comptable des informations chiffrées relatives à l'activité économique de la nation. — Abrév. fam. : *compta, conta* (1931, *in* D. D. L.).

♦ **2** Service chargé d'établir les comptes. *Chef de la comptabilité.* → **Comptable** (chef comptable). *Commission de comptabilité.* — Local où se tient le personnel de la comptabilité. *L'accès de la comptabilité est interdit.*

♦ **3** Fig. Détermination précise, détaillée. → **Décompte.** *Tenir la, une comptabilité précise de...*

COMPTABLE [kɔ̃tabl] adj. et n. — 1340, «qu'on peut compter»; de *compter*.

I Adj. ♦ **1** (XVᵉ). Qui a des comptes à rendre. *Agent comptable* (→ ci-dessous, II.). *Officier comptable.*

♦ **2** Fig. *Être comptable de...* → **Responsable.** *N'être comptable à personne de ses actions. Comptable de... envers sa patrie.*

Il est de tout son sang comptable à sa patrie (...)
> CORNEILLE, Horace, III, 6.   1

Tout tuteur est comptable de sa gestion lorsqu'elle finit.
> Code civil, art. 469.   2

Comme il est injuste et absurde de rendre les êtres humains comptables de leurs promesses!   3
> A. MAUROIS, Climats, I, IX, p. 71.

♦ **3** (XVIIIᵉ; choses). Qui concerne la comptabilité. *Pièce, quittance comptable,* en due forme. — *Plan comptable normalisé,* pour établir une comptabilité. *Règles comptables. Machine, caisse comptable.*

II N. (1469). Personne dont la profession est de tenir les comptes. *Comptable qui tient les livres.* → **Facturier, teneur** (de livres). *Expert-comptable. Comptable agréé. Chef comptable. Une bonne comptable. Comptable de la Direction générale des impôts :* préposé aux recouvrements et aux paiements des deniers publics (receveur des impôts, conservateur des hypothèques, etc.).

4 Entre deux le comptable connait un ordre abstrait, car le gain et la perte se comptent par la même arithmétique.
ALAIN, les Idées et les Âges, v,
in les Passions et la Sagesse, Pl., p. 213.

DÉR. Comptabiliser, comptabilité. ◊ CONTR. Incomptable.

COMPTAGE [kɔ̃taʒ] n. m. — 1567; *comptaige*, 1415; de *compter*.

◆ 1 Fait de compter. *Le comptage de plusieurs éléments, objets par qqn. Faire de nombreux comptages.*

Afin de faciliter sa tâche d'inspection, elle essaie d'abord de compter les portes qui s'ouvrent de chaque côté du couloir (...) le nombre (...) a augmenté d'une unité entre le premier comptage et le second.
A. ROBBE-GRILLET,
Projet pour une révolution à New York, p. 123.

Spécialt. Dénombrement d'éléments nombreux au moyen d'un dispositif spécial. *Comptage des voitures sur une autoroute.* «*Comptage d'atomes*» (P. Rousseau, *De l'atome à l'étoile*, p. 27). → **Compteur.**

◆ 2 Énumération de nombres de deux en deux, de trois en trois, etc. *Exercices de comptage servant d'entraînement au calcul mental.*

HOM. Contage.

COMPTANT [kɔ̃tɑ̃] adj. m., n. m. et adv. — V. 1265, *contens* «payé sur-le-champ»; p. prés. de *compter*.

◆ 1 Que l'on compte sur-le-champ. *Argent comptant, deniers comptants,* payés sur l'heure et en espèces (opposé à *à terme*). → Argent, cit. 51.1 et *supra.*

0.1 Argent comptant il faut s'y fier
Comme à un soleil absent.
ÉLUARD, Cours naturel, «La mauvaise parole», Pl.,
t. I, p. 827.

Loc. (Vieilli). *C'est de l'argent comptant :* cela ne peut manquer d'arriver. — *Avoir de l'esprit argent comptant :* avoir la répartie prompte.

Mod. *Prendre qqch. pour (de l') argent comptant :* croire trop facilement ce qui est dit ou promis.

◆ 2 N. m. (Vx). Argent comptant. *Avoir, amasser du comptant. Voilà tout mon comptant.*

Loc. mod. *Au comptant :* en argent comptant (espèces) ou par chèque portant la somme totale, sans terme ni crédit. *Acheter, vendre au comptant. Achat au comptant.*

1 Il avait du comptant
Et partant
De quoi choisir. Toutes voulaient lui plaire (...)
LA FONTAINE, Fables, I, 17.

◆ 3 Adv. *Payer, régler comptant,* au comptant.

2 (...) lorsqu'il écrivait de sa main, le jour voulu, une lettre polie et véridique, payait comptant, livrait exactement ce qu'il avait promis, il croyait se conformer aux commandements de Dieu.
J. CHARDONNE, les Destinées sentimentales,
La femme de J. Barnery, I, p. 13.

Fig. *Payer comptant :* rendre immédiatement (en bien ou en mal) ce qu'on nous a fait.

CONTR. Crédit, terme. ◊ HOM. Contant (p. prés. du v. **conter), content.**

COMPTE [kɔ̃t] n. m. — 1549; *conte*, v. 1165; *cunte*, 1080; du lat. *computus,* de *computare.* → Compter.

I ◆ 1 Action d'évaluer une quantité (→ **Compter**); cette quantité. → **Calcul, dénombrement, énumération.** *Faire un compte, le compte de... Le compte des dépenses. Faire le compte des suffrages exprimés.* → **Recensement, statistique, total.** *Le compte n'y est pas :* le résultat n'est pas ce qu'il devrait être. *Un*

compte rond, sans fraction, ou qui tombe bien. *Le compte des points.* → **Décompte.**

Les plaisirs qu'on a dans le sommeil, on ne les fait pas 1 figurer dans le compte des plaisirs éprouvés au cours de l'existence.
PROUST, À la recherche du temps perdu, t. X,
p. 153.

J'ai fait mes comptes. J'ai fait une espèce de recensement. 2
G. DUHAMEL, Cri des profondeurs, XII, p. 241.

Le compte des dix secondes du knock-out (boxe). — **Absolt.** *Aller au tapis pour le compte. Compte à rebours.* → **Rebours** (suivi du *compte positif,* concernant le vol).

◆ 2 Loc. fig. *À, selon votre compte* (vx) : d'après vous.

Je suis donc bien coupable, Alceste, à votre compte ? 3
MOLIÈRE, le Misanthrope, I, 1.

Mod. À CE COMPTE-LÀ : d'après ce raisonnement, avec cette manière de faire, d'agir. *Vous allez répéter ce que je viens d'entendre ? À ce compte-là, vous n'allez pas vous faire que des amis !*

Au bout du compte : tout bien considéré. — *En fin de compte :* après tout, pour conclure. — **Fam.** *Fichez-nous la paix, à la fin du compte.* → **Fin** (à la fin).

On trouve au bout du compte que les choses sont bien 4 comme elles sont.
FONTENELLE, Sapho, Laure.

Être loin de compte, loin du compte (du total) : se tromper de beaucoup ; ou encore : être très en-deçà de ce qu'on escomptait. *Deux ans pour ce travail ! Vous êtes encore loin du compte !*

Tout compte fait : tout bien considéré (→ Avoir, cit. 24 ; bouquiner, cit. 1).

Vx. *De bon compte :* pour le moins. *Ce placement lui rapporte, de bon compte, cent mille francs par an.*

◆ 3 *Le compte de qqn :* l'argent dû à qqn. *Donner, régler son compte à qqn,* à un employé, lui donner son dû, et, par ext., le congédier. *Avoir, recevoir son compte.*

Fig., fam. *Régler son compte à qqn,* lui faire un mauvais parti. *Règlement* de compte. — *Son compte est bon :* il aura ce qu'il mérite. *Ton compte est bon !* (menace). — *Il a eu son compte,* tout ce qu'il pouvait supporter. *Avoir son compte :* être ivre.

Pharaon s'y trompera, croira les Hébreux égarés au désert 5 et pensera saisir l'occasion de leur régler leur compte.
DANIEL-ROPS, le Peuple de la Bible, II, p. 96.

Les nationalistes, les capitalistes, tous les *gros,* on les 6 retrouvera après ! et on leur réglera leur compte (...)
MARTIN DU GARD, les Thibault, t. VII, p. 282.

Tu as pensé qu'il suffisait tout bêtement de payer des 7 tueurs pour me régler mon compte ?
M. AYMÉ, la Tête des autres, III, 6.

— On finira bien par l'arrêter, le bandit, tu entends ? Et 8 toi, toi, tu auras ton compte. Tu es sa complice, tu as reçu de l'argent pour te taire. Tout le monde le dit. C'est sûr.
J. GREEN, Léviathan, II, I, p. 140.

(...) le XXᵉ siècle n'a pas inventé la haine. Mais il cultive une 8.1 variété particulière qui s'appelle la haine froide, mariée avec les mathématiques et les grands nombres. La différence entre le massacre des Innocents et nos règlements de comptes est une différence d'échelle.
CAMUS, Actuelles II, Justice et haine, *in* Essais,
Pl., p. 726.

Alors, vous faites pas d'illusion, votre combine est mau- 8.2 vaise mais votre compte est bon.
J. PRÉVERT, Choses et autres, p. 128.

◆ 4 À BON COMPTE : à bon prix. — *Se divertir à bon compte,* sans qu'il en coûte beaucoup. *En être quitte, s'en tirer à bon compte,* sans trop de dommage.

(Qu') À si bon compte encore je m'en sois trouvé quitte. 9
MOLIÈRE, l'Étourdi, III, 4.

10 Estimez-vous très heureux de vous en tirer à si bon compte et, surtout, évitez, dans l'avenir, d'attirer notre attention.
P. MAC ORLAN, la Bandera, XIX, p. 235.

Par ext. *Trouver son compte (à qqch.).* → **Avantage, bénéfice, intérêt, profit.** *Il y trouve son compte* (cf. Ça l'arrange).

11 (...) je trouve bien mieux mon compte avec l'un qu'avec l'autre ; car il me divertit avec sa voix (...)
MOLIÈRE, la Princesse d'Élide, Intermède III, 1.

12 Les fripons trouvent leur compte dans la bonne foi des honnêtes gens.
BEAUMARCHAIS, *in* Pierre LAROUSSE.

♦ **5** État contenant l'énumération, le calcul des recettes et des dépenses. → **Comptabilité, écriture**(s). *Les comptes d'une administration, d'une entreprise. Les comptes d'une ménagère. Les articles* d'un compte. Chapitre d'un compte.* → **Poste.** *La somme du compte.* → **Ci ; montant, total.** *Compte à déduire.* → **Décompte, précompte.** *Compte gestionnaire.* → **Écriture.** *Tenir les comptes.* → **Écriture.** *Inscrire un report* dans la colonne d'un compte. Bordereau* de compte. Carnets*, livres de comptes.* → **Livre.** *Compte administratif, financier* (compte d'exécution du budget). — *Passer, mettre une somme en compte, sur le compte ; imputer en compte.* → **Comptabiliser, facturer.** *Dresser un compte.* → **Balance, bilan.** *Balancer*, équilibrer, solder* un compte commercial.* → **Appoint, solde.** *Arrêter, clore* un compte.* → **Arrêté ; cadrer** (faire cadrer). *Bénéfices que révèle un compte.* → **Avoir, bénéfice, boni, encaisse, gain, revenant-bon, ristourne.** *Manques d'un compte.* → **Déficit, doit, perte.** *Dû après l'arrêté* de compte.* → **Débet, reliquat, soulte.** — *Présenter, débattre un compte. Rendre un compte* (→ ci-dessous, **fig.**). *Vérifier un compte.* → **Apurement ; apurer.** *Erreur d'un compte.* → **Mécompte.** *Corriger, rectifier un compte.* → **Rectificatif.** *Approuver un compte, reconnaître l'exactitude d'un compte.* → **Approuvé, quitus.** *Régler, liquider un compte.* → **Liquidation, règlement.** — *Compte des profits* et pertes*. Compte des valeurs livrées d'avance.* → **Découvert.** — *Compte de retour,* dressé pour un effet de commerce protesté et non payé.

13 Il ne se donne pas la peine de régler lui-même des parties *(factures, mémoires)* ; mais il dit négligemment à un valet de les calculer, de les arrêter et les passer à compte.
LA BRUYÈRE, les Caractères de Théophraste, « De l'orgueil ».

Plur. Comptabilité. *Faire ses comptes. Livre de comptes.* — *Comptes d'apothicaire* (fig.), longs et compliqués.* — *Les comptes de l'État. La Cour* des comptes.*

14 Mᵐᵉ Aubain étudia ses comptes *(du comptable)*, et ne tarda pas à connaître la kyrielle de ses noirceurs : détournements d'arrérages, ventes de bois dissimulées, fausses quittances, etc...
FLAUBERT, Trois contes, « Un cœur simple », IV.

15 J'ai fait tous les comptes, au plus juste. Je peux montrer mon bordereau.
G. DUHAMEL, Chronique des Pasquier, II, III, I.

16 La société a le droit de demander compte à tout agent public de son administration.
Déclaration des droits de l'homme (Constitution du 3 sept. 1791), art. 15.

17 Ce Pellisson (...) était secrétaire de Fouquet ; c'est par lui que passaient les comptes du surintendant, et l'on conçoit que cette fonction dût le mettre en état de voir et de savoir beaucoup de choses.
Émile HENRIOT, Portraits de femmes, Mˡˡᵉ de Scudéry, p. 38.

Spécialt. État de l'avoir et des dettes d'une personne, dans un établissement financier. *Faire ouvrir un compte. Compte de dépôt d'espèces (compte de chèque ; abrév. : C. C.). Compte chèque postal (C. C. P.) ou compte courant postal. Ouvrir*

un compte courant postal. Compte en banque. Numéro de compte. Compte courant,* représentant toutes les opérations entre une personne et son banquier. *Versement au compte courant. Compte chèques. Alimenter, approvisionner ; créditer, débiter son compte. Son compte est à découvert. Compte créditeur. Compte débiteur. Transporter une somme d'un compte à un autre.* → **Virer.** *Situation, position d'un compte. Établir la position d'un compte.* → **Positionner.** *Détail, résumé de compte.* → **Relevé.**

17. À qui s'étonnerait de ce qu'un gentleman aussi mystérieux comptât parmi les membres de cette honorable association, on répondra qu'il passa sur la recommandation de MM. Baring frères, chez lesquels il avait un crédit ouvert. De là, une certaine «surface», due à ce que ses chèques étaient régulièrement payés à vue par le débit de son compte courant invariablement créditeur.
J. VERNE, le Tour du monde en 80 jours, p. 3 (1873).

18 Pour devenir président de onze compagnies, membre de cinquante-deux conseils d'administration, titulaire d'autant de comptes en banque, et désigné comme directeur de la société mondiale (...)
GIRAUDOUX, la Folle de Chaillot, I, p. 17.

Loc. *Donner (une somme) à compte,* à valoir. → **Acompte.** — *Publier à compte d'auteur,* aux frais de l'auteur. *Livre, recueil à compte d'auteur.* — *Être en compte avec qqn.* — *Laisser une marchandise pour compte,* la laisser au vendeur. → **Refuser.** *Un laissé pour compte :* une personne abandonnée de tous.

♦ **6 Loc. fig.** *Au compte de (à son compte), pour, sur le compte de. Travailler à son compte, pour son propre compte :* être autonome. *S'installer, s'établir à son compte.*

19 L'espion chasse pour le compte d'autrui, comme le chien ; l'envieux chasse pour son propre compte, comme le chat.
HUGO, l'Homme qui rit, II, I, VII.

19.' Un ancien ouvrier de chez Maple qui s'est établi à son compte (...)
N. SARRAUTE, le Planétarium, p. 47.

Prendre à son compte : endosser la responsabilité de (un acte). — *Commercer pour le compte d'autrui,* au nom d'un commettant.

Fig. *Pour mon compte :* en ce qui me concerne. *Pour mon compte, je n'ai rien à dire.* — *Il n'y a rien à dire sur son compte,* à son sujet, à son endroit. *On a mis sa faute sur le compte de sa distraction.* → **Attribuer, imputer.**

20 (...) il ne s'exprimait jamais sur mon compte qu'en termes outrageants, méprisants, sans me désigner autrement que par ce *petit cuistre,* et sans pouvoir cependant articuler aucun tort d'aucune espèce (...)
ROUSSEAU, les Confessions, VIII.

21 (...) une madame Moser sur le compte de laquelle on chuchotait (...)
FRANCE, le Petit Pierre, XVI, p. 98.

21.' Quand ils sont revenus dans la grande maison, on a mis la mauvaise mine de Laure au compte d'une fatigue heureuse.
Suzanne PROU, la Terrasse des Bernardini, p. 93.

♦ **7 TENIR COMPTE DE... :** prendre en considération, accorder de l'importance à... *Tenir compte à qqn d'une chose,* la mettre au crédit de qqn, lui en savoir gré. *Tenir compte du dévouement de qqn.*

22 Victor (Hugo) ne tiendra aucun compte des observations paternelles et il imprimera sans y changer une virgule le manuscrit litigieux.
Émile HENRIOT, les Romantiques, p. 30.

23 Vous tenez compte des lacunes de mémoire, chez autrui, de l'inattention, et du fait que ces choses-là, quant aux dates, ne se démontrent pas avec rigueur ?...
J. ROMAINS, les Hommes de bonne volonté, t. V, XXVIII, p. 310.

24 Et pourvu que je passe ma nuit à bien calculer les termes de ma déposition, en tenant compte de tout, même du danger qu'il y aurait à être trop précis (...)
J. ROMAINS, les Hommes de bonne volonté, t. II, XII, p. 128.

II (XIIᵉ ; fig., de I., 1. ou 5. ; → ci-dessus, cit. 16). *Demander, rendre compte, des comptes (à qqn)* : demander, donner le rapport de ce que l'on a fait, de ce que l'on a vu, pour faire savoir, expliquer ou justifier. → **Explication, rapport.** *Demander des comptes à qqn. Devoir des comptes. Il ne doit de compte à personne. N'avoir de comptes à rendre à personne. Rendre compte de sa mission.*

25   Je vous le dis : au jour du jugement, les hommes rendront compte de toute parole vaine qu'ils auront dite.
            BIBLE (CRAMPON), Évangile selon saint Matthieu,
                             XII, 36.

26   Heureux si, averti par ces cheveux blancs du compte que je dois rendre de mon administration, je réserve au troupeau que je dois nourrir de la parole divine les restes d'une voix qui tombe et d'une ardeur qui s'éteint.
            BOSSUET, Oraison funèbre du prince de Condé.

27   Libres et sans avoir de compte à rendre de nos actions et de nos absences à personne (...)
            LAMARTINE, Graziella, Épisode, III, p. 21.

28   Le Français s'est toujours senti actionnaire d'une société dont chaque membre doit des comptes à tous les autres.
            CLAUDEL, Positions et Propositions, p. 19.

(1845). **COMPTE RENDU.** → **Exposé, rapport, récit, relation.** *Compte rendu d'une mission. Compte rendu d'une séance. Compte rendu d'un spectacle, d'un livre.* → **Analyse, critique.** *Principaux articles* et comptes rendus d'un universitaire.*

29   Jacques y avait publié des comptes rendus de livres allemands et suisses.
           MARTIN DU GARD, les Thibault, t. VII, p. 137.

30   On cherche des intentions et des indications dans un entrefilet de la deuxième page, dans la longueur d'un compte rendu.
           J. ROMAINS, les Hommes de bonne volonté, t. V,
                           XXIV, p. 224.

REM. L'expression fonctionne comme un véritable nom composé et a donné naissance à un dérivé fam. : *compte rendufier* (rendre compte sous cette forme).

SE RENDRE COMPTE. → **Apercevoir** (s'), **comprendre, découvrir, noter, remarquer, voir.** *Se rendre compte d'une chose,* y prendre garde, en trouver la raison, l'explication, en vérifier l'exactitude. *Se rendre compte d'un danger. Se rendre un compte exact des choses* (→ Passé, cit. 16).

31   Et un léger soupir, un minuscule hochement de tête avaient l'air d'ajouter : «Pourvu, au moins, qu'il s'en rende compte ! Qu'il ne gâche pas ça !»
           J. ROMAINS, les Hommes de bonne volonté, t. V,
                         XVII, p. 123.

32   Ça me tarabustait. J'ai préféré perdre ma demi-journée. Je voulais me rendre compte.
           J. ROMAINS, les Hommes de bonne volonté, t. IV,
                         III, p. 20.

33   Mᵐᵉ Forestier était myope et vivait dans le passé : deux raisons qui l'empêchaient de se rendre un compte exact des choses présentes.
           COCTEAU, le Grand Écart, III, p. 55.

Se rendre compte que..., du fait que...

34   J'ai mis assez longtemps à me rendre compte que, dans ses lectures, il cherche surtout à se renseigner (...)
           GIDE, Journal, 6 avr. 1943, p. 150.

35   Il *(Hérault)* ne répondit rien. Mais se rendant compte que, suivant l'expression de Mallet du Pan, il marchait «sur la lame d'un rasoir», il s'élimina du Comité (...)
           Louis MADELIN, Danton, p. 271.

Fam. (Exprimant l'étonnement partagé). *Vous vous rendez compte ! Tu te rends compte du culot de ce type !*

Prov. *Erreur n'est pas compte :* on peut toujours revenir sur une erreur.

Les bons comptes font les bons amis : l'absence de tout problème d'argent entre des personnes est le meilleur garant de leur bonne entente.

Le capitaine se tourna vers le soldat en continuant d'irradier la bonté : – Tu auras quatre jours de plus, mon vieux. Faisons un peu nos comptes, tu veux : Deux plus deux, plus quatre, ça fait huit jours de salle de police. Tu es bien d'accord ? – Oui, mon capitaine. – Les bons comptes font les bons amis.   Jacques LAURENT, les Bêtises, p. 154.   36

HOM. Comte, conte.

COMPTE-FILS [kɔ̃tfil] n. m. invar. — 1836 ; de *compter, et fil.*

Techn. Petite loupe de fort grossissement enchâssée dans une monture pliable (qui sert de protection lorsqu'elle est pliée et de pied lorsqu'elle est dépliée). *Un compte-fils de typographe, de photograveur.*

COMPTE-GOUTTES [kɔ̃tgut] n. m. invar. — Av. 1850 ; de *compter, et goutte.*

♦ **1** Instrument servant à doser les liquides (médicaments, en particulier) en les faisant couler goutte à goutte (souvent, petite pipette en verre amincie à une extrémité et munie à l'autre d'une poire de matière souple ; parfois, tube gradué à piston). *Compte-gouttes pour instillations.*

♦ **2 Fig.** *Au compte-gouttes :* avec parcimonie, petit peu par petit peu. *Tu me le donnes au compte-gouttes, cet argent !* (cf. fam. Avec des élastiques).

Enfin, ce qu'on peut dire pour les Anglais, c'est qu'eux au moins ils embarquent leurs hommes, tandis que du côté français !... En principe, ça se passe à Dunkerque et à Malo, mais jusqu'ici au compte-goutte *(sic)*, et seulement des unités constituées.
           Robert MERLE, Week-end à Zuydcoote, p. 47 (1949).

COMPTE-PAS [kɔ̃tpa] n. m. — 1647, *contepas,* Mersenne ; de *compter,* et *pas.*

Podomètre.

COMPTER [kɔ̃te] v. — 1348 ; *cunter,* v. 1080 ; *conter,* XIIᵉ ; éliminé dans ce sens au XVIᵉ ; du lat. *computare.* → Conter.

I V. tr. ♦ **1** Déterminer (une quantité) par le calcul ; spéciaᵗ, établir le nombre de. → **Chiffrer, dénombrer, nombrer.** *Compter les spectateurs d'un théâtre, les habitants d'une ville.* → **Recenser.** *Compter les voix, les suffrages. Compter une somme d'argent. Compter les points, les coups d'une partie de billard.* — **Loc. fig.** *Compter les points :* assister à un conflit et juger de son évolution sans y participer. *Combien en avez-vous compté ? Compter les fils d'un tissu* (→ **Compte-fils**)*, des gouttes* (→ **Compte-gouttes**)*. Appareil qui compte qqch.* → **Compteur.** *Compter en nommant.* → **Énumérer.**

Sais-tu quel est Pyrrhus ? Tes-tu fait raconter
Le nombre des exploits (...) Mais qui peut les compter ?   1
           RACINE, Andromaque, III, 3.

Notre laitière ainsi troussée   2
Comptait déjà dans sa pensée
Tout le prix de son lait, en employant l'argent (...)
           LA FONTAINE, Fables, VII, 10.

Quoi ! toujours il me manquera   3
Quelqu'un de ce peuple imbécile !
Toujours le loup m'en gobera !
J'aurai beau les compter : Ils étaient plus de mille (...)
           LA FONTAINE, Fables, IX, 19.

Elle avait pris son ouvrage et comptait sur de grosses   4
aiguilles les points de son tricot.
           J. CHARDONNE, les Destinées sentimentales,
                        Pauline, p. 330.

On ne les compte pas, plus : ils sont innombrables.

(...) que le conservatisme (...) est, dans son essence,   5
quelque chose d'entièrement différent du patriotisme et que cette différence, dont on ne compte plus les manifestations au cours de l'histoire (...)
           Julien BENDA, la Trahison des clercs, note c, p. 113.

Loc. fam. *Compter les clous de la porte* : attendre. — *Compter les pas de qqn*, observer toutes ses démarches.

♦ **2** Mesurer avec parcimonie. *Compter l'argent que l'on dépense.* → **Regarder** (à la dépense).

Par extension :

6 Vous lui pourrez bientôt prodiguer vos bontés,
Et vos embrassements ne seront plus comptés.
RACINE, *Andromaque*, IV, 1.

Compter ses pas : marcher lentement* ; économiser sa peine. — Fig. (Vieilli). Agir avec circonspection. — Au p. p. (Mod.). *Marcher à pas comptés,* lentement, solennellement.

7 Ce petit homme, au dos solide, les épaules larges et vénérables, marche à pas comptés.
André SUARÈS, *Trois hommes*, «Ibsen», III, p. 108.

7.1 Il affecta de ne point plier sa serviette, assena sur la nappe un petit coup de poing puis se retira, très digne, à pas comptés. Francis CARCO, *les Belles Manières*, p. 13.

♦ **3** Payer (qqch.) à qqn. *Compter une somme à qqn* (→ Palper, cit. 5). *Vous lui compterez mille francs pour son travail.*

8 Si tu veux mon avis, comme il t'épargnera des gros sous que tu serais forcé de compter aux gens de la justice à Grenoble (...)
BALZAC, *le Médecin de campagne*, Pl., t. VIII, p. 370.

♦ **4** Mesurer (le temps). *Compter les jours, les heures.* — Fig. Trouver le temps long, par ennui ou impatience.

9 Si nous comptons les moments, les jours, les années, nous finirons par compléter la somme des siècles.
DESCARTES, *Règles pour la direction de l'esprit.*

10 Il commençait à compter les moments dans l'attente de son retour.
Antoine HAMILTON,
Mémoires du comte de Grammont, 7.

11 Il était sept heures vingt-cinq ; elle le savait, elle avait compté les minutes seconde par seconde au tic-tac du cartel noir. J. GREEN, *Léviathan*, II, IV, p. 165.

Il faut compter plusieurs heures pour faire cela : plusieurs heures sont nécessaires*.

Détenir (une fonction, un emploi) un certain temps. *Il compte déjà deux ans de règne, de service.* — (Choses). Avoir duré (un certain temps). *Cette civilisation compte un millénaire.* — Poét. Être âgé de.

12 (...) son visage, couvert de rides comme celui d'une vieille coquette, comptait douze ans de plus que son acte de naissance. BALZAC, *les Petits Bourgeois*, Pl., t. VII, p. 78.

Décider (un temps imparti). — Poét. *Le destin a compté ses jours.* — (Passif). *Ses jours sont comptés :* il lui reste peu de temps à vivre.

13 (...) les tristes jours que le Ciel m'a comptés.
MOLIÈRE, *Tartuffe*, IV, 3.

♦ **5** Vx (langue class.). *Compter* (qqch., dans une successivité) *par...* → **Marquer, signaler** (par).

14 Vous comptez tous vos jours et marquez tous vos pas
Par des plaisirs affreux et des assassinats.
VOLTAIRE, *Catilina*, I, 5.

♦ **6** Comprendre* dans un compte, un total, une énumération... → **Inclure.** *Ils étaient quatre, sans compter les enfants. En me comptant, nous étions sept.*

N'oubliez pas de le compter. — Spécialt. Faire payer, inclure dans un compte. *Il ne nous a pas compté les consommations.* → **Facturer.**

Fig. *Compter qqch. à qqn*, lui en tenir compte*, lui en savoir gré*.

15 Il est doux pour un amant de faire des sacrifices qui lui soient tous comptés.
ROUSSEAU, *Julie ou la Nouvelle Héloïse*, I, 10.

Littér. *Compter qqch., qqn parmi, au nombre de...* : ranger au nombre de... → **Comprendre, englober ; rang** (mettre au rang). *Je le compte parmi mes ennemis. Il compte des princes parmi ses ancêtres. Ce monument peut être compté parmi les plus beaux.*

16 Et l'on sait que toujours la Colchide et ses princes
Ont compté ce Bosphore au rang de leurs provinces.
RACINE, *Mithridate*, I, 1.

Passif et p. p. *Être compté dans, parmi...*

♦ **7** Littér. *Compter (qqch.) pour...* → **Considérer, estimer, prendre, regarder, réputer** (comme). *Il le compte pour mort. Il compte cela pour beaucoup.* → **Apprécier.**

17 À table comptez-moi, si vous voulez, pour quatre ;
Mais comptez-moi pour rien s'il s'agit de se battre.
MOLIÈRE, *le Dépit amoureux*, V, 1.

18 (...) Ils *(les amants)* comptent les défauts pour des perfections,
Et savent y donner de favorables noms.
MOLIÈRE, *le Misanthrope*, II, 4.

19 Comptez-vous vos soldats pour autant de héros ?
RACINE, *Mithridate*, III, 1.

20 *(Amants)* Tenez-vous lieu de tout, comptez pour rien le reste. LA FONTAINE, *Contes*, IX, 2.

Fam. *Compter qqch. pour rien, le compter pour du beurre,* le considérer comme négligeable.

SANS COMPTER QUE : sans considérer que. → **Autant** (d'autant plus que), **nonobstant.**

21 Avec sa pâleur et ses grands yeux noirs, je ne puis dire combien cela frappait, sans compter que de temps en temps (...) il était clair qu'elle avait souffert (...)
A. DE MUSSET,
la Confession d'un enfant du siècle, III, V.

*Faire cas** *de (qqch.).*

22 On ne daigne peser ni compter mon suffrage.
CORNEILLE, *Suréna*, I, 1.

II V. intr. et tr. ind. ♦ **1** Intrans. Calculer. *Compter de tête. Compter jusqu'à cent. Compter juste. Compter mal. Compter sur ses doigts. Cet enfant sait lire, écrire et compter. Apprendre à compter. Savoir compter.* Fig. Être attentif à ses intérêts. *Il compte sou par sou, au sou près.* — Surtout : **SANS COMPTER.** *Donner, dépenser ; recevoir sans compter,* sans se limiter. → **Généreusement, largement** (cf. À pleines mains).

23 Un, deux, trois, quatre corps, ce sont quatre semaines,
Si je sais compter, toutes pleines.
LA FONTAINE, *Fables*, VIII, 27.

24 Mais quand on avait tout, ô grande audacieuse,
Quand on avait toujours on ne comptait jamais.
Ch. PÉGUY, *Ève*, in Œ. poétiques complètes, Pl., p. 722.

25 La mère, toujours malade, comptait sou à sou.
MARTIN DU GARD, *les Thibault*, t. V, p. 58.

26 Lui *(Bonaparte)* qui est économe jette les millions — je ne dirai pas sans compter, mais sans hésiter — dans les travaux publics, les routes et les canaux.
Louis MADELIN, *Vers l'empire d'Occident*, VIII, p. 100.

♦ **2 COMPTER AVEC** : tenir compte de. *Il a de l'influence et il faut compter avec lui. Compter avec l'opinion.*

27 La valeur et la capacité les plus réelles n'auraient pas suffi, il faut toujours dans de semblables cas compter avec l'opinion des hommes.
FONTENELLE, *Marsigli*, in LITTRÉ.

♦ **3** Trans. ind. Vx. *Compter de (qqch.)* : rendre compte* de (qqch.).

28 Il *(le duc de Bourgogne)* ne doit être en crainte d'en compter un jour devant Dieu.
SAINT-SIMON, *Mémoires*, 265, 74, in LITTRÉ.

♦ **4** [a] Trans. ind. Vx. *Compter de (et inf.)* : former le projet de...

29   (...) il *(Ch. de Sévigné)* compte de pouvoir partir demain (...)
     Mᵐᵉ DE SÉVIGNÉ, 975, 12 août 1685.

     b Mod. *Compter* (et inf.). → **Espérer, penser.** *Il compte
pouvoir partir demain.* — *Compter que* (et **complétive**). → **Escompter.** *Je compte bien qu'il viendra. Je
comptais qu'il viendrait.* → **Attendre** (s'), **croire.**

30   *Je vous avais fait préparer votre appartement,* comptant *que
vous descendriez tout droit ici.*
     DUMAS, in F. BRUNOT, la Pensée et la Langue, III,
     XII, III, p. 544.

31   La colère peut être prise comme une ivresse, en ce sens
qu'on se plaît à s'y jeter par un semblant, en comptant
bien qu'elle dépassera ce semblant.
     ALAIN, les Aventures du cœur, p. 95.

   ◆ **5** **COMPTER SUR** : faire fond, s'appuyer sur.
→ **Tabler.** *Comptez sur moi. Compter entièrement
sur qqn,* s'abandonner à lui. *On ne peut pas
compter sur lui. Il compte trop sur son adresse.*
→ **Présumer** (de). *J'y compte bien* : je l'espère bien.

32   C'est folie
De compter sur dix ans de vie.
     LA FONTAINE, Fables, VI, 19.

33   Hypocrites, ils comptent sur la gentillesse de leurs amis
et ne ménagent que la méchanceté de leurs ennemis.
     J. RENARD, Journal, 30 avr. 1902.

34   Tu ne peux guère compter sur un garçon pondéré pour
aller fusiller un chef d'État à bout portant, et se faire
écharper par la foule.
     J. ROMAINS, les Hommes de bonne volonté, t. IV,
     X, p. 102.

35   Il comptait aussi sur la vénalité de la Slaoui (...)
     P. MAC ORLAN, la Bandera, XVI, p. 189.

36   On ne sait jamais quand la vie va vous trahir; inutile de
compter sur le lendemain, ni même sur l'heure qui va
suivre; il n'y a de certain que la mort.
     J. GREEN, Léviathan, VII, p. 192.

     Fam. et iron. *Compte là-dessus; compte là-dessus et
bois de l'eau fraîche* : n'y compte pas.

   ◆ **6** **Intrans.** Entrer en ligne de compte, avoir de l'importance (correspond au sens du passif *être compté*).
→ **Importer.** *Cela compte peu, ne compte pas. Ce
qui compte, c'est de... Le succès seul compte pour
lui.* — *Compter pour rien,* et, **fam.**, *compter pour du
beurre, pour des prunes* : ne pas compter.

37   Les événements ne comptent que pour ceux qui en pâtissent ou qui en profitent (...)
     CHATEAUBRIAND, Mémoires d'outre-tombe, t. VI,
     p. 34.

38   Elle souffrit d'être comme si elle n'était pas et de ne plus
compter pour une personne, pas même une chose.
     FRANCE, le Mannequin d'osier, Œ., t. XI, IX, p. 331.

39   De tels hommes leur joie est toujours muette, tant elle
compte peu.
     André SUARÈS, Trois hommes, «Dostoïevski», IV,
     p. 234.

40   (...) pour Louis XI, le résultat seul comptait. Il mettait loin
en arrière l'orgueil et l'amour-propre.
     J. BAINVILLE, Hist. de France, VII, p. 128.

41   Mais le but, le succès nécessaire comptait uniquement à
ses yeux, comme la guérison pour le médecin.
     J. CHARDONNE, les Destinées sentimentales,
     Pauline, IV, p. 297.

42   Mais pour qui cherche la quantité des joies, seule l'efficacité compte.   CAMUS, le Mythe de Sisyphe, p. 99.

   ◆ **7** Être (parmi). *Compter parmi, au nombre de.*
→ **Figurer.** *Compter parmi les meilleurs.*

   ◆ **8** Vx. → **Dater.** — **Mod.** *À compter de* : à partir de.
À compter d'aujourd'hui.

   ◆ **SE COMPTER** v. pron.

   ◆ **1** Se mettre au nombre de. *Je ne me compte pas
au nombre de ses amis.*

43   (...) Le triste Antiochus
Se compta le premier au nombre des vaincus.
     RACINE, Bérénice, I, 4.

◆ **2** Être compté; être susceptible d'être dénombré.
Ses erreurs ne se comptent plus, elles sont innombrables.

Il y a des choses qui se comptent, ce sont les choses nombrables : des lits; cent lieues; vingt nuits; dix grammes;
s'il y en a plusieurs, ce sont plusieurs unités.   44
     F. BRUNOT, la Pensée et la Langue, I, IV, I, p. 95.

(...) le *quotidien?* Tout s'y compte. Parce que tout y est   45
compté : argent, minutes. Tout s'y dénombre en mètres,
kilogrammes, calories. Pas seulement les objets mais les
vivants et pensants.
     Henri LEFEBVRE, la Vie quotidienne dans le
     monde moderne, p. 45.

Se dénombrer, dénombrer la quantité de personnes composant un groupe (en parlant des membres de ce groupe). *Comptez-vous de droite à gauche.*

CONTR. Négliger, omettre. ◊ **DÉR.** Comptable, comptage,
comptant, compte, compteur, comptine, comptoir. ◄ **COMP.**
Acompte, décompter, mécompte, recompter. — Compte-fils,
compte-gouttes, compte-pas, compte-tours. ◄ **HOM.** Comté,
conter.

COMPTE RENDU [kɔ̃trɑ̃dy] n. m. → **Compte** (II.).

COMPTE-TOURS [kɔ̃ttuʀ] n. m. invar. — 1869; de
compter, et *tour.*

Appareil comptant les tours faits par une pièce
en rotation. → **Tachymètre.** *Cette voiture est munie
d'un compte-tours.*

Son génie *(de Louis Seguin)* s'appliquait au moteur à explosion et au compte-tours des broches de filature.
     Pierre HAMP, la Peine des hommes (Moteurs), p. 9.

COMPTEUR [kɔ̃tœʀ] n. m. — 1752; *conteor* «celui qui
compte», 1213; de *compter.*

   ◆ **1** Rare. Personne qui compte. → **Calculateur.**

Du noir passé perçant les voiles,   1
Notre esprit flotte sans repos
Entre tous ces compteurs d'étoiles
Et tous ces compteurs de troupeaux.
     HUGO, les Contemplations, III, XXX,
     Magnitudo parvi.

Anciennt. Aux Halles, Agent chargé de compter
et de répartir certaines marchandises *(compteurs-
verseurs,* in Zola, *le Ventre de Paris,* t. I, p. 148).

REM. Le fém. *compteuse* [kɔ̃tøz], virtuel dans ce sens, n'est
pas attesté.

   ◆ **2** (1752). Appareil servant à compter, à mesurer
automatiquement un temps, une vitesse, un
volume, etc., en unités; à dénombrer des signaux,
des opérations. *Compteur enregistreur.* — *Compteur
de vitesse d'une automobile, d'une bicyclette.* → **Indicateur** (de vitesse). — **Absolt.** *Faire du cent à l'heure
au compteur. Compteur kilométrique, horokilomé-
trique. Compteur de taxi, de voiture de louage,
calculant le prix de la course.* → **Taximètre.**

Malheureusement, observa Mˡˡᵉ Bernardine, les fiacres du   2
vieux système sont devenus très rares. Presque toutes les
voitures à chevaux, maintenant, ont un compteur elles
aussi.
     J. ROMAINS, les Hommes de bonne volonté, t. III,
     XI, p. 150.

(1857, *Année sc. et industr.* 1858, p. 419). *Compteur à
gaz* : instrument mesurant le débit du gaz. *Compteur normal, à niveau constant.* — *Compteur à eau,*
à mouvement rotatif, à compartiments extensi-
bles, à piston mobile. — *Compteurs d'électricité :
compteurs horaires, compteurs de quantité, compteurs d'énergie (compteurs-moteurs, compteurs pen-
dulaires). Compteur bleu**. — *Relever le compteur,
les compteurs.*

(...) de vieilles rentières avares que guettent dans les   3
escaliers silencieux les assassins sournois, faux camelots
venant leur proposer des brosses, des machines à laver,
faux inspecteurs venant faire le relevé de leurs compteurs
à gaz (...)   N. SARRAUTE, le Planétarium, p. 171.

Loc. fig. *Relever les compteurs :* contrôler un travail fait, l'argent gagné (d'abord en parlant des proxénètes vérifiant et percevant l'argent gagné par les prostituées).

Compteur de stationnement. → **Parcmètre.**

Sc. *Compteur proportionnel :* détecteur de radiation analogue à une chambre d'ionisation, dont la tension appliquée aux électrodes est telle que le courant recueilli soit d'impulsion proportionnelle aux nombres d'ions formés par la radiation. — (1938).

Compteur (de) Geiger [kɔ̃tœr(də)ʒeʒɛr] : compteur à rendement élevé, où l'impulsion est indépendante du nombre d'ions formés. — *Compteur à scintillations :* scintillomètre.

4   Grâce au compteur de Geiger, on a pu compter les hélions qui émanent, chaque seconde, d'un gramme de radium (...)
             Pierre ROUSSEAU, De l'atome à l'étoile, p. 27.

Adj. *Boulier compteur* (abaque).

COMP.   **Corpocompteur, taxi-compteur, volucompteur.**
◊ HOM. **Conteur.**

COMPTINE [kɔ̃tin] n. f. — 1922 ; de *compter.*
Formule enfantine (chantée ou parlée) servant à désigner celui, celle à qui sera attribué un rôle particulier dans un jeu. *Désigner le chercheur par une comptine. «Am, stram, gram» est une comptine. Recueil de comptines. La poésie des comptines.*

Les gosses avaient besoin de se tenir au courant des atrocités, construisaient de petits camps d'internement dans les sablières, apprenaient à cisailler des barbelés en chantant des comptines ou à donner le change avec des amusements.   Jean CAYROL, Histoire de la mer, p. 171.

COMPTOIR [kɔ̃twaʀ] n. m. — 1345, *comptoer ;* de *compter.*

♦ **1** Table, support long et étroit, sur lequel le marchand reçoit l'argent, montre les marchandises. — Vx. *Demoiselle de comptoir.* → **Vendeuse.** *Comptoir-caisse.* → **Caisse.**

Comptoir d'un débit de boissons (→ **Bar, zinc ;** argot **rade**) : table haute, longue et étroite, naguère recouverte de zinc ou d'étain, sur laquelle sont servies les consommations.

0.1   Mais le comptoir surtout, à droite, était très riche, avec son large reflet d'argent poli. Le zinc, retombant (...) en une haute bordure gondolée, l'entourait d'une moire, d'une nappe de métal (...)
             ZOLA, le Ventre de Paris, t. I, p. 161 (1875).

0.2   Whiskey irlandais,
       Rhum américain,
       Saké japonais,
       Opium indien,
       Et glaces mirant
       En jaune et en noir
       Les cuivres luisants
       Au dos du comptoir (...)
             Max ELSKAMP, la Rue Saint-Paul.

1   Accoudé à un comptoir de zinc, un ouvrier en cotte bleue buvait un verre de vin en regardant un enfant qui dessinait dans le fond de la boutique (...)
             J. GREEN, Adrienne Mesurat, IV, p. 176.

Fig. *Passer sa vie derrière un comptoir,* dans un magasin.

♦ **2** (1690). Installation commerciale d'un entreprise privée ou publique dans un pays éloigné. → **Établissement, factorerie, loge.** *Comptoir colonial. Posséder des comptoirs en Afrique noire, aux Indes. Les comptoirs français en Extrême-Orient.*

2   Nos comptoirs de l'Inde nous étaient, je l'ai dit, rendus, maigres épaves de la grande entreprise de Dupleix ; mais c'étaient, pour un Bonaparte, non des épaves négligeables, mais peut-être des pierres d'attente.
             Louis MADELIN, le Consulat, XVII, p. 272.

♦ **3** *Comptoir de vente en commun :* entente entre vendeurs ou producteurs pour la vente de leurs produits. → **Cartel, coopérative, entente, trust ; syndicat** (de producteurs).

Comptoir central d'achats : entreprise privée, constituée en forme de société anonyme et participant au fonctionnement de services publics par des opérations commerciales, en vertu d'un contrat administratif passé entre cette entreprise et l'État. → **Consortium.**

♦ **4** Spécialt. *Comptoir national d'escompte.* → **Bureau** (*supra* cit. 5). *Comptoir d'une banque.* → **Agence, succursale.**

COMP. **Sous-comptoir.**

COMPULSATION [kɔ̃pylsasjɔ̃] n. f. — 1787 ; de *compulser.*
Didact. et rare. Action de compulser. *La compulsation des documents est interdite.*

COMPULSER [kɔ̃pylse] v. tr. — Av. 1588, «exiger» (→ Compulsif) ; lat. *compulsare* «pousser», et, au fig., «contraindre», de *com-* (*cum*), et *pulsare.* → Pulsation.

♦ **1** (XVIᵉ). Dr., admin. Prendre connaissance de (un registre, une pièce, les minutes d'un officier public...). *Compulser un dossier.*

♦ **2** (1800). Consulter en parcourant. *Compulser des livres, des manuscrits, des notes.* → **Consulter, examiner, feuilleter.** *Compulser des notes pour retrouver un renseignement. Il passe son temps à compulser ses grimoires.* → **Fouiller** (dans).

1   (L'homme d'affaire) ne se déplace qu'en voiture, et tout le long du trajet compulse ses dossiers sans jeter un coup d'œil par la vitre.
             J. ROMAINS, les Hommes de bonne volonté, t. V, XVIII, p. 133.

2   (...) il s'agit de toutes les factures de la pauvre Marie Duplessis. J'ai passé une soirée à les compulser, dans leur encre pâlie et leur papier jauni.
             Émile HENRIOT, Portraits de femmes, La dame aux camélias, p. 377.

DÉR. **Compulsation, compulseur.** V. **Compulsif, compulsion.**

COMPULSEUR [kɔ̃pylsœr] n. m. — 1768 ; de *compulser.*
Didact. et rare. Celui qui compulse. — REM. Le fém. *compulseuse* [kɔ̃pylsøz] est virtuel.

COMPULSIF, IVE [kɔ̃pylsif, iv] adj. — 1584 ; du lat. *compulsare.* → Compulser.

I (1762). Vx. Qui contraint, oblige.

II (Av. 1929 ; angl. *compulsive*). Psychol. Qui constitue une compulsion*. → **Compulsionnel.** *Conduite compulsive dans la névrose obsessionnelle. Trouble compulsif obsessionnel.* → **T.O.C.** — Par ext. (Cour.). Qui est caractérisé par une tendance à agir de manière répétitive, quasi automatique. — (Personnes). → **Maniaque** (cour.).

DÉR. **Compulsivement.**

COMPULSION [kɔ̃pylsjɔ̃] n. f. — 1311 ; *compulsium* 1298 ; lat. *compulsio,* de *compulsere.* → Compulser.

I ♦ **1** Dr. Vx. Contrainte.

♦ **2** Vx. Action de compulser. → **Compulsation.**

II (Angl. *compulsion*). Psychol., psychan. Impossibilité de ne pas accomplir un acte, lorsque ce non-accomplissement est cause d'angoisse, de culpabilité. *La compulsion de répétition,* selon Freud.

(...) quand il s'agit de conduites, on parle de compulsion, d'action compulsionnelle (Zwangshandlung), de compulsion de répétition, etc. (...) Entre compulsion et impulsion, l'usage établit des différences sensibles. Impulsion désigne la survenue soudaine, ressentie comme urgente, d'une tendance à accomplir tel ou tel acte, celui-ci s'effectuant hors de tout contrôle, et généralement sous l'empire de l'émotion; on n'y retrouve ni la lutte ni la complexité de la compulsion obsessionnelle, ni le caractère agencé selon un certain scénario fantasmatique de la compulsion de répétition.

         J. LAPLANCHE et J.-B. PONTALIS,
         Voc. de la psychanalyse, art. *Compulsion.*

DÉR. (Du sens II) **Compulsionnel.**

COMPULSIONNEL, ELLE [kɔ̃pylsjɔnɛl] adj. — Déb. xxᵉ; de *compulsion* (II.).

Psychol., psychan. De la compulsion (cit.). *Action compulsionnelle.* — Compulsif.

COMPULSIVEMENT [kɔ̃pylsivmɑ̃] adv. — 1929; de *compulsif.*

Psychol. De manière compulsive. *Agir compulsivement. Acte délictueux accompli compulsivement.*

COMPUT [kɔ̃pyt] n. m. — 1584; lat. *computus* «compte», p. p. de *computare.*

Relig. Supputation qui sert à dresser le calendrier des fêtes mobiles, spécialement pour les usages ecclésiastiques. → **Calendrier.** *Le comput renferme le nombre d'or, le cycle solaire, l'indiction romaine... Le comput ecclésiastique.* → **Ordo.**

Aux jours sacrés, aux jours de l'Empire et aux jours de fête furent alors ajoutés, pour rétablir la concordance, cinq ou six jours par an : ces jours, dits *vagues* ou *embolismiques* ou encore *épagomènes* dans les computs de l'Empire, apparurent toujours comme erratiques et irrationnels.

         J. D'ORMESSON, la Gloire de l'Empire, t. II, p. 396.

COMPUTABLE [kɔ̃pytabl] adj. — xxᵉ; de *computer.*

Qui peut être computé (en parlant du temps).

Je constate, j'enregistre le retard de l'autre : ce retard n'est encore qu'une entité mathématique computable (je regarde ma montre plusieurs fois).

         R. BARTHES, Fragments d'un discours amoureux,
         1977, p. 47.

COMPUTATION [kɔ̃pytasjɔ̃] n. f. — 1413; lat. *computatio,* de *computare.* → Comput, computer.

Didact. Méthode de supputation du temps.

COMPUTER [kɔ̃pyte] v. tr. — 1595, Montaigne; lat. *computare.*

♦ **1** Vx. Calculer, supputer (un temps). → **Comput.**

♦ **2** Calculer, évaluer (sous l'infl. de l'angl. *to compute* «calculer», dès le déb. du xixᵉ).

DÉR. Computable.

COMPUTEUR [kɔ̃pytœʀ] ou **COMPUTER** [kɔmpjutœʀ] n. m. — 1964, in Höfler; mot angl., de *to compute* «compter».

Anglic. Rare. → **Ordinateur** (courant).

Du robot et du computeur, ne craignons pas de répéter que ce sont des dispositifs de production.

         Henri LEFEBVRE, la Vie quotidienne dans le
         monde moderne, 1968, p. 130.

COMTAL, ALE, AUX [kɔ̃tal, o] adj. — 1216, *contal;* de *comte.*

Rare. De comte. *Couronne comtale.*

COMTAT [kɔ̃ta] n. m. — V. 1140, anc. provençal *comtat;* de *comitatus.* → **Comté.**

Régional (Provence). Comté, dans certaines expressions géographiques. *Le Comtat Venaissin.*

COMTE [kɔ̃t] n. m. — 1407; *cons, cuens,* v. 1050; *compte,* cas régime, xᵉ; lat. *comes* «compagnon» puis «attaché à la suite de l'empereur» d'où «haut dignitaire».

♦ **1** Hist. À la fin de l'empire romain et dans le haut moyen âge, Nom de certains dignitaires (officier du palais, commandant militaire, gouverneur d'un territoire). *Comte du sacré palais. Comte palatin* (cit. 1).

(...) le comte franc cumula le commandement militaire et l'administration civile, même après la période troublée des invasions.

         Fr. OLIVIER-MARTIN, Précis d'hist. du droit franç.,
         p. 42, nᵒ 103.

♦ **2** (Féod.). Seigneur d'un fief. → **Comté.** *Couronne de comte.* → **Comtal.**

♦ **3** Mod. Titre de noblesse qui, dans la hiérarchie nobiliaire, prend rang après le marquis, et avant le vicomte. → **Noblesse.** *Il est comte. C'est un comte. Le comte et la comtesse X..., de X...* — (Appellatif). *Oui, monsieur le comte.* — (D'égal ou de supérieur). *Bonjour, mon cher comte. «À moi, comte, deux mots!»* (Corneille, *le Cid*).

(...) Non, monsieur le comte, vous ne l'aurez pas... vous ne l'aurez pas. Parce que vous êtes un grand seigneur, vous vous croyez un grand génie!... Noblesse, fortune, un rang, des places, tout cela rend si fier!

         BEAUMARCHAIS, le Mariage de Figaro, v, 3.

Certains prétendaient que M. de Champcenais avait pour grand-père un vulgaire minotier, qui s'était acheté un titre de comte du pape. En tout cas l'anoblissement datait du xixᵉ siècle.

         J. ROMAINS, les Hommes de bonne volonté, III,
         XIII, p. 177.

DÉR. Comtal, 1. **comté, comtesse.** ◊ **HOM. Compte, conte.**

1. COMTÉ [kɔ̃te] n. m. — xvᵉ; *conté,* xiiᵉ; de *comte.*

♦ **1** Domaine dont le possesseur prenait le titre de comte. *Terre érigée en comté* (→ Bénéficiaire, cit. 2).

♦ **2** Subdivision territoriale, en Grande-Bretagne et dans les pays anglo-saxons (traduit l'angl. *county*). Au Canada (Bas-Canada, 1792), Subdivision territoriale administrative; abusivt, circonscription électorale. *Le parti a perdu deux comtés.* → **Circonscription, siège.**

DÉR. Comtois. ◊ **COMP. Comté-pairie** (V. Pairie). ◄ **HOM. Compter,** 2. **comté, conter.**

2. COMTÉ ou **CONTÉ** [kɔ̃te] n. m. — xxᵉ; de *Franche-Comté,* province.

Fromage français voisin du gruyère*. *Acheter deux cents grammes de comté, chez le fromager.*

DÉR. Comtois. ◊ **HOM. Compter,** 1. **comté, conter.**

COMTESSE [kɔ̃tɛs] n. f. — 1080; de *comte.*

♦ **1** Anciennt. Femme qui possédait un comté.

♦ **2** Mod. Femme possédant le titre équivalant à celui de comte; femme d'un comte. *Madame la comtesse. La comtesse X...*

COMTOIS, OISE [kɔ̃twa, waz] adj. et n. — 1661; de 2. *comté.*

♦ **1** De Franche-Comté. *Les fromages comtois. Horloge comtoise* (→ ci-dessous, *une comtoise*). — N. *Un Comtois, une Comtoise.*

(...) j'affrontai, sur ce coteau comtois, aussi bien Pâques venteuses que novembre au tranchant de glace.

         COLETTE, Flore et Pomone, *in* Gigi, p. 176.

♦ **2** N. f. (1934). Horloge à balancier (fabriquée d'abord en Franche-Comté), dans un meuble posé sur le plancher (et dite aussi *horloge de parquet*).

2   Elle se voyait déjà, quand l'aiguille de sa vieille comtoise approcherait de l'heure fatidique, se regardant dans la glace de sa grande pièce, levant son verre face à son double, le seul être, maintenant, avec lequel elle supportait de vivre.   Paul VIALAR, Mon seul amour, p. 11.

CON, CONNE [kɔ̃, kɔn] n. et adj. — Déb. XIIIᵉ, *Roman de Renart;* du lat. *cunnus.*

Ⅰ **N. m.** **CON.** Érotique. Sexe de la femme. → **Sexe; vagin, vulve.** — Pubis de la femme. → **Chatte** (fam.).

1   Avant-hier nous fûmes chez une femme qui nous en fit baiser deux autres (...) J'ai peu joui du reste, avant la tête par trop excitée. Ces cons rasés font un drôle d'effet. Elles avaient du reste des chairs dures comme du bronze et la mienne possédait un admirable fessier.
    FLAUBERT, Lettre à L. Bouilhet, 1ᵉʳ déc. 1849, *in* Correspondance, t. I, Pl., p. 541.

2   C'est une impiété inepte d'avoir fait du mot con un terme bas, une injure. Le mépris de la faiblesse? Mais nous sommes si heureux qu'elles soient faibles. C'est non seulement le propagateur de la nature, mais le conciliateur, le vrai fond de la vie sociale pour l'homme.
    MICHELET, Journal, 1857, p. 331, *in* T.L.F.
    REM. Le passage fait allusion au sens II.

3   *Son con.* Très peu de poils, de la même teinte que ses cheveux; les grandes lèvres formant deux bourrelets onctueux. Son odeur de varech, son odeur de filets à sardines. Le cœur, la fontaine de Tantale. La rose lasse et fripée. La fin des peines.
    André HARDELLET, Lourdes, lentes..., p. 42-43.

Ⅱ (Av. 1831, Stendhal, selon Mérimée (→ ci-dessous, cit. 4), adj.; nom, 1791; semble issu de la compar. *comme un con*, appliquée dépréciativement à une activité virile (→ ci-dessus, cit. 2, le commentaire de Michelet); ce sens subit probabl² l'infl. de *conart* (→ Conard). Fig. ♦ **1 Adj. CON,** adj. m. et f., ou **CON, CONNE** [kɔ̃, kɔn], adj. Imbécile, idiot. *Ce qu'il peut être con! Elle est vraiment con.* — Loc. *Con comme la lune.* — (Au fém.) *Elle est vraiment conne* (→ cit. 8). *Une histoire, une question conne.*

4   Vous me croyez plus con que je ne suis, pour me servir d'une de vos expressions.
    MÉRIMÉE, Correspondance générale, 1, 90 (à Stendhal, 1831).

5   Quand même, dit Charlier. Ce que c'est con, la guerre. Je ne connais rien de plus con.
    SARTRE, le Sursis, p. 273.

6   On se trouve devant un écrivain, on a recours au questionnaire de Marcel Proust (...) bien que pour être con, il soit con, ce questionnaire (...)
    ARAGON, Blanche..., III, III, p. 457.

7   Je voudrais une espèce de reportage bizarre. Un paysage très con, genre picard, nul en tout (...)
    MALRAUX, Antimémoires, éd. Gallimard, p. 416.

8   Elle a raison, dit Zazie qui était près de ses sous. Elle est moins conne que je ne croyais.
    R. QUENEAU, Zazie dans le métro, Folio, p. 105.

♦ **2 N.** (1790, *in* D.D.L.). Imbécile, idiot. *Quel con! C'est un sale con, un méchant con. Passer, être pris pour un con. Le roi des cons. Pauvre con, petit con, va! Un jeune con, un vieux con. Bande de cons. Mort aux cons!* (exclamation à laquelle le général de Gaulle aurait répondu par ce commentaire : «Vaste programme!»; → Programme, cit. 4.1).

9   C'est un vieux con, dit Marin. — Non, dit Carlo. Il a l'air brave. — C'est un bon vieux con, dit Marin. Il y en a aussi.
    Boris VIAN, l'Automne à Pékin, p. 182.

10 Mais je t'assure... commença Dhéry. — Ne me prends pas pour un con.
    Robert MERLE, Week-end à Zuydcoote, p. 183.

Piège (cit. 8) *à con(s) :* attrape-nigaud.
Faire le con, jouer au con : se conduire d'une manière absurde. *Jeux* de con. *(Ne) fais pas le con :* sois raisonnable.

11 Quand on se mêle d'écrire et que l'on fait le con.
    B. CENDRARS, Bourlinguer, p. 204.

Qu'est-ce que c'est que cette histoire? — Elle vous aime et   12
vous aussi. Assez de faire le con.
    É. AJAR (R. GARY), l'Angoisse du roi Salomon, p. 281.

En interjection et sans valeur injurieuse :

Cher vieux Boulard! (...) Je lui ai téléphoné. J'ai entendu   13
sa grosse voix me dire : «Salut, vieux con!» et le monde a
été encore plus savoureux que l'instant d'avant.
    J. DUTOURD, Pluche, VII, p. 50.

N. f. (1872, Larchey). **CONNE :** idiote. → **Conasse.**

Elle, elle pense qu'elle a été une conne, une conne, la reine   14
des reines des connes de s'embarquer ce manieur de
grues aux poches pleines de grains de tabac.
    J. CAU, la Pitié de Dieu, p. 143.

(...) il y a eu tout de suite une paumée au bar, la Cathy,   15
qui a eu justement le sourire en question (...) Cette conne
était perchée sur un tabouret avec des mines de pute, alors
qu'elle travaille à la boulangerie de son père (...)
    É. AJAR (R. GARY), l'Angoisse du roi Salomon, p. 117.

Loc. adj. À **LA CON :** mal fait; ridicule, inepte (→ À la noix).

Tu ne voudrais pas qu'on l'envoie au feu, ce régiment à   16
la con?   Roger NIMIER, le Hussard bleu, p. 33.

DÉR. **Conard, conasse, conneau, connement, connerie.** V. **Connil.** ◊ **COMP.** **Déconner. Tapecon.**

CON-, COM-; COL-, COR- Élément, du lat. *cum* «avec» (→ Co-), dont la consonne finale s'assimile à celle du radical pour *m, l* et *r*. — Ex. : *concentrer, commémorer, collatéral, correspondance.*

CONARD, ARDE ou CONNARD, ARDE [kɔnaʀ, aʀd] adj. et n. — XIIIᵉ, *conart* (p.-ê. *cornart*), ou XIVᵉ; cour. au XVIᵉ; repris XXᵉ; de *con,* suff. péj. *-ard,* avec infl. de *cornart* (→ 1. Cornard).

Fam. et vulg. Imbécile, crétin. → **Con** (II.), **conneau.** *Il est un peu conard, connard.* — *Un gros connard. Quelle conarde!* (→ **Conasse**).

Des fois, quand je suis sur les nerfs, je lui en veux, je   1
l'assaisonne à grands coups de bottine, mais après, j'ai
regret, je me dis, c'est la nature chétive, qu'est-ce qu'il en
peut, pauvre conard.
    M. AYMÉ, le Passe-muraille, p. 262.

Après, elle a râlé contre moi, elle m'a dit, sacrée conarde,   2
qu'est-ce que t'avais besoin de raconter cette histoire de
hache?   R. QUENEAU, Zazie dans le métro, Folio, p. 55.

CONASSE ou CONNASSE [kɔnas] n. f. — 1610 au sens 1; de *con.*

♦ **1 Vulg. et péj.** Sexe de la femme. → **Con, I.**

♦ **2 Fam. et vulg.** (V. 1810). **a** Vx. Dans le langage des prostituées, Femme honnête; prostituée inexperte ou sans carte (déb. XXᵉ).

b Mod. (insultant). Idiote, imbécile. → **Con, II.** (conne).

(...) elle se croit chez Fior, cette petite conasse.   1
    R. QUENEAU, Zazie dans le métro, Folio, p. 48-49.

Et cette petite conasse, la voilà à vingt ans la femme d'un   2
des hommes les plus riches de France.
    S. DE BEAUVOIR, les Belles Images, p. 160.

Adj. *Ce que tu peux être connasse!*

♦ **3 Fig. Fam. CONASSE DE** (suivi du n. f. d'une chose) : (chose) gênante, inutile, importune, agaçante, etc. *Conasse de porte qui bat sans arrêt!*

Elle était en plein drame bourgeois. Elle mettait cette con-   3
nasse de bagnole entre elle et moi.
    Maurice CLAVEL, le Tiers des étoiles, p. 172.

CONATIF, IVE [kɔnatif, iv] adj. — 1951; de *conation.*
Didact. Qui exprime l'idée d'effort. — Qui (dans le message linguistique) exprime la tension, est destiné à produire un certain effet sur le récepteur.

CONATION [kɔnasjɔ̃] n. f. — xxᵉ; lat. *conatio* «tentative, effort».

Didact. (philos., psychol.). Impulsion déterminant un acte, un effort.

◊ DÉR. **Conatif.**

CONCASSAGE [kɔ̃kasaʒ] n. m. — 1845; de *concasser*. Action de concasser. *Concassage des graviers; de grains. Machine de concassage.* → **Concasseur.** *Concassage moyen, fin.* → **Concassement.** — Spécialt. Broyage du malt (brasserie). — REM. *Concassage* est le seul terme cour. en technique; *concassement* est mieux attesté en emploi fig. (cf. T.L.F.); mais on parlerait assez naturellement du *concassage des esprits*, etc.

CONCASSEMENT [kɔ̃kasmɑ̃] n. m. — xviᵉ, *conquassement* «brisement»; de *concasser*.

◆ 1 Rare. Concassage* jusqu'à la réduction en poudre.

◆ 2 Par métaphore ou figuré :

C'est plus qu'une tempête physique, c'est un concassement d'esprit que le tremblement épars de leurs membres et de leurs yeux roulants signifie.
A. ARTAUD, le Théâtre et son double, Idées/Gallimard, p. 101.

Anéantissement. *Pilonner les esprits jusqu'à complet concassement.*

CONCASSER [kɔ̃kase] v. tr. — xiiiᵉ; lat. *conquassare*; de *con-* (*cum*), et *quassare.* → Casser.

◆ 1 Réduire (une matière solide) en petits fragments. → **Briser, broyer, écraser, piler.** *Concasser des graines d'avoine, du poivre, des fèves. Concasser de la pierre.* → **Ballast.**

◆ 2 Par métaphore ou fig. Triturer, réduire en miettes, anéantir. — Au p. p. *«Le corps concassé par les cauchemars de la nuit»* (Huysmans), broyé.

CONTR. **Lier, souder, unir.** ◊ DÉR. **Concassage, concassement, concasseur.**

CONCASSEUR [kɔ̃kasœr] n. m. et adj. — 1848; de *concasser*.

Techn. Appareil servant à concasser (spécialt, des graines, du malt, des pierres, du minerai). *Concasseur à plateaux, à mâchoires, à marteaux.* → **Broyeur.** *Concasseur de grains.* — Adj. ou appos. *Cylindre concasseur.*

Il y a beaucoup de machines, de bulldozers, de bétonneuses, de marteaux-pilons, de grues, de concasseurs, de rouleaux-compresseurs, de polisseuses (...)
J.-M. G. LE CLÉZIO, les Géants, p. 184.

◊ DÉR. **Concasseuse.**

CONCASSEUSE [kɔ̃kasøz] n. f. — 1838, au fig., Stendhal, en parlant d'une diligence; fém. de *concasseur*.

Techn. Appareil à concasser les pierres, pour la voirie.

CONCATÉNATION [kɔ̃katenasjɔ̃] n. f. — V. 1500; lat. *concatenatio*, de *catena* «chaîne».

Didactique.

◆ 1 Enchaînement (des causes et des effets, des termes d'un syllogisme).

◆ 2 Suite de termes formant un arrangement linéaire («chaîne» des éléments d'un énoncé linguistique, suite de symboles, etc.).

◊ DÉR. **Concaténer.**

CONCATÉNER [kɔ̃katene] v. tr. — 1536, *concathené* (G. Bouchet), repris xxᵉ; de *concaténation*.

Didact. Joindre par concaténation.

CONCAVE [kɔ̃kav] adj. — 1314; lat. *concavus*, de *cavus* «creux». → 2. Cave.

◆ 1 Sc. Qui présente une surface courbe en creux. → **Biconcave.** *Surface concave. Miroir* concave. Lentille concave. Des verres concaves. Moulure concave.* → **Cavet.** *Voûte concave.* → **Intrados.** *Le côté concave d'une courbe.* → **Courbure.**

Par extension :

Toute peinture hollandaise est concave; je veux dire qu'elle se compose de courbes décrites autour d'un point déterminé par l'intérêt, d'ombres circulaires autour d'une lumière dominante.
E. FROMENTIN, les Maîtres d'autrefois, Hollande, 2.

◆ 2 Cour. (Surtout style écrit). Qui présente un creux, un enfoncement. → **Creux, enfoncé.** *Un rocher concave. Ventre concave.*

CONTR. **Bombé, convexe.** ◊ DÉR. **Concavité.** ← COMP. **Biconcave.**

CONCAVITÉ [kɔ̃kavite] n. f. — 1314; de *concave*.

◆ 1 Caractère concave (en parlant d'une forme); forme concave (1.). *La concavité d'une lentille, d'un miroir sphérique.* — Par anal. *La concavité d'une ligne courbe.* → **Courbure.**

◆ 2 Cavité, creux. *Les concavités d'un rocher* (→ Chêne, cit. 7). *Les concavités de la surface du globe terrestre.* — *Les concavités du crâne.*

CONTR. **Convexité.**

CONCÉDANT, ANTE [kɔ̃sedɑ̃, ɑ̃t] adj. et n. — 1939; de *concéder*.

Dr., écon. Qui concède (1.).

CONCÉDER [kɔ̃sede] v. tr. [CONJUG.: *céder*.] — xiiiᵉ; lat. *concedere.* → Céder.

◆ 1 Accorder (qqch.) à qqn comme une faveur. → **Accorder, allouer, céder, donner, octroyer.** *Concéder un privilège à qqn. Ce droit lui a été concédé pour deux ans. Se faire concéder une terre. Concéder à qqn l'exécution d'une entreprise, l'exploitation d'une ligne de chemin de fer...* → **Concession.**

Je suis ravi, Madame, que vous me concédiez la grâce d'embrasser Monsieur le Comte votre fils. — 1
MOLIÈRE, la Comtesse d'Escarbagnas, 7.

Le souverain lui-même *(Charlemagne)*, en échange de services civils et militaires, concéda, à titre révocable, à titre de bienfait *(bénéfice)* des portions de son domaine (...) — 2
J. BAINVILLE, Hist. de France, III (cf. Bénéfice, cit. 6).

Au p. p. *Avantages, biens concédés.* → **Concession** (I.).

◆ 2 Abandonner de son propre gré (un des points en discussion). → **Accorder, céder.** *Je vous concède ce point. Vous concéderez bien que j'ai raison sur ce point.* → **Admettre, avouer, convenir.** *Chacun des deux adversaires a concédé à l'autre un point du débat.* → **Concession** (II.); **composer; mettre** (y mettre du sien).

Absolt. Faire des concessions.

(...) lorsque l'une de mes amies se lassait d'attendre l'Austerlitz de notre passion et parlait de se retirer. Aussitôt, c'était moi qui faisais un pas en avant, qui concédais, qui devenais éloquent. — 3
CAMUS, la Chute, p. 78.

◆ 3 (1937). Sports. (Anglic.). Abandonner à l'adversaire (en le laissant prendre l'avantage). *Concéder un but, un corner à l'équipe adverse. Le club X a dû concéder deux buts à son adversaire.*

L'équipe de Médoc, désemparée par cette ruée soudaine, concéda deux corners coup sur coup. — 4
René FALLET, le Triporteur, p. 368.

CONTR. **Contester, disputer, refuser, rejeter, repousser.**
◊ DÉR. **Concédant.**

CONCÉLÉBRATION [kɔ̃selebʀasjɔ̃] n. f. — 1898; de *concélébrer*, d'après *célébration*.

Liturgie. Célébration (de l'Eucharistie) par plusieurs prêtres ensemble.

CONCÉLÉBRER [kɔ̃selebʀe] v. tr. [CONJUG.: *céder*.] — XVIe, Amyot, «célébrer»; lat. ecclés. *concelebrare*.

Liturgie. Célébrer à plusieurs (un office religieux). — Au p. p. *Messe concélébrée.*

La messe française, je voudrais m'y habituer, l'aimer peut-être, mais, concélébrée par des prêtres en chemise de nuit, elle me rebute.
> J. GREEN, Journal, 10 juil. 1976,
> La terre est si belle, p. 25.

DÉR. Concélébration.

CONCENTRATEUR [kɔ̃sɑ̃tʀatœʀ] n. m. et adj. — 1845, Bescherelle; de *concentrer*.

Techn. Appareil utilisé pour la concentration des liquides, des sirops. → **Évaporateur.** — Adj. *Appareil concentrateur.*

Concentrateur acoustique : réflecteur servant à concentrer les ondes sonores, pour certaines prises de son.

Installation téléphonique permettant de concentrer plusieurs lignes ou réseaux de faible exploitation (à certains moments).

Inform. Dispositif placé au centre d'un réseau en étoile, qui reçoit des données de plusieurs sources, les concentre et les distribue en les transmettant par une liaison unique.

CONCENTRATION [kɔ̃sɑ̃tʀasjɔ̃] n. f. — 1732; de *concentrer*, d'après l'angl. *concentration*, de *to concentrate*, même orig. que *concentrer*.

♦ **1** Action de concentrer, de réunir en un centre. → **Accumulation, assemblage, réunion.** *La concentration des rayons lumineux au foyer d'une lentille.* → **Convergence.** — Mise en convergence (d'un faisceau d'électrons).

Milit. *La concentration des troupes en un point du territoire.* → **Groupement, rassemblement, regroupement.**

Concentration d'entreprises, réunion sous une direction commune. → **Association, cartel, comptoir** (de vente), **consortium, entente, konzern, trust.** *Concentration horizontale; verticale.* → **Intégration.**

Fig. *La concentration du pouvoir*, entre les mains d'un ou de quelques hommes. → **Centralisation.**

1 (...) le remaniement de 1803, en supprimant un grand nombre de principautés ecclésiastiques et de villes libres, préparait la concentration et l'unité de l'Allemagne.
> J. BAINVILLE, Hist. de France, XVII, p. 402.

2 (...) le langage a été fixé ou modifié consciemment en quelque mesure, tantôt par la Cour, tantôt par l'Académie, tantôt par l'enseignement d'État; et enfin (...) par l'action de Paris, et par la concentration à Paris de la production et de la publication des idées.
> VALÉRY, Regards sur le monde actuel,
> Pensée et art français, p. 182.

3 (...) les germes de la crise étaient là. On eût pu en discerner la présence dans les effets, déjà sensibles, du machinisme et de la concentration industrielle (...)
> André SIEGFRIED, l'Âme des peuples, I, 1, p. 9.

Spécialt. *Camp de concentration.* → **Camp; concentrationnaire.**

♦ **2** Ce qui réunit des éléments assemblés. — Loc. *Les grandes concentrations urbaines.* → **Agglomération, conurbation, mégalopole, ville.**

♦ **3** Chim. Fait de concentrer, ou d'être concentré. *Point, degré de concentration* (rapport entre la quantité d'un corps et sa solution). — *Concentration*

maximale admissible : concentration d'un polluant (dans l'air, dans un aliment, dans une boisson) telle que la dose susceptible d'être absorbée par un récepteur est inférieure à la dose maximale admissible.

Concentration d'un minerai (par élimination des impuretés : gangue, etc.), teneur en l'élément pur. Par métaphore. *La concentration du vrai, de la passion,* son expression concentrée.

♦ **4** (1632). Abstrait. Application de l'effort intellectuel sur un seul objet. *Concentration d'esprit. Ce travail exige une grande concentration.* → **Application, attention, contention, recueillement, réflexion, tension.**

4 On n'écrit pas avec son cœur, mais avec sa tête encore une fois et si bien doué que l'on soit, il faut toujours cette vieille concentration qui donne vigueur à la pensée et relief au mot.
> FLAUBERT, Correspondance, t. II, p. 136.

5 (...) je ne me soucie pas qu'on sache que je m'adonne, corps et âme, aux Infusoires, moi ! Les visites, les questions, les consultations et les compliments m'empêcheraient d'apporter la concentration désirable dans mes vertigineux travaux.
> VILLIERS DE L'ISLE-ADAM, Tribulat Bonhomet,
> p. 48.

CONTR. Diffusion, dispersion, dissipation, dissolution, éparpillement. — Déconcentration, dilution. — Détente, distraction. ◊ DÉR. Concentrationnaire. → COMP. Déconcentration.

CONCENTRATIONNAIRE [kɔ̃sɑ̃tʀasjɔnɛʀ] adj. et n. — 1946, David Rousset; de *(camp de) concentration.*

Relatif aux camps de concentration. *«L'Univers concentrationnaire»* (D. Rousset). — Par ext. Qui rappelle les camps de concentration.

1 Il *(M. Beigbeder)* demeure en tout cas un allié plus ou moins camouflé du Parti qui est lui-même au service d'un Empire concentrationnaire où des Rosenberg à coup sûr innocents ont été sacrifiés et continuent d'être sacrifiés par millions.
> F. MAURIAC, Bloc-notes 1952-1957, p. 9.

N. Détenu d'un camp de concentration.

2 Les affaires intérieures d'un pays ne regardent que ce pays (...) Ce principe est inattaquable. Il a des inconvénients sans doute. L'arrivée au pouvoir de Hitler ne concernait que l'Allemagne, et les premiers concentrationnaires, juifs ou communistes, étaient allemands en effet.
> CAMUS, Actuelles II, Création et liberté,
> *in* Essais, Pl., p. 782.

CONCENTRER [kɔ̃sɑ̃tʀe] v. tr. — 1611; de *con-*, et *centrer.*

♦ **1** Réunir en un point (ce qui était dispersé). → **Converger** (faire). *Concentrer des rayons lumineux dans le foyer d'une lentille.* — *Concentrer des effectifs.* → **Accumuler, assembler, grouper, rassembler, réunir.** *Concentrer des forces d'artillerie.* — *Concentrer des entreprises.* → **Associer, intégrer.**

Concentrer le tir sur un point donné. → **Diriger.**

Fig. Centraliser. *Concentrer tous les pouvoirs dans les mains d'un seul.*

♦ **2** Chim. Augmenter la masse de (un corps dissous dans une unité de volume d'un liquide solvant).

♦ **3** (Compl. n. de chose abstraite : sentiment, etc.). Appliquer avec force sur un seul objet. *Concentrer son énergie, son attention, son esprit.* → **Réfléchir.** *Concentrer toutes ses forces pour obtenir le succès.* → **Canaliser.** *Concentrer son affection sur son unique enfant* (→ Chéri, cit. 2).

1 (...) Marie l'entourait davantage de sa tendresse, concentrait sur lui toute sa force de volonté, le veillait comme un petit enfant (...)
> LOTI, Mon frère Yves, LVIII, p. 140.

♦ **4** Vx ou littér. Refouler en soi. *Concentrer sa fureur, sa haine, sa colère, sa douleur.* → **Contenir, dissimuler, refouler, renfermer.**

♦ **SE CONCENTRER** v. pron.

♦ **1** Se réunir en un point, se rassembler. *Les forces armées se concentrent en un point du territoire.* — Être rassemblé et acquérir plus de force. *Le pouvoir gagne à ne pas être dispersé et à se concentrer dans quelques mains.*

♦ **2** Se fixer sur un seul objet. *Toute sa capacité d'aimer se concentre sur son chien!* — Spécialt. Faire un grand effort d'attention, de réflexion (à propos d'un problème). *Se concentrer sur une difficulté à résoudre.* — *Taisez-vous, je me concentre. Il n'aime pas à se concentrer.*

2 (...) il se réservait sur une cour intérieure bien éclairée une pièce large et haute où il pouvait se concentrer dans la paix (...)
        J. CHARDONNE, les Destinées sentimentales,
                Porcelaine de Limoges, V, p. 463.

3 Moi vous savez... il se baisse, se plie... il m'est très difficile, moi, vous savez, de me concentrer... il s'agenouille... Tout détourne mon attention, un rien suffit...
        N. SARRAUTE, le Planétarium, p. 207.

♦ **CONCENTRÉ, ÉE** p. p. adj. (1762).

♦ **1** Dont la concentration (3.) est grande. *Solution concentrée. Lait concentré sucré.* → **Condensé.** *Bouillon concentré,* et, n. m., *un concentré. Du concentré de tomate.*

4 Il mange volontiers ce que nous lui offrons : des confitures, du pain, du miel, et se montre particulièrement friand de lait concentré (...)
        GIDE, Voyage au Congo, *in* Souvenirs, Pl., p. 770.

Par métaphore ou figuré :

5 À notre époque affairée, il faut des auteurs rapides et concentrés. J'admire beaucoup l'homme de génie qui a inventé la littérature concentrée.
        A. ROBIDA, le Vingtième Siècle, p. 16 (av. 1900).

♦ **2** Fig. Dont l'esprit est fortement appliqué à qqch. *Il écoute, concentré, ce qu'on lui dit. Un esprit concentré.* → **Attentif, réfléchi.** — Qui manifeste de la concentration (4.). *Un visage, un air concentré.*

6 (...) il n'est pas attentif, concentré tout entier dans un regard profond ou avide; il est au repos, détendu, sans fatigue (...)
        TAINE, Philosophie de l'art, t. II, IV, II, III, p. 165.

♦ **3** Fig. Qui est renfermé, peu communicatif. *Un caractère concentré.* → **Fermé, secret, taciturne.**

7 Descartes était méditatif, mais nullement concentré.
        Émile FAGUET, Études littéraires, XVIIᵉ s., p. 6.

CONTR. **Diluer, disperser, disséminer, éparpiller, étendre.** — (Du p. p.) **Communicatif, expansif.** ◊ DÉR. **Concentrateur, concentration.**

CONCENTRICITÉ [kɔ̃sɑ̃tʀisite] n. f. — 1869, Lautréamont; de *concentrique.*

Didact. Caractère concentrique.

CONCENTRIQUE [kɔ̃sɑ̃tʀik] adj. — 1361; de con-, et centre.

♦ **1** Qui a un même centre (en parlant de courbes, de cercles coplanaires, de sphères). → **Homocentrique.** *Cercles concentriques. Les pelures concentriques d'un oignon.*

Cinq enceintes concentriques de murailles, contenant, à mesure qu'on s'approche du centre, des personnages de plus en plus considérables et de plus en plus mystérieux.
        LOTI, Figures et Choses...,
                Trois journées de guerre, III, p. 250.

Le «vol concentrique d'un oiseau de proie» (J. Green), en cercles concentriques, en spirale.

♦ **2** *Mouvement concentrique,* qui tend à se rapprocher du centre. → **Centripète.** *Le mouvement concentrique de l'ennemi.* → **Enveloppant.**

♦ **3** Qui forme des courbes, des figures concentriques (1.). *Le développement concentrique d'une ville.*

CONTR. **Excentrique.** — **Centrifuge.** ◊ DÉR. **Concentricité, concentriquement.** ← COMP. **Excentrique, homocentrique.**

CONCENTRIQUEMENT [kɔ̃sɑ̃tʀikmɑ̃] adv. — 1511; de *concentrique.*

Didact. ou littér. D'une manière concentrique. *Cercles disposés concentriquement.* — *«L'armée britannique, attaquant concentriquement...»* (Foch, *in* T. L. F.).

S'il y a lieu, des frontières nous marchons concentriquement sur cette ville. Moscou encerclée, ce qui peut être à nous en moins de huit jours.
        B. CENDRARS, Moravagine, *in* Œ. compl., t. IV,
                p. 154.

CONCEPT [kɔ̃sɛpt] n. m. — 1404; lat. *conceptus,* de *concipere* «recevoir».

Didactique.

♦ **1** Vx. Acte de pensée aboutissant à une représentation générale et abstraite. → **Conception, concevoir.** — Idée générale et abstraite.

♦ **2** Mod. (depuis Kant). Philos. Objet de la pensée (idée), correspondant à une règle ou schème* lui assurant une valeur générale et abstraite (→ **Abstraction**), et souvent considéré comme lié à un nom*. — REM. *Notion,* souvent employé dans le même sens, correspond dans la langue courante à tout objet de pensée, qu'il soit individuel ou général, vague et mal formé ou analysable. — *Définition nominaliste* (→ **Nom**), *réaliste; définition mentaliste, fonctionnaliste du concept. Le concept, opposé au percept*.* *Le concept défini en compréhension* correspond en extension à une classe d'objets.* → **Classe, catégorie.** *Définition* et concept. Symbole* et concept.* — *Le signe* (le nom, le mot), *le concept et la chose* (ou *référent*). *Le signifié* et le concept.* — *Du concept.* → **Conceptuel.**

1 On peut (...) dire que le concept général n'est ni un simple signe, ni une idée véritable, *eidos* (...) mais qu'il consiste en un *schème opératoire* de notre entendement, quelque chose comme le rythme d'un vers dont on ne peut retrouver les mots (...)
        A. LALANDE,
        Lectures sur la philosophie des sciences, 1893, I.

2 Mais si l'on commence par écarter les concepts déjà faits, si l'on se donne une vision directe du réel (...) les concepts nouveaux qu'on devra bien former pour s'exprimer seront cette fois taillés à l'exacte mesure de l'objet.
        H. BERGSON, la Pensée et le Mouvant, I, p. 23.

2.1 Les premiers temps, nous causions surtout du petit monde qui nous était commun : nos camarades, nos professeurs, le concours. (Herbaud) me citait le sujet de dissertation dont s'amusaient traditionnellement les normaliens : «Différence entre la notion de concept et le concept de notion».
        S. DE BEAUVOIR,
        Mémoires d'une jeune fille rangée, p. 312.

Sens non technique (style didactique, soutenu). Idée, notion.

3 L'homme autrefois était divin parce qu'il avait su acquérir le concept de justice, l'idée de loi, le sens de Dieu; aujourd'hui il l'est parce qu'il a su se faire un outillage qui le rend maître de la matière.
        Julien BENDA, la Trahison des clercs, III, p. 198.

DÉR. V. **Conceptuel.**

CONCEPTACLE [kɔ̃sɛptakl] n. m. — 1547; lat. *conceptaculum.* → **Réceptacle.**

(1832). Bot. Petite poche dans laquelle sont groupés les filaments reproducteurs, chez la plupart des algues.

CONCEPTEUR, TRICE [kɔ̃sɛptœr, tris] n. — 1795; de conception.

♦ **1** Vx. Celui, celle qui conçoit (qqch.).

♦ **2** Mod. Personne qui est chargée de trouver des idées nouvelles (publicité, mise en scène, etc.). *Concepteur-projeteur,* qui élabore un projet qu'il a conçu. *Concepteur-rédacteur,* qui trouve et met en œuvre dans un texte publicitaire des «idées de vente». «*L'équipe de concepteurs qui définit la façon dont une mission de ce genre* (à bord d'un vaisseau interplanétaire) *serait effectuée*» (*Science et Vie*, févr. 1976, n° 701, p. 42).

Le travail d'esthétique industrielle doit être le fruit d'une équipe plutôt que le travail d'un seul concepteur.
D. HUISMAN et G. PATRIX,
l'Esthétique industrielle, p. 96.

CONCEPTION [kɔ̃sɛpsjɔ̃] n. f. — V. 1150; lat. *conceptio,* de *concipere.* → Concevoir.

♦ **1** Formation d'un nouvel être dans l'utérus maternel à la suite de la réunion d'un spermatozoïde et d'un ovule; moment où un enfant (un petit d'animal) est conçu. → **Coït, copulation, fécondation, génération.** *Conception et grossesse. La conception d'un enfant. Éviter la conception* → **Anticonceptionnel, contraceptif.**

1   Mme de Saint-Papoul aurait pu réfléchir encore qu'il y a pour les époux chrétiens un moyen correct d'éviter les mauvaises surprises, qui est de ne se rapprocher qu'aux moments où une conception leur paraît souhaitable.
J. ROMAINS, les Hommes de bonne volonté, t. III,
VIII, p. 123.

L'Immaculée Conception (de la Vierge Marie, qui, selon le dogme catholique, a été conçue, est née exempte du péché originel).

♦ **2** (1315). Didact. Formation d'un concept* dans l'esprit. → **Abstraction, généralisation.**
Par ext. Action de concevoir, acte de l'intelligence, de la pensée, s'appliquant à un objet. → **Entendement, intellection, jugement.** *Conception vive, facile, lente.*
Cour. Résultat de cette activité intellectuelle, façon de concevoir qqch., ensemble de concepts. → **Idée, notion, vue.** *Une conception claire, hardie, originale. Conception idéale et générique d'une chose.* → **Type.** *Se faire une conception personnelle d'une chose.* → **Opinion.** *La conception d'une œuvre,* son projet, sa première élaboration. *De la conception à la réalisation. La conception d'une œuvre musicale. — Conception assistée* par ordinateur (C. A. O.).*

2   La conception du dictionnaire fut due, en de telles circonstances, à une occasion fortuite, n'eut d'abord qu'un petit commencement un caractère fragmentaire, et ne parvint que par des élaborations successives à se former en un plan général et en un ensemble où toutes les parties concouraient.
LITTRÉ, Comment j'ai fait mon dictionnaire, p. 2.

3   (...) un jeu libre des facultés, une conception plus saine de la vie, une âme et une intelligence moins tourmentées, moins surmenées, moins déformées (...)
TAINE, Philosophie de l'art, t. II, IV, II, II, p. 156.

4   (...) c'est bien du point de vue de sa conception générale de la société et de la vie que l'historien observe les événements.
JAURÈS, Hist. socialiste..., t. I, La Constituante,
Introd., p. 9.

5   Il avait de la famille une conception religieuse, antique, presque barbare.
R. ROLLAND, Vie de Michel-Ange, p. 19.

6   C'est des Latins également que nous tenons notre conception du droit, de ce droit écrit, aux arêtes dures, si différent du droit coutumier britannique.
André SIEGFRIED, l'Âme des peuples, III, IV, p. 65.

CONTR. Stérilité. — **Imagination, mémoire.** ◊ DÉR. Concepteur. ◄ COMP. Préconception.

CONCEPTISME [kɔ̃sɛptism] n. m. — xxe; esp. *conceptismo,* de *concepto* «pensée»; cf. *conceptiste,* 1845.

Didact. (littér.). Style raffiné et intellectuel, dans la littérature espagnole (déb. XVIIe siècle). → **Cultisme.**

CONCEPTUALISABLE [kɔ̃sɛptyalizabl] adj. — 1923; de *conceptualiser.*

Didact. Qui peut être conceptualisé. *Une qualité conceptualisable.*

CONCEPTUALISATION [kɔ̃sɛptyalizasjɔ̃] n. f. — 1936, Maritain; de *conceptualiser.*

Didact. Action de former des concepts (→ **Idéation**) ou d'organiser en concepts (→ **Systématisation**). *La conceptualisation aboutit à la conceptualité.*

C'est finalement dans l'enceinte de la relation analytique que se joue, c'est-à-dire à la fois se mime et se confirme, la conceptualisation freudienne.
P. RICŒUR, Une interprétation philosophique de
Freud, *in* la Nef, n° 31, p. 116.

CONCEPTUALISER [kɔ̃sɛptyalize] v. — 1920; de *conceptuel.*

Didactique.

♦ **1** V. intr. Élaborer des concepts.

♦ **2** V. tr. Élaborer des concepts à partir de... *Conceptualiser une expérience.* — Organiser (un contenu mental, des connaissances) en concepts ou en un système de concepts. *Conceptualiser une théorie.*

Chaque doctrine philosophique (...) vit d'une intuition centrale, qui peut être mal conceptualisée et traduite dans un système d'assertions et de négations sérieusement déficient (...)   J. MARITAIN, Raison et Raisons, p. 86.

♦ **CONCEPTUALISÉ, ÉE** p. p. adj. *Une doctrine mal, peu conceptualisée.*

DÉR. Conceptualisable, conceptualisation.

CONCEPTUALISME [kɔ̃sɛptyalism] n. m. — 1832; lat. scolast. *conceptualis,* et *-isme.*

Philosophie.

♦ **1** Hist. de la philos. Théorie suivant laquelle les concepts sont considérés comme les produits d'une construction de l'esprit et sont fondamentaux par rapport aux signes (opposé à *nominalisme*) et aux choses perçues (opposé à *réalisme*).

♦ **2** Découpage de l'expérience selon un système de concepts définis et nommés.

REM. Les deux sens font référence aux définitions prékantiennes du *concept* comme idée générale et abstraite (→ **Universaux**).

DÉR. Conceptualiste.

CONCEPTUALISTE [kɔ̃sɛptyalist] adj. et n. — 1832; de *conceptualisme.*

Philos. Relatif au conceptualisme. *Une philosophie conceptualiste.*

(Personnes). Partisan du conceptualisme. — N. Personne qui se réclame du conceptualisme.

CONCEPTUALITÉ [kɔ̃sɛptyalite] n. f. — xxe; de *conceptuel.*

Didact. Aboutissement de la conceptualisation; ensemble des concepts. *Le «décalage qui existe entre la découverte freudienne et la conceptualité mise en œuvre par le système*» (P. Ricœur, *in* la Nef, n° 31, p. 116).

CONCEPTUEL, ELLE, ELS [kɔ̃sɛptɥɛl] adj. et n. m.
— V. 1845; lat. scolast. *conceptualis* (→ Conceptualisme), de *conceptus*. → Concept.
Didactique.

♦ 1 Du concept. *Catégories conceptuelles. Schème conceptuel.* — Qui procède par concepts. *L'intelligence conceptuelle et l'intelligence pratique. Analyse conceptuelle.* → **Notionnel.**

1 D'autre côté — n'est pas science, toute connaissance dont les éléments conceptuels ne sont pas faits ad hoc, mais pris dans le langage ordinaire.
         VALÉRY, Cahiers, t. II, Pl., p. 837.

Psychol. *Tests de pensée conceptuelle*, permettant d'étudier l'aptitude d'un individu à la catégorisation.

N. m. *Le conceptuel et l'empirique.*

♦ 2 Qui constitue un concept, correspond à une idée générale.

2 *Je changerais de nom avec délices.* On n'entend cela que de l'individu Stendhal, on n'ose pas penser que c'est l'homme en Stendhal qui parle ainsi, l'homme conceptuel.
         ARAGON, Blanche..., III, III, p. 427.

♦ 3 (V. 1969). *Art conceptuel* : forme d'art privilégiant «l'idée artistique au détriment de son apparence spécifique» ou «la structure même du langage spécifique à l'œuvre d'art (...) ce qui constitue son autoanalyse» (*Dict. universel de la peinture*, t. I, p. 152). — Par ext. (Abusif). *Un «artiste conceptuel»; une «avant-garde conceptuelle et minimaliste»* (*le Monde*, 17 févr. 1977).

DÉR. **Conceptualiser, conceptualité.**

CONCERNANT [kɔ̃sɛrnɑ̃] prép. — 1596; du p. prés. de *concerner*.
À propos, au sujet de. → **Touchant.** *Loi concernant les étrangers. Avez-vous lu l'article concernant la crise ministérielle?*

Tout d'abord, le préfet prit des mesures concernant la circulation des véhicules et le ravitaillement.
         CAMUS, la Peste, II, p. 94.

HOM. **Concernant** (p. prés. de **concerner**).

CONCERNER [kɔ̃sɛrne] v. tr. — 1385; lat. scolast. *concernere*, de *con-* (*cum*), et *cernere* «considérer».

♦ 1 (Sujet n. de chose; compl. n. de personne ou de chose rapportée à une personne). Avoir rapport à, s'appliquer à. → **Intéresser, porter** (sur), **rapporter** (se rapporter à), **regarder, toucher.** *Cette entrevue concerne vos intérêts. Veuillez vous présenter au commissariat pour une affaire qui vous concerne. Un livre qui concerne la chasse sous-marine. Voici une lettre qui vous concerne. Cela ne vous concerne pas.* → **Affaire** (ce n'est pas votre affaire; mêlez-vous de vos affaires). *Le pouvoir de décider ne nous concerne pas.* → **Dépendre** (de), **juridiction** (être de la juridiction de), **rayon** (être le rayon), **relever, ressort** (être du ressort de).

1 Il a cinquante mille livres de rente (...) Cela le concerne tout seul, et il ne m'en fera jamais ni pis ni mieux (...)
         LA BRUYÈRE, les Caractères, VI, 9.

2 Dans l'annonciation que Charles (*le Chauve*) fit au peuple de la partie de ce traité qui le concernait.
         MONTESQUIEU, l'Esprit des lois, XXXI, 25.

3 (...) la femme du croupier (...) fait des enfants de la cuisine et tout ce qui concerne son état.
         Laurent TAILHADE, le Paillasson, III, p. 36.

4 (*Ascèse a le*) même sens qu'*ascétisme*, mais avec une nuance : *ascèse* concerne moins les exercices et les privations matérielles, et davantage la vie intérieure.
         LALANDE, Voc. de la philosophie, art. *Ascèse.*

5 (...) ces hommes qui, jusqu'ici, avaient montré un si vif intérêt pour toutes les nouvelles qui concernaient la peste ne s'en préoccupaient plus du tout.
         CAMUS, la Peste, IV, p. 207.

(Au p. prés.). *Une affaire vous concernant*, qui vous concerne. → aussi **Concernant.**

Loc. prép. (1690). *En ce qui concerne, pour ce qui concerne :* pour ce qui est de. → **Quant** (à); **concernant.** *Pour ce qui concerne le service, c'est un hôtel impeccable. En ce qui concerne cet individu, tu me feras le plaisir de ne pas le revoir. En ce qui me concerne* (→ Pour ma part*).

6 (...) pour ce qui concerne le médisant, voici ses mœurs.
         LA BRUYÈRE, les Caractères de Théophraste, «De la médisance».

7 Elle (*la langue*) se sert d'isolants : quant à, en ce qui concerne, pour ce qui est de (...)
         F. BRUNOT, la Pensée et la Langue, I, XI, p. 30.

♦ 2 (Au passif ou au p. p.; emploi critiqué, signalé par Littré, répandu par l'infl. de l'angl.). *Être concerné*, intéressé, touché (par qqch.); avoir affaire avec. *La peinture «cessa de se sentir concernée par ce qui s'était appelé sublime»* (Malraux). *Je ne suis pas concerné :* cela ne me regarde pas.

8 (*Ma profession*) me plaçait au-dessus du juge que je jugeais à son tour, au-dessus de l'accusé que je forçais à la reconnaissance. Pesez bien cela, cher monsieur : je vivais impunément. Je n'étais concerné par aucun jugement.
         CAMUS, la Chute, p. 32.

DÉR. **Concernant.**

CONCERT [kɔ̃sɛr] n. m. — Fin XVIᵉ, Pasquier, «cours public, conférence»; ital. *concerto* «accord».

I ♦ 1 Vx. Accord de personnes qui poursuivent un même but. → **Accord, entente, intelligence, union.**

1 (...) ce qu'a fait Valère, en voyant cet écrit, Marque bien leur concert (...)
         MOLIÈRE, le Dépit amoureux, I, 4.

2 (...) ce qu'un sage général doit le mieux connaître, c'est ses soldats et ses chefs. Car de là vient le parfait concert qui fait agir les armées comme un seul corps, ou, pour parler avec l'Écriture, «comme un seul homme».
         BOSSUET, Oraison funèbre du prince de Condé.

Mod. (Polit.). *Le concert des nations. Le concert européen.*

3 On voulait donc qu'elle (*la France*) ne trouvât aucune fissure dans le *concert* des «grandes puissances».
         Louis MADELIN, Talleyrand, XXX, p. 318.

Loc. adv. (V. 1660, Pascal). **DE CONCERT :** en accord. → **Ensemble, harmonie** (en). *Travailler de concert. Nos intérêts nous commandent d'agir de concert. Aller, voyager de concert avec qqn.* → **Conserve** (de).

4 Louis et le Destin me semblent de concert Entraîner l'univers.
         LA FONTAINE, Fables, XII, 10.

5 Tous deux soumis à son empire, Nous allons de concert lui découvrir nos feux.
         MOLIÈRE, Psyché, I, 2.

6 (...) et soyons de concert auprès des malades pour nous attribuer les heureux succès de la maladie, et rejeter sur la nature toutes les bévues de notre art.
         MOLIÈRE, l'Amour médecin, III, 1.

7 (...) l'un et l'autre, comptant sur le succès de leurs mesures, agissaient de concert (...)
         ROUSSEAU, les Confessions, IX.

8 Il y a quelque impiété à faire marcher de concert la vérité immuable, absolue, et cette sorte de vérité imparfaite et provisoire qu'on appelle la science.
         FRANCE, l'Orme du mail, Œ., t. XI, VI, p. 75.

8.1 Berthe s'employait à parer sa fille, lui conseillait tel corsage dont le décolleté rond dégageait bien le cou, dont les petits plis soulignaient la poitrine. Ainsi ces deux femmes honnêtes (*la mère de Paul et Berthe*), pensant bien, travaillaient de concert à éveiller le désir de Paul. On les eût choquées en les traitant d'entremetteuses.
         Suzanne PROU, la Terrasse des Bernardini, p. 85-86.

♦ 2 LE, UN CONCERT DE... (et n. au plur.). — Vx. Ensemble harmonieux. — Mod. Ensemble de manifestations de même caractère et simultanées. → **Chœur.** *Un concert de louanges, d'approbations, de bénédictions.*

9 Ce concert éclatant et merveilleux de rares qualités.
CORNEILLE, Au lecteur d'Œdipe.

10 Presque toujours les gens ont trouvé que les choses allaient mal. Sous Louis XII, c'est un concert de bénédictions.
J. BAINVILLE, Hist. de France, VII, p. 134.

11 Les étrangers ajoutaient, par leur admiration, à ce concert de louanges.
Louis MADELIN, le Consulat, XIV, p. 226.

12 Comment, vous vous portez au-devant du coup mortel, à travers l'inouï concert des périls.
G. DUHAMEL, Récit des temps de guerre.

II (1608). Mus. ◆**1** Vx. Ensemble d'instruments de musique, de voix, produisant une harmonie. → **Accord.** *Tenir sa partie dans le concert.* → **Concertant, concerter** (3.).

13 L'ouverture se fait par Éraste, qui conduit un grand concert de voix et d'instruments, pour une sérénade (...)
MOLIÈRE, Monsieur de Pourceaugnac, Ouverture.

14 (...) seize faunes, dont les huit jouèrent de la flûte et les autres du violon avec un concert le plus agréable du monde.
MOLIÈRE, la Princesse d'Élide, Intermède, 6.

15 (...) les harpes et les voix célestes forment un concert autour d'elle (...)
CHATEAUBRIAND, le Génie du christianisme, I, I, 5.

16 (...) un de ces concerts, riches de cuivre (...)
BAUDELAIRE, les Fleurs du mal, Tableaux parisiens, XCI, III.

◆**2** (Répandu XIXᵉ). Mod. Séance musicale. *Concert donné par un seul musicien.* → **Audition, récital.** *Concert donné en plein air.* → **Aubade, sérénade** (ancienn). *Concert spirituel :* séance de musique religieuse. *Aller au concert. Salle, programme de concert. Il fréquente les concerts et achète des disques. Concert de musique ancienne, contemporaine; concert de jazz.*

17 (...) au concert, des amateurs fanatiques qui s'exténuaient à applaudir et à crier *bis* (...)
PROUST, À la recherche du temps perdu, t. XII, p. 76.

Association musicale qui donne des concerts réguliers. → **Orchestre; chœur.** *Les concerts X...*
Loc. *Café concert.* → **Café-concert.**

18 (...) les histoires d'atelier (...) la scie de café-concert (...)
J. ROMAINS, les Hommes de bonne volonté, t. III, IV, p. 62.

19 *(Les)* enseignes lumineuses qui indiquaient des cafés-concerts.
P. MAC ORLAN, la Bandera, II, p. 23.

◆**3** Ensemble de bruits, de sons simultanés. — Poét. *Le concert des oiseaux.* → **Chœur.** — Par plais. *Un concert de klaxons, d'aboiements.*

20 Les rossignols commencent leur musique,
Et leurs petits concerts retentissent partout.
MOLIÈRE, la Princesse d'Élide, Intermède, I, 2.

21 Quelle parole peut peindre le délicieux concert que produisaient les bruits étouffés du bourg animé par les travailleurs à leur retour des champs?
BALZAC, le Curé de village, Pl., t. VIII, p. 742.

22 Un incessant concert de grillons et, formant fond, de grenouilles.
GIDE, Voyage au Congo, 1927, in Souvenirs, Pl., p. 692.

CONTR. Contradiction. — Désaccord, discorde, mésentente, mésintelligence, opposition. — Cacophonie. ◊ DÉR. Concerter, concertiste. ← COMP. Café-concert.

CONCERTANT, ANTE [kɔ̃sɛʀtɑ̃, ɑ̃t] adj. — 1690; n., 1762; de *concerter.*
Musique.
◆**1** Qui exécute une partie dans une composition musicale. *Instruments concertants.*

◆**2** (1786, *in* D.D.L.). *Symphonie concertante :* concerto* à plusieurs solistes, dont la structure est celle de la symphonie (forme sonate).

CONCERTATION [kɔ̃sɛʀtasjɔ̃] n. f. — 1963; lat. *concertatio,* de *concertare* (→ Concerter (se)); cf. moy. franç. *concertation* (1541), «lutte d'athlètes antiques».
Polit. Fait de se concerter.

1 Ni les Arméniens jadis (...) ni Saint-Domingue il y a trois ans, ni les Kurdes à l'heure même où j'écris, n'eurent et n'ont rien à espérer dans l'immédiat d'une «concertation» de Grands qui ne se soucient que de continuer à grandir, ou de paraître moins petits qu'ils ne sont.
J.-F. REVEL, *in* l'Express, 24 juil. 1967.

2 Le terme de l'évolution est appelé coopération. Il s'agit d'unité morale, de «concertation» politique entre États souverains.
R. ARON, *in* le Figaro, 11 sept. 1967.

Politique de consultation des intéressés avant toute décision. → **Participation.**

CONCERTER [kɔ̃sɛʀte] v. tr. — 1476; de *concert.*

◆**1** Projeter de concert avec une ou plusieurs personnes. → **Arranger, combiner, organiser, préméditer, préparer.** *Concerter un projet, une décision. Concerter une action ensemble, avec qqn. — Au p. p. Un plan, une action concertée.*

1 (...) pour concerter avec lui les moyens de se venger (...)
FÉNELON, Télémaque, VIII.

1.1 Après que la fée et le génie eurent concerté ensemble tout ce qu'ils voulaient faire, le génie enleva doucement Bedreddin.
A. GALLAND, les Mille et une Nuits, t. I, p. 303.

Économie, politique concertée. → **Concertation.**

1.2 (...) l'économie dirigée annonçait l'économie planifiée et la doctrine de l'économie concertée était contenue dans celle de l'économie contractuelle.
Jean-Paul COURTHÉOUX, la Politique des revenus, p. 5.

◆**2** (XVIIᵉ). Décider après réflexion. → **Calculer.** — Rare à l'actif. *Concerter une attitude. — Au p. p. :*

2 Sur les cinq autres lits, des formes remuaient et gémissaient, mais avec une discrétion qui semblait concertée.
CAMUS, la Peste, IV, p. 235.

2.1 (...) moi qui croyais n'avoir rien laissé au hasard dans ce texte on ne peut plus concerté, monté avec une minutie horlogère.
Claude MAURIAC, le Temps immobile, p. 31.

Par métonymie. *C'est une personne très concertée, réfléchie, qui concerte. Une élégance concertée.* → **Affecté.**

◆**3** Mus. Tenir sa partie dans un concert (II., 1.). → **Concertant.** «*Un seul instrument, qui concerte avec l'orchestre entier*» (André Hodeir).

◆ **SE CONCERTER** v. pron.
S'entendre* pour agir de concert. *Ils se concertèrent longtemps avant de prendre une décision.*

3 Les faux témoins qui ont déposé contre lui ayant eu le temps de se concerter, et de s'affermir dans leurs iniquités (...)
VOLTAIRE, Lettre à Mᵐᵉ de Saint-Julien, 4 juin 1773.

4 (...) à mesure qu'ils approchèrent de la maison, ils ralentirent, se concertèrent et firent silence.
G. SAND, la Mare au diable, Appendice II, p. 153.

5 Ils sont, ceux-là, les beaux joueurs de la contrée (...) c'est pour la partie de «pelote» de l'après-midi qu'ils se concertent tous (...)
LOTI, Ramuntcho, I, IV, p. 38.

◆ **CONCERTÉ, ÉE** p. p. adj. Voir ci-dessus, à l'article.

DÉR. Concertant. ◊ COMP. Déconcerter.

CONCERTINA [kɔ̃sɛʀtina; kɔntʃɛʀtina] n. m. — 1869; mot angl., d'un dér. ital. de *concerto.*
Mus. Instrument à anches et à soufflet, voisin de l'accordéon.

CONCERTINO [kɔ̃sɛʀtino] n. m. — 1866; mot ital., dimin. de *concerto*. → Concerto.

Musique.

♦ **1** Groupe des solistes dans le concerto grosso.

♦ **2** Bref concerto. *Des concertinos.*

CONCERTISTE [kɔ̃sɛʀtist] n. — 1834; de *concert*.

Musicien qui donne des concerts (II., 2.); **spécialt**, musicien soliste. → **Musicien, virtuose.** *Une grande concertiste.*

(Il) venait à peine de faire ses premières armes au concert public, comme «concertiste» et comme improvisateur.
     R. ROLLAND, Vie de Beethoven, II, p. 564.

CONCERTO [kɔ̃sɛʀto] n. m. — 1739; mot ital. [kɔnt ʃɛʀto] «concert».

♦ **1** Ancienn. Toute composition musicale à plusieurs parties concertantes. *Concerto vocal* (cantate) *avec accompagnement instrumental.*

CONCERTO GROSSO, où les solistes (le *concertino*) dialoguent avec l'orchestre *(ripieno; grosso).*

1   Le *concerto grosso.* — C'est aussi bien un concerto de chambre *(concerto da camera)* que d'église; seul son caractère en décide. Ici les instruments «concertent», se concurrencent entre eux : l'orchestre est divisé en deux groupes : celui des solistes ou *concertino*, d'une part, et d'autre part le *ripieno* ou *grosso*, c'est-à-dire la masse orchestrale; d'où le nom de *concerto grosso* (...) les modèles du concerto grosso sont les six *Concertos brandebourgeois* de J.-S. Bach.
     A. HODEIR, les Formes de la musique, p. 35.

♦ **2** Mod. Composition de forme sonate*, pour orchestre et un instrument soliste. *Concerto pour piano et orchestre. Des concertos pour violon (violoncelle, flûte...) et orchestre. Le double concerto* (violon, violoncelle) *de Brahms.*

2   Il *(Chopin)* a écrit de beaux *concertos* et de belles *sonates :* toutefois il n'est pas difficile de distinguer dans ces productions plus de volonté que d'inspiration. La sienne était impérieuse, fantasque, irréfléchie.
     E. DELACROIX, Journal, 28 févr. 1851.

CONCESSIBLE [kɔ̃sesibl] adj. — 1866; de *concession*.

♦ **1** Rare. Qui peut être concédé. → **Concéder** (1. ou 2.).

♦ **2** Techn. Qui peut faire l'objet d'une concession minière. «*La région centrale (...) ne présente pas moins de 22 000 hectares exploitables et concessibles*» (*l'Année sc. et industr.*, 1899, p. 128-129).

CONCESSIF, IVE [kɔ̃sesif, iv] adj. et n. m. — 1842; de *concession*.

Gramm. Qui indique une opposition, une restriction. *Proposition concessive* (introduite par *bien que..., même si..., etc.*).

N. m. Mode du verbe exprimant spécifiquement la concession, dans certaines langues.

CONCESSION [kɔ̃sesjɔ̃] n. f. — 1264; lat. *concessio*, de *concedere*. → Concéder.

I ♦ **1** Action de concéder (un droit, un privilège, une terre); acte qui concède. → **Cession, don, octroi.** *La concession d'un privilège* (→ **Charte**), *d'un droit à qqn (par son détenteur). Faire la concession d'un terrain. Concession de travaux publics par adjudication. Concession d'eau, d'électricité*, contrat accordant le droit de branchement sur les conduites publiques. *Concession de voirie :* autorisation accordée à un particulier d'occuper une parcelle du domaine public. → **Autorisation.**

♦ **2** Droit concédé. — Cour. Terre concédée. *Les anciennes concessions européennes d'Extrême-Orient. Concession minière, forestière.*

Des consulats, des douanes, des manufactures; un dock   1 où trône une frégate russe; toute une *concession* européenne avec des villas sur les hauteurs, et, sur les quais, des bars américains à l'usage des matelots.
     LOTI, Mᵐᵉ Chrysanthème, II, p. 9.

Je puis obtenir pour dix millions de couronnes la conces-   2 sion d'une maison de jeux au lac Balaton.
     A. MAUROIS, Bernard Quesnay, VII, p. 48.

♦ **3** Terrain concédé par une commune dans un cimetière. *Concession de dix ans. Concession à perpétuité.*

Il a déjà fait achat de la concession, au cimetière de Nesles,   3 car il veut reposer, plus tard, dans le village de ses pères.
     DUHAMEL, Chronique des Pasquier, VI,
     Les maîtres, X, p. 366.

II ♦ **1** Fait d'abandonner à son adversaire un point de discussion; ce qui est abandonné. → **Abandon, désistement, renoncement.** *Faire une concession à son adversaire. Se faire des concessions mutuelles.* → **Compromis, transaction.**

Que de concessions ne fait-on pas à la crainte de l'origi-   4 nalité apparente !
     FLAUBERT, Correspondance, t. III, p. 8.

L'éclair de cette intuition l'avait arrêté net dans les conces-   5 sions de langage qu'il avait commencé de faire au jeune homme pour éviter une querelle.
     Paul BOURGET, Un divorce, VI, p. 218.

Il me semblait que ma mère venait de me faire une   6 première concession qui devait lui être douloureuse, que c'était une première abdication de sa part devant l'idéal qu'elle avait conçu pour moi, et que pour la première fois, elle, si courageuse, s'avouait vaincue.
     PROUST, À la recherche du temps perdu, t. I, p. 57.

♦ **2** (1884). Gramm. *Complément de concession. Dans* «*bien qu'il soit fatigué, il fera son travail*», «*bien qu'il soit fatigué*» *est une proposition de concession.* → **Complétif, concessif.**

Rhét. Figure consistant à accepter provisoirement un argument qu'on pourrait réfuter.

CONTR. Refus, rejet, retrait. — Contestation, dispute. ◊ **DÉR. Concessible, concessif, concessionnaire.**

CONCESSIONNAIRE [kɔ̃sesjɔnɛʀ] n. et adj. — 1664; de *concession*.

♦ **1** Personne qui a obtenu une concession de terrain à exploiter, de travaux à exécuter. — Adj. *Compagnie, société concessionnaire.*

Dites à l'agent cadastral, diraient-ils au nouveau conces- sionnaire, de vous mener sur le reste de la concession. Une fois là vous enfoncerez votre doigt dans la boue de la rizière et vous le goûterez. Croyez-vous que le riz puisse pousser dans le sel ? Vous êtes le cinquième concession- naire. Les autres sont morts ou ruinés.
     M. DURAS, Un barrage contre le Pacifique, p. 292.

Admin. Personne à qui a été concédé un terrain dans un cimetière. — Adj. *Les familles concession- naires.*

♦ **2** Comm. Cour. Intermédiaire qui a reçu un droit exclusif de vente dans une région. *Le, la conces- sionnaire d'une marque d'automobiles.*

N. m. Établissement, magasin d'un concession- naire. *C'est à côté du concessionnaire Renault.*

CONCETTO [kɔnʃetto] n. m. — 1721; mot ital., «concept» et, par ext., «mot d'esprit».

Trait d'esprit brillant (souvent péj.). — Plur. : *des concetti* [kɔnʃetti]. *Ouvrage, discours farci de concetti.*

Le feu du cœur d'un amant comparé à l'embrasement *(sic)*   1 de Troye sur un concetto digne du Marino. Il eût mieux valu faire rimer hallebarde avec miséricorde.
     VOLTAIRE, Correspondance, 1736, I, p. 711,
     in D.D.L., II, 12.

2 Ses vers (de Berbardo Accolti), trop ingénieux, étincelaient de *concetti* raffinés, et ces agréments littéraires, semblables aux fioritures dont les chanteurs italiens brodent leurs airs les plus tragiques, étaient si bien compris que les applaudissements éclataient de toutes parts.
TAINE, Philosophie de l'art, t. I, II, III, p. 132.

CONCEVABLE [kɔ̃s(ə)vabl] adj. — 1647 ; attestation isolée, « perceptible », 1547 ; de *concevoir*.

Qui peut être conçu, imaginé ; que l'on peut comprendre. → **Compréhensible, imaginable.** *Cela n'est pas concevable. Il est très concevable que...* (→ Buter, cit. 3). *Un rapport concevable. — Quel est le résultat concevable de cette évolution ?* → **Prévisible.** *Étudier toutes les solutions concevables.*

1 Ce n'est pas une chose concevable que la fidélité qu'il a gardée à ses alliés.
RACINE, les Campagnes de Louis XIV, p. 301.

2 Un homme courageux n'a aucune idée de son courage. Le courage n'est concevable que chez un poltron.
J. CHARDONNE, l'Amour du prochain, VI, p. 132.

CONTR. et COMP. Inconcevable.

CONCEVOIR [kɔ̃s(ə)vwaʀ] v. tr. [CONJUG. : *apercevoir*.] — V. 1120 ; du lat. *concipere* « recevoir », de *con-(cum),* et *capere* « saisir ».

I (Le sujet désigne une femme). Former (un enfant) dans son utérus par la jonction d'un ovule et d'un spermatozoïde ; devenir, être enceinte. → **Engendrer, féconder ; conception.** *Concevoir un enfant.* — Absolt. *Femme qui ne peut plus concevoir,* qui ne peut être enceinte, avoir un enfant.

1 Adam connut Ève, sa femme ; elle conçut et enfanta Caïn (...)
BIBLE (CRAMPON), Genèse, IV, 1.

2 Les dettes (...) sont comme les enfants que l'on conçoit en joie,
Et dont avecque peine on fait l'accouchement.
MOLIÈRE, l'Étourdi, I, 5.

3 Le Sacrement, je ne l'ignore pas, vous concède la permission de jouir de votre mari, et il serait téméraire de prétendre que l'acte par lequel vous allez peut-être concevoir un fils n'importe pas à la translation des globes.
Léon BLOY, la Femme pauvre, II, VI, p. 209.

4 Des enfants conçus dans de telles émotions, formés de ce seul et bercés par des récits d'un si ferme caractère hagiographique étaient prédestinés.
M. BARRÈS, la Colline inspirée, p. 24.

5 Si Jeanne avait été conçue à la fin de septembre, par exemple, en Périgord, au moment où l'on vendange le petit vignoble du domaine, et où se répand dans le château une légère odeur de grappes foulées qui n'est pas désagréable à de jeunes époux, elle serait née en juillet dans les jours les plus accueillants de l'année.
J. ROMAINS, les Hommes de bonne volonté, t. III, VIII, p. 122.

6 L'enfant conçu pendant le mariage a pour père le mari.
Code civil, art. 312.

Théol. Jésus-Christ a été conçu dans le sein de la Vierge Marie. La Vierge Marie a conçu du Saint-Esprit.

7 Joseph, fils de David, ne crains point de prendre chez toi Marie ton épouse, car ce qui est conçu en elle est du Saint-Esprit.
BIBLE (CRAMPON), Évangile selon saint Matthieu, I, 20.

(En parlant des animaux femelles). *Concevoir ses petits.*

II ♦ 1 Didact. Former (un concept). *L'esprit conçoit les idées.*

Absolt. *Pour concevoir, l'intelligence abstrait et généralise.*

8 Qui doute que les enfants ne conçoivent, qu'ils ne jugent (...)
LA BRUYÈRE, les Caractères, XI, 58.

9 Ma tête, pour concevoir et retenir les idées positives, est forcée de les jeter dans le domaine de l'imagination.
A. DE VIGNY, Journal d'un poète, p. 33.

Le Grec ne sait pas, comme le Romain, se subordonner à 10 quelque grande unité, à une vaste patrie qu'on conçoit et qu'on ne voit pas.
TAINE, Philosophie de l'art, t. II, IV, I, III, p. 112.

♦ 2 Cour. Avoir une idée claire de. → **Comprendre, saisir.** *Concevoir qqch. Je ne conçois pas ce qu'il veut dire.* — Vx. *Concevoir qqch., ne rien concevoir à qqch.* → **Comprendre** (→ ci-dessous, cit. 12). — *Concevoir qqch. mal, bien, clairement.* — Pron. passif (→ ci-dessous, cit. 14).

11 (...) ces traits font voir
Ce que l'esprit de l'homme a peine à concevoir.
MOLIÈRE, la Gloire du Val de grâce.

12 (...) Ma foi ! je n'y conçois plus rien (...)
RACINE, les Plaideurs, III, 3.

13 Nous ne concevons ni l'état glorieux d'Adam, ni la nature de son péché, ni la transmission qui s'en est faite en nous. Ces choses qui se sont passées dans l'état d'une nature toute différente de la nôtre, et qui passent l'état de notre capacité présente.
PASCAL, Pensées, VIII, 560.

14 Ce que l'on conçoit bien s'énonce clairement,
Et les mots pour le dire arrivent aisément.
BOILEAU, l'Art poétique, I.

15 (...) il (l'artiste moderne) doit par un effort suprême, concevoir le *comment* et le *pourquoi* de ce qu'il exécute en vertu de son génie d'artiste, il doit, suivant la formule de Wagner, devenir « conscient de l'inconscient ».
Henri LICHTENBERGER, Richard Wagner, p. 41.

Avoir une idée de ; imaginer. → **Envisager, représenter (se).** *Concevoir qqch. de telle ou telle façon, comme..., sous la forme de...* — (et le subj. ou le cond., plus rarement l'indic.) : comprendre, trouver naturel que. *Je conçois qu'il ne vienne pas, je le comprends ;* par ext., je l'admets. *On ne pouvait pas concevoir qu'il manquerait de parole.* → **Prévoir, supposer.** *Je ne conçois pas cela, je ne peux pas l'imaginer.*

16 Je ne concevrai jamais que ce que tout homme est obligé de savoir soit enfermé dans des livres (...)
ROUSSEAU, Émile, IV.

17 Aussi je me console bien de déplaire à qui ne me plaît point, et je ne conçois guère pourquoi toutes ces belles filles, que je vois courtisées, sont coquettes avec tout le monde, comme si tout le monde était de leur goût.
G. SAND, la Petite Fadette, XIX, p. 131.

18 Or, je suis incapable, ceci est bien connu, de concevoir le journalisme autrement que sous la forme du pamphlet.
Léon BLOY, le Désespéré, IV, p. 165.

19 Entre homme et femme, l'amitié est un des plus délicats commerces qui se puissent concevoir (...)
Edmond JALOUX, le Jeune Homme au masque, VIII, p. 131.

20 Par lui-même il ne pouvait concevoir ni le scepticisme, ni surtout le manque de passion pour une vérité qu'on a reconnue.
J. ROMAINS, les Hommes de bonne volonté, t. III, I, p. 22.

♦ 3 Créer par l'imagination. → **Former, imaginer, inventer.** *Concevoir un projet, un dessein.* → **Échafauder.** *Cet ouvrage est bien conçu.*

21 (...) je vais vous communiquer un projet que j'ai formé ; un projet qui, sans contredit, est un des plus ingénieux que puisse concevoir l'esprit humain.
A. R. LESAGE, Gil Blas, VI, I.

22 (...) la tâche d'un écrivain est de concevoir les passions, puisqu'il met sa gloire à les exprimer (...)
BALZAC, Illusions perdues, Pl., t. IV, p. 905.

N. B. Cet exemple joue sur les sens 2 et 3.

23 Il est impossible que deux têtes humaines conçoivent le même sujet absolument de la même manière (...)
HUGO, Littérature et Philosophie mêlées, Fantaisie.

Rare. *Concevoir de faire quelque chose.*

♦ 4 Littér. Commencer à éprouver (un état affectif). *Concevoir de l'amitié pour qqn. — Concevoir des craintes, des soupçons, des doutes, de l'inquiétude.* → **Éprouver, ressentir.** — REM. À la différence du sens 2, l'objet, même rationnel, n'est ni net ni clair.

24   J'ai conçu pour mon crime une juste terreur (...)
RACINE, Phèdre, I, 3.

25   On assure que ses parents en conçurent une rage inouïe, dont ses dents grincent encore (...)
Léon BLOY, le Désespéré, IV, p. 182.

◆ **SE CONCEVOIR** v. pron. (passif). *Cela se conçoit facilement. Le pire qui se puisse concevoir.* → **Concevable.** – Allus. littér. (→ ci-dessus, cit. 14, Boileau).

◆ **CONÇU, UE** p. p. adj.

◆ **1** *Des enfants conçus...* (→ ci-dessus, cit. 4 et 6).

◆ **2** Chose conçue (par l'esprit). *Projet bien, mal conçu.*

◆ **3** Loc. *Ainsi conçu* : rédigé, libellé comme suit. *Un plan, un télégramme ainsi conçu.*

CONTR. (Du sens I) Avorter. – Stérile (être). ◇ DÉR. (Du sens II) Concevable. – COMP. (Du sens II, au p. p.) Préconçu.

CONCHE [kɔ̃ʃ] n. f. – 1471; «coquille d'huître», 1267; lat. *concha*, grec *kogkhê* «coquille». → Conque.

Régional (Sud-Ouest). Petite crique sablonneuse. → Baie. *La conche de Royan.*

CONCHIER [kɔ̃ʃje] v. tr. – XIIᵉ; du lat. *concacare*, de *con-* (*cum*), et *cacare* (→ Chier); cf. moy. franç. *incaguer* (Rabelais), de *in-*, et lat. *cacare*.

Fam. (vulg., plais.). Souiller d'excréments (→ Compisser, cit. 2).

1   Tarzan *(le chien)* renifle. Cela veut dire qu'il a envie de faire pipi (...) Allons compisser et conchier le trottoir du boulevard Edgar-Quinet.
J. DUTOURD, Pluche, XV, p. 291.

2   (...) la pompe grotesque de Satan (...) qui culmine dans la basilique de Saint-Pierre avec le monstrueux baldaquin du Cavalier Bernin dont les quatre pattes et le ventre de mammouth couvrent l'autel comme pour le conchier.
M. TOURNIER, le Roi des Aulnes, p. 80.

Par métaphore. Traiter (qqn) de manière insultante (→ Compisser, cit. 3).

CONCHIFÈRE [kɔ̃kifɛʀ] adj. → **Conchylifère.**

CONCHITE [kɔ̃kit] n. f. – 1702; grec *kogkhítês* «marbre portant des empreintes de coquillage».

Vx. Minér. Roche* calcaire qui, en se pétrifiant dans des coquilles vides, en conserve la forme.

CONCHOÏDAL, ALE, AUX [kɔ̃kɔidal, o] adj. – 1752; de *conchoïde*.

Didactique.

◆ **1** En forme de coquille. → **Conchoïde** (1.).

◆ **2** Relatif à une conchoïde (2.).

CONCHOÏDE [kɔ̃kɔid] adj. et n. f. – 1636; grec *kogkhoeidês*, de *kogkhê* «coquille» (→ Conque), et *-eidês* (→ -oïde).

Didactique.

◆ **1** Qui est en forme de coquille (syn. : *conchoïdal*). *Cassure conchoïde.*

◆ **2** Géom. *Courbe conchoïde*, et, n. f., *une conchoïde* : courbe obtenue en menant d'un point les sécantes à une droite, à une courbe, et en portant une longueur constante de part et d'autre des intersections.

Pierrot avait repris sa course, décrivant avec élégance des lemniscates et des conchoïdes.
R. QUENEAU, Pierrot mon ami, éd. L. de Poche, p. 24.

DÉR. **Conchoïdal.**

CONCHYLI-, CONCHYLIO- Élément de mots savants, du grec *kogkhulion* «coquillage», de *kogkhê* (→ Conchoïde; conque).

CONCHYLICULTEUR, TRICE [kɔ̃kilikyltœʀ, tʀis] n. – Mil. XXᵉ (attesté 1955); de *conchyliculture*.

Didact. Personne qui se spécialise dans l'élevage des coquillages (notamment huîtres et moules). → Ostréiculteur; mytiliculteur.

CONCHYLICULTURE [kɔ̃kilikyltyʀ] n. f. – Mil. XXᵉ (attesté 1953); de *conchyli-*, et *culture*.

Didact. Élevage des coquillages comestibles (huîtres, moules, etc.). → Mytiliculture, ostréiculture.

DÉR. **Conchyliculteur.**

CONCHYLIEN, IENNE [kɔ̃kiljɛ̃, jɛn] adj. – 1834; du rad. du lat. *conchylium* «coquille», grec *kogkhulion* (→ Conchyli-).

Géol. Qui contient des coquilles. *Terrain, calcaire conchylien.*

CONCHYLIFÈRE [kɔ̃kilifɛʀ] ou **CONCHIFÈRE** [kɔ̃kifɛʀ] adj. – 1838; de *conch(yl)i-*, et *-fère*.

Didact. (animaux). Qui est muni d'une coquille; porte-coquille. *Mollusque conchylifère.*

CONCHYLIOLOGIE [kɔ̃kiljɔlɔʒi] n. f. – 1742; de *conchylio-*, et *-logie*.

Didact. Partie des sciences naturelles qui traite des coquillages.

Dans les galeries du Muséum (...) les fossiles les firent rêver, la conchyliologie les ennuya.
FLAUBERT, Bouvard et Pécuchet, Pl., t. II, p. 677.

CONCHYLIOLOGISTE [kɔ̃kiljɔlɔʒist] ou **CONCHYLIOLOGUE** [kɔ̃kiljɔlɔg] n. – 1763; de *conchylio-*, et *-logiste, -logue*.

Didact. Personne qui s'occupe de conchyliologie.

CONCHYLIS [kɔ̃kilis] n. m. → **Cochylis.**

CONCIERGE [kɔ̃sjɛʀʒ] n. – 1195, *cumcerge*; probablt du lat. pop. **conservius*, de *servus*.

◆ **1** (1803). Personne qui a la garde d'un immeuble, d'une maison importante. → Gardien, portier; cerbère (iron.), pipelet (fam.), suisse (vx); pop. bignole, cloporte. *Le, la concierge, les concierges d'un château, d'une école, d'un hôpital, d'une prison. La loge du concierge. Adressez-vous, parlez au concierge. La concierge a la garde de la porte, et elle tirait le cordon*, montait le courrier. Le, la concierge revient de suite, est dans l'escalier.* – REM. Le mot, dans son emploi concret, tend à vieillir, comme l'institution elle-même. → Gardien. – *Remplacer les concierges par des parlophones* (cit.).

Votre concierge, voyant que les chambres demeuraient vides, en a meublé quelqu'une et l'a louée.
RACINE, Lettres, 3 oct. 1692.
1

(...) chaque fois que la porte cochère s'ouvrait, la concierge appuyait sur un bouton électrique qui éclairait l'escalier (...)
PROUST, À la recherche du temps perdu, t. IX, p. 166.
2

Son mari lit le journal, que la concierge monte chaque matin avec la boîte au lait.
J. ROMAINS, les Hommes de bonne volonté, t. II, I, p. 5.
3

(Terme techn. d'hôtellerie). Membre du personnel d'un grand hôtel affecté à la conciergerie (1., b).

◆ **2** Fig. *C'est une (vraie) concierge*, une personne bavarde, qui aime à rapporter des anecdotes, des commérages (→ Citoyen, cit. 4; coller, cit. 7). *Histoires, potins de concierges.*

Adj. *Ce qu'il (elle) est concierge!*

♦ **3** (Dans quelques expressions). Personne sans éducation. *Le café, «qu'il appelait avec mépris un breuvage de concierge»* (Zola, *Paris*, I, p. 244). *Comme dit ma concierge :* comme on dit populairement.

REM. Alors que le sens 2 mêle un jugement social défavorable à un cliché antiféministe, le sens 3 exprime le mépris bourgeois du locataire ou du propriétaire envers le personnel de service ; cependant le personnage de la *portière*, de la *concierge* est typé très différemment de celui de la *bonne* au XIXᵉ s. et au début du XXᵉ s.

DÉR. Conciergerie.

CONCIERGERIE [kɔ̃sjɛʀʒəʀi] n. f. — 1328 ; de *concierge*.

♦ **1** **a** Vx ou littér. Charge de concierge*. *On lui a confié la conciergerie du château.*

1 Votre Excellence m'a gratifié de la conciergerie du château ; c'est un fort joli sort (...)
BEAUMARCHAIS, le Mariage de Figaro, III, 5.

b Mod. (t. techn. d'hôtellerie). Service d'un grand hôtel qui assure l'accueil de la clientèle (remise des clés, manutention des bagages, parcage des véhicules, etc.), la répartition des chambres, la réception et la distribution du courrier ; partie de l'hôtel, locaux où ce service est installé.

♦ **2** Bâtiment où est logé un concierge. → **Loge.** *S'adresser à la conciergerie* (ne se dit que pour les châteaux, les immeubles publics).

♦ **3** Hist. Prison* attenante au Palais de justice à Paris. *Marie-Antoinette fut enfermée à la Conciergerie.*

2 (...) en donnant ordre qu'on le mit *(le cardinal de Bouillon)* dans les prisons de la Conciergerie (...)
VOLTAIRE, le Siècle de Louis XIV, 33.

♦ **4** Régional (Québec). Immeuble d'habitation. «*Les Jardins Mérici, une conciergerie très moderne*» (le *Québec tel quel*, 1975).

CONCILE [kɔ̃sil] n. m. — V. 1260 ; *cuncile*, déb. XIIᵉ ; lat. *concilium* «assemblée».

♦ **1** Assemblée des évêques de l'Église catholique, légitimement convoquée pour statuer sur des questions de dogme, de morale ou de discipline. → **Consistoire, synode** (→ Archevêque, cit. 1 ; apôtre, cit. 3 ; célibat, cit. 8). *Concile œcuménique*. *Le concile de Nicée, premier concile œcuménique. Le concile de Trente,* où l'Église romaine décida d'une réforme. *Concile national, provincial, diocésain. La convocation, la célébration d'un concile. Ouvrir un concile. Les canons, les décrets, les définitions, les décisions, les actes d'un concile. Les anathèmes* (cit. 1) *prononcés par un concile. Citer qqn au concile. En appeler au futur concile. Pères d'un concile.* → **Docteur.** *La canonicité* (cit.) *d'un concile. D'un concile.* → **Conciliaire.**

1 Constantin assembla à Nicée, en Bithynie, le premier concile général.
BOSSUET, Disc. sur l'hist. universelle, I, 11.

2 Mais moi je suis sûr que ce qui les agace, ce qui leur porte ombrage, c'est surtout le Socialisme en tant que parti ; sa hiérarchie, sa doctrine, son pédantisme, ses airs d'infaillibilité ; tout ce qu'il y a en lui d'Église romaine, avec papes, conciles, encycliques et bulles d'excommunication.
J. ROMAINS, les Hommes de bonne volonté, t. V, XXIV, p. 222.

3 Comme psychologue et comme médecin, j'admire l'intransigeance des conciles.
A. MAUROIS, les Discours du Dʳ O'Grady, II, p. 12.

♦ **2** Au plur. Décrets et canons d'un concile. *Recueil des conciles. Collection des conciles.*

♦ **3** Fig., littér., plais. → **Assemblée, réunion.**

Les membres de ce concile matinal, à les examiner de mon coin, me semblaient tous assez profondément malades, paludéens, alcooliques, syphilitiques sans doute...
CÉLINE, Voyage au bout de la nuit, p. 109.

DÉR. Conciliaire.

CONCILIABLE [kɔ̃siljabl] adj. — 1776 ; sens actif, «qui gagne les cœurs», 1536 ; de *concilier*.

Qui peut se concilier avec autre chose. → **Compatible.** *Ces deux textes paraissent très conciliables. Ces opinions ne sont pas conciliables.* → **Accordable.**

CONTR. Inconciliable.

CONCILIABULE [kɔ̃siljabyl] n. m. — 1549 ; lat. ecclés. *conciliabulum* «concile irrégulier, hérétique ou schismatique», de *conciliare*. → Concilier.

♦ **1** Vieilli. Concile*, considéré par l'Église catholique romaine comme hérétique ou schismatique. → **Synode.**

♦ **2** (1594). Vieilli. Réunion* secrète de personnes soupçonnées de mauvais desseins. *Tenir un conciliabule. Faire cesser les conciliabules.*

♦ **3** Mod. Conversation où l'on chuchote, comme pour se confier des secrets.

1 Elles causaient entre elles avec cette voix chuchotante et ces demi-rires étouffés d'un conciliabule de jeunes filles au milieu desquelles il y a un jeune homme.
HUGO, Notre-Dame de Paris, VII, 1.

2 Les hirondelles sur le toit
Tiennent des conciliabules :
Voici l'hiver, voici le froid !
Th. GAUTIER, Émaux et Camées,
Ce que disent les hirondelles.

3 (...) cette nuit empoisonnée, trouée d'éclairs, pleine de chuchotements et de conciliabules (...)
SARTRE, le Sursis, p. 285.

CONCILIAIRE [kɔ̃siljɛʀ] adj. — 1586 ; de *concile*.
Didactique (religion).

♦ **1** D'un concile (1.). *Décisions, canons conciliaires.*

♦ **2** Qui participe à un concile (1.). *Les pères conciliaires.*

DÉR. Conciliairement.

CONCILIAIREMENT [kɔ̃siljɛʀmɑ̃] adv. — 1704 ; de *conciliaire*.

Didact., rare. En concile. *Les évêques conciliairement assemblés.*

CONCILIANT, ANTE [kɔ̃siljɑ̃, ɑ̃t] adj. — Fin XVIIᵉ, Mᵐᵉ de Sévigné ; p. prés. de *concilier*.

(Personnes, tendances, comportements). Qui est porté à maintenir la bonne entente avec les autres par des concessions. → **Accommodant, arrangeant, conciliateur, coulant, facile.** *Une personne très conciliante, peu conciliante. Il est d'un caractère conciliant, d'une humeur conciliante. Il n'est pas très conciliant en affaires.*

Par ext. *Prononcer des paroles conciliantes.* → **Apaisant, doux.** *Prendre des mesures conciliantes* (→ Batailleur, cit. 2).

1 (...) Eugène Spuller (...) avait eu le courage de prononcer son fameux discours sur l'esprit nouveau pour répondre loyalement aux déclarations conciliantes du Pape Léon XIII et pour dire que, victorieuse, n'ayant plus rien à craindre pour sa longévité, la République se devait à elle-même de faire une politique de concorde (...)
Georges LECOMTE, Ma traversée, p. 181.

2 (...) et verrait qu'il faut dans le commerce avec ses semblables, être plus conciliant et plus agréable.
A. MAUROIS, le Cercle de famille, II, I, p. 134.

3 (...) tu pourrais être un peu plus conciliante, dis-je. Tu ne fais jamais aucune concession : tu devrais lui céder quand par hasard il te demande quelque chose.
S. DE BEAUVOIR, les Mandarins, p. 349.

CONTR. **Absolu, agressif, désagréable.**

CONCILIATEUR, TRICE [kɔ̃siljatœʀ, tʀis] n. et adj. — 1512; *consiliateur*, v. 1380; lat. *conciliator*, du supin de *conciliare*. → Concilier.

Personne qui s'efforce de concilier les personnes entre elles. → **Arbitre, médiateur.** *Jouer un rôle de conciliateur. S'interposer, intervenir comme conciliateur.*

1 De bons curés seront (...) dans les villes et dans les campagnes (...) des arbitres, des conciliateurs, de fidèles dépositaires de la confiance des familles, des liens de concorde, de zélés surveillants de la tranquillité publique.
MARMONTEL, Éléments de littérature, t. VI, p. 70, *in* POUGENS.

2 (...) un pouvoir qui devrait jouer le rôle d'arbitre et de conciliateur (...) RENAN (→ Arbitre, cit. 7).

Adj. *Esprit conciliateur.* → **Conciliant.** *Des mesures conciliatrices.*

3 (...) l'intelligence conciliatrice rencontre toujours son heure, même après de rudes traverses.
G. DUHAMEL, Inventaire de l'abîme, IV, p. 50.

CONTR. **Diviseur, excitateur.**

CONCILIATION [kɔ̃siljasjɔ̃] n. f. — XIVᵉ; lat. *conciliatio*, du supin de *conciliare*. → Concilier.

◆ **1** Action de concilier (des personnes divisées d'opinion, d'intérêt); résultat de cette action, bonne entente après une division. → **Accommodement, accord, agrément, arbitrage, arrangement, concorde, entente, médiation, rapprochement, réconciliation, transaction.** *Travailler à la conciliation des esprits.* → **Harmonie.** *La conciliation entre deux personnes brouillées. Une conciliation difficile.* — Absolt. *Moyen de conciliation. Essai de conciliation entre deux partis. Agir dans un but de conciliation.*

1 La Curie, composée en énorme majorité de prélats italiens et espagnols, n'était guère portée à la conciliation, braquée d'avance contre des ouvertures qui pouvaient être un piège et aboutir à la plus avilissante des avanies.
Louis MADELIN, Hist. du Consulat, VIII, p. 110.

Atténuation des différends entre une personne et d'autres. *Faire preuve d'un réel esprit de conciliation.* → **Conciliant.**

◆ **2** (1790). Dr. Accord de deux personnes en litige, réalisé par un juge. *Procédure de conciliation. Tentative* ou *préliminaire de conciliation :* formalité imposée aux parties qui doivent se présenter devant un magistrat pour essayer de se concilier avant de commencer un procès. → **Concilier** (cit. 1). *La tentative de conciliation a lieu soit devant le juge de paix* (petite conciliation), *soit sur citation d'huissier* (grande conciliation). *Procès-verbal, ordonnance de non-conciliation.* — *Appeler, assigner, citer qqn en conciliation.* — Ancienct (jusqu'en 1975). En matière de divorce :

2 Au jour indiqué, le juge entend les parties en personne; si l'une d'elles se trouve dans l'impossibilité de se rendre auprès du juge, ce magistrat détermine le lieu où sera tentée la conciliation, ou donne commission pour entendre le défenseur; en cas de non-conciliation ou de défaut, il rend une ordonnance qui constate la non-conciliation ou le défaut, et autorise le demandeur à assigner devant le tribunal.
Code civil, ancien art. 238 (Procédure du divorce.)

REM. L'actuel article 238 du Code civil (loi du 11 juil. 1975) concerne la rupture de vie commune par altération des facultés mentales d'un conjoint.

En matière de conflits collectifs du travail. Règlement amiable du conflit. → **Arbitrage** (cit. 4). — *Comité de conciliation*, composé de délégués patronaux et ouvriers réunis sous la présidence du juge de paix pour éviter un conflit collectif du travail.

◆ **3** (1680). Action de faire concorder deux textes, deux opinions différentes, deux méthodes. → **Concordance.** *La conciliation des lois. La conciliation d'intérêts opposés.*

Et pas plus que le chrétien ne doit chercher à obtenir conciliation de deux vérités contradictoires, telles que presence de Dieu et libre arbitre individuel (...)
GIDE, Journal, janv. 1925.

CONTR. **Désaccord, dispute, divergence, division, divorce, inconciliation, opposition, rupture, séparation.** ◊ COMP. **Réconciliation.**

CONCILIATOIRE [kɔ̃siljatwaʀ] adj. — 1583, rare avant 1775; de *concilier, conciliation.*

Rare. Propre à concilier. — Dr., polit. *Procédure conciliatoire.*

CONCILIER [kɔ̃silje] v. tr. — 1549; «réconcilier», v. 1175; lat. *conciliare* «assembler».

◆ **1** Littér. ou dr. Mettre d'accord, amener à s'entendre (des personnes divisées d'opinion, d'intérêt). → **Accorder, raccommoder** (fam.), **réconcilier.** *Concilier deux adversaires. Le magistrat tente de concilier les parties.* → **Conciliation.**

1 Le président fera aux deux époux les représentations qu'il croira propres à opérer un rapprochement; s'il ne peut y parvenir, il rendra, ensuite de la première ordonnance, une seconde portant qu'attendu qu'il n'a pu concilier les parties, il les renvoie à se pourvoir, sans citation préalable au bureau de conciliation (...)
Code de procédure civile, anc. art. 878.

2 Elle (Mᵐᵉ *Récamier*) désarmait les colères, elle adoucissait les aspérités; elle vous ôtait la rudesse et vous inoculait l'indulgence. Elle n'avait point de repos qu'elle n'eût fait se rencontrer chez elle ses amis de bord opposé, qu'elle ne les eût conciliés sous une médiation clémente.
SAINTE-BEUVE, Causeries du lundi, 26 nov. 1849.

3 (...) la tentative d'organisation mixte, qui avait pour objet de concilier, de faire vivre et agir ensemble, malgré leur hostilité profonde, tous les éléments de la société.
GUIZOT, Histoire générale de la civilisation en Europe, 10, p. 29, in T. L. F.

◆ **2** (1647). Faire aller ensemble, rendre harmonieux (ce qui était très différent, contraire). *Concilier les opinions, les intérêts, les témoignages.* → **Arbitrer.** *Chercher à tout concilier.* → **Adoucir, arranger** (→ Arrondir les angles*). *Concilier la morale avec ses goûts,* faire aller ensemble. → **Ajuster, cadrer** (faire cadrer). *Concilier la richesse du style avec la simplicité.* → **Allier, réunir.** *Concilier deux textes de loi. Concilier les termes d'une antinomie. Concilier les exigences de la foi avec celles de la raison,* les mettre en harmonie. → **Concorder** (faire concorder), **harmoniser.**

4 On trouve un livre de dévotion, et il touche; on en ouvre un autre qui est galant, et il fait son impression. Oserai-je dire que le cœur concilie les choses contraires, et admet les incompatibles ?
LA BRUYÈRE, les Caractères, IV, 73.

5 Les Grecs n'ont jamais su concilier l'égalité civile avec l'inégalité politique.
FUSTEL DE COULANGES, la Cité antique, IV, x, p. 387.

6 La difficulté pour elle (*l'Assemblée*) était de concilier le droit naturel, tel qu'elle le concevait, c'est-à-dire antérieur et supérieur aux sociétés, avec le droit historien.
JAURÈS, Hist. socialiste, t. I, La Constituante, p. 341.

7 Jamais je n'ai été foncièrement convaincu de ma supériorité sur aucun autre; c'est ainsi que j'arrive à concilier beaucoup de modestie avec beaucoup d'orgueil.
GIDE, Journal, Feuillets 1893.

◆ **3 SE CONCILIER (qqn),** le disposer favorablement envers soi. *Se concilier la bienveillance, l'amitié, les bonnes grâces de qqn.* → **Attirer** (s'), **gagner, procurer** (se).

◆ **SE CONCILIER** v. pron.

◆ **1** Vx. *Se concilier avec qqn.* → **Accommoder** (s'), **accorder** (s'), **entendre** (s'), **réconcilier** (se).

8 Ils délibèrent ensemble, ils se communiquent leurs pensées, ils se concilient.
MONTESQUIEU, l'Esprit des lois, VI, 4.

◆ **2** (*Choses*). *Se concilier avec* : être compatible avec. *Ces deux interprétations ne peuvent pas se concilier,* sont inconciliables.

CONTR. Accuser, aggraver, brouiller, déranger, désaccorder, désunir, disputer, diverger, diviser, fâcher, heurter, opposer, séparer. ◊ DÉR. Conciliable, conciliant, conciliatoire. → COMP. Réconcilier.

CONCIS, ISE [kɔ̃si, iz] adj. — 1553; lat. *concisus* «tranché», p. p. de *concidere*.

Qui s'exprime en peu de mots. → **Bref, compendieux, court, dense, dépouillé, incisif, laconique, lapidaire, sobre, succinct.** *Écrire dans un style concis et vif.* → **Nerveux, serré.** *Pensée claire et concise. Expression nette et concise.* → **Précis.**

1 (...) j'aurais péché contre l'usage des maximes, qui veut qu'à la manière d'oracles elles soient courtes et concises.
LA BRUYÈRE, les Caractères.

2 Il faut supposer que ce que vous avez à dire est intéressant car s'il n'en était pas ainsi, peu importe que vous soyez long ou concis. E. DELACROIX, Écrits, t. II, p. 84.

N. m. Concision. *Le concis et le prolixe.*

Par métonymie. (*Personnes*). *Écrivain, orateur concis. Il n'est pas assez concis.*

3 Démosthène est grand en ce qu'il est serré et concis, et Cicéron au contraire en ce qu'il est diffus et étendu.
BOILEAU, Trad. de Longin, Traité du sublime, X.

CONTR. Bavard, diffus, long, prolixe. ◊ DÉR. Concision.

CONCISION [kɔ̃sizjɔ̃] n. f. — 1706; «suppression», 1488; de *concis.*

Qualité de ce qui est concis. → **Brièveté, densité, sobriété.** *La concision du style, de la pensée. Concision dans le style, précision* (cit. 1) *dans la pensée. Tacite est un modèle de concision. S'exprimer avec une concision extrême.* → **Laconisme.**

1 (...) la concision, c'est-à-dire l'art de renfermer une pensée dans le moins de mots possible.
Antoine ALBALAT, l'Art d'écrire, VI, p. 90.

2 Il y a des gens qui n'arrivent à la concision qu'avec une gomme à effacer : ils suppriment des mots nécessaires.
J. RENARD, Journal, mai 1909.

Par ext. Simplicité, dépouillement (cf. Hugo, *in* T. L. F.).

CONTR. Bavardage, longueur, prolixité.

CONCITOYEN, ENNE [kɔ̃sitwajɛ̃, ɛn] n. — XIIIᵉ, *concitien*; de *con-*, et *citoyen*, d'après le lat. *concivis,* de *con-* (*cum*), et *civis.*

Citoyen du même État, d'une même ville (qu'un autre). → **Compatriote, 2. pays.** *Le concitoyen, la concitoyenne de qqn; des concitoyens. C'est mon concitoyen. Mes chers concitoyens!* (formule d'adresse).

1 J'ai paru devant les Romains, citoyen au milieu de mes concitoyens, et j'ai osé leur dire : Je suis prêt à rendre compte de tout le sang que j'ai versé pour la République.
MONTESQUIEU, Sylla et Eucrate.

2 Ce que l'Église, jusqu'à nos jours, exaltait dans le patriotisme, quand elle l'exaltait, c'est la fraternité entre concitoyens, c'est l'amour de l'homme pour d'autres hommes (...)
Julien BENDA, la Trahison des clercs, III, p. 164.

Par plais. Compagnon.

3 Le lièvre et la perdrix, concitoyens d'un champ,
Vivaient dans un état, ce semble, assez tranquille (...)
LA FONTAINE, Fables, V, 17.

DÉR. Concitoyenneté.

CONCITOYENNETÉ [kɔ̃sitwajɛnte] n. f. — Av. 1845; de *concitoyen,* d'après *citoyenneté.*

Didact. Qualité de concitoyen, de concitoyenne.

CONCLAVE [kɔ̃klav] n. m. — V. 1360; lat. médiéval *conclave* «chambre fermée à clef», de *cum,* et *clavis.* → Clef.

◆ **1** Lieu où s'assemblent les cardinaux pour élire un nouveau pape.

1 Grégoire X sortit enfin du scrutin, et, pour remédier à l'avenir à un tel abus, établit alors le conclave, CUM CLAVE; *sous clef* ou *avec une clef.*
CHATEAUBRIAND, Mémoires d'outre-tombe, t. V, p. 97.

◆ **2** Assemblée réunie pour élire le pape. *Réunir le conclave. Il y eut des intrigues au conclave de ce pape, au conclave où il fut élu.* — Durée de la réunion.

2 Il y aura de grandes difficultés au conclave.
Mᵐᵉ DE SÉVIGNÉ, 582, *in* LITTRÉ.

3 (...) elle sentait la nécessité d'une victoire, devant l'éventualité d'un conclave possible (...) ZOLA, Rome, p. 379.

DÉR. Conclaviste.

CONCLAVISTE [kɔ̃klavist] n. m. — 1546, Rabelais; de *conclave.*

Relig. Ecclésiastique attaché à la personne d'un cardinal pendant un conclave.

Soixante-deux cardinaux assistés chacun d'un conclaviste et d'un garde noble se sont enfermés avant-hier dans la partie du Vatican réservée au conclave.
M. TOURNIER, le Roi des Aulnes, p. 110.

CONCLUANT, ANTE [kɔ̃klyɑ̃, ɑ̃t] adj. — 1587; p. prés. de *conclure.*

(*Choses*). Qui conclut*, qui prouve* sans réplique. *Argument* concluant.* → **Convaincant, décisif, définitif, irrésistible, probant.** *Raison, preuve concluante. Expérience concluante. Cet essai n'est guère concluant.*

1 Des appareils qui conduisent à des expériences exactes et concluantes. CONDORCET, d'Arci, *in* LITTRÉ.

2 Très régulièrement, il vint près d'un mois et tendit l'oreille comme un lévrier, sans recueillir la matière d'une concluante et valable déposition.
Léon BLOY, la Femme pauvre, II, XVIII, p. 259.

CONTR. Improbant, inconcluant.

CONCLURE [kɔ̃klyʀ] v. [CONJUG.: *je conclus, nous concluons; je concluais, nous concluions; je conclus, nous conclûmes; je conclurai; je conclurais; conclus, concluons; que je conclue, que nous concluions; que je conclusse; concluant; conclu.*] — XIIᵉ; lat. *concludere,* de *claudere.* → Clore.

◆ **1** V. tr. dir. (Sujet n. de personne ou d'une force humanisée.) **a** Amener à sa fin*, par un accord. → **Arrêter, fixer, régler, résoudre.** *Conclure une affaire avec qqn. Ils ont conclu l'affaire ensemble.* — Pron. *Un accord s'est conclu* (→ ci-dessous, cit. 4). — Au p. p. (→ ci-dessous, cit. 3). *Accord conclu. Marché conclu, affaire conclue* (cf. fam. Tope-là!). *Conclure un accord, un arrangement.* → **Accorder** (s'), **entendre** (s'); **passer.** *Conclure un traité, la paix.* → **Signer, traiter.**

1 Le Ciel, Seigneur, Arnolphe, a conclu mon malheur (...)
MOLIÈRE, l'École des femmes, V, 6.

2 (...) vous ferez bien de ne point conclure ce mariage (...)
MOLIÈRE, les Femmes savantes, IV, 4.

3 Il faut rompre la paille : une paille rompue
Rend, entre gens d'honneur, une affaire conclue.
MOLIÈRE, le Dépit amoureux, IV, 4.

4 La paix se conclut donc ; on donne des otages (...)
LA FONTAINE, Fables, III, 13.

5 Quinette obtint sans difficulté, moyennant une majoration
insignifiante, de conclure la sous-location au mois.
J. ROMAINS, les Hommes de bonne volonté, t. II,
IX, p. 94.

Vx. (Sujet n. de chose). Parachever. *Cela a conclu ses
malheurs.* → **Achever, couronner, terminer.**

b Spécialt. (Sujet n. de personne). Terminer un discours, un récit, un ouvrage. → **Conclusion ; conclusif.** *Conclure un discours par une longue péroraison. Conclure une fable, un roman, une tragédie.
Conclure à la hâte un ouvrage.* → **Bâcler.**

6 Trouvez bon, Madame, que... je conclue ce mot, en vous
faisant considérer (...)
MOLIÈRE, la Comtesse d'Escarbagnas, 4.

7 Milton est le premier poète qui ait conclu l'épopée par le
malheur du principal personnage (...)
CHATEAUBRIAND, le Génie du christianisme, II, I, 3.

Absolt. *Vous avez assez discuté ; maintenant, il faut
conclure. Concluez ! Cet écrivain ne sait pas conclure.*
Mus. Amener une conclusion*.

c (Avec un compl. second en *par*, en *sur*). Achever
(une action). *Conclure une réunion par un repas.
Ils ont conclu leur rencontre sur une réconciliation
générale.*

◆ **2** Littér. ou style soutenu. *Conclure qqch. de qqch.* :
tirer (une conséquence) de (qqch. qui précède).
*Que pouvons-nous conclure de ces événements ?
«Qu'ils en concluent ce qu'ils voudront contre le
déisme, ils n'en concluront rien contre la religion
chrétienne»* (Pascal). → **Arguer, argumenter, déduire,
induire, inférer.**

8 Concluons que la Providence
Sait ce qu'il nous faut mieux que nous.
LA FONTAINE, Fables, VI, 4.

9 (...) l'expérience que vous avez faite ne conclut rien pour
tous les autres.
MOLIÈRE, le Bourgeois gentilhomme, III, 15.

10 Que conclure à la fin de tous mes longs propos ?
C'est que les préjugés sont la raison des sots.
VOLTAIRE, Poème sur la loi naturelle, IV.

11 (...) je crois avoir le droit de conclure que jusqu'à la grande
tempête de la guerre, il y a eu plutôt animation que dépression de l'industrie en France.
JAURÈS, Hist. socialiste..., t. II,
L'œuvre de la Constituante, p. 258.

Pop. (d'après *se dire*) :

11.1 Ma position (...) est que la vie humaine est sacrée. D'où je
me conclus qu'un individu n'a pas le droit d'en tuer un
autre. M. AYMÉ, Travelingue, p. 253.

*Conclure que... Je conclus que vous avez tort. Con-
clure de qqch. que... :* déduire ou induire que... *On
conclura de cette affirmation qu'il se trompe, qu'il
peut, qu'il pourrait se tromper. «Il ne faut pas conclure que vous soyez un ingrat»* (Delacroix).
(Sujet n. de chose). Faire aboutir à la conclusion
que...

12 (...) tout ce que de vous je viens d'ouïr contre elle
Ne conclut point, parent, qu'elle soit criminelle.
MOLIÈRE, Sganarelle, 12.

Absolt. Donner une conclusion.

13 La rage de vouloir conclure est une des manies les plus
funestes et les plus stériles qui appartiennent à l'humanité.
FLAUBERT, Correspondance, t. III, p. 270.

14 Aucun génie n'a conclu et aucun grand livre ne conclut,
parce que l'humanité elle-même est toujours en marche et
qu'elle ne conclut pas.
FLAUBERT, Correspondance, t. III, p. 87.

15 Quand Flaubert dit que l'art ne doit pas conclure, et qu'il se
défend lui-même de conclure, tout cela est bon en théorie,
mais la vie apporte toujours une conclusion.
A. THIBAUDET, Gustave Flaubert, p. 114.

Sports. Obtenir un résultat décisif (but, essai...)
dans une rencontre entre équipes.

◆ **3** V. tr. ind. Littér. CONCLURE (de qqch.) À (qqch.) :
induire qqch. de qqch. *Conclure de la beauté du
style à l'intérêt de l'œuvre.*

15.1 La réalité révolutionnaire concluait à la République avant
que la conscience française fût préparée à conclure de
même...
JAURÈS, Hist. socialiste, t. I, La Constituante, p. 291.

15.2 (...) et les sages concluent, comme toujours, du néant de
la réclame au néant de l'œuvre.
Léon BLOY, le Désespéré, II, p. 97.

CONCLURE DE (et l'inf.) : décider de (faire qqch.),
après délibération.

16 Après divers avis, on résout, on conclut
D'envoyer hommage et tribut.
LA FONTAINE, Fables, IV, 12.

Vx. *Conclure à qqch.* : décider de...

17 Ils concluent à faire baptiser l'ingénu.
VOLTAIRE, l'Ingénu, 2.

Rare. *Conclure à ce que...* (et subj.). *Il conclut «à ce
que la cession fût poursuivie»* (Barante, *in* T. L. F.).
Dr. *Conclure à (qqch.) :* aboutir à la conclusion de
(qqch.), après examen. *Les enquêteurs concluent à
l'assassinat.* — (En jugement). *Conclure au non-lieu,
à la peine de mort.* → **Prononcer** (se prononcer pour).

18 De vingt-deux juges, il n'y en eut que neuf qui conclu-
rent à la mort. VOLTAIRE, le Siècle de Louis XIV, 25.

◆ **4** V. intr. (Sujet n. de personne). Style soutenu. *Conclure
contre, en faveur de... :* se prononcer contre, en
faveur de...

(Sujet n. de chose). Être concluant. *Ce témoignage
conclut contre lui.*

◆ **SE CONCLURE** v. pron. *La paix se conclut* (→ ci-
dessus, cit. 4). *Ceci ne se conclut pas.* → **Démontrer**
(se).

19 Les principes se sentent, les propositions se concluent ; et
le tout avec certitude, quoique par différentes voies.
PASCAL, Pensées, IV, 282.

*S'achever. Les négociations se sont conclues sur, par
un échec.*

Absolt. *Il se conclut de cet argument que... :* on peut
en conclure que...

◆ **CONCLU, UE** p. p. adj. Voir ci-dessus à l'article.

CONTR. Amorcer, commencer, débuter, entreprendre. —
Exposer, préfacer, présenter. ◊ DÉR. Concluant.

CONCLUSIF, IVE [kɔ̃klyzif, iv] adj. — V. 1460 ; lat.
scolast. *conclusivus,* de *concludere* «conclure».

◆ **1** Vx. Qui exprime, qui indique une conclusion.
*Proposition conclusive. «Donc» est une conjonction
conclusive.*

◆ **2** Mus. Qui amène une conclusion*. *Accord conclusif. Note conclusive.*

CONCLUSION [kɔ̃klyzjɔ̃] n. f. — V. 1260 ; lat. *conclusio,*
du supin de *concludere.* → Conclure.

◆ **1** Arrangement final (d'une affaire). → **Règlement,
solution, terminaison.** *Conclusion d'un traité ; d'un
mariage.* → Fin*. *Ce fut la conclusion de ses mésaventures.* → **Couronnement, issue.** *Les événements se
dessinent, approchent de la conclusion.*

Cour. Ce qui termine un récit, un ouvrage. → **Dénouement, épilogue, fin.** *La conclusion d'un discours.* → **Péroraison.** *La conclusion de ce livre en résume la teneur. Conclusion d'une fable.* → **Morale, moralité.**

1 Belle conclusion, et digne de l'exorde !
RACINE, les Plaideurs, III, 3.

2 Aussi fit-elle *(cette scène)* une avantageuse conclusion aux divertissements de ce jour (...)
MOLIÈRE, la Princesse d'Élide, Intermède, VI.

Mus. Fin d'une phrase musicale ou d'une séquence, selon les règles de la composition (dans un système donné). *Accords de conclusion. Conclusion d'une période.* → **Cadence.** *Conclusion d'une fugue.* → **Coda.**

♦ **2** Log. Proposition dont la vérité résulte de la vérité d'autres propositions *(prémisses)*. *Conclusion d'un syllogisme.* — Cour. *Jugement qui suit un raisonnement. Sa conclusion est fausse. Déduire, tirer une conclusion de qqch.* → **Enseignement, leçon ; prouver.**

3 Ce n'est pas assez de compter les expériences, il les faut peser et assortir, et les avoir digérées et alambiquées pour en tirer les raisons et conclusions qu'elles portent.
MONTAIGNE, Essais, III, VIII.

4 Tous leurs principes sont vrais, des pyrrhoniens, des stoïques, des athées, etc. Mais leurs conclusions sont fausses, parce que les principes opposés sont vrais aussi.
PASCAL, Pensées, VI, 394.

5 La majeure en est inepte, la mineure impertinente, et la conclusion ridicule. MOLIÈRE, le Mariage forcé, 4.

6 (...) j'étais déjà arrivé à cette conclusion que nous ne sommes nullement libres devant l'œuvre d'art (...)
PROUST, À la recherche du temps perdu, t. XV, p. 25.

7 Ce sont moins en effet les conclusions identiques qui font les intelligences parentes, que les contradictions qui leur sont communes.
CAMUS, le Mythe de Sisyphe, p. 132.

Adverbial. Fam. Bref*, en un mot, au total. *Conclusion, il n'y a rien à faire.*

8 Conclusion, qu'il ne la put fléchir.
LA FONTAINE, Contes, « Le faucon ».

En conclusion (loc. adv.). → **Ainsi, donc ; prendre** (à tout prendre), **somme** (somme toute, en somme). — Vx. *Pour conclusion* (même sens).

9 La galante fit chère lie (...)
La voilà pour conclusion,
Grasse, mafflue et rebondie.
LA FONTAINE, Fables, III, 17.

♦ **3** N. f. pl. (1453). **CONCLUSIONS :** acte de procédure par lequel une des parties porte ses prétentions à la connaissance du tribunal et son adversaire. *L'avoué a pris ses conclusions. Conclusions écrites, verbales. Conclusions recopiées sur placet. Poser, signifier, déposer des conclusions. Conclusions irrecevables. Conclusions principales, subsidiaires. Conclusions alternatives. Conclusions au fond, exceptionnelles. Conclusions primitives, additionnelles. Les conclusions saisissent le tribunal, en fixent et en limitent la compétence, mettent en état la procédure.*

10 Les avoués auront exclusivement le droit de postuler et de prendre des conclusions dans le tribunal pour lequel ils seront établis. Loi du 27 ventôse an VIII, art. 94.

11 L'affaire sera en état, lorsque la plaidoirie sera commencée ; la plaidoirie sera réputée commencée, quand les conclusions auront été contradictoirement prises à l'audience. Code de procédure civile, art. 343.

Conclusions du Ministère Public : avis fourni par l'organe du Ministère Public sur la valeur des prétentions des parties ; avis que donne le Ministère Public dans les affaires où la communication préalable est exigée *(cf. Code de procédure civile, art.*

83). *Ce procureur de la République donne ses conclusions.*

CONTR. **Commencement, début.** — **Avant-propos, exorde, exposition, introduction, préambule, préliminaire, prémisses.**

CONCOCTER [kɔ̃kɔkte] v. tr. — XXᵉ (av. 1945, où *concoction* est attesté dans ce sens) ; de *concoction*. → Concoctionner, chez Balzac « mitonner ».
Par plaisanterie.

♦ **1** Préparer, élaborer. *Concocter une sauce.*

♦ **2** Abstrait :

Mais soudain, par bonheur, surgit de son réservoir à bien-bonnes *(bonnes histoires)* une plaisanterie qu'il concocta en classe de quatrième (...)
R. QUENEAU, le Dimanche de la vie, p. 65.

CONCOCTION [kɔ̃kɔksjɔ̃] n. f. — 1528, didact. « digestion, cuisson », repris 1825 en cuisine, puis fam. 1945, A. Arnoux, in T. L. F. → Concocter ; lat. *concoctio*, de *con-(cum)*, et *coctio* « cuisson ».
Rare ou par plais. Action de préparer, d'élaborer (qqch.). → **Élaboration, préparation.** — Coction.
DÉR. **Concocter.**

CONCOMBRE [kɔ̃kɔ̃bʀ] n. m. — 1390 ; *cocombre*, 1256 ; anc. provençal *cocombre*, du lat. *cucumis*, *eris*.

♦ **1** Plante *(Cucurbitacées)* scientifiquement appelée *cucumis*, herbacée, rampante. → **Coloquinte, zuchette.** *Maille de concombre. Graine de concombre. Cultiver des concombres.* — Le fruit de cette plante, qui se consomme comme légume ou en hors-d'œuvre (cru). *Concombres à la russe.* → aussi **Cornichon.** *Salade de concombres.*

On me servait du veau aux concombres et aux oignons. 1
CHATEAUBRIAND, Itinéraire..., II, 844.

(...) le rouge saignant d'un tas de tomates, l'effacement 2
jaunâtre d'un lot de concombres (...)
ZOLA, le Ventre de Paris, t. I, p. 42.

Vieilli. *Lait de concombre :* préparation adoucissante (pour pommades, etc.).

♦ **2** *Concombre de mer :* holothurie*.

♦ **3** Compar. et métaphore (de 1.). *Être blanc, pâle comme un concombre.*
Régional. Personne stupide. → **Cornichon** (courant).

CONCOMITAMMENT [kɔ̃kɔmitamɑ̃] adv. — 1874 ; de *concomitant*.
Rare. D'une façon concomitante ; en même temps, à la fois.

Pendant ces mois, concomitamment, il s'est peu à peu rendu compte qu'il n'aimait plus Agnès (...)
J. DUTOURD, les Horreurs de l'amour, p. 611.

CONCOMITANCE [kɔ̃kɔmitɑ̃s] n. f. — 1377 ; lat. *comitancia*, de *concomitari* « accompagner ».
Didact. Rapport de simultanéité (→ **Accompagnement, coexistence, simultanéité**) existant entre deux faits, deux phénomènes.

Si la divinité et l'âme s'y trouvent *(dans l'eucharistie)*, c'est, comme parle l'école, par concomitance.
BOURDALOUE, Saint-Sacrement, I.

En concomitance (avec). → **Concomitamment.**

CONCOMITANT, ANTE [kɔ̃kɔmitɑ̃, ɑ̃t] adj. — 1503 ; lat. *concomitans*, de *concomitari* « accompagner ».

♦ **1** Qui accompagne un autre fait, qui coïncide avec lui. → **Coexistant, coïncidant, simultané.** *Symptômes concomitants accompagnant les phénomènes essentiels d'une maladie. Les circonstances concomitantes de la perception primitive.* → Reconnaître, cit. 4. *Concomitant à (de, avec) quelque chose.*

Log. Méthode des variations concomitantes,* simultanées et proportionnelles.

♦ **2** (1690). Théol. cathol. *Grâce concomitante,* que Dieu donne au cours des actions pour les rendre méritoires.

DÉR. Concomitamment.

CONCORDANCE [kɔ̃kɔrdɑ̃s] n. f. — 1160, «accord»; de *concorder.*

♦ **1** (1270). Le fait d'être semblable ou analogue; le fait de tendre au même effet, au même résultat. → **Accord** (II.), **analogie, conformité, convenance, correspondance, harmonie.** *La concordance de deux versions, de deux témoignages. Mettre ses actes en concordance avec ses principes. — Concordance de deux situations.* → **Analogie, ressemblance, similitude, symétrie.** *Concordance des sons finaux, en vers, assonance, rime. Concordance en nombre, en valeur.* → **Égalité, parité.**

1   Le corps social et politique exige que les pouvoirs qui le gouvernent aient une concordance et une conspiration entre eux pour arriver au but qu'ils se proposent, c'est-à-dire la perfection du gouvernement.
           MIRABEAU (cité par LAVEAUX).

2   Madame de la Tour me fit le récit d'un songe tout à fait semblable, qu'elle avait fait cette même nuit (...) Je fus donc frappé de la concordance de leur songe (...)
           BERNARDIN DE SAINT-PIERRE, Paul et Virginie, p. 146.

Concordance temporelle. → **Synchronisme.**

Phys. *Concordance de phases,* se dit de vibrations sinusoïdales lorsque la différence de phases est nulle. → Géol. Disposition parallèle des strates.

♦ **2** (1564). Index alphabétique des mots contenus dans un texte, avec l'indication des passages où ils se trouvent (pour comparer). *Éditer une concordance de la Bible. — Concordance établie automatiquement, par ordinateur.*

♦ **3** Log. *Méthode de concordance,* qui conclut devant la simultanéité d'apparition ou de disparition de deux phénomènes à un rapport de cause à effet entre eux.

♦ **4** Gramm., ling. Accord de plusieurs mots entre eux. *Syntaxe de concordance. Concordance des temps* : règle subordonnant le choix du temps du verbe dans certaines propositions complétives, à celui du temps choisi dans la proposition complétée (ex. : *je regrette qu'il vienne ; je regrettais qu'il vînt*).

3   Ce n'est pas le temps principal qui amène le temps de la subordonnée, c'est le sens. Le chapitre de la concordance des temps se résume en une ligne : Il n'y en a pas...
           F. BRUNOT, la Pensée et la Langue, XX, II, I, p. 782.

4   Il faut se garder d'appliquer sans discernement des règles mécaniques qui indiqueraient une correspondance toujours obligatoire entre les temps de la principale et celui de la subordonnée. Sans doute, dans bien des cas, une concordance s'établit, qui règle le temps de la subordonnée par rapport au temps du verbe principal, mais bien souvent aussi il faut tenir compte de certaines modalités de la pensée, et marquer, selon une syntaxe appropriée, le temps de la subordonnée par rapport au moment où l'on parle : ainsi, par la discordance des temps peuvent être rendues bien des nuances délicates.
           GREVISSE, le Bon Usage, n° 1047.

CONTR. Désaccord. — Antagonisme, antinomie, contradiction, discordance.

CONCORDANT, ANTE [kɔ̃kɔrdɑ̃, ɑ̃t] adj. — XIIIᵉ ; de *concorder.*

♦ **1** Qui concorde avec autre chose ; (sujet plur.) qui concordent. *Témoignages concordants. Versions concordantes.* — Rare. *Concordant à, avec quelque chose.*

♦ **2** (1845). Géol. Qui présente une disposition régulière (strates parallèles, etc.). *Structure, stratification concordante.*

CONTR. Discordant, opposé.

CONCORDAT [kɔ̃kɔrda] n. m. — 1452, au sens 2 ; «accord» en général, au XVIᵉ ; lat. médiéval *concordatum,* p. p. de *concordare.* → Concorder.

♦ **1** Accord écrit, à caractère de compromis. → **Convention, transaction.** *Proposer, refuser, consentir, débattre, signer, appliquer un concordat. Les clauses d'un concordat.*

(1787). Dr. comm. Accord passé entre un failli et ses créanciers, qui lui consentent remise d'une partie de sa dette. → **Atermoiement.** *Banqueroute simple liquidée par un concordat. Homologuer un concordat. Il ne peut y avoir de concordat dans une faillite frauduleuse.*

1   Dans les trois jours qui suivront les délais prescrits pour l'affirmation, le juge-commissaire fera convoquer par le greffier, à l'effet de délibérer sur la formation du concordat, les créanciers dont les créances auront été vérifiées et affirmées ou admises par provision.
           Code de commerce, art. 504.

♦ **2** Plus cour. Hist. *Concordat entre le pape et un État souverain,* pour régler la situation de l'Église catholique sur le territoire soumis à la juridiction de cet État. *Le Concordat de Worms* (1122), entre Calixte II et Henri V d'Allemagne. *Le Concordat de 1801,* entre Pie VII et Bonaparte.

2   Il *(Bonaparte)* déclarait vouloir se faire accorder purement et simplement, sur ce point *(la nomination des évêques),* le droit conféré à François Iᵉʳ par l'antique concordat de Bologne (...) Le Concordat, bien entendu, réinstituant le droit de *nomination* au profit du pouvoir civil, laisserait au Pape le droit d'*institution.*
           Louis MADELIN, le Consulat, VIII, p. 115.

DÉR. Concordataire.

CONCORDATAIRE [kɔ̃kɔrdatɛr] adj. — 1838, au sens 2. ; de *concordat.*

Droit, histoire.

♦ **1** (1863). Qui bénéficie d'un concordat lors d'une faillite. *Failli concordataire.*

♦ **2** Relatif à un concordat (2.), notamment, à celui de 1801. *Clause, évêché, fête concordataire.*

CONCORDE [kɔ̃kɔrd] n. f. — 1160 ; lat. *concordia,* de *concordare.* → Concorder.

Vieilli ou littér. Paix, harmonie qui résulte de la bonne entente entre les membres d'un groupe. → **Accord, entente, fraternité, harmonie, intelligence** (bonne), **union.** *La concorde engendre la paix*.* *Une concorde étroite, parfaite. La concorde publique. Vivre dans la concorde. Faire naître, faire régner ; menacer, troubler, rompre, détruire ; rétablir la concorde. Un esprit de concorde.*

Union des volontés, conformité des sentiments. *La concorde ne règne pas toujours entre eux.*

1   Vous voyez, reprit-il, l'effet de la concorde.
   Soyez joints, mes enfants, que l'amour vous accorde.
           LA FONTAINE, Fables, IV, 18.

2   L'homme est celui des animaux qui est le plus né pour la concorde et l'homme est celui des animaux où l'inimitié et la haine font de plus sanglantes tragédies.
           BOSSUET, Sermon sur la charité fraternelle, Préambule.

3   Lorsque les hommes ont des admirations communes et qu'ils en donnent chacun la raison, la concorde se change en discorde.   FRANCE, le Jardin d'Épicure, p. 176.

4 Ce qui est écrit, ce qui va être signé ne serait encore que peu de chose si nous ne réussissions pas à le vivifier constamment par l'esprit de concorde qui a présidé à la rédaction. Il faut qu'après nous avoir fait gagner la guerre, l'harmonie (...) et la convergence des volontés nous fassent gagner la paix.

> Raymond POINCARÉ, Disc. du 27 juin 1919.

La Concorde, personnifiée, dans les mythes, les allégories. *Temple capitolin de la Concorde, dans la Rome antique. La place de la Concorde, à Paris* (et, ellipt., *la Concorde*).

N. m. *Le Concorde*, nom d'un avion de transport supersonique franco-britannique.

CONTR. **Antagonisme, désaccord, discorde, dissension, dissentiment, haine, mésintelligence, zizanie.**

CONCORDER [kɔ̃kɔʀde] v. intr. — 1777 ; v. 1160, «être d'accord avec» ; *concorder à* «correspondre», XIVᵉ ; lat. *concordare.*

Avoir un rapport de concordance. *Une chose concorde avec une autre ; deux choses concordent.*

◆ **1** Être semblable ; correspondre au même contenu. *Les renseignements, les témoignages concordent.* → **Accorder** (s'), **cadrer, correspondre.** *Faire concorder des chiffres, des mesures.*

◆ **2** Trans. ind. (*concorder avec*) ou intrans. *Pouvoir s'accorder.* — Rare (concret). *La clé concorde avec le pêne.* → **Adapter** (s'), **convenir.** — (Abstrait). Être en convenance, aller bien avec (ou ensemble). *Leurs caractères ne concordent pas. Prendre des mesures qui concordent avec les nécessités de l'heure.* → **Répondre.** *Ça concorde mal.* → (fam.) **Coller.** *Faire concorder deux couleurs* (→ **Harmoniser**).

1 Les antiques vérités morales concordent d'une si étroite façon avec les intimes besoins de notre personne, que les âmes de bonne foi les affirment, malgré elles, dans l'instant même où elle les nient.

> Paul BOURGET, Un divorce, V, p. 164.

2 Je ne fis que vaguement allusion à une possibilité de mariage, tout en disant que c'était irréalisable parce que nos caractères ne concorderaient pas.

> PROUST, À la recherche du temps perdu, t. X, p. 329.

3 D'ailleurs, son train de vie, qui est des plus modestes, concorde avec ses ressources avouées

> J. ROMAINS, les Hommes de bonne volonté, t. II, XIV, p. 147.

Vx. **CONCORDER À...** «*Leurs gestes détraqués qui ne concordent pas exactement au sens des paroles*» (T. Gautier, *in* T. L. F.).

◆ **3** Se passer au même moment ; être synchrone. *L'apparition de ces deux phénomènes concorde toujours.* → **Coïncider.** *Faire concorder (deux phénomènes).* → **Synchroniser.**

◆ **4** Concourir à un but. *Tous les efforts concordent.*

CONTR. **Contraster, exclure** (s'), **opposer** (s'). ◊ DÉR. **Concordance, concordant, concordisme.**

CONCORDISME [kɔ̃kɔʀdism] n. m. — Av. 1907 ; de *concorder.*

Didact. Système d'exégèse biblique visant à mettre en concordance les données de la Bible avec les données scientifiques.

(...) les théories pseudo-scientifiques du concordisme qui, il y a un demi-siècle, prétendaient faire cadrer les données de la Bible avec celles de la géologie, de l'astronomie ou de la biologie modernes, n'ont abouti qu'à de vaines gloses.

> DANIEL-ROPS, le Peuple de la Bible, IV, II, p. 311.

CONCOURANT, ANTE [kɔ̃kuʀɑ̃, ɑ̃t] adj. — 1753 ; n. m., «candidat», J. d'Aranton d'Alex, 1668, *in* D.D.L. ; p. prés. de *concourir.*

◆ **1** Qui concourt à un résultat. *Tentatives concourantes.*

◆ **2** Géom. Qui converge vers un même point (opposé à *parallèle*). *Droites concourantes* (→ **Convergent**). — Phys. *Forces concourantes.*

CONTR. **Divergent.**

CONCOURIR [kɔ̃kuʀiʀ] v. [CONJUG.: *courir.*] — 1636 ; *concurre* «se rencontrer», 1355 ; *concurrer*, fin XVᵉ ; du lat. *concurrere*, modifié d'après *courir*, de *con-* (*cum*), et *currere.* → **Courir.**

I ◆ **1** V. intr. (1753). Sujet n. de chose. Géom. Converger (vers un même point). *Deux droites non parallèles concourent vers un même point, en un même point.* → **Concourant.**

◆ **2** V. tr. ind. (1636). Sujet n. de personne ou de chose. *Concourir à* : tendre à un but commun ; contribuer avec d'autres à un même résultat. → **Collaborer, coopérer, unir** (s'). *Ces efforts concourent au même but, au même résultat.* → **Participer.** *Il a concouru à mon succès.* — *Concourir au bien public. Tout concourt à son bonheur. Les expériences concourent à prouver que... Concourir à ce que* (et subj.). — Sans compl. en à (→ ci-dessous, cit. 1 et 2).

1 (...) une action complète, où plusieurs personnes concourent (...)

> RACINE, Britannicus, 1ᵉʳ préf.

2 (...) il est rare de les voir réunies (*ces vertus*) dans un même sujet, il faut que trop de choses concourent à la fois (...)

> LA BRUYÈRE, les Caractères, X, 35.

3 La loi est l'expression de la volonté générale. Tous les citoyens ont droit de concourir personnellement, ou par leurs représentants, à sa formation.

> Déclaration des droits de l'homme, Constitution 3 sept. 1791, art. 6.

4 (...) toutes les forces employées à bien faire concourent au même but, et s'additionnent.

> MARTIN DU GARD, les Thibault, t. II, p. 197.

5 En moi, autour de moi, dessus moi, sans me demander mon avis tout conspire au-dessus de moi, tout concourt à faire de moi un paysan (...)

> Ch. PÉGUY, la République..., p. 264.

II V. intr. ◆ **1** **a** (Sujet n. de personne). Entrer, être en compétition pour obtenir un prix, un emploi promis aux meilleurs (→ **Concours, concurrent**). *Concourir pour le prix de Rome ; pour un poste. Concourir dans un championnat*, participer aux concours*. *Être admis à concourir.*

6 Mais comme il voulait concourir plus tard pour une chaire de professeur à l'École (...)

> FLAUBERT, l'Éducation sentimentale, I, II.

b (Sujet n. de chose). *Ses tableaux ne concourront pas pour le prix de peinture.*

◆ **2** (1558). Didact. Avoir les mêmes droits. «*Tous les officiers de l'armée concourent pour l'avancement*» (Littré).

Dr. *Créanciers qui concourent*, dont l'hypothèque est de même date.

CONTR. **Contrecarrer, opposer** (s'). — **Diverger.** ◊ DÉR. **Concourant.**

CONCOURISTE [kɔ̃kuʀist] n. — 1986 ; de *concours.*

Rare. Personne qui participe à des concours dotés de prix. *Les concouristes gagnants.*

CONCOURS [kɔ̃kuʀ] n. m. — V. 1330, «recours» ; lat. *concursus*, du supin de *concurrere.* → **Concourir** (étymologie).

I ◆ **1** (1572). Vx ou littér. Rencontre (de nombreuses personnes) dans un même lieu. → **Affluence, foule, multitude, presse, rassemblement.** *Un grand concours de peuple, de badauds, de curieux, de spectateurs.* — Vx (sans compl.). *Un grand concours :* une grande foule.

1   (...) ces lieux d'un concours général, où les femmes se rassemblent (...)   LA BRUYÈRE, les Caractères, VII, 3.

2   Je voulais éviter cette foule importune;
Au-devant de mes pas le concours s'est grossi.
      André CHÉNIER, Gracques, I, 5.

3   Ce n'est pas assez qu'il suive des yeux les mouvements d'une ville, le concours de toutes ces fourmis dans les tranchées et les tunnels de la fourmilière.
      André SUARÈS, Trois hommes, «Ibsen», VII, p. 166.

♦ **2** Fig. Rencontre, réunion (de choses). — Vx. *Le concours de deux événements.* → **Coïncidence, concomitance, conjoncture.** — (1753). *Le concours de deux droites.* → **Intersection.**

4   Ce n'est pas ici l'univers tel qu'on l'ont conçu les philosophes, formé selon quelques-uns par un concours fortuit des premiers corps (...)   BOSSUET, Hist., II, I, *in* LITTRÉ.

5   (...) votre ami vous mandera (...) quelles cloches sonnées à Paris, quels canons tirés, quel concours de compliments et de harangues (...)
      Mᵐᵉ DE SÉVIGNÉ, 896, 7 août 1682.

Loc. mod. *Concours de circonstances. Par un curieux concours de circonstances.* → **Rencontre.**

6   Un étonnant concours de circonstances, et de volontés, et d'audaces, avait réuni là (...) ces hôtes qui (...) semblaient voués par leur destinée première à ne se rencontrer jamais.   LOTI, les Désenchantées, XXXIV, p. 197.

♦ **3** Dr. pén. *Concours de qualification* : même fait constitutif de plusieurs infractions. *Participation (de plusieurs personnes) à un même acte. Concours des colocataires d'un immeuble à un acte.*

♦ **4** Géom. Rencontre, intersection. *Point de concours de deux droites.*

II (1644). Le concours (de qqn, de qqch., de plusieurs personnes ou choses) à (une action, un résultat). Fait d'aider, de participer (à une action, à une œuvre). → **Collaboration, coopération; concourir.** *Apporter, fournir, prêter son concours à un projet, à un spectacle...* → **Aide, apport, appui.** *Apporter son concours à qqn en l'aidant.* → Faire la courte échelle*, fig. *Le concours d'un aide, d'un auxiliaire, d'un collaborateur. Le concours de la force militaire fut nécessaire.* → **Intervention.** *Son concours fut décisif.* — *Le concours des facteurs géographiques et sociaux.*

7   Entre le peuple et la royauté, dont le double concours lui est également indispensable (...)
      BARTHOU, Mirabeau, p. 168.

8   (...) le fer agissait de son côté, ou de connivence, avec le concours d'on ne sait quels éléments subtils, et tout cela mêlé faisait l'extraordinaire efficacité de la cure.
      GIDE, Si le grain ne meurt, IV, p. 119.

9   Il était entendu que la moitié au moins en irait au professeur Ducatelet, s'il consentait à apporter le genre de collaboration qu'on espérait de lui; et que le surplus servirait éventuellement à rémunérer des concours parlementaires.
      J. ROMAINS, les Hommes de bonne volonté, t. V, XXII, p. 194.

Dr. «Participation d'une personne à un acte juridique passé par un autre» (Colin et Capitant).

10   La femme, même non commune ou séparée de biens, ne peut donner, aliéner, hypothéquer, acquérir à titre gratuit ou onéreux, sans le concours du mari dans l'acte ou son consentement par écrit.   Code civil, art. 217.

Situation de personnes ayant les mêmes droits. *Concours de créanciers.* → **Concourir** (4.), **concurrence, ordre.**

III Cour. (Idée de compétition). ♦ **1** (1660). Épreuve dans laquelle plusieurs candidats entrent en compétition pour un nombre limité de places, de récompenses. *Concours et examens. Ouvrir un concours. Les candidats d'un concours. Se présenter, être admissible, admis, reçu; être refusé, collé, disqualifié à un concours. Le programme, les épreuves*

d'un concours. Les compositions, l'écrit, l'oral d'un concours. Les examinateurs d'un concours. Concours d'entrée aux grandes écoles. Le concours de l'École Normale supérieure, de Polytechnique, de l'E. N. A.... Candidat reçu premier au concours d'une grande école* (cacique, major). *Concours d'entrée, de sortie* (pour un classement). — Absolt. *Il prépare les concours. Bête à concours. Mettre un prix, une récompense, une bourse d'études au concours. Obtenir un prix, un accessit, une médaille, une mention au concours. Le CAPES, l'agrégation sont des concours. Concours littéraire. Concours de peinture.*

11   Dans cette école qui aboutit à un concours, l'émulation conduit à des excès et à des prodiges; on voit des hommes qui s'exercent toute leur vie.
      TAINE, Philosophie de l'art, t. II, IV, III, II, p. 191.

12   Pour me remettre du service militaire, des années de bahut qui ont précédé, voici Honoré, l'érudition virulente, les embuscades successives des examens et des concours.
      J. ROMAINS, les Hommes de bonne volonté, t. IV, XV, p. 147.

Concours général, auquel participent les meilleurs élèves des lycées de France. *Prix de latin au concours général.*

Loc. *Mettre une question au concours,* la proposer comme sujet d'un concours.

♦ **2** Suite d'épreuves organisées (→ **Jeu**) et dotées de prix. *Grand concours publicitaire. Concours doté de nombreux prix.*

Concours d'élégance, de beauté. — *Concours agricole.* → **Comices, exposition.**

♦ **3** (1864, *in* Petiot). Sports. Épreuve où les concurrents se disputent les prix. *Concours de tir.* — (1889; angl. *concourse*). Épreuve de saut ou de lancer (opposé à *course*). *Les courses et les concours dans un championnat d'athlétisme.*

(1860, «concours où l'on comparait et jugeait des chevaux de selle»; sens mod. 1870, *in* Petiot). *Concours hippique* : épreuve d'obstacles pour chevaux montés. *Concours complet d'équitation,* disputé en trois jours avec le même cheval pour un cavalier (épreuves : dressage, steeple-chase, cross-country, jumping*).

♦ **4** *Être, être mis hors concours* : être classé hors des compétiteurs.

HORS CONCOURS ou **HORS-CONCOURS,** loc. adv. *Courir hors-concours.* Loc. adj. :

a Vx. Qui n'est plus admis à concourir, qui est exclu de la compétition, disqualifié.

b Mod. Exclu de la compétition par sa supériorité reconnue; classé à part. *Concurrent hors-concours.* → **Hors-concours** (n. m.).

DÉR. Concouriste. ◊ **HOM.** Formes du v. **concourir.**

CONCRESCENCE [kɔ̃kʀesɑ̃s] adj. — 1884, Van Tieghem; dér. du lat. *concrescere* «croître ensemble».

♦ **1** Bot. Soudure normale de deux organes végétaux qui ont crû ensemble côte à côte.

♦ **2** Pathol. Croissance commune (de parties primitivement séparées). *Concrescence de deux racines dentaires.*

CONCRESCENT, ENTE [kɔ̃kʀesɑ̃, ɑ̃t] adj. — Av. 1929, Larousse; du lat. *concrescere,* de *con-,* et *crescere* «croître» cf. anc. franç. *concroistre.*

♦ **1** Bot. Soudé avec l'organe voisin qui a poussé en même temps. *Pétales concrescents.*

♦ **2** Pathol. Atteint de concrescence.

CONCRET, ÈTE [kɔ̃kRɛ, ɛt] adj. et n. m. — 1508,
«solide»; lat. *concretus*, de *concrescere* «se solidifier».

I Vx ou littér. ♦ **1** Adj. Dont la consistance est épaisse
(opposé à *fluide*). → **Condensé, épais ; concrétion**.
Huile concrète. Boue concrète.

1   La liqueur demeure concrète et glacée.
                                      Ambroise PARÉ, XVIII, 44.

♦ **2** N. m. Techn. Produit solide obtenu après extraction des principes odorants de matières végétales
servant à faire des parfums. *Concret de jasmin.* —
REM. Dans ce sens, on rencontre aussi le n. f. *concrète.
Concrète de rose.*

II A Adj. ♦ **1** (XVIIᵉ). Philos. (opposé à *abstrait*, cit. 1).
Qui exprime quelque chose de réel sans que l'on
en isole une notion de qualité, de relation ; qui
désigne ou qualifie un être réel perceptible par
les sens. *Homme est un terme concret ; humanité,
un terme abstrait.* — *Idée, image concrète. Sens concret et sens abstrait* (souvent : figuré, métaphorique,
métonymique, etc.) *d'un mot.*

♦ **2** (1949). *Musique concrète.* → **Musique** (cit. 18 et
supra). — REM. Voici les raisons du choix du mot *concret :*

1.1   On peut (…) comparer exactement les deux démarches
musicales, l'abstraite et la concrète. Nous appliquons (…)
le qualificatif d'abstrait à la musique habituelle, du fait
qu'elle est d'abord conçue par l'esprit, puis notée théoriquement, enfin réalisée dans une exécution instrumentale.
Nous avons appelé notre musique «concrète» parce qu'elle
est constituée à partir d'éléments préexistants, empruntés
à n'importe quel matériau sonore (…) puis composée expérimentalement.
                                  P. SCHAEFFER, Polyphonie, déc. 1949.

Par ext. *Musicien concret.* — N. (le fém. semble inusité).
*Un concret. «Chez les sériels comme chez les con-
crets»* (P. Schaeffer, *la Musique concrète*, p. 27).

♦ **3** Cour. Qui peut être perçu par les sens ou imaginé comme perceptible. *Exemple concret* (portant
sur un cas particulier). *Rendre concret.* → **Concrétiser.** *Style concret.* → **Réaliste.** *Tirer d'une situation
des avantages concrets.* → **Matériel, palpable, positif,
réel.**

2   (…) deux sortes d'images : celles qui mettent sous les yeux
directement les objets du discours (…) Dans *(ce)* premier
cas, le style est concret ou pittoresque (…)
                                  Gustave LANSON, l'Art de la prose, p. 159.

3   Mais les clercs ont attisé par leurs doctrines le réalisme
des laïcs bien autrement qu'en exaltant le particulier et
flétrissant l'universel ; ils ont inscrit au sommet des valeurs
morales (…) la possession des avantages concrets…
                                  Julien BENDA, la Trahison des clercs, III, p. 178.

Par ext. *Esprit concret. Penser les choses d'une façon
concrète,* réaliste.

♦ **4** Math. *Nombre concret,* exprimé en indiquant la
nature des unités dénombrées.

B N. m. **LE CONCRET** : caractère de ce qui est concret ; ensemble des choses concrètes. → **Réel.**

4   Le poète, ce philosophe du concret et ce peintre de l'abstrait (…)
                                  HUGO, Post-Scriptum de ma vie, L'esprit,
                                                           Tas de pierres, III.

5   Ce n'est point le goût du concret, le sens de la condition humaine que je retrouve ici, mais un intellectualisme
assez débridé pour généraliser le concret lui-même.
                                  CAMUS, le Mythe de Sisyphe, p. 68.

6   L'œuvre d'art naît du renoncement de l'intelligence à raisonner le concret.
                                  CAMUS, le Mythe de Sisyphe, p. 134.

CONTR. **Fluide, liquide.** — **Abstrait.** ◊ DÉR. **Concrètement,
concréter, concrétiser, concrétude.**

CONCRÈTEMENT [kɔ̃kRɛtmɑ̃] adv. — 1927 ; de *concret ; cf. concrétivement,* XVᵉ.

♦ **1** Didact. Relativement à ce qui est concret.
Aborder concrètement un problème.

♦ **2** Cour. D'une manière concrète, en fait, en pratique. → **Pratiquement.** *Concrètement, quel avantage
en tirez-vous ?*

CONTR. **Abstraitement ; théoriquement.**

CONCRÉTER [kɔ̃kRete] v. tr. [CONJUG.: *céder.*] — 1789 ;
de *concret.*

♦ **1** Rare. Rendre concret, solide. → **Durcir, solidifier.**

♦ **2** Littér. Rendre concret, perceptible. → **Concrétiser.**
En l'articulant, elle avait précisé et comme concrété un
sentiment vague dont elle ne pourrait plus secouer l'obsession.   Paul BOURGET, Un divorce, VII, p. 230.

♦ **SE CONCRÉTER** v. pron. (1835, *in* D.D.L.). Vx ou littéraire.

♦ **1** S'épaissir, se solidifier.

♦ **2** Se concrétiser. *Les pensées se concrètent autour
d'une figure qui leur est jetée par hasard* (Balzac,
in G.L.L.F.).

CONTR. **Liquéfier, abstraire.**

CONCRÉTION [kɔ̃kResjɔ̃] n. f. — 1537 ; lat. *concretio,*
du supin de *concrescere.* → **Concret.**

♦ **1** Le fait de prendre une consistance plus solide.
→ **Épaississement, solidification.** *La concrétion de
l'huile sous l'action du froid.* → **Congélation.**

♦ **2** Réunion de parties en un corps solide ; ce corps.
— Géol. *Concrétion saline, calcaire, pierreuse. Concrétion en dépôt, en stalactites… Des concrétions à
la surface d'une pierre.*

1   Lorsque l'eau n'est chargée que de molécules de sable
calcaire pur, son sédiment forme une concrétion calcaire
tendre.
                                  BUFFON, Hist. des minéraux, t. V, p. 145,
                                                           in POUGENS.

2   Le soufre, formant des croûtes et des concrétions cristallines, tapissait le sol.
                                  J. VERNE, les Enfants du capitaine Grant, t. III,
                                                           p. 183.

Méd. *Corps étranger* (qui se forme dans les tissus,
les organes…) → **Bézoard, calcul, nodus, pierre,
tophus.** *Concrétions arthritiques, calcaires.*

♦ **3** Fig., littér. Fait de rendre concret, perceptible.
→ **Concrétisation.**

CONTR. **Amollissement, fusion, liquéfaction.** ◊ DÉR. **Concrétionné.**

CONCRÉTIONNÉ, ÉE [kɔ̃kResjɔne] adj. — 1801 ; de
concrétion.

♦ **1** Géol. Formé par concrétion. *Roche, calcaire concrétionnés.*

♦ **2** Littér. Qui ressemble à une concrétion géologique.
(…) une perspective de coups de canons, crachant de gros
nuages concrétionnés, ressemblant à des déroulements
d'entrailles.
                                  Ed. et J. DE GONCOURT, Journal, t. IV, p. 72.

CONCRÉTISATION [kɔ̃kRetizasjɔ̃] n. f. — 1936 ; de
concrétiser.

Fait de se concrétiser, de devenir concret ou réel.
La concrétisation de ses espoirs. → **Réalisation.** *La
concrétisation d'une idée en mots.*

Chose concrétisée. *Son succès constitue la concrétisation de plusieurs années d'espoir.*

CONTR. **Abstraction.**

CONCRÉTISER [kɔ̃kʀetize] v. tr. — 1890 ; de *concret*.

◆ **1** Rendre concret (ce qui était abstrait). → **Matérialiser, préciser.** *Concrétiser une idée en mots.* → **Formuler.** *Concrétiser un sentiment par un acte, une décision.*

◆ **2** Plus cour. *Concrétiser ses aspirations.* → **Réaliser.**

◆ **SE CONCRÉTISER** v. pron.

Devenir concret. → **Manifester** (se), **traduire** (se). *Son mécontentement se concrétisa par sa démission. — Ses aspirations se sont concrétisées.*

(...) son impression se concrétisait dans cette phrase vague, qu'elle se répétait avec accablement : «Rien de bon ne peut sortir de là» (...) MARTIN DU GARD, les Thibault, t. VIII, p. 54.

CONTR. **Abstraire, idéaliser.** ◊ DÉR. **Concrétisation.**

CONCRÉTUDE [kɔ̃kʀetyd] n. f. — 1951, Piéron ; de *concret*, d'après l'anglais *concreteness*.

Psychol. État mental caractérisé par l'impossibilité d'élaborer des idées sans recours à des données concrètes.

CONÇU, UE [kɔ̃sy] p. p. adj. → **Concevoir.**

CONCUBIN, INE [kɔ̃kybɛ̃, in] n. — 1213, *concubine* ; masc., XIVᵉ ; lat. *concubina* «concubine», de *concumbere*, de *con-* (cum), et *cumbere* «coucher (avec)».

◆ **1** Personne qui vit en état de concubinage, qui a des relations sexuelles régulières (avec qqn) sans être mariée. → **Amant** (cit. 16), **ami(e), compagne, compagnon, maîtresse.** *Des concubins. Les concubines royales. Entretenir une concubine au domicile conjugal.* → Adultère, cit. 7.

1 Quand l'on devient malade, l'on quitte sa concubine, et l'on croit en Dieu.
LA BRUYÈRE, les Caractères, XVI, 6.

2 (...) une concubine, pleine de toupet, à qui tout cède, qui donne des ordres, qui change de sa propre autorité la place des meubles, le pli des tentures, et devant qui la plus vieille servante s'évanouit en tremblant.
J. ROMAINS, les Copains, III, p. 122.

3 (...) sa très chère fille universellement décriée pour son incontinence et le malpropre choix de ses concubins.
Léon BLOY, le désespéré, p. 102.

REM. Le mot, de littéraire et péjoratif, est devenu moralement plus neutre, mais n'est plus que d'un usage juridique ou plaisant, comme ses dérivés. La série, comme celle de *concupiscence*, est marquée par la présence de «syllabes sales» qui prêtent à sourire.

◆ **2** N. f. (1721). Hist. rom. Femme mariée sous le régime du concubinat.

DÉR. **Concubinage, concubiner.**

CONCUBINAGE [kɔ̃kybinaʒ] n. m. — V. 1377 ; de *concubine*. → Concubin.

Dr. ou par plais. État d'un homme et d'une femme qui vivent comme mari et femme sans être mariés. → **Collage** (fam.), **liaison, union** (libre). *Vivre en concubinage.* → fam. Se marier du côté gauche, derrière la mairie, à la mairie du XXIᵉ (arrondissement fictif de Paris). Dr. *Concubinage notoire. Personne vivant en concubinage.* → **Concubinaire, concubin ;** aussi **colle** (pop. : être, vivre à la colle). *Certificat, contrat de concubinage.* → aussi **PACS.** — Par ext. *Concubinage homosexuel.*

1 (...) Quoi ? débuter d'abord par le mariage !
Et par où veux-tu donc qu'ils débutent ? par le concubinage ? MOLIÈRE, les Précieuses ridicules, 4.

2 On avait vu, sous le Directoire, l'usage dégénérer aux plus monstrueux abus, des hommes, des femmes contracter, en cinq ans, trois et quatre unions — ce qui, suivant l'expression d'un contemporain — réduisait le mariage à «n'être

qu'un concubinage légal».
Louis MADELIN, le Consulat, XII, p. 184.

3 L'adultère, en dépit de quelques scrupules, lui semblait cent fois plus tolérable que ce concubinage d'essai.
J. ROMAINS, les Hommes de bonne volonté,
x, p. 137.

Par métaphore. Liaison. «*L'incessant concubinage du luxe et de la misère*» (Balzac, *in* T. L. F.).

CONCUBINAIRE [kɔ̃kybinɛʀ] n. et adj. — 1391 ; bas lat. *concubinarius*, de *concubina*. → Concubin.

Vieux.

◆ **1** N. Personne qui vit en état de concubinage.

◆ **2** Adj. Qui vit en concubinage.

(...) deux ou trois prêtres soi-disant mariés, mais en réalité concubinaires (...) BARBEY D'AUREVILLY, les Diaboliques,
«À un dîner d'athées».

CONCUBINAT [kɔ̃kybina] n. m. — 1845 ; av. 1598, «concubinage» ; lat. *concubinatus*, de *concubina*. → Concubin.

Dr. et hist. rom. Sous Auguste, Union licite, devenue durant le Bas-Empire une sorte de mariage inférieur, quoique légal.

CONCUBINE [kɔ̃kybin] n. f. → **Concubin.**

CONCUBINER [kɔ̃kybine] v. — 1507 ; de *concubin*.

Vieux ou par plaisanterie.

I V. tr. ind. *Concubiner avec (qqn)* : vivre en concubinage avec (qqn).

Que diable ! lui qui concubinait avec une servante dans sa propre maison, ne pouvait guère s'encolérer parce que sa femme ne guérissait pas !
BARBEY D'AUREVILLY, les Diaboliques,
«Le bonheur dans le crime».

II V. tr. (1951). Rare (par plais. ; semble n'être qu'un emploi d'auteur). Vivre en concubinage avec.

Elle est allée à l'enterrement du monsieur qui concubinait sa mère à Paris.
R. QUENEAU, le Dimanche de la vie, p. 110.

CONCUPISCENCE [kɔ̃kypisɑ̃s] n. f. — 1265 ; lat. *cupiscentia*, de *concupiscere* «désirer ardemment», de *con-* (cum), et *cupiscere*, de *cupere* «désirer». → Cupide.

◆ **1** Théol. Désir vif des biens terrestres. → **Appétit, désir ; convoitise, cupidité.** *Les trois concupiscences de la philosophie classique sont le désir de savoir, de sentir et de dominer.*

1 Ô Dieu, encore un coup qui oserait parler de cette profonde et honteuse plaie de la nature, de cette concupiscence qui lie l'âme au corps par des liens si tendres et si violents, dont on a tant de peine à se déprendre, et qui cause aussi dans le genre humain de si effroyables désordres ? BOSSUET, Traité de la concupiscence, 4.

2 Tout ce qui est au monde est concupiscence de la chair, ou concupiscence des yeux, ou orgueil de la vie : *libido sentiendi, libido sciendi, libido dominandi.*
PASCAL, Pensées, VII, 458.

3 La concupiscence nous est devenue naturelle, et a fait notre seconde nature. Ainsi il y a deux natures en nous : l'une bonne, l'autre mauvaise.
PASCAL, Pensées, X, 660.

4 (...) véritablement je ne sache rien de plus hideux à voir pour quelqu'un de sang-froid que cet obscène et sale maintien, et ce visage affreux enflammé de la plus brutale concupiscence. ROUSSEAU, les Confessions, II.

5 Plus qu'un noble goût intellectuel, sa passion pour les lieux saints est une concupiscence paysanne de posséder la terre. M. BARRÈS, la Colline inspirée, II, p. 32.

6 (...) l'appétit de souffrir est, lui aussi, une concupiscence.
F. MAURIAC, Souffrances et Bonheur du chrétien, p. 71.

♦ **2** Vieilli ou par plais. **Penchant aux plaisirs des sens.** *La concupiscence de la chair* (→ **Amour, chair, sens; sensualité; bestialité...;** → Péché, cit. 11). *Exciter la concupiscence de qqn. Regarder qqn avec concupiscence.*

REM. Plus encore que *concubin* et ses dérivés, les mots issus du latin *concupiscere,* par leur sonorité, prêtent à la plaisanterie; leur usage sérieux, dominant dans la langue classique, se borne aujourd'hui au langage théologique et didactique, ou au pastiche de ce langage.

7 Son année de philosophie, comme il arrive trop souvent sous la direction de maîtres athées, lui fut particulièrement funeste. Il n'y apprit le mécanisme des passions humaines que pour mieux s'asservir aux siennes et utiliser celles d'autrui. Il se mit à fumer, à boire et à regarder les femmes avec des yeux tout brillants d'une vilaine concupiscence.
M. AYMÉ, le Passe-muraille, «Légende poldève».

CONTR. **Désintéressement, détachement** (des biens de ce monde). — **Chasteté, continence, pureté.** ◊ DÉR. V. **Concupiscer.**

CONCUPISCENT, ENTE [kɔ̃kypisã, ãt] adj. et n. m.
— 1558, rare jusqu'au XIXᵉ; lat. *concupiscens,* de *concupiscere.* → Concupiscence.

Littér. ou par plais. (→ Concupiscence, REM.). **Relatif à la concupiscence; empreint de concupiscence.** *Des regards concupiscents.*

1 Les narines palpitèrent, une lueur concupiscente s'alluma dans les prunelles.
Jean-Louis CURTIS, le Roseau pensant, p. 40.

N. *Un concupiscent, une concupiscente.* → **Lascif, sensuel.**

2 (...) des concupiscents acharnés à jouir.
F. MAURIAC, Souffrances et Bonheur du chrétien, p. 48.

CONTR. **Chaste, pur.**

CONCUPISCER [kɔ̃kypise] v. intr. — 1896; du rad. de *concupiscence,* ou repris au lat. *concupiscere.*

Rare, par plais. **Être rempli de désirs charnels.** «*Elles concupiscent toutes*» (S. Guitry, *Tu m'as sauvé la vie*).

CONCUPISCIBLE [kɔ̃kypisibl] adj. — XIVᵉ; lat. *concupiscibilis,* de *concupiscere.* → Concupiscent.

♦ **1** Théol. **Qui est le principe du désir.** *Appétit* (cit. 2) *concupiscible.*

Les anciens philosophes, en analysant l'âme humaine, y admettaient trois facultés, la concupiscible, l'irascible et la raisonnable.
BERNARDIN DE SAINT-PIERRE, Harmonies..., V, Harmonie des animaux.

♦ **2** Littér. et par plais. **Qui excite le désir.** «*Un aimable troupeau de courtisanes aux jambes concupiscibles*» (Willy, *la Mouche des croches,* p. 230, *in* T. L. F.).

CONCURREMMENT [kɔ̃kyʀamã] adv. — 1596; de *concurrent.*

♦ **1** Par un concours mutuel, une rencontre. → **Conjointement, ensemble; concert** (de). *Agir concurremment avec qqn. Ils ont agi concurremment.*

Il faut que le criminel, concurremment avec la loi, se choisisse des juges.
MONTESQUIEU, Esprit des lois, XI, 6.

Dr. À titre égal. *Créanciers qui viennent concurremment.* → **Concourir.** — Cour. *Exercer concurremment un pouvoir.*

♦ **2** (1690). Rare. **En concurrence*.** *Ils se présentèrent concurremment pour cette place.*

CONCURRENCE [kɔ̃kyʀãs] n. f. — V. 1370, «rencontre»; de *concurrent.*

♦ **1** Vx. **Rencontre.** — (1690). Théol. *Concurrence d'offices :* coïncidence des offices de deux fêtes doubles consécutives, aux secondes vêpres.

♦ **2** (1740, *jusques à la concurrence de,* 1559). Loc. *Jusqu'à concurrence de,* jusqu'à ce qu'une somme parvienne à en égaler une autre. *Il doit rembourser jusqu'à concurrence de cent mille francs.* Techn. *Somme payable jusqu'à une concurrence de...*

(...) une version heureuse de la journée, qui les porta, selon leur façon d'entendre l'hospitalité, à réunir leurs fils et filles jusqu'à concurrence de quatre pour me jouer un quatuor (...).
GIRAUDOUX, Siegfried et le Limousin, p. 87.

(1690). Dr. **Égalité entre plusieurs personnes sur une question de droit, de privilège, d'hypothèque** (→ **Concourir, concours**).

♦ **3** (1559). Vieilli ou littér. **Rivalité entre plusieurs personnes, plusieurs forces poursuivant un même but, et tentant de se supplanter mutuellement.** → **Compétition, concours, rivalité.** *Une concurrence âpre, sévère; dangereuse. Se faire concurrence. La concurrence de rivaux. Être, se trouver en concurrence avec un adversaire, un antagoniste, un émule, un rival. Entrer en concurrence avec qqn.* → **Brisée** (aller sur les brisées).

N'est-ce pas une chose épouvantable, qu'un fils qui veut entrer en concurrence avec son père?
MOLIÈRE, l'Avare, IV, 4.

Il y avait, en Proudhon, l'étoffe de deux hommes qui se firent continuellement concurrence, le savant et l'écrivain.
SAINTE-BEUVE, Proudhon, Sa vie et sa correspondance, p. 88.

Toute guerre est bourgeoise, car la guerre est fondée sur la compétition, sur la rivalité, sur la concurrence (...)
Ch. PÉGUY, la République..., févr. 1900, p. 19.

La concurrence (qui est l'un des traits les plus frappants de l'ère moderne), a atteint de très bonne heure, en Méditerranée, une intensité singulière : concurrence des négoces, des influences, des religions.
VALÉRY, Variété III, p. 247.

N'oublions pas que la concurrence la plus pressante est une des dures conditions du temps actuel. Jusque dans la science, jusque dans les sports, les nations se disputent chaque jour la prééminence.
VALÉRY, Variété IV, p. 203.

Certains officiers essayaient de me la souffler, Lola. Leur concurrence était redoutable, armés qu'ils étaient, eux, des séductions de leur Légion d'honneur.
CÉLINE, Voyage au bout de la nuit, p. 54.

Fig. *Être, entrer en concurrence avec... :* être, entrer en balance avec...

Nul intérêt n'est jamais entré dans son âme en concurrence avec la vérité.
MASSILLON, Oraison funèbre Conty.

Biol. *Concurrence vitale :* lutte* entre plusieurs espèces pour leur survie. → **Sélection** (naturelle).

♦ **4** (1648, *in* T. L. F.). Mod. et cour. **Rapport entre producteurs, entre commerçants qui se disputent une clientèle** (→ **Concurrent,** 4.). *Libre concurrence :* régime qui laisse à chacun la liberté de produire, de vendre ce qu'il veut, aux conditions qu'il choisit (→ **Libéralisme**). *La libre concurrence a fait son temps* (→ Marché, cit. 29). *Concurrence illicite, déloyale* (→ **Fraude**). *Prix défiant toute concurrence :* prix très bas. *Concurrence par dumping*. Restrictions à la concurrence par les monopoles* (trusts, cartels...). *Ces deux commerçants se livrent une concurrence acharnée, très vive. Personne ne leur fait concurrence. Les effets, le jeu de la concurrence.* → **Concurrentiel.** Ensemble des producteurs, des commerçants concurrents. *La concurrence nous a*

0.1.

privé d'une partie de la clientèle. La concurrence internationale.

8 C'est la concurrence qui met un prix juste aux marchandises. MONTESQUIEU, l'Esprit des lois, XX, 10.

9 Si la concurrence n'était qu'une forme de l'émulation, elle assurerait la victoire au plus moral, au plus dévoué, au plus altruiste, et alors elle serait un instrument de progrès et de sélection véritable. Mais comme elle est aussi une forme de la lutte pour la vie, elle assure la victoire au plus fort et au plus habile, et par là, elle peut même entraîner une véritable rétrogradation morale.
Charles GIDE, Cours d'économie politique, I, p. 213.

Vx. Entreprise qui fait concurrence à une autre. *Fonder une concurrence. Créer une concurrence à une autre entreprise.*

CONTR. **Association, entente; monopole.** ◊ DÉR. **Concurrencer. — (Du sens 4) Concurrentiel.**

CONCURRENCER [kɔ̃kyRɑ̃se] v. tr. [CONJUG.: *placer.*]
— 1868; de *concurrence.*

Faire concurrence (commercialement ou non) à. *Cette entreprise concurrence dangereusement l'industrie française.* → **Menacer.**

Pron. *Des entreprises qui se concurrencent.*

CONCURRENT, ENTE [kɔ̃kyRɑ̃, ɑ̃t] adj. et n.
— 1119; lat. *concurrens,* p. prés. de *concurrere* «accourir ensemble». → Concourir.

♦ 1 Astron. *Jours concurrents,* ou, n. m. pl., *les concurrents :* jours qui s'ajoutent aux cinquante-deux semaines de l'année pour faire concorder l'année civile avec l'année solaire.

♦ 2 (XVIᵉ). Vieilli. Qui se rencontre avec; qui concourt au même but que d'autres. *Forces concurrentes.* → **Concourant.** *Autorité concurrente à une autre.*

1 Il y a des muscles qui se meuvent ensemble, en concours et en même sens, pour s'aider les uns les autres; on les peut appeler concurrents.
BOSSUET, Traité de la Connaissance de Dieu, II, 3.

N. *Le concurrent, la concurrente de...*

2 (Trois saints) Portés d'un même esprit, tendaient à même but (...)
Tous chemins vont à Rome : ainsi nos concurrents
Crurent pouvoir choisir des sentiers différents.
LA FONTAINE, Fables, XII, 24.

♦ 3 N. Personne qui cherche, en même temps qu'une ou plusieurs autres, à obtenir quelque chose. → **Compétiteur, contendant** (VX), **émule, rival.** *Avoir l'avantage sur ses concurrents. Éliminer, éloigner, distancer ses concurrents. Vaincre, écarter, supplanter un concurrent. Concurrent malheureux. Concurrent sérieux; concurrent négligeable. Les concurrents ont tous pris part au concours.* → **Candidat.**
(1855, in Petiot). Participant à une compétition sportive. → **Champion, participant.** *Les concurrents ont pris le départ dans la course.* → **Champion, participant.** *Les concurrents de la transatlantique. Une centaine de concurrents sont engagés dans la course.*

3 On dit que Psyché lui dispute (*à Vénus*) la prééminence de ses charmes; c'est justement le moyen de la rendre furieuse; sa concurrente fera fort bien de ne pas tomber entre ses mains. LA FONTAINE, Psyché, II, p. 117.

4 Il (*Leibniz*) excite tout le monde à travailler; il se fait des concurrents s'il peut.
FONTENELLE, Éloge de Leibniz.

5 (...) des concurrents qui sont prêts à acheter toutes les complicités ?
MARTIN DU GARD, les Thibault, t. III, p. 89.

♦ 4 Fournisseur, commerçant qui fait concurrence* (4.) à d'autres. *Son concurrent vend moins cher que lui. Il n'a pas un seul concurrent* (→ **Monopole**). *Ses concurrents le forcent à améliorer la qualité de sa marchandise.*

6 Vos concurrents n'ont pas craint de morceler leurs expéditions, comme de petits marchands; ils ont imposé leur nom par la réclame (...)
J. CHARDONNE, les Destinées sentimentales, p. 60.

Adj. *Produit concurrent (d'un autre). Entreprises concurrentes.*

CONTR. **Associé.** ◊ DÉR. **Concurremment, concurrence.**

CONCURRENTIEL, IELLE [kɔ̃kyRɑ̃sjɛl] adj.
— 1872; de *concurrence,* 4.

Didact., technique.

♦ 1 Où s'exerce la concurrence. *Marché concurrentiel. «Situation concurrentielle»* (P. de Calan, Le coton et l'industrie cotonnière, p. 109).

Quelles que soient les considérations subjectives développées par les capitalistes libéraux sur la valeur d'usage, la thèse marxiste de la valeur d'échange est ici irréfutable, tout au moins en économie de marché.
Raymond ABELLIO, Ma dernière mémoire, t. II, p. 157.

♦ 2 Qui fait concurrence à... *Société concurrentielle d'une autre. Compagnies concurrentielles. Entreprises concurrentielles.* — REM. Le mot ne désigne que le fait objectif de la lutte des concurrents; *compétitif* * y ajoute l'idée d'une capacité à survivre (ou à prospérer) dans une situation de concurrence, ce dernier adjectif est cependant employé abusivement dans ce dernier sens.
Prix concurrentiels, qui permettent de soutenir la concurrence.

CONCUSSION [kɔ̃kysjɔ̃] n. f. — 1539, *Recueil des anciennes lois françaises,* in D.D.L.; «commotion, secousse», v. 1300; lat. *concussio,* de *concutere* «frapper».

Dr. et didact. Perception illicite par un agent public de sommes qu'il sait ne pas être dues. → **Exaction, malversation, péculat.** *Exercer des concussions. Être accusé de concussion. Le crime, le délit de concussion.*

1 Tous fonctionnaires, tous officiers publics (...) qui se seront rendus coupables du crime de concussion, en ordonnant de percevoir ou en exigeant ou en recevant ce qu'ils savaient n'être pas dû ou excéder ce qui était dû pour droits, taxes, contributions (...) seront punis (...) de la peine de la réclusion (...) Code pénal, art. 174.

2 Tel était le dédale effroyable où les passions engageaient un des hommes les plus probes jusqu'alors (...) : la concussion pour solder l'usure, l'usure pour fournir à ses passions pour marier sa fille.
BALZAC, la Cousine Bette, Pl., t. VI, p. 257.

3 Mais ces gouvernants mêmes s'exposaient aux rancunes des misérables en menant une vie fort luxueuse, produit, disait-on, de leurs concussions.
Louis MADELIN, l'Ascension de Bonaparte, XIII, p. 182.

4 «Oui, oui, grommelait le maître d'hôtel, mais tout cela pourrait bien changer, les ouvriers doivent faire une grève au Canada et le ministre a dit à Monsieur qu'il a touché pour ça deux cent mille francs.» Le maître d'hôtel était loin de l'en blâmer, non qu'il ne fût lui-même parfaitement honnête, mais croyant tous les hommes politiques véreux, le crime de concussion lui paraissait moins grave que le plus léger délit de vol.
PROUST, le Côté de Guermantes, t. I, Folio, p. 31.

DÉR. **Concussionnaire.**

CONCUSSIONNAIRE [kɔ̃kysjɔnɛR] adj. et n. — 1559; de *concussion.*

Dr. et didactique.

♦ 1 Qui commet des concussions. *Fonctionnaire concussionnaire.*

1 (...) il importait assez peu que Topaze fût ou non concussionnaire (...) Emmanuel BERL, le Virage, p. 141.

Nom :

2 On verra des nuées de concussionnaires s'abattre sur le
   trésor public.
                FRANCE, Opinions de J. Coignard, Œ., t. VIII, VII,
                                                      p. 391.

♦ **2** (Rare). Relatif aux concussions.

3 Elle leur parlait dans l'enthousiasme, ne pouvant résister
   à la tentation de leur faire partager sa récente initiation
   et sa compréhension maintenant parfaite de la technique
   concussionnaire des agents de Kam.
                M. DURAS, Un barrage contre le Pacifique, p. 56.

CONCUTEUR [kɔ̃kytœʀ] n. m. — 1908, cit. ci-dessous;
du lat. *concutere* «frapper». → Concussion.

Techn. Pièce qui vient frapper l'amorce dans certains obus (→ **Percuteur**).

(Dans les fusées actuelles) une rondelle de poudre comprimée s'enflamme au départ, par suite du choc d'un
concuteur sur une capsule fulminante.
                ALVIN, Leçons d'artillerie, p. 232, in D. D. L.

CONDAMNABLE [kɔ̃danabl] adj. — 1404; de *condamner*.

Qui mérite d'être condamné. → **Blâmable, critiquable, déplorable, répréhensible.** *Action, attitude,
opinion condamnable. Un homme condamnable. Il
n'est pas condamnable.*

1 C'est une proposition condamnable dans toutes les terres
   de la philosophie.   MOLIÈRE, le Mariage forcé, 4.
2 Je trouve condamnable une telle action (...)
                           MOLIÈRE, le Dépit amoureux, III, 4.
3 O d'un si grand service, oubli trop condamnable !
                                   RACINE, Esther, II, 3.
4 Deux tomes très condamnables et très brûlables, que de
   charitables âmes m'ont fait la grâce de m'imputer.
                      VOLTAIRE, Lettre à d'Argental, 13 avr. 1773.
5 (...) ainsi trouvant parmi nos sentiments actuels des répu-
   gnances folles et des goûts condamnables (...)
                      A. MAUROIS, le Cercle de famille, I, p. 13.

CONTR. Irréprochable, louable, recommandable.

CONDAMNATEUR, TRICE [kɔ̃danatœʀ, tʀis] n.
— 1776; *condemnateur*, déb. XVIᵉ; lat. *condemnator*,
de *condemnare*. → Condamner.

Rare. Personne qui condamne.

CONDAMNATION [kɔ̃danasjɔ̃] n. f. — XIIIᵉ, *condemp-
nation*; lat. *condemnatio*, du supin de *condemnere*
(→ Condamner), devenu *condamnation* par attr. de
damner.

♦ **1** Décision de justice qui condamne une personne à une obligation ou à une peine. → **Arrêt,
jugement, sentence.** *La condamnation de l'accusé par les juges. Condamnation pour vol, pour
meurtre. Infliger une condamnation à qqn, prononcer une condamnation contre qqn.* → **Astreinte,
peine, punition, sanction.** *Porter une condamnation contre qqn. Encourir une condamnation sévère.
Subir une condamnation.*
Dr. *Condamnation contradictoire*. Condamnation
par contumace*, par défaut*. Condamnation à une
peine afflictive, à une peine infamante. — Condamnation à une amende, aux dépens, aux dommages-
intérêts. Condamnation par laquelle on perd ses
biens.* → **Confiscation.** *Condamnation à la prison;
aux travaux forcés à perpétuité, à temps. Condamnation politique.* → **Bannissement, déportation, exil,
expatriation, indignité** (nationale), **proscription.** *Condamnation religieuse.* → **Anathématisation, bûcher,
damnation, excommunication, interdit.** *Condamnation au supplice. Condamnation à mort* (cf. Arrêt
de mort). — **Loc.** *Passer condamnation :* accepter
d'être condamné sans se défendre; **fig.** admettre

qu'on a eu tort, et, par ext., revenir sur son jugement. *Ne discutons plus; je passe condamnation.*
— *Aggravation d'une condamnation* (fam. rallonge).
Réduire une condamnation. → **Commuer.** *Annuler
une condamnation.* → **Amnistie, grâce, réhabilitation, rémission.** *Fiche personnelle où sont reportées
les condamnations.* → **Casier** (judiciaire).

1 Il *(Calas)* ne put répondre quand il fut traîné sur la sel-
   lette; son trouble servit à sa condamnation.
                      VOLTAIRE, Politique et Législation,
                                   Lettre à E. de Beaumont.
2 La réhabilitation est acquise de plein droit au condamné
   qui n'a, dans les délais ci-après déterminés, subi aucune
   condamnation nouvelle à l'emprisonnement ou à une
   peine plus grave pour crime ou délit (...)
                      Code d'instruction criminelle, art. 620.
3 (...) si le frère de Louis XVI passait condamnation sur le
   passé d'un Fouché, comment la présence de l'ex-évêque
   d'Autun pourrait-elle maintenant être tenue pour «scandaleuse»?
                      Louis MADELIN, Talleyrand, IV, XXXII, p. 357.

Décision de justice qui condamne une chose (et
par conséquent son auteur). *Condamnation de la
fraude. Condamnation de «Madame Bovary», des
«Fleurs du Mal», comme contraires aux bonnes
mœurs. Condamnation du luthéranisme par le
Pape.* → **Index** (mise à l'), **interdiction, interdit, prohibition.**

Fig. *Prononcer la condamnation d'un malade,* le
déclarer perdu.

Par ext. *Condamnation à :* fait d'être obligé de.

3.1 C'était le drame de sa vie intime que cette inaptitude
     au contact, cette condamnation à demeurer incommuni-
     cable !
                      MARTIN DU GARD, les Thibault, Épilogue, p. 880.

♦ **2** Action de critiquer (qqn, qqch.) en portant un
jugement de réprobation complète. → **Accusation,
animadversion, attaque, censure, critique, désaveu,
procès, réprimande, réprobation.** *La condamnation
du prochain. Condamnation d'un sentiment; condamnation d'opinions, d'idées, de théories. Lire la
condamnation de qqch., de qqn sur le visage de qqn.
Condamnation des mœurs, des abus (*→ Flétrir*). La
condamnation du luxe romain par Caton l'Ancien.
Condamnation du style de Desportes par Boileau, de
la rime riche par Verlaine. Condamnation absolue,
sans appel.*
Par ext. *Ce livre est la condamnation du régime
actuel. Ce décret est la condamnation de la liberté.*
→ **Négation.** *Signer la condamnation d'un projet.*

4 Je trouve non seulement dans Calvin (...) mais encore dans
   les synodes nationaux des condamnations expresses de
   ceux qui confondent le gouvernement civil avec le gouvernement ecclésiastique.
                      BOSSUET, Hist. des Variations, X.
5 Notre amour-propre souffre plus impatiemment la condamnation de nos goûts que de nos opinions.
                      LA ROCHEFOUCAULD, Maximes, 13.
6 (...) ce qui ment, ce qui pose, ce qui est à la fois condamnation de la passion et la grimace de la vertu, me révolte
   par tous les bouts.
                      FLAUBERT, Correspondance, t. II, p. 254.
7 (...) il est beaucoup plus facile de répéter une condamnation que de motiver une accusation (...)
                      Ch. PÉGUY, la République..., p. 34.
8 Mais sur la condamnation des civilisations de masses (et
   cela dans tous les pays) je crois qu'il *(Duhamel)* transigerait
   moins que jamais (...)
                      A. MAUROIS, Études littéraires, t. II, p. 82.

**CONTR. Absolution, acquittement, non-lieu. — Apologie,
appréciation, approbation, éloge, prescription.** ◊ **COMP.
Recondamnation.**

CONDAMNATOIRE [kɔ̃danatwaʀ] adj. — 1559; XVᵉ,
condemnatoire; de *condamner*.

Dr. Qui condamne. *Sentence condamnatoire.*

CONDAMNER [kõdane] v. tr. — XVIᵉ, par attr. de *damner; condemner,* XIIᵉ ; p. p. *condemneto* «blessé», Xᵉ ; lat. *condemnare,* de *con-* (*cum,* intensif), et *damnare.* → Damner.

♦ **1** Frapper (qqn) d'une peine, faire subir une punition à (qqn), par un jugement. *Condamner un coupable. Condamner à tort un innocent.* → **Erreur** (judiciaire). *Les juges le condamnèrent sévèrement* (→ fam. Sucrer). *Condamner qqn pour crime, pour vol, le condamner par défaut, par contumace.* — *La loi condamne les faux témoins. Condamner qqn aux dépens.*

1 Celui qui absout le coupable et celui qui condamne le juste sont tous deux en abomination à Yahweh.
BIBLE (CRAMPON), *Proverbes,* XVII, 15.

2 On en vient au partage, on conteste, on chicane.
Le juge sur cent points tour à tour les condamne.
LA FONTAINE, *Fables,* IV, 18.

3 C'est de lui que les nations tiennent ce grand principe :
Qu'il vaut mieux hasarder de sauver un coupable que de condamner un innocent. VOLTAIRE, *Zadig,* VI.

4 (...) les juges absolvent les pharisiens qui l'ont crucifié et condamnent la Madeleine qu'il releva de ses mains divines.
FRANCE, *la Rôtisserie de la reine Pédauque,* Œ., t. VIII, p. 502.

Condamner (qqn) *à* (qqch., faire qqch.) : obliger (qqn) en guise de punition à (faire qqch.), à subir (une peine). *Condamner qqn à une peine. Condamner qqn à payer une amende. Condamner un coupable à la prison, à la déportation, aux travaux forcés. Condamner des criminels au supplice, au feu, à la corde, à mort.* Fig. *Condamner les pécheurs à l'enfer.* → **Damner.**

5 L'Évêque et l'Inquisiteur remirent le coupable à la Cour séculière qui, retenant les captures d'enfants et les meurtres, prononça la peine de mort et la confiscation des biens. Prélati, leurs complices, furent en même temps condamnés à être pendus et brûlés vifs.
HUYSMANS, *Là-bas,* XVII, p. 247.

6 Les indigents ne furent condamnés formellement ni au feu, ni à l'écartèlement, ni à l'estrapade, ni à l'écorchement, ni au pal, ni même à la guillotine.
Léon BLOY, *le Désespéré,* V, p. 253.

(Sujet n. de chose). *Ses aveux, des circonstances aggravantes condamnent l'accusé.*

Vx. *Condamner qqn en dommages et intérêts.* — *Condamner qqn de payer.*

(Compl. n. de chose). *Condamner un ouvrage, un livre.* → **Censurer, interdire.**

(1704). *Condamner un malade,* le déclarer incurable dans une maladie mortelle. *Il n'y a plus d'espoir, les médecins l'ont condamné.* (Surtout au passif et p. p. → ci-dessous, Condamné, 2.).

♦ **2** (1578). *Condamner* (qqn) *à...* : obliger (qqn) à (faire une chose pénible). → **Astreindre, contraindre, forcer.** *Condamner qqn à une besogne.* → **Atteler, vouer; imposer** (une besogne à qqn). *Depuis son accident, il est condamné à ne faire aucun effort violent. L'état de nos finances nous condamne à l'économie. Condamner qqn au silence* (→ 1.Pouvoir, cit. 25), *à l'inaction.*

7 Trop de choses, hélas ! condamnent mes feux à un éternel silence. MOLIÈRE, *les Amants magnifiques,* I, 1.

8 On ne doit se rimer avoir aucune envie,
Qu'on n'y soit condamné sur peine de la vie.
MOLIÈRE, *le Misanthrope,* IV, 1.

9 Il va falloir vous condamner à une réserve inouïe (...)
Léon BLOY, *le Désespéré,* II, p. 107.

10 C'est la société capitaliste qui a vicié les hommes en les condamnant à la poursuite de la richesse (...)
J. CHARDONNE, *l'Amour du prochain,* I, p. 19.

Il n'acceptait pas l'idée d'avoir condamné à la solitude et à la déraison une femme engagée si avant dans sa propre vie.
J. CHARDONNE, *les Destinées sentimentales,* I, III, 141.

Pron. *Se condamner à faire un travail. «Un prêtre se condamnait à une réclusion volontaire»* (Chateaubriand, *in* T. L. F.).

♦ **3** Interdire, empêcher formellement (qqch.). → **Défendre, prohiber, proscrire.** *La loi condamne la bigamie, l'alcoolisme, la vente de certains journaux. Le médecin condamne ce régime alimentaire. L'Église condamne cet ouvrage.*

12 La Loi condamne les mariages, sans les proscrire absolument. FLAUBERT, *Trois Contes,* «Hérodias», II.

13 Les prédicateurs du réalisme politique se réclament souvent de l'enseignement de l'Église ; ils la traitent d'hypocrite quand elle condamne leurs thèses.
Julien BENDA, *la Trahison des clercs,* III, p. 185.

♦ **4** (Concret). Faire en sorte qu'on n'utilise pas (un lieu, un passage). *Condamner une porte, une voie, une pièce...* → **Barrer, boucher, fermer, murer.** *Condamner sa porte :* refuser de recevoir qui que ce soit.

14 J'ai condamné la salle à manger. Nous vivons dans le salon, mais on étend une épaisse couverture sous la toile cirée pour protéger la table de marqueterie (...)
J. CHARDONNE, *les Destinées sentimentales,* III, I, p. 363.

♦ **5** (XIVᵉ). Blâmer (qqn, qqch.) avec rigueur. → **Accabler, bannir, censurer, critiquer, désapprouver, désavouer, flétrir, improuver, maudire, prononcer** (se prononcer contre), **redire** (trouver à redire contre...), **reprendre, réprimander, réprouver, stigmatiser.** *Condamner un sentiment, une attitude, une conduite. Condamner quelqu'un. On condamne souvent autrui à la légère. Condamner avec autorité.* → **Fronder.** *Condamner un usage. L'Académie condamne ce mot. Condamner l'énergie nucléaire.*

15 (Leur conclusion fut) Qu'on doit se regarder soi-même un fort long temps,
Avant que de songer à condamner les gens (...)
MOLIÈRE, *le Misanthrope,* III, 4.

16 (...) Vous ne condamnerez pas la liberté que je prends (...)
RACINE, *Bérénice.* Épilogue.

17 Que peuvent des évêques qui ont anéanti eux-mêmes l'autorité de leur chaire (...) en condamnant ouvertement leurs prédécesseurs ?
BOSSUET, *Oraison funèbre de la Reine d'Angleterre.*

18 Les esprits médiocres condamnent d'ordinaire tout ce qui passe leur portée.
LA ROCHEFOUCAULD, *Maximes,* 375.

19 Celui qui écoute s'établit juge de celui qui prêche, pour condamner ou pour applaudir (...)
LA BRUYÈRE, *les Caractères,* XV, 2.

20 (...) elle ne pensait à son trouble de ces derniers jours que pour condamner sa faiblesse, et la renier.
MARTIN DU GARD, *les Thibault,* t. VI, p. 155.

21 C'est la thèse qui veut que l'homme moral — le clerc — tienne pour valeur suprême la paix et condamne par essence tout usage de la force.
Julien BENDA, *la Trahison des clercs,* p. 34.

♦ **CONDAMNÉ, ÉE** p. p. adj. et n.

♦ **1** Que la justice a condamné.

22 Un coupable puni est un exemple pour la canaille ; un innocent condamné est l'affaire de tous les honnêtes gens.
LA BRUYÈRE, *le Caractères,* XIV, 52.

(1753). N. (rare au fém.). *Un condamné.* → **Bagnard, banni, détenu, repris** (de justice). *Condamné à mort. Un condamné à mort s'est échappé,* film de R. Bresson (1956). — Spécialt. *Condamné à mort. Les derniers jours d'un condamné,* récit de Hugo. *Les condamnés seront emmenés au petit jour. Traîner un condamné au supplice. Exécution d'un* *condamné. Assister un condamné. La charrette* (cit. 2) *des condamnés.*

23 En silence ils attendirent, comme attendent les condamnés, la voiture qui devait venir les prendre.
LOTI, Matelot, XVII, p. 62.

24 Même chez un condamné, un mort en sursis, il y a un tel appétit de projets, d'espérances !
MARTIN DU GARD, les Thibault, t. IX, p. 149.

Loc. *La cigarette du condamné,* la dernière cigarette offerte avant son exécution ; (fig.) faveur qu'on accorde à celui qui va exposer sa vie ou (sens atténué) subir une chose désagréable.

♦ 2 Qui n'a aucune chance de guérison, qui va bientôt mourir. *Un malade condamné. Il se sait condamné.* → **Inguérissable, incurable, perdu,** et fam., **fichu, foutu.** — N. (Rare ; plutôt métaphore du sens 1). *Un condamné.*

25 (...) l'attachement de médecin pour ce condamné, dont il était seul à connaître la sentence, et qu'il fallait mener le plus doucement possible vers sa fin.
MARTIN DU GARD, les Thibault, t. III, p. 271.

♦ 3 Obligé (à...). *Les gens condamnés à une tâche monotone, à gagner péniblement leur vie. Condamné à rester au lit, il faisait de nombreuses lectures.*

26 Sa vie, à ces forfaits par le ciel condamnée,
N'a pu se dégager de cet astre ennemi,
Ni de son ascendant s'échapper à demi.
CORNEILLE, Œdipe, 1136.

27 (...) il se sentait captif, condamné à la passivité.
MARTIN DU GARD, les Thibault, t. VII, p. 260.

♦ 4 *Ouverture, endroit condamné,* dont on n'a plus l'usage.

CONTR. **Absoudre, acquitter, amnistier, disculper, gracier, innocenter, libérer, réhabiliter, relaxer.** — **Accepter, applaudir, approuver, décharger, excuser, fermer** (les yeux sur), **pardonner.** — **Conseiller, prescrire, recommander.** ◊ DÉR. **Condamnable, condamnatoire.** ◂ COMP. **Recondamner.**

CONDÉ [kɔ̃de] n. m. — 1822 ; étym. incert., probablt de la même famille que *compte.*

Argot.

♦ 1 Autorisation officieuse d'exercer une activité illégale accordée par la police en échange de services (communication de renseignements, dénonciations, en général).

1 En échange de tout cela, je vous donnerai le condé.
— Le condé ?
— Oui, ou si vous préférez, l'autorisation formelle de vous livrer à la prostitution, la promesse de vous protéger, de protéger votre julot si vous en avez un, en gros, de vous laisser travailler en paix.
Martin ROLLAND, la Rouquine, p. 59-60.

(1929). Renseignement sûr. → **Tuyau.**

♦ 2 (1844). Commissaire de police, agent de la sûreté. → **Flic.**

2 Que ça fasse un foin terrible dans Montmartre, ces histoires, je voulais bien le croire (...) Les condés, inutile d'en parler. Depuis ce matin, ils se déchainaient. Ç'avait été descente sur descente dans les hôtels, les tapis *(jeux clandestins)* et les bars du coin.
Albert SIMONIN, Touchez pas au grisbi, p. 145.

♦ 3 Moyen (souvent illégal) pour obtenir un résultat ; travail (Céline, *Mort à crédit, passim*).

CONDENSABILITÉ [kɔ̃dãsabilite] n. f. — 1808, Boiste ; de *condensable.*

Didact. Propriété d'un corps condensable. *La condensabilité des gaz.* → **Compressibilité.**

CONDENSABLE [kɔ̃dãsabl] adj. — 1803 ; de *condenser.*

Didact. Qui peut être condensé. → **Compressible.** *Gaz condensable.*

CONTR. **Dilatable.** ◊ DÉR. **Condensabilité.**

CONDENSANT, ANTE [kɔ̃dãsã, ãt] adj. — 1880 ; de *condenser.*

Rare. Techn. Qui condense ; qui se condense. *Action condensante.* «*Postérité condensante*» (Calmette, *in* T. L. F.).

CONDENSATEUR [kɔ̃dãsatœʀ] n. m. — 1753 ; de *condenser,* d'après *condensation.*

♦ 1 Vx. Machine à condenser les gaz.

♦ 2 (1783, Bertholon, *De l'électricité des végétaux, in* D.D.L.). Appareil qui accumule de faibles quantités d'électricité. → **Accumulateur, électrophore.** *Permittivité d'un condensateur. Capacité d'un condensateur, exprimée en farads, en microfarads. Condensateur plan ; électrochimique ; variable. La bouteille* de Leyde est un condensateur. Condensateur de protection. Condensateur industriel. Groupement de plusieurs condensateurs.* → **Batterie.** *Armatures, diélectrique d'un condensateur. Condensateur chargé. Le condensateur se décharge. Condensateur utilisé comme générateur.*

Un condensateur électrolytique a un moindre degré de 0.1 technicité qu'un condensateur à diélectrique sec, comme le papier ou le mica. En effet, un condensateur électrolytique a une capacité qui varie en fonction de la tension à laquelle on le soumet ; ses limites thermiques d'utilisation sont plus restreintes. Il varie dans le même temps si on le soumet à une tension constante, parce que l'électrolyte comme les électrodes se modifient chimiquement au cours du fonctionnement. Au contraire, les condensateurs à diélectrique sec sont plus stables.
Gilbert SIMONDON,
Du mode d'existence des objets techniques, p. 75.

On croyait qu'elle (l'électricité) se contentait de rester dans 0.2 la prison des fils, dans les transformateurs, les aimants, les condensateurs.
J.-M. G. LE CLÉZIO, les Géants, p. 198.

Radio. *Condensateur d'antenne, de syntonisation.* — *Condensateur variable,* «*capacité variable (...) servant à la recherche et à l'accord des stations radiophoniques*» (*Lexique des termes de «haute fidélité»* ; *Fisher handbook,* 1966).

Vx. Appareil permettant d'accumuler de l'énergie.

(...) il n'aurait pu expliquer à un profane qui ignorait 1 le sens des mots facteurs de puissance, quelle économie lui procurerait l'emploi de condensateurs pour la force motrice (...)
J. CHARDONNE, les Destinées sentimentales, III, III, p. 391.

♦ 3 (1924). *Condensateur optique :* appareil dont les lentilles font converger les rayons lumineux sur une petite surface. → **Condensateur.**

♦ 4 Par métaphore, littér. Ce qui condense (2.).

Les poètes ont en eux un réflecteur, l'observation, et un 2 condensateur, l'émotion ; de là ces grands spectres lumineux qui sortent de leur cerveau, et qui s'en vont flamboyer à jamais sur la ténébreuse muraille humaine.
HUGO, William Shakespeare, II, I, II.

CONDENSATION [kɔ̃dãsasjɔ̃] n. f. — V. 1370 ; lat. impérial *condensatio,* du supin de *condensare.* → Condenser.

♦ 1 Phénomène par lequel un gaz, une vapeur, diminue de volume et augmente de densité ; action de condenser. *Condensation de l'air par pression.*

Spécialt. *Condensation de la vapeur par refroidissement,* retour à son état liquide. → **Liquéfaction.** *Eau de condensation. Point de condensation :* tension maximum que peut supporter une vapeur à une température donnée. → **Saturation.** *Condensation de la vapeur d'eau sur une vitre produisant des arborisations, dans l'air* (→ **Bruine, brume, buée,** givre, rosée). *Réfrigérant* destiné à la condensation de la vapeur dans un alambic. Hygromètre* à condensation.*

1   La quantité considérée dans l'air, sa pesanteur, son mouvement, sa condensation, raréfaction, etc., donne le pneumatique.
D'ALEMBERT, Système des Connaissances humaines, t. I, p. 340, *in* POUGENS.

2   D'ailleurs, la route montait vers ces grosses nuées, très denses et presque arrivées déjà au degré de condensation. Avant peu, route et vapeurs se confondraient, et si, en ce moment, les nuages ne se résolvaient pas en pluie, le brouillard serait tel (...)
J. VERNE, Michel Strogoff (1876), p. 134.

♦ **2** Accumulation d'énergie électrique sur une surface (→ **Condensateur**).

♦ **3** Chim. Réaction de chimie organique aboutissant à des molécules de complexité accrue.

♦ **4** (1839). Fait de rapprocher des éléments séparés. → **Concentration.** *La condensation des populations sur les plaines fertiles. La condensation de plusieurs récits en un seul.*

(1834). Concentration, concision. *La condensation de sa pensée, de ce texte.*

♦ **5** (1902, *in* D.D.L.). Psychan. Mécanisme psychique par lequel une représentation inconsciente «condense» les éléments d'une série de représentations. *La condensation est «un des modes essentiels du fonctionnement des processus inconscients : une représentation unique représente à elle seule plusieurs chaînes associatives à l'intersection desquelles elle se trouve. Du point de vue économique, elle est alors investie des énergies qui, attachées à ces différentes chaînes, s'additionnent sur elle (...) C'est dans le rêve* (que la condensation) *a été le mieux mise en évidence»* (Laplanche et Pontalis).

COMP. Polycondensation, précondensation.

CONDENSÉ [kɔ̃dɑse] n. m. — XXᵉ; du p. p. de *condenser.*

Texte présentant sous une forme concise, abrégée, un écrit plus long. *Faire le condensé d'une œuvre littéraire.* → **Digest** (anglic.), **résumé.** *Lire un condensé. — Condensé de* (qqch.) : texte, objet qui présente de façon concentrée, qui réunit en soi. *Cette revue est le condensé des événements de la semaine.*

En vérité Onaïs est devenue un condensé exemplaire de toutes les dépravations de l'esprit et de la sensibilité (...)
M. AYMÉ, le Confort intellectuel, 1949, p. 122.

CONDENSER [kɔ̃dɑse] v. tr. — 1314; du lat. *condensare* «rendre épais», rac. *densus.* → Dense.

♦ **1** Rendre (un fluide) plus dense par rapprochement de ses molécules. → **Comprimer, réduire, saturer.** *Condenser un gaz par pression.*

Liquéfier (un gaz) par refroidissement ou compression. *Le froid condense la vapeur d'eau* (→ **Condensation**). — Pron. *Se condenser. La buée se condense sur les vitres en fines gouttes d'eau.*

1   Le brouillard, en s'attachant aux arbres, s'y condensait en gouttes qui tombaient lentement sur les feuilles, comme des pleurs.
BALZAC, le Médecin de campagne, Pl., t. VIII, p. 532.

Faire se resserrer, se rassembler, se regrouper. → **Concentrer** (se). Pron. *La population se condense autour des points d'eau.*

1.1   (...) les algues travaillaient pour l'industrie, en condensant, dans leurs tissus, les sels que les eaux où elles vivent contiennent en faible proportion.
ZOLA, la Joie de vivre, 1884, p. 863, *in* T.L.F.

♦ **2** (1827). Réduire, ramasser (l'expression de la pensée). *Condenser sa pensée. Condenser un récit.* → **Abréger, dépouiller, réduire, resserrer.**

(...) l'imagination est plutôt une faculté qu'il faut, je crois   2
condenser pour lui donner de la force, qu'étendre pour lui donner de la longueur.
FLAUBERT, Correspondance, t. I, p. 171.

La pièce à propos du volume de Musset est bonne, insolente, troussée, un peu longue seulement, surtout (et rien   2.1
que là) vers la fin. Si tu pouvais la condenser un peu (...) ce serait parfait.
FLAUBERT, Lettre à Louis Bouilhet, 29 juin 1850, *in* Correspondance, Pl., t. I, p. 646.

Percevoir consiste donc, en somme, à condenser des   3
périodes énormes d'une existence infiniment diluée en quelques moments plus différenciés d'une vie plus intense (...)
H. BERGSON, Matière et Mémoire, p. 231.

♦ **CONDENSÉ, ÉE** p. p. et adj. (Passif).

Réduit à un volume plus petit. — Transformé par condensation*. *Vapeur condensée en eau. — Lait condensé,* conservé par concentration sous vide (→ **Concentré**).

Nous lui avons donné à boire, en ajoutant un peu de lait   3.1
condensé car elle semblait fatiguée.
Bernard MOITESSIER, Cap Horn à la voile, p. 269.

Texte condensé, résumé.

Exprimé de façon concise et dense. *Une théorie condensée.* — N. m.

C'est du condensé !

Ces livres de maximes et d'observations morales conden-   4
sées, comme l'était déjà celui de La Bruyère et comme l'est surtout celui de M. Joubert, ne se peuvent lire de suite sans fatigue. C'est de l'esprit distillé et fixé dans tout son suc : on n'en saurait prendre beaucoup à la fois.
SAINTE-BEUVE, Causeries du lundi, 10 déc. 1849.

Littér. Transformé par une sorte de condensation.

Toute clarté est quelque part condensée en une flamme;   5
de même que toute époque est condensée en un homme. L'homme expiré, l'époque est close.
HUGO, William Shakespeare, III, III, IV.

CONTR. Dilater, évaporer, raréfier. — **Allonger.** — Délayer, diluer, disséminer, éparpiller, étendre. ◊ **DÉR.** Condensable, condensant, condensateur, condensé. — REM. *Condensation* vient du latin, *condenseur* de l'anglais.

CONDENSEUR [kɔ̃dɑsœʀ] n. m. — 1796; angl. *condenser* (Watt), de *to condense,* de même orig. que le franç. *condenser.*

Technique.

♦ **1** Récipient où se fait, par refroidissement, la condensation de la vapeur qui a agi sur le piston d'une machine.

♦ **2** Appareil destiné à éliminer les produits condensables (eau, goudron) par refroidissement du gaz de ville en cours de fabrication. *Condenseur échangeur.* — (1857, → cit. 1). *Appareil d'une installation frigorifique dans lequel le fluide frigorigène comprimé passe de l'état de vapeur à l'état liquide.*

La pompe aspire de nouveau la vapeur d'éther et la refoule   1
dans un condenseur d'où elle revient, à l'état liquide, dans le réfrigérateur.
L. FIGUIER, l'Année scientifique et industrielle 1858, p. 416 (1857).

♦ **3** (1885, cit.). Système optique (→ **Condensateur**) éclairant un objet examiné dans un appareil de projection ou d'agrandissement.

C'est un système de lentilles, dit *condenseur,* destiné à faire   2
converger les rayons émanant de la source lumineuse (...)
L. FIGUIER, l'Année scientifique et industrielle 1886, p. 118 (1885).

COMP. Aérocondenseur.

CONDESCENDANCE [kɔ̃desɑ̃dɑ̃s] n. f. — 1609; de *condescendre*.

◆ **1** Vieilli (en bonne part). Complaisance par laquelle une personne qui se juge et est jugée supérieure s'abaisse au niveau d'autrui. *La condescendance d'un riche pour un pauvre, d'un initié pour un profane. Condescendance envers un enfant. Pousser la condescendance jusqu'à...*

1 La *condescendance* (...) Ce qui la caractérise d'une manière décisive, c'est que, à la différence de la *déférence*, elle a toujours lieu du supérieur à l'inférieur.
LAFAYE, Dict. des synonymes, p. 152.

2 La comtesse (...) montra cette condescendance aimable des très nobles dames qu'aucun contact ne peut salir et fut charmante. MAUPASSANT, Boule de suif, p. 27.

3 Toujours cette idée ancrée en moi, que l'amour de la femme ne peut pas être une condescendance, puisque, dans l'acte de chair, c'est elle la vaincue.
MONTHERLANT, les Jeunes Filles, p. 42.

Vx. *(Une, des condescendances). Acte dénotant cette complaisance.*

3.1 L'ancien député de la noblesse de Riom se permet néanmoins des condescendances au pouvoir (...)
CHATEAUBRIAND, Mémoires d'outre-tombe, *in* T. L. F.

◆ **2** (1826). Mod. Supériorité bienveillante mêlée de mépris. → **Arrogance, dédain, hauteur, supériorité.** *Il nous a traités avec une condescendance blessante, humiliante. Une bienveillance empreinte de condescendance. Un sourire de condescendance. Marquer de la condescendance à qqn par un air protecteur*. *Il est avec nous d'une condescendance ridicule, insupportable.*

4 Mais Mᵐᵉ Londe ne paraissait pas être en colère. Bien au contraire, elle lui souriait et inclinait la tête dans sa direction avec un air de condescendance royale.
J. GREEN, Léviathan, X, p. 86.

5 Avec sa verve corrosive, et du haut de sa condescendance, Saint-Simon n'a pas traité plus cruellement le chétif héros d'une aussi royale aventure que ne l'a fait dans son dépit cette véhémente amoureuse, à travers ses cris et ses plaintes.
Émile HENRIOT, Portraits de femmes, La religieuse portugaise, p. 80.

6 Être, pendant toute sa vie, de la part de ses amis et copains, l'objet d'une raillerie permanente, aussi affectueuse fût-elle, pouvait-n'être pas de tout repos. Était-il possible que Félix eût souffert de la condescendance amusée qu'on lui témoignait?
Jean-Louis CURTIS, le Roseau pensant, p. 24.

CONDESCENDANT, ANTE [kɔ̃desɑ̃dɑ̃, ɑ̃t] adj. — XIVᵉ; du p. prés. de *condescendre*.

◆ **1** Vx. Qui condescend. → **Complaisant, indulgent.** *Un caractère doux et condescendant.*

◆ **2** Mod. Qui a, qui manifeste de la condescendance (2.). → **Dédaigneux, hautain, protecteur, supérieur.** *Une personne condescendante et hautaine. — Des airs condescendants.* → **Grand.**

1 Un sourire ironique et condescendant, un sourire qui signifie : — Vous êtes docteur, chef de service et le reste; mais je suis plus âgé que vous, j'ai mille fois plus d'expérience que vous. Je veux bien être un modèle de politique, mais je suis bien obligé de vous considérer comme un gosse.
G. DUHAMEL, Chronique des Pasquier, IV, VIII, IV.

2 Elle aurait bien envie de les rabrouer, ils l'agacent avec leurs airs condescendants, dédaigneux, là gèrement dégoûtés, installés là confortablement comme des grands seigneurs assis les jambes croisées (...)
N. SARRAUTE, le Planétarium, p. 234.

CONDESCENDRE [kɔ̃desɑ̃dʀ] v. tr. ind. — 1866; «se laisser fléchir», 1350; *condescendant à qqn* «qui montre de la condescendance», fin XVᵉ; du bas lat. *condescendere*, proprt «descendre au même niveau» de *con-* (cum), et *descendere*. → Descendre.

Littér. ou style soutenu. *Condescendre à* (qqch., faire qqch.). *Daigner consentir, daigner accepter. Condescendre à une invitation. Il condescendit à lui faire part de ses projets.* → **Daigner, vouloir** (vouloir bien). *Condescendre aux désirs, à la volonté de quelqu'un.* → **Accéder, complaire, prêter** (se), **rendre** (se), **supporter.**

1 (...) faire condescendre une femme à vos vœux (...)
MOLIÈRE, les Femmes savantes, II, 9.

2 Il semblait ne pas vouloir condescendre à discuter, avec des profanes, de choses qui lui tenaient à cœur.
MARTIN DU GARD, les Thibault, t. V, p. 129.

DÉR. **Condescendance, condescendant.**

CONDIMENT [kɔ̃dimɑ̃] n. m. — Fin XIIᵉ; lat. *condimentum*, de *condire* «assaisonner».

◆ **1** Substance de saveur forte destinée à relever le goût des aliments. → **Épice.** *Condiments faits de légumes et de fruits macérés.* → **Achards, chutney, piccalillies, pickles**; régional **variante(s).** — Vx. Assaisonnement.

1 *(L'auteur veut énumérer les usages les plus fréquents du sucre)* L'usage du sucre ne se borne pas là. On peut dire qu'il est le condiment universel, et qu'il ne gâte rien. Quelques personnes en usent avec les viandes, quelquefois avec les légumes (...)
A. BRILLAT-SAVARIN, Physiologie du goût, t. I, Méditation 6.

Spécialt. Moutarde douce.

◆ **2** Fig. et littér. Ce qui excite, pique.

2 Il se mit à rire, songeant que le remords était peut-être le condiment qui sauve l'inappétence des passions blasées, puis il plaisanta (...) HUYSMANS, Là-bas, XII, p. 179.

DÉR. **Condimentaire, condimenter.**

CONDIMENTAIRE [kɔ̃dimɑ̃tɛʀ] adj. — 1863; de *condiment*.

Didact. Utilisé comme condiment. *Aliment condimentaire. — Qui a rapport aux condiments, à leur usage.*

La sensibilité gustative et le toucher buccal constituent ainsi la partie profonde de l'esthétique culinaire, sur laquelle se fondent les broderies de la gastronomie olfactive. C'est aussi la base primitive, celle que les pratiques alimentaires les moins élaborées connaissent par associations simples liées à des perceptions olfactives d'origine non condimentaire.
A. LEROI-GOURHAN, le Geste et la Parole, t. II, p. 11.

CONDIMENTER [kɔ̃dimɑ̃te] v. tr. — 1885; de *condiment*.

◆ **1** Relever le goût de (qqch.) à l'aide de condiments. *Condimenter un plat.* — Au p. p. «Une morue cuite avec des pruneaux et condimentée d'affreuses épices» (Huysmans, *in* G. L. L. F.).

◆ **2** Fig., littér. (J. Laforgue, A. Arnoux, *in* T. L. F.). Donner de l'intérêt à. *Ses récits condimentaient les trop longues soirées.* → **(fig.) Assaisonner.**

CONDISCIPLE [kɔ̃disipl] n. — 1740, n. f.; n. m., 1570; du lat. *condiscipulus* de *con-* (cum), et *discipulus*. → Disciple.

◆ **1** Compagnon, compagne d'études. *Ils furent condisciples au lycée, à la faculté, au séminaire. Sa collègue est une ancienne condisciple de lycée.*

1 Mes condisciples étaient pour la plupart de jeunes paysans des environs de Tréguier (...) Presque tous travaillaient pour être prêtres.
RENAN, Souvenirs d'enfance..., éd. Colin, p. 85.

2 Il trouva Paris aimable. Il se félicita de vivre dans une cité pareille, et non point en province, comme la plupart de ses anciens condisciples.
Jean-Louis CURTIS, le Roseau pensant, p. 14.

♦ **2** Fig. et iron. Personne dont on ne se sépare jamais. *Je l'ai rencontré avec son condisciple.* → **Aco-lyte.**

CONDIT [kɔ̃di] n. m. — 1690, «fruit confit utilisé comme produit pharmaceutique»; «assaisonnement», 1458; p. p. de l'anc. franç. *condir* «assaisonner», du lat. *con-dire*. → Condiment.

Techn. Substance végétale confite dans du sucre cristallisé ou du miel. → **Confit** (fruit confit). *L'orange, l'angélique sont des condits utilisés dans la pâtis-serie pour leur arôme.*

CONDITION [kɔ̃disjɔ̃] n. f. — V. 1160, «convention, pacte»; bas lat. *conditio*, lat. class. *condicio* «engage-ment, manière d'être», de *condicere*, de *con-* (*cum*), et *dicere* «dire».

Ⅰ (État, manière d'être). ♦ **1** (Fin XIVᵉ). État passager, relativement au but visé. *En (bonne, mauvaise) con-dition (pour)* : dans un état favorable à. *Cet élève est en bonne condition pour passer son examen,* bien préparé. — Loc. (1872, *in* Petiot). *Mettre un cheval, un athlète en condition par un entraînement intensif. Il est en mauvaise condition dans cette affaire* (→ Il est mal parti*).

♦ **2** N. f. pl. (*Les, des conditions*). Ensemble de faits caractéristiques de (qqch.). → **Circonstance** (s). *Les conditions économiques d'un marché.* → **Conjonc-ture.** *Attendre des conditions propices. Les condi-tions psychologiques, sociologiques d'un fait.* → **Base, donnée, élément, fondement.** — *Les conditions de vie, d'existence dans un milieu donné. Lutter pour amé-liorer les conditions de vie.* — Math. *Les conditions d'un problème,* ce qui caractérise, ce qui particula-rise ce problème. → **Donnée, hypothèse.** *Conditions favorables à l'expérience. Les conditions sont favo-rables* (→ **Climat, milieu, terrain**). *Des conditions médiocres de température. Analyse, étude des condi-tions d'existence. Les conditions atmosphériques.* — *Conditions d'emploi d'un mot.* — *Dans de (bonnes, mauvaises) conditions. Je refuse de travailler dans de telles conditions. Dans ces conditions...* : dans cet état de choses. *Dans ces conditions, vous pouvez partir.* → **Circonstance, événement.**

1 (...) l'expérience nous apprend bientôt que nous ne pou-vons pas aller au delà du comment, c'est-à-dire au delà de la cause prochaine ou des conditions d'existence des phénomènes.
Cl. BERNARD, Introd. à l'étude de la médecine expérimentale, I, p. 125.

2 (...) nous ne pouvons accepter cet héritage dans ces con-ditions. Ce serait d'un effet déplorable. Tout le monde croirait la chose, tout le monde en jaserait et rirait de moi.   MAUPASSANT, Bel Ami, p. 363.

3 Comme j'ai naturellement beaucoup de pudeur, je ne puis concevoir la paillardise que dans certaines conditions de mystère respectable.
J. ROMAINS, les Hommes de bonne volonté, t. III, I, p. 10.

4 Il exposait les difficultés réelles d'une enquête menée dans des conditions qui ne le favorisaient pas.
P. MAC ORLAN, la Bandera, XVI, p. 199.

5 (*Le capitaliste*) n'a aucun souci des hommes qu'il emploie et ne s'inquiète pas de leurs conditions d'existence maté-rielle et morale.
J. CHARDONNE, l'Amour du prochain, VIII, p. 196.

♦ **3** (V. 1275). Situation où se trouve un être vivant (spécialt, l'homme). *La condition humaine;* (vx) *l'humaine condition.* → **Destinée, sort.** *La Condi-tion humaine,* roman de Malraux. *La condition de l'homme. La misère de notre condition com-mune. La condition de l'existence humaine, des choses humaines. Améliorer la condition de la*

classe ouvrière. *La pire condition dans cette société, c'est... Condition de célibataire.*

Il est donc vrai que tout instruit l'homme de sa condition,   6
mais il le faut bien entendre : car il n'est pas vrai que tout découvre Dieu, et il n'est pas vrai que tout cache Dieu.
PASCAL, Pensées, 557.

Quelle condition vous paraît la plus délicieuse et la plus   7
libre, ou du berger ou des brebis?
LA BRUYÈRE, les Caractères, X, 29.

Notre véritable étude est celle de la condition humaine.   8
ROUSSEAU, Émile, I.

Lorsqu'un grand changement s'opère dans la condition   9
humaine, il amène par degrés un changement correspon-dant dans les conceptions humaines.
TAINE, Philosophie de l'art., t. II, III, II, II, p. 22.

(...) dans sa condition de petite brodeuse elle avait l'âme   9.1
d'une reine.
ZOLA, le Rêve, éd. Bernouard, p. 80 (1888).

Aucune morale, ni aucun effort ne sont *a priori* justifiables   10
devant les sanglantes mathématiques qui ordonnent notre condition.   CAMUS, le Mythe de Sisyphe, p. 30.

— Il est très rare qu'un homme puisse supporter, comment   10.1
dirais-je? sa condition d'homme...
Il pensa à l'une des idées de Kyo : tout ce pour quoi les hommes acceptent de se faire tuer, au delà de l'intérêt, tend plus ou moins confusément à justifier cette condition en la fondant en dignité : christianisme pour l'esclavage, nation pour le citoyen, communisme pour l'ouvrier.
MALRAUX, la Condition humaine, p. 191.

Entre la critique marxiste qui affranchit l'homme de ses   10.2
premières chaînes — lui enseignant que le sens apparent de sa condition s'évanouit dès qu'il accepte d'élargir l'objet qu'il considère — et la critique bouddhiste qui achève la libération, il n'y a ni opposition ni contradiction.
Claude LÉVI-STRAUSS, Tristes tropiques, p. 372.

Dr. internat. *Condition des étrangers,* ensemble des droits dont ils peuvent jouir sur le territoire fran-çais.

Vx. Situation (d'une personne) à un moment donné.

Notre condition jamais ne nous contente;   11
La pire est toujours la présente (...)
LA FONTAINE, Fables, VI, 11.

♦ **4** (1270). Vieilli ou littér. Rang* social, place dans la société. → **Classe, état** (vx), **rang, situation.** — REM. *Con-dition,* comme *état,* tend à être remplacé par *classe, situa-tion* (sociale). *L'inégalité des conditions. La différence des conditions et des rangs. Les trois conditions, au moyen âge :* les nobles, les serfs, les vilains. *De haute, de grande condition. De condition noble. Une personne de condition élevée,* et, ellipt. (1474, vx), *une personne de condition.* → **Noble** (→ De haute volée*). *Les gens de condition.* — *De pauvre, de basse, de médiocre, de servile condition. Gens de condition inférieure* (→ Plébéien, cit. 6). *Les gens de peu de con-dition.* → **Pauvre, peuple, prolétariat.** *Se contenter, se satisfaire de sa condition. Vivre selon sa condition. Épouser qqn de sa condition. Un homme de ma con-dition.* → **Espèce, sorte.** *Sortir de sa condition en se déclassant.* → **Milieu, sphère.** *Rougir de la condition de ses parents.*

En vous ôtant un gendre, on vous en donne un autre,   12
Dont la condition répond mieux à la vôtre (...)
CORNEILLE, Polyeucte, V, 2.

(...) vouloir faire l'homme de condition.   13
MOLIÈRE, les Précieuses ridicules, 1.

La cause la plus immédiate de la ruine et de la déroute   14
des personnes des deux conditions, de la robe et de l'épée, est que l'état seul, et non le bien, règle la dépense.
LA BRUYÈRE, les Caractères, VI, 81.

(...) l'éducation naturelle doit rendre un homme propre à   15
toutes les conditions humaines (...)
ROUSSEAU, Émile, I.

En m'attachant seulement à ce qui différencie les per-   16
sonnes, je perds de vue ce qu'elles ont de commun avec beaucoup d'autres : la marque de leur profession, de leur

état, l'influence de leur condition.
> Valery LARBAUD, Amants, heureux amants, p. 141.

17 Leur condition ne permet pas qu'ils paressent le matin au lit.
> J. ROMAINS, les Hommes de bonne volonté, t. III, XII, p. 168.

18 Tous de conditions différentes, pauvres ou riches, c'est à peine si l'on distingue les variétés d'origine à un détail du vêtement.
> J. CHARDONNE, les Destinées sentimentales, p. 466.

♦ **5** Loc., vieilli. *Être de condition, en condition chez qqn :* être en service comme domestique. *Se mettre en condition.* → **Placer** (se).

18.1 Ils allèrent ensuite demeurer à Oviédo, où ils furent obligés de se mettre en condition ; ma mère devint femme de chambre, et mon père écuyer.
> A.-R. LESAGE, Gil Blas, I, I.

18.2 Je n'ai jamais compris par l'effet de quelles traverses un homme si justement intelligent s'était trouvé dessaisi de son bien et dans la nécessité de se mettre en condition.
> G. DUHAMEL, Temps de la recherche, VIII, p. 106.

♦ **6** Loc. (1965). *Mettre qqn en condition :* préparer l'esprit de (qqn) par la propagande. → **Conditionner.** *Mise en condition.* → **Conditionnement.** *La mise en condition du public, de l'électorat.*

18.3 Autre grave danger des doctrines : ceux qui en font la justification de leurs pouvoirs ont toujours tendance à les imposer comme des articles de foi soustraits à toute discussion. Par la répétition incessante et la «mise en condition» ils prétendent créer un homme nouveau conforme à la doctrine et à leur dévotion. On oublie que les expériences de Pavlov ne sont certaines que sur les animaux. Car le propre de l'homme est que la réflexion s'intercale entre la perception et la réaction.
> Gaston BOUTHOUL, Sociologie de la politique, p. 100.

♦ **7** État (d'une chose). *Bonne condition :* état de ce qui a les qualités requises (surtout dans : *en bonne condition*). *Cette marchandise a été livrée en bonne condition, dans de bonnes conditions* (→ **Conditionnement**). *Ce livre est en bonne condition*, en bon état de conservation.
Techn. *La condition des textiles :* l'état hygrométrique convenable des tissus (→ **Conditionnement**). *Faire des essais de condition d'une soie, d'un coton.* — Par métonymie. Établissement public où se font les essais de conditionnement. *Les conditions de Lyon, de Paris.*

II (Circonstance). ♦ **1** État, situation, fait dont l'existence est indispensable pour qu'un autre état, un autre fait existe. *La santé est la condition du bonheur, le travail la condition du succès. Satisfaire, répondre aux conditions requises pour obtenir quelque chose. Remplir les conditions exigées* (→ **Formalité**). *Conditions, l'admission (à qqch.). C'est une condition nécessaire*, une condition suffisante*, une condition formelle*.* — (1704). *Condition sine qua non :* condition sans laquelle une chose est impossible. — *Les conditions d'un armistice, d'un traité.* → **Clause, stipulation.** *Dicter,ʼ faire, imposer, marquer, poser, signifier ses conditions.* → **Exigence.** *Des conditions sévères, dures, draconiennes. Poser ses dernières conditions.* → **Ultimatum.** *Quelles sont vos conditions ?* → **Prétention.** *Se rendre sans condition,* sans restriction, purement et simplement. *Armistice* (cit. 2), *capitulation sans condition.* — *À telle condition :* seulement dans ce cas. *À cette condition, j'accepte.*

19 Il ne m'est pas permis, à ces conditions, de vous rien refuser (...)
> MOLIÈRE, le Sicilien, 15.

20 Les lois ne sont proprement que les conditions de l'association civile. Le peuple, soumis aux lois, en doit être l'auteur ; il n'appartient qu'à ceux qui s'associent de régler les conditions de la société.
> ROUSSEAU, Du contrat social, II, VI, p. 259.

21 L'admission dans les écoles spéciales étant assujettie à certaines conditions (...)
> RENAN, Questions contemporaines, L'instruction supérieure en France, in Œ., t. I, p. 80.

22 Le but du monde est le développement de l'esprit, et la première condition du développement de l'esprit, c'est sa liberté.
> RENAN, Souvenirs d'enfance..., Préface, p. 15.

23 L'ignorance est la condition nécessaire du bonheur des hommes.
> FRANCE, Les dieux ont soif, p. 54.

23.1 Vois si tu as assez d'influence dans les milieux littéraires pour me faire imprimer mon «joli petit poème» (il n'est pas long en effet) *en son entier* (condition *sine qua non*) dans quelque Revue.
> Germain NOUVEAU, Lettre à Ernest Delahaye, 12 août 1912, Pl., p. 995.

24 La première condition du bonheur est que l'homme puisse trouver joie au travail. Il n'y a vraie joie dans le repos, le loisir, que si le travail joyeux le précède.
> GIDE, Journal, 4 août 1935.

25 (...) la condition *sine qua non* du rétablissement d'une autorité forte lui avait paru la restauration de la religion catholique...
> Louis MADELIN, le Consulat, VII, p. 95.

26 Et l'inégalité des biens temporels n'est-elle pas la condition même de l'équilibre social ?
> MARTIN DU GARD, les Thibault, t. III, p. 243.

(1787). *À la condition de..., à condition de...* (suivi de l'inf.). *À la condition que..., à condition que...* (suivi de l'indic. futur ou du subj.). → **Autant** (que), **charge** (à charge de), **moyennant** (quoi), **pourvu** (que). *Vous partirez en vacances, à condition de réussir votre examen. Je lui ai écrit, je lui écrirai à condition qu'il me réponde. Je vous laisse libre de partir à condition que vous m'écriviez, à condition que vous m'écrirez. «J'y consens bien volontiers à la condition que vous dînerez chez moi ce soir»* (Maupassant). *«À la condition qu'elle sût les diriger»* (Madelin). *À la seule condition que...* — REM. Dans ce dernier cas, l'emploi de l'indicatif futur exprime la condition avec plus de force, plus d'énergie.

27 Les obstacles au divorce sont utiles, à condition de ne pas être insurmontables.
> J. CHARDONNE, l'Amour du prochain, II, p. 50.

28 C'est un procès que nous ne pouvons gagner qu'à condition qu'on ne le plaide pas.
> J. ROMAINS, les Hommes de bonne volonté, t. II, XIV, p. 140.

SOUS CONDITION. *Faire quelque chose sous condition,* en respectant certaines conditions préalables. *Promettre sous condition.* → **Réserve** (sous). — Liturg. *Baptiser sous condition :* administrer le baptême à qqn dans le doute de l'existence ou de la validité d'un baptême antérieur.

Serf affranchi sous condition, moyennant l'obligation de fournir certains services.

Sous condition de... ; sous (la) condition que... (→ ci-dessus, *à la condition de..., que...*).

Gramm. *Complément de condition.* → **Conditionnel.** *Proposition de condition.*

♦ **2** Dr. Modalité ayant pour effet de subordonner la validité d'un acte juridique à l'arrivée d'un événement futur et incertain. *Condition casuelle** (cit. 1). *Condition défaillie,* qui ne s'est pas réalisée. *Condition illicite :* contraire aux lois impératives, prohibitives ou à l'ordre public. *Condition immorale :* contraire aux bonnes mœurs. *Condition impossible. Condition mixte*. Condition potestative*. Condition résolutoire*. Condition suspensive*.* — *Condition expresse, tacite, positive, négative, restrictive.* → **Clause, convention ; charge.** *Les conditions d'un contrat, d'un acte juridique.*

29 Dans toute disposition entre vifs ou testamentaire, les conditions impossibles, celles qui seront contraires aux lois ou aux mœurs, seront réputées non écrites.
Code civil, art. 900.

♦ **3** Conditions de prix, de vente, d'achat. *Cela dépend de vos conditions. Obtenir des conditions de faveur. Conditions onéreuses. Conditions intéressantes, avantageuses, faire les meilleures conditions. Acheter, vendre sous condition :* sous garantie ; en réservant à l'acheteur le droit de rendre la chose achetée s'il n'en est pas satisfait (→ *supra*, sous condition).

Absolt. *Faire des conditions*, des conditions avantageuses. *Conditions de payement.* → **Crédit ; facilité, modalité.**

CONTR. Cause, conséquence, fin. ◊ DÉR. et COMP. Conditionner. Inconditionné. V. Conditionnel.

CONDITIONNÉ, ÉE [kɔ̃disjɔne] adj. — 1394 ; du p. p. de *conditionner.*

♦ **1 Vieilli.** Qui est dans une condition, un état. *Meuble bien conditionné. «Un ouvrage bien conditionné»* (Littré). *Personne bien, mal conditionnée.*

1 (...) c'est moi (...) qui ai commencé la mode de vous aimer et de vous trouver aimable : une amitié si bien conditionnée ne craint point les injures du temps.
Mᵐᵉ DE SÉVIGNÉ, 1410, 26 avr. 1695.

2 (...) procréer des enfants bien conditionnés et de corps et d'esprit.   MOLIÈRE, Monsieur de Pourceaugnac, II, 1.

♦ **2** (1869). **Didact.** Soumis à des conditions. *Contrat conditionné. Expérience conditionnée. Proposition conditionnée* (→ Antécédent, cit. 3). — **Cour.** *Réflexe conditionné.* → **Réflexe.**

(Personnes). Dont le comportement est lié à certaines conditions. *L'ouvrier* (cit. 4) *conditionné par sa classe, son salaire.*

3 De toute façon l'homme est conditionné, disent certains d'entre eux : alors, à quoi cela peut-il servir d'étudier, de réfléchir ?
S. DE BEAUVOIR, Tout compte fait, p. 233 (1972).

4 Nous sommes menés, nous sommes conditionnés, nous sommes traînés en laisse comme des chiens.
IONESCO, Journal en miettes, p. 50.

N. m. (1823, Maine de Biran). **Philos.** *Le conditionné :* ce qui dépend de qqch. d'autre, quant à son existence. *Philosophie du conditionné :* philosophie suivant laquelle il n'y a ni absolu ni infini.

5 Des animaux inférieurs aux mammifères supérieurs, on assiste à l'inversion des proportions entre le conditionné génétique et le conditionné appris, puis à l'émergence d'un choix possible entre les opérations simples.
A. LEROI-GOURHAN, le Geste et la Parole, t. II, p. 21.

♦ **3 Cour.** Qui a subi un conditionnement. *Produit conditionné.*

♦ **4** (Angl. *air-conditioned*). **AIR CONDITIONNÉ :** air maintenu à une température et à un degré hygrométrique voulus. — Installation qui produit l'air conditionné. — **REM.** Ce calque de l'anglais est remplaçable par *climatiseur* et *climatisation.* → **Climatisation.**

6 Un lieu connu, confortable, protégé et clos. Lumières tamisées, air conditionné, température égale exactement appropriée.   N. SARRAUTE, le Planétarium, p. 40.

7 Goldwater aime tant les feux de bois que l'été il glace sa maison à l'air conditionné et il allume de grandes flambées.   S. DE BEAUVOIR, Les Belles Images, p. 127.

CONTR. Absolu, catégorique, formel, inconditionné.

CONDITIONNEL, ELLE [kɔ̃disjɔnɛl] adj. et n. m.
— Fin XIVᵉ ; bas lat. *condicionalis*, du lat. class. *condicio, -onis.* → Condition.

♦ **1 Adj.** Qui dépend de certaines conditions, d'événements incertains. → **Hypothétique.** *Promesse conditionnelle. Événement conditionnel.* → **Contingent.**

La faculté d'élire qui était restreinte et conditionnelle, devint pure et simple.
MONTESQUIEU, l'Esprit des lois, XXXI, 17.

Dr. *Contrat* conditionnel. Clause* conditionnelle. Legs* conditionnel. Vente conditionnelle. Libération conditionnelle d'un détenu.*

Log. *Jugement conditionnel.* → **Hypothétique.** *Syllogisme* conditionnel.*

Gramm. *Proposition conditionnelle*, qui exprime une condition, une hypothèse. → **Hypothétique.**

Psychol. *Réflexe* conditionnel. Stimulus conditionnel.*

♦ **2** (Av. 1546). **Gramm.** *Le mode conditionnel* ; n. m. (1660) *le conditionnel :* mode du verbe (comprenant un temps présent et deux passés) exprimant un état ou une action subordonnée à quelque condition (ex. : *j'irais*, si vous le vouliez). → **Optatif** (cit.). *Conditionnel présent. Présent du conditionnel.*

Se dit aussi du «futur du passé», qui a la forme de ce mode, mais a une tout autre valeur sémantique, et qui s'emploie dans la concordance des temps (ex. : j'affirmais qu'il *viendrait*).

CONTR. Absolu, catégorique, formel, inconditionnel, net, pur (et simple). **◊ DÉR. Conditionnellement. ◄ COMP. Inconditionnel.**

CONDITIONNELLEMENT [kɔ̃disjɔnɛlmɑ̃] adv.
— XIVᵉ, *condicionelement* ; de *conditionnel.*

Littér. ou didact. Sous une ou plusieurs conditions. *Promettre, accorder conditionnellement quelque chose.*

CONTR. Inconditionnellement.

CONDITIONNEMENT [kɔ̃disjɔnmɑ̃] n. m. — 1845 ; de *conditionner.*

♦ **1 Techn.** Opération qui a pour but de déterminer le pourcentage normal d'humidité que doit contenir chaque matière textile. → **Traitement** (des textiles). *Étuve de conditionnement*, dans laquelle on dessèche un échantillon du lot examiné. *Le conditionnement du coton, de la soie. Établissement où s'opère le conditionnement des textiles.* → **Condition.** — *Conditionnement des bois tropicaux.*

(1929). Opération qui a pour but d'amener le grain de blé dans la meilleure condition de mouture*.

Agric. Aplatissement (du fourrage), destiné à accélérer sa dessiccation.

♦ **2** (Adapt. de l'angl. *air conditioning*). *Conditionnement de l'air :* réglage de la température et du degré hygrométrique de l'air d'un local. → **Climatisation ; conditionné** (air).

♦ **3** Fait d'emballer et de présenter un produit pour la vente. *Service de conditionnement.*

1 (...) vous n'allez pas nous reprocher d'apporter tous nos soins au conditionnement de produits qui doivent parfois attendre longuement l'usage ou la fin de l'usage (...)
G. DUHAMEL, Cri des profondeurs, II, p. 41.

Emballage d'un produit. *Le conditionnement d'un médicament. Vendre un produit sous divers conditionnements.*

♦ **4** (1863). Action de conditionner, de provoquer artificiellement des réflexes* «conditionnés» ; processus d'acquisition de réflexes conditionnés. *Conditionnement et apprentissage*.* → aussi **Dressage.**

2 Pavlov a cherché à créer des réflexes conditionnés à la douleur. Sous l'action d'un fort courant électrique, le chien crie et se débat, si on lui présente alors de la viande il n'y fait même pas attention, mais on répète de nombreuses fois l'expérience, et à condition de faire suivre régulièrement d'un repas l'excitation électrique douloureuse, celle-ci finit par devenir régulièrement sialogène. On a remplacé le réflexe inhibiteur spontané dû au stimulus électrique

par un réflexe conditionnel dynamogénique. *Le conditionnement l'a emporté sur l'instinct,* on a appris au chien à surmonter la douleur immédiate en lui faisant escompter le plaisir futur, le chien a été dressé.

> Jean DELAY, la Psycho-physiologie humaine, p. 106.

Action, concertée ou non, qui a pour résultat de susciter des habitudes de pensée, de comportement, chez une personne ou (plus souvent) dans un ensemble social, par des moyens agissant sur les psychologies, les consciences. *Le conditionnement d'une personne, d'un groupe, par une propagande habilement menée. Le conditionnement du public par les médias.* → aussi **Intoxication, matraquage.**

3 La science du conditionnement musculaire est empiriquement pratiquée pour les besoins d'uniformité politique depuis l'aube des premières cités, c'est sur elle que reposent les mouvements de foule, le comportement des masses qui marchent «comme un seul homme».

> A. LEROI-GOURHAN, le Geste et la Parole, t. II, p. 105.

♦ **5** Didact. et rare (emploi général). Mise en dépendance de certaines conditions ; fait de conditionner.

COMP. **Déconditionnement.**

CONDITIONNER [kɔ̃disjɔne] v. tr. — 1250, «soumettre à des contraintes» ; de *condition.*

♦ **1** (1694). Sujet n. de personne. **ⓐ** Pourvoir une chose des qualités requises par sa destination. *Conditionner parfaitement un mécanisme (à des fonctions,* etc.).

Techn. *Conditionner des étoffes, des textiles,* leur faire subir l'opération du conditionnement*.

Agric. *Conditionner du fourrage,* en effectuer le conditionnement*.

ⓑ *Conditionner des produits, des articles,* les préparer pour l'expédition et la vente. → **Traiter ; emballer.**

ⓒ Littér. Fabriquer, élaborer (qqch.) dans les conditions requises.

1 Cet écumeur de pots de chambre a trouvé, par là, le moyen de se conditionner une spécialité de patriotisme.

> Léon BLOY, le Désespéré, p. 196.

♦ **2** (1932). Sujet n. de chose. Être la condition de. *Son retour conditionne mon départ :* de son retour dépend mon départ. *Fait qui conditionne l'apparition d'un phénomène.* → **Commander.** *Proposition qui en conditionne une autre.*

2 Enfin, peu à peu, cette idée d'humiliation se détacha de ce qui la conditionnait (...) et elle demeura seule, de soi-même seule raison d'être (...)

> Jean GENET, Journal du voleur, p. 94.

♦ **3** Sens critiqué (d'après *conditionné*). Déterminer l'état moral de (qqn), la nature de (un sentiment, une opinion) ; mettre en condition. *Conditionner les esprits.* «*Que d'éléments étrangers à l'amour conditionnèrent mes amours*» (R. Vailland, in *Grand Larousse Encyclopédique*). → **Déterminer, influencer.** — Au passif. *Ils ont été conditionnés par la propagande.* — REM. En ce sens, *conditionner* ne signifie ni «être la cause» ni simplement «influencer», mais «donner une forme, une qualité à».

3 On peut par là préparer la petite fille à la causalité ménagère, la conditionner à son futur rôle de mère.

> R. BARTHES, Mythologies, p. 59 (1957).

CONTR. (Du sens 3.) **Déconditionner.** ◊ DÉR. **Conditionné, conditionnement, conditionneur.**

CONDITIONNEUR, EUSE [kɔ̃disjɔnœR, øz] n. — 1909 ; «domestique qui vole ses patrons», 1887 ; de *conditionner.*

♦ **1** Professionnel qui s'occupe du conditionnement des marchandises. → **Emballeur.**

♦ **2** N. m. (De l'angl.). Appareil servant au conditionnement de l'air. → **Climatiseur.**

Les plaques d'isorel recouvrent les paroles, les conditionneurs d'air ronflent dans les murs, et c'est peut-être du HCN qui sort de leurs bouches à grilles.

> J.-M. G. LE CLÉZIO, les Géants, p. 28 (1973).

♦ **3** N. f. Machine pour le conditionnement du fourrage. — Appos. *Faucheuse* conditionneuse.*

CONDOLÉANCE [kɔ̃dɔleɑ̃s] n. f. — V. 1460, *avoir condoléance ;* de l'anc. franç. *condoloir,* du lat. *condolere,* de *dolere* «souffrir» (→ Dolent ; douloir (se)).

Expression de la part que l'on prend à la douleur de qqn, à l'occasion d'un deuil. → **Sympathie.**

♦ **1** Au sing. Vx. «*Le professeur (...) ne donnait pas une seule condoléance qu'on pût croire feinte*» (Proust, in T. L. F.). *Lettre, compliment* de condoléance.*

♦ **2** Au plur. Mod. *Présenter, offrir, exprimer, faire ses condoléances.*

Ellipt. *Toutes mes condoléances ; mes condoléances ; sincères condoléances.*

DÉR. **Condoléancer, condoléant.**

CONDOLÉANCER [kɔ̃dɔleɑ̃se] v. tr. [CONJUG. : *placer.*] — 1921, → cit. ; de *condoléance.*

Rare. Présenter des condoléances à (qqn).

On sait ce qu'est (...) le moment de l'année où les fêtes commencent : au point que la marquise d'Amoncourt, laquelle (...) finissait souvent par dire des sottises, avait pu répondre à quelqu'un qui était venu la condoléancer sur la mort de son père (...) «C'est peut-être encore plus triste qu'il vous arrive un chagrin pareil au moment où on a à sa glace des centaines de cartes d'invitations».

> PROUST, le Côté de Guermantes, Pl., t. II, p. 477.

CONTR. **Féliciter.**

CONDOLÉANT, ANTE [kɔ̃dɔleɑ̃, ɑ̃t] adj. — 1782 ; de *condoléance.*

Vx. Qui prend part à la douleur d'autrui et l'exprime. «*La foule condoléante*» (Chateaubriand, in T. L. F.).

CONDOM [kɔ̃dɔm] n. m. — 1795, Sade ; probabt angl. *condum,* 1706, *condon,* 1708, d'orig. inconnue ; on n'a retrouvé aucun médecin ou inventeur portant ce nom, cf. *Oxford Dict.,* Suppl., 1972.

Didact. Préservatif* masculin. → **Capote** (anglaise).

(...) d'autres obligent leurs fouteurs de se servir d'un petit sac de peau de Venise, vulgairement nommé condom, dans lequel la semence coule, sans risque d'atteindre le but (...)

> SADE, la Philosophie dans le boudoir, Troisième dialogue, éd. Pauvert 1953, p. 80.

CONDOMINIUM [kɔ̃dɔminjɔm] n. m. — 1866 ; mot angl., du lat. *dominium* «souveraineté».

♦ **1** Souveraineté exercée en commun par deux ou plusieurs États sur un même pays. *L'ex-condominium franco-britannique sur les Nouvelles-Hébrides* (jusqu'en 1980). *Régime de condominium. Des condominiums.*

♦ **2** (Réemprunt à l'angl.). Immeuble en copropriété, dans un pays anglo-saxon. — Abrév. : *condo* [kɔ̃do] n. m. *Des condos.*

CONDOR [kɔ̃dɔR] n. m. — 1598, hispanisme ; mot esp., empr. au quichua.

♦ **1** Oiseau rapace de grande taille, au plumage noir, frangé de blanc aux ailes. → **Vautour.** *Les condors vivent en bande sur les sommets des Andes, et se nourrissent souvent d'animaux morts. Le Sommeil du Condor,* poème de Leconte de Lisle.

♦ **2** Hist. Monnaie d'or de quelques pays (Chili, Colombie, Équateur) d'Amérique latine.

CONDOTTIERE [kɔ̃dɔttjɛʀ] n. m. — 1770; mot ital., «chef de soldats mercenaires», de *condotta* «action de conduire», p. p. fém. de *condurre*, du lat. *conducere*. → Conduire.

♦ **1** Hist. Au moyen âge, Chef de soldats mercenaires italiens. *Des condottieres*, ou, rare (pl. ital.), *des condottieri* [kɔ̃dɔttjeʀi] (→ Aventurier, cit. 9). *Le Voyage du Condottiere*, de Suarès.

1 On le vit *(Maximilien)* à la fin gagnant sa vie comme condottiere, dans le camp des Anglais, empereur à cent écus par jour.
      MICHELET, Hist. de France au XVᵉ s., I, VIII.

2 Ces condottieri, dont la renommée a duré trois siècles, valaient leur prix; il existait à la fin du XVᵉ, dans l'Italie du Nord, un véritable marché des bandes, des *milizie (milices)* achetables, compagnies d'aventure louées à temps ou à forfait, cotées très cher, même à l'étranger.
      Paul MORAND, Venises, p. 128.

♦ **2** (1836). Fig. Aventurier. *«Don Juan, le condottiere de l'équipée érotique et de la séduction innombrable»* (Jankélévitch, *in* T. L. F.).

CONDUCTANCE [kɔ̃dyktɑ̃s] n. f. — 1893, Congrès de Chicago; mot angl., de *to conduct* «conduire».

Phys. Inverse de la résistance électrique d'un conducteur. *L'unité de conductance est le mho, inverse de l'ohm* (→ **Ohm**). — Par ext. *«La diode est une conductance asymétrique»* (G. Simondon, *Du mode d'existence des objets techniques*, p. 42).

DÉR. **Conductivité.**

CONDUCTEUR, TRICE [kɔ̃dyktœʀ, tʀis] n. et adj. — Après 1350, *conductour*; du supin de *conducere* (→ Conduire); a remplacé l'anc. franç. *conduiteur*, du p. p. de *conduire*.

I N. Personne qui conduit qqn ou quelque chose.

♦ **1** (Avec un compl. introduit par *de*). Personne qui dirige, mène des hommes. → **Berger, chef, guide, pasteur** (cit. 5). *Conducteur d'hommes.* — (Sans compl.). Vx. → ci-dessous, cit. 2 et 3. *Moïse était le conducteur du peuple de Dieu. Conducteur d'armée.* → **Général, stratège.** — Fig. *Un conducteur d'âmes.* → **Conseiller** (spirituel), **guide, directeur** (spirituel).

1 (...) toi qui te flattes d'être le conducteur des aveugles, la lumière de ceux qui sont dans les ténèbres, le docteur des insensés, le maître des ignorants (...) toi donc qui enseignes les autres, tu ne t'enseignes pas toi-même!
      BIBLE (SEGOND), Épître aux Romains, II, 19.

2 M. de Sainte-Beuve a laissé beaucoup de pauvres âmes errantes et vagabondes, sans conducteur et sans gouvernail dans les orages de cette vie.
      Mᵐᵉ DE SÉVIGNÉ, 674, 23 déc. 1677.

3 La France, depuis la Révolution, a souvent changé de conducteurs, et n'a point encore vu une femme au timon de l'État.
      CHATEAUBRIAND, Mémoires d'outre-tombe, t. V, p. 327.

4 Moïse a la grandeur sans charme des vrais conducteurs d'hommes, de ceux qui, au cœur d'un peuple, frappent un sceau ineffaçable.
      DANIEL-ROPS, le Peuple de la Bible, II, I, p. 95.

Vx. Personne qui dirige la marche (de qqch.). *«Conducteur de ses affaires»* (Commynes).

♦ **2** (1559). Vx. Personne qui dirige (un animal), conduit (un troupeau). *Le conducteur d'un troupeau. Conducteur de bestiaux.* → **Berger, gardien, pasteur, toucheur** (de bœufs). *Conducteur de caravane.* → **Caravanier.** *Conducteur de chameaux* (→ **Chamelier**), *de mulets* (→ **Muletier**), *d'éléphants* (→ **Cornac**), *de bêtes de somme.*

♦ **3** Personne qui conduit (un véhicule), en dirige la marche. *Le conducteur d'une voiture à cheval, d'une charrette, d'un tombereau, d'un fardier.* → **Charretier, cocher, messager** (vx), **postillon, roulier, voiturier.** *La conductrice d'un tilbury.*

N. m. Par ext., vx. Employé chargé des rapports avec le public, dans une voiture collective (diligence, etc.). *Les cochers, les postillons et les conducteurs. Le conducteur, la conductrice d'une machine électrique, d'une locomotive.* → **Mécanicien.** — Ancienmt. *Conducteur de tram.* → (vx) **Wattman.**

REM. *Conducteur* ne se dit guère en parlant de la personne qui conduit un bateau ou un avion (→ Pilote).

Spécialt. **a** Avec ou sans compl. Cour. (1904, à propos de courses automobiles, *in* Petiot). Personne qui conduit un véhicule automobile. → **Chauffeur.** *Conducteur de voiture de course* (→ **Pilote**), *de voiture de tourisme, de camion* (→ **Camionneur, routier**), *de taxi, d'autobus, de car* (→ **Chauffeur**). *Le conducteur, la conductrice du tracteur.* — Sans compl., surtout en parlant d'une voiture automobile privée (→ Automobiliste). *Les responsabilités du propriétaire et du conducteur. C'est une excellente conductrice : elle conduit* très bien. Le conducteur et ses passagers* (→ Tenir le volant*).

5 Dans la circulation automobile, les gens et les choses s'accumulent, se mêlent sans se rencontrer. C'est un cas surprenant de simultanéité sans échange, chaque élément restant dans sa boîte, chacun bien clos dans sa carapace. Ce qui contribue aussi à dégrader la vie urbaine et à créer la «psychologie» ou plutôt la psychose du conducteur.
      Henri LEFEBVRE, la Vie quotidienne dans le monde moderne, p. 192.

b Ch. de fer. Employé placé sous les ordres du chef de train et chargé du service des bagages, des freins de secours. → **Serre-frein.**

6 Le conducteur-chef venait de descendre de son fourgon (...) Il était gelé dans sa vigie, il déclarait qu'il était incapable de distinguer un signal d'un poteau télégraphique.
      ZOLA, la Bête humaine, p. 213.

♦ **4** Techn. Ouvrier chargé de la conduite de certaines machines *(conducteur de presse, de machines, de moteurs)*, de la surveillance de dispositifs *(conducteur de four, de cuve)*.

♦ **5** (1845). *Conducteur de travaux :* technicien chargé de conduire des travaux de construction, des travaux publics, en appliquant les directives d'un architecte ou d'un ingénieur (travail de lecture et d'interprétation des plans, de coordination des équipes d'ouvriers, etc.). *Conducteur des Ponts et Chaussées.* → **Ingénieur.**

REM. Aux sens 4 et 5, le fém. est virtuel.

♦ **6** Mus. Partition abrégée à l'usage du chef d'orchestre.

♦ **7** N. m. Électr. → ci-dessous II., 2.

II Adj. et n. ♦ **1** Adj. (1805). Qui conduit, qui permet d'aller d'un point à un autre. *«Tube conducteur de l'air»* (Cuvier, *in* T. L. F.).

Qui conduit, dirige. *Idée conductrice.* → **Directeur.** (1824). Fig. *Fil* conducteur :* principe, idée directrice qui permet de se repérer.

♦ **2** Adj. et n. (1771, n. m.). Qui conduit l'électricité. *Corps conducteurs* (opposé à *isolant*). *Fil conducteur.*

6.1 Un terrible fluide d'égoïsme ou d'orgueil traversait devant lui les corps les moins conducteurs, et donnait au bouchon de liège tombé de la bouteille toute la densité d'un ennemi.
      GIRAUDOUX, les Aventures de Jérôme Bardini, p. 111.

N. m. *Les métaux sont de bons conducteurs.* → aussi **Semi-conducteur.** *Conducteur mixte,* fait de plusieurs fils de divers métaux. → **Compound.**

7 J'ai un antitonnerre à Ferney dans mon jardin, vous savez que cela s'appelle un conducteur.
VOLTAIRE, *Lettre à d'Argental,* 8 mars 1775.

Par ext. Corps conducteur de la chaleur. — *Conducteur de lumière :* faisceau de fibres optiques assemblées dans une gerbe. — *Conducteur de photons, conducteur d'images* (même sens).

CONDUCTIBILITÉ [kɔ̃dyktibilite] n. f. — 1808, *in* D.D.L.; dér. du lat. *conductus,* p. p. de *conducere.*

Didact. (sciences).

♦ **1** Propriété qu'ont les corps de transmettre la chaleur, l'électricité. → **Conduction.** *Conductibilité calorifique, électrique. L'argent a un coefficient de conductibilité élevé. Conductibilité électrique.*

♦ **2** Physiol. Faculté de propager l'influx nerveux.

COMP. Conductimètre.

CONDUCTIBLE [kɔ̃dyktibl] adj. — 1832; dér. du lat. *conductus.*

Didact. Qui possède la propriété de conductibilité. *Corps conductibles et non conductibles.*

CONTR. Isolant.

CONDUCTIMÈTRE [kɔ̃dyktimɛtr] n. m. — 1974; de *conducti(bilité),* et *-mètre.*

Techn. Appareil permettant de mesurer la conductibilité électrique.

CONDUCTION [kɔ̃dyksjɔ̃] n. f. — XIIIᵉ; lat. *conductio,* du supin de *conducere* «louer; conduire».

♦ **1** Dr. rom. Action de prendre (qqch.) en location. → **Location.**

♦ **2** (1863). Phys. Transmission de la chaleur, de l'électricité dans un corps conducteur (→ Conductibilité). *Conduction ionique,* due à un déplacement des ions.

Physiol. Transmission de l'influx nerveux.

Notons que dans le cas des nerfs volontaires, les grandes vitesses de conduction ne sont possibles que parce que les fibres nerveuses ont un diamètre d'autant plus grand qu'elles sont plus rapides. Sans cela, un trop faible diamètre freinerait le déplacement des charges électriques.
Paul CHAUCHARD, *le Système nerveux...,* p. 38.

COMP. Autoconduction.

CONDUCTIVITÉ [kɔ̃dyktivite] n. f. — 1907; de *conductance,* d'après *résistivité.*

Électr. Inverse de la résistivité*.

CONDUIRE [kɔ̃dyiʀ] v. tr. [CONJUG.: *je conduis, nous conduisons; je conduisais; je conduisis; je conduirai; je conduirais; que je conduise; que je conduisisse* (inus.) *conduisant; conduit, conduite.*] — Xᵉ; du lat. *conducere,* de *con-* (*cum*), et *ducere* «conduire».

♦ **1** (Personnes). *Conduire* (qqn, un animal) *à, en, dans, vers* (qqch.), *chez* (qqn), *quelque part,* (le) *mener* (quelque part). → **Accompagner, diriger, emmener, guider, mener.** *Conduire qqn chez le médecin. Conduire un enfant chez sa grand-mère. Conduire un ami au restaurant, dans un restaurant. Conduire un malade à l'hôpital. Conduire un enfant à l'école. Conduire un accusé en prison.* → **Escorter.** *Conduire des voyageurs à la gare. Conduire qqn vers la sortie. Être conduit, se faire conduire quelque part.* — *Conduire un bœuf à l'abattoir, un chien chez le vétérinaire.* — (Sans compl. de lieu). *Il nous a conduits sans se tromper. Conduire un aveugle par la main. Le chien qui conduit un aveugle.*

1 En sortant de chez le cardinal, il fut arrêté par un alguazil, et conduit à la tour de Ségovie, où il a été longtemps prisonnier.
A.-R. LESAGE, *Gil Blas,* VIII, VI.

2 Je me rappelle qu'elle me conduisit très doucement (...) et qu'elle orienta ses phares (...) de manière qu'ils éclairassent l'allée (...)
COLETTE, *la Naissance du jour,* p. 247.

3 Ses relations anglaises venaient le chercher à l'hôtel, le conduisaient à quelque restaurant des alentours de Leicester Square.
J. ROMAINS, *les Hommes de bonne volonté,* t. V, XXVI, p. 347.

Conduire des soldats au combat, à l'assaut. → **Entraîner, mener.** *Loc.* (Vieilli ou par plais.). *Conduire sa fille à l'autel.* → **Marier.** (1829). *Conduire une femme à l'autel,* l'épouser.

Par ext. Conduire les bagages d'un ami à la gare. → **Apporter, porter.**

Littér. Diriger. *Conduire les pas de qqn (quelque part).* → **Guider.** *Conduire ses pas vers...* → **Diriger** (se). — Spécialt. *Conduire la main d'un enfant,* pour lui apprendre à écrire. → **Tenir, guider.** — *Conduire ses invités jusqu'à la porte.* → **Raccompagner, reconduire.**

4 (...) vite un flambeau pour conduire M. Dimanche... Voulez-vous que je le reconduise?
MOLIÈRE, *Dom Juan,* IV, 3.

5 De quel autre côté conduiriez-vous vos pas?
RACINE, *Alexandre,* III, 1.

Littér. *Conduire qqn des yeux, du regard.* → **Accompagner, suivre.**

Absolt. *Se laisser conduire.* → **Faire** (se laisser faire). *Se laisser conduire comme un enfant :* faire preuve d'une docilité extrême.

6 De ces secrets, Madame, on saura vous instruire; Vous n'avez seulement qu'à vous laisser conduire.
MOLIÈRE, *Tartuffe,* IV, 5.

7 Si vous n'avez appris à vous laisser conduire, Vous êtes jeune encore, et l'on peut vous instruire.
RACINE, *Britannicus,* III, 8.

8 D'ailleurs, les ouvriers ne sont pas les principaux coupables. Ils se laissent conduire comme des enfants par les professionnels du désordre.
J. ROMAINS, *les Hommes de bonne volonté,* t. V, p. 298.

♦ **2** (1690). Sujet n. de personne; sans compl. de lieu. **a** Diriger (un animal, un véhicule). *Conduire un troupeau,* le mener devant soi. *Conduire des chevaux, une caravane. Conduire un attelage.*

Techn. (manège). *Conduire un cheval de la main. Conduire un cheval étroit ou large,* lui faire parcourir dans le manège, un cercle plus ou moins grand.

Rare. *Conduire un bateau, une barque.* → **Mener, piloter.** — *Loc. mod. Conduire, bien conduire la (sa) barque** (cit. 7).

Rare. *Conduire une bicyclette* (→ **Monter** [à bicyclette]), *une moto.*

Cour. Mener (un véhicule automobile). *Conduire une voiture, une automobile, un autobus, un taxi, une camionnette* (→ Permis, cit. 1). — (1904, *in* Petiot). Absolt. Diriger une automobile. *C'est ma sœur qui va conduire* (→ Prendre le volant*). *Savoir conduire. Il conduit bien, rapidement. Façon de conduire. Il conduit mal, il conduit comme un pied.* — *Permis** (cit. 2) *de conduire. Apprendre à conduire.*

9 Votre valet de chambre, celui que vous dites si sûr, sait-il conduire?
LOTI, *les Désenchantées,* XXVI, p. 164.

Conduire une voiture de course, un avion. → **Piloter.**

b Loc. (1828). *Conduire le deuil**. → **Mener.**

♦ 3 **a** (1851). Sujet n. de chose. Faire passer, transmettre. *Corps qui conduisent la chaleur, l'électricité* (→ **Conducteur**). *Conduire l'eau*, la faire aller d'un endroit à un autre par des canalisations. → **Canaliser, drainer.**

b Sujet n. de personne. Techn. (arbor.). *Conduire une futaie, une forêt*, l'aménager. *Conduire un arbre*, diriger par la taille le développement de sa charpente.

Math. *Conduire une ligne*, la faire passer par différents points.

Techn. *Conduire la pierre**. *Conduire un mur*, le prolonger jusqu'à un endroit déterminé.

♦ 4 Faire aller (quelque part). **a** (Concret). Sujet n. de chose. *Ses traces nous ont conduits jusqu'ici. Cette route conduit à la ville.* → **Mener.** *Cette rue conduit au boulevard.* → **Déboucher** (dans).

b (Abstrait ; → Conduite, I., B.). Sujet n. de personne. Amener (qqn) à une situation (intellectuelle, morale) nouvelle. *Conduire qqn à de nouvelles idées, à croire que... Conduire qqn à des connaissances, dans une science.* → **Initier** (à), **introduire** (à). — Compl. n. de chose. *Conduire une chose, un projet... à des développements imprévus, à sa fin.* → **Achever, terminer.** *Conduire un travail à son point de perfection.*

Sujet n. de chose. *Doctrine qui conduit au mysticisme.* → **Aboutir, amener, entraîner, mener.** *Ses actions l'ont conduit à la gloire, à l'infamie. La philosophie conduit à la sagesse.*

10 Toutes ces contrariétés, qui semblaient le plus m'éloigner de la connaissance de la religion, est ce qui m'a le plus tôt conduit à la véritable. PASCAL, Pensées, IV, 424.

11 (...) et elle *(ma mère)* se gardait bien de me conduire dans ces sentiers de la grammaire où elle craignait de s'égarer. FRANCE, le Petit Pierre, XXIX, p. 200.

Sans compl. direct :

12 L'exercice de la vie de l'esprit me semble conduire nécessairement à l'universalisme, au sens de l'éternel (...) Julien BENDA, la Trahison des clercs, III, p. 229.

Allus. littér. (par métaphore) :

13 Aucun chemin de fleurs ne conduit à la gloire. LA FONTAINE, Fables, X, 13.

(Passif). *Être conduit (par qqn, qqch.) à qqch.* → ci-dessous *infra* cit. 23.

♦ 5 Sujet n. de personne ; sans compl. de lieu. Mener, faire progresser (qqch.) selon une direction. *Conduire un récit, une intrigue. Conduire logiquement, impeccablement un raisonnement* (→ **Raisonner ; déduire, induire**).

♦ 6 (1372). Dr. Faire agir, mener en étant à la tête de. → **Commander, diriger, gouverner ; barre** (tenir la), **gouvernail** (tenir le). *Conduire une armée, une flotte. Des troupes difficiles à conduire. L'art de conduire les peuples.* → **Guider.** Conduire une entreprise, une affaire. → **Administrer, gérer.** *Conduire sa maison. Conduire une entreprise avec autorité, avec compétence, de main de maître.* → **Mener.** *Conduire des travaux.* → **Surveiller ; conducteur.** *Conduire une intrigue, un complot.* → **Comploter.** *Conduire un orchestre, un ballet*, les diriger. — Fig. *Conduire la danse, conduire le bal**. — Vx (→ ci-dessous, cit. 15). *Conduire un enfant.* → **Éduquer, élever.** — Avec un compl. second. *Conduire une armée à, vers la victoire. Conduire les hommes, les peuples à...* (→ ci-dessous, cit. 17). — Fig. *Conduire la conscience de qqn.* → **Influencer.**

14 Dès que la mère Angélique (...) eut connu par quel chemin sûr il conduisait les âmes (...) RACINE, Hist. de Port-Royal.

15 Il est bien étrange que (...) l'on n'ait jamais imaginé d'autre instrument pour les conduire *(les enfants)* que l'émulation, la jalousie, l'envie, la vanité, l'avidité (...) ROUSSEAU, Émile, II.

16 (...) l'art de conduire les peuples est plus difficile que celui de les éclairer. ROUSSEAU, Disc. sur les sciences et les arts, II, p. 23.

17 Ceux qui conduisent les hommes à la conquête des choses n'ont que faire de la justice et de la charité. Julien BENDA, la Trahison des clercs, Avant-propos de la 1re éd., p. 93.

18 Aucune entreprise ne prospère sans l'impulsion d'un homme qui a pour vocation de la conduire (...) J. CHARDONNE, l'Amour du prochain, VII, p. 183.

♦ 7 (V. 1175). Abstrait. Entraîner. → **Animer, pousser, soulever.** *Les instincts, les tendances conduisent l'homme faible. Ses passions le conduisent. La colère conduisait son bras. Être conduit par la vertu. La saison conduit le sage.*

19 (...) ce même Néron, que la vertu conduit, Fait enlever Junie au milieu de la nuit. RACINE, Britannicus, I, 1.

20 (...) il *(Ch. de Sévigné)* lut cet endroit ; il fut conduit, comme moi, par les sentiments qu'il inspire (...) Mme DE SÉVIGNÉ, 1248, 1er janv. 1690.

21 (...) si c'est la raison qui fait l'homme, c'est le sentiment qui le conduit. ROUSSEAU, Julie ou la Nouvelle Héloïse, III, Lettre VII, p. 326.

22 Quinette n'osait jurer qu'il n'avait pas obéi à quelque impulsion aussi aveugle que celle qui conduit les criminels à un traquenard de police. J. ROMAINS, les Hommes de bonne volonté, t. II, VIII, p. 80.

(1080). *Conduire (qqn) à* (un sentiment, un comportement). *Conduire qqn au désespoir.* → **Acculer, réduire.** *Conduire qqn à l'erreur.* → **Induire.** *Conduire qqn à ses raisons.* → **Convaincre, persuader.**

23 Vaincre les êtres et les conduire au désespoir est facile. A. MAUROIS, Climats, I, XXII, p. 148.

(Passif). *Être conduit à... (et inf.). Je suis conduit à vous parler ainsi.... Je suis conduit à conclure que... Cela me conduit à vous confier ce secret.* → **Amener, entraîner, porter.**

♦ SE CONDUIRE v. pron. (Mil. XIIIe, sens 2.)

♦ 1 Vieilli. Se conduire soi-même. *Dans l'obscurité, on ne voit pas pour se conduire.*

24 La nuit est avancée (...) Je ne vois point à me conduire. MOLIÈRE, George Dandin, III, 1.

25 À présent, on voit à se conduire, et nous trouverons bien une maison qui nous ouvrira (...) G. SAND, la Mare au diable, X, p. 88.

♦ 2 Cour. Se comporter. → **Agir.** *Les façons de se conduire.* → **Conduite.** *Se conduire bien, mal. Se conduire vaillamment, courageusement. Tâchez de vous bien conduire. Conduisez-vous avec modération, avec prudence. Se conduire comme en pays conquis.* — *Savoir se conduire* : bien se conduire, se conduire conformément au savoir-vivre. *Il ne sait pas se conduire en société.*

26 Et maintenant, rois, conduisez-vous avec sagesse ! BIBLE (SEGOND), Psaumes, II, 10.

27 Prétendrais-tu nous gouverner encor, Ne sachant pas te conduire toi-même ? LA FONTAINE, Fables, VI, 6.

28 En dehors de cette conception immorale de ses rapports avec les hommes, il se conduisait dans la vie avec une certaine loyauté (...) P. MAC ORLAN, la Bandera, V, p. 63.

♦ 3 (Passif). Être conduit, dirigé. *Cette voiture se conduit facilement.* — (Abstrait) :

29 Je sais bien comment ces affaires-là se conduisent (...) G. SAND, François le Champi, XIX, p. 134.

CONTR. Abandonner, laisser. — Obéir. ◊ **DÉR.** Conduiseur, conduit, conduite. ◆ **COMP.** Éconduire, reconduire.

CONDUISEUR [kɔ̃dɥizœʀ] n. m. — XIIᵉ ; de *conduire*.
Technique.

◆ **1** (Vx). Commis d'un marchand de bois.

◆ **2** Ouvrier ardoisier qui conduit les pièces à leur sortie de la carrière, du puits d'extraction.

CONDUIT [kɔ̃dɥi] n. m. — V. 1175 ; p. p. de *conduire*.

I Ce qui conduit. ◆ **1** Canal étroit, tuyau par lequel s'écoule un liquide, un fluide. → **Canalisation, canalicule, manche, tube**. *Conduit de fonte (en fonte), de plomb, de pierre. Conduit isolant. Conduit d'entrée, d'admission. Conduit principal. Conduit de décharge. Conduit d'une fontaine. Conduit d'eau.* → **Conduite ; aqueduc,** 2. **buse, cheneau, goulotte, gouttière, reillère.** *Conduit de trop-plein d'un bassin.* → **Déchargeoir.** *Conduit d'eaux sales.* → **Égout.** *Conduit à gaz. Conduit de fumée, de ventilation. Boucher, fermer un conduit. L'engorgement d'un conduit. Conduit collecteur*. Conduit à escarbilles. Le conduit de vapeur d'une chaudière.* → **Tubulure.**

Conduit souterrain. → **Boyau, passage, souterrain, tranchée.**

Mar. Cosse ou tube servant à diriger des cordages. *Conduit pour amarres.*

◆ **2** (Déb. XIIIᵉ). Canal d'un organisme vivant, et, spécialt, de l'organisme humain. *Conduit respiratoire.* → **Bronche, voie.** *Conduit circulatoire.* → **Artère, veine ; sang** (→ Artérite, cit.). *Conduit auditif, externe, interne. Conduit lacrymal. Conduit urinaire.* → **Uretère.** *Conduit intestinal.* → **Intestin.** *Conduit vaginal.* → **Vagin.**

1 Le vagin est un conduit musculo-membraneux à la fois très long, très large et très extensible (...)
L. TESTUT, Traité d'anatomie, V, p. 413.

2 Recueillies par le pavillon de l'oreille, puis acheminées dans le conduit auditif externe jusqu'à l'oreille moyenne, les ondes sonores font vibrer la membrane du tympan.
P. VALLERY-RADOT, Notre corps..., p. 132.

Introduire une sonde dans un conduit de l'organisme. → **Cathétériser, sonder.** *Conduit artificiel.* → **Drain.**

II Action de conduire. ◆ **1** (1218). Didact. (mus). Genre polyphonique, mélodie accompagnée de contrepoints, au moyen âge.

3 Aux XIIᵉ et XIIIᵉ siècles, on donne le nom de conduit à toute pièce polyphonique vocale écrite à la manière de l'organum, c'est-à-dire note contre note, mais dont le *ténor* au lieu d'être emprunté au fonds grégorien, est librement composé. Le conduit, à deux, trois ou quatre voix, peut ainsi échapper au répertoire liturgique. Ce type d'écriture a été repris par diverses formes profanes, notamment celle du rondeau.
A. HODEIR, les Formes de la musique, p. 45.

◆ **2** Passage de quelques mesures servant de liaison entre l'exposition du sujet et sa réponse, dans une fugue.

CONTR. Fermeture. ◇ **COMP. Sauf-conduit.**

CONDUITE [kɔ̃dɥit] n. f. — XIIIᵉ ; p. p. fém. de *conduire*.

I **A** ◆ **1** Action de conduire* (qqn, qqch.), d'accompagner, de guider. → **Accompagnement, direction.** *Être chargé de la conduite d'un aveugle.* — Loc. fam. *Faire la conduite à un ami.* → **Accompagner.** *Je vais vous faire un bout, un brin de conduite.* — *Être chargé de la conduite d'un personnage officiel* (→ **Cortège, escorte**). — Loc. *Sous la conduite de... Visiter une ville sous la conduite d'un guide.*

1 À vous mettre en lieu sûr, je m'offre pour conduite.
MOLIÈRE, Tartuffe, V, 6.

Elle nous adopta tous dans son cœur *(Toutouque)*, suivit 2 ma mère à la boucherie, me fit un bout de conduite quotidienne sur le chemin de l'école.
COLETTE, Histoires pour Bel-Gazou, VI, « La toutouque », p. 46.

(Haverkamp) fit la visite de l'établissement sous la conduite 3 d'un gardien (...)
J. ROMAINS, les Hommes de bonne volonté, t. V, IX, p. 74.

Spécialt, anc. (langue du compagnonnage). Cérémonie d'adieu à un compagnon quittant une ville du Tour de France, consistant à l'accompagner solennellement en cortège jusqu'aux portes de la ville, à le « mettre aux champs ».
Conduite de Grenoble : rituel de dégradation et d'exclusion d'un compagnon qui avait gravement manqué à la morale où à l'honnêteté ou aux règles de sa société (la tradition fait remonter l'origine de la locution à une rixe qui aurait opposé aux portes de Grenoble deux obédiences compagnonniques rivales). — Par ext., langue courante (vieilli). *Faire à qqn la (une) conduite de Grenoble* : faire à qqn une réception hostile, l'escorter de huées, le malmener.

◆ **2** Le fait de conduire (des animaux, un véhicule). *La conduite d'un troupeau, d'une caravane. Prendre en charge la conduite d'un convoi. La conduite d'un attelage. Assurer la conduite d'un navire, d'un avion.* → **Pilotage.** — Fig. *Prendre la conduite de la barque** (cit. 6). → **Gouvernail.**

Spécialt. *La conduite d'une voiture, d'une automobile.* — Absolt (correspond à *conduire*, supra cit. 9). *Conduite en ville, sur route. Les règles de la conduite.* → **Code** (de la route). *La conduite la nuit, la conduite par temps de pluie ne lui plaît pas. Leçons de conduite données par un moniteur d'auto-école. Passer l'épreuve de conduite du permis de conduire, et, ellipt.., passer la conduite. — La conduite de qqn, sa manière de conduire. Conduite rapide, sportive ; prudente, maladroite.*

Par métonymie. Ensemble des dispositifs d'une voiture permettant de conduire (volant, manettes, pédales, levier de vitesses, tableau de bord). *Cette voiture est anglaise : elle a la conduite à droite.* (1913, *la Vie automobile, in* D.D.L. ; ellipse de *voiture à conduite intérieure*). **CONDUITE INTÉRIEURE :** automobile entièrement couverte, fermée (par oppos. à *cabriolet, décapotable*). → (vieilli) **Limousine.** *Des conduites intérieures.*

(...) conduisant une vieille guimbarde, une vieille conduite 3.1 intérieure aux hautes vitres.
Claude SIMON, le Vent, p. 36.

◆ **3** Techn. Le fait de conduire (une machine, un dispositif). *La conduite d'un réacteur atomique* : ensemble des opérations de commande et de contrôle de sa marche.

B ◆ **1** Action de diriger (qqn) au point de vue psychologique et moral ; résultat de cette action. → **Direction, influence.** — Vx. *Avoir la conduite de qqn, de son destin* (→ ci-dessous, cit. 6). — Mod. **SOUS LA CONDUITE DE...** *Placer un élève sous la conduite d'un professeur, d'un précepteur. Travailler sous la conduite d'un maître. Se mettre, marcher sous la conduite de qqn.*

Sous la conduite de qui je puisse marcher sûrement dans 4 le chemin où je m'en vais entrer.
MOLIÈRE, Dom Juan, V, 1.

(Elle) vit sous la conduite d'une bonne femme de mère, 5 qui est presque toujours malade (...)
MOLIÈRE, l'Avare, I, 2.

Allez. De votre sort laissez-moi la conduite (...) 6
RACINE, Andromaque, IV, 3.

Il faut une grande naïveté pour croire qu'une révolution 7 peut s'opérer par des procédés démocratiques, et sous la conduite de meneurs qui ne mènent rien du tout, qui ne sont en réalité que des chefs de majorités de Congrès et des orateurs applaudis.

> J. ROMAINS, les Hommes de bonne volonté, t. IV, XVI, p. 176.

♦ **2** (1465). Action de diriger, de commander, d'assurer la bonne marche (d'une entreprise, d'une affaire). → **Commandement, direction, gouvernement.** *Laissez-lui la conduite de cette affaire.* → **Charge, soin.** *La conduite d'un procès. Prendre en charge la conduite de travaux.* → **Exécution, surveillance; conducteur** (I., 4.). *Être chargé de la conduite de l'État* (→ **Gouvernement**), *d'un ministère* (→ **Administration**). — *Avoir la conduite d'une armée.* → **Commandement.** — Loc. *Servir sous la conduite d'un grand soldat.*

8 Sa Majesté lui dit *(à Luxembourg)* qu'il avait donné de si bons juges pour examiner ces sortes d'affaires, qu'il leur en laissait toute la conduite.
> Mᵐᵉ DE SÉVIGNÉ, 775, 26 janv. 1680.

9 Toute la conduite des choses doit avoir pour objet l'établissement et la grandeur de la religion (...)
> PASCAL, Pensées, VIII, 556.

10 (...) le combat célèbre que ceux de Lacédémone ont livré aux Athéniens sous la conduite de Lysandre.
> LA BRUYÈRE, les Caractères de Théophraste, «Du grand parleur.»

Vieilli. *La conduite d'un ouvrage littéraire, d'une pièce de théâtre :* le déroulement de l'action dramatique. → **Déroulement.**

11 (...) la conduite de son théâtre, qu'il *(Corneille)* a quelquefois hasardée contre les règles des anciens (...)
> LA BRUYÈRE, les Caractères, I, 54.

Au plur. Vx. *Les conduites de la Providence, de la grâce divine.* → **Chemin, voie.**

12 J'honore plus que jamais les conduites de la Providence (...)
> Mᵐᵉ DE SÉVIGNÉ, 853, 15 sept. 1680.

♦ **3** (1680; «penchant», 1520). Action de se diriger soi-même; façon d'agir, manière de se comporter. → **Action, agissement, allure, attitude, comportement.** *La conduite de qqn, sa conduite. Avoir une conduite étrange, originale, inattendue. Conduite changeante, versatile. Ma conduite est commandée par les événements. Observer, suivre la même conduite, en toute circonstance. Régler, tracer sa conduite sur qqn, le copier, l'imiter. On ne sait quelle conduite adopter dans ce cas. Quelle est la conduite à tenir? : que faut-il faire?* — *Ligne de conduite :* directives générales à suivre. *Se donner, adopter une nouvelle ligne de conduite. Décider d'une ligne de conduite. Changer de ligne de conduite.* → **Ligne, plan, régime, règle.** — Vx. *La, les conduites du pouvoir, d'une autorité* (→ ci-dessous cit. 14). → **Agissements.**

13 Il y a une infinité de conduites qui paraissent ridicules, et dont les raisons cachées sont très sages et très solides.
> LA ROCHEFOUCAULD, Maximes, 163.

14 (...) l'embarras où il est d'accommoder les conduites de l'Église dans les premiers siècles avec celles d'aujourd'hui.
> Mᵐᵉ DE SÉVIGNÉ, 836, 28 juil. 1680.

15 Si l'on n'est pas maître de ses sentiments, au moins on l'est de sa conduite.
> ROUSSEAU, Julie ou la Nouvelle Héloïse, VI, Lettre II, p. 282.

16 Ma conduite est assez simple si je suis une ligne très droite.
> GIDE, Journal, 12 févr. 1907.

17 Toute ma conduite présente serait d'un imbécile, si elle n'était pas commandée par la sympathie.
> J. ROMAINS, les Hommes de bonne volonté, t. III, p. 222.

18 (...) je connais les hommes et je les reconnais à leur conduite, à l'ensemble de leur actes, aux conséquences que leur passage suscite dans la vie.
> CAMUS, le Mythe de Sisyphe, p. 25.

Psychol. *La conduite humaine. Les conduites :* les manières d'agir, de se comporter d'un individu dans une circonstance déterminée. *Conduite de l'attente. Une conduite d'échec.* → **Comportement.**

♦ **4** Manière d'agir, du point de vue de la morale, des bonnes mœurs.

19 «Avoir de la conduite», c'est se gouverner, ne pas se laisser aller à ses instincts ou ses impulsions (...)
> LALANDE, Voc. de la philosophie, art. *Comportement,* (remarque).

Vx. *Bonne conduite. Avoir de la conduite. N'avoir pas de conduite, aucune conduite. Manquer de conduite* (cf. Mal se conduire). Mod. (qualifié par un adj. ou un compl., ou dans un syntagme : écart de conduite). *Nous n'ignorons rien de sa mauvaise conduite. Une conduite déréglée, déshonorée, désordonnée, énigmatique, équivoque, excentrique, honteuse, ignoble, immorale, impardonnable, imprudente, indigne, inexcusable, légère, libertine, licencieuse, louche, malhonnête, malpropre, relâchée, répréhensible, scandaleuse* (cf. Il est au-dessous de tout).

ÉCART DE CONDUITE. *Faire commettre un écart de conduite.* → **Débauche, dépravation, désordre, déviation, errement, erreur, faute, frasque, fredaine, incartade, inconduite; cascader, déranger** (se), **émanciper** (s'), **trébucher; bonnet** (jeter son bonnet par-dessus les moulins).

La conduite de qqn, sa conduite. Racheter, regretter, déplorer sa conduite passée. → **Ranger** (se), **repentir** (se), **reprendre** (se). *Justifier sa conduite. N'être pas fier de sa conduite* (cf. Il n'y a pas de quoi se vanter). *Changer, modifier sa conduite.* → **Dépouiller** (dépouiller le vieil homme), **peau** (faire peau neuve). — *Prendre une nouvelle, une meilleure conduite.* Loc. fam. *Acheter, s'acheter une conduite.* → **Acheter; amender** (s'); **voie** (rentrer dans la bonne voie). *Une bonne conduite. Conduite digne, droite, édifiante, excusable, exemplaire, irréprochable, irréprochable, prudente, rangée, régulière, rigoureuse, sage... Nous admirons la droiture de votre conduite* (→ Cause, cit. 55). *Avoir une belle conduite, devant un danger, sur le champ de bataille* (→ **Exploit**). *Blâmer, critiquer, juger la conduite d'autrui.*

20 Les gens heureux ne se corrigent guère, et ils croient toujours avoir raison, quand la fortune soutient leur mauvaise conduite.
> LA ROCHEFOUCAULD, Maximes, 227.

21 Le moindre solécisme en parlant vous irrite; Mais vous en faites, vous, d'étranges en conduite.
> MOLIÈRE, les Femmes savantes, II, 7.

22 Je n'étais pas fort satisfait de sa conduite (...)
> MOLIÈRE, l'Amour médecin, I, 1.

23 Ces croyances donnèrent lieu de très bonne heure à des règles de conduite.
> FUSTEL DE COULANGES, la Cité antique, I, II, p. 15.

24 Je le sais, après ma lâche conduite, je n'ai plus le droit de vivre au milieu de vous.
> Alphonse DAUDET, le Petit Chose, XVI.

25 Marie en vint à se dire qu'elle faisait connaissance, assurément par sa faute, avec les inconvénients d'une conduite irrégulière; mais que bien d'autres femmes avaient dû passer par là avant elle.
> J. ROMAINS, les Hommes de bonne volonté, t. V, I, p. 10.

26 À la rigueur, nous pourrons vous donner un certificat de bonne conduite.
> P. MAC ORLAN, la Bandera, XIX, p. 236.

27 Ne jugez pas la conduite du prochain. En toutes circonstances il y a place pour la noblesse ou la turpitude, suivant l'intime complexion de l'être.
> J. CHARDONNE, l'Amour du prochain, II, p. 51.

Spécialt. *La conduite d'un élève en classe,* sa façon d'observer la discipline scolaire. *Obtenir, mériter un zéro de conduite.* → **Blâme.** *Le professeur n'est* *pas satisfait de votre conduite. Un bulletin de con-duite.*

II (Av. 1590, en anat.). Canalisation permettant l'écoulement d'un liquide, d'un fluide. → **Boisseau, canal, canalisation, collecteur, conduit, colonne, tube, tuyau, tuyauterie.** *Conduite d'eau, de gaz, d'électricité. Conduite d'air,* dans un fourneau. *Conduite souple.* → **Durit.** *Conduite de plomb, de caoutchouc.*

28   Même l'eau finira par se perdre dans la terre si on n'entretient pas les conduites.
J. ROMAINS, les Hommes de bonne volonté, t. V,
p. 80.

Conduite forcée : gros tuyau qui amène l'eau d'une installation hydraulique aux turbines.

29   Déjà je n'avais pas vu poser sans malaise ces lignes électriques, ces conduites forcées qui blessent les pentes d'un trait artificiel et rigide.
Raymond ABELLIO, Ma dernière mémoire, t. II,
p. 196.

Techn. Partie épaisse du manche d'un outil de menuisier.

COMP. Inconduite.

CONDYLE [kɔ̃dil] n. m. — 1539 ; lat. *condylus,* grec *kondulos* «articulation»

Anat. Extrémité articulaire arrondie, convexe, d'un os, s'emboîtant dans une cavité d'un autre os (→ **Glénoïde**). *Condyle huméral, fémoral. Condyles de la mâchoire.*

1   Du côté du maxillaire, nous avons les deux condyles de cet os. Ce sont deux saillies ellipsoïdes mesurant en moyenne 20 à 22 millimètres de longueur sur 7 à 8 millimètres de largeur.   L. TESTUT, Traité d'anatomie, I, p. 542.

2   (...) à une dent d'herbivore correspondra un certain type de condyle, de mâchoire, et un membre sans griffes.
Jean ROSTAND, Esquisse d'une histoire de la
biologie, p. 124 (note).

3   Son front à peine fuyant, ses cheveux, ses oreilles, ses narines, ses deux dépressions symétriques à la place des condyles.   J.-M. G. LE CLÉZIO, la Fièvre, p. 63.

DÉR. Condylien, condyloïde.

CONDYLIEN, IENNE [kɔ̃diljɛ̃, jɛn] adj. — 1832 ; a remplacé *condyloïdien ; de condyle.*

Anat. D'un condyle. *Articulation condylienne.*

Littér. Qui a la forme d'un condyle.

Les crêtes de granit de la Serra do Mar si étrangement découpées ; des montagnes allongées, couchées, vautrées, au profil fuyant ou, la tête relevée, génial. Ramifications condyliennes et tourmentées.
B. CENDRARS, Trop c'est trop, p. 171.

CONDYLOÏDE [kɔ̃dilɔid] ou **CONDYLOÏDIEN, IENNE** [kɔ̃dilɔidjɛ̃, jɛn] adj. — 1740 ; *de condyle.*

Anatomie, vieux.

♦ **1** D'un condyle. → **Condylien.** *Fossette condyloïdienne* (E. Perrier, *in* T. L. F.).

♦ **2** Qui a la forme d'un condyle. «*Pédicule condyloïde du temporal*» (Cuvier, *in* T. L. F.).

CONDYLOME [kɔ̃dilom] n. m. — 1560 ; lat. *condyloma.*

Méd. Petite tumeur inflammatoire d'origine infectieuse, localisée sur la muqueuse génitale ou anale. *Condylome acuminé,* dû à un virus comparable à celui des verrues. Syn. : *crête de coq. Condylome plat,* d'origine syphilitique.

CÔNE [kon] n. m. — 1552 ; lat. *conus,* grec *kônos.*

♦ **1** Solide dont la base est une courbe fermée, engendré par une droite mobile (*génératrice*) qui passe par un point fixe (*sommet*), en s'appuyant sur une courbe fermée (*directrice*). *Cône à base*

circulaire. *Cône circonscrit à une sphère. Cône droit* ou *de révolution,* engendré par la révolution d'un triangle rectangle autour d'un des côtés de l'angle droit, dit *hauteur* ou *axe* du cône (l'hypoténuse du triangle, appelée *arête* ou *apothème* du cône, engendre l'aire latérale). — *Cône oblique,* dont l'axe est oblique à la base. — *Tronc de cône* ou *cône tronqué**, dont on a retranché le sommet (→ **Tronconique**).

Par ext., géom. Réunion de toutes les droites passant par un même point et rencontrant une même courbe (syn. : *surface conique*).

Cour. *Cône droit* ; objet de base circulaire (ou ellipsoïde) ; objet conique. *En forme de cône, en cône.* → **Conique, conoïde, strobiliforme.** *Montagne en cône.* → **Pain** (de sucre). *Tailler** *un arbre en forme de cône.* — *Cornet de papier, pain de sucre en cône. Le couchoir, cône tronqué pour le commettage des cordages. Les cônes de maçonnerie d'un mur, les dames-rondes de ce mur. L'entonnoir, l'éteignoir, instruments en forme de cône. Le cœur, organe en forme de cône aplati. Cellule à cône.* → ci-dessous, sens 4.

1   Une bande très nette de nuages d'un gris nacré coupait Ténériffe horizontalement par le milieu, et, au-dessus, le pic dressait son grand cône baigné de soleil.
LOTI, Mon frère Yves, XLI, p. 109.

2   (...) nous faisons un cornet de papier. Nous engendrons ainsi un cône, sur lequel un bord du papier marque une rampe qui s'élève vers la pointe, et s'y termine après quelques tours.   VALÉRY, Variété V, p. 12.

3   Un chinois (...) portant le chapeau traditionnel en cône évasé.
A. ROBBE-GRILLET, la Maison de rendez-vous, p. 16.

Opt. *Cône de lumière :* faisceau de rayons lumineux partant d'un point et allant en divergeant.

(1690). Astron. *Cône d'ombre :* ombre conique qu'une planète éclairée d'un côté projette de l'autre côté. *Les éclipses de Lune ont lieu quand la Lune entre en tout ou en partie dans le cône d'ombre de la Terre.*

♦ **2** (1753). Bot. Inflorescence de certains gymnospermes *(Conifères)* formée d'écailles portant les ovules. *Cône du pin* ou *pomme de pin.* — Inflorescence femelle du houblon.

♦ **3** (1803). Zool. Mollusque gastéropode dont la coquille conique présente une ouverture en forme de fente.

♦ **4** (1904, *in* Rev. gén. des sc., n° 5, p. 276). Prolongement conique de certaines cellules rétiniennes, sensibles à la lumière vive (à la différence des cellules à *bâtonnets*). *Cônes et bâtonnets de la rétine. Cône rétinien* (même sens).

Cône terminal (de la moelle épinière), son extrémité inférieure.

♦ **5** (1797). Géol. *Cône d'un volcan :* relief formé par les laves refroidies autour de la cheminée, par les cendres, les scories tombées autour du cratère. *Cône de déjection**.

Cône sous-marin, abyssal, amas de sédiments.

Cône d'avalanche : accumulation des débris d'une avalanche.

♦ **6** (1753). Techn. Partie, objet conique. *Cône de torpille,* partie qui contient la charge. — Mécan. *Cône d'entraînement. Embrayage à cônes.* — Aéron. *Cône d'ablation* ou *cône érodable :* partie antérieure d'un engin spatial destinée à le protéger de l'échauffement aérodynamique.

Techn. *Cône d'eau claire :* appareil monté sur une caméra sous-marine.

♦ **7** Confis. Cornet de crème glacée. → **Glace.**

CÔNE-ANCRE [konɑ̃kʀ] n. m. — 1890; de *cône*, et *ancre*.

Techn. Vx. Ancre flottante utilisée par les hydravions et les aérostats. *Des cônes-ancres* [konɑ̃kʀ].

CONESSINE [kɔnesin] n. f. — 1887, cit.; de *conessi*, nom de plante.

Chim., méd. Alcaloïde stéroïdique utilisé essentiellement dans le traitement des amibiases.

La conessine. On a importé récemment en Allemagne une écorce employée contre la dysenterie dans l'Afrique Tropicale, et désignée sous le nom d'*écorce de conessi*.
L. FIGUIER, l'Année scientifique et industrielle 1888, p. 201 (1887).

CONFABULANT, ANTE [kɔ̃fabylɑ̃, ɑ̃t] adj. — xxᵉ; p. prés. de *confabuler*.

Psychiatrie. Qui est porté à la confabulation. *Malade confabulant.* — N. *Un confabulant.*

CONFABULATION [kɔ̃fabylasjɔ̃] n. f. — Après 1450; lat. chrét. *confabulatio* «entretien»; lat. class. *confabulari* «conserver». → Confabuler.

♦ 1 Vx. Entretien familier.

♦ 2 Psychiatrie. Récit imaginaire fait par un malade atteint de troubles de la mémoire ou de confusion mentale. → **Fabulation.**

CONFABULER [kɔ̃fabyle] v. intr. — 1521; lat. *confabulari*, de *con-* (cum), et *fabulari* (→ Fabuler), de *fabula* «propos». → Fable.

♦ 1 Vx. S'entretenir familièrement. *Confabuler avec qqn. Ils passaient leur temps à confabuler.*

♦ 2 Psychiatrie. Affabuler (dans certains cas pathologiques graves). → **Confabulation.**

DÉR. Confabulant.

CONFECTION [kɔ̃fɛksjɔ̃] n. f. — 1155; lat. *confectio* «achèvement», du supin de *conficere* «achever».

♦ 1 Vieilli. Action de faire un ouvrage jusqu'à complet achèvement. → **Fabrication, façon.** *La confection d'une machine, d'une route.* — Mod. Action de fabriquer, de préparer, de mettre au point. *La confection de sa robe lui a pris trois jours. Il travaillait à la confection de casiers neufs. Confection d'une préparation* pharmaceutique. Des gâteaux de sa confection.*

1 La seconde partie de l'entrevue tourna autour de la confection du thé dans la cuisine.
J. ROMAINS, les Hommes de bonne volonté, t. V, IV, p. 30.

Confection des listes électorales. Confection des rôles de contribution, d'inventaires.

♦ 2 Vx. Préparation pharmaceutique. «*On donnera quelques stomachiques plus actifs tels que* (...) *la confection d'hyacinthe*» (Geoffroy, *in* T. L. F.).

♦ 3 (1854). Mod. et cour. Industrie des vêtements qui sont fabriqués en série (opposé à *sur mesure**). → **Prêt-à-porter.** *Vêtements de confection. S'acheter un costume de confection. Une robe de confection. Rayon de confection d'un grand magasin. Maison de confection. Être dans la confection.*

2 Vêtu d'un complet de confection, il avait l'élégance outrée des Marseillais dont il se moquait.
Jean GENET, Journal du voleur, p. 205.

Vx. *Les confections* : le rayon des vêtements de confection (Zola, *Au Bonheur des dames*).

Vêtement fait en série. *Ne porter que des confections.* — Collectif. *Ne porter que de la confection.*

Vx. Châle, manteau de femme (ex. de 1898, *in* T. L. F.).

DÉR. Confectionner.

CONFECTIONNER [kɔ̃fɛksjɔne] v. tr. — 1580; de *confection.*

♦ 1 Faire, préparer. *Confectionner un plat, un gâteau. Confectionner du pain de troupe.* → **Manutentionner.** — *Confectionner, se confectionner des vêtements. Se confectionner des outils de fortune.*

1 (...) un grand dîner à trois services (...) servi dans une détestable vaisselle, mais confectionné avec la science qui distingue les cuisinières de province.
BALZAC, le Cabinet des antiques, Pl., t. IV, p. 430.

2 Mademoiselle Rouault s'occupa de son trousseau. Une partie en fut commandée à Rouen, et elle se confectionna des chemises et des bonnets de nuit (...)
FLAUBERT, Mᵐᵉ Bovary, I, III, p. 21.

♦ 2 Fabriquer en série (des vêtements). *Industriel qui confectionne des chemisiers* (→ **Confection**).

Au p. p. *Vêtement confectionné*, fabriqué en confection.

DÉR. Confectionneur.

CONFECTIONNEUR, EUSE [kɔ̃fɛksjɔnœʀ, øz] n. — 1830; de *confectionner.*

Vieilli. Personne qui confectionne. — Mod. Fabricant de vêtements de confection.

CONFÉDÉRAL, ALE, AUX [kɔ̃fedeʀal, o] adj. — 1598, en Suisse; de *confédération*, d'après *fédéral.*

Relatif à une confédération. *L'armée confédérale* (en Suisse). *État confédéral.* — *Secrétaire confédéral d'un syndicat. Caisse, conseil confédéral.*

En franç. de Suisse. Relatif aux rapports qui doivent exister entre les cantons (membres de la confédération). *Solidarité confédérale. Esprit confédéral.*

DÉR. Confédéraliste.

CONFÉDÉRALISTE [kɔ̃fedeʀalist] adj. — 1966; de *confédéral.*

Partisan d'une confédération.

Il reste que son plaidoyer (*de B. Constant*) pour les individualités vivantes des peuples conduit à des projets confédéralistes, sinon fédéralistes.
R. POMEAU, l'Europe des lumières, p. 219, *in* D.D.L. II, 7.

CONFÉDÉRATIF, IVE [kɔ̃fedeʀatif, iv] adj. — 1761; de *confédérer, confédération.*

Rare. Relatif à une confédération. *Gouvernement confédératif.* → **Confédéral.**

CONFÉDÉRATION [kɔ̃fedeʀasjɔ̃] n. f. — 1358; lat. *confoederatio*, du supin de *confoederare.* → Confédérer.

♦ 1 Union entre plusieurs États qui s'associent tout en conservant leur souveraineté. *La Confédération helvétique constitue un État fédéral.* → **Fédération.** *Le Président de la Confédération* (du Conseil fédéral suisse).

1 (*Bonaparte*) ne rêvait d'ailleurs certainement pas d'un empire *unitaire*, mais d'une *confédération* d'États : il parlera, un jour, des *États-Unis d'Europe.*
Louis MADELIN, Vers l'Occident, X, p. 130.

Hist. Union d'entités souveraines contre un adversaire commun, ou pour défendre une cause commune. *Confédération de villes dans l'Antiquité. Confédération de seigneurs au moyen âge. Confédération contre un pays.* → **Coalition.**

2 On est las partout de l'inquisition de la cour de Vienne (...) et de ses petites trames pour unir, dans une confédération contre la France, des peuples qui détestent le joug autrichien.
CHATEAUBRIAND, Mémoires d'outre-tombe, p. 474.

♦ **2** (1895). Groupement (d'associations, de fédérations professionnelles, syndicales, sportives...) pour la défense d'intérêts communs. *La confédération générale du travail* (C. G. T.). *La confédération générale des cadres* (C. G. C.). *Confédération française démocratique du travail* (C. F. D. T.). *Confédération internationale des anciens prisonniers de guerre, des syndicats libres* (C. I. S. L.), etc.

DÉR. Confédéral.

CONFÉDÉRER [kɔ̃federe] v. tr. [CONJUG.: *céder.*] — V. 1355; lat. *confoederare*, de *foedus, -deris* «traité».

Réunir en confédération. *Confédérer des États. Confédérer un État avec un autre. Confédérer l'agriculture française.*

Pron. Se regrouper pour défendre des intérêts communs. *Se confédérer avec qqn (contre...). Les nobles polonais se confédérèrent.*

♦ **CONFÉDÉRÉ, ÉE** p. p. adj. et n.

♦ **1** (1861, *in* D.D. L.). Qui fait partie d'une confédération. *Nations confédérées.* — N. m. Membre d'une confédération. *«Deux gros confédérés comme l'Autriche et la Prusse»* (Tocqueville, *in* T. L. F.).

N. **a** (V. 1550). En franç. de Suisse. Membre de la confédération helvétique. *«Fidèles et chers confédérés»*, formule d'adresse du Conseil fédéral à un gouvernement cantonal.

(XVIᵉ). **Spécialt.** Suisse ressortissant d'un autre canton. *(À Genève), «l'apprenti genevois, l'apprenti confédéré, l'apprenti étranger»* (Feuille d'avis de Genève, 10 oct. 1973).

> Valet de ferme! Le domestique, c'est le Confédéré un peu défavorisé, un Uranais éberlué, un Fribourgeois du Gibloux (...) Ce sont les Suisses, nom de Dieu!
>   Jacques CHESSEX, Portrait des Vaudois, p. 34.

Suisse allemand (en Suisse romande).

b (1866). Pendant la guerre de Sécession américaine, les sudistes, opposés aux *Fédéraux. L'armée des Confédérés.*

c (1885). **Hist.** Combattant de la Commune de 1871.

♦ **2 Polit.** Dans un mouvement syndicaliste, Partisan de la confédération (opposé à *unitaire*).

DÉR. Confédératif.

CONFER [kɔ̃fɛʁ] → Cf.

CONFÉRENCE [kɔ̃feʁɑ̃s] n. f. — 1464; lat. *conferentia* «confrontation, réunion», de *conferre.* → Conférer.

I **Vx.** Action de rapprocher des objets pour les comparer. → **Collation.** *La conférence de plusieurs textes.*

II **Mod.** ♦ **1** Conversation, discussion à caractère officiel ou solennel. → **Entretien**; et (fam.) **palabre, parlote.** *Avoir une conférence avec qqn. Tenir conférence.* → **Conférer; négocier.** *Conférence rompue, renouée. Conférence secrète.* → **Conciliabule.**

1   Enfin, après plusieurs discours, voici où s'est réduit le résultat de notre conférence.
      MOLIÈRE, les Fourberies de Scapin, II, 5.

1.1   Ils avaient avec le cuisinier d'un petit restaurant réputé d'interminables conférences sur la composition du menu et la confection des plats.
      PROUST, À l'ombre des jeunes filles en fleurs, Pl., t. I, p. 682.

♦ **2** Réunion de travail (dans une entreprise). *Être en conférence.* → **Réunion** (en).

1.2   Quand je leur téléphone, ils sont en conférence ou ils reçoivent quelqu'un, et quand ils me reçoivent ils ne cessent de téléphoner.
      Pierre DANINOS, Un certain Monsieur Blot, p. 21.

1.   (...) il me serait difficile de dire avec exactitude le nombre de conférences auxquelles j'ai été convoqué depuis mon entrée dans la maison. Six mille, approximativement. Ces six mille conférences, d'une durée moyenne d'une heure, n'ayant le plus souvent pour résultat que d'inciter les participants à reposer la question, sous une autre forme, lors d'une nouvelle conférence à l'échelon supérieur, on peut évaluer le temps légal perdu à près de trois ans.
      Pierre DANINOS, Un certain Monsieur Blot, p. 30.

♦ **3** Assemblée de hautes personnalités discutant d'un sujet important. → **Réunion, congrès, conseil.** *Conférence politique, diplomatique, internationale.* → **Pourparler.** *Conférence pour la paix* (→ Apposer, cit. 2). *Conférence à quatre. — Conférence au sommet.* → **Sommet.** *Participants à une conférence internationale.* → **Conférent.**

2   (...) on rêve d'une conférence où les cinq grandes puissances maritimes et pacifiques (...) ne se préoccuperaient que de définir les forces navales nécessaires pour sauvegarder l'ordre, la tranquillité et la justice dans le monde. Malheureusement ce n'est pas ce que nous suppose la Conférence de Londres.
      J. BAINVILLE, la France, 21 janv. 1930, t. II, p. 249.

Réunion de personnes discutant un sujet en commun. *Conférence religieuse, théologique. — Conférence de médecins.* → **Consultation.** *Conférence d'étudiants, sous la direction d'un maître de conférences. Conférence de droit. Conférences du stage des avocats. — Conférence d'une société savante, conférence scientifique.* → **Colloque, congrès, table** (ronde).

Conférences de Saint-Vincent-de-Paul, société pieuse de bienfaisance.

♦ **4** (1680. Théol.). Discours, causerie (où l'on traite en public une question littéraire, artistique, scientifique, politique). → **Causerie, exposé; communication.** *Une série de conférences sur les pays étrangers. Conférence gratuite. Conférence contradictoire. Faire une conférence. Personne qui donne une conférence.* → **Conférencier.** *Conférence accompagnée de projections, d'un film. Salle de conférences.*

3   Monsieur Régis, étant parti de Paris avec une espèce de mission de son maître, alla établir la nouvelle philosophie à Toulouse par des conférences publiques.
      FONTENELLE, Régis, *in* LITTRÉ.

Spécialt. Discours sur un sujet religieux. *Les conférences de Notre-Dame. Les conférences de Massillon.*

♦ **5** (1752). Leçon (dans certaines écoles, dans les facultés). → **Cours.** *Conférences publiques. Conférence magistrale.* — **Loc.** *Salle de conférences. Maître* de conférences.*

♦ **6 CONFÉRENCE DE PRESSE :** réunion où une ou plusieurs personnalités s'adressent aux journalistes et répondent à leurs questions. *La conférence de presse donnée hier soir par le chef de l'État.*

4   Hier soir, conférence de presse télévisée du général de Gaulle.
      F. MAURIAC, le Nouveau Bloc-notes 1958-1960, p. 118.

DÉR. Conférencier. ◊ **COMP. Audioconférence, vidéoconférence, visioconférence, téléconférence.**

CONFÉRENCIER, IÈRE [kɔ̃feʁɑ̃sje, jɛʁ] n. — 1859; «personne qui préside à une conférence ecclésiastique», 1752; de *conférence.*

Personne qui parle en public, qui fait des conférences. → **Orateur.** *Un conférencier passionnant, ennuyeux. Écouter, présenter le conférencier.*

Adj. (Par plais.). *Ses activités conférencières, de conférencier.*

CONFÉRENT [kɔ̃feʁɑ̃] n. m. — 1915; «dignitaire vénitien», 1743; lat. *conferens,* d'après *conférence.*

Vieilli. Personne qui prend part à une conférence internationale (ex. de Joffre, De Gaulle, *in* T. L. F.).

CONFÉRER [kɔ̃feʀe] v. [CONJUG.: *céder*.] — 1370; lat. *conferre*.

Ⅰ V. tr. ◆ **1** Accorder en vertu d'une autorité. → **Administrer, attribuer, déférer, donner.** *Conférer des honneurs, un grade, un titre, une décoration à qqn* (→ **Décorer**). *Diplôme conférant un degré universitaire. Brevet, commission conférant une charge, une dignité.* — *Conférer les ordres sacrés à qqn.* → **Consacrer, ordonner, ordination;** → Caractère, cit. 24. *Conférer un sacrement.*

1 Dans l'Église naissante, on enseignait les catéchumènes, c'est-à-dire ceux qui prétendaient au baptême, avant que de le leur conférer.   PASCAL, Comp. des chrétiens.

2 (...) comment se perpétuera-t-elle (*l'Église constitutionnelle*) si les nouveaux évêques élus n'ont pas reçu, avec le sacre, le pouvoir de conférer l'ordre et même de sacrer eux-mêmes?   Louis MADELIN, Talleyrand, I, IV, p. 48.

Fig. *Les privilèges que confère l'âge, la notoriété.* → **Apporter, donner.**

3 Il avait appris, depuis peu, à ne pas négliger ce surcroît d'aisance et de bonne humeur que confèrent une lingerie fine, un col ajusté, un vêtement de bonne coupe.   MARTIN DU GARD, les Thibault, t. VI, p. 10.

4 (...) le style cursif, haché (...) conférait à ces notes un caractère de vérité qui forçait l'intérêt.
    MARTIN DU GARD, les Thibault, t. IV, p. 105.

◆ **2** Didact. Rapprocher pour comparer. → **Collationner, collation.** *Conférer deux manuscrits entre eux. Conférer un auteur avec un autre.* — Spécialt. *Conférez:* rapportez-vous à (tel document). → **Cf., confer; consulter.**

5 Et M. Bergeret conféra soigneusement un grand nombre de textes, pour éclaircir le sens du mot qu'il comprenait mal, et qu'il devait expliquer.
    FRANCE, l'Anneau d'améthyste, Œ., t. XII, p. 110.

Ⅱ V. intr. et tr. ind., construit avec *de.* (V. 1455). Être en conférence*; s'entretenir (avec qqn, de qqch., sur qqch.). → **Causer, parler.** *Conférer de son affaire avec son avocat. Nous en avons conféré ensemble. Ils en ont conféré entre eux.*

6 La prudence que Malin venait de déployer en conférant avec Grévin en plein air (...)
    BALZAC, Une ténébreuse affaire, Pl., t. VII, p. 484.

CONTR. (De I., 1.) **Ôter, refuser.**

CONFERVE [kɔ̃feʀv] n. f. — 1797; *conferva,* 1615; lat. impérial *conferva,* de *confervere* «souder», à cause des propriétés cicatrisantes qu'on lui attribuait. → Consoude.

Bot. Algue verte filamenteuse (*Chlorophycées*) qui croît en eau douce et en eau salée.

CONFESSE [kɔ̃fɛs] n. f. — V. 1175; de *confesser.*

Action de se confesser. → **Confession.** (Ne s'emploie que précédé des prépositions *à* et *de,* sans article). *Aller à confesse.* → Pâque, cit. 4. *Mener un enfant à confesse. Venir de confesse.* «*Il va à confesse à tel prêtre*» (Académie).

1 Quand elle (*Emma*) allait à confesse, elle inventait des petits péchés, afin de rester là plus longtemps, à genoux, dans l'ombre, les mains jointes, le visage à la grille sous le chuchotement du prêtre.
    FLAUBERT, Mᵐᵉ Bovary, I, VI, p. 28.

2 Jouhandeau, au corps restreint, une voix pâle, des mains blanches, un bec de lapin, une tache de vin dans la nuque, des cheveux en forme de duvet de moineau pauvre, parle comme à confesse.
    Benoîte et Flora GROULT, Journal à quatre mains, p. 74.

CONFESSER [kɔ̃fese] v. tr. — V. 1175, *soi confesser;* de l'anc. franç. (*estre*) *cunfes,* 1080, du lat. *confessus,* p. p. de *confiteri* «avouer, confesser» (cf. lat. médiéval *confessare*), de *cum,* et *fateri* «avouer», de *fari* «parler» (→ Fable).

◆ **1** Déclarer (ses péchés, à un prêtre catholique), dans le sacrement de la pénitence. *Confesser ses fautes, ses péchés (à un prêtre).* Par ext. *Confesser ses fautes à Dieu,* dans la prière (→ Examen* de conscience).

1 Il ne pouvait confesser sa faute sans glisser malgré lui au besoin de la commettre encore en pensée.
    ZOLA, la Faute de l'abbé Mouret, III, IV, p. 367.

Pron. *Se confesser d'une faute, d'un péché; d'avoir commis une faute. Se confesser à un prêtre, à Dieu. Il ne s'en est pas confessé.* — Récipr. (→ cit. 2). — Absolt. *Aller se confesser, avant de communier.*

2 Qui a écrit : *Confessez-vous les uns aux autres?* n'est-ce pas les disciples immédiats de notre Sauveur?
    BALZAC, le Curé de village, Pl., t. VIII, p. 757.

3 Je me suis confessée plus d'une fois d'avoir pensé que je préférais croire en Dieu que de le voir dans toute sa gloire, et j'ai été blâmée.   VALÉRY, M. Teste, p. 40.

4 Lucas se confessait au «padre» chaque dimanche au matin.   P. MAC ORLAN, la Bandera, XIV, p. 169.

◆ **2** (Déb. XIIIᵉ). Le sujet désigne le prêtre. Entendre (un fidèle) en confession. *Confesser et absoudre un pénitent* (→ **Absolution, rémission**). Absolt. *Ce prêtre ne confesse pas,* n'a pas les pouvoirs pour confesser.

5 Le lendemain l'abbé Mionnet passa environ une heure et demie à son église, et eut l'occasion de confesser trois fidèles.
    J. ROMAINS, les Hommes de bonne volonté, t. V, XVII, p. 124.

5.1 — Vous confessez depuis combien de temps?
— Une quinzaine d'années (...)
    MALRAUX, Antimémoires, Folio, p. 9.

Fig. et fam. Tirer des aveux, un secret à (qqn) → **Parler** (faire parler), **sonder** (→ Tirer les vers* du nez). *La police l'a confessé.*

6 (...) comme c'était une fille fort retenue, il avait eu un peu de mal à la confesser.
    G. SAND, François le Champi, XIII, p. 103.

Loc. Vieilli. *C'est le diable à confesser,* se dit d'un aveu, d'un résultat difficile à obtenir.

◆ **3** (V. 1275). Déclarer spontanément, reconnaître pour vraie (une chose qu'on a honte ou réticence à confier). → **Accuser** (s'accuser de); **avouer, convenir** (de), **reconnaître.** *Confesser la vérité. Confesser sa faute, son crime, son erreur, son ignorance, ses torts. Il confesse qu'il a eu tort. Confesser sa faiblesse. Je le confesse sans honte. La vérité nous oblige à confesser que...* → **Accorder, admettre, reconnaître;** → Tomber d'accord*. *Je confesse mon scepticisme.* → **Déclarer.** *Entre nous je vous confesse que...* → **Confier.**

7 Il voit bien qu'il a tort, mais une âme si haute
N'est pas sitôt réduite à confesser sa faute.
    CORNEILLE, le Cid, II, 6.

8 Hé! mon pauvre garçon, que ta colère cesse :
J'ai mal jugé de toi, j'ai tort, je le confesse (...)
    MOLIÈRE, l'Étourdi, I, 8.

9 Je confesse mon faible, elle a l'art de me plaire (...)
    MOLIÈRE, le Misanthrope, I, 1.

10 Les faux honnêtes gens sont ceux qui déguisent leurs défauts aux autres et à eux-mêmes; les vrais honnêtes gens sont ceux qui les connaissent parfaitement, et les confessent.   LA ROCHEFOUCAULD, Maximes, 202.

11 (...) comme il avait honte, à dix-huit ans, d'avoir les mêmes faiblesses d'esprit qu'il avait eues à quinze ans, il ne voulut jamais confesser ce qui le rongeait.
    G. SAND, la Petite Fadette, XXVII, p. 181.

12 Elle estimait que, tout de même, celle-là était un peu violente, et Boubouroche, en son for intérieur, fut bien forcé de confesser qu'elle n'avait pas tout à fait tort.
COURTELINE, Boubouroche, Nouvelle, III, p. 54.

13 Le plus grand bonheur, après que d'aimer, c'est de confesser son amour. GIDE, Journal, 11 mai 1918.
Pron. *Se confesser coupable; se confesser incapable de faire quelque chose.* → **Reconnaître** (se). Absolt. *Il aime à se confesser,* à exposer ses défauts, ses torts.

14 Je ne veux plus, Seigneur, me confesser coupable.
CORNEILLE, Médée, II, 5.

15 Il faut être discret quand on parle de son bonheur, et l'avouer comme si l'on se confessait d'un vol.
J. RENARD, Journal, 10 déc. 1906.

16 Comme chacun de nous, il a eu ses tares, dont la plus dangereuse pour sa réputation a été le goût maladif de se confesser. A. BILLY, Sainte-Beuve, XXVIII, p. 201.

♦ **4** (1564). Déclarer publiquement (une croyance). → **Affirmer, proclamer, profession** (faire profession de.) *Confesser la foi de Jésus-Christ :* reconnaître que l'on est chrétien (→ **Confesseur**). *Confesser son opinion à la face du monde. Confesser ses croyances malgré les menaces, en bravant les menaces.*

17 Oser confesser Dieu chez les philosophes.
ROUSSEAU, Émile, IV.

18 Si reconnaître une erreur passée et confesser une foi nouvelle est un devoir, nier cette erreur ou la dissimuler (...) est une sorte d'apostasie. G. SAND, Lélia, Préface, 8.

19 Il commençait de me faire connaître des dieux que j'ai, pour mon allégement et ma joie, confessés dans la suite des jours.
G. DUHAMEL, Chronique des Pasquier, II, V, p. 271.

♦ **SE CONFESSER** v. pron. → ci-dessus à l'article.

♦ **CONFESSÉ, ÉE** p. p. adj. *Des fidèles confessés et absous.*
N. *Un confessé.*

CONTR. Cacher, contester, déguiser, démentir, dénier, désavouer, disconvenir, dissimuler, nier, omettre, taire. ◊ **DÉR.** Confesse. – V. (du lat.) **Confesseur, confession.**

CONFESSEUR [kɔ̃fesœʀ] n. m. — Av. 1155, *confessour* «saint»; lat. ecclés. *confessor,* de *confessus,* p. p. de *confiteri.* → Confesser.

♦ **1** Relig. Chrétien qui, dans l'Église primitive, confessait sa foi malgré les persécutions. *Les confesseurs et les martyrs*. Confesseur de la foi.* En appos. *Évêque confesseur.* — Par ext. Saint qui a manifesté sa foi par sa vie, ses œuvres, et à qui l'Église ne confère pas de titre particulier (par oppos. à *apôtre, docteur, martyr...*).

1 Ce courageux confesseur de Jésus-Christ adressa à l'empereur un livre (...)
BOSSUET, Variat. avert. V, §18, in LITTRÉ.

2 On jetait aux lions les confesseurs, les prêtres.
HUGO, Odes et Ballades, II, 5, 1.

♦ **2** (V. 1195). Cour. Prêtre à qui l'on se confesse. *Un confesseur sévère, indulgent. Choisir un confesseur. Elle a un confesseur attitré.* → **Directeur** (de conscience). *Confesseur d'une communauté de religieuses* (→ **Aumônier**). *Le confesseur donne l'absolution, impose une pénitence...* (→ **Confession**).

3 Le pénitent apporte sa formule de contrition et le confesseur lui passe en échange sa formule d'exhortation.
Léon BLOY, le Désespéré, III, Le retour, p. 152.

4 Je n'ai pas de confesseur au collège. Je me confesse à un prêtre de la paroisse.
MONTHERLANT,
la Ville dont le prince est un enfant, I, 3,
in Théâtre, Pl., p. 864.

Par ext. Personne à qui l'on se confie. → **Confident.**
(Cf. Directeur de conscience, médecin de l'âme, médecin spirituel).

CONFESSION [kɔ̃fesjɔ̃] n. f. — V. 980; du lat. ecclés. *confessio,* du lat. pop. *confessere.* → Confesser.

♦ **1** Déclaration, aveu de ses péchés que l'on fait à un prêtre catholique, dans le sacrement de la pénitence. → **Confesse, pénitence.** *Confession sincère.* → **Attrition, contrition, propos** (ferme propos), **repentir.** *Confession sacrilège. Mourir sans confession.* → **Déconfès.** *Faire une confession générale. Confession publique.* → Péché, cit. 4. *La confession publique était de règle dans la primitive Église. Confession auriculaire*. Entendre, ouïr qqn en confession. Le prêtre donne l'absolution*, inflige une pénitence* à l'issue de la confession. Le secret de la confession. Avouer sous le sceau de la confession. — Billet de confession.* → **Billet.**

1 Il disait qu'il ne mourrait jamais sans confession.
Mᵐᵉ DE SÉVIGNÉ, 398, in LITTRÉ.

2 Le repentir de ses fautes peut seul tenir lieu d'innocence. Pour paraître s'en repentir il faut commencer par les avouer. La confession est donc presque aussi ancienne que la société civile.
VOLTAIRE, Dict. philosophique, Confession, XXVI.

3 La confession (...) l'acte le plus intolérable que l'Église ait imposé à la vanité de l'homme.
HUYSMANS, En route, p. 148.

4 La confidence n'est parfois qu'un succédané laïque de la confession.
J. ROMAINS, les Hommes de bonne volonté, t. V,
III, p. 19.

Loc. *On lui donnerait le bon Dieu sans confession,* se dit d'une personne d'apparence vertueuse et trompeuse.

4.1 Quoique ses yeux d'un bleu limpide fussent magnifiques, ils n'étaient jamais plus beaux que quand ils étaient baissés (...) ce fut une sensation nouvelle que cette créature à qui, comme on dit avec une expression vulgaire, mais énergique, «on aurait donné le bon Dieu sans confession».
BARBEY D'AUREVILLY, les Diaboliques,
«À un dîner d'athées».

Action de confesser (un fidèle).

4.2 — Qu'est-ce que la confession vous a enseigné des hommes ?
— Vous savez, la confession n'apprend rien, parce que dès que l'on confesse, on est un autre, il y a la Grâce.
MALRAUX, Antimémoires, Folio, p. 9.

♦ **2** (V. 1265). Déclaration que l'on fait (d'une faute, d'une erreur). → **Aveu, déclaration, reconnaissance.** *Confession franche, ingénue, naïve, simple. Confession impudique.* → **Déballage, strip-tease** (fam.). *Confession humble. Confession hypocrite. Confession forcée. Confession complète, entière, sans réticences. Confession d'un crime, d'une faute, d'une erreur.* — **Par ext.** Action de se confier*.

5 (...) sur votre propre confession, vous êtes environ à votre cinquante-deuxième année.
MOLIÈRE, le Mariage forcé, 1.

6 La confession conjugale (un sacrement de l'avenir) est l'essence du mariage. MICHELET, la Femme, p. 347.

7 Soulevé soudain par cette rage de confession qui tourmente certains hommes (...)
G. DUHAMEL, Chronique des Pasquier, II, III,
p. 245.

CONFESSION (au sing. ou au plur.), titre d'ouvrages où l'auteur expose avec franchise les fautes, les erreurs de sa vie. *Les Confessions,* de saint Augustin (Vᵉ siècle). *Les Confessions,* de J.-J. Rousseau (1781-88). *La Confession d'un enfant du siècle,* de Musset (1836).

8 L'objet propre de mes confessions est de faire connaître exactement mon intérieur dans toutes les situations de ma vie. C'est l'histoire de mon âme que j'ai promise, et pour l'écrire fidèlement je n'ai pas besoin d'autres mémoires; il me suffit, comme j'ai fait jusqu'ici, de rentrer au dedans de moi. ROUSSEAU, les Confessions, VII.

9   On a beaucoup dit de mal de Rousseau et de ses *Confessions*, tout en les goûtant.
> SAINTE-BEUVE, Causeries du lundi, 29 oct. 1849, p. 74.

9.1   L'individu a pris dans les Mémoires la place que l'on sait, lorsqu'ils sont devenus des Confessions. Celles de saint Augustin ne sont nullement des confessions, et s'achèvent en traité de métaphysique. Nul ne songerait à nommer confessions les *Mémoires* de Saint-Simon : quand il parle de lui, c'est pour être admiré.
> MALRAUX, Antimémoires, Folio, p. 14.

♦ **3** (1537). Relig. Action de faire profession de sa foi religieuse. *Faire une confession de foi devant les persécuteurs.* → **Confesser** (4.), **confesseur** (1.). — Spécialt. Liste, déclaration des articles de la foi des églises chrétiennes. → **Credo.** *La Confession d'Augsbourg présentée à Charles-Quint par les protestants en 1530.*

♦ **4** Croyance religieuse. → **Église, foi, religion; confessionnel.** *Pays de confession islamique. Sans distinction de race ni de confession.*

10   (...) il estimait que le pays avait besoin d'une tolérance mutuelle entre les diverses confessions.
> J. ROMAINS, les Hommes de bonne volonté, t. III, XI, p. 156.

CONTR. Contestation, démenti, déni, désaveu, dissimulation, mutisme, omission, protestation, silence. ◊ DÉR. Confessionnal, confessionnel.

CONFESSIONNAL, AUX [kɔ̃fesjɔnal, o] n. m.
— 1633; adj. *chaires confessionnalles,* 1610; de *confession,* l'ital. *confessionale* est postérieur.

♦ **1** Lieu fermé, isoloir disposé pour que le confesseur y entende le pénitent. *Entrer, s'agenouiller dans un confessionnal. La grille du confessionnal. — Un beau confessionnal baroque. Les confessionnaux d'une église. Dans le secret du confessionnal.*

1   (...) elle avait été résolument se présenter au guichet d'un confessionnal quelconque et, assoiffée de mépris, ambitieuse d'être foulée aux pieds, elle avait tout d'abord déclaré ceci : Mon père (...)
> Léon BLOY, le Désespéré, III, p. 150.

2   Voici, par contre, une superbe périphrase de Bossuet pour désigner le confessionnal : «Ces tribunaux qui justifient ceux qui s'accusent».
> Antoine ALBALAT, l'Art d'écrire, V, p. 82.

♦ **2** (1720). Fauteuil profond dont le dossier est muni d'oreilles. → **Bergère.**

CONFESSIONNEL, ELLE [kɔ̃fesjɔnɛl] adj. — 1863; de *confession,* 3.
Relatif à une religion. *Articles confessionnels. Écoles confessionnelles. Dissidences, querelles confessionnelles.* → **Religieux.**

1   (...) l'entente qui régnait à Rouen entre mes parents m'aveuglait sur leurs divergences confessionnelles (...)
> GIDE, Si le grain ne meurt, IV, p. 107.

Qui appartient à une confession, à une religion. *Un journal confessionnel.*

2   Une fois de plus, nous voyons, nous touchons le péril que représente pour l'Église un parti confessionnel.
> F. MAURIAC, Bloc-notes 1952-1957, p. 130.

REM. Dans le contexte français, il s'agit en général — sauf précision — de la religion catholique.

CONTR. Laïc.

CONFETTI [kɔ̃feti] n. m. (Plur. *des confetti* ou *des confettis,* plus normal). — 1841; mot niçois, «boulettes de plâtre»; plur. de l'ital. *confetto* «dragée», du lat. *confectus* «préparé, confit».

♦ **1** Vx. Boulette de plâtre frais qu'on se lançait pendant le carnaval.

♦ **2** Mod. Petite rondelle de papier coloré qu'on lance par poignées pendant le carnaval, les fêtes. *Lancer des confettis, des serpentins. Poignée de confetti, de confettis. Bataille de confettis. Grand comme un confetti* : minuscule.

Fig. *En confettis* : en petits morceaux. *Réduire quelque chose en confettis.* «Quelques cartes cégétistes se sont retrouvées en confettis» (le Monde, 17 mars 1974).

Fam. *Vous pouvez en faire des confettis!* : ce papier (texte, lettre, contrat, etc.) est tout juste bon à être déchiré en menus morceaux, est d'une valeur nulle. Syn. : *vous pouvez en faire des papillotes.*

CONFIANCE [kɔ̃fjɑ̃s] n. f. — 1408; *confience,* au XIIIᵉ; adapt. du lat. *confidentia,* d'après l'anc. franç. *fiance* «foi».

♦ **1** Fait de croire, espérance* ferme (en qqch.), foi (en qqn); assurance qui en découle. → **Fier** (se); **confidence** (VX), **créance, foi, sécurité** (sentiment de). *La confiance envers qqn. Avoir confiance, une grande confiance, une confiance absolue, solide, imperturbable, inébranlable, aveugle, totale, sans bornes* (→ Agir avec les yeux de la foi*, les yeux fermés; ne voir que par les yeux* de qqn). *Le fondement de son aveugle confiance.* → **Montrer,** cit. 38. *Avoir totalement confiance, n'avoir pas confiance en qqn, en qqch. Faire qqch. avec confiance. Confiance excessive, naïve.* → **Crédulité.** *Mettre, placer sa confiance en Dieu* (→ **Croire; abandon, amour**). *Avoir confiance en son étoile*. Il ne met pas sa confiance dans les hommes. Avoir confiance dans les médecins. Avoir confiance dans une entreprise, une tentative, un remède.* → *Faire confiance à qqn, à qqch.* → **Crédit** (accorder du), **fond** (faire fond sur); **abandonner** (s'), **compter** (sur), **confier** (se), **fier** (se), **livrer** (se), **rapporter** (s'en), **remettre** (s'en), **reposer** (se). *Vous pouvez lui faire confiance. — Inspirer confiance. — Rechercher, obtenir, capter, gagner la confiance de qqn. Investir* qqn de sa confiance.* → **Accréditer.** *Donner, engager, manifester, témoigner sa confiance. Rendre confiance pour confiance à qqn. Avoir toute la confiance de qqn.* → **Intime** (être l'), **oreille** (avoir l'oreille de), **secret** (n'avoir pas de secret pour). *Confiance mal placée. Décevoir, trahir*, tromper la confiance de qqn. Abuser de la confiance de qqn. — Loc. Abus de confiance. — Retirer sa confiance. Perdre la confiance de qqn. Merci de votre confiance. — Absolt. Attitude confiante. Perdre confiance. Manquer de confiance. Reprendre confiance. Climat de confiance.* — (Souvent iron.) *La confiance règne!* (dans une situation où la défiance est évidente).

1   La confiance plaît toujours à celui qui la reçoit : c'est un tribut que nous payons à son mérite; c'est un dépôt que l'on commet à sa foi; ce sont des gages qui lui donnent un droit sur nous, et une sorte de dépendance où nous nous assujettissons volontairement.
> LA ROCHEFOUCAULD, Maximes, 5.

2   (...) et j'en veux un (*mari*) qui ne s'épouvante de rien, un si plein de confiance, et si sûr de ma chasteté, qu'il me vît sans inquiétude au milieu de trente hommes.
> MOLIÈRE, George Dandin, II, 1.

3   (...) je ne dois m'en prendre qu'à moi-même d'avoir donné ma confiance à un homme que je ne connaissais point, et dont j'avais sujet de me défier, après tout ce qu'on m'en avait dit.
> A.-R. LESAGE, Gil Blas, I, V, 1, p. 321.

4   Bientôt il eut toute mon amitié, toute ma confiance; nous devînmes inséparables.
> ROUSSEAU, les Confessions, XII.

5   (...) ces deux jeunes cœurs étaient arrivés à cette confiance sans bornes qui fait peut-être le plus doux charme de l'amour.
> STENDHAL, Armance, Pl., t. I, p. 655.

6   Je lui parlais avec une entière confiance, un abandon complet et ce besoin de me livrer que j'éprouvais ardemment avec elle.
> FRANCE, la Vie en fleur, XXIX, p. 338.

7   (...) quelques-uns d'entre nous ont eu le bonheur de rencontrer un homme (ou une femme) dont le naturel et la franchise ne les ont jamais déçus, qui, presque en toutes circonstances, a agi exactement comme ils le souhaitaient, qui, dans les moments les plus pénibles, ne les a jamais abandonnés. Ceux-là connaissent ce sentiment merveilleux : la confiance.
A. MAUROIS, Un art de vivre, II, VI, p. 85.

8   Merci de m'avoir fait assez confiance pour me choisir comme moniteur (...)   MALRAUX, l'Espoir, p. 476.

Loc. *Fais-moi, faites-moi confiance ; tu peux me faire confiance :* c'est absolument sûr, vous pouvez me croire. *Fais-moi confiance, il ne recommencera pas !*

8.1   Ne vous inquiétez pas : ces notaires, si on les écoutait ! (...) Mais laissez-moi faire, faites-moi confiance (...)
Claude SIMON, le Vent, p. 30.

Être en confiance avec qqn. Se sentir en confiance, être confiant. En confiance, en toute confiance : sans crainte.

9   Vous puis-je en confiance expliquer ma pensée ?
CORNEILLE, Rodogune, I, 3.

Homme, personne de confiance, à qui l'on se fie entièrement. → **Sûr.** *Place, poste de confiance,* que l'on confie à qqn de sûr. *Maison de confiance.* — *Faire qqch. de confiance,* sans se défier. *Acheter qqch. de confiance* (cf. les yeux fermés).

9.1   — Avez-vous quelquefois lu votre contrat de mariage ? — Ma foi, non !... je l'ai entendu bredouiller un jour par mon notaire de Caen... et je l'ai signé de confiance.
E. LABICHE, les Petites Mains, II, 3.

♦ **2** Sentiment de sécurité dans le public qu'inspire un gouvernement, une politique. *Ce ministère fait renaître la confiance. Monnaie fondée sur la confiance publique.* → **Fiduciaire** (monnaie).

10   Les ressources du Trésor étaient taries parce que, la confiance étant ébranlée, sinon détruite, on ne souscrivait plus aux emprunts tandis que les banquiers refusaient des avances.
J. BAINVILLE, Hist. de France, XV, p. 316.

Polit. *Question* de confiance. — Vote de confiance,* d'approbation.

♦ **3** (1611). Vieilli. Sentiment qui fait qu'on se fie à soi-même. → **Assurance, hardiesse.** *Confiance excessive.* → **Outrecuidance, présomption.** *Aborder qqn avec confiance,* franchement. *Agir, parler avec confiance.*

11   Tant de victoires avaient donné aux Suédois une si grande confiance qu'ils ne s'informaient jamais du nombre de leurs ennemis, mais seulement du lieu où ils étaient.
VOLTAIRE, Charles XII, 4.

Mod. *Confiance en... (et pron. pers.). Il manque de confiance en soi, en lui.*

12   Tu manques de confiance en toi et je veux te débarrasser de cette infirmité qui fait boiter ton bonheur.
SUPERVIELLE, Shéhérazade, II, 4.

13   Mais il avait trop de confiance en lui pour imaginer qu'il pourrait être inférieur à une tâche qu'il ferait avec plaisir.
J. ROMAINS, les Hommes de bonne volonté, t. XX, p. 242.

CONTR. Anxiété, crainte, découragement, défaitisme, défiance, désespérance, doute, inconfiance, méfiance, misanthrope, ombrage, suspicion ; caution (sujet à caution).

CONFIANT, ANTE [kɔ̃fjɑ̃, ɑ̃t] adj. — XIVe, *confient ;* p. prés. de *confier.*

♦ **1** Qui a confiance (en qqn ou en qqch.). *Confiant en ses amis. Être confiant dans le succès. Confiant dans l'avenir.* Par ext. *Parole confiante. Sourire, regard confiant.*

1   (...) regard confiant (...) mais qui interrogeait malgré tout, qui souhaitait d'être confirmé dans sa confiance (...)
MARTIN DU GARD, Thibault, t. I, p. 116.

2   D'esprit ouvert ; en contact confiant avec chacun (...)
J. ROMAINS, les Hommes de bonne volonté, t. IV, X, p. 111.

♦ **2** Personnes. (Sans compl.). Qui a confiance en soi. → **Assuré, sûr** (de soi). *Il attend, confiant et tranquille. Excessivement confiant.* → **Présomptueux, téméraire.** *Être confiant jusqu'à la fatuité.* → **Fat, outrecuidant ; enfariné** (avoir la bouche enfarinée, fam.).

♦ **3** Enclin à la confiance, à l'épanchement. *Être d'un naturel confiant.* → **Communicatif, ouvert.** *Un caractère trop confiant.* → **Crédule, naïf.**

3   Tandis que, tranquille dans mon innocence, je n'imaginais qu'estime et bienveillance pour moi parmi les hommes ; tandis que mon cœur ouvert et confiant s'épanchait avec des amis et des frères, les traîtres m'enlaçaient, en silence, de rets forgés au fond des enfers.
ROUSSEAU, Rêveries..., 3e promenade.

CONTR. Anxieux, craintif, découragé, défaitiste, désespéré — Défiant, méfiant, misanthrope, ombrageux, soupçonneux.

CONFIDEMMENT [kɔ̃fidamɑ̃] adv. — Av. 1661 ; *confidenment* « avec assurance », XIIIe ; de *confident.*

Vx ou littér. En secret, en confidence. *« Je vous dis cela confidemment »* (Académie). → **Confidentiellement.**

Un homme se trouvant là, sans fonctions apparentes, m'aborda familièrement et me demanda confidemment si je n'étais point auteur de certaines brochures (...)
P.-L. COURIER, Pamphlet des pamphlets.

CONFIDENCE [kɔ̃fidɑ̃s] n. f. — V. 1370 ; lat. *confidentia,* de *confidere.* → Confier.

♦ **1** (Cour. jusqu'au XVIIe). Vx. Confiance intime.

1   Sa confidence auguste a mis entre mes mains Des secrets d'où dépend le destin des humains.
RACINE, Britannicus, V, 3.

♦ **2** (1647). Communication d'une chose qui ne doit pas être divulguée ; fait de se confier *(une, des confidences) ;* attitude d'une personne qui se confie *(la confidence). Faire une confidence à qqn. Il ne m'a pas fait de confidences. Elles se font, elles échangent leurs confidences. Recevoir des confidences, les confidences de qqn. Besoin, désir de confidence, de confidences.* → **Abandon, confession, effusion, épanchement, expansion** (de l'âme) ; → Besoin, cit. 21. *Ton de confidence* (→ Bénéficier, cit. 13). *Fausse confidence :* fausse déclaration pour tromper qqn. *Les Fausses Confidences,* pièce de Marivaux (1737). *Les Confidences et Nouvelles confidences,* de Lamartine. *Confidence pour confidence, je t'avouerai que je ne l'aime pas non plus.*

2   (...) au milieu des confidences les plus intimes, il y a toujours des restrictions, par fausse honte, délicatesse, pitié.
FLAUBERT, l'Éducation sentimentale, III, I, p. 362.

3   (...) le besoin de confidence étant chez lui plus fort que la crainte de la divulgation.
PROUST, À la recherche du temps perdu, t. XII, p. 123.

4   La confidence n'est parfois qu'un succédané laïque de la confession.
J. ROMAINS, les Hommes de bonne volonté, t. V, III, p. 19.

5   J'aurais bien aimé en savoir davantage, mais de Mme M... j'avais remarqué la tendance à l'allusion plutôt qu'à l'aveu explicite. Dans la confidence elle s'arrêtait toujours en chemin ; le reste, il fallait soi-même y pousser sa pointe, l'explorer.   H. BOSCO, Un rameau de la nuit, p. 174.

Vieilli. *Faire confidence de qqch. à qqn,* le lui confier.

♦ **3** Loc. *Dans la confidence :* dans le secret. *Mettre qqn dans la confidence. Entrer dans la confidence. Nous ne sommes pas dans la confidence.* — Loc. adv. **EN CONFIDENCE :** secrètement, sous le sceau du secret. *Parler en confidence,* confidentiellement.

DÉR. Confidentiel.

CONFIDENT, ENTE [kɔ̃fidɑ̃, ɑ̃t] n. — Av. 1630; *confidens* «suivants d'un chevalier», 1555; *confedens* «confiant», v. 1450; ital *confidente*, du lat. *confidens* «confiant».

I ◆ **1** Personne qui reçoit les pensées secrètes de qqn. → (par ext.) **Confesseur**. *Être le confident des secrets, des projets, des chagrins de qqn. Un confident discret. Être trahi par une confidente.*

1 Et te fis, après lui, mon plus cher confident.
CORNEILLE, *Cinna*, v, 1.

2 C'est à vous de choisir des confidents discrets (...)
RACINE, *Britannicus*, I, 4.

3 Je ne crois pas, après tout, être le premier confident de prince qui ait trahi son maître en matière de galanterie. Les grands seigneurs ont souvent dans leurs Mercures des rivaux dangereux.
A.-R. LESAGE, *Gil Blas*, t. I, v, I, p. 319.

4 (...) Battaincourt m'a pris pour confident, sans crier gare. Il m'a raconté ma vie, comme on confie sa fortune à un banquier (...)
MARTIN DU GARD, *les Thibault*, t. II, p. 215.

◆ **2** (Théâtre). Personnage secondaire qui reçoit les confidences des principaux personnages pour que le public soit instruit des desseins et des événements. *Confidente de princesse.* → **Suivante**. *Céphise, confidente d'Andromaque.*

II N. m. Ancienn. Siège en S à deux places dont les occupants se font face (il en existe également à trois places). *Un confident Second Empire.*

DÉR. **Confidemment.**

CONFIDENTIALITÉ [kɔ̃fidɑ̃sjalite] n. f. — XXᵉ; de *confidentiel*, sur le modèle de l'angl. *confidentiality*, de *confidential* «confidentiel».

Didact., admin. Maintien du secret concernant des informations (dans une administration, dans un système informatisé...), dans le dessein d'en empêcher une utilisation frauduleuse. *Règle, obligation de confidentialité. «Les données : lorsqu'elle circule sur les outils de télécommunication, l'information est vulnérable. Chacun sait que la confidentialité des conversations téléphoniques pose un problème (...). Nous avons mis au point un certain nombre de dispositions permettant de garantir la confidentialité et l'intégrité des données transmises par des réseaux de télécommunication ou de télédiffusion dans le cadre d'un système de saisie et de traitement d'informations»* (*Systèmes d'informatique*, nᵒ 33, printemps 1981).

CONFIDENTIEL, IELLE [kɔ̃fidɑ̃sjɛl] adj. — 1775; de *confidence*.

◆ **1** Qui se dit, se fait sous le sceau du secret. *Avis, entretien confidentiel. Lettre, note confidentielle. Pli, dossier confidentiel, très confidentiel, ultra-confidentiel* → **Secret**; **top secret** (anglic.). — *Confidentiel* (sur un pli, un dossier).
À titre confidentiel : de façon non officielle. — Je vais vous confier ceci, ne le répétez pas : c'est confidentiel. Non. J'ai un rendez-vous assez important, et confidentiel (n'y faites allusion devant personne) *avec un journaliste influent dont nous espérons l'appui.*
J. ROMAINS, *les Hommes de bonne volonté*, t. III, XVI, p. 203.

◆ **2** Qui concerne la confidence. *Ton, air confidentiel. Relation confidentielle.*

DÉR. **Confidentiellement.** — V. **Confidentialité.**

CONFIDENTIELLEMENT [kɔ̃fidɑ̃sjɛlmɑ̃] adv. — 1775; de *confidentiel*.
De façon confidentielle. *Je vous le dis, je vous en informe confidentiellement, tout-à-fait confidentiellement.* Cf. *Entre nous.*

CONFIER [kɔ̃fje] v. tr. — 1357, pron.; du lat. *confidere* de *con-* (*cum*), et *fidere* d'après *fier*.

Confier (qqn, qqch.) à (qqn, qqch.)

◆ **1** (1601). Remettre (qqn, qqch. de précieux) à (qqn) en se fiant (à lui). → **Abandonner, laisser**; → Remettre à la garde*; aux mains*, entre les mains de. *Confier l'un de ses enfants à un ami. Confier un dépôt, sa voiture à qqn. Confier une mission, un mandat à qqn.* → **Déléguer, mandater**. *On lui a confié la charge.* → **Conférer**. *Confier judiciairement qqch.* (→ **Dation**). — *Quand je serai fatigué, je te confierai le volant.*

1 Plus j'ai cherché, Madame, et plus je cherche encor En quelles mains je dois confier ce trésor (...)
RACINE, *Britannicus*, II, 3.

2 À dix-huit ans, ma famille me confia aux soins d'une de mes parentes que des affaires appelaient en Toscane (...)
LAMARTINE, *Graziella*, I, p. 1.

2.1 Un camion suit l'auto, chargé de trois caisses de sel pour Bosangoa. Ces caisses sont trop énormes pour être confiées à des porteurs (...)
GIDE, *Voyage au Congo*, in *Souvenirs*, Pl., p. 813.

◆ **2** (1753). Fig. Livrer à l'action, à l'influence de (quelque chose considérée comme dépositaire). *Confier des semences à la terre. Ne confier aucun secret au papier. Confier un souvenir à sa mémoire. Confier son sort au hasard.*

3 (...) le culte de sa gloire qu'il (*Mirabeau*) confiait à l'avenir.
BARTHOU, *Mirabeau*, p. 315.

4 Il semble que, chez les êtres d'action, l'esprit, surmené par l'attention ce qui se passera dans une heure, ne confie que très peu de choses à la mémoire.
PROUST, *la Prisonnière*, I.

5 Vous êtes l'eau qui va; malheur à ceux que l'on confie à votre cours!
MONTHERLANT, *les Jeunes Filles*, p. 156.

◆ **3** (1667). Communiquer (qqch. de personnel) sous le sceau du secret à (qqn). → **Part** (prendre, tirer qqn à part pour lui parler). *Confier une crainte, un souci à son mari, à sa femme. Je vous confie mes soupçons. Confier ses secrets à un ami. Ne confier son espérances, ses projets à personne. Confiez-moi ce qui ne va pas.*

6 Mais je l'ai vue enfin me confier ses larmes (...)
RACINE, *Andromaque*, I, 1.

7 Il n'est pas permis de s'emparer d'un secret qui ne nous est pas confié.
VOLTAIRE, *Dict. philosophique*, Poste.

8 Il travaille toujours seul; il ne confie jamais à personne ce qu'il fait; nul ne connaît rien de ses drames (...) il ne dicte pas et n'a point de scribe.
André SUARÈS, *Trois hommes*, «Ibsen», III, p. 108.

8.1 (...) j'appris qu'elle avait confié à un tiers mes insuffisances.
CAMUS, *la Chute*, p. 75.

◆ **SE CONFIER À** (QQN, QQCH.) v. pron.

◆ **1** Se reposer sur, s'en remettre à (qqn, qqch.). → **Fier** (se). *Se confier à qqn, au hasard... Se confier aux promesses de qqn.* — Vx. *Se confier en... Il se confie trop en ses propres forces.*

9 Sera-t-il venu si loin pour désoler un roi qui se confie en son pouvoir et en sa vertu?
FLÉCHIER, *Panégyrique de saint François de Paule*.

10 Heureux le roi qui aime son peuple, qui en est aimé, qui se confie en ses voisins, et qui a leur confiance.
FÉNELON, *Télémaque*, IX, p. 243.

11 (...) moi qui crois Qu'on peut se confier aux paroles des rois
HUGO, *la Légende des siècles*, XVIII, XIV.

12 Je me confie à vous corps et âme.
GIRAUDOUX, *la Folle de Chaillot*, p. 28.

◆ **2** Faire des confidences à (qqn). *Se confier à un ami.* → **Épancher** (s'), **livrer** (se), **ouvrir** (s').

Absolt. Faire des confidences. *Il n'aime pas se confier.*

13 On se confie le plus souvent par vanité, par envie de parler, par le désir de s'attribuer la confiance des autres, et pour faire un échange de secrets.
LA ROCHEFOUCAULD, Maximes, 5.

14 Oh! de se confier noble et douce habitude!
Non, mon cœur n'est point né pour vivre en solitude.
André CHÉNIER, Élégies, XII.

15 S'il se confiait, c'était pour éblouir le confident.
J. ROMAINS, les Hommes de bonne volonté, t. V, III, p. 21.

◆ **3** (Passif). Être confié à (qqn). «*Des papiers aussi importants ne se confient pas au premier venu*» (Littré).

◆ **4** (Récipr.). *Se confier (qqch.)* : se faire réciproquement la confidence de (qqch.). *Ils se confièrent mutuellement leurs craintes.*

Se donner réciproquement avec confiance (qqn, qqch.). *Ils se sont confiés leurs enfants pour les vacances.*

CONTR. Ôter, retirer. — Cacher, dissimuler, taire. ◊ DÉR. Confiant. ◆ HOM. Formes du v. confire.

CONFIGURATION [kɔ̃figyʀasjɔ̃] n. f. — XIIIᵉ; lat. configuratio, du supin de configurare. → Configurer.

Forme* extérieure, aspect général. → **Conformation, façon, figure.** *La configuration du corps humain.* — *La configuration du sol, de la terre. La configuration d'un lieu, des lieux.*

1 Ne dirait-on pas que la nature s'est plu à dessiner par d'ineffaçables hiéroglyphes le symbole de la vie norvégienne, en donnant à ces côtes la configuration des arêtes d'un immense poisson ?
BALZAC, Séraphîta, Pl., t. X, p. 458.

2 (...) et, grâce à la vague clarté du ciel, il put se rendre compte aussitôt de la configuration des lieux.
ALAIN FOURNIER, le Grand Meaulnes, p. 84.

Astron. Situation apparente relative (des corps planétaires les uns par rapport aux autres). → **Aspect.** *Configuration d'étoiles.* → **Constellation.**

Géom. Disposition relative (de points).

Chim. Disposition relative (des substituants d'un carbone asymétrique).

Inform. Ensemble organisé (d'éléments).

Par ext. Aspect, air extérieur. «(À Nyon), *le français suisse commence à se noyer dans les enseignes, dont les noms ont des configurations déjà allemandes ou italiennes*» (Gautier, *in* G. L. L. F.).

CONFIGURER [kɔ̃figyʀe] v. tr. — XIIᵉ, selon Bloch; lat. configurare, de con- (cum), et figurare. → Figurer.

◆ **1** Littér. Donner une forme, une figure propre à (qqch.). → **Façonner, former.** *La cristallisation configure les sels de diverses manières.*

(Sujet n. de chose). Représenter, figurer.

1 Cela me fit souvenir d'un livre (...) dont le frontispice configurait des jeunes filles en costume de bain de mer regardant une sirène peigner ses cheveux.
Paul BOURGET, Études et portraits, Ét. angl., 1888, p. 78, *in* T. L. F.

◆ **2** Vx ou littér. CONFIGURER *(qqch.)* À *(qqch.)*. Rendre semblable, adapté à.

2 Elle écoutait des pieds à la tête, incapable d'une objection, configurant, comme elle pouvait, sa pensée à la pensée de ce pathétique démonstrateur.
Léon BLOY, la Femme pauvre, I, XII, p. 72.

CONFINEMENT [kɔ̃finmɑ̃] n. m. — 1579, «emprisonnement»; «terrain confiné», 1481; de confiner.

◆ **1** Littér. ou style soutenu. Action de confiner (3.). *Le confinement des prisonniers dans leur cellule.*

→ **Isolement.** — Méd. Interdiction (à un malade) de quitter la chambre. → **Quarantaine** (2.). *Le confinement (d'un malade) à la chambre.* — (Sans compl.). *Un long confinement.*

◆ **2** Techn. Restriction, moyen par lequel on réalise une restriction de l'espace accessible à un ensemble de particules. *Confinement des produits de décomposition d'une substance explosive.* — Phys. *Le confinement des matières radioactives dans un réacteur, des particules chargées d'un plasma.*

CONFINER [kɔ̃fine] v. tr. — 1225; de confins.

◆ **1** Trans. indir. (1466). Sujet n. de chose, de lieu. CONFINER À, AVEC (qqch.) : toucher aux confins*, aux limites de (un pays). → **Aboutir, toucher.** *La Belgique confine à, avec la France.* — Être tout proche, voisin de. *Les prairies qui confinent à la rivière.*

1 Leurs terres peuvent confiner à la vigne de Naboth.
ROUSSEAU, Émile, V.

2 (...) cette petite rue de l'École-de-Médecine (...) où des boutiques de libraires spéciaux confinent à des magasins d'instruments de chirurgie.
Paul BOURGET, Un divorce, III, p. 116.

(Abstractions). *Cela confine à l'inconscience.* → **Approcher** (de), côtoyer, friser.

3 La rêverie, qui est la pensée à l'état de nébuleuse, confine au sommeil et s'en préoccupe comme de sa frontière.
HUGO, les Travailleurs de la mer, I, I, VII.

◆ **2** V. tr. Rare. Être voisin de.

3.1 Au-delà du Tibre, il *(ce territoire)* confinait Céré et Veïes.
MICHELET, Hist. romaine t. I, 1831, p. 115, *in* T. L. F.

◆ **3** V. tr. CONFINER (qqn) DANS (qqch.) : forcer à rester dans. → **Enfermer, reléguer.** *Confiner qqn dans une île, un cloître, une cellule* (cit. 2). *Confiner un malade dans sa chambre.*

4 Je prenais donc en quelque sorte congé de mon siècle et de mes contemporains, et je faisais mes adieux au monde en me confinant dans cette île pour le reste de mes jours (...)
ROUSSEAU, les Confessions, XII.

5 Dans cette espèce de retraite forcée où des circonstances passagères me confinent, privé d'études suivies, entouré d'étrangers dont je parle mal la langue (...)
SAINTE-BEUVE, Volupté, I, p. 9.

Rare. *Confiner qqn à qqch., à un travail.*

◆ SE CONFINER v. pron. *Se confiner chez soi.* → **Cloîtrer** (se), isoler (s'), retirer (se). *Se confiner dans la solitude. Se confiner dans un trou de province.*

6 Au bout de l'univers va, cours te confiner (...)
RACINE, Bérénice, IV, 4.

Fig. *Se confiner dans ses pensées. Se confiner dans une science.* → **Spécialiser** (se). *Se confiner dans un rôle.* → **Cantonner** (se).

7 Il tentait de prendre la chose en badinage et de se confiner dans un rôle de vieil ami, très aîné, un peu paternel.
LOTI, les Désenchantées, XXI, p. 140.

◆ CONFINÉ, ÉE p. p. adj.

◆ **1** Enfermé. *Vivre confiné chez soi.* Fig. *Être confiné dans ses idées.*

8 J'aurais voulu être tellement confiné dans cette île, que je n'eusse plus de commerce avec les mortels (...)
ROUSSEAU, les Confessions, XII.

9 Ils *(les Grecs)* n'ont point eu l'abnégation moderne qui emploie tout son génie à éclaircir un point d'érudition obscur, qui (...) confiné volontairement dans un labeur ingrat, passe sa vie à tailler patiemment deux ou trois pierres pour un édifice immense, dont il ne verra pas l'achèvement, mais qui servira aux générations futures.
TAINE, Philosophie de l'art, t. II, IV, I, IV, p. 125.

10 Les jours de pluie, confiné dans l'appartement, je faisais la chasse aux moustiques (...)
GIDE, Si le grain ne meurt, II, p. 55.

♦**2** (1842, F. Leblanc, *in* D.D.L.). *Air confiné,* non renouvelé. → **Renfermé.** — *Atmosphère confinée.* Fig. Milieu dans lequel on se sent psychologiquement à l'étroit. *Quitter l'atmosphère confinée de la bourgeoisie de province, de l'université traditionnelle.*

CONTR. **Aérer.** — **Répandre** (se). ◊ DÉR. **Confinement.**

CONFINS [kɔ̃fɛ̃] n. m. pl. — 1463; *confin,* 1308; lat. *confines,* de *con-(cum),* et *finis* «limite».

♦**1** Parties (d'un territoire) situées à l'extrémité, à la frontière. → **Borne, frontière, limite.** *Les confins d'une forêt, d'un désert. Les confins du département, de l'arrondissement. — Aux confins... Le Tchad, aux confins du Sahara. Aux confins de la Bretagne et de la Normandie, dans la zone limitrophe de ces deux régions. — Sur les confins de...*

1 Les chiens du lieu, n'ayant en tête
Qu'un intérêt de gueule, à cris, à coups de dents,
Vous accompagnent ces passants
Jusqu'aux confins du territoire.
LA FONTAINE, Fables, X, 14.

2 Ma petite ville est assise sur les confins de deux pays presque contraires, et cependant elle est l'ouvrage de l'un et de l'autre. Ch. MAURRAS, Anthinéa, p. 209.

REM. Le mot implique un simple repérage local; un ex. comme *«ces confins sont beaux»* (Joseph de Maistre, *in* T.L.F.) ne correspond pas à un emploi normal.

Par ext. Bout, extrémité, espace éloigné. *Aller jusqu'aux confins des terres habitées, de la terre. Venu des confins de l'horizon.*

♦**2** (XVIIᵉ). Fig. et littér. *Les confins de la science.*

3 (...) vous semblez surveiller quelque expérience créée aux confins de toutes les sciences! VALÉRY, M. Teste, p. 27.

Passage intermédiaire, transition (entre deux états, deux situations). *Les confins de la vie, de la mort. Les confins de la douleur et de la joie. — «Des cheveux aux confins de la rousseur»* (Aragon), presque roux.

CONTR. **Centre, milieu.** — **Intérieur.** ◊ DÉR. **Confiner.**

CONFIRE [kɔ̃fiR] v. tr. [CONJUG.: *je confis, nous confisons; je confisais; je confirai; je confirais; je confis; que je confise; que je confisse; confisant; confit, ite;* rare, sauf inf. et p. p.] — 1226; «préparer», 1175; du lat. *conficere* «préparer».

♦**1** Vieilli. Mettre (des substances comestibles) dans un élément qui les conserve. *Confire des cornichons, des câpres dans du vinaigre; des olives dans l'huile; des légumes verts dans du sel; du porc, du lapin, de la volaille dans de la graisse* (→ **Confit**); *des cerises, des prunes dans l'eau-de-vie; du cédrat dans le miel.*

Mod. Préparer (des fruits) dans le sucre. *Confire des prunes, des poires, des oranges. Cerises confites* (→ ci-dessous, le p. p.).

1 Et le premier citron à Rouen fut confit.
BOILEAU, Satires, X.

Littér. (Sujet de chose). Rendre sucré.

2 (...) le soleil ride et confit sur le cep la grappe tôt mûrie (...)
COLETTE, la Naissance du jour, p. 20.

♦**2** Fig. **CONFIRE** (qqn) **DANS** : fixer de façon immuable dans (une attitude).

2.1 Ce sort presque inévitable qui finit d'ordinaire par confire un attaché dans la sottise.
TOCQUEVILLE, Correspondance avec Gobineau, 1855, p. 227, *in* T.L.F.

♦**3** Techn. Tremper (des peaux) dans un confit (2. Confit, 1.) avant de les chamoiser.

♦ **SE CONFIRE** v. pron.

♦**1** Être confit. *Les petits oignons se confisent dans le vinaigre.*

♦**2** Fig. S'imprégner d'une habitude, d'une atmosphère, au point d'y perdre toute personnalité. *Se confire dans la dévotion.*

♦ **CONFIT, ITE** p. p. adj.

♦**1** *Fruits confits* : confiserie faite de fruits trempés dans des solutions de sucre et glacés ou givrés. *Fruits confits verts, bruns, glacés, givrés...* → **Condit** (→ Aussi, cit. 53). *Petites oranges confites* (→ **Chinois**). *Kumquats confits.*

2.2 D'habitude monsieur Salomon offrait de beaux fruits qui venaient directement de la nature, et j'étais un peu étonné qu'il fasse porter à cette dame des fruits confits de Nice qui font un peu conserve et ne procurent pas le même bon effet de fraîcheur.
É. AJAR (R. GARY), l'Angoisse du roi Salomon, p. 41.

(En parlant d'autres préparations. → Confire, 1.). *Salade confite,* qui a séjourné longtemps dans l'huile et le vinaigre. — Vx. *Oie confite.* → 2. **Confit.** — Mod. *Des gésiers de canard confits.*

♦**2** (Mil. XIIIᵉ, *en luxure... confite*). Personnes. **CONFIT EN, DANS** : figé dans (une attitude plus ou moins affectée, hypocrite). *Être confit dans la piété. Être confit en, de dévotion.* — Vieilli. Qui se maintient obstinément dans (une situation). *Être confit dans le célibat.*

3 (Notre ami) me paraît tout confit en dévotion spéculative.
Mᵐᵉ DE SÉVIGNÉ, 1049, 24 nov. 1687.

Absolt (rare). *Un dévot confit,* confit en dévotion.

4 Mˡˡᵉ Planude était une pucelle confite qui portait avec une facilité singulière ses soixante-cinq ans de vertu.
Léon BLOY, la Femme pauvre, II, p. 262.

Littér. Qui a un comportement affecté, retenu, de la componction*. *Un homme confit. Figure, mine confite, douce, mièvre.*

5 Mon oncle Henri était la crème des hommes : doux, paterne, même un peu confit (...)
GIDE, Si le grain ne meurt, IV, p. 99.

DÉR. **Confiserie, confiseur, confiture.** ◊ COMP. **Déconfire.**
→ HOM. V. formes du v. **confier** (confie...).

CONFIRMAND [kɔ̃fiRmɑ̃] n. m. — 1907; lat. chrét. *confirmandus* de *confirmare.* → Confirmer.

Liturgie cathol. Personne qui va recevoir le sacrement de confirmation. *Les confirmands.*

CONFIRMATEUR, TRICE [kɔ̃fiRmatœR, tRis] adj. et n. — Fin XVᵉ; de *confirmer.*

Rare. Qui confirme. *«Une négation confirmatrice»* (Claudel, *in* T.L.F.). → **Confirmatif.**

CONFIRMATIF, IVE [kɔ̃fiRmatif, iv] adj. — 1473; lat. *confirmativus,* du supin de *confirmare.* → Confirmer.

Dr. Qui confirme. *Arrêt confirmatif de la Cour d'appel* (Code de Procédure Civile, art. 472). *Signe confirmatif. Expériences confirmatives.* → **Confirmateur.**

CONFIRMATION [kɔ̃fiRmasjɔ̃] n. f. — V. 1174, *confermeisun;* du lat. *confirmatio, ionis,* du supin de *confirmare.* → Confirmer.

♦**1** Action de confirmer, de rendre plus certain. *La confirmation d'une nouvelle par qqn. Le fait mérite confirmation. Il m'a donné confirmation de la nouvelle; j'en ai reçu pleine, entière confirmation. Confirmation d'une décision par un accord.* → **Approbation.** *Confirmation d'une intention pour l'avenir.* → **Maintenance** (vx), **maintien; continuation, reconduction, renouvellement.** *Confirmation* *d'un acte par une autorité officielle.* → **Attestation, entérinement, garantie, homologation, légalisation, ratification, sanction, validation.** *J'en ai entendu parler, on le prétend, mais nous n'en avons aucune confirmation. Confirmation d'un jugement, son maintien par une juridiction supérieure.* — Chose (parole, attitude) qui rend plus certain (qqch.). → **Affirmation, assurance, certitude, consécration.** *Confirmation d'une nouvelle, d'une promesse. J'ai bien reçu la confirmation de ce que tu m'avais dit. Envoyer la confirmation, envoyer confirmation de qqch. à qqn. Envoyer la confirmation d'une commande. Son attitude actuelle est la confirmation de ce que nous avions supposé.* → **Preuve, vérification.**

1 Voilà un diagnostic qui nous manquait pour la confirmation de son mal (...)
MOLIÈRE, Monsieur de Pourceaugnac, I, 8.

2 J'attends avec impatience (...) mes lettres de vendredi ; il me faut encore cette confirmation de votre chère et précieuse santé. Mᵐᵉ DE SÉVIGNÉ, 507, 26 févr. 1676.

3 (...) ce vieil adage reçut une nouvelle confirmation, que là, où l'incrédulité règne, la superstition s'est déjà ouvert une porte. NERVAL, la Bohème galante, p. 284.

Réth. Partie du discours où l'on prouve ce qu'on a avancé dans l'exposition.

♦**2** (1541). Sacrement de l'Église catholique destiné à confirmer* (4.) le chrétien dans la grâce du baptême en faisant descendre sur lui le Saint-Esprit. *L'Évêque peut seul donner la confirmation. Recevoir la confirmation. Cérémonie de la confirmation. La confirmation consiste dans l'onction du saint chrême et l'imposition des mains accompagnée d'un léger soufflet. Personne qui va recevoir la confirmation.* → **Confirmand.**

4 Monseigneur ne donnera la confirmation qu'aux personnes exactement instruites de toutes les principales vérités du catéchisme.
FÉNELON, XVIII, 174, in LITTRÉ.

5 Sans doute, nous recevons une infusion du Saint-Esprit au baptême, mais c'est par la confirmation que la troisième personne de la sainte Trinité descend en nous avec la munificence de ses dons.
Mᵍʳ GRENTE, les Sept Sacrements, p. 42.

CONTR. (De 1.) **Abrogation, annihilation, annulation, contradiction, démenti, désaveu, infirmation, négation, réfutation, rétractation.**

CONFIRMATOIRE [kɔ̃fiʀmatwaʀ] adj. — 1863, Littré ; de *confirmer.*

Rare. Qui confirme. *Déclaration confirmatoire.*
→ **Confirmatif.**

CONFIRMER [kɔ̃fiʀme] v. tr. — Xᵉ ; v. 1174, aussi *confermer,* jusqu'au XVIᵉ ; lat. *confirmare,* de *con-* (*cum*) et *firmus.* → 1. **Ferme.**

♦**1** Vieilli. Rendre plus ferme (une chose établie).
→ **Affirmir, appuyer, assurer, consacrer ; cimenter, compléter, fortifier, renforcer, sceller** (fig. et littér.). *L'appauvrissement de la noblesse servit à confirmer la monarchie.*

1 Scipion Émilien qui confirma par cette victoire le nom d'Africain dans sa maison (...)
BOSSUET, Hist., I, 9, in LITTRÉ.

2 (...) je m'étonnais (*qu'il*) ne voulût pas confirmer l'effet de ces bains par la douceur d'un climat qui fait la consolation de tous les pauvres goutteux (...)
Mᵐᵉ DE SÉVIGNÉ, 1237, 23 nov. 1689.

3 Le travail et la production ne constituent pas, mais confirment et développent le droit de propriété.
Victor COUSIN, Justice et Charité.

Loc. mod. *L'exception* confirme la règle.

♦**2** Confirmer qqn dans qqch., rendre (qqn) plus ferme dans. *Confirmer qqn dans un sentiment,*

dans une attitude. → **Affermir** (cit. 2), **encourager, fortifier.** *Nous l'avons confirmé dans sa résolution. Se confirmer dans une opinion.*

4 L'expérience acquise au long de la carrière m'a confirmé dans ce sentiment (...)
G. DUHAMEL, Discours aux nuages, I, p. 12.

Vx. *Confirmer qqn à quelque chose.*

Spécialt (sans compl. second). T. de manège. *Confirmer un cheval,* achever de le dresser.

♦**3** Cour. Rendre certain ; affirmer l'exactitude, l'existence de (qqch.). → **Assurer, certifier, corroborer, garantir.** *Confirmer l'exactitude d'un fait. Confirmer une théorie, un diagnostic. Confirmer un bruit, une nouvelle.* — Pron. *La nouvelle se confirme, et impers., il se confirme que...* → **Avérer** (s'). — *La radio a confirmé ce que disaient les journaux du matin. Confirmer une intention. Confirmez-moi votre arrivée par télégramme. Confirmer en donnant un caractère officiel.* → **Attester, entériner, homologuer, légaliser, ratifier, sanctionner, valider.** — (Le sujet désigne la chose, l'information qui confirme). *Chose qui vient en confirmer une autre. Votre témoignage confirme le sien. Les résultats confirment nos soupçons.* → **Vérifier.** *Cela confirme ses craintes. Les résultats confirment que...* (et indic.). → **Attester, démontrer, prouver.**

5 (...) une trahison que tant d'apparences me confirmaient.
MOLIÈRE, Dom Juan, I, 3.

6 (...) et si je changeais, je confirmerais mon opinion.
PASCAL, Pensées, VI, 375 (→ Changement, cit. 2).

7 L'expérience confirme que la mollesse ou l'indulgence pour soi et la dureté pour les autres n'est qu'un seul et même vice. LA BRUYÈRE, les Caractères, IV, 49.

8 (...) le trouble de tous vos amis et le changement de votre visage ne confirmaient que trop mes craintes et mes frayeurs. Mᵐᵉ DE SÉVIGNÉ, 614, 16 juin 1677.

Au passif. *Cela a été, n'a pas été confirmé (par qqn, par une information, un fait).*

9 La nouvelle, sans doute, demande à être confirmée.
FRANCE, le Mannequin d'osier, Œ., t. XI, p. 325.

10 Le jugement définitif de l'histoire dépend d'une infinité de jugements qui auront été prononcés d'ici là et qui seront alors confirmés ou infirmés.
CAMUS, l'Homme révolté, p. 297.

♦**4** (V. 1174). Théol. Conférer le sacrement de la confirmation* (2.) à (qqn). *Les apôtres furent confirmés le jour de la Pentecôte.*
Fig., fam., vieilli (par allus. au soufflet que donne l'évêque qui confirme). Gifler.

♦ **CONFIRMÉ, ÉE** p. p. adj.

♦**1** Rendu, reconnu certain. → **Avéré.** *Nouvelle confirmée. Déposition confirmée par des témoins. Personne confirmée dans ses décisions.* — Spécialt. *Cheval confirmé sur les obstacles.* → **Dressé.**

♦**2** Que l'on peut à coup sûr reconnaître comme tel. «*Des hystériques confirmés*» (P. Janet, *in* T. L. F.).

Expérimenté et compétent. *C'est un équipier confirmé.*

♦**3** Qui a reçu le sacrement de confirmation. *Un chrétien confirmé.* — *Être confirmé en grâce :* être dans la grâce de Dieu. N. *Les confirmands et les confirmés.*

CONTR. **Abroger, annihiler, annuler, casser, contredire, dédire, démentir, dénier, désavouer, ébranler, infirmer, invalider, nier, rapporter, réformer, réfuter, rétracter.**
◊ **DÉR. Confirmateur, confirmatoire.**

CONFISCABLE [kɔ̃fiskabl] adj. — 1481 ; de *confisquer.*
Qui peut être confisqué. *Marchandises confiscables par la douane.*

CONFISCATION [kɔ̃fiskasjɔ̃] n. f. — 1381 ; *confisca-cion*, 1358 ; lat. *confiscatio*, du supin de *confiscare*. → Confisquer.

♦ **1** Le fait de confisquer (qqch. à qqn) ; mesure, peine par laquelle un bien est confisqué à son propriétaire. → **Mainmise, saisie.** *La confiscation de biens à qqn (par qqn). Prononcer la confiscation des biens de qqn* (→ Condamner, cit. 5). *Confiscation des biens des émigrés, après la révolution de 1789. Confiscation de marchandises non déclarées, prohibées par la douane...* — *Par anal. La confiscation par le maître des objets propres à troubler la classe.* **Spécialt.** *Confiscation et dévolution des biens des entreprises de presse.*

1 (...) ils se donnèrent l'hérédité d'un homme vivant, et la confiscation d'un prince allié.

MONTESQUIEU,
Grandeur et décadence des Romains, VI.

2 Les tribunaux de police pourront aussi, dans les cas déterminés par la loi, prononcer la confiscation, soit des choses saisies en contravention, soit des choses produites par la contravention, soit des matières ou des instruments qui ont servi ou étaient destinés à la commettre.

Code pénal, art. 470.

♦ **2** Par métonymie, rare. Chose confisquée ; bien confisqué.

3 Les confiscations de terres, d'argent, de vaisselle, étaient distribuées par le duc aux seigneurs de sa cour.

BARANTE, Hist. des ducs de bourgogne, t. III, 1821-1824, p. 152, *in* T. L. F.

CONTR. Remise, restitution.

CONFISCATOIRE [kɔ̃fiskatwaʀ] adj. — 1978 ; de *confisquer*.

Admin. *Taux confiscatoire* (d'un impôt) : taux très élevé, qui absorbe la totalité des revenus.

CONFISERIE [kɔ̃fizʀi] n. f. — 1753 ; de *confire*, d'après *confiseur* ; ces deux mots se sont détachés par le sens de leur origine, sauf dans : *fruit confit.*

♦ **1** (*La confiserie*). Technique, commerce du confiseur. *La bonbonnerie*, le pastillage*, le pralinage*, branches de la confiserie. Confiserie artisanale, industrielle. Travailler dans la confiserie.*

♦ **2** (*Une, des confiseries*). **ⓐ** Atelier de fabrication ou usine du confiseur. *Les fourneaux, bassines, branloires, videlles, tamis, tambours, poches, moules, sorbetières d'une confiserie. Elle travaillait dans une confiserie. Une grande confiserie industrielle.* **ⓑ** Magasin où l'on vend des sucreries. *Aller acheter des chocolats, des fruits confits dans une confiserie. Confiserie-pâtisserie** (où l'on vend aussi des gâteaux). **ⓒ** (XIXᵉ ; du sens 1. de *confire*, qu'a en partie conservé *confit*, n. m.). Vx. Atelier, usine de conserves. *La première «confiserie de sardines» fondée en France par J. Colin en 1823.* → (mod.) **Conserverie.**

♦ **3** **ⓐ** (Av. 1866). *Une confiserie, des confiseries* : produit à base de sucre fabriqué et vendu par le confiseur*. — *La confiserie* : ensemble de ces produits. → **Chocolaterie, douceur, friandise, lichouserie** (région.), **sucrerie ; (vx) confiture,** 1. *Confiseries variées.* → **Berlingot, bombe, bonbon** (acidulé, fourré, à la liqueur), **bouchée, caramel, chewing-gum, chocolat, confit** (fruit), **confiture** (sèche), **croquette, crotte, dragée, four** (petit), **gelée, glace, gomme, granité, guimauve, marron** (glacé), **marshmallow, nougat, nougatine, pastille, pâte** (de fruit), **praline, roudoudou, sucette, sucre, tailladin.** *Confiseries régionales françaises* (ex. : bêtises* de Cambrai, calissons* d'Aix, bergamotes*

de Nancy). *Confiseries orientales.* → **Halva, loukoum** (et **rahat-loukoum**). *Petite confiserie figurant un objet* (→ **Pastillage**). *Ingrédients destinés à relever le goût d'une confiserie* (ex. : *angélique, pistache, vanille...*). *Déguster des confiseries, de la confiserie. Garnir de confiseries une boîte, une bonbonnière, un compotier, une assiette. Confiseries entortillées de papillotes, de papier métallique.*

1 Il s'en fut, par le chemin le plus long, jusqu'à l'avenue de l'Opéra pour acheter de fines essences de cédrat et de cet alkermès dont le goût évoque l'idée d'une confiserie pharmaceutique de l'Orient.

HUYSMANS, Là-bas, X, p. 149.

ⓑ Décor mièvre, de couleurs tendres, rappelant des sucreries.

2 (...) les sarcophages de carton rose, toute la confiserie dans laquelle se décomposa l'Égypte hellénistique, s'accumulent en vrac avec les portraits du Fayoum et les têtes d'Antinoé (...)

MALRAUX, Antimémoires, Folio p. 66.

CONFISEUR, EUSE [kɔ̃fizœʀ, øz] n. — 1635 ; *confiseur*, 1600 ; de *confire* (des fruits).

♦ **1** Personne qui fabrique ou vend des sucreries. → Bonbon, cit. 3. *Un grand confiseur, spécialisé dans les chocolats* (→ **Chocolatier**), *les glaces* (→ **Glacier**). *Pâtissier confiseur.* — REM. Le fém. est rare : «*la confiseuse principale, madame Meunier*» (Nerval, *Voyage en Orient*, in T. L. F.).

Industriel qui fabrique de la confiserie.

♦ **2** (1874, *in* D. D. L.). **Loc.** *Trêve des confiseurs*, celle qu'observent les parlementaires à l'égard du gouvernement durant les fêtes du Nouvel An ; par ext., trêve dans les débats politiques, sociaux, pendant ces fêtes.

DÉR. V. **Confiserie.**

CONFISQUER [kɔ̃fiske] v. tr. — 1331 ; lat. *confiscare*, de con- (cum), et *fiscus*. → **Fisc.**

♦ **1** Prendre, au nom et au profit de l'autorité, de la puissance publique (ce qui appartient à qqn) par une mesure de punition. → **Saisir ; main** (mettre la main sur). *Confisquer les terres d'un vassal, d'une tribu rebelle. Confisquer des marchandises de contrebande, des biens au profit de l'État.*

♦ **2** Retirer provisoirement (qqch.) à qqn. *Confisquer son lance-pierres à un enfant. L'instituteur a confisqué divers objets aux écoliers. Il s'est fait confisquer son harmonica.*

0.1 Ces recommandations faites, la *Duvergier* s'empare du petit paquet de *Juliette* ; elle lui demande si elle n'a point d'argent, et celle-ci lui ayant trop franchement avoué qu'elle avait cent écus, la chère maman lui *confisque* en assurant sa nouvelle pensionnaire qu'elle placera ce petit fonds à la loterie pour elle, mais qu'il ne faut pas qu'une jeune fille ait d'argent.

SADE, Justine..., t. I, p. 13.

1 (...) comme la balle avait roulé à ses pieds, il la confisqua en riant.

MARTIN DU GARD, les Thibault, t. VI, p. 50.

♦ **3** Fig. Prendre (qqch.) à son profit. → **Absorber, accaparer, détourner, retenir, voler.**

2 (...) l'arrivée des Français, qui avaient sauvé les républicains, mais qui avaient confisqué la République.

LAMARTINE, Graziella, I, p. 9.

3 L'Internationale, en étendant ses positions, en multipliant les gains apparents, avait perdu sa vitalité, tout en confisquant l'énergie du prolétariat.

J. ROMAINS, les Hommes de bonne volonté, IV, XVI, p. 174.

Confisquer qqn, l'accaparer tout entier en l'enlevant aux autres. → **Enlever, ravir, soustraire. Par plais.** *Je vous confisque votre sœur jusqu'au dîner.*

4 (...) il y avait dans l'appareil religieux de la mort une force de vertige qui le confisquait tout entier avec un absolu despotisme.

Léon BLOY, le Désespéré, I, p. 55.

♦ **CONFISQUÉ, ÉE** p. p. adj.

♦ **1** Pris à son propriétaire. *Biens, objets confisqués. Mettre sous séquestre des biens confisqués.*

5 Quand la maison et les biens du tyran Nabis eurent été vendus comme confisqués, à la chose publique (...)
J. AMYOT, Philop., 26, *in* LITTRÉ.

♦ **2** Fig., littér. (Personnes). Absorbé, accaparé.

6 Je ne vous ai pas écrit à l'instant, me trouvant confisqué pour toutes les minutes par un travail de revue : mais ma pensée ne vous a pas manqué.
SAINTE-BEUVE, Correspondance, II, p. 265.

CONTR. **Remettre, rendre, restituer.** ◊ DÉR. **Confiscable, confiscatoire.**

1. **CONFIT, ITE** [kɔ̃fi, it] adj. → Confire, p. p. adj.

2. **CONFIT** [kɔ̃fi] n. m. — V. 1268 ; du p. p. de *confire.*

♦ **1** Techn. Mélange d'eau et de son dans lequel on fait tremper les peaux de bêtes avant de les chamoiser.

♦ **2** (1890). Cour. Préparation (de certaines viandes cuites et mises en conserve dans leur propre graisse). *Préparer un confit d'oie. Manger du confit de canard. Confit de porc. Cassoulet au confit d'oie.* — (Sans compl.). Confit d'oie ou de canard. *Une boîte de confit.*

(...) elles ont été bien embarrassées pour faire souper tout ce monde. Cependant, moyennant quelques morceaux de confit chacun s'est déclaré satisfait (...)
Claude MAURIAC, le Temps immobile, p. 46.

HOM. 1. Confit.

CONFITEOR [kɔ̃fiteɔʀ] n. m. invar. — V. 1205 ; mot lat. «je confesse, j'avoue».

Liturgie. Prière de la liturgie catholique commençant par ce mot, par laquelle on se reconnaît coupable de ses péchés et on exprime son repentir. *On récite le confiteor avant de se confesser, au début de la messe, avant la communion...*

(...) le prêtre, incliné profondément, les mains jointes de nouveau, récitait le *confiteor.* Elle (*la vieille servante*) s'arrêta, se frappant à son tour la poitrine, la tête penchée (...)
ZOLA, la Faute de l'abbé Mouret, II, p. 8.

Fig., littér. Dire son confiteor : faire des aveux et exprimer ses regrets. → **Mea culpa** (faire son). — Plur. *Des confiteor* ou *des confiteors* (Queneau, *les Fleurs bleues*, p. 55).

CONFITURE [kɔ̃fityʀ] n. f. — XIIIᵉ ; de *confit*, p. p. de *confire.*

♦ **1** (Jusqu'au mil. du XIXᵉ). Vx. Aliments bouillis et conservés dans le sucre (fruits au sirop, pâtes de fruits, fruits confits, dragées et confitures, 2.). → (mod.) **Confiserie.** *Confitures sèches :* fruits confits.

♦ **2** Mod. Fruits coupés ou entiers qu'on a fait cuire dans du sucre (plus longuement et avec plus de sucre que les compotes) pour les conserver (au sens large, inclut les *marmelades* et *gelées*). *Confitures et compotes*. Manger de la confiture, des confitures. Pot de confiture. Confitures de coings* (→ **Cotignac**), *de prunes* (→ **Prunelée**), *de moût de raisin* (→ **Raisiné**), *de cédrat* → **Cheveu** (cheveux d'ange), *d'écorce d'orange* (→ **Orangeat, roquille,** vx), *de fraises, groseilles, cerises, abricots, rhubarbe, framboises, mûres, myrtilles, poires, roses, églantines... Recuire de la confiture. Faire perler le sucre, recueillir l'écume sur la bassine à confitures. Faire de la confiture, des confitures* (le plur. ne s'emploie qu'en parlant de la fabrication familiale, traditionnelle). *Usine fabriquant de la confiture, des confitures*

(variées). → **Confiturerie.** *Mettre les confitures, la confiture en pots. Chausson, crêpe, omelette à la confiture. Gâteau fourré de confiture, à la confiture. Tartine de confiture. Un gosse barbouillé de confitures.*

Jeanne était au pain sec dans le cabinet noir, 1
Pour un crime quelconque, et, manquant au devoir,
J'allais vers la proscrite en pleine forfaiture,
Et lui glissai dans l'ombre un pot de confiture (...)
HUGO, l'Art d'être grand-père, VI, VI.

Mais il y avait aussi de bonnes paroles, des tartines de 2
confitures, des soins et des baisers les jours de rhume.
J. ROMAINS, les Hommes de bonne volonté, t. V,
XXIII, p. 206.

♦ **3** (1866). Loc. fig. *Mettre en confiture :* écraser, mettre en morceaux. → **Bouillie, compote, marmelade.**

DÉR. **Confiturerie, confiturier.**

CONFITURERIE [kɔ̃fityʀʀi] n. f. — 1823 ; de *confiture.* Technique.

♦ **1** Industrie, commerce de la confiture. *Les ouvriers, les techniciens de la confiturerie.*

♦ **2** Établissement où l'on fabrique et conserve les confitures. *Une, des confitureries.*

CONFITURIER, IÈRE [kɔ̃fityʀje, jɛʀ] n. — 1584 ; de *confiture.*

♦ **1** Techn. Personne dont le métier est de fabriquer des confitures. — Adj. *L'industrie confiturière.*

♦ **2** N. m. (1760, «meuble où l'on range les confitures»). Récipient dans lequel on sert les confitures. *Un confiturier de verre.*

CONFLAGRATION [kɔ̃flagʀasjɔ̃] n. f. — V. 1375 ; rare du XIVᵉ au XVIIIᵉ ; du lat. *conflagratio,* de *con-* (cum), et *flagrare* «brûler». → Flagrant.

♦ **1** Vx. Embrasement général. → **Incendie.** *La conflagration d'une ville.*

Et si jamais pestes au monde, famines, guerres, orages, 1
cataclysmes, conflagrations et autre malheur advient (...)
RABELAIS, le Cinquième Livre, 11.

Néron fit accuser les chrétiens de la conflagration de 2
Rome. FURETIÈRE, *in* LITTRÉ.

La conflagration de la bourgade s'opérait avec une violence 2.1
extraordinaire. Ces maisons, construites en sapin, flambaient comme des résines. Elles étaient là cent cinquante qui brûlaient à la fois. Aux crépitements de l'incendie se mêlaient les hurlements des Tartares.
J. VERNE, Michel Strogoff, p. 439.

♦ **2** (Av. 1791). Mod., littér. ou style soutenu. Bouleversement* de grande portée. → **Effervescence, explosion** (fig.). **révolution.** — Spécialt. Conflit. *Conflagration générale.*

Vous périrez, et dans la conflagration universelle que vous 3
ne frémissez pas d'allumer, la perte de votre honneur ne sauvera pas une seule de vos détestables jouissances.
MIRABEAU, Collection, t. II, p. 185.

(...) j'en arrive presque à me demander (...) si les guerres 4
ne seraient pas plutôt le résultat d'un obscur, d'un indomptable conflit de passions, auquel la conflagration des intérêts servirait seulement d'occasion, de prétexte (...)
MARTIN DU GARD, les Thibault, t. VII, p. 282.

CONFLICTUEL, ELLE [kɔ̃fliktɥɛl] adj. — 1958 ; dér. sav. du lat. *conflictus.*

Didact. (relativement cour.). Qui constitue un conflit (psychique, social...), est source de conflits. *Pulsions conflictuelles. Situation conflictuelle,* qui comporte un conflit.

433

1 L'émotion-choc est biologiquement traumatisante et il en va de même des états de tension émotionnelle engendrés par des situations conflictuelles.

> Jean DELAY,
> Introd. à la médecine psychosomatique, p. 23.

2 Les rapports conflictuels entre la Parole et l'Écriture ne se réduisent pas aux relations entre le sexe et la chose écrite, pas plus qu'aux relations entre l'esprit et la lettre. Ils vont plus loin.

> Henri LEFEBVRE, la Vie quotidienne dans le
> monde moderne, p. 328.

CONFLIT [kɔ̃fli] n. m. — Fin XIIᵉ ; du bas lat. *conflictus* «choc», du supin de *confligere* «se heurter».

◆ **1** Vx. Lutte, combat. *Un conflit entre personnes, entre groupes. Le conflit des armées. Un sanglant conflit. Conflits entre cités.* → Paix, cit. 9.

1 Le pigeon profita du conflit des voleurs,
  S'envola, s'abattit auprès d'une masure (...)
> LA FONTAINE, Fables, IX, 2.

Littér. Choc (de plusieurs choses). → **Collision, heurt.**

2 Alors, dans le conflit des tampons et le hennissement prolongé des freins, éclatait une bourrasque de portières claquant brusquement (...)
> Léon BLOY, le Désespéré, III, p. 117.

◆ **2** (1686). Mod. Rencontre provoquant une opposition (d'éléments, de sentiments contraires). → **Antagonisme, conflagration, désaccord, discorde, lutte, tiraillement.** *Conflit d'intérêts, de passions, de devoirs, d'idées. Conflit religieux, racial. Le conflit des générations* (→ Perdre, cit. 37). *Conflit psychologique, conflit intérieur* (→ **Conflictuel**). *Conflit des classes* (cit. 8). → **Lutte.** *Intervenir dans un conflit pour le régler* (→ **Arbitrage**). *Rester hors d'un conflit* (→ **Neutralité**). *Résoudre, trancher un conflit.* → **Dispute.**

3 Bien que ses rapports avec ma sœur fussent toujours tendus, elle avait jusqu'alors évité les conflits ouverts.
> F. MAURIAC, la Pharisienne, p. 124.

4 Il y a, en particulier, conflit de devoirs, quand dans la morale appliquée, un même acte paraît à la fois légitime et illégitime suivant la règle à laquelle on se rapporte.
> A. LALANDE, Voc. de la philosophie.

5 (...) la vie en société et la vie de famille, en conflit avec l'exigeante sincérité de chaque individu.
> Georges LECOMTE, Ma traversée, p. 99.

6 Le moindre conflit met un mur entre les gens.
> J. CHARDONNE, l'Amour du prochain, VI, p. 143.

En conflit. Entrer, être en conflit avec qqn. → **Compétition, rivalité** ; → ci-dessus, cit. 5. — Fig. *«L'âme en conflit avec le corps»* (Huysmans). *Forces en conflit.* (1949). Psychol., psychan. Action simultanée de motivations incompatibles ; son résultat. *Conflit affectif. Surmonter un conflit. Liquider un conflit.* — Psychan. Opposition d'exigences internes contraires, considérée comme constitutive de l'être humain. *Conflit œdipien.*

◆ **3** Contestation entre deux puissances qui se disputent un droit. *Les conflits internationaux peuvent trouver une solution pacifique. Arbitrage d'un conflit.* — *Conflit armé* ou *conflit.* → **Guerre.** *Menace de conflit. En cas de conflit. Origines, enjeu d'un conflit. Prendre part à un conflit.*

◆ **4** (1680). Dr. Rencontre (de plusieurs lois, textes, principes) empêchant leur application normale, de par les contradictions qu'elle entraîne. *Conflit des lois,* dans leur application. *Conflit de juridiction,* entre deux tribunaux de même ordre sur leur compétence respective pour juger une affaire. *Conflit d'attribution,* entre deux tribunaux d'ordre différent. *Les conflits de juridiction sont terminés par un règlement de juges, les conflits d'attribution sont jugés par le tribunal des conflits* (→ **Litige**).

Lorsque l'autorité administrative et l'autorité judiciaire se 7 sont respectivement déclarées incompétentes sur la même question, le recours devant le Tribunal des conflits, pour faire régler la compétence, est exercé directement par les parties intéressées. Décret du 26 oct. 1849, art. 17.

CONTR. Accord, concorde, entente, paix.

CONFLUENCE [kɔ̃flyɑ̃s] n. f. — Mil. XVᵉ ; lat. *confluentia,* de *confluere.* → Confluer.

Didact. ou littéraire.

◆ **1** Fait de confluer. *La confluence de deux fleuves.* → **Confluent.** Par anal. Littér. *La confluence de deux corps d'armée.* → **Rencontre, jonction.**

Au delà de P..., notre marche, entravée par la confluence des convois et des corps de troupe, devint fort pénible, sans cesser d'être rapide.
> G. DUHAMEL, Récits des temps de guerre, I, p. 66.

◆ **2** Méd. Éruption de la peau dont les vésicules, les pustules sont très rapprochées. *Confluence de la petite vérole.*

◆ **3** (Av. 1896). Fig. *La confluence de courants de pensée.* → **Convergence, rencontre.**

1. CONFLUENT [kɔ̃flyɑ̃] n. m. — 1511 ; lat. *confluens, entis,* p. prés. de *confluere.* → Confluer.

◆ **1** Endroit où deux cours d'eau se joignent. → **Jonction, rencontre.** *Le confluent du Mississippi et du Missouri. Pointe de terre au confluent de deux cours d'eau.* → **Bec.** *Rivière qui forme un confluent en se jetant dans le fleuve qu'elle alimente* (→ **Affluent**). *Coblence est au confluent de la Moselle et du Rhin.*

Ce matin, nous sommes retournés au confluent du Congo 0.1 et du Djoué, à six kilomètres environ de Brazzaville.
> GIDE, Voyage au Congo, in Souvenirs, Pl., p. 691.

Par anal. *Le confluent de deux rues.* → **Carrefour, croisement.**

Méd. *Le confluent de deux veines.*

La seconde branche de la veine ombilicale s'unit à la veine 1 porte avec elle une espèce de confluent qui se partage ensuite en différentes branches.
> CONDORCET, Bertin, in LITTRÉ.

◆ **2** Fig., littér. Concours, rencontre.

Un fatal enchaînement et confluent de circonstances fait 2 que je n'ai pas une minute à moi jusqu'à la fin du mois.
> SAINTE-BEUVE, Correspondance, II, p. 258.

2. CONFLUENT, ENTE [kɔ̃flyɑ̃, ɑ̃t] adj. — 1734, méd. ; lat. *confluens, entis,* p. prés. de *confluere.* → Confluer.

Didact. ou littér.

◆ **1** Qui conflue. — Par anal. *Lignes confluentes.* → **Concourant, convergent.** — Bot. *Feuilles confluentes,* dont les tiges viennent se réunir.

◆ **2** Méd. *Boutons confluents,* très rapprochés. — Par ext. *Variole confluente* (→ **Confluence, 2.**).

◆ **3** Fig. et littér. *Opinions confluentes,* qui vont dans le même sens, tendent à se rejoindre.

CONTR. Divergent, parallèle.

CONFLUER [kɔ̃flye] v. intr. — Av. 1340 ; lat. *confluere* «se rejoindre (rivières)», de *con- (cum),* et *fluere* «couler». → Flux.

◆ **1** Littér. et vx. Affluer, se diriger vers un même lieu.

Des soldats du dehors confluent au pied des murailles.
> CHATEAUBRIAND, Mémoires d'outre-tombe, t. III,
> p. 325.

◆ **2** (1834). Géogr. ou littér. *Confluer avec...* (cours d'eau). Rejoindre. *L'Allier conflue avec la Loire.* → **Jeter** (se jeter dans). *L'Allier et la Loire confluent près de Nevers,* se rejoignent.

♦ **3** Fig. Tendre vers un même but. *Leurs efforts confluent.*

CONTR. Diverger, écarter (s').

CONFONDANT, ANTE [kɔ̃fɔ̃dɑ̃, ɑ̃t] adj. — 1845;
p. prés. de *confondre*, II., 2.

Qui confond, étonne, stupéfie. → **Étonnant, stupéfiant.** *Une ressemblance confondante. Une mauvaise
foi, une sottise confondante,* extrême, extraordinaire. → **Ahurissant.**

Ma foi, messieurs, dit-il, parfaitement sincère, avouez que
ce que nous venons d'entendre est confondant.
        Léon BLOY, le Désespéré, p. 217.

CONFONDRE [kɔ̃fɔ̃dʀ] v. tr. [CONJUG.: *rendre.*] — 1080,
«anéantir, détruire»; du lat. *confundere* «mêler», de *con-
(cum),* et *fundere* «répandre, disperser». → **Fondre.**

I (1538). ♦ **1** Réunir, mêler pour ne former qu'un
tout. → **Amalgamer, associer, fondre, fusionner, identifier, mélanger, mêler, réunir, unir.** *Projecteurs qui
confondent leurs rayons lumineux. L'Oise confond
ses eaux avec celles de la Seine.*
Fig. *Confondre ses pleurs, ses regrets avec ceux de
qqn. Confondre ses droits, avec ceux d'un ami.* —
Pron. *Leurs intérêts se confondent.*

1   Tous ces yeux qu'on voyait venir de toutes parts
    Confondre sur lui seul leurs avides regards (...)
        RACINE, Bérénice, I, 5.

2   — Oui, crièrent deux voix qui confondirent leurs intona-
    tions.   BALZAC, Séraphîta, Pl., t. X, p. 485.
    Littér. *Confondre quelque chose à quelque chose.*

2.1 (...) l'eau plate, monotone, interminable, qui confond ses
    limites à celles de la terre?   CAMUS, la Chute, p. 126.

♦ **2** (1580). Prendre* (une personne, une chose) pour
une autre; ne pas distinguer (plusieurs choses,
personnes). *Confondre deux jumeaux. Confondre
l'innocent et le coupable. Confondre des noms entre
eux.* — Absolt. Faire une confusion. → **Tromper** (se). *Il
est possible que je confonde. Il ne faudrait pas confondre.* — Fam. *Faut pas, faudrait pas confondre !*

3   (...) je l'ai prié de me démêler ces deux noms. Il l'a fait en
    galant homme; il a compris qu'il était très possible que
    je les confondisse (...)
        Mᵐᵉ DE SÉVIGNÉ, 279, 23 mai 1672.

4   (...) il faut bien se garder de confondre l'ordre avec la
    régularité (...) La régularité est une combinaison matérielle
    et purement humaine; l'ordre est pour ainsi dire divin.
        HUGO, Odes et Ballades, Préf. 1826.

5   (...) les orateurs, qui confondent langage et pensée.
        J. PAULHAN, Entretien sur des faits divers, IV,
        p. 151.

II (V. 1160). ♦ **1** Vx. Troubler (qqn) en déconcertant*.
→ **Assommer, atterrer, désarçonner.** *Confondre l'ennemi, l'adversaire...* → **Abattre, anéantir, foudroyer,
vaincre.**
Vx (langue class.). Faire échouer, réduire à néant.
→ **Anéantir.** *Confondre les plans de l'ennemi. Confondre l'orgueil des grands.* → **Humilier.** *Dieu
confond les projets, les desseins des méchants.*
→ **Déjouer.**

6   Les yeux de l'Éternel gardent la science,
    Mais il confond les paroles du perfide.
        BIBLE (SEGOND), Proverbes, XXII, 12.
    Loc. *Que le ciel le confonde!,* le punisse.

7   Diable, conclus; ou bien que le ciel te confonde !
        RACINE, les Plaideurs, III, 3.

♦ **2** (Sujet n. de chose). Mod. (style soutenu). Remplir (qqn) d'un grand étonnement, de stupeur.
→ **Consterner, déconcerter, étonner, interdire, stupéfier.** *Cette nouvelle le confond. Votre insolence me
confond. Il restait confondu. Cela confond l'imagination, l'entendement.* → **Dépasser, passer.**

(Je) ne raisonne plus   8
Tant mes sens coup sur coup se trouvent confondus.
        MOLIÈRE, le Dépit amoureux, II, 1.

C'étaient, chaque fois, de ces constructions géantes, con- 9
fondant nos imaginations modernes (...)
        LOTI, Jérusalem, VIII, p. 97.

♦ **3** Style soutenu. Réduire (qqn) au silence, en lui
prouvant publiquement son erreur, ses torts. *Confondre qqn par un raisonnement serré. Confondre
l'accusé. Confondre un calomniateur, un hypocrite.*
→ **Démasquer.**

C'est cet homme-là qu'il faut chercher, découvrir et con- 10
fondre. C'est lui qu'il faut convaincre de son crime et
punir.
        G. DUHAMEL, Récits des temps de guerre, IV,
        «Entretiens dans le tumulte», p. 96.

Rendre confus, gêné. *Vos louanges, vos compliments me confondent. Je suis confondu de tant
d'honneurs.* → **Honteux.**

♦ **SE CONFONDRE** v. pron.

♦ **1** Se mêler, s'unir.

Comment! me disais-je, elle ne saura pas même que je 11
l'ai aimée! (...) Elle croira que j'ai passé à côté d'elle sans
la voir, que nos deux existences auront coulé bord à bord
sans se confondre ni même se toucher, pas plus que deux
ruisseaux indifférents !
        E. FROMENTIN, Dominique, IX, p. 136.

Être impossible à distinguer de...

Les maisons des paysans, coiffées d'un chaume poli par 11.
le temps, se confondaient avec les champs voisins : leurs
briques ternes avaient pris la couleur de la glaise jaunâtre.
        A. MAUROIS, les Silences du colonel Bramble, p. 16.

Ce que l'on aurait pu faire se confond avec ce que l'on 12
aurait dû faire, et l'emporte de beaucoup sur ce que l'on
a fait.   GIDE, Journal, 18 juil. 1932.

♦ **2** Vx. S'abandonner au trouble, au désordre.

Ils paraissent armés, les Mores se confondent (...) 13
        CORNEILLE, le Cid, IV, 3.

♦ **3** Mod., style soutenu. *Se confondre en remerciements, en politesses, en excuses :* multiplier les
remerciements, les excuses.

(...) l'hôtelier qui se confondait (...) en politesses impatien- 14
tantes et superflues (...)
        Th. GAUTIER, le Capitaine Fracasse, t. II, XIII,
        p. 126.

D'où provenait cette bienveillance? Il se confondit en 14.
remerciements.
        FLAUBERT, l'Éducation sentimentale, Pl., t. II,
        p. 221.

♦ **CONFONDU, UE** [kɔ̃fɔ̃dy] p. p. adj.

♦ **1** Indistinct, mêlé. *La mer confondue avec le
ciel, au ciel,* unie avec... *Des couleurs confondues.*
→ **Confus.**

Ils se regardèrent ; et leurs pensées, confondues dans la 15
même angoisse, s'étreignaient étroitement, comme deux
poitrines palpitantes.   FLAUBERT, Mᵐᵉ Bovary, II, VI.

♦ **2** Littér. → **Déconcerté, étonné, interdit, stupéfait;
confus, humilié.** *Le Mari confondu,* comédie de
Molière. *Rester confondu.*

Cela dit, Madeleine ouvrit la porte de la maison pour faire 16
sortir son mari et Cadet Blanchet, tout confondu de le voir
prendre ses façons-là, content au fond de s'en aller (...) s'en
retourna auprès de la Sévère.
        G. SAND, François le Champi, IX, p. 80.

**CONTR. Démêler, différencier, discerner, dissocier, distin-
guer, particulariser, séparer.** — **Exalter, glorifier, louer.** —
Aider. ◊ **DÉR.** (De II.) **Confondant.**

CONFORMABILITÉ [kɔ̃fɔʀmabilite] n. f. — V. 1970,
in *la Banque des Mots,* n° 13; de *conformer.*

Techn. Capacité (d'un matériau pour coussinets*)
à s'adapter aux déformations de l'arbre dont il
permet le fonctionnement.

CONFORMATEUR [kɔ̃fɔrmatœr] n. m. — 1611, «personne»; de *conformer.*

Technique.

♦ **1** (1845). Appareil servant aux chapeliers à déterminer la forme et la mesure de la tête.

1   Mon grand front donnait du fil à retordre au chapelier. Je coiffais du 59 (...)
Il me montrait le dessin de ma tête, en pointillé, au conformateur.
— En général, me disait-il, la tête des hommes a la forme d'une ellipse allongée. La vôtre est presque ronde (...)
P. GUTH, le Mariage du naïf, VI, p. 63-64.

♦ **2** Appareil destiné à donner sa forme définitive à une matière plastique.

2   On la place souvent *(la pièce)* sur conformateur, pour en assurer le mûrissement.
J.-C. DESJEUX et J. DUFLOS, les Plastiques renforcés, p. 76.

CONFORMATION [kɔ̃fɔrmasjɔ̃] n. f. — 1560; bas lat. *conformatio,* du supin de *conformare.* → Conformer.

♦ **1** Disposition des différentes parties (d'un corps organisé). → **Configuration, constitution, forme, organisation, structure.** *Conformation anatomique. Conformation du squelette, des organes génitaux. Mauvaise conformation.* → **Difformité, malformation.** *Vice de conformation :* défaut congénital dans le corps d'une personne, d'un animal. → **Infirmité, monstruosité.** *Présenter un vice de conformation* (→ Canon, cit. 3; aplomb, cit. 3).

1   On prétend que les enfants en liberté pourraient prendre de mauvaises situations, et se donner des mouvements capables de nuire à la bonne conformation de leurs membres.
ROUSSEAU, Émile, I.

2   Qu'est-ce, selon lui, qu'être homme? Je tiens que ce n'est pas relever d'une certaine conformation anatomique, mais présenter un certain caractère moral.
Julien BENDA, la Trahison des clercs, p. 71.

Conformation moléculaire (d'un corps).

♦ **2** Techn. Opération par laquelle on conforme (un objet souple, une matière plastique).

CONFORME [kɔ̃fɔrm] adj. — 1372; lat. *conformis*; de *con-* (*cum*), et *forma.* → Forme. — Construit avec *à.*

♦ **1** Dont la forme est semblable (à celle d'un modèle). → **Analogue, identique, pareil, semblable.** *Cette écriture est conforme à la vôtre.* Vx. *Son caractère est conforme à celui de son frère* (→ **Affinité**). *— Il est conforme à lui-même.* → **Égal.** — Au plur. (Sans compl. en *à*). *Choses, personnes conformes, conformes en tout.*

1   (...) les caractères de ces personnes *(dans Théophraste)* semblent retirer les uns dans les autres (...) ils ne sont pas aussi toujours suivis et parfaitement conformes (...)
LA BRUYÈRE, Disc. sur Théophraste.

2   Conforme à son aïeul, à son père selon les mœurs (...)
RACINE, Athalie, V, 6.

3   Mais, en thèse générale, je crois que la connaissance qu'on a des faits et des choses n'est rarement conforme aux hommes eux-mêmes et aux faits accomplis (...)
FRANCE, l'Anneau d'améthyste, Œ., t. XII, p. 125.

Copie conforme à l'original (→ **Vidimus**). *Passage conforme au texte. Signature, document certifié conforme.* → **Bon, correct, exact.** *Pour copie conforme* (→ **Ampliation**). *— Conforme à l'échantillon*, à l'étalon, au standard, au type.* — (Absolt). *Copie conforme. Pour copie conforme* (pcc).

Math., topographie. (Emploi absolu). *Représentation* ou *transformation conforme,* qui conserve les angles. Syn. : *isogonal. Projection conforme d'une sphère sur un plan.* → **Équiangle.**

♦ **2** **a** (Avec un compl. en *à*). Qui s'accorde avec (qqch.), qui convient à sa destination. → **Adapté;** ajusté, approprié, assorti, convenable. *Mener une vie conforme à ses goûts, à ses désirs, à ses moyens. Acte conforme à l'esprit de justice, à la morale, au bon goût. Interprétation peu conforme à l'esprit d'un texte. Conforme à la règle, à un canon.* → **Canonial, canonique.** *Cette opinion est conforme à la raison* (→ **Juste, logique**), *à la vérité* (→ **Vrai**). *Sa conduite est conforme à ses principes* (→ **Conséquent**). *Une définition conforme à l'objet défini.* → **Adéquat.**

4   Il n'y a rien de si conforme à la raison que ce désaveu de la raison.
PASCAL, Pensées, IV, 272.

5   (...) Dieu lui donnera quelque place (...) plus conforme à son humeur agissante.
Mme DE SÉVIGNÉ, 906, 9 févr. 1683.

6   C'était conforme à son idée de la puissance virile, de la santé surabondante.
J. ROMAINS, les Hommes de bonne volonté, V, VIII, p. 71.

b Absolt. Conforme à la norme, à la majorité. *Avoir des opinions conformes, une vie conforme.* → **Classique; conformiste, orthodoxe.**

7   *(En France)* Toute pensée non conforme devient suspecte et est aussitôt dénoncée.
GIDE, Journal, 15 janv. 1945.

Faire un choix conforme. → **Convenable** (→ Affaire, cit. 19). — *Conforme à une règle* (administrative). *Pièce d'identité, papiers conformes.* → **Règle** (en), *réglementaire, régulier. Tout est conforme.*

CONTR. Attentatoire, contraire, dérogatoire, différent, dissemblable, inconséquent, informe, irrégulier. — Opposé, original. ◊ DÉR. Conformément.

CONFORMÉMENT [kɔ̃fɔrmemɑ̃] adv. — 1503; de *conforme.*

Conformément à : d'une manière conforme à. → **Après** (d'), *conformité* (en), **selon, suivant.** *Conformément à la loi. Conformément à vos conseils, ils ont procédé ainsi.* → **Sur.** *Vivre conformément à son état. Conformément au plan prévu. Conformément à l'échantillon joint à votre envoi.*

Le style efficace, c'est celui qui s'individualise conformément à l'auteur et se particularise conformément à l'auditeur.
Gustave LANSON, l'Art de la prose, p. 47.

CONTR. Contrairement, encontre (à l'encontre).

CONFORMER [kɔ̃fɔrme] v. tr. — 1190; lat. *conformare* «donner une forme»; de *con-* (*cum*), et *formare* «former», de *forma* «forme».

♦ **1** *Conformer* (qqch.) *à* (qqch.) : rendre conforme à. → **Accorder, adapter, ajuster, approprier, assortir, calquer** (sur), **copier, imiter.** *Conformer ses sentiments à ceux de qqn. Conformer sa volonté à celle d'un parti. Conformer sa production à la demande de la clientèle* (→ Faire cadrer* avec, faire correspondre* à...).

1   Pour faire que les membres soient heureux, il faut qu'ils aient une volonté, et qu'ils la conforment au corps.
PASCAL, Pensées, VII, 480.

2   Il ne conforme pas exactement sa conduite à ses maximes.
FRANCE, le Mannequin d'osier, Œ., t. XI, p. 331.

♦ **2** Techn. Donner sa forme définitive à (un objet souple, une matière plastique, etc.). *Conformer un objet en matière plastique. Conformer un chapeau* (à la tête de qqn). → **Conformateur.**

♦ **SE CONFORMER** v. pron. (Du sens 1).

a Sujet n. de personne. (Réfl.). *Se conformer à :* devenir conforme à; se comporter de manière à être en accord avec. → **Aligner** (s'), **assujettir** (s'), **modeler** (se), **plier** (se), **régler** (se), **soumettre** (se), **suivre; niveau, ton** (se mettre au ton, dans le ton). *Se conformer aux circonstances. Se conformer aux façons de vivre de qqn.* → **Accommoder** (s'), **accorder** (s'). *Se conformer*

au modèle choisi. Se conformer aux ordres reçus.
→ **Obéir, observer.** *Se conformer à une indication, à un avis.* → **Acquiescer.** *Se conformer aux préjugés, à la mode.* → **Sacrifier.** *Se conformer aux convenances* (→ **Conformisme**).

3   Elle se conformait aux ordres de Dieu, elle lui offrait ses souffrances en expiation de ses fautes.
                              BOSSUET,
          Oraison funèbre de la Duchesse d'Orléans.

4   Comme il doit être fatigant et attristant, cet effort continu pour se conformer aux opinions, règles et convenances du monde impossible qui les entoure.
          Valery LARBAUD, Amants, heureux amants, p. 126.

5   Vous n'avez qu'à écouter, qu'à recevoir mes ordres, — à vous conformer à mes décisions irrévocables.
          F. MAURIAC, Thérèse Desqueyroux, IX, p. 162.

b Sujet n. de chose. (Passif ou réfl.). *La copie doit se conformer au modèle. — Ses idées se conforment à celles de sa famille.* → **Conformiste.**

♦ **CONFORMÉ, ÉE** p. p. adj.

Qui a telle conformation. *Corps bien conformé, bizarrement conformé. Avoir les jambes mal conformées.* → **Bâti, disposé, organisé.** *Le bébé est bien conformé.*

6   Les fondations *(des couvents)* ne sont que pour la jeunesse et les personnes bien conformées.
          VOLTAIRE, l'Homme aux 40 écus.

CONTR. Opposer. — Contrevenir, refuser (se), révolter (se).
◊ DÉR. Conformabilité, conformateur, conformité.

CONFORMISME [kɔ̃fɔrmism] n. m. — 1904 ; de *conformiste.*

♦ **1** Hist. Profession de foi anglicane, anglicanisme, en Angleterre. *Le conformisme anglican.*

♦ **2** Fait de se conformer aux normes, aux usages.
→ **Orthodoxie, traditionalisme.** *Un conformisme rigoureux* (→ Atavisme, cit. 2). Péj. Attitude passive de celui qui se conforme aux idées et aux usages de son milieu.

1   (...) il *(Descartes)* sera en règle avec les lois, respectueux des coutumes, de la religion, de l'opinion et des opinions, *se réservant de changer les siennes selon son humeur ou selon les circonstances.* Ce qui est *probabilisme*, ou, dans le jargon moderne : *conformisme et opportunisme.*
          VALÉRY, Variété V, p. 228.

2   Vous allez à la messe par conviction ou par conformisme ?
          Jean-Louis CURTIS, le Roseau pensant, p. 222.

CONTR. Anticonformisme, non-conformisme, originalité.
◊ COMP. Anticonformisme, non-conformisme.

CONFORMISTE [kɔ̃fɔrmist] n. et adj. — 1666 ; angl. *conformist,* de *conform* «conforme», de même orig. que *conforme.*

♦ **1** Hist. Personne qui professe la religion de l'Église anglicane. *Église conformiste.* → **Anglican.**

1   L'Église anglicane met les calvinistes puritains au nombre des non-conformistes.
          BOSSUET, Hist. des Variations, 13.

♦ **2** N. et adj. Qui se conforme aux usages, aux traditions, aux coutumes. → **Traditionaliste.** *Esprit conformiste. Morale conformiste.* → **Orthodoxe** (→ Antitotalitaire, cit.). — *C'est un, une conformiste.*

2   Contre toute son éducation morale et conformiste, ses instincts l'avaient entraîné vers l'inversion.
          A. MAUROIS, À la recherche de Marcel Proust, IV,
                                              III, p. 114.

CONTR. Anticonformiste, non-conformiste ; dissident, hétérodoxe. — Original, révolté. ◊ DÉR. Conformisme. ← COMP. Anticonformiste, non-conformiste.

CONFORMITÉ [kɔ̃fɔrmite] n. f. — XIVᵉ ; de *conformer.*

♦ **1** Qualité de ce qui est conforme*. → **Accord, analogie, concordance, convenance, correspondance, rapport, ressemblance, similitude.** *Conformité apparente, réelle, d'une chose et d'une autre, d'une chose avec une autre. Il y a conformité parfaite entre ces deux choses.* → **Harmonie, régularité.** *Conformité de goûts, d'inclinations, de sentiments.* → **Affinité, sympathie ; unanimité.** *Conformité de vues.* → **Unité ; union.**

1   (...) mettre dans un mariage cette douce conformité qui sans cesse y maintient l'honneur, la tranquillité et la joie (...)
          MOLIÈRE, l'Avare, I, 5.

2   Il avait une Nanette ainsi que j'avais une Thérèse ; c'était entre nous une conformité de plus.
          ROUSSEAU, les Confessions, VII.

3   (...) lorsque je la trouvais d'accord avec moi (...) lorsque je distinguais en elle l'écho tout à fait exact et comme l'unisson de la corde émue qui vibrait en moi, c'était une conformité de plus dont je me réjouissais comme d'une nouvelle alliance.
          E. FROMENTIN, Dominique, p. 156.

Loc. (1665). *En conformité avec, en conformité de* (VX) : conformément à. *Agir en conformité des ordres reçus. En conformité de telle loi.*

4   Si j'avais déserté, l'an dernier, ou si, jadis, je m'étais enfui avec Hélène, ça se serait fait en conformité avec mes plans, dont le détail était raisonnable.
          J. ROMAINS, les Hommes de bonne volonté, t. III,
                                              XXIII, p. 310.

Être en conformité de goûts : avoir les mêmes goûts.

♦ **2** (1662). Vieilli. Fait de se conformer (à qqch.). *La conformité de ses actions à la volonté de son père.* → **Adhésion, soumission.** *La conformité aux usages établis* (→ Bienséance, cit. 17). *Conformité à la religion, à l'idéologie dominante.* → **Alignement** (I., 3.). *conformisme ; orthodoxie.*

5   (...) la conformité à la volonté de Dieu (...)
          Mᵐᵉ DE SÉVIGNÉ, 205, 23 sept. 1671.

6   En général, je dis que la morale est la conformité de l'action à la raison. L'immoralité consiste à désobéir au jugement de la raison.
          Victor COUSIN, cité par JANET,
                      Victor Cousin et son œuvre.

CONTR. Non-conformité ; désaccord, dissemblance, opposition ; anomalie. — Originalité. — Révolte. ◊ COMP. Non-conformité.

1. CONFORT [kɔ̃fɔr] n. m. — V. 1100 ; de *conforter.*
→ **Réconforter.**

♦ **1** Vx. Secours, assistance matérielle ou morale.
→ **Aide, consolation, réconfort ; conforter.**

Et traîner sans confort (...)
Une pauvre vieillesse (...)
          Mathurin RÉGNIER, Satires, III.

♦ **2** Mod. (Méd.). *Médicament de confort* : médicament qui permet de mieux supporter un mal assez minime, sans s'attaquer à sa cause (analgésique, calmant faible, somnifère léger). — REM. Le plus souvent confondu avec 2. *confort.*

CONTR. Abandon. ◊ DÉR. V. 2. Confort. ← COMP. Réconfort.

2. CONFORT [kɔ̃fɔr] n. m. — 1815, Chateaubriand, *Correspondance ;* angl. *comfort,* de 1. *confort,* d'abord «encouragement, consolation», en angl. comme en franç., puis (déb. XIXᵉ), «bien-être matériel» ; on a dit, av. 1850, *confortabilité* et *le confortable.*

♦ **1** Ensemble de ce qui contribue au bien-être, à la commodité de la vie matérielle. → **Aise, bien-être, commodité.** *L'amour du confort. Le confort quotidien, ménager. Le confort de qqn. Jouir de son confort. Il aime son petit confort. Avoir l'habitude du confort. Niveau du confort.* → **Niveau** (de vie), **standing.**

Le fait (pour un logement) de posséder les commodités entraînant le bien-être. *Le confort d'un appartement. Logement sans confort, qui manque de confort. Éléments de confort :* chauffage, climatisation, électricité, eau courante chaude et froide, sanitaires, cuisine équipée, etc.

Le confort moderne (expr. vieillie, correspondant à l'époque où l'eau courante, le gaz, l'électricité sont installés dans les logements).

1   Un sinistre lavabo de faïence fêlée représentait à lui seul le confort moderne dans cet hôtel (...)
            P. MAC ORLAN, la Bandera, I, p. 9.

♦ **2** Fig. Situation confortable, absence d'éléments pénibles ou difficiles. *Confort intellectuel, confort moral* (souvent péjoratif).

2   (...) nous appelons confort intellectuel l'ensemble des commodités qui, assurant le bien-être de l'esprit, sa vigueur et le sain exercice de ses fonctions, le préservent des altérations flatteuses du vocabulaire et des séductions énervantes, trompeuses, empoisonnées, de certaines lectures, de certains entraînements de la sensibilité ambiante.
            M. AYMÉ, le Confort intellectuel, XII, p. 193.

♦ **3** Par appos. *Pneu confort,* qui assure un meilleur confort à l'automobile.

CONTR. et COMP. Inconfort. ◊ **DÉR. Confortable.**

CONFORTABILITÉ [kɔ̃fɔʀtabilite] n. f. — 1826 ; de *confortable.*

Vx. Confort (2. Confort, 1.). → **Confortable** (A., 4., N. m.).

CONFORTABLE [kɔ̃fɔʀtabl] adj. — 1786, rare av. XIXᵉ ; angl. *comfortable* « où l'on est à l'aise », « qui est à l'aise » ; de *confort.* → 2. Confort.

A ♦ **1** (Choses). Qui procure, présente du confort. *Maison, appartement confortable. Ce n'est pas très confortable, chez toi. Un siège, un fauteuil confortable. — Des pantoufles confortables.*

1   Lui trouvait tout très joli, très bien (...) cet intérieur si soigné lui paraissait presque confortable, avec la blancheur bleuâtre de ses rideaux de mousseline fraîchement repassés.   LOTI, Matelot, XXVI, p. 100.

2   (...) il était lui aussi décemment habillé de vêtements décents, et même confortables (pensant : « Un confortable costume recouvrant une prothèse... »), et son visage sans doute apparemment décent lui aussi puisque personne ne se détournait (ou ne se retournait) à sa vue (...)
            Claude SIMON, le Palace, p. 105.

(En parlant d'une situation). *Mener une vie confortable.* → **Bourgeois, douillet.**

♦ **2** Fig. Qui assure un bien-être, une tranquillité psychologique. *Il est plus confortable de penser que vous n'êtes pas coupable.*

♦ **3** Spécialt (nombre, somme). De nature à assurer la sécurité. *Jouir d'une retraite confortable.*

♦ **4** N. m. **a** (1788). Vieilli. *Le confortable. Le goût du confortable.* → (mod.) 2. **Confort.**

3   (...) l'école hollandaise se borne à reproduire la quiétude de l'appartement bourgeois, le confortable de l'échoppe ou de la ferme, les gaietés de la promenade et de la taverne, toutes les petites satisfactions de la vie paisible et réglée.
       TAINE, Philosophie de l'art, t. I, III, I, III, p. 268.

4   — Et pourquoi que je me retirerais, Monsieur ? Voulez-vous me dire où je serais mieux qu'ici, où j'aurais plus mes aises et tout le confortable ?
       PROUST, le Côté de Guermantes, t. I, Folio, p. 372.

b (1863). Spécialt, vx. *Un confortable :* un fauteuil capitonné.

c (1894). Plur. *Des confortables :* pantoufles fourrées.

d (Déb. XXᵉ). Grand verre de bière (→ Formidable).

B (En parlant des personnes). Vx ou par anglic. Qui est confortablement installé, à l'aise. *« Bourgeois confortables »* (Gautier). *« Je me sentais confortable près de lui »* (Beauvoir).

CONTR. Désagréable, incommode, inconfortable, rudimentaire. ◊ **DÉR. Confortabilité, confortablement.**

CONFORTABLEMENT [kɔ̃fɔʀtabləmã] adv. — XVIIIᵉ ; de *confortable.*

♦ **1** D'une manière confortable. *Un appartement confortablement installé. Vivre confortablement. S'accouder confortablement* (→ Chien, cit. 44). *Être installé confortablement pour manger* (→ Être le dos au feu et le ventre* à table).

Les uns recherchent les femmes pour en jouir et puis penser librement à autre chose. Et ainsi ils sont portés à désirer d'en changer. D'autres ont une femme comme on a des pantoufles, confortablement les mêmes.
       VALÉRY, Cahiers, t. II, Pl., p. 412.

♦ **2** *Être très confortablement payé.* → **Correctement,** 1. **bien.**

CONTR. Inconfortablement.

CONFORTANT, ANTE [kɔ̃fɔʀtã, ãt] adj. — 1840 ; de *conforter.*

Rare. Qui conforte. → **Réconfortant.** *Remède confortant. — Paroles confortantes.*

Est-ce à dire que tout soit beau et particulièrement confortant autour de nous, en ce moment ? Non pas.
       J.-R. BLOCH, Deux hommes se rencontrent, p. 287.

CONFORTATIF, IVE [kɔ̃fɔʀtatif, iv] adj. — V. 1200 ; bas lat. *confortativus,* du supin de *confortare.* → Conforter.

Vx. Fortifiant. — N. m. *Un confortatif.*

CONFORTATION [kɔ̃fɔʀtasjɔ̃] n. f. — 1478 en méd. ; « fortification », *in* Froissart ; repris XVIᵉ ; lat. chrét. *confortatio,* du supin de *confortare.* → Conforter.

♦ **1** Vx. Réconfort, encouragement.

♦ **2** Rare. Action de conforter (3.) ; son résultat.

CONFORTER [kɔ̃fɔʀte] v. tr. — Fin Xᵉ ; lat. ecclés. *confortare,* de *con-* (*cum*), et *fortis* « fort ».

♦ **1** Vx. Réconforter, raffermir moralement (qqn). → **Affirmer, consoler, encourager, soutenir.** *Conforter les affligés, les malades.*

1   Je suis toujours ce Dieu qui console et conforte.
       CORNEILLE, l'Imitation de J.-C., 3172.

♦ **2** (XIIIᵉ). Vx. Donner des forces physiques à (qqn ; un organe). *Cela conforte l'estomac.*

2   (...) la salade rafraîchit sans affaiblir, et conforte sans irriter (...)
       A. BRILLAT-SAVARIN, Physiologie du goût, Omelette du curé.

♦ **3** (1972). Mod. Donner des forces à (un régime politique, une situation, une thèse, etc.). *Conforter sa situation. — Raffermir* (qqn) dans une opinion. *Être conforté dans son analyse, son interprétation. Cela l'a conforté dans son idée que... « Conforter ici ce qui s'apparente à des rentes de situation historiques, aggraver là la situation de certains établissements »* (*Libération,* 2 mars 1984, p. 18). — REM. Le mot, dans ce sens, constitue un cliché à la mode, issu du discours politique de bon ton.

♦ **SE CONFORTER** verbe pron.

♦ **1** Littér. Se réconforter.

3 (...) dans les moments où il avait à se conforter lui-même, Noël Schoudler aimait à rappeler la guerre brillante de François et les trois citations qu'il en avait rapportées, comme si le courage du fils avait servi pour deux.
M. DRUON, les Grandes Familles, IV, II, p. 179.

4 Sans hâte, mais sans hésitation, avec une sorte de prescience infaillible, ils formaient toujours et partout, à eux deux, le cadre idéal où Lothar venait s'inscrire et se conforter. M. TOURNIER, le Roi des Aulnes, p. 332.

♦ **2** Se raffermir dans une opinion (sens 3). «*Le vieil imam (Khomeiny) se conforte sans doute dans l'idée que le monde occidental est bel et bien pourri*» (*l'Express*, 2 mars 1984, p. 21).

CONTR. Débiliter, décourager. — Affadir, affaiblir. ◊ **DÉR.** 1. Confort, confortant.

CONFRATERNEL, ELLE [kɔ̃fʀatɛʀnɛl] adj. — 1829; de *confrère*, d'après *fraternel*.

Style soutenu (mais plus cour. que *confraternité*). Qui a rapport aux relations entre confrères ou consœurs. *Amitié confraternelle. Émulation, rivalité confraternelle. Rapports de courtoisie confraternelle.*

DÉR. Confraternellement.

CONFRATERNELLEMENT [kɔ̃fʀatɛʀnɛlmɑ̃] adv. — 1892, Bloy; de *confraternel*.

De manière confraternelle.

CONFRATERNITÉ [kɔ̃fʀatɛʀnite] n. f. — 1283; de *confrère*, d'après *fraternité*.

Didactique.

♦ **1** Bonnes relations entre confrères ou consœurs.

♦ **2** Relation de bonne entente.

La confraternité de l'homme, des animaux et des plantes (...)
G. DUHAMEL, Chronique des Pasquier, Les maîtres, 1937, p. 198, *in* T. L. F.

CONFRÈRE [kɔ̃fʀɛʀ] n. m. — XIII⁰; du lat. médiéval *confrater*, de *con-* (*cum*), et *frater* «frère», d'après *frère*.

♦ **1** Personne qui appartient à une société, à un corps, à une compagnie, considérée par rapport aux autres membres de cette société... → **Collègue** (cit. 1); **consœur** (→ Perceptible, cit. 2). *Mon confrère de l'Académie. Le confrère, les confrères du professeur X. Des confrères dans une discipline, en... Mon cher confrère.* — Membre d'une même profession libérale. *Mon confrère du barreau. Médecin estimé de ses confrères.*

1 Le médecin Tant-pis allait voir un malade
Que visitait aussi son confrère Tant-mieux.
LA FONTAINE, Fables, V, 12.

2 Des *confrères* font partie d'un même corps ou ont la même profession. C'est le titre que se donnent les prêtres (...) les membres d'une académie, les avocats, les médecins, les comédiens, les artistes (...)
LAFAYE, Dict. des synonymes, Associé, collègue, confrère.

Personne qui est dans une situation identique (à une ou plusieurs autres). → **Associé, compagnon.**

3 Blaireaux, renards, hiboux, race encline à mal faire,
Pour l'exemple pendus, instruisaient les passants,
Leur confrère aux abois entre ces morts s'arrange.
LA FONTAINE, Fables, XII, 23.

Loc. (vx). *Confrère de la lune* : mari trompé.

♦ **2** Personne appartenant à une confrérie religieuse. — Hist. littér. *Les Confrères de la Passion* : association médiévale organisant la représentation du mystère de la Passion.

REM. *Confrère* a normalement pour féminin *consœur**. Il peut arriver cependant que l'on emploie *confrère* au féminin (*une confrère*), ou au masculin pour une femme (*son confrère le docteur Madeleine X*). Aux XVᵉ et XVIᵉ siècles, on a utilisé une forme *confréresse*, pour désigner les membres féminins des confréries religieuses, et des corporations professionnelles.

CONFRÉRIE [kɔ̃fʀeʀi] n. f. — XIII⁰; altér., d'après *frère*, de *confrarie*, v. 1190; du lat. médiéval *confratria*, de *con-* (*cum*), et *fratria* «fratrie».

♦ **1** Association généralement formée par des laïques pour accomplir des œuvres de piété, de charité. → **Communauté, congrégation.** *La confrérie du Saint-Sacrement. La confrérie blanche*, formée pour combattre les Albigeois. *La confrérie de la Passion.*

1 Vous (Henri III) faisiez des confréries, des vœux, des pèlerinages, des oratoires.
FÉNELON, XIX, 398, *in* LITTRÉ.

♦ **2** Vieilli. Réunion de personnes unies par un lien commun. — (1260). Association professionnelle. → **Corporation, réunion.** — Loc., vx. *Entrer dans la confrérie*, dans la catégorie des gens mariés; des maris trompés, etc.

2 En tout cas, ce qui peut m'ôter ma fâcherie,
C'est que je ne suis pas seul de ma confrérie (...)
MOLIÈRE, Sganarelle, IV, 17.

CONFRONTATION [kɔ̃fʀɔ̃tasjɔ̃] n. f. — 1385, en dr., *confrontation de témoins*; «limite», 1341; lat. médiéval *confrontatio*, du supin de *confrontare*. → Confronter.

♦ **1** Action de confronter* (des personnes, des choses). → **Comparaison.** *La confrontation de deux textes, de deux écritures. Confrontation de témoins. Ordonner la confrontation de l'accusé avec les témoins.*

1 Il est très important que l'on confronte tous les témoins avec le prévenu, et qu'en ce point la confrontation ne soit pas arbitraire.
VOLTAIRE, Politique et Législation, Procédure criminelle.

♦ **2** Fig. Le fait de mettre en présence pour comparer. *La confrontation des idées. Une confrontation d'idées. Confrontation entre personnes, entre organisations.*

2 La conclusion dernière du raisonnement absurde est (...) le rejet du suicide et le maintien de cette confrontation désespérée entre l'interrogation humaine et le silence du monde.
CAMUS, l'Homme révolté, Introduction, p. 16.

REM. On trouve (rarement) dans le même sens *confrontement*, n. m. (de *confronter*).

3 L'une des seules positions philosophiques cohérentes, c'est ainsi la révolte. Elle est un confrontement perpétuel de l'homme et de sa propre obscurité. Elle est exigence d'une impossible transparence.
CAMUS, le Mythe de Sisyphe, I,
La liberté absurde, *in* Essais, Pl., p. 138.

CONTR. Isolement, séparation.

CONFRONTER [kɔ̃fʀɔ̃te] v. tr. — 1538; «être attenant à», 1344; lat. médiéval *confrontare*, de *con-* (*cum*), et *frons* «front».

♦ **1** Mettre en présence (deux ou plusieurs personnes) pour comparer les affirmations. → **Comparer.** *Confronter deux personnes ensemble.* Mettre (un inculpé) en présence d'un témoin, de la victime du délit. *Confronter les témoins entre eux, les témoins avec le prévenu.* → **Confrontation** (cit. 1).

1 Les juges prononçaient sans jamais confronter les témoins et l'accusé, souvent sans les interroger.
VOLTAIRE, Annales de l'Empire, Charlemagne, 788.

Par ext. Mettre face à face, en présence (des personnes, des groupes, des réalités intellectuelles ou morales) pour un débat. *Confronter deux tendances politiques, confronter des idées.*

Pron. *Se confronter à qqn, à qqch.; avec qqn, avec qqch.*

1.1 *(Sa présence)* empêchait absolument Léontine de revenir en arrière, de communiquer avec elle-même, de se confronter avec elle-même.
> Francis CARCO, l'Homme traqué, p. 45.

(Au passif et au p. p.). *Être confronté avec qqn, à qqn.* — **(Emploi critiqué)**. *Être confronté à qqch.*, mis en présence de qqch.

1.2 (...) confronté jour et nuit à son crime innocent, il devenait trop difficile pour lui de se maintenir et de continuer.
> CAMUS, la Chute, p. 131.

1.3 Cette foule, hier, confrontée à la peinture de Bernard Buffet, s'est-elle reconnue?
> F. MAURIAC, le Nouveau Bloc-notes 1958-1960, p. 16.

◆ **2** Comparer* (des personnes, des choses) pour mettre en évidence les ressemblances ou les différences. *Confronter deux textes, deux paragraphes.* → **Accoler, collationner.** *Confronter deux écritures. Confronter les déclarations de qqn avec ses écrits.*

2 Quel moyen de vous définir (...)? Il faudrait (...) vous confronter avec vos pareils, pour porter de vous un jugement sain et raisonnable.
> LA BRUYÈRE, les Caractères, IX, 20.

3 Je prenais conscience de mes propres transformations en les confrontant à l'identité des choses.
> PROUST, À la recherche du temps perdu, t. X, p. 332.

◆ **3** Régional (sens étym.). V. trans. ind. *Confronter à qqch.* : être attenant à... (Pesquidoux, 1925, *in* T. L. F.).

CONTR. Isoler, séparer. ◊ **DÉR. Confrontement** (cf. Confrontation).

CONFUCÉEN, ENNE [kɔ̃fyseɛ̃, ɛn] adj. — 1921, cit.; du rad. du nom de *Confucius*, et *-éen*.

Didact. Inspiré par le confucianisme, relatif à la doctrine de Confucius. *Morale confucéenne.*

Shanghaï, transformé, ce n'est plus la ville chinoise d'autrefois reliée par les canaux à la campagne confucéenne (...)
> CLAUDEL, Journal, 14 nov. 1921.

CONFUCIANISME [kɔ̃fysjanism] n. m. — 1876; du rad. du nom de *Confucius*, et *-(an)isme*.

Didact. Doctrine philosophique et religieuse du philosophe chinois Confucius.

CONFUCIANISTE [kɔ̃fysjanist] adj. et n. — 1892; du rad. du nom de *Confucius*, et *-(an)iste*.

Didact. Qui professe le confucianisme. *Théologie confucianiste.* — **N.** *Un, une confucianiste.*

(...) l'oncle chargé de Tchen ne l'avait envoyé aux missionnaires que pour qu'il apprît l'anglais et le français, et l'avait mis en garde contre leur enseignement, contre l'idée de l'enfer surtout, dont se méfiait ce confucianiste.
> MALRAUX, la Condition humaine, p. 54.

CONFUS, USE [kɔ̃fy, yz] adj. et n. m. — Mil. XIIᵉ, *cunfus,* au sens 3; lat. *confusus*, p. p. de *confundere*. → Confondre.

◆ **1** (1292). Dont les éléments sont mêlés de façon telle qu'il est impossible de les distinguer. → **Confondu, désordonné, disparate, indistinct, pêle-mêle.** *Amas* (cit. 1) *confus.* → **Chaos, tohu-bohu.** *Assemblage* (cit. 9 et 15), *mélange, amalgame confus. Une bousculade, une foule, des ombres confuses. Des silhouettes, des formes, une lueur, une végétation confuses.*

(1546; en parlant des bruits et des sons). *Voix confuses. Bruit confus.* → **Brouhaha, charivari.** *Cris confus. Clameurs confuses. Murmure confus.* → **Bourdonnement** (cit. 8), **chuchotement.** *Rumeur confuse* (→ Bruit, cit. 18).

1 Un bruit confus s'élève, et du peuple surpris
Détourne tout à coup les yeux et les esprits.
> RACINE, Athalie, II, 2.

1.1 Le jardin était (...)
Plein de bourdonnements et de confuses voix.
> HUGO, les Voix intérieures, «Les Rayons et les ombres».

◆ **2** (1549). Qui manque de clarté; dont la complexité ou l'incertitude sont telles que la compréhension en est gênée. → **Amphigourique, brouillé, compliqué, embrouillé, équivoque, incertain, indécis, indéterminé, indistinct, obscur, vague**; **confusion** (I., 2.). *Des idées confuses et obscures. Avoir la notion confuse d'une chose. Pressentiment, souvenir, savoir confus. Dessin confus* (→ Achever, cit. 6). *Style, langage confus, compliqué et confus, lourd et confus.* → **Alambiqué, embarrassé, entortillé, filandreux, indigeste, inintelligible, nébuleux.** *Discours confus et ridicule* (→ **Galimatias**). *Une affaire, une situation confuse* (→ **Écheveau, imbroglio**). *Rendre confus un problème.* — **(Sentiments).** *Indécis, éprouvé de manière incertaine. Des espérances, des craintes confuses.* — **Littér. (antéposé).** *De confuses espérances.* — *Images, souvenirs, rêves confus.*

2 Tu ne flattes mon cœur que d'un espoir confus.
> CORNEILLE, la Galerie du Palais, III, 4.

3 (...) il se réveillait en sursaut, le cœur serré (...) avec le souvenir confus d'un rêve terrible et singulier qu'il venait d'avoir.
> Alphonse DAUDET, le Petit Chose, II, XII.

4 (...) Joanny regardait le jour grandir, encore engourdi, les idées confuses, il sentait du bonheur au fond de lui, quelque part en lui, il ne savait pas au juste où (...)
> Valery LARBAUD, Fermina Marquez, XI, p. 112.

Esprit confus, intelligence confuse (ne s'emploie pas avec un nom de personne, à cause de l'ambiguïté avec le sens 3).

N. m. Ce qui est confus. *«Il n'est d'illimité en art que le flou, le vague, le confus»* (R. Rolland, *Beethoven,* t. I, 1928, p. 121, *in* T. L. F.).

◆ **3** (Personnes). Qui est embarrassé, soit en raison d'une faute commise, soit par modestie, par pudeur. → **Déconcerté, embarrassé, honteux, penaud, piteux, sot, troublé**; et aussi (vx, class.) 3. **capot, quinaud.** *Il était confus d'avoir été pris sur le fait. Demeurer tout confus. Être confus de sa méprise, de son erreur. Confus d'être surpris dans une situation délicate. Être confus d'une réussite, des éloges que l'on reçoit.* → **Intimidé** (→ Baisser* les yeux, la voix; souhaiter être à cent pieds* sous terre; ne pas savoir où se mettre*). *Être confus des bontés de qqn.* — **Absolt.** *Je suis confus,* pour marquer le regret d'une faute, d'une erreur et s'en excuser. → **Désolé, ennuyé.**

5 (...) je suis plus confus, Seigneur, de vos bontés (...)
> CORNEILLE, Cinna, V, 3.

6 Le corbeau, honteux et confus,
Jura, mais un peu tard, qu'on ne l'y prendrait plus.
> LA FONTAINE, Fables, I, 2.

7 J'ai tort, je le confesse, et mon âme confuse
Ne cherche à vous payer d'aucune vaine excuse.
> MOLIÈRE, le Misanthrope, V, 4.

8 Je m'attendais que, confus de ma condescendance et de mes avances, Grimm me recevrait les bras ouverts, avec la plus tendre amitié.
> ROUSSEAU, les Confessions, IX.

Qui a le sentiment de ne pas mériter qqch. (éloges, récompenses). → **Gêné.** *Vous êtes trop aimable, je suis confus.*

(Choses, actions). Qui exprime la confusion. *Un sourire confus.*

♦ **4** N. m. Psychiatr. *Un confus :* un malade atteint de confusion mentale. — REM. Ne semble pas usité au féminin.

CONTR. **Clair, distinct, net, précis. — Désinvolte, libre.** ◊ DÉR. **Confusément.**

CONFUSÉMENT [kɔ̃fyzemɑ̃] adv. — 1573; *confusement,* 1213; de *confus.*

D'une manière confuse (1. ou 2.). → **Indistinctement.** *Objets entassés confusément.* → **Pêle-mêle.**

1   Cet horrible débris d'aigles, d'armes, de chars,
     Sur ces champs empestés confusément épars (...)
                                   CORNEILLE, Pompée, I, 1.

Entendre confusément des bruits. Murmurer confusément qqch. (→ Bourdonner, cit. 2). — *Écrire confusément.* → **Illisiblement.** *Parler confusément* (cit. 14). *Comprendre confusément qqch.* → **Obscurément, vaguement** (→ Approfondir, cit. 9).

2   Confusément j'apercevais bien que ce qui délectait ainsi
     mon jeune précepteur, c'était le spectacle même du jeu de
     la vie (...)   E. FROMENTIN, Dominique, III, p. 54.

CONTR. **Clairement, distinctement, nettement, précisément.**

CONFUSION [kɔ̃fyzjɔ̃] n. f. — 1120, sens II; «ruine, destruction», 1080; lat. *confusio* «désordre, trouble», aussi «destruction» en lat. chrétien, du supin de *confundere.* → Confondre.

I (Déb. XIIIᵉ). ♦ **1** État de ce qui est confus* (2.). → **Désordre** (1., en désordre), **trouble.** *Mettre la confusion dans une assemblée, dans les rangs d'une armée.* → **Troubler.** — (Abstrait ou concret). *Une confusion indescriptible.* → (vx) **Billebaude,** (fam.) **bordel,** (vx) **bredi-breda, brouhaha, brouillamini, capharnaüm, cohue, débâcle, débandade, embarras, embrouillamini, embrouillement, enchevêtrement, fatras, fouillis,** (fam.) **foutoir, gâchis, imbroglio, mélange, mêlée, méli-mélo,** (fam.) **merdier, pêle-mêle, pétaudière, ramassis, remue-ménage, saccage, salade, salmigondis.** *Confusion bruyante.* → **Tintamarre, tumulte.** *La confusion originelle du monde.* → **Chaos, tohu-bohu.** *Ses papiers, ses livres sont dans une extrême confusion. — La confusion règne, s'instaure, augmente. La séance se termina dans une confusion totale.*

1   Trop de confusion règne dans cette salle,
     Et j'aimerais mieux être au milieu de la Halle.
                            MOLIÈRE, le Bourgeois gentilhomme,
                                              Ballet des nations.

2   Que nous crie donc ce chaos et cette confusion mon-
     trueuse, sinon la vérité de ces deux états, avec une voix si
     puissante qu'il est impossible de résister ?
                      PASCAL, Pensées, VII, 435 (→ Chaos, cit. 4).

Vx ou littér. (Concret). Ensemble confus. *Une confusion de voies, de chemins.* → **Dédale, labyrinthe.** *Une confusion de personnes vivant dans la promiscuité*. *Une confusion d'ornements.*

3   Quelquefois, au tournant d'une côte, il voyait sous ses
     yeux une confusion de toits pressés, avec des flèches de
     pierre (...)
                                   FLAUBERT, Trois contes,
                      «La légende de saint Julien l'Hospitalier», III.

La confusion des langues dans la tour de Babel.* — Fig. *C'est ici la confusion des langues :* il n'y a pas d'entente possible entre ces personnes.

Situation confuse, embrouillée (souvent mêlée de violences). → **Anarchie, bouleversement, désordre, désorganisation, ébranlement,** 2. **trouble.** *La confusion politique.*

Si le signe de l'époque est la confusion, je vois à la base de   3.1
cette confusion une rupture entre les choses, et les paroles,
les idées, les signes qui en sont la représentation.
                            A. ARTAUD, le Théâtre et son double,
                                              Idées/Gallimard, p. 10.

♦ **2** (→ Confus, 2.). Manque de clarté, d'ordre dans ce qui touche aux opérations de l'esprit. *Confusion des idées.* → **Complication, désordre, indécision, indétermination, obscurité,** 2. **trouble, vague.** *Il y a de la confusion dans ce discours. Tenter d'éviter toute confusion. Installer la confusion dans son travail. Jeter la confusion dans les esprits.* → **Désarroi.** *Esprit qui tourne à la confusion.* → **Égarer** (s'), **troubler** (se troubler; → Assimilation, cit. 4).

On peut dire d'une grande lecture ce que Sénèque dit d'une   4
vaste bibliothèque, qu'au lieu d'enrichir et d'éclairer l'esprit, elle ne sert le plus souvent qu'à y jeter le désordre et
la confusion.   ROLLIN, Traité des Études, III, 3.

(...) un de ces esprits légers, habitués à la confusion, dont   5
il est convenu que le Parlement abonde.
                      J. ROMAINS, les Hommes de bonne volonté, III,
                                                    p. 210.

Et il continue de parler, s'égarant dans une surabondance   5.1
de précisions d'une confusion sans cesse croissante, s'en
rendant tout à fait, s'arrêtant presque à chaque
pas pour repartir dans une direction différente, persuadé
maintenant, mais trop tard, de s'être fourvoyé dès le début
et n'apercevant pas le moyen de se tirer d'affaire.
                      A. ROBBE-GRILLET, Dans le labyrinthe, p. 151.

Psychiatrie. **CONFUSION MENTALE :** état mental pathologique, accidentel ou chronique, dans lequel le malade présente des troubles perceptifs, mnémoniques et intellectuels. → **Démence** (démence précoce; → Confusionnel, cit. 1.), **confus** (4.), **confuso-onirique.** *La confusion mentale s'accompagne d'anxiété, d'hallucinations.*

♦ **3** Action de confondre entre elles deux personnes ou deux choses. → **Erreur, méprise.** *Faire une confusion entre deux personnes.* → **Confondre.** *Confusion de noms, de dates, de personnes. Une grossière, une étrange confusion. Il y a confusion. C'est une confusion que de dire...*

♦ **4** Dr., polit. Le fait de confondre, de mêler en un. *La confusion des pouvoirs.* → 2. **Pouvoir.** *La confusion du spirituel et du temporel dans la même main.* → **Réunion.**

Réunion, sur une même personne, de deux qualités juridiques qui s'éteignent faute de reposer sur deux personnes différentes. Spécialt. En matière d'obligation, Réunion en une même personne des qualités de créancier et de débiteur.

Lorsque les qualités de créancier et de débiteur se réunis-   6
sent dans la même personne, il se fait une confusion de
droit qui éteint les deux créances.
                                        Code civil, art. 1300.

La confusion constitue moins un mode d'extinction de   7
l'obligation qu'un empêchement d'agir résultant des circonstances.
                      DALLOZ, Nouveau répertoire, art. *Confusion,* 3.

Confusion de parts ou de paternité. → **Paternité.**

Confusion des peines : non cumul des peines au cas de concours d'infractions. → **Cumul.** *Bénéficier d'une confusion des peines.* Ellipt. *Obtenir la confusion.*

Tout de même, Zi, si tu avais la confusion, tu décarrais   7.1
en même temps que moi ! À condition que, moi, je sois
confirmée (...)   A. SARRAZIN, la Cavale, p. 405.

II Trouble qui résulte de la honte, de l'humiliation, d'un excès de pudeur ou de modestie.

(...) je le dis à ma confusion (...)   8
                      Mᵐᵉ DE SÉVIGNÉ, 737, 29 sept. 1679.

J'en dois rougir de honte et de confusion.   9
                      MOLIÈRE, le Dépit amoureux, III, 4.

10 (...) il n'y a point de confusion si touchante que celle d'un tendre père qui croit s'être mis dans son tort. Le cœur d'un père sent qu'il est fait pour pardonner, et non pour avoir besoin de pardon.
ROUSSEAU, Julie ou la Nouvelle Héloïse, I, Lettre LXIII, p. 163.

11 (...) les derniers mots de la jeune fille l'accablaient de confusion et de crainte.
Paul BOURGET, Un divorce, III, p. 125.

CONTR. **Clarté, distinction, netteté, ordre, précision. — Assurance, désinvolture, impudeur, liberté.** ◊ DÉR. **Confusionnel, confusionnisme. ▪ COMP. Confuso-onirique.**

CONFUSIONNEL, ELLE [kɔ̃fyzjɔnɛl] adj. — 1930; de confusion.
Psychiatrie. Propre à la confusion mentale.
→ **Confuso-onirique.**

1 (...) un ralentissement réel et observable de toutes les activités psychiques, avec obnubilation, lenteur des réponses, parfois troubles des perceptions avec onirisme, désorientation. On a affaire alors au tableau clinique de la psychose désignée sous le nom de *confusion mentale* (...) Dans cet état confusionnel, le malade apparaît (...) dans un état de torpeur qui (...) peut aboutir à une inhibition complète, à un aspect pétrifié que l'on désigne sous le nom de stupeur. H. BARUK, Psychoses et Névroses, p. 10-11.

2 Brusquement, sans qu'aucune cause puisse être relevée, le malade est pris d'un délire confusionnel avec onirisme. Il dit que son lit est humide par la pluie et les brouillards de la mer; il se croit sur l'Orénoque au printemps *(sic!)*.
B. CENDRARS, Moravagine, in Œ. compl., t. IV, p. 258.

CONFUSIONNISME [kɔ̃fyzjɔnism] n. m. — 1907, Péguy, Œuvres en prose, in D.D.L.; de confusion.

♦ 1 Psychiatrie. État de la pensée syncrétique, chez l'enfant, où les éléments distincts chez l'adulte se mêlent, alternent et fusionnent.

♦ 2 (Domaine intellectuel, politique, social). Fait d'entretenir la confusion dans les esprits.
L'électeur ne comprend pas. Il croit à de la compromission et à du confusionnisme.
J. ROMAINS, les Hommes de bonne volonté, t. XXIII, p. 278 (1932).

DÉR. **Confusionniste.**

CONFUSIONNISTE [kɔ̃fyzjɔnist] adj. et n. — 1920, R. Allard, N.R.F., n° 87, p. 943, in D.D.L.; de confusionnisme.
Littér. Qui entretient la confusion dans les esprits.

CONFUSO-ONIRIQUE [kɔ̃fyzoɔniʀik] adj. — V. 1960; de confusion, et onirique.
Psychiatrie. Qui tient de la confusion mentale et de l'onirisme. *Des états confuso-oniriques.*

(...) détérioration des synthèses psychiques, altération des fonctions du réel, cet ensemble plonge le malade dans un état très proche du rêve et qu'on appelle précisément (...) *confuso-onirique.* J. CAU, la Pitié de Dieu, p. 113.

CONGA [kɔ̃ga] n. f. — V. 1937, d'après G.L.L.F.; mot esp. des Antilles.
Danse cubaine d'origine africaine à quatre temps, avec trois pas rectilignes et le quatrième en diagonale (→ Maracas, cit.).

CONGAÏ ou CONGAYE [kɔ̃gaj] n. f. — 1929, congaï; congaye, 1936; vietnamien con gaï «la fille».
Vieilli. Femme annamite (au temps de la colonisation).

1 Un drôle d'homme, épuisé par le climat *(de Saigon)* mais qui ne voulait plus rentrer en France (...) Il n'était pas marié, parlait beaucoup des congaïs, avec un air de vantardise (...) ARAGON, Blanche..., III, I, p. 368.

2 Jadis, la République lui avait offert sa part de tropique, de saké, et de congayes.
A. BLONDIN, Un singe en hiver, p. 12.

CONGE [kɔ̃ʒ] n. m. — 1545; du lat. congius.

♦ 1 Hist. rom. Mesure de capacité (3,25 l) chez les Romains.

♦ 2 Anciennt. S'est dit de divers récipients. — (1907). Techn. Récipient de cuivre où se font les mélanges pour la préparation des liqueurs.

CONGÉ [kɔ̃ʒe] n. m. — Xᵉ, cumgiet; du lat. commeatus «action de s'en aller, permission de s'en aller», concrètement «passage» (→ ci-dessous, II.), de com- (cum), et meare «circuler».

Ⅰ ♦ 1 (Vx sauf dans prendre, donner congé). Autorisation, permission de partir. *Donner congé à qqn. Prendre congé :* demander l'autorisation de partir, saluer les personnes à qui l'on doit du respect. → **Adieu** (faire ses adieux), **retirer** (se). *Prendre congé d'un supérieur avant de partir en mission.* Fig. et littér. *Prendre congé du monde :* se retirer; mourir. *Audience de congé :* dernière audience publique d'un ambassadeur avant son départ.

1 Elle m'a donné congé d'un cœur déjà tout détaché de la terre. Mᵐᵉ DE SÉVIGNÉ, 144, in LITTRÉ.

2 Sans trop d'impolitesse, je voudrais prendre congé de moi-même. Je me suis décidément assez vu.
GIDE, Journal, 12 juin 1944.

3 Il n'est si bonne compagnie qui ne se quitte; mais je m'engage ici à prendre courtoisement mon congé.
COLETTE, la Naissance du jour, p. 35.

♦ 2 (XVᵉ, milit.). Permission de s'absenter, de quitter un service, un emploi, un travail. *Congé d'un militaire.* → **Permission.** *Congé définitif, absolu; congé renouvelable, congé d'ancienneté, congé de réforme, de libération. Congé de maladie, de convalescence.* → **Repos.** *Congé de maternité, d'éducation, de longue durée. Demander, obtenir, accorder un congé. Congé sans solde. Congé annuel.* → **Vacances.** *Congé d'un mois, de huit jours. Congé d'un an accordé à certains professeurs.* → **Sabbatique** (année sabbatique). *Prolongation de congé. — Congé donné aux écoliers. Les congés de Pâques, de Noël* (→ **Campos, vacances**). *Congés mobiles. Aujourd'hui, c'est congé. Pendant les congés. La période des congés. Passer ses congés à la montagne. —* Loc. *Congés payés,* auxquels les salariés ont droit chaque année. — Absolt. *La cinquième semaine de congé.*

4 (...) beaucoup de gens réduits à l'inaction par la fermeture des magasins ou de certains bureaux emplissaient les rues et les cafés. Pour le moment, ils n'étaient pas encore en chômage, mais en congé. CAMUS, la Peste, p. 94.

4.1 Commençant ses cours avec un quart d'heure de retard, s'octroyant de solides congés de maladie, sa qualité d'ancien le rendait intouchable.
Claude COURCHAY, La vie finira bien par commencer, p. 34.

Par métonymie. *Les congés payés :* les personnes, les salariés qui vont en vacances, grâce aux congés payés (terme péj. dans la bouche de la bourgeoisie aisée qui était seule à pouvoir profiter des vacances avant les lois sociales de 1937).

4.2 Cet été-là, on vit partir vers les plages, vers les campagnes, les premiers congés payés. Quinze jours, ce n'est pas long; tout de même, les ouvriers de Saint-Ouen, d'Aubervilliers allaient respirer un autre air que celui des usines et des faubourgs.
S. DE BEAUVOIR, la Force de l'âge, p. 274.

En apposition ou adjectivement :

4.3 (...) Et tout cela si minable, si mesquin, si «congés payés» (...)
F. MALLET-JORIS, le Jeu du souterrain, p. 100.

♦ 3 (1265). Avec le possessif. Autorisation de cesser, invitation à quitter un service à gages. → **Renvoi.** *Un domestique qui demande son congé. Son patron*

lui donnera son congé. → **Congédiement, licencie-**
ment (cf. Ses huit jours).

5 J'ai que l'on me donne aujourd'hui mon congé, Monsieur.
MOLIÈRE, les Femmes savantes, II, 5.

5.1 (...) voilà votre congé en bonne et due forme, vous allez
avoir à vous en aller, et promptement.
Henri MONNIER, Scènes populaires, t. I, p. 302.

Vieilli. *Donner, signifier à qqn son congé,* lui signifier
qu'il doit se retirer, abandonner ses prétentions,
etc. *Prendre son congé* : renoncer. *Il a pris son congé*
sans attendre qu'on le lui donne.

6 Parlons un peu de votre frère : il a eu son congé de Ninon.
Mᵐᵉ DE SÉVIGNÉ, 153, 8 avr. 1671.

♦ **4** (1130). Vx. Autorisation, permission (dans
quelque domaine que ce soit). *Se marier sans*
le congé de ses parents (Académie).

♦ **5** (1611). Dr. Acte par lequel une partie fait connaître à l'autre sa volonté de ne pas continuer un
contrat de louage. *Donner congé à un locataire.*
Accepter le congé.

6.1 Le vrai de cette affaire d'honneur, c'est que M. Chèbe avait
donné congé de la petite maison de Montrouge.
Alphonse DAUDET, Fromont jeune et Risler aîné,
p. 111.

Dr. Jugement par défaut obtenu contre le demandeur qui ne s'est pas présenté à l'audience. On dit
aussi *congé faute de plaider; défaut-congé.*

♦ **6** (1602). Dr. fisc. Autorisation donnée par l'Administration des contributions indirectes de transporter une marchandise soumise à l'impôt indirect. *Le congé accompagne les marchandises dont le*
droit a été payé au départ, à la différence de l'acquit-
à-caution*. Congé pour le transport des vins, des
boissons. → **Capsule** (capsule-congé), **laissez-passer.**
Mar. *Congé de navigation :* document que délivre la
douane aux navires de commerce et qui les autorise à naviguer. → **Passeport.** *Le congé fait partie*
des papiers de bord.

II (1676; du lat. *commeatus* «passage»). Technique.
a Partie concave servant de raccord entre deux
pièces. — Spécialt. Moulure concave, en quart de
cercle (→ Cavet) raccordant deux saillies d'un élément d'architecture.
b Motif sculpté amortissant plusieurs moulures.
c Mécan. Arrondi servant de raccord entre deux
surfaces. *Congé de roulement d'un pneumatique.*

CONTR. (Du sens I) Activité, embauchage, engagement, occupation, service, travail. ◊ DÉR. Anc. franç. Congéer (cf. congédier, étym.). ◄ COMP. Défaut-congé.

CONGÉABLE [kɔ̃ʒeabl] adj. — 1570, *congeable;* de
l'anc. franç. *congeer.* → Congédier.

♦ **1** Dr. Sujet à congé. → **Congé** (5.). *Bail à domaine*
congéable.

♦ **2** Vx. Congédiable. *Des commis «congéables à*
merci» (Balzac, les Employés).

CONGÉDIABLE [kɔ̃ʒedjabl] adj. — 1869; remplace
congéable (2.); de *congédier.*
Qui peut être congédié, qui peut obtenir un congé.
Soldat congédiable.

CONTR. Incongédiable.

CONGÉDIEMENT [kɔ̃ʒedimɑ̃] n. m. — 1842; de *con-*
gédier.
Action de congédier. → **Congé, renvoi.** *Lettre de con-*
gédiement. — Octroi d'un congé.

1 Les députés sentent combien est grave cet insolite congédiement du Premier Magistrat de la République.
Georges LECOMTE, Ma traversée, p. 173.

Encaissant mal la leçon qu'il venait d'essuyer, et plus mal 2
encore la désinvolture du congédiement, Johnny blême,
passa la lourde *(la porte)...*
Albert SIMONIN, Hotu soit qui mal y pense, p. 27.

CONGÉDIER [kɔ̃ʒedje] v. tr. — 1409; de l'ital. *con-*
gedare, de *congedo,* n. m., lui-même empr. au franç.
congé; a remplacé l'anc. franç. *congeer, congier,* de
congé.

♦ **1** Inviter (qqn) à se retirer, à s'en aller. → **Écon-**
duire, renvoyer; (fam.) **expédier, virer** (cf. Envoyer dinguer, paître, promener, valser). *Congédier un visiteur*
importun, le mettre à la porte* (→ Mettre, ficher
dehors*).

Il y a dans les cours deux manières de ce qu'on appelle 1
congédier son monde ou se défaire des gens, se fâcher
contre eux, ou faire si bien qu'ils se fâchent contre vous et
s'en dégoûtent. LA BRUYÈRE, les Caractères, VIII, 35.

(M. le recteur) lui donna encore quelques sages conseils et 2
le congédia d'une tape amicale sur la joue en lui promettant de ne pas le perdre de vue.
Alphonse DAUDET, le Petit Chose, I, IV, p. 47.

♦ **2** Renvoyer* définitivement (une personne que
l'on emploie). *Congédier un salarié, un employé,*
un domestique. → **Chasser, licencier, remercier, révo-**
quer; (fam.) **balancer, débarquer, sacquer, vider, virer**
→ (vx) Casser aux gages*; mettre, ficher dehors*, à la
porte*. *Il s'est fait congédier.* — REM. Cet emploi tend
à vieillir.

♦ **3** Fig., littér. Chasser, éloigner (qqch., un sentiment,
une idée). → **Écarter, supprimer.**

Congédier la passion et la raison, c'est tuer la littérature. 3
BAUDELAIRE, Curiosités esthétiques, p. 422.

Je ferme l'électricité. Je congédie les pensées déplaisantes 4
et je sens que je m'enfonce.
G. DUHAMEL, Cri des profondeurs, IV, p. 77.

CONTR. Accueillir, appeler, convier, convoquer, inviter. —
Évoquer, entretenir. — Embaucher, engager. ◊ DÉR. Congédiable, congédiement.

CONGELABLE [kɔ̃ʒlabl] adj. — 1612; repris 1800; de
congeler.
Qui peut être congelé. *Liquide facilement conge-*
lable.

CONTR. Incongelable.

CONGÉLATEUR [kɔ̃ʒelatœʀ] n. et adj. m. — 1845 au
sens 1; de *congeler.*

♦ **1** Vx. Appareil pour congeler les liquides.
→ (mod.). Réfrigérateur.

♦ **2** Mod. **a** Vieilli. Partie d'un réfrigérateur où se
forme la glace, à température d'environ −15 °C.
→ (anglic.) Freezer. — Syn. : *compartiment à glace. Les*
cubes à glace du congélateur.
b Compartiment d'un réfrigérateur capable de
conserver des aliments à moins de −18 °C. —
Syn. (techn.) : *conservateur. Réfrigérateur-congélateur.*
→ **Surgélateur.** — Abrév. fam. (1980) : *congélo* n. m.

Mais tout le monde entier s'en fout, ma pauvre dame (...)
que vous vous leviez à quatre heures du matin pour aller
chercher vos légumes à Rungis parce que vous «n'aurez
jamais de congélateur».
F. MALLET-JORIS, le Jeu du souterrain, p. 61 (1973).

c Techn. Appareil capable de congeler des aliments (à −30 °C). → **Surgélateur.**

♦ **3** Adj. Techn. Se dit d'un navire de pêche qui dispose d'installations frigorifiques pour conserver
les produits de la pêche. *Langoustier, thonier con-*
gélateur. Des «chalutiers-usines entièrement congé-
lateurs» (A. Boyer, les Pêches maritimes, p. 42).

CONGÉLATIF, IVE [kɔ̃ʒelatif, iv] adj. — Fin XVᵉ; de *congeler.*
Vx ou littér. Qui peut produire une congélation.

CONGÉLATION [kɔ̃ʒelasjɔ̃] n. f. — V. 1320; «concrétion calcaire», 1676; lat. *congelatio,* du supin de *congelare.* → Congeler.

♦ **1** Passage de l'état liquide à l'état solide par refroidissement (à pression constante) ou par abaissement de pression. *Point de congélation de l'eau :* 0 °C, sous la pression atmosphérique. *Température de congélation* (→ **Cryogénie**). *Congélation fractionnée.* — Par ext. → **Coagulation.** *Congélation de l'huile. Point de congélation d'un produit pétrolier.*
On sait que la congélation s'opère par la partie supérieure des liquides; puis, si le froid persévère, l'épaisseur de la carapace solide s'accroît en allant de haut en bas. Du moins, il en est ainsi pour les eaux tranquilles. Au contraire, pour les eaux courantes, on a reconnu qu'il se formait des glaces de fond, lesquelles montaient ensuite à la surface.   J. VERNE, le Pays des fourrures, p. 50.
Techn. Consolidation des terrains par injection d'une saumure à basse température.

♦ **2** Action de soumettre un produit au froid (plus vif que la réfrigération, moins de –18 °C) pour le conserver. *Congélation de la viande.* → aussi **Surgélation.**
Altération des tissus par l'action du froid. → **Gelure.** *Les engelures sont des congélations bénignes.*

♦ **3** Par métonymie. *(Une, des congélations).* Forme produite par l'eau gelée.
Par anal. Motif décoratif évoquant des stalactites.
CONTR. Débâcle, dégel, fusion, liquéfaction, réchauffement. ◊ **COMP. Surcongélation.**

CONGELER [kɔ̃ʒle] v. tr. [CONJUG.: geler.] — 1265 au p. p.; lat. *congelare,* de *con-* (cum), et *gelare.* → Geler.

♦ **1** Faire passer à l'état solide par l'action du froid. → **Figer, geler, réfrigérer, solidifier.** *Congeler de l'alcool.* — Pron. *L'eau se congèle à 0 °C en augmentant de volume.*
Par métaphore. Se fixer, se figer comme par l'effet du froid.
Il n'était pas jusqu'à la simple joie que cause à tout artiste l'achèvement d'un ouvrage, qui ne se fût desséchée, ou pour mieux dire, qui ne se fût congelée en moi.   M. YOURCENAR, Alexis..., p. 108.
Par ext. Coaguler.

♦ **2** (1636). Cour. Soumettre à un froid intense (–15° ou –18 °C), pour conserver. → **Surgeler.** *Congeler de la viande, des légumes pour les conserver.* → **Frigorifier.** — Au p. p. *Viande congelée, bœuf congelé.* — N. m. *Du congelé.*

♦ **3** Désorganiser les chairs, par un froid excessif. *Congeler les pieds.* → **Geler, glacer.**
Au p. p. :
Ils demeuraient encore, pour quelques heures, des légionnaires parce que leurs corps congelés se durcissaient sous l'uniforme.   P. MAC ORLAN, la Bandera, XVII, p. 211.
Par exagér. Donner très froid à. *Le vent nous congelait jusqu'aux os.* → **Geler.** — (Surtout au passif et pron.). *Être congelé. Se congeler.*

♦ **4** Empêcher de circuler. → **Geler.** — Au p. p. *Crédits congelés.* → **Gelé.**

♦ **CONGELÉ, ÉE** p. p. adj. Voir à l'article ci-dessus.
CONTR. Décongeler, dégeler, fondre, liquéfier, réchauffer. ◊ **DÉR. Congelable, congélateur, congélatif.** — Cf. **Congélation.**

CONGÉNÈRE [kɔ̃ʒenɛʀ] adj. et n. — 1562; lat. *congener,* de *con-* (cum), et *genus* «genre».

♦ **1** Didact. Qui appartient au même genre, à la même espèce. *Plantes, animaux congénères.* Anat. *Muscles congénères* (ou *agonistes*), qui concourent à un même mouvement (opposé à *antagonistes*).
Mots congénères, de la même famille.
Littér. De même origine. *Théorie congénère à une autre, d'une autre. Arts congénères.*
(...) son origine *(celle du Rhin)* est congénère à ces peuples du Nord dont il devint le fleuve adoptif et la ceinture guerrière.   CHATEAUBRIAND, Mémoires d'outre-tombe, t. V, p. 388.

♦ **2** N. *Cet animal et ses congénères.*
Les congénères de ces eucalyptus de l'Australie (...)   J. VERNE, l'Île mystérieuse, t. I, p. 234 (1874).
Cour., souvent péj. (Personnes). *Lui et ses congénères.* → **Pareil, semblable.** *Les congénères de cet imbécile.*
CONTR. Antagoniste (et, spécialt, **muscle antagoniste**), **différent, opposé.**

CONGÉNIAL, ALE [kɔ̃ʒenjal] adj. — 1806, anglic.; angl. *congenial,* de *genial* «conforme à la nature de», du lat. *genus.*
Vx ou littér. Qui fait partie de la nature profonde. → **Congénital, intrinsèque.**
Sachons dire la vérité : la France n'est pas poète; elle éprouve même, pour tout dire, une horreur congéniale de la poésie.   BAUDELAIRE, l'Art romantique, XX, V, Théophile Gautier.
REM. Baudelaire a hésité entre *congénital,* qu'il avait d'abord écrit, et *congénial.* Littré considère que les mots ne sont nullement synonymes; cependant, leurs emplois peuvent interférer.
Congénial à... : qui s'accorde avec la nature profonde de... «*L'Orient, doublement congénial à sa nature*» (Chateaubriand, in G. L. L. F.).

CONGÉNITAL, ALE, AUX [kɔ̃ʒenital, o] adj. — 1784; du lat. *congenitus* «né avec», de *con-* (cum), et *genitus* «né».

♦ **1** (Opposé à *acquis*). Qui est présent à la naissance; dont l'origine se situe pendant la vie intra-utérine. *Maladie, malformation congénitale.* → **Héréditaire, inné.** *Caractères congénitaux. Particularité, anomalie congénitale.*
(...) comme si la destruction d'une cause éphémère pouvait entraîner celle d'un mal congénital.   PROUST, À la recherche du temps perdu, t. XI, I, p. 26.

♦ **2** Fig. Inné. — Littér. *Un bonheur congénital.*
Le plus frappant *(chez l'Américain),* c'est son optimisme congénital, à peine ébranlé par la participation récente des États-Unis aux épreuves du monde.   André SIEGFRIED, l'Âme des peuples, VII, I, p. 162.
Cour., péj. *Une bêtise congénitale. C'est un crétin congénital,* un crétin de naissance, absolu (→ **Congénitalement,** cit.).
CONTR. Acquis. ◊ **DÉR. Congénitalement.**

CONGÉNITALEMENT [kɔ̃ʒenitalmɑ̃] adv. — 1852, in D.D.L.; de *congénital.*
D'une manière congénitale, innée.
(Au sens 2, péj., de *congénital*) :
Eh bien! c'est un imbécile tout à fait remarquable; aussi congénitalement crétin que le plus crétin de l'École (...)   J. ROMAINS, les Hommes de bonne volonté, IV, XXII, p. 240.

CONGÈRE [kɔ̃ʒɛʀ] n. f. — 1866; très antérieur dans les dialectes (Centre; Alpes); lat. *congeries*, de *congerere* «accumuler».

Amas de neige entassée par le vent. → au Canada, Banc* de neige (emploi critiqué comme anglicisme).

1 Ce sont de vastes plaines polaires, creusées de noires crevasses; ce sont des banquises où moutonnent des congères et où foisonnent de blancs arbustes bourgeonnants.
S. DE BEAUVOIR, Tout compte fait, p. 276.

Amas de neige (en général).

2 Faute de main-d'œuvre, on ne déblaya pas les rues; même le long des grands boulevards, on marchait sur des névés; pour traverser, il fallait franchir les hautes congères qui barraient les trottoirs (...)
S. DE BEAUVOIR, la Force de l'âge, p. 444.

CONGESTIBLE [kɔ̃ʒɛstibl] adj. — 1867; de *congestion*.

Rare. Prédisposé à la congestion.

CONGESTIF, IVE [kɔ̃ʒɛstif, iv] adj. — 1833, *in* D.D.L.; du rad. de *congestion*, et suff. *-if*.

◆ 1 Qui a rapport à la congestion. *État congestif d'un organe. Mouvement congestif.* → (vx) **Congestionnel.**

◆ 2 Porté à la congestion; qui manifeste de la congestion. *Un homme assez congestif. — Tempérament congestif. Une face congestive.*

Celui-ci, corpulent, congestif, dans son complet de velours à côtes, était pâle et défait, bredouillant.
Léon DAUDET, *in* G.L.L.F.

CONGESTION [kɔ̃ʒɛstjɔ̃] n. f. — V. 1370; lat. *congestio*, du supin de *congerere* «accumuler».

◆ 1 Méd., cour. Afflux, excès de sang dans les vaisseaux (d'un organe, d'une partie du corps). → **Hypérémie, pléthore, tension, turgescence.**

Spécialt. Afflux de sang excessif ou pathologique. — Méd. *Congestion active*, due à une inflammation. → **Fluxion.** *Congestion passive.* → **Stase.** *Congestion cérébrale.* → **Hémorragie; apoplexie;** (fam.). **transport** (au cerveau). *Congestion pulmonaire. — Congestion cutanée.* → **Érythème.** *Congestion de la rate, du foie. Congestion du pied de cheval.* → **Fourbure.** *Traitement des congestions par révulsion, saignée, scarification.*

◆ 2 Cour. *Congestion pulmonaire.*

◆ 3 Cour. Afflux de sang visible (à la face). → **Congestionné** (→ Coup* de sang).

CONTR. **Décongestion. — Anémie, hypotension.** ◊ DÉR. Congestible, congestif, congestionnel, congestionner.

CONGESTIONNEL, ELLE [kɔ̃ʒɛstjɔnɛl] adj. — 1847, *in* D.D.L.; de *congestion*.

Vx. Congestif. *Disposition congestionnelle. Afflux congestionnel.*

CONGESTIONNER [kɔ̃ʒɛstjɔne] v. tr. — 1833, *in* D.D.L.; de *congestion*.

◆ 1 Produire une congestion, un afflux de sang dans les vaisseaux de (un organe). *La chaleur congestionne le cerveau.* — Spécialt. Faire rougir la peau de ... par la congestion. *La colère lui congestionne la face.* — Pron. *Son visage se congestionna.*

1 (...) la tête, où l'on sent que la passion monte congestionner aussitôt le cerveau.   GIDE, Journal, 1ᵉʳ déc. 1905.

2 (...) son rire de bon vivant congestionnait ses pommettes, les couvrait de petits vermicelles rouges (...)
MARTIN DU GARD, les Thibault, t. I, p. 179.

2.1 Comme ces mères qui se congestionnent en fouettant leur enfant.   Roger VAILLAND, 325 000 francs, p. 130.

◆ 2 Fig. Encombrer par un amas, une accumulation de personnes, de choses. *Congestionner une rue, une route.* → **Embouteiller.**

◆ **CONGESTIONNÉ, ÉE** p. p. adj.

◆ 1 *Poumons congestionnés.* — Cour. *Avoir le visage congestionné*, rouge par l'afflux de sang. — (Personnes). *Être congestionné, tout congestionné.* → **Rouge.**

3 Rouvier, congestionné, les épaules tendues comme Atlas, et martelant de ses poings l'air, se résuma (...)
M. BARRÈS, Leurs figures, p. 268.

4 De temps en temps elle soupirait fortement et elle s'épongeait le front. Elle était rouge et congestionnée.
M. DURAS, Un barrage contre le Pacifique, p. 109.

◆ 2 Encombré (par un afflux de véhicules). *Les voies d'accès sont congestionnées.*

CONTR. **Décongestionner.** — (Du p. p., 1.) **Pâle, blême.**

CONGIAIRE [kɔ̃ʒjɛʀ] n. m. — 1554; du lat. *congiarum*, de *congius*. → Conge.

Didact. (hist.). Distribution extraordinaire de vivres, d'argent faite au peuple romain dans certaines occasions. — Adj. :

Il y avait 8 000 Juifs à Rome qui recevaient les libéralités congiaires de blé.
VOLTAIRE, Philosophie, V, 304, *in* LITTRÉ.

CONGLOBATION [kɔ̃glɔbasjɔ̃] n. f. — 1530; lat. impérial *conglobatio*, du supin de *conglobare*. → Conglober.

Vieux.

◆ 1 Entassement, accumulation.

◆ 2 (1694). Rhét. Accumulation d'arguments montrant la même chose.

CONGLOBER [kɔ̃glɔbe] v. tr. — XVᵉ; du lat. *conglobare*, de *con-* (*cum*), et *globus*.

Vx ou littér. Amasser, réunir en boule. → **Entasser.**

CONTR. **Séparer.**

CONGLOMÉRANT, ANTE [kɔ̃glɔmeʀɑ̃, ɑ̃t] adj. — V. 1960; de *conglomérer*.

Rare. Qui conglomère, réunit en un conglomérat. → **Agglomérant.**

Roulée en boulette, la mie devient un projectile (...) Mâchée avec de la salive, elle acquiert des vertus conglomérantes.
P. GUTH, le Mariage du naïf, XIV, p. 125.

CONGLOMÉRAT [kɔ̃glɔmeʀa] n. m. — 1818; dér. sav. de *conglomérer*.

◆ 1 Minér. Roche détritique formée par des fragments arrachés à une roche préexistante et agglomérés par un ciment. → **Agglomérat.** *Conglomérats à éléments anguleux* (→ 2. **Brèche**), *à éléments roulés* (→ **Poudingue**).

◆ 2 (1865). Littér. Agglomération, agglutination.

Si, dans ces périodes de vingt ans, les conglomérats de coteries se défaisaient et se reformaient (...) des cristallisations, puis des émiettements suivis de cristallisations nouvelles avaient lieu dans l'âme des êtres.
PROUST, À la recherche du temps perdu, t. XV, III, p. 118.

(Abstrait). *Un conglomérat informe d'idées, d'arguments.*

◆ 3 (1968; amér. *conglomerate*). Écon. Anglic. Réunion d'entreprises offrant des produits ou services tout à fait différents entre les mains d'un même groupe financier. «(Chez I.T.T.) on évite le mot "conglomérat", barbare et franglais» (le Nouvel Obs., nº 460, sept. 1973, p. 79).

CONTR. **Désagrégation, dispersion, dissémination, éparpillement.** ◊ DÉR. Conglomératique.

CONGLOMÉRATION [kɔ̃glɔmeʀasjɔ̃] n. f. — 1829; de *conglomérer.*
Didact. Action de conglomérer.
Rare. Fait de se conglomérer (personnes).

CONGLOMÉRATIQUE [kɔ̃glɔmeʀatik] adj. — 1846, Bescherelle, *Suppl.;* de *conglomérat* (1.).
Minér. Relatif à un conglomérat (1.). *Structure conglomératique.*

CONGLOMÉRER [kɔ̃glɔmeʀe] v. tr. [CONJUG.: *céder.*] — 1721; *congloméré,* lat. *conglomerare,* de *con-* (cum), et *glomus* «pelote».
Didact. Amasser, réunir en une seule masse.
→ **Agglomérer, agglutiner, conglutiner, lier.** *Agents naturels capables de conglomérer les sables.* — Au p. p. *Roches conglomérées.* → **Conglomérat.**

1 (...) d'horribles contre-marées qui conglomèrent les sables, les cailloux.
BERNARDIN DE SAINT-PIERRE, Étude de la nature, IV.

Par métaphore. → **Assembler, réunir.** — Pron. :

2 Par moments, voyant des individus assez louches extraits de l'ombre par le passage de M. de Charlus et se conglomérer à quelque distance de lui, je me demandais si je lui serais plus agréable en le laissant seul ou en ne le quittant pas. PROUST, le Temps retrouvé, Pl., t. III, p. 799.

3 Chacune de ces races aux vocations si diverses que conglomère en une tourbe épaisse chaque province de la Turquie.
GIDE, Journal, La marche turque, mai 1914.

♦ **CONGLOMÉRÉ, ÉE** p. p. adj.
Anat. *Glandes conglomérées,* réunies en grappes sous une même enveloppe.
Qui forme masse, en parlant d'éléments (choses, personnes) réunis.
CONTR. Désagréger, disséminer, éparpiller, pulvériser.
◊ DÉR. Conglomérant, conglomérat, conglomération.

CONGLUTINANT, ANTE [kɔ̃glytinɑ̃, ɑ̃t] ou **CONGLUTINATIF, IVE** [kɔ̃glytinatif, iv] adj. — 1819, *conglutinant,* in D.D.L.; *conglutinatif,* XVIᵉ; de *conglutiner.*
Méd. Propre à conglutiner.
Vx ou didact. *Remède conglutinant.* — N. m. *Un conglutinant.*

CONGLUTINATION [kɔ̃glytinasjɔ̃] n. f. — 1314; lat. *conglutinatio,* du supin de *conglutinare.* → Conglutiner.
Vx ou didact. Action de conglutiner; son résultat.
Méd. Formation d'amas de globules rouges.

CONGLUTINER [kɔ̃glytine] v. tr. — 1314; lat. *conglutinare,* de *con-* (cum), et *glutinare* «coller», de *gluten.* → Gluten.

♦ **1** Vx ou littér. Faire adhérer (deux ou plusieurs corps) par le moyen d'une substance visqueuse. → **Coller, souder.**
Au p. p. :

1 (...) la chasse aux mantes religieuses (...) dont les paquets d'œufs, conglutinés et pendus à quelque brindille, m'intriguaient si fort (...)
GIDE, Si le grain ne meurt, II, p. 55.
Méd. Vx. *Conglutiner les bords d'une plaie.* → **Agglutiner.**

♦ **2** (V. 1394). Rendre (un liquide) visqueux, gluant. → **Épaissir.** *Conglutiner le sang par l'amas des globules rouges.* — Absolt :

2 (...) pour épaissir votre sang, qui est trop subtil, il faut manger de bon gros bœuf, de bon gros porc, de bon fromage de Hollande, du gruau et du riz, et des marrons et des oublies, pour coller et conglutiner.
MOLIÈRE, le Malade imaginaire, III, 10.

CONTR. Dissocier, séparer. — Éclaircir, liquéfier. ◊ DÉR. Conglutinant ou conglutinatif, conglutineux.

CONGLUTINEUX, EUSE [kɔ̃glytinø, øz] adj. — 1665, Molière; de *conglutiner.*
Méd. Vx. Gluant, visqueux.
(...) humeurs putrides, tenaces et conglutineuses (...)
MOLIÈRE, l'Amour médecin, II, 5.

CONGO [kɔ̃go] adj. et n. — 1826, Hugo, *Bug Jargal;* de *Congo,* nom de pays.
♦ **1** Vx. Congolais. «*Les nègres congos*» (Hugo).
♦ **2** (1929; de l'angl.). Mod. *Rouge congo* : colorant rouge pour le coton.

CONGOLAIS, AISE [kɔ̃gɔlɛ, ɛz] adj. et n. m. — V. 1900; *congolan,* aussi *congois,* av. 1721; du n. pr. *Congo.*
♦ **1** Du Congo. *L'économie congolaise. Le peuple congolais.* — N. *(Un, une Congolaise).*
♦ **2** N. m. Gâteau à la noix de coco. → **Rocher.**

CONGRATULANT, ANTE [kɔ̃gʀatylɑ̃, ɑ̃t] adj. — 1668, Molière; de *congratuler.*
Rare. Qui congratule, a l'air de congratuler. *Paroles congratulantes. Air congratulant.*

Un ton plaintif et entendu, mais un sourire congratulant; des yeux fixes, tournés vers le dedans, des yeux à malheur, mais des paroles aimables (...) Pas de prise pour la dispute.
Roger IKOR, les Fils d'Avrom, Les eaux mêlées, p. 531.

CONGRATULATEUR, TRICE [kɔ̃gʀatylatœʀ, tʀis] adj. et n. — 1832; de *congratuler.*
Rare. Qui congratule. *Un «prologue congratulateur»* (Hugo, *in* T. L. F.).
N. Personne qui en congratule une autre.

CONGRATULATION [kɔ̃gʀatylasjɔ̃] n. f. — 1468; lat. *congratulatio,* du supin de *congratulare.* → Congratuler.
Vx ou plais. Action de congratuler. → **Compliment; félicitation.** *Échanger des congratulations.*

Je me conduisis à peu près convenablement, pendant cette journée où ne cessèrent visites, congratulations, transports de cadeaux et de vœux, jeux d'enfants, cris de plaisir et dons de friandises.
H. BOSCO, le Mas Théotime, I, p. 22.
CONTR. Condoléance.

CONGRATULATOIRE [kɔ̃gʀatylatwaʀ] adj. — 1469; de *congratuler.*
Rare. Qui contient ou constitue une congratulation. *Lettre congratulatoire.*

CONGRATULER [kɔ̃gʀatyle] v. tr. — 1546; intrans., *congratuler* à qqn, 1543; lat. *congratulari,* de *con-* (cum), et *gratulari* «féliciter» de *gratus* «agréable, reconnaissant». → Gré.
Vx ou plais. Faire un compliment de félicitation. → **Complimenter, féliciter.** *Il l'a congratulé sur la naissance de son fils* (Académie). *Congratuler qqn à propos de qqch.*

Mille gens à la cour y traînent leur vie à embrasser, serrer et congratuler ceux qui reçoivent (...)
LA BRUYÈRE, les Caractères, VIII, 47.

♦ **SE CONGRATULER** v. pron.
Se féliciter, échanger des compliments. *Ils se sont longuement congratulés.*

CONTR. Critiquer. ◊ DÉR. Congratulant, congratulateur, congratulatoire.

CONGRE [kɔ̃gʀ] n. m. — XIIIᵉ; lat. *conger*.

Poisson de mer *(Murénidés)*, au corps cylindrique, sans écailles (anguille de mer). *Forme larvaire du congre.* → **Leptocéphale.** *Pêcher, manger du congre. Le congre, très vorace, se nourrit de poissons, de crustacés et de céphalopodes* (→ Pagel, cit.).

Les congres, ces grosses couleuvres d'un bleu de vase, aux minces yeux noirs, si gluantes qu'elles semblent ramper, vivantes encore (...)
ZOLA, le Ventre de Paris, t. I, p. 149.

CONGRÉAGE [kɔ̃gʀeaʒ] n. m. — 1783; de *congréer.*
Mar. Action de congréer.

CONGRÉER [kɔ̃gʀee] v. tr. — 1773; réfection de l'anc. franç. *conreer* «arranger», d'après *gréer.*
Mar. *Congréer un cordage,* remplir les vides entre ses torons au moyen de fils de caret, de filins.
DÉR. **Congréage.**

CONGRÉGANISTE [kɔ̃gʀeganist] adj. et n. — 1680; de *congrégation,* d'après les mots en *-iste* : *organiste,* etc.
D'une congrégation. *École congréganiste,* religieuse.
CONTR. **Laïque.**

CONGRÉGATION [kɔ̃gʀegasjɔ̃] n. f. — Av. 1622; «réunion», v. 1120, *congregatiun;* lat. *congregatio,* de *grex, gregis* «troupeau».

♦ **1** Compagnie de prêtres, de religieux, de religieuses. → **Communauté, ordre.** *La congrégation de l'Oratoire. La loi de 1901 sur les congrégations. D'une congrégation.* → **Congréganiste.** *Les lazaristes de la congrégation de la Mission. Congrégation enseignante des maristes. Noviciat dans une congrégation.* → **Alumnat.**

1 Toute congrégation religieuse peut obtenir la reconnaissance légale par décret rendu sur avis conforme du Conseil d'État (...)
Loi du 8 avr. 1942 modifiant l'art. 13 de la loi du 1ᵉʳ juil. 1901.

(1680). Confrérie de dévotion, mise sous l'invocation de la Vierge, d'un saint. *Congrégation des Enfants de Marie.*
Vx. Assemblée des fidèles.

♦ **2** (1630). À la cour de Rome, Comité de cardinaux, d'ecclésiastiques, chargé d'examiner certaines affaires. *La congrégation de l'Index, des Rites. Congrégation de l'Inquisition.* → **Saint-office.**

♦ **3** (1801). Organisation ecclésiastique au sein du protestantisme.

♦ **4** Assemblée (de laïcs) généralement restreinte, où l'on intrigue. — Fig. et plais. Assemblée. → **Réunion, société.**

2 Là-bas, les congrégations de corbeaux déterrent du bec des semences d'automne.
J. RENARD, Histoires naturelles p. 120.

REM. Le mot est attiré ici par *corbeau** (fig.) «ecclésiastique».

3 Cet Institut national était et allait longtemps rester une sorte de haute *congrégation laïque,* une sorte de *conservatoire* de la Philosophie du siècle, une Église un peu composite où se pressaient pêle-mêle les disciples de Montesquieu, de Voltaire, de Rousseau, de Diderot, d'Holbach (...)
Louis MADELIN, l'Ascension de Bonaparte, XV, p. 217.

DÉR. **Congréganiste.**

CONGRÉGATIONALISME [kɔ̃gʀegasjɔ̃nalism] n. m. — 1898; de *congrégationaliste.*
Relig. Au sein du protestantisme, Système ecclésiastique qui rend chaque paroisse autonome.

CONGRÉGATIONALISTE [kɔ̃gʀegasjɔ̃nalist] n. — 1838; angl. *congregationalist,* même sens.
Relig. Partisan du congrégationalisme.
REM. On rencontre le syn. (rare) *congrégational, ale, aux* (1752; angl. *congregational*).
DÉR. **Congrégationalisme.**

CONGRÈS [kɔ̃gʀɛ] n. m. — XVIᵉ; lat. *congressus* «réunion», de *congredi* «se rencontrer».

I Vx. Union sexuelle.

(1598). Ancienn. «Épreuve qu'ordonnait autrefois la justice pour constater, en présence de chirurgiens et de matrones, la puissance ou l'impuissance des époux qui plaidaient en nullité de mariage» (Littré). *Le congrès fut aboli en 1677.*

Jamais la biche en rut n'a, pour fait d'impuissance, 0.]
Traîné du fond des bois un cerf à l'audience;
Et jamais juge, entre eux ordonnant le congrès,
De ce burlesque mot n'a sali ses arrêts.
BOILEAU, Satires, VIII.

II ♦ **1** (1692; «réunion de personnes», 1611). Réunion diplomatique où les représentants de plusieurs puissances règlent certaines questions internationales. → **Conférence.** *Le congrès aboutit, non seulement à la rédaction de traités ou actes diplomatiques, mais à l'établissement de statuts politiques ou de règles du Droit international* (Capitant). *Congrès de Westphalie* (1648), *de Vienne* (1815), *de Vérone* (1822), *de Paris* (1856), *de Berlin* (1878). *Assembler, ouvrir un congrès international pour la paix.*

♦ **2** **a** (1774; angl. *congress*). Corps législatif des États-Unis d'Amérique. *Une chambre des représentants et un sénat composent le Congrès. Le Capitole de Washington, siège du Congrès.*
b Assemblée* des députés et des sénateurs qui élisaient le Président de la IIIᵉ République.

La constitution nouvelle donne à la réunion de l'Assem- 1
blée nationale et du Conseil de la République le nom de «Parlement» (...) Le mot «Congrès», bien que non employé par la Constitution, subsiste et se trouve figurer dans les documents officiels.
Marcel PRÉLOT, Précis de droit constitutionnel, nᵒ 388.

♦ **3** (1797). Réunion de personnes qui se rassemblent pour échanger leurs idées ou se communiquer leurs études (sur des questions scientifiques, littéraires, politiques...). *Congrès archéologique. Congrès de sociologie. Congrès eucharistique. Congrès international de médecins, de juristes. Congrès d'étudiants. Congrès du Livre. Congrès de la paix. Actes d'un congrès. Congrès et colloques*, tables* rondes. Assister, prendre part* (→ **Congressiste**) *faire une communication à un congrès. Palais des congrès. Congrès d'un parti politique, d'un syndicat.* → **Assises.**

(...) ces écrivains qui instituent des congrès pour la pensée 2
«au service de la paix», comme si la pensée n'avait pas à être uniquement la pensée et à ne se vouloir «au service» de quoi que ce soit.
Julien BENDA, la Trahison des clercs, p. 89.

DÉR. **Congressiste.**

CONGRESSISTE [kɔ̃gʀesist] n. — 1869; de *congrès.*
Personne qui prend part à un congrès. *Les congressistes portent un macaron avec leur nom.*

CONGRU, UE [kɔ̃gʀy] adj. — 1282; lat. *congruus* «convenable», de *congruere* «concorder».

♦ **1** Vx ou littér. Qui convient exactement à une situation donnée. → **Approprié, convenable, pertinent.** *Phrase, réponse congrue,* exacte et précise. *Régime médical congru.*

1　(...) mon dit père (...) par mots exquis et sentences congrues, diminuait le bon tour qu'il leur avait fait *(aux
Canarriens)*... RABELAIS, Gargantua, 50.

2　Après une attente congrue dans les salons consécutifs, j'ai
été admis à lui baiser la main.
FRANCE, le Lys rouge, x, p. 100.

3　*(Ils)* s'étonneront du manque de maintes citations congrues, alors qu'il se compile des manuels où tout jeune
homme lit ce qui est nécessaire pour suivre lesdits usages.
A. JARRY, les Minutes de sable mémorial, Pl.,
p. 171.

4　Tout romancier doit savoir que s'il lâche dans son livre le
personnage d'un grand homosexuel flamboyant, il devra
renoncer à le contenir dans les limites congrues.
M. TOURNIER, le Vent Paraclet, p. 251.

Théol. *Grâce congrue*, qui convient aux circonstances et aux dispositions de celui qui la reçoit
(→ **Congruiste**).

♦ **2 PORTION CONGRUE.** **a** (1615). Anciennt. Pension
que le bénéficiaire d'une paroisse donnait au curé
pour compléter le casuel.

5　Un vertueux Prêtre, messire Pandevant (...) avait accumulé les revenus de son patrimoine depuis longtemps,
pour doter ses deux Nièces, et s'était astreint à vivre de sa
modique portion congrue, qui n'allait qu'à cent écus.
RESTIF DE LA BRETONNE, la Vie de mon père,
p. 184.

b Mod. Revenu, traitement, chose distribuée à
peine suffisant(e) pour subsister. *Réduire qqn à la
portion congrue.*

6　Top, dont la portion avait été fort congrue, saurait bien
trouver quelque nouveau gibier sous le couvert des taillis.
J. VERNE, l'Île mystérieuse, t. I, p. 147.

♦ **3** (1863). Math. *Nombres congrus, par rapport à
un troisième*, dont la différence est divisible par
ce dernier (module). → **Congruence; modulo.** *8 est
congru à 12 modulo 2.*

**CONTR. Discordant, disproportionné, inadéquat, incongru,
inconvenant.** ◊ **DÉR. Congruence, congruiste, congrûment.**

CONGRUENCE [kɔ̃gʁyɑ̃s] n. f. — 1374; de *congru.*

♦ **1** Vx ou littér. Fait de convenir, d'être adapté. → **Convenance.**

♦ **2** (1771). Math. Égalité de figures géométriques
(dites *congruentes*). — *Congruence de droites* :
famille de droites à deux paramètres. *La relation de congruence est une relation d'équivalence.*

♦ **3** (1845). Math. Caractère de deux nombres congrus.

CONGRUENT, ENTE [kɔ̃gʁyɑ̃, ɑ̃t] adj. — V. 1510; lat.
congruens, p. prés. de *congruere.* → Congru.

♦ **1** Qui convient, qui s'applique bien. → **Congru.**
*Arguments congruents. Idée congruente à la situa-
tion.*

Quelle épouvantable catastrophe ! s'écria l'apothicaire, qui
avait toujours des expressions congruentes à toutes les circonstances imaginables.
FLAUBERT, Mᵐᵉ Bovary, II, VIII.

♦ **2** (1771). Math. *Figures congruentes*, égales (→ **Congruence**).

CONGRUISME [kɔ̃gʁyism] n. m. — 1753; de *congruiste.*
Didact. Système théologique des congruistes.

CONGRUISTE [kɔ̃gʁyist] adj. et n. — 1714; de *congru.*
Didact. (relig.). Adepte d'un système théologique
défendant le principe de la grâce congrue*, permettant d'expliquer le libre jeu de la volonté
humaine à l'égard de la volonté divine (→ Grâce,
cit. 35.1).

DÉR. Congruisme.

CONGRÛMENT [kɔ̃gʁymɑ̃] adv. — V. 1370; de
congru.
Littér. D'une manière congrue. → **Convenablement,**
(cour.) **justement.**

(...) Christy qui parle de lui *(d'un animal)* fort congrûment,
mais incidemment, dans son remarquable ouvrage sur les
animaux de la forêt équatoriale (...)
GIDE, Feuillets d'automne, *in* Souvenirs, Pl., p. 1115.

CONIACIEN, IENNE [kɔnjasjɛ̃, jɛn] adj. et n. m.
— 1857, Coquand d'après E. Haug; de *Cognac*, ville de
Charente.

Géol. Partie inférieure de l'étage sénonien. *«un
minimum d'une centaine de pierres ont servi à
l'éclairage. La plupart sont très frustes; le matériau
le plus généralement employé est le calcaire coniacien qui se débite naturellement en plaquettes sur la
colline de Lascaux»* (la Recherche, nᵒ 110, avr. 1980,
p. 145).

CONICINE [kɔnisin] n. f. — 1834; dér. sav. du lat.
conium, du grec *koneion* «ciguë».
Syn. de *cicutine.* — Syn. vx : *conine*, n. f. (1863, *in* Littré).

CONICITÉ [kɔnisite] n. f. — 1863, *in* Littré; de *conique*,
et suff. *-ité.*
Didact. Caractère, forme conique.

CONIDIE [kɔnidi] n. f. — 1838; *conide*, 1814; dér. du
grec *konis, idis* «poussière». → Coniomètre.
Bot. Spore de champignon, asexué, produit par
fractionnement ou par bourgeonnement du mycélium. L'ensemble des conidies est aussi appelé *coni-
diome* (n. m.), *ou* appareil conidien (adj.; 1900).

CONIFÈRE [kɔnifɛʁ] adj. et n. m. — 1523, adj.; lat.
conifer, de *conus* «cône», et *-fère.*

♦ **1** Adj. Vx. Qui porte des fruits de forme conique.
Arbre conifère.

♦ **2** N. m. (1809). Bot. Plante d'une importante famille
de gymnospermes, comprenant surtout des arbres
dont les organes reproducteurs sont des *chatons*
(mâles) et des *cônes** (femelles); var. : *Conifé-
rales*; sous-familles : abiétinées, araucariacées, cupressinées, taxacées. *Principaux conifères.* → **Araucaria,
cèdre, épicéa, ginkgo, if, mélèze, pin, sapin, séquoia,
thuya.** *Le fruit des conifères est un cône écailleux*
(→ **Cône, strobile**), *un galbule, une baie. Térébenthine** extraite de la résine des conifères. Beaucoup
de conifères sont exploités pour leur bois.

Cour. (en parlant des conifères les plus connus). → **Pin,
sapin,** etc.). *Une forêt de conifères. Conifère nain.*

Les conifères, heureusement disposés, jetaient sur le
tableau de profondes ombres bleues (...)
G. DUHAMEL, Chronique des Pasquier, t. V, XI,
p. 132.

CONIOMÈTRE [kɔnjɔmɛtʁ] n. m. — xxᵉ; du grec *konis*
«poussière», et *-mètre.*
Techn. Appareil permettant d'identifier et de
mesurer les poussières contenues dans l'atmosphère.

CONIOSE [kɔnjoz] n. f. — xxᵉ; grec *konis* «poussière»,
et 2. *-ose.*
Méd. Maladie (le plus souvent pulmonaire → **Pneumoconiose**) provoquée par l'inhalation de poussières. → **Silicose.**

CONIQUE [kɔnik] adj. et n. f. — 1624; grec *kônikos*, de *kônos*. → Cône.

◆ **1** Qui a la forme d'un cône (→ **Conicité**). *Engrenage, pignon conique. Entonnoir, éteignoir de forme conique. Cornes coniques des ruminants.*

◆ **2** Géom. Qui appartient au cône. *Section conique. Volume conique que déterminent deux plans passant par l'axe du cône.* → **Onglet**.

N. f. (Av. 1640, Desargues). Courbe qui résulte de la section d'un cône par un plan ne contenant pas le sommet du cône. → **Ellipse, hyperbole, parabole.** *Si le plan sécant est perpendiculaire à l'axe du cône, la conique obtenue est un cercle*. Directrice, foyer d'une conique. Excentricité d'une conique. Axes** (axe focal, axe non focal) *d'une conique. L'Essai sur les coniques, de Pascal.*

DÉR. Conicité.

CONIROSTRE [kɔniRɔstR] adj. et n. — 1806; de *cône*, et lat. *rostrum* «bec».

Zool. Qui a le bec court et conique. *Les oiseaux conirostres.* — N. m. *Les conirostres.*

CONISE [kɔniz] n. f. — 1605, *conyse*; grec *konuza*, même sens.

Bot. Plante *(Composacées)* dite communément *herbe aux puces.*

CONJECTURABLE [kɔ̃ʒɛktyʀabl] adj. — 1580, attestation isolée; repris 1886, Bloy, *le Désespéré*, p. 241; de *conjecturer.*

Rare. Que l'on peut conjecturer, supposer avec vraisemblance.

Un pied sur la conjecturable solidité de ce grillage et l'autre sur la saillie de cette sculpture, il saura bien rejoindre la chambre (...) A. JARRY, l'Amour en visite, Pl., p. 843.

CONJECTURAL, ALE, AUX [kɔ̃ʒɛktyʀal, o] adj. — V. 1300; de *conjecture.*

Didact. ou style soutenu. Qui est fondé sur des conjectures. *Science conjecturale. Critique conjecturale* (des textes anciens).

1 (...) le genre humain, considéré comme un grand individu collectif (...) a deux aspects : l'aspect historique et l'aspect légendaire. Le second n'est pas moins vrai que le premier; le premier n'est pas moins conjectural que le second.
HUGO, la Légende des siècles, Préface de la 1re série.

2 Lorsque Renan appelait l'histoire une petite science conjecturale, il se servait d'une forte ellipse.
J. BAINVILLE, Lectures, p. 78.

3 (...) ce n'était qu'une hypothèse; et dans un domaine scientifique si conjectural lui-même qu'à peine mérite-t-elle ce nom. Colette AUDRY, l'Autre Planète, p. 58.

CONTR. Certain, constant, positif. ◊ DÉR. Conjecturalement.

CONJECTURALEMENT [kɔ̃ʒɛktyʀalmɑ̃] adv. — 1488; de *conjectural.*

Didact. Par conjecture.

CONJECTURE [kɔ̃ʒɛktyʀ] n. f. — V. 1246; lat. *conjectura.*

Didact. (cour. dans quelques constructions). Opinion fondée sur des probabilités, des apparences. → **Hypothèse, supposition.** *Ce n'est qu'une conjecture. Faire, former, hasarder des conjectures sur ce qui s'est passé. Conjecture sur l'avenir.* → 2. **Augure, prédiction, présage, présomption, prévision, pronostic, prophétie.** *Tirer une conjecture de...* → **Inférer.** *Appuyer, fonder une conjecture sur... Parler de qqch. par conjecture. Conjecture bien, mal fondée. Conjecture trompeuse, improbable* (→ Avérer, cit. 11),

chimérique, fantaisiste, absurde; vraisemblable, fondée. De vaines conjectures. En être réduit aux conjectures. Se perdre en conjectures : envisager de nombreuses hypothèses, rester perplexe.

1 Se douterait-il de quelque chose? se demandait Léon. Il avait des battements de cœur et se perdait en conjectures.
FLAUBERT, Mme Bovary, I, VI, p. 78.

2 Au-delà de 2 500 ans, les origines de la France se perdent dans les conjectures et dans la nuit.
J. BAINVILLE, Hist. de France, I, p. 11.

Spécialt. Opinion négative fondée sur des préjugés.
Sc. Théorème supposé vrai, que l'on cherche à démontrer. *Les conjectures de Weil,* en théorie des nombres.

DÉR. Conjectural.

CONJECTURER [kɔ̃ʒɛktyʀe] v. tr. — XIIIe; bas lat. *conjecturare* de *conjectura.* → Conjecture.

Didact., littér. ou style soutenu. Croire, juger, inférer par conjecture*. → **Imaginer, présumer, soupçonner, supposer.** *Conjecturer l'issue d'un événement. Conjecturer que...* (et indicatif).

1 Je dirai là-dessus ce que j'ai su, qui se borne à très peu de chose; je me tairai sur ce que j'ai conjecturé.
ROUSSEAU, les Confessions, XII.

2 Aucun *(géographe avant Magellan)* n'a osé dire ni même conjecturer qu'il était possible de faire le tour du monde.
BUFFON, Œ. compl., t. I, p. 308.

Absolt. *Conjecturer sur ce qu'on ignore.* → **Augurer, deviner.**

3 Dans tel et tel cas, quel motif ont eu tel et tel d'agir comme ils l'ont fait? (...) C'est dans cette partie de l'histoire, la plus intéressante mais la plus difficile qu'on est réduit aux hypothèses. Il faut conjecturer.
J. BAINVILLE, Lectures, p. 79.

DÉR. Conjecturable.

CONJOINDRE [kɔ̃ʒwɛ̃dR] v. tr. [CONJUG.: *joindre.* → Craindre.] — V. 1160; lat. *conjungere* «unir» de *con- (cum),* et *jungere.* → Joindre.

◆ **1** Vx ou littér. Joindre, unir, conjuguer.

1 Aussitôt, au lieu de l'intervalle impossible à combler entre mon désir et l'action, l'effet de l'alcool traçait une ligne qui les conjoignait tous deux.
PROUST, À la recherche du temps perdu, t. IX, p. 303.

Pron :

2 Alors les extrêmes se conjoindront dans la symbiose de l'esprit d'Occitanie et de la physique sociale d'Orient.
Raymond ABELLIO, Ma dernière mémoire, t. I, p. 57.

◆ **2** (V. 1355). Vx. Unir par le mariage. → **Conjoint.**
Pron. (rare et plais.) :

3 Mais ne me suis-je conjoint qu'à trente-huit, moi!... et j'étais précoce!... E. LABICHE, Mon Isménie, 2.

DÉR. Conjoint.

CONJOINT, OINTE [kɔ̃ʒwɛ̃, wɛ̃t] adj. et n. — XIIe; de *conjoindre.*

◆ **1** Adj. Didact. Joint avec; uni. *Problèmes conjoints* (→ Circulation, cit. 5). *Maladies conjointes,* qui coexistent. — Dr. *Personnes conjointes,* liées par des intérêts communs. *Legs conjoint,* fait conjointement à plusieurs. — Bot. *Étamines, feuilles conjointes,* qui paraissent comme soudées ensemble. — Mus. *Degré* conjoint. Mouvement conjoint.* — Arith. *Règle conjointe :* détermination du rapport de deux quantités dont les rapports avec d'autres quantités sont connus.

1 Elle est la détentrice de trois secrets effrayants, liés entre eux, qu'elle a juré de ne livrer à personne, leur révélation

conjointe devant déclencher à coup sûr des catastrophes irréparables (...)
A. ROBBE-GRILLET,
Projet pour une révolution à New York, p. 91.

2 (...) tenter le calcul de son degré de détermination, de sottise et de criminalité conjointes.
A. ROBBE-GRILLET,
Projet pour une révolution à New York, p. 128.

♦ **2 N.** (surtout n. m. pl.) 1342. Cour. Personne unie à une autre par les liens du mariage. → **Époux.** *Les deux conjoints. Les futurs conjoints* : les fiancés. *Le conjoint survivant. Le conjoint de...* (Rare). *Sa conjointe.* → **Épouse, femme.** *La famille du conjoint* (la belle-famille), *les enfants du conjoint* (les beaux-enfants), etc.

3 J'appelle un bon, voire un parfait hymen,
Quand les conjoints se souffrent leurs sottises.
LA FONTAINE, Contes et nouvelles, Belphégor.

CONTR. **Divisé, éloigné, séparé. — Disjoint.** ◊ DÉR. **Conjointement, conjointer** (se).

CONJOINTEMENT [kɔ̃ʒwɛ̃tmɑ̃] adv. — 1254; de *conjoint.*

Didact., littér. ou style soutenu. D'une manière conjointe (1.), en même temps. → **Concert** (de), **concurremment, ensemble, simultanément.** *Agir conjointement avec qqn.*

Ces balles, c'est du minerai, sorti des entrailles de la terre, qui vous jaillit à la figure. Et c'est conjointement une convulsion de cette société (...)
DRIEU LA ROCHELLE, la Comédie de Charleroi,
p. 43.

Dr. *Legs fait conjointement* (→ Assigner, cit. 2).

CONTR. **Isolément, part** (à), **séparément.**

CONJOINTER (SE) [kɔ̃ʒwɛ̃te] v. pron. — 1944; de *conjoint.*

Par plais. Vivre maritalement. — REM. Cet emploi manifeste l'archaïsme de *conjoindre.*

(...) on s'est conjointé, mais on ne pensait pas bien précisément au mariage, faut nous excuser : la jeunesse.
R. QUENEAU, Loin de Rueil, p. 218.

CONJONCTEUR [kɔ̃ʒɔ̃ktœʀ] n. m. — 1868, *Année sc. et industr.,* 1869, p. 426; de *conjonction,* d'après *disjoncteur.*

Électr. Interrupteur automatique pour fermer un circuit. → **Coupleur.** *Conjoncteur-disjoncteur.*

CONJONCTIF, IVE [kɔ̃ʒɔ̃ktif, iv] adj. — 1372; lat. *conjunctivus* du supin de *conjungere.* → Conjoindre.

♦ **1** Didact. (rare en emploi général). Qui conjoint, unit. *Élément conjonctif.* — Dr. *Testament* conjonctif.*

♦ **2** (1690; n. f., «conjonction», 1680; n. m., «subjonctif», XIVe). Gramm. Qui réunit deux mots, deux parties d'un discours. — (Vx). *Particule conjonctive* : conjonction. — (Mod.). *Locutions conjonctives,* jouant le rôle de conjonctions (ex. : *bien que). Proposition conjonctive,* et, ellipt. (n. f.), *une conjonctive.*

1 (...) on peut dire qu'il *(le mot que)* est la particule conjonctive par excellence.
F. BRUNOT, la Pensée et la Langue, VI, IV, p. 181.

2 La conjonctive, par la variété des rapports qu'elle marque tient à la fois de la subordonnée et de la coordonnée. Quand on dit : *Il poussa la porte qui s'ouvrit,* le sens est à peu près : *et elle s'ouvrit.*
F. BRUNOT, la Pensée et la Langue, XVIII, III, p. 700.

Log. *Syllogisme conjonctif,* dont la conclusion est tautologique par rapport au contenu (complexe) de la majeure.

♦ **3** (1863). Anat. Qui unit des parties organiques. *Tissu* conjonctif* : tissu qui occupe les intervalles

entre les organes ou entre les différents éléments d'un même organe (→ Cicatrice, cit. 5). *La cellulite* est une inflammation du tissu conjonctif. — Fibres, cellules* (cit. 7) *conjonctives. Bourgeon* conjonctif.* Spécialt. *La membrane conjonctive.* → **Conjonctive.**

CONTR. **Disjonctif.**

CONJONCTION [kɔ̃ʒɔ̃ksjɔ̃] n. f. — XIIe; lat. *conjunctio,* du supin de *conjungere.* → Conjoindre.

I Didact. ou littér. ♦ **1** Action de joindre. → **Assemblage, jonction, rencontre, réunion, union.** *La conjonction de deux choses, entre deux choses. Faire qqch. en conjonction avec qqn d'autre.*

1 (...) cela n'empêche pas que toute sa Divinité, aussi bien que toute son Humanité, n'y soit dans une conjonction nécessaire (...)
PASCAL, les Provinciales, 16.

2 Un rôle si vaste demande une telle conjonction de talents, que nul acheteur ne peut espérer de les réunir tous.
Th. GAUTIER, in Pierre LAROUSSE.

3 Le style d'un peintre est dans cette conjonction de la nature et de l'histoire (...)
CAMUS, l'Homme révolté, IV, p. 318.

♦ **2** (V. 1200). Spécialt. *Conjonction des sexes,* et, absolt (vieilli), *conjonction* : rapport sexuel.

4 Les conjonctions illicites contribuent peu à la propagation de l'espèce.
MONTESQUIEU, l'Esprit des lois, XXIII, 2.

5 Dans ma verte jeunesse, je croyais que l'animal humain était surtout enclin à la conjonction des sexes. J'en jugeais par moi. Mais, à les considérer en masse, nous voyons que les hommes sont plus intéressés encore à conserver la vie qu'à la donner.
FRANCE, la Rôtisserie de la reine Pédauque, Œ.,
t. VIII, p. 238.

♦ **3** (V. 1270). Astron. Rencontre (de deux astres) dans une ligne droite, par rapport à un certain point de la terre (opposé à : *opposition). Conjonction des planètes en astrologie.* → **Aspect** (→ Cataclysme, cit. 2; présider, cit. 2). — Absolt. Rencontre de la lune avec le soleil dans un même point du zodiaque.

6 Les marées doivent être un peu plus fortes dans la conjonction que dans l'opposition.
VOLTAIRE,
Éléments de la philosophie de Newton, III, §11.

II (XIVe). Gramm. et cour. Partie du discours qui sert à joindre deux mots ou groupes de mots. *Conjonctions de coordination* (ou *copulatives*), qui, entre des mots ou des propositions de même fonction, marquent l'union (→ Et), l'opposition (*conjonctions adversatives* → Cependant, mais, néanmoins, 2. or, pourtant, toutefois), l'alternative ou la négation (→ Ni ; ou, soit, tantôt), la conséquence (→ Aussi, donc, partant, sinon, sorte [de sorte que, en sorte que]), la conclusion (→ Ainsi, enfin). *Locutions jouant le rôle de conjonction.* → **Conjonctive,** adj. (ex. : *au reste, au surplus, d'ailleurs, du reste, c'est pourquoi, par conséquent). Conjonctions de subordination,* qui établissent une dépendance entre les éléments qu'elles unissent et marquent le temps (→ Comme, lorsque, quand), la comparaison (→ Comme), la condition (*conjonction dubitative* → Si), la conséquence (→ Que), la concession (→ Quoique).

7 Le langage réunit des mots, des groupes de mots, des propositions : par des outils de liaison qu'on appelle des conjonctions : *Je pense, donc je suis.* les phrases se joignent les unes aux autres; des *systèmes* se constituent. Une même conjonction peut servir à ces divers rôles. *Mais* unit deux mots, deux compléments ou deux phrases : *sévère mais juste.*
F. BRUNOT, la Pensée et la Langue, V, XVIII, IV,
p. 702.

8 Il faut aussi proscrire de son style ce que j'appellerais des *parasites,* ces conjonctions dont on abuse pour amener les transitions de phrases, comme : *en effet, certes...*
Antoine ALBALAT, l'Art d'écrire, VI, p. 118.

III Log. Opérateur (connectif binaire) d'une proposition complexe correspondant à «et» (symb. Λ), par lequel la proposition complexe est vraie si, et seulement si, les deux propositions élémentaires sont vraies.

CONTR. Disjonction, séparation. — (Du sens I., 3) Opposition. ◊ DÉR. Conjoncteur.

CONJONCTIVAL, ALE, AUX [kɔ̃ʒɔ̃ktival, o] adj. — 1845; de conjonctive.

Didact. Relatif à la conjonctive; de la conjonctive. *Glandes conjonctivales.*

CONJONCTIVE [kɔ̃ʒɔ̃ktiv] n. f. — V. 1370; → Conjonctif.

Anat. et cour. Membrane muqueuse transparente qui tapisse l'intérieur des paupières et les unit au globe oculaire sur lequel elle se continue jusqu'à la cornée. *Appliquer un collyre sur la conjonctive. Inflammation de la conjonctive.* → **Conjonctivite.**

DÉR. Conjonctival, conjonctivite.

CONJONCTIVITE [kɔ̃ʒɔ̃ktivit] n. f. — 1832; de conjonctive.

Inflammation de la conjonctive. *Conjonctivite granuleuse.* → **Trachome.** *Conjonctivite chronique.*

Parmi ces petits phoques beaucoup souffrent d'une espèce de conjonctivite purulente qui n'atteint pas les adultes.
Bernard MOITESSIER, Cap Horn à la voile, p. 135.

CONJONCTURE [kɔ̃ʒɔ̃ktyʀ] n. f. — Av. 1475; de l'anc. franç. *conjointure,* de *conjoindre,* refait d'après le lat. *conjunctus* de *conjungere.*

Didact., littér. ou style soutenu. Situation qui résulte d'une rencontre de circonstances et qui est considérée comme le point de départ d'une évolution, d'une action. → **Cas, état, occasion, occurrence, situation.** *Une conjoncture favorable, heureuse, difficile, fâcheuse, fatale, malheureuse, triste. Profiter de la conjoncture. Dans la conjoncture présente. — Au plur. En de telles conjonctures.* → **Circonstance. —** Vx. *Conjoncture de lieux, de personnes.* → **Rencontre.**

1   Il *(notre sort)* dépend d'une conjoncture
De lieux, de personnes, de temps (...)
LA FONTAINE, Fables, VIII, 16.

2   Toute confiance est dangereuse si elle n'est entière : il y a peu de conjonctures où il ne faille tout dire ou tout cacher.
LA BRUYÈRE, les Caractères, V, 80.

3   J'ai lieu de présumer que mes services ne vous sont plus agréables; et, dans la conjoncture présente, il est naturel que je sache mon sort.
MARIVAUX, les Fausses Confidences, III, 7.

4   Chaque jour et plusieurs fois par jour, les écrivains sont invités à se prononcer sur des problèmes ou des conjonctures dont ils ne savent presque rien et sur des personnalités qu'ils ne connaissent que de manière allusive.
G. DUHAMEL, la Défense des lettres, II, IX, p. 186.

5   Il y a là une conjoncture purement accidentelle; rien de suspect.
GIDE, Voyage au Congo, in Souvenirs, Pl., p. 809.

(1937). Spécialt. État de l'économie à un moment donné. *La conjoncture nationale, internationale. Les fluctuations de la conjoncture. Dans la conjoncture actuelle. Politique économique destinée à renverser une conjoncture défavorable.* → **Anticonjoncturel.**

DÉR. Conjoncturel, conjoncturiste.

CONJONCTUREL, ELLE [kɔ̃ʒɔ̃ktyʀɛl] adj. — 1954; de conjoncture.

Didact. ou techn. (admin., écon.). De la conjoncture économique. *«Le caractère conjoncturel qui caractérise maints profits»* (J.-P. Courthéoux, la Politique des revenus, p. 63). *Politique conjoncturelle. «La croissance conjoncturelle des importations»* (France-Europe, nᵒ 16, p. 45). *Dépression, variation conjoncturelle. Prélèvement conjoncturel.*

Pour respecter le plus possible notre désir d'affranchir et non de soumettre le lecteur, nous allons suivre, le plus possible, l'ordre logique de la recherche clinique : symptômes, diagnostic, pronostic, thérapeutique, qui est aussi, ou devrait être celui des recherches conjoncturelles en économie.
A. SAUVY, Croissance zéro?, 1973, p. 12.

REM. On trouve aussi la forme *conjonctural, ale, aux* [kɔ̃ʒɔ̃ktyʀal, o]. *Éléments conjoncturaux et structuraux.*

CONTR. Structurel. ◊ COMP. Anticonjoncturel.

CONJONCTURISTE [kɔ̃ʒɔ̃ktyʀist] n. — 1953; de conjoncture.

Techn. (écon.). Spécialiste des problèmes de conjoncture économique. *«Le rôle du conjoncturiste (...) est de détecter les obstacles»* (France-Europe, nᵒ 16, p. 9).

CONJOUIR (SE) [kɔ̃ʒwiʀ] v. pron. — V. 1450; trans., «recevoir avec courtoisie», v. 980; du lat. chrét. *congaudere,* de *con-* (*cum*), et *gaudere* «se réjouir», avec infl. de *jouir.*

Vx et littér. (encore chez J. Lemaître, 1885, in T. L. F.). Se réjouir. *Se conjouir avec qqn de qqch.*

CONJUGABLE [kɔ̃ʒygabl] adj. — 1829; de conjuguer.
Qui peut être conjugué. *Ce verbe n'est pas conjugable à tous les temps.*

CONTR. Inconjugable.

CONJUGAISON [kɔ̃ʒygɛzɔ̃] n. f. — 1236, conjugacion; lat. gramm. conjugatio, en lat. class. «union charnelle», du supin de conjugare. → Conjuguer.

♦ **1** Ensemble des formes verbales (→ **Paradigme**); tableau ordonné de toutes les formes d'un verbe suivant les voix (*conjugaison active, passive, réfléchie,* et, en latin, *conjugaison déponente*), les modes, les temps, les personnes, les nombres. *Conjugaison régulière, irrégulière. Les trois groupes de conjugaisons de la langue française : 1ᵉʳ : celui des verbes en -er; 2ᵉ : celui des verbes en -ir (p. prés. -issant); 3ᵉ : tous les autres. Conjugaison à un radical (chanter, placer, bouger...), à deux, à trois radicaux. La conjugaison de aller comporte six radicaux. Conjugaison défective. Apprendre, réciter ses conjugaisons. Groupe des verbes ayant des formes communes. Verbe de la 2ᵉ conjugaison.*

♦ **2** Didact. ou littér. Action de conjuguer, de combiner (différents éléments). → **Association, combinaison, conjonction, jonction.** *La conjugaison de leurs efforts.*

♦ **3** Anat. (Vx). Réunion par paires (de nerfs).

♦ **4** Biol. Mode de reproduction sexuée, chez des micro-organismes unicellulaires, caractérisée par l'union de deux individus semblables se comportant comme des gamètes (distinct de la *fécondation*). — Union des chromosomes homologues lors de la mitose.

CONTR. Dispersion, éparpillement, opposition.

CONJUGAL, ALE, AUX [kɔ̃ʒygal, o] adj. — V. 1282; lat. conjugalis, de conjux «époux, épouse».

Relatif à l'union entre le mari et la femme. → **Matrimonial**. *Amour conjugal* (→ Mourant, cit. 8). *Les liens conjugaux*. *Lit, foyer* (→ Reconnaissance, cit. 7) *conjugal. Union conjugale*. → **Mariage**. *Foi, fidélité, vie, chambre conjugale. Disputes, criailleries, attentions, prévenances conjugales. Drame conjugal. Bonheur conjugal. Le domicile conjugal se trouve là où réside officiellement le mari. Manquement à la foi conjugale* (→ Adultère). *Le devoir conjugal :* devoir qu'ont les époux de ne pas se refuser sexuellement l'un à l'autre.

1 Mais en venir de but en blanc à l'union conjugale... et prendre justement le roman par la queue !
MOLIÈRE, les Précieuses ridicules, 4.

2 Dans la France d'autrefois, une femme avait plaisir à coucher avec son mari et, si elle n'y avait pas réellement plaisir, elle en prenait son parti et s'acquittait de ses devoirs conjugaux (...)
A. MAUROIS, Terre promise, XXVIII, p. 191.

3 (...) le divin Maître (*Jésus*) rétablissait le mariage dans son éclat, et restituait aux époux «la gloire de la chasteté conjugale». Il fit plus : en l'élevant à la dignité de sacrement, il le sanctifia.
Mgr GRENTE, les Sept Sacrements, p. 121.

DÉR. Conjugalement, conjugalité. ◊ COMP. Extra-conjugal.

CONJUGALEMENT [kɔ̃ʒygalmɑ̃] adv. — XVIᵉ ; de *conjugal*.

♦ **1** D'une manière conjugale. → **Maritalement**. *Vivre conjugalement*.

(...) je l'ai entendue dire à son mari, de la voix la plus conjugalement impérieuse et la plus claire : «Henri, ramassez mon capuchon !»
BARBEY D'AUREVILLY, les Diaboliques, éd. L. de Poche, p. 58.

♦ **2** Avec son conjoint. «*Depuis son mariage, elle a fait conjugalement un voyage en Espagne*» (Gobineau, *les Pléiades, in* T.L.F.).

CONJUGALITÉ [kɔ̃ʒygalite] n. f. — 1846 ; de *conjugal*.
Rare. Vie conjugale.

Quoi ! il s'était contenté de tromper sa femme bourgeoisement, sagement, dans des aventures d'un soir, plus banales les unes que les autres, où dans des liaisons sans éclat, caricatures clandestines de la conjugalité.
Jean-Louis CURTIS, le Roseau pensant, p. 289.

CONJUGATEUR [kɔ̃ʒygatœʀ] n. m. — 1987 ; de *conjuguer*.
Logiciel qui permet de conjuguer les verbes. *Traitement de texte assorti d'un conjugateur*.

CONJUGUÉ, ÉE [kɔ̃ʒyge] adj. et n. — 1690 ; «marié», 1596 ; p. p. de *conjuguer*.

♦ **1** Joint, combiné avec. *Influences conjuguées. Leurs efforts conjugués. L'action conjuguée d'une chose et d'une autre.*

1 (...) l'offensive conjuguée qu'elle prenait plaisir à mener, avec Mᵐᵉ Marcenat, contre les jeunes générations.
A. MAUROIS, Climats, II, XX, p. 258.

2 Cette infirmité, après tout, était confortable. Conjuguée à ma faculté d'oubli, elle favorisait ma liberté.
CAMUS, la Chute, p. 70.

♦ **2** (1753). Bot. *Feuilles conjuguées :* feuilles composées, dont les folioles s'opposent deux à deux.

♦ **3** Techn. *Machines conjuguées*, dont le travail est simultané et concourt à une fin commune.

♦ **4** Math. Entre lesquels il existe une correspondance. *Points conjugués*, divisant un segment de droite selon une division harmonique*. *Nombre complexe* conjugué d'un nombre complexe $z = a + ib$:* le nombre a–ib, noté $\bar{z}$. — N. m. Un

conjugué. Si un nombre complexe est égal à l'opposé de son conjugué, c'est un nombre imaginaire pur. Opt. *Le point objet et son image sont conjugués.*

♦ **5** Anat. Se dit de structures participant à la même fonction ou formées par la réunion de deux parties symétriques. *Nerfs conjugués.* → **Congénère**.

♦ **6** N. f. pl. (1866, Larousse). **CONJUGUÉES** : algues d'eau douce, vertes (*Chlorophycées*), sans spores, à reproduction sexuée (*conjugaison*). → aussi **Desmidiale, Zygnémales**. — Au sing. *Une conjuguée.*

CONJUGUER [kɔ̃ʒyge] v. tr. — 1572 ; du lat. *conjugare* «unir», de *con-* (*cum*), et *jugare* «unir», de *jugum* «joug».

♦ **1** Didact. ou littér. Joindre ensemble. *Conjuguer les efforts de toute une équipe.* → **Combiner, unir**. *Conjuguer une chose avec une autre.*

1 (...) rien de plus différent que ces deux provinces de France, qui conjuguent en moi leurs contradictoires influences.
GIDE, Si le grain ne meurt, I, I, p. 21.

♦ **2** Gramm. et cour. Réciter ou écrire la conjugaison de (un verbe). → Aimer, cit. 50. *Vous me conjuguerez vingt fois le verbe «mentir».* — Par plais. (en parlant d'amoureux). «*Ils conjuguent le verbe aimer.*»

2 Tout conjugue le verbe aimer. Voici les roses (...)
Premier mai, triste, brûlant, jaloux,
Fait soupirer les bois, les nids, les fleurs, les loups (...)
HUGO, les Contemplations, II, 1.

3 (...) quand M. le curé (...) apercevait Charles qui polissonnait dans la campagne, il l'appelait, le sermonnait un quart d'heure et profitait de l'occasion pour lui faire conjuguer son verbe au pied d'un arbre.
FLAUBERT, Mᵐᵉ Bovary, Folio, p. 27.

◆ **SE CONJUGUER** v. pron.

♦ **1** S'unir. *Nature dans laquelle se conjuguent des tendances différentes.*

Astron. (le sujet désigne des astres). Se mettre en conjonction.

♦ **2** Par plais. (Personnes). Se marier (→ Conjungo).

4 Qu'elle se conjugue, la Julia.
R. QUENEAU, le Dimanche de la vie, p. 13.

♦ **3** (Passif) Être conjugué. *Ce verbe se conjugue avec l'auxiliaire avoir* (cit. 92).

◆ **CONJUGUÉ, ÉE** p. p. adj. Voir à l'ordre alphabétique.

CONTR. Disperser, éparpiller, isoler, opposer. ◊ DÉR. Conjugable, conjugateur, conjugué.

CONJUNGO [kɔ̃ʒɔ̃go] (didact.), [kɔ̃ʒœ̃go] n. m. — 1670 ; mot lat. «j'unis», tiré de la formule du mariage religieux ; de *conjugare*. → Conjuguer.

Plais. Formule du mariage religieux. — (1694). Mariage. *Prononcer le conjungo. Aspirer au conjungo.*

1 C'est d'abord qu'à cette époque, à ce qu'il semble, la profession de philosophe n'était pas compatible avec le *conjungo* ; et, surtout, que les ambitions d'Abélard ne lui permettaient pas d'être marié, car il aspirait à quelque évêché, voire à la pourpre.
Émile HENRIOT, Portraits de femmes, Héloïse, p. 10.

2 Un type honnête, Charles. La preuve, c'est qu'il venait de lui proposer le conjungo.
R. QUENEAU, Zazie dans le métro, Folio, p. 135.

CONJURATEUR, TRICE [kɔ̃ʒyʀatœʀ, tʀis] n. — V. 1470 ; «personne qui s'engage par serment», 1344 ; de *conjurer*.
Rare.

♦ **1** Personne qui dirige une conjuration. *Le conjurateur et les conjurés.*

Par ext. (dans un sens plus large et sans opposition avec *conjuré*). Conspirateur.

1 Ils étaient épars dans les vastes salons dorés (...) ou bien dans une embrasure de fenêtre s'entretenaient à trois ou quatre avec des mines de conjurateurs.
M. DRUON, les Grandes Familles, III, x, p. 149.

Adj. *«Ces grands conspirateurs (...) leurs combinaisons conjuratrices»* (Les citoyens de la section des Quatre Nations, aux citoyens des quarante-sept autres sections de Paris, sept. 1792, *in* D.D.L. II, 11). *Voix conjuratrices.*

♦2 Personne qui conjure, qui écarte par des pratiques magiques les démons et leurs maléfices.

2 Dès l'heure même on vous met en présence
Notre démon et son conjurateur (...)
LA FONTAINE, Contes, «Belphégor».

Adj. (Littér.). Qui conjure (le mauvais sort).

3 Alors une des plus délurées cracha dans les cendres, et, faisant comme si elle saupoudrait les braises d'encens conjurateurs (...)
J. GIONO, Naissance de l'Odyssée, p. 48.

CONJURATION [kɔ̃ʒyʁɑsjɔ̃] n. f. — V. 1160, «serment»; lat. *conjuratio,* du supin de *conjurare.*

♦1 (1470). Entreprise concertée secrètement contre l'État, le souverain, par un groupe de personnes que lie un serment. → **Complot, conspiration.** *La conjuration de Catilina, de Pison. La conjuration d'Amboise. Une vaste, une dangereuse conjuration. Le chef et l'âme* (→ **Conjurateur**), *les affiliés* (→ **Conjuré**), *le plan, le déroulement, le secret d'une conjuration. Fomenter, monter une conjuration. Entrer dans une conjuration. Étouffer, réprimer une conjuration.*

1 (...) vous *(Henri IV)* avez été exposé à tant de conjurations qu'enfin on vous a fait périr.
FÉNELON, Dialogue des morts, XVI, *in* LITTRÉ.

2 Les conjurés n'avaient formé de plan que pour la conjuration et n'en avaient point fait pour la soutenir.
MONTESQUIEU,
Grandeur et Décadence des Romains, XII.

3 Tandis que les conjurés de Pison temporisent entre l'espérance et la crainte, la conjuration se découvre et ils périssent tous.
DIDEROT, Claude et Néron, I, *in* LITTRÉ.

4 (...) le prince était l'âme, sinon le chef, d'une vaste conjuration.
MÉRIMÉE, Hist. du règne de Pierre le Grand, p. 194.

5 (...) il n'y a guère que la fureur religieuse qui explique l'audace d'une conjuration où l'on ne compte que six affidés.
MÉRIMÉE, Hist. du règne de Pierre le Grand, p. 94.

6 Dans sa bouche, la réunion assez inoffensive de l'autre soir devenait une conjuration en règle, et à brève échéance, contre l'ordre établi.
J. ROMAINS, les Hommes de bonne volonté, t. IV,
XIX, p. 204.

REM. *Conjuration,* comme *conspiration,* s'emploie surtout en parlant d'un contexte historique.

(1559). Action concertée de plusieurs personnes. *Conjuration contre le règlement, contre un chef de service.* → **Brigue, cabale, coalition, ligue.** *La conjuration des mécontents. Conjuration en faveur de... C'est une conjuration!*

7 On n'aurait encore obtenu qu'une partie de ce qu'on peut espérer d'une conjuration d'hommes éclairés en faveur du progrès des sciences.
CONDORCET, Sur l'Atlantide, *in* LITTRÉ.

Fig. et littér. *La conjuration des éléments :* l'union des forces naturelles, notamment dans leur déchaînement (orage, tempête...).

♦2 (Fin XIIᵉ). Rite, formule pour chasser les démons (→ **Adjuration, charme, exorcisme**); pratique magique pour combattre ou orienter les influences maléfiques. → **Conjurer** (II.). *Faire une conjuration pour écarter les esprits maléfiques.*

(...) il *(le général russe Platof)* n'en fit pas moins fustiger 8
devant tous les cosaques le sorcier qui l'accompagnait, l'accusant hautement de paresse pour n'avoir pas détourné les balles par ses conjurations, comme il en était expressément chargé.
Ph.-P. SÉGUR, Hist. de Napoléon, VII, 5, *in* LITTRÉ.

Il avait entendu sa chanson, et voyait bien qu'elle faisait 9
une conjuration au feu follet, lequel dansait se tortillait comme un fou devant elle et comme s'il eût été aise de la voir.
G. SAND, la Petite Fadette, XII, p. 93.

Fait d'utiliser ces formules ou ces pratiques. *«Mort par conjuration ou envoûtement»* (Lévi-Strauss, *in* T.L.F.).

Fait d'éloigner un élément maléfique. *«La conjuration du feu au moulin de la place»* (H. Pourrat, *in* T.L.F.).

♦3 (1594). Vx. Prière instante. → **Adjuration, supplication.**

CONTR. (Du sens 2) **Maléfice, sortilège.**

CONJURATOIRE [kɔ̃ʒyʁatwaʁ] adj. — 1891; de *conjurer, conjuration.*

Rare. Qui peut écarter, qui est destiné à écarter le mauvais sort. — Psychol. *Rite conjuratoire, destiné à écarter une obsession*.*

On voit des personnes fort distinguées frapper le bois des fauteuils et pratiquer des actes conjuratoires et fiduciaires.
VALÉRY, Variété III, 1936, p. 225, *in* T.L.F.

CONJURER [kɔ̃ʒyʁe] v. tr. — V. 980, «prier»; lat. *conjurare* «jurer ensemble, comploter», de *con-* (*cum*) et *jurare.* → Jurer.

I (Fin XVᵉ). Vx ou littér. Préparer par un complot (la ruine, la perte de qqn, et, spécialt, d'un chef). *Conjurer la perte, la mort d'un tyran.* → **Comploter, conspirer, tramer; conjuration, conjuré.** *Conjurer la ruine de sa patrie.*

Ne faut-il pas que j'aie moi-même conjuré ma perte? 1
BOURDALOUE, Pensée de la mort, III, *in* HATZFELD.

Absolt. Vx. *Conjurer (contre qqn),* prendre part à une conjuration (1.). *Conjurer contre l'empereur, contre le tyran.* — Par ext. Travailler secrètement (contre...).

Ses ennemis *(de Rome)* conjuraient contre elle et elle conjurait contre ses ennemis. 2
MONTESQUIEU, l'Esprit des lois, XI, 17.

II Mod. ♦1 (XIIᵉ). Écarter (un esprit, les esprits malfaisants) par des prières, des pratiques magiques. → **Charmer, chasser.** *Conjurer les démons.* → **Exorciser.** — *Conjurer un sortilège par un talisman.*

Cette église a été autrefois bâtie pour conjurer les vénéfices 3
que l'on pratiquait à l'aide d'épines qui poussaient dans ce pays et servaient à transpercer des images découpées en forme de cœur.
HUYSMANS, Là-bas, XVII, p. 239.

(...) les vagues réminiscences d'une vieille oraison qu'on 4
me faisait réciter dans mon enfance, avant de m'endormir, pour conjurer les démons de la nuit.
H. BOSCO, Hyacinthe, p. 221.

♦2 (Fin XVIᵉ). Détourner, dissiper (une menace), écarter (une catastrophe). *Conjurer un péril, un désastre, la foudre, la tempête, le mauvais sort.* — Au passif. *Le danger est conjuré.*

Et aucun moyen, hélas! de conjurer ce malheur, plus 5
intimement cruel à leurs âmes que tous les précédents désastres de fortune.
LOTI, Figures et Choses..., «Le mur d'en face»,
p. 188.

Un danger semble très évitable quand il est conjuré. 6
PROUST, À la recherche du temps perdu, XI, p. 187.

♦3 Littér. ou style soutenu. *Conjurer (qqn) de (qqch.; faire qqch.) :* prier (qqn) avec insistance de... → **Adjurer, implorer, supplier.** *Je vous conjure de me croire; je vous en conjure. Il la conjurait en vain de revenir.*

7 (...) je vous en conjure par tout ce qui est le plus capable de vous toucher. MOLIÈRE, Dom Juan, IV, 6.

8 Loin de me retenir par des conseils jaloux,
Elle me conjurait de me donner à vous.
RACINE, Bajazet, V, 4.

9 (...) le père Barbeau le conjurait, en pleurant, de mieux reconnaître son amitié.
G. SAND, la Petite Fadette, XXXI, p. 207.

◆ **SE CONJURER** v. pron. (1544).
Vieilli ou littér. S'unir dans une conjuration (→ **Conjuration**, 1.). *Les républicains se conjurèrent contre César.*
Par ext. Se liguer, s'allier contre. → **Coaliser** (se). *Partis qui se conjurent pour renverser le ministère.* — Fig. et littér. (Choses). *Éléments, forces qui se conjurent.*

10 (...) les circonstances allaient se conjurer pour nous rejeter dans le désordre.
J. BAINVILLE, Hist. de France, VI, p. 102.

◆ **CONJURÉ, ÉE** p. p. adj. et n. → **Coalisé, ligué.**
11 Contre le fils d'Hector tous les Grecs conjurés.
RACINE, Andromaque, I, 1.

N. (1213). Membre d'une conjuration. *Les conjurés ont préparé un attentat contre le chef de l'État. Les conjurés, les principaux conjurés ont été arrêtés et condamnés.*

12 Et que vos conjurés entendent publier
Qu'Auguste a tout appris, et veut tout oublier.
CORNEILLE, Cinna, V, 3.

CONTR. Attirer, évoquer, invoquer. ◊ DÉR. Conjurateur, conjuratoire.

CONNAISSABLE [kɔnɛsabl] adj. — 1220, *conisavle; cognissables*, 1235; de *connaître.*

◆ 1 Qui peut être connu. *Pour l'agnostique, l'absolu n'est pas connaissable.*

0.1 *Toutes conversations noyées, il reste l'univers absurde des petites flammes courtes dont l'impérieuse présence n'est à l'échelle de rien qui soit connu ou connaissable.*
Claude MAURIAC, le Dîner en ville, p. 255.

N. m. *Le connaissable et l'inconnaissable.*

◆ 2 Vx (langue class.). Personnes. Qui peut être reconnu. *Il n'est plus connaissable.* → **Reconnaissable.**

1 Mme de Rochefort est changée à n'être pas connaissable (...)
Mme DE SÉVIGNÉ, 553, 1er juil. 1676.

Connaissable à... : qui peut être connu pour ce qu'il est par...

2 Dieu, pour rendre le Messie connaissable aux bons et méconnaissable aux méchants, l'a fait prédire en cette sorte. PASCAL, Pensées, XII, 758.

CONTR. Inconnaissable, incognoscible.

CONNAISSANCE [kɔnɛsɑ̃s] n. f. — V. 1080, *conoissance*; de *connaître.*

I ◆ 1 Fait ou manière de connaître. *La, les connaissances humaines; nos connaissances.* — La connaissance (qualifié). *Connaissance sensorielle; connaissance intuitive.* → **Impression, intuition, sensation, sentiment.** *Connaissance relative. Connaissance exacte, profonde.* → **Certitude, compréhension.** *Connaissance abstraite, spéculative; pratique, expérimentale* (→ **Expérience, pratique**).

1 Toutes nos connaissances viennent des sensations.
CONDILLAC, Traité des sensations.

2 Je souhaite, si vous voulez toute ma pensée, que le rationalisme ne se considère plus comme l'adversaire-né de la connaissance intuitive ou religieuse ou même mystique ou poétique.
G. DUHAMEL, Chronique des Pasquier, VI, p. 297.

Absolt. *Théorie de la connaissance*, des rapports entre le sujet (qui connaît) et l'objet. → **Épistémologie.** *Le sujet de (la) connaissance.*
La, une connaissance de qqch. par qqn. La connaissance d'un objet (par un sujet). → **Conscience; compréhension, représentation.** *Une grande connaissance des affaires.* → **Compétence.** *La connaissance d'une science, d'un art, d'une œuvre; d'un auteur. La connaissance d'une nouvelle, d'un fait. Traité de la connaissance de Dieu, œuvre de Bossuet. Connaissance de l'avenir.* → **Prescience, prévision.** *Connaissance d'un pays. Connaissance de l'Est, œuvre de Claudel.* — *Avoir la connaissance de qqch., en avoir une connaissance précise, entière.* — Vx. *Avoir connaissance de...* (au sens large).

3 *(Un moi)* qui de nos secrets a connaissance pleine (...)
MOLIÈRE, Amphitryon, II, 1.

4 La connaissance de Dieu sans celle de sa misère *(de l'homme)* fait l'orgueil. PASCAL, Pensées, VII, 527.

5 (...) la connaissance de la mort et de ses terreurs est une des premières acquisitions que l'homme ait faites en s'éloignant de la condition animale.
ROUSSEAU, De l'inégalité parmi les hommes, I, p. 49.

6 (...) la connaissance précise de sa force n'est peut-être autre que le génie.
FLAUBERT, Correspondance, t. II, p. 75.

7 Scali éprouvait avec violence la supériorité assez hideuse que donne sur celui qui ment la connaissance de son mensonge. MALRAUX, l'Espoir, p. 103.

Connaissance des Temps, recueil publié chaque année et deux ans à l'avance par le Bureau des longitudes. → **Éphéméride.**
Loc. *Avoir connaissance de :* être au courant, au fait de (qqch.). → **Connaître, savoir** (→ Être au courant* de, être instruit* de). — Rare. *Avoir connaissance que...*

8 Vous avez peut-être eu connaissance qu'il était foreman dans un chantier en haut de la Tuque.
L. HÉMON, Maria Chapdelaine, p. 138.

Prendre connaissance de... → **Documenter** (se), **examiner, renseigner** (se). *Prendre connaissance d'un texte.* → **Lire.** — *Donner à qqn connaissance de qqch.*, le lui apprendre. → **Renseignement, révélation; information, initiation.** — *Venir à la connaissance de qqn :* être appris par qqn.

9 (...) je vous suppliais (...) d'ordonner à M. Boucard de vous donner une entière connaissance des réparations que mon fermier a faites à Bourbilly (...)
Mme DE SÉVIGNÉ, 1396, déc. 1694.

10 (...) songeant au testament dont on n'avait pas encore pris connaissance et qui sans doute réservait à l'aîné, le silencieux, la direction de B. et Cie.
J. CHARDONNE, les Destinées sentimentales, p. 265.

Loc. adv. *À ma connaissance :* autant que je sache. *À la connaissance de tous.* → **Su** (au vu et au su).
Mar. *Avoir connaissance d'une terre*, constater sa présence.

◆ 2 (Av. 1650). Dans des loc. Fait de sentir, de percevoir. → **Conscience, sentiment.** *Avoir toute sa connaissance.* → **Lucidité.** *Perdre connaissance :* s'évanouir (→ 1. Porter, cit. 17). *Tomber, rester sans connaissance :* s'évanouir, être évanoui, tomber en syncope (→ Bouche, cit. 9). *Reprendre connaissance :* reprendre ses esprits.

11 En même temps, je recevais sur la tête un coup formidable et je perdis connaissance.
Léon BLOY, la Femme pauvre, II, V, p. 203.

12 Il est mort sans avoir repris connaissance (...)
MARTIN DU GARD, les Thibault, t. VI, p. 86.

◆ 3 (1595). *Les connaissances* (sens objectif) : ce qui est connu; ce que qqn sait, pour l'avoir appris. → **Acquis, acquisition, bagage, culture, éducation, érudition, instruction, savoir, science.** *Connaissances acquises. Posséder des connaissances sur* qqch. → **Clarté, lumière, teinture.** *Approfondir, enrichir ses connaissances par l'étude. Agrandir le cercle* (III., 1.), *le champ, étendre la sphère de ses connaissances. Ensemble de connaissances.* → **Encyclopédie.** *Diffusion des connaissances par l'enseignement, la vulgarisation. Contrôle des connaissances.* → **Examen.** *Il n'a que des connaissances élémentaires, fragmentaires, sommaires sur ce sujet.* → **Aperçu, élément, idée, notion, rudiment.** *Connaissances solides, approfondies. Connaissances théoriques, scolaires. Dans l'état actuel des connaissances.*

13 De faire entrer chez vous le désir des sciences,
De vous insinuer les belles connaissances.
MOLIÈRE, les Femmes savantes, III, 4.

14 Pour bien savoir les choses, il en faut savoir le détail, et comme il est presque infini, nos connaissances sont toujours superficielles et imparfaites.
LA ROCHEFOUCAULD, Maximes, 106.

15 (...) je lui trouvai quelques connaissances mathématiques.
D'ALEMBERT, Lettre à Voltaire, 22 déc. 1759.

16 Émile a peu de connaissances, mais celles qu'il a sont véritablement siennes; il ne sait rien à demi.
ROUSSEAU, Émile, III.

17 (...) les connaissances nous suivent tout le reste de notre vie, nous sont toujours utiles et, quelquefois, nous consolent de bien des peines.
STENDHAL, Souvenirs d'égotisme, p. 135.

18 (...) il y avait chez Pierre *(le Grand)* une disposition caractéristique — chercher l'application de toutes les connaissances qu'il acquérait, à mettre en pratique tout art dont on venait de lui enseigner la théorie.
MÉRIMÉE, Hist. du règne de Pierre le Grand, p. 65.

19 (...) il ne paraît pas que l'avancement des connaissances et la multiplicité des inventions aient beaucoup amélioré les mœurs. FRANCE, la Vie en fleur, XXVIII, p. 317.

20 L'amas sur notre esprit de toutes connaissances acquises s'écaille comme un fard et, par places, laisse voir à nu la chair même, l'être authentique qui se cachait.
GIDE, la Symphonie pastorale, p. 82.

(Sing. collectif). *Dans toutes les branches de la connaissance.* → **Savoir, science.**

♦ **4** (V. 1265). Spécialt et vx. Faculté de connaître propre à un être vivant. → **Compréhension, discernement, entendement, intelligence.** *Être doué de connaissance.*

21 (...) une méthode, par laquelle il me semble que j'ai moyen d'augmenter par degré ma connaissance, et de l'élever peu à peu au plus haut point auquel la médiocrité de mon esprit et la courte durée de ma vie lui pourront permettre d'atteindre.
DESCARTES, Discours de la méthode, I, p. 70.

22 Pourquoi ma connaissance est-elle bornée? ma taille? ma durée à cent ans plutôt qu'à mille?
PASCAL, Pensées, III, 208.

23 Il n'est pas question ici de savoir si les bêtes ont de la connaissance.
FÉNELON, Traité de l'existence de Dieu, XXIII.

Loc. *Les voies, les chemins de la connaissance* (peut aussi être compris au sens 3, collectif : «les connaissances»).

24 (...) il admettait comme un dogme que la science médicale (...) constituait le plus clair profit de vingt siècles de tâtonnements dans toutes les voies de la connaissance, le plus riche domaine ouvert au génie de l'homme.
MARTIN DU GARD, les Thibault, t. III, p. 225.

♦ **5** (1283, *connaissance*). Dr. Droit de connaître et de juger. → **Compétence.** *La connaissance d'une cause par un tribunal.* — Loc. *En connaissance de cause* (→ Cassation, cit. 1).

25 François 1er ôta au Parlement la connaissance de ce qui concerne les évêchés.
VOLTAIRE, Essai sur les mœurs, 138.

Fig. et cour. **EN CONNAISSANCE DE CAUSE :** avec raison et justesse. → **Cause** (cit. 54 et 55), **discernement** (avec discernement), **escient** (à bon escient),

judicieusement, pertinemment, sagement, savamment, sciemment (opposé à *à la légère*). *En toute connaissance de cause.*

26 M. Turgot est protecteur de tous les arts, et il est en connaissance de cause.
VOLTAIRE, Lettre à Lalande, 19 déc. 1774.

II (XIIe). Vx. Preuve, marque.
Mod. Vén. *Les connaissances :* les traces laissées par la bête chassée.

26 (...) les différences
Des pinces de mon cerf et de ses connaissances (...)
MOLIÈRE, les Fâcheux, II, 6.

III (1494, *congnoissance*). ♦ **1** (Dans quelques constructions). Relation sociale qui s'établit entre personnes ayant été au moins une fois en contact. *Lier connaissance avec qqn.* → **Aboucher** (s'), **accointer** (s'), **contact** (entrer en), **lier** (se), **rapport** (se mettre en), **rencontrer. FAIRE CONNAISSANCE.** *J'ai fait connaissance avec lui, j'ai fait sa connaissance.* — (Formule de politesse). *Je suis heureux de faire votre connaissance.* — Absolt. *Nous avons fait connaissance. Renouer, renouveler connaissance :* reprendre des relations interrompues. *Faire faire connaissance à deux personnes.* → **Introduire** (auprès de...), **présenter** (à...). → par ext., cit. 33, 34, ci-dessous.

Vx. *Être, entrer en connaissance avec qqn.*

DE CONNAISSANCE : que l'on connaît. *Une personne, un visage de connaissance. Nous sommes entre gens de connaissance,* qui se connaissent. *Un dessinateur de ma connaissance.* — Loc. (1689, Mme de Sévigné, in D.D.L.). *Être en pays de connaissance,* avec des gens que l'on connaît, dans un milieu social, un domaine intellectuel que l'on maîtrise.

♦ **2** (1628, *in* D.D.L.; répandu XVIIIe; → ci-dessous, cit. 32.1). *Une connaissance :* une personne que l'on connaît. → **Relation; liaison, rencontre.** *Ce n'est ni un ami ni un camarade, c'est une simple connaissance. Vieille connaissance :* personne que l'on connaît depuis longtemps. → **Ami, familier.** *Cultiver* une connaissance. Se faire des connaissances.*

27 (...) il est mon ami,
C'est une vieille connaissance.
LA FONTAINE, Fables, IV, 7.

28 Je voudrais l'accoster, s'il est en ma puissance,
Et tâcher de lier avec lui connaissance.
MOLIÈRE, l'École des maris, I, 3.

29 Ce qui nous fait aimer les nouvelles connaissances n'est pas tant la lassitude que nous avons des vieilles, ou le plaisir de changer, que le dégoût de n'être pas assez admirés de ceux qui nous connaissent trop, et l'espérance de l'être davantage de ceux qui ne nous connaissent pas tant.
LA ROCHEFOUCAULD, Maximes, 178.

30 (...) elle *(ma petite enfant)* a trouvé beaucoup de gens de sa connaissance (...)
Mme DE SÉVIGNÉ, 265, 15 avr. 1672.

31 Mme de Sévigné (...) Ce n'est pas seulement un classique, c'est une connaissance, et, mieux que cela, une voisine et une amie.
SAINTE-BEUVE, Causeries du lundi, 22 oct. 1849.

32 (...) l'une de ces personnes qui ne sont ni amies ni indifférentes et avec lesquelles nous avons des relations de loin en loin, ce qu'on nomme enfin *une connaissance* (...)
BALZAC, Mme de la Chanterie, Pl., t. VII, p. 280.

32 (...) courir au-devant des distractions, des visages nouveaux, de ces liaisons passagères, de ces amis de rencontre, pour lesquels le siècle invente le mot connaissances (...)
Ed. et J. DE GONCOURT, la Femme au XVIIIe s., t. II, p. 134.

(1852). Fam. Vx. Maîtresse, amant. *Il est sorti avec sa connaissance.*

♦ **3** (1823). *Faire connaissance, plus ample connaissance avec qqch.,* découvrir, mieux connaître.

33 Marie en vint à se dire qu'elle faisait connaissance, assurément par sa faute, avec les inconvénients d'une conduite
irrégulière ; mais que bien d'autres femmes avaient dû
passer par là avant elle.
J. ROMAINS, les Hommes de bonne volonté, t. V, I,
p. 10.

34 Une manière commode de faire la connaissance d'une ville
est de chercher comment on y travaille, comment on y
aime et comment on y meurt.
CAMUS, la Peste, p. 13.

CONTR. **Doute, ignorance, incompréhension, inconnais-
sance, inconscience, inexpérience, obscurité.**

CONNAISSANT, ANTE [kɔnɛsã, ãt] adj. — XIIᵉ-XIIIᵉ,
anc. franç. *connoissant* «personne qu'on connaît» ; «instruit», XIIIᵉ ; p. prés. de *connaître*.

♦ **1** Vx. Qui sait. «*Un esprit capable, instruit, connaissant*» (Tallemant des Réaux).

♦ **2** (Philos., didact.). Qui joue le rôle actif (sujet) dans
le processus de la connaissance.
1 Le sujet connaissant (...) semble constituer le domaine de
choix de la réflexion philosophique, en partant du *Cogito*
cartésien pour aboutir au *Cogito* husserlien (...)
J. PIAGET, Logique et Connaissance scientifique,
in Encycl. Pl., p. 11.

N. m. Esprit, personne qui connaît, qui a une activité de connaissance.
2 Il me semble en un mot que la présence d'autrui — et son
introduction inaperçue dans toutes les théories — est une
cause grave de confusion et d'obscurité dans la relation
du connaissant et du connu.
M. TOURNIER, Vendredi..., p. 95.

CONNAISSEMENT [kɔnɛsmã] n. m. — 1803 ; *cognois-
sement*, mar., 1643 ; «connaissance», XIIᵉ ; de *connaître*.
Comm. Reçu des marchandises expédiées par voie
maritime. — Par ext. Contrat de transport maritime
d'une marchandise.
1 Le connaissement doit exprimer la nature et la quantité
ainsi que les espèces ou qualités des objets à transporter.
Code de commerce, art. 281.
2 Toute une population au téléphone ou dans les cafés, parle
de traites, de connaissements et d'escompte.
CAMUS, la Peste, 1947, Pl., p. 1219, *in* T.L.F.

CONNAISSEUR, EUSE [kɔnɛsœr, øz] n. et adj.
— XIIᵉ ; repris XVIIᵉ ; de *connaître*.

♦ **1** N. Personne qui se connaît à qqch., y est
experte. → **Amateur.** *Un connaisseur, un bon connaisseur en qqch.* → **Compétent, versé** (dans). *Être
connaisseur en vins. Connaisseur en gastronomie.*
→ **Gourmet.** *Il est connaisseur en architecture. Un
grand, un fin connaisseur. Soumettre un objet à
l'appréciation d'un connaisseur. Regarder, juger en
connaisseur.*
1 (...) il est assuré, au sentiment des connaisseurs qui ont
vu la répétition, que Lully n'a jamais rien fait de plus
beau (...) MOLIÈRE, le Grand Divertissement royal.
2 (...) un connaisseur, si vous lui présentez une œuvre non
signée d'un maître un peu éminent, est capable de reconnaître de quel artiste est cette œuvre, et cela presque certainement.
TAINE, Philosophie de l'art, t. I, I, I, I, p. 2.
3 (...) le coup d'œil exact et désabusé du connaisseur à qui
on montre un bijou faux (...)
PROUST, À la recherche du temps perdu, IX, p. 96.
4 Tel est le ton des lettres de Julie Talma, où tout mot porte
un trait essentiel ; et nous serions tenté de tout transcrire,
tellement l'art de saisir le vrai, chez cette connaisseuse du
cœur, nous paraît achevé sous cette plume fine et forte.
Émile HENRIOT, Portraits de femmes, p. 243.
5 Les yeux tournés vers l'angle supérieur de la fenêtre, M. de
Mézan semblait savourer en connaisseur la fortune future
de l'abbé Mionnet.
J. ROMAINS, les Hommes de bonne volonté, t. V,
XVII, p. 122.

(1659, Molière, *les Précieuses ridicules*). Au fém. (rare).
C'est une fine connaisseuse. — REM. On dit aussi : *Mᵐᵉ X
est un fin connaisseur, un excellent connaisseur en...*

5.1 Néanmoins, elle lui parle fort aimablement et parle beaucoup de son admiration pour la pièce qu'elle joue, de
l'intérêt qu'elle trouve à son rôle, très désireuse de passer
pour une connaisseuse (...) soucieuse seulement de comprendre les intentions de l'auteur (...)
PROUST, Jean Santeuil, Pl., p. 645.
5.2 Ce n'est pas là le bilan d'une connaisseuse. Plutôt le jeu, assez
cruel, d'une connaisseuse en plaisirs de l'esprit. Nuire en
s'abstenant presque de pécher n'est pas le fait d'une femme
vulgaire (...) COLETTE, le Pur et l'Impur, p. 115.

♦ **2** Adj. m. (avec un nom masc. en épithète ; ou en
attribut). *Un air connaisseur. Un coup d'œil connaisseur. Elle est très connaisseur.*
6 Gilieth alluma une pipe, contempla son paquetage d'un
air connaisseur.
P. MAC ORLAN, la Bandera, VIII, p. 98.

CONTR. **Ignorant, incompétent, profane.**

CONNAÎTRE [kɔnɛtr] v. tr. [CONJUG.: *je connais, il connaît, nous connaissons ; je connaissais ; je connus ; que je connaisse.*] — XIᵉ, *conoistre* ; du lat. *cognoscere*, de *con-
(cum* intensif), et *noscere* ou *gnoscere* «apprendre».
→ Gnose.

Avoir présent à l'esprit (un objet réel ou vrai,
concret ou abstrait ; physique ou mental) ; être
capable de former l'idée, le concept, l'image de.
Connaître qqch. par les sens, le cœur (cit. 143 et
162), *l'esprit. Connaître l'existence d'une chose. Connaître la nature, les caractères d'une chose.*
1 (...) on peut bien connaître l'existence d'une chose, sans
connaître sa nature. PASCAL, Pensées, III, 238.
2 Comme nous le connaissons rien que par comparaison,
dès que tout rapport nous manque, et qu'aucune *analogie*
ne se présente, toute lumière fuit.
BUFFON, *in* LAFAYE, Dict. des synonymes, p. 340.
3 Autre est de savoir en gros l'existence d'une chose, autre
d'en connaître les particularités.
CHATEAUBRIAND, Mémoires d'outre-tombe, III, I,
I, éd. Levaillant, p. 16.
4 On peut connaître tout excepté soi-même.
STENDHAL, Souvenirs d'égotisme, p. 80.
Absolt. *La difficulté de connaître. Désir, soif de connaître.* → **Curiosité.**
5 Connaître, ce n'est point démonter, ni expliquer. C'est
accéder à la vision. Mais, pour voir, il convient d'abord
de participer. Cela est dur apprentissage (...)
SAINT-EXUPÉRY, Pilote de guerre, VII, p. 54.
6 Dans ce monde dévasté où l'impossibilité de connaître est
démontrée, où le néant paraît la seule réalité, le désespoir
sans recours, la seule attitude, il tente de retrouver le fil
d'Ariane qui mène aux divins secrets.
CAMUS, le Mythe de Sisyphe, p. 41.

REM. *Connaître et croire :*
7 *Connaître* et *connaissance* désignent donc un genre dont
les espèces sont constater, comprendre, percevoir, concevoir, etc. Ils s'opposent à *croire* et *croyance,* non par la
force de l'adhésion, mais par le fait que ces deux derniers
termes n'impliquent pas *nécessairement* l'idée de vérité.
LALANDE, Voc. de la philosophie.
À l'infinitif substantivé. (N. m.). Didact. *Le connaître :* l'activité de connaissance.
7.1 Cette grande religion du non-savoir (*le bouddhisme*) ne se
fonde pas sur notre infirmité à comprendre. Elle atteste
notre aptitude, nous élève jusqu'au point où nous découvrons la vérité sous forme d'une exclusion mutuelle de
l'être et du connaître.
Claude LÉVI-STRAUSS, Tristes tropiques, p. 372.

I *Connaître une chose.* ♦ **1** Se faire une idée de, soit
par l'expérience (→ ci-dessous, 3.), soit par des informations, de manière précise ou imprécise (mais
toujours de manière pertinente). *Connaître un fait.
Connaître un mot.* → **Savoir.** *Connaître les tenants*

et aboutissants d'une affaire. Connaître un aliment *pour l'avoir goûté, pour avoir lu sa description.* Connaître un pays. *Connaître l'avenir.* → **Prévoir.** *Chercher à connaître qqch.* → **Documenter** (se), **renseigner** (se), **sonder, tâter** (le terrain). *C'est une chose bonne à connaître.*

8 La chose quelquefois est fâcheuse à connaître (...)
Ne vaudrait-il point mieux (...)
Ignorer ce qu'il en peut être? (...)
La faiblesse humaine est d'avoir
Des curiosités d'apprendre
Ce qu'on ne voudrait pas savoir.
MOLIÈRE, Amphitryon, II, 3.

9 Il est utile à l'homme de connaître tous les lieux où l'on peut vivre, afin de choisir ensuite ceux où l'on peut vivre le plus commodément. ROUSSEAU, Émile, V.

10 Qui voudrait vivre, mon fils, s'il connaissait l'avenir? (...)
BERNARDIN DE SAINT-PIERRE, Paul et Virginie, p. 108.

11 Gilieth était le seul, dans cette troupe de recrues, à connaître la manœuvre d'un fusil et son usage dans la pratique. P. MAC ORLAN, la Bandera, IV, p. 46.

12 Car pour qu'un «historien» renverse la thèse d'un autre, il faut qu'il connaisse les faits au moins d'aussi près que lui. J. ROMAINS, les Hommes de bonne volonté, t. IV, XI, p. 120.

Faire connaître (à qqn, une chose, une idée...).
→ **Apprendre, communiquer, dévoiler, divulguer, exposer, lancer, montrer, présenter, propager, publier, vulgariser.** *La publicité fait connaître au public le produit que l'on veut lancer. Faire connaître un sentiment à qqn.* → **Exprimer, extérioriser, manifester, marquer, témoigner.** *Faire connaître une volonté.* → **Notifier, signifier; savoir** (faire savoir).

Vx. *Se rendre compte de.* → **Apercevoir** (s'), **entrevoir, sentir, voir.**

13 Le meunier, à ces mots, connaît son ignorance.
LA FONTAINE, Fables, III, 1.

Vx. *Connaître que...* → (mod.) **Savoir** (→ Capable, cit. 5).

14 (...) je connus bientôt qu'elle avait entrepris
De l'arrêter au piège où son cœur était pris.
RACINE, Alexandre, I, 3.

14.1 Nous nous entretînmes de plusieurs choses jusqu'à la nuit, et je connus que le jeune homme avait beaucoup d'esprit.
A. GALLAND, les Mille et une Nuits, t. I, p. 162.

15 On connaît aux indigènes de la Corse ont le goût prononcé de la fainéantise.
Ch. MAURRAS, Anthinéa, p. 134.

♦ **2** (1160). Avoir dans l'esprit en tant qu'objet de pensée analysée. *Il connaît assez bien l'œuvre de Hugo. Connaître un texte, un problème, une question à fond, par cœur, sur le bout des doigts.* Connaître qqch. par expérience, par intuition, pour avoir appris, étudié...

Loc. fam. *Je ne connais que ça,* se dit quand on n'arrive pas à se rappeler qqch. qu'on est pourtant sûr de bien savoir. (→ aussi ci-dessous).

15.1 Impossible de retrouver son nom, tout d'un coup... ah, c'est bête. Je le vois comme si j'y étais, en 1922, au théâtre Antoine... et puis son nom, pas mèche! Enfin, je ne connais que ça... ARAGON, Blanche..., p. 70.

Loc. *Ça me connaît :* j'y suis habitué, je connais cela très bien.

Pouvoir faire usage de; être devenu habile en. *Connaître une méthode, son métier. Connaître l'allemand.* → **Savoir.**

Loc. *Connaître la musique*. — Connaître la chanson*. — Connaître qqch. comme sa poche*.*

Connaître (qqch.) *à, en, sur qqch. Il en connaît beaucoup, long... sur la question.* — Fam. *Il en connaît un bout*, *un rayon*.

Je ne connais que ça : je connais ça très bien. *Les vins? Mais je ne connais que ça, j'ai été caviste pendant dix ans!*

(Avec la négation). *Ne pas connaître grand-chose à* (un sujet). *Il ne connaît pas grand-chose à l'aviation. Il n'y connaît rien.*

REM. *Savoir* qui ne s'applique qu'aux choses s'emploie souvent dans le même sens que *connaître* (1. et 2.). *Connaître* s'applique à des choses concrètes et abstraites, *savoir* seulement à des choses abstraites. (*Je sais un pays...* est une exception.) Il en résulte que *savoir* s'est spécialisé pour introduire une proposition : *je sais que...*, alors que la tournure *connaître que* est beaucoup plus rare. Dans les sciences, les arts... les deux mots s'emploient souvent indifféremment : *connaître* ou *savoir l'allemand.* Néanmoins, *connaître* ne signifie pas toujours comme *savoir* «avoir appris». *Connaître une fugue de Bach,* avoir une idée de ce qu'elle est. *Savoir une fugue de Bach,* pouvoir l'exécuter. *Seul savoir* peut s'employer avec un infinitif.

(1268). Pron. *Se connaître à* (qqch.). — (1408, *in* D.D.L.). Mod. *S'y connaître :* être très compétent (dans un domaine). → **Averti, calé, compétent, expert, ferré, qualifié, savant; entendre** (s'y).

REM. Cette locution verbale, qui vient de *se connaître à* (qqch.) (→ ci-dessous, cit. 16, Molière), est devenue un verbe où la particule *y* n'est plus analysée (on peut en effet la construire avec *en : s'y connaître en peinture*). La langue courante l'emploie surtout absolument, par référence au contexte ou à la situation. *Il s'y connaît, celui-là! Tu t'y connais un peu, toi?* Tu es compétent (dans ce domaine qui vient d'être évoqué, qui nous concerne pour l'heure)?

16 (*La cour*) a du sens commun pour se connaître à tout (...)
MOLIÈRE, les Femmes savantes, IV, 3.

17 (...) de ces gens qui (...) parlent hardiment de toutes choses, sans s'y connaître (...)
MOLIÈRE, la Critique de l'École des femmes, 5.

18 C'est bien, nous connaissons ce manège par cœur.
LOTI, M⁻⁶ Chrysanthème, XXIX, p. 135.

19 C'était un vieux singe qui s'y connaissait en grimace.
A. MAUROIS, les Discours du Dʳ O'Grady, V, p. 50.

19.1 Par moments, cela sent furieusement la ménagerie. Adoum, qui s'y connaît, nous montre sur une aire de sable des traces de lion, toutes fraîches; on voit que le fauve s'est couché là; ces demi-cercles ont été tracés par sa queue.
GIDE, Voyage au Congo, *in* Souvenirs, Pl., p. 846.

19.2 (...) les confidences d'une belle, dont quelqu'un qui s'y connaît me disait (...)
F. MAURIAC, Bloc-notes 1952-1957, p. 135.

19.3 (...) une petite flamme s'allumera au fond de leur œil : Tiens, tiens, c'est le fin connaisseur, le grand expert, c'est cela, ce goût fameux, mais il n'y connaît rien, ce pauvre Alain (...) N. SARRAUTE, le Planétarium, p. 283.

Loc. *... ou je ne m'y connais pas,* se dit pour appuyer une assertion, dans un domaine où on s'estime compétent.

19.4 Vous avez vu sur sa cheminée, cette Vierge avec l'Enfant. C'est du faux Renaissance ou je ne m'y connais pas (...)
N. SARRAUTE, le Planétarium, p. 283.

♦ **3** (V. 1175). Avoir vécu, ressenti (qqch.). → **Éprouver, expérimenter.** *Connaître la faim, les privations, l'humiliation.*

20 Tel, lorsque abandonné d'une infidèle amante,
Pour la première fois, j'ai connu la douleur (...)
A. DE MUSSET, Lettre à Lamartine.

21 Qui n'a connu de ces heures où l'on en arrive à ne plus se sentir vivre, tant le sentiment de la vie devient intense et accablant?
Edmond JALOUX, la Chute d'Icare, p. 267.

22 Il avait seulement gagné d'avoir connu la peste et de s'en souvenir, d'avoir connu l'amitié et de s'en souvenir, de connaître la tendresse et de devoir un jour s'en souvenir.
CAMUS, la Peste, p. 313.

Connaître un lieu, y être allé. *Vous connaissez Venise ? Jules Verne ne connaissait pas la plupart des pays qu'il a si bien dépeints.*

23 Un couple, occupé de lui-même, ne connaît pas de brefs colloques. COLETTE, la Naissance du jour, p. 186.

24 Ses portraits connurent des fortunes diverses, chaque modèle jugeant le sien médiocre et ceux des autres excellents. A. MAUROIS, les Discours du Dr O'Grady, XVI, p. 175.

25 (...) les passions politiques atteignent aujourd'hui à un point de perfection que l'histoire n'avait pas connu. Julien BENDA, la Trahison des clercs, p. 117.

♦ **4** (1835). NE CONNAÎTRE QUE... : tenir compte seulement de. → **Admettre, considérer, préoccuper** (se), **reconnaître.** *Il ne connaît que son devoir, que la consigne. Ne connaître que son plaisir. Il est incorruptible et ne connaît que la justice.* (Négatif). *Ne pas connaître qqch., un sentiment,* ne pas en tenir compte. *Il ne connaît ni Dieu ni diable :* il ne croit à rien. → **Mécréant.**

26 Ce ne sont point ici des choses où les enfants soient obligés de déférer aux pères ; et l'amour ne connaît personne. MOLIÈRE, l'Avare, IV, 3.

27 Le fer ne connaîtra ni le sexe ni l'âge (...) RACINE, Esther, I, 3.

Loc. Ne plus rien connaître (→ **Insensible, sourd**). *Dans sa fureur, il ne connaissait plus rien.*

♦ **5** (1549). Trans. indir. *Connaître de :* avoir compétence pour juger. *Le tribunal de commerce ne connaît pas des causes civiles.*

28 Quelque bruit que fit le Nonce d'abord, de ce qu'on ne prenait pas des ecclésiastiques pour connaître d'une matière ecclésiastique (...) PASCAL, les Provinciales, XIX, in LITTRÉ.

29 Les juges de paix connaissent en matière civile, de toutes actions purement personnelles ou mobilières en dernier ressort jusqu'à la valeur de six cents francs (35 000 fr. aux termes de la loi du 24 mai 1951). Loi du 12 juil. 1905, art. 1.

II *Connaître une personne.* ♦ **1** Être conscient de l'existence de (qqn). *Je ne connais pas cet auteur, je n'en ai jamais entendu parler. Je le connais de nom :* je connais son nom, mais guère plus.

(Le sujet désigne la société, le public). *Tout le monde le connaît, la France entière le connaît :* il est connu* (→ ci-dessous). *Faire connaître qqn.* → **Lancer, produire.** *Son dernier film l'a fait connaître. Se faire connaître :* se rendre notoire, célèbre, se faire une réputation. → **Distinguer** (se). → Célébrité, cit. 4.

Loc. (1752). *Ne connaître qqn ni d'Ève ni d'Adam :* ne pas le connaître du tout. Déformations plais. : *ni des lèvres ni des dents ; ni des lèvres ni de l'Isle-Adam* (San-Antonio, in Rey-Chantreau).

♦ **2** Être capable de reconnaître ; savoir l'identité de. *Je connais cette tête-là. Connaître qqn de vue,* l'identifier pour l'avoir déjà vu, mais sans le connaître autrement. *Je vous connaissais de vue avant qu'on ne nous présente. Connaître une personne pour avoir été présenté à elle, pour l'avoir rencontrée dans la rue. Faire connaître qqn à qqn* (même sens que ci-dessus I., 1.). *Se faire connaître à qqn.* → **Présenter** (se). *Ne pas se faire connaître.* → **Incognito** (garder l').

♦ **3** Avoir des relations sociales avec (qqn). → **Connaissance.** *Chercher à connaître une personne en vue. Faire connaître qqn (à qqn).* → **Introduire, présenter.** — Pron. (récipr.). *Ils se connaissent depuis longtemps. Nous nous sommes connus à Paris.* → **Rencontrer.**

30 Comme ils se connaissaient tous deux dès leur bas âge, Une longue habitude en paix les maintenait (...) LA FONTAINE, Fables, XII, 2.

31 Je connus feu son père en mon voyage à Rome. MOLIÈRE, les Femmes savantes, II, 2.

32 Donc, vous n'étiez pas un familier de la maison ? Les voisins n'avaient pas pu vous remarquer ? Ils ne vous connaissaient pas de vue ? J. ROMAINS, les Hommes de bonne volonté, II, IV, p. 39.

♦ **4** Se faire une idée de la personnalité de (qqn). → **Apprécier, comprendre, juger.** *C'est une personne que je connais assez bien. Connaître les hommes et les juger. Se faire connaître et se faire apprécier. Se laisser connaître.* → **Découvrir** (→ ci-dessous, cit. 40). Pron. SE CONNAÎTRE : être capable de se juger (→ ci-dessous, cit. 35, 39, et 42). *Il se connaît mal. Connais-toi toi-même.* → **Gnôthi se auton** (maxime de Socrate). — Vx. *Elle se connaît menteuse :* elle sait qu'elle est menteuse (→ ci-dessous, cit. 36).

33 Mes pareils à deux fois ne se font point connaître, Et pour leurs coups d'essai veulent des coups de maître. CORNEILLE, le Cid, II, 2.

34 (...) vous ne me connaissez pas encore. Vous me faites grand tort de juger de moi par les autres (...) MOLIÈRE, Dom Juan, II, 2.

35 Il faut se connaître soi-même : quand cela ne servirait pas à trouver le vrai cela au moins sert à régler sa vie, et il n'y a rien de plus juste. PASCAL, Pensées, II, 66.

36 La grandeur de l'homme est grande en cela qu'il se connaît misérable. Un arbre ne se connaît pas misérable. C'est donc être misérable que de *(se)* connaître misérable ; mais c'est être grand que de connaître qu'on est misérable. PASCAL, Pensées, VI, 397.

37 Pour connaître les hommes, il faut les voir agir. ROUSSEAU, Émile, IV.

38 (...) on connaîtrait mal par rapport à soi les autres hommes, si on ne se connaissait pas bien soi-même. É. DE SENANCOUR, De l'amour, p. 184.

39 L'homme est un apprenti, la douleur est son maître, Et nul ne se connaît tant qu'il n'a pas souffert. A. DE MUSSET, Poésies nouvelles, «Nuit d'octobre.»

40 (...) ne vous laissez jamais connaître entièrement, vous qui voulez être toujours aimés de celles qui vous aiment. BARBEY D'AUREVILLY, Une histoire sans nom, p. 102.

41 Au reste, il n'y a d'intéressant à connaître que les saints, les scélérats et les fous ; ce sont les seuls dont la conversation puisse valoir. HUYSMANS, Là-bas, XV, p. 206.

42 (...) qu'il y a dans l'analyse un principe de mort, et que l'homme se connaît d'autant moins qu'il se regarde davantage. J. PAULHAN, Entretien sur des faits divers, III, p. 85.

Loc. Ne plus se connaître : ne plus se maîtriser ; être exalté ou en colère. → **Emporter** (s').

42.1 Il n'est pas ivre, c'est un artiste, affirma-t-elle. En Italie, quand un maestro fait de la grande musique, il ne se connaît plus. Francis CARCO, les Belles Manières, p. 24.

♦ **5** (V. 1170). Style biblique. *Connaître une femme,* avoir avec elle des relations charnelles. → **Posséder, prendre** (→ Autre, cit. 15).

43 Adam connut Ève, sa femme ; elle conçut et enfanta Caïn (...) BIBLE (CRAMPON), Genèse, IV, 1.

44 Il est plaisant que le mot *connaître une femme* veuille dire : coucher avec une femme... comme si on ne connaissait pas une femme sans cela. CHAMFORT, Maximes, «Sur les femmes et le mariage», VII.

III (V. 1050). Vx. Trouver en (qqch., qqn) ce qu'on connaissait déjà. → **Reconnaître.** *C'est au fruit que l'on connaît l'arbre** (cit. 41). *À l'œuvre on connaît l'artisan** (La Fontaine, I, 21).

45 — L'amour. — Ce mot est beau. Dites-moi quelques marques À quoi je le pourrai connaître : Que sent-on ? LA FONTAINE, Fables, VIII, 13.

46 (...) qui t'aurait connu déguisé de la sorte ? RACINE, les Plaideurs, II, 2.

(Fin XIIe). → **Discerner, distinguer.** *Connaître sa main droite de sa main gauche. Connaître le bien et le mal.*

47 (...) *À connaître un pourpoint d'avec un haut de chausse.*
MOLIÈRE, *les Femmes savantes*, II, 7.

♦ **CONNU, UE** p. p. adj. (XIIIe). **A** (Choses). ♦ **1** Qui existe en tant qu'objet de pensée, n'est pas inconnu. → **Découvert, présenté, révélé** (→ Christianisme, cit. 5). *Secret qui commence à être connu.* → **Transpirer.** *Cette nouvelle déjà connue* (publiée) *a reçu confirmation* (→ **Officiel**). *Le monde connu.* — N. m. *Le connu et l'inconnu.*

♦ **2** Que la majorité connaît, sait. → **Répandu.** *Chose, idée très connue.* → **Notoire, proverbial; public; commun, rebattu, réchauffé; courir** (qui court les rues). *C'est bien connu.* → **Évident.** *Chose connue sous le nom de...* (→ Alliance, cit. 6).

48 (...) *Messieurs, mon mérite et ma gloire*
Sont connus en bon lieu (...)
LA FONTAINE, *Fables*, IX, 3.

L'anglais est une langue connue dans de nombreux pays. → **Su.**

49 *Il reste encore à la volonté immuable de connaître, ce plaisir du savoir désintéressé, que nous devons à l'ignorance, car ce qui est connu est bientôt insipide.*
J. CHARDONNE, *l'Amour du prochain*, VIII, p. 213.

B (Personnes). Qui a une grande réputation. → **Célèbre** (→ Attendre, cit. 117). *C'est un homme connu et influent.* — Loc. *Être connu comme le loup blanc, le loup gris* : être très connu. *Un homme connu dans les milieux littéraires. Être connu comme... en tant que... Il est connu en tant que conférencier, n'est connu que pour tel. Ni vu ni connu,* sans que cela ne se sache, sans qu'on ne le remarque. → **Incognito.**

50 *Oui, je sais. Tous les grands hommes furent d'abord méconnus; mais je ne suis pas un grand homme, et j'aimerais autant être connu tout de suite.*
J. RENARD, *Journal*, 28 avr. 1893.

CONTR. Douter, ignorer, méconnaître, renier. — Dédaigner, négliger. — (Du p. p.) Inconnu, inédit, obscur, oublié. ◊ DÉR. Connaissable, connaissance, connaissant, connaissement, connaisseur. ◆ COMP. Méconnaître, reconnaître. — Archiconnu, inconnu.

CONNARD, ARDE ; CONNASSE → **Conard**; **conasse.**

CONNATURALITÉ [kɔnatyʀalite] n. f. — 1946; de *connaturel.*

Didact. (rare). Caractère de ce qui est connaturel.

Hoffmann, dans ce conte très remarquable intitulé *La Mine*, décrit un semblable pouvoir d'intuition chez le véritable mineur; il sent le danger et il sait découvrir le minerai dans les filons les plus cachés; il vit dans une espèce de connaturalité avec la nature souterraine, et cette connaturalité est si profonde qu'elle exclut tout autre sentiment ou attachement; le vrai mineur est un homme souterrain; celui qui descend dans la mine sans l'aimer, comme ce marin errant qui s'engage courageusement pour travailler à la mine parce qu'il aime une jeune fille, ne découvrira pas cette connaturalité essentielle (...)
Gilbert SIMONDON, *Du mode d'existence des objets techniques*, p. 89-90.

CONNATUREL, ELLE [kɔnatyʀɛl] adj. — V. 1370; bas lat. *connaturalis* «de la même nature; inné».

Rare, didact. *Connaturel à* (qqn, qqch.) : qui est par nature en accord avec.

Mais de tels moyens, s'ils sont connaturels à notre nature charnelle et blessée, sont *contre nature* au regard du *pneuma* qui nous introduit aux mœurs divines (...)
MARITAIN, *Humanisme intégral*, 1936, p. 267,
in T. L. F.

DÉR. Connaturalité.

CONNE [kɔn] n. et adj. f. → **Con** (II.).

CONNEAU [kɔno] n. m. — Av. 1896 Verlaine; au sens érotique *connaut*, 1610 Béroalde de Verville; de *con*, I., suff. *-aud*, puis de *con*, II., suff. *-eau*.

Fam. Con (II.); jeune con. → **Conard.**

REM. Var. [kɔno] : *coneau, conaud, connaud, connot, conno* («On fera les *connos*», Céline, *in* T. L. F.). Dér. plais. : *con(n)ozof.*

CONNECTER [kɔnɛkte] v. tr. — 1780; lat. *connectere*, de *con-* (cum) et *nectere* «attacher».

♦ **1** Vx (ou fig. de 2.). Unir (des choses entre elles). → **Relier.**

V. pron. *Éléments qui se connectent.*

Propositions qui se suivent et se connectent les unes avec les autres. VOLTAIRE, *in* Pierre LAROUSSE.

♦ **2** Techn. Unir par une connexion, mettre en liaison (deux ou plusieurs appareils électriques). *Connecter un calculateur périphérique à une unité centrale.* → **Brancher.**

CONTR. Couper, débrancher, déconnecter, isoler, séparer. ◊ DÉR. et COMP. Connectif, connecteur, connectique. Déconnecter, interconnecter.

CONNECTEUR [kɔnɛktœʀ] n. m. — 1799; de *connecter.*

♦ **1** Techn. Appareil de connexion. *Connecteur téléphonique.* — Électr. Prise à broches multiples.

♦ **2** Log., ling. *Connecteur propositionnel, connecteur* : symbole ou mot qui permet de former une proposition complexe à partir de plusieurs propositions élémentaires. *Connecteurs binaires* (la conjonction, l'implication, l'équivalence...). *Connecteur de la négation, de l'implication. Connecteurs et théorèmes de syntaxe, en logique mathématique* (calcul propositionnel). *Connecteurs primitifs, connecteurs dérivés.* — *Connecteur unaire* : la négation.

CONNECTICIEN, IENNE [kɔnɛktisjɛ̃, jɛn] n. — 1985; de *connectique.*

Techn., inform. Spécialiste, technicien en connectique.

CONNECTIF, IVE [kɔnɛktif, iv] adj. et n. m. — 1799, subst.; de *connecter.*

I Adj. Vx. Qui sert à unir. — Anat. (rare). *Tissu connectif.* → **Lamineux.**

II N. m. Anat. ♦ **1** Anat. Nerf réunissant des ganglions. — Bot. Organe qui réunit les deux loges de l'anthère dans certaines plantes.

♦ **2** Log., ling. Vieilli. → Connecteur, 2.

CONNECTIQUE [kɔnɛktik] n. f. — 1976; de *connecter.*

Techn. Ensemble des techniques établissant les liaisons, les câblages des réseaux d'ordinateurs.

DÉR. Connecticien.

CONNEMENT [kɔnmɑ̃] adv. — XXe (attesté 1953); de *con*, adj.

Vulg. Bêtement, d'une manière conne.

Faut pas, Pierrot, que tu te froisses; j'ai fait ça un peu connement hier, sous le coup de la mauvaise impression.
Albert SIMONIN, *Touchez pas au grisbi*, p. 205.

CONNERIE [kɔnʀi] n. f. — 1845, Flaubert (*Correspondance*, Pl., t. I, p. 239), dans un sens probablt érotique ; de *con*, II.

Familier.

♦ 1 Imbécillité, absurdité ; bêtise. *Tout ça, c'est de la connerie, de la connerie en branche! Il est d'une connerie insondable.*

1 Voir quoi ? Quels juges ? C'est pas maintenant que tu vas aller te dénoncer. Ça serait de la vraie connerie.
Jean GENET, Querelle de Brest, p. 316 (1953).

2 Tâche (...) qu'elle ne soit ni moche ni trop conne, la fille. — J'essaierai, dit Albert. Pour ce qui est du minois, je m'y connais, mais la connerie, c'est parfois insondable.
R. QUENEAU, les Fleurs bleues, p. 102.

♦ 2 Action ou parole inepte. *Faire, dire des conneries. Arrête tes conneries!*

3 Veux-tu qu'on aille au cinéma ? — Pour voir des conneries ? merci.
R. QUENEAU, le Dimanche de la vie, p. 152.

4 Pourquoi j'aurais pas confiance en vous ? Vous avez été gentil avec les petites. Et puis maintenant j'en peux plus. Je fais peut-être une connerie, mais je n'en peux plus.
Claude SIMON, le Vent, p. 79.

Situation, chose absurde. *«Quelle connerie la guerre»* (Prévert, «Barbara»).

CONNÉTABLE [kɔnetabl] n. — 1165, *conestable* ; «commandant militaire», 1155 ; du bas lat. *comes stabuli*, proprt «comte (*comes*) de l'étable (*stabulum*)».

♦ 1 N. m. Hist. Sous l'Ancien Régime, Grand officier de la couronne, d'abord surintendant des écuries, puis chef suprême de l'armée. *Louis XIII supprima la dignité de connétable en 1626, après la mort du connétable de Lesdiguières. L'épée de connétable.*

1 Le connétable capétien dérive certainement du *comes stabuli* carolingien ; cependant son nom n'apparaît qu'en 1043. Il a déjà sa place marquée dans l'armée royale ; mais il est sous les ordres du grand sénéchal, jusqu'à la disparition de celui-ci (...) Dès le XIIIᵉ siècle, le connétable revendique le droit de commander l'avant-garde de l'armée royale. Au XIVᵉ siècle, il deviendra le chef de toute l'armée.
CHÉNON, Hist. générale du droit franç., t. I, p. 577.

Au fém. (*Une, la connétable*). Épouse d'un connétable.

2 (...) une lettre que madame Bonacieux a reçue de la connétable, et qu'elle a eu l'imprudence de me communiquer, me porte à croire que ces quatre hommes au contraire sont en campagne pour la venir enlever.
A. DUMAS, les Trois Mousquetaires, t. II, p. 693.

♦ 2 N. m. Cinquième grand dignitaire sous Napoléon Iᵉʳ. — Doyen des maréchaux de France.

♦ 3 N. m. Titre héréditaire donné dans certains pays à des personnes de qualité. *Le connétable de Castille.*

DÉR. **Connétablie.**

CONNÉTABLIE [kɔnetabli] n. f. — V. 1309, *connestablie* ; *cunestablie* «commandement d'une troupe», 1160 ; *conestablie* «corps d'armée», 1155 ; de *connétable*.

Didact., hist. Juridiction d'un connétable, puis des maréchaux de France, chargée d'instruire et de juger les délits des soldats et officiers en service.

CONNEXE [kɔnɛks] adj. — 1290 ; lat. *connexus*, de *connectere*. → Connecter.

♦ 1 Qui a des rapports étroits (avec autre chose). → **Analogue, dépendant, joint, lié, uni, voisin.** *Affaires, matières, idées, sciences connexes. Domaine connexe à une science.*

1 Encore que toutes ces choses soient connexes entre elles (...)
DESCARTES, Secondes réponses.

Depuis que, par les progrès connexes de la science et de l'industrie, l'esprit moderne s'est affranchi de toute théologie, l'homme occidental n'est plus disciplinable que d'après une loi démontrable. 1.1
ALAIN, Abrégés pour les aveugles, VII, *in* les Passions et la Sagesse, Pl., p. 829.

Rare. *Connexe de*. «*Il y a chez moi comme une crise de la dictée, connexe de celle du cours*» (Du Bos, *Journal*, 1926, in T. L. F.).

♦ 2 (1834). Concret. Bot. *Feuilles connexes*, dans lesquelles les pétioles opposés sont soudés à la base.

♦ 3 Dr. *Causes connexes* : causes jugées par un même tribunal en raison de leur connexité*. — *Délit* connexe.*

La cour statuera par un seul et même arrêt sur les délits connexes dont les pièces se trouveront en même temps produites devant elle. 2
Ancien Code d'instruction criminelle, art. 220.

CONTR. Indépendant, séparé. ◊ DÉR. et COMP. Connexion, connexité. V. Déconnexe.

CONNEXION [kɔnɛksjɔ̃] n. f. — 1338 ; de *connexe*.

Didact. ou style soutenu.

♦ 1 Fait d'être connexe ; rapport entre choses connexes. → **Affinité, analogie, cohérence, liaison, rapport, relation, union.** *La connexion des faits, des idées. Connexion étroite, intime.*

Ce monde limité (*le monde actuel*) et dont le nombre des connexions qui en rattachent les parties ne cesse de croître, est aussi un monde qui s'équipe de plus en plus. 1
VALÉRY, Regards sur le monde actuel, Avant-propos, p. 27.

Si le monde est absurde, nous ne pouvons pas y souscrire, nous pouvons tout au plus nous révolter contre le fait que «l'action ne soit pas la sœur du rêve» et que la connexion des choses ne réponde pas à celle des idées. 2
Emmanuel BERL, le Virage, p. 87.

♦ 2 (1546). Concret. Anat. *Connexion des parties d'un organe. Un organe tend à conserver les mêmes connexions.*

(...) cette idée de l'unité de plan (...) Geoffroy Saint-Hilaire (...) en fait le pivot de son «anatomie philosophique» (...) Ainsi, d'après la «loi des connexions», les organes, en dépit de leur atrophie ou de leur hypertrophie, en dépit des métamorphoses que nécessite leur ajustement à de nouvelles fonctions, conservent toujours leurs connexions mutuelles : «Un organe est plutôt anéanti que transposé». 3
Jean ROSTAND, Esquisse d'une histoire de la biologie, p. 115-116.

Électr. Liaison d'un appareil à un circuit. → **Câblage** ; **connecteur.** *Connexion enroulée.*

DÉR. **Connexionnisme.** ◊ COMP. Interconnexion.

CONNEXIONNISME [kɔnɛksjɔnism] n. m. — 1976 ; angl. *connexionism*, 1932, de *connexion*. → Connexion.

Inform. Branche de l'intelligence artificielle qui utilise les réseaux de neurones. — REM. On emploie aussi *connexionniste*, adj. et n.

CONNEXITÉ [kɔnɛksite] n. f. — 1410 ; de *connexe*.

Didact. Qualité de ce qui est connexe. → **Connexion.** *Il y a une grande connexité entre la psychologie et la morale.* — Dr. Lien étroit entre deux litiges où les mêmes parties sont en cause, justifiant qu'ils soient instruits et jugés ensemble.

CONNEXION, CONNEXITÉ. Ces deux termes, si voisins, se distinguent en ce que connexion, dérivant directement du radical qui est dans *connexus*, exprime l'action de lier et le résultat de cette action ; et que connexité, dérivant de *connexus*, exprime la qualité d'être connexe. 1
LITTRÉ, Dict., art. *Connexité*.

(...) ce qui permettait d'identifier leur visage, c'était la connexité d'un gros nez rouge avec un bec-de-lièvre, ou de deux joues ridées avec une fine moustache. 2
PROUST, le Côté de Guermantes, Pl., t. II, p. 42.

CONNIL [kɔnil] ou **CONNIN** [kɔnɛ̃] n. m. — XIIᵉ, *cuniz*, d'où *conil, connil* (XIIIᵉ); v. 1160 *conin*, par changement de suffixe (→ Lapin); du lat. *cuniculus*. REM. Archaïque depuis le début du XVIIᵉ, parfois repris en franç. mod.; l'homonyme *conin* (v. 1160) est un dér. de *con*, I.

Archaïsme littér. Lapin. Par jeu de mots avec l'homonyme :

Je connais un autre connin
Que tout vivant je voudrais prendre.
Sa garenne est parmi le thym
Des vallons du pays de Tendre.
        APOLLINAIRE, le Bestiaire, «Le lapin».

CONNIVENCE [kɔnivɑ̃s] n. f. — 1539, *Recueil général des anciennes lois françaises*, in D.D.L.; bas lat. *coniventia*, de *conivens*, p. prés. de *conivere*. → Conniver.

Entente secrète ou tacite.

♦ **1** Vieilli. Complicité qui consiste à cacher la faute de qqn. *Acheter la connivence d'un juge.* → **Corruption.** — *Être de connivence (avec qqn),* complice.

1   Je pourrais aisément compter sur la connivence du premier président en cas que la chose lui fût bien recommandée.
        VOLTAIRE, Lettre à M. de Cideville, 30 janv. 1731.

♦ **2** (1798). Mod. et littér. Accord tacite. → **Entente, intelligence.**

2   L'œuvre d'art ne s'épanouit qu'avec la participation, la connivence, de tous les éléments vertueux de l'esprit.
        GIDE, Journal, août 1910, p. 310.

3   De furtives et tacites connivences les liaient.
        MARTIN DU GARD, les Thibault, t. V, p. 156.

Cour. *...de connivence. Échanger un sourire, un signe de connivence. Être de connivence avec qqn* : s'entendre avec qqn de manière spontanée, souvent non exprimée.

♦ **3** Sc. nat. État, situation d'éléments connivents (1.).

CONNIVENT, ENTE [kɔnivɑ̃, ɑ̃t] adj. — 1753, sens 1; av. 1593, sens 2; lat. *conivens*, p. prés. de *conivere*. → Connivence, conniver.

♦ **1** Sc. nat. Qui tend à se rapprocher, forme des replis. *Feuilles conniventes. Valvules conniventes de la muqueuse intestinale humaine.*

♦ **2** (Repris XIXᵉ). Littér. et rare. Qui est de connivence.

(...) je ne comprenais pas comment cette femme (...) semblât ne pas oser me faire un signe d'intelligence qui m'avertît (...) que nous étions connivents et complices dans le même mystère (...)
        BARBEY D'AUREVILLY, les Diaboliques, éd. L. de Poche, p. 60.

CONNIVER [kɔnive] v. intr. — Mil. XVIᵉ, Montluc; lat. *conivere* «se fermer (en parlant des yeux); fermer les yeux (aussi fig.)».

Littér. et vx. Être complice, être de connivence. *Conniver avec qqn. Conniver à qqch.* : fermer les yeux sur..., par connivence (encore chez Renan, in T.L.F.).

CONNOTATIF, IVE [kɔnɔtatif, iv] adj. — 1866; trad. de l'angl. *connotative*, J. Stuart Mill, lat. scolast. *connotativus*, de *connotare*. → Connoter.

Didact. (philos., ling.). Qui constitue une connotation, concerne la connotation (opposé à *dénotatif*).

CONNOTATION [kɔnɔtasjɔ̃] n. f. — 1660, *Grammaire de Port-Royal*; de *connoter*.

♦ **1** Philos., log. (opposé à *dénotation*). Propriété d'un terme de désigner en même temps que l'objet certains de ses attributs. — Ensemble des caractères de l'objet désigné par un terme. → **Compréhension.**

♦ **2** Ling. Sens particulier ou effet de sens d'un énoncé ou d'un élément linguistique que lui confère le contexte situationnel.

1   C'est pourquoi la métaphore de l'apocalypse convient non seulement pour sa connotation de déchirement du voile, de destruction des idoles, de débusquage du fantasme, mais aussi pour sa résonance plus familière de peur d'être détruit, de peur de la fin du monde.
        Didier ANZIEU, le Moment de l'apocalypse, *in* la Nef, nº 31, p. 132.

2   La sagesse est inséparable de la taille et de l'âge. C'est en ce sens qu'elle comporte toujours une connotation enfantine et justifie l'usage français de parler d'*enfants sages* ou de recommander aux enfants d'*être bien sages.*
        M. TOURNIER, le Vent Paraclet, p. 282.

CONNOTER [kɔnɔte] v. tr. — V. 1530; de *con-*, lat. *cum*, et *notare*; repris XIXᵉ à l'angl. *to connote*, de même origine.

♦ **1** Philos., log. Renvoyer par une connotation* (1.), par la relation de compréhension. «*Tout nom dénote des sujets et connote les qualités appartenant à ces sujets*» (Goblot).

♦ **2** Ling. (en parlant d'un signe). Renvoyer, outre son acception stable et rationnelle, à un contenu dépendant du contexte situationnel.

Qu'il s'agisse de poisons véritables ou de substances magiques, les Nambikwara les désignent tous du même terme : *nandé.* Ce mot dépasse donc la signification étroite que nous attachons à celui de poison. Il comporte toute espèce d'actions menaçantes ainsi que les produits ou objets susceptibles de servir à de telles actions.
        Claude LÉVI-STRAUSS, Tristes tropiques, p. 257.

DÉR. Connotation. V. Connotatif.

CONNU, UE [kɔny] adj. → **Connaître.**

CONOÏDAL, ALE, AUX [kɔnɔidal, o] adj. — 1611; de *conoïde.*

Didact. (sc.). → **Conoïde.**

CONOÏDE [kɔnɔid] adj. — 1556, n. m.; grec *kônoeidês*, de *kônos* (→ Cône), et *-eidês* (→ -oïde).

Didact. (sc.). Qui a la forme d'un cône. — Syn. : *conoïdal.*

Anat. (vx). *Corps conoïde.* → **Pinéal** (glande pinéale).

Math. *Surface conoïde,* ou, n. m., *un conoïde* : surface engendrée par une droite qui s'appuie à une droite fixe, reste parallèle à un plan fixe et satisfait à une troisième condition.

DÉR. Conoïdal.

CONOPÉE [kɔnɔpe] n. m. — 1887; *conopé*, 1882; grec *kônôpeion* «tente».

Liturgie. Voile qui enveloppe le tabernacle d'un autel.

CONQUE [kɔ̃k] n. f. — 1375; lat. *concha* (→ Conche), grec *kogkhê* «coquille».

♦ **1** Tout mollusque bivalve de grande taille; sa coquille. *Conque marine. Vénus portée par une conque. — La conque d'un bénitier** (cit. 1).

1   Debout dans sa conque nacrée,Comme une Aphrodite éthérée,
Elle vogue sur le bleu clair,Faite de l'écume de l'air.
        Th. GAUTIER, Émaux et Camées, «La nue».

2   Mais une vierge consacrée,
Une conque neuve et nacrée (...)
        VALÉRY, Poésies, Charmes, «La pythie».

Myth. Coquille en spirale que les tritons utilisent comme trompe. — Par anal. Trompe faite d'une coquille, ou en forme de coquille.

3 (...) les tritons, qui sonnaient de la trompette avec leurs conques recourbées. FÉNELON, Télémaque, 4.

♦ **2** (1690). **Anat.** Cavité de l'oreille externe où prend naissance le conduit auditif.

4 (...) une excavation profonde, connue sous le nom de conque. C'est une dépression en forme d'entonnoir, dont le fond, dirigé en dedans, se continue directement avec le conduit auditif externe.
L. TESTUT, Traité d'anatomie, III, p. 719.

Enceinte acoustique ayant une forme analogue. Une conque de métal.

♦ **3** Forme concave (d'une conque). La conque d'une chevelure.

5 Ses cheveux n'étaient que châtain foncé; mais à distance, ils brillaient presque noirs en recouvrant la nuque de leur conque épaisse.
Pierre LOUŸS, la Femme et le Pantin, I, p. 21.

En conque : en forme de conque.

5.1 (...) nous tressaillons lorsqu'une rose, en se défaisant dans une chambre tiède, abandonne un de ses pétales en conque (...)
COLETTE, Flore et Pomone, in Gigi, p. 140.

Mettre sa main en conque, lui donner la forme d'une conque.

6 Il se retourne, la main en conque sur son oreille poilue.
M. GENEVOIX, Forêt voisine, XII, p. 158.

♦ **4** **Archit.** Forme semi-circulaire d'une abside; abside.

CONQUÉRANT, ANTE [kɔ̃kerɑ̃, ɑ̃t] n. et adj.
— 1160; du p. prés. de conquérir.

I N. (rare au fém.). ♦ **1** Personne qui fait des conquêtes par les armes. → **Conquistador, guerrier, vainqueur.** Guillaume le Conquérant. Alexandre, le grand conquérant. → **Conquéreur.** Les Conquérants, roman de Malraux.

1 Il n'y a point de plus grande gloire que celle des conquérants : choisissons le plus renommé d'entre eux. Quand on veut parler d'un grand conquérant, chacun pense à Alexandre (...)
BOSSUET, Profession de Mᵐᵉ La Vallière.

2 (...) il n'est rien de si doux que de triompher de la résistance d'une belle personne, et j'ai sur ce sujet l'ambition des conquérants, qui volent perpétuellement de victoire en victoire, et ne peuvent se résoudre à borner leurs souhaits.
MOLIÈRE, Dom Juan, I, 2.

3 (...) le chef de la redoutable phalange, le père du plus grand conquérant qu'ait jamais produit l'histoire, c'est Philippe, père d'Alexandre.
DANIEL-ROPS, le Peuple de la Bible, IV, II, p. 314.

♦ **2** Personne qui séduit les cœurs, les esprits. François-Xavier, le conquérant des âmes. — (En parlant de ceux qui inspirent de l'amour.) Un conquérant des cœurs. → **Bourreau** (des cœurs; → Don Juan).

4 Je l'ai vu vers le temple, où son hymen s'apprête, Mener en conquérant sa nouvelle conquête (...)
RACINE, Andromaque, V, 2.

II Adj. ♦ **1** (Personnes; collectivités.) Qui conquiert, qui cherche à conquérir par les armes, militairement. Nations conquérantes. Un régime, un gouvernement militariste et conquérant. Hordes, tribus conquérantes. Roi, peuple conquérant. — Par anal. La marche conquérante de l'Occident, de la colonisation, du XVIᵉ au XIXᵉ siècle. Une économie conquérante, qui conquiert les marchés étrangers.

(Choses). Relatif à l'esprit de conquête. «La fureur conquérante (...) d'un Gengis ou d'un Tamerlan» (Maine de Biran, in T.L.F.). Ambition, folie conquérante, de conquête.

♦ **2** Qui conquiert (2.), cherche à conquérir. Idées, théories conquérantes. «La classe montante et conquérante» (J. Lacroix, in T.L.F.). Science conquérante. Art conquérant. La pensée conquérante d'un génie.

(Choses concrètes). **Littér.** Soleil conquérant.

♦ **3** (Personnes). Qui conquiert (2.), cherche à conquérir (une situation élevée, d'autres personnes, etc.). Un aventurier conquérant.

Vieilli. Qui conquiert les cœurs.

5 Les hommes ne goûtent dans le plaisir d'être aimés que celui de triompher de la personne qui les aime; et les amants heureux ne sont heureux que parce qu'ils sont conquérants.
FONTENELLE, cité par Adolphe RICARD, l'Amour, les Femmes et le Mariage.

♦ **4** **Fam.** et iron. Qui affecte l'apparence d'un conquérant (ci-dessus, I., 2.); qui témoigne d'une ardeur pour conquérir. Un petit air conquérant, prétentieux, un peu fat. Des gestes conquérants. — (Traits physiques). Une moustache conquérante.

CONQUÉREUR [kɔ̃kerœr] n. m. — 1260; anc. franç. conquereour, XIIᵉ; de conquérir.

Rare. Celui qui conquiert (mot repris pour éviter les connotations que comporte le mot normal, conquérant, «triomphant» ou «prétentieux»).

Il me semblait (dit une femme) que j'étais la toison d'or et que je partais à la recherche d'un conquéreur.
GIDE, les Faux-monnayeurs, I, VII, in Romans, Pl., p. 982.

REM. Le fém. conquéreuse [kɔ̃kerøz] est virtuel.

CONQUÉRIR [kɔ̃kerir] v. tr. [CONJUG.: acquérir.] — 1080, conquerre; du lat. pop. *conquærere, lat. class. conquirere «chercher à prendre», d'après quærere «chercher», de con- (cum), et quærere.

♦ **1** Acquérir par les armes, soumettre par la force. → **Assujettir, dominer, soumettre, subjuguer, vaincre.** Conquérir une place forte, une ville, un pays, une province, un royaume, un empire. Conquérir le monde. — Absolt. L'ambition de conquérir.

1 Il (Attila) aime à conquérir, mais il hait les batailles.
CORNEILLE, Attila, IV, 1.

2 S'il avait pu conquérir le monde entier, il en aurait cherché un nouveau pour satisfaire l'avidité de ses désirs.
ROLLIN, Œuvres, VI, p. 583, in POUGENS.

3 L'empereur écoute encore (...) chaque décharge le déchire, car il ne s'agissait plus pour lui de conquérir, mais de conserver. Ph.-P. SÉGUR, Hist. de Napoléon, IX, 2.

Obtenir en luttant. Conquérir le pouvoir; un marché. → **Obtenir, prendre.** Conquérir une belle situation, la gloire, le bonheur. Conquérir un siège parlementaire. — (Abstrait). Conquérir l'estime de qqn, la sympathie. Conquérir la liberté, la paix intérieure. — **Relig.** Conquérir la perfection, la béatitude, le ciel.

Spécialt. Conquérir l'affection, l'amour de qqn (→ ci-dessous, 2.).

♦ **2** (Compl. n. de personne). Acquérir une forte influence sur (qqn). → **Amener** (à soi), **assujettir, attacher** (s'), **attirer, attraper, capter, captiver, charmer, dominer, entortiller, envoûter, gagner.** Conquérir les cœurs. → **Séduire, soumettre, subjuguer.** Conquérir les païens à la foi. → **Convertir.** Conquérir par un charme, par la magie. → **Charmer, enchanter, envoûter.** — Passif. Être conquis par qqn, par son charme (→ ci-dessous, Conquis, p. p. adj.).

4 Il y a peu de plaisir à conquérir des gens qui ne veulent pas être conquis (...)
P.-L. COURIER, Pamphlets politiques, Lettre X, Pl., p. 47.

Spécialt. *Conquérir le cœur d'une femme. Conquérir une femme.* → (fam.) 1. **Avoir**, 1. **tomber.** — Absolt (→ ci-dessous, cit. 5).

5   Quand on n'a que de la vanité, toute femme est utile, aucune n'est nécessaire : le succès flatteur est de conquérir, et non de conserver.
STENDHAL, De l'amour, XLI, p. 162.

6   La plupart d'entre nous doivent conquérir, et sans cesse reconquérir, l'être qu'ils désirent et qui ne s'offre pas à eux sans combat.
A. MAUROIS, Un art de vivre, II, II, p. 61.

♦ **SE CONQUÉRIR** v. pron.

♦ 1 (Réfl.). Se maîtriser, prendre possession de soi-même.

♦ 2 (Passif). Être obtenu par une lutte. *La noblesse se conquiert par l'épée et se perd* (cit. 48) *par le travail.*

7   (...) les succès littéraires ne se conquièrent que dans la solitude et par d'obstinés travaux.
BALZAC, Illusions perdues, Pl., t. IV, p. 552.

8   La culture ne s'hérite pas ; elle se conquiert.
MALRAUX, in GIDE, Journal, 22 août 1937.

♦ 3 (Récipr.). Se soumettre réciproquement par la force. *Se conquérir l'un l'autre, les uns les autres.*

9   Ces hordes se conquièrent sans cesse les unes les autres.
MONTESQUIEU, l'Esprit des lois, XVIII, 19.

♦ **CONQUIS, ISE** p. p. adj.

♦ 1 Pris par une conquête. *Peuple conquis. Villes conquises. Terrain conquis.*

10   Une troupe qui ne peut plus avancer, devra, coûte que coûte, garder le terrain conquis et se faire tuer sur place plutôt que de reculer.
Général JOFFRE, Message du 6 sept. 1914.

Fig. *Se conduire comme en pays, en terrain conquis,* sans ménagement, cavalièrement.

Obtenu par une lutte. *Dépouilles conquises* (sur l'ennemi). — *Terres cultivables conquises sur la forêt, sur le désert.*

♦ 2 Fig. Soumis, dominé. — Séduit, soit socialement, soit sentimentalement et sexuellement (surtout au fém.). *Un public conquis. Une femme conquise, un homme conquis.*

11   (...) chargé de mille cœurs conquis par mes bienfaits !
RACINE, Bérénice, II, 2.

12   Grosse erreur ! Aucune femme, si soumise et passive qu'on la suppose, n'est conquise une fois pour toutes.
Léon DAUDET, la Femme et l'Amour, I, p. 18.

CONTR. Abandonner, perdre. — (Du p. p.) Révolté. ◊ **DÉR.** Conquérant, conquéreur. V. **Conquêt, conquête.** → **COMP.** Reconquérir.

CONQUÊT [kɔ̃kɛ] n. m. — 1283 ; *cunquest* «conquête», 1155 ; du lat. pop. **conquæsitus,* p. p. de **conquærere.* → Conquérir.

Dr. Bien acquis par le travail (par opposition aux biens acquis par succession ou donation). — **Spécialt.** Bien acquis à titre gratuit ou onéreux par un époux au cours de la communauté, et qui fait partie des biens communs. → **Acquêt.**

(...) on est par la Coutume
Communs en meubles, biens immeubles et conquêts (...)
MOLIÈRE, l'École des femmes, IV, 2.

CONQUÊTE [kɔ̃kɛt] n. f. — V. 1160, *conqueste,* et jus-qu'au déb. XVIIIᵉ ; du lat. pop. **conquæsita,* p. p. de *conquærere.* → Conquérir.

A ♦ 1 (*La conquête*). Action de conquérir (un lieu, un domaine). → **Assujettissement, domination, prise, soumission.** *Faire la conquête d'un pays. La conquête du Mexique par les Espagnols. Conduire** (cit. 17) *ses hommes à la conquête de... Les conquêtes de Napoléon.* → aussi **Victoire.** *La conquête de l'espace.*

→ **Découverte.** *Régner sur un pays par droit de conquête. Esprit de conquête.* → **Agression, attaque, guerre.**

Loc. *À la conquête de... :* à la découverte de. *S'élancer à la conquête du monde.*

Action de lutter pour obtenir (qqch.). *La conquête du pouvoir, du succès. La conquête d'un droit. La conquête du bonheur, de la liberté.* — *La conquête de nouveaux terrains sur la mer. La conquête des matières premières, de l'or,* le fait de les obtenir.

♦ 2 (*Une, des conquêtes*). Ce qui est conquis. *Con-server, étendre ses conquêtes. Affermir, assurer* (cit. 4) *ses conquêtes.*

Territoire conquis. Administrer ses conquêtes. Les conquêtes romaines.

Conquêtes sociales, syndicales ; les conquêtes de la révolution bourgeoise. → **Acquis, résultat, victoire** (fig.). *Les conquêtes de l'esprit, de la science. La con-quête de qqch. par qqn* (→ Conquistador, cit. 3). *Une conquête sur la matière.*

1   Il y a des crimes qui deviennent innocents, et même glo-rieux, par leur éclat, leur nombre et leurs excès ; de là vient que les voleries publiques sont des habiletés, et que prendre des provinces injustement s'appelle faire des con-quêtes.   LA ROCHEFOUCAULD, Maximes, 608.

2   Le plus merveilleux, dans cette conquête admirable, c'est que ce ne fut point une conquête. Ce ne fut rien d'autre chose qu'un mutuel élan de fraternité.
MICHELET, Hist. de la Révolution franç., t. II, p. 7.

«La plus noble conquête de l'homme...» (→ Cheval, cit. 1).

B ♦ 1 Action d'amener à soi, de séduire (qqn). *La conquête de qqn, des âmes, des cœurs.* → **Séduction, soumission.** *La conquête d'un amant. Entreprendre la conquête de qqn. Il a fait sa conquête :* il l'a séduit, il lui a plu. *Il a fait une nouvelle conquête. Des conquêtes amoureuses.*

3   Tant qu'ils ne sont qu'amants, nous sommes souveraines,
Et jusqu'à la conquête ils nous traitent de reines ;
Mais après l'hyménée ils sont rois à leur tour.
CORNEILLE, Polyeucte, I, 3.

4   (...) comme Alexandre, je souhaiterais qu'il y eût d'autres mondes, pour y pouvoir étendre mes conquêtes amou-reuses.   MOLIÈRE, Dom Juan, I, 2.

♦ 2 (1637). Fam. Personne séduite, conquise. *Vous avez vu sa dernière conquête ?*

5   (...) ce qu'on cherche précisément à atteindre, elles nous l'offrent déjà ; c'est qu'elles ne sont pas des conquêtes.
PROUST, À la recherche du temps perdu, t. XI, p. 175.

CONTR. Abandon, défaite, perte, soumission. ◊ **DÉR.** Con-quêter.

CONQUÊTER [kɔ̃kete] v. tr. — 1155, *conquester ;* de *conquête.*

Vx. Conquérir. *Conquêter un empire.*

REM. Ce verbe a été repris par Montherlant (*les Bestiaires,* p. 464, Pléiade).

CONQUIS, ISE [kɔ̃ki, iz] p. p. adj. → **Conquérir.**

CONQUISTADOR [kɔ̃kistadɔʀ] n. m. — 1841, G. Sand ; mot esp. «conquérant».

Aventurier espagnol parti à la conquête de l'Amé-rique au XVIᵉ siècle. *Pizarro et Cortés, célèbres con-quistadores* [kɔ̃kistadɔʀɛs] *ou conquistadors.*

1   Et le Conquistador, bénissant sa folie,
Vint planter son pennon d'une main affaiblie
Dans la terre éclatante où s'ouvrait son tombeau.
J. M. DE HEREDIA, Trophées, «Jouvence».

2 Il n'est plus question, comme pour les conquistadors, de découvrir, chaque soir, émerveillés, des étoiles nouvelles[1], ni de poursuivre l'ophir insaisissable, mais d'accomplir le geste le plus vil et le plus insupportable de tous, celui de compter.　　　　　　A. SAUVY, Croissance zéro?, p. 315.
1. Allusion au célèbre sonnet de Heredia, *Les Conquérants*.

Par métaphore. → **Conquérant**.

3 Il y a deux catégories d'hommes : ceux qui dirigent et ceux qui sont dirigés. Les premiers sont les créateurs littéraires, artistiques, scientifiques, politiques. En somme, les conquistadores : conquête de la pensée par l'écrivain, de la beauté par l'artiste, de la vérité par le savant et le philosophe, du pouvoir par le politique.
　　　　　　MONTHERLANT, les Lépreuses, *in* Romans, Pl., t. I, p. 1385.

CONSACRANT [kɔ̃sakrɑ̃] adj. m. — 1690; de *consacrer*.

Relig. Qui consacre. → **Consécrateur** (1.). *Évêque consacrant*, qui consacre un autre évêque. *Prêtre consacrant*, qui dit la messe et consacre l'hostie. → **Célébrant**. — N. m. *Le consacrant* : le prêtre consacrant.

Le concile de Nicée veut que la décision pour ce choix *(des prêtres)* appartienne principalement au métropolitain, qui était le consacrant.　　　　　　FÉNELON, II, 154.

CONSACRER [kɔ̃sakʀe] v. tr. — XIIᵉ; lat. *consecrare* d'après *sacrer*.

♦ **1** Rendre sacré en dédiant à un dieu, à une divinité (→ **Consécration**). *Consacrer une église* (→ Relique, cit. 2), *un temple, un autel, un calice*. → **Bénir**. *Consacrer un évêque* (→ **Sacrer**), *un prêtre* (→ **Oindre, ordonner**).

1 (...) chant des litanies des Saints, pour obtenir la protection céleste sur ceux que le Pontife va «bénir, sanctifier et consacrer» (...)
　　　　　　Mᵍʳ GRENTE, les Sept Sacrements, p. 110.

Spécialt. *Consacrer l'hostie, le vin au cours de la messe*. → **Consécration**.
Consacrer (qqch.) *à* (une divinité, un saint...) : rendre sacré en dédiant à... *Consacrer un temple à Jupiter*. → **Bâtir, dédier**.
Donner, offrir à (une divinité, un saint...). *Consacrer un enfant à Dieu, à la Sainte Vierge*. → **Vouer**. *Consacrer sa vie à Dieu*. → **Religion** (entrer en).

2 Les fidèles apprennent que le vrai Dieu, le Dieu d'Israël, le Dieu un et indivisible auquel ils sont consacrés par le baptême, est tout ensemble Père, Fils et Saint-Esprit.
　　　　　　BOSSUET, Hist., II, 6, *in* LITTRÉ.

3 (...) les païens en foule adorent Dieu et mènent une vie angélique; les filles consacrent à Dieu leur virginité et leur vie; les hommes renoncent à tous les plaisirs.
　　　　　　PASCAL, Pensées, XI, 724.

Théol. *Consacrer certains mots*, pour en déterminer et fixer le sens. → **Définir**.

♦ **2** CONSACRER (qqch.) À (un certain usage, qqn) : destiner, affecter à. → **Appliquer, attribuer, dédier, destiner, dévouer, donner, sacrifier, vouer**. *Consacrer sa jeunesse à l'étude. Consacrer sa vie à un être cher, à une œuvre. Consacrer son énergie à une tâche. Consacrer son temps à qqn. Combien de temps pouvez-vous me consacrer?* → **Accorder**.

4 Surtout j'ai cru devoir aux larmes, aux prières Consacrer ces trois jours et ces trois nuits entières.
　　　　　　RACINE, Athalie, I, 2.

5 Jamais vocation d'écrivain ne fut plus évidente; jamais vie ne fut plus entièrement consacrée à une œuvre.
　　　　　　A. MAUROIS, Études littéraires, M. Proust, t. I, p. 113.

6 (...) je t'ai élevée, je t'ai consacré ma vie, je t'ai appris le bien, je suis restée ici seule, malade, malheureuse, pour qu'il y ait auprès de toi un exemple d'honneur. Voilà ma

récompense! Tu veux me quitter, toi aussi ... Vous voulez me crucifier!
　　　　　　J. CHARDONNE, les Destinées sentimentales, Porcelaine de Limoges, p. 474.

♦ **3** Littér. Rendre saint, sacré, vénérable. *Consacrer un lieu par le sang des martyrs*. → **Sanctifier**.

7 *(Les lévites)* Consacrèrent leurs mains dans le sang des perfides (...)　　　　　　RACINE, Athalie, IV, 3.

♦ **4** Rendre durable et faire considérer comme légitime, valable. → **Affirmer, asseoir, confirmer, entériner, ratifier, sanctionner**. *Consacrer un abus*. — (Sujet n. de chose). *Le temps consacre les erreurs, les préjugés. Consacrer une coutume par l'usage*.

8 Les droits de mes aïeux, que Rome a consacrés (...)
　　　　　　RACINE, Britannicus, IV, 2.

9 (...) je suis, dans la ville des livres *(Paris)*, en un coin désert, consacré par quatre ou cinq siècles d'héroïsmes, de labeurs, de détresses, de sacrifices, d'avortements, de suicides et de gloire.
　　　　　　E. FROMENTIN, Dominique, p. 112.

♦ **SE CONSACRER** v. pron.

♦ **1** *Se consacrer à Dieu*. → **Offrir** (s'), **réserver** (se réserver pour), **vivre** (pour).

♦ **2** Fig. *Se consacrer au service de qqn*. → **Attacher** (s'), **employer** (s'), **livrer** (se). *Elle s'est consacrée à ses enfants. Se consacrer entièrement à une œuvre, à l'étude. Se consacrer à une discipline particulière*. → **Spécialiser** (se); **occuper** (s').

♦ **CONSACRÉ, ÉE** p. p. adj.

♦ **1** Qui a reçu la consécration religieuse. → **Saint**. *Hostie consacrée. Terre consacrée* (d'un cimetière). *Jour consacré* : fête liturgique. → Bannière, cit. 7. *Lieu consacré* (sanctuaire, temple...). *Homme consacré* : prêtre. → **Oint** (→ Autorité, cit. 33).
Prêtre consacré à Dieu. Autel consacré à la Vierge.

♦ **2** Fig. Attribué, réservé à. *Fonds consacré à une dépense*. — Habituel, ratifié (par l'usage...). *Gloire consacrée par le temps. Expression consacrée par l'usage. Terme consacré*, habituel (pour un emploi, dans un sens).

10 On me reproche d'avoir mis des termes de piété dans la bouche de mon imposteur (...) Il suffit (...) que j'en aie retranché les termes consacrés dont on aurait eu peine à lui entendre faire un mauvais usage.
　　　　　　MOLIÈRE, Tartuffe, Préface.

11 (...) elle *(la mémoire de Turenne)* est consacrée à l'immortalité (...)　　　　　　Mᵐᵉ DE SÉVIGNÉ, 431, 16 août 1675.

12 (...) les résultats acquis et les conquêtes faites, bourgeois, soldats, prêtres jureurs, ouvriers, paysans, tous ne souhaitent plus que de les voir consacrés, assis, assurés à jamais par un gouvernement fort (...)
　　　　　　Louis MADELIN, De Brumaire à Marengo, IV, p. 54.

CONTR. Profaner, violer. — Abolir, annuler, défaire, invalider. — Abandonner. ◊ **DÉR.** Consacrant. — V. Consécration.

CONSANGUIN, INE [kɔ̃sɑ̃gɛ̃, in] adj. — 1282, n.; lat. *consanguineus*, de *con*- (*cum*) et *sanguis* «sang».

♦ **1** Didact., dr. Qui est parent du côté du père. → **Agnat**; et aussi **utérin**. *Frère consanguin, sœur consanguine*.

1 Il était permis *(à Athènes)*, d'épouser sa sœur consanguine.　　　　　　MONTESQUIEU, l'Esprit des lois, V, 3.

2 Les parents utérins ou consanguins ne sont pas exclus *(de la succession)* par les germains (...)
　　　　　　Code civil, art. 733.

N. *Le consanguin, la consanguine de qqn. Les consanguins*.

♦ **2** Qui a un ascendant commun. *Ensemble des parents consanguins*. → Parentèle, cit. 2. — Qui concerne des personnes ayant un ascendant commun. *Union consanguine*. → **Croisement**. *Ménage consanguin*.

3 (...) avec une impression de justesse frêle, comme ont parfois les rejetons de vieilles familles aristocratiques, affaiblies par des mariages consanguins.

Henri MICHAUX, Un barbare en Asie, p. 149.

CONTR. Cognat, germain, utérin. ◊ **DÉR. Consanguinité.**

CONSANGUINITÉ [kɔ̃sãɡyinite] n. f. — 1277 ; lat. consanguinitas, de consanguineus. → Consanguin.

Didact., dr. Lien qui unit les enfants issus du même
père. *Degré de consanguinité.* → **Filiation.** — **Par ext.**
Parenté héréditaire.

(...) ma quadrisaïeule prit pour mari, après dispenses pour
second et quatrième degré de consanguinité, son cousin
Michel-Donatien de Crayencour.

M. YOURCENAR, Archives du Nord, p. 85.

CONSCIEMMENT [kɔ̃sjamã] adv. — 1834 ; de conscient.

D'une façon consciente, en le sachant. *Il fait le mal
consciemment. Il a dit cela consciemment, à peine
consciemment.*

Il ne trichait guère avec lui-même ; du moins pas consciemment.

MARTIN DU GARD, les Thibault, t. V, p. 107.

CONTR. Inconsciemment, subconsciemment.

CONSCIENCE [kɔ̃sjãs] n. f. — Fin XIIᵉ ; lat. conscientia
«connaissance». → Conscient.

Faculté qu'a l'homme de connaître sa propre réalité et de la juger ; cette connaissance.

I *(Conscience psychologique).* Connaissance immédiate et réflexive que certains organismes vivants,
et, spécialt, l'homme, ont quant à leur propre activité psychique. → **Connaissance, notion, sentiment.**
Conscience et pensée (1. Pensée, cit. 13). **A** Didact.
et cour. ♦**1** (Construit avec de et un objet). *Avoir la
conscience de son existence, de ses sensations. Avoir,
perdre la conscience de soi, de soi-même. Conscience
d'exister, de vivre. La «conscience positionnelle* (cit.)
du monde» (Sartre).

1 Sitôt que nous avons la conscience de nos sensations.

ROUSSEAU, Émile, I.

2 Tout ce qui agite puissamment notre organisme nous
donne une conscience intime de notre existence : voilà
le plaisir.

BALZAC, Physiologie du mariage, Pl., t. X, p. 882.

3 Salammbô était envahie par une mollesse où elle perdait
toute conscience d'elle-même.

FLAUBERT, Salammbô, XI, p. 225.

4 Ce qui m'enchante en lui *(Descartes)* et me le rend vivant,
c'est la conscience de soi-même, de son être tout entier
rassemblé dans son attention ; conscience pénétrante des
opérations de sa pensée ; conscience si volontaire et si précise qu'il fait de son Moi l'instrument dont l'infaillibilité
ne dépend que du degré de cette conscience qu'il en a.

VALÉRY, Variété IV, p. 226.

(Qualifié par un adjectif). *Conscience claire, lucide*
(→ **Lucidité**), *vague, obscure* (de soi...). *Conscience
marginale*. Conscience spontanée, réfléchie.*

Absolt. *La conscience* : la conscience de soi, de son
existence. *Avoir conscience, jouir de sa conscience.
«Avoir conscience, c'est sentir qu'on sent»* (Goblot).

5 La conscience éclaire donc de sa lueur, à tout moment,
cette partie immédiate du passé qui, penchée sur l'avenir,
travaille à le réaliser et à se l'adjoindre.

H. BERGSON, Matière et Mémoire, p. 167.

Fait de conscience : phénomène de la vie psychique. *Perte de conscience* (évanouissement, sommeil...). *Perdre conscience. Retour à la conscience.*

6 Le retour à la conscience, l'évasion hors du sommeil
quotidien figurent les premières démarches de la liberté
absurde.

CAMUS, le Mythe de Sisyphe, p. 82.

Loc. *Prendre conscience* : devenir conscient (d'un
phénomène psychique personnel). — **Spécialt** (psychan.). *Prise de conscience* : accès à la conscience de
sentiments refoulés, déterminants de la conduite.
*La prise de conscience n'est rendue possible que par
la volonté d'être informé sur les motivations réelles
de ses actes, et de vaincre les résistances* qui s'y
opposent.* → **Levée** (des résistances).

(...) le principe même de la thérapeutique *(analytique)* reste 6.1
toujours la prise de conscience. C'est ainsi que l'analyse des
mécanismes de défense du moi doit toujours se traduire
par une prise de conscience de ces mécanismes. C'est ainsi
que le patient s'il doit vivre ses relations avec l'analyste doit
prendre justement conscience de ce qu'il vit.

Guy PALMADE, la Psychothérapie, p. 87.

♦**2** Faculté d'avoir une connaissance intuitive de
soi, d'avoir la conscience (1). *La conscience et les
sens.*

♦**3** Didact. (psychol.). La partie de la vie, de l'activité psychique dont le sujet a une connaissance
intuitive. → **Conscient** (C.). *Sentiment inconscient qui
arrive à la conscience, pénètre dans le champ de
la conscience* (opposé à *l'inconscient*). *Conscience des
sensations internes* (→ **Cénesthésie**), *externes.*

♦**4** Didact. (philos.). Acte ou état dans lequel le sujet
se connaît en tant que tel et se distingue de l'objet
qu'il connaît. *Conscience du soi, du moi.*

B Cour. ♦**1** (Dans des loc. verbales : *avoir, prendre
conscience*, et nominales). Connaissance immédiate,
intuitive, plus ou moins vague (dans quelque
domaine que ce soit). → **Intuition.** *Avoir conscience
de qqch.* → **Pressentir, ressentir, sentir.** *Il a conscience de son talent, de son mérite, de sa force, de
sa liberté. Ils n'ont pas conscience de leur droit.* —
Prendre conscience d'une chose. → **Apercevoir** (s'), **connaître, savoir.** *La prise de conscience d'une situation
dramatique.* — (Qualifié). *Avoir la pleine, une pleine
conscience (de qqch.).*

Je ressentis devant elle ce désir de vivre qui renaît en nous 7
chaque fois que nous prenons de nouveau conscience de
la beauté et du bonheur.

PROUST, À la recherche du temps perdu, t. IV,
p. 70.

La spontanéité est une qualité gentille, belle et charmante, 8
mais combien je lui préfère une pleine conscience et une
lente réflexion.

Max JACOB, Conseils à un jeune poète, p. 63.

Il a déjà très bien conscience de sa supériorité d'homme. 9

MARTIN DU GARD, les Thibault, t. VIII, p. 246.

♦**2** Connaissance spontanée, intuitive (d'une situation). *Conscience individuelle. Conscience collective,
politique, sociale. Atteindre une conscience politique.*
→ **Conscientisé.**

(...) il n'y a guère sur cent hommes que deux ou trois 10
d'entre eux qui aient une âme personnelle. Pour les autres,
j'incline à penser, qu'ils ont une sorte de demi-conscience
rudimentaire et collective, comme les colonies de madrépores et de coraux.

Edmond JALOUX, Fumées dans la campagne, XI,
p. 91.

Spécialt. *Conscience de classe** (cit. 9.4).

C Par métonymie. ♦**1** Siège des phénomènes psychiques conscients et notamment des convictions, des
croyances (avec un impact moral). → ci-dessous, II.).
Liberté* de conscience.

♦**2** *(Une, des consciences).* La personne, en tant que
siège des croyances, des convictions. *Opprimer,
violer les consciences. Diriger, éclairer les consciences.* → **Esprit.** *La liberté des consciences.* → aussi
ci-dessous, II., 5. (aspect moral).

II *(Conscience morale).* ♦**1** Connaissance intuitive
par l'être humain de ce qui est bien et mal, et qui

le pousse à porter des jugements de valeur morale sur ses propres actes ; personnalité humaine sur le plan de cette connaissance morale. *La conscience de qqn, sa conscience. Une conscience bourrelée, chargée, corrompue, délicate, droite, exacte, intègre, juste, large, lourde, minutieuse, nette, pure, réglée, scrupuleuse, timorée, tourmentée, tranquille, trouble, ulcérée, vénale... Une conscience élastique*. Cas de conscience.* → **Cas.** *Scrupule de conscience. Motif* de conscience. Les joies, les remords de la conscience. Les prescriptions, le témoignage de la conscience. La voix de la conscience. Les inspirations de la conscience.* → **Dictamen.** *Les cris, les reproches de la conscience. Parler, agir selon, suivant sa conscience, contre sa conscience. Lire, pénétrer dans les consciences. Interroger, déchiffrer sa conscience. Le secret de la conscience. Descendre dans sa conscience.* — (Dans le contexte religieux) *Dieu lit dans les consciences. Examen de conscience.* → **Examen.** *Directeur de conscience.* → **Confesseur, père.** *Le tribunal de la conscience.* → **For.** *Par acquit de conscience, pour l'acquit de sa conscience :* pour se tranquilliser. *Être en sûreté de conscience. Avoir la conscience en paix, en repos. En toute tranquillité de conscience. Capituler, composer, transiger avec sa conscience. Accommodements avec sa conscience* (→ **Compromis**). *Décharger, libérer, soulager sa conscience.* → **Aveu, confession, contrition, pénitence, regret, remords, repentir.** *Cela blesse sa conscience. Acheter, corrompre les consciences. Vendre sa conscience.*

11 (...) la Rappinière et les siens remarquèrent sur son visage de si grandes marques d'une conscience bourrelée que tout autre, moins entreprenant que lui, n'eût point balancé à l'arrêter.
        SCARRON, le Roman comique, I, XV, p. 80.

12 Ne nous flattons donc point, voyons sans indulgence L'état de notre conscience.
        LA FONTAINE, Fables, VII, 1.

13 Parlerai-je, Monsieur, selon ma conscience (...)
        MOLIÈRE, Amphitryon, II, 1.

14 Conscience ! conscience ! instinct divin, immortelle et céleste voix ; guide assuré d'un être ignorant et borné, mais intelligent et libre ; juge infaillible du bien et du mal, qui rend l'homme semblable à Dieu, c'est toi qui fais l'excellence de sa nature et la moralité de ses actions ; sans toi je ne sens rien en moi qui m'élève au-dessus des bêtes, que le triste privilège de m'égarer d'erreurs en erreurs à l'aide d'un entendement sans règle et d'une raison sans principe.
        ROUSSEAU, Émile, IV.

4.1 Je ne parle pas ici en directeur de conscience, notez-le. Je parle en homme, humainement.
        BERNANOS, la Joie, *in* Œ. roman., Pl., p. 698.

Loc. Vieilli. *Se faire conscience de qqch.,* s'en faire un cas de conscience, un problème moral. *Par ext. Il se fait conscience de vous déranger.* → **Scrupule.**

15 Notre conscience est un juge infaillible, quand nous ne l'avons pas encore assassinée.
        BALZAC, la Peau de chagrin, Pl., t. IX, p. 129.

16 (...) mon « état moral » — si j'ose parler de cette maladie secrète qu'est la conscience — est fort bon quand je vais bien.
        GIDE, Lettre à Christian Beck, 2 juil. 1907.

17 (...) les scrupules qui (...) harcèlent les consciences tourmentées ?
        F. MAURIAC, la Pharisienne, XIV, p. 221.

La conscience : le sens moral. *Avoir la conscience de laisser faire telle chose.* → **Cœur.** *Avoir de la conscience.* → **Honnêteté.** *Un homme de conscience, de haute conscience.* → **Probité, courage.** *Être sans conscience. C'est une affaire de conscience,* de sens moral. *Obligation de conscience.* → **Moral.** — « *Science* sans conscience...* »

18 (...) pouvais-je, après tout, avoir la conscience De le laisser mourir faute d'une assistance (...)
        MOLIÈRE, l'École des femmes, II, 5.

19 Les fonctionnaires français, depuis l'instituteur jusqu'au gouverneur de la Banque de France, offrent l'exemple du labeur et de la conscience dont un homme est capable, par simple attachement à sa profession, sans profit pécuniaire, même lorsque son dévouement est caché.
        J. CHARDONNE, l'Amour du prochain, VII, p. 181.

Je m'en remets, je m'en rapporte à votre conscience. → **Sens** (moral).

♦ **2 Loc. SUR LA CONSCIENCE.** *Laisser qqch. sur la conscience de qqn,* l'en rendre responsable. *Vous aurez cela sur la conscience. Il a une faute, un poids sur la conscience :* il a qqch. à se reprocher.

20 Je te le mets sur ta conscience, au moins.
        MOLIÈRE, l'Avare, I, 3.

Fig. Le cœur, la poitrine en tant que siège supposé de la conscience. *Se mettre la main sur la conscience :* s'examiner pour savoir si l'on a qqch. à se reprocher. *Dites-moi, la main sur la conscience, ce que vous pensez de cela,* en toute sincérité.

21 Je crois, la main sur la conscience, n'avoir rien exagéré et n'avoir exposé que des faits dans ce que je viens de dire sur la légitimité.
        CHATEAUBRIAND, Mémoires d'outre-tombe, t. VI, p. 95.

Dire ce que l'on a sur la conscience. Sur mon honneur et sur ma conscience, je déclare...

EN CONSCIENCE : en vérité, en toute franchise. → **Franchement, honnêtement.** *Je vous le dis en conscience. En mon âme* et conscience, je pense que...,* je déclare...

22 Lui, *(le Christ)* demeure inexplicable toujours et quand même, pour qui prend la peine de sonder en conscience les textes de l'Écriture (...)
        LOTI, Jérusalem, XXIII, p. 266.

♦ **3 BONNE, MAUVAISE CONSCIENCE :** conscience d'avoir bien ou mal agi, sentiment de satisfaction ou d'insatisfaction quant au jugement moral porté sur soi-même. — REM. *Bonne conscience* s'emploie en général dans un contexte péjoratif, impliquant une morale peu exigeante. — *Avoir bonne conscience :* être content, satisfait de soi, sur le plan moral. *Se donner bonne conscience, s'acheter une bonne conscience. Donner bonne, mauvaise conscience à qqn. Avoir mauvaise conscience.* → **Culpabilité.** — (Dans des emplois analogues). *Avoir la conscience nette, tranquille :* ne pas se sentir coupable.

23 (...) il *(le pasteur)* avait trop bonne conscience et s'installait trop aisément dans la compassion.
        Pierre GASCAR, le Temps des morts, p. 240.

24 (...) le savoir n'a pas le droit de fournir de la bonne conscience (marchandise non pondéreuse, transportable, bien cotée sur le marché) aux intellectuels, aux techniciens, aux gens en place et au pouvoir. La bonne conscience rationalisée, institutionalisée par la Science et bureaucratisée en son nom, qu'y a-t-il de plus laid ?
        Henri LEFEBVRE, la Vie quotidienne dans le monde moderne, p. 149-150.

♦ **4 CONSCIENCE PROFESSIONNELLE :** honnêteté, soin que l'on apporte à l'exécution de son travail. — Absolt. *Mettre beaucoup de conscience dans son travail.*

25 Il en faisait une sale tête. Elle lui boulottait les foies, sa conscience (...) Ce M. Tolut, il n'y avait rien à faire, il devait mourir comme il est mort, lamentablement, avec ce truc qu'il appelait sa conscience professionnelle en train de lui manger les sangs.
        R. QUENEAU, les Derniers Jours, p. 231.

Techn. *Travail en conscience :* travail délicat, rémunéré au temps et non à la pièce, en typographie. *Être en conscience ; journée en conscience.* — Par métonymie. *La conscience :* les typographes en conscience.

♦ **5 Par métonymie.** *Une, des consciences :* personne, en tant que dotée d'une conscience morale. → aussi, ci-dessus, I., C., 2. *Violer les consciences. Endormir, éclairer les consciences.*

♦ **6** Loc. *Clause de conscience,* par laquelle un journaliste peut, pour sauvegarder sa liberté intellectuelle et morale, rompre son contrat de travail si l'orientation du journal change. — Cour. *Objection*, objecteur** (cit. 1, 2, 3) *de conscience.*

♦ **7** Techn. Pièce de bois que l'on appuie sur la poitrine (le cœur, la «conscience» → ci-dessus, II., 2) pour pousser un foret que l'on fait tourner à la main (avec un archet, etc.).

CONTR. Inconscience. — Malhonnêteté. ◊ DÉR. Consciencieux. - COMP. Inconscience, subconscience, surconscience.

CONSCIENCIEUSEMENT [kɔ̃sjɑ̃sjøzmɑ̃] adv.
— 1585; de *conscientieux.*

D'une manière consciencieuse, avec application. → **Scrupuleusement.** *S'acquitter consciencieusement d'un travail.*

Tendre, douce enfant. Si facile. Si scrupuleuse... c'était attendrissant... frottant consciencieusement ses petits pieds chaussés de daim blanc sur le paillasson, pour ne pas salir (...) N. SARRAUTE, le Planétarium, p. 57.

Par plais. D'une manière complète et comme volontairement (en parlant d'un acte inconscient, d'un échec). *Il a consciencieusement raté tous les plats.* → **Systématiquement.** — *Elle a dormi consciencieusement jusqu'à midi,* profondément.

CONTR. Indélicatement, malhonnêtement.

CONSCIENCIEUX, IEUSE [kɔ̃sjɑ̃sjø, jøz] adj.
— 1527; de *conscience,* II.

♦ **1** Qui obéit à la conscience morale, qui accomplit ses devoirs avec conscience. → **Honnête.** *Être consciencieux jusqu'au scrupule.* → **Délicat, scrupuleux.**

1 Le duc de Saxe, le plus consciencieux des protestants (...) BOSSUET, Hist. des variations des Déf. 1ᵉʳ Disc., 942.

Par ext. Minutieux et scrupuleux dans son travail, ses activités. *Employé consciencieux.* → **Attentif, exact, travailleur.**

N. *Un grand consciencieux.* «*C'était un scrupuleux, un consciencieux*» (Cendrars, *Bourlinguer*)

♦ **2** Qui est fait avec conscience. *Travail consciencieux.* → **Minutieux, soigné.** *Travailler d'une manière consciencieuse.*

2 Une visite consciencieuse lui avait montré que l'explication n'était pas à chercher du côté du site (...) J. ROMAINS, les Hommes de bonne volonté, V, XXII, p. 173.

♦ **3** Littér. Relatif à la conscience morale. «*Mes efforts consciencieux*» (Renan), de conscience.

CONTR. Indélicat, malhonnête. — Bâclé. ◊ DÉR. Consciencieusement.

CONSCIENT, ENTE [kɔ̃sjɑ̃, ɑ̃t] adj. et n. — 1754, cit. 1;
lat. *consciens,* de *conscire* «avoir conscience», de *con-* (*cum*) et *scire* «savoir».

Correspond à *conscience,* I.

A ♦ **1** (Personnes). *Conscient de :* qui a un sentiment aigu de (ce qui le concerne). *Il est conscient de ses responsabilités, de sa valeur, de la situation. Il n'est pas conscient d'avoir mal agi.*

1 Nous sommes conscients de toutes ces choses, nous sentons que c'est en nous, dans notre moi qu'elles se passent (...) Charles BONNET, Essai de psychologie, XXXV.

1.1 Jeune encore, intelligent, très conscient de l'effet qu'il veut produire, et de celui qu'il produit. GIDE, Voyage au Congo, *in* Souvenirs, Pl., p. 775.

Être politiquement conscient. Syndicalistes conscients et organisés.

♦ **2** (Choses). Dont on a conscience. *Sensation consciente* (→ Automate, cit. 7; concevoir, cit. 15). *États conscients.*

2 (...) impressions contemporaines, qu'elle *(la sensation)* ramène à sa suite avec cette infaillible proportion de lumière et d'ombre, de relief et d'omission, de souvenir et d'oubli, que la mémoire ou l'observation conscientes ignoreront toujours. PROUST, À la recherche du temps perdu, t. XV, III, p. 23.

3 (...) ces mouvements que je faisais, s'ils étaient conscients, n'étaient qu'à peu près volontaires. GIDE, Si le grain ne meurt, p. 115.

B (Personnes). ♦ **1** Qui a, par nature, conscience (I.) de ce qu'il fait ou éprouve. *L'homme est un être conscient.* — Spécialt. Qui est lucide, connaît et juge soi-même et le monde extérieur.

4 On a vu des hommes conscients accomplir leur tâche au milieu des plus stupides des guerres sans se croire en contradiction. CAMUS, le Mythe de Sisyphe, p. 129.

♦ **2** Qui est dans un état (momentané) de conscience (I.). *Le moribond est resté conscient jusqu'au bout. Il n'était plus conscient. Elle a mis longtemps à redevenir consciente après l'opération.*

C N. m. L'ensemble des faits psychiques dont le sujet a conscience. *Le conscient et le subconscient.* → **Conscience,** I., 3.

CONTR. Inconscient, subconscient. — (De B., 2.) Évanoui; endormi; anesthésié. ◊ DÉR. Conscientiser.

CONSCIENTISER [kɔ̃sjɑ̃tize] v. tr. — 1977 au p. p.;
de *conscient.*

Didact. Faire prendre conscience à (qqn), spécialt en matière politique. *Parti qui cherche à conscientiser le peuple.* — P. p. adj. *Masses conscientisées.*

CONSCRIPTIBLE [kɔ̃skriptibl] adj. — 1838; de *conscription,* et suff. *-ible.*

Vx. Qui peut être appelé par la conscription. — «*Âge conscriptible*» (Chateaubriand).

CONSCRIPTION [kɔ̃skripsjɔ̃] n. f. — 1789; bas lat.
conscriptio, du supin de *conscribere.* → Conscrit.

♦ **1** Inscription, sur les rôles de l'armée, des jeunes gens qui ont atteint l'âge fixé par la loi pour le service militaire (cf. Appel sous les drapeaux). → **Enrôlement, recensement, recrutement.** *Conscription militaire. Atteindre l'âge de la conscription. Armée de conscription. La conscription fut établie par la loi du 19 fructidor an VI.*

1 (...) c'était le Directoire qui (...) avait stabilisé, en quelque sorte, l'enrôlement forcé, sous le nom de *conscription,* et contraint — en principe — tous les jeunes Français de vingt à vingt-cinq ans à entrer dans l'armée. Louis MADELIN, l'Avènement de l'Empire, XXI, p. 266.

♦ **2** Hist. Tirage au sort des jeunes gens appelés sous les drapeaux parmi ceux qui ont été recensés. *Tomber à la conscription.*

2 Une histoire simple que la sienne. Il était tombé à la conscription. Ed. et J. DE GONCOURT, Manette Salomon, p. 285.

DÉR. Conscriptible.

CONSCRIT [kɔ̃skri] adj. et n. m. — 1355, *pères conscrits,*
du lat. *patres conscripti,* lat. *conscriptus,* de *conscribere* «enrôler», de *con-* (*cum*) et *scribere* «écrire».

♦ **1** Adj. Antiq. rom. *Les Pères conscrits :* les membres du Sénat.

♦ **2** (1789). N. m. Inscrit au rôle de la conscription. — Soldat nouvellement recruté. → **Recrue; bleu** (fam.). *Enrôler, incorporer des conscrits. Ajourner un conscrit au prochain conseil de révision* (→ **Ajournement**). *Les conscrits de la classe 1980* (→ **Classe**). *Histoire d'un conscrit de 1813*, roman d'Erckmann-Chatrian.

1   (...) dans une armée, on n'admet que des hommes valides, et ici tous sont conscrits dès le berceau.
       TAINE, Philosophie de l'art, t. II, IV, III, II, p. 185.

2   J'aurai un ami, de ma promotion, un pays, un vieux conscrit, nous revivrons nos campagnes en comparant nos éraflures.   S. BECKETT, Textes pour rien, p. 133.

Fam. et vieilli. Homme inexpert. → **Bleu, novice.** *Il s'est laissé manœuvrer comme un conscrit. «Il me traita de conscrit, ce qui me sembla une injure»* (Stendhal, *Vie d'Henry Brulard*).

♦ **3** N. f. **CONSCRITE** (régional, rural) : jeune fille née la même année que les conscrits.

3   Les jeunes filles nées de la même année, les conscrites des conscrits, furent invitées au premier repas, qui dura de midi à six heures, mais se retirèrent, comme il est de coutume, quand les garçons commencèrent à être ivres.
       Roger VAILLAND, 325 000 francs, p. 74.

CONSÉCRATEUR [kɔ̃sekʀatœʀ] n. m. — 1568; lat. chrét. *consecrator*, du supin de *consecrare*. → Consacrer.

♦ **1** Relig. → **Consacrant.**

♦ **2** Littér. et rare. Celui qui consacre (fig.), confirme (qqch.).

CONSÉCRATION [kɔ̃sekʀasjɔ̃] n. f. — XIIᵉ; lat. *consecratio*, du supin de *consecrare*. → Consacrer.

♦ **1** Didact. (relig.). Action de consacrer, dédicace à la divinité. *Consécration d'un temple, d'un autel. La consécration de qqn à Dieu. — Consécration d'une église catholique au culte.* → **Bénédiction, dédicace.** *Consécration d'un évêque.* → **Onction,** sacre.

Vieilli. Action de destiner (à qqch.). *La consécration d'un édifice à l'usage public.*

♦ **2** (1309). Action par laquelle le prêtre consacre le pain et le vin, à la messe. *Les paroles de la consécration. L'élévation* et l'anamnèse* suivent la consécration. Consécration du pain, de l'hostie.*

1   D'un ton solennel (...) il dit : «*Hoc est enim corpus meum*», puis, au lieu de s'agenouiller, après la consécration, devant le précieux Corps, il fit face aux assistants (...)
       HUYSMANS, Là-bas, XIX, p. 263.

♦ **3** (1820). Plus cour. (mais style soutenu). Action de sanctionner, de rendre durable. → **Confirmation, sanction, ratification, validation.** *La consécration du temps, de l'usage. La consécration de qqch. par le temps, par l'usage. La consécration du succès*, de la gloire. Cet événement fut la consécration de sa théorie.* → **Apothéose, triomphe, victoire.**

2   Agrandis la scène : imagine un groupe immense, joins-y la consécration du temps, et tu auras le gouvernement tel qu'il peut nous paraître.
       SAINTE-BEUVE, Correspondance, 12, 11 sept. 1823, p. 44.

Témoignage d'approbation officielle.

3   (...) l'œuvre, haute et belle, n'a pas reçu, malgré l'admiration qu'elle inspire, toutes les consécrations qui pourtant lui seraient bien dues.
       Georges LECOMTE, Ma traversée, p. 312.

CONTR. Profanation, violation. — Abolition, annihilation, annulation, invalidation.

CONSÉCUTIF, IVE [kɔ̃sekytif, iv] adj. — Fin XVᵉ; dér. du lat. *consecutus*, de *consequi* «suivre», de *con-* (*cum*) et *sequi* «suivre».

♦ **1** (Au plur.). Qui se suivent immédiatement dans le temps, ou, moins cour., dans l'espace ou selon un ordre notionnel. *Des périodes consécutives d'activité et de détente.* → **Successif.** *Deux angles consécutifs. Nombres consécutifs; valeurs consécutives.* — Mus. *Octaves, quintes consécutives.*

1   (...) la lecture de cet admirable poème (*l'Énéide*), à laquelle il (*Auguste*) donna quatre jours consécutifs.
       ROLLIN, Hist. ancienne, XXV, I, art. 2.

Interprétation consécutive (opposé à *simultané*).

♦ **2** (1845). *Consécutif à* : qui suit, résulte de. → **Résultant.** *Accidents, phénomènes consécutifs à une maladie. La fatigue consécutive à un effort violent.*

Absolument.

2   (...) son front bombé par tant de quatuors et de migraines consécutives (...)
       PROUST, la Prisonnière, Pl., t. III, p. 229.

Physiol. *Image consécutive*, rémanente.

♦ **3** Gramm. *Proposition consécutive*, ou, n. f., *une consécutive* : proposition qui exprime une conséquence*.

♦ **4** Log., documentation. *Relation consécutive*, «dénotant les rapports d'interdépendance dynamique entre deux notions (causalité, variations concomitantes, etc.)» (Cros-Gardin). Syn. : *relation de consécution* (2.).

CONTR. Simultané, synchrone. — Antécédent. — Discontinu.
◊ **DÉR. Consécutivement.**

CONSÉCUTION [kɔ̃sekysjɔ̃] n. f. — 1265; lat. *consecutio* «action de suivre», du supin de *consequi*. → Consécutif.

♦ **1** Didact. Suite, enchaînement. *Une consécution de sons, d'images.* — Vx. Psychol. Suite de représentations empiriques et sans lien rationnel (opposé à *conséquence*). → **Association.** *Consécution empirique.*

Les bêtes ont des consécutions de perception qui imitent le raisonnement (...)
       LEIBNIZ, Essais de Théodicée, p. 65 (1710).

Log. «*La conjonction ou la consécution constante*» (Gabriel Marcel).

♦ **2** Log., doc. *Relation de consécution* : relation consécutive. → **Consécutif** (4.). «*Les relations de consécution sont multiples et diversement orientées : de la cause à l'effet, de la fin au moyen, de la condition à la conséquence, etc.*» (J.-L. Descamps).

CONTR. Simultanéité, synchronisme. — Antériorité.

CONSÉCUTIVEMENT [kɔ̃sekytivmɑ̃] adv. — 1373; de *consécutif*.

♦ **1** Immédiatement après; sans interruption. → **Successivement.** *Il eut consécutivement deux accidents,* coup sur coup; à la file. *Trois termes pris consécutivement dans une série.*

♦ **2** *Consécutivement à* : par suite de. *Consécutivement à la hausse du prix du papier, certains périodiques diminuent leurs tirages.*

CONTR. Simultanément; temps (en même temps).

CONSEIL [kɔ̃sɛj] n. m. — 980; du lat. *consilium* «délibération, projet, conseil».

Ⅰ Ce qui tend à diriger, à inspirer la conduite, les actions. ♦ **1** Opinion (donnée à qqn) sur ce qu'il convient de faire. → **Admonition, avertisse-ment, avis, exhortation, incitation, instigation, propo-sition, recommandation, suggestion ; garde** (mise en garde). *Le, les conseils donnés à qqn par qqn ; les conseils de qqn, ses conseils* (ceux qu'il donne). *Con-seil judicieux, prudent, sage, salutaire. Dangereux, mauvais conseil. Conseil pratique. Conseil intéressé, désintéressé. Conseil d'ami. Donner un bon conseil, donner conseil à qqn.* → **Conseiller.** *Demander con-seil à qqn, prendre conseil de qqn.* → **Consulter.** *Suivre un conseil, le conseil de qqn. Faire qqch. sur le conseil,* (vieilli) *par le conseil de qqn. Négliger, ne pas écouter les conseils, ne pas tenir compte des conseils. Avoir besoin de conseils. Aider qqn de ses conseils. Être avare, prodigue de ses conseils. Don-neur de conseils.*

1   On ne donne rien si libéralement que ses conseils.
LA ROCHEFOUCAULD, Maximes, 110.

2   Il n'y a pas quelquefois moins d'habileté à savoir profiter d'un bon conseil, qu'à se bien conseiller soi-même.
LA ROCHEFOUCAULD, Maximes, 283.

3   On donne des conseils, mais on n'inspire point de con-duite.   LA ROCHEFOUCAULD, Maximes, 378.

4   (...) quoi qu'on fasse,
Propos, conseil, enseignement,
Rien ne change un tempérament.
LA FONTAINE, Fables, VIII, 16.

5   Il fut cru, l'on suivit ce conseil salutaire !
LA FONTAINE, Fables, XII, 24.

6   J'ai cru devoir vous donner un conseil, et j'ai mieux aimé risquer de vous déplaire en vous le suivriez pas, que de manquer à vous en donner un que vous devriez suivre.   DIDEROT, Lettre à J.-J. Rousseau, 1757.

7   — Monsieur, répondit le mendiant, je vous demande de l'argent et non pas des conseils.
VOLTAIRE, Dict. philosophique,
Amour-propre (→ Aumône, cit. 7).

8   (...) un homme qui prétend gouverner les deux mondes, au moins par le moyen de ses conseils et par le ministère de ses exhortations et par la permanente menace de ses objurgations (...)
Ch. PÉGUY, la République..., p. 184.

9   Le sage qui demande conseil n'attend pourtant point du dehors l'inspiration de sa conduite ; mais, exposant les motifs de son incertitude, il trouve la leçon qu'il quêtait, à les développer clairement.   GIDE, Ajax, 1.

9.1 Je n'ai pas qualité pour vous donner un conseil, et vous savez combien plus volontiers j'en recevrais de vous dont j'ai toujours reconnu et apprécié la hauteur de vue, la lucidité, la droiture... Mais, à votre place, voici comment j'agirais (...)
GIDE, les Faux-monnayeurs, *in* Romans, Pl., p. 939.

Collectif. *Le conseil.*

10 L'expérience instruit plus sûrement que le conseil.
GIDE, les Faux-monnayeurs, p. 435.

Loc. *Être de bon conseil :* donner de bons conseils, être avisé.

Spécialt. Activité professionnelle consistant à mettre ses connaissances à la disposition de ceux qui en font la demande. *Société de conseil en informatique.*

◆ **2** Incitation qui résulte de qqch. (événement, ten-dance). *Les conseils de la colère, de la haine, de la vengeance.* → **Impulsion.** *Conseils de la sagesse, de la raison, de la réflexion.* → **Voix.** *Prendre conseil des événements, de l'expérience. Les conseils de la morale, de la religion.*

11 Il prend conseil du temps, du lieu, des occasions, de sa puissance ou de sa faiblesse (...)
LA BRUYÈRE, les Caractères, X, 12.

12 C'est une chose digne de remarque que les conseils que nous donne l'expérience ne font que nous enfoncer dans nos défauts ; nous les considérons comme un avertis-sement que nos efforts n'ont pas obtenu encore l'adhésion du destin.   Edmond JALOUX, l'Alcyone, p. 112.

(1611, *la nuict donne conseil*). Prov. *La nuit porte con-seil :* il faut attendre au lendemain pour prendre une décision délicate.

13 Les conseils que porte la nuit ne sont pas toujours les meilleurs.   BARTHOU, Mirabeau, p. 201.

14 La nuit porte conseil. Dormons, nous verrons demain ce qu'il faut faire.   A. JARRY, Ubu roi, IV, 6.

◆ **3** (1690). Relig. Ce qui est seulement conseillé (opposé à *précepte*). *Conseils évangéliques.*

15 Les conseils sont donnés pour faciliter les préceptes.
FÉNELON, l'Éducation des filles.

16 Tous les casuistes distinguent les choses de précepte d'avec les choses de conseil.   PROUDHON,
De la justice dans la Révolution et dans l'Église.

◆ **4** (Xᵉ). Vx. Résolution mûrement pesée. → **Dessein, parti, projet, résolution.** *Le conseil en est pris.*

17 Le conseil le plus prompt est le plus salutaire.
RACINE, Bajazet, I, 2.

◆ **5** (1686). Au plur. Vx. Principes qui dirigent une per-sonne. → **Principe, vue.** *La justice préside à tous ses conseils* (Académie).

18 D'où naît dans ses conseils cette confusion ?
RACINE, Athalie, III, 3.

(1536). Spécialt. *Les conseils de Dieu, de la Providence.* → **Décret, loi.**

19 J'entrerai avec David dans les puissances du Seigneur, et j'ai à vous faire voir les merveilles de sa main et de ses conseils ; conseils de juste vengeance sur l'Angleterre ; con-seils de miséricorde pour le salut de la reine, mais conseils marqués par le doigt de Dieu (...)
BOSSUET, Oraison funèbre de la reine d'Angleterre.

II (XIIᵉ). Personne auprès de laquelle on prend avis.
◆ **1** Vx. Conseiller.

20 Cet homme si sage, le conseil de toute une ville (...)
LA BRUYÈRE, les Caractères, XIV, 28.

21 Phorbas était du roi le conseil et l'appui.
VOLTAIRE, Œdipe, I, 3.

◆ **2** Mod. Personne qui en assiste une autre dans la direction de ses affaires. *Un conseil en infor-matique.* (Appos.). *Ingénieur-conseil, avocat-conseil, assureur-conseil, architecte-conseil.*

◆ **3** Dr. anc. *Conseil judiciaire :* personne qui était désignée par justice pour gérer les biens d'un pro-digue ou d'un faible d'esprit. → **Curatelle.** «*Dans tous les textes où il est fait mention de conseil judi-ciaire (...) cette mention sera remplacée par celle de la curatelle (...)*» (Loi n° 68-5 du 3 janv. 1968, art. 4). — *Conseil de tutelle :* personne que le père pou-vait nommer pour assister la mère survivante et tutrice (Code civil, anc. art. 391). → **Curateur.** Mod. *Conseil fiscal,* pouvant assister un contri-buable lors de la vérification de sa comptabilité.

III (1080). ◆ **1** **a** (Emplois libres). Réunion, dont la com-position est déterminée à l'avance, de personnes qui délibèrent, donnent leur avis sur des affaires publiques ou privées. → **Assemblée, chambre ; aréo-page, juridiction, tribunal.** *Réunir, assembler un con-seil. Les membres, le président d'un conseil. Con-seil suprême, supérieur. Le conseil siège, délibère. Assister au conseil. Réunir le conseil.*

22 Oui, tandis que vos rois délibèrent ensemble
Et que tout se prépare au conseil qui s'assemble.
Thomas CORNEILLE, Essex, II, 3.

23 Ils n'ont pas appelé ma voix à leur conseil.
ROTROU, Antigone, I, 1.

24 (...) les vieillards qui formaient le conseil (...)
FÉNELON, Télémaque, VII.

Tenir conseil : s'assembler pour délibérer d'une affaire. → **Concerter** (se), **consulter** (se).

25 Le lion tint conseil, et dit (...)
LA FONTAINE, Fables, VII, 1.

b Dans des noms institutionnels. — REM. Sauf précision, il s'agit d'institutions françaises.

Hist. *Conseil aulique** (Grèce). *Conseil du roi* : nom de plusieurs institutions de l'Ancien Régime. *Conseil d'en haut*, *Conseil privé* ou *Conseil secret*, traitant des grandes affaires de l'État ; *Conseil d'État* ; *Conseil des dépêches* (conseil administratif) ; *Conseil des finances* ; *Conseil des parties* (justice) ; *Conseil de conscience* (affaires religieuses). 1664. *Conseil de commerce* ; *Conseil royal de commerce*. *Conseil de conscience*, créé par Anne d'Autriche pour la collation des bénéfices. — *Conseil des Anciens*, *Conseil des Cinq-Cents* : assemblées créées par la Constitution de l'an III (1795). — *Conseil national* (du gouvernement de Vichy). — *Conseil national de la Résistance* (C. N. R.), créé en 1943 à Paris.

Conseil du sultan. → **Divan**. — *Conseil du pape*. → **Consulte**. — (En Russie). *Conseil permanent* (1801) ; *Conseil d'État* (1810 : Alexandre Ier). *Conseil de délégués ouvriers*, en U. R. S. S. → **Soviet**.

Dr. publ. (XVIe, sous la Monarchie). CONSEIL D'ÉTAT, faisant fonction d'assemblée consultative auprès du gouvernement, en matière administrative, et de tribunal administratif central. *Conseiller, maître des requêtes, auditeur au Conseil d'État. Les quatre sections administratives, la section contentieuse du Conseil d'État sont divisées en sous-sections. Avis* (cit. 22) *du Conseil d'État. Recours en Conseil d'État.*

CONSEIL DES MINISTRES : réunion des ministres en présence du chef de l'État. → **Gouvernement ; cabinet, ministère**. — Durée de cette réunion. *Pendant le dernier conseil des ministres... Conseil de cabinet*, sous la présidence du Premier ministre (naguère, du président du Conseil) et hors de la présence du chef de l'État. *Conseil interministériel.*

(1792). Hist. CONSEIL EXÉCUTIF : Conseil des ministres. — Mod. (Canada). À Ottawa, *Conseil exécutif et Conseil législatif*.

Conseil de la République : seconde chambre française créée par la Constitution de 1946, et remplaçant le *Sénat**. — (1958). *Conseil économique et social* (assemblée consultative). — (1958). *Conseil constitutionnel*, formé de membres élus et anciens présidents de la République (pour veiller à la constitutionnalité des lois organiques, règlements, élections).

(En Suisse). *Conseil fédéral* : gouvernement de la Confédération helvétique. *Conseil d'État* : gouvernement d'un canton.

Hist. *Haut Conseil de l'Union française*, formé d'une délégation du gouvernement français et d'une représentation des États associés (loi du 24 avr. 1949). *Il remplaçait le Conseil supérieur des colonies*, de la Constitution de 1875.

CONSEIL GÉNÉRAL : assemblée délibérante composée de membres élus et chargés dans chaque département d'émettre des décisions et des avis sur des questions d'ordre départemental ou interdépartemental (loi du 10 août 1871). *Le préfet et le conseil général. Le conseil général est renouvelé par moitié tous les trois ans, lors des élections cantonales**.

(1800). Ancienn. *Conseil d'arrondissement** (cit. 5).

(1790). *Conseil municipal*, composé de membres élus, chargé de régler les affaires de la commune (→ **Commune, municipalité**).

(1972). *Conseil régional*, composé de parlementaires d'une région et de représentants des principales agglomérations.

Conseil supérieur : se dit d'organismes consultatifs, disciplinaires. — *Conseil supérieur de la magistrature* : organe constitué avant la Constitution de 1946, par la Cour de cassation, toutes chambres réunies, et exerçant un pouvoir disciplinaire ; aujourd'hui, conseil formé de membres élus par l'Assemblée et par les magistrats. — *Conseil supérieur d'hygiène publique ; des chemins de fer ; des transports, des travaux publics, de l'agriculture*, etc. — *Conseil supérieur de l'Éducation nationale* (loi du 18 mai 1946), remplaçant le *Conseil supérieur de l'Instruction publique* et le *Conseil supérieur de l'Enseignement technique. Conseil académique ; conseil de l'Université. Conseils départementaux de l'enseignement primaire.* — *Conseil supérieur de défense, de la fonction militaire, de la gendarmerie. Conseil supérieur des Français à l'étranger.*

Dr. internat. public. Hist. *Conseil de la Société des Nations. Conseil de Sécurité*, de l'Organisation des Nations Unies (O. N. U.).

(1801). Mar. *Conseil des prises*, statuant sur la validité des prises maritimes.

Relig. *Conseil de fabrique*, chargé de régir les biens et les revenus d'une église. *Membre d'un conseil de fabrique.* → **Fabricien, marguillier**. — *Conseil presbytéral* (organisation des cultes protestants).

Dr. privé et cour. CONSEIL D'ADMINISTRATION : dans une société anonyme, réunion de personnes, obligatoirement actionnaires et qui sont désignées par les statuts ou par l'assemblée générale pour gérer les affaires de la société (abrév. : C. A.). — REM. On parle aussi en Droit public du *Conseil d'administration* d'une collectivité publique ou privée. *Membres d'un conseil d'administration.* → **Administrateur**. Ellipt. *Le conseil aura lieu après l'assemblée générale.*

Conseil de surveillance, chargé de vérifier la constitution régulière d'une société en commandite par actions.

Dr. internat. publ. *Conseil Atlantique* ou *Conseil de l'Atlantique-Nord* : organe suprême de l'O. T. A. N.

> Le *Conseil de l'Atlantique-Nord* est composé de représentants des États membres (...) Depuis 1952, la présence d'un représentant permanent par État permet de réunir le Conseil une ou plusieurs fois par semaine.
> Pierre GERBET, les Organisations internationales, p. 107.

25.1

Conseil de l'Europe : organe d'expression et d'action pour une défense commune des États européens. *Quinze pays font partie du Conseil de l'Europe, dont la Grande-Bretagne, la France et l'Allemagne occidentale.*

> Le *Conseil de l'Europe*, créé le 5 mai 1949, a pour objet le développement de la coopération politique entre les pays européens. Il comprend une Assemblée consultative et un Comité des ministres. Son siège est à Strasbourg.
> Pierre GERBET, les Organisations internationales, p. 115.

25.2

Dr. social (français). *Conseil des prud'hommes* : juridiction chargée de juger les conflits individuels du travail. → **Arbitrage, conciliation**. — (1677). Dr. civ. (français). *Conseil de famille* : assemblée constituant l'un des organes de la tutelle des mineurs et interdits et de la curatelle des mineurs émancipés (*Code civil*, art. 389 et 454).

Conseil de l'Ordre des avocats, des médecins, des pharmaciens.

(1623, *in* D. D. L.). Hist. *Conseil de guerre* : nom donné au *tribunal** militaire (av. 1928). Milit. *Conseil d'enquête* (1972). *Conseil de régiment, d'unité*. — *Conseil de révision** (av. 1928). *Conseil de discipline* : tribunal faisant respecter la discipline dans certains corps constitués, etc. Spécialt. *Le conseil de discipline d'un lycée. Passer en conseil de discipline.*

26 (...) *le Conseil*, pour une Société, c'est le *Conseil d'administration*; pour un soldat, *le conseil de guerre*; pour une Faculté, *la réunion des professeurs* (...)
F. BRUNOT, la Pensée et la Langue, V, IV, p. 142.

27 *(Il)* devint président du conseil d'administration et suppléa de plus en plus son beau-père dans la direction de l'entreprise.
J. ROMAINS, les Hommes de bonne volonté, t. III, XI, p. 144.

Conseil de classe : réunion trimestrielle des professeurs, des délégués de classe et des délégués des parents d'élèves d'une classe, chargés de faire le point sur chaque élève. — *Conseil d'école* (écoles maternelles et primaires), *conseil d'enseignement; conseil d'établissement.*

28 Même qu'elle se voyait déjà reçue et maintenue dans son lycée de jeunes filles à Lyon, où alors, en tant que certifiée, aux conseils de classe, elle n'avait droit qu'à une chaise au troisième rang.
Yanny HUREAUX, la Prof, p. 320.

Conseil national (de la chasse, du crédit, de l'enseignement supérieur et de la recherche, du patronat français [C. N. P. F.], de la publicité, de la statistique...). — *Conseil international (de la danse, de la langue française [C. I. L. F.],* etc.).

♦2 Réunion, session, séance d'un conseil. *Se rendre au conseil. Le conseil avait duré plusieurs heures.* — Spécialt. Séance d'un conseil d'administration.

DÉR. V. **Conseiller.** ◊ HOM. Formes du v. **conseiller.**

1. **CONSEILLER** [kɔ̃seje] v. tr. — V. 1080, sens 2; v. 1170, sens 1; mil. XIᵉ «parler en secret (à qqn)»; du lat. pop. **consiliare*, class. *consiliari.* → Conseil.

♦1 CONSEILLER (qqch.) À (qqn) : indiquer (qqch.) à (qqn) comme étant préférable, plus avantageux. → **Inspirer, proposer, recommander, suggérer.** *Je vous conseille la prudence.* — Vieilli. *Conseiller à qqn ce qu'il doit faire.*

1 *(J'aurais)* besoin d'un bon conseil sur cette matière (...) je vous prie de me conseiller tout ce que je dois faire.
MOLIÈRE, l'Amour médecin, I, 1.

Mod., trans. ind. *Conseiller (à qqn) de* (et l'infinitif). → **Presser; engager, inciter, pousser** (à). *Je vous conseille de partir, de rester.*

2 Que me conseillez-vous?
— Je vous conseille, moi, de prendre cet époux.
MOLIÈRE, Tartuffe, II, 4.

3 (...) il se soumit à tout ce qu'on lui conseilla de faire dans l'intérêt de son frère.
G. SAND, la Petite Fadette, XXXI, p. 209.

(Sujet n. de chose). *La prudence vous conseille de faire cela. La morale vous conseille ceci.* → **Commander.**

4 Mais la prudence me conseilla aussitôt de ne laisser voir aucune inquiétude.
MÉRIMÉE, Carmen, I.

5 Il est un homme toujours préoccupé de son devoir, se surveillant toujours regardant en toutes choses, non ce que l'habileté conseille, mais ce que la morale commande.
FUSTEL DE COULANGES, Leçons à l'Impératrice..., p. 170.

♦2 CONSEILLER (qqn) : guider (qqn) en lui indiquant ce qu'il doit faire. *Conseiller un ami dans l'embarras.* → **Avertir, aviser, conduire, diriger, guider.** *Vous avez été mal conseillé.*

6 Aimez qu'on vous conseille et non pas qu'on vous loue.
BOILEAU, l'Art poétique, I.

7 (...) le devoir de la plus sainte amitié, qui n'est pas de se rendre toujours agréable, mais de conseiller toujours pour le mieux.
ROUSSEAU, les Confessions, XII, p. 141.

♦ SE CONSEILLER v. pron.

♦1 Vx. Prendre conseil de soi-même. → **Conseil** (cit. 2).

♦2 *Se conseiller (à qqn)* : prendre conseil (auprès de qqn).

Je me suis (...) conseillé au Ciel pour cela; mais, lorsque 8 je l'ai consulté (...)
MOLIÈRE, Dom Juan, V, 3.

CONTR. Déconseiller, défendre, détourner, dissuader, interdire. — Consulter, interroger. ◊ DÉR. et COMP. Conseiller, déconseiller.

2. **CONSEILLER, ÈRE** [kɔ̃seje, kɔ̃sɛjɛʀ] n. — 881; lat. *consiliarius.*

♦1 Personne qui donne des conseils. → **Conducteur, conseil,** II., **directeur** (fig.), **guide, inspirateur, instigateur;** et aussi **conseiller.** *Un sage, un bon conseiller. La conseillère d'un homme politique.* → **Égérie** (littér.). *Conseiller avisé, prudent. Un mauvais conseiller. Conseiller importun.* — Adj. (Vx.) *Un «valet conseiller»* (Molière, l'Étourdi, I, 1).

1 Qui fait le conseiller n'est plus ambassadeur;
Il excède sa charge, et lui-même y renonce.
CORNEILLE, Nicomède, III, 3.

2 Ces deux filles du ciel, ces sages conseillères.
LA FONTAINE, Quinquina, II.

Par ext. (d'une faculté, d'un sentiment). Prov. *La colère est mauvaise conseillère.*

3 L'histoire qu'on appelle avec raison la sage conseillère des princes.
BOSSUET,
Oraison funèbre de la duchesse d'Orléans.

4 Orgueil! le plus fatal des conseillers humains (...)
A. DE MUSSET, On ne badine pas avec l'amour, III, 8.

(Dans le langage des précieux, au XVIIᵉ s.). *Le conseiller des grâces* : le miroir.

5 Vite, venez nous tendre ici dedans le conseiller des grâces.
MOLIÈRE, les Précieuses ridicules, 6.

6 (...) les conseillers muets dont se servent nos dames;
Miroirs dans les logis, miroirs chez les marchands (...)
LA FONTAINE, Fables, I, 11.

♦2 Personne dont le métier est d'apporter des conseils techniques, de faire profiter de connaissances particulières. *Conseiller technique, juridique. Envoyer des conseillers agricoles dans un pays en voie de développement.*

Conseiller, conseillère d'orientation (scolaire, professionnelle) : personne habilitée à juger de la meilleure orientation (scolaire, professionnelle) à donner à un adolescent d'après ses aptitudes et ses dispositions caractérielles (→ 2. **Test**). *Conseiller d'éducation.*

Conseiller principal d'éducation (remplace le surveillant* général).

Conseiller militaire, ou, ellipt., *conseiller* (par euphémisme) : instructeur, officier, spécialiste chargé d'encadrer, d'entraîner une armée étrangère.

6.1 L'année dernière *(au Vietnam)* il y avait 3 000 Nordistes en ligne contre le Sud, et 120 000 guérilleros; en face, 500 000 soldats et 25 000 conseillers américains.
MALRAUX, Antimémoires, Folio, p. 450.

♦3 N. m. (1340). Membre (homme ou femme) d'un conseil (III.) (En France). *Conseiller d'État* : membre du Conseil d'État placé au-dessus des maîtres des requêtes dans la hiérarchie. *Conseiller de la République.* → **Sénateur.** *Conseiller général, conseiller de préfecture, conseiller régional. Conseiller municipal.* — Juge de certaines cours judiciaires, de certains tribunaux administratifs. *Conseiller à la cour d'appel. Conseiller à la Cour de cassation; à la Cour des comptes. Conseiller honoraire.* — Hist. *Conseiller du roi; conseiller à la Cour, conseiller au parlement.*

7 Les couteaux font tinter les coupes, car un conseiller municipal se lève pour prendre la parole (...)
J. ROMAINS, les Hommes de bonne volonté, III, XII, p. 171.

En Suisse. Membre du Conseil fédéral. — Membre d'un conseil (national, international...). *Monsieur le Conseiller, madame la Conseillère* (→ ci-dessous, 4., b.) ou *Madame le Conseiller* (usage aberrant mais répandu).

(1822). *Conseiller d'ambassade. Conseiller commercial. Conseiller culturel.*

♦ **4** N. f. **a** Vx. Femme d'un conseiller.

8   Madame l'avocate est assez téméraire
Pour aller du même air que va la conseillère.
           BOURSAULT, Fables d'Ésope, IV, 3.

b Mod. Femme exerçant une charge de conseiller (2., 3.). *Conseillère d'éducation, d'orientation* (→ ci-dessus, 2.). — REM. On dit plutôt (mais cet usage est aberrant et contesté) : *elle est conseiller technique, juridique.* «*"Conseillères" municipales*» (*l'Œuvre*, 11 avr. 1941, *in* T. L. F.).

CONSEILLEUR, EUSE [kɔsɛjœʀ, øz] n. — V. 1200, *consilleors;* du v. *conseiller.*

Vx ou littér. Personne qui donne des conseils. → Conseiller.

1   Il était le conseilleur et le jugeur terrible qui, devant un tableau, mettait le doigt sur la plaie, jetait sa critique à l'endroit juste.
         Ed. et J. DE GONCOURT, Manette Salomon, p. 350.

(1807). Mod. Prov. *Les conseilleurs ne sont pas les payeurs :* ceux qui conseillent qqch. n'en supportent pas les conséquences.

2   Les pays pauvres se trouvent ainsi devant deux sortes de conseilleurs, qui ont pour caractère commun de ne pas être les payeurs.   A. SAUVY, Croissance zéro ?, p. 93.

CONSENSUEL, ELLE [kɔsãsɥɛl] adj. — 1838; de *consensus.*

Dr. Formé par le seul consentement des parties. *Accord, contrat consensuel.*

CONSENSUS [kɔsɛ̃sys] n. m. — 1824, Nysten; *consens,* XVIᵉ; mot lat. «accord».

♦ **1** Physiol. Relation, interdépendance qui existe entre les différentes parties du corps. *Consensus entre les organes.*

♦ **2** (*Année sc. et industr.* 1858, p. 268). Didact. Accord entre personnes; consentement (1.). *Consensus social. Prise de décision par consensus.*

REM. Le terme est à la mode dans le voc. politique, au sens de «accord social conforme aux vœux de la majorité».

1   En ce qui concerne l'histoire de la philosophie, il s'est établi, je crois, un consensus tacite et exprès parmi les historiens de la philosophie, sur l'espèce d'objectivité qui peut être atteinte dans cette discipline (...)
         P. RICŒUR,
     Une interprétation philosophique de Freud,
         in la Nef, nᵒ 31, p. 112.

2   On sait bien qu'il vaut mieux s'assurer du consensus des subordonnés avant de choisir un chef.
         F. BLOCH-LAINÉ, *in* l'Express, 8-14 juil. 1968.

DÉR. Consensuel.

CONSENTANT, ANTE [kɔsãtã, ãt] adj. — XIIᵉ; de *consentir.*

♦ **1** Qui consent, accepte. *Il est consentant. La partie consentante.* — Spécialt. Qui accepte une relation amoureuse, sexuelle (ne se dit guère que des femmes).

En sorte que la jeune Adèle soupirante, mais consentante, dut se résigner à ne pas perdre les modiques avantages de la situation (...)   COURTELINE, Boubouroche, p. 79.

♦ **2** Par métonymie. *Visage, regard, sourire consentant,* qui exprime le consentement.

CONTR. Opposant, récalcitrant.

CONSENTEMENT [kɔsãtmã] n. m. — XIIᵉ; de *consentir.*

♦ **1** Vx. «Assentiment accordé à une assertion» (Lalande, citant Malebranche, *Recherche de la vérité,* I, II, § 4).

1   C'est le consentement de vous à vous-même, et la voix constante de votre raison, et non des autres qui vous doit faire croire.   PASCAL, Pensées, IV, 260.

♦ **2** Acquiescement* donné à un projet; décision de ne pas s'y opposer. → **Acceptation, accord, adhésion, agrément, approbation, assentiment, autorisation, permission.** *Consentement verbal, écrit. Consentement exprès, tacite. Donner, accorder, refuser son consentement. Arracher le consentement de qqn. Contrat* par consentement mutuel, réciproque.* → **Consensuel.** *Se marier sans le consentement de ses parents. Du consentement de tous. Consentement unanime.* → **Unanimité.**

2   (*Le père*) Donne à cette hyménée un plein consentement (...)   MOLIÈRE, l'Étourdi, V, 9.

3   Il n'y a pas de mariage lorsqu'il n'y a point de consentement.   Code civil, art. 146.

4   Selon lui (*Kant*), les institutions traditionnelles, si brutales qu'elles soient, n'auraient pu se fonder et durer sans un certain consentement même des opprimés.
         JAURÈS, Hist. socialiste..., t. V, p. 94.

5   Ce n'est pas l'amour qui fait le mariage mais le consentement.
Ni l'enfant que je n'ai pas eu, ni le bien de la société, mais le consentement en présence de Dieu dans la foi (...)
         CLAUDEL, le Soulier de satin, 2ᵉ journée, 3.

CONTR. Désaccord. — Interdiction, nolonté, opposition, refus, résistance.

CONSENTIR [kɔsãtiʀ] v. tr. [CONJUG.: *partir.*] — Xᵉ; lat. *consentire,* de *con-* (*cum*), et *sentire* «avoir une opinion». → Sentir.

I V. tr. ind. et intr. ♦ **1** Littér. ou style soutenu. *Consentir à :* accepter qu'une chose se fasse, ne pas l'empêcher. → **Accéder** (à), **accepter** (cit. 14), **accorder, acquiescer** (à), **adhérer** (à), **admettre, adopter, approuver, assentir** (à; vx) **autoriser, opiner** (à), **permettre, prêter** (se prêter à), **soumettre** (se soumettre à), **souscrire** (à), **vouloir** (bien). *Il y consent :* il est d'accord, il marche (fam.). *Je n'y puis consentir. Les parents ont consenti au mariage. Consentir à qqch. avec réticence.* → **Céder, résigner** (se), **soumettre** (se). *J'y consens avec plaisir, avec joie, de bon cœur, de grand cœur...* → D'accord; va pour...; soit. *Il consent à tout* (→ **Complaisant**). *Elle a consenti à venir. Je consens à ce qu'il y aille.* — Vx. *Consentir de* (et l'inf.) → cit. 2. — Littér. *Consentir que* (et subj.) → cit. 1, 3 (dans un autre sens → ci-dessous, cit. 11).

1   Je fais ce que tu veux. Je consens qu'il me voie (...)
         RACINE, Andromaque, II, 1.

2   (...) une somme que ses amis consentent de lui prêter (...)
         LA BRUYÈRE, les Caractères de Théophraste,
              De la dissimulation.

3   Je consens qu'une femme ait des clartés de tout (...)
         MOLIÈRE, les Femmes savantes, I, 3.

4   (...) la petite Fadette (...) en fin de compte l'aimait trop pour consentir à lui causer des peines dans sa famille (...)
         G. SAND, la Petite Fadette, XXVI, p. 175.

5   Quand elle me mènerait aux honneurs, je ne puis consentir à suivre une route toute tracée.
         GIDE, Si le grain ne meurt, p. 250.

Absolt. *Nous consentons.* — Prov. *Qui ne dit mot consent :* qui n'exprime pas son opinion est supposé consentir.

♦ **2** Intrans. Mar. Se courber (espar, pièce de bois), s'allonger (cordages) sous l'effet d'une force, d'un poids, etc. «*Cette vergue a fortement consenti*»

(Littré). *Les cordages tressés consentent moins que les cordages commis.*

II V. tr. dir. ♦ **1** Accepter (qqch.). Vx. *Consentir un projet.*

6   L'amitié le consent, si l'amour l'appréhende.
                              CORNEILLE, Rodogune, IV, 1.

♦ **2** Mod. *Consentir (qqch.) à qqn* : accorder (un avantage) à qqn.

7   Mon père me refusait constamment des permissions qui m'avaient été consenties (...) par ma mère et ma grand'mère (...)
                  PROUST, À la recherche du temps perdu, t. I, p. 54.

8   Ces salaires, que les uns voulaient obtenir, que les autres ne pouvaient consentir, il les accorda sans les accorder (...)
                  A. MAUROIS, Bernard Quesnay, XVIII, p. 117.

9   (...) ils échangeaient une sympathie (...) à laquelle ils n'avaient jamais encore consenti aussi ouvertement.
                  MARTIN DU GARD, les Thibault, t. II, p. 253.

Dr. *Consentir une vente, un prêt, un délai, une hypothèque.* → **Accorder, octroyer.** *Transaction consentie par les deux parties. Consentir un traité, une alliance.*

10 Joseph et Ferdinand (...) nous ont demandé tous les deux de leur consentir, sur cet argent de la tante Mathilde, une avance assez considérable.
                  G. DUHAMEL, Chronique des Pasquier, III, p. 14.

♦ **3** Vieilli. Considérer comme vrai. → **Admettre, avouer.** — Passif et p. p. *Vérité consentie par tous* (Académie).

Littér. *Consentir que...* : admettre que...

11 Je consens parfois que le sens de cet engagement soit difficile à dégager.   Jacques LAURENT, les Bêtises, p. 536.

♦ **CONSENTI, IE** p. p. adj.

Accepté. *Impôt consenti. Lien, accord consenti. «Servitude consentie (...) servitude subie»* (G. Bataille, in T. L. F.).

CONTR. Empêcher, interdire, opposer (s'), protester, refuser, regimber, résister, tête (tenir tête). ◊ DÉR. Consentant, consentement.

CONSÉQUEMMENT [kɔ̃sekamɑ̃] adv. — 1379, «successivement»; de *conséquent.*

♦ **1** (1689). Littér. Avec esprit de suite. *Parler, raisonner conséquemment.*

1   Pour qu'un projet sorte du rêve il faut décider de certains actes, vouloir les exécuter et le vouloir assez conséquemment pour les exécuter.
                  Jacques LAURENT, les Bêtises, p. 393.

♦ **2** (1559). Littér. Par conséquent. → **Donc** (→ Bréhaigne, cit. 1. Balzac). *Conséquemment et subséquemment.*

2   Si l'Inde est la contrée la plus anciennement policée, elle doit conséquemment avoir eu la plus ancienne forme de religion (...)
                  VOLTAIRE, Essai sur les mœurs, 4,
                          cité par BRUNOT,
                  la Pensée et la Langue, XXII, IV, p. 833.

♦ **3** (1692). *Conséquemment à :* par suite, en conséquence de.

Fam., régional.

3   Je n'ai pas le cœur à parler de coteaux jolis, ni de vins gais. Conséquemment de quoi, je vais raconter une histoire de vin triste.   M. AYMÉ, le Vin de Paris, p. 105.

CONTR. (De 1.). Inconséquemment.

CONSÉQUENCE [kɔ̃sekɑ̃s] n. f. — 1253; lat. *consequentia,* de *consequens.* → Conséquent.

Suite logique (d'une chose).

♦ **1** Suite, ensemble d'événements entraînés (par une action, un fait). → **Contre-coup, effet, fruit, réaction, résultat, retentissement, séquelle, suite.** *La*

conséquence, les conséquences de qqch., d'une action, d'une décision. Conséquence indirecte.* → **Rejaillissement, ricochet.** *Conséquences sérieuses, graves, funestes. Conséquences prévisibles. Qu'est-ce que cela aura pour conséquence? Cela peut avoir d'heureuses conséquences.* → **Avantage.** *Évaluer les conséquences possibles de qqch. :* peser (le pour et le contre). *Entrevoir, prévoir les conséquences d'une attitude, d'une démarche, d'une erreur.* → **Avenir, lendemain.** *Événement gros de conséquences. Être la conséquence de... Produire des conséquences imprévisibles. Avoir pour conséquence.* → **Accompagner** (s'), **amener, appeler, engendrer, ensuivre** (s'), **entraîner, impliquer, occasionner, procurer, valoir** (qqch. à qqn). *Conséquences incalculables.* → **Aller, mener** (loin). *Accepter, subir les conséquences de sa faute* (cf. Comme on fait son lit on se couche; au bout du fossé, la culbute; qui s'y frotte, s'y pique; quand le vin est tiré, il faut le boire; nos actes nous suivent; vous l'avez voulu; voilà ce que c'est que de...). Loc. *Tirer à conséquence :* avoir des suites, des conséquences graves; créer un précédent. → cit. 2, 7.1. *Cela ne tire pas à conséquence :* c'est sans inconvénient.

Voilà un doute d'une terrible conséquence.   1
                  PASCAL, Pensées, III, 195.

Je ne sais (...) si un besoin extrême ou une violente passion,   2
ou un premier mouvement tirent à conséquence.
                  LA BRUYÈRE, les Caractères, XII, 37.

Si on vous prouve une vérité, existe-t-elle moins parce   3
qu'elle traîne après elle des conséquences inquiétantes?
                  VOLTAIRE, Dialogues d'Évhémère, 2.

C'est un excellent moyen de bien voir les conséquences   4
des choses, que de sentir vivement tous les risques qu'elles
nous font courir.
                  ROUSSEAU, Julie ou la Nouvelle Héloïse, I, 11.

Sans y avoir beaucoup réfléchi, elle acceptait l'inégalité des   5
conditions comme une conséquence inévitable de l'inégalité des natures.
                  MARTIN DU GARD, les Thibault, t. VI, p. 226.

L'artisan devenu paresseux par l'habitude du chômage, le   6
paysan devenu inactif par la méfiance, ce sont des faits
gros de conséquences.
                  Louis MADELIN, De Brumaire à Marengo, III, p. 45.

Toutes les morales sont fondées sur l'idée qu'un acte a des   7
conséquences qui le légitiment ou l'oblitèrent.
                  CAMUS, le Mythe de Sisyphe, p. 94.

(...) ça a si peu d'importance, ça ne tire pas à conséquence,   7.1
c'est une simple politesse (...)
                  N. SARRAUTE, Vous les entendez?, p. 45.

Littér. **DE CONSÉQUENCE** : important, grave. *Affaire de grande conséquence, de la dernière conséquence* (→ **Sérieux**). *Chose de peu de conséquence. Ce n'est d'aucune conséquence.* — Vieilli. *Une personne de conséquence :* une personnalité. *Homme de peu de conséquence,* de peu de poids.

Des grammairiens ont affirmé que *conséquence* ne peut   8
jamais se dire pour *importance;* qu'autrement *important*
pourrait se dire pour *conséquent;* ce qui est, comme on
sait, une grosse faute. Ils ont raison. Conséquence ne veut
jamais dire que suite plus ou moins grave. Mais, de là, les
anciens ont tiré la locution *de conséquence* qui, signifiant
proprement ayant des suites, a pris facilement le sens de
l'importance et s'est appliqué non seulement aux choses,
mais aux personnes.   LITTRÉ, Dict., art. *Conséquence.*

(...) comment ne pas courir le risque d'attirer par devers   8.1
soi une pieuse clientèle, les pénitents de conséquence, infi-
dèlement détournés de leurs directeurs légitimes?
                  BERNANOS, l'Imposture, in Œ. roman., Pl., p. 338.

Sans conséquence : sans suite fâcheuse; qui ne mérite pas l'attention. *Une histoire, une affaire sans conséquence. Un homme sans conséquence,* sans grande valeur (→ **Insignifiant**).

Sainte-Beuve tâche à classer les esprits; les œuvres lui   9
paraissent sans conséquence.
                  J. PAULHAN, les Fleurs de Tarbes, I, 1, p. 20.

9.1 Une douzaine de jeunes garçons réunis pour une petite danse sans conséquences.
GIDE, Voyage au Congo, *in* Souvenirs, Pl., p. 795.

♦ **2** (1269). Ce qui découle d'un principe. → **Conclusion, déduction.** *Conséquences exactes, erronnées. Les conséquences de prémisses* (→ **Argument, syllogisme**). *Conséquence nécessaire.* → **Corollaire.** *Cela posé, il s'ensuit telle conséquence. Déduire, tirer les conséquences par le raisonnement. Rattacher une conséquence à sa cause.* → **Induire, inférer.** *Admettre, suivre toutes les conséquences qui résultent d'un principe. Ce droit a pour conséquence un devoir.* — Loc. *Par voie* de conséquence :* par suite, par l'enchaînement causal.

10 De même encore une démonstration par l'absurde s'effectue en comparant les conséquences de ce raisonnement avec la réalité logique que l'on veut instaurer.
CAMUS, le Mythe de Sisyphe, p. 48.

Gramm. *Proposition de conséquence (ou consécutive),* qui marque une relation entre une cause (la principale) et un effet (la consécutive). *Conjonctions, locutions de conséquence.*

♦ **3** (1681). Loc. adv. **EN CONSÉQUENCE :** comme il convient. *Agir en conséquence.* — Pour cette raison, par suite. → **Donc.** *En conséquence, je m'en allai.*

11 (...) la poésie est purement subjective (...) en conséquence l'on peut écrire n'importe quoi aussi bien que quoi que ce soit. FLAUBERT, Correspondance, II, p. 252.

Loc. prép. **EN CONSÉQUENCE DE.** *En conséquence de vos ordres.* → **Conformément** (à). *En conséquence de quoi...*

CONTR. Antécédent, cause, condition, motif, principe. — Prémisse. ◊ COMP. V. Inconséquence.

CONSÉQUENT, ENTE [kɔ̃sekã, ãt] adj. — 1308, au sens 3 ; lat. *consequens,* p. prés. de *consequi* «venir après, suivre», de *con-* (*cum*) «avec, tout à fait», et *sequi* «suivre».

♦ **1** (1680). Qui agit ou raisonne avec esprit de suite. → **Cohérent, logique.** *Être conséquent avec soi-même, avec ses principes, dans ses discours, dans ses actions. Un esprit conséquent.*

(Choses ; actions). Qui dénote un esprit de suite. *Une conduite conséquente.*

0.1 Tout ce qu'on peut exiger d'un écrivain, c'est-à-dire d'un homme, c'est que la fin de la page soit conséquente avec le commencement.
E. DELACROIX, Journal, 3 juil. 1846.

♦ **2 CONSÉQUENT À... :** qui fait suite logiquement à (qqch.). → **Conforme.** *Conduite conséquente à des principes. Conclusion conséquente aux prémisses.*

1 Après les principes si purs que j'avais adoptés il y avait peu de temps, après les règles de sagesse et de vertu que je m'étais faites et que je m'étais senti si fier de suivre, la honte d'être si peu conséquent à moi-même, de démentir si tôt et si haut mes propres maximes, l'emporta sur la volupté. ROUSSEAU, les Confessions, VI.

2 Je crus donc, en y renonçant, prendre un parti très conséquent à mes principes, et sacrifier l'apparence à la réalité.
ROUSSEAU, les Confessions, VIII.

♦ **3** Qui suit. Spécialt, log. *Le terme conséquent.* N. m. (1530). *Le conséquent :* la seconde proposition d'un enthymème (par rapport à *antécédent*). *Conclusion tirée d'un syllogisme.* — Gramm. Qui suit. *Relatif conséquent.* — Phys. *Points conséquents :* pôles secondaires d'un aimant. — Mus. *Partie conséquente,* et n. f. (1690), *la conséquente :* la seconde partie d'une fugue (→ aussi **Canon,** cit. 6).

(1905, *in Rev. gén. des sc.,* n° 10, p. 463). Géogr. *Rivière conséquente,* qui s'écoule parallèlement au pendage des couches, dans un relief à côte. *Percée conséquente,* faite par une rivière conséquente.

N. m. (1718). Math. Second terme d'un rapport.

♦ **4** Loc. adv. (1370, Oresme). **PAR CONSÉQUENT :** comme suite logique. → **Ainsi, dès** (lors), **donc, partant.**

3 Pour ceux qui sont nés compatissants, il y aura toujours à aimer sur la terre, par conséquent à plaindre, à servir, à souffrir. Il ne faut donc point chercher l'absence de douleur. G. SAND, Histoire de ma vie, I, 15.

♦ **5** (1780). Fam. (emploi considéré comme socialement marqué). Important. *Il a reçu un héritage conséquent.* → **Considérable, important.**

3.1 — (...) Et qui est bien meublé... J'ai vu sa chambre.
— Oui, oui, il a un mobilier assez *conséquent* (...)
H. MONNIER, Scènes populaires, I, «le Roman chez la portière», p. 39.

REM. Littré condamnait cet emploi (→ aussi Conséquence, cit. 8).

4 *Conséquent* pour *considérable* est un barbarisme, que beaucoup de gens commettent et contre lequel il faut mettre en garde. *Conséquence* ne signifie qu'en apparence *importance ;* et cette apparence ne peut jamais se trouver dans *conséquent.* LITTRÉ, Dict., art. *Conséquent.*

CONTR. Absurde, décousu, incohérent, inconséquent. — Antécédent. ◊ DÉR. Conséquemment.

CONSERVABLE [kɔ̃sɛʀvabl] adj. — Déb. XVIᵉ ; de *conserver.*
Qui peut être conservé.

CONSERVATEUR, TRICE [kɔ̃sɛʀvatœʀ, tʀis] n. et adj. — 1361 ; lat. *conservator,* du supin de *conservare.* → Conserver.

A Qui conserve. ♦ **1** N. (XVᵉ). Personne préposée à la garde de qqch. → **Gardien.** *Dieu est le créateur et le conservateur de toutes choses* (Académie).

0.1 Le roi, en effet, est essentiellement un Conservateur, dont le rôle consiste à maintenir l'ordre, la mesure, la règle, tous principes qui s'usent, vieillissent, meurent avec lui, et qui, en même temps que décroît son intégrité physique, perdent leur force et leur vertu efficace.
Roger CAILLOIS, l'Homme et le Sacré, p. 148.

Conservateur d'une bibliothèque, d'un musée : personne qui administre et organise la bibliothèque, le musée. *Conservateur des eaux et forêts :* le principal agent de l'administration forestière, placé à la tête d'une division territoriale. *Conservateur des hypothèques :* fonctionnaire de l'Enregistrement qui, dans chaque chef-lieu d'arrondissement, est chargé de l'inscription et de la publication des hypothèques et privilèges, des actes translatifs de propriété. — REM. Dans ces emplois où le mot correspond à un titre, la tendance est d'employer le masc. en parlant des femmes. *Mᵐᵉ X, conservateur en chef du musée de...* Mais il serait plus logique de dire : *conservatrice.*

0.2 Digne de figurer dans un musée. Oui. Parfaitement. Dans un musée... Vite... la prendre, l'envelopper, l'emporter, la mettre à l'abri. Bien gardée. Protégée. Derrière une vitrine. Aux parois incassables. Parmi d'autres — aussi bien défendues. Posée là pour toujours. Que les regards de dévots innombrables la patinent. Que garantissent sa survie les soins de générations de conservateurs.
N. SARRAUTE, Vous les entendez ?, p. 40.

♦ **2** Adj. (1794, *in* D. D. L.). Qui tend à préserver l'ordre social existant. *Lois conservatrices. Esprit conservateur.*

1 Les peuples sont, tout au contraire, en thèse générale, conservateurs des institutions qu'ils possèdent, même quand elles sont médiocres, fidèles à leurs traditions, même quand elles sont fâcheuses, et hostiles à des lois qui, admirables en principe et même en fait, bouleversent des mœurs et coutumes auxquelles ils tiennent, même quand elles paraissent périmées.
Louis MADELIN, Vers l'Empire d'occident, X, p. 128.

Parti conservateur (opposé à *réformiste, révolution-naire*). ➙ **Conservatisme**. — N. *Un conservateur, une conservatrice. Les conservateurs et les réactionnaires.*

(Au Canada). *Le parti conservateur.* — N. Membre du parti conservateur. ➙ **Bleu**. — Au Québec, Membre du parti de l'Union nationale.

En Angleterre. → Tory.

Par ext. *Journal conservateur. Opinion conservatrice.*

2 La République sera conservatrice, ou elle ne sera pas.
Adolphe THIERS, Message à l'Assemblée nationale,
13 nov. 1872.

3 Mais à vrai dire, il était, dans son métier, conservateur, et presque réactionnaire.
J. ROMAINS, les Hommes de bonne volonté, t. I,
p. 291.

4 C'est sans doute qu'ils ont du travail, qu'ils ne meurent plus de faim, qu'ils ont arraché en cent ans à la société capitaliste ce peu qui suffit pour attacher l'homme à ses modestes richesses et faire de lui un conservateur.
F. MAURIAC, le Nouveau Bloc-notes 1958-1960,
p. 319.

B Adj. (1903, in *Rev. gén. des sc.*, n° 23, p. 1216). ♦ **1** Qui conserve, garde en bon état de conservation les aliments : *Produit conservateur.* — N. m. *Un conservateur :* un produit conservateur. *«Il est important de noter qu'aucun améliorant et aucun conservateur ne sont ajoutés aux préparations infantiles»* (*Guérir*, oct. 1967). — REM. On emploie aussi *conservant*, n. m.

♦ **2** N. m. Compartiment d'un réfrigérateur où l'on peut conserver (à moins de –18°) des produits surgelés. ➙ (cour.) **Congélateur**.

CONTR. (Du sens A, 2.) **Novateur, progressiste, révolutionnaire.** ◊ DÉR. **Conservatisme**.

CONSERVATIF, IVE [kɔ̃sɛʀvatif, iv] adj. — XIVᵉ-XVIᵉ ; bas lat. *conservativus*, du supin de *conservare* ; repris fin XIXᵉ ; de *conserver, conservation*.

Didact. Qui est destiné à conserver (un caractère, une qualité, etc.).

1 Tandis que le temps écoulé ne constitue ni un gain ni une perte pour un système supposé conservatif, c'est un gain, sans doute, pour l'être vivant, et incontestablement pour l'être conscient.
H. BERGSON, Essai sur les données immédiates de
la conscience, p. 116.

(Rare). *Conservatif de qqch. :*

2 Tout ce que fait la vie est conservatif de quelque chose qui tient à elle, mais non aux individus.
VALÉRY, Cahiers, t. II, Pl., p. 768.

CONSERVATION [kɔ̃sɛʀvasjɔ̃] n. f. — 1364 ; lat. *conservatio*, du supin de *conservare*. → Conserver.

♦ **1** Action de conserver, de maintenir intact ou dans le même état. ➙ **Entretien, garde, maintien, préservation, protection, sauvegarde.** *La conservation de l'aimantation par le fer.* ➙ **Rémanence.** *Être chargé de la conservation d'un monument, d'une collection.* ➙ **Conservateur.** *La conservation d'un droit, d'un privilège, d'une réputation. Conservation d'un bien, d'un capital.* ➙ **Économie, gestion.** — *La conservation de qqn par lui-même, sa conservation.* Absolt. *Instinct* de conservation.*

1 Le premier sentiment de l'homme fut celui de son existence ; son premier soin celui de sa conservation.
ROUSSEAU, De l'inégalité parmi les hommes, II,
p. 67.

2 Le but de toute association politique est la conservation des droits naturels et imprescriptibles de l'homme.
Déclaration des droits de l'Homme (Constitution
du 3 sept. 1791), art. 2.

3 (...) les syndics seront tenus de faire tous actes pour la conservation des droits du failli (...)
Code de commerce, art. 490.

(Le mensonge) est l'instrument de conservation le plus   4
nécessaire et le plus employé.
PROUST, À la recherche du temps perdu, t. XI,
p. 211.

Si les gouvernements, si les peuples, n'ont pas, sous peu,   5
un sursaut de sagesse, ou d'instinct de conservation, nous
roulons tous au gouffre de la guerre générale.
J. ROMAINS, les Hommes de bonne volonté, t. III,
XXII, p. 298.

Conservation de matières organiques (➙ **Stérilisation ; appertisation, pasteurisation**). *Conservation de denrées.* ➙ **Conserver.** *Appareils frigorifiques de conservation.* ➙ **Congélateur, glacière, réfrigérateur.** *Moyens de conservation et de stockage.* ➙ **Emballage, emmagasinage, ensilage...; entrepôt, magasin ; cave, charnier** (VX), **citerne, fruiterie, fruitier, silo...** *Conservation par élimination de l'air* (➙ **Enrobage**), *par le froid* (➙ **Congélation, réfrigération**), *par la chaleur* (➙ **Cuisson, déshydratation, dessiccation**), *par le fumage, par l'emploi d'antiseptiques* (➙ **Salaison, saumurage**). — *Conservation des pâtes céramiques* (➙ **Pourrissage**). *Conservation de fourrures, de vêtements dans la naphtaline*. Le natron* utilisé par les Égyptiens pour la conservation des momies...*

Techn. *Procédés de conservation des sols,* mis en œuvre pour empêcher l'érosion.

Techn. (publicité). *Affichage en conservation :* affichage fait avec garantie de l'emplacement pour une durée déterminée (opposé à *affichage libre*).

♦ **2** (1617). **Dr. admin.** Charge de conservateur*. *Conservation des eaux et forêts. Conservation des hypothèques.* — Par métonymie. *Aller à la conservation des hypothèques.*

♦ **3** (1721). **Littér.** État de ce qui est conservé. ➙ **Maintien.** *Veiller à la bonne conservation d'un ouvrage d'art. Statue d'une belle conservation. Conservation du teint. Conservation de l'énergie, des forces. Conservation de l'espèce.* Loc. *État de (bonne, parfaite) conservation.*

CONTR. **Abandon, abolition, aliénation, altération, annihilation, annulation, détérioration, dilapidation, fermentation, gaspillage, perte, putréfaction.** ◊ COMP. **Autoconservation.**

CONSERVATISME [kɔ̃sɛʀvatism] n. m. — 1851, Herzen ; de *conservateur* (politique).

Prise de position morale, intellectuelle des conservateurs, de ceux qui sont hostiles à une évolution ; esprit conservateur. *Conservatisme politique, social, religieux.* ➙ **Conformisme, traditionalisme.**

L'armature idéologique du maurrassisme, en s'effondrant   1
d'un coup, a montré à tous les regards ce qu'elle dissimu-lait (...) un conservatisme buté au service d'intérêts avides,
ligués contre l'État et qui, partout, et singulièrement en
Afrique du Nord, calomnient la France et la défigurent.
F. MAURIAC, Bloc-notes 1952-1957, p. 188.

Sous l'effet de la prolongation de la durée moyenne de vie,   2
et aussi en raison du conservatisme naturel aux sociétés
installées dans le confort, l'accession des jeunes aux res-ponsabilités s'est trouvée progressivement ralentie, alors
qu'il aurait fallu l'accélérer.
J. CAPELLE, in le Figaro littéraire, 9 sept. 1968.

CONTR. **Progressisme.** ◊ DÉR. **Conservatiste.**

CONSERVATISTE [kɔ̃sɛʀvatist] n. m. — 1876 ; de *conservatisme.*

Rare. (Le mot courant est *conservateur*). Partisan du conservatisme. ➙ **Conformiste, traditionaliste.**

1. CONSERVATOIRE [kɔ̃sɛʀvatwaʀ] adj. — V. 1370 ; de *conserver.*

Didact. Qui a pour but de conserver. *Acte, mesure conservatoire. Saisie conservatoire* (opposé à *exécutoire*).

Renault me conseilla de rester au service des Grands Travaux et de prendre, à titre conservatoire, la direction de ce qu'il en restait.
> Raymond ABELLIO, *Ma dernière mémoire*, t. II,
> p. 271.

HOM. 2. Conservatoire.

2. **CONSERVATOIRE** [kɔ̃sɛʀvatwaʀ] n. m. — 1778; «hospice», 1714; ital. *conservatorio*, de *conservare* «conserver».

♦ 1 *Conservatoire de musique et de déclamation*, et, absolt, *le Conservatoire* : institution fondée à Paris en 1789 pour maintenir la tradition des arts dramatique et musical. *École qui forme des musiciens, des comédiens. Un conservatoire de danse. Professeur au Conservatoire de... Élève d'un conservatoire. Un premier prix de piano, de comédie... du Conservatoire. Le Conservatoire* (de musique) *de Paris.*

♦ 2 *Conservatoire national des arts et métiers (C. N. A. M.)* : établissement fondé en 1794, pour conserver des collections concernant l'histoire des sciences et des techniques, et qui dispense un enseignement.

♦ 3 Littér. (emploi général). Lieu, endroit où l'on conserve qqch. «*Un conservatoire de la pensée écrite*» (Claudel, *Correspondance*).

HOM. 1. Conservatoire.

CONSERVE [kɔ̃sɛʀv] n. f. — 1359, au sens I, 1; de *conserver*.

I ♦ 1 Aliment conservé.
Vx. Aliment préparé pour être conservé, pour se conserver. — REM. Dans cette acception large, *conserve* inclut les viandes fumées, séchées, les conserves de fruit (confitures, etc.). → **Confit, semi-conserve.**

0.1 Nab employait presque tout son temps à saler ou à fumer des viandes, ce qui lui assurait des conserves excellentes.
> J. VERNE, l'Île mystérieuse, t. I, p. 258.

Mod. Substance alimentaire stérilisée (→ **Appertisation**) et conservée dans un récipient hermétique. *Conserve de légumes, de viande, de poisson. Faire, préparer des conserves chez soi. Conserves industrielles. Intoxication par des conserves avariées.* → **Botulisme.** *Maladie des conserves* : troubles causés par la consommation excessive de conserves et la sous-consommation de produits frais. — *Boîte de conserve* (→ *infra* cit. 0.2). *Des piles de conserves, dans un placard.*

0.2 Enfin ils se décident à entrer, et sortent, emportant sous le bras, le BOILLED MUTTON ou le BOILLED BEEF, etc., toutes les conserves possibles et impossibles de viandes, de légumes, de choses qu'on n'aurait jamais pensé devoir devenir la nourriture du Paris riche.
> Ed. et J. DE GONCOURT, Journal, t. IV, p. 45.

... **DE CONSERVE.** *Boîte de conserve* : récipient métallique, clos, contenant des conserves. *Ouvrir une boîte de conserve. De vieilles boîtes de conserve.* — (D'un aliment). Préparé, mis en boîte pour être conservé. *Bœuf de conserve.* → **Corned-beef, singe** (fam.). *Lait de conserve*, en poudre, condensé. *Sardines de conserve.*

1 On servit (...) des petits pois, qui étaient naturellement de conserve, mais qui avaient bon goût (...)
> J. ROMAINS, les Hommes de bonne volonté, t. V,
> x, p. 78.

1.1 Il avait vaguement envie d'essayer son adresse en démolissant avec quatre balles une pyramide de cinq boîtes de

conserves vides, ou en se photographiant d'un coup de fusil.
> R. QUENEAU, Pierrot mon ami, éd. L. de Poche,
> p. 21.

EN CONSERVE : en boîte (opposé à *frais*). *Des petits pois en conserve. Mettre des sardines en conserve.* → **Conserverie; conserveur.**

Fig. et fam. *De la musique en conserve* : des disques.

REM. Sémantiquement, *conserve* dans *de conserve* et *en conserve* correspond à un autre contenu («action de...; état» et non «chose...»); mais le sentiment linguistique n'analyse pas ce contenu, et *boîte de conserve* est synonyme de *une conserve.*

Pharm. Préparation de consistance molle faite d'un mélange de sucre et d'une substance végétale. *Conserve de roses.*

♦ 2 Collectif. *La conserve* : l'industrie de la mise en conserve. → **Conserverie.**

♦ 3 Rare. Action de conserver (*la conserve d'un produit* : cour., *mise en conserve*); état de ce qui se conserve.

II (1552). Mar. (de *conserver* «naviguer en gardant à vue»). Navire qui en escorte un autre pour le protéger.

(1559). Loc. *Naviguer de conserve* : suivre la même route.

Loc. adv. Fig. **DE CONSERVE.** → **Ensemble.** *Aller de conserve*, en compagnie. *Agir de conserve*, d'accord avec qqn. → De concert.

(...) jadis l'apostat repenti, jaloux de voler au ciel de conserve avec ses frères, obtenait la grâce de mourir dans le cirque.   2
> BALZAC, le Lys dans la vallée, Pl., t. VIII, p. 853.

Et les deux pas lourds se sont éloignés de conserve, accompagnés par les éclats de voix et les rires.   2.1
> A. ROBBE-GRILLET, Dans le labyrinthe, p. 169.

III N. f. pl. (1680). Vx. Lunettes pour ménager la vue.

(...) l'étude lui avait sans doute altéré la vue, car il portait des conserves.   3
> BALZAC, le Curé de village, Pl., t. VIII, p. 705.

DÉR. Conserverie.

CONSERVER [kɔ̃sɛʀve] v. tr. — 842; lat. *conservare*, de *con-* (*cum*), et *servare* «garder, maintenir».

I ♦ 1 (Compl. n. de chose concrète ou abstraite). Maintenir (qqch.) en bon état, préserver de l'altération, de la destruction, faire durer. → **Entretenir, garantir, garder, maintenir, préserver, protéger, sauvegarder, sauver.** *Une vie sobre qui conserve la santé.* → **Ménager.** *Lunettes pour conserver la vue.* → **Conserve,** III. *Conserver son teint, sa souplesse. Conserver ses vêtements.* → **Soigner.** *Conserver des produits alimentaires, des denrées périssables* (→ **Conserve;** **confire**). — (Compl. n. d'être animé). Continuer à avoir vivant et auprès de soi. *Conserver longtemps ses vieux parents. Conserver qqn en bonne santé.* — Pron. *Ce vin se conserve* (→ **Vieillir**). *Ces fruits ne se conservent pas.* — *Conserver qqch.* (et adj.) : maintenir (dans un certain état). *Conserver son honneur intact.* Pron. *Se conserver pur au milieu de la corruption générale* (Académie).

Quelquefois l'un se brise où l'autre s'est sauvé,   1
Et par où l'un périt un autre en est conservé.
> CORNEILLE, Cinna, II, 1.

Les uns à s'exposer trouvent mille délices;   2
Moi, j'en trouve à me conserver.
> MOLIÈRE, Amphitryon, II, 1.

Et que dans votre sein ce serpent élevé   3
Ne vous punisse un jour de l'avoir conservé.
> RACINE, Andromaque, I, 2.

4 La Marianne de Tristan, jouée la même année que le Cid, conserva cent ans sa réputation et l'a perdue sans retour ; Comment une mauvaise pièce peut-elle durer cent ans ?
VOLTAIRE, Commentaires sur Corneille, le Cid, *in* LITTRÉ.

5 (...) chez toutes les nations du monde, la langue suit les vicissitudes des mœurs, et se conserve ou s'altère comme elles. ROUSSEAU, Émile, II.

6 Il atteste enfin que le saphir préserve de la peur et conserve les membres vigoureux (...) HUYSMANS, Là-bas, XXI, p. 294.

Conserver (qqch. à qqch.) : faire en sorte que (qqch.) garde (telle qualité). *Conserver sa souplesse à un cuir. — Conserver (qqch. à qqn). Conserver sa confiance à qqn.*

♦ **2** Ne pas laisser disparaître. → **Garder.** *Conserver précieusement un dépôt, un secret. Conserver qqch. comme la prunelle de ses yeux. Conserver ses conquêtes. Conserver un emploi, une place, un poste, un rang, un titre. Conserver un souvenir.* → **Entretenir.** *L'histoire conserve la mémoire des grands hommes.* → **Immortaliser.** *Consolider un édifice, un monument pour le conserver. Conserver un usage* (cf. Maintenir en vigueur). — Pron. (passif). *Les monuments anciens qui se sont conservés.* → **Rester, subsister.**

Ne pas perdre. → **Garder.** *Conserver pour soi, par devers soi.* → **Réserver, retenir.** *Conserver toujours la même valeur* (→ Constant, invariable). — *Il n'a conservé aucun de ses enfants* : ses enfants sont partis ou sont morts. — *Conserver ses cheveux. Conserver sa beauté, sa fraîcheur, sa jeunesse. Conserver la vie.* → **Vivre; survivre.** *Conserver son calme, sa présence d'esprit, son sang-froid* (dans une circonstance). *Conserver du jugement. Conserver sa tête, toute sa tête,* son sang-froid, ou, en parlant d'un vieillard, *toutes ses facultés mentales, sa lucidité. Conserver l'estime, la faveur de qqn. Conserver son autorité, son crédit. Conserver ses distances à l'égard de qqn. Conserver son équilibre, son assiette. Conserver son allure, son avance. Conserver sa fortune.* → **Économiser, épargner, ménager** (→ Acquérir, cit. 8). *Se conserver des ressources. Conserver ses droits, ses privilèges. Conserver ses illusions, ses espérances. Conserver son opinion. Il a conservé ses amis, ses serviteurs. Il ne conserve que quelques uns de ses livres. La paix venue, on ne conserva que quelques divisions.* — Pron. *Se conserver.* (Personnes). *Se conserver en parfaite santé.*

Absolt. *Conserver ou abandonner* (→ ci-dessous, cit. 10).

7 On ne veut point perdre la vie, et on veut acquérir de la gloire : ce qui fait que les braves ont plus d'adresse et d'esprit pour éviter la mort, que les gens de chicane n'en ont pour conserver leur bien.
LA ROCHEFOUCAULD, Maximes, 221.

8 (...) ô siècles, ô mémoire,
Conservez à jamais ma dernière victoire !
CORNEILLE, Cinna, V, 3.

9 (...) c'est un supplice de conserver intact son être intellectuel, emprisonné dans une enveloppe matérielle usée.
CHATEAUBRIAND, Mémoires d'outre-tombe, t. II, p. 168.

10 (...) une femme, c'est différent : son travail dans la maison est bon pour conserver, non pour acquérir.
G. SAND, la Mare au diable, IV, p. 36.

11 Si vous voulez conserver une vieille chose, humaine ou divine, code ou dogme, patriciat ou sacerdoce, n'en refaites rien à neuf, pas même l'enveloppe.
HUGO, l'Homme qui rit, II, VIII, 3.

12 Un secret, bien gardé par ses détenteurs, couvé hermétiquement, se conserve sans dommage, et sans fruit.
COLETTE, la Naissance du jour, p. 144.

13 (...) ils *(les maîtres)* semblent soucieux, surtout, de conserver pour eux seuls le fruit de leur expérience, de se fermer sur leur secret.
G. DUHAMEL, Biographie de mes fantômes, V, p. 82.

14 (...) elle allait prendre dans un tiroir où elle conservait des reliques de son passé, un vieux recueil de cartomancie, et se tirait les cartes (...)
MARTIN DU GARD, les Thibault, t. VI, p. 19.

15 Conserver ce qu'on possède et s'approprier à l'occasion ce que possède le voisin !
MARTIN DU GARD, les Thibault, t. VI, p. 126.

Garder sur soi. *Conserver son manteau, son chapeau. — Conserver le bras en écharpe.*

II Mar. Vx. Naviguer de conserve avec. *Conserver un navire.*

◆ **SE CONSERVER** v. pron. Voir ci-dessus à l'article.

◆ **CONSERVÉ, ÉE** p. p. adj.

♦ **1** (1721). Maintenu en bon état ; maintenu en existence. *Manuscrits conservés avec soin. Souvenirs conservés par la tradition.*

Vx. En conserve. « *Une boîte de sardines conservées* » (R. Bazin, *in* T. L. F.).

♦ **2** Spécialt. *Personne bien conservée,* qui ne paraît pas son âge.

16 (...) elle n'était pas mal conservée, tout de même, en dépit de ses quarante ans, pour une femme qui avait tant fait la noce. Léon BLOY, la Femme pauvre, II, XV, p. 245.

CONTR. **Abandonner, abolir, aliéner, altérer, annihiler, annuler, briser, casser, céder, défaire** (se), **dépenser, détériorer, détruire, dilapider, dissiper, donner, empêcher, fermenter, gâcher, gaspiller, gâter, perdre, putréfier** (se), **renoncer, vendre.** ◇ DÉR. **Conservable, conservatif,** 1. **conservatoire, conserve, conserverie, conserveur.**

CONSERVERIE [kɔ̃sɛʀvəʀi] n. f. — 1942 ; de *conserver.*

♦ **1** Fabrique, usine de conserves alimentaires. *Conserverie de poissons. Elle travaille à la conserverie tous les étés. Une grande conserverie.*

♦ **2** ⓐ Action de mettre (des aliments) en conserve. — Vx. *La conserverie domestique.*

ⓑ Mod. Industrie des conserves. → **Conserve,** I, 2.

CONSERVEUR, EUSE [kɔ̃sɛʀvœʀ, øz] n. — 1950 ; de *conserver.* → Conserverie.

Techn. Industriel(le) de la conserve alimentaire. — Producteur (-trice) de conserves (pays, région, etc.).

Appos. ou adj. *Pays conserveurs de légumes, de fruits. Industriel conserveur, entreprise conserveuse.* → **Conserverie.** — *Ouvriers conserveurs.*

CONSIDÉRABLE [kɔ̃sideʀabl] adj. — 1547 ; de *considérer.*

♦ **1** Vieilli ou littér. Qui attire la considération, qui doit être considéré à cause de son importance, de sa valeur. → **Éminent, notable, remarquable.** *Homme considérable.* → **Personnage.** *Tenir un rang considérable. Se rendre considérable. Position, situation considérable.*

1 Ma mère m'a souvent rapporté diverses circonstances de ma naissance qui ne m'ont pas paru aussi considérables qu'elle se le figurait. FRANCE, le Petit Pierre, I, p. 5.

2 Il y a des traits de sottise aussi considérables, aussi rares, aussi précieux que des traits d'esprit.
VALÉRY, Rhumbs, p. 234.

REM. Les emplois modernes, extensifs, sont aujourd'hui plutôt compris comme une spécialisation du sens 2.

♦ **2** (1668). Très important (grandeur, quantité). → **Énorme, grand, gros, immense, important, imposant.** *Dépense considérable. Sommes considérables.*

Troupes considérables. La partie la plus considérable. → **Majeur.** *Travail considérable. Il y a mis un temps considérable. Des changements considérables.*

3 Le néologisme fait *considérable* synonyme de grand, et dit : un bruit considérable. Le vrai sens de ce mot est : qui doit être considéré, qui mérite considération. Il ne faut guère l'étendre au-delà de cette signification, et on ne lui attribuera le sens de grand que quand ce sens pourra se confondre avec celui de : qui mérite considération.
LITTRÉ, Dict., art. Considérable.

CONTR. Anodin, bas, faible, insignifiant, léger, médiocre, minime, modeste, petit. ◊ **COMP.** Considérablement.

CONSIDÉRABLEMENT [kɔ̃sideʀabləmɑ̃] adv.
— 1675; de *considérable.*
En grande quantité, dans une large mesure.
→ **Abondamment, amplement, beaucoup, bien, bougrement** (fam.), **copieusement, énormément, foison** (à), **largement.** *Modifier, diminuer considérablement qqch. Son état s'est considérablement amélioré. On a considérablement augmenté son salaire.*

CONTR. Faiblement, légèrement, médiocrement, modestement, petitement.

CONSIDÉRANT [kɔ̃sideʀɑ̃] n. m. → **Considérer.**

CONSIDÉRATION [kɔ̃sideʀasjɔ̃] n. f. — XIIᵉ; lat. *consideratio,* du supin de *considerare.* → Considérer.

♦ **1** Vx. Action d'examiner avec attention. → **Attention, étude, examen.** *Affaire qui mérite, qui demande une longue considération.* — Vieilli. *Sans considération de personne.* → **Acception.** *Agir avec considération. C'est de peu de considération, de nulle considération,* de peu d'importance, sans aucune importance.

1 Tout ce qui tombe sous la considération des géomètres.
DESCARTES, Géométrie, III.
REM. On dirait plutôt aujourd'hui : «attention, examen».
Mod. *Être digne de considération.* — Cour. **EN CONSIDÉRATION.** *Prendre en considération qqch. :* tenir compte* de... → Particulier, cit. 4. *La prise en considération de qqch.* — Rare. *Mettre qqch. en considération.*

2 Il n'y avait pour lui ni grandes ni petites choses ; il n'y avait que des choses dignes d'être prises en considération.
FRANCE, Jocaste, Œ., t. II, III.

♦ **2** Au plur. Observations, réflexions (sur un sujet). → **Dissertation, remarque.** *Présenter des considérations sur... Se perdre en considérations sur, quant à, à propos de la politique. Considérations sur les causes de la grandeur des Romains et de leur décadence,* œuvre de Montesquieu. *Il résulte de ses considérations que...*

♦ **3** (XIVᵉ). Motif*, raison* que l'on considère pour agir. *Considérations d'honneur, d'intérêt. Diverses considérations l'ont porté à cette démarche. Je ne puis entrer dans ces considérations. Entre autres considérations...*

3 Quand on aime bien, on ne pense qu'à son amour ; il absorbe toute autre considération (...).
MARIVAUX, la Vie de Marianne, VI, p. 252.

4 Les petites considérations sont le tombeau des grandes choses.
VOLTAIRE, Lettre à Damilaville, 6 août 1766.

Loc. prép. **EN CONSIDÉRATION DE, PAR CONSIDÉRATION POUR :** en tenant compte de, par égard pour. *En considération de son passé militaire, on l'a relâché.* → **Nom** (au nom de).

♦ **4** (1310, *considéreson*). Littér. ou style soutenu. Estime que l'on porte (à qqn). → **Déférence, égard.** *Avoir*

pour qqn une considération respectueuse. → **Révérence, vénération.** *C'est par considération pour votre père, en considération de votre père que... Considération que vaut un emploi, que confère une qualité, une vertu. Gagner, obtenir, s'acquérir de la considération auprès de qqn, dans un milieu.* → **Autorité, crédit, renommée.** *Jouir de la considération générale, d'une grande considération. Avoir la considération de ses chefs. Être en considération.* → **Cour** (bien en cour), **faveur, grâce.**

5 Cette considération personnelle, qui ne s'accorde ni au rang, ni au génie même, mais à la vertu seule, et dont on doit être d'autant plus jaloux qu'on en plus exposé par ses talents ou par ses dignités au jugement de ses contemporains.
D'ALEMBERT, Éloges, Abbé de Choisy.

6 L'estime vaut mieux que la célébrité, la considération vaut mieux que la renommée et l'honneur vaut mieux que la gloire.
CHAMFORT, Maximes et Pensées, XXXIV.

7 (...) le général autrichien reçut le marquis del Dongo avec une considération voisine du respect (...)
STENDHAL, la Chartreuse de Parme, II, p. 23.

8 Il en était venu à croire que les citoyens ne condamnent un si grand nombre de leurs semblables à l'infamie que pour goûter par contraste les joies de la considération.
FRANCE, les Opinions de J. Coignard, Œ., t. VIII, p. 319.

9 Mais, de cette expérience particulière, j'ai du moins retiré une grande révérence pour toute personne qui sait faire quelque chose, et une singulière considération pour celles qui nous montrent par leur exemple que l'exercice d'une profession peut valoir à son homme un autre avantage que son traitement ou son salaire (...)
VALÉRY, Regards sur le monde actuel, p. 268.

10 (...) nous sommes timides devant nos familiers ; il est si rare qu'à vivre avec eux nous n'y perdions pas toute leur considération (...)
COLETTE, l'Étoile Vesper, p. 73.

Formule de politesse à la fin d'une lettre. *Agréez l'assurance de ma parfaite considération, de ma considération distinguée.*

11 J'ai l'honneur, d'être, Monsieur, avec la considération la plus distinguée, votre très humble et très obéissant serviteur (...)
CHATEAUBRIAND, Mémoires d'outre-tombe, t. V, 15 nov. 1831, p. 314.

CONTR. Déconsidération, dédain, ignorance, inconsidération, mépris, mésestime.

CONSIDÉRÉMENT [kɔ̃sideʀemɑ̃] adv. — 1392; de *considéré,* p. p. de *considérer.*
Vx. En considérant bien les choses ; avec circonspection, prudence. *Agir considérément.*

CONTR. Inconsidérément.

CONSIDÉRER [kɔ̃sideʀe] v. tr. [CONJUG. : *céder (je considère; je considérerai).*] — V. 1241; lat. *considerare;* a éliminé l'anc. franç. *consirer* «réfléchir, s'abstenir».

♦ **1** Regarder* attentivement. → **Contempler, observer.** *Considérer qqn de la tête aux pieds. Considérer qqn avec dédain ou arrogance* (→ **Toiser**), *avec admiration* (→ **Admirer**), *étonnement. Considérer un édifice, un tableau.*

1 Hé bien ! Qu'est-ce ? M'as-tu tout parcouru par ordre ? M'as-tu de tes gros yeux assez considéré ?
MOLIÈRE, Amphitryon, III, 2.

2 (...) le sourcil est froncé, non parce qu'il menace, mais à cause de l'attention que les moyens portent sans le vouloir à tout ce qu'ils consistent, dès qu'ils lèvent la tête.
André SUARÈS, Trois hommes, «Ibsen», III, p. 106.

3 D'ailleurs, Mionnet, loin de chercher l'occasion de regarder les gens à la dérobée, les considérait le plus souvent bien en face.
J. ROMAINS, les Hommes de bonne volonté, t. III, XI, p. 154.

♦ **2** Envisager* par un examen attentif, critique. → **Apprécier, approfondir, étudier, examiner,** observer, peser. *Considérer le pour et le contre, impartialement.* → **Balancer.** *Considérer une chose sous tous ses aspects. Considérer des faits en détail. Isoler* un élément pour mieux le considérer. C'est une raison qu'il faut considérer en elle-même. Considérer l'étendue de son malheur. Considérer dans son ensemble, de haut. Considérer l'avenir*. Manière de considérer.* → **Opinion, vue** (point de vue). *Loc. À tout bien considérer... :* en considérant tous les aspects de la question...

4   (...) et ainsi que la diversité de nos opinions ne vient pas de ce que les uns sont plus raisonnables que les autres, mais seulement de ce que nous conduisons nos pensées par diverses voies, et ne considérons pas les mêmes choses.
          DESCARTES, *Discours de la méthode*, I, p. 2.

Considérer (qqch.) d'une certaine manière, sous un point de vue, par rapport à...

5   (...) vous dépouillez toutes les choses humaines des propriétés que leur donnent le temps, l'espace, la forme, pour les considérer mathématiquement sous je ne sais quelle expression pure, ainsi que la géométrie pour les corps desquels elle abstrait la solidité.
          BALZAC, *Séraphîta*, Pl., t. X, p. 481.

6   (...) on peut considérer une force, d'abord par rapport aux autres, ensuite par rapport à elle-même.
          TAINE, *Philosophie de l'art*, t. II, v, III, I, p. 282.

7   À première vue, on pourrait croire que Tarrou s'est ingénié à considérer les choses et les êtres par le gros bout de la lorgnette.
          CAMUS, *la Peste*, p. 35.

Spéciait. Envisager, pour en tenir compte ultérieurement. → **Égard** (avoir égard à), **garde** (prendre garde à ; **attacher** (s'), **préoccuper** (se). *Un point à considérer. Ce n'est pas à considérer. Sans considérer l'intention. Considérez son âge, son mérite. Un juge intègre ne considère ni les personnes, ni les recommandations* (Académie).

8   Ne considérez point cette grandeur suprême (...)
    Traitez-moi comme ami, non comme souverain (...)
          CORNEILLE, *Cinna*, II, 1.

9   En toute chose il faut considérer la fin.
          LA FONTAINE, *Fables*, III, 5.

10   Qui considérerait bien le prix du temps, et combien sa perte est irréparable, pleurerait amèrement sur de si grandes misères.
          LA BRUYÈRE, *les Caractères*, VII, 20.

10.1 (...) quelle reconnaissance désespérée envers celui qui veut bien, enfin, considérer leur plainte.
          GIDE, *Voyage au Congo, in Souvenirs*, Pl., p. 842.

♦ **3** (1643). Surtout au passif. Faire cas de (qqn). → **Estimer, révérer, vénérer.** *Un homme que l'on considère beaucoup. Le besoin d'être considéré.*

11   Votre père y commande *(dans Mélitène)*, et l'on m'y considère (...)
          CORNEILLE, *Polyeucte*, II, 4.

12   (...) partout on considère les femmes à proportion de leur modestie ; partout on est convaincu qu'en négligeant les manières de leur sexe elles en négligent les vertus.
          ROUSSEAU, *Lettre à d'Alembert*, p. 193.

♦ **4** (1835). **CONSIDÉRER COMME** : estimer, juger... → **Prendre** (pour), **réputer, tenir** (pour). *Je le considère comme un bon professionnel. Je considère cette théorie comme une grande nouveauté, comme une banalité sans intérêt. Je la considère comme ma fille. Je vous considère comme responsable. Je considère ma collaboration comme terminée*.*

13   (...) il vit bien que les camarades les considéraient non comme des héros, mais comme des traîtres.
          A. MAUROIS, *Bernard Quesnay*, XIII, p. 85.

14   (...) je considère ces problèmes comme dignes du plus grand respect (...) bien que je ne sois pas sûr qu'on ait traité toujours avec la largeur qui convient.
          J. ROMAINS, *les Hommes de bonne volonté*, t. V, VI, p. 44.

(Av. 1511). **CONSIDÉRER QUE.** → **Estimer, juger, penser.** *Je considère que c'est, qu'il est un bon*

professionnel. *Je considère que vous êtes responsable, que ma collaboration est terminée. Si vous considérez que ce n'est pas la peine...*

♦ **SE CONSIDÉRER** v. pron.

♦ **1** (Réfl.). Se regarder soi-même, s'examiner. *Se considérer dans un miroir.*

(Récipr.). Se regarder l'un l'autre. *Ils se considéraient en silence, hostilement.*

♦ **2** (Réfl.). S'estimer soi-même. *Se considérer avec complaisance. Se juger. Se considérer comme un personnage.*

15   (...) malgré le partage de la succession, Frédéric se considère toujours comme le maître, l'unique successeur de papa, qui a tous les pouvoirs.
          J. CHARDONNE, *les Destinées sentimentales*, II, IV, p. 279.

♦ **3** (Passif). Être examiné. *Tout doit se considérer.*

N. m. **CONSIDÉRANT** : considération qui motive un décret, une loi, et qui en précède le texte. → **Attendu, motif.** *Considérants d'un jugement. Considérants scientifiques.* → Recouvrir, cit. 3.

16   (...) il m'apparut que mon action était d'autant plus sincère que je balayais devant elle tous ces considérants par quoi je tentais de me la justifier d'abord.
          GIDE, *Journal, 1889-1939*, Feuillets, I, Pl., p. 776.

Loc. conj. **CONSIDÉRANT QUE,** formule qui précède l'énoncé des motifs d'un arrêt, d'un jugement. → **Attendu que.**

17   *Considérant que,* dont il est fait grand usage aujourd'hui, montre à merveille comment le rôle du participe s'efface, et comment la syntaxe, qui rapportait d'abord l'action de considérer à un sujet, s'oblitère. L'expression devient synonyme d'*attendu que.*
          F. BRUNOT, *la Pensée et la Langue*, XVIII, IV, p. 704.

♦ **CONSIDÉRÉ, ÉE** p. p. adj.

♦ **1** Examiné. *Affaire attentivement considérée.*

18   Cette raison n'était pas admissible pour eux. Vous froissiez une susceptibilité familiale (...) Tout est considéré là-bas sous l'aspect de la respectabilité (...) C'est un point de vue.
          J. CHARDONNE, *les Destinées sentimentales*, II, I, p. 197.

Tout bien considéré : tout étant examiné.

♦ **2** Regardé comme. → **Censé, réputé.** *Cet ingénieur considéré comme très habile.* — Estimé. *Être très considéré dans la ville.*

19   On se rappelle la maxime de Beaumarchais : « La nature dit à la femme, sois belle si tu peux, sage si tu veux, mais sois considérée, il le faut. » Sans considération, en France point d'admiration, partant point d'amour.
          STENDHAL, *De l'amour*, VIII, note.

20   Maître Chesnel avait la confiance de toute la ville, il y était considéré (...)
          BALZAC, *le Cabinet des antiques*, Pl., t. IV, p. 339.

CONTR. Déconsidérer, décréditer, dédaigner, ignorer, méconnaître, mépriser, mésestimer. ◊ **DÉR.** et **COMP.** Considérable, considérément. — Déconsidérer. — V. inconsidéré.

CONSIGNATAIRE [kɔ̃siɲatɛʀ] n. m. — 1690 ; de *consigner.*

♦ **1** Dépositaire d'une somme consignée. — Dr. admin. Préposé à la garde des dépôts et consignations.

♦ **2** (1829). Négociant, firme commerciale qui reçoit en dépôt des marchandises. → **Commissionnaire, mandataire.** — Mar. Négociant à qui l'armateur adresse un navire pendant son passage dans un port. → **Agent** (maritime), **transitaire.** *Le consignataire est le mandataire de l'armateur.*

CONTR. Consignateur.

CONSIGNATEUR, TRICE [kɔ̃siɲatœr, tris] n.
— 1845, Bescherelle; de *consigner*.

Dr. Personne qui consigne, qui fait un dépôt entre
les mains de quelqu'un.

CONTR. **Consignataire.**

CONSIGNATION [kɔ̃siɲasjɔ̃] n. f. — 1396, *concination;*
de *consigner*.

I ♦ **1** Dr. **a** Dr. civ. Dépôt dans une caisse publique
de sommes ou valeurs dues à un créancier qui ne
peut ou ne veut pas les recevoir. *Consignation au
greffe. Caisse* des dépôts et consignations.*

1 Lorsque le créancier refuse de recevoir son payement, le
débiteur peut lui faire des offres réelles, et au refus du
créancier de les accepter, consigner la somme ou la chose
offerte.
Les offres réelles suivies d'une consignation libèrent le
débiteur (...)
                Code civil, art. 1257 (cf. art. 1257-1264).

b Dr. admin. Remise de sommes ou valeurs à une
caisse publique en garantie d'engagements d'un
particulier envers l'État, une personne publique...
(loi du 22 juil. 1875). → **Cautionnement, garantie.**
Somme, valeur consignée.

♦ **2** (1835). Comm. Remise d'une marchandise à un
négociant (→ **Commissionnaire, consignataire**) pour
qu'il les vende. → **Commission** (2.). *Compte de consignation. Marchandises en consignation. Envoyer
quelque chose en consignation.*

Dépôt de bagages à une consigne. *La consignation
a été enregistrée à midi.*

♦ **3** Cour. Action de consigner (un emballage).
→ **Consigne.**

II Rare. Action de consigner par écrit. *Consignation
dans un registre des entrées et des sorties.*

2 Je groupe ces notes pour quelques jeunes gens. J'aimerais qu'ils les considérassent comme la consignation d'une
ascèse entre toutes délicate.
                Jean GENET, Journal du voleur, p. 227.

III Rare. Action de consigner qqn. *La consignation
d'un élève le mercredi.*

CONSIGNE [kɔ̃siɲ] n. f. — Fin xvᵉ, rare av. 1740 (sens 1);
«agent chargé de surveiller le mouvement des personnes et des marchandises», 1622; de *consigner*.

♦ **1** Instruction stricte donnée à un militaire, un
gardien, sur ce qu'il doit faire. → **Ordre.** *Donner,
transmettre la consigne à qqn. Passage des consignes. C'est la consigne.* → **Règlement.** *Observer, respecter la consigne. Changer, lever la consigne. Forcer,
violer la consigne, manquer à la consigne.* — Loc. fam.
Manger la consigne : oublier d'exécuter un ordre.
Être à cheval sur la consigne : être très strict dans
l'application des instructions. — *Consignes strictes,
sévères. Les consignes de la sentinelle, du chef de
poste, du guetteur,* celles qu'ils ont reçues. *Ne connaître que la consigne* (→ Baderne, cit.). *La consigne,
c'est la consigne* : on ne transige pas avec les ordres
reçus.

1 (...) les factionnaires ont une consigne secrète qui concerne
lui seul (...)   LOTI, Aziyadé, XIX, p. 30.
2 Le capitaine commandant la garnison passa les consignes
à son successeur.
                P. MAC ORLAN, la Bandera, X, p. 115.

Par ext. Instruction. Spécialt, en psychol. *(consigne d'un
test),* en informatique.

3 Il avait donné, dès le début de cette retraite, des consignes
impératives : «Si l'on appelle au téléphone, je suis absent.»
                G. DUHAMEL, le Voyage de Patrice Périot, V, p. 90.

♦ **2** **a** (1803; correspond au sens 3 de *consigner*).
Défense de sortir, enjointe par punition (dans
quelques constructions). *Soldats en consigne* (→ **Consigner**). — *Donner quatre heures de consigne à un
élève, un écolier, un lycéen.* → **Colle** (fam.), **retenue.**
b (Correspond au sens 4 de *consigner*). Défense d'entrer. *Forcer la consigne.*

♦ **3** (1866). Service chargé de la garde des bagages
déposés provisoirement (dans une gare, etc.); lieu
où les bagages sont déposés. *Mettre sa valise à
la consigne. Retirer de la consigne. Bulletin de consigne.* — *Consigne automatique* : armoire métallique munie d'un système mécanique d'ouverture,
commandé par un monnayeur. *La consigne d'un
aérodrome, d'une gare routière,* etc.

4 (...) il revint payer sa chambre, et partit déposer son sac
à la consigne de la gare de l'Est.
                MARTIN DU GARD, les Thibault, t. V, p. 283.

♦ **4** Fait de consigner (un emballage). → **Consignation.** — Somme remboursable versée à celui
qui consigne un emballage. *Un franc de consigne.
Verser un franc pour la consigne d'une bouteille.
Rembourser la consigne.*

CONSIGNER [kɔ̃siɲe] v. tr. — 1345, «délimiter»; lat. *con-
signare* «sceller», de *con-* (*cum*), et *signare*. → **Signer.**

♦ **1** (1402). Remettre en dépôt, en garantie (une
somme, un objet). → **Déposer.** *Consigner une
somme d'argent, des valeurs au greffe, à la caisse
des dépôts.*

1 Un dépôt que l'on consigne entre tes mains (...)
                BOSSUET, I, Sermon pour le jour de Pâques, 2.

(1723). Comm. Adresser à un consignataire*. *Consigner un navire, une cargaison, des marchandises.*

♦ **2** (1690). Mentionner, rapporter par écrit, spécialt,
dans une pièce officielle. → **Acter** (dr.), **constater,
enregistrer, rapporter, relater.** *Consigner qqch. au
procès-verbal. Consigner une réflexion, une pensée
sur un carnet.* → **Écrire, noter.** *Consigner un fait
dans une annales.*

2 Possèdent-ils l'un ou l'autre de ces renseignements, c'est
que le vendeur a vraiment tenu à le donner; et ils l'ont
consigné d'une plume négligente.
                J. ROMAINS, les Hommes de bonne volonté, t. IV,
                                            IV, p. 28.

♦ **3** (1467, «maintenir prisonnier», repris 1743). Compl. n.
de personne. Empêcher (qqn) de sortir par mesure
d'ordre, par punition. → **Retenir.** *Consigner un
soldat au quartier. Se faire consigner.* Par ext. *Consigner la caserne, les troupes, le régiment au quartier,*
en période de troubles, etc. *Consigner un bâtiment,
un quartier,* par mesure sanitaire.

Consigner un élève indiscipliné.

3 Un beau jour, comme j'étais consigné à la caserne même
où nous voici, pour avoir fait trois fautes dans le maniement d'armes (...)
                A. DE VIGNY, Servitude et Grandeur militaires, II,
                                            VIII, p. 138.
4 A Toulon, à Brest, la flotte est consignée dans les ports.
                MARTIN DU GARD, les Thibault, t. VI, p. 212.

Vx. Empêcher d'entrer, de passer. *Je l'ai consigné à
ma porte* (Académie).

♦ **4** Interdire l'accès de (un lieu). *La police a consigné la salle. Ce compartiment est consigné aux
civils. Consigner sa porte à qqn,* lui interdire d'entrer.

4.1 La dame de Souville devait se coucher de bonne heure,
ou du moins consigner sa porte.
                BERNANOS, Un mauvais rêve, in Œ. roman., Pl.,
                                            p. 1024.

5 (...) dès que la taule sera consignée aux légionnaires, tu verras entrer (...) un civil (...)
P. MAC ORLAN, la Bandera, XII, p. 140.

◆ **5** (1907). Déposer à la consigne. *Consigner ses valises, ses bagages.*

◆ **6** Facturer (un emballage) en s'engageant à reprendre et à rembourser. *Consigner une bouteille.*

◆ **7** Vx. *Consigner à qqn de* (et inf.) : ordonner à qqn de. *Consigner à une sentinelle de ne laisser passer personne.*

♦ **CONSIGNÉ, ÉE** p. p. adj.

◆ **1** *Somme consignée.* — *Cargaison consignée.*

◆ **2** Noté, écrit. *Les faits consignés dans son carnet.*

◆ **3** (Personnes). *Soldats consignés.* — N. m. *Les consignés. L'appel des consignés.* — *Élèves consignés.* → **Collé.** — *Navire consigné* (dans un port). → **Quarantaine** (en).

◆ **4** (Lieux). *Compartiment consigné aux civils.*

◆ **5** *Valise consignée.*

◆ **6** *Bouteilles consignées, non consignées* («verre perdu»).

DÉR. **Consignataire, consignateur, consignation, consigne.**

CONSISTANCE [kɔ̃sistɑ̃s] n. f. — 1370, «matière»; de *consister.*

Ⅰ ◆ **1** (1690). État d'un corps relativement à sa solidité, à la cohésion de ses parties. *La consistance de la boue, de la cire, d'un mélange. Consistance dure, élastique, huileuse, gélatineuse, molle, pâteuse, pulpeuse, subéreuse, visqueuse. Épaissir la consistance d'une sauce, d'une bouillie.* — Absolt. État d'un liquide qui devient pâteux, s'épaissit, se coagule. *Prendre consistance. Donner de la consistance à.* — Fermeté, solidité. *Ce terrain manque de consistance.*

1 Ces terres vaseuses, comme celles qui n'ont pas acquis toute leur consistance (...)
G. T. RAYNAL, Hist. philosophique, XVI, 6.

2 (...) la consistance râpeuse et dure de l'argile sèche.
Edmond JALOUX, Fumées dans la campagne, I, p. 3.

3 Cependant cela existait. Peut-être (...) une substance, celle d'un être, car c'en était un, indécis. Il hésitait à prendre consistance, soit qu'il eût des liens avec l'ombre, qui le retinssent aux confins de l'invisible, soit qu'il fût impuissant à entrer dans ce monde où la matière avait pris forme avec une implacable exactitude.
H. BOSCO, Un rameau de la nuit, II, p. 59.

◆ **2** (1580). Abstrait. État de ce qui est ferme, solide. → **Fermeté, force, solidité, stabilité.** *Un bruit sans consistance.* → **Crédit, fondement.** *Caractère, esprit sans consistance,* sans fermeté, irrésolu. *Cet établissement, cette affaire a pris de la consistance. Un homme sans consistance,* sans crédit, sans considération.

4 C'est durant ce précieux intervalle que mon éducation, mêlée et sans suite, ayant pris de la consistance, m'a fait ce que je n'ai plus cessé d'être à travers les orages qui m'attendaient.
ROUSSEAU, les Confessions, V.

5 Mais ce ne sont là que les tremblants symptômes d'un amour sans consistance.
SUPERVIELLE, Shéhérazade, II, 8.

◆ **3** Dr. Ce en quoi consiste une succession, un domaine. *La consistance d'une succession. Héritage en consistance de...*

Ⅱ ◆ **1** Log., math. Non-contradiction. *La consistance des axiomes.*

◆ **2** Didact. Cohérence dans un système donné. *La consistance des réponses dans un test psychologique.*

CONTR. **Inconsistance; fluidité, liquidité.**

CONSISTANT, ANTE [kɔ̃sistɑ̃, ɑ̃t] adj. — 1560; de *consister.*

Ⅰ ◆ **1** (Concret). Qui a de la consistance. → **Cohérent, dur, ferme, solide.** *Sauce, bouillie consistante.* → **Épais, visqueux.** *Chairs consistantes.*

◆ **2** (Fam.). Important, solide. *Un petit déjeuner consistant.* → **Copieux.**

◆ **3** (Abstrait). Ferme, solide. *Argument consistant. Souvenirs consistants. Personnage de roman consistant.*

Ⅱ (1957, de l'angl.). Anglic. Log. *Système consistant :* théorie dans laquelle deux formules contraires ne peuvent être démontrées à la fois.

CONTR. **Inconsistant; contradictoire.**

CONSISTER [kɔ̃siste] v. intr. — XVe; «avoir de la consistance», XIVe; lat. *consistere* «se tenir ensemble», de *con-* (*cum*), et *stare.*

Être constitué par; avoir son essence, ses propriétés (dans). — *Consister en, dans.* → **Composer** (se). *Ce bâtiment consiste en tant d'appartements.* → **Comporter, comprendre.** *Sa fortune consiste en actions de telle société. Ce domaine consiste en terres labourables, en forêts...* (→ **Consistance**). — *Consister dans le fait de.* → **Résider.** *En quoi consiste votre projet?* — *Consister à* (et inf.). *Son habileté consiste à savoir se servir des autres.* — *La liberté consiste en..., à...,* se définit*, peut se définir comme...*

1 La religion chrétienne consiste en deux points; il importe également aux hommes de les connaître (...)
PASCAL, Pensées, VIII, 556.

2 La libéralité consiste moins à donner beaucoup qu'à donner à propos.
LA BRUYÈRE, les Caractères, IV, 47.

3 Le bonheur ou le malheur consistent dans une certaine disposition d'organes.
MONTESQUIEU, Cahiers, p. 17.

4 Il prétendit que son péché n'était pas si grave, puisqu'il ne consistait qu'en paroles, et qu'il voulait bien demander pardon (...)
G. SAND, la Mare au diable, XIV, p. 124.

Avoir pour contenu. *Notre programme consiste à...*

DÉR. **Consistance, consistant.**

CONSISTOIRE [kɔ̃sistwaR] n. m. — 1174; du bas lat. *consistorium* «assemblée», de *consistere.* → Consister.

Religion.

◆ **1** Dans l'Église catholique. Assemblée de cardinaux convoqués par le pape pour s'occuper des affaires générales de l'Église (→ **Concile**). *Consistoire secret; consistoire public, solennel.*

1 Tout le consistoire a fait schisme à la création de ce nouveau pape.
RACINE, Lettres, 11 juin 1661.

Vx. Fig. et fam. → **Assemblée, réunion.**

2 Aurait-il cru un consistoire de beaux esprits plus difficile à concilier qu'une assemblée de rois?
D'ALEMBERT, Éloges, Abbé de St-Pierre.

◆ **2** (1596). *Consistoire protestant, israélite :* assemblée de ministres du culte et de laïques élus pour diriger les affaires d'une communauté religieuse (→ **Synode**).

DÉR. **Consistorial.**

CONSISTORIAL, ALE, AUX [kɔ̃sistɔʀjal, o] adj. et n. — 1432; de *consistoire*.

Relig. Qui appartient à un consistoire. *Jugement consistorial.* — N. m. Membre d'un consistoire.

Dans son mémoire, l'avocat consistorial Morano, une des autorités du barreau romain, négligeait simplement de dire que cette impuissance avait pour cause unique la résistance de la femme (...) ZOLA, Rome, p. 62.

DÉR. **Consistorialement.**

CONSISTORIALEMENT [kɔ̃sistɔʀjalmã] adv. — 1580; de *consistorial*.

Religion. En consistoire.

CONSŒUR [kɔ̃sœʀ] n. f. — 1342, *consuer;* de *sœur*, d'après *confrère*.

♦ **1** (XVᵉ). Anciennt. Religieuse, considérée en tant qu'appartenant au même ordre que d'autres. Femme membre d'une confrérie.

♦ **2** (1764). Mod. (mais admin. ou style soutenu). Femme appartenant à une profession libérale, un corps constitué, considérée par rapport aux autres membres (et notamment aux autres femmes) de cette profession. → **Collègue, confrère.** *Maître Jeanne X et ses consœurs du barreau.*

CONSOL [kɔ̃sɔl] n. m. — Mil. XXᵉ; du nom de l'inventeur.

Techn. Système de radiobalises à caractéristiques variables, émettant dans une direction déterminée; procédé de radionavigation utilisant ce système. «*Nous ne recevons ni gonio... ni consol, et... il n'y a pas de soleil. Nous ne pouvons donc apprécier et corriger notre dérive*» (*Bateaux*, n° 100, p. 86). — Appos. *Système consol.*

Les récepteurs spéciaux joignant à un fonctionnement plus sûr des possibilités plus étendues peuvent recevoir les émissions météo des bandes Chalutiers, le réseau Consol et les radiophares. Le réseau Consol s'étend en Manche, Atlantique et Méditerranée ouest. La précision est excellente au-delà de 15 milles des côtes. Jean GIORDAN, le Yachting, p. 116.

HOM. **Console.** — Formes du v. **consoler.**

CONSOLABLE [kɔ̃sɔlabl] adj. — 1647; «qui console», v. 1450; lat. *consolabilis*, de *consolare* (→ Consoler) ou de *consoler*.

Qui peut être consolé. *Sa douleur est telle qu'il n'est pas consolable. Son chagrin sera aisément consolable. Une veuve, un veuf facilement consolable.*

CONTR. **Inconsolable.**

CONSOLANT, ANTE [kɔ̃sɔlã, ãt] adj. — 1470; de *consoler*.

♦ **1** Propre à consoler. → **Apaisant, calmant, consolateur, consolatif, consolatoire, lénitif, réconfortant.** *Pensée, parole consolante. Nouvelle consolante. Il est consolant de se dire que...; il y a qqch. de consolant à...*

1 Je voudrais bien pouvoir adoucir ses maux; mais il est accoutumé à vos soins qui sont consolants, et si précieux (...) Mᵐᵉ DE SÉVIGNÉ, 1079, 1ᵉʳ nov. 1688.

2 (...) tout événement a deux aspects, toujours accablant si l'on veut, toujours réconfortant et consolant si l'on veut (...) ALAIN, Propos sur le bonheur, p. 13.

(Rare). Personnes. Qui console. → **Consolateur.** — Par antiphrase. *Eh bien! vous êtes consolant, vous!*

♦ **2** N. f. (Pop. et vx). *La consolante* : la bouteille bue dans certaines circonstances (cuisiniers après le «coup de feu». Cf. P. Hamp, *in* T. L. F.).

CONTR. **Accablant, affligeant, attristant, désespérant, désolant, navrant.**

CONSOLATEUR, TRICE [kɔ̃sɔlatœʀ, tʀis] n. et adj. — 1265; lat. *consolator*, du supin de *consolare*. → Consoler.

♦ **1** Littér. Personne qui console, qui cherche à consoler. *Dieu est le consolateur des affligés. L'ami qui devait être leur consolateur.* → Prévoyant, cit. 1. — Par ext. *L'espoir est le consolateur des malheureux.* — Loc. Relig. cathol. *La consolatrice des affligés :* la Sainte Vierge. *Le consolateur :* l'Esprit-Saint.

1 «Eh! Messieurs, laissez-moi mourir. (...) et finissez vos pleurs». Point du tout : les consolateurs De ce triste devoir tout au long s'acquittèrent (...) LA FONTAINE, Fables, XII, 6.

2 Levez donc vos regards vers les célestes plaines, Cherchez Dieu dans son œuvre, invoquez dans vos peines Ce grand consolateur (...) LAMARTINE, Méditations, I, 7.

♦ **2** Adj. Mod. Qui console. → **Consolant.** *Ange consolateur. Espérance, religion consolatrice.*

3 (*Isabelle*) lui jeta (...) un regard d'ange consolateur, si chargé de tendresse, de sympathie, de passion, qu'il (...) ne se sentit plus malheureux. Ce fut un baume divin qui cicatrisa les plaies de son orgueil (...) Th. GAUTIER, le Capitaine Fracasse, t. II, p. 30.

4 La religion chrétienne est principalement consolatrice; elle est belle surtout pour cela. GIDE, Journal, sept. 1893.

CONTR. **Bourreau, tourmenteur.**

CONSOLATIF, IVE [kɔ̃sɔlatif, iv] adj. — XIVᵉ; bas lat. *consolativus*, du supin de *consolare*. → Consoler.

Littér., rare. Qui console, apporte un apaisement. *Paroles consolatives.*

Confirmation par Holzhauser (1658) de l'idée que j'ai toujours eue sur les sept lettres de l'Apocalypse. Il distingue (... l'âge) consolatif, préparant les fidèles aux tribulations des derniers temps; désolatif, ou de l'Antéchrist. CLAUDEL, Journal, janv. 1912.

CONSOLATION [kɔ̃sɔlasjɔ̃] n. f. — XIᵉ, *consulaciun;* lat. *consolatio*, du supin de *consolare*. → Consoler.

♦ **1** Soulagement apporté à la douleur, à la peine de quelqu'un. → **Adoucissement, allégement, apaisement, réconfort, soulagement.** *La consolation de qqn, par qqn, par qqch. La consolation de qqn; celle qu'il reçoit (sa consolation fut brève); celle qu'il apporte (sa consolation fut inefficace). Donner, apporter la consolation, une consolation à qqn. Un sujet de consolation. Être sans consolation, privé de consolation. Chercher une consolation dans l'étude, dans la piété. Avoir une dernière consolation avant de mourir. Paroles de consolation. Consolation à Du Périer,* stances de Malherbe. *Les Consolations,* poèmes de Sainte-Beuve.

1 L'amitié est la consolation de ceux qui se trouvent accablés par les sots et par les méchants. VOLTAIRE, Lettre à Helvétius, 11 mai 1761.

2 Il faut enfin que la mort ne soit plus ni le châtiment de la prospérité, ni la consolation de la détresse. G. SAND, la Mare au diable, I, p. 11.

♦ **2** (1771). Sujet de satisfaction, d'allégement d'une peine. *C'est une grande consolation pour lui que de voir ses amis autour de lui. Il avait au moins la consolation de savoir qu'il n'était pas le seul. La religion est sa principale consolation. Les consolations de l'étude.* → **Dédommagement, joie, plaisir, satisfaction.** *De la consolation philosophique,* œuvre de Boèce (vers 524).

3 C'est une consolation de laisser promener ses idées dans l'antiquité et à six mille lieues de son trou. VOLTAIRE, Lettre à du Deffand, 13 août 1773.

4 L'amour est un repos pour la femme. C'est un refuge, un oubli, une consolation, une sorte de sommeil éveillé.
Edmond JALOUX, le Jeune Homme au masque, X, p. 153.

Fiche* de consolation. — (1855, in Petiot). *Prix* de consolation.*

♦ 3 Personne qui console ou peut consoler. → **Consolateur; appui...** *Son fils est sa seule consolation.*

5 (...) venez, vous serez ma consolation dans cette solitude ; et je ferai votre bonheur, pourvu que vous sachiez en jouir.
FÉNELON, Télémaque, I, p. 5.

CONTR. Affliction, amertume, blessure, chagrin, désespoir, désolation, malheur, mortification, peine, regret, remords, tourment, vexation.

CONSOLATOIRE [kɔ̃sɔlatwaʀ] adj. — Déb. XIVe ; lat. *consolativus,* du supin de *consolare.* → Consoler.
Littér. Dont le but est de consoler. *Écrit, discours consolatoire.* «*Poème... consolatoire*» (Gide).

CONSOLE [kɔ̃sɔl] n. f. — 1565 ; p.-ê. forme abrégée de *consolateur* «figure d'homme supportant une corniche», hypothèse contestée par P. Guiraud qui rattache directement le mot à *consoler* «soulager un mal physique», la *console* étant «ce qui soulage le bras ou la corniche».

♦ 1 Archit. Moulure saillante en forme de volute ou d'S, et qui sert de support. → **Corbeau.** *Console d'une corniche, d'un balcon. Console renversée. Construction sur consoles.* → **Encorbellement.**

1 (...) des galeries de bois, des saillies de poutres formant console.
J. ROMAINS, les Hommes de bonne volonté, t. V, XXVII, p. 285.

Constr. *Grue à console.* → **Cantilever.** — Électr. Élément en S soutenant un isolateur électrique.

♦ 2 (1640). Meuble en forme de table étroite adossé contre un mur, et dont les pieds ont la forme d'une console. *Console Empire, Directoire.*

2 (...) l'image est toujours aussi précise et précise de la petite clef d'acier poli, demeurée sur le marbre de la console, dans le coin droit, près du bougeoir en cuivre. Il y a donc une console dans cet obscur vestibule.
C'est un meuble de teinte sombre, au placage d'acajou en assez mauvais état, qui doit dater de la seconde moitié du siècle passé.
A. ROBBE-GRILLET, Projet pour une révolution à New York, p. 12.
Par ext. Table-applique.

Petit support appliqué au mur. → **Cul-de-lampe ; gousset.**

♦ 3 Mus. Partie supérieure (d'une harpe), renfermant les chevilles. — Meuble placé devant le buffet d'un orgue, et qui comporte les claviers, registres, pédalier.

♦ 4 (Mil. XXe ; par anal. de forme). Inform. Élément périphérique ou terminal d'un ordinateur, permettant de recevoir des informations et d'émettre des questions et des consignes vers l'unité centrale. *Console à visualisation cathodique.* → aussi **Télétype, terminal.**

3 Là, dans le discret crépitement des appareils à longue distance, devant leur console électronique méditant jour et nuit face à une seule et unique carte d'opérations, immense planisphère translucide aux reflets d'aquarium, une pléiade de bonzes au crâne rasé (...)
Régis DEBRAY, l'Indésirable, p. 47.

Techn. (enregistrement sonore). Pupitre de commandes situé dans la cabine d'enregistrement, muni d'un dispositif électronique propre à obtenir le mixage des diverses sources sonores (micros, tourne-disques, magnétophones, postes de radio, etc.). → **Pupitre.** *C'est à la console d'enregistrement*

qu'aboutissent toutes les commandes des micros. *Console de mélange* ou *de mixage.*

HOM. Consol. — Formes du v. **consoler.**

CONSOLER [kɔ̃sɔle] v. tr. — XIIIe ; lat. *consolari,* de con- (cum), et *solari* «réconforter».

♦ 1 *Consoler (qqn) de (qqch.) :* soulager (qqn) de (son chagrin, sa douleur). → **Apaiser** (cit. 7), **calmer, dérider, distraire, égayer, essuyer** (les larmes), **guérir, rasséréner, réconforter, remonter** (fam.), **sécher** (les larmes), **verser** (de l'huile, du baume sur les plaies)... *Il, elle console les affligés, les malades, les malheureux. On ne peut le consoler de sa peine, il ne se laisse pas consoler* (→ **Inconsolable**). *Cette nouvelle l'a consolé d'avoir échoué. Consoler qqn dans ses malheurs. Consoler qqn avec, par des paroles d'affection, en le réconfortant. L'enfant est consolé.* — Allus. hist. *C'est Rachel qui ne veut pas être consolée :* il, elle est inconsolable.

Heureux ceux qui sont affligés, car ils seront consolés ! 1
BIBLE (SEGOND), Évangile selon saint Matthieu, V, 4.

(...) tu sais combien une âme sensible a pitié de vous, 2
vous console !
STENDHAL, Souvenirs d'égotisme, p. 194.

Les bons meurent souvent seuls, et ceux qui consolèrent 3
ne sont pas toujours consolés.
MICHELET, la Femme, p. 433.

Madeleine la regretta et la pleura beaucoup, mais elle 4
tâcha de consoler le pauvre champi, qui, sans elle, n'aurait jamais surmonté son chagrin.
G. SAND, François le Champi, IV, p. 52.

Tu me souris sans partager ma joie. 5
Tu me plains sans me consoler !
A. DE MUSSET, Poésies nouvelles, «Nuit de décembre.»

Quand on l'est *(heureux),* il reste beaucoup à faire : à con- 6
soler les autres.   J. RENARD, Journal, oct. 1897.

(Choses). *L'espoir, la foi, la religion consolent. Peu de chose suffit à me consoler. Rien ne me consolera. Ce succès l'a consolé de tout.*

Peu de chose nous console parce que peu de chose nous 7
afflige.   PASCAL, Pensées, II, 136.
Ma fille, ton bonheur me console de tout. 8
RACINE, Iphigénie, III, 2.
Ce souvenir le consola de bien des regrets. 9
GIRAUDOUX, Bella, IX, p. 225.

Absolt. *Cette idée console de bien des peines. Le temps console. Celui qui console :* Dieu. → **Consolateur.**
Rare. Soulager (qqn) de la perte, de l'absence de (un objet, un être cher). *Rien ne consolait l'enfant de sa mère.*

♦ 2 *Consoler (qqch.) :* alléger (un sentiment douloureux, une situation pénible). → **Adoucir, alléger, assoupir, atténuer, bercer, diminuer, endormir, flatter, tromper.** *Consoler l'affliction, la douleur, la peine. Consoler la disgrâce, la captivité de qqn. Il consola leurs jours d'infortune.*

Je ne viens pas ici consoler tes douleurs. 10
CORNEILLE, le Cid, IV, 2.
Ainsi la pieuse reine consolait la captivité des fidèles et 11
relevait leur espérance.
BOSSUET, Oraison funèbre de la reine d'Angleterre.

♦ SE CONSOLER v. pron.

Éprouver de la consolation, être consolé. *Se consoler de la mort d'un animal familier. Il ne peut se consoler de son mal.*

Récipr. S'apporter mutuellement un réconfort moral. *Ils se consolèrent l'un l'autre.*

Nous nous consolons souvent, par faiblesse, des maux 12
dont la raison n'a pas la force de nous consoler.
LA ROCHEFOUCAULD, Maximes, 325.

13 (...) il y a de certaines douleurs dont on ne doit point se
consoler (...) Mme DE SÉVIGNÉ, 447, 20 sept. 1675.

14 On guérit comme on se console : on n'a pas dans le cœur
de quoi toujours pleurer et toujours aimer.
LA BRUYÈRE, les Caractères, IV, 34.

15 Et ces deux grands débris se consolaient entre eux.
DELILLE, les Jardins, IV (→ Débris).

16 Plus facile (...) de consoler les autres que de se consoler
soi-même (...)
MALRAUX, la Condition humaine, p. 246.

17 Je ne me suis pas encore consolé d'avoir laissé échapper
un beau longicorne vert pré (...)
GIDE, Voyage au Congo, *in* Souvenirs, Pl., p. 691.

CONTR. Accabler, affliger, aggraver, aigrir, attrister,
blesser, chagriner, consterner, déchirer, déprimer, désoler,
empoisonner, envenimer, mortifier, navrer, peiner, tourmenter, vexer. ◊ **DÉR.** Consolant. — V. **Consolable.** ⌐ **COMP.**
Inconsolé.

CONSOLIDABLE [kɔ̃sɔlidabl] adj. — 1842 ; de *consolider.*

Que l'on peut consolider. → **Réparable.** *Le mur est
en ruine : il n'est plus consolidable.*

CONSOLIDANT, ANTE [kɔ̃sɔlidɑ̃, ɑ̃t] ou **CONSO-
LIDATIF, IVE** [kɔ̃sɔlidatif, iv] adj. — 1839, Boiste,
consolidant ; *consolidatif,* 1845, Bescherelle ; de *consolider.*

Vx. Qui consolide. — Méd. *Remède consolidant,* qui
tend à assurer les effets d'un traitement et à
affermir la guérison.

CONSOLIDATION [kɔ̃sɔlidasjɔ̃] n. f. — 1314, «cicatrisation» ; de *consolider.*

♦ **1** (1694, abstrait). Action de consolider*, de rendre
solide. → **Affermissement, renfort, réparation, stabilisation.** *La consolidation d'un mur, d'un bâtiment
menaçant ruine. Nervure de consolidation. Consolidation d'un ciel de mine. Consolidation des glisse-
ments de terrain.*
Fait de se consolider. *Consolidation des argiles par
tassement.*
(1754). Méd. Rapprochement et soudure de parties (os) accidentellement séparées. *Consolidation
d'une fracture.* — Stabilisation d'une maladie, d'une
lésion.
(Abstrait). *La consolidation d'un régime politique,
d'une amitié.*

♦ **2** (1345). Dr. *Consolidation de l'usufruit :* réunion
de l'usufruit à la nue propriété, mode d'extinction
de l'usufruit (Code civil, art. 617).
(1789). Fin. Le fait de consolider (2.). *Consolidation
de rentes, de valeurs :* conversion de titres rem-
boursables à court terme en titres à long terme
ou perpétuels. *La consolidation de la dette flottante.
Consolidation d'un compte ou d'un bilan. Consolidation par substitution de titres, par transformation
de titres primitifs.*

CONSOLIDÉ, ÉE [kɔ̃sɔlide] adj. et n. m. — 1768 ; angl.
consolidated annuities, même orig. que *consolider*.

Adj. (Fin.). Garanti. (Dans un groupe d'entreprises).
Compte d'exploitation (ou *bilan*) *consolidé,* où sont
éliminés les avoirs et les dettes de chaque entreprise par la mise en commun des comptes. *Rentes
consolidées. Tiers consolidé :* fonds réduit au tiers
de sa valeur de 1797.

N. m. pl. (1835). **CONSOLIDÉS :** fonds publics de
la dette d'Angleterre. *Le cours des consolidés,* en
Bourse.

CONSOLIDEMENT [kɔ̃sɔlidmɑ̃] n. m. — 1839, Boiste ;
de *consolider.*

Rare. Action de consolider. → **Consolidation.**

CONSOLIDER [kɔ̃sɔlide] v. tr. — 1314, «cicatriser» ; XIVᵉ,
«unir, joindre» ; lat. *consolidare,* de *con-* (*cum*), et *solidus.*
→ **Solide.**

♦ **1** (Fin XVᵉ). Rendre plus solide, plus stable.
→ **Affermir, assurer, enforcir, étayer, fortifier, raffermir, renforcer, soutenir, stabiliser.** *Consolider un
édifice, une charpente... Consolider un mur à l'aide
de contreforts, d'arcs-boutants, d'un contre-mur,
d'un revêtement. Consolider une roue...* → **Arrêter,
assujettir, attacher, bloquer, immobiliser.**

Suzanne se retourna vers Joseph qui avait fini de réparer   0.1
le petit pont de bois. Maintenant il consolidait les piliers
avec des pierres qu'il allait chercher sur la piste.
M. DURAS, Un barrage contre le Pacifique, p. 103.

Par extension :
(...) un crapaud de cinq ans, éclopé, qui consolidait de   1
béquilles son rachitisme précoce (...)
COURTELINE, Messieurs les ronds-de-cuir,
IIᵉ tableau, III, p. 78.

Méd. Effectuer la consolidation* de. *Consolider une
fracture.*
(Abstrait). Rendre solide, durable. → **Ancrer, asseoir,
cimenter, confirmer, enraciner, implanter ; fixer.** *Consolider une alliance, un traité, la paix. Consolider
sa puissance, sa situation, sa fortune. Le régime ne
s'est pas consolidé.*

Ce pays (*l'Espagne*) avait treize millions d'habitants avant   2
que le despotisme y fût consolidé.
B. CONSTANT, le Journal intime, p. 162.

(...) il (*V. Hugo*) assoit, il consolide ainsi cette formidable   3
popularité où il mourut.
A. THIBAUDET, Gustave Flaubert, p. 71.

(...) l'État ne se défera pas des armes acquises par lui à la   4
faveur de ces circonstances exceptionnelles. Il les conser-
vera, cherchera à les consolider (...)
André SIEGFRIED, l'Âme des peuples, I, II, p. 11.

(XVIᵉ). Dr. *Consolider l'usufruit,* en effectuer la consolidation*.

♦ **2** (1789). Rendre consolidé*. *Consolider une rente,
un emprunt. Consolider la dette flottante* (→ **Consolidation**).

♦ **CONSOLIDÉ, ÉE** p. p. adj. *Charpente consolidée.* —
Fig. Figé, fixé.

(...) une expression risible du visage sera celle qui nous   5
fera penser à quelque chose de raidi, de figé, pour ainsi
dire, dans la mobilité ordinaire de la physionomie. Un tic
consolidé, une grimace fixée (...)
BERGSON, le Rire, I, p. 18.

Spécialt. (Fin.) → **Consolidé, adj.**

CONTR. Abattre, affaiblir, annihiler, annuler, briser,
démolir, ébranler, miner, remuer, saper. — **Séparer** (droit).
◊ **DÉR.** Consolidable, consolidant ou consolidatif, consolidation, consolidement.

CONSOMMABLE [kɔ̃sɔmabl] adj. — 1758 ; autre sens,
1580 ; de *consommer.*

♦ **1** Qui peut être consommé. *Cette viande n'est consommable que bouillie.* → **Mangeable.**

La publicité n'en possède pas moins une extraordinaire   1
puissance. N'est-elle pas elle-même le premier des biens
consommables ?
Henri LEFEBVRE, la Vie quotidienne dans
le monde moderne, p. 108.

Fam. (Personnes). Qui peut être «consommé», pris.
→ **Baisable.**

Curieusement personne ne faisait la cour à Zouzou. Pour-   2
tant, elle était consommable, pour un non-végétarien.
Claude COURCHAY,
La vie finira bien par commencer, p. 214.

◆ **2** Qui ne sert qu'une fois, n'est pas réutilisable. «(...) *un engin semi-réutilisable composé d'un étage consommable et d'un autre récupérable*» (*le Monde,* 21 oct. 1998).

◆ **3** N. m. Produit qu'il faut fréquemment renouveler lors de l'utilisation d'un ordinateur, d'une photocopieuse. *Le coût des consommables.*

CONTR. Inconsommable.

CONSOMMATEUR, TRICE [kɔ̃sɔmatœr, tris] n.
— 1525; lat. ecclés. *consummator,* du supin de *consummare.* → Consommer.

I Théol. Personne qui achève, consomme (I.).
→ Auteur, cit. 1.

1 (...) Jésus, l'auteur et le consommateur de la foi (...)
                    BIBLE (CRAMPON), Épîtres aux Hébreux, XII, 2.

II (1745; de *consommer,* II.). Cour. ◆ **1** Personne qui utilise des marchandises, des richesses, pour la satisfaction de ses besoins. *Les fournisseurs et les consommateurs.* → **Acheteur, client** (→ Aimer, cit. 54; artisan, cit. 4; besoin, cit. 22; commerce, cit. 3). *Besoins des consommateurs. Associations de consommateurs.* (1912, *in* D. D. L.). *Défense du consommateur.*
→ **Consumérisme** (anglic.).

2 La consommation ne crée pas entre les hommes la même communauté d'intérêts, la même concentration permanente d'efforts que le fait l'exercice d'une même profession, nonobstant la concurrence (...) C'est pourquoi l'organisation professionnelle a devancé de beaucoup l'organisation des consommateurs (...)
(...) le consommateur ne veut plus jouer simplement le rôle de *client,* au sens historique et humiliant de ce mot, mais prétend participer au gouvernement économique.
                    Charles GIDE, Cours d'économie politique, t. II,
                    p. 479-480.

Adj. *Pays producteurs et consommateurs. Industrie consommatrice d'électricité.*

Fig. (avec un compl. abstrait) :

2.1 (...) la crise actuelle ne deviendrait inquiétante que si, comme pour le social, le rapport entre la masse passivement consommatrice d'art et l'élite créatrice entraînait une dégradation du tonus de recherche.
                    A. LEROI-GOURHAN, le Geste et la Parole, t. II,
                    p. 255.

◆ **2** (1836). Personne qui prend une consommation dans un café, un restaurant. → **Buveur, 2.**

3 (...) offrir au public un festin toujours prêt, et dont les mets se détaillent à prix fixe sur la demande du consommateur.
                    A. BRILLAT-SAVARIN, Physiologie du goût,
                    Médit. 28.

4 Terroriser le bourgeois pantouflard, en massacrant les consommateurs d'une terrasse.
                    J. ROMAINS, les Hommes de bonne volonté, t. IV,
                    x, p. 103.

◆ **3** Didact. Organisme qui consomme. *Organismes autotrophes* et consommateurs primaires* (se nourrissant aux dépens des premiers). *Les carnivores sont des consommateurs secondaires.*

CONTR. Producteur. ◊ DÉR. Consommateurisme.

CONSOMMATEURISME [kɔ̃sɔmatœrism] n. m.
— 1978; de *consommateur.*
Francisation de *consumérisme.*

CONSOMMATIF, IVE [kɔ̃sɔmatif, iv] ou **CON-SOMMATOIRE** [kɔ̃sɔmatwar] adj. — 1972, *consommatif; consommatoire,* v. 1970; de *consommation.*
Rare. De la consommation.
Didact. (en parlant de la consommation par des organismes) :

(...) les grandes lignes de la réalisation de l'instinct une fois tracées par les *IRM,* les actes consommatoires qui s'ensuivent se différencient rapidement en exécutions variées (...)
                    J. PIAGET, Épistémologie des sciences de l'homme,
                    p. 204.

CONSOMMATION [kɔ̃sɔmasjɔ̃] n. f. — XIIᵉ; lat. ecclés.
consummatio, du supin de *consummare.* → Consommer.

I Didact. ou littér. Action d'amener une chose à son plein accomplissement. → **Achèvement, couronnement, fin, terminaison.** *La consommation d'un sacrifice, d'un forfait, d'une ruine. Consommation d'un mariage,* par l'union charnelle des époux. — Loc. *Jusqu'à la consommation des siècles* : jusqu'à la fin des temps (→ Ange, cit. 6; apocalypse, cit. 1; assurer, cit. 32).

1 Il est venu *(le Messie)* enfin en la consommation du temps; et depuis, on a vu naître tant de schismes et d'hérésies, tant renverser d'États, tant de changements en toutes choses; et cette Église, qui adore Celui qui a toujours été adoré, a subsisté sans interruption.
                    PASCAL, Pensées, IX, 613.

2 Mᵉ d'Armagnac est mariée à ce Cadaval *(seigneur portugais)*; elle est jolie et belle; c'est le chevalier de Lorraine qui l'épouse (par procuration) : elle fait pitié d'aller chercher si loin la consommation.
                    Mᵐᵉ DE SÉVIGNÉ, 420, 26 juil. 1675.

3 Ainsi s'accomplit sans cesse depuis le ciron jusqu'à l'homme, la grande loi de la destruction des êtres vivants. La terre entière, continuellement imbibée de sang, n'est qu'un autel immense où tout ce qui vit doit être immolé sans fin, sans mesure, sans relâche, jusqu'à la consommation des choses, jusqu'à l'extinction du mal, jusqu'à la mort de la mort.
                    J. DE MAISTRE, les Soirées de St-Pétersbourg,
                    7ᵉ entretien.

4 Pensiez-vous, ma petite dame, que j'allais, jusqu'à la consommation des siècles, être votre fournisseur et banquier pour l'amour de Dieu?
                    FLAUBERT, Mᵐᵉ Bovary, III, VI, p. 186.

La consommation d'une infraction. → **Perpétration.**

II (XVIIᵉ; de *consommer,* II.). Cour. ◆ **1** Action de faire (de qqch.) un usage qui détruit ou rend ensuite inutilisable. *Faire une grande consommation de papier à lettres, d'électricité.* — *Consommation d'essence, d'huile* (d'une automobile). *Réduire la consommation d'une voiture en conduisant en souplesse.* — *La consommation quotidienne d'un animal* (pour sa nourriture). — Par ext. → **Utilisation.** *Faire une grande consommation de...* «*Loti "fait" une épouvantable consommation de "et"...*» (Goncourt, *in* T. L. F.).

Absolt. Écon. et cour. Utilisation des biens et des services. → **Usage.** *Le développement de la consommation. Variations de la consommation. Consommation et débouchés. Impôts, taxes, droits de consommation. Consommation de luxe. Consommation productive de richesses naturelles. Consommation improductive.*

5 La consommation n'est pas une destruction de matière, mais une destruction d'utilité.
                    J.-B. SAY, Traité, *in* LITTRÉ.

6 Par production, j'entends ce qui confère l'utilité, et par consommation la jouissance produite par cette utilité.
                    BASTIAT, Œuvres, *in* LITTRÉ.

7 La consommation est la cause finale et, comme le nom le dit si bien, «l'accomplissement» de tout le procès économique, production, circulation, répartition (...)
(...) il ne faut pas croire que consommation soit synonyme de *destruction.* Il est vrai (...) qu'il y a certains besoins, l'alimentation par exemple ou le chauffage, qui ne peuvent être satisfaits que par la transformation des objets propres à nous servir d'aliments ou de combustibles (...) Mais il est beaucoup d'autres richesses qui peuvent être détruites : maisons, jardins, monnaies, meubles, objets d'art.
                    Charles GIDE, Cours d'économie politique, t. II,
                    p. 472.

8 (...) la standardisation de la production entraîne logiquement celle de la consommation (...)
André SIEGFRIED, l'Âme des peuples, I, III, p. 24.

(Mil. XXᵉ). *Biens de consommation* : biens dont l'utilisation détermine la satisfaction immédiate d'un besoin (opposés à *biens de production**).

Biens, articles de consommation courante. — Société de consommation : type de société où le système économique pousse à consommer et suscite des besoins dans les secteurs qui sont profitables à son développement. *Coopérative* de consommation.*

8.1 Mais brisons-la : car le pain doit être dans notre bouche moins objet de respect que de consommation.
Francis PONGE, le Parti pris des choses, p. 46.

8.2 Et qui n'a pas connu la France de cette époque ignore ce qu'est l'appétit de biens de consommation, des bas en nylon au réfrigérateur, en passant par les disques et les automobiles pour lesquelles il fallait des licences d'achat, et que l'on attendait un an... Un climat analogue règne aujourd'hui dans les pays de l'Est.
F. GIROUD, Si je mens, p. 123.

8.3 *Les Jouets* de Georges Michel sont une satire, cruelle et drôle, de notre société de consommation, de l'environnement qui nous est imposé, des slogans dont l'O.R.T.F. nous infecte.
S. DE BEAUVOIR, Tout compte fait, p. 214 (1972).

♦ **2** (1837). *Une, des consommations.* Ce qu'un client commande au café. → **Boisson, rafraîchissement.** *Régler les consommations. Renouveler une consommation. Compte de consommations à crédit.*
→ **Ardoise** (fam.).

9 Un instant! Commençons par jouer
La *consommation* d'abord pour essayer.
Je vais boire à tes frais, pour sûr, un petit verre.
A. DE MUSSET, Poésies nouvelles, «Dupont et Durand».

10 On boit la dernière et on fait une manille aux enchères à trois, pour savoir qui paiera les consommations?
M. PAGNOL, Marius, III, 2.

Abrév. pop. : *conso, consom* (1858, Lorchey) ou *consomme* (1872, Verlaine, *in* D.D.L.).

11 Alle *(elle)* paie sa consomme et s'lève. A s' dirige vers son domicile, qu'est sis au quatre-vingt-onze d'la rue Paradis.
R. QUENEAU, le Chiendent, p. 364-365.

CONTR. Commencement, début. — Production. ◊ DÉR. Consommatif. — V. Consommatique. ← COMP. Autoconsommation, sous-consommation, surconsommation.

CONSOMMATIQUE [kɔ̃sɔmatik] n. f. — 1975, *in* G.L.E., *Deuxième Suppl.*; de *consommation*, sur les modèles de *économique, mathématique*.

♦ **1** Ensemble des recherches sur la consommation*.

♦ **2** Terme proposé pour remplacer l'anglicisme *consumérisme**.

CONSOMMATOIRE [kɔ̃sɔmatwaʀ] adj. → **Consommatif.**

CONSOMMÉ [kɔ̃sɔme] n. m. — Av. 1590; du p. p. de *consommer.*
Bouillon de viande concentré. *Un consommé de poulet. Consommé froid, frappé. Boire un consommé chaud* (→ **Viandox**) *à un comptoir.*

1 Ne mettez point votre pot-au-feu si matin, craignez d'en faire un consommé.
Mᵐᵉ DE SÉVIGNÉ, 332, 10 oct. 1673.

2 Il tendit le grand carton à 70 plats inscrits (...) M. Javellard se serait contenté d'un consommé madrilène (...)
Pierre HAMP, la Peine des hommes (Moteurs), p. 97-98.

HOM. Consommer.

CONSOMMER [kɔ̃sɔme] v. tr. — Fin XIIᵉ; *consumer* «anéantir», v. 1120; lat. *consummare* «faire la somme; achever».

I Littér. Mener (une chose) au terme de son accomplissement. *Consommer son œuvre.* → **Achever, couronner, parfaire, terminer.** *Consommer un forfait, un crime, un attentat* (cit. 7, 8). → **Accomplir, commettre, perpétrer.** *Consommer son sacrifice* (→ Bûcher, cit. 5). — *Tout est consommé :* tout est accompli (conformément aux Écritures), dernières paroles de Jésus-Christ sur la croix (*Évangile selon saint Jean*, XIX, 30).

(1588). *Consommer le mariage :* accomplir l'union charnelle.

1 Justinien ordonna qu'un mari pourrait être répudié sans que la femme perdît sa dot, si pendant deux ans il n'avait pu consommer le mariage.
MONTESQUIEU, l'Esprit des lois, XXIX, 16.

2 Le temps qu'un ignorant passe à consommer sa ruine est précisément celui qu'un homme habile sait employer à l'éducation de son bonheur.
BALZAC, Physiologie du mariage, Pl., t. X, p. 645.

3 (...) elle consommait son martyre dans la pénombre claustrale d'une prison cellulaire (...)
Léon BLOY, la Femme pauvre, II, II, p. 187.

4 Tout l'effort du drame est de montrer le système logique qui, de déduction en déduction, va consommer le malheur du héros.
CAMUS, le Mythe de Sisyphe, p. 177.

II (XVIᵉ; «détruire, consumer», XVᵉ). ♦ **1** Amener (une chose) à destruction en utilisant sa substance; en faire un usage qui la rend ensuite inutilisable. → **User; utiliser; consommation.** *Consommer ses provisions. Consommer des aliments.* → **Absorber, boire, manger, nourrir** (se nourrir de), **user** (de), **vivre** (de). *Les végétariens ne consomment pas de viande. Consommer du combustible, de l'électricité.* → **Brûler, consumer, employer.** *Consommer de l'eau pour le bain. Pays, région qui consomme beaucoup d'énergie, de matières premières. Producteur qui consomme les produits de sa propre activité* (→ **Autoconsommation**). Absolt. *Des bouches inutiles qui consomment sans produire. Un pays, une économie qui consomme beaucoup.* — Pron. *Mets qui se consomme froid. Qui se consomme par l'usage.* → **Consomptible.**

5 Le consommateur ne peut (...) satisfaire à un besoin qu'en en sacrifiant un autre (...) il fait la même pesée *(que l'échangiste)* entre l'utilité de ce à quoi il renonce et l'utilité de ce qu'il veut consommer.
Charles GIDE, Cours d'économie politique, t. II, p. 476.

6 L'Amérique peut fort bien maintenir un train de vie supérieur à celui du reste du monde, tant qu'elle mène une existence indépendante, n'achetant et ne vendant au dehors qu'une faible part de ce qu'elle consomme ou produit (...)
André SIEGFRIED, les États-Unis d'aujourd'hui, XIV, p. 188.

Utiliser (qqch.), pratiquer (une activité) en considérant comme une marchandise, sans goût véritable, ou en refusant de s'engager. *Consommer de la voile, de la montagne. Ils consomment de la musique, de la culture.*

♦ **2** (1844). Prendre (une, des consommations) au café. «*Courbet, qui consommait trente bocks dans une soirée*» (Goncourt, *in* T.L.F.). — Absolt (plus cour.). *Consommer à la terrasse, au comptoir.*

♦ **3** (Choses). User (du combustible, etc.). *Cette voiture consomme trop d'essence,* ou, absolt, *consomme trop.* → 2. **Bouffer** (fam.).

♦ **CONSOMMÉ, ÉE** p. p. adj. (1361).

Parvenu à un degré élevé de perfection. → **Accompli, achevé, parfait.** *Diplomate, artiste consommé.* → Prestance, cit. 3. *Habileté consommée. Hypocrisie consommée.*

7 (...) Homme consommé dans toutes les sciences (...)
MOLIÈRE, le Mariage forcé, 4.

8 (...) cette vivacité du premier coup d'œil que je n'eus jamais sur rien, et qui ne s'acquiert en musique que par une pratique consommée.
ROUSSEAU, les Confessions, V.

9 Il avait vraiment mené cette longue et difficile manœuvre avec une science consommée; toutes les conventions signées par la conférence avaient été conçues et signées sous son action.
Louis MADELIN, Talleyrand, V, XXXVIII, p. 416.

CONTR. **Commencer. — Approvisionner, épargner, produire.**
◊ DÉR. **Consommable, consommatif, consommé. ◄ HOM. Consommé.**

CONSOMPTIBILITÉ [kɔ̃sɔ̃ptibilite] n. f. — XXe; de *consomptible.*

Dr. Qualité d'un bien consomptible.

La consomptibilité est (...) une *qualité de fait* de certaines choses, qui les rend impropres à devenir l'objet d'un droit de jouissance temporaire, à l'expiration duquel elles se retrouveraient intactes.
M. PLANIOL, Traité élémentaire de droit civil, I, p. 736, n° 2179.

HOM. V. **Consumptibilité.**

CONSOMPTIBLE [kɔ̃sɔ̃ptibl] adj. — 1585; *inconsumptible* dès 1488; repris XIXe, var. *consumptible*; lat. *consumptibilis*, du supin de *consumere.* → Consumer.

Dr. Dont on ne peut se servir sans le détruire. *Biens, produits consomptibles par le premier usage.*

Les choses non consomptibles sont celles qui résistent à un usage même prolongé, comme les maisons, les meubles meublants, les vêtements, les outils de travail (...)
Le plus souvent, les mêmes choses qui sont consomptibles par le premier usage sont en même temps fongibles entre elles.
M. PLANIOL, Traité élémentaire de droit civil, t. I, p. 736-737.

DÉR. **Consomptibilité.** ◊ HOM. V. **Consumptible.**

CONSOMPTIF, IVE [kɔ̃sɔ̃ptif, iv] adj. — V. 1390; dér. sav. du lat. *consumptus.*

Méd. Relatif à la consomption. *Phase consomptive d'une maladie.*

Rare. Atteint de consomption. *Un enfant consomptif.*

CONSOMPTION [kɔ̃sɔ̃psjɔ̃] n. f. — 1314, «action de consumer»; lat. *consumptio*, du supin de *consumere.* → Consumer.

♦ **1** (1521). Vx ou littér. Fait d'être consumé. → **Combustion.** *Brûler jusqu'à entière consomption.*

Littér. Anéantissement, destruction.

1 Je sais qu'il est des âmes très nobles que l'amour de Dieu a brûlées plus fort que tout autre désir (...) mais c'est alors une consomption trop rapide et la raison en est trop étonnée.
GIDE, Journal, 13 oct. 1894.

♦ **2** (1559). Méd. Amaigrissement et dépérissement observés dans une maladie grave et prolongée. → **Affaiblissement, épuisement, langueur.** Vx. Tuberculose pulmonaire.

1.1 (...) ses joies toujours troublées, ses chagrins incessants, avaient affaibli les principes de la vie et développé chez elle une maladie de langueur qui, loin d'être atténuée, prit chaque jour une force nouvelle. Enfin, un dernier coup activa la consomption de la duchesse (...) Elle entra dans une période de dépérissement si visible, que cette maladie nécessita la promotion de Beauvoir au poste de médecin de la maison d'Hérouville (...)
BALZAC, l'Enfant maudit, éd. 1876, p. 53.

Sa femme, morte jeune, du mal qu'on appelait encore à 2 cette époque la consomption.
FRANCE, la Vie en fleur, p. 115.

Par métaphore :

Vous souffrez tous ici d'une espèce de consomption 3 morale. Il vous manque quelque chose.
DRIEU LA ROCHELLE, la Comédie de Charleroi, p. 276.

CONTR. **Conservation. — Santé, vigueur; rétablissement.**

CONSONANCE [kɔ̃sɔnɑ̃s] n. f. — V. 1150, *consonancie*, sens 2; du lat. *consonantia*, de con- (cum), et *sonus* «son».

♦ **1** (Av. 1558; *consonancie*, 1377). Mus. Ensemble de sons (accord) considéré dans la musique occidentale (et traditionnellement) comme agréable à l'oreille (opposé à *dissonance*). *Consonances parfaites* (→ **Octave, quinte, unisson**), *imparfaites* (→ **Sixte, tierce**), *mixtes* (→ **Quarte**). *Consonances attractives* (quarte augmentée, quinte diminuée), qui laissent l'oreille en suspens et appellent un autre accord.

Quoique les musiciens distinguent fort bien les différentes 1 consonances, ce n'est point qu'ils en distinguent les rapports par des idées claires; c'est l'oreille seule qui juge chez eux de la différence des sons; la raison n'y connaît rien.
MALEBRANCHE, De la recherche de la vérité, Éclaircissement, III, IV, in POUGENS.

Les Grecs n'ont reconnu pour consonances que celles que 2 nous appelons consonances parfaites.
ROUSSEAU, Examen de deux principes sur la musique, in LITTRÉ.

♦ **2** (1268). Uniformité ou ressemblance du son final de deux ou plusieurs mots. → **Rime.** *Consonance à la fin des vers.* → **Assonance.**

(...) ces consonances de la fin des vers qui sont comme 3 des échos répercutés où le même sentiment se prolonge dans le même son (...)
LAMARTINE, Premières méditations, Préface, IV.

♦ **3** Succession, ensemble de sons. *Un nom aux consonances harmonieuses, bizarres, métalliques, heurtées.*

«Les Désenchantées», oui, la consonance serait jolie, mais 4 le sens un peu à côté (...)
LOTI, les Désenchantées, XIV, p. 116.

Le langage de ce pays semble toujours une suite de con- 5 sonances incertaines, nasillardes, entrecoupées en monosyllabes un peu haletants (...)
LOTI, Figures et Choses..., «Trois journées de guerre», IV, p. 267.

♦ **4** Fig. Concordance, harmonie.

(...) l'*aube* (→ 2. Aube, cit. 1) offre de douces consonances 6 avec des idées religieuses; toujours un majestueux souvenir ou une agréable harmonie s'attache aux tissus de nos autels.
CHATEAUBRIAND, le Génie du christianisme, IV, I, II.

(...) les tons (*en peinture*), selon qu'ils sont ou non complé- 7 mentaires l'un de l'autre, ont leurs dissonances et leurs consonances; ils s'appellent ou s'excluent; l'orangé, le violet, le rouge, le vert et tous les autres, simples ou mélangés, forment ainsi par leur proximité, comme les notes musicales par leur succession, une harmonie pleine et forte, ou âpre et rude, ou douce et molle.
TAINE, Philosophie de l'art, t. II, V, IV, IV, p. 335.

REM. On trouve aussi, aux divers sens du mot, la graphie *consonnance* (ci-dessus, cit. 6; Sainte-Beuve, Barrès...), qui fut adoptée (1718) puis écartée (1932) par l'Académie dans son dictionnaire.

CONTR. **Dissonance.**

CONSONANT, ANTE [kɔ̃sɔnɑ̃, ɑ̃t] adj. — V. 1165, sens 2; lat. *consonans*, p. prés. de *consonare* «résonner ensemble». → Consoner.

♦ **1** (1377). Mus. Qui produit une consonance. *Accords, intervalles consonants.*

Qui produit une harmonie.

L'harmonie de ces Joueurs *(de Daumier)*, aussi magistrale qu'elle soit, appartient au système consonant du musée.
MALRAUX, les Voix du silence, p. 101.

♦ **2** Qui est formé de consonances. *Phrases consonantes.*

REM. On trouve aussi la graphie *consonnant, ante.*

CONSONANTIQUE [kɔ̃sɔnãtik] adj. — 1872; de *consonne;* d'après l'allemand.

Phonét. Des consonnes. *Système consonantique* (opposé à *vocalique*).

CONSONANTISME [kɔ̃sɔnãtism] n. m. — 1872, *consonnantisme;* de *consonantique,* et suff. *-isme.*

Phonét. Système des consonnes d'une langue (opposé à *vocalisme*). — REM. La forme *consonnantisme,* quoique vieillie, se rencontre encore dans l'usage contemporain. «*Des tentatives pour noter (...) les vocalisations ne se manifestent qu'assez tard. Ce consonnantisme, cette absence de vocalisation, apporte un surcroît d'ambiguïté.*» (*Sciences et Avenir,* n° spécial, La nouvelle Égypte ancienne, p. 96).

CONSONER [kɔ̃sɔne] v. intr. — V. 1228, «raconter»; lat. *consonare* «produire un son ensemble», de *con- (cum),* et *sonare.* → Sonner.

Rare.

♦ **1** (V. 1455). Aller de pair. → **Accorder** (s'), **convenir** (se), **harmoniser** (s'), **seoir.**

Tout vrai à tout vrai consone.
RABELAIS, le Tiers Livre, XXI.

♦ **2** (1853). Mus. Former une consonance. *Intervalles qui consonent.*

REM. On écrit aussi *consonner.*

CONTR. **Dissoner. — Contraster, disconvenir, diverger, écarter** (s'), **jurer** (avec).

CONSONNE [kɔ̃sɔn] n. f. — 1529; lat. gramm. *consona* «dont le son se joint à», déverbal de *consonare.* → Consoner.

♦ **1** Phonème (bruit — *consonnes sourdes* — ou son et bruit) produit par le passage de l'air à travers la gorge, la bouche, formant obstacles. *Consonnes occlusives* (orales; nasales), *constrictives* ou *fricatives* (d'après le mode d'articulation). *Consonnes affriquées. Consonnes bilabiales* [p, b], *labiodentales* [f, v], *dentales* [t, d], *alvéolaires* [s, z], *palatales, vélaires* [k, g], *uvulaire* [ʀ]. → aussi **Semiconsonne.** *Consonne implosive, explosive. Consonne aspirée. Les consonnes du français* [p, t, k, b, d, g, f, s, ʃ, v, z, ʒ, m, n, ɲ, ʀ, l]. *Consonne d'appui*. *Affaiblissement d'une consonne.* → **Lénition.**

1 Dans une syllabe composée de plusieurs consonnes qui semblent se presser autour d'une voyelle, sphinx, grecs, cécrops, la réunion précipitée de toutes ces articulations en un temps syllabique rend l'action de l'organe pénible et confuse.
MARMONTEL, Œuvres, in LITTRÉ.

2 (...) par tout le dortoir, un bruissement confus, où, de temps en temps, se distingue le sifflement bref d'une consonne.
J. RENARD, Poil de carotte, p. 31.

3 J'inventai la couleur des voyelles! (...) Je réglai la forme et le mouvement de chaque consonne, et, avec des rythmes instinctifs, je me flattai d'inventer un verbe poétique accessible, un jour ou l'autre, à tous les sens.
RIMBAUD, Une saison en enfer, «Délires», II.

4 M. de Segrais écrivit au nom de l'Académie de Caen, pour inviter l'Académie française à décider s'il fallait dire bon à monter, bo-n à descendre, ou ne point faire tinter la consonne finale de bon.
D'OLIVET, Traité de la prosodie franç., III, 6, in LITTRÉ.

En réalité le souffle c'est la voyelle. La consonne c'est la forme que nos lèvres, notre langue, tout notre instrument buccal donnent au souffle, la manière dont ils le font sortir de nous en le faisant résonner suivant la quintuple voyelle dans notre cavité buccale. La consonne est le support de la voyelle et la voyelle à son tour est le colorant du sentiment qu'exprime la lettre. La consonne est la lettre et la voyelle est l'esprit.
CLAUDEL, Journal, 1ᵉʳ oct. 1922. **4.1**

♦ **2** (XVIIᵉ). Lettre représentant une consonne. *Consonnes géminées,* identiques, qui se suivent dans un mot. *Consonne muette. Faire la liaison avec la consonne finale.*

La langue hébraïque s'écrivait autrefois sans voyelles, il n'y avait que les seules consonnes, et c'était la tradition et l'usage qui apprenaient comment il fallait placer les voyelles pour la lire et la prononcer. **5**
DU MARAIS, Œuvres, in LITTRÉ.

♦ **3** Adj. (1694, *lettre consonne*). Vx. *Lettre, son consonne.*

DÉR. **Consonantique, consonantisme.** ◊ COMP. **Semiconsonne.** ← HOM. Formes du v. **consoner.**

CONSONNER [kɔ̃sɔne] v. intr. → **Consoner.**

CONSORT [kɔ̃sɔʀ] n. et adj. m. — 1392, *consors* «complice»; *consorte* «épouse», v. 1370; lat. *consors* «qui partage le sort (sors)».

♦ **1** N. m. plur. *Untel et consorts,* et ceux qui agissent avec lui; et les gens de même espèce (souvent péj.). — (1635). Dr. Plaideurs ayant un intérêt commun à un procès *(liticonsorts).*

Du même coup, MM. de Lommérie, Thénezay et consorts, sentiront qu'ils ont en face d'eux non un homme de paille, avec qui l'on ne se gêne pas, mais quelqu'un d'indépendant, et qui compte. **1**
J. ROMAINS, les Hommes de bonne volonté, t. V, XVIII, p. 140.

♦ **2** Adj. (1669). **PRINCE CONSORT :** époux d'une reine, quand il ne règne pas lui-même (opposé à *régnant*).
Par métaphore :

(...) ma mission n'était point en tout cas de devenir le prince consort d'un maigre champ héroïque (...) **2**
GIRAUDOUX, Simon le pathétique, p. 68.

CONSORTIAL, ALE, AUX [kɔ̃sɔʀsjal,o] adj. — 1876; de *consortium.*

Écon. D'un consortium. *Crédits consortiaux.*

(...) s'il n'y a pas de garanties, nous ne pouvons à l'égard de nos actionnaires, envisager un crédit consortial plus élevé que le montant des dépôts à rembourser, et garanti par la reprise que nous ferions des affaires saines du groupe.
MALRAUX, la Condition humaine, p. 278.

CONSORTIUM [kɔ̃sɔʀsjɔm] n. m. — 1869; mot angl., du lat. «association».

Groupement non institutionnel qui a pour objet la réalisation d'une opération financière ou économique. *Des consortiums d'achat* (→ **Comptoir**). *Consortium bancaire,* pour la réalisation de crédits ou d'opérations bancaires (→ 1. **Pool** anglic.). *Consortium de journaux. Consortium industriel, textile.*

DÉR. **Consortial.**

CONSOUDE [kɔ̃sud] n. f. — V. 1265; *consoldre,* XIIᵉ; du bas lat. *consolida,* de *consolidare* «affermir», à cause de ses propriétés.

Plante des lieux humides (*Borraginacées*), herbe haute utilisée autrefois en médecine (astringente).

(...) un rouge-gorge qui boit dans la feuille d'une grande consoude, et qui, la tête encore renversée, lance vers la lumière un petit sifflement vif et pur.
M. GENEVOIX, la Dernière Harde, éd. J'ai lu, p. 209.

CONSPIRANT, ANTE [kɔ̃spiʀɑ̃, ɑ̃t] adj. → **Conspirer.**

CONSPIRATEUR, TRICE [kɔ̃spiʀatœʀ, tʀis] n.
— 1574; «personne qui a machiné un forfait», 1302; de *conspirer.*

Personne qui conspire. → **Comploteur, conjurateur, conjuré** (→ Attaquer, cit. 12). *Association de conspirateurs.* → **Conspiration.** *Arrêter un conspirateur. Prendre un air de conspirateur.*

(...) de ce bureau, cette main blême, aux longs doigts maigres, tiendra, six ans, sans fatigue le filet où se jetteront les conspirateurs avant qu'ils n'aient pu achever de nouer leur trame.
Louis MADELIN, l'Avènement de l'Empire, x, p. 147.

Adj. *Menées conspiratrices.*

CONSPIRATION [kɔ̃spiʀasjɔ̃] n. f. — 1160; lat. *conspiratio,* du supin de *conspirare.* → Conspirer.

♦ **1** Accord secret (entre deux ou plusieurs personnes) en vue de renverser le pouvoir établi. → **Complot, conjuration, machination.** *Fomenter, former, machiner, ourdir, préparer, tramer une conspiration. Tremper dans une conspiration. Découvrir une conspiration. La conspiration de Cinna contre Auguste.* — *La conspiration des poudres.*

1 (...) enfermé depuis de longues années pour avoir, disait-on, trempé dans la conspiration de Berne.
ROUSSEAU, les Confessions, V.

2 (...) la plus formidable des conspirations s'ourdissait dans les vues les plus avouées et les desseins les plus sinistres.
Louis MADELIN, l'Avènement de l'Empire, III, p. 23.

Groupe de conspirateurs. Le chef, l'âme de la conspiration.

♦ **2** (1673). *Entente dirigée contre qqn ou qqch.* → **Brigue, cabale, intrigue, ligue.** *Conspiration du silence :* entente pour taire, cacher qqch.

3 Votre belle-mère ne s'endort point, et c'est sans doute quelque conspiration contre vos intérêts où elle pousse votre père.
MOLIÈRE, le Malade imaginaire, I, 8.

4 Une conspiration d'économie unissait les consommateurs contre l'avidité des producteurs.
A. MAUROIS, Bernard Quesnay, XXI, p. 140.

♦ **3** Vx ou littér. *Concours de forces vers un même but.*

5 Aucun coin de la terre n'a donné lieu, plus que Venise, à cette conspiration de l'enthousiasme.
MAUPASSANT, la Vie errante, p. 246.

CONSPIRER [kɔ̃spiʀe] v. — XIIᵉ, intr.; lat. *conspirare* «s'accorder», de *con-* (cum), et *spirare* «respirer» et «aspirer à».

♦ **1** V. tr. Vieilli. *Poursuivre secrètement, avec d'autres (un but commun illégal). Conspirer la mort de qqn.* → **Méditer, ourdir, projeter, tramer.** *Conspirer la ruine de l'État.* → **Comploter.**

1 Qui croirait en effet (...)
Qu'un peuple tout entier, tant de fois triomphant,
N'eût daigné conspirer que la mort d'un enfant?
RACINE, Andromaque, I, 2.

♦ **2** V. intr. Mod. *Préparer une conspiration ou y participer. Conspirer contre la République. Accuser qqn de conspirer.*

2 (...) quand M. de Talleyrand ne conspire pas, il trafique.
CHATEAUBRIAND, Mémoires d'outre-tombe, t. III, p. 379.

♦ **3** Trans. ind. (1580). *Sujet n. de chose.* **CONSPIRER À :** contribuer à (un même effet). → **Concourir, tendre** (à). *Tout conspire à son bonheur, à faire son bonheur.*

Tout conspire, Madame, à mon contentement (...)   3
MOLIÈRE, Tartuffe, IV, 7.

Tout semblait conspirer au bonheur de cette journée.   4
ROUSSEAU, les Confessions, VI.

En moi, autour de moi, dessus moi, sans me demander   5
mon avis, tout conspire, tout concourt à faire de moi un paysan non point du Danube (...)
Ch. PÉGUY, in MAUROIS, Études littéraires, t. I, p. 245.

♦ **CONSPIRANT, ANTE** adj.

Vx. *Qui concourt à un même effet. Mouvements conspirants. Forces conspirantes.*

Ce que les apparences des mouvements planétaires offrent   6
de plus remarquable est leur changement (...) qui ne peut être évidemment que le résultat de deux mouvements alternativement conspirants et contraires.
LAPLACE, Exposition du système du monde, I, 11.

CONTR. Contrarier. — (De l'adj.) **Contraire.** ◊ **DÉR. Conspirateur.**

CONSPUER [kɔ̃spɥe] v. tr. — 1530, «cracher sur»; repris 1743; lat. *conspuere* «cracher sur», de *con-* (cum), et *spuere* «cracher».

Manifester bruyamment, publiquement et en groupe contre (qqn ou qqch.). → **Bafouer, huer.** *Conspuer un orateur. Il s'est fait conspuer. Conspuer les valeurs bourgeoises. Conspuer un spectacle.*

Plusieurs centaines de grévistes, massés devant la porte,   1
conspuaient les rares ouvriers qui s'obstinaient à vouloir travailler.   A. MAUROIS, Bernard Quesnay, XV, p. 93.

Les effets ignobles et banlieusards de la construction   2
étaient joyeusement conspués par le soleil (...)
DRIEU LA ROCHELLE, la Comédie de Charleroi, p. 273.

♦ **CONSPUÉ, ÉE** p. p. adj. *Gouvernement conspué.*

À sept ans, chassé, conspué, vagabond, montré au doigt   3
par les bonnes boutiquières de Montmartre à leurs petits, j'étais recherché dans la haute pègre et, plus d'un escarpe fameux ne dédaignait pas de m'avoir pour complice.
Louise MICHEL, la Misère, t. II, p. 282.

CONTR. Acclamer, applaudir.

CONSTABLE [kɔ̃stabl] n. m. — 1765, in Höfler; mot angl., de l'anc. franç. *conestable.* → Connétable.

Dans les pays anglo-saxons (Grande-Bretagne, États-Unis), Officier de police; sergent de ville.

Avec quels soins paternels ces bons constables nous guidaient! avec quel ensemble ils nous dirigeaient à travers d'impures ruelles, des cours sombres, des passages qu'on aurait dits sans issue! On devinait que notre vie leur était confiée.
Marie-Anne DE BOVET, Trois mois en Irlande, in le Tour du monde, 1890, t. I, p. 74.

CONSTAMMENT [kɔ̃stamɑ̃] adv. — 1414, *constamment;* de *constant.*

♦ **1** Vx. *Avec constance, persévérance, fermeté.* → **Assidûment** (cit. 2 et 3), **relâche** (sans). *Se dévouer constamment aux autres.*

♦ **2** (1690). Mod. *D'une manière constante, sans cesse, sans arrêt.* → **Continuellement, fréquemment, incessamment** (vieilli), **invariablement, permanence** (en), **régulièrement, toujours.** *Être constamment malade. S'absenter constamment.*

C'est aux gens mal tournés, aux mérites vulgaires,   1
À brûler constamment pour des beautés sévères (...)
MOLIÈRE, le Misanthrope, III, 1.

(...) l'art est constamment au-dessous de la nature, surtout   2
lorsqu'il cherche à l'embellir!
MUSSET, Comédies et proverbes, Nuit vénitienne, 2.

On dit qu'il (Bossuet) s'appuie constamment à l'Écriture.   3
Ce n'est pas assez dire : il s'y appuie sans cesse, et surtout il y ramène toujours.
Émile FAGUET, Études littéraires, XVIIᵉ s., Bossuet.

CONTR. Inconstamment, jamais, momentanément, quelquefois, rarement, sporadiquement.

1. CONSTANCE [kɔ̃stɑ̃s] n. f. — V. 1220, au sens 2; v. 1265, au sens 1; de *constant.*

◆ **1** Littér. ou vieilli. Force morale, fermeté d'âme qui permet de garder l'empire sur soi-même. → **Courage, énergie, résolution, volonté.** *Rien ne peut ébranler sa constance. Témoigner de la constance dans la douleur. Souffrir, endurer son mal avec constance* (→ **Fermeté, résignation**). *Le sort a éprouvé sa constance.*

1   La constance des sages n'est que l'art de renfermer leur agitation dans le cœur.
       LA ROCHEFOUCAULD, Maximes, 20.

2   (...) une constance inébranlable à souffrir les plus indignes traitements.   ROUSSEAU, les Confessions, XII.

3   Mais aussi, en toute chose humaine, la constance n'est-elle pas la plus haute expression de la force?
       BALZAC, le Médecin de campagne, Pl., t. VIII, p. 446.

◆ **2** Littér. Persévérance dans ce que l'on entreprend. → **Obstination, opiniâtreté** (cit. 6), **persévérance, régularité.** *Travailler avec constance. Paresse ou constance de l'esprit* (→ Agréable, cit. 17.2). *La constance d'un amour, d'une amitié.* → **Fidélité.** *La constance de son attachement.*

4   La constance en amour est une inconstance perpétuelle (...)
       LA ROCHEFOUCAULD, Maximes, 175 (→ Inconstance).

5   Il y a deux sortes de constances en amour : l'une vient de ce que l'on trouve sans cesse dans la personne que l'on aime de nouveaux sujets d'aimer, et l'autre vient de ce que l'on se fait un honneur d'être constant.
       LA ROCHEFOUCAULD, Maximes, 176.

6   Non, non : la constance n'est bonne que pour les ridicules; toutes les belles ont droit de nous charmer, et l'avantage d'être rencontrée la première ne doit point dérober aux autres les justes prétentions qu'elles ont toutes sur nos cœurs.   MOLIÈRE, Dom Juan, I, 2.

7   Par mon amour et ma constance,
   J'avais cru fléchir ta rigueur,
   Et le souffle de l'espérance
   Avait pénétré mon cœur.
       NERVAL, Poésies, «Pensée de Byron».

8   La continuité constitue le style comme la constance fait la vertu.   FLAUBERT, Correspondance, t. II, p. 356.

   Fam. Patience. *Vous avez de la constance de l'attendre si longtemps! Quelle constance il faut pour le supporter!*

8.1   — Ah! malheur! s'il fallait ramasser les ivrognes. Vous avez de la constance, vous, la mère!
       ZOLA, le Ventre de Paris, t. I, p. 8-9 (1875).

◆ **3** Didact. ou littér. Qualité de ce qui ne cesse d'être le même; caractère constant (3.). → **Continuité, durabilité, fixité, immutabilité, invariabilité, permanence, persistance, régularité, stabilité.** *La constance des goûts, d'un choix. La constance d'un phénomène. La constance de la pluie en cette saison.* — Psychol. *La constance du moi*. Constance perceptive : maintien de caractéristiques perçues des réalités extérieures, malgré les modifications dues aux conditions momentanées.

9   Quand tout ce qui est en nous change et passe, c'est un surprenant mystère que cette constance de la nature à reproduire toujours de la même façon ses plus infimes détails (...)   LOTI, Mme Chrysanthème, XI, p. 72.

10   Ce que j'admire le plus, chez Valéry, c'est peut-être bien sa constance. Incapable de vraie sympathie, il n'a jamais laissé briser sa ligne, ne s'est jamais laissé distraire de soi par autrui.   GIDE, Journal, 8 mai 1927, p. 838.

11   Il *(mon père)* avait passé toute sa vie à changer de but et de route. Il me fit, en trois points, l'éloge de la constance.
       G. DUHAMEL, Chronique des Pasquier, V, p. 172.

12   La seule forme de constance du *moi*, c'est la mémoire.
       A. MAUROIS, À la recherche de Marcel Proust, VI, I, p. 171.

CONTR. Inconstance; changement, ébranlement, infidélité, instabilité, irrégularité, légèreté, trahison, variabilité.
◊ COMP. Surconstance. ← HOM. 2. Constance.

2. CONSTANCE [kɔ̃stɑ̃s] n. m. — 1773, E. Parny, *Opuscules poétiques, in* D.D.L.; de *Constantia,* ville d'Afrique du Sud, dans la banlieue du Cap.
Ancienn. Vin produit dans la région du Cap de Bonne Espérance.

   Je préfère au constance, à l'opium, au nuits,
   L'élixir de ta bouche où l'amour se pavane (...)
       BAUDELAIRE, les Fleurs du mal, Spleen et idéal, XXVI (1861).

HOM. 1. Constance.

CONSTANT, ANTE [kɔ̃stɑ̃, ɑ̃t] adj. — 1355; *constans,* XIIIe; lat. *constans,* de *constare* «s'arrêter».

◆ **1** Vx. Qui fait preuve de constance (1. constance, 1.), de fermeté d'âme. → **Courageux, ferme, fort, inaltérable, inébranlable, inflexible, résolu.** *Montrer une âme constante dans l'adversité. Ferme et constante résolution.*

1   Suzanne offrit une âme constante à la plus noire calomnie.
       MASSILLON, Sermon pour le 2e dim. de l'Avent, Sur les afflictions, in LITTRÉ.

◆ **2** Littér. (Personnes). Qui est persévérant. → **Assidu, fidèle, obstiné, opiniâtre, persévérant, régulier.** *Être constant dans ses affections. Être constant dans la poursuite d'un but.*

2   L'infidélité est un goût né avec nous. L'homme n'a pas plus le pouvoir d'être constant que celui d'écarter les maladies.
       CHAMFORT, Maximes et Pensées, p. 146.

   Un cœur constant, une âme constante. — Un travail, un effort constant (compris aujourd'hui au sens 3).

3   La solution de ce terrible problème ne se trouve que dans un travail constant, soutenu, car les difficultés matérielles doivent être tellement vaincues (...)
       BALZAC, la Cousine Bette, Pl., t. VI, p. 322.

◆ **3** Qui persiste dans l'état où il se trouve; qui ne s'interrompt jamais. → **Continuel, durable, fixe, immuable, invariable, permanent, persistant, régulier, stable.** *Bonheur constant. Traditions constantes. Préoccupation constante. Voilà son souci constant et unique*. *Manifester un intérêt constant pour qqch.* → **Soutenu.** — Très fréquent. *L'emploi constant de certains mots* (→ Abusif, cit. 1).

4   (...) la prière, véritable aspiration de l'âme entièrement séparée du corps, emporte toutes les forces et les applique à la constante et persévérante union du Visible et de l'Invisible.   BALZAC, Séraphîta, Pl., t. X, p. 577.

5   (...) nous montrer l'allure, la démarche, les comportements, les frissons de cette humanité si constante dans sa nature et si variable dans ses apparences.
       G. DUHAMEL, Inventaire de l'abîme, XV, p. 223.

5.1   La forêt vibre toute d'un constant crissement aigu.
       GIDE, Voyage au Congo, in Souvenirs, Pl., p. 713.

   Math. *Quantité constante.* → **Invariable; constante.** — (En parlant d'une grandeur). *Valeur, vitesse constante.* — *Francs constants* : unité abstraite de compte, ramenée à une valeur annulant les effets de l'érosion monétaire. *En francs constants, je gagne moins qu'il y a dix ans.*

◆ **4** (1660). Rare. *Il est constant que..., c'est un fait constant,* assuré, avéré. → **Authentique, certain, établi, évident, formel, incontestable, indubitable, patent, positif, sûr.** *Il demeure constant que... Délit constant.*

6   Il est constant (...) que je me trouve infiniment mieux.
       RACINE, Lettres.

7   Personne ne put lui expliquer le fait; mais il était constant qu'après avoir causé avec le fermier la jeune fille était partie sans rien dire (...)
       G. SAND, la Mare au diable, XIII, p. 113.

8 Ayrton raconta alors toute sa vie, et il fut constant qu'il ne savait rien depuis le jour où le capitaine Grant l'avait débarqué sur la côte australienne.

> J. VERNE, les Enfants du capitaine Grant, t. II, p. 550 (1874).

CONTR. Inconstant ; changeant (cf. Changer, cit. 63), inconsistant, infidèle, instable, léger, variable. ◊ **DÉR.** Constamment, 1. constance, constante.

CONSTANTAN [kɔ̃stɑ̃tɑ̃] n. m. — 1922 ; orig. incert., p.-ê. de *constant*.

Techn. Alliage de cuivre et de nickel dont la résistance électrique varie peu avec la température.

CONSTANTE [kɔ̃stɑ̃t] n. f. — 1699 ; de *constant*, dans *quantité constante*.

♦ 1 **Sc.** Quantité qui garde la même valeur ; nombre indépendant des variables. — **Phys.** *Constante de Planck, constante universelle. Constantes biologiques.*

Psychol. *Constante personnelle* : rapport de l'âge mental et de l'âge chronologique d'un sujet, dans les tests d'intelligence.

♦ 2 **Cour.** Caractéristique invariable. *C'est une des constantes de sa conduite.*

CONSTAT [kɔ̃sta] n. m. — 1890 ; mot lat. «il est certain», 3e pers. de *constare*.

Procès-verbal dressé par un huissier ou sur ordre de justice pour décrire un état de fait. *Constat d'huissier. Constat d'adultère. Constat d'accident.* — *Constat amiable*.* — *Dresser, signer un constat.*

Constatation ; ce par quoi on constate quelque chose. *Un constat d'échec, de faillite.*

Nous aurions besoin non de polémistes, mais de têtes froides, capables d'établir un diagnostic, grâce à une analyse politique objective : ceci exige que l'observateur remonte assez haut (mais non jusqu'au déluge !) et qu'il ne recule devant aucun constat, si accablant qu'il puisse être pour tel et tel qui paradent encore.

> F. MAURIAC, Bloc-notes 1952-1957, p. 260.

CONSTATABLE [kɔ̃statabl] adj. — 1845, chez Radonvilliers, réattesté déb. XXe ; de *constater*.

Qui peut être constaté. *Phénomène constatable à l'œil nu.*

CONTR. Inconstatable.

CONSTATATION [kɔ̃statasjɔ̃] n. f. — 1586, rare av. XIXe ; de *constater*.

♦ 1 Action de constater pour attester. → **Observation.** *La constatation d'un fait. Procéder aux constatations d'usage.* → **Examen.** *Faire une constatation. Les constatations de la science.* → **Observation.**

1 La science est, en outre, universelle ; ses constatations, ses découvertes, ses démonstrations valent pour tous les peuples et pour tous les hommes.

> JAURÈS, Hist. socialiste..., p. 416.

2 Le rédacteur ramena sa réponse à une pure constatation de fait.

> COURTELINE, Messieurs les ronds-de-cuir, 6e tableau, I, p. 215.

Bulletin de constatation.

♦ 2 (*Une, des constatations*). Fait constaté et relaté, servant de preuve, de raison. *Les constatations d'une enquête. Constatation par écrit.* → **Consignation, enregistrement ; parère.** *Constatation dressée par huissier.* → **Constat.** *Constatation des naissances, des décès.* → **Acte, bulletin.**

CONSTATER [kɔ̃state] v. tr. — 1726, mais *constatation*, attesté en 1586, peut faire supposer un usage antérieur ; lat. *constat* «il est certain» ; de *constare*, de *con-* (*cum*), et *stare*. → Constant.

♦ 1 Établir par expérience directe la vérité, la réalité de ; se rendre compte de. → **Apercevoir, enregistrer, éprouver, établir, noter, observer, reconnaître, remarquer, sentir, voir.** *Constater un fait, la réalité d'un fait. Constater une erreur.* → **Découvrir.** *Vous pouvez constater vous-même, par vous-même ceci. Faire constater qqch. à qqn.* → **Apparoir** (vx). *Constater qqch. de visu. Je constate que tu n'as rien fait. J'ai constaté qu'il avait menti.*

(...) nous n'avons que trois façons de constater l'existence 1 d'un être, le voir, entendre parler de lui, voir son action (...)

> RENAN, Dialogues et Fragments philosophiques, Œ. compl., t. I, p. 127.

On n'explique pas une vocation, on la constate. Elle est 2 évidente chez Jean. Comme vous le disiez, c'est un garçon de valeur (...)

> J. CHARDONNE, les Destinées sentimentales, p. 52.

♦ 2 **Dr.** Consigner par écrit (ce qu'on a constaté [1.]). *Constater qqch. par procès-verbal. Constater l'état authentique d'une pièce* (→ **Authentifier, certifier**). *Les pièces de la procédure constatent que...* → **Foi** (faire foi). *Constater un décès.*

CONTR. Négliger, omettre, oublier. ◊ **DÉR.** Constatable, constatation, constateur.

CONSTATEUR [kɔ̃statœʀ] n. m. — 1900, «personne qui fait des constats» ; de *constater*.

Techn. Appareil utilisé en colombophilie pour enregistrer l'heure d'arrivée des pigeons-voyageurs.

CONSTELLATION [kɔ̃stelasjɔ̃ ; kɔ̃stɛllasjɔ̃] n. f. — 1538 ; *contellacion*, 1265 ; lat. *constellatio*, de *con-* (*cum*), et *stella* «étoile».

♦ 1 Groupe apparent d'étoiles qui présente un aspect reconnaissable. *La constellation de la Grande Ourse, du Lion. Première étoile d'une constellation.* → **Alpha** (I., 2). *Influence des constellations sur les destinées humaines* (d'après l'astrologie*). *Identifier, reconnaître une constellation.* — **Loc. fig.** Vieilli. *Être né sous une heureuse constellation.* → **Étoile** (sous une bonne, une heureuse étoile).

Il demande encore si, de ce grand nombre d'hommes qui 1 périrent à la bataille de Cannes (...) tous étaient nés sous les mêmes constellations.

> ROLLIN, Hist. ancienne, Œuvres, t. II, p. 433, in POUGENS.

Quand les constellations percent leur voûte bleue, je me 2 souviens de ce firmament splendide que j'admirais du giron des forêts américaines, ou du sein de l'Océan.

> CHATEAUBRIAND, Mémoires d'outre-tombe, t. VI, p. 4.

♦ 2 Littér. Groupe d'objets brillants. *Une constellation de lumières, de diamants...*

Groupe de personnes illustres. → **Pléiade.**

Didact. Ensemble (de choses abstraites liées entre elles). *Une constellation de notions, de termes. Constellation mentale* (de faits de conscience). *Constellation de phénomènes économiques.*

CONSTELLER [kɔ̃stele ; kɔ̃stɛlle] v. tr. — 1838, → cit. 1 ; de *constellation* ou de *constellé*.

♦ 1 (Sujet n. de chose ; astres). Couvrir de constellations*, d'étoiles nombreuses. → **Parsemer.** *Les astres, les étoiles qui constellent le ciel.*

Quel firmament la nuit constellait 1 Dans leur sein (*des mers*).

> LAMARTINE, la Chute d'un ange.

2 (...) ces belles îles de marbre qui constellent l'azur de la mer Égée (...)
TAINE, Philosophie de l'art, t. II, IV, I, I, p. 92.

♦ **2** (1866, *in* Pierre Larousse). Couvrir, parsemer de points brillants. *Le couturier a constellé cette robe de strass.* — (Sujet n. de chose). *Les décorations constellaient sa tunique.*
Fig. *Les taches qui constellaient sa veste.*

◆ **SE CONSTELLER** v. pron. *Le ciel se constellait d'étoiles. Le mur se constellait de taches brunes d'humidité.*

◆ **CONSTELLÉ, ÉE** p. p. adj. (1519, «aérien»; lat. *constellatus*, de *constellatio*).

♦ **1** (1752; probablt ital. *costellato*). Parsemé d'étoiles. *Cieux constellés.*

3 (...) un hameau qui porte un nom gracieux et inhospitalier : «la Belle-Étoile». Fut-il ainsi baptisé parce qu'il n'offre au voyageur la sécurité d'aucune hôtellerie? Ou plutôt ne doit-il pas cette appellation à la splendeur constellée que la plaine champenoise contemple par les nuits sereines?
G. DUHAMEL, Récits des temps de guerre, V, p. 254.

Anneau constellé : anneau magique fabriqué sous l'influence d'une constellation.

4 (...) je guéris par des paroles (...) par des talismans, et par des anneaux constellés.
MOLIÈRE, l'Amour médecin, III, 5.

♦ **2** Qui est parsemé d'objets ou de points brillants. *Pierre constellée. Robe constellée de pierreries, de brillants. Général constellé de décorations.*

5 (...) la fin de la belle saison provençale, constellée de géraniums brasillants (...)
COLETTE, la Naissance du jour, p. 109.

CONSTERNANT, ANTE [kɔ̃stɛʁnɑ̃, ɑ̃t] adj. — 1845; p. prés. de *consterner*.

♦ **1** Littér. Qui consterne. *Nouvelle consternante. Des menaces de guerre consternantes.* «*La consternante nouvelle de la mort de leur père*» (Sainte-Beuve, *in* T. L. F.).

♦ **2** Cour. Qui provoque la tristesse (avec un nom désignant une chose négative, remarquable par son intensité). *Il est d'une bêtise, d'une nullité consternante, absolue, parfaite. Il est consternant de nullité.* — *C'est absolument consternant.* → **Lamentable.** Ellipt. *Dix pages d'inepties. Consternant.*

Cette dernière profession de foi, consternante aux yeux d'un lecteur contemporain, donne cependant l'idée la plus juste des espoirs quasi mystiques soulevés au XIXᵉ siècle par l'essor de l'industrie et les progrès surprenants de la science.
CAMUS, l'Homme révolté, III, *in* Essais, Pl., p. 598.
N. m. *Le consternant de l'affaire, c'est...*

CONSTERNATION [kɔ̃stɛʁnasjɔ̃] n. f. — 1512; «émeute», av. 1380; lat. *consternatio*, du supin de *consternare*. → Consterner.

♦ **1** Littér. ou style soutenu. Fait de consterner; étonnement mêlé de tristesse, de douleur. → **Abattement, accablement, chagrin, désolation, douleur, épouvante, étonnement, mélancolie, stupéfaction, stupeur, tristesse.** *Cette nouvelle jette la consternation parmi eux, dans le groupe. Lire la consternation sur tous les visages. Il était plongé dans une profonde consternation. Frapper de consternation. Contempler avec consternation une scène de désespoir. Consternation muette, générale.*

1 À ces mots la consternation se répandit sur tous les visages. MARMONTEL, Contes moraux, *in* LITTRÉ.
2 Je me souviens encore de la consternation que cette histoire jeta dans mon âme.
A. DE VIGNY, Servitude et Grandeur militaires, II, I, p. 99.

J'ai composé ce récit en 1940, à la fin de l'été. La France 3 était encore reployée sur sa douleur et frappée de consternation.
G. DUHAMEL, Récits des temps de guerre, III, p. 295.

♦ **2** État pénible créé par une chose odieuse, ridicule. → **Consternant, 2.**
REM. La variante *consternement* est attestée (S. Guitry, *in* T. L. F.).
CONTR. Joie.

CONSTERNER [kɔ̃stɛʁne] v. tr. — 1355; lat. *consternare* «abattre», de *consternere*, de *con-* (*cum*), et *sternere* «étendre sur le sol».

♦ **1** Littér. ou style soutenu. (Sujet n. de chose). Jeter brusquement dans un abattement profond. → **Abattre, accabler, anéantir, atterrer, désoler, navrer, stupéfier, terrasser.** *Cette nouvelle m'a consterné.*

La prise de cette place acheva de consterner les ennemis. 1
RACINE, les Campagnes de Louis XIV.
(...) il lui fallait faire à mauvaise fortune bon visage et 2 paraître accueillir avec allégresse un événement qui le consternait.
Louis MADELIN, l'Ascension de Bonaparte, XIV, p. 197.

♦ **2** Attrister et étonner. → **Consternant, 2.; désoler, navrer.** *Son incompétence, sa bêtise nous consternait.* — (Sujet n. de personne). *Il nous a consternés par sa nullité.*

♦ **3** (1642). Rare (latinisme; sens étym.). Abattre, mettre à terre (Sainte-Beuve, *in* T. L. F.).

◆ **CONSTERNÉ, ÉE** p. p. adj.

♦ **1** *Air, visage consterné.* → **Abattu, atterré, honteux, triste.** *Un silence consterné. — Un visage, un regard consterné.*

(...) D'un lâche désespoir ma vertu consternée (...) 3
RACINE, Bajazet, II, 5.
Ce qui la troublait, c'était de ne pouvoir se dissimuler la 4 joie qu'elle ressentait de ce malheur, dont elle aurait dû être honteuse et consternée (...)
F. MAURIAC, la Pharisienne, p. 92.

♦ **2** Rare. Abattu. «*Sa bibliothèque consternée*» (A. France, *in* T. L. F.).
CONTR. Réjouir.

CONSTIPANT, ANTE [kɔ̃stipɑ̃, ɑ̃t] adj. — 1843, Landais; p. prés. de *constiper*.

Qui constipe.
Je ne savais trop si ce que je lui donnais à manger (...) pouvait avoir un effet laxatif ou au contraire constipant.
GIDE, le Retour du Tchad, VIII, *in* Souvenirs, Pl., p. 1003.
CONTR. Laxatif.

CONSTIPATION [kɔ̃stipasjɔ̃] n. f. — Fin XIIIᵉ; de *constiper*.

Difficulté dans l'évacuation des selles (→ Selle, cit. 0.1, Beckett). *Aliments qui produisent de la constipation.* → **Échauffant** (→ Compenser, cit. 3). *Laxatif pour combattre la constipation.*
CONTR. Dévoiement, diarrhée, relâchement.

CONSTIPÉ, ÉE [kɔ̃stipe] adj. — Fin XIVᵉ; de *constiper*° ou directement du p. p. lat. de *constipere*.

♦ **1** Qui va difficilement à la selle, qui éprouve de la constipation. → Constiper, cit.

(...) je supportais parfaitement bien la ration d'eau de 1 mer que je continuais régulièrement à absorber «suivant le plan prévu». Nous étions tous deux constipés, déjouant ainsi les pronostics fâcheux des «hommes-au-pot-de-chambre-indispensable-pour-naufragés»
Alain BOMBARD, Naufragé volontaire, p. 71.

N. *Les constipés. Remèdes pour constipés.*

♦ **2** Fam. Anxieux ; contraint, guindé, embarrassé. *Un intellectuel du genre constipé. Un air constipé.*

2 Il était pitoyable. Il ne savait que répondre et ne pouvait que sourire. Ce sourire, tout constipé qu'il fût, détendait ses traits, déridait son moral.
    Jean GENET, Notre-Dame des Fleurs, p. 276.

Il est constipé du portefeuille, avare.

Qui produit peu, difficilement. *Un auteur constipé.* N. *Les «écrivains secs (les) constipés»* (J. Renard).

CONTR. Relâcher. ◊ HOM. Constiper.

CONSTIPER [kɔ̃stipe] v. tr. — XIVᵉ, *costiver*; lat. *constipare* «serrer», de *con-* (cum), et *stipare* «serrer, entasser».

♦ **1** Causer la constipation de (qqn). Absolt. *Certains aliments astringents constipent.*

Un jour, en revenant des w.-c., je trouvai la porte de ma chambre fermée à clef et mes affaires empilées devant la porte. C'est vous dire combien j'étais constipé, à cette époque. C'est l'anxiété qui me constipait, je crois. Mais étais-je réellement constipé ? Je ne le crois pas. Du calme, du calme. Et pourtant je devais l'être, car comment expliquer autrement ces longues, ces atroces séances aux cabinets, aux water ? Je ne lisais jamais, pas plus là qu'ailleurs, je ne rêvais ni ne réfléchissais, je regardais vaguement l'almanach pendu à un clou devant mes yeux (...)
    S. BECKETT, Premier amour, p. 14.

♦ **2** Fig. Contraindre ; rendre anxieux ou embarrassé. → **Constipé, 2.**

DÉR. Constipant, constipation. ◊ HOM. Constipé.

CONSTITUANT, ANTE [kɔ̃stitɥɑ̃, ɑ̃t] adj. et n. — 1476, «celui qui confère un droit»; p. prés. de *constituer.*

♦ **1** (1572). Qui entre dans la constitution (d'un tout). → **Composant, constitutif.** *Parties constituantes d'un corps. Éléments constituants d'un mélange.* → **Ingrédient.** *Molécules constituantes.*

N. m. *Les constituants de la matière.*

La Nature de Buffon est sans cesse au travail, en gésine (...) Inlassablement, elle se fait et se défait, se construit et se détruit, puisque les «molécules organiques», constituants essentiels de la substance vivante, ne sont pas plus tôt libérées de leurs anciennes combinaisons qu'elles en composent de nouvelles.
    Jean ROSTAND,
   Esquisse d'une histoire de la biologie, p. 47.

Ling. *Constituants immédiats :* dans les théories stucturalistes, Groupes binaires associés qui forment la structure d'un énoncé, fondés sur le sens, et qui peuvent être dégagés à plusieurs niveaux successifs.

♦ **2** (1770). Dr., vx. Qui donne procuration, qui établit une rente, etc., en faveur de qqn. *Le dit sieur constituant.* — N. m. Personne (homme ou femme) qui donne procuration, etc. *Le constituant et le bénéficiaire.*

♦ **3** Cour. Chargé d'établir une constitution. *Le pouvoir constituant. Assemblée constituante.* — N. f. *La Constituante :* l'Assemblée de 1789 à laquelle succéda la Législative. — N. m. *Les constituants :* les membres de cette assemblée.

♦ **4** N. f. (1968; au Canada). Université ou institut de recherches faisant partie de l'université du Québec. *Les constituantes de Montréal, Trois-Rivières, Chicoutimi, Rimouski.*

CONSTITUER [kɔ̃stitɥe] v. tr. — XIIIᵉ, «s'établir», attestation isolée; lat. *constituere,* de *con-* (cum), et *statuere.* → **Statuer.**

♦ **1** (1361). Dr. Établir (qqn) dans une situation légale. → **Faire, instituer.** *Il l'a constitué son héritier.*

Pron. *Se constituer juge de sa propre cause. Se constituer partie civile dans un procès criminel. — Se constituer prisonnier.* → **Livrer** (se), **rendre** (se).

Vx (langue class.). *Constituer (qqn) à (qqch.) :* placer (qqn) à (un poste), confier à (qqn) la responsabilité de (qqch.).* → **Assigner, placer, préposer.** *Constituer qqn à la garde des enfants.*

(...) je vous constitue, pendant le souper, au gouvernement 1
des bouteilles (...)   MOLIÈRE, l'Avare, III, 1.

♦ **2** (1549). Dr. *Constituer (qqch.) à (qqn) :* créer (qqch.) à l'intention de (qqn). *Constituer une rente, une pension, une dot à qqn. — Constituer (qqch.) en (qqch.) à qqn. Constituer un terrain en dot à sa fille.*

♦ **3** (1690). Cour. **a** (Sujet n. de chose, d'élément, au plur.). Concourir, avec d'autres éléments, à former un tout. → **Composer, faire.** *Les éléments, les parties qui constituent un tout, un ensemble. Lois qui constituent une théorie. Les qualités qui constituent un homme de bien.*

Les contrariétés les plus bizarres entrent dans le même 2
caractère et le constituent.
    VAUVENARGUES, les Caractères, *in* LITTRÉ.

b (Le sujet peut être au sing.). Former l'essence de ; être. → **Consister** (en), **représenter.** *Cette action constitue un délit. La vente constitue une opération commerciale* (→ Commerce, cit. 1). *L'intention constitue l'action morale. Le pain constitue l'essentiel de sa nourriture.* — REM. Lorsqu'il s'agit du domaine juridique, des institutions, ce sens peut interférer avec le sens juridique, 2.

Le mariage, dans ces conditions, constitue, régularise l'uni- 3
versalité de l'adultère, le divorce dans l'intimité (...) et dans la couche conjugale un froid à geler le mercure.
    MICHELET, la Femme, p. 225.

Ces livres constituaient, en effet, le plus incroyable des 4
galimatias, le plus inintelligible des grimoires.
    HUYSMANS, Là-bas, VI, p. 78.

La Légion étrangère de Dar Riffien constitue une troupe 5
solide, parfaitement entraînée et qui sait mourir au feu (...)
    P. MAC ORLAN, la Bandera, V, p. 54.

(...) toutes les larges et éternelles vérités qui constituent 6
chez tous les peuples et dans tous les temps le fond même des sentiments humains, voilà la matière première de l'art, de l'art immortel et divin.
    HUGO, Littérature et Philosophie mêlées, p. 12.

♦ **4** (1829). Sujet n. de personne. Organiser, créer (une chose complexe). → **Édifier, élaborer, monter, organiser.** *Constituer une société commerciale. Constituer un ministère.*

Constituer un groupe, une assemblée avec des amis, d'amis. — Au passif. *Le gouvernement qui a été constitué par M. X.* — *Constituer qqch. une seconde fois.* → **Reconstituer.** — Pron. *L'assemblée s'est constituée. Les députés se constituent en commission.*

◆ **CONSTITUÉ, ÉE** p. p. adj.

♦ **1** (1611). Dr. *Argent constitué en viager. Rente constituée.* — *Assemblée constituée de membres élus.*

♦ **2** (1690). *Bien, mal... constitué :* dont la constitution physique est bonne ou mauvaise. *Un enfant bien constitué.*

La nature (...) rend forts et robustes ceux (*les enfants*) qui 7
sont bien constitués, et fait périr tous les autres.
    ROUSSEAU, De l'inégalité parmi les hommes, I.

♦ **3** Formé, organisé.

Pourquoi se dire avec tant d'amertume que, dans le monde 8
constitué comme il est, il n'y a pas d'air pour toutes les poitrines, pas d'emploi pour toutes les intelligences ?
    Augustin THIERRY,
   Préface de dix années d'études historiques.

♦ **4** *Autorités constituées,* établies par la constitution.

CONTR. Annuler, démettre, destituer. — Décomposer, défaire, séparer. — Abattre, démolir, renverser. ◊ DÉR. Constituant, constitutif. → COMP. Reconstituer. — Préconstitué.

CONSTITUTIF, IVE [kɔ̃stitytif, iv] adj. — 1488, «qui établit une constitution»; de *constituer.*

♦ 1 (1550). Dr. Qui établit juridiquement qqch. *Titre constitutif de propriété.*

♦ 2 Cour. Qui entre dans la composition de. → Constituant. *Les éléments constitutifs de l'eau.*

Recherches sur la manière dont la religion peut et doit entrer comme partie constitutive dans la composition du corps politique.
ROUSSEAU, Lettres de la montagne, VI, *in* LITTRÉ.

Qui constitue essentiellement une chose. → Caractéristique, essentiel, fondamental. *Propriété constitutive d'un corps.*

CONSTITUTION [kɔ̃stitysjɔ̃] n. f. — V. 1170, *constitucion* «loi»; lat. *constitutio* «institution», du supin de *constituere.* → Constituer.

I ♦ 1 (V. 1160, *constituciun*). Dr. Action d'établir légalement. → Établissement, instauration, institution. *La constitution d'une rente, une constitution de rente, de pension. — Constitution de partie civile :* demande de dommages-intérêts formulée par celui qui se prétend victime d'une infraction. — *Constitution d'avoué, d'avocat.* → Désignation. *Constitution de témoins* (pour un duel).

♦ 2 (1546). Manière dont une chose est composée. → Arrangement, composition, disposition, forme, organisation, structure, texture. *La constitution d'un corps, d'une substance.* Vx. *La constitution de l'atmosphère, de l'air.*

1 Voici une pièce d'une constitution assez extraordinaire.
CORNEILLE, Examen de Nicomède.

Spécialt. Ensemble des caractères congénitaux, somatiques et psychologiques (d'un individu). → Caractère, complexion, conformation, personnalité, tempérament. *La constitution de qqn, sa constitution. Être d'une bonne, forte, d'une robuste, d'une solide, d'une vigoureuse constitution* (→ Avoir le coffre* solide). *Une constitution malingre, faible, chétive, débile.* → Cacochymie. *Un enfant de constitution délicate. Il est petit de constitution. Présenter un vice de constitution.*

2 (...) la force de sa constitution résista jusqu'à la fin. Un corps si sain et une âme ainsi bâtis semblent de porphyre et de granit, tandis que les nôtres sont de craie et de plâtras.
TAINE, Philosophie de l'art, t. I, p. 186.

2.1 — Pourquoi les bains vous sont-ils interdits ?
— Parce que je suis de faible constitution et que les bains de mer me fatiguent.
M. DURAS, Un barrage contre le Pacifique, p. 105.

♦ 3 (1287, «création (du monde)»). Action de constituer (un ensemble); manière dont (un ensemble) a été constitué. → Composition, construction, création, édification, élaboration, fondation, formation, organisation. *La constitution d'une société, d'un club sportif. La constitution d'une assemblée. La constitution d'un stock. —* Vx. Organisation (d'un ensemble abstrait, d'une œuvre).

3 La constitution *(de la tragédie)* est plus difficile que l'exécution
RACINE, Livres annotés.

4 Les actions représentent des apports devront toujours être intégralement libérées au moment de la constitution de la société.
Loi du 24 juil. 1867, art. 3.

II (1683). ♦ 1 Charte, ensemble des textes fondamentaux qui déterminent la forme du gouvernement d'un pays. *Constitution coutumière. Constitution écrite. Préparer, discuter, faire, établir, donner, voter une constitution. Violer, réviser, réformer, modifier la constitution. Partisan de la révision* de la constitution. Constitution monarchique, républicaine* (→ Régime). *Les articles, le préambule de la Constitution. La Constitution de 1791, de l'an VIII, de 1875, de 1946... La constitution française; américaine, soviétique. Loi conforme à la constitution* (→ Constitutionnel).

5 Une saine et forte constitution est la première chose qu'il faut rechercher; et l'on doit plus compter sur la vigueur qui naît d'un bon gouvernement que sur les ressources que fournit un grand territoire.
ROUSSEAU, Du contrat social, II, IX, p. 266.

6 Il n'y aura jamais de bonne et solide constitution que celle où la loi régnera sur les cœurs des citoyens : tant que la force législative n'ira pas jusque-là, les lois seront toujours éludées. Mais comment arriver aux cœurs ?
ROUSSEAU, Considérations sur le gouvernement de Pologne, I, p. 343.

7 Les changements de régime ne changent guère la condition des personnes. Nous ne dépendons point des constitutions ni des chartes, mais des instincts et des mœurs.
FRANCE, l'Orme du mail, Œ., t. XI, p. 163.

8 De même que nous appelons «constitution» la composition et le mode physique d'exister d'un corps animal ou végétal, de même, en un sens analogue, nous nommons «constitution juridique» les règles de droit donnant à une société son être et sa physionomie distincts. Dès qu'une agglomération d'hommes a une assiette stable et une activité durable, dès qu'elle possède une structure précise et définie, dès qu'elle obéit à des règles susceptibles d'être sanctionnées, il y a organisation juridique et, en conséquence, constitution.
Marcel PRÉLOT, Précis de droit constitutionnel, p. 8.

♦ 2 Loi fondamentale. *Les constitutions apostoliques ou papales.* → Bulle. *Les constitutions canoniques. Constitutions des empereurs romains. les Novelles, constitutions de Justinien. Constitutions des rois de France.* → Ordonnance. *Les constitutions d'un ordre religieux.* → Règle.

♦ 3 Hist. *Constitution civile du clergé :* organisation du clergé français, décrétée par la loi du 12 juillet 1790.

9 Le 12 juillet, deux jours avant la *Fédération* qui est la fête de l'Union nationale, l'Assemblée vote le *constitution civile du clergé,* revanche de l'esprit janséniste et gallican. Désormais, curés, évêques et archevêques (...) seront élus par le corps électoral (...)
Pierre GAXOTTE, Hist. des Français, t. II, XXIII, p. 275.

CONTR. Annulation. — Décomposition, déformation, dérangement, désorganisation, dissolution. ◊ DÉR. Constitutionnel. → COMP. Reconstitution.

CONSTITUTIONNALISER [kɔ̃stitysjɔnalize] v. tr. — 1830, p. p. adjectivé «régi par une constitution»; de *constitutionnel.*

Dr. Donner un caractère constitutionnel à (un texte législatif).

CONSTITUTIONNALISME [kɔ̃stitysjɔnalism] n. m. — 1828; de *constitutionnel.*

♦ 1 Dr. Vx. Doctrine des partisans d'un pouvoir constitutionnel.

♦ 2 (1946, Mounier). Psychol. Théorie donnant à la constitution une importance essentielle.

DÉR. Constitutionnaliste.

CONSTITUTIONNALISTE [kɔ̃stitysjɔnalist] adj. et n. — 1845; de *constitutionnalisme.*

Dr. Partisan du constitutionnalisme (1. et 2.).

CONSTITUTIONNALITÉ [kɔ̃stitysjɔnalite] n. f.
— 1797, *in* D. D. L. ; de *constitutionnel.*

Dr. Caractère de ce qui est conforme à la constitution. *Contrôle de la constitutionnalité des lois par le Conseil constitutionnel.*

CONTR. **Inconstitutionnalité.**

CONSTITUTIONNEL, ELLE [kɔ̃stitysjɔnɛl] adj.
— V. 1760 ; de *constitution.*

I Qui constitue, forme l'essence (de qqch.). — Qui tient à la constitution physique, psychologique, générale (de qqn). *Faiblesse constitutionnelle (de qqch.). Type constitutionnel.*

Psychiatrie. Qui dépend de la constitution même du malade. *Psychose constitutionnelle.*

II (1775). ◆ **1** Soumis à une constitution*. *Gouvernement constitutionnel. Monarchie constitutionnelle* → **Parlementaire** opposée à *absolue. Charte constitutionnelle. Acte constitutionnel.*

Clergé constitutionnel : ensemble des membres du clergé qui adoptèrent la constitution* civile du clergé, *prêtre. Évêque,* en 1790 *constitutionnel.* → **Assermenté** (opposé à *insermenté, réfractaire*). — N. m. *Un constitutionnel.*

Le schisme constitutionnel.

Conforme à la constitution de l'État. *Formes constitutionnelles. Cette loi n'est pas constitutionnelle.* — *Conseil* constitutionnel.*

Qui est relatif à la constitution d'un État. *Loi constitutionnelle.* → **Organique.**

◆ **2** Partisan de la constitution. *Un parti constitutionnel.* — N. m. *Les constitutionnels :* ceux qui adhèrent à un parti constitutionnel.

Le Constitutionnel, quotidien libéral fondé en 1815.

◆ **3** *Droit constitutionnel,* qui étudie les constitutions, la structure et le fonctionnement du pouvoir politique (branche du droit public). → **Assermenté.**

CONTR. **et** COMP. **Anticonstitutionnel, inconstitutionnel.**
◇ DÉR. **Constitutionnaliser, constitutionnalisme, constitutionnalité, constitutionnellement.**

CONSTITUTIONNELLEMENT [kɔ̃stitysjɔnɛlmɑ̃] adv. — 1776 ; de *constitutionnel.*

I De manière constitutionnelle (I.) ; par nature. *Il est constitutionnellement incapable de...* → **Essentiellement.**

II D'une manière conforme à la constitution.

En septembre 1850, la Californie entre régulièrement dans la confédération des États-Unis. Un État enfin doté de fonctionnaires et de magistrats, un corps constitutionnellement au grand complet.
B. CENDRARS, l'Or, *in* Œ. compl., t. II, p. 197.

CONTR. **Anticonstitutionnellement, inconstitutionnellement.**

CONSTRICTEUR [kɔ̃striktœr] adj. m. — Fin XVIIᵉ ; lat. *constrictor,* du supin de *constringere.* → Constriction.

◆ **1** Anat. Se dit des muscles qui resserrent circulairement un organe. *Muscles constricteurs du pharynx.* — N. m. *Un constricteur.* → **Sphincter.** *Constricteur de l'anus. Constricteur du vagin.*

◆ **2** (1754, *constrictor* ; *constricteur,* 1845). *Boa constrictor* [kɔ̃striktɔr] ou *constricteur :* boa qui étouffe ses proies en les étreignant dans ses anneaux. → **Devin** (2., VX).

COMP. **Vaso-constricteur.**

CONSTRICTIF, IVE [kɔ̃striktif, iv] adj. — 1363 ; bas lat. *constrictivus,* du supin de *constringere.* → Constriction.

◆ **1** Méd. Constricteur*. *Les sphincters sont des muscles constrictifs.* — Qui resserre. *Action constrictive d'un muscle.*

Qui a pour effet de réduire la dimension normale d'un conduit ou d'une cavité. *Péricardite constrictive.*

◆ **2** N. f. Phonét. *Consonne constrictive ;* ou, n. f., *une constrictive :* consonne fricative.

COMP. **Vaso-constrictif.**

CONSTRICTION [kɔ̃striksjɔ̃] n. f. — 1306 ; lat. *constrictio,* du supin de *constringere,* de *con-* (*cum*) et *stringere* «serrer». → Contraindre.

Didactique.

◆ **1** Action de resserrer en pressant tout autour. → **Étranglement, resserrement.** *La constriction du cou* (par une corde), exercée sur le cou. *La constriction d'un bandage,* exercée par un bandage.

◆ **2** Fait de se resserrer (en parlant d'un organe circulaire). *La constriction du pharynx. Constriction des vaisseaux sanguins* (→ **Vaso-constricteur**). — Rétraction. *Constriction de la pupille, d'un muscle* (→ **Contraction**). *Constrictions musculaires spasmodiques.* → **Crampe ; tétanos.**

Par métonymie. Partie rétrécie, comprimée (d'un organe, du corps).

◆ **3** Fig. et littér. Sensation d'oppression.

Cette parfaite détresse, cette perpétuelle constriction du cœur, ordinairement dévolue aux enfants mélancoliques dans les pénitenciaires de l'Université (...)
Léon BLOY, le Désespéré, p. 30.   1

Fermeture, resserrement.

Décembre. L'hiver définitivement consolidé. Tout est en feu. Impression de patience sombre, de constriction, d'austérité.   CLAUDEL, Journal, déc. 1934, Pl., t. II, p. 74.   2

CONSTRICTOR [kɔ̃striktɔr] adj. → Constricteur, 2.

CONSTRINGENT, ENTE [kɔ̃strɛ̃ʒɑ̃, ɑ̃t] adj. — 1743 ; lat. *constringens,* p. prés. de *constringere* «resserrer». → Contraindre.

Didact., vieilli. Qui resserre, produit une constriction. *Action constringente d'un corset.*

CONSTRUCTEUR, TRICE [kɔ̃stryktœr, tris] adj. et n. m. — XIVᵉ ; bas lat. *constructor,* du supin de *construere.* → Construire.

◆ **1** Personne qui construit (un type d'objets). → **Ingénieur.** *Constructeur de chaudières, de moteurs.* → **Fabricant.** *Constructeur mécanicien. Constructeur d'automobiles, de navires, d'avions* (avionneur). *La constructrice de cet appareil.*

M. Olivier, constructeur de vaisseaux, vit que son art avait besoin du secours des sciences mathématiques, et il quitta tout pour les étudier.
CONDORCET, Maurepas, *in* LITTRÉ.   1

Nos constructeurs des grandes époques ont toujours visiblement conçu leurs édifices d'un seul jet et non en deux mouvements de pensée ou en deux séries d'opérations, les unes relatives à la forme, les autres à la matière.
VALÉRY, Regards sur le monde actuel, p. 131.   2

Spécialt. Personne qui construit (des édifices). *Les constructeurs de cathédrales, d'une ville.* → **Architecte, bâtisseur.** «*Une constructrice de cités*» (Claudel, *in* T. L. F.). — (Sans compl.). *Une époque de grands constructeurs.*

En appos. *Une société constructrice de navires. Industrie constructrice de machines.*

♦ **2** Adj. *Animaux constructeurs. — Capacités constructrices des espèces animales* (→ Constructif).

♦ **3** Fig. **ⓐ** N. Personne qui établit, fonde. *Des constructeurs d'empire.* → **Bâtisseur.**

3   (...) le soir de Milan, il *(B...)* avait entrevu que ce rôle serait celui, non d'un destructeur de forces, mais d'un constructeur d'États.
Louis MADELIN, l'Ascension de Bonaparte, XIV, p. 210.

ⓑ Adj. Qui construit, élabore. *Activité, pensée constructrice.* → **Créateur.** *Force constructrice.*

CONTR. Destructeur.

CONSTRUCTIBILITÉ [kɔ̃stʀyktibilite] n. f. — 1863, Littré ; de *constructible.*

Didact. Caractère de ce qui est constructible.

CONSTRUCTIBLE [kɔ̃stʀyktibl] adj. — 1863 ; du rad. du lat. *constructum,* supin de *construere.* → Construire.

♦ **1** Dr., admin. Où l'on a le droit de construire un édifice. *Terrain constructible* (→ **Bâtissable,** 1.), *non constructible.*

♦ **2** Didact. Qui peut être construit. → **Bâtissable,** 2.

CONTR. Inconstructible. ◊ DÉR. Constructibilité.

CONSTRUCTIF, IVE [kɔ̃stʀyktif, iv] adj. — 1487, repris 1863 ; lat. *constructivus,* du supin de *construere.*

♦ **1** Capable de construire ; (fig.) d'élaborer, de créer. → **Créateur.** *Un esprit constructif. Un effort, un travail constructif.*
Log. *Définition* constructive* (de concept). Opposé à *descriptif.*

♦ **2** Cour. Qui aboutit à des résultats positifs. → **Positif.** *Une proposition, une critique constructive. Un dialogue constructif. Cette réunion n'est pas constructive : il n'en sortira rien. — C'est, ce n'est pas constructif.*

CONTR. Destructif ; négatif. ◊ DÉR. Constructivisme, constructiviste.

CONSTRUCTION [kɔ̃stʀyksjɔ̃] n. f. — 1130 ; lat. *constructio,* du supin de *construere.* → Construire.

♦ **1** Action de construire, de faire construire. → **Assemblage, édification, érection.** *La construction d'un bâtiment, d'une maison, d'un grand ensemble, d'un barrage, d'un mur. Diriger la construction d'un édifice. Construction d'un navire dans une cale. Construction des coques.*

1   L'art de la construction des vaisseaux qui tient à la fois à tout ce que les sciences ont de plus abstrait, à tout ce que les arts mécaniques ont de plus difficile et de plus minutieux.   CONDORCET, Maurepas, *in* LITTRÉ.

2   J'ai, par la suite, applaudi de grand cœur à la construction des cités universitaires (...)
G. DUHAMEL, Biographie de mes fantômes, XI, p. 222.

En construction, en cours de construction. Navire en construction.

2.1   — Comment se fait-il que vous habitiez une maison en démolition ? reprit l'ex-invisible.
— Elle n'est pas en démolition, elle est en construction. Mon père n'a plus l'sou pour la terminer.
R. QUENEAU, le Chiendent, p. 333.

Manière dont une chose est construite. Un appareil de construction robuste, solide.

♦ **2** (1636). Ce qui est construit, bâti. → **Bâtiment, bâtisse, édifice, immeuble, installation, maison, monument, ouvrage.** *Élever une construction.*

→ **Construire.** *Une construction imposante, massive, cyclopéenne, moderne, rustique, solide, élégante. Construction adossée à une colline. Construction en éléments préfabriqués. Les plans, les devis d'une construction. Les fondations d'une construction.* → **Assise, infrastructure, lit, œuvre** (gros œuvre, sous-œuvre), **rempiètement, soubassement, structure, substruction, substructure.** *Principaux éléments d'une construction.* → **Ancre, attique, balcon, balustrade, chaîne, charpente, cloison, comble, contrevent, couverture, mur** (pan de mur, mur de refend), 1.**radier, revêtement, superstructure, toit ; bombement, cintrage, recoupement, relancis, surélévation.** *Les échafaudages, les accessoires d'une construction.* → **Échafaud, échafaudage ; arasement, boulin, cerce, chanlatte, chape, chapiteau, charpente, châssis, chevalement, chèvre, chevron, colombage, contre-boutant, contre-porte, culée, décharge, enchevalement, gournable, latte, poutre, semelle, traverse.** *Ravalement des constructions. La stabilité, la force cohésive d'une construction. Construction fragile* (→ Château de cartes). *Constructions symétriques. La portée d'une construction.*

3   Les autres constructions avaient subsisté, en se transformant plus ou moins ; la ferme et sa basse-cour gardaient leur destination d'origine.
J. ROMAINS, les Hommes de bonne volonté, t. V, IX, p. 74.

♦ **3** Ensemble des techniques qui permettent de construire, de bâtir. → **Architectonique.** *L'architecture et la construction. Entrepreneur de construction. — La construction individuelle.*

... DE CONSTRUCTION : qui sert à la construction. *Matériaux de construction* (acier, ardoise, béton, bois, brique, ciment, fer, moellon, mortier, pierre, pisé, plâtre, staff, torchis, tuile...). *Pierre de construction. Bois de construction. — Loc. Jeu de construction,* formé d'éléments que l'on peut assembler pour construire un ensemble.

4   Quand il s'agit d'une maison, ils en ignorent l'âge exact, la qualité de construction et de matériaux.
J. ROMAINS, les Hommes de bonne volonté, t. IV, IV, p. 28.

Industrie qui construit (tels objets). La constructions navale, aéronautique. Ingénieur des constructions navales (→ Génie civil). *La construction mécanique européenne.*

♦ **4** (1694). Fig. Action de composer, d'élaborer (une chose abstraite, une œuvre). → **Composition, élaboration.** *Construction d'un roman, d'une thèse, d'un poème.*

Ce qui est élaboré. → **Système.** *C'est une simple construction de l'esprit. Une construction théorique, intellectuelle. Une construction utopique.*

5   Mais l'histoire des audaces gnostiques et la persistance des courants manichéens a plus fait, pour la construction du dogme orthodoxe, que toutes les prières.
CAMUS, le Mythe de Sisyphe, p. 153.

(1690). Géom. Figure construite.

6   (...) il ne lui plaît pas que le symbole se place entre l'objet du problème et la construction géométrique (...)
André SUARÈS, Trois hommes, II, «Pascal», p. 32.

♦ **5** (Déb. XIIIᵉ). Gramm. Place relative, arrangement des mots dans le discours, l'énoncé (→ **Syntaxe**). *L'ordre* (cit. 10) *et la construction de la phrase. Construction grammaticale. Construction analytique, logique, elliptique. Construction latine. Construction vicieuse.* → **Cacologie.** *Une construction élégante, légère ; lourde, boiteuse.*

7   L'on écrit régulièrement depuis vingt années ; l'on est esclave de la construction ; l'on a enrichi la langue de nouveaux mots (...)   LA BRUYÈRE, les Caractères, I, 60.

8   La construction des phrases est le secret de l'art d'écrire !
Antoine ALBALAT, l'Art d'écrire, VIII, p. 139.

Suite d'éléments linguistiques conforme à un schéma. → **Tour**. *Construction figée.* → **Locution, phraséologie.**

CONTR. Démolition, destruction, renversement. ◊ **COMP.** V. **Déconstruction, reconstruction.**

CONSTRUCTIVISME [kɔ̃stʀyktivism] n. m. — V. 1925; de *constructif.*

♦ **1** **Hist. de l'art.** Mouvement artistique tendant à substituer une plastique de plans et de lignes assemblées (structure) à une plastique des masses (d'abord appliqué au *Constructivisme russe* qui s'est épanoui vers 1920).

1   En 1913, toujours en Russie, TATLIN lance le *Constructivisme* que GABO et PEVSNER (sculpteur) codifient à Moscou, en 1920. Il est très apparenté au «suprématisme» de MALEVITCH. Par LISSITZKY il entre en Allemagne, en 1922 et, mêlé aux directions de *Bauhaus*, se confond rapidement avec le *Néoplasticisme* et l'*Élémentarisme* de Mondrian et Van Doesburg.
Maurice GIEURE, la Peinture moderne, p. 97.

♦ **2** **Didact.** Théorie qui considère un objet de pensée comme «construit».

2   *(Brouwer a voulu)* constituer une théorie intuitionniste du nombre en élaborant dans ce but les règles techniques d'un constructivisme (...) qui relève aussi de la mathématique.
J. PIAGET, Logique et Connaissance scientifique,
in Encycl. Pl., p. 53.

♦ **3** **Mus.** Système d'élaboration par éléments assemblés, construits.

3   Pierre Henry *(compositeur de musique concrète)* manifesta souvent (...) un vigoureux *constructivisme.*
Pierre SCHAEFFER, la Musique concrète, p. 24.

CONSTRUCTIVISTE [kɔ̃stʀyktivist] n. et adj. — V. 1925; de *constructif.*

Didact. Adepte du constructivisme*.

Pendant les travaux de restauration, on avait dû consolider l'édifice avec des poutrelles en fer qu'il semblait, à l'architecte, malaisé de dissimuler. Vidame, devançant les recherches des constructivistes russes, avait tranquillement décidé qu'il fallait que cette ferraille demeurât partout apparente.
G. DUHAMEL, Chronique des Pasquier,
Suzanne et les jeunes hommes,
éd. l'Ambassade du livre, p. 40-41.

Adj. *Manifeste constructiviste.*

CONSTRUIRE [kɔ̃stʀɥiʀ] v. tr. — XIIIᵉ, sens 3; lat. *construere*, de *con-* (cum), et *struere* «disposer, ranger». → aussi Détruire; structure.

♦ **1** (1466). Bâtir ou faire bâtir suivant un plan déterminé, avec des matériaux divers. → **Bâtir, édifier, élever, ériger, faire; reconstruire.** *Construire une maison, un immeuble. Construire une maison en bois, en pierre, en fer. Construire un chemin, une route.* → **Tracer.** *Construire un pont.* → **Jeter.** — Absolt. *Art de construire.* → **Construction; bétonner, briqueter, chaîner, cintrer, couler** (du béton), **contrebuter, crépir, décintrer, enchevaucher, enclaver, enligner,** 1. **flanquer, forger, maçonner, piser, ragréer.** *Permis de construire.*

1   Il lui semblait voir crouler cet abri que, depuis trois ans, il s'était construit de ses mains (...)
MARTIN DU GARD, les Thibault, t. IV, p. 51.

Se construire qqch. : construire pour soi. Il veut se construire une maison. — **Pron. passif.** Être construit, en construction. *Sa maison se construit lentement.* Fabriquer ou faire fabriquer (un objet complexe). *Construire un navire, des automobiles, des machines.*

Par ext. *Construire un feu.*

(Animaux). *Construire un nid. Les castors construisent des barrages.*

♦ **2** (**Abstrait**). Donner une organisation interne à. *Construire sa vie.* → **Aménager, organiser.**

On construit sa vie pour une personne et quand enfin on peut l'y recevoir, cette personne ne vient pas, puis meurt pour vous et on vit prisonnier, dans ce qui n'était destiné qu'à elle.
PROUST, À l'ombre des jeunes filles en fleurs,
éd. la Gerbe, t. II, p. 49.   2

Construire la personnalité de qqn. → **Structurer.** — Au p. p. *Une personnalité peu construite.*

Faire exister (un système complexe) en organisant des éléments mentaux. *Construire un roman, un poème, une pièce de théâtre.* → **Agencer, arranger, assembler, composer, créer.** *Construire un article, une dissertation. Construire un raisonnement. Construire un système, une théorie.* → **Architecturer, articuler, édifier, élaborer, élucubrer, forger, imaginer, organiser, structurer.** — Passif. *Cet exposé est mal construit, n'est pas construit.*

La vie échappe à la logique, et tout ce que la seule logique construit reste artificiel et contraint.   3
GIDE, Journal, 12 mai 1927.

Art. *Construire une fugue, une symphonie.*

(1690). **Géom.** Tracer (une figure) selon un schéma. *Construire un triangle rectangle, un cercle tangent à un autre. Construire un triangle isocèle à la règle et au compas.*

♦ **3** (1530; *construire un mot,* XIIIᵉ). Organiser (un énoncé) en disposant les éléments (mots) selon un ordre déterminé (règles; norme). *Construire une phrase.* → **Construction.** — Pron. Finir *se construit avec* de *et l'infinitif.*

CONTR. Abattre, défaire, démolir, détruire, raser, renverser, ruiner, saper. ◊ **COMP. Déconstruire, reconstruire.**

CONSUBSTANTIALITÉ [kɔ̃sypstɑ̃sjalite] n. f. — XIIIᵉ; lat. ecclés. *consubstantialitas*, de *consubstantialis.* → Consubstantiel.

Théol. chrét. Unité et identité de substance des personnes de la Trinité (→ **Coexistence**). *Les ariens niaient la consubstantialité du Père et du Fils, du Père avec le Fils.*

En ce temps *(325)* Constantin assembla à Nicée en Bithynie le premier concile général où trois cent dix-huit évêques (...) condamnèrent le prêtre Arius ennemi de la divinité du Fils de Dieu et dressèrent le symbole où la consubstantialité du Père et du Fils est établie.
BOSSUET, Hist., I, 11, *in* LITTRÉ.

Caractère consubstantiel (2.).

CONSUBSTANTIATION [kɔ̃sypstɑ̃sjasjɔ̃] n. f. — 1567; lat. ecclés. *consubstantiatio*, de *con-* (cum), et *substantia.* → Substance.

Théol. chrét. Présence réelle, simultanée du corps et du sang de Jésus-Christ dans le pain et le vin de l'Eucharistie. *La théorie de la consubstantiation était soutenue par les luthériens.*

CONTR. Transsubstantiation.

CONSUBSTANTIEL, IELLE [kɔ̃sypstɑ̃sjɛl] adj. — Av. 1405; lat. *consubstantialis*, de *con-* (cum), et *substantia.* → Substance.

♦ **1** **Théol. chrét.** Qui est un par la substance. *Les trois personnes de la Trinité sont consubstantielles. Le Fils est consubstantiel au Père, avec le Père.*

(...) l'Église d'aujourd'hui, en France tout au moins, n'affirme plus à la messe que le Christ est consubstantiel au Père ?   1
J. GREEN, Journal, 14 nov. 1970,
Ce qui reste de jour, p. 267.

♦ **2** Littér. ou didact. Coexistant à, inséparable de...

2 L'idée de ces valeurs abstraites (...) n'est nullement (...) une idée que des métaphysiciens prêtent gratuitement à la conscience humaine. Elle lui est consubstantielle et l'on a l'une dès qu'on a l'autre.
Julien BENDA, la Trahison des clercs, p. 84.

DÉR. Consubstantiellement.

CONSUBSTANTIELLEMENT [kɔ̃sypstɑ̃sjɛlmɑ̃]
adv. — 1690; de *consubstantiel.*
Théol. ou didact. De manière consubstantielle. *Le Fils est consubstantiellement uni avec le Père* (Académie).

CONSUL [kɔ̃syl] n. m. — V. 1265; écrit concile, 1213, au sens A, 1; mot lat., probablt déverbal de *consulere.* → Consulter.

A Hist. ♦ **1** (V. 1370). Antiq. rom. Nom donné aux deux magistrats qui exerçaient l'autorité suprême, sous la République romaine. *Sous l'Empire romain les consuls n'avaient que des attributions honorifiques. Consuls, tribuns et sénateurs. — Consul désigné,* élu mais pas encore en fonction.

1 Rome, ayant chassé les rois, établit des consuls annuels (...)
MONTESQUIEU,
Grandeur et décadence des Romains, I.

2 (...) ayant la toge, le laticlave, les brodequins d'un consul et des licteurs autour de sa personne.
FLAUBERT, Trois contes, «Hérodias», II.

Que les consuls prennent garde... (formule que le sénat romain adressait aux consuls quand un grave danger menaçait la République).

♦ **2** (1311; *conseuz,* fin XIIIᵉ). **a** (Au moyen âge). Magistrat municipal du Midi de la France. *Consuls de Toulouse.* → **Capitoul.**

b (1563). Juge choisi parmi les marchands et connaissant de certaines affaires commerciales. *Juges-consuls.*

♦ **3** (1799). Nom des trois magistrats auxquels la Constitution de l'an VIII avait confié le gouvernement de la République française (1799 à 1804). → **Consulat.** *Le premier, le second consul. Bonaparte, Premier consul.*

3 Là, consul jeune et fier, amaigri par des veilles
Que des rêves d'empire emplissaient de merveilles,
Pâle sous ses longs cheveux noirs.
HUGO, les Orientales, XL, I.

4 Ce siècle avait deux ans. Rome remplaçait Sparte,
Déjà Napoléon perçait sous Bonaparte,
Et du premier consul déjà, par maint endroit,
Le front de l'empereur brisait le masque étroit.
HUGO, les Feuilles d'automne, I.

B (1690). Agent diplomatique chargé par un gouvernement de la défense des intérêts de ses nationaux et de diverses fonctions administratives dans un pays étranger (→ **Vice-consul**). *Les consuls s'établissent dans les principaux centres, et particulièrement dans les ports. Consul général. Consul de première, de deuxième classe, consul suppléant. Consul de France. Consul anglais. Ordonnance autorisant un consul à exercer ses fonctions.* → **Exequatur.**

5 Jacques et Rubiadzan devaient loger chez le consul, monsieur Stahl, monsieur Oliveiro Stahl, un consul qui représentait toutes les nations européennes, asiatiques, africaines et océaniennes et la plupart des américaines (...)
R. QUENEAU, Loin de Rueil, p. 186.

COMP. Proconsul, vice-consul.

CONSULAIRE [kɔ̃sylɛʀ] adj. — Av. 1380; lat. *consularis,* de *consul* «consul».

A Hist. ♦ **1** Antiq. rom. Relatif aux consuls* romains. *La dignité consulaire. Faisceaux consulaires,*

pourpre consulaire. Comices consulaires, pour l'élection des consuls. *Provinces consulaires,* où Rome envoyait des consuls. *Fastes consulaires :* tables contenant les noms des consuls. *Année consulaire,* qui s'écoulait entre l'installation successive de deux consuls. *Famille consulaire,* à laquelle avait appartenu un consul. *Personnage consulaire.* — N. m. (1680). *Consulaire :* celui qui avait été consul.

♦ **2** Hist. (au moyen âge). *Juridiction consulaire :* juridiction des juges-consuls. — Mod. *Juge consulaire :* juge élu d'un tribunal de commerce. *Palais consulaire.*

♦ **3** (1799). Relatif au gouvernement des trois consuls établi en l'an VIII. *Régime, gouvernement consulaire.* → **Consulat.**

Par anal. Se dit d'un régime où la réalité du pouvoir est détenue par quelques personnes (→ Consulat, cit. 2.1).

B (1803). Relatif à un consulat dans un pays étranger. *Agent* consulaire. Remplir des fonctions consulaires.*

DÉR. Consulairement.

CONSULAIREMENT [kɔ̃sylɛʀmɑ̃] adv. — 1690; de *consulaire.*

♦ **1** Dr. (Hist.). En qualité de consul, de juge-consul. → **Consul,** A, 2., b. *Demande jugée consulairement* (Académie).

♦ **2** En qualité de consul (B.).

CONSULAT [kɔ̃syla] n. m. — Av. 1380; *consolet,* v. 1268; *consolat* «charge de consul municipal», 1246; lat. *consulatus,* de *consul* «consul».

A Hist. ♦ **1** Antiq. rom. Dignité de consul. Temps pendant lequel un consul exerçait sa charge. *Le consulat de Cicéron.*

Reçois le consulat pour la prochaine année.
CORNEILLE, Cinna, V, 3.   1

♦ **2** Fonction de juge-consul.

♦ **3** (1799). Gouvernement des trois consuls institué par la Constitution de l'an VIII; le temps qu'il dura. *L'époque du Consulat* (1799-1804). *Histoire du Consulat et de l'Empire,* de Louis Madelin.

(...) ces cinq ans de Consulat, — l'une des plus belles pages de la plus belle des histoires, l'histoire de France.   2
Louis MADELIN, l'Avènement de l'Empire, VIII,
p. 106.

Par analogie :

Mais comme vous rejetez le grand travail entrepris depuis,   2.1
sous le consulat de Gaulle (le mot ne me fait pas peur : cette République est consulaire) il faut admettre que vous avez dans l'esprit une République autre que celle-là et différente de l'ancienne.
F. MAURIAC, le Nouveau Bloc-notes 1958-1960,
p. 202.

B (1690). Charge de consul dans une ville étrangère. *Obtenir le consulat de Beyrouth, de New York.* — Résidence du consul, bureaux et services qu'il dirige. *Aller au consulat pour obtenir un visa. Chancelier* d'un consulat.*

Des consulats, des douanes, des manufactures (...) toute   3
une *concession* européenne (...)
LOTI, Mᵐᵉ Chrysanthème, II, p. 9 (→ Concession, cit. 1).

Venant d'Albanie, accompagné par Anton, un Autri-   4
chien, j'entrai en Yougoslavie en montrant aux douaniers un passeport qui n'était qu'un livret militaire français auquel j'avais ajouté quatre pages d'un passeport autrichien (délivré à Anton) munies des visas du consulat serbe.
Jean GENET, Journal du voleur, p. 122.

CONSULTABILITÉ [kɔ̃syltabilite] n. f. — XXᵉ ; de *consultable*.

Didact. Caractère consultable (d'un document, etc.).

CONSULTABLE [kɔ̃syltabl] adj. — 1660 ; de *consulter*.
Que l'on peut consulter (I., 2.). *Le manuscrit est consultable à la Bibliothèque nationale. Un ouvrage sans index est peu consultable.*

CONTR. Inconsultable. ◊ **DÉR.** Consultabilité.

CONSULTANT, ANTE [kɔ̃syltɑ̃, ɑ̃t] adj. et n. — 1584, adj. ; n., 1636 ; p. prés. de *consulter*.

♦ **1** Qui donne des consultations. → **Conseil.** *Avocat consultant. Médecin consultant*, que l'on appelle en consultation (opposé à *médecin traitant*). — N. *Un consultant, une consultante.*

1   L'ambition, l'envie, avec les consultants,
Dans la succession entrent en même temps.
       LA FONTAINE, Fables, IV, 18.

♦ **2** N. **ⓐ** Vx. Personne qui demande une consultation.

2   Écoutez tout le monde, assidu consultant (...)
       BOILEAU, l'Art poétique, IV.

ⓑ Mod. Personne qui consulte un médecin.

3   Un médecin psychanalyste expérimenté peut évaluer de plus près les chances d'une psychanalyse, telles qu'elles résultent non seulement du diagnostic, mais des possibilités et des limitations du consultant, de ses conditions de vie, de ses perspectives d'avenir, de sa capacité de communication.   Daniel LAGACHE, la Psychanalyse, p. 85.

CONSULTATIF, IVE [kɔ̃syltatif, iv] adj. — 1608 ; dér. sav. de *consulter*.
Que l'on consulte ; qui est constitué pour donner des avis mais non pour décider. *Comité consultatif. Assemblée consultative.* — Par ext. *Avoir voix* consultative dans une assemblée* : avoir le droit de donner son avis mais non de voter.

CONTR. Délibératif (voix). — **Souverain.**

CONSULTATION [kɔ̃syltasjɔ̃] n. f. — Av. 1356, *consultacion*, sens 4 ; lat. *consultatio*, du supin de *consultare*.
→ Consulter.

Action de consulter.

♦ **1** (1548). Action de prendre avis, de consulter. *La consultation de plusieurs personnes par quelqu'un. Une longue consultation.* — *Consultation populaire. Consultation de l'opinion.* → **Enquête, plébiscite, référendum, vote.** *Consultation de l'opinion publique par échantillon, par sondage*.*

(1580). Plus cour. Action d'examiner, de lire (un ouvrage) pour y chercher une information. *Consultation d'un ouvrage, d'un dictionnaire. Dictionnaire d'une consultation facile. Consultation sur place, dans une bibliothèque* (opposé à *emprunt*).

♦ **2** (1636). Le fait de consulter (qqn) pour obtenir son avis. *La consultation d'un jurisconsulte, d'un spécialiste, d'un expert, d'un graphologue par qqn. Après consultation d'un expert...* — Le fait de donner avis. *Donner une consultation. Consultation payante, coûteuse, gratuite. Tarif de la consultation.*

1   Un avocat a-t-il quelque réputation établie ? Il cesse de plaider et se borne aux consultations où il s'enrichit.
       FÉNELON, t. XXI, p. 166, *in* LITTRÉ.

2   Voilà ma grand-mère si sourde et si âgée, qu'elle ne s'occupe presque plus de faire et de vendre ses drogues, et qu'elle ne peut plus donner ses consultations.
       G. SAND, la Petite Fadette, XXIX, p. 194.

3   Oui, je viens d'assister à une consultation de ceux que les journaux qualifient de «prince de la science».
       HUYSMANS, Là-bas, VII, p. 99.

♦ **3** Cour. (Correspond à consulter, II., 3.). Examen d'un malade (par un médecin) ; informations et conseils donnés par un médecin, en général lors d'un examen. *La consultation du médecin,* celle que donne le médecin. — REM. Le sens correspondant à *consulter,* I. *(la consultation du médecin par le malade)* ne semble pas en usage. *Cabinet, heures de consultation. Aller à la consultation. Consultation par téléphone. Le médecin a repris ses consultations. Consultations à l'hôpital. Consultation prénatale. Consultation des nourrissons.*

4   (...) il donnera tous les lundis matin, de neuf heures trente à onze heures trente, une consultation entièrement gratuite, réservée aux habitants du canton.
       J. ROMAINS, Knock, II, p. 65.

5   Un jour par semaine, notre service assurait la consultation externe. Cela signifie que tous les élèves réunis derrière le patron devaient recevoir les malades venus du dehors, les examiner et les traiter, les retenir s'il y avait lieu.
       G. DUHAMEL, le Temps de la recherche, VIII, p. 113.

Méd. *Consultation externe* (service d'un hôpital pour les malades non hospitalisés).

♦ **4** (Av. 1356 ; premier emploi attesté ; correspond à *consulter,* II.). Réunion de personnes qui délibèrent sur une affaire, un cas ; discussion ayant lieu hors d'une telle réunion. *Consultation de jurisconsultes. Consultation de spécialistes.* «(...) des consultations étaient en cours avec les alliés des États-Unis pour étudier les moyens de pression à mettre en œuvre en vue d'obtenir le relâchement des otages (...)» (le Monde, 14 nov. 1979).

... **EN CONSULTATION.** *Entrer, être en consultation (avec qqn, des collègues...).*

6   Un jour, il était en consultation avec d'autres médecins (...)
       ROUSSEAU, les Confessions, V.

1. CONSULTE [kɔ̃sylt] n. f. — 1583 ; déverbal de *consulter.*
Vx. Consultation.

HOM. 2. Consulte ; formes du v. **consulter.**

2. CONSULTE [kɔ̃sylt] n. f. — 1708 ; ital. *consulta,* du lat. *consultare.* → Consulter.

♦ **1** Hist. Ancienne assemblée administrative en Italie, en Suisse. — *Consulte sacrée* : cour judiciaire qui, au Vatican, est «comme le conseil d'État du pape» (Du Marsais).

♦ **2** Mod. En Corse, Large assemblée se réunissant pour traiter d'une question d'intérêt général.

HOM. 1. Consulte ; formes du v. **consulter.**

CONSULTER [kɔ̃sylte] v. — 1410, *consulter (de qqch.)* «délibérer» ; lat. *consultare,* de *consulere* «délibérer ; interroger», lui-même d'origine obscure. → aussi Consul.

I V. tr. ♦ **1** (1549, sans compl.). Demander avis, conseil à (qqn). → **Interroger, questionner.** *Consulter un ami, ses parents sur, au sujet de qqch., de qqn. Consulter un avocat* (cit. 3), *un médecin. Consulter un expert, un spécialiste, un savant. Il faut le consulter, il s'y connaît, il a voix au chapitre... Les anciens consultaient les augures, les oracles. Consulter un astrologue* (cit. 3, 5 et 6), *un sorcier, un devin, un diseur de bonne aventure* (cit. 4). — *Consulter une collectivité. Consulter l'opinion.* → **Sonder ; pouls** (prendre le pouls). *Consulter une assemblée, un comité, un conseil. Consulter le pays, le peuple.* → **Consultation.**

1   Une femme, à Paris, faisait la pythonisse.
On l'allait consulter sur chaque événement (...)
       LA FONTAINE, Fables, VII, 15.

2   Il faut que je consulte un peu ces gens-là sur l'incertitude où je suis (...)

Je viens vous consulter sur une affaire qui m'embarrasse.
MOLIÈRE, le Mariage forcé, 3 et 4.

3 De ce pas (...) je m'en vas *(vais)* à la ville consulter les hommes de la loi.
G. SAND, François le Champi, xx, p. 146.

4 Malgré sa promesse, elle ne veut pas consulter un médecin. Sa maladie est sûrement trop subtile pour un docteur et ses remèdes.
J. CHARDONNE, les Destinées sentimentales, Porcelaine de Limoges, p. 369.

Pron. (récipr.). *Il se sont consultés avant d'agir.*

Loc. fig. *Consulter son chevet,* et, **fam.,** *consulter son oreiller, son bonnet de nuit :* passer la nuit avant de décider quelque chose (→ La nuit porte conseil*). — *Consulter son miroir,* s'y regarder.

Absolt. Consulter un médecin ; aller à la consultation.

4.1 Mais ne suis-je pas las de cette comédie chaque nuit recommencée ? Ne devais-je pas consulter ? moins boire peut-être et moins manger, absorber des pilules, des sédatifs, des euphorisants, des somnifères ?
François NOURISSIER, le Maître de maison, p. 172.

♦ **2** (1585). Regarder (qqch.) pour y chercher des éclaircissements, des explications, des renseignements, des indices. *Consulter un manuel, un traité.* → **Compulser, examiner, référer** (se référer à). *Consulter un mémento, un lexique, un dictionnaire. Ouvrage à consulter.* **Par métonymie.** *Consulter un auteur, consulter Littré. Consulter une référence. Consulter son carnet d'adresses. Consulter l'annuaire, l'indicateur des chemins de fer. Consulter le baromètre* (→ Ascension, cit. 2), *sa montre, une boussole** (cit. 4). — *Consulter l'histoire. Consulter les astres.*

5 Si vous consultez nos auteurs (...)
MOLIÈRE, Monsieur de Pourceaugnac, II, 11.

6 Au lieu de le consulter *(Littré)* on se surprend sans cesse à le lire.
G. PARIS, Extrait du Journal des savants, oct.-nov. 1890, Compte rendu sur le Dictionnaire général.

7 Antoine consulta son agenda, puis l'indicateur, et résolut de prendre, le lundi soir, le rapide de Lausanne.
MARTIN DU GARD, les Thibault, t. IV, p. 39.

Par anal. *Consulter sa mémoire, ses souvenirs.* → **Fouiller** (dans), **sonder.**

Se laisser guider par. → **Interroger ; écouter, suivre.** *Consulter son cœur, sa raison, ses intérêts. Ne consulter que son devoir, que sa conscience. Consulter le goût de ses amis.*

8 Craignez d'un vain plaisir les trompeuses amorces,
Et consultez longtemps votre esprit et vos forces.
BOILEAU, l'Art poétique, I.

9 Consulte ta raison, prends sa clarté pour guide.
MOLIÈRE, Dom Garcie, II, 4.

10 (...) en toutes choses, il faut consulter la raison autant que l'amitié.
G. SAND, la Mare au diable, V, p. 44.

Pron. (réfl.). S'interroger soi-même, réfléchir (→ ci-dessous, II., 2.).

♦ **3** Vx. Soumettre (qqch., une affaire) à l'examen de qqn.

11 (...) je vous prie de me mener chez quelque avocat pour consulter mon affaire.
MOLIÈRE, Monsieur de Pourceaugnac, II, 10.

II V. intr. (Vieilli ou spécialt). ♦ **1** (Fin xvᵉ). Vieilli. Examiner un cas en délibérant avec d'autres. → **Conférer.** *Consulter avec qqn. Médecin qui consulte avec un confrère. Consulter sur qqch.* → **Concerter** (se), **discuter.**

11.1 L'homme, qui vit que le joaillier et le prince de Perse consultaient ensemble, s'imagina qu'ils faisaient difficulté d'accepter la proposition qu'il leur avait faite.
A. GALLAND, les Mille et Une Nuits, t. II, p. 75.

♦ **2** Vx. Délibérer avec soi-même, s'interroger. → **Balancer, hésiter, réfléchir, tergiverser.**

12 Je ne consulte point pour suivre mon devoir (...)
CORNEILLE, le Cid, III, 3.

♦ **3** Mod. (Méd.). Se réunir à plusieurs médecins pour donner une consultation.

13 Nous avions été consulter, dans une espèce de clinique installée quai des Grands-Augustins. Les docteurs, au nombre de cinq ou six, y opéraient tous ensemble (...)
G. DUHAMEL, Inventaire de l'abîme, VII, p. 104.

Donner sa, ses consultations (d'un médecin). *Le docteur X ne consulte que le matin.*

CONTR. Conseiller, répondre. — Décider. ◊ DÉR. Consultable, consultant, consultatif, 1. consulte, consulteur.

CONSULTEUR [kɔ̃syltœʀ] n. m. — 1458, «personne consultée» ; de *consulter.*

Relig. *Consulteur du Saint-Office :* théologien chargé par le pape de donner son avis sur une question de foi, de discipline.

1 C'est ce qui paraît parfaitement par les avis des consulteurs auxquels le pape les *(les cinq propositions)* donna à examiner.
PASCAL, les Provinciales, 17.

2 On nomma des consulteurs. Ils examineraient avec le plus grand soin la matière du livre des *Maximes.* Il est fort possible qu'Innocent XII ait pensé gagner ainsi un temps précieux, pendant lequel l'affaire s'apaiserait.
F. MALLET-JORIS, Jeanne Guyon, p. 397.

CONSUMABLE [kɔ̃symabl] adj. — xivᵉ, repris 1842 ; de *consumer.*

Rare. Qui peut être consumé.

Tout était replié sur soi, cultivant dans sa cachette la bouffée de chaleur consumable.
J.-M. G. LE CLÉZIO, le Déluge, p. 197.

CONSUMANT, ANTE [kɔ̃symã, ãt] adj. — 1718, Académie ; p. prés. de *consumer.*

Rare. Qui consume. *Un feu consumant.* — **Littér.** «Cette tristesse consumante qui détruit le cœur...» (E. de Guérin, *in* T. L. F.).

CONSUMATION [kɔ̃symasjɔ̃] n. f. — xvᵉ, Commynes ; *consumation du monde,* in Huguet (→ Consommation, I.) ; de *consumer ;* cf. angl. *consummation.*

Didact. Action de consumer, de se consumer pour un accomplissement, en s'accomplissant.

(La mort) est bien ce qui n'arrive à personne, l'incertitude et l'indécision de ce qui n'arrive jamais, à quoi je ne puis penser avec sérieux, car elle n'est pas sérieuse, elle est sa propre imposture, l'effritement, la consumation vide, — non pas le Terme, mais l'interminable, non pas la mort propre, mais la mort quelconque, non pas la mort vraie, mais, comme dit Kafka, «le ricanement de son erreur capitale».
M. BLANCHOT, l'Espace littéraire, p. 205.

CONSUMER [kɔ̃syme] v. tr. — V. 1120 ; lat. *consumere* «détruire ; consommer» (→ Consommer), de *sumere* «prendre».

♦ **1** Vx. Détruire peu à peu dans sa substance. → **Anéantir, détruire, dévorer, ronger, user.** *La rouille consume le fer.* → **Corroder.**

(1546). Mod. Détruire (par le feu). → **Brûler** (cit. 1, 35, 58), **calciner** (cit. 3, 4), **dévorer, embraser.** *Le feu a consumé tout un quartier.* → **Incendier.**

1 L'or s'épure dans le même feu où la paille est consumée.
BOSSUET, Disc. sur l'hist. universelle, II, 22.

2 Le corps était déjà consumé par les flammes.
FÉNELON, Télémaque, 17.

♦ **2** (1538). Vx ou littér. Dissiper complètement (l'argent ; des aliments). → **Consommer**). *Le temps consume tout.* → **Absorber, détruire, ruiner.** — (Sujet n.

de personne). *Il a consumé tout son avoir, tout son patrimoine.* → **Dépenser, dissiper, manger.**

3 (...) de son bien en procès consume le plus beau.
RACINE, les Plaideurs, I, 5.

4 (...) il consume son bien en des aumônes, et son corps par la pénitence (...)
LA BRUYÈRE, II, 25.

5 S'il (*l'homme*) était haut comme les plus grands clochers, un petit nombre d'hommes consumerait en peu de jours tous les aliments d'un pays.
FÉNELON, Traité de l'existence de Dieu, 12, *in* LITTRÉ.

◆ 3 (XIIᵉ). Littér. Épuiser complètement les forces de (qqn). → **Abattre, affaiblir, dévorer, diminuer, éteindre, épuiser, fatiguer, ruiner, ronger, user**; et aussi **consomption.** — (1690). *La maladie, la fièvre qui la consumait.* — Passif et p. p. → ci-dessous, cit. 6 et 7.

6 (...) de ses feux mon âme consumée (...)
MOLIÈRE, Dom Garcie, V, 6.

7 C'est votre plus grand mal (*la sensibilité*), vous en êtes dévorée et consumée (...)
Mᵐᵉ DE SÉVIGNÉ, 622, 3 juil. 1677.

8 Mais, au contraire, c'est son ardeur même qui le consume (*l'amour*); il s'use avec la jeunesse, il s'efface avec la beauté, il s'éteint sous les glaces de l'âge (...)
ROUSSEAU, Julie ou la Nouvelle Héloïse, II, 20.

9 Un jour de larmes consume plus de forces qu'un an de travail.
LAMARTINE, Graziella, Épisode, XIX, p. 52.

10 (...) malgré elle, le regret fut grand et elle en fut longtemps malade d'une petite fièvre qui la consumait tout doucettement, sans que personne y fît attention.
G. SAND, François le Champi, XI, p. 93.

11 (...) ce regard, si peu humain, éveillait l'idée d'un feu caché, brûlant sans trêve au dedans de lui, consumant l'être, se nourrissant de sa substance.
MARTIN DU GARD, les Thibault, t. V, p. 84.

◆ 4 (Le compl. désigne le temps). Employer sans réserve. → **Consacrer, employer, passer, prodiguer.** *Consumer son temps, sa vie à un ouvrage; dans l'étude, le travail.*

12 (...) nous pouvons être hommes sans être savants; dispensés de consumer notre vie à l'étude de la morale, nous avons à moindre frais un guide plus assuré dans ce dédale immense des opinions humaines.
ROUSSEAU, Émile, IV.

13 Ces trois années, mon père les avait consumées en des efforts d'esprit si rigoureux (...)
G. DUHAMEL, Chronique des Pasquier, I, II, IV.

◆ **SE CONSUMER** v. pron.

◆ 1 (Passif). Être détruit par le feu. *Les bûches se consument dans la cheminée.*

13.1 Quelques arbres, auxquels les indigènes ont mis le feu, se consument lentement par la base.
GIDE, Voyage au Congo, *in* Souvenirs, Pl., p. 691.

◆ 2 (Réfl.). Épuiser sa santé, ses forces (à cause de, par...). *Se consumer de douleur, d'amour. Se consumer en efforts inutiles. Se consumer d'ennui.* → **Sécher** (sur pied). — Absolt. *Cet homme se consume.* → **Dépérir.**

14 L'impression de terreur qu'elle avait conservée d'un si affreux réveil ne lui laissa jamais reprendre la gaieté ni les jeux de son âge; elle n'a fait que languir depuis, et se consumer peu à peu.
P.-L. COURIER, Pamphlets politiques, Pétition aux deux Chambres, Pl., p. 6.

15 Il ne riait plus jamais; il ne prenait goût à rien, il ne pouvait plus guère travailler, tant il se consumait et s'affaiblissait.
G. SAND, la Petite Fadette, XXXI, p. 206.

16 (...) elle était de ces esprits qui se consument eux-mêmes par leur trop de flamme (...)
SAINTE-BEUVE, Correspondance, t. II, p. 368.

17 De onze à dix-huit ans, il se consuma comme du papier d'Arménie qui brûle vite et ne sent pas bon.
COCTEAU, Le Grand Écart, p. 16.

◆ **CONSUMÉ, ÉE** p. p. adj. *Consumé par les flammes.* — *Cœur consumé d'amour.*

18 Quand je vous verrai comme vous devez être (...) non pas usée, consumée, dépérie, échauffée, épuisée, desséchée (...)
Mᵐᵉ DE SÉVIGNÉ, 630, 28 juil. 1677.

CONTR. Éteindre, refroidir. — Créer. — Fortifier, remonter. — Entretenir. ◊ DÉR. Consumable, consumant. — V. Consumation.

CONSUMÉRISME [kɔ̃symeʀism] n. m. — 1972, *Entreprise,* in P. Pamart; angl. des États-Unis *consumerism* (Ralph Nader), de *consumer* «consommateur».

Anglic. Action des organisations de consommateurs, visant à protéger la santé publique, l'environnement; défense systématique des intérêts du consommateur. → **Consommatique.** *Le consumérisme militant.* «*L'utilisateur (...) alarmé par la voix "dramatisante" du consumérisme*» (le Nouvel Obs., 14 nov. 1977, p. 68).

DÉR. Consumériste.

CONSUMÉRISTE [kɔ̃symeʀist] adj. et n. — 1972; de *consumérisme.*

Anglicisme.

◆ 1 Adj. Qui prône le consumérisme. «*Auteur consumériste*» (le Matin, 24 oct. 1977).

Relatif au consumérisme. «*Le pouvoir "consumériste"*» (le Nouvel Obs., 9 oct. 1972).

◆ 2 N. (1979, in Höfler). Partisan du consumérisme.

CONSUMPTIBILITÉ [kɔ̃sɔ̃ptibilite] n. f. → **Consomptibilité.**

CONSUMPTIBLE [kɔ̃sɔ̃ptibl] adj. → **Consomptible.**

CONTACT [kɔ̃takt] n. m. — 1586; didact., av. XIXᵉ; lat. *contactus,* de *con-* (*cum*), et supin de *tangere* «toucher». → Tact.

◆ 1 Position, état relatif de corps qui se touchent. → **Adhérence, attouchement, contiguïté.** *Le contact de deux choses, de deux surfaces, d'une chose et d'une autre. Contact fugitif, prolongé, rapide. Point de contact.* *Contact étroit* (→ Tangence). *Certaines maladies se communiquent par le contact.* → **Contagieux.** *Contacts entre deux personnes.* → **Attouchement, effleurement; caresse.** *Approcher deux pièces jusqu'au contact.* → **Accoster,** 4. — *Être, entrer, mettre en contact, avec...* → **Appliquer, joindre, toucher.** *Établir, maintenir un contact entre deux choses. Au contact de l'air. Se défendre d'un contact. Rompre, interrompre un contact.*

1 Le toucher n'est qu'un contact de superficie (...)
BUFFON, Œuvres, t. IV, p. 504.

2 Il s'énervait dangereusement, Raymond, à ces contacts prolongés qu'elle ne défendait pas.
LOTI, Ramuntcho, I, XXIII, p. 183.

3 La vie noircit au contact de la vérité, comme fait le douteux champignon au contact de l'air, quand on l'écrase.
VALÉRY, l'Âme et la Danse.

4 Je m'assure qu'il y a des hommes pour qui le contact d'un cilice pointu sur la peau peut être délicieux (...)
André SUARÈS, Trois hommes, II, «Pascal», p. 29.

5 Elle considérait Lucas comme une sorte de crapaud velu et elle s'apprêtait à souffrir, car le seul contact de la main de cet homme sur son bras la contraignait à frissonner de répulsion.
P. MAC ORLAN, la Bandera, XIV, p. 162.

Psychol. *Sensation de contact* : la sensation en tant que perception rapportée à un objet (→ **Tact, toucher**).

Photogr. *Épreuve, copie par contact.*

Chim. *Procédé de contact,* pour obtenir de l'acide sulfurique par catalyse.

Géol. Zone limite entre deux roches, deux couches. Loc. cour. (mil. XXᵉ; angl. *contact lenses*). *Lentilles, verres de contact :* verres correcteurs de la vue qui s'appliquent sur l'œil (verres cornéens).

♦ **2** Électr. et cour. *Contact électrique,* entre conducteurs, et permettant le passage du courant. — Dispositif permettant l'allumage d'un moteur à explosion. *Établir, mettre le contact. Clef de contact. Couper le contact. Demander le contact au pilote d'un avion. Contact !* Par métonymie. La commande du contact. *Appuyer sur le contact. Contact à fiche.*

6 Il me serait, à la rigueur, possible de couper les contacts. Mais je m'infligerais ainsi une panne définitive.
          SAINT-EXUPÉRY, Pilote de guerre, XII, p. 82.

7 Il plante son regard dans le regard troublé de l'enfant : l'étincelle d'un contact : une confiance qui semble hésiter, puis jaillir vers lui.
          MARTIN DU GARD, les Thibault, t. III, p. 112.

7.1 Il a tourné, de l'autre main, la clé de contact, et il n'eût pas été surpris que le moteur refusât de partir, car il sait que la chaleur vaporise parfois l'essence dans la pompe d'alimentation.
          A. PIEYRE DE MANDIARGUES, la Marge, p. 143.

♦ **3** (XIXᵉ; répandu sous l'infl. de l'angl.). Relation (entre personnes ou entités humaines; entre faits humains). → **Rapport, relation.** *Le contact d'une personne avec une autre. Avoir un contact avec qqn. Perdre le contact :* s'éloigner, se séparer. *Contact étroit.* → **Cohésion.** *Rechercher le contact avec d'autres esprits.* → **Frotter** (se frotter à...). *Les contacts humains. Rechercher toutes sortes de contacts. — Il avait des contacts dans la police, avec des policiers. Vous devriez prendre des contacts avec cette société.* — Absolt. *Aimer le contact, les contacts.*

8 (...) ce désir du contact, du coudoiement, de l'intimité qui sommeille en tout cœur humain, et que tout vieux garçon promène, de porte en porte, chez ses amis où il installe un peu de lui (...)
          MAUPASSANT, Fort comme la mort, p. 81.

En contact avec : en relation avec. *Entrer, se mettre, rester en contact avec qqn, qqch. Mettre les primitifs en contact avec la civilisation. Être constamment en contact avec une influence.* → **Coudoiement, familiarité, intimité.**

9 La tragédie moderne, c'est le moi en contact avec le monde.
          André SUARÈS, Trois hommes, «Ibsen», v, p. 135.

Au contact de : sous l'influence de. *Il a changé à son contact. Se modifier au contact de quelque chose.*

Prendre contact avec qqn. Prise de contact (→ **Communication, rapprochement, rencontre**).

10 Ruskin fut pour Proust l'un de ces écrivains intercesseurs qui nous sont nécessaires pour prendre contact avec les choses.
          A. MAUROIS, Études littéraires, Marcel Proust, t. I, p. 106.

10.1 (...) je m'aperçois qu'on ne peut y prendre contact réel *(à Brazzaville)* avec rien (...)
          GIDE, Voyage au Congo, p. 694.

Loc. *Le premier contact.*

11 La timidité de Pauline disparaissait dès le premier contact avec les gens auxquels son attitude si naturelle communiquait la même simplicité.
          J. CHARDONNE, les Destinées sentimentales, Pauline, p. 281.

Milit. *Entrer en contact avec l'ennemi. Établir le contact. Les deux armées ont pris le contact. Rompre le contact* (→ **Combat**).

12 C'est le 8 octobre que l'on prend, pour la première fois, contact avec l'ennemi (...)
          Louis MADELIN, l'Avènement de l'Empire, XXII, p. 276.

♦ **4** Par métonymie (de *avoir un, des contacts avec qqn*). Anglicisme; jargon de l'espionnage. Personne avec laquelle un agent doit rester en contact.

13 Ses mystérieux contacts avec la «subversion castro-communiste», comme répète machinalement l'envoyé de *Paris-Match* — c'est-à-dire avec Frank, son «contact» le plus régulier, dont le Front sait parfois se servir en sens inverse — lui donnent l'auréole du «patron» trônant jour et nuit au-dessus d'une ombre bousculade.
          Régis DEBRAY, l'Indésirable, p. 172.

CONTR. Détachement, éloignement, séparation. ◊ DÉR. Contacter, contacteur. ← COMP. Contactologie, manocontact.

CONTACTER [kɔ̃takte] v. tr. — 1842, répandu v. 1940; de *contact*, d'après l'angl. *to contact.*
Prendre contact avec (qqn). — REM. Mot rejeté par les puristes (cf. des ex. de Vialar, La Varende, in T. L. F.). → **Rencontrer, toucher.** *Contactez-le dès votre retour. Je n'arrive pas à le contacter. Contacter qqn par téléphone.* — Pron. *Vous vous contacterez dès demain.* — Au p. p. *Les agents contactés.*

CONTACTEUR [kɔ̃taktœr] n. m. — 1927; de *contact*. Appareil établissant un contact. *Contacteur utilisé en acupuncture.*
Électr. Appareil servant à établir un contact électrique; interrupteur.

CONTACTOLOGIE [kɔ̃taktɔlɔʒi] n. f. — 1980; de *(lentilles, verres de) contact,* et *-logie.*
Didact. Partie de l'ophtalmologie qui traite des verres de contact; fabrication des verres de contact. *Le marché de la contactologie. Spécialiste de la contactologie* (*contactologue,* n.).

CONTADIN, INE [kɔ̃tadɛ̃, in] n. et adj. — 1537; *contandino;* ital. *contadino,* de *contado* «comté, campagne».
Rare. Qui vit à la campagne. → **Campagnard, paysan, rustique.** — Qui caractérise les campagnards.

Tout ce qu'il n'a pu ou voulu dire dans ses lettres est là : l'air du temps, gai ou triste, la méditation profonde, mais qui, exprimée, n'aboutit qu'à des lieux communs, quelques mots échangés avec une charmante contadine.
          M. YOURCENAR, Archives du Nord, p. 153-154.

CONTR. Citadin. ◊ HOM. Comtadin (dér. de *comtat*).

CONTAGE [kɔ̃taʒ] n. m. — 1863; lat. sc. *contagium,* 1832, de *contagio.* → Contagion.
Méd. Cause matérielle de la contagion. *La poussière, les exsudats qui portent des microbes pathogènes sont des éléments de contage. Transport du contage. Recevoir le contage.*

HOM. Comptage.

CONTAGIEUSEMENT [kɔ̃taʒjøzmɑ̃] adv. — XVIᵉ; de *contagieux.*
Rare. De façon contagieuse; par une contagion.
Cet irréel agissait contagieusement. D'abord, parce que son action n'était pas artistique. Cette frénésie de chevaux ailés et de dieux appartenait à l'irréel de la fête.
          MALRAUX, Antimémoires, Folio, p. 283.

CONTAGIEUX, EUSE [kɔ̃taʒjø, øz] adj. — V. 1300; lat. *contagiosus,* de *contagio.* → Contagion.
♦ **1** Qui se communique par contagion* (→ **Contage**). *Maladie, fièvre contagieuse.* → **Transmissible.** *La rougeole, la scarlatine, la varicelle sont contagieuses. Propagation d'une maladie contagieuse, épidémique.*

1 Il y a des folies qui se prennent comme les maladies contagieuses.
          LA ROCHEFOUCAULD, Maximes, 300.

2 Les maladies seules sont contagieuses, et rien d'exquis ne se propage par contact.   GIDE, Prétextes, p. 128.
De la contagion. *Caractère contagieux d'une maladie.* → **Contagiosité.**

◆ **2** (1539). Qui favorise la contagion, qui est agent de contagion. *Miasmes contagieux* (→ **Malsain, pestilentiel**). *Air contagieux. Cet homme est contagieux.*

3 Ici la terre ne porte pour fruit que du poison ; les hommes, contagieux, ne se parlent que pour se communiquer un venin mortel.   FÉNELON, Télémaque, *in* LITTRÉ.
N. *Un contagieux, une contagieuse :* un (une) malade atteint(e) d'une maladie contagieuse. *Isoler, mettre en quarantaine les contagieux.*

◆ **3** (1665). Qui se communique facilement d'une personne à une autre. *Une erreur, une illusion contagieuse. Exemple, vice contagieux. Rire, enthousiasme contagieux.* → **Communicatif.** *Exaltation contagieuse. Dévouement contagieux.*

4 L'air de cour est contagieux : il se prend à V. *(à Versailles),* comme l'accent normand à Rouen ou à Falaise (...)
          LA BRUYÈRE, les Caractères, VIII, 14.

5 (...) quand on a le cœur libre, la passion qui s'adresse à nous a toujours quelque chose de contagieux.
          ROUSSEAU, Julie ou la Nouvelle Héloïse, VI, lettre II.

6 La trahison n'est pas contagieuse, mais le martyre est épidémique.
          A. MAUROIS, les Discours du Dr O'Grady, IV, p. 42.
Par ext. *Une personne contagieuse,* qui exerce une influence sur les autres.

CONTR. Incommunicable, intransmissible. ◊ **DÉR. Contagieusement.**

CONTAGION [kɔ̃taʒjɔ̃] n. f. — 1375 ; lat. *contagio,* de *con- (cum),* et *tangere* «toucher».

◆ **1** Transmission (d'une maladie) d'un organisme atteint à un organisme bien portant, par contact direct ou par l'intermédiaire d'un contage* (→ **Communication, contamination, infection**). *Contagion directe, indirecte. Le danger de la contagion.* → **Moribond,** cit. 3. *La contagion a causé une épidémie, une épizootie. S'exposer à la contagion. Se protéger de la contagion par la prophylaxie. Être réfractaire à la contagion. Précautions, défenses contre la contagion* (cf. Mise en quarantaine, cordon sanitaire...).

1 Il existe une façon pratique d'éviter la contagion des maladies : c'est de supprimer les malades — ou tout au moins de les isoler à jamais.
          J. PAULHAN, les Fleurs de Tarbes, III, IX, p. 143.
Par ext. *Maladie contagieuse ;* épidémie*. *Les ravages de la contagion. Pendant la contagion.*

◆ **2** Transmission involontaire (d'états, de tendances). → **Propagation, transmission, virus** (fig.) ; **imitation, influence.** *Une contagion mentale. La contagion de la colère, du vice. Contagion de la bêtise** (cit. 5). *Contagion du rire, du bâillement. Contagion collective. Contagion de l'enthousiasme. La contagion de l'exemple. Faire qqch. par contagion et imitation*.*

2 La contagion des fureurs populaires est parfois si grande et si rapide, qu'on pouvait croire en effet que la première étincelle ferait un grand embrasement.
          MICHELET, Hist. de la Révolution franç., t. I, p. 1072.

3 Que seulement, sur un seul point des lignes, les troupes ennemies fraternisent, et la contagion gagnera aussitôt comme une traînée de poudre !
          MARTIN DU GARD, les Thibault, t. VIII, p. 84.
Par ext. *La contagion du malheur. La contagion des idées.* → **Diffusion.**

4 De même que le mal, le sublime a sa contagion.
          BALZAC, Mᵐᵉ de la Chanterie, Pl., t. VII, p. 334.
DÉR. Contagionner.

CONTAGIONNANT, ANTE [kɔ̃taʒjɔnɑ̃, ɑ̃t] adj. — 1925 ; p. prés. de *contagionner.*
Rare. Qui détermine une contagion.

CONTAGIONNEMENT [kɔ̃taʒjɔnmɑ̃] n. m. — 1918, Proust ; de *contagionner.*
Rare. Action de contagionner.

CONTAGIONNER [kɔ̃taʒjɔne] v. tr. — 1845 ; de *contagion.*
◆ **1 Rare.** Infecter par contagion. → **Contaminer.** *Une pestiféré peut contagionner tout une ville.* — Au p. p. *Populations contagionnées.*

◆ **2 Fig.** *L'enthousiasme qu'il manifestait contagionna son entourage.*
DÉR. Contagionnant, contagionnement.

CONTAGIOSITÉ [kɔ̃taʒjozite] n. f. — 1425 ; dér. sav. du lat. *contagiosus.* → Contagieux.
◆ **1 Méd.** Caractère d'une maladie contagieuse. *La contagiosité d'une infection.*

◆ **2 Fig. et rare.** *La contagiosité du fanatisme religieux.* → **Contagion.**

D'un côté la contagiosité du sacré le conduit à se déverser instantanément sur le profane et à risquer ainsi de le détruire et de se perdre sans profit ; de l'autre, le profane qui a toujours besoin du sacré, est toujours poussé à s'en emparer avec avidité et risque ainsi de le dégrader ou d'être lui-même anéanti.
          Roger CAILLOIS, l'Homme et le Sacré, p. 22.

CONTAINER [kɔ̃tɛnœʁ] n. m. — 1932 ; mot angl., «récipient ; contenant».
Anglic. Caisse pour le transport de marchandises. → **Cadre, conteneur.** *Charger, décharger des containers.*

J'ai vu des défilés qu'on enfumait comme des essaims et j'ai entendu le floc des containers pleins de déchets atomiques sur une poussière de coraux.
          Jean CAYROL, Histoire d'un désert, p. 233.
DÉR. Containeriser.

CONTAINERISABLE [kɔ̃tɛnœʁizabl] adj. — 1969, *in* Höfler ; de *containeriser.*
Anglic. → **Conteneurisable.**

CONTAINERISATION [kɔ̃tɛnœʁizasjɔ̃] n. f. — 1962, *in* Höfler ; de *containeriser.*
Anglic. Mise en containers ; transport par containers. → **Conteneurisation.** «*La containerisation, c'est-à-dire l'expédition des marchandises dans des remorques standardisées qui sont chargées directement sur les bateaux*» (le Nouvel Obs., 31 juil. 1972, p. 25).

CONTAINERISER [kɔ̃tɛnœʁize] v. tr. — 1969, *in* Höfler ; de *container.*
Anglic. Mettre en containers. → **Conteneuriser.**
DÉR. Containerisable, containerisation.

CONTAMINABLE [kɔ̃taminabl] adj. — 1863 ; déb. XVIᵉ, «qui peut être altéré» ; de *contaminer.*
Didact. Susceptible d'être contaminé.

CONTAMINATEUR, TRICE [kɔ̃taminatœʁ, tʁis] adj. et n. m. — 1561, «celui qui altère, endommage» ; dér. sav. de *contaminer.*
Méd. Propre à transmettre une maladie (surtout vénérienne).

CONTAMINATION [kɔ̃taminasjɔ̃] n. f. — Mil. XIVe ; lat. *contaminatio*, du supin de *contaminare*.

◆ **1** Vx. Souillure résultant d'un contact impur.

◆ **2** (1866). Mod. Envahissement (d'un objet, d'une surface, d'un milieu) par des micro-organismes pouvant causer une infection* lorsqu'en pénétrant dans un organisme vivant, ils s'y multiplient et provoquent des troubles (→ Contage, contagion), ou par des polluants. *La contamination de l'eau d'une rivière.* → **Pollution.** *Contamination d'un organisme. La contamination de toute une ville. La contamination causa un chancre* (cit. 1). *Contamination bactérienne, bacillaire.*
Présence anormale d'une substance radioactive dans un milieu. *Contamination radioactive.*
Fig. et littér. (senti comme métaphore du sens 2 plutôt que comme fig. de sens 1, archaïque). Souillure morale.
(...) une société dure, où le riche exploite le pauvre, où la vénalité progresse et où la pureté spirituelle de la race est compromise par toutes sortes de contaminations.
     DANIEL-ROPS, le Peuple de la Bible, III, III, p. 207.

◆ **3** Didact. ou littér. (Sans idée négative). Transformation au contact de quelque chose. *La contamination d'un souvenir par un autre, de deux souvenirs, de deux théories.*
(1906). Ling. Processus par lequel une forme linguistique exerce une action analogique sur une autre forme. → **Analogie** (3.). *Contamination d'un mot par un autre.*
Psychiatrie. Émission automatique d'éléments habituellement associés dans le discours (aphasies).
CONTR. Purification.

CONTAMINER [kɔ̃tamine] v. tr. — 1213 ; lat. *contaminare*, de *con-* (*cum*), et *taminare* «souiller».

◆ **1** Relig. Souiller par un contact impur. *Ceux qui mangeaient des animaux déclarés immondes par la loi de Moïse étaient contaminés.*

◆ **2** (1863). Méd. et cour. Polluer (le sujet désigne des micro-organismes, en général pathogènes). → **Infecter.**
Au p. p. Envahi par des micro-organismes et, de ce fait, capable de transmettre une infection. *Eau contaminée. Linges contaminés. — Malades contaminés. — Nom* :
0.1   Les maladies vénériennes ne sont-elles pas des maux particuliers, qui distinguent et décorent le contaminé de quelque symptôme aussi discret que le ruban rouge à la boutonnière de Gédéon Pons?
     A. PIEYRE DE MANDIARGUES, la Marge, p. 219.
Par anal. Rendre radioactif. — Au p. p. *Zone contaminée.*
Par métaphore :
1   Le tribunal de l'Inquisition, en livrant l'hérétique au bras séculier, retranchait de l'Église un membre malade, de peur que le corps entier n'en fût contaminé.
     FRANCE, le Mannequin d'osier, Œ., t. XI, p. 352.
2   Ainsi le mensonge parlementaire, contaminant le langage même (...) tourne, rôde et bourdonne en un cercle d'outrances.
     Ch. PÉGUY, la République..., p. 81.

◆ **3** Didact. ou littér. (Sans idée négative). Faire se transformer sous son influence. → **Influencer.** «*Un sentiment de sécurité (...) la contamine* (la peur)» (Vuillemin, *in* T. L. F.).
CONTR. Aseptiser, assainir, guérir, immuniser, laver, nettoyer, préserver, purifier, stériliser. — (Du p. p.) Propre, pur, sain. ◊ DÉR. Contaminable, contaminateur.

CONTE [kɔ̃t] n. m. — V. 1130 ; déverbal de *conter*.

◆ **1** Vx. Récit de faits réels. → **Histoire, rapport.** *Faire le conte d'une anecdote, d'une aventure.* → **Conter, raconter.**

1   (...) j'en avais tant de honte
Que je mourais de peur qu'on vous en fît le conte (...)
     CORNEILLE, l'Illusion comique, IV, 2.

◆ **2** (V. 1200). Mod. Récit* de faits, d'aventures imaginaires, destiné à distraire. → **Fiction, histoire.** *Petit conte.* → **Historiette.** *Genres littéraires qui s'apparentent au conte.* → **Épopée, fable, fabliau, légende, nouvelle, roman.** *Contes en vers de La Fontaine. Contes en prose. Les contes appartiennent au genre narratif.* → **Narration.** — *Contes oraux, traditionnels, folkloriques. Dire, conter* (cit. 7.1) *un conte. Composer, réciter un conte.* → **Conteur.** *Structure des contes populaires et des mythes. Morphologie du conte,* étude de Vladimir Propp.

2   Le *conte* est vulgaire *(non savant),* ainsi que le mot qui l'exprime : il ne nous vient pas comme la *fable,* des Grecs et des Romains, mais de l'Asie, et particulièrement des Arabes. C'est dans les temps modernes surtout qu'il a été cultivé sous son propre nom ou sous celui de *nouvelles.*
     LAFAYE, Dict. des synonymes, Fable, conte, roman.

Contes merveilleux, fabuleux, fantastiques. Contes de revenants (cit. 2).

Loc. CONTE DE FÉES : récit merveilleux. Fig. Aventure, fait étonnant et charmant. *C'est un vrai conte de fées. Le Prince charmant, le magicien, l'enchanteur, l'ogre... des contes de fées.* «*Il était une fois...*», début traditionnel des contes de fées. — *Conte humoristique, philosophique, satirique. Conte licencieux. Les contes de Boccace. L'Heptaméron, contes de Marguerite de Navarre. Conte de Peau d'âne. Les Contes* de Perrault. *Les Contes* de Voltaire. *Contes d'Espagne et d'Italie,* de Musset. *Contes du lundi,* de Daudet. *Contes drolatiques,* de Balzac. *Trois contes,* de Flaubert. *Contes,* de Maupassant. *Contes de ma mère l'Oye,* œuvre musicale de Ravel. *Contes des Mille et une nuits. Le Décaméron, contes* de Boccace. *Conte du tonneau,* de Swift. *Contes de Noël,* de Dickens. *Contes danois,* d'Andersen. *Contes fantastiques,* d'Hoffmann. *Les Contes d'Hoffmann,* opéra-comique d'Offenbach.

3   Une morale nue apporte de l'ennui ;
Le conte fait passer le précepte avec lui.
     LA FONTAINE, Fables, VI, 1.

4   La mythologie et les contes de fée sont plus nécessaires aux jeunes intelligences que l'orthographe et l'arithmétique.
     Edmond JALOUX, Le reste est silence, p. 14.

5   (...) la grand-mère, comme de coutume, avait commencé de sa voix chevrotante, un peu mystérieuse et lointaine, le conte traditionnel.
     L. PERGAUD, De Goupil à Margot,
     La tragique aventure de Goupil, IX.

6   Dans l'âge le plus tendre, à peine cesse-t-on de nous chanter la chanson qui fait le nouveau-né sourire et s'endormir, l'ère des contes s'ouvre.
     VALÉRY, Variété IV, p. 148.

7   *Candide,* de Voltaire, est une œuvre parfaite et qui suffirait à la gloire d'un écrivain. Ce petit roman n'est pas un roman, c'est un conte philosophique et c'est d'ailleurs le modèle du genre.
     G. DUHAMEL, la Défense des lettres, III, p. 250.

◆ **3** (1538). Vx ou littér. Histoire invraisemblable et mensongère. → **Baliverne, baratin** (fam.)**, blague, boniment, bruit, chanson, craque** (fam.)**, fable, fadaise, fagot** (vx)**, sornette.** *C'est un conte ! Conte fait à plaisir. Conte bleu* (cit. 7). *Conte en l'air ! Conte à dormir debout,* extravagant. *Débiter des contes sur quelqu'un.* → **Calomnie** (cit. 5). — REM. On dit plutôt aujourd'hui *histoire*.

8   Ceci n'est pas un conte à plaisir inventé.
     LA FONTAINE, Fables, IV, 2.

9   — Voir ? — Oui. — Chansons. — Mais quoi ? Si je trouvais manière...? — Contes en l'air.
     MOLIÈRE, Tartuffe, IV, 3.

10   (...) je préférerais le plus simple entretien
À tous les contes bleus de ces discours de rien.
     MOLIÈRE, l'École des maris, III, 8.

11 Je dis que ce sont là des contes à dormir debout (...)
        MOLIÈRE, George Dandin, I, 6.

12 Croyez qu'il n'y a pas de plate méchanceté, pas d'horreurs,
    pas de conte absurde, qu'on ne fasse adopter aux oisifs
    d'une grande ville en s'y prenant bien (...)
        BEAUMARCHAIS, le Barbier de Séville, II, 9.

CONTR. **Réalité, vérité.** ◊ HOM. **Compte, comte.**

CONTEMNEMENT [kɔ̃tɛmnəmɑ̃] n. m. — Mil. XIIIᵉ; de
contemner.

Vx. **Mépris.**

CONTEMNER [kɔ̃tɛmne] v. tr. — V. 1393; *contempner,*
v. 1350; lat. *contemnere.*

Vx ou archaïsme littér. **Mépriser, dénigrer** (encore
chez A. France, Gide).

DÉR. **Contemnement.**

CONTEMPLATEUR, TRICE [kɔ̃tɑ̃platœʀ, tʀis] n.
— V. 1360; lat. *contemplator,* du supin de *contemplari.*
→ Contempler.

♦ **1** Personne qui contemple, qui s'absorbe dans
l'observation attentive d'un objet. *Un contemplateur, une contemplatrice des merveilles de la nature.*

♦ **2** Personne qui se livre à la méditation intérieure.
→ **Contemplatif, rêveur.**

1   Plus un contemplateur a l'âme sensible, plus il se livre
    aux extases qu'excite en lui cet accord. Une rêverie douce
    et profonde s'empare alors de ses sens, et il se perd avec
    une délicieuse ivresse dans l'immensité de ce beau système
    avec lequel il se sent identifié.
        ROUSSEAU, Rêveries..., 7ᵉ promenade.

2   Tout le secret du bonheur du Contemplateur est dans son
    refus de considérer *comme un mal* l'envahissement de sa
    personnalité par les choses (...)
        Francis PONGE, le Parti pris des choses, p. 175.

(Appos. ou attribut, en valeur d'adj.). *Un mystique contemplateur* (→ **Contemplatif**).

CONTEMPLATIF, IVE [kɔ̃tɑ̃platif, iv] adj. — V. 1170;
lat. *contemplativus* «spéculatif; mystique», du supin de
contemplari. → Contempler.

♦ **1** Qui se plaît dans la contemplation*, la méditation intérieure. *Esprit contemplatif. Âme contemplative.* → Recueillement, cit. 3.

1   Tous ces sages contemplatifs, qui ont passé leur vie à
    l'étude du cœur humain, en savent moins sur les vrais
    signes de l'amour que la plus bornée des femmes sensi-
    bles.
        ROUSSEAU, Julie ou la Nouvelle Héloïse, IV,
        lettre VIII, p. 44.

2   Son âme était contemplative, il vivait plus par la pensée
    que par l'action.
        BALZAC, la Vieille Fille, Pl., t. IV, p. 237.

♦ **2** Relig. *Vie contemplative,* consacrée, vouée à la
contemplation.
Ordre contemplatif : ordre religieux voué à la
méditation. *Religieux contemplatif, vivant solitaire.*
→ **Anachorète.**

N. (XIIIᵉ). *Un contemplatif.* — Spécialt. *Les contemplatifs* : mystiques qui voient la perfection dans la
communion de l'âme avec Dieu. *Les extases béa-
tifiques des contemplatifs.*

CONTR. **Actif, pratique, réaliste.** ◊ DÉR. **Contemplativement.**

CONTEMPLATION [kɔ̃tɑ̃plasjɔ̃] n. f. — V. 1174; lat.
contemplatio, du supin de *contemplari.* → Contempler.

Action de contempler*.

♦ **1** Action de s'absorber dans l'observation attentive (de qqn ou de qqch.). *La contemplation du
ciel, de la mer. — En contemplation. Rester en contemplation devant une œuvre d'art.*

(...) la contemplation des merveilles de la nature (...)   1
        MOLIÈRE, Tartuffe, Préface.

La méditation dans la retraite, l'étude de la nature, la   2
contemplation de l'univers, forcent un solitaire à s'élancer
incessamment vers l'Auteur des choses, et à chercher avec
une douce inquiétude la fin de tout ce qu'il voit et la cause
de tout ce qu'il sent.
        ROUSSEAU, Rêveries..., 3ᵉ promenade.

Il s'approcha de la fenêtre et se perdit dans la contempla-   3
tion du mur de la courette.
        MARTIN DU GARD, les Thibault, t. III, p. 64.

♦ **2** (1275). Concentration de l'esprit (sur un sujet
intellectuel ou religieux). → **Méditation, rêverie.**
La contemplation d'une idée. → (Sans compl.). *Être
plongé, s'abîmer dans la contemplation. Goût de la
solitude et de la contemplation* (→ Bruit, cit. 4). *Les
Contemplations, œuvre de V. Hugo. Contemplation
esthétique.*

Je préfère la pensée à l'action, une idée à une affaire, la   4
contemplation au mouvement.
        BALZAC, Louis Lambert, Pl., t. X, p. 410.

Il était demeuré là jusqu'à la nuit noire, absorbé dans une   5
contemplation dont l'ivresse inondait son âme d'une joie
presque surhumaine.
        Paul BOURGET, Un divorce, III, p. 118.

Relig. **Communion de l'âme avec Dieu.** *Contemplation béatifique*.* → **Extase, mysticisme.**

J'y reconnais le mouvement magique de la contemplation,   6
le train de l'extase, cette révolution qui emporte l'homme
tout entier dans l'effroi de la vision qui lui est promise,
qu'il redoute et désire, de tout son être, dans le même
moment.
        André SUARÈS, Trois hommes, «Dostoïevski», IV,
        p. 226.

La contemplation est la fin dernière de l'âme humaine,   7
mais elle est très spécialement et, par excellence, la fin
de la vie solitaire. Ce mot de contemplation, avili comme
tant d'autres choses en ce siècle, n'a plus guère de sens en
dehors du cloître.   Léon BLOY, le Désespéré, II, p. 79.

CONTEMPLATIVEMENT   [kɔ̃tɑ̃plativmɑ̃]   adv.
— XIIIᵉ; de *contemplatif.*

Rare. **D'une manière contemplative.**

Il songeait que cette longue migration vers le levant (...)
s'accompagnait d'un pèlerinage dans le passé, jalonné contemplativement par la survenue de l'Unhold et de l'homme
des tourbières, et de façon plus pratique par l'abandon de
la voiture à essence (...)
        M. TOURNIER, le Roi des Aulnes, p. 215.

CONTR. **Pratiquement.**

CONTEMPLER [kɔ̃tɑ̃ple] v. tr. — 1265; lat. *contemplari*
«regarder attentivement; considérer par la pensée», de
con- (cum), et *templum* au sens de «espace, champ
d'observation».

♦ **1** Considérer attentivement; s'absorber dans l'observation de. → **Considérer, regarder.** *Contempler un
monument, un spectacle. Il passe des heures à contempler le ciel, le paysage. Contempler qqch., qqn
avec admiration* (→ **Admirer**), *amour, ravissement.
Contempler qqch. avec crainte, horreur.* «*Du haut
de ces pyramides* (cit. 2), *quarante siècles vous con-
templent*» (Bonaparte).

Que l'homme contemple donc la nature entière dans sa   1
haute et pleine majesté; qu'il éloigne sa vue des objets
bas qui l'environnent. Qu'il regarde cette éclatante lumière,
mise comme une lampe éternelle pour éclairer l'univers (...)
Qui se considérera soutenu dans la masse que la nature lui a
donnée, entre ces deux abîmes de l'infini et du néant, il
tremblera dans la vue de ces merveilles; et je crois que
sa curiosité se changeant en admiration, il sera plus disposé à les contempler en silence qu'à les rechercher avec
présomption.   PASCAL, Pensées, II, 72.

Le peuple qui vous voit, la cour qui vous contemple (...)   2
        CORNEILLE, Nicomède, II, 2.

3   Chacun veut contempler son auguste visage.
                                    VOLTAIRE, Mérope, V, 8.
4   Il est allé aux bains froids *(un homme de notre temps)*, il a
    contemplé ce marécage grotesque dans lequel barbotent
    toutes les difformités humaines (...)
                        TAINE, Philosophie de l'art, t. I, II, VI, p. 200.
5   (...) je la contemplais avec cette horreur qui me saisit
    quand je perçois, chez une créature humaine, la présence
    de la bête.
                        G. DUHAMEL, Chronique des Pasquier, I, I, VII.

◆ **2** (V. 1450). **Littér.** *Considérer par la pensée. Contempler une idée, une théorie. «Je contemplai avec
émerveillement l'exemple qu'(il) me donnait»* (Beauvoir, *Mémoires d'une jeune fille rangée*, p. 181).
Relig. *S'absorber dans la contemplation de.*
Absolt. Vx ou littér. *Passer sa vie à contempler.*
→ **Méditer, réfléchir.**

6   Dieu veut-il qu'à toute heure on prie, on le contemple ?
                                    RACINE, Athalie, II, 7.
7   (...) elle *(la paix devant la mort)* contemple la douceur du
    salut, au sein de la volonté divine (...)
                        André SUARÈS, Trois hommes, II, «Pascal», p. 31.

◆ **SE CONTEMPLER** v. pron.

*S'absorber dans la contemplation de soi-même. Se
contempler dans un miroir. Narcisse se contemplait
dans l'eau d'une fontaine.* → **Mirer** (se).

*S'admirer, s'absorber dans une contemplation
mutuelle. Amoureux qui ne cessent de se contempler.*

CONTEMPORAIN, AINE [kɔ̃tɑ̃pɔʀɛ̃, ɛn] adj. et n.
— Av. 1475; du lat. *contemporaneus,* de *con-* (cum), et
tempus «temps».

I Adj. ◆ **1** *Contemporain de :* qui est du même temps
que. *Être contemporain de qqn, de qqch.* — *Événements contemporains* (par rapport à une référence
temporelle). → **Simultané, synchronique.**
1   Ces historiens *(Grecs, Égyptiens, Chinois)* fabuleux ne sont
    pas contemporains des choses dont ils écrivent.
                                    PASCAL, Pensées, IX, 628.
Vx ou littér. *Contemporain à* (qqn, qqch.).

◆ **2** Absolt. *Qui est du temps du lecteur.* → **Actuel,
moderne.** *Étudier les auteurs contemporains, la littérature contemporaine. Histoire moderne* et contemporaine. La jeunesse contemporaine. Les aspirations, les illusions contemporaines. Une description
du français contemporain.*
2   La vie de l'homme contemporain consiste à se fuir et à se
    donner à tout, sauf à soi.
                        Edmond JALOUX, le Dernier Jour de la création,
                                                    XI, p. 131.
3   L'Université, de nos jours, sous la direction d'esprits lar-
    gement ouverts, a montré que la critique affirme sa puis-
    sance et prend ses plus hautes responsabilités en s'exer-
    çant courageusement sur les œuvres contemporaines.
                        G. DUHAMEL, la Défense des lettres, IV, V, p. 305.

II N. *Personne qui vit à la même époque (qu'une
autre, que le locuteur), qui est de la même génération. Je ne suis pas son contemporain. Nos contemporains. — Les contemporains de qqn, de Rabelais.*
4   On met les anciens bien haut pour abaisser ses contem-
    porains.
                        FONTENELLE, Dialogues, III, Morts anciens,
                                                    in LITTRÉ.
5   Pourquoi ma douce contemporaine, la très noble Chris-
    tine de Pisan, qui écrivit le «Livre des faits et des bonnes
    mœurs du roy Charles V», n'a-t-elle laissé aucun écrit de
    nature à sauvegarder ma mémoire ?
                        Jean RAY, les Derniers Contes de Canterbury,
                                                    p. 210.

CONTR. Antérieur, postérieur. — Ancien, vieux. ◊ **DÉR.** Contemporanéité.

CONTEMPORANÉITÉ [kɔ̃tɑ̃pɔʀaneite] n. f. — 1798;
dér. sav. du lat. *contemporaneus.* → Contemporain.
Didactique ou littéraire.
◆ **1** *Simultanéité d'existence. La contemporanéité de
deux événements.* → **Simultanéité, synchronie.**
1   La naissance de la conscience nationale en Afrique entre-
    tient avec la conscience africaine des relations de stricte
    contemporanéité.
                        F. FANON, in Éd. ELIET,
                Panorama de la littérature négro-africaine, p. 261.
2   (...) toute l'erreur des théories de la connaissance, c'est de
    postuler la contemporanéité du sujet et de l'objet, alors que
    l'un ne se constitue que par l'anéantissement de l'autre.
                        G. DELEUZE, Postface à M. TOURNIER, Vendredi...,
                                                    p. 267.

◆ **2** Rare. *Caractère de ce qui est contemporain. —
Ensemble de ce qui caractérise la société contemporaine.* → **Modernité.**
3   Flaubert n'a pas été seulement un peintre de la contem-
    poranéité, il a été un résurrectionniste.
                        Ed. et J. DE GONCOURT, Journal, 1890, p. 1265,
                                                    in T. L. F.

CONTR. Antériorité, postériorité.

CONTEMPTEUR, TRICE [kɔ̃tɑ̃ptœʀ, tʀis] n.
— 1449; lat. *contemptor,* du supin de *contemnere.*
→ Contemner (vx).
Littér. *Personne qui méprise, dénigre* (qqn, qqch.).
→ **Critique, dénigreur.** *Les contempteurs de la
morale, de la religion.* **Appos.** *Un critique contempteur des nouveautés.*
1   (...) hommes riches et ambitieux, contempteurs de la
    vertu (...)
                        LA BRUYÈRE, Disc. de réception à l'Académie.
2   Le rôle des fortes individualités est peut-être insignifiant ;
    c'est la masse qui agit, et la société qui triomphe toujours :
    elle s'incorpore même ses contempteurs, qui en appelaient
    à un autre monde.
                        J. CHARDONNE, l'Amour du prochain, VI, p. 151.
3   M. Tailhade ne saura jamais la vérité sur la valeur de ses
    conférences ; car les élogieux ne les loueront sans doute que
    par peur, et les critiques ne le blâmeront que par esprit
    de vengeance. Et puis, ce contempteur des médiocrités
    présentes qui trouve qu'Armand Silvestre est un grand
    écrivain, qui lui dédie ses livres, et qui se met sous sa
    protection !   J. RENARD, Journal, 11 nov. 1893.
Adjectif :
4   Au XIXe siècle, une solitude particulière, féconde et con-
    temptrice, devient liée à la vocation même de l'artiste.
                        MALRAUX, les Voix du silence, p. 491.

CONTR. Laudateur.

CONTEMPTIBLE [kɔ̃tɑ̃ptibl] adj. — 1447; *contentible,*
v. 1282; bas lat. *contemptibilis* «méprisable», du supin de
contemnere «mépriser».
Rare (in Gide). Méprisable.

CONTEMPTION [kɔ̃tɑ̃psjɔ̃] n. f. — 1535, attestation
isolée ; repris XIXe ; lat. *contemptio* «mépris», du supin de
contemnere «mépriser».
Rare (Goncourt, Jouhandeau, in T. L. F.). **Mépris.**

CONTENANCE [kɔ̃tnɑ̃s] n. f. — 1080, sens II; de *con-
tenir.*

I ◆ **1** (XIIIe). Vx ou techn. *Superficie (d'un champ ; d'un
terrain). Cette propriété a une contenance totale, est
d'une contenance de cent hectares.*

◆ **2** (XVIIe). Cour. *Quantité de ce qu'un récipient
(→ **Contenant**) peut contenir.* → **Capacité, contenu,
mesure, volume.** *La contenance d'une bouteille, d'une
barrique, d'un réservoir. Contenance d'un navire.*
→ **Tonnage.** *Caisse d'une grande contenance.*

♦ 3 Fig. et vieilli. Capacité d'absorption. *Manger à sa contenance.*

II (De *contenir* «se comporter», en anc. franç.). Manière de se tenir, de se présenter. → **Air, allure, attitude, maintien, mine.** *La contenance de qqn, sa contenance. Avoir une contenance assurée, ferme, fière.* → **Aplomb, assurance, prestance.** *Contenance humble, modeste, embarrassée, gênée, contrite. Une contenance humiliée* (→ Bas, cit. 11). *Contenance étudiée, empruntée, forcée, ridicule* (→ **Affectation**). Loc. (plus cour.). *Se donner, prendre une contenance :* se donner un maintien, déguiser son embarras. *Ne plus savoir quelle contenance avoir, adopter, prendre, garder, tenir* (→ Ne savoir sur quel pied* danser). *Perdre contenance :* être subitement déconcerté, décontenancé, confus. → **Démonter** (se), **troubler** (se). *Reprendre contenance* (→ Abattement, cit. 6). *Faire bonne contenance :* ne pas se déconcerter, garder son sang-froid, **et, par ext.,** montrer du courage, de la fermeté. *Faire bonne contenance devant l'ennemi. Faire qqch. par contenance, pour se donner une contenance,* pour avoir un air naturel.

1 Socrate montra si bonne contenance, que ceux qui poursuivaient les fuyards n'eurent jamais l'audace de l'attaquer.
FÉNELON, Socrate, *in* LITTRÉ.

2 (...) car je le vis tout à coup pâlir, balbutier, perdre contenance (...)
Alphonse DAUDET, le Petit Chose, I, XIII, p. 163.

3 (...) avec la contenance gênée de l'homme tombé mal à propos dans une discussion de ménage.
COURTELINE, Messieurs les ronds-de-cuir, Ier tableau, II, p. 37.

4 Cet examen m'irritait un peu, mais je m'efforçais de garder une aimable contenance ; et je souriais avec effort.
H. BOSCO, Un rameau de la nuit, p. 175.

COMP. **Décontenancer.**

CONTENANT [kɔ̃tnɑ̃] n. m. — XVIᵉ ; p. prés. de *contenir.* Ce qui contient quelque chose. → **Récipient.** *Le contenant et le contenu.* → **Boîte, caisse, emballage, enveloppe, panier, plat, sac, ustensile, vaisseau, vaisselle, vase.**

Figuré :

L'observateur reste arrêté devant le premier de tous les problèmes, celui du contenant et du contenu, celui du principe et de l'usage, celui de la méthode et de l'application.
G. DUHAMEL, Manuel du protestataire, VI, p. 145.

CONTR. Contenu.

CONTENDANT, ANTE [kɔ̃tɑ̃dɑ̃, ɑ̃t] adj. — 1407 ; subst. (n. m.) ; p. prés. de l'anc. franç. *contendre* «disputer» ; du lat. *contendere,* de *con-* (cum), et *tendere.* → Tendre.

Vx. Qui débat, dispute, rivalise avec un autre. *Forces contendantes* (→ Balancer, cit. 13). *Princes contendants.* — N. m. *Les contendants.* → **Compétiteur, concurrent.**

REM. Ne pas confondre avec le paronyme *contondant**.

CONTENEUR [kɔ̃tnœʀ] n. m. — 1956 ; de *contenir.*

I **♦ 1** (Pour remplacer *container*). Caisse métallique normalisée pour le transport des marchandises. → **Container** (anglic.) ; **cadre-conteneur.** *Conteneur de groupage ; conteneur calorifique, frigorifique ; isotherme. Conteneur démontable, à hayons rabattables. Navire spécialement construit pour le transport des conteneurs.* → **Porte-conteneurs.**
Emballage spécial destiné à protéger des chocs des objets parachutés.

Ces parachutages de conteneurs sont la grande affaire des maquis. Denyse VAUTRIN, le Reste de l'âge, p. 364.

♦ 2 Récipient destiné à recevoir le contenu des déchets recyclables (verre, papier, carton, plastique).

II Techn. Cylindre contenant une masse de métal devant passer à la presse.

DÉR. **Conteneuriser.** ◊ **COMP.** **Cadre-conteneur, porte-conteneurs.**

CONTENEURISABLE [kɔ̃tnœʀizabl] adj. — 1973 ; de *conteneuriser.*
Techn. Qui peut être mis en conteneurs.

CONTENEURISATION [kɔ̃tnœʀizasjɔ̃] n. f. — 1973 ; de *conteneuriser.*
Techn. Mise en conteneurs. *«en vue de la conteneurisation du trafic»* (*Actualités sud-africaines,* nᵒ 3, juin 1976).

CONTENEURISER [kɔ̃tnœʀize] v. tr. — V. 1970 ; de *conteneur ;* adapt. de l'anglicisme *containeriser.*
Techn. Mettre (des marchandises) en conteneurs (*Journ. off.,* 18 juil. 1973).

DÉR. **Conteneurisable, conteneurisation.**

CONTENIR [kɔ̃tniʀ] v. tr. [CONJUG. : *tenir.*] — XIIᵉ ; lat. *continere,* de *con-* (cum), et *tenere.* → Tenir.

I **♦ 1** Avoir, comprendre en soi, dans sa capacité, dans son étendue, dans sa substance. → **Renfermer.** *L'eau contient de l'oxygène et de l'hydrogène. Cette terre contient du sable, elle est arénifère.* → suff. -*fère. Ce minerai contient une forte proportion de métal* (→ **Teneur**). *Le parc contient une pièce d'eau.* → **Comporter, posséder.** *Une grande enveloppe contenant le courrier. Une armoire contenant du linge.* → **Enfermer.** *Ce récipient, ce réservoir contient de l'eau* (→ **Contenant**). *Ce récipient contient un litre. Ne rien contenir :* être vide. *Sa tirelire contient toutes ses économies. Récipient* destiné à contenir de la soupe* (soupière), *du thé* (théière), *des bonbons* (bonbonnière), *du beurre* (beurrier), *des cendres* (cendrier), etc.

1 Hé ! oui, *(la cassette)* est petite, si on le veut prendre par là ; mais je l'appelle grande pour ce qu'elle contient.
MOLIÈRE, l'Avare, V, 2.

2 *(Les glaises)* contiennent une matière grasse qui les rend imperméables à l'eau.
BUFFON, Hist. nat. des minéraux, t. I, p. 250.

3 (...) un verre de cristal, dont le fond évasé contenait un peu de cognac qui répandait une odeur exquise et chaude de bois précieux.
J. CHARDONNE, les Destinées sentimentales, I, p. 17.

4 Le jardin de ma grand-mère, suspendu en haut d'un mur, dominait l'avenue Garibaldi. Il contenait un rond de gazon sous un cèdre, une petite charmille fripée par les fumées, et, sur les marches de la véranda, des orangers poudrés de charbon.
J. CHARDONNE, l'Amour du prochain, IV, p. 95.

Au p. p. *Les objets contenus dans une boîte.*

♦ 2 (1530). Avoir une capacité de. → **Mesurer, tenir.** *La barrique bordelaise contient 225 litres. Salle qui contient deux mille spectateurs.* → **Recevoir.** — Avoir une étendue de. *Ce domaine contient cent hectares.* → **Étendre** (s'étendre sur).

♦ 3 Avoir (un certain nombre d'éléments). → **Compter.** *Cette ville contient trois millions d'habitants.* → **Compter.** *Ce dictionnaire contient deux mille pages. Le Code civil contient 2 283 articles. Le nombre neuf contient trois fois trois.* — Au p. p. *Les articles contenus dans ce dictionnaire.*

♦ 4 (Abstrait). Avoir pour contenu, pour signifié global. → **Renfermer.** *Que contient cette lettre ? Ce* *mémoire contient tous les détails.* → **Embrasser, inclure.** *Ce volume contient toute l'œuvre de Platon.* — *Ce livre contient bien des erreurs.* → **Comporter, recéler.** *L'idée d'effet contient celle de cause.* → **Impliquer.**

5 (...) *Cette lettre sincère*
D'un malheureux amour contient tout le mystère (...)
RACINE, Bajazet, V, 4.

6 (...) *la chair le cède, ici, à l'esprit qu'elle emprisonne, et l'enveloppe est trop fragile pour ce qu'elle contient.*
André SUARÈS, Trois hommes, II, «Pascal», p. 22.

7 *N'est-ce pas qu'il y a des nuits étranges où le paysage qui nous regarde a l'air de contenir tout le bonheur que nous voudrions enfermer en nous?*
Pierre LOUŸS, les Aventures du roi Pausole, VI, p. 40.

8 *Ce qui est important, c'est de tirer de chaque moment ce qu'il peut contenir d'intensité.*
A. MAUROIS, Climats, I, XII, p. 93.

Au p. p. *Les idées contenues dans ce rapport.*

II ◆ 1 (Concret). **Empêcher d'avancer, de s'étendre; faire tenir dans certaines limites.** → **Assujettir, borner, emprisonner, endiguer, enfermer, enserrer, limiter, maintenir, maîtriser, retenir.** *Digues pour contenir un fleuve. Contenir la foule, les manifestants.* → **Tenir** (en respect). *Contenir l'ennemi, le tenir en échec.* — Au p. p. *Les manifestants un instant contenus...*

◆ 2 Réprimer, empêcher de se manifester, de s'exprimer. *Contenir ses larmes, ses sanglots.* → **Refouler, réprimer.** *Rire qu'on ne peut contenir* (→ **Incoercible**). *Contenir son émotion, sa joie, sa surprise, son indignation, sa colère.* → **Dominer, refréner.** *Contenir un penchant, une tendance à des limites, des bornes précises.*

9 (...) *il se plaint (Jésus) comme s'il n'eût plus pu contenir sa douleur excessive:* «Mon âme est triste jusqu'à la mort.»
PASCAL, Pensées, VII, 553.

10 *Contenir ou réprimer ses désirs, ce n'est pas les combattre avec obstination.*
É. DE SENANCOUR, De l'amour, p. 66.

11 *La joie va m'inonder le cœur et j'en contiens la violence.*
SAINT-EXUPÉRY, Terre des hommes, p. 166.

◆ **SE CONTENIR** v. pron. (1530).
Ne pas exprimer un sentiment fort. → **Contrôler** (se), **dominer** (se), **maîtriser** (se), **modérer** (se), **retenir** (se). *Savoir se contenir. Avoir de la peine à se contenir. Jusque-là il s'était contenu.*

12 (...) *il (Letondu) se contenait, roulait simplement des yeux de fauve* (...)
COURTELINE, Messieurs les ronds-de-cuir, 3ᵉ tableau, II, p. 104.

13 *Violence sous pression, qui toujours menace et toujours se contient.*
MARTIN DU GARD, les Thibault, t. IV, p. 15.

14 *Hélas! il faut se modérer, se contenir, trouver, au lieu des phrases déchaînées qui viendraient toutes seules, des phrases atténuées et réticentes* (...)
J. ROMAINS, les Hommes de bonne volonté, t. V, XXIV, p. 232.

.1 *Voici venir le temps cruel des apologues*
Rien ne parle de soi tout est masque d'un secret qui ne se contient guère (...)
ARAGON,
le Voyage de Hollande et autres poèmes, p. 84.

Récipr. *Des forces qui se contiennent* (mutuellement).

◆ **CONTENU, UE** adj. (voir ci-dessus, pour le p. p.).
Que l'on se retient d'exprimer. → **Maîtrisé, refoulé, refréné, réprimé.** *Passion, émotion contenue. Attitude contenue. Caractère contenu.* → **Réservé.** — *Style contenu.*

Les plantes se hâtent d'exhaler un dernier parfum, d'autant plus suave qu'il est plus subtil et comme contenu. 15
G. SAND, François le Champi, Avant-propos, p. 7.

La Montagne, à cette explosion longtemps contenue de ses espérances et de ses colères, était comme soulevée d'une force volcanique: Danton en était devenu le cratère. 16
JAURÈS, Hist. socialiste..., t. VII, p. 221.

À la fois prudent (Justinien) et astucieux, familier et contenu (...) 17
Edmond JALOUX, les Visiteurs, I, p. 2.

(...) *rien* (...) *n'était plus propre à me toucher que cette émotion contenue.* 18
GIDE, les Faux-monnayeurs, III, XII, p. 431.

La véritable sérénité n'est pas absence de passion, mais passion contenue, élan maîtrisé. 19
G. DUHAMEL, Chronique des Pasquier, VI, Les Maîtres, p. 339.

CONTR. Exclure. — **Céder.** — (Pron.) **Exprimer** (s'); **éclater, lâcher.** ◊ **DÉR. Contenance, contenant, contenu.** — **Contentif.**

CONTENT, ENTE [kɔ̃tɑ̃, ɑ̃t] adj. et n. m. — Fin XIIIᵉ; lat. *contentus*, du supin de *continere*. → **Contenir.**
Satisfait.

◆ 1 (Sans compl.). **ⓐ** Vx. **Comblé** (par son sort, les circonstances). *Rendre des désirs contents.* → **Contenter.**

Ne déguisons plus rien, cher Philiste: il est temps 1
Qu'un aveu mutuel rende nos vœux contents.
CORNEILLE, la Veuve, II, 4.

Périssant glorieux, je périrai content. 2
CORNEILLE, Polyeucte, IV, 6.

ⓑ Mod. **Qui éprouve un plaisir ou une raison précise.** → **Gai, heureux.** *Je suis content, très content. Il n'a pas l'air content: il a l'air fâché. Jamais contente. Vivre content: vivre heureux. Rendre content.* → **Contenter.** *Être content.* → **Réjouir** (se); **bicher** (fam.). — Loc. *Cocu, battu* et content. — Vous voilà content!, vous êtes bien avancé*. Il était tout content, très content.* → **Ravi.**

Je vis libre, content, sans nul soin qui me presse. 3
LA FONTAINE, Fables, XII, 1.

Un savetier chantait du matin jusqu'au soir: 4
C'était merveilles de le voir.
Merveilles de l'ouïr; il faisait des passages,
Plus content qu'aucun des sept Sages.
LA FONTAINE, Fables, VIII, 2.

Il faut peu de chose pour rendre le sage heureux; rien ne peut rendre un fol content, c'est pourquoi presque tous les hommes sont misérables. 5
LA ROCHEFOUCAULD, Maximes, 538.

Par ext. *Le cœur content. Air content.*

◆ 2 *Content de qqch.* **ⓐ** Vx. **Comblé, qui n'a plus besoin d'autre chose.** *Être content de peu, de rien.* — Loc. mod. *Non content d'être endetté, il emprunte à tous ses amis,* il ne lui suffit pas de (cf. Non seulement).

(...) *mon front, au Caucase pareil,* 6
Non content d'arrêter les rayons du soleil,
Brave l'effort de la tempête.
LA FONTAINE, Fables, I, 22.

Qui vit content de rien possède toute chose. 7
BOILEAU, Épîtres, V.

ⓑ Mod. **Heureux (de qqch.).** → **Enchanté, ravi, satisfait.** *Être content, très content, assez content de quelque chose. Content de son sort. Je suis assez content de cette acquisition. Être content d'une décision, l'approuver. Nous sommes contents qu'il fasse beau, de ce qu'il fasse beau. Ils étaient contents de se promener.* — *Je ne suis pas content. Eh bien, après ça, si vous n'êtes pas content... : si ça ne vous suffit* pas... *Il n'a pas l'air content.* — Fam. *Il a un air pas content, pas content du tout.*

À chaque instant il passe une femme, qu'on serait peut-être content de quitter dans une heure, mais qu'il y aurait eu délice à posséder. 8
J. ROMAINS, les Hommes de bonne volonté, t. IV, V, p. 150.

♦ 3 N. m. (fin XVe). Avec un possessif (correspond aux sens 1 et 2, a — «comblé» — de l'emploi adjectif). *Avoir son content* : être comblé. *J'ai eu mon content, nous avons eu notre content. Manger, boire son content.* → **Soûl.** *Avoir son content, tout son content de qqch.* : en avoir autant qu'on en désire, et, iron., avoir assez (d'une chose désagréable). *Cinq ans de prison ! Il en a son content !*

9   J'ai vu mon content de figures sympathiques aujourd'hui.
        COLETTE, la Naissance du jour, p. 81.

10 Le visage était charnu, les traits mous, un peu bouffis, comme ceux d'un noctambule qui n'a pas dormi son content.   MARTIN DU GARD, les Thibault, t. V, p. 37.

♦ 4 *Content de qqn* : satisfait de son comportement, de son travail. *Être content d'un domestique, d'un fournisseur, d'un avocat... Être content d'un élève* (→ Application, cit. 6).

11 Qu'il est difficile d'être content de quelqu'un !
        LA BRUYÈRE, les Caractères, IV, 65.

12 Je ne connaissais rien d'aussi charmant que de voir tout le monde content de moi et de toute chose.
        ROUSSEAU, les Confessions, I.

13 Soldats, je suis content de vous ; vous avez, à la journée d'Austerlitz, justifié tout ce que j'attendais de votre intrépidité.
        BONAPARTE, in Louis MADELIN, l'Avènement de l'Empire, XXV, p. 333.

♦ 5 *Être content de soi*, satisfait de soi, de ses actes ; spécialt, suffisant, vaniteux. *Être content de soi, de sa personne*, et, fam., *de sa petite personne* : être satisfait de son physique et de son moral. → **Fat, orgueilleux, présomptueux, suffisant, vaniteux ; conscience** (avoir bonne). **féliciter** (se).

14 (...) je ne suis pas sur cela contente de moi-même.
        Mme DE SÉVIGNÉ, 255, 9 mars 1672.

15 Le vrai bourgeois est, par caractère, possesseur paisible et paresseux de ce qu'il a ; il est toujours content de lui, et facilement content des autres.
        Joseph JOUBERT, XVI, 24.

16 Comme j'allais me retirer, mon futur prédécesseur (Anatole France) me fit compliment. Il me dit que j'avais bien parlé de Racine, et je partis content de lui, c'est-à-dire content de moi.
        VALÉRY, Variété IV, Remerciement à l'Acad., p. 42.

CONTR. **Attristé, chagrin, ennuyé, insatisfait, malcontent, mécontent, sombre, triste.** ◊ DÉR. **Contenter.** ← COMP. **Malcontent, mécontent.** ← HOM. **Comptant.**

CONTENTEMENT [kɔ̃tɑ̃tmɑ̃] n. m. — 1468 ; de *contenter.*

♦ 1 Vx. ou littér. Action de satisfaire, de contenter (les besoins). → **Satisfaction.** *Il a tout fait pour le contentement de vos désirs. Le contentement des sens.* → **Assouvissement.** Loc. (vx). *Avoir, donner contentement à qqn.*

1   Je sais qui vous pourrait donner contentement (...)
        MOLIÈRE, les Fâcheux, II, 4.

2   M. de Lavardin (...) prétendait que ces honneurs lui étaient dus ; mais il n'a pas eu contentement.
        Mme DE SÉVIGNÉ, 431, 16 août 1675.

3   Oui ; l'intérêt de tous, avant le contentement d'un seul.
        GIDE, Ajax, 1.

♦ 2 État d'une personne qui ne désire rien de plus, rien de mieux que ce qu'elle a. → **Aise, béatitude, bonheur, félicité, joie, plaisir, ravissement, satisfaction, volupté.** *Le contentement de qqn, son contentement. Contentement de l'âme, du cœur.* — (Sans compl). *S'il réussit à ses examens, nous en aurons du contentement. Un sourire de contentement.* — Prov. *Contentement passe richesse* : l'argent ne fait pas le bonheur*.

4   (...) en mariage, comme ailleurs, contentement passe richesse.   MOLIÈRE, le Médecin malgré lui, II, 1.

Le Ciel défend, de vrai, certains contentements ;   5
Mais on trouve avec lui des accommodements (...)
        MOLIÈRE, Tartuffe, IV. 5.

Mais vivre sans plaider, est-ce contentement ?   6
        RACINE, les Plaideurs, I, 7.

(...) le signe le plus assuré du vrai contentement d'esprit   7
est la vie retirée et domestique, et que ceux qui vont sans cesse chercher leur bonheur chez autrui ne l'ont point chez eux-mêmes.
        ROUSSEAU, Julie ou la Nouvelle Héloïse, IV, Lettre x, p. 82.

REM. Sans être vieilli ou littér., cet emploi est plus marqué et moins courant que celui de l'adj. *content* ; selon les cas, il paraîtra recherché, régional, etc.

Cour. *Le contentement de soi-même.*

♦ 3 Cause, objet de satisfaction, de plaisir, d'agrément.

O doux et grand Racine !... Vous êtes maintenant mon   8
amour, ma joie, tout mon contentement et mes plus chères délices.
        FRANCE, le Petit Pierre, XXXIV, p. 246.

♦ 4 (XVIIIe). Ancient. *Parfait contentement* : gros nœud de ruban ornant le décolleté d'une robe.

CONTR. **Sacrifice.** — **Chagrin, contrariété, ennui, mécontentement, tristesse.** ◊ COMP. **Mécontentement.**

CONTENTER [kɔ̃tɑ̃te] v. tr. — 1314, *contemter* ; de *content.*

♦ 1 Donner à (qqn) du plaisir, de l'agrément, de la joie..., en satisfaisant ses besoins. → **Combler, satisfaire.** *Contenter ses parents, ses maîtres. On ne saurait contenter tout le monde.* → **Plaire** (à) ; → Assembler, cit. 6 ; prov., ci-dessous, cit. 3. *Faire des concessions, des arrangements pour contenter qqn. Contenter qqn qui réclame.* → **Apaiser, calmer, exaucer.** *Contenter ses créanciers.* → **Payer.** *Un rien le contente.* → **Suffire** (à). *Être facile à contenter* (→ **Accommodant, arrangeant**), *difficile à contenter* (→ **Exigeant**).

On est presque également difficile à contenter quand on   1
a beaucoup d'amour, et quand on n'en a plus guère.
        LA ROCHEFOUCAULD, Maximes, 385.

Rien ne la contentait, rien n'était comme il faut :   2
On se levait trop tard, on se couchait trop tôt (...)
        LA FONTAINE, Fables, VII, 2.

Parbleu, dit le meunier, est bien fou du cerveau   3
Qui prétend contenter tout le monde et son père.
        LA FONTAINE, Fables, III, 1.

Je suis donc content de toi et je voudrais te contenter   4
pareillement pour ma part.
        G. SAND, François le Champi, XII, p. 99.

Spécialt. Satisfaire les désirs sexuels de (qqn).

Et il aimait à la passion le visage des femmes, dans l'instant qu'il les contentait.   4.1
        MONTHERLANT, le Démon du bien, p. 139.

♦ 2 (Compl. n. de chose). *Contenter son envie, sa curiosité, ses désirs...* → **Assouvir.** *Mot qui contente l'oreille.* → **Plaire** (à).

Perfides, contentez votre soif sanguinaire.   5
        RACINE, Iphigénie, V, 4.

En trois années, elle avait contenté une seule de ses envies,   6
elle s'était acheté une pendule ; encore cette pendule (...)
        ZOLA, l'Assommoir, t. I, IV, p. 137.

(...) chacune (des filles) recèle quelque chose qui n'est pas   7
dans une autre et qui empêchera que nous puissions contenter avec ses pareilles le désir qu'elle a fait naître en nous (...)
        PROUST, À la recherche du temps perdu, t. IV, p. 138.

♦ SE CONTENTER v. pron.

♦ 1 Satisfaire son envie, ses désirs.

Il n'est rien tel en ce monde que de se contenter.   8
        MOLIÈRE, Dom Juan, I, 2.

(1559). *Se contenter de* : être satisfait de (qqch.), ne rien demander de plus ni de mieux. → **Accommoder (s'), arranger (s'), faire (avec); assez (avoir).** *Se contenter d'un repas par jour. Se contenter de l'ordinaire* (cit. 15). *Se contenter de ce qu'on a. Se contenter de peu* (→ aussi le prov. Faute de grives* on mange des merles). *Il faudra bien s'en contenter.*

9   (...) il se contentait de dix écus de gage, et il y avait toute économie à le prendre.
        G. SAND, François le Champi, IV, p. 52.

10   (...) je ne veux pas me contenter de connaissances vagues, car il n'y a rien de plus faux que les demi-vérités.
        FUSTEL DE COULANGES, Leçons à l'impératrice...,
        p. 51.

11   (...) ah! que la vie serait belle et notre misère supportable, si nous nous contentions des maux réels sans prêter l'oreille aux fantômes et aux monstres de notre esprit.
        GIDE, la Symphonie pastorale, p. 64.

12   Mais il est mauvais de s'arrêter, difficile de se contenter d'une seule manière de voir (...)
        CAMUS, le Mythe de Sisyphe,
        p. 90 (→ Contradiction, cit.).

♦ **2** *Se contenter de faire qqch.* : ne faire que... → **Borner** (se). *Je me contenterai de vous dire que... Pour réponse, elle s'est contentée de sourire. — Ne vous contentez pas de balayer autour des meubles !*

13   L'homme est très fort quand il se contente d'être ce qu'il est; il est très faible quand il veut s'élever au-dessus de l'humanité.   ROUSSEAU, Émile, II.

14   Elle ne s'est pas contentée de faire ruiner notre défunt maître.   G. SAND, François le Champi, XVIII, p. 129.

15   (...) si l'on se contente de raisonner, la valeur de ces arguments n'est pas contestable (...)
        MARTIN DU GARD, les Thibault, t. III, p. 218.

CONTR. Affliger, attrister, chagriner, contrarier, fâcher, mécontenter. — Sacrifier. — (Du pron.) Plaindre (se plaindre de). ◊ **DÉR. Contentement.** ← **COMP. Mécontenter.**

CONTENTIEUSEMENT [kɔ̃tɑ̃sjøzmɑ̃] adv. — V. 1333, *contencieusement; de contentieux.*
Vx. D'une manière contentieuse, avec dispute.

CONTENTIEUX, EUSE [kɔ̃tɑ̃sjø, øz] adj. et n. m. — 1257; de *contentiosus* «querelleur», de *contentio, onis.* → Contention.

I ♦ **1** Adj. Dr. Qui est, ou qui peut être l'objet d'une discussion devant les tribunaux. → **Contesté, litigieux.** *Affaire contentieuse. Juridiction contentieuse* (opposé à *gracieux*).

♦ **2** N. m. (1797). **a** Ensemble des litiges susceptibles d'être soumis aux tribunaux. *Un contentieux administratif, commercial.* **b** Service qui s'occupe des affaires litigieuses (dans une entreprise). *Chef du contentieux. — Le Contentieux de la Sécurité Sociale.*

1   (...) des mesures sévères étaient prescrites (*sous le Directoire*) au sujet des dépenses : fournitures, rentes et pensions, «bons de réquisition». On établit un «contentieux».
        BRUNOT, Hist. de la langue franç., t. IX, p. 1096.

II Adj. Vx. Qui soulève des débats, des discussions. *Une humeur contentieuse. Un esprit contentieux.*

2   Ne voulant même pas entrer dans une dispute contentieuse (...)
        RACINE, Traductions, Vie de St Polycarpe.

3   (...) vie contentieuse : contentieux est un terme de jurisprudence, et l'on s'en sert dans ce paragraphe pour désigner une vie agitée (...)
        Mᵐᵉ NECKER, in BRUNOT,
        Hist. de la langue franç., t. VI, p. 1190.

4   (...) je disais tout cela d'un ton contrariant, d'un air d'impatience et de révolte, et c'était la première fois qu'avec le marquis pareille chose m'arrivait. Étonné de cette forme nouvelle contentieuse dont je m'étonnais pour le moins autant que lui (...)
        SAINTE-BEUVE, Volupté, XIX, p. 196.

CONTR. (De I., 1.) **Gracieux.** — (De II.) **Accommodant.** ◊ **DÉR. Contentieusement.**

CONTENTIF, IVE [kɔ̃tɑ̃tif, iv] adj. — 1752; «qui contient», fin XIVᵉ; du lat. *contentus,* p. p. de *continere.* → Contenir.
Méd. Qui maintient en place. *Appareil*, bandage, pansement contentif.*

1. CONTENTION [kɔ̃tɑ̃sjɔ̃] n. f. — Déb. XIIIᵉ; cf. anc. franç. *contençon;* lat. *contentio,* du supin de *contendere* «lutter», d'abord «tendre avec force», de *cum* intensif, et *tendere.* → Tendre.

♦ **1** Vx. Débat, dispute*. *Un esprit de contention et de chicane.*

   Ils font de la vérité un sujet de contention et de vaine philosophie.   1
        MASSILLON, Avent, Épiphanie, in LITTRÉ.

   D'autres guerriers avaient de vives contentions aux jeux de pailles et des osselets.   2
        CHATEAUBRIAND, les Natchez, I, 74.

♦ **2** (XIVᵉ). Littér. Tension des facultés intellectuelles vers un objet de pensée. → **Application, attention, concentration, contrainte, effort.** *Contention d'esprit.* → Bander (cit. 7) son esprit. *Il s'applique à cet ouvrage avec une grande contention.* → **Méditation, pensée.**

   S'agit-il des affaires du monde, il n'y a point d'étude, point de contention d'esprit qu'on ne fasse pour les examiner à fond.   BOURDALOUE, Pensées, t. I, p. 319.   3

   La chose que je suivais le plus exactement était l'histoire et la géographie, et comme cela ne demandait point de contention d'esprit, j'y fis autant de progrès que le permettait mon peu de mémoire.   4
        ROUSSEAU, les Confessions, VI.

   La conversation (...) loin d'être une contention et une acrobatie, repose et l'on s'y laisse aller comme à un mouvement naturel.   GIDE, Journal, 30 oct. 1927.   5

   Ils ont fait un tel effort, ils ont écouté avec tant de contention la leçon, qu'après, c'est bien normal, ils se détendent, ils se déchaînent...   6
        N. SARRAUTE, Vous les entendez?, p. 34.

♦ **3** Tension importante, effort physique intense.

   Il les répétait, mais avec un effort, une contention, une contraction du gosier (...) une crispation qui faisaient peine à voir.   GONCOURT, in G. L. L. F.   7

(Par jeu sur les sens 2 et 3.)

   — Je me demande comment ça vous vient, l'inspiration ?   8
   — En général en me retenant d'uriner.
   — Il y a un rapport?
   — Un rapport certain. De contention.
        R. QUENEAU, Loin de Rueil,
        p. 30. — Jeu de mots avec 2. *contention.*

CONTR. Détente. — Dissipation, distraction, inattention. — Paix, repos. ◊ **HOM.** 2. **Contention.**

2. CONTENTION [kɔ̃tɑ̃sjɔ̃] n. f. — 1771; du lat. médical *contentio,* ou de *contentus,* p. p. de *continere* «contenir».

♦ **1** Chir. Action de maintenir dans une position adéquate (un organe accidentellement déplacé; les fragments osseux d'une fracture; une extrémité articulaire luxée). *Contention d'un viscère hernié par bandage. Appareils* de contention des os fracturés : appareils externes* (bandages, plâtres) *et prothèses* (vis, plaques, broches). — Par ext. *Contention d'une fracture, d'une luxation.*

   Lamare avait mis au point un excellent appareil pour la contention des fractures de la cuisse (...)
        G. DUHAMEL, la Pesée des âmes, XI, p. 258.

Dentisterie. *Prothèses de contention,* destinées à assurer la permanence des résultats d'un traitement d'orthodontie.

♦2 Anciennt, psychiatrie. Immobilisation (d'un malade mental agité ou furieux) au moyen de dispositifs appropriés (camisole, ceinture, etc.). *Philippe Pinel fut l'un des premiers aliénistes à renoncer au principe de la contention des agités, entièrement abandonné depuis la découverte des neuroleptiques («camisole chimique»). — Par ext.* (contention de personnes autres que des malades mentaux). *Des instruments de contention tels que menottes, poucettes, entraves, etc.*

♦3 Techn. Immobilisation (d'un animal que l'on ferre ou que l'on soigne). *Contention mécanique,* utilisant des appareils *(appareils de contention). Contention chimique,* par anesthésie.

HOM. 1. **Contention.**

CONTENU [kɔ̃tny] n. m. — 1343, contenut, sens figuré ; p. p. de contenir*.

♦1 Ce qui est renfermé dans un contenant*. *Le contenu d'un récipient.* → **Contenance.** *L'étiquette indique la nature du contenu. Contenu d'une poche, d'une corbeille, d'un panier, d'un meuble, d'un sac, d'une valise. Vider le contenu d'un tiroir. Le contenu d'un camion, d'un bateau.* → **Chargement.** *Contenu évalué en poids* (→ **Tonnage**). *Contenu d'une brouette* (→ **Brouette**), *d'une hotte* (→ **Hottée**). *Contenu d'une assiette* (→ **Assiettée**), *d'un bol* (→ **Bolée**), *d'une marmite* (→ **Marmitée**, rare), *d'une poêle* (→ **Poêlée**), *d'un pot* (→ **Potée**); → aussi **Brassée, cuillerée, fourchée, fourchetée, pellée, pelletée, pincée, (vx) pochée.** *Livrer le contenu d'un camion de charbon.*

REM. Les mots désignant le contenu d'un objet, formés avec le suffixe *-ée* sont concurrencés par l'emploi métonymique du mot désignant le contenant (boire un «bol» de café au lait). Le plus souvent, ce procédé remplace une dérivation inexistante : une «tasse» de thé; boire un «verre», le contenu d'un verre.

♦2 (1418, in D.D.L.). Fig. Substance, teneur (d'un élément de langage, d'un discours). *Le contenu d'une lettre, d'un livre, d'une loi. Le contenu de son message est très clair.*

Psychan. *Contenu latent* : «ensemble de significations auquel aboutit l'analyse d'une production de l'inconscient, singulièrement du rêve». *Contenu manifeste* «désigne le rêve avant qu'il soit soumis à l'investigation analytique, tel qu'il apparaît au rêveur qui en fait le récit. Par extension on parlera du contenu manifeste de toute production verbalisée — du fantasme à l'œuvre littéraire — qu'on se propose d'interpréter selon la méthode analytique» (Laplanche et Pontalis).

Ling. Ce qui signifie (un signe). → **Signifié.** *Le contenu et l'expression*. Analyse du contenu : analyse sémantique. *Deux synonymes ont même contenu.*

1   (...) besoin de rigueur, horreur du vague et de cette apparente clarté dont se contentent presque tous les hommes, et, conséquence de ce besoin de rigueur, besoin de remettre en question le langage et d'exiger des mots un contenu précis.
        A. MAUROIS, Études littéraires, t. I, Paul Valéry,
                                                III, p. 21.

Spécialt (dans la théorie de Hjelmslev). *Le plan du contenu s'analyse en substance du contenu et forme du contenu; il s'oppose au plan de l'expression. Le contenu est différent du sens* (la phrase asémantique a un contenu et pas de sens).

2   Pour Hjelmslev, le sens ne relève que du contexte (*Prolegomena*, p. 45) et certains items qui ont un contenu n'ont pas forcément un sens (...) Le contenu serait donc une constante langagière, et non pas le sens.

On serait autorisé à dire que la tautologie a un contenu mais pas de sens.
        Josette REY-DEBOVE, le Sens de la tautologie,
                in le Franç. moderne, oct. 1978, p. 325.

CONTR. Contenant.

CONTER [kɔ̃te] v. tr. — 1080; in T.L.F., 1125; provençal comptar, déb. XIᵉ; du lat. computare. → Compter.

♦1 Vx ou régional. Exposer par un récit. → **Dire, narrer, peindre, raconter** (cour.), **rapporter, relater.** *Contez-nous la chose en détail, contez-nous comment la chose est arrivée. Vous viendrez me conter la nouvelle. On m'a conté que... Conter brièvement qqch. Conter qqch. de fil en aiguille* (cit. 11). — Absolt. *Il est difficile de bien conter* (→ Auditeur, cit. 4).

Si je voulais conter de point en point   1
Tout le détail, je manquerais d'haleine.
                        LA FONTAINE, Fables, VII, 8.
Hélas! avec plaisir je me faisais conter   2
Tous les noms des pays que vous allez dompter (...)
                        RACINE, Iphigénie, IV, 4.
L'une est des marques de la médiocrité de l'esprit est de tou-   3
jours conter.   LA BRUYÈRE, XII, 52.
Elle avait entendu conter que certaines maladies laissent   4
derrière elles la folie pour guérison.
                        ZOLA, la Faute de l'abbé Mouret, p. 222.

(1595). Loc. *En conter de(s) belles** (cit. 75), *de(s) fortes,* des histoires qui étonnent, choquent, scandalisent.

Iron. *Allons, contez-nous vos malheurs.* → **Raconter.**

Fig. (Sujet nom de chose). → **Exprimer.**

Son image seule conte ce combat perpétuel en traits inou-   5
bliables.
                        André SUARÈS, Trois hommes, III, «Pascal», p. 53.

♦2 (1671). Dire (une histoire imaginaire, un conte) pour distraire. → **Raconter.** *Les grand-mères contaient des histoires à la veillée. — Absolt. L'art de conter s'est perdu, dans les civilisations industrielles.*

Si *Peau d'âne* m'était conté,   6
J'y prendrais un plaisir extrême.
                        LA FONTAINE, Fables, VIII, 4.
Il lui suffisait d'en inviter parfois une à sa table, seul ou   7
avec un couple ami, de lui adresser tout le long du repas
des galanteries voisines de l'obscénité, et de la raccompagner jusqu'à sa porte en lui contant des histoires dont il
riait seul.
                        J. ROMAINS, les Hommes de bonne volonté, t. V,
                                                XXV, p. 239.
Ce conte, il aurait pu simplement me le conter, il le savait   7.1
par cœur, moi aussi, mais cela ne m'aurait pas calmé,
il devait me le lire, soir après soir, ou faire semblant de
me le lire, en tournant les pages et en m'expliquant les
images, qui étaient moi déjà, soir après soir les mêmes
images, jusqu'à ce que je m'assoupisse contre son épaule.
                        S. BECKETT, Nouvelles, p. 44.

♦3 Dire (une chose inventée) pour tromper. *Que me contez-vous là? Contez cela à d'autres. Conter des mensonges. — Loc. Conter des sornettes, des fagots* (vx), *des choses invraisemblables.*

Loc. (1606). **EN CONTER À** *(qqn).* → **Abuser, tromper.** *Il nous en conte! :* il se moque de nous. *S'en laisser, s'en faire conter. Je ne m'en laisserai pas conter par ce petit prétentieux.*

(...) sais-tu que ce fils qu'il m'avait tant vanté   8
Est ce même inconnu qui m'en a tant conté?
                        CORNEILLE, le Menteur, III, 3.
Ainsi, on lui avait conté des choses, à ce monsieur, et pas   9
un seul instant l'idée ne lui était venue d'en appeler à la
vraisemblance...
                        COURTELINE, Boubouroche, Nouvelle, p. 54.

(1637). Spécialt et vieilli. *En conter à une femme,* lui tenir des propos galants. → **Cour** (faire la cour), **courtiser.** *S'en laisser conter :* se laisser séduire.

(De ces coquettes) Qui s'en laissent conter (...)   10
                        MOLIÈRE, l'École des maris, II, 7.

Loc. *Conter fleurette* à quelqu'un.*

11   Il resta auprès d'elle jusqu'à la nuit, car, encore qu'il n'osât lui conter fleurette, il en était si épris et il prenait tant de plaisir à la voir et à l'écouter parler, qu'il ne pouvait se décider à la quitter un moment.
> G. SAND, la Petite Fadette, XXIV, p. 163.

COMP. Raconter. ◊ **HOM. Compter, comté.**

CONTESTABILITÉ [kɔ̃tɛstabilite] n. f. — 1845, Bescherelle; de *contestable.*

Didact. Caractère de ce qui est contestable. *Contestabilité d'un droit.*

CONTR. Incontestabilité.

CONTESTABLE [kɔ̃tɛstabl] adj. — Attesté 1690, mais antérieur (*contestablement*, 1611); de *contester.*

♦ **1** Qui peut être contesté. → **Discutable, douteux.** *Le fait est contestable. Vous avez sur la question des idées contestables. Droit contestable.* → **Contentieux, litigieux.** *Ce n'est pas, ce n'est guère contestable en droit.*

1   (...) si l'on se contente de raisonner, la valeur de ces arguments n'est pas contestable (...)
> MARTIN DU GARD, les Thibault, t. III, p. 218.

2   «L'histoire, nous disent les vieillards, est un perpétuel recommencement». D'abord cela est contestable. En admettant que cela soit vrai «en gros», c'est assez faux dans les détails pour rendre toute prévision absurde.
> A. MAUROIS, Études littéraires, t. I, Paul Valéry, p. 35.

♦ **2** Dont la valeur, la qualité est mise en doute, critiquée. → **Douteux.** *Un goût très contestable. Une attitude contestable.*

(Personnes). *Barbey, «critique détestable souvent et contestable toujours»* (Verlaine, *in* T. L. F.).

D'une authenticité douteuse.

CONTR. Assuré, avéré, certain, évident, incontestable, incontesté, sûr, vrai. ◊ **DÉR. Contestabilité, contestablement.** — **COMP. Incontestable.**

CONTESTABLEMENT [kɔ̃tɛstabləmã] adv. — 1611; de *contestable.*

Didact. D'une manière contestable.

CONTR. Incontestablement.

CONTESTANT, ANTE [kɔ̃tɛstã, ãt] adj. et n. → **Contester** (cit. 8 et *supra*).

CONTESTATAIRE [kɔ̃tɛstatɛʀ] adj. et n. — 1968; dér. sav. de *contester.*

Qui conteste (la société, les institutions). → **Contestation.** *Étudiants, enseignants contestataires. Prêtres contestataires. — N. Les contestataires de Mai 68.*

REM. Cette forme a pratiquement éliminé *contestateur, trice.*

1   La civilisation du rendement (travail, efficacité, production) était remplacée par la civilisation du bonheur (érotisation générale de la vie, renaissance de la Fête). Les vœux des contestataires, les prophéties d'Herbert Marcuse étaient accomplis. «Sous les pavés, la plage» (...)
> Jean-Louis CURTIS, le Roseau pensant, p. 271-272.

2   Cher David. Il parlait trop, n'admirait pas assez : un contestataire. Il avait fait Mai 68, mais s'était retiré à temps de la rue Gay-Lussac.
> Claude COURCHAY, La vie finira bien par commencer, p. 223.

CONTESTATEUR, TRICE [kɔ̃tɛstatœʀ, tʀis] adj. et n. — 1842; inus. jusqu'en 1968; de *contester.*

Qui conteste (2., spécialt). *Fièvre contestatrice.*

N. (Rare). → **Contestataire.**

CONTESTATION [kɔ̃tɛstasjɔ̃] n. f. — Fin XIVᵉ; lat. *contestatio*, du supin de *contestare*. → Contester.

♦ **1** Le fait de contester (qqch.); discussion sur un point contesté. → **Controverse, débat, discussion, objection.** *Élever une contestation sur un point. Il y a matière, sujet à contestation. Contestation sur un point de détail.* → **Broutille, pointille.** *Accepter sans contestation, à l'amiable. Contestation d'un droit, d'une qualité.* → **Dénégation, désaveu, litige, procès.** *Saisir un tribunal d'une contestation.* → **Instance, procédure.**

1   On croit que d'Ambres perdra cette contestation contre le maréchal d'Albret.
> Mᵐᵉ DE SÉVIGNÉ, 432, 19 août 1675.

2   Lorsqu'il y aura contestation dans la même Église, le miracle décidera.
> PASCAL, Pensées, XIII, 846.

3   J'ai dans mon travail actuel le même défaut que dans ceux que j'ai entrepris. Je me jette dans des détails qui ne sont pas nécessaires et prêtent à la contestation.
> B. CONSTANT, Journal intime, p. 241.

4   Il y a peu de temps encore, on peut s'en souvenir, régnaient sans contestation la peinture proprette, le joli, le niais, l'entortillé, et aussi les prétentieuses rapinades.
> BAUDELAIRE, Curiosités esthétiques, p. 289.

♦ **2** (1968). Absolt et cour. Attitude de remise en cause des idées reçues dans un groupe social; refus d'une idéologie. *Porter la contestation* (→ **Contestataire**).

5   Ce que réclament les dirigeants, très naturellement, c'est que la contestation baptisée participation ne mette pas en échec leur autorité et, par conséquent, leur efficacité.
> F. BLOCH-LAINÉ, in *l'Express*, 8 juil. 1968.

6   Une telle démarche suppose une attitude critique. Impossible de saisir le quotidien comme tel en l'acceptant, en le «vivant» passivement, sans prendre un recul. Distance critique, contestation, comparaison vont ensemble.
> Henri LEFEBVRE, la Vie quotidienne dans le monde moderne, p. 56.

♦ **3** Littér. ou style soutenu. Vive opposition. *Entrer en contestation avec quelqu'un.* → **Altercation, démêlé, différend, dispute, opposition, querelle** (→ **Avoir maille* à partir avec quelqu'un**). *Arbitre qui tranche une contestation. Éviter un sujet de contestation.*

CONTR. Accord, entente. ◊ **COMP. Autocontestation.**

CONTESTE [kɔ̃tɛst] n. f. — 1585; de *contester.*

♦ **1** Vx ou littér. Discussion, débat, désaccord. → **Contestation.** *Point, sujet de conteste.*

1   (...) il avait, tout de suite, pensé appeler à ce Conseil sans distinction de partis et d'origines, les hommes dont la valeur lui paraîtrait sans conteste et la capacité précieuse.
> Louis MADELIN, De Brumaire à Marengo, VIII, p. 125.

2   En cas de conteste, la victoire le plus souvent demeure à celui qui parle le plus fort ou le plus longtemps, ou le dernier.
> GIDE, Journal, Feuillets, p. 865.

Mod. (déverbal de *contester*). Contestation (2.).

♦ **2** Loc. adv. (1656). **SANS CONTESTE :** sans contredit, sans discussion possible. → **Assurément, incontestablement** (→ 1. Bon, cit. 61). *Shakespeare est, sans conteste, le plus grand dramaturge anglais.*

3   Si votre monde n'est pas un pour le bien, il l'est sans conteste pour le mal.
> Emmanuel BERL, le Virage, p. 32.

CONTESTER [kɔ̃tɛste] v. tr. — 1338; provençal *contestar*, 1140; lat. jurid. *contestari* «plaider en produisant des témoins», de *con-* (cum), et *testari* «témoigner», de *testis* «témoin».

♦ **1** (1588). Mettre en discussion (le droit, la prétention de qqn). → **Discuter, révoquer** (en doute). *Contester les déclarations d'un témoin. Contester le titre, la succession de quelqu'un. Contester une prétention.* → **Résister.** *Contester la compétence d'un tribunal.*

→ **Récuser**; **déclinatoire**. — Absolt. *Contester en justice.* → **Plaider** (→ ci-dessous, Contestant).

1 On en vient au partage, on conteste, on chicane.
Le juge sur cent points tour à tour les condamne.
                                            LA FONTAINE, Fables, IV, 18.

(1338). *Contester (qqch.) à (qqn)* : refuser de reconnaître à (qqn) le droit de disposer de (qqch.); revendiquer (qqch.) à la place de (qqn). *On lui conteste le droit de...* → **Dénier**, **refuser**.

2 Le Roi l'embrassa tendrement quand elle fut au lit, et la pria de ne rien contester à M. le prince de Conti, et d'être douce et obéissante : nous croyons qu'elle l'a été.
                                    Mᵐᵉ DE SÉVIGNÉ, 772, 17 janv. 1680.

3 (...) assurer votre existence (ou celle de votre race) contre un milieu qui vous la conteste.
                                    Julien BENDA, Lettre à Mélisande, p. 132.

♦ **2** Mettre en discussion, en doute. → **Controverser, discuter, nier**. *Contester un fait. Contester la vérité d'une nouvelle, la justesse d'un raisonnement. Fournir des arguments pour contester une théorie.* → **Objecter**. *Je conteste qu'il soit sincère. Je ne conteste pas qu'il réussisse, qu'il réussira.* — Par ext. *Contester un enseignant, un artiste.*

4 M. de Montmoron sait votre philosophie, et la conteste sur tout (...)   Mᵐᵉ DE SÉVIGNÉ, 853, 15 sept. 1680.

5 Je trouve au contraire naturel que le génie s'impose avec cette autorité et ne soit contesté de personne.
                                    M. AYMÉ, le Confort intellectuel, IX, p. 162.

(1540). Intrans. ou absolt. *Il aime contester.* → **Argumenter, chicaner, contredire, controverser, discuter, disputer**. *Contester sur des choses puériles.* → **Chinoiser, ergoter, pointiller**. — REM. Cet emploi absolu s'entend surtout aujourd'hui au sens spécial, ci-dessous.

6 Il faut éviter de contester sur des choses indifférentes, faire rarement des questions, qui sont presque toujours inutiles, ne laisser jamais croire qu'on prétend avoir plus de raison que les autres, et céder aisément l'avantage de décider.
                                    LA ROCHEFOUCAULD, Réflexions diverses, 4.

7 Puis je ne conteste jamais; je ne réfute personne, j'admets toutes les opinions, et je me contente de chercher ce qu'elles contiennent.
                                    SAINTE-BEUVE, P.-J. Proudhon,
                                    Sa vie et sa correspondance, p. 61.

(1968). Spécialt. Faire de la contestation*, être contestataire*.

8 — Ce ne sont pas des lumières, me répond-elle gentiment, mais ils sont braves. Ils ne contestent pas ici! Tu sais, il paraît qu'à Soissons ou à Charleville, c'est pas drôle. Tu vas voir, ça ira et puis t'es agrégée!
                                    Yanny HUREAUX, la Prof, p. 48-49.

♦ **CONTESTÉ, ÉE** p. p. adj.

Qui est l'objet d'une contestation. *Créance contestée. Affirmation, théorie, autorité contestée.* → **Discuté, incertain** (→ Baïonnette, cit. 4). *Un chef, un professeur, un peintre contesté.*

9 Si contestées que soient nos H. L. M. elles sont préférables aux grottes de nos lointains aïeux.
                                    Emmanuel BERL, le Virage, p. 39.

N. (au sens spécial) :

10 Il y avait eu un contesté, au lycée, un prof de musique. Voici deux ans, il avait pris sa retraite, avait passé l'été dans sa maison de campagne, et n'avait regagné la ville, à la rentrée, que pour se tirer une balle dans la tempe.
                                    Claude COURCHAY,
                                    La vie finira bien par commencer, p. 35 (1972).

♦ **CONTESTANT, ANTE** p. prés., adj. et n. (1690; de contester).

Vx. Celui qui conteste. → **Contestataire**. *Personnalité contestante.* — N. *Les contestants de tous bords.*

Dr. *Les parties contestantes.* — N. → **Plaideur**.

11 Aussitôt qu'à portée il vit les contestants (...)
(Grippeminaud) Mit les plaideurs d'accord en croquant l'un et l'autre.   LA FONTAINE, Fables, VII, 16.

CONTR. Admettre; accorder, affirmer, approuver, assurer, attester, avérer, avouer, certifier, concéder, croire, reconnaître. — Incontesté. ◊ DÉR. Contestable, contestataire, contestateur, conteste.

CONTEUR, EUSE [kɔ̃tœʀ, øz] n. — 1155, conteor; de conter.

♦ **1** Vx. Personne qui conte (qqch.). → **Amuseur, anecdotier, narrateur**. *C'est un grand conteur d'anecdotes.*

Et Géralde, Madame? — O l'ennuyeux conteur!   1
                                    MOLIÈRE, le Misanthrope, II, 4.

♦ **2** (Sans compl.). Mod. Personne qui compose, dit ou écrit des contes. *Un excellent conteur. Les conteurs du moyen âge. Les conteurs africains.* — Appos. *Les poètes conteurs.*

Un nouvelliste ou un conteur de fables est un homme   2
qui arrange, selon son caprice, des discours et des faits remplis de fausseté (...)
                                    LA BRUYÈRE, les Caractères de Théophraste,
                                    Du débit des nouvelles.

Elle leur imposa silence. «Vous êtes des conteuses, dit-elle   3
recouchez-vous et laissez-moi me rendormir».
                                    A. GALLAND, les Mille et Une Nuits, t. III, p. 338.

Le conteur, qui veut faire paraître des choses absentes, y   4
réussit bien mieux par le frisson de la peur que par une suite raisonnable de causes et d'effets (...)
                                    ALAIN, les Idées et les Âges, VI,
                                    in les Passions et la Sagesse, Pl., p. 215.

HOM. Compteur.

CONTEXTE [kɔ̃tɛkst] n. m. — 1539; lat. contextus «assemblage», du supin de contexere «tisser avec», de con- (cum), et texere «tisser».

♦ **1** (1754). Dr. Ensemble ininterrompu des dispositions (d'un acte). *Unité de contexte. Interpréter un arrêté selon le contexte.*

♦ **2** Didact. (ling., etc.). Ensemble du texte qui entoure un élément de la langue (mot, phrase; fragment d'énoncé) et dont dépend son sens, sa valeur. *Éclaircir un passage par le contexte. Lever une ambiguïté en se reportant au contexte. Tenir compte du contexte. Mot isolé de son contexte, pris hors du contexte.*

Ling. Entourage plus ou moins étendu (d'un élément linguistique), dans l'énoncé. → **Macrocontexte, microcontexte**. *Contexte linguistique.*

♦ **3** (1869). Ensemble des circonstances dans lesquelles s'insère un fait donné. *Le contexte psychologique d'une conduite. Contexte sociologique d'un fait politique. Contexte politique, familial.*

Notre histoire particulière dépend de nous encore, non le   1
contexte dans lequel elle s'inscrit : ce qui ne signifie pas qu'elle nous échappe.
Agir en tenant compte du contexte.
                                    F. MAURIAC, le Nouveau Bloc-notes 1958-1960,
                                    p. 78.

Dans tel ou tel contexte, dans le cadre* de... *Dans le contexte de l'économie mondiale. Remettre un événement historique dans son contexte.*

Contexte. — A supplanté *cadre* (...) On ne dit presque   2
plus, après l'avoir trop dit : *dans le cadre de.* On va toutefois jusqu'à écrire : *Dans le cadre de ces divers contextes* et même *Pour bien comprendre le président, il faut le replacer dans son contexte familial.*
                                    Pierre DANINOS, le Jacassin, p. 82.

♦ **4** Ling. Éléments de la réalité non linguistique associés à la production d'un énoncé ou d'un élément d'énoncé. *Contexte de situation* (ou *situationnel*), *extralinguistique. Langue et contexte,* ouvrage de T. Slama-Cazacu.

DÉR. Contextuel. ◊ COMP. Macrocontexte, microcontexte.

CONTEXTUEL, ELLE [kɔ̃tɛkstɥɛl] adj. — 1963; de *contexte,* d'après *textuel.*

Didact. (ling.). Relatif au contexte (2. ou 4.). *Sens, signifié contextuel.* — REM. On emploie dans le même domaine *contextualiser,* v. tr., *contextualisé, ée,* adj., *contextualisation,* n. f.

CONTEXTURE [kɔ̃tɛkstyʀ] n. f. — XIVᵉ; du lat. *contextus,* du supin de *contexere* (→ Contexte), d'après *texture.*

♦ **1** Manière dont les éléments (d'un tout organique complexe) se présentent. → **Agencement, assemblage, composition, constitution, organisation, texture.** *La contexture des os, des muscles, des glandes; des tissus animaux, végétaux.* → **Structure.**

1   M. Bertin annonçait que la contexture des différents plans de fibres musculaires qui forment l'estomac était à peu près semblable dans l'homme et le cheval.
             CONDORCET, Bertin.

1.1   On eût dit une de ces «côtes de fer», comme on les appelle en certains pays, et sa contexture tourmentée semblait indiquer qu'une véritable cristallisation s'était brusquement produite dans le basalte encore bouillant des époques géologiques.
             J. VERNE, l'Île mystérieuse, t. II, p. 574.

(En parlant d'un ensemble artificiel). *La contexture des fibres d'une étoffe, d'un tissu.* → **Armure, entrecroisement, texture, tissure.** *Une contexture compliquée.* → **Enchevêtrement, entrelacement.**

♦ **2** (1690). Vieilli. Composition (d'une œuvre), arrangement des parties. → **Structure.** *La contexture d'un discours, d'un poème, d'une pièce de théâtre.*

2   L'artificieuse et fine contexture des tragédies de Racine.
             VOLTAIRE, Dict. philosophique, Anciens et modernes.

CONTIGU, UË [kɔ̃tigy] adj. — V. 1377; lat. *contiguus,* de *contingere* «toucher».

♦ **1** (*Contigu à...*). Qui touche à... → **Accolé, attenant, avoisinant, joignant, proche, voisin.** *Maison contiguë à l'église, qui jouxte* l'église.* — (Plus rare). *Sa chambre est contiguë avec la vôtre.*

(Au plur.). *Jardins contigus.* → **Mitoyen.** *Terres contiguës.* → **Tenant.** *Délimitation de deux propriétés contiguës.* → **Bornage.**

1   (...) ce morceau de terre, plus propre et plus orné que les autres terres qui lui sont contiguës (...)
             LA BRUYÈRE, les Caractères, XVI, 43.

2   Ces maisons n'étaient point contiguës, ayant de chaque côté un vide qui les séparait les unes des autres.
             ROLLIN, Hist. ancienne, Œ., t. II, p. 27.

3   (...) notre hôte nous conduisit dans une vaste galerie contiguë à son cabinet (...)
             FRANCE, la Rôtisserie de la reine Pédauque, Œ., t. VIII, p. 71.

Bot. *Cotylédons, sépales contigus,* qui sont voisins sans adhérer ensemble.

Géom. Vx. *Angles contigus.* → **Adjacent.** *Les côtés contigus d'un angle.* → **Commun.**

♦ **2** (1790). Abstrait. Proche de, qui présente des relations étroites avec. → **Analogue, semblable, voisin.** «*Le commencement de Paris est contigu au déclin de Rome*» (Hugo, *Actes et paroles,* 3, 1876, p. 300, *in* T. L. F.). — *Idées contiguës. Traiter des sujets contigus.*

4   (...) toutes les affinités sont liées par des similitudes contiguës (...)   BALZAC, Séraphita, Pl., t. X, p. 556.

CONTR. **Distant, écarté, éloigné, loin, séparé.** — **Différent, opposé.** ◊ DÉR. **Contiguïté.**

CONTIGUÏTÉ [kɔ̃tigɥite] n. f. — XVᵉ; de *contigu.*

♦ **1** État de ce qui est contigu. → **Contact, mitoyenneté, proximité, voisinage.** *La contiguïté de deux terrains, de deux maisons.*

1   (...) l'alternance d'espaces de couleurs nettement tranchées, comme celles qui résultent, dans la campagne, de la contiguïté de cultures différentes (...)
             PROUST, À la recherche du temps perdu, t. IX, p. 235.

La contiguïté de deux sépales. Contiguïté de deux angles.

♦ **2** (Abstrait). *Contiguïté des idées.* → **Adhérence, analogie, liaison, proximité, rapport, voisinage.** *Association* d'idées par contiguïté dans l'espace, dans le temps.*

2   Le moi touche en effet au monde extérieur par sa surface; et comme cette surface conserve l'empreinte des choses, il associera par contiguïté des termes qu'il aura perçus juxtaposés : c'est à des liaisons de ce genre, liaisons de sensations tout à fait simples et pour ainsi dire impersonnelles, que la théorie associationniste convient.
          H. BERGSON, Essai sur les données immédiates de la conscience, p. 123.

CONTR. **Distance, écartement, éloignement, espacement, séparation.** — **Différence, opposition.**

CONTINENCE [kɔ̃tinãs] n. f. — Fin XIIᵉ; de 1. *continent.*

♦ **1** Littér. ou style soutenu. État d'une personne qui s'abstient de tout plaisir charnel. *La continence volontaire, considérée comme vertu.* → **Ascétisme, chasteté, pureté, sagesse.** *Vivre dans la continence. Une longue et pénible continence. État de continence parfaite. La Continence de Scipion,* œuvre de Poussin.

1   Les auteurs attribuent avec raison à la continence de ces peuples durant leur jeunesse la vigueur de leur constitution et la multitude de leurs enfants.
             ROUSSEAU, Émile, IV.

2   Tous gardaient la continence, portaient le cilice et la cuculle, dormaient sur la terre nue après de longues veilles (...) accomplissaient chaque jour les chefs-d'œuvre de la pénitence.   FRANCE, Thaïs, I, p. 4.

Qualité d'une personne qui s'abstient de tout plaisir sensible. → **Abstinence, mortification, privation, tempérance.**

♦ **2** Fig. Littér. et vieilli. *Continence du style, de la parole.* → **Modération, sobriété.**

3   Quant aux romans, ils ne manquent pas : il y a en plusieurs d'une femme *(Mᵐᵉ Du Devant)* qui prend le nom de George Sand et qui ont des parties charmantes. Je crois qu'avec un peu de continence, elle nous donnera de belles choses.
          SAINTE-BEUVE, Correspondance, 272, 29 janv. 1833, p. 337.

CONTR. **Concupiscence, débauche, impureté, incontinence, intempérance, luxure, volupté.** — **Prolixité.**

1. CONTINENT, ENTE [kɔ̃tinã, ãt] adj. — V. 1160; lat. *continens,* p. prés. de *continere* «maîtriser». → Contenir.

♦ **1** Littér. ou vieilli. Qui observe, pratique la continence. → **Ascétique, chaste, pur, vertueux; vierge.** — N. (inus. au fém.). *Un continent* (→ ci-dessous, 1 et 2.1).

1   L'exemple de la chasteté d'Alexandre n'a pas tant fait de continents que celui de son ivrognerie a fait d'intempérants.   PASCAL, Pensées, II, 103.

2   Un homme ardent et sensible, jeune et garçon, veut être continent et chaste; il sait, il sent, il l'a dit mille fois, que la force de l'âme qui produit toutes les vertus tient à la pureté qui les nourrit toutes.
          ROUSSEAU, Julie ou la Nouvelle Héloïse, VI, Lettre, VI.

2.1 Les derniers vivants s'exaspèrent, le fils, jusque-là soumis et vertueux, tue son père ; le continent sodomise ses proches. Le luxurieux devient pur.
> A. ARTAUD, le Théâtre et son double,
> Le théâtre et la peste,
> Idées/Gallimard, p. 33.

Vx. *Tempérant.*

♦ **2** Fig. Littér. et vieilli. *Être continent en paroles.* → **Modéré, sobre.**

3 (...) ce n'était qu'un moyen perfide de m'arracher brusquement aux simples images de l'idéale et continente beauté (...)
> SAINTE-BEUVE, Volupté, II, p. 14.

♦ **3** Méd. Se dit d'un sphincter qui fonctionne normalement (anus, vessie).

♦ **4** (1590, avec infl. du lat. *continens* «continu»). Méd. *Fièvre continente*, dont l'action est continue. → **Continu.** — *Cause continente*, qui continue d'agir.

CONTR. Concupiscent, débauché, impur, incontinent, intempérant, luxurieux, voluptueux. — Prolixe. ◊ DÉR. Continence. ⇒ HOM. 2. Continent.

2. CONTINENT [kɔ̃tinɑ̃] n. m. — 1532 ; du p. prés. du lat. *continere* «tenir ensemble», de *con-* (*cum*), et *tenere* (→ Tenir).

♦ **1** Géogr. et cour. Grande étendue de terre limitée par un ou plusieurs océans. *La dérive* des continents. Genèse des continents.*

0.1 On distingue quatre grands *continents* : l'Eurasie, l'Afrique, les deux Amériques du Nord et du Sud auxquels on ajoute souvent l'Australie et l'Antarctide ou continent Austral.
> P. GEORGE, Dict. de géographie, art. *Continent.*

1 L'Europe (...) petit cap du continent asiatique (...)
> VALÉRY, Crise de l'esprit (→ 2. Cap, cit. 4).

♦ **2** Cour. Partie du monde. → **Sous-continent.** *Les cinq continents sont traditionnellement l'Europe, l'Asie, l'Afrique, l'Amérique et l'Océanie. L'Antarctique est parfois considéré comme un sixième continent. Le continent européen. La Micronésie fait partie du continent océanien. Voyage autour d'un continent.*

Loc. *L'Ancien Continent :* l'Europe et l'Afrique. *Le Nouveau Continent :* les deux Amériques.

♦ **3** (1665). *Le continent* (par rapport à une île), la terre principale d'une partie du monde. → **Continental.** *Le continent australien. Retourner sur le continent.*

(1735). Spécialt. L'Europe (par oppos. aux Îles britanniques). *Passer sur le continent, se réfugier sur le continent.*

2 Sur un fonds d'autochtones ibères, préceltiques, une série d'invasions issues du continent a superposé des Celtes, des Romains, des Saxons, des Normands.
> André SIEGFRIED, l'Âme des peuples, IV, 1, p. 81.

DÉR. Continental. ◊ COMP. Précontinent, sous-continent. ⇒ HOM. 1. Continent.

CONTINENTAL, ALE, AUX [kɔ̃tinɑ̃tal, o] adj.
— 1773 ; de 2. *continent.*

♦ **1** **a** Relatif à un continent, à une grande étendue de terre ; aux continents. *Aires continentales et océaniques. Théorie des dérives continentales. Climat continental*, des terres éloignées de l'influence océanique (grands écarts de température ; pluies assez fortes en été). *Plateau continental :* partie du relief sous-marin proche des côtes.

b Qui appartient au continent européen. *Les puissances continentales. Blocus** (cit. 2) *continental. Politique continentale.*

La France continentale. → **Métropolitain.**

Petit-déjeuner continental. → 1. **Petit-déjeuner.**

♦ **2** N. Personne qui habite le continent ou qui en est originaire (par oppos. à *insulaire*).

CONTR. Insulaire. ◊ DÉR. Continentalité. ⇒ COMP. Épicontinental, extracontinental, intercontinental, transcontinental, tricontinental.

CONTINENTALITÉ [kɔ̃tinɑ̃talite] n. f. — Mil. XXᵉ ; de *continental.*

Didact. Caractère de ce qui est continental. — Spécialt. Ensemble de caractères du climat* continental.

En Russie où — sauf en Crimée — le régime pluviométrique affirme sa continentalité en opposant un maximum d'été à un minimum d'hiver, février se trouve être partout un mois sec.
> Ch.-P. PÉGUY, la Neige, p. 37.

CONTR. Insularité.

CONTINGENCE [kɔ̃tɛ̃ʒɑ̃s] n. f. — 1340 ; de *contingent.*

♦ **1** Philos. Caractère de ce qui est contingent (I., 1.). → **Éventualité.** *La contingence du monde créé. De la contingence des lois de la nature*, ouvrage de É. Boutroux.

Je conçois clairement que chaque chose pourrait être autrement qu'elle n'est ; j'ai appelé cela contingence, et je dis que, dans ma manière de concevoir, chaque chose est contingente de sa nature.
> Charles BONNET, Palingénésie philosophique,
> XVII, 2.

(...) certes, par nature, le monde des possibles m'a toujours été plus ouvert que celui de la contingence réelle.
> PROUST, À la recherche du temps perdu, t. XI, p. 28.

Preuve de l'existence de Dieu par la contingence du monde : preuve selon laquelle on conclut du caractère contingent du monde empirique à l'existence de Dieu, considéré comme cause nécessaire.

♦ **2** (1896). Cour. *Les contingences :* les choses qui peuvent changer, qui n'ont pas une importance capitale. *Ne pas se soucier des contingences. Les contingences de la vie quotidienne :* les événements terre-à-terre.

CONTINGENCES. Menus événements, incidents, traverses, vétilles, mesquineries, futilités, plis de l'existence amoureuse ; tout noyau factuel d'un retentissement qui vient traverser la visée de bonheur du sujet amoureux, comme si le hasard intriguait contre lui.
> R. BARTHES, Fragments d'un discours amoureux,
> p. 83.

Le décor même, ce coin obscur de pays balte isolé par la révolution et la guerre, semblait (...) satisfaire aux conditions du jeu tragique en libérant l'aventure de Sophie et d'Éric de ce que seraient pour nous ses contingences habituelles, en donnant à l'actualité d'hier ce recul dans l'espace qui est presque l'équivalent de l'éloignement dans le temps.
> M. YOURCENAR, le Coup de grâce, Préface, p. 128.

♦ **3** Math. *Angle de contingence*, formé par la rencontre de deux lignes courbes, ou d'une ligne droite avec une ligne courbe.

CONTR. Nécessité.

CONTINGENT, ENTE [kɔ̃tɛ̃ʒɑ̃, ɑ̃t] adj. et n. m.
— 1361 ; lat. *contingens*, p. prés. de *contingere* «arriver par hasard», de *con-* (*cum*), et *tangere* «toucher» (→ Tangible).

I Adj. ♦ **1** Philos. Qui peut se produire ou non. → **Accidentel, casuel, conditionnel, éventuel, fortuit, incertain, occasionnel** (opposé à *nécessaire*). *Événement contingent, chose contingente*, soumis(e) au hasard. *Un être contingent*, qui peut être ou ne pas être. *Futur contingent*, qui peut se produire ou ne pas se produire, dans des circonstances données. → **Possible.** — Log. *Proposition contingente*, qui énonce un rapport dont la vérité ou la fausseté n'est établie que par l'expérience seule. *Vérité contingente*, établie par l'expérience, et non par la raison.

1 Il y a deux sortes de vérités, les unes sont nécessaires et les autres contingentes.
MALEBRANCHE, De la recherche de la vérité, I, II, 3.

2 Spinoza voudrait prouver que, si nous jugeons qu'il y a des choses contingentes, ce n'est que par ignorance (...)
CONDILLAC, Traité des sensations, 10.

♦ **2** Cour. Sans importance ; non essentiel.

3 C'est la morale des grands qu'il faut retenir et dégager des faits contingents de leur vie ; non les petits faits qu'il faut imiter. GIDE, Journal, juin 1891.

.1 C'est d'une manière plus furtive et plus difficile à définir que me sont donnés les spectacles contingents : paysages, rues, foules (...)
S. DE BEAUVOIR, Tout compte fait, p. 237.

♦ **3** (1459). Dr. Qui échoit à quelqu'un. — *Portion contingente :* part qui revient à quelqu'un dans un partage.

II N. m. ♦ **1** (1690). Effectif des appelés au service militaire pour une période déterminée. → **Classe.** *Fournir un contingent. Appel d'un contingent.*

Par extension :

.2 — C'est une petite ville, en effet. À peine le contingent de trois usines. M. DURAS, Moderato cantabile, p. 59.

♦ **2** (1922). Dr. Quantité de marchandises autorisées à l'importation. Part qui revient à chacun dans une distribution sujette à restrictions (→ **Contingenter**). — Part des charges d'une collectivité administrative, dans les travaux publics intéressant à la fois l'État, les départements et les communes.
Dr. fisc. Produit total d'un impôt à recouvrer dans une circonscription déterminée. → **Répartition** (des impôts).

♦ **3** (1690). Part* apportée à une œuvre commune ; part reçue d'un groupe, d'une collectivité. *Apporter son contingent à une œuvre nationale.* → **Contribution, lot, part.**

4 Chacun de nous assume un drame à sa taille, et reçoit son contingent de tragique.
GIDE, les Faux-monnayeurs, III, x, p. 399.

5 Ce n'était plus le chagrin qui dominait en moi, mais la colère, la rage, le désir de leur faire mal : tout ce qui existe déjà de vil en nous à cet âge où l'homme que nous serons est déjà tout formé, tout épuisé, avec son contingent d'inclinations et de passions.
F. MAURIAC, la Pharisienne, V, p. 75.

CONTR. Certain, nécessaire, rationnel. ◊ **DÉR.** Contingence, contingenter.

CONTINGENTEMENT [kɔ̃tɛ̃ʒɑ̃tmɑ̃] n. m. — 1922 ; de *contingenter.*
Action de contingenter ; son résultat. → **Répartition.**
Le contingentement des importations. → **Limitation.**

CONTINGENTER [kɔ̃tɛ̃ʒɑ̃te] v. tr. — 1922 ; de *contingent* (II., 2.).
Fixer un contingent à. → **Limiter.** — *Denrées contingentées,* dont la circulation et la vente ne sont pas libres.
— Et la nourriture, là-bas, comment ça marche ? Gustin convint qu'il y avait un rationnement sévère comme en France mais ajouta que si tout était contingenté, du moins y avait-il de tout.
Jacques LAURENT, les Bêtises, p. 42.

DÉR. Contingentement.

CONTINU, UE [kɔ̃tiny] adj. et n. m. — V. 1306 ; *contenu,* fin XIIIᵉ ; lat. *continuus,* p. p. de *continere,* tenir ensemble. → Contenir.

♦ **1** Qui est composé de parties non séparées, ininterrompues. → **Continuel, ininterrompu.** *Étendue*

continue. Enceinte continue. Tige continue. Ligne continue. — Archit. Piédestal* continu. — Math. Parties continues. Quantité* continue. Fraction continue. Proportion continue. Fonction continue d'une variable. — Codage continu ou analogique* (opposé à binaire).

N. m. Didact. Ce qui est sans lacune, ne présente pas de parties séparées. *Un continu.* → **Continuum.** *Le continu et le discontinu, le discret*.* — Math. *Puissance du continu :* puissance de l'ensemble des nombres réels.

1 Une partie de l'étendue est un continu formé par la contiguïté d'autres parties étendues.
CONDILLAC, Traité des sensations, III.

1.1 Qu'est-ce au juste que ce continu sur lequel les mathématiciens raisonnent ? (...) Partons de l'échelle des nombres entiers ; entre deux échelons consécutifs, intercalons un ou plusieurs échelons intermédiaires, puis entre ces échelons nouveaux d'autres encore, et ainsi de suite indéfiniment. Nous aurons ainsi un nombre illimité de termes, ce seront les nombres que l'on appelle fractionnaires, rationnels ou commensurables. Mais ce n'est pas assez encore ; entre ces termes qui sont pourtant déjà en nombre infini, il faut encore en intercaler d'autres, que l'on appelle irrationnels ou incommensurables.
Avant d'aller plus loin, faisons une première remarque. Le continu ainsi conçu n'est plus qu'une collection d'individus rangés dans un certain ordre, en nombre infini, il est vrai, mais extérieurs les uns aux autres. Ce n'est pas là la conception ordinaire, où l'on suppose entre les éléments du continu une sorte de lien intime qui en fait un tout, où le point ne préexiste pas à la ligne, mais la ligne au point. De la célèbre formule, le continu est l'unité dans la multiplicité, la multiplicité seule subsiste, l'unité a disparu. Les analystes n'en ont pas moins raison de définir leur continu comme ils le font, puisque c'est toujours sur celui-là qu'ils raisonnent depuis qu'ils se piquent de rigueur. Mais c'est assez pour nous avertir que le véritable continu mathématique est tout autre chose que celui des physiciens et celui des métaphysiciens.
H. POINCARÉ, la Science et l'Hypothèse, p. 29.

1.2 À l'époque de Cantor, il y a eu certainement des géomètres pour trouver puérile la courbe de Cantor emplissant un continu à deux dimensions ou son ensemble triadique.
R. QUENEAU, Bâtons, chiffres et lettres, p. 326.

♦ **2** Qui n'est pas interrompu dans le temps. → **Constant, continuel** (cit. 1) **durable, immuable, incessant, infini, ininterrompu, interminable, invariable, permanent, perpétuel, persistant, sempiternel, successif.** *Une pluie continue. Mouvement continu. Un bruit continu. Une action continue. Un jet continu de vapeur. Une suite, une série continue de désastres. Fournir un effort, un travail continu.* → **Assidu, indéfectible, opiniâtre, prolongé, soutenu, suivi.**

2 Comme il doit être fatigant et attristant, cet effort continu pour se conformer aux opinions, règles et convenances du monde impossible qui les entoure.
Valery LARBAUD, Amants, heureux amants, p. 126.

3 Le doute le torturait et le retenait. Mais je savais aussi que le doute était pour lui une souffrance continue, une obsession. A. MAUROIS, Climats, II, XVIII, p. 246.

3.1 (...) les flocons blancs tombent toujours avec la même lenteur, d'une chute verticale et régulière. C'est sans doute ce mouvement continu, uniforme, inaltérable, que le soldat contemple, immobile à sa table entre ses deux compagnons.
A. ROBBE-GRILLET, Dans le labyrinthe, p. 109.

3.2 Ses paroles ne forment jamais un discours continu : on dirait des morceaux découpés que plus rien ne relie entre eux, en dépit du ton appliqué laissant supposer un ensemble cohérent (...)
A. ROBBE-GRILLET, la Maison de rendez-vous, p. 95.

Dr. *Servitude* continue.* — Électr. (et cour.). *Courant* continu.* — Méd. *Fièvre* continue.* → 1. **Continent.** — Mus. *Basse* continue.* → **Continuo.** — Philos. *Création* continue. Feu continu. Poêle, four à feu continu. L'artillerie bombarde d'un feu continu.* → **Roulant.**

Loc. *À jet continu.* — *Journée continue* : horaire de travail ne comportant qu'une brève interruption pour le repas.

4 La masse anglaise nourrissait ce feu continu quand elle était attaquée.   VOLTAIRE, Louis XV, 15.

5 Agir, c'est une création continue. La nature crée sans arrêt des formes qui n'ont aucune valeur pour elles-mêmes, mais l'ensemble de ces créations infinitésimales est la vie.
    Edmond JALOUX, la Chute d'Icare, p. 217.

Techn. *Métier à tisser continu.* — **N. m.** :

6 Il existe plusieurs types de banc à filer au sec. Le plus répandu est le continu à anneau qui est exactement un continu à coton adapté aux dimensions de la fibre technique de lin. Il se compose, comme tout banc à filer, d'une tête d'étirage, d'une broche et d'un système de renvidage.
    Jacques LOURD, le Lin et l'Industrie linière, p. 56.

Loc. Cour. EN CONTINU : d'une manière continue, sans interruption. «*Débiter en continu des feuilles de placage*» (J.-C. Reggiani, *Industries et commerce du bois*, p. 48).

7 Les progrès récents suivent la tendance générale de l'industrie à réaliser la fabrication *en continu*.
    F. MEYER et P. GRIVET, le Verre.

CONTR. Alternatif, cessant, changeant, coupé, discontinu, discret, divisé, entrecoupé, intermittent, interrompu, momentané, séparé, sporadique, temporaire, variable. ◊ **DÉR. Continuel, continuité, continûment. ◄ COMP. Discontinu. ◄ HOM.** Formes du v. **continuer.**

CONTINUATEUR, TRICE [kɔ̃tinɥatœʀ, tʀis] n. — 1579; de *continuer.*
Personne qui continue ce qu'une autre a commencé. *Mazarin, le continuateur de Richelieu.* → **Successeur.** *Indira Gandhi, continuatrice de la politique de Nehru.*
Adj. *Ministre continuateur de la politique de ses prédécesseurs. Écrivain continuateur d'une tradition d'école.*

(...) le digne continuateur des vieux trouveurs qui ont essayé de transvaser dans le cristal léger de notre langue l'enivrant breuvage où les amants de Cornouailles goûtèrent jadis l'amour et la mort.
    G. PARIS, Préface, in BÉDIER, Tristan et Iseut, p. 1.

CONTR. Devancier, novateur, promoteur.

CONTINUATION [kɔ̃tinɥasjɔ̃] n. f. — 1283; de *continuer.*

◆ **1** Action de continuer* (qqch.); résultat de cette action. → **Poursuite, reprise, suite.** *Se charger de la continuation d'une œuvre.*

1 L'idée de continuation est quelquefois introduite dans le verbe lui-même, au moyen du préfixe *pour* : pour*suivre*, pour*chasser*.
    F. BRUNOT, la Pensée et la Langue, III, XI, C, VI, p. 450.

Fam. *Bonne continuation!,* souhait que l'on adresse à quelqu'un qui semble se plaire à ce qu'il fait.

◆ **2** (1370). Le fait d'être continué, de se continuer. → **Prolongation, prolongement.** *La continuation des pluies. La continuation de la guerre. Continuation d'un mouvement.* → **Inertie** (principe d'inertie).

2 Les miracles sont plus importants que vous ne pensez : ils ont servi à la fondation, et serviront à la continuation de l'Église, jusqu'à l'Antéchrist, jusqu'à la fin.
    PASCAL, Pensée, XIII, 852.

3 (...) croyez bien que je compte sur la continuation de notre amitié sérieuse.
    SAINTE-BEUVE, Correspondance 303, 21 juil. 1833, t. I, p. 375.

4 *(Le)* débat, qui était de savoir si le christianisme était une continuation du mosaïsme ou une religion nouvelle.
    Pierre LEROUX, De l'humanité, 1840, t. II, p. 781, *in* T.L.F.

Dr. *Affaire en continuation.*

Accueillant la requête de Mᵉ Houssepard, la Cour renvoie l'affaire en continuation au lendemain, et désigne un médecin, qui examinera Louis Martin, séance tenante, et fera son rapport verbal à l'audience.   5
    H. TROYAT, la Tête sur les épaules, p. 84.

CONTR. Arrêt, cessation, division, interruption.

CONTINUEL, ELLE [kɔ̃tinɥɛl] adj. — V. 1180; «qui suit sans retard», 1174; «continu dans l'espace», v. 1169; de *continu.*
Qui dure sans interruption ou se répète à intervalles rapprochés (pendant une durée ainsi occupée). → **Continu, éternel, fréquent, perpétuel, sempiternel.** *Pluie continuelle. Changement continuel. Faire des efforts continuels. Vivre dans une inquiétude* continuelle, dans des soucis continuels. Un refus continuel d'obéir.* → **Constant.** *Chômage continuel.* → **Chronique.** *Allées et venues continuelles.* → **Incessant.**

Le sens de *continu* se trouve affaibli dans *continuel* qui   1
n'en contient qu'une image approchante et qui suppose des intervalles et des reprises. Le cliquet d'un moulin en mouvement ne fait pas un bruit *continu*, car ce bruit se compose de retours périodiques, séparés par des intervalles de silence; mais il fait un bruit *continuel*, car ce bruit ne cesse de se renouveler tant que le moulin tourne.
    LAFAYE, Dict. des synonymes, p. 263.

(...) les continuels éclats de rire que le parterre y fait (*à* 2
cette pièce).
    MOLIÈRE, Critique de l'École des femmes, 5.

(...) notre vie est une perpétuelle rougeur, parce qu'elle est 3
une faute continuelle.
    CHATEAUBRIAND, Mémoires d'outre-tombe, t. II, p. 285.

Une pensée profonde est en continuel devenir, épouse l'expérience d'une vie et s'y façonne.   4
    CAMUS, le Mythe de Sisyphe, p. 154.

CONTR. Interrompu, momentané, rare. ◊ **DÉR. Continuellement.**

CONTINUELLEMENT [kɔ̃tinɥɛlmã] adv. — 1393, *continüellement; continuelement,* 1160; de *continuel.*
D'une manière continuelle, de façon ininterrompue, ou en se répétant très fréquemment. → **Arrêt** (sans), **cesse** (sans), **constamment, continûment, journellement, relâche** (sans), **répit** (sans), **temps** (tout le temps), **toujours** (→ À tout bout* de champ, à toute heure*, à chaque instant, à longueur de journée*, du matin* au soir, à tout moment*, nuit* et jour). *Travailler continuellement.* → **Arrache-pied** (d'), **assidûment.** *Jouer, se distraire continuellement. La pluie est tombée continuellement. Nous avons continuellement des réclamations.*

CONTR. Discontinûment, momentanément, rarement; cf. Temps (de temps en temps).

CONTINUER [kɔ̃tinɥe] v. — 1160; lat. *continuare* «tenir ensemble», de *continuus.* → Continu.

I V. tr. ◆ **1** Faire ou maintenir encore, plus longtemps; ne pas interrompre (ce qui est commencé). → **Persévérer** (à, dans), **poursuivre.** *Continuer ses études, ses travaux, ses démarches. Continuer une œuvre, une tâche jusqu'à son achèvement. Continuer sa lecture. Continuer une tradition.* → **Perpétuer.** *Continuer son voyage, sa route.* — **Loc. fig.** *Continuer son chemin, sa route* : passer sur un obstacle, à une objection.

On ne revient pas au passé. Il faut continuer sa route.   1
    R. ROLLAND, Jean-Christophe, t. II, p. 208.

Le baron, son mari, continuait de son mieux la tradition 2
des gentilshommes oisifs.
    J. ROMAINS, les Hommes de bonne volonté, t. III, XIII, p. 177.

2.1 Ils ont continué leur petit bonhomme de chemin entre la paix et la guerre.
> DRIEU LA ROCHELLE, la Comédie de Charleroi, p. 122.

Trans. ind. *Continuer à, continuer de* (et inf.). *Continuer d'être, de vivre* (→ **Survivre; subsister**). *Continuer à se battre.* → **Résister.** *Continuer à boire, à fumer.* **Pron.** *L'homme se continue dans ses enfants.* → **Perpétuer** (se).
Ellipt. *Poursuivre une occupation. Continuez! On continue. On commence par ceci, on continue par cela. Si vous continuez ainsi, cela finira mal. Il lui est impossible de continuer dans ce bruit.*

3 (...) ces effrontés continuent de parler (...)
> LA BRUYÈRE, les Caractères de Théophraste. De l'image d'un coquin.

4 Continuez de chanter et de souffrir : c'est le plus noble état d'un cœur mortel.
> SAINTE-BEUVE, Correspondance, I, p. 113.

5 (...) l'artillerie continuait à éventrer le sol disputé.
> G. DUHAMEL, Récits des temps de guerre, t. I, II, p. 160.

6 Continuez, Madame, et comptez sur moi, on est trop honoré de pouvoir contribuer au bien que vous faites (...)
> MARMONTEL, Contes moraux, Femme comme il y en a peu.

7 Pensez-vous que Calchas continue à se taire (...)?
> RACINE, Iphigénie, I, 3.

8 (...) si notre vie est vagabonde notre mémoire est sédentaire, et nous avons beau nous élancer sans trêve, nos souvenirs, eux, rivés aux lieux dont nous nous détachons, continuent à y continuer leur vie casanière (...)
> PROUST, À la recherche du temps perdu, t. XV, p. 159.

Poursuivre (ce qui a été commencé par un autre). *Continuer la politique de ses prédécesseurs.* → **Reprendre.** *Continuer un bail* (→ **Prolongation, reconduction, renouvellement, suite**).
Par ext. *Mazarin continua Richelieu,* continua son action, sa politique.
Vieilli. *Continuer (qqch.) à (qqn),* ne pas cesser de lui donner (qqch.). *Continuer ses bienfaits à quelqu'un. Continuer sa pension à un mutilé.*

9 Vous, continuez-lui ce service fidèle (...)
> CORNEILLE, Pompée, III, 1.

10 On continua la possession des fiefs pour de l'argent, comme on continuait la possession des comtés.
> MONTESQUIEU, Esprit des lois, XXXI, 1.

Par ext. (en emploi absolu). *Reprendre, après une interruption.*

♦ **2** *Prolonger* (qqch.) *dans l'espace.* → **Étendre, pousser, prolonger.** *Continuer une ligne, une droite. Continuer une allée, une route.* — (Sujet n. de chose). *Une allée continue la route après la grille.*

♦ **3** Vx. *Maintenir* (qqn dans ses fonctions). → **Conserver, laisser, maintenir.** *On le continua dans son commandement, dans son gouvernement* (Académie).

11 Louis XIV voulut que le doge qui viendrait lui demander pardon fût continué dans sa principauté.
> VOLTAIRE, le Siècle de Louis XIV, 14.

II V. intr. (Sujet n. de chose). ♦ **1** *Ne pas s'arrêter; occuper encore une durée.* → **Durer.** *La pluie continue, ne cesse pas.* → **Continu, continuel.** *La guerre ne continuera pas longtemps. Les choses continuent, vont leur train*. *Le contrat continue.* → **Tenir** (il tient toujours). *Les victoires continuent.* → **Succéder** (se). *La fête, la séance continue,* elle ne cesse pas, ne s'arrête pas. *La vie continue, tout continue comme auparavant.*

12 Dans la vie, rien ne se résout; tout continue.
> GIDE, les Faux-monnayeurs, III, X, p. 406.

(...) la vie continue, cahin-caha (...) Et la paix aussi! 13
> MARTIN DU GARD, les Thibault, t. V, p. 182.

J'entends encore ce bruit décevant qui croît, fait naître 14 l'espoir d'un arrêt, puis continue, décroît et s'éloigne.
> A. MAUROIS, Climats, II, XX, p. 253.

♦ **2** *S'étendre plus loin.* → **Poursuivre** (se), **prolonger** (se). *Cette route continue jusqu'à Paris. Chaîne de montagnes qui continue jusqu'à la mer.*

♦ **SE CONTINUER** v. pron.
Continuer (II., 2.). *La route se continue jusqu'au village.*

CONTR. Abandonner, achever (s'), **arrêter, cesser, commencer, couper, demeurer** (court), **discontinuer, entrecouper, finir, interrompre, renoncer** (à), **renouveler, suspendre, terminer.** ◊ **DÉR. Continuateur, continuation.** ← **COMP. Discontinuer.**

CONTINUITÉ [kɔ̃tinyite] n. f. — V. 1380; de *continu.*

♦ **1** Caractère de ce qui est continu*. → **Constance, enchaînement, ininterruption, liaison.** — (Dans l'espace). *La continuité des parties. La continuité des vertèbres.*

♦ **2** (Dans le temps). → **Constance, pérennité, permanence, persistance, stabilité.** *La continuité d'une action. La continuité d'un bruit.* — *Absence de rupture. Principe de la continuité de l'État. Assurer la continuité d'une entreprise* (→ **Maintien**), *d'une tradition, d'une espèce* (→ **Perpétuation**). *Faire preuve de continuité dans un travail.* → **Assiduité** (cit. 2), **persévérance.** *Le changement, la réforme dans la continuité.*

J'ai (...) essayé d'imiter des anciens cette continuité d'action 1 qui fait que leur théâtre ne demeure jamais vide (...)
> RACINE, Athalie, Préface.

Il me fit sentir que (...) la continuité des petits devoirs 2 toujours bien remplis ne demandait pas moins de force que les actions héroïques (...)
> ROUSSEAU, les Confessions, III.

Son docile attelage ne se pressait pas plus que lui; mais, 3 grâce à la continuité d'un labeur sans distraction et d'une dépense de forces éprouvées et soutenues, son sillon était aussi vite creusé que celui de son fils (...)
> G. SAND, la Mare au diable, II, p. 19.

Le Gouvernement et la France m'ont gardé pendant neuf 3.1 ans au Maroc. C'est uniquement à cette continuité de méthode et de commandement à quoi sont dus les quelques avantages que l'on a pu en retirer.
> L.-H. LYAUTEY, Paroles d'action, p. 320.

Philos. *Loi de continuité.*

Le principe, que tout se fait dans la nature par degrés 4 insensibles, est celui que Leibniz et ses sectateurs ont appelé loi de continuité.
> D'ALEMBERT, Éloges, Bernoulli.

♦ **3** Loc. *Solution* * (cit. 1, 2) *de continuité.* → **Brisure, coupure, hiatus, interruption, rupture.** *Une brusque solution de continuité.*

Figuré :

Vous me demandez ce qui a fait cette solution de conti- 5 nuité entre la Fare et Mᵐᵉ de la Sablière : c'est la bassette (...)
> Mᵐᵉ DE SÉVIGNÉ, 831, 14 juil. 1680.

Il faut une solution brusque de continuité, une rupture 6 avec la mode (...) > H. BERGSON, le Rire, p. 80.

CONTR. Coupure, division, intermittence, interruption, isolement, séparation, suspension. ◊ **COMP. Discontinuité.**

CONTINÛMENT [kɔ̃tinymɑ̃] adv. — 1694; *continuement,* 1302; de *continu.*

D'une manière constante, soutenue (plus actif que *continuellement*). — *Filet d'eau qui tombe continûment, sans interruption.*

(...) je n'écoutais pas Banville. Je le regrette amèrement, et j'ai perdu ce jour-là une belle occasion d'entendre sa causerie triomphale, métaphorique, lyrique et continûment spirituelle dont ses *Souvenirs* nous donnent la sensation lointaine et affaiblie.

J. RENARD, Journal, 26 sept. 1889.

CONTINUO [kɔ̃tinɥo; kɔ̃tinyo] n. m. — XXᵉ; mot ital., «continu».

Mus. Basse* continue.

CONTINUUM [kɔ̃tinɥɔm; kɔ̃tinyɔm] n. m. — 1710, Leibniz, *in* D.D.L.; mot lat., «le continu», neutre de *continuus*. → Continu.

♦ **1** Didact. et philos. Objet ou phénomène dont on ne peut considérer une partie que par abstraction.

1 La Pythie ne saurait dicter un poème.
Mais un vers — c'est-à-dire une *unité* — et puis un autre.
Cette déesse du Continuum est incapable de continuer.
C'est le Discontinuum qui bouche les trous.

VALÉRY, Tel quel, II, Rhumbs, Littérature, Œ., t. II, Pl., p. 628.

2 Tout objet est ainsi une forme imposée à une matière. Une poutre est un continuum de bois, dans une dimension principale, avant de fournir une matière à des objets façonnés.

Pierre SCHAEFFER, la Musique concrète, p. 39.

♦ **2** (1905). Phys. Ensemble d'éléments homogènes. — (1935). *Le continuum espace-temps :* espace (I., A., 3.) dont la quatrième dimension est le temps (relativité).

CONTONDANT, ANTE [kɔ̃tɔ̃dɑ̃, ɑ̃t] adj. — 1503; p. prés. de l'anc. v. *contondre*, lat. *contundere* «frapper». → Contusion.

Dr., didact. ou plais. Qui blesse*, meurtrit sans couper ni percer. *Instrument contondant. Un marteau, une massue sont des objets contondants.*

1 Le meurtrier a dû se servir à la fois d'une arme contondante et d'une arme tranchante.

J. ROMAINS, les Hommes de bonne volonté, t. II, I, p. 9.

2 Laissant la jeune Walkyrie balancer à travers son living-room gothique de la rue de Courcelles les bustes en terre cuite de ses compositeurs préférés, le Mozart divin pour tirer à vue, mais si fragile, le Wagner à plus longue portée, mais résolument contondant — surtout à la visière du béret (...)
A. BLONDIN, M. Jadis, p. 25.

CONTR. Coupant, perçant, perforant, piquant, tranchant.

CONTORNIATE [kɔ̃tɔRnjat] adj. et n. m. ou f. — 1754; mot ital., de *contorno* «contour».

Didact. Se dit des médailles dont le champ est bordé d'une rainure circulaire. *Médaille contorniate. Médaillon contorniate.*

N. m. ou f. *Un* ou *une contorniate.* — REM. Le substantif semble avoir été féminin jusque vers 1860 (Académie, 1787, Bescherelle, Littré), les dictionnaires ultérieurs enregistrant plutôt le masculin (Larousse, Dict. général).

CONTORSION [kɔ̃tɔRsjɔ̃] n. f. — XIVᵉ; bas lat. *contorsio,* lat. class. *contortio,* du supin de *contorquere,* de *con-*(cum), et *torquere* «tordre» (→ Tordre).

♦ **1** (1611). Vx. Action, fait de déformer en tordant. → Torsion.

1 Si vous aviez vu la violente contorsion que cet éclat de bombe fit à son épée (...)
Mᵐᵉ DE SÉVIGNÉ, 1108, 19 déc. 1688.

(1664). Fig. *Donner une contorsion à la vérité,* la déformer. → Déformation, entorse (fig.).

♦ **2** (Vieilli en parlant d'un être humain). Mouvement violent par lequel se tordent et se contractent irrégulièrement les membres, les muscles du corps. → Contraction, convulsion, torsion. *La contorsion des bras. Contorsion de tous les membres. Souffrir mille contorsions. Contorsion anormale des muscles.*

L'officier qui entra pour l'arrêter le trouva dans des contorsions étranges. SAINT-SIMON, Mémoires, III, 12.

Déchiqueter de malheureux insectes (...) pour le plaisir de voir leurs contorsions grotesques.
R. ROLLAND, Jean-Christophe, L'adolescent, p. 266.

Mod. Attitude acrobatique; mouvement volontaire et anormal de parties du corps. → Contorsionniste. *Les contorsions d'un acrobate.* → Acrobatie.

♦ **3** Attitude outrée, gestes affectés. → Affectation, agitation, grimace. *Les contorsions d'un courtisan obséquieux, affecté.* → Embarras, manière. — (Abstrait). *Les contorsions d'un manœuvrier, d'un homme politique. Les contorsions de la pensée.*

Et je ne hais rien tant que les contorsions
De tous ces grands faiseurs de protestations.
MOLIÈRE, le Misanthrope, I, 1.

Vous croyez apprendre à vivre à vos enfants, en leur enseignant certaines contorsions du corps et certaines formules de paroles qui ne signifient rien.
ROUSSEAU, Émile, IV.

(...) lu quelques pages de La Bruyère, qui m'ont lavé de toutes les agitations, les tourments, les médiocres et vaines contorsions de ce jour.
GIDE, Journal, 21 oct. 1929, p. 946.

DÉR. Contorsionner, contorsionniste.

CONTORSIONNER [kɔ̃tɔRsjɔne] v. tr. — 1771, Masson de Péray, *les Tableaux,* p. 11, *in* D.D.L.; de *contorsion.*

Rare. Faire se tordre en tous sens (une partie du corps humain). → Contracter, convulser.

1 (Un sommeil) d'où me tirent, en me faisant maudire l'existence, des crampes dans les jambes qui me contorsionnent douloureusement et les mâchoires contractées qui me font me mordre la langue.
B. CENDRARS, Bourlinguer, 1948, p. 109, *in* T.L.F.

♦ **SE CONTORSIONNER** v. pron. Courant.

♦ **1** Faire des contorsions; spécialt, des contorsions acrobatiques. *Le clown se contorsionne.*

2 Avec quoi allais-je ramper, à l'avenir? Couché sur le bord de la route je me mettais à me contorsionner chaque fois que j'entendais venir une charrette. C'était pour qu'on ne s'imaginât pas que je dormais, ou me reposais.
S. BECKETT, Nouvelles, p. 95.

Littér. Avoir une forme tourmentée (comme un corps qui se contorsionne).

♦ **2** Avoir une attitude, des gestes affectés. → Grimacer, poser. *L'avocat se contorsionnait à la barre.* — (Abstrait). *Il a beau se contorsionner, il ne convaincra personne.*

♦ **CONTORSIONNÉ, ÉE** p. p. adj. *Pose, posture contorsionnée. — Formes, volutes contorsionnées.* → Tourmenté. — (Abstrait). *Raisonnements contorsionnés.*

CONTORSIONNISTE [kɔ̃tɔRsjɔnist] n. — V. 1860; de *contorsion.*

Acrobate spécialisé dans les contorsions.

La belle Aurora, monsieur Guibal, c'était une contorsionniste qui débutait à l'Élysée-Montmartre dans les années trente avec un numéro de cobra (...)
F. MALLET-JORIS, le Jeu du souterrain, p. 150.

CONTOUR [kɔ̃tuR] n. m. — V. 1200, «enceinte», de *contourner,* avec infl. de l'ital. *contorno.*

♦ **1** Vieilli. Limite circulaire (d'une étendue) ou en courbe fermée. → Bordure, enceinte, pourtour, tour. *Le contour d'une forêt. Le contour d'une ville.* → Circuit, périmètre.

♦ **2** (1651). Mod. Limite extérieure (d'un objet, d'un corps). → Bord, bordure, délinéament, limite, périmètre, périphérie, tour. *Le contour d'une table, d'un tapis, d'une colonne, d'un vase. Contour d'une pièce chantournée.* → Chantournement. *Contour précis,* net. *Contour imprécis d'une ébauche, d'une esquisse. Contour apparent* d'un objet représenté en projection.* — (Au plur.). *Les contours :* la forme extérieure. *Le moelleux des contours. Esquisser, tracer, délimiter, arrondir, estomper les contours d'une figure. Dessiner les contours d'un paysage.* → **Courbe, forme, ondulation.** *Empâtement, bavochures des contours.*

1   (...) une lueur blanche à l'orient profilait le contour sombre des montagnes, dont la base était perdue dans l'ombre (...)
        LOTI, Aziyadé, XXI, p. 32.

2   Un étroit nuage y découpa *(dans le soleil)* comme dans une estampe japonaise, une bande noire aux contours précis.
        A. MAUROIS, les Discours du Dr O'Grady, IV, p. 41.

2.1   Lorsque le contour est assez précis pour permettre d'identifier la forme avec certitude, il est aisé de retrouver l'objet original, non loin de là. Ainsi la trace circulaire a-t-elle été visiblement laissée par un cendrier de verre, qui est posé juste à côté.
        A. ROBBE-GRILLET, Dans le labyrinthe, p. 10.

Spécialt. *Le contour du corps, du visage.* → **Forme, galbe.** *Contour du profil.* → **Profil.** — (Sans compl.). *Beauté, plénitude du contour. Pureté du (de) contour.* — (Au plur.). *Les contours (du corps humain).* → **Courbe, ligne.** *Draperie qui suit, épouse les contours* (→ **Mouler**)*. Des contours agréables, arrondis, élégants, fermes, gracieux, onduleux, pleins, purs. Plénitude des contours.*

3   Ses formes sveltes se tranformaient à vue d'œil en contours plus suaves et plus arrondis par l'adolescence.
        LAMARTINE, Graziella, IV, XXVII, p. 144.

4   (...) le tissu aérien qui l'effleure ne voilera pas les pleins contours de son beau corps.
        TAINE, Philosophie de l'art, t. II, V, I, 1, p. 232.

5   Ce corps, dont tous les contours sont doux, dont toutes les courbes séduisent, dont toutes les molles saillies troublent le cœur, semble fait pour l'immobilité du lit.
        MAUPASSANT, Sœurs Rondoli, II, p. 46.

6   Le profil droit; le menton un peu avancé, mais d'une irréprochable pureté de contour.
        LOTI, Matelot, XXXI, p. 122.

7   (...) le visage de son grand-père (...) se détachait sur la tenture sombre avec l'éclat net, le contour d'un Holbein.
        A. MAUROIS, Bernard Quesnay, I, p. 6.

Contour apparent : limite extérieure (d'un objet) telle qu'elle est perçue par un observateur, selon sa situation (par rapport à cet objet).

♦ **3** Aspect de ce qui est contourné. *Les contours d'un fleuve, d'une route de montagne.* → **Détour, lacet, méandre.** *Suivre les contours de la rivière.*

♦ **4** (Abstrait). Limites* extérieures (plus ou moins contournées).

8   (...) la rouerie qui serre habilement les contours du Code pénal (...)
        RENAN, Souvenirs d'enfance et de jeunesse, Préface, p. 14.

CONTOURNEMENT [kɔ̃turnəmã] n. m. — 1544; de *contourner.*

♦ **1** Action de contourner. *Le contournement des obstacles.* — *Autoroute de contournement d'une ville* (→ **Périphérique, rocade**).

♦ **2** Manière dont une chose est contournée; aspect d'une chose contournée. «*L'exubérance folle et les contournements excessifs du rococo*» (Gautier, *in* G. L. L. F.).

(Abstrait). *Les contournements de sa pensée, du style.*

CONTOURNER [kɔ̃turne] v. tr. — 1651; «entourer», 1512; «tourner (vers qqch.)», v. 1360; «être situé» (en parlant d'un terre), 1311; du bas lat. *contornare,* de *con- (cum)* et *tornare* (→ Tourner), d'après *tourner.*

♦ **1** (Avec infl. de l'ital. *contornare*). Rare. Tracer, façonner les contours de. → **Délinéer.** *Contourner*

des volutes, des arabesques; un vase (→ Arrondir, cit. 4).

Pronominal :

Maintenant elle allait aux charniers de Rome (...) partout   0.1
où la mort étale la décoration de ses restes, s'arrange et se
contourne en hideuse rocaille, se désosse en ornements.
        Ed. et J. DE GONCOURT, Madame Gervaisais, p. 337.

♦ **2** (1761). Cour. (Sujet n. de chose ou de personne). Faire le tour de, passer autour. *Le fleuve contourne la ville. Contourner les positions de l'ennemi.* → **Éviter, tourner.** *Contourner un obstacle.*

Alors, par mesure d'économie, on avait mis beaucoup de   1
monde sur une certaine *Saône,* qui avait de grandes voiles
et devait rentrer par la route ancienne en contournant le
cap de Bonne-Espérance.   LOTI, Matelot, XLV, p. 170.

Nos routes, les routes pour nos souliers et nos pneus, con-   1.1
tournent toujours, même si droites, ce bouquet de lauriers,
ce chalet en ruines, cette rivière flâneuse où quelqu'un,
jadis, nous a fixé rendez-vous.
        André HARDELLET, Lourdes, lentes..., p. 88.

Fig. *Contourner la loi, le code.* → **Tourner.**

♦ **3** (1548). Vieilli. Déformer* en courbant. → **Gauchir, tordre.** *Position qui contourne les jambes, chaleur qui contourne un morceau de bois.* — **Pron.** *Corps qui se contourne.* → **Contorsionner** (se)*,* **déjeter** (se)*.*

(...) ce long corps souple et caressant se contourne en des   2
émotions extrêmes, et ces deux bras jetés en avant, pour
les derniers refus, vont défaillir.
        E. FROMENTIN, Un été dans le Sahara, I, p. 34.

Fig. *Contourner son style.*

♦ **CONTOURNÉ, ÉE** p. p. adj. (1605, «dirigé vers»).

♦ **1** Qui présente des courbes et des contre-courbes ; (péj.) qui a un contour trop compliqué. *Pieds contournés.* → **Tors.** *Colonne contournée.* — *Jambes contournées. Corps contourné.* → **Tordu ; distors.**

(...) la frange d'or en fleuron contournée.   3
        CORNEILLE, Office de la Vierge, V, 59.

(...) ce carrosse dont l'époque est assez indiquée par les   4
glaces convexes, les panneaux bombés et les sophas contournés.
        RIMBAUD, Illuminations, Nocturne vulgaire.

À chaque étage, un domestique chinois se tient en faction,   5
figé dans une attitude improbable, contournée, comme on
voit aux statuettes d'ivoires ches les antiquaires de Kow-
loon (...)
        A. ROBBE-GRILLET, la Maison de rendez-vous, p. 48.

♦ **2** (1803). Affecté et compliqué. *Style, raisonnement contourné.* → **Affecté, tarabiscoté.** *Phrase contournée.*

♦ **3** Blason. Dont la tête est tournée vers la gauche. *Au lion contourné.*

(...) regardez l'aigle du IIIᵉ Reich qui porte dans ses serres   6
une couronne de feuilles de chênes où s'inscrit la croix
gammée : elle a la tête tournée à *senestre.* C'est une aigle
contournée, véritable aberration, réservée aux branches
bâtardes ou déchues des familles nobles.
        M. TOURNIER, le Roi des Aulnes, p. 322.

DÉR. Contour, contournement.

CONTRA- Élément, du lat. *contra* «contre ; en sens contraire». → **Contre-.**

CONTRACEPTIF, IVE [kɔ̃traseptif, iv] adj. et n. m. — 1955; angl. *contraceptive,* de *contra-* «contre», et *(con)ceptive* «de la conception». → Contraception.

Anglicisme.

♦ **1** Se dit d'un produit qui a des propriétés anti-conceptionnelles*. *Gelée contraceptive.* → **Spermicide.** *Pilule contraceptive.* → **Pilule** (1., b). — N. m. Ce produit. *L'usage des contraceptifs. Contraceptif féminin, masculin; oral, local.* «*Le 14 juillet du "birth-control" peut être fixé au 20 mai 1960. Ce* *jour-là, le premier contraceptif oral de l'histoire fut approuvé par l'administration américaine et nul, sans doute, ne prévoyait alors exactement les bouleversements qu'il allait entraîner»* (Science et Vie, n° 595, p. 64). *Les contraceptifs et les préservatifs*.* — Spécialt, cour. Contraceptif féminin oral (on ne parle guère de *contraceptif* pour désigner les contraceptifs locaux).

♦ **2** Qui constitue une contraception*, rend les rapports sexuels inféconds. *Les méthodes, les pratiques contraceptives. Les préservatifs* sont contraceptifs.* — Par ext. *Propagande contraceptive.* → **Anti-conceptionnel, 2.**

Les pratiques antinatales et surtout les pratiques contraceptives n'ayant guère de chance de se répandre dans une population misérable et illettrée (...)
Alfred SAUVY, Croissance zéro?, p. 90.

CONTRACEPTION [kɔ̃tʀasɛpsjɔ̃] n. f. — 1929, *in* Höfler; angl. *contraception*, de *contra-*, et *conception* «conception».

Anglicisme.

Ensemble des moyens employés pour provoquer l'infécondité chez la femme ou chez l'homme. *Contrôle des naissances et contraception. Méthodes de contraception.* → **Anti-conceptionnel, contraceptif.** *Liberté de la contraception.*

Ahurie, par exemple, de l'ignorance de Ferrier dans le domaine de la contraception, elle lui en explique les diverses méthodes en termes nets.
René FALLET, Y-a-t-il un docteur dans la salle?, p. 114.

(Qualifié). *Méthode de contraception. Contraception orale. Contraception hormonale. Contraception locale,* basée sur l'utilisation de préservatifs et de produits spermicides.

CONTRACTANT, ANTE [kɔ̃tʀaktɑ̃, ɑ̃t] adj. — 1472; de 1. *contracter.*

Dr. Qui contracte, qui s'engage par contrat. *Les parties contractantes.* — N. *Un, une contractant(e). Les contractants.* — Polit. *Les hautes parties contractantes.*

1 Entre contractants de bonne foi, les engagements se remplissent selon les termes dans lesquels ils ont été formés.
MIRABEAU, Collections, t. IV, p. 255.

2 Un juge siège comme arbitre dans un procès au civil. Il ne veut pas savoir si l'un des plaideurs est riche et l'autre pauvre. Si l'un des contractants est évidemment naïf, ignorant, ou pauvre d'esprit, le juge annule ou redresse le contrat.
ALAIN, Propos, p. 136.

COMP. Co-contractant.

CONTRACTE [kɔ̃tʀakt] adj. — 1532, attestation isolée; *contract,* 1680; lat. *contractus,* p. p. de *contrahere* «resserrer». → Contracter.

Gramm. Qui renferme des contractions. *La langue grecque contient des mots contractes. Déclinaison contracte. Forme contracte (ou contractée) de l'article défini après la préposition à, en français.* → **Au.**

CONTRACTÉ, ÉE [kɔ̃tʀakte] adj. — 1824; géom., 1784; p. p. de 2. *contracter.*

♦ **1** Qui est tendu, crispé. *Muscles contractés. Traits contractés par l'effort, par la douleur.* → **Crispé.** *Visage contracté.* — *Ne soyez pas si contracté : décontractez-vous.*

À ne voir que sa bouche contractée, ses sourcils plissés, on pouvait croire qu'elle était en proie à la torture d'un mal.
PROUST, Jean Santeuil, Pl., p. 657.

Fig. et fam. Inquiet, tendu.

♦ **2** Ling. Formé de deux éléments réunis en un seul. *Au, du, formes contractées (ou contractes) de* à le, de le. — Gramm. grecque. → **Contracte.**

1. CONTRACTER [kɔ̃tʀakte] v. tr. — 1361; du lat. jurid. *contractus,* du supin de *contrahere* «resserrer», de *con-* (*cum*) et *trahere* «tirer, traîner».

♦ **1** S'engager par un contrat, une convention, à satisfaire (une obligation), à respecter (des clauses). *Contracter une alliance, un pacte, un marché avec qqn. Contracter mariage. Contracter un engagement, des obligations. Contracter une assurance. Contracter un emprunt.* — Absolt. *Contracter par-devant notaire.*

L'alliance que Dieu avait contractée avec cette race (...)   1
BOSSUET, Hist., II, 3, *in* LITTRÉ.

Les époux contractent ensemble, par le seul fait du   2
mariage, l'obligation de nourrir, entretenir et élever leurs enfants.
Code civil, art, 2603.

Les incapables de contracter sont : les mineurs, les inter-   3
dits (...)
Code civil, art. 1124.

Fig. *Contracter une amitié. Contracter un lien avec qqn.* → **Lier** (se).

Cour. *Contracter des obligations, une dette envers qqn,* en acceptant un service, une aide, etc.

♦ **2** [a] (1680). *Personnes, esprits...* Acquérir, prendre (une habitude, un sentiment...) de qqn, de qqch. → **Former, gagner, prendre.** *Contracter une habitude, un vice. Il a contracté cette manie de sa mère.* — Au p. p. → ci-dessous cit. 7.

L'âme ne peut guère s'occuper fortement et longtemps d'un   4
objet sans contracter des dispositions qui s'y rapportent.
ROUSSEAU, Julie ou la Nouvelle Héloïse, II, Lettre II.

Si l'on prend une femme vicieuse, je ne dis pas que son   5
nourrisson contractera ses vices, mais je dis qu'il en pâtira.
ROUSSEAU, Émile, I.

Quoique de fort noble naissance, il avait contracté sous le   6
harnois plus qu'une habitude de soudard. La taverne lui plaisait, et ce qui s'ensuit.
HUGO, Notre-Dame de Paris, II, VII, 1.

(...) une fois contracté, le pli persiste.   7
TAINE, Philosophie de l'art, t. II, V, II, IV, p. 267.

[b] (Choses). Prendre (une caractéristique). *Ce liquide a contracté un mauvais goût.*

(...) les événements de cette lutte intestine *(la guerre des*   8
Chouans) contractèrent quelque chose de la sauvage âpreté qu'ont les mœurs en ces contrées *(en Bretagne).*
BALZAC, les Chouans, Pl., t. VII, p. 779.

♦ **3** (1572). *Personnes.* Attraper (un mal, une maladie). *Contracter une maladie. Contracter un rhume :* s'enrhumer. — Par ext. *Contracter une infirmité, une incapacité de travail.*

Il n'y a (...) mise à la retraite proportionnelle qu'autant   9
qu'il y a eu infirmité contractée dans le service (...)
COURTELINE, Messieurs les ronds-de-cuir, 3ᵉ tableau, III, p. 119.

Quelques hommes, pleins de force, contractent à Rome   10
une fièvre que la quinine ne prévient pas (...)
André SUARÈS, Trois hommes, «Ibsen», VI, p. 145.

CONTR. Dissoudre, rompre. — Perdre. ◊ DÉR. Contractant, contractuel. — HOM. 2. Contracter.

2. CONTRACTER [kɔ̃tʀakte] v. tr. — 1732; dér. du lat. *contractus,* de *contrahere* «resserrer». → 1. Contracter.

Réduire le volume de (un corps) sans modifier la masse. → **Diminuer, raccourcir, réduire, resserrer, tasser.** *Le froid contracte les corps.* — Spécialt. *Contracter les, ses muscles.* → **Bander, raidir, tendre.** *Contracter ses mâchoires.* → **Serrer.** *L'émotion contracte sa gorge.*

(...) à voir le sourire pétrifié qui contractait son visage, on   1
eût dit qu'il n'y avait plus dans Claude Frollo que les yeux de vivants.
HUGO, Notre-Dame de Paris, II, VII, II.

(...) pour le cœur profondément épris, l'excès d'émotion   2
contracte pour un instant tous les ressorts de la vie (...)
NERVAL, la Bohème galante, «Le rêve et la vie», p. 390.

3 (...) la flèche trempée dans le curare ne contracte pas les muscles, et ne les frappe pas d'une raideur plus convulsive.
André SUARÈS, Trois hommes «Ibsen», VIII, p. 172.

(1835). Gramm. Réunir, réduire deux voyelles, deux syllabes en une seule. *Contracter* à le *en* au; de le *en* du *(article contracté* ou contracte)*.

♦ **SE CONTRACTER** v. pron. *Son visage se contracte. Le cœur se contracte et se dilate alternativement* (→ **Contraction**; **systole**).

4 Las de s'être contractés tout l'hiver les arbres tout à coup se flattent d'être dupes. Ils ne peuvent plus y tenir : ils lâchent leurs paroles, un flot, un vomissement de vert.
Francis PONGE, le Parti pris des choses, p. 48.

Fig. Se tendre, se raidir intérieurement. *À la moindre parole, il se contracte, et se replie* sur lui-même.*

♦ **CONTRACTÉ, ÉE** p. p. → **Contracté**, adj.

CONTR. Augmenter, dilater, gonfler. — Décontracter, détendre, relâcher. ◊ COMP. Décontracter. ← HOM. 1. Contracter.

CONTRACTIF, IVE [kɔ̃traktif, iv] adj. — V. 1780; «resserré», XVᵉ; du lat. *contractus*. → 2. Contracter.

Rare. Qui fait se contracter.

CONTRACTILE [kɔ̃traktil] adj. — 1755; dér. sav. du lat. *contractus*. → 1. Contracter.

Physiol. Qui peut être contracté. *Fibre, muscle contractile. Organe contractile. Tissu contractile.*

On trouve qu'à l'état de simple masse protoplasmique la matière vivante est déjà irritable et contractile, qu'elle subit l'influence des stimulants extérieurs, qu'elle y répond par des réactions mécaniques, physiques et chimiques.
H. BERGSON, Matière et Mémoire, p. 14.

CONTR. Atone. — Dilatable, expansible, extensible. ◊ DÉR. Contractilité.

CONTRACTILITÉ [kɔ̃traktilite] n. f. — 1735; de *contractile*.

Physiol. Propriété que possèdent certains tissus organiques de changer de forme, de se contracter.

CONTRACTION [kɔ̃traksjɔ̃] n. f. — XVᵉ; *contraicion*, 1256; lat. *contractio*, du supin de *contrahere*. → 1. Contracter.

♦ **1** Vx. Diminution du volume (d'un corps) sans modification de sa masse; fait de se contracter*. *Contraction par le froid, la pression.* — Techn. *Contraction de la veine fluide* : étranglement observé à faible distance de l'orifice par lequel s'écoule un liquide.

Physiol. Diminution de volume ou de longueur (d'un muscle, d'un organe); spécialt, réaction du muscle. *Contractions fibrillaires* (→ **Fibrillation**). *Contraction musculaire. Contraction prolongée* (→ **Contracture, tétanie**). *Contraction brève* (→ **Crispation**). *Contraction anormale, violente, spasmodique.* → **Convulsion, crampe, spasme, trismus.** *Contraction du cœur*.* → **Systole.** *Contraction de la paroi d'un vaisseau sanguin.* → **Angiospasme.** *Contraction d'un sphincter.* → **Constriction.** *Contractions péristaltiques, antipéristaltiques, œsophagiques. Contraction de la pupille. Contraction pénible, douloureuse. Sensations de contraction causées par l'angoisse.* — *Les contractions (utérines) d'une femme qui va accoucher, qui accouche;* absolt *les contractions.* → **Douleur**(s).

1 Elle sentit une contraction douloureuse de l'estomac, un étouffement à la gorge, une brûlure de sang aux joues, une angoisse indicible.
FRANCE, Jocaste, VI, Œ., t. II, p. 67.

Cour. *Contractions des muscles du visage.* → **Crispation, rictus.** *La contraction de son visage trahissait sa colère.*

Les muscles de son visage n'ont plus les mêmes contractions que dans le sommeil. 2
J. ROMAINS, les Hommes de bonne volonté, t. III, XVII, p. 227.

Les traits bridés, sillonnés de contractions douloureuses 3
(...) le corps raidi, soulevé par une respiration difficile (...)
J. CHARDONNE, les Destinées sentimentales, p. 207.

♦ **2** (1560). Réduction par soudure de deux éléments linguistiques (→ **Contracte, contracté**). *Les crases*, les synérèses sont des contractions.*

Lotharingie, nommée depuis par contraction Lorraine. 4
VOLTAIRE, Essai sur les mœurs, 24.

♦ **3** Écon. Phénomène ou phase inverse de l'expansion* (caractérisée par la baisse de la production, de l'emploi, des investissements...). *La contraction peut précéder une véritable récession*, une crise*.*

CONTR. Dilatation, expansion, extension. Décontraction, distension, relâchement. ◊ COMP. Splénocontraction.

CONTRACTUALISER [kɔ̃traktɥalize] v. tr. — 1968; dér. du rad. de *contractuel.*

Admin. Attribuer à (qqn) le statut d'agent contractuel. — Au p. p. *Des agents récemment contractualisés.* — REM. On emploie aussi le dér. *contractualisation*, n. f.

CONTRACTUEL, ELLE [kɔ̃traktɥɛl] adj. et n. — 1596; dér. sav. du lat. *contractus*. → Contrat.

Droit.

♦ **1** Adj. Stipulé par contrat. *Obligation contractuelle. Action contractuelle. Date contractuelle.* — Qui constitue un contrat. *Rapports contractuels.* → Contrat, cit. 2.1.

♦ **2** Adj. *Agent contractuel* : agent non fonctionnaire coopérant à un service public. → **Auxiliaire.**

La plupart de ces employés contractuels des services secrets britanniques travaillaient clandestinement pour des organismes privés. 1
A. ROBBE-GRILLET, la Maison de rendez-vous, p. 163.

N. (1953). Cour. *Un contractuel, une contractuelle* : agent contractuel; spécialt (1959), agent de police contractuel (qui relève les infractions aux règles de stationnement). *Les contractuelles parisiennes furent appelées successivement, de par la couleur de leur uniforme, aubergines, puis pervenches.*

Sa petite Cooper était là, garée juste devant le magasin. 2
Elle avait eu la chance de lui trouver une place et, comme le contractuel l'aimait bien, elle avait pu l'y laisser tout l'après-midi. Paul VIALAR, Mon seul amour, p. 11.

CONTR. Unilatéral. ◊ DÉR. Contractualiser, contractuellement.

CONTRACTUELLEMENT [kɔ̃traktɥɛlmɑ̃] adv. — 1838; de *contractuel*.

Dr., admin. Par contrat. *Fixer contractuellement une rémunération.*

CONTRACTURE [kɔ̃traktyʁ] n. f. — 1676; «contraction», 1611; lat. *contractura*, de *contractus*, p. p. de *contrahere*. → 1. Contracter; cf. anc. franç. *contraiture*, 1256, de *contrait* «paralysé».

♦ **1** Archit. Rétrécissement de la partie supérieure (d'une colonne).

♦ **2** (1808). Méd. Contraction prolongée et involontaire d'un ou plusieurs muscles. → **Crampe, retirement, spasme, tétanie.** *Contracture réflexe. Le tétanos* *produit une forte contracture. — Souffrir d'une contracture. L'athlète a dû abandonner la compétition par suite d'une contracture.*

(...) Saint-Médard, les symptômes de la grande hystérie, ses contractures généralisées, ses résolutions musculaires (...)
HUYSMANS, Là-bas, IX, p. 147.

CONTR. Renflement. ◊ **DÉR.** Contracturer.

CONTRACTURER [kɔ̃traktyʀe] v. tr. — 1837, V. Duval, in *Dict. de la conversation,* in D. D. L.; archit., 1845; de *contracture* (2.).

Mod. Causer la contracture de. *Contracturer un muscle.*

CONTRADICTEUR, TRICE [kɔ̃tradiktœʀ, tʀis] n. — V. 1350; *contraditor,* v. 1200; lat. *contradictor,* du supin de *contradicere.* → Contredire.

Personne qui contredit. → **Adversaire, antagoniste, interrupteur, objecteur, opposant.** *Cet avis, cette opinion, cette théorie ont de nombreux contradicteurs. Un contradicteur courtois. Mon honorable contradicteur. Un contradicteur éloquent, redoutable, acharné. Confondre les contradicteurs. Réduire ses contradicteurs au silence. Réunion sans contradicteurs.*

1   En somme, la question romantique est portée par le seul fait d'*Hernani* de cent lieues en avant, et toutes les théories des contradicteurs sont bouleversées; il faut qu'ils en rebâtissent d'autres à nouveaux frais, que la prochaine pièce de Victor (*Hugo*) détruira encore.
SAINTE-BEUVE, Correspondance, 114,
8 mars 1830, t. I, p. 181.

2   Naïfs contradicteurs! C'est à eux que l'on doit de connaître et d'aimer les génies interdits!
R. ROLLAND, le Voyage intérieur, p. 42.

REM. Le fém. *contradictrice* n'est pas signalé par les dictionnaires de langue; on dira d'une femme qu'elle est *un contradicteur* ou *une contradictrice (redoutable, acharné[e]...).*

Adj. (rare). *Un esprit contradicteur. Une manie contradictrice.*

N. m. Dr. Chacune des parties opposées, dans un jugement contradictoire. Vx. *Légitime contradicteur.*

CONTR. Adepte, approbateur, partisan.

CONTRADICTION [kɔ̃tradiksjɔ̃] n. f. — V. 1120, *contradictiun;* lat. *contradictio,* du supin de *contradicere.* → Contredire.

♦ **1** Action de contredire qqn; échange d'idées entre ceux qui se contredisent. → **Contestation, démenti, dénégation, négation, objection, opposition, réfutation.** *La contradiction d'une personne par une autre. Opposer la contradiction à une opinion. Il ne supporte pas la contradiction.*

0.1   Contradiction est une mauvaise marque de vérité: plusieurs choses certaines sont contredites; plusieurs fausses passent sans contradiction. Ni la contradiction n'est marque de fausseté, ni l'incontradiction n'est marque de vérité.
PASCAL, Pensées, VI, 384.

1   (...) cela ne reçoit point de contradiction.
MOLIÈRE, l'Avare, II, 5.

(1558, *in* D. D. L.). *Esprit de contradiction :* disposition à contredire sans cesse. *Il critique par esprit de contradiction* (→ **Chicane, dispute**).

2   Son humeur noire lui donnait un esprit de contradiction.
FÉNELON, Télémaque, XXIV.

Une, des contradictions : ce qui contredit (qqn), énoncé, texte qui contredit.

3   Le trait le plus saillant de son caractère était une impatience chronique, un mécontentement perpétuel qui devenait de la rage à la plus légère contradiction.
LÉON BLOY, la Femme pauvre, II, p. 201.

Être en contradiction avec soi-même, avec ses principes.

4   Toujours en contradiction avec lui-même, toujours flottant entre ses penchants et ses devoirs, il ne sera jamais ni homme ni citoyen (...)
ROUSSEAU, Émile, I.

Spécialt. Le fait de soutenir une thèse opposée (à celle qui est présentée) dans un débat public. *Apporter, porter la contradiction.*

4.1   Le candidat modéré, le monsieur de Paris, était venu pour la contradiction.
ARAGON, les Beaux Quartiers, p. 92.

♦ **2** Vx. *Une, des contradictions :* empêchement, obstacle. → **Opposition; contrariété, difficulté.** *Les contradictions ne l'ont point rebuté* (Académie).

5   Tibère lui succéda sans contradiction.
BOSSUET, Hist., I, 10, *in* LITTRÉ.

6   Là, rien ne trahissait la vie. Une seule puissance, la force improductive de la glace, régnait sans contradiction.
BALZAC, Séraphîta, Pl., t. X, p. 463.

♦ **3** Relation qui existe entre deux termes, deux propositions qui affirment et nient le même élément de connaissance. → **Antilogie, antinomie, incompatibilité, inconséquence, opposition.** *Il y a contradiction entre A est vrai et A n'est pas vrai. Contradiction insoluble dans un raisonnement.* → **Aporie.** *Se heurter à, buter sur une contradiction. La contradiction n'est qu'apparente. Contradiction évidente, flagrante.*

Philos. *La contradiction chez Platon, chez Aristote.* — **Spécialt.** Catégorie dégagée par Marx dans sa critique de Feuerbach (à propos de la dialectique hégélienne). *Contradiction principale, secondaire selon Mao Tsê-tung* (la Contradiction, 1937). *Contradiction et antagonisme.*

7   L'idée fondamentale que la contradiction Capital-Travail n'est jamais simple mais qu'elle est toujours spécifiée par les formes et les circonstances historiques concrètes dans lesquelles elle s'exerce. Spécifiée par les formes de la superstructure (...) spécifiée par la situation historique interne et externe, qui la détermine en fonction du passé national lui-même d'une part (...) et du contexte mondial existant d'autre part (...) Qu'est-ce à dire, sinon que la contradiction apparemment simple est toujours surdéterminée?
L. ALTHUSSER, Pour Marx, p. 105.

7.1   (...) quelle que soit la spécificité de la contradiction, l'altérité déterminante entre des contraires inconciliables *(prolétariat-bourgeoisie)* semble impliquer que la contradiction ne dérive pas de l'existence autonome de chacun des termes *(existence des classes antérieures à leur rapport)* mais du procès constitutif de leur division antagoniste: primat de la contradiction (lutte des classes) sur les contraires (classes). Émerge alors la possibilité d'un idéalisme (formaliste) de la relation.
Georges LABICA, Critique du marxisme,
art. *Contradiction.*

Cour. Absurdité, invraisemblance. *Un tissu de contradictions.*

Caractère de ce qui réunit des éléments incompatibles. *Les contradictions de l'esprit humain, de la nature humaine, des civilisations* (cit. 14). *Être en proie à des contradictions. Résoudre des contradictions.* → 1. Pensée, cit. 11. *Les contradictions internes d'un système.*

8   Plus on voit ce monde, et plus on le voit plein de contradictions et d'inconséquences. À commencer par le Grand-Turc, il fait couper toutes les têtes qui lui déplaisent, et peut rarement conserver la sienne.
VOLTAIRE, Dict. philosophique, Contradiction.

9   Si quelque société littéraire veut entreprendre le dictionnaire des contradictions, je souscris pour vingt volumes in-folio.
Le monde ne subsiste que de contradictions; que faudrait-il pour les abolir? Assembler les États du genre humain. Mais de la manière dont les hommes sont faits, ce serait une nouvelle contradiction s'ils étaient d'accord. Assemblez tous les lapins de l'univers, il n'y aura pas deux avis

différents parmi eux.
VOLTAIRE, Dict. philosophique, Contradiction.

10 (...) ce regard fixe et sans pleurs (...) qu'elle avait depuis la mort de ma grand-mère était arrêté sur cette incompréhensible contradiction du souvenir du néant.
PROUST, À la recherche du temps perdu, t. IX,
p. 217.

11 (...) pendant deux mille ans, l'humanité faisait le mal mais honorait le bien. Cette contradiction était l'honneur de l'espèce humaine et constituait la fissure par où pouvait se glisser la civilisation.
Julien BENDA, la Trahison des clercs, III, p. 126.

Le mot incluant à la fois les sens 1 et 3 :

12 Mais il est (...) difficile de se contenter d'une seule manière de voir, de se priver de la contradiction, la plus subtile peut-être de toutes les forces spirituelles.
CAMUS, le Mythe de Sisyphe, p. 90.

Log. Proposition complexe qui est toujours fausse quelle que soit la valeur de vérité des propositions élémentaires. *La contradiction est une fausseté logique et une phrase asémantique.*

13 La phrase toujours vraie (tautologique, sémantique) et la phrase toujours fausse (contradictoire, asémantique) n'ont donc pas le même statut sémiotique. L'assimilation de la phrase asémantique à la tautologie est impossible : la phrase asémantique est du côté de la contradiction et non du côté de la tautologie. Or la contradiction et la tautologie ne sont pas comparables dans la langue naturelle. Celle-ci est autorisée à restituer le code, mais non à le contredire.
Josette REY-DEBOVE, le Sens de la tautologie,
in le Français moderne, oct. 1978, p. 327.

Principe de non-contradiction : principe d'identité*.

♦ **4** Ce qui contredit, s'oppose à qqch. → **Contraire.**

14 La dualité, qui est la contradiction de l'unité, en est aussi la conséquence.
BAUDELAIRE, Curiosités esthétiques, 1867, *in* T. L. F.

CONTR. Accord, analogie, approbation, cohésion, coïncidence, concordance, confirmation, correspondance, entente, identité, unanimité.

CONTRADICTOIRE [kɔ̃tʀadiktwaʀ] adj. — 1361; lat.
contradictorius, du supin de *contradicere.* → Contredire.

♦ **1** *Contradictoire à, avec (qqch.) :* qui contredit (qqch.). → **Contraire, opposé.** *Affirmation contradictoire à une autre, contradictoire avec la précédente.*

1 Ce discours au premier est fort contradictoire.
MOLIÈRE, l'Étourdi, I, 4.

♦ **2** Où il y a contradiction, discussion. *Débat, examen contradictoire. Réunion politique contradictoire.*

Dr. *Jugement, arrêt contradictoire,* entre des parties (contradicteurs) qui ont comparu (opposé à *par défaut*). *Procès-verbal contradictoire.*

♦ **3** Qui comporte des contradictions internes. *Raisonnement, attitude contradictoire. Proposition contradictoire,* dont les termes s'excluent nécessairement (ex. : Il est absent; il est présent). — *Âme, esprit contradictoire,* en proie à des contradictions. (Au plur.). Qui implique contradiction, incompatibilité. → **Antinomique, contraire, incompatible, subcontraire.** *Affirmations, allégations, assertions contradictoires. Prémisses contradictoires d'un dilemme. Caractères contradictoires. Passions, tendances contradictoires. Influences contradictoires* (→ Conjuguer, cit. 1). *Récits contradictoires.* → **Divergent.**

2 Tout le monde parlait à la fois dans un tohu-bohu d'affirmations contradictoires et de démentis insultants.
R. DORGELÈS, les Croix de bois, II, p. 26.

3 C'est une chose bien digne de remarque et de réflexion que les récits différents et même contradictoires, faits des mêmes événements par des témoins oculaires (...)
SAINTE-BEUVE, Correspondance, 12, 11 sept.,
1823, t. I, p. 43.

Et pas plus que le chrétien ne doit chercher à obtenir 4 conciliation de deux vérités contradictoires, telles que prescience de Dieu et libre arbitre individuel : de même devons-nous protéger en nous toutes les antinomies naturelles et comprendre que c'est grâce à leur irréductible opposition que nous vivons.
GIDE, Journal, janv. 1925, p. 802.

Tout ce qu'on peut dire de l'Amérique est vrai. Et les pen- 5 sées, les paroles les plus violemment contradictoires sont toutes vraies, en quelque mesure.
G. DUHAMEL, Scènes de la vie future, XV, p. 220.

Log. *Théorie contradictoire,* inconsistante*.

♦ **4 N. m. pl.** (1679). *Les contradictoires :* les termes qui s'excluent logiquement. *Les contradictoires et les contraires. Concilier les contradictoires.*

Voilà le sort des gens qui veulent assembler les contradic- 6 toires en contentant tout le monde (...)
RETZ, Mémoires, t. II, III, *in* LITTRÉ.

Ling., sémiot. Couple de deux termes identiques dont l'un est syntaxiquement nié (ex. : «froid» et «non froid», «vouloir» et «ne pas vouloir»). *Le carré sémiotique met en relation les contraires* et *les contradictoires.*

CONTR. Analogique, cohérent, concordant, identique, pareil, semblable, unanime. ◊ DÉR. Contradictoirement.

CONTRADICTOIREMENT [kɔ̃tʀadiktwaʀmɑ̃] adv.
— 1538; de *contradictoire.*

D'une manière contradictoire.

♦ **1** En organisant une confrontation. *Débattre contradictoirement d'un problème.*

Dr. En présence des parties (opposé à *par défaut*). *(...) que Fabrice soit jugé contradictoirement (ce qui veut dire lui présent).*
STENDHAL, la Chartreuse de Parme, II, p. 426.

♦ **2** De façon apparemment incompatible. *Ils ont répondu contradictoirement.* — (Adv. de phrase). *Contradictoirement, il n'a pas refusé de s'engager.*

♦ **3** *Contradictoirement à :* en s'opposant à. *Contradictoirement à ses habitudes.*

CONTRAGESTIF, IVE [kɔ̃tʀaʒɛstif, iv] adj. et n. m.
— 1986; de *contra-, -gest-* de *progestérone,* et *-if,* p.-ê. d'après *contraceptif;* mot mal formé.

Biol., pharm. Qui s'oppose aux effets de la progestérone, hormone indispensable à l'implantation de l'embryon et au maintien de la grossesse. *Pilule contragestive.* → **Abortif.**

N. m. *La délivrance des contragestifs est réglementée.*

CONTRAIGNABLE [kɔ̃tʀeɲabl] adj. — 1382; de *contraindre.*

Dr. Qui peut être contraint par voie de droit. *Il est contraignable par corps.*

Un Français reste cinq ans en prison, et après il en sort sans avoir payé ses dettes, il est vrai, car il n'est plus contraignable que par sa conscience qui le laisse toujours en repos (...)   BALZAC, la Cousine Bette, Pl., t. VI, p. 192.

CONTRAIGNANT, ANTE [kɔ̃tʀeɲɑ̃, ɑ̃t] adj. — 1370;
constreignant, XIIIᵉ; p. prés. de *contraindre.*

Qui contraint. *Une obligation, une nécessité contraignante.* → **Astreignant, désagréable, ennuyeux, pénible.**

(...) une sorte de traitement (...) qui n'est ni contraignant, 1 ni dégoûtant.   Mᵐᵉ DE SÉVIGNÉ, 964, 13 juin 1685.

(...) torse et membres obéissent à des règles si strictes, si 2 contraignantes, que la danseuse paraît maintenant tout à fait immobile, marquant seulement la mesure d'une imperceptible ondulation des reins.
A. ROBBE-GRILLET, la Maison de rendez-vous, p. 15.

CONTRAINDRE [kɔ̃tʀɛ̃dʀ] v. tr. [CONJUG.: *craindre.*] — V. 1174, pron.; «peser» aussi écrit *constreindre*, v. 1120; du lat. *constringere* «serrer», de con- (*cum*) et *stringere* «serrer».

♦ **1** Vx ou littér. Exercer une action contraire à. → **Contenir, empêcher, entraver, gêner, retenir.** *Contraindre les goûts, les passions de qqn. Contraindre ses propres passions, ses tendances.* → **Comprimer, refouler, réfréner, réprimer.** *Contraindre la liberté de qqn.* → **Diminuer, réduire, serrer** (la vis, fam.).

1   Il *(le Roi)* ne contraint plus l'inclination qu'il a pour elle *(la princesse de Conti).*
                      Mᵐᵉ DE SÉVIGNÉ, 778, 2 févr. 1680.

2   (...) l'extrême violence que chacun se fait à contraindre ses larmes (...)   LA BRUYÈRE, les Caractères, I, 50.

3   *(Il)* contraint son humeur (...) parle, agit contre ses sentiments.   LA BRUYÈRE, les Caractères, VIII, 2.

4   Bref, le cliché nous est signe que le langage soudain a pris le pas sur un esprit dont il vient contraindre la liberté, et le jeu naturel.
                      J. PAULHAN, les Fleurs de Tarbes, p. 46.

♦ **2** (1253). Forcer, obliger (qqn) à agir contre sa volonté. *Décidez librement, je ne veux pas vous contraindre. Contraindre qqn avec brutalité.* → **Brusquer, violenter.** *Contraindre qqn par le chantage, le dol, la menace.*

5   Écoutez, les volontés sont libres; et je suis homme à ne contraindre jamais personne.
                      MOLIÈRE, le Mariage forcé, 8.

(1283). Dr. Obliger par voie de droit (→ **Contrainte**). *Contraindre qqn par voie de justice. Contraindre par saisie de biens, par corps.*

Contraindre (qqn) à (qqch., à faire qqch.) : forcer, obliger (qqn) à (qqch., faire qqch.) contre sa volonté. *Contraindre qqn à agir contre son gré.* → **Acculer, astreindre, entraîner.** *La mort de son père l'a contraint à travailler de bonne heure* (→ **Exiger, imposer, ordonner**). *La nécessité, la force, la violence m'y a contraint. Contraindre qqn à l'obéissance, à la soumission.*

6   Le respect me force à me taire, la reconnaissance m'y oblige, l'autorité m'y contraint (...)
                      D'ALEMBERT, Dict. des synonymes, *in* LITTRÉ.

7   Tant qu'un homme est contraint d'obéir et qu'il obéit, il fait bien; sitôt qu'il peut secouer le joug, et qu'il le secoue, il fait encore mieux (...)
                      ROUSSEAU, Lettre à d'Alembert.

8   Tout ce qui n'est pas défendu par la Loi ne peut être empêché, et nul ne peut être contraint à faire ce qu'elle n'ordonne pas.
                      Déclaration des droits de l'homme, Constit. 3 sept. 1791, art. 5.

9   Le plus cruel de tous les malheurs, c'est d'être contraint par une force morale plus puissante que celle des événements à renoncer volontairement, heureux, au bonheur, vivant, à la vie.   HUGO, Bug-Jargal.

10   Elle *(la science)* a contraint les esprits à s'attendre toujours à des surprises dans tous les domaines où le langage et les discours ne font pas tout.   VALÉRY, Rhumbs, p. 130.

10.1 L'administrateur de l'époque, M. Bouquet, envoie quatre miliciens, accompagnés d'un sergent indigène, pour contraindre les gens au travail.
                      GIDE, Voyage au Congo, *in* Souvenirs, Pl., p. 742.

Littér. *Contraindre (qqn) de (faire qqch.).* *Les circonstances le contraignirent de quitter la France.*

♦ **SE CONTRAINDRE** v. pron.

→ **Contrôler** (se), **retenir** (se). *Se contraindre devant qqn. Se contraindre en qqch. Il ne se contraint en rien. Il n'aime pas se contraindre.*

11   (...) je ne me contraignis point devant lui de répandre quelques larmes, tellement amères, que je serais étouffée, s'il avait fallu me contraindre (...)
                      Mᵐᵉ DE SÉVIGNÉ, 934, 20 sept. 1684.

Il embarrasse tout le monde, ne se contraint pour per-   12
sonne, ne plaint personne (...)
                      LA BRUYÈRE, les Caractères, XI, 121.

Se contraindre à (qqch., faire qqch.). → **Forcer** (se), **obliger** (s').

Littér. *Se contraindre de (faire qqch.).*

CONTR. Autoriser, dispenser, laisser, permettre, tolérer. — Affranchir, libérer. ◊ DÉR. Contraignable, contraignant, contraint, contrainte.

CONTRAINT, AINTE [kɔ̃tʀɛ̃, ɛ̃t] adj. — XVIᵉ; *constrainct*, XIVᵉ; *costreinz*, XIIᵉ; p. p. de *contraindre*.

♦ **1** Qui est gêné, mal à l'aise; n'est pas naturel. *Air contraint, mine contrainte.* → **Embarrassé, emprunté, forcé, gauche, gêné.** *Un air prétentieux et contraint.* → **Affecté, artificiel, étudié.** *Sourire contraint. Posture, démarche, manière contrainte.*

(...) ce masque de gaieté contrainte, qu'on se colle au visage   1
pour rassurer les moribonds, ne put pas tenir sur mes joues (...)
                      Alphonse DAUDET, le Petit Chose, II, xv, p. 373.

Ses regards étaient lents, ses gestes contraints, son attitude   2
morne.   FRANCE, le Crime de S. Bonnard, Œ., t. II, p. 478.

Chacun d'eux se dépitait à ne sortir de soi rien que de sec,   3
de contraint (...)
                      GIDE, les Faux-monnayeurs, I, IX, p. 103.

Par anal. *Style contraint.*

(...) tout ce que la seule logique construit reste artificiel et   4
contraint.   GIDE, Journal, 12 mai 1927.

♦ **2** Loc. **CONTRAINT ET FORCÉ** [kɔ̃tʀɛ̃efɔʀse] : sous la contrainte. *Nous n'avons accepté que contraints et forcés.*

♦ **3** Mus. *Basse* contrainte.*

♦ **4** Ling. Entièrement déterminé par des règles, qui n'est pas laissé au choix de l'encodeur. «"J'avais faim, froid, et envie de fumer", *avec ses trois substantifs sans déterminants, est "contraint" : nous ne pouvons dire ni écrire autrement»* (J. Cellard, in le Monde, 17 mars 1974).

CONTRAINTE [kɔ̃tʀɛ̃t] n. f. — XIIᵉ; de *contraindre.*

♦ **1** Violence (exercée contre qqn); entrave à la liberté d'action. → **Coaction, coercition, force, pression, violence.** *Employer, exercer la contrainte; user de contrainte contre qqn, à l'égard de qqn, pour forcer qqn à faire qqch. Empêcher qqn d'agir, le retenir par la contrainte* : contraindre (→ **Empêchement, entrave, secret**). *Contrainte et nécessité* (cit. 2). *La contrainte des circonstances. Il le fera librement ou par contrainte, de gré ou de force.* — Loc. *Agir sous la contrainte.* — *Régime de contrainte. Contrainte physique.* — Vx. *La contrainte de qqn,* exercée par qqn → ci-dessous, cit. 1.

Il y en a d'aucunes qui prennent des maris (...) pour se   1
tirer de la contrainte de leurs parents (...)
                      MOLIÈRE, le Malade imaginaire, II, 6.

La contrainte, d'accord avec mon désir, suffit pour   2
l'anéantir et le changer en répugnance, en aversion même, pour peu qu'elle agisse trop fortement; et voilà ce qui me rend pénible la bonne œuvre qu'on exige et que je faisais de moi-même lorsqu'on ne l'exigeait pas.
                      ROUSSEAU, Rêveries..., 6ᵉ promenade.

Elles *(les femmes)* ne consentent qu'à la contrainte. Mais   3
alors avec enthousiasme.
                      GIRAUDOUX, la Guerre de Troie n'aura pas lieu, p. 32.

♦ **2** Règle obligatoire, pénible à appliquer. *La contrainte sociale, morale; une contrainte sociale.* → **Discipline, loi.** — Sociol. *Contrainte organisée* : les lois et règlements; *contrainte diffuse* : les mœurs et coutumes, la morale... — *Les contraintes de la*

*discipline, du devoir. Les contraintes de la vie fami-
liale.* → **Difficulté, exigence.** *Les contraintes de la
forme, de la métrique. S'imposer une contrainte. La
contrainte d'être toujours disponible.*

4 La contrainte d'un long respect humain finit par inspirer
un goût forcené pour l'impudeur.
HUGO, les Travailleurs de la mer, I, VI, VI.

5 (...) des corps affranchis de toutes les contraintes sociales,
et dont rien ne gêne ni n'a gêné la pousse (...)
TAINE, Philosophie de l'art, t. II, V, III, V, p. 308.

5.1 À aucun moment je ne me suis imposé la contrainte
d'avoir l'air un peu épris d'elle.
LOTI, Mme Chrysanthème, p. 104.

Ling. Obligations à respecter pour former un
énoncé normal, acceptable. *Contraintes logiques,
syntaxiques, de niveau de discours...*

5.2 (...) la liberté de combiner des phrases est la plus grande
qui soit, car il n'y a plus de contraintes au niveau de la
syntaxe (les contraintes de cohérence mentale du discours
qui peuvent subsister ne sont plus d'ordre linguistique).
R. BARTHES, Éléments de sémiologie, p. 143.

♦ **3** Gêne, retenue ; fait de se contraindre. *Agir avec
contrainte, dans la contrainte* (→ **Contraint**). *S'exprimer sans contrainte.*

6 Avec son dédain des autres, il pleura sans aucune contrainte ni honte, comme s'il eût été seul.
LOTI, Pêcheur d'Islande, III, IX, p. 170.

7 D'ailleurs l'entrain de Robert Michels, la promptitude de
ses reparties, les gestes tout méridionaux dont il les accompagnait, auraient suffi à dissiper la contrainte.
J. ROMAINS, les Hommes de bonne volonté, t. IV,
IX, p. 87.

♦ **4** **a** **Littér.** État d'une personne à qui l'on fait violence. → **Asservissement, assujettissement, captivité,
chaîne, esclavage, joug, oppression, servitude, sujétion, tutelle.** *Vivre dans la contrainte. Être sous une
dure, une pénible contrainte. Tenir qqn dans la contrainte.*

8 (...) la contrainte où l'on me tient (...)
MOLIÈRE, le Malade imaginaire, I, 4.

9 (...) profiter du chagrin et de la colère que donne à l'esprit
d'une femme la contrainte et la servitude.
MOLIÈRE, le Sicilien, 6.

b **Dr. pén.** Force physique de nature irrésistible
et imprévisible ou domination morale d'un tiers,
assez pressante pour asservir la volonté et enlever
la liberté d'esprit. *La contrainte permet au juge
d'admettre le défaut d'intention de l'auteur d'une
infraction.*

♦ **5** **Dr.** Acte de poursuite, mandement destiné
à permettre à l'administration de recourir aux
voies d'exécution contre un débiteur. *Contrainte
des régies. Contrainte administrative, ministérielle.
Porteur de contraintes.* → aussi **Débet** (arrêté de
débet).
Procéd. civ. *Contrainte par corps* : emprisonnement
destiné à obliger à payer au trésor public les condamnations à l'amende et aux frais de justice prononcées par les juridictions répressives (pour des
infractions n'ayant pas un caractère politique et
n'emportant pas peine perpétuelle).

10 (...) les négociants étant obligés de confier de grandes
sommes pour des temps souvent forts courts (...) il faut
que le débiteur remplisse toujours au temps fixé ses engagements ; ce qui suppose la contrainte par corps.
MONTESQUIEU, l'Esprit des lois, XX, 15.

♦ **6** **Sc.** **a** **Mécan.** Grandeur qui caractérise l'intensité des forces de contact superficielles. *Contrainte
de traction, de cisaillement.*

b **Chim.** Force empêchant certaines réactions chimiques de se produire sans catalyseur.

CONTR. Affranchissement, libération. — Arbitre (libre)**,
liberté. — Abandon, aisance, familiarité, laisser-aller,
naturel.**

CONTRAIRE [kɔ̃tʀɛʀ] adj. et n. m. — XIIe ; lat. *contrarius*
«opposé, défavorable», de *contra* «contre».

♦ **1** Qui présente la plus grande différence possible
(en parlant de deux choses du même genre) ; qui s'oppose à. → **Antinomique, antithétique, contradictoire,
incompatible, inverse, opposé ;** préf. **2. A-, anti-, contra-,
contre-, dé-, in-.** *Contraire à qqch. Son attitude est
contraire à la morale, à la raison. Le froid et le
chaud sont des concepts contraires. Deux opinions
contraires. Instincts, passions contraires. Cela est
contraire à mes habitudes. Jusqu'à avis contraire.
Concilier, ménager des choses contraires. — (Au sing.
ou au plur., sans compl. en à).* Contraire à une référence implicite. — **REM.** Cet emploi n'est plus aussi libre
que dans la langue classique → ci-dessous cit. 2, où
ordres contraires signifie «contraires à ceux qui avaient
été donnés». *Mots de sens, de valeur contraire.*

1 Les passions en engendrent souvent qui leur sont contraires : l'avarice produit quelquefois la prodigalité, et la
prodigalité l'avarice ; on est souvent ferme par faiblesse,
et audacieux par timidité.
LA ROCHEFOUCAULD, Maximes, 11.

2 Allons, par des ordres contraires,
Révoquer d'un méchant les ordres sanguinaires.
RACINE, Esther, III, 8.

3 (...) le cœur concilie les choses contraires, et admet les
incompatibles (...)
LA BRUYÈRE, les Caractères, IV, 73.

4 (...) un bon esprit repousse tout ce qui est contraire à la
raison, hors en matière de foi, où il convient de croire
aveuglément.
FRANCE, la Rôtisserie de la reine Pédauque, Œ.,
t. VIII, p. 86.

5 (...) l'accouplement des éléments contraires à la loi de la
vie, le principe de la fécondation (...)
PROUST, À la recherche du temps perdu, t. XI,
p. 133.

6 (...) Bergson observe (...) que langage et pensée sont de
nature contraire : celle-ci fugitive, personnelle, unique ;
celui-là fixe, commun, abstrait.
J. PAULHAN, les Fleurs de Tarbes, II, 5, p. 78.

De direction opposée. *Des routes contraires. Arriver
au même but par des voies contraires. Tirer en sens
contraire* (→ À hue et à dia).

7 Son cœur était comme la mer qui est le jouet de tous les
vents contraires (...) FÉNELON, Télémaque, VII.

8 Entraînés par la nature et par les hommes dans des routes
contraires, forcés de nous partager entre ces diverses
impulsions, nous en suivons une composée qui ne nous
mène ni à l'un ni à l'autre but. ROUSSEAU, Émile, I.

Log. *Propositions contraires,* se dit de deux propositions qui ne peuvent être vraies en même temps,
mais peuvent être fausses l'une et l'autre (→ **Contradictoire).** «*Tous les hommes sont bons*», «*aucun
homme n'est bon*», sont deux propositions universelles contraires.

Procéd. *Parties contraires en fait* : parties dont les
assertions sont contradictoires. — **Dr. rom.** *Action
contraire,* née accidentellement d'un fait postérieur
au contrat (s'oppose à *direct*).

Mus. *Mouvement contraire* (une partie ascendante,
une descendante).

♦ **2** (XIIe). **Littér.** ou style soutenu. Qui, en s'opposant,
gêne le cours d'une chose. → **Adverse, antagoniste,
défavorable, ennemi.** *Un sort, un destin contraire.
Vents contraires.*

Vieilli. *Contraire à.* → **Attentatoire, hostile, nuisible,
préjudiciable.** *Cet accident est contraire à ses desseins. Ces excès sont contraires à sa santé,* et, par
métonymie : *le vin lui est contraire. Déclarations contraires à la vérité, à la justice.*

9 (Le ciel) ne saurait m'être contraire, si vous m'êtes fidèle.
MOLIÈRE, les Fourberies de Scapin, I, 3.

10 (...) sonder mon père sur les sentiments où je suis ; et si je l'y trouve contraire (...)   MOLIÈRE, l'Avare, I, 2.

11 Tantôt il réunit quelques-uns qui étaient contraires les uns aux autres, et tantôt il divise quelques autres qui étaient unis.   LA BRUYÈRE, les Caractères, X, 12.

♦ **3** N. m. *Le contraire de qqch., son contraire :* ce qui est logiquement opposé (à qqch.). → **Antithèse, opposition.** *Faire ressortir une vérité par son contraire.* → **Contraste, envers.** *Faire le contraire de ce que l'on dit.* — Sans compl. *Soutenir, prouver le contraire. J'ai la preuve du contraire. C'est tout le contraire.* — *Concilier les contraires.*

12 La nature procède par contrastes.
C'est par les oppositions qu'elle fait saillir les objets. C'est par leurs contraires qu'elle fait sentir les choses (...)
    HUGO, Post-scriptum de ma vie, III.

13 Les contraires ne paraissent jamais mieux que lorsqu'on les oppose à leurs contraires.
    BOURDALOUE, Pensées, t. II, p. 384.

14 (...) le beau de la force humaine est de se contenir, de se diriger entre des impulsions diverses et d'assembler sous une même loi des contraires.
    SAINTE-BEUVE, Causeries du lundi, 5 nov. 1849.

15 L'inspiration est décidément la sœur du travail journalier. Ces deux contraires ne s'excluent pas plus que tous les contraires qui constituent la nature.
    BAUDELAIRE, Curiosités esthétiques, p. 388.

16 Je ne crois pas avoir jamais entendu prouver quoi que ce soit dont le contraire n'aurait pu être prouvé par d'autres, avec la même force d'évidence.
    MARTIN DU GARD, les Thibault, t. VI, p. 200.

16.1 Supposons que vous affirmiez d'abord une chose, puis son contraire ; l'ensemble des deux réponses comporte alors, à coup sûr, l'expression de la vérité dans la moitié des cas. À partir de cette certitude, tout le reste n'est plus qu'une question de calculs mathématiques, exécutés par le cerveau électronique auquel on soumettra votre déposition.
    A. ROBBE-GRILLET, Projet pour une révolution à New York, p. 102.

Fam. *C'est le contraire d'un honnête homme :* il est malhonnête.

Spécialt. Mot de sens opposé (opposé à *synonyme*). → **Antonyme.** «*Long*» est le contraire de «*court*». *Un adjectif et ses contraires.*

Ling., sémiot. *Contraires :* couple de deux termes différents dont les signifiés s'opposent (ex. : «chaud» et «froid», «vouloir» et «ne pas vouloir»). — REM. Ne pas confondre avec *contradictoire* (4.).

♦ **4** Loc. adv. **a** (V. 1370). **AU CONTRAIRE :** contrairement, d'une manière opposée. → **Autrement** (tout autrement), **contre** (par contre), **encontre** (à l'), **loin** (loin de là), **opposé** (à l'opposé), **rebours** (au rebours), **revanche** (en revanche), **tant** (tant s'en faut). *Il ne pense pas à lui ; au contraire il est très dévoué. Bien au contraire. Tout au contraire.*

17 L'Âne n'en sait juger que par ce qu'il en voit :
Le Renard, au contraire, à fond les examine (...)
    LA FONTAINE, Fables, IV, 14.

18 Je vis bien que je lui déplaisais ; mon camarade, au contraire ; il était de la famille.
    P.-L. COURIER, Lettres, I, 212.

18.1 — Des hommes sans instruction, qui se mêlent de raisonner sans connaître la nature humaine... des primaires, quoi ! (...) — Ce que je dis là n'est pas pour Cadom et je dirai même au contraire. J'ai toujours eu de l'estime pour Cadom, je prétends que c'est un garçon sérieux (...)
    M. AYMÉ, Maison basse, p. 199.

Aller au contraire de qqch. Au contraire du devoir. → **Mépris** (au mépris de).

Loc. prép. **AU CONTRAIRE DE :** d'une manière opposée à. *Au contraire de ses concurrents,* il s'est enrichi.

19 Le feu se répand en tous sens, au contraire des autres éléments (...)
    VOLTAIRE, Éléments de la philosophie de Newton, II, Conclusion.

b Vx. **PAR CONTRAIRE :** au contraire (Bourdaloue, *in* G. L. L. F.).

CONTR. Analogue, conforme, identique, même, pareil, semblable. — Auxiliaire, bienveillant, favorable, propice. ◊ DÉR. Contrairement. — COMP. Subcontraire.

CONTRAIREMENT [kɔ̃tʀɛʀmɑ̃] adv. — XVᵉ ; de *contraire*.

♦ **1** Vieilli. En sens contraire.

L'âme humaine (...) devient bientôt comme une machine ingénieuse qui s'électrise contrairement en un rien de temps.   SAINTE-BEUVE, *in* G. L. L. F.   1

♦ **2** (1558). Cour. *Contrairement à (qqch.) :* d'une manière contraire, opposée, inverse. *Agir contrairement à ses décisions. Contrairement à ce que l'on m'avait dit.*

(...) contrairement à ce qu'elle imaginait déjà, il ne nous était rien arrivé (...)   2
    PROUST, À la recherche du temps perdu, t. I, p. 182.

CONTRALTO [kɔ̃tʀalto] n. m. et f. — 1636 ; *contralte,* n. f. ou m., 1845 ; mot ital. «près (*contra*) de l'*alto*».

Mus. N. m. La plus grave des voix de femme (→ Goualeuse, cit.). *Un contralto ; une voix de contralto.*

Et elle citait quelques vers de la vocératrice, dans ce fier patois corse qui allait bien à son contralto.   0.1
    Alphonse DAUDET, l'Immortel, p. 320.

N. f. Femme qui a cette voix. *Des contraltos.*

Que tu me plais, ô timbre étrange !   1
Son double, homme et femme à la fois,
Contralto, bizarre mélange ;
Hermaphrodite de la voix !
    Th. GAUTIER, Émaux et Camées, «Contralto».

Elle avait des inflexions de contralto, caressantes et graves,   2
qui succédaient sans transition à des résonances plus rêches.   MARTIN DU GARD, les Thibault, t. III, p. 147.

CONTRAPONTIQUE [kɔ̃tʀapɔ̃tik] adj. ; **CONTRA-PONTISTE** [kɔ̃tʀapɔ̃tist] n. → **Contrapuntique ; contrapuntiste.**

CONTRAPOSÉ, ÉE [kɔ̃tʀapoze] adj. et n. f. — Mil. XXᵉ ; de *contra-,* et *posé.*

Didact. (log.). Obtenu par contraposition. *Proposition contraposée.* — N. f. *Une proposition et sa contraposée.* B → A *est la contraposée de* A → B.

CONTRAPOSITION [kɔ̃tʀapozisjɔ̃] n. f. — 1900, Larousse ; de *contra-,* et *position.*

Didact. (log.). Déduction consistant à inverser les termes d'une proposition en les niant. → **Contraposé.**

Si en effet A'' se déduit de A', la fausseté de A'' entraîne, par contraposition, celle de A' (...)
    O. DUCROT, Dire et ne pas dire, p. 100.

CONTRAPUNTIQUE ou **CONTRAPONTIQUE** [kɔ̃tʀapɔ̃tik] adj. — 1909 ; *contrapunctique,* 1903, J. Marnold, *in* D. D. L. ; var. *contrapontique,* 1930 ; *contrapointique,* 1924 ; *contrepointique,* 1928 ; de l'ital. *contrappunto.* → Contrapuntiste ; contrepoint.

Mus. Qui utilise le contrepoint. Relatif au contrepoint. *Art, technique contrapuntique.*

Premiers accords du prélude à la symphonie, qui se déroula avec ma vie, non sans incidents variés, fantaisies contrapuntiques, sautes de rythmes et modulations inattendues (...)
    R. ROLLAND, le Voyage intérieur, Le Sagittaire, p. 189-190.

REM. R. Rolland emploie ailleurs la forme francisée (devenue rare) *contrepointique* [kɔ̃tʀapwɛ̃tik]. — On trouve aussi la forme *contraponctique* [kɔ̃tʀapɔ̃ktik].

CONTRAPUNTISTE ou **CONTRAPONTISTE** [kɔ̃trapɔ̃tist] n. — *1835, contrapuntiste; contrapontiste, 1820; cf.* contrepointiste, *1791; ital.* contrappuntista, *de* contrappunto «contrepoint».

Mus. Compositeur, compositrice qui use des règles du contrepoint.

(...) mais je crois que le même opéra traité par le fameux contrapuntiste n'aurait pas eu ces élans de passion et cette simplicité, en même temps.
E. DELACROIX, Journal, 7 juin 1854.

REM. Stendhal (1823) employait la forme francisée contre-pointiste [kɔ̃trəpwɛ̃tist].

CONTRARIANT, ANTE [kɔ̃trarjɑ̃, ɑ̃t] adj. — *1361; du p. prés. de* contrarier.

◆**1** Qui est porté à contrarier. *Homme, esprit contrariant. Personne d'humeur contrariante. Attitude contrariante pour qqn. «Je suis d'un naturel très contrariant»* (G. Leroux, *in* T. L. F.). — *Il n'est pas contrariant :* il est facile à vivre, ne cherche pas à imposer ses volontés contre celles des autres.

◆**2** (1787). Qui contrarie. *Comme c'est contrariant!* → **Agaçant, ennuyeux, fâcheux.** *Une pluie bien contrariante. Cette affaire est assez contrariante.*

CONTR. Agréable. — Opportun.

CONTRARIER [kɔ̃trarje] v. tr. — *V. 1100,* intr., «se quereller»; lat. contrariare «contredire», *de* contrarius. → Contraire.

◆**1** Avoir une action contraire à..., aller contre, s'opposer à (qqch.). → **Barrer, combattre, contrecarrer, déranger, entraver, gêner, freiner, nuire** (à), **résister** (à). *La tempête contrariait la marche du navire. Contrarier les mouvements de l'ennemi. Contrarier les lois de la nature.* → **Forcer, violenter** (→ **Agir,** cit. 31), **violer.** *Contrarier les desseins, les désirs, les idées, les projets de qqn. Contrarier la volonté de ses parents.* — Pron. (récipr.). *Hypothèses qui se contrarient.* — Spécialt. Émettre une opinion opposée à celle de (qqn). *Cesse donc de me contrarier tout le temps.* → **Contredire.**

1 (...) De contrarier tout et de faire le maître.
MOLIÈRE, Tartuffe, I, 1.

2 La nature a, pour fortifier le corps et le faire croître, des moyens qu'on ne doit jamais contrarier.
ROUSSEAU, Émile, II.

3 Le sort, qui semblait contrarier leur passion, ne fit que l'animer. ROUSSEAU, les Confessions, I.

(Compl. n. de personne). S'opposer par une décision, des paroles à la volonté de (qqn). *Contrarier un enfant.*

4 (...) la méchanceté ne lui venait que quand on la contrariait dans ses intérêts ou dans son contentement d'elle-même (...) G. SAND, François le Champi, VII, p. 69.

(Sujet n. de chose). Littér. et rare. S'opposer aux intentions, aux désirs de (qqn).

5 (...) cela seul vous éduque vraiment, qui vous contrarie.
GIDE, Journal, 17 sept. 1935.

◆**2** (1775). Causer du dépit, du mécontentement à (qqn). → **Agacer, blesser, chagriner, chicaner, déranger, désoler, embêter, emmerder** (fam.), **ennuyer, fâcher, irriter, mécontenter, rembrunir, troubler.** *Il cherche à vous contrarier.*

(Sujet n. de chose). Rendre inquiet, mal à l'aise. *Les nouvelles l'ont contrarié; cette histoire me contrarie un peu.* → **Chicaner, chiffonner, embêter, tarabuster;** → Faire faire du mauvais sang* à... *Ne te laisse pas contrarier comme ça, tu vas en faire une maladie*. *Cette affaire, cette nouvelle l'ont contrarié à l'extrême.* → **Abattre, désespérer.**

◆**3** (1822). Littér. Faire alterner pour obtenir des effets de contraste. *Contrarier des couleurs. Contrarier les fils d'une tapisserie.* Pronominal :

(...) ces horizons estompés qui fuient en se contrariant. 6
BALZAC, le Lys dans la vallée, Pl., t. VIII, p. 789.

◆ **CONTRARIÉ, ÉE** p. p. adj.

◆**1** Combattu, freiné, arrêté. *Projet contrarié (par les circonstances).*

Le genre de malheur que porte dans l'âme un amour contra- 7
rié, fait que toute chose demandant de l'attention et de l'action devient une atroce corvée.
STENDHAL, la Chartreuse de Parme, II, p. 468.

On sent chez l'artiste un talent dévié, un naturel contrarié, 8
un instinct appliqué à rebours (...)
TAINE, Philosophie de l'art, t. II, III, II, II, p. 36.

Gaucher contrarié, que l'on a contraint à se servir de sa main droite.

◆**2** (Personnes). Dépité, ennuyé, fâché, irrité, mécontent. *Ils sont très contrariés.* — *Avoir l'air contrarié, une mine contrariée.*

(...) les laboureurs, bien contrariés de la perte d'une si belle 9
vache (...) G. SAND, la Petite Fadette, XXVI, p. 172.

◆**3** Alterné. *Joints contrariés. Couleurs contrariées. Bois à veines contrariées.*

CONTR. Accorder (s'), **aider, favoriser, seconder. — Amuser, contenter, réjouir, satisfaire. — Fondre, unir.**

CONTRARIÉTÉ [kɔ̃trarjete] n. f. — *V. 1170,* «choses contraires»; lat. contrarietas, *de* contrarius. → Contraire.

◆**1** (Av. 1280). Vieilli ou littér. Opposition entre des choses contraires. → **Contradiction.** *La contrariété entre deux choses, de deux choses. Contrariété de desseins, d'humeurs, d'intérêts, d'opinions, de sentiments. Contrariété d'arrêts, de lois (→ **Antinomie,** cit. 1).

L'imagination ne saurait inventer tant de diverses contra- 1
riétés qu'il y en a naturellement dans le cœur de chaque personne. LA ROCHEFOUCAULD, Maximes, 478.

(...) l'ordre de l'événement et l'ordre de la justice ont en eux 2
et entre eux une contrariété native, une incompatibilité, une inconciliabilité (...)
Ch. PÉGUY, la République..., p. 354.

Vx. *Esprit de contrariété :* esprit de contradiction*.

◆**2** (Fin XIIᵉ). Vx. *Une, des contrariétés :* ce qui contrarie le cours de qqch. → **Contretemps, difficulté, obstacle;** (vx) **traverse.** *Il a éprouvé de grandes contrariétés* (Académie).

◆**3** (1793). Mod. *(Une, des contrariétés).* Déplaisir causé par une opposposition, par ce qui chagrine. → **Agacement, déception, déplaisir, irritation, mécontentement, souci.** *Éprouver une contrariété de qqch., à cause de qqch.* (→ **Nerveux,** cit. 6), *une vive contrariété. Contrariété passagère, légère. Geste de contrariété.*

Le jeune homme flaira une tuile. De son mieux il réprima 3
un geste de contrariété (...)
COURTELINE, Messieurs les ronds-de-cuir,
1ᵉʳ tableau, II, p. 31.

La contrariété lui tordait la bouche, d'un mauvais sourire; 4
et la satisfaction du cœur y ramenait une gravité nourrie d'innocence.
André SUARÈS, Trois hommes, «Dostoïevski», II,
p. 211.

CONTR. Accord, aide, appui, satisfaction.

CONTRAROTATIF, IVE [kɔ̃trarɔtatif, iv] adj. — Mil. XXᵉ; de contra-, et rotatif.

Mécan. *Organes contrarotatifs,* qui tournent en sens inverse l'un de l'autre.

CONTRASTANT, ANTE [kɔ̃tʀastɑ̃, ɑ̃t] adj. — 1787; p. prés. de *contraster*.

Didact., arts. Qui contraste. *Figures contrastantes. Effets contrastants. Idées, propriétés contrastantes. Un tableau contrastant.*

Qu'un nez droit de cette façon est contrastant avec un nez retroussé de la manière de sa femme!
     E. DELACROIX, *Journal*, 22 août 1822.

CONTRASTE [kɔ̃tʀast] n. m. — 1669, Molière; «lutte, contestation», 1580; ital. *contrasto*, de *contrastare*, du lat. pop. **contrastare* «se tenir *(stare)* contre» (→ Contraster).

♦ **1** Opposition (de deux choses dont l'une fait ressortir l'autre). → **Antithèse**; → Opposition, cit. 2. *Le contraste du jour et de la nuit. Un contraste d'ombre et de lumière* (→ **Clair-obscur**). *Le contraste entre une qualité et un défaut. Un grand contraste de caractères, de goûts, de sentiments. Les contrastes du laid et du beau, entre le laid et le beau. Contraste frappant, saisissant, violent. Contraste flagrant, criant. Faire ressortir un contraste. Effet de contraste. La loi des contrastes. Repoussoir* qui met en valeur un contraste. Comparaison tirée du rapprochement et du contraste. L'art des contrastes. Contraste d'idées.* → Antithèse (cit. 5). *Comique de contraste. Contrastes d'un tableau. Adoucir les contrastes. Le Japon* (etc.), *terre de contrastes* (cliché). *Présenter, offrir un contraste avec qqch. Former un contraste avec qqch. Association* (cit. 17) *des idées par contraste ou par ressemblance.* — Loc. adv. *Par contraste :* par opposition. *Par contraste, cette nourriture lui parut très familière.*

1 Les différents contrastes qu'offre votre caractère de naturel sans simplicité, de réserve et d'imprudence, contrastes qui viennent en vous du combat de l'art et de la nature.
   D'ALEMBERT, *Portrait de M*ˡˡᵉ *de Lespinasse*.

2 De même que les yeux habitués à ne voir que les couleurs douces sont blessés par le grand jour, de même il est certains esprits auxquels déplaisent les violents contrastes.
   BALZAC, *le Lys dans la vallée*, Pl., t. VIII, p. 942.

3 La nature procède par contrastes.
   HUGO, *Post-scriptum de ma vie*, III (→ Contraire, cit. 13).

4 À chaque défaut elle réunissait une qualité qui ressortait peut-être plus fortement par le contraste.
   MÉRIMÉE, *Carmen*, II.

5 Tout l'homme *(Mirabeau)* est dans ces contrastes, mais ces contrastes sont moins des contradictions que les aspects différents d'une même politique.
   BARTHOU, *Mirabeau*, p. 168.

6 Se retenir à une touffe d'herbe : contraste émouvant entre l'énergie extraordinaire de la prise, et ce brin de graminée si fragile. Contraste entre la fragilité de la vie *(puisqu'elle tient à un brin d'herbe)*, et la puissance presque infinie du vouloir vivre.
   VALÉRY, *Rhumbs*, p. 86.

7 (...) le contraste, tous les jours plus criant, de cette misère générale avec la débauche dorée qui, plus que jamais, s'étalait.
   Louis MADELIN, *l'Ascension de Bonaparte*, XIII, p. 181.

8 Loin de moi au reste la pensée de blâmer ces poignants contrastes où les larmes et les rires se confondent.
   SAINTE-BEUVE, *Correspondance*, t. I, p. 79.

9 (...) la blancheur neigeuse des chairs, le rouge sanglant des draperies, le lustre éblouissant des soies *(dans la peinture flamande)*, ont toute leur force, et ne sont point reliés, tempérés, enveloppés, comme à Venise, par cette teinte ambrée qui empêche les contrastes de se heurter et les effets d'être rudes.
   TAINE, *Philosophie de l'art*, t. I, III, I, III, p. 276.

10 (...) la musique instrumentale se fait le souple vêtement de l'âme vivante, toujours en mouvement, perpétuellement changeante, avec ses fluctuations et ses contrastes inattendus.
   R. ROLLAND, *Voyage musical*, p. 89.

En contraste (avec qqch.). *Être en contraste* (de deux, plusieurs choses). *Mettre une chose en contraste avec une autre. Mettre deux langues en contraste pour les comparer.* → **Contrastif**. *Des esprits «en contraste et en lutte»* (Sainte-Beuve).

♦ **2** Sc. et techn. ⏹a (Opt.). *Contraste des couleurs,* dû au rapprochement d'objets colorés différemment. *Contraste d'une image optique :* variation de l'éclairement à l'intérieur de cette image. *Contraste de phase. Microscope à contraste de phase, à contraste interférentiel.* — Spécialt (sur une photo, un cliché). *L'image manque de contraste.* — Rapport des brillances entre parties claires et sombres d'un poste de télévision. *Régler le contraste.*

⏹b Méd. *Substance, produit de contraste,* produit opaque aux rayons X, qui permet de faire apparaître l'image de certains organes ou tissus. — Ellipt. *Employer un contraste.*

⏹c (Angl. *contrast*). Ling. Rapport entre deux unités contiguës (phonologiques, morphologiques, syntaxiques) de la chaîne du discours. *Le contraste est un rapport syntagmatique, alors que l'opposition est paradigmatique. Unités en contraste.*

CONTR. Accord, analogie, identité, ressemblance, similitude, uniformité.

CONTRASTÉ, ÉE [kɔ̃tʀaste] adj. — 1669, en art (→ Groupe, cit. 1, Molière); de *contraster*.

♦ **1** (Au plur.). Qui présente des contrastes. *Couleurs contrastées. Situations, attitudes, caractères contrastés. Mouvements, rythmes contrastés.*

♦ **2** (Sing. ou plur.). Qui comporte en soi des contrastes. *Sentiment contrasté. Un groupe contrasté.* — Spécialt. *Photo bien, trop contrastée. Image de télévision trop contrastée.*

CONTRASTER [kɔ̃tʀaste] v. tr. — 1669, au p. p. (→ Contrasté); «lutter», 1541; réfection de l'anc. franç. *contrester*, du lat. pop. **contrastare*, de *contra*, et *stare*, d'après l'ital. *contrastare*. → Contraste.

♦ **1** V. tr. ind. (1740). *Contraster avec* (qqn, qqch.). *Être en contraste* (avec); *s'opposer d'une façon frappante (à...).* → **Opposer** (s'), ressortir. *Contraster très vivement* (→ **Trancher**), *désagréablement* (→ **Détonner**) *avec qqch. Sa conduite contraste avec sa situation. Couleur qui contraste avec une autre.* — (Sujet au plur.). *Des couleurs, des expressions qui contrastent entre elles, les unes avec les autres.* Absolt. *Des caractères qui contrastent. Faire contraster des couleurs.*

1 La familiarité du style qui contraste et qui tranche avec la délicatesse ou la grandeur de la pensée.
   D'ALEMBERT, *Éloge de Lamotte*, in LITTRÉ.

2 (...) son élégant équipage contrastait avec les lourdes charrettes (...) traînées par des haridelles attelées de cordes (...)
   CHATEAUBRIAND, *Mémoires d'outre-tombe*, t. II, p. 170.

3 Les têtes vigoureuses de Benassis et de Genestas contrastaient admirablement avec la tête apostolique de Monsieur Janvier (...)
   BALZAC, *le Médecin de campagne*, Pl., t. VIII, p. 432.

4 La prudence du fils contrastait étrangement avec l'heureuse audace du père.
   MÉRIMÉE, *Hist. du règne de Pierre le Grand*, p. 144.

♦ **2** V. tr. Littér. Mettre en contraste (une chose avec une autre; plusieurs choses). *Il sait contraster son sujet. Ce peintre sait bien contraster les têtes. Faire contraster* (qqch. avec qqch.).

5 (...) la pointe rose *(du sein)* frémit et se redresse, contrastant avec l'immobilité du marbre sa mobilité de chair.
   M. YOURCENAR, *Archives du Nord*, p. 310.

CONTR. Accorder, adopter, unifier; 2. **appareiller**; ressembler. ◊ **DÉR.** Contrastant, contrasté. V. **Contraste, contrastif.**

CONTRASTIF, IVE [kɔ̃tʀastif, iv] adj. — D. i. (v. 1970); angl. *contrastive* (1816, terme rare, repris aux États-Unis en linguistique 1949, Trager), de *to contrast*, même orig. que *contraster*.

Didactique (linguistique).

♦ **1** Qui produit un contraste. *Fonction contrastive.*

♦ **2** Qui met deux langues en contraste, qui compare systématiquement des langues, à tous les niveaux d'analyse. *Grammaire contrastive du français et de l'allemand. Dictionnaire contrastif* (type de dictionnaire bilingue). — *Linguistique contrastive.*

CONTRAT [kɔ̃tʀa] n. m. — 1370, *contract*; bas lat. jurid. *contractus*, du supin de *contrahere*. → 1. Contracter.

♦ **1** Dr. et cour. «Convention par laquelle une ou plusieurs personnes s'obligent, envers une ou plusieurs autres, à donner, à faire ou à ne pas faire quelque chose» (Code civil, art. 1101). → **Convention, pacte.** *Contrat synallagmatique, ou bilatéral,* dans lequel les contractants s'obligent réciproquement les uns envers les autres (Code civil, art. 1102). → **Échange, louage** (bail, cheptel, ferme), **société, vente.** *Contrat unilatéral,* dans lequel une ou plusieurs personnes sont obligées envers une ou plusieurs autres sans aucun engagement de la part de ces dernières (Code civil, art. 1103). → **Cautionnement, dépôt, mandat, prêt, promesse.** *Contrat commutatif* (Code civil, art. 1104). — *Contrat de bienfaisance** (Code civil, art. 1105) *ou à titre gratuit.* → **Donation** (→ aussi Dépôt, mandat). *Contrat à titre onéreux,* qui assujettit chacune des parties à donner ou à faire quelque chose (Code civil, art. 1106). → **Aléatoire, commutatif.** *Contrat nommé,* prévu par la loi sous une dénomination propre. *Contrat innommé,* sans dénomination particulière et régi par les principes généraux des conventions. *Contrat consensuel,* produit par le seul consentement des parties. *Contrat réel,* produit par la livraison effective de l'objet du contrat. *Contrat solennel,* valable seulement quand il est revêtu des formes légales prescrites. — *Contrat d'antichrèse, contrat de gage.* → **Nantissement.** *Contrats spéciaux; contrat pignoratif, contrat mohatra. Contrat forfaitaire.* → **Forfait.** *Contrat réglant une contestation par des concessions réciproques.* → **Compromis, transaction.** *Contrats et quasi-contrats.*

Contrat judiciaire : accord de deux parties devant le juge. — *Contrat d'assurance*.* — *Contrat de mariage,* passé devant notaire et qui fixe le régime des biens des époux pendant le mariage. → **Communauté, dotal** (régime dotal), **séparation** (de biens). → Mutisme, cit. 1. — Loc. *Donner des coups de canif** (cit.) *dans le contrat.* — *Contrat de travail,* se rapportant au louage de services et au louage d'industrie. — *Contrat de transport,* par lequel un transporteur, moyennant rémunération, fait parcourir une distance donnée à une personne, à une chose. — (1937). *Contrat collectif,* passé avec un groupe de personnes (→ **Concordat, convention).** *Contrat d'entreprise.* — *Contrat administratif,* conclu par l'Administration en vue d'assurer le fonctionnement d'un service public. → **Concession, marché** (de travaux publics). *Contrat d'apprentissage. Contrat de vente.* — *Accepter* (cit. 2.1) *un contrat.*

1   Une convention est l'accord de deux ou plusieurs personnes sur un objet d'intérêt juridique (AUBRY et RAU), et le contrat est une espèce particulière de convention, dont le caractère propre est d'être *productif d'obligations.*
        M. PLANIOL, Traité de droit civil, t. II, p. 363.

2   Le contrat est seulement la convention, qui a pour but de faire naître une ou plusieurs obligations. Un accord

dans le but d'éteindre une obligation, ou dans le but de créer, modifier ou éteindre un droit quelconque est une convention et non pas un contrat. Il faut remarquer toutefois que dans la pratique l'on confond souvent les deux expressions. D'ailleurs les principes généraux qui dominent la formation et les effets des contrats s'appliquent à toutes les conventions.
        JULLIOT DE LA MORANDIÈRE, Précis de droit civil, nº 11.

Il y a des *contrats* spécifiques, caractérisés par un contenu.   2.1
Le contrat de mariage spécifie et réglemente les rapports entre des individus de sexe différent selon un code (un ordre) social déterminé, en subordonnant par conséquent les rapports sexuels à des rapports de propriété (le patrimoine, la dot, l'héritage et sa transmission, la répartition des acquêts, etc.). Le contrat de travail régularise l'achat et la vente de la force de travail. Et ainsi de suite. Cependant, il y a une forme générale des contrats, la forme juridique, relevant du code civil. Remarquons comment tout rapport contractuel suppose discussion, détermination par un échange verbal entre les parties contractantes des termes «justes» du contrat. Cependant, ces préalables disparaissent ensuite. Un écrit fait foi : l'acte notarié. Le contrat se conclut par le moyen de la forme ultime de l'écriture, la signature.
        Henri LEFEBVRE, la Vie quotidienne dans le monde moderne, p. 330-331.

Les parties d'un contrat; parties au contrat. → **Contractant.** *Capacité, consentement des parties au contrat. Validité d'un contrat.* — *Vices des contrats.* → **Dol, erreur, violence; lésion.** *Objet et cause* (but) *licites du contrat* (→ **Cause,** cit. 42 et *supra*). *Clauses d'un contrat.* → **Clause** (cit. 3), **condition, disposition, stipulation.** *Stipulé par contrat.* → **Contractuel.** *Passer un contrat.* → **Contracter; passation.** *Approuver, ratifier, valider un contrat. Contre-lettre modifiant un contrat. Exécuter un contrat* (→ **Obligation**). *Contrat léonin*. Rescision d'un contrat pour lésion. Révision du contrat pour imprévision. Inexécution d'un contrat.* → **Contravention, dédit, dérogation, inobservation, résiliation, résolution, rupture; commissoire** (clause), **résolutoire, rescindable.** *Nullité d'un contrat.* → **Casser, dénoncer, résilier, révoquer.** *Expiration, suspension d'un contrat. Propagation d'un contrat.*

♦ **2** Acte qui enregistre cette convention. → **Document, instrument.** *Contrat authentique, sous seing privé. Rédiger un contrat en bonne et due forme. Les articles d'un contrat. Le notaire a dressé le contrat.* → **Instrumenter.** *Signer un contrat, à un contrat. Faire enregistrer un contrat. Contrat d'assurance.* → **Police.** *Cahier des charges d'un contrat administratif. Avoir son contrat en poche. Brûler, déchirer le contrat.*

Pour dresser le contrat, elle envoie au Notaire.   3
— Et je vais le quérir pour celui qu'il doit faire.
        MOLIÈRE, les Femmes savantes, IV, 5.

♦ **3** Par anal. *Contrat social* (1762, Rousseau) : convention entre les gouvernants et les gouvernés, ou entre les membres d'une société. → **Pacte.**

«Trouver une forme d'association qui défende et protège   4
de toute la force commune la personne et les biens de chaque associé, et par laquelle chacun, s'unissant à tous, n'obéisse pourtant qu'à lui-même, et reste aussi libre qu'auparavant.» Tel est le problème fondamental dont le *Contrat social* donne la solution.
        ROUSSEAU, Du contrat social, I, VI.

Je me borne, en suivant l'opinion commune, à considérer   5
ici l'établissement du corps politique comme un vrai contrat entre le peuple et les chefs qu'il se choisit; contrat par lequel les deux parties s'obligent à l'observation des lois qui y sont stipulées et qui forment les liens de leur union.
        ROUSSEAU, De l'inégalité parmi les hommes, II.

Le contrat social (...) sera donc un pacte perpétuel entre   6
ceux qui possèdent contre ceux qui ne possèdent pas.
        BALZAC, le Médecin de campagne, Pl., t. VIII, p. 42.

(Avec la même valeur, mais dans d'autres syntagmes).

7 Il n'y a d'autre paix pour l'homme que dans un contrat avec tous les hommes.
CLAUDEL, Feuilles de Saints, «Ode jubilaire pour le six-centième anniversaire de la mort de Dante».

♦ **4** *Bridge** contrat, où un joueur s'engage à faire un certain nombre de levées. — *Réaliser son contrat (au bridge)*, le nombre de levées auquel on s'était engagé.

♦ **5** *Réaliser, remplir son contrat*, ce qu'on avait promis, ce qu'on avait fait attendre de soi.

COMP. **Quasi-contrat.**

CONTRAVENTION [kɔ̃travɑ̃sjɔ̃] n. f. — xɪvᵉ; dér. sav. du bas lat. *contravenire* «s'opposer à». → Contrevenir.

♦ **1** Dr. Infraction aux prescriptions (d'une loi, d'un règlement, d'un contrat). → **Entorse.** *Commettre une contravention à une loi, à une règle, à des obligations. Charmé de la prendre en contravention à ses ordres* (Balzac, *Eugénie Grandet, in* T. L. F.). — Absolt (plus cour.). *Être en contravention.*

Infraction* que les lois punissent de peines de police (art. 1 du Code pénal), par opposition aux délits et aux crimes. *Citations* (cit. 1) *pour contravention de police. L'emprisonnement, l'amende et la confiscation de certains objets saisis sont les peines applicables aux contraventions* (Code pénal, art. 465 et suivants).

1 Les contraventions seront prouvées, soit par procès-verbaux ou rapports, soit par témoins à défaut de rapports et procès-verbaux, ou à leur appui.
Code d'instruction criminelle, art. 154.

2 Le délit de vagabondage, lequel ne devrait être même pas une contravention.
FLAUBERT, l'Éducation sentimentale, *in* T. L. F.

♦ **2** Cour. Amende punissant une infraction à la loi. *Attraper une contravention pour infraction au code de la route. L'agent lui a donné, lui a flanqué une contravention.* → **Contredanse, P.V.** *Faire sauter une contravention.* — Procès-verbal de cette infraction. *Dresser contravention. Trouver une contravention sur son pare-brise.* → **Papillon.**

DÉR. **Contraventionnel.**

CONTRAVENTIONNEL, ELLE [kɔ̃travɑ̃sjɔnɛl] adj.
— 1796; de *contravention.*

Dr. Qui constitue une contravention (1.). *Infraction contraventionnelle.* — Qui relève d'une contravention. *Amende contraventionnelle.*

DÉR. **Contraventionnellement.**

CONTRAVENTIONNELLEMENT [kɔ̃travɑ̃sjɔnɛlmɑ̃] adv. — Attesté mil. xxᵉ; de *contraventionnel.*

Dr. Par contravention. *«"Sanctionner contraventionnellement le défaut d'établissement" des bulletins d'enregistrement des interventions (dans les hôpitaux)»* (*le Monde,* 28 nov. 1979).

CONTRAVIS [kɔ̃travi] n. m. — V. 1900; de *contre,* et *avis.*

Dr., admin. Avis contraire à un avis précédent.

CONTRE [kɔ̃tr] prép., adv. et n. m. — 1080; *contra,* latinisme, «en opposition à», 842; lat. *contra* «en face de».

I Prép. et adv. **A** (1080). ♦ **1** (Marque la proximité, le contact). → **Auprès** (de), **face** (en face de), **près** (de), **sur.**

Prép. *Sa maison est contre la mienne. Pousser le lit contre le mur. Il est étendu la face contre terre. Presser qqn contre sa poitrine. Se serrer contre qqn.* — *Front contre front. Joue contre joue.* (Pour introduire le compl. d'un verbe). *Frapper contre une enclume. Donner, buter contre un objet.* → **Heurter.** *Lancer une pierre contre une vitre.*

La pensée de coucher contre un homme vraiment nu (...) 1
MOLIÈRE, les Précieuses ridicules, 4.

(...) mettons mon luth contre la porte. 2
MOLIÈRE, le Malade imaginaire, 1ᵉʳ Intermède.

(...) en posant le verre, il le fit tinter contre la carafe. 3
MARTIN DU GARD, les Thibault, t. IV, p. 100.

Ce corps contre son corps, aussi léger qu'il fût, l'empêchait 4
de respirer (...)
MAURIAC, Thérèse Desqueyroux, XI, p. 194.

Adv. *Prenez la rampe, appuyez-vous contre.* Loc. adv. *Contre à contre : tout près, et sans se toucher.* → **Côté** (à côté).

Tout contre : très près. Vous cherchez bien loin et il est là tout contre. — *Là contre.* → **Ici.** — *Ci-contre : en regard. Consulter le tableau ci-contre.*

Le logis de mon père est tout contre. 5
RACINE, Remarques sur l'Odyssée, VII.

(...) l'on tourne la clef, l'on pousse contre, ou l'on tire à 6
soi (...)
LA BRUYÈRE, les Caractères, XIV, 64.

Un homme lié à un arbre ou à un mât est appliqué 7
contre (...)
LAFAYE, Dict. des synonymes, p. 733.

Régional (Belgique). *Mettre la porte contre, l'appuyer contre le chambranle sans la fermer. La porte est contre.*

La porte de l'appartement était contre, de façon à laisser 7.1
entrer les visiteurs.
G. SIMENON, la Cage de verre, V.

Il s'était précipité chez lui en courant, Jeantet l'avait suivi 7.2
plus lentement et, trouvant la porte contre, avait cru bon
de frapper.
G. SIMENON, le Veuf, V.

♦ **2** Prép. Régional (Suisse). **a** Dans la direction de. → **Vers.** *Aller contre la ville. «Le Diégo regardait contre l'est»* (C. F. Landry, *Diégo*).

b (Avec une valeur temporelle). Vers, approximativement. *Contre les dix heures, contre le soir, contre l'été.* → **Vers.**

Si tôt qu'on se levât, contre les six heures, les sept heures 7.3
on les trouvait à l'œuvre.
Ph. MONNIER, Mon village, p. 36.

B (Marque l'opposition). ♦ **1** (V. 1174, *cuntre*). À l'opposé de, dans le sens contraire à. *Nager contre le courant. Agir contre son habitude, contre l'ordinaire, contre son gré* (→ Atavique, cit. 1). *Parler contre sa pensée. Contre toute attente : contrairement à ce qu'on attendait* (→ Attente, cit. 32). *C'est contre vos intérêts. Avoir des goûts contre nature.* — *Aller* contre* (qqch.). → **Contrarier, desservir, infirmer;** → aussi ci-dessous, *là contre. Un tel langage va contre ses convictions. Nous ne voulons pas aller contre vos désirs.* → **Encontre** (à l').

Mar. *Voile bordée à contre,* dont le point d'écoute est au vent. *Border une voile à contre.* → **Contrer,** 2., c. — REM. On écrit aussi *à-contre.*

Loc. adv. *Par contre.* → **Compensation** (en), **contraire** (au), **mais, revanche** (en). *Le magasin est bien situé, par contre il est assez exigu.*

REM. *Par contre* a été condamné par certains pédagogues puristes; cependant il n'est pas toujours remplaçable. Il introduit un avantage ou un inconvénient, alors que *en compensation* et *en revanche* n'introduisent qu'un avantage. Si on peut les employer dans la phrase «S'il n'a pas de cœur, *par contre* il est intelligent», il est impossible de les substituer à *par contre* dans celle-ci : «S'il est intelligent, *par contre* il n'a pas de cœur». *Mais* n'insiste pas assez sur l'opposition. *Au contraire* marque une opposition trop précise.

8   Je sais bien que Voltaire et Littré proscrivent cette locution ; mais «en revanche» et «en compensation», formules de remplacement que Littré propose, ne me paraissent pas toujours convenables (...) Trouveriez-vous décent qu'une femme vous dise : «Oui, mon frère et mon mari sont revenus saufs de la guerre ; en *revanche* j'y ai perdu mes deux fils»? ou «la moisson n'a pas été mauvaise, mais *en compensation* toutes les pommes de terre ont pourri»? (...) «Par contre» m'est nécessaire et, me pardonne Littré, je m'y tiens.   GIDE, Attendu que..., IX, p. 89.

(V. 1450). Par ext. **En dépit de. → Malgré, nonobstant.** *Contre toute apparence** (cit. 19), *c'est lui qui a raison. Il a agi contre mes conseils. C'est contre notre volonté, nous y sommes obligés. — Naviguer contre vents et marées ;* fig. en dépit des obstacles. — Loc. *Aller là contre :* aller contre qqch., s'opposer. *On ne peut aller là contre.*

9   Le cas parut étrange et contre l'ordinaire (...)
> LA FONTAINE, Fables, XI, 4.

10   (...) si, contre mes vœux,
Vous lui dites encor le moindre mot fâcheux (...)
> MOLIÈRE, Mélicerte, II, 4.

11   (...) on ne peut pas aller là contre.
> MOLIÈRE, Dom Juan, I, 2.

12   (...) ces gens (...) esclaves des grands, dont ils ont épousé le libertinage (...) contre leurs propres lumières et contre leur conscience. LA BRUYÈRE, les Caractères, XVI, 9.

13   J'espérais être contredit ; mais, contre mon attente, je trouvai dans les officiers anglais plus d'admiration encore pour l'Empereur que je ne pouvais en montrer pour leur implacable ennemi.
> A. DE VIGNY, Servitude et Grandeur militaires,
> III, VI, p. 233.

Prov. *Faire contre mauvaise fortune* bon cœur.*

14   (...) riant comme une personne qui fait contre mauvaise fortune bon cœur (...)
> G. SAND, François le Champi, VII, p. 5.

Loc. *Envers et contre tout* [ãvɛrekɔ̃trətu] : en dépit de tout.

15   André se laissait charmer par cette gaîté de race et de jeunesse, qui leur était restée envers et contre tout, et qu'elles montraient mieux, à présent qu'il ne les intimidait plus.
> LOTI, les Désenchantées, XIV, p. 14.

♦ 2 (1080, *cuntre*). **En opposition à, dans la lutte avec** (notamment après les verbes *combattre, lutter,* etc.). **→ Avec.** *Se battre, être en colère contre qqn. Lutter contre la mort. Lutter contre le pouvoir, comploter contre l'État. Agir, travailler contre les intérêts de qqn.* — Fig. *Se battre contre la montre* (→ 2. Montre, cit. 4.1). — *Être contre, s'élever, se dresser contre qqch., qqn.* **→ Combattre, condamner, contester, désapprouver, opposer** (s') ; et les préfixes **anti-** et **contre-** (→ Être hostile à, être ennemi de). «*Qui n'est pas avec moi est contre moi»* (→ ci-dessous, cit. 16). *Seul contre tous. Rousseau est contre le luxe et les défenseurs du luxe. Imprécations contre le ciel.* — Loc. *Course contre la montre.* — *Avoir quelque chose contre (qqch.) :* ne pas approuver entièrement, ne pas aimer. *Avez-vous quelque chose contre cette doctrine, contre le régime actuel?* (→ **Objection**). *Je n'ai rien contre lui ; mais il a une dent* contre moi* (fam.). — *Avoir qqch., qqn contre soi* (→ **Adversaire, ennemi, obstacle**). *La chance est contre moi.* Fam. *Il a tout le monde contre lui.* **→ Dos** (à dos, sur le dos). *Il a contre lui le rapport d'un témoin.* **→ Charge.**

16   Qui n'est pas avec moi est contre moi, et qui n'amasse pas avec moi disperse.
> BIBLE (CRAMPON), Évangile selon saint Matthieu,
> XII, 30.

17   Le voilà qui déteste et jure de son mieux,
Pestant, en sa fureur extrême,
Tantôt contre les trous, puis contre ses chevaux,
Contre son char, contre lui-même.
> LA FONTAINE, Fables, VI, 18.

Le soir, Sa Majesté fit jouer une comédie nommée Tartuffe,   18
que le sieur de Molière avait faite contre les hypocrites.
> MOLIÈRE, les Plaisirs de l'île enchantée,
> Dernières journées.

(...) nous serons pour vous contre elle.   19
> MOLIÈRE, George Dandin, II, 7.

(...) la guerre contre l'Autriche pour affranchir la nationa-   20
lité italienne tournait court et tournait mal.
> J. BAINVILLE, Hist. de France, XX, p. 494.

On dit qu'il lève des troupes contre moi.   21
> SUPERVIELLE, Shéhérazade, II, 6.

Prov. *C'est le pot* de terre contre le pot de fer.*

adv. *Vous êtes pour, ou contre? Ils ont voté contre. Les raisons pour et les raisons contre. — Je n'ai rien contre :* je ne m'oppose pas, je suis d'accord.

L'esclavage, ah, mais non, nous sommes contre !   21.1
> CAMUS, la Chute, p. 54.

Loc. régionale (Suisse). *Venir contre, sauter contre* (en emploi trans. indir. : *il lui saute contre*) : attaquer, se jeter sur.

Derborence, c'est d'abord un peu d'hiver qui vous vient   21.2
contre en plein été, parce que l'ombre y habite presque
toute la journée.
> C.-F. RAMUZ, Derborence, Œ. compl., t. XIV, p. 220.

♦ 3 (V. 1160). **Pour se défendre de** (→ le préfixe **Para-**). *Se protéger, se prémunir, s'abriter contre la pluie. Elle est équipée contre le mauvais temps. S'assurer contre l'incendie. Se débattre contre la maladie. Sirop, remède contre la toux.* **→ Pour.** *Tenir contre qqn, qqch.* **→ Résister.** *La ville tiendra encore quelques jours contre les assauts ennemis. Protection contre le gel* (**→ Anti-**).

Angélique (...) nom donné à cette plante, à cause des vertus   22
qu'elle a contre les venins.   O. DE SERRES, 606.

Que vouliez-vous qu'il fît contre trois? (...)   23
> CORNEILLE, Horace, III, 6.

(...) il servait de refuge   24
Contre le chaud, la pluie et la fureur des vents (...)
> LA FONTAINE, Fables, X, 1.

(...) pour vous demander votre appui contre son injustice.   25
> MOLIÈRE, le Sicilien, 14.

Ruses des hommes, désirs des dieux, ne tiennent pas   26
contre la volonté et l'amour d'une femme fidèle (...)
> GIRAUDOUX, Amphitryon 38, II, 7.

♦ 4 (V. 1174). **En échange de** (avec quelques verbes). *Changer** (cit. 1, 2, 3) *un objet contre un autre. Je te donne mon briquet contre ton couteau de poche. J'accepte contre une assurance expresse de votre part. Troquer* qqch. contre... Envoi contre remboursement.*

(1080, *cuntre*). **Proportion, comparaison.** *Parier cent contre un* (→ Cent, cit. 7). *Il n'y en a pas un contre mille qui vous donnera raison. La résolution a été votée à quinze voix contre neuf.*

Vous vendez dix rabats contre moi deux galands.   27
> CORNEILLE, la Galerie du Palais, IV, 12.

(...) en seconde Crapuce échangeait le masque de l'ex-   28
trême tyrannie contre celui de la servilité.
> GIRAUDOUX, Bella, IV, p. 91.

Le complément d'échange exprime l'être, l'objet, l'idée, l'état   29
que l'action a pour effet de substituer à un autre (...)
Le complément d'échange se construit avec (...) *contre :*
parier cent francs contre un sou ; — envoyer contre remboursement ; — «Il lui semble qu'il échange des loques
pesantes de boue et de pluie contre un vêtement neuf et
léger (RENARD, Poil de Carotte, Les poules).»
> F. BRUNOT, la Pensée et la Langue, X, XI, p. 402.

Ça ira dans les vingt contre un s'il gagne.   29.1
> R. QUENEAU, Loin de Rueil, p. 5.

II N. m. **A** Chasse. *Prendre le contre :* prendre la voie à l'envers. *Les chiens ont pris le contre.*

B ♦ 1 (Employé avec *le pour*). Ce qui est opposé à, défavorable à. *Le pour et le contre. On lui donne* *tort, mais il faut savoir le pour et le contre pour en juger. Peser le pour et le contre avant de prendre une décision, les avantages et les inconvénients. Il y a du pour et du contre. Discuter, soutenir le pour et le contre :* soutenir alternativement des opinions, des points de vue contraires. → **Délibérer.**

30 Le pour et le contre se trouvent en chaque nation.
BAYLE, Pensées sur la comète, p. 142.

31 Même sans aucune mauvaise foi, ils découvriraient probablement que l'autre affaire ne pressait pas, qu'il convenait de peser à loisir le pour et le contre, de chercher ailleurs.
J. ROMAINS, les Hommes de bonne volonté, t. V, XVIII, p. 127.

◆ **2** (1906, *in* Petiot). Au billard. *Faire un contre*, se dit lorsque la boule touchée est repoussée par la bande sur la boule qui vient de la toucher. — Sports. (XVIIᵉ). Escr. Parade à un dégagement. *Contre de quarte, de sixte.* — (1925, *in* Petiot). Riposte dont l'impact devance et stoppe l'attaque adverse.

◆ **3** (Déverbal de *contrer*, 1.). Cartes. Action de contrer (bridge, tarot...). *Faire un contre.*

CONTR. Loin. — Après (d'), conformément, selon, suivant. — Avec, pour. — Pour (le). ◊ **DÉR.** Contrer. V. aussi **Contraire, contrarier, contrée.** → **COMP.** V. **Encontre,** et aussi **rencontrer, rencontre, malencontreux.**

CONTRE- Élément, du latin *contra* (→ **Contre,** adv.) qui se joint, avec ou sans trait d'union, à des noms et des verbes (→ **Contra-**), et qui a plusieurs sens, centrés sur l'idée d'opposition.

REM. 1. *Contre-* reste invariable dans un composé. *Des contre-allées, des contre-digues, des contre-révolutionnaires.*

2. Les composés en *contre-* s'écrivent encore souvent avec le trait d'union, même quand le second élément commence par une consonne, surtout lorsqu'il s'agit d'un substantif.

◆ **1** Opposition dans l'espace, inversion. Ex. : *contrechamp, contre-courbe, contre-empreinte, contre-jour, contre-pente, contretype.* — Dans des loc. *À contre-voie, à contre-vent.*

◆ **2** Proximité de ce qui touche ou double. Ex. : *contre-allée, contrebas, contrebasse, contrecoller, contre-écrou, contre-fenêtre, contre-filet,* ou *contrefilet, contresigner ; haute-contre.* Vérification, répétition. Ex. : *contre-appel, contre-assurance, contre-expertise, contremarque.*

◆ **3** Sens contraire, direction opposée. Ex. : *contrealizé, contre-courant, contre-lame, à contre-poil.*

◆ **4** Échange. Ex. : *contrebalancer, contrepoids, contrevaleur.*

◆ **5** Opposition dans l'action ou dans la parole. Ex. : *contre-attaque, contre-culture, contre-espionnage, contre-mine, contrepoison, contre-projet, contre-publicité, contrevenir.* → **Anti-, para-.** REM. 1. Ce sens, le plus productif, permet la formation de nombreux composés littéraires et techniques : *contre-note* (1819, *in* D.D.L.).

2. Certains mots en *contre-* ont été remplacés par des termes en *anti-* : *contre-sémitisme* (1907, *in* D.D.L.).

1 Cette crainte, cette honte, amènent le contre-rythme, le reflux (...)
PROUST, Sodome et Gomorrhe, Pl., t. II, p. 829.

2 (...) le péril vient des formes de folie, énormes et toujours renaissantes. On ne peut les combattre que par de la contre-folie. Et de la contre-folie à dose massive.
J. ROMAINS, les Hommes de bonne volonté, t. XXII, p. 153.

3 (...) en ce qui concerne l'Afrique du Nord, nous aidons puissamment à maintenir, à travers toutes les violences de la terreur et de la contre-terreur, une amitié vivante qui ne périra plus (...)
F. MAURIAC, Bloc-notes 1952-1957, p. 157.

Il ne s'agit pas d'un homme mais d'une mystique, ou plutôt d'une contre-mystique.   4
F. MAURIAC, le Nouveau Bloc-notes, 1958-1960, p. 214.

Mais je vois la situation politique, la bataille autour de la C.E.D., les remous au sein du gouvernement, les sapes et les contre-sapes avant Genève, tandis qu'à Dien-Bien-Phu, le sang continue de couler.   5
F. MAURIAC, Bloc-notes 1952-1957, p. 75.

(...) façon émotionnelle (...) qui caractérisa les premières expériences vécues de l'enfant (...) conféra à celles-ci leurs vertus dynamiques les plus importantes et provoqua la formation de ces contre-forces refoulantes et si tenaces (...)   6
R. HELD, le Processus de guérison, *in* la Nef, nᵒ 31, p. 23.

◆ **6** Valeur complémentaire et inverse (sans idée d'opposition active). → **Anti-.**

Emma est une véritable «héroïne» de roman (au contraire de Sancho et de Homais qui sont des contre-héros), pour cette seule raison qu'elle a des sens.   7
A. THIBAUDET, Gustave Flaubert, p. 101, *in* D.D.L., II, 15.

Il serait faux de ne voir en la bande dessinée contestataire qu'un simple épiphénomène purement provocateur. Elle a, au contraire, créé un véritable contre-univers et une contre-esthétique destinée à durer.   8
Magazine littéraire, nᵒ 95, déc. 1974, p. 15.

CONTRE-ALIZÉ [kɔ̃tralize] n. m. — 1863 ; de *contre-,* et *alizé.*

Mar. Vent qui souffle en sens inverse de l'alizé dans les couches supérieures de l'atmosphère. *Des contre-alizés.*

CONTRE-ALLÉE [kɔ̃trale] n. f. — 1669 ; de *contre-,* et *allée.*

Allée latérale, parallèle à la voie principale. *Des contre-allées. Garer sa voiture dans la contre-allée.*

Il était pris par une fatigue profonde, comme s'il avait voyagé toute la nuit dans un train. Il quitta le banc et marcha dans la contre-allée.   1
J.-M. G. LE CLÉZIO, le Déluge, p. 203.

Nef latérale (d'une église).

(...) je venais de le remettre à lui-même, dans le confessionnal de la chapelle, quand j'ai été pris dans la contre-allée à bras-le-corps par Rançonnet.   2
BARBEY D'AUREVILLY, les Diaboliques, «À un dîner d'athées».

CONTRE-AMIRAL, AUX [kɔ̃tramiral, o] n. m. — 1642 ; de *contre-,* et *amiral.*

Officier général de la marine, immédiatement audessous du vice-amiral dans la hiérarchie. *Des contre-amiraux.*

CONTRE-APPEL [kɔ̃trapɛl] n. m. — 1690 ; «protestation», v. 1180 ; de *contre-,* et *appel.*

Milit. Second appel pour vérifier le premier. *Des contre-appels.*

CONTRE-APPROCHES [kɔ̃traprɔʃ] n. f. pl. — 1676 ; de *contre,* et *approche.*

Milit. Travaux de défense opposés par des assiégés à des travaux d'approche. *Ligne de contre-approches.*

CONTRE-ASSURANCE [kɔ̃trasyrɑ̃s] n. f. — 1913 ; de *contre-,* et *assurance.*

Seconde assurance (chez un autre assureur) qui en garantit une première. *Des contre-assurances.*

CONTRE-ATTAQUE [kɔ̃tratak] n. f. — 1842; de *contre-*, et *attaque*.

♦ **1** N. f. pl. Vieilli. *Contre-attaques : ouvrages de défense opposés par les assiégés à leurs assaillants.*

♦ **2** (1887). Brusque mouvement offensif d'une troupe attaquée. → **Contre-offensive.**
(1905, *in* Petiot). **Sports.** Dans les jeux de ballon, Mouvement offensif qui part de l'équipe dont le terrain est occupé. — Réponse brutale et agressive à une attaque verbale. *Il a répondu à la critique par une contre-attaque très violente.*

DÉR. **Contre-attaquer.**

CONTRE-ATTAQUER [kɔ̃tratake] v. — Fin XIXᵉ; de *contre-attaque.*

♦ **1** V. tr. Faire une contre-attaque contre. *Contre-attaquer une ligne ennemie.*

♦ **2** V. intr. Faire une contre-attaque. — Par ext. (sans idée de mouvement) :
— (...) Quelle idée de m'attendre !
— Je croyais que tu rentrerais plus tôt...
Martial bougonna encore un peu. C'était sa méthode quand il se sentait coupable : il contre-attaquait immédiatement.
    Jean-Louis CURTIS, le Roseau pensant, p. 61.

CONTRE-AUGMENT [kɔ̃trɔgmã] n. m. → **Augment** (2.).

CONTRE-BALANCEMENT [kɔ̃trəbalãsmã] n. m. — 1929; de 1. *contrebalancer.*
Action de contrebalancer. → **Équilibrage.** — Fait de se contrebalancer. — REM. On pourrait écrire *contrebalancement*, sans trait d'union, comme *contrebalancer.*
On apprend bien peu de choses sur le cours d'une maladie microbienne en considérant le contre-balancement de deux causes, l'une impulsive et l'autre dépressive.
    RUYER, Esquisse d'une philosophie de la structure (1930), *in* T. L. F.

1. **CONTREBALANCER** [kɔ̃trəbalãse] v. tr. [CONJUG.: *placer.*] — 1549; de *contre-*, et *balancer.*

♦ **1** Faire équilibre à. → **Compenser, équilibrer.** *Poids qui en contrebalance un autre.*

♦ **2** Égaler en force, en valeur, en mérite. *Les avantages contrebalancent les inconvénients. Raisons qui en contrebalancent d'autres.*
Le plaisir que j'ai à recevoir vos lettres, chère demoiselle, est contrebalancé par le chagrin qui s'y étale.
    FLAUBERT, Correspondance, t. III, p. 327.

DÉR. **Contre-balancement.**

2. **CONTREBALANCER (S'EN)** [sãkɔ̃trəbalãse] v. pron. — XXᵉ; de *contre-*, et *s'en balancer* «s'en moquer», d'après *s'en contrefiche, s'en contrefoutre.*
Fam. Se moquer éperdument de..., considérer comme indifférent. *Tu parles si je m'en balance et contrebalance de ses menaces !*
Si je ne lui plais pas, c'est son affaire (...) je m'en contrebalance.   S. DE BEAUVOIR, les Mandarins, p. 60.

CONTREBANDE [kɔ̃trəbãd] n. f. — 1512; ital. *contrabbando* «contre le ban». → Ban.

♦ **1** Introduction clandestine, dans un pays, de marchandises prohibées ou dont on ne règle pas les droits de douane, d'octroi. → **Fraude.** *Faire la contrebande d'une marchandise. Se livrer à la contrebande* (→ Cent, cit. 3). *Marchandises de contrebande, introduites en, par contrebande.* → **Interlope**

(2.). *Contrebande du sel.* → **Saunage** (faux saunage). *Contrebande du tabac. — Contrebande de guerre :* introduction illicite d'armes, de munitions, par un navire neutre dans le territoire d'une puissance belligérante.
On avait causé pêche et contrebande, discuté toute sorte 1
de façons pour attraper les messieurs douaniers (...)
    LOTI, Pêcheur d'Islande, IV, VII, p. 247.
(...) les étiquettes de provenance anglaise qui pendent sur 2
la faïence brune marquaient peut-être une denrée de contrebande navale, trafic presque licite dans le port (...)
    A. PIEYRE DE MANDIARGUES, la Marge, p. 117.

♦ **2** Par métonymie. Marchandise en contrebande. *Navire chargé de contrebande. Vendre, acheter de la contrebande.*

♦ **3** Loc. fig. *De contrebande.* → **Clandestin, défendu, illégitime.** *Titre de contrebande. Amour de contrebande.*

DÉR. **Contrebandier.**

CONTREBANDIER, IÈRE [kɔ̃trəbãdje, jɛʀ] n. et adj. — 1715; de *contrebande.*
Personne qui fait de la contrebande (fém. rare). → **Bandolier** (VX). *Suivre un chemin de contrebandiers, dans la montagne. Troupe de contrebandiers. Contrebandier de sel.* → **Saunier** (faux saunier, hist.). *Contrebandier d'alcool, aux États-Unis, au temps de la prohibition.* → **Bootlegger.** — Adj. *Navire contrebandier* (→ Bateau, cit. 2).
Edmond connut alors que c'était un *Contrebandier;* les 1
marchandises qu'il avait entrées devaient être des pierres précieuses.
    RESTIF DE LA BRETONNE, la Vie de mon père, p. 75.
Le braconnier, de même que le contrebandier, côtoie de 2
fort près le brigand.
    HUGO, les Misérables, I, II, 6, p. 93.

CONTREBAS (EN) [ãkɔ̃trəba] adv. et n. m. — V. 1382, adv., «de haut en bas»; de *contre*, et *bas.*

♦ **1** Loc. adv. (V. 1530, Marot). EN CONTREBAS : à un niveau inférieur. → **Bas, creux** (dans un). *Chemin de halage en contrebas de la maison. — Regarder en contrebas.*
La nuit était toujours tombée quand elle arrivait au logis ; 1
avant d'entrer, il fallait descendre un peu, sur des roches usées, la chaumière se trouvant en contrebas de ce chemin de Ploubazlanec, dans la partie du terrain qui s'incline vers la grève.
    LOTI, Pêcheur d'Islande, III, XII, p. 191.
(...) sur une route en contrebas, le long de l'eau, on put 2
distinguer un régiment en marche suivi par une longue file de voitures régimentaires.
    MARTIN DU GARD, les Thibault, t. VIII, p. 9.
Loc. prép. *En contrebas de...*

♦ **2** N. m. *Un contrebas* ou *un contre-bas*, endroit le plus bas d'un terrain, dépression.
Nous parvenons à un contre-bas inondé; l'eau noire 3
double la profondeur de la voûte (...)
    GIDE, Voyage au Congo, *in* Souvenirs, Pl., p. 706.

CONTREBASSE [kɔ̃trəbas] n. f. — 1740; «partie inférieure d'une partition», 1500; ital. *contrabbasso*, de *basso* «basse».

♦ **1** Le plus grand et le plus grave des instruments à archet. *La contrebasse, comme le violoncelle*, se tient verticalement. Tenir la contrebasse dans un orchestre, un quintette à cordes.* → **Contrebassiste.** *Archet de contrebasse. Un pizzicato* à la contrebasse.* — Abrév. (en jazz). → **Basse** (anglic.).
La contrebasse est le plus grand des instruments à corde de la famille des violons; il est accordé par quartes et non par quintes (en raison de la dimension du manche et de l'écartement des doigts qui en résulte) et sonne une octave plus bas *(que le violoncelle).*
    Initiation à la musique, p. 160.

Par anal. *Une voix de contrebasse*, grave et profonde.

◆ **2** Instrument à vent, saxhorn très volumineux et très grave. → **Bombardon**. *Jouer de la contrebasse dans une fanfare.*

◆ **3** Musicien qui joue de la contrebasse. *Être contrebasse dans un orchestre.* → **Bassiste, contrebassiste.**

DÉR. **Contrebassiste.**

CONTREBASSISTE [kɔ̃trəbasist] n. — 1834; *contrebassiste*, 1821; de *contrebasse*.

Musicien qui joue de la contrebasse → **Bassiste**. *Il, elle est contrebassiste dans un orchestre symphonique. Les violoncellistes et les contrebassistes.*

CONTREBASSON [kɔ̃trəbasɔ̃] n. m. — 1821; de *contre-*, et *basson*, d'après *contrebasse*.

Mus. Instrument analogue au basson, sonnant à l'octave inférieure.

CONTREBATTERIE [kɔ̃trəbatri] n. f. — 1580; de *contrebattre*, d'après *batterie*.

Milit. Tir contre l'artillerie, les batteries de l'ennemi.

CONTREBATTRE [kɔ̃trəbatr] v. tr. [CONJUG.: *battre.*] — V. 1220, fig.; de *contre-*, et *battre*.

◆ **1** S'opposer vigoureusement et avec succès à.

Quoi que la pauvre mère dise, son fils, comme s'il avait été emmené malgré lui et voulait faire payer cher de sa présence, contrebat immédiatement d'une contradiction ironique, précise, cruelle, l'assertion timidement risquée.
PROUST, le Côté de Guermantes, Folio, p. 336.

◆ **2** (1845; probablt antérieur; → Contrebatterie). Milit. Atteindre par un tir de contrebatterie. *Contrebattre l'artillerie ennemie.*

DÉR. **Contrebatterie.**

CONTRE-BIAIS (À) [akɔ̃trəbjɛ] loc. adv. — Av. 1662 (1680, in T.L.F.); de *contre-*, et *biais*.

Rare. Dans le sens opposé à celui qu'on attendrait; à rebours, à contresens. *Agir à contre-biais.*

CONTRE-BORD (À) [akɔ̃trəbɔr] loc. adv. — 1833, E. Corbière, in D.D.L.; n., 1680; de *contre-*, et *bord*.

Mar. En sens opposé (l'un de l'autre ou de la marche du navire). *Navires qui s'amarrent à contre-bord.*

En ce moment, un énorme bloc de glace, engagé dans l'étroite passe que suivait *La Jeune-Hardie*, filait rapidement à contre-bord, et il parut impossible de l'éviter, car elle barrait toute la largeur du chenal, et le brick se trouvait dans l'impossibilité de virer.
J. VERNE, Un hivernage dans les glaces, p. 242.

CONTRE-BORDÉE [kɔ̃trəbɔrde] n. f. — 1869, in P. Larousse; de *contre-*, et *bordée*.

Mar. Bordée en sens contraire d'une autre. *Des contre-bordées.*

CONTRE-BOUTANT [kɔ̃trəbutɑ̃] n. m. — 1474; de *contre-bouter*.

Techn. (archit.). Pièce de bois oblique qui sert d'appui à un mur (→ Contre-buter). → **Arc-boutant, contrefort, étai.**

CONTRE-BRAQUER [kɔ̃trəbrake] v. intr. — 1952, in Petiot, au p. p.; de *contre-*, et *braquer*.

Faire tourner une voiture dans le sens opposé à la direction suivie, en agissant sur le volant. → **Braquer.**

CONTRE-BRASSER [kɔ̃trəbrase] v. tr. — 1771; de *contre-*, et *brasser*.

Mar. Brasser* en sens contraire.

CONTRE-BUTER [kɔ̃trəbyte] ou **CONTRE-BOUTER** [kɔ̃trəbute] v. tr. — 1441, p. p.; de *contre-*, et *buter, bouter*.

Archit. Soutenir (une poussée) par un contrefort, un pilier *(contre-boutant)*. → **Étayer.** — On écrit aussi contrebuter.

DÉR. **Contre-boutant.**

CONTRE-CALQUER [kɔ̃trəkalke] v. tr. — 1771; de *contre-*, et *calquer*.

Techn. Calquer de façon à obtenir une image inverse.

CONTRECARRE [kɔ̃trəkar] n. m. — 1952, in Esnault; de *contrecarrer*; cf. anc. franç. *contrecarre* «opposition», av. 1475.

Argot. Empêchement de diverse nature, ennui, pépin. *Faire un contrecarre à qqn*, lui faire des ennuis (→ Mettre des bâtons* dans les roues).

J'avais un peu plus de deux cents raides *(billets de mille francs)* sur moi; j'en ai filé cent à la mère Bouche. Gardez-moi ça quelques jours, la mère, j'ai dit. En cas de contrecarre, je vous écrirai pour vous demander de m'assister; ça fera pour les premiers colis.
A. SIMONIN, Touchez pas au grisbi, p. 188.

CONTRECARRER [kɔ̃trəkare] v. tr. — 1541; de l'anc. franç. *contrecarre* «opposition»; pour P. Guiraud, le mot est issu de *se carrer* «montrer de l'arrogance», proprement «redresser les épaules» (en signe de défi), de *carre* «carrure», d'où *contrecarrer* «se placer en face de son adversaire pour le défier».

Faire obstacle à (qqn, qqch.), par une opposition directe. → **Opposer** (s'); **contrarier, contrer, résister.** *Contrecarrer qqn* (vieilli). *Contrecarrer les projets, les plans de qqn. Contrecarrer l'influence de...* → **Neutraliser.** — Au p. p. *Volonté, vocation contrecarrée.*

Et dès ce soir je veux,	1
Pour la contrecarrer, vous marier tous deux (...)	
MOLIÈRE, les Femmes savantes, IV, 5.	

Ces noms *(du système métrique)* ont eu beaucoup de mal à s'introduire en France; ils ont rencontré une vive résistance. Les habitudes des diverses professions ont même contrecarré la diffusion de certaines de ces mesures, de telle sorte que l'État a dû tolérer des noms anciens (...) — 2
F. BRUNOT, la Pensée et la Langue, IV, IX, p. 123.

(...) il avait la volonté âpre et sciemment absurde d'une mule basque, la détermination d'autant plus irrévocable qu'il la sentait irrévocablement contrecarrée. — 3
COURTELINE, le Train de 8 h 47, p. 38.

Nulle part encore, l'Internationale ne représente une force susceptible de contrecarrer effectivement les actes d'un gouvernement. — 4
MARTIN DU GARD, les Thibault, t. VI, p. 204.

CONTR. **Aider, favoriser.** ◊ DÉR. **Contrecarre.**

CONTRECHAMP [kɔ̃trəʃɑ̃] n. m. — 1929, théâtre; de *contre-* (1.), et *champ*.

Cin. Prise de vue dans le sens opposé au champ; plan ainsi filmé.

Balestrero entre dans sa cellule, il regarde le lit; contrechamp sur le lit, le lavabo: contrechamp sur le lavabo, il lève les yeux: contrechamp sur l'angle des murs et du plafond, il regarde les barreaux: contrechamp sur les barreaux.
J.-L. GODARD,
À propos de «The wrong man» d'A. HITCHCOCK,
in Coll. des Cahiers du cinéma, p. 73.

HOM. **Contre-chant.**

CONTRE-CHANT ou **CONTRECHANT** [kɔ̃tʀəʃɑ̃] n. m. — 1578; de *contre-,* et *chant.*

Mus. Phrase mélodique sur les harmonies du thème, jouée en même temps que lui (contrepoint). *Des contre-chants.* — Fig.

La réflexion grecque, cette pensée aux deux visages, laisse presque toujours courir en contre-chant, derrière ses mélodies les plus désespérées, la parole éternelle d'Œdipe qui, aveugle et misérable, reconnaître que tout est bien.
CAMUS, l'Homme révolté, *in* Essais, Pl., p. 439.

HOM. Contrechamp.

CONTRECHÂSSIS [kɔ̃tʀəʃɑsi] n. m. invar. — 1694; de *contre-,* et *châssis.*

Techn. Châssis appliqué contre un autre châssis.

CONTRECHOC [kɔ̃tʀəʃɔk] n. m. — 1893; de *contre-,* et *choc,* d'après *contrecoup.*

Littér. Choc en retour. — On écrit aussi *contre-choc. Des contre-chocs.*

Les Anglais s'apprêtaient à subir le choc et à porter un coup terrible en contre-choc (...)
B. CENDRARS, Bourlinguer, p. 290.

CONTRECLEF [kɔ̃tʀəkle] n. f. — 1754; de *contre-,* et *clef.*

Archit. Voussoir qui touche la clef de voûte.

1. **CONTRECŒUR (À)** [akɔ̃tʀəkœʀ] loc. adv. — 1579; *avoir a contrecuer «détester»,* 1393; de *contre-,* et *cœur.*

Malgré soi, avec répugnance (→ Contre son gré, à son corps défendant, à regret). *Faire une chose à contrecœur. Donner, prêter qqch., accorder qqch. à contrecœur.*

1   Je n'allais plus à mon bureau qu'à contre-cœur *(contrecœur);* la gêne et l'assiduité au travail m'en firent un supplice insupportable, et j'en vins enfin à vouloir quitter mon emploi (...)   ROUSSEAU, les Confessions, V.

2   Expédiés çà et là comme des colis, et en général tous désireux de prendre la mer, ils stationnent souvent bien à contrecœur dans ces ports (...)
LOTI, Matelot, XXX, p. 117.

CONTR. Cœur (de bon, de grand, de tout, de gaieté de cœur), consentement (de son plein), gré (de bon, de plein gré), spontanément, volontairement, volontiers.

2. **CONTRECŒUR** [kɔ̃tʀəkœʀ] n. m. — XIIIe, *contrecuer;* de *contre-,* et *cœur.*

Technique.

♦ 1 Fond de cheminée (→ Contre-feu) et plaque de fonte appliquée sur ce fond. *Contrecœur décoré d'armoiries.*

(...) les réparations à faire :
Aux âtres, contrecœurs, chambranles et tablettes des cheminées (...)   Code civil, art. 1754.

♦ 2 Techn. Rail couché à l'intérieur d'un croisement de voie ferrée.

CONTRECOLLER [kɔ̃tʀəkɔle] v. tr. — 1955; de *contre-,* et *coller.*

Techn. Coller deux feuilles de carton ou de papier l'une sur l'autre avec un adhésif. — P. p. adj. *Bois contrecollé :* forte pièce de bois faite de planches collées entre elles.

DÉR. Contrecolleuse.

CONTRECOLLEUSE [kɔ̃tʀəkɔløz] n. f. — 1974; de *contrecoller.*

Techn. Machine destinée à contrecoller des matériaux.

CONTRECOUP [kɔ̃tʀəku] n. m. — 1560; de *contre-,* et *coup.*

♦ 1 Vx ou littér. Répercussion d'un coup, d'un choc. → Choc (en retour), ricochet. *Des contrecoups. La balle a donné contre la muraille et il a été blessé du contrecoup* (Académie). *Frapper par contrecoup.* — On écrit aussi *contre-coup.*

(...) c'est en effet ce qui se produit quelquefois lorsque l'on claque certaines serrures avec trop de force et que le pêne se rouvre immédiatement sous le contre-coup du choc (...)   0.1
A. ROBBE-GRILLET, la Maison de rendez-vous, p. 124.

♦ 2 (1665). Mod. Événement qui se produit en conséquence indirecte d'un autre. → Conséquence, effet, réaction, suite. *Subir le contrecoup d'un désastre. Par contrecoup.*

Je vous vois partout dans un déchirement de cœur si terrible, que j'en sens vivement le contrecoup.   1
Mme DE SÉVIGNÉ, 1070, 11 oct. 1688.

(...) l'art flamand et hollandais du XVIIe siècle (...) est le   2 contrecoup d'une vaste tragédie jouée pendant trente ans au prix de milliers de vies.
TAINE, Philosophie de l'art, t. II, III, II, II, p. 39.

(...) toute révolution politique a son contrecoup dans une   3 révolution artistique, et la vie d'une nation est un organisme où tout est lié (...)
R. ROLLAND, Musiciens d'autrefois, p. 2.

CONTRE-COURANT [kɔ̃tʀəkuʀɑ̃] n. m. — 1783; de *contre-,* et *courant.*

♦ 1 Courant secondaire qui se produit en sens inverse d'un autre courant. *Utiliser les contrecourants pour remonter une rivière. Contre-courants le long des berges d'une rivière, au fond d'une baie.*

À l'aide des contre-courants, les pirogues remontent le   1 Meschacebé, et entrent dans le lit de l'Ohio.
CHATEAUBRIAND, Atala, Prologue.

En effet, des couches inférieures de ce brouillard sortait   1.1 un sourd tumulte de courants et de contre-courants qui s'entrechoquaient. Les eaux, très hautes à cette époque de l'année, devaient couler avec une torrentueuse violence.
J. VERNE, Michel Strogoff, p. 370.

Il y a des contre-courants, d'étranges vortex, et des retours   1.2 en arrière, qu'accusent les îlots d'herbe entraînés.
GIDE, Voyage au Congo, *in* Souvenirs, Pl., p. 697.

♦ 2 À contre-courant : en remontant le courant. *Naviguer à contre-courant, nager à contre-courant.*
Par métaphore :

Je comprends, en lisant les *Thibault,* que ceux-là seuls m'intéressent profondément qui luttent contre leur époque et nagent à contre-courant.   2
A. MAUROIS, Études littéraires, Martin du Gard, t. II, p. 169.

Fig. *Aller à contre-courant de son époque.*

♦ 3 Techn. Courant électrique employé pour obtenir un effet inverse.

(...) le moteur d'une locomotive doit fournir le maximum   3 d'énergie dans les régimes transitoires, soit à l'accélération, soit à la décélération, pour le freinage par contre-courant.
Gilbert SIMONDON, Du mode d'existence des objets techniques, p. 52.

CONTRE-COURBE [kɔ̃tʀəkuʀb] n. f. — 1845; de *contre-,* et *courbe.*

Techn. (archit., décoration, etc.). Courbe concave accolée à une courbe convexe. *Des contre-courbes.*

CONTRE-COURS [kɔ̃tʀəkuʀ] n. m. invar. — V. 1970; de *contre-,* et *cours.*

Cours organisé en dehors des structures d'enseignement habituelles, selon des méthodes non traditionnelles. *Les étudiants en grève ont organisé des contre-cours dans le métro.*

CONTRE-CULTURE [kɔ̃tʀəkyltyʀ] n. f. — 1972; de *contre-*, et *culture.*

Littér. Culture définie en opposition à la culture dominante (considérée comme culture de classe) et formée d'éléments variés empruntés à la «culture populaire», etc. «*On démystifie Malraux ou Gide. Une contre-culture est née. On fera des thèses sur Lucky Luke et son message*» (*les Nouvelles littéraires*, 21 août 1972). *Des contre-cultures.*

1 Certaines thèmes de la contre-culture sont incorporés à la machine de l'ordre établi, en général comme soupapes. Quant à la culture qui reste contestataire, justement elle «reste» et elle sait qu'elle reste.
M. CLAVEL, *in* le Nouvel Obs., n° 414, 16 oct. 1972, p. 71.

2 *(La conception, l'espérance de la «base»)* ce n'est pas, enfin, négation de la culture, ni même «contre-culture» rejetant les acquis de millénaires d'hominisation ou d'humanisation de l'homme.
Roger GARAUDY, Parole d'homme, p. 191.

CONTREDANSE [kɔ̃tʀədɑ̃s] n. f. — 1626; altér. de l'angl. *country dance* «danse de campagne».

♦ 1 Danse où les couples de danseurs se font vis-à-vis et exécutent des figures. → **Quadrille.** *La contredanse se danse généralement à huit personnes.*

1 On quitta les danses françaises pour se mettre aux contredanses.
Antoine HAMILTON, Mémoires du conte de Grammont, 137.

Air sur lequel on exécute cette danse. *Jouer une contredanse.*

2 La ritournelle d'une contredanse interrompit notre dialogue (...)
Ch. DE BERNARD, Un acte de vertu, *in* LITTRÉ.

♦ 2 (1901, jeu de mots). Fam. Contravention. → **Amende, P.V.**

3 Je connais le code de la route, moi. Jamais de contredanses.
R. QUENEAU, Zazie dans le métro, Folio, p. 109 (1959).

CONTRE-DÉCLARATION [kɔ̃tʀədeklaʀasjɔ̃] n. f. — 1792; de *contre-*, et *déclaration.*

Dr., admin. Déclaration contraire à une déclaration antérieure. *Des contre-déclarations.*

CONTRE-DÉGAGEMENT [kɔ̃tʀədegaʒmɑ̃] n. m. — 1846, Bescherelle; de *contre-*, et *dégagement.*

Escr. Dégagement fait en même temps que celui de l'adversaire. *Des contre-dégagements.*

CONTRE-DÉGAGER [kɔ̃tʀədegaʒe] v. intr. [CONJUG.: *dégager* (→ Bouger).] — 1846, Bescherelle; de *contre-*, et *dégager.*

Escr. Faire un contre-dégagement.

CONTRE-DÉNONCIATION [kɔ̃tʀədenɔ̃sjasjɔ̃] n. f. — 1863; de *contre-*, et *dénonciation.*

Dr. Acte extra-judiciaire par lequel le saisissant porte à la connaissance du tiers saisi l'assignation en validité adressée par lui au saisi. *Des contre-dénonciations.*

CONTRE-DIGUE [kɔ̃tʀədig] n. f. — 1839; *contre-dicque*, av. 1598; de *contre-*, et *digue.*

Ouvrage destiné à consolider la digue principale. *Des contre-digues.*

CONTREDIRE [kɔ̃tʀədiʀ] v. tr. [CONJUG.: *dire*, sauf *(vous) contredisez.*] — XIIᵉ; «refuser», Xᵉ; lat. *contradicere*, de *contra*, et *dicere.* → Dire.

♦ 1 S'opposer à (qqn) en disant le contraire de ce qu'il dit. → **Démentir, réfuter; contradiction** (→ Pourvoyeur, cit. 2). *Contredire qqn. Contredire un témoin.* — Absolt. *Aimer à contredire.* → **Critiquer, fronder.** *Porté à contredire.*

1 Au lieu de les contredire ou de les interrompre *(ceux qui parlent)*, comme on fait souvent on doit, au contraire, entrer dans leur esprit et dans leur goût, montrer qu'on les entend, leur parler de ce qui les touche, etc. Il faut éviter de contester (...)
LA ROCHEFOUCAULD, Réflexions diverses, p. 4 (→ Contester, cit. 4).

2 (...) il prit plaisir à contredire son frère — mais sur un ton conciliant (...)
MARTIN DU GARD, les Thibault, t. V, p. 181.

Contredire le témoignage de qqn. Contredire une assertion, une déclaration. → **Nier.**

Trans. ind. Vx ou littér. *Contredire à qqch. Je n'y contredis pas :* je ne contredis pas ce que vous dites.

3 Accablez-moi de noms encor plus détestés :
Je n'y contredis point, je les ai mérités.
MOLIÈRE, Tartuffe, III, 6.

4 Il est des naturels farouches, intraitables,
Qui tirent vanité de contredire tout.
CORNEILLE, l'Imitation de J.-C., VIII.

♦ 2 Aller à l'encontre de. → **Démentir.** *Les événements ont contredit ses prédictions, ses espérances... Contredire un dessein, un projet.* → **Contrarier; opposer** (s'opposer à).

5 Nos plus importantes pensées sont celles qui contredisent nos sentiments.
VALÉRY, Rhumbs, p. 242.

Dr. Opposer des pièces à celles de la partie adverse. *Contredire un moyen.* — Absolt. *Prendre communication et contredire.*

♦ SE CONTREDIRE v. pron.

Être en contradiction avec soi-même. *Il se contredit sans cesse depuis le début de son récit.* → **Couper** (se).

6 Comme Aristote se contredit souvent et qu'on peut appuyer presque toutes sortes de sentiments par quelques passages tirés de lui (...)
MALEBRANCHE, De la recherche de la vérité, I, IV.

Récipr. *Se contredire l'un l'autre :* être en contradiction (avec qqn, qqch.). *Ils se contredisent sans cesse.* → **Opposer** (s').

7 *(Ils)* se contredisaient assez souvent l'un l'autre.
RACINE, Hist. de Port-Royal.

8 (...) tous les récits que j'entends se contredisent; ce qui m'amène à me méfier de tous et de chacun.
GIDE, Voyage au Congo, *in* Souvenirs, Pl., p. 694.

CONTR. Approuver, appuyer, confirmer. — Accorder (s'), entendre (s'). ◊ DÉR. Contredisant, contredit.

CONTREDISANT, ANTE [kɔ̃tʀədizɑ̃, ɑ̃t] adj. — V. 1450, *contredisans*, n.; de *contredire.*

Rare. Qui aime à contredire. *Esprit contredisant.* → **Contradicteur.**

CONTREDIT [kɔ̃tʀədi] n. m. — XIIᵉ, «contradiction, opposition»; p. prés. de *contredire.*

♦ 1 Dr. Pièce qu'une des parties oppose à celles que fournit la partie adverse. *Contredit de compétence. Fournir des contredits. Les dits et les contredits.*

1 (...) je produis, je fournis
De dits, de contredits, enquêtes, compulsoires (...)
RACINE, les Plaideurs, I, 7.

2 Quel métier de passer son temps avec des chicanes et des contredits.
VOLTAIRE, Lettres, 74, *in* LITTRÉ.

♦**2** (1541). Littér. Affirmation que l'on oppose à ce qui a été dit. → **Contradiction, objection.** *Affirmation sujette à contredit. Sauf contredit.*

3 (...) je sais ce qu'il m'a dit,
Et ne veux plus du tout souffrir de contredit.
CORNEILLE, la Galerie du Palais, II.

♦**3** Loc. adv. Cour. **SANS CONTREDIT** : sans qu'il soit possible d'affirmer le contraire. → **Assurément, certainement.** *Il est, sans contredit, le meilleur, sans conteste, à l'évidence.*

4 Le jardinet de Madame Renoncule, ma belle-mère, est un des sites les plus mélancoliques, sans contredit, qu'il m'ait été donné de rencontrer dans mes courses par le monde.
LOTI, Mᵐᵉ Chrysanthème, XXXV, p. 177.

CONTRE-DON [kɔ̃tʀədɔ̃] n. m. — V. 1970; de *contre-*, et *don.*

Ethnol. Don répondant de façon obligatoire à un premier don, dans les systèmes sociaux où cette règle régit les échanges de biens. → **Contre-prestation, potlatch.** *Des contre-dons. Système du don et du contre-don.*

Les rapports entre les individus et les groupes reposent sur un postulat qui est à la base de toutes les relations sociales et qui veut que tout don mette celui qui l'a reçu dans l'obligation de faire un contre-don au moins de même valeur. Quiconque faillirait à cette obligation serait l'objet de la réprobation générale et mis au ban de la société (...) Ainsi s'établit un courant de dons et de contre-dons; entre des collectivités différentes il favorisera l'échange de marchandises.
Françoise GIRARD, la Nouvelle Guinée, La société, *in* Encycl. Pl., Ethnologie régionale, t. I, p. 1085.

CONTRÉE [kɔ̃tʀe] n. f. — XIIᵉ; lat. pop. *contrata (regio)*, de *contra* «pays en face».

Vieilli ou régional. Étendue de pays. → **Pays; parage, région.** *Description d'une contrée.* → **Chorographie.** *Contrée riche, fertile, riante, verdoyante; pauvre, sablonneuse, déserte, sauvage... Contrée sauvage sans être pittoresque* (→ Peler, cit. 4). *Les produits de chaque contrée. Contrée en bordure de la mer.* → **Bord.** *Contrée méditerranéenne. Les meilleures terres de la contrée. Dans nos contrées.* → **Pays.**

(...) le vent
Me chasse à son plaisir de contrée en contrée.
LA FONTAINE, Fables, IX, 7.
HOM. **Contrer.**

CONTRE-ÉCARTÈLEMENT [kɔ̃tʀekaʀtɛlmɑ̃] n. m. — 1832; de *contre-*, et *écartèlement.*

Blason. Subdivision en quatre parties de deux parties d'un écu écartelé.

CONTRE-ÉCARTELER [kɔ̃tʀekaʀtəle] v. tr. — 1545; de *contre-*, et *écarteler.*

Blason. Diviser en quatre parties (un quartier de l'écu déjà écartelé). *Écu contre-écartelé.*

CONTRE-ÉCHANGE (EN) [ɑ̃kɔ̃tʀeʃɑ̃ʒ] loc. adv. — 1557, *en contr'échange; en contre eschange,* 1461; de *contre-*, et *échange.*

Littér. En échange, en contrepartie. *Promettre une chose en contre-échange d'une autre.*

CONTRE-ÉCROU [kɔ̃tʀekʀu] n. m. — 1870; de *contre-*, et *écrou.*

Techn. Écrou que l'on visse à bloc au-dessus d'un autre écrou pour empêcher le desserrage. *Des contre-écrous.*

CONTRE-ÉDIT [kɔ̃tʀedi] n. m. — XVIIIᵉ; de *contre-*, et *édit.*

Hist. Édit qui s'oppose à un autre.

(...) ce sont des contre-édits dont tout le monde se moquait à Constantinople (...) VOLTAIRE, l'Ingénu, XI.

CONTRE-ÉLECTROMOTRICE [kɔ̃tʀelɛktʀɔmɔtʀis] adj. f. — XXᵉ; de *contre-*, et *électromoteur.*

Sc., techn. *Force contre-électromotrice,* qui s'oppose à celle du courant direct (quotient de la puissance électrique absorbée par l'intensité du courant). — Abrév. : *f.c.e.m. Les forces contre-électromotrices.*

CONTRE-ÉMAIL [kɔ̃tʀemaj] n. m. — 1755; de *contre-*, et *émail.*

Techn. Émail recouvrant le dessus d'un cadran, d'une plaque de métal..., dont le dessus est émaillé. *Des contre-émaux.*

CONTRE-EMPLOI [kɔ̃tʀɑ̃plwa] n. m. — 1983, à *contre-emploi*; de *contre-*, et *emploi.*

Type de rôle qui ne correspond ni au physique ni au tempérament d'un comédien. *Comédien utilisé à contre-emploi par un metteur en scène.* — Fig. *Cet homme politique au ministère de la Culture : c'est un contre-emploi, une grosse erreur de casting. Des contre-emplois.*

CONTRE-EMPREINTE [kɔ̃tʀɑ̃pʀɛ̃t] n. f. — 1845; de *contre-*, et *empreinte.*

Géol. Relief (dépôt d'argile, etc.) dans une empreinte en creux. *Des contre-empreintes.*

CONTRE-ENQUÊTE [kɔ̃tʀɑ̃kɛt] n. f. — 1649, *contr'enquête*, Boisrobert, *in* D.D.L.; de *contre-* (2.), et *enquête.*

Enquête pour vérifier les résultats d'une autre enquête. *La police procède à une contre-enquête. Des contre-enquêtes.*

CONTRE-ENTREPRISE [kɔ̃tʀɑ̃tʀəpʀiz] n. f. — 1587, d'Aubigné; de *contre-*, et *entreprise.*

Vx. Entreprise opposée à une autre. → **Contre-attaque.** *Des contre-entreprises.*

CONTRE-ÉPAULETTE [kɔ̃tʀepolɛt] n. f. — 1786; de *contre-*, et *épaulette.*

Techn. Plaque d'épaule (sans franges), sur un uniforme. *Des contre-épaulettes.*

CONTRE-ÉPREUVE [kɔ̃tʀepʀœv] n. f. — 1828, *in* D.D.L.; *contrepreuve,* 1676; de *contre-*, et *épreuve.*

♦**1** Épreuve que l'on tire sur une estampe fraîchement imprimée. *Tirer une contre-épreuve. Des contre-épreuves.* — Par métaphore ou figuré. → **Calque, contrefaçon, copie, imitation.** *Cet ouvrage n'est qu'une mauvaise contre-épreuve de tel autre.*

(...) la manière de voir de Mᵐᵉ de La Mole n'était jamais 1 qu'une contre-épreuve des opinions de (son) mari (...)
STENDHAL, le Rouge et le Noir, II, 25, p. 402.

♦**2** Épreuve inverse d'une chose, en vue de vérifier si les résultats obtenus par l'épreuve sont exacts. → **Contre-essai; vérification.**

(1791). Dans une assemblée délibérante, fait de compter ceux qui votent contre une proposition, après avoir compté ceux qui votent pour. *Passer à la contre-épreuve.*

(...) un expérimentateur qui demande à des contre- 2 épreuves la vérification de ce qu'il a supposé.
PROUST, À la recherche du temps perdu, t. V, p. 222.

CONTRE-ESPALIER [kɔ̃tʀɛspalje] n. m. — 1651; de *contre-*, et *espalier*.

Agric., hortic. Palissade formant un cadre rigide, destinée à supporter des arbres fruitiers parallèlement à un espalier. *Des contre-espaliers.* — Rangée d'arbres ainsi soutenue.

CONTRE-ESPION [kɔ̃tʀɛspjɔ̃] n. m. — 1793; de *contre-*, et *espion*.

Agent chargé du contre-espionnage. *Des contre-espions.*

CONTRE-ESPIONNAGE [kɔ̃tʀɛspjɔnaʒ] n. m. — 1899; de *contre-*, et *espionnage*.

Action d'espionner des espions. *Faire du contre-espionnage. Les services de contre-espionnage.* — Organisation chargée de la surveillance des espions des puissances étrangères en territoire national. *Contre-espionnage par des espions doubles. Les contre-espionnages de deux pays.*

CONTRE-ESSAI [kɔ̃tʀɛsɛ] n. m. — 1870; de *contre-*, et *essai*.

Techn. Second essai pour contrôler les résultats d'un premier. → **Contre-épreuve** (plus cour.). *Des contre-essais.*

CONTRE-ÉTIQUETTE [kɔ̃tʀetikɛt] n. f. — 1973, in *la Clé des mots*; de *contre-*, et *étiquette*.

Techn. Étiquette placée sur une bouteille du côté opposé à l'étiquette principale (étiquette «de corps»). *Des contre-étiquettes.*

CONTRE-ÉTRAVE [kɔ̃tʀetʀav] n. f. — 1677; de *contre-*, et *étrave*.

Mar. Pièce courbe doublant et renforçant l'étrave sur sa face intérieure. *Des contre-étraves.*

CONTRE-EXEMPLE [kɔ̃tʀɛgzɑ̃pl] n. m. — Attestation isolée, 1599; repris 1957; de *contre-*, et *exemple*, avec infl. de l'angl. *counter-example*.

Didact. Exemple qui illustre le contraire de ce qu'on veut démontrer, cas particulier qui va à l'encontre d'une thèse. *Ceci reste à discuter, je peux vous fournir des contre-exemples. En science, un contre-exemple suffit à montrer la fausseté d'une loi.*

CONTRE-EXPERTISE [kɔ̃tʀɛkspɛʀtiz] n. f. — 1847; de *contre-*, et *expertise*.

Expertise destinée à en contrôler une autre. *Des contre-expertises successives.*

CONTRE-EXPOSITION [kɔ̃tʀɛkspozisjɔ̃] n. f. — 1869, in P. Larousse; de *contre-*, et *exposition*.

Mus. Partie (d'une fugue) venant après le premier épisode. *Au cours de la contre-exposition, les entrées et les réponses sont exposées sous une forme différente. Des contre-expositions.*

CONTRE-EXTENSION [kɔ̃tʀɛkstɑ̃sjɔ̃] n. f. — Déb. XVIIᵉ; de *contre-*, et *extension*.

Chir. Action opposée à l'extension et qui consiste à retenir fixe et immobile la partie supérieure d'un membre luxé ou fracturé, au cours d'une réduction par extension. *Des contre-extensions.*

CONTREFAÇON [kɔ̃tʀəfasɔ̃] n. f. — 1268; de *contrefaire*, d'après *façon*.

♦1 Action de contrefaire (une œuvre littéraire, artistique, industrielle) au préjudice de l'auteur, de l'inventeur; résultat de cette action. → **Contre-épreuve, copie, falsification, imitation, pastiche, plagiat** (cit. 3). *La contrefaçon d'un livre, d'une gravure, d'un produit. Les contrefaçons* (ou «*préfaçons*») *belges des romans de Balzac. C'est une contrefaçon.*

♦2 Imitation frauduleuse. → **Contrefaction, faux, fraude.** *La contrefaçon d'une monnaie. Une contrefaçon de monnaie, de billets de banque, de poinçon, de timbres-poste, d'écritures ou de signatures, de clefs. Contrefaçon d'une marque.* → **Copie.** — Dr. *Poursuivre qqn en contrefaçon. Délit de contrefaçon.*

Seront punis des travaux forcés à temps, toutes autres personnes qui auront commis un faux en écriture (...) par contrefaçon ou altération d'écritures ou de signatures (...)
Code pénal, art. 147. — 1

♦3 Fam. Imitation.

— Voyons, es-tu parvenu à découvrir mon sosie?... ma doublure? (...) — 2
— Ah! tu l'as rencontré? (...)
— Oui, hier soir, au foyer de l'Opéra... C'est un Belge (...)
— Ah! ma contrefaçon est belge!... Voyez-vous ça!
E. LABICHE, les Petites Mains, III, 12.

CONTREFACTEUR [kɔ̃tʀəfaktœʀ] n. m. — 1754; de *contrefaction*.

Dr. Personne qui est coupable de contrefaçon frauduleuse. → **Faussaire.**

CONTREFACTION [kɔ̃tʀəfaksjɔ̃] n. f. — 1798, Académie; de *contrefaire*, avec infl. du lat. *factio*, var. de *contrefaçon**.

Dr. (Rare). Action de contrefaire frauduleusement (des effets publics, des monnaies, des poinçons) de l'État. → **Contrefaçon.** *Contrefaction des sceaux de l'État.*

DÉR. Contrefacteur.

CONTREFAIRE [kɔ̃tʀəfɛʀ] v. tr. [CONJUG.: *faire* : *il contrefaisait* [kɔ̃tʀəfəzɛ].] — Av. 1155; bas lat. *contrafacere* «imiter», de *contra*, et *facere*. → **Faire.**

Littéraire.

♦1 Littér. ou style soutenu. Reproduire par imitation (qqn ou qqch.). → **Calquer, copier, imiter, mimer, reproduire.** *Contrefaire qqn. Contrefaire la voix, les gestes de qqn.*

Il ne put du pasteur contrefaire la voix. — 1
LA FONTAINE, Fables, III, 3.

(...) je suis si remplie de vous, que je tâche d'être votre singe, et de vous contrefaire en tout. — 2
MOLIÈRE, Critique de l'École des femmes, 3.

La puissance du calcul au milieu des complications de la vie est le sceau des grandes volontés des poètes, les gens faibles ou purement spirituels ne contrefont jamais. — 3
BALZAC, Illusions perdues, Pl., t. IV, p. 809.

À force de contempler ce portrait, et par un miracle de mimétisme, Éric Vidame était arrivé non seulement à en contrefaire la noble et majestueuse expression, mais encore à reproduire jusqu'aux rides et aux méplats du modèle. — 4
G. DUHAMEL, Chronique des Pasquier, V, IX, II.

(1549). Copier ou évoquer pour tourner en dérision, pour se moquer. → **Caricaturer, parodier, pasticher, singer.** *Contrefaire un bossu. Contrefaire les manies de qqn.*

Il faut empêcher les enfants de contrefaire les gens ridicules; car ces manières moqueuses et comédiennes ont quelque chose de bas et de contraire aux sentiments honnêtes. — 5
FÉNELON, XVII, 18.

♦ **2** (XIVe). Vieilli. Feindre (un état, un sentiment) pour tromper. → **Simuler**. *Contrefaire la folie, la douleur. Contrefaire une maladie. Contrefaire le mort.* → **Faire.**

6   *(Il)* Eut recours à son sac de ruses scélérates,
Feignit vouloir gravir, se guinda sur ses pattes,
Puis contrefit le mort, puis le ressuscité.
LA FONTAINE, Fables, XII, 18.

7   Mettez-vous tout étendu dans cette chaise, et contrefaites le mort. MOLIÈRE, le Malade imaginaire, III, 11.
(Sujet n. de chose). Faire apparaître comme...

8   J'évite toutes les apparences qui semblent contrefaire le favori (...)
GUEZ DE BALZAC, Œuvres, V, Lettre 10, *in* LITTRÉ.

♦ **3** (Déb. XIIIe). Imiter frauduleusement. → **Contrefaçon ; altérer, falsifier**. *Contrefaire une monnaie, une marque, une écriture, une signature, des clefs* (cit. 4).

9   Quiconque aura contrefait ou altéré les monnaies d'or ou d'argent ayant cours légal en France (...) sera puni des travaux forcés à perpétuité.   Code pénal, art. 132.

♦ **4** Changer, modifier l'apparence de (qqch.) pour tromper. → **Déguiser, dénaturer.** *Contrefaire son écriture. Contrefaire sa voix.* — Pron. *Se contrefaire :* s'efforcer de déguiser son comportement.

10   Que sert-il qu'on se contrefasse ?
Prétendre ainsi changer est une illusion :
L'on reprend sa première trace
À la première occasion.
LA FONTAINE, Fables, XII, 9.

11   (...) il contrefait son ton,
Et d'une voix papelarde
Il demande qu'on ouvre, en disant : «Foin du loup ! »
LA FONTAINE, Fables, IV, 15.

Rare (le sujet est un nom abstrait) :

11.1   Théophile voyait chaque être et lui-même — isolé dans un cercle de sentiments qui se contrefaisaient pour jouer l'amour impossible.
M. JOUHANDEAU, la Jeunesse de Théophile, p. 67.

♦ **5** Vx. (Sujet n. de chose). Rendre difforme. → **Altérer, décomposer, défigurer, déformer.** *Des convulsions contrefaisaient son visage.*

12   Leurs femmes *(des Grecs)* ignoraient l'usage de ces corps de baleine, par lesquels les nôtres contrefont leur taille, plutôt qu'elles ne la marquent.
ROUSSEAU, Émile, V.

♦ **CONTREFAIT, AITE** p. p. adj. → **Contrefait.**

DÉR. Contrefaçon, contrefaction, contrefaisable, contrefaiseur, contrefait. ◊ HOM. Contrefer.

CONTREFAISABLE [kɔ̃tʀəfəzabl] adj. — 1843, Radonvilliers ; de *contrefaire.*
Rare. Que l'on peut contrefaire.

CONTREFAISEUR, EUSE [kɔ̃tʀəfəzœʀ, øz] n. — 1798, Académie ; de *contrefaire.*
Vx. Personne qui contrefait les autres, par artifice. → **Mime ; simulateur.**

CONTREFAIT, AITE [kɔ̃tʀəfɛ, ɛt] adj. — XIe, *contrefet* ; de *contrefaire.*
Rendu difforme. *Homme au corps contrefait.* → **Difforme, malbâti.** *Il est tout contrefait ; elle est un peu contrefaite.* — Vieilli. *Avoir la taille contrefaite. Jambes contrefaites.*

1   Je ne suis pas le seul ; et puisque même on quitte
Un prince si charmant pour un nain contrefait,
Il ne faut pas que je m'irrite
D'être quitté pour un valet.
LA FONTAINE, Contes, I, 1.

2   Il était court de stature, mais large de carrure ; il avait je ne sais quoi de contrefait dans sa taille, sans aucune difformité particulière (...)
ROUSSEAU, les Confessions, III.

N. (rare) :
Tenez-vous droite, mademoiselle, vous avez l'air d'une contrefaite.   3
Henri MONNIER, Scènes populaires, t. I, p. 174.

CONTR. Authentique, original. — Droit.

CONTRE-FASCE [kɔ̃tʀəfas] n. f. — 1690 ; de *contre-*, et *fasce.*
Blason. Fasce opposée à une autre ou fasce divisée en deux demi-fasces de deux émaux différents. *Des contre-fasces.*

CONTRE-FASCÉ, ÉE [kɔ̃tʀəfase] adj. — 1690, Furetière ; de *contre-*, et *fascé.*
Blason. Qui a les fasces en opposition.

CONTRE-FENÊTRE [kɔ̃tʀəf(ə)nɛtʀ] n. f. — 1319 ; de *contre-*, et *fenêtre.*
Techn. Double fenêtre amovible. *Des contre-fenêtres.*

CONTRE-FER [kɔ̃tʀəfɛʀ] n. m. — XVe, *contreferre* ; de *contre-*, et *fer.*
Techn. Partie d'un outil qui double le fer. *Le contre-fer d'un rabot. Des contre-fers.*
HOM. Contrefaire.

CONTRE-FEU [kɔ̃tʀəfø] n. m. — 1531 ; de *contre-*, et *feu.*
♦ **1** Techn. Plaque métallique garnissant le fond d'une cheminée. → **Contrecœur.** *Des contre-feux.*
♦ **2** Feu allumé pour circonscrire un incendie de forêt. *Allumer des contre-feux.*
Par métaphore :
Ces humbles chrétiens savent ce que nous autres nous tendons à oublier, que l'Évangile a gardé toute sa puissance explosive, qu'il demeure face au marxisme athée l'unique contre-feu efficace (...)
F. MAURIAC, le Nouveau Bloc-notes 1958-1960, p. 300.

CONTRE-FICHE [kɔ̃tʀəfiʃ] n. f. — 1690 ; de *contre-*, et *fiche.*
Techn. Pièce de charpente soutenant ou reliant une pièce verticale (contrefort). *Des contre-fiches.*
HOM. Contrefiche (se).

CONTREFICHE (SE) [kɔ̃tʀəfiʃe] v. pron. — 1839, *se contreficher* ; de *contre-*, et *fiche (se).*
Fam. Se moquer complètement (de). *Il s'en contrefiche.* → **Contrebalancer** (s'en), **contrefoutre** (se).
HOM. Contre-fiche.

CONTRE-FIL ou **CONTREFIL** [kɔ̃tʀəfil] n. m. — 1540 ; de *contre-*, et *fil.*
Techn. ou rare. Sens contraire à la direction normale (fil d'un bois, courant d'un liquide...). — Loc. adv. *À contre-fil :* dans le mauvais sens. → **Contre-poil, rebours.**

CONTRE-FILET ou **CONTREFILET** [kɔ̃tʀəfilɛ] n. m. — XXe ; de *contre-* (2.), et *filet.*
Morceau de bœuf correspondant aux lombes. *Grillade dans le contre-filet, dans le contrefilet.* → **Faux-filet.** *Le contre-filet fait partie de l'aloyau*.* — *Contrefilet grillé, saignant.*

CONTREFORT [kɔ̃tRəfɔR] n. m. — XIIIe ; de contre-, et 1. fort.

◆ **1** Pilier, saillie, mur massif servant d'appui à un autre mur qui supporte une charge. → **Arc-boutant.** *Les contreforts d'une terrasse, d'une voûte.*

1 Les murs évidés sont presque tout entiers occupés par les fenêtres ; l'appui manque ; sans les contreforts plaqués contre les parois, l'édifice croulerait (...)
TAINE, Philosophie de l'art, t. I, I, II, VI, p. 84.

◆ **2** (1572 ; «renfort en cuir», v. 1268). Pièce de cuir qui renforce le derrière d'une chaussure. *Contrefort d'un pneu :* partie située entre le bord de roulement et le flanc.

◆ **3** (1831). Chaîne de montagnes latérales qui semblent servir d'appui à une chaîne principale. *Les contreforts des Alpes.*

2 Le mont se composait de deux cônes. Le premier, tronqué à une hauteur de deux mille cinq cents pieds environ, était soutenu par de capricieux contreforts, qui semblaient se ramifier comme des griffes d'une immense serre appliquée sur le sol. Entre ces contreforts se creusaient autant de vallées étroites, hérissées d'arbres.
J. VERNE, l'Île mystérieuse, t. I, p. 120 (1874).

CONTREFOUTRE (SE) [kɔ̃tRəfutR] v. pron. — 1790 ; de contre-, et foutre (se).

Pop. Se moquer complètement (de). → **Foutre** (se). *Je m'en contrefous :* cela m'est bien égal. → **Contref   ficher** (se). *Je m'en fous et je m'en contrefous, de tes histoires.*

1 Tu ne crains pas que ça t'attire des histoires ?
— Je m'en contrefous ! crie-t-il dans le bois sonore.
Roger VERCEL, Capitaine Conan, I, p. 25.

2 Et si cela n'avait abouti qu'à des livres, on pourrait bien s'en contrefoutre. Le malheur, c'est que ça fait aussi des millions de retardés, de malades mentaux.
Régis DEBRAY, l'Indésirable, p. 130.

CONTRE-FRASAGE [kɔ̃tRəfRasaʒ] n. m. — 1850, Bescherelle ; de contre-, et frasage.

Techn. En boulangerie, Dernière opération du pétrissage qui consiste à agiter la pâte par masses. On trouve aussi *contre-frase* [kɔ̃tRəfRaz] (1845, Bescherelle).

CONTRE-FRASER [kɔ̃tRəfRaze] v. tr. — 1771, Trévoux ; de contre-, et fraser.

Techn. Donner un dernier tour à la pâte.

CONTRE-FRUIT [kɔ̃tRəfRɥi] n. m. — 1694 ; de contre-, et 2. fruit.

Techn. Diminution d'épaisseur donnée à un mur à mesure qu'on l'élève, l'inclinaison ne portant que sur la face intérieure de ce mur. *Des contre-fruits.*

CONTRE-FUGUE [kɔ̃tRəfyg] n. f. — 1680 ; de contre-, et fugue.

Mus. (Vx). Fugue inversée. *Des contre-fugues.*

À l'égard des contre-fugues, doubles fugues, fugues renversées, basses contraintes et autres sottises difficiles que l'oreille ne peut souffrir et que la raison ne peut justifier, ce sont évidemment des restes de barbarie (...)
ROUSSEAU, Lettre sur la musique française.

CONTRE-GARDE [kɔ̃tRəgaRd] n. f. — 1676 ; «sauvegarde», 1419 ; de contre-, et garde.

Fortif. Ouvrage construit autour d'un bastion, d'une demi-lune. *Des contre-gardes.*

CONTRE-GOUVERNEMENT [kɔ̃tRəguvERnəmɑ̃] n. m. ; de contre-, et gouvernement.

Polit. Réunion d'hommes politiques d'opposition formant une équivalence de gouvernement (dans un régime démocratique). *Des contre-gouvernements.*

CONTRE-GUÉRILLA ou **CONTREGUÉRILLA** [kɔ̃tRəgerija] n. f. — 1870, Mérimée, in T. L. F. ; de contre-, et guérilla.

Action de guérilla contraire à une autre guérilla.

CONTRE-HÂTIER [kɔ̃tRəɑtje] n. m. — 1530 ; de contre-, et hâtier.

Anciennt. Landier de cheminée, destiné à supporter les broches. *Des contre-hâtiers.*

On écrit aussi *contre-hastier.*

Une silhouette se détacha du fond rouge du foyer, où elle s'était tenue jusqu'alors sur les pieds sur les contre-hastiers.
Jean RAY, les Derniers Contes de Canterbury, p. 48.

CONTRE-HAUT (EN) [ɑ̃kɔ̃tRəo] loc. adv. — 1701 ; de contre-, et haut.

À un niveau supérieur. *Regarder en contre-haut. —* Loc. prép. *Maison en contre-haut d'une route.*

Il y avait une section derrière nous, en contre-haut, qui, phénomène étrange aux yeux de débutants, trouvait moyen de nous tirer dans le dos.
DRIEU LA ROCHELLE, la Comédie de Charleroi, p. 40.

CONTR. Contrebas (en).

CONTRE-HERMINE [kɔ̃tRERmin] n. f. — 1690, Furetière, art. Hermine ; de contre-, et hermine.

Blason. Fourrure constituée, à l'inverse de l'hermine, par un fond de sable semé de mouchetures d'argent.

DÉR. Contre-herminé.

CONTRE-HERMINÉ, ÉE [kɔ̃tRERmine] adj. — D. i. ; de contre-hermine.

Blason. Garni de contre-hermine.

CONTRE-HOULE [kɔ̃tRəul] n. f. — 1873, cit. ; de contre-, et houle.

Houle qui se forme dans un sens différent de la houle établie et se superpose à elle, à la suite d'un changement de direction du vent.

Cette mer démontée, dont les lames se heurtaient alors à celles que provoquait la nouvelle aire du vent. De là un choc de contre-houles qui eût écrasé une embarcation moins solidement construite.
J. VERNE, le Tour du monde en 80 jours, p. 182.

CONTRE-INDICATION [kɔ̃tRɛ̃dikasjɔ̃] n. f. — 1697 ; de contre-, et indication.

Méd. Circonstance qui empêche d'appliquer un traitement. *Les contre-indications d'un traitement, d'un médicament,* les cas où il ne faut pas l'appliquer.

CONTRE-INDIQUER [kɔ̃tRɛ̃dike] v. tr. — 1770, Nicolas, *Manuel du jeune chirurgien,* in D. D. L. ; de contre-, et indiquer.

Méd. Déconseiller, interdire par une contre-indication. *Contre-indiquer un remède.*

◆ **CONTRE-INDIQUÉ, ÉE** p. p. adj.

◆ **1** Méd. Qui fait l'objet d'une contre-indication. *Ce traitement est contre-indiqué.*

◆ **2** Cour. Qui ne convient pas, est dangereux (dans un cas déterminé). → **Déconseillé.** *Cette façon d'agir est plutôt contre-indiquée.*

CONTRE-INTERROGATOIRE [kɔ̃tRɛ̃teRɔgatwaR] n. m. — 1969 ; de contre-, et interrogatoire.

Interrogatoire d'un témoin, d'un accusé mené par la partie adverse. *L'avocat de la victime a procédé au contre-interrogatoire de l'accusé.*

CONTRE-ISSANT, ANTE [kɔ̃tʀisɑ̃, ɑ̃t] adj. — 1694; de contre-, et issant.

Blason. Qui est adossé à un autre animal issant comme lui. → **Issant.** *Lion contre-issant; lionnes contre-issantes.*

CONTRE-JOUR [kɔ̃tʀəʒuʀ] n. m. — 1606, in D. D. L.; de contre-, et jour.

Éclairage d'un objet recevant de la lumière en sens inverse de celui du regard. *Des contre-jours. Être gêné par le contre-jour. Tableau placé dans le contre-jour. Des effets de contre-jour* (en photo). Photo prise en contre-jour. *Réussir un beau contre-jour.*

Loc. adj. et adv. À CONTRE-JOUR : dans un éclairage tel que la lumière vienne en sens inverse de celui du regard. *La statue était à contre-jour. Prendre une photographie à contre-jour.*

1 Il conduisit Jacques jusqu'à une chambre où, près de la fenêtre une femme d'une trentaine d'années cousait à contre-jour.
    MARTIN DU GARD, les Thibault, t. VII, p. 14.

2 (...) la montmorency d'une chair si fine que le noyau y transparaît à contre-jour (...)
    COLETTE, Flore et Pomone, in Gigi, p. 142.

3 Frank rêve de savanes noyées, de montures fourbues, s'ébrouant sous la dentelle des caroubiers, le soir, à contre-jour (...)
    Régis DEBRAY, l'Indésirable, p. 303.

CONTRE-LAME [kɔ̃tʀəlam] n. f. — 1966; de contre- (3.), et lame.

Lame, vague qui vient en sens contraire (à un mouvement de l'eau). *Des contre-lames.*

(...) le rythme de la grande gesticulation de la mer : d'abord l'inspiration profonde, quand l'eau se repliait sur elle-même (...) puis survenait la contre-lame qui rebondissait (...)
    J.-M. G. LE CLÉZIO, le Déluge, VIII, p. 171.

CONTRE-LA-MONTRE [kɔ̃tʀəlamɔ̃tʀ] n. m.
→ 2. **Montre.**

CONTRE-LETTRE [kɔ̃tʀəlɛtʀ] n. f. — XIIIᵉ; de contre-, et lettre.

Dr. Acte secret annulant, modifiant les dispositions stipulées dans un premier acte ostensible et leurs effets. *Des contre-lettres.*

Préparez les actes nécessaires pour transporter à Gobseck la propriété de mes biens. Je ne me fie qu'à vous, monsieur, pour la rédaction de la contre-lettre par laquelle il déclarera que cette vente est simulée (...)
    BALZAC, Gobseck, Pl., t. II, p. 655.

CONTREMAÎTRE, CONTREMAÎTRESSE [kɔ̃tʀəmetʀ, kɔ̃tʀəmetʀɛs] n. — 1404, contremaistre; au fém., 1862; de contre-, et maître, maîtresse.

◆ **1** Personne responsable d'une équipe d'ouvriers. → **Chef** (d'équipe), **porion** (mines), **prote** (imprimerie). *Contremaître et apprenti.*

1 Arriva sa marraine, contremaîtresse de l'atelier où travaille sa mère.
    Roger VAILLAND, 325 000 francs, p. 143.

2 L'usine bourdonne comme une ruche, pourtant nul ne bavarde et il me faudra cinq semaines pour apprendre qu'il existe un contremaître : celui-ci travaille comme les 249 copains, au lieu de déambuler dans l'atelier avec un crayon sur l'oreille et une clé à molette dans la main gauche.
    Bernard MOITESSIER, Cap Horn à la voile, p. 43.

REM. Pour désigner une femme, les deux formes sont en concurrence : *elle est contremaître, contremaîtresse dans une usine...*

◆ **2** N. m. (1425). **Mar. (Anciennt).** Officier adjoint au maître d'équipage.

CONTRE-MANDAT [kɔ̃tʀəmɑ̃da] n. m. — D. i.; de contre-, et mandat.

Admin. Mandat destiné à en annuler un autre. *Des contre-mandats.*

CONTREMANDEMENT [kɔ̃tʀəmɑ̃dmɑ̃] n. m. — D. i.; de contremander, d'après mandement.

Vx. Action de contremander; déclaration, texte qui contremande. → **Contre-avis, contre-ordre.**

CONTREMANDER [kɔ̃tʀəmɑ̃de] v. tr. — 1175; de contre-, et mander.

◆ **1 Vx.** Avertir (qqn) de ne pas exécuter un ordre donné. *Les personnes convoquées ont été contremandées.*

◆ **2 Littér.** Décommander. *Contremander un dîner.* → **Annuler.**

(Je vais) Contremander aussi notre voiture prête.
    MOLIÈRE, l'Étourdi, V, 3. 1

(...) celui-ci *(Pétion)* une heure avant le tour, contremanda la revue.
    MICHELET, Hist. de la Révolution franç., t. I, p. 931. 2

Le télégramme avait apporté la nouvelle de l'insurrection à Paris trop tard pour qu'on pût contremander la fête (...)
    M. YOURCENAR, Archives du Nord, p. 169. 3

CONTR. Confirmer. ◊ DÉR. Contremandement.

CONTRE-MANIFESTANT, ANTE [kɔ̃tʀəmanifɛstɑ̃, ɑ̃t] n. — V. 1870; de contre-, et manifestant.

Personne qui prend part à une contre-manifestation.

En poursuivant son chemin, il assista pourtant à un choc entre une colonne de Front Populaire et une de contre-manifestants.
    M. AYMÉ, Travelingue, p. 37.

CONTRE-MANIFESTATION [kɔ̃tʀəmanifɛstasjɔ̃] n. f. — 1848; de contre-, et manifestation.

Manifestation organisée pour faire échec à une autre.

Mais le branle était donné. Déjà, dans la soirée du 9 février, à Paris, au cours de la contre-manifestation de la place de la République, qu'il avait voulu organiser seul, le parti communiste avait eu six morts.
    Raymond ABELLIO, Ma dernière mémoire, t. II, p. 230.

CONTRE-MANIFESTER [kɔ̃tʀəmanifɛste] v. intr. — V. 1870; de contre-, et manifester.

Prendre part à une contre-manifestation; manifester contre une autre manifestation.

On a mis des signes «attention, travaux» dans une petite rue à Bologne, et on a fait un pique-nique au caviar, champagne et faisan au milieu de la chaussée, avec habits, robes du soir et maître d'hôtel! Ça a fait un malheur. Ils contre-manifestent encore. On a passé une nuit au poste. Provocation fasciste, vous comprenez.
    R. GARY, Au-delà de cette limite votre ticket n'est plus valable, p. 244.

CONTRE-MANŒUVRE [kɔ̃tʀəmanœvʀ] n. f. — 1842; de contre-, et manœuvre.

Milit. Manœuvre opposée aux manœuvres ennemies. *Des contre-manœuvres victorieuses.*

CONTREMARCHE [kɔ̃tʀəmaʀʃ] n. f. — 1359; de contre-, et marche.

◆ **1 Techn.** Hauteur de chaque marche d'un escalier. — Partie verticale qui forme cette hauteur (opposé à «marche partie horizontale»).

◆ **2** (1622, in D. D. L.). Marche qu'on fait faire à une armée dans la direction contraire de celle qu'elle suivait auparavant.

1 Mais les marches et contre-marches à la frontière belge m'avaient écœuré.
>>> DRIEU LA ROCHELLE, la Comédie de Charleroi, p. 67.

Fig. Volte-face.

2 *(Fénelon)* a bataillé, argumenté, discuté, dogmatisé, mêlé la religion à la politique et la politique à la religion, connu les marches, les contremarches, les menées et même les intrigues.
>>> Émile FAGUET, Études littéraires, XVIIᵉ s., Fénelon.

Par métaphore :

3 (...) la voix est donc mise de côté (scéniquement, les récitants occupent une estrade latérale). Le *Bunraku* lui donne un contrepoids, ou, mieux, une contremarche : celle du geste.
>>> R. BARTHES, l'Empire des signes, p. 71.

CONTRE-MARÉE [kɔ̃tʀəmaʀe] n. f. — 1702; de *contre-*, et *marée*.

Didact. Courant dont la direction est contraire à celle de la marée. → **Contre-courant.** *Des contre-marées.*

CONTREMARQUE [kɔ̃tʀəmaʀk] n. f. — 1526, *contremerque*; «représailles» (→ 2. Marque), 1443; de *contre-*, et *marque*.

♦ **1** Admin., comm. Seconde marque qu'on applique sur un ballot de marchandises, sur les objets d'or et d'argent.

♦ **2** (1762). Ticket délivré à ceux qui s'absentent pendant une représentation, afin qu'ils aient le droit de rentrer (à l'entracte, par exemple). *Réclamez une contremarque avant de quitter la salle.*

(...) la contremarque se vend maintenant comme la rente; elle a son cours, elle hausse, elle baisse suivant le mérite des pièces que l'on joue; elle est nécessairement plus chère à huit heures qu'à neuf (...)
>>> Ch. PAUL DE KOCK, la Grande Ville, t. I, Les marchands de contremarque, p. 163.

Par anal. *La contremarque d'un ticket de vestiaire, de consigne, d'une carte d'accès à bord.*

DÉR. Contremarquer.

CONTREMARQUER [kɔ̃tʀəmaʀke] v. tr. — 1518; de *contremarque*.

Admin., comm. Faire une contremarque (1.) sur qqch. — Au p. p. *Marchandise contremarquée.*

CONTRE-MESURE [kɔ̃tʀəm(ə)zyʀ] n. f. — Fin XIXᵉ, *Nouveau Larousse illustré*; de *contre-*, et *mesure*.

Mesure contraire à une autre mesure (→ **Mesure,** III., B.). *Des contre-mesures peu efficaces.* — **Milit.** Mesure destinée à rendre inefficaces les armements ennemis. *Le camouflage, les dispositifs antibrouillage sont des contre-mesures électroniques.*

CONTRE-MINE [kɔ̃tʀəmin] n. f. — 1520; *contermine*, v. 1380; de *contre-*, et *mine*.

♦ **1** Milit. Mine pratiquée pour éventer ou détruire une mine de l'ennemi. *Des contre-mines.*

♦ **2** Par métaphore ou fig. (Littér.). Manœuvre secrète visant à déjouer des menées hostiles.

Athos lui avait bien dit quelques mots qui prouvaient que la conversation qu'elle avait eue avec le cardinal était tombée dans des oreilles étrangères; mais elle ne pouvait admettre qu'il eût pu creuser une contre-mine si prompte et si hardie.
>>> DUMAS, les Trois Mousquetaires, t. II, p. 573.

CONTRE-MINER [kɔ̃tʀəmine] v. tr. — 1404; de *contre-*, et *miner*.

♦ **1** Milit. Protéger en creusant des contre-mines. *Contre-miner les abords d'une ligne fortifiée.*

♦ **2** Fig. et vx. Parer, par une action secrète, les effets d'une intrigue hostile.

CONTREMONT [kɔ̃tʀəmɔ̃] adv. — 1080; de *contre-*, et *mont*.

Vx. En allant vers le haut.

La Seine dans son lit verra plutôt son onde
Rebrousser contremont sa course vagabonde.
>>> RACAN, *in* G. L. L. F.

Loc. adv. À CONTREMONT. *Le bateau va à contremont* (Académie).

CONTRE-MOT [kɔ̃tʀəmo] n. m. — 1797; de *contre-*, et *mot*.

Milit. Mot que l'on échange contre le mot d'ordre. — Second mot d'ordre donné par surcroît, de peur que le premier ne vienne à être connu de l'ennemi. *Des contre-mots.*

CONTRE-MOULAGE [kɔ̃tʀəmulaʒ] n. m. — 1845; de *contre-*, et *moulage*.

Techn. Opération de fonderie qui consiste à faire dans un même châssis plusieurs moules du même objet. *Le contre-moulage d'une matrice.* — Moule obtenu par cette opération. *Des contre-moulages.*

CONTRE-MOULE [kɔ̃tʀəmul] n. m. — 1771; de *contre-*, et *moule*.

Technique.

♦ **1** Chape de moule qui enveloppe et consolide le moule direct. *Des contre-moules.*

♦ **2** (1803). Carton portant des dessins à reproduire.

DÉR. V. Contre-mouler.

CONTRE-MOULER [kɔ̃tʀəmule] v. tr. — 1863; de *contre-moule*, d'après *mouler*.

Techn. Faire le contre-moulage de. *Contre-mouler une statue.*

CONTRE-MUR [kɔ̃tʀəmyʀ] n. m. — 1371; «second mur de défense», v. 1154; de *contre-*, et *mur*.

Techn. (archit.). Petit mur bâti contre un autre mur, contre une terrasse, pour servir d'appui, de contrefort. *Des contre-murs.*

DÉR. Contre-murer.

CONTRE-MURER [kɔ̃tʀəmyʀe] v. tr. — XVIᵉ; de *contre-mur*.

Techn. Consolider, soutenir par un contre-mur. — Au p. p. *Terrasse contre-murée.*

CONTRE-NATURE [kɔ̃tʀənatyʀ] adj. invar. et n. f. — 1535; de *contre-*, et *nature*.

♦ **1** Adj. invar. Qui est contraire aux lois morales considérées comme naturelles (→ Nature, cit. 44 et *supra*). *Sentiments, crimes contre-nature.*

♦ **2** N. f. État de ce qui n'est pas naturel. *Des contre-natures.*

«On appelle contre-nature ce qui est contre la coutume» (Montaigne). La «contre-nature» est la nature même, comme le contre-torpilleur est bel et bien un torpilleur.
>>> MONTHERLANT, Pitié pour les femmes, p. 233.

CONTRE-NOTE [kɔ̃tʀənɔt] n. f. — 1763, *contre note*, *in* D.D.L.; de *contre-*, et *note*.

Diplomatie. Note rédigée dans un sens opposé à la précédente. *Des contre-notes.* → **Contravis.**

CONTRE-OFFENSIVE [kɔ̃tʀɔfɑ̃siv] n. f. — Déb. XXᵉ; de *contre-*, et *offensive*.

Contre-attaque exécutée par une grande unité, en vue d'enlever à l'ennemi l'initiative des opérations. *Des contre-offensives.*

Par anal. ou métaphore :

Son machiavélisme *(du capitalisme)* ne cesse de préparer la contre-offensive.

MARTIN DU GARD, les Thibault, t. V, p. 62.

CONTRE-OPÉRATION [kɔ̃tRɔpeRasjɔ̃] n. f. — 1861 ; de contre-, et opération.

Opération qui annule l'effet d'une opération précédente. *Des contre-opérations.*

CONTRE-OPPOSITION [kɔ̃tRɔpozisjɔ̃] n. f. — 1826, in D.D.L. ; de contre-, et opposition.

Vx. Faction minoritaire d'un parti, d'un groupe parlementaire d'opposition, qui s'oppose à la majorité. *Des contre-oppositions.*

CONTRE-ORDRE [kɔ̃tRɔRdR] n. m. → **Contrordre.**

CONTRE-OUVERTURE [kɔ̃tRuveRtyR] n. f. — XVIᵉ ; de contre-, et ouverture.

Chir. Ouverture pratiquée à l'opposé d'une autre. *Des contre-ouvertures.*

CONTRE-PAL [kɔ̃tRəpal] n. m. — 1551 ; de contre-, et pal.

Blason. Pal divisé en deux moitiés, l'une d'émail et l'autre de métal. *Des contre-pals.*

DÉR. Contre-palé.

CONTRE-PALÉ, ÉE [kɔ̃tRəpale] adj. — 1671 ; de contre-pal.

Blason. Chargé d'un ou de plusieurs contre-pals. *Écu contre-palé d'or et de gueules de quatre pièces.*

CONTRE-PAREMENT [kɔ̃tRəpaRmɑ̃] n. m. — XXᵉ ; de contre-, et parement.

Techn. Face invisible, non décorée, d'un panneau de menuiserie. *Des contre-parements.* — REM. On écrit aussi *contreparement.*

CONTR. Parement.

CONTREPARTIE [kɔ̃tRəpaRti] n. f. — 1262, «adversaire» ; de contre-, et partie.

♦ **1** (1723). Double d'un registre sur lequel toutes les parties d'un compte sont inscrites. — Écritures qui servent de vérification.

♦ **2** Sentiment, avis contraire. → **Contraire, inverse, opposé.** *Soutenir la contrepartie d'une opinion,* en prendre le contre-pied.

♦ **3** (1791). Chose qui s'oppose à une autre en la complétant ou en l'équilibrant. → **Compensation, contrepoids, pendant.** *En contrepartie.* → **Contre** (par), **échange** (en), **revanche** (en). *Vous aurez quelques avantages en contrepartie. Sans contrepartie.*

1 (...) le défaut avait pour contrepartie une qualité précieuse.
PROUST, À la recherche du temps perdu, t. XI, p. 79.

2 S'il est vrai que la critique soit la contrepartie des arts et comme leur conscience, il faut avouer que les lettres de nos jours n'ont pas bonne conscience.
J. PAULHAN, les Fleurs de Tarbes, p. 19.

Spécialt. **ⓐ** (1675, cit.). Mus. Partie d'un morceau qui s'oppose à une autre. *Jouer, chanter la contrepartie.*

3 (...) je songe que vous aimez cet air et que vous me prierez quelque jour de le chanter avec M. de Grignan. Qu'il apprenne la contrepartie : c'est un air divin.
Mᵐᵉ DE SÉVIGNÉ, Lettre à Mᵐᵉ de Grignan, 12 juil., I, p. 763, in D.D.L., II, 14.

ⓑ (1829). Jeu. → **Revanche.**

♦ **4** (1907). Bourse. Opération de celui qui se porte vendeur ou acheteur contre son client (au lieu d'exécuter ses ordres). → **Contrepartiste.**

4 De cette façon, jouant sur les deux tableaux, faisant ce qu'on appelle en termes de coulisse de la contrepartie, il ne laissait jamais courir aucun risque à son influence (...)
PROUST, À l'ombre des jeunes filles en fleurs, Pl., t. I, p. 940.

DÉR. Contrepartiste.

CONTREPARTISTE [kɔ̃tRəpaRtist] n. — 1973, in l'Express ; de contrepartie (4.).

Bourse. Personne qui fait de la contrepartie.

CONTRE-PAS [kɔ̃tRəpa] n. m. invar. — 1771 ; «ancienne danse espagnole», 1606 ; de contre-, et pas.

Milit. Demi-pas pour reprendre le pas cadencé, sur le bon pied.

CONTRE-PASSATION [kɔ̃tRəpasasjɔ̃] n. f. — 1723 ; de contre-, et passation.

Commerce.

♦ **1** Action de repasser une lettre de change à la personne de qui on la reçoit. *Des contre-passations.*

♦ **2** (1907). Rectification d'une écriture erronée dans un livre de comptabilité.

CONTRE-PASSER [kɔ̃tRəpase] v. tr. — 1836 ; «surpasser», v. 1170 ; de contre-, et passer.

Ⅰ Comm. ♦ **1** Repasser (une lettre de change) à la personne de qui on la reçoit.

♦ **2** (1842). Rectifier (une écriture) au grand livre, au journal.

Ⅱ (1825). Vx. Croiser en chemin. → **Croiser.**

1 Un peu avant Essonnes, je contre-passe la tête du bataillon, qui fait halte pour rallier une partie de son monde, et entrer en ville d'une façon un peu décente.
STENDHAL, Mémoires d'un touriste, t. I, p. 23.

2 Comme je vais au Conseil des Musées — une femme jeune me contrepasse. Je l'observe passer.
VALÉRY, Cahiers, t. II, Pl., p. 1297-1298.

CONTRE-PENTE ou **CONTREPENTE** [kɔ̃tRəpɑ̃t] n. f. — 1694 ; de contre-, et pente.

♦ **1** Pente opposée à une autre pente. *Contre-pentes d'une colline, d'une montagne.*

1 Derrière la grille, la contre-pente descendait jusqu'à un vallon. Une autre pente remontait en face (...)
DRIEU LA ROCHELLE, la Comédie de Charleroi, p. 250.

Loc. adv. *À contrepente :* sur la pente opposée ; sur deux pentes opposées. — Loc. prép. *À contre-pente de...*

2 (...) les deux accès de mon abri s'enfonçaient déjà à contrepente, l'un à cadres jointifs sous l'éboulis du château, l'autre dans le rocher franc, et l'on se préparait à attaquer par les deux bouts le corps central lui-même.
Raymond ABELLIO, Ma dernière mémoire, t. II, p. 69.

♦ **2** Techn. Irrégularité d'un terrain ; interruption brusque de la pente (d'une route, d'un chemin).

CONTRE-PERFORMANCE [kɔ̃tRəpeRfɔRmɑ̃s] n. f. — 1949, in Petiot ; de contre-, et performance.

Sports. Mauvaise performance, résultat anormalement faible de qqn qui réussit bien d'habitude. *Après une série de contre-performances, ce coureur a abandonné la compétition.*

Par ext. *Les contre-performances d'un leader politique, d'un écrivain, d'un chanteur. Son dernier passage à la télé est une contre-performance complète.*

CONTRE-PESER [kɔ̃tʀəpəze] v. tr. — XIIe; de *contre-*, et *peser*.

♦ **1** Vx. Faire contrepoids à. → **Contrebalancer, équilibrer.**

1 Je veux expliquer pourquoi un poids de quatre livres est contre-pesé par un poids d'une livre.
> VOLTAIRE, Éléments de la philosophie de Newton..., I, 10, *in* LITTRÉ.

♦ **2** (Abstrait). Littér. et vieilli. → **Compenser, corriger.**

2 L'orgueil contre-pèse et emporte toutes les misères.
> PASCAL, Pensées, VI, 406.

3 (...) si les faits étaient tout, si la valeur des noms ne contre-pesait dans l'histoire la valeur des événements, quelle différence entre mon temps et le temps qui s'écoula depuis la mort de Henri IV jusqu'à celle de Mazarin !
> CHATEAUBRIAND, Mémoires d'outre-tombe, t. II, p. 167.

CONTR. Déséquilibrer. — Accentuer.

CONTREPET [kɔ̃tʀəpɛ] n. m. — 1947, Luc Étienne ; de *contrepèterie*, d'après *pet*.

♦ **1** Art de résoudre les contrepèteries ou d'en faire de nouvelles. *«L'art du contrepet»* (Luc Étienne).

♦ **2** Contrepèterie.

DÉR. Contrepétiste.

CONTREPÈTERIE ou (moins cour.) **CONTRE-PÈTERIE** [kɔ̃tʀəpɛtʀi] n. f. — 1582; de l'anc. franç. *contrepéter* «rendre un son pour un autre, équivoquer», de *contre*, et *péter*, hypothèse réfutée par P. Guiraud qui rattache le mot à *piéter*, d'où **contrepéter* «prendre le contrepied», mais l'équivoque sur *péter* est immédiate.

Intervension des lettres ou des syllabes d'un ensemble de mots spécialement choisis, afin d'en obtenir d'autres dont l'assemblage ait également un sens burlesque ou grivois. → **Antistrophe** (VX), **contrepet**. *Une erreur de prononciation* (→ **Lapsus**) *est à l'origine des contrepèteries ;* ex. : «Un mot de vous, et je suis sauvé !» et «Un mou de veau, et je suis sauvé !» (*in Larousse du XIXe s.*); «Femme folle à la messe» et «femme molle à la fesse» (Rabelais, *Pantagruel*, XVI).

1 (...) l'invention desquelles consiste à trouver deux mots, les premières lettres desquelles échangées, leur donnent une diverse signification.
> TABOUROT, Des antistrophes ou contrepèteries, *in* SAINÉAN, la Langue de Rabelais.

2 (...) il portait en lui un monde de catastrophes et d'espoirs dont il se libérait par le discours. Et j'ai dit quel discours : une espèce de déconnage orphique, un galimatias d'anthologie avec des contre-pèteries jaillies de source et des coq-à-l'âne qui donnaient à réfléchir.
> Jacques PERRET, Bande à part, p. 148.

3 Naturellement, l'existence, le nom et la profession de Madame Astiné étaient une source d'ébaudissement infini, à base de contrepèteries et de calembours d'un goût exécrable; mais plus la facétie volait bas, plus vif était l'amusement.
> Jean-Louis CURTIS, le Roseau pensant, p. 22.

DÉR. Contrepet.

CONTREPÉTISTE [kɔ̃tʀəpetist] n. — 1957, Luc Étienne ; de *contrepet*.

Rare. Auteur de contrepèteries ; spécialiste du contrepet.

CONTREPIÈCE [kɔ̃tʀəpjɛs] n. f. — 1974, *la Clé des mots*; de *contre-*, et *pièce*.

Techn. Pièce, élément de mécanisme opposé à un autre ou fonctionnant en sens contraire.

CONTRE-PIED [kɔ̃tʀəpje] n. m. — 1561; de *contre-*, et *pied*.

♦ **1** Vén. Fausse direction prise par les chiens qui croient suivre la bête. *Les chiens ont pris le contre-pied du sanglier.*

♦ **2** (Fin XVIe). Cour. Ce qui est diamétralement opposé à (une opinion, un comportement). → **Contraire, contrepartie, inverse, opposé.** *Vos opinions sont le contre-pied des siennes.* — Loc. *Prendre le contre-pied de qqn, de ses idées.* → **Contradiction, opposition** (→ Classicisme, cit. 2). *Prendre le contre-pied d'une attitude, d'une affirmation.*

1 Les gens avaient pris justement
Le contre-pied du testament.
> LA FONTAINE, Fables, II, 20.

2 Faire de l'homme un dieu nous semble le contre-pied de la religion.
> FUSTEL DE COULANGES, la Cité antique, p. 35.

3 En face de celui-ci (*le gouvernement*), il (*Bonaparte*) s'était dressé en maître, transgressant ses volontés, prenant le contre-pied de ses instructions, et contraignant à l'approuver cependant et à le féliciter de lui avoir désobéi.
> Louis MADELIN, l'Ascension de Bonaparte, XIV, p. 209.

4 (...) on n'a qu'à prendre en tout le contre-pied de ce qui est raisonnable.
> F. MAURIAC, Thérèse Desqueyroux, VI, p. 102.

5 Par une réaction prévisible, le fils prend en tout le contre-pied du père : Michel, de deux épouses et bon nombre de maîtresses, a en tout deux enfants; Michel-Joseph sera père d'une famille nombreuse.
> M. YOURCENAR, Archives du Nord, p. 297.

♦ **3** (1921, tennis, *in* Petiot). Sports. *Être à contre-pied, sur le mauvais pied (pour une action). La balle l'a surpris à contre-pied.*

Fig. *Prendre qqn à contre-pied,* le déconcerter, agir lorsqu'il n'est pas prêt à la réplique. → **Contre-poil** (à), **rebours** (à).

CONTRE-PLACAGE [kɔ̃tʀəplakaʒ] n. m. — 1873, *Dictionnaire technologique français-allemand-anglais, in* D.D.L.; de *contre-plaqué.*

Techn. Fabrication du contre-plaqué par application de feuilles de bois des deux côtés d'un panneau (les fibres du bois étant perpendiculaires). *Des contre-placages.*

CONTRE-PLAINTE [kɔ̃tʀəplɛ̃t] n. f. — 1877, *in* Littré, Suppl.; de *contre-*, et *plainte.*

Dr. intern. Plainte contradictoire déposée par un État auprès d'un organisme international en réponse à la plainte qui a été faite contre lui. *Des contre-plaintes.*

CONTRE-PLAQUE [kɔ̃tʀəplak] n. f. — Mil. XXe; de *contre-*, et *plaque.*

Techn. Plaque fixée sur un support plus vaste, pour le renforcer, avant d'y fixer une pièce. *Des contre-plaques.*

CONTREPLAQUÉ ou **CONTRE-PLAQUÉ** [kɔ̃tʀəplake] n. m. — 1913, *in Année sc. et industr.* 1914, p. 52, *bois contre-plaqué*; de *contre-*, et *plaqué*, p. p. de *plaquer.*

Bois formé de plaques minces collées, à fibres opposées. → **Contre-placage.** *Du contreplaqué de 19 mm. Contreplaqué marine. Contreplaqué et aggloméré*. Bateau, meuble en contreplaqué. Les plis* du contreplaqué.*

1 (...) des éléments de décors y sont abandonnés çà et là dans une grande confusion. Contre une touffe de bananiers à moitié morts est appuyé de travers un grand panneau de

contreplaqué dont la face peinte représente un mur de pierre (...)

A. ROBBE-GRILLET, la Maison de rendez-vous, p. 132.

Par métaphore. Symbole d'un matériau artificiel, de peu de valeur. → **Toc.** *C'est du contreplaqué. Des sentiments en contreplaqué.*

2 (...) là où Claude voit une merveille de grâce légère, c'est la fausse poésie qui m'apparaît, la poésie en contreplaqué, une fantaisie aux ailes de zinc.

F. MAURIAC, Bloc-notes 1952-1957, p. 7.

REM. Le verbe *contreplaquer*, traité dans les dictionnaires depuis 1922, semble inusité.

DÉR. Contre-placage, contre-plaqueur.

CONTRE-PLAQUEUR [kɔ̃trəplakœr] n. m. — 1955, *Dict. des Métiers*; de *contre-plaqué*.

Techn. Ouvrier qui colle et ajuste les pièces de bois du contre-plaqué. *Des contre-plaqueurs.* — **REM.** Le féminin *contre-plaqueuse* [kɔ̃trəplakøz] est virtuel.

CONTRE-PLONGÉE [kɔ̃trəplɔ̃ʒe] n. f. — 1946; de *contre-*, et *plongée*.

Cin., **télév.** Prise de vue faite de bas en haut (à l'inverse de la plongée). *Séquence filmée en contre-plongée. Des contre-plongées.*

CONTREPOIDS [kɔ̃trəpwa; kɔ̃trəpwɑ] n. m. — V. 1180; de *contre-*, et *poids*.

♦ 1 Poids qui fait équilibre à un autre poids pour en neutraliser ou en modérer l'action. *Les contrepoids d'une horloge.* → **Balancier.** *Contrepoids de tournebroche* : poids qui, avec le balancier, sert à régler le tournebroche. *Contrepoids qui referme automatiquement une porte.* → **Valet.** *Faire contrepoids.* → **Balancer, contrebalancer, contre-peser, équilibrer.**

Balancier les danseurs de corde se servent pour se maintenir en équilibre.

♦ 2 Vx. Équilibre. *Le contrepoids de deux choses, entre deux choses. En contrepoids* : en équilibre.

1 Tellement que le poids de ce vif-argent ayant autant de force pour tomber que le poids de l'eau a pour le pousser en haut, tout demeure en contre-poids.

PASCAL, Traité de l'Équilibre des liqueurs, III, *in* LITTRÉ.

Loc. *Faire le contrepoids; constituer un contrepoids* (au sens 1).

2 Et cette barrière, avec un bloc de pierre pour faire le contrepoids! Sont-ils retardés par ici!

MARTIN DU GARD, les Thibault, t. III, p. 79.

♦ **3** (XIIIᵉ). **Abstrait.** Ce qui équilibre, neutralise. → **Compensation, contrepartie, correctif.** *L'opposition fait contrepoids aux tentations autoritaires du gouvernement.*

Vx. Équilibre. *Il y a contrepoids.* → **Compensation, équilibre, neutralisation.**

3 Nous ne nous soutenons pas dans la vertu par notre propre force, mais par le contrepoids de deux vices opposés, comme nous demeurons debout entre deux vents contraires : ôtez un de ces vices, nous tombons dans l'autre.

PASCAL, Pensées, VI, 359.

4 Ceux qui espèrent leur salut sont heureux en cela, mais ils ont pour contrepoids la crainte de l'enfer.

PASCAL, Pensées, III, 239.

5 Si le sens moral se développait en raison du développement de l'intelligence, il y aurait contrepoids et l'humanité grandirait sans danger (...)

CHATEAUBRIAND, Mémoires d'outre-tombe, t. VI, p. 321.

Mod. Par métaphore du sens 1. *Cela fait (un) contrepoids. Il y a un effet de contrepoids.*

6 Il y a en Europe un esprit latin sans lequel notre civilisation n'aurait pas son équilibre. Son réalisme intellectuel apporte un contrepoids au dynamisme anglo-saxon, dans la mesure où celui-ci s'éloigne de la tradition classique.

André SIEGFRIED, l'Âme des peuples, II, I, p. 28.

CONTR. Surcharge. — Déséquilibre.

CONTRE-POIL (À) [akɔ̃trəpwal] loc. adv. — 1205, *contrepoil; encontre poil ester* «aller à rebours», v. 1167; de *contre-*, et *poil.*

♦ 1 Dans le sens inverse du sens naturel des poils (à rebrousse-poil). *Les chats détestent qu'on les caresse à contre-poil. Étriller un cheval à contre-poil. Se raser la barbe à contre-poil. Assembler des morceaux de tissu à contre-poil.*

♦ 2 Fig. et fam. *Prendre qqn à contre-poil*, maladroitement, en l'irritant. — *Prendre une affaire à contre-poil.* → **Envers** (à l'), **opposé** (à l'), **rebours** (à).

CONTREPOINT [kɔ̃trəpwɛ̃] n. m. — 1398; de *contre-*, et *point* «note», les notes étant figurées par des points.

♦ 1 Mus. Art de composer de la musique en superposant des dessins mélodiques. *L'harmonie combine des notes disposées verticalement* (accords), *et le contrepoint des notes qui se succèdent suivant un dessin horizontal soumis à des règles. Les cinq façons d'écrire le contrepoint suivant la durée qu'on donne aux notes. Contrepoint fleuri. Contrepoint à deux, trois, à huit parties. Apprendre l'harmonie et le contrepoint.* → **Contrapuntiste.** *Combinaisons* (cit. 4) *de contrepoint.*

1 Créé au moyen âge, à partir du XIIᵉ siècle, il (le *contrepoint*) est l'art de superposer deux ou un plus grand nombre de lignes ou parties mélodiques. Ces mélodies étant alors écrites sous la forme de points, leur association présentait aux yeux des «points contre des points».

Initiation à la musique, p. 376.

1.1 (...) un ménage de cousins à lui, qui, comme les ménages d'ouvriers, n'était jamais à la maison pour soigner les enfants, car dès le matin la femme partait à la «Schola» apprendre le contrepoint et la fugue, et le mari à son atelier faire de la sculpture sur bois et des cuirs repoussés (...)

PROUST, le Côté de Guermantes, t. I, Folio, p. 37.

Un, des contrepoints, composition faite d'après les règles du contrepoint.

♦ 2 Fig. Motif secondaire qui se superpose à qqch., en ayant une réalité propre. *La musique doit fournir un contrepoint aux images d'un film.*

2 (*Les comédiens*) juxtaposent au texte une espèce de contrepoint déclamatoire, absolument étranger, qui ne laisse pas transparaître un atome du poème vivant qu'ils ont la prétention d'interpréter.

Léon BLOY, la Femme pauvre, I, p. 119.

Loc. adv. Fig. *En contrepoint* : simultanément, et indépendamment, mais comme une sorte d'accompagnement. — **Loc. prép.** *En contrepoint de...*

3 Il aurait fallu que la pièce (*Sud*, de Julien Green) telle qu'elle est se déroulât en contrepoint de la vie simple et normale du couple humain.

F. MAURIAC, Bloc-notes 1952-1957, p. 17.

DÉR. 3. Contrepointer.

CONTRE-POINTE [kɔ̃trəpwɛ̃t] n. f. — 1825; de *contre-*, et *pointe.*

Technique.

♦ 1 Escrime au sabre où l'on combine les coups d'estoc et de taille.

♦ 2 (1838). Partie tranchante de l'extrémité du dos d'un sabre. *Des contre-pointes.*

Par anal. *Contre-pointe d'un hameçon.* → **Ardillon.**

1. CONTRE-POINTER ou **CONTREPOINTER** [kɔ̃tʀəpwɛ̃te] v. tr. — 1520, p. p.; de *contre-pointe,* var. de *courte-pointe.*

Cout. (Vx). Piquer une étoffe des deux côtés. *Contre-pointer une couverture.*

2. CONTRE-POINTER ou **CONTREPOINTER** [kɔ̃tʀəpwɛ̃te] v. tr. — 1476; de *contre-,* et *pointer.*

Techn. (milit.). Pointer (une pièce d'artillerie) contre une autre. *Contre-pointer un canon.* — Au p. p. *Des bouches à feu contre-pointées.*

3. CONTREPOINTER [kɔ̃tʀəpwɛ̃te] v. tr. — Av. 1544; de *contrepoint.*

Mus. Composer, développer suivant les règles du contrepoint. *Contrepointer une mélodie, une chanson.*

CONTREPOISON [kɔ̃tʀəpwazɔ̃] n. m. — V. 1500; de *contre-,* et *poison.*

♦ **1** Substance destinée à combattre, à neutraliser l'effet d'un poison, d'une substance toxique. → **Alexipharmaque, antidote** (cit. 1). *Administrer un contrepoison. Le lait, le café, l'eau de chaux, les blancs d'œufs peuvent servir de contrepoisons.*

♦ **2** Par métaphore ou fig. *Chercher un contrepoison à une doctrine subversive.*

Il n'est point de contrepoisons
Contre le noir venin des langues médisantes.
CORNEILLE, Office de la Vierge, V, IX, 179.

CONTRE-POLICE [kɔ̃tʀəpɔlis] n. f. — 1796; de *contre-,* et *police.*

Police secrète qui surveille et contrôle la police. *Des contre-polices. Des histoires de services secrets, de contre-espionnage et de contre-police.*

CONTRE-PORTE [kɔ̃tʀəpɔʀt] n. f. — 1690; «porte en renforçant une autre dans des fortifications», 1582; de *contre-,* et *porte.*

Technique.

♦ **1** Porte légère, généralement capitonnée, qui double une porte. *Des contre-portes protégeaient du froid et étouffaient le bruit des conversations.*

♦ **2** Face intérieure (d'une porte, aménagée pour recevoir des accessoires). *La contre-porte d'un réfrigérateur, d'une machine à laver. Contre-porte de voiture.*

CONTRE-POUVOIR [kɔ̃tʀəpuvwaʀ] n. m. — 1973, *in* P. Gilbert; de *contre-,* et *2. pouvoir.*

Pouvoir qui s'oppose ou qui fait équilibre à un pouvoir antérieur. → Tricontinental, cit. *« Le contre-pouvoir des consommateurs »* (le Monde, 5 déc. 1979). *Des contre-pouvoirs.*

CONTRE-PRÉPARATION [kɔ̃tʀəpʀepaʀasjɔ̃] n. f. — 1929; de *contre-,* et *préparation.*

Milit. Bombardement destiné à neutraliser une préparation (d'artillerie). *Des contre-préparations d'artillerie.*

CONTRE-PRESSION [kɔ̃tʀəpʀesjɔ̃] n. f. — 1861; de *contre-,* et *pression.*

Techn. Pression opposée à une autre pression. Spécialt. Pression secondaire réduisant l'effet de la pression motrice. *Des contre-pressions.*

Ces écrans, ou *contre-vents* (sic), ont pour effet de concentrer la force du vent, de dévier les parties extrêmes du courant qui pourraient donner une contre-pression nuisible (...)
L. FIGUIER, l'Année sc. et industr. 1883, p. 120 (1882).

CONTRE-PRESTATION [kɔ̃tʀəpʀɛstasjɔ̃] n. f. — V. 1970; de *contre-,* et *prestation.*

Didact. Obligation, dans certaines sociétés, de répondre à un don par un autre don. → **Contre-don.** *Des contre-prestations. Le potlatch* est une forme de contre-prestation.*

CONTRE-PRODUCTIF, IVE [kɔ̃tʀəpʀɔdyktif, iv] adj. — V. 1970; de *contre-,* et *productif.*

Qui produit l'effet inverse de ce que l'on escomptait. *Des mesures, des décisions contre-productives.*

CONTRE-PROJET ou **CONTREPROJET** [kɔ̃tʀəpʀɔʒɛ] n. m. — 1791, *in* D.D.L.; de *contre-,* et *projet.*

Projet que l'on oppose à un autre projet sur la même question. *Proposer des contre-projets.*

CONTRE-PROPAGANDE [kɔ̃tʀəpʀɔpagɑ̃d] n. f. — 1931, *in* D.D.L.; de *contre-,* et *propagande.*

Propagande destinée à détruire les effets d'une autre propagande. *Des contre-propagandes.*

(...) repérer les éléments sains, les organiser, amorcer une contre-propagande clandestine, voilà les objectifs immédiats. SARTRE, la Mort dans l'âme, p. 241. [1]

Nos voisins ont beau, par une contre-propagande sournoise, dénoncer la malhonnêteté de notre procédé, personne ne prête foi à leurs dires (...)
Robert PINGET, Graal flibuste, p. 76. [2]

CONTRE-PROPOSITION ou **CONTREPROPOSITION** [kɔ̃tʀəpʀɔpozisjɔ̃] n. f. — 1771; de *contre-,* et *proposition.*

Proposition qu'on fait pour l'opposer à une autre. *Des contre-propositions.*

CONTRE-PUBLICITÉ [kɔ̃tʀəpyblisite] n. f. — xxᵉ; de *contre-,* et *publicité.*

♦ **1** Action (publicité ou propagande) qui a un effet contraire à son objet, qui diminue les ventes. → **Antipublicitaire.** Argument qui entraîne un tel effet. *Ce slogan, cette affiche leur fait de la contre-publicité; est une contre-publicité.*

Il est à remarquer que lorsqu'on s'adresse à une certaine classe sociale, le bon marché peut être une contre-publicité. B. DE PLAS ET H. VERDIER, la Publicité, p. 30. [1]

♦ **2** Publicité destinée à lutter contre une autre publicité.

Aux États-Unis, sous la pression des consommateurs et de Ralph Nader, il est question de compléter et de corriger la publicité à la télévision par une contre-publicité permettant à chacun de juger.
A. SAUVY, Croissance zéro?, p. 215 (1973). [2]

CONTRE-QUILLE [kɔ̃tʀəkij] n. f. — 1677; de *contre-,* et *quille.*

Mar. Pièce de bois disposée sur la face supérieure de la quille d'un navire en bois, pour la doubler et la renforcer. *Des contre-quilles.*

CONTRER [kɔ̃tʀe] v. — 1838; de *contre.*

♦ **1** V. intr. Cartes. Défier l'adversaire de réaliser sa demande, son contrat. → **Contre** (II., 3.). *Réussir un chelem contré, au bridge.* → **Surcontrer.**

♦ **2** V. tr. ⓐ S'opposer avec succès à (qqn). *Il a contré son interlocuteur. Se faire contrer.* (À qqch.). *Contrer une attaque. Contrer une proposition.*

Le 9 février au soir, le P. C. avait organisé une manifestation antifasciste que la police contra brutalement, tuant six ouvriers.
S. DE BEAUVOIR, la Force de l'âge, p. 168. [1]

b Sports (boxe). Frapper en contre. — (Tennis). *Contrer la balle* : riposter en annulant l'attaque adverse.

c Mar. (Rare). *Contrer une voile*, la border à contre.

2   La trinquette est ensuite contrée pour faire abattre sur le bord favorable.
> Bernard MOITESSIER, Cap Horn à la voile, p. 91.

COMP. Surcontrer. ◊ HOM. Contrée.

CONTRE-RAIL [kɔ̃tʁəʁaj] n. m. — 1855; «aiguille», 1841; de *contre-*, et *rail*.

Techn. Second rail placé contre le rail normal aux passages à niveau, aux croisements... *Des contre-rails.*

CONTRE-RÉACTION [kɔ̃tʁəʁeaksjɔ̃] n. f. — 1961; de *contre-*, et *réaction*.

Techn. Action de contrôle en retour. → **Rétroaction; autorégulation.** *Des contre-réactions.*

Une pareille incapacité devant les variations rapides s'explique par le fait que, dans les moteurs thermodynamiques, même quand il existe une auto-régulation, cette auto-régulation ne possède pas de canaux d'information distincts des effecteurs. Il y a bien, dans le *governor* de Watt, une voie de contre-réaction *(feed-back)*, mais cette voie ne se distingue pas de la voie effectrice qui permet au moteur de mouvoir un organe résistant (...)
> GILBERT SIMONDON, Du mode d'existence des objets techniques, p. 128.

REM. Le mot est l'un des équivalents français de l'anglicisme *feedback**.

CONTRE-RÉFORME [kɔ̃tʁəʁefɔʁm] n. f. — 1914; de *contre-*, et *réforme*.

Hist. Réforme catholique qui succéda à la Réforme pour s'y opposer. *Les Jésuites, artisans de la contre-réforme.*

CONTRE-RÉVOLUTION [kɔ̃tʁəʁevɔlysjɔ̃] n. f. — 1790; de *contre-*, et *révolution*.

Mouvement politique, social, destiné à combattre une révolution. → **Réaction.** *Des contre-révolutions.*

(...) des crises de contre-révolution, de réaction furieuse (...) une longue chaîne de violences rétrogrades et de haines basses, de représailles et de servitudes.
> J. ROMAINS, les Hommes de bonne volonté, t. IV, XXIII, p. 256.

CONTRE-RÉVOLUTIONNAIRE [kɔ̃tʁəʁevɔlysjɔnɛʁ] adj. et n. — 1790; de *contre-*, et *révolutionnaire*.

Favorable à une contre-révolution. → **Réactionnaire.** — N. Partisan d'une contre-révolution. *Les contre-révolutionnaires de Vendée, les chouans*.*

CONTRE-REZZOU [kɔ̃tʁəʁɛdzu] n. m. → **Rezzou.**

CONTRE-RIPOSTE [kɔ̃tʁəʁipɔst] n. f. — 1838; de *contre-*, et *riposte*.

Escr. Riposte à une riposte. *Des contre-ripostes.*

CONTRE-SAISON (À) [akɔ̃tʁəsɛzɔ̃] loc. adv. — Fin XVIIIᵉ; de *contre-*, et *saison*.

Littér. En dehors de la saison normale. *Fleur, légume obtenu à contre-saison.*

Fig. et littér. À un moment, dans un temps anormal.

Où que j'aille et quoi que je fasse, c'est toujours à contre-saison. Mais il me plaît ainsi. Seul hôte d'un grand hôtel morne (oh! simplement parce qu'il est vide) qui ne commencera pas de s'emplir avant juillet!
> GIDE, Journal, 1935, p. 1228, *in* T.L.F.

CONTRE-SANGLE [kɔ̃tʁəsɑ̃gl] n. f. — V. 1160, *contre-cengle*; de *contre-*, et *sangle*.

Techn. Courroie clouée à l'arçon de la selle, pour arrêter la boucle de la sangle. *Des contre-sangles.*

CONTRE-SANGLON [kɔ̃tʁəsɑ̃glɔ̃] n. m. — V. 1583; de *contre-*, et *sanglon*.

Techn. (sellerie). Courroie attachée à une boucle, fixant une partie du harnais. *Des contre-sanglons.*

CONTRESCARPE [kɔ̃tʁɛskaʁp] n. f. — 1546; de *contre-*, et *escarpe*.

Fortif. Pente du mur extérieur d'un fossé, du côté de la campagne. → **Glacis.** *Escarpe* et contrescarpe. La place de la Contrescarpe, à Paris, doit son nom au tracé d'anciennes fortifications.*

Alors on entendit un grand bruit de fagots entre-choqués et de poutres gémissantes : c'étaient les contrescarpes et les bastions d'Athos, que l'assiégé démolissait lui-même.
> DUMAS, les Trois Mousquetaires, t. I, p. 342.

CONTRE-SCEAU [kɔ̃tʁəso] n. m. — 1256, *contre saeel*; de *contre-*, et *sceau*.

Techn. Petit sceau complémentaire, apposé au revers du grand. *Des contre-sceaux.*

DÉR. V. **Contre-sceller.**

CONTRE-SCELLER [kɔ̃tʁəsele] v. tr. — 1307; de *contre-scel*, forme anc. de *contre-sceau*, d'après *sceller*.

Techn. et vieilli. Marquer d'un contre-sceau.

CONTRESEING [kɔ̃tʁəsɛ̃] n. m. — 1350; «marque d'un orfèvre sur son poinçon», 1355; de *contre-*, et *seing*.

◆ **1** Dr. Deuxième signature destinée à authentifier la signature principale, ou à marquer un engagement solidaire. → **Contresigner.** *Le contreseing des ministres aux actes du chef de l'État engage leur responsabilité devant les Chambres.*

◆ **2** Énonciation sur une lettre de la qualité de l'expéditeur, en vue d'obtenir la franchise postale.

CONTRESENS [kɔ̃tʁəsɑ̃s] n. m. — 1560; de *contre-*, et *sens*.

◆ **1** Interprétation contraire à la signification véritable. *Faire un contresens et des faux sens dans une traduction, une version.*

Vx. Sens opposé. *Vous prenez le contresens de mes paroles* (Académie).

1   Il ne manqua pas de dire : «Je viens *vous faire l'honneur* de vous *semondre* (convier)...» Locution très juste, bien qu'elle nous paraisse un contresens, puisqu'elle exprime l'idée de rendre les honneurs à ceux qu'on en juge dignes.
> G. SAND, la Mare au diable, Appendice I, p. 145.

Fig. Mauvaise interprétation. → **Erreur.** *Cette interprétation de Hamlet est un contresens. Sa manière de jouer, de lire, de chanter est un perpétuel contresens.*

◆ **2** Fig. Erreur de choix, fondée sur une mauvaise interprétation des faits. → **Aberration, absurdité, ineptie.**

2   (...) un des contresens des éducations communes (...)
> ROUSSEAU, Émile, II.

3   (...) sa vie était un contresens perpétuel.
> BALZAC, la Vieille Fille, Pl., t. IV, p. 330.

◆ **3** (1671). Direction contraire à la direction normale. *Prendre le contresens d'une étoffe.* — Fig. *Prendre le contresens d'une affaire.*

◆ **4** Loc. adv. (1607). À CONTRESENS : dans un sens contraire au sens naturel, normal. → **Contre-poil** (à), **envers** (à l'). *Coudre une dentelle à contresens. —*

REM. On écrit aussi *à contre sens, à contre-sens. Prendre une rue à contre-sens.*

3.1 La feuille de papier qui vient de lui servir est restée un peu déformée par l'opération. Lady Ava la roule à contre-sens, afin de lui rendre sa platitude primitive.
A. ROBBE-GRILLET, la Maison de rendez-vous, p. 104.

(Abstrait). → **Rebours** (à), **travers** (de). *Interprétation à contresens. Jouer un rôle à contresens.*

4 *(Ces gens qui)* blâment (...) et louent tout à contresens (...)
MOLIÈRE, Critique de l'École des femmes, 5.

5 Elle perd tout en chemin. Et à contresens. Son missel au marché. Son cache-corset à l'église.
GIRAUDOUX, la Folle de Chaillot, II, p. 158.

CONTR. Exactitude, fidélité, sens. — Correctement, fidèlement, logiquement, normalement.

CONTRESIGNATAIRE [kɔ̃trəsiɲatɛr] adj. et n.
— 1818, n. m.; *contresigneur*, 1763; de *contre-*, et *signataire.*

Dr. Personne qui contresigne un acte, appose un contreseing. *Un contresignataire.* — Adj. *Autorité contresignataire.*

CONTRESIGNER [kɔ̃trəsiɲe] v. tr. — 1415; de *contre-*, et *signer.*

Dr. et cour. Apposer un contreseing sur. *Décret contresigné par un ministre.*

(Av. 1784). *Contresigner une lettre pour obtenir la franchise postale.*

CONTRE-SOLEIL (À) [akɔ̃trəsɔlɛj] loc. adv. — XXᵉ; de *contre-*, et *soleil.*

Rare. Le soleil étant en face, sa lumière éclairant les yeux de l'observateur. → **Contre-jour** (à).

Un couloir de plus de cent mètres. Au fond, à contre-soleil (dans une salle, je suppose) une vingtaine de personnes.
MALRAUX, Antimémoires, Folio, p. 530.

REM. On trouve aussi *en contre-soleil* (J. Joffo, *Baby-foot*, p. 223).

CONTRE-STIMULANT [kɔ̃trəstimylɑ̃]
ou CONTRO-STIMULANT [kɔ̃trostimylɑ̃] n. m.
— 1820, Stendhal; de *contre-*, *contro-*, et *stimulant.*

Hist. de la méd. Médicament qui diminue l'excitation (cf. Cl. Bernard, *in* T. L. F.).

CONTRESUJET [kɔ̃trəsyʒɛ] n. m. — 1834, Fétis, *in* D. D. L.; aussi «contrefugue», 1838; de *contre-*, et *sujet.*

Mus. Second ou troisième sujet d'une fugue. — REM. On a écrit ou on écrit encore *contre-sujet.*

CONTRETAILLE [kɔ̃trətaj] n. f. — XVIᵉ; de *contre-*, et *taille.*

♦ 1 Comm. Seconde taille servant de contrôle à celle sur laquelle un commerçant marquait les fournitures. *Des contretailles.* — REM. On écrit aussi *contretaille.*

♦ 2 (1754). Gravure. Chacune des tailles qui croisent les premières tailles sur une planche de cuivre; trait qui en résulte sur l'estampe.

DÉR. Contretailler.

CONTRETAILLER [kɔ̃trətaje] v. tr. — 1839; de *contretaille.*

Gravure. Couvrir de contretailles (une plaque de cuivre, une surface).

CONTRETEMPS [kɔ̃trətɑ̃] n. m. — 1559, en équitation; «moment importun», 1611; de *contre-*, et *temps;* cf. *A contrattempo.*

♦ 1 (1654). Événement, circonstance qui s'oppose à ce que l'on attendait. → **Accident, accroc** (fig.), **complication, difficulté, empêchement, ennui.** *Un fâcheux, un cruel, un ennuyeux contretemps. Contretemps imprévu, inopportun. Un contretemps vint contrarier ses projets.*

1 (...) je réponds du succès, à moins qu'il n'arrive quelqu'un de ces contretemps qui confondent les desseins les mieux concertés.
A.-R. LESAGE, Gil Blas, VI, I.

2 Je me trouvai ce jour-là fort incommodé; il fallut remettre la partie et les contretemps qui survinrent m'empêchèrent de l'exécuter.
ROUSSEAU, les Confessions, XI.

3 Il demeura les pieds au bord du trottoir, ravi (...) de ce contretemps imprévu qui allait retarder de quelques minutes encore l'instant désormais imminent de son arrivée au bureau (...)
COURTELINE, Messieurs les ronds-de-cuir, 1ᵉʳ tableau, I, p. 19.

REM. On écrit (rarement) aussi *contre-temps.*

3.1 Un absurde contre-temps m'empêche, en passant à Boma (Congo belge), d'aller présenter mes respects au Gouverneur (...)
GIDE, Voyage au Congo, *in* Souvenirs, Pl., p. 690.

Vx. Action faite mal à propos. *L'Étourdi ou les contretemps,* comédie de Molière (titre de l'édition originale).

♦ 2 Loc. adv. (1627). À CONTRETEMPS : mal à propos*, au mauvais moment. → **Inopportunément** (→ Hors de saison*). *Arriver à contretemps* (→ Comme des cheveux* sur la soupe, comme un chien* dans un jeu de quilles...). *Il fait tout à contretemps.*

4 Thomas Diafoirus est un grand benêt (...) qui fait toutes choses de mauvaise grâce et à contretemps.
MOLIÈRE, le Malade imaginaire, II, 5.

5 Mais nos destinées et nos volontés jouent presque toujours à contretemps. A. MAUROIS, Climats, II, p. 286.

♦ 3 (1805; «note exécutée sur un temps qui n'est pas le bon», 1704). Mus. Action d'attaquer un son sur un temps faible, ou sur la partie faible d'un temps, le temps fort ou la partie forte du temps suivant étant formé d'un silence. *Le contretemps, l'anacrouse et la syncope sont attaqués sur le temps faible. Jouer à contretemps.*

Chorégr. Manière de retomber sur un seul pied, après un saut.

CONTR. Aide, aplanissement, arrangement, facilité, opportunité. — Opportunément, temps (à).

CONTRETENIR [kɔ̃trət(ə)nir] v. tr. — XIIᵉ; de *contre-*, et *tenir.*

Techn. Maintenir par derrière. *Contretenir une planche sur laquelle on frappe pour enfoncer des clous.*

(Les tireurs de pousse-pousse) contretiennent de toutes leurs forces, en raidissant leurs jambes musculeuses : ces petites voitures chargées descendraient bien toutes seules, beaucoup trop vite, si on les laissait faire (...).
LOTI, Mᵐᵉ Chrysanthème, p. 282.

CONTRE-TÉNOR [kɔ̃trətenɔr] n. m. — D. i.; de *contre-*, et *ténor.*

Mus. (et hist. de la mus.). Chanteur masculin dont la voix a le même registre que le contralto (plus aigu que le ténor). — Syn. : haute-contre. *Des contre-ténors.* — Cette voix. *Un contre-ténor exceptionnel.*

CONTRE-TERRASSE [kɔ̃trətɛras] n. f. — 1694; de *contre-*, et *terrasse.*

Archit. Terrasse disposée en contrebas d'une terrasse plus élevée. *Des contre-terrasses.*

CONTRE-TERRORISME [kɔ̃tʀətɛʀɔʀism] n. m. — V. 1960; de *contre-*, et *terrorisme*.

Lutte violente contre le terrorisme (par les mêmes méthodes). *Les terrorismes et les contre-terrorismes.*

Le droit européen qui s'esquisse sera allemand. C'est-à-dire fondé sur la notion strictement actuelle de «contre-terrorisme», notion négative, polarisée, obsessionnelle, pure réaction émotive de trouille et de haine.
CAVANNA, *in* Charlie-Hebdo, 8 déc. 1977.

CONTRE-TERRORISTE [kɔ̃tʀətɛʀɔʀist] n. et adj. — V. 1960; de *contre-*, et *terroriste*.

Personne qui fait du contre-terrorisme. — Adj. *Activités contre-terroristes.*

CONTRE-TIMBRE [kɔ̃tʀətɛ̃bʀ] n. m. — 1816; de *contre-*, et *timbre*.

Admin. Timbre que l'Administration appose sur une feuille de papier timbré pour indiquer que sa valeur initiale est modifiée. *Des contre-timbres.* Opération (dite aussi *contre-timbrage* [kɔ̃tʀətɛ̃bʀaʒ]) qui consiste à apposer cette empreinte.

CONTRE-TIRER [kɔ̃tʀətiʀe] v. tr. — 1586; de *contre-*, et *tirer*.

♦ **1** Vx. Calquer.

♦ **2** Mod. Tirer en contre-épreuve. — Au p. p. *Des épreuves contre-tirées.*

CONTRE-TONIQUE [kɔ̃tʀətɔnik] n. f. — xxᵉ; de *contre-*, et *tonique*.

Phonét. Syllabe tonique secondaire (portant un accent de hauteur secondaire). *Des contre-toniques.*

CONTRE-TORPILLEUR [kɔ̃tʀətɔʀpijœʀ] n. m. — 1890; de *contre-*, et *torpilleur*.

Navire de guerre très rapide, de tonnage réduit (jusqu'à 3 000 tonnes), destiné à attaquer les bâtiments ennemis au canon ou à la torpille. → **Destroyer**. *Contre-torpilleur équipé en mouilleur de mines.*

(...) trois contre-torpilleurs américains (...) pointent vers le ciel des choses en forme de griffes.
A. PIEYRE DE MANDIARGUES, la Marge, p. 28.

CONTRE-TRANSFÉRENTIEL, ELLE [kɔ̃tʀətʀɑ̃s feʀɑ̃sjɛl] adj. — Mil. xxᵉ; de *contre-transfert*, d'après *transférentiel*.

Psychan. Du contre-transfert. *Manifestations contre-transférentielles du thérapeute.*

CONTRE-TRANSFERT [kɔ̃tʀətʀɑ̃sfɛʀ] n. m. — xxᵉ; de *contre-*, et *transfert*.

Psychan. «Ensemble des réactions inconscientes de l'analyste à la personne de l'analysé et plus particulièrement au transfert de celui-ci» (Laplanche et Pontalis). *Des contre-transferts.*

1   La notion de transfert et celle de contre-transfert, qui est son corollaire et s'applique à l'attitude consciente et inconsciente du médecin vis-à-vis de son malade, sont restées le pivot de tout traitement psychanalytique. Sans doute la notion de contre-transfert a-t-elle pris beaucoup plus d'importance dans ces dernières décades. Elle a amorcé certains changements qui se sont produits dans la technique psychanalytique (...)
S. NACHT, Guérir avec Freud, *in* la Nef, nᵒ 31, p. 168.

2   Importance du contre-transfert et, corrélativement, de la formation du psychanalyste. Ici l'accent est mis sur les embarras de la terminaison de la cure, qui rejoignent ceux du moment où la psychanalyse didactique s'achève dans l'introduction du candidat à la pratique. Et la même oscillation s'y remarque : d'une part, et non sans courage,

on indique l'être de l'analyste comme élément non négligeable dans les effets de l'analyse et même à exposer dans sa conduite en fin de jeu; on n'en promulgue pas moins énergiquement, d'autre part, qu'aucune solution ne peut venir que d'un approfondissement toujours plus poussé du ressort inconscient.   J. LACAN, Écrits, p. 243.

DÉR. **Contre-transférentiel.**

CONTRETYPAGE [kɔ̃tʀətipaʒ] n. m. — Mil. xxᵉ; de *contretyper*.

Techn. Action de contretyper; son résultat. *La qualité d'un contretypage.*

CONTRETYPE [kɔ̃tʀətip] n. m. — 1900; de *contre-*, et *type*.

Techn. Cliché négatif inversé. — Copie d'une épreuve ou d'un cliché photographique. *Des contretypes.*

DÉR. **Contretyper.**

CONTRETYPER [kɔ̃tʀətipe] v. — 1952; de *contretype*.

Technique.

♦ **1** V. intr. Faire un contretype.

♦ **2** V. tr. Copier par un contretype.

DÉR. **Contretypage.**

CONTRE-UT [kɔ̃tʀyt] n. m. — 1832; de *contre-*, et *ut*.

Mus. Note plus élevée d'une octave que l'ut supérieur du registre normal. *Contre-ut de trompette.* — On emploie aussi *contre-ré*, *contre-mi*, etc. — *Des contre-uts* ou *des contre-ut* (cf. Giraudoux, *Églantine*, p. 34).

Le pianiste plaqua les derniers accords, pendant que Florence lançait un contre-ut retentissant.
Roger NAÏM, l'Ère des truands, p. 35.

CONTRE-VAGUE [kɔ̃tʀəvag] n. f. — xxᵉ; de *contre-*, et *vague*.

Didact. ou rare. Vague née d'une autre vague, et animée d'un mouvement opposé ou différent; masse d'eau qui déferle en sens inverse de la vague dont elle est issue. *Des contre-vagues.*

Il observa les vagues. Quatre, cinq normales, et une énorme, mais pas au point de... Si, regarde... Percutant la falaise de gauche, elle éclatait, renvoyant une contre-vague perpendiculaire.
Claude COURCHAY,
La vie finira bien par commencer, p. 182.

CONTRE-VAIR [kɔ̃tʀəvɛʀ] n. m. — 1636; de *contre-*, et *vair*.

Blason. Fourrure analogue au vair, mais où les petites pièces de même métal (argent) et de même couleur (azur) sont opposées par la pointe, au lieu d'être alternées. *Des contre-vairs.*

DÉR. **Contre-vairé.**

CONTRE-VAIRÉ, ÉE [kɔ̃tʀəveʀe] adj. — 1690; de *contre-vair*.

Blason. Garni de contre-vair. *Pièce contre-vairée.*

CONTRE-VALEUR [kɔ̃tʀəvalœʀ] n. f. — 1837, Balzac; de *contre-*, et *valeur*.

♦ **1** Fin. Valeur échangée contre une autre. «*Falleix signera des contre-valeurs*» (Balzac, *in* T. L. F.). *Contre-valeur en francs d'une devise étrangère.* → **Certain** (n. m.).

♦ **2** Comm. Somme remise ou créditée en échange d'un objet.

♦ **3** Littér. Valeur (morale, intellectuelle) opposée à une autre.

CONTREVALLATION [kɔ̃tʀəva(l)lasjɔ̃] n. f. — 1676; de *contre-*, et lat. *vallatio* «retranchement».

Techn. (fortif.). Fossé, retranchement autour d'une place forte.

Sans qu'il eût fait ni lignes de circonvallation, ni de contrevallation.   RACINE, les Campagnes de Louis XIV.

CONTRE-VALLÉE [kɔ̃tʀəvale] n. f. — Av. 1874; de *contre-*, et *vallée*.

Didact. (géogr.). Vallée constituant une ramification d'une autre vallée de direction opposée ou très différente.

La base de la montagne, entre ses contreforts et leurs nombreuses ramifications, formait un labyrinthe de vallées et de contre-vallées disposé très capricieusement.
                 J. VERNE, l'Île mystérieuse, t. II, p. 757 (1874).

CONTRE-VAPEUR [kɔ̃tʀəvapœʀ] n. f. — 1866, *Année sc. et industr.* 1867, p. 100; de *contre-*, et *vapeur*.

Mécan. (Vx). Vapeur renversée. *Des contre-vapeurs.*

Le capitaine Montcrieff a voulu utiliser la force même du recul pour combattre le recul, et à peu près comme on se sert dans les chemins de fer de la contre-vapeur pour arrêter la marche d'une locomotive.
                 L. FIGUIER, l'Année sc. et industr. 1879,
                                                p. 163 (1878).

CONTREVENANT, ANTE [kɔ̃tʀəv(ə)nɑ̃, ɑ̃t] adj. et n. — 1516, adj., *Recueil général des anciennes lois françaises, in* D.D.L.; de *contrevenir*.

Dr. (Rare). Qui contrevient à un règlement. *Les personnes contrevenantes.* — N. (1597). **Cour.** *Les contrevenants seront punis de prison.*

CONTREVENIR [kɔ̃tʀəv(ə)niʀ] v. tr. ind. [CONJUG.: *venir*.] — 1331; du lat. médiéval *contravenire* (→ Contravention), d'après *venir*.

Dr. ou littér. *Contrevenir à* (qqch.) : agir contrairement à (une prescription, une obligation que l'on a contractée...). → **Déroger, désobéir, enfreindre, transgresser, violer.** *Contrevenir à la loi, au règlement; aux commandements de Dieu. Contrevenir à une clause du contrat. Contrevenir au pacte, au traité. Contrevenir au code de la route, au règlement de police.* → **Contravention.**

1 C'est contrevenir à un commandement du décalogue...
                                             BOSSUET, Images.

2 (...) il demeurait persuadé, quand il était saisi, à la fin de la journée par une crampe d'estomac, qu'il avait dû contrevenir (...) aux justes règles du manger et du boire.
                 G. DUHAMEL, le Voyage de Patrice Périot, I, p. 9.

3 (...) je ne rentrais qu'à l'aube, ayant contrevenu à mes promesses envers moi-même (...)
                 M. YOURCENAR, Alexis, p. 61.

CONTR. **Accomplir, conformer** (se), **exécuter, obéir, observer, obtempérer, respecter, soumettre** (se), **suivre.** ◊ **DÉR. Contrevenant.**

1. **CONTREVENT** [kɔ̃tʀəvɑ̃] n. m. — 1642; autres sens, XVᵉ; de *contre-*, et *vent*.

♦ **1** Grand volet extérieur qui sert à garantir la fenêtre des intempéries. → aussi **Jalousie, persienne.** *Ouvrir, fermer les contrevents. Fenêtre à un, à deux contrevents. Contrevents de bois, de métal. Les persiennes* (cit. 1) *diffèrent à la fois des contrevents et des jalousies.* — Par métaphore (→ Fuchsia, cit. 2).

1 Sur le penchant de quelque agréable colline bien ombragée, j'aurais une petite maison rustique, une maison blanche avec des contrevents verts (...)
                                          ROUSSEAU, Émile, 4.

2 On entend le bruit des lourds contrevents de fer que le domestique referme.
                 J. CHARDONNE, les Destinées sentimentales, p. 298.

REM. Par rapport à *volet, contrevent* est marqué comme régional ou désuet, en français contemporain.

♦ **2** **Techn.** Dans une charpente, Pièce de bois oblique destinée à renforcer les fermes.

♦ **3** **Techn.** Dans un haut-fourneau, Paroi du creuset opposée à la tuyère.

DÉR. Contreventer. ◊ **HOM. 2. Contrevent.**

2. **CONTREVENT** [kɔ̃tʀəvɑ̃] n. m. — 1559; de *contre-*, et *vent*.

Vent contraire.

HOM. 1. **Contrevent.**

CONTREVENTEMENT [kɔ̃tʀəvɑ̃tmɑ̃] n. m. — 1694; mar., XVIᵉ; repris 1866; de *contreventer*.

Techn. Assemblage de charpente destiné à lutter contre les déformations. → **Contrevent.** *Entretoise de contreventement.*

CONTREVENTER [kɔ̃tʀəvɑ̃te] v. tr. — 1691; mar., 1534; de 1. *contrevent*.

Techn. Renforcer (une charpente) à l'aide de contrevents.

DÉR. Contreventement.

CONTREVÉRITÉ [kɔ̃tʀəveʀite] n. f. — 1620; de *contre-*, et *vérité*.

♦ **1** Antiphrase. *Des contrevérités ironiques.* → **Ironie.** — **REM.** On écrit aussi *contre-vérité.*

♦ **2** (1831). **Mod.** Assertion visiblement contraire à la vérité, mais qui peut être faite de bonne foi. → **Mensonge.**

Nul plus que moi n'admire les analyses politiques de notre directeur, mais nul ne s'installe dans la contrevérité comme lui, dès qu'il cède à la passion.
                 F. MAURIAC, le Nouveau Bloc-notes 1958-1960,
                                                p. 362.

CONTRE-VISITE [kɔ̃tʀəvizit] n. f. — 1680; de *contre-*, et *visite*.

Nouvelle visite destinée à contrôler les résultats d'une première visite, d'une première inspection. — **Spécialt.** Seconde visite médicale. *Passer des contre-visites.*

CONTRE-VOIE [kɔ̃tʀəvwa] n. f. — 1894; de *contre-*, et *voie*.

Technique.

♦ **1** Voie empruntée à contresens par un train (en cas d'interruption de la voie normale, par exemple).

♦ **2** **Loc. adv.** (1917). *À contre-voie* : dans le sens inverse de la marche normale d'un train. *Descendre à contre-voie,* du mauvais côté de la voie, à l'opposé du quai.

CONTRIBUABLE [kɔ̃tʀibɥabl] n. — 1401; de *contribuer*.

Personne qui paye des contributions. → **Assujetti.** *Les petits, les gros contribuables. Aux frais du contribuable. Répartition de l'impôt entre les contribuables.* → **Coéquation.** *Contribuables de l'ancienne France.* → **Censitaire, corvéable, taillable...** *Contribuable qui était incapable de payer.* → **Mortepaye.** *Contribuable payant en nature.* → **Prestataire.** *Charges qui pèsent sur le contribuable* (→ Alourdissement, cit. 2). *Les relations des contribuables et du fisc.*

Les conditions de l'imposition sont posées par une règle *générale et impersonnelle* (...) qui établit le régime juridique auquel est soumis le redevable de l'impôt et que l'on peut appeler, en bref, *le statut de contribuable.*

Louis TROTABAS,
Précis de science et législation financières.

CONTRIBUER [kɔ̃tʀibɥe] v. tr. ind. — 1309, d'après Bloch-Wartburg ; *contrebuer,* 1340 ; lat. *contribuere* «fournir pour sa part», de *con- (cum),* et *tribuere* «répartir (entre les tribus)», de *tribus.* → Tribu.

CONTRIBUER À : aider à l'exécution d'une œuvre commune ; avoir part (à un résultat). → **Aider, collaborer** (à), **concourir** (à), **coopérer** (à), **participer** (à) ; → Apporter sa pierre à l'édifice, être pour qqch. dans... *Il a contribué au succès de l'entreprise. Cela contribue pour beaucoup à son bonheur. L'argent ne fait pas le bonheur, mais il y contribue. Contribuer de ses deniers à une construction. Tous les associés ont contribué au résultat en agissant de concert*.* — (Sujet n. de chose). *Le sport contribue au développement des muscles.* → **Tendre** (à). *Cela a contribué à sa perte, à sa ruine. Les facteurs qui contribuent à développer l'industrie, à affaiblir le pouvoir d'achat.*

1 C'est à quoi je vais travailler ; et je vous prie, Monsieur, de vouloir bien contribuer à ce dessein, et de m'aider (...)
MOLIÈRE, Dom Juan, v, 1.

2 C'est une partie essentielle de la destination de chaque homme de contribuer à la perpétuité de la race humaine ; il a reçu pour ainsi dire cette mission.
É. DE SENANCOUR, De l'amour, p. 102.

3 On peut être un très grand homme sans avoir contribué à la moralisation du genre humain et même sans en avoir eu souci.
Émile FAGUET, Études littéraires, XVIIᵉ s., Molière.

(Sujet n. de personne). Payer une partie, sa part de (une dépense ou une charge commune). *Contribuer pour un tiers, un quart. Contribuer aux charges publiques, à l'entretien d'une personne.*

4 Quelle que soit la personne à laquelle les enfants seront confiés, les père et mère conserveront respectivement le droit de surveiller l'entretien et l'éducation de leurs enfants, et seront tenus d'y contribuer à proportion de leurs facultés. Code civil, art. 303.

5 (...) il trouvait même, de temps à autre, l'occasion de calmer ses scrupules, en faisant porter au compte de sa femme quelques billets de mille francs, afin de contribuer, lui aussi, à l'entretien de Jenny et de Daniel.
MARTIN DU GARD, les Thibault, t. III, p. 50.

Absolt. *Il n'a pas contribué. Faire contribuer qqn.*

CONTR. **Abstenir** (s'), **contrarier**. ◊ DÉR. **Contribuable.** — V. **Contributif.**

CONTRIBUTIF, IVE [kɔ̃tʀibytif, iv] adj. — 1594 ; dér. sav. de *contribuer,* ou du lat. *contributum.*

Dr. Qui concerne une contribution. *Part contributive.*

CONTRIBUTION [kɔ̃tʀibysjɔ̃] n. f. — 1317 ; lat. *contributio,* du supin de *contribuere.* → Contribuer.

♦ 1 Part que chacun donne pour une charge, une dépense commune. → **Cotisation, écot, part, quotepart, tribu.** *Contribution occasionnelle et volontaire pour venir en aide.* → **Subside, subvention.** *Il a donné telle somme pour sa contribution, comme contribution, en contribution.*

Anc. Dr. Part de ce qui doit être payé par chacun. *Contribution aux dettes d'une succession.*

♦ 2 Impôt payé ou devant être payé à l'État par les personnes. → **Droit, imposition, impôt, taxe.** *Répartir les contributions. Lever, percevoir une contribution.*

Payer des contributions. → **Contribuable.** *Contributions directes,* directement établies sur les personnes et les biens. *Contributions indirectes,* établies sur les objets de consommation. → **Droit** (indirect). *Contribution personnelle, foncière, mobilière.* → **Cote.** *Registre des contributions.* → **Matrice, rôle.** *Contribution des commerçants.* → **Patente.**

1 Pour l'entretien de la force publique, et pour les dépenses d'administration, une contribution commune est indispensable : elle doit être également répartie entre tous les citoyens.
Déclaration des droits de l'homme (Constitution du 3 sept. 1791), art. 13.

Dr. Participation de chacun des coobligés au paiement d'une dette commune ou faite dans un intérêt commun (Capitant).

(1680). *Contribution de guerre,* payée à l'ennemi qui occupe un territoire. → **Prélèvement.** *Mettre tout un pays à contribution.*

Par métonymie. *Les contributions :* l'administration chargée de la répartition et du recouvrement des impôts. *Être dans les contributions. Fonctionnaires des contributions.* → **Contrôleur, percepteur, receveur.** *Autorisation des contributions indirectes pour le transport de certaines marchandises.* → **Acquit-à-caution, congé.** *Vérification opérée par les agents des contributions indirectes.* → **Exercice.**

♦ 3 (1580). Collaboration à une œuvre commune. → **Aide, appoint, apport, collaboration, concours, tribut.** *Contribution à une entreprise. Apporter sa contribution à une science* (→ Butiner, cit. 3). *Une contribution sérieuse aux recherches des savants.* (1905). Étude d'un point particulier. *Contribution à l'étude de...* (titre d'ouvrage).

Loc. *Mettre (qqn, qqch.) à contribution :* utiliser les services de, avoir recours à (qqn, qqch.).

2 Écrivains grecs et latins, auteurs anciens et modernes, livres imprimés et manuscrits, amis absents et présents, j'ai tout mis à contribution pour faire entrer dans mon ouvrage le plus de beautés et de richesses qu'il m'a été possible. ROLLIN, Traité des Études.

3 Et, vous savez, nous vous gardons tout le jour ; nous vous mettrons même à contribution pour nous faire un peu de musique : vous jouez trop délicieusement.
LOTI, les Désenchantés, X, p. 88.

4 — Si vous avez besoin d'un renseignement ou si quelque chose vous arrête, n'hésitez pas à me mettre à contribution. M. AYMÉ, Travelingue, p. 154.

CONTR. **Abstention, entrave, obstacle.**

CONTRIBUTOIRE [kɔ̃tʀibytwaʀ] adj. — 1441 ; du lat. *contributum,* supin de *contribuere* (→ Contribuer), et *-oire.*

Dr. *Portion contributoire,* à verser pour contribution (1.).

DÉR. **Contributoirement.**

CONTRIBUTOIREMENT [kɔ̃tʀibytwaʀmɑ̃] adv. — 1804, *Code civil,* art. 1414 ; de *contributoire.*

Dr. En contribution (1., spécialt).

CONTRISTER [kɔ̃tʀiste] v. tr. — V. 1170 ; intrans., «être affligé avec», v. 1120 ; lat. *contristare,* de *con-* (cum intensif), et *tristis.* → Triste.

Littér. Causer de la tristesse à (qqn). → **Affliger, attrister, chagriner, fâcher, navrer.** *Cette nouvelle l'a beaucoup contristé. Cette défection lui contriste l'âme, le cœur.* — Pron. *Se contrister facilement.*

1 (...) la première idée qui me vint, en commençant à me recueillir, fut celle d'un mensonge affreux fait dans ma première jeunesse, dont le souvenir m'a troublé toute ma vie, et vient, jusque dans ma vieillesse, contrister encore mon cœur déjà navré de tant d'autres façons.
ROUSSEAU, Rêveries..., 4ᵉ promenade.

2 Paphnuce était surpris et contristé de l'incroyable ignorance de cet homme.   FRANCE, Thaïs, p. 27.

3 (...) souvent il la contristait sans le vouloir.
       MAUPASSANT, Fort comme la mort, p. 18.

♦ **CONTRISTANT, ANTE** [kɔ̃tʀistɑ̃, ɑ̃t] adj. participial.
Littér., rare. → **Affligeant, attristant.** *Une nouvelle con-
tristante.*

♦ **CONTRISTÉ, ÉE** p. p. adj.

CONTR. **Dérider, égayer, ravir, réjouir, transporter.**

CONTRIT, ITE [kɔ̃tʀi, it] adj. — V. 1174; lat. *contritus*,
proprt «broyé», p. p. de *conterere*, de *con-* (*cum*), et
terere «frotter».

♦ **1** Relig. Qui est profondément touché du sentiment de ses péchés. → **Pénitent, repentant.** *Un cœur
contrit.*

Ô Dieu! tu ne dédaignes pas un cœur brisé et contrit.
       BIBLE (SEGOND), Psaume LI, 19.

♦ **2** (Av. 1695). Cour. Qui marque le repentir, l'accablement. *Air contrit. Contenance, mine piteuse*
(cit. 2) *et contrite* (plus rare au fém.). — *Il avait l'air
tout contrit.* → **Chagrin, marri** (vx), **mortifié, penaud.**
Être tout contrit d'une maladresse. → **Confus.**

CONTR. **Impénitent.**

CONTRITION [kɔ̃tʀisjɔ̃] n. f. — V. 1200; «destruction»,
v. 1120; lat. *contritio*, de *contritus*. → Contrit.

♦ **1** Relig. Douleur vive et sincère d'avoir offensé
Dieu, provoquée non par la crainte du châtiment (*contrition imparfaite*; → **Attrition**), mais par
un sentiment d'amour (→ **Componction**). *Contrition
parfaite. Acte de contrition.* → **Confession, pénitence,
repentir** (→ Absolution, cit. 1).

1 Le concile de Trente définit la contrition, en disant que
c'est une douleur et une détestation des péchés commis,
jointe à la volonté de n'en plus commettre.
       BOURDALOUE, Pensées, t. I, p. 302.

2 La justice de Dieu était satisfaite, le crime était reconnu,
puni, mais effacé par la contrition et la pénitence. La justice humaine demeurait seule.
       HUYSMANS, Là-bas, XVII, p. 247.

♦ **2** (1393). Littér. Remords, repentir; attitude contrite.

3 (...) elle pensa que le silence lui serait d'un meilleur secours
que la contrition, car les excuses rappellent la faute plus
certainement qu'elles ne l'atténuent, et elles provoquent
le ressentiment même lorsqu'elles obtiennent les mots du
pardon.
     Pierre LOUŸS, les Aventures du roi Pausole, XI,
                 p. 201.

CONTR. **Endurcissement, impénitence, indifférence.**

CONTRÔLABILITÉ [kɔ̃tʀolabilite] n. f. — D. i.; de
contrôlable.

Didact. Fait d'être contrôlable. «*On étudie, après en
avoir donné une définition, la contrôlabilité du système*» (*la Recherche*, juin 1972).

CONTRÔLABLE [kɔ̃tʀolabl] adj. — 1900; proposé par
Radouvilliers, 1845; de *contrôler.*

Qui peut être contrôlé. *Témoignage contrôlable.*

CONTR. **Incontrôlable.** ◊ DÉR. **Contrôlabilité.**

CONTROLATÉRAL, ALE, AUX [kɔ̃tʀolateʀal, o]
adj. — 1912, in D.D.L.; de *contro-*, de *contre-*, et *latéral.*

Méd. Situé du côté opposé. *Lésion, paralysie contro-
latérale,* dont l'effet atteint le côté opposé à celui
où se trouve la lésion nerveuse.

CONTRÔLE [kɔ̃tʀol] n. m. — 1422; *contre-rôle* «registre
tenu en double», 1367; de *contre-*, et *rôle.*

I ♦ **1** Vx. Registre double qu'on tenait pour la vérification d'un autre.

(1802). Mod., milit. État nominatif des personnes (qui
appartiennent à un corps). *Officier rayé des contrôles de l'armée.*

♦ **2** (1740). Techn. Marque du poinçon de l'État
apposé sur les bijoux et ouvrages d'orfèvrerie.
*Le contrôle fait foi que les droits ont été payés et
garantit le titre.* → **Poinçon.**

♦ **3** Cour. Vérification (d'actes, de droits, de documents). → **Inspection, pointage, vérification.** *Contrôle
d'une perception. Contrôle d'une comptabilité, d'une
caisse. Contrôle des billets de chemin de fer. Contrôle
des billets de théâtre. Contrôle des pièces d'identité
par la police. Le contre-appel, la contre-expertise,
la contre-visite...* : le contrôle d'un premier appel,
d'une première expertise, d'une première visite.
— *Contrôles aux frontières. Contrôle sanitaire.* —
Sports. *Contrôle de passage d'un concurrent. Contrôle
horaire.*
*Contrôle politique, juridictionnel. Contrôle de la
constitutionnalité des lois. Pouvoir sans contrôle
dans l'absolutisme.*
Contrôle des finances publiques. → **Comptabilité**
(publique). *Contrôle de l'exécution du budget. Contrôle des dépenses et des recettes. Contrôle des ordon-
nateurs. Contrôle des comptables. Le contrôle administratif et juridictionnel de la Cour des comptes.
Corps de contrôle* (armée, marine, aéronautique),
les fonctionnaires qui veillent aux intérêts du
Trésor.

1 Pour que la volonté des Chambres soit respectée, il faut
que les prescriptions de recettes et de dépenses soient
rigoureusement observées, et de l'efficacité du contrôle
dépend dès lors la sincérité et la régularité de l'exécution
du budget.
            Louis TROTABAS,
   Précis de science et législation financières, nº 134.

Contrôle continu (des connaissances) : dans les universités, Système fondé sur la présence effective
et la régularité des activités, qui existe concurremment avec celui des examens. *Dérogation au
contrôle continu.*

(Avec infl. de l'angl. *control*; → ci-dessous, II.). Techn. Fait
de surveiller le bon fonctionnement (d'un appa-
reil). *Effectuer le contrôle d'un véhicule. Contrôle
d'un réacteur nucléaire. Contrôle continu d'un enregistrement, d'un processus.* → **Monitoring** (anglic.). —
*Liste de contrôle, lue par le pilote avant le décollage
d'un avion.* → **Check-list** (anglicisme). — Admin. *Contrôle technique* : vérification technique obligatoire
pour tous les véhicules de plus de quatre ans, qui
doit être effectuée tous les deux ans (en France).
Examen pour surveiller ou vérifier. *Exercer un contrôle sévère, vigilant, sur la conduite de qqn.* → **Censure, critique.** *Accepter une assertion, sans contrôle.
Le contrôle du législatif sur l'exécutif. Exercer un
pouvoir de contrôle (administratif, politique...).*

2 (...) la prudence méticuleuse qui soumet toute supposition
au contrôle des vérifications prolongées et méthodiques.
     TAINE, Philosophie de l'art, t. II, V, III, II, p. 285.

Psychol. (→ Contrôler, cit. 4, Lacan).

♦ **4** (1869, in Petiot). Par métonymie. Bureau, lieu où
se fait un contrôle; corps des contrôleurs. *Passage
des cyclistes au contrôle.*

♦ **5** Hist. *Contrôle civil* : circonscription administrative au Maroc, en Tunisie, sous les protectorats
français.

II (xxᵉ; angl. *control* «direction, commande, conduite, maîtrise»). ◆ **1** (Angl. *self-control*). Fait de se maîtriser. *Le contrôle de soi.* → **Maîtrise.** *Il n'a plus, il a perdu son contrôle.* → **Contrôler** (se). *Perdre* (cit. 16) *tout contrôle sur soi-même. Avoir le contrôle de ses nerfs, de ses réactions. Échapper au contrôle de la volonté* (→ 2. Bol, cit.).

3 Comment puis-je (...) perdre aussi complètement tout contrôle sur moi-même ?
MARTIN DU GARD, les Thibault, t. V, p. 41.

◆ **2** Fait de dominer, de maîtriser. → **Maîtrise.** *S'assurer le contrôle d'une entreprise. Prendre le contrôle d'une société. Prise de contrôle. Contrôle financier, commercial. Être sous le contrôle d'une puissance étrangère. Les syndicats ont perdu le contrôle du mouvement revendicatif. Le conducteur a perdu le contrôle de son véhicule.* — *Tour* de contrôle d'un aérodrome.*

4 (...) elle rêvait que, descendant une pente à bicyclette, elle perdait le contrôle de sa machine (...)
MONTHERLANT, Pitié pour les femmes, p. 62.

Sports. *Avoir perdu le contrôle de la balle.* — Absolt. *Contrôle de réception.* → **Amorti, blocage, tacle.**

(Calque de l'angl. *birth-control*). Spécialt. *Contrôle des naissances* (1933) : libre choix d'avoir ou non des enfants grâce aux méthodes contraceptives. → **Birth-control, contraception, planning** (familial).

DÉR. Contrôler, contrôleur.

CONTRÔLER [kɔ̃tʀole] v. tr. — xvᵉ, sens I. ; *contre-roller*, 1310 ; de *contrôle* (I.).

I ◆ **1** (1446, *controoller*). Vx. Porter sur le registre de contrôle.

◆ **2** (1740). Techn. Poinçonner (les ouvrages d'or et d'argent).

◆ **3** (1437, *conteroller*). Cour. Soumettre (qqch.) à un contrôle. → **Examiner, inspecter, pointer, vérifier.** *Contrôler les billets de chemin de fer, des passeports,* en vérifier la validité. *Contrôler des comptes, des renseignements, contrôler un texte sur l'original* (→ **Collationner**), en vérifier l'exactitude. *Contrôler un produit en fin de fabrication. Contrôler le bon fonctionnement d'un appareil. Contrôler par soi-même.* → **Assurer** (s'). *Contrôler si tout marche bien, quels ordres ont été compris.*

0.1 Je ne veux tenir pour certain que ce que j'aurai pu voir moi-même, ou pu suffisamment contrôler.
GIDE, Voyage au Congo, in Souvenirs, Pl., p. 695.

◆ **4** Soumettre à une surveillance critique. → **Surveiller.** *La chambre élue contrôle les actes du gouvernement. Contrôler les publications, la presse.* → **Censurer.** *Contrôler la conduite de qqn. Contrôler qqn.* — Psychol. (→ ci-dessous, cit. 4).

1 (...) De ces brutaux fieffés, qui sans raison ni suite
De leurs femmes en tout contrôlent la conduite.
MOLIÈRE, l'École des maris, I, 4.

2 Car il contrôle tout, ce critique zélé.
— Et tout ce qu'il contrôle est fort bien contrôlé.
MOLIÈRE, Tartuffe, I, 1.

3 Comment voulez-vous empêcher les meilleures gens de la ville (...) de contrôler les actions de leur prochain ?
BALZAC, in P. LAROUSSE.

II (De *contrôle*, II.). ◆ **1** (1662, Pascal, attestation isolée ; repris 1903). Maîtriser ; dominer. *Contrôler ses réactions, ses réflexes, sa respiration, ses mouvements.* — V. pron. (1910). SE **CONTRÔLER** : rester maître de soi. → **Contenir** (se), **contraindre** (se), **maîtriser** (se).

◆ **2** (1895). Avoir sous sa domination, sa surveillance. *Armée, puissance qui contrôle une région stratégique. Société commerciale qui en contrôle une*

autre. Contrôler le volume du son à l'aide d'un bouton. Syndicat contrôlé par le patronat. Contrôler son adversaire dans un combat.

◆ **3** Être en mesure de régler, de déclencher et d'arrêter (un phénomène, un processus, le fonctionnement d'une machine).

REM. L'influence de l'anglais *to control* se fait sentir notamment sur les sens 2 et 3, mais moins fortement que sur le substantif *contrôle,* le passage du sens I au sens II étant plus normal en français pour le verbe.

◆ **CONTRÔLÉ, ÉE** p. p. adj.

Soumis à un contrôle. *Titres de transport contrôlés et poinçonnés.*

N. Psychan. *Le contrôlé et le contrôleur.*

Si le contrôlé pouvait être mis par le contrôleur dans 4 une position subjective différente de celle qu'implique le terme sinistre de *contrôle* (avantageusement remplacé, mais seulement en langue anglaise, par celui de *supervision*), le meilleur fruit qu'il tirerait de cet exercice serait d'apprendre à se tenir lui-même dans la position de subjectivité seconde où la situation met d'emblée le contrôleur.
J. LACAN, Écrits, p. 253.

Maîtrisé. *Geste non contrôlé.* → **Incontrôlé.**

DÉR. Contrôlable, contrôleur. ◊ COMP. Incontrôlable, incontrôlé.

CONTRÔLEUR, EUSE [kɔ̃tʀolœʀ, øz] n. et adj.
— 1320 ; *contre-rollour*, 1292 ; de *contrôle.*

◆ **1** Personne qui exerce un contrôle, une vérification. → **Inspecteur, vérificateur.** *Contrôleur des Finances. Contrôleur des dépenses engagées. Contrôleur des Contributions. Contrôleur des Tabacs. Contrôleur des Douanes. Contrôleur de l'administration de l'Armée. Contrôleur de la Marine.* — Hist. *Contrôleur civil,* au Maroc, en Tunisie. — (Plus cour.). *Contrôleur des chemins de fer. Contrôleur des wagons-lits. Contrôleur d'autobus. Contrôleur d'un théâtre. Contrôleur de la navigation aérienne, contrôleur aérien,* chargé du contrôle et de la direction des mouvements d'un avion. → **Aiguilleur** (du ciel).

C'était un gars râblé, coiffé d'une casquette à visière de cuir vernie et vêtu d'une capote, telle qu'en portent les contrôleurs des trains.
Francis CARCO, les Belles Manières, p. 78.

Fig. Personne qui exerce une surveillance sur les actions d'autrui. → **Censeur, critique, juge.** «*Impitoyable contrôleur des faits et gestes*» (Hugo, *in* T. L. F.). — Psychan. (→ Contrôler, cit. 4 ; *le contrôleur et le contrôlé*).

REM. Le fém. est rare ; il semble qu'on dirait plutôt «*elle est contrôleur*», au moins professionnellement. *Mᵐᵉ X, contrôleur des Contributions.*

◆ **2** N. m. (1865, in Année sc. et industr., 1866, p. 76). Appareil de réglage, de contrôle. → **Mouchard.** *Contrôleur de ronde* (en parlant d'un veilleur de nuit). *Contrôleur d'allumage. Contrôleur de marche, de vitesse... Contrôleur d'une locomotive* (anglic. : *controller*). *Contrôleur des signaux de chemin de fer.* — *Contrôleur de pression.*

◆ **3** Adj. (1400, *contrerolleuse*). Littér. «*La plus contrôleuse des administrations*» (Balzac, *in* T. L. F.). — Fig. «*Cette jalousie soupçonneuse, contrôleuse...*» (Maupassant, *in* T. L. F.).

CONTRORDRE [kɔ̃tʀɔʀdʀ] n. m. — 1680 ; de *contre-*, et *ordre.*

Révocation d'un ordre donné. *Recevoir un contrordre. Il y a contrordre. Partez, sauf contrordre. Des ordres et des contrordres continuels.*

1 (...) ils (*les amiraux*) recevront souvent, au hasard des circonstances, le contrordre avant l'ordre, ou ne le recevront pas (...)
> Louis MADELIN, l'Avènement de l'Empire, XI, p. 161.

2 Pour l'obtenir, je pris un ton rogue. L'air du tueur professionnel, frustré par un contrordre.
> Jacques LAURENT, les Bêtises, p. 181.

CONTROUVER [kɔ̃truve] v. tr. — 1119; «décider», fin Xᵉ; probablt du rad. de *trouver*; cf. bas lat. *contropare* «comparer», de *con-* (*cum*), et *tropare* «trouver».

♦ **1** Littér. et vieilli. Inventer mensongèrement pour tromper. → **Forger** (de toutes pièces).

1 Quand j'épanchais avec lui mon cœur sans réserve, il eut le courage de me fermer constamment le sien, et de m'abuser par des mensonges. Il me controuva je ne sais quelle histoire qui me fit juger que sa présence était nécessaire dans son pays
> ROUSSEAU, les Confessions, XII.

2 Ce Français que nous trouvâmes aux mines de Swapavara, homme simple, et que je ne crois pas capable de controuver une histoire, nous assura que pour faire plaisir à quantité de Lapons, il les avait soulagés du devoir conjugal (...)
> J.-F. REGNARD, Voyage en Laponie, p. 105.

♦ **2** Rare. Démentir, révéler faux.

♦ **CONTROUVÉ, ÉE** p. p. adj.
Inventé; qui n'est pas exact. → **Apocryphe, mensonger.** *Fait controuvé pour perdre un innocent. Nouvelle controuvée,* inventée de toutes pièces.

3 Les journaux français ont ébruité — comme toujours, à la légère, — la nouvelle (heureusement aujourd'hui controuvée) du subit décès de notre illustre ami (...)
> VILLIERS DE L'ISLE-ADAM, Tribulat Bonhomet, p. 179.

4 (...) si un quart de seconde l'hypothèse de la loi de la pesanteur était controuvée, quel magnifique décombre !
> GIRAUDOUX, Juliette au pays des hommes, p. 172.

CONTR. (Du p. p.) Authentique, vrai.

CONTROVERSABLE [kɔ̃trɔvɛrsabl] adj. — 1832; de *controverser.*
Didact. Qui est sujet à controverse. *Opinion, question controversable.* → **Discutable.**

CONTR. Certain, incontestable, indiscutable, irrécusable, irréfragable.

CONTROVERSE [kɔ̃trɔvɛrs] n. f. — 1285, *controversie* «querelle»; 1245; lat. *controversia* «choc», de *contra*, et *versus*, p. p. de *vertere* «tourner».

Discussion suivie (sur une question, autour d'une opinion). → **Discussion, polémique.** *Soulever, provoquer une vive controverse. Controverse théologique, scientifique. Soutenir une controverse. De longues, de vives controverses. Matière à controverse.* → **Débat.**

1 Si, dans une controverse, l'un des adversaires se bornait à reprendre ce que vient d'alléguer l'autre contre lui, sans rien contester, sans rétorquer, sans qualifier, — en un mot, sans répondre; mais en précisant de plus en plus les arguments dont on veut l'accabler, — je m'assure que cette redite approfondie qu'il en ferait, ce «grossissement» et cette rigueur suffiraient dans le plus grand nombre des cas à énerver et à exécuter la thèse et les raisons ennemies.
> VALÉRY, Suite, p. 178.

2 (...) l'œuvre du puissant statuaire Rodin était le sujet de vives et fréquentes controverses.
> Georges LECOMTE, Ma traversée, p. 215.

La controverse (collectif) : l'ensemble des controverses. — (Nom d'action). Fait de controverses. *L'art de la controverse.* → **Éristique.**

En controverse (collectif). *Question en controverse entre les spécialistes.*

Discussion théologique. *Controverse entre catholiques et protestants sur un point de foi. Livres de controverse. — Étudier la controverse,* la technique de la discussion théologique. → **Controversiste** (1.).

DÉR. **Controverser, controversiste.**

CONTROVERSER [kɔ̃trɔvɛrse] v. tr. — 1579; de *controverse.*

Rare. Débattre (un point de doctrine, une question) dans une controverse. → **Argumenter, discuter** (→ Mettre en question*). *Controverser une décision, un choix.* — Spécialt. *Théologiens qui controversent un dogme.* — Pron. *Ces questions peuvent se controverser.* Absolt. *Controverser avec passion.*

♦ **CONTROVERSÉ, ÉE** p. p. adj. (1611).
Qui fait l'objet d'une controverse. → **Discuté.** *Une théorie très controversée.*

(...) la conversation roula sur la question controversée de l'émancipation féminine.
> Jean-Louis CURTIS, le Roseau pensant, p. 45.

CONTR. Admettre. ◊ DÉR. **Controversable.**

CONTROVERSISTE [kɔ̃trɔvɛrsist] n. — 1630; de *controverse,* et suff. *-iste.*

♦ **1** Relig. Personne qui traite des matières de controverse religieuse.

♦ **2** (1843). Didact. Personne qui se plaît à prendre part à des débats, des discussions, et y fait preuve de talent. *Un brillant controversiste* (cf. l'anglicisme *debater*).

REM. On trouve la forme *controverseur* [kɔ̃trɔvɛrsœr] (de *controverser*) chez les Goncourt.

CONTUITION [kɔ̃tɥisjɔ̃] n. f. — V. 1960; de *con-* «avec», et *(in)tuition.*
Psychol. Connaissance d'un objet par la connaissance intuitive d'un autre objet lié au premier.

1. CONTUMACE [kɔ̃tymas] n. f. — 1268; lat. *contumacia* «orgueil», de *contumax.* → 2. Contumace.

♦ **1** Dr. Refus que fait un prévenu de comparaître devant le tribunal où il est appelé. → **Défaut.** *Être en état de contumace. Purger sa contumace* : comparaître après une condamnation par défaut.

1 Lorsque, après un arrêt de mise en accusation, l'accusé n'aura pu être saisi, ou ne se présentera pas dans les dix jours de la notification qui en aura été faite à son domicile (...) il sera déclaré rebelle à la loi (...) ses biens seront séquestrés pendant l'instruction de la contumace (...)
> Code d'instruction criminelle, art. 465.

♦ **2** Loc. (1536). Cour. **PAR CONTUMACE** : en l'absence de l'intéressé. *Condamné à mort par contumace* (opposé à *contradictoirement*).

Contumace : condamnation en l'absence du condamné.

Fig. et littéraire :

2 (...) cassé aux genoux, dans la nuit. Y arrivera-t-on, à me glisser en lui, mémoire et rêve de moi, en lui encore vivant, n'y suis-je pas déjà, depuis toujours, répandu comme un remords, et serait-ce là, ma nuit ma contumace, au secret de ce mourant, et sa mort mon dernier délai.
> S. BECKETT, Textes pour rien, p. 198-199.

2. CONTUMACE [kɔ̃tymas] ou **CONTUMAX** [kɔ̃tymaks] adj. et n. — 1381, *contumaux*; *contumas,* 1392; *contumaz,* 1549; «rebelle», XIIIᵉ; lat. *contumax* «fier, obstiné, rebelle», de *con-* (*cum intensif*), et *tumere* «être gonflé (d'orgueil, etc.)».

Didact. (dr.). Se dit de l'accusé en état de contumace. → **Absent, défaillant.** *Un accusé contumace. Prévenu déclaré contumace.*

Alors l'Évêque et le Vice-Inquisiteur le déclarent contumace et prononcent contre lui la sentence d'excommunication qui est aussitôt rendue publique.
> HUYSMANS, Là-bas, XVI, p. 225.

N. *Un contumace, une contumace.*

CONTUMÉLIE [kɔ̃tymeli] n. f. — Av. 1328; repris XIXᵉ; lat. *contumelia.*

Vx, littér. (latinisme). Offense grave (mot utilisé par Huysmans, Léon Bloy, *in* T. L. F.).

CONTUMÉLIEUSEMENT [kɔ̃tymeljøzmɑ̃] adv. — 1541, Calvin; du fém. de *contumélieux* «insultant», lat. *contumeliosus,* même sens, de *contumelia.* → Contumélie.

Rare. De façon offensante, injurieuse (cf. Chateaubriand, *Mémoires d'outre-tombe*; Mérimée, *Correspondance, in* T. L. F.).

CONTUS, USE [kɔ̃ty, yz] adj. — 1503; lat. *contusus,* p. p. de *contundere* «frapper, meurtrir». → Contusion.

Didact. Qui présente, qui a subi une contusion. *Sortir tout contus d'un accident.* → **Blessé, contusionné.** — *Plaie contuse.*

1 L'homme qui tient le volant est ou semble être le maître de l'espace. Il est, en outre, dans une mesure notable, protégé. Qu'un choc non excessif se produise, la coque d'acier souffre, mais le conducteur n'est pas nécessairement blessé ni même contus.
G. DUHAMEL, Manuel du protestataire, IV, p. 131.

2 La contusion, ou plutôt la plaie contuse apparut. Un trou ovalisé existait sur la poitrine entre la troisième et la quatrième côte. C'est là que la balle avait atteint Harbert.
J. VERNE, l'Île mystérieuse, t. II, p. 684.

CONTUSIF, IVE [kɔ̃tyzif, iv] adj. — 1835; dér. sav. de *contusion.*

Méd. Produit par une contusion. — *Pneumonie contusive.*

Qui semble causé par une contusion. *Douleurs contusives.*

CONTUSION [kɔ̃tyzjɔ̃] n. f. — 1314; lat. *contusio,* du supin de *contundere* «frapper, meurtrir», de *con-* (cum) et *tundere* «frapper».

Cour. Lésion produite par un choc, un corps contondant, sans qu'il y ait déchirure de la peau. → **Bleu, bosse** (cit. 1), **ecchymose, lésion, meurtrissure.** *Légère contusion. Se tirer d'un accident avec quelques contusions. Être couvert de contusions.* → **Contus** (cit. 2). *Écrasement par contusion.* → **Mâchure.**

1 Je l'ai voulu saigner, parce qu'il a le corps tout couvert de contusions, mais il n'a pas voulu; il en a pourtant bien besoin. SCARRON, le Roman comique, II, IV, p. 177.

2 (...) un (...) laquais (...) se fit une légère contusion à la tête.
ROUSSEAU, Julie ou la Nouvelle Héloïse, V, Lettre, 9.

CONTR. Déchirure. ◊ DÉR. Contusif, contusionner.

CONTUSIONNER [kɔ̃tyzjɔne] v. tr. — 1819; au p. p., 1672, «*les bras de la pauvre Montgobert sont bien contusionnés*» (Sévigné); de *contusion.*

Blesser par contusion. → **Meurtrir.** *Accident qui contusionne le corps. Quelques personnes ont été contusionnées.*

Absolument :

Je les sentais proches, les rues glaciales et tumultueuses, les visages terrifiants, les bruits qui coupent, percent, lacèrent, contusionnent. S. BECKETT, Nouvelles, p. 109.

◆ **CONTUSIONNÉ, ÉE** p. p. adj. *Bras, jambes contusionné(e)s.* — (Personnes). *Des accidentés tout contusionnés.* → **Contus.**

CONURBATION [kɔnyʀbasjɔ̃] n. f. — 1922; de *con-* «autour», et lat. *urbs* «ville», probablt par l'angl. *conurbation* (de même orig.), 1915.

Géogr. Agglomération formée d'une ville et de ses banlieues, ou de villes voisines réunies (cf. Zone urbaine). «*C'est le cas des conurbations de l'Europe du Nord ou des grandes nappes urbaines de l'Ouest américain*» (*Sciences et Avenir,* nº 25, p. 15). *Grandes conurbations.* → **Mégalopole.**

CONVAINCANT, ANTE [kɔ̃vɛ̃kɑ̃, ɑ̃t] adj. — 1633; de *convaincre.*

◆ **1** Qui est propre à convaincre. *Démonstration, preuve convaincante. Cet argument est convaincant.* → **Concluant, décisif, probant.** *Plaidoyer convaincant. Ce n'est pas très convaincant.*

1 Une preuve convaincante que l'homme n'a pas été créé comme il est, c'est que, plus il devient raisonnable, et plus il rougit en lui-même de l'extravagance, de la bassesse et de la corruption de ses sentiments et de ses inclinations.
LA ROCHEFOUCAULD, Maximes, 523.

2 La lettre pathétique et convaincante que vous nous avez envoyée (...)
VOLTAIRE, Lettre à Damilaville, 19 sept. 1766.

◆ **2** (Personnes). Qui convainc, éloquent. *Ton convaincant. Orateur convaincant.*

CONTR. Contestable, douteux, faible. ◊ HOM. Convainquant (p. prés. de *convaincre*).

CONVAINCRE [kɔ̃vɛ̃kʀ] v. tr. [CONJUG.: *vaincre.*] — XIIᵉ; lat. *convincere,* de *con-* (cum intensif), et *vincere* «vaincre». → Conviction.

◆ **1** Amener (qqn) à reconnaître la vérité, la nécessité d'une proposition ou d'un fait. → **Persuader** (cit. 1 et 3). *Convaincre un sceptique, un incrédule. Se laisser convaincre. Parvenir, réussir à convaincre qqn. Convaincre qqn par de bonnes raisons.* — Absolt. (→ ci-dessous, cit. 4, 5 et 6). *L'art** (cit. 3) *de convaincre.* → **Rhétorique, sophistique.** *Convaincre par des arguments affectifs.* → **Persuader, toucher.** *Chercher à convaincre.* → **Prêcher.** — *Convaincre qqn de qqch.,* l'amener à reconnaître (qqch.) comme vrai. *Il a convaincu son auditoire de la gravité de la situation, de la valeur de son projet. Cela m'a convaincu du contraire. Je suis convaincu de sa sincérité. J'en suis absolument convaincu.* — *Convaincre qqn que...,* l'amener à reconnaître comme vrai que... (→ ci-dessous, cit. 3 et 7). *Il est convaincu que vous réussirez, il en est convaincu.* — (Le compl. désigne une faculté humaine). *Convaincre l'esprit, l'entendement, la raison* (de qqn).

1 (...) cela n'est pas capable ni de convaincre mon esprit, ni d'ébranler mon âme. MOLIÈRE, Dom Juan, V, 2.

2 (...) un de ces Chrétiens qui croient sans preuves n'aura peut-être pas de quoi convaincre un infidèle (...)
PASCAL, Pensées, IV, 287.

3 Il est aisé de convaincre un enfant que ce qu'on lui veut enseigner est utile : mais ce n'est rien de le convaincre, si l'on ne sait le persuader. Une tranquille raison nous fait approuver ou blâmer; il n'y a que la passion qui nous fasse agir (...) ROUSSEAU, Émile, III.

4 Je ne tardais pas à sentir que j'avais tort de vouloir convaincre par le raisonnement dans un genre où il ne faut que persuader par le sentiment.
BEAUMARCHAIS, *in* LAFAYE, Dict. des synonymes, p. 468.

5 — Qu'à cela ne tienne, répondit Germain, qui mourait d'envie de se laisser convaincre.
G. SAND, la Mare au diable, VI, p. 54.

6 Et moi, qui ai tant parlé, avec le désir insatiable de convaincre, je me suis moi-même à la longue convaincu que les plus graves arguments et les démonstrations les mieux conduites avaient bien peu d'effet, sans le secours de ces détails insignifiants en apparence (...)
VALÉRY, Eupalinos, p. 20.

7 Aucun raisonnement ne saurait me convaincre que l'addition d'unités sordides puisse donner un total exquis.
GIDE, les Faux-monnayeurs, III, XI, p. 417.

7.1 Non, l'avoir dit me convainc du contraire, je n'ai jamais vu le jour, pas plus que lui, voilà la beauté toute négative de la parole. S. BECKETT, Textes pour rien, p. 171.

Convaincre qqn de (et inf.), *l'amener à considérer comme nécessaire de. Nous l'avons convaincu de rester. —* Passif. *Il est convaincu de ne pas se tromper. En êtes-vous vraiment convaincu?*

♦ **2** *Convaincre (qqn) de (qqch.),* donner des preuves de (sa faute, sa culpabilité); amener (qqn) à reconnaître qu'il est coupable. → **Conviction** (1). *Convaincre qqn d'imposture, de trahison. Il a été convaincu de mensonge. Convaincre un accusé de son crime.*

8 C'est cet homme-là qu'il faut chercher, découvrir et confondre. C'est lui qu'il faut convaincre de son crime et punir.
G. DUHAMEL, Récits des temps de guerre, IV, p. 96.
Vx. *Convaincre (qqch.) de (qqch.). Convaincre un raisonnement d'erreur.*

9 (...) vous ne sauriez inventer d'excuse qu'il ne me soit facile de convaincre de fausseté.
MOLIÈRE, George Dandin, III, 6.

♦ **SE CONVAINCRE** v. pron.

Se persuader. Se convaincre par l'expérience, par la réflexion. Chercher à se convaincre. — Se convaincre de la véracité d'une affirmation. Se convaincre que qqn a raison. Il veut s'en convaincre lui-même.

9.1 Il fallut se payer de ces réponses, mais s'en convaincre était plus difficile. SADE, Justine..., t. I, p. 123.

10 Elle allait et venait dans la pièce, parlant pour se convaincre soi-même autant que son fils (...)
F. MAURIAC, Génitrix, X, p. 117.

11 Que (...) l'orgueil soit une passion plus forte que l'intérêt, on s'en convainc si l'on observe combien les hommes se font couramment tuer pour une blessure à leur orgueil, peu pour une atteinte à leurs intérêts.
Julien BENDA, la Trahison des clercs, p. 106.

♦ **CONVAINCU, UE** p. p. adj. (1677).

♦ **1** Qui possède, qui exprime la conviction de. *Des auditeurs convaincus, des partisans convaincus.* → **Certain, persuadé, sûr.** *Convaincu d'avance (de qqch).*

12 (...) avec le froid entêtement d'un homme convaincu.
ZOLA, Nana, I, p. 5.

13 (...) je refusais la direction de l'infirmerie, convaincu que ces pauvres bougres allaient claquer dans leur cave si on ne les évacuait pas sur-le-champ.
MARTIN DU GARD, les Thibault, IX, p. 244.

(Fin XIXᵉ). *Sûr de son opinion. Un orateur très convaincu. — Air convaincu. Parler d'un ton convaincu.* → **Assuré, éloquent, pénétré.**
N. *Les convaincus. Prêcher un convaincu. C'est vraiment une convaincue, elle!*

14 (*Mon père*) c'est un convaincu professionnel. Un professeur de conviction. Il inculque la foi (...)
GIDE, les Faux-monnayeurs, *in* Romans, Pl., p. 1230.

♦ **2** CONVAINCU DE... Dont la culpabilité a été prouvée. — Dr. (Vieilli). *Atteint et convaincu d'un délit, d'un crime.*

CONTR. **Douter. — Sceptique, incrédule** (être) . ◊ DÉR. **Convaincant.**

CONVALESCENCE [kɔ̃valesɑ̃s] n. f. — 1455; «santé», 1355; bas lat. *convalescentia,* de *convalescens.* → Convalescent.

♦ **1** Période de transition entre la fin d'une maladie et le retour à la santé. → **Analepsie.** *Entrer en convalescence.* → **Guérir, mieux** (aller), **renaître** (littér.), **requinquer** (se). *État, période de convalescence. Une longue, une difficile, une rapide convalescence. Maison de convalescence.* → **Repos.** *La fin d'une*

convalescence. → **Rétablissement, santé.** — *Être en convalescence d'une grave maladie.*

1 (...) un de ces moments qui sont entre la maladie et la convalescence et où l'on est encore plus sensible aux témoignages de l'amitié.
SAINTE-BEUVE, Correspondance, II, p. 56.

2 Pour bien réussir une convalescence, il y faut la complicité du printemps. GIDE, Journal, 1ᵉʳ juin 1949.

Permission, congé accordé à un convalescent. *Partir en convalescence* (cf. argot milit. *convalo* [kɔ̃valo] n. f., 1915; cf. Barbusse, *le Feu,* I, chap. 9).

♦ **2** Par métaphore. (Littér.). Période d'amélioration, d'apaisement après un mal. → **Guérison** (fig.). *Convalescence morale, mentale; convalescence du cœur. «Une convalescence d'âme»* (Balzac). *— Période de convalescence après une guerre. — Entrer, être en convalescence. Au moment «où la France blessée entre en pleine convalescence»* (De Gaulle, *in* T. L. F.).

CONTR. **Rechute.**

CONVALESCENT, ENTE [kɔ̃valesɑ̃, ɑ̃t] adj. et n. — V. 1400; lat. *convalescens,* p. prés. de *convalescere* «reprendre des forces», de *con-* (*cum*), et *valescere,* de *valere* «être en bonne santé».
Qui est en convalescence. *Il est encore convalescent. — Un corps convalescent. · Air convalescent.*
N. (1628, *in* D.D.L.) *Un convalescent, une convalescente. Première sortie d'un convalescent. Un convalescent encore un peu faible. Les malades et les convalescents.*

Le convalescent sacrifie tout à l'intérêt de la santé.
BOURDALOUE, Pensées, t. I, p. 392.
Littér. Propre à un convalescent, à une convalescente. *Des faiblesses, des pâleurs convalescentes.*

CONTR. **Malade, rétabli.**

CONVALLAIRE [kɔ̃valɛʀ] n. f. — D. i.; lat. *convallaria.*
Bot. Muguet de mai (nom sc.: *Convallaria maialis*).

CONVALO [kɔ̃valo] n. f. → **Convalescence.**

CONVECTEUR [kɔ̃vɛktœʀ] n. m. — 1901; du rad. lat. (*convectus*) de *convection.*

♦ **1** Techn. Dispositif qui transporte (de l'énergie). *«Les convecteurs de l'électricité»* (H. Poincaré).

♦ **2** Techn. et cour. Appareil de chauffage utilisant les phénomènes de convection.

CONVECTIF, IVE [kɔ̃vɛktif, iv] adj. — 1911; du rad. lat. (*convectus*) de *convection.*
Techn. Produit ou caractérisé par des phénomènes de convection. *Couche, zone convective du soleil. «Dans la tache solaire, l'effet mécanique n'est pas convectif, mais est dû à un tourbillon gazeux»* (*Sciences,* nᵒ 2, 1959, p. 11).

CONVECTION ou **CONVEXION** [kɔ̃vɛksjɔ̃] n. f. — 1890; du lat. *convectum,* de *con-* (*cum*), et supin de *vehere* «transporter». → Véhicule.
Didactique (sciences).

♦ **1** Mouvement (d'un fluide) dû à une variation de la température; transfert de chaleur qui y correspond. *Échauffement par convection. L'énergie stellaire est transportée par convection vers les zones externes.*

♦ **2** Météor. Mouvement vertical (d'une masse d'air). *La convection comprend les mouvements ascendants et les mouvements descendants.* → aussi **Ascendance; subsidence.** *Convection thermique*

(→ **Thermoconvection**); *convection orographique, dynamique... Convection résultant de l'échauffement du sol dans la journée. Les échanges thermiques entre masses d'air se font par convection.*

♦ **3** *Convection électrique :* déplacement (des porteurs de charge électrique).

CONTR. Advection. ◊ **DÉR.** V. Convecteur, convectif.
→ **COMP.** Thermoconvection.

CONVENABLE [kɔ̃vnabl] adj. — V. 1150; de *convenir.*

♦ **1** Vx. **CONVENABLE À...** : qui convient, s'adapte bien à. → **Adapté.** *Le temps est peu convenable à nos projets. Dire une parole convenable à la situation. Être reçu d'une manière convenable à son rang.*

1 Cette solitude n'est-elle pas bien convenable à une personne (...) qui est ou veut être chrétienne?
Mme DE SÉVIGNÉ, 1191, 29 juin 1689.

2 Cette bassesse m'a paru plus convenable à une nourrice.
RACINE, Phèdre, Préface.

2.1 (...) il pouvait s'attendre à une récompense convenable à la libéralité du sultan, son seigneur et maître.
A. GALLAND, les Mille et une Nuits, t. III, p. 361.

♦ **2** Littér. Qui convient, est approprié. → **Adéquat, ad hoc, compatible, conforme, congru, convenant, expédient, idoine, pertinent, propre, propos** (à propos), **raisonnable, saison** (de saison). *Solution convenable. Présenter qqch. sous une forme convenable. Choisir le moment convenable.* → **Favorable, opportun, propice.** *Au moment convenable. Faire un mariage convenable.* → **Assorti.** *Un parti convenable.* → **Sortable.** Qui est proportionné à son objet, à sa destination. → **Adapté, conforme, proportionné.** *Une récompense convenable. — Mesures convenables pour obtenir un résultat. — Il est, il n'est pas convenable de...* (et infinitif.)

3 (...) le moyen le plus convenable pour gouverner les enfants est de les mener par leur bouche.
ROUSSEAU, Émile, II.

4 Il n'est pas toujours convenable de consulter uniquement le droit sans rien accorder aux circonstances.
MIRABEAU, *in* BARTHOU, p. 291.

5 (...) je ne suis pas dans les dispositions convenables pour recueillir mon passé dans le calme où il dort, tout agité qu'il fut quand il était à l'état de vie.
CHATEAUBRIAND, Mémoires d'outre-tombe, t. VI, p. 1.

♦ **3** Suffisant, acceptable. → **Décent, passable.** *Un salaire convenable, à peine convenable. Des vêtements encore convenables.*

6 (...) il est de toutes les contrebandes, aussi bien de celles qui rapportent un salaire convenable que des autres où l'on risque la mort pour cent sous.
LOTI, Ramuntcho, IX, p. 264.

(Euphémisme). *Convenable, très convenable :* bon, excellent. *Goûtez donc ce vin (ces cigares), il est (ils sont) très convenable(s).*

♦ **4** (V. 1611). Conforme aux règles, aux conventions de la bienséance. → **Bienséant, correct, décent, digne, honnête, honorable, séant.** *Des manières convenables. Une tenue, une mise convenable. — Impers. Il n'est pas convenable que vous sortiez seule.* → **Beau** (fam.). *Ce n'est pas convenable. C'est une démarche peu convenable. Juger convenable de faire, de dire telle chose.* → **Bon, juste.** *Adopter une conduite peu convenable.*

7 C'était en hiver, aux environs du carnaval, époque de l'année où il est séant et convenable chez nous de faire les noces.
G. SAND, la Mare au diable, Appendice, I, p. 143.

8 C'était un petit hôtel blanc, fort convenable d'aspect, et dont rien ne décelait la vie intérieure.
Pierre LOUŸS, les Aventures du roi Pausole, VIII, p. 234.

Puisqu'on avertissait, puisqu'on prévenait tout le monde, 9 et le grand public des journaux et des meetings (...) il était indispensable, il était convenable, il était juste, il était correct de nous prévenir aussi, de prévenir les dreyfusistes.
Ch. PÉGUY, la République..., p. 75.

(1803; personnes). *C'est une personne très convenable,* qui respecte les convenances, les conventions sociales du milieu bourgeois (cf. Très bien, comme il faut).

C'était une jeune fille excessivement convenable. C'est à 10 peine si l'on voyait sa figure sous une voilette et une couche de poudre, quand elle allait à l'église accompagnée par une petite bonne.
J. CHARDONNE, les Destinées sentimentales, p. 397.

N. m. *«Le convenable est le grand malheur du dix-neuvième siècle»* (Stendhal, *Promenades dans Rome*).

CONTR. Déplacé, déraisonnable, disconvenant, disproportionné, impertinent, impropre, inadéquat, incompatible, incongru, inconvenant, incorrect, indécent, indigne, indu, inopportun, intempestif, malhonnête, malséant, malsonnant, messéant, saugrenu. ◊ **DÉR.** Convenablement.

CONVENABLEMENT [kɔ̃vnabləmã] adv. — V. 1150; de *convenable.*

D'une manière convenable.

♦ **1** Vx. Opportunément.

♦ **2** Mod. D'une manière acceptable. *Il est payé convenablement.* → **Adéquatement; décemment.** *Il travaille convenablement.* → **Correctement.**

♦ **3** Mod. Correctement. *Un homme pauvre, mais convenablement vêtu.*

Sa robe était plus longue et tombait plus convenablement sur ses bas, qui étaient bien blancs, ainsi que sa coiffe, laquelle avait pris la forme nouvelle et s'attachait gentiment sur ses cheveux noirs bien lissés (...)
G. SAND, la Petite Fadette, XXII, p. 155.

CONVENANCE [kɔ̃vnãs] n. f. — Fin XIIe, «pacte»; de *convenir.*

♦ **1** (1504). Littér. Caractère de ce qui convient à une destination (correspond à *convenable,* 1.). → **Accord, adéquation, affinité, conformité, harmonie, pertinence, rapport.** *La convenance d'une chose à un usage, d'une chose et d'une autre. Convenance d'humeur, de caractère, de goût entre deux époux, deux amis.* → **Affinité, assortiment, compatibilité, concordance, correspondance, rapport.** *— Rapport de convenance. — Des convenances et des oppositions. Convenances entre personnes* (→ ci-dessous, cit. 5).

C'est autre chose de faire tout convenablement (comme les 1 animaux), autre chose de connaître la convenance (comme l'homme).
BOSSUET, Traité de la connaissance de Dieu..., V, 2.

La nature est pleine de convenances et de disconvenances, 2 de proportions et de disproportions, selon lesquelles les choses ou s'ajustent ensemble ou se repoussent l'une l'autre.
BOSSUET, *in* LAFAYE, Dict. des synonymes, p. 898.

Tout a ses convenances et ses rapports dans la nature (...) 3
CHATEAUBRIAND, le Génie du christianisme, I, 5, 9.

(...) l'art d'écrire réside tout entier dans la convenance 4 de l'idée et du sentiment au rythme et au nombre de la phrase.
J. BÉDIER, la Chanson de Roland, Avant-propos.

Loc. (1798). *Mariage de convenance,* pour lequel on tient compte des rapports de fortune, de milieu social (par oppos. à *mariage d'amour* ou *d'inclination*).

Mariage de convenance. Sur le fond brossé légèrement, la 4.1 lumière caresse avec amour, c'est la seule manifestation de ce sentiment, ces noces de l'ennui et des dernières illusions.
J. GREEN, Journal, La terre est si belle, 18 juin 1978.

REM. L'expression, de nos jours, est plutôt comprise au sens 3, «conforme aux convenances»; dans l'usage du XIXᵉ s., elle correspondait plutôt au sens ci-dessus, «convenances sociales personnelles».

5 Toutes les convenances qui font les grands mariages s'accordaient avec ce penchant mutuel.
MARMONTEL, Contes moraux,
«Les deux infortunées».

♦ **2** (Surtout dans quelques constructions). Ce qui convient à qqn. → **Goût.** *Consulter les convenances de qqn. Prendre un congé pour des raisons de convenance personnelle. — (Avec à). Être à la convenance de qqn,* lui plaire, lui convenir. *Trouver qqn, qqch. à sa convenance. Faire qqch., travailler... à sa convenance.* → **Gré** (à son gré).

6 *(Il) resterait sans domicile fixe, en attendant d'avoir trouvé un gîte à sa convenance.*
J. ROMAINS, les Hommes de bonne volonté, t. II,
II, p. 23.

♦ **3** (1740). Fait de se conformer aux usages; caractère de ce qui s'y conforme. → **Correction, décence.** *La convenance des manières.* — Plus cour. (Sans compl.). *Faire qqch. par convenance, par raison de pure convenance.* → **Forme, politesse; cant.**

7 La convenance de ses manières le faisait rêver à d'autres attitudes; pendant qu'elle causait d'un ton froid, il se rappelait ses mots d'amour balbutiés (...)
FLAUBERT, l'Éducation sentimentale, III, IV, p. 403.

Mariage de convenance. (→ ci-dessus, 1).

(1762). *Les convenances :* ce qui est en accord avec les usages acceptés et recommandés par un milieu social (spécialt, la bourgeoisie). → **Bienséance, décorum, savoir-vivre.** *Observer, respecter les convenances.* → **Apparence.** *Avoir le sens des convenances. Braver, blesser les convenances. Ne pas se soucier des convenances. Manquer aux convenances.* → **Oublier** (s'). *S'afficher au mépris des convenances. Rappeler qqn aux convenances. Les convenances oratoires* (la modération du ton, la courtoisie). *Faire qqch. par souci des convenances.*

8 Comme il doit être fatigant et attristant, cet effort continu pour se conformer aux opinions, règles et convenances du monde impossible qui les entoure.
Valery LARBAUD, Amants, heureux amants, p. 126.

CONTR. **Disconvenance. — Désaccord, désadaptation, disproportion, impertinence, impropriété, inadéquation, inutilité. — Incommodité. — Inconvenance. — Déshonnêteté, grossièreté, indécence, malséance, sans-gêne.**

CONVENANT, ANTE [kɔ̃vnɑ̃, ɑ̃t] adj. et n. m. — V. 1275; p. prés. de *convenir.*

♦ **1** Adj. Vx. Qui convient. → **Convenable; bienséant, correct, décent.** *Prononcer des paroles convenantes.* — *Convenant à (qqch., quelqu'un).*

(...) retirant sa main, elle lui dit que ce n'était pas convenant à une jeune fille de donner comme cela dans la main à un garçon.
G. SAND, François le Champi, XX, p. 145.

♦ **2** N. m. (1640; angl. *covenant* «accord»). Dr. *Bail à convenant* ou *à domaine congéable.* → **Congé** (5.).

CONTR. et COMP. **Disconvenant, inconvenant.**

CONVENIR [kɔ̃vniʀ] v. tr. ind. [CONJUG.: *venir.*] — XIᵉ; lat. *convenire* «venir avec», de *con-* (*cum*), et *venire.*

I (1538). Être assorti, aller bien avec ou ensemble. → **Accorder** (s'), **cadrer, correspondre** (→ Être en rapport*). *Cela convient avec ce que vous disiez. Ces deux étoffes conviennent bien, ont bien convenu. Leurs opinions conviennent en tout.*

1 Votre âge, monsieur, ne convient pas avec celui de ma fille (...) HAUTEROCHE, Crispin médecin, I, 3.

On est obligé de mettre *(les pièces)* les unes sur les autres 2 pour voir d'une manière plus sûre que par la vue si elles conviennent en grandeur.
MALEBRANCHE, De la recherche de la vérité, I, 6.

II (XIIIᵉ). Mod. *Convenir de (qqch.), convenir que...* (auxiliaire *être* (littér.) ou *avoir*). ♦ **1** (Sujet n. de personne, au sing.). Reconnaître la vérité de; tomber d'accord sur. → **Avouer, concéder, confesser, dire, reconnaître.** *Je conviens de ce que vous dites. J'en conviens volontiers. Convenez-en. Convenir de son erreur.* — Vx ou littér. *Il est convenu lui-même de sa faute.* — Mod. *Il en a convenu.* — *Il a bien fallu en convenir.* — *Convenir que...* (et indic.). *Il faut convenir qu'il avait raison. Convenez que vous aviez tort, convenez-en.*

Je suis âne, il est vrai, j'en conviens, je l'avoue (...) 3
LA FONTAINE, Fables, III, 1.

Il feint de n'avoir pas aperçu les choses où il vient de 4 jeter les yeux, ou s'il est convenu d'un fait, de ne s'en plus souvenir.
LA BRUYÈRE, les Caractères de Théophraste,
De la dissimulation.

(...) convenez que me prescrire si affirmativement ce que 5 je dois faire, avant de vous être mis en état d'en juger, c'est, mon cher philosophe, opiner en franc étourdi.
ROUSSEAU, les Confessions, IX.

Il faut convenir que le bon sens relevé d'esprit et de gaieté 6 soulage un peu de bien des bêtises.
SAINTE-BEUVE, Correspondance, II, p. 282.

— Mais non! Vous avez eu les sentiments les plus contra- 7 dictoires et les plus naturels, qu'aurait eus n'importe qui. Mais d'autres auraient l'hypocrisie de ne pas en convenir.
J. ROMAINS, les Hommes de bonne volonté, t. V,
XX, p. 163.

Dans le hall, il croisa diverses figures qu'il connaissait plus 7.1 ou moins. Il convint de leur existence mais non de leur intérêt. R. QUENEAU, le Chiendent, p. 207.

♦ **2** (Sujet plur.). Faire un accord, s'accorder sur. → **Entendre** (s'). *Ils conviennent, ils convinrent de partir ensemble.* → **Décider.** *Nous avions convenu d'un lieu de rendez-vous.* → **Arranger, arrêter, régler.** *Ils ont convenu entre eux du prix. Vous devez convenir des termes,* vous entendre sur le sens des mots.

Vieilli ou littér. *Ils sont convenus de se retrouver à la campagne.*

On mit près du but les enjeux. 8
Savoir quoi, ce n'est pas l'affaire,
Ni de quel juge l'on convint.
LA FONTAINE, Fables, VI, 10.

(...) avant que de convenir du prix, pour avoir une meil- 9 leure composition du marchand, il lui fait ressouvenir qu'il lui a autrefois rendu service.
LA BRUYÈRE, les Caractères de Théophraste,
De l'effronterie causée par l'avarice.

(...) après une longue délibération, nous sommes convenus 10 qu'il achètera un petit vaisseau tout équipé (...)
A.-R. LESAGE, le Diable boiteux, XV, p. 162.

(...) dans le parc de Saint-Leu, où les deux jeunes gens 11 étaient convenus d'aller pour visiter les riantes prairies et les bosquets (...)
BALZAC, Une double famille, Pl., t. I, p. 933.

REM. Bien que la règle traditionnelle demande l'auxiliaire *être* avec *convenir* dans les sens 1 et 2 (cf. Académie, 8ᵉ éd., et Littré), de nombreux auteurs emploient l'auxiliaire *avoir* (cf. Grévisse, nᵒ 658 § 3; Hanse, art. *Convenir*; Littré, in Suppl., cite J.-J. Rousseau).

Ne reparlons plus de cela je vous prie; j'ai convenu de 12 mon tort de trop bonne grâce, pour que vous deviez vous en souvenir.
ROUSSEAU, Lettre à Duchesne, 21 nov. 1771.

Au moment de se séparer d'elle, il ne pouvait se défendre 13 d'une tristesse dont il n'eût jamais convenu (...)
F. MAURIAC, Thérèse Desqueyroux, XIII, p. 224.

Par besoin d'espérer, il rêvait de son départ de Fréville 14 pour Paris, comme jadis (...) il avait rêvé à Chatenay de son départ de Chatenay, bien que de cela il n'eût jamais convenu. MONTHERLANT, les Célibataires, X, p. 281.

Passif. *Il a été convenu que* : on a décidé que. —
Loc. **COMME CONVENU** : comme il a été décidé.
*Nous vous rejoindrons demain, comme con-
venu* (→ Comme prévu). «*Vous me permettrez de
demander instamment à ce que cet arrangement
d'intérêts soit parfaitement convenu*» (Balzac, *in*
T. L. F.).

REM. *Convenir que*, au sens II, 2, de «faire un accord», se
construit avec le subjonctif ou l'indicatif. *Ils conviennent
que chacun prenne sa part tout de suite* ou *ils conviennent que chacun prendra sa part tout de suite.
Dans le sens II, 1, «reconnaître», on emploie l'indicatif. Nous convenons qu'il a raison. Il faut convenir
que...*

15 Il faut convenir que les mœurs vont se dépravant de jour
    en jour.   HUGO, le Dernier Jour d'un condamné.
16 Et même j'avais convenu avec lui, ajouta-t-il, qu'au besoin
    je remettrais de quelques jours mon départ.
                            GIDE, les Faux-monnayeurs, p. 1131.

III (Auxiliaire *avoir*). ◆ **1** (Déb. XIIᵉ). *Convenir à (qqch.)* :
être convenable (1.) pour ; être approprié à (qqch.).
Les vêtements qui conviennent à la circonstance.
→ **Aller, seoir.** *Ce livre convient mal, convient très
bien à ses goûts. Cela convient à sa situation.*
→ **Cadrer** (avec), **correspondre.** *Cette terre convient à
de nombreuses cultures.* → **Prêter** (se).

17 *Ces festons dans vos mains, et ces fleurs sur vos têtes
    Autrefois convenaient à nos pompeuses fêtes.*
                            RACINE, Athalie, I, 3.
18 *J'estime qu'il faut avoir égard à ce qui convient à l'âge
    aussi bien qu'au sexe* (...)   ROUSSEAU, Émile, V.
19 *Le prénom d'Isaac convenait d'emblée à son profil, à sa
    barbe d'émir, à ses yeux fiévreux de mage oriental* (...)
                            MARTIN DU GARD, les Thibault, t. V, p. 167.
    Absolt. *C'est exactement l'homme qui convient.
    Trouver la phrase qui convient, la phrase juste.
    Cela pourra convenir ; cela conviendra.* → **Spécialt.**
    *Être conforme aux usages. «Elle avait à un haut
    degré le sentiment de ce qui sied et de ce qui con-
    vient»* (Reybaud, *in* T. L. F.).

◆ **2** *Convenir à (qqn).* — Vx. *Être approprié à son état,
sa situation.* → Iron. *Il vous convient bien de faire le
difficile* (cf. *Cela vous va bien* (mod.)).
Mod. *Être agréable ou utile (à qqn)* ; être conforme
à son goût. → **Agréer, aller, arranger, plaire, sourire ;** (fam.) **botter, chanter.** *Cela me convient parfaitement. Cette chambre me convient à peu près, je
m'en accommoderai. Si cela vous convient, venez me
voir ce soir. Ce métier ne lui convient pas du tout.*

20 (...) *pensions, honneurs, tout leur convient et ne convient
    qu'à eux* (...) *ils ne comprennent point que sans leur
    attache* (*sans leur agrément, leur assentiment*) *on ait l'im-
    pudence de les espérer.*
                            LA BRUYÈRE, les Caractères, XVI, 26.
    Impers. *Il ne me convient pas de faire ce travail.*
21 *Il ne convient pas à tout le monde de rester dans une
    maison qui brûle.*
                            Comte DE SAINT-AULAIRE, Talleyrand, p. 405.

◆ **3** (XIᵉ, *covient* «il faut»). Impers. **IL CONVIENT DE** (et
l'inf.) : il est conforme aux usages, aux nécessités,
aux besoins. → **Propos** (être à), **expédient** (être) ; → Il
faut, il sied. *Je voudrais savoir ce qu'il convient de
faire.*
IL CONVIENT QUE (et subj.). *Il convient que vous y
alliez* : vous devez y aller, il vous appartient d'y
aller, c'est votre rôle. «*Il convient que la raison entre-
prenne sur le sentiment*» (→ Attarder, cit. 4).

22 *J'ai commandé qu'on porte à votre père
    Les faibles dons qu'il convient de vous faire.*
                            VOLTAIRE, Droit du Seigneur, III, 6.
23 *Il convient que l'impôt soit payé par celui qui emploie la
    chose taxée plutôt que par celui qui la vend.*
                            ROUSSEAU, Disc. sur l'économie politique.

(...) *il convenait de se taire jusqu'à ce que certaines obs-   24
curités fussent éclaircies.*
                            HUGO, l'Homme qui rit, II, IV, 3.

◆ **SE CONVENIR** v. pron. (Récipr.).
Être approprié l'un à l'autre ; se plaire mutuellement.

*Deux créatures qui ne se conviennent pas pourraient aller   25
chacune de son côté* (...)
            CHATEAUBRIAND, Mémoires d'outre-tombe, IV,
                            1 (cf. Bouder, cit. 6).

◆ **CONVENU, UE** p. p. adj. 1690 ; *covenu* «assigné», 1483.
◆ **1** Qui est le résultat d'un accord, d'une convention. *Chose convenue.* → **Décidé.** — *Langage convenu.
Mot convenu. Prix convenu.*

*Toutes les histoires anciennes, comme le disait un de nos   26
beaux esprits, ne sont que des fables convenues.*
                            VOLTAIRE, Jeannot et Colin.
Je pensais que c'était chose convenue entre vous (...)   27
                            G. SAND, la Petite Fadette, XXIX, p. 196.
*Mes professeurs croyaient tout convenu que je devinsse   27.1
professeur.*
                            GIRAUDOUX, Simon le pathétique, p. 35.

◆ **2** Péj. *Conforme à une convention* (littéraire,
sociale). → **Artificiel, banal, conventionnel.** — N. m.
Le convenu.

Il (Stendhal) *aime en tout être d'un avis imprévu ; il ne   28
supporte le convenu en rien.*
                            SAINTE-BEUVE, M. de Stendhal, p. 13.
*L'histoire supplanta chez lui le roman dont l'affabulation   29
(...) forcément banale et convenue, le blessait.*
                            HUYSMANS, Là-bas, II, p. 18.
*L'on ne voulait rompre qu'avec un langage trop convenu   30
et voici que l'on est près de rompre avec tout le langage
humain.*
                            J. PAULHAN, les Fleurs de Tarbes, I, p. 31.

CONTR. Disconvenir, opposer (s'). — Désaccord (être en désaccord). — Nier. ◊ DÉR. Convenable, convenance, convenant.
→ COMP. Disconvenir.

CONVENT [kɔ̃vã] n. m. — 1844, au sens 2 ; angl. *convent*, du lat. *conventus* «réunion», emploi substantivé du
p. p. de *convenire.*

◆ **1** Vx. → **Couvent.**

◆ **2** Dans la franc-maçonnerie, Assemblée générale, le plus souvent annuelle, des représentants
des loges d'une obédience, possédant les pouvoirs
les plus étendus (législatifs, constitutionnels), désignant les dirigeants de la fédération et fixant
l'orientation générale de celle-ci. → **Congrès.**
Par ext. Réunion savante, colloque, congrès.

Cette comparaison (...) *vaut bien celles qui ont cours dans
nos convents les plus graves et qui pour avoir pris naissance dans notre discours aux idiots, n'ont même pas la
saveur du canular d'initiés, mais n'en semblent pas moins
recevoir valeur d'usage de leur caractère de pompeuse
ineptie.*   J. LACAN, Écrits, p. 240.

CONVENTICULE [kɔ̃vãtikyl] n. m. — 1384 ; lat. *con-
venticulum* «petite réunion», de *conventus.* → Convent.

Didact. Petite assemblée, généralement secrète.

En 1545 (...) *vingt ans après que Luther eut renversé les   1
bornes posées par nos pères* (...) *Socin et ses compagnons
tinrent secrètement en Italie leurs conventicules contre la
divinité du Fils de Dieu.*
                            BOSSUET, Hist. des variations, XV.
*Je ne remarquai pas qu'ils fussent vus de mauvais œil par   2
la partie mahométane de l'assemblée, tolérance louable,
surtout dans un conventicule de fanatiques.*
                            Th. GAUTIER, Constantinople, p. 149.

Petit groupe obscur. → **Cénacle, groupuscule.**

1. CONVENTION [kɔ̃vɑ̃sjɔ̃] n. f. — Av. 1350; *convencion*, 1268, Bloch et Wartburg; lat. *conventio*, du supin de *convenire*, de *venire*. → Venir.

♦ 1 Dr. et cour. Accord (de deux ou plusieurs personnes) portant sur un fait précis. → **Arrangement, compromis, contrat, engagement, entente, marché, pacte, traité**. *Conventions particulières entre deux personnes. Convention verbale, écrite. Convention expresse, tacite. Convention à l'amiable. Convention unilatérale, réciproque. Convention authentique** (cit. 3). *Convention sous seing privé. Convention matrimoniale.* → **Contrat** (de mariage). *Établir, faire, former, conclure, ratifier une convention. La signature d'une convention. Exécuter une convention. Convention entachée de dol. Respecter, annuler une convention.*

1 Pourquoi veut-on que je tienne, malgré moi, une convention qui s'est faite sans moi?
    MONTESQUIEU, Lettres persanes, 71.

2 Puisque aucun homme n'a une autorité naturelle sur son semblable, et puisque la force ne produit aucun droit, restent donc les conventions pour base de toute autorité légitime parmi les hommes.
    ROUSSEAU, Du contrat social, I, IV, p. 239.

3 Les conventions légalement formées tiennent lieu de loi à ceux qui les ont faites.
Elles ne peuvent être révoquées que de leur consentement mutuel, ou pour les causes que la loi autorise.
Elles doivent être exécutées de bonne foi.
    Code civil, art. 1134.

4 On ne peut déroger, par des conventions particulières, aux lois qui intéressent l'ordre public et les bonnes mœurs.
    Code civil, art. 6.

4.1 La femme observait nos conventions de son mieux. Elle apportait vers midi un plateau chargé de vivres et enlevait celui de la veille. Elle apportait en même temps un pot de chambre propre.
    S. BECKETT, Nouvelles, p. 82.

Conventions internationales, diplomatiques, militaires, postales, commerciales, douanières. → **Accord, alliance, capitulation, concordat, covenant, entente, pacte, protocole, traité.** *Projet de convention. Convention de Genève* (portant sur le traitement des prisonniers en temps de guerre). — *Cet établissement a signé une convention avec la Sécurité sociale.* → **Conventionné.**

CONVENTION COLLECTIVE : accord entre salariés et employeurs réglant les conditions de travail, dans une branche d'activité.

Clause particulière (d'un accord). → **Article, disposition, stipulation.** *Les conventions d'un contrat. Modifier les conventions d'un accord, d'un traité. Sauf convention contraire. Ceci n'était pas dans les conventions.*

Littér. Accord.

5 Quelle convention peut-il y avoir entre Jésus-Christ et Bélial, et comment peut-on accorder le temple de Dieu avec les idoles?
    BOSSUET, Hist., II, 12, *in* LITTRÉ.

6 On se trompe gravement sur la nature humaine si l'on suppose qu'une religion puisse s'établir par convention et se soutenir par imposture.
    FUSTEL DE COULANGES, la Cité antique, p. 257.

♦ 2 (Av. 1703). Ce qui résulte d'un accord réciproque, d'une règle acceptée (et non de la nature). *Les conventions sociales, les conventions* : ce qu'il est convenu de penser, de faire, dans une société. → **Convenance**; *conventionnel. Respecter les conventions. Avoir le respect des conventions. C'est une convention, un fait culturel. Le langage, les habitudes sociales sont un ensemble de conventions.* → **Code.**

7 Qu'est-ce qu'une convention? Une règle acceptée par un ou plusieurs hommes. Un seul homme qui fait une réussite ne peut jouer que parce qu'il a accepté une convention (...) Toute société repose sur un langage, qui est la première et la plus importante des conventions, sur des

écritures, sur des habitudes, sur des conventions observées.
    A. MAUROIS, Études littéraires, I, Valéry, III, p. 41.

8 L'attaque et la défense, l'audace des hommes, la pudeur des femmes, ne sont point des conventions, comme le pensent tes philosophes, mais des institutions naturelles dont il est facile de rendre raison, et dont se déduisent aisément toutes les autres distinctions morales.
    ROUSSEAU, Julie ou la Nouvelle Héloïse, I, lettre 46.

8.1 Si, plein de respect pour nos conventions sociales, et ne s'écartant jamais des digues qu'elles nous imposent, il arrive malgré cela, que nous n'ayons rencontré que des ronces, quand les méchants ne cueillaient que des roses, des gens privés d'un fond de vertus assez constaté pour se mettre au-dessus de ces remarques, ne calculeront-ils pas alors qu'il vaut mieux s'abandonner au torrent que d'y résister?
    SADE, Justine..., t. I, p. 5.

9 La jeunesse est un temps pendant lequel les conventions sont, et doivent être, mal comprises : ou aveuglément combattues, ou aveuglément obéies.
    VALÉRY, M. Teste, Préface.

10 Car c'est encore une des lois de l'action héroïque qu'elle engendre des êtres qui ont peine à se plier aux conventions mondaines et sociales.
    A. MAUROIS, Études littéraires, Saint-Exupéry, t. II, p. 267.

10.1 L'état de veille, et de maturité ou de raison est donc fait de *conventions*. Un enfant ne changerait pas un morceau de sucre ou de chocolat contre un billet de mille francs. Il ne peut pas concevoir que ce morceau de papier *est* une montagne de sucre et une colline de chocolat. S'il vient à le *croire*, c'est comme magie. Et il a raison.
    VALÉRY, Cahiers, t. II, Pl., p. 98.

Ce qui est admis par un accord tacite. → **Conventionnel.** *Les conventions du théâtre, de l'opéra, du roman.* → **Procédé.** *Les conventions de la peinture figurative, de la perspective classique.*

11 Au théâtre, ce qui sort de la convention paraît faux. Le théâtre vit de conventions. On en veut à qui nous en tire; à qui tâche de nous en tirer.
    GIDE, le Roi Candaule, Préface de la 1ʳᵉ éd., IV.

Philos., sc. Principe choisi par décision volontaire pour la commodité d'une description systématique. → **Conventionnalisme.** *Le rôle de la convention et celui de l'expérience dans les sciences.*

♦ 3 Loc. adj. et adv. (1762). **DE CONVENTION** : admis par convention. → **Conventionnel, convenu.** *Signe de convention, langage de convention.* → **Secret.** *Monnaie ayant une valeur de convention* (→ Papier-monnaie).

Péj. Conforme aux conventions sociales, dicté par elles; peu sincère.

12 (...) nos arts et notre littérature (*sont-ils*) en droit de mépriser ces types de convention plutôt que ceux que la mode inaugure.
    G. SAND, François le Champi, Avant-propos, p. 15.

13 Tous, les jeunes comme les vieux, me paraissaient avoir adopté uniformément un masque de convention, des sentiments de convention, lorsqu'ils étaient devant les femmes.
    Th. GAUTIER, Mˡˡᵉ de Maupin, V, p. 72.

14 Ce qu'il y a peut-être de plus fatigant dans les tristes cérémonies de ce genre, c'est le devoir essuyer tant de phrases toutes faites, n'exprimant que des sentiments de convention.
    GIDE, Robert ou l'intérêt général, I, 1.

DÉR. 2. Convention, conventionné, 1. conventionnel.

2. CONVENTION [kɔ̃vɑ̃sjɔ̃] n. f. — 1688, en parlant de l'Angleterre, puis 1776; angl. *convention* «assemblée extraordinaire du Parlement anglais», mais le sens d'«assemblée» est français depuis le XVᵉ : *convencion*, 1488; de 1. *convention*.

♦ 1 Assemblée exceptionnelle réunie pour établir ou modifier une constitution. → **Constituant(e).** *La Convention nationale*, et, ellipt., *la Convention*, qui, de 1792 à 1795, exerça tous les pouvoirs en France. *L'œuvre de la Convention. La Convention, évoquée* par Michelet, par Hugo (*Quatrevingt-treize*). *La Convention, en Angleterre, instituée par le Parlement anglais en 1688.*

15 (...) elle fut appelée convention, parce qu'il n'y a que le roi qui puisse convoquer un parlement.
G. T. RAYNAL, Parlement d'Angleterre, époque 8.

16 Le mot *convention* est emprunté au vocabulaire du droit constitutionnel américain. D'après la définition contemporaine de Pétion, il désigne «une assemblée établie pour faire ou défaire une constitution».
Marcel PRÉLOT, Précis de droit constitutionnel, p. 83.

♦ **2** (1853, Eyma, *les Deux Amériques*, in D.D.L.; angl. *convention* «congrès»). Aux États-Unis, Congrès d'un parti pour désigner son candidat à la présidence. *La convention démocrate.*

(Anglic.). Congrès extraordinaire (d'un parti politique). *La convention du parti socialiste.* — Tout congrès, aux États-Unis.

DÉR. 2. **Conventionnel.**

CONVENTIONALITÉ [kɔ̃vɑ̃sjɔnalite] n. f. — 1908; de 1. *conventionnel.*

Didact. Caractère de ce qui est conventionnel.

C'est en ce sens, et dans cette mesure, qu'il faut tenir la science pour conventionnelle, mais la conventionalité est de fait, pour ainsi dire, et non pas de droit.
H. BERGSON, l'Évolution créatrice, p. 208.

CONVENTIONNALISME ou **CONVENTIONALISME** [kɔ̃vɑ̃sjɔnalism] n. m. — Av. 1922; de 1. *conventionnel.*

♦ **1** Didact. (philos., sc.). Théorie, position des conventionnalistes. «*L'analyse de Poincaré s'est engagée dans une autre voie, celle du conventionnalisme*» (J. Piaget).

1 C'était là une vue réaliste et non point nominaliste, mais le conventionnalisme prend sa revanche, sans qu'on s'en doute toujours, en ce sens que, faute d'unité objective de mesure (...) il est clair que (l'expérience psychologique ne fournissant jamais que des relations d'ordre) on est obligé de choisir une métrique arbitraire et que l'on peut alors toujours s'arranger de manière à retrouver la distribution «normale» présupposée et souhaitée.
J. PIAGET, Epistémologie des sciences de l'homme, p. 217.

♦ **2** (Souvent écrit *conventionalisme*). Caractère conventionnel, préférence pour ce qui est conventionnel. *Le conventionalisme de ses idées.*

2 (...) une collection de porcelaine de Saxe — arlequins, marquis, bergères, tous sujets d'un tendre conventionalisme éparpillés sur la chinoiserie brodée et poussiéreuse qui recouvre le piano (...)
Pierre DANINOS, Un certain Monsieur Blot, p. 160.

CONVENTIONNALISTE ou **CONVENTIONALISTE** [kɔ̃vɑ̃sjɔnalist] adj. — xxᵉ; de 1. *conventionnel.*

Didact. (philos.). Qui considère la connaissance, la science comme résultant de conventions.

P. Duhem (...) s'est orienté vers un positivisme nominaliste et conventionnaliste interdisant l'explication aux sciences (...)
J. PIAGET, Logique et Connaissance scientifique, Encycl. Pl., p. 52.

CONVENTIONNÉ, ÉE [kɔ̃vɑ̃sjɔne] adj. — 1615; «convenu par contrat», 1550; repris 1952; de 1. *convention.*

Admin. Lié par une convention, un accord avec la Sécurité sociale. → **Conventionnement.** *Médecin conventionné. Clinique conventionnée.*

REM. Le verbe *conventionner* [kɔ̃vɑ̃sjɔne] v. tr. est attesté.

DÉR. et **COMP. Conventionnement. Déconventionner.**

1. **CONVENTIONNEL, ELLE** [kɔ̃vɑ̃sjɔnɛl] adj.
— 1453; de 1. *convention.*

♦ **1** Qui résulte d'une convention. *Acte, clause conventionnelle. Valeur conventionnelle de la monnaie.* → **Arbitraire.** *Signe, caractère conventionnel. Langage conventionnel.*

Spécialt. Relatif aux conventions* collectives.

♦ **2** Plus cour. Conforme aux conventions sociales; peu naturel, peu sincère. *Formule conventionnelle de politesse. Il a des idées très conventionnelles.* — *Éducation conventionnelle. Langage conventionnel.* → **Académique, banal, officiel, rituel.** *Le français conventionnel et les usages non conventionnels* (argot, mots tabous, formes populaires proscrites, etc.).

1 Comme les formules de fin de lettre sont bien reçues, non en dépit mais en faveur de ce qu'elles ont de conventionnel.
J. ROMAINS, les Hommes de bonne volonté, t. V, VIII, p. 69.

2 Chez nous il était admis que tous les sentiments conventionnels sont vrais, que les parents aiment toujours leurs enfants, les enfants leurs parents, les maris leurs femmes.
A. MAUROIS, Climats, p. 16.

(Personnes). Qui respecte les convenances, les conventions.

3 Il ne faut pas être conventionnel, dit Marthe avec entrain, fichez-moi à la porte si je vous embête.
R. QUENEAU, Loin de Rueil, p. 95.

♦ **3** (1955; angl. *conventional*). Anglic. *Armement conventionnel*, non atomique. *Moyens conventionnels, classiques.*

CONTR. Bizarre, original. — Naturel, sincère. — Direct.
◊ **DÉR. Conventionalité, conventionnalisme, conventionnaliste, conventionnellement.**

2. **CONVENTIONNEL** [kɔ̃vɑ̃sjɔnɛl] n. m. — 1792; de 2. *convention* (1.).

Hist. Membre de la Convention. *Les conventionnels.*

Les conventionnels se piquaient d'être les plus bénins des hommes (...)
CHATEAUBRIAND, Mémoires d'outre-tombe, t. II, p. 10.

Adj. (Vx). De la Convention. «*Durant ses fonctions conventionnelles* (Dubois)» (B. Constant, *in* T. L. F.).

CONVENTIONNELLEMENT [kɔ̃vɑ̃sjɔnɛlmɑ̃] adv.
— 1636; de 1. *conventionnel.*

♦ **1** Par convention (→ Abstrait, cit. 5).

♦ **2** (1762). D'une manière conventionnelle. *Déterminer une procédure conventionnellement.* → **Arbitrairement.**

Par les conventions sociales. «*Un regard conventionnellement triste*» (Proust, *in* T. L. F.).

CONVENTIONNEMENT [kɔ̃vɑ̃sjɔnmɑ̃] n. m. — V. 1958; de *conventionné.*

Admin. Accord entre médecins ou établissements de soins et organismes d'État. → **Conventionné.**

CONVENTUALITÉ [kɔ̃vɑ̃tɥalite] n. f. — 1690; de *conventuel.*

Relig. État des personnes qui vivent dans une communauté religieuse, sous une même règle.

CONVENTUEL, ELLE [kɔ̃vɑ̃tɥɛl] adj. et n. m. — 1461; *conventual*, 1249; lat. ecclés. *conventualis*, de *conventus*, *ou* **Couvent**, couvent.

♦ **1** Relig. Qui appartient à une communauté religieuse. → **Communautaire.** *Assemblée conventuelle. Maison conventuelle.* → **Couvent.** *La vie conventuelle.*

Messe *conventuelle* : messe où assiste toute la communauté. *Religieux conventuel.* — N. m. *Un conventuel* (→ Aumône, cit. 6).

1 La vieille nostalgie de la vie conventuelle me reprend de temps à autre.
J. GREEN, Journal, La Terre est si belle, 9 juin 1978.

♦ **2** Littér. Qui évoque ou rappelle le couvent, la vie monacale.

2 Leur vie s'écoule dans une paix conventuelle (...)
M. YOURCENAR, Archives du Nord, p. 206.

DÉR. **Conventualité, conventuellement.**

CONVENTUELLEMENT [kɔ̃vãtɥɛlmã] adv. — 1463; de *conventuel.*

Relig. Selon la règle d'une communauté religieuse; en communauté. *Vivre conventuellement.*

CONVENU, UE [kɔ̃vny] adj. et n. → Convenir (p. p.).

CONVERGENCE [kɔ̃vɛʀʒãs] n. f. — 1671; de *convergent.*

♦ **1** Fait de converger. *La convergence de deux lignes, de deux rayons lumineux.* — (1890). *Convergence d'un système optique, d'une lentille...,* grandeur caractéristique de ce système, égale à l'inverse de la distance focale. → Vergence. *La convergence est généralement exprimée en dioptries*; elle est positive si la lentille est convergente, négative si la lentille est divergente.*

Météor. Divergence négative; rétrécissement d'une colonne d'air en rotation.

♦ **2** (1816). Fig. Action d'aboutir au même résultat, de tendre vers un but commun. → Concours. *La convergence des efforts, des volontés* (→ Concorde, cit. 4).

1 (...) toujours le chef-d'œuvre a pour cause une convergence universelle d'effets.
TAINE, Philosophie de l'art, t. II, v, IV, v, p. 341.

Didact. (sc. nat., sc. humaines). Fait de converger, de se rassembler sans qu'il y ait influence causale. *Phénomènes de convergence entre cultures très différentes* (ethnol.).

2 Les faits d'adaptation mécanique sont normaux et l'on en possède de nombreux cas dans l'organisation dentaire où, par exemple, des animaux aussi disparates génétiquement que le lièvre, le cheval et le bœuf ont des molaires de structure mécanique voisine. Qualifié de convergence, ce phénomène, s'il était pris pour base d'une typologie systématique, donnerait lieu à la construction d'un dispositif très différent du buisson phylétique, mais qui en recouperait un grand nombre de rameaux.
A. LEROI-GOURHAN, le Geste et la Parole, t. I, p. 48.

♦ **3** Math. Propriété d'une série dont la somme des termes est un nombre fini. *Convergence en moyenne d'une suite,* propriété de cette suite d'avoir pour moyenne arithmétique une suite admettant une limite.

CONTR. **Divergence.**

CONVERGENT, ENTE [kɔ̃vɛʀʒã, ãt] adj. et n. m. — 1611; lat. *convergens,* p. prés. de *convergere.* → Converger.

♦ **1** Qui converge. *Lignes convergentes. Des routes convergentes en un point. Regards convergents, convergents sur un même objet* (ou *convergeant sur...*). — (1814). *Lentille convergente,* qui fait converger les rayons lumineux. *Miroir convergent.*

Par extension :

1 (...) sa fille Sirdah, svelte enfant de dix-huit ans dont les yeux convergents se voilaient de taies épaisses.
Raymond ROUSSEL, Impressions d'Afrique, p. 18.

Math. *Séries* convergentes.* — *Feux convergents des batteries.* → Croisé. — Par ext. *Attaques convergentes.* N. m. (1963). Techn. Tuyère conique, resserrée dans le sens de l'écoulement des gaz, et destinée à augmenter leur vitesse. → Collecteur.

♦ **2** (1812). Abstrait. Qui tend au même résultat, se rapproche des autres. *Des efforts convergents. Opinions convergentes. Expériences convergentes. Phénomènes convergents et indépendants.*

2 Il y a des maladies qui commencent lentement par des malaises légers et convergents (...)
A. MAUROIS, Climats, I, 8 (cf. Accès, cit. 9).

CONTR. **Diffus, divergent.** ◊ DÉR. **Convergence.** ← HOM. **Convergeant** (p. prés. de *converger*).

CONVERGER [kɔ̃vɛʀʒe] v. intr. [CONJUG.: *bouger.*] — 1720; bas lat. *convergere,* de con- (cum), et *vergere* «incliner vers».

♦ **1** Se diriger (vers un point commun). → Concentrer (se), concourir. *Les rayons lumineux traversant une lentille convergent vers le foyer.* → Convergence. *Faire converger les feux d'une batterie.* → Diriger. *Chemins qui convergent vers la ville.* → Aboutir. *Point où convergent plusieurs routes.* → Rencontrer (se). *Lignes de chemin de fer convergeant vers Paris.* → Convergent.

1 (...) tous font converger leurs piques sur Roland.
HUGO, la Légende des siècles,
Le petit roi de Galice, XV, VIII.

Par ext. *Regards qui convergent sur un objet, sur qqn.*

2 Jacques se tut, aussitôt les regards convergèrent sur le Pilote. MARTIN DU GARD, les Thibault, t. V, p. 135.

♦ **2** (1803). Abstrait. Tendre au même résultat; aller en se rapprochant. *Leurs théories convergent. Efforts qui convergent vers un même résultat.*

3 L'univers venait tout à coup de s'élargir. Elle était le point lumineux où l'ensemble des choses convergeait (...)
FLAUBERT, l'Éducation sentimentale, I, I, p. 41.

CONTR. **Diffuser, diverger, éparpiller** (s'), **répartir** (se). ◊ HOM. (Du p. prés.) **Convergent.**

CONVERS, ERSE [kɔ̃vɛʀ, ɛʀs] adj. et n. — V. 1160, n. m.; n. f., v. 1200; lat. ecclés. *conversus* «retourné, inversé, converti», p. p. de *convertere.* → Convertir.

♦ **1** Relig. *Frère convers, sœur converse :* personne qui, dans un monastère ou un couvent, se consacre aux travaux manuels. → Lai, servant. *Les frères convers ne reçoivent pas les ordres sacrés.* — N. m. *Un convers.*

1 Les moines de Cîteaux amenèrent leurs frères convers avec plusieurs écuyers (...)
VOLTAIRE, Essai sur les mœurs, 64.

Hist. Moine entré en religion à l'âge adulte (par oppos. à *oblat*). — Moine non soumis à la règle de l'ordre, mais aux «us et coutumes», règlement mineur (au XIIe siècle).

1.1 (...) les «convers». Pour eux, la participation aux prières fut très réduite : un rôle décisif leur revenait dans la création des biens.
Georges DUBY, Guerriers et Paysans, VII-XIIe s., p. 246.

♦ **2** (1704). Log. Se dit d'une relation non symétrique dont les propositions sont inversées. *Implication converse* (p est impliqué par q). — N. f. *Une converse.*

2 Les grands hommes sont mes rois; mais la converse n'a pas lieu ici; les rois ne sont pas mes grands hommes (...)
VOLTAIRE, Lettre à Maupertuis, 1740.

CONVERSANT, ANTE [kɔ̃vɛʀsã, ãt] adj. — Mil. XIXe, Sainte-Beuve; p. prés. de 1. *converser.*

Rare. Qui converse; où l'on converse. «*Une solitude très animée, très conversante...*» (Sainte-Beuve, *in* T. L. F.).

CONVERSATION [kɔ̃vɛʀsɑsjɔ̃] n. f. — 1160 ; lat. *conversatio* «fréquentation», du supin de *conversari*. → 1. Converser.

◆ **1** Vx. Rapport, relation que l'on entretient avec qqn. — *Être en conversation avec qqn pour affaires.*

0.1   La conversation des femmes de 50 ans, et d'une laideur constatée, leur est seule accordée *(aux maris espagnols).*
Th. GAUTIER, Tra los montes, *in* T. L. F.

Dr. anc. *Être surpris en conversation criminelle,* en flagrant délit d'adultère.

Fam. Rapports sexuels.

◆ **2** (1537). Mod. et cour. Échange de propos (naturel, spontané) ; ce qui se dit dans un tel échange. → **Causerie, entretien.** *Conversation entre deux personnes.* → **Dialogue, tête-à-tête.** *Conversation secrète.* → **Aparté, conciliabule.** *Conversation revêtant un caractère officiel.* → **Conférence, pourparler.** *Conversations diplomatiques.* — *Conversation familière.* → **Badinage, bavardage** (cit. 3), **causette, parlotte.** *Dans la conversation courante... Commencer, amorcer, engager, entamer une conversation.* — Vieilli. *Nouer* (cit. 8) *conversation.* — *Entrer, être en conversation. Lier, tenir conversation avec qqn.* → **Interlocuteur.** *Avoir une conversation avec qqn. Prolonger, suivre, poursuivre, ranimer, réchauffer, soutenir, alimenter la conversation. Reprendre le fil de la conversation. Reprendre la conversation où elle en était la veille. Faire la conversation avec qqn ; à qqn* (fam.). *Arrêter, interrompre, rompre la conversation.* → **Briser** (brisons là) ; **chien** (rompre les chiens). *Changer de conversation. Détourner la conversation. Éviter un sujet de conversation* (→ Ne pas parler de corde* dans la maison d'un pendu). *Trouver qqn en conversation avec... Laisser tomber la conversation. Faire tomber la conversation sur tel sujet. La conversation tourne, roule sur tel sujet, autour de tel sujet. Conversation à bâtons rompus. Briller* (cit. 19) *dans la conversation. Banalités de la conversation. La conversation languit, se traîne, s'éternise, s'éteint. Conversation brève, courte, légère, captivante, animée, agréable, instructive, courtoise ; longue, interminable, languissante, morne* (cit. 7). *Parler sur le ton* de la conversation. Le style de la conversation. Être à la conversation, écouter attentivement ce qui s'y dit. Au cours de la conversation... Par forme, par manière de conversation. Défrayer* les conversations. Chassé-croisé de conversations. Lambeaux de conversation. Bourdonnement, chuchotement, murmure des conversations. Il a fait les frais de la conversation :* on n'a parlé que de lui. — *Salle de conversation.* → **Exèdre** (vx). — *Avoir une courte conversation téléphonique.* → **Communication.**

1   On se forme l'esprit et le sentiment par les conversations. On se gâte l'esprit et le sentiment par les conversations. Ainsi les bonnes ou les mauvaises le forment ou le gâtent.
PASCAL, Pensées, I, 6.

2   Ce qui fait que si peu de personnes sont agréables dans la conversation, c'est que chacun songe plus à ce qu'il veut dire qu'à ce que les autres disent.
LA ROCHEFOUCAULD, Réflexions diverses, De la conversation.

3   (...) bien écouter et bien répondre est une des plus grandes perfections qu'on puisse avoir dans la conversation.
LA ROCHEFOUCAULD, Maximes, 139 (cf. Agréable, cit. 6).

4   L'esprit de la conversation consiste bien moins à en montrer beaucoup qu'à en faire trouver aux autres : celui qui sort de votre entretien content de soi et de son esprit, l'est de vous parfaitement.
LA BRUYÈRE, les Caractères, V, 16.

5   La conversation roulait dans un cercle de lieux communs, sur le climat de la Bohême, sur la santé de Madame la Dauphine (...) pas un mot de politique.
CHATEAUBRIAND, Mémoires d'outre-tombe, t. VI, p. 69.

5.1   Il y a égalité dans la conversation quand chacun à son tour voit qu'il attire de manière égale et favorable l'attention des autres.
STENDHAL, Journal, 1ᵉʳ juil. 1813, Pl., p. 1270.

6   La conversation fut languissante, Mᵐᵉ Bovary l'abandonnant à chaque minute, tandis qu'il demeurait lui-même tout embarrassé.
FLAUBERT, Mᵐᵉ Bovary, II, V.

7   À partir de ce moment, la conversation languissante se traîna en paroles détachées qui n'avaient pas peu de sens.
FRANCE, Histoire comique, III, p. 41.

8   Faire tous les frais de la conversation, c'est encore le meilleur moyen de ne pas s'apercevoir que les autres sont des imbéciles.
J. RENARD, Journal, 1ᵉʳ avr. 1890.

9   Il faut que chaque personnage dise peu de choses à la fois, par la raison que, dans une conversation, chacun veut parler et n'écoute pas longtemps son interlocuteur. Sauf des tirades voulues et préparées, c'est la riposte rapide qui forme l'intérêt d'un dialogue.
Antoine ALBALAT, l'Art d'écrire, XIX, p. 302.

10   Devant le mutisme de Jacques, Antoine se découragea : impossible d'amorcer aucune conversation.
MARTIN DU GARD, les Thibault, t. IV, p. 61.

11   Pourtant la conversation languissait : on aurait pu croire qu'ils ne savaient que se dire, elle assise et lui debout à contre-jour.
F. MAURIAC, la Pharisienne, p. 241.

11.1   La conversation britannique est un jeu comme le cricket ou la boxe (...) quiconque discute avec passion est aussitôt disqualifié.
A. MAUROIS, les Silences du colonel Bramble, p. 60.

Vx (lang. des Précieuses). *Les commodités** (cit. 5) *de la conversation.*

Langue familière utilisée dans les entretiens courants. *Dans la conversation courante, on dit...*

◆ **3** Entretien entre personnes responsables, en petit nombre et souvent à huis clos. *Conversations secrètes, diplomatiques.* → **Consultation.**

◆ **4** *La conversation de qqn, sa conversation,* sa manière de parler ; ce qu'il dit dans la conversation. *Apprécier, rechercher la conversation de qqn. Il aime beaucoup votre conversation. Sa conversation est agréable, brillante, amusante.*

12   La conversation de Charles était plate comme un trottoir de rue, et les idées de tout le monde y défilaient, dans leur costume ordinaire, sans exciter d'émotion, de rire ou de rêverie.
FLAUBERT, Mᵐᵉ Bovary, I, VII.

13   Il y a des personnes dont la conversation est brillante et qui sont hors d'état d'écrire ce qu'elles savent dire avec esprit.
MÉRIMÉE, Hist. du règne de Pierre le Grand, p. 292.

14   Sa conversation, très intéressante, fut la première qui m'arracha à cette perpétuelle analyse de difficultés sentimentales où je me consumais.
A. MAUROIS, Climats, p. 135.

Fam. *Avoir de la conversation :* avoir toujours qqch. à raconter, à conter ; parler avec aisance. *Il n'a pas beaucoup de conversation.*

DÉR. **Conversationnel, conversationner, conversationniste.**

CONVERSATIONNEL, ELLE [kɔ̃vɛʀsɑsjɔnɛl] adj. et n. m. — 1902 ; de *conversation.*

◆ **1** Littér., rare. Relatif à la conversation (cf. Valéry, *in* T. L. F.).

1   La seule responsabilité conversationnelle qui lui est donnée *(à la maîtresse de maison)* est, à la première apparition de ce silence tant redouté, d'enchaîner en demandant innocemment : «Avez-vous vu le dernier Fellini ?»
Jacques MERLINO, les Jargonautes, p. 43.

Didact. *Analyse conversationnelle :* étude empirique, de nature sémantique et pragmatique, de l'échange verbal dans une situation concrète. — *Stratégie conversationnelle.*

♦ 2 (V. 1970; angl. *conversational mode*). **Inform.** *Mode conversationnel* (d'utilisation d'un ordinateur), dans lequel l'utilisateur dialogue avec la machine par l'intermédiaire d'un terminal, et peut intervenir pendant le déroulement des opérations. — REM. L'équivalent français de cet anglicisme est *dialogué*. *Langage, mode conversationnel. Études conversationnelles, assistées par l'ordinateur.* — Par ext. *Écran conversationnel.*

2 Aujourd'hui, l'occupant d'une cabine doit surveiller de multiples appareils, si nombreux qu'il serait inconcevable qu'il puisse s'intéresser à tous. Des robots s'en chargent donc, le rôle de l'homme se bornant à les surveiller en les interrogeant par l'intermédiaire d'un écran conversationnel ou en recevant leurs doléances exprimées grâce aux lampes de panneaux électro-luminescents.
    Albert DUCROCQ, Sept hommes dans l'espace, *in* Sciences et Avenir, n° 425, juil. 1982, p. 46.

N. m. **[a]** *Le conversationnel* : le mode conversationnel. *Calculatrice qui travaille en conversationnel.*
[b] Périphérique* permettant de dialoguer avec un ordinateur.

CONVERSATIONNER [kɔ̃vɛʁsasjɔne] v. intr. — 1936, Céline; de *conversation*.
Fam. Converser.

CONVERSATIONNISTE [kɔ̃vɛʁsasjɔnist] n. — 1836, Barbey d'Aurevilly; de *conversation*.
Littér. Personne dont la conversation est brillante.

CONVERSE [kɔ̃vɛʁs] adj. et n. f. → **Convers** (2.).

1. CONVERSER [kɔ̃vɛʁse] v. intr. — 1680; «demeurer, vivre quelque part», XIe; «vivre avec qqn, fréquenter», XIIe; du lat. *conversari* «fréquenter».

Parler avec (une ou plusieurs personnes) d'une manière spontanée, dans les relations sociales habituelles. → **Causer, deviser, entretenir** (s'), **parler.** *Converser familièrement avec qqn.* → **Bavarder, blaguer** (fam.). *Converser à voix basse avec qqn.* → **Bourdonner, chuchoter.** *Se plaire à converser avec qqn.* — Absolt. *Aimer à converser. Converser familièrement. Converser solennellement.* → **Conférer** (avec). — Par ext. *Converser par gestes.*

1 Heureux de converser avec des héros comme lui.
                        RACINE, Remarques sur Pindare.

2 Il s'y prit très bien pour me faire jaser, se familiarisa avec moi, me mit à mon aise autant qu'il était possible, me parla de niaiseries et de toutes sortes de sujets, le tout sans paraître m'observer, sans la moindre affectation, et comme si, se plaisant avec moi, il eût voulu converser sans gêne.   ROUSSEAU, les Confessions, III.

3 Je fus fort surpris, ce jour-là, en entrant dans le salon, d'y trouver ma mère conversant avec un vieillard d'un air respectable (...)   FRANCE, le Petit Pierre, XXI, p. 153.

Par ext. *Converser avec soi-même, intérieurement.* → **Méditer, monologuer.** — Littér. (le compl. et parfois le sujet désignant des choses). *Converser avec la nature, avec les fleurs. «Le vent converse avec quelqu'un qui gronde»* (H. de Régnier, *in* T. L. F.).
CONTR. **Taire** (se). ◊ **DÉR.** Conversant.

2. CONVERSER [kɔ̃vɛʁse] v. intr. — 1835; de *conversion* (4.).
Milit. Vieilli. Exécuter une conversion.

CONVERSIBILITÉ [kɔ̃vɛʁsibilite] n. f. → **Convertibilité.**

CONVERSIBLE [kɔ̃vɛʁsibl] adj. → **Convertible.**

CONVERSION [kɔ̃vɛʁsjɔ̃] n. f. — 1190; lat. *conversio* «action de se tourner vers (Dieu)», du supin de *convertere*. → Convertir.

♦ 1 Théol. Action de se tourner vers Dieu, de tendre à la perfection en se soumettant à sa volonté.

1 La conversion véritable consiste à s'anéantir devant cet Être universel qu'on a irrité tant de fois, et qui peut vous perdre légitimement à toute heure (...)
                        PASCAL, Pensées, VII, 470.

♦ 2 Cour. Fait de passer d'une croyance considérée comme fausse à la vérité présumée. *La conversion d'un païen, d'un athée au christianisme. La conversion d'un chrétien à l'islam, au bouddhisme.* → **Adhésion.** *La conversion d'un sceptique, d'un agnostique. Conversion d'une foi à une autre.* → **Abjuration, apostasie, reniement, renoncement.** — Absolt (au christianisme, dans le contexte historique français). *La conversion de saint Paul* (Actes des Apôtres, IX, 3-4). *Obtenir la conversion des infidèles. Ce missionnaire fit de nombreuses conversions. La conversion de tout un peuple, de tout un pays.*

2 La conversion des païens n'était réservée qu'à la grâce du Messie.   PASCAL, Pensées, XII, 769.

3 Nous faisons cependant six mille lieues de mer pour la conversion des Indes, des royaumes de Siam, de la Chine et du Japon, c'est-à-dire pour faire très sérieusement à tous ces peuples des propositions qui doivent leur paraître très folles et très ridicules.
                        LA BRUYÈRE, les Caractères, XVI, 29.

4 Ma conversion ne regarde personne, répétait-il. C'est affaire entre Dieu et moi.
                        GIDE, les Caves du Vatican, I, 8.

Retour à la pratique religieuse; à l'observation des règles morales. *La conversion du pécheur est compromise par ses rechutes.*

5 J'avais entrevu la conversion au bien et au bonheur, le salut.   RIMBAUD, Une saison en enfer, p. 50.

6 (...) la conversion du pécheur n'est pas sa guérison, mais seulement sa convalescence.
                        HUYSMANS, En route, p. 236.

Changement d'opinion se traduisant par l'adhésion (à un système d'idées). *Conversion au libéralisme, au communisme; aux idées modernes. La Conversion d'Alceste,* comédie de Courteline.

7 (...) la prompte conversion des détracteurs de la médecine.
                        CONDORCET, Malouin.

8 (...) tandis que nous pouvons travailler dans la joie à faire la conversion des consciences (...)
                        Ch. PÉGUY, la République..., p. 19.

♦ 3 (1330). Vx. (choses). Fait de se changer en autre chose. → **Changement, métamorphose, mutation, transformation.** *Les alchimistes croyaient à la conversion des métaux. La conversion de l'eau en vapeur.* — Relig. *La conversion eucharistique.*

9 Il est prodigieux que la vaste étendue de la Pologne n'ait pas déjà cent fois opéré la conversion du gouvernement en despotisme (...)
                        ROUSSEAU, le Gouvernement de Pologne, V.

(1690). *Conversion des poids et mesures en unités nouvelles. Conversion de la toise en mètre.* — Fin. *Conversion d'une somme d'argent liquide en valeurs; d'un billet de banque en or.* → **Convertible.** *Conversion de rente* : remplacement d'une dette publique par une autre produisant un intérêt moindre. *La conversion par voie d'autorité est une banqueroute partielle. Conversion par offre de remboursement du capital. Conversion de titre à court terme en titre à long terme.* → **Consolidation.** — *Conversion de titre* : changement d'une valeur mobilière de la forme nominative à la forme au porteur. — Absolt. *Droit de conversion* : taxe qui frappe la conversion de titre.

Dr. *Conversion de séparation de corps en divorce** (*Code civil*, art. 310). *Conversion de saisie immobilière en vente volontaire.*

Écon. Adaptation (d'une personne, d'une entreprise) à une nouvelle activité sociale par suite de la suppression ou de la dispersion de l'ancienne. → **Reconversion.**

Math. *Conversion des fractions ordinaires en fractions décimales. — Conversion du temps moyen en temps sidéral.*

(1662). Log. Permutation des termes d'une proposition (donnant une nouvelle proposition).

Inform. Changement de code (d'un mot, d'un message).

♦ **4** (XIIᵉ, attestation isolée; XIVᵉ). Action de changer de sens. → **Retournement, révolution, tour, volte.** — (1516). Milit. Mouvement tournant effectué dans un but tactique. *La troupe effectua une conversion.*

10 Il complimenta le sergent. Puis, à son commandement, les jeunes soldats rectifièrent la position et se raidirent avant d'exécuter une conversion par quatre.
> Francis CARCO, les Belles Manières, p. 40.

Mar. Changement progressif de direction (d'une ligne de navires).

Sports. Demi-tour sur place (effectué par un skieur).

11 Les changements de direction sur le plat se font (...) surtout en exécutant une conversion. Le skieur lève une jambe en avant jusqu'à ce que le ski se dresse verticalement. Il le fait alors basculer vers l'extérieur et le repose au sol contre l'autre. Portant alors tout le poids du corps sur ce ski, il ramène l'autre sans effort à ses côtés et se retrouve face à la direction d'où il venait.
> François GAZIER, les Sports de la montagne, p. 81.

♦ **5** Psychan. Somatisation d'un conflit psychique, notamment dans l'hystérie, qui a une valeur symbolique (représentations refoulées). *Hystérie de conversion. Conversion psychosomatique.*

12 Avec le développement de la psychanalyse, la conversion a pris le sens beaucoup plus général d'un mécanisme de défense du moi contre l'angoisse (...) Les pulsions sexuelles ou agressives qui menacent le moi sont source d'angoisse, et celui-ci se protège contre le danger par toute une série de mécanismes de défense dont le plus archaïque, le plus enfantin et le plus primitif est précisément la fuite dans une maladie corporelle.
> Jean DELAY,
> Introd. à la médecine psychosomatique, p. 32.

DÉR. (Du sens 4) 2. **Converser.** ◊ COMP. **Séroconversion.**

CONVERTI, IE [kɔ̃vɛʀti] adj. et n. → **Convertir.**

CONVERTIBILITÉ [kɔ̃vɛʀtibilite] n. f. — XIIIᵉ, repris en 1845 (la var. *conversibilité* est attestée chez Lavoisier, 1789); de *convertible.*

Fin. Qualité de ce qu'on peut convertir. *Convertibilité d'une rente. Non-convertibilité d'un billet* (cours forcé).

CONVERTIBLE [kɔ̃vɛʀtibl] adj. et n. m. — 1265; lat. *convertibilis*, de *convertere*. → Convertir. La var. *conversible* (lat. *conversibilis* formé sur le thème du p. p. de *convertere*) est attestée chez Turgot, av. 1781.

♦ **1** Fin. Qui peut être l'objet d'une conversion. *Rente convertible* ou *convertissable. — Billet de banque convertible* (opposé à *papier-monnaie**).

1 Le billet convertible est un instrument qui sert originairement à faire circuler plus rapidement la monnaie métallique des banques d'émission (...*Il*) est une créance donnant droit à un objet nettement défini : des pièces de monnaie que la banque d'émission rembourse dès qu'on les demande (...) La valeur du billet convertible est égale à celle du métal auquel il donne droit.
> REBOUD et GUITTON, Précis d'économie politique,
> I, p. 665.

♦ **2** Vx ou littér. Qui peut être converti, changé. → **Convertir** (3.). *L'eau est convertible en vapeur.* — (Abstrait). → **Changeable, transformable.**

2 Multitude, solitude : termes égaux convertibles par le poète actif et fécond.
> BAUDELAIRE, le Spleen de Paris, «Les foules».

♦ **3** (De l'angl.). Se dit d'un meuble qui peut être transformé pour un autre usage. *Canapé convertible.* → **Canapé** (canapé-lit). — N. m. *Un convertible.*

3 Agathe était plantée devant la devanture d'un marchand de meubles et pointait le doigt vers un convertible.
> Hervé BAZIN, Madame Ex, p. 241.

N. m. Avion à propulsion horizontale ou verticale.

CONTR. Immuable, inchangeable, inconvertible, intransformable. ◊ DÉR. **Convertibilité.** ◄ COMP. **Inconvertible.**

CONVERTIR [kɔ̃vɛʀtiʀ] v. tr. — 980; du lat. *convertere* «se tourner vers», de *con-* (*cum*), et *vertere* «tourner».

♦ **1** Pron. SE CONVERTIR. Théol., relig. *Se convertir à Dieu, à l'Éternel :* se tourner vers Dieu, lui soumettre sa volonté.

1 Je jure par moi-même, dit le Seigneur, que je ne veux point la mort de l'impie; mais que je veux que l'impie se convertisse, qu'il quitte sa voie et qu'il vive.
> BIBLE (SACY), Ézéchiel, XXXIII, 11.

2 Ainsi l'Éternel frappera les Égyptiens,
Il les frappera, mais il les guérira;
Et ils se convertiront à l'Éternel.
> BIBLE (SEGOND), Ésaïe, XIX, 22.

3 Convertissez-vous à moi de tout votre cœur, nous dit aujourd'hui le Seigneur.
> MASSILLON, Motifs des conversions, 1.

♦ **2** Cour. Amener (qqn) à croire, à adopter une croyance, une religion (considérée comme vraie). *Convertir les païens, les idolâtres au christianisme. Convertir un sceptique, un matérialiste à la foi catholique. Convertir un hérétique.* → **Ramener** (à la foi). *Les missionnaires s'efforcent de convertir les infidèles. Convertir une peuplade; une région, un pays. Convertir au protestantisme, au catholicisme... Abjurer, apostasier une religion pour se convertir à une autre. Se convertir sur le tard.*

4 En matière de religion, ainsi que de langage, le peuple fait loi; le peuple de tout temps a converti les rois.
> P.-L. COURIER, Pamphlets politiques, Lettre, VII,
> Pl., p. 27.

Ramener à la pratique religieuse; à l'observance des lois morales. *Convertir un pécheur, un libertin. Se convertir en dépouillant* le vieil homme.*

(1458). Par anal. Faire adhérer (qqn) à une opinion. → **Amener, gagner, rallier.** *Convertir à l'idéalisme, au matérialisme. Il s'est converti à votre avis, à votre opinion.* → **Adopter.** — Absolt. → **Catéchiser, convaincre...** *Il aime à convertir.*

5 (...) la joie florissante s'échappait de son corps, de ses mains, et de ses yeux quand il (*Jaurès*) parlait pour convertir (...)
> PÉGUY, la République..., p. 20.

6 (...) on avait en réalité converti bien peu d'hommes au socialisme.
> Ch. PÉGUY, la République..., p. 25.

♦ **3** (V. 1120). Vx ou littér. Changer (une chose en une autre). → **Métamorphoser, transformer, transmuter.** *Convertir du sucre en alcool. L'eau se convertit en vapeur.* — Agric. *Convertir une lande en pâturage. Convertir une terre en blés.*

7 Regardez les abeilles sur le thym; elles y trouvent un suc fort amer; mais, en le suçant, elles le convertissent en miel.
> Saint FRANÇOIS DE SALES, Introd. à la vie dévote, 2.

8 Dans les sapinières de la plaine, des déracinements laissaient des places vides; le sol avait été converti en prairies.
> CHATEAUBRIAND, Mémoires d'outre-tombe, t. VI,
> p. 17.

9   À la même époque, Helvétius (...) reçoit également d'un autre inconnu une poudre de projection avec laquelle il convertit un lingot de plomb en or.
HUYSMANS, Là-bas, VI, p. 84.

(1690). Mod. *Convertir sa fortune, ses biens en espèces.* → Réaliser. *Convertir une rente, un titre.* → Conversion (3.). *Convertir une somme en monnaie étrangère.*

10   (...) le rustre en paix chez soi
Vous fait argent de tout, convertit en monnaie
Ses chapons, sa poulaille (...)
LA FONTAINE, Fables, XI, 3.

Dr. *Convertir la séparation de corps en divorce*.*

(1872). Math. *Convertir une fraction en fraction décimale. Convertir des mètres en centimètres.*

(Abstrait). *Convertir un soupçon en certitude.*

11   La peine corporelle se convertissait en peine pécuniaire.
MONTESQUIEU, l'Esprit des lois, VI, 19.

12   Le travail et le talent sont d'essence collective; il est juste que leurs acquisitions soient directement converties en bien social.
J. CHARDONNE, l'Amour du prochain, VIII, p. 193.

♦ 4 Log. *Convertir une proposition.* → Conversion (4.).

♦ **SE CONVERTIR** v. pron.

♦ 1 (Voir *supra* cit. 1).

♦ 2 Adopter une foi en abandonnant ce qui est considéré comme une erreur (absence de croyance, autre croyance).

♦ 3 Écon. Opérer une conversion. → Reconvertir (se).

♦ **CONVERTI, IE** p. p. adj. (1310).

Qui a passé d'une croyance (religion) à une autre (considérée comme vraie). *Des païens convertis.* — N. *Un converti, une convertie. Zèle du nouveau converti.* → Néophyte, prosélyte. — Par ext. → Partisan.

13   Pour avoir battu autrefois toutes les routes de l'impureté, un converti a tôt fait de les reconnaître (...)
F. MAURIAC, Souffrances et Bonheur du chrétien, p. 167.

Loc. *Prêcher un converti* : tenter de convaincre qqn qui est déjà convaincu.

CONTR. Détourner. — Éloigner, pervertir. — Abandonner, opposer (s'). ◊ DÉR. Convertissable, convertissage, convertissement, convertisseur.

CONVERTISSABLE [kɔ̃vɛʁtisabl] adj. — V. 1390; de *convertir.*

Rare. Qui peut être converti. → Convertible.

CONTR. Inconvertissable.

CONVERTISSAGE [kɔ̃vɛʁtisaʒ] n. m. — 1929; de *convertir.*

Métall. Transformation de la fonte en acier au convertisseur.

CONVERTISSEMENT [kɔ̃vɛʁtismɑ̃] n. m. — XIIIe; de *convertir.*

Fin. Action de convertir. *Convertissement des monnaies.*

CONVERTISSEUR [kɔ̃vɛʁtisœʁ] n. m. — 1530; du p. prés. de *convertir,* et *-eur.*

♦ 1 (1530). Rare. Celui qui opère des conversions (religieuses, en particulier). *Un convertisseur zélé.* → Apôtre.

1   Mais comme on sentait bien que cette joie de fièvre et d'amère indignation n'était pas entière, n'était pas son habituelle et innocente joie de convertisseur !
Ch. PÉGUY, la République..., p. 21.

♦ 2 (1869). Techn. Cornue basculante où l'on transforme la fonte en acier par oxydation du carbone, en y insufflant de l'air comprimé. → Convertissage. *Convertisseur Bessemer* (→ Bessemer), *convertisseur Thomas.*

(1890). Appareil de meunerie transformant en farine les gruaux.

(1904, in *Rev. gén. des sc.,* nᵒ 6, p. 316). Appareil permettant de modifier la nature d'un courant électrique. → Transformateur. *Convertisseur transformant le courant continu en alternatif. Convertisseur de fréquence, de phase. Convertisseur et commutateur (cit.).*

Électron. *Convertisseur d'image* : tube permettant de transformer une image optique en image électronique.

Mécan. *Convertisseur de couple* : appareil réglant la démultiplication du couple d'un moteur transmis à un organe d'utilisation.

Des expressions baroques lui reviennent : convertisseur de   2 couple, engrenage planétaire (...)
Régis DEBRAY, l'Indésirable, p. 299.

CONVEXE [kɔ̃vɛks] adj. — V. 1370; lat. *convexus.*

Courbé, arrondi en dehors. → Arqué, arrondi, bombé, busqué, renflé. *Surface courbe convexe,* située tout entière du même côté d'un plan tangent à l'un de ses points. *Lentille, verre convexe, miroir convexe.*

Dans l'autre pièce (...) une grande malle à couvercle convexe.
J. ROMAINS, les Hommes de bonne volonté, t. II, IX, p. 95.

(1765). *Polyèdre convexe,* tout entier du même côté du plan d'une de ses faces. — (1874). Géom. plane. *Polygone, arc convexe.*

Géogr. *Rive convexe,* qui forme une avancée de terre (dans une courbe de la rivière).

CONTR. Concave, creux. ◊ COMP. Biconvexe.

CONVEXION [kɔ̃vɛksjɔ̃] n. f. → Convection.

CONVEXITÉ [kɔ̃vɛksite] n. f. — 1450; lat. impérial *convexitas,* du lat. class. *convexus.* → Convexe.

Didact. et cour. Qualité, état d'un corps plus ou moins convexe. → Arcure, bombement, cambrure, courbure. *La convexité d'un couvercle.* → 1. Bouge (1.). *Convexité de la colonne vertébrale.*

Oui, elle était brune de cheveux jusqu'au noir le plus jais, le plus miroir d'ébène que j'aie jamais vu reluire sur la voluptueuse convexité lustrée d'une tête de femme (...)
BARBEY D'AUREVILLY, les Diaboliques, «Le plus bel amour de Don Juan».

CONVICT [kɔ̃vikt] n. m. — 1796; mot angl., du lat. *convictum,* du p. p. (*convictus*) de *convincere* «convaincre (d'un crime)». → Convaincre.

Criminel emprisonné ou déporté, en droit anglais. → Bagnard. *Les premiers colons d'Australie furent des convicts.*

En 1791, les Anglais prirent la résolution d'utiliser le sol fertile de la plus grande de ces îles. Le gouvernement songea à en faire un lieu de déportation pour y établir un certain nombre de convicts, et l'on fit choix, pour y former cette colonie pénitentiaire, du port Cornwallis.
Ferdinand DENIS, les Îles Andamans..., in le Tour du monde, 1860, t. I, p. 95.

CONVICTION [kɔ̃viksjɔ̃] n. f. — 1579; lat. chrét. *convictio* «démonstration convaincante; fait d'être convaincu», du supin du lat. *convincere.* → Convaincre.

♦ 1 (1623). Vx. Preuve établissant la culpabilité de qqn. → Convaincre, 2. (convaincre qqn de...). *Conviction de mensonge, de complicité, de vol.*

1 (...) ne faut-il pas que vous soyez bien imprudents d'avoir
fourni vous-mêmes la conviction de votre mensonge (...)
PASCAL, les Provinciales, 16.

Loc. mod. (1825). **PIÈCE À CONVICTION** : objet à la
disposition de la justice pour fournir un élément
de preuve dans un procès pénal.

2 *(Le regard)* s'abaissa même tout à fait, comme soumis sans
espoir à l'inéluctable, lorsqu'il eut rencontré des objets qui
probablement étaient des pièces à conviction (...)
LOTI, les Désenchantées, II, p. 14.

♦ **2** (1688). **Cour.** Acquiescement de l'esprit fondé sur
des preuves évidentes ; certitude qui en résulte
(fait d'être convaincu de qqch.). → **Convaincre** (1.);
**adhésion, assurance, certitude, confiance, croyance,
foi.** *Acquérir une conviction. Être dans une complète, une entière conviction. Agir par conviction.
Parler avec conviction et chaleur. Agir avec conviction, avec zèle. Conviction du cœur* (cit. 163),
de l'instinct. → **Persuasion.** *Conviction inébranlable,
profonde, sincère, invincible. J'en ai la conviction*
(→ *J'en mettrais ma main au feu**). *Accent de conviction* : accent convaincu*.

3 La conviction est la volonté humaine arrivée à sa plus
grande puissance.
BALZAC, le Curé de village, Pl., t. VIII, p. 615.

4 Plus aucune de mes convictions n'est solide suffisamment
pour que la moindre objection aussitôt ne l'ébranle (...)
GIDE, Pages de journal, 26 juin 1940, p. 48.

5 Est-ce que tu t'imagines que j'étais convaincu quand je suis
entré au P. C. ? Une conviction, ça se prend.
SARTRE, l'Âge de raison, VIII, p. 128.

Sans conviction : sans enthousiasme (→ Du bout*
des dents). — *Manquer de conviction. Sa voix manquait de conviction. Il manque de conviction* : il n'y
croit pas.

Fam. *Avec conviction* : avec sérieux. → **Componction,
sérieux.** *Ces enfants jouent avec conviction. Jouer son
rôle avec une conviction comique.*

6 Pourtant je dois dire qu'il tenait son emploi avec la plus
grande conviction, et que pour imiter les rugissements des
sauvages, il n'y en avait pas comme lui.
Alphonse DAUDET, le Petit Chose, I, I, p. 9.

7 (...) pendant la nuit, Nicolas, tout en conduisant, s'endormait et ronflait avec une conviction qui témoignait du
calme de sa conscience.
J. VERNE, Michel Strogoff, p. 360.

♦ **3** Opinion assurée. *Une, des convictions* (rare au
sing.). *Il agit selon ses convictions personnelles. Convictions politiques, religieuses* (→ Chrétien, cit. 9),
*philosophiques. C'est tout à fait contraire à mes con-
victions. Des convictions étroites, bornées. Ébranler,
saper les convictions de qqn. Un sceptique sans convictions. Partager les convictions de qqn.*

CONTR. Agnosticisme, doute, scepticisme.

CONVIER [kɔ̃vje] v. tr. — XVIe ; *cunveer*, 1125 ; du lat.
pop. **convitare* «inviter».

♦ **1** Inviter (qqn) à (un repas, une réunion...).
→ **Inviter, prier, semondre** (vx), **traiter.** *Convier des
amis, des invités à un banquet** (cit. 6 et 7). *Convier qqn à une fête, à une réception, à une cérémonie.
Convier qqn à un bal, à une soirée, à un mariage.
— Convier ses amis à dîner. — Passif. Être convié à...
par qqn.*

1 Entre un passant morfondu,
Au brouet on le convie. LA FONTAINE, Fables, V, 7.

2 S'il est prié d' *(à)* un repas, il demande en entrant à celui
qui l'a convié où sont ses enfants (...)
LA BRUYÈRE, les Caractères de Théophraste,
«Du complaisant».

3 Dans ces réunions, à peu près muettes, où toujours les
mêmes sont conviés (...)
J. CHARDONNE, l'Amour du prochain, VII, p. 179.

♦ **2 Fig.** Inviter (qqn) à (une activité). → **Engager,
exciter, inciter, induire, inviter.** *Convier qqn à faire
qqch. Le beau temps convie à la promenade. — Passif.
Vous êtes conviés à...*

Quel sujet si pressant à sortir vous convie ?   4
CORNEILLE, Polyeucte, I, 2.

(Buvons) Le temps qui fuit nous y convie (...)   5
MOLIÈRE, le Bourgeois gentilhomme,
Chanson à boire.

Convier qqn à se taire, lui demander de se taire.

♦ **CONVIÉ, ÉE** p. p. adj. et n.

♦ **1** Adj. Invité. *Les amis conviés à la réception.*

♦ **2** N. **Littér.** Personne qui a reçu une invitation (à
un repas, une réception). *Les conviés.* → **Convive,
invité.**

Venez souper chez moi, nous ferons bonne vie.   6
Les conviés sont gens choisis (...)
LA FONTAINE, Fables, I, 14.

Il comptait bien revenir sur cette chose stupéfiante dont   7
il avait été témoin, et qu'il tenait à éclaircir, en présence
de tous les conviés du vendredi qu'il régalerait de cette
histoire.
BARBEY D'AUREVILLY, les Diaboliques,
«À un dîner d'athées».

CONVIVE [kɔ̃viv] n. — XVe, attestation isolée ; repris
XVIIe ; lat. *conviva,* de *convivere,* de *con-* (cum), et
vivere. → Vivre.

Personne qui se trouve invitée à un repas en
même temps que d'autres. → **Commensal, hôte,
invité ; convier.** p. p. *De nombreux convives. D'agréables, d'aimables, de joyeux convives. Convive indélicat.* → **Parasite, pique-assiette** (fam.). *Nous avions
de charmants convives* (Académie). *Qualité de convive.* → **Convivial.**

En cette circonstance, la ménagère avait tenu à se sur-   1
passer en offrant à ses convives un menu fort supérieur
à l'ordinaire presque frugal de leurs festins.
Léon BLOY, le Désespéré, IV, p. 173.

(La salle à manger) avec ses quelque trente-cinq mètres   2
carrés de surface, et ses proportions commodes, se prêtait
à recevoir de nombreux convives.
J. ROMAINS, les Hommes de bonne volonté, III,
XI, p. 143.

Sur le pont, une vingtaine de convives à la table commune.   2.1
Une autre table, parallèle à la première, où l'on a mis nos
trois couverts.
GIDE, Voyage au Congo, in Souvenirs, Pl., p. 697.

Par métaphore :

Au banquet de la vie infortuné convive,   3
J'apparus un jour et je meurs :
Je meurs, et sur ma tombe, où lentement j'arrive,
Nul ne viendra verser des pleurs.
Nicolas GILBERT, Ode imitée des psaumes,
in LITTRÉ.

Loc. *Le convive de pierre* : la statue du commandeur, invitée par Don Juan son meurtrier et qui,
dans ce mythe, vient le punir.

CONTR. Amphitryon, hôte. — Maître, maîtresse (de maison).

CONVIVIAL, ALE, AUX [kɔ̃vivjal, o] adj. — 1612 ;
convival, 1541 ; lat. impérial *convivalis, convivialis,* de
conviva (→ Convive), repris à l'angl. *convivial.*

♦ **1 Didact.** Qui a rapport aux repas, aux banquets.
Atmosphère conviviale. «Entretien convivial» (Gobineau, in T. L. F.).

À l'époque dont nous nous occupons, la poésie conviviale
subit une modification nouvelle et prit, dans la bouche
d'Horace, des auteurs à peu près contemporains, une
langueur et une mollesse que les Grecs ne
connaissaient pas.
A. BRILLAT-SAVARIN, Physiologie du goût,
Méditation, XVII, p. 130.

♦ **2** Qui concerne la convivialité (2.). — REM. La vogue de *convivialité* a donné à l'adjectif des connotations à la mode, que l'emploi traditionnel (1.), didactique, n'avait pas. «*Les repas conviviaux préparés dans la joie*» (*Sciences et Avenir*, août 1980, p. 72). «*La cuisine conviviale de loisir*» (*l'Express*, 29 déc. 1979, p. 59).

♦ **3** Inform. Se dit d'un matériel, d'un système informatique dont l'utilisation est facile.

CONVIVIALITÉ [kɔ̃vivjalite] n. f. — 1816, dans un récit de voyage en Angleterre ; repris 1973, au sens 2 ; angl. *conviviality*, de *convivial*, de même orig. que le franç. *convivial*. → Convivial.

♦ **1** Goût des réunions joyeuses où l'on mange, des banquets. — REM. La vogue du sens 2 a donné au mot des valeurs nouvelles, même dans son sens initial.

On ne mange pas bien avec n'importe qui, on ne mange pas bien dans le bruit et l'agitation, même si la chère est fine. C'est pourquoi je préfère de beaucoup le mot «convivialité» (...) au mot «gastronomie».
le Nouvel Obs., nº 681, 28 nov. 1977, p. 97.

♦ **2** (1973, trad. de Ivan Illich). Ensemble des rapports entre personnes au sein de la société ou entre les personnes et leur environnement social, considérés comme «autonomes et créateurs» (I. Illich). «*Il voulait rencontrer les hommes dans leur vérité quotidienne, dans leurs soucis concrets. Avant que le mot ne soit lancé par Ivan Illich, il rêvait de convivialité*» (*le Nouvel Obs.*, nº 682, 5 déc. 1977, p. 113). «*Un bar en bois (...) du papier à fleurs 1950 et une convivialité (merci messieurs les cuistres d'un si précieux néologisme) joviale*» (Gault et Millau, *Guide de Paris*, 1982, p. 118).

♦ **3** Inform. Facilité d'accès, d'emploi (d'un système informatique). «*En ce temps de convivialité, d'informatique répartie et de télématique*» (*la Recherche*, nov. 1979, p. 1160).

CONVIVIAT [kɔ̃vivja] n. m. — 1825 ; du rad. du lat. *convivium* «festin», et *-at*.

Didact. et vx. Qualité de convive ; obligations d'un convive.

Souvent, au milieu des festins les plus somptueux, le plaisir d'observer m'a sauvé des ennuis du conviviat.
A. BRILLAT-SAVARIN, Physiologie du goût, 1825, Préface, p. 21.

CONVOCABLE [kɔ̃vɔkabl] adj. — 1845 ; de *convoquer*. Qui peut être convoqué.

CONVOCATEUR, TRICE [kɔ̃vɔkatœr, tris] n. et adj. — Av. 1755 ; de *convoquer*.

Rare.

♦ **1** N. Personne ou chose qui convoque. Les «*jeunes convocatrices*» (A. Daudet, *in* T. L. F.).

♦ **2** Adj. (1900). Qui convoque. *Décret convocateur.*

CONVOCATION [kɔ̃vɔkasjɔ̃] n. f. — 1341 ; lat. *convocatio*, du supin de *convocare*. → Convoquer.

♦ **1** Action de convoquer (qqn, un ensemble de personnes). *La convocation de qqn, la convocation d'un groupe par qqn. Convocation urgente.* → **Appel, avertissement, semonce** (vx). *Convocation de l'Assemblée nationale. Convocation de la Chambre, du Sénat, du Parlement, d'un conseil d'administration. Convocation adressée aux parties pour comparaître devant une juridiction.* → **Assignation.** *Convocation en vue d'une conciliation.* → **Citation.** *Convocation pour se présenter tel jour au tribunal.* → **Ajournement.** *Convocation d'un concile.* → **Indiction.** *Convocation à*

une fête, à une cérémonie. → **Invitation.** *Se rendre, répondre à une convocation.*

Des cas si pressants qu'il y aurait danger à remettre la levée de l'impôt après la convocation des États.
FÉNELON, *in* LITTRÉ.   1

Du temps de Charlemagne, on était obligé, sous de grandes peines, de se rendre à la convocation pour quelque guerre que ce fût.
MONTESQUIEU, l'Esprit des lois, XXXI, 27.   2

Cette convocation est la suite normale de ma démarche de ce matin.
J. ROMAINS, les Hommes de bonne volonté, t. II, XVI, p. 186.   3

♦ **2** (1693). Lettre, feuille de convocation. *Recevoir une convocation. Présenter sa convocation à l'entrée de la salle d'examen.* → argot **Collante.**

Estrachard tira d'une poche intérieure de son veston la convocation qu'il avait reçue, et, de son gousset, le timbre-quittance.
J. ROMAINS, les Hommes de bonne volonté, t. IV, XVI, p. 171.   4

♦ **3** Hist. *Les convocations anglaises* : les deux assemblées de l'Église anglicane qui se réunissent tous les ans en même temps que le Parlement, avec un rôle consultatif.

♦ **4** Littér. Action de convoquer (4.). *La convocation d'un thème par un poète.*

CONTR. **Congé, congédiement, dissolution, expulsion, licenciement, renvoi.**

CONVOI [kɔ̃vwa] n. m. — XIIᵉ ; déverbal de *convoyer*.

♦ **1** (1680). Ensemble de véhicules militaires ou de navires faisant route sous la protection d'une escorte armée. *Guetter, surprendre, attaquer, arrêter, harceler, décimer les convois. Dresser une embuscade sur le passage d'un convoi. S'emparer d'un convoi. Donner l'assaut à un convoi. Un convoi de troupes, de munitions, de ravitaillement, d'essence, escorté de blindés. Bagages qui suivent en convoi le régiment.* → **Impedimenta.**

Nos longs et lourds convois auraient appesanti notre marche ; il était plus à propos de vivre du pays.
Ph.-P. SÉGUR, Hist. de Napoléon, III, 2, *in* LITTRÉ.   1

Escorte accompagnant un convoi. *Convoi aérien escortant, protégeant un transport de troupes.*

♦ **2** Groupe de véhicules qui font route ensemble et se dirigent vers le même point. *Diriger un convoi sur un port, sur une ville. Se joindre à un convoi, se détacher du convoi. Le convoi se fractionna. Convoi de chariots.* → **Charroi.** *Convoi de nomades traversant le désert.* → **Caravane.** *Un convoi de camions.* — *Convoi exceptionnel.*

On y voit des troupeaux d'ânes trottinant d'un pied sonore, ou des convois de chameaux qui y montent avec lenteur (...)
E. FROMENTIN, Une année dans le Sahel, p. 76.   2

♦ **3** Spécialt. *Convoi de chemin de fer,* et, absolt, *un convoi.* → **Train.** *Un convoi de voyageurs ; de marchandises. Détourner un convoi. Ajouter une rame* au convoi. Prendre le premier convoi.*

Müller et de Man étaient pressés par l'heure : il leur restait à peine le temps de gagner la gare du Nord, s'ils voulaient attraper le dernier convoi civil à destination de la Belgique.
MARTIN DU GARD, les Thibault, t. VII, p. 301.   3

À ce moment précis la porte du wagon s'est refermée, et le convoi a aussitôt repris sa marche, interrompue par ces conjurés pour cette petite opération sans que les machinistes se soient doutés de rien.
A. ROBBE-GRILLET, Projet pour une révolution à New York, p. 147.   3.1

♦ **4** Groupe important (de personnes) qu'on achemine vers une destination. *Des convois de prisonniers, de réfugiés. Convoi de troupes montant vers le front.*

3.2 On le condamna à la déportation. Au bout de six semaines, en janvier, un geôlier le réveilla, une nuit, l'enferma dans une cour, avec quatre cents et quelques autres prisonniers. Une heure plus tard, ce premier convoi partait pour les pontons et l'exil, les menottes aux poignets, entre deux files de gendarmes, fusils chargés.
ZOLA, le Ventre de Paris, t. I, p. 19.

♦ 5 a Vx. Fait d'accompagner en groupe ; cortège.

b (1538). Mod. Action d'accompagner un défunt à l'église, au cimetière. *Assister au convoi, service et enterrement de... Le convoi funèbre de...* → **Enterrement, funérailles, obsèques.**

Ensemble du cortège funèbre : char, voitures, assistants. *Un magnifique convoi. Le convoi des pauvres. Être, faire partie du convoi.*

4 Ami, m'a-t-elle dit, garde que ce convoi,
Quand je vais chez les dieux, ne t'oblige à des larmes.
LA FONTAINE, Fables, VIII, 14.

5 Ma tante et moi avons la douleur de vous annoncer la mort de ma tante Carmier (...) et de vous inviter au convoi qui aura lieu demain vendredi, à midi très précis, Église Saint-Sulpice.
SAINTE-BEUVE, Correspondance, 35, 1ᵉʳ mars 1827, t. I, p. 82.

Assistants d'un enterrement.

6 (...) un convoi, c'est-à-dire les parents et les plus proches voisins d'un mort de la semaine (...)
LOTI, Ramuntcho, I, III, p. 32.

CONVOIEMENT [kɔ̃vwamɑ̃] n. m. — XIIIᵉ ; de convoyer.

Rare. Action de convoyer (1. ou 2.). *Le «convoiement des denrées»* (Aragon), *des marchandises.* → **Convoyage.**

CONVOITABLE [kɔ̃vwatabl] adj. — Fin XIIᵉ, conveitable ; de convoiter.

Rare. Qui peut être convoité.

CONVOITER [kɔ̃vwate] v. tr. — 1289, convetier ; convoitier, v. 1280 ; coveitier, av. 1155 ; du bas lat. *cupidietare, de *cupidietas, altér. (d'après anxietas, etc.), du lat. class. cupiditas. → Cupidité.

Désirer avec avidité la possession de (une chose disputée ou qui appartient à un autre). *Convoiter la couronne, le trône, le bien d'autrui, un héritage, la première place.* → **Ambitionner, briguer, désirer, envier, guigner, rêver** (de). *Convoiter qqch. avec passion.* → **Brûler.** *Convoiter qqch. des yeux.* — Spécialt. Éprouver un désir sexuel pour (qqn) et désirer (le) posséder. *Convoiter une femme,* désirer la posséder. → **Désirer, soupirer** (pour). — (Le sujet désigne une faculté humaine, un organe des sens). → ci-dessous, cit. 3.

1 Vous épousiez ma fille, et convoitiez ma femme !
MOLIÈRE, Tartuffe, IV, 7.

2 Enfin, je l'aimais trop pour la convoiter : voilà ce qu'il y a de plus clair dans mes idées.
ROUSSEAU, les Confessions, V.

3 (...) il *(le prêtre)* trempa son pouce droit dans l'huile et commença les onctions : d'abord sur les yeux, qui avaient tant convoité toutes les somptuosités terrestres (...)
FLAUBERT, Mᵐᵉ Bovary, III, VIII, p. 206.

4 (...) l'arriviste étant le monsieur qui convoite la meilleure place possible dans l'ordre établi.
J. ROMAINS, les Hommes de bonne volonté, t. III, I, p. 19.

(En parlant des animaux). *Convoiter sa proie :* rechercher une proie (pour la dévorer).

Absolt. *Être prompt à convoiter* (→ Chaleur, cit. 4).

5 L'homme vicieux n'aime point, il convoite : il a faim et soif de tout ; son œil, tel que l'œil du serpent, fascine et attire, mais pour dévorer.
F. DE LAMENNAIS, Paroles d'un croyant, p. 72.

Le pauvre sans désirs possède le plus grand des trésors ; il se possède lui-même. Le riche qui convoite n'est qu'un esclave misérable. 6
FRANCE, le Crime de S. Bonnard, Œ., t. II, p. 285.

♦ CONVOITÉ, ÉE p. p. adj.
Fortement désiré. *Faveur, situation convoitée.*

CONTR. Dédaigner, détaché (être), **mépriser, refuser, repousser. ◊ DÉR. Convoitable, convoiteur, convoitise.** — V. **Convoiteux.**

CONVOITEUR, EUSE [kɔ̃vwatœʀ, øz] adj. et n. — XVIᵉ ; repris XIXᵉ ; covoitiere, av. 1257 ; de convoiter.

Vx. (Personnes). Qui convoite. *Il est passablement envieux et convoiteur.* — N. *Un convoiteur du bien d'autrui.*

Par ext. *Un regard convoiteur,* de convoitise.

CONVOITEUX, EUSE [kɔ̃vwatø, øz] adj. — 1155, coveiteus ; de convoiter, ou plus probablt d'un lat. vulg. cupidietosus, de cupidietare. → Convoiter.

Littér. Qui convoite. *Regard convoiteux.* → **Avide, concupiscent, cupide, désireux, envieux.** *Être convoiteux de richesse, de gloire.*

CONVOITISE [kɔ̃vwatiz] n. f. — V. 1150, coveitise ; de convoiter, et -ise.

Désir immodéré de posséder. → **Appétence, appétit, ardeur, avidité, envie.** *La convoitise des richesses.* → **Cupidité.** *Convoitise de gloire et d'honneurs.* → **Ambition.** *Convoitise de la chair.* → **Concupiscence** (→ aussi Chair, cit. 55). — *La convoitise de qqn pour qqch., sa convoitise.* — (Sans compl.). *La convoitise ; une, des convoitise(s). Regarder, lorgner avec* (cit. 74) *convoitise, d'un œil de convoitise.* → **Avaler, caresser, couver, dévorer, manger** (des yeux). *Regard brûlant de convoitise. Allumer une flamme, une lueur de convoitise dans le regard.* — *Une, des convoitises. Être l'objet de toutes les convoitises.* → **Mire** (point de). *Éveiller, exciter, attiser, assouvir, endormir, éteindre, apaiser, calmer, assoupir, contenter, satisfaire les convoitises.* — REM. Dans l'emploi absolu, ces expressions peuvent se comprendre comme dans l'emploi spécial ci-dessous.

(...) Dieu même est l'ennemi de ceux dont il trouble la convoitise. PASCAL, Pensées, VIII, 571. 1

(...) où tout enfin ce que je voyais devenait pour mon cœur un objet de convoitise, uniquement parce que j'étais privé de tout. ROUSSEAU, les Confessions, I. 2

Il y a les hommes de convoitise, qui demandent toujours de l'or, des honneurs, des jouissances, et ne sont jamais rassasiés. 3
F. DE LAMENNAIS, Paroles d'un croyant, p. 140.

Savoir distinguer le mouvement qui vient des convoitises du mouvement qui vient des principes, combattre l'un et seconder l'autre, c'est là le génie et la vertu des grands révolutionnaires. 4
HUGO, Quatre-vingt-treize, II, II, III.

(...) et les nomades habitués à l'abstinence, les soldats de Rome experts en débauches, les avares publicains, les vieux prêtres aigris par les disputes, tous, dilatant leurs narines, palpitaient de convoitise. 5
FLAUBERT, Trois contes, «Hérodias», III.

Spécialt. Désir sexuel.

(...) et tout à coup, devant cette femme laide qui avait dans la taille des ondulations de panthère, Frédéric sentit une convoitise énorme, un désir de volupté bestiale. 6
FLAUBERT, l'Éducation sentimentale, II, VI, p. 287.

Il y avait là des jeunes hommes qui, depuis un an, n'avaient pas mis les pieds sur la terre ; leurs poches à tous étaient garnies d'or, et les convoitises terribles bouillonnaient dans leur sang. 7
LOTI, Mon frère Yves, III, p. 17.

CONTR. Aversion, dégoût, éloignement, indifférence, répulsion.

CONVOLER [kɔ̃vɔle] v. intr. — 1417; lat. jurid. *convolare* «voler vers», en dr. «se remarier», de *con-* (*cum*), et *volare*. → Voler.

♦ **1** Rare. Aller rapidement (vers qqch.). *Convoler à...*

1 Si la nature humaine était telle que la conçoit M. Comte, toutes les belles âmes convoleraient au suicide (...)
RENAN, l'Avenir de la science, 1890, p. 150, *in* T. L. F.

♦ **2** (1417). Vx ou plais. Se marier, se remarier. *Convoler en justes noces.* — REM. Pour Académie (8ᵉ éd.), *convoler* signifie «contracter un nouveau mariage, en parlant d'une femme». Cette définition, contraire à l'emploi classique, n'est pas ratifiée par l'usage.

2 (...) leur coutume était d'enlever par force de la maison des pères les filles qu'on menait marier, afin qu'il ne semblât pas que ce fût de leur consentement qu'elles convolaient dans les bras d'un homme.
MOLIÈRE, le Malade imaginaire, II, 6.

3 Cette scène humaine semble faire prévoir que les héros convoleront.
MONTHERLANT, Pitié pour les femmes, p. 109.

Convoler avec qqn, se marier avec lui.

4 Depuis 1340, on avait vu invariablement un van Tricasse, devenu veuf, se remarier avec une van Tricasse, plus jeune que lui, qui veuve, convolait avec un van Tricasse plus jeune qu'elle, qui veuf, etc., sans solution de continuité.
J. VERNE, le Docteur Ox, p. 11.

Absolt. *Être en âge de convoler*, de se marier.

CONVOLUTA [kɔ̃vɔlyta] n. m. — 1890, *convolute*; *convoluta*, 1900; lat. *convoluta*, fém. de *convolutus*. → Convoluté.

Zool. Ver marin (fam. des *Turbellariées*), plat et sans tube digestif, qui forme des colonies très communes sur certaines plages.

CONVOLUTÉ, ÉE [kɔ̃vɔlyte] adj. — Av. 1778, Rousseau; du lat. *convolutus*, p. p. de *convolvere* «rouler autour».

Bot. Roulé en cornet ou en spirale sur soi-même ou autour d'un corps. *Les feuilles convolutées du bananier.*

CONVOLUTION [kɔ̃vɔlysjɔ̃] n. f. — Fin XIVᵉ, *convolucion*; dér. sav. du lat. *convolutus*. → Convoluté.

♦ **1** Littér., rare. Action de s'enrouler sur soi-même ou autour de quelque chose.

♦ **2** Math. *Transformation de la convolution.*

CONVOLVULACÉES [kɔ̃vɔlvylase] n. f. pl. — 1798-1799, *in* D.D.L.; lat. sc. *convolvulacæa*, 1794; de *convolvulus*, et suff. *-acées.*

Bot. Famille de plantes (*Dicotylédones gamopétales*) comprenant des arbrisseaux ou herbes généralement volubiles, aux fleurs à cinq pétales soudés, formant entonnoir. *Types principaux des convolvulacées :* cressa, ipomée ou volubilis, jalap, liseron (*convolvulus*), patate, turbith. — Au sing. *Une convolvulacée.*

CONVOLVULUS [kɔ̃vɔlvylys] n. m. — 1545; lat. *convolvulus*, nom de la plante.

Bot. (relativement cour.). Liseron. → **Belle-de-jour, liseron** (→ aussi 1. Belle-de-nuit, cit.). *Convolvulus bleu* (→ Pergola, cit. 1).

1 Sans savoir pourquoi, mes yeux revenaient au point blanc, à la femme qui brillait dans ce vaste jardin comme au milieu des buissons verts éclatait la clochette d'un convolvulus, flétrie si l'on y touche.
BALZAC, le Lys dans la vallée, Pl., t. VIII, p. 789.

2 Autres danses insensées autres pas en miettes
Robes déchirées parquets rompus
Les convolvulus de l'air débordent de chaleur (...)
ÉLUARD, la Vie immédiate, «Tournants d'argile», Pl., t. I, p. 394-395.

CONVOQUER [kɔ̃vɔke] v. tr. — V. 1355; du lat. *convocare* «appeler, convoquer, réunir», de *con-* (*cum*), et *vocare* «appeler», de *vox* «voix».

♦ **1** Appeler (plusieurs personnes, un groupe) à se réunir, de manière impérative. → **Assembler; convocation.** *Convoquer une assemblée à une date, pour telle date. Convoquer la Chambre, le Sénat, le Congrès, les membres d'une commission, d'un comité, le conseil d'administration. Convoquer l'assemblée des créanciers d'un failli* (→ Concordat, cit. 1), *les membres de l'ordre des médecins, des avocats..., les candidats à un examen, le conseil de discipline, le conseil de famille. Convoquer les parties devant le juge, devant les tribunaux.* → **Assigner; ajourner, citer.** *Convoquer à un repas, à une cérémonie, à une fête.* → **Convier, inviter, mander** (vx). *Convoquer des gens par lettre, par téléphone, par la voie de la presse... Le héraut convoqua le ban et l'arrière-ban* (cit. 3).

1 Les rois convoquaient les états généraux substitués aux anciens parlements de la nation.
VOLTAIRE, Essai sur les mœurs, 76.

2 Le Parlement est convoqué par un arrêté du bureau de l'Assemblée nationale qui est aussi le bureau du Parlement (art. II).
M. PRÉLOT, Précis de droit constitutionnel, IX, XXV, 388, Nomination du président de la République.

♦ **2** Faire venir, de manière impérative (une seule personne, en général hiérarchiquement subordonnée), auprès de soi. *Le directeur m'a convoqué pour mardi à 3 heures dans son bureau.*

3 J'ai vu la petite, dimanche, à la première heure. J'avais pris l'initiative de convoquer un auriste (...)
MARTIN DU GARD, les Thibault, t. III, p. 133.

Convoquer qqn à (une activité), à faire qqch.

♦ **3** (Sans idée d'ordre ou d'autorité). Inviter (des personnes) à venir. *Il a convoqué tous ses amis pour leur annoncer la bonne nouvelle.*

♦ **4** Littér. Rassembler (des choses abstraites).

4 Et ce livre de grande classe (*Les Origines de la France contemporaine*) convoque en un feu d'artifice suprême toutes les ressources et toute la force du génie classique.
A. THIBAUDET, Hist. de la littérature française, 1936, p. 350, *in* T.L.F.

(Par infl. probable de *évoquer*). Faire intervenir (un thème, une idée) dans une œuvre. *Convoquer un thème avec maîtrise.* → **Appeler, évoquer.**

♦ **CONVOQUÉ, ÉE** p. p. adj. *Délégués convoqués par le ministre. Héritiers convoqués par le notaire. Employé convoqué par le patron.* — Fig. *Une idée convoquée à propos.*

CONTR. Chasser, congédier, dissoudre, exclure, expulser, licencier, renvoyer. ◊ DÉR. Convocable, convocateur.

CONVOYAGE [kɔ̃vwajaʒ] n. m. — 1926, *navire de convoyage, in* D.D.L.; de *convoyer.*

Technique.

♦ **1** (Cour. en marine). Fait de convoyer (1.), et notamment de conduire un bateau d'un lieu à un autre.
Spécialt. Fait de convoyer un ou des avions neufs vers leur lieu d'utilisation militaire. — Par métonymie. Convoi d'une opération de convoyage.

J'étais venu avec un convoyage. Je revins avec le courrier. Entre ces deux termes, il y a toute la différence qui sépare une promenade d'une marche forcée.
J. KESSEL, Vent de sable, p. 229.

♦ **2** Action de convoyer (2.). *Le convoyage du minerai.* → **Convoiement.**

CONVOYER [kɔ̃vwaje] v. tr. [CONJUG.: *broyer.*] — V. 1150, *conveier;* bas lat. *conviare* «se mettre en route avec», de *con-* (*cum*), et *viare*, de *via* «voie, route».

♦ **1** Milit. Accompagner (un convoi) pour (le) protéger. → **Escorter.** *Blindés, avions convoyant un transport de troupes, de munitions.* — Passif et p. p. *Navires marchands convoyés par des bateaux de guerre.*

Mar. Faire naviguer (un bateau) jusqu'au lieu où il doit être utilisé. *Convoyer un yacht de Cannes à Saint-Malo, pour le compte de son propriétaire.*

Par anal. (Vieilli). Accompagner (qqn). *Nous l'avons convoyé jusqu'à la gare.*

♦ **2** Transporter (qqch., qqn). *Convoyer du minerai, des matières premières.* — (Sujet n. de chose). *Conduites convoyant du gaz.*

♦ **3** Rare. Accompagner (un cercueil, un défunt...) au cimetière. → **Convoi** (5., b).

CONTR. Abandonner. ◊ DÉR. Convoi, convoiement, convoyage, convoyeur.

CONVOYEUR, EUSE [kɔ̃vwajœʀ, øz] n. et adj. — 1777, au sens 1; *conveiëor*, v. 1195; de *convoyer.*

♦ **1** N. m. Mar. Bâtiment qui en convoie d'autres. *Convoyeur de sous-marins. Bâtiment convoyeur.* — Personne qui convoie un bateau. → **Convoyage.**

♦ **2** (1907). Personne chargée d'accompagner un convoi, des marchandises transportées et de veiller sur eux. *Un convoyeur de fonds.*

1 (...) j'ai quelqu'un qui te permettrait de passer en douce la ligne de démarcation, quelqu'un de sûr, un brave type de la gare, convoyeur.
Francis CARCO, les Belles Manières, p. 76.

2 Elle refusait de servir de convoyeuse à ce misérable petit gang. Michel DÉON, les Gens de la nuit, p. 193.

N. f. *Convoyeuse de l'air :* membre du personnel féminin de l'armée de l'air, chargée d'accompagner à bord les malades et les blessés.

♦ **3** N. m. Transporteur automatique. *Tapis roulant faisant fonction de convoyeur.*

♦ **4** Par appos. (ou adj.). *Une équipe convoyeuse.* — (Sens 3). *Bande, courroie convoyeuse.*

CONVULSER [kɔ̃vylse] v. tr. — 1578; du lat. *convulsus,* au sens médical, p. p. de *convellere* «arracher».

♦ **1** (Le sujet désigne la cause). Tordre, agiter (une partie du corps) par des convulsions. *Convulser légèrement la peau, les muscles.* → **Contracter, crisper, tirailler.** *Convulser les muscles, les membres, les nerfs.* — Par anal. *L'effroi convulsait son visage.*

0.1 L'étonnement, la joie, la peur d'être surpris convulsaient sa figure jusqu'à la rendre méconnaissable.
M. LEBLANC, l'Aiguille creuse, p. 213.

La peur, la fureur le convulsait, convulsait ses traits.

♦ **2** Fig. et littér. *Agitation qui convulse l'eau.* → **Bouleverser, rider.**

1 Par instants, elle était parcourue d'une agitation légère et inexplicable, comme les feuillages qu'une brise inattendue convulse pendant quelques instants.
PROUST, À la recherche du temps perdu, t. XI, p. 86.

Provoquer une forte agitation psychologique chez (qqn), dans... *Les problèmes sociaux convulsaient le pays.*

♦ **3** Littér. Donner une apparence tourmentée à (qqch.). *Les arbres que convulsait l'ouragan.*

♦ **SE CONVULSER** v. pron.

Être pris de convulsions. *Ses membres, son visage se convulsent sous l'empire de la douleur, de la terreur* (→ Blêmir, cit. 2).

(Le compl. indique la cause). *Ses traits se convulsaient de rage, de rire. Elle se convulsait de douleur.*

Avoir, prendre l'apparence d'un corps tordu par des convulsions.

1.1 (...) des chênes rugueux, énormes, qui se convulsaient, s'étiraient du sol, s'étreignaient les uns les autres (...)
FLAUBERT, l'Éducation sentimentale, t. II, 1869, p. 158, *in* T.L.F.

♦ **CONVULSÉ, ÉE** p. p. adj. et n.

♦ **1** Tordu, agité par des convulsions. *Nerfs, membres convulsés par la maladie. Visage convulsé par la peur, de peur, de colère.* → **Bouleversé, décomposé.** (Sans compl.). *Traits convulsés.*

2 Je retrouve Philippe à peine un peu plus faible, le visage convulsé, secoué; luttant d'un peu plus bas contre la mort.
GIDE, Journal, 1909, La mort de Charles-Louis Philippe, Vers Cérilly.

♦ **2** Fig. Qui semble agité par des convulsions. *Les arbres convulsés des tableaux de Van Gogh.* → **Convulsif.**

♦ **3** N. (1877). Fig. *Un convulsé, une convulsée,* personne qui semble agitée de convulsions, qui est dans un état d'agitation psychologique violente.

3 Vous êtes bien haut, bien loin au-dessus de ces convulsés ou de ces jobards d'un moment.
A. GILL, Lettre à Vallès, mi-janv. 1877, p. 104, *in* D.D.L., II, 5.

CONTR. Apaiser, calmer, détendre.

CONVULSIF, IVE [kɔ̃vylsif, iv] adj. — 1546; du rad. de *convulsion,* et *-if.*

♦ **1** Méd. **a** Caractérisé par des convulsions. *Maladies convulsives.* → **Chorée** (ou danse de Saint-Guy), **éclampsie, épilepsie, tétanie, tétanos, urémie.** *Trouble convulsif.* → **Bégaiement;** et aussi **balbutiement** (cit. 1), **tic.** *Toux convulsive.*

b (1587). Vx. Qui produit des convulsions. *Venin convulsif.* → **Convulsivant.**

♦ **2** (Réalités humaines, physiques ou psychiques). Cour. Qui a le caractère mécanique, brusque, involontaire, en général violent, des convulsions. → **Nerveux, spasmodique.** *Agitation convulsive, tremblement convulsif. Effort, geste, mouvement convulsif. Craquement convulsif des mâchoires. Voix convulsive.* → **Saccadé.** *Grimace convulsive. Rire convulsif. Sanglots convulsifs.*

1 (...) emporté quelquefois près de celles que j'aimais par les fureurs d'une passion qui m'ôtait la faculté de voir, d'entendre, hors de sens et saisi d'un tremblement convulsif dans tout mon corps (...)
ROUSSEAU, les Confessions, I.

2 (...) nous nous embrassions avec des transports convulsifs, nous étouffions (...) ROUSSEAU, les Confessions, I.

Qui résulte de convulsions.

3 (...) la flèche trempée dans le curare ne contracte pas les muscles, et ne le frappe pas d'une roideur plus convulsive.
André SUARÈS, Trois hommes, «Ibsen», VIII, p. 172.

Qui est accompagné de mouvements brusques, violents. *Une joie convulsive.*

♦ **3** Littér. Qui paraît violent, dangereux. — (Concret). *Mer convulsive.* — (Abstrait). Qui est extrême, violent. → **Paroxystique.**

La beauté sera **CONVULSIVE** *ou ne sera pas.* 4
A. BRETON, Nadja, p. 155 (cf. aussi Beauté, cit. 15.4).

5 Nous n'avons jamais demandé une répression aveugle et convulsive. Nous détestons l'arbitraire et la sottise criminelle, nous voudrions que la France garde ses mains pures. CAMUS, Actuelles 1, Pl., p. 1536-1537.

♦ 4 Littér. Qui semble résulter de convulsions. *Sol convulsif.* → **Convulser** (p. p.).

CONTR. Calculé, calmé, doux, équilibré, posé, régulier.
◊ DÉR. Convulsivant, convulsivement. - COMP. Anticonvulsif, anticonvulsivant, convulsivothérapie.

CONVULSION [kɔ̃vylsjɔ̃] n. f. — 1538; lat. méd. *convultio, -onis,* du supin de *convellere.* → Convulser.

♦ 1 (1538). Méd. et cour. Contraction violente involontaire et saccadée des muscles. → **Convulsif** (maladies convulsives), **spasme.** *Convulsions tétaniques.* → **Tétanos.** *Convulsions toniques,* qui mettent les muscles dans un état de rigidité durable. *Convulsions cloniques,* où les contractions se succèdent à un rythme irrégulier, plus ou moins accéléré. *Convulsions internes, externes, aiguës, chroniques. Se tordre, se rouler dans les convulsions. Mourir dans des convulsions épouvantables* (→ Poison, cit. 2.1). *Avoir les yeux révulsés, injectés de sang pendant les convulsions. Convulsions accompagnées de sueurs froides. Sursauts, soubresauts, spasmes des convulsions. Remède antitétanique contre les convulsions.* → **Anticonvulsif, antispasmodique, spasmolytique.** *Il fut pris de convulsions* (→ Révolte, cit. 2). *Enfant qui fait des convulsions. Convulsions infantiles. Les dernières convulsions de l'agonie, de la mort.*

1 Nous trouvâmes cette charmante créature pâle, livide, agitée de convulsions, les lèvres retirées. VOLTAIRE, Hist. de Jenni, in LITTRÉ.

2 (...) la violence des convulsions décrut : les mouvements épileptiformes s'espacèrent. MARTIN DU GARD, les Thibault, t. IV, p. 154.

♦ 2 Cour. Mouvement désordonné provoqué par certaines émotions. *Les convulsions de la colère, de la jalousie, du désespoir. Des convulsions de colère.*

3 (...) la vue d'un demandeur lui donne des convulsions. C'est le frapper dans son endroit mortel. MOLIÈRE, l'Avare, III, 5.

4 Son engouement outré pour ou contre toutes choses qui ne lui permettait de parler de rien qu'avec des convulsions. ROUSSEAU, les Confessions, XI.

5 Un désespoir paisible, sans convulsions de colère et sans reproches au ciel est ta sagesse même. A. DE VIGNY, Journal d'un poète, p. 32.

Plaisant. → **Contorsion, distorsion.**

6 Et tandis que tous deux étaient précipités Dans les convulsions de leurs civilités (...) MOLIÈRE, les Fâcheux, I, 1.

♦ 3 Par anal. Mouvement violent (non humain, non vivant). *Les convulsions du globe terrestre. Convulsions géologiques.*

Par métaphore :

7 (...) la montagne semble avoir eu des convulsions, tant elle est soulevée, fendue, crevée dans tous les sens. E. FROMENTIN, Un été dans le Sahara, p. 61.

♦ 4 Fig. Agitation violente. Troubles soudains. *Les convulsions de l'âme.*

(1756). Polit. *Convulsions politiques, sociales.* → **Agitation, bouleversement, crise, remous, révolution, secousse, soubresaut, spasme, trouble** (→ aussi Charnier, cit. 2).

8 Depuis un an, le régime directorial achevait de se dissoudre dans une série de convulsions. Louis MADELIN, l'Ascension de Bonaparte, XIX, p. 269.

9 Les sociétés humaines cherchent, à travers des convulsions dramatiques, une formule de vie sociale qui leur donne l'équilibre et peut-être plus de justice et sans doute plus

de bonheur. G. DUHAMEL, le Temps de la recherche, II, p. 23.

♦ 5 Littér. Aspect tourmenté. *La convulsion, les convulsions des branches d'olivier.* — REM. Convulsion, comme *convulsé* et *convulsif,* implique en général le résultat d'un mouvement violent plus ou moins évoqué par le contexte. Ces mots excluent le statisme de la description.

DÉR. Convulsionnaire, convulsionner. — V. Convulsif.

CONVULSIONNAIRE [kɔ̃vylsjɔnɛʀ] adj. et n. — 1735; de *convulsion,* et suff. *-aire.*

♦ 1 Adj. Méd. ou vx. Qui est affecté de convulsions. *Malade convulsionnaire.*

♦ 2 N. (1754). *Un, une convulsionnaire,* personne qui a des convulsions.

Hist. *Les convulsionnaires,* jansénistes fanatiques qui étaient pris de convulsions sur la tombe du diacre Pâris au cimetière Saint-Médard. *«La sombre farce des convulsionnaires»* (M. Yourcenar, Archives du Nord, p. 64).

♦ 3 Adj. Littér. Convulsé (figuré).

CONVULSIONNER [kɔ̃vylsjɔne] v. tr. — 1783, v. intr.; de *convulsion.*

Méd. Donner des convulsions à... *La colère convulsionnait ses traits, le convulsionnait.* → **Convulser.**

♦ **SE CONVULSIONNER** v. pron.
Être, devenir agité de convulsions. → **Convulser** (se).

♦ **CONVULSIONNÉ, ÉE** p. p. adj. (1845).
Agité ou déformé par des convulsions. *Visage convulsionné.* → **Convulsé.**

CONVULSIVANT, ANTE [kɔ̃vylsivɑ̃, ɑ̃t] adj. et n. m. — 1865, in D. D. L.; de *convulsif.*

Méd. Qui produit des convulsions. → **Convulsif** (1.). *Thérapeutiques convulsivantes en psychiatrie.* → **Sismothérapie.** *Action convulsivante d'une substance.*

L'injection de substances convulsivantes, comme la strychnine, fait apparaître des ondes électriques de grande amplitude (1 millième de volt). Des réactions analogues s'observent chez les épileptiques, même en l'absence de crises manifestes; il s'agit d'un véritable orage électrique cérébral. Paul CHAUCHARD, le Système nerveux..., p. 90.

N. m. *Un convulsivant.*

CONTR. Anticonvulsivant.

CONVULSIVEMENT [kɔ̃vylsivmɑ̃] adv. — 1803; de *convulsif.*

♦ 1 D'une manière convulsive. *S'agiter, marcher, rire, pleurer convulsivement.*

♦ 2 Par anal. ou par métaphore. D'une manière violente. → **Frénétiquement.** *Hurler convulsivement.* → **Hystériquement.**

CONVULSIVOTHÉRAPIE [kɔ̃vylsivoteʀapi] n. f. — 1932; de *convulsif,* et *thérapie.*

Méd. [a] Vx. Méthode de choc qui consiste à provoquer volontairement l'apparition de convulsions.
[b] Mod. → **Électrochoc, sismothérapie.**

COOBLIGÉ, ÉE [kɔɔbliʒe; kɔɔbliʒe] n. — 1395; de *co-,* et *obligé.*

Dr. Celui, celle qui est obligé avec d'autres en vertu d'un contrat.

COOCCUPANT, ANTE [kɔɔkypɑ̃, ɑ̃t; kɔɔkypɑ̃, ɑ̃t] n. et adj. — 1877; de *co-*, et *occupant*.

Dr. Qui occupe (un lieu) en même temps que d'autres. *Locataire cooccupant.* → **Colocataire.**

CO-OCCURRENCE [kɔɔkyRɑ̃s; kɔɔkyRɑ̃s] n. f. — V. 1960; mot angl., de *co-*, et *occurrence*, de *to occur* «se manifester». → Occurrence, occurrent.

Didact. (ling.). Présence simultanée de deux ou plusieurs éléments ou classes d'éléments dans le même énoncé.

1 Dire que deux éléments X et Y sont co-occurrents *(coexistent)* dans une phrase donnée P, cela veut simplement dire que ces deux éléments se rencontrent dans P, que X est un segment de P, que Y est un autre segment de P, distinct de X et n'empiétant pas sur X. Certaines régularités dans les co-occurrences des éléments sont une donnée de base de la linguistique descriptive, et la notion de co-occurrence sert à définir toutes sortes de relations possibles entre les éléments à l'intérieur d'une phrase, telles qu'implication simple, implication mutuelle, exclusion mutuelle, etc.
Nicolas RUWET,
Introd. à la grammaire générative, p. 237.

2 Il s'agit, en effet, de relations de co-occurrence entre certaines séquences dont les éléments appartiennent à des classes d'équivalences, et ces relations, selon les types de séquences, peuvent être réversibles (...) irréversibles (actif-passif) ou quasi transformationnelles.
Claude HAGÈGE, la Grammaire générative,
réflexions critiques, p. 116.

DÉR. **Co-occurrent.**

CO-OCCURRENT, ENTE [kɔɔkyRɑ̃, ɑ̃t; kɔɔkyRɑ̃, ɑ̃t] adj. et n. m. — D. i. (v. 1970); de *co-occurrence*.

Ling. Se dit d'éléments qui coexistent dans un énoncé, dans une phrase. → **Co-occurrence** (cit. 1). — N. m. *Les co-occurrents :* les éléments co-occurrents, les classes co-occurrentes.

COOKIE [kuki] n. m. — V. 1980; mot de l'angl. des États-Unis «petit gâteau sec».

Anglicisme.

♦ **1** Biscuit rond, à pâte sablée, comportant des éclats de chocolat ou de fruits secs. *Un paquet de cookies.*

♦ **2** Inform. Fichier enregistré sur le disque dur de l'utilisateur, souvent à son insu, et destiné à mémoriser des informations sur son activité lors d'une connexion à Internet, puis à être utilisé pour collecter des renseignements (goûts, centres d'intérêt, etc.).

COOL [kul] adj. invar. — 1952, *in* Höfler; mot angl., proprt «frais», d'abord par opposition à *hot* «chaud», employé en musique.

Anglicisme.

♦ **1** Mus. *Jazz cool :* style de jazz succédant au bop, aux États-Unis (vers 1960), caractérisé par un jeu moins expressionniste, un phrasé moins exubérant, un traitement du tempo plus discret. *Style, jeu cool. «Ce son, cool et paresseux...»* (*l'Express,* 10 nov. 1979, p. 29). — Adv. *Jouer cool.*

♦ **2** (1964). Fam. Calme, imperturbable et détendu. *T'es pas assez cool. Il est cool, le mec. Une voix, des manières très cool. «Les infirmiers sont cool. Toujours disponibles»* (*le Nouvel Obs.,* 22 oct. 1973).

1 (...) on ne rit pas autour d'une table de poker, car la logique du jeu est cool, mais non désinvolte.
J. BAUDRILLARD, De la séduction, p. 182.

Adv. ou interj. *Cool :* calmement, calmez-vous, détendez-vous. — *Cool, Raoul!,* du calme, pas d'agitation. — Var. suffixée : *coolos* [kulos].

2 Si, par exemple, votre fils vous ramène un carnet épouvantable, attaquez-le, comme disait Lénine, à son niveau de conscience :
«Dis donc, mec, quand je vois ton livret, je flippe comme une bête !
— Cool papa... cool...
— Cool, cool ! C'est trop facile (...) Tu pourrais tout de même te défoncer un peu (...)»
Jacques MERLINO, les Jargonautes, p. 65.

N. m. *Le cool.*

3 Il n'y a pas de drame apparent. On s'installe dans le *cool.* On dédramatise ostensiblement. Il n'y a plus de drame ; seulement des choses, des certitudes, des «valeurs», des «rôles», des satisfactions, des «jobs», des emplois, des situations et des fonctions.
Henri LEFEBVRE, la Vie quotidienne dans le monde moderne, p. 126.

♦ **3** (V. 1990). Fam. (langage des jeunes). Agréable, excellent, sympathique (choses). → **Chouette, super, sympa.** *Elle est cool, sa nouvelle caisse.*

COMP. V. **Baba cool** (V. 5. Baba).

COOLIE [kuli] n. m. — 1843, *in* Höfler; *couli,* 1791; *coly,* 1666; *colles,* plur., 1638; orig. incert., p.-ê. empr. à un parler hindi par l'intermédiaire de l'anglais.

(En Orient) Travailleur, porteur chinois ou hindou (→ Palanquin, cit. 1). *Des coolies.*

1 (...) les deux cent mille ouvriers des filatures, la foule écrasante des coolies.
MALRAUX, la Condition humaine, p. 48.

2 Des coolies, portant chacun sur les épaules un gros sac de jute aux formes rebondies, cheminent le long de ces passerelles branlantes qui fléchissent sous les pieds nus et oscillent de façon inquiétante, sans jamais cependant faire tomber dans l'eau noire ou à l'intérieur des embarcations l'un des porteurs qui se succèdent à intervalle de quatre ou cinq pas.
ROBBE-GRILLET, la Maison de rendez-vous, p. 193.

Coolie-pousse. → **Pousse-pousse.** — Plur. *Des coolie-pousse* (J. Hougron, *la Gueule pleine de dents,* p. 150) ou *des coolies-pousse.*

3 (...) il avait quitté son père, vécu à Canton, à Tientsin, de la vie des manœuvres et des coolies-pousse, pour organiser les syndicats.
MALRAUX, la Condition humaine, p. 55.

REM. 1. On a aussi écrit *coulie.*

4 Un convoi de coulies, c'est-à-dire de travailleurs arrivant des Indes sur un navire anglais (...)
Jules CREVEAUX, *in* le Tour du monde, t. 37,
1ᵉʳ semestre 1879, p. 338.

2. Le mot peut s'employer en parlant de femmes.

5 Des coolies rouges et noirs, surtout des femmes, à poitrine aplatie, montent le charbon dans des paniers, se suivant comme les godets d'une drague.
Paul MORAND, Rien que la terre, p. 66.

HOM. **Coulis.**

COOLOS [kulos] adj. invar. → **Cool.**

COOPÉ [kɔpe] n. f. → **Coopérative.**

COOPÉRANT, ANTE [kɔ(ɔ)peRɑ̃, ɑ̃t] adj. et n. — 1962; du p. prés. de *coopérer.*

♦ **1** Adj. Rare. Qui agit conjointement avec qqn.

1 On a déjà noté, à propos de ce difficile problème de l'orientation, l'importance capitale de l'adhésion des parents. Il faut aussi avoir l'adhésion et la compréhension des principaux intéressés : les élèves, qui devront être coopérants et non résignés.
J. CAPELLE, L'école de demain reste à faire, 1966,
p. 78, *in* T.L.F.

REM. Dans cet emploi, le mot est un calque de l'angl. *cooperative.*

Théol. *Grâce coopérante :* grâce qui se joint à l'effort personnel. → **Coopération** (1., b).

♦ **2** N. Personne, ou groupe de personnes qui travaillent conjointement avec d'autres.

Écon. Spécialiste (technicien, enseignant...), et, en particulier, soldat du contingent, chargé par un pays industrialisé, au titre de la coopération, d'aider un autre pays à scolariser et alphabétiser sa population, moderniser son agriculture, développer son industrie, etc. (mot très courant en franç. d'Afrique ; → aussi V. S. N.). *Un coopérant, une coopérante. Les coopérants.*
En appos. *Technicien, instituteur coopérant.*

2 C'est la demande d'armes aux uns pour se protéger des autres (...) c'est l'arrivée des techniciens coopérants, c'est la construction d'une usine (...) c'est la nouvelle colonisation.
Michèle PERREIN, Entre chienne et louve,
p. 158-159.

COOPÉRATEUR, TRICE [kɔ(ɔ)peʀatœʀ, tʀis] n. et adj. — 1516; sens 1, bas lat. *cooperator;* sens 2, empr. angl. *cooperator,* de *cooperation.* → Coopération.

♦ **1** Personne qui travaille, qui agit avec qqn. → **Associé, collaborateur.** *Des coopérateurs solidaires.* — Adj. *Agent coopérateur.*

♦ **2** (1928). Membre d'une coopérative de production ou de consommation. *Les coopérateurs de Lorraine.* → **Coopération** (2.).

♦ **3** Adj. Rare. Qui coopère. «*Un public coopérateur*» (H. Massis, *in* T. L. F.). → **Coopératif.**

COOPÉRATIF, IVE [kɔ(ɔ)peʀatif, iv] adj. — 1550, *cause coopérative* «secondaire»; bas lat. *cooperativus,* du supin de *cooperare* (→ Coopérer); repris à l'angl. *cooperative,* de *to cooperate* «coopérer».

♦ **1** (1842). Écon., sociol. Qui est fondé sur la coopération et la solidarité. *Système coopératif. Association, société coopérative.* → **Coopérative.** — *Droit coopératif.* — *Doctrine, mouvement coopératif.* → **Associationnisme.**

1 Le secteur coopératif est extrêmement diversifié. Il existe des coopératives dans tous les domaines : production, consommation, crédit, agriculture, artisanat, etc. Quel que soit leur nom, toutes les coopératives ont un même idéal : celui de réaliser par l'union et la solidarité une œuvre en commun *(cum operari),* en se rendant service les uns aux autres, et en se répartissant entre soi les avantages de cette tâche commune, au prorata des mérites de chacun.
REBOUD et GUITTON, Précis d'économie politique,
III, p. 333.

2 L'association coopérative de consommation a le même but que celle de production, à savoir abolir l'entrepreneur et le profit, mais tandis que dans celle-ci les ouvriers deviennent leurs propres patrons, dans celle-là les consommateurs deviennent leur propre fournisseur, appliquant ainsi l'adage qu'on n'est jamais mieux servi que par soi-même.
Charles GIDE, Cours d'économie politique, t. I, II,
p. 257.

♦ **2** (Av. 1964). Anglic. (Personnes). Qui est prêt à coopérer, à aider un effort, une entreprise. *Un témoin coopératif* (avec la police). → **Coopérant.**

3 (...) si les Allemands de Paris s'étaient montrés plus coopératifs.
Edmonde CHARLES-ROUX, Elle, Adrienne, p. 313.

CONTR. Indépendant, individuel. ◊ **DÉR. Coopératisme, coopérativement.** V. **Coopérative.**

COOPÉRATION [kɔ(ɔ)peʀasjɔ̃] n. f. — Av. 1435; lat. chrét. *cooperatio* «part prise à une œuvre faite en commun», du supin de *cooperare* (→ Coopérer); sens 2,

empr. angl. *cooperation,* créé dans ce sens par Robert Owen, de *to cooperate* «coopérer».

♦ **1** ⓐ Action, fait de participer à une œuvre commune. → **Collaboration.** *Apporter sa coopération à une entreprise.* → **Accord, aide, appui, concours, contribution.** *Coopération utile, efficace, sans réserve. Résultat obtenu grâce à la coopération de plusieurs personnes.*

1 En toute coopération, on est, en quelque sorte, dépendant de ses collaborateurs et solidaire avec eux; on ne peut dire tout ce qu'on pense qu'autant qu'ils ne pensent pas le contraire, et réciproquement, tout ce qu'ils disent reçoit votre assentiment tacite par le fait même de la collaboration.
SAINTE-BEUVE, Correspondance, 23, 7 févr. 1825,
t. I, p. 62.

2 Ce désir, et cette espérance de Jaurès, que la coordination et la coopération de tous les enseignements, d'un bout à l'autre de l'échelle sociale, pourraient préparer l'unité et la continuité de toutes les classes, ne devait pas se réaliser de sitôt.
Ch. PÉGUY, la République..., p. 18.

ⓑ (Av. 1435). Théol. *Coopération à la grâce :* effort personnel qui s'ajoute à l'effet de la grâce pour porter au bien. *Coopération de la grâce :* action de la grâce qui s'ajoute à l'effort personnel.

♦ **2** (1828). Écon. Système par lequel des personnes intéressées à un but commun s'associent et se répartissent le profit selon un pourcentage en rapport avec leur part d'activité. → **Coopératif** (1.); **coopératisme.** *La coopération en agriculture, dans l'industrie. Société de coopération.* → **Association; coopérative** (cour.). *Coopération de consommation.*

3 Par son anti-capitalisme, par la prééminence affirmée du service social sur le profit individuel, par l'appel adressé, et souvent entendu, à la fidélité, au dévouement, à l'altruisme de ses membres, la coopération de consommation introduit, dans un monde économique axé principalement autour de l'intérêt personnel, un souffle généreux et humain (...)
PIROU et BYÉ, Traité d'économie politique, t. I, IV,
III, p. 316.

Sociol. Entente entre plusieurs personnes quant à un but commun. *La coopération sociale,* fondement du développement économique.

♦ **3** Entente en vue d'une action commune, en parlant des groupes humains (pays, nations...). *Coopération économique, intellectuelle, internationale. Coopération en matière de recherche scientifique.*

(V. 1965). Spécialt. Politique par laquelle un pays apporte sa contribution au développement économique, culturel de nations moins développées. → **Aide; coopérant** (2.). *Accords de coopération. Ministère de la Coopération. Fonds d'aide et de coopération.*

CONTR. Abstention, autonomie, concurrence, opposition, rivalité. — Individualisme.

COOPÉRATISME [kɔ(ɔ)peʀatism] n. m. — 1870; de *coopératif.*
Écon. Système économique qui attribue un rôle important aux coopératives.

COOPÉRATIVE [kɔ(ɔ)peʀativ] n. f. — 1901; de *société coopérative,* probablt d'après l'angl. *cooperative,* de *to cooperate* «coopérer», même orig. que le français.

Société coopérative (→ **Coopératif**), entreprise où les droits de chaque associé *(coopérateur)* dans la gestion sont égaux et où le profit est réparti entre eux. → **Association, mutuelle** (→ Coopératif, cit. 1). *Coopérative d'achat, de vente. Coopérative de production :* association de producteurs qui s'unissent pour exercer leur industrie à meilleur compte et s'en partager les profits. *Coopératives agricoles.*

Coopérative vinicole. Cave coopérative. Coopérative des fromages de l'Est. → **Fruitière.**

Coopérative de consommation : association de consommateurs supprimant les intermédiaires du commerce.

(1972). *Coopérative de commerçants,* en vue d'organiser en commun leurs achats et différents services (gestion, publicité...).

Coopé [kɔpe], nom donné à certains magasins de vente (qui ne sont généralement pas de vraies coopératives). *Aller faire ses courses à la coopé.*

Coopérative de crédit : association de petits capitaux, fondée sur la solidarité (*crédit agricole; crédit populaire urbain*). *Se grouper en coopérative.*

En appos. (ou adj.). *Épicerie, boulangerie, pharmacie coopérative,* organisée en coopérative de consommation.

COOPÉRATIVEMENT [kɔ(ɔ)peRativmɑ̃] adv. — Mil. XXᵉ; de *coopératif*.

Écon. En coopération.

COOPÉRER [kɔ(ɔ)peRe] v. tr. ind. [CONJUG.: *céder*.] — 1525; lat. chrét. *cooperari*, de *co-*, et *operari* «travailler» (→ Opérer).

Coopérer à : agir, travailler conjointement avec qqn à. → **Aider, associer** (s'), **collaborer, concourir, contribuer, participer.** *Coopérer avec qqn à qqch. Coopérer à une œuvre, à une entreprise. Coopérer à l'exécution d'un projet. Coopérer au succès de.* — (Sans compl.). *Nous voudrions coopérer.*

J'ai le regret de vous dire qu'étant tout à fait étranger au théâtre par mes travaux, il me serait impossible de coopérer à un recueil dont c'est le principal objet.

SAINTE-BEUVE, Correspondance, 381, juil. 1834, t. I, p. 444.

CONTR. Abstenir (s'), **concurrencer, opposer** (s'), **rivaliser.** ◊ **DÉR. Coopérant.**

COOPTATIF, IVE [kɔɔptatif, iv] adj. — Mil. XXᵉ; de *cooptation*.

Didact. Relatif à la cooptation (2.).

COOPTATION [kɔɔptasjɔ̃] n. f. — 1639; lat. *cooptatio* «élection pour compléter un collège», du supin de *cooptare.* → Coopter.

♦ **1 Vx.** Admission d'un membre dans une société, sans qu'il remplisse toutes les conditions requises.

♦ **2 Mod.** (sens développé à partir de la fin du XIXᵉ). Nomination (d'un membre nouveau, de membres nouveaux) dans une assemblée, un corps constitué, par les membres qui en font déjà partie. → **Collégial** (désignation collégiale). *Les élections à l'Institut se font par cooptation* (Académie). *Recruter par cooptation.*

DÉR. Cooptatif.

COOPTER [kɔɔpte] v. tr. — Av. 1721; lat. *cooptare* «choisir pour compléter un corps», de *co-*, et *optare.* → Opter.

♦ **1 Vx.** Admettre (un membre) dans une société, sans qu'il remplisse toutes les conditions requises.

♦ **2 Mod.** Admettre par cooptation. *Académie qui coopte ses membres.* — Au p. p. *Membre coopté.* — N. *Un coopté.*

COORDINANCE, COORDINENCE [kɔɔRdinɑ̃s] n. f. — 1953, *coordinence; coordinance*, 1963; du rad. de *coordination*.

Chim. Nombre des atomes qui sont proches voisins d'un autre atome, dans un édifice atomique (molécule, ion ou cristal).

COORDINAT [kɔɔRdina] n. m. → **Ligand.**

COORDINATEUR, TRICE [kɔɔRdinatœr, tris] n. → **Coordonnateur.**

COORDINATION [kɔɔRdinasjɔ̃] n. f. — XIVᵉ; bas lat. *coordinatio*, de *co-*, et *ordinatio* «mise en ordre», du supin de *ordinare.* → Ordonner.

♦ **1** (1361). Agencement (des parties d'un tout) selon un plan logique, pour une fin déterminée. → **Arrangement, organisation.** *La coordination des articles d'une loi. Coordination d'efforts individuels. Coordination des opérations d'une troupe. Coordination dans le temps.* → **Synchronisation.** *Coordination de services publics. Coordination du rail et de la route. Règlements de coordination. Comité interministériel de coordination.*

Je veux bien reconnaître que, dans l'état présent de nos sociétés, une carrière de spécialiste de la synthèse, une carrière de technicien de la coordination, une carrière d'agent de liaison, si l'on préfère ce dernier terme, serait une carrière tout à fait chanceuse. Elle risquerait de procurer, à celui qui s'y aventurerait, une réputation d'amateur, encore qu'elle suppose de grands dons et une prodigieuse ouverture d'esprit.

G. DUHAMEL, Manuel du protestataire, IV, p. 113. [1]

(1822, Flourens; cf. *Année sc. et techn.,* 1874, p. 373). **Physiol.** *Coordination des mouvements* : combinaison des contractions des muscles réglée par les centres nerveux situés dans le cerveau et le cervelet en vue d'une action bien ordonnée, cohérente. *Troubles de la coordination.* → **Ataxie, incoordination;** et aussi **asynergie.**

Chim. *Indice de coordination.* → **Coordinance.**

♦ **2** (1890). **Ling.** Action de relier deux mots ou deux suites de mots de même nature ou de même fonction. *Conjonction de coordination,* liant des éléments lexicaux (mots) ou syntaxiques (propositions) de même nature ou fonction (*et, ou, donc, or, ni, mais, car*).

(...) en général, pour que la coordination soit possible, [2] il faut que les constituants coordonnés soient des constituants *du même type* (...)

Nicolas RUWET, Introd. à la grammaire générative, p. 158.

(...) coordination syntaxique : deux segments d'un énoncé [3] sont coordonnés lorsqu'ils ont même fonction (c'est le cas pour «le soir» et «avant le déjeuner» dans «Téléphonez-moi le soir ou avant le déjeuner».)

O. DUCROT et T. TODOROV, Dict. encyclopédique des sciences du langage, p. 273.

Log., philos. Relation de deux ou plusieurs concepts qui se trouvent sur le même rang dans une classification (Lalande).

♦ **3** État de choses coordonnées, harmonieusement disposées. *Il y a dans ce discours une habile coordination des idées.* → **Agencement, disposition, enchaînement.**

CONTR. Chaos, confusion, désarroi, désordre, gâchis, incoordination, trouble. ◊ **DÉR. Coordinance, coordonnateur.** ◄ **COMP. Incoordination.**

COORDINENCE [kɔɔRdinɑ̃s] n. f. → **Coordinance.**

COORDONNANT, ANTE [kɔɔRdɔnɑ̃, ɑ̃t] adj. et n. m. — 1842, Sainte-Beuve, *in* T.L.F.; p. prés. de *coordonner*.

♦ **1 Adj.** Qui coordonne.

♦ **2 N. m. Ling.** Terme qui sert à relier des éléments lexicaux ou syntaxiques de même nature ou de même fonction. *Les conjonctions de coordination sont des coordonnants.*

Par appos. *Mot coordonnant.* Soit, néanmoins, pourtant, et, ou, ni... *sont des mots coordonnants* (ou *des coordonnants*). → **Coordination, copulatif.**

COORDONNATEUR, TRICE [kɔɔʀdɔnatœʀ, tʀis] adj. et n. — 1794; sens 1., de *coordonner*, et *-(at)eur*; sens 2., du rad. de *coordination*, et *-eur*.

♦ **1** Adj. (1878). Qui coordonne. *Esprit coordonnateur. Intelligence coordonnatrice. Élément coordonnateur. Bureau coordonnateur.*

REM. On trouve aussi *coordinateur, coordinatrice*, anglic. (v. 1955), qui semble plus courant.

> Sur les deux pôles du champ opératoire se constituent, à partir des mêmes sources, deux langages, celui de l'audition qui est lié à l'évolution des territoires coordinateurs des sons, et celui de la vision qui est lié à l'évolution des territoires coordinateurs des gestes traduits en symboles matérialisés graphiquement.
> A. LEROI-GOURHAN, le Geste et la Parole, t. I, p. 270.

♦ **2** N. m. (Av. 1892). Ce qui coordonne. — Méd. *Le coordonnateur des mouvements, le coordinateur des réflexes.*

N. m. et f. Personne qui coordonne. *Jouer le rôle de coordonnateur (de coordinateur) dans une entreprise.*

Aviat. Agent chargé d'établir le plan d'occupation des aires de trafic.

COORDONNÉ, ÉE [kɔɔʀdɔne] adj. et n. m. → **Coordonner.**

COORDONNÉE [kɔɔʀdɔne] n. f. → **Coordonnées.**

COORDONNÉES [kɔɔʀdɔne] n. f. pl. — 1754; de *co-*, et *-ordonné.*

♦ **1** a Math. Nombres qui déterminent la position d'un point, dans le plan, dans l'espace, ou dans un espace affine de dimension quelconque. *Coordonnées cartésiennes, définies par rapport à un repère* cartésien : dans un plan* (abcisse, ordonnée), *dans l'espace* (abscisse, ordonnée, cote), *ou dans un espace à n dimensions. Il y a autant de coordonnées que de dimensions dans l'espace de référence. Système de coordonnées. Les nouvelles coordonnées d'un point, lors d'un changement de repère, se calculent à l'aide de matrices de passage.* — *Coordonnées polaires* (dans le plan); *coordonnées cylindriques, coordonnées sphériques* (dans l'espace). *Coordonnées barycentriques, bipolaires. Coordonnées homogènes*; coordonnées projectives.* — *Coordonnées d'un vecteur, relativement à une base*.* → **Composante.** — Au sing. *Une coordonnée*, chacun de ces nombres.

b *Coordonnées géographiques :* système figuré des méridiens et parallèles. → **Latitude; longitude.**

Astron. *Coordonnées équatoriales.* → **Ascension, déclinaison.**

♦ **2** Fig. et fam. (Argot des grandes écoles, puis emploi familier et courant). Élément qui permet de situer, de préciser (qqch.). *Donnez-moi vos coordonnées, votre adresse, le calendrier de vos déplacements, etc. Voici mes coordonnées pour le mois d'août.*

> *Coordonnées.* — Naguère réservé aux opérations purement mathématiques, ce substantif sert maintenant à demander une adresse : «Si vous voulez me donner vos coordonnées...». En apportant un petit parfum de grande école, marque la tendance du langage à la technicité, sinon à la complication. Pierre DANINOS, le Jacassin, p. 130.

HOM. **Coordonner.**

COORDONNER [kɔɔʀdɔne] v. tr. — 1771; de *co-*, et *ordonner; coordination*, du lat., est antérieur.

♦ **1** Sens général. (Sujet n. de personne). Disposer selon certains rapports en vue d'une fin. → **Agencer, arranger, combiner, ordonner, organiser.** *Coordonner entre elles les dispositions d'une loi. Coordonner une chose à une autre, avec une autre, et une*

autre. *Coordonner ses idées, ses plans. Coordonner les parties d'un discours.* → **Distribuer, enchaîner, lier.** *Coordonner l'action de divers services.* → **Calculer, harmoniser.** *Coordonner les mouvements des troupes, les opérations militaires. Coordonner des activités économiques. Coordonner le rail et la route. Coordonner les activités de ses collaborateurs.*

> Je conjure nos évêques et nos curés de réfléchir à la nécessité que leur caractère leur impose, de coordonner l'Église à la Constitution et d'aider la patrie, encore chancelante sur ses nouvelles bases, à s'étayer de la force de la religion. MIRABEAU, Collections, t. IV, p. 351. [1]

> Notre force (...) nous la devons au groupement social qui nous rassemble, qui coordonne nos activités. MARTIN DU GARD, les Thibault, t. VII, p. 172. [2]

(Sujet non humain ou collectif). *Centre nerveux coordonnant les mouvements. La direction, le centre chargé de coordonner les différentes activités de l'entreprise.*

> Ces centres ganglionnaires commandent à tous les organes, règlent leur travail. D'autre part, grâce à leurs relations avec la moelle, le bulbe, et le cerveau, ils coordonnent l'action des viscères avec celle des muscles (...) Alexis CARREL, l'Homme, cet inconnu, 1935, p. 116, in T.L.F. [2.1]

♦ **2** Ling. Gramm. Relier (deux ou plusieurs mots, deux ou plusieurs propositions) par un coordonnant. → **Coordination.** *Coordonner des propositions au moyen de la conjonction de coordination et.* — Absolt. «Cicéron coordonne huit fois sur dix dans les ouvrages de rhétorique» (G. Antoine, *la Coordination en français*, p. 543).

♦ **SE COORDONNER** v. réfl.

Être coordonné. *Ces idées se coordonnent aisément.*

♦ **COORDONNÉ, ÉE** p. p. adj.

Disposé, ordonné selon certains rapports en vue d'une fin. *Des plans bien coordonnés. Action coordonnée.*

> (...) tout était cause et effet réciproquement (...) les mondes visibles étaient coordonnés entre eux et soumis à des mondes invisibles. BALZAC, Séraphîta, Pl., t. X, p. 553. [3]

(1967). S'accordant avec. → **Assorti.** *Draps et serviettes coordonnés. Une jupe et un chemisier coordonnés.* — N. m. pl. Pièces d'habillement, de linge de maison, etc., coordonnées. *Les coordonnés sont à la mode.* — Au sing. Tenue formée d'éléments coordonnés.

> Arlette Cordeau (...) explique où et comment elle a trouvé le petit ensemble à fleurs qu'elle porte. Elle appelle ça un «coordonné». Geneviève DORMANN, Saint Jules, p. 89. [3.1]

(1863). Ling. *Propositions coordonnées*, et, n. f., *des coordonnées :* propositions reliées entre elles par une conjonction de coordination, ou un adverbe (aussi, pourtant).

> On considère comme coordonnées les propositions ou principales ou subordonnées qui sont reliées par un mot de coordination, une conjonction : *et, ou, mais, car, donc, or,* ou bien un adverbe qui joue le même rôle : *aussi, pourtant, cependant, néanmoins.* F. BRUNOT, la Pensée et la Langue, I, X, p. 26. [4]

CONTR. Déranger, désordonner, désorganiser, gâcher, isoler, mélanger, troubler. — (Du p. p.). Incoordonné. ◊ DÉR. Coordonnant, coordonnateur. ‒ HOM. Coordonnées.

COP [kɔp] n. m. — xxᵉ; mot angl. fam. (1859), équivalent au franç. *flic.*

Policier (anglais, américain). → Lyncher, cit. 2. «Cinq minutes après, les "cops" étaient là, pistolet au poing» (l'Express, 23 avr. 1973, p. 135).

1 Le col relevé, nous rentrons ; les policemen, les *cops*, leur terrible grand bâton noir à la main, cachés dans l'ombre des portes, nous regardent passer...
Paul MORAND, New York, p. 200.

2 — Connaissez-vous l'homme à barbe grise et vêtu d'un gros manteau de drap sombre qui me suit ? demandai-je à l'agent en faction dans la solitaire Rider Lane.
Le cop me regarda sévèrement.
— Rentrez chez vous, sir, et ne perdez pas votre temps à dire des bêtises ; personne ne vous suit et, sauf vous et moi, il n'y a personne dans la rue.
Jean RAY, les Derniers Contes de Canterbury, p. 246-247.

COPAHIER [kɔpaje] n. m. → **Copayer**.

COPAHU [kɔpay] n. m. — 1696 ; *coupahu*, 1654 ; *copaū*, 1578 ; mot tupi du Brésil.

Didact. Substance résineuse *(oléorésine)* extraite de divers copayers et utilisée autrefois en médecine.

DÉR. V. **Copayer**.

COPAÏBA [kɔpajba], **COPAÏER** [kɔpaje] n. m.
→ **Copayer**.

COPAIN [kɔpɛ̃] n. et adj. m. — 1838 ; *copin*, 1708 ; *compaing*, 1883 ; *compain*, 1919 ; forme dénasalisée de l'anc. franç. *compain* (→ Compagnon).

A N. ♦ **1** Fam. Homme, garçon avec qui qqn entretient des relations familières et amicales. → **Ami.** Camarade de classe, de travail. → **Camarade.** *De bons copains* (→ Basane, cit. 2). *Un copain de classe, de bureau, de voyage, de vacances. Un copain de régiment. Il revoit ses copains de l'armée, du régiment. Copains de parti, de syndicat. Un vieux copain. Son meilleur copain. Sortir avec des copains et des copines*, *entre copains.* → **Copinage, copinerie.** *Salut ! les copains. Ce n'est qu'un copain,* ni un véritable ami, ni un amant.

1 (...) ces trois copains qui s'avancent sur une ligne n'ont besoin de personne, ni de la nature, ni des dieux.
J. ROMAINS, les Copains, III, p. 139.

En copain : comme de simples camarades (notamment, sans qu'il y ait de relations amoureuses ou érotiques). → ci-dessous, B.

♦ **2** N. m. Péj. Personne avec qui l'on s'entend pour des motifs peu honorables (→ **Copinage**, 2.). *Partager avec les (petits) copains. Les copains et les coquins* (formule polémique et politique).

2 Il disait «le patron» pour parler de Marquet car il avait jadis tiré profit des conseils de ce grand peintre et plus tard «exposé» à la même galerie que lui sans que les «petits copains» pussent insinuer traîtreusement que sa peinture était du Marquet «démarqué».
Francis CARCO, Ombres vivantes, p. 224 (1952).

♦ **3** (1895). Par euphém. → **Ami, amoureux.** *C'est son petit copain* (→ Petit ami*).

B Adj. m. (ou emploi attribut). *Ils sont très copains. Je ne suis pas du tout copain avec ce type.*
Loc. fam. *Être copain-copain,* se dit de deux ou plusieurs personnes qui sont très copains (avec une idée de franchise et de simplicité). → **Ami** (être ami-ami). *Ils sont copains-copains.*

3 Une tendresse superflue à avouer, c'est se diminuer. Même pas un baiser dans le style copain-copain.
Christine ARNOTHY, Un type merveilleux, p. 76.

Sans érotisme ou sans affectivité. À bas l'amour copain (album de Reiser).

DÉR. (De *copin*). **Copine, copiner, copinerie.**

COPAL [kɔpal] n. m. — 1588 ; esp. *copal,* lui-même empr. au nahuatl *copalli.*

Résine fournie par certains conifères tropicaux, utilisée dans la fabrication des vernis. *Des copals.* — **Appos.** «*Le vernis copal*» (Delacroix, *Journal,* 5 oct. 1847).

On entendait la marimba du cloître voisin, et des pétards qui éclataient au-dessus des fumées de copal que les encensoirs poussaient comme des fumées d'incendies.
MALRAUX, Antimémoires, Folio, p. 76.

DÉR. Copalier. — V. Copalme.

COPALIER [kɔpalje] n. m. — 1904, in *Rev. gén. des sc.,* n° 12, p. 579 ; de *copal.*

Bot. Arbre, de la famille des Dipterocarpées, dont on extrait le copal. *Le vouapa, copalier du Brésil.*

COPALME [kɔpalm] n. m. — 1753 ; altération de *copal,* d'après *palme.*

Grand arbre d'Amérique (n. sc. : *Styraciflua*). — **Syn.** : *liquidambar.*

En appos. *Baume copalme* ou *copalme :* substance balsamique extraite du tronc de cet arbre.

COPARTAGE [kɔpaʀtaʒ] n. m. — 1834 ; de *co-*, et *partage.*

Dr. Partage entre plusieurs personnes. → **Copartager.**

COPARTAGEANT, ANTE [kɔpaʀtaʒɑ̃, ɑ̃t] adj. et n. — 1690 ; *compartageant,* 1599 ; de *co-,* et *partageant.*

Dr. (personnes). Qui participe à un partage. *Les héritiers copartageants.* — N. *Les copartageants.*

Personne qui a qqch. en commun avec d'autres.

Mais en même temps il nous faut la penser sous une forme générale qui nous fait dans une certaine mesure échapper à son étreinte, qui fait de tous les copartageants de notre peine, et qui n'est même pas exempte d'une certaine joie.
PROUST, le Temps retrouvé, Pl., t. III, p. 905.

COPARTAGER [kɔpaʀtaʒe] v. tr. [CONJUG.: *partager* (→ **Bouger**).] — 1863, in Littré ; au p. prés., 1845 ; de *co-,* et *partager,* d'après *copartageant.*

Dr. Partager avec une ou plusieurs personnes (dites *copartageants*). *Copartager une succession.* — Au p. p. *Héritage copartagé.*

COPARTICIPANT, ANTE [kɔpaʀtisipɑ̃, ɑ̃t] adj. et n. — 1874 ; de *co-,* et *participant.*

Dr. Qui participe avec d'autres à une entreprise.

COPARTICIPATION [kɔpaʀtisipasjɔ̃] n. f. — V. 1860 ; de *co-,* et *participation.*

Dr. Participation en commun.

COPATERNITÉ [kɔpatɛʀnite] n. f. — 1855 ; de *co-,* et *paternité.*

Paternité **(fig.),** responsabilité d'auteur partagée avec qqn d'autre.

Le germe de la pièce vous appartient (...) cela constitue, malgré vous, une copaternité que je ne dois ni ne veux passer sous silence...
Émile AUGIER, Ceinture dorée, 1855, II, p. 333, in T.L.F.

COPAYER [kɔpaje] n. m. — 1786, *copaïer*; issu par changement de suffixe de *copaïba,* et empr. au tupi par l'intermédiaire du portugais, de *copa.* → Copahu.

Arbre de grande taille des régions tropicales d'Amérique et d'Afrique. *Le copahu est extrait des copayers d'Amérique.*

Après la savane, on commençait à traverser des zones de forêt sèche à châtaigniers (non pas le nôtre mais celui du Brésil : *Bertholletia excelsa*) et à copayers qui sont de grands arbres sécrétant un baume.
Claude LÉVI-STRAUSS, Tristes tropiques, p. 286.

REM. On écrit parfois *copaïer* et *copahier*. On trouve aussi la var. étym. *copaïba* (M. Tournier, *Vendredi*, p. 193).

-COPE Suffixe tiré du grec *kopto* «je coupe» (rac. *koptein*). — Ex. : *apocope, syncope.*

COPEAU [kɔpo] n. m. — 1680; *coipeau,* 1637; *coipel,* 1213; *cospel,* 1170; du lat. pop. *cuspellus,* lat. class. *cuspis* «pointe».

♦ **1** Fragment, mince morceau détaché d'une pièce de bois par un instrument tranchant. *Gros copeaux. Copeaux fins, frisés. Copeaux de hêtre, de sapin. Brûler des copeaux.*

(...) des outils naïfs, avec un manche poli par la main et une grosse tête de fer, des rabots, des couteaux plus modernes à lame d'acier, et la *doloire,* orgueil du tonnelier, grand couperet dont la lourde lame détache de fins copeaux qui frisent.
J. CHARDONNE, les Destinées sentimentales, I, p. 12.

Par ext. Morceau de bois débité à la scie pour faire un peigne.

Loc. vieillie. (1600). *Vin de copeaux :* vin nouveau dans lequel on faisait tremper des copeaux pour l'éclaircir.

(Par anal. de forme). *Copeaux d'acier, de cuivre, de savon.*

Par métaphore (littér.). *Des «copeaux de prose»* (Benda, *in* T. L. F.) : des bribes.

♦ **2** (1923, Esnault). Argot fam. Vieilli. *Des copeaux :* une chose insignifiante, méprisable. — Spécialt. Course insignifiante, pour un taxi.

♦ **3** Loc. pop. *Avoir les copeaux :* avoir peur. → **Trouille.**

COPECK [kɔpɛk] n. m. → **Kopeck.**

COPÉPODES [kɔpepɔd] n. m. pl. — 1845, Bescherelle; du grec *kopê* «rame», et *-pode*.

Zool. Sous-classe de petits crustacés marins (abondants dans le plancton). *Les copépodes sont de petite taille, dépourvus de carapace et à respiration cutanée; la plupart sont marins; certains sont parasites des poissons ou des crustacés.* — Au sing. *Un copépode.*

COPERMUTANT [kɔpɛrmytɑ̃] n. m. — 1552; de *co-,* et *permutant.*

Dr., didact. Personne qui contracte un échange.

COPERMUTATION [kɔpɛrmytasjɔ̃] n. f. — XXᵉ; de *co-,* et *permutation.*

Dr., comm. Action de copermuter. *Copermutation de bénéfices.*

COPERMUTER [kɔpɛrmyte] v. tr. — 1829; *compermuter,* 1611; de *co-,* et *permuter.*

Didact. (dr., comm.). Échanger. — Spécialt. Échanger des bénéfices ecclésiastiques.

COPERNICIEN, IENNE [kɔpɛrnisjɛ̃, jɛn] adj. et n.
— 1686; de *Copernic,* astronome polonais.

♦ **1** Hist. des sc. Relatif à Copernic, à son système. *Révolution copernicienne :* bouleversement des théories astronomiques dont Copernic fut l'initiateur, avec son système héliocentrique. — Par ext. Innovation considérée comme fondamentale, dans une science.

♦ **2** Partisan du système copernicien. *Les astronomes coperniciens.*

N. *Les coperniciens.*

COPHTE [kɔft] adj. et n. → **Copte.**

COPIABLE [kɔpjabl] adj. — 1922, cit.; de *copier.*

Qui peut être copié. → **Imitable.**

Aussi le charme apparent, copiable, des êtres m'échappait parce que je n'avais pas la faculté de m'arrêter à lui, comme un chirurgien qui, sous le poli d'un ventre de femme, verrait le mal interne qui le ronge.
PROUST, le Temps retrouvé, Pl., t. III, p. 718.

COPIAGE [kɔpjaʒ] n. m. — 1766; de *copier.*

♦ **1** Action de copier. *Le copiage scrupuleux, exact, d'un texte.*

Spécialt. Fait de copier (dans un examen), d'imiter servilement.

♦ **2** (1961). Techn. Reproduction automatique (d'une pièce) sur une machine-outil.

COPIE [kɔpi] n. f. — Après 1250, au sens 1; d'abord «grande quantité», XIIIᵉ; lat. *copia* «abondance, ressources» (→ Copieux); le sens moderne vient de la spécialisation du lat. médiéval *copiare* «commenter, transcrire abondamment», d'où «reproduire (un écrit)», ou (selon Wartburg) d'une équivoque sur *copiam describendi facere,* où *copia* signifie «permission, licence», et *describere* «copier».

Ⅰ ♦ **1** Reproduction (d'un écrit). → **Calque, double, épreuve, fac-similé, imitation, photocopie, reproduction.** *Copie exacte, fidèle, conforme. Pour copie conforme. Copie in extenso. Copie partielle. Mauvaise copie. Copie collationnée à, sur, avec l'original. Demander, donner copie d'un texte. Prendre, garder, tirer copie d'une lettre.* → **Copier.** *Faire faire une copie. Copie d'un diplôme. Posséder plusieurs copies d'un texte.* → **Exemplaire.** — REM. L'emploi de *copie* pour «exemplaire imprimé» est un anglicisme (→ ci-dessous, II., 1., b). — *Copie manuscrite, dactylographiée. Copie d'un texte autocopié, polycopié.* → **Autocopie, polycopie.** *Copie photographique.* → **Photocopie.**

Ce roman *(Télémaque),* que Fénelon avait uniquement destiné pour le duc de Bourgogne, son élève, vit le jour par l'infidélité d'un domestique qui en avait pris une copie. [1]
D'ALEMBERT, Éloges, Fénelon.

Cet engagement pouvait figurer sur une lettre qu'il leur adresserait, et dont lui ne garderait même pas la copie. [2]
J. ROMAINS, les Hommes de bonne volonté, t. V, p. 87.

Dr. *Copie d'un contrat, d'une pièce officielle, d'un acte.* → **Ampliatif, ampliation, duplicata, triplicata; compulsoire.** *Copie d'un acte judiciaire ou notarié.* → **Expédition, grosse.** *Copie collationnée :* copie dont le notaire certifie la conformité avec le document original. *Copie d'un acte de vente, d'hypothèque.* → **Inscription, transcription.** *Expédier, délivrer une copie. Copie de copie. Faire faire copie d'un acte. Copie de jugement :* copie de la grosse d'un jugement signifiée par exploit d'huissier à la partie perdante. *Copie de pièces. Copie d'exploit, d'acte du*

Palais : copie de l'original d'un exploit d'huissier remise par celui-ci à la personne contre laquelle l'exploit est rédigé en vue de lui faire connaître les prétentions de l'autre partie.

3 Lorsque le titre original n'existe plus, les copies font foi d'après les distinctions suivantes : 1° Les grosses ou premières expéditions font la même foi que l'original (...) 2° Les copies, qui (...) auront été tirées sur la minute de l'acte par le notaire qui l'a reçu (...) peuvent (...) faire foi quand elles sont anciennes. 3° Lorsque les copies tirées sur la minute d'un acte ne l'auront pas été par le notaire (...) ou par officiers publics (...) elles ne pourront servir (...) que de commencement de preuve par écrit. 4° Les copies de copies pourront, suivant les circonstances, être considérées comme simples renseignements.
Code civil, art. 1335.

4 Les huissiers seront tenus de mettre, à la fin de l'original et de la copie de l'exploit, le coût d'icelui (...)
Code de procédure civile, art 67.

Comm. *Copie de factures. — Copie-lettres* : registre contenant la copie d'une correspondance commerciale. — *Copie d'un modèle, d'un type de fabrication.* → **Échantillon.**

♦ **2** (1623). Imprim. Écrit à partir duquel on compose. → **Manuscrit.** *Copie manuscrite, dactylographiée* (tapuscrit). *Avoir de la copie,* du texte à faire imprimer. *Préparer la copie. Préparation de la copie* (codage typographique, etc.). — *Tenir la copie. Tenue de copie. Le teneur de copie est souvent un correcteur*. Donner, fournir de la copie à l'imprimeur. Manquer de copie.* — Fam. *Journaliste en mal de copie,* qui manque de sujet d'article (par oppos. à *pisseur de copie* (argot)).

4.1 Mon cher directeur, vous avez tort de ne pas prendre aujourd'hui ma copie. Elle est bonne. Je la soigne. Avec elle je veux me faire un nom.
J. RENARD, Journal, 29 mars 1894.

5 Le journaliste souhaiterait au moins quelques heures de plus pour étudier une question neuve et obscure, mais déjà les typographes réclament sa copie (...)
A. MAUROIS, Un art de vivre, V, p. 19.

♦ **3** (1828). Devoir qu'un écolier rédige au net et qu'il remet à ses professeurs. → **Devoir; composition.** *Ramasser les copies après un examen, une composition. Corriger des copies. Remettre, distribuer les copies aux élèves. Les copies du baccalauréat, de l'agrégation. Une excellente copie.*

6 (...) et si par miracle tout se passe bien, des leçons à préparer et des copies à corriger pendant quarante ans (...)
J. ROMAINS, les Hommes de bonne volonté, t. IV, XV, p. 147.

6.1 Portant dans sa serviette en cuir les copies à corriger de ses quarante-deux élèves, M. Josserand imaginait qu'il était le poète Virgile, remonté des Enfers par la sortie principale du métro Clichy (...) M. AYMÉ, Maison basse, p. 7.

6.2 (...) en ce moment, la copie va vous bousculé (...) Les épreuves du bouquin qui va sortir à corriger (...) et les copies d'agrégation qui vont arriver.
N. SARRAUTE, le Planétarium, p. 289.

Feuille (double) destinée à la rédaction (écoliers, lycéens). «*Prenez une copie double et venez !*» (Paul Guth, *le Naïf aux quarante enfants,* p. 47).

II ♦ **1** **a** (1636). Reproduction (d'une œuvre d'art originale). → **Contre-façon, imitation, reproduction.** *Copie d'un tableau* (→ 1. Original, cit. 2 et 3). *Le musée des copies. Copie par l'auteur lui-même de son œuvre originale.* → **Réplique; répétition.** *Copie réduite.* → **Réduction; maquette.**

7 Vous me demandez le portrait d'un homme qui vous aime autant qu'il vous estime; je n'ai plus qu'une mauvaise copie (...) je vous enverrai ce barbouillage (...)
VOLTAIRE, Lettre à Damilaville, 5 avril 1765.

Fig. → **Imitation.**

8 Il n'y a que d'une sorte d'amour, mais il y en a mille différentes copies.
LA ROCHEFOUCAULD, Maximes, 74.

b (1915; angl. *copy*). Exemplaire (d'un film de cinéma). *Faire tirer vingt copies d'un film.*

REM. L'anglicisme *copie* pour «exemplaire (d'un livre, d'un périodique)» correspond à un emploi de *copie* attesté en français au XVIIᵉ s.

♦ **2** (1690). Imitation (notamment, d'une œuvre). → **Plagiat; centon** (VX), **pastiche.** *Ce roman n'est qu'une pâle copie de tel autre.*

Huet a prétendu que Bacchus est une copie de Moïse et 9 de Josué. VOLTAIRE, Essai sur les mœurs, Bacchus.

L'œuvre de Shakespeare est absolue, souveraine, impé- 10 rieuse, éminemment solitaire, mauvaise voisine, sublime en rayonnement, absurde en reflet, et veut rester sans copie. HUGO, William Shakespeare, II, IV, V.

♦ **3** (Av. 1680). Vieilli. Personne qui reproduit ou imite les manières, les paroles d'une autre. → **Réplique** (→ Allure, cit. 2). *Acteur qui se fait la copie d'un autre. Ce fils est la copie de son père* (→ C'est tout son père, c'est tout son craché*). *Copie trait pour trait. — C'est une mauvaise copie d'un bon original.*

Les seules bonnes copies sont celles qui nous font voir le 11 ridicule des méchants originaux.
LA ROCHEFOUCAULD, Maximes, 133.

On peut dire que chacun a l'original de sa beauté dont il 12 cherche la copie dans le grand monde.
PASCAL, Disc. sur les passions de l'amour, p. 125.

J'étais trop jaloux de la bonne gloire, pour vouloir être la 13 copie d'un autre. FÉNELON, XIX, 408.

CONTR. Archétype, autographe, minute, modèle, original, type. ◊ DÉR. Copier. ← COMP. Autocopie, électrocopie, phénocopie, photocopie, polycopie.

COPIER [kɔpje] v. tr. — XIVᵉ; de *copie.*

♦ **1** Reproduire (un écrit) à la main ou par un procédé artisanal. → **Calquer, imiter, recopier.** *Copier fidèlement un texte, un passage important.* → **Noter, prendre** (en note), **relever.** *Copier une lettre.* → **Reproduire, transcrire** (→ Charger, cit. 14). *Copier de la musique. Copier qqch. au propre, au net.* → **Recopier.**

On peut juger des efforts qu'il *(Démosthène)* fit pour se per- 1 fectionner en tout genre par la peine qu'il prit de copier de sa propre main jusqu'à huit fois l'histoire de Thucydide (...) ROLLIN, Hist. ancienne, Œ., V, p. 536.

Je vous ai dit que je l'avais trouvé copiant de la musique 2 à dix sous la page. ROUSSEAU, Dialogues.

Dr. *Copier un acte.* → **Expédier, grossoyer, inscrire, transcrire.**

(1683). Reproduire frauduleusement (le texte d'un livre, le devoir d'un autre). *Il a copié le manuel. — Il a copié son voisin.*

Intrans. *Copier sur qqn. Élève qui copie sur son voisin, sur son livre de cours.* — Absolt. *Cet élève a copié.* → **Tricher.**

♦ **2** (1636). Reproduire (une œuvre d'art). → **Contrefaire, imiter.** *Copier un tableau, une statue. Copier un maître.*

Par degrés *(au moyen âge),* la connaissance et l'étude du 3 modèle vivant sont interdites. On a cessé de voir; on n'a plus sous les yeux que les œuvres des anciens maîtres, et on les copie. Bientôt on ne copie que des copies de copies, et ainsi de suite; et à chaque génération, on s'éloigne d'un degré de l'original. TAINE, Philosophie de l'art, t. I, I, I, II, p. 20.

(1658). Imiter (une œuvre). → **Démarquer, pasticher, plagier.** *Copier un roman. Copier une œuvre exactement, fidèlement, servilement, sans scrupule.*

Vieilli. Reproduire, imiter (une réalité), souvent de manière servile ou plate, dans un projet artistique.
— REM. Dans la langue classique, *copier,* comme *imiter,* n'était pas nécessairement péjoratif.

4 J'avais copié mes personnages d'après le plus grand
   peintre de l'antiquité (...)
                        RACINE, Britannicus, 2ᵉ préface.

5 La mission de l'art n'est pas de copier la nature, mais de
   l'exprimer !
                  BALZAC, le Chef-d'œuvre inconnu, Pl., t. IX, p. 394.

6 Le dessin est une lutte entre la nature et l'artiste, où l'artiste triomphera d'autant plus facilement qu'il comprendra
   mieux les intentions de la nature. Il ne s'agit pas pour lui
   de copier, mais d'interpréter dans une langue plus simple
   et plus lumineuse.
                  BAUDELAIRE, Curiosités esthétiques, p. 100.

7 (...) quelque mendiante de la route de Pistoïa, brûlée par
   les soleils et les neiges, qu'avait copiée l'argile, avec
   une fidélité horrible et touchante, un précurseur inconnu
   de Donatello.   FRANCE, le Lys rouge, VIII, p. 85.

♦3 (1656). Imiter (qqn). → **Mimer, reproduire, ressembler** (à). *Copier les manières d'un camarade.
S'amuser à copier qqn.* → **Contrefaire, moquer** (se).

8 Il avait l'âge de Metchnikoff et vivait dans l'ombre de
   cet homme extraordinaire, imitant ses façons de parler,
   copiant, sans le vouloir, la silhouette fameuse (...)
                  G. DUHAMEL, Chronique des Pasquier, IV, p. 258.

♦4 Loc. fam. *Tu me la copieras, vous me la copierez :*
c'est un peu fort ! je m'en souviendrai ! — Var. (moins
cour.) : *vous me le copierez.*

9 Il est sidéré, le gaffe *(le gardien),* et il me jette en s'en allant :
   Eh bien, vous alors vous me le copierez.
                        Henri CHARRIÈRE, Papillon, p. 260.

10 (...) la fille (...) qui grognait encore : Ah ! tu me la copieras
   (...) Pétasse, sale pétasse !
                        H. TROYAT, Amélie, p. 683.

CONTR. **Créer, inaugurer, innover, inventer.** ◊ DÉR.
Copiable, copiage, copieur, copion, copiste. ◄ COMP.
Autocopier, photocopier, polycopier, recopier.

COPIEUR, EUSE [kɔpjœʀ, øz] n. et adj. — 1863; *cop-
pieur,* av. 1488; de *copier.*

☐ N. (1884). ♦**1 (Sens général).** Personne qui copie.
— (1926). Élève qui triche en classe, qui copie sur ses
camarades ou sur ses livres de classe.

♦**2** (1966, in Gilbert). Machine permettant de reproduire des documents. → aussi **Photocopieur.** *Copieur
électrostatique.*

☐ Adj. Rare. Qui copie. — REM. Le fém., homonyme du
fém. de *copieux,* ne peut guère être employé.

COMP. Électrocopieur.

COPIEUSEMENT [kɔpjøzmã] adv. — XIVᵉ; de
copieux.

♦**1** D'une manière copieuse. → Beaucoup, bien, considérablement, foison (à). *Manger, boire copieusement* (→ Accroissement, cit. 1).

Allus. littér. «*Ceux qui pieusement... Ceux qui copieusement...*» (premiers vers du premier poème du
recueil *Paroles* de J. Prévert).

♦**2** Fig. Beaucoup, intensément (surtout avec un verbe
exprimant l'ennui).

Des Indes tu t'es mollement embarqué et puis dans le
désert tu t'es copieusement barbé sous un ciel non habité.
                        Jacques LAURENT, les Bêtises, p. 391.

COPIEUX, EUSE [kɔpjø, øz] adj. — 1365; lat. *copiosus*
«riche, abondant en qqch.», de *copia* «grande quantité».

♦**1** Abondant. *Un repas copieux.* → **Ample, plantureux.** *Une mesure copieuse.* → **Bon, fort, large.** *Un
pourboire copieux.* → **Généreux, important.**

1 Lorsqu'on en fut au fruit, nous leur apportâmes une
   copieuse quantité de bouteilles des meilleurs vins d'Espagne (...)   A.-R. LESAGE, Gil Blas, III, 4.

Il n'était pas assez mal avisé pour laisser sa raison dans   2
son verre, et il gardait la mesure. Il est vrai que cette
mesure était copieuse, et que dans son verre une raison
plus débile se fût infailliblement noyée.
                  R. ROLLAND, Jean-Christophe, t. II, p. 22.

Il entendit à peine la fille qui, en le remerciant d'un   3
copieux pourboire, ajoutait (...)
                  J. ROMAINS, les Hommes de bonne volonté, t. V,
                                                        p. 73.

Une infime — mais, à cet âge, capitale et presque solennelle   3.1
— différence d'âge expliquait la rondeur plus copieuse d'un
sein, l'angle plus aigu d'une épaule, ce qui n'empêchait pas
les bouches, les yeux, les genoux d'être pareils.
                        Jacques LAURENT, les Bêtises, p. 532.

♦**2** Vx ou littér. Qui s'exprime avec une abondance
extrême (en parlant d'un écrivain, de son style). → **Abondant, long, prolixe, riche.**

C'est le défaut qu'on reproche au grand-Amyot, d'être trop   4
copieux en synonymes ; mais nous devons à ce copieux
l'abondance de tant de beaux mots et de belles phrases (...)
                  VAUGELAS, Remarques sur la langue franç., II,
                                                        p. 911.

Les propagandes triomphantes, celles qui étaient au pou-   5
voir, inondaient les pays à gagner, les inondaient de publications copieuses et illustrées avec magnificence.
                  G. DUHAMEL, le Voyage de P. Périot, III, p. 58.

CONTR. **Chiche, frugal, maigre, médiocre, mesquin, modéré,
pauvre, petit, sobre.** ◊ DÉR. **Copieusement.**

COPILOTE [kopilɔt] n. — 1937, in Petiot; cf. angl.
copilot (1927); de *co-,* et *pilote.*

♦**1** Pilote auxiliaire, dans un avion. — Assistant
du pilote, dans une course automobile, un rallye,
qui lui donne des indications sur la vitesse, l'itinéraire...

♦**2** Fig. Personne qui partage avec une autre la responsabilité d'un projet, d'une opération. *Le chef du
projet et son copilote.*

COPILOTER [kopilɔte] v. tr. — 1996; de *copilote* et
piloter.

♦**1** Être le copilote de (un avion). — Être copilote
(dans une course, un rallye automobile).

♦**2** Fig. Partager la responsabilité de (un projet)
avec un partenaire.

COPINAGE [kɔpinaʒ] n. m. — 1960; de *copiner,* et
-age.

♦**1** Fait de copiner, d'être copain. → **Copinerie.**

(...) la literie de nos jeunes sans complexes et leur copinage
de draps.
                  P. GUTH, Lettre ouverte aux idoles,
                                  Charles Trenet, p. 122 (1968).

♦**2** Fam. et péj. Favoritisme, entente au profit
d'amis, de relations (→ Copain, A., 2.). — *Spécial*
copinage.

COPINE [kɔpin] n. f. — 1895; fém. de *copin.* → Copain.
Familier.

♦**1** Camarade (femme), amie. *Une copine de classe.
Les copines et les copains de mon fils, de ma fille.*

♦**2** Compagne, petite amie (d'un homme, d'un
garçon). *C'est sa copine, sa petite copine.*

— Quand j'avais seize ans — seize ans, vous entendez,
— j'avais une petite copine de quatorze ans. Je l'aimais
comme on aime pour la première fois, c'est-à-dire avec
un feu qu'on ne retrouvera jamais plus.
                  MONTHERLANT, les Jeunes Filles, 1936, p. 1069,
                                                  in T. L. F.

♦**3** (Dans l'usage des homosexuels). Homosexuel.

COPINER [kɔpine] v. intr. — 1928; de *copin*, et *-er*. → Copain.

Fam. Avoir des relations de camaraderie. → **Camarader (rare)**. *Copiner avec une bande de jeunes. Ils se sont mis à copiner.*

1 Sans compter que ça ne serait pas très convenable, pour la pure mademoiselle Saulnier, de copiner avec des putains.
Roger IKOR, les Fils d'Avrom, Les eaux mêlées, p. 496.

2 Rat et lui avaient copiné. Ils partageaient, entre autres, une solide inimitié à l'égard de nos chers Alliés d'outre-Atlantique.
Vladimir VOLKOFF, le Retournement, p. 41.

DÉR. Copinage, copineur.

COPINERIE [kɔpinri] n. f. — 1936; de *copain*.
Familier.

◆ **1** Relations entre copains. *Il n'y avait entre eux que de la copinerie.* → **Copinage.**

◆ **2** Ensemble de copains. *Ils ont invité toute la copinerie.*

COPINEUR, EUSE [kɔpinœr, øz] adj. — 1968; de *copiner*.
Rare et littér. Qui copine, ou feint de copiner.

Tu es propre comme un sou neuf. La loyauté copineuse t'est d'autant plus aisée que tu n'as aucun charme.
P. GUTH, Lettre ouverte aux idoles, Sheila, p. 89 (1968).

COPION [kɔpjɔ̃] n. m. — Attesté xxᵉ; de *copier*.
Régional (Belgique), fam. Note écrite pour frauder à un examen. → **Antisèche.**

COPISTE [kɔpist] n. — xvᵉ; de *copier*.

◆ **1** (xvᵉ). Personne dont le travail est de copier des manuscrits, de la musique. → (hist.) Bullaire, clerc, scribe; fesse-cahier (vx). *Une faute de copiste. Un mauvais copiste.*

1 Et le copiste Jean-Jacques, prenant dix sous par page de son travail pour s'aider à vivre (...)
ROUSSEAU, Dialogues.

◆ **2** (1644). Péj. Personne qui imite les œuvres d'un autre. → **Calqueur, contrefacteur, démarqueur, pasticheur, plagiaire** (→ Baisser, cit. 5).

2 Je conseille à un auteur né copiste, et qui a l'extrême modestie de travailler d'après quelqu'un, de ne se choisir pour exemplaires (*modèles*) que des sortes d'ouvrages (...)
LA BRUYÈRE, les Caractères, I, 64.

3 L'architecture est en général ici lourde; en voulant calquer les palais italiens, on a imité sans goût des originaux qui ont décelé le larcin des copistes.
RIVAROL, IV, XXVIII, p. 344.

4 Son talent (...) est, surtout, une incontestable dextérité de copiste et de démarqueur.
Léon BLOY, le Désespéré, IV, p. 193.

◆ **3** Fig., vx. Personne qui cherche à imiter les manières, les gestes de qqn. → **Imitateur.**

5 L'assemblée des animaux se moqua de ces deux mauvais copistes (*le singe et le perroquet*) de l'homme.
FÉNELON, XIX, 75.

CONTR. Créateur, inventeur, novateur, original.

COPLANAIRE [koplanɛr] adj. — 1890, Encycl. Berthelot; de *co-*, et lat. *planus*.
Géom. Situé dans un même plan. *Droites coplanaires.*

DÉR. Coplanarité.

COPLANARITÉ [koplanarite] n. f. — 1968, G.L.E., *Suppl.*; de *coplanaire*.
Géom. Propriété d'éléments coplanaires.

COPOLYMÈRE [kopɔlimɛr] n. m. — V. 1960; de *co-*, et *polymère*.
Chim. Macromolécule constituée par deux ou plusieurs sortes de motifs monomères (opposé à *homopolymère*). *Copolymère bloc, copolymère greffé, copolymère séquencé.*

COPOLYMÉRISATION [kopɔlimerizasjɔ̃] n. f. — Av. 1948 (→ cit.); de *co-*, et *polymérisation*.
Chim. Polymérisation dans laquelle se combinent deux ou plusieurs motifs monomères différents et qui aboutit à la formation d'un copolymère.

Remarquons d'ailleurs qu'un phénomène analogue peut intervenir dans certains cas particuliers lorsque deux molécules se polymérisent simultanément; il peut y avoir alors production d'une macromolécule mixte en quelque sorte :

$$nM + nM' \rightarrow (MM')n$$

(en considérant le cas simple où le même nombre de molécules M et M' participent à la constitution de la macromolécule); on a alors une *copolymérisation*.
Jean VÈNE, les Plastiques, p. 23 (1948).

COPOSSÉDER [kopɔsede] v. tr. — Fin xixᵉ; de *co-*, et *posséder*.
Dr. Posséder (une chose) en même temps que d'autres possesseurs. → **Copossesseur.**

COPOSSESSEUR [kopɔsesœr] n. m. — D. i. (xxᵉ); de *co-*, et *possesseur*.
Dr. Personne qui possède (une chose) en même temps que d'autres.

COPOSSESSION [kopɔsesjɔ̃] n. f. — 1852, *in* D.D.L.; de *co-*, et *possession*.
Droit.

◆ **1** Possession en commun (de qqch.).

Napoléon, on le sait, ne fit rien pour la Pologne (...) La loi française, prenant le paysan polonais pour un fermier, le déclarait libre, c'est-à-dire libre de partir en quittant la terre qui le faisait vivre. Elle ne comprit pas le lien antique qui constitue au paysan une sorte de copossession. S'il est attaché à la terre, la terre aussi lui est attachée.
MICHELET, Pologne et Russie, 1852, *in* D.D.L., II, 7.

◆ **2** Chose possédée en commun. *Leur copossession sera partagée après leur mort.*

COPPA [kɔ(p)pa] n. f. — Répandu en France v. 1950; mot italien.
Charcuterie italienne, en forme de gros saucisson, faite d'échine de porc fumée. *Des tranches de coppa.*

Ils vivaient à peu près gratis, prenant de temps à autre un repas dans un bistrot de pêcheurs et le reste du temps achetant des conserves ou de la *coppa*.
J. DUTOURD, les Horreurs de l'amour, p. 628.

HOM. Koppa.

COPRA ou **COPRAH** [kɔpra] n. m. — 1602, *copra*; *copre*, 1845; *coprah*, 1869; empr. au port. *copra*, lui-même empr. au malayalam (langue dravidienne du Sud de l'Inde) *koppara*; la forme *coprah* est peut-être due à l'anglo-indien *coprah*.
Albumen de la noix de coco décortiquée. *Huile, tourteau de coprah.*

1 (...) pour y transiter des sacs de coprah à l'odeur exécrable, et des fûts d'huiles oléagineuses qui sentent tout aussi mauvais (...)
H. BOSCO, Un rameau de la nuit, p. 41.

2 En dehors de la saison du café (environ deux mois) le coprah occupe en permanence la population des îles : les cocos secs sont ramassés au pied des arbres (avec la pointe de la machette), lancés en tas comme avec une fronde, et décortiqués sur place à l'aide d'un pieu planté en terre. Les noix sont ensuite ouvertes d'un coup de machette, la

pulpe blanche extraite avec un couteau très court à large lame, puis mises à sécher.

Bernard MOITESSIER, Cap Horn à la voile,
p. 148-149.

COPRENEUR [kɔpʀənœʀ] n. m. — D. i.; de co-, et preneur.

Dr. Personne qui prend un bien à loyer, à ferme, en même temps que d'autres.

COPRÉSIDENCE [kopʀezidɑ̃s] n. f. — 1966; de co-, et présidence.

Présidence assurée conjointement par les représentants de plusieurs organismes ou gouvernements.

COPRÉSIDENT, ENTE [kopʀezidɑ̃, ɑ̃t] n. — 1965; de co-, et président.

Personne (ou puissance) participant à une coprésidence. *«La Grande-Bretagne et l'Union soviétique sont coprésidentes de la conférence»* (le Monde, 19 juin 1966).

COPRÉSIDER [kopʀezide] v. tr. — 1964; de co-, et présider.

Présider en tant que coprésident.

COPRIN [kɔpʀɛ̃] n. m. — 1816, in D.D.L.; grec koprinos «qui vit dans les excréments (en parlant de vers)». → Copro-.

Champignon basidiomycète hyménomycète *(Agaricacées)*, de petite taille et de durée éphémère, à feuillets généralement noirs et déliquescents à maturité, qui pousse sur des matières organiques (souche d'arbre, terreau), des excréments (crottin de cheval).

COPRINCE [kopʀɛ̃s] n. m. — XX⁰; de co-, et prince.

Didact. Celui qui est prince en même temps qu'un autre. *Le président de la République française et l'évêque d'Urgel sont les coprinces de la principauté d'Andorre.*

COPRO- Élément de mots savants, tiré du grec kopros «excrément». → aussi **Coprin.** — Ex. : coprolagnie, coprolalie, coprolalique, coprolithe, coprologie, coprologique, copromanie, coprophage, coprophagie, coprostanol.

COPROCESSEUR [kopʀɔsesœʀ] n. m. — 1981; angl. des États-Unis coprocessor, de co-, et processor, de to process «procéder».

Inform. Processeur associé au processeur d'une unité de traitement, et spécialisé dans le traitement de certaines données. *Un coprocesseur de calcul.*

COPRODUCTEUR, TRICE [kopʀɔdyktœʀ, tʀis] n. — 1826, J.-B. Say, in D.D.L.; de co-, et producteur.

♦ **1** Rare. Personne qui participe avec d'autres à la production de qqch.

♦ **2** (1955). Cour. Personne qui produit (un film, un spectacle...) avec un autre (ou d'autres).

COPRODUCTION [kopʀɔdyksjɔ̃] n. f. — 1953, in Larousse mensuel; co-production, 1950, in D.D.L.; de co-, et production.

Production (d'un film, d'un spectacle) par plusieurs producteurs *(coproducteurs),* souvent de nationalités différentes; ce spectacle. *Une coproduction franco-italienne. Une coproduction de plusieurs pays de la communauté (européenne). Des coproductions télévisées.* Abrév. fam. *Une coprode* [kopʀɔd].

COPRODUIRE [kopʀɔdɥiʀ] v. tr. — V. 1950; de co-, et produire.

Produire (un film, un spectacle) avec un autre (ou d'autres). *«Le discutable Otello (l'Otello de Verdi) qu'il a coproduit»* (l'Express, 31 oct. 1977).

COPROLAGNIE [kɔpʀɔlaɲi; kɔpʀɔlaɲi] n. f. — D. i. (XX⁰); de copro-, et -lagnie.

Didact. Comportement sexuel dans lequel l'individu recherche la satisfaction en relation avec les matières fécales. → aussi **Urolagnie.**

COPROLALIE [kɔpʀɔlali; kɔpʀɔlali] n. f. — 1893, in D.D.L.; de copro-, et -lalie.

Didact. Impulsion morbide à employer des mots scatologiques.

DÉR. **Coprolalique.**

COPROLALIQUE [kɔpʀɔlalik; kɔpʀolalik] adj. et n. — 1897, cit. 1.; de coprolalie.

Didact. Qui est de la nature de la coprolalie; qui y a trait.

Et, comme l'énergumène à barbe blanche achevait dans un cri grave et une obscène contorsion la phrase coprolalique (...)

A. JARRY, Gestes et Opinions du Dʳ Faustroll,
1897, Pl., p. 693.

N. *(Un, une coprolalique).* Personne qui est affligée de coprolalie, qui affectionne les mots scatologiques, orduriers.

Ici s'installe une certaine Foi,
Mais que les coprolaliques m'entendent, les aphasiques, et en général tous les discrédités des mots et du verbe, les parias de la Pensée.
Je ne parle que pour ceux-là.

A. ARTAUD, Bilboquet,
L'activité du bureau de recherches surréalistes,
Œ. compl., t. I, p. 271.

COPROLITHE [kɔpʀɔlit] n. m. — 1845; de copro-, et -lithe.

Géol. Concrétion formée de matières fécales durcies.

COPROLOGIE [kɔpʀɔlɔʒi] n. f. — 1842; de copro-, et -logie.

Didact., techn. Étude des matières fécales. *«Adieu, qu'elle dit, à la coprologie»* (Queneau, Loin de Rueil, p. 163).

DÉR. **Coprologique.**

COPROLOGIQUE [kɔpʀɔlɔʒik] adj. — 1906, in Rev. gén. des sc., n⁰ 22, p. 992; de coprologie, et -ique.

Didact., techn. Relatif à la coprologie. *Analyse coprologique.*

Tiffauges eut l'occasion de voir s'exercer cette vocation coprologique du maître de Rominten *(Gœring),* notamment un matin de printemps où il n'y avait rien qu'on pût tirer sans enfreindre grossièrement la déontologie de la chasse, mais où l'état du terrain permettait un relevé particulièrement clair des laissées.

M. TOURNIER, le Roi des Aulnes, p. 227.

COPROMANIE [kɔpʀɔmani] n. f. — 1895; repris 1953; de copro-, et -manie.

Méd. Attirance pathologique pour les matières fécales.

COPROPHAGE [kɔprɔfaʒ] adj. et n. — Fin XVIIIᵉ; de copro-, et -phage, ou directement du grec koprophagos.

♦ **1** Adj. Qui se nourrit d'excréments. *Le bousier, insecte coprophage.* → **Scatophage; stercoraire.** — Adj. et n. Atteint de coprophagie (2.).

♦ **2** N. m. pl. Groupe d'insectes coléoptères qui vivent dans les excréments des mammifères herbivores. — Au sing. *Un coprophage.*

DÉR. **Coprophagie.**

COPROPHAGIE [kɔprɔfaʒi] n. f. — 1884; de coprophage.

Didactique.

♦ **1** Zool. Fait de se nourrir d'excréments.

♦ **2** Méd. Tendance pathologique à manger des excréments.

COPROPHILE [kɔprɔfil] adj. — 1846; de copro-, et -phile.

Biol. Se dit d'un organisme vivant dans les excréments. *Bactéries coprophiles.* → **Scatophile.**

COPROPRIÉTAIRE [kɔprɔprijetɛʀ] n. — 1634; de co-, et propriétaire.

a Dr. Propriétaire en copropriété.

b Cour. Personne qui a un droit de propriété sur un appartement et qui détient une quote-part des parties communes d'un immeuble. *Réunion des copropriétaires.*

La mère Tourneux est morte au mois de mars 59, à quatre-vingts ans, toujours concierge. À ce moment-là, les locataires étaient devenus copropriétaires.
Jean FERNIOT, Pierrot et Aline, p. 219.

COPROPRIÉTÉ [kɔprɔprijete] n. f. — 1767, in D.D.L.; de co-, et propriété.

a Dr. Propriété de plusieurs personnes sur un seul bien (meuble ou immeuble). *Copropriété indivise où chaque propriétaire a une quote-part.* → **Indivision.** *Partage d'une copropriété en parts divises. Copropriété d'une clôture* (mitoyenneté). *Copropriété sans indivision* (d'un immeuble). → ci-dessous, b.

b Cour. *Copropriété (d'immeuble)* : situation d'un immeuble dont chaque appartement est la propriété d'une personne déterminée (→ **Copropriétaire**), qui détient aussi une quote-part des parties communes. *Règlement de copropriété. Immeuble en copropriété.*

Un écriteau devant la cage de l'ascenseur. Encore détraqué? C'est impossible, on l'a réparé le mois dernier. Ne me parlez jamais de la copropriété.
Pierre MOUSTIERS, la Mort du pantin, p. 17.

COPROSTANOL [kɔprɔstanɔl] n. m. — Av. 1970 (in Manuila); de copro-, et stanol, ou de coprost(ér)ol, avec intercalation de l'élément -an-, qui indique la saturation.

Biochim. Stérol saturé (→ **Stanol**) présent dans les selles, formé par la flore intestinale à partir du cholestérol. — Syn. : coprostérol.

COPROSTÉROL [kɔprɔsterɔl] n. m. — Av. 1961 (in G.L.E.); de copro-, et stérol.

Biochim. Coprostanol.

COPTE [kɔpt] n. et adj. — 1704; cophte, 1690; cofte, 1665; arabe qŭbt, nom donné par les Arabes aux chrétiens d'Égypte, dès le VIIᵉ; du grec Aiguptios «Égyptien».

♦ **1** Adj. Relatif aux chrétiens originaires d'Égypte, appartenant à la secte des eutychéens. *L'Église copte. Patriarche copte.*

N. (avec C majuscule). *Un, une Copte. Les Coptes.*

♦ **2** Adj. Qui se rapporte aux Coptes. — *La tradition copte.* — *Langue copte,* et, n. m., *le copte* (langue liturgique). *L'étude du copte a permis à Champollion de comprendre les hiéroglyphes.*

(...) la langue copte, ou, simplement, le copte, l'idiome de transition qui s'est parlé en Égypte depuis l'introduction du christianisme, qui est éteint maintenant, et qui a les plus grandes ressemblances avec l'ancien égyptien. C'est cette ressemblance qui a permis de pénétrer dans l'interprétation des textes hiéroglyphiques. Son application seule (du principe que le système graphique égyptien employa simultanément des signes d'idées et des signes de sons) a pu me conduire à la lecture proprement dite des portions phonétiques, formant en réalité les trois quarts au moins de chaque texte hiéroglyphique; de là est résultée la pleine conviction que la langue égyptienne antique ne différait en rien d'essentiel de la langue vulgairement appelée copte ou cophte (...) [1]
CHAMPOLLION, Grammaire égyptienne, Introd., p. 18, in LITTRÉ.

N'empêche que la langue copte est morte. Ceux qui psalmodient aujourd'hui les offices dans les pauvres couvents de Haute-Égypte ne comprennent plus ce qu'ils lisent, sinon par les traductions arabes. [2]
CAPART et CONTENAU, Hist. de l'Orient ancien, p. 19.

Les effigies d'âmes destinées aux cercueils coptes doivent appartenir à un autre monde — comme les scènes représentées par les mosaïstes; et, comme les peintres, les mosaïstes font appel à la couleur plus encore qu'à la forme, pour entraîner dans cet autre-monde ce qu'ils représentent. [3]
MALRAUX, la Métamorphose des dieux, p. 129.

DÉR. **Coptisant.**

COPTER [kɔpte] v. tr. — 1564; coppeter, 1403; gobeter, déb. XIVᵉ; forme syncopée, de l'anc. franç. cop «coup», et -eter.

Techn. et vieilli. Faire sonner (une cloche) en la frappant d'un seul côté avec le battant. *Copter la cloche.* → **Sonner, tinter** (faire).

COPTISANT, ANTE [kɔptizã, ãt] adj. et n. — 1876, in Littré, Suppl.; de copte, et -isant.

Didactique.

♦ **1** Adj. Qui concerne la culture et la civilisation coptes.

♦ **2** N. Orientaliste spécialisé dans la langue, la religion, la civilisation coptes (on réserve en général égyptologue aux spécialistes de l'Égypte pharaonique). *Champollion, «excellent orientaliste et en particulier coptisant»* (J. Bottéro, *l'Histoire et ses méthodes,* p. 162, in Encyclopédie Pl.). *Une remarquable coptisante.*

COPULATEUR, TRICE [kɔpylatœʀ, tʀis] adj. — 1847, in D.D.L.; de copuler, et -ateur.

Didact. Qui est propre à la copulation; de la copulation. *Organes copulateurs.* — Zool. *Brosses copulatrices* : excroissances transitoires dues à un dépôt de kératine, et qui se développent chez les mâles de certains amphibiens (Urodèles, Anoures) à l'époque de la reproduction.

Les brosses copulatrices sont sujettes à d'importantes fluctuations saisonnières; en dehors de la période de reproduction elles régressent et peuvent disparaître complètement. Elles ont surtout pour objet de permettre aux mâles de s'agripper aux femelles lors de l'amplexus (...)
Jean GUIBÉ, les Batraciens, p. 55.

COPULATIF, IVE [kɔpylatif, iv] adj. et n. f. — 1370; lat. copulativus, de copulare. → **Copuler.**

♦ **1** Ling. Qui marque une liaison entre les termes ou les propositions. *Conjonction copulative.* — N. f.

Une copulative. → **Coordination** (conjonction de coordination).

1   — Je soutiens, moi, que c'est la conjonction copulative ET...
    — Je soutiens, moi, que c'est la conjonction alternative OU...
                    BEAUMARCHAIS, le Mariage de Figaro, III, 15.

Verbe copulatif : verbe qui est suivi d'un adjectif ou d'un syntagme nominal attribut (devenir, rester, etc.).

Phrase copulative, formée avec le verbe être.

2   Par phrase copulative, j'entends ici les phrases de forme sujet-*être*-attribut.
                    Nicolas RUWET, les Phrases copulatives en français,
                    Recherches linguistiques 3, p. 143.

♦ **Log.** *Jugement copulatif* : jugement catégorique qui a plusieurs sujets et un seul prédicat.

CONTR. Adversatif, alternatif, disjonctif.

COPULATION [kɔpylasjɔ̃] n. f. — 1342; *compulacion,* XIIIᵉ; lat. chrét. *copulatio* «union charnelle», de *copula.* → Copule.

Didact. ou **plais.** Accouplement du mâle avec la femelle. → **Coït.**

1   Il y a beaucoup d'animaux qui engendrent sans copulation.
                    VOLTAIRE, l'Homme aux 40 écus, Mariage.

2   Dans ces animaux qui vivent d'herbe, la société entre le mâle et la femelle ne dure pas plus longtemps que chaque acte de copulation, parce que (...) le mâle se contente d'engendrer, et il ne se mêle plus après cela de la femelle ni des petits (...)
                    ROUSSEAU, De l'inégalité parmi les hommes, note 1.

Spécialt. Accouplement de l'homme et de la femme.

3   Lui *(Paradis),* après sa tentative de conversation météorologique, continuait à se demander ce qu'il pourrait bien sortir, en dehors d'appréciations tendancieuses sur la direction de l'Uni-Park ou des invites directes à la copulation.
                    R. QUENEAU, Pierrot mon ami, éd. L. de Poche,
                    p. 86.

DÉR. Copulateur.

COPULE [kɔpyl] n. f. — 1482; lat. *copula* «union, lien».

♦ **1** (1482). Vx. → **Copulation.**

♦ **2** (1752). Mod. (**Log.**). Verbe d'un jugement, en tant qu'il exprime une relation entre le sujet et le prédicat. *L'assertion réside dans la copule.*

Ling. Mot qui relie le sujet et le prédicat. *La copule* être.

On sait que parmi les verbes, il convient de distinguer en français ce que l'on appelle couramment des auxiliaires, et parmi eux la copule : sans doute n'est-il pas très aisé de préciser ici les critères et les analyses, néanmoins l'intuition empirique est suffisamment ferme pour qu'on puisse accepter l'existence à tout le moins d'un élément distingué noté comme verbe *être* en français.
                    Jean-Claude MILNER,
                    De la syntaxe à l'interprétation, p. 247.

Conjonction de coordination *et,* quand elle relie deux phrases ou deux constituants. → **Coordination.**

DÉR. Copuler.

COPULER [kɔpyle] v. intr. — 1450; «lier, joindre», XIVᵉ; de *copule.*

Didact. Avoir des relations sexuelles, s'accoupler. *Des animaux qui copulent.* — (Humains). **Plais.** Faire l'amour.

Par métaphore :

C'était plein de nègres, de Chinois, d'Hindous, et d'un tas de gens qui ne savaient pas d'où ils étaient — ils étaient nés dans le grand tunnel où entre les deux tropiques la misère et le lucre se battent et copulent — mais qui nous emboîtaient le pas.
                    DRIEU LA ROCHELLE, la Comédie de Charleroi,
                    p. 175.

COPURCHIC [kopyRʃik] adj. invar. et n. m. — 1886; de *co-, pur,* et *chic;* l'élément *co-* est inexpliqué.

Vx (à la mode peu avant 1900).

♦ **1** Adj. invar. Très élégant.

Une foule élégante, copurchic, se presse devant les comptoirs chargés de lingeries, d'albums, de frivolités (...)
                    Francis JOURDAIN, De mon temps, p. 91.

♦ **2** N. m. Un élégant.

(En parlant d'élégance, de mode). Ce qui se fait de mieux. *«Le copurchic des villes d'eau»* (Verlaine, 1891, *in* T. L. F.).

COPYRIGHT [kɔpiRajt] n. m. — 1878; mot angl., «droit *(right)* de copie».

Droit exclusif que détient un auteur ou son représentant d'exploiter pendant une durée déterminée une œuvre littéraire ou artistique. *Le copyright est obligatoire dans les pays ayant adhéré à la Convention universelle sur le droit d'auteur* (symb. : ©). *Dépôt de copyright. Le copyright de ce livre appartient à tel éditeur, mais il est diffusé, vendu par tel autre. La mention de copyright doit figurer sur chaque exemplaire d'un livre, sur la page de titre ou au verso.*

1. COQ [kɔk] n. m. — V. 1125, Philippe de Thaon; onomat. d'après le cri du coq; pour P. Guiraud, il s'agit d'un mot picard et anglo-normand, probablt du germanique *cocke* «tas», croisé avec le lat. *coccum* «couleur écarlate»; a éliminé l'anc. franç. *jal,* du lat. *gallus.*

♦ **1** Oiseau de basse-cour, mâle de la poule *(Gallinacés).* → **Galliforme.** *Le coq et ses poules. Le bec, les plumes, la queue, les éperons du coq. Les barbillons* (1. Barbillon, cit. 2), *les oreillons, la crête rouge vif du coq.* → **Caroncule.** *Le plumage du coq : camail, duvet ou bouffant, rémiges, lancettes, faucilles* (queue). *La voix claironnante du coq. Le chant du coq.* → **Clairon, coqueliner, coqueriquer, coquerico.** *Chantecler, nom traditionnel du coq. Coqs qui se répondent dans la campagne. Au chant du coq : au point du jour.* — *Jeune coq.* → **Cochelet, cochet, coquelet, poulet.** — *Le caractère hardi, fier, orgueilleux, querelleur, batailleur prêté au coq.* — *Coq de combat : coq élevé pour le combat.* → **Coqueleur.** *Combat de coqs* (→ Allumer, cit. 18). *Armer un coq de combat de ses éperons.* → **régional Armeur.**

1   Jésus lui dit : Je te le dis, en vérité, cette nuit-ci, avant que le coq ait chanté, trois fois tu me renieras.
    (...) Et aussitôt un coq chanta. Et Pierre se souvint de la parole de Jésus (...)
                    BIBLE (CRAMPON), Évangile selon saint Matthieu,
                    XXVI, 34-75.

2   Et de dormir sur pied comme un coq sur la perche.
                    Mathurin RÉGNIER, Satires, XI, 225.

3   Les coqs (...) ont beau chanter matin;
    Je suis plus matineux encore.
                    LA FONTAINE, Fables, VI, 11.

4   Longtemps entre nos coqs le combat se maintient.
                    LA FONTAINE, Fables, VII, 13.

5   (...) le coq jaloux monte sur ses ergots pour un combat suprême; sa queue a l'air d'un pan de manteau que relève une épée.
                    J. RENARD, Histoires naturelles, «Coqs», p. 22.

5.1 (...) ils entendaient, partant des fermes silencieuses et comme endormies, l'encouragement plus hardi, la fanfare des coqs hérauts du matin, tranquilles dans leur cour d'où ils s'adressent au voisinage, à des lieues à la ronde, dans leurs proclamations éclatantes qui sonnent, comme les trompettes des régiments, le réveil, le départ pour la marche, l'infatigable exhortation à toutes les fatigues auxquelles ils ne participent pas.
                    PROUST, Jean Santeuil, Pl., p. 469.

Cuis. *Coq vierge*, châtré. → **Chapon, coquâtre.** *Chaponner, châtrer un coq. Écrêter un coq. Plumer, flamber un coq. Rognons* de coq.* — Préparation à base de coq, de poulet ou de volaille. *Coq au vin, à la bière, au cidre* (→ ci-dessous, au fig., Coq en pâte).

Blason. Figure héraldique représentant un coq de profil, la tête levée et la queue redressée.

Le coq gaulois, symbole national de la France. Symbole représentant un coq de profil et figurant comme girouette sur le clocher d'une église. *Revoir le coq de son clocher.*

Poinçon d'argenterie représentant un coq. *Une timbale au coq.*

5.2 (...) du train qui (...) nous amenait de Paris, mon père l'apercevait *(le clocher)* qui filait tour à tour sur tous les sillons du ciel, faisant courir en tous sens son petit coq de fer (...) PROUST, Du côté de chez Swann, p. 76.

Loc. *Avoir des jambes de coq,* grêles et sèches. — *Mollet de coq,* cambré. *Être rouge comme un coq* (→ Rouge, cit. 12.1), très rouge (notamment, de honte, d'embarras). — *Se battre, faire front comme un petit coq.*

5.3 Le pantalon de toile à carreaux moulait ses jambes sèches de coq. F. MAURIAC, la Pharisienne, p. 36.

(1672, Sévigné, sens douteux). *Être comme un coq en pâte* : être choyé et exempt de soucis. → **Pâte** (cit. 6).

5.4 Tu te mets à table les pieds dans tes pantoufles, tu prends une plume et tu écris ce qui te passe par la tête sans te fatiguer, après tu trouves même quelqu'un pour te publier et te donner des sous. C'est un métier de coq en pâte. R. QUENEAU, le Vol d'Icare, p. 94.

Prov. vieilli. *Ce n'est pas à la poule à chanter devant* (avant) *le coq* : la femme doit toujours céder à son mari, à l'homme.

6 Ce n'est point à la femme à prescrire, et je sommes *(suis)*/Pour celle dessus de tout chose au dehors hommes (...)/La poule ne doit point chanter devant le coq. MOLIÈRE, les Femmes savantes, V.

Passer, sauter du coq à l'âne. → **Coq-à-l'âne.**

♦ **2** **a** **Loc. vieillie.** (1467). *Faire le coq* : avoir une attitude arrogante, prétentieuse, se pavaner. → **Fanfaron.**

b **Vx.** Homme important socialement. *C'est un coq de paroisse, de village.*

7 Un petit bourgeois, le coq de ce canton (...) VOLTAIRE, Lettre à Mᵐᵉ du Deffand, *in* LITTRÉ.

c **Mod.** Homme qui séduit ou prétend séduire les femmes par son apparence avantageuse. *C'est un vrai coq, un petit coq de village. — Le Coq de bruyère,* récit de M. Tournier.

8 (...) tu vis là, chez moi, comme un chanoine, comme un coq en pâte, à te goberger ! FLAUBERT, Mᵐᵉ Bovary, III, II, p. 161.

9 Mon Dieu ! lui, faisait son métier de coq : un homme est un homme, on ne peut pas lui demander de résister aux femmes qui se jettent à son cou. ZOLA, l'Assommoir, t. II, IX, p. 56.

10 De mon séjour en zone libre, que pouvais-je lui transmettre ? (...) mes «histoires de femmes» lui auraient inspiré soit de la réprobation, soit de la vilaine complicité de la mère pour le petit coq qui fait des siennes. Jacques LAURENT, les Bêtises, p. 142.

♦ **3** (1924, in Petiot). **Boxe.** *Poids coq* : catégorie dans laquelle se classent les boxeurs dont le poids est situé entre 50,800 kg et 53, 520 kg.

♦ **4** (1317). Mâle (d'une espèce de Gallinacés). *Coq faisan.* → **Faisan.** *Coq de perdrix*. Coq de bruyère, coq sauvage.* → **Tétras; grianneau, grouse.** *Coq de roche.* → **Rupicole.** *Coq de marais.* → **Gélinote.** *Coq héron.* → **Huppe.** *Coq d'Amérique.* → **Hocco.** *Coq d'Inde.* → **Dindon.**

Dans la jonchée des plumes tombées, Berlaisier ramassa les faisans, trois poules mortes qui semblaient fanées, un coq royal, éclatant de carmin, d'émeraude, et d'or rouillé, chatoyant de fugaces reflets mauves. 11
  M. GENEVOIX, Raboliot, III, 6, p. 189.

Fig. *Coq-de-roche,* adj. invar. «*Des cravates coq-de-roche moins hurlantes que le rire que nous arborons*» (Cendrars, *Moravagine,* Œ. compl., t. IV, p. 181).

♦ **5** (Par anal. de couleur). Rare. Daurade ; rouget.

♦ **6** *Coq des jardins, coq-franc, herbe au coq,* noms vulgaires de la balsamine.

♦ **7** **a** (1641). **Techn.** *Coq de montre* : pont de balancier. → **2. Coqueret.**

b Œuf métallique placé sur une tige, dont on se servait pour repasser les fronces et les bouillonnés (cf. Zola, *l'Assommoir,* p. 510, *in* T.L.F.).

DÉR. Cochelet, cochet, 1. coquard, coquassier, coquâtre, coquelet, coqueleur, coqueliner, 2. coqueret, coquet, 2. coqueter, 3. coqueter, 1. coquetier. — V. Coquerelle, 1. coqueret. ◇ **COMP.** Coq-à-l'âne, coquebin. — V. Coquecigrue, coquerico (et cocorico), coquelourde. → **HOM.** Coke, 2. coq, coque.

2. COQ [kɔk] n. m. — 1671 ; néerl. *kok,* du lat. *coquus* «cuisinier».

Mar. Cuisinier à bord d'un navire. *Le coq est dans la cambuse*, dans la coquerie*. Maître-coq,* le cuisinier en chef. → **Queux.**

HOM. Coke, 1. coq, coque.

COQ-À-L'ÂNE [kɔkalɑn] n. m. invar. — 1536 ; *coq-à-l'asne,* v. 1370 ; de 1. *coq,* et *âne.*

♦ **1** Passage sans transition et sans motif d'un sujet à un autre. *Faire un coq-à-l'âne.* — **Plur.** *Des coq-à-l'âne.*

Ce jour-là le gouvernement saura parler haut et clair ou il laisserait tomber en quenouille ce qui est sa prérogative essentielle. Les coq-à-l'âne ne suffiront plus.
  PROUST, le Côté de Guermantes, t. I, Folio, p. 294.

♦ **2** **Littér.** Épître satirique, burlesque et volontairement incohérente. *Marot a composé des coq-à-l'âne.*

1. COQUARD, ARDE [kɔkaʀ, aʀd] n. — 1803 ; *quoquart,* v. 1300 ; de 1. *coq,* et suff. *-ard.*

♦ **1** N. m. **Vx.** Vieux coq.

Mod. (**Techn.**). Oiseau obtenu par le croisement du faisan et de la poule.

♦ **2** **Fig. et péj.** Niais prétentieux. — **REM.** À peu près inusité, surtout au féminin.

HOM. (Du fém.) Cocarde. — 2. Coquard.

2. COQUARD ou **COQUART** [kɔkaʀ] n. m. — 1867 ; probablt de *coque,* et *-ard,* d'après l'idée d'«objet rond».

♦ **1** Pop. Œil.

♦ **2** Fam. Œil au beurre noir ; coup sur l'œil.

Monsieur Jadis avait oublié ce coquard, contracté dans le tourbillon du panier à salade. Passant sa main sur sa paupière, il ressentit une légère douleur qui ne le renseigna pas sur le volume ni sur la couleur. 1
  A. BLONDIN, Monsieur Jadis, p. 157.

Il est amusant (ce chien) avec ce coquart sur l'œil et ces plumeaux en guise de sourcils. 2
  H. TROYAT, Tendre et violente Élisabeth, p. 425.

Var. graphique : *cocard, cocart.*

COQUASSIER [kɔkasje] n. m. — 1546, Rabelais; de 1. *coq*, et -*assier*.

Vx ou rare. Marchand d'œufs. → 1. **Coquetier.**

Ces montures étaient aussi les seuls chevaux de Chantilly inaptes à la course, les chevaux des coquassiers.
    GIRAUDOUX, Juliette au pays des hommes, p. 76.

COQUÂTRE ou **COCÂTRE** [kɔkatʀ] n. m. — 1450, *coquastre*, adj.; nom, 1690; de 1. *coq*, et -*âtre*.

Techn. Coq châtré à moitié, demi-chapon.

COQUE [kɔk] n. f. — V. 1275; orig. incert.; on évoque le lat. *coccum* «kermès», du grec *kokhos* «graine», et aussi le lat. *concha*. → Conque.

I ♦ **1** ⓐ (1306). Vx ou littér. Enveloppe extérieure calcaire d'un œuf d'oiseau. *Poussin qui brise sa coque.* → **Coquille** (mod. et courant).

Loc. mod. À LA COQUE. *Œuf à la coque* : œuf de poule cuit quelques minutes à l'eau bouillante, dans sa coque. *Tu préfères les œufs sur le plat, ou à la coque ? Faire cuire des œufs à la coque dans une coquetière.*

1 Les œufs furent leur unique ressource et encore à la coque, frais ou non.   SAINT-SIMON, Mémoires, *in* LITTRÉ.

2 Il y a des poules qui donnent des œufs hardés ou sans coque (...)
    BUFFON, Hist. nat. des oiseaux, III, 107, *in* LITTRÉ.

ⓑ Fig. et vieilli. Enveloppe qui protège, dissimule la personnalité de qqn. — Loc. *Se renfermer, se fermer dans sa coque* : vivre à l'écart de toute société ou en soi-même, sans prêter attention au monde extérieur (plus cour. : *dans sa coquille*). → **Retraite, solitude, tour** (d'ivoire).

Par anal. (avec le poussin qui vient de briser sa coque). *Sortir de sa coque* : être très jeune et manquer d'expérience.

♦ **2** Enveloppe naturelle plus ou moins rigide.

ⓐ Vx. Cocon. *Coque de chrysalide** (→ Art, cit. 25; brosse, cit. 3).

3 Le grand insectologiste M. de Geer parle de coques de chenilles qui avaient la consistance d'un parchemin.
    Charles BONNET, Contemplation de la nature,
    1764, XII. 34, *in* LITTRÉ.

Coquille (d'huître).

ⓑ (V. 1275). Mod. *Coque d'amande, de noisette, de noix, de noix de coco*, enveloppe ligneuse de ces fruits. → **Coquille.** *Trois noisettes dans leurs coques* (blason). → **Coquerelle.**

4 Il pouvait encore, à soixante-dix ans et plus, vous écraser une amande à la coque dure, sous son pouce plat, sans le moindre effort. Labartelade seul savait en faire autant, mais il était plus jeune, et il serrait la mâchoire en cassant la coque.   H. BOSCO, Un rameau de la nuit, II, p. 43.

Vx. COQUE DE NOIX. → **Coquille.** — Loc. fig. *Je n'en donnerais pas pour une coque de noix* : je n'en fais aucun cas. — *Coque de noix* : très petite embarcation. → **Coquille.**

4.1 Cependant, la tempête arrivait. À 1 heure du matin, les premières grandes vagues commencèrent à jouer avec ma coque de noix. Pendant les derniers jours de ma traversée je n'allais pas être épargné.
Si pendant les vingt jours de tempête que j'avais déjà subis, les vagues avaient rempli deux fois mon bateau (...)
    Alain BOMBARD, Naufragé volontaire, p. 242.

Bot. Enveloppe rigide des fruits à loges* (autres que les noix, etc.; → ci-dessus). Parois de ces loges. *Les coques de la capucine, des euphorbiacées.* — Ensemble des enveloppes externes (péricarpe) du fruit séché du caféier.

Anat. Capsule condylienne.

♦ **3** (1751). Coquillage marin comestible (mollusque bivalve, *Cardiidés*), à coquille symétrique arrondie, à stries rayonnantes, très commun. *Pêcheur de coques.* → 3. **Coquetier.**

5 (...) les oiseaux de mer un enfant pieds et jambes nus poudrés de sel il cherche des crabes des coques des solens (...)
    Tony DUVERT, Paysage de fantaisie, p. 224.

♦ **4** (1827, *in* D.D.L.). *Coque de cheveux* : boucle, réunion de cheveux en forme de coque (d'œuf), gonflés ou tournés. → **Bouffette, choupette.**

6 (...) les toutes petites mousmées de dix ans (...) ayant déjà de hautes coiffures et d'imposantes coques de cheveux comme les dames.
    LOTI, Mᵐᵉ Chrysanthème, XXXVIII, p. 195.

7 La miniature représente une jeune dame à coiffure trilobée – une grosse coque en haut, une grappe de boucles, genre chipolatas, sur chaque tempe.
    COLETTE, l'Étoile Vesper, p. 98.

8 Dressé sur l'oreiller, grandi soudain, en pleine lumière, M. Thibault, avec sa mentonnière dont les deux coques ridicules s'érigeaient en cornes sur sa tête, avait pris l'aspect d'un personnage de légende (...)
    MARTIN DU GARD, les Thibault, t. IV, p. 189.

En coque. «*Les cheveux* (...) *relevés en coque sur la droite...*» (Claude Simon, *le Palace*, p. 75).

(1827). Rubans, tissu en forme de coque; nœud bouffant.

9 Seconde jupe, taillée par devant en tablier carré et venant rejoindre, par derrière, une écharpe nouée, avec coques et longs pans garnis de plissés.
    MALLARMÉ, la Dernière Mode,
    Gravures noires du texte, Pl., p. 730.

♦ **5** Mar. Boucle que forme (accidentellement) un cordage. *Les drisses «retournées à plat sur le pont pour pouvoir filer claires, sans coques»* (B. Moitessier, *Cap Horn à la voile*, p. 76).

♦ **6** (par métaphore des sens 1 ou 2). Littér. Ce qui entoure, enveloppe, protège.

II ♦ **1** (1834). Ensemble formé par la membrure et le revêtement extérieur (d'un navire). → **Carcasse, corps.** *Partie renflée de la coque.* → **Ventre.** *Partie immergée de la coque.* → **Carène.** *Double coque, inté-rieure, destinée à garantir le navire en cas de voie d'eau.* → **Cofferdam.** *Le calfatage* d'une double coque. Bateau à une, à plusieurs coques.* → **Mono-coque, multicoque.**

10 L'eau verte pénétra ma coque de sapin.
    RIMBAUD, Poésies, «Le bateau ivre».

11 Dans une minuscule pirogue, un maigre isolé chasse l'eau envahissante, d'un claquement de jambe contre la coque.
    GIDE, Voyage au Congo, *in* Souvenirs, Pl., p. 686.

12 D'esclave, il devint mystérieusement le patron d'une barque; et de marin, se fit maître calfat. Las de radoubs, et laissant les vieilles coques pour les neuves, il s'institua constructeur de navires.   VALÉRY, Eupalinos, p. 104.

♦ **2** (1929). Partie centrale du fuselage (d'un avion, d'un aéronef). *Coque d'avion, d'hydravion.*

♦ **3** (1951). Bâti rigide remplaçant le châssis et la carrosserie. → **Monocoque.** *Coque d'automobile.*

DÉR. 2. Coquard, coquerelle, 2. coquetier, 3. coquetier, coquetière. ◊ COMP. V. Coquecigrue. — Monocoque, multicoque. — REM. Plusieurs comp., dicoque, tricoque, tétracoque..., multicoque, sont attestés en botanique : «à une, deux, trois, quatre..., plusieurs loges», en parlant des fruits. ◆ HOM. Coke, 1. coq, 2. coq.

-COQUE Élément, du grec *kokkos* «grain», servant à former des noms de micro-organismes. — Ex. : *diplocoque, gonocoque, microcoque, pneumocoque, staphylocoque, streptocoque.* — Les noms de maladies correspondants sont en -*coccie* (de -*coccus* «-coque» en lat. sav.). → Coccus, 3.). Ex. : *mélitococcie, méningococcie, pneumococcie.*

COQUEBIN [kɔkbɛ̃] n. m. et adj. — 1426; de 1. coq «fanfaron»; cf. coquebert, cokebert, XIIIᵉ.

Vieux.

◆ **1** N. m. Jeune garçon encore très naïf. → **Innocent, niais.**

1 (...) le visage de Mᵐᵉ Chasseglin prit l'expression alléchée d'une matrone à qui un coquebin avoue en rougissant sa parfaite innocence. H. TROYAT, le Vivier, p. 42.

◆ **2** Adj. Niais, naïf. Un air coquebin.

2 Quel contraste avec le Paris ensoleillé, gai, vivant, que notre enthousiaste coquebin a eu le plaisir d'apercevoir la veille ! Georges LECOMTE, Ma traversée, p. 117.

COQUECIGRUE [kɔksigʀy] n. f. — 1534, orig. obscure; les éléments coq, grue et p.-ê. cigogne sont vraisemblablement utilisés; pour P. Guiraud, de coque «coquille, objet sans valeur», syn. du lat. ciccum «pellicule de grenade, zeste», d'où «un rien», et finale de l'anc. franç. gruer «attendre», d'où coquecigrues «attente de rien».

Vieux.

◆ **1** Oiseau fantastique, d'invention burlesque. Un franc viédaze (cit. Gautier) regardant voler les coquecigrues. — Loc. À la venue des coquecigrues : jamais.

1 (Pichrochole) fut avisé par une vieille lourpidon (sorcière) que son royaume lui serait rendu à la venue des coquecigrues. RABELAIS, Gargantua, 49, p. 163.

Regarder voler les coquecigrues : se faire des illusions.

◆ **2** Archaïsme littér. Insanité, chose inventée. → **Baliverne, sornette.** Il invente toutes sortes de coquecigrues.

2 (...) la psychanalyse ne quitte pas l'individu, ne recourt pas aux coquecigrues de la psychologie théorique : on s'apercevra vite que le complexe d'Œdipe est aussi répandu que l'amour.
 MALRAUX, l'Homme précaire et la Littérature, p. 188.

◆ **3** Ononix (plante).

COQUELET [kɔklɛ] n. m. — 1790; de 1. coq, et -(el)et.

◆ **1** Jeune coq (désigne plus souvent l'animal préparé pour être mangé que l'animal vivant). → **Poulet.** Coquelet au vin blanc, coquelet grillé. — REM. Le mot, courant dans l'usage de la restauration, est plus valorisé que poulet; théoriquement, il désigne un jeune coq (non châtré).

◆ **2** Vx et péj. Jeune homme prétentieux; jeune coq (fig.).

COQUELEUR [kɔklœʀ] ou **COQUELEUX** [kɔklø] n. m. — 1876, coqueleux; coqueleur, 1935; de 1. coq, et -(el)eur, -(el)eux.

Régional (Nord, Belgique). Éleveur de coqs de combat. «La passion des coqueleurs est-elle un jeu ou un sport?» (le Coq gaulois, 15 mars 1971, p. 5). Les coqueleux des Flandres.

Une dispute s'engageait au bout du cabaret entre deux hommes qui portaient des sacs blancs. Des coqueleurs, que l'atmosphère du cabaret surexcitait. Ils tirèrent leurs coqs. M. VAN DER MEERSCH, Invasion 14, t. I, p. 100.

COQUELICOT [kɔkliko] n. m. et adj. invar. — 1547; coquelicoq, 1545; altér. de coquerico, a désigné d'abord le coq (1339), puis la fleur (XVIᵉ) à cause de sa ressemblance avec la crête du coq.

◆ **1** Petit pavot sauvage, à fleurs d'un rouge vif, qui croît dans les champs. → **Ponceau.** Le coquelicot a des tiges flexibles hérissées de poils, des fleurs rouges. Le coquelicot entre dans la composition de la tisane des quatre fleurs.

Mais çà et là, au revers des talus, dans les champs, tout à coup un coquelicot né de la chaleur de l'été, hôte de ses herbes touffues et de son ombre lumineuse, dressait sur le cordon tendu de sa mince tige verte sa fleur éclatante et simple comme un seul vaste pétale rouge.
 PROUST, Jean Santeuil, Pl., p. 461.

Loc. Être rouge comme un coquelicot, rouge de confusion, de timidité.

Adj. invar. De la couleur du coquelicot. Rouge coquelicot. Des robes coquelicot.

◆ **2** Confis. Bonbon parfumé au coquelicot.

◆ **3** (Par anal. de couleur). Personne, soldat vêtu de rouge.

COQUELINER [kɔkline] v. intr. — 1752; autre sens, 1611; de 1. coq, (el)in, et -er.

Rare. Chanter (en parlant du coq). — Syn. : coqueriquer.

COQUELLE [kɔkɛl] n. f. — 1750; altération de coquemar, par changement de suffixe.

Régional (Centre, Franche-Comté, franco-provençal). Casserole, cocotte en fonte, avec ou sans pieds.

COQUELOURDE [kɔklurd] n. f. — 1539; orig. obscure; p.-ê. de coque, et l'adj. lourd, ou altér. de cloquelourde; cf. herbe aux cloques; 1. coq est certainement en cause pour le sens 2; P. Guiraud propose coquelle «fleur à calice arrondi en forme de coque», de coque, et -ourde, de l'adj. ord, ourd, d'après le lat. horridus «méchant, dangereux», d'où coquelourde «coquelle dangereuse».

◆ **1** Anémone pulsatille, dite aussi coquerelle.

◆ **2** Fleur rouge ou jaune (nom commun à plusieurs espèces : lychnis, narcisse...).

COQUELUCHE [kɔklyʃ] n. f. — 1414; orig. obscure; p.-ê. rattaché à coque, coquille (désignant notamment un capuchon), et dernier élément de capuche.

◆ **1** Anciennt. Capuchon que portaient les femmes. → **Coqueluchon.**

◆ **2** (Av. 1453; évolution de sens obscure : la maladie prend la tête du malade, mais la toux a pu être comparée au cri du coq). Cour. Maladie contagieuse, caractérisée par une toux convulsive. Enfant atteint de coqueluche. → **Coquelucheux.** Quintes de la coqueluche. Le bacillus pertussis, bacille de la coqueluche. Attraper, avoir la coqueluche. Vaccination contre la coqueluche. → **Anticoquelucheux.**

Vois-tu mon ami, l'amour, c'est comme la coqueluche : tôt ou tard, faut l'avoir. 0.1
 LABICHE, Deux merles blancs, III, 13.

◆ **3** (1625; du sens 1; cf. être coiffé de qqn). Fig. Être la coqueluche de... : être en vogue, faire l'objet des conversations, être aimé, admiré (dans un lieu, un milieu). → **Favori, idole.** Il est la coqueluche du pays : toutes les femmes en raffolent, en sont «coiffées».

(...) lorsque vous étiez la coqueluche ou l'entêtement de certaines femmes qui ne juraient que par vous (...) 1
 LA BRUYÈRE, les Caractères, V, p. 66.

Beau, vigoureux, gaillard, la coqueluche des femmes, le bourreau des cœurs (...) 2
 FRANCE, le Petit Pierre, p. 158.

Vous savez ce qu'elle aime en ce moment? Piero Della Francesca, comme par hasard, justement lui, pour ne pas faire comme tout le monde, ha, ha, juste maintenant quand il est la coqueluche (...) 3
 N. SARRAUTE, Vous les entendez?, p. 67.

Rare. Chose qui est l'objet d'un engouement.

DÉR. Coquelucheux, coqueluchon.

COQUELUCHEUX, EUSE [kɔklyʃø, øz] adj. et n.
— 1868 ; de *coqueluche.*

♦ **1** Adj. et n. Atteint de la coqueluche. *Un enfant coquelucheux.* — N. *Un coquelucheux, une coquelucheuse.*

Moi aussi, je tousse comme un coquelucheux (...)
R. ROLLAND, *in* Deux hommes se rencontrent,
p. 206.

♦ **2** De la coqueluche, qui est relatif à la coqueluche. *Toux coquelucheuse.*

COMP. **Anticoquelucheux.**

COQUELUCHON [kɔklyʃɔ̃] n. m. — Fin XVᵉ ; de *coqueluche,* et *-on.*

♦ **1** Ancienn. Capuchon porté par les femmes.

(...) ou bien elles portent le coqueluchon qui sera plus tard la Thérèse.
Ed et J. DE GONCOURT, la Femme au XVIIIᵉ siècle,
t. II, p. 51.

♦ **2** Régional. Primevère officinale.

COQUEMAR [kɔkmaʀ] n. m. — 1280 ; orig. obscure, p.-ê. du néerl. *kookmoor,* ou du bas lat. *cucuma.*

Bouilloire à anse. → **Coquelle.**

1 Un maigre feu léchait de ses langues jaunes la plaque de la cheminée, et de temps en temps atteignait le fond d'un coquemar de fonte pendu à la crémaillère (...)
Th. GAUTIER, le Capitaine Fracasse, t. I, p. 13.

2 (...) Rose mettait au feu le coquemar qui contenait le cidre sucré. P. MAC ORLAN, l'Ancre de miséricorde, p. 46.

Par métonymie. Contenu d'un coquemar.

DÉR. **Coquelle.**

COQUERELLE [kɔk(ə)ʀɛl] n. f. — 1600, au sens 1 ; de *coque* (ou 1. *coq* pour le sens 1), et *-erelle (-elle).*

♦ **1** Bot. ou régional. → 1. **Coqueret** (plante).

♦ **2** (1690). Blason. Figure représentant trois noisettes dans leurs coques.

1. COQUERET [kɔkʀɛ] n. m. — 1545, *coqueret* ; probablt de 1. *coq,* et *-eret (-et).*

Botanique ou régional.

♦ **1** Bot. Plante vivace *(Solanacées),* appelée aussi *alkékenge*.* → **Physalis.**

(...) un peuple de pyrèthres roses et blancs, des corylopsis et des coquerets veinés comme des poumons (...)
COLETTE, Flore et Pomone, *in* Gigi, p. 178.

♦ **2** Régional. Anémone pulsatile. — Syn. : *coquelourde.*

2. COQUERET [kɔkʀɛ] n. m. — 1804 ; de 1. *coq* (7.).

Techn. (horlog.). Petite pièce circulaire servant à fixer le pivot du balancier.

COQUERICO [kɔkʀiko] n. m. — 1547, *coquerycoq* ; *coquelicoq,* av. 1550 ; *cocorico,* 1862 ; onomatopée formée sur 1. *coq.*

Cri du coq. — REM. On dit, on écrit aussi *cocorico*. Les coqs lançant leurs coquericos. Pousser des coquericos éclatants.*

En regardant ma belle pendule de bronze, je me disais : voilà un meuble bien inutile, puisque je connais l'heure au soleil et que, la nuit, les coqs me chantent en coquericos retentissants. Louise MICHEL, la Misère, t. I, p. 216.

DÉR. **Coqueriquer.**

COQUERIE [kɔkʀi] n. f. — 1845 ; de l'angl. *cookery,* de *cook.* → 2. **Coq.**

Mar. Cuisine (à bord ou à terre).

HOM. **Cokerie.**

COQUERIQUER [kɔkʀike] v. intr. — 1771 ; *coqueliquer,* 1625, *in* D.D.L. ; de *coquerico.*

Chanter (en parlant du coq). — Syn. : *coqueliner.*

On ne sait jamais ces choses-là. Tenez même le coq... Il chante !
Oui, mais aussi il coquerique...
Claude MAURIAC, le Dîner en ville, p. 151.

COQUERON [kɔkʀɔ̃] n. m. — 1702 ; angl. *cook-room,* de *to cook* «cuire», et *room* «pièce».

Techn. (navig.). Compartiment étanche à l'avant ou à l'arrière de la coque d'un navire, qu'on peut remplir d'eau pour régler l'assiette du bateau. *Coqueron arrière, coqueron avant.*

COQUET, ETTE [kɔkɛ, ɛt] adj. et n. — 1643 ; n. m., 1611, «petit coq» ; de 1. *coq,* et suff. *-et.*

A ♦ **1** (1643). Vx. Qui cherche à plaire, à séduire (physiquement, intellectuellement ou moralement).

C'était *(Fénelon)* un esprit coquet qui, depuis les personnes 1
les plus puissantes jusqu'à l'ouvrier et au laquais, cherchait à être goûté et voulait plaire.
SAINT-SIMON, Mémoires, t. I, XVII, p. 237.

La femme est coquette par état, mais sa coquetterie change 2
de forme et d'objet selon ses vues.
ROUSSEAU, Émile, IV.

REM. *Cet exemple peut être compris au sens 2, mais il semble plus général.*

♦ **2** Spécialt. (Vieilli ou littér.). Qui cherche à plaire aux personnes du sexe opposé. *Se montrer coquet, empressé auprès des dames.* → **Flirteur, fringant, galant.** *Elle est un peu trop coquette.* — N. (→ ci-dessous, cit. 3 et 4). *Faire le coquet. Petite coquette.*

Son rival autour de la poule 3
S'en revint faire le coquet (...)
LA FONTAINE, Fables, VII, 13.

Vous pensiez fort bien trouver quelque jeune coquette, 4
Friande de l'intrigue, et tendre à la fleurette ?
MOLIÈRE, l'École des maris, II, 6.

(...) Zoé était une petite fille très jolie, très coquette et qui 5
ne pensait à mal. M. PAGNOL, Marius, IV, 5.

N. f. (Vieilli ; cour. du XVIIᵉ au XIXᵉ). **COQUETTE** : femme qui recherche les hommages masculins, par pur esprit de conquête ; femme frivole. → (vieilli) **Célimène, cruelle ;** (mod.) **aguicheuse, allumeuse** (→ Âge, cit. 39). *Amusements* (cit. 9) *de coquette. Manège, agaceries de coquette.* → **Coquetterie.** *Une vieille coquette qui a passé l'âge et se rend ridicule* (→ Compter, cit. 12).

Quand nous nous serons prouvé l'un à l'autre que je suis 6
une coquette et vous un libertin, uniquement parce qu'il est minuit et que nous sommes en tête à tête, voilà un beau fait d'armes que nous aurons à écrire dans nos Mémoires !
A. DE MUSSET, Un caprice, 8.

REM. *L'adj. fém. peut évoquer l'une ou l'autre de ces valeurs.*

Mais surtout elle était née coquette ; et, dès qu'elle se sentit 7
libre dans l'existence, elle se mit à poursuivre et à dompter les amoureux, comme le chasseur poursuit le gibier, rien que pour les voir tomber.
MAUPASSANT, Notre cœur, I, II, p. 38.

Rôle de grande coquette : au théâtre, Rôle de jeune femme élégante et séduisante (Célimène, Elmire, la comtesse Almaviva...) dans une comédie de caractère. *Jouer les grandes coquettes. La grande coquette de la troupe,* l'artiste spécialisée dans ce genre de rôle.

Fig. *Jouer les grandes coquettes :* chercher à séduire.

Ancienn. (XVIIIᵉ). «La coquette», mouche que les élégantes fixaient sur la lèvre.

Et quelle attention à jeter joliment ces amorces d'amour 7.1
(...) à poser, selon les règles, l'assassine au coin de l'œil

(...) la *galante* au milieu de la joue, et la *coquette*, appelée aussi *précieuse* et *friponne*, auprès des lèvres !

> Ed. et J. DE GONCOURT,
> la Femme au XVIIIᵉ siècle, t. II, p. 47
> (cf. Assassin, cit. 14.1).

♦ 3 (Avec un nom désignant une action, etc.). *Mine, manœuvre, attitude coquette.* → **Provocant.** *Œillade coquette.* → **Assassin** (œillade assassine).

8 *(Célimène)* De qui l'humeur coquette et l'esprit médisant (...)   MOLIÈRE, le Misanthrope, I, 1.

9 Ces phrases furent dites d'un ton si coquet, que monsieur de Montriveau ne pouvait se défendre d'accepter l'invitation.

> BALZAC, la Duchesse de Langeais, Pl., t. V, p. 167.

♦ 4 N. f. **COQUETTE** : poisson de couleurs vives.

9.1 Ici se poursuivent l'isabelle violette et vert d'or et la coquette jaune de feu, noire et striée de vermillon.

> Jean CAYROL, Histoire de la mer, 1973, p. 56.

B Cour. **♦ 1** (1743 ; personnes). Qui veut plaire par sa mise, qui a le goût de la toilette, de la parure. *Une petite fille très coquette. Il est plus coquet que sa femme. Homme trop coquet.* → **Dameret, dandy** (→ aussi Attifer, cit. 6). *Personne coquette, soignée. Petite Parisienne coquette.* → **Élégant.**

10 Une vieille fée, marraine de quelque princesse méconnue, avait seule pu tourner autour du cou de cette coquette personne le nuage d'une gaze dont les plis avaient des tons vifs que soutenait encore l'éclat d'une peau satinée. La duchesse était éblouissante.

> BALZAC, la Duchesse de Langeais, Pl., t. V, p. 174.

11 Pour ses pieds, dont elle est si justement coquette, Joséphine essaie tour à tour tous les marchands qui ont la vogue.

> Frédéric MASSON,
> la Journée de l'impératrice Joséphine, p. 33.

12 Il *(Ibsen)* est coquet ; il a le soin de sa personne : on le voit lui-même dans un jeu de scène admirable, quand Borkmann *(l'un de ses personnages)...* prend une petite glace à main, s'y mire, remet de l'ordre dans ses cheveux, rajuste sa cravate.

> André SUARÈS, Trois hommes, «Ibsen», p. 107.

12.1 Je ne suis pas coquet. Je me soucie assez peu de l'élégance. Mais, peut-être à cause de cela, j'ai horreur de me singulariser.   G. SIMENON, les Mémoires de Maigret, p. 45.

Coquet de... (suivi d'un nom désignant une partie du vêtement). *Filles «coquettes des dessous qu'elles montrent»* (Colette, *in* T.L.F.). — *Être coquet, coquette de ses dents, de ses cheveux,* en être fier, chercher à les mettre en valeur.

N. (rare au masc.). *Un coquet, une coquette.*

♦ 2 (Choses). Qui a un aspect élégant et soigné. → **Mignon, pimpant.** *Parure, coiffure coquette. Petit nœud coquet. Petit tablier coquet. Logement, mobilier coquet. Il habite une coquette petite ville. Vitrine, présentation coquette. Agencement coquet. C'est très coquet, chez vous.* → **Charmant, gentil.**

13 As-tu jamais vu dans les rues une grisette trottant menu ? Sa tête vaut un tableau : joli bonnet, joues fraîches, cheveux coquets, fin sourire, le reste est à l'avenant.

> BALZAC, la Duchesse de Langeais, Pl., t. V, p. 200.

C (1899). D'une importance assez considérable, qui séduit par son importance. → **Gentil, joli, rondelet.** *Un magot, un héritage assez coquet. Atteindre un total, un chiffre plutôt coquet. Il en a coûté la coquette somme de... Une coquette fortune.*

CONTR. Bourru, misanthrope, ours, sauvage. — Ingénu, innocent, naturel, sincère. — Négligé. — Insignifiant, négligeable. ◊ DÉR. 1. Coqueter. — Coquettement.

1. **COQUETER** [kɔkte] v. intr. [CONJUG. : *jeter.*] — 1611 ; de *coquet* «petit coq», et *-eter.*

♦ 1 (1611). Vieilli. Se pavaner, faire des grâces comme le coq au milieu des poules. → **Minauder, poser.**

(...) la petite bonne, qui coquetait et faisait des grâces pour le monsieur, ayant compris qu'il la trouvait à son goût. 1

> MAUPASSANT, Notre cœur, III, I, p. 256.

Elle se mit à coqueter comme une coupable, jeta des 1.1 miettes aux passereaux, se récria devant un rouge barrage de géraniums.

> COLETTE, Julie de Carneilhan, p. 154.

♦ 2 Vieilli ou littér. Faire le coquet, la coquette avec une personne de l'autre sexe. → **Flirter, marivauder.** *Coqueter avec une jolie personne.* → **Cour** (faire la cour à), **courtiser.**

Ils ont en ce pays de quoi se contenter, 2
Car les femmes y sont faites à coqueter (...)

> MOLIÈRE, l'École des femmes, I, 4.

Elles vont coquetant, riant, jouant de l'œil (...) 3

> Edmond ROSTAND, l'Aiglon, IV, 9.

(En parlant d'homosexuels) :

Il divague en des visions farouches, tandis qu'au pédé de 3.1 latinité douteuse succèdent des garçons en blousons de cuir noir et pantalons de cuir blanc qui manient des guitares électriques, puis d'autres, plus féminins, qui dansent et coquettent en jouant d'ombrelles brodées (...)

> A. PIEYRE DE MANDIARGUES, la Marge, p. 173.

♦ 3 Fig. et vieilli. *Coqueter avec* (qqch.) : entretenir des relations étroites. → **Flirter.**

Sanguinetti a coquété avec tous les pouvoirs. 3.2

> ZOLA, Rome, p. 445.

Le trouble était si grand que (...) certains intellectuels allè- 4 rent jusqu'à coqueter avec l'anarchie, un moment fort en vogue (...)   Georges LECOMTE, Ma traversée, p. 101.

DÉR. V. 3. Coqueter.

2. **COQUETER** [kɔkte] v. intr. [CONJUG. : *jeter.*] — D. i. ; de 1. *coq,* et *-eter.*

Vx. → **Côcher.**

3. **COQUETER** [kɔkte] v. intr. — Déb. XVIᵉ ; de 1. *coq,* et 1. *coquer.*

Vieilli. Caqueter, glousser (en parlant d'une poule).

1. **COQUETIER** [kɔktje] n. m. — 1307, *in* D.D.L. ; de 1. *coq,* et *-(t)ier.*

Comm. (Vieilli). Marchand d'œufs, de volailles en gros. *Les coquetiers allaient de ferme en ferme pour ramasser les œufs, le beurre, la volaille pour les diriger vers les centres* (→ Arriver, cit. 5). → **Volailler.** — Syn. : *coquassier.*

2. **COQUETIER** [kɔktje] n. m. — 1524 ; de *coque,* et *-ier,* avec intercalation du *-t-.*

Cour. Petite coupe dans laquelle on met un œuf pour le manger à la coque. *Un coquetier d'argent, de bois, de porcelaine.*

Loc. fam. *Décrocher, gagner le coquetier* : réussir (→ Décrocher la timbale*, et, par confusion, le cocotier).

3. **COQUETIER** [kɔktje] n. m. — XXᵉ ; de *coque* (I., 3.).

Techn. Pêcheur de coques.

COQUETIÈRE [kɔktjɛR] n. f. — 1786 ; de *coque,* et *-(t)ière.*

Cuis. Ustensile où l'on met à cuire les œufs à la coque. *Coquetière électrique.*

Elle ouvrit le grimoire à la page soixante-deux. Des figures représentaient des *coquetières.*

Préfères-tu la coquetière en fer-blanc de la première figure (...) On la plonge avec les œufs dans une casserole d'eau bouillante. On la couvre, on la retire aussitôt du feu. En cinq minutes, les œufs sont en lait et ne cuisent guère plus.

> P. GUTH, le Naïf sous les drapeaux, III, IV, p. 160.

COQUETTEMENT [kɔkɛtmɑ̃] adv. — 1770, Rousseau, de *coquet*, et *-ment*.

D'une manière coquette.

◆ 1 Vx. Avec le souci de plaire.

Spécialt. (Littér.). Avec coquetterie (psychologique, intellectuelle). *«Regard coquettement tendre»* (Proust).

◆ 2 Mod. (En parlant de la toilette, de la parure). Avec une élégance coquette. *Elle portait un béret coquettement posé sur l'oreille.*

◆ 3 (En parlant d'un décor). Avec goût, soin, élégance. *Une chambre, une maison coquettement meublée.*

COQUETTERIE [kɔkɛtʀi] n. f. — 1651; de *coquet*.

◆ 1 Vieilli ou littér. Souci de se faire valoir pour plaire, par des manières recherchées. → **Amabilité.** *Coquetterie étudiée.* → **Affectation, afféterie.** *Mettre toute sa coquetterie à...* (→ Mettre son amour-propre* à..., se donner les gants* de...). *Avoir la coquetterie d'en faire plus qu'il ne faut, de se tirer seul d'un pas difficile. Coquetterie en matière de mode et snobisme*.*

1 C'est une espèce de coquetterie de faire remarquer qu'on n'en fait jamais.
    LA ROCHEFOUCAULD, Maximes, 107.

La coquetterie de : le goût affecté pour...

2 Les propos des salons, trop souvent inspirés par la mode, par la coquetterie des opinions rares, du paradoxe et de la préciosité (...)
    Georges LECOMTE, Ma traversée, p. 265.

Des coquetteries : des manières aimables, par quoi on cherche à plaire. *Avoir des coquetteries intellectuelles.*

2.1 (...) je prenais des airs, je mettais mes coquetteries à montrer mon habileté physique plutôt que mes dons intellectuels.
    CAMUS, la Chute, p. 65.

◆ 2 (1657). Souci de plaire aux personnes de l'autre sexe, attitude quelque peu provocante que l'on adopte avec elles. *Coquetterie masculine* (→ **Galanterie, séduction**)*, féminine. Coquetterie innocente. Coquetterie agressive*. Coquetterie perverse :* désir de susciter et d'entretenir chez qqn un amour que l'on n'est pas disposé à partager, à contenter. *Scènes de coquetterie. La coquetterie d'un geste. Sans coquetterie :* franchement. — *La coquetterie de qqn, sa coquetterie. Mettre sa coquetterie, toute sa coquetterie à... Une, des coquetteries,* acte, comportement de coquetterie. *Coquetteries aguichantes, agaçantes* (cit. 2). → **Agacerie, minauderie** (cit. 3). — REM. Le mot, surtout dans ce dernier emploi, se dit traditionnellement des femmes, dites *coquettes*.*

3 Les femmes croient souvent aimer, encore qu'elles n'aiment pas : l'occupation d'une intrigue, l'émotion d'esprit que donne la galanterie, la pente naturelle au plaisir d'être aimée, et la peine de refuser, leur persuadent qu'elles ont de la passion, lorsqu'elles n'ont que de la coquetterie.
    LA ROCHEFOUCAULD, Maximes, 277.

4 Le plus grand miracle de l'amour, c'est de guérir de la coquetterie.
    LA ROCHEFOUCAULD, Maximes, 349 (cf. aussi Maximes 241 et 334, 376).

5 C'est l'esprit que la vanité de plaire nous donne, et qu'on appelle, autrement dit, la coquetterie.
    MARIVAUX, la Vie de Marianne, II, p. 48.

6 N'est-elle *(la pudeur)* chez la femme qu'une coquetterie bien entendue?
    BALZAC, la Physiologie du mariage, Pl., t. X, p. 860.

7 J'ai su, par mes propres douleurs, combien mes coquetteries vous ont fait souffrir; mais j'étais alors dans une complète ignorance de l'amour.
    BALZAC, la Duchesse de Langeais, Pl., t. V, p. 244.

8 (...) retirée à l'ombre et recueillie, elle *(Mme Récamier)* garda toujours son désir de conquête et sa douce adresse à

gagner les cœurs, disons le mot, sa coquetterie; mais (...) c'était une coquetterie angélique.
    SAINTE-BEUVE, Causeries du lundi, 26 nov. 1849, p. 126.

9 (...) la *coquetterie,* c'est-à-dire le jeu délibéré des alternances, jeu qui consiste à tendre l'appât, puis à le retirer, puis à le tendre encore, semble bien fait pour éveiller et pour entretenir un amour. Comme le jeune chat se laisse tenter et bondit sur la pelote de laine, offerte puis refusée, ainsi la jeune proie humaine se laisse prendre aux agaceries de la coquette. C'est un mouvement naturel et facilement explicable que de poursuivre ce qui se refuse et de refuser ce qui s'offre (...)
    A. MAUROIS, Un art de vivre, II, II, p. 59.

9.1 Il l'avait revue (...) retenu et irrité chaque fois de la coquetterie tendrement insolente par quoi elle stimulait son désir (...)
    MALRAUX, la Condition humaine, p. 180.

Loc. *Être en coquetterie avec qqn,* chercher à le séduire en étant soi-même sensible à son charme; être en relations de séduction réciproque. — Par ext. *Être en coquetterie avec* (un groupe, une abstraction), en bons termes.

9.2 On disait que Montgerrand, autrefois mangeur de prêtres, était à présent en coquetterie souriante avec le clergé.
    ZOLA, Paris, t. I, p. 104.

◆ 3 Fig. et fam. *Avoir une coquetterie dans l'œil :* être affligé d'un léger strabisme.

10 Elle n'était pas maigre, elle était mince et elle louchait pas, elle avait ce que l'on appelle une coquetterie dans l'œil.
    M. PAGNOL, Fanny, II, 7.

◆ 4 (1762). Goût de la toilette, désir de plaire par sa mise (→ Ajuster, cit. 17; acier, cit. 0.2). *S'arranger avec coquetterie. Il est d'une coquetterie exagérée. Par coquetterie :* par souci d'élégance. — Par ext. *La coquetterie d'une robe, d'une coiffure...* → **Chic** (fam.), **élégance.**

11 À pleines caisses arrivaient de Paris les toilettes du soir, les «déshabillés», les parfums, les fards; tous les artifices de la coquetterie d'Occident et ceux de notre coquetterie orientale étaient devenus mon seul souci.
    LOTI, les Désenchantées, XXII, p. 146.

Par ext. (Moins cour. que *coquet,* dans ce sens). *Maison meublée, vitrine arrangée... avec coquetterie. Ensemble plein de coquetterie.* → **Goût** (bon).

◆ 5 Littér., art. Élégance maniérée. *La coquetterie d'une phrase, du style.* — *Une, des coquetteries,* détail recherché (avec excès). *Des coquetteries ridicules, inutiles.*

CONTR. Candeur, ingénuité, misanthropie, négligence, sauvagerie, sincérité.

COQUILLAGE [kɔkijaʒ] n. m. — 1573; de *coquille.*

◆ 1 Mollusque (généralement marin) pourvu d'une coquille. → **Testacé.** *Noms de coquillages.* → **Bigorneau, buccin, clam, clovisse, cône, coque, couteau, cyprée, huître, jambonneau, moule, palourde, pinne, porcelaine, praire, solen, triton, trompette.** *Coquillage turriculé,* en forme de tour. *Coquillages lithophages. Coquillages palustres. Coquillages comestibles.* → **Fruit** (de mer). *Aimer les coquillages. Manger des coquillages. Élevage des coquillages.* → **Conchyliculture.** *Lieux ménagés pour l'élevage des coquillages.* → **Bouchot, claire, moulière, parc.** *Exploiter un gisement** (II., 3.) *de coquillages. Chercher des coquillages sur la plage* (aussi au sens 2).

1 Sous ces végétations se dérobaient et se montraient en même temps les plus rares bijoux de l'écrin de l'océan, des éburnes, des strombes, des mitres, des casques, des pourpres, des buccins, des struthiolaires, des cérites turriculés. Les cloches des patelles, pareilles à des huttes microscopiques, adhéraient partout au rocher et se groupaient en villages (...) Les galets ne pouvant que difficilement entrer dans cette grotte, les coquillages s'y réfugiaient. Les coquillages sont des grands seigneurs, qui, tout brodés et tout passementés, évitent le rude et incivil

contact de la populace des cailloux.
HUGO, les Travailleurs de la mer, II, I, XIII.

1.1 Si alors il me vient à l'esprit que ce coquillage, qu'une lame de la mer peut sans doute recouvrir, est habité par une bête, si j'ajoute une bête à ce coquillage en l'imaginant replacé sous quelques centimètres d'eau, je vous laisse à penser de combien s'accroîtra, s'intensifiera de nouveau mon impression, et deviendra différente de celle que peut produire le plus remarquable des monuments que j'évoquais tout à l'heure!
Francis PONGE, le Parti pris des choses, p. 74-75.

Spécialt. Coquillage comestible, à l'exclusion des huîtres (→ ci-dessous, cit. 2) et parfois des moules. *Plateau de fruits de mer composé d'oursins, d'huîtres et de coquillages.*

2 — Je viens déguster... Des coquillages? — Tout juste. Je vous prépare un panaché? — Moitié moules, moitié clovisses. — Et deux beaux violets au milieu. — Avec une bouteille de petit vin blanc.
M. PAGNOL, Marius, I, 4.

♦2 Par ext. Coquille de mollusque. *Un collier de coquillages. Coffret, miroir garni de coquillages. Coquillages bruissants. Coquillage doré, rosé, nacré, irisé.*

3 L'amoncellement étincelant des coquillages faisait sous la lame, à de certains endroits, d'ineffables radiations à travers lesquelles on entrevoyait un fouillis d'azurs et de nacres, et des ors de toutes les nuances de l'eau.
HUGO, les Travailleurs de la mer, II, I, XIII.

4 (...) ces coquillages qui, lorsqu'on les approche de l'oreille, simulent le bruit roulant des vagues.
HUYSMANS, Là-bas, V, p. 70.

5 Ce coquillage que je tiens et retourne entre mes doigts, et qui m'offre un développement combiné des thèmes simples de l'hélice et de la spire (...)
VALÉRY, Variété V, L'homme et la coquille, p. 12.

6 Sur la chevelure de la princesse, et s'abaissant jusqu'à ses sourcils, puis reprise plus bas à la hauteur de sa gorge, s'étendait une résille faite de ces coquillages blancs qu'on pêche dans certaines mers australes et qui étaient mêlés à des perles (...)
PROUST, le Côté de Guermantes, Folio, p. 48.

Par comparaison :

7 Une bouche quelquefois entr'ouverte avec la netteté rose et le nacré d'un coquillage.
Ed. et J. DE GONCOURT, Journal, 1865, p. 135, *in* T. L. F.

Loc. plais. Vx. *Raisonner comme un coquillage :* faire un raisonnement creux (Dumas, *le Comte de Monte-Cristo, in* T. L. F.). → Comme un tambour*.

1. COQUILLARD [kɔkijaʀ] n. m. — 1628; *coquillar,* 1455; de *coquille.*

♦1 *Les Coquillards,* nom d'une bande de voleurs (qui portaient à leur collet une coquille comme les pèlerins). *Le jargon, argot des Coquillards.*

♦2 (1455). Hist. Malfaiteur (aux XVᵉ et XVIᵉ siècles).
Villon se concevait sans doute comme un coquillard et un grand poète, non comme un génie réduit au cambriolage par les faiblesses de la monarchie.
MALRAUX, les Voix du silence, p. 491, *in* T. L. F.

HOM. 2. Coquillard, coquillart.

2. COQUILLARD [kɔkijaʀ] n. m. — XIXᵉ; de *coquille,* par comparaison.

Vx. Œil.
Loc. fam. (1878). *Se tamponner le coquillard de qqch.,* s'en moquer, s'en «battre l'œil».

HOM. 1. Coquillard, coquillart.

COQUILLART [kɔkijaʀ] n. m. — 1723; de *coquille.*

Minér. Calcaire renfermant des coquilles fossiles.
— Appos. ou adj. *Calcaire coquillart.*

HOM. 1. Coquillard, 2. coquillard.

COQUILLE [kɔkij] n. f. — 1262; *corquille,* v. 1170; croisement de *coccum* «coque» avec le lat. *conchylium,* grec *kogkhulion.*

❚ ♦1 (V. 1265). Enveloppe calcaire qui recouvre le corps de la plupart des mollusques, des brachiopodes, des foraminifères, de quelques crustacés (anatife). → **Coque, coquillage, écaille, test.** *Mollusques à coquille.* → **Ostracé, testacé.** *Étude des coquilles.* → **Conchyliologie.** *Coquilles fossiles.* → **Conchylien** (terrain); **ammonite, nummulite; coquillart, falun, lumachelle.** *Coquille univalve des mollusques gastéropodes et céphalopodes. Coquille bivalve des mollusques lamellibranches et des brachiopodes. Coquille en forme de camée, de conque, de toupie* (→ **Turbiné**), *de tour* (→ **Turriculé**). *Coquille enroulée du limaçon, de l'escargot. Coquille spiralée du strombe. Spires en cône d'une coquille.* → **Volute.** *Coquille à charnière. La coquille des mollusques est sécrétée par le manteau*. Description d'une coquille de mollusque.* → **Acétabule, charnière, cuticule, lèvre, nacre, opercule, spire, valve.** *La coquille du tridacne* sert de bénitier*. Le cauri, les petites porcelaines..., coquilles servant de monnaie d'échange. Vote à l'aide de coquilles chez les Athéniens.* → **Ostracisme** (rac. ostrakon «coquille»). *Les pagures* (→ **Bernard-l'hermite**) *se logent dans les coquilles vides. Marne qui se pétrifie dans les coquilles vides.* → **Conchite.** *Coquilles ornant une grotte, un bassin.* → **Rocaille.**

1 Comme on trouve ces coquilles incorporées et pétrifiées dans les marbres des plus hautes montagnes (...)
BUFFON, Hist. nat., 2ᵉ disc., *in* LITTRÉ.

2 En fouillant à fond de cuve les terrasses de ce jardin, il trouva des coquillages fossiles, et il en trouva en si grande quantité, que son imagination exaltée ne vit plus que coquilles dans la nature, et qu'il crut enfin tout de bon que l'univers n'était que coquilles, débris de coquilles (...)
ROUSSEAU, les Confessions, VIII.

3 (...) ces grosses coquilles à lèvres roses où l'on entend ronfler la mer.
Alphonse DAUDET, le Petit Chose, II, 16 (→ Bourdonnement, cit. 8).

4 Mais cette simplicité n'est que de principe. Si je visite toute une galerie de coquilles, j'observe une merveilleuse variété. Le cône s'allonge ou s'aplatit, se resserre ou s'évase; les spirales s'accusent, ou se fondent; la surface se hérisse de saillies ou de pointes, parfois fort longues, qui rayonnent; elle se renfle quelquefois, se gonfle de bulbes successifs que séparent des étranglements ou des gorges concaves sur lesquelles les tracés de courbes se rapprochent. Gravés dans la matière dure, sillons, rides ou stries se poursuivent et se soulignent, cependant qu'alignées sur les génératrices, les saillies, les épines, les bossettes s'étagent, se correspondent de tour en tour, divisant les rampes à intervalles réguliers.
VALÉRY, Variété V, L'homme et la coquille, p. 13.

Fig. *Rentrer dans sa coquille* (comme fait l'escargot) : se replier sur soi, se retirer prudemment d'une discussion, se taire. (→ Se limaçonner, **fig.**). *Rester dans sa coquille :* ne pas sortir de chez soi, vivre sédentaire. *Sortir de sa coquille.*

REM. Dans certains emplois, on a employé *coque*, aujourd'hui vieilli dans ce sens, pour *coquille.*

♦2 Par ext. Valve d'une coquille. *Boire dans une coquille. La coquille de Diogène. Coquille de pèlerin* (→ ci-dessous, Coquille Saint-Jacques).

5 À Notre-Dame de Lorette
J'ai promis, dans mon noir chagrin,
D'attacher sur ma gorgerette (...)
Les coquilles du pèlerin.
HUGO, Ballade, VI, la Fiancée du timbalier.

♦3 COQUILLE SAINT-JACQUES (appelée ainsi parce que les pèlerins de Saint-Jacques-de-Compostelle en fixaient une valve à leur manteau et à leur chapeau, usage qui fut imité par ceux du Mont-Saint-Michel; → aussi Coquillard) : mollusque bivalve du genre Pecten

(→ **Peigne**), appelé aussi *grand peigne*, comestible, très recherché, dont la coquille est cannelée de côtes rayonnantes très marquées, de section arrondie. *La coquille Saint-Jacques vit sur le sable et le gravier, en eau profonde ; la valve supérieure de sa coquille est plate. On élève des coquilles Saint-Jacques en rade de Brest, dans la baie de Saint-Brieuc. La «noix» et le corail* d'une coquille Saint-Jacques.* — La valve inférieure (bombée) de ce mollusque. *Se servir d'une coquille Saint-Jacques comme cendrier.*

5.1 Ouvrez les coquilles Saint-Jacques (...) jetez les barbes, ne gardez que la noix et le corail de chaque coquille (...) décorez avec les corails des coquilles cuits trois minutes.
M. DE TOULOUSE-LAUTREC, la Cuisine de Mapie, p. 149.

Ce mollusque, accommodé et servi comme mets. *Coquilles Saint-Jacques à la provençale, à la bretonne, à la nage, à la Newbourg, au champagne, grillées, en brochettes.* — Ellipt. *Des Saint-Jacques.*

♦ **4** Arts. Motif ornemental représentant une coquille. Petit ornement en quart-de-rond. *Coquille de bénitier, de fontaine :* vasque en forme de coquille. *Stèle, fronton orné d'une coquille. Coquille d'une commode Louis XV. Coquille de triton.* → **Conque.**

6 (...) la nudité de Rachel, glorieusement étalée, semblait reposer comme une figure allégorique, au creux d'une coquille transparente.
MARTIN DU GARD, les Thibault, t. III, p. 10.

♦ **5** *En coquille, en forme de coquille,* se dit spécialement d'objets circulaires, en hélice ou en spirale (comme le sont de nombreuses coquilles). — *Coquille :* objet en forme de coquille.

6.1 Je vous assure que Napoléon ou Attila vous sont de peu d'assistance devant un regard de onze ans, ou un petit corps rachitique, ou une coquille d'oreille déviée par les coups.
GIRAUDOUX, les Aventures de Jérôme Bardini, p. 177.

Archit. *Coquille d'escalier,* le dessous de l'escalier en forme d'hélice. → **Limaçon.**

Coquille à rôtir : récipient de fonte dans lequel on met la braise et qu'on place sous la broche.

Coquille à hors-d'œuvre : récipient creux, ravier ou assiette.

Par métonymie. Mets (viande blanche, poisson, etc.) servi dans une coquille (→ ci-dessus, Coquille Saint-Jacques). *Coquille de champignons, de volaille, de viande, de poisson.*

Coquille de beurre : noix de beurre moulée (ou levée au couteau) en forme de coquille.

Bouch. Aloyau détaché du filet.

Coquille d'épée : collerette concave, en métal, fixée à la garde d'une épée, pour protéger la main.

7 Les coquilles tintent, ding-don !
Ma pointe voltige : une mouche !
Edmond ROSTAND, Cyrano de Bergerac, I, 4.

Coquille de peintre : récipient dans lequel on vend de l'or et de l'argent pour enluminer. *Or de coquille.*

Techn. Plaque de métal sortant d'un bain galvanoplastique. — Pièce contre laquelle le métal se solidifie, dans un moule en sable. — Moule métallique (en fonderie).

7.1 Chaque coussinet arrivait en deux coquilles. C'était de la précision claire, mesurable, contrôlable.
Georges NAVEL, Travaux, p. 220.

Méd. Plâtre amovible pour maintenir le dos (affections de la colonne vertébrale).

(1927, *in* Petiot). Sports de combat. Appareil de protection du bas-ventre.

Mus. Partie supérieure du violon, enroulée en spirale. — Syn. : *volute.*

♦ **6** Image d'une coquille.

Papet. Papier à écrire qui portait autrefois une coquille dans le filigrane. *Format coquille :* format de papier, de dimensions 44 × 56 cm.

II Par anal. ♦ **1** Enveloppe calcaire des œufs d'oiseaux (tend à remplacer coque). *Coquille d'œuf. La coquille de cet œuf est fêlée. Jeter les coquilles vides.* — Appos. *Une peinture coquille d'œuf,* d'un blanc à peine teinté d'ocre clair.

Par métonymie. *Coquille d'œuf :* porcelaine japonaise, chinoise, extrêmement fine.

Loc. fig. *Sortir de sa coquille :* sortir de l'enfance, se manifester.

♦ **2** Enveloppe dure (des noix, noisettes...). *Sortir une noix, les cerneaux d'une noix de la coquille.* → **Coque** (plus cour.).

Fig. *Coquille de noix :* petit bateau, barque. → **Coque** (de noix).

Alors, (il) s'embarque sur la même coquille de noix d'É- [8] gypte, passe à la barbe des vaisseaux anglais, met le pied sur la France.
BALZAC, le Médecin de campagne, Pl., t. VIII, p. 468.

De tous ces navires se détachaient des barques, en [9] coquilles de noix (...)
LOTI, Pêcheur d'Islande, I, v, p. 65.

♦ **3** Boursouflure du pain qui évoque par sa forme une noisette ou une amande. → **Coquiller.**

♦ **4** Parcelle de la coque d'un œuf. *Avaler une coquille.*

♦ **5** Phys. *Coquille magnétique :* surface «sur laquelle s'appuient les lignes de force situées à une même distance géocentrique» (*la Recherche,* nov. 1973, p. 961).

III (1723 ; p.-ê. par une allusion aux fausses coquilles de pèlerins prétendus — ou par la forme de certaines lettres retournées). Faute typographique, lettre substituée à une autre. *Épreuve pleine de coquilles. Corriger une coquille. On trouve beaucoup de coquilles dans ce journal. Coquilles et mastics.*

(...) une revue parisienne venait de publier un de ses [10] poèmes assez plein de fautes d'impression, coquilles aussi larges que des bénitiers, vastes comme la conque d'Aphrodite.
FRANCE, le Lys rouge, IX, p. 91.

Avant d'avoir dirigé, moi-même, une encyclopédie, je ne [11] me doutais pas que l'erreur fût aussi sournoise et multiforme, je faisais tout de même *assez* confiance aux ouvrages dits «de référence». Je n'y avais jamais remarqué de coquilles, par exemple. Depuis que j'ai dû lire ligne par ligne une collection qui a, sans doute à titre apotropaïque, pris comme signe et label une coquille — celle du nautile —, j'en découvre maintenant chez les autres ! partout ! Dans les dictionnaires les plus chevronnés ! Même une chez Bourbaki, pourtant fort attentif. Comme je la lui avais signalée, il me répondit que c'était par humour qu'il l'avait laissée, pour distraire un peu le lecteur au passage. Au lieu d'«ensemble filtrant à gauche et à droite», il y a «ensemble flirtant à droite et à gauche».
R. QUENEAU, Bourbaki et les mathématiques de demain (*in* Critique, n° 176, janv. 1962), repris dans Bords, 1963.

DÉR. et COMP. Coquillage, 1. et 2. coquillard, coquillart, coquillé, coquiller, coquillettes, coquilleux, coquillier. Décoquiller, recoquiller.

COQUILLÉ, ÉE [kɔkije] adj. — XIXᵉ ; de *coquille.*

♦ **1** Qui contient des coquilles de mollusques fossiles. *Calcaire coquillé.* → **Coquillier.**

♦ **2** Qui rappelle la forme arrondie d'une coquille.

(En parlant d'un tissu; 1897, *in* D.D.L.). Légèrement ondulé. *Volant coquillé.* — N. m. (1924, *in* D.D.L.). *Un coquillé de dentelles.*

♦ **3** (1899, *in* T.L.F.). Zool. *Pigeon coquillé* : pigeon d'une espèce portant des plumes redressées derrière la tête.

HOM. Coquiller.

COQUILLER [kɔkije] v. intr. — 1350; de *coquille* (II., 3.). Technique.

♦ **1** Former des boursouflures, en parlant de la croûte du pain. — Au p. p. *Pain coquillé.*

♦ **2** (1846, *in* D.D.L.). Former de légères ondulations (d'un tissu «coquillé»).

HOM. Coquillé.

COQUILLETTES [kɔkijɛt] n. f. pl. — xxᵉ; «petite coquille», xiiiᵉ; de *coquille.*

Pâtes alimentaires en forme de petits coudes creux. *Un paquet de coquillettes. Rôti de veau aux coquillettes.* — Au sing. *Une coquillette.*

COQUILLEUX, EUSE [kɔkijø, øz] adj. — Av. 1607; de *coquille.*

Rare. Qui contient des coquilles. *Sable coquilleux.*

COQUILLIER, IÈRE [kɔkije, jɛʀ] adj. et n. m. — 1752, au sens I, 1; «en forme de coquille», 1571; de *coquille.*

I Adj. ♦ **1** Géol. Qui contient de nombreuses coquilles fossiles. *Sables, calcaires coquilliers.* → **Conchylien.** *Le calcaire coquillier des Vosges.*

♦ **2** (xxᵉ). Techn. Qui concerne les coquillages comestibles. *L'industrie coquillière.* → **Conchyliculture** (et **mytiliculture, ostréiculture**). — Casier sanitaire coquillier : liste officielle des éleveurs et des expéditeurs de coquillages.

♦ **3** Zool. *Membrane coquillière* : membrane située entre l'œuf et sa coquille.

II N. m. (1743). Didact. Collection de coquilles.

COQUIN, INE [kɔkɛ̃, in] n. et adj. — xiiᵉ, «gueux, mendiant»; orig. obscure; l'étymon *lat. coquinus* «de la cuisine», de *coquistro, est peu satisfaisant, ainsi que l'hypothèse d'une dérivation de *coq;* P. Guiraud rattache le mot à la famille de *coque*, l'idée première étant p.-ê. celle d'un oiseau «élevé dans l'œuf».

A N. ♦ **1** (Surtout au masc.). Vx. Personne vile, capable d'actions blâmables. → **Bandit, canaille, escroc, scélérat, voleur.** *Un dangereux, un infâme coquin. La bassesse* (cit. 14) *d'un coquin.*

1   Un coquin est celui à qui les choses les plus honteuses ne coûtent rien à dire ou à faire (...)
     LA BRUYÈRE, les Caractères de Théophraste, De l'image d'un coquin.

2   C'est une chose étrange que la facilité avec laquelle les coquins croient que le succès leur est dû.
     HUGO, les Travailleurs de la mer, I, VI, VII.

3   On peut se servir de coquins, a dit La Bruyère, mais l'usage en doit être discret. Peut-être, en ce temps, l'usage en est-il sans discrétion ?
     Ed. et J. DE GONCOURT, Journal, p. 99.

4   Un coquin est souvent un homme supérieur, mal à l'aise au milieu de nos préjugés.
     Paul LÉAUTAUD, Passe-temps, p. 28.

Vieilli. Homme ou femme méprisable, coupable d'actions viles, immorales (terme d'injure, sans signification précise). → **Bélître, faquin, fripon, gredin, gueux, maraud, maroufle, pendard, vaurien** (vx pour la plupart). *Vous n'êtes qu'un coquin, un fieffé coquin. S'enfuir comme un coquin.* → **Lâche.** *Un beau, un*

---

fameux coquin. Mon coquin de valet, de fils. Ce coquin de X.

— Hé bien! petit coquin, voilà encore de vos âneries (...)   5
     MOLIÈRE, la Comtesse d'Escarbagnas, 3.

Votre coquine de Toinette est devenue plus insolente que   6
jamais.   MOLIÈRE, le Malade imaginaire, I, 6.

C'est mon coquin de fils qui aura mis la main dessus.   7
     DANCOURT, les Bourgeoises à la mode, III, 3.

♦ **2** (Mil. XVIᵉ). Mod. Personne qui a de la malice, de l'espièglerie. *Petit coquin!* → **Garnement;** fam. **bandit, brigand.** *Quelle coquine, avec ses manières enjôleuses!* — REM. Cette valeur, au fém., subit l'infl. de *coquette.*

La curiosité rend ces coquines de femmes si insinuantes (...)   8
     ROUSSEAU, les Confessions, VI.

COQUIN DE..., sert à qualifier ce qui est jugé comme malicieux (avec soit l'idée de séduction, soit celle de tromperie). *Une coquine de gravure, un peu licencieuse. Un coquin de canapé rose.* — Loc. régionale (Sud de la France). Vieilli. **COQUIN DE SORT!,** exprime l'étonnement, l'admiration... (→ ci-dessous, cit. 10).

Elle ne cachait point son aise, faisait reluire ses coudes   9
d'yeux noirs, et relevait sa petite tête et sa grosse coiffe comme une poule huppée.
     G. SAND, la Petite Fadette, XV, p. 112.

Jamais on ne se serait cru devant la demeure d'un héros.   10
Mais, quand on entrait, coquin de sort! (...)
     Alphonse DAUDET, Tartarin de Tarascon, I, I, p. 10.

(...) il ne reste plus dans le pays qu'un vieux coquin de   11
lièvre, échappé comme par miracle aux septembrisades tarasconnaises (...)
     Alphonse DAUDET, Tartarin de Tarascon, I, I, p. 17.

♦ **3** (Avec une valeur plus nettement érotique que le sens 2; cf. *Vercoquin et le plancton,* de Boris Vian).

a Fam. (*Le coquin de..., son coquin*). Amant.

— Et qui était ce Georges ? — Un charcutier. Tout rose. Le   11.1
coquin de maman.
     R. QUENEAU, Zazie dans le métro, Folio, p. 52.

b N. f. Vx. Femme débauchée.

La coquine aura su par quelque ami présent   12
Se faire consoler de son époux absent.
     J.-F. REGNARD, Démocrite, V, 1.

(*La coquine de..., sa coquine*). → **Maîtresse.**

Pour un catholique, je vous trouve profanant, dit-elle len-   13
tement, mais un peu crispée, et je vous prie de m'épargner le détail des soupers de vos coquines, car je suis cette manière inventée par vous de m'en donner des nouvelles que de me parler, ce soir, de Don Juan.
     BARBEY D'AUREVILLY, les Diaboliques, «Le plus bel amour de Don Juan».

B Adj. et n. ♦ **1** (Au sens 2 du nom). Espiègle, malicieux (surtout en parlant d'enfants). *Qu'il est coquin! — N. Ah! la coquine; elle a voulu nous faire peur! Petit coquin, va!*

♦ **2** Adj. Qui exprime la séduction. *Un œil, un regard coquin.* → **Canaille.**

Grivois, leste. → **Égrillard, libertin, libre.**

CONTR. Honnête, sérieux. ◊ **DÉR. Coquinement, coquinerie, coquinet.**

COQUINEMENT [kɔkinmã] adv. — 1576; de *coquin,* et -ment.

♦ **1** Vx. Comme un coquin.

♦ **2** Mod. D'une manière coquine (→ Coquin, B.).

(...) Simon déplaçait le centre de gravité de son commerce; tantôt le magasin semblait virer à la maroquinerie, tantôt il regorgeait de ces blouses blanches qui font si coquinement saillir les poitrines féminines.
     Roger IKOR, les Fils d'Avrom, Les eaux mêlées, p. 442.

COQUINERIE [kɔkinʀi] n. f. — V. 1330; de *coquin*, et -*erie*.

Vieilli ou littéraire.

◆ **1** Action de coquin. → **Canaillerie, friponnerie...** *Commettre des coquineries.*

◆ **2** Caractère du coquin (au sens propre, et par plais.). *Il est d'une coquinerie fieffée.*

(...) ses bouffons *(de Dostoïevski)* affirment tout un monde qui n'a pas réussi, mais qui, tout de même a continué sa croissance dans la honte, le péché, la coquinerie, la crapule et les remords.
André SUARÈS, Trois hommes, « Dostoïevski », V, p. 252.

◆ **3** Caractère d'une action, d'une personne (d'une femme) séductrice de manière insistante. → **Coquin,** A., 3., et B., 2. — Action ayant ce caractère (Daudet, *in* T. L. F.).

COQUINET, ETTE [kɔkinɛ, ɛt] adj. et n. — 1761; de *coquin*, et -*et*.

Rare.

◆ **1** Adj. Un peu coquin (B., 2.).

Le deuxième gendarme était petit et râblé, avec un képi penché sur l'œil, plus coquinet que celui du premier.
Violette LEDUC, la Folie en tête, p. 24.

◆ **2** N. Petit coquin, petite coquine (B., 1.).

1. COR [kɔʀ] n. m. — 1080, *Chanson de Roland,* au sens II; lat. *cornu* «corne».

I (Mil. XIV⁰). Vx. Au plur. Ramification des bois du cerf*. → **Andouiller, bois** (III., 2.), **épois.** — REM. Ne s'emploie plus que dans les expressions *un cerf de six cors, de dix cors,* qui a trois, cinq andouillers de chaque côté. — Ellipt. *Le cerf dix cors a atteint sept ans.*

1 (...) pas un d'aventure
N'aperçut ni cors ni ramure,
Ni cerf enfin.   LA FONTAINE, Fables, IV, 21.

Par métonymie. *Un six cors, un dix cors* : un cerf de six, dix cors.

II ◆ **1** Instrument à vent, formé à l'origine d'une corne évidée, percée et servant à faire des signaux, des appels. → **Corne, trompe.** *Le cor de Roland.* → **Olifant.** *Cor des Alpes,* dont se servent les montagnards pour appeler leurs troupeaux.

2 Roland a mis l'olifant à ses lèvres. Il l'embouche bien, sonne à pleine force. Hauts sont les monts, et longue la voix du cor : à trente grandes lieues on l'entend qui se prolonge.
J. BÉDIER, la Chanson de Roland, CXXXIII, p. 135.

◆ **2** Instrument à vent en métal, contourné en spirale et terminé par une partie évasée.

[a] *(Cor).* Le pavillon*, l'embouchure* d'un cor. *Cor de chasse* ou *cor* (lang. cour.) : le plus simple des cors, en ré (les chasseurs disent *trompe*). → **Trompe.** *Donner, sonner du cor* (→ **Grailler**). *Cordon servant à porter le cor.* → **Enguichure.** *Les cors sonnent l'hallali, les piqueurs donnent du cor.*

3 (...) plusieurs cors et trompes de chasse se firent entendre (...)
MOLIÈRE, la Princesse d'Élide, Intermède, I, 2.

4 J'aime le son du cor, le soir, au fond des bois (...)
A. DE VIGNY, Poèmes antiques,
«Le cor» (→ Abois, cit. 2).

Blason. Symbole des chasseurs à pied, des chasseurs alpins et du personnel des Eaux et Forêts.
Loc. Argot, vieilli. *Être moulé dans un cor de chasse* : être disgracieux, «tordu».
Loc. *Chasser à cor et à cri,* à grand bruit, avec le cor et les chiens. → **Chasse.**

Fig. **À COR ET À CRI.** *Réclamer, demander, vouloir, poursuivre qqch. à cor et à cri,* à grand bruit, en insistant*.

5 L'archevêque de Reims (...) demande le Coadjuteur à cor et à cri.   Mᵐᵉ DE SÉVIGNÉ, 377, 2 févr. 1674.

6 Par sa faute, nous voici frustrés de la belle chasse traditionnelle, des chevauchées à cor et à cris.
M. GENEVOIX, Forêt voisine, XII, p. 162.

6.1 Je sais que le parti socialiste réclame sa tête à cor et à cri, ainsi que l'élargissement immédiat du prisonnier *(Dreyfus)* de l'île du Diable.
PROUST, le Côté de Guermantes, Folio, p. 293.

[b] Dans des syntagmes : *cor de..., cor,* et adj. *Cor d'harmonie* : instrument d'orchestre en ut, produisant une gamme incomplète de sons ouverts que l'on complète par des sons bouchés. *Le cor d'harmonie peut changer de ton au moyen de corps de rechange, de tuyaux mobiles.* — *Cor à piston* ou *cor chromatique,* en fa.

Absolt. mus. *Cor* : cor chromatique. *Jouer du cor. Solo de cor. Sonnerie de cor dans une composition musicale.* → **Appel** (I., 1.). *Partie de cor dans une symphonie. Virtuose du cor. Classe de cor au Conservatoire.*

Cor anglais : hautbois alto.

7 Le cor anglais est une variété de hautbois équivalente à l'ancien «hautbois de chasse» en usage du temps de Bach, dans la première moitié du XVIIIᵉ siècle. Son nom demeure inexpliqué, car le cor anglais n'a rien de britannique. C'est à la vérité un hautbois alto qui sonne une quinte au-dessous du hautbois ordinaire, mais en *fa.*
Initiation à la musique, p. 162.

Cor de basset : sorte de clarinette alto.

[c] *Cor de mer* : coquillage, utilisé autrefois comme porte-voix.

[d] Par métonymie. Musicien qui joue du cor. → **Corniste.** *Il est premier cor à l'orchestre de la Garde républicaine.*

HOM. 2. Cor, corps.

2. COR [kɔʀ] n. m. — 1575; spécialisation de sens de l'anc. franç. *cor(n)* «matière cornée».

◆ **1** Cour. *Cor au pied,* ou *cor* : petite tumeur dure siégeant en général au-dessus des articulations des phalanges des orteils. → **Callosité, durillon, oignon, tylose.** *Les cors sont formés par l'épaississement des couches cornées de l'épiderme qui s'enfoncent dans le derme.* → **Induration.** *Cor entre les doigts de pied.* → **Agassin** (vx ou dial.); **œil-de-perdrix.** *Soigner un cor par excision, par un topique* (→ **Coricide**)... *Extirper cors, oignons, durillons.* → **Pédicure,** cit.

L'aînée, en se retournant, m'appuya son talon pointu sur le bout du pied, où un cor fort douloureux m'avait forcé de couper mon soulier ; l'autre vint ôter brusquement de derrière moi une chaise sur laquelle j'étais prêt à m'asseoir.
ROUSSEAU, les Confessions, IV.

◆ **2** Vétér. Chez les bêtes de somme, Croûte, épaississement de la peau produit par le contact du harnais et de la selle.

HOM. 1. Cor, corps.

COR- Var. de l'élément *con-* (ex. : *correspondre*).

CORACLE [kɔʀakl] n. m. ou f. — 1898, *Nouveau Larousse illustré;* angl. *coracle* (1547), du gallois *korwgl,* irlandais *curach* (latinisé en *curuca,* VIIᵉ).

Mar. Petit bateau en osier recouvert à l'origine de peaux de bêtes qui était utilisé en Écosse et en Irlande. — REM. Les dict. français donnent le mot au masc., mais, les noms de navire étant féminins en anglais, ce genre est aussi attesté.

Les photographes (...) se bousculent pour aller faire un cliché de la coracle de la reine.
Hervé BAZIN, les Bienheureux de la désolation,
p. 69.

CORACO- Élément servant à former des mots savants et exprimant un rapport avec l'apophyse coracoïde*. Ex. : *coraco-brachial*, adj.; *coraco-humérien*, adj. (1805); *coraco-claviculaire*, adj.

CORACOÏDE [kɔRakɔid] adj. et n. — 1541; du grec *korakoeides* «semblable à un corbeau».

♦ **1** Adj. et n. f. (1541). Anat. Se dit de l'apophyse de forme pointue qui termine le bord supérieur de l'omoplate. *Apophyse coracoïde*, et, n. f., *la coracoïde*.

♦ **2** N. m. Zool. Os indépendant* (chez les poissons, les reptiles et les oiseaux).

DÉR. Coracoïdien.

CORACOÏDIEN, IENNE [kɔRakɔidjɛ̃, jɛn] adj. — 1732, Trévoux; de *coracoïde*.
Anatomie.

♦ **1** Qui appartient à l'apophyse coracoïde. *Région coracoïdienne*.

♦ **2** (En parlant d'un ligament, d'un muscle). Qui prend insertion sur l'apophyse coracoïde. *Le ligament coracoïdien*.

COMP. Sous-coracoïdien.

CORAH [kɔra] n. m. — Av. 1863; *corat*, 1830; angl. *corah*, empr. à l'hindi *kôra* «étoffe de soie écrue, non teintée».
Vx. Foulard en soie écrue ou imprimée importé des Indes.
Au milieu du rayon, une exposition des soieries d'été éclairait le hall d'un éclat d'aurore (...) C'étaient des foulards (...) des surahs (...) Et il y avait encore (...) les tussores et les corahs des Indes (...)
ZOLA, Au bonheur des dames, Pl., t. III, p. 630.

1. CORAIL, CORAUX [kɔraj, kɔro] n. m. — 1416; *courail*, 1328; *coral*, av. 1150.

♦ **1** Polypier à support calcaire rouge ou blanc, animal marin qui vit dans les mers chaudes et qui sécrète un squelette calcaire (*Cnidaires*). → **Alcyonaires; coralliaires**. *Les coraux groupés en colonies peuvent former des récifs*. → **Atoll**. *La pêche du corail, la pêche au corail, à la drague, avec des plongeurs, etc. Débris de coraux rejetés par la mer*. → **Herpes**. — REM. Le mot s'emploie au sing. collectif (*du corail*) ou au plur. (*des coraux*); le sing. avec le déterminant *le* ou *un* est inusité, ce qui correspond à l'impossibilité effective de distinguer un élément dans le polypier, pour l'expérience courante.

1   M. Peyssonnel avait observé et reconnu le premier que les coraux, les madrépores, etc. devaient leur origine à des animaux, et n'étaient point des plantes, comme on le croyait.
BUFFON, Hist. nat., Œ. compl., t. I, p. 424, *in* LITTRÉ.

♦ **2** (*Le, du corail*). Matière calcaire qui forme les coraux, appréciée en bijouterie et en décoration; matière qui l'imite. *Corail mort ou pourri* (noir); *corail noir*; *corail vivant, rouge*; *corail blanc. Bijoux, bracelet, collier, chapelet de corail. Corail artificiel* ou *fausse purpurine. Fragment de corail*. → **Puntarelle**. *Manches d'argent incrustés de corail*. → **Poignard**, cit. 3.
Littér. *De corail*: d'une couleur vermeille, analogue à celle du corail rouge. *Bouche, lèvres de corail*.

2   C'est la sultane du sérail,
Riant au miroir qui l'admire

Avec un rire de corail (...)
Th. GAUTIER, Émaux et camées,
«Poème de la femme».

Appos. *Couleur corail. Un foulard corail*.

♦ **3** (Par anal. de couleur). 🅐 *Serpent corail*, ou, ellipt., *corail* : serpent d'Amérique du Nord, très venimeux, jaune et rouge. → **Élaps**.

🅑 Partie rouge du mollusque dit coquille* Saint-Jacques et de certains crustacés (homard, langouste).

REM. Dans ce sens, on trouve aussi le plur. *corails*.
«*Décorez avec les corails des coquilles** (Saint-Jacques) *cuits trois minutes*» (M. de Toulouse-Lautrec, *la Cuisine de Mapie*, p. 149).

DÉR. Coraillerie, corailleur, coraline. — V. (du lat.) les mots en coralli-, corallin.

2. CORAIL [kɔraj] adj. ou appos. — 1975; de *co-*, de *confort*, et *rail*, avec infl. de 1. *corail*.

Voitures corail : type de voitures de la S. N. C. F., sans compartiments, à couloir central.
Corail, tel est le nom donné à ces nouvelles voitures du service intérieur, type VTU 75 (...) Que la dénomination «Corail» vienne de la couleur des portes ou de l'évocation de l'association des mots «confort» et «rail», peu importe, les deux interprétations sont en effet recevables dans la mesure où, pour ces nouvelles voitures, il aura d'une part été largement fait appel aux techniques de design les plus récentes, l'esthétique ayant été d'autre part largement considérée comme un des éléments de l'amélioration du confort.
La Vie du rail, n° 1527, 25 janv. 1976, p. 4.

CORAILLERIE [kɔrajRi] n. f. — Av. 1877, Daudet; de 1. *corail*.
Techn. Exploitation de corail.

CORAILLEUR, EUSE [kɔrajœr, øz] n. et adj. — 1679; de 1. *corail*.

♦ **1** N. (1679). Pêcheur de corail; personne qui travaille le corail.
Elle était *corailleuse*, c'est-à-dire elle apprenait à travailler le corail. Le commerce et la manufacture du corail formaient alors la principale richesse de l'industrie des villes de la côte d'Italie.
LAMARTINE, Graziella, éd. Garnier, p. 73.

♦ **2** Adj. (1829). *Navire corailleur*, ou, n. m., *un corailleur* (1869) : bateau utilisé pour la pêche au corail.

CORALINE [kɔralin] n. f. — 1694, dér. de 1. *corail*, anc. forme *coral*, et *-ine*.
Mar. Embarcation utilisée pour la pêche au corail.

CORALLIAIRES [kɔraljɛr] n. m. pl. — 1898, *Nouveau Larousse illustré*; dér. du rad. du lat. *corall(i)um* (→ 1. Corail), et *-aire*.
Zool. Ancien nom des Anthozoaires*. — Au sing. *Un coralliaire*.

COMP. Hydrocoralliaires, octocoralliaires, tétracoralliaires.

CORALLIEN, IENNE [kɔraljɛ̃, jɛn] adj. — 1866; dér. du rad. du lat. *corall(i)um* «corail», et *-ien*.
Didact. Formé de coraux. *Formations coralliennes* : îles et récifs madréporiques.
Géol. *Étage corallien*, ou, n. m., *le corallien* : étage moyen du jurassique supérieur, formé en grande partie de calcaires coralliens. *Partie supérieure de l'étage corallien*. → **Astartien**.

CORALLIFÈRE [kɔʀalifɛʀ] adj. — 1845, Bescherelle; dér. du rad. du lat. *corall(i)um* «corail», et *-fère*.

Didact. Qui porte des coraux. *Bancs, îlots coralli-fères.*

Tout le jeudi et le vendredi se passèrent dans ce repos forcé au milieu de hautes falaises rouges, surplombant un fond multicolore digne des atolls corallifères, zébré d'éclairs lumineux par les poissons qui reflétaient le soleil au passage.
         Alain BOMBARD, *Naufragé volontaire*, p. 109.

CORALLIFORME [kɔʀalifɔʀm] adj. — 1784; dér. du rad. du lat. *corall(i)um* «corail», et *-forme*.

Didact. Qui a la forme du corail.

CORALLIGÈNE [kɔʀaliʒɛn] adj. — 1803, Boiste; dér. du rad. du lat. *corall(i)um* «corail», et *-gène*.

Didactique.

♦ **1** Qui produit la substance calcaire du corail, qui doit son existence à une production corallienne.

♦ **2** Qui contient des coraux. *Roche coralligène.*

(...) cette zone tropicale occupée par les îles coralligènes.
         J. VERNE, *l'Île mystérieuse*, t. I, p. 275.

CORALLIN, INE [kɔʀalɛ̃, in] adj. — 1509; de *corail, coral,* p.-ê. d'après un lat. tardif **corallinus*.

Vx ou littér. Rouge comme du corail. *Des lèvres coral-lines.*

1   L'île Fragrante est toute sensitive, et fortifiée de madré-pores qui se rétractent, à notre abord, dans leurs case-mates corallines.
         A. JARRY, *Gestes et Opinions du Dr Faustroll*, Pl., p. 682.

2   Autrefois, ce devait être un lit de rivière car les pneus écra-saient d'immenses coquilles plates et corallines, encore nacrées et dont les morceaux s'enfonçaient comme des bouts de verre dans le caoutchouc.
         Jean CAYROL, *Histoire d'un désert*, p. 197.

CORALLINE [kɔʀalin] n. f. — 1567, au sens 1; lat. sc. *corallina;* au sens 2, dér. du rad. du lat. *corall(i)um*, et *-ine*.

♦ **1** **Bot.** Algue marine *(Floridées)* qui forme des buissons roses, riches en calcaires.

♦ **2** (1835). **Chim.** Substance colorante rouge.

CORAMINE [kɔʀamin] n. f. — 1939; du rad. lat. *cor* «cœur», et *amine*.

Pharm. Médicament à base de pyridine, pour la cir-culation et la respiration (analeptique cardiaque). — Syn. : *nicorine*.

CORAM POPULO [kɔʀampɔpylo] loc. adv. — Mots latins.

Didact. Devant le peuple, en public (cf. Horace, *Art poétique*, 185). *Parler coram populo*, à voix haute, sans crainte.

Défense à moi de rapporter un fait patent, un événement qui s'est passé *coram populo, senatu et patribus* (devant le peuple, le sénat et les patriciens).
         Charles NODIER, *in* P. LAROUSSE.

CORAN [kɔʀɑ̃] n. m. — 1657; *Alcoran,* XIVᵉ; arabe *(ăl-)qŭr'ān,* proprt «(la) lecture», et «la lecture par excel-lence, le Coran».

♦ **1** LE CORAN : le livre sacré des Musulmans, conte-nant la doctrine islamique. → **Alcoran** (vx). *Les ver-sets du Coran. Les chapitres du Coran sont rangés suivant leur longueur* (→ **Surate** ou **sourate**). — REM. La graphie *koran* est vieillie (Goncourt, *la Femme au XVIIIᵉ siècle*, t. 2, p. 48).

La loi religieuse des Musulmans, contenue dans le Coran.

Exemplaire du Coran. *Un coran ancien, enluminé.*

♦ **2** Vx ou littér. Livre de chevet ou ouvrage de réfé-rence. → **Bible.**

Le recueil des bulletins de la grande armée et le Mémorial de Sainte-Hélène complétaient son coran.
         STENDHAL, *le Rouge et le Noir*, p. 47.

DÉR. **Coranique.**

CORANIQUE [kɔʀanik] adj. — 1877, Renan; de *coran,* et *-ique*.

♦ **1** Qui a rapport au Coran.

♦ **2** Qui est conforme au Coran. *La pensée cora-nique. La loi coranique.* → **Islamique, musulman.**

École coranique, où l'on enseigne le Coran de manière traditionnelle (récitation de versets...).

(...) l'école coranique, telle qu'on la voit encore dans les pays musulmans. Les écoliers se balancent en psalmo-diant une phrase du Coran et en regardant cette phrase écrite sur une tablette qu'ils tiennent entre leurs mains.
         G. DUHAMEL, *Manuel du protestataire*, VI, p. 159.

CORBEAU [kɔʀbo] n. m. — XIIᵉ, *corbiaus;* d'un dér. en *-ellus* du lat. *corvus,* cf. anc. franç. *corp, corb.*

I ♦ **1** Oiseau *(Passereaux, Corvidés)* à plumage noir ou gris souvent lustré, au bec légèrement recourbé (Conirostres). *Le grand corbeau* (Corvus corax) *a plus de 60 cm de long, les ailes longues et pointues, un plumage noir à reflets bleus; il est omnivore. Le corbeau freux* (Corvus frugilegus), *la corneille grise* (Corvus cornis), *le corbeau corneille* (Corvus corone) *font partie des Corvus.* → aussi **Choucas, corneille, freux, grole.** *Cri du corbeau.* → **Crailler, croasser.** *Petit du corbeau.* → **Corbillat.** *Servir de pâture aux corbeaux :* être mort (les corbeaux man-geant les charognes). *Noir comme un corbeau :* très noir, très brun. *Couleur aile de corbeau. — Le cor-beau, oiseau de mauvais présage. — Le corbeau et le renard; le corbeau voulant imiter l'aigle,* fables de La Fontaine (I, 2, et II, 16). → Beau, cit. 9. *Le corbeau,* poème d'E. Poe.

Maître corbeau, sur un arbre perché,   1
Tenait en son bec un fromage (...)
Le corbeau, honteux et confus,
Jura, mais un peu tard, qu'on ne l'y prendrait plus.
         LA FONTAINE, *Fables*, I, 2.

Le faucon est léger, l'aigle plein de courage;   2
Le corbeau sert pour le présage (...)
         LA FONTAINE, *Fables*, II, 17.

Des bandes de corbeaux, quittant les lierres et les trous des   3
ruines descendaient vers les guérets; leurs ailes moirées se glaçaient de rose au reflet du matin.
         CHATEAUBRIAND, *Mémoires d'outre-tombe*, t. VI, p. 240.

Les derniers corbeaux de l'hiver, juchés sur des mottes   4
de boue, ricanaient à mon passage, puis s'envolaient lour-dement pour se poser un peu plus loin sur un buisson. C'étaient des bêtes voraces, lustrées, au ventre robuste.
         H. BOSCO, *Hyacinthe*, p. 214.

Le lieutenant Luis d'Ortéga était petit et noir comme un   5
corbeau.   P. MAC ORLAN, *la Bandera*, X, p. 121.

En franç. d'Afrique. Corvidé noir à jabot blanc. — N. sc. : *Corvus albus.* — (I. F. A.).

REM. 1. La langue courante utilise souvent *corbeau* pour désigner la corneille*, le freux*, etc., le «grand corbeau» étant devenu extrêmement rare en France.

2. La forme argotique *corbac, corbacque* s'emploie tant au propre qu'au figuré.

Il y avait des corbacques, plein, tout noirs dans le blanc,   5.1
l'air furax. Ils claquaient du bec (...)
         CAVANNA, *les Ritals*, p. 224.

Zool. Grand corbeau (*corvus corax*), opposé à *corneille*, *freux*.

Corbeau blanc : sorte de vautour. *Corbeau de mer.*
→ **Cormoran.**

Loc. *En bec de corbeau* : crochu (du nez). — *Aile de corbeau* : d'un noir brillant (en adj. Invar. : *des cheveux aile de corbeau*).

♦ **2** (1845). Vieilli (péj. et fam.). Homme avide et sans scrupules, médisant, acharné. → **Rapace, requin.** *Les Corbeaux*, comédie d'Henri Becque.

6 (...) je ne doute point que le public ne soit enfin étourdi et fatigué d'entendre (...) de vieux corbeaux croasser autour de ceux qui, d'un vol libre et d'une plume légère, se sont élevés à quelque gloire par leurs écrits.
LA BRUYÈRE, Disc. de réception à l'Acad., Préface.

Par compar. ou fig. Se dit des prêtres (à cause du vêtement noir).

7 Homais, comme il le devait à ses principes, compara les prêtres à des corbeaux qu'attire l'odeur des morts (...)
FLAUBERT, Mme Bovary, III, VIII.

Spécialt. Auteur de lettres (ou d'appels téléphoniques) anonymes. *Le Corbeau*, film de H. G. Clouzot.

8 (...) une fenêtre entrouverte derrière laquelle bougeait l'ombre d'un de ces êtres qui savent tout et jouent les corbeaux dans les petites villes (...)
Suzanne PROU, la Terrasse des Bernardini, p. 63.

Vx. Employé des pompes funèbres. → **Croque-mort.**
— Hist. Personne qui transportait les corps des pestiférés.

♦ **3** Nom d'une constellation de l'hémisphère austral, évoquant la silhouette d'un corbeau.

II Par anal. (de la forme du bec). ♦ **1** Milit. Grappin* d'abordage, utilisé autrefois sur les galères. → **Croc.**
— Par anal. *Corbeau de rempart*, servant à arracher les pierres des travaux de défense ennemis, pendant les sièges, etc.

♦ **2** (V. 1230). Archit. Pierre ou pièce de bois en saillie sur l'aplomb d'un parement, et qui est destinée à supporter un linteau, une corniche, un encorbellement, etc. (→ **Appui, support**; **console, cul-de-lampe, modillon**). *Corbeau décoré, sculpté.* — *Corbeau de fer* : crochet scellé dans un mur et soutenant une poutre.

Support en fer (en mécanique, serrurerie...) muni d'un talon à une extrémité.

♦ **3** Techn. *Bec de corbeau.* → **Bec** (cit. 15).

DÉR. **Corbillat.**

CORBEILLAGE [kɔʀbɛjaʒ] n. m. — xxe (av. 1974); de *corbeille*, et *-age.*
Méd. Aspect des vaisseaux d'un organe (foie, poumon, rein...) qui, écartés par le développement d'une tumeur, se disposent en corbeille.

CORBEILLE [kɔʀbɛj] n. f. — V. 1160; du bas lat. *corbicula*, de *corbis* «panier».

♦ **1** Panier léger, généralement en osier (vannerie), avec ou sans anses. *Corbeille antique d'osier.*
→ **Ciste.** *Porteuse de corbeille* (→ **Canéphore**, cit.). *Corbeille de jonc. Corbeille à deux anses.* → **Manne.** *Corbeille garnie de soie.* → **Sultan.** *Corbeille formant berceau.* → **Moïse.**

1 (...) je me mis, par son ordre, dans une grande corbeille d'osier, couverte d'un ouvrage de soie (...)
A.-R. LESAGE, Gil Blas, V, 1.

2 Elle demande un croissant pour la seconde fois. Mais le garçon, tout à ses manettes, n'a pas écouté ; et la corbeille aux croissants se penche là-bas comme une barque échouée dans la rigole de zinc.
J. ROMAINS, les Hommes de bonne volonté, t. IV, XVIII, p. 196.

Loc. *Corbeille à pain*, pour présenter le pain sur la table. *Corbeille à ouvrage*, en vannerie, en tissu etc., où l'on met un ouvrage de dames en cours. *Corbeille à papier* : ustensile de bureau où l'on jette les papiers.

3 (...) devant une grosse corbeille à ouvrage d'où jaillissaient des aiguilles d'acier, la pointe en l'air.
H. BOSCO, Un rameau de la nuit, IV, p. 128.

♦ **2** Par métonymie. Contenu d'une corbeille. *Une corbeille de fruits.* On dit aussi *une corbeillée.*

(1762). Fig. *Corbeille de mariage, de mariée* : l'ensemble des présents offerts par le fiancé à sa future épouse, autrefois disposés dans une corbeille. Par ext. Les cadeaux offerts aux nouveaux mariés.

3.1 *Une Corbeille de Mariage!* Nous commencerions par y mettre une paire de pendants d'oreilles d'or, d'un travail absolument artistique, longs (car la Mode le veut ainsi), à quoi nous assortirions une jolie croix avec la chaîne, une deuxième parure en lapis, pierre très appréciée aujourd'hui, et une troisième plus habillée ; des cabochons grenats en forme de poires ou de pommes dont la queue est garnie de diamants. Boutons de manchettes assortis à chacune de ces garnitures.
MALLARMÉ, la Dernière Mode, Pl., p. 713.

Par anal. Admin. Ensemble de dépenses affectées à une utilisation. → Enveloppe (financière). *Corbeille culturelle.*

♦ **3** (1690). Archit. Partie du chapiteau entre l'astragale et le tailloir qui, dans le chapiteau corinthien, rappelle une corbeille d'acanthes. — Ornement en forme de corbeille, en architecture, en sculpture.

♦ **4** (1798). Hortic. Massif de fleurs, rond ou ovale, rappelant par sa forme une corbeille. → **Massif, parterre.**

3.2 Certes, les hépatiques y seront bleues (...) Bleues, et assez nombreuses pour border la corbeille («toutes les corbeilles doivent être bombées...»).
COLETTE, Flore et Pomone, in Gigi, p. 179.

3.3 La lassitude entière de l'heure est exprimée par la *Centaurea Candidissima*, feuillage pâle et mat, presque blanchi de poussière, et négligemment le même sur ses deux faces chiffonnées. Tout l'effet du hasard se passe entre cette plante et une autre : l'*Obelia erineus*, qui, sèche et délicate, elle, avec ses fleurettes d'un bleu dur, va, par des interstices, de la bordure ovale se perdre vers le sommet du tertre.
MALLARMÉ, la Dernière Mode, Pl., p. 720.

Par métaphore :

4 Ce beau pays (...) présentait une corbeille de verdure de plus de 800 stades de tour.
CHATEAUBRIAND, les Martyrs, 9.

En corbeille : en forme de corbeille. *Arbuste taillé en corbeille.*

Par appos. *Store corbeille*, en quart de cercle.

♦ **5** Techn. *Corbeille de protection d'une lampe*, en fil de fer. *Corbeille de soupape, de régulation.*

♦ **6** (À la Bourse; 1855, in D.D.L.). Espace circulaire entouré d'une balustrade et réservé aux agents de change. → **Parquet.**

(1883, in D.D.L.). Dans une salle de spectacle, Balcon* immédiatement au-dessus de l'orchestre.
→ **Mezzanine.** *Place de corbeille.* — Ellipt. *Louer une corbeille.*

♦ **7** (1829). Bot. *Corbeille d'or.* → **Alysse, thlaspi.** —
(1867). *Corbeille d'argent.* → **Arabette.**

♦ **8** Zool. Cavité allongée des pattes postérieures des abeilles ouvrières servant à loger le pollen.

DÉR. **Corbeillage.** — **Corbillon.** ◊ COMP. **Corbeille d'argent; corbeille d'or** (ci-dessus, 7.).

CORBILLARD [kɔʀbijaʀ] n. m. — 1688, Mme de Sévigné, «carrosse»; *corbillat* «coche d'eau faisant le service de Corbeil à Paris», XVIe; dér. de *Corbeil*, et *-at*, supplanté par *-ard*.

♦ **1** (XVIIe-XVIIIe). Vx. Grand carrosse utilisé par les laquais d'un grand seigneur.

♦ **2** (1798; donné alors comme propre au «peuple»; J. Cellard, critiquant l'hypothèse du passage du sens 1 au sens 2, évoque *corbillat* «petit corbeau», cet oiseau étant symbole de mort). Mod. Voiture servant à transporter les morts jusqu'à leur sépulture. *Corbillard tiré par des chevaux noirs* (autrefois; de nos jours, lors de funérailles solennelles). *Corbillard automobile.* → **Fourgon** (mortuaire).
Mettre un cercueil sur le corbillard. Corbillard couvert de fleurs, de couronnes. Draperies noires d'un corbillard. Corbillard à deux chevaux. Le cortège suit le corbillard. Marcher derrière le corbillard.

1 Le corbillard franchit le seuil du cimetière.
HUGO, les Contemplations, VI, VI, VI.

2 Quand le corbillard s'ébranla et descendit lentement la rue de la Goutte-d'Or, au milieu des signes de croix et des coups de chapeau, les quatre croque-morts prirent la tête, deux en avant, les deux autres à droite et à gauche.
ZOLA, l'Assommoir, t. II, IX, p. 99.

3 Bernard, à un corbillard :
Cocher, êtes-vous libre ?
J. RENARD, Journal, 12 nov. 1893.

4 Mais où sont les funérailles d'antan
Les petits corbillards, corbillards, corbillards
de nos grands-pères
Qui suivaient la route en cahotant.
G. BRASSENS, les Funérailles d'antan (chanson).

5 Quatre hommes en uniforme noir et à casquette s'occupèrent de retirer le cercueil hors du corbillard.
Jean-Louis CURTIS, le Roseau pensant, p. 89.

Loc. fam. *Une tête à caler une roue (des roues) de corbillard* : une tête sinistre.

CORBILLAT [kɔʀbija] n. m. — XVIe; de *corbeau*.
Rare. Petit du corbeau. — On dit parfois *corbillot*.

CORBILLON [kɔʀbijɔ̃] n. m. — Déb. XIIIe, *corbeillon*; de *corbeille*, et *-on*.

♦ **1** (Av. 1250). Vx. Petite corbeille. *Le corbillon du pain bénit.* — *Corbillon de boulanger*, contenant la quantité de pâte nécessaire pour faire un pain.

1 On vit (...) le comédien Destin couché sur un matelas, un corbillon dans la tête, qui lui servait de couronne (...)
SCARRON, le Roman comique, I, II, p. 7.

Mar. Vx. Petit baquet qui contenait la ration de biscuits pour une table de matelots.

♦ **2** (1663). Fig. Jeu de société où chacun doit répondre par une rime en *-on* à la question : «*Que met-on dans mon corbillon?*».

2 Et s'il faut qu'avec elle on joue au corbillon
Et qu'on vienne à lui dire à son tour : «Qu'y met-on ?»
Je veux qu'elle réponde : «Une tarte à la crème»;
En un mot, qu'elle soit d'une ignorance extrême (...)
MOLIÈRE, l'École des femmes, I, 1.

CORBIN [kɔʀbɛ̃] n. m. et adj. m. — XIIe; lat. *corvinus*, de *corvus* «corbeau».

I ♦ **1** Vx. Corbeau. → **Bec-de-corbin.**

♦ **2** Adj. m. Recourbé. *Nez corbin.* (S'emploie uniquement pour qualifier un nez ou un bec).

II Régional. Bec de corbin.

Le corbin de cette canne est formé d'un riche pommeau d'argent (...) La forme en est insolite et c'est pourquoi, dans les cantons, M. Töpffer est toujours reconnu au pommeau de son corbin avant de l'être à sa figure ou à son parler.
Rodolphe TÖPFFER, Voyages en zigzag, 1838,
4e journée, p. 103.

CORBINE [kɔʀbin] n. f. — Fin XVIIIe, Buffon; de *corbin*.
Régional. Corneille* noire.

CORBLEU [kɔʀblø] ou **CORDIEU** [kɔʀdjø] interj.
— 1564, *corbleu; cordieu*, 1752 (Trévoux); *corbieu*, 1546; *le corps Dieu*, 1534; *por le cuer Dieu*, v. 1240; *por le cuer bieu*, v. 1179; *cordieu* pour le *cœur de Dieu*, puis pour *le corps de Dieu; corbleu* par euphém.; on trouve aussi au XVIIe : *par la corbieu.*

Ancien juron, en usage surtout au XVIIe siècle.
→ **Morbleu, palsambleu.**

1 Corbleu ! mon gendre, ne m'échauffez pas la bile : je me mettrais avec lui contre vous.
MOLIÈRE, George Dandin, I, 6.

2 Corbleu ! je suis plus votre ami que vous ne pensez, car dès la première rencontre j'aurais pu, en disant un mot au cardinal, vous faire couper le cou.
A. DUMAS, les Trois Mousquetaires, t. II, p. 743.

REM. On dit, on écrit aussi *corbieu*.

CORDACE [kɔʀdas] n. f. — 1564, Rabelais; grec *kordax*.
Didact. Danse obscène ou comique des Grecs de l'Antiquité, d'origine lydienne.

(...) on dansait la cordace sur le théâtre (...)
TAINE, Philosophie de l'art, t. II, IV, I, IV, p. 123.

CORDAGE [kɔʀdaʒ] n. m. — 1358; de *corde* (sens I) ou de *corder* (sens II).

I Lien servant au gréement et à la manœuvre (de navires, de machines, d'engins). → **Corde.** *Attacher, tirer, hisser (qqch.) avec un cordage. Commande d'une machine avec un cordage. Cordage employé dans l'artillerie* (→ **Jarretière**), *la maçonnerie* (→ **Brayer**). *Cordage dont sont munis les wagons de chemin de fer* (→ **Prolonge**), *les aérostats* (→ **Guiderope**), *les charrettes* (→ **Liure**). *Cordages pour la gymnastique. Résistance, force, poids d'un cordage. Fabrication des cordages. Cordages textiles en fibres naturelles* (chanvre, manille, sisal, coton, jute, abaca), *en matériaux de synthèse* (polyamide, polyester, polypropylène). — (Vieilli). *Cordage en fil de fer, en acier. Cordage métallique.* → **Câble, câblot, filin.** *Fils de caret* tordus en torons commis ensemble pour obtenir des cordages de grosseurs différentes. Cordage câblé, tressé* (avec âme). *Les fils, les torons du cordage se décommettent. Conchoir servant au commettage des cordages.*

Mar. → **Bout, filin.** *Petits cordages en fibre naturelle.* → **Bitord, fil** (à voile), *ligne, lusin, merlin, quarantenier, ralingue. Gros cordages.* → **Aussière, câble, grelin.** *Petit cordage en fibre synthétique.* → **Garcette.** *Travail des cordages* (→ **Matelotage**). *Goudronner un cordage à l'aide d'une limande.* — Vx. *Cordage noir*, goudronné; *cordage blanc*, non goudronné. *Congréer, limander un cordage. Fourrer un cordage à l'aide d'une mailloche, d'un minahouet. Réunir deux cordages en se servant d'un trésillon. Couper, arrêter un cordage par une surbure, en soudant les fils. Épisser un cordage. Moucher un cordage. Ajout de deux cordages. Alouter deux cordages. Cordage en patte d'oie, se terminant par plusieurs branches. Cordage mobile. Cordage appartenant au gréement.* → **Manœuvre.** *Partie libre* (→ **Ballant, courant**), *fixe* (→ **Dormant**) *d'un cordage. Noms des cordages, selon leurs fonctions.* → **Agui, armure, aussière, balancine, bosse, bouline, brague, bras, cargue, commande, cravate, draille, drisse, drosse, écoute, enfléchure, erse, estrope, étai, gambe, garcette, gerseau, halebas, hauban, laguis, marguerite, martingale, orin, pantoire, passeresse, ride, sabaye, sous-barbe, suspente, tourtouse, trélingage.** *Cordage de traction* (→ **Élingue, lève-nez, saisine, trévire**),

de maintien (→ **Garde-corps, filière, retenue, sauve-garde**). *Installer un va-et-vient avec des cordages.*
Cordage qui passe dans le réa d'une poulie, dans un cap-de-mouton, dans une moque, dans l'œillet d'une voile. Cordage d'un palan. → **Garant.**
Cordages des filets de pêche. → **Bras, ralingue.**
Cordage qui ripe. Cordage qui rague, s'use, se rompt. Lover, délover, démêler un cordage. Cordage qui fait des coques. Rouleau de cordages. → **Glène.**
Tourner un cordage sur un cabillot, un taquet. Garnir un cordage au cabestan. Amarrer, bosser, frapper un cordage. Filer, affaler un cordage. → **Choquer.** *Haler, embraquer, raidir un cordage.* → **Amurer, brider, rider.**

1 — L'abordage! l'abordage! —
On se suspend au cordage,
On s'élance des haubans.
La poupe heurte la proue.
HUGO, les Orientales, V, 4.

2 On voyait sur ses ponts des rouleaux de cordages
Monstrueux, qui semblaient des boas endormis (...)
HUGO, la Légende des siècles, LXVIII, Pleine mer.

3 Toujours prompt à la manœuvre, ne se trompant jamais dans le jeu infiniment compliqué des cordages, jamais ne faiblissant en service, il avait toutes les qualités du matelot sans reproche. LOTI, Matelot, XX, p. 73.

II (1535; *cordaige*, 1265; de *corder*, II., 2., et *-age*). Techn.
♦ **1** Manière de mesurer du bois à la corde. *Le cordage du bois.*

4 Dans beaucoup de chantiers, on vend du bois au poids; mais cette nouvelle invention ne fera jamais tomber le cordage (...)
Ch. PAUL DE KOCK, la Grande Ville, t. I, p. 44.

♦ **2** (1936). Action de poser les cordes d'une raquette de tennis. — Ensemble des cordes d'une raquette de tennis. *Le cadre et le cordage d'une raquette.*

CORDE [kɔʀd] n. f. — V. 1135; *corda*, dès le Xᵉ; lat. *corda*, grec *khordê* «boyau».

I (*Une, des cordes*). Lien formé par un assemblage de fils tordus ou tressés, relativement serrés et assez résistants (par oppos. à *ficelle*). → **Cordage, cordon, lien.** *Corde épaisse, grosse; fine* (→ **Cordelette**). *Petite corde; longue corde. Corde solide, résistante. Corde de chanvre* (→ **Larderasse**), *de lin, de coton, d'alfa, de jute, de tille, de nylon. Corde en nylon; en crins, en poils d'animaux, en écorce. Corde en fils de métal* (→ **Câble**). *Faire, fabriquer une corde. Fabrique de cordes* (→ **Corderie, cordier**). *Brins textiles* (→ **Duite**) *tordus* (→ **Toron**) *et retordus pour faire une corde. Tordre, tresser des brins, des fils en corde.* → **Corder, cordeler.** *Détortiller, détordre, défaire une corde.* → **Décorder.** — (*Usages d'une corde*). *Lier, attacher qqch., suspendre, tirer qqch. avec une corde. Attacher qqch. lâche, serré* (→ **Ligature, ligoter**) *avec une corde. Accrocher, nouer une corde* (→ **Nœud**). *Tendre une corde; tirer sur une corde. Dénouer, défaire, couper une corde, la corde. Régler la tension d'une corde en tirant, en serrant, avec un tendeur*, *un garrot*. *Extrémité, bout d'une corde* (→ **Bout**). *Extrémité d'une corde formant anneau* (→ **Ansette**). — *Avoir une corde en guise de ceinture* (→ **Cordelier**). — *Frapper avec une corde en guise de fouet*. — *Cordes d'attache, de tirage... Corde de puits, pour tirer le seau. Corde d'une cloche* (→ Carillon, cit. 3). *Cordes de tension d'une scie. Cordes de suspension. Les deux cordes d'une escarpolette, d'une balançoire. Cordes d'agrès*. — *Cordes pour mener les animaux* (→ **Longe, trait; licol**). *Promener un chien au bout d'une corde* (→ **Laisse**). — *Corde à nœud coulant formant lasso*. — *Tendre une corde à hauteur d'homme pour servir de rampe*

(→ **Tire-veille,** mar.). *Tirer une ligne droite à l'aide d'une corde tendue.* → **Cordeau.** — Techn. *Cordes de transmission. Corde sans fin, tendue sur deux poulies. Cordes de manœuvre* (machines, marine). → **Cordage.** — REM. Le mot *corde* ne s'emploie pas en marine, sauf dans le cas de la *corde de la cloche.* On dit *bout* ou *cordage. Cordes d'un palan.* → **Courant.** *L'arbalète*, *corde d'anciens métiers à tisser. — Cordes de serrage. Paquet, marchandise emballé(e) à l'aide de cordes* (→ **Ficeler; cordée, seizaine**). — Loc. *Vendre qqch. sous corde,* en ballots, en gros (→ **Balle,** cit. 1). — *Cordes nouées servant de symboles* (→ ci-dessous, cit. 2 et → **Quipo**).

1 Il y porte une corde, et veut avec un clou
Au haut d'un certain mur attacher le licou.
LA FONTAINE, Fables, IX, 16.

2 Les Péruviens transmettaient les principaux faits à la postérité par les nœuds qu'ils faisaient à des cordes.
VOLTAIRE, Essai sur les mœurs, 148.

3 De plusieurs de ces cordons réunis et tortillés ensemble on compose les plus grosses cordes.
BRISSON, Traité de physique, t. I, p. 145.

Par compar. Avoir une cravate comme une corde, tortillée.

En corde : comme une corde. *Mettre, tordre des chiffons en corde.*

Loc. fig. *Il tombe, il pleut des cordes :* il pleut très fort.

3.1 *Un jour, c'était peut-être novembre, octobre, je me rappelle qu'il avait plu des cordes.*
François NOURISSIER, le Maître de maison, p. 229-230.

Emplois spéciaux (souvent dans des syntagmes ou des contextes déterminés).
A (Sports et jeux). ♦ **1** **a** (1538). Corde, fil ou câble sur lesquels on fait des exercices d'équilibre. *Marcher, danser sur la corde. Danseur* de corde. Voltige sur la corde raide.* Loc. fig. *Être sur la corde raide,* dans une situation très difficile. *C'est de la corde raide.*
b Corde suspendue à une certaine hauteur et le long de laquelle le gymnaste doit s'élever. (1830, *in* Petiot). *Corde lisse. Corde à nœuds* (→ **Nœud,** cit. 2.1). *Monter à la corde avec les bras, à la force des bras.* — Par métonymie. Exercice consistant à monter à la corde. *Faire de la corde et des anneaux.*
c (1837). *Corde à sauter, corde :* corde (tortis de chanvre, puis corde de nylon, etc.) munie de deux poignées que l'on fait tourner au-dessus de la tête puis près du sol, en sautant à chacun de ses passages. *Saut à la corde. Fillettes qui sautent à la corde. Figures de saut à la corde.* — Par métonymie. *La corde :* le saut à la corde. *Elle est très forte à la corde.*

4 Les petites filles sautent à la corde sous les arbres qui bordent la grande place rectangulaire (...)
J. CHARDONNE, les Destinées sentimentales, p. 316.

d (1868, *in* Petiot). Lien utilisé par les alpinistes pour s'attacher les uns aux autres et pour s'assurer contre les glissades, les chutes. → **Cordée.** *Corde d'attache.* → **Encorder** (s'), **décorder** (se). *Corde d'assurance*. → **Assurance.** *Corde de rappel*. *Corde fixe, placée pour franchir un passage difficile, et sur laquelle on se déplace au moyen de poignées autobloquantes* (→ **Ascendeur**). *Longueur de corde :* distance de corde qui sépare deux membres d'une cordée. *Anneau* de corde.*

♦ **2** (V. 1165). Corde servant à envoyer des projectiles. *Cordes de catapulte, de fronde. Corde d'arc, d'arbalète. Tendre, bander la corde d'un arc. Corde trop tendue qui se rompt. Changer la corde d'un arc.*

Loc. fig., vx (langue class.). *Si la corde ne rompt :* si tout marche bien.

5 Nous allons voir beau jeu, si la corde ne rompt.
MOLIÈRE, l'Étourdi, III, 7.

Avoir plus d'une corde, plusieurs cordes à son arc : avoir des ressources pour parvenir à ses fins.

6 Si tu as plusieurs cordes à ton arc, elles s'embrouilleront, et tu ne pourras plus viser.
J. RENARD, Journal, 8 déc. 1896.

6.1 Que veux-tu ! ils se portent comme des bœufs dans ce pays-ci !... alors, voyant que la pharmacie languissait... j'ai joint une seconde corde à mon arc... la corde de l'horlogerie !
E. LABICHE, Un monsieur qui a brûlé une dame, 1.

6.2 Avec tant de cordes à mon arc, il me paraît difficile de coucher à la belle étoile partout où, comme dans la forêt du petit Poucet, je verrai luire une lumière.
G. NOUVEAU, Lettre à L. Silvy, 1er déc. 1908, Pl., p. 950.

Tirer sur la corde : exagérer, abuser de la patience de qqn, d'une situation.

(1690; de *corde d'un arc*). **Fig., géom.** Segment d'une ligne droite coupant une circonférence ou un cercle. → **Amplitude** (d'un arc). *Corde qui sous-tend un arc.* → **Sous-tendant** (→ aussi Arc, cit. 9).

♦ 3 (Corde servant de limite). **[a]** (1855, *in* Petiot). Corde qui, dans les hippodromes, limite intérieurement la piste sur laquelle courent les chevaux.

Par ext. (Athlétisme, cyclisme, automobile). Partie de la piste située le long de sa limite intérieure. *Tenir la corde,* se dit de l'écuyer, du coureur qui est le plus proche de la corde, et, **fig.** (1869, *in* Petiot), d'une personne qui a un avantage sur les autres, qui est bien placée dans une compétition. — (1905, *in* Petiot). **Autom.** *Prendre un virage à la corde,* en serrant de très près le bord intérieur du tournant.

7 Quand Joseph doublait une voiture puissante, quand il prenait, à la corde, dans le ruisseau, un tournant difficile, ou quand il abordait à grande allure une rampe longue et sinueuse, Joseph serrait un peu les dents (...)
G. DUHAMEL, Chronique des Pasquier, X, Passion de J. Pasquier, p. 310.

7.1 Quinze jours plus tard, seconde course sur un autre champ, corde à gauche.
Pierre DANINOS, Un certain Monsieur Blot, p. 263.

Passer à la corde, tout juste ; réchapper de peu (à un danger).

7.2 Mon vieux, si tu avais eu affaire à un type plus service, tu n'y coupais pas de Biribi ! T'as passé à la corde ! (...)
Roger VERCEL, Capitaine Conan, VI, p. 103.

[b] (1904, *in* Petiot). *Les cordes :* enceinte en cordes d'un ring* de boxe. *Être envoyé dans les cordes.*

7.3 C'est notre tour, nous passons sous les cordes ; mon adversaire, souple et brusque, s'est relevé trop tôt, et secoue la corde inférieure.
Jean PRÉVOST, Plaisirs des sports, p. 82.

B Lien que l'on passe autour du cou de qqn pour le pendre. *Corde de chanvre*.* — (1612). Supplice de la potence. → **Pendaison.** *Condamner qqn à la corde. Mériter la corde. Il ne vaut pas la corde pour le pendre :* il est très méprisable. *Homme de sac* et de corde :* filou, scélérat. *Sentir la corde :* être suspect. — (1680). *Parler de corde dans la maison d'un pendu :* faire une allusion maladroite, rappeler un souvenir fâcheux. *Une vieille superstition veut que la corde d'un pendu porte chance. Avoir de la corde de pendu dans sa poche :* être chanceux.

8 Sans nulle miséricorde, je serai digne de la corde.
RÉGNIER, Mac., *in* LITTRÉ.

9 Vollichon ne voulait avoir pour gendre qu'un homme de sac et de corde.
FURETIÈRE, le Roman bourgeois, *in* HATZFELD.

On les condamna à la corde, et par grâce on les arquebusa, 10 ce qui est, dit-on, plus honorable.
VOLTAIRE, le Siècle de Louis XIV, 35.

(...) elle pensa que «ces trois pécores» ne valaient pas la 10. corde pour les pendre (...)
ZOLA, le Ventre de Paris, t. I, p. 121.

La corde au cou, dans l'attitude ou la situation du condamné prêt à être pendu. — (1884). *Se mettre la corde au cou,* dans une situation d'asservissement, de dépendance (notamment, se marier, en parlant d'un homme).

11 Édouard III exigea que six bourgeois vinssent lui demander pardon de la corde au cou.
VOLTAIRE, Essai sur les mœurs, 75.

On dit que Mme du Fleuriel avait un moment pensé 11. arranger un mariage entre sa fille et Paul Bernardini. L'union eût été avantageuse des deux côtés, mais Paul s'était fait tirer l'oreille ; il refusait de consentir, alléguant qu'il avait bien le temps de se mettre «la corde au cou», et que la future présumée n'était point belle.
Suzanne PROU, la Terrasse des Bernardini, p. 72.

Hist. *Corde d'estrapade.* — **Loc.** (1598). *Avoir la corde :* subir l'estrapade. *Trait de corde :* coup d'estrapade.

C Corde tendue sur laquelle les dormeurs appuient leur nuque (et que l'on détachait au matin, pour un réveil brutal, dans certains asiles de nuit). **Loc.** *Coucher à la corde.*

D **Techn.** Corde ou lien de longueur déterminée servant à entourer un volume régulier de bois pour l'estimer. *Mesurer du bois à la corde.* → **Corder.** — **Par métonymie.** *Une corde de bois :* volume valant environ 4 stères.

— Il a fait un froid, cet hiver ! dit-elle. 11.2
— Vous aviez du bois pour vous chauffer.
— Oui, du bois à 45 francs la corde.
J. RENARD, Journal, 8 févr. 1909.

II (Seult au sing.). **♦ 1** Fil dont une étoffe est tissée (dans quelques expressions). → **Chaîne, fil, trame.** *Vêtement qui montre la corde, usé jusqu'à la corde,* dont le tissu est devenu si clair, par l'usure, qu'on en distingue la trame (→ **Limé, râpé**).

(...) un méchant tapis étroit qui montrait la corde (...) 12
BALZAC, le Médecin de campagne, Pl., t. VIII, p. 373.

(...) user jusqu'à la corde nos vêtements cent fois 13 reprisés (...)
G. DUHAMEL, Chronique des Pasquier, I, I, p. 168.

Fig. *Usé jusqu'à la corde. Un argument usé jusqu'à la corde.* → **Rebattu.** — (1672). *Montrer la corde,* le fond des choses.

J'ai dit que le prétexte étant si petit et si mince, on voyait 14 la corde et le fond.
Mme DE SÉVIGNÉ, 313, 1673.

C'est un homme qui est de mise un quart d'heure de suite, 15 qui le moment d'après baisse, dégénère, perd le peu de lustre qu'un peu de mémoire lui donnait, et montre la corde.
LA BRUYÈRE, les Caractères, II, 40.

(...) des mots à nous, des mots à tous, des mots de série, 15.1 prêts à porter, des mots usés jusqu'à la corde, ceux des humbles, ceux des pauvres (...) plats et vulgaires (...)
N. SARRAUTE, Vous les entendez?, p. 72.

♦ 2 (De la corde). Matière première dont sont faites les cordes. — *De corde. Échelle*de corde. Filet de corde.* → **Filoche.** *Tapis de corde.*

Semelles de corde, faites de cordes repliées et cousues. *Espadrilles*à semelles de corde.*

III **A** (Déb. XIIe). **♦ 1** **Mus.** Boyau, crin, fil métallique ou fil de nylon tendu qui rend les sons sur certains instruments. *Les cordes d'une guitare, d'un luth, d'un piano.* — *...À* **CORDES.** *Instruments*à cordes et instruments à vent. Le piano, le clavecin, la guitare, la cithare, le luth, la lyre, la mandoline, le banjo... sont des instruments à cordes. Instruments à cordes grattées, pincées (guitare, luth. → **Médiator,**

plectre), *frappées* (piano), *frottées* (violon, violoncelle. → **Archet**). *Instrument à une corde* (→ **Monocorde**), *à plusieurs cordes* (→ *infra*, les composés de *corde*). *L'arc musical est un instrument à une corde.* — REM. En emploi normal et courant, *instrument à cordes ne se dit guère que des cordes frottées.* — *Corde à boyau.* → **Boyau, catgut**. *Corde métallique d'acier, de cuivre. Filer une corde métallique avec une filière*. Corde filée,* qu'on entoure d'un fil de métal (→ aussi **Cannetille**). *Instrument pour tendre les cordes.* → **Cheville**. *Support des cordes d'un violon.* → **Chevalet**. *Corde la plus fine d'un violon* (→ **Chanterelle**), *corde la plus grosse* (→ **Bourdon**). — Loc. *Jouer en double(s) corde(s) :* toucher deux cordes à la fois avec l'archet. *Doigté de l'index sur plusieurs cordes, en travers du manche de la guitare* (→ **Barré**). *Appareil permettant de changer de tonalité en raccourcissant les cordes* (→ **Capodastre**). *Flatter la corde,* la toucher très légèrement. *Faire vibrer les cordes d'un instrument.* — Par ext. → **Note, ton**. *Ce piano est bon dans les cordes aiguës* (on dit plutôt : *dans les aigus). Corde fondamentale.* → **Accord**.

5.2 Il *(Paganini)* a su faire ressortir et rendre dominateur le timbre du violon solo en accordant ses quatre cordes un demi-ton plus haut que celles des violons de l'orchestre; ce qui lui permettait de jouer ainsi dans les tons brillants de *ré* et de *la,* pendant que l'orchestre l'accompagnait dans les tons moins sonores de *mi bémol* et de *si bémol.* Ce qu'il a découvert dans l'emploi des sons harmoniques simples et doubles, des notes pincées de la main gauche, dans la forme des arpèges, dans les coups d'archet, dans les passages en triple corde, passe toute croyance (...)
    H. BERLIOZ, les Soirées de l'orchestre, 16, p. 216.

♦ **2** (1797). Par métaphore ou fig. (dans quelques emplois). Ce qui vibre, ce qui est sensible. *Les cordes du cœur. Faire vibrer, toucher la corde sensible :* parler à une personne de ce qui la touche le plus (→ **Point**). *Toucher une corde délicate,* un sujet qui risque de froisser, d'attirer des ennuis. *Évitez de toucher cette corde-là.* — REM. Cet emploi est assez littér., notamment dans les métaphores, sauf pour le syntagme courant : *corde sensible.*

16 Ne savez-vous pas bien que l'astrologie est une affaire d'État, et qu'il ne faut point toucher à cette corde-là ?
    MOLIÈRE, les Amants magnifiques, I, 2.

17 Notre cœur est un instrument incomplet, une lyre où il manque des cordes, et où nous sommes forcés de rendre les accents de la joie sur le ton consacré aux soupirs.
    CHATEAUBRIAND, René, p. 193.

18 (...) lorsque je distinguais en elle l'écho tout à fait exact et comme l'unisson de la corde émue qui vibrait en moi, c'était une conformité de plus dont je me réjouissais comme d'une nouvelle alliance.
    E. FROMENTIN, Dominique, p. 167.

19 (...) ces esprits chimériques, ces exaltés, ces fous si étrangement raisonnables nous font rire en touchant les mêmes cordes en nous (...)   H. BERGSON, le Rire, p. 10.

20 C'est vrai, mais je dirais qu'un écrivain doit cultiver les siennes *(ses souffrances)* et appuyer sur les points névralgiques. C'est quand il se fait crier de douleur, quand il touche aux cordes sensibles, qu'il libère le meilleur de son talent (...)
    A. MAUROIS, le Cercle de famille, IX, p. 275.

Rare. *La corde délicate :* la corde sensible.

♦ **3** (1903; surtout au plur.). Instrument à cordes (frottées). *Les cordes d'un orchestre :* le quatuor. → **Alto, contrebasse, violon, violoncelle.**

B Au plur. Boyaux ou fils de nylon entrecroisés garnissant une raquette de tennis. *Faire retendre les cordes de sa raquette.*

IV Par anal. ♦ **1** (1805, Cuvier). *Cordes vocales :* replis musculo-membraneux du larynx, entre lesquels se trouve la glotte, et qui constituent l'organe essentiel de la phonation (sons produits par vibration).

→ **Voix**. *Avoir les cordes vocales fatiguées pour avoir trop parlé, trop chanté.*

21 Les cordes de sa voix remuaient harmonieusement les fibres de mon cœur.
    FRANCE, le Petit Pierre, XXIX, p. 204.

22 (...) les deux seuls malades dont les cordes vocales étaient intactes, et qui discouraient du matin au soir (...)
    MARTIN DU GARD, les Thibault, t. VIII, p. 207.

23 La glotte (...) formée de deux muscles parallèles ou cordes vocales, s'ouvre par leur écartement ou se ferme par leur resserrement. La fermeture complète n'entre pour ainsi dire pas en ligne de compte; quant à l'ouverture, elle est tantôt large, tantôt étroite. Dans le premier cas, l'air passe librement, les cordes vocales ne vibrent pas; dans le second, le passage de l'air détermine des vibrations sonores. Il n'y a pas d'autre alternative dans l'émission normale des sons.
    F. DE SAUSSURE, Cours de linguistique générale, p. 67.

24 (...) ces chiens à qui l'on coupe les cordes vocales avant de les soumettre aux tortures de la vivisection : pas un signe de leur souffrance dans le monde; ce serait moins intolérable de les entendre hurler !
    S. DE BEAUVOIR, les Mandarins, p. 285.

Par ext. Le son que rendent ces cordes. *Il a une belle voix dans les cordes élevées.* — Loc. fig. *Ce n'est pas dans mes cordes :* ce n'est pas de ma compétence.

(1732). *Corde du tympan :* nerf qui longe le tympan.

♦ **2** (XIXᵉ). Ligament musculaire. — Par ext. Saillie provoquée par la tension d'un muscle. *Corde cervicale.* — Par anal. Engorgement de l'urètre survenant lors d'une blennorragie.

Zool. Bourrelet allongé sur une coquille.

♦ **3** (Fin XIXᵉ). *Corde* (ou *chorde*) *dorsale :* cordon cellulaire des vertébrés primitifs, et première ébauche de la colonne vertébrale chez l'embryon. → **Chordal**. *Les animaux munis d'une corde dorsale sont dits cordés.* → **Cordés**.

DÉR. Cordage, cordeau, cordée, cordelle, corder, corderie, cordier, cordon. ◊ COMP. Anémocorde, heptacorde, hexacorde, octacorde, pentacorde, tétracorde.

CORDÉ, ÉE [kɔrde] adj. — 1808, Boiste; lat. *cor, cordis* «cœur», et *-é.*

Sc. nat. Qui a la forme d'un cœur schématisé. *Coquillage cordé.*

HOM. Cordé (p. p. de *corder*), cordée, corder.

CORDEAU [kɔrdo] n. m. — 1549; *cordel,* v. 1165; de *corde.*

♦ **1** Petite corde que l'on tend entre deux points pour obtenir une ligne droite. *Cordeau dont le jardinier se sert pour semer, planter régulièrement.* — *Cordeau de charpentier.* → **Simbleau**. *Tracer une ligne droite avec un cordeau frotté de craie.* → **Tringle, tringler**. — (Dans : *tirer, tracer... au cordeau). Tracer une rue au cordeau. Aligner au cordeau un mur, une rangée d'arbres. Plate-bande tirée au cordeau* (→ **Aligné, droit, régulier, symétrique**).

1 Vous ne voyez rien d'aligné, rien de nivelé, jamais le cordeau n'entra dans ce lieu; la nature ne plante rien au cordeau.
    ROUSSEAU, Julie ou la Nouvelle Héloïse, IV, Lettre II.

1.1 Abraham nous disait que les maçons élevaient en général les murs sans cordeau entièrement d'instinct (...)
    E. DELACROIX, Journal, 24 mars 1832.

Fig. *Au cordeau :* de façon nette et régulière.

2 J'arrange au cordeau chaque mot;
Je sens que je deviens puriste (...)
    D'ALEMBERT, Éloge de Dangeau, in LITTRÉ.

3 L'autre *(portrait)* montre un personnage tout aussi officiel, mais aux traits et aux favoris un peu moins tirés au cordeau.   M. YOURCENAR, Archives du Nord, p. 236.

♦ 2 Mèche d'une mine. *Cordeau Bickford.* → **Bickford.** *Cordeau détonant :* tube rempli de mélinite.

♦ 3 Pêche. Ligne de fond pour la pêche fluviale (par exemple pour la pêche aux anguilles). *Ils sont partis à la nuit tombante pour poser des cordeaux.*

DÉR. **Cordelet.**

CORDÉE [kɔʀde] n. f. — 1481; de *corde*, et *-ée.*

♦ 1 (1481). Techn. Ce qui peut être entouré d'une corde; mesure que donne cette corde. *Une cordée de fagots.*

♦ 2 (1886, *in* Petiot). Groupe de grimpeurs attachés l'un à l'autre par la taille avec une corde, pour faire une ascension. *Chef de cordée, premier de cordée* (titre d'un roman de Frison-Roche), celui qui mène la caravane. *Second de cordée. Cordée inversée :* cordée de deux grimpeurs qui inversent à tour de rôle leur position dans la cordée. *Former une cordée :* s'encorder.

Fig. Union de personnes solidaires (dans une entreprise périlleuse).

Il n'est de camarades que s'ils s'unissent dans la même cordée, vers le même sommet (...)
    SAINT-EXUPÉRY, *in* A. MAUROIS, Études littéraires, t. II, p. 261.

♦ 3 (1752). Techn. (pêche). Petite ficelle attachée à une ligne de fond (→ **Cordeau**), et qui porte les hameçons.

HOM. **Cordé, corder.**

CORDELER [kɔʀdəle] v. tr. [CONJUG.: *appeler.*] — 1512; *cordelé*, 1350; de *cordel.* → **Cordeau.**

♦ 1 Techn. Tordre en forme de corde. → **Corder, cordonner, tortiller, tordre.** *Cordeler ses cheveux pour en faire un chignon.*

V. pron. *Se cordeler :* se tordre comme une corde.

1   Ses souliers le blessent, il n'en dit mot, et ses doigts se cordellent; le bout de ses orteils enfle, ce qui leur donne la forme de petits marteaux.
    J. RENARD, Poil de Carotte, 1894, p. 229, *in* T. L. F.

♦ 2 Vx. Serrer avec une corde. *Cordeler une malle.* → **Corder,** II., 1.

♦ **CORDELÉ, ÉE** p. p. adj. (Du sens 1).
Tordu en forme de corde.

2   La queue de certains bœufs est comme une tresse de graisse cordelée.   J. RENARD, Journal, 7 mars 1899.

CORDELETTE [kɔʀdəlɛt] n. f. — 1213; de *cordelle,* et *-ette.*

Corde fine. → **Ficelle.**

Par ext. *Cheveux tressés en cordelettes,* en forme de petites cordes.

CORDELIER, IÈRE [kɔʀdəlje, jɛʀ] n. — 1249; de *cordelier,* et *-ier.*

Religieux, religieuse de l'ordre de Saint-François d'Assise (→ **Franciscain**), ainsi nommés parce qu'ils portent pour ceinture une corde à trois nœuds. *Le Club des cordeliers,* fondé par Danton, Marat et C. Desmoulins dans l'ancien couvent des Cordeliers de Paris (1790).

Loc. fam. *Avoir la conscience large comme la manche d'un cordelier :* avoir peu de scrupules.

Gris comme un cordelier : ivre (par jeu de mots sur la couleur grise du vêtement des Cordeliers).

CORDELIÈRE [kɔʀdəljɛʀ] n. f. — Fin XVᵉ; de *cordelle,* et *-ière.*

♦ 1 (Fin XVᵉ). Relig. Corde à plusieurs nœuds dont les religieux et les religieuses de l'ordre de Saint-François se ceignent.

Cour. Gros cordon servant de ceinture. → **Ceinture;** → Rêver, cit. 30. *La cordelière de soie d'une robe de chambre. Cordelière tressée.*

Par ext. Cordon. *Porter une cordelière autour du cou.*

Pauline sentait trembler ses genoux; elle nouait et dénouait la cordelière de son sac autour de ses doigts (...)
    J. CHARDONNE, les Destinées sentimentales, p. 198.

♦ 2 Archit. Moulure sculptée en forme de corde.

♦ 3 (1690). Blason. Collier qui entoure les armoiries des personnes ayant une dévotion pour saint François d'Assise. *L'écu des veuves est entouré d'une cordelière.*

CORDELLE [kɔʀdɛl] n. f. — V. 1180, au sens 1; de *corde,* et *-elle.*

♦ 1 Rare. Petite corde. — Par métaphore, littér. :

Laure soutenait sa tête *(du blessé) :* à chacun de ses mouvements, une longue tresse effleurait le front du blessé. Quand il a retrouvé les yeux, c'est le visage renversé de Laure qu'il a vu d'abord. Il a levé une main encore hésitante, il a saisi entre ses doigts maculés de glaise et de charbon la cordelle de doux cheveux.
    Suzanne PROU, la Terrasse des Bernardini, p. 36.

♦ 2 Techn. Petit câble pour le halage des bateaux. *Haler à la cordelle.*

Nos matelots nous tiraient à la cordelle.
    CHATEAUBRIAND, Itinéraire..., III, 70.

DÉR. **Cordelette, cordelier, cordelière.**

CORDER [kɔʀde] v. tr. — V. 1165, au sens I, 1; de *corde.*

I ♦ 1 Tordre, rouler en corde. → **Cordeler, cordonner, tortiller.** *Corder du chanvre, du crin, du tabac.* Tordre comme une corde. *Corder du tabac.*

♦ 2 Par anal. (en parlant des veines). Donner à (un membre) un aspect noueux, en prenant l'aspect de cordes saillantes. — Intrans. Prendre l'aspect d'une corde saillante. *Veines qui cordent.*

II ♦ 1 (V. 1200). Lier avec une corde. → **Attacher, lier, serrer.** *Corder un ballot, un paquet, une malle.* → **Cercler.**

Vite, il faut se vêtir, faire replier toutes ces toiles tendues, corder nos bagages, et nous voilà dehors (...)
    LOTI, Jérusalem, V, p. 57.

Absolt (ou intrans.). Faire glisser un cercueil dans une fosse à l'aide d'une corde. *«Les porteurs cordèrent rapidement»* (Hervé Bazin, *Cri de la chouette,* p. 284).

♦ 2 (XIIIᵉ, *in* F. E. W.). Mesurer en entourant d'une corde. *Corder du bois.* — Par métonymie :

Si l'on vous corde mal, refusez votre bois.
    Ch. PAUL DE KOCK, la Grande Ville, t. I, p. 44.

III Garnir de cordes (une raquette). *Corder une raquette de tennis.*

♦ **SE CORDER** v. pron.
♦ 1 (En parlant de certains légumes, comme le céleri, les radis, etc.). Devenir filandreux.

♦ 2 Alpin. Se mettre en cordée*. → **Encorder** (s').

♦ **CORDÉ, ÉE** p. p. adj.
♦ 1 Tordu en corde. *Chanvre cordé.*

♦ 2 Par anal. Qui présente l'aspect de cordes saillantes. *Muscle cordé. Mains cordées de veines.*

2 Ses cuisses courtes sont toutes cordées de muscles, ni plus ni moins qu'à un lutteur japonais.
COLETTE, la Paix chez les bêtes, p. 121.

Géol. *Lave cordée,* formant des replis évoquant de grosses cordes.

♦ **3** Lié à l'aide d'une corde. *Malle cordée. Canons «cordés par des câbles de fer»* (Loti, *in* T. L. F.).

♦ **4** (Au sens III). *Raquette mal cordée.*

DÉR. Cordage (II.), **cordeur.** ◊ **COMP. Décorder, encorder, recorder.** � **HOM. Cordée.**

CORDERIE [kɔʀdəʀi] n. f. — 1239; de *cordier* ou de *corde,* et suff. *-erie.*

♦ **1** (1754). Industrie de la fabrication des cordes et cordages. *Corderie du chanvre :* fabrication du fil de caret. *Opérations de corderie :* peignage, étalage, doublage, étirage, filage, filature, commettage, tressage. *Corderie métallique* (➜ **Câblerie**). *Corderie à la main :* fabrication du fil de caret; apprêt par encollage, goudronnage, ourdissage, torsion. *Corderie industrielle à la machine :* bobinage, retordage, toronnage, câblage, livardage, encollage, polissage, ramollissage, mise en pelote... ➜ aussi **Cordier** (outils du cordier).

(...) je les engageai à travailler pour moi à différentes sortes d'ouvrages de corderie (...)
A. GALLAND, les Mille et une Nuits, t. III, p. 254.

♦ **2** (1239). Atelier, usine où l'on fabrique des cordes, cordages, ficelles.

CORDÉS [kɔʀde] n. m. pl. — XXᵉ; de *corde,* IV., 3., et *-és.*

Zool. Groupe (phylum) des animaux à corde* dorsale. *Les Cordés comprennent les Tuniciers et les Céphalocordés (Procordés), ainsi que la totalité des Vertébrés.* — Au sing. *Un cordé.*

COMP. Procordés; céphalocordés. ◊ **HOM. Cordé, cordée, corder.**

CORDEUR [kɔʀdœʀ] n. m. — 1538; de *corder.*

Techn. (ancienn¹). Ouvrier mesurant le bois à la corde.

(...) il n'est guère possible à la personne qui achète d'avoir l'œil sur le cordeur.
Ch. PAUL DE KOCK, la Grande Ville, t. I, p. 44.

CORDI- Élément, du lat. *cor, cordis* «cœur». → Cordiforme.

CORDIAL, IALE, IAUX [kɔʀdjal, jo] adj. et n. — 1314; lat. médiéval *cordialis,* de *cor, cordis* «cœur».

♦ **1** Vieilli ou littér. Propre à faciliter le fonctionnement du cœur*; qui stimule le cœur. → **Fortifiant; réconfortant, reconstituant, remontant** (fam.), **stimulant, tonique.** *Remède* cordial, potion cordiale.*

1 (...) quelques bouteilles de vin vieux, afin d'augmenter la gaieté de nos repas indiens, par ces douces et cordiales productions de l'Europe.
BERNARDIN DE SAINT-PIERRE, Paul et Virginie, p. 52.

N. m. (1495). *Un cordial. Administrer un cordial à un malade. Prendre un cordial.* → **Restaurant** (vx).

2 Mêlé au vin *(le sucre),* il donne un cordial, un restaurant tellement reconnu, que, dans quelques pays, on en mouille des rôties qu'on porte aux nouveaux mariés la première nuit de leurs noces (...)
A. BRILLAT-SAVARIN, la Physiologie du goût, Méditation VI, t. I, p. 132.

Par ext. Boisson alcoolisée. *Voulez-vous prendre un petit cordial?*

Fig. Ce qui stimule (le courage), réconforte. *L'enthousiasme est un cordial.* 3
HUGO, Post-Scriptum de ma vie, V.

♦ **2** (XVᵉ). **Cour.** Qui vient du cœur; qui exprime une spontanéité, une sincérité dans les sentiments positifs (affection, amitié...). → **Affectueux, amical, bienveillant, chaleureux, franc, sincère, spontané, sympathique.** *Langage, entretien cordial. Accueil cordial. Réception cordiale. Amitié, affection cordiale. Sentiments cordiaux. Apparence, mine, physionomie cordiale. Manières cordiales. Cordiaux remerciements. Poignée de main cordiale. Jeter un salut cordial.* → Politesse, cit. 10.

Hist. *Entente* cordiale.* (Personnes). *Un ami cordial, un homme affectueux et cordial,* qui parle sincèrement, et agit avec cœur.

— Votre physionomie m'a plu (...) J'y ai vu quelque chose 4 d'honnête (...) de franc (...) et de cordial.
MOLIÈRE, Monsieur de Pourceaugnac, I, 3.

(...) il m'a paru, vis-à-vis de moi, un peu sur la réserve, 5 quoique cordial (...)
SAINTE-BEUVE, Correspondance, t. I, 67, 23 avr. 1829.

Il *(Bonaparte)* avait toujours deviné, derrière les cordiales 6 effusions d'un Barras et les phrases mielleuses d'un La Revellière, une antipathie pouvant tourner à la haine.
Louis MADELIN, l'Ascension de Bonaparte, XV, p. 220.

Par antiphrase. *Il lui voue une antipathie, une haine cordiale.*

(D'un lieu, d'un milieu). → **Accueillant, agréable.**

Ce logis était bien pauvre, mais il était si cordial, si mollet, 7 si doux!
HUYSMANS, Là-bas, V, p. 57.

♦ **3** Rare. Qui vient du fond du cœur, de la conscience. *«Adhésion (...) nullement cordiale et de toute l'âme...»* (Bremond, *in* T. L. F.).

CONTR. Affaiblissant, débilitant. — **Faux, hypocrite, insincère, menteur.** — **Froid, indifférent, insensible.** — **Antipathique, hostile, malveillant.** ◊ **DÉR. Cordialement, cordialisé, cordialité.**

CORDIALEMENT [kɔʀdjalmɑ̃] adv. — V. 1393; de *cordial,* et *-ment.*

D'une manière cordiale (2.), spontanée. *Il nous a reçus très cordialement. Il lui a parlé cordialement, sans fard, en ami.* → À cœur* ouvert. *Se serrer la main cordialement. Vivre cordialement avec ses voisins,* en bonne entente. — *Cordialement, cordialement vôtre* (formule d'amitié en fin de lettre).

1 J'embrasse toute votre aimable compagnie, et vous très tendrement et *très cordialement :* c'est un mot de ma grand'mère.
Mᵐᵉ DE SÉVIGNÉ, 826, 3 juil. 1680.

2 Je le pardonne non point seulement de bouche ni en apparence, mais sincèrement, mais cordialement.
BOURDALOUE, Pensées, Or. domin., X, 5.

Par antiphrase. *Haïr, détester qqn cordialement,* avec force, de tout cœur.

3 MM. Servien et Le Tellier se haïssaient cordialement.
RETZ, Mémoires, III, IV, p. 327, *in* POUGENS.

4 On se disait cordialement, de part et d'autre, des injures si grossières (...)
MONTESQUIEU, Lettres persanes, 36.

CONTR. Faussement, hypocritement, froidement.

CORDIALISÉ, ÉE [kɔʀdjalize] adj. — Fin XIXᵉ, Allais; de *cordial,* et *-isé.*

Littér. et rare. Rendu cordial, chaleureux.

Le cœur à la joie, cordialisé par les quelques verres de champagne qu'il venait d'avaler coup sur coup, Blaireau, la main grande ouverte, se précipita au-devant de M. Lerechigneux.
A. ALLAIS, l'Affaire Blaireau, p. 96.

CORDIALITÉ [kɔʀdjalite] n. f. — V. 1450; de *cordial.*
Comportement cordial (2.), sincérité et spontanéité dans les sentiments positifs (affection, bienveillance, amitié...). → **Chaleur, franchise, sincérité, spontanéité, sympathie.** *Parler avec cordialité. Affecter la cordialité.*

1 Mais ma froide et tutoyeuse cordialité, à laquelle ils *(mes amis)* ne se trompent pas, les contient.
     COLETTE, la Naissance du jour, p. 23.

2 — «Alors», fit Antoine, s'efforçant à une cordialité qui sonnait faux, «je m'assieds (...)».
     MARTIN DU GARD, les Thibault, t. IV, p. 53.

3 (...) des gens dont la cordialité est un peu rude et l'hospitalité si amicale.
     J. CHARDONNE, les Destinées sentimentales, p. 258.

Par métonymie, littér. (en général au plur.). Témoignages d'amitié. *Des cordialités affectueuses.*

CONTR. Fausseté, hypocrisie, mensonge. — Froideur, insensibilité. — Antipathie, hostilité.

CORDIER, IÈRE [kɔʀdje, jɛʀ] adj. et n. — 1240, comme nom; de *corde.*

◆ **1** **ⓐ** Adj. Qui est relatif à la fabrication ou à la vente des cordes. *Industrie cordière.*

ⓑ N. (1240). Personne (ouvrier, artisan; entrepreneur) qui fabrique ou vend des cordes, des cordages (→ **Corderie**). *Outils du cordier :* carré, dévidoir (touret), émerillon, molette, plantage, quilloir, rouet, sabot. *Appareils, machines utilisés par le cordier :* machines à toronner, machine à câbler, fileuse, coureuse (fileuse mobile), rouleaux frotteurs, cylindres à lisser. *Chanvre utilisé par le cordier.* → **Peignon.**

1 (...) une de ces vieilles églises de province abandonnées, oubliées sur quelque place solitaire où un cordier fait de la corde.
     Ed. et J. DE GONCOURT, Sœur Philomène, p. 42.

2 Le roi des Dentelles l'étirait, comme un cordier persuade sa ligne rétrograde, et les fils tremblaient un peu dans l'obscurité de l'air, comme ceux de la Vierge.
     A. JARRY, Gestes et opinions du Dʳ Faustroll, p. 677.

◆ **2** N. m. (1470). Mar. Bateau de pêche utilisant les lignes de fond. «*Le chalutier "La Jeanne d'Arc" et le cordier "Fend l'Air"...*» (*le Figaro*, 14 nov. 1970). En appos. *Navire cordier.*

◆ **3** N. m. (1875). Mus. Partie du violon où s'attachent les cordes. → **Queue.**

DÉR. Corderie.

CORDIEU [kɔʀdjø] interj. → **Corbleu.**

CORDIFORME [kɔʀdifɔʀm] adj. — 1771, Trévoux; lat. *cor, cordis* «cœur», et *forme.*
Didact. En forme de cœur. → **Cordé.**

1 Le soleil paraissait avoir fait le vide dans tout le village. Seule la fontaine cordiforme jasait intarissablement.
     M. TOURNIER, le Roi des Aulnes, p. 164.

Bot. *Feuille, fleur cordiforme.*

2 À peine l'insecte s'est-il enfoncé dans cette belle fleur cordiforme qu'un déclic referme sur lui une partie de la corolle.
     M. TOURNIER, Vendredi..., p. 119.

CORDILLÈRE [kɔʀdijɛʀ; kɔʀdiljɛʀ] n. f. — 1838, *cordillère; cordillière,* 1801; esp. *cordillera* «chaîne de montagnes», du lat. *chorda.* → **Corde.**

◆ **1** Cour. Chaîne de montagnes (dans les pays de langue espagnole). *Cordillère des Andes.* Absolt. *La Cordillère.*

REM. On écrit parfois *cordillière.*

◆ **2** Géogr. (avec une minuscule). Chaîne de montagnes (dans une région quelconque). *La cordillère alpine.*

Géomorphol. Type de montagnes caractérisé par une structure plissée d'origine géosynclinale.

Par métaphore :

(...) on put voir une cordillère de vapeurs, tout à l'heure encore éblouissante et indiscernable, maintenant aiguë et sombre.
     Claude LÉVI-STRAUSS, Tristes tropiques, p. 52.

CORDITE [kɔʀdit] n. f. — 1890-1891, *Année sc. et industr.,* p. 462; mot angl. (1889), de l'angl. *cord* (→ Corde), et *-ite.*
Techn. Poudre sans fumée, pressée à la filière.

CORDON [kɔʀdɔ̃] n. m. — V. 1170; de *corde.*

ⓘ ◆ **1** Vx (Techn.). Cordelette qui entre dans la composition d'une corde à plusieurs éléments. *Corde à cinq cordons.* Mar. *Trois cordons forment un grelin* (→ **Haussière**).

◆ **2** (V. 1165). Petite corde*, petite tresse ronde ou (plus rarement) plate (ruban) servant à divers usages. → **Aiguillette, attache, bandereau, brandebourg, câble, cordelière, cordonnet, dragonne, enguichure, frange, galon, ganse, lacet, lacs, lien, passepoil, ruban, soutache, toron, tresse.** *Attacher, lier, nouer avec un cordon, avec des cordons. Faire passer un cordon dans une coulisse. Délier, détacher un cordon. Cordon de fil, de soie, de coton... Cordons d'un tablier, d'un bonnet. Les tirants* d'un cordon. Le passementier fabrique les cordons.* → **Passementerie.**

1 L'un d'eux (...) chausse des guêtres (...) passe un cordon où pend le fourniment (...) prend un fusil (...)
     LA BRUYÈRE, les Caractères, VII, 10.

2 Humilité attendrie et attendrissante de pataud qui n'a oncques su délacer un corset sans en embrouiller les cordons (...)
     COURTELINE, Boubouroche, Nouvelle, p. 30.

Loc. *En cordon :* en forme de cordon. *Une cravate nouée en cordon.*

(1593). *Cordons d'un chapeau :* ruban, tissu dont on entoure la forme du chapeau. → **Laisse.** Spécialt. *Cordon d'un évêque, d'un cardinal :* cordon qui pend du chapeau d'un évêque..., et qui est figuré sur ses armoiries. *Le cordon héraldique des cardinaux est de gueules à quinze houppes.*

Liturgie. Longue cordelière dont le prêtre se ceint pour célébrer la messe.

(Emplois spéciaux). *Les cordons d'une bourse.* Loc. *Tenir les cordons de la bourse*. Desserrer, délier les cordons de la bourse :* payer, donner de l'argent.

(1690). Vx. *Cordons de souliers.* → **Lacet.** *Dénouer les cordons des souliers de qqn,* le déchausser. Loc. fig. (Mod.). *Il n'est pas digne de dénouer les cordons de ses souliers :* il est loin de l'égaler en mérite (il lui arrive pas à la cheville). Cf. *Bible, saint Luc,* III, 16 (→ Baptiser, cit. 1).

(V. 1753). *Cordons de tirage. Cordon de sonnette. Cordon de rideaux.* → **Embrasse, tirette.**

(...) le cordon de tirage cassé de mon rideau pendouillant comme un serpent mou égaré par son derviche (...)   2.**1**
     Benoîte et Flora GROULT, Il était deux fois, p. 271.

Ancienn. Petite corde permettant au concierge, au portier, d'ouvrir à ceux qui veulent entrer ou sortir. *Demander le cordon. Tirez le cordon,* et, par ellipse, *cordon, s'il vous plaît.*

On y pénètre par des galeries sans fenêtres, un large et   3
sombre escalier de pierre, sous le regard d'un domestique invisible : au premier étage, il a tiré le cordon de la porte, et vous surveille, penché sur la rampe.
     J. CHARDONNE, l'Amour du prochain, VII, p. 179.

(1695). Vx. *Cordon coulant*, ou, absolt, *cordon* : lacet servant à étrangler. → **Nœud** (coulant). *Périr par le cordon.*

4 On ne manque à Athènes ni de cordons coulants ni de précipices.   FÉNELON, Dialogue des morts, 18.

♦ **3** Artill. *Cordon tire-feu**. *Cordon Bickford.* → **Bickford.**

♦ **4** Électr. *Cordon souple. Cordon chauffant.* → **Résistance.** *Cordon conducteur* : conducteur formé de fils tressés ensemble. — *Cordons reliant les éléments d'une chaîne haute fidélité.*

II ♦ **1** (1671). Large ruban qui sert d'insigne aux membres de certains ordres honorifiques. *Porter le cordon de tel ordre. Grand cordon de la Légion d'honneur* : écharpe que porte le titulaire du grade de grand-croix de la Légion d'honneur. *Cordon rouge*, de Saint-Louis. — (1617). *Cordon bleu*, de l'ordre du Saint-Esprit (se dit, par ext. (1609), de celui qui porte le cordon). *Il est grand cordon.*

4.1 Puis, partout les taches vertes, bleues, rouges des cordons, l'argent mat et les feux en étoiles des brochettes et des plaques.   Alphonse DAUDET, l'Immortel, p. 114.

♦ **2** (1814). *Un cordon-bleu* (Acad. : *un cordon bleu*) : une cuisinière très habile. *Sa femme est un véritable cordon-bleu.* — (Par plais.). *Je sais un peu faire la cuisine, mais je ne suis pas un cordon-bleu.* — Plur. *Des cordons-bleus.*

4.2 J'ai supposé que ma Grand mère qui avait abandonné sa place de cordon bleu, Clarisse ma marraine qui avait quitté sa place de cuisinière dans la maison où tu avais été séduite, j'ai supposé que toutes les trois, vous vous demandiez si un oreiller sur ma trogne couleur de tomate n'était pas préférable à l'avenir que je vous imposais.   Violette LEDUC, la Bâtarde, p. 34.

♦ **3** (1609). Petite cordelette que portent les membres de certaines confréries. *Le cordon de saint François.* → **Cordelière.**

5 Et l'ordre du cordon des pères recollets (...)
    Mathurin RÉGNIER, Satires, XIII.

6 Cette multitude nombreuse, éblouie et subjuguée par les décorations extérieures, et à qui un cordon en impose plus qu'un bon ouvrage (...)
    D'ALEMBERT, Éloges, Clérembault.

♦ **4** Cordelette tressée, munie de glands, qui garnit le coin d'un drap mortuaire. Loc. *Tenir les cordons du poêle* : accompagner le char funèbre. → 1. **Poêle,** cit. 1.

III Par anal. ♦ **1** (1688). Anat. (organe, partie ressemblant à une corde).

(1754). Obstétrique. *Cordon ombilical** (cit.) : cordon qui rattache l'embryon au placenta. Absolt. *Couper le cordon. Cicatrice de cordon ombilical.* → **Nombril.**

6.1 Devant nous une sage-femme tranche avec un couteau de bois le cordon ; elle en laisse à l'enfant une longueur qu'elle mesure soigneusement à la nuque après avoir fait passer le cordon par-dessus la tête du petit.
    GIDE, Voyage au Congo, *in* Souvenirs, Pl., p. 711.

Figuré :

6.2 Comme ça elle *(la belle-mère)* nous possède (...) Elle en tomberait malade si on coupait le cordon (...) Mais moi j'en ai assez. Je me fiche de l'appartement, des meubles et de tout le reste (...)
    N. SARRAUTE, le Planétarium, p. 85.

Cordon nerveux. Cordon médullaire*. → **Moelle** (épinière). *Douleurs des cordons.* → **Cordonal.** — ⇒ aussi **Corde** (dorsale).

Cordon spermatique, comprenant le canal déférent, des artères, des veines, des lymphatiques et les nerfs du testicule.

Cour. *Tendon saillant.*

7 Dans l'échancrure de la chemise, Antoine aperçut le cou décharné, la pomme d'Adam saillante entre deux cordons tendineux.
    MARTIN DU GARD, les Thibault, t. III, p. 249.

Bot. Filet qui joint l'ombilic de la graine au placenta. → **Funicule.**

♦ **2** Série de plusieurs choses alignées. → **File, ligne, rangée.** *Un cordon d'ampoules électriques dans une illumination. Cordon de lampions*.*

8 Autour de cet amas de viandes entassées
Régnait un long cordon d'alouettes pressées (...)
    BOILEAU, Satires, 3.

♦ **3** Spécialt. *Cordon de troupes. Cordon d'agents de police.* → **Barrage** (→ Agent, cit. 4).

9 (...) tout le long de cette côte qui semble le pays du vide et des ténèbres, il y a des carabiniers, échelonnés en cordon interminable et veillant chaque nuit sur l'Espagne comme sur une terre défendue (...)
    LOTI, Ramuntcho, VIII, p. 93.

(1821). *Cordon sanitaire* : ligne de postes de surveillance établie aux limites d'un pays, d'une région où règne une maladie contagieuse, une épidémie.

9.1 Qui expliquera également que les cordons sanitaires établis à grands renforts de troupes, par Mehmet Ali, vers la fin du siècle dernier, à l'occasion d'une recrudescence de la peste égyptienne, se soient montrés efficaces pour protéger les couvents, les écoles, les prisons et les palais (...)
    A. ARTAUD, le Théâtre et son double,
    Idées/Gallimard, p. 30.

(Au sens militaire) :

9.2 L'idée d'entourer la Russie soviétique d'un cordon sanitaire de bases menaçantes pour elle, eût été défendable si ces bases n'avaient pas été établies sur des terres étrangères, parmi des peuples où la Russie soviétique avait ses bases, elle aussi, dans les cœurs et dans les esprits.
    F. MAURIAC, le Nouveau Bloc-notes, p. 346.

♦ **4** (1611). Archit. Moulure* décorative peu saillante. *Cordon uni, cordon décoré, sculpté. Cordon de perles. Cordon marquant les étages d'une façade, garnissant une corniche. — Cordon en cuivre ornant le haut des barreaux d'une grille* (→ 1. **Astragale**).

10 (...) les fenêtres, les portes, les entablements, les angles et les cordons de pierre à chaque étage sont de granit taillé en pointes de diamant.
    BALZAC, le Curé de village, Pl., t. VIII, p. 645.

(1690). *Bord façonné d'une pièce de monnaie. Cordon rogné. Bordure du cordon.* → **Carnèle.**

♦ **5** Techn. *Cordon de protection* : bossage situé sur le flanc d'un pneumatique et destiné à le protéger du frottement contre les bordures de trottoir et les obstacles.

♦ **6** (1704). Hortic. *Cordon de gazon.* → **Bande.** *Cordon autour d'une plate-bande. Cordon d'arbres.* → **Bordure, lisière.** — Forme donnée à certains arbres fruitiers. *Taille en cordon.*

11 Bien des jardins m'ont laissé leur souvenir. Presque tous me contentèrent, sauf ceux qui étaient trop jeunes et qu'il m'eût fallu planter. Passe encore de couvrir un mur d'espalier, de restaurer les palmettes et les cordons.
    COLETTE, Flore et Pomone, *in* Gigi, p. 147.

♦ **7** Géogr. *Cordon littoral*, et, absolt, *cordon* : bande de terre qui émerge à peu de distance d'une côte. *Cordon sablonneux. Cordon littoral recouvert par la marée haute. Lagune derrière un cordon littoral.*

DÉR. Cordonal, cordonner, cordonnet.

CORDONAL, ALE, AUX [kɔʀdɔnal, o] adj. — xxᵉ ; de *cordon,* et *-al.*

Méd. Qui se rapporte aux cordons de la moelle épinière. *Douleurs cordonales. Syndromes cordonaux* : anesthésie, ataxie, abolition des réflexes, douleurs fulgurantes, paralysie.

CORDON-BLEU [kɔʀdɔ̃blø] n. m. → **Cordon** (II., 2.).

CORDONNER [kɔʀdɔne] v. tr. — V. 1210; de *cordon*, et -er.

Tordre* en cordon. → **Corder.** *Cordonner du chanvre, de la soie, des cheveux* (→ **Tresser**).

Archit. Orner d'un cordon.

♦ **CORDONNÉ, ÉE** p. p. adj.

Tordu en cordon.

Le duc d'Anjou porta la toison d'or avec un ruban noir cordonné.
　　　　　　SAINT-SIMON, Mémoires, 83, 86, *in* LITTRÉ.

Spécialt (numism.). *Pièce de monnaie cordonnée, dont le métal, repoussé sur le contour, forme un cordon.*

REM. Ne pas confondre avec le paronyme *coordonner.*

CORDONNERIE [kɔʀdɔnʀi] n. f. — 1532; *cordouan-nerie*, 1236; dér. du rad. de *cordoennier, cordoanier, cordouannier* (→ Cordonnier), et -*erie*.

♦ **1** Métier, commerce du cordonnier*. Mod. Industrie, commerce des chaussures en cuir. → **Chaussure.** *Opérations en cordonnerie :* fabrication des chaussures à la main (coupe, montage, gravure, cambrure, assouplissage, finissage, astiquage); fabrication à la machine (découpage, cambrage, piqûre, montage, gravure, finissage).

L'étonnement de Macaire sur ce point était dû à la qualité spéciale des cuirs, aux teintures dont on les imprègne en cordonnerie fine, ainsi qu'à l'abondance et à la diversité du cirage.
　　　　　J. ROMAINS, les Hommes de bonne volonté, t. IV,
　　　　　　　　　　　　　　　　　　　　　VIII, p. 77.

♦ **2** Boutique, atelier du cordonnier*. *Faire réparer ses chaussures à la cordonnerie, dans une cordonnerie* (plus cour. : *chez le cordonnier). Cordonnerie express* (→ Talon-minute).

Rare. Articles de cordonnerie.

♦ **3** Lieu (dans un collège, une garnison, un couvent) où on range les chaussures.

CORDONNET [kɔʀdɔnɛ] n. m. — 1515; de *cordon*, et -et.

♦ **1** Petit cordon, petite tresse (le plus souvent à usage décoratif). *Cordonnet de coton, de soie, de fil d'argent, d'or. Cordonnet servant de ganse.*

(1754). Spécialt. Gros fil de soie, de coton, à trois brins servant à broder, à faire les boutonnières, etc. *Cordonnet pour boutonnières.*

♦ **2** Numism. Marque empreinte sur la tranche d'une monnaie. → **Cordon, listel.**

CORDONNIER, IÈRE [kɔʀdɔnje, jɛʀ] n. — V. 1255, *in* D.D.L.; *cordoennier*, déb. XIIIᵉ; de *cordoan, cordouan* «de Cordoue», ville célèbre pour ses cuirs, et -*ier*, avec une altération due à l'infl. de *cordon.*

♦ **1** Ancienn. Fabricant et marchand de chaussures. → **Bottier, chausseur, savetier** (VX).

Prov. *Les cordonniers sont toujours les plus mal chaussés*. — Adapt. lat. *Cordonnier, pas plus haut que la (ta) chaussure !*, que l'on s'en tienne à ses compétences.

REM. Le fém., dans ce sens et dans le suivant, semble rare.

♦ **2** Mod. Artisan qui répare, entretient les chaussures. → fam. **Bouif, gnaf.** *Le cordonnier répare, ressemelle les chaussures.* → **Carreler, dessemeler, recarreler, recoudre, remonter, ressemeler.** *Porter des chaussures à ressemeler chez le cordonnier. La boutique du cordonnier :* la cordonnerie*. Les

outils, le matériel du cordonnier.* → **Crépin, saint-crépin** (VX); **alène, astic, billot, buis, buisse** ou **bouisse, ébourroir, embauchoir, emporte-pièce, fer** (à lisser), **fil** (poissé), **forme, grattoir, ligneul, machinoir, manicle, marteau, moule, régloir, rivetier, tire-pied, tire-point, tranchet.**

Je vous apporte mon âme à ressemeler et à décrotter. Je vous prie de souffrir ces expressions de cordonnier.
　　　　　　LÉon BLOY, le Désespéré, II, p. 69.

DÉR. **Cordonnerie.**

CORDOUAN, ANE [kɔʀdwɑ̃, an] adj. et n. — 1168; *cordoan*, av. 1150; empr. à l'esp. mozarabe *cordobán* «cuir de bouc ou de chèvre fabriqué à Cordoue», esp. *Córdoba.*

♦ **1** Adj. (Personnes). Qui est originaire de Cordoue. — N. *Un Cordouan, une Cordouane.*

(Choses). Qui provient de Cordoue.

♦ **2** N. m. Cuir de mouton ou de chèvre fabriqué originairement à Cordoue. *Un fauteuil de cordouan.*

CORÉ [kɔʀe] n. f. → **Koré.**

CORÉALISATEUR, TRICE [kɔʀealizatœʀ, tʀis] n. — 1974; de *co-*, et *réalisateur.*

Réalisateur, réalisatrice qui travaille en collaboration avec d'autres réalisateurs. *Les deux coréalisateurs d'un film, d'une émission de télévision.*

CO-RÉDACTEUR, TRICE [kɔʀedaktœʀ, tʀis] n. — 1869; de *co-*, et *rédacteur.*

Personne qui rédige avec une ou plusieurs autres (des articles pour un périodique, des textes...).

(1879). *Co-rédacteur en chef :* personne qui dirige avec une ou plusieurs autres la rédaction d'un périodique.

CORÉEN, ENNE [kɔʀeɛ̃, ɛn] adj. et n. — 1797; de *Corée*, et -*éen.*

♦ **1** Adj. (1838). Qui est relatif, qui est propre à la Corée ou à ses habitants. *Populations coréennes.*

Ling. *La langue coréenne.*

♦ **2** N. (1797; *corain*, 1616, *in* D.D.L.). *Un Coréen, une Coréenne :* personne qui est née en Corée, qui y habite ou qui en est originaire. *Les Coréens. Coréen du Nord, du Sud.*

N. m. (1842, *in* D.D.L.). Ling. *Le coréen :* langue du groupe arabo-altaïque parlée en Corée. *Le coréen est une langue du type dit «agglutinant».*

CORÉFÉRENCE [kɔʀefeʀɑ̃s, kɔʀefeʀɑ̃s] n. f. — V. 1970; de *co-*, et *référence.*

Didact. Le fait, pour deux signes linguistiques (mots, groupes de mots), d'avoir la même référence*, de renvoyer au même élément de la réalité. *Les pronoms (pronominalisation), noms propres, descriptions définies ont un rôle essentiel dans la coréférence. Coréférence sémantique* (ex. 4 de la cit.), *syntaxique* (ex. : *il se croit malin*).

Dans un même discours, plusieurs groupes de mots peuvent avoir la même référence, c'est-à-dire renvoyer au même objet :
(2) *je crois qu'Amanda me déteste*
(3) *la mère supérieure se regarde dans l'eau du bassin*
(4) *je découvris que Bernard d'Andrésy n'était autre qu'Arsène Lupin*
Je et *me* dans (2), *la mère supérieure* et *se* dans (3), *Bernard d'Andrésy* et *Arsène Lupin* dans (4) ont la même référence. Nous dirons que deux termes de même référence sont *coréférentiels*. Ces exemples diffèrent cependant quant à la manière dont la coréférence y est représentée (...).
　　　　　　　　　　　　　　　Gilles FAUCONNIER,
　　　　　la Coréférence : syntaxe ou sémantique, Préface.

DÉR. **Coréférentiel.**

CORÉFÉRENTIEL, ELLE, ELS [kɔʀeferɑ̃sjɛl; koʀe ferɑ̃sjɛl] adj. — V. 1970; de *coréférence*.

Didact. Qui a la même référence (qu'un autre signe, qu'un autre élément). → Coréférence, cit.

Relatif à la coréférence.

CORÉGENCE [koʀeʒɑ̃s; kɔʀeʒɑ̃s] n. f. — 1811; de *co-*, et *régence*.

Hist. Régence exercée en commun (par des corégents).

CORÉGENT [kɔʀeʒɑ̃] n. m. — 1826; de *co-*, et *régent*.

Hist. Celui qui partage la fonction de régent avec un ou plusieurs autres.

CORÉGONE [kɔʀegon] n. m. — 1839; lat. mod. *coregonia*, du grec *korê* «pupille», et *gonia* «angle».

Zool. Poisson physostome *(Salmonidés)* qui vit dans les eaux douces et pures des lacs et se nourrit de minuscules proies vivantes, à cause de la petitesse de sa bouche. *Variétés de corégones.* → Féra, lavaret.

CORELIGIONNAIRE [koʀəliʒjɔnɛʀ; kɔʀəliʒjɔnɛʀ] n. — 1827; *co-religionnaire*, 1806, in D.D.L.; de *co-*, *religion*, et *-aire*.

Didactique.

♦ **1** Personne qui a la même religion qu'une autre. *Les coreligionnaires de qqn. Ce sont des coreligionnaires.*

♦ **2** Personne qui professe la même religion, la même doctrine qu'une ou plusieurs autres. *Ses coreligionnaires politiques.*

CORÉOPSIS [kɔʀeɔpsis] n. m. — 1798; *coréopse*, 1805; du grec *koris* «punaise», et *opsis* «apparence».

Bot. (relativement cour.). Plante dicotylédone *(Composacées)* annuelle ou vivace, d'origine tropicale. *Le coréopsis est cultivé pour ses fleurs richement colorées, jaunes ou brunes.*

COREQUIS, ISE [kɔʀəki, iz] adj. — 1980, au Québec; de *co-*, et *requis*.

Admin. Qui est requis en même temps qu'un (ou une) autre. «*Un cours est dit corequis s'il doit être suivi en même temps qu'un autre, à moins qu'il n'ait été préalablement suivi*» (*Règlement...*, Faculté des arts et des sciences de l'université de Montréal, 1981, p. 2-4).

CORESPONSABLE [koʀɛspɔ̃sabl] adj. — 1965; de *co-*, et *responsable*.

Qui est responsable de qqch. conjointement avec d'autres personnes. — REM. On trouve aussi *coresponsabilité*, n. f.

CORGI [kɔʀgi] n. m. — Mil. XXᵉ; mot angl. *(welsh) corgi*.

Race de chiens de petite taille. «*Les corgis de la reine* (d'Angleterre)» (*le Parisien libéré*, 10 avr. 1967).

CORIACE [kɔʀjas] adj. — 1549; *corias*, 1531; probablt du bas lat. *coriaceus* «de cuir», de *corium* «cuir».

♦ **1** (En parlant d'une viande). Qui est dur comme du cuir. → Ferme. *Chair, viande coriace* (→ Carne, corne, semelle). *Pellicule coriace de certaines viandes* (→ Peau). *Un bifteck rendu coriace par excès de cuisson.* → Racorni.

(En parlant d'autres aliments que la viande). *Des légumes coriaces.*

♦ **2** Abstrait (personnes; choses humaines). Qui ne cède pas. → Dur. *Il est coriace en affaires. Caractère coriace*, difficile, entêté, tenace. *Air coriace*, revêche.

On eût dit que mon père avait accaparé toute l'aménité dont pouvait disposer la famille, de sorte que rien plus ne tempérait, des autres membres, l'air coriace et renfrogné. [1]
GIDE, Si le grain ne meurt, I, II, p. 41.

Les morts de Paris doivent avoir le sommeil coriace pour goûter quelque paix dans cette retraite investie. [2]
G. DUHAMEL, le Voyage de P. Périot, I, p. 7.

Avare. *C'est un homme coriace*, un avare dont on ne peut rien tirer.

N. *C'est un coriace, une coriace.*

CONTR. Flasque, fongueux, moelleux, mou, tendre; large, généreux; accueillant, doux, souple. ◊ DÉR. Coriacé, coriacement, coriacité.

CORIACÉ, ÉE [kɔʀjase] adj. — 1783, in D.D.L.; dér. du lat. *corium* «cuir», et *-acé*.

Sc. nat. Qui a la dureté du cuir. *Un feuillage coriacé.*

CORIACEMENT [kɔʀjasmɑ̃] adv. — D. i.; de *coriace*.

Rare. D'une manière coriace (concret et abstrait).

Je me souviens de la relation coriacement chaleureuse de Khrouchtchev avec le général de Gaulle :
«Après la reddition de Stalingrad, le maréchal von Paulus m'a remis son revolver. — Tiens? répond le général, angélique. Et plus tard, il ne vous l'a pas réclamé?»
MALRAUX, Antimémoires, Folio, p. 447.

CORIACITÉ [kɔʀjasite] n. f. — Repris 1844, Gautier; *coriaceté*, XVIᵉ; de *coriace*.

Rare. État de ce qui est coriace.

(...) elle adore la choupe *(soupe)* et c'est pour cela qu'elle a tellement grandi en force, en audace et en coriacité.
R. QUENEAU, le Chiendent, p. 266.

CORIANDRE [kɔʀjɑ̃dʀ] n. f. — XIIIᵉ; grec *koriandron*, par le lat. class. *coriandrum*.

Plante annuelle *(Ombellifères)*, dont le fruit séché, aromatique, est employé comme assaisonnement* ainsi que dans la fabrication de liqueurs. *Décoction de graines de coriandre.*

Par métonymie. La graine aromatique de cette plante. *Essence de coriandre.*

CORICIDE [kɔʀisid] n. m. — 1868; de 2. *cor*, et *-cide*.

Préparation qu'on applique sur les cors* aux pieds, pour les détruire.

CORINDON [kɔʀɛ̃dɔ̃] n. m. — 1781; empr. au tamoul *corundum, curundum; corind*, av. 1667, donné comme mot indien.

♦ **1** Minéral dense et très dur, formé d'oxyde d'aluminium (Al_2O_3). Pierre précieuse formée de ce minéral, diversement colorée par des oxydes métalliques. *L'aigue-marine orientale, l'améthyste orientale, la topaze orientale, le rubis oriental, les saphirs vert et jaune sont des corindons.*

Spécialt. *Corindon granulaire utilisé comme abrasif*.* → Émeri.

Géronimus se tint à l'écart derrière les broussailles pourvues d'abondantes épines recouvertes d'une poudre abrasive de corindon granulaire qui blessait les doigts.
Jean CAYROL, Histoire d'un désert, p. 95.

♦ **2** Électron. Céramique blanche (alumine cristallisée) utilisée comme isolant.

CORINTHE [kɔRɛ̃t] adj. invar. — 1925, *in* D.D.L.; de *raisin de Corinthe*, employé comme nom de couleur (1846, Balzac, *la Cousine Bette*).

Vieilli (mode). D'une couleur brune évoquant les raisins de Corinthe secs. — N. m. *Du corinthe.*

CORINTHIEN, IENNE [kɔRɛ̃tjɛ̃, jɛn] adj. et n. — V. 1530; de *Corinthe*, avec *-ien.*

◆ **1** Qui est relatif à Corinthe. *Histoire corinthienne. Populations corinthiennes. Les courtisanes corinthiennes étaient célèbres dans l'Antiquité.*

N. *Un, une Corinthienne.*

◆ **2** Archit. *Ordre corinthien*, ou, par ellipse, *le corinthien* : le plus riche des ordres classiques de l'architecture grecque, caractérisé par un chapiteau orné de deux rangs de feuilles d'acanthe entre lesquelles s'élèvent de petits rangs qui forment les volutes. → *Ordre*, cit. 35. *Quand on superpose les trois ordres, on place le dorique en bas, l'ionique au milieu et le corinthien en haut* (Réau).

Adj. Relatif à l'ordre corinthien. *Colonne* (cit. 1) *corinthienne* (→ Chapiteau, cit. 1). *Pilier* (cit. 3) *corinthien. Chapiteau corinthien, sculpté de feuilles d'acanthe et de caulicoles. Temple corinthien, de style corinthien.*

1 (...) le sculpteur Callimachus, passant auprès de ce tombeau *(d'une jeune fille)* vit le panier *(qui avait été posé sur la racine d'une acanthe)* et de quelle sorte ces feuilles naissantes l'avaient environné : cette forme nouvelle lui plut infiniment, et il en imita la manière dans les colonnes qu'il fit depuis à Corinthe, établissant et réglant sur ce modèle les proportions et la manière de l'ordre corinthien.
PERRAULT, Vitruve, IV, 1, *in* LITTRÉ.

2 Le dorique sans fard, l'élégant ionique,
Et le corinthien superbe et magnifique,
L'un sur l'autre placés élèvent jusqu'aux cieux
Ce pompeux édifice où tout charme les yeux.
LA FONTAINE, Psyché, I.

CORMAILLOT [kɔRmajo] n. m. — 1908, *Encyclopédie universelle;* de *cor* «corne, coquillage» (1611), lat. *cornu*, et *maillot*, var. anc. et dial. de *maillet*.

Régional. Coquillage (Murex) appelé aussi *bigorneau perceur*, qui perce les coquilles les plus épaisses pour se nourrir.

Un autre Murex (*M. erinaceus*) dit bigorneau perceur ou cormaillot est un des fléaux de nos parcs à huitres.
Louis LAMBERT, les Coquillages comestibles, p. 98.

CORME [kɔRm] n. f. — V. 1225; probablt d'un gaulois *corma*.

Régional.

◆ **1** Fruit du cormier. → **Sorbe.** *Boisson faite de cormes.* → **Cormé.**

◆ **2** (Suisse, etc.). Fruit du cornouiller. → **Cornouille.**

DÉR. Cormé, cormier.

CORMÉ [kɔRme] n. m. — 1532, Rabelais; de *corme.*

Vx ou régional. Boisson fermentée (analogue au cidre) faite de cormes.

CORMIDIE [kɔRmidi] n. f. — 1933 (*Larousse du xxe siècle*); lat. sc. *cormidium*, du grec *kormos* «tronc d'arbre».

Didact. (zool.). L'un des groupes de polypes (*Siphonophores*) fixé sur le stolon* et comprenant : un polype protecteur (aspidozoïde), un ou plusieurs polypes excréteurs (cystozoïde), un polype nourricier (gastrozoïde) avec, à sa base, un filament pêcheur muni de boutons urticants, et enfin des individus reproducteurs mâles et femelles (gonozoïdes).

CORMIER [kɔRmje] n. m. — V. 1160; de *corme.*

◆ **1** Régional. Sorbier.

Seule, au centre du tertre flanqué sur sa droite du grand cormier, la dalle de marbre blanc, entourée à distance de sa chaîne, étincelait sans contraste.
GIRAUDOUX, les Aventures de Jérôme Bardini, p. 43.

Leurs ronds concentriques donnent l'âge des défunts et je penche de-ci, de-là pour reconnaître le cormier géant (...)
Hervé BAZIN, Cri de la chouette, p. 156.

Par métonymie. Bois de cet arbre, très dur, utilisé dans la fabrication d'instruments résistants. *Manche, fût d'outil de cormier, en cormier.*

◆ **2** Régional. Cornouiller.

CORMORAN [kɔRmɔRɑ̃] n. m. — 1550; *cormorant*, v. 1374; *cormaran, cormare(n)g* au XIIe; de l'anc. franç. *corp* «corbeau», et *marenc* «marin».

Oiseau palmipède au plumage sombre, bon plongeur (utilisé pour la pêche, au Japon). *Le cormoran se nourrit de poissons, de mollusques, de crustacés; il niche en colonies sur les falaises, dans les roches. Le cormoran ordinaire est parfois appelé* corbeau de mer.

Les cormorans qui vont comme de noirs crieurs (...)
HUGO, la Légende des siècles, «Les pauvres gens», IX.

Le port a aussi ses oiseaux familiers. Au milieu des navires et des caïques, on voit les cormorans voler ou qui se reposent sur les flots.
FLAUBERT, À Louis Bouilhet, 14 nov. 1850, *in* Correspondance, t. I, Pl., p. 706.

(...) cormorans plongeurs dont le cou sinueux évoque un serpent ailé (...)
Claude LÉVI-STRAUSS, Tristes tropiques, p. 172.

CORNAC [kɔRnak] n. m. — 1695; *cornaca*, 1637; empr. au port. *cornaca*, du cinghalais *kūrawa-nāyaka* «dresseur d'éléphant».

◆ **1** Celui qui est chargé des soins et de la conduite d'un éléphant. → **Mahout** (rare).

L'éléphant fut amené et équipé sans retard. Le Parsi connaissait parfaitement le métier de «mahout» ou cornac. Il couvrit d'une sorte de housse le dos de l'éléphant et disposa, de chaque côté sur ses flancs, deux espèces de cacolets assez peu confortables.
J. VERNE, le Tour du monde en 80 jours, p. 83.

Fam. Conducteur de gros engins.

◆ **2** (1833, *in* D.D.L.). Fig. et fam. Personne qui introduit, guide qqn (un personnage officiel, etc.). *Servir de cornac à qqn.* → **Cornaquer.** *Être le cornac de qqn. Il l'a pris pour cornac.*

Personne qui défend (une idée, qqn). «Le cornac de l'art japonais» (Goncourt, *Journal*, 1883, p. 252, *in* T.L.F.).

DÉR. Cornaquer.

CORNACÉES [kɔRnase] n. f. pl. — 1845; du lat. *cornus*, et *-acé.* → Cornouille.

Bot. Famille de plantes dialypétales (cornouiller, aucuba). — Au sing. *Une cornacée.*

CORNADE [kɔRnad] n. f. — 1652, Scarron; de *corne*, et *-ade*, d'après l'esp. *cornada.*

Coup de corne.

(...) de lui-même le taureau revint, donna la cornade en soufflant un coup sec, et cette fois il passa si près qu'on cria : *Suicida!* MONTHERLANT, les Bestiaires, p. 287.

CORNAGE [kɔʀnaʒ] n. m. — V. 1394; de *corner* «sonner du cor» et «faire entendre un râle (du cheval)».

♦ **1** (V. 1394). Vx. Action de sonner du cor, en particulier pour annoncer l'approche de l'ennemi.

♦ **2** (1781). **Méd. vétér.** Râle laryngo-trachéal que les chevaux, les ânes poussifs... font entendre en respirant. → **Sifflage.** — Affection correspondante. *Mulet atteint du cornage.* → 2. **Cornard, corneur.**

(1814; Nysten, *in* D.D.L.). **Méd.** Bruit qui se produit lors de l'inspiration en cas de rétrécissement de la glotte (par exemple dans la diphtérie).

Avec une sorte de cornage, Mme Rezeau respire l'ombre rougeâtre où veille une lampe de chevet à la lumière étouffée sous une écharpe de soie.
Hervé BAZIN, Cri de la chouette, 1972, p. 273.

♦ **3** Fam. Ronflement.

CORNALINE [kɔʀnalin] n. f. — 1538; *corneline* au XIIIe; de *corne*.

♦ **1** Variété de calcédoine translucide rouge plus ou moins foncé, utilisée en joaillerie. → **Calcédoine.** *Cachet de cornaline. Bible en cornaline* (→ Caler, cit. 4).

1 (...) la forêt varie depuis le vert de l'émeraude jusqu'à la pourpre de la cornaline (...)
Th. GAUTIER, Mlle de Maupin, VI, p. 114.

Objet en cornaline.

2 (...) il ouvrit la bourse et il en tira une cornaline gravée de figures et de caractères qui lui étaient inconnus.
A. GALLAND, les Mille et une Nuits, 1923, t. II, p. 134.

♦ **2** Régional (Suisse). Grosse bille de verre (analogue à l'agate*).

CORNAQUER [kɔʀnake] v. tr. — 1857, Goncourt; de *cornac.*

Fam. Servir de guide à (qqn). → **Accompagner, guider, piloter.** *Cornaquer des touristes.* → **Cornac.**

(...) il crut m'apprendre que Monica travaillait dans un office de publicité et qu'elle avait été chargée de cornaquer de gros clients (...)
Cécil SAINT-LAURENT, Don Juan les Pins, *in* Marie-Claire, n° 186.

(Compl. n. de chose). Guider, piloter. *«Les ordinateurs les plus modernes, cornaqués par de jeunes polytechniciens»* (Philippe Bernert, S. D. E. C. E. Service 7, p. 19).

1. CORNARD [kɔʀnaʀ] n. m. — 1608; *cornair,* v. 1275; de *corne,* et *-ard.*

Familier.

♦ **1** Celui qui «porte des cornes», dont la femme est infidèle. → **Cocu.** (En parlant d'une femme. → **Cornette**).

1 L'un amasse du bien, dont sa femme fait part
À ceux qui prennent soin de le faire cornard (...)
MOLIÈRE, l'École des femmes, I, 1.

♦ **2** (Argot milit., d'abord à Saint-Cyr, «désordre à l'exercice»). Erreur (plus ou moins ridicule). *Il a fait un cornard.*

2 Alors, monsieur Tibéron, je voulais d'abord vous dire qu'il y a un cornard terrible pour la photo de la dernière page *Notre seule photo* : les Palais des Nations Unies à la place de la fille au bistrot.
Michel DE SAINT-PIERRE, les Nouveaux Aristocrates, p. 199.

2. CORNARD, ARDE [kɔʀnaʀ, aʀd] adj. — 1834; de *corner,* et *-ard.*

Qui est atteint de cornage*. *Mulet cornard.* → **Corneur.**

Après quoi, ayant hoché gravement le menton à la manière du croquant qui vient de faire un bon tour — de vendre une vache soufflée, par exemple, ou un cheval cornard — il s'est remis à pleurnicher de plus belle.
BERNANOS, Monsieur Ouine, p. 42.

CORNE [kɔʀn] n. f. — V. 1120; lat. pop. *corna;* lat. class. *cornua,* plur. de *cornu.*

I *(Une, des cornes).* **A** ♦ **1** (V. 1120). Excroissance épidermique, conique et dure, sur la tête de certains animaux. *Cornes frontales des ruminants. Cornes de taureau, de mouton, de chèvre. Cornes de bison, de buffle. Corne nasale du rhinocéros. Cornes annelées. Cornes contournées, droites, enroulées, lyriformes. Cornes marbrées, zébrées. Cornes persistantes et creuses des bovidés. Le cornillon, axe osseux des cornes des cavicornes*.* Vache qui n'a plus qu'une corne.* → **Dagorne.** *Bubale à cornes rapprochées à la base. Cornes petites et pleines de la girafe, qui restent cachées sous la peau.*
Animal qui porte des cornes (→ **Encorné**), *de longues cornes* (→ **Longicorne**). — *Prendre, attacher un animal par les cornes* (→ Bélier, cit. 1). *Atteler un bœuf par les cornes. Lier les cornes au joug.* — *Donner, frapper, heurter de la corne.* → **Encorner.** *Coup de corne. Bouler, scier les cornes d'un taureau, d'un bœuf, pour l'empêcher de nuire.* → **Bouler, décorner, écorner.**

1 C'est un taureau fameux (...) il pourrait lancer son homme au ciel, ainsi qu'une flèche, avec l'arc de ses cornes.
J. RENARD, Histoires naturelles, «Le taureau», p. 74.

1.1 (...) un bœuf couleur chamois (...) Ses cornes énormes étaient à peine incurvées.
GIDE, Voyage au Congo, *in* Souvenirs, Pl., p. 835.

Loc. **BÊTES À CORNES** : les bœufs, les vaches, les chèvres (→ **Bestiaux, bétail**), par opposition aux *bêtes à laine* : brebis, moutons.

1.2 *(Bahorel)* avait un gilet cramoisi et de ces mots qui cassent tout. Son gilet bouleversa un passant qui cria tout éperdu :
— Voilà les rouges !
— Le rouge, les rouges ! répliqua Bahorel. Drôle de peur, bourgeois. Quant à moi, je ne tremble point devant un coquelicot, le petit chaperon rouge ne m'inspire aucune épouvante. Bourgeois, croyez-moi, laissons la peur du rouge aux bêtes à cornes.
HUGO, les Misérables, IV, XI, IV.

REM. La phrase de Hugo, *laissons la peur du rouge aux bêtes à cornes,* avait été reprise sous forme de slogan par les étudiants contestataires pendant les événements de mai-juin 1968.

(Cour.; incorrect dans les usages techniques). Excroissance caduque de la tête (des cervidés). *Les cornes du cerf, du daim, du chevreuil.* → **Andouiller, bois, cor, ramure.**

Loc. fig. *Prendre le taureau par les cornes* : prendre de front une difficulté, affronter directement qqch. ou qqn. — Vieilli. *Montrer les cornes* : se mettre sur la défensive. *Rentrer ses cornes* : renoncer au combat.

(Cornes attribuées à des êtres fictifs, imaginés). *Monstre à corne.* → **Cornu.** — *Corne de licorne*.* — *Les cornes du diable, de Satan.*

(Image de corne; attribut imaginaire...). Loc. *Faire, montrer les cornes à qqn,* diriger vers lui deux doigts écartés évoquant une paire de cornes, par menace magique, dérision.

Loc. fig. *Avoir, porter des cornes* : être trompé par une femme (d'un homme), plus rarement par un homme (d'une femme). → **Cocu** (cit. 1). 1. **cornard;** → Apanage, cit. 3. *Mettre, planter des cornes à qqn,* le tromper. — *Les cornes, la paire de cornes d'un cocu.*

2 Ce mari commode, qui n'avait pas voulu voir le cocuage chez lui, rigolait à mort de la paire de cornes de Poisson.
ZOLA, l'Assommoir, x, p. 3.

REM. Ces expressions font de *corne* un mot utilisable dans des exclamations plaisantes. Cf. chez Jarry Cornes au cul !, et cornegidouille*.

Loc. fig. **CORNE DE CERF** : le plantain. — **CORNES DE GAZELLE** : gâteau oriental en forme de corne.

Blason. Représentation de la corne (d'un animal) qui peut être d'un émail différent (→ Accorné).

♦ **2** Appendice assimilé à une corne (*supra*, 1.). *Les cornes d'un insecte* : les antennes (→ **Serricorne**). *Les cornes d'un escargot, d'une limace* : les pédicules qui supportent les yeux. «*Escargot, montre-moi tes cornes*» (comptine). — *Vipère à cornes d'Égypte*. → **Céraste**. — *La corne du grand duc* (oiseau), son aigrette.

♦ **3** Angle saillant ou proéminence (que présente un objet). *Les cornes d'un chapeau*. → **Bicorne, tricorne ; biscornu**. — Pointe d'une étoffe nouée sur la tête. *Les cornes d'un foulard. Faire les cornes à un mouchoir*, en nouer les coins pour en faire une coiffe.

Corne d'un bois, un des angles. → **Coin**. *Poteau cornier, à la corne d'un champ. À la corne du bois.* (V. 1265). *Les cornes de la lune* (→ Argent, cit. 6). — *Les cornes d'un autel antique*, les angles saillants recourbés de cet autel (→ Cardinal, cit. 1). *Cornes d'abaque*. → **Abaque**. — Fortif. *Ouvrage à cornes*. — Techn. *Les cornes d'une enclume* (→ **Bigorne**). *Cornes d'une charrue*, les poignées.

Mar. *Vergue oblique*. *Brigantine enverguée sur la corne d'artimon. Pic* de corne d'artimon.

Anat. *Cornes du larynx. Cornes de l'utérus*. *Cornes de l'os hyoïde.*

♦ **4** Pli fait au coin (d'un papier, d'un carton ; → **Corner, écorné**). *Faire une corne à une carte de visite.*

B Ustensile fait d'une corne d'animal évidée.
♦ **1** Rare (récipient). *Corne à boire des anciens*. → **Rhyton**. — Loc. *Corne d'abondance*. → **Abondance**.

♦ **2** Plus cour. Instrument de musique fait d'une corne évidée. → **Bouquin, bugle, cor, cornet, trompe**. *Corne d'appel. Une corne de berger. Corne pour la chasse. Sonner de la corne.*

Par anal. (de son). Vieilli. *Avertisseur** (d'automobile) formé d'une poire et d'un cornet de métal. *Donner un coup de corne*. → **Trompe**.

Mar. *Corne de brume.*

II ♦ **1** (V. 1340). Substance compacte composée de cellules mortes imprégnées de kératine, qui compose les ongles, les cornes, les sabots et les griffes, ... le bec des oiseaux, les fanons de la baleine, les écailles de la tortue. → **Kératine**. *La bute, instrument pour couper la corne des sabots des chevaux.* Par ext. *Corne cutanée*. → **Callosité ; châtaigne** (aux membres du cheval).

3 Il abandonnait ses pieds à l'eau vive ; elle emportait la boue, mais laissait sous les plantes les cornes protectrices si précieuses.
J. CHARDONNE, les Destinées sentimentales, p. 348.

Dur comme de la corne : très dur.

♦ **2** Substance résistante, légèrement élastique, tirée de la corne naturelle. *Corne ramollie à l'eau bouillante. Aplatissage, moulage de la corne. Rendre dur comme la corne.* → **Racornir**. — *Peigne de corne. Boutons en corne. Corne utilisée en tabletterie. Manche de couteau en corne. Lanterne de corne* (translucide).

Les manches des couteaux, tous en corne travaillée, représentaient des figures bizarres.
BALZAC, le Médecin de campagne, Pl., t. VIII, p. 432.

Loc. littér. *La porte, les portes de corne du sommeil*.

♦ **3** (1827, *in* D.D.L.). *Une corne à chaussures* : un chausse-pied (fait de corne, à l'origine).

DÉR. Cornade, cornaline, 1. cornard, corner, cornet, cornette, corniaud, cornichon, cornier, cornière, cornillon. ◊ COMP. Cornegidouille, écorner, encorner, encornure. — Bicorne, quadricorne, tricorne, unicorne. — Serricorne.

CORNÉ, ÉE [kɔʀne] adj. — 1314, *tunique cornée* : la cornée*, de *corne*, II.

♦ **1** Constitué par de la corne. *Écaille cornée. Couche cornée.*

♦ **2** Dur comme de la corne. *Avoir la plante des pieds cornée.*

DÉR. Cornéenne. ◊ HOM. Cornée, corner.

CORNEAU [kɔʀno] n. m. → **Corniaud**.

CORNECUL [kɔʀnəky] adj. et n. — 1936, argot de l'École polytechnique ; de *corne*, et *cul* ; Esnault signale v. 1901 *vent de cornecul* «vent fort», argot de marine, qui viendrait selon lui du breton *kornaouck* «cornu», désignant le vent d'Ouest ; l'élément *cul* fonctionnant comme «suffixe libre». REM. L'orthographe *corne-cul* est attestée.

♦ **1** Adj. Argot de Polytechnique. Beau, admirable.
N. Chose ou personne admirable.

♦ **2** Argot milit. Absurde, ridicule. — N. «*Toutes ces histoires, c'est ce qu'on appelait à l'armée des histoires de corne-culs.*» L'idée d'accueillir la romancière Marguerite Yourcenar sous la Coupole fait retrouver à l'académicien André Chamson le parler débridé des gaillards de Rabelais (sic)» (l'Express, 1er déc. 1979, p. 159).

CORNED-BEEF [kɔʀnbif] n. m. — 1716 ; mot angl., de *corned* «formé de grains (*corns*), granulé» (1577), et «salé» (1621-51 : *beef corned, in* Oxford), et *beef* «bœuf».

Viande de bœuf salée, le plus souvent en conserve. → **Singe**, C., 1. (fam.).

1 Une boîte de corned-beef, enchaînée comme une lorgnette, Vit passer un homard qui lui ressemblait fraternellement. Il se cuirassait d'une carapace dure.
Sur laquelle était écrit qu'à l'intérieur, comme elle, il était sans arêtes (...)
A. JARRY, le Homard et la Boîte de corned-beef, Pl., t. I, p. 699.

Var. (sur la prononciation). *Corn-beef*.

2 Graisse de «corn-beef», de masses géantes que le Parlement se trouverait recouvert et Leicester et Waterloo, qu'on les reverrait plus pris dessous, si ça les engouffrait subit !
CÉLINE, Guignol's band, p. 47.

CORNÉE [kɔʀne] n. f. — 1314, *tunique cornée* ; lat. médiéval *cornea*, 1503 ; de *tunica cornea*, de *corneus* «corné», de *cornu* «corne».

♦ **1** Anat. Tunique antérieure et transparente de l'œil. *Espace compris entre le cristallin et la cornée.* → **Chambre** (de l'œil), cit. 15 ; **kérat-**. *Altérations de la cornée.* → **Albugo, arc** (sénile), **kératocèle, leucome, néphélion, pannicule, staphylome, taie**. *Inflammation de la cornée.* → **Kératite**. *Excision, incision de la cornée.* → **Kératectomie, kératotomie, kératoplastie**.

La cornée est encore une membrane fibreuse, enchâssée dans l'ouverture antérieure de la sclérotique et complétant en avant la tunique externe de l'œil (...) La cornée diffère essentiellement de la sclérotique par sa transparence, qui permet aux rayons lumineux de la traverser : la cornée est à la fois pour le globe oculaire une membrane enveloppante et un milieu réfringent.

L. TESTUT, Traité d'anatomie, t. III, p. 558.

♦ **2** Cour. Tunique externe de l'œil, formée par la sclérotique et la cornée proprement dite. *Avoir la cornée brillante. De la cornée.* → **Cornéen, kératique** (rare), et préf. **kérat(o)-.**

DÉR. Cornéen. ◊ **HOM. Corné, corner.**

CORNÉEN, ENNE [kɔʀneɛ̃, ɛn] adj. — 1864, *in* D.D.L. ; de *cornée*, et *-éen (-ien)*.

Anat. De la cornée. → **Kératique.** — *Lentilles cornéennes, verres cornéens :* verres optiques de contact, qu'on applique sur la cornée.

CORNÉENNE [kɔʀneɛn] n. f. — 1798 ; de *corné*, et *-éen*, par ellipse de *roche*.

Géol. Roche métamorphique compacte, riche en quartz.

CORNEGIDOUILLE [kɔʀnəʒiduj] exclam. — 1888, A. Jarry ; de *corne*, et *gidouille* «bedaine», autre mot de Jarry.

Littér. et plais. Exclamation du Père Ubu, personnage d'A. Jarry.

CORNEILLARD [kɔʀnejaʀ] n. m. — Attesté 1842 ; de *corneille*.

Rare. Petit de la corneille noire et du choucas.

CORNEILLE [kɔʀnɛj] n. f. — V. 1180 ; du bas lat. *cornicula*, de *cornix* «corneille».

♦ **1** Oiseau du genre *corvus* (→ **Corbeau**), plus petit que le grand corbeau, à queue arrondie et plumage terne. → **Choucas.** — (1767, *in* D.D.L.). *Corneille mantelée,* ou *corneille grise,* ou (1775) *corneille cendrée,* au plumage gris cendré, avec tête, ailes et queue noires. *Corneille noire,* ou *corbeau corneille* (appelée cour. *corbeau*). *Cri de la corneille.* → **Crailler, croasser, grailler.**

1 (...) l'on voit, autour des lieux habités, des volées nombreuses, composées de toutes les espèces de corneilles, se tenant presque toujours à terre pendant le jour (...)

BUFFON, Hist. nat. des oiseaux, t. V, p. 63.

2 (...) je tournoyais au dehors de l'abbaye avec les corneilles, ou je m'arrêtais à considérer les clochers (...)

CHATEAUBRIAND, Mémoires d'outre-tombe, t. II, p. 81 (→ Couchant, cit. 1).

Fig. et fam. *Bayer aux corneilles.* → **Bayer.** — *Comme une corneille qui abat* des noix,* avec étourderie, maladresse.

Régional (Canada). *Avoir une corneille à plumer avec qqn :* avoir une affaire à régler avec qqn.

♦ **2** Régional. Lysimaque vulgaire, dite aussi *herbe chasse-bosse.*

DÉR. Corneillard, corneillon.

CORNEILLON [kɔʀnɛjɔ̃] n. m. — 1863 ; de *corneille*.

Rare. Petit de la corneille, ou du corbeau freux.

1. **CORNÉLIEN, IENNE** [kɔʀneljɛ̃, jɛn] adj. — 1838 ; dér. de *Lucius Cornelius Sulla* ou *Sylla,* nom d'un général et homme politique romain.

Hist. Qui a un rapport avec Lucius Cornelius Sylla. *Loi cornélienne.*

2. **CORNÉLIEN, IENNE** [kɔʀneljɛ̃, jɛn] adj. — 1764, Voltaire ; *corneillien,* 1657 ; de *Corneille,* le célèbre poète tragique, et *-ien.*

♦ **1** Qui appartient à Pierre Corneille. *Le style, le vers cornélien. La tragédie cornélienne.*

♦ **2** Fig. Qui est dans le style de Corneille, évoque ses héros, ses tragédies. *Un héros cornélien,* qui fait passer son devoir par-dessus tout.

C'est (le pathétique cornélien) un arrachement cruel et héroïque où la décision généreuse élève l'homme au-dessus de lui-même.

D. MORNET, Hist. générale de la littérature franç., p. 74.

(Du style). Dense et expressif. *Il s'exprimait avec une simplicité cornélienne.*

♦ **3** Se dit d'une situation caractérisée par un dilemme, un conflit entre le sentiment et le devoir. *C'est cornélien !*

CORNEMENT [kɔʀnəmɑ̃] n. m. — 1549 ; de *corner.*

♦ **1** Pathol. État des oreilles qui cornent. → **Bourdonnement.**

♦ **2** Techn. Bruit anormal produit par un tuyau. *Le cornement d'un tuyau de vapeur.* → **Grondement, sifflement.** *Cornement d'un tuyau d'orgue :* son qui peut se produire lorsque la soupape est mal fermée.

CORNEMUSE [kɔʀnəmyz] n. f. — V. 1300 ; XIIIᵉ ; déverbal de *cornemuser.*

♦ **1** Instrument de musique à vent composé d'un sac de cuir qu'on remplit d'air avec un *tuyau porte-vent,* et de deux ou trois tuyaux percés de trous pour émettre les sons. *Les cornemuses sont utilisées dans la musique populaire :* en Bretagne (→ **Biniou**), *en* Auvergne (→ **Cabrette, chabrette**), *en* Écosse (→ **Pibrock**). → aussi **Bedondaine, bousine.** *Le pifferaro, musicien italien jouant de la cornemuse. Joueurs de cornemuse.* → **Cornemuseur ; sonneur** (de biniou).

(...) Je m'arrêtai (...) pour regarder la longue chaîne de la gavotte tournoyer et courir, menée par la voix aigre des cornemuses. LOTI, Mon frère Yves, XCV, p. 229.

Spécialt. Instrument de la famille des cornemuses autre que celui qui est normalement employé dans une région (en Bretagne, on oppose la *cornemuse* [écossaise] au *biniou*).

♦ **2** Argot. Vieilli. Estomac. — Gosier. *Se rincer la cornemuse.*

CORNEMUSER [kɔʀnəmyze] v. intr. — V. 1223 ; de *corner,* et *muser* «jouer de la musette».

Rare. Jouer de la cornemuse.

DÉR. Cornemuse, cornemuseur.

CORNEMUSEUR [kɔʀnəmyzœʀ] n. m. — Av. 1313 ; de *cornemuser.*

Joueur, sonneur de cornemuse.

(...) les hommes au marché de leurs cochons ronds et jaunes, eux ronds et bleus, saucissonnés dans leurs habits. Le tout était enflé comme les joues d'un cornemuseur, plein comme une cornemuse avant de rendre le vent, ou comme un estomac. A. JARRY, Gestes et Opinions du Dʳ Faustroll, III, XIV, Pl., p. 680.

Var. régionale. *Cornemuseux* [kɔʀnəmyzø].

Il y avait une fois une fille très belle, mais qui était très froide (...) Or, il advint qu'un pauvre garçon, un cornemuseux du village voisin, se déclara amoureux d'elle.

Germain NOUVEAU, la Sourieuse, 1874, Pl., p. 437.

Adj. «*Leurs genoux rugueux de montagnards corne-museux*» (Catherine Paysan, *l'Empire du Taureau*, p. 217).

REM. Le fém. *cornemuseuse* semble inusité.

1. CORNER [kɔʀne] v. intr. et tr. — 1080, *Chanson de Roland*; de *corne*.

I (De *corne*, I., B., 2.). **A** V. intr. ♦ **1** Sonner d'une corne, d'un cor, d'une trompe. *Le vacher corne. Corner pour avertir, appeler. Des trompes qui cornent* (→ Claironner, cit. 1).

♦ **2** Par ext. Produire un son ressemblant à celui d'une corne, d'une trompe. (Vieilli). *Automobiliste, tramway qui corne.* → Avertir, klaxonner.

♦ **3** Parler dans un cornet qui amplifie la voix.

♦ **4** (1835). Méd. véter. Être atteint de cornage (d'un cheval).

B V. tr. ♦ **1** Rare. **a** Annoncer à son de trompe, en cornant (A., 1.). — Par comparaison :

0.1 Sur la bruyère longue infiniment
Voici le vent cornant Novembre.
E. VERHAEREN, les Villages illusoires.

b Avertir (qqn) en cornant. «*C'est une automobile pétaradante qui les corne...*» (Henri Troyat, *les Héritiers*, t. III, p. 104).

♦ **2** Fam. Dire, proclamer bruyamment (surtout dans *corner qqch. aux oreilles*). *Corner qqch. aux oreilles, dans les oreilles de qqn. Corner une nouvelle,* la publier partout, importunément. → Claironner, publier; beugler.

1 J'entends corner sans cesse à mes oreilles : *L'homme est un animal raisonnable. Qui vous a passé cette définition ?*
LA BRUYÈRE, les Caractères, XII, p. 119.

2 (...) quand la radio (...) nous cornait dans les oreilles que la France avait demandé l'armistice ?
SARTRE, la Mort dans l'âme, p. 210.

♦ **3** V. intr. Faire un bruit sourd, prolongé. (En parlant de la sensation auditive sourde et prolongée que l'on éprouve sans qu'il y ait d'excitation extérieure.) → Bourdonner, siffler, sonner, tinter. *Ses oreilles cornaient. Les oreilles me cornent.* — Fig. et fam. *Les oreilles ont dû vous corner :* on a souvent parlé de vous.

3 Il faut donc que les oreilles m'aient corné.
MOLIÈRE, le Malade imaginaire, III, 9.

4 Les oreilles ne vous ont-elles point corné depuis que j'ai ici notre cher Corbinelli, et surtout l'oreille droite ? car c'est l'oreille droite qui corne quand on dit du bien.
Mᵐᵉ DE SÉVIGNÉ, 304, 18 sept. 1672.

5 On se mit à table. Dovobo ne se servait pas, regardait ailleurs. Subitement, se tournant vers le vice-roi : «Les oreilles me cornent de tout ce que tu me dis.» Le vice-roi ne répondit pas.
Henri MICHAUX, Ailleurs, p. 124.

II (De *corne*, I., A., 4.). V. tr. Plier en forme de corne; relever un coin* de (qqch.). *Corner les pages d'un livre. Ce joueur corne ses cartes. Corner une carte de visite,* pour indiquer à qqn qu'on lui a rendu visite et qu'on ne l'a pas trouvé.

6 (...) elle enleva le papier, le plia, le corna vivement, du bout des doigts.
ZOLA, le Ventre de Paris, t. I, p. 108 (1875).

7 L'hôtel a appartenu au duc de Charost qui lisait un livre alors qu'on le menait à la guillotine et qui, avant de s'aller faire couper la tête, a corné la page.
J. GREEN, Journal, 1ᵉʳ févr. 1946.

♦ **CORNÉ, ÉE** p. p. adj. (Du sens II). Plié, replié en coin. *Pages cornées. Carte cornée.*

DÉR. Cornage, 2. cornard, cornement, corneur. ◊ HOM. Corné, cornée, cornet.

2. CORNER [kɔʀnɛʀ] n. m. — 1889; au sens 1, mot angl. *corner,* de *to drive into a corner* «acculer»; au sens 2, mot angl. *corner* «coin», de *corner kick* «coup de pied, donné d'un coin (du jeu)».

Anglicisme.

♦ **1** (1888). Écon. Arrangement entre spéculateurs pour obtenir la maîtrise du marché d'un produit et créer une hausse artificielle des cours.

♦ **2** (1897, au sens b). Sports, cour. **a** Faute commise par un joueur qui a envoyé le ballon derrière la ligne de but de son équipe.

b Coup accordé à l'équipe adverse à la suite de cette faute. *Le corner est tiré d'un angle du terrain.*

Sur un corner, un second but est marqué d'un coup de tête que son auteur sentait infaillible d'avance.
Jean PRÉVOST, Plaisir des sports, p. 143.

CORNET [kɔʀnɛ] n. m. — Déb. XIIIᵉ; dimin. de *corne*.

I ♦ **1** Mus. **a** Vx. Petit cor ou petite trompette* rustique. *Cornet de vacher.*

Mus. anc. Instrument à vent percé de sept trous. — Milit. *Cornet de voltigeurs,* ou, par ellipse, *cornet :* instrument à vent remplaçant parfois le clairon au XIVᵉ siècle.

(1841). *Cornet à bouquins,* ou, par ellipse, *cornet :* grande flûte courbée.

b (1836). Mod. *Cornet à pistons,* ou *cornet :* instrument analogue à la trompette, mais plus court, muni de pistons que presse l'exécutant et qui rend toutes les notes. → Bugle, néo-cor. *Jouer du cornet.* — Par métonymie. Celui qui joue du cornet. *Le cornet ou cornettiste d'un orchestre de jazz New-Orleans.*

1 Le cornet à pistons est un clairon muni de trois pistons. Il a un son vulgaire et n'est guère employé dans l'orchestre symphonique. Par contre, sa facilité d'exécution lui a assuré sa fortune dans les musiques militaires, les fanfares, les orchestres de bal.
Initiation à la musique, p. 165.

Par ext. Un des jeux de l'orgue. *Grand cornet.*

c Blason. Meuble de l'écu, figurant un cornet (1., a). *Cornet attaché, pendu, virolé.*

♦ **2** Vx. Instrument utilisé pour amplifier les sons. *Cornet porte-voix.*

(1660). *Cornet acoustique :* instrument à l'usage des sourds (→ Armer, cit. 26).

1. (...) le subterfuge grâce auquel on dissimule les cornets de sourds dans les montures d'éventails ou de parapluies.
Raymond ROUSSEL, Impressions d'Afrique, p. 404.

Ancienn. *Cornet d'un phonographe :* partie évasée amplifiant les sons.

(1913, Colette, *l'Entrave, in* D.D.L.). Ancienn. Écouteur et microphone téléphonique. *Téléphone à cornet.*

2 (...) je trouve dans un des premiers albums la photo où je suis debout sur une chaise, ayant la Grande Guerre et vêtu des lainages d'un poilu, faisant semblant de téléphoner, le fameux cornet à l'oreille (...)
Claude MAURIAC, le Temps immobile, p. 387.

II (Par anal. de forme). ♦ **1** Loc. **EN CORNET :** en forme de cornet ou de corne. *Rouler du papier en cornet. Feuilles roulées en cornet.* → Convoluté. *Mettre la main en cornet sur l'oreille pour mieux entendre.*

3 Il (...) passa devant un homme très brun qui téléphonait, la main en cornet autour de sa bouche.
G. SIMENON, Feux rouges, p. 19.

♦ **2** *Le cornet de l'oreille :* le creux de l'oreille.

♦ **3** Partie d'une fleur en forme de cornet (→ Cloc, cit.).

♦ **4** Objet en forme de corne; récipient conique. → Cône. *Cornet de papier :* papier roulé en corne et susceptible de contenir qqch. *Cornet de dra-gées, de frites.* — *Cornet de pâtisserie* : oublie* conique. — *Cornet à surprise, cornet surprise* : sachet de papier en forme de cornet, contenant des friandises et des petits jouets pour les enfants. → **Pochette-surprise.**

4 Elle restait toute sérieuse. Puis, se décidant :
— Non, j'aime bien les cornets.
Alors, il lui prit le bras, il l'emmena, sans qu'elle résistât. Ils traversèrent la rue Rambuteau, suivirent le large trottoir des Halles, allèrent jusque chez un épicier de la rue de la Cossonnerie, qui avait la renommée des cornets. Les cornets sont de minces cornets de papier, où les épiciers mettent les débris de leur étalage, les dragées cassées, les marrons glacés tombés en morceaux, les fonds suspects des bocaux de bonbons. Muche fit les choses galamment; il laissa choisir le cornet par Pauline, un cornet de papier bleu. ZOLA, le Ventre de Paris, t. II, p. 89.

5 *(Un modèle...)* vieux débris d'un Empire de l'art, auxquels l'atelier ne manquait jamais de faire la charité d'habitude avec les vieux modèles, ce qu'on appelle «un cornet», une feuille de papier tournée par un des nouveaux, qui circule, et où chacun met le fond de sa poche.
Ed. et J. DE GONCOURT, Manette Salomon, p. 2.

Régional (Savoie, Suisse...). Sachet de papier. *Cornet de farine, de fruits.*

Petit vase à fleurs en cornet. *Cornet de faïence, de porcelaine.* — *Éteignoir en cornet.*

Cuis. Préparation en forme de cornet. *Cornet à la crème feuilleté, cornet de jambon.*

Cornet à dés : long gobelet en cuir, en carton..., qui sert à agiter et à jeter les dés. *Le Cornet à dés*, recueil de poèmes de Max Jacob.

Anat. *Cornets du nez* : lames osseuses contournées des fosses nasales.

Mar. *Cornet de mât* : entourage que l'on fait au pied des mâts de certaines embarcations.

Papet. Type de papier mince. *Grand cornet, petit cornet.*

♦ **5 Fam.** Estomac, ventre (dans quelques expressions). *Se mettre qqch. dans le cornet* : manger.

DÉR. Cornetage, cornettiste. ◊ **HOM. Corné, cornée, corner.**

CORNETAGE [kɔʀnətaʒ] n. m. — XIIIe, *cornage*; de *cornet* «petit cor», et *-age*.

Rare. Action de sonner du cor.

À midi on casse un peu la croûte sur le pouce. Pierre-le-Brave résume alors la situation d'après les cornetages du matin ; personne n'a rien vu ; les bois sont vides. Et on repart. J. GIONO, Un roi sans divertissement, p. 137 (1947).

CORNETTE [kɔʀnɛt] n. f. (et m.) — Après 1250; de *corne*, et *-ette*.

♦ **1** [a] (Après 1250). Ancienne coiffure de femme.

1 On ne comprend guère que tous ces hommes en blouse, mélangés du plus beau sexe de la banlieue en cornettes et en marmottes, se nourrissent si convenablement ; mais, je l'ai dit, ce sont de faux paysans et des millionnaires méconnaissables.
NERVAL, les Nuits d'octobre, XIV, «Baratte».

Cornette de nuit : coiffure que les femmes portaient la nuit. — Coiffure de veuve.

Coiffure de certaines religieuses, notamment, des sœurs de Saint-Vincent-de-Paul.

2 — Les religieuses étaient d'une distinction parfaite. Elles avaient des robes noires, des grands scapulaires bleu de roi, un voile noir et une cornette de fine toile blanche, toute simple, avec deux M entrelacés sur le dessus formant visière (...) A. BILLY, Sur les bords de la Veule, p. 92.

Loc. *Prendre la cornette* : prendre le voile.

[b] Par métonymie. **Vx.** Femme portant une cornette. — Religieuse à cornette.

Cornette blanche : infirmière (Soubiran, *les Hommes en blanc*, t. II, p. 220).

(XIX[e]). **Spécialt.** Femme dont le mari est infidèle (correspond à 1. *cornard*). → Cocu.

♦ **2** (1532). Large et longue bande de taffetas que portaient autour du cou les conseillers du Parlement, puis les professeurs du Collège de France.

♦ **3** (Av. 1514). **Ancient.** Étendard d'une compagnie de cavalerie ou de chevau-légers. — (1554). Par métonymie. La compagnie elle-même.
En partic. *Cornette blanche, royale* : étendard du roi. — Par métonymie. Corps de la maison du roi.
N. m. (1578). L'officier qui portait l'étendard de la compagnie.

3 Un jour, à la table commune du régiment (the mess), un jeune cornette avait entrepris de découper un faisan et s'en tirait fort mal.
STENDHAL, Mémoires d'un touriste, t. I, p. 170.

♦ **4 Mar.** Long pavillon à deux pointes qui est la marque* de l'officier commandant une division de navires de guerre.

♦ **5** (Nom donné à diverses plantes faisant de petites cornes). Violette des blés (1690), mélampyre des champs (1845); cf. aussi *cornotte, cornille* «vrille de vigne».
Variété de scarole* très croquante aux feuilles enroulées.
Ancolie. — Lotier.

♦ **6 Régional** (Suisse ; parallèle à l'all. de Suisse *Hörnli*). *Cornettes* : pâtes alimentaires coudées.

CORNETTISTE [kɔʀnetist] n. — 1866, *in* Larousse XIXe siècle ; de *cornet*, instrument de musique, et *-iste*.
Joueur de cornet à pistons. → **Cornet**, I., 1., b. *Cornettiste de jazz. Louis Armstrong fut cornettiste avant d'adopter définitivement la trompette.*

CORNEUR [kɔʀnœʀ] n. m. — V. 1185; de *corner* «sonner du cor, faire entendre un râle», et *-eur*.

♦ **1** (V. 1185). **Vx.** Joueur de corne, de trompe.

♦ **2 Techn.** (fabrication des cartes à jouer). Ouvrier qui arrondit les coins des cartes.

♦ **3** (1835). **Méd. vétér.** En appos. *Cheval corneur* : cheval atteint de cornage.
REM. Aux sens 1 et 2, le fém. *corneuse* est virtuel.

CORN-FLAKES ou **CORNFLAKES** [kɔʀnfleks] n. m. pl. — Mil. XXe ; mot de l'angl. des États-Unis, de *corn* «maïs», et *flake* «flocon».
Anglic. Flocons de maïs grillés et croustillants qui se consomment avec du lait. *Les corn-flakes font partie des céréales. Manger des corn-flakes au petit déjeuner.*

CORNIAUD [kɔʀnjo] n. m. — 1929; *corniot*, 1925; ellipse de *chien corniau*, 1845; reprise de la forme *corneau*, 1655; de *corne* «coin» : chien bâtard, fait au coin des rues, et *-eau, -iau*, confondu avec *-aud, -ot*; le sens 2, probablt de *cornier* «dupe, niais» par substitution de suffixe.

♦ **1** Chien mâtiné, issu du mâtin et du chien courant, souvent employé comme chien de chasse.

1 Les yeux délavés des corniauds qui accompagnent les chasseurs, le trot désenchanté des chevaux qui saboulent à dix francs l'heure des zorros aux moustaches d'aide-comptables (...) : tout m'est devenu prétexte à blessure et plaisirs.
François NOURISSIER, le Maître de maison, p. 208.

En appos. *Chien corniaud.*

REM. On trouve aussi *corneau, corniot.*

♦ **2** (1949). Fig. et fam. Imbécile, sot. *Quel corniaud!*
Se faire avoir comme un corniaud. → **Cornichon,**
gourde.

2   (...) les hommes de demain, quand ils penseront à moi,
quand ils raconteront mon histoire à leurs enfants, me
verront et me décriront comme un pauvre corniaud, un
pauvre mec inintelligent, à peine plus évolué qu'une grenouille (...)
                        Jean-Louis CURTIS, le Roseau pensant, p. 150.

Adj. (en constr. d'attribut). *C'est corniaud.* → **Idiot.** *Ce*
qu'il peut être corniaud! — REM. Le fém. *corniaude*
semble inusité.

1. **CORNICHE** [kɔʁniʃ] n. f. — 1524; ital. *cornice.*

♦ **1** Couronnement saillant d'un édifice, destiné
à protéger de la pluie les parties sous-jacentes.
La corniche, la frise*, l'architrave* forment l'en-
tablement*. Système d'égouttement d'une corniche.
→ **Larmier, mouchette, soffite.** *Cimaise*, claveau*,*
modillons*, ressaut* d'une corniche. Corniche ornée
d'oves*, de billettes*, de denticules*. Proportion des
moulures* d'une corniche. → **Modénature.** *Console*,*
cariatide* soutenant une corniche. Corniche dorique,
ionique, corinthienne. Corniche chantournée, cintrée;
corniche à modillons; corniche en archivolte. Cor-
niche terminée par un astragale (→ **Astragalée**).

1   Tous les ans j'y vais et je niche
     Aux métopes du Parthénon.
     Mon nid bouche dans la corniche
     Le trou d'un boulet de canon.
                        Th. GAUTIER, Émaux et Camées,
                        «Ce que disent les hirondelles».

2   Les acrotères et les corniches du palais servent de perchoir
     à des familles de goélands, de plongeons et de cigognes.
                        LOTI, Aziyadé, III, XII, p. 88.

Ornement en saillie disposé sur un mur, autour
du plafond (d'une pièce), au faîte (d'un meuble,
d'un piédestal...). → Architrave, cit. 1; armoire, cit. 6.
Corniche de plâtre, de bois... Corniche peu saillante
entre deux étages. → **Cordon.** *Corniche d'un buffet,*
d'une armoire. → **Chapiteau.**

3   On y devinait encore *(sur les murs de l'escalier)* une suite
     d'Hercules terminés en gaine supportant une corniche à
     modillons (...)
                        Th. GAUTIER, le Capitaine Fracasse, t. I, p. 7.

4   (...) les murs disparaissaient des plinthes aux corniches (...)
                        COURTELINE, Messieurs les ronds-de-cuir,
                        1ᵉʳ tableau, II, p. 32.

5   Comme c'est beau d'avoir ça. Un appartement pareil pour
     moi. Ces moulures. Ces corniches.
                        J. ROMAINS, les Hommes de bonne volonté, t. II,
                        VI, p. 65.

5.1 *(Alphonse Karr)* récompensait Louis-Philippe de «pousser
     la simplicité plus loin que ses ministres», en lui décochant
     cette flèche dans les Guêpes : «Le roi règne comme la
     corniche autour du plafond.»
                        Francis CARCO, Nostalgie de Paris, p. 128.

Techn. *Corniche d'une charpente, d'un boisage,* la
partie formant toit.

Régional (Canada). Tablette de cheminée.

♦ **2** (1796). Saillie naturelle surplombant un escarpement. *Sommets en corniche des montagnes de*
calcaires durs. Sentier, chemin en corniche.

5.2 Ce pas consiste en un bout de sentier en corniche, large de
     quatre semelles, incliné sur un précipice à pic et appuyé
     contre un rocher qui surplombe.
                        Rodolphe TÖPFFER, Voyages en zigzag, 1839,
                        14ᵉ-15ᵉ journée, p. 181.

Route dominant un à-pic. La petite, la moyenne et
la grande Corniche de la Côte d'Azur.

6   (...) la route n'est plus qu'une étroite corniche taillée dans
     le roc même, au-dessus du torrent qui roule.
                        MAUPASSANT, Au soleil, La Kabylie, p. 219.

Alpin. Surplomb formé par la neige accumulée sur
une arête rocheuse.

HOM. 2. **Corniche.**

2. **CORNICHE** [kɔʁniʃ] n. f. — 1881; de *cornichon,* 5.
Argot scol. Classe préparatoire à l'École militaire de
Saint-Cyr.

HOM. 1. **Corniche.**

CORNICHON [kɔʁniʃɔ̃] n. m. — 1549, «petite corne»;
ne s'emploie plus que par plais. en ce sens; dimin. de
corne, et *-ichon.*

♦ **1** (1654). Petit concombre* *(Cucurbitacées),* que
l'on cueille avant maturité et que l'on utilise
comme condiment après l'avoir fait confire dans
du vinaigre. *Assaisonnement aux cornichons. Bocal*
de cornichons. Faire des conserves de cornichons.
Voulez-vous des cornichons avec le pâté?

♦ **2** (D'un sens argotique). Cornet porte-voix des
forains. — Fam. Téléphone.

1   Passez-moi un coup de cornichon après-demain. Je suis
     sur la liste rouge pour ne pas être emmerdé, mais voici
     mon numéro.   Roger BORNICHE, le Play-boy, p. 208.

♦ **3** *Cornichon de mer* : holothurie.

♦ **4** (1808). Fig. et fam. Niais, imbécile, que l'on dupe
facilement (→ Carotteur, cit.). *Quel cornichon!* → **Cor-**
niaud.

2   Ah, ah! vous n'en savez rien, espèces de mufles, tas de
     marsupiaux, graine de cornichons! Mais regardez-moi
     donc un peu, pour voir!
                        Léon BLOY, la Femme pauvre, II, XV, p. 248.

Adj. *«On n'est pas cornichon comme ça»* (Labiche,
Deux merles blancs, III, 13).

3   Tous les regards s'étaient tournés vers lui et le public se
     mit à rire gaiement, du reste sans hostilité. On le trouvait
     simplement cornichon, cucul la rainette, ratapoil et ran-
     tanplan.   M. AYMÉ, Travelingue, p. 225.

♦ **5** (1858). Argot scol. Élève du cours préparatoire à
l'École militaire de Saint-Cyr. → 2. **Corniche.**

DÉR. 2. **Corniche.**

CORNICULE [kɔʁnikyl] n. f. — 1557; du lat. class. *cor-*
niculum «petite corne; petit entonnoir», dimin. de *cornu*
«corne».

♦ **1** Didact. Petite corne.

♦ **2** Hist. rom. Ornement en forme de corne qui surmontait le casque de certains soldats romains.

CORNIER, IÈRE [kɔʁnje, jɛʁ] adj. — Fin XIIᵉ; de *corne*
«angle», et *-ier.*

Qui est «à la corne», au coin, à l'angle. (1519, *in*
D.D.L.). *Pied cornier.* → **Borne,** cit. 2. — (1500, *in* D.D.L.).
Poteau cornier d'une charpente. Arbre cornier, qui
marque le coin d'une coupe.

CORNIÈRE [kɔʁnjɛʁ] n. f. — 1636; *cornere,* 1170; de
corne.

Technique.

♦ **1** Rangée de tuiles pour l'écoulement des eaux à
la jonction de deux combles. — Par appos. *Jointure*
cornière.

♦ **2** ⓐ Barre métallique ayant la forme d'un L, d'un
T ou d'un V, utilisée dans diverses constructions.
Cornière d'angle.

(...) ébranlé, le mas est de ces côtés pénétré de tirants
d'acier, de chaînes qui en leurs extrémités tiennent les
murs comme à pleines mains, à l'aide de rails, de cornières, des X et des S scellés dans la pierre.
                        François NOURISSIER, le Maître de maison, p. 48.

b Équerre métallique qui maintient les angles (d'un coffre, d'un meuble, d'une presse d'imprimerie...). *Remplacer une cornière.*

CORNILLON [kɔrnijɔ̃] n. m. — 1845 ; de *corne.*
Zool. Squelette de la corne des ruminants (prolongement du crâne).

CORNIQUE [kɔrnik] adj. et n. m. — 1869 ; du rad. de *Cornouailles*, angl. *cornish.*
De Cornouailles. *Légendes corniques. — N. m. Le cornique :* dialecte celtique*.

CORNISTE [kɔrnist] n. — 1821, *in* D.D.L. ; de *corne.*
Joueur, joueuse de cor (les dictionnaires ne donnent le mot que du masc., mais le fém. est normal).
(...) le malheureux corniste ne peut plus retirer sa main, qu'il a trop profondément enfoncée dans le pavillon de son cor ! J. VERNE, le Docteur Ox, p. 59.

CORNOUILLE [kɔrnuj] n. f. — 1680 ; *cornoille*, 1538 ; *cornole*, v. 1240 ; de l'anc. franç. *cornolle*, dér. en *-ulla* du lat. *cornum.* → *Corne.*
Rare ou régional. Fruit du cornouiller. → **Corme**, 2. *La cornouille est rouge et aigrelette. Cornouilles fraîches, séchées. Confiture de cornouilles.*
DÉR. **Cornouiller.**

CORNOUILLER [kɔrnuje] n. m. — 1680 ; *corgnollier*, 1320 ; de *cornolle, cornouille.*
Arbre ou arbrisseau vivace *(Cornacées)*, commun dans les haies, les bois (nom sc. : *Cornus). Cornouiller mâle*, à fruits comestibles, rouges, à bois très dur au grain fin. → **Cormier** (régional). *Cornouiller femelle*, ou *sanguin* (→ **Sanguinelle**), au bois qui rougit en vieillissant, à l'odeur désagréable, aux fruits amers.
Bois de cet arbre. *Canne en cornouiller. «Un fléau, au long manche et au battoir de cornouiller»* (→ Fléau, cit. 1, Zola).

CORN-PICKER [kɔrnpikœr] n. m. — 1949, *in* Höfler ; mot angl. des États-Unis, de *corn* «maïs», et *picker* «ramasseuse» (de *to pick* «cueillir, ramasser»).
Anglic. Machine pour la récolte du maïs. Plur. *Des corn-pickers.*

CORNU, UE [kɔrny] adj. — V. 1150 ; du lat. *cornutus*, dér. de *cornu* «corne» (→ Corne).

♦ **1** (Fin XIIe). Qui a des cornes ou des bois (Cervidés). *Bête cornue. «Animal cornu»* (La Fontaine, *Fables*, V, 4). *Diable cornu.*
N. m. pl. *Les cornus :* les bêtes à cornes.
Les bêtes cornues, nous ne voulons pas parler des bipèdes mariés qui lors traversaient le Pont-Neuf, mais bien des bœufs (...) Th. GAUTIER, le Capitaine Fracasse, II, p. 65.
(1608). Par plais. Fig. et fam. *Mari cornu :* mari trompé. → **Cocu**, 1. **cornard, corne** (et ci-dessus, cit. Gautier).
Par anal. *Vipère cornue*, à cornes (→ **Céraste**). *Escargot cornu.*

♦ **2** Vx. *Argument cornu :* argument faux (appelé ainsi parce que dans l'argument type il est question de cornes). → **Argument** (cit. 12 et 13). Par anal. *Raisons, idées, visions cornues.* → **Extravagant ; biscornu, bizarre.**

♦ **3** Qui a la forme d'une corne, ou qui présente des saillies en forme de corne. *Vase au bec cornu. Pain cornu. Blé cornu*, dont les épis présentent des

cornes ou ergots*. → **Ergoté** (blé). *Cheval cornu :* cheval à la hanche très saillante.
DÉR. et COMP. **Biscornu. Cornue.**

CORNUE [kɔrny] n. f. — 1575, au sens 1 ; de *cornu.*

♦ **1** Chim. et cour. Vase à col étroit, long et courbé, qui sert à distiller (→ **Alambic**). *Le col, la panse d'une cornue. Cornue de verre, de terre, de métal.*
Par métaphore :
Il était arrivé à ce degré de fatigue où le corps d'un malade n'est plus qu'une cornue où s'observent des réactions chimiques. PROUST, Sodome et Gomorrhe, éd. L. de Poche, p. 102. 1

♦ **2** Techn. Four à distiller. *Cornue pour fabriquer l'acier.* → **Convertisseur.**
Dans les usines à gaz, Partie du four où l'on chauffe la houille. *Enduit permettant aux cornues d'aller au feu.* → **Lut**. *Le délutage consiste à retirer le coke des cornues à gaz.*
Le charbon de cornue, c'est-à-dire du cur graphite qui se trouve dans les cornues des usines à gaz, après que la houille a été déshydrogénée, on eût pu le produire, mais il eût fallu installer des appareils spéciaux. J. VERNE, l'Île mystérieuse, t. II, p. 559. 2
(1600). Par anal. de forme. Vitic. Vx ou régional. Récipient de bois utilisé pour porter la vendange.
Il maniait les cornues de raisin comme des bassines de cinq litres. Ch.-F. LANDRY, Petit bar Mistral, p. 105. 3

CORNUELLE [kɔrnɥɛl] n. f. → 1. **Macle.**

COROLLAIRE [kɔrɔlɛr] n. m. — 1611 ; *corellaire*, 1372 ; lat. *corollarium* «petite couronne» puis «petite couronne donnée comme gratification», d'où «don, supplément», de *corolla* «petite couronne». → Corolle.
Didactique ou littéraire.

♦ **1** Log. Proposition dérivant immédiatement d'une autre. *Les corollaires d'une proposition. Avoir pour corollaire.*
(...) voulez-vous peindre et toucher, on vous demande des axiomes et des corollaires. CHATEAUBRIAND, le Génie du christianisme, I, I, IV. 1

♦ **2** (1611). Math. Conséquence directe d'un théorème déjà démontré. → **Déduction, porisme.**
Les stations et rétrogradations sont un corollaire mathématique des mouvements autour d'un même foyer. DELAMBRE, Abrégé d'astronomie, 17e leçon, *in* LITTRÉ. 2

♦ **3** (1788). Vérité qui découle d'une autre conséquence, suite naturelle. → **Conséquence, suite.**
Le sport (...) est devenu la plus avantageuse des entreprises de spectacle. Il est — corollaire obligé — devenu la plus étonnante école de vanité. G. DUHAMEL, Scènes de la vie future, XII, p. 185. 3
Argument supplémentaire qui vient appuyer une affirmation.

♦ **4** En appos. Qui est la conséquence d'une proposition. *Problème corollaire.*
CONTR. **Théorème.** ◊ DÉR. **Corollairement.**

COROLLAIREMENT [kɔrɔlɛrmã] adv. — 1884, *in* D.D.L. ; de *corollaire.*
Didact. Comme corollaire, en conséquence.
(...) doué pour la finance (...) péniblement studieux, froid, tenace, personnel, corollairement hypocrite. Hervé BAZIN, Vipère au poing, p. 34.

COROLLE [kɔʀɔl] n. f. — 1749; lat. *corolla*, dimin. de *corona* «couronne». → Couronne.

◆ **1** Bot. et cour. Ensemble des pétales d'une fleur. *Le calice et la corolle forment le périanthe. La corolle est formée de pièces blanches ou colorées* (→ Foliole, pétale). *Fleur sans corolle.* → Apétale. *Fleur dont la corolle a les pétales soudés* (→ Monopétale), *a des pétales séparés* (→ Dialypétale). *Fleur dont la corolle a trois, plusieurs pétales.* → Tripétale, polypétale. *Forme, disposition d'une corolle.* → Hypogyne; labié, bilabié; ligulé, papilionacé. *Tube d'une corolle, la partie inférieure. Corolle close, éclose, épanouie.*

1 Il *(le bourdon)* revient à l'ancolie et, cette fois, il perce la corolle et suce le nectar à travers l'ouverture qu'il a faite.
FRANCE, le Crime de Sylvestre Bonnard, Œ., t. II.

Par comparaison :

2 Nous regardions la mer calme où des mouettes éparses flottaient comme des corolles blanches.
PROUST, Sodome et Gomorrhe, 1922, p. 808,
in T. L. F.

◆ **2** EN COROLLE : en forme de corolle de fleur (circulaire et évasée). *Une jupe en corolle.* — (Dans un aménagement hydraulique). *Déversoir en corolle :* déversoir de crue évasé.

◆ **3** (Objet en forme de corolle). Techn. Type de présentoir en forme de cône creux.

CORON [kɔʀɔ̃] n. m. — 1877, Littré, *Suppl.*; mot du Nord et de l'Est, prolongeant l'anc. franç. *coron* «coin, bout d'un bâtiment» (v. 1200), dér. de *cor* «angle, extrémité», répandu dans l'usage général par Zola, *Germinal*, 1885.

◆ **1** Régional, puis cour. Ensemble d'habitations identiques, disposées régulièrement le long de voies, et construites pour loger les ouvriers des mines de charbon, notamment dans le Nord de la France. *Habiter un coron.*

Au milieu des champs de blé et de betteraves, le coron des Deux-Cent-Quarante dormait sous la nuit noire. On distinguait vaguement les quatre immenses corps de petites maisons adossées, des corps de caserne ou d'hôpital, géométriques, parallèles, que séparaient les trois larges avenues, divisées en jardins égaux.
ZOLA, Germinal, t. I, II, p. 13.

Par métonymie. *Habitants, population d'un coron. Tout le coron est en grève.*

◆ **2** Par ext. Maison, ou groupe de maisons semblables d'une cité ouvrière.

CORONAIRE [kɔʀɔnɛʀ] adj. — 1562, n. f.; du lat. *coronarius* «en forme de couronne», de *corona*. → Couronne.

◆ **1** Antiq. rom. *Or coronaire :* couronne d'or offerte à un général romain vainqueur par les nations alliées ou vaincues. (La couronne fut remplacée par une taxe, payable en or ou en argent).

◆ **2** Anat. Qui est disposé en couronne. → Coronal. *Artères coronaires labiales :* artères des lèvres.

Spécialt. Se dit d'artères et de veines du cœur. *Artères coronaires. Grande veine coronaire.* — N. f. pl. *Les coronaires;* spécialt, les artères coronaires. *La coronaire droite, gauche.*

Les artères cœur proviennent des artères coronaires, ainsi appelées, probablement à cause du trajet de leur portion initiale qui entoure le cœur en manière de couronne. Elles se détachent de l'aorte au niveau de son origine. Normalement, elles sont au nombre de deux l'une gauche, l'autre droite.
L. TESTUT, Traité d'anatomie, t. II, p. 98.

Méd. Se dit des maladies des organes se rapportant au cœur. *Thrombose coronaire.* → Coronarien.

(Personnes). Emploi abusif. Qui souffre de coronarite. → Coronarien. «*Il est tout seul, il a de l'arthrite, il est coronaire*» (Émile Ajar-Romain Gary, *l'Angoisse du roi Salomon*, p. 259).

◆ **3** Didact. D'une couronne (II., 3.). — De la couronne dentaire. *Dysplasie coronaire.*

DÉR. et COMP. Coronaro-, coronarien, coronarite.

CORONAL, ALE, AUX [kɔʀɔnal, o] adj. — 1314; lat. *coronalis* «qui a rapport à une couronne», de *corona*. → Couronne.

◆ **1** Bot. *Périanthe coronal :* enveloppe circulaire des organes sexuels (de la plante).

◆ **2** (1314). Anat. En forme de couronne. *Os coronal,* ou, n. m., *le coronal :* le frontal*.
Suture coronale, unissant les deux parties de l'os coronal au premier âge. Syn. : *suture frontale.*

◆ **3** Littér. et rare. (Péguy, *in* T. L. F.). Qui couronne, conclut.

◆ **4** (1874). Astron. De la couronne solaire. *Les gaz coronaux. Condensation coronale. Jet coronal.*

◆ **5** Phonét. *Consonne coronale,* ou, n. f., *une coronale :* consonne réalisée par l'action de la couronne de la langue (partie située entre la pointe et le dos) contre la voûte du palais.

CORONARIEN, IENNE [kɔʀɔnaʀjɛ̃, jɛn] adj. — 1897, *in* D. D. L.; du rad. de *coronaire*, et *-ien*.

Méd. Des artères coronaires. *Spasmes coronariens* (angine* de poitrine). *Pontage coronarien,* d'une artère coronaire.

Son emploi *(de la papavérine),* bien que moins répandu que celui de l'atropine, est plus spécifiquement réservé aux spasmes coronariens (angine de poitrine) (...)
A. GALLI et R. LELUC,
les Thérapeutiques modernes, p. 23.

N. *Un coronarien, une coronarienne :* malade atteint d'une maladie coronarienne. Syn. abusif : *coronaire.* «*L'ouverture dans les hôpitaux d'unités de surveillance pour coronariens*» (la Recherche, oct. 1980, p. 1120).

CORONARITE [kɔʀɔnaʀit] n. f. — 1897, *in* D. D. L.; du rad. de *coronaire*, et *-ite*.

Méd. Lésion des artères coronaires du cœur. *Coronarite diabétique.* — Spécialt. Les lésions d'artériosclérose.

CORONARO- Élément de mots de médecine, du rad. de *coronaire*.

CORONAROGRAPHIE [kɔʀɔnaʀɔgʀafi] n. f. — xxᵉ; de *coronaro-,* et *-graphie*.

Méd. Examen (des coronaires, du cœur) par introduction d'une minuscule caméra dans le système artériel, après injection d'un produit opaque aux rayons X dans les vaisseaux coronaires. — Abrév. fam. : *corono* n. f.

CORONELLE [kɔʀɔnɛl] n. f. — xivᵉ; du lat. *corona* «couronne».

Serpent du genre couleuvre*.

CORONER [kɔʀɔnœʀ] n. m. — 1624; mot angl., de l'anc. normand *coroneor* «représentant de la Couronne», du lat. *corona*. → Couronne.

Officier de police judiciaire dans les pays anglo-saxons : Grande-Bretagne, États-Unis (→ Attorney, cit. 2), Canada. *«Selon le coroner (officier civil chargé des enquêtes concernant les morts violentes)..., il n'y aura pas de décision quant à l'ouverture d'une enquête légale tant qu'on ne sera pas en possession, dans une dizaine de jours, des rapports de police»* (le Monde, n° 9964, 11 févr. 1977).

On retrouva son cadavre, après des recherches anxieuses, au cours desquelles Francis se signala par son dévouement. Le coroner local conclut à la mort par accident.
Roger NAÏM, l'Ère des truands, p. 44.

CORONILLE [kɔʀɔnij] n. f. — 1752, Trévoux ; esp. *coronilla* «petite couronne», dimin. de *corona*, du lat. *corona*. → Couronne.

Plante dicotylédone (*Légumineuses-papilionacées*), aux fleurs disposées en ombelles axillaires aux longs pédoncules, et qui pousse en Europe centrale et dans les pays méditerranéens.

(...) une corne sauvage appelait les derniers joueurs de la prairie où la coronille et le pied-de-chat écrasés levaient déjà la tête et respiraient le crépuscule (...)
A. ARNOUX, Suite variée, p. 42.

CORONIUM [kɔʀɔnjɔm] n. m. — 1904, in *Rev. gén. des sc.*, n° 14, p. 674 ; angl. *coronium*, formé par anal. avec *hélium*, à partir du lat. *corona* «couronne (solaire)».

Hist. de la chim. Élément gazeux dont on a imaginé l'existence dans la couronne solaire, mais qui a été par la suite identifié comme étant formé d'atomes connus, très ionisés par la température élevée de la couronne solaire.

CORONOGRAPHE [kɔʀɔnɔgʀaf] n. m. — Attesté 1941 ; date de l'invention par Lyot : 1931 ; du lat. *corona* «couronne», et *-graphe*.

Astron. Instrument d'étude de la couronne solaire et de la chromosphère.

CORONOÏDE [kɔʀɔnɔid] adj. — 1654 ; du grec *korônê* «corneille», et *eidos* «forme».

Anat. Qui rappelle la forme du bec de la corneille. *Apophyse* coronoïde.*

CORONULE [kɔʀɔnyl] n. f. — 1819, Boiste ; du lat. sc. *coronula*, dimin. de *corona*. → Couronne.

♦ 1 (1834). Bot. Chez les Charophytes, Ensemble de cinq cellules en couronne qui surmontent l'oosphère.

♦ 2 Zool. Crustacé (type de la famille des Coronulidés) vivant fixé sur d'autres animaux marins et dont la coquille en forme de couronne est formée de six pièces égales.

COROSSOL [kɔʀɔsɔl] n. m. — Fin XVIe ; du créole des Antilles.

Cour. en franç. des Antilles. Fruit du corossolier. → Anone, 2. *«Patates douces, gombos, corossols, bananes à cuire (...)»* (le Point, n° 4, 16 oct. 1972, p. 19). — *Corossol écailleux* : l'anona squamosa.

DÉR. Corossolier.

COROSSOLIER [kɔʀɔsɔlje] n. m. — D. i. ; de *corossol*.
Arbre fruitier (*Anonacées*), variété d'anone commune en Afrique (nom sc. : *Anona muricata*), dont le fruit est le corossol. → Anonacées, anone, 1.

COROZO [kɔʀozo] n. m. — 1838 ; mot esp. de l'Équateur, proprt «fruits dont les grains sont utilisés pour fabriquer cet ivoire végétal», du lat. pop. *carudium* «noyau».

♦ 1 Matière blanche tirée de la noix du palmier phytéléphas et dite *ivoire végétal. On travaille le corozo au tour pour en faire des boutons. Boutons de corozo.*

♦ 2 Bot. Palmier dont on tire le corozo.

CORPOCOMPTEUR [kɔʀpokɔ̃tœʀ] n. m. — XXe ; de *corpo-*, du lat. *corpus* (→ Corps), et *compteur* (comp. hybride).

Méd. Appareil servant à mesurer la radioactivité d'un organisme entier.

CORPORAL [kɔʀpɔʀal] n. m. — Déb. XIIIe ; lat. ecclés. *corporale*, rac. *corpus* «corps (de Jésus-Christ)».

Liturgie cathol. Linge consacré, de forme rectangulaire, que le prêtre étend sur la pierre d'autel au commencement de la messe pour y déposer le calice (cit. 1) *étalait le corporal. L'ostensoir est posé sur le corporal au moment de la bénédiction du saint sacrement. Des corporaux.*

CORPORATIF, IVE [kɔʀpɔʀatif, iv] adj. — 1830 ; du rad. de *corporation*, et *-if*.

♦ 1 (Av. 1837). Qui est relatif, propre aux corporations. *Problèmes corporatifs. — Esprit corporatif :* esprit de corps.

♦ 2 Qui a la structure d'une corporation. *Groupement corporatif.*
Qui est fondé sur les corporations. *Système corporatif. Structure corporative d'une branche d'activités.*

(...) la société anonyme par actions, appelant n'importe qui à la participation de l'entreprise, est la négation absolue du système corporatif qui ne permet pas des personnes déterminées une activité déterminée.
JAURÈS, Hist. social. Révol. franç., t. I, p. 66.

L'organisation corporative est, à mon sens, un type d'organisation sociale où des groupements obligatoires, basés sur la profession, ont dans l'État un rôle reconnu et jouissent de certaines prérogatives pour accomplir leurs fins.
OLIVIER-MARTIN, l'Organisation de la France d'Ancien Régime, Introd., p. 9.

CORPORATION [kɔʀpɔʀasjɔ̃] n. f. — 1530 ; angl. *corporation* «réunion, corps constitué», du lat. médiéval *corporatio*, du supin du lat. médiéval *corporari* «se former en corps», de *corpus* «corps».

♦ 1 Hist. (Antiq. rom.). Groupement réglementé de différents métiers, dans l'État romain (→ Collège). *Les corporations ont disparu à l'époque franque.*

♦ 2 (1672). Hist. et cour. Association d'artisans, groupés en vue de réglementer leur profession et de défendre leurs intérêts. → Communauté, corps, métier. *Maîtres, compagnons, apprentis d'une corporation. Chefs d'une corporation.* → Bayle, garde, juré, syndic. *Le chef-d'œuvre, œuvre que devait réaliser un compagnon pour recevoir la maîtrise dans une corporation* (→ Artisan). *Corporations des arts et métiers. Délégués des corporations* (→ Jurande). *Corporation de marchands.* → Corps, gilde, hanse. *Corporation religieuse.* → Confrérie. *Suppression des corporations, en France, par l'édit de Turgot* (1776).

(...) l'abolition des corporations, jurandes et maîtrises, bouleversant l'économie du travail national, n'avait pas été sans faire tort à la bonne fabrication.
Louis MADELIN, Vers l'Empire d'Occident, VII, p. 89.

2 La corporation rapproche tous ceux qui exercent le même
métier (...)
OLIVIER-MARTIN,
Précis d'hist. du droit franç. (→ Apprenti, cit. 2).

♦ **3** (Av. 1740). Cour. L'ensemble des personnes qui
exercent le même métier, la même profession.
→ **Corps, métier, ordre.** *La corporation de la boucherie. La corporation des notaires, des médecins.*
Fam. *Il n'est pas de la corporation* : il n'est pas du
métier (→ Bâtiment).
Par anal. Groupe de personnes ayant une activité
commune, des intérêts communs.
Spécialt (Grande-Bretagne). Corps politique ou communauté civile créé par une charte royale, ou un
acte juridique, et qui jouit des mêmes droits qu'un
particulier.

♦ **4** (En parlant d'animaux qui ont une vie communautaire
très développée). *La corporation des fourmis.*

DÉR. Corporatif, corporatisme, corporatiste.

CORPORATISME [kɔʀpɔʀatism] n. m. — 1911, Jaurès ; du rad. de *corporation*, et *-isme*.

Écon. (relativement cour.). Système des corporations ;
doctrine qui préconise les groupements professionnels du type des corporations.
Du corporatisme au syndicalisme la route est longue.
Chacun de ces mouvements représente deux orientations
historiques différentes du travail ouvrier (...) Mais dans
les deux cas se retrouve la préoccupation fondamentale
d'améliorer les conditions de travail (...)
Claude FOHLEN, le Travail au XIXᵉ siècle, p. 61.
Attitude d'esprit de corps professionnel.

CORPORATISTE [kɔʀpɔʀatist] adj. et n. — V. 1930 ; du rad. de *corporation*, et *-iste*.

♦ **1** Adj. Relatif, conforme au corporatisme. *Système corporatiste, doctrine corporatiste. «en 1947
l'Unef avait élaboré la charte (...) qui définissait le
syndicat comme un organe chargé de défendre les
intérêts spécifiques des étudiants. Or cette définition
corporatiste, l'Unef elle-même n'a cessé de la condamner»* (l'Express, 8-14 juil. 1968). *«une véritable
structure corporatiste regroupe les horlogers»* (l'Express, nº 1153, 13 août 1973, p. 14).

♦ **2** Adj. et n. Adepte du corporatisme. *Un, une corporatiste.*

CORPORÉ, ÉE [kɔʀpɔʀe] adj. — 1785 ; empr. soit au lat. *corporatus* «qui a un corps», en bas lat. «corpulent» ; soit au lat. class. *corporeus* «qui a un corps».

Régional (en parlant d'une personne). Bâti. *Il est bien
corporé,* bien bâti. *«Étant corporée comme un
laboureur et hardie comme un soldat»* (G. Sand,
François le Champi).

CORPORÉITÉ [kɔʀpɔʀeite] n. f. — 1482 ; lat. médiéval *corporeitas*, du lat. *corpus, -oris* (→ Corps) ; cf. *corporalité* (1495), du lat. chrét. *corporalitas* «nature cor-
porelle, matérialité».

Philos. Caractère de ce qui est corporel, de ce qui
a un corps.
1 Le corps d'autrui ne doit pas être confondu avec son objectivité. L'objectivité d'autrui est sa transcendance comme
transcendée. Le *corps* est la facticité de cette transcendance. Mais corporéité et objectivité d'autrui sont rigoureusement inséparables.
SARTRE, l'Être et le Néant, 1943, p. 418.
2 Qui a observé des jumeaux ne peut échapper à la fascination de leur corps, dont la corporéité en quelque sorte
se trouve grossièrement soulignée par la duplication.
M. TOURNIER, le Vent Paraclet, p. 234 (1977).
REM. La var. *corporalité* ne semble usitée qu'en théologie.

CORPOREL, ELLE [kɔʀpɔʀɛl] adj. — V. 1160 ; lat. *cor-
poralis* (→ Corporal), de *corpus, -oris* (→ Corps).

♦ **1** (V. 1160). Didact. Qui a un corps (II.). *Nature corporelle. Les êtres corporels. Dieu, dans la théologie
chrétienne, n'est pas corporel.* → **Matériel.**
On peut dire qu'il y a plus d'analogie ou de rapport entre   1
les couleurs et les sons qu'entre les choses corporelles et
Dieu.				DESCARTES, Réponses aux 2ᵉˢ objections.
(...) tous les peuples du monde, sans excepter les Juifs, se   2
sont fait des dieux corporels.		ROUSSEAU, Émile, IV.

♦ **2** Qui est relatif au corps* humain. → **Physique.**
Peine corporelle. → **Afflictif.** *Châtiment corporel.
Punition corporelle. Plaisir corporel.* → **Charnel.**
Besoin corporel. → **Naturel.** *Exercice corporel.*
→ **Gymnastique.** — *Expression* corporelle. — Hygiène
corporelle, fatigue corporelle. La servitude corporelle
de l'homme.*
Souffre les chaînes et la servitude corporelle ; je ne te   3
délivre que de la spirituelle à présent.
PASCAL, Pensées, VII, 553.
Je ne dédaigne l'exercice corporel : je l'aime, je le recom-   4
mande, je le souhaite souvent, au fond d'une retraite trop
studieuse.
G. DUHAMEL, Scènes de la vie future, XII, p. 184.
Psychol. *Schéma corporel* : image qu'une personne a
de son corps. *Troubles du schéma corporel.* → **Aso-
matognosie, autotopoagnosie.**

♦ **3** Qui a la nature d'un corps (I.), qui est matériel.
Dr. *Biens corporels* : biens matériels susceptibles
d'appropriation.

CONTR. Incorporel, intellectuel, spirituel. ◊ **DÉR.** Corporellement. **← COMP.** V. Incorporel.

CORPORELLEMENT [kɔʀpɔʀɛlmɑ̃] adv. — Fin XVᵉ ; *corporeilment,* v. 1180 ; de *corporel.*

Didact. D'une manière corporelle (2.). → **Matériellement, physiquement.** *Punir, châtier, corporellement
qqn,* lui infliger une peine corporelle.
Relig. *Recevoir le corps de Jésus-Christ réellement et
corporellement.*

CONTR. Spirituellement.

CORPORENCE [kɔʀpɔʀɑ̃s] n. f. — Av. 1527 ; probablt déformation de *corpulence,* sous l'infl. de *corporel,* et de *corporu* «corpulent».

Régional et vx. Corpulence, allure d'une personne
(cf. ex. de Balzac et de G. Sand, *in* T. L. F.).

CORPORIFICATION [kɔʀpɔʀifikasjɔ̃] ou CORPO-RISATION [kɔʀpɔʀizasjɔ̃] n. f. — 1690, *corporifica-
tion ; corporisation,* 1701 ; de *corporifier,* ou *corporiser.*

Vx. Action de corporifier, de corporiser un corps
fluide.
Fig. (rare). Action de rendre matériel, fait de
prendre une forme matérielle.

CORPORIFIER [kɔʀpɔʀifje] ou CORPORISER [kɔʀ-pɔʀize] v. tr. — 1651, *corporifier ; corporiser,* 1704 ; du lat. *corpus, corporis* «corps», et *-ifier, -iser.*

♦ **1** Chim. anc. Amener (un corps fluide) à l'état
solide. — Fixer une substance éparse à l'état de
corps non divisé. *Corporifier des globules de mercure.*

♦ **2** (1790). Littér. et rare. Donner une forme matérielle,
une forme corporelle humaine à... — Au p. p. (cit. 1).
Ayant ainsi le peuple à ses pieds, le firmament sur sa   1
tête, et autour d'elle l'immensité de la mer, le golfe, les
montagnes et les perspectives des provinces, Salammbô
resplendissante se confondait avec Tanit et semblait le
génie même de Carthage, son âme corporifiée.
FLAUBERT, Salammbô, Pl., t. I, p. 1023.

2   Elles cherchaient peut-être à corporiser leurs rêveries, ce qui est aussi difficile que de spiritualiser ses sensations.
> BARBEY D'AUREVILLY, les Diaboliques,
> «Le dessous de cartes...».

(1762). **Spécialt** (théol.). Attribuer un corps à (un être spirituel). *Corporifier les anges.*

DÉR. Corporification ou **corporisation.**

CORPS [kɔʀ] n. m. — V. 881 ; *cors*, XIIᵉ, XIIIᵉ, au sens II ; du lat. *corpus, corporis* (à l'accusatif). **REM.** Historiquement, le sens II est premier, dans l'opposition *corps-âme*, mais, dès le XIIIᵉ s., on parle de *corps céleste*, et aussi, abstraitement, d'un *corps de lois.*

Ⅰ Objet matériel. ♦ **1** (V. 1270). *Corps céleste.* → **Astre, planète.**

♦ **2** (XVIᵉ). Objet matériel caractérisé par ses propriétés physiques. → **Chose, objet, substance.** *Le monde des corps.* → **Matière.** *Volume, masse, poids d'un corps. Les corps sont étendus. Surface, volume ; épaisseur d'un corps. Les trois dimensions des corps : largeur, longueur, profondeur (ou hauteur). La substance des corps. Constitution, structure des corps. Corps pur.* → **Combinaison.** — Loc. Vx. *Les petits corps :* les atomes (→ Atome, cit. 1, 2, 3). — *Corps élémentaire, minéral. Propriétés des corps.* → **Physique ; dilatation, dissolution, énergie, fusion, liquéfaction, pression, solidification, vaporisation...** *Les corps solides.* → **Amorphe, cristallisé ; homogène, isotrope.** *Corps fluides* (liquides, gazeux). *Impénétrabilité des corps. Corps aérien, compact, dense, diaphane, léger, lourd, opaque, pesant, spongieux, transparent. Chaleur des corps.* → **Caloricité ; température.** *Les corps sont pesants.* → **Densité, masse, poids.** *La chute des corps.* → **Pesanteur ; accélération** (cit. 1), **attraction, gravitation.** *Mouvement des corps.* → **Dynamique, mécanique ; force, inertie, travail.**

1   J'ai eu dessein *(de)* comprendre tout ce que je pensais savoir (...) touchant la nature des choses matérielles (...) j'entrepris seulement *(d')* exposer bien amplement ce que je conçevais (...) de tous les corps qui sont sur la terre, à cause qu'ils sont ou colorés, ou transparents ou lumineux, et enfin de l'homme, à cause qu'il en est le spectateur.
> DESCARTES, Discours de la méthode, 5ᵉ partie.

2   En dressant une liste de toutes les substances, dans l'ordre de résistance aux déformations, on passerait, par degrés presque insensibles, des corps comme le fer ou la pierre aux corps comme l'eau ou l'alcool, sans qu'il soit possible de dire où se trouve la séparation entre les liquides et les solides (...)
> A. BOUTARIC, Précis de physique, II, p. 4.

3   Qui donc irait faire grief au physicien d'isoler la pesanteur des autres qualités du corps qu'il étudie et de négliger le parfum, la couleur et le goût de la pomme dont il observe la chute !
> J. PAULHAN, Entretien sur des faits divers, III, p. 96.

Loc. (1903, in *Rev. gén. des sc.*, nº 2, p. 91). **CORPS NOIR* :** corps absorbant toutes les radiations qu'il reçoit, et, chauffé, émettant également toutes les radiations, corps qui ne renvoie aucun rayonnement.

(1585, *corps simple*). **Chim.** *Corps pur. Corps simple,* constitué par un seul élément et que l'on ne peut décomposer. → **Élément.** *Les atomes, les molécules d'un corps. Corps pur* (simple ou composé), dont toutes les molécules* sont identiques. *Corps pur composé.* → **Combinaison.** *Variétés, états allotropiques* d'un corps. Corps organiques, inorganiques.* — *Corps gras.*

Fig. *Prendre l'ombre pour le corps,* l'apparence pour la réalité. — **REM.** Dans cette expression, le mot n'est plus compris dans son sens général, aujourd'hui.

Vieilli. *Les corps organisés, vivants :* les organismes. → ci-dessous, II., 2.

Anat. (qualifié). Élément anatomique étudiable isolément (organe, etc.). *Corps calleux*. Corps caverneux de la verge, du clitoris. Corps muqueux*. Corps jaune*. Corps strié*. Corps vitré*. Corps thyroïde.* → **Glande.**

(1680). **CORPS ÉTRANGER :** corps, objet ne faisant plus partie de l'organisme ou s'y étant introduit accidentellement. *Introduction d'un corps étranger dans l'organisme.*

Corps volant.

3.1   J'ai parfois une petite tache qui vole à gauche de mon œil gauche, parfois elle disparaît la journée entière. Il paraît que ce n'est rien, que cela s'appelle un corps volant.
> J. GREEN, Journal, Ce qui reste de jour,
> 20 juin 1971.

♦ **3** Dr. Chose (ayant une existence juridique). *Corps certain :* chose matérielle et individuelle, non interchangeable.

(1824). Dr., cour. **CORPS DU DÉLIT** (lat. *corpus delicti*) : objet qui constitue et forme la preuve d'un délit.

♦ **4** Mar. *Corps flottant.* → **Bouée.** — *Corps mort* (métaphore du sens II). → **Corps-mort.**

Ⅱ La partie matérielle (d'un être animé), le plus souvent considérée comme unie avec une partie immatérielle. — **REM.** Ne se dit guère que de l'homme, mais le syntagme *corps humain* montre que des emplois plus généraux sont possibles. → Ci-dessous, 2. ♦ **1** (V. 881). *L'organisme humain,* par opposition à *l'esprit,* à *l'âme. L'homme, composé de corps et d'âme, corps et esprit. L'union substantielle, la compénétration du corps et de l'âme.* → **Âme** (cit. 18 à 26). *L'âme anime le corps. Le corps, considéré comme prison de l'âme. Le corps mortel,* par opposition à *l'âme immortelle. La séparation de l'âme et du corps* (→ **Mort**). *Âme détachée, séparée, sortie du corps. L'âme abandonne le corps.* — *Consacrer son corps à Dieu. Les mortifications, les austérités du corps.* → **Ascèse** (→ Ascète, cit. 3). *Être maître de son corps. Les passions du corps.* → **Chair, sexualité** (→ Animal, cit. 11 ; avertissement, cit. 10).

Loc. *Se donner corps et âme* [kɔʀzeam] *à qqn, à qqch.* → **Âme,** cit. 27. *Appartenir corps et âme* à qqn.* — *C'est un corps sans âme.* → **Âme,** cit. 28. — *Âme chevillée au corps.* → **Âme** (*infra* cit. 28). — *Avoir le diable au corps.* → **Diable.** — Fig., vx. *Femme, fille folle de son corps,* qui s'adonne aux plaisirs de la chair. *Faire des folies de son corps.*

4   Le corps, cette guenille, est-il d'une importance,
D'un prix à mériter seulement qu'on y pense,
Et ne devons-nous pas laisser cela bien loin ?
— Oui, mon corps est moi-même, et j'en veux prendre soin (...)
> MOLIÈRE, les Femmes savantes, II, 7.

5   Trois fois il *(le prince de Condé)* fut repoussé par le valeureux comte de Fontaines, qu'on voyait porter dans sa chaise, et, malgré ses infirmités, montrer qu'une âme guerrière est maîtresse du corps qu'elle anime.
> BOSSUET, Oraison funèbre du prince de Condé.

6   La conscience est la voix de l'âme, les passions sont la voix du corps.
> ROUSSEAU, Émile, IV.

7   L'âme et le corps, hélas ! ils iront deux à deux,
Tant que le monde ira, — pas à pas, — côte à côte, — (...)
> A. DE MUSSET, Poésies nouvelles, «Namouna»,
> XLIX.

7.1   Soyez remercié mon corps,
D'être ferme rapide et frémissant encor
Au toucher des vents prompts ou des brises profondes ;
Et vous, mon torse droit et mes larges poumons,
De respirer au long des mers ou sur les monts,
L'air radieux et vif qui baigne et mord les mondes.
> VERHAEREN, la Multiple Splendeur.

8   L'âme, disait-il, est la substance ; le corps, l'apparence. Les mots l'expriment d'eux-mêmes : l'apparence est ce qui se voit, et qui dit substance dit chose cachée.
> FRANCE, le Petit Pierre, I, p. 9.

8.1 Je remontai et trouvai ma grand-mère plus souffrante. Depuis quelque temps, sans trop savoir ce qu'elle avait, elle se plaignait de sa santé. C'est dans la maladie que nous nous rendons compte que nous ne vivons pas seuls, mais enchaînés à un être d'un règne différent, dont des abîmes nous séparent, qui ne nous connaît pas et duquel il est impossible de nous faire comprendre : notre corps.
PROUST, le Côté de Guermantes, Folio, p. 358.

8.2 Et c'est parce qu'ils contiennent ainsi les heures du passé que les corps humains peuvent faire tant de mal à ceux qui les aiment, parce qu'ils contiennent tant de souvenirs de joies et de désirs déjà effacés pour eux, mais si cruels pour celui qui contemple et prolonge dans l'ordre du temps le corps chéri dont il est jaloux, jaloux jusqu'à en souhaiter la destruction. Car après la mort le Temps se retire du corps, et les souvenirs, si indifférents, si pâlis, sont effacés de celle qui n'est plus et le seront bientôt de celui qu'ils torturent encore, mais en qui ils finiront par périr quand le désir d'un corps vivant ne les entretiendra plus.
PROUST, le Temps retrouvé, Pl., t. III, p. 1047.

9 Les hommes livrent leur âme, comme les femmes leur corps, par zones successives et bien défendues.
A. MAUROIS, Climats, I, I, p. 13.

9.1 Bouge d'abord, il faut un corps, comme jadis, je ne dis pas non, je ne dirai plus non, je me dirai un corps, un corps qui bouge, en avant, en arrière, et qui monte et descend, selon les membres. Avec des tas de membres et d'organes, de quoi vivre encore une fois, de quoi tenir, un petit moment, j'appellerai ça vivre (...)
S. BECKETT, Textes pour rien, p. 129-130.

Le corps humain après la mort. → Cadavre. — REM. L'emploi *un corps mort* ne constitue pas un sens, mais découle de l'opposition «partie matérielle» *(corps)* — «partie non matérielle». La mort dégage le *corps* proprement dit. — *Ensevelir les corps.* → **Bière** (mise en bière); **cercueil; linceul.** *Levée* du corps. Mettre, porter un corps en terre* (→ **Cimetière**). *Enterrer, inhumer, embaumer, incinérer un corps. Faire l'autopsie d'un corps. Il a légué son corps à la science.*

10 (...) le corps d'un homme vivant diffère autant de celui d'un homme mort que fait une montre ou autre automate (c'est-à-dire autre machine qui se meut de soi-même), lors-qu'elle est montée et qu'elle a en soi le principe corporel des mouvements pour lesquels elle est instituée (...)
DESCARTES, les Passions de l'âme, I, 6.

11 La chair changera de nature; le corps prendra un autre nom; même celui de cadavre ne lui demeurera pas long-temps (...)
BOSSUET, Sermon sur la mort (→ Cadavre, cit. 2).

11.1 Le néant n'épouvante pas un philosophe; et même, je le dis souvent, j'ai l'intention de léguer mon corps aux hôpitaux, afin de servir plus tard à la Science.
FLAUBERT, Mᵐᵉ Bovary, III, p. 425.
REM. C'est le pharmacien Homais qui parle.

12 Ce corps délicat, si blanc, rayé de rouge, c'était la même loque humaine, le pantin cassé, la chiffe molle, qu'un coup de couteau fait d'une créature. Oui, c'était ça. Il avait tué, et il y avait ça par terre.
ZOLA, la Bête humaine, XI, p. 377.

13 Les corps enfermés dans des cercueils de bois blanc, fabri-qués avec des caisses d'emballage, étaient placés sur les arabas.
P. MAC ORLAN, la Bandera, XVIII, p. 215.

Relig. *La résurrection* des corps.* — Loc. (1524). *Les corps glorieux*.*

Spécialt. *Le corps du Christ.* → **Eucharistie.** *Recevoir le corps de Jésus-Christ.* → **Communier.** *Corps et sang de Jésus-Christ.* → **Espèce** (les saintes espèces).

14 L'Église croit, et enseigne, comme un des articles fonda-mentaux de notre foi, que son corps *(de Jésus-Christ)*, son sang, son âme et sa divinité s'y trouvent réellement *(dans l'Eucharistie)*, après la consécration de la Messe.
Mᵍʳ GRENTE, les Sept Sacrements, p. 84.

Organisme humain. *Étude du corps.* → **Anatomie, anthropologie, anthropométrie, physiologie, somato-logie.** *Les parties du corps.* → **Membre** (bras, jambe, main, pied), **tête** (crâne, cou, visage), **tronc** (épaule, buste, poitrine, sein, dos, hanche, ceinture, bassin, ventre). *La surface, l'enveloppe du corps.* → **Épiderme, peau.** *La charpente du corps.* → **Carcasse, ossature, squelette.**

Les attaches du corps. → **Articulation, jointure.** *Cons-titution du corps.* → **Cellule, glande, muscle, poumon, sang** (circulation, cœur; artère, vaisseau, veine), **viscère** (foie, estomac, intestin; cerveau...). — *Physiologie du corps.* → Appareil circulatoire*, digestif*, génital*, res-piratoire*. *La température du corps.*

Loc. *Le corps humain* (syn. des emplois précédents).

15 Le corps humain se trouve, sur l'échelle des grandeurs, à mi-chemin entre l'atome et l'étoile. Suivant les objets auxquels on le compare, il apparaît grand ou petit. Sa lon-gueur est équivalente à celle de deux cent mille cellules des tissus, ou de deux millions de microbes ordinaires, ou de deux milliards de molécules d'albumine placées bout à bout. Par rapport à un atome d'hydrogène, il est d'une grandeur impossible à imaginer. Mais, comparé à une montagne, ou à la terre, il devient minuscule (...) En réalité, notre grandeur ou notre petitesse spatiales n'ont aucune importance. Car ce qui est spécifique de nous-mêmes ne possède pas de dimensions physiques. La place que nous occupons dans le monde ne dépend certaine-ment pas de notre volume.
Alexis CARREL, l'Homme cet inconnu, III, II, p. 70.

16 C'est ainsi que dans le domaine médical, la plupart igno-rent à peu près tout des rudiments de la mécanique humaine. On trouve naturel d'être versé dans les lettres, les sciences, les arts. On croit en savoir assez pour se passer du médecin. Quant à réfléchir sur soi-même, savoir de quoi notre corps est fait et comment il fonctionne, on ne s'en soucie guère. Pourtant, l'organisme humain ne fait pas partie, comme on pourrait le croire, d'un monde à part réservé aux médecins. Les profanes eux-mêmes ont droit de regard sur ce mécanisme infiniment perfectionné qu'est le moteur humain (...)
Puisque le corps humain représente un incomparable ins-trument de travail, le plus compliqué de tous, n'est-il pas naturel de chercher à le mieux connaître ?
P. VALLÉRY-RADOT, Notre corps, p. 6.

L'aspect extérieur du corps (humain). La forme du corps. Les lignes du corps. Les attitudes, les gestes, les mouvements du corps. La santé du corps. Le bien du corps : la santé. *Être le bourreau de son corps :* ne pas ménager sa santé. *Corps malade, malingre, souffreteux; faible, frêle, débile, maigre, petit; frêle, fatigué, moulu, rompu, exténué. Trem-bler, frissonner de tout son corps. Beau* corps. Corps bien formé, bien bâti, bien charpenté, bien constitué, bien proportionné. Corps agile, souple, vif, élégant, élancé, dégagé, découplé, gracieux, vigou-reux. Corps épais, boursouflé, gros, informe, lourd, potelé, ramassé. Prendre (du) corps :* devenir corpu-lent. → **Corpulence, embonpoint, obésité.** *L'atrophie du corps. La beauté du corps. La hauteur du corps.* → **Taille.** *Cambrer, redresser son corps. Cassé* du corps, au saut à la perche. Exercice du corps.* → **Gym-nastique.** *La vigueur du corps* (→ **Athlète**). *Le port, l'allure, la stature, la carrure du corps. Une âme saine dans un corps sain* (→ lat. *Mens* sana in cor-pore sano*).

17 Plus le corps est faible, plus il commande; plus il est fort, plus il obéit.
ROUSSEAU, Émile, I.

18 La vigueur du corps s'entretient par l'occupation physique; le labeur cessant, la force disparaît (...)
CHATEAUBRIAND, Mémoires d'outre-tombe, t. VI, p. 319.

19 Tout à coup elle trembla de tout son corps (...)
HUGO, Notre-Dame de Paris, VI, 3.

20 Un corps souffreteux, amaigri, languissant, exténué, est plus faible (...)
TAINE, Philosophie de l'art, t. II, V, III, 4, p. 298.

21 (...) ce corps souple, frais et parfumé comme un ruisseau coulant dans les fleurs.
FRANCE, le Lys rouge, XXVIII, p. 204.

22 Il restait petit de corps et remédiait à la brièveté de sa taille par la hauteur de sa pensée.
FRANCE, la Vie en fleur, VI, p. 75.

23 Les attitudes, gestes et mouvements du corps humain sont risibles dans l'exacte mesure où ce corps nous fait penser à une simple mécanique.
H. BERGSON, le Rire, IV, p. 22.

24   Il regardait son petit corps potelé de sauvageonne, et songeait pour la première fois que cette gamine de onze ans
deviendrait femme, se marierait.
MARTIN DU GARD, les Thibault, t. I, p. 254.

25   Ô mon corps, qui me rappelez à tout moment ce tempérament de mes tendances, cet équilibre de vos organes,
ces justes proportions de vos parties, qui vous font être et
vous rétablir au sein des choses mouvantes (...)
VALÉRY, Eupalinos, p. 45.

Couvrir, vêtir son corps. Linge* de corps.

Psychol. *Corps propre :* représentation de son corps
par le sujet (dit aussi *corps-sujet, corps phénoménal,*
par oppos. à *corps objectif*).

5.1   Son corps était divisé : d'un côté, son corps propre — sa
peau, ses yeux — tendre, chaleureux, et, de l'autre, sa voix,
brève, retenue, sujette à des accès d'éloignement, sa voix,
qui ne donnait pas ce que son corps donnait. Ou encore :
d'un côté, son corps moelleux, tiède, mou juste assez, pelu-
cheux, jouant de la gaucherie, et, de l'autre, sa voix — la
voix, toujours la voix —, sonore, bien formée, mondaine,
etc.
R. BARTHES, Fragments d'un discours amoureux,
p. 85.

Image du corps : représentation qu'une personne
a de son corps (→ ci-dessus, *corps propre*). → **Corporel**
(schéma).

Loc. *N'avoir rien dans le corps :* n'avoir pris aucune
nourriture. *Un aliment qui tient au corps,* nourrissant. — *Pleurer toutes les larmes de son corps :*
pleurer abondamment.

À BRAS-LE-CORPS. → **Bras,** cit. 48.

Loc. adv. CORPS À CORPS [kɔrakɔr] : en serrant le
corps d'un autre contre le sien (dans la lutte).
Combattre, lutter corps à corps (→ Assaut, cit. 9).
— (Abstrait). *Affronter corps à corps la réalité, ses
passions, de front.*

N. m. *Un corps à corps :* lutte corps à corps. *Se
jeter dans le corps à corps,* dans la mêlée, dans la
bataille.

26   Don Luis Weller, comme l'appelait toujours «El Chino», le
vieux colonel, menait ses troupes au feu un crucifix passé
dans sa ceinture ainsi qu'un pistolet. Il se servait de ce
crucifix comme d'un casse-tête dans les corps à corps.
P. MAC ORLAN, la Bandera, X, p. 21.

Spécialt (en boxe) :

6.1   Il s'éloigne, puis il rentre au corps à corps, très bas. En
voyant son dos s'arquer, je m'apprête à parer le coup au
menton. Mais c'est du coin de la tête qu'il m'a touché, il
m'a écrasé une lèvre (...)
Jean PRÉVOST, Plaisirs des sports, p. 85.

*Se jeter à plein corps dans... Se jeter à plein corps
dans la bataille.* — Figuré :

6.2   Un puissant génie doit se jeter, à plein corps, dans la mêlée
des mots, des images, des pensées de son temps, pures et
impures, et brasser cette pâte, en robuste boulanger.
R. ROLLAND, Deux hommes se rencontrent, p. 234.

◆ **2** Vx ou rare. La partie physique d'un organisme
(non humain). «*Corps animaux*» et «*corps végétaux*» (Lamarck). — REM. Dans cet emploi scientifique
ancien, comme dans la phrase «*les végétaux sont des
corps vivants*» (Lamarck, *in* T. L. F.), *corps* peut aussi être
interprété au sens I : *corps matériel.* — *Le corps d'un
animal.*

6.3   *(Les moucherons)* faisaient courber les pointes des joncs
sous le poids de leurs corps légers.
FLAUBERT, *in* G. L. L. F.

◆ **3** (Déb. XIIᵉ). Le tronc (humain) par opposition
aux membres. *Avoir le corps et les membres bien
proportionnés. Avoir le corps trop long. Une grosse
tête sur un petit corps. Passer une épée au travers
du corps de qqn. Entrer dans l'eau jusqu'au milieu
du corps.* → **Mi-corps** (à). *Séparer la tête du corps.
Avancer le corps, plier le corps en avant. Vêtement,
robe qui moule le corps. Vêtement près du corps,
très ajusté.*

(...) la monstrueuse Chimère, mise à mort par Bellérophon,   27
avec sa tête de vierge, ses pattes de lion, son corps de
chèvre et sa queue de dragon (...)
Th. GAUTIER, Mᵐᵉ de Maupin, VI, p. 108.

(...) le corps tassé, bien d'aplomb sur ses jambes, il s'im-   28
mobilisa, face au public, il semblait un colosse trapu qui
tend le dos (...)
MARTIN DU GARD, les Thibault, t. VII, p. 55.

◆ **4** (V. 1170). Partie (d'un vêtement) qui recouvre le
corps au niveau du torse ou de la ceinture. → **Corsage; camisole, corselet, corset.** *Corps de jupe*; corps
de robe* :* corsage d'une robe. — Vx. Corset. Loc.
Corps de baleines : corset muni de baleines pour
affiner la taille. *Corps rembourré pour dissimuler
les défauts de la taille.* — *Corps d'armure, de cuirasse.*

Le corsage s'ouvre sur un corps garni d'une échelle de   28.1
rubans.
Ed. et J. DE GONCOURT, la Femme au XVIIIᵉ s., II,
p. 61.

◆ **5** (V. 1050). Dans des loc. Homme, individu. Vx. *C'est
un pauvre corps.* Cf. mod. *Un pauvre type.*

Ce qui l'amusa encore prodigieusement, ce fut d'entendre   28.2
que Florent s'était promené tout le matin avec Claude Lantier, un drôle de corps, qui était justement le neveu de
madame Quenu.
ZOLA, le Ventre de Paris, t. I, p. 54.

Garde du corps. → **Garde.**

Dr. *Séparation* de corps. Contrainte* par corps.
Prise* de corps. Décret de prise de corps.*

Loc. *Couvrir qqn de son corps, lui faire un rempart
de son corps.* — Vieilli. *Tomber le corps de qqn,*
lui tomber dessus, l'attaquer.

Loc. *À son corps défendant :* malgré soi, à contrecœur.

Et l'on sait qu'elle est prude à son corps défendant.   29
MOLIÈRE, Tartuffe, I, 1.

(...) mais je n'ai jamais versé le sang d'un homme qu'à   30
mon corps défendant !
BALZAC, le Curé de village, Pl., t. VIII, p. 683.

Fig. *Passer sur le corps de qqn pour parvenir à ses
fins.*

Le défi de l'époque, c'est : pratiquer sans avoir la foi. Si   30.1
nous ne le relevons pas, l'époque va nous passer sur le
corps.
Régis DEBRAY, l'Indésirable, p. 296.

(1580). **À CORPS PERDU.** *Se jeter à corps perdu dans
une entreprise,* étourdiment, avec fougue, impétuosité.

(...) je me jetai à corps perdu dans ma passion.   31
Alphonse DAUDET, le Petit Chose, II, VII, p. 252.

Mais n'y pense plus, renonce, viens, lance-toi à corps perdu   31.1
comme nous (...)
N. SARRAUTE, Vous les entendez ?, p. 85.

III (XIIIᵉ). Par anal. ◆ **1** Partie principale (d'une chose).
Mar. Partie principale d'un navire (restreint à la
coque, ou étendu à la totalité des éléments fixes et
opposé aux biens). *Assurance sur corps* (excluant les
biens). Loc. *Navire perdu corps et biens,* complètement. *Couler, sombrer corps et biens* (souvent mal
interprété comme : hommes et marchandises). — Au
figuré :

Nous savons trop que (...) la littérature alexandrine a   31.2
sombré *corps et biens.* Nous savons que la tragédie grecque
est morte avec le chœur.
MALRAUX, l'Homme précaire et la Littérature, p. 20.

Archit. *Le corps d'un bâtiment*,* par oppos. à *aile,
avant-corps. Corps de bâtiment :* un bâtiment dans
son entier. (1590). *Corps de logis.* → **Logis.** — *Corps
d'une place, d'une forteresse.*

*Corps de bibliothèque, de meuble. Corps d'une voi-
ture.* → **Caisse.**

Techn. *Corps de pompe :* cylindre dans lequel joue
le piston d'une pompe.

Mus. *Corps d'une guitare, d'un violon,* sa partie creuse, évidée.

Numism. *Le corps d'une devise** (opposé à *l'âme d'une devise*).

Anat. *Le corps d'un os, d'un muscle. Corps vertébral :* partie antérieure, renflée et cylindrique d'une vertèbre (→ **Centrum**).

Bot. *Corps ligneux :* partie d'un arbre, comprise entre la moelle et l'écorce (→ **Bois**). — *Corps d'un arbre.* → **Tige, tronc.**

♦ **2** *Corps d'une lettre :* le trait principal qui dessine, qui forme la lettre.

(1528). **Typogr.** *Corps d'une lettre :* la dimension d'un caractère d'imprimerie (mesurée en points d'après la hauteur). → **Caractère, point.** *La force de corps d'un caractère.*

Corps d'une lettre, d'un article : le texte même de la lettre, de l'article, sans tenir compte des indications secondaires (date, formules de politesse).

(1671). *Corps d'un livre, d'un ouvrage,* le texte, par opposition aux *éléments adventices* (préfaces, commentaires, notes...).

Corps de discours (→ Autre, cit. 6.1).

IV ♦ **1** Consistance*, épaisseur plus ou moins grande, de certains objets. → **Épaisseur, force.** *Drap, étoffe qui a du corps* (→ **Corsé**). *Papier qui a du corps.* → **Main.** — (1680). *Vin qui a, qui prend du corps.* → **Corsé.** *Donner du corps à une substance.* → **Charger, épaissir.** *Avoir du corps :* en parlant d'aliments divers, avoir de la consistance.

32 Ce sont viandes creuses qui n'ont pas assez de corps pour la sustenter. BOSSUET, Bonté, 2.

♦ **2** (Av. 1715). Fig. *Donner un corps à des idées,* les rendre fortes, les incarner. *Donner corps à un projet. Donner du corps à sa pensée.* → **Préciser, réaliser.**

33 (...) donner de la couleur et du corps aux pensées. BRÉBEUF, Paraphrase de Pharsale, L, III.

34 L'esprit n'accueille une idée qu'en lui donnant un corps ; de là les comparaisons. J. RENARD, Journal, 4 déc. 1887.

Prendre corps, prendre du corps (→ **Forme, structure, tournure**) : prendre un aspect sensible, réel. *Idée, dessein qui prend corps. Discours qui prend corps.*

35 Les héroïnes raciniennes prennent corps, prennent vie, en proportion de l'obstacle contre lequel leur passion se précipite et se brise. F. MAURIAC, la Vie de Jean Racine, VII, p. 116.

35.1 (...) le projet, d'abord rêvé, que j'avais fait à Paris d'échapper à l'A. et au naufrage de l'Europe, prenait corps, devenait possible, débouchait sur un champ illimité. Jacques LAURENT, les Bêtises, p. 536.

FAIRE CORPS : *adhérer, ne faire qu'un.* → **Adhérer.** *Branche qui fait corps avec le tronc de l'arbre.*

Fig. *Faire corps avec une idée. Faire corps avec qqn,* s'unir à lui pour une action commune.

35.2 Mon problème est de retrouver le moment privilégié où mon œuvre a fait corps avec moi. Jacques LAURENT, les Bêtises, p. 433.

V (Fin XIIIᵉ). Abstrait. ♦ **1** Groupe formant un ensemble organisé sur le plan des institutions. → **Assemblée, association, cellule, communauté, compagnie, ensemble, groupe, organe, société.** — (1585). *Le corps politique.* → **État ; république, royaume.** — (1792). *Le corps social.* → **Société.** → 2. Pouvoir, cit. 13. — (1790). *Le corps électoral :* l'ensemble des citoyens exerçant la fonction électorale*. *Corps législatif.* → **Législatif** (Assemblée législative); **parlement.** — (1789). *Les corps constitués :* dans le langage usuel, Les organes de l'administration et les tribunaux, par opposition aux *assemblées législatives. Les grands corps*

de l'État. Corps de la magistrature. → **Justice.** *Corps municipal.* → **Municipalité.**

36 Pourquoi tant résister, et refuser la gloire d'être attachée au corps de la Faculté ? MOLIÈRE, le Malade imaginaire, II, 6.

37 Ce corps qui s'appelait et qui s'appelle encore le saint empire romain n'était en aucune manière ni saint, ni romain, ni empire. VOLTAIRE, Essai sur les mœurs et l'esprit des nations..., LXX.

38 Le corps social et politique exige que les pouvoirs qui le gouvernent aient une concordance et une conspirance entre eux pour arriver au but qu'ils se proposent, c'est-à-dire la perfection du gouvernement. MIRABEAU, in LAVEAUX, Dict. des difficultés grammaticales...

39 Le principe de toute souveraineté réside essentiellement dans la nation. Nul corps, nul individu ne peut exercer d'autorité qui n'en émane expressément. Déclaration des droits de l'homme (Constit. 3 sept. 1791), art. 3.

40 Les corps (parlements, académies, assemblées) ont beau se dégrader, ils se soutiennent par leur masse, et on ne peut rien contre eux. Le déshonneur, le ridicule glissent sur eux, comme les balles de fusil sur un sanglier, un crocodile. CHAMFORT, Maximes, III.

41 (...) l'étude attentive de la Constitution de 1791 montre que, dès cette époque, le corps électoral est bien un organe puisqu'il est «organisé» par la constitution (...) Marcel PRÉLOT, Précis de droit constitutionnel, p. 71.

Le corps de l'Église (catholique romaine). → **Chrétienté ; église.** *Le corps mystique :* union spirituelle de tous les chrétiens autour de Jésus-Christ. *Le Christ est la tête du corps mystique, les chrétiens en sont les membres. Corps ecclésiastique.* → **Clergé.**

42 Des membres retranchés du corps de l'Église. RACINE, Traductions.

43 Un prêtre fervent est à l'autel le ministre de toutes les grâces répandues sur le corps de l'Église. MASSILLON, Confession, Excel. du sacerdoce.

♦ **2** Hist. (sous l'Ancien Régime). Particult. *Les corps du commerce et de l'industrie. Corps de marchands.* → **Communauté, corporation, métier.** *Corps de commerce.* → **Compagnie.** *Les corps d'auxiliaires de la justice. Les corps de la médecine. Les corps d'officiers royaux. La suppression des corps intermédiaires sous la Révolution française.*

44 L'Ancien Régime ne connaissait pas les droits individuels ; par contre, les individus avaient de grandes facilités pour se grouper en vue de la défense de leurs intérêts. En face du roi, qui avait tous les pouvoirs, ils formaient dans l'État d'innombrables corps intermédiaires. Le Nouveau Régime, au contraire, proclame les droits individuels et favorise la liberté publique, en définissant et en séparant les pouvoirs. Mais l'individu doit se contenter de cette liberté ; il n'a pas le droit d'alléguer un «intérêt intermédiaire», en face de «se séparer de la chose publique par un intérêt de corporation» (Le Chapelier). OLIVIER-MARTIN, Précis d'hist. du droit franç., p. 395.

♦ **3** Mod. Compagnie, groupe organisé. *Corps savants.* → **Académie, université.** — (1817). *Corps diplomatique**. — (1834). *Le corps médical.* — (1806). *Le corps enseignant* (→ **Enseignement**). *Entrer dans le corps enseignant* (→ **Agrégation**). *Corps des Mines. Le corps des ingénieurs des Ponts* (cit. 7) *et Chaussées. Le corps des avocats, des médecins.* → **Corporation, ordre.** *Membres d'un même corps.* → **Collège, confrère.**

(1771). *Avoir l'esprit de corps :* se sentir solidaire du groupe auquel on appartient.

EN CORPS : en masse, collectivement. *Faire une démarche en corps,* tous ensemble. — *Repas de corps.*

44.1 (...) les membres de l'Académie des sciences écoutaient en corps devant le cornet, fiers d'être hommes, voluptueux d'être savants, les chansons de Polin.
GIRAUDOUX, Juliette au pays des hommes, p. 184.

♦ **4** Milit. Unité administrativement indépendante (bataillon, régiment). *Se rendre au corps. Rejoindre son corps. Visiter le corps. Chef de corps.* → **Armée.** — (Av. 1662). *Corps d'armée. Commandant de corps d'armée.* → **Général.** *Corps de troupe :* groupe militaire d'importance numérique variable. *Corps d'infanterie, de cavalerie... Corps détaché, avancé, séparé. Corps de réserve*. Corps franc*. Corps auxiliaire.*

45 Bernadotte, ayant commandé le corps d'armée français en Poméranie s'était attiré l'estime des Suédois (...)
CHATEAUBRIAND, Mémoires d'outre-tombe, t. III, p. 185.

46 Un légionnaire touchait donc au service du roi 4 pesetas 10 par jour en attendant mieux, pour la première et la deuxième année de présence au corps.
P. MAC ORLAN, la Bandera, III, p. 33.

47 Nous apprîmes, en même temps, que ça chauffait à Verdun. Les Boches avaient attaqué et tout enfoncé. Mais notre corps était là, notre fameux corps, et un autre, presque aussi fameux, était à côté. C'était le gros coup qui arrivait, sans attendre le printemps.
DRIEU LA ROCHELLE, la Comédie de Charleroi, p. 143.

Corps de garde. → **Garde.** — *Corps des sapeurs-pompiers.*

♦ **5** (1835). Danse. *Corps de ballet.* → **Ballet, chœur.**

♦ **6** Recueils de textes, d'ouvrages. → **Corpus.** *Corps des poètes grecs, latins. Corps du droit civil. Corps des lois*.* → **Ensemble.** — *Un corps de doctrines.* → **Système.** *Corps de preuves.* → **Faisceau.**

♦ **7** (1903, in *Rev. gén. des sc.,* n° 6, p. 334). Math. Ensemble ayant une structure d'anneau* et dont les éléments forment également un groupe* par rapport à la deuxième loi de composition. *Le corps est un anneau dont les éléments non neutres pour la première loi de composition interne forment un groupe par rapport à la seconde.*

CONTR. **Âme, esprit.** — **Membres.** — **Individu.** ◊ DÉR. Corpsard, corsage, corser, corset. — COMP. Anticorps, monocorps. — Arrière-corps, avant-corps. — Corbleu. — Corpsmort. — Faux-du-corps, garde-corps, haut-le-corps, justaucorps, mi-corps (à). — (De V., 7.) **Sous-corps.**

CORPSARD [kɔʀsaʀ] n. m. — 1920; de *corps* (V., 3.), et suff. *-ard.*
Fam. En France, Polytechnicien qui a fait une école d'application (Mines, Ponts, etc.) et qui sert dans les grands corps techniques de l'État ou dans la fonction publique. *Les corpsards sont choisis dans la botte*.* — REM. Depuis qu'il existe des polytechniciennes, le fém. *corpsarde* peut s'employer.

CORPS-MORT [kɔʀmɔʀ] n. m. — 1732; «cadavre; héritage» en anc. franç. (1309); de *corps,* et *mort.*
Mar. Ancre, dispositif de mouillage attaché à un poste fixe. *S'amarrer à un corps-mort.*

CORPULENCE [kɔʀpylãs] n. f. — Av. 1350; lat. *corpulentia,* de *corpus* «corps».

♦ **1** Vieilli. Ampleur du corps humain, considéré sous le rapport de la taille et de la grosseur. *Homme d'une petite corpulence. Ils ont la même corpulence. De même corpulence.*

1 Quelque garçon d'honnête corpulence (...)
LA FONTAINE, Mandragore.

2 (...) Rodin (...) se mit à la recherche de compatriotes de Balzac, ayant à peu près sa corpulence et son allure, offrant des analogies avec son physique.
Georges LECOMTE, Ma traversée, p. 219.

♦ **2** Mod. Conformation d'une personne forte ou obèse; forte corpulence (1.). *Prendre, avoir de la corpulence.* → **Embonpoint.** *Il est agile, pour un homme de sa corpulence.*
De la corpulence, sans véritable obésité.
J. ROMAINS, les Hommes de bonne volonté, t. III, XXII, p. 287.

CONTR. **Maigreur.**

CORPULENT, ENTE [kɔʀpylã, ãt] adj. — xvᵉ; lat. *corpulens,* de *corpus* «corps».
Qui est d'une forte corpulence*. → **Étoffé, gras, gros, mastoc, obèse.**

1 Il *(Gluck)* était grand, gros, très fort, corpulent sans être obèse, de charpente ramassée et musculeuse.
R. ROLLAND, les Musiciens d'autrefois, p. 226.

2 L'un de leurs amis, à son tour, s'est installé au «Prieuré», le manoir des Guyot (...) Il s'agit d'un homme corpulent de type oriental.
Patrick MODIANO, les Boulevards de ceinture, p. 28.

Par métaphore. *Un parfum corpulent. Une voix corpulente.*

CONTR. **Maigre.**

CORPUS [kɔʀpys] n. m. — 1863, in Littré au sens de «recueil»; fin xiiᵉ au sens de «hostie»; mot latin «corps».

♦ **1** Dr., sc. hum. Recueil de pièces, de documents concernant une même discipline. → **Corps** (V., 6.), **recueil.** *Corpus d'inscriptions latines et grecques.*
Par anal. Répertoire scientifique.

♦ **2** (1961). Ling. Ensemble limité des éléments (énoncés) sur lesquels se base l'étude d'un phénomène linguistique.
Le *corpus :* quelle belle idée! à condition que l'on veuille bien lire le corpus le *corps :* soit que dans l'ensemble des textes retenus pour l'étude (et qui forme le corpus), on recherche, non plus seulement la structure, mais les figures de l'énonciation; soit qu'on ait avec cet ensemble quelque rapport amoureux (faute de quoi le corpus n'est qu'un *imaginaire* scientifique).
R. BARTHES, Roland Barthes, p. 163.

♦ **3** (1863). Dr. *Le corpus juris,* ou, par ellipse, *le corpus :* le corps du droit romain.

CORPUSCULAIRE [kɔʀpyskylɛʀ] adj. — 1721; de *corpuscule.*

♦ **1** Philos. Vx (ou hist. de la philos.). Relatif aux corpuscules de matière. *Philosophie corpusculaire,* qui explique la formation du monde par le groupement de particules invisibles.

♦ **2** (1906). Mod. Phys. Relatif aux constituants ultimes (discontinus) de la matière, de l'énergie. *Théorie corpusculaire de la lumière. Théories corpusculaires et ondulatoires. Physique corpusculaire.*

CORPUSCULE [kɔʀpyskyl] n. m. — 1495; lat. *corpusculum* «atome».

♦ **1** Hist., philos. Petite parcelle de matière (atome, molécule).

1 Les corpuscules, quels qu'ils soient, qui passent des aliments dans nos muscles et dans nos nerfs, sont certainement séparés et recomposés, formant des édifices fort complexes, et différents selon les organes.
ALAIN, Descartes, in les Passions et la Sagesse, Pl., p. 976.

♦ **2** (1749). Anat. Petit élément anatomique. *Les corpuscules du tact*. Corpuscule articulaire. Corpuscule de la variole.*

Zool. Spore de pébrine du ver à soie. → Corpusculeux.

♦ **3** (1905). Phys., vieilli. Élément, constituant discret (de la matière), particule*. → **Corpusculaire; électron, neutron**; aussi **quantum**. *Réintroduire dans la théorie de la lumière la notion de corpuscule.* → Photon, cit. 2.

2 Appliquant aux corpuscules émis par les corps incandescents les méthodes d'étude des rayons cathodiques, on a constaté que le rapport *e/m* de la charge à la masse de ces corpuscules est le même que pour les corpuscules cathodiques ou *électrons* : d'où la conclusion que l'émission d'électricité négative par les corps incandescents est due, comme l'émission cathodique, à un flux d'électrons.

A. BOUTARIC, la Vie des atomes, p. 89.

DÉR. Corpusculaire, corpusculeux.

CORPUSCULEUX [kɔʀpyskylø] adj. — 1870, in *Année sc. et industr.*, 1872, p. 404; de *corpuscule*.

Didact. Se dit des vers à soie malades, qui contiennent des corpuscules, c'est-à-dire des spores de pébrine, qui sont la cause de la maladie.

CORPUS DELICTI [kɔʀpysdelikti] n. m. — Mots latins. Dr. Corps du délit. → **Délit.**

CORRAL [kɔʀal] n. m. — 1868; *coural*, 1668; empr. à l'hispano-amér. *corral*.

♦ **1** Enclos où l'on parque le bétail, particulièrement les bœufs, les taureaux (dans certains pays : Amérique latine, et, par ext., pays d'élevage extensif).

1 La construction de ce corral ne demanda pas moins de trois semaines, car, outre les travaux de palissade, Cyrus Smith éleva de vastes hangars en planches, sous lesquels les ruminants pourraient se réfugier.

J. VERNE, l'Île mystérieuse, t. I, p. 408 (1874).

2 Détruire tout cela (...) Ouvrir les corrals, et fouailler les chèvres et les boucs jusqu'au sang pour qu'ils foncent éperdument dans toutes les directions.

M. TOURNIER, Vendredi..., p. 124.

En France. Régional (Sud-Ouest). Enclos situé dans un bois où l'on parque le bétail pendant la nuit.

Spécialt (taurom.). Enclos attenant à l'arène et où sont parqués les taureaux.

♦ **2** Par métonymie. Exploitation agricole formée autour d'un corral. → **Ranch.**

CORRASION [kɔʀazjɔ̃] n. f. — 1900, *Nouveau Larousse illustré*; d'abord en all., *Richthofen*; dér. sav. du lat. *corradere* «racler», et suff. d'après *érosion*.

Géogr. Érosion éolienne par les grains de sable.

CORRECT, ECTE [kɔʀɛkt] adj. — 1512; lat. *correctus*, p. p. de *corrigere*. → **Corriger.**

♦ **1** (1512). Qui respecte les règles, dans un domaine déterminé. *Rendre correct (qqch.).* → **Rectifier.** *Copie correcte*, conforme à l'original. → **Bon, conforme, exact, fidèle, juste.** *Style scrupuleusement correct.* → **Châtié, pur.** *Phrase grammaticalement correcte. Traduction correcte. Le tracé de cette route est correct. — Dessin correct*, qui observe certaines règles arbitrairement définies. — Par métonymie (vx, à cause du sens 3). *Un écrivain, un peintre correct. Un architecte, un médecin correct*, qui respecte les règles de son métier.

1 Quinault, méprisé par Despréaux si injustement, est (...) le plus pur et le plus correct de tous *(nos poètes).*

D'ALEMBERT, Dial. poésie et phil., t. IV, p. 188.

2 Je reçus de lui *(M. de Fontanes)* d'excellents conseils; je lui dois ce qu'il y a de correct dans mon style; il m'apprit

à respecter l'oreille; il m'empêcha de tomber dans l'extravagance d'invention et le rocailleux d'exécution de mes disciples.

CHATEAUBRIAND, Mémoires d'outre-tombe, t. II, p. 118.

3 Quoique un peu sec, le dessin de Masaccio et du Ghirlandajo était scrupuleusement correct.

STENDHAL, Hist. de la peinture en Italie, t. I, p. 161 (*in* T. L. F.).

♦ **2** (Av. 1696). Qui est conforme aux mœurs, aux usages considérés comme bons (dans une société, un groupe donné). → **Bienséant, convenable, décent.** *Conduite correcte. Attitude, manières, procédés corrects. Cela n'est pas correct venant d'un inférieur.* → **Bien.** — Fam. *C'est correct* (→ Rien à dire là-dessus). — (1830). *Une tenue correcte est de rigueur. Il s'habille d'une façon extrêmement correcte.*

4 Les privautés qu'il prend sont peu correctes, peut-être, mais naturelles.

J. ROMAINS, les Hommes de bonne volonté, t. IV, XII, p. 130.

5 (...) le corps vêtu de noir, l'habit correct d'un digne gentilhomme.

André SUARÈS, Trois hommes, «Ibsen», III, p. 109.

REM. Comme le *goût*, la *distinction*, la *correction* suppose un jugement social appuyé sur une norme et une mesure : faire qqch., se comporter de manière correcte, c'est le faire, se comporter «bien» et avec mesure.

♦ **3** (Av. 1755). Cour. Conforme à la morale, à la justice. *Sa réaction n'est pas très correcte. Prendre une attitude politique correcte.* — Par ext. (Personnes). *Il n'a pas été correct avec lui. Correct en affaires, parfaitement correct.* → **Honnête, régulier, scrupuleux.** *Il n'a pas été très correct avec ses associés.* — *C'est correct; il serait correct de le dédommager.*

6 Puisqu'on avertissait, puisqu'on prévenait tout le monde, et le grand public des journaux et des meetings (...) il était indispensable, il était convenable, il était juste, il était correct de nous prévenir aussi (...)

Ch. PÉGUY, la République..., p. 75.

(Calque de l'angl. des États-Unis *politically correct*). Anglic. *Politiquement correct* : se dit d'un langage, d'un comportement qui efface dans le langage tout ce qui pourrait desservir socialement un groupe minoritaire et qui donne une idée de société moralisée (établissant ainsi euphémismes et tabous). *Un langage politiquement correct.* — Par ext. *Une attitude politiquement correcte.* — N. m. «Jetons une bonne fois la "bien-pensance" et le politiquement correct par la fenêtre» (*le Monde*, 18 mars 2000).

♦ **4** Adapté à son objet; qui remplit bien son rôle, sa fonction. *Dosage, enregistrement correct. Réglage correct.* → **Bon, exact.**

♦ **5** Cour. Qui, sans présenter de graves fautes, de graves inconvénients, n'est pas remarquable par sa qualité. *Votre devoir est tout juste correct.* → **Honnête, moyen, passable.** *Un hôtel modeste, mais correct.* Fam. *Le prix en est correct.* → **Acceptable, normal.**

♦ **6** (Anglic.; cour. au Canada). En réponse ou avec le verbe *être. C'est correct* : ça va bien. «Viens-tu avec nous ? C'est correct, j'embarque» (Bélisle, *in* T. L. F.). → **O. K.**

CONTR. Défectueux, faux, incorrect, inexact, infidèle, mauvais. — Fautif, indécent. — Burlesque, comique, ridicule. — Excellent, parfait. ◊ DÉR. et COMP. Correctement. — Hypercorrect, incorrect.

CORRECTEMENT [kɔʀɛktəmã] adv. — 1402; de *correct.*

Sans faute, d'une manière correcte*.
♦ **1** Sans erreur. *Écrire, parler correctement.*

1 Parlez toujours correctement devant eux *(les enfants)* (...) et soyez sûrs qu'insensiblement leur langage s'épurera sur le vôtre sans que vous les ayez jamais repris.
ROUSSEAU, *Émile*, I.

2 J'ai donc renoncé délibérément à l'usage du style historique et j'ai tenu à exposer toujours les faits dans une langue simple et familière, aussi rapprochée du ton de la conversation que le permettait le souci d'écrire correctement.
Ch. SEIGNOBOS, *Hist. sincère de la nation franç.*, Introd.

3 (...) ne serait-il pas décent d'envoyer un instituteur français, qui parlât correctement notre langue.
GIDE, *Voyage au Congo*, in *Souvenirs*, Pl., p. 817.

♦ **2** Conformément aux règles, aux mœurs, aux usages considérés comme bons. *Agir, s'habiller correctement. S'asseoir correctement. Tiens-toi correctement !*

♦ **3** D'une manière correcte (5.), acceptable, à peu près bonne. → **Moyennement, passablement.**

4 (...) des Cigales étendu tout de son long respire à peu près correctement, les poumons sifflent et glougloutent pleins d'un mucus en ébullition.
R. QUENEAU, *Loin de Rueil*, p. 25.

CONTR. Incorrectement.

CORRECTEUR, TRICE [kɔʀɛktœʀ, tʀis] n. et adj.
— 1371 ; *corretor*, 1275 ; lat. *corrector* «celui qui corrige qqch., qqn, censeur», du supin de *corrigere.* → Corriger.

I N. ♦ **1** Vx. Personne qui corrige en punissant. → **Censeur.**

1 Ce censeur et correcteur des autres, Caton (...)
MONTAIGNE, *Essais*, II, 2.

♦ **2** Personne qui corrige en relevant les fautes et en jugeant. — (1907). Spécialt. *Correcteur des épreuves écrites d'un examen, d'un concours. Une correctrice sévère, indulgente. Le jury des correcteurs du baccalauréat.* → **Examinateur.**

♦ **3** (1531). Personne qui corrige les épreuves d'imprimerie (→ **Corrigeur**); qui est membre d'une équipe de correction. *Le correcteur cherche les fautes d'impression, les coquilles, les lacunes, les doublons... pour les corriger. Chef-correcteur; correcteur-réviseur*. *Correcteur préparateur de copie. Une excellente correctrice. Correcteur d'imprimerie. Correcteur de presse.*

2 Robespierre fut l'effrayant correcteur d'épreuves de la Révolution. Il y mit son *deleatur.* Cet immense exemplaire du progrès, revu par lui, garde encore la lueur de sa prunelle sinistre.
HUGO, *Post-Scriptum de ma vie*, V.

3 Drujon exerçait le métier de correcteur d'imprimerie. C'était un correcteur à la vieille marque, et qui semblait survivre au temps des Elzévir et des Plantin.
G. DUHAMEL, *Biographie de mes fantômes*, IX, p. 173.

♦ **4** Hist. relig. Supérieur, supérieure d'un couvent dans certains ordres monastiques.

♦ **5** N. m. Techn. Dispositif de correction. *Correcteur de tonalité. Correcteur gazométrique.*

♦ **6** N. m. Techn. Substance liquide en général blanche permettant d'effacer les fautes de frappe. (On trouve aussi *corrector**, marque déposée).

II Adj. Qui a pour but et résultat de corriger. *Politique correctrice. Action correctrice.*

(Concret). *Roue correctrice, dispositif correcteur.* — (1911). Opt. *Verres correcteurs.*

Gymnastique correctrice. → **Correctif.**

CORRECTIF, IVE [kɔʀɛktif, iv] adj. et n. m. — 1371 ; bas lat. *correctivus* «qui a le pouvoir de corriger», du supin de *corrigere.* → Corriger.

I Adj. (1371). ♦ **1** Qui a le pouvoir de corriger. *Gymnastique corrective* (syn. : *correctrice*). *Terme correctif.*

♦ **2** Qui a le pouvoir de tempérer, d'atténuer. — Méd. *Substance corrective,* que l'on ajoute à un médicament pour en adoucir, en modifier l'action. → ci-dessous, II., 2., *un correctif.*

♦ **3** Dont le but est de redresser un comportement. *Châtiment correctif.*

II N. m. (1559). ♦ **1** Ce qui apporte une correction, une rectification.

L'épaisseur déformante des préjugés prétentieux empêche 0.1 un homme de voir clair. Rien ne se place entre l'œil de l'enfant et ce qu'il regarde. Mais à l'enfant comme au nègre il manque des correctifs.
COCTEAU, *Poésie critique 2, Monologues*, 1960, p. 25, *in* T. L. F.

♦ **2** Terme par lequel on atténue l'expression (d'un discours). → **Adoucissement, atténuation, correction.** *Simulacre de correctif* (→ **Épanorthose**, rhét.).

Ce dernier mot de ma lettre servira, s'il vous plaît, de correctif au premier. 1
GUEZ DE BALZAC, VII, Lettre 13, *in* LITTRÉ.

Spécialt (pharm., alim.). Substance ajoutée à une autre pour en modifier l'action ou la saveur.

♦ **3** Antidote, contrepartie.

La bonne humeur est ainsi le correctif de toute philosophie. 2
RENAN, *Dialogues et fragments philosophiques*, p. XVIII.

CONTR. Aggravant, excitant.

CORRECTION [kɔʀɛksjɔ̃] n. f. — XIIIᵉ ; lat. *correctio* «action de corriger, de redresser qqch. ; réprimande, châtiment», du supin de *corrigere.* → Corriger.

I Action de corriger. **A** ♦ **1** Vx. Action de corriger*, de changer en mieux, de ramener à la règle. → **Amélioration, amendement, perfectionnement, réforme.** *La correction des fautes, des défauts, des vices, des abus. La correction des mœurs, des habitudes.*

Dieu l'avait élevé comme un signal à tous ceux qui aiment 1 la correction des mœurs.
FLÉCHIER, *Panégyrique*, II.

On sent les abus anciens, on en voit la correction; mais 2 on voit encore les abus de la correction même (...)
MONTESQUIEU, *l'Esprit des lois*, Préface.

Dr. Châtiment conforme à la loi. *Correction paternelle,* infligée par un magistrat à un enfant mineur, à la demande de son père.

(1718). Ancienni (mais l'expression s'emploie encore). **MAISON DE CORRECTION** : établissement chargé du redressement* des mineurs délinquants, remplacé par les *colonies** *pénitentiaires* (loi du 5 août 1850), puis par les *centres d'éducation surveillée.* → **Correctionnel** (maison correctionnelle, cit. 1.1.). *Les maisons de correction n'étaient bien souvent que des prisons*.* On disait de même : *envoyer un enfant en correction.*

♦ **2** **a** Changement fait (à un ouvrage) pour améliorer. → **Modification, rectification, refonte, remaniement, reprise, retouche, révision.** *Corrections de forme, de fond. Faire de nombreuses corrections à un conte, à un récit. Pièce de théâtre reçue à correction,* à condition que l'auteur y fera certains changements. *Manuscrit chargé de corrections.* → **Biffure, rature, surcharge.** *Les corrections* *d'une ébauche, d'un brouillon. Étudier les corrections d'un écrivain, ses manuscrits* (→ **Manuscriptologie**). *Corrections et variantes* d'un texte.*

3   Rien n'est plus propre à former le goût que de démêler, dans les corrections d'un grand écrivain, le motif des arrêts qu'il a prononcés contre lui-même.
                    D'ALEMBERT, Éloges, Despréaux.

4   Il y a assez de corrections et essentielles. J'aimerais mieux revoir, si c'était possible, et, dans ce cas, il faudrait me renvoyer cette première épreuve pour qu'il me fût facile de vérifier.
                    SAINTE-BEUVE, Correspondance, II, p. 123.

5   (...) les manuscrits de Péguy qui lui passaient entre les mains, ne comportaient jamais la moindre rature (on s'en doutait); les seules et uniques corrections étaient parfois quelques surcharges.
                    GIDE, Journal, 24 janv. 1946, p. 247.

b (1531). Typogr. Indication des fautes (→ **Coquille**) de composition, des changements à effectuer sur une épreuve d'imprimerie. *Correction d'épreuves. Signes de correction. S'occuper de la correction d'une revue, d'un journal...* → **Correcteur**. — *Page couverte de corrections. Corrections typographiques; corrections d'auteur.* — Exécution matérielle des changements indiqués sur épreuve. *Correction d'une forme.*

c *Service de correction; correction :* ensemble des travaux, du personnel exigé par la correction des textes. *La rédaction et la correction d'un journal.*

d (1860). Action de corriger des devoirs, les épreuves d'un examen, d'un concours. *La correction de l'écrit n'est pas terminée. Il est chargé de la correction des copies de composition.*

♦ **3** (1797). Opération qui rend exact, plus exact; élimination des erreurs. *La correction d'une observation, d'une erreur*.* — Mar. *Correction des compas. Correction de dérive.* — Techn. *Came de correction, roue de correction.* → **Compensation.**
Élimination des écarts, des distorsions. Spécialt. *Correction monétaire :* technique d'indexation destinée à réduire les déséquilibres, les distorsions (en période d'inflation).

♦ **4** Phrase, locution destinée à atténuer ce que l'on vient de dire. → **Correctif.** — Loc. adv. *Sauf correction :* sauf erreur, si je ne me trompe. → **Erreur (sauf erreur).**

6   (...) je pense, sauf correction, qu'il a le diable au corps.
                    MOLIÈRE, l'Avare, I, 3.

7   Il me semble, sauf correction, que ceci ne vous regarde pas (...)   P.-L. COURIER, Lettres, I, 61.

♦ **5** Pharm. Opération par laquelle on tempère, on adoucit l'effet d'une substance, au moyen d'un correctif*.
Techn. *La correction des eaux calcaires,* leur adoucissement. *Correction d'un sol par amendement.*

♦ **6** Le fait de corriger en atténuant, en modérant (ce qui était trop intense, trop fort). → **Adoucissement, assouplissement, atténuation, compensation, contrepoids, tempérament.**

8   Toute petite société (...) est portée ainsi, par un vague instinct, à inventer un mode de correction et d'assouplissement pour la raideur des habitudes contractées (...)
                    H. BERGSON, le Rire, p. 103.

B (XIII*e*). Du sens 1. Vieilli. Action de réprimander, de châtier, en vue de corriger, d'ôter les défauts. → **Admonestation, admonition, leçon, réprimande; châtiment, peine, punition.** *Administrer, infliger une correction. Correction sévère, injuste, méritée.* — Mod. Châtiment corporel; coups donnés à qqn. → **Battre; coup; raclée, volée.** *Ce boxeur a reçu une sévère correction.* — Spécialt. Punition corporelle (à un enfant). *Si tu n'es pas sage, tu vas recevoir*

une correction, une bonne correction! Flanque une correction à ce garnement!

9   (...) je pourrais te rouer de coups si je voulais! Mais je n'aime pas à faire du mal, et, d'ailleurs, aucune correction n'amenderait ta conscience (...)
                    G. SAND, la Mare au diable, XIV, p. 124.

II ♦ **1** (1680). Qualité de ce qui ne s'écarte pas des règles, de ce qui est jugé conforme à une norme, correct*. *La correction d'une traduction* (→ **Conformité, exactitude, fidélité, justesse...**). *La correction du langage, du style* (→ **Pureté**). *Correction du dessin.*

♦ **2** Comportement correct (2., 3.). *Correction de la conduite, des mœurs. Être d'une parfaite correction.* → **Bienséance, décence, politesse.** *Correction parfaite dans la tenue, les manières.* → **Distinction, élégance.** *Correction stricte, froide, glacée.* — (Moral). *Correction en affaires.* → **Honnêteté, scrupule.**

10 Ses chevaux, ses uniformes, les livrées de ses gens étaient tenus avec une correction qui aurait fait honneur à la ponctualité d'un grand seigneur anglais.
                    STENDHAL, le Rouge et le Noir, II, 35, p. 447.

11 La correction est une forme de la droiture, après tout; dans le Nord, elle supplée à l'élégance.
                    André SUARÈS, Trois hommes, «Ibsen», III, p. 110.

12 (...) un homme mince et brun, d'à peine trente ans, en qui Haverkamp croit reconnaître la «froide correction diplomatique».
                    J. ROMAINS, les Hommes de bonne volonté, t. V, XIX, p. 144.

13 Sous le regard de la vieille fille, Jerphanion essayait de manier sa tasse et ses tartines avec le plus de correction possible.
                    J. ROMAINS, les Hommes de bonne volonté, t. III, VII, p. 107.

CONTR. Altération, corruption, dégradation, dépravation, perversion, pervertissement. — Défectuosité, erreur, faute; coquille (typogr.); aggravation. — Éloge, félicitation, louange, récompense. — Incorrection; débraillé, grossièreté, impertinence, impolitesse, inconvenance, laisser-aller, négligence. ◊ **DÉR.** Correctionnel. — **COMP.** Autocorrection, incorrection.

CORRECTIONNALISATION   [kɔʀɛksjɔnalizasjɔ̃]
n. f. — 1968; de *correctionnaliser*.
Dr. Action de transformer un crime en délit.

CORRECTIONNALISER   [kɔʀɛksjɔnalize]   v. tr.
— 1829, Boiste; de *correctionnel*, et *-iser*.
Dr. Transformer par voie légale ou judiciaire (un crime) en délit correctionnel*. → **Délit.** *La loi du 27 mars 1923 avait correctionnalisé l'avortement.*
DÉR. Correctionnalisation.

CORRECTIONNEL, ELLE   [kɔʀɛksjɔnɛl]   adj. et n.
— 1454; de *correction.*

I Adj. ♦ **1** Vx Qui corrige en améliorant.

♦ **2** Dr. Qui a rapport aux actes qualifiés de délits par la loi. *Délit* correctionnel. Peine correctionnelle. Tribunal de police correctionnelle* (opposé à *police criminelle* et à *simple police*).

1   Les peines en matière correctionnelle sont : 1° l'emprisonnement à temps dans un lieu de correction; 2° l'interdiction à temps de certains droits civiques, civils ou de famille; 3° l'amende.   Code pénal, art. 9.

2   Ma paresse et ma rêverie m'ayant conduit à la maison correctionnelle de Mettray (...) je m'en évadai (...)
                    Jean GENET, Journal du voleur, p. 47.

II ♦ **1** N. f. Cour. *La correctionnelle :* le tribunal correctionnel. *Passer en correctionnelle.*

♦ **2** N. (1876). Vx. *Un correctionnel, une correctionnelle :* personne qui a été frappée d'une peine correctionnelle.

3 Elle *(la supérieure)* ne croyait plus du tout à l'amendement des correctionnelles qu'elle appelait avec un mépris indéfinissable «des traînardes», et n'avait guère gardé qu'un rien de confiance dans le repentir possible des *criminelles*, des grandes *criminelles* (...)

Ed. DE GONCOURT, la Fille Élisa, 1877, p. 226, *in* T. L. F.

CONTR. **Criminel, police** (de simple police). ◊ DÉR. **Correctionnaliser, correctionnellement.**

CORRECTIONNELLEMENT [kɔʀɛksjɔnɛlmã] adv. — 1791; de *correctionnel*.

Dr. Selon la juridiction correctionelle. *Être poursuivi correctionnellement.*

CORRECTOR [kɔʀɛktɔʀ] n. m. — 1947, *in* D.D.L.; marque déposée.

Produit servant à effacer l'écriture. *«Je passe au corrector le canon qui tourne et les bombes qui explosent...»* (Christine de Rivoyre, *Bay*, p. 142).

Des copeaux de crayon donnaient un parfum de bois à tout le cartable. Et il y avait encore la chimie du corrector (produit rouge, produit blanc).

R. SABATIER, les Allumettes suédoises, p. 42.

CORREGIDOR [kɔʀeʒidɔʀ] n. m. — 1579; *corrigideur*, 1506; mot esp., de *corregir* «corriger», du lat. *corrigere*.

Hist. Premier magistrat d'une ville espagnole dans laquelle ne résidait pas de gouverneur. — On écrit parfois *corrégidor*.

Partout on voit l'alcade et le corrégidor.
Pendus, leurs noms au dos, à la potence vile.

HUGO, la Légende des siècles, x, «Jour des rois», V.

CORRÉGIEN, IENNE [kɔʀeʒjɛ̃, jɛn] adj. — 1812, Stendhal; ital. *correggiano*, de *il Correggio*, le Corrège, peintre italien.

Didact. Propre au Corrège, à son art. — Qui évoque le style, les sujets du Corrège.

Se rappeler ce beau caractère raphaélesque et plus encore corrégien : le beau et simple modelé et la hardiesse de l'indication. E. DELACROIX, Journal, 13 oct. 1849.

CORRÉLAT [kɔʀela] n. m. — Av. 1949, Ricœur; dér. régressif de *corrélation*.

Didact. Terme d'une corrélation, d'une relation.

(...) parallèlement à cette activité de travail, comme corrélat nécessaire se développe une étrange passion de détente et de sexualité.

G. DELEUZE, *in* M. TOURNIER, Vendredi..., p. 272.

CORRÉLATIF, IVE [kɔʀelatif, iv] adj. et n. — XIVᵉ; lat. médiéval *correlativus*, de *co- (cum)*, et *relativus*. → Relatif.

♦ 1 Qui est en corrélation*; qui présente une relation logique avec autre chose. → **Correspondant, relatif.** *Les termes de cause et d'effet, d'antécédent et de conséquent, de supérieur et d'inférieur,... sont corrélatifs. Être corrélatif de qqch. «L'idée de date me semble corrélative de celle de l'événement»* (G. Marcel, *in* T. L. F.). *Rare. Corrélatif à qqch.*

0.1 Il *(le développement cérébral)* joue, lorsque l'humanité est acquise, un rôle décisif dans le développement des sociétés, mais il est certainement, sur le plan de l'évolution stricte, corrélatif de la station verticale et non pas, comme on l'a cru pendant longtemps, primordial.

A. LEROI-GOURHAN, le Geste et la Parole, t. I, p. 33.

Obligation corrélative, dépendant de l'accomplissement d'une autre obligation.

(Av. 1756). Gramm. *Mots, termes corrélatifs* : mots qui sont généralement employés ensemble, et qui servent à indiquer une relation entre deux membres de phrase. — N. m. *Le corrélatif :* le premier

de ces deux termes (l'autre étant le *relatif*). Ex. : Autant *(corrélatif)*... que *(relatif)*; assez... pour, tellement... que, etc. *Propositions corrélatives,* et, n. f., *des corrélatives.*

♦ 2 Qui s'oppose à une notion donnée et est impliqué par cette notion. *Les notions corrélatives de châtiment et de récompense* (Camus, l'Homme révolté, 1951, p. 92, *in* T. L. F.).

Phonologie. *Paire corrélative*, se dit de deux phonèmes dont l'un a une certaine particularité phonique et l'autre non.

N. m. *Un corrélatif :* terme corrélatif. *«Le droit est le corrélatif du devoir»* (Alain, les Passions et la Sagesse, Pl., p. 1042). — Spécialt. Chez Aristote, Le terme opposé à un relatif donné.

À l'adoption correspondait comme corrélatif l'émancipation.

FUSTEL DE COULANGES, la Cité antique, IV, p. 57.

Un relatif n'est ce qu'il est que par rapport à son corrélatif (...) le double est le double de la moitié; la connaissance est la connaissance du connaissable.

HAMELIN, le Système d'Aristote, p. 132, *in* LALANDE.

♦ 3 Simultané. → **Concomitant.** *Les effets corrélatifs d'une même évolution.*

♦ 4 Statist. Relatif à une corrélation (4.). *Analyse corrélative* (ou *analyse des corrélations*).

CONTR. **Autonome, indépendant.** ◊ DÉR. **Corrélativement.**

CORRÉLATION [kɔʀelasjɔ̃] n. f. — 1718; *correlacion*, v. 1420; bas lat. *correlatio* «relation mutuelle», de *co- (cum)*, et *relatio.* → Relation.

♦ 1 (1718). Philos. Rapport existant entre deux phénomènes qui varient en fonction l'un de l'autre parce qu'il existe un lien de cause* à effet entre eux, ou qu'ils comportent des causes communes. → **Causalité, concordance, correspondance, dépendance, interdépendance, liaison, rapport, réciprocité, relation.**

Pour savoir le sens vrai des lois phénoménales, ne faudrait-il pas connaître les corrélations qui existent entre les phénomènes et la loi d'ensemble?

BALZAC, Séraphita, Pl., t. X, p. 552.

Corrélation organique : «ensemble des influences qu'exercent les uns sur les autres les éléments d'un même organisme ou les organismes vivant dans un même milieu» (Husson, *Dict. de biologie*, 1970).

♦ 2 Cour. Caractère de deux choses qui varient simultanément; lien, rapport réciproque. *Corrélation de la fertilité du sol et de la densité de la population; de l'alcoolisme et de la criminalité. Établir une corrélation entre... La loi de corrélation des parties d'un être organisé,* de Cuvier.

(...) n'est-il pas plus sage de comprendre que tout ici demeure en corrélation très étroite, que la surabondance de vie de la Renaissance ne pouvait déborder dans la littérature sans déborder du même coup dans les mœurs (...)

GIDE, Journal, Feuillets, p. 725.

(1890). Gramm. *Corrélation de deux propositions.*

♦ 3 Philos. Relation qui existe entre une notion et son opposé. *Platon découvrit la corrélation des idées opposées* (Alain, *Propos*, 1934, p. 1230, *in* T. L. F.).

♦ 4 Statist. Relation entre deux variables statistiques telle que leurs variations sont liées. *Coefficient de corrélation :* nombre qui mesure le degré de dépendance de deux variables (→ **Covariance**). *Si les variables sont indépendantes, le coefficient de corrélation est nul.*

DÉR. **Corrélat, corrélationnel, corréler.**

CORRÉLATIONNEL, ELLE [kɔʀelasjɔnɛl] adj.
— Mil. xxᵉ; de *corrélation*.

Didact. Qui concerne une corrélation. *«Une étude corrélationnelle et factorielle»* (G. Palmade, *la Psychothérapie*, p. 121).

CORRÉLATIVEMENT [kɔʀelativmɑ̃] adv. — 1660; de *corrélatif*.

Didact. D'une manière corrélative.

Le temps est inextricablement, corrélativement lié à l'être.
    VALÉRY, Cahiers, t. II, Pl., p. 729.

CORRÉLER [kɔʀele] v. [CONJUG.: *céder*.] — 1963; de *corrélation*, d'après l'angl. *to correlate*.

V. tr. Statist. Établir une corrélation entre (deux, plusieurs phénomènes). *Corréler deux phénomènes.* *«Des méthodes sensorielles dont le résultat doit être ensuite corrélé, d'une part, avec des mesures analytiques chimiques et physiques (...)»* (la Recherche, avr. 1980, p. 441). — Passif et p. p. *Être corrélé avec...*; *séries corrélées.*

CORRESPONDANCE [kɔʀɛspɔ̃dɑ̃s] n. f. — xivᵉ; du rad. de *correspondant*, p. prés. de *correspondre*, et *-ance*.

I ◆ 1 Log. Rapport logique entre un terme donné (→ **Antécédent**) et un ou plusieurs termes (→ **Conséquent**) déterminés par le premier. → **Liaison, rapport, relation.**

Opérateur permettant d'associer les éléments d'un premier ensemble à ceux d'un second. *Correspondance univoque où un conséquent correspond à chaque antécédent; correspondance biunivoque; correspondance réciproque.* → **Application, fonction, rapport, réciprocité, relation; courbe, dépendance, diagramme, liaison.** *Loi de correspondance entre plusieurs termes.*

Théorie des correspondances, suivant laquelle dans l'univers composé de règnes analogues, chaque élément correspond à un élément d'un autre règne et peut lui servir de symbole. *Correspondances,* sonnet de Baudelaire. → Répondre, cit. 43, Baudelaire.

◆ 2 (xivᵉ). **Cour.** Rapport de conformité. → **Accord, affinité, analogie, concordance, conformité, convenance, corrélation, harmonie, ressemblance.** *Une correspondance étroite, parfaite entre deux choses. Correspondance d'idées, de sentiments entre deux personnes.* → **Accord, intimité, union.** *Ils sont en parfaite correspondance d'idées. Correspondance dans le temps de deux événements, de deux situations.* → **Simultanéité, synchronisme.** — Gramm. *Correspondance des temps.* → Concordance (cit. 4). — *Correspondance entre les parties d'un édifice, les plans, les lignes d'un tableau.* → **Équilibre, proportion, symétrie.** — Vieilli. Accord entre personnes (→ ci-dessous, cit. 2).

1 Ce corps, à le regarder comme organique, est un par la proportion et la correspondance de ses parties; de sorte qu'on peut l'appeler un même organe (...)
    BOSSUET, Traité de la connaissance de Dieu, III, 1.

2 Ce n'est qu'une harmonie et une correspondance parfaite entre un père et un précepteur qui peut assurer le succès d'une bonne éducation.
    ROUSSEAU, Projet d'éducation, in LITTRÉ.

3 Deux horloges qui vont un certain temps dans une correspondance parfaite (...)
    VOLTAIRE,
    Éléments de la philosophie de Newton, IV, 7.

4 Se peut-il qu'il y ait, entre deux êtres, des correspondances aussi profondes?
    DUHAMEL, Récit des temps de guerre, II, v, p. 188.

II ◆ 1 Vx (langue class.). Rapport de communication entre plusieurs personnes. → **Relation; commerce, intelligence.**

Nous avons entretenu des correspondances avec les ennemis (...)
    BOSSUET, Paix, 2. 5

◆ 2 a (1675). **Mod.** Relation par écrit entre deux personnes; échange de lettres. → **Courrier; épistolaire** (relations épistolaires). *Avoir, entretenir une correspondance avec qqn. Être en correspondance avec qqn.* → **Écrire.** *Correspondance active, régulière, suivie. Être chargé de la correspondance d'une maison de commerce. Les règles de la correspondance commerciale. Correspondance amicale, amoureuse, intime. Interrompre sa correspondance avec un ami. Correspondance par lettres, cartes, dépêches, télégrammes. Correspondance diplomatique.* → **Courrier, valise** (diplomatique). *Correspondance secrète, chiffrée, cryptographique.*

J'aurais admirablement travaillé si toute ma matinée (...) n'avait été mangée par la correspondance, comme quotidiennement, ou presque — et presque uniquement des lettres de refus et d'excuses.
    GIDE, Journal, 8 juin 1948. 6

Une correspondance affectueuse, mais espacée, lui semblait être le seul climat qui convint à ce que leur amitié était devenue.
    MARTIN DU GARD, les Thibault, t. V, p. 296. 7

Mais il souffrait de diverses choses, et, par exemple, de cette correspondance exténuante, exigeante, indiscrète, qui lui prenait une si grande part de son temps bien qu'il reçût le soins d'une secrétaire diligente, d'une dame qui répondait à presque toutes les lettres (...)
    G. DUHAMEL, le Voyage de P. Périot, III, p. 55. 8

b Par métonymie. Les lettres qui constituent la correspondance. *Lire la correspondance de deux ambassadeurs, de deux hommes d'État. Faire publier la correspondance de qqn. La correspondance de Madame de Sévigné, de Diderot, de Voltaire, de Stendhal, de Flaubert, de Sainte-Beuve, de Gide et de Claudel,* etc. *Dépouiller, lire, relire sa correspondance.* → **Courrier.**

La correspondance de Dostoïevski est un monument à la misère du génie, un long cri de désespoir.
    André SUARÈS, Trois hommes, «Dostoïevski», I,
    p. 204. 9

c (1832). Chronique adressée à un journal par un correspondant (→ **Correspondant**, II., 2.; **chronique,... reportage**). *Les correspondances d'un journal. La correspondance de Londres.* — Dans un périodique, Rubrique où l'on publie des lettres, des communications, etc. → **Courrier, rubrique.**

Plus tard, elle avait longtemps collaboré à la petite correspondance des journaux de modes, qui est pour les jeunes filles un ersatz d'homme (...)
    MONTHERLANT, les Jeunes Filles, p. 70. 10

d *Bulletin, cahier, carnet de correspondance,* où sont consignées les notes d'un élève, les appréciations de ses professeurs, et qui doit être transmis aux parents et contresigné par eux.

e *Par correspondance :* par échange de courrier. *Cours par correspondance. Il fait des études de droit par correspondance.* — *Acheter par correspondance. Vente* par correspondance* (abrév. : *V. P. C.*).

◆ 3 a (1670). **Vx.** Communication entre plusieurs lieux. → **Communication, transport** (moyen de). *Entre ces deux villes, il n'y a de correspondance que par route. Établir une correspondance maritime, aérienne entre deux ports.*

Quel rapport, quel commerce, quelle correspondance peut-il y avoir entre nous et des globes éloignés de notre terre d'une distance si effroyable?
    MOLIÈRE, les Amants magnifiques, III, 1. 11

b (1829). Mod. Concordance d'horaire entre deux trains, permettant au voyageur d'emprunter deux lignes successives avec un faible délai d'attente. *Le rapide et cet omnibus sont en correspondance. Intervalle, battement* entre deux trains en correspondance.*

c (1843). Relation commode entre deux moyens de transport de même nature ou différents. → **Changement.** *Un train omnibus, un autocar assurera la correspondance à la gare de X. Il n'y a pas de correspondance prévue. Correspondance entre deux avions, un transatlantique et un train paquebot.* Faire correspondance avec.

Le moyen de transport qui assure la correspondance (chemin de fer, autocar). *Attendre la correspondance. La correspondance pour Lyon est au quai n° 4. Manquer la, sa correspondance.*

Postes. *Services de correspondance, transportant le courrier aux endroits non desservis par le chemin de fer.*

(Dans les transports urbains). *Correspondance des autobus, des tramways :* faculté de payer sur la première ligne empruntée la totalité d'un trajet à effectuer avec un ou plusieurs changements. *Billet, ticket de correspondance. Demander, prendre une correspondance.*

(Dans le métro, les autobus). Changement de ligne en cours de trajet. *Couloir de correspondance* (→ 1. Affiche, cit. 1, Robbe-Grillet).

12   Je me demande à quelle station il va descendre. Grande poussée ; Saint-Denis ; il va prendre la correspondance.
           R. QUENEAU, le Chiendent, p. 22 (1932).

CONTR. Antagonisme, désaccord, différence, discordance, dissemblance, éloignement, opposition, séparation. — Silence. ◊ DÉR. Correspondancier.

CORRESPONDANCIER, IÈRE [kɔʀɛspɔ̃dɑ̃sje, jɛʀ] n. — 1900, *Nouveau Larousse illustré ;* de *correspondance,* et *-ier.*

Employé(e) chargé(e) de la correspondance, dans une entreprise commerciale. → **Rédacteur.**

CORRESPONDANT, ANTE [kɔʀɛspɔ̃dɑ̃, ɑ̃t] adj. et n. — V. 1350 ; p. prés. de *correspondre.*

I Adj. ♦ **1** Qui a avec qqch. un rapport de conformité, de symétrie ; qui correspond* à qqch. → **Analogique, concordant, conforme, convenable, corrélatif, relatif. — (Sans compl.).** *Les numéros correspondants de l'autre série... Les éléments correspondants de deux séries, de deux systèmes.* → **Homologue.** *Mots correspondants de deux langues. Les effets correspondants de plusieurs causes. —* (Avec un compl. en à). *Fonds correspondant à une dépense.* → **Applicable, implicable.**

1   (...) de même qu'il y a trois espèces principales de corneilles (...) je trouve aussi trois espèces ou races correspondantes de choucas.
           BUFFON, Hist. nat. des oiseaux, t. V, p. 96.

2   Si la richesse de langue s'y prêtait et qu'elle possédât huit cent dix-neuf mots correspondants aux huit cent dix-neuf teintes de la palette (...)
           DIDEROT, Pensées sur la peinture.

(1762). Géom. Se dit de deux angles formés par deux parallèles et une sécante et qui sont l'un interne, l'autre externe, du même côté de la sécante. *Les angles correspondants sont égaux.*

♦ **2** Qui correspond avec qqch. (dans le temps). Spécialt. *Trains correspondants.* → **Correspondance, II., 3.**

II N. (1615). ♦ **1** Personne avec qui l'on entretient des relations épistolaires, téléphoniques. *Les élèves*

de cette classe ont chacune une correspondante anglaise. Avoir des correspondants dans plusieurs pays. Un correspondant fidèle, régulier. — (Au téléphone). Personne à qui on téléphone. Le numéro de votre correspondant a changé.*

3   Il me fit faire connaissance avec Jean Neaulme, libraire d'Amsterdam, son correspondant et son ami.
           ROUSSEAU, les Confessions, X.

Comm. Personne avec qui on est en relation d'affaires, par courrier, télex, etc. *Ce commissionnaire, cet entrepositaire, ce fournisseur, sont des correspondants de la maison X. Ce banquier est le correspondant du Comptoir d'escompte.*

4   Pour subvenir aux frais de l'entreprise,
     On lui donna mainte et mainte remise,
     Toutes à vue, et qu'en lieux différents,
     Il pût toucher par des correspondants.
           LA FONTAINE, Contes, «Belphégor».

♦ **2** (1634). Personne employée par un journal, une revue, une agence d'informations pour envoyer des nouvelles d'un lieu éloigné (→ **Chroniqueur, envoyé, reporter, représentant**). *Les correspondants d'un journal. Correspondant particulier. Correspondant local, régional ; correspondant à l'étranger. Correspondant de presse. Correspondant diplomatique. Correspondant de guerre. De notre correspondante permanente à Washington... Nous apprenons, par notre correspondant ; notre correspondante nous câble, nous transmet la nouvelle suivante. Un correspondant bien informé.*

4.1   Et une résidence à piscine au Country Club, qui n'est pas celle d'un correspondant de presse ordinaire : maîtres d'hôtel, garden-parties, dîners aux chandelles.
           Régis DEBRAY, l'Indésirable, p. 169.

♦ **3** Membre d'une société savante qui réside dans un autre lieu et n'assiste pas régulièrement aux séances. *Correspondant de l'Institut, de l'Académie des sciences morales.* Appos. (ou adj.). *Membre correspondant de l'Institut.*

♦ **4** (1781, in D. D. L.). Personne chargée de veiller sur un enfant qui fait ses études comme interne dans un établissement.

5   Il (*Ch. Bovary*) avait pour correspondant un quincaillier en gros de la rue Ganterie, qui le faisait sortir une fois par mois, le dimanche, après que sa boutique était fermée (...)
           FLAUBERT, Mᵐᵉ Bovary, I, I.

CONTR. Antagoniste, différent, discordant, dissemblable, opposé. ◊ DÉR. Correspondance.

CORRESPONDRE [kɔʀɛspɔ̃dʀ] v. [CONJUG.: *rendre.*] — Av. 1380 *correspondant* est plus fréquent en moy. franç. et en franç. class. ; du lat. médiéval *correspondere,* de *co-* (*cum*), et *respondere.* → **Répondre.**

I V. tr. ind. (**CORRESPONDRE À**). ♦ **1** Être en rapport de conformité, d'harmonie, de symétrie (avec qqch.), être conforme (à). → **Accorder** (s'), **aller, concorder, convenir, harmoniser** (s'), **représenter, ressembler. —** REM. Le rapport concerné peut être d'identité temporelle, de nature spatiale (image : symétrie, etc.), de complémentarité fonctionnelle, etc. — (Temporel). Être synchrone. *L'an 1 de l'hégire correspond à l'an 622 de l'ère chrétienne. Faire correspondre l'heure de deux montres. —* **Synchroniser. —** (Spatial). *Les deux ailes de ce palais correspondent, se correspondent exactement,* sont symétriques. *Objet qui correspond à un autre.* → **Pendant. —** (Correspondance fonctionnelle). *Cette vis ne correspond pas au filetage. Cette fiche correspond à cette prise. Votre envoi ne correspond pas à notre commande. Ce chèque correspond à la facture que nous lui avons envoyée.* → **Rapporter** (se), **référer** (se). — (Abstrait). *Cette nouvelle ne correspond pas à ce que l'on m'avait dit. Ceci ne correspond pas* *à la réalité. Votre théorie ne correspond à rien*, n'est fondée sur rien (→ **Rimer**).

1 (...) dans notre nature humaine, à chaque qualité correspond un défaut.
> FUSTEL DE COULANGES, Leçons à l'Impératrice,
> p. 219.

2 À chaque défaut du père Dorval correspondait, dans le caractère d'Albert, un relief.
> GIDE, Si le grain ne meurt, III, p. 79.

3 (...) chacun d'eux, le cœur lourd, se demanda si l'image qu'il avait conservée de l'autre correspondait encore à une réalité.   MARTIN DU GARD, les Thibault, t. VI, p. 90.

4 Je suis bien persuadé, note-le, qu'à toutes les époques la liste des gloires reconnues n'a jamais correspondu à celle des gloires vraies et durables.
> J. ROMAINS, les Hommes de bonne volonté, t. IV,
> XXII, p. 236.

♦ **2** Spécialt. Avoir un équivalent. *Cette tournure française correspond à ceci en anglais. Cette expression ne correspond à rien en français*, n'est pas traduisible.

♦ **3** Être conforme à, satisfaire à. → **Conformer** (se), **répondre, satisfaire.** *Cela correspond à ses désirs, à ses sentiments. La production ne correspond pas à la demande, aux besoins.*

5 Tout ce qu'elle disait, tout ce qu'elle faisait, correspondait à ce qu'il attendait d'elle.
> MARTIN DU GARD, les Thibault, t. II, p. 169.

6 S'ils *(les livres)* ne correspondent pas à notre humeur présente, nous ne les trouvons pas bons.
> COCTEAU, la Difficulté d'être, p. 93.

6.1 Il s'arrêta devant un certain hôtel du Cheval blanc, qui lui parut correspondre à sa situation sociale.
> R. QUENEAU, Pierrot mon ami, éd. L. de Poche,
> p. 140.

II V. intr. ♦ **1** (1795). Avoir des relations par lettres, par téléphone, etc. (avec qqn). *Correspondre avec un ami, une relation.* Absolt. *Nous avons cessé de correspondre.* → **Écrire** (s'). — *Correspondre à distance, par signaux*, etc. *Correspondre par signes.*

7 Tout homme d'esprit, d'esprit rompu et mobile, quand il prend la plume pour correspondre, est un peu comme Alcibiade, et revêt plus ou moins les nuances de la personne à laquelle il s'adresse.
> SAINTE-BEUVE, cité par A. BILLY,
> Sainte-Beuve, sa vie et son temps, I, 29, p. 211.

Journal. *Correspondre avec un journal :* envoyer des articles à un journal, en tant que correspondant*.

Par ext. Communiquer.

8 (...) l'impossibilité de *correspondre* qui est le drame de certains couples.
> J. GREEN, Journal, 15 sept. 1958, Vers l'invisible,
> p. 45.

♦ **2** (1690). Avoir ou constituer une communication avec (de deux lieux). → **Communiquer.** *La salle à manger correspond avec la cuisine par un couloir. Ces deux pièces correspondent.* → **Commander.** *Faire correspondre deux parties d'un édifice.* → **Relier.** *Mers qui correspondent par un détroit, un canal.*

♦ **3** (1874, Flaubert). Être en correspondance* (II., 3.), en parlant de deux moyens de transport. *Cet omnibus correspond avec le rapide Paris-Marseille.*

III V. pron. Récipr. (1690; de I.). Même sens que II, 2. *Ces deux pièces se correspondent.* — (Éléments abstraits). *Être en correspondance* (I., 1.). *Ces éléments, ces idées ne se correspondent pas. Éléments de deux ensembles qui se correspondent. Se correspondre terme à terme.*

CONTR. **Différer, discorder, opposer** (s'). ◊ DÉR. Correspondant.

CORRICOLO [kɔ(R)Rikɔlo] n. m. — 1842 ; ital. (Naples), *corricolo*, désignant ce type de voiture ; ital. *curricolo* «charrette», XVᵉ ; du lat. *curriculum* «course, char».

Vx. À Naples, Voiture légère à deux roues, attelée d'un cheval, que le cocher dirigeait debout.

CORRIDA [kɔRida] n. f. — 1804, dans une trad. de l'angl. du *Voyage en Espagne* de Fisher, in D. D. L. ; le mot reste un emprunt pittoresque jusqu'au XXᵉ ; mot esp. «course», puis «course de taureaux» *(corrida de toros)* ; substantivé du v. *corrir.* → Courir.

♦ **1** Course de taureaux qui se déroule dans des arènes (→ **Taureau**). *Des corridas. Les toreros et les matadors d'une corrida. Parade d'ouverture d'une corrida.* → **Paseo.** *Un passionné de corridas.* → **Aficionado.** *Arènes consacrées à la corrida.* → **Plaza.** *Taureau élevé pour la corrida.* → **Toro.**

1 Dimanche est le jour de la corrida. Sigismond a vu les taureaux assez passionnément, souvent, à Nîmes, à Béziers ou à Carcassonne, mais son bref séjour en Espagne lui a suffi pour comprendre combien la corrida était patronnée par le régime furhonculiste et combien elle aidait sa propagande.
> A. PIEYRE DE MANDIARGUES, la Marge, p. 118.

♦ **2** (1902). Fam. Dispute, lutte violente ou désordonnée.

2 «Ça y est, a dit mon voisin, ça va être la corrida.» En effet, c'est la corrida. Couverts de sueur sous l'éclairage implacable, les deux boxeurs ouvrent leur garde, tapent en fermant les yeux, poussent des épaules et des genoux, échangent leur sang et reniflent de fureur.
> A. CAMUS, l'Été, p. 823.

Fig. Série de difficultés, agitation. *Si tu les avais vus faire leur valise en cinq minutes, quelle corrida !*

3 Du moins aurai-je échappé aux premières corridas théâtrales. Qu'a donc pu inventer Anouilh pour blesser à la fois tant de gens ? (...) Qu'a-t-il pu écrire cette fois-ci qui a fait hurler la meute si fort que je l'ai entendue de Malagar ?
> F. MAURIAC, Journal, 19 octobre 1956, t. I, p. 273.

CORRIDOR [kɔRidɔR] n. m. — 1611 ; de l'ital. *corridore* «passage étroit entre un local et un autre».

♦ **1** (1636). Passage* couvert mettant en communication plusieurs pièces d'un même étage. → **Couloir, galerie.** *Long, étroit corridor. Corridor obscur, sombre. Au fond du corridor, à droite.*

1 Ici s'offre un perron, là règne un corridor (...)
> BOILEAU, l'Art poétique, I.

2 Nous enfilâmes à droite, au rez-de-chaussée, un long corridor qu'éclairaient de loin en loin des lanternes de verre accrochées aux parois du mur (...)
> CHATEAUBRIAND, Mémoires d'outre-tombe, t. VI,
> p. 50.

3 Il avait pris à gauche, un long corridor. Il tourna deux fois, la première encore à gauche, la seconde à droite. Le corridor s'allongeait toujours, se bifurquait, resserré, lézardé, décrépi, de loin en loin éclairé par une mince flamme de gaz (...)
> ZOLA, l'Assommoir, t. I, II, p. 66.

3.1 Il se trouve à l'extrémité d'un corridor obscur, sur lequel donnent plusieurs portes. À l'autre bout se devine l'amorce d'un escalier, qui s'élève dans le prolongement du corridor et se perd vite dans le noir.
> A. ROBBE-GRILLET, Dans le labyrinthe, p. 54.

REM. Dans ce sens, le mot connaît, notamment au XIXᵉ s., l'altération populaire *collidor* (ex. in H. Monnier, *Scènes populaires :* «le gros caniche du collidor», p. 21).

Théâtre. Balcon suspendu à droite ou à gauche des cintres.

(1611). Par anal. de forme. Fortif. Passage couvert. *Corridor de contrescarpe.*

Par métaphore. Voie de passage (→ Couloir, passage, tunnel).

4 L'avenir *(pour E. Bovary)* était un corridor tout noir, et qui avait au fond sa porte bien fermée.
FLAUBERT, Mme Bovary, I, IX.

♦ 2 Passage étroit dans un accident de terrain. — Délimitation géographique faisant communiquer une enclave avec l'extérieur. → **Couloir.** *Le corridor polonais* (1918-1939). — *Tout passage* entre deux ensembles caractérisés géographiquement.

5 Ce pays de Syrie et de Palestine a toujours, au cours des siècles, été un corridor. Du nord au sud, du sud au nord, les invasions ont déferlé sur lui, cependant que, de la Méditerranée vers les pays de l'Euphrate, il est aussi un passage obligatoire.
DANIEL-ROPS, le Peuple de la Bible, I, p. 20.

Par ext. (Astronaut.). *Corridor de lancement :* zone qu'utilise la trajectoire d'un engin spatial lors de son lancement. *Corridor de rentrée :* zone qu'utilise la trajectoire d'un engin spatial lors de son retour sur la terre.

♦ 3 Fam. Gosier, dans la loc. *se rincer le corridor* (→ Se rincer la dalle, le lampas). → **Boire.**

CORRIGEABLE [kɔriʒabl] adj. — Fin XVIe; de *corriger,* et *-able.*

Didact. Qui peut être corrigé.

CORRIGENDA [kɔriʒɛ̃da] n. m. invar. — Mot lat., «devant être corrigé», de *corrigere.* → Corriger.

Dans la loc. *Addenda et corrigenda,* «(éléments) devant être ajoutés et corrigés». *Les addenda et corrigenda d'une édition savante.*

CORRIGER [kɔriʒe] v. tr. [CONJUG.: *bouger.*] — V. 1270; lat. *corrigere* «redresser», fig. «redresser, améliorer (une erreur, un défaut)», de *con- (cum)* «tout à fait» et *regere* «diriger en droite ligne».

♦ 1 Ramener à une norme morale ou sociale (ce qui s'en écarte) soit en supprimant (le compl. désignant un élément jugé négatif : faute, défaut) soit en modifiant par amélioration (ce qui comporte un tel élément). → **Améliorer, amender, perfectionner, redresser, relever, reprendre.** *Corriger les défauts, les vices de quelqu'un. On ne corrigera jamais sa vanité, sa prétention. Vouloir corriger les abus. Corriger son mauvais caractère, son égoïsme. Corriger les mœurs.* → **Civiliser, moraliser, policer, réformer, régénérer; changer.**

1 La faiblesse est le seul défaut que l'on ne saurait corriger.
LA ROCHEFOUCAULD, Maximes, 130.

2 Nous essayons de nous faire honneur des défauts que nous ne voulons pas corriger.
LA ROCHEFOUCAULD, Maximes, 442.

3 Sachez que le secret des arts
Est de corriger la nature. VOLTAIRE, Épître, CV.

4 Vous avez corrompu mes mœurs en voulant les corriger (...)
A. R. LESAGE, Gil Blas, II, VII, p. 115.

5 La nature nous enseigne à nous entre-dévorer et elle nous donne l'exemple de tous les crimes et de tous les vices que l'état social corrige ou dissimule.
FRANCE, Les dieux ont soif, p. 65.

6 (...) ce prédicateur doit se frapper, lui-même, pour corriger ses propres vices, avant que de reprocher leurs péchés aux autres. HUYSMANS, Là-bas, IX, p. 131.

♦ 2 (V. 1270). Supprimer, enlever (les fautes, les erreurs); rendre meilleur (un texte, un discours, une forme) en supprimant les fautes. → **Correction.** *Corriger les fautes de style, les erreurs contenues dans un ouvrage.* → **Rectifier.** — *Corriger un manuscrit.* → **Biffer, raturer.** *Corriger un livre, un poème, un roman que l'on vient d'écrire,* l'améliorer en corrigeant les fautes, les défauts qu'il peut contenir. → **Modifier, rectifier, refondre, remanier, reprendre, retoucher, réviser, revoir;** → Faire

la toilette* d'un texte. *Corriger sans cesse son style.*
→ **Polir, raboter, remettre** (sur le métier). *Corriger un texte, une œuvre, un travail en biffant, en raturant, en modifiant. Corriger et mettre au net un rapport* (→ Mettre la dernière main à...). *Corriger un texte de droit.* → **Émender.** *Corriger en expurgeant*.

Quand dans un discours se trouvent des mots répétés, et qu'essayant de les corriger, on les trouve si propres qu'on gâterait le discours, il les faut laisser (...) cette répétition n'est pas faute en cet endroit; car il n'y a point de règle générale. PASCAL, Pensées, I, 48.

Haverkamp, dont pas un regard ne restait inutile, ne cessait de formuler mentalement ses conclusions et de les corriger au fur et à mesure de la visite.
J. ROMAINS, les Hommes de bonne volonté, t. V, IX, p. 75.

(Abstrait). *Corriger les excès, les erreurs, les incertitudes d'une opinion, d'un raisonnement.* — *Corriger une hypothèse, une théorie, en fonction d'expériences nouvelles. Corriger une idée préconçue.* → **Revenir** (de).

(1694). Lire et relire minutieusement afin d'éliminer les erreurs typographiques. *Corriger des épreuves d'imprimerie. Corriger une mise en page. Corriger une morasse, une forme.* → **Correction** (I., A., 2., b); **correcteur** (I., 3.).

Je lui ai envoyé la fin d'André, aie la bonté d'en corriger les épreuves (...) Enfin, corrige les mots bêtes, les redites, les fautes de français. G. SAND, Lettre à Musset.

(1680). Relever les fautes de (qqch.) en vue de donner une appréciation, une note. *Corriger des devoirs d'écoliers. Corriger un thème, une composition française. Corriger des copies d'examen, de concours.*

(...) et si par miracle tout se passe bien, des leçons à préparer et des copies à corriger pendant quarante ans (...)
J. ROMAINS, les Hommes de bonne volonté, t. IV, XV, p. 147.

♦ 3 (1797). Rendre exact ou plus exact. → **Rectifier.** *Corriger une erreur de calcul. Corriger une observation. Corriger le tir.* → **Tir.** — Mar. *Corriger la route d'un bâtiment :* rectifier les erreurs provenant de la dérive. *Corriger les compas.*

♦ 4 Améliorer quant au fonctionnement. *Corriger la carburation défectueuse d'un moteur.* — *Corriger la vue de qqn par des verres correcteurs.*

♦ 5 (1575). Ramener à la mesure (quelque chose d'excessif) par une action contraire. → **Adoucir, atténuer, balancer, compenser, dulcifier, équilibrer, neutraliser, pallier, racheter, réparer, tempérer.** *Corriger le sort, l'injustice du sort. Corriger l'effet d'une parole trop dure* (→ **Réparer; correctif, correction,** I., A., 4.).

J'ai su de mon destin corriger l'injustice.
RACINE, Esther, II, 1.

La beauté de son regard corrigeait cet excès de grâce.
HUGO, les Travailleurs de la mer, VII, III.

Or, la profondeur du sentiment corrige seule la subtilité qu'elle implique; seule, la profondeur de l'analyse suppose l'extrême complexité et la justifie.
André SUARÈS, Trois hommes, «Dostoïevski», V, p. 258.

Littér. (Sujet n. de chose). Compenser, atténuer.

Loc. fam. (Vx). *Corriger la fortune :* tricher* au jeu.

La fortune est devenue mauvaise, il la faut corriger.
Antoine HAMILTON, Mémoires du comte de Gramont, 3.

Spécialt. Vieilli. *Corriger l'amertume, l'acidité d'une substance.* → **Correctif.**

Corriger la crudité de l'eau avec un peu de vin.
Dictionnaire de l'Académie, éd. 1936.

Cuis. *Corriger une sauce,* y ajouter une substance pour en modifier le goût.

♦ **6** (1285). Vieilli. Ramener (qqn) à la règle ; traiter avec sévérité pour supprimer les défauts (réprimander ou punir). → **Morigéner, reprendre, réprimander ; châtier, fustiger, punir.** → Apprendre à vivre (fam.), ramener dans le droit chemin.

16 (...) étant seule exempte *(la religion chrétienne)* d'erreur et de vice, il n'appartient qu'à elle et d'instruire et de corriger les hommes. PASCAL, *Pensées,* VII, 435.

17 Et c'est une folie à nulle autre seconde
De vouloir se mêler de corriger le monde.
MOLIÈRE, *le Misanthrope,* I, 1.

Corriger (qqn) d'un défaut. → **Défaire, guérir.** *Parents qui s'efforcent de corriger leurs enfants. Corriger modérément, sévèrement, sans faiblesse.* — Mod. *Infliger une punition corporelle à (qqn), afin de le corriger.* → **Châtier, punir ; battre.**

17.1 Celui qui ménage sa verge hait son fils, mais celui qui l'aime le corrige de bonne heure.
BIBLE (CRAMPON), *Proverbes,* XIII, 24.

17.2 Mais tiens... suis-moi, me dit *Rosalie,* c'est précisément aujourd'hui Vendredi, un des trois jours de la semaine où il corrige ceux qui ont fait des fautes ; c'est dans ce genre de correction que mon père trouve ses plaisirs.
SADE, *Justine* (...), t. I, p. 106.

Par anal. *Corriger un cheval rétif, un chien hargneux.* → **Dresser ; dompter.**

♦ **SE CORRIGER** v. pron.
Se corriger soi-même. Se corriger de ses défauts. → **Défaire** (se), **guérir** (se), **reprendre** (se) ; **convertir** (se).

18 Il coûte moins à certains hommes de s'enrichir de mille vertus que de se corriger d'un seul défaut.
LA BRUYÈRE, *les Caractères,* IX, 98.

19 (...) ne pouvant se corriger de sa folie, il tentait de lui donner l'apparence de la raison.
A. DE MUSSET, *Confession d'un enfant du siècle,* p. 377.

20 Si, depuis un an, je me suis corrigée de mes défauts, ce n'est pas assez de temps pour qu'il y prenne confiance (...)
G. SAND, *la Petite Fadette,* XXIX, p. 193.

(Passif). *Être corrigé ; pouvoir être corrigé. Ces imperfections se corrigeront d'elles-mêmes.*

21 (...) Cette crainte maudite
M'empêche de dormir, sinon les yeux ouverts.
— Corrigez-vous, dira quelque sage cervelle.
— Eh ! la peur se corrige-t-elle ?
LA FONTAINE, *Fables,* II, 14.

♦ **CORRIGÉ, ÉE** p. p. adj. et n. m.
Défauts corrigés, mal corrigés. Erreur corrigée. → **Correction.** — (1478, *in* D.D.L.). *Texte corrigé. Édition revue et corrigée. Épreuves corrigées avec soin.* Spécialt. *Devoir corrigé,* et, n. m., *un corrigé :* composition donnée en exemple par le professeur, par un manuel, sur un devoir. → **Modèle, plan** (de devoirs). *Dicter le corrigé d'un devoir, d'une version. Recueil de corrigés. Le livre du maître contient les corrigés. Se servir du corrigé pour faire un devoir. Cahier de corrigés.*

CONTR. **Altérer, corrompre, dégrader, détériorer, gâter, pervertir. Aggraver, compliquer, envenimer, exaspérer, exciter. Épargner, féliciter, louer, récompenser.** ◊ DÉR. **Corrigeable, corrigeur, corrigible.**

CORRIGEUR, EUSE [kɔriʒœr, øz] n. — 1311, «correcteur» ; de *corriger.*
Imprim. Typographe qui exécute la correction des fautes relevées par le correcteur (surtout en monotypie). → aussi **Metteur** (en page).

CORRIGIBILITÉ [kɔriʒibilite] n. f. — 1946, Mounier ; de *corrigible.*
Didact. Qualité d'une personne, d'une chose corrigible.

CORRIGIBLE [kɔriʒibl] adj. — 1444 ; de *corriger.*
Rare. Qui peut être corrigé. → **Améliorable, modifiable, rectifiable, réparable.**
CONTR. **Incorrigible** (cour.). ◊ DÉR. **Corrigibilité.**

CORROBORANT, ANTE [kɔrɔbɔrɑ̃, ɑ̃t] adj. et n. m.
— 1860, au sens 2 ; du p. prés. de *corroborer.*
Didactique.
♦ **1** Mod. Qui corrobore*. *Aliment, remède corroborant.* → **Corroboratif, fortifiant, tonique.** — N. m. *Un corroborant.*
♦ **2** (1866). Qui confirme. *Preuve corroborante.* — N. m. (1860). Élément qui atteste le bien-fondé d'une théorie.

CORROBORATIF, IVE [kɔrɔbɔratif, iv] adj. — 1628 ; du lat. *corroboratum,* supin de *corroborare.* → Corroborer.
♦ **1** Méd. (Vx). Qui donne des forces. *Remède corroboratif. Médecine corroborative* (Molière, *le Malade imaginaire,* I, 1).
♦ **2** N. m. Ling. *Les corroboratifs :* en arabe, Classe de noms qui se construisent en apposition, renforçant ainsi le sens d'un autre nom.
Mot redondant renforçant une expression.

CORROBORATION [kɔrɔbɔrasjɔ̃] n. f. — 1286 ; bas lat. *corroboratio,* du supin de *corroborare.* → Corroborer.
Didact. (Rare). Action de corroborer ; son résultat. → **Affermissement, confirmation.**
Spécialt. **a** Méd. Vx. *Corroboration alimentaire.*
b Dr. *La corroboration d'une preuve.*

CORROBORER [kɔrɔbɔre] v. tr. — 1389 ; lat. *corroborare* «donner force à, confirmer», de *co-* (cum), et *roborare* «renforcer», de *robor* (ou *robur*), *-oris* «force» (→ Robuste).
♦ **1** (1530). Vx. → **Fortifier.** *Médicament qui corrobore.* → **Corroborant** (1.), **corroboratif** (1.).

1 Ces exercices (...) avaient développé sa force, corroboré ses muscles (...)
Th. GAUTIER, *le Capitaine Fracasse,* t. I, p. 304.
Pron. *Se fortifier.*

♦ **2** Mod. (Sujet n. de chose). Donner appui, ajouter de la force à (une idée, une opinion). → **Affermir, appuyer, confirmer, étayer, renforcer.** *Cela vient corroborer mon opinion. Cette nouvelle corrobore ce qu'il a dit, corrobore ses assertions. Corroborer une hypothèse.*

2 Cet événement vint à l'appui des préjugés qui existent à Besançon contre les étrangers et qui, deux ans auparavant, s'étaient corroborés à propos de l'affaire du journal républicain. BALZAC, *Albert Savarus,* Pl., t. I, p. 845.

3 (...) elle n'avait pas fait une action, pas prononcé une parole, pas ébauché un geste qui ne corroborât ce jugement qu'il avait porté sur elle, d'instinct.
Paul BOURGET, *Un divorce,* III, p. 110.

Être corroboré par : être confirmé, renforcé par. — Rare en épithète. «*Un témoignage corroboré de celui de* (X)» (Balzac).
Rare. (Sujet n. de personne). *Corroborer quelque chose :* confirmer, renforcer (par des arguments). *Corroborer ses vues, son système...*

4 Je fais cette observation et je corrobore toutes celles qui précèdent. E. DELACROIX, *Journal,* 12 oct. 1853.

CONTR. **Affaiblir, atténuer, démentir, détruire, infirmer, invalider, ruiner.** ◊ DÉR. **Corroborant.** V. **Corroboratif, corroboration.**

CORROBORI [kɔrɔbɔri] n. f. ou m. — 1872, *corroborie, in* Littré, *Suppl.* ; angl. *corroboree* «nom de la danse des aborigènes australiens», altér. de *cariberrie* (1793), d'un mot australien (Nouvelles Galles du Sud).

Ethnol. Chez les aborigènes australiens, Lieu où l'on chante et où l'on danse.

REM. 1. Les dict. font le mot du féminin ; cependant les ex. rencontrés (→ cit. ci-dessous) attestent le masculin.
2. On écrit aussi *corroborie* et (graphie anglaise) *corroboree* :

Un *corroboree* australien, avec ses costumes et ses accessoires, ses épisodes où les danseurs miment le comportement de l'animal mythique, ne sépare pas cérémonie et théâtre (...)
    A. LEROI-GOURHAN, le Geste et la Parole, t. II, p. 207.

CORRODANT, ANTE [kɔrɔdã, ãt] adj. et n. m. — 1377 ; du p. prés. de *corroder.*

♦1 Qui a la propriété de corroder. *Substance corrodante.* → **Corrosif.** — N. m. *Les acides sont des corrodants.*

♦2 N. m. pl. (1792). Zool. (vx). *Les corrodants :* sous-ordre d'insectes archiptères qui détruisent des substances (bois, etc.) : psoque, termite. — Au sing. *Un corrodant.*

CORRODER [kɔrɔde] v. tr. — 1314 ; lat. *corrodere,* de *co-* (*cum*), et *rodere.* → Ranger.

♦1 (1314). Didact. (Sujet n. de chose). Détruire lentement, progressivement, par une action chimique. → **Attaquer, brûler, consumer, désagréger, ronger ; corrosif, corrosion.** *Les acides corrodent les métaux. Ce poison corrode l'estomac.*

1   (...) de cet autre les chairs devinrent molles et tombantes ; le sang âcre de ce troisième lui corrodait la peau.
    M. BARRÈS, Leurs figures, p. 20.

2   Il lui semblait que le sel de tous les océans les eussent corrodées *(les valises d'une voyageuse).*
    F. MAURIAC, le Mal, I, p. 14.

Pron. *Le fer se corrode.*

♦2 (1756). Fig. et littér. Détériorer, user progressivement. → **Détériorer, détruire, entamer, user.** *L'égoïsme, l'envie corrodent leur amitié. L'inquiétude corrode l'âme.* → **Miner, ronger, tourmenter.** *Corroder les sentiments naturels.* → **Corrompre, dénaturer.**

3   Comme si j'étais passé à côté d'un coup d'être qui m'appelait à combattre, à creuser, à craquer, à me laisser corroder encore, pour sa conquête...
    M. CLAVEL, le Tiers des Étoiles, p. 143.

♦ **CORRODÉ, ÉE** p. p. adj.

Détruit par la corrosion. *Fer corrodé.* → **Rouillé.**

4   Ces objets corrodés comme les troncs rejetés par la mer semblaient les jouets des esprits du volcan ; au-dessus d'eux, reine de leur cour maléfique, régnait une rose de sable.
    MALRAUX, Antimémoires, Folio, p. 166 (1972).

Fig. Détérioré, usé.

DÉR. Corrodant.

CORROI [kɔrwa] n. m. — V. 1135, *conrei ;* déverbal de *corroyer.*

Technique.

♦1 Préparation que l'on donne à une substance battue, étirée et foulée (→ **Corroyer**). — Spécialt. Préparation donnée au cuir. → **Apprêt, corroyage.**

♦2 Étendoir où l'on apprête une pièce de drap.

♦3 Enduit obtenu en pétrissant et foulant certaines substances. → **Mortier, braye.** *Faire un corroi.*

Spécialt. Terre glaise dont on garnit les parois d'un bassin, d'un canal..., pour le rendre étanche. *Un corroi imperméable.*

Il chauffait l'argile du corroi comme on chauffe les briques d'un four (...)
    ZOLA, Germinal, in Romans, Pl., t. III, p. 1398.

CORROIERIE [kɔrwari] n. f. — 1247, *courroierie ;* de *corroyer.*

Technique.

♦1 Technique du corroyage ; ensemble des opérations effectuées par le corroyeur. → **Corroyage.**

Dans un cagibi, à la violente odeur de corroierie, reposaient des générations de bottes et de bottines.
    S. DE BEAUVOIR, Mémoires d'une jeune fille rangée, p. 77.

♦2 Atelier, usine où l'on corroie les cuirs.

CORROMPRE [kɔrɔ̃pr] v. tr. [CONJUG.: *rompre.*] — 1160 ; lat. class. *corrumpere* «détruire, anéantir, altérer», de *cum-,* préf. à valeur intensive, et *rumpere* (→ Rompre).

Littéraire ou style soutenu. — REM. Tous les emplois sont marqués, alors que certains emplois de *corruption* sont très vivants ; le sens I a plus vieilli que le sens II (moral).

I (V. 1260). ♦1 Vieilli. Altérer (une substance) en décomposant, en désorganisant. → **Corruption.** *La chaleur corrompt la viande.* → **Altérer, avarier, décomposer, gâter, pourrir, putréfier.** *Des miasmes délétères ont corrompu cette eau.* → **Empester, empoisonner, infecter, souiller, vicier.** *L'infection corrompt les chairs.* → **Attaquer, désorganiser, gangrener.**

1   *(La terre que nous habitons)* était couverte de forêts et de marécages qui corrompaient l'air (...)
    G. T. RAYNAL, Hist. philosophique..., IV, 4.

Vx. *La douleur corrompt ses traits.* → **Défigurer, déformer.**

2   (...) ces prodigieux efforts de mémoire (...) qui corrompent le geste et défigurent le visage (...)
    LA BRUYÈRE, les Caractères, XV, 29.

Vx. *Corrompre le sang* (de qqn).

3   (...) aucune intempérance n'avait corrompu leur sang *(de Paul et Virginie)* (...)
    BERNARDIN DE SAINT-PIERRE, Paul et Virginie, p. 59.

♦2 Fig. et littér. Altérer, gâter, troubler (un sentiment heureux). → **Affaiblir, altérer, gâter, détruire, troubler.** *L'inquiétude corrompt son plaisir, son bonheur.*

4   (...) fi du plaisir
Que la crainte peut corrompre !
    LA FONTAINE, Fables, I, 9.

5   L'effroi qui me saisit, corrompant mon espoir (...)
    VOLTAIRE, le Triumvirat, IV, 6.

6   Rien ne corrompit la joie de Landry et de toute la famille (...) G. SAND, la Petite Fadette, XL, p. 252.

♦3 Altérer en éloignant d'un état premier, jugé meilleur. → **Abâtardir, altérer, déformer.** *L'usage corrompt certains mots. La fréquentation des mauvais auteurs corrompt le goût littéraire. Ses facultés critiques sont corrompues par la passion.*

7   (...) l'on feint quelquefois de ne se pas souvenir de certains noms que l'on croit obscurs, et (...) l'on affecte de les corrompre en les prononçant.
    LA BRUYÈRE, les Caractères, V, 70.

8   Dès le premier jour que j'eus le malheur de te voir, je sentis le poison qui corrompt mes sens et ma raison (...)
    ROUSSEAU, Julie ou la Nouvelle Héloïse, I, Lettre IV, p. 10.

9   (...) la multiplication des ouvrages médiocres corrompt le goût au lieu de le former (...) CONDORCET, Haller.

(V. 1165). Vieilli. *Corrompre un texte*, le déformer, l'interpréter à tort. → **Trahir**. *Le copiste, le commentateur a corrompu ce passage.*

10 (...) il a omis ces paroles par un dessein outrageux, pour corrompre la pensée de ce père (...)
PASCAL, les *Provinciales*,
Réfutation de la réponse à la 12ᵉ lettre.

◆ **4** (1762, *in* D.D.L.). **Techn.** Modifier la substance ou la forme de (un matériau).

II (Sur le plan moral). ◆ **1** (V. 1173). Altérer ce qui est sain, honnête, dans l'âme. → **Corruption**; **abâtardir, avilir, dénaturer, dépraver, pervertir, souiller, tarer.** *Corrompre le cœur, les sentiments naturels. Corrompre la jeunesse.* → **Perdre, séduire.** *Les passions, les vices corrompent l'homme.*

11 Ne vous laissez pas séduire : «les mauvaises compagnies corrompent les bonnes mœurs.»
BIBLE (CRAMPON), 1ᵉʳ Épître aux Corinthiens, XV, 33.

12 (...) très souvent les biens corrompent l'homme (...)
MOLIÈRE, *Tartuffe*, V, 5.

13 Tous les vices de notre âge corrompaient notre innocence, et enlaidissaient nos jeux.
ROUSSEAU, les *Confessions*, I.

14 (...) les passions les plus dangereuses, les plus promptes à fermenter, et les plus propres à corrompre l'âme, même avant que le corps soit formé.
ROUSSEAU, *Émile*, II.

14.1 Autre apprentissage ; si dans la première école, à quelques écarts près, *Juliette* a servi la Nature, elle en oublie les loix dans la seconde ; elle y corrompt entièrement ses mœurs ; le triomphe qu'elle voit obtenir au vice dégrade totalement son amour.
SADE, *Justine...*, t. I, p. 14.

15 Afin de le corrompre *(le peuple)*, on le peint corrompu.
P.-L. COURIER, Œ., p. 165.

Absolument :

16 Le plaisir de corrompre est un de ceux qu'on a le moins étudié ; il en va de même de tout ce qu'on prend d'abord soin de flétrir.
GIDE, *Journal*, mai 1917.

◆ **2** (1283). Engager (qqn) par des dons, des promesses, ou par la persuasion, à agir contre sa conscience, contre son devoir. → **Acheter, circonvenir, gagner, soudoyer, stipendier, suborner.** Cf. Graisser la patte à (fam.). *Corrompre un juge, un témoin. Corrompre quelqu'un en le payant.*

17 Il avait corrompu par argent la garnison.
FÉNELON, *Télémaque*, 20.

18 Le magistrat n'est juge que du droit rigoureux : mais le peuple est le véritable juge des mœurs, juge intègre et même éclairé sur ce point, qu'on abuse quelquefois, mais qu'on ne corrompt jamais.
ROUSSEAU, *De l'inégalité parmi les hommes*, Notes.

19 Ceux que l'on peut corrompre ne valent jamais d'être corrompus (...)
MIRABEAU, cité par Louis BARTHOU, *Mirabeau*, p. 132.

(V. 1165). **Vx.** *Corrompre une femme, une fille.* → **Débaucher, séduire, suborner.**

◆ **SE CORROMPRE** v. pron.

◆ **1** Vieilli. S'altérer en se décomposant. *La viande se corrompt.* → **Pourrir, putréfier** (se). *Liquide qui se corrompt.* → **Croupir, éventer** (s'), **tourner.**

◆ **2** Fig. et vx. S'altérer, se gâter. *Le plaisir se corrompt facilement. Les monarchies se corrompent.* → Perdre, cit. 59, Montesquieu.

◆ **3** Littér. S'altérer en s'éloignant d'un état jugé meilleur.

20 *(Il craint)* Qu'en faveur d'un rival ta foi ne se corrompe (...)
MOLIÈRE, le *Dépit amoureux*, I, 1.

21 (...) pour sentir les grands biens, il faut qu'il *(l'homme)* connaisse les petits maux ; telle est sa nature. Si le physique va trop bien, le moral se corrompt.
ROUSSEAU, *Émile*, II.

S'amollir ou se distraire, pour lui *(Proudhon)* c'était se corrompre. 22
SAINTE-BEUVE, P.-J. Proudhon, p. 102.

(...) l'amour humain s'altère, se corrompt et meurt dès que 23 les amants prétendent renoncer au martyre d'être séparés.
F. MAURIAC, *Souffrances et Bonheur du chrétien*, p. 126.

◆ **CORROMPU, UE** p. p. adj.

◆ **1** Vx. Altéré, en décomposition. *Viande corrompue.* → **Pourri.** *Gibier corrompu.* → **Avancé.** *Air corrompu.* → **Pestilent, pestilentiel.** *Lait corrompu.* → **Aigri, tourné.**

(...) il y a beaucoup d'impureté dans son corps, quantité 24 d'humeurs corrompues.
MOLIÈRE, l'*Amour médecin*, II, 2.

◆ **2** Littér. *Goût corrompu, jugement corrompu.* → **Faux, mauvais** (goût). (Moral). Plus cour. *Une jeunesse corrompue.* → **Dépravé, dissolu, pervers, roué, vicieux.** *Conscience corrompue. La nature humaine est corrompue.* → **Bas, mauvais, vil.** *Société corrompue, civilisation corrompue.* → **Décadent.**

(...) la nature des hommes est corrompue et déchue de 25 Dieu (...)
PASCAL, *Pensées*, VII, 441.

Il y a sans doute des lois naturelles ; mais cette belle raison 26 corrompue a tout corrompu (...)
PASCAL, *Pensées*, V, 294.

Un esprit corrompu ne fut jamais sublime. 27
VOLTAIRE, *Épîtres*, XCV, à Mˡˡᵉ Clairon.

(...) modifications toujours en rapport inverse de la dépra- 28 vation des mœurs et se faisant pures et sentimentales d'autant plus que la société était corrompue et impudente.
G. SAND, *François le Champi*, Avant-propos, p. 14.

Nous avons, il est vrai, nations corrompues, 29
Aux peuples anciens des beautés inconnues :
Des visages rongés par les chancres du cœur (...)
BAUDELAIRE, *Spleen et Idéal*, V.

Il y a des vierges qui sont toujours corrompues ; il y a des 30 prostituées qui ont une innocence d'enfant.
Edmond JALOUX, *Le reste est silence*, p. 183.

◆ **3** Qu'on a corrompu, qu'on peut corrompre (par des dons, des promesses, etc.). → Corrompre, II., 2. *Juge corrompu.* → **Vénal, vendu.**

CONTR. Assainir, bonifier, purifier. — Affermir, renforcer. — Respecter ; corriger (un texte). **— Améliorer, amender, corriger, édifier, moraliser, perfectionner, réformer. — Respecter** (une femme). **— Frais. — Pur, vertueux ; intègre.**

CORROSIF, IVE [kɔʀozif, iv] adj. — XIIIᵉ ; dér. du lat. *corrosum*, supin de *corrodere.* → Corroder.

◆ **1** Qui corrode ; qui a la propriété de corroder. → **Brûlant, caustique, mordant, mordicant**, (rare) **agressant.** *Les acides sont corrosifs. Antiseptique corrosif.*

Quelque corrosive qu'ait été la liqueur dans le calice, le 1 métal du calice est vierge et n'a pas été altéré.
SAINTE-BEUVE, *Correspondance*, 281, 10 mars 1833.

(...) une cuisine toute composée de jus, de coulis, d'épices, 1.1 de brûlots, un sublimé de succulence donnant au jeu des organes une effervescence factice, brûlant au lieu de nourrir, et mettant dans le chyle, dans le sang, dans la lymphe, un élément corrosif.
Ed. et J. DE GONCOURT,
la *Femme au XVIIIᵉ siècle*, t. II, p. 142.

N. m. *Un corrosif :* une substance corrosive.

(...) ma main libre, où il essayait de lire. Un corrosif ayant 1.2 rendu dès son enfance les paumes indéchiffrables, il ne pouvait en tirer d'indication personnelle sur sa vie (...)
GIRAUDOUX, *Siegfried et le Limousin*, p. 264.

◆ **2** (Abstrait). Qui semble mordre, attaquer. *Voix corrosive. Des regards corrosifs.*

Et Maigrier, avec un sérieux magnifique, posa sur mon 2 regard un regard corrosif comme une goutte de vitriol.
G. DUHAMEL, *Récits des temps de guerre*, IV, p. 137.

Qui attaque avec violence. → **Destructif**. *Un discours corrosif. Une œuvre corrosive.* → **Acerbe, caustique, venimeux, virulent**. *Un humour corrosif et impitoyable.*

3 Les larmes que votre conversion fera répandre annuleront l'effet corrosif de dix éditions des œuvres impies de Voltaire. STENDHAL, le Rouge et le Noir, II, 45, p. 505.

4 C'est une des plus grandes erreurs des temps modernes (...) que de s'imaginer qu'une révolution est essentiellement corrosive, qu'une révolution est essentiellement une opération qui détruit. Ch. PÉGUY, la République..., p. 170.

5 (...) une ironie corrosive et impitoyable qui manquait rarement son effet ! G. DUHAMEL, Chronique des Pasquier, IX, Suzanne et les jeunes hommes, p. 27.

6 Martial avait eu l'œil pour la comédie, — celle que les autres vous jouent, et celle qu'ils se jouent à eux-mêmes. Il pouvait la démonter sans effort, à la façon d'un écolier qui parodie le maître, avec un sens corrosif de la caricature. Jean-Louis CURTIS, le Roseau pensant, p. 158.

♦ **3** Vx (au sens moral). → **Corrupteur**; **malfaisant, nuisible**.

CORROSION [kɔʀozjɔ̃] n. f. — V. 1300; bas lat. *corrosio* «action de ronger, morsure», du supin de *corrodere*. → Corroder, corrosif.

♦ **1** (V. 1300). Action de corroder; résultat de cette action. → **Brûlure, désagrégation, destruction, usure**. *La corrosion d'une substance par un acide. Agent de corrosion. Résister à la corrosion. Corrosion de contact* : usure de contact par réaction chimique (→ **Abrasion**). — Mar. *Corrosion de l'eau de mer sur la coque d'un navire.*

1 (...) les navires de commerce opposent à la corrosion l'épaisseur de leurs tôles. C'est vrai : une tôle de 15 à 20 mm (navire) résistera plus longtemps que les tôles de 5 et 6 mm employées dans la construction des yachts. Bernard MOITESSIER, Cap Horn à la voile, p. 42.

Géol. Dissolution produite par les eaux de ruissellement. → **Érosion, ravinement**.

Techn. *Figure de corrosion* : modification de la surface d'un cristal attaqué par un réactif donné.

Chir. dent. Altération des dents, de la surface d'une obturation.

♦ **2** (1756). Le fait d'être attaqué (*la corrosion d'un sentiment*, etc.); le fait d'attaquer, de ronger. → **Corroder**, 2.

2 Il entrevoit une corrosion qui s'amorce, puis qui se propage, comme la flamme, tant qu'il lui reste un aliment (...). J. ROMAINS, les Hommes de bonne volonté, t. III, V, p. 86.

CORROYAGE [kɔʀwajaʒ] n. m. — 1761; *courreage*, 1432; de *corroyer*.

Technique.

♦ **1** Ensemble des opérations que l'on fait subir aux cuirs après le tannage*, pour les assouplir et les rendre utilisables par les industries de transformation. *Le corroyage du cuir. Opérations de corroyage* : échantillonnage, défonçage, foulage, drayage, rebroussage (à la machine) ou paumelage, butage, étirage, déridage, dérayage, grainage... *Outils dont on se sert pour le corroyage* : bigorne, butoir, couteau (à revers), demi-rond, drayoire, etire, lunette, marguerite ou paumelle, paroir. *Le dégras* est utilisé en corroyage.

♦ **2** Soudure ou forgeage à chaud de barres, de tôles métalliques.

♦ **3** Action de dégrossir le bois avant le façonnage; résultat de cette action. → **Blanchissage, dressage, rabotage**.

CORROYER [kɔʀwaje] v. tr. [CONJUG.: *noyer*.] — 1674; *courrouer*, 1538; *conroyé*, 1371; *conreer*; lat. pop. *conredare* mot d'orig. gotique dont le rad. (*reths-*) signifie «provisions».

Techn. Préparer (une matière) en la battant, en l'étirant, en la foulant.

♦ **1** *Corroyer le cuir*, le préparer pour les divers usages auxquels il est destiné. → **Corroyage; apprêter, assouplir**. *On corroie les cuirs d'œuvre* (→ **Mollèterie**). — Au p. p. *Peaux corroyées.*

♦ **2** (1674). Forger ensemble ou souder à chaud (du métal). *Corroyer du fer.*

♦ **3** Dégrossir (du bois) au riflard.

♦ **4** Malaxer, pétrir avec de l'eau. *Corroyer un mortier* : malaxer, pétrir, piler du sable, de la chaux ou de la glaise avec de l'eau, pour en faire un mortier. → **Corroi**.

Ordinairement, les briques sont tassées dans des moules, mais l'ingénieur se contenta de les fabriquer à la main. Toute la journée et la suivante furent employées à ce travail. L'argile, imbibée d'eau, corroyée ensuite avec les pieds et les poignets des manipulateurs, fut divisée en prismes d'égale grandeur. J. VERNE, l'Île mystérieuse, t. I, p. 165 (1874).

Par ext. Enduire (qqch.) de cette substance foulée. *Corroyer un mur, un bassin, un canal.*

♦ **5** Trav. publ. Rendre dense, agglomérer au rouleau compresseur. *Corroyer les matériaux d'une digue; une digue.*

DÉR. **Corroi, corroierie, corroyage, corroyeur**.

CORROYEUR [kɔʀwajœʀ] n. m. — V. 1260, *coureare*; de *corroyer*.

Techn. Ouvrier qui corroie les cuirs. — En appos. *Ouvrier corroyeur.*

J'empruntai à ma logeuse, dont le mari était maître corroyeur aux tanneries de Putney Commons, le cachet de la corporation, portant la drayoire. Jean RAY, les Derniers Contes de Canterbury, p. 232.

CORRUDE [kɔʀyd] n. f. — XVIIᵉ; lat. *corruda*.

Bot. ou régional. Plante (*Liliacées*) dite aussi asperge sauvage (n. sc. : *asparagus acutifolius*).

CORRUGATEUR [kɔʀygatœʀ] adj. et n. m. — XVIIIᵉ; du rad. de *corrugation*.

Didact. Qui produit la corrugation. *Muscle corrugateur.*

CORRUGATION [kɔʀygasjɔ̃] n. f. — XIVᵉ; lat. médical *corrugatio*, de *cor-* (*cum*), et *ruga* «ride».

Didact. (anat., physiol.). Formation de plis cutanés.

DÉR. **Corrugateur**.

CORRUPTEUR, TRICE [kɔʀyptœʀ, tʀis] n. et adj. — 1531; lat. class. *corruptor* «celui qui corrompt», du supin de *corrumpere*. → Corrompre.

♦ **1** N. (1561). Vx ou littér. Personne qui corrompt le jugement, le goût, le langage; qui altère ce qu'il y a de sain, d'honnête. → **Destructeur, séducteur** (→ Brebis* galeuse). *Un habile corrupteur, un corrupteur sans scrupules. Les mauvais écrivains sont les corrupteurs du langage, du goût. Corrupteur des mœurs.*

1 (...) on n'enveloppe point (...) la bonté des choses que l'on corrompt avec la malice des corrupteurs (...). MOLIÈRE, Tartuffe, Préface.

2 Un lâche, un corrupteur, un traître l'a séduite. DUCIS, Othello, I, 4.

3 (...) le corrupteur, c'est l'enfance de l'art, épargne au corrompu la gêne de tout savoir (...). M. BARRÈS, Leurs figures, p. 75.

Mod. Personne qui soudoie, qui achète (qqn). *Le corrupteur de qqn, son corrupteur. Le corrupteur et le témoin qu'il avait circonvenu ont été punis.*

♦ **2** Adj. (1767). Littér. Qui corrompt moralement. → **Destructeur; corrosif, dissolvant, malfaisant, nuisible.** *Des spectacles corrupteurs. Une littérature corruptrice. Une philosophie corruptrice. Influence corruptrice.*

4   Byron, d'après l'opinion fantasmagorique, est l'ancien serpent séducteur et corrupteur, parce qu'il voit la corruption de l'espèce humaine (...)
> CHATEAUBRIAND, Mémoires d'outre-tombe, t. II, p. 150.

5   (...) la force corruptrice des pierreries et de l'or qui n'agit que sur les âmes viles.
> Th. GAUTIER, le Capitaine Fracasse, t. II, p. 34.

6   Mais ce serait un paradoxe de soutenir que le jeune homme est corrompu par l'amour, alors que le plus souvent c'est lui qui est corrupteur.
> F. MAURIAC, le Jeune Homme, p. 39.

CONTR. Correcteur, édifiant, moralisateur, réformateur.

CORRUPTIBILITÉ [kɔʀyptibilite] n. f. — 1492; lat. chrét. *corruptibilitas,* de *corruptibilis.* → Corruptible.

Vx ou littér. Nature, caractère de ce qui est corruptible (au propre et au figuré).

CONTR. et COMP. Incorruptibilité.

CORRUPTIBLE [kɔʀyptibl] adj. — 1267; lat. chrét. *corruptibilis* «qui peut être corrompu», de *corruptum,* supin de *corrumpere.* → Corrompre.

♦ **1** Vx ou didact. Qui peut être corrompu, décomposé. *Matière corruptible.* → **Décomposable, putrescible.**

♦ **2** (Abstrait). Jugement corruptible. → **Altérable, influençable.** — (Sur le plan moral). *Mœurs corruptibles. Consciences corruptibles.*

♦ **3** (Personnes). Qui peut se laisser acheter. *Homme corruptible.* → **Vénal.**

(...) les courtisans et les gens de robe, qui voient tous les jours avec plaisir représenter des marquis fats et des juges ignorants et corruptibles (...)
> A.-R. LESAGE, Critique de Turcaret.

CONTR. Incorruptible, intègre.

CORRUPTIF, IVE [kɔʀyptif, iv] adj. — V. 1385; du lat. tardif *corruptivus* «qui peut corrompre», du supin de *corrumpere.* → Corrompre.

Rare. Qui corrompt, en particulier par l'argent.

(...) Fraisier avait fait venir chez lui la loueuse de chaises, et la soumettait à sa conversation corruptive, aux ruses de sa puissance chicanière, à laquelle il était difficile de résister.
> BALZAC, le Cousin Pons, 1847, p. 274, *in* T.L.F.

CORRUPTION [kɔʀypsjɔ̃] n. f. — V. 1130; lat. class. *corruptio,* du supin de *corrumpere.* → Corrompre.

♦ **1** (V. 1170). Didact. et vx. Altération par décomposition. → **Décomposition, pourriture, putréfaction.** *Corruption de l'eau, de l'air.* → **Empoisonnement, infection, pestilence.** *Corruption des chairs par la gangrène*.*

1   (...) je vous abandonne (...) à la corruption de votre sang, à l'âcreté de votre bile (...)
> MOLIÈRE, le Malade imaginaire, III, 5.

1.1   (...) ils étaient tailladés en morceaux, écrasés jusqu'à la moelle, bleuis sous des strangulations, ou largement fendus par l'ivoire des éléphants. Bien qu'ils fussent morts presque en même temps, des différences existaient dans leur corruption.
> FLAUBERT, Salammbô, Pl., t. I, p. 934.

♦ **2** (Abstrait). Vieilli ou littér. Altération (du jugement, du goût, du langage, etc.). → **Abâtardissement, altération, déformation; corrompre** (I., 2.). *La corruption de la peinture, du style.* → **Décadence.** *La corruption d'une langue par des influences étrangères. Corruption d'un mot,* modification phonétique qui l'altère. *Mot employé pour un autre par corruption.* — REM. Tous ces emplois supposent un système de valeurs où la stabilité est plus appréciée que le changement, notamment que les évolutions spontanées; l'usage moderne préfère des termes plus neutres (*changement, modification...*) ou moins péjoratifs (*altération...*).

2   La corruption de la raison paraît par tant de différentes et extravagantes mœurs (...)
> PASCAL, Pensées, VII, 440.

3   C'est (*Rabelais*) un monstrueux assemblage d'une morale fine et ingénieuse, et d'une sale corruption.
> LA BRUYÈRE, les Caractères, I, 43 (→ Chimère, cit. 2).

4   La délicatesse d'esprit est une corruption, longue, longue à acquérir et que ne possèdent jamais les peuples jeunes.
> Ed. et J. DE GONCOURT, Journal, p. 185.

♦ **3** Le fait de corrompre moralement; état de ce qui est corrompu. → **Avilissement, démoralisation, dépravation, perversion, souillure, tare, vice.** *Corruption de la conscience, du cœur. Une profonde, une intégrale corruption.* → **Pourriture.** *La corruption de la nature humaine. Corruption des mœurs** (cit. 3). → **Décadence, déliquescence, dérèglement, dissolution.** *Vivre dans la corruption.* → **Bassesse, boue** (fig.), **débauche, impureté, perversité, vice.** *Lieu de corruption.* → **Égout, pandémonium, sentine.**

5   (...) les hommes sont tout ensemble indignes de Dieu, et capables de Dieu : indignes par leur corruption, capables par leur première nature.
> PASCAL, Pensées, VIII, 557.

6   La corruption des mœurs, qui peut se maintenir jusqu'à un certain point malgré l'instruction, était infiniment favorisée et accrue par l'ignorance.
> FONTENELLE, le Czar Pierre.

Vieilli (au plur.). *Mœurs corrompues. «Une figure fatiguée par les corruptions parisiennes»* (Balzac, Splendeur et misère des courtisanes, 1844, p. 77, *in* T.L.F.).

7   Il y a deux genres de corruptions : l'un, lorsque le peuple n'observe point les lois; l'autre, lorsqu'il est corrompu par les lois.
> MONTESQUIEU, l'Esprit des lois, VI, 12.

8   L'image de la félicité ne flatte plus les hommes : la corruption du vice n'a pas moins dépravé leur goût que leurs cœurs.
> ROUSSEAU, Émile, V.

9   Le germe de corruption qui était en moi s'est développé bien vite, et la gangrène a dévoré impitoyablement tout ce que j'avais de pur et de saint.
> Th. GAUTIER, Mᶠᵉ de Maupin, III, p. 39.

10   Les hommes sont tous pareils, enragés de vice et de corruption (...)
> Alphonse DAUDET, Sapho, IV, p. 22.

♦ **4** **ⓐ** (1373). Action de corrompre (*corruption active*); fait de se laisser corrompre (*corruption passive*). *Fonctionnaire convaincu de corruption et de malversation. Corruption parlementaire. Corruption d'employé; corruption de fonctionnaire* (délits spécifiques). — *Corruption de mineurs* (relevant de l'attentat aux mœurs).

ⓑ Moyens employés pour faire agir quelqu'un contre son devoir, contre sa conscience. *Employer la corruption pour détourner quelqu'un de son devoir. Tentative de corruption. Corruption de témoins.* — *La corruption électorale est un délit* (loi du 31 mars 1941). *Corruption de fonctionnaires* (crime puni par l'art. 117 du Code pénal). *Corruption d'employés* (délit puni par la loi du 16 février 1919 et l'art. 177 du Code pénal).

11   La corruption avait gagné toutes les parties de l'administration publique.
> DIDEROT, Opinions des anciens philosophes (Philosophie socratique).

12 Il prétend que nous nous exagérons de beaucoup la corruption parlementaire.
J. ROMAINS, les Hommes de bonne volonté, t. II, XIV, p. 140.

CONTR. Assainissement, bonification, purification. — Amélioration, amendement, correction, édification, moralisation, perfectionnement, progrès, pureté, réformation, réforme.

CORS [kɔR] n. m. plur. → 1. **Cor** (I.).

CORSAGE [kɔRsaʒ] n. m. — V. 1150; de l'anc. franç. *cors* (→ Corps), et suff. *-age*.

◆ **1** (V. 1150). Vx. Le buste, des épaules à la ceinture, spécialement en parlant de la femme. → **Buste, poitrine, 1. torse.** *Elle a un superbe corsage.*

0.1 (...) les épaules rondes, le corsage plein, dont le corset tendait l'étoffe (...)   ZOLA, le Ventre de Paris, t. I, p. 57.
Absolt (littér. et par plais.). *Avoir du corsage :* avoir de la poitrine, une poitrine opulente.

0.2 Elle était vêtue de l'opulente, d'une robe de bure, avec des fonds énormes qui se plissaient et se déplissaient autour d'elle à chaque pas, le long de son corps de statue. Elle avait du corsage et elle l'agrémentait de jabots de linon.
J. GIONO, Un roi sans divertissement, p. 113.

Loc. fam. Vx. *Ni cul ni corsage :* sans forme et sans intérêt.

Mod. (en parlant des animaux). Poitrail. *Le corsage du cerf, du lévrier. «Dame Belette au long corsage»* (La Fontaine).

◆ **2** Par anal. (en parlant d'une étoffe). Qualité, consistance. → **Corps.** *Ce tissu a du corsage.*

◆ **3** (Av. 1778). Mod. Vêtement féminin en tissu, qui recouvre le buste. → **Basquine, blouse, canezou, caraco, casaquin, chemisette, chemisier, guimpe, jersey.** *Corsage à manches, sans manches. Corsage fermé devant, dans le dos. Corsage croisé sur la poitrine.* → **Cache-cœur.** *Corsage montant, échancré, décolleté. Corsage ajusté, baleiné, busqué. Pattes d'épaules, empiècement d'un corsage. Bords découverts des corsages* (→ Plein, cit. 60). *Corsage en soie, en linon, en nylon. Corsage brodé, pailleté. Assortir un corsage à une jupe. Porter un corsage sous une veste. Robe à corsage monté. Robe à jupe ample et corsage ajusté. Petit corsage de bébé.* → **Brassière.**

0.3 Leurs longues jupes, bouffant autour d'elles, semblaient des flots d'où leur taille émergeait, et les seins s'offraient aux regards dans l'échancrure des corsages.
FLAUBERT, l'Éducation sentimentale, Pl., t. II, p. 190-191.

1 Leur taille *(des femmes)* était très serrée dans des doubles corsages de drap bleu qui ressemblaient à des corselets d'insectes (...)   LOTI, Mon frère Yves, L, p. 128.

2 (...) proprement habillée d'un jupon bleu en cotonnade et d'un petit corsage rose, à fleurs. Le jupon bien plissé et retenu aux hanches par une ceinture de cuir; le corsage, serré étroitement au buste et aux épaules.
H. BOSCO, Un rameau de la nuit, p. 148.

Vx. Partie d'un vêtement féminin couvrant le buste. *Le corsage d'une robe. Un tablier à corsage.* → **Haut** (mod.).

Rare. Vêtement de bébé couvrant le buste. → **Brassière, cache-brassière.**

CORSAIRE [kɔRsɛR] n. m. — 1477; *cuirsaire*, 1443; ital. *corsaro;* du bas lat. *cursarius,* dér. de *cursus* «cours; course».

◆ **1** Anciennt. Navire qui était armé en course* par des particuliers, avec l'autorisation du gouvernement. — Le capitaine qui commandait ce navire. *Jean Bart, Forbin, Surcouf sont de célèbres corsaires.* — Membre de l'équipage d'un tel navire.

De longue date les Bart s'étaient établis à Dunkerque pour 1
se faire pêcheurs d'hommes, autrement dit corsaires.
MICHELET, Hist. de France, Extraits historiques, p. 248.

(1939-1945). Navire, avion chargé d'attaquer la flotte marchande de l'ennemi.

◆ **2** Aventurier faisant la course sur mer par piraterie. → **Boucanier, écumeur** (de mer), **flibustier, forban, pirate.** *Tomber entre les mains des corsaires.* — Spécialt. *Les corsaires barbaresques qui opéraient contre les chrétiens.*

Ils commençaient à se canonner, et les chrétiens sem- 2
blaient avoir quelque avantage; mais un corsaire d'Alger, avec un vaisseau plus grand et mieux armé que les deux autres, arrivant au milieu de l'action, prit le parti du pirate de Tunis.
A.-R. LESAGE, le Diable boiteux, XV, p. 148.

Adj. ou par appos. (1470). *Navire corsaire, capitaine corsaire.*

◆ **3** Fam. et vx. Homme dur et impitoyable par cupidité. → **Rapace.** *C'est un corsaire, un vrai corsaire* (→ Arabe, cit. 2).
Loc. prov. *À corsaire, corsaire et demi.*

◆ **4** (1945). Mod. *Pantalon corsaire :* pantalon court, serré au-dessous du genou. — N. m. *Porter un corsaire à rayures.*

CORSE [kɔRs] adj. et n. — 1684, *in* D. D. L.; du nom de la Corse, île de la Méditerranée, lat. *corsus* «qui appartient à la Corse»; *Corsi* «les Corses».

◆ **1** Adj. De Corse, particulier à la Corse. *Populations corses. Bandits corses prenant le maquis** (bandits d'honneur). *Vengeance corse.* → **Vendetta.** *Chant funèbre corse.* → **Vocéro.** *Histoires corses. Les autonomistes corses. À la corse :* typiquement corse. *Vengeance à la corse.*

◆ **2** N. et adj. Personne originaire de Corse. *Bonaparte, Corse de naissance. Il, elle est corse.*
Ô Corse à cheveux plats (...)
A. BARBIER, Iambes, «L'idole» (→ Cheveu, cit. 3).
N. m. et adj. Spécialt (dans le langage des royalistes). *Le Corse, l'ogre corse :* Bonaparte, Napoléon Iᵉʳ.
N. m. (1840). Ling. *Le corse :* dialecte italique parlé en corse.

HOM. Formes du v. **corser.**

CORSELET [kɔRsəlɛ] n. m. — Après 1250; dér. de l'anc. franç. *cors* (→ Corps), et suff. *-elet*.

◆ **1** (1562). Anciennt. Cuirasse légère couvrant le buste. *Un corselet de métal, de bronze.*

◆ **2** (1533). Anciennt. Vêtement féminin qui serre la taille et se lace sur le corsage. *Corselet de femme. Jupe à corselet.* → **Corset** (3.). *Le corselet d'un costume folklorique.*

Cambrée à outrance, comme elle l'était, pour accrocher 1
son chapeau à cette patère placée très haut, elle déployait la taille superbe d'une danseuse qui se renverse, et cette taille était prise (c'est le mot, tant elle était lacée!) dans le corselet luisant d'un spencer de soie verte à franges qui retombaient sur sa robe blanche, une de ces robes du temps d'alors, qui serraient aux hanches et qui n'avaient pas peur de les montrer, quand on en avait (...)
BARBEY D'AUREVILLY, les Diaboliques, «Le rideau cramoisi».

◆ **3** (1546). Sc. nat. Partie antérieure du thorax, chez les coléoptères, les hémiptères et les orthoptères. → **Prothorax.** *Le corselet supporte la première paire de pattes. Corselet d'abeille* (cit. 8), *de hanneton.*

(...) avec la même grâce naturelle des libellules portent 2
leur corselet de turquoise et d'or.
Léon BLOY, la Femme pauvre, I, p. 60.

3 *(Les papillons)* se laissent saisir entre le pouce et l'index —
et non point par les ailes qu'on risquerait ainsi de détériorer, mais par le corselet.
          GIDE, Voyage au Congo, *in* Souvenirs, Pl., p. 773.

4 (...) deux sous-verres servaient de prison limpide à
d'énormes papillons aux ailes vertes, diaprées. Une épingle
les clouait, par leur corselet, à un rectangle de carton
blanc.   H. TROYAT, la Tête sur les épaules, p. 18.

Par anal. Partie antérieure du corps (de crustacés).
Corselet d'écrevisse, de homard.

◆ **4 Techn.** Armure métallique servant à maintenir
de jeunes arbres.

CORSER [kɔʀse] v. tr. — V. 1860-1870 (un ex. de Scribe,
in P. Larousse); au p. p., v. 1820; repris du moy. franç.
corser, 1572; *courser* «prendre, saisir au corps», 1455; de
cors. → Corps.

◆ **1** Donner du corps, de la consistance à (qqch.).
Corser du vin, en y ajoutant de l'alcool. *Corser un
repas*, le rendre plus copieux, plus savoureux.

Peint. *Corser un vernis*, l'épaissir.

Par ext. Rendre plus fort. *Corser un mets avec des
épices.*

0.1 (...) nous achetions à pleins couffins la laide orange d'été,
pour presser sa chair petite et pâle, corser son jus en le
mêlant à celui du citron frais cueilli.
          COLETTE, Flore et Pomone, *in* Gigi, p. 162.

◆ **2 Abstrait.** *Corser l'action d'une pièce, l'intrigue d'un
drame, d'un roman,* la renforcer, l'intensifier, en
accroître l'intérêt. *Corser son récit,* le rendre énergique, ou y ajouter des détails piquants. → **Étoffer.**
Corser un dossier (Clemenceau, 1899, *in* T. L. F.).

1 La Guillaumette scandant ses mots pour en corser
l'énergie (...)   COURTELINE, le Train de 8 h 47, p. 31.

◆ **SE CORSER** v. pron. (plus cour.).

◆ **1** Devenir plus consistant. *Les repas se corsent.*

(En parlant d'un vin). Prendre du corps.

◆ **2** *L'affaire, l'histoire se corse,* elle se complique,
devient plus importante, plus intéressante, plus
piquante.

2 (...) un vaudeville joyeux s'ébauche à la cuisine, se mue,
dans la salle à manger, en pantomime sacrée, se corse
d'un peu de drame au jardin, et se mouille de larmes, le
soir, au coin du feu.
          COLETTE, la Paix chez les bêtes, Poucette, p. 30.

◆ **CORSÉ, ÉE** p. p. adj.

◆ **1** (1819). **Vx** ou régional. Qui a un corps robuste.

2.1 Cet homme mince, maigre, alerte, bien corsé, toujours
debout, infatigable, trempé comme l'acier et souple
comme un fleuret.
          SAINTE-BEUVE, Nouveaux lundis, t. III, 1863-1869,
                                          p. 107, *in* T. L. F.

◆ **2** (1830). Qui a plus de consistance. *Repas corsé,*
plantureux, riche, bien arrosé.

Vin corsé, rendu plus fort par addition d'alcool. —
(1838). *Sauce très corsée,* très relevée. — *Corsé de... :*
renforcé par... *Café corsé de calvados.*

Techn. *Vernis corsé,* épais. — *Drap corsé,* qui a de
l'étoffe*, qui est épais, solide.

◆ **3** (1830, «une érudition corsée», Balzac). **Vieilli.** Qui a
de l'importance, du «corps», de la force.

Mod. *Affaire corsée,* compliquée.

3 Pour m'introduire dans une intrigue aussi corsée, je suis
décidément un peu jeune.
          GIDE, les Faux-monnayeurs, I, XIV, p. 163.

Très fort. *Critique corsée, maladie corsée.*

◆ **4 Spécialt** (plus cour.). Scabreux. → **Épicé, piquant,
salé.** *Une histoire un peu corsée.*

CONTR. Affaiblir, diminuer, édulcorer, modérer, tempérer.

CORSET [kɔʀsɛ] n. m. — XIIIᵉ, «vêtement de dessous»;
sens mod., 1829; de l'anc. franç. *cors* (→ Corps), et suff.
-et.

◆ **1 Hist.** Partie ajustée du bliaut, couvrant le buste
d'une femme. → **Corsage.**

(1924; lat. médiéval *corsetus*). Vêtement militaire en
cuir ou en acier protégeant le thorax. *Corset de fer.*
Mod. Pièce qui se lace sur le corsage, dans certains
costumes provinciaux. → **Corselet.** *Corset de velours
des Alsaciennes.*

◆ **2** (1821). **Mod.** (le mot a vieilli avec la chose, depuis
les années 1950-1960). Gaine baleinée et lacée, en
tissu résistant, qui serre la taille et le ventre
des femmes (exceptionnellement, d'un homme).
→ **Ceinture, gaine.** *Corset de coutil. Lames rigides
du corset. Baleines de corset.* → **Baleine** (cit. 3), **busc.**
*Agrafe de corset. Mettre, lacer, serrer un corset.
Porter un corset pour paraître plus mince, pour se
tenir plus droit. La gaine élastique est souvent préférée au corset trop rigide.*

1 Alors, elle levait un peu les bras, en montrant qu'elle,
dans son intérieur, ne portait pas de corset; et elle gardait
son sourire, développant son torse superbe, qu'on sentait
rouler et vivre, sous sa mince camisole mal attachée.
          ZOLA, le Ventre de Paris, t. I, p. 208.

2 Mᵐᵉ de Champcenais ne répond pas. Elle réfléchit aux ressorts secrets de la mode. Ce sont les hommes qui ont
voulu le corset, comme tant d'autres complications et surcharges, parce qu'à ce moment-là ils avaient une idée de la
femme vêtue qui s'éloignait le plus possible de la femme
nue, et qui les excitait d'autant. — Et aussi, s'empresse-t-
elle d'ajouter, parce que les femmes de ce temps-là avaient
beaucoup d'enfants, peu d'hygiène, et devenaient vite des
cascades de chair informe.
          J. ROMAINS, les Hommes de bonne volonté, t. I,
                                          III, p. 48.

Vx. *Corset habillé,* rembourré. *Corset à la paresseuse :* corset sans baleines porté sous l'Empire.

Vx. *Corset d'enfant :* corselet souple, à bretelles, qui
porte les boutons pour attacher la culotte.

(1824). *Corset orthopédique*, corset médical,* qui
maintient l'abdomen, le thorax ou redresse la
colonne vertébrale. *Corset de plâtre. Corset de
maintien* (→ **Bandage**).

◆ **3** (1876). **Arbor.** Armature servant à protéger les
jeunes arbres. → **Corselet.** — On dit aussi : *corset-
tuteur.*

◆ **4 Par métaphore.** Se dit de ce qui enserre, opprime.
*Un corset de fer. «La discipline est un corset plus
sûr que la bonne volonté»* (H. Bazin, *in* T. L. F.).

3 Est-il impossible que le corset de fer imposé par ce qui
nous éloigne de l'état animal, le degré de renoncement au
plaisir que la civilisation exige, soit déplacé d'un cran?
          F. GIROUD, Si je mens, p. 273.

DÉR. Corsetage, corseter, corsetier. ◊ **COMP. Cache-corset.**
– HOM. Formes du v. **corser.**

CORSETAGE [kɔʀsətaʒ] n. m. — 1944, A. Arnoux, *in*
T. L. F.; de *corseter.*

Vieilli.

◆ **1** Emploi du corset dans l'habillement.

◆ **2 Fig.** Action de corseter.

CORSETER [kɔʀsəte] v. tr. [CONJUG.: *acheter.*] — 1842,
Balzac; de *corset,* et suff. *-er.*

◆ **1 Vieilli** ou **méd.** Revêtir d'un corset. *Sa femme de
chambre achevait de la corseter.* — **Pron.** *Se corseter :*
mettre un corset.

◆ **2 Techn.** Serrer (qqch.) par des sangles, une armature. *Corseter un arbre* (→ Corset, 3.).

◆ **3 Fig.** (Rare à l'actif). Donner un cadre rigide à...

◆ **CORSETÉ, ÉE** p. p. adj. (Plus courant).

◆1 Qui porte un corset, est serré par un corset. *Cette femme est bien corsetée* (Académie).

0.1 (...) son armée, bel échantillonnage de têtes de jeu de massacre, depuis le Feldwebel au front de bœuf jusqu'à l'officier monoclé et corseté.
                                    M. TOURNIER, le Roi des Aulnes, p. 192.

◆2 Techn. *Arbre corseté.*

Par métaphore :

0.2 (...) une capitale d'eaux et de brumes, corsetée de canaux (...).   CAMUS, la Chute, p. 160.

◆3 Placé dans un cadre rigide. *C'est un milieu, un monde corseté de principes.* → **Guindé, serré ; enserré.**

1 Six heures de marche, et pendant quatre heures, ce rôle corseté de prince du mal (...)
                                    SARTRE, la Mort dans l'âme, p. 143.

2 Qu'une faute de cette dimension ait trouvé place dans un sonnet aussi corseté, voilà qui est regrettable (...)
                                    M. AYMÉ, le Confort intellectuel, III, p. 28.

3 Sa fantaisie s'en trouvait corsetée, réduite à quelques galipettes in petto, qui supportaient mal le transport.
                                    A. BLONDIN, Monsieur Jadis, p. 103.

DÉR. **Corsetage.**

CORSETIER, IÈRE [kɔʀsətje, jɛʀ] n. et adj. — 1842, *corsetière ; corsetier,* 1845 ; de *corset.*

Technique.

◆1 N. Personne qui fait ou vend des corsets.

◆2 Adj. Qui fabrique ou vend des corsets. *Ouvrière corsetière ; marchand corsetier.*
Qui a rapport aux corsets. *L'industrie corsetière.*

CORSO [kɔʀso] n. m. — 1807 ; ital. *corso* «grande avenue, promenade publique», et «défilé de chars lors d'une fête publique», du lat. *cursus.* → Cours.

◆1 (1839). Avenue principale (d'une ville, en général en Italie), où l'on se promène. → **Cours.** *Être au, sur le corso.*

1 Le grand corso qui traversait la ville était comme un théâtre où roulaient tout le jour les flots d'une population futile, légère, changeante, émeutière, parfois spirituelle, occupée de chansons, de parodies, de plaisanteries, et d'impertinence.
                                    Jean D'ORMESSON, la Gloire de l'empire, I, p. 193.

◆2 Par métonymie. Promenade en va-et-vient (sur un corso, etc.). *Faire le corso.*

◆3 (1846). Cour. Défilé de chars, lors d'une fête. *Un corso fleuri.*

2 Lavinia était nue sous son caraco et son jupon. C'était une très belle fille déjà célèbre à Turin pour sa beauté. À chaque corso on venait la demander à Mᵐᵉ la duchesse pour personnifier Diane, ou la Sagesse ou même l'archange Michel.
                                    J. GIONO, le Hussard sur le toit, p. 217.

CORTAILLOD [kɔʀtajo] n. m. — 1848 ; *courtailloux,* 1804 ; de *Cortaillod,* nom d'une commune du canton de Neuchâtel.

Vin de la région de Cortaillod, en Suisse. *Du cortaillod, une bouteille de cortaillod.*

CORTÈGE [kɔʀtɛʒ] n. m. — 1622 ; ital. *corteggio* «suite de personnes qui accompagnent un personnage important pour lui rendre hommage», de *corteggiare* «accompagner un personnage important pour lui rendre hommage», de *corte* «cour».

◆1 (1622). Suite de personnes qui en accompagnent une autre pour lui faire honneur dans une cérémonie. → **Défilé, escorte, procession, suite, théorie.**

Cortège entourant un haut personnage. → **Appareil, état-major ;** et aussi **cour.** *Cortège funèbre. Cortège nuptial* (cit. 2). *Cortège brillant, joyeux, tumultueux* (→ Agacerie, cit. 4). *La tête, les files du cortège. Être du cortège. Grossir le cortège. Faire cortège à quelqu'un.* — *Se former en cortège. Marcher en cortège.* — *Le cortège se met en marche, s'ébranle* (→ Bête, cit. 9), *défile. Couper le cortège. Le cortège se désagrège.*

1 Le cortège, d'abord uni comme une seule écharpe de couleur, qui ondulait dans la campagne (...) s'allongea bientôt et se coupa en groupes différents, qui s'attardaient à causer.   FLAUBERT, Mᵐᵉ Bovary, I, IV, p. 23.

2 (...) un frémissement houleux fit brusquement osciller le cortège.
                                    MARTIN DU GARD, les Thibault, t. VII, p. 63.

◆2 Groupe (de personnes) qui suit quelqu'un ou quelque chose (sans intention de lui faire honneur). *Un cortège d'enfants.* → **Ribambelle.** *Cortège de carnaval.* → **Cavalcade.**

Par métaphore (littéraire) :

3 Et quand la nuit, guidant son cortège d'étoiles,
Sur le monde endormi jette ses sombres voiles (...)
                                    LAMARTINE, Premières méditations, «La prière».

Fig. *Les infirmités sont le cortège de la vieillesse.*

◆3 (1674). Groupe organisé qui avance. → **Défilé, procession.** *Un cortège d'étudiants, de réfugiés.*
(1903). Cyclisme. Groupe de coureurs.

◆4 (Choses). **a** Littér. Suite (de choses) évoquant un cortège. *«Un cortège d'images imprécises»* (Duhamel, *in* T. L. F.).
b Phys. *Cortège d'électrons, cortège électronique :* ensemble des électrons qui gravitent autour du noyau.
c Mus. *Cortège d'harmoniques :* ensemble ou suite de sons produits en même temps qu'un son fondamental.

DÉR. **Cortéger.**

CORTÉGER [kɔʀteʒe] v. tr. [CONJUG.: *céder* et *bouger.*] — V. 1650 ; de *cortège.*

Rare. Accompagner en cortège (Chateaubriand, Goncourt, Bourget, *in* T. L. F.).

CORTÈS [kɔʀtɛs] n. f. plur. — 1519, *in* D. D. L. ; esp. *Cortes,* proprt plur. de *corte* «cour».

Assemblée représentative (en Espagne, au Portugal). — Spécialt. Parlement espagnol, formé de deux chambres (Congrès des députés et Sénat), institué en 1978.

REM. On rencontre parfois la graphie espagnole *Cortes.*

CORTEX [kɔʀtɛks] n. m. — 1896, *in* D.D.L. ; mot lat. «écorce».

◆1 Anat. Partie externe périphérique (*cortex cérébral, rénal*). — Absolt. *Le cortex :* l'écorce cérébrale. → **Cortical.** *Cortex surrénal.* → **Cortico-surrénale.**

◆2 Biol. Partie externe (d'organes végétaux ou animaux) qui a une structure concentrique.

COMP. **Néocortex.** V. **Cortico-.**

CORTICAL, ALE, AUX [kɔʀtikal, o] adj. — Fin XVᵉ ; dér. sav. du lat. *cortex, corticis* «écorce».

◆1 Bot. Qui appartient à l'écorce. *Couches corticales.*

◆2 Anat. Relatif à la partie externe des organes, et, spécialt, au cortex. *Substance corticale du cerveau :* substance externe et grise qui enveloppe la substance blanche, dite *médullaire. Cellules corticales.*

◆3 (XXᵉ). *Hormones corticales,* sécrétées par la cortico-surrénale.

COMP. **Néocortical, sous-cortical.**

CORTICI-, CORTICO- Élément, tiré du lat. *cortex, corticis* «écorce» (→ **Cortex**), et servant à former principalement des termes de médecine, au sens de «relatif au cortex».

CORTICICOLE [kɔʀtisikɔl] adj. — 1846, Bescherelle; de *cortici-*, et *-cole*.
Biol. Se dit d'un organisme qui vit dans l'écorce des arbres.

CORTICIPÈTE [kɔʀtisipɛt] adj. — 1912; de *cortici-*, et *-pète*.
Méd. Qui se dirige vers le cortex cérébral.

CORTICOÏDES [kɔʀtikɔid] n. m. plur. — 1956; de *cortic(o)-*, et *-oïde*.
Biol. Hormones sécrétées par le cortex des glandes surrénales (→ **Cortico-surrénal**). *Traitement aux corticoïdes.* — Adj. *Hormones corticoïdes.*
Produits similaires aux corticoïdes, obtenus par synthèse.

CORTICO-MÉDULLAIRE [kɔʀtikomedylɛʀ] adj. — 1925; de *cortico-*, et *médullaire*.
Méd. Relatif au cortex cérébral et à la moelle épinière.

CORTICOSTÉROÏDE [kɔʀtikosteʀɔid] n. m. — Mil. xxᵉ; de *cortico-*, et *stéroïde*.
Biochimie. [a] Hormone produite par la partie corticale de la glande surrénale. *Les corticostéroïdes.* [b] Dérivé synthétique de ces hormones.

CORTICO-SURRÉNALE [kɔʀtikosy(ʀ)ʀenal] n. f. et adj. f. — 1938, in D.D.L.; de *cortico-*, et *surrénale*.
♦ **1** N. f. Anat. Périphérie de la glande surrénale *(cortex)* dont les hormones sont des régulateurs du métabolisme.
Le virilisme (...) se rencontre surtout lors de certaines affections de la cortico-surrénale.
Pierre REY, les Hormones, p. 124.
♦ **2** Adj. f. Relatif à la cortico-surrénale. *Hormones cortico-surrénales.* → **Corticoïdes**, 2. **cortine** (cit.), **cortisone.** — *Fonctions cortico-surrénales.*
On écrit aussi : *corticosurrénale.*

CORTICOTHÉRAPIE [kɔʀtikoteʀapi] n. f. — 1959; de *cortico-*, et *-thérapie*.
Méd. Emploi thérapeutique des hormones corticosurrénales, notamment de la cortisone.

CORTICOTROPE [kɔʀtikotʀɔp] adj. — 1964; de *cortico-*, et *-trope*.
Méd. Qui agit sur le cortex des capsules surrénales.

CORTICOTROPHINE [kɔʀtikotʀɔfin] n. f. — Mil. xxᵉ (1942 en angl. *corticotrophin*); de *corticotrophique* «(hormone) qui stimule le cortex surrénal» (de *cortico-* et *-trophique* (→ Trophique)), et *-ine* (cf. angl. *corticotrophic*, 1934).
Chim., biol. Hormone sécrétée par le lobe antérieur de l'hypophyse, qui règle la sécrétion de la corticosurrénale. → **ACTH.**

CORTILE [kɔʀtile] n. m. — 1918; ital. *cortile*, du bas lat. *cohortile*. → Courtil.
Didact. (arts). Cour intérieure, découverte, donnant de l'air et de la lumière aux pièces intérieures de la maison, en Italie. — REM. Le mot se prononce en général à l'italienne et son plur. n'est pas francisé : *des cortili* [kɔʀtili] ou, invar., *des cortile*.

CORTINAIRE [kɔʀtinɛʀ] n. m. — 1816, in D.D.L.; de 1. *cortine* (2.).
Bot. Genre de champignons comportant une cortine et dont les feuillets deviennent bruns quand le champignon grandit. *Cortinaire violet, à pied courbe. Certains cortinaires sont comestibles.*

1. **CORTINE** [kɔʀtin] n. f. — 1575; *courtine*, 1553; lat. *cortina* «vaisseau rond, chaudière», et «cuve que portait le trépied d'Apollon».
Didactique.
♦ **1** Archéol. Récipient rond, chaudron (dans l'Antiquité).
(1553). Trépied consacré à Apollon, et surmonté d'un tel récipient.
♦ **2** (1824). Bot. (par anal. de forme). Ensemble de filaments formant une membrane qui réunit le bord du chapeau à la partie supérieure du pied de certains genres de champignons.
DÉR. **Cortinaire.** ◊ HOM. 2. **Cortine.**

2. **CORTINE** [kɔʀtin] n. f. — 1958; angl. *cortin*, formé sur le rad. de *cortex*.
Méd. Hormone cortico-surrénale.
L'hormone corticosurrénale ou *cortine* n'est connue que depuis quelques années. Le premier extrait actif a été préparé en 1928; actuellement, grâce aux travaux de Kendall et de Richter, on a isolé de l'écorce surrénale une série de corps de formules chimiques voisines, dont cinq ont une activité hormonale. Le plus important est la *corticostérone*. La cortine n'est donc pas une hormone déterminée, mais plutôt un complexe hormonal.
Pierre REY, les Hormones, p. 21.
HOM. 1. **Cortine.**

CORTISOL [kɔʀtisɔl] n. m. — Après 1950; du rad. de *cortici-, cortico*, et *-sol*.
Biol. Principale hormone cortico-surrénale. «*Il est apparu que l'administration de cortisol permettait de rétablir l'équilibre (...) du malade* (dans certains cas d'intersexualité somatique)» (*la Recherche*, juin 1970, p. 121).

CORTISONE [kɔʀtizɔn] n. f. — 1950; angl. *cortisone*, du rad. de *cortex*, et *(horm)one*.
Cour. Hormone du cortex surrénal, employée en thérapeutique, pour son action anti-inflammatoire et antiallergique.
(*Ce lupus*) moins spectaculaire, était aussi moins curable malgré la cortisone qui, depuis quelque temps, faisait des miracles.
Hervé BAZIN, Qui j'ose aimer, 11, p. 97.
DÉR. **Cortisonique.**

CORTISONIQUE [kɔʀtizɔnik] adj. — 1965; de *cortisone*.
Didact. De la cortisone. *Les dérivés cortisoniques.*

CORTON [kɔʀtɔ̃] n. m. — 1861, in D.D.L.; du nom d'une colline voisine de *Aloxe-Corton*, village de la Côte-d'Or.
Vin rouge très renommé de Bourgogne. → **Bourgogne.** «*Le corton d'Aloxe*» (E. Cadol, 1861). *Une bouteille de corton.*

CORUSCANT, ANTE [kɔʀyskã, ãt] adj. — 1507; repris xixᵉ; lat. *coruscans* «brillant», p. prés. de *coruscare* «étinceler».
Littér. et rare. Brillant*, éclatant. *Lumière coruscante.*
Nous couchions dans des lits de tôle ornés de bouquets coruscants, peints sur fond noir par des artistes ingénus.
G. DUHAMEL, Biographie de mes fantômes, VII, p. 131.

2 Alors, tandis que le grondement de la pluie redoublait sur les feuillages et que tout semblait vouloir se dissoudre dans la nuée vaporeuse qui montait du sol, il vit se former à l'horizon un arc-en-ciel plus vaste et plus coruscant que la nature seule n'en peut créer.

M. TOURNIER, Vendredi..., p. 31.

REM. On trouve aussi la forme *coruscanté* :

3 Il *(Barbey d'Aurevilly)* a ses ennemis, qui n'ont d'yeux que pour l'excès, l'enflure, la *phrase*, coruscantée et cambrée sur son busc.

J. GRACQ, Préface des Diaboliques, de BARBEY D'AUREVILLY.

CORUSCATION [kɔʀyskasjɔ̃] n. f. — Fin XIIIᵉ-déb. XIVᵉ ; bas lat. *coruscatio* «action de briller, éclair», de *coruscare* «étinceler». → Coruscant.

Littér. et rare. Vif éclat de lumière. *La coruscation d'un météore.*

Le bateau en route vers le sud. Devant lui l'immense système stellaire d'Orion. Mon étoile! Non pas une étoile seulement mais la coruscation au troisième étage du ciel de ce corps fait de feux.

CLAUDEL, Journal, janv. 1917.

CORVÉABLE [kɔʀveabl] adj. — 1594, *in* D.D.L. ; lat. médiéval *corveabilis*, du lat. médiéval *corvea* ou *corvata*. → Corvée.

◆ **1** Dr. anc. (Rare, sauf dans la loc. *corvéable à merci.* → Merci, cit. 8.1). Assujetti à la corvée. → aussi **Taillable.**

1 Nous étions la gent corvéable, taillable et tuable à volonté, nous ne sommes plus qu'incarcérables.

P.-L. COURIER, I, 164.

N. *(Un, une corvéable). Les corvéables.*

◆ **2** Fig. Se dit d'une personne dont on abuse en l'obligeant de faire toutes sortes de corvées.

2 Gustin profita d'un arrêt et des remous qui s'ensuivirent pour se glisser dans le couloir et s'emparer d'une place assise. Il fut éveillé à Valence par de tristes êtres qui poussaient devant eux une vieille chose ; à l'habit de Gustin ils le jugeaient corvéable à merci et comptaient sur lui pour qu'il fît place à la chose emmitouflée.

Jacques LAURENT, les Bêtises, p. 28.

CORVÉE [kɔʀve] n. f. — XIIᵉ, *corovée* ; cf. lat. médiéval *corvea* (1265), *corvata* ; du lat. pop. *corrogata (opera)* «travail sollicité», de *corrogare* «solliciter», de *co- (cum)* et *rogare* «demander».

◆ **1** (V. 1170). Dr. anc. Travail gratuit que les serfs, les roturiers devaient au seigneur. *Être astreint à la corvée.* → **Corvéable.** *Corvée réelle* : corvée liée au fonds. *Corvée personnelle* : corvée liée au lieu de résidence. *Corvée à merci* : corvée laissée à la discrétion du seigneur. *Corvée publique* : corvée due au souverain ; *corvée particulière*, due au seigneur.

1 On distinguait la corvée particulière ou seigneuriale due spécialement par les serfs mais aussi par les vilains d'ordinaire au profit du seigneur, et la *corvée publique* ou *royale* due au souverain. *(Celle-ci)* consiste surtout en une obligation pour les roturiers *(corvée personnelle)* ou les propriétaires de terres roturières *(corvée réelle)* de fournir leur travail pour l'exécution de certains travaux publics, spécialement les chemins.

LEPOINTE, Voc. d'hist. du droit franç., Corvée.

2 Sa femme, ses enfants, les soldats, les impôts,
Le créancier et la corvée,
Lui font d'un malheureux la peinture achevée.

LA FONTAINE, Fables, I, 16.

3 (...) dans les anciens temps, lorsqu'on voulait forcer le pauvre monde à payer la taille et à faire la corvée, contrairement aux termes de la loi, qui était déjà bien assez dure, telle qu'on l'avait donnée.

G. SAND, la Petite Fadette, XXII, p. 156.

Spécialt. Travail pour l'entretien des chemins. → **Prestation.**

Régional (Suisse rurale). Travaux en groupe obligatoires, dans une communauté. *Corvée communale, bourgeoisiale ; la corvée d'un alpage communautaire.* — Ensemble des personnes participant à ces travaux.

3.1 Et, comme la maison d'école appartient à tout le monde, il s'agissait aussi que tout le monde participât à ce travail *(la reconstruire),* d'où ces corvées organisées ; chaque habitant devait tant de jours de travail ou verser une somme d'argent équivalente.

C.-F. RAMUZ, la Guerre dans le Haut-Pays, Œ. compl., t. VI, p. 129.

◆ **2** (1835). Mod. Travail que font à tour de rôle les hommes d'un corps de troupe, et, par anal., les membres d'une communauté. → **Besogne, service, travail.** *Une corvée ennuyeuse, fastidieuse, pénible. Corvée de vivres. Corvée d'eau. Corvée de patates* : épluchage des pommes de terre. *Corvée de quartier. Tenue de corvée. Être de corvée.* — Fam. *S'allonger, s'appuyer une corvée.* — *Hommes de corvée.*

4 (...) quelques légionnaires descendus au méchouar pour les corvées quotidiennes de ravitaillement.

P. MAC ORLAN, la Bandera, XII, p. 137.

4.1 Des jeunes filles au teint frais font la corvée d'eau du matin (car l'eau est le grand problème des Isles Fortunées). La taille cambrée et le port noble, elles marchent sans gêne aucune, portant sur la tête les récipients les plus variés, qui vont du plus classique pot de terre au moderne baril de tôle ondulée.

Alain BOMBARD, Naufragé volontaire, p. 144.

Loc. *Corvée de bois* : exécution sommaire d'un prisonnier emmené pour un simulacre de corvée de ramassage de bois et dont on prétendait qu'il avait tenté de s'évader.

4.2 Aujourd'hui, ce garçon me donne, de ce que les Algériens appellent «la corvée de bois», telle que des civils la pratiquent une version nouvelle pour moi (et atroce).

F. MAURIAC, le Nouveau Bloc-notes 1958-1960, p. 36.

Mar. Service imposé à une partie de l'équipage. *La corvée d'équipage.*

Par ext. Ensemble des personnes qui accomplissent une corvée. *La corvée de soupe vient d'arriver.*

4.3 Après la soupe, une corvée balayait la chaussée, ponçait et remisait les roulantes (...)

Francis CARCO, les Belles Manières, p. 104.

Rare. Homme de corvée ; spécialt, soldat chargé de toucher la subsistance (3., b).

4.4 Les corvées nous serviront avec une attention extrême, supervisées par le prince, dont le tablier écru n'était pas de toute fraîcheur, suivi de son chien la truffe à la couture du pantalon de son maître.

Georges BORGEAUD, le Voyage à l'étranger, I, p. 107.

◆ **3** (V. 1460). Fig. Obligation ou travail pénible, inévitable et sans intérêt. *Quelle corvée ! Je me serais bien passé de cette corvée. Corvées domestiques, ménagères* : travaux du ménage. *C'est une corvée pour moi. C'est lui, c'est elle qui fait, qui se tape, qui se farcit toutes les corvées.*

5 Le genre de malheur que porte dans l'âme un amour contrarié, fait que toute chose demandant de l'attention et de l'action devient une atroce corvée.

STENDHAL, la Chartreuse de Parme, II, p. 468.

6 Mais il cherchait des prétextes pour esquiver ce qui avait l'air d'être une corvée à ses yeux.

J. ROMAINS, les Hommes de bonne volonté, t. V, XXVI, p. 244.

◆ **4** Régional (Canada). Travail en commun, entre voisins ou amis, occasionnel et gratuit.

◆ **5** Argot de métier. Travail peu important (en serrurerie, par exemple).

CONTR. Amusement, plaisir (partie de).

CORVETTE [kɔʀvɛt] n. f. — 1476; orig. incert.; soit du moy. néerl. *corver* «bateau chasseur»; soit de *corve*, *corbe* «bateau de pêche»; soit enfin (P. Guiraud) de *corve*, *corbe* du lat. *curvus* «courbe», d'où *corvette* «bateau arrondi», avec un croisement avec le lat. *corbita* «vaisseau de transport», senti comme «bateau aux flancs arrondis».

Marine.

◆ **1** Ancienn. Navire de guerre intermédiaire entre le brick et la frégate.

(...) c'était une corvette un peu ancienne, un peu fatiguée de courir, qui avait encore de grande voiles comme jadis et qui s'en allait, pour la dernière fois de sa vie, en station dans les mers de Chine.
> LOTI, Matelot, XXXVIII, p. 150.

Loc. *Capitaine* de corvette.*

◆ **2** Petit bâtiment d'escorte de la guerre 1939-1945, utilisé dans la lutte contre les sous-marins.

CORVICIDE [kɔʀvisid] n. m. — D. i.; dér. du rad. du lat. *corvus* «corbeau», et *-cide*.

Didact. Substance ou préparation ayant la propriété de tuer les corbeaux, les corneilles et les oiseaux analogues.

CORVIDÉS [kɔʀvide] n. m. plur. — 1838; du lat. *corvus* «corbeau», et suff. *-idés*.

Zool. Famille d'oiseaux passeriformes *(Passereaux)* au bec plus ou moins épais, un peu arqué, avec échancrure vers la pointe, et dont le type est le corbeau. *Les corvidés comprennent des oiseaux grands et robustes, les uns omnivores, les autres frugivores* ou *carnivores. Types principaux de corvidés.* → **Choucas, corbeau, corneille, freux, geai, pie.** — Au sing. *Un corvidé.*

REM. Une partie des Corvidés (corneilles, freux) est usuellement nommée *corbeau**.

CORVIFUGE [kɔʀvifyʒ] adj. et n. m. — 1974, in *la Clé des mots*; du rad. du lat. *corvus* «corbeau», et *-fuge.*

Didact. Qualifie un produit capable d'éloigner les corbeaux.

CORYBANTE [kɔʀibɑ̃t] n. m. — 1512; *coribante*, après 1450; *corybant*, 1605; *coryban*, v. 1375; grec *korubas, antos.*

Antiq. grecque. Prêtre de la déesse Cybèle.

(...) ces danses sacrées (...) que les Corybantes exécutaient en Crète et en Phrygie. Armés de lances et de boucliers, ils se livraient à des gesticulations frénétiques, images indiscutables de la guerre, et qui, très probablement, furent les ancêtres de la Pyrrhique.
> F. de MIOMANDRE, Danse, Introd., p. 8.

CORYDALIS [kɔʀidalis], **CORYDALE** [kɔʀidal] n. — 1704, *corydalis*; *corydale*, 1829; bas lat. *corydallus, corydalis* «alouette huppée».

◆ **1** N. m. Bot. Plante vivace *(Fumariacées)* à fleurs jaunes, blanches ou roses dont un pétale a la forme d'un éperon. — Plus souvent : *un corydalis.*

◆ **2** N. f. (1829, *corydale*; *corydalis*, 1900). Zool. Insecte névroptère à grandes ailes grises, à mandibules développées en forme de faux, volant la nuit, et que l'on trouve en Amérique du Nord. — Plus souvent : *une corydale.*

CORYDONIEN, IENNE [kɔʀidɔnjɛ̃, jɛn] adj. — 1924, A. Germain, in *Courouve*; du lat. *Corydon, onis*, grec *Korudon*, nom de berger chez les poètes bucoliques (Virgile).

Littér. Qui a les caractéristiques du berger grec antique.

(Par allus. au *Corydon* de Gide). Relatif à l'homosexualité masculine.

CORYLACÉES [kɔʀilase] n. f. plur. — D. i.; du lat. bot. *corylus* «noisetier» (du grec *korus* «capuchon», à cause de l'involucre qui protège le fruit), et suff. *-acées.*

Bot. Famille de plantes arbustives dicotylédones apétales (ordre des *Fagales**), à fleurs réunies en chatons et à feuilles caduques, dont le noisetier *(Corylus)* est le type. — Au sing. *Une corylacée.*

CORYLOPSIS [kɔʀilɔpsis] n. m. — 1845, *corylopse;* du lat. sc. *corylopsis*, du lat. class. *corylus* «noisetier», et du grec *opsis* «apparence extérieure d'une chose».

Bot. Arbrisseau originaire d'Asie *(Hamamélidacées)* dont les feuilles rappellent celles du noisetier, et qui est cultivé en Europe comme arbuste d'ornement (→ 1. Coqueret, cit.).

CORYMBE [kɔʀɛ̃b] n. m. — XIVe; lat. impérial *corymbus* «grappe de lierre»; grec *korumbos* «sommet, extrémité supérieure d'une chose».

◆ **1** Bot. Inflorescence dans laquelle les pédicelles (de longueur inégale) s'élèvent en divergeant de sorte que leurs fleurs se trouvent sur un même plan. *Fleurs de lierre en corymbe.*

(...) cet arbuste auprès duquel je me suis baigné avant-hier. Corymbe de petites fleurs blanc rosé, quadrilobées autour d'une fine tubulure.
> GIDE, Voyage au Congo, in Souvenirs, Pl., p. 794.

◆ **2** (1545). Antiq. grecque. Coiffure où les cheveux relevés sont rattachés au sommet de la tête par une aiguille, un bandeau.

COMP. V. **Corymbifère.**

CORYMBIFÈRE [kɔʀɛ̃bifɛʀ] adj. — D. i.; du lat. *corymbus* (→ Corymbe), et *-fère.*

Bot. Qui porte un corymbe. — N. f. plur. Vx. *Les Corymbifères :* les Radiées (famille des Composacées).

CORYPHÉE [kɔʀife] n. m. — 1556; grec *koruphaios*, de *koruphê* «tête».

◆ **1** (1578). Chef du chœur, dans les pièces du théâtre antique.

Elle chante avec lui (*le chœur*), porte la parole pour lui, et fait enfin les fonctions de ce personnage des anciens chœurs qu'on appelait le coryphée.
> RACINE, Athalie, Préface.   1

(1754). Chef de chœur ou de ballet dans l'opéra moderne.

Je ne dis pas que le rôle d'*Achille*, que prend ordinairement le coryphée du théâtre, soit inférieur à celui d'*Agamemnon* (...)
> E. DELACROIX, Journal, 21 oct. 1854.   2

◆ **2** (1556). Celui qui se distingue le plus, qui tient le premier rang (dans un parti, une secte, une société). *Être le coryphée d'une doctrine, d'une école.* → **Chef, guide.** *On a longtemps qualifié Staline de «coryphée du socialisme».*

◆ **3** Danse. Troisième échelon dans la hiérarchie du corps de ballet de l'Opéra de Paris.

REM. La var. *choryphée* [kɔʀife] est archaïque.

CORYPHÈNE [kɔʀifɛn] n. m. — 1798; grec *koruphaina.*

Zool. Poisson aux couleurs métalliques vivant dans les mers chaudes. → **Daurade.**

CORYSTE [kɔʀist] n. m. — 1802; grec *korustes* «(guerrier) armé d'un casque», de *korus* «casque».

Zool. Crabe des mers d'Europe, à carapace étroite et longue dont la partie antérieure est prolongée d'une pointe rostrale.

HOM. Choriste.

CORYZA [kɔʀiza] n. m. — XIVᵉ, *coryse; corysa*, 1655; grec *koruza* «écoulement nasal».

Méd. Inflammation de la muqueuse des fosses nasales, dite couramment *rhume de cerveau*. Attraper un coryza. Coryza allergique. Des coryzas.

COSAQUE [kɔzak] n. m. et adj. — 1578; polonais *kozak*, lui-même emprunté aux langues turques par l'intermédiaire de l'ukrainien *kozak*.

▮ N. ♦ 1 Géogr. Membre d'une population du sud-est de la Russie (Dniepr, Don), descendant de nomades guerriers. *Chef des Cosaques d'Ukraine.* → **Atman, hetman.** *Les Cosaques Zaporogues.*

♦ 2 Hist. et cour. Cavalier* de l'armée russe. *Une sotnia, troupe de cent cosaques.*

♦ 3 (XIXᵉ). **Vx.** *C'est un cosaque*, une brute. *Espèce de cosaque!*

▮▮ Adj. ♦ 1 Qui est caractéristique des Cosaques. *Toque cosaque. Danses cosaques.*

♦ 2 (XIXᵉ). **Fig. et vx.** Brutal, violent. *À la cosaque :* brutalement. → **Hussard** (à la hussarde).

COSÉCANTE [kosekãt; kɔsekãt] n. f. — 1708; de *co-*, et *sécante*.

Math. Fonction trigonométrique, l'inverse du sinus* (abrév. : *cosec*). *La cosécante d'un angle est la sécante de son complément.*

COSIGNATAIRE [kosiɲatɛʀ; kɔsiɲatɛʀ] n. et adj. — 1876, de *co-*, et *signataire*.

Dr., admin. Une des personnes qui signent en commun un acte. *Les cosignataires d'un contrat.*

REM. Le verbe *cosigner* «signer (un document) à plusieurs», et le nom féminin *cosignature* «signature (d'un document) à plusieurs», sont plus rares que *cosignataire*. «*Un metteur en scène (qui a cosigné la régie de la Flûte enchantée)*» (*le Figaro*, 1ᵉʳ oct. 1974). (...) attention, Ted... toi et moi, on cosignera désormais les paroles avec les auteurs (...)
Jacqueline MONSIGNY, le Miroir aux pingouins, p. 122.

COSIGNER [kosiɲe] v. tr. — 1973; de *co-*, et *signer*.

Signer avec d'autres (une œuvre, un texte). *Personnalités qui cosignent une pétition.*

COSINUS [kɔsinys; kosinys] n. m. — 1754; *co-sinus*, 1717; de *co-*, et *sinus*.

Math. Fonction faisant correspondre à l'angle de deux axes la mesure algébrique de la projection orthogonale sur l'un d'un vecteur unitaire porté par l'autre. *Le cosinus d'un angle est égal au sinus* de l'angle complémentaire* (→ **Trigonométrie**). *Des cosinus. Fonction cosinus*, qui à un nombre réel *x* fait correspondre le cosinus (noté cos *x*) de l'angle dont ce nombre est une mesure. — *Cosinus hyperbolique*.

-COSME Suffixe tiré du grec *kosmos* «monde».
→ **Cosmo-; macrocosme, microcosme.**

COSMÈTE [kɔsmɛt] n. m. — 1845, Bescherelle; grec *kosmetes*, de *kosmos* «ordre». → Cosmo-.

Didact. Dans l'Antiquité grecque, Magistrat ayant la charge de surveiller les gymnases.

Antiq. rom. Esclave chargé de la garde-robe de ses maîtres.

COSMÉTICIEN, IENNE [kɔsmetisjɛ̃, jɛn] n. — Mil. XXᵉ; de *cosmétique*.

Techn. Fabricant de produits cosmétiques. «*Certains cosméticiens célèbres pour la sophistication de leur gamme, axent leurs toutes nouvelles campagnes sur le bon vieux savon*» (*l'Express*, 14 nov. 1977).

COSMÉTIQUE [kɔsmetik] adj. et n. m. et f. — 1555; *commatique*, 1363; grec *kosmêtikos* «relatif à la parure», de *kosmos*. → Cosmo-.

♦ 1 Didact. Qui est propre aux soins de beauté (de la peau, des cheveux). *Pommade cosmétique. La laque, les fards à cils, le fond de teint, le rouge à lèvres sont des produits cosmétiques.* → **Fard** (1.).

N'est-ce pas là le but de ces parures, de ces fards, de ces bains, de ces frisures, de ces parfums, de ces odeurs, et enfin de toutes ces préparations cosmétiques, qui servent à embellir, à peindre ou à déguiser le visage, les yeux et la peau? [1]
Trad. d'ÉRASME (par THIBAULT DE LAVEAUX, 1780), Éloge de la folie, p. 26.

(...) le fait absolument nouveau, commun à tous les pays d'Europe occidentale, c'était l'augmentation foudroyante du nombre des hommes comme consommateurs de produits cosmétiques. [1.1]
Jean-Louis CURTIS, le Roseau pensant, p. 184.

N. m. (1690). Produit cosmétique. *Cosmétique liquide, solide.*

Deux ou trois planches sur lesquelles on met des pots de rouge, de blanc, de bleu, de pommades, de pâtes, de savons, d'essences, d'huiles antiques, de poudres, d'opiat, de gomme, et une infinité d'autres cosmétiques. [1.2]
Ch. PAUL DE KOCK, la Grande Ville, t. I, p. 357.

♦ 2 N. m. (Mil. XIXᵉ). **Plus cour.** Produit servant à fixer et lustrer la chevelure. *Cosmétique à base de cire*. Cosmétique pour lustrer les cheveux, les cils, la barbe* (vx **Bandoline, brillantine, gomina, huile, laque**).

Ses cheveux, qu'il garde assez longs, et qu'il peigne soigneusement, en les fixant par un peu de cosmétique (...) [2]
J. ROMAINS, les Hommes de bonne volonté, t. II, I, p. 5.

♦ 3 N. f. Didact. Vx. Partie de l'hygiène qui traite de la préparation et de l'usage des cosmétiques. → **Cosmétologie.**

DÉR. Cosméticien, cosmétiquer, cosmétologie.

COSMÉTIQUER [kɔsmetike] v. tr. — 1876; de *cosmétique*.

Rare. Enduire de cosmétique. — **Pron.** *Se cosmétiquer les cheveux.* — Au participe passé :

(...) et sa forte moustache blonde, très cosmétiquée, sa face large et pâle, lui donnaient l'air d'un mousquetaire malade. Alphonse DAUDET, Jack, t. I, p. 44.

COSMÉTOLOGIE [kɔsmetɔlɔʒi] n. f. — 1845; de *cosmétique*, et *-logie*.

Didact. Étude de ce qui a trait aux produits cosmétiques (composition, fabrication et mode d'emploi). → **Cosmétique** (3.).

DÉR. Cosmétologue.

COSMÉTOLOGUE [kɔsmetɔlɔg] n. — 1970; de *cosmétologie*.

Didact. Spécialiste de la cosmétologie.

(...) par la mise à la disposition du cosmétologue d'excipients nouveaux aux possibilités pratiquement illimitées.
　　　　　Charles BOURGEOIS, Chimie de la beauté, p. 6.

COSMICIEN, IENNE [kɔsmisjɛ̃, jɛn] n. — 1964; de *cosmique*.

Didact. et rare. Spécialiste de l'astronautique ou de l'astrophysique. → **Astrophysicien.**

COSMICITÉ [kɔsmisite] n. f. — 1957; de *cosmique*.

Didact. Caractère de ce qui est cosmique.

COSMIQUE [kɔsmik] adj. — V. 1380; grec *kosmikos*, de *kosmos*. → Cosmo-.

◆ **1** Philos. De l'univers matériel. → **Universel.** *Espaces cosmiques. Matières cosmiques :* matière dont se forment les mondes.

1　Pour donner une idée du rôle que peut jouer la matière cosmique répandue dans les espaces interplanétaires (...)
　　　　　L. FIGUIER, l'Année scientifique et industrielle
　　　　　　　　　　　　　　　　　　1883, p. 17 (1882).

Qui concerne l'univers physique, le monde extérieur.

2　Quant à moi, qui ne suis pas un auteur «cosmique», et qui m'y résigne, je ne me sens pas à l'étroit dans ce monde intérieur, j'ai mes raisons de m'y trouver heureux.
　　　　　F. MAURIAC, le Nouveau Bloc-notes 1958-1960,
　　　　　　　　　　　　　　　　　　　　　　p. 213.

◆ **2** (1863). Plus cour. Du monde extra-terrestre, du cosmos en tant qu'espace à parcourir. *Les corps cosmiques.* → **Astral, céleste.** *Vaisseau cosmique.* → **Spatial.** *Voyage cosmique.* → **Interplanétaire, interstellaire.**

3　Je suis devenu, brusquement, beaucoup plus vieux que toi, depuis ces histoires d'ère atomique, de vaisseaux cosmiques, et de temps qui court si vite.
　　　　　P. GUTH, Lettre ouverte aux idoles, Dutronc, p. 80.

Influences cosmiques (sur la Terre). → **Astral, sidéral.**

◆ **3** Astron. [a] *Lever, coucher cosmique d'une étoile :* lever ou coucher d'une étoile dans le soleil levant et qui, de ce fait, ne peut être observé mais seulement calculé (opposé à *acronyque**).

[b] *Rayons cosmiques :* rayonnement de grande énergie, étudié sur terre par ses effets ionisants sur les atomes de l'atmosphère, et d'origine cosmique inconnue.

◆ **4** (1862, *amour cosmique*, Hugo). Littér. Infini, universel; extrêmement important.

4　Autour de moi tout était accablant de haine et d'ennui. Il faut dire aussi qu'il est *incroyable* cet ennui du bord, cosmique pour parler franchement. Il recouvre la mer, et le bateau, et les cieux. Des gens solides en deviendraient bizarres, à plus forte raison ces abrutis chimériques.
　　　　　CÉLINE, Voyage au bout de la nuit, 1932, p. 148,
　　　　　　　　　　　　　　　　　　　　　　in T.L.F.

DÉR. Cosmicité, cosmicien, cosmiquement. ◊ COMP. Acosmique.

COSMIQUEMENT [kɔsmikmɑ̃] adv. — V. 1380; de *cosmique*.

◆ **1** D'une manière cosmique.

◆ **2** (1746, *in* D.D.L.). Astron. Au moment du lever du soleil. → **Cosmique** (3., a). *Astre qui se couche cosmiquement.*

COSMO- Élément, du grec *kosmos* «ordre», et, par ext., «ordre dans l'univers», d'où «univers, monde», servant à former des mots savants dans le domaine de l'astronomie; ou du russe *kosmos* au sens d' «espace extra-terrestre», du grec *kosmos*. → **Cosmos**; cosmobiologie, cosmochimie, cosmodrome, cosmogare, cosmogénèse, cosmologie, cosmométrie, cosmonaute, cosmonef, cosmopathologie, cosmorama, cosmo-tellurique, cosmovision.

COSMOBIOLOGIE [kɔsmobjɔlɔʒi] n. f. — xxᵉ; de *cosmo-*, et *biologie*.

Didact. Biologie de l'espace extra-terrestre.

À la suite d'une *cosmochimie organique*, va-t-on voir apparaître aussi une *cosmobiologie?* Si les mêmes acides aminés que sur la Terre existent dans le cosmos, pourquoi ne les trouverait-on pas aussi (...) sous la forme de protéines?
　　　　　　　　La Recherche, nᵒ 9, févr. 1971.

DÉR. Cosmobiologique.

COSMOBIOLOGIQUE [kɔsmobjɔlɔʒik] adj. — 1948, *in* D.D.L.; de *cosmobiologie*.

Didact. De la cosmobiologie.

COSMOCHIMIE [kɔsmoʃimi] n. f. — 1964; de *cosmo-*, et *chimie*.

Biochim. Chimie des astres autres que la Terre; extension de la géochimie à l'ensemble du cosmos.

COSMODROME [kɔsmodʀom] n. m. — 1961, *in* P. Gilbert; de *cosmo-*, d'après *aérodrome*.

Base de lancement d'engins spatiaux (en Union Soviétique). *Le cosmodrome de Baïkonour.*

Fig. «*Le cosmodrome du show-business*» (Volkoff, le Retournement, p. 108).

COSMOGARE [kɔsmogaʀ] n. f. — 1973, *in* la Clé des mots; de *cosmo-*, et *gare*.

Techn. Station orbitale destinée à assurer les fonctions de gare pour les expéditions planétaires.

REM. On a proposé pour cette notion le mot *spatiogare* [spasjogaʀ] n. f.

COSMOGÉNÈSE [kɔsmoʒenɛz] n. f. — 1955, Teilhard de Chardin; de *cosmo-*, et *-génèse*.

Didact. Formation et évolution du cosmos, de l'univers (Teilhard de Chardin, le Phénomène humain). → **Cosmogonie.**

COSMOGONIE [kɔsmogɔni; kɔsmɔgɔni] n. f. — 1585; grec *kosmogonia*, de *kosmos*. → Cosmos.

Didact. Théorie (scientifique ou mythique) expliquant la formation de l'univers, ou de certains objets célestes. *Petite cosmogonie portative,* ouvrage de R. Queneau.

La cosmogonie est un genre littéraire d'une remarquable persistance et d'une étonnante variété, l'un des genres les plus antiques qui soient. On dirait que le monde est à peine plus âgé que l'art de faire le monde.
　　　　　VALÉRY, Variété I, 1924, p. 136, *in* T.L.F.

DÉR. Cosmogonique, cosmogoniste.

COSMOGONIQUE [kɔsmogɔnik; kɔsmɔgɔnik] adj. — 1796; de *cosmogonie*.

Didact. De la cosmogonie. *Mythe cosmogonique.*

C'est d'abord l'émerveillement des premiers jours devant cette enfance équatoriale, cette royauté des bêtes, cette fête de la lumière cosmogonique, ces aromates nouveaux.
　　　　　Paul MORAND, Rien que la terre, p. 42.

2 (...) de jeunes Ménapiens peu tentés par la voie violente des hommes de leur clan ont dû parfois se rendre, selon l'usage des Celtes continentaux, dans un séminaire druidique de l'île de Bretagne. Ils ont appris par cœur les vastes poèmes cosmogoniques et généalogiques, réservoirs des sciences de la race.

M. YOURCENAR, Archives du Nord, p. 29-30.

COSMOGONISTE [kɔsmɔgɔnist; kɔsmɔgɔnist] n. — 1877, in Littré Suppl.; de cosmogonie, et -iste.

Didact. et rare. Personne qui s'occupe de cosmogonie. → **Cosmographe** (2.).

COSMOGRAPHE [kɔsmɔgʀaf] n. — V. 1361; bas lat. cosmographus «géographe», du grec kosmographos «qui décrit (graphein; → -graphe) le monde (kosmos)».

♦ **1** Personne qui s'occupe d'astronomie descriptive (cosmographie*).

♦ **2** Personne qui étudie l'origine et l'évolution de l'univers. → **Cosmogoniste**.

COSMOGRAPHIE [kɔsmɔgʀafi] n. f. — 1512; grec kosmographia de kosmos (→ Cosmo-), et graphein (→ -graphie).

Didactique.

♦ **1** Vx. Théorie philosophique concernant l'origine et l'évolution de l'univers. → **Cosmogonie**.

♦ **2** Astronomie* de position, géométrique et descriptive. Cours de cosmographie. — Ouvrage traitant de ce sujet. Lire une cosmographie.

DÉR. **Cosmographique.**

COSMOGRAPHIQUE [kɔsmɔgʀafik] adj. — 1542; de cosmographie.

Didact. De la cosmographie (2.). Atlas cosmographique. Calculs cosmographiques.

COSMOLOGIE [kɔsmɔlɔʒi] n. f. — 1582; du lat. sc. cosmologia de cosmo- (→ Cosmo-), et logia (→ -logie).

Didactique.

♦ **1** Théorie philosophique ou scientifique de la formation (→ **Cosmogonie**) et de la nature de l'univers.

Ce premier thème suppose le contexte général d'une cosmologie, d'une doctrine fondamentale de la nature qui étend un système commun de déterminations aux sujets et aux choses, mêlant des déterminations de choses, comme l'idée de nature, et des déterminations de sujet, comme l'idée d'appétit.

RICŒUR, Philosophie de la volonté, 1949, p. 180, in T. L. F.

♦ **2** (Milieu xxe; d'après l'angl. cosmology) Théorie générale de l'espace-temps. → **Astrophysique**.

DÉR. **Cosmologique, cosmologiste.**

COSMOLOGIQUE [kɔsmɔlɔʒik] adj. — 1582; de cosmologie.

Didactique.

♦ **1** Relatif à la cosmologie (1 ou 2). Théories cosmologiques. Position du problème cosmologique par la relativité généralisée. «À partir de 1924, Hubble établissait la première relation entre deux quantités observables d'intérêt cosmologique : le décalage spectral et la luminosité apparente des galaxies» (la Recherche, janv. 1978, p. 38).

♦ **2** Philos. scolast. Preuve cosmologique (de l'existence de Dieu), par l'existence du monde.

COSMOLOGISTE [kɔsmɔlɔʒist] n. — 1838; de cosmologie.

Didact. Spécialiste de la cosmologie (astronome ou philosophe). «Le but des cosmologistes est de tenter d'intégrer ces observations (de Hubble, Penzias et Wilson...) dans une description géométrique et physique de l'univers...» (la Recherche, janv. 1978, p. 38).

REM. La var. virtuelle cosmologue n'est pas attestée.

COSMOMÉTRIE [kɔsmɔmetʀi] n. f. — 1801; cosmimométrie, 1664; de cosmo-, et -métrie.

Vieilli. Science qui s'occupe de la mesure de l'Univers. → **Astronomie; cosmologie**.

COSMONAUTE [kɔsmɔnot; kɔsmonot] n. — 1934; de cosmo-, du russe kosmos (→ 1. Cosmos), et -naute.

Cour. Voyageur de l'espace, occupant d'un véhicule spatial. → **Astronaute**. «Les Vostok et leurs cosmonautes avaient survolé à plus faible altitude encore les États-Unis» (Science et Vie, nº 590, p. 127). — REM. Le mot ne s'emploie guère qu'en parlant des expériences spatiales soviétiques; dans les autres cas, on dit astronaute, qui semble plus usuel, ou spationaute.

DÉR. **Cosmonautique.**

COSMONAUTIQUE [kɔsmɔnotik; kɔsmonotik] adj. — V. 1961; de cosmonaute.

Rare. Des cosmonautes. «La biologie cosmonautique» (Science et Vie, nº 571, p. 80).

COSMONEF [kɔsmɔnɛf] n. f. — V. 1963, in Gilbert; de cosmo- (russe kosmos), et nef.

Vaisseau spatial.

REM. La forme astronef semble vieillie; on trouve aussi spationef.

COSMOPATHOLOGIE [kɔsmopatɔlɔʒi] n. f. — D. i.; de cosmo-, et pathologie.

Didact. (Mod.). Étude des effets nuisibles exercés sur l'organisme par divers facteurs cosmiques (soleil, rayons cosmiques).

COSMOPOLITE [kɔsmɔpɔlit] n. et adj. — 1560; grec kosmopolitês «citoyen (politês) du monde (kosmos)».

♦ **1** N. et adj. (1560). Vx. (Personne) qui se considère comme citoyen de l'univers.

(1560). (Personne) qui vit indifféremment dans tous les pays. Un, une cosmopolite. Des voyageurs cosmopolites.

Il faut n'avoir ni foyer, ni patrie pour rester à Paris. Paris 1 est la ville du cosmopolite ou des hommes qui ont épousé le monde et qui l'étreignent incessamment avec le bras de la Science, de l'Art ou du Pouvoir.

BALZAC, la Recherche de l'Absolu, Pl., t. IX, p. 492.

Aux yeux de ceux qui l'observaient incomplètement, il (le 1.1 prince Dakkar) passait peut-être pour un de ces cosmopolites, curieux de savoir, mais dédaigneux d'agir, pour un de ces opulents voyageurs, esprits fiers et platoniques, qui courent incessamment le monde et ne sont d'aucun pays.

J. VERNE, l'Île mystérieuse, t. II, p. 804 (1874).

♦ **2** Adj. (1831). Mod. Qui s'accommode de tous les pays, de mœurs nationales variées. Existence, vie cosmopolite. Mœurs cosmopolites. Esprit cosmopolite.

Le style n'est pas, comme la pensée, cosmopolite : il a une 2 terre natale, un ciel, un soleil à lui.

CHATEAUBRIAND, Mémoires d'outre-tombe, t. II, p. 144.

♦ **3** Adj. (1825). Plus cour. Qui comprend des personnes de tous les pays; qui subit des influences de nombreux pays (opposé à national). Ville cosmopolite. Quartier cosmopolite.

3 C'était un grouillement cosmopolite inimaginable, dans lequel dominait en grande majorité l'élément grec.
LOTI, Aziyadé, III, XXXI, p. 117.

♦ **4** Adj. (1784). Didact. Qui a une répartition géographique très large. *Animal, plante cosmopolite.*

CONTR. Chauvin, nationaliste, patriote. — Autochtone, sujet. — Citoyen, indigène. ◊ DÉR. Cosmopolitisme.

COSMOPOLITISME [kɔsmɔpɔlitism] n. m. — 1823; *cosmopolisme*, 1739; de *cosmopolite*.

♦ **1** Disposition à vivre en cosmopolite (1.); état d'esprit des cosmopolites.

1 Enfin, l'humanisme est aussi quelque chose d'entièrement différent du cosmopolitisme, simple désir de jouir des avantages de toutes les nations et de toutes leurs cultures, et généralement exempt de tout dogmatisme moral.
Julien BENDA, la Trahison des clercs, III, p. 159.

2 Pourquoi regretterais-je Paris plus que Florence ou Weimar ou Oxford, toutes villes chéries que j'ai voulu voir dès dix-huit ans et qui vont s'abîmer dans le prochain tremblement de terre? Je vous jure que je les regrette également, que j'ai autant besoin de l'une que de l'autre. Ce n'est pas vague cosmopolitisme, mais ce sont les noms des villages de l'étroite république qu'est la république des hommes.
DRIEU LA ROCHELLE, la Comédie de Charleroi, p. 286.

♦ **2** Caractère d'un lieu, d'une réunion cosmopolite.

3 (...) on se contenta d'un concert-salade où furent joués les morceaux en vogue des grands opéras de tous les pays. Ceci était commandé par le cosmopolitisme de la réunion.
A. ROBIDA, le Vingtième Siècle, p. 114.

COSMORAMA [kɔsmɔrama] n. m. — 1811, cit.; de *cosmo-*, et *-(o)rama*.

Vx. Panorama* présentant des vues de pays lointains (spectacle à la mode au début du XIXᵉ siècle).

M'expliquera-t-on pourquoi la curiosité (...) ne conduit personne au Cosmorama, où les tableaux sont plus vastes, plus intéressants et surtout plus variés?
JOUY, l'Hermite de la chaussée d'Antin, p. 23, *in* D.D.L., II, 5.

1. COSMOS [kɔsmos] n. m. — 1847; *kosmos*, 1827; grec *kosmos* «bon ordre; ordre de l'univers; monde, univers». → Cosmo-.

♦ **1** Philos. L'univers considéré comme un système bien ordonné.

1 Si l'on pose, avec Pythagore, que le Cosmos est le lieu de l'existence réglée et uniforme et l'Ouranos le lieu du devenir et du mouvant, on peut dire que toute la métaphysique moderne porte l'Ouranos au sommet de ses valeurs et tient le Cosmos en fort médiocre estime.
Julien BENDA, la Trahison des clercs, III, p. 177.

♦ **2** (1959; russe *kosmos*, du grec). Espace extraterrestre où se déplacent les engins spatiaux. *Envoyer une fusée dans le cosmos. Voyage dans le cosmos. Relatif au cosmos.* → **Spatial.**

2 Le timide et charmant commandant Glenn, retour du cosmos (...)   MALRAUX, Antimémoires, Folio, p. 11.

HOM. 2. Cosmos.

2. COSMOS [kɔsmos] n. m. — 1838; lat. sc. *cosmos*, du grec *kosmos* «ornement».

Bot. Plante ornementale *(Composées)* cultivée pour son feuillage et ses fleurs.

HOM. 1. Cosmos.

COSMO-TELLURIQUE [kɔsmotelyrik] adj. — 1928; de *cosmo-*, et *tellurique*.

Didact. Qui relève des influences du milieu physique ambiant.

COSMOTRON [kɔsmɔtrɔ̃] n. m. — 1952; angl. *cosmotron*, 1949, de *cosmic (rays)* «rayons cosmiques», et *-tron*. → Cyclotron.

Phys. Appareil accélérateur de particules (protons) du type synchrotron*.

COSMOVISION [kɔsmovizjɔ̃] n. f. — XXᵉ; de *cosmo-*, et *(télé)vision*.

Transmission par télévision à la terre entière.

CO-SOUVERAINETÉ [kosuvʀɛnte] n. f. — 1797, *in* D.D.L.; de *co-*, et *souveraineté*.

Didact. Souveraineté partagée, exercée avec un autre.

Tout se ramène à la question co-souveraineté dont les nationalistes ne veulent pas.   1
F. MAURIAC, Bloc-notes 1952-1957, p. 80.

(...) ils renieraient Mohammed ben Youssef si celui-ci se résignait à la co-souveraineté qui pour eux demeure un piège (...)   F. MAURIAC, Bloc-notes 1952-1957, p. 80.   2

COSSARD, ARDE [kɔsar, ard] n. et adj. — 1898; p.-ê. de *cossu* (le cossu étant suffisamment riche pour ne pas travailler); P. Guiraud rattache le mot au dial. (poitevin) *cossard* «souche», d'où par métaphore «personne lourde» (XVIIᵉ-XIXᵉ), p.-ê. sous l'infl. de *cossarde* «buse», animal réputé pour sa passivité.

Fam. Paresseux. → **Flemmard.** *C'est une sacrée cossarde. Remue-toi un peu, cossard! — Il est gentil, mais un peu cossard.*

— Ils dorment déjà, ceux-là! ... Quels cossards!
— Vous l'avez dit, chef .... Y a que moi qui travaille ici (...)
J. BECKER et J. GIOVANNI, le Trou (scénario de film), *in* l'Avant-Scène, nᵒ 13, p. 40.

CONTR. Courageux, travailleur. ◊ DÉR. 2. Cosse.

1. COSSE [kɔs] n. f. — V. 1225; probablt d'un lat. pop. *coccia*, lat. class. *cochlea* «coquille d'escargot», p.-ê. par croisement avec *coccum* «coque»; mais cette hypothèse est contestée par P. Guiraud qui propose l'étymon gallo-roman *costeus*, de *costa* «côté, flanc».

♦ **1** Enveloppe qui renferme les graines (de légumineuses). → **Gousse.** *Cosse de haricots, de fèves, de pois. Cosse dure, ferme, tendre. Ôter un légume de la cosse.* → **Écosser.**

(1398). Enveloppe des graines (d'autres végétaux). *Une cosse de châtaigne.* → **Bogue.**

Nos châtaignes ne sont pas moins bizarres, pas moins belles que ces graines dont on ne voit à terre que les cosses velues.   1
GIDE, Voyage au Congo, *in* Souvenirs, Pl., p. 746.

Enveloppe des graines (de quelques arbustes). *Cosse de genêt, de baguenaudier* (→ 1. Baguenaudier, cit.).

(...) la crépitante cosse de l'ajonc mûr (...)   2
COLETTE, Flore et Pomone, *in* Gigi, p. 143.

♦ **2** Techn. Ⓐ (1751). Couche supérieure (d'une ardoisière*).

Ⓑ (1752). *Parchemin en cosse* : peau de mouton dont on a seulement fait tomber la laine.

♦ **3** Ⓐ (1552). Mar. Anneau métallique qui recouvre et protège la boucle d'un cordage. *Cosses baguées.*

Ⓑ (XXᵉ). Électr. Anneau métallique fixé à l'extrémité d'un conducteur et pouvant être fixé sur une borne. *Les cosses de la batterie d'une voiture.*

DÉR. Cossette. ◊ COMP. Écosser. ← HOM. 2. Cosse; formes du v. cosser.

2. COSSE [kɔs] n. f. — 1900; de *cossard*.

Fam. Paresse. → **Flemme.** *Il a une de ces cosses!*

J'ai voulu reprendre le boulot aux docks, mais c'était complet. J'avais la poisse. Et moi pour le boulot, tu sais, j'ai pas la bosse et comme les petis pois j'ai la cosse.
Jean GENET, Querelle de Brest, p. 175.

HOM. 1. Cosse; formes du v. **cosser.**

COSSER [kɔse] v. intr. — 1559; adapt. de l'ital. *cozzare*.

♦ **1** (1559). **Régional** ou **vx.** Heurter de la tête l'un contre l'autre, en parlant des béliers. *Béliers qui cossent.*

♦ **2** (1823). **Fig.** et **vx.** Lutter en heurtant de front.

COSSETTE [kɔsɛt] n. f. — Fin xvᵉ; de 1. *cosse*, et *-ette*.

♦ **1** (Fin xvᵉ). **Vx.** Petite cosse.

♦ **2** (Av. 1869). **Techn.** Lamelle (de betterave à sucre, de racine de chicorée).

1. COSSON [kɔsɔ̃] n. m. — Fin xiᵉ; du bas lat. *cossone*, du lat. impérial *cossus* «ver du bois». → Cossus.

♦ **1** (Fin xiᵉ). Insecte coléoptère *(Curculionidés)*, genre de charançon qui vit dans les souches de peupliers et de saules.

♦ **2** (Fin xiiiᵉ). Charançon* qui attaque le blé, les pois.

HOM. 2. Cosson; forme du v. **cosser.**

2. COSSON [kɔsɔ̃] n. m. — 1700; probablt forme méridionale de *courson**.

Régional. Nouveau sarment que pousse une vigne que l'on a taillée.

HOM. 1. Cosson; forme du v. **cosser.**

COSSU, UE [kɔsy] adj. — 1378; de *cosse*, et suffixation adjectivale.

Ⅰ (1580). **Vx.** Qui a beaucoup de cosses. *Des pois bien cossus. Tiges de fèves cossues.*

Ⅱ (1378). **Mod.** (style soutenu). Personnes. Qui une large aisance. → **Riche.** *C'est un homme cossu. Bourgeois cossu.*

(1830). **Choses.** Qui dénote l'aisance, l'opulence. *Mobilier cossu. Maison cossue. Toilette, mise cossue.*

1 Château, ou maison bourgeoise très cossue, avec des communs spacieux, une ferme, et environ huit hectares de terres.
J. ROMAINS, les Hommes de bonne volonté, t. V,
IX, p. 74.

2 Pas de flafla (...) comme on en voit dans de certaines maisons de Paris; mais du confortable sérieux, un air de décence riche, de vie provinciale cossue, régulière et calme.
O. MIRBEAU, le Journal d'une femme de chambre,
p. 16.

N. m. (1848). **Vieilli.** *Le cossu* : ce qui est cossu, le genre cossu.

CONTR. Pauvre ◊ **DÉR. Cossard.**

COSSUS [kɔsys] n. m. — 1798; lat. sc. *cossus*, lat. class. *cossus* «ver du bois». → 1. Cosson.

Zool. Insecte lépidoptère *(Cossidés)* dont la chenille ronge le bois des arbres ou arbustes. *Le cossus s'appelle aussi* gâte-bois *ou* ronge-bois.

COSTAL, ALE, AUX [kɔstal, o] adj. — 1550; du lat. médiéval *costalis*, du lat. class. *costa* «côte».

♦ **1** **Anat.** Qui appartient aux côtés. *Muscles, nerfs costaux. Vertèbres costales. Région costale.*

♦ **2** **Sport.** *Saut costal*, qui s'exécute le flanc tourné vers la barre.

COMP. Intercostal, sous-costal. ◊ **HOM.** (Du m. plur.) **Costaud.**

COSTARD ou **COSTAR** [kɔstaʀ] n. m. — 1926; d'abord «habit de forçat»; de *costume*, et *-ard*.

Fam. Costume d'homme. *Il a un chouette costard. Il a mis son costard du dimanche.*

(...) les mecs qui vont sortir ce matin avec des costards taillés dans mes couvrantes, ils vont avoir une surprise (...)
Joseph JOFFO, Baby-Foot, p. 197.

COSTAUD ou **COSTEAU** [kɔsto] adj. et n. — Av. 1806, *costeau*, cf. *costel* «souteneur» en argot, 1846; *costaud*, 1884; de 1. *côte*, littéralt «homme qui a de fortes côtes», et *-eau, aud* avec infl. du provençal *costo* «côte, nervure».

Familier.

♦ **1** **ⓐ** → 1. **Fort, robuste;** argot. **balès.** *Un type costaud. Il n'est pas très costaud.*

Souvent, les types les plus costauds s'emparent ainsi des charges légères et partent vite de l'avant, pour éviter le contrôle.   1
GIDE, Voyage au Congo, in Souvenirs, Pl., p. 767.

Au fém. *Costaude* ou *costaud. Elle est rudement costaud! Elles sont plutôt costaud* (invar.), *costaudes.*

La belle-mère est d'une délicatesse adorable; frêle d'apparence, mais costaude en vérité; une vraie femme d'intérieur; ravissante à vingt ans, elle fait illusion à quarante-neuf.   2
Christine ARNOTHY, Un type merveilleux, 1972,
p. 31.

N. *(Un, une costaud* ou *costaude). Un gros costaud* (→ une vraie armoire* à glace).

À gauche, des blouses crasseuses; des peaux plus rouges, quelques carrures de costauds (...)   3
J. ROMAINS, Les Hommes de bonne volonté, t. III,
III, p. 47.

ⓑ Résistant, robuste; qui n'est pas souvent fatigué ou malade.

♦ **2** Qui a de vastes connaissances. → **Calé,** 1. **fort, fortiche.** — **N. m.** Homme compétent. *C'est un costaud en maths.*

(**Choses**). Qui est fort (du point de vue moral), réussi. *Ça, c'est un coup costaud, c'est costaud.*

♦ **3** (**Choses concrètes** ou **abstraites**). Solide, résistant; puissant. *Ce tissu est drôlement costaud. Son camion a un moteur plutôt costaud.*

♦ **4** **Adv.** Puissamment. *«Ils jouent gonflé, cambré, musclé, ils jouent costaud les Écossais...»* (L.-F. Céline, *Mort à crédit*, 1936, p. 312, *in* T. L. F.).

CONTR. Faible. ◊ **HOM.** Plur. de **costal.**

1. COSTIÈRE [kɔstjɛʀ] n. f. — Répandu xxᵉ; empr. languedocien, cf. provençal *coustiero; costiere* «côté», «côte, rivage» et «versant d'une montagne», xiiᵉ; de *coste* «côte»; conservé dans ce sens dans les dialectes d'oc.

Géogr. et **régional.** Nappe de graviers, de cailloux en pente, dans certains plateaux du Languedoc. — Cette pente, plantée de vignes. *Vin des costières du Gard.* → 2. **Côte, coteau.**

HOM. 2. Costière.

2. COSTIÈRE [kɔstjɛʀ] n. f. — 1313, *costere* «poutre d'appui»; même orig. que 1. *costière.*

Technique.

♦ **1** (1757, «encadrement de pierre d'un four»). Encadrement de pierre en saillie d'une cheminée.

♦ **2** (1869). Vide, trappe dans le plancher de la scène (sur le côté), servant à faire passer les décors.

La pente assez rapide de la scène l'avait surpris (...) Par les costières ouvertes, on apercevait les gaz brûlant dans les dessous.   ZOLA, Nana, in Romans, Pl., t. II, p. 1206.

♦ **3** → Côtière.

HOM. 1. Costière. — (De *côtière*) fém. de **côtier, côtière.**

COSTO- Élément correspondant à côte, (lat. *costa*) servant à former des composés en anatomie et chirurgie. Ex. : *costo-coracoïde*, adj. (1805); *costo-abdominal*, adj. (*Larousse XIXᵉ siècle*); *costo-inférieur*, *costo-supérieur*, adj. (1924).

COSTRESSE [kɔstʀɛs] n. f. — 1491; terme wallon, dér. de *coste*, 2. *côte*, et *-eresse*.

Techn. (mines). Galerie qui relie les chantiers en exploitation à la galerie d'évacuation.

COSTUME [kɔstym] n. m. — 1662; *coustume* «manière d'être extérieure consacrée par l'usage», 1641; ital. *costume*, proprt «coutume». → Coutume.

I Vx. Ensemble des caractéristiques d'une époque, des mœurs, des coutumes d'un peuple; spécialt, couleur locale (dans une œuvre). — REM. Ce sens est encore vivant vers 1850, cf. Balzac, Sainte-Beuve, Delacroix, *in* T. L. F.

II Mod. ◆ **1** (1747). Manière de se vêtir particulière à un pays, une époque, une condition. → Accoutrement, équipage, habillement, habit, vêtement. *Le costume grec, latin, oriental. Le costume du clergé, de la magistrature. Les Jacobins réclament un costume national* (→ Pantalon, cit. 3). *Histoire du costume en Europe.*

1 (...) *les nouveaux styles en musique sont comme les costumes étrangers, ridicules aux yeux des esprits étroits, routiniers ou superficiels.*
BERLIOZ, Beethoven, p. 15.

◆ **2** Pièces d'habillement qui constituent un ensemble. → Vêtement; tenue. *Costume de bal, de bal masqué* (→ Domino), *de carnaval. Costumes de théâtre, de scène. Les décors et les costumes sont très réussis. Louer un costume.*

2 *Il y a une troupe de petits comédiens en costumes, aperçus sur la route à travers la lisière du bois.*
RIMBAUD, les Illuminations, l'«Enfance», III.

EN COSTUME... *Acteurs en costumes*, habillés d'un costume de scène. — *Bal en costume.* → Costumé. *Être en grand costume* (→ En grand uniforme*). *En costume d'apparat, de cérémonie.*

◆ **3** Cour. Vêtement d'homme composé d'une veste, d'un pantalon, et parfois d'un gilet. → Costard (fam.). *Les trois pièces du costume d'homme.* → Complet-veston (cit.); *veste, gilet, pantalon. Costume trois pièces, costume deux pièces* (veste et pantalon). *Costume habillé, costume du soir.* → Habit, smoking. *Se faire faire un costume sur mesure par un tailleur. Costume de confection. Costume en pure laine, en velours. Costume d'été.* — (1895, *in* D. D. L.). Vieilli. *Costume tailleur* : vêtement féminin composé d'une veste et d'une jupe. → Tailleur. — *Son costume lui va bien* (→ Il est tiré à quatre épingles*). *Costume qui tombe bien. Costume de bonne coupe. Mettre, porter, revêtir un costume. Être vêtu d'un costume clair, foncé. Il a mis son beau costume des dimanches. Un vieux costume.*

3 *Jean étrennait* (...) *son premier costume d'homme et certain petit chapeau de feutre marron à ruban de velours, qu'il portait très en arrière, à la façon d'un matelot.*
LOTI, Matelot, II, p. 6.

◆ **4** Fig. → Déguisement; habit.

4 *C'est vrai!* (*reprit Bonaparte*). *Tragédien ou Comédien. Tout est rôle, tout est costume pour moi depuis longtemps et pour toujours.*
A. DE VIGNY, Servitude et Grandeur militaires, III, v, p. 209.

5 *Dans ce costume de la pièce qu'est le décor* (...)
Louis JOUVET, Réflexions du comédien, p. 189.

Fig. et fam. *En costume d'Adam :* tout nu. → Appareil (cit. 11).

DÉR. Costard, costumer, costumier. ◊ HOM. Formes du v. costumer.

COSTUMER [kɔstyme] v. tr. — 1792; de *costume*.

◆ **1** Vx. Revêtir (une personne, un animal d'un certain costume). → Habiller, vêtir.

◆ **2** Mod. Vêtir d'un costume typique et inhabituel. → Déguiser. *On a costumé les enfants en cow-boys.* — *Costumer un singe.*

◆ **SE COSTUMER** v. pron.

◆ **1** Vx. S'habiller.

(...) *au pays basque* (...) *les femmes et les filles des moindres villages ont toutes pris l'habitude de se costumer au goût du jour, avec une élégance inconnue aux paysannes des autres provinces françaises.*
LOTI, Ramuntcho, I, III, p. 30.

◆ **2** Mod. Se déguiser, se revêtir d'un costume, typique et inhabituel (costume de bal, de théâtre, déguisement...). *Il s'était costumé en pierrot.*

◆ **COSTUMÉ, ÉE** p. p. et adj. (1785).

◆ **1** Déguisé, revêtu d'un costume de bal, de théâtre. *Acteurs costumés*, en costume. «*Une scène de "Bérénice" jouée par des acteurs non costumés*» (Mauriac, *in* T. L. F.). *Des enfants costumés en astronautes.* → Déguisé.

◆ **2** *Bal costumé*, où les danseurs sont travestis.

COSTUMIER, IÈRE [kɔstymje, jɛʀ] n. — 1799; de *costume*.

◆ **1** Personne qui fait, vend ou loue des costumes* (II. 2.) : *costumes de théâtre, travestis, déguisements.*

◆ **2** Personne qui s'occupe des costumes d'une représentation théâtrale, d'un spectacle. *Costumier de théâtre. Elle est costumière dans un music-hall* (→ aussi Habilleur, autre sens).

Le costumier se croit exact en donnant à Dandini un costume très ponctuel de grand seigneur du temps de Louis XV (...) E. DELACROIX, Journal, 17 nov. 1853.

HOM. Forme du v. costumer.

COSTUS [kɔstys] n. m. — V. 1150, *coste*; lat. class. *costum*, du bas lat. *costus*, du grec *kostos*.

Bot. Plante tropicale, herbacée, vivace (*Zingibéracées*). On pensait que le rhizome du costus servait à préparer la thériaque*.

1. COSY [kozi] n. m. — 1904, *in* D. D. L.; mot angl. signifiant «confortable».

Anglic. (rare). Enveloppe fourrée qu'on met sur un plat, une théière, etc., pour en conserver la chaleur. → Couvre- (couvre-plat, couvre-théière).

Le composé anglais *tea-cosy* [tikozi] est également attesté en français.

(...) *elle avait* (...) *assez de personnalité pour être distinguée de ces poupées de tea-cosy que l'on rencontrait par douzaines dans les réceptions* (...)
Maurice DENUZIÈRE, Louisiane, p. 93.

HOM. 2. Cosy.

2. COSY [kozi] ou **COSY-CORNER** [kozikɔʀnœʀ; kozikɔʀnɛʀ] n. m. — 1946; *cosy-corner*, 1906; angl. *cosy corner* «coin confortable» (*cosy-corner* ne désignant pas un meuble, en anglais).

Anglic. (vieilli, surtout *cosy-corner*, à la mode v. 1930-1950). Divan muni d'une étagère et que l'on place généralement dans l'encoignure d'une pièce. *Des cosy-corners; des cosies; des cosys.*

1 Elle s'était arrêtée dans la nouvelle installation de sa chambre, et couchait sur un matelas. Il serait toujours temps (...) d'avoir un cosy-corner et un divan de panne.
GIRAUDOUX, les Aventures de Jérôme Bardini,
p. 79.

2 (...) la poignante nostalgie des édredons en satin, des abat-jour tamisants, des plantes vertes et des cosys (...)
F. MALLET-JORIS, le Jeu du souterrain, p. 138.

COTABLE [kɔtabl] adj. — Av. 1866; «qui mérite d'être noté», av. 1606; de *coter*.

Fin. Qui est susceptible d'être coté en Bourse.

COTANGENTE [kɔtɑ̃ʒɑ̃t] n. f. — 1721; adapt. du lat. sc. *cotangens, -entis*, t. formé par le mathématicien anglais E. Gunter (1620), de *co-*, et *tangens*. → Tangent.

Math. *Cotangente d'un arc, d'un angle :* rapport du cosinus au sinus de cet arc, de cet angle (symb. : *cotg*). *La cotangente est l'inverse de la tangente, et la tangente du complément* (d'un arc, d'un angle). — Appos. *Fonction cotangente,* qui à un nombre réel fait correspondre la cotangente de l'angle dont ce nombre est la mesure. — *Cotangente hyperbolique*.*

(...) de purs poètes tous ces savants ! Voyez Le Verrier. Il lui manque une planète, il l'espère de toutes ses forces, il l'appelle à coups de logarithmes et de cotangentes : quelques années plus tard, la planète est là.
A. BLONDIN, les Enfants du bon Dieu, p. 178.

COTATION [kɔtasjɔ̃] n. f. — 1527, *quottation; de coter* (*quoter*), et *-ation.*

♦ **1** Techn. Attribution d'une cote, de cotes. Chiffres indiquant sur un plan d'architecture les dimensions des ouvrages. Attribution d'une cote à un document, un ouvrage en vue de le classer; cette cote. *La cotation des livres, des manuscrits dans une grande bibliothèque.* Journal. Le fait de porter sur la copie les indications nécessaires à la composition.

♦ **2** (1929). Action de coter* les valeurs, résultat de cette action. *Cotation des titres en Bourse.* → **Cote, cours.** *Cotation boursière.* Comm. Indication du prix d'une marchandise.

♦ **3** Alpin. Chiffre ou lettre indiquant la difficulté d'un passage, d'une course.

COMP. Sous-cotation.

COT COT CODAC [kɔtkɔtkɔdak], **COT COT CODEC** [kɔtkɔtkɔdɛk] interj. — 1881; onomat. du gloussement de la poule.

Onomatopée évoquant le gloussement de la poule lorsqu'elle va pondre ou lorsqu'elle a pondu.

DÉR. Cotecoder.

COTE [kɔt] n. f. — 1390, *quote;* lat. médiéval *quota*, du lat. class. *quotus* «en quel nombre», *quota pars* «part qui revient à chacun».

♦ **1** (1600). Marque alphabétique ou numérale servant au classement d'un inventaire, des pages d'un registre d'état civil, etc. *Pièce sous la cote A, B, 3, 4. Cote de placement.* — Par métonymie. Document portant une cote.

♦ **2** (1784). Constatation officielle des cours (d'une valeur, d'une monnaie, d'une marchandise) qui se négocient par l'intermédiaire d'agents qualifiés.

Spécialt. Bourse. Cours constatés par les agents de change sur les valeurs qui se négocient au parquet. → **Cotation, cours.** *Valeur ayant une cote exceptionnelle.*

1 On peut voir, dans cette cote qui est inscrite en toutes les pages des journaux, comment elle vient en concurrence ici et là avec d'autres valeurs.
VALÉRY, Regards sur le monde actuel, p. 228.

1.1 Bientôt ils lurent à haute voix une foule de bulletins qui, remis entre leurs mains par les joueurs groupés autour d'eux, contenaient des ordres d'achat et de vente écrits en piètres vers de douze pieds pleins de chevilles et d'hiatus. Une cote s'établit suivant l'importance de l'offre ou de la demande, et les actions, aussitôt payées et livrées, passèrent de main en main.
Raymond ROUSSEL, Impressions d'Afrique, p. 323.

1.2 Tout à l'heure, bientôt, avant de m'endormir, je ferai comme chaque soir, les cotes du jour en main, le compte de ma fortune.
Claude MAURIAC, le Dîner en ville, p. 239, 1959.

Tableau indicateur des cours officiels, publié chaque jour par le syndicat des agents de change. *Cote officielle. Valeurs admises à la cote de la Bourse. Actions inscrites à la cote. Cote des valeurs en banque. Cote des changes. Cote à terme. Cote au comptant* (→ Cause, cit. 5).

2 Toutes les valeurs admises à la *Cote officielle,* que publie chaque jour la chambre syndicale des agents de change, ne peuvent pas être négociées à terme. Aussi, la cote officielle est-elle divisée en deux parties : dans la première figurent les cours cotés au comptant, et dans la seconde, beaucoup plus courte que l'autre, les cours cotés à terme.
Paul REBOUD, Précis d'économie politique, p. 13.

Hors-cote. *Titre hors-cote :* titre qui, dans une Bourse de valeurs, se négocie par des intermédiaires autres que les agents de change.

Comm. Cours officieux de marchandises (en général d'occasion). *Cote des voitures d'occasion.*

♦ **3** (1390). Dr. fisc. Montant d'une cotisation, d'un impôt demandé à chaque contribuable. Ancienn. *Cote mobilière. — Cote foncière. Payer sa cote* (→ Quote-part).

Loc. fig. **COTE MAL TAILLÉE :** répartition approximative; compromis, transaction. *Accepter, faire une cote mal taillée.* → **Compromis, transaction** (→ Couper la poire* en deux).

3 Le régent demanda l'avis à Besons, qui barbouilla et qui proposa une cote mal taillée.
SAINT-SIMON, Mémoires, 426, 152, *in* LITTRÉ.

♦ **4** (1877). Hippisme. *Cote d'un cheval :* estimation de la valeur de l'animal, et de ses chances de victoire, et, spécialt, taux des paris aux courses. — Loc. *Pari à la cote :* pari où les gains sont annoncés à l'avance.

♦ **5** Note attribuée. *La cote d'un devoir.* → **Note.** — Loc. Vieilli. **COTE D'AMOUR :** appréciation d'un candidat, basée sur une estimation de sa valeur morale, sociale. *Soigner sa cote d'amour :* être soucieux de se faire apprécier. — Par ext. *La cote d'amour d'un pays à l'étranger.* → Image* (II., 4.) de marque. Loc. Vieilli. *Être à la cote :* être apprécié par l'opinion.

Cote de popularité : résultat d'un sondage d'opinion sur la popularité d'une personne. *La cote de popularité du Premier ministre a encore baissé.* — Absolt. *La cote d'un homme politique, d'un ministre. Il a une cote fantastique.* → **Popularité.** *Sa cote a baissé dans les sondages.* — Loc. *Avoir la cote :* être apprécié, estimé. *Avoir la cote auprès de qqn. Le pauvre n'a vraiment plus la cote.*

4 (...) j'ai toujours redouté l' «emballement» sur le Maroc. Le Maroc, évidemment, en ce moment-ci, «a la cote», si j'ose ainsi parler. On est très bienveillant pour lui.
L.-H. LYAUTEY, Paroles d'action, p. 358.

Cote morale (d'un film), indication de sa valeur morale, selon un code (religieux, en général).

♦ 6 $\boxed{a}$ (1755). Chiffre indiquant un niveau (en topographie). *Cote de niveau, d'altitude* : indication sur une carte des niveaux *(courbe de niveaux)*. → **Nivellement.** *La cote 206* : le point qui, sur la carte, est coté 206. → **Altitude.** *Cote de 300 pieds au-dessus du niveau de la mer. — Les cotes d'une position*, les coordonnées de cette position.

5 S'efforcer de parvenir à la cote moins huit cents, au risque de se trouver la tête coincée dans un goulet rocheux (un siphon, comme disent ces inconscients !) me paraissait l'exploit de caractères pervertis ou traumatisés. Il y avait du crime là-dessous.   CAMUS, la Chute, p. 31.

COTE D'ALERTE : niveau d'un cours d'eau au delà duquel commence l'inondation. — Fig. Point critique, niveau au delà duquel une situation devient critique ; situation inquiétante. → **Crise.** *Atteindre, dépasser la cote d'alerte.*

$\boxed{b}$ (1799). Techn. Chiffre indiquant une dimension. *Cotes d'un dessin, d'une machine.* → **Dimension.** *Indiquer les cotes. Pièce usinée aux cotes requises. — Cote ronde* : cote qui a pour valeur un nombre entier. — Archit. Indication des dimensions sur un plan.

DÉR. Coter, cotiser. ◊ COMP. Décote. ◄ HOM. 1. **Cotte,** 2. **cotte, quote** ; formes du v. **coter.**

1. **CÔTE** [kot] n. f. — V. 1160, *coste* ; lat. *costa* «flanc, côté», et «partie en relief d'un objet».

$\boxed{\text{I}}$ **♦ 1** Anat. Os plat et courbé du thorax, qui s'articule sur la colonne vertébrale et qui rejoint ou non le sternum ; spécialt, cet os, dans l'espèce humaine. → **Costo-.** *Les douze paires de côtes. L'ensemble des côtes constitue la cage thoracique.* → **Côté.** *Portion osseuse, cartilagineuse d'une côte. Côtes vraies,* celles qui s'articulent directement sur le sternum. *Fausses côtes,* qui s'articulent par leur cartilage sur le sternum. *Côtes flottantes* ou *surnuméraires,* les deux dernières paires qui ne rejoignent pas le sternum. → **Costal.** *Artère et nerf des côtes.* → **Intercostal.** *Muscles sterno-costal, costo-abdominal, costo-vertébral des côtes. Douleur aiguë dans la région des côtes.* → **Côté** (point de).

1 Les côtes s'articulent avec la colonne vertébrale sur deux points différents, constituant deux articulations distinctes : la tête de la côte (...) c'est l'*articulation costo-vertébrale* (...) ; la tubérosité de la côte (...) c'est l'*articulation costo-transversaire.*
   L. TESTUT, Traité d'anatomie, I, p. 553.

Se briser, se fracturer, se fêler une côte. Côte froissée.

2 Notre malade n'ira pas jusqu'à demain. Il était déjà perdu. La moitié des côtes fracturées, un poumon en charpie (...)
   Léon BLOY, le Désespéré, V, p. 263.

Loc. *Bourrer les côtes de qqn (de coups),* lui donner des coups dans les côtes.

2.1 Mon voisin me bourra les côtes à coups de coude avec une hargne que je ne compris pas.
   M. TOURNIER, le Roi des Aulnes, p. 28.

Vieilli. *Mesurer, chatouiller, rompre, tricoter les côtes à quelqu'un.* → **Battre.**

On lui voit les côtes ; on lui compterait les côtes : il, elle est très maigre.

Fig. et fam. **AVOIR LES CÔTES EN LONG** : être paresseux ; (vx) être bizarre, original, étrange.

Se tenir les côtes de rire, et, ellipt., **SE TENIR LES CÔTES** : rire démesurément, s'esclaffer.

2.2 Je vous cherchais. Je vous croyais à la salle de jeux. La représentation est terminée et tout le monde fait ses valises. Mais qu'avez-vous, tous, à vous tenir les côtes ?
   Roger NAIM, l'Ère des truands, p. 84.

LA CÔTE D'ADAM : la côte de laquelle Dieu forma Ève, selon le texte de la Genèse. *Nous sommes tous de la côte d'Adam,* de la même extraction.

3 De la côte qu'il avait prise de l'homme, Yahweh Dieu forma une femme, et il l'amena à l'homme.
   BIBLE (CRAMPON), Genèse, II, 22.

Sortir de la côte de... : descendre de... (une ascendance très ancienne ou remarquable ; → La cuisse* de Jupiter).

Hist. *Côtes de fer* : sobriquet donné aux soldats de Cromwell.

♦ 2 Morceau de viande découpé près des côtes. *Côte de bœuf, de veau, de mouton.* → **Côtelette ; entrecôte.** *Côtes premières, secondes. Côte couverte. Côte d'aloyau, de surlonge*. Plat* de côte. — Côte de veau panée. Côtes de mouton grillées. Côtes d'agneau dans le filet. Côtes d'agneau servies non détachées.* → **Carré.** — *Côte de bœuf marchand de vin. Une côte à l'os,* servie avec l'os. *Côte de bœuf à la moelle.*

♦ 3 Loc. adv. (XIIIᵉ ; de *coste* «côté du corps»). **CÔTE À CÔTE** : l'un à côté de l'autre. → **Côté ; contre.** *Marcher côte à côte* (→ **Coudoyer**).

4 (...) gravée sur sa tombe, deux dates côte à côte, 1876-1926, séparées par un tiret.
   GIRAUDOUX, Bella, VI, p. 133.

5 Nous avons pensé des choses pures
Côte à côte, le long des chemins,
Nous nous sommes tenus par les mains (...)
   VALÉRY, Poésies, «Le bois amical».

N. m. Fait d'être côte à côte, de côtoyer. «*Ces pardons qui montent du côte-à-côte de la vie*» (Goncourt, *Manette Salomon,* p. 418).

$\boxed{\text{II}}$ (1530, «ridelle»). Partie saillante de divers objets.
♦ 1 (1676). Saillie qui orne la surface concave (d'une voûte), la surface convexe (d'un dôme). *Les côtes d'une coupole, d'un dôme.* Listel* qui sépare les cannelures d'une colonne.

Par analogie :

6 La salle, massive, obscure, soutenue par de lourds piliers romans, se rajeunissait à mi-corps, s'effilait en ogive, élançait à des hauteurs de cathédrale les arceaux de sa voûte qui se rejoignaient ainsi que les côtes des mitres abbatiales, en une pointe.
   HUYSMANS, Là-bas, XVII, p. 243.

Techn. *Côtes vénitiennes* : légères ondulations dans l'épaisseur du cristal.

♦ 2 (V. 1256). Grosse nervure (d'une feuille) formée par le prolongement du pétiole. *Côte de chou, de salade, de bette* (→ **Carde**), *de rhubarbe.*
Division naturellement marquée sur certains fruits. *Côte de melon. Côte de citrouille.* → **Tranche.**

7 Voilà un melon ; il faut qu'elle en mange une petite côte.
   Mᵐᵉ DE SÉVIGNÉ, 569, in LITTRÉ.

Côtes de bettes gratinées.

♦ 3 Rayure saillante (d'un tissu, d'un tricot). *Étoffe à côtes.* → **Côtelé.** *Les côtes d'un tricot. Bas* à côtes* (→ 2. **Bas,** cit. 2.1, Barbey d'Aurevilly). *Velours* à côtes.*

♦ 4 Mar. *Côtes d'un navire* : pièces de bois qui joignent la quille au plat-bord.

DÉR. Costaud, 2. **côte, côtelette.** — (Du sens II) **Côtelé** (cf. Costal). ◊ COMP. Entrecôte. ◄ HOM. 2., 3. **Côte.**

2. **CÔTE** [kot] n. f. — V. 1160 ; de 1. *côte,* même métaphore que *flanc.*

♦ 1 Pente qui forme l'un des côtés d'une colline. → **Coteau.** *Côte fertile, plantée de vigne, de bois. Sur la côte ; le long de la côte. Au bas de la côte. Écrêter une côte. — À mi-côte* : au milieu d'une côte. *Maison construite à mi-côte.* — Régional. Coteau planté de vignes. *Les côtes du Rhône.* → 1. **Costière, coteau.** *Vin des côtes du Rhône.* → **Côtes-du-Rhône.**

8   Pour laisser passer une ondée, je me réfugie dans la cour d'un très vieux temple, qui est à mi-côte, abandonné au milieu d'un bois d'arbres séculaires aux ramures gigantesques (...)   LOTI, Mᵐᵉ Chrysanthème, XXXII, p. 150.

Géogr. Relief formé par un talus (front) et par un plateau en pente douce à l'opposé (revers), dans une zone à couches alternées dures et tendres. *Relief de côtes.*

♦ **2** Route en pente. → **Pente, raidillon, rampe.** *Monter, gravir la côte. Descendre une côte.* — (Opposé à *descente*). → **Montée.** *Côte raide, pénible. Vitesse en côte d'une automobile. Rendement en côte.*

9   Maintenant que j'ai gravi la côte, je retourne la tête pour embrasser d'un regard tout l'espace que j'ai traversé si vite (...)   FRANCE, le Livre de mon ami, p. 8.

10   Cette voiture atteignait dans les lignes droites le cent à l'heure ; et dans les côtes, en échappement libre, elle faisait encore un assez beau grondement.

J. ROMAINS, les hommes de bonne volonté, t. V, XXIII, p. 195.

(1895). **Sport cycliste.** *Course de côte,* «disputée dans une rampe à fort pourcentage» (Petiot). *De la passion considérée comme une course de côte,* texte de A. Jarry, in *la Chandelle Verte.*

DÉR. Costresse, coteau. ◊ **HOM.** 1., 3. **Côte.**

3. CÔTE [kot] n. f. — 1530; de *côté* «côté, bord».

♦ **1** Rivage* de la mer. → **Bord, bordure, littoral, rivage ; cordon** (littoral). *Côte sablonneuse.* → **Plage.** *Côte escarpée.* → **Falaise.** *Côte basse, marécageuse, rocheuse, à pic, accore* ; inabordable, accostable, saine, malsaine. Côte court au Nord,* dont la direction est orientée sud-nord. *Les découpures de la côte.* → **Contour, échancrure.** *Route qui longe la côte.* → **Corniche.** *La côte et l'arrière-pays. Batterie de côte. Feu sur une côte.* → **Fanal, phare.** *La côte de France ; les côtes de France, les côtes françaises, italiennes. Les côtes de l'océan.*

11   (...) un petit village de la côte normande qui s'adosse à une forêt et qui descend doucement vers une plage de sable (...)   FRANCE, le Livre de mon ami, II, p. 11.

12   Une sorte de proportion heureuse existe en ce pays entre l'étendue des plaines et celle des montagnes, entre la surface totale et le développement des côtes ; entre les côtes mêmes, entre les falaises, les roches, les plages qui bordent de calcaire, de granit ou de sables le rivage de la France sur trois mers.

VALÉRY, Regards sur le monde actuel, p. 119.

Loc. *La côte d'Azur*,* ou ellipt, *la Côte* (avec une majuscule) : le littoral méditerranéen français des Alpes-Maritimes. → **Riviera ; azuréen** (2.).

12.1   La côte, c'est toujours un beau jardin, comme celui où j'écris en ce moment, avec, entre les pins, la Méditerranée.

F. MAURIAC, le Nouveau Bloc-notes 1958-1960, p. 356.

♦ **2** Partie de la mer aux approches de la terre, jusqu'à une certaine distance du large. *Une côte dangereuse. Côte frangée d'écueils. Côte pleine de bancs. Espace de mer peu profond, voisin de la côte.* → **Lagune.** *Côte infestée de pirates. Escadre qui paraît sur la côte.* → Mar. *Longer, ranger les côtes :* naviguer le long des côtes. *S'élever* d'une côte. Faire côte,* en parlant d'un navire qui s'échoue sur le bord d'une côte, ou qui fait naufrage. *Aller à la côte, être chargé en côte :* être poussé vers la côte, par le vent ou la mer.

13   Les anciens n'ayant pas de boussole, ne pouvaient naviguer que sur les côtes (...)

MONTESQUIEU, Grandeur et Décadence des romains, 4.

Loc. *Les Frères de la côte :* pirates, boucaniers.

♦ **3 Loc. fig.** *Être à la côte :* être sans ressources, sans argent.

DÉR. Côtier, côtoyer. ◊ **HOM.** 1., 2. **Côte.**

CÔTÉ [kote] n. m. — 1080, *Chanson de Roland,* au sens 1, b ; lat. pop. *costatum,* du lat. class. *costa* «côté».

A (En emploi libre). ♦ **1 a** Région des côtes (→ 1. Côte) qui s'étend depuis l'aisselle jusqu'à la hanche. → **Flanc.** *Avoir mal au côté. Recevoir un coup dans le côté. Être blessé au côté. Mettre les mains aux côtés.* → **Hanche** (mains aux hanches, sur les hanches).

Martine, les mains sur les côtés, lui parle en le faisant reculer.   MOLIÈRE, le Médecin malgré lui, I, 2.   1

Loc. Vieilli. *Se tenir les côtés de rire :* rire démesurément (→ 1. **Côte,** I., 1.).

J'ouvrais de grands yeux sans rien répondre : Mᵐᵉ d'Épinay se tenait les côtés de rire (...)   2

ROUSSEAU, les Confessions, IX.

Loc. *Point de côté :* douleur aiguë au-dessous des côtes. → 1. **Point** (cit. 55 et 55.1).

b (1080). Surtout avec *sur, à.* La partie droite ou gauche de tout le corps. *Se coucher sur le côté. Il était perclus de tout le côté gauche. Porter l'épée au côté.*

À mes (vos, ses) côtés : près de moi (de vous, lui). → ci-dessous, à côté de... *S'installer aux côtés de quelqu'un. Venez vous asseoir à mes côtés.* → **Auprès, contre, près.**

(...) l'incommode jaloux qui (...) ne fait pas un pas sans la traîner à ses côtés.   MOLIÈRE, le Sicilien, 2.   3

Bonaparte avait voulu que les hommes de la Révolution ne parussent à la cour qu'en habit habillé, l'épée au côté (...)   4

CHATEAUBRIAND, Mémoires d'outre-tombe, t. II, p. 208 (→ Anachronisme, cit. 3).

Hélas ! j'aurai passé près d'elle inaperçu,   5
Toujours à ses côtés, et pourtant solitaire (...)

ARVERS, Sonnet.

Dans sa lassitude, elle penchait de tout son poids, tantôt sur un côté du corps, tantôt sur l'autre.   6

André SUARÈS, Trois hommes, «Ibsen», VI, p. 153.

(...) l'abandon enchanté de son sommeil qui la surprenait parfois sur l'herbe, à mes côtés.   7

F. MAURIAC, la Pharisienne, VI, p. 84.

Le côté de l'épée. Le côté du cœur : le côté gauche du corps.

♦ **2** (V. 1260). Partie latérale (d'une chose) située à droite ou à gauche, dans un objet. → **Latéral.** *Le milieu et les côtés. Le côté d'une armoire, d'une cheminée. Coucher un meuble sur le côté,* le renverser latéralement. *Un côté, les deux côtés de qqch. S'appuyer à, contre un côté de la porte. S'asseoir à l'un des côtés de la cheminée. Monter dans une voiture par le côté gauche* (→ Par la gauche).

Chez les coqs un ou deux barbillons garnissent les côtés et la partie inférieure du bec (...)   8

BUFFON, Hist. nat. des animaux, le Coq.

Loc. vieillie. *Mettre, coucher une bouteille sur le côté,* la vider, boire.

Loc. (avec *de*). *De chaque côté de... :* de part et d'autre de... *De chaque côté de la rue, du chemin. De chaque côté de la porte. De chaque côté du mur.*

Antoine regardait avec ravissement de chaque côté du chemin les champs hersés, déjà verdissants, et, sous le ciel clair de l'horizon (...) les coteaux de l'Oise (...)   9

MARTIN DU GARD, les Thibault, t. I, p. 157.

D'un côté. De l'autre côté. Demeurer de l'autre côté de la rue. → **Face** (en). *De l'autre côté du mur.* **Loc.** *Être de l'autre côté de la barricade*. Mettez-vous de l'autre côté de la table. D'un côté de la cheminée, une chaise ; de l'autre, l'armoire.*

Rangeons-nous chacune immédiatement contre un des côtés de la porte.   MOLIÈRE, George Dandin, III, 6.   10

11 Ou bien, si je parvenais à m'endormir lorsque tu es d'ailleurs, tout près, de l'autre côté du mur, quelque chose d'essentiel serait modifié en moi (...)
J. CHARDONNE, les Destinées sentimentales, p. 252.

Les côtés d'une montagne. → 2. **Côte, coteau, flanc, pente, versant.** *Le côté d'une route, d'un chemin.* → **Bas-côté.**

(Dans une assemblée). *Le côté droit, le côté gauche. Siéger au côté droit.* → 2. **Droit, gauche.**

Couture. *Point de côté.*

Liturgie. *Le côté de l'épître :* le côté droit de l'autel, par oppos. au *côté de l'évangile,* le côté gauche. *Servir la messe du grand, du petit côté, du côté droit, gauche.*

12 (...) on nous apprenait à servir la messe du grand et du petit côté, à chanter les antiennes (...)
Alphonse DAUDET, le Petit Chose, I, II, p. 23.

Mar. *Le côté d'un navire.* → **Bande** (vx), **bord, flanc.** *Côté bâbord*, tribord*. Le côté faible d'un navire. Navire de côté faible,* se dit d'un navire qui s'incline facilement sur l'eau. *S'incliner sur le côté.* → **Gîter;** bande, gîte. *Côté sous le vent*, côté au vent. Mettre un navire sur le côté,* pour le caréner, le radouber. — *Côté de la chute** (d'une voile).

13 Un navire qui entre beaucoup dans l'eau navigue vers le même côté à presque tous les vents.
MONTESQUIEU, l'Esprit des lois, XXI, 6.

Théâtre. *Côté cour, côté jardin :* les côtés droit et gauche de la scène (vus de la salle). Anciennt. *Côté du roi, côté de la reine.* — *Côté piste, côté avions* (sur un aérodrome).

♦ **3** (XIIIᵉ). Limite extérieure, ligne ou surface qui constitue la limite d'une chose (par oppos. à *centre,* à *milieu*). → **Face, ligne, pan.** *Les côtés d'un triangle. Les quatre côtés d'un carré* (→ **Quadrilatère**). *Figure à trois côtés.* → **Triangulaire.** *Qui a deux, trois côtés.* → **Bilatéral, trilatéral.** *Le côté de l'hypoténuse, le grand, le petit côté d'un triangle. Triangle ayant deux, trois côtés égaux.* → **Isocèle, équilatéral.** *Le côté intérieur, extérieur de qqch. Le côté de devant, de derrière. Les côtés d'une pyramide.*

14 Le cercle (...) se peut considérer comme un polygone d'un nombre infini de côtés.
MALEBRANCHE, De la recherche de la vérité, III, I, 1.

Le côté nord, sud d'un bâtiment. Le côté de devant. → **Façade.** *L'autre côté, le côté opposé, le côté arrière.* → **Derrière.** *Il est de l'autre côté de la maison. Le bon, le beau côté d'une étoffe.* → **Endroit.** *Le mauvais côté.* → **Envers.**

Spécialt. L'une des deux surfaces (d'un objet plat). — *Les côtés d'une pièce de monnaie. Côté pile, côté face.* → **Croix; face, pile.** *Le beau côté d'une médaille* ou *côté face.* → **Avers, obvers.** *Le mauvais côté.* → **Revers.** *Les deux côtés d'une feuille de papier.* → **Recto, verso.**

Techn. Surface (d'une peau). *Côté poil, côté fleur.*

♦ **4** Partie localisée par rapport à une orientation, à un point de référence (centre, etc.), dans un espace. *Le côté vers lequel descend un cours d'eau.* → **Aval.** *Le côté de la source.* → **Amont.** *Le côté de l'horizon où se lève, où se couche le soleil.* → **Occident, orient; couchant, levant.**

14.1 (...) il y avait autour de Combray deux «côtés» pour les promenades, et si opposés qu'on ne sortait pas en effet du chez nous par la même porte, quand on voulait aller d'un côté ou de l'autre : le côté de Méséglise-la-Vineuse, qu'on appelait aussi le côté de chez Swann parce qu'on passait devant la propriété de M. Swann pour aller par là, et le côté de Guermantes.
PROUST, Du côté de chez Swann, Pl., t. I, p. 134.

♦ **5** (Abstrait). Manière dont les choses se présentent. → **Aspect** (surtout dans : *bon, mauvais côté*). *Le bon côté*

d'une chose. → **Agrément, avantage.** *Les bons et les mauvais côtés d'une entreprise.* → **Contre, pour** (le pour et le contre). *Prendre une chose par le bon côté, du bon côté,* avec bonne humeur, optimisme. *Ne voir que le mauvais côté des choses :* faire preuve de pessimisme.

15 Nous ne voyons jamais qu'un seul côté des choses;
L'autre plonge en la nuit d'un mystère effrayant.
L'homme subit le joug sans connaître les causes.
Tout ce qu'il voit est court, inutile et fuyant.
HUGO, les Contemplations, IV, XV.

16 (...) le côté simple et naturel des choses ne se révèle à moi qu'après tous les autres, et je saisirai tout d'abord l'excentrique et le bizarre (...)
Th. GAUTIER, Mˡˡᵉ de Maupin, VI, p. 111.

16.1 Vous ne savez vraiment pas prendre les choses par leur bon côté!
J. VERNE, Michel Strogoff, p. 151 (1876).

17 Les gouvernements très ordonnés, très «sages», ont certes leurs bons côtés, mais ils en ont aussi dont les sujets apprécient moins l'agrément.
DANIEL-ROPS, Histoire Sainte, III, p. 187.

L'angle, la perspective (qui permet de considérer qqch.) → 1. **Angle, aspect, perspective,** 1. **point** (de vue), **sens.** *Regarder qqch., par un certain côté, sous un certain angle. D'un côté, vous avez raison, mais d'un autre côté...,* dans un certain sens, dans une certaine mesure.

18 Chacun regarde les choses du côté de ce qui le touche (...)
MOLIÈRE, Épître à la Reine mère.

19 (...) je la vois (*cette mort*) par un côté qui me la fait paraître fort mauvaise pour nos amis.
Mᵐᵉ DE SÉVIGNÉ, 225, 2 déc. 1671.

Le côté d'une question, d'un problème. Ceci n'est qu'un côté de la question. Retourner la question sur tous ses côtés. → **Aspect, face.** *Cette théorie a un côté faible.* → 1. **Point.**

20 Il y a des chances pour qu'il en soit ainsi et vous voilà à peu près fixés sur un des côtés de la question.
COURTELINE, Boubouroche, Petit historique, p. 9.

(Caractérisé par un adj. évaluatif). *Les bons côtés de quelqu'un.* → **Qualité.** *Les beaux côtés d'un caractère.* → **Avantage.** *Se faire voir sous ses beaux côtés. Les petits côtés de quelqu'un.* → **Défaut; mesquinerie, petitesse, travers.** *C'est un côté ridicule de son caractère. C'est là son côté faible.* → 1. **Point; défaut** (de la cuirasse).

21 Quand sur une personne on prétend se régler,
C'est par les beaux côtés qu'il lui faut ressembler;
Et ce n'est point du tout la prendre pour modèle,
Ma sœur, que de tousser et de cracher comme elle.
MOLIÈRE, les Femmes savantes, I, 1.

22 On regarde les gens par leurs méchants côtés.
MOLIÈRE, le Misanthrope, I, 2.

23 Il y a chez le Slave un côté enfant, comme chez tous les peuples primitivement sauvages, et qui ont plutôt fait irruption chez les nations civilisées qu'ils ne se sont réellement civilisés.
BALZAC, la Cousine Bette, Pl., t. VI, p. 331.

24 (...) il n'est pas de belle cause, ni de bonnes gens, qui, vus sous un certain angle, avec un certain grossissement, n'offrent des côtés ridicules (...)
R. ROLLAND, Jean-Christophe, t. VII, p. 83.

Les grands et les petits côtés d'une œuvre. Le beau côté de la chose.

25 (...) l'intelligence parisienne elle-même, aiguë, fiévreuse, toujours en mouvement, avide de connaître, prompte à se lasser, excellant à saisir aujourd'hui les grands côtés d'une œuvre, et demain ses défauts (...)
R. ROLLAND, Musiciens d'aujourd'hui, p. 212.

(Caractérisé par une apposition) :

25.1 Que donneraient, transposés dans le roman ou au théâtre, le garagiste au cœur d'or, le petit musicien de génie que les gosses chahutent : tout le côté gentil plombier...
F. MAURIAC, Bloc-notes 1952-1957, p. 7.

B (Précédé d'une prép., *de, du...*). ◆ **1** Lieu, direction (considérée comme la partie d'un espace ; → ci-dessus, A., 4.). → **Endroit, partie,** 1. **point.** *De ce côté-ci ; de ce côté-là :* par ici, par là. → **Par** (par ici, par là). Loc. *De tout côté ; de tous côtés :* de toute part, partout. → **Part** (de toute part), **partout.** *L'effroi se répand de tout côté. Devoir de l'argent de tous côtés. Courir de tous côtés,* çà et là. → **Çà** (çà et là), **val** (par monts et par vaux). *Surgir de tous les côtés,* de partout. *«Et de tous les côtés au soleil exposé...»* (→ 4. Coche, cit. 1, La Fontaine). *S'en aller de tous les côtés :* tomber en décrépitude. — Loc. adv. *D'un côté..., d'un autre côté ; d'un côté..., de l'autre :* d'une part... d'autre part. *De côté et d'autre :* par-ci, par-là. *Devoir faire face de tous les côtés à la fois. — Allons, passons de l'autre côté* (→ ci-dessous, À côté).

26 (...) il y avait l'autre jour des femmes à cette comédie (...) qui par les mines qu'elles affectèrent (...) firent dire de tous côtés cent sottises de leur conduite (...)
MOLIÈRE, Critique de l'École des femmes, 3.

27 (...) l'infini sous les pieds, l'infini sur la tête ; un infini de tous les côtés (...)
André SUARÈS, Trois hommes, «Pascal», II, p. 25.

DU CÔTÉ DE (sens concret) : dans la direction... (avec mouvement), ou aux environs de (sans mouvement). → **Direction** (dans la direction de...), **environ** (aux environs de), **région** (dans la région de), **vers.** *Aller du côté de la Bretagne. Demeurer du côté de Lyon. Il est parti du côté opposé au vôtre. Jeter les yeux du côté de quelqu'un. Du côté de chez Swann,* roman de Proust (→ cit. 14.1, ci-dessus).

28 (...) Et on s'en va, bras dessus, bras dessous, du côté de Recouvrance (...)
LOTI, Mon frère Yves, IV, p. 21.

29 Il jetait parfois les yeux du côté de Jerphanion, mais tout à fait comme si le jeune Normalien eût fait partie de la famille, et sans mettre dans son regard la moindre nuance de complicité.
J. ROMAINS, les Hommes de bonne volonté, t. III, XI, p. 153.

Se placer du côté de la fenêtre. → **Près** (de...) ; **loin** (non loin de...). *Se mettre du côté du jour.* — Fam. *Du côté de la santé, il n'a aucune inquiétude.* → **Relativement** (à).

◆ **2** (Sens abstrait ; → ci-dessus, A., 5.). *De mon côté :* en ce qui me concerne. → **Quant** (à moi) ; **part** (pour ma part). *De mon côté, j'essaierai de vous aider. Ils bavardaient de leur côté.* → **Aparté** (en). — Fam. *Tirer les choses de son côté,* s'arranger pour qu'elles soient à son avantage ; les interpréter suivant son intérêt (→ Tirer la couverture* à soi).

30 Bertrand dérobait tout ; Raton, de son côté, Était moins attentif aux souris qu'au fromage.
LA FONTAINE, Fables, IX, 17.

31 Si vous avez le plaisir de quereller, il faut bien que, de mon côté, j'aie le plaisir de pleurer : chacun le sien (...)
MOLIÈRE, le Malade imaginaire, I, 2.

32 Laissez-moi faire ; agissez de votre côté.
MOLIÈRE, le Malade imaginaire, III, 2.

33 La chair a ses volontés, ses instincts, ses convoitises, ses prétentions au bien-être ; c'est une sorte de personne inférieure qui tire de son côté, fait ses affaires dans son coin (...)
HUGO, Post-Scriptum de ma vie, I, III, V.

Du côté de... : quant à..., en ce qui concerne... Fam. *De ce côté, il n'a rien à craindre,* dans ce domaine.

33.1 En lisant ces témoignages d'élèves (...) je sens mieux à quel point j'ai été frustré du côté des maîtres : adolescent je me suis formé seul (...)
F. MAURIAC, Bloc-notes 1952-1957, p. 5.

REM. On a tendance à employer *du côté* suivi d'un nom sans article. *Du côté argent, tout va bien.* Ellipt (fam.). *Côté fric,* ça peut aller.

Il y avait là un peintre illustre, un bâtonnier (...) et, côté femmes, une actrice de cinéma, un assortiment de comtesses dans le train et des épouses diverses.
M. AYMÉ, le Vin de Paris, «La bonne peinture», p. 208. 33.2

◆ **3** (1409). *Du côté de... :* du parti, du camp de... *N'être ni d'un côté, ni de l'autre.* → **Neutre.** *Comptez sur lui, il est de votre côté :* il est pour vous. *Mettre les rieurs* de son côté. *Du côté ennemi. Les torts sont de votre côté.*

C'est qu'il est généreux de se ranger du côté des affligés. 34
MOLIÈRE, Critique de l'École des femmes, 6.

(...) la guerre peut être juste de deux côtés à la fois (...) 35
Julien BENDA, la Trahison des clercs, III, p. 187.

(...) il est absurde et malséant de ne voir l'intelligence, la 36 probité, le courage et la noblesse, que d'un côté, le sien propre, et de l'autre, que lâcheté, sottise ou félonie.
GIDE, Journal, 7 juil. 1943, p. 188.

Pour prévenir le rire, j'imaginai donc de me jeter dans la 36.1 dérision générale. En somme, il s'agissait encore de couper au jugement. Je voulais mettre les rieurs de mon côté ou, du moins, me mettre de leur côté.
A. CAMUS, la Chute, p. 106.

◆ **4** (1280). *Parent du côté du père, du côté maternel. De mon côté ; du côté de ma famille* (opposé à *la famille du conjoint*). → **Chez** (moi). — Spécialt. *Être né du côté gauche.* → **Bâtard.** *Se marier du côté gauche.* → **Concubinage.** *Elle l'a épousé du côté gauche.*

De quel côté est-il venu ? → **Direction, où** (d'où, par où).

Loc. *Regarder de quel côté vient le vent :* regarder au-dehors sans dessein précis, comme si l'on n'avait rien à faire, et, fig., observer le cours des événements avec circonspection, avant de prendre une décision. — *Ne plus savoir de quel côté se tourner :* être indécis, et aussi, être surchargé d'occupations (→ Ne plus savoir où donner de la tête*).

De quel côté porter mes pas ? Où m'aviserai-je d'aller (...) ? 37
MOLIÈRE, les Amants magnifiques, V, 1.

◆ **5** (1580). Loc. adv. **À CÔTÉ :** à une distance proche. *Marcher à côté. Qui est à côté.* → **Attenant, proche, voisin.** *Il demeure à côté, tout à côté.* → **Auprès, près** (tout près). — *Passons à côté,* dans la pièce voisine. *Nous serons mieux à côté pour parler. — Le coup est passé à côté ;* ellipt : *À côté !* → **Rater.** — N. m. *Un à côté.* → **À-côté.**

Être à côté : ne pas être là où il faudrait ; (abstrait) se tromper. *Vous êtes complètement à côté.* — Spécialt. Fam. Ne pas être «dans le coup». → **Out** (anglic.). *«Offrir des glaïeuls, affirme Pierre Daninos dans "Snobissimo" est terriblement "à côté" et ne se fait plus du tout»* (Elle, 5 juin 1964, p. 41, *in* D.D.L.).

Fig. En comparaison. *Ça n'est rien à côté* (→ ci-dessous À côté de...).

(Précédé de la prép. *de* ; en valeur d'adj.). *L'immeuble d'à côté. «(Les) petits scandales du au-dessus, d'au-dessous, d'à-côté»* (→ 2. Dessous, cit. 18). *La Femme d'à côté,* film de F. Truffaut (1981).

Loc. prépositive. **À CÔTÉ DE...** → **Auprès** (de), **contre, près** (de). *Se placer, marcher à côté de quelqu'un. Mettre qqch. à côté de qqch.* → **Accoler, accoter, flanquer, juxtaposer.** *Homme placé à côté d'une femme,* à l'occasion de certaines cérémonies. → **Cavalier.** *L'église est à côté du village. Le salon est à côté de la salle à manger.*

Cet hôte était alors dans une chambre à côté de la cui- 38 sine, prêt à rendre l'âme d'une fièvre chaude qui lui avait si fort troublé l'esprit qu'il s'était cassé la tête contre une muraille (...)
SCARRON, le Roman comique, II, VI, p. 183.

Comment ! me disais-je, elle ne saura pas même que je 39 l'ai aimée ! (...) Elle croira que j'ai passé à côté d'elle sans

la voir, que nos deux existences auront coulé bord à bord sans se confondre ni même se toucher (...)
E. FROMENTIN, Dominique, IX, p. 136.

40 Ses doigts sentent le livre, dans sa reliure neuve, couché à côté du paquet de lettres.
J. ROMAINS, les Hommes de bonne volonté, II, XX, p. 231.

(Précédé de la préposition de). «Son fils disparu d'à côté d'elle» (Goncourt, Madame Gervaisais, p. 241). Par ext. Vivre à côté de qqn, près de, auprès de...
Fig. [a] ⇒ Comparaison (en comparaison de). Mes maux ne sont rien à côté des siens. À côté de cela, il reste que... ⇒ Contre (par), revanche (en).
[b] En plus de. «L'instinct créant, à côté de nos besoins réels, des besoins imaginaires» (Gaultier, le Bovarysme, 1902, p. 40).
[c] Mettre un écrivain à côté d'un autre. ⇒ Avec, niveau (au même niveau), pied (sur le même pied), plan (sur le même plan).

41 Peut-être Babylone, honorant ma mémoire, Mettra Sémiramis à côté des grands rois.
VOLTAIRE, Sémiramis.

[d] Passer à côté d'une difficulté, et ne pas la voir. Vous êtes resté à côté de la question. ⇒ Hors (du sujet); dehors (en dehors de...). Être à côté de la vérité. Que de fois on passe (cit. 18) dans la vie à côté de ce qui en ferait le charme.
Loc. fam. Être à côté de ses pompes*.

◆ 6 Loc. adv. DE CÔTÉ. ⇒ Biais (de biais), travers (de travers). Marcher de côté. Aller de côté. Tournez-vous de côté. — Poser un objet de côté. ⇒ Obliquement.

42 (...) une perruque tant soit peu de côté (...)
MOLIÈRE, le Grand Divertissement royal, I.

43 (...) un mulet qui, de côté, lance une jambe brisée, à la manière des ataxiques. GIDE, Journal, 1910, p. 316.

44 Un jeune homme frétillant, le feutre posé de côté sur la tête, s'approcha de Gilieth et lui tendit son paquet de cigarettes. P. MAC ORLAN, la Bandera, IV, p. 42.

Regarder de côté : regarder obliquement, latéralement; (fig.) regarder avec dédain, ressentiment, réserve, embarras.
Se jeter de côté, sur la droite ou sur la gauche. ⇒ Écart (faire un écart). Se laisser tomber de côté, par côté.

45 (...) la bête a manqué sous lui, et s'est laissée tomber de côté. E. FROMENTIN, Un été dans le Sahara, p. 101.

Loc. fig. (1787). Laisser (qqch.) de côté, à l'écart. ⇒ Abandonner; abstraction (faire abstraction de...), négliger, oublier; compte (ne pas tenir compte de...). Laissez de côté cet aspect du problème. Laissez, mettez de côté vos reproches. ⇒ Réserve (en). Il a laissé son travail de côté pour vous voir. — Mettre de côté. Mettre qqch. de côté, de l'argent de côté. ⇒ Économiser. Absolt. Mettre de côté : économiser. — Avoir de l'argent de côté : épargner. ⇒ Devant (soi), derrière (soi).

46 Dès que le mariage fut décidé, elle s'arrangea, fit des heures en plus, le soir, arriva à mettre trente francs de côté. ZOLA, l'Assommoir, t. I, III, p. 80.

47 Son père et sa mère, quoique riches, vivaient étroitement, ennemis pour les autres et pour eux-mêmes de tout plaisir, hors celui au-dessus de quoi ils ne voyaient rien et qui est de «mettre de côté». F. MAURIAC, le Mal, I, p. 15.

48 La première idée qui vient aux esprits simples, et même aux esprits moins simples que cela, pour garder l'argent qu'ils ont, c'est de le mettre de côté. Pourtant le premier conseil qu'ils reçoivent des experts, c'est de ne pas le garder.
Pierre DANINOS, Un certain Monsieur Blot, p. 247.

Équit. Porter (un cheval) de côté, en faisant décrire à ses pattes de devant et de derrière deux traces parallèles.

CONTR. Poitrine, dos. — Devant, derrière. — Centre, milieu. — Ensemble, totalité. ◊ COMP. À-côté, bas-côté.

CÔTE À CÔTE [kotakot] loc. adv. ⇒ 1. Côte (I., 3.).

COTEAU [koto] n. m. — 1611, costeau; couteau, 1599; costel, v. 1160; de l'anc. franç. coste (→ 2. Côte), et -eau.

◆ 1 Petite colline. ⇒ Colline, côte, monticule. Au pied du coteau. Les flancs, les versants d'un coteau.

Plaine variée, onduleuse, qui fait surgir d'un mouvement harmonieux des échappées bleuâtres sur les coteaux. 1
J. CHARDONNE, les Destinées sentimentales, p. 121.

◆ 2 Versant, pente d'une colline. Coteau planté de vignes. Les coteaux du Beaujolais, du Gard (→ 1. Costière), du Rhône (→ 2. Côte).

(...) au bois de la vigne, un bourgeon pointu, enflé d'un 2 pleur de sève. La vie déjà fourmille sur ces sonores coteaux de Nuits (...)
COLETTE, Prisons et Paradis, En Bourgogne, p. 71.

COTECODER [kɔtkɔde] v. intr. — Attesté XXe; var. cotcodaquer, 1883, Richepin; de cot cot codac.

Glousser, caqueter (en parlant de la poule).

Une poule qui vient de pondre chante l'œuf et s'enroue à force de cotecoder (...)
M. GENEVOIX, la Dernière Harde, p. 175.

CÔTELÉ, ÉE [kotle] adj. — XIVe (autre sens XIIe); repris 1829, in F. E. W.; de 1. côte (II.).

Qui présente des côtes* (en parlant d'un tissu). Un pantalon en velours côtelé. Étoffe, velours côtelé, ou à côtes.
Papier côtelé, légèrement plissé.

CÔTELETTE [kotlɛt] n. f. — V. 1393, costelette; de 1. côte (I.).

◆ 1 Côte* (d'un animal) destinée à la consommation. Côtelette de mouton, d'agneau. Manche de côtelette. Côtelettes découvertes, qui sont sous l'épaule. Côtelette de filet*. — Côtelette grillée, panée (→ Charcutier, cit. 1). Côtelette en papillote.

On vit (...) un mouton, un mouton lui-même, défendre 0.1 vaillamment contre le couteau du boucher les côtelettes qu'il portait en lui ! J. VERNE, le Docteur Ox, p. 74.

— Je crois qu'il reste une côtelette. 1
— Non, ça ne me dit pas, murmura la petite vieille, qui glissa toutefois son nez sous le second couvercle. J'avais un caprice, mais les côtelettes panées, le soir, c'est trop lourd... ZOLA, le Ventre de Paris, t. I, p. 105.

◆ 2 Vieilli. Favoris en côtelette.

Il avait un costume de basin, la taille raide et les favoris 2 en côtelette, l'air à la fois d'un magistrat et d'un dandy.
FLAUBERT, Bouvard et Pécuchet, Pl., t. II, p. 689.

Côtelettes : favoris.

Les concierges et larbins à côtelettes, en sentinelle sur le 3 seuil, confirment par toute leur attitude que l'inscription ne ment pas.
J. ROMAINS, les Hommes de bonne volonté, t. V, XV, p. 113.

Ces derniers mots réjouirent profondément Angélo et il 4 continua à s'avancer. Il y avait encore assez de jour pour qu'il pût suivre sur le visage blême, encadré de côtelettes cotonneuses, les progrès d'une terreur sans nom.
J. GIONO, le Hussard sur le toit, p. 96.

◆ 3 Fam. Côte (humaine). — Loc. fam. Chatouiller (ou caresser) les côtelettes à qqn, le rouer de coups, le battre.

(...) la foule s'en brisait les côtelettes, tellement elle trouvait 5 l'aventure savoureuse.
R. QUENEAU, Pierrot mon ami, éd. L. de Poche, p. 25.

◆ 4 (1903). Argot et vx. Côtelette de Brie : morceau de fromage de Brie.

Avoir sa côtelette : être très applaudi (en parlant d'un comédien).

COMP. Haut-de-côtelettes.

COTER [kɔte] v. — XVᵉ; de *cote.*

I V. tr. ◆ **1** Marquer d'une cote (les pièces d'un dossier, les pages d'un registre...). → **Cote** (1.); **noter, numéroter.** *Le notaire a coté ces pièces dans la marge.* — Par ext. *Coter un chapitre, un article :* marquer le numéro du chapitre, de l'article.

◆ **2** (1832, *in* D.D.L.). Indiquer le cours, la cote de (une valeur, une monnaie, une marchandise...). → **Cote** (2.); **estimer, évaluer;** → ci-dessous, II., et p. p., 2. *Coter une monnaie, le change. La rente a été cotée à tant.*

Par métonymie (en parlant d'une personne, d'une société) :

1 Il croyait dur comme fer pouvoir les utiliser encore *(les actions)* et les remettre sur le marché. «Quand nous serons cotés en Bourse...», me disait-il d'un petit air espiègle.
Patrick MODIANO, les Boulevards de ceinture, p. 89.

Comm. Indiquer la valeur de (une marchandise).

◆ **3** Imposer (un contribuable) d'une cote (3.). → **Quote-part.**

◆ **4** (1755). *Coter une carte géographique :* indiquer les niveaux, les coordonnées. — *Coter un dessin industriel,* y indiquer les cotes. → **Cote** (6., b). *Coter un devoir d'élève.* → **Estimer, noter;** et aussi **cote** (5.). — Par ext. Faire plus ou moins cas (de qqch., de qqn). → **Apprécier, estimer.** *Employé bien coté par ses supérieurs hiérarchiques.* (Rare). *Être coté pour... :* être considéré comme...

1.1 Joli d'un côté
et vilain de l'autre,
il était coté
pour un bon apôtre.
Paul NEUHUYS, Indication,
in l'Arbre de Noël (1930).

2 (...) c'est fausser le jugement que coter l'art d'après son rendement moral.
GIDE, Pages de journal, 2 sept. 1940, p. 83.

II V. intr. (avec compl. «interne»). Atteindre, avoir (telle cote [2.]). → ci-dessus, I., 2. *Moto qui cote 9 000 francs à l'Argus.* — Spécialt. Bourse. → Clôturer, cit. 3. *Le napoléon a coté tant.*

◆ **COTÉ, ÉE** p. p. adj.

◆ **1** (1888). Qui a une bonne cote, qui a la cote (5.). → **Estimé.**

◆ **2** *Coté en Bourse,* dont la valeur est indiquée par la Bourse. *Valeur cotée en Bourse :* valeur qui figure sur la cote* officielle.

(En parlant d'un véhicule). *Coté à l'Argus,* dont la valeur est donnée par l'Argus. *C'est un vieux modèle qui n'est plus coté.*

◆ **3** (1922). Caractérisé par des cotes (6., b). *Croquis coté. Géométrie cotée.*

DÉR. et COMP. Cotable, cotation, coteur. Surcoter. ◊ HOM. (Du p. p.) **Coté.**

COTERIE [kɔtri] n. f. — 1611, au sens 1 (cf. lat. médiéval *coteria* «petite tenure», 1255); de *cotier* «tenancier», t. de féodalité, v. 1280 (cf. lat. médiéval *coterius*, 1086), d'orig. germ. *kote,* cf. anc. franç. *cotin* «cabane».

◆ **1** Hist. Association de paysans chargée de tenir les terres d'un seigneur.

◆ **2** (1660, non péj.). Vieilli ou péj. Réunion de personnes soutenant ensemble leurs intérêts et qui s'opposent à ceux qui ne font pas partie de leur groupe. → **Association,** 2. **bande, caste, cercle, chapelle, clan, clique, école, église, famille, parti, secte, tribu.** *Coterie dirigée contre un personnage important.* → **Cabale** (vx), **camarilla.** *Assemblée divisée en*

coteries. *Les intrigues d'une coterie. Coterie secrète.* → **Mafia.** *Coterie littéraire, politique, religieuse. N'appartenir à aucune coterie. Coterie politique d'intérêt.* → **Groupe** (de pression), **lobby.**

1 Qui diantre me poussait à vouloir être de l'Académie, moi qui m'étais moqué quarante ans des coteries littéraires?
P.-L. COURIER, Lettres, I, 121.

2 Les écoles, les coteries ne sont autre chose que des associations de médiocrités, pour se garantir mutuellement un semblant de renommée qui, à la vérité, est de courte durée mais qui fait traverser la vie agréablement.
E. DELACROIX, Écrits, Lettre à Mᵐᵉ Cavé, t. II, p. 5.

(Sans élément péj.). Société restreinte de personnes ayant des intérêts communs. *La petite coterie, le petit clan :* nom donné au salon des Verdurin, dans Proust.

3 Les uns avaient oublié, les autres pouvaient répondre qu'à l'origine de toutes les fermentations humaines, à la naissance de toutes les écoles, et même des plus grandes religions, il y a toujours de très petites coteries, d'imperceptibles groupes longtemps fermés, longtemps impénétrables; bafoués, fiers de l'être, et avares de leurs clartés séparées. Au sein de ces secrètes sociétés, germe et se concentre la vie des très jeunes idées et se passe le temps de leur première fragilité.
VALÉRY, Variété IV, p. 17.

4 Le regard de Vidaloche, d'une pudeur déchirante, m'enveloppa d'un manteau. Il porta délicatement l'index à la perpendiculaire de sa bouche, puis l'écarta d'un geste ample et prompt, geste de coterie qui scellait on ne savait quel serment, mais qui allait de soi. Il signifiait avec une solennité furtive que nous étions des compagnons et qu'il y avait de l'honneur à n'être pas compris.
A. BLONDIN, Monsieur Jadis, p. 64.

Spécialt. Société d'ouvriers. — (Argot professionnel). Ensemble d'ouvriers du bâtiment. *La coterie peintre, la coterie maçon.*

CÔTES-DU-RHÔNE [kotdyʁɔn] n. m. invar. — D. i.; de *Côtes* (→ 2. Côte), *du,* et *Rhône.*

Vin rouge des côtes du Rhône. *Un bon côtes-du-Rhône* (aussi écrit : *Côtes-du-rhône*). *Un côtes-du-rhône primeur.*

Abrév. fam. (usage des cafés). *Un côtes. Un ballon de côtes.*

COTEUR [kɔtœʁ] n. m. — 1891, Zola; de *coter.*

Bourse. Personne qui enregistre les cotes atteintes par les valeurs.

À ce moment-là, le coteur soulignait le cours : terminé. Après, dans le courant de la séance, s'il y avait à nouveau des ordres sur une valeur, on faisait un deuxième cours.
Jean FERNIOT, Pierrot et Aline, p. 86.

Argot (journal.). Responsable de la rubrique boursière dans un journal.

REM. Le fém. *coteuse* [kɔtøz] est virtuel.

COTHURNE [kɔtyʁn] n. m. — V. 1500, O. de Saint-Gelays; lat. *cothurnus,* grec *kothornos.*

◆ **1** Didact. Chaussure montante que portaient les anciens Grecs. Spécialt. Brodequins de cuir à semelle très épaisse dont les acteurs tragiques se servaient pour paraître d'une taille élevée.

1 Eschyle invente le cothurne, qui grandit l'homme, et le masque, qui grossit la voix. Ses métaphores sont énormes.
HUGO, William Shakespeare, IV, I, p. 41.

1.1 Les capitaines, portant des cothurnes de bronze, s'étaient placés dans le chemin du milieu, sous un voile de pourpre à franges d'or, qui s'étendait depuis le mur des écuries jusqu'à la première terrasse du palais.
FLAUBERT, Salammbô, Pl., t. I, p. 743.

2 Le masque et les cothurnes, le maquillage qui réduit et accuse le visage dans ses éléments essentiels, le costume qui exagère et simplifie, cet univers sacrifie tout à l'apparence, et n'est fait que pour l'œil.
CAMUS, le Mythe de Sisyphe, p. 112.

2.1 Qu'Ausonius le sache : distinguer entre le brodequin et le cothurne est affaire de culture profonde, pas moins ! Il convient de savoir, entre autres, que dans Athènes les acteurs comiques portaient le brodequin, tandis que les acteurs tragiques lui préféraient le cothurne, dont la semelle est beaucoup plus épaisse. On se perd en conjectures sur la raison profonde de ce choix, encore que l'explication soit assez banale : le cothurne rehausse la taille du tragédien ; l'épouvante et l'horreur ne peuvent venir de personnages à la taille moyenne.
                    Alain BOSQUET, les Bonnes Intentions, p. 226.

◆ 2 Fig. et vx. *Chausser le cothurne :* composer ou jouer des tragédies. — Littér. *Le cothurne :* symbole du genre tragique, par oppos. au genre comique. → **Brodequin, socque,** et → aussi ci-dessus, cit. 2.1. *Quitter le brodequin* pour prendre le cothurne* (→ Comique, cit. 1).

3   La comédie doit prendre un ton moins haut que la tragédie : le socque est inférieur au cothurne.
                    FÉNELON, Œ., t. XXI, p. 221.

◆ 3 (1831, Balzac, *la Peau de chagrin*). Lacets, rubans servant à attacher une chaussure de femme et montant jusqu'au mollet.

4   La robe de mousseline blanche semée de fleurs bleues (...) le corsage à pointe et sans ceinture, les souliers à cothurnes croisés sur un bas de fil d'Écosse accusaient une admirable science de toilette.
                    BALZAC, Béatrix, 1839-45, p. 132, *in* T.L.F.

(1823). Chaussure attachée de cette façon.

HOM. Coturne.

COTICE [kɔtis] n. f. — 1213, *cortice ;* probablt de **(bande) costice,* dér. de l'anc. franç. *coste* «côte».

Blason. Bande étroite traversant diagonalement l'écu. *Écu chargé de cotices. Cotice alésée :* cotice qui ne touche pas les bords de l'écu. *Pile et cotice.*

COTIDAL, ALE, AUX [kɔtidal, o] adj. — 1872 ; mot angl., de *co-,* et *tidal* «de la marée».

Géogr. *Courbe, ligne cotidale,* en tous les points de laquelle la marée a lieu à la même heure.

COMP. Intercotidal.

CÔTIER, IÈRE [kotje, jɛʀ] adj. — 1376 ; *costier,* 1250 ; de 3. *côte.*

◆ 1 Qui est relatif aux côtes*, au bord de la mer. *La ligne côtière. Profil côtier. Navigation côtière.* → **Bornage** (vx), **cabotage.** *Bateau côtier,* et n. m., *un côtier :* bateau qui ne s'éloigne pas des côtes. *Pilote côtier,* et, n. m., *un côtier.* — *Pêche côtière. — Fleuve côtier :* fleuve dont la source est proche de la côte. — *Région côtière. Le versant côtier d'une montagne* (→ Bordure, cit. 2). *Batterie côtière.*

◆ 2 Qui est relatif à une côte, à une montée. *Cheval côtier,* et, n. m., *un côtier :* cheval de renfort pour monter une côte.

Par ext. Celui qui conduit un cheval côtier.

HOM. (Du fém.) Côtière.

CÔTIÈRE [kotjɛʀ] n. f. — 1740, Académie ; var. de 2. *costière.*

Agric. Planche de jardinage à bonne exposition. → **Ados.**

HOM. Fém. de côtier.

COTIGNAC [kɔtiɲak] n. m. — 1530 ; *coudoignac, coudougnac,* XIVᵉ ; *coudignac,* 1534 ; du provençal *codonat,* de *codonh, codounh* «coing».

Confiture épaisse et forte en sucre (de certains fruits, notamment coings, oranges). — Pâte de coings.

COTILLON [kɔtijɔ̃] n. m. — 1461 ; de 1. *cotte.*

◨ ◆ 1 Vx (se disait surtout du jupon des femmes du peuple). Jupe de dessous. → **Jupon.**

Légère et court vêtue, elle allait à grands pas,   1
Ayant mis ce jour-là, pour être plus agile,
Cotillon simple et souliers plats.
                    LA FONTAINE, Fables, VII, 10.

Son cotillon de droguet était trop court de deux mains ;   2
et, comme elle avait grandi beaucoup dans l'année, ses bras maigres, tout mordus par le soleil, sortaient de ses manches comme deux pattes d'aranelle[1].
1. Araignée.   G. SAND, la Petite Fadette, XIV, p. 106.

(...) l'une des sœurs, un pan de cotillon passé dans la ceinture, faisait à grands seaux d'eau claire la toilette de la devanture.   2.1
                    BERNANOS, Un crime, *in* Œ. roman, Pl., p. 802.

Loc. fam. *Trousser un cotillon. Relever le cotillon d'une femme. Trousseur de cotillon.* → **Galant.**

◆ 2 Par métonymie. Vx. Femme. — (1718). Fam. et vieilli. *Aimer, courir le cotillon :* rechercher la compagnie des femmes.

(...) Germain trouva si ridicule d'être traîné ainsi de compagnie, par un cotillon, à la vue de tout le monde, qu'il   3
se tint à distance convenable, causant avec le père Léonard (...)   G. SAND, la Mare au diable, XII, p. 106.

Une vraie tête de linotte ! Il brûlait la chandelle par les deux bouts ! Le cotillon l'a perdu !   4
                    FLAUBERT, l'Éducation sentimentale, III, v, p. 436.

◨ (1708). Vx. Danse collective mêlée de figures (à 4, 8 personnes), de mimiques. → **Contredanse, quadrille.** *Danser le cotillon, mener le cotillon.* Loc., vx. *Pincer un cotillon,* le danser (Labiche, *Deux merles blancs,* III, 5).

Je veux que nous dansions ensemble le rigaudon, la   5
chasse, les cotillons (...)
                    J.-F. REGNARD, Critique du Légataire, sc. 8.

Vx. Moment où l'on danse, dans une réunion mondaine.

À trois heures du matin, le cotillon commença. Emma ne   6
savait pas valser.   FLAUBERT, Mᵐᵉ Bovary, p. 84.

Mod. (d'abord «danse collective, farandole, à la fin d'un bal»). Réunion accompagnée de danses et de jeux, le plus souvent à l'occasion d'une fête (jour de l'An, etc.). *Repas suivi d'un cotillon. — Objets pour bals et cotillons, accessoires de cotillons :* accessoires et ornements de papier, de clinquant (chapeaux, serpentins, confettis, etc.), petits instruments de musique (mirlitons). Ellipt. *Des cotillons. Magasin de farces et attrapes et de cotillons.*

DÉR. Cotillonner.

COTILLONNER [kɔtijɔne] v. intr. — 1866, mais antérieur (→ Cotillonneur) ; de *cotillon.*

Vx. Danser le cotillon.

DÉR. Cotillonneur.

COTILLONNEUR, EUSE [kɔtijɔnœʀ, øz] n. — 1864, Goncourt ; de *cotillonner.*

Vx. Personne qui danse le cotillon ; cavalier, cavalière, dans un cotillon.

COTINGA [kɔtɛ̃ga] n. m. — 1765 ; empr. à une langue indienne d'Amérique.

Oiseau passeriforme (*Passereaux ; Cotingidés*) exotique, au plumage richement coloré.

COMP. Cotingidés.

COTINGIDÉS [kɔtɛ̃ʒide] n. m. pl. — 1889 ; de *cotinga,* et *-idés.*

Zool. Famille d'oiseaux passeriformes exotiques, vivant en Amérique du Sud. — Au sing. *Un cotingidé.*

COTIR [kɔtiʀ] v. — V. 1270; du lat. pop. *cottire* «heurter». → Cosser.

♦ **1** V. tr. Agric. Meurtrir* (des fruits). — Au p. p. *Fruits cotis par la grêle.*

♦ **2** V. intr. Vx. Heurter de front. → **Cosser.**

DÉR. Cotissure.

COTISANT, ANTE [kɔtizã, ãt] adj. et n. — Mil. xxᵉ; du p. prés. de *cotiser.*

(Personnes). Qui verse une cotisation. *Les personnes cotisantes.* — N. *Un cotisant, une cotisante.*

Déjà le bon citoyen possède un portefeuille spécial, un petit album de poche pour y ranger les différents aspects de son identité, cartes d'adhérent, de sociétaire, de cotisant, d'immatriculé, par lesquelles le sens collectif le pénètre (...)
Jacques PERRET, Bâtons dans les roues, p. 50.

COTISATION [kɔtizasjõ] n. f. — 1515; de *cotiser.*

♦ **1** Action de cotiser, de se cotiser*. *Faire, organiser une cotisation.* → **Collecte.** *Souscrire à une cotisation.* → Cotiser (se).

♦ **2** Somme versée comme contribution. → **Quote-part.** *Payer, verser, envoyer sa cotisation.* — Somme fixée d'avance, à verser par les membres d'un groupe ou d'une association en vue des dépenses communes. *Régler sa cotisation au trésorier. Cotisation syndicale. Assurance à cotisations.* → **Assurance (5.).**

Le plus souvent, il se rendait au Cercle des Saussaies, dont le recrutement était fort mondain, et où il ne payait, comme homme de lettres, qu'une cotisation très réduite.
J. ROMAINS, les Hommes de bonne volonté, t. III, XVIII, p. 246.

Cotisation de Sécurité sociale : cotisation saisie sur le salaire ou sur les revenus de chaque assuré* social (→ **Cotisant**) versée (pour le salarié) pour partie par l'employeur, pour partie par lui-même à la Sécurité sociale. *Cotisation de l'assuré* (ou *cotisation salariale*) *et cotisation patronale.*

Spécialt (fin.). Imposition faite par cote.

COTISER [kɔtize] v. tr., pron. et intr. — 1513; de *cote.*

♦ **1** V. tr. (1513). Vx (en usage au Québec; recomm. off. 1981). Imposer à (qqn) une quote-part. *Cotiser quelqu'un à tant.*

♦ **2** V. pron. (1549). SE COTISER : contribuer, chacun pour sa part, à réunir une certaine somme en vue d'une dépense commune. *Se cotiser pour offrir un cadeau d'anniversaire à quelqu'un. Se cotiser pour une bonne œuvre.*

1　À cinq chevaliers, en nous cotisant tous,
Et ramassant écus, livres, deniers, oboles,
Nous n'avons encor pu faire que deux pistoles.
J.-F. REGNARD, le Distrait, I, 6.

2　Si, dit Yoland à Lucet, on se cotisait pour lui offrir une tévé pour son anniversaire, ça empêcherait son cerveau de ruminer. R. QUENEAU, les Fleurs bleues, p. 66.

♦ **3** [a] V. tr. ind. (1877). *Cotiser à* : verser une somme régulière (cotisation) à (un organisme, une organisation, en échange des avantages qu'ils offrent et garantissent). *Il cotise à ce Club depuis des années. Cotiser à la Sécurité sociale.* — **Absolt.** *Oublier de cotiser.*

[b] V. intr. (sujet au plur.). *Ils ont tous cotisé pour le cadeau.* → **Boursiller (vx).** → ci-dessus, Se cotiser.

DÉR. Cotisant, cotisation.

COTISSURE [kɔtisyʀ] n. f. — 1701; de *cotir.*

Techn. (agric.) ou régional. Meurtrissure sur un fruit. *Les cotissures font pourrir les fruits.*

CÔTOIEMENT [kotwamã] n. m. — 1862, Hugo; de *côtoyer.*

Le fait de côtoyer, de se côtoyer. *Le côtoiement d'une rivière, d'un précipice.* — Fig. *Des gens dont le côtoiement est dangereux. Un côtoiement trop étroit, dans la promiscuité*.*

COTON [kɔtõ] n. m. et adj. — V. 1160; ital. *cotone,* arabe *qutun.*

[I] N. m. ♦ **1** Matière végétale douce, de la consistance de la bourre, formée de courts filaments soyeux, qui entourent les graines du cotonnier*. *Cueillette du coton,* à la main, aux ciseaux, à la machine (→ **Picker**). — *Coton des Indes. Coton d'Égypte.* → **Jumel.** *Coton longue soie, courte soie. Égrenage du coton. Balle de coton égrené. Filature du coton.* → **Battage, cardage, étirage, peignage, séchage.** *Machine à filer le coton.* — Fig. *Pneumoconiose due à l'inhalation de poussières de coton.* → **Byssinose.** — *Tissage du coton. Industrie textile du coton.* → **Batteur, cardeur; banc** (à broches), **étireuse, ouvreuse, peigneuse, réunisseuse.** *Coton brut, cardé, épluché, filé. Étoffe de coton. Toile de coton.* → **Cotonnade; andrinople, batiste, bombasin, boucassin, calicot, cellular, circassienne, cotonnette, coutil, cretonne, éponge, finette, flanelle, futaine, guinée, jaconas, linon, lustrine, madapolam, nankin, nansouk, orléans, oxford, percale, percaline, pilou, piqué, plumetis, rouennerie, satinette, shirting, siamoise, tarlatane, tennis, vichy, voile, zéphyr.** *Un tissu de coton* (→ ci-dessous, 2., Du coton). *Velours de coton.* → **Moleskine, velvet.** *Voile, gabardine de coton. Tissu de coton très léger.* → **Tarlatane, voile.** *Crêpe, mousseline, tulle de coton. Rembourrer un vêtement avec du coton.* → **Ouate.** *Fil de coton* (→ ci-dessous, 3.).

1　Ils vont presque nus; leur vêtement ne consiste que dans une toile de coton qui les couvre depuis la ceinture jusqu'au milieu de la cuisse (...)
BUFFON, Hist. nat. homme, Œ., t. V, p. 134.

2　Les plantes à coton du pays, renversant leurs capsules épanouies, ressemblent à des rosiers blancs.
CHATEAUBRIAND, Voyage en Amérique, 350.

Plante fournissant cette matière. → **Cotonnier.** *Coton à longues, à courtes fibres. Culture du coton. Graines de, du coton. Huile, tourteaux de coton.*

3　Le coton est, à l'heure actuelle, la plus importante des plantes textiles (...) Le coton tend de plus en plus à remplacer dans nos pays non seulement le lin mais le chanvre (...) Il est le produit végétal textile dont la production est la plus considérable (...) En toutes les régions qui peuvent lui être propices, on tente de le cultiver.
Le coton est de la famille des Malvacées. La graine est contenue dans une capsule qui s'ouvre toute seule à maturité; elle est entourée de poils qui ont une longueur de 1 à 4 centimètres; et ces poils unicellulaires, d'un blanc tantôt éclatant, tantôt jaunâtre, sont utilisés pour fabriquer les tissus.
Jean BRUNHES, la Géographie humaine, I, p. 361.

3.1　L'hybride fertile du Coton américain et du Coton asiatique a les longues fibres du premier et la maturation précoce du second (...)
J. ROSTAND, Idées nouvelles de la génétique, p. 58.

♦ **2** (V. 1165, *cotun*). Étoffe, tissu fabriqué à partir du coton. *Une pièce de coton. Matelas, couverture de coton. Bonnet* de coton. Chemise de coton, chemise pur coton. Ruban de coton.* — *Du coton :* des tissus de coton. → **Cotonnade.**

3.2　Les toiles qui composaient l'enveloppe de l'aérostat furent ensuite dégraissées au moyen de soude et de potasse obtenues par incinération de plantes, de telle sorte que le coton, débarrassé du vernis, reprit sa souplesse et son élasticité naturelles; puis, soumis à l'action décolorante de l'atmosphère, il acquit une blancheur parfaite.
J. VERNE, l'Île mystérieuse, t. I, p. 400.

♦ 3 Fil de coton. *Coton à broder. Coton à repriser. Coton plat; coton perlé; coton mercerisé**.

♦ 4 Substance essentiellement formée de coton, utilisée en thérapeutique. *Coton cardé*, servant aux enveloppements. *Coton hydrophile* : coton blanchi dont on a éliminé les substances grasses et résineuses. → **Ouate**. *Boîte, tampon, plaque de coton aseptique.*

(Un, des cotons). Morceau de coton. Mettre un coton sur une plaie. Un coton imbibé d'alcool à 90°. — Coton hydrophile, souvent mélangé de fibres synthétiques. *Coton à démaquiller.*

Loc. fam. *Avoir du coton dans les oreilles* : être dur d'oreille, un peu sourd.

♦ 5 Loc. fig. **a** (1671). *Élever un enfant dans du coton, dans une boîte à coton*, l'élever trop mollement, en l'entourant de soins excessifs. «*J'ai été élevé dans du coton*» (Drieu La Rochelle, *la Comédie de Charleroi*, p. 245). «*Cette éducation ridicule dans du coton*» (N. Sarraute).

4   Gouvernez-la bien, divertissez-la, amusez-la, enfin mettez-la dans du coton, et nous conservez cette chère et précieuse personne.   Mᵐᵉ DE SÉVIGNÉ, 20 sept. 1695.

Avoir les bras, les jambes en coton, les sentir mous, sans force. → **Faible**.

b (1846, H. Monnier; de *coton* «fil de coton»). *Filer un mauvais coton* : être dans une situation dangereuse (en parlant de quelqu'un dont la santé donne de graves inquiétudes; et aussi de quelqu'un qui s'engage sur une pente dangereuse où il risque de perdre sa fortune, son crédit, sa réputation, ses qualités morales). → **Macchabée**, cit. 1, Zola.

4.1 Vous filez un mauvais coton (...) vous n'êtes pas seul, d'ailleurs. On croirait que ce maudit village est sous le coup d'un sort.   BERNANOS, Monsieur Ouine, p. 222.

4.2 (...) les gens ont commencé à dire qu'il était fou. Pendant des années, on ne s'était aperçu de rien. Simplement : «Il file un mauvais coton», parce qu'il maigrissait (...)
                  F. MALLET-JORIS, le Jeu du souterrain, p. 193.

Rare (avec une autre construction). «*Sûr que tu vas à la catastrophe. Enfin, tu ne vois pas le coton que tu files?*» (Yanny Hureaux, *la Prof*, p. 239).

♦ 6 (1574). Duvet formé de poils courts et crépus (à la surface des fruits, des feuilles de certains végétaux).

5   Leurs fleurs tendres et délicates, et, durant l'hiver, enveloppées comme dans un petit coton (...)
              BOSSUET, Traité de la connaissance de Dieu..., v, 2.

Poil follet (sur les joues et le menton des adolescents). → **Duvet**. *Menton qui commence à se couvrir de coton.*

6   A peine adolescent, de son léger coton
     La jeunesse en sa fleur ombrage son menton (...)
                                              DELILLE, Énéide, IX.

♦ 7 (1847). **COTON-POUDRE** : explosif* obtenu en nitrant une cellulose de coton, préalablement blanchie. → **Fulmicoton; pyroxyle**. *Coton-poudre dissous dans un mélange d'éther et d'alcool.* → **Collodion**. *Mélange de coton-poudre et de nitro-glycérine.* → **Dynamite** (gomme). *Des cotons-poudre.*

II Adj. attribut, invar. (1890; des loc. *jeter un vilain coton* «se cotonner», *filer un mauvais coton*). Fam. Difficile, ardu. *C'est coton, ce problème!*

7   Il faut faire plus vrai que le vrai, et cela, mon vieux, c'est coton, crois-moi.
                  J. DUTOURD, les Horreurs de l'amour, p. 285.

8   Nous ne savons pas ce qui nous attend sinon que, d'après ce que nous avons déjà vu ce sera sans doute coton. Tâchons d'être à la hauteur des événements.
                  J. GIONO, le Hussard sur le toit, p. 321.

(...) ce voyage pèsera aussi lourd qu'un long hiver à Paris.   9
Ça allait être coton de rentrer rue Jean-Jacques Rousseau.
              Benoîte et Flora GROULT, Il était deux fois, p. 237.

DÉR. **Cotonnade, cotonne** ou **cotonnette, cotonner, cotonnerie, cotonneux, cotonnier.** ◊ COMP. **Coton-tige, fulmicoton, porte-coton.** → HOM. Forme du v. **coter.**

COTONÉASTER [kɔtɔneaster] n. m. — D. i.; lat. mod., autrefois francisé en *cotinéastre.*

Bot. Plante dicotylédone *(Rosacées)*, arbrisseau indigène, vivace, tortueux. *Le cotonéaster pyracanthe*, ou *buisson ardent, arbre de Moïse*, est cultivé comme plante ornementale.

COTONNADE [kɔtɔnad] n. f. — 1771; «charpie», 1615; de *coton.*

Étoffe fabriquée avec du coton. → **Coton**. *De la cotonnade. Une, des cotonnades. Cotonnade blanche* ou *tissu de blanc. Des cotonnades légères, de coloris variés.* → **Indienne**. *Cotonnades épaisses et feutrées. Cotonnade servant à doubler un vêtement. Apprêtage des cotonnades.* → **Encollage; apprêteuse, encolleuse; ourdissage; ourdissoir.** *Robe de cotonnade.*

Ici toutes les femmes qui viennent danser au tam-tam sont vêtues de cotonnades aux couleurs vives et seyantes, formant corsages et jupes.
              GIDE, Voyage au Congo, in Souvenirs, Pl., p. 726.

COTONNE [kɔtɔn] ou **COTONNETTE** [kɔtɔnɛt] n. f. — 1746, *cotonne; cotonnette*, 1755, *in* D. D. L.; de *coton.*
Vx. Étoffe de coton de qualité commune.

COTONNER [kɔtɔne] v. — 1244; de *coton.*

I V. tr. ♦ 1 Garnir (qqch.) de coton.

♦ 2 Vx. Mettre (qqn) dans du coton, l'entourer de soins excessifs.

II V. intr. ♦ 1 Se couvrir d'un duvet, d'une bourre comparable au coton. *Ce lainage cotonne.*

♦ 2 Fig. Devenir mou, cotonneux. «*Les jambes qui cotonnent*» (Barrès, *in* T. L. F.).

♦ **SE COTONNER** v. pron.
(Du sens II, 1). Se couvrir d'un léger duvet ressemblant aux filaments de coton*. *Étoffe qui se cotonne.* Par anal. *Fruits qui se cotonnent*, dont la pulpe devient molle comme du coton. → **Cotonneux.**

♦ **COTONNÉ, ÉE** p. p. adj. *Toile cotonnée.*
Fig. *Menton cotonné*, couvert d'un léger duvet. → **Cotonneux** (→ Barbe, cit. 6). — *Cheveux cotonnés* : cheveux courts, frisés et crépus.

COTONNERIE [kɔtɔnri] n. f. — 1772; de *coton.*
Technique et vieux.
♦ 1 Champ de coton.
♦ 2 (1798, *in* D. D. L.). Lieu où l'on travaille le coton.

COTONNEUX, EUSE [kɔtɔnø, øz] adj. — 1552; de *coton.*

♦ 1 (1552). Qui est couvert d'un duvet ressemblant au coton*. *Feuille, tige cotonneuse.* → **Duveté, tomenteux.**

(Dans les noms de plantes). *Bauhinia cotonneuse.*

Le bourgeon cotonneux du pommier se gonfle et se   1
crève (...)
              BERNARDIN DE SAINT-PIERRE, Harmonies, I.

Fig. *Visage cotonneux*, couvert d'un léger duvet.

♦ 2 (1611). Qui est devenu mou. → **Flasque, mou, spongieux**. *Fruit cotonneux; chair, pulpe cotonneuse.* → **Cotonner**, p. p. adj.

Fig. *Style cotonneux,* mou.

2 (...) une suite de phrases pas trop cotonneuses (...)
M. BARRÈS, Leurs figures, p. 238.

♦ **3** (1801). Semblable à du coton. *Ciel cotonneux, dont les nuages sont analogues à de la ouate* (→ **Brouillardeux**). *Brume cotonneuse.*

3 (...) sur ce fond vaporeux passaient lentement des nuages cotonneux semblables à de grands morceaux d'ouate (...)
Th. GAUTIER, Mlle de Maupin, p. 142.

3.1 Je les revois, ces forêts, par ces jours cotonneux de novembre, où l'appel lointain du cor se mêlait aux aboiements de la meute et aux coups cadencés de quelque hache lointaine.
Claude MAURIAC, le Temps immobile, p. 341.

♦ **4** *Bruit cotonneux :* bruit sourd, comme s'il parvenait à travers de la ouate. → **Sourd.**

4 Ils étaient assis au fond du bar, en face du comptoir, c'était douillet, entourés d'un gros bruit cotonneux qui berçait.
SARTRE, le Sursis, p. 131.

5 Et tout cela est, en outre, remarquablement silencieux ni cris, ni paroles à voix trop haute, ni tapage d'aucune sorte ne viennent troubler l'atmosphère feutrée, cotonneuse (...)
A. ROBBE-GRILLET, Projet pour une révolution
à New York, p. 32.

♦ **5** Fam. *Se sentir tout cotonneux.* — Syn. : *en coton.*
→ **Faible, mou.**

6 *La Roche du Diable,* occasion d'exposer sa théorie sur le vertige. Le corps en arrière, on ne s'appuie à la rampe de fer que du bout du doigt. On devient cotonneux.
J. RENARD, Journal, 5 juil. 1895.

CONTR. Lisse, uni. — Glabre. — Dur, résistant, solide.

COTONNIER, IÈRE [kɔtɔnje, jɛR] n. et adj. — 1252, *cotonier; cottonier,* 1542; *cotonnier,* 1837; de *coton.*

I N. m. (1694). Plante dicotylédone *(Malvacées)* appelée scientifiquement *gossypium,* arbrisseau des régions chaudes aux fleurs jaunes ou pourpres, aux graines entourées de poils soyeux constituant les filaments du coton et qui fournissent aussi une huile alimentaire. → **Coton.** *Capsules du cotonnier,* contenant les graines et les filaments. *Le black arm, maladie du cotonnier.*

1 Des figures entouraient les cuisines; un bois de sycomores se prolongeait jusqu'à des masses de verdure, où des grenades resplendissaient parmi les touffes blanches des cotonniers.
FLAUBERT, Salammbô, Pl., t. I, p. 743.

2 (...) à une époque *(celle de Christophe Colomb)* où l'on se préparait à décrire le cotonnier (et même à le dessiner) sous le nom d'arbre à moutons : un arbre portant, en guise de fruits, des moutons entiers pendus par le dos et dont il suffisait de tondre la laine.
Claude LÉVI-STRAUSS, Tristes tropiques, p. 60.

II Adj. (1837). *Cotonnier, cotonnière.* Qui a rapport au coton. *Syndicat cotonnier. Industrie, coopérative cotonnière.*

III N. m. et f. ♦ **1** Ouvrier, ouvrière qui travaille le coton.

♦ **2** (1853). Fabricant, fabricante de tissus de coton.

COTONNINE [kɔtɔnin] n. f. — 1479; probablt empr. à l'ital. *cotonina,* de *cotone* «coton».
Techn. anc. Toile de gros coton utilisée autrefois pour faire les voiles de certains navires.

COTON-POUDRE [kɔtɔ̃pudR] n. m. → **Coton** (7.).

COTON-TIGE [kɔtɔ̃tiʒ] n. m. — 1978; nom déposé, de *coton,* et *tige.*
Petit bâton de bois ou de plastique dont les extrémités sont recouvertes de coton, et qui sert à nettoyer les oreilles et le nez. *Des cotons-tiges.*

CÔTOYER [kotwaje] v. tr. [CONJUG.: *noyer.*] — XIIe; de 3. *côte.*

♦ **1** Vx. Aller côte à côte avec (quelqu'un).
Littér. et vieilli. (Passif et p. p.). *Être côtoyé de qqn.*

Quelques femmes, mises à la française, sauf la coiffure, 0.1
se promenaient ensemble, côtoyées d'un mari ou d'un amant (...)
Th. GAUTIER, Constantinople. p. 47.

♦ **2** Par ext. *Côtoyer une armée,* marcher sur son flanc. *Côtoyer l'armée ennemie.*
Pron. *Les deux armées se côtoient.*

♦ **3** Aller le long de (qqch., un lieu). → **Border, longer.** *Côtoyer le bord de la forêt. Côtoyer la rivière.* — (Sujet n. de chose). Se trouver le long de... *Arbres qui côtoient le fleuve.* → **Étendre** (s'étendre le long de...). *Côtoyer un précipice.*

Un jour sur ses longs pieds allait je ne sais où 1
Le héron au long bec emmanché d'un long cou.
Il côtoyait une rivière.
LA FONTAINE, Fables, VII, 4.

Quant au cimetière, on ne le voyait point : on fermait les 2
yeux en le côtoyant.
G. SAND, la Mare au diable, Appendice, I, p. 150.

Absolt. Mar. *Navire qui côtoie,* qui suit la côte.

♦ **4** Se rapprocher de..., sans atteindre à... → **Frôler; coudoyer.** *Côtoyer la cour d'assises. Côtoyer le ridicule. Côtoyer la légalité.*

(...) il aimait frauder, tourner les règlements, côtoyer la 3
légalité, marcher sur les gazons sacrés (...)
G. DUHAMEL, Biographie de mes fantômes, IV,
p. 61.

♦ **5** Vivre à côté de, près de (qqn). → **Coudoyer.** —
Pron. *Ils se côtoient tous les jours.*

DÉR. Côtoiement, côtoyeur.

CÔTOYEUR [kotwajœR] n. m. — 1883, M. Rollinat; de *côtoyer.*
Littér. et rare. Personne qui côtoie (une chose concrète). — REM. Le fém. *cotoyeuse* n'est pas attesté.

COTRE [kɔtR] n. m. — 1834; *cutter,* 1777, in Höfler; angl. *cutter,* littéralt «ce qui coupe (l'eau)».
Petit navire à un seul mât, gréant foc et trinquette (à la différence du *sloop,* qui ne comporte qu'une seule voile d'avant). → Barge, cit. Céline. — Var. anc. : *cutter* (anglic.).

Ça, c'était resté le secret du mystérieux petit lieutenant (...) qui venait d'accompagner Charles X de Rambouillet à Cherbourg, puis en Écosse. Un cotre du port de Douvres l'avait débarqué à Dunkerque.
BERNANOS, Monsieur Ouine, p. 36.

COTRET [kɔtRɛ] n. m. — 1623; *coteet,* 1606; *costerais,* 1298; probablt. dér. du lat. *costa* «côté», et *-aricius.*
Technique ou régional.

♦ **1** Petit fagot de bois court et de grosseur moyenne. — Par ext. Chacun des bâtons qui composent le fagot.

♦ **2** Loc. fam. *Huile de cotret :* coups de bâton. — *Sec comme un cotret :* fort maigre. → **Trique** (comme une). — Vieilli. *Jambe de cotret,* sèche et maigre.

Quoiqu'elle fût laide, sèche comme un cotret, et bourgeonnée comme un printemps, certes Mme Dubuc ne manquait pas de partis à choisir.
FLAUBERT, Mme Bovary, I, I, p. 12.

♦ **3** Techn. Montant en bois (d'un métier à tisser).

COTRIADE [kɔtRijad] n. f. — 1898; *cotériade,* 1877; empr. au breton *kaoteriad* «contenu d'une marmite», de *kaoter* «marmite, chaudron». → Chaudrée.

Régional. Soupe de poissons bretonne, préparée avec des oignons et des pommes de terre.

Et Marianne apporta la cotriade fumante et parfumée d'épices.

P. MAC ORLAN, l'Ancre de miséricorde, p. 115.

COTTABE [kɔtab] n. m. — 1803, Boiste; du grec *kottabos*.

Antiq. grecque. Jeu qui consistait à lancer les dernières gouttes d'une coupe de vin dans un bassin de bronze pour interpréter le son produit et en tirer des présages (sur le succès d'une entreprise amoureuse).

Il habitait une des tentes carthaginoises à bordures de perles, buvait des boissons fraîches dans les coupes d'argent, jouait au cottabe, laissait croître sa chevelure et conduisait le siège avec lenteur.

FLAUBERT, Salammbô, Pl., t. I, p. 874.

Par métonymie. Le bassin dans lequel on jetait le vin. Le vin lui-même.

COTTAGE [kɔtɛdʒ; kɔtaʒ] n. m. — 1754; mot angl., de *cot* «cabane, chaumière».

Petite maison de campagne élégante, de style rustique (en particulier en Grande-Bretagne). *Ils ont acheté un cottage en Écosse.*

Eugène Giraud nous mène à la maison rustique qu'il possède à Saint-Gratien, une maison inventée dans une grange, et bâtie et décorée de débris moyenâgeux, et où les lierres, la vigne folle, toutes les plantes de liberté, jettent leurs lianes et leur verdure zigzaguante sur le bric-à-brac de l'architecture de l'intérieur. C'est le cottage, le vrai nid d'une lune de miel romantique.

Ed. et J. DE GONCOURT, Journal, t. II, p. 227.

Régional (Canada). Pavillon, maison individuelle.

1. **COTTE** [kɔt] n. f. — 1155; p.-ê. du francique *kotta*, anc. haut all. *kozza* «manteau de laine grossière»; ou (P. Guiraud) apparenté à l'anc. franç. *cote* «peau (d'un animal, d'un fruit)» d'orig. provençale ou ital., d'un roman *cutita*, du lat. *cutis* «peau».

♦ **1** Hist. Tunique d'homme ou de femme. — Loc. *Cotte d'armes :* sorte de casaque qui se mettait sur la cuirasse. — Cour. **COTTE DE MAILLES :** armure défensive faite de mailles ou d'anneaux de fer entrelacés. → **Armure, brigandine.** *Longue cotte de mailles munie de manches.* → **Haubert.** *Les cottes de mailles des Normands* (→ Arme, cit. 40). — Rare. *Cotte à mailles* (même sens).

0.1   Avec son costume de guerre, cotte à mailles d'or et d'argent, baudrier étincelant de pierres précieuses (...) Féofar offrait au regard l'aspect plutôt étrange qu'imposant d'un Sardanapale tartare (...)

J. VERNE, Michel Strogoff, p. 282 (1876).

1   Quand il sort dans la journée, il a le plus souvent sous son pourpoint une cotte de mailles complète (...)

TAINE, Philosophie de l'art, t. I, II, v, p. 201.

♦ **2** (1539). Vx. Jupe courte, plissée à la taille. *Une cotte de paysanne. Petite cotte de dessous.* → **Cotillon.** *Relever, trousser sa cotte.*

2   De l'autre main, elle relevait sa jupe, et ses cottes de futaine noire : indifférente à tout ce qui fait le souci des passants, elle se troussait assez haut : on voyait ses pieds chaussés de pantoufles en cuir noir, sans boucles ni lacets, et le gros bas de laine noire tombaient à plis lourds le long de sa jambe.

André SUARÈS, Trois hommes, «Ibsen», VI, p. 153.

3   Alors elle a bien vite commencé sa besogne, courageusement, cotte troussée, à grands pleins seaux d'eau claire sur les dalles, comme pour faire honte à la mauvaise chance, au pressentiment, au malheur (...)

BERNANOS, Monsieur Ouine, p. 93.

REM. Un passage très voisin est cité à l'art. Cotillon.

♦ **3** Par ext. Jupe plissée à la taille, que portent les hommes dans certains pays.

♦ **4** (1867; Delvau, *Dict. d'argot, in* D.D.L.). Vieilli. Vêtement de travail, pantalon montant sur la poitrine ou combinaison. → **Bleu, combinaison, salopette.** *Ouvriers en cotte bleue* (→ Comptoir, cit. 1). *Cotte de mécanicien.*

DÉR. Cotillon, cotté, cotteron. — V. Cottereaux. ◊ COMP. Cotte-hardie, surcot. — HOM. Cote, 2. cotte, quote; formes du v. coter.

2. **COTTE** [kɔt] n. m. — 1838; grec *kottos* «chabot». Poisson acanthoptérygien (*Cottidés*) de petite taille, comestible, qui vit en eau douce sous les pierres (→ Chabot), et dont certaines variétés vivent en eau salée, près du rivage.

HOM. Cote, 1. cotte, quote; formes du v. coter.

COTTÉ, ÉE [kɔte] adj. — 1915, Claudel; de 1. *cotte.* Littér. et rare. Revêtu d'une cotte (de mailles).

Visite du Vatican. Musée où beaucoup d'hommes-femmes. La beauté commence avec les magnifiques tapisseries de Raphaël. Puis les chambres. Un bas-relief. Un poète entouré de muses rigides et comme cottées de mailles.

CLAUDEL, Journal, 17 mai 1915.

HOM. Formes du v. coter.

COTTE-HARDIE [kɔtəardi] n. f. — V. 1250; de 1. *cotte,* et *hardie.* Hist. Vêtement de dessus, court, porté par les hommes et les femmes aux XIVe, XVe et XVIe siècles.

COTTEREAUX [kɔtro] n. m. pl. — V. 1173; de *coterel* «cotte d'armes», dimin. de *cote* «tunique à manche», à cause du vêtement que portaient ces hommes. Hist. Aventuriers, pillards réunis en bandes, qui sévirent en France dans la deuxième moitié du XIIe siècle. — REM. On écrit aussi *cotereau.*

COTTERON [kɔtrɔ̃] n. m. — V. 1365; de 1. *cotte.* ♦ **1** Hist. Veste courte, étroite et sans manches portée par les paysans, au moyen âge. *Cotte d'armes courte et étroite.* ♦ **2** Vx. Petite cotte (1. Cotte, 2.), étroite et courte. Spécialt. Cotillon de lainage que portaient les paysannes dans la Flandre française.

COTTIÈRE [kɔtjɛr] n. f. — 1808, Boiste; orig. inconnue. Techn. Barre* de fer de gros calibre.

COTURNE [kɔtyrn] n. m. — D. i.; de *co-,* et *turne,* par jeu de mots avec *cothurne.* (Argot de l'École normale supérieure, à l'origine). Étudiant (-ante) avec lequel (laquelle) un (une) autre étudiant (-ante) partage sa chambre. *J'ai trouvé un nouveau, une nouvelle coturne.* — REM. On écrit aussi par plais. *cothurne.*

HOM. Cothurne.

COTUTELLE [kotytɛl; kɔtytɛl] n. f. — 1868; de *co-,* et *tutelle.* Dr. Fonction dévolue au mari d'une tutrice (Code civil).

COTUTEUR, TRICE [kotytœr, tris; kɔtytœr, tris] n. — XVIe; de *co-,* et *tuteur.* Dr. Personne chargée avec une autre de la tutelle d'un mineur.

COTYLE [kɔtil] n. f. — XIVᵉ ; grec *kotulê* «cavité».

Didactique.

◆ **1** 🅰 Bol à boire (dans l'antiquité grecque).

🅱 Mesure de capacité grecque et romaine.

(...) le commun des hommes n'est pas disposé, comme est Socrate, à vider la grande coupe de huit cotyles sans être ivre (...)
> ALAIN, Platon, VII, *in* les Passions et la Sagesse, Pl., p. 894.

◆ **2** (1561). Anat. Cavité d'un os dans laquelle un autre os s'articule. → **Acétabule.**

◆ **3** Zool. Ventouse des tentacules des céphalopodes.

DÉR. Cotyloïde.

COTYLÉDON [kɔtiledɔ̃] n. m. — 1534 ; *cotillidones*, 1314 ; grec *kotulêdon* «creux, cavité», de *kotulê*. → Cotyle.

◆ **1** (1534). Embryol. Chacun des segments polygonaux, délimités par des cloisons, à la surface utérine du placenta humain ou animal.

◆ **2** (1786). Bot. Feuille ou lobe séminal* qui naît sur l'axe de l'embryon des végétaux phanérogames. *Cotylédon qui croît au-dessus du sol* (→ **Épigé**), *dans le sol* (→ **Hypogé**). *Les deux cotylédons du haricot qui germe. Les phanérogames angiospermes sont à un ou deux cotylédons* (→ **Monocotylédone, dicotylédone**).

◆ **3** Par anal. Plante grasse aux feuilles charnues qui pousse sur les rochers et les vieux murs. — Syn. : *écuelle, herbe-aux-hanches, nombril de Vénus.*

DÉR. Cotylédonaire, cotylédoné. ◇ COMP. Acotylédone, dicotylédone, monocotylédone.

COTYLÉDONAIRE [kɔtiledɔnɛR] adj. — 1865, Année sc. et industr. (1866), p. 218 ; de *cotylédon*.

Bot. Qui a rapport aux cotylédons. *Feuille cotylédonaire.*

COTYLÉDONÉ, ÉE [kɔtiledɔne] adj. — 1829 ; de *cotylédon*.

Bot. Pourvu de cotylédons. *Plante cotylédonée.*

COTYLOÏDE [kɔtilɔid] adj. — 1704 ; de *cotyle*, et *-oïde*.

Anat. En forme de coupe, de cupule. *Cavité cotyloïde* (ou *cotyle*) : cavité de l'os coxal dans laquelle s'articule la tête du fémur.

DÉR. Cotyloïdien.

COTYLOÏDIEN, IENNE [kɔtilɔidjɛ̃, jɛn] adj. — 1814 ; de *cotyloïde*.

Anat. Qui a rapport à la cavité cotyloïde.

COTYLOSAURIENS [kɔtilosɔRjɛ̃] n. m. pl. — 1945 ; du grec *kotulê* «creux, cavité» (→ Cotyle), et *saurien*.

Paléont. Reptiles primitifs de la fin de l'ère primaire. — Au sing. *Un cotylosaurien.*

COTYPE [kotip ; kɔtip] n. m. — XXᵉ ; de *co-*, et *type*.

Didact. (biol.). Individu trouvé dans le même lieu qu'un premier spécimen de type (d'une espèce), et qui sert de référence dans les études taxinomiques.

Les fameuses valises jaunes qu'il traînait à son arrivée recélaient précisément ses plus précieux *cotypes*. (Pour les barbares, je précise qu'un cotype est le premier spécimen connu et décrit, à quoi se refèrent les catalogues des spécialistes).
> Hervé BAZIN, Vipère au poing, p. 38 (1948).

COU [ku] ou (vx) **COL** [kɔl] n. m. — XIᵉ, *col* ; lat. *collum*.

◆ **1** (V. 1170). Partie du corps (de certains vertébrés) qui unit la tête au tronc. *Le cou d'un oiseau, d'un mammifère. Poil du cou d'un cheval, d'un lion* (→ **Crinière**). *Peau pendante sous le cou des bœufs* (→ **Fanon**). *Prendre un chat par la peau du cou. Sonnette, clarine pendue, au cou du bétail. Collier* d'identité au cou d'un chien. Attacher, atteler un animal par le cou. Porter quelque chose sur le cou.*

Le héron au long bec emmanché d'un long cou.   1
> LA FONTAINE, Fables, VII, 4.

Cour. (chez l'homme). *Devant* (→ **Gorge**), *arrière* (→ **Nuque**) *du cou. Relatif au cou.* → **Cervical** (1.), et l'élément *cervic(o)-* ; aussi *trachélien* (vx). *Vertèbres du cou.* → **Atlas, axis.** *Muscles* (→ **Splénlus**), *artères* (→ **Carotide**), *veines* (→ **Jugulaire**), *glandes* (→ **Thymus, thyroïde**) *du cou.* → **Pomme** (d'Adam). *L'œsophage, la trachéeartère, canaux qui passent dans le cou. Partie antérieure du cou.* → **Gorge.** *Partie postérieure du cou.* → **Nuque.** *Plis cutanés du cou.* → **Collier*** (cit. 6) *de Vénus. Douleur ressentie dans le cou.* → **Torticolis.** — *Avoir un long cou. Cou raide, droit. Cou engoncé* dans les épaules. Cou rond. Cou robuste.* — *Cou* (caractérisé par un compl. de nom). *Cou de taureau*, large, puissant. — Littér. *Cou de cygne*, long, blanc, souple et gracieux (→ **Argenté**, cit. 2). *Cette femme a un cou de cygne. Un cou d'albâtre, d'ivoire, de lis*, très blanc.

Lorsque le cou est long et mince, sa direction générale suit   2
celle de la colonne cervicale. Il est plus ou moins incurvé
avec convexité tournée en avant, et c'est cette disposition
qui a pu faire comparer par les poètes le cou de la femme
au cou du cygne.
> Paul RICHER, Nouvelle anatomie artistique,
> La femme, p. 159.

Lorsque l'attitude *(dans la position verticale)* est correcte,   3
la tête est droite, le cou vertical, les épaules sont portées
en arrière (...)
> A. BINET, les Formes de la femme, p. 60 (→ Forme).

Sous votre aimable tête, un cou blanc, délicat,   4
Se plie, et de la neige effacerait l'éclat.
> André CHÉNIER, Bucoliques, XVII, «Les colombes».

Je vis que, devant moi, se balançait gaiement   5
Sous une tresse noire un cou svelte et charmant ;
Et voyant cet ébène enchâssé dans l'ivoire,
Un vers d'André Chénier chanta dans ma mémoire (...)
> A. DE MUSSET, Poésies nouvelles,
> «Une soirée perdue».

Je ne dis pas un mot : je regarde toujours   6
La chair de leurs cous blancs brodés de mèches folles.
> RIMBAUD, Poésies, «A la musique».

Regarde son cou, cette nuque énorme, engoncée dans les   7
épaules : quand il tourne la tête, tout le reste vient avec.
> MARTIN DU GARD, les Thibault, t. III, p. 22.

Avoir le cou à nu. → **Décolleté.** *Partie du vêtement qui entoure le cou.* → **Col, collerette, encolure.** *Robe qui dégage le cou. Pièce d'armure qui protégeait le cou.* → **Colletin.** *Coltin qui couvrait le cou des débardeurs. Envelopper le cou dans un cache-col, une fourrure, un tour de cou* (→ **Boa**, cit. 2). *Avoir, porter un bijou, une jeannette, une médaille, un pendentif au cou.* → **Chaîne, collier.**

(...) le front ruisselant de sueur, le cou tendu en avant sous   8
le poids du sac (...)
> P. MAC ORLAN, la Bandera, IX, p. 111.

(...) sa robe noire sans autre ornement qu'une petite croix   9
huguenote en argent, suspendue à son cou par un ruban.
> J. CHARDONNE, les Destinées sentimentales, p. 460.

REM. La forme archaïque *col* (→ Col, I.) s'emploie encore dans quelques contextes évoquant l'habillement (→ Col, cit. 4) ou la prise au collet*.

(1644). Loc. *(Au cou). Sauter, se jeter, se pendre au cou de qqn*, l'embrasser avec effusion. *Se cramponner au cou de quelqu'un.* — *Être dans l'eau, dans le bain jusqu'au cou.* — Fig. *Plongé jusqu'au cou :* profondément absorbé (par une affaire, une situation). *Être dans la misère jusqu'au cou. S'enfoncer jusqu'au cou :* s'engager à fond.

10 *(...) j'étais plongé jusqu'au cou dans l'histoire de la philosophie (...)*   Alphonse DAUDET, le Petit Chose, I, VII.

11 *Il se leva lentement, ses deux mains saisirent au cou son adversaire et il serra en se souvenant de toute son ancienne force.*
P. MAC ORLAN, la Bandera, III, p. 36.

Prendre au cou (→ argot Colback). *Serrer le cou.* → **Étrangler.** *Tordre le cou :* donner la mort par strangulation. *Tordre le cou à un poulet.* Fam. *Tordre, casser le cou à une bouteille,* la boire. — *Attacher un criminel par le cou.* → **Carcan.** — *Mettre à quelqu'un la corde au cou,* pour le pendre, et, fig., le soumettre. → **Corde.** *Se mettre la corde au cou.* Fig. → **Corde.** — *Couper le cou à qqn, de qqn,* lui trancher la tête. → **Décapiter, décoller.** Fig. et vieilli. *Rompre le cou à quelqu'un,* l'empêcher de réussir. *Rompre le cou à une affaire. Se rompre, se casser le cou :* se blesser grièvement en tombant, ou, fig., perdre ses avantages. → **Casse-cou.** *Laisser, mettre la bride sur le cou :* lâcher les rênes d'un cheval (→ Bride, cit. 7), ou, fig., laisser toute liberté à quelqu'un.

Prendre ses jambes à son cou : faire de grandes enjambées en se sauvant; partir au plus vite.

12 *Pense un peu! Un contre mille!... Salut!... Mes jambes à mon cou!*   CÉLINE, Guignol's band, p. 137.

Allus. littér. *Soleil, cou coupé,* vers d'Apollinaire; titre d'un recueil poétique d'Aimé Césaire.

♦2 (1690). *Le cou ou le col d'une bouteille, d'une cruche,* le goulot. → fam. Casser, tordre le cou à une bouteille* (où *cou* a le sens 1).

♦3 (1767). Spécialt (qualifié, désignant des animaux). *Cou-rouge :* le rouge-gorge. *Cou coupé.* → **Amadine.** *Cou-tors :* le torcol.

♦4 *Cou de cygne :* robinet, tuyau formant un double coude. → **Col-de-cygne.**
Ameublement. Motif du style Empire. *«Fauteuils à cous de cygne»* (Hugo).
Mar. Cheville d'articulation d'un mât de charge.
Techn. Avant-train recourbé d'une voiture à cheval (Stendhal, *in* T.L.F.).

DÉR. Voir Col. ◊ COMP. **Cache-col, casse-cou.** — **Cou-coupé, cou-de-pied.** — HOM. **Coup, coût;** formes du v. **coudre.**

COUAC [kwak] n. m. — 1544, *coac;* onomat. du cri du corbeau.
Son faux et discordant rendu par une voix, ou (1834), par un instrument de musique. → **Canard** (fam.). *Ce soliste a fait un couac. Trompette qui fait un couac.*

1 *Quant aux chants, mes oreilles habituées au plain-chant, à la psalmodie monastiques, souffraient de leur fadeur et des couacs fréquents.*
Georges BORGEAUD, le Voyage à l'étranger, t. I, p. 77.

2 *(...) le couac fatidique et impuissant du jeune trompette (...)*   Claude SIMON, le Palace, éd., 10/18, p. 108.
Fausse note.

3 *(le) repassage des nappes damassées dont chaque faux pli ferait l'effet d'un couac.*
M. YOURCENAR, Archives du Nord, p. 189.

Faire couac : émettre un cri discordant.

DÉR. **Couaquer.**

COUAGGA [kwaga] n. m. — 1755, Buffon; étym. inconnue; on évoque (sans preuve) une onomat. du cri de cet animal.

Zool. Petit cheval d'Afrique dont la robe est rayée comme celle d'un zèbre* sur le cou et les épaules.
Ce sont des onaggas! s'écria Harbert, des quadrupèdes qui tiennent le milieu entre le zèbre et le couagga!
J. VERNE, l'Île mystérieuse, t. I, p. 397.

COUAILLE [kwaj] n. f. — 1611; de *coe,* anc. forme de *queue.*
Technique.

♦1 Laine de seconde qualité coupée près de la queue.

♦2 Extrémités d'un étang laissées à sec par les basses eaux.

COUAQUER [kwake] v. intr. — 1895; *couacquer,* 1609; de *couac.*
Rare. Pousser un cri, faire un bruit discordant, une fausse note.

COUARAIL [kwaraj] n. m. — 1876; de l'anc. franç. *carrogier* «causer sur la place publique», de *carroge* «carrefour», du lat. *quadrivium.*
Régional (Lorraine). Réunion ou veillée où l'on bavarde tout en faisant de petits travaux.
(...) la veillée autour du feu de la cuisine. Tout en écossant les légumes pour l'hiver, on causait des menus événements du jour, et Bibi Cholion faisait des plaisanteries dont les sœurs s'amusaient. C'était le couarail ordinaire des villages lorrains.   M. BARRÈS, la Colline inspirée, p. 163.

COUARD, ARDE [kwar, ard] adj. — V. 1100, *cuard;* XIIe, *couard,* proprt «qui a la queue basse»; de *cūe, cōe, coue,* formes anc. de *queue,* et *-ard.*
Littéraire ou régional.

♦1 (Personnes). Qui est lâche, peureux. → **Capon, lâche, poltron, pusillanime.** — N. *Un franc, un vrai couard. Une couarde.*

1 *(...) un couard qui s'est monté la tête ressemble à un vilain qui se met en dépense, et pousse toujours les choses à l'extrême.*
NERVAL, Contes et facéties, «La main enchantée».

2 *Il fallut que l'hostilité grandissante des temps modernes fît comprendre, peu à peu, à cette milice, la nécessité d'être couarde, et la sublime sagesse de décamper en jetant ses armes aux pieds de l'ennemi.*
Léon BLOY, le Désespéré, III, p. 143.

♦2 Qui manifeste peur et lâcheté. *Un air couard. — Une réponse couarde.*
(Abstractions) :

3 *Je hais l'idéalisme couard, qui détourne les yeux des misères de la vie et des faiblesses de l'âme.*
R. ROLLAND, Vie de Michel-Ange, p. 10-11.

CONTR. **Audacieux, brave, courageux, crâne, hardi, vaillant.** ◊ DÉR. **Couardement, couarder, couardise.** ◊ COMP. **Accouardir.** — HOM. (Du fém.) Formes du v. **couarder.**

COUARDEMENT [kwardəmã] adv. — Déb. XIIIe, *cuardement; coairdement,* v. 1209; de *couard.*
Littér. et rare. D'une façon couarde. → **Peureusement.**
CONTR. **Courageusement.**

COUARDER [kwarde] v. intr. — 1611; pron., v. 1100; de *couard.*
Littér. et rare. Agir comme un couard.

COUARDISE [kwardiz] n. f. — V. 1100, *cuardie, cuardise;* de *couard,* et *-ise.*
Littér., vieilli ou régional. Caractère d'une personne couarde. → **Lâcheté, poltronnerie.**
La plus grande couardise consiste à éprouver sa puissance sur la faiblesse d'autrui.
AUDIBERTI, le Mal court, p. 166, *in* T.L.F.
(Une, des couardises). Acte d'un couard. *C'est une couardise inexcusable.*
CONTR. **Audace, bravoure, courage, hardiesse, vaillance.**

COUCHAGE [kuʃaʒ] n. m. — 1657; de 1. *coucher*, et *-age*.

◆ **1** (1657). Techn. (milit.). Action de coucher, de se coucher. *Le couchage des troupes.*

◆ **2** (1838). Cour. Ensemble des objets qui servent au coucher. *Apporter son couchage. Le couchage des campeurs. Matériel de couchage.* → **Literie**. *Sac de couchage,* pour le campement. → **Duvet**.

1 Par terre, d'autres couchages improvisés, matelas et couvertures de satin bleu ou rose (...)
LOTI, les Désenchantées, II, p. 22.

2 Une camionnette nous accompagne, avec notre attirail de couchage, car nous ne devons rentrer que le lendemain.
GIDE, Voyage au Congo, *in* Souvenirs, Pl., p. 715.

◆ **3** (1931). Fam. Commerce sexuel. *Histoire de couchage.* → **Coucherie** (2., plus cour.).

◆ **4** Techn. ⓐ (1808). Hortic. Action de coucher des tiges aériennes pour obtenir des marcottes.
ⓑ Action de mettre des graines en couche.
ⓒ (1897). Papet. Fabrication du papier couché.

COUCHAILLER [kuʃaje] v. intr. — xxᵉ; de 1. *coucher*, et suff. péj. *-ailler*.

Fam. Avoir des aventures galantes sans lendemain; coucher à droite et à gauche. → 1. **Coucher** (II., 3.), **couchotter**.

Mais enfin, je perdais mon temps. Que faisait-on en Allemagne?
Couchailler chez l'habitant, jouer du théâtre, attendre.
Roger NIMIER, le Hussard bleu, p. 221 (1950).

Coucher un peu, de temps à autre (avec qqn).
«Moravagine couchaillait avec elle» (Cendrars, Moravagine, in Œ. compl., t. 4, p. 205).

COUCHANT, ANTE [kuʃɑ̃, ɑ̃t] p. prés., adj. et n. — xIIᵉ; p. prés. de 1. *coucher*.

◆ **1** Qui se couche. ⓐ (Déb. XVIIᵉ). *Chien couchant :* chien d'arrêt qui se couche sur le ventre lorsqu'il flaire le gibier. → **Chien** (*supra*, cit. 19). *Chiennes couchantes* (→ Biscotin, cit.). — (1605, *in* D.D.L.). Fig. *Faire le chien couchant :* être servile. → **Chien** (cit. 37, 38 et *supra*). *C'est un vrai chien couchant.*
ⓑ *Soleil couchant,* qui est près de disparaître sous l'horizon. *On est arrivé au soleil couchant. Les teintes du soleil couchant* (→ Boulevard, cit. 2.).

1 (...) je m'arrêtais à considérer les clochers (...) que le soleil couchant ensanglantait de ses feux sur la tenture noire des fumées de la Cité.
CHATEAUBRIAND, Mémoires d'outre-tombe, t. II, p. 81.

Moment où le soleil se couche. *Il devait la rencontrer au soleil couchant.*
Par métaphore. Déclin (de qqch.). *Le soleil couchant d'une vie.*
Ciel couchant : le ciel, quand le soleil se couche, au couchant.

◆ **2** N. m. (V. 1265, B. Latini). *Le couchant.* ⓐ Le côté de l'horizon où le soleil semble se coucher. → **Occident, ouest, ponant** (opposé à *aurore, est, levant, orient*). *Maison exposée au couchant. Entre le midi et le couchant. Les pays du couchant.*
Rare. Le soleil qui se couche. — Le moment où le soleil se couche. *Juste avant le couchant.*

2 Au couchant rouge encore, sanglant et sans ardeur, ce globe hagard descend sur l'horizon humide, pareil au cyclope dont l'œil rond se cache dans l'eau verte et pâle.
André SUARÈS, Trois hommes, I, «Ibsen», p. 70.

3 Crépuscule ensanglanté de rouille et d'or; couchant de turquoise et de cuivre (...)
Laurent TAILHADE, Contes et poèmes en prose, «Les noces de Messidor», I.

ⓑ Fig. → **Déclin, vieillesse; crépuscule**. *Toucher à son couchant. Au couchant de la vie.*

1. COUCHE [kuʃ] n. f. — 1575; *culche*, v. 1170; *colche*, xIIᵉ; déverbal de 1. *coucher*.

Ⅰ ◆ **1** Vx, poét. ou plais. Lit. *S'étendre sur sa couche. Partager la couche de quelqu'un. Couche nuptiale :* (fig.) mariage. *Dieu a béni leur couche. Déshonorer, souiller la couche conjugale, nuptiale...* : manquer à la fidélité conjugale. — Loc. fig., iron. *Honorer la couche (d'une personne) :* avoir des rapports sexuels (avec elle). — *Petite couche aménagée sur les bateaux, dans les chemins de fer.* → **Couchette**.

1 Cette couche sans délices, à peine garnie d'un matelas équivoque et d'une paire de draps sales insuffisamment dissimulés par une courtepointe gélatineuse (...)
Léon BLOY, la Femme pauvre, II, p. 17.

2 Je me confonds à la douce chaleur de ma couche. Tout est possible à l'homme qui se tourne et se retourne entre la veille et le sommeil. VALÉRY, Autres rhumbs, p. 46.

◆ **2** Garniture de tissu ou de cellulose dont on enveloppe les bébés, au-dessous de la ceinture, pour qu'ils ne se salissent pas. → **Pointe**. *Changer la couche d'un bébé. Mouiller ses couches. Couche jetable.* — Garniture de même type, utilisée par les malades incontinents.

(1929). *Couche-culotte :* couche à jeter dont la face extérieure est recouverte d'une feuille de plastique, et qui tient lieu de culotte. → **Change** (III.). *Des couches-culottes.*

Ⅱ (1552; dans quelques expressions, au sing., ou plus souvent au plur.). *En couche* (vx); *en couches.* Alitement de la femme qui accouche. → **Accoucher**. *Être en couche, en couches,* dans le travail de l'enfantement ou dans la période qui suit.

3 Il arrive tant d'accidents aux femmes en couche.
Mᵐᵉ DE SÉVIGNÉ, 101, *in* LITTRÉ.

Loc. *Faire une fausse couche.* → **Fausse-couche**.
Au plur. *(Les couches). Relever de couches :* se rétablir. → **Relevailles**. *Couches laborieuses, pénibles. Suites de couches.*

3.1 — L'impératrice est bien contente, disait-il. Elle a eu des couches superbes. Oh! c'est une gaillarde! Vous allez voir quelle prestance elle a...
ZOLA, Son Excellence Eugène Rougon, t. I, p. 99.

COMP. **Fausse-couche**. ◊ HOM. 2. **Couche**; formes du v. 1. **coucher**.

2. COUCHE [kuʃ] n. f. — 1580; de 1. *coucher* (I., A., 4.).

Ⅰ ◆ **1** Substance plus ou moins épaisse étalée sur une surface. *Couche extérieure, superficielle, formée ou déposée sur une surface.* → **Croûte, pellicule**. *Couche de plâtre, de ciment.* → **Enduit**. *Couche de teinte.* — Absolt. *Passer la troisième couche. — Cloque** que fait une couche de peinture. *Couche de vernis. Couche d'argent, d'or, de platine.* → **Argenture, dorure, platinage; coucher, plaquer; couchoir**. *Couche de chrome, de nickel. Couche sensible d'une pellicule.* → **Film, pellicule**. — *Étaler une couche de beurre sur une tartine. Disposer des fruits par couches sur un plat, dans un panier, une caissette...,* les disposer par lits. *Superposer, alterner, varier les couches. Couche de feuilles mortes. Couche de gravier dans l'allée d'un jardin. Couche de cailloutage** (cit.). — *Une épaisse couche de neige couvrait le sol.*

4 (...) les jonquilles détachées de leurs tiges couvraient le sol d'une épaisse couche odorante (...)
LOTI, Aziyadé, XLVIII, p. 146.

5 C'est à peine si l'on voyait sa figure sous une voilette et une couche de poudre (...)
J. CHARDONNE, les Destinées sentimentales, III, p. 397.

5.1 (...) la neige n'a pas encore fondu. Elle forme une couche assez peu épaisse — quelques centimètres — mais parfaitement régulière, qui recouvre toutes les surfaces horizontales de la même couleur blanche, terne et neutre.
A. ROBBE-GRILLET, Dans le labyrinthe, p. 23.

Fam. *Avoir une bonne couche de crasse.* — (1883). Loc. fig. et fam. *Avoir, en tenir une couche* : faire preuve d'une grande sottise. → Sot. *Quelle couche il tient!* : comme il est bête!

5.2 De temps en temps, je le rencontre, ce brave Lapouille, et il ne manque jamais de me dire :
— Crois-tu qu'ils en ont une couche, hein?
A. ALLAIS, Contes et chroniques, p. 69.

5.3 Et bêtes par-dessus le marché... Et bêtes...
— Ça, il y en a qui en tiennent une couche.
— Ils se croient malins, et ils ne disent que des bêtises, d'une taille... Et puis des plaisanteries, grosses comme eux.
R. QUENEAU, Pierrot mon ami, éd. L. de Poche, p. 22.

♦ **2** (1529). Hortic. Carré de fumier mêlé à de la terre pour favoriser la croissance de certaines plantes. → **Planche, semis,** et aussi 1. **capot** (II., 3.). *Couche recouverte d'une bâche; d'un châssis. Châssis de couche. Adossement* pour protéger les couches. — Couche sourde,* qui n'est pas en relief. *Venir sur couche. Melons, chrysanthèmes sur couches.*
(1835). *Champignon* de couche* : agaric comestible cultivé sur couches (→ **Champignonnière**).

♦ **3** Sc. et cour. Disposition d'éléments en zones superposées; assise, banc, formation, lit, strate. *Couches horizontales, inclinées, parallèles. Couche tordue* (→ Cassure, cit. 2). *Couche plane de minerai. Couches géologiques. Couche secondaire, tertiaire. Couche sédimentaire.* → **Alluvion** (cit. 3), **sédiment.** *Couches stratifiées*. Couche aquifère*.* → **Nappe.** *Couche imperméable* (→ Cavité, cit. 1; capillarité, cit.). *Couche de calcaire, d'argile. Mince couche de gypse.* → **Cliquart.** *Fendre une roche dans le sens de ses couches lamellaires.* → **Clivage, cliver.** *Galeries de mine établies dans chaque couche de houille. — Couches de l'océan.* — Par compar. ou métaphore (→ ci-dessous, cit. 6 et 7). «*Les couches profondes du moi*» (Bergson, *in* T. L. F.). → **Région, sphère.**

6 Nos ans et nos souvenirs sont étendus en couches régulières et parallèles, à différentes profondeurs de notre vie, déposés par les flots du temps qui passent successivement sur nous.
CHATEAUBRIAND, Mémoires d'outre-tombe, t. VI, p. 138.

7 (...) le fond national toujours intact et persistant, voilà le granit primitif; il dure une vie de peuple et sert d'assise aux couches successives que les périodes successives viennent déposer à la surface.
TAINE, Philosophie de l'art, t. II, V, II, II, p. 253.

7.1 Tantôt, sur les bords de l'Orne, ils apercevaient, dans une déchirure, des pans de rocs dressant leurs lames obliques entre des peupliers et des bruyères, ou bien ils s'attristaient de ne rencontrer le long du chemin que des couches d'argile.
FLAUBERT, Bouvard et Pécuchet, III, Pl., t. II, p. 787.

8 C'est ainsi que des vagues luttent sans trêve à la surface de la mer, tandis que les couches inférieures observent une paix profonde. H. BERGSON, le Rire, p. 202.

9 À mesure que, sous les «tells» d'argile *(de la Mésopotamie),* la pioche minutieuse des archéologues découvre, couche par couche, la trace émouvante des civilisations (...)
DANIEL-ROPS, le Peuple de la Bible, I, 1, p. 7.

(1783). Zone, surface délimitée (d'un fluide). *Couches de l'atmosphère. Couche d'air. Couche limite* (adjacente à la surface du globe). Anat. *Couche superficielle du derme. Couche papillaire.*

Bot. *Couche corticale* : lamelle fibreuse qui constitue l'écorce. *Chute d'une couche d'écorce.* → **Exfoliation.** — (1771). *Couche ligneuse,* qui forme l'aubier. → **Cerne.**

Techn. *Les couches d'un revêtement de sol. La couche d'usage d'un sol textile.*

Bâtiment, travaux publics. Assise de matériaux de même nature, d'une épaisseur relativement faible par rapport à son extension horizontale, et remplissant une fonction déterminée dans une structure construite. *Lit de pierraille formant couche de drainage dans les fondations d'un bâtiment.* — Spécialt. Une telle assise, constituant un élément d'une chaussée. *Couche de base, couche de fondation, couche de revêtement.*

♦ **4** Fig. Ensemble des personnes ayant des caractères communs (âge, activité professionnelle...). → **Catégorie, classe.** *Couche d'âge.* — (1830). *Les couches sociales.*

(...) j'annonce la venue et la présence dans la politique 10 d'une couche sociale nouvelle (...)
GAMBETTA, Disc. prononcé à Grenoble, 26 sept. 1872.

♦ **5** Phys. Niveau caractérisant l'état d'un certain nombre d'électrons liés à un noyau.

II ♦ **1** DE COUCHE : selon une disposition couchée, horizontale. — (1869). *Arbre de couche* : pièce de transmission. → **Arbre.** — (1680, couche). *Plaque de couche d'un fusil* : semelle de la crosse.

♦ **2** Charpent. Pièce de bois qui supporte des étais, maintient des terres.

DÉR. Couchette. ◊ COMP. Bicouche, sous-couche. ← HOM. 1. Couche; formes du v. 1. coucher.

COUCHÉ [kuʃe] adj. et n. m. — P. p. de *coucher.* → Coucher.

Techn. (papet.). *Papier couché,* et, n. m., *du couché* : → 1. Coucher (p. p. couché, B.).

COUCHE-CULOTTE [kuʃkylɔt] n. f. → 1. Couche (I., 2.).

COUCHE-DEHORS [kuʃdəɔʀ] n. m. invar. — 1881, Maupassant; de 1. coucher «dormir», et dehors.

Fam. et rare. Personne sans travail et sans domicile fixe. → **Vagabond.** «*Et qu'est-ce que c'est, ce merle-là? Un va-nu-pieds, un sans-le-sou, un couche-dehors, un crève-la-faim?*» (Maupassant, *Contes et nouvelles, in* T. L. F.).

COUCHÉE [kuʃe] n. f. — XVIᵉ; de 1. coucher.
Vieux.

♦ **1** Action, fait de se coucher. → 2. **Coucher.**

Donc, l'ingénieur, sans tenir compte de ses fatigues, laissant Pencroff et Nab organiser la couchée, et Gédéon Spilett noter les incidents du jour, commença à suivre la lisière circulaire du plateau, et se dirigeant vers le nord. Harbert l'accompagnait.
J. VERNE, l'Île mystérieuse, t. I, p. 127-128 (1874).

♦ **2** **a** Lieu où l'on couche en voyage. → **Étape.**
b Personnes couchées ensemble.

Cette association par paires donne lieu à l'association par 2 chambrées (...) il y a des paires calmes qui se recherchent pour former des couchées tranquilles et respectables (...)
Rodolphe TÖPFFER, Voyages en zigzag, 1838, 1ʳ journée, p. 85.

♦ **3** Régional. (Animaux). Fait de se poser, de s'arrêter pour dormir.

Hier soir, j'étais caché là-haut, pour la couchée des grives. 3
M. PAGNOL, Manon des Sources, p. 183.

HOM. Formes du v. 1. coucher.

COUCHE-PARTOUT [kuʃpaʀtu] n. m. invar. — Mil. XXᵉ; de 1. *coucher*, et *partout*.

Petite couchette pliante.

> Sur le sable fin, s'étalaient des couche-partout, des tapis de raphia, des matelas de caoutchouc, des rabanes, des chaises longues (...)
> R. SABATIER, les Fillettes chantantes, p. 148.

COUCHE-POINT [kuʃpwɛ̃] n. m. — 1808, Boiste; de 1. *coucher*, et *point*.

Techn. Pièce de cuir, entre le talon et l'emboîtage d'une chaussure.

1. COUCHER [kuʃe] v. tr., intr. et pron. — Fin XIVᵉ; *couchier*, 1172; *culcher*, *culcer*, v. 1100; *colchier*, XIIᵉ; du lat. *collocare* «placer dans une position horizontale, étendre», de *co-*, et *locare* «placer».

I V. tr. **A** ♦ **1** (1172). Mettre (qqn) au lit. *Coucher un enfant. Coucher un malade.* → **Aliter.**

Offrir, procurer à (qqn) un lieu pour passer la nuit, une chambre, un lit pour dormir. *Je ne peux vous coucher.* — (Sujet n. de chose : lieu). *L'hôtel peut coucher deux cents personnes.*

Étendre (qqn) dans le sens de la longueur, à terre ou sur quelque chose. *Coucher un blessé sur un brancard.* — Faire tomber qqn, qqch. *Coucher quelqu'un sur le carreau*.* → **Terrasser.** *La mitrailleuse coucha plusieurs soldats sur le champ de bataille.*

1 Et, non moins bon archer que mauvais raisonneur,
Raide mort étendu sur la place il le couche (...)
LA FONTAINE, Fables, VIII, 10.

2 Ainsi le trait fatal dans les rangs se promène
Et comme des épis les couche dans la plaine.
LAMARTINE, Méditations poétiques, II, 15.

3 Ils l'ont pansée, couchée le plus douillettement possible,
ils la soignent avec une sollicitude extrême.
LOTI, Figures et Choses...,
Trois journées de guerre, III, p. 254.

♦ **2** Mettre (qqch.) à l'horizontale. *Coucher un meuble. Coucher une échelle le long d'un mur.* → **Renverser.** *Coucher un navire sur le flanc pour le caréner.* → **Abattre** (I.).

♦ **3** (Fin XIVᵉ). Rapprocher de l'horizontale (ce qui est naturellement vertical). → **Coucher, incliner, pencher.** — (Sujet n. de personne). *Coucher son écriture. Coucher sa feuille de papier.*

4 Le violoniste couchant la joue sur son violon, comme si
sa tête se pâmait (...)
J. ROMAINS, les Hommes de bonne volonté, t. IV,
XV, p. 154.

(Sujet n. de chose). *La tempête coucha le bateau. Rafale qui couche la flamme des lampes* (→ Chavirer, cit. 6). *Le vent et la pluie couchent les blés.* → **Renverser, verser.**

5 Le vent couchait la pluie presque horizontalement, comme
des épis de blé. J. RENARD, Journal, 27 oct. 1887.

Loc. *Coucher un fusil en joue :* disposer le fusil horizontalement, contre la joue. → **Épauler** (→ Baguette, cit. 8). — *Coucher qqn en joue,* le viser. → **Joue** (et → Mettre en joue*; berne, cit. 2).

(1538). Spécialt. *Coucher une plante,* en plier les rameaux et les couvrir de terre pour qu'ils prennent racine. → **Marcotter.** *Coucher le poil d'un chapeau, d'une étoffe,* en rabattre le poil avec une brosse.

Jeu. → **Miser.** *Coucher cent francs sur une couleur.*

Fam., vieilli. *Coucher une bouteille sur le côté,* la vider en buvant.

♦ **4** Étendre (qqch.) en couche. *Coucher une couleur, de l'or, de l'argent sur une surface.* → **Couche, couchoir.** — Spécialt. *Coucher des couleurs,* les étendre avec le pinceau l'une à côté de l'autre avant de les fondre.

Absolt, techn. *Machine à coucher,* qui fabrique le papier couché* (→ Coucheur, *infra* cit. 4).

B (1283). Fig. Mettre par écrit. → **Consigner, inscrire, porter.** *Coucher qqch. par écrit. Coucher qqch. noir sur blanc. Coucher une clause, un article dans un acte, un contrat. — Coucher qqn sur un état, sur une liste. Coucher qqn sur son testament.*

6 En attendant on couchait les offres, après enquête, sur les
belles fiches de papier glacé.
J. ROMAINS, les Hommes de bonne volonté, t. IV,
IV, p. 35.

II V. intr. ♦ **1** S'étendre, être étendu (pendant un certain temps ou habituellement) pour prendre du repos. *Coucher dans un lit*, dans des draps*, sur un matelas.* → aussi **Couchage,** 1. **couche.** *Elle préfère coucher à plat, sans oreiller*. Coucher mollement, sur la dure. Coucher sur le dos* (→ **Supination**), *sur le ventre, sur le côté, sur le flanc. Coucher en chien* de fusil. Les enfants coucheront tête-bêche dans le même lit. Coucher tout habillé. Coucher sur la dure. Coucher dans un sac de couchage.*

7 (...) cet abri trop petit pour l'escouade où il fallait coucher
tête-bêche pour y loger tous.
J. CHARDONNE, les Destinées sentimentales, III,
p. 408.

7.1 (...) nous remarquâmes pour lors (...) que toute la famille
couche ensemble sur la même peau.
J.-F. REGNARD, Voyage en Laponie, p. 151.

Loc. *Chambre* à coucher.*

(Animaux). *Litière sur laquelle couche le bétail.*

Spécialt. *Allez coucher !,* se dit à un chien que l'on veut éloigner.

♦ **2** Passer la nuit. → **Dormir, gîter, loger.** *Coucher chez soi, chez des amis. Coucher à l'hôtel* (→ Chambre, cit. 7). *Coucher sous le même toit. Coucher en ville. Coucher dehors* (→ **Découcher**). — Loc. fig. et fam. *Un nom à coucher dehors :* un nom difficile à prononcer et à retenir. «Des noms à coucher à la porte» (Duhamel, la Passion de Joseph Pasquier, p. 80). — *Coucher sous la tente* (→ **Camper**). *Coucher dans une grange, dans le foin. Coucher dans la rue. Coucher sous les ponts. Coucher à la belle étoile.*

8 Ne plaise aux dieux que je couche,
Avec vous sous même toit !
LA FONTAINE, Fables, V, 7.

9 (...) après de longs pourparlers, nous réussissions à ne pas
coucher au poste. LOTI, Aziyadé, LXIII, p. 171.

9.1 J'étais un peu las vers le soir et, après mon dîner, je m'en
fus coucher chez Angèle. Je dis chez et non avec elle,
n'ayant jamais fait avec elle que de petits simulacres anodins. GIDE, Paludes, *in* Romans, Pl., p. 104.

10 Pendant l'absence de la colonne Weller, il couchait à l'infirmerie, en compagnie du sergent infirmier (...)
P. MAC ORLAN, la Bandera, XIV, p. 168.

♦ **3** *Coucher avec qqn,* partager son lit, sa chambre avec lui. — Fam. *Coucher avec quelqu'un :* avoir des relations sexuelles avec lui (→ **Amour,** *supra* cit. 20). *Ils couchent ensemble. Coucher avec sa voisine* (→ Paillard, cit. 2).

11 (...) dans l'ardeur qui m'enflamme,
Je vais dire partout qu'il couche avec ma femme.
MOLIÈRE, Sganarelle, 17.

12 Il est plaisant que le mot connaître une femme veuille
dire : coucher avec une femme, et cela, dans plusieurs
langues anciennes (...) comme si on ne connaissait point
une femme sans cela.
CHAMFORT, Maximes, III, p. 138.

13 C'est une erreur que, parce que l'on a couché ensemble,
on se doit réciproquement adorer.
Th. GAUTIER, Mˡˡᵉ de Maupin, I, p. 13.

14 Mais au moment où il allait murmurer à l'oreille de Marie
une question où il y aurait ce mot «coucher», si voluptueux
et si louche, qui sent le drap chaud et le traversin, il se

dit qu'il ne réussirait pas à le prononcer, fût-ce dans la phrase la plus simple, sans lui donner un ton de liberté choquante, et sans faire rougir Marie de l'avoir employé elle-même. Quant à le prononcer d'un ton neutre, c'était un crime; c'était jeter un verre d'eau froide sur ce mot ardent et ronflant qu'on avait entre les tempes.

J. ROMAINS, les Hommes de bonne volonté, t. V, XXIII, p. 198.

Absolt. *Coucher :* avoir une vie sexuelle (se dit surtout des femmes). → **Baiser, couchailler, couchoter; couchage** (3.), **coucherie** (2.).

14.1 Ce n'était plus une fille (*Mme de Lorsange*) entretenue, c'était une riche veuve qui donnait de jolis soupers, chez laquelle la Cour et la ville étaient trop heureuses d'être admises; femme décente en un mot et qui néanmoins *couchait* pour deux cens louis, et se donnait pour cinq cens par mois.

SADE, Justine..., t. I, p. 16 (1791).

14.2 Si elle l'oublie à la rentrée, ce ne sera pas un drame. Comment voulez-vous que ça tourne? (...) Une histoire de chantage... Vous n'êtes pas fou, depuis quand, et puis chanter pourquoi? Tout le monde *couche,* non?

ARAGON, Blanche..., I, p. 14.

♦ **SE COUCHER** v. pron.

♦ **1** S'étendre*, se mettre dans la position allongée. *Se coucher dans l'herbe à plat ventre. Se coucher sur le dos, sur le côté.* → **Mettre** (se). *Je ne veux plus marcher : je me couche par terre et je me repose. Couchez-vous sur ce divan que je vous examine.* → **Allonger** (s').

Spécialt (sans compl. de lieu). S'étendre (sur une surface prévue à cet effet) pour se reposer, dormir; se mettre au lit. → **Drap** (se mettre, se glisser dans les draps), **lit** (se mettre au lit); fam. **dodo** (aller au, aller faire dodo); fam. et pop. **bâcher** (se), **pageoter** (se), **pager** (se), **pagnoter** (se), **pieuter** (se), **plumarder** (se), **plumer** (se). → fam. et pop. Se mettre au paddock, au page, au pageot, au pieu, au plumard; mettre la viande dans les bâches, les bannes, les toiles, les torchons... *Il est l'heure, c'est l'heure d'aller se coucher.* → **Dormir.** — *Vous êtes fatigué, il faut vous coucher. Il a la grippe, il a dû se coucher.* → **Aliter** (s').

15 On se levait trop tard, on se couchait trop tôt (...)

LA FONTAINE, Fables, VII, 2.

16 (...) le pauvre ne doit se coucher que pour mourir.

BALZAC, la Peau de chagrin, Pl., t. IX, p. 88.

17 Il se coucha à tâtons, n'essayant même pas d'allumer la lampe.

P. MAC ORLAN, la Bandera, XVI, p. 195.

Avec un compl. désignant le lieu où l'on dort :

18 (...) l'on se couchait harassé, soit dans un lit d'auberge, soit dans une grange ouverte, ou bien au pied d'une meule (...)

Alphonse DAUDET, Contes du lundi, «Alsace! Alsace!».

Loc. fam. *Allez vous coucher :* laissez-moi tranquille; fichez-moi la paix. *Va te coucher!*

Prov. *Comme on fait son lit, on se couche :* il faut se résigner à subir les conséquences de sa conduite. Cf. On récolte ce que l'on a semé.

(Avec ellipse du pron.). Vieilli ou régional. *Aller coucher,* se coucher. *Envoyer qqn coucher* (au fig.) : envoyer promener*.

♦ **2** S'étendre, se courber (sur qqch.). *Les rameurs se couchent sur les avirons. Le cavalier se couchait sur l'encolure du cheval. — Se coucher à terre en témoignage d'adoration.* → **Prosterner** (se). *Se coucher dans la boue.* → **Vautrer** (se). *Se coucher dans un fossé pour se protéger, se cacher.* → **Planquer** (se).

19 (*Le reste*) Se couche contre terre, et sans faire aucun bruit, Passe une bonne part d'une si belle nuit.

CORNEILLE, le Cid, IV, 3.

20 L'autre, plus froid que n'est un marbre, Se couche sur le nez, fait le mort, tient son vent.

LA FONTAINE, Fables, V, 20.

21 Éconduit, il (*le courtisan*) insiste; repoussé, il tient bon; qu'on le chasse, il revient; qu'on le batte, il se couche à terre.

P.-L. COURIER, Simple discours, *in* LITTRÉ.

Les six légionnaires avaient rejoint le caporal. Ils se cou- 22 chèrent à plat ventre dans la neige.

P. MAC ORLAN, la Bandera, XVII, p. 207.

(Animaux). *Chien qui se couche aux pieds de son maître.* → aussi **Couchant** (chien). — Ellipt. *Allez coucher!*

(Choses). *Le blé se couche sous le poids des épis.* → **Verser.** *Le navire se couche sur le flanc.* → **Renverser** (se).

♦ **3** Fig. (Le sujet désigne le soleil, les astres). Descendre sous l'horizon. → **Couchant,** 2. **coucher.** *Le soleil se couchera dans une heure* (→ Abri, cit. 7; brillant, cit. 4).

♦ **COUCHÉ, ÉE** p. p. adj. **A** ♦ **1** (Personnes). Étendu, allongé. *Être couché sur un brancard. Il lit, couché sur le dos. Rester couché dans son lit.* → **Lit** (garder le). *Être couché à terre, inanimé.* → **Gésir.**

(...) couché de tout mon long dans l'herbe sèche des 23 fossés (...)

Alphonse DAUDET, Contes du lundi, «Alsace! Alsace!».

«Debout ou couché», disait-il : «la position assise est pour 24 les fonctionnaires».

MARTIN DU GARD, les Thibault, t. V, p. 174.

♦ **2** (Choses). Qui est mis à l'horizontale. → **Incliné, penché.** *Blés couchés. Navire couché sur le flanc. Écriture couchée.* — Géol. *Pli* couché.*

♦ **3** *Avant, après (le) soleil couché :* avant, après le coucher du soleil.

B (Correspondant à *coucher* I., A., 4.). Techn. (papet.). *Papier couché :* papier enduit d'une couche de plâtre, de kaolin, pour la reproduction de photographies, d'illustrations ou l'édition d'ouvrages de luxe. → **Glacé** (plus cour., non techn.). — N. m. *Un beau couché. Illustration sur couché. Couché mat, couché brillant.*

C (Correspondant à *coucher* I., B.). Inscrit. *Son nom est couché sur la liste.*

CONTR. Asseoir, lever. — Dresser, ériger, planter. — Paraître. — Effacer. ◊ DÉR. Couchage, couchailler, couchant, 1., 2. couche, couchée, 2. coucher, coucherie, coucheur, couchis, couchoir, couchotter, couchure. ✦ COMP. Accoucher, découcher, recoucher. — Couche-dehors, couche-partout, couche-point, couche-tard, couche-tôt. ✦ HOM. Couchée; 2. coucher.

2. **COUCHER** [kuʃe] n. m. — 1694; *couchier,* 1285; *choucier,* XIIIᵉ; substantivation de 1. *coucher.*

I ♦ **1** Action de se coucher. → **Couchée** (1.). *C'est l'heure du coucher. Le coucher des enfants.* — *Le coucher des oiseaux.* → **Couchée** (3.).

Ce lieu déborde de vie, surtout à la pointe du jour et au 1 coucher des oiseaux.

COLETTE, la Naissance du jour, p. 85.

Hist. *Le coucher du roi :* réception qui précédait son coucher. *Le petit coucher :* l'espace de temps entre le bonsoir que le roi donnait aux étrangers et le moment de se mettre effectivement au lit.

♦ **2** (1694). **a** Manière dont on est couché. *Coucher en supination, sur le dos.*

b Ce sur quoi ou dans quoi on couche. → 1. **Couche.** *Un bon coucher. Un coucher doux, moelleux. Coucher scandinave.* → 1. **Couette.** — *Être délicat, difficile pour le coucher.*

Ces lits (*de plume*) composent, avec une paillasse rebondie, 1.1 tout le coucher des habitants aisés ou misérables d'un pays où les oies abondent et où les hivers sont très-froids.

G. SAND, le Meunier d'Angibault, 1845, p. 44, *in* T.L.F.

♦ **3** (1694). Le fait de coucher dans un lieu. *Il ne paya rien pour son coucher.* → **Couchée, gîte.** *Le coucher et la nourriture.*

♦ **4** Argot (en parlant d'une prostituée). Fait de passer une nuit entière avec un client. *Faire un coucher.*

II (1564). ♦ **1** Moment où un astre descend et se cache sous l'horizon. *Au coucher du soleil.* → **Crépuscule; couchant** (→ Chêne, cit. 6). *Contempler un coucher de soleil. — Coucher cosmique* d'une étoile.*

2 Coucher du soleil. Ciel pur, le disque orange est tangent à l'horizon.　　　　　VALÉRY, Autres rhumbs, p. 81.

Lumière d'un coucher de soleil.

3 Sur une moitié des champs le coucher s'éteignait; au-dessus de l'autre était déjà allumée la lune (...)
　　　　　PROUST, le Temps retrouvé, Pl., t. III, p. 691.

♦ **2** Tableau qui représente le coucher du soleil. *Le musée possède un fort beau coucher de soleil de Turner.*

HOM. Couchée; formes du v. 1. **coucher.**

COUCHERIE [kuʃʀi] n. f. — 1760; de 1. *coucher, et -erie.*

♦ **1** Rare et vx. Fait de se coucher, de se reposer dans un lit.

♦ **2** Fam. Fait de coucher avec qqn, commerce charnel. → **Couchage** (3.).

1 Je n'ai vu dans le monde que des dîners sans digestion, des soupers sans plaisir, des conversations sans confiance, des liaisons sans amitié et des coucheries sans amour.
　　　　　CHAMFORT, Maximes, 37.

2 Il faut les entendre me dire : «Vous ne connaissez pas les femmes!» Ces êtres vulgaires s'imaginent sentir des choses que je ne sens pas. Quand je leur explique : «Que voulez-vous donc dire, avec vos coucheries?» ils me ripostent, avec des yeux qui tournent au blanc : «Mais il ne s'agit pas de coucheries».
　　　　　J. RENARD, Journal, 10 févr. 1900.

3 Il était excédé par la quantité d'enfants qui peuplaient les films, et aussi par toutes les coucheries si identiquement conventionnelles dans leurs audaces mesurées.
　　　　　S. DE BEAUVOIR, Tout compte fait, p. 244.

Par métaphore :

4 (...) quand vous avez fini vos coucheries avec l'État, vous prenez votre lâcheté pour de la sagesse, et croyez qu'il suffit d'être manchot pour devenir la Vénus de Milo (...)
　　　　　MALRAUX, la Condition humaine, p. 273.

COUCHE-TARD [kuʃtaʀ] n. et adj. invar. — 1971, *in* Gilbert; de 1. *coucher, et tard.*

Fam. Personne qui se couche habituellement tard. → **Noctambule.** *Les couche-tard. Une couche-tard.* — Appos. ou adj. *Des jeunes gens couche-tard.*

Montmartre n'était noctambule qu'à demi : aux couche-tard faisant la grasse matinée s'opposait le petit peuple des lève-tôt par force.
　　　　　R. SABATIER, Trois sucettes à la menthe, p. 237.

CONTR. Couche-tôt.

COUCHE-TÔT [kuʃto] n. et adj. invar. — 1870, Goncourt; de 1. *coucher, et tôt.*

Fam. Personne qui se couche habituellement de bonne heure. Appos. ou adj. «*Des maisons (...) pleines de bourgeois couche-tôt*» (H. Troyat, *Lionceaux,* p. 13). *Elles sont assez couche-tôt.*

C'est l'heure mauve que nous n'osions jamais faire semblant de voir poindre, à Montmartre, dans les carreaux du bar où nous avions passé la nuit car il en résultait une tournée générale aux frais du couche-tôt qui se serait permis de donner le signal du départ.
　　　　　F. CARCO, Nostalgie de Paris, p. 58.

CONTR. Couche-tard.

COUCHETTE [kuʃɛt] n. f. — 1374; de *couche,* et *-ette.*

♦ **1** Petit lit*. *Couchette pliante.* → **Couche-partout.**

Elle *(la chambre)* communiquait avec une chambre plus petite, où l'on voyait deux couchettes d'enfant, sans matelas.
　　　　　FLAUBERT, Trois contes, «Un cœur simple», I.

♦ **2** Plus cour. Lit étroit, peu confortable, souvent escamotable.

(1882). Mar. Lit de bord. → **Bannette** (2.), et aussi **branle, hamac.** *Installer une toile à roulis* au fond de sa couchette. Couchette à tiroirs :* dans les chambres d'officiers, couchettes en bois formant meuble avec tiroirs. Par ext. → **Cabine.**

(1908). Cour. Banquette aménagée pour pouvoir dormir dans un train (→ Sleeping-car, cit. 1). *Réserver une couchette de seconde, de première* (classe). *Train autos-couchettes* (→ **Autos-couchettes**). *Wagon, voiture à couchettes,* ou *wagon-couchettes. Compartiment à couchettes* (différent du *wagon-lit,* du *sleeping-car*).

COMP. Autos-couchettes.

COUCHEUR, EUSE [kuʃœʀ, øz] n. — V. 1534; de 1. *coucher.*

I ♦ **1** Rare. Personne qui est couchée pour dormir.

♦ **2** Vx. Personne qui couche à côté d'une autre personne. *Les coucheurs d'un dortoir.* — Loc. *Mauvais coucheur,* qui empêche de dormir ses compagnons (compagnes) de lit.

0.1 Ce terme de «mauvais coucheur» dont les hommes libres, dans la vie civile, font un usage si détourné de sa source et si léger, reprenait alors pour nous toute l'énergie de son sens originel, puisque nous nous étendions par rangées de douze pour dormir, côte à côte sur le même vaste bat-flanc.
　　　　　Francis AMBRIÈRE,
　　　　　les Grandes Vacances : 1939-1945, p. 38.

(1823). Fig. et mod. **MAUVAIS COUCHEUR :** personne de caractère difficile. → **Hargneux, querelleur, (fam.) râleur.** — Adj. *Elle est un peu mauvaise coucheuse.*

1 Le Comte de La Bourdonnaye, jadis mon ami, est bien le plus mauvais coucheur qui fut oncques : il vous lâche des ruades, sitôt que vous approchez de lui (...)
　　　　　CHATEAUBRIAND, Mémoires d'outre-tombe, t. V, p. 171.

2 Mais vous ne pourriez pas avoir des ennuis avec un particulier, mauvais coucheur, qui vous accuserait de lui avoir fait manquer la vente en dépréciant sa marchandise?
　　　　　J. ROMAINS, les Hommes de bonne volonté, t. V, v, p. 38.

3 (...) les mauvais coucheurs comme mon aïeul Bieswal qui refusa au XVIIe siècle qu'on mît ses armoiries dans D'Hozier, parce que cet enregistrement lui semblait un subterfuge de plus du roi de France pour extorquer quelques pièces d'or à ses sujets.
　　　　　M. YOURCENAR, Archives du Nord, p. 26.

♦ **3** Adj. Vx. Qui s'adonne aux plaisirs amoureux. → **Baiseur.**

II Techn. (Personne qui couche qqch.). ♦ **1** N. m. (1752). Ouvrier qui, dans la fabrication du papier à la main, était chargé de renverser sur des feutres (contenant la feuille de papier) que lui tendait le puiseur.

4 L'ouvrier *puiseur* (...) passe le tamis, recouvert d'une pellicule de pâte encore très molle et très humide au *coucheur,* qui retourne l'embryon de feuille sur un feutre et le recouvre d'un autre feutre.
　　　　　F. MEYER et L.-J. OLMER,
　　　　　Le Papier et les Dérivés de la cellulose, p. 54.

Mod. Se dit aussi, dans la fabrication du papier à la machine, de l'ouvrier conduisant une machine à coucher (utilisée pour la fabrication du papier couché). — REM. Le fém. *coucheuse* est virtuel.

◆ **2** N. f. (1863). *Une coucheuse :* ouvrière qui, dans la confection du point d'Alençon, fixe et rabat la bride.

COUCHIS [kuʃi] n. m. — 1694; de 1. *coucher, et -is.*

Technique.

◆ **1** (1694). Lit de sable et de terre qu'on étend sur les madriers d'un pont de bois pour asseoir les pavés.

◆ **2** (1863). *Couchis de lattes d'un plancher.* → **Lattis.**

◆ **3** Assemblage servant à étayer une tranchée de fondation. → **Étai.**

COUCHOIR [kuʃwaʀ] n. m. — 1680; de 1. *coucher,* et -oir.

Technique.

◆ **1** (1680). Palette du doreur.

◆ **2** (1900). Cône généralement en buis, servant au commettage des cordages.

COUCHOTTER [kuʃɔte] v. intr. — 1877; de 1. *coucher,* et -otter.

Fam., péj. Avoir des relations sexuelles plus ou moins fréquentes et en général médiocres. → **Couchailler. —** On écrit aussi *couchoter.*

(...) la petite fille à nattes qui (...) a couchotté ou couchaillé ou les deux en Angleterre, comme toutes les jeunes filles un peu trop protégées.
G. CESBRON, Don Juan en automne, p. 193.

COUCHURE [kuʃyʀ] n. f. — 1751; de 1. *coucher, et -ure.*

Techn. Point de broderie utilisé pour fixer des motifs en fils d'or, d'argent, etc.

COUCI-COUÇA [kusikusa] ou **(vx) COUCI-COUCI** [kusikusi] loc. adv. — 1649, *couci-couci; couci-couça,* 1848; ital. *cosi-cosi* «à peu près», d'après *comme-ci, comme-ça.*

Fam. À peu près, ni bien ni mal. → **Comme** (I., B., 4. : comme ci, comme ça), **deux** (entre les deux). *Comment allez-vous ? Couci-couça. Les affaires vont couci-couça.* → Moyen (c'est moyen).

1 Ai-je pas réussi
En tout ce que j'ai dit depuis...?
— Couci-couci...   MOLIÈRE, l'Étourdi, IV, 4.

2 Quand notre fortune a été reconstruite, couci-couci, quand j'ai eu moins d'ennui, le mal était fait (...)
BALZAC, le Lys dans la vallée, Pl., t. VIII, p. 955.

CONTR. Bien (très bien), **mal** (très mal).

COUCOU [kuku] n. m. — XIIᵉ; onomat. → Cocu.

I ◆ **1** **a** Oiseau grimpeur, de la taille d'un petit pigeon, au plumage gris cendré barré de noir (n. sc. : *Cuculus*). *Le coucou est insectivore et migrateur. La femelle du coucou pond ses œufs dans le nid des bruants, des bergeronnettes, des fauvettes. Le cri du coucou. Cri sur deux notes du coucou.*

1 Un misérable oiseau pensa me rendre fou
À force de crier coucou, coucou, coucou.
BOURSAULT, le Mercure galant, III, 4, in LITTRÉ.

2 Et très loin, perceptible pourtant comme si l'oiseau nous suivait de son vol, tinte l'appel sonore du coucou.
M. GENEVOIX, Forêt voisine, III, p. 29.

3 (...) vous allez encore entendre le coucou. C'est le plus simple et le plus monotone des chants d'oiseaux. Il a pourtant frappé tous les musiciens qui n'ont pas fini de nous en expliquer la race, à leur façon.
G. DUHAMEL, Chronique des Pasquier, II, p. 323.

Loc. *Être maigre comme un coucou,* très maigre.

b Zool. Oiseau de l'ordre des cuculiformes (incluant le coucou au sens a). *Coucou terrestre, coucou coureur,* oiseau des régions désertiques d'Amérique du Nord (n. sc. *Geococcyx californiana*), qui court très rapidement.

◆ **2** (1832). Par anal. *Pendule à coucou, coucou :* pendule dont la sonnerie est remplacée par l'imitation du cri du coucou, et par la sortie d'un petit oiseau de bois pour chaque signal d'heure.

(...) dans un coin un vieux coucou qui semble respirer bruyamment chaque seconde de l'heure (...)   3.1
Ed. et J. DE GONCOURT, Journal, t. I, p. 209.

(...) il n'y avait que le coucou, un coucou énorme, enluminé de fleurs rouges, qui parut gai et propre, avec son tic-tac sonore (...)   3.2
ZOLA, l'Œuvre, p. 17.

(...) on entendait le tic tac régulier d'un coucou battant les secondes (...)   4
COURTELINE, Messieurs les ronds-de-cuir, 4ᵉ tableau, I, p. 131.

L'oiseau d'une pendule à coucou (→ Coucouer, cit.).

◆ **3** **a** (1845). Narcisse des bois, ou jonquille *(Narcissus pseudo narcissus),* de la famille des amaryllidacées.

b Primevère sauvage; primevère officinale *(Primula officinalis),* de la famille des primulacées. *Un bouquet de coucous.*

Je crus m'isoler en entrant dans le bois. Il y avait des promeneurs qui cueillaient des coucous, des campeurs, des pique-niques.   4.1
Geneviève DORMANN, la Fanfaronne, p. 105.

c *Bran de coucou, coucou :* gomme distillée par certains arbres fruitiers, en particulier les cerisiers.

◆ **4** (V. 1800). Ancienne voiture publique à deux roues. *Un cocher de coucou.*

Ainsi les pittoresques *coucous* qui stationnaient sur la place de la Concorde en encombrant le Cours-la-Reine, les coucous si florissants pendant un siècle (...)   5
BALZAC, Un début dans la vie, Pl., t. I, p. 600.

Fam. et vieilli. Vieille locomotive servant à la manœuvre dans les gares. — Automobile en mauvais état. → **Tacot.**

(1914). Mod. Avion d'un modèle ancien (souvent dans l'expr. : *un vieux coucou*). *Les coucous de la guerre de 14.*

Ces virtuoses faisaient exécuter à cet appareil élévateur *(l'ascenseur)* tous les tours dont il ne se serait pas cru capable. Il était vieux, à bout de souffle, mais entre les mains de ces spécialistes il ressuscitait, comme une antique coucou de l'air sous l'impulsion, jadis, de l'acrobate Doret.   6
P. GUTH, le Naïf locataire, p. 233.

Mar. → **Chronomètre.**

II Interj. (1660). *Coucou!,* terme qu'utilisent les enfants quand ils jouent à cache-cache. *Faire coucou.*

(1887). *Coucou, le voilà (me voilà)!,* cri utilisé pour annoncer l'arrivée inattendue de quelqu'un.

Le bonhomme lâcha le bouton de la porte, dit avec rondeur : «Coucou! le voilà», fit quatre ou cinq pas dans la pièce et tendit à Laurent une lettre cachetée.   7
G. DUHAMEL, Chronique des Pasquier, Le combat contre les ombres, in T.L.F.

Rare (évoquant non plus l'apparition, mais la disparition). *«Pour te prêter de l'argent, coucou!; pour l'aider : coucou! Pour la récupération, coucou!»* (H. Bazin, la Tête contre les murs, p. 359, in T. L. F.).

DÉR. Coucouer ou **coucouler.** ◊ **HOM.** Formes du v. **coucouer.**

COUCOUER [kukwe] ou **COUCOULER** [kukule] v. tr.
— 1838; de *coucou.*

Rare. *Pousser le cri du coucou.* — Par ext. *Imiter ce cri.*

(...) il fallut lire le chapitre suivant, qui était celui des animaux avec celui de leur ramage, de leur appel ou de leur cri ; et quand le coucou reparut pour sauver la fin de la leçon nous savions qu'il coucoulait.
GIRAUDOUX, Siegfried et le Limousin, p. 116.

COUCOUMELLE [kukumɛl] n. f. — 1816, *in* D.D.L. ; provençal mod. *coucoumèlo.*

Oronge blanche, champignon comestible *(Agaricacées).* → **Lépiote.**

(...) des têtes de champignons gris (peut-être des coucoumelles), cuites sur le gril (...)
A. PIEYRE DE MANDIARGUES, la Marge, p. 202.

COU-COUPÉ [kukupe] n. m. — D. i. ; de *cou*, et *coupé.*

Zool. Nom d'une espèce de bengali dont la couleur du cou est très différente de celle du reste du corps. *Des cous-coupés.*

COUCOUPHA [kukufa] n. m. — XIXᵉ : lat. sav. *cucupha, cucufa,* d'un mot copte «huppe».

Didact. (antiq. égyptienne). Animal, mammifère à longues oreilles (confondu avec une huppe-oiseau) dont la tête décore les sceptres des rois (et la figuration des sceptres des dieux) de l'ancienne Égypte.

Nous trônions tous les deux dans un monde plus sublime, monarques-jumeaux, époux dès le sein de l'éternité, — lui, tenant un sceptre à tête de coucoupha, moi un sceptre à fleur de lotus, debout l'un et l'autre, les mains jointes.
FLAUBERT, la Tentation de Saint-Antoine, Pl., t. I, p. 158 (cf. in *Salammbô,* «des colliers à tête de coucoupha», Pl., p. 979).

COUDE [kud] n. m. — V. 1390 ; *coute,* 1458 ; *cote,* v. 1165 ; du lat. *cubitus* «pliure du bras ; courbure ; mesure de longueur».

♦ **1** Partie du membre supérieur, saillante lorsque l'avant-bras est fléchi, située en arrière de l'articulation du bras et de l'avant-bras. — (Anat.) Partie du membre supérieur correspondant à l'articulation entre le bras et l'avant-bras. *Du coude.* → **Cubital.** *Os de l'articulation du coude* (→ **Humérus ; cubitus, radius**). *Flexion, extension du coude. Muscles du coude :* (extenseur) triceps brachial ; (fléchisseurs) biceps, muscle brachial antérieur. *Nerf du coude.* → **Cubital** (nerf). *Pli du coude. Saignée. Le coude et la saignée* du bras. Luxation du coude. Tumeur du coude, chez le cheval.* → **Éponge.**

1 Trois pièces osseuses (...) concourent à former l'articulation du coude : du côté du bras, l'extrémité inférieure de l'humérus ; du côté de l'avant-bras, l'extrémité supérieure du cubitus et l'extrémité supérieure du radius.
L. TESTUT, Traité d'anatomie, t. I, p. 597.

1.1 (...) celui *(le corps)* de droite a en outre les mains passées sous la nuque, les coudes repliés pointent en l'air, obliquement, de chaque côté. *L'homme ne dort pas* (...)
A. ROBBE-GRILLET, Dans le labyrinthe, p. 105.

1.2 Dans un réflexe d'enfant prise en faute, elle lève un coude avec précipitation pour se protéger la figure (bien qu'il n'ait pas ébauché le moindre geste de violence à son égard).
A. ROBBE-GRILLET, Projet pour une révolution à New York, p. 27.

Loc. *S'appuyer sur le coude ; se soulever* (lorsqu'on est couché) *sur le coude.* → **Accouder** (s') ; **accotoir, accoudoir, appui-bras, appui-coude.**

2 Sophie était seule ; elle avait les coudes appuyés sur sa table, et la tête penchée sur sa main (...)
DIDEROT, le Père de famille, I, 7.

3 (...) je m'étais appuyé sur mon coude, et, me soulevant sur mon lit, je l'écoutais attentivement.
A. DE MUSSET, la Confession d'un enfant du siècle, I, V, p. 43.

Donner, envoyer un coup de coude à qqn. Pousser qqn du coude pour l'avertir. Se pousser le coude, du coude : se faire un signe d'intelligence.

4 (...) quand vous rencontrez dans la rue une mystérieuse à triple voile, vous pouvez dire : Celle-ci va où elle ne devrait pas aller. Et c'est tellement connu que les autres femmes sur son passage sourient et se poussent le coude.
LOTI, les Désenchantées, XIV, p. 116.

5 M. Perruel envoya un coup de coude à son patron. En sortant, il le chapitra (...)
A. MAUROIS, Bernard Quesnay, VI, p. 41.

5.1 (...) ses méfiants compagnons de chambrée, bien que se poussant du coude comme les collégiens devant le loustic, préparaient des combines compliquées pour qu'il ne fût jamais garde-chambre.
MALRAUX, Antimémoires, Folio, p. 304.

Fam. *Lâche-moi le coude :* laisse-moi tranquille (→ Lâche-moi les baskets*).

Jusqu'au coude. Plonger les mains dans l'eau jusqu'au coude. — Fig. et fam. Complètement. *Se fourrer le doigt dans l'œil jusqu'au coude :* se tromper lourdement. — *S'en mettre jusqu'au coude :* manger énormément.

Sous le coude, se dit d'une affaire, d'un dossier qui n'est pas traité, dont on ne s'occupe pas. *Garder un dossier sous le coude. Courir coudes au corps,* en appliquant les coudes au niveau de la ceinture.

Loc. fam. *L'huile de coude :* l'énergie. *Mettre de l'huile de coude pour parvenir à un résultat.*

Loc. *Ne pas se moucher du coude :* ne pas manquer d'argent, et, aussi, ne pas manquer de prétention.

(Av. 1755). **COUDE À COUDE** : très proche l'un de l'autre. *Travailler coude à coude.* → **Contre** (contre à contre), **côte** (côte à côte) ; **ensemble.** — N. m. *Un coude à coude fraternel* (→ **Coudoiement**). *Être au coude-à-coude.* — (Abstrait). Rapprochement, solidarité étroite (entre personnes).

5.2 Nous le buvons, notre espresso, debout dans une bonbonnière-nickel, c'est le coude à coude, c'est le jet de vapeur, c'est la chaleur humaine dans la grande chaleur.
Violette LEDUC, la Folie en tête, p. 551.

5.3 Ils se tiennent en demi-cercle, serrés les uns contre les autres au coude à coude, leurs visages sont immobiles, leurs yeux pareils à des yeux de verre sont fixés sur lui.
N. SARRAUTE, Vous les entendez ?, p. 187.

6 Le sentiment du coude à coude et de la responsabilité mutuelle est très fort dans la famille patriarcale.
DANIEL-ROPS, le Peuple de la Bible, I, II, p. 42.

Fig. *Se serrer, se sentir, se tenir les coudes.* → **Entraider** (s').

7 (...) l'essentiel demeurait à ses yeux d'aller de l'avant, avec un esprit de confiance réciproque, et la volonté de «se sentir les coudes».
J. ROMAINS, les Hommes de bonne volonté, t. V, XII, p. 93.

7.1 Un prêté pour un rendu. On se tient les coudes dans la famille.
Régis DEBRAY, l'Indésirable, p. 237.

7.2 Il n'importe ni de penser, ni de descendre dans la rue, mais de se serrer les coudes, de se tenir chaud. Tout ce qui menace de perturber les affectueuses retrouvailles de la fête à l'Huma relève de la provocation gauchiste.
M. TOURNIER, le Vent Paraclet, p. 285.

(1752). Fig. et pop. *Lever, hausser le coude :* boire beaucoup. *Il lève bien le coude.*

Jouer des coudes, pour tenter de se frayer un passage à travers une foule. — Fig. Manœuvrer pour parvenir à ses fins aux dépens des autres.

8 (...) une société où, pour s'avancer, il fallait jouer des coudes (...)
FRANCE, la Vie en fleur, XV, p. 180.

9 Jacques et ses amis, jouant des coudes, essayèrent de se frayer un chemin à travers cette marée humaine (...)
MARTIN DU GARD, les Thibault, t. VI, p. 280.

Douleur (tendinite) *du coude des joueurs de tennis* (cf. l'anglic. *tennis elbow*).

♦ **2** (Av. 1660). Partie de la manche d'un vêtement, qui recouvre le coude. *Veste trouée, lustrée aux coudes. — Coude d'une armure.* → **Cubitière.**

♦ **3** (1611). Angle saillant (de certains objets). → **Angle, saillie.** *Coude d'un tuyau. Arbre de transmission à deux coudes. Coude d'une baïonnette. Coude ou bras mobile d'un phonographe. — Coude d'un cep de vigne* : naissance de la branche qui donne le raisin.

(1690). *Coude que fait un mur, une muraille. Coudes d'une rivière.* → **Détour, méandre, retour, sinuosité.** *La route présente un coude à cet endroit.* → **Courbe; tournant, virage.**

10   Tout disparut. L'homme (...) fit environ deux cents pas. Brusquement, à un coude du chemin, les feux reparurent près de lui (...)   ZOLA, *Germinal,* t. I, I, I, p. 2.

♦ **4** Plur. Pâtes alimentaires en forme de coude.

DÉR. Coudée, couder, coudière, coudoyer. ◊ **COMP. Accouder. — Appui-coude.** → **HOM.** Formes du v. **couder.**

COUDÉE [kude] n. f. — 1850; *couldée,* 1530; *codee,* mil. XIII⁽ᵉ⁾; *cotee,* v. 1165; de *coude.*

♦ **1** Anciennt. Mesure de longueur représentant la distance du coude à l'extrémité du majeur, évaluée à 50 centimètres.

1   Alors Dieu dit à Noé : «Fais-toi une arche de bois résineux (...) la longueur de l'arche sera de trois cents coudées, sa largeur de cinquante coudées et sa hauteur de trente».   BIBLE (CRAMPON), *Genèse,* VI, 13, 14.

1.1   Le prophète Zacharie voit voler dans les airs un rouleau de parchemin long de vingt coudées et large de dix qui semait la malédiction sur la face de toute la terre.   CLAUDEL, *Journal,* janv.-févr. 1908.

Fig. *Cent coudées* : valeur relativement considérable. — Loc. *Dépasser (qqn) de cent coudées. Être de cent coudées, à cent coudées au-dessus de quelque chose.*

2   (...) Crevel croyait avoir dépassé son bonhomme Birotteau de cent coudées.   BALZAC, *la Cousine Bette,* Pl., t. VI, p. 230.

On trouve dans le même sens : *mille coudées.*

♦ **2** (1580). Loc. **COUDÉES FRANCHES** : liberté de mouvement, d'action. *Avoir ses coudées franches* : être libre. *Donnez-moi mes coudées franches* (→ Donner carte* blanche).

3   Entrée dans la *Sainte-Alliance,* la France ne s'en était jamais considérée comme la prisonnière, et après avoir, par ce geste, désarmé les hostilités des «Cours du Nord», elle avait repris ses coudées franches.   Louis MADELIN, *Talleyrand,* XXXVII, p. 397.

COU-DE-PIED [kudpje] n. m. — XII⁽ᵉ⁾; on écrivait aussi *coudepied* et *cou-du-pied;* comp. de *cou,* et *pied.*

[a] Anat. Articulation qui réunit le pied à la jambe. *Os contribuant à former le cou-de-pied* : tibia, péroné, astragale (premier os du tarse). *Des cous-de-pied.*

[b] Cour. Partie antérieure et supérieure du pied, bombée, sur laquelle se noue ordinairement la chaussure. *Avoir le cou-de-pied fort.*

1   Voilà, mam'selle! (A part.) J'ai monté derrière elle; elle a un cou-de-pied digne de l'Olympe!   E. LABICHE, *la Chasse aux corbeaux,* II, 3.

2   (...) on lui voyait sous son pantalon remonté, un tout petit pied de femme, au cou-de-pied busqué d'Espagnole.   Ed. et J. DE GONCOURT, *Manette Salomon,* p. 145.

3   (...) de fines lanières barrent de trois croix le cou-de-pied et enserrent la cheville par-dessus un bas très fin (...)   A. ROBBE-GRILLET, *la Maison de rendez-vous,* p. 15.

Par métonymie. Partie de la chaussure qui recouvre le cou-de-pied.

COUDER [kude] v. tr. — 1601; *colder,* 1493; de *coude.* Plier en forme de coude*. → **Plier.** *Couder une barre de fer. Couder une branche d'arbre.*

(1680). Techn. (confection). *Couder une manche,* en confectionner le coude.

♦ **SE COUDER** v. pron. *Barre qui se coude.* — Former un coude, un angle. → **Fausser** (se).

♦ **COUDÉ, ÉE** p. p. adj.

(1601). Plus cour. Qui présente un coude. *Outil coudé. Ciseau coudé,* de coupeur. *Levier coudé. Arbre, essieu coudé.*

Le terrible hiver 40-41 vint avec toute sa rigueur. À longueur de journée, Henriette fourrait du charbon dans la vieille salamandre de dentelles noires, avec un long tuyau coudé, traversant la vaste pièce sans cheminée.   Elsa TRIOLET, *Le premier accroc coûte deux cent francs,* 1945, p. 126, *in* T.L.F.

REM. On rencontre des emplois intransitifs, au sens de «faire un coude» : «*La ruelle coudait derrière la maison du juge*» (M. Zermatten, *le Sang des morts,* p. 77).

CONTR. Redresser. — Droit.

COUDIÈRE [kudjɛʀ] n. f. — 1898, *Nouveau Larousse illustré;* de *coude.*

♦ **1** Saillie (d'un meuble, d'un bâtiment) qui permet de s'accouder.

♦ **2** Mod. Dispositif attaché au coude, sur le coude, pour le protéger. «*Il faut encore* (pour la planche à roulettes) *des genouillères, des coudières, des gants de jardinier*» (*Marie-France,* oct. 1978, p. 23).

COUDOIEMENT [kudwamã] n. m. — 1832, Hugo; du rad. de *coudoyer,* et *-ment.*

♦ **1** Action de coudoyer (qqn, qqch.); résultat de cette action. → **Contact, frôlement, rencontre.** *Coudoiement fraternel.* → **Coude** (à coude).

1   (...) le frôlement de sa robe, le coudoiement, parfois, de son bras, la rencontre, si parlante, de leurs regards (...)   MAUPASSANT, *Notre cœur,* II, I, p. 80.

2   Et on s'aperçoit soudain qu'on est vraiment et toujours et partout seul au monde, mais que dans les lieux connus, les coudoiements familiers vous donnent seulement l'illusion de la fraternité humaine.   MAUPASSANT, *les Sœurs Rondoli,* I, p. 12.

♦ **2** Abstrait. Contact habituel avec quelqu'un, entre personnes.

3   (...) ce désir du contact, du coudoiement, de l'intimité qui sommeille en tout cœur humain, et que tout vieux garçon promène, de porte en porte, chez ses amis où il installe un peu de lui, ajoutait une force d'égoïsme à ses sentiments d'affection.   MAUPASSANT, *Fort comme la mort,* p. 78.

COUDOYER [kudwaje] v. tr. [CONJUG.: *noyer.*] — 1595; de *coude,* et *-oyer.*

♦ **1** Vx. Heurter quelqu'un du coude*. — Par ext. Marcher côte à côte. → **Côtoyer.** — Mod. Spécialt. Passer très près de..., passer fréquemment près de...; être en contact avec... → **Frôler.** *Coudoyer des inconnus dans la foule. Coudoyer qqn dans la rue.*

1   (...) cette vie d'auberge où l'on coudoie sans cesse des inconnus, où l'on s'assied à une table muette à côté d'hommes toujours nouveaux et toujours indifférents (...)   LAMARTINE, *Graziella,* III, III, p. 83.

2   (...) après avoir visité quelque bel édifice, repentant, il gagnait les quartiers pauvres, il se laissait coudoyer par une foule assez sale.   GIRAUDOUX, *Bella,* V, p. 117.

3   (...) de vivre auprès d'un grand malade, de coudoyer des infirmières, des médecins, de respirer des remèdes, agissait sur elle à la façon d'un poison (...)   MARTIN DU GARD, *les Thibault,* t. III, p. 121.

♦ 2 Abstrait. Être en contact avec (qqch.). *Coudoyer le bonheur. Coudoyer la faillite.* → **Côtoyer.** — (Le sujet et le compl. désignent des choses). Aller de pair avec. *La bêtise coudoie souvent la méchanceté.* → **Pair** (aller de pair).

4 L'on sait, depuis Flaubert et Bloy, qu'il n'est idée ni phrase «reçue» où la bêtise ne coudoie la méchanceté, où la grandeur ne se voie immolée à la sottise et les martyrs aux bourreaux.
J. PAULHAN, les Fleurs de Tarbes, I, 3, p. 44.

♦ SE COUDOYER v. pron.

(Sujet collectif ou pluriel : réciproque). → **Côte** (être côte à côte); **coude** (être coude à coude); **rencontrer** (se). *Ils se coudoient dans la rue.*

5 Cette foule mouillée, qui hurle et se coudoie, c'est un méli-mélo de costumes turcs et de loques européennes (...)
LOTI, les Désenchantées, LIII, p. 245.

Fig. *«L'adultère, le crime et la faiblesse se coudoient»* (Nerval).

(Sujet sing. ou plur. : réfléchi). *Se coudoyer avec qqn.*

6 (...) le prêtre misérable (...) une tourbe de mendiants en soutane (...) se coudoyant avec le bas peuple au fond des cabarets les plus mal famés. ZOLA, Rome, p. 110.

DÉR. Coudoiement. REM. On trouve chez Colette (*Claudine en ménage, in D. D. L.*) le dérivé *coudoyeur* («la hâte coudoyeuse des passants»).

ÇOUDRA [ʃudra] n. m. — 1853, M. du Camp; probablt empr. à l'anglo-indien *sudra,* du hindi *shūdr,* urdu *sūdr.*

Didact. Membre d'une caste inférieure de l'Inde qui était exclu des sacrifices, qui n'avait pas le droit de recevoir l'enseignement religieux et qui était le serviteur des castes supérieures.

COUDRAIE [kudRɛ] ou **COUDRETTE** [kudRɛt] n. f. — XIIᵉ; de 1. *coudre* «coudrier» et *-aie, -ette.*
Terrain planté de coudriers (noisetiers).

1. **COUDRE** [kudR] n. m. — XIIᵉ; *codre,* v. 1160; lat. *corylus.*

Vx. Noisetier. → **Coudrier.**

DÉR. Coudraie ou **coudrette. ◊ HOM.** 2. **Coudre.**

2. **COUDRE** [kudR] v. tr. [CONJUG.: *je couds, il coud, nous cousons; je cousais; je cousis* (rare); *je coudrai; cousu; que je couse; que je cousisse* (inus.)*; cousant; cousu.*] — V. 1160, *coldre;* du lat. pop. *cosere;* lat. class. *consuere,* de *con-* (*cum*), et *suere* «coudre».

Assembler (deux ou plusieurs choses) au moyen d'un fil passé dans une aiguille.

♦ 1 Cour. *Coudre du linge, des étoffes.* → **Couture.** *Coudre une étoffe à, sur une autre. Coudre une pièce à un vêtement.* → **Linger, raccommoder, rapiécer, ravauder, repriser.** *Coudre une marque sur le linge.* → **Marquer.** *Coudre du linge en vue de l'orner.* → **Broder, festonner.** *Coudre des boutons, des agrafes à un vêtement. Coudre deux morceaux de tissus. Coudre ce qui était décousu.* → **Raccommoder, recoudre.**

1 Deux tailleurs civils mobilisés cousaient dans un coin des écussons, des galons dorés ou de laine rouge.
J. CHARDONNE, les Destinées sentimentales, II, p. 340.

Fabriquer en assemblant des morceaux. *Coudre une robe après l'avoir coupée.* → **Monter; bâtir, faufiler, ourler, surfiler, surjeter; couture.**

Absolt. *Savoir coudre. Apprendre à coudre. Personnes dont le métier est de coudre.* → **Couturière; cousette; tailleur.** *Coudre avec du fil, de la soie. Coudre à la main, à la machine* (→ **Piquer**). *Coudre à contresens. Différentes manières de coudre. Coudre à*

petits points, à grands points. → **Couture** (point de couture). *Dé* à coudre. Aiguille à coudre.*

Il *(François)* aurait voulu pouvoir passer la nuit à coudre 2 et à filer à sa place (...)
G. SAND, François le Champi, VII, p. 63.

Il conduisit Jacques jusqu'à une chambre où, près de la 3 fenêtre, une femme d'une trentaine d'années cousait à contre-jour.
MARTIN DU GARD, les Thibault, t. VII, p. 14.

(...) mais quand il se fut agi de coudre, il n'eut pas son 3.1 égal. Personne n'ignore, en effet, que les marins ont une aptitude remarquable pour le métier de couturière.
J. VERNE, l'Île mystérieuse, t. I, p. 400.

(1857). *Machine à coudre* (à main, à pied, électrique, électronique). *La canette, le pied-de-biche d'une machine à coudre.*

Les fonctions générales d'une machine à coudre peuvent 3.2 se définir par trois mouvements : le premier est le mouvement par lequel l'aiguille plonge dans l'étoffe, en entraînant le fil pour fermer la boucle à travers laquelle viendra passer la navette; le deuxième est le mouvement qui fait passer la navette ou un crochet circulaire dans la boucle fermée par le fil de l'aiguille; le troisième est le mouvement de translation de l'étoffe après chaque point fait, et qui varie par conséquent suivant la longueur du point (...) Ces trois mouvements sont indispensables (...) et quand ils sont produits convenablement, toutes les machines cousent bien, si les tensions du fil, de l'aiguille et de la navette sont bien réglées...
G. LEROUX, Rouletabille chez Krupp, p. 120-121.

Coudre (qqch., qqn) dans qqch. : enfermer dans un contenant que l'on coud. *Coudre un corps dans un linceul. Coudre de l'argent dans la doublure d'une veste.*

♦ 2 Techn. (Reliure). *Coudre les cahiers d'un livre.* → **Brocher; relier.**

Coudre des pièces de cuir avec la paumelle. → **Paumoyer.** *Coudre, recoudre la semelle d'une chaussure.* → **Couture, piqûre.**

Chir. *Coudre une plaie, les lèvres, les bords d'une plaie,* fermer, réunir au moyen d'un fil, d'agrafes. → **Suturer.**

Pêche. *Coudre un filet :* joindre ensemble plusieurs filets pour en former un seul.

Vannerie. Lier les sarments avec de l'osier. — Arrêter (les parties d'un treillage) avec des liens de fer.

♦ 3 Abstrait. → **Assembler, joindre, lier, réunir.** *Coudre des phrases entre elles,* les assembler avec art.

On leur apprend à coudre des phrases de Cicéron (...) 4
ROUSSEAU, Émile, II.

Loc. (Absolt). *Après avoir taillé, il faut coudre :* lorsque l'on a défait quelque chose, il faut refaire, reconstruire pour le remplacer.

(...) avant de coudre, il fallait tailler; il *(Sieyès)* rêvait donc 5 d'un homme à poigne qui osât pour lui, mais qui, le coup fait, lui restât inféodé.
Louis MADELIN, l'Ascension de Bonaparte, XXI, p. 229.

On ne sait quelle pièce y coudre : on ne sait quel remède y apporter. — *Coudre la peau du renard à celle du lion :* joindre la ruse à la force, au courage. *Coudre la bouche de qqn,* le forcer à se taire.

♦ COUSU, UE p. p. adj.

♦ 1 Attaché par des points. *Cousu à la main; cousu à la machine.* **Fam.** *Cousu main. Des gants cousus main.* — N. m. **Fam. DU COUSU-MAIN :** affaire facile, entreprise qu'on est sûr de réussir (→ Du billard, du tout cuit).

(...) Alex, je te donne Khadi *(un boxeur),* ce soir, parce que 5.1 je suis un brave type mais ne mets pas le paquet puisque je t'offre du cousu-main (...)
J. CAU, la Pitié de Dieu, p. 43.

Fig. *Cousu de...* : qui a une grande quantité de... *Un visage cousu de cicatrices. Livre cousu de citations,* très abondant en citations, formé de citations. — *Être cousu d'or :* être fort riche.

6   (...) on me viendra chez moi couper la gorge, dans la pensée que je suis tout cousu de pistoles.
MOLIÈRE, l'Avare, I, 4.

Loc. *Cousu de fil blanc.* → **Fil.**

Bouche (cit. 13) *cousue. Motus** (cit. 3) *et bouche cousue.*

♦ **2 N. f.** **Fam.** *Une cousue* ou (plus cour.) *une toute cousue :* cigarette manufacturée vendue en paquet (par oppos. à *la cigarette roulée.* → **Rouler,** p. p., II., 2.).

7   J'ai éparpillé les épingles à chignon, posé la glace en équilibre sur la boîte à mégots : inutile de laisser celle-ci en évidence pour inviter Jane à s'en rouler une ; tant qu'il y a de la gitane toute cousue, elle se sert dans le paquet.
A. SARRAZIN, la Cavale, p. 170.

CONTR. Découdre. ◊ DÉR. Cousette, couseuse. ← **COMP. Découdre, recoudre.** ← **HOM. 1. Coudre.**

COUDRETTE [kudʀɛt] n. f. → **Coudraie.**

COUDREUSE [kudʀøz] n. f. — 1929, *Larousse du XXᵉ s.;* de l'anc. verbe *coudrer* «tremper une dernière fois le cuir dans la jusée, pour le débarrasser des poils» (1571).

Techn. Cuve dans laquelle on purge les chaux, en tannerie.

COUDRIER [kudʀije] n. m. — 1555 ; *couldrier,* 1503 ; du lat. pop. **colurus.*

Régional.

♦ **1** Noisetier. *La baguette de coudrier du sourcier. Plantation de coudriers.* → **Coudraie.** *Bois de coudriers.*

♦ **2** Bois de cet arbre. *Des sabots de coudrier.*

COUÉ, ÉE [kwe] adj. — 1155, *cué;* de l'anc. franç. *coue* «queue» (→ 1. Queue).

Vx. (En parlant d'animaux). Dont on n'a pas coupé la queue ; qui a sa queue. *Chien coué.*

COUENNE [kwan] n. f. — V. 1223, *coenne; couane,* 1271 ; *coâne,* v. 1210 ; du lat. pop. **cutinna,* altér. de *cutina,* du lat. class. *cutis* «peau».

♦ **1** Peau du porc, particult. flambée et raclée. *De la couenne. Couenne de lard. — Une, des couennes :* morceau de couenne. *«Une soupe aux herbes avec une couenne de lard et un gros os de bœuf»* (A. France, *les Dieux ont soif,* 1912, p. 66, *in* T. L. F.).

Par anal. Peau des cétacés, des pachydermes. *La couenne des marsouins.*

♦ **2** Fam. Peau de l'homme. *Risquer sa couenne. Vieille couenne :* vieille peau.

♦ **3** (1803). **Méd.** Partie supérieure du caillot sanguin qui se forme après une saignée, lorsque ce caillot se décolore. — Altération locale de la peau. *Couenne inflammatoire dans le cas d'une angine.* → **Couenneux,** 2. *Couenne pleurétique,* se formant sur la plèvre.

♦ **4** Régional (Suisse). Croûte (de fromage).

♦ **5** Personne maladroite, sotte. *Ce type est une vraie couenne. — Adj. Ce qu'il est couenne !*

DÉR. Couenneux.

COUENNEUX, EUSE [kwanø, øz] adj. — 1743 ; *coeneux,* 1611 ; de *couenne.*

♦ **1** Rare. Qui ressemble à la couenne.

Jeune encore, elle avait réuni les mains derrière une nuque   1
couenneuse, et elle tournait sur elle-même avec lenteur, exhibant les sombres touffes de ses aisselles.
A. PIEYRE DE MANDIARGUES, la Marge, p. 70.

♦ **2** (1833). **Méd.** Qui est couvert d'une couenne (3.). *Angine couenneuse.* → **Membraneux.**

Je tombai malade : angine couenneuse, jets de permanga-   2
nate, bleu de méthylène, ma mère me soigna avec dévouement.
Violette LEDUC, la Bâtarde, p. 17.

1. COUETTE [kwɛt] n. f. — V. 1160, *coute, coite;* du lat. *culcita* «matelas, coussin».

♦ **1** |a| Vx. Lit de plumes. *Coucher sur une couette.*

|b| Mod. Édredon, qui recouvert d'une housse, remplace le drap de dessus et les couvertures. *Couette norvégienne. Housse de couette. Couette en duvet d'oie.*

♦ **2** |a| (1676). **Techn.** Pièce de métal sur laquelle pivote un gond, l'arbre d'une machine.

|b| (1694). **Mar.** *Couettes mortes :* glissières fixées à la cale de construction d'un navire, et sur lesquelles il glisse pendant son lancement. → **Coulisse.** *Couettes vives :* pièces en bois fixées au ber et qui glissent sur les couettes mortes. — On écrit aussi (rare) *coite, coitte.*

♦ **3** Régional. Mouette.

HOM. 2. Couette.

2. COUETTE [kwɛt] n. f. — XIIIᵉ, *keuete;* de l'anc. franç. *coue* «queue» (→ 1. Queue).

♦ **1** Petite queue*. *La couette d'un lapin.*

♦ **2** Mod. (fam.). Mèche ou touffe de cheveux retenue par une barrette, un nœud, un lien sur le côté de la tête, d'où elle retombe. *Une coiffure à tresses, à couettes. Elle s'est fait des couettes.*

Deux *couettes* de cheveux en désordre, couleur de chanvre,   1
s'échappaient sur son front de la ruche de son bonnet (...)
Ed. et J. DE GONCOURT, Manette Salomon, p. 271.

Tu sors d'une boîte, astiquée comme un jouet. Carrière t'a   2
trouvé une silhouette, indispensable pour la marque (...)
Il a hésité : chignon ? tresses ? bandeaux ? Il a choisi les couettes, plus folâtres, plus voltigeantes, plus petite fille, en accord avec tes dansottements.
P. GUTH, Lettre ouverte aux idoles, Sheila, p. 95.

HOM. 1. Couette.

COUFFE [kuf] n. f. — V. 1665 ; *cuffe,* 1633 ; provençal *couffo* (XVᵉ) ; arabe *qŭffāh* «sorte de panier» ; probablt du bas lat. *cophinus,* grec *kophinos* «corbeille».

♦ **1** Régional. Grand cabas* servant à transporter des marchandises. → **Cabas, panier.** *Couffe à olives.*

Je vois qu'on n'a pas encore coupé les sagnes du ruisseau   1
et je crois qu'au printemps nous manquerons de couffes solides, peut-être même déjà cet hiver, quand il faudra retirer du grenier les champignons secs.
J. GIONO, Vraies richesses, p. 1212.

Trois pièces vides, ou simplement des jarres, des boisseaux   1.1
à mesurer le blé (...) des corbeilles, des couffes, des sacs (...)
J. GIONO, le Hussard sur le toit, p. 109-110.

Le contenu d'une couffe. *Une couffe de figues.*

En passant par la maison-de-commerce, il prit une couffe   2
de raisins avec une buire d'eau pure (...)
FLAUBERT, Salammbô, XIII, p. 289.

♦ **2** Mar. *Couffe de palangre :* panier immergé en mer, muni de nombreux hameçons.

COUFFIN [kufɛ̃] n. m. — 1478; arabe *qǔffǎh*, par le bas lat. *cophinus*. → Couffe.

♦ **1** Régional. Couffe, grand cabas (→ Corser, cit. 0.1)
Le boulanger déposa trois énormes pains bis et un sac de son dans le couffin de droite, puis il offrit une poignée de blé à l'âne qui la mangea proprement dans sa main.
H. BOSCO, l'Âne Culotte, p. 16.
Par métonymie. Contenu d'un couffin.

♦ **2** Cour. Corbeille souple de paille, d'osier, munie d'anses et servant notamment de berceau. → Moïse.
«À poser sur le couffin, une moustiquaire de tulle de nylon» (l'Express, 16 juin 1979, p. 171).

COUFIEH ou **COUFFIÉ** [kufjɛ] n. m. — 1854; *coufié*, 1736; arabe *kūfiyya*, même sens.
Vx. → Keffieh.
(...) des coufiehs, autrefois jaunes et rouges, pendent en guenilles le long de leurs joues creuses et vidées.
DU CAMP, le Nil, 1854, p. 54, *in* T. L. F.

COUFIQUE [kufik] adj. et n. — 1845; *coufite, cuphique*, 1763; *kiufi*, 1672; t. dû à Buffon, contraction du portugais du Brésil *cuguacu ara* (aussi *cuguacu arana*), corruption, par influence de *cuguacu* (→ Cariacou), de *çuçuarana*, tupi *susuarana*.

♦ **1** *Écriture coufique* : écriture dont se servaient les Arabes avant le quatrième siècle de l'hégire pour la calligraphie du Coran, puis pour les inscriptions sur les monuments et les monnaies.

♦ **2** Qui est écrit, gravé dans cette écriture.

♦ **3** N. m. *Le coufique* : l'écriture coufique.
REM. Les spécialistes de la civilisation islamique utilisent plutôt la graphie *kūfique*.

COUGOURDE [kuguʀd] n. f. — 1673; *coucourde*, 1273; mot provencal, anc. provencal *cogorda* «courge»; du lat. class. *cucurbita* «courge».
Régional (Provence). Courge ou potiron.
Fig. T. d'injure. → Courge.

COUGUAR ou **COUGOUAR** [kugwaʀ] n. m. — 1761, Buffon, couguar; cougouar, 1768; t. dû à Buffon, contraction du portugais du Brésil *cuguacu ara* (aussi *cuguacu arana*), corruption, par influence de *cuguacu* (→ Cariacou), de *çuçuarana*, tupi *susuarana*.
Grand félin (puma) d'Amérique du Sud. → Jaguar (cit. J. Verne), **puma**.

COUIC [kwik] interj. — 1809; onomatopée.

♦ **1** Onomatopée imitant un petit cri, un cri étranglé. — N. m. *«Vous en avez fait un couic!»* (Anouilh, *la Valse des toréadors*, p. 144).

♦ **2** Par ext. (évoquant une action rapide : absorption, destruction...).

1 La serine est partie et le mâle a attrapé la cerise : couic, terminé. Jean FERNIOT, Pierrot et Aline, p. 35.
(1809). Évoquant le fait de tordre le cou, une mort violente :

2 (...) des milliers et des milliers de proies, autant que d'heures. Il s'agit de n'en rater aucune, avant la dernière, la dernière des dernières, celle qui nous échappe toujours, — couic! Une chose qui bouge et fa saute dessus.
BERNANOS, Monsieur Ouine, p. 45.
(1885). Fam. *Faire couic* : mourir de mort violente, en général par strangulation.

♦ **3** Fam. (Dans des loc. de forme négative). Rien. *N'y voir, n'y comprendre que couic. J'y entrave que couic.* → Que pouic*.

3 Ça m'plaisait guère, l'école, faut être franc. Pour c'qu'est d'étude, j'y comprenais que couic.
Yves GIBEAU, Allons z'enfants, p. 160.

4 Zézette disait qu'elle m'apprendrait à couper des rideaux... Des portières relevées à l'italienne? Elle n'y comprenait que couic. Violette LEDUC, la Folie en tête, p. 448.

COUILLARD [kujaʀ] adj. et n. m. — XIIᵉ; du rad. de *couille*, et *-ard*.

I Adj. (XIIᵉ). Pop. Qui a de gros testicules (animaux).
Bélier couillard.
(...) le taureau, roi des arènes,
Le plus férocement couillard.
G. NOUVEAU, Dauphin, Pl., p. 624.

II N. m. ♦ **1** (1643). Mar. Garcette servant à retrousser et à serrer une voile carrée sur la vergue.

♦ **2** Techn. Chacune des deux pièces de bois dans la cage d'un moulin à vent.

♦ **3** (1866). Typogr. Petit filet que l'on met à la fin d'un chapitre.

COUILLE [kuj] n. f. — V. 1178, *coille*; du lat. pop. *colea*, du lat. class. *coleus* «testicule».
Familier et vulgaire.

I Testicule (surtout au plur.). → **Burette, burne, couillon** (vx). *Recevoir un coup dans les couilles.*

1 (...) un homme de soixante-trois ans, qui a de l'amabilité, qui a été homme à femmes dans sa jeunesse, de ces têtes dont la force suit celle des couilles (...)
STENDHAL, Journal, 26 janv. 1808, Pl., p. 879.

2 Mes couilles, dit-il, mes couilles, les femmes elles avancent bien en présentant les nichons, elles paradent avec, les femmes, mes couilles j'ai bien le droit de les offrir, de les mettre en avant, et même, mes couilles, de les présenter sur un plateau. J'ai même le droit, elles sont belles, de les envoyer comme cadeau à Pola Négri ou au Prince de Galles! Jean GENET, Journal du voleur, p. 150-151.

3 Je suis un intellectuel. Ça m'agace qu'on fasse de ce mot une insulte : les gens ont l'air de croire que le vide de leur cerveau leur meuble les couilles.
S. DE BEAUVOIR, les Mandarins, p. 133.

Loc. *Se vider les couilles* : éjaculer.

Loc. fig. *Avoir des couilles (au cul)*, du courage. (1847). Par ext. *Couille molle* : homme sans courage (parfois écrit plaisamment *couyemol* : G. Chevallier, *Clochemerle*, p. 104).

4 Le colonel, le drapeau, tout ça des blagues, et la musique et les chevaux. Mais il y a un certain nombre de types qui ont des couilles, ça c'est le régiment, c'est le groupe, le régiment quoi — et le reste suit.
DRIEU LA ROCHELLE, la Comédie de Charleroi, p. 65.

5 (...) je l'ai souvent entendu affirmer que les républicains étaient des couilles molles.
Roger NIMIER, Le Hussard bleu, p. 59.

En avoir plein les couilles : être agacé. *Tu me fais mal aux couilles. — Casser* les couilles à qqn*, l'ennuyer, l'importuner. *Tu me casses les couilles* : tu m'exaspères. *Cf. Casser les bonbons, les burnes; casser les pieds*.

Mes couilles! Rien à faire! Pas question! (cf. Mon cul!).

6 Juste côte à côte! pressés, constants! faciles à vivre! heureux de tout, Tommies, Sammies, Boys, mes couilles! suant les whiskys, les petits cadeaux!...
CÉLINE, Guignol's band, p. 92.

... de mes couilles, se dit par dérision, pour déprécier.

7 «On peut dire ce qu'on veut, ça fait plaisir de se rencontrer avec une race supérieure.
— Race supérieure de mes couilles, dit Alexandre».
Robert MERLE, Week-end à Zuydcoote, p. 43 (1949).

Loc. *C'est de la couille* : cela ne vaut rien.

8 Je te raconte ça pour te montrer qu'un type tout à fait affranchi comme moi a ses moments de stupidité. Parce que ces raisonnements-là, mon vieux, c'est de la couille.
J. DUTOURD, Pluche, XIV, p. 250.

Partir en couille(s) : se gaspiller, ne pas aboutir.

9   (...) il arrive aussi que le chagrin désagrège les facultés, dis-
    perse l'esprit. Les gars de là-bas ont aussi une expression
    pour désigner l'homme qu'une trop grande souffrance a
    désagrégé. *Il s'en va en couille.*
                              Jean GENET, Pompes funèbres, p. 73.

REM. Le mot est souvent remplacé par un pronom dans
des locutions (cf. Il n'en a pas ; les avoir à zéro ; tu nous
les casses, etc.).

II Fig. (probablt de *partir en couille*). *Une couille* : une
erreur, un échec ; un ennui sérieux.

10 Ce n'est qu'une petite couille de rien du tout. Ça arrive à
    presque toutes celles qui sont là pour casse : tu comprends,
    des fonds d'origine douteuse sont toujours, pour le juge,
    des fonds d'origine frauduleuse. Mais t'as qu'à t'arranger
    avec l'avocat, il va te faire débloquer ça tout de suite.
                              A. SARRAZIN, la Cavale, p. 33.
    Cf. dans le même texte et avec le même sens : *coup de
    couille*, p. 94.

DÉR. Couillard.

COUILLON [kujɔ̃] n. m. — 1592, *coyon ; coion*, 1560 ;
coillon(s), déb. XIIIe ; du bas lat. *coleonem*, accusatif de
*coleo, du lat. class. *coleus* «testicule». → Couille.

♦ **1** Vx. Testicule (avec l'idée de grosseur, d'importance). → **Couille.**

♦ **2** Fig. Très fam. Imbécile. → **Con.** *Quel pauvre
couillon ! Faire le couillon.* → **Idiot.**

1   N'empêche qu'on a fait les couillons, en reculant de dix
    kilomètres (...)
                              MARTIN DU GARD, les Thibault, t. VIII, p. 67.

2   Faut être couillon pour jouer un nom pareil (...)
                              R. QUENEAU, Loin de Rueil, p. 65.

(1813). Vx. Poltron.

3   Non, mon cher monsieur, je n'ai commis aucune *lâcheté*,
    même de geste, relative à votre endroit ; et avant de traiter
    un homme de couillon, il faut avoir des preuves.
                              FLAUBERT, Correspondance, 1857, p. 198, *in* T. L. F.

Régional (Sud de la France). Apostrophe non injurieuse. *Eh ! couillon ! comment vas-tu ? Brave
couillon ! — Adj. Il est un peu couillon.*

Au fém. : *couillonne.*

♦ **3** Mar. Tampon d'étoupe, ficelé dans la toile de la
voile et permettant de l'empoigner pour la serrer
(*in* T. L. F.).

DÉR. Couillonnade, couillonner. ◊ COMP. Attrape-couillon.

COUILLONNADE [kujɔnad] n. f. — 1791 ; *coyonnade*,
1592 ; de *couillon*, et *-ade*.

Très familier.

♦ **1** Niaiserie, imbécillité ; acte ou parole de couillon
(2.). → **Connerie.** *Il a encore fait, dit une couillonnade. C'est de la couillonnade.*

1   Je suis effrayé, épouvanté, scandalisé par la couillonnade
    transcendante qui règne sur les humains.
                              FLAUBERT, Correspondance, 1859, p. 318, *in* T. L. F.

2   L'adjudant Chalumot allait commander un autre apéritif,
    s'esclaffer, et crier, en tapant sur le ventre de son pays :
    — Sacré Pradier ! Toujours les mêmes couillonnades ! Il
    changera pas, le monstre (...)
                              Yves GIBEAU, Allons z'enfants, p. 178.

♦ **2** (1791). Vétille, chose de peu de valeur.

COUILLONNER [kujɔne] v. tr. — 1656 ; de *couillon*.

Tromper, duper. *Se faire couillonner.* — Au p. p. :

(...) pauvre papa, empoisonné par ses souvenirs de Verdun
et une fois de plus couillonné, une fois de plus impuissant,
grinçant des dents (...)
                              Jean-Louis BORY, Ma moitié d'orange, p. 108.

N. *Un couillonné, une couillonnée.* «*Les bafouil-
lages d'un couillonné*» (Queneau, *Pierrot mon ami*,
p. 316). «*dix pages sur Jeanne Moreau sont là pour
faire rêver des femmes qui ne joueront jamais qu'un
seul rôle, celui de la couillonnée.*» (*Charlie Hebdo*,
12 janv. 1978, p. 15).

COUIN [kwɛ̃] n. m. → **Coin-coin.**

COUINE [kwin] n. f. — V. 1980 ; déverbal de *couiner*.
Fam. Action de couiner, de faire couiner. — Spécialt.
«*Les maires socialistes et communistes ont très mal
vécu cet été de rodéo, de "couine" comme disent
ceux qui font grincer les pneus des voitures volées*»
(*Libération*, 16 sept. 1981, p. 15).

COUINEMENT [kwinmɑ̃] n. m. — Av. 1866 ; de *couiner*.

♦ **1** (Av. 1866). Cri bref et aigu de certains mammifères (lièvre, lapin, souris...).

Les mots d'un seul homme sont pareils à des couine-   1
ments de rats, les mots sont en vente dans tous les grands
magasins, achetez le mot LIBERTÉ, achetez le mot AMOUR,
achetez le mot VÉRITÉ, achetez, achetez le mot MONDE.
                              J.-M. G. LE CLÉZIO, les Géants, p. 31.

La grosse lapine a poussé un couinement. Mme Laure   2
tremble. Mme Thérèse tourne le couteau dans la plaie, et
le sang jaillit (...)
                              Suzanne PROU, la Terrasse des Bernardini, p. 157.

Fig. Petit cri.

Écoutez-le, écoutez ces couinements affolés... Toi qui te   3
croyais imbattable, si bien armé... Nous te faisons donc si
peur que tu as besoin de te mettre sous la protection des
forces de l'ordre, voilà maintenant que tu cries au secours,
tu appelles les flics (...)
                              N. SARRAUTE, Vous les entendez ?, p. 188.

♦ **2** (1929). Bruit aigu.

Le droguiste du village, représentant de la maison de   4
T. S. F., vint poser lui-même mon appareil. Je n'entendais
rien que des sifflets, des couinements, de la friture.
                              Paul MORAND, Magie noire, 1930, p. 81, *in* T. L. F.

COUINER [kwine] v. intr. — 1867 ; onomat. → Coin.
Familier.

♦ **1** (Animaux : petits mammifères). Pousser de petits
cris, des couinements.

(...) on n'entendait pas couiner les rats de buissons (...)   1
                              J. GIONO, le Serpent d'étoiles, p. 14.

Corner courut à son maître en couinant d'allégresse.   2
                              René FALLET, le Triporteur, p. 254.

(Personnes). Produire des sons aigus, de petits cris.
Arrête de couiner ! — Trans. Dire sur un ton aigu.
→ **Piailler.** *Qu'est-ce qu'il nous couine encore ?*

♦ **2** (Sujet n. de chose). Grincer. *Porte qui couine.*

DÉR. Couine, couinement, couineur.

COUINEUR [kwinœr] n. m. — 1917 ; de *couiner*.
Fam. et techn. Appareil d'entraînement aux manipulations télégraphiques.

COULAGE [kulaʒ] n. m. — Fin XVIe de *couler*.

♦ **1** Action de faire couler*. — (1845). *Coulage de
la lessive* : action de faire bouillir le linge dans
une lessiveuse. → **Blanchissage.** — (Pour donner une
forme). *Le coulage d'une statue, d'un métal en fusion.
Coulage et moulage du verre. Coulage de pièces céramiques* (→ **Barbotine**). *Coulage d'une dalle de béton.*
(Le compl. désigne un liquide, une matière en fusion). *Le
coulage d'une bougie.*

♦ **2** (Sujet n. de chose). **a** Action de s'écouler ou de
couler en causant une perte. *Coulage du vin. Le
coulage de la vigne.*

Le coulage du sel au travers de ces trémies grillées en   1
dérobe ordinairement dix livres par minot.
                              VAUBAN, Dîme, p. 140.

b Le fait de fondre et de couler (d'un métal, d'un alliage).

2 (...) en fait, pour tel ou tel usage, un moteur de 1910 reste supérieur à un moteur de 1956. Par exemple, il peut supporter un échauffement important sans grippage ou coulage, étant construit avec des jeux plus importants et sans alliages fragiles comme le régule (...)
Gilbert SIMONDON,
Du mode d'existence des objets techniques, p. 20.

♦ **3** (1837). Fig. Perte, gaspillage. → **Coule** (vx) ; **gaspillage, perte.** *Maîtresse de maison qui se plaint du coulage. — Tenir compte du coulage dans une entreprise.*

3 Tout le monde ne peut être riche ! Aucune fortune ne tient contre le coulage !
FLAUBERT, Mme Bovary, Folio, p. 357.

4 On parle toujours de leur organisation... Possible ! mais certains chefs, paraît-il, savent surtout s'entendre pour l'organisation du coulage !... Tu penses s'il doit y en avoir un de coulage, dans une affaire pareille !...
G. LEROUX, Rouletabille chez Krupp, p. 109.

1. **COULANT, ANTE** [kulɑ̃, ɑ̃t] p. prés. et adj. — XIIe ; de *couler.*

♦ **1** Vx. Qui glisse. → **Coulissant.** — Mod. (1571, *in* D.D.L.). *Nœud* coulant :* nœud qui se serre et se desserre sans se dénouer.

1 Les bêtes, toutes fangeuses, sont saisies par une patte, saisies dans un nœud coulant et accrochées à la chaîne.
G. DUHAMEL, Scènes de la vie future, VIII, p. 127.

♦ **2** Qui coule facilement. **a** (Liquides). Vx. *Eau coulante. — Vin coulant :* vin léger et agréable à boire. **b** (Substances pâteuses, crémeuses). *Un camembert très fait, coulant.*

1.1 La seule personne qui sût faire (...) tous les plats qu'il aimait, le café assez chaud et la crème au chocolat assez coulante (...) PROUST, Jean Santeuil, p. 283.

♦ **3** Fig. Qui semble se faire aisément, sans effort. → **Agréable, aisé, facile.** *Style coulant, vers coulants.*

2 Comme il ne pouvait encore s'exprimer en français, il me parlait et ne m'écrivait qu'en latin : je lui répondais en français, et ce mélange des deux langues ne rendait nos entretiens ni moins coulants, ni moins vifs à tous égards.
ROUSSEAU, les Confessions, XII.

3 (...) tu sentiras bientôt combien son vers *(de Voltaire)* coulant, mais vide, est inférieur au vers plein de choses du tendre Racine et du majestueux Corneille.
STENDHAL, Souvenirs d'égotisme, p. 135.

Arts. *Dessin coulant,* qui procède par courbes légères.

♦ **4** (Personnes). Accommodant. *Être coulant en affaires.* → **Accommodant, facile.** *Professeur qui se montre coulant.* → **Indulgent.** *Elle n'est pas très coulante avec ses enfants (...)*

4 Je fus surpris de voir ce magistrat, toujours si craintif, devenir si coulant dans cette affaire.
ROUSSEAU, les Confessions, X.

5 (...) devenir le vrai maître dans cette maison où il n'y avait rien à faire, et où le bourgeois passait pour être coulant (...)
Ed. et J. DE GONCOURT, Sœur Philomène, p. 69.

CONTR. **Serré. — Difficile, malaisé, rugueux. — Chicaneur, dur, sévère.**

2. **COULANT** [kulɑ̃] n. m. — 1689, *in* D.D.L. ; subst. participial de *couler.*

♦ **1** Pièce qui glisse le long de quelque chose. → **Anneau.** *Le coulant d'une chaîne, d'un collier. — Coulant d'une bourse. Coulant d'une ceinture.* → **Passant.** *Coulant d'une tenaille, d'une pince. —* Vx. Anneau maintenant une serviette de table.

♦ **2** Bot. Rejeton (d'une plante rampante). *Le coulant des fraisiers.* → **Stolon.**

♦ **3** Techn. (aéron., mar.). *Un coulant :* un nœud qui se serre lorsqu'on tire sur une corde. → **Nœud*** coulant (courant).

COULARD, ARDE [kulaʀ, aʀd] adj. — 1751 ; de *couler,* et *-ard.*
(1878). Vitic. En parlant des cépages, Qui est sujet à la coulure*. *Cépages coulards.*

1. **COULE** [kul] n. f. — V. 1180 ; *cuoûle,* v. 1165 ; du lat. *cuculla* «capuchon de moine». → Cuculle.
Relig. Vêtement à capuchon porté par certains religieux. → **Cagoule.**
HOM. **Cool,** 2. **coule.**

2. **COULE** [kul] n. f. — 1864 ; déverbal de *couler.*
♦ **1** Pop. et vx. Coulage (3.).
♦ **2** Loc. fam. À LA COULE. *Mettre quelqu'un à la coule,* l'initier sur les façons dont on peut se procurer quelques petits profits. — *Être à la coule,* au courant, averti (cf. Affranchi ; et aussi, être adroit, habile ; *Un type à la coule.*

1 Mais une femme de chambre à la coule, et qui a de l'œil, sait parfaitement ce qui se passe chez ses maîtres (...)
O. MIRBEAU, le Journal d'une femme de chambre, p. 116.

2 Toi qui en as vu du pays et qui es à la coule et qui la connais, va donc faire un tour dans les États.
B. CENDRARS, Moravagine, p. 203.

HOM. **Cool,** 1. **coule.**

COULÉ [kule] n. m. — XIIIe ; p. p. de *couler.*
Technique.
♦ **1** Métal coulé dans un moule par le fondeur, l'orfèvre.
♦ **2** Pas de danse glissé. — Billard. Coup par lequel on pousse une bille sur une autre de manière à les faire se suivre l'une l'autre.
Escr. Action de glisser son fleuret contre celui de l'adversaire, avant d'attaquer.
Natation. Position allongée du nageur qui revient à la surface après avoir plongé.
Peinture. Première teinte que l'on donne à une ébauche.
Autre ton sanguine plus verdâtre : bon coulé, préparation, etc. DELACROIX, Journal, 15 janv. 1853.
Mus. Passage qui se fait sans interruption d'une note à l'autre. → **Liaison.** *Le coulé s'indique par une courbe horizontale.*
HOM. **Coulée.**

COULÉE [kule] n. f. — 1611 ; de *couler.*
♦ **1** **a** Action de jeter en moule. *La coulée d'un métal. Coulée sous pression. Coulée d'une cloche* (→ **Fonderie**). *Coulée du verre. Surveiller la coulée.* Masse de matière en fusion que l'on verse dans un moule. *Trou de coulée. Coulée de métal, d'acier, de verre.* **b** (Correspond à *couler,* II., 1.). *La coulée de la lessive.*
♦ **2** Action de s'écouler ; résultat de cette action. *Coulée de lave :* masse de lave qui s'échappe d'un volcan. *Coulée volcanique. Coulée linéaire* (de lave fluide). *Coulée de neige :* neige qui glisse sur la pente d'une montagne. → **Flot.**

1 Une nuit de la douzième année, l'inondation périodique noie le bétail, emporte les habitations. Soutenant sa femme, conduisant deux de ses enfants, portant le troisième, il s'enfuit dans la coulée de la boue primordiale (...) À peine s'est-il redressé dans la nuit emplie par le

fracas gluant, qu'un arbre arraché l'assomme. L'épais torrent le jette sur un rocher (...)
MALRAUX, la Métamorphose des dieux, p. 16.

Par métaphore ou fig. Ce qui s'écoule.

2 (...) sur les planches de la promenade, qui borde la plage (...) c'était maintenant une coulée continue (...) foule élégante (...)
MAUPASSANT, Pierre et Jean, 1888, p. 366, in T.L.F.

3 Il possédait un joli visage un peu rond, un peu mou, aux yeux pâles et paresseux, à la chevelure blonde, bouclée, lumineuse, avec des coulées rousses sur les tempes.
H. TROYAT, le Vivier, p. 53.

◆ 3 Chasse. Sentier étroit par lequel le cerf gagne son réduit. Par ext. Faux chemins que les animaux tracent sous bois. *Se glisser dans une coulée.*

4 Je retrouverai le collet, nom de Dieu ! cria soudain le maire d'une voix tonnante. Oui, nous descendrons le cours de la rivière avec ces Messieurs du Parquet — il y a des coulées tout le long des berges, un nigaud a voulu peut-être tendre aux loutres, les gens sont si bêtes !
BERNANOS, Monsieur Ouine, p. 62.

Coulée verte : promenade qui traverse une ville, aménagée en chemin de verdure.

◆ 4 Techn. **ⓐ** En calligraphie, Écriture penchée, dont toutes les lettres sont liées, et dont les jambages sont parallèles.

ⓑ Peint. Ton qui forme une tache dominante dans un tableau. *Une coulée de jaune.*

ⓒ Cout. *Point de coulée.*

HOM. **Coulé.**

COULEMELLE [kulmɛl] n. f. — V. 1600; *columelle,* fin XVIᵉ; du lat. class. *columella* «petite colonne».

Lépiote* élevée (champignon comestible).

COULER [kule] v. tr. et intr. — 1131; du lat. *colare* «passer, filtrer, épurer».

Ⅰ V. intr. ◆ 1 (Le sujet désigne un liquide). Se déplacer, se mouvoir naturellement (par gravité) ou sous l'effet d'une autre force. → **Écouler** (s'), **filer, fluer; flux.** *Eau qui coule d'une source.* → **Jaillir, sourdre; effluent.** *L'eau coule fort, coule à flots, à pleins bords, coule abondamment, en torrent. La rivière coule lentement. Fleuves et rivières qui coulent dans une région.* → **Arroser, baigner.** *La Seine coule vers l'Ouest, vers la mer.* → **Affluer.** *Cours d'eau qui coulent vers le même point.* → **Confluer.** — *L'eau qui coule d'un robinet.* → **Courant** (eau courante). *Le vin coule d'un tonneau.* → **Fuir.** *La pluie coule sur le sol.* → **Courir, déverser** (se); **déborder, dégouliner, filer, fuir, répandre** (se), **rouler, ruisseler.** *Jet d'eau qui coule.* → **Jaillir, rejaillir.** *Couler goutte à goutte.* → **Dégoutter, égoutter** (s'), **goutter, instiller, suinter; stillation.** *Couler fort.* → **Gicler, ruisseler;** fam. **pisser.**

1 L'union de deux rivières en une les fait couler plus vite, parce que, au lieu du frottement des quatre rives, elles n'ont plus que celui de deux à surmonter.
FONTENELLE, Guglielmini.

2 La rivière qui coulait à mes pieds tour à tour se perdait dans le bois, tour à tour reparaissait (...)
CHATEAUBRIAND, le Génie du christianisme, I, V, XII, (→ Brillant, cit. 2).

3 Le long des trottoirs coulaient encore de rapides ruisseaux (...)
MARTIN DU GARD, les Thibault, t. III, p. 212.

4 Une source qui, pendant les mois de chaleur, coulait faiblement, permettait de tenir la citerne toujours pleine.
P. MAC ORLAN, la Bandera, X, p. 116.

(Dans la Bible). *Pays d'abondance* où coulent le lait et le miel (cf. Exode, III, 8, etc.).

Loc. fig. *Il coule (il a coulé, il coulera) beaucoup d'eau sous les ponts* (→ **Eau,** cit. 7.1 et supra).

◆ 2 **ⓐ** S'échapper au dehors, s'épancher (en parlant des humeurs). *Les larmes lui coulent des yeux.* → **Pleurer.** — Littér. *Faire couler les pleurs de qqn. Laisser couler ses larmes* : épancher ses pleurs. → **Épancher** (→ Amer, cit. 10).

5 Je n'ai jamais vu couler de larmes sans en être attendri.
MONTESQUIEU, Cahiers, p. 6.

6 Ah ! laissez-les couler, elles me sont bien chères, Ces larmes que soulève un cœur encor blessé !
A. DE MUSSET, Poésies nouvelles, «Souvenir».

7 Elles *(les larmes)* se formaient entre les cils, grossissaient, débordaient et coulaient à longs intervalles, rejoignant après un détour la bouche entr'ouverte où elles s'arrêtaient et d'où elles repartaient comme d'autres larmes.
COCTEAU, les Enfants terribles, p. 179.

Sang qui coule d'une blessure. → **Échapper** (s'), **extravaser, répandre** (se). *Le sang coule dans les veines.* → **Circuler** (→ Absent, cit. 2).

8 Que de vie, cependant, je sens au fond de mon âme ! Jamais, quand le sang le plus ardent coulait de mon cœur dans mes veines, je n'ai parlé le langage des passions avec autant d'énergie que je le pourrais faire en ce moment.
CHATEAUBRIAND, Mémoires d'outre-tombe, t. V, p. 383.

9 Il *(le sang)* était d'un rouge magnifique, coulait en de larges gouttes, sous la lame. HUYSMANS, Là-bas, IX, p. 133.

Fig. *Faire couler le sang* : être la cause d'une guerre, d'un massacre. *Le sang a coulé* : il y a eu des blessés.

ⓑ Se répandre. Loc. *Cette histoire a fait couler beaucoup d'encre* : on a beaucoup écrit à son sujet, et, par ext., on en a beaucoup parlé.

9.1 Cette intimité a fait couler beaucoup d'encre (...) sur la tête de Sainte-Beuve, mais c'est grâce à elle qu'il n'est pas allé se perdre dans le professorat, en province.
A. BILLY, Sainte-Beuve, I, le romantique, II, p. 77.

ⓒ Par métaphore. *La vie, la passion coule dans ses veines. La joie, la lumière coule de son visage.* → **Émaner.**

10 (...) Thaïs, en les écoutant *(les hymnes)*, sentait les voluptés de la vie et les affres de la mort couler à la fois dans ses sens renouvelés. FRANCE, Thaïs, p. 107.

11 (...) ces heures amoureuses de ma jeunesse, où la vie coulait en moi comme du miel.
GIDE, les Nourritures terrestres, VIII, p. 178.

Salive qui coule de la bouche. Sueur qui coule le long du visage. → **Exsuder, suer; transpirer.** *Des gouttes de sueur coulent de son front.* → **Tomber.**

12 Le cœur lui bondissait d'inquiétude et de colère, la sueur lui coulait du front.
G. SAND, la Mare au diable, XIII, p. 115.

13 Les Anciens chancelaient épuisés ; ils aspiraient à pleins poumons la fraîcheur de l'air ; la sueur coulait sur leurs faces livides (...) FLAUBERT, Salammbô, VII, p. 137.

◆ 3 Fig. *Son style coule sans effort. Les paroles coulent de ses lèvres, s'en échappent avec facilité.*

14 Les paroles coulaient limpides comme son regard.
FRANCE, le Lys rouge, XXXIV, p. 259.

15 (...) soyez bénies pour avoir fait couler de vos lèvres divines, comme le miel et l'ambroisie, les vers d'*Esther,* de *Phèdre* et d'*Iphigénie.*
FRANCE, le Petit Pierre, XXXIV.

◆ 4 Loc. fig. *Couler de source* : être évident, découler logiquement, naturellement de ce qui précède (→ **Aller** : cela va de soi). — *Tout ce qu'il dit coule de source.*

16 Cette idée-mère une fois arrêtée, tout le reste a coulé de source (...)
A. BRILLAT-SAVARIN, Physiologie du goût, Préface, t. I, p. 32.

♦ **5** Littér. *Le temps coule.* → **Écouler** (s'), **enfuir** (s'), **fuir,
glisser, passer.** *Jours qui coulent dans l'innocence.
Les heures coulent lentement, interminablement.*

17 Les hommes disent que la vie est courte, et je vois qu'ils
s'efforcent de la rendre telle. Ne sachant pas l'employer, ils
se plaignent de la rapidité du temps, et je vois qu'il coule
trop lentement à leur gré. ROUSSEAU, *Émile,* V.

18 L'homme n'a point de port, le temps n'a point de rive;
Il coule, et nous passons!
LAMARTINE, *Premières méditations,* «Le lac».

L'argent lui coule des doigts, en parlant d'un prodigue. → **Échapper** (s'), **glisser.**
Loc. *Laisser couler* : laisser aller, laisser faire.

18.1 Tenez moi, avec Josette, quand je l'ai engagée, exactement
comme quand je me suis payé mon ID... *(type d'automobile)* De la bagnole, du linge : ça leur tord la gueule de
la même façon. J'ai dit : Laissons couler. Madame Froma-
geot est au-dessus des insinuations.
François NOURISSIER, le Maître de maison, p. 200.

♦ **6** Par métonymie. Laisser échapper un liquide. —
(Le sujet désigne un contenant). *Tonneau qui coule de
toutes parts.* → **Fuir, vider** (se). — *Nez qui coule,*
duquel s'écoulent des humeurs... → **Émettre.**

19 À côté de lui, le caporal (...) reniflait à cause du froid. Son
nez coulait.
P. MAC ORLAN, la Bandera, XVII, p. 204.

La chandelle coule, lorsque la cire fondue et non
brûlée glisse le long de la chandelle. *Stylo qui coule,*
qui laisse échapper l'encre qu'il contient.

Fromage qui coule, dont la pâte devient molle et
tend à se répandre.

♦ **7** (En parlant de choses solides). Descendre, glisser,
tomber. *Sable, tuiles qui coulent. Nœud qui peut
couler le long d'une corde.* → **Coulisse ; coulant** (nœud
coulant). *Se laisser couler au bas d'un arbre.*

(1611). En parlant d'arbres fruitiers, de vigne. Avorter à
la floraison. *Fleurs, fruits qui coulent,* qui tombent.
→ **Coulure ; avorter.**

20 Si la vigne peut passer et ne point couler, on ne saura
où mettre tout le vin cette année.
P.-L. COURIER, Gazette du village.

♦ **8** S'enfoncer dans l'eau. *Le navire a coulé à pic.*
→ **Chavirer, enfoncer** (s'), **engloutir** (s'), **immerger** (s'),
sombrer. *Couler bas, couler bas d'eau. Couler à
fond. Couler par l'avant.* → **Sancir.** *Couler corps et
biens.* → **Corps.** *Faire couler un bateau,* le couler
(ci-dessous, II., B., 3., a).

21 (...) petit à petit je comprenais que nous coulions ; car ce
fait me s'imposa pas dès que je vis l'eau (...) Ce qui me
mit sur le chemin, ce fut cette inclinaison grandissante
du plancher. L'eau touchait déjà le bas des hublots et la
pente était devenue si raide que je me cramponnais pour
ne pas glisser de ce côté-là.
H. BOSCO, Un rameau de la nuit, p. 79.

22 Là-bas, au large, la torpilleloud comme un ange de pierre
touche le but. Un voiliersaluant la vierge, s'incline
à cinq étages, tout à coupet coule à pic.
COCTEAU, Discours du grand sommeil, p. 30.

Par métaphore. Aller jusqu'à la ruine, l'effondrement.

23 (...) nous autres, civilisations, nous savons maintenant que
nous sommes mortelles ; nous avions entendu parler de
mondes disparus tout entiers, d'empires coulés à pic avec
tous leurs hommes et tous leurs engins descendus au fond
inexplorable des siècles (...)
VALÉRY, Variété III, p. 201.

Nageur qui coule à pic. → **Noyer** (se).

24 (...) elle voulait encore des baisers de ce fils, et elle s'accrochait à lui comme s'accrochent les naufragés qui coulent
dans les eaux noires et profondes (...)
LOTI, Ramuntcho, II, VII, p. 254.

24.1 Quand il avait un peu trop bu, Joseph prétendait vouloir
nager jusqu'à l'île la plus proche de la côte, à trois kilomètres de là. C'était un projet dont il ne parlait jamais à

jeun mais ces soirs-là il se croyait de taille à l'accomplir.
En réalité il aurait coulé bien avant d'arriver à l'île.
M. DURAS, Un barrage contre le Pacifique, p. 92.

II V. tr. **A** ♦ **1** (1176). Rare ou techn. Faire passer (un
liquide) d'un lieu à un autre. → **Soutirer, tirer, transvaser, verser.** *Couler la lessive** : faire bouillir le
linge dans une lessiveuse. *Couler un liquide à travers un filtre, un linge.* — (En franç. de Suisse). *Couler
le lait.* → **Filtrer, passer.** — Par ext. Livrer (le lait) à
la laiterie.

♦ **2** (1680). Jeter dans le moule (une matière en
fusion). *Couler du verre. Couler du plomb dans un
joint. Couler de la cire dans un moule. Couler du
bronze, de l'acier* (→ **Fonderie**). *Couler de la chaux.*
→ **Délayer.**

Par anal. *Couler du béton :* remplir un coffrage de
béton frais (→ aussi **Bancher**).

Par métonymie. *Couler de la pierre :* sceller de la
pierre avec un coulis* (→ **Sceller**).

♦ **3** Par ext. Fabriquer (un objet en métal fondu).
Couler une cloche, une statue. → **Mouler.** *Fonderie
où l'on coule des canons.* → **Canonnerie.**

Typogr. *Couler une matière dans l'empreinte d'une
forme.* → **Clicher.**

Couler sa pensée dans des mots, la mettre en forme
(comme dans un moule).

25 L'image la plus courante que nous formions du rhétori-
queur montre un homme qui prépare et assure, *avant* d'y
couler sa pensée, des combinaisons de langue.
J. PAULHAN, les Fleurs de Tarbes, III, 7, p. 118.

♦ **4** Spécialt. Faire fondre (un métal). *Couler une
bielle*,* faire fondre l'alliage dont elle est chemisée
et sans lequel elle ne peut fonctionner. — Sujet n.
de personne. *Il faut s'arrêter : on a coulé une bielle.*

B (Emplois fig.). ♦ **1** Vieilli ou littér. Faire passer (qqch.)
insensiblement, doucement, d'un lieu dans un
autre. → **Glisser** (cour.), passer. *Couler la main dans
sa poche. Couler un billet dans la main de quelqu'un.*

26 (Le général Dourakine) se plaisait à les servir *(les voyageurs
militaires)* et à couler des pièces d'or dans leurs poches (...)
Cᵉˢˢᵉ DE SÉGUR, l'Auberge de l'ange gardien, p. 367,
in T.L.F.

27 Il coule sans bruit sa clef dans la serrure et entre de son
pas timide dans la salle à manger.
FRANCE, le Mannequin d'osier, p. 292.

Fig. *Couler un mot dans la conversation.* → **Glisser,
insinuer, risquer.** *Couler un mot à l'oreille de qqn.*
→ **Murmurer.** *Couler une expression dans une
phrase.*

28 «Maint» est un mot qu'on ne devait jamais abandonner,
et par la facilité qu'il y avait à le couler dans le style, et
par son origine qui est française.
LA BRUYÈRE, les Caractères, XIV, 73.

29 La femme du préfet était venue, très gentille, lui couler à
l'oreille un mot de recommandation.
FRANCE, l'Anneau d'améthyste, Œ., t. XII, p. 239.

Couler un pas de danse. → **Coulé ; glisser.** — Mus.
Couler plusieurs notes. → **Lier.** — Billard. *Couler une
bille.* → **Coulé** (2.). — Fig. *Couler un regard, un sourire
dans la direction de quelqu'un.*

30 Cependant il coule vers elle un sourire, un regard qui
laisse entendre qu'une autre solution n'est pas impossible.
J. ROMAINS, les Hommes de bonne volonté, t. IV,
XII, p. 127.

30.1 Simon que cette rengaine n'avait jamais troublé (...) fit
mine de se retirer, mais Gino lui coula un regard si
humble qu'il attendit la fin de la chanson.
Francis CARCO, les Belles Manières, p. 51.

♦ **2** (V. 1450). Passer (une période de temps). —
REM. Correspond aux emplois intrans. : le temps *coule,
s'écoule.*

Couler une vie heureuse, des jours heureux.
→ **Passer, vivre.**

31 (...) des gens qui savaient coulé leurs jours dans une union
étroite (...)   LA BRUYÈRE, les Caractères, v, 39.

32 Il faut avoir coulé son enfance dans une atmosphère religieuse (...)   FRANCE, le Jardin d'Épicure, p. 9.
Loc. fam. (a remplacé *la mener douce*, 1853). *Se la
couler douce :* mener une vie heureuse, sans complication (→ Ne pas s'en faire*).

33 (...) il se l'était coulée douce, comme on disait dans sa
famille, jusqu'à l'âge de vingt-cinq ans.
      MAUPASSANT, Toine, «Bombard», p. 47.

33.1 Ce qui n'a pas empêché mon concierge, quand je suis
rentré le matin, de me saluer d'un petit air... en homme
qui dit : — Ah! ah! mon gaillard, nous nous la coulons
douce!   A. ALLAIS, Contes et chroniques, p. 164.

33.2 (...) tu te la coules douce, c'est un métier de feignant que
le tien.   R. QUENEAU, Zazie dans le métro, p. 39.

◆ **3** **a** (Correspond au sens I, 8). Faire s'enfoncer dans
l'eau (un navire). *Les ennemis ont coulé plusieurs
navires. Capitaine qui coule son propre navire.*
→ **Saborder.**

b (1738). **Fig.** Perdre (qqn) dans l'estime d'autrui.
On l'a coulé. Couler qqn dans une discussion, le
réduire à ne plus savoir quoi répondre. *Couler à
fond quelqu'un.* → **Perdre, ruiner.** — **Passif** et **p. p.** *Il
est coulé :* il est perdu.

33.3 Enfin ils se dévoilent. Ils sont coulés, fiston, et nos affaires
n'ont jamais été aussi bonnes.
      Jean ANOUILH, le Bal des voleurs, p. 198.

◆ **SE COULER** v. pron.

◆ **1** (V. 1160). Passer d'un lieu à un autre, sans faire
de bruit. → **Glisser** (se). *Lièvre qui se coule le long
d'une haie, au ras d'un mur. Coulez-vous dans ce
passage.*

34 Denise et son frère montèrent vers les quatre heures à la
haute ville en se coulant le long des murs.
      BALZAC, le Curé de village, Pl., t. VIII, p. 635.

35 C'était le matin et c'était le printemps. De jeunes rayons de
soleil, enivrants comme du vin doux, riaient sur les murs
et se coulaient gaiement dans les mansardes.
      FRANCE, Les dieux ont soif, p. 10.

36 Zazou accourut toute joyeuse...
— J'arrive des Barges, lui dit Simon en s'asseyant sur une
banquette où elle se coula près de lui.
      Francis CARCO, les Belles Manières, p. 63.

Se couler dans son lit. Se couler entre les draps. —
Se couler adroitement dans la foule. → **Dérober** (se),
faufiler (se), **perdre** (se). *Se couler doucement, furtivement, sans bruit.* → **Introduire** (s'), **pénétrer.**

◆ **2** (Abstrait). Se fondre (dans qqch.). → **Mouler** (se).

37 (...) il faudra que la femme qui est elle aussi sujet, activité,
se coule dans un monde qui la voue à la passivité.
      S. DE BEAUVOIR, le Deuxième Sexe, p. 525.

◆ **3** (Du sens II, 3, b). Se perdre. *Se couler dans l'esprit
de quelqu'un.* → **Déconsidérer** (se). — **Absolt**. *Il s'est
coulé.*

◆ **COULÉ, ÉE** p. p. adj. *Navire coulé. Bielle coulée* (→ ci-
dessus, II., A., 4.). *Écriture coulée.* → **Coulée**, n. f. —
Sports. *Brasse* coulée.*

CONTR. Stagner. — Flotter; émerger. ◇ **DÉR. Coulage,
coulant, 2. coule, coulé, coulée, couleuse, coulis, couloir,
couloire, coulure. — COMP. Découler, écouler, recouler.**
— HOM. Coulé, coulée.

COULEUR [kulœʀ] n. f. — V. 1100, *couleur; color*, 1050,
au sens I, 1; du lat. *color* «couleur, teint du visage», fig.
«aspect extérieur, argument».

I ◆ **1** Caractère d'une lumière, de la surface d'un
objet (indépendamment de sa forme), selon l'impression visuelle particulière qu'elles produisent
(une couleur, les couleurs); propriété que l'on

attribue à la lumière, aux objets de produire
une telle impression *(la couleur). La couleur, les
couleurs d'une lumière, d'un rayonnement, d'un
objet.* → **Coloration, coloris, nuance, teinte, ton, tonalité;** le préf. **chromo-** et les suff. **-chrome, -colore.** —
*Couleur claire; foncée, obscure, sombre. Couleur
ardente, chaude, éclatante, fraîche, gaie, vive. Couleur chargée, choquante, criarde, crue, poussée,
tranchée, voyante. Couleur franche, nette; couleur
fausse, imprécise, indéfinissable, rompue. Couleur
délavée, élavée, éteinte, neutre, tendre, pâle. Couleur
fanée, morne, passée, pisseuse* (pop.)*, sale, terne,
triste. Couleur mate. Couleur tirant* sur le vert...
Couleur changeante* (→ Changer, cit. 6)*, chatoyante.*
→ **Moirure, reflet; caméléon** (cit. 3). *Couleur unie,
dégradée. D'une seule couleur.* → **Monochrome, uni;
camaïeu, grisaille. De plusieurs couleurs.** → **Bariolé,
bigarré, billebarré, chamarré, chiné, diapré, jaspé,
moucheté, multicolore, panaché, polychrome, taché,
truité;** en parlant de la robe des chevaux : **arzel, balzan,
cavecé, mantelé, miroité, pie, pommelé, tigré, tisonné,
truité.** *Les couleurs de la nature. Les couleurs des
pierres* précieuses. Les couleurs des végétaux. La
couleur des cheveux* (blond, brun, roux)*, des poils*
(→ **Pelage, robe**)*, des plumes... Un plumage* de vives
couleurs. Couleurs d'un kaléidoscope.*

1 *(Les)* couleurs du prisme (...) pleines et certaines dans leur
milieu, sont toujours un peu équivoques dans les limites
où elles se touchent et se confondent.
      RIVAROL, Littérature, I, v, p. 118.

2 (...) je pensai que les couleurs et les feuillages avaient une
harmonie, une poésie qui se faisait jour dans l'entendement en charmant le regard (...) Si la couleur est la lumière
organisée, ne doit-elle pas avoir un sens comme les combinaisons de l'air ont le leur?
      BALZAC, le Lys dans la vallée, Pl., t. VIII, p. 855.

3 Imagine ce qu'il y a de plus impétueux dans le désordre,
de plus insaisissable dans la vitesse, de plus rayonnant
dans des couleurs crues frappées de soleil.
      E. FROMENTIN, Une année dans le Sahel, p. 280.

4 Quand le grand foyer descend dans les eaux, de rouges
fanfares s'élancent de tous côtés; une sanglante harmonie
éclate à l'horizon, et le vert s'empourpre richement. Mais
bientôt de vastes ombres bleues chassent en cadence
devant elles la foule des tons orangés et rose tendre qui
sont comme l'écho lointain et affaibli de la lumière. Cette
grande symphonie du jour (...) cette succession de mélodies, où la variété sort toujours de l'infini, cet hymne
compliqué s'appelle la couleur.
      BAUDELAIRE, Salon de 1846, III, p. 605.

5 Les parfums, les couleurs et les sons se répondent (...)
      BAUDELAIRE, les Fleurs du mal, IV,
      Correspondances.

6 (...) la couleur n'est au physicien qu'une circonstance accessoire; il n'en retient qu'une indication grossière de fréquence. Quant aux effets de contrastes, aux complémentaires, et autres phénomènes de même ordre, il les écarte
de ses voies. On arrive ainsi à cette intéressante constatation : tandis que pour la pensée du physicien l'impression
colorée a le caractère d'un accident qui se produit pour
telle valeur ou telle autre d'une suite indéfinie de nombres,
l'œil du même savant lui offre un ensemble restreint et
fermé de sensations qui se correspondent deux à deux, tellement que si l'une est donnée avec une certaine intensité
et une certaine durée, elle est aussitôt suivie de la production de l'autre. Si quelqu'un n'avait jamais vu le *vert*, il lui
suffirait de regarder du *rouge* pour le connaître.
      VALÉRY, Variété IV,
      Disc. prononcé au 2ᵉ congrès d'Esthét., p. 263.

Sc. *La sensation de couleur est fonction des propriétés physiques de la lumière* (longueur d'onde)
et de sa diffusion. La lumière blanche (solaire) *est
décomposée par le prisme en couleurs dites spectrales* (→ **Violet, indigo, bleu, vert, jaune, orangé,
rouge**)*. Les couleurs du spectre, du prisme, de l'arc-
en-ciel* (→ Arc-en-ciel, cit. 1 et 5)*. Couleurs simples,
primitives. Couleurs fondamentales :* le jaune, le rouge
et le bleu, couleurs à partir desquelles on peut

produire les autres couleurs. *Couleurs composées.*
Couleur complémentaire (d'une couleur primaire),
celle qui résulte du mélange des deux autres couleurs primaires. *Le vert, couleur complémentaire
du rouge* (l'orangé, du bleu; le violet, du jaune).
*Le mélange optique d'une couleur et de sa couleur
complémentaire donne le blanc.* → **Complémentaire.**
Trouble dans l'appréciation des couleurs (→ **Achromatopsie; daltonisme).**
Loc. fig. *Juger d'une chose, parler de qqch. comme un
aveugle des couleurs.* — *Des goûts* et des couleurs,
on ne dispute** (cit. 4) *point* (ou : *on ne discute pas,
point*). → **Opinion.**
Spécialt. Aspect d'une surface (papier, tissu, etc.),
quant à la couleur. *Un papier à lettres de couleur
mauve. Une robe de couleur blanche, verte. La couleur d'un vêtement. De belles couleurs vives. Gamme,
palette de couleurs.*

7   Les retentissantes couleurs
    Dont tu parsèmes tes toilettes
    Jettent dans l'esprit des poètes
    L'image d'un ballet de fleurs.
                        BAUDELAIRE, les Fleurs du mal,
                            Pièces condamnées, CXXIX,
                            «À celle qui est trop gaie».

COULEUR DE... *Couleur d'encre* : noir. *Couleur de
rose. Un manteau couleur de muraille*,* gris. *Couleur de nuit* : gris foncé, noir.
Couleur du temps : couleur changeante, dont les
tons vont du gris au bleu. *Des yeux couleur du
temps.*
Phys. Nom donné à une caractéristique des particules formant les baryons (ensemble de trois
quarks) et permettant de différencier les quarks
de même type.

7.1 Ce raisonnement conduisit les théoriciens à introduire
la notion de «couleur». Imaginons qu'outre les propriétés
connues, il en existe une nouvelle, que l'on baptisera donc
«couleur». Imaginons qu'il existe trois couleurs fondamentales et que chaque quark U, D, S, C ou B puisse exister
sous ces trois états de couleur. Le problème est résolu
puisque, par exemple, on pourra avoir un U vert, un U
bleu et un U rouge, cohabitant sans violer le principe d'exclusion.   Sciences et Avenir, n° 373, mars 1978, p. 85.
DÉSIGNATIONS DE COULEURS : Voir tableau page
suivante.

♦ **2** Plur. Livrée, vêtements de couleur déterminée.
Vx. *Porter couleurs* : porter une livrée* aux cou-
leurs de son maître, et, fig., être laquais, valet. —
Porter les couleurs d'une dame, inclure dans son
costume les couleurs qu'elle affectionne, et, fig., se
mettre au rang de ses admirateurs. — (1877, Littré,
Suppl.). *Les jockeys portent les couleurs d'une écurie.
Les couleurs d'un club sportif.*

8   Faire par les couleurs distinguer ses valets (...)
                        BOILEAU, Satires, V.
9   Les couleurs et les chiffres de Mᵐᵉ de Valentinois parais-
    saient partout (...)
                        Mᵐᵉ DE LA FAYETTE, la Princesse de Clèves, I,
                            p. 241.

(1732). Liturgie. *Couleurs liturgiques,* adoptées pour
les ornements liturgiques. *Les couleurs liturgiques
ont une signification symbolique.*

♦ **3** *Les couleurs du drapeau* : les couleurs adoptées par chaque nation comme marque distinctive et qui sont reproduites sur le drapeau. —
(1790). *Les couleurs nationales. Les couleurs françaises. Les trois couleurs* (françaises) : bleu, blanc,
rouge. → **Drapeau, tricolore.** *Pavoiser aux couleurs
d'un pays, de l'Italie, du Brésil... Bateau arborant
les couleurs britanniques.* — Absolt (mar. et milit.). *Les
couleurs.* → **Drapeau, pavillon.** *Envoyer, hisser les
couleurs; amener, baisser, rentrer les couleurs. Aux
couleurs !*

La France reprend ses couleurs. À l'avenir il ne sera plus   10
porté d'autre cocarde que la cocarde tricolore.
                        Charte de 1830, art. 67.

♦ **4** (Au sing. : *la couleur*). Ce qui est coloré; toute
autre couleur que le noir, le gris, le blanc. *Elle est
encore en deuil et ne porte pas de vêtements de couleur. Renoncer à la couleur. Linge, draps de couleur.
Laver le blanc* et la couleur.*

♦ **5** (1694). Chacune des quatre marques, dans un
jeu de cartes. → **Carreau, cœur, pique, trèfle.** *Avoir
des quatre couleurs dans son jeu.* Au bridge. *Couleur
majeure* (pique, cœur), *mineure* (trèfle, carreau). —
*Ensemble des cartes de la même marque, dans le
jeu d'un joueur. Couleur longue* (plus de 4 cartes),
courte. Couleur pleine (formant une séquence),
percée. Couleur déclarable, au bridge. — Spécialt.
→ **Atout.** *Donner dans la couleur. Jouer dans la couleur. Annoncer la couleur :* proposer aux autres
joueurs une couleur qui servira d'atout. Loc. fig.
Annoncer la couleur : dire ce qu'on a à dire.

D'ailleurs, le général (...) avait, d'entrée, annoncé la cou-   10.1
leur :
— Si je dois jouer je préfère que ce soit sur l'épaule d'une
femme que sur celle d'un tirailleur sénégalais (...)
                        Y. AUDOUARD, *in* le Canard enchaîné, 16 avr. 1969.

Hascoët que j'ai aimée presque d'amour ! Elle ne l'a jamais   10.2
su, bien entendu. On n'annonce pas la couleur à treize ans.
Elle a cependant été un de mes vrais sentiments.
                        Benoîte et Flora GROULT, il était deux fois, p. 39.

Blason. *Les couleurs de l'écu.* → **Émail.**

(...) ceux-là portent les armes pleines, ceux-ci brisent d'un   11
lambel (...)
Ils ont ceci avec les Bourbons, sur une même couleur, un
même métal (...)
                        LA BRUYÈRE, les Caractères, VII, 10.

♦ **6** (1080). Teinte naturelle (de la peau humaine).
Couleur de la peau*, du teint. → **Carnation, teint.**
Couleur pâle, blême, livide... Couleur vermeille.

Je me meurs. — Dieux puissants ! quelle étrange pâleur   12
De son teint tout à coup efface la couleur ?
                        RACINE, Esther, II, 7.

Les couleurs de qqn : carnation rose de la figure
(dans la race «blanche»). *Avoir de belles couleurs.
Elle se donne de fausses couleurs.* → *Plâtrer,* cit. 2.
Absolt. *L'animation, l'ardeur, l'éclat des couleurs.
N'avoir pas de couleurs. Reprendre des couleurs.
Les couleurs lui sont revenues avec la bonne santé.
Devenir de toutes les couleurs. Passer par toutes les
couleurs.* — *Les pâles couleurs.* → **Chlorose.**

(...) les couleurs dont la santé fleurit un visage bien por-   13
tant.   Th. GAUTIER, le Capitaine Fracasse, t. I, p. 122.

Loc. *Haut en couleur :* qui a le teint très coloré. — Fig.
Pittoresque. → ci-dessous, cit. 31. — *Changer* (cit. 51)
de couleur (sous l'effet de l'émotion).

(1791, *in* D. D. L.). Loc. ... **DE COULEUR.** *Homme, femme
de couleur,* qui n'appartient pas à la race blanche
(se dit surtout des Noirs). *Gens, personnes de couleur.* → **Mulâtre, nègre, noir.**

L'Américain partage avec l'Anglais l'horreur, presque   14
sacrée, du mariage entre blancs et gens de couleur (...)
(Dans le Sud des États-Unis), contre la «couleur», les blancs
constituent un front uni, qui n'a pas de fissure.
                        André SIEGFRIED, les États-Unis d'aujourd'hui, VI,
                            p. 87 et 90.

♦ **7** Aspect que la viande, la pâtisserie, le pain...
prennent lorsqu'ils sont cuits à point. *Cette croûte
n'a pas de couleur. Cette viande a, prend couleur.*

(...) si je ne me trompe à la couleur du mets,   15
Je dois faire aujourd'hui bonne chère, ou jamais.
                        LA FONTAINE, Fables, VIII, 9.

Loc. fig. *L'affaire prend couleur :* on commence à
discerner la tournure qu'elle va prendre. → **Figure,
tournure.**

DÉSIGNATIONS DE COULEURS

Abricot (O)
Acajou (Br)
Albâtre (Ba)
Albugineux (Ba)
Alezan (Br-Chev.)
Amarante (R)
Ambré (J)
Andrinople (R)
Anthracite (Gr)
Ardoise (Be-Gr)
Argent (Ba)
Argenté (Ba)
Argilacé (Gr)
Aubère (Br-Chev.)
Aubergine (Vi)
Auburn (R-Chev.)
Aurore (Rose)
Avoine (Ba-J)
Azur (Be)
Bai (Br-Chev.)
Baillet (Br-Chev.)
Balais (R)
Banane (J)
Basané (Br)
Beige (Br)
Beurre frais (J)
Bis (Br)
Bistre (Br)
Blafard (Ba)
Blanc
Blanchâtre (Ba)
Blême (Ba)
Blet (Br)
Bleu
Blond (J)
Bordeaux (R)
Brique (R)
Bronzé (Br)
Brou de noix (Br)
Brun
Caca d'oie (Br)
Cachou (Br)
Café au lait (Br)
Canari (J)
Cannelle (R)
Capucine (O)
Caramel (Br)
Carmélite (Br)
Carmin (R)
Carné (Rose)

Carotte (O)
Caviar (N)
Céladon (Ve)
Cendré (Gr)
Cendreux (Gr)
Cerise (R)
Céruléen (Be)
Chair (Rose)
Chamois (J)
Champagne (Ba-J)
Châtain (Br)
Chocolat (Br)
Ciel (Be)
Cinabre (R)
Citron (J)
Colombin (Rose)
Coquelicot (R)
Corail (R)
Corallin (R)
Corbeau (aile de) (N)
Cramoisi (R)
Crème (Ba)
Cuisse de nymphe
   (Rose)
Cuivré (R)
Doré (J)
Ébène (N)
Éburnéen (Ba)
Écarlate (R)
Écrevisse (R)
Émeraude (Ve)
Épinard (Ve)
Érubescent (R)
Fauve (Br)
Feu (O)
Feuille morte (Br)
Fraise (R)
Fuligineux (N)
Garance (R)
Géranium (R-O)
Glauque (Ve)
Gorge de pigeon (Rose)
Grège (Br)
Grenat (R)
Gris
Grivelé (Gr)
Groseille (R)
Gueules (R-Blas.)

Hâlé (Br)
Havane (Br)
Incarnadin (R)
Incarnat (R)
Inde (Be)
Indigo (Be)
Isabelle (Br)
Ivoire (Ba)
Jade (Ve)
Jaune
Jonquille (J)
Kaki (Br)
Lacté (Ba)
Laiteux (Ba)
Lavallière (Br-Cuir)
Lavande (Be)
Lie-de-vin (Vi)
Lilas (Vi)
Livide (Ba)
Louvet (Br-Chev.)
Maïs (J)
Marine (Be)
Marron (Br)
Mastic (Gr)
Mauve (Vi)
Miel (J)
Molequin (Ve)
Mordoré (Br)
Moreau (N-Chev.)
Moutarde (J)
Nacarat (R)
Nacré (Ba)
Neigeux (Ba)
Nivéen (Ba)
Noir
Noisette (Br)
Opalin (Ba-Be)
Or (J)
Orange (O)
Orangé
Outremer (Be)
Paille (J)
Pain brûlé (Br)
Parme (Vi)
Pastel (Be)
Pêche (Rose)
Pelure d'oignon (R)
Pers (Be-Ve)
Pinchard (Gr-Chev.)

Platiné (Ba)
Plombé (Gr)
Ponceau (R)
Pourpre (R)
Poussin (J)
Prune (Vi)
Puce (Br)
Queue-de-vache (Br)
Rose
Rouan (Br-Chev.)
Rouge
Rouille (Br)
Roussâtre (Br)
Roux (Br)
Rubican (Ba-Chev.)
Rubigineux (Br)
Rubis (R)
Sable (N-Blas.)
Safran (J)
Sang (R)
Sanglant (R)
Saumon (Rose)
Saure (Br-Chev.)
Serin (J)
Sinople (Ve-Blas.)
Smaragdin (Ve)
Souris (Gr)
Tabac (Br)
Tango (O)
Tanné (Br)
Terreux (Br)
Tête-de-maure (Br)
Tête-de-nègre (Br)
Thé (J)
Tilleul (Ve)
Tomate (R)
Tournesol (Be)
Tourterelle (Gr)
Turquoise (Be)
Ventre-de-biche (Br)
Vermeil (R)
Vermillon (R)
Vert
Vineux (R)
Violet
Violine (Vi)
Zinzolin (Vi)

Ba = *Blanc*; Be = *Bleu*; Br = *Brun*; Gr = *Gris*; J = *Jaune*; N = *Noir*; O = *Orangé*; Rose = *Rose*;
R = *Rouge*; Ve = *Vert*; Vi = *Violet*. – Blas. = *Blason*; Chev. = *Cheval* (couleur de la robe).

REM. On emploie aussi pour désigner les couleurs de très nombreuses expressions empruntées
aux *plantes* (citron, tilleul...), aux *animaux* (chamois...), à des *substances minérales* (rubis,
turquoise...), aux *phénomènes naturels* (aurore, horizon...), à des *substances diverses* (paille,
rouille...). → aussi les nuances de chaque couleur fondamentale (*suffixes : -é* : bleuté; *-âtre* :
bleuâtre; *-aille* : grisaille; *adjectifs*...).

16 L'affaire du quiétisme (...) reprit couleur, et couleur qui commença à devenir fort louche pour M. de Cambrai.
SAINT-SIMON, Mémoires, 56, 189.

◆ **8** Loc. fam. *La couleur de qqch.* : son apparence (dans quelques locutions). *On ne connaît pas la couleur de son argent* : il ne paie pas ses dettes. *Tu n'en reverras plus la couleur,* l'apparence. *Je ne connais pas la couleur de sa voix, de ses paroles.*

Fam. *De toutes les couleurs* : de tous les genres (péj.). *En faire voir** *à quelqu'un de toutes les couleurs,* lui faire subir toutes sortes d'avanies, d'épreuves... On dit de même : *Il lui en a dit de toutes les couleurs sur vous* (cf. *Des vertes et des pas mûres*). — *En voir de toutes les couleurs.*

16.1 Cette petite femme-là lui en fait voir de toutes les couleurs (...)
Alphonse DAUDET, Fromont jeune et Risler aîné, p. 182.

REM. 1. Dans la langue classique et jusqu'au XVIIIᵉ s., *couleur* est pris au masc. dans certaines expressions. «*Le couleur de rose*» (La Fontaine, *Psyché*, 1).

2. Après un nom, *couleur* déterminé par un autre nom s'emploie comme adjectif invariable. *Rubans, robes couleur de chair, couleur chair.*

17 Je vous trouve (...) les lèvres d'un couleur de feu surprenant. MOLIÈRE, l'Impromptu de Versailles, 4.
18 (...) des rubans couleur de feu (...)
MOLIÈRE, Dom Juan, I, 2.

3. Le nom employé pour désigner une couleur reste invariable, «parce qu'il est le complément du mot "couleur" sous-entendu» (Grevisse, *le Bon Usage*, 381). *Des foulards abricot.* (Il en est de même pour les adj. composés. *Des capotes bleu horizon.*)

II ◆ **1** (V. 1268). Substance que l'on applique sur un objet pour produire la sensation de couleur. → **Colorant, pigment; peinture, teinture; aquarelle, badigeon, enduit, fard, lavis, gouache, pastel...** *Couleurs végétales, animales. Couleurs minérales, naturelles, artificielles. — Fabrication des couleurs naturelles* (cassage, broyage, débourdage, lévigation, décantation, tamisage). — *Couleurs vitrifiables,* servant à la coloration des porcelaines. *Couleurs délayées : couleurs à l'huile, à l'eau, à la colle, à la gomme, à la cire. — Cette étoffe prend bien la couleur. Faire l'apprêt** *d'un mur avant d'étendre la couleur.*

Loc. *Marchand de couleurs.* → **Droguiste.** *Aller acheter un balai chez le marchand de couleurs. Des marchands de couleurs.*

18.1 (...) un marchand de couleurs posait ses volets arlequins où s'attardait un dernier rayon (...)
MALRAUX, Antimémoires, Folio, p. 52.

Broyer (→ cit. 4), *préparer les couleurs. Couche de couleur.* → **Frottis, glacis.** *Couleurs en tube. Tube de couleur; godet à couleur. Pot de couleur. Crayon de couleur. Boîte de couleurs. Pistolet à couleur. Principales couleurs utilisées en peinture :* blanc fixe, blanc d'argent, céruse, blanc de zinc, lithopone, blanc de titane, laque; jaune de chrome, de cadmium, indien, de Naples, de strontium; ocres; terres de Sienne, d'ambre, de Cassel..., bitume, brun Van Dyck; sépia; minium, vermillon, rouges; bleu d'outre-mer, de Prusse, de cobalt, céleste, minéral; vert émeraude, de cobalt, anglais, terres vertes; noirs minéraux, noirs de fumée.

Appliquer, coucher, étaler la couleur. Peindre à pleine couleur, avec un pinceau chargé en couleur. *Mettre de la couleur, mettre en couleur.* → **Badigeonner, barbouiller** (cit. 5), **barioler, bigarrer, colorer, colorier, enluminer, farder, panacher, peindre, teindre, teinter.** *Les couleurs s'altèrent,*

passent avec le temps. → **Décolorer** (se), **déteindre, détremper, pâlir, ternir; déalbation.** *Couleur qui vire***. Couleurs endommagées, craquelées. Attention à la couleur!* (rare). → **Peinture.**

19 Une palette de fer-blanc, où l'ouvrier avait pratiqué dix-huit à vingt petits enfoncements, c'est à peu près le nombre de couleurs dont un peintre a coutume de composer sa palette.
DIDEROT, Peinture en cire, Œ., t. XV, *in* POUGENS.

T. de coiffure. *Faire la couleur :* appliquer une couleur (→ **Coloration**) sur un cheveu (préalablement décoloré [→ **Décoloration**] ou non). *Se faire faire la couleur, une couleur par un coloriste.*

◆ **2** Teinte, coloris employé dans une œuvre picturale. *Adoucir, amortir, atténuer les couleurs. Aviver, ranimer, rehausser, relever, renforcer les couleurs. Le fondu des couleurs. Couleurs fondues, assorties, nuées. Couleurs contrastées, opposées. — Gamme, ensemble, combinaison, harmonie, symphonie de couleurs.* → **Palette.** — *Couleurs légères,* voisines du blanc. *Couleurs pesantes. Couleurs rompues, affaiblies par un mélange. Couleurs amies,* qui s'accordent bien ensemble.

19.1 Les couleurs sont encore plus explicatives quoique moins multiples que les lignes par suite de leur puissance sur l'œil. Il y a des tons nobles, d'autres communs, des harmonies tranquilles, consolantes, d'autres qui vous excitent par leur hardiesse.
P. GAUGUIN, Lettre à Émile Schuffenecker, 14 janv. 1885, *in* Lettres de Gauguin, p. 45.

Couleur générale d'un tableau, l'impression d'ensemble donnée par le coloris. «*La couleur est composée de masses* (cit. 11) *colorées*» (Baudelaire). *La composition, le dessin, la couleur d'un tableau. Un maître de la couleur. — Par ext. Couleur d'une estampe, d'une gravure,* l'impression colorée qu'elle donne.

Les arts* *de la couleur.* → **Peinture; émail, fresque, mosaïque, tapisserie.**

19.2 La couleur n'est rien, si elle n'est pas convenable au sujet, et si elle n'augmente pas l'effet du tableau par l'imagination.
E. DELACROIX, Journal, 2 janv. 1853.

20 En certains endroits *(chez Chasseriau)* c'est déjà de la *couleur,* en d'autres ce n'est encore que coloriage (...)
BAUDELAIRE, Curiosités esthétiques, p. 29.

21 J'en viens au dernier élément *(de la peinture)...* la couleur. Par elles-mêmes et en dehors de leur emploi limitatif, les couleurs, comme les lignes ont un sens. Une gamme de couleurs (...) peut être riche ou maigre, élégante ou lourde. Notre impression varie avec leur assemblage; leur assemblage a donc une expression (...) La valeur propre de la couleur est donc énorme, et le parti que les peintres prennent à son endroit détermine le reste de leur œuvre. — Mais, dans cet élément, il y a plusieurs éléments, d'abord le degré général de clarté ou obscurité (...) D'autre part, l'opposition des clairs et des noirs est (...) plus ou moins forte ou plus ou moins ménagée (...) Enfin, outre leur degré de lumière, les tons, selon qu'ils sont ou non complémentaires l'un de l'autre, ont leurs dissonances ou leurs consonances; ils s'appellent ou s'excluent; l'orangé, le violet, le rouge, le vert et tous les autres, simples ou mélangés, forment ainsi par leur proximité (...) une harmonie pleine et forte, ou âpre et rude, ou douce et molle.
TAINE, Philosophie de l'art, t. II, V, IV, IV, p. 535.

21.1 Voyez Cézanne, l'incompris, la nature essentiellement mystique de l'Orient (son visage ressemble à un ancien du Levant), il affectionne la forme un mystère et une tranquillité lourde de l'homme couché pour rêver, sa couleur est grave comme le caractère des Orientaux.
P. GAUGUIN, Lettre à Émile Schuffenecker, 14 janv. 1885, *in* Lettres de Gauguin, p. 45.

22 On lui reproche, comme à Delacroix, l'indigence de son dessin et la frénésie de sa couleur.
Léon BLOY, la Femme pauvre, I, p. 145.

22.1 Le dessin donne sensation de la volonté — et la couleur, magie.
VALÉRY, Cahiers, t. II, Pl., p. 973.

(1699). **COULEUR LOCALE** : couleur propre à chaque objet, indépendamment de la distribution des lumières et des ombres. — Fig. Ensemble des traits extérieurs caractérisant les personnes et les choses dans un lieu, dans un temps donné. *Les peintres et les écrivains romantiques se préoccupaient de reproduire la couleur locale. L'abus de la couleur locale, du pittoresque.* — Fam. *Un paysage, une scène qui font très couleur locale.* → **Pittoresque** ; → Rester, cit. 21.

22.2 Cousin ne trouvait pas la moindre couleur locale dans Racine, qu'il n'aime point (...)
E. DELACROIX, Journal, 24 déc. 1853.

23 Les gens du dix-septième siècle étaient bien plus préoccupés que nous ne le sommes de ce qui s'est appelé depuis : couleur locale.
F. MAURIAC, la Vie de J. Racine, VI, p. 85.

♦ **3** (Même valeur que I., 4.; opposé à *noir, blanc*). **EN COULEUR, EN COULEURS.** *Gravure en couleur(s). Des cartes postales en couleurs.* Fam. *Des en noir et des en couleurs. Photo, film, cinéma en couleur* (appos. : *photo, film couleur*). *Télévision en couleur* ; par appos. *une télé couleur.*
Absolt. *La couleur. Faire de la couleur* (photo, cinéma). *Je sais qu'elle a la télé, mais est-ce qu'elle a* (est-ce que c'est) *la couleur ?*

III Par métaphore ou fig. ♦ **1** Littér. Aspect produisant une impression comparable à celle que la couleur donne aux yeux. *Donner des couleurs, de la couleur à une description. Peindre une situation, un cas sous les plus vives couleurs, avec force, avec vérité, avec vie. Exposer qqch. sous de fausses couleurs.*

24 Je (...) ne me suis servi, dans cette peinture, que des couleurs expresses et des traits essentiels qui font reconnaître d'abord un véritable et franc hypocrite.
MOLIÈRE, Tartuffe, 1ᵉʳ placet.

(XIIIᵉ). Absolt. *Qualité qui distingue un style.* → **Brillant, éclat, force, véracité ; coloré.** *Style sans couleur, terne, impersonnel. Description pleine de couleur. Cette musique a de la couleur.*

25 Tout le monde peut écrire ainsi, sans couleur, sans évocation, sans image, sans peinture.
Antoine ALBALAT, l'Art d'écrire, p. 60.

26 (...) elle racontait assez bien ; les détails qu'elle donnait avaient de la couleur.
MARTIN DU GARD, les Thibault, t. II, p. 171.

27 Les mots riches de couleur et de sonorité sont aussi difficiles d'emploi que les bijoux voyants et que les teintes vives dans la toilette.
COCTEAU, la Difficulté d'être, p. 198.

Loc. *Haut en couleur :* vif, truculent.

♦ **2** Apparence, aspect particulier que prend qqch. suivant les circonstances. → **Allure, apparence, aspect, caractère.** *La situation apparut sous de sombres couleurs. Voir tout couleur de rose* (→ **Rose :** voir tout en rose). *Brusquement, le récit prend une couleur tragique. Donner une couleur nouvelle à un rôle de théâtre par l'interprétation.* — *La couleur du temps :* la nature des circonstances.

28 (...) je ne trouve point de couleurs assez noires Pour en représenter les tragiques histoires.
CORNEILLE, Cinna, I, 3.

29 (...) voilà (...) de quelle couleur sont les pensées que l'on a ici ; j'espère qu'elles s'éclairciront (...)
Mᵐᵉ DE SÉVIGNÉ, 469, 20 nov. 1675.

30 Un cri de révolte, une protestation qu'explique la longue plainte du premier violon donnent à l'allégro sa couleur sombre *(dans le 11ᵉ quatuor),* sa tragique tristesse.
Édouard HERRIOT, la Vie de Beethoven, p. 214.

♦ **3** (1794). Caractère propre à une opinion. → **Teinte.** *Une légère couleur d'anarchisme. Ce journal est d'une couleur politique indécise.*

♦ **4** Vieilli ou littér. Apparence, raison fallacieuse que l'on donne à une chose, à une action pour la déguiser. → **Motif, prétexte, raison.** *Revêtir un mensonge, une infamie de belles couleurs. Peindre l'avenir d'une entreprise sous de belles couleurs, sous des couleurs flatteuses. Donner une couleur plausible, spécieuse. Donner des couleurs,* de mauvaises raisons.

31 Ils ont l'art de donner de belles couleurs à toutes leurs intentions (...)
MOLIÈRE, Tartuffe, 2ᵉ placet.

32 Je vous promets (...) que c'est pas moi qui (...) — Pas de couleurs !
Je t'ai vu, n'est-ce pas ?
COLETTE, la Vagabonde, p. 57.

Loc. prép. Littér. **SOUS COULEUR DE :** avec l'apparence de, sous le prétexte de... *Attaquer sous couleur de se défendre.*

33 Vous pourriez, sous couleur de rendre un bon office, Mettre quelque autre en peine avec cet artifice.
CORNEILLE, Mélite, IV, 2.

34 (...) Je ne veux plus, moi qui garde ce lieu Qu'on vienne, sous couleur d'y quérir un caïeu D'ail, piller mes fruitiers et grappiller ma grappe.
J.-M. DE HEREDIA, les Trophées, «Hort.», III.

CONTR. Blanc, noir (vêtement). — **Pâleur** (teint). — **Banalité, platitude** (style). — **Raison** (bonne raison).

COULEUSE [kuløz] n. f. — Déb. XXᵉ ; de *couler* «faire bouillir (la lessive)».
Régional (Suisse). Lessiveuse*. *Une couleuse en zinc.*

COULEUVRE [kulœvʀ] n. f. — V. 1185 ; *culovre,* v. 1130 ; d'un lat. pop. *colobra,* du lat. class. *colubra.*

♦ **1** Cour. Serpent non venimeux, commun dans les régions tempérées (→ **Anguille,** 4.). *Couleuvre à quatre raies.* → **Élaphis.** *Couleuvre à collier* ou *serpent d'eau. Couleuvre lisse.* → **Coronelle.** *Couleuvre d'Esculape. Couleuvre marbrée. Couleuvre vipérine,* aquatique (absolt *vipérine*). *Grande couleuvre de l'Inde.* → **Nasique.** — *Peau de couleuvre ; œufs de couleuvre.*

1 Puis au sortir de ces bois frais et touffus, une jachère crayeuse où sur des mousses ardentes et sonores, des couleuvres repues rentrent chez elles en levant leurs têtes élégantes et fines.
BALZAC, le Lys dans la vallée, Pl., t. VIII, p. 856.

2 Une couleuvre, par instants, rampe sur la bruyère avec le bruit sec du parchemin froissé.
L. TAILHADE, Contes et poèmes en prose, Les noces de Messidor, III.

3 Un sillage creuse l'herbe à nos pieds, une glissade sinueuse et sifflante.
C'est une couleuvre, dit la petite ; une belle.
Elle nous la montre, nageant à fleur de l'eau plombée qu'elle coupe de sa tête levée : une tête noire, un collier jaune, ce n'est qu'une couleuvre d'eau.
M. GENEVOIX, Forêt voisine, p. 44.

Loc. compar. *Se glisser comme une couleuvre. Être souple, insinuant comme une couleuvre.* → **Serpent.**

♦ **2** Fig. *Avaler des couleuvres :* subir des affronts sans protester (→ **Avaler,** cit. 23, 24), accepter, supporter comme des vérités n'importe quelles déclarations.

4 Je lui dis tous les jours qu'il faut que le goût qu'il a pris pour elle soit bien extrême, puisque ce goût lui fait avaler, et l'été et l'hiver, toutes sortes de couleuvres (...)
Mᵐᵉ DE SÉVIGNÉ, 576, 11 sept. 1676.

5 L'essentiel dans cette manière d'arriver est d'agréer maints soufflets et de savoir avaler une quantité de couleuvres : M. de Talleyrand faisait grand usage de ce régime des ambitions de seconde espèce.
CHATEAUBRIAND, Mémoires d'outre-tombe, t. IV, p. 124.

Vx. Insinuation perfide.

DÉR. Couleuvreau, couleuvrée, couleuvrine.

COULEUVREAU [kulœvʀo] n. m. — 1572; de *couleuvre*, et *-eau*.
Rare. Petit de la couleuvre.

COULEUVRÉE [kulœvʀe] n. f. — 1611; *couleuvree*, 1539; de *couleuvre* (par allusion au caractère rampant de cette plante), et *-ée*.
Bot. Plante grimpante *(Cucurbitacées)* dont la tige ressemble à une couleuvre. → **Bryone.**

COULEUVRINE [kulœvʀin] n. f. — 1688; *coulouvrine*, fin XIVᵉ; de *couleuvre*, et *-ine*.
Ancien canon dont le tube était long et effilé. *Couleuvrine de rempart; sur affût. — Couleuvrine (à main)* : arme à feu portative.
Voilà vos longues couleuvrines
Qui soufflent du feu sous mes eaux !
                      HUGO, les Orientales, 35.
DÉR. Couleuvrinier.

COULEUVRINIER [kulœvʀinje] n. m. — 1473; de *couleuvrine.*
Anciennt. Soldat armé de la couleuvrine (à main).

COULIBIAC [kulibjak] n. m. → **Koulibiac.**

COULIS, COULISSE [kuli, kulis] adj. et n. m. — 1393; *couleis*, v. 1256; de *couler*, et *-is.*

I Adj. ◆ 1 Vx. Qui coule, qui glisse.
1   Amadis (...) ouvrit un cadenas qui fermait une porte coulisse.   AMADIS, I, 19, *in* HUGUET.

◆ 2 Loc. mod. *Vent coulis* : vent qui coule, qui se glisse par les ouvertures, les fentes. *Il vient un vent coulis de cette fenêtre.* → **Courant** (d'air).
2   Un vent coulis me donna tellement contre une hanche (...)
                      Ambroise PARÉ, VIII, 41, *in* LITTRÉ.

II N. m. ◆ 1 Rare. Courant d'air.
2.1 La fenêtre mansardée joignait mal et laissait passer des coulis d'air froid. Quand le vent soufflait du nord, on l'entendait ronfler entre la toiture et la cloison inclinée.
                      M. AYMÉ, le Passe-muraille, p. 200.

◆ 2 Techn. Glissement, coulée. *Des coulis de terre.*

◆ 3 Techn. Produit qu'on fait couler dans les joints pour les garnir.
Produit d'injection (suspension de ciment dans l'eau) employé pour consolider un terrain. *Coulis instables, stables.*

◆ 4 (1393). Cuis. et cour. Substance qu'on obtient par la cuisson concentrée de substances alimentaires que l'on pile et que l'on passe au tamis. *Coulis de tomates. Coulis de perdrix. — Coulis d'écrevisses,* obtenu en pilant des écrevisses. → **Bisque.** — Purée de fruits crus pour napper un entremets. *Un coulis de framboises.*
3   Elle avalait, en se couchant, d'excellents coulis.
                      A.-R. LESAGE, Gil Blas, III, 2.
4   (...) une cuisine toute composée de jus, de coulis, d'épices, de brûlots, un sublimé de succulence (...).
                      Ed. et J. DE GONCOURT,
                      la Femme au XVIIIᵉ siècle, t. II, p. 142.
5   On racontait qu'en 1814 il avait apporté à Louis XVIII, détaillant vers Gand, d'une main la coulisse de son arrondissement, et de l'autre un coulis de truffes qui semblait avoir été cuisiné par les sept diables des péchés capitaux, tant il était délicieux (...)
                      BARBEY D'AUREVILLY, les Diaboliques,
                      « À un dîner d'athées ».
6   Des bouteilles sur lesquelles Angélo se précipita. C'étaient des bouteilles de coulis de tomate. Il en prit trois.
                      J. GIONO, le Hussard sur le toit, p. 124.
DÉR. Coulisse. ◊ **HOM. Coolie.** — (Du fém.) **Coulisse.**

COULISSAGE [kulisaʒ] n. m. — Av. 1951; de *coulisser.*
Action de coulisser. *Le coulissage du siège avant d'une automobile.*

COULISSANT, ANTE [kulisɑ̃, ɑ̃t] p. prés. et adj. — 1928, *in* D.D.L.; p. prés. de *coulisser.*
Qui glisse sur des coulisses. *Porte coulissante* (ou *à coulisse*).
Le jeune voyou se trouve alors très près de lui, et s'en rapproche encore pour se tenir lui-même à proximité immédiate de la sortie; mais il tourne le dos, de côté, comme pour inspecter le système coulissant de la porte à glissières, sans paraître s'occuper de son voisin.
                      A. ROBBE-GRILLET,
                      Projet pour une révolution à New York, p. 136.

COULISSE [kulis] n. f. — 1754; *couloiche*, 1348; *coulice*, 1289; fém. substantivé de l'adj. *coulis.*

◆ 1 Support ayant une rainure le long de laquelle une pièce mobile peut glisser. → **Glissière.** *Réparer la coulisse d'une porte.*
À COULISSE. *Fenêtre, porte, placard à coulisse. Couvercle à coulisse. Tiroir, châssis à coulisse. — Par métonymie. Le volet* qui glisse sur la rainure. Ouvrir, fermer une coulisse.* **Spécialt.** *La coulisse d'un confessionnal.* → **Grille.**
Archit. Dans une forteresse, cadre et partie mobile d'une herse.
Techn. Organe, pièce en forme de glissière. *Pièce glissant sur une coulisse.* → **Curseur.** — *Coulisse (de Stephenson),* servant à la distribution de la vapeur sur une locomotive.
0.1   (...) la locomotive moderne, qui résulte de l'adaptation à la chaudière tubulaire de Marc Seguin, légère et plus petite qu'une chaudière à bouilleurs, de la coulisse de Stephenson, permettant de faire varier le rapport entre le temps d'admission et le temps de détente, ainsi que de passer en marche arrière (renversement de la vapeur) progressivement, par l'intermédiaire du point mort.
                      Gilbert SIMONDON,
                      Du mode d'existence des objets techniques, p. 67.
Imprim. *Coulisse de galée** : pièce qui glisse dans les rainures de la galée.
Mar. → 1. **Couette** (couettes mortes).
(1754). **Anat.** Rainure à la surface d'un os, où glissent les tendons... *Coulisse bicipitale de l'humérus* (→ **Gouttière**).
Mus. Dans un instrument à vent, tube mobile qui glisse sur le tube principal. *La coulisse d'un trombone.* **Loc. cour.** *Trombone* à coulisse.*
0.2   La première clarinette a avalé l'anche de son instrument (...) La coulisse du trombone est faussée (...)
                      J. VERNE, le Docteur Ox, p. 59.
(1802). **Cout.** Ourlet, rempli qu'on fait à un vêtement, une étoffe, pour y faire passer un cordon, un lacet de serrage.
1   Il avait posé les deux ensouples sur la chanlatte et sur le tréteau, bien en face, de façon à placer de droit fil la soie cramoisie de la chape, qu'Hubertine venait de coudre aux coulisses.
                      ZOLA, le Rêve, III, p. 18.
Régional (Canada). Conduit permettant l'écoulement d'un liquide.

◆ 2 (Inus., sauf dans les loc. *à, en coulisse*). Action de coulisser.
Loc. adv. EN COULISSE. *Glace à coulisse.*
Rare. EN COULISSE. *Dispositif en coulisse.* — (1808). **Fig.** *Faire des yeux en coulisse* : laisser glisser le regard obliquement, à la dérobée*. *Un regard en coulisse.* → **Coin** (→ **Couler** : couler un regard).
2   Elle répondait à chacun, faisait les yeux en coulisse, le poing sur la hanche, effrontée comme une vraie bohémienne qu'elle était.
                      MÉRIMÉE, Carmen, III.

◆ **3** (1694). Théâtre. **ⓐ** (Techn.). Rainure le long de laquelle glissent les châssis des décors, sur une scène de théâtre ; le châssis lui-même.

ⓑ (1718). Cour. *La coulisse, les coulisses,* partie d'un théâtre située sur les côtés et en arrière de la scène, derrière les décors, et qui est cachée aux spectateurs. *Rester dans les coulisses. Le machiniste, l'électricien sont dans les coulisses.*

3 Nous avons ici l'expérience que le théâtre peut être très bien éclairé avec des bougies en grand nombre et des reflets *(réflecteurs)* dans les coulisses (...)
> VOLTAIRE, Lettre à d'Argental, 4 oct. 1748.

4 (...) le Kain-Ninias pousse du pied vers la coulisse une pendeloque de diamant qui s'était détachée de l'oreille d'une actrice.
> DIDEROT, Paradoxe sur le comédien, p. 1057.

5 Alcide Tousez, Sainville, Ravel sont dans la coulisse ce qu'ils sont sur la scène, faisant des coqs-à-l'âne et disant des joyeusetés.
> HUGO, Choses vues, Nouvelle série, IV, Théâtre, Les Comiques.

En coulisse : dans la, les coulisses.

(1825). Vieilli. Le monde du théâtre. *Argot de coulisse.*

Par anal. Partie annexe (d'une salle) cachée aux personnes présentes (dans cette salle).

5.1 Autrefois, une inélégante cloison séparait la salle de séance de ces coulisses admirables : petite Coupole, derrière la grande, où a pris place, invisible, une autre Académie, l'impossible, la grande (...)
> Claude MAURIAC, le Temps immobile, p. 130.

Fig. *Se tenir dans la coulisse :* se tenir caché, ne pas se laisser voir. *Il laisse agir ses subordonnés et se tient dans la coulisse. — Ce qui se dit, se fait, se passe dans la coulisse, en coulisse,* hors de la vue du public. *Les coulisses de la politique :* aspect dissimulé de la politique. → **Dessous, secret.**

6 Vous pensez bien que ce n'est pas dans cet état d'extase qu'ils peuvent s'apercevoir de ce qui se passe réellement dans la coulisse.
> J. ROMAINS, les Hommes de bonne volonté, t. V, XVII, p. 123.

◆ **4** (1838). Vx. Bourse. Le marché des valeurs non cotées où des courtiers non autorisés font office d'agents de change (→ **Coulissier**).

CONTR. Plateau, scène. ◊ **DÉR. Coulisseau, coulisser, coulissier.**

COULISSEAU [kuliso] n. m. — XVe-XVIe, *collisseau ;* de *coulisse,* et *-eau.*

Technique.

◆ **1** Petite coulisse.

◆ **2** Pièce qui se déplace dans une coulisse.

Spécialt. Pièce de la machinerie d'un ascenseur.

«*(Le bruit)* est dû au frottement des coulisseaux» dit le mari de la Tragédienne.
Il s'était renseigné auprès des principaux fabricants d'ascenseurs de Paris.
«Le frottement des coulisseaux sur les guidages produit de l'électricité statique.»
> P. GUTH, le Naïf locataire, p. 227.

Pièce qui retient la tige d'un verrou, d'une crémone.

◆ **3** Pièce de bois mortaisée.

On fut obligé de passer la nuit à couvrir l'escalier de coulisseaux, à bâtir un vrai praticable pour faire ramener l'attelage à l'écurie.
> Ed. et J. DE GONCOURT, Manette Salomon, p. 49.

COULISSER [kulise] v. — 1671 ; de *coulisse.*

Ⅰ V. tr. ◆ **1** (1890). Techn. Garnir de coulisses. *Coulisser un rideau, un tiroir.*

◆ **2** Cout. Coudre à points devant un rempli pour y faire passer une coulisse (→ Coulisse, 1.). *Coulisser une jupe.*

Ⅱ V. intr. (1908). Cour. Glisser sur coulisses. *Porte qui coulisse.* → **Coulissant.**

◆ **COULISSÉ, ÉE** p. p. adj.

◆ **1** (1866). Garni d'une coulisse.

Ici, on a mis un rideau en attendant. Plus tard on mettra une porte coulissée (...)
> N. SARRAUTE, le Planétarium, p. 299.

Cout. *Jupe coulissée.* N. m. *Un coulissé :* rempli à l'intérieur duquel passe une coulisse. *Le coulissé d'une jupe.*

◆ **2** Par anal. (Rare). *Bouche coulissée,* en biais, plissée.

Son coulissé : son qui rappelle le son émis par un instrument à coulisse.

DÉR. Coulissage, coulissant.

COULISSIER [kulisje] n. m. — 1824 ; de *coulisse.*

◆ **1** Vx, souv. péj. Bourse. Courtier qui s'occupe des transactions de Bourse, hors du parquet des agents de change (→ **Agent** [cit. 14] de change). *Les coulissiers servent d'intermédiaires dans les transactions de valeurs non cotées* (coulisse, marché libre, marché en banque). *Syndicat des coulissiers* (syndicat des banquiers en valeurs au comptant, syndicat des banquiers en valeurs à terme).

Ce mot printemps (...) on le criait aujourd'hui en pleine Bourse. Des coulissiers ignorants croyaient à une valeur nouvelle. 1
> GIRAUDOUX, les Aventures de Jérôme Bardini, p. 55.

◆ **2** Fig. et vx. Personnage subalterne.

(*Mme de Villeparisis*) se toquait de connaître tel ou tel individu qui n'avait aucun titre à être reçu chez elle, parfois parce qu'elle l'avait trouvé beau, ou seulement parce qu'on lui avait dit qu'il était jeune coulissier du dernier rang de la société (...) 2
> PROUST, le Côté de Guermantes, Folio, p. 225-226.

COULOIR [kulwaʀ] n. m. — 1378, au sens I ; *coledoir* au XIIe ; de *couler* (var. de *couloire*), et *-oir.*

Ⅰ Vx. Ce qui sert à faire couler. → **Couloire.** ◆ **1** Techn. **ⓐ** Ancienn. Écuelle à fond de toile où l'on filtre le lait qu'on vient de traire.

ⓑ Mod. Conduit pour l'écoulement du métal en fusion.

◆ **2** (1762). Anat. (vx). Canal par lequel s'écoulent les humeurs.

◆ **3** Pop. *Puer, «schlinguer du couloir»* (attesté notamment chez Hugo), de la bouche.

Ⅱ Mod. et cour. (1704 sur un navire ; mil. XVIIIe dans une construction ; par métaphore du sens I). ◆ **1** Mar. → **Coursive.**

◆ **2** Passage étroit et long, servant au dégagement pour aller d'une pièce à l'autre, dans un édifice... → **Corridor, galerie, passage.** *Le couloir d'un appartement. Couloir dallé. Se promener, faire les cent pas dans les couloirs. Enfiler un couloir.*

«Quelle jolie maison !» disait René parcourant les pièces du long rez-de-chaussée, le couloir voûté blanchi à la chaux, la galerie, regardant les boiseries, les meubles grêles et bien patinés. 1
> J. CHARDONNE, les Destinées sentimentales, III, p. 368.

(...) un couloir, surtout s'il est long, nous attire. Ce couloir m'attirait. Son étroitesse, sa longueur (...) exerçaient sur moi comme une charme sombre. Confusément il me semblait qu'il fallait le suivre (...) 2
> H. BOSCO, Un rameau de la nuit, p. 62.

2.1 Au premier étage, n'y a-t-il pas un long couloir, très long, qui est commun à vous et aux autres dans cette maison, et qui fait que vous êtes ensemble et séparés à la fois ?
M. Duras, Moderato cantabile, p. 56.

Couloirs d'un théâtre (→ **Coulisse**). *Couloir d'une arène,* intervalle entre la piste et les gradins. (1866). *Couloirs d'une assemblée politique. Conversations, intrigues de couloir* (ou *de couloirs*) : conversations, intrigues qui ont lieu autour de la salle des séances.

3 Comme il faisait son opinion sur les pièces, les soirs de répétition générale, en parcourant les couloirs, et en écoutant les propos des critiques les plus réputés, on lui attribuait une certaine sûreté de jugement.
J. Romains, les Hommes de bonne volonté, t. V, XXV, p. 240.

Le couloir d'un wagon de chemin de fer. Voyageurs entassés dans le couloir. Compartiments à couloir latéral. Couloir de circulation.

4 (...) une aventure commencée dans un hall de palace, dans un couloir de sleeping (...)
J. Romains, les Hommes de bonne volonté, t. V, IV, p. 28.

Couloir du métro : long passage menant aux quais. *Couloir de correspondance.* → **Correspondance.**

4.1 Le long couloir, d'un bout à l'autre, est vide et silencieux, très sale comme tous ceux de cette ligne de métro, jonché de papiers divers, depuis les journaux déchirés jusqu'aux emballages de bonbons, et maculé de traces humides plus ou moins innommables.
A. Robbe-Grillet, Projet pour une révolution à New York, p. 29.

Loc. (Angl. des États-Unis, *death row*). *Les couloirs de la mort :* les structures carcérales où sont emprisonnés les condamnés à mort.

♦ **3 Techn.** Passage étroit. → **Canal, conduit.** *Couloir où passe le film dans un appareil de projection de cinéma.* Système de transport de matériaux, rame d'éléments métalliques montés sur deux roues, circulant sur une voie en circuit fermé. — Glissière en pente assurant le transport du charbon ou du minerai (dans une mine).

♦ **4 Géogr.** Passage étroit sur le terrain. *Fleuve encaissé dans un profond couloir.* → **Gorge.** — *Le couloir de Dantzig.* → **Corridor.**

5 (...) le détroit redeviendra, cet hiver, le couloir sinistre où s'engouffrent, sous un ciel de plomb, toutes les rafales glacées de Russie (...)
Loti, Suprêmes visions d'Orient, p. 30.

6 Les remous se font plus puissants et plus vastes ; puis le Brabant s'engage dans le «couloir». Les rives deviennent berges et se resserrent.
Gide, Voyage au Congo, in Souvenirs, Pl., p. 697.

(1786). **Géol., alpin.** Ravin à flanc de montagne ; ravin creusé dans la neige. *Couloir d'avalanche.*

7 On donne à ces ravines ou pentes creusées par les neiges le nom de couloir.
H. B. de Saussure, Voyage dans les Alpes, II, p. 565 (1786).

♦ **5 Météor.** *Couloir de basse, couloir de haute pression :* zone atmosphérique comprise entre deux autres zones de pression contraire.

♦ **6** Zone étroite et allongée, servant de passage. → **Passage.** *Couloir aérien :* itinéraire que doivent suivre les avions pour atteindre leur destination. *Couloir (de circulation) :* espace réglementé sur la chaussée. *Couloir réservé :* partie de la chaussée réservée à certains véhicules. *Couloir d'autobus. Couloir à contresens* (dans une voie à sens unique). *Stationnement interdit dans les couloirs. À Paris, les couloirs sont autorisés aux taxis.*

♦ **7 Sports.** Une des deux bandes situées de part et d'autre du rectangle formant la partie médiane d'un court de tennis. *Les couloirs ne sont utilisés que dans le double. Coup dans le couloir.*

Ski. Figure d'un slalom, comprenant deux, trois ou quatre portes horizontales.

Rugby. Passage entre la ligne de touche et les joueurs adverses, devant le trois-quart aile.

Courses. Bande longitudinale de la piste de course, matérialisée par un tracé, et réservée à un seul coureur dans les courses de vitesse. *Le couloir extérieur. Course par couloirs, avec départ décalé.*

HOM. Couloire.

COULOIRE [kulwaʀ] n. f. — 1397 ; *couloere,* 1332 ; *coledoire,* av. 1105 ; de *couler,* et *-oire.* → le doublet Couloir, I.

Techn. Récipient propre à faire passer, à faire égoutter la partie liquide de certaines préparations. → **Égouttoir, passoire, tamis.** *Égoutter du fromage blanc, des épinards dans une couloire.* → **Faisselle.**

HOM. Couloir.

1. COULOMB [kulɔ̃] n. m. — 1881 ; du nom du physicien *Coulomb.*

Didact. (**phys.**). Quantité d'électricité débitée en une seconde par un courant d'une intensité d'un ampère (symb. *C*).

DÉR. Coulombien. ◊ **HOM.** 2. Coulomb.

2. COULOMB ou **COULON** [kulɔ̃] n. m. — V. 882, *colomb ;* du lat. archaïque *columbus* «pigeon mâle». → Colombe.

Vx, dial. Colombe, pigeon.

HOM. 1. Coulomb.

COULOMBIEN, IENNE [kulɔ̃bjɛ̃, jɛn] adj. — 1956 ; de *Coulomb,* nom du physicien, et *-ien.*

Phys. Relatif aux phénomènes liés à la *loi de Coulomb,* en électrostatique, magnétisme, etc. *Champ coulombien, répulsion coulombienne.* «(Les électrons sont) *soumis à des forces de répulsion mutuelle dont il faut tenir compte, les forces coulombiennes entre charges de même signe»* (la Recherche, n° 101, juin 1979, p. 672). *Potentiel coulombien.*

COULOMMIERS [kulɔmje] n. m. — 1911 ; nom d'une ville de la Seine-et-Marne.

Fromage de lait de vache à pâte fermentée, fabriqué dans la Brie.

COULPE [kulp] n. f. — V. 1460 ; *colpe,* 881 ; du lat. *culpa* «faute». → Coupable, culpabilité.

Relig. cathol. Péché volontaire entraînant la perte de la grâce. *L'absolution, la confession remettent la coulpe.*

Dire sa coulpe : confesser son péché.

Loc. mod. (relig. ou littér.). *Battre sa coulpe :* se frapper la poitrine en disant : *mea culpa,* et, fig., *témoigner son repentir.* → **Accuser** (s'), **avouer** (s'avouer coupable).

1 Battez votre coulpe, demandez à Dieu merci (...)
J. Bédier, la Chanson de Roland, LXXXIX, p. 89.

Par ext. *Faire sa coulpe :* s'imposer une pénitence pour une faute, un péché.

2 Faire sa coulpe, c'est se prosterner à plat ventre durant l'office devant le prieur jusqu'à ce que celle-ci (...) avertisse la patiente, par un petit coup frappé sur le bois de sa stalle, qu'elle peut se relever. On fait sa coulpe pour très peu de chose. Un verre cassé, un voile déchiré, etc., cela suffit, on fait sa coulpe. La coulpe est toute spontanée ; c'est la

coupable elle-même (...) qui se juge et qui se l'inflige.
HUGO, les Misérables, VI, II.

3 Il entreprenait, vingt fois le jour, de se morigéner, de battre
sa coulpe (...)
G. DUHAMEL, le Voyage de P. Périot, XIII, p. 244.

Littér. et archaïque. Faute.

4 À Sainte-Hélène, il *(Bonaparte)* a condamné lui-même avec
sévérité sa conduite politique sur deux points : la guerre
d'Espagne et la guerre de Russie ; il aurait pu étendre sa
confession à d'autres coulpes.
CHATEAUBRIAND, Mémoires d'outre-tombe, t. V,
p. 54.

COULURE [kulyʀ] n. f. — 1331 ; *coleüre*, XIIIᵉ ; de *couler*,
et *-ure.*

◆ **1** Mouvement d'un liquide qui s'écoule.

(1846). Traînée d'une matière molle qui a coulé.
Une coulure de boue. Coulure de ciment.

Simon s'en alla avec, stigmates de sa soirée, son veston
taché de poudre de riz, de pollen de lis et de coulures de
bougie.
M. DRUON, les Grandes Familles, III, VII, p. 133.

(1690). Techn. Partie du métal en fusion qui coule
à travers les joints du moule, pendant la fonte.

◆ **2** Agric. Accident qui empêche la fécondation
de la fleur, le plus souvent en faisant couler* le
pollen. → **Avortement.** *Il y a eu de la coulure :* les
fruits n'ont pas noué. *Coulure de la vigne* (→ **Mille-
randage).** *Prévenir la coulure par incision annulaire
du sarment.*

◆ **3** Techn. (pêche). Filins d'une senne, portant des
flotteurs à la partie supérieure et munis à la partie
inférieure de plombs (qui *coulent* au fond).

COUMARINE [kumaʀin] n. f. — 1836 ; de *coumarou,*
et suff. *-ine.*

Chim., techn. Substance odorante extraite du fruit
du *coumarou,* et employée en parfumerie.

DÉR. et COMP. Coumarique. Dicoumarine.

COUMARIQUE [kumaʀik] adj. — XIXᵉ ; de *coumarine.*
Chim. Se dit d'acides dérivant de la coumarine.

COUMAROU [kumaʀu] n. m. — XVIIᵉ ; d'une langue
indienne de Guyane.

Bot. Plante dicotylédone *(Légumineuses ; Papilionacées),* arbre exotique de grande taille. *Des couma-
rous. Le fruit du coumarou est appelé fève tonka.*

DÉR. Coumarine.

COUNTRY-MUSIC [kɔntʀimjuzik] n. f. ou
COUNTRY n. f. ou m. invar. — 1972, *in* Höfler ; mot
angl. (États-Unis), de *country* «campagne», et *music*
«musique».

Anglic. Musique américaine dérivée de la musique
et des chansons folkloriques du sud-ouest des
États-Unis. → **Folk.** Parfois écrit sans trait d'union :
«*Eddy Mitchell, au fond le seul artiste de country
music qui passionne les foules*» *(le Nouvel Obs.,*
8 janv. 1979, p. 45). *Guitariste qui joue de la
country, du country.* — Adj. invar. *Des musiciens
country.*

COUP [ku] n. m. — 1080, *colp ; cop, coup,* XIIIᵉ-XIVᵉ ; du
bas lat. *colpus,* du lat. class. *colaphus* «coup donné
avec la main», du grec *kolaphos* «soufflet».

Ⅰ Mouvement, geste par lequel un corps vient en
heurter un autre ; impressions produites par ce
qui heurte. ◆ **1** (Choc physique, matériel). → **Choc,
ébranlement, heurt, tamponnement ; fam. atout, pain,**

ramponneau, tampon. *Force d'un coup. Coup sec, violent. Coup très léger, petit coup.* → **Frôlement.** *Donner
un coup de poing sur la table, un coup de coude à
qqn. Enfoncer une porte d'un coup d'épaule. Frapper
des coups à la porte. Se donner un coup contre un
meuble.* → **Cogner** (se). *Il s'est donné un coup à la
tête en tombant. Se donner un coup au tibia.* Vieilli.
Donner, se donner un coup de la tête.

1 (...) je me suis donné un grand coup de la tête contre la
carne d'un volet.
MOLIÈRE, le Malade imaginaire, I, 2.

2 Au fond, c'est moins le coup que la crainte qui tourmente,
quand on s'est blessé. ROUSSEAU, Émile, I.

3 Il a eu ces jours-ci de grandes douleurs dans la tête ; des
élancements dans tout le corps ; de ces coups brusques
et profonds qui atteignent l'os à travers la chair, et que
l'homme compare naïvement à des souffrances qu'il n'a
jamais ressenties, mais qu'il suppose les plus cruelles, les
plus sournoises, comme le coup de poignard.
J. ROMAINS, les Hommes de bonne volonté, t. IV,
XXII, p. 245.

Action de frapper la balle, le ballon. *Renvoyer le
ballon d'un coup de pied, de tête.* → **Tête.** — (1927).
Coup droit : au tennis, coup qui consiste à frapper
la balle avec la face de la raquette, après rebond
(opposé à *volée,* à *revers).* — (Football, rugby) *Coup
franc*, coup d'envoi*.*

◆ **2** Spécialt. Effet sonore d'un coup (donné à ce
qui résonne). → **Bruit, son.** *Coups sonores, retentissants. Coups secs, sourds. J'ai entendu un coup sec.
Frapper plusieurs coups à la porte* (→ Toc toc). *Les
trois coups au théâtre,* qui annoncent le lever du
rideau (frappés avec le «brigadier»). *Sonner trois
coups de cloche. L'éclat des coups* (→ **Cloche,** cit. 4).
*Coups de cymbale, de gong, de tambour, de tam-
tam. Coup de tonnerre. Les douze coups de midi.
Au premier coup de midi.* Loc. *Au coup, sur le coup
de midi :* à midi juste. → À midi sonnant*. — Par ext.
(sans heurt). *Coup de sifflet. Coup de sonnette.*

◆ **3** Choc brutal que l'on fait subir à qqn pour faire
mal. *Donner un coup, des coups à qqn.* → **Battre,
cogner, frapper.** *Échanger des coups.* → **Bagarre,
combat, rixe, violence.** *En venir aux coups, se
donner, échanger des coups.* → **Battre** (se). *Rendre
coup pour coup. Amortir, détourner, esquiver, parer
les coups. Administrer, allonger, appliquer, assener,
délivrer, distribuer, envoyer, porter des coups.* Fam.
*Coller, flanquer, foutre, mettre des coups à qqn.
Accabler, assommer, bourrer, cribler, éreinter, marteler, meurtrir, rouer qqn de coups. Frapper qqn à
coups redoublés. Faire tomber, faire fondre, pleuvoir une avalanche, une grêle, un orage* (vx), *une
pluie, une volée, une dégelée de coups.* — *Recevoir,*
(fam.) *déguster, écoper, empocher, encaisser, mor-
fler, prendre, ramasser un coup, des coups, sur la
tête, les doigts, les épaules, le dos, l'échine.* → **Anguil-
lade** (vx), **avoine** (fam.), **bastonnade, bourrade, calotte,
castagne** (fam.) **charge** (vx), **chiquenaude, claque,
correction, décharge** (vx) **escourgée** (vx), **gifle, gourmande, horion, pichenette, sanglade, soufflet, tape ;
et fam. abattage, baffe, baston, beigne, beignet,
brossée, brûlée, châtaigne, contredanse, coquard,
danse, dégelée, dérouillée, frottée, giboulée, gnon,
marron, mornifle, pain, peignée, pile, raclée, ramponneau, ratatouille, renfoncement, rincée, rossée,
roulée, rouste, tabac, talmouse, taloche, tampon,
tannée, taquet, tarte, tatouille, torgnole, tournée,
trempe, tripotée.** *Coup sur les fesses* (→ **Fessée),** *sur
l'œil* (→ **Coquard).** *Recevoir un coup sur la tête,
dans les nez. Traces de coups.* → **Blessure, bleu,
bosse, contusion, ecchymose, meurtrissure.** *Il a été
condamné pour coups et blessures.* → **Sévice, traitement** (mauvais traitement), **voie** (voies de fait). *Recevoir*

un mauvais coup, un coup ayant des conséquences sérieuses. *Tomber sous les coups de qqn. Frappé, atteint d'un coup fatal, mortel.* → **Atteinte** (cit. 6). *Coup de grâce*.*

(Qualifié, dans des syntagmes). *Coup de poing, coup du plat de la main. Coup de pied. Coup de genou. Coup d'ongle, de griffe ; coup de dent. Coup de baguette, de bâton* (→ **Bastonnade**), *de canne, de cravache, d'étrivières, de férule, de fouet, de maillet, de marteau, de massue, de matraque, de nerf de bœuf, de schlague, de trique...* (→ **Arme**). *Coup de couteau, de poignard, de sabre. Il a été tué d'un coup de hache. Coup de manchette.* → **Manchette.** *Coup d'épée* (→ *ci-dessous,* cit. 20 et *supra).*

À coup de..., à coups de... Attaquer, poursuivre qqn à coups de pierres, de cailloux. → **Lapider.** *Il a été accueilli à grands coups de poing dans le nez. On l'a chassé à grands coups de pied dans le derrière, dans le cul, au cul.*

4   Je vous en prie pour Dieu, soyez résolus à bien frapper, coup rendu pour coup reçu !
     J. BÉDIER, la Chanson de Roland, XCII, p. 93.

5   Certain fou poursuivait à coups de pierre un sage.
     LA FONTAINE, Fables, XII, 22.

6   (...) s'il fallait encor que l'on en vînt aux coups,
Je combattrais pour elle en soupirant pour vous.
     CORNEILLE, Horace, I, 3.

7   Quels orages de coups vont fondre sur ton dos !
     MOLIÈRE, Amphitryon, III, 2.

8   (...) cinq ou six coups de bâton, entre gens qui s'aiment, ne font que ragaillardir l'affection.
     MOLIÈRE, le Médecin malgré lui, I, 2.

9   Il me prendrait envie, en ce juste courroux,
De me battre moi-même et me donner cent coups.
     MOLIÈRE, l'Étourdi, III, 8.

10   Du perfide couteau comme eux il fut frappé,
Mais Dieu du coup mortel sut détourner l'atteinte (...)
     RACINE, Athalie, IV, 3.

11   Un homme qui a plus tôt donné un coup de pied au cul que le bonjour.
     J.-F. REGNARD, Sérén., 3.

11.1   D'abord il essaye ses coups, il semble qu'il n'ait dessein que de préluder ; bientôt enflammé de luxure, le cruel frappe autant qu'il a de forces (...)
     SADE, Justine..., t. I, p. 149.

12   Il avait été arrêté, bourré de coups, conduit vers les voitures de police (...)
     MARTIN DU GARD, les Thibault, t. VI, p. 28.

13   Il eut un mouvement de recul à l'approche du prêtre, et de nouveau ce geste, ce coude levé, comme pour se garer des coups.
     F. MAURIAC, la Pharisienne, p. 41.

14   C'est à coups de crosses de fusil que l'on calmait les combattants avant de les emmener cuver leur vin dans les locaux disciplinaires.
     P. MAC ORLAN, la Bandera, VI, p. 75.

15   Il a entendu raconter (...) qu'il vaut mieux éviter d'avoir des démêlés avec eux, parce que ce sont «des gars qui donnent des coups en vache».
     J. ROMAINS, les Hommes de bonne volonté, t. IV, I, p. 9.

REM. Pour les syntagmes les plus courants et leurs emplois, → le nom compl. et aussi Dent, griffe, ongle, pied, poing, etc.

Frapper un animal à coups de pied, de fouet. Donner des coups d'éperon à un cheval.

16   Voyez nos postillons atteler leurs chevaux ; ils les poussent aux brancards à coups de botte dans le flanc, à coups de manche de fouet sur la tête, leur cassent la bouche avec les mors pour les faire reculer, accompagnant le tout de jurements, de cris et d'insultes au pauvre animal.
     CHATEAUBRIAND, Mémoires d'outre-tombe, t. IV.

En parlant des coups donnés par les animaux. *Coup de bec*, de boutoir*, de griffe*, de patte*, de pied*, de queue*, de sabot*. Coup de pied de l'âne.* → **Âne** (*infra,* cit. 17).

17   Le cheval s'approchant lui donne *(au lion)* un coup de pied,

---

Le loup, un coup de dent, le bœuf un coup de corne.
     LA FONTAINE, Fables, III, 14.

18   Le passereau, peu circonspect,
S'attira de tels coups de bec
Que, demi-mort et traînant l'aile,
On crut qu'il n'en pourrait guérir.
     LA FONTAINE, Fables, X, 11.

19   Et elle *(la mule)* vous lui détacha un coup de sabot si terrible, si terrible, que de Pampérigouste même on en vit la fumée (...)
     Alphonse DAUDET, Lettres de mon moulin, «La mule du pape», p. 73.

Loc. fig. *Coup de boutoir*. Coup de baguette* magique. Coup de bambou*.* **Vx.** *Coup de caveçon*.* — *Coup de dent :* attaque mordante. *Coup de bec, coup de griffe* (même sens). — *Coup de patte*. Coup de pied** (*de l'âne,* etc.). — *Coup de barre*, coup de masse*. Coup de massue*.* — *Coup de fouet*. Un coup d'épée* dans l'eau.* — **Loc.** *Faire d'une pierre deux coups.* → *ci-dessous,* cit. 30.

(Sports de combat). Geste déterminé correspondant à un coup porté à l'adversaire. *Coups autorisés et coups défendus,* en boxe.

19.1   Le coup manqua la mâchoire, et frappa sec le dessous du nez, coup peu redoutable, mais aigu et qui force aux larmes.
     Jean PRÉVOST, Plaisirs des sports, p. 78.

(1927). *Coup bas,* donné plus bas que la ceinture. — **Fig.** Procédé déloyal.

19.2   Il *(Mitterrand)* a tenu tête avec calme, avec un excès de calme, il me semble, à un spécialiste des coups bas.
     F. MAURIAC, Bloc-notes 1952-1957, p. 145.

19.3   Je ne suis pas d'accord sur le principe pourtant bien établi que les femmes sont des garces. Lorsqu'il s'agit de sexe ou de sentiments, les hommes font bien plus aisément appel aux coups bas.
     Benoîte et Flora GROULT, Il était deux fois, p. 151.

Geste par lequel on tente de blesser l'adversaire à l'arme blanche. → **Escrime ; botte, estocade.** *Allonger un coup d'épée, de fleuret, de sabre. Coup d'arrêt. Coup droit. Coup fourré*. Coup de Jarnac :* le coup imprévu par lequel Jarnac tua La Châtaigneraie en duel. **Fig.** *Coup perfide, déloyal.*

20   (...) auriez-vous monté un coup de Jarnac à ma vertu ?
     Th. GAUTIER, Mlle de Maupin, II, p. 28.

20.1   Serait de bonne guerre... Entre rivaux, on se permet de ces petits coups de Jarnac (...)
     E. LABICHE, la Chasse aux corbeaux, V, 7.

Coup de traître : coup déloyal, imprévu, par derrière, etc. — **Fig.** Perfidie, trahison. *Coup en vache,* même sens. — *Sans coup férir* :* sans combat. → **Férir.**

Loc. fig. *Compter les coups, juger des coups :* faire l'arbitre, être neutre.

21   Nous étions neutres et nous jugions des coups.
     Mme DE SÉVIGNÉ, 344.

22   L'Angleterre resterait neutre, et compterait les coups ; en attendant l'heure d'arbitrer (...)
     MARTIN DU GARD, les Thibault, t. VI, p. 180.

♦ 4 (XIVᵉ). Décharge d'une arme à feu ; ses effets (action du projectile). *Coup de feu*.* → **Charge, décharge, détonation** (→ onomat. Pif paf). *Coups de canon, de fusil.* → **Canonnade, fusillade, salve, tir.** *Artillerie* répondant coup pour coup. Tirer des coups de fusil.* → **Tirer ; fam.** canarder. *Tirailleurs qui font le coup de fusil*. Six coups de feu de revolver.* → 3. **Pan,** cit. 3. *Ajuster son coup. Lâcher un coup. Le coup est parti. Revolver à six coups. Avoir encore un coup à tirer. Le coup a manqué le but. Coup perdu. S'exposer aux coups, au feu de l'ennemi. Le coup l'a effleuré. Être à l'abri des coups.*

23   Il n'a plus besoin d'armer cette tête qu'il expose à tant de périls ; Dieu lui est une armure plus assurée ; les coups semblent perdre leur force en l'approchant (...)
     BOSSUET, Oraison funèbre de Louis de Bourbon.

24 Une de ces flèches qui n'ont jamais manqué leur coup.
FÉNELON, Télémaque, XX.

25 Le coup qui doit l'abattre va bientôt partir et le renverser (...)   BOURDALOUE, Pensées, t. III, p. 72.

26 Il faut attaquer l'opinion avec ses armes : on ne tire pas des coups de fusil aux idées.   RIVAROL, II, IV, p. 226.

27 Le coup passa si près que le chapeau tomba
Et que le cheval fit un écart en arrière.
HUGO, la Légende des siècles, XLIX,
«Après la bataille».

28 Quelques détonations étouffées par l'éloignement, puis quelques coups de canon, espacés, le tirèrent de cette prostration.
MARTIN DU GARD, les Thibault, t. IX, p. 133.

29 Une flamme rougeâtre éclaira les étangs. Un coup de feu partit, un coup long chargé d'étincelles, et qui fusa avec une détonation sourde. Des plombs crépitèrent sur l'eau et fouettèrent les feuilles. Un affreux gémissement déchira la nuit, à cinquante mètres devant moi, puis un battement d'ailes, et tout se tut. L'air sentait la poudre.
H. BOSCO, Hyacinthe, p. 65.

Par métaphore, fam. (en parlant d'un homme). Vieilli. Rapport sexuel expéditif.

Loc. mod. *Tirer un coup, tirer son coup* : faire l'amour de façon expéditive.

29.1 Quant aux coups, ils ont été bons. Le 3ᵉ surtout a été féroce, et le dernier sentimental. Nous nous sommes dit là beaucoup de choses tendres, nous nous serrâmes vers la fin d'une façon triste et amoureuse.
FLAUBERT, Lettre à Louis Bouilhet, 13 mars 1850,
Correspondance, t. I, Pl., p. 607.

29.2 À Esneh j'ai revu Kuchuk-Hanem. Ça été triste. Je l'ai trouvée changée. Elle avait été malade. J'ai tiré un coup seulement.
FLAUBERT, Lettre à Louis Bouilhet, 2 juin 1850,
Correspondance, t. I, Pl., p. 635.

Chasse. COUP DOUBLE : coup qui tue deux pièces de gibier. — Loc. *Faire coup double* : obtenir un double résultat par un seul effort. REM. On dit dans le même sens (mais *coup* a alors le sens 1) : faire d'une pierre deux coups.

30 On a fait d'une pierre deux coups : on s'est ménagé des effets de lumière pour le dessous de ces arcades, et l'on a masqué l'unique défaut d'un des plus beaux morceaux d'architecture qu'il y ait au monde.
DIDEROT, Salon de 1767.

31 En décidant la grève, nous, Français, nous faisons coup double : nous paralysons le tsarisme dans ses volontés de guerre, et nous supprimons tout obstacle à la fraternisation de l'ouvrier allemand et de l'ouvrier français !
MARTIN DU GARD, les Thibault, t. VII, p. 126.

De même, *faire coup triple.*

32 Mais, très heureusement, le chien était tombé sur une nichée ; il avait fait coup triple, et deux autres rongeurs — les animaux en question appartenaient à cet ordre — gisaient étranglés sur le sol.
J. VERNE, l'Île mystérieuse, t. I, p. 156.

◆ **5** Action brusque, soudaine ou violente (d'un élément, du temps) ; impression qu'elle produit. — Loc. *Coup d'air, de chaleur, de foudre, de mer, de soleil, de tonnerre, de vent...* → **Air, chaleur, foudre, mer, soleil, tonnerre, vent.** — *Entendre les coups des vagues, de qqch...*

33 Un grand bruit de vent dans les voiles, de roues déchirant la mer, de balancier frappant à coups redoublés dans les entrailles du navire.
E. FROMENTIN, Une année dans le Sahel, p. 3.

Coup de froid. «*M. Delaunay, directeur de l'Observatoire de Paris, appelle avec raison "coup de froid" l'abaissement extraordinaire et subit de la température qui s'est manifesté, à Paris, le 9 décembre 1871*» (*Année sc. et industr.*, 1872, p. 79). — *Attraper un coup de froid,* un refroidissement.

Loc. fig. *Arriver, repartir en coup de vent,* très vite.

33.1 Sylvia Beach venait chez son amie Adrienne Monnier et repartait en coup de vent.
Violette LEDUC, la Bâtarde, p. 317.

Fig. *Coup de foudre** : surprise brutale ; spécialt, amour subit. *Le coup de foudre est de règle* (cit. 5) *en amitié* (→ Coup de cœur, ci-dessous).
Mar. *Coup de roulis*. Coup de tangage*.* Fig. (quant au compl.). *Coup de torchon*.*
Spécialt. Explosion soudaine, dans les loc. *coup de poussière, coup de grisou*.*
Par anal. (le compl. désigne un élément naturel qui affecte l'individu). *Coup de sang* : congestion. → **Apoplexie, sang.**
Fam. *Coup de vieux* : effet brusque et visible de l'âge sur qqn. *Il a pris un coup de vieux* : il a vieilli subitement. → Phénomène, cit. 5.1.

Il a reçu un coup de vieux ; il a eu, l'an dernier, une petite attaque ou quelque chose comme cela.   34
G. DUHAMEL, le Voyage de P. Périot, II, p. 34.

Il a l'air fatigué ; il a eu un coup de vieux (...)   34.1
Christine ARNOTHY, Un type merveilleux, p. 33.

◆ **6** Fig. Acte, action qui frappe qqch. → **Attaque, atteinte ; blessure.** *Porter, frapper un grand coup, un coup terrible. Subir, ressentir les coups du destin. Coup du destin, de la fortune, du sort. Coup de malheur. Coup dont on est abattu, accablé, anéanti, atterré, foudroyé, frappé... Coup cruel, funeste, imprévu, mortel, rude, sensible, terrible.* Fam. *Coup dur, fâcheux, difficile à supporter. Ressentir les coups.* → **Injure, offense, outrage.** *Être sensible, insensible aux coups. Porter un coup à l'honneur, à la réputation de qqn.*

REM. Selon les contextes et les constructions, cet emploi de *coup* peut être littéraire ou appartenir à l'usage classique (→ cit. 35, 37, 41), ou, au contraire, familier (*coup dur,* cit. 44, qui peut aussi être compris au sens IV).

(...) à l'honneur de tous deux il porte un coup mortel (...)   35
CORNEILLE, le Cid, I, 5.

Contre de pareils coups l'âme se fortifie   36
Du solide secours de la philosophie (...)
MOLIÈRE, les Femmes savantes, IV, 2.

Cette vive douleur dont je ressens les coups.   37
MOLIÈRE, Psyché, II, 1.

(...) le trait est foudroyant,   38
Et ce sont de ces coups que l'on pare en fuyant.
MOLIÈRE, Tartuffe, V, 5.

Le coup qu'on m'a prédit va tomber sur ma tête   39
Il vous accablera vous-même à votre tour.
RACINE, Britannicus, V, 7.

La fortune se plaît à faire de ces coups (...)   40
LA FONTAINE, Fables, VII, 13.

Dans l'abîme des maux où je suis submergé, je sens les   41
atteintes des coups qui me sont portés, j'en aperçois l'instrument immédiat ; mais je ne puis voir ni la main qui le dirige, ni les moyens qu'elle met en œuvre. L'opprobre et les malheurs tombent sur moi comme d'eux-mêmes, et sans qu'il y paraisse.
ROUSSEAU, les Confessions, XII.

Les plus grands coups portés à l'antique constitution de   42
l'État le furent par des gentilshommes.
CHATEAUBRIAND, Mémoires d'outre-tombe, t. I,
p. 219.

(...) elle m'a asséné tous les coups imaginables, et il n'y a   43
plus de place où frapper.
F. MAURIAC, la Pharisienne, p. 144.

S'il y avait, venant de l'extérieur justement, un coup dur,   44
elle se garderait bien de vous tirer dans le dos.
J. ROMAINS, les Hommes de bonne volonté, t. III,
XVII, p. 232.

Les coups qu'il m'est arrivé de porter à tels de mes aînés,   45
me sont aujourd'hui rendus par tels de mes cadets.
G. DUHAMEL, le Temps de la recherche, XIV, p. 197.

(...) je ne crains pas la bataille. J'ai passé une bonne partie   46
de mon existence à donner des coups et à en recevoir.
G. DUHAMEL, Chronique des Pasquier, VIII, p. 441.

Littér. *Donner le dernier coup, le coup décisif, le coup de grâce.* → **Abattre, anéantir.**

Donner le dernier coup au parti des tyrans.   47
MOLIÈRE, Don Garcie, V, 6.

En prendre un coup : subir un dommage physique ou moral. Fam. *Il en a pris un vieux, un sale coup.*

47.1 Le patron, si fier, si hautain, il en a pris un coup. Quant les journalistes sont venus pour le questionner, il les aurait tués.   Jean FERNIOT, Pierrot et Aline, p. 88.

Loc. fig. *Tenir le coup* : supporter, résister (peut aussi être compris au sens IV).

47.2 Ils sont forts quand même, allez, les vieux jetons, ils tiennent le coup !
    BERNANOS, Un mauvais rêve, Œ. roman., Pl.,
    p. 888.

47.3 Les agresseurs n'eussent peut-être pas tenu le coup longtemps, je vous l'accorde.
    F. MAURIAC, le Nouveau Bloc-notes 1958-1960,
    p. 131.

II ◆ **1** Mouvement vif (d'une partie du corps, de l'homme ou d'un animal) n'aboutissant pas (ou pas forcément) à un choc. *Coup d'aile** (→ **Battement**), *coup de collier*, coup de reins*. Coup de gosier d'un chanteur. Coup de gueule*. Coup de langue*. Coup de glotte*. Coup d'œil* : regard bref.

Loc. fig. **COUP DE MAIN** (ne s'emploie pas au sens propre ; on dirait : *un coup de la main*).

a Attaque de vive force, exécutée à l'improviste, avec hardiesse et promptitude. *Exécuter un coup de main.* → **Attaque.**

47.4 (...) ne serait-ce pas le commencement d'un coup de main monté contre lui avec l'appât de cette femme pour laquelle on connaissait son amour ?
    A. DUMAS, les Trois Mousquetaires, t. II, p. 462.

48 (...) Itchoua (...) homme habitué aux manœuvres louches, précieux dans les coups de main, la nuit, et qui, pour de l'argent, est capable de tout faire.
    LOTI, Ramuntcho, II, IX, p. 265.

49 (...) devant l'armement redoutable de l'adversaire, Saül, sage, se borne à des guérillas meurtrières, à d'audacieux coups de mains.
    DANIEL-ROPS, le Peuple de la Bible, III, p. 171.

b Fam. Action qui aide, porte assistance. → **Aide, appui, secours.** *Donnez-lui donc un coup de main. J'aurais besoin d'un petit coup de main pour finir ce travail. On va te donner un coup de main, t'aider.* — *Coup de pouce*.*

◆ **2** COUP DE... (et nom). Mouvement (d'un objet, d'un outil qu'on manie, d'un instrument qui fonctionne). *Coup d'archet. Coup de baguette du chef d'orchestre.* — *Coup de pinceau. Coup de crayon. Coup d'aviron. Coup de barre* (de gouvernail). *Coup de sonde. Coup de filet* (du pêcheur). *Coup de bistouri* (du chirurgien). *Coup de ciseau, de couteau, d'épingle. Coup de fourche. Coup de cognée, de hache* (du bûcheron). *Coup de pioche* (du terrassier). *Coup de gaule* (pour gauler des noix). *Coup de marteau, de massue... Coup de piston, de pompe. Coup de frein. Coup de volant. Coup d'accélérateur* (au fig. impulsion). — *Coup de fil, coup de téléphone*. Je vous passerai un petit coup de fil demain.*

Fam. *Avoir un bon coup de fourchette* : être gros mangeur.

Coup de chapeau* : salut, et, fig., hommage.

◆ **3** COUP DE ... (pour désigner une opération rapide). *Coup de balai, de brosse, de chiffon, d'éponge, de torchon... : nettoyage rapide avec le balai, etc. Coup de fer* : repassage rapide. *Donner un coup de peinture* : peindre rapidement. *Se donner un coup de peigne* : se recoiffer rapidement. *Passer chez le coiffeur pour un simple coup de peigne*.*

(Sans compl. en *de*). Nettoyage sommaire. *Donnez juste un petit coup au salon.*

À coups de : à l'aide de. *Traduire un texte à coups de dictionnaire. Faire qqch. à coups de millions.*

Ne croyez pas que ce soit ici comme en Allemagne où les   50
universités se disputent les professeurs à coups de billets
de banque.
    G. DUHAMEL, Scènes de la vie future, XIV, p. 207.

Loc. fam. *En mettre, en ficher, en foutre un coup* : se mettre à travailler dur. → **Secousse** (fam.).

Trois heures cependant ont lentement sonné ;   51
La voix du temps est triste au cœur abandonné ;
Ses coups y réveillaient la douleur de l'absence (...)
    A. DE VIGNY, Poèmes antiques et modernes,
    «Dolorida».

(...) la laissant arriver à l'heure dite sans même regarder   52
la pendule, ignorant encore la sensation de l'attente, ces
grands coups à pleine poitrine qui sonnent le désir et l'impatience.   Alphonse DAUDET, Sapho, II.

On entendait des coups terribles frappés contre les   53
murailles du navire comme par des béliers énormes.
    LOTI, Mon frère Yves, XXVII, p. 88.

Le cœur de Guillaume sautait en cadence, battait des   54
coups sourds de mineur (...)
    COCTEAU, Thomas l'imposteur, p. 173.

(...) des coups de maillet sonnaient mat dans l'atmosphère   55
ouatée.   MARTIN DU GARD, les Thibault, t. III, p. 102.

◆ **4** Par métonymie, absolt. Mar. (de *coup de vent*). *Avoir du coup* : bien réagir au vent.

(...) après avoir couru quelques bords, il observa que le   55.1
Bonadventure pouvait marcher environ à cinq quarts du
vent, et qu'il se soutiendrait convenablement contre la dérive.
Il virait très bien devant, ayant du «coup», comme disent
les marins, et gagnant même dans son virement.
    J. VERNE, l'Île mystérieuse, t. II, p. 478.

III Action. ◆ **1** (XIIIe ; «action de lancer les dés»). Acte réglé, effectué selon les règles d'un jeu ou d'un sport. *Les coups les plus difficiles d'un jeu d'adresse. Coup adroit, bien placé, bien joué. Réussir un beau coup, un coup heureux.*

Jouer, parier à coup sûr. Coup malheureux, manqué, raté. Il connaît tous les coups. — Fig. Le coup est joué.

Un mois après, Mme Desroches était lancée. Le coup était   55.2
joué au profit de Mme Desroches, diront ceux qui ont
vu, pendant les dix ans qui suivirent, son nom dans les
journaux à tous les grands dîners donnés dans le faubourg
Saint-Germain.   PROUST, Jean Santeuil, Pl., p. 432.

Fig. *Marquer le coup* : manifester que l'on a été sensible à qqch. → **Marquer.**

Action d'un joueur (dans les jeux de hasard, d'adresse). *Coup de dés*. Jouer sa fortune sur un coup de dés. Gagner à tous coups. À tous les coups l'on gagne ! «Un coup de dés, jamais, n'abolira le hasard»* (Mallarmé).

Par anal. *Coup de bourse*.*

(1841). *Avoir, attraper le coup pour faire qqch.* → **Tour, truc.** *Il n'a pas le coup.*

Discuter le coup (d'abord : discuter les circonstances et la valeur d'un coup réussi ou tenté) : discuter (qqch.). *On a passé la soirée à discuter le coup autour d'un verre*, à discuter, à bavarder.

REM. L'expression est souvent comprise au sens 3, ci-dessous.

Fam. *Expliquer le coup* : commenter des faits, donner des explications.

La table entière suivait ce mouvement intérieur. Une   55.3
expression sérieuse, passionnée fixait tous les traits. Et
l'on commençait ce qui s'appelle en argot d'aviation «à
expliquer le coup», c'est-à-dire à commenter les vols, les
accidents et les exploits.
    J. KESSEL, Vent de sable, p. 71.

Nous détestons l'un et l'autre les gens qui «expliquent le   55.4
coup». Nous savons tout de suite de quoi il s'agit, comprenons et coupons court.
    Claude MAURIAC, le Temps immobile, p. 241.

Loc. **VALOIR LE COUP** : valoir d'être tenté ; avoir de l'intérêt, de la valeur. *Ça ne vaut pas le coup de se déranger. Un spectacle qui vaut le coup.* Syn. fam. de *valoir la peine.* → **Valoir** (*infra* cit. 24).

◆**2 COUP DE...** ⓐ Action subite et hasardeuse, souvent considérée comme due à une force extérieure. *Un coup de bonheur* : événement heureux dû au hasard. *Coup de malheur* : événement funeste (→ *supra* I., 6.). *Un coup de la Providence. Coup du hasard, coup du sort.* — Plus cour. *Coup de chance* : action réussie par hasard ; par ext., fam., *coup de bol, coup de pot,* hasard heureux.

Coup d'audace*. — (1532, *in* D.D.L.). *Coup d'essai. Coup de maître.*

56   Mes pareils à deux fois ne se font point connaître,
      Et pour leurs coups d'essai veulent des coups de maître.
                     CORNEILLE, le Cid, II, 2.

Coup de théâtre : brusque retournement de situation, comme on en voit dans les intrigues de théâtre.

ⓑ Action subite, plus ou moins irraisonnée. — (Le compl. désigne la cause). *Un coup de colère, de folie*, de désespoir. Un coup de cœur* : un amour subit, un coup de foudre. — *Un coup de tête* : une décision brusque, irraisonnée. *Il est parti sur un coup de tête.*

(Le compl. désigne l'effet). *Un coup d'éclat.* → **Éclat.**

◆**3** Suite d'actions nuisibles, néfastes, ou impliquant un profit considéré comme illicite. *Réussir, manquer le coup, son coup. Parer* (cit. 2, 3) *le coup. C'est lui qui a fait le coup. Faire ses coups en dessous* (→ Macaroni, cit. 2). — *Un beau, un joli coup* (ironique).

Préparer un mauvais coup, un sale coup, un vilain coup. Il est capable d'un mauvais coup. Fam. *Sale coup pour la fanfare*, pour la marine !* — Fam. *Un gros coup* : un coup important. *Un coup réussi* (souvent iron., par antiphrase).

57   Si le financier manque son coup, les courtisans disent de lui : «C'est un bourgeois, un homme de rien, un malotru ;» S'il réussit, ils lui demandent sa fille.
                     LA BRUYÈRE, les Caractères, VI, 7.

58   Ils ont fait un beau coup vraiment ;
      Mais pour réparer leur sottise (...)
                     J.-F. REGNARD, les Folies amoureuses,
                     Divertissement.

59   (...) je crois que c'est Monsieur votre cher intendant qui a fait le coup.   MOLIÈRE, l'Avare, V, 2.

60   Cet ouvrage, Madame, est un coup d'Agrippine (...)
                     RACINE, Britannicus, V, 1.

61   On voit bien, aujourd'hui, que les Allemands avaient salement manigancé leur coup !
                     MARTIN DU GARD, les Thibault, t. VII, p. 279.

61.1 J'en ai vu de ces filles qui, parce qu'elles avaient réussi un beau coup, étaient convaincues que cela se reproduirait indéfiniment.
                     René FLORIOT, La vérité tient à un fil, p. 78.

61.2 Je m'étais mis dans la tête que ça pouvait être le gros coup (...) Des gens de cinéma peut-être, ou bien des peintres. Les millions ça leur brûle les doigts.
                     François NOURISSIER, le Maître de maison, p. 30.

      Fam. *Faire un (joli, beau, sacré) coup à qqn. Il ne me fera pas deux fois un coup pareil ! Après le coup qu'il m'a fait, je ne lui parle plus.*

61.3 Monsieur Surget, je ferme boutique.
      — Vous ne pouvez me faire un coup pareil.
                     R. QUENEAU, le Vol d'Icare, p. 180.

Loc. *Coup du père François* : coup exécuté par deux compères, l'un étranglant le passant, tandis que l'autre lui vide les poches. — Fig. Traquenard. *Attention au coup du père François.*

(Sans qualificatif). ⓐ Fam. Action ou manœuvre délictueuse. *Préparer, faire un coup. Être sur un coup* (par ext., fam., avoir une bonne affaire en vue).

61.4 Avec Stilitano, l'accompagnant toujours, je fis d'autres coups. Nous connûmes un veilleur de nuit qui nous renseigna. Grâce à lui nous ne vécûmes longtemps que de cambriolages.
                     Jean GENET, Journal du voleur, p. 61.

ⓑ (De *coup d'État* ou *coup de force*). Manœuvre politique violente, souvent destinée à prendre le pouvoir. → **Putsch.** — Intervention militaire soudaine.

61.5 Les noms changent, sans que s'interrompe l'enchaînement des «coups», comme on dit : le coup du 20 août 53, le coup du 6 février 56, le coup de Ben Bella, le coup de Suez, pour nommer ceux qui viennent d'abord à l'esprit.
                     F. MAURIAC, Bloc-notes 1952-1957, p. 287.

Loc. *Monter le coup, un coup à qqn,* le tromper, l'abuser. *Coup monté* : opération complexe organisée volontairement pour nuire.

61.6 Alors je vous pardonne de vous être laissé, comme on dit, monter le coup.
                     BERNANOS, Sous le soleil de Satan, Œ. roman.,
                     Pl., p. 63.

Faire (à qqn) le coup de..., le tromper en simulant une situation, une attitude. → **Astuce, combine, truc.** *Il lui a fait le coup de l'amour. Le coup du canapé* (par lequel un homme était compromis avec une jeune fille, aux fins de mariage forcé).

61.7 Je ne pouvais davantage faire le coup du taxi au veilleur de nuit de l'hôtel, qui le connaissait déjà et ne l'appréciait guère.   A. BLONDIN, Monsieur Jadis, p. 129.

61.8 Je n'avais connu que très peu de femmes, mais elles m'avaient toutes fait le coup de la première fois qui est facile à réussir puisqu'il suffit d'additionner trois circonstances banales pour créer de l'unique.
                     Jacques LAURENT, les Bêtises, p. 95.

(1808). *Faire les cent coups, les quatre cents (les cinq cents, les cent dix-neuf,* etc.) *coups* : faire beaucoup de bêtises, d'excès, mener une vie de débauche.

61.9 Elles détournaient la tête, jugeant impossible de saluer (...) une femme qui était bien capable d'être allée à Bayreuth — ce qui voulait dire faire les cent dix-neuf coups.
                     PROUST, Sodome et Gomorrhe, éd. La Gerbe, p. 152.

◆**4** Loc. (où *coup* signifie «action, en général ; situation»). **ÊTRE DANS LE COUP** : participer à qqch. ; être au courant de la situation, de ce qu'il faut savoir (→ Être branché*). *Il n'est pas dans le coup* : il ignore ce qui se passe. — *Mettre qqn dans le coup,* le faire participer ou le mettre au courant*. — Absolt. *Être (ne pas être) dans le coup,* au courant des idées à la mode. → Être dans le vent*, à la page* (et l'anglicisme : *être in*).

61.1 Écoutez, Anglade, vous n'êtes plus dans le coup, maintenant. Vous êtes un peu dépassé.
                     Jean-Louis CURTIS, le Roseau pensant, p. 116.

61.1 Deux centimètres de moins ; ça baisse un peu, dit Blandine qui visiblement n'est pas dans le coup.
                     Hervé BAZIN, Cri de la chouette, p. 13.

61.1 Non seulement il fallut nous remémorer ensemble ce qu'étaient devenus amis et camarades, un par un, et tu le savais bien plus que moi, mais tu étais dans le vent, dans le bain, dans le coup de toutes les conneries de ce monde, surtout par la télé, et tu t'y ébrouais avec des clapotis.
                     Maurice CLAVEL, le Tiers des étoiles, p. 58.

Être hors du coup : ne pas être concerné, ne pas s'intéresser à (qqch.).

61.1 Nous nous intéressâmes modérément à l'affaire Serge pour laquelle se passionnaient les antistaliniens. Nous ne considérions cependant pas que nous étions hors du coup ; nous voulions exercer une action personnelle, par nos conversations, notre enseignement, nos livres (...)
                     S. DE BEAUVOIR, la Force de l'âge, p. 141.

◆**5** (Situation subie). **COUP DUR** : situation brusque, dangereuse, difficile. *C'est un coup dur pour lui.*

1.14 Quand la guerre est venue, j'ai compris ; autrefois, il m'est arrivé de me trouver dans des coups durs, mais pendant l'exode et l'occupation, j'ai été frappé au cœur, j'ai eu de la peine pour mon pays.
M. AYMÉ, le Vin de Paris, «L'indifférent», p. 12.

Fam. **COUP DE CHIEN**, se dit d'une action violente, brutale, soudaine, des hommes ou des éléments, subie par qqn (l'emploi au sens actif : «*on prépare un fameux coup de chien*» (Flaubert) est archaïque).

1.15 Tu te crois plus forte qu'un de mes vieux hussards, se disait Angélo. Ils mangent de la polenta au vin quand ils sont dans les coups de chien. C'est avec des choses aussi bêtes que ça qu'on se fait de la force de caractère.
J. GIONO, le Hussard sur le toit, p. 350.

♦ **6** (Par métonymie du sens III, 1, ci-dessus). Pêche. Endroit où l'on amorce avant de pêcher. *Se placer, se mettre, rester sur un coup.*

IV (Fin XIVe). ♦ **1** Quantité de liquide que l'on boit en une seule fois ou d'un seul trait* (surtout, de boisson alcoolisée). *Boire un coup de vin, de pinard. Boire un coup de trop.* → **Boire.** *S'envoyer un petit coup derrière la cravate. Allez ! le dernier coup ! Je vous paye un coup, un coup à boire. On boit de bons coups, ici, mais ils sont rares,* formule plaisante pour réclamer à boire.

1.16 On but quelques bons coups ce jour-là, et on arrosa le Cercle polaire comme on eût fait de l'équateur, à bord d'un bâtiment coupant la ligne pour la première fois.
J. VERNE, le Pays des fourrures, t. II, XVII, p. 247.

Loc. *Le coup de l'étrier.* → **Étrier** (cit. 4).

♦ **2** Par anal. *Respirer, tousser un grand coup.*

62 Toussez ici un bon coup ou deux, et en buvez neuf d'arrache-pied.
RABELAIS, le Cinquième Livre, Prologue.

63 Il respira un grand coup, et, lestement, dégringola l'escalier.
MARTIN DU GARD, les Thibault, t. III, p. 212.

V Loc. ♦ **1** (*Coup* a le sens de «fois»). *Au premier coup, du premier coup. Du coup, d'un coup, d'un seul coup.* Fam. *D'un seul coup d'un seul.* — Vx. *Tout d'un coup :* d'un seul coup, en une seule fois. Mod. *Tout d'un coup.* → ci-dessous, cit. 84, etc. *Pour ce coup, pour le coup. Pour le coup, c'est trop fort. À tous les coups, à tous coups :* chaque fois, à tout propos, toujours (→ ci-dessus, III., 1.).

64 Il l'admire à tous coups, le cite à tout propos (...)
MOLIÈRE, Tartuffe, I, 2.

65 (...) je n'ai point étudié, et j'ai fait cela tout du premier coup.
MOLIÈRE, le Bourgeois gentilhomme, II, 4.

66 Le buisson accrochait les passants à tous coups.
LA FONTAINE, Fables, XII, 7.

67 Pour le coup, la colère lui donnait le ton de la fermeté.
STENDHAL, le Rouge et le Noir, p. 49.

68 J'ai vu ça, moi, du premier coup, en entrant. J'ai l'œil américain.
FLAUBERT, Mᵐᵉ Bovary, III, III.

69 Il faut qu'une phrase soit si claire, qu'elle fasse plaisir au premier coup, et pourtant, qu'on la relise à cause du plaisir qu'elle a fait.
J. RENARD, Journal, mai 1903.

70 Il faut travailler avec acharnement, d'un coup, et sans que rien vous distraie ; c'est le vrai moyen de l'unité de l'œuvre.
GIDE, Journal, 8 mai 1890.

71 L'homme frappe sur l'enclume et, d'un seul coup, fait jaillir un brasillement d'étincelles, par quoi toute la forge sombre s'éclaire.
Léon DAUDET, la Femme et l'Amour, Conclusion.

72 (...) c'est la loi du hasard qu'on ne perde pas à tout coup.
André SUARÈS, Trois hommes, «Ibsen», IV, p. 124.

72.1 Pour le coup, je voudrais être à Paris (...)
F. MAURIAC, Bloc-notes 1952-1957, p. 68.

Ce coup-ci, ce coup-là : cette fois. *Ce coup-ci, c'est le bon.*

72.2 Ce coup-ci c'est le pape qui le couronne à Rome même, comme Charlemagne.
R. QUENEAU, Loin de Rueil, p. 36.

Vx. **ENCORE UN COUP :** encore une fois.

Madame, encore un coup, souffrez que je vous aime.   73
CORNEILLE, Othon, II, 2.

Mettons encore un coup toute la Grèce en flamme (...)   74
RACINE, Andromaque, IV, 3.

DU MÊME COUP : par la même occasion, en conséquence de quoi.

La pensée abstraite fatigue l'homme, parce que l'homme   74.1
n'est pas un pur esprit. En touchant ses yeux par des images, ses oreilles par des harmonies, on lui agrée : on lui fait agréer, du même coup, les idées qu'on exprime. La couleur et le son font passer le sens avec eux.
Gustave LANSON, l'Art et la Prose, p. 74.

(1594, in D.D.L.). **COUP SUR COUP :** successivement, sans interruption, immédiatement, l'un après l'autre.

Tant de malheurs qui arrivaient coup sur coup (...)   75
BOSSUET, Char. frat., 2, in LITTRÉ.

Quand il fut rassasié, il but coup sur coup deux bocks et   76
regarda devant lui.
MARTIN DU GARD, les Thibault, t. IV, p. 290.

Sur le coup : immédiatement. *Il est mort sur le coup.*

Si possédant, comme Dieu, la vérité, l'unique vérité, un   77
homme la laissait tomber de ses mains, le monde en serait anéanti sur le coup et l'univers se dissiperait aussitôt comme une ombre.
FRANCE, le Jardin d'Épicure, p. 26.

♦ **2 SOUS LE COUP DE :** sous l'action, l'effet, l'influence, la menace de. (*Coup* garde sa valeur active et implique un effet plus ou moins fort). *Tomber sous le coup de la loi. Être sous le coup d'une accusation, d'une condamnation.* → **Encourir.**

Désormais il allait être un malade sans cesse sous le coup   78
d'une attaque de suffocation.
A. MAUROIS, À la recherche de Marcel Proust, I, 3.

Et l'administrateur reste impuissant devant des enchères   78.1
clandestines qui, pour paraître illicites, ne tombent pourtant pas sous le coup de la loi.
GIDE, Voyage au Congo, in Souvenirs, Pl., p. 719.

AU COUP PAR COUP, se dit d'une opération, d'une politique menée par une suite d'actions séparées. *Régler ses problèmes au coup par coup,* par actions ponctuelles. *Politique du coup par coup.*

APRÈS COUP : plus tard, une fois la chose faite. → **Après.**

Il s'avisa seulement après coup que, en acquiesçant à ces   79
paroles, il acceptait aussi l'échec de sa démarche.
MARTIN DU GARD, les Thibault, t. V, p. 1.

À COUP SÛR (modifiant une phrase) : assurément, sûrement, sans doute, immanquablement, infailliblement. — (Modifiant un verbe). En toute sécurité, avec la certitude de parvenir au but. *N'agir qu'à coup sûr.*

(...) il est, à coup sûr, peu de plus belles pages architecturales que cette façade *(celle de Notre-Dame)...*   80
HUGO, Notre-Dame de Paris, III, 1.

La plus délicate des roses   81
Est, à coup sûr, la rose-thé.
Th. GAUTIER, Émaux et Camées, «La rose-thé».

Mais il ne se donnerait la peine de décider son client que   82
si l'on pouvait marcher à coup sûr.
J. ROMAINS, les Hommes de bonne volonté, V, XXII, p. 180.

TOUT D'UN COUP, TOUT À COUP : brusquement, soudain, soudainement, en un moment.

J'ai senti tout à coup un homicide acier (...)   83
RACINE, Athalie, II, 5.

La rivière devint tout d'un coup agitée (...)   84
LA FONTAINE, Fables, VI, 17.

Ô nuit désastreuse ! ô nuit effroyable, où retentit tout à   85
coup, comme un éclat de tonnerre, cette étonnante nouvelle : Madame se meurt, Madame est morte.
BOSSUET, Oraison funèbre d'Henriette d'Angleterre.

86 Tout à coup une porte s'ouvre : entre silencieusement le
    vice appuyé sur le bras du crime, M. de Talleyrand mar-
    chant soutenu par M. Fouché.
              CHATEAUBRIAND, Mémoires d'outre-tombe, t. IV,
                                                      p. 41.

87 L'amour, croyait-elle, devait arriver tout à coup avec de
    grands éclats et des fulgurations (...)
                          FLAUBERT, Mᵐᵉ Bovary, II, 4.

88 L'atmosphère lui sembla s'être raréfiée tout à coup; il
    étouffait.   MARTIN DU GARD, les Thibault, t. I, p. 53.

DÉR. Couper. ◊ **COMP.** À-coup, beaucoup, contrecoup. —
Coup-de-poing. ► **HOM.** Cou, coût. — Formes du v. coudre.

1. COUPABLE [kupabl] adj. et n. — 1667; corpable, 1172; du lat. culpabilis, de culpa. → Coulpe.

♦ **1** Qui a commis une faute, un acte répréhensible. → **Fautif; culpabilité.** *Être coupable d'un délit*
(→ **Délinquant**), *d'un crime* (→ **Criminel**). *Être cou-*
pable de négligence, de vol, de meurtre. Être cou-
pable de banqueroute (cit. 3), *de menaces, de voies*
de fait, d'attentat, de complot, d'atteinte à la sûreté
de l'État, de trahison... Se rendre coupable d'une
faute (→ Appréhender, cit. 9). *Coupable de complicité.*
→ **Complice.** *Coupable de* (et inf.). *Se sentir coupable*
d'avoir menti. Se sentir coupable de qqch. → Avoir
qqch. sur la conscience*; fam. qui se sent morveux*
se mouche. *Amener qqn à reconnaître qu'il est cou-*
pable. → **Convaincre.** *S'avouer coupable. L'accusé est*
reconnu, déclaré coupable. → **Accusé; condamner.**
Déclarer non coupable. → **Acquitter.** *Plaider cou-*
pable : reconnaître la culpabilité de l'accusé, mais
essayer de l'atténuer, de l'excuser. *Non coupable :*
innocent. *Plaidez-vous coupable, ou non coupable ?*
Coupable au premier chef. C'est le plus coupable*
de tous. Coupable envers Dieu, envers la Société.

1   Tout homme étant présumé innocent jusqu'à ce qu'il ait
    été déclaré coupable, toute rigueur qui ne serait pas néces-
    saire pour s'assurer de sa personne, doit être sévèrement
    réprimée par la Loi.
              Déclaration des droits de l'homme (Constitution
                                            3 sept. 1791), art. 9.

2   Lorsque l'accusé aura été reconnu coupable, le procureur
    général fera sa réquisition à la cour pour l'application de
    la loi.   Code d'instruction criminelle, art. 362.

3   Si j'ai violé les lois de l'Église, je suis prêt à subir la peine de
    ma faute; si vous me croyez coupable, faites un jugement
    canonique et je l'exécuterai, je le jure sur mon honneur
    sacerdotal; mais je veux un jugement régulier, car, en
    droit, personne n'est tenu de se condamner soi-même,
    nemo se tradere tenetur, dit le Corpus Juris Canonici.
                          HUYSMANS, Là-bas, XIV, p. 198.

4   Nous prononçons, nous décidons, nous déclarons que toi,
    Gilles de Rais, cité à notre Tribunal, tu es honteusement
    coupable d'hérésie, d'apostasie, d'évocation des démons;
    que pour ces crimes, tu as encouru la sentence d'excom-
    munication et toutes les autres peines déterminées par le
    droit.   HUYSMANS, Là-bas, XVII, p. 247.

(Sur le plan psychologique; → Culpabilité). *Se sentir*
coupable, responsable et fautif; éprouver de la culpabilité.
Par plais. *Être coupable d'un livre, d'un article,* en
être l'auteur.

♦ **2** (1667). Actions; pensées. Condamnable. → **Blâ-**
mable, condamnable, délictueux, fautif, pendable,
punissable, répréhensible. *Commettre une action*
coupable. Desseins, désirs coupables. → **Honteux,**
inavouable, indigne, infâme, mauvais, vicieux. *Cou-*
pables pensées. → **Damnable** (vx); → Mouchoir, cit. 1.
Un cœur coupable. Un amour coupable. → **Illégi-**
time, illicite. — *Il a envers ses enfants une faiblesse*
coupable.

♦ **3** N. *Un, une coupable.* ⓐ Personne qui a commis
une faute. *Rechercher, trouver les coupables. La jus-*
tice atteindra les coupables. Vous êtes le coupable.

Appréhender le coupable. Le coupable et ses com-
plices. Tout coupable doit être puni. → **Passible** (d'une
peine). *Punir un coupable.* → **Châtier, condamner,**
frapper (d'une peine), **punir; excommunier.** *Accabler*
les coupables. Avoir pitié du coupable (→ Clémence,
cit. 4). *Épargner, absoudre le coupable. Pardonner*
aux coupables.

Dérober un coupable au bras de la justice (...)   5
                          CORNEILLE, Horace, V, 3.

Un coupable puni est un exemple pour la canaille; un   6
innocent condamné est l'affaire de tous les honnêtes gens.
                          LA BRUYÈRE, les Caractères, XIV, 52.

C'est de lui que les nations tiennent ce grand principe : 7
qu'il vaut mieux hasarder de sauver un coupable que de
condamner un innocent.   VOLTAIRE, Zadig, VI.

(...) je n'aurai de cesse que je n'aie retrouvé le coupable. Où 8
qu'il se cache, je le pourchasse, et jure qu'il ne m'échappera
pas.   GIDE, Œdipe, I.

ⓑ Fam. → **Responsable.** *Vous cherchez l'auteur de*
cette plaisanterie ? En voici le coupable. — Le grand
coupable de son échec, c'est le jeu.

CONTR. Innocent. ◊ **DÉR. Coupablement.** ► **HOM.** 2. Coupable.

2. COUPABLE [kupabl] adj. — XXᵉ; de couper.

Rare ou par plais. (à cause de l'homonymie). Qui peut
être coupé. *Ce saucisson est trop dur, il est à peine*
coupable.

HOM. 1. Coupable.

COUPABLEMENT [kupabləmã] adv. — 1573, corpa-
blement; de 1. coupable.

Rare. D'une manière coupable.

COUPAGE [kupaʒ] n. m. — 1364; de couper.

♦ **1** (1364). Rare. Action de couper. — Fig. *Coupage de*
cheveux en quatre.

♦ **2** (1836). Action de mélanger (des liquides, un
liquide à un autre) pour en modifier les propriétés. *Le coupage de l'alcool par l'eau,* pour en
faire tomber le degré. *Coupage d'un vin par un*
autre : pour corriger les défauts des uns par les
qualités des autres. *Vins de coupage.*

C'est une opération dont le caractère licite est reconnu par
la loi; mais on ne peut pas vendre des vins de coupage
sous le nom de cru, quand même ce cru entrerait pour
la plus forte proportion dans le mélange. Le coupage est
du ressort du commerçant, et non du viticulteur.
                          Omnium agricole, Coupage, p. 272.

Par métonymie. Mélange ainsi obtenu.

COUPAILLER [kupaje] v. tr. — 1870, Goncourt; de
couper, et -ailler.

Fam. Couper irrégulièrement.

Au p. p. «*Ses cheveux coupaillés, quel massacre*»
(Cesbron, *Abeille,* p. 101).

Dans certains cas (*de peste*) pourtant, les poumons et
le cerveau lésés noircissent et se gangrènent. Les poumons ramollis, coupaillés, tombant en copeaux d'on ne
sait quelle matière noire (...)
                          A. ARTAUD, le Théâtre et son double,
                                            Le théâtre et la peste,
                                            Idées/Gallimard, p. 27-28.

COUPANT, ANTE [kupã, ãt] adj. et n. m. — XVIᵉ; du
p. prés. de couper.

Ⅰ Adj. ♦ **1** Qui coupe. → **Aigu, tranchant.** *Ce couteau*
n'est pas assez coupant. Lame coupante. Herbe cou-
pante. — Géom. Qui coupe une ligne, une surface.
Plan coupant. → **Sécant.**

Qui donne une sensation de coupure. *Un froid coupant.*

♦ **2** Fig. → **Autoritaire.** *Une voix coupante. Ton coupant.* → **Bref.**

1 (...) *une voix coupante comme une voix d'acier.*
Ed. et J. DE GONCOURT, Journal, p. 164.

2 (...) *c'est comme cette voix qu'il a, une voix coupante de monsieur qui ne se trompe jamais* (...)
SARTRE, les Chemins de la liberté, I, II, p. 33.

III N. m. Le fil des instruments tranchants. *Le coupant d'un sabre, d'une hache.* → **Fil, tranchant** (n. m.).

CONTR. **Contondant,** 4. **mousse.**

COUP-DE-POING [kudpwɛ̃] n. m. — 1783; de *coup, de,* et *poing.*

♦ **1** (1873). Arme de main, masse métallique percée pour le passage des doigts. *Des coups-de-poing. Coup-de-poing américain.*

Son bourreau le suit, maniant avec calme, méthode et précision, un coup-de-poing américain.
Roger BORNICHE, le Gang, p. 22.

Fig. En appos. *Une politique coup-de-poing,* qui procède d'une manière violente et soudaine. — *Opération coup-de-poing :* opération de police soudaine et inattendue.

♦ **2** Didact. Silex* taillé pour servir d'arme. → **Biface.**

♦ **3** (1886, *Année sc. et industr.,* p. 176). Techn. (électr.). Vx. Appareil permettant d'obtenir une étincelle. — Mod. Interrupteur, grand bouton-poussoir sur lequel on appuie avec la paume de la main.

1. COUPE [kup] n. f. — XIIᵉ; du bas lat. *cuppa,* du lat. class. *cupa.* → Cuve.

♦ **1** Récipient à boire, ordinairement plus large que profond, et reposant sur un pied. → **Vase; coupelle, cratère, patère, verre.** *Coupe d'argent, d'or, de cristal. Coupe gravée, ciselée. Boire dans une coupe* (→ Banquet, cit. 5). *Coupes et flûtes à champagne.* — Par métonymie. Le contenu d'une coupe. *Boire une coupe, une pleine coupe de champagne.*

1 *Il la vit avec surprise prendre la bouteille dans le seau et remplir sa coupe* (...)
(...) *Ivich porta la coupe à ses lèvres et fit une grimace de dégoût :*
— *Que c'est mauvais, dit-elle en reposant son verre.*
(...) *Elle reprit la coupe de champagne et la vida d'un trait* (...)
SARTRE, les Chemins de la liberté, I, XI, p. 185.

1.1 *D'unanimes adhésions acclamèrent, ici, l'orateur; les coupes s'entrechoquèrent à l'envi dans les mains rassurées.*
VILLIERS DE L'ISLE-ADAM, Tribulat Bonhomet, p. 34.

Par anal. Récipient à pied très bas ou sans pied. → **Jatte.** *Poser une coupe sur une soucoupe. Coupe à crème, à glace. Servir une coupe pleine de crème, de compote.* → **Compotier.** *Coupe à fruits.* Par métonymie (contenu). *Manger une coupe de crème. Une pleine coupe de fruits.* — Vasque de fontaine. Vase d'ornement.

Coupe servant au prêtre à célébrer la cène. → **Calice.** *Coupe où l'on conserve les hosties.* → **Ciboire.**

2 (...) *après avoir soupé, il (J.-C.) prit la coupe et dit : Cette coupe est la nouvelle alliance en mon sang; faites ceci en mémoire de moi toutes les fois que vous en boirez.*
BIBLE (SEGOND), 1ʳᵉ épître aux Corinthiens, XI, 25.

Fig. (littér.). *Coupe de la joie; coupe amère; la coupe du malheur.*
Loc. fig. *Boire la coupe jusqu'à la lie.* → **Boire** (*supra* cit. 40), **calice** (*supra* cit. 5). *Épuiser la coupe du malheur.* — *Boire à la coupe du plaisir,* à la source du plaisir. *Boire* (cit. 26) *la joie à pleine coupe.*

Prov. *Il y a loin de la coupe aux lèvres :* on est souvent loin du but quand on croit le toucher; il y a un grand intervalle entre les projets et leur réalisation.

La coupe est pleine, déborde, se dit quand on est au sommet de l'exaspération, de l'indignation. *Faire déborder la coupe.*

♦ **2** (1872, *in* Petiot). Prix* qui récompense le vainqueur d'une compétition sportive, d'un championnat*. *Gagner la coupe.* — La compétition. *Courir la coupe* (Académie). — 1900. *La Coupe Davis,* compétition internationale de tennis. — (1917). *Coupe de France de football. Il a regardé la finale de la Coupe du Monde à la télévision.*

3 *Les rues se vidèrent pour la finale de la Coupe du monde.*
Claude COURCHAY,
La vie finira bien par commencer, p. 260.

DÉR. **Coupeau, coupelle.** ◊ COMP. **Soucoupe.** ‒ HOM. 2. **Coupe.**

2. COUPE [kup] n. f. — 1283; déverbal de *couper.*

A (Action de couper; son résultat). ♦ **1** Rare. Action de couper, de tailler. → **Couper.** *Étoffe dure à la coupe :* étoffe qui résiste aux ciseaux. *La coupe des blés, des foins. Longueur et hauteur de coupe d'une tondeuse à gazon. La coupe des cheveux*. → **Taille.** — *La coupe du verre,* avec le diamant.

Techn. Art et action de tailler selon des règles. *Coupe des pierres.* → **Stéréotomie.** *Coupe oblique des escaliers de pierre.* → **Délardement.** *Outil de coupe. Angle de coupe d'un outil.* — Art. Manière de graver au burin. *Gravure d'une belle coupe.*

À la coupe, se dit de produits alimentaires débités à la demande du client.

♦ **2** Cour. Action d'abattre des arbres, dans une forêt. → **Abattage.** *Étendue de forêt à abattre. Interdiction de faire des coupes dans un bois.* → **Défens** (ou **défends**) *Coupe affouagère*, dans une forêt communale.* → **Affouage.** *Réglementation des coupes.* → **Aménagement.** *Désigner les bois d'une coupe* (→ Asseoir* une vente). *Adjudication des coupes en forêt domaniale. Choix des arbres à conserver dans une coupe.* → **Balivage, réserve.** *Étendue d'une coupe.* → **Assiette.** *Branches taillées qui marquent les limites d'une coupe.* → **Brisée.** — *Coupe sombre,* ou *coupe d'ensemencement :* opération qui consiste à n'enlever qu'une partie des arbres pour permettre l'ensemencement de nouveaux arbres et leur croissance.

1 *Loin alentour la coupe s'éploie au soleil d'août. C'est une coupe déjà ancienne, traversée de grands clairs où la lumière joue librement dans le vent tiède des soirs d'été* (...) *Quelques grands chênes de futaie, des baliveaux de charme réservés s'étalent ou fusent de place en place, parmi les souches nombreuses que veloute la mousse.*
M. GENEVOIX, Forêt voisine, XIII, p. 176.

2 *À cause de la pauvreté du sol et de la maigreur des essences, les coupes y étaient rares et de faible rendement.*
J. ROMAINS, les Hommes de bonne volonté, t. III, XI, p. 144.

Fig. *Coupe sombre :* suppression importante pratiquée dans un écrit. *Les coupes sombres pratiquées dans cet article l'ont beaucoup amélioré* (Académie). Par anal. *On a fait une coupe sombre dans le personnel de l'entreprise :* on a licencié beaucoup d'employés.

Coupe claire, qui éclaircit la coupe sombre et donne de la lumière aux jeunes arbres. *Coupe blanche*.* → **Blanc-estoc.** *Coupe définitive.* — Fig. *Coupe claire :* suppression plus importante encore que ne l'est la coupe sombre. — REM. Cet emploi, sémantiquement excellent, est littéraire et rare (on n'emploie guère que : *coupe sombre*).

2.1 L'encyclique du Pape sur le célibat obligatoire fera, je le crains, des coupes claires dans les rangs du clergé.
> J. GREEN, Journal, Ce qui reste de jour,
> 1ᵉʳ juil. 1967, p. 24.

(1690). *Coupe réglée* : abattage périodique d'une portion de bois déterminée. *Mettre un bois en coupe réglée.* — Fig. *Mettre en coupe réglée* : imposer indûment à un individu, à une collectivité des prélèvements périodiques, des sacrifices onéreux. *Sous le premier Empire, la population de la France était mise en coupe réglée par la conscription* (Littré). Par ext. *Tirer parti (de qqn, de qqch.) de façon répétée et abusive.*

2.2 (...) et même ce fut là pour lui une occasion de vivre tout un mois à V..., près de sa fiancée, chez laquelle il passait, en coupe réglée, toutes les journées, mais d'où, le soir, il s'en allait très régulièrement prendre sa leçon (...)
> BARBEY D'AUREVILLY, les Diaboliques,
> «Le bonheur dans le crime».

♦ **3** (1640). Manière dont on taille (l'étoffe, le cuir...), pour en assembler les pièces. *École de coupe. Suivre des cours de coupe.* — (1660). *Vêtement de bonne coupe. Une coupe classique, sobre, élégante.*

3 Elle aimait les vêtements de coupe sobre, strictement pratiques.   MARTIN DU GARD, les Thibault, t. VI, p. 266.

♦ **4** (1822, *in* D.D.L.). *Coupe de cheveux.* → **Taille.** *Une coupe et un shampooing. Coupe aux ciseaux, au rasoir. Coupe au bol*, coupe au carré*.*

♦ **5** Action de couper (une substance) pour prélever un échantillon. *Faire une coupe histologique.*

♦ **6** Par anal. Natation. Vx. Manière de couper l'eau en étendant alternativement les bras devant soi. *Nager à la coupe. Faire la coupe.*

B ♦ **1** Ce qui est coupé. *Coupe de bois* : le bois coupé. *Acheter une coupe de bois. Une coupe de tissu.* → **Coupon.** *Fausse coupe* : pièce d'étoffe insuffisante pour un vêtement entier.
Fig. Ce qui est séparé. Techn. Fraction d'une rame de wagons dirigée sur la même voie de triage.

♦ **2** Fig. Contour, forme. → **Découpe.** *Cette voiture a une jolie coupe. Coupe gracieuse du visage.*

4 (...) c'était bien ces petits yeux vifs (...) cette coupe de visage que l'ampleur du menton rend presque carrée (...)
> BALZAC, Séraphita, Pl., t. X, p. 487.

♦ **3** (1611). Endroit où une chose a été coupée. → **Tranche.** *Ce drap est beau à la coupe. La coupe d'un tronc d'arbre scié.* — (Par métonymie de A., 5.) *Examiner une coupe de tissu, une coupe histologique au microscope.*

♦ **4** (1732). Représentation graphique, dessin d'un objet qu'on suppose coupé par un plan. *La coupe révèle les dimensions relatives et les détails intérieurs. La coupe d'un navire, d'une maison. Plan d'une machine vue en coupe. Coupe horizontale. Coupe perpendiculaire.* → **Profil.** *Coupe en long, en travers.*

C Fig. Division des parties d'un ouvrage. *La coupe en cinq actes est la plus usitée pour une tragédie* (Académie). — *Distribution des repos dans la phrase. Coupe d'un vers.* → **Césure.** *Coupes bien venues dans la phrase.*

5 Un écrivain, qui a de l'oreille et assez d'art pour donner à son style le mouvement de la pensée ou du sentiment qu'il exprime, saura bien varier encore la coupe et le rythme du vers.
> MARMONTEL, Éléments de littérature, Œ., t. X,
> p. 472, *in* LITTRÉ.

D (1660). ♦ **1** Division d'un jeu de cartes en deux paquets. *Faire sauter la coupe* : rétablir avec dextérité le paquet de cartes tel qu'il était avant d'être coupé.

♦ **2** (1690). Loc. **SOUS LA COUPE.** *Être, se trouver sous la coupe de qqn* : être le premier à jouer, après le joueur qui a coupé. — (Av. 1755). Fig. Être dans la dépendance de qqn. *Tomber sous la coupe de qqn.* — *Il a plusieurs journaux sous sa coupe.*

6 Je reprends ce cahier après une crise qui m'a tenu près d'un mois sous votre coupe. Dès que la maladie me désarme, le cercle de famille se resserre autour de mon lit.
> F. MAURIAC, le Nœud de vipères, 1932, p. 148,
> *in* T.L.F.

HOM. 1. Coupe.

COUPE- Premier élément de composés, formé sur le verbe *couper.* Voir à l'ordre alphabétique ; cf. aussi *Coupe-douilles*, n. m. invar. *«des armes (...), des sertissoirs, des coupe-douilles»* (Masson, *Drugstore*, p. 64) ; *coupe-tomates*, n. m. pl. *«Je me fais un peu l'effet du monsieur qui vient brader des coupe-tomates chez la marquise de Saint-Glinglin»* (San-Antonio, *En peignant la girafe*, p. 33).

COUPÉ [kupe] n. m. — 1661 ; du p. p. de *couper.*

♦ **1** (1660). Anciennt. Voiture fermée à quatre roues, et généralement à deux places, qui avait la forme d'une berline dont on aurait coupé le compartiment antérieur. → **Berlingot.** Par ext. Compartiment antérieur des diligences. — Se disait aussi des compartiments de chemin de fer qui n'avaient qu'une seule banquette.

1 Dans le coupé d'une vieille diligence de campagne, nous sommes assis tous deux à côté d'un curé breton.
> LOTI, Mon frère Yves, IX, p. 39.

2 Une sorte de coupé à trois places était juché sur le haut du vieux véhicule, comme un palanquin sur un éléphant.
> MARTIN DU GARD, les Thibault, t. VIII, p. 215.

2.1 (...) je prenais la diligence de *** (...) qui, pour le moment, n'avait dans son coupé qu'une seule personne.
> BARBEY D'AUREVILLY, les Diaboliques,
> «Le rideau cramoisi».

(1906, *in* D.D.L.). Mod. *Coupé automobile*, ou *coupé* : automobile à deux portes et qui ressemble à une voiture de sport.

3 (...) un beau coupé surbaissé aux longues lignes raides.
> A. MAUROIS, Bernard Quesnay, XXIV,
> p. 158 (→ Chauffeur, cit. 2).

3.1 Sort de chez lui entre huit heures et huit heures trente, généralement en Mercedes, un coupé blanc dernier modèle.   Régis DEBRAY, l'Indésirable, p. 289.

♦ **2** Blason. Partie de l'écu.

♦ **3** (1661). Pas de danse.

4 Le coupé est utilisé dans les enchaînements de pas pour libérer une jambe et la préparer au départ.
> Marcelle BOURGAT, Technique de la danse, Coupé.

HOM. Coupée, couper.

COUPEAU [kupo] n. m. — 1726, *in* D.D.L. ; *cupel*, 1174 ; dér. de 1. *coupe*, et *-eau.*

I ♦ **1** Vx. Sommet d'une colline, d'une montagne.

♦ **2** Copeau ; tronçon de bois.

♦ **3** (1726). Régional. Morceau d'étoffe. → Coupon.

II Régional. Bardane* commune.

COUPE-BATTERIE [kupbatri] n. m. — XXᵉ ; de *couper*, et *batterie.*
Techn. Interrupteur de fonctionnement d'une batterie électrique. → **Coupe-circuit.** *Des coupe-batteries.*

COUPE-BOURSE [kupbuʀs] n. m. — XIVᵉ, *copeborse* ; de *couper*, et *bourse*.

Vx. Voleur qui coupe les cordons qui retiennent les bourses. *Des coupe-bourses.*

Par ext. Voleur.

COUPE-CHOU ou **COUPE-CHOUX** [kupʃu] n. m. — V. 1350, *coupechou*, au sens I ; de *couper*, et *chou*.

I **Vx. En appos.** *Frère coupe-choux* : frère lai qui travaille au potager.

Par ext. Personne aux capacités limitées.

II ◆ **1** (1831). **Fam.** Sabre court, utilisé autrefois dans l'infanterie.

1 MÈRE UBU : Comment ! Après avoir été roi d'Aragon vous vous contentez de mener aux revues une cinquantaine d'estafiers armés de coupe-choux, quand vous pourriez faire succéder sur votre fiole la couronne de Pologne à celle d'Aragon ? A. JARRY, Ubu roi, p. 353.

2 Le capitaine fit un pas de côté et tira son sabre. Angélo courut aux faisceaux et prit un coupe-choux de soldat. L'arme était plus courte de moitié que celle de son adversaire mais Angélo désarma très facilement le capitaine. J. GIONO, le Hussard sur le toit, p. 59.

◆ **2** Rasoir à longue lame.

3 Suzanne arrêta sa machine à coudre, leva les yeux vers son mari occupé à se raser avec le vieux coupe-choux dont il n'avait jamais réussi à se déshabituer et ressentit, comme chaque matin au spectacle de ce mâle jardinage, l'impression heureuse qu'une puissance exacte animait ce torse gonflé sous les bretelles. A. BLONDIN, Un singe en hiver, p. 169.

COUPE-CIGARE [kupsigaʀ] n. m. — 1869 ; de *couper*, et *cigare*.

Instrument pour couper les bouts des cigares, avant de les fumer. *Des coupe-cigares.* — On écrit aussi *un coupe-cigares.*

COUPE-CIRCUIT [kupsiʀkɥi] n. m. invar. — 1890 ; de *couper*, et *circuit*.

Appareil qui interrompt un circuit électrique par la fusion d'un de ses éléments (→ **Fusible**) lorsque le courant est trop important, en cas de court-circuit, etc. → **Plomb** (les plombs). *Des coupe-circuit.*

COUPE-COUPE [kupkup] n. m. invar. — 1912, *in* D.D.L. ; de *couper*.

Sabre pour couper les branches, ouvrir une voie dans la forêt vierge. → **Machette.** *Les coupe-coupe servent à la récolte, au défrichage.*

La houe sur l'épaule, la main armée d'un coupe-coupe, nous partions au champ de grand matin (...)
Les coupe-coupe s'élevaient et se jetaient sur la plaine de verdure profonde où ils pratiquaient de larges entailles ; les fers brillaient, se croisaient comme dans une danse guerrière. O. BHÉLY-QUÉNUM, Un piège sans fin, *in* Pages africaines, t. II, p. 30.

REM. Dans sa correspondance (*Lettres du Tonkin...*, p. 195, *in* D.D.L.), Lyautey emploie le dérivé *coupe-coupeur.*

COUPÉE [kupe] n. f. — 1783, *Encyclopédie* ; du p. p. de *couper*.

◆ **1** Lieu où des arbres ont été coupés. — Allée, clairière.

1 Pencroff avait remarqué, à quelques centaines de pas au-dessous de l'endroit où ils étaient débarqués, que la côte offrait une étroite coupée qui, suivant lui, devait servir de débouché à une rivière ou à un ruisseau. J. VERNE, l'Île mystérieuse, t. I, p. 38.

◆ **2** (1783). **Mar.** Ouverture faite dans la muraille d'un navire et qui permet l'entrée ou la sortie du bord. *Être reçu à la coupée. Marin de garde à la*

coupée. *Échelle de coupée*, permettant d'accéder à la coupée.

2 Bahia sur une falaise avec ses maisons peintes et historiées pareilles à un décor de Guignol suranné. Le nègre à la coupée qui conduit à ce clair de lune dans la mer. CLAUDEL, Journal, janv.-févr. 1917.

3 Par ordre de la direction du port, les échelles de coupée de tous les bateaux étaient descendues (...) MALRAUX, la Condition humaine, p. 60.

HOM. Coupé, couper (et p. p.).

COUPE-FAIM [kupfɛ̃] n. m. invar. — D. i. ; de *couper*, et *faim*.

Ce qui coupe la faim. *Crêpe épaisse que l'on mange en guise de coupe-faim.* → **Matefaim.**

Spécialt. Substance médicamenteuse qui provoque une diminution de l'appétit. → **Abat-faim, anorexigène.** *Des coupe-faim. Le médecin lui a prescrit un coupe-faim pour l'aider à supporter son régime.*

COUPE-FEU [kupfø] n. m. invar. — 1882 ; de *couper*, et *feu*.

Techn. Espace libre ou obstacle artificiel destiné à interrompre la propagation des incendies (forêts, etc.).

En appos. *Élément coupe-feu.*

COUPE-FILE [kupfil] n. m. — 1869 ; de *couper*, et *file*.

Carte officielle de passage, de priorité. *Coupe-file d'un journaliste. Des coupe-files* ou (invar.) *des coupe-file.*

1 (...) une voiture munie d'un coupe-file vous emporte au bureau ; déjà on fourmille de suggestions ; on n'arrive pas les mains vides ; on a le dossier dans la tête ; et l'on déborde sur ce tapis vert du trop-plein d'allégresse aride d'un jeune prodige de la technocratie. A. BLONDIN, Monsieur Jadis, p. 175.

2 Il fallait que des gens à coupe-files vinssent le rappeler à la raison (...) Max JACOB, le Cornet à dés, p. 112.

COUPE-GORGE [kupgɔʀʒ] n. m. invar. — XIIIᵉ ; *cope-gorge*, v. 1210 ; «coutelas», XIIIᵉ ; de *couper*, et *gorge*.

◆ **1** (XIIIᵉ). Lieu, passage dangereux, fréquenté par des malfaiteurs. *Cette impasse est un vrai coupe-gorge.*

1 (...) par les nuits d'encre comme celle-ci, jamais coupe-gorge n'avait déroulé un décor plus tragique (...) ZOLA, Rome, p. 400.

2 (...) la pauvre fille éprouvait le malaise du voyageur qui s'aperçoit qu'il est dans un coupe-gorge. Louise MICHEL, la Misère, t. III, p. 501.

En appos. (rare). *Un passage coupe-gorge.*

◆ **2** **Vx.** Lieu où l'on se fait voler, maison de jeu où l'on perd de l'argent.

COUPE-JAMBON [kupʒɑ̃bɔ̃] n. m. — XXᵉ ; de *couper*, et *jambon*.

Techn. Machine employée en charcuterie pour débiter en tranches le jambon désossé. *Des coupe-jambons* ou *des coupe-jambon* (invariable).

COUPE-JARRET [kupʒaʀɛ] n. m. — 1619, *couppe-jarret* ; *coupe-jaret*, 1587 ; de *couper*, et *jarret*.

Vx ou par plais. Bandit, assassin. *Des coupe-jarets.*

Le point décisif, c'est de savoir si le demi-million de chômeurs qui croupit dans cette ville va tourner aux coupe-jarrets ou aux sans-culottes. Régis DEBRAY, l'Indésirable, p. 67.

Par hyperbole. Personne rusée, sans scrupules.

En appos. *«Tel critique hérissé et coupe-jarret»* (Sainte-Beuve, *Portraits littéraires*, t. II, 1844-1864, p. 324, *in* T.L.F.).

COUPE-LÉGUMES ou **COUPE-LÉGUME** [kup legym] n. m. — 1845; de *couper*, et *légume*.

Instrument servant à couper les légumes en menus morceaux. *Des coupe-légumes.*

COUPELLATION [kupelasjɔ̃; kupɛllasjɔ̃] n. f. — 1771; de *coupeller*.

Techn. Opération par laquelle on isole l'or, l'argent contenu dans un alliage au moyen de la coupelle (séparation du mélange liquide par oxydation). *Le rochage, dégagement d'oxygène dans la coupellation de l'argent.*

COUPELLE [kupɛl] n. f. — 1431; de 1. *coupe*, et suff. -elle.

♦ 1 Petite coupe.

1 *(Dieu à Sisyphe)* C'est pourquoi je te donne pour tâche (...) de porter la sphère de diamant dans la coupelle terminale de la pyramide de porphyre.
A. JARRY, les Jours et les Nuits, Pl., p. 817.

2 À côté des daguerréotypes, une coupelle de verre contenait des épingles à cheveux, une fleur en coquillages, des lacets de corset. J. GIONO, le Hussard sur le toit, p. 108.

♦ 2 Techn. Creuset fait avec des os calcinés utilisé pour la coupellation. *Mettre, passer un métal à la coupelle. Or, argent de coupelle* : or, argent très fin, épuré à la coupelle. *Grande coupelle.* → **Têt.**

Fig. Littér. et vieilli. *Passer, soumettre* (qqn, qqch.) *à la coupelle* : mettre à l'épreuve pour juger.

3 Mon cœur s'est purifié à la coupelle de l'adversité, et j'y trouve à peine, en le sondant avec soin, quelque reste de penchant répréhensible.
ROUSSEAU, Rêveries..., 1ʳᵉ promenade.

DÉR. **Coupeller.**

COUPELLER [kupele] v. tr. — 1752; de *coupelle*, et -er. Techn. Mettre à la coupelle.

DÉR. **Coupellation.**

COUPEMENT [kupmɑ̃] n. m. — Mil. XIVᵉ; de *couper*.

♦ 1 Techn. Action de couper (à la scie); résultat de cette action. *Le coupement d'une pièce de bois.*

♦ 2 Ch. de fer. Intersection de deux voies à angle aigu. → **Croisement.**

COUPE-ONGLE ou **COUPE-ONGLES** [kupɔ̃gl] n. m. — XXᵉ; de *couper*, et *ongle*.

Pince ou ciseaux pour couper les ongles. *Des coupe-ongles.*

COUPE-PAILLE [kuppaj] n. m. invar. — D. i.; de *couper*, et *paille*.

Techn. (agric.). Appareil pour couper la paille. → **Hache-fourrage, hache-paille.**

COUPE-PAPIER [kuppapje] n. m. invar. — 1842, *in* D.D.L.; de *couper*, et *papier*.

Instrument (lame de bois, d'os, de corne, de métal, de matière plastique, etc.) servant à couper le papier. *Couper les pages d'un livre avec un coupe-papier.*

COUPE-PÂTE [kuppat] n. m. invar. — XXᵉ; de *couper*, et *pâte*.

Techn. Instrument de boulanger et de pâtissier servant à couper la pâte, ainsi qu'à la disposer en amas (syn. : *amassette*).

COUPER [kupe] v. tr. — XIᵉ, *colper*; de *colp, coup*, au sens de «diviser d'un coup».

I A (Concret). ♦ 1 Diviser, morceler (un corps solide) avec un instrument tranchant; séparer en tranchant. → **Sectionner, tailler, trancher; section.** *Couper (qqch.) avec un couteau *, un bistouri, un burin, une bute, une cisaille, des ciseaux, un couperet, un coupoir, une faucille, une hache, une sape, un sécateur... Couper au bistoquet, à la fraise, à la scie...* → **Instrument, machine, outil.** *Objet contondant* qui casse, écrase, hache les matériaux sans les couper* (→ Chevalet, cit. 1). *Couper l'extrémité de qqch. pour rendre plus court.* → **Ébouter, écourter, raccourcir, rafraîchir.** *Couper le bout effiloché d'une corde.* → **Moucher.** *Couper qqch. pour ôter un morceau, une partie d'un tout. Couper un bout*, un morceau* de qqch.* → **Détacher, enlever, lever, ôter.** *Couper qqch. en plusieurs endroits.* → **Entrecouper.** *Couper qqch. par petits morceaux, en tranches minces.* → **Émincer, mincer.** *Couper complètement, de près, à ras, à fleur de terre. Couper net, couper ras.* → **Raser, tondre; estoc** (à blanc-estoc). *Couper la racine.* → **Extirper.** Fig. *Couper le mal à la racine.* → *Couper un objet sur les bords. Couper les bords, les défauts* (barbes, etc.) *de qqch.* → **Ébarber, émarger, rogner.**

Couper du bois. Couper un arbre. → **Abattre;** 2. *coupe, Couper la cime* (→ **Écimer, étêter**), *les branches* (→ **Ébrancher, élaguer, émonder**) *d'un arbre.* → **Taille, tailler.** *Couper un tronc d'arbre en planches, en bûches.* → **Aménager, débiter, fendre.** *Couper l'arbre pour avoir le fruit.* → **Arbre** (cit. 37 à 40, et supra). *Couper une poutre à vive arête.* → **Aviver.** *Couper une haie.* → **Cisailler, tailler.** *Couper les mauvais grains d'une grappe.* → **Égrapper; cisellement.** *Couper de l'herbe, du foin. Couper les blés.* → **Moissonner; faucarder, faucher, saper.** *Couper les chaumes.* → **Chaumer, étraper.** *Empêcher le bourgeonnement en coupant la tige.* → **Décolleter.**

1 La campagne (...) est couverte d'hommes qui taillent et qui roulent (...) qui charrient le bois du Liban (...) LA BRUYÈRE, les Caractères, VI, 78.

2 Si Landry le menait dans le jardin de son maître, et que tout en devisant avec lui, il s'interrompît pour couper une branche morte sur une ente, ou pour arracher une mauvaise herbe qui gênait les légumes, cela fâchait Sylvinet (...)
G. SAND, la Petite Fadette, VII, p. 45.

(1611). Fig. et fam. *Couper l'herbe sous les pieds (sous le pied) de qqn,* le devancer. → **Devancer, précéder, supplanter.**

2.1 N'écris pas ma petite, raccommode le linge de ton mari. Vous me coupez l'herbe sous le pied. Je m'en vais, cela va assez duré. Violette LEDUC, la Bâtarde, p. 428.

(En parlant d'aliments). *Couper du pain. Couper de la viande.* → **Découper, dépecer, hacher.** *Viande, bifteck dur à couper. Couper maladroitement qqch.* → **Écharper.** *Couper le premier morceau.* → **Entamer.**

3 (...) commençant à manger avec un appétit de laboureur, mais coupant les meilleurs morceaux de les offrir à sa compagne, qui refusa obstinément et se contenta de quelques châtaignes.
G. SAND, la Mare au diable, VIII, p. 72.

Couper une corde, une ficelle, un lien..., pour séparer deux choses liées ensemble, délier un paquet, etc.

4 (...) je coupe les ficelles la plupart du temps au lieu de dénouer les nœuds.
COLETTE, la Naissance du jour, p. 149.

♦ 2 (Déb. XIIᵉ). *Couper un organe, un membre.* → **Amputer, charcuter** (fam.), **découdre** (fam.), **disséquer, exciser, inciser, mutiler, opérer, ouvrir; ablation, amputation, incision, intervention, opération, résection, vivisection,** et aussi les suff. **-tome, -tomie.** *On a dû lui couper l'avant-bras, la main.*

— (Sujet n. de chose). *L'obus lui a coupé le bras.*
→ **Emporter.**

Loc. fig. *Couper bras et jambes à qqn :* empêcher (qqn) d'agir, de réagir. *Couper les jambes :* fatiguer.

4.1   L'émotion d'ailleurs, malgré la colère et l'appétit italien pour le mystère, avait coupé les jambes à Angélo. Il les sentait flageoler sous lui à chaque pas.
                      J. GIONO, le Hussard sur le toit, p. 45.

4.2   — Ça alors! reprit Martial d'un ton pénétré.
  — N'est-ce pas? dit Delphine.
  — Ça me coupe bras et jambes, dit Martial.
             Jean-Louis CURTIS, le Roseau pensant, p. 47.

Couper la tête, la gorge de qqn (à qqn). Couper le cou* du condamné. → **Décapiter, décoller, égorger, exécuter, guillotiner, trancher.** *On lui a coupé la tête, le cou.* — Fig. *Donner, gager*, parier sa tête à couper* (de qqch.), exprime une grande conviction. → **Affirmer.** — Fam. *Couper le sifflet à qqn.* → **Sifflet,** 3. *Couper les oreilles.* → **Essoriller.** — Fig. Par plais. ou menace. *Je vous couperai les oreilles.*

5   Il serait sournois et porte un sabre, répondait le voisin, il serait assez traître pour leur couper la figure.
            STENDHAL, le Rouge et le Noir, I, 18, p. 101.

6   Je devrais te couper les quatre membres, traître,
  Et te laisser ramper sur tes moignons sanglants.
           HUGO, la Légende des siècles, XV, «Éviradnus».

7   On entendait, dans la basse-cour, crier les volailles que la servante poursuivait pour leur couper le cou.
             FLAUBERT, Mᵐᵉ Bovary, II, I.

8   X. coupe les cheveux en quatre pour connaître mieux leur nature. Y., pour faire valoir sa subtilité.
            GIDE, Journal, 9 mars 1928.

Couper un membre à un animal. Loc. fig. *Couper les ailes.* → **Aile.**

8.1   Quand il eut pris l'oiseau,
  Il lui coupa les ailes.
  L'oiseau vola encor plus haut.
  Quand il reprit l'oiseau,
  Il lui coupa les pattes.
  L'oiseau glissa tel une barque.
  Rageur, il lui coupa le bec.
  L'oiseau chanta avec
  Son cœur comme chante une harpe.
         Maurice CARÊME, Entre deux mondes, «L'oiseau».

Spécialt. *Couper les organes de la reproduction.* → **Châtrer.** — *Couper les couilles.* Ellipt. et fam. *Ça vous les coupe, ça te les coupe! :* ça t'étonne, te stupéfie. *Je veux bien qu'on me les coupe, si...* (exprime le doute, l'incrédulité). — (Par équivoque plaisante avec d'autres emplois de *couper*) :

8.2   Il y a cinquante pages
  De trop dans votre bouquin
  Coupez-les, et je m'engage
  À vous éditer demain
  Je veux bien qu'on me les coupe
  Répond l'auteur pris de court
  Je veux bien qu'on me les coupe...
  Et il eut le prix Goncourt.
         Boris VIAN, Textes et Chansons, p. 37.

REM. Dans les loc. elliptiques *ça te la coupe* et, plus encore, *ça te les (ou vous les) coupe,* le compl. sous-entendu renvoie aux parties sexuelles, mais le sens est bien celui de «couper le sifflet».

8.3   — Il n'y a pourtant pas d'autre hypothèse.
  — Ah si, ça alors, je vais vous la couper, il y en a une autre.   R. QUENEAU, les Derniers Jours, p. 188.

8.4   L'air ravi, Helen interrogea :
  — Ça vous les coupe, hein?
  Il ne répondit rien. Une violente bouffée de chaleur lui montait au visage : il percevait nettement ses pulsations précipitées... La tête appuyée contre le bras d'Helen, sa joue ressentait le contact de sa peau comme une caresse érotique.   Roger NAÏM, l'Ère des truands, p. 188.

Par métonymie. *Couper un animal, un mâle.* → **Châtrer, émasculer.**

8.5   — Pardon, excuse, dit-elle, je ne trouve pas la concierge. C'est pour couper un chat.

— La clinique est au rez-de-chaussée, dis-je...
            S. DE BEAUVOIR, les Mandarins, p. 411.

♦ **3** Tailler (une production du corps qui se renouvelle : ongles, cheveux). *Couper les cheveux**(cit. 34 et *supra*), *la barbe* à qqn. Aller chez le coiffeur pour se faire couper les cheveux.* → **Coupe** (de cheveux). *Couper les poils très court, ras.* → **Raser, tondre.** — *Se couper les ongles, les cheveux, les tifs.* — Loc. fig. *Couper les cheveux* en quatre.* — REM. *Couper* n'a pas dans cette loc. le sens de «tailler», mais de «diviser».

♦ **4** Loc. (où *couper* est employé absolt). *Couper dans le vif :* tailler, trancher dans la chair vive pour extirper un mal. Au fig. Prendre des mesures énergiques pour régler une affaire.

Fig. *À couper au couteau* (en parlant de choses très épaisses). *Un brouillard à couper au couteau. Il est bête* à couper au couteau.* → **Sot.**

♦ **5** Tailler selon les règles d'une technique. *Couper des pierres de taille* (→ **Stéréotomie**). *Couper du marbre* (→ Ciseau, cit. 3). *Couper le verre en vitres. Verre casilleux* que le diamant casse et ne coupe pas. Couper suivant un profil donné.* → **Chantourner.** *Couper droit, verticalement.* → **Escarper** (peu usité). — Par ext. *Couper une montagne pour faire passer une route.*

(1679). Cout. Préparer des morceaux de tissu à assembler pour en faire un vêtement. → 2. **Coupe;** tailler. *Couper les manches d'une veste. Reste d'une étoffe que l'on coupe.* → **Chute, recoupe.** *Personne qui coupe les étoffes.* → **Coupeur, couturier, tailleur.** — Absolt. *Couper sur un patron. Couper droit fil. Couper en biais**

♦ **6** (1539). Absolt. Être tranchant. *Les éclats de verre coupent,* sont coupants. *Ce couteau ne coupe plus, il faut l'affûter.* — *Dents qui coupent* (→ **Incisive**). *Ce rasoir coupe bien. Le verre, le silex coupent. Cette herbe coupe comme le verre.*

9   L'eau de la rivière est d'une transparence qui fait mal; si on y plongeait les doigts, elle couperait comme une vitre cassée.   J. RENARD, Histoires naturelles, p. 120.

♦ **7** Blesser (→ Se couper). *Cet enfant a coupé son frère à la main.*

♦ **8** (Sujet n. de chose). Donner une impression de coupure (à une partie du corps). → **Blesser, écorcher, entailler, entamer.** *Le froid coupe les mains, les lèvres.* → **Gercer.** *Bise qui coupe le visage.* → **Cingler, fouetter.** *Coups de fouet qui coupent la figure.* → **Balafrer, labourer, taillader.**

Absolt. *Le froid coupe,* est coupant*.

Fig. *Une voix qui coupe :* une voix sèche et brève qui déclare de l'autorité. → **Coupant.**

10   Il parlait sec, décochant des phrases de jet, brèves et dures, qui coupaient comme du silex, en homme accoutumé à faire marcher des animaux et des esclaves.
         Léon BLOY, la Femme pauvre, I, p. 156.

B Par ext. ♦ **1** (Diviser sans utiliser un instrument tranchant). Diviser en plusieurs parties. → **Fractionner, partager, scinder.** *Corde* qui coupe un cercle. Ligne bissectrice*, plan bissecteur, ligne sécante qui coupe une surface, un espace.* → **Sécant.** *Ligne qui en coupe une autre perpendiculairement, obliquement.* → **Barrer, rayer.** *Couper une ligne.* → **Tronçonner, tronquer, segmenter.** — *Couper une armée en plusieurs tronçons. Couper une pièce par une cloison. Fossés, talus, haies qui coupent les champs.* → **Morceler, séparer.** *Couper une armée de ses bases.*

11   Les fumées des usines, couchées par le vent, coupaient de traits parallèles, vaporeux et blanchâtres les brouillards qui montaient du fleuve.
         A. MAUROIS, le Cercle de famille, XV, p. 86.

11.1 (...) de droite et de gauche, coupant la ligne d'arbres, des maisons basses, aplaties, aux couvertures de tuiles rouges.
GIDE, Voyage au Congo, in Souvenirs, Pl., p. 686.

♦ **2** Interrompre (une action). → **Entrecouper, interrompre.** *Couper le voyage par une étape. Couper sa journée en faisant la sieste. Fam. Couper à qqn sa journée :* déranger le plan de ses occupations.

12 Elle *(la couseuse)* travaillait chez elle, ou continûment tout le jour, ou en coupant son travail des soins du ménage.
MICHELET, la Femme, p. 31.

13 (...) c'est la première fois que pareil intermède vient couper sa carrière rude.   LOTI, Mᵐᵉ Chrysanthème, I, p. 262.

♦ **3** Passer au milieu, au travers de (qqch.). → **Traverser.** *Couper l'équateur,* en passant d'un hémisphère dans l'autre. *S'évader en coupant la ligne de l'ennemi. — La route coupe la forêt. Ce chemin en coupe un autre.* → **Croiser.** *Voie ferrée qui en coupe une autre.* → **Coupement, croisement, intersection.** *Navire qui coupe l'eau.* → **Fendre.** *Couper l'air.* Absolt. *Couper à travers champs :* passer par le plus court chemin. *Cette route coupe, elle est directe, elle raccourcit.*

♦ **4** Enlever (une partie d'un texte). *Couper qqch. dans un discours.* → **Abréger, censurer, effacer, expurger, retrancher, tronquer.** *Couper des passages à un livre. Il faudrait en couper la moitié.*

14 Tu trouveras des points de suspension çà et là. J'ai coupé quelques redondances. Mais le sens est intact.
J. ROMAINS, les Hommes de bonne volonté, t. III, II, p. 36.

Littér. *Couper son style :* faire des phrases courtes. — Mettre des pauses dans les phrases, les vers. *Savoir couper ses phrases à propos.* Mus. *Couper les sons :* observer un silence après chaque son. → **Détacher, piquer.**

♦ **5** ⓐ Interrompre (un discours, une conversation). *Couper une communication téléphonique.* → **Interrompre.** *Couper la conversation. Je vous coupe la parole* (→ **Ôter, retirer**).

15 Vous êtes trop vif; vous avez la mauvaise habitude de couper la parole aux gens : corrigez-vous de cela.
A. R. LESAGE, le Diable boiteux, V, p. 69.

16 (...) un projet dont j'étais occupé depuis quelques mois, et dont je n'ai pu parler encore pour ne pas couper le fil de mon récit.   ROUSSEAU, les Confessions, XII.

Loc. fam. *Couper la chique à qqn :* lui couper la parole.

Absolt. Ancienn. *Ne coupez pas, mademoiselle!,* injonction pour demander de maintenir la communication (au téléphone).

Couper ses effets à qqn, l'empêcher de produire l'impression souhaitée. → **Interrompre.**

17 Je raconte tout ça comme un manche... faudrait d'abord que je m'arrange... que je vous donne un petit peu l'idée, vous représente un petit peu les choses... l'endroit, le décor... C'est l'émotion qui me bouleverse, me déconcerte, me coupe l'effet.   CÉLINE, Guignol's band, p. 181.

REM. Ces emplois de *couper* au fig. équivalent globalement aux loc. traitées au sens propre *(couper le sifflet...).*

ⓑ Fam. *Couper qqn,* l'interrompre, lui couper la parole. *Arrête de me couper, j'ai encore des choses à dire !*

♦ **6** (Sujet n. de personne ou de chose). Arrêter, barrer (une voie, un passage). → **Arrêter, barrer, intercepter.** *Une barricade coupe la rue. Les orages ont coupé la route. Couper le chemin à qqn,* passer devant lui. — Ellipt. *Couper qqn. Sa voiture m'a coupé. — Couper la retraite à l'ennemi. — Couper les voies ferrées; couper les ponts,* les rendre impraticables pour entraver la marche de l'ennemi; au fig., cesser, suspendre les relations. → **Pont,** cit. 12.

Couper les relations diplomatiques, commerciales avec une puissance.

18 Vous ne m'en voudrez donc pas de couper les ponts : oui, tous les ponts. Dans deux ou trois ans, quand je serai devenu un autre, et j'y aspire de toute mon âme, nous pourrons nous rencontrer de nouveau, impunément. Je vous dis adieu.
Alain BOSQUET, les Bonnes Intentions, p. 190.

♦ **7** Arrêter en supprimant. *Couper le crédit, les vivres à qqn,* ne plus lui donner de subsides. → **Bloquer.**

19 Mes commanditaires et mes bailleurs de fonds me couperaient mes vivres.
BALZAC, les Illusions perdues, p. 400, in T. L. F.

20 Je finirai par te couper les vivres (...)
A. DE MUSSET, Il ne faut jurer de rien, I, 1.

21 Mais il avait trahi sa destinée bourgeoise, et, en dépit de tout et de tous, pris la mer (...) On lui avait coupé les vivres.   H. BOSCO, Un rameau de la nuit, p. 105.

22 À client flatteur il coupait le crédit.
A. MAUROIS, Bernard Quesnay, II, p. 12.

♦ **8** Absolt. *Couper court à (qqch.) :* mettre un terme à. → **Cesser** (et faire cesser), **rompre, suspendre.**

23 Huit heures sonnèrent : la voix du baron de Damas coupa court à notre conversation, comme quand le marteau de l'horloge, en frappant dix heures, suspendait les pas de mon père dans la grande salle de Combourg.
CHATEAUBRIAND, Mémoires d'outre-tombe, t. VI, p. 71.

24 Je coupe court à la citation, qui devient trop vive (...)
TAINE, Philosophie de l'art, t. II, IV, I, IV, p. 122.

25 Cette façon de terminer l'aventure aurait eu pour conséquence forcée un ordre supérieur coupant court à ma vie de Stamboul, et je redoutais cette solution, plus encore que la justice ottomane.   LOTI, Aziyadé, LIII, p. 154.

25.1 Pour couper court aux pensées ternes qui commençaient à monter en mon esprit, je me levai en sursaut, j'avalai l'absinthe d'un trait; puis, tournant les talons à la guinguette, je me mis à arpenter vivement le chemin des faubourgs maritimes où habitaient les époux Lenoir.
VILLIERS DE L'ISLE-ADAM, Tribulat Bonhomet, p. 65.

♦ **9** Interrompre le passage de (qqch.). *Couper l'eau, la vapeur, le courant. Couper l'allumage, le contact, les gaz, le son, l'image* (d'un téléviseur).

25.2 Salomé s'est toute refermée, et, lointaine, regarde vaguement la télévision où l'image défile, mais dont Blandine a coupé le son.
Hervé BAZIN, Cri de la chouette, p. 189.

Coupez ! : arrêtez la prise de vues, la prise de son.

♦ **10** Empêcher les effets de (une fonction ou un processus physiologique). *Couper la respiration à qqn,* le faire haleter. — *Couper l'appétit :* supprimer l'appétit (en dégoûtant, etc.). *Arrête tes histoires; tu nous coupes l'appétit! Ça me coupe l'appétit. — Couper le souffle à qqn,* l'empêcher de respirer normalement. Fig. Stupéfier.

25.3 Assiettes ébréchées, verres dépareillés, couteaux branlant dans le manche, fourchettes à dents jaunes, rien ne manquait de ce qui coupe l'appétit à un honnête homme.
FRANCE, le Crime de S. Bonnard, Œ., t. II, II, p. 455.

25.4 L'émotion, l'espérance, lui coupaient le souffle.
MARTIN DU GARD, les Thibault, t. VI, p. 277.

25.5 Plongées et remontées trop rapides, à vous couper le souffle.
Claude MAURIAC, le Temps immobile, p. 134.

Couper la fièvre, la faire tomber.

25.6 Je reviendrai ce soir, à l'heure où vous m'avez dit que son mal empirait, et je tâcherai de couper encore cette mauvaise fièvre.
G. SAND, la Petite Fadette, XXXIV, p. 226.

C ♦ **1** (1903; jeu de paume, 1637, in Petiot). *Couper une balle (de tennis),* la frapper par-dessous, de haut en bas, de manière à lui donner un effet ralentissant sa course et diminuant son rebond.

♦ **2** Absolt (escrime). Dégager par-dessus la pointe de l'épée, ou par-dessus le poignet de l'adversaire.
Danse. Exécuter un coupé*.

D Par ext. Mélanger à un autre liquide. → **Coupage.** *Couper son vin,* l'additionner* d'eau. → **Mélanger, tempérer;** fam. **baptiser.** *Couper du lait.* → **Mouiller.**

E (1606). Diviser (un jeu de cartes) en deux paquets. → 2. **Coupe.** Absolt. *C'est à vous de couper.* — Prendre avec l'atout. *Je coupe le carreau.* Absolt. *Je coupe. Je coupe à carreau. Couper avec un atout plus fort.* → **Surcouper.**

Loc. fig. (absolt). *Couper dans le pont,* et, par ext., *couper dans le panneau :* tomber dans un piège.

.5.7   Le jeu de ma mère, à mon sens, c'était d'en faire tellement que Salomé finisse par faire figure d'intruse : pour que je la rejette et qu'elle la récupère. Il suffisait de ne pas couper dans le pont.
                Hervé BAZIN, Cri de la chouette, p. 207.

II Trans. indir. ♦ **1** (1861). Fig. et fam. **COUPER À.** → **Éviter.** *Couper à une corvée,* y échapper. *Il n'y coupera pas. Il ne coupera pas aux travaux forcés.*

.5.8   Ailleurs à faire des ménages, elle se serait pourtant fait appeler «maid»! Elle y coupait pas!...
                CÉLINE, Guignol's band, p. 197.

.5.9   Je n'y couperai pas d'une pleurésie, c'est sûr.
                BERNANOS, Un mauvais rêve, *in* Œ. roman., Pl., p. 955.

.10   Non, il s'agit au contraire de couper au jugement, d'éviter toujours jugé, sans que jamais la sentence soit prononcée.   CAMUS, la Chute, p. 90.

.11   (...) un Tristan narquois (...) qui, les mains enfoncées dans ses poches, n'a pas l'air mécontent de «couper» aux corvées.
                Francis CARCO, Ombres vivantes, p. 256.

♦ **2 COUPER DANS** : accepter, admettre, croire. *Couper dans une nouvelle. Il coupe dans tout ce qu'on lui raconte.*

.12   Je ne suppose pas que vous coupiez dans le bobard de son génie créateur?
                BERNANOS, Un mauvais rêve, Œ. roman., Pl., p. 893.

26   — Ma pauvre petite! Comment peux-tu couper dans tout ça? Mais ça ne tient pas debout.
                J. ROMAINS, les Hommes de bonne volonté, t. IV, v, p. 41.

♦ **SE COUPER** v. pron.

♦ **1** Se blesser avec un instrument tranchant. → **Écorcher** (s'), **entailler** (s'); **coupure.** *Il s'est coupé le doigt. Il s'est coupé au doigt, à la main. Se couper en se rasant. Se couper jusqu'à l'os, jusqu'au vif.*
Par anal. *Cheval qui se coupe :* cheval qui s'entre-taille des pieds en marchant.
Se faire des excoriations aux plis cutanés. *Cet enfant se coupe aux cuisses.*
Loc. fig. *Il se couperait en quatre pour lui :* il lui est entièrement dévoué.

27   Un homme si bon, répétait-elle, et pour lequel on se laisserait couper en quatre.
                ZOLA, le Docteur Pascal, I, p. 55.

♦ **2** (Choses). *Cette étoffe se coupe,* elle s'use dans les plis qu'elle fait.

♦ **3** (Passif). Être coupé. *Le calcaire cède et se coupe aisément. — Se couper de* (qqn, qqch.) : perdre le contact avec. *La huitième division s'est coupée du gros des troupes.*

♦ **4** Être sécant, s'entrecroiser. *Cercles qui se coupent. Ces deux lignes, ces routes se coupent.*

♦ **5** (1567). Fig. (Personnes). Se contredire, se démentir dans ses assertions. Laisser échapper ce qu'on voulait taire. *On se coupe aisément quand on ne dit pas la vérité.*

— Madame est sortie...   27.1
— Ah! elle est sortie!... la Taupin m'a dit le contraire!...
— (...) C'est vrai, monsieur, je me trompe... madame est restée chez elle...
— Tu te coupes! tu mens! je te chasse!
                E. LABICHE, Deux merles blancs, II, 4.

(...) sa terrible réalité d'homme à la double fuite, d'homme   27.2
qui avait fui les hommes, qui avait rompu le pacte et qui se
dérobait encore à leur jugement, en mentant, dernier trait,
en mentant prudemment, avec la crainte de se couper.
         DRIEU LA ROCHELLE, la Comédie de Charleroi, p. 156.

♦ **COUPÉ, ÉE** p. p. adj. et n. **A** ♦ **1** Tranché, sectionné. *Chicot*, copeau*, picot* d'une pièce de bois coupée. Les lauriers sont coupés* (→ Bois, cit. 12). *Blés coupés. Cheveux coupés.*
Avoir le cou coupé : être guillotiné. — *«Soleil cou coupé»* (Apollinaire, *Zone). Bras et jambes coupés* (propre et fig.). Par ext. *Falaise coupée à pic.*

28   C'est sur les sommets de ces rochers coupés à pic, que Julien, heureux, libre, et même quelque chose de plus, roi de la maison, conduisait les deux amies (...)
          STENDHAL, le Rouge et le Noir, I, 8, p. 50.

Par métaphore :

29   Année, une tranche coupée au temps, et le temps reste entier.   J. RENARD, Journal, 31 déc. 1902.

Par métonymie. Châtré.

29.1   À la cantine, elles lui glissaient les morceaux les plus présentables, le traitant avec cette gentillesse prévenante que l'on réserve aux petites nièces. Ces attentions lui donnaient l'impression d'être un matou coupé.
              Claude COURCHAY, La vie finira bien par commencer, p. 33.

Loc. *Bout coupé* (t. injurieux et raciste faisant allus. à la circoncision) : israélite.

Blason. *Écu coupé,* divisé par le milieu. — *Animaux coupés,* dont la tête, les membres sont nettement séparés du corps.

Techn. *Vitres coupées à la bonne mesure. — Pan* coupé :* surface qui remplace l'angle à la rencontre de deux pans de mur.

Costume bien coupé.

Fig. → **Dessiné.**

30   (...) un nez long, mince et droit, à narines bien coupées (...)
         BALZAC, le Curé de village, Pl., t. VIII, p. 615.

Littér. *Style coupé :* style à phrases courtes, ou à phrases hachées, heurtées. *Strophe, phrase bien coupée,* où les pauses sont bien ménagées. — Mus. *Rythme coupé.* → **Syncope.**

♦ **2** Séparé, divisé. → **Divisé.** *Pièce coupée par une cloison. Pays coupé de canaux. Visage coupé de balafres.* — Figuré :

31   Un homme jeune, grand, maigre, le visage brun, coupé d'une longue moustache, entra, salua avec une brusque souplesse (...)   FRANCE, le Lys rouge, I, p. 16.

♦ **3** → **Interrompu.** *Communications coupées. Route coupée.* → **Barré.** *Voix coupée par les sanglots.* → **Entrecoupé.**

32   (...) une mélopée pathétique, coupée spasmodiquement de sanglots, de gloussements, d'élans (...)
          GIDE, Si le grain ne meurt, II, p. 60.

33   Le monsieur commença un exposé très long, assez obscur, coupé de réticences, embarrassé de maintes précautions (...)
         J. ROMAINS, les Hommes de bonne volonté, t. V, VI, p. 50.

♦ **4** *Coupé de qqn, de qqch.* → **Isolé, séparé.** *L'avant-garde est coupée de l'armée.*

34   Il annonce que la première ligne de Murat a été surprise et culbutée, sa gauche tournée à la faveur des bois, son flanc attaqué, sa retraite coupée.
         Ph. P. SÉGUR, Hist. de Napoléon, VIII, 11.

35 L'ennemi est d'ores et déjà *coupé de Vienne*. Il ne s'agit plus que de resserrer l'étreinte.
Louis MADELIN, l'Avènement de l'Empire, XXII, p. 279.

B *Balle coupée* (par oppos. à *balle liftée*). — N. m. *Un coupé* : coup qui consiste à envoyer une balle coupée.

C Mêlé d'un autre liquide. *Boire son vin coupé d'eau. Vins coupés. — Lait coupé.*

D *Levée coupée*, faite par l'atout. — *Chat coupé* : jeu de poursuite où les joueurs doivent passer («couper») entre le poursuivant et le poursuivi pour être pourchassés à leur tour.

CONTR. **Ajouter, assembler, bloquer, grouper, lier, rapprocher, rassembler, réunir; bander, ligaturer, panser, recoudre, suturer; cicatriser; continuer, établir, installer, maintenir, prolonger.** ◊ DÉR. **Coupage, coupailler, 2. coupe, coupé, coupée, coupement, couperet, coupeur, coupoir, coupon, coupure.** ━ COMP. **Découpage, découper, découpeur, recoupage, recoupement, recouper, surcouper.** ━ Nombreux mots masc. désignant des instruments destinés à couper (au propre et au fig.) : **Coupe-batterie, coupe-choux, coupe-cigare, coupe-circuit, coupe-coupe, coupe-faim, coupe-feu, coupe-file, coupe-gorge, coupe-jambon, coupe-jarret, coupe-légumes, coupe-ongles, coupe-paille, coupe-papier, coupe-pâte** (des boulangers), **coupe-racines, coupe-tête, coupe-vent.** ━ HOM. **Coupé, coupée.**

COUPE-RACINE [kupʀasin] n. m. invar. — 1832; de *couper*, et *racine*.

Techn. Instrument ou machine servant à couper les racines destinées à l'alimentation des animaux ou à la distillation. ➙ **Rhizotome.** *Des coupe-racines.*

COUPERET [kupʀε] n. m. — XVIe; de *couper*.

♦ **1** Couteau à large lame pour trancher ou hacher la viande. ➙ **Hachoir, hansart** (→ Copeau, cit.).

(...) avec un couteau mince, il la sépara trois côtelettes d'un carré de porc; et, levant un couperet, de son poignet nu et solide, elle donna trois coups secs.
ZOLA, le Ventre de Paris, t. I, p. 101.

♦ **2** Par ext. *Le couperet de la guillotine.* Absolt. *Le couperet. Couperet qui s'abat sur la nuque* (→ Biffer, cit. 2). Fig. *Il se met la tête sous le couperet* : il agit imprudemment.

♦ **3** Outil d'acier pour couper les filets d'émail.

COUPEROSE [kupʀoz] n. f. — V. 1280; *couppe rose*, 1478; orig. obscure, peut-être du lat. médiéval *cuprirosa* «rose de cuivre»; pour P. Guiraud, il y a eu confusion sur le sens de *rose*, qui n'est pas la couleur, mais le p. p. *rosus, a*, de *rodere* «ronger», d'où *cuprirosa* «érosion, rouille du cuivre».

♦ **1** (1280). Vx. Nom ancien de sulfates. *Couperose verte* : sulfate de fer; *couperose blanche* : sulfate de zinc; *couperose bleue* : sulfate de cuivre.

♦ **2** (1530). Inflammation chronique, d'origine circulatoire, des glandes cutanées de la face, caractérisée par des taches rougeâtres peu étendues et séparées. ➙ **Acné** (acné rosacée). *Pommettes vermiculées de couperose* (→ Boursouflure, cit. 1).

Il y avait un pli sous le menton, plusieurs petites rides au front, des traces de couperose aux pommettes et aux ailes du nez.
J. ROMAINS, les Hommes de bonne volonté, t. III, XI, p. 147.

DÉR. **Couperosé, couperoser.**

COUPEROSÉ, ÉE [kupʀoze] adj. — XVe; de *couperose*, et *-é*.

Atteint de couperose (2.). *Teint, visage couperosé.*

Devenu presque ignoble de tournure et de maintien, Georges annonçait bien des désastres en amour une vie de débauches continuelles par un teint couperosé, par des traits grossis et comme vineux.
BALZAC, Un début dans la vie, Pl., t. I, p. 744.

N. m. *Le couperosé des joues.* ➙ **Couperose.** N. *Un couperosé, une couperosée* : personne atteinte de couperose.

COUPEROSER [kupʀoze] v. tr. — 1585; de *couperose*, et *-er*.

Rare. Rendre couperosé. *Le vent, le froid lui couperosait les joues. — Pron. Ses joues se couperosaient.*

COUPE-TÊTE [kuptεt] n. m. — 1660; *coupeteste, copeteste*, déb. XIVe; de *couper*, et *tête*.

Vieux.

♦ **1** Personne cruelle, bourreau. *Des coupe-têtes*, ou, invar., *des coupe-tête.*

♦ **2** (Instrument). *Le coupe-tête affûté du bourreau.*

COUPEUR, EUSE [kupœʀ, øz] n. — V. 1230; *coupeur*; de *couper*.

Personne qui coupe. — REM. N'est employé que dans des sens spéciaux et dans des syntagmes.

♦ **1** Techn. **a** (1845). Personne qui coupe les étoffes, les cuirs, etc., dans un atelier de confection. *Une excellente coupeuse. Il est coupeur chez un grand tailleur*.*

b Personne qui coupe, cueille des grappes, pendant les vendanges. ➙ **Cueilleur.** *Les coupeurs et les porteurs.*

c Ouvrier chargé de découper les tôles à la cisaille, au chalumeau (*chalumeur-coupeur*).

d Ouvrier spécialisé dans la coupe des pièces de cuir (chaussure; maroquinerie). — *Coupeur, coupeuse en chaussures, en peausserie, en ganterie*, spécialisé dans la fabrication de divers articles.

e N. m. Ouvrier boucher chargé de découper les carcasses.

♦ **2** **COUPEUR DE...** **a** Littér. et cour. *Coupeur de bourses* (cit. 3) : voleur adroit.

Mains d'aveugle ou de modeleur, doigts de bossu ou de 1
coupeur de bourses.
A. JARRY, les Jours et les Nuits, Pl., p. 800.

Vx. *Coupeur d'oreilles* : querelleur, spadassin. — *Les Jivaros, chasseurs et coupeurs de têtes de l'Amazonie. — Coupeur, coupeuse de cheveux en quatre.* ➙ **Chicaneur.**

b Techn. ou régional. *Coupeur de mines* : abatteur de roches, de minerai.

Régional. *Coupeur d'arbres.* ➙ **Bûcheron.**

Agric. *Coupeur, coupeuse de lavande* : personne chargée de la récolte et du bottelage de la lavande.

D'ordinaire, à la lavande, les coupeurs travaillent à la 2
tâche. C'est une raison de s'appliquer (...) à manier avec légèreté la faucille autant qu'à saisir les poignées d'épis coupés (...)
Ce n'est pas beau un coupeur de lavande. Ça sue, c'est mal rasé, ça porte sur le dos (...) un ballot qui le fait ressembler à un escargot (...)   Georges NAVEL, Travaux, p. 208.

♦ **3** N. f. Machine qui sert à couper.

Adj. *La barre coupeuse d'une faucheuse* (in T. L. F.).

COUPE-VENT [kupvã] n. m. invar. — 1894, *Année sc. et industr.*, 1895, p. 121; de *couper*, et *vent*.

♦ **1** Dispositif en angle aigu, pour réduire la résistance de l'air (à l'avant des locomotives). *«Je m'étais moqué autrefois (...) des locomotives à coupe-vent»*

(Alain, *les Passions et la Sagesse*, Pl., p. 432). *Fam. Avoir un profil, un nez en coupe-vent.*

Debout, les coudes au corps, gesticulant des mains, il parlait avec tous les muscles de son visage en coupe-vent, gêné par le carré de soie noire, style Pied-Nickelé, qui protégeait son œil droit meurtri sans doute.
　　　　　MALRAUX, la Condition humaine, p. 23.

(1893, *in* Petiot). Écran adapté derrière une moto pour protéger du vent le coureur cycliste qui tente, derrière, une performance.

♦ 2 Régional (Canada; d'après l'amér. *windbreaker*). Blouson dont le tissu protège contre le vent. — REM. Le mot semble adopté en France : «*Le coupe-vent de nylon à bandes élastiques...*» (*Science et Vie*, nov. 1975).

COUPLAGE [kuplaʒ] n. m. — 1754, «partie d'un train de bois»; de *coupler*, et *-age*.

♦ 1 Fait de coupler; son résultat. *Le couplage de la recherche et de l'industrie.* Fam. «*Le couplage recherche-industrie*» (*Sciences et Avenir*, oct. 1981, p. 43).

1　*(Le)* résultat que Lamarck voulait expliquer : le couplage étroit des adaptations anatomiques et des performances spécifiques.
　　　　　Jacques MONOD, le Hasard et la Nécessité, p. 165.

2　Le couplage de l'homme à la machine commence à exister à partir du moment où un codage commun aux deux mémoires peut être découvert, afin que l'on puisse réaliser une convertibilité partielle de l'une en l'autre, pour qu'une synergie soit possible.
　　　　　Gilbert SIMONDON,
　　　Du mode d'existence des objets techniques, p. 124.

(1863). Techn. Assemblage (de pièces mécaniques fonctionnant ensemble).

♦ 2 (1904, *in* D.D.L.). Réunion d'éléments, producteurs ou utilisateurs de courant électrique. → **Association, groupage.** *Couplage en parallèle, en série. Couplage par induction. Couplage d'une batterie d'accumulateurs. Couplage capacitif entre deux électrodes. Couplage de dynamos, d'alternateurs.* — Interaction de deux phénomènes physiques. *Le couplage entre deux signaux électriques.*

3　(...) un transformateur dont les enroulements sont accordés sur une certaine fréquence au moyen de capacités possède un excellent couplage entre son primaire et son secondaire pour cette fréquence.
　　　　　Gilbert SIMONDON,
　　　Du mode d'existence des objets techniques, p. 132.

♦ 3 Mar. Action d'amarrer deux bateaux, et, particult, deux péniches, bord à bord.

CONTR. Découplage.

COUPLE [kupl] n. — V. 1170, fém.; *cople*, fin XIIᵉ; masc. *cuple*, v. 1155; du lat. class. *copula* «lien, liaison, groupe de deux personnes liées par l'amitié, l'amour»; lat. impérial «groupe de deux choses».

I N. f. *(Une, la couple).* **♦ 1** Techn. Lien servant à attacher ensemble deux ou plusieurs animaux de même espèce. *Couple pour trois chevaux.* — En particulier vén. *Une couple de chiens de chasse. Les chiens ont rompu leur couple.*

1　Garrottez ce maraud : les couples de vos chiens
　Vous y pourront servir, faute d'autres liens.
　　　　　CORNEILLE, Clitandre, IV, 3.

♦ 2 (V. 1230). Vx ou régional. Deux choses de même espèce, prises ou considérées ensemble, accidentellement. → **Deux.** — REM. *Couple* ne se dit pas de deux choses semblables qui vont nécessairement ensemble, comme les chaussures, les gants. → **Paire.**

2　La *paire* se distingue de la *couple* en ce qu'elle ne marque pas une liaison fortuite et arbitraire (...) mais la réunion

constante et l'accompagnement de deux choses qui pour l'usage, vont nécessairement ensemble (...) On dit une *couple* de bœufs, quand on ne considère que le nombre, et une *paire* de bœufs destinés à unir leur force et à travailler l'un avec l'autre.
　　　　　LAFAYE, Dict. des synonymes, p. 476.

Une couple d'œufs. Une couple de mouchoirs. Une couple de pigeons. Assortir par couples. → **Apparier.** *Une couple d'heures.* → **Deux.** *Une couple d'années.*

3　(...) on lui faisait une grande injustice de croire qu'un homme élevé à Paris ne sût pas vivre, et ne donnât pas plutôt une bonne couple de soufflets que des coups de plat d'épée (...)　　Mᵐᵉ DE SÉVIGNÉ, 464, 3 nov. 1675.

3.1　Le soir même, on envoya un télégramme à Ayrton pour le prier de ramener une couple de chèvres que Nab voulait acclimater sur les prairies du plateau.
　　　　　J. VERNE, l'Île mystérieuse, t. II, p. 676.

4　Toutes les boutiques sont allumées. Les feux des réverbères naissent un à un le long de la rue : par couples, dans la montée du boulevard.
　　　　　J. ROMAINS, les Hommes de bonne volonté, t. IV, XV, p. 149.

5　Il avait été convenu que je m'arrêterais à Nancy une couple de journées (...)
　　　　　G. DUHAMEL, le Temps de la recherche, VII, p. 87.

II N. m. *(Le, un couple).* **♦ 1** **a** Homme et femme unis par des relations affectives, physiques. *Un couple heureux. Un couple d'amants, de concubins, de jeunes mariés. Un jeune couple, un beau couple. Un gentil petit couple. Un vieux couple. Un couple sans enfants. Couple mixte,* dont un membre est d'une race, l'autre d'une autre race. — Spécialt (dans la vie commune : mariage ou concubinage). *Vivre en couple.* → **Ménage.**

6　Jamais couple ne fut si bien assorti qu'eux :
　L'un bien fait, l'autre belle, agréables tous deux.
　　　　　LA FONTAINE, les Filles de Minée, Appendice, V.

7　Le bonheur d'un couple de très jeunes mariés, qui s'aiment, est un bonheur si innocent, comme tous les bonheurs qu'il n'a vraiment pas de réalité.
　　　　　J. CHARDONNE, l'Amour du prochain, II, p. 31.

Par ext. Deux personnes du même sexe vivant ensemble et unies par des liens affectifs, physiques. *Un couple d'homosexuels, de lesbiennes. Un couple pacsé.*

b Homme et femme réunis provisoirement (au cours d'une activité sociale, danse, réunion); spécialt lorsque des relations sexuelles sont possibles ou envisagées entre eux. *Ils forment un beau couple. Couple de danseurs :* cavalier* et cavalière. → Orchestre, cit. 8. *Les couples se formaient et se défaisaient.*

8　Un couple entrait dans la rotonde. C'était Mⁱˢ Ormond, la jolie américaine, au bras du sémillant vicomte de Félines (...)
　　　　　M. DE VOGÜÉ, les Morts qui parlent, p. 64, *in* T. L. F.

8.1　Les danses s'interrompirent, les couples se dénouaient (...)
　　　　　Edmond JALOUX, le Jeune homme au masque, I, p. 1.

c *Un couple de... :* deux personnes réunies par un sentiment ou un intérêt commun. → **Paire.** *Un couple d'amis. Un couple de fripons.*

9　Certain couple d'amis, en un bourg établi
　Possédait quelque bien (...)
　　　　　LA FONTAINE, Fables, VII, 12.

10　(...) de ce couple perfide *(il s'agit de deux assassins)*
　J'avais presque oublié l'attentat parricide (...)
　　　　　RACINE, Esther, II, 3.

d *Bateau de couple,* sur lequel chaque rameur manie un aviron de chaque main. *Ramer en couple* (par oppos. à *en pointe*).

♦ 2 (1789). En parlant d'animaux. Groupe de deux animaux de même espèce. *Un couple de tourterelles, de pigeons,* le mâle et la femelle. — *Un couple* *de bœufs :* deux bœufs réunis pour un travail (labour...).

11 De Chine sont venus les pihis longs et souples
Qui n'ont qu'une seule aile et qui volent par couples
APOLLINAIRE, Alcools, p. 10.

III Ensemble de deux choses. ◆ **1** Régional (au sens I). En parlant d'une durée. *Un couple d'heures :* deux heures. — Par ext. Un petit nombre. *Un couple de minutes.*

◆ **2** (1643). Mar. **a** Chacun des éléments de la charpente d'un navire qui vont de la quille aux barrots de pont et auxquels le bordé est ajusté. Syn. : *membrure. Dans la construction en bois, les couples sont constitués de pièces de charpentes doubles assemblées* (accouplées) *à joints alternés. Maître*-couple.*

12 Enfin, sa coque serait construite à francs bords, c'est-à-dire que les bordages affleureraient au lieu de se superposer, et quant à sa membrure, on l'appliquerait à chaud après l'ajustement des bordages qui seraient montés sur faux couples.   J. VERNE, l'Île mystérieuse, t. I, p. 428.

13 La coque était inébranlable, et Robinson parvint tout juste à défoncer l'un des couples en pesant sur elle avec un pieu qui basculait en levier sur une bûche.
M. TOURNIER, Vendredi..., p. 36.

b À COUPLE. *Navires amarrés à couple, bord* à bord. Navire qui s'amarre à couple d'un autre, à couple d'un quai.*

◆ **3** (1863). Mécan. Ensemble de deux forces parallèles égales entre elles, de sens contraire, agissant en deux points invariablement liés entre eux. *Bras de levier d'un couple. Moment* d'un couple. Couple élastique.* — (1905). *Couple moteur.*

Phys. *Couple thermoélectrique.* → **Thermocouple.** — *Un couple de clichés* (en photogrammétrie).

◆ **4** (1903, in *Rev. gén. des sc.*, n° 4, p. 221). Math. (algèbre). Être mathématique, noté (x, y), formé à partir d'un élément x d'un ensemble A et d'un élément y d'un ensemble B. *Dans un couple (x, y), x est appelé la première coordonnée du couple, et y la seconde. Les couples (x, y) constituent un ensemble : le produit* cartésien des ensembles A et B. Couple de vecteurs, couple de demi-droites. Couple de points d'un espace affine.* → **Bipoint.**

DÉR. Couplet. ◊ COMP. Anticouple.

COUPLÉ [kuple] n. m. — 1949 ; du p. p. de *coupler* (3.) substantivé.

Turf. Mode de pari mutuel où l'on parie sur deux chevaux, dans une course (→ Tiercé, plus cour.). *Couplé gagnant. Couplé placé.*

Dans le couplé gagnant, le parieur doit désigner deux chevaux comme devant être classés les deux premiers, sans être tenu de préciser l'ordre respectif de leur arrivée. Dans le couplé placé, le parieur doit désigner une combinaison de deux ou trois chevaux qui se classeront les trois premiers, sans être tenu de préciser l'ordre respectif d'arrivée des deux chevaux choisis.
P. ARNOULT, les Courses de chevaux, p. 116.

COUPLEMENT [kupləmɑ̃] n. m. — 1860, in *Lexis* ; de *coupler.*

Rare. Couplage ; action de coupler (3., figuré).

COUPLER [kuple] v. tr. — V. 1173, *cupler* ; XIIe ; du lat. *copulare* «réunir, lier ensemble», de *copula.* → Couple.

◆ **1** (1655). Vén. Attacher avec une couple*. *Chiens couplés.*

1 Nous fûmes envoyés au bagne couplés comme des chiens de chasse.   ROUSSEAU, Émile, v.

◆ **2** Vx (milit.). Loger deux personnes ensemble (Académie, 1835-1878).

◆ **3** Assembler deux à deux. → **Accoupler.** *Coupler des roues de wagon. Coupler deux moteurs en parallèle, en série.* — Mar. *Coupler deux bateaux, deux péniches* (→ Couplage). — Au p. p. *Roues couplées. Bielles couplées. Machines couplées. Forces couplées.* Fig. Grouper (deux personnes selon leur activité, deux tendances abstraites). *Coupler une chose avec une autre, à une autre, coupler deux choses.* — Au p. p. *Pari couplé.* → **Couplé** (n. m.).

(...) la vie maintient plus ou moins mêlées entre elles les   2
deux tendances contradictoires à la raison : elle nous force
à admettre des états à double visage, scandales pour la
logique, couplant le sadisme au masochisme, la timidité
à l'orgueil.
MOUNIER, Traité du caractère, 1946, p. 65, *in* T. L. F.

◆ **4** Techn. Réunir. *Coupler des pièces de linge,* les attacher par une couture pour les donner au blanchissage. — *Coupler un train de bois,* en assembler les parties.

CONTR. Découpler. — Isoler. ◊ DÉR. Couplage, couplé, couplement, coupleur. ◆ COMP. Accoupler, découpler.

COUPLET [kuplɛ] n. m. — 1340, au sens I ; de *couple,* I. ; pour le sens II, voir ci-dessous.

I Techn. Ensemble formé par deux pièces métalliques accouplées par des charnières, des rivures. → **Patte** (de fer).

II ◆ **1** (V. 1360, Froissart ; *couplés* «groupe de deux vers», fin XIIIe ; de l'anc. franç. *couple, couble* (av. 1243) «suite de vers de même rime», apparenté à l'esp. *copla* (av. 1140), anc. provençal *cobla,* par ext. «chanson»). Cour. Chacune des parties composant une chanson, comprenant généralement un même nombre de vers et se terminant par un refrain (→ **Stance, strophe**). *Chanson de deux, trois couplets. Le premier couplet. Couplet de trois vers* (→ **Tercet**), *de quatre vers* (→ **Quatrain**). *Couplet carré :* couplet de huit vers de huit syllabes chacun. *Couplet de facture.* → **Facture.**

— Oui, trois couplets, c'est un peu court. Le poème m'est venu comme ça. Dommage... Non, parce que c'est une espèce de petit chef-d'œuvre.
J. ROMAINS, les Hommes de bonne volonté, t. V, XXI, p. 169.

Passage chanté d'un vaudeville. *Vaudeville à couplets.*

Par ext. Au pluriel. → **Chanson.** *Faire des couplets satiriques. Des couplets de circonstance.*

Littér. Dans les chansons de geste, Suite de vers sur une même rime. *Couplets monorimes.*

◆ **2** (1501). Vx. → **Tirade.** *Couplet lyrique.* → **Monodie.** «*Un trop long couplet est une tartine*» (l'*Observeur des Modes,* 1823, *in* T. L. F.).

◆ **3** Par métaphore. Propos répétés, ressassés. *Y aller de son couplet sur l'union sacrée. L'orateur a ressorti son couplet sur...* → **Chanson, refrain.**

DÉR. (Du sens II). Coupleter, coupletier.

COUPLETER [kuplǝte] v. tr. [CONJUG.: *jeter.*] — 1712 (attestation isolée, v. 1360, Froissart) ; de *couplet,* II.

Vx. Faire une chanson contre (qqn). → **Chansonner.**

COUPLETIER [kuplǝtje] n. m. — 1778 ; de *couplet,* II.

Vx. Chansonnier, vaudevilliste.

COUPLEUR [kuplœR] n. m. — 1890 ; de *coupler.*

◆ **1** Techn. Dispositif d'accouplement, de couplage.

◆ **2** Inform. «Élément logique au niveau d'une interface d'un système informatique, permettant de transformer un code en un autre accessible à l'ordinateur central» (*la Clé des mots,* 1974).

COMP. **Variocoupleur.**

COUPOIR [kupwaʀ] n. m. — 1690, Furetière ; de *couper*.

Techn. Outil* servant à couper* des corps durs. *Coupoir pour couper le métal, le carton.*

1. COUPOLE [kupɔl] n. f. — 1875 ; altération de *coupelle.*

Techn. Petite tasse utilisée pour la dégustation des vins. → **Taste-vin.**

2. COUPOLE [kupɔl] n. f. — 1666 ; ital. *cupola*, bas lat. *cupula* «petite cuve», de *cupa* (→ Cuve, et aussi 1. coupe).

◆ **1** Voûte sphérique (d'un dôme surmontant un édifice). → **Dôme.** *L'arc d'une coupole. Coupole hémisphérique, en bulbe*. Église romane à coupoles,* couverte par une série de coupoles (et non par une nef). *Coupole à pendentifs*, à trompes*. La coupole de Saint-Pierre de Rome. La coupole du Panthéon. Bâtiment surmonté d'une coupole.* → **Observatoire, rotonde.** *La lanterne* d'une coupole.*

1 Cette capitale, justement nommée par ses poètes Moscou aux coupoles dorées.
Ph. P. SÉGUR, Hist. de Napoléon, VIII, 1.

2 (...) l'une après l'autre, les grandes mosquées passèrent avec leurs amas de coupoles pâlement grises dans le ciel encore hivernal (...)
LOTI, les Désenchantées, V, p. 67.

3 La silhouette de l'édifice offrait une grande simplicité : une assez vaste coupole, d'un dessin très pur, posée sur un bâtiment quadrilatère d'un seul étage, tout fait de lignes horizontales, et raccordée à lui par deux bases en gradins.
J. ROMAINS, les Hommes de bonne volonté, t. V, XXVII, p. 285.

3.1 J'ai appris à distinguer le roman poitevin du périgourdin, à en reconnaître les variantes saintongeaises et angoumoises ; j'ai noté la différence entre les coupoles à pendentifs et les coupoles à trompes (...)
S. DE BEAUVOIR, Tout compte fait, p. 257.

La coupole de l'Institut. — Absolt. *La Coupole :* l'Institut de France. *Être reçu sous la Coupole :* être reçu à l'Académie française.

3.2 En pénétrant sous la Coupole, bondée, murmurante, j'ai l'impression, vite dissipée, d'entrer dans un cirque.
Claude MAURIAC, le Temps immobile, p. 130.

Astron. *La coupole d'un observatoire*.*

Fig. (vx, littér.). *La coupole du ciel.* → **Voûte.**

4 Les premiers objets que s'offrirent à sa vue furent la vaste coupole d'un ciel bleu.
CHATEAUBRIAND, les Natchez, II, p. 103.

◆ **2** Milit. Tourelle* cuirassée de forme cylindrique et surmontée d'une calotte sphérique. *Coupole cuirassée, mobile sur son axe. Coupole abritant un canon.* Fortif. *Casemate* (cit.) *surmontée d'une coupole.*

(1890). *Coupole d'un sous-marin.*

Techn. Partie supérieure de la lanterne (d'un phare).

◆ **3** Anat. *Coupole diaphragmatique :* concavité de la face intérieure du diaphragme.

◆ **4** *En coupole :* en forme hémisphérique. — Par comparaison :

5 (*Les seins*) fermes comme deux coupoles en mousse plastique et de proportions agréables, ils sont à peine plus pâles que le reste du corps, leur aréole légèrement bombée.
A. ROBBE-GRILLET, Projet pour une révolution à New York, p. 10.

COUPON [kupɔ̃] n. m. — V. 1223 ; de *couper*, et *-on*.

◆ **1** (1466). *Coupon d'étoffe :* ce qui reste d'une pièce d'étoffe qu'on a débitée. *Coupons en solde. Marchand de coupons.* → **Assortisseur,** I. *Utiliser de vieux coupons.* — *Pièce d'étoffe roulée.*

(...) pour lui — et l'étudiant pouvait voir cela, aussi bien 0.1 que s'il s'était trouvé dans le magasin, à respirer la subtile puanteur s'exhalant des coupons d'étoffes roulés sur les minces planchettes qui s'entassaient sur les rayons (...)
Claude SIMON, le Palace, 10/18, p. 39.

◆ **2** (1718). Fin. Anciennt. Feuillet que l'on détachait d'un titre et sur la présentation duquel l'établissement émetteur payait les intérêts, les dividendes, les arrérages de ce titre. *Coupon de rente, d'action. Les coupons des rentiers.* → *Salaire,* cit. 3. *Négocier un titre coupon attaché. Regarnir de coupons un titre.* → **Recouponner.** *Toucher, vendre ses coupons.* — Mod. (les valeurs étant dématérialisées). Droit attaché à un titre, permettant d'encaisser un revenu, ou d'exercer certains droits (notamment, lors des augmentations de capital) ; revenu perçu par les porteurs d'obligations, de valeurs mobilières.

Les titres au porteur qui produisent des intérêts, des divi- 1 dendes, ou des arrérages sont accompagnés d'une feuille de *coupons*, qui seront détachés à l'échéance de chacune de ces prestations (...)
Léon LACOUR, Droit commercial, p. 389 (éd. Dalloz).

Dans le sous-sol, des femmes seules, qui avaient au doigt 2 une alliance, des couples de petits rentiers ou de retraités, assis à des tables étroites, détachaient des coupons.
J. ROMAINS, les Hommes de bonne volonté, t. VIII, p. 89.

◆ **3** Carte correspondant à l'acquittement d'un droit. *Coupon de théâtre.* → **Billet, ticket.** *Coupon de loge. Coupon donnant droit à une couchette,* dans un train de voyageurs. — *Coupon magnétique :* ticket magnétisé accompagnant une carte à vue (transports en commun). *Coupons mensuels d'une carte orange.*

(1911). *Coupon réponse* ou *coupon-réponse,* permettant d'envoyer gratuitement une réponse, ou d'obtenir un timbre. *Coupon réponse international. Vente de livres par coupons-réponses.* → **Couponnage.**

◆ **4** Régional (Belgique). Vx. Billet de chemin de fer.

Son mari l'accompagna à la gare. Au moment de prendre 2.1 son coupon, elle se tourna vers lui : «Dois-je demander un billet de retour?» H. KRAINS, le Pain noir, V (1904).

DÉR. et COMP. **Couponnage. Recouponner.**

COUPONNAGE [kupɔnaʒ] n. m. — D. i. (xxᵉ) ; de *coupon*, par un verbe initial *couponner.*

◆ **1** Le fait de détacher les coupons d'un titre.

Mᵐᵉ Rezeau, se privant des plaisirs du tripotage comme du couponnage, était allée sur-le-champ louer un coffre à la B.N.P.
Hervé BAZIN, Cri de la chouette, 1972, p. 232.

◆ **2** (Adapt. angl. *couponing*). Publ. Technique de vente par correspondance au moyen de coupons-réponses — REM. On emploie fréquemment l'anglicisme *couponing, couponning* [kupɔniŋ].

COUPURE [kupyʀ] n. f. — 1850 ; *coupeure*, 1393 ; *copeure*, 1279 ; de *couper*, et suff. *-ure.*

A (Action de couper). ◆ **1** Séparation, division faite par un instrument tranchant. *Coupure dans une étoffe.* → **Coupe ; déchirure.**

◆ **2** Blessure faite par un instrument tranchant. *Coupure au doigt, au visage.* → **Balafre, entaille,** estafilade, incision, taillade. *Se faire une profonde coupure.* → **Couper** (se). *Coupure faite avec un couteau, une lame de rasoir.*

1 (...) il se faisait des coupures aux mains en taillant son crayon (...) FRANCE, le Petit Pierre, XXXII, p. 230.

2 Et, ce jour-là, exempt de service, à cause d'une légère coupure à la lèvre qui l'empêchait de sonner, il était descendu en ville (...) P. MAC ORLAN, la Bandera, XIII, p. 150.

Par anal. Sensation analogue à celle d'une coupure. *Les coupures du froid, du vent.*

♦ 3 Ouverture, naturelle ou artificielle (crevasse, fossé), qui sépare, fait obstacle. → **Brèche, fossé.** **Géol.** Fracture géologique. → **Brèche, cluse, combe, excavation, fente.**

♦ 4 Fossé pratiqué pour permettre l'écoulement des eaux. → **Canal, rigole.** *Saigner un marais par des coupures.*

♦ 5 **Fig.** Séparation nette, brutale. → **Cassure, fossé, séparation.**

2.1 (...) il sentit le plus intensément la coupure entre son passé et l'avenir.
MARTIN DU GARD, les Thibault, t. VIII, p. 20.

♦ 6 (1905, in *Rev. gén. des sc.,* n° 12, p. 576). **Math. (alg.).** Partition de l'ensemble des nombres rationnels en deux classes disjointes permettant de définir un nombre rationnel ou irrationnel. *La coupure entre les nombres rationnels positifs dont le carré est inférieur ou supérieur à 3 définit le nombre irrationnel : racine carrée de 3.*

♦ 7 (1580). Suppression d'une partie (d'un ouvrage, d'une pièce de théâtre, d'un film). → **Censure, suppression.** *Faire des coupures dans le rôle de qqn.*

3 (...) peut-être quelques coupures au second acte seraient-elles nécessaires pour arriver moins lentement à l'action.
SAINTE-BEUVE, Correspondance, 174, 26 juin 1831, t. I, p. 240.

4 (...) il ajusterait nos rôles, ferait les coupures et les additions nécessaires (...)
Th. GAUTIER, le Capitaine Fracasse, t. I, p. 57.

B Par métonymie. Ce qui est, a été coupé, découpé.
♦ 1 *Coupures de journaux, de presse :* articles découpés dans un journal en vue de les conserver ou de les reproduire. *Coupures de journaux réunies en un album.* → **Press-book.**

5 Je vous ai suivi partout autour de la terre, et j'ai des albums pleins de coupures de journaux qui parlaient de vous ; j'en ai entendu dire beaucoup de mal que je n'ai pas cru.
LOTI, les Désenchantées, XIX, p. 136.

♦ 2 (1792, *coupure d'assignat*). **Fin.** Billet de banque. *Les coupures imprimées pour la Banque de France.* **Cour.** *Petite coupure, coupure de...,* billet dont la valeur est relativement faible. *Payer en petites coupures, en coupures de cinquante francs.*

♦ 3 *Coupure de :* interruption dans la distribution de (le complément désigne, l'eau, le gaz ou l'électricité). *Coupure de courant. Il y aura une coupure de quatre heures à cinq heures.*

♦ 4 **Fam.** *Connaître la coupure,* l'expédient. — **Argot.** Excuse, alibi.

♦ 5 **Pop.** *Coupure ! :* ça va bien, ça va comme ça, ça suffit !

CONTR. Cicatrice. — Couture. — Addition. — Unité. — Continuité. ◊ **COMP.** Microcoupure.

1. **COUQUE** [kuk] n. f. — 1790 ; terme wallon et picard, empr. au néerl. *koek* «gâteau, pain d'épice».
Régional (Nord, Belgique).
♦ 1 Pâtisserie flamande briochée ou feuilletée.
♦ 2 Pain d'épice. *Couque de Dinant.*

(...) une tradition qui voulait que les novices aillent, avant l'office pontifical de minuit, distribuer aux pauvres des faubourgs de Bruges une couque, un pain d'épice.
Gilles BORGEAUD, le Voyage à l'étranger, II, p. 140.

2. **COUQUE** [kuk] n. m. — 1818 ; adaptation de l'angl. *cook* «cuisinier». → Cook.
Régional (Canada) et vieilli. Anglicisme. Cuisinier (sur un navire, dans une communauté). → **Coq.**

COUR [kuʀ] n. f. — V. 1352 ; *court,* déb. XIVᵉ ; *curt, cort,* Xᵉ (sens I et II), du bas lat. *curtis* «cour de ferme», du lat. class. *cohors, cohortis* «cour de ferme» et par ext. «division du camp». → Cohorte.

I ♦ 1 Espace découvert, clos de murs ou de bâtiments et dépendant d'une habitation. *Cour principale. — Cour d'honneur* (cit. 88) *d'un château, d'un hôtel, d'un collège ; cour située devant l'entrée principale.* → **Avant-cour.** *Cour intérieure dallée d'une maison.* → **Patio.** *Cour d'un monastère.* → **Cloître.** *Cour intérieure d'une maison romaine.* → **Atrium, aula.** *Au fond de la cour. Cour de service.* → **Arrière-cour.** *Maison bâtie entre cour et jardin. Chambre donnant sur la cour. —* **Théâtre.** *Côté cour,* opposé au *côté jardin.* → **Côté.** *Cour sombre, obscure ; cimentée, pavée, sablée, gazonneuse. — Cour d'une école. Les élèves jouent dans la cour. Surveiller la cour de récréation. Cour couverte d'une école.* → **Préau.**

1 Les classes venaient de finir ; les externes étaient sortis, les autres s'amusaient dans une cour éloignée.
LOTI, Matelot, III, p. 10.

2 De ma chambre, la vue n'était ni belle ni étendue ; elle donnait sur une cour de service.
FRANCE, le Petit Pierre, XXXV, p. 249.

3 Dès la dernière phrase d'Honoré, Jerphanion glisse entre les bancs, atteint agilement la porte, le bout du couloir, la cour, le portail, comme s'il traversait des lieux pleins de vapeur dangereuse, et attendait d'être dehors pour respirer.
J. ROMAINS, les Hommes de bonne volonté, t. IV, XV, p. 149.

4 Il fréquentait chez un petit marchand de vin, au fond d'une cour pleine d'ombre et qui sentait le chais, non loin de la place de la Cebada.
P. MAC ORLAN, la Bandera, XX, p. 245.

♦ 2 *Cour de ferme :* terrain situé près des (ou entre les) bâtiments. → **Basse-cour,** 1. **pailler.**

♦ 3 **Ancienn.** À Paris, rue en cul-de-sac. *La cour des Fermes. —* **Loc.** *La Cour des Miracles :* quartier des truands et des malandrins, ainsi appelé parce que les infirmités des mendiants de ce quartier disparaissaient dès qu'ils avaient regagné leur repaire.

5 Il était en effet dans cette redoutable Cour des Miracles, où jamais honnête homme n'avait pénétré à pareille heure ; cercle magique où les officiers du Châtelet (...) qui s'y aventuraient disparaissaient en miettes ; cité des voleurs, hideuse verrue à la face de Paris (...) ce ruisseau de vices, de mendicité, de vagabondage (...) ruche monstrueuse (...) hôpital menteur (...) C'était une vaste place, irrégulière et mal pavée (...) C'était comme un nouveau monde, inconnu, inouï, difforme, reptile, fourmillant, fantastique.
HUGO, Notre-Dame de Paris, I, II, VI.

Une cour des Miracles : un lieu mal famé, peuplé de mendiants, de voleurs. — **Par métonymie.** Groupe de mendiants. *C'est une vraie cour des Miracles.* → **Repaire.**

6 (...) j'ai fait des études de mœurs que peu de gens ont pu faire, dans les *cours des miracles* et les *tapis-francs* des Juifs de la Turquie.
LOTI, Aziyadé, Salonique, XIII, p. 20.

♦ 4 (Belgique). **Fam.** Toilettes (souvent situées au fond de la cour). *Aller à la cour.*

II (XIIIᵉ, *cort ;* du bas lat. *curtis*). **Hist. féod.** Ferme, exploitation agricole. — Territoire d'un prince (*curia*).

III (V. 1100, *curt*). Domaine (d'un prince, d'un souverain). ✦**1** Résidence du souverain et de son entourage. *Aller à la cour. Vivre à la cour. La noblesse de cour,* par oppos. *à la noblesse provinciale :* la noblesse qui vivait près du souverain.

7 Mes yeux sont trop blessés, et la cour et la ville
Ne m'offrent rien qu'objets à m'échauffer la bile (...)
MOLIÈRE, le Misanthrope, I, 1.

8 Qu'après plus de six mois que je t'avais perdu,
À la cour de Pyrrhus tu me serais rendu?
RACINE, Andromaque, I, 1.

9 (...) c'est ce siècle *(le XIX*ᵉ*)* [...] (plus exactement la fin du XVIIIᵉ) qui aura vu, en France, la haine de la noblesse de cour et de la noblesse provinciale s'éteindre au profit de la haine de l'une et de l'autre pour tout ce qui n'est pas noble (...)
Julien BENDA, la Trahison des clercs, I, p. 99.

✦**2** L'entourage du souverain (→ **Courtisan**). *La cour de Louis XIV. Gens de cour. Dame d'honneur à la cour. Dame de la cour de la reine. Intrigue de cour. La cour a suivi le roi. Toute la cour assistait à la cérémonie. Étiquette de cour. Le ton, l'air* (→ Air, cit. 24 à 26), *l'esprit de la cour. — Les petites cours :* les cours des princes. *La cour du duc d'Artois.* (Au XVIIᵉ). *Les manières,* le milieu de Versailles. *La cour et la ville* (Paris). *Savoir la cour :* être au fait des manières de la cour. *Page** *de cour. Habit, robe, manteau de cour,* prescrit par l'étiquette de la cour.

10 Je définis la Cour un pays où les gens,
Tristes, gais, prêts à tout, à tout indifférents,
Sont ce qu'il plaît au Prince, ou, s'ils ne peuvent l'être,
Tâchent au moins de le paraître,
Peuple caméléon, peuple singe du maître (...)
LA FONTAINE, Fables, VIII, p. 14.

11 Vous êtes peu du monde et savez mal la cour (...)
CORNEILLE, Nicomède, III, 5.

12 La ville n'a pas été de l'avis de la cour (...)
LA BRUYÈRE, les Caractères, XV, 5.

13 Deux sortes de gens fleurissent dans les cours, et s'y nourrissent dans divers temps, les libertins et les hypocrites : ceux-là gaiement, ouvertement (...) ceux-ci finement, par des artifices (...)
LA BRUYÈRE, les Caractères, XVI, 26.

14 (...) il *(le roi)* vivait au milieu d'un entourage appelé la cour, d'un nom populaire qui désignait à la fois la maison et le domaine.
Ch. SEIGNOBOS, Hist. sincère de la nation franç., IV.

Loc. *De l'eau bénite de cour.* → **Bénir** *(supra* cit. 26). *Ami de cour.* → **Ami.** — *Abbé de cour,* se dit en mauvaise part d'un ecclésiastique mondain.

14.1 (...) l'idée a dû être caressée par un joli petit abbé de cour.
Th. GAUTIER, Constantinople, p. 26.

Homme de cour, en parlant de qqn qui affecte la flatterie, le goût de l'intrigue.

Par anal. *La cour céleste :* le ciel, Dieu, les anges. → **Paradis.**

Loc. *La cour du roi Pétaud,* allus. à l'époque où les mendiants se nommaient un roi (lat. *peto :* je demande), qui n'avait guère d'autorité sur ses sujets. *L'expression c'est la cour du roi Pétaud* se dit d'une maison, d'une assemblée où chacun veut commander, veut parler à la fois. → **Pétaudière; confusion, désordre.**

15 On n'y respecte rien, chacun y parle haut,
Et c'est tout justement la cour du roi Pétaud*(d).*
MOLIÈRE, Tartuffe, I.

✦**3** Le souverain et ses ministres. *Recevoir un ordre de la cour.* Loc. *Être bien en cour :* avoir la faveur du roi, et au fig., être estimé, être bien introduit auprès de quelqu'un.

✦**4** (Politique extérieure). Le gouvernement du souverain, dans ses relations diplomatiques avec les autres gouvernements. *Correspondre avec la cour d'Angleterre.*

16 Bonaparte, désirant alors fonder sa puissance sur la première base de la société, venait de faire des arrangements avec la cour de Rome.
CHATEAUBRIAND, Mémoires d'outre-tombe, t. II, p. 202.

✦**5** Loc. **FAIRE LA COUR À...** : présenter ses hommages (au souverain). → **Courtiser; courtisan.** — (1539). *Faire la cour, sa cour à qqn,* chercher à obtenir ses faveurs.

17 Quand, dans un royaume, il y a plus d'avantage à faire sa cour, qu'à faire son devoir, tout est perdu.
MONTESQUIEU, Cahiers, p. 112.

✦**6** (1690). Cercle de personnes empressées (autour de qqn) en vue d'obtenir des faveurs. *Femme qui a une cour d'admirateurs.* → **Cercle, cortège, suite.** *La cour d'un homme important, riche, puissant. Tenir sa cour :* réunir autour de soi une cour d'admirateurs. *Il réunit toute une cour autour de lui.*

18 Ils abordèrent un rivage
Où la fille du dieu du jour,
Circé, tenait alors sa cour.
LA FONTAINE, Fables, XII, 1.

19 Elle l'avait trouvé *(Talleyrand)* à Paris paré de l'auréole que tout un monde, gouvernants et opposants, mettait autour de l'homme, entouré d'une vraie petite cour dans son hôtel princier et considéré comme l'oracle de son temps.
Louis MADELIN, Talleyrand, XXXIV, p. 372.

✦**7** (1651). Loc. *Faire la cour à une femme,* lui manifester son admiration, se montrer assidu, attentif, courtois, galant auprès d'elle en vue de lui plaire (→ **Fleurette :** conter fleurette). *Faire une cour respectueuse, timide, discrète, déclarée, assidue. Faire un brin* (1843), *un doigt de cour.* → **Galanterie.**

20 (...) il était allé faire à l'Aurore sa cour
Parmi le thym et la rosée.
LA FONTAINE, Fables, VII, 16.

21 Un amant fait sa cour où s'attache son cœur;
Il veut de tout le monde y gagner la faveur;
Et, pour n'avoir personne à sa flamme contraire,
Jusqu'au chien du logis il s'efforce de plaire.
MOLIÈRE, les Femmes savantes, I, 3.

22 Souvent un homme d'esprit en faisant la cour à une femme n'a fait que la faire penser à l'amour, et attendrir son âme (...)
STENDHAL, De l'amour.

23 (...) il me fit la cour, une cour timide et profondément tendre (...)
MAUPASSANT, Clair de lune, p. 151.

24 L'ensemble des cérémonies, manèges et jeux par lesquels les amants cherchent à plaire se nomme la cour.
A. MAUROIS, Un art de vivre, II, 4, p. 66.

24.1 Elle était jolie, ce soir, et il la trouvait romanesque, dans son tailleur austère. Si elle n'avait pas été une vieille amie (...) il lui aurait volontiers fait un doigt de cour.
S. DE BEAUVOIR, les Mandarins, p. 17.

IV (Déb. XIIᵉ, *curt*). Par ext. ✦**1** Hist. À l'époque féodale, Assemblée d'ecclésiastiques et de laïcs, vassaux du roi, chargée d'examiner les questions importantes du gouvernement royal. → **Assemblée; conseil** (du roi), **parlement.** *La cour du roi. Le roi sollicitait l'aide et les conseils de sa cour. Attributions politiques de la cour du roi. Cour de parlement :* section judiciaire de la cour du roi. *Les arrêts de la cour* (→ Article, cit. 19). — *Cour plénière :* réunion de tous les vassaux du roi. — *Cour des pairs :* assemblée comprenant six ecclésiastiques et six laïcs, ducs et comtes, et chargée de juger les pairs de France.

25 La cour du roi se réunit d'ordinaire aux grandes fêtes religieuses, dans la ville où le roi séjourne à ce moment. Sa réunion, accompagnée de festins et de réjouissances, assure d'abord un contact personnel et cordial entre le roi et ses vassaux. Puis la cour participe à la besogne du roi en délibérant solennellement sous sa présidence.
OLIVIER-MARTIN, Précis d'hist. du droit franç., p. 157.

26 À ses débuts, la cour du roi n'a pas d'organisation fixe (...) La composition courante présentait des garanties suffisantes pour les justiciables ordinaires. Par contre, douze vassaux privilégiés, les douze pairs de France, ne peuvent être jugés par elle que si elle est garnie d'un nombre suffisant de leurs pairs et devient ainsi la Cour des pairs.
OLIVIER-MARTIN, Précis d'hist. du droit franç., p. 161.

Tribunal de la Cour d'Allemagne. → **Aulique.** — (Fin XIIIᵉ). *Cour d'amour* : société provençale de personnes des deux sexes qui traitait et jugeait des questions de galanterie.

27 Il y a eu des cours d'amour en France, de l'an 1150 à l'an 1200. Voilà ce qui est prouvé. Probablement l'existence des cours d'amour remonte à une époque beaucoup plus reculée. Les dames réunies dans les cours d'amour rendaient des arrêts soit sur des questions de droit, par exemple : L'amour peut-il exister entre gens mariés? (...)
STENDHAL, De l'amour, Appendice, p. 336.

28 Il est probable que six mois dans une cour d'amour, six mois de conversations subtiles et de sonnets à la Pétrarque, six mois de raffinement provençal et de sublimation des instincts auraient agi autrement (...)
J. ROMAINS, les Hommes de bonne volonté, t. IV, VII, p. 71.

Cour des aides. → **Aide.** — *Cour laye* ou *cour laïque,* par oppos. à *cour d'église.* — *Cour des monnaies*.

♦ **2** Mod. Tribunal d'un ordre supérieur. → **Tribunal.** *La cour est composée de magistrats exerçant un pouvoir de justice. Cour souveraine,* qui juge sans appel. *Cour prévôtale* (sous l'Ancien Régime et pendant la Restauration).

(Institutions françaises). **COUR D'APPEL** : juridiction permanente du second degré, comprenant une ou plusieurs chambres, composées d'un Premier Président, de Présidents de chambres et de juges, et chargée de juger les appels formés contre les décisions rendues par les juridictions immédiatement inférieures. *Juge à la cour d'appel.* → **Conseiller.** *Avocat à la cour d'appel de...*

Cour d'assises. → **Assise.**

Cour de cassation. → **Cassation.**

(XIIIᵉ). Par métonymie. Ensemble des magistrats qui rendent la justice dans un tribunal. *Faire partie de la cour. Procureur de la cour. Messieurs, la Cour !,* expression par laquelle on annonce l'entrée des magistrats dans l'enceinte du tribunal.

(1830). **COUR DES COMPTES** : corps administratif chargé de contrôler, après l'expiration de la période budgétaire, l'observation des règles de la comptabilité publique dans l'exécution des budgets. *Les arrêts de la Cour des comptes sont susceptibles de recours en cassation devant le Conseil d'État. Conseiller maître, conseiller référendaire, auditeur à la Cour des comptes.*

Cour de discipline. → **Discipline** (chambre de discipline).

Cour criminelle. → **Criminel.**

Cour de sûreté de l'État.

Milit. *Cour martiale.* → **Martial.**

Haute cour de justice.

Cour de justice de la république : tribunal composé de parlementaires, chargé de juger la responsabilité pénale du président de la République et des membres ou anciens membres du gouvernement qui auraient commis des crimes ou des délits graves dans l'exercice de leurs fonctions.

Dr. internat. *Cour permanente de justice internationale :* juridiction internationale, créée en 1919 et chargée de contrôler la signature de tous les traités, de donner des avis consultatifs à la S.D.N.

La Cour permanente de justice internationale, supprimée en 1945, a été remplacée par la Cour internationale de justice. La Cour de La Haye.

CONTR. Jardin. — Ville. ◊ **DÉR. Courette. — Courtil, courtois.** → **COMP. Arrière-cour, avant-cour, basse-cour.** → **HOM. Courre, cours, court;** formes du v. **courir.**

COURABLE [kuʀabl] adj. — Mil. XIIIᵉ, «qui court»; de *courir.*

♦ **1** (1561). Vén. Qui peut être couru, chassé à courre (d'un animal).

♦ **2** Sports. Qu'on peut courir (course, distance).

COURAGE [kuʀaʒ] n. m. — XIIIᵉ; *curage,* 1050, aussi var. *corage, couraige, chorrage;* de *cur, cor, cuer...,* var. anc. de *cœur,* et *-age.*

♦ **1** Vx. Force morale; disposition du «cœur». → **Cœur, passion, sentiment.** *Un faible courage.* — *Homme de courage,* honnête, fidèle à sa morale.

(...) que les travaux,   1
Les dangers, les soins du voyage,
Changent un peu votre courage.
LA FONTAINE, Fables, IX, 2.

Détrompez son erreur, fléchissez son courage.   2
RACINE, Phèdre, I, 5.

Par métonymie. Personne considérée comme le siège des passions. *Enflammer les courages.*

♦ **2** Littér. Ardeur, énergie dans une entreprise. → **Ardeur, énergie, volonté, zèle.** *Avoir du courage à l'étude.* Entreprendre qqch. avec courage. → **Constance, patience, persévérance.** *Se mettre à. qqch. de tout son courage. Donner, redonner du courage à qqn,* encourager, remonter le moral (fam.). — *Perdre courage :* abandonner, céder.

Je ne sais pas l'endroit; mais un peu de courage   3
Vous le fera trouver, vous en viendrez à bout.
LA FONTAINE, Fables, V, 9.

Je me sentis plein de courage contre les plaisirs.   4
FÉNELON, Télémaque, II.

(...) du courage. Je n'en ai guère, mais je fais comme si   5
j'en avais, ce qui revient peut-être au même.
FLAUBERT, Correspondance, t. IV, p. 19.

Par métonymie. Personne, considérée dans sa détermination, son ardeur. → **Cœur, force.**

Pour orienter les esprits et les courages vers la continua-   5.1
tion de la guerre.
Ch. DE GAULLE, Mémoires de guerre, t. I, p. 45.

♦ **3** Mod. et cour. Fermeté, force d'âme devant le danger, la souffrance physique ou morale. → **Bravoure, cran, énergie, fermeté, force, résolution, stoïcisme, valeur.** — *Courage physique :* qualité qui se manifeste devant un danger matériel par l'absence de retenue, le fait d'assumer le risque. *Combattre, se battre avec courage.* → **Héroïsme, vaillance.** *Un courage téméraire.* → **Audace, furie, hardiesse, impétuosité, intrépidité, témérité.** *Faire preuve d'un grand courage, d'un courage éclatant. Courage héroïque.*

La parfaite valeur et la poltronnerie complète sont deux   6
extrémités où l'on arrive rarement (...) Il y a des hommes qui s'exposent volontiers au commencement d'une action, et qui se relâchent et se rebutent aisément par sa durée; il y en a qui sont contents quand ils ont satisfait à l'honneur du monde, et qui font fort peu de choses au-delà. On en voit qui ne sont pas toujours également maîtres de leur peur; d'autres se laissent quelquefois entraîner à des terreurs générales; d'autres vont à la charge, parce qu'ils n'osent demeurer dans leurs postes. Il s'en trouve à qui l'habitude des moindres périls affermit le courage, et les prépare à s'exposer à de plus grands. Il y en a qui sont braves à coups d'épée, et qui craignent les coups de mousquet; d'autres sont assurés aux coups de mousquet, et appréhendent de se battre à coups d'épée. Tous ces courages, de différentes espèces, conviennent en ce que, la

nuit augmentant la crainte et cachant les bonnes et les mauvaises actions, elle donne la liberté de se ménager.
> LA ROCHEFOUCAULD, Maximes, 215.

7   L'inégalité que l'on remarque dans le courage d'un nombre infini de vaillants hommes vient de ce que la mort se découvre différemment à leur imagination, et y paraît plus présente en un temps qu'en un autre : ainsi il arrive qu'après avoir méprisé ce qu'ils ne connaissent pas, ils craignent enfin ce qu'ils connaissent.
> LA ROCHEFOUCAULD, Maximes, 504.

8   C'est une grande question de savoir si la civilisation n'affaiblit pas chez les hommes le courage en même temps que la férocité.
> FRANCE, l'Anneau d'améthyste, Œ., t. XII, p. 228.

9   Le courage nourrit les guerres, mais c'est la peur qui les fait naître.
> ALAIN, Propos, p. 206.

10   Que n'ai-je, comme vous, ce tranquille courage,
Si froid dans le danger, si calme dans l'orage.
> VOLTAIRE, Ad. du Guescl., II, 2.

11   (...) le vrai courage, sans colère et sans haine, celui qui, pour s'ébranler, n'attend pas le coup de fouet venimeux de la frénésie, celui qui jamais ne ressemble à la peur, car courage n'est pas rage.
> G. DUHAMEL, Chronique des Pasquier, I, 1, IX.

11.1   Le courage est un état de calme et de tranquillité en présence du danger, état rigoureusement pareil à celui où on se trouve quand il n'y a pas de danger. Il résulte de cette définition, au moins provisoire, que le courage peut être acquis par deux moyens : 1., en éloignant le danger ; 2., en éloignant la notion du danger.
> A. JARRY, Spéculations, Œ. compl., t. VI, p. 301-302.

11.2   Mon courage, c'est une affaire pour moi tout seul. Pas besoin de témoin. Ça se verra bien sur ma figure, quand j'aurai quatre-vingts ans, que j'aurai eu du courage, le courage sans quoi il n'y a rien dans le monde, que des mots.
> DRIEU LA ROCHELLE, la Comédie de Charleroi, p. 312-313.

11.3   J'avais répondu autrefois à Saint-Exupéry, qui me demandait ce que je pensais du courage, qu'il me semblait une conséquence curieuse et banale du sentiment d'invulnérabilité. Ce que Saint-Ex avait approuvé, non sans étonnement.
> MALRAUX, Antimémoires, Folio, p. 223.

Courage moral : qualité de force, de résistance, qui se manifeste devant une situation morale pénible, difficile. → **Constance, énergie, force** (d'âme). *Un courage inébranlable. Donner du courage à qqn. Accroître, animer, augmenter, exciter, ranimer, rehausser, relever, réveiller, soutenir le courage de qqn.* → **Affermir, encourager, conforter, réconforter, remonter** (fam.), **regonfler** (fam.) ; → Péril, cit. 2. *Rendre à qqn son courage. Son courage s'amollit, s'évanouit, disparaît. Perdre courage.* → **Abandonner** (s'), **céder, mollir. Briser le courage de qqn.** → **Affaiblir, décourager ; couper** (bras et jambes). *Cela lui a fait perdre courage. Le courage lui manque. Manquer de courage. S'armer de courage pour affronter une épreuve.* → **Contenance** (faire bonne contenance). *Amasser* du courage. Faire appel à tout son courage.* — Fermeté (dans les idées, les opinions) ; capacité d'exprimer sans hypocrisie. *Avoir le courage de ses opinions. — Avoir le courage de ne pas céder, de résister, de refuser...* → **Braver.**

12   Louis, les animant du feu de son courage,
Se plaint de sa grandeur qui l'attache au rivage.
> BOILEAU, Épîtres, IV.

13   Le vrai courage a plus de constance et moins d'empressement ; il est toujours ce qu'il doit être ; il ne faut ni l'exciter ni le retenir (...)
> ROUSSEAU, Julie ou la Nouvelle Héloïse, I, Lettre LVII, p. 144.

14   Lamiel avait ce courage sans effort des caractères parfaitement naturels.
> STENDHAL, Lamiel, p. 666.

15   La vue de cette ardente et inflexible physionomie me rendit en quelque sorte une lueur de courage.
> E. FROMENTIN, Dominique, IX, p. 144.

16   J'ai essayé d'être chrétien, je ne l'ai pas pu. Cette illusion sublime qui peut élever le courage de certains hommes, de certaines femmes (...) jusqu'à l'héroïsme, cette illusion m'est refusée.
> LOTI, Aziyadé, II, X, p. 50.

Mais elle passa outre, comme elle faisait parfois, poussée par un goût du risque et un esprit de décision qu'elle confondait avec le courage.   17
> MARTIN DU GARD, les Thibault, t. I, p. 33.

Mais il faut essayer de vaincre *en nous* les instincts mauvais. Comment ? Par l'ordre, par un courage constant, féroce et joyeux, par une attention inflexible, par l'obéissance, par l'acceptation.   18
> A. MAUROIS, Études littéraires, Paul Claudel, t. I, p. 214.

Surtout un mélange de courage et de faiblesse, de hardiesse et de timidité, de pudeur et d'ardeur.   19
> A. MAUROIS, Climats, II, V, p. 177.

Loc. *N'écouter que son courage.* — Fam. *Prendre son courage à deux mains* : se décider, oser malgré la difficulté, la peur, la timidité.

Courage !, exhortation à prendre courage.

Courage ! ils s'amollissent.   CORNEILLE, Horace, II, 6.   20

Bon courage !, exhortation à l'action, à une attitude forte devant une difficulté ; (iron.) exhortation à supporter qqch. ou qqn. *C'est lui votre nouveau directeur ? Eh bien, bon courage !*

Joindre la ruse au courage. → Peau (coudre la peau du renard à celle du lion).

Force, énergie des animaux (envisagés symboliquement, ou comparés à l'homme). *Le courage du lion, de l'aigle.*

Les uns ont la grandeur et la force en partage ;   21
Le faucon est léger, l'aigle plein de courage (...)
> LA FONTAINE, Fables, II, 17.

◆ **4** Dureté de cœur. *Le courage de faire quelque chose,* la volonté plus ou moins cruelle. → **Cœur, cruauté, dureté, insensibilité.** *Il a eu le courage d'abandonner ses enfants. Je n'ai pas le courage de lui refuser cette aide.*

Il aura eu le courage d'abandonner ses enfants ; leur sagesse n'est pas la nôtre.   22
> J. CHARDONNE, l'Amour du prochain, II, p. 58.

CONTR. Couardise, faiblesse, lâcheté, peur, poltronnerie, pusillanimité, timidité. ◊ **DÉR.** Courageux. ◆ **COMP.** Décourager, encourager.

COURAGEUSEMENT [kuʀaʒøzmɑ̃] adv. — 1213, *corajeusement* ; de *courageux.*

D'une manière courageuse.

◆ **1** Avec fermeté, en manifestant de la force d'âme devant le danger, la souffrance physique ou morale. *Se battre courageusement. Attendre l'épreuve courageusement* (→ De pied ferme*). *Supporter courageusement les épreuves.* → **Vaillamment.** *Souffrir très courageusement.*

◆ **2** Avec ardeur. → **Bravement.** *Travailler courageusement. Répondre courageusement.* → **Fermement, résolument.**

CONTR. Lâchement.

COURAGEUX, EUSE [kuʀaʒø, øz] adj. et n. — V. 1160, *corajos* ; de *courage,* et *-eux.*

◆ **1** (Personnes). Qui a du courage* ; qui agit malgré le danger ou la peur. → **Ardent, brave, énergique, ferme, fort, résolu, stoïque, vaillant, valeureux.** *Homme courageux qui méprise témérairement le danger.* → **Audacieux, casse-cou, héroïque, indomptable, intrépide, téméraire.** *N'avoir pas froid* aux yeux, avoir du sang* dans les veines, avoir du poil au cul* (vulg.).

Il était naturellement courageux (...) comme tant de timides.   1
> MALRAUX, l'Espoir, p. 76.

Qui a du courage (2.), de l'énergie, et spécialt, une énergie soutenue (→ **Constant,** vieilli). *Il n'est pas très courageux pour l'étude.*

Spécialt (fam. et rural). Travailleur ; qui n'a pas peur de la fatigue.

1.1 Et puis c'est pas un homme courageux (cette appréciation aurait pu faire croire que Françoise avait changé d'avis sur la bravoure qui, selon elle, à Combray, ravalait les hommes aux animaux féroces, mais il n'en était rien. Courageux signifiait seulement travailleur).
PROUST, le Côté de Guermantes, Pl., t. II, p. 23.

N. *Un courageux, une courageuse. «Les derniers justes, les derniers courageux»* (Giraudoux, *Électre, in* T. L. F.).

2 N'a point peur de la misère qui se sent courageux pour travailler.   G. SAND, François le Champi, X, p. 83.
Être courageux en apparence, en paroles, par vanité.
→ **Fanfaron, matamore.**

♦ **2** (Actions). Qui manifeste du courage*. *Un acte courageux.* → **Prouesse.** *Une attitude, une conduite courageuse. Une réponse courageuse.* → **Crâne, décidé, ferme, hardi, résolu.** *Ce n'est pas très courageux de sa part. Un caractère courageux.*
→ **Généreux, martial, noble, viril.**

CONTR. Capon, couard, faible, lâche, peureux, poltron, pusillanime ; craintif, timide, timoré. ◊ **DÉR. Courageusement.**

COURAILLER [kuraje] v. intr. — 1732 ; de *courir,* et suff. péj. *-ailler.*

♦ **1** Rare. Courir de côté et d'autre.

♦ **2** Fam. Mener une vie frivole, légère. → **Coureur** (II., 2).

(...) si vous aviez eu, voyez-vous, un peu de notre *chique,* vous l'auriez empêché de courailler ; car vous auriez été ce que nous savons être : *toutes les femmes* pour un homme.
BALZAC, la Cousine Bette, Pl., t. VI, p. 459.

DÉR. Couraillerie, courailleur.

COURAILLERIE [kurajri] n. f. — 1892 ; de *courailler.*
Rare. Le fait de courailler (2.).

COURAILLEUR, EUSE [kurajœr, øz] n. — 1860 ; «enfant qui court partout», 1845 ; de *courailler.*
Vx. Personne qui couraille (2.). → **Bambocheur, noceur.**

COURAMMENT [kuramã] adv. — Fin XIIᵉ, *curanment ;* de *courant,* et *-ment.*

♦ **1** D'une manière courante*, avec facilité. → **Aisément, facilement ; difficulté** (sans difficulté). *Lire, écrire couramment. Parler couramment une langue étrangère.*
On l'a si peu poussé. Il lit et écrit couramment.
J. ROMAINS, les Hommes de bonne volonté, t. V, XX, p. 161.

♦ **2** D'une façon habituelle, ordinaire. → **Communément, généralement, habituellement, ordinairement.** *Ce mot s'emploie couramment. Outils couramment utilisés. Cela se fait, se dit couramment* (→ Bagnole, cit. 1). *On ne voit pas ça très couramment.*

CONTR. Difficilement, malaisément. — Rarement.

1. COURANT, ANTE [kurã, ãt] adj. — 1413 ; *curant,* 1080 ; adj. participial de *courir.*

[I] Qui court. ♦ **1** *Chien courant* (opposé à *chien couchant, chien d'arrêt*). → **Chien** (supra cit. 18). *Eau courante,* qui coule, s'écoule naturellement, par oppos. à *eau dormante* (→ 2. **Courant**).

1 Nous allons sans cesse au tombeau, ainsi que des eaux qui se perdent sans retour ; en effet nous ressemblons tous à des eaux courantes (...)
BOSSUET,
Oraison funèbre d'Henriette-Anne d'Angleterre.

Le canal s'emplit d'un flot rougeâtre et l'on sentait dans les marais à travers les bassins, par des conduits invisibles, une eau courante qui s'insinuait avec de faibles clapotis (...)   **2**
J. CHARDONNE, les Destinées sentimentales, III, p. 383.

Spécialt. Eau distribuée par tuyaux. *Chambre, appartement avec l'eau courante.*

♦ **2** (1732). *Écriture courante :* écriture manuscrite ordinaire.

♦ **3** (Av. 1873). Loc. **MAIN COURANTE :** rampe parallèle à celle de l'escalier, et fixée au mur. → **Rampe.**

♦ **4** Mar. *Manœuvres courantes* (opposé à *manœuvres dormantes*). → **Manœuvre** (→ Violon, cit. 4).
Techn. *Courroie* courante.
N. m. (Mar.). Partie (d'un cordage, d'une manœuvre) par laquelle un effort se transmet.

♦ **5** Typogr. *Titre* courant.*

[II] Qui est présent, qui s'écoule au moment où l'on parle. → **Actuel ; cours** (en cours) ; **courir** (le temps qui court). *L'année courante. Il partira dans le mois courant, ce mois-ci.* — Comm. *Le cinq, le dix courant :* le cinq, le dix de ce mois. *Fin courant :* la fin du mois. *«Nous ferons le mariage fin courant»* (Labiche, les Petites mains, I, 13). *Le terme courant.*

Bref, après quelques grands froids, fin courant peut-être,   **2.1** une sédition — bien autrement sérieuse que celle de 1871 (l'ennemi ne cernant plus la capitale) — pouvait (...)
VILLIERS DE L'ISLE-ADAM, Tribulat Bonhommet, p. 31.

N. m. *Dans le courant de la semaine.* → 2. **Courant.**
Les affaires courantes (opposé à *affaires extraordinaires*). *Être chargé des affaires courantes. Expédier les affaires courantes.*

Pour les élections et autres affaires courantes et momen-   **3** tanées (...)
ROUSSEAU, Disc. sur l'économie politique, 9.

[III] Fig. ♦ **1** (Av. 1615). Par anal. Qui a cours d'une manière habituelle. → **Banal, classique, commun, facile, général, habituel, normal, ordinaire, usité, usuel.** *Employer un mot, une expression d'une manière courante.* → **Couramment.** *Le langage courant, la langue courante. Acception courante. C'est courant ! Cette méthode est de pratique courante. Cet article est de taille courante. Marchandise de vente courante. Les dépenses courantes. Étoffe de qualité courante.* → **Moyen.** *La mode courante. Ce trait de caractère est courant chez une femme.* — Comptab. (vieilli). *Main courante :* registre sur lequel on inscrit rapidement des opérations commerciales. → **Brouillard, main.**

On veut de bonnes qualités courantes, des marques   **4** connues.
J. CHARDONNE, les Destinées sentimentales, II, p. 263.

Ling. *Emploi, mot courant,* fréquent, usuel (opposé à *rare* et abrégé *cour.,* dans ce dictionnaire).

♦ **2** (1669). Qui a cours*. *Le prix courant d'une marchandise. Acheter au prix courant. Monnaie courante.* — Fig. *C'est monnaie* courante. *Mètre* courant. *Francs courants* (par oppos. à *constants*) : francs considérés sans tenir compte de leur dépréciation.

♦ **3** Fin. et cour. *Compte courant :* compte* usité dans les relations commerciales et financières, entre deux personnes ou deux sociétés effectuant entre elles des opérations réciproques et qui conviennent de transformer leurs créances et leurs dettes en articles de débit et de crédit dont le solde sera seul exigible. *Le compte courant est simple lorsque* les opérations d'encaissement et de versement de fonds sont faites par une seule des parties.

5 Pourra (...) être revendiqué le prix ou la partie du prix... *(des)* marchandises qui n'aura été ni payé, ni réglé en valeur, ni compensé en compte courant entre le failli et l'acheteur. Code de commerce, art. 575.

♦ **4** Loc. adv. **TOUT COURANT** : très vite, en hâte ; sans hésiter, sans peine, facilement. *Écrire tout courant. Faire quelque chose tout courant.*

6 Mais, à l'instant où l'on détachait les amarres, apparut Alcide Jolivet, tout courant.
J. VERNE, Michel Strogoff, p. 111-113 (1876).

CONTR. Dormant, stagnant. — Avenir, passé. — Distingué, étonnant, extraordinaire, inhabituel, particulier, rare. — Dépôt (compte de). ◊ **DÉR.** Couramment.

2. COURANT [kuʀɑ̃] n. m. — V. 1210, au sens 1 ; p. prés. de *courir*.

♦ **1** Mouvement (d'un liquide, de l'eau) orienté dans une direction. *Le courant de l'eau.* → **Fil** (de l'eau) ; **cours.** *Le courant d'une rivière. Un courant rapide, impétueux, dangereux* (→ **Rapide, torrent**). *Suivre, descendre le courant* (Fig. : suivre passivement les habitudes des autres). *Être entraîné par le courant. S'abandonner au courant. Le lit* d'un courant. Lutter, ramer, nager contre le courant, à contre-courant.*

1 Un agneau se désaltérait
Dans le courant d'une onde pure.
LA FONTAINE, Fables, II, 10.

2 (...) un jour, je m'étais amusé à effeuiller une branche de saule sur un ruisseau, et à attacher une idée à chaque feuille que le courant entraînait.
CHATEAUBRIAND, René, p. 192.

2.1 (...) la hauteur des vagues et l'impétuosité du courant sont particulièrement sensibles.
GIDE, Voyage au Congo, in Souvenirs, Pl., p. 692.

3 Le courant jaillissait au pied du talus gazonné, filait d'une seule coulée bourbeuse dardée raide à travers les prés.
M. GENEVOIX, Raboliot, I, I, p. 9.

Loc. fig. *Remonter le courant*, rétablir une situation. — *Suivre le courant* : se laisser entraîner. → (fig.) **Pente** ; opposer (s'), **réagir.**

4 Quelques Mérovingiens, parvenus à l'âge d'homme, essayèrent de réagir et de rétablir l'autorité royale. Ils ne réussirent pas à remonter le courant.
J. BAINVILLE, Hist. de France, II, p. 28.

Les courants marins, produits par l'action des marées, par l'action des alizés sur la surface des eaux... *Carte des courants marins. Courants sous-marins. Courants de fond. Le Gulf Stream, courant maritime chaud de l'Atlantique. Courants superficiels. Courant alternatif* ou *courant de marée*. Courant général périodique. Courant tellurien*. Courants qui dérivent, drossent un navire.*

5 Comme un nageur un peu égaré que le courant rapproche de la côte, il sentait revenir le sol sous ses pieds.
J. ROMAINS, les Hommes de bonne volonté, t. V, XIV, p. 106.

6 A l'arrière, Arthur surveillait les courants et manœuvrait le gouvernail.
J. CHARDONNE, les Destinées sentimentales, I, p. 111.

♦ **2** Déplacement de masses d'air. *Courant atmosphérique. Courants de conduction, de convection, de précipitation. Courant tubulaire. Courant laminaire* (les *lignes de courant* étant disposées en couches parallèles). *Courant jet* (angl. *jet stream*) : courant tubulaire aplati, horizontal, produisant des vents très forts (fam. : *jet*).

(1749). Cour. **COURANT D'AIR.** → **Air** (cit. 16), **bouffée** (d'air), **vent.** *Craindre les courants d'air. Éviter les*

courants d'air. Être en plein courant d'air. Se protéger des courants d'air en garnissant les portes, les fenêtres de bourrelets, de brise-bise.

7 La fenêtre du jardin, mal poussée, s'était ouverte. Un courant d'air en venait, dont le Conseil des Ministres souffrit silencieusement. GIRAUDOUX, Bella, IV, p. 85.

8 Je ne crains rien des tigres, mais j'ai horreur des courants d'air. Vous n'auriez pas un paravent ?
SAINT-EXUPÉRY, le Petit Prince, VIII, p. 32.

9 Un courant d'air perpétuel sifflait sous les préaux, dans les escaliers, dans les couloirs.
MARTIN DU GARD, les Thibault, t. III, p. 274.

Loc. fig. et fam. (1894). *Se déguiser en courant d'air :* s'esquiver rapidement, sans être vu.

9.1 Là-dessus, je me déguise en courant d'air et je fous mon petit camp. J'en ai assez entendu pour aujourd'hui.
Roger VERCEL, Capitaine Conan, p. 79.

(1914). Argot. Secret mal gardé, indiscrétion. *Être victime d'un courant d'air.*

Fam. *Un nom à courants d'air,* à rallonge* (à particule).

Phys. *Courant gazeux, plasmatique.*

♦ **3** (1806). *Courant électrique :* déplacement d'électricité dans un conducteur. → **Électricité ; électrodynamique, électromagnétisme, magnétisme.** — *Le courant :* le courant électrique. *Courant continu ; courant alternatif*. Génératrice d'un courant continu.* → **Accumulateur, batterie, dynamo, magnéto, pile ; circuit, court-circuit.** *Fréquence* d'un courant. Mesure de l'intensité d'un courant.* → **Résistance ; ampèremètre, galvanomètre, voltmètre.** *Densité de courant.* → **Électrolyse ; voltmètre.** *Courant de haute, de basse tension.* → **Volt, voltage.** *Puissance d'un courant alternatif.* → **Voltampère ; watt-heure, wattmètre.** *Courant triphasé, polyphasé. Courants d'induction* ou *courants de Foucault.* → **Induction, self-induction ; inducteur, induit ; collecteur.** *Courant tellurique*. Transformation du courant électrique.* → **Bobine, commutateur, condensateur, interrupteur, transformateur.** *Couper, rétablir, inverser le courant. Le courant passe.* → (fam.) **Jus.** *Coupure de courant. Prise* de courant.* → **Plot, prise.**

Loc. *Prendre le courant :* recevoir une décharge.

Par métaphore. «*Les péchés* (cit. 4.1) *sont les courants qui alimentent la vie*».

Fig. et fam. *Le courant passe :* une entente s'établit (entre deux ou plusieurs personnes).

9.2 Répétition générale d'*Asmodée*. Le Théâtre-Français bondé, où le rideau se lève dans un silence agité de toux. Angoisse du dialogue désincarné qui coule dans un silence mortel. Puis c'est le premier frémissement, le premier rire. Et l'on se sent peu à peu rassuré. Cette banquise impressionnante qui s'arrêtait au ras de la scène, m'emprisonnant de sa glace, a fondu. Le courant passe, l'émotion grandit.
Claude MAURIAC, le Temps immobile, p. 436.

REM. Le mot *courant* sert à former avec un préfixe plusieurs composés (adjectifs invariables et noms) tels que *bicourant, polycourant.*

♦ **4** (XIXᵉ). Fig. Déplacement orienté. *Courant de populations :* déplacement de populations. → **Flot ; émigration, immigration ; circulation.**

10 Les masses les plus nombreuses furent vraisemblablement celles apportées par les courants de l'Est.
VALÉRY, Regards sur le monde actuel, p. 121.

11 Le courant d'Est en Ouest alimente l'immigration en provenance de l'Europe (...) Mais le courant Nord-Sud, toujours présent, aspire le Canada vers les États-Unis, d'une façon silencieuse, anonyme, persistante, irrésistible, et à vrai dire fatale.
André SIEGFRIED, le Canada..., VI, II, p. 79.

(1653). Abstrait. *Les courants de l'opinion.* → **Mouvement.** *Un courant de pensée, d'idées. Le courant de la science.* → **Cours, marche, progrès.** *Un courant historique.* → **Évolution.**

11.1   Un tel livre, si la presse eût daigné seulement l'annoncer, était peut-être de force à déterminer un courant historique (...)   Léon BLOY, le Désespéré, II, p. 95.

♦ **5** (En parlant d'un mouvement continu). Cours d'une durée. *Le courant de la semaine.* → **Cours.** *Il a écrit dans le courant du mois.* → **Courir** (le mois qui court); 1. **courant,** II. (le cinq courant, etc.). *Le courant des âges.* → **Temps.**

(1690). *Le courant des affaires.* → 1. **Courant** (affaires courantes); **train** (train-train). — Spécialt. *Le courant des affaires :* la quantité habituelle d'affaires traitées. — Fin. *Le courant :* le terme qui court.

(V. 1653). *Le courant des passions, des sentiments.* → **Force; entraînement, mouvement.**

12   Ces mêmes préceptes, bien ou mal observés, doivent faire leur effet, bon ou mauvais, sur ceux même qui, faute de les savoir, s'abandonnent au courant des sentiments naturels.
          CORNEILLE, Disc. du poème dramatique.

13   (...) la force insensible et puissante qu'ont ces courants de la passion et par lesquels l'amoureux, comme un nageur entraîné sans s'en apercevoir, bien vite perd de vue la terre.
          PROUST, À la recherche du temps perdu, t. X, p. 166.

♦ **6** (1780). **AU COURANT :** informé. *Mettre, tenir qqn au courant de qqch.* → **Avertir, renseigner** (sur)... Absolt. *Nous l'avons mis au courant.* → **Dire, informer.** — *Se mettre au courant :* s'informer de l'état d'une question, d'une situation. — *Être au courant. Est-ce qu'il est au courant ?* → **Savoir; fait** (au fait); cf. (fam.) au parfum, dans le coup. — *Être au courant de son travail :* être à jour, ne pas avoir de retard. *Être au courant, dans le paiement de ses dettes :* ne pas avoir d'arriéré. — *Livre tenu au courant.* → **Jour** (à). *Cette revue est bien au courant,* elle est au fait de l'actualité.

14   Elle est très au courant de ce qui s'imprime de très littéraire.   GONCOURT, Journal, 1891, p. 80, *in* T. L. F.

15   Enfin, *pour se tenir au courant,* il prit un abonnement à la *Ruche médicale,* journal nouveau dont il avait reçu le prospectus.   FLAUBERT, Mᵐᵉ Bovary, I, IX, p. 43.

16   (...) les vingt minutes qu'il passait dans le bureau de Rumelles, le tenaient journellement au courant des fluctuations diplomatiques (...)
          MARTIN DU GARD, les Thibault, t. VII, p. 37.

♦ **7** *Écrire au courant de la plume* (en écrivant), sans effort, spontanément. → **Fil** (au).

17   Je vous écris au courant de la plume.
          RACINE, Lettres.

DÉR. Courantologie, courantométrie. ◊ **COMP. Extra-courant.**

COURANTE [kuʀɑ̃t] n. f. — Déb. XIVᵉ; fém. du p. prés. de *courir.*

♦ **1** (1515). Ancienne danse*, sur un air à trois temps.

1   Le bal se donnait tous les soirs, où de très méchants danseurs dansèrent de très mauvaises courantes (...)
          SCARRON, le Roman comique, II, XVII, p. 267.

Cet air, en vogue au XVIIᵉ siècle et utilisé dans la suite* instrumentale au XVIIIᵉ siècle.

♦ **2** (Déb. XIVᵉ). Pop. → **Diarrhée.**

2   Quand il avait la diarrhée, Jean me disait : «J'ai la courante». Pourquoi fallait-il que ce mot me revînt à l'instant, en regardant le postérieur grave et presque immobile de Paulo et que j'appelasse cette danse à peine indiquée, la courante?   Jean GENET, Pompes funèbres, p. 20.

♦ **3** Didact. Écriture cursive. → **Cursive.**

COURANTOLOGIE [kuʀɑ̃tɔlɔʒi] n. f. — XXᵉ (1974, *in* la Clé des Mots); de *courant,* et *-logie.*

Didact. (mot hybride). Étude des courants marins ou atmosphériques.

COURANTOMÉTRIE [kuʀɑ̃tɔmetʀi] n. f. — XXᵉ (1972, *in* la Clé des Mots); de *courant,* et *-métrie.*

Didact. (mot hybride). Mesure des courants.

COURBABLE [kuʀbabl] adj. — D. i.; de *courber.*

Rare. Qui peut être courbé.

COURBACHE [kuʀbaʃ] n. (l'usage hésite sur le genre; le fém. semble plus fréquent). — 1848; *courbach,* 1854; *courbag,* 1838; arabe *kurbāǧ,* lui-même empr. du turc *qïrbāč.*

Long fouet utilisé en Orient. → **Cravache.**

1   (...) la modestie est relevée par l'appareil de la force. Il est bon d'avoir sous ses ordres un homme armé d'une courbache dont on l'empêche de se servir.
          RENAN, Souvenirs d'enfance..., 1883, p. 358, *in* T. L. F.

Var. anc. : *courbach,* n. m.

2   *(Un eunuque...)* agite, pour faire ouvrir la foule, le courbach de cuir d'hippopotame, marque distinctive de son autorité.
          Th. GAUTIER, Constantinople, p. 122.

COURBAGE [kuʀbaʒ] n. m. — 1863, Littré; de *courber.*

Techn. Action de courber (une tige, etc.).

COURBARIL [kuʀbaʀil] n. m. — 1640; mot des Caraïbes; orig. incertaine.

♦ **1** Arbre des régions tropicales (*Astronium; Térébinthacées*) dont le bois est utilisé en ébénisterie.

♦ **2** Plante, dite aussi *hyménée* courbaril* (*Légumineuses*) qui fournit une résine (courbarine) pour la fabrication des vernis. → **Copal.**

DÉR. Courbarine.

COURBARINE [kuʀbaʀin] n. f. — 1863, Littré; de *courbaril.*

Techn. Résine de courbaril (2.). *Vernis à la courbarine.*

COURBATU, UE [kuʀbaty] adj. — Mil. XIIIᵉ (1254-55) *in* Arveiller, 80 notes de lexique; comp. de *court,* et *battu,* proprement «battu à bras raccourci».

Atteint de courbature*.

♦ **1** Techn. (hippol.). État d'un cheval dont la respiration et les mouvements sont gênés. → **Harassé.**

♦ **2** Littér. (la langue cour. dit : *courbaturé*). Qui ressent une lassitude extrême dans tout le corps. → **Courbaturé, fatigué, moulu** (fam.). *Il est revenu tout courbatu de sa première séance de culture physique.*

1   Je me couchais, le soir, heureux, courbatu, mort de saine lassitude.
          G. DUHAMEL, Biographie de mes fantômes, III, p. 53.

2   À demi somnolente, courbatue, souffrant dès qu'elle remuait, elle entendait vaguement dans le couloir le va-et-vient des visiteurs qui longeaient le mur, derrière sa tête.   MARTIN DU GARD, les Thibault, t. IV, p. 211.

Figuré :

3   Son âme courbatue d'orgueil, se reposait enfin dans l'humilité chrétienne (...)
          FLAUBERT, Mᵐᵉ Bovary, II, XIV, p. 137.

CONTR. Dispos. ◊ **DÉR. Courbature.**

COURBATURE [kuʀbatyʀ] n. f. — 1588; probablt dér. de *courbatu,* et *-ure.*

♦ **1** (1607). Art vétér. État d'un cheval courbatu.

♦ **2** (Av. 1611). Cour. Sensation de fatigue douloureuse due à un effort prolongé ou à un état fébrile. → **Fatigue; ankylose, lassitude.** *Ressentir une courbature dans les membres, le dos, les reins... La grippe* *se manifeste à ses débuts par une courbature générale.*

1 (...) une espèce de courbature, fruit de la fatigue et du voyage, le retient dans sa chambre, et il a été saigné ce matin.
ROUSSEAU, Julie ou la Nouvelle Héloïse, IV, Lettre VII.

2 Les nuits en chemins de fer, le sommeil secoué des wagons avec des douleurs dans la tête et des courbatures dans les membres, les réveils éreintés dans cette boîte roulante (...)
MAUPASSANT, les Sœurs Rondoli, I, p. 10.

3 Je sens déjà l'incurvation, l'incurvaison générale, latérale, transversale, horizontale aux épaules, verticale aux reins. Il faut dire aussi que c'est le courbement, la courbure, la courbature, l'inclinaison de l'écrivain sur la table de travail.
Ch. PÉGUY, la République..., p. 267.

Figuré :

4 (...) puis, vite dégoûté de ces vaines recherches, l'esprit meurtri par une courbature, il rejeta sa cigarette, siffla un air qui courait les rues, et, se baissant, ramassa sous une chaise un pesant haltère qui traînait.
MAUPASSANT, Fort comme la mort, I, I, p. 8.

5 Elle souffrait de façon diffuse, comme d'une courbature morale, qui, ne s'étant encore fixée nulle part, n'avait pas choisi son point de flamme et d'élancement.
Edmond JALOUX, les Visiteurs, I, p. 11.

DÉR. Courbaturer.

COURBATURER [kuʀbatyʀe] v. tr. — 1835; de *courbature*, et *-er*.

Provoquer une courbature, des courbatures chez (qqn). → **Ankyloser.** *Rester trop longtemps dans la même position courbature le corps.* — Pron. *Le dos se courbature lorsqu'on reste longtemps penché en avant.*

Fig. Lasser l'esprit de (qqn). *«Je respecte M. Courbet. M. Ingres, me courbature»* (Éluard).

◆ **COURBATURÉ, ÉE** p. p. et adj.
→ **Courbatu.** Qui souffre de courbature. *Il est tout courbaturé d'avoir conduit trop longtemps.*

REM. Jusqu'en 1970, seul *courbatu* a été accepté par l'Académie.

0.1 Lacaille, aigri, grisonnant déjà, courbaturé chaque soir par son éternel voyage dans les rues de Paris, regardait parfois d'un œil louche la placidité bourgeoise, les bons souliers et le gros paletot de Robine.
ZOLA, le Ventre de Paris, t. I, p. 170 (1875).

1 Il était courbaturé après ces quelques heures d'insomnie (...)
MAUPASSANT, Notre cœur, III, I, p. 232.

1.1 Mes amis, quelle journée... J'ai le poignet courbaturé, j'ai mal à la tête... J'ai envie de sortir, allons n'importe où, mais sortons, je n'en peux plus de rester enfermée (...)
N. SARRAUTE, le Planétarium, p. 195.

Fig. *Esprit courbaturé.*

2 (...) elle vivait dans un ennui gai, sans la foi commune au bonheur, en quête seulement de distractions, et déjà courbaturée de lassitude, bien qu'elle s'estimât satisfaite.
MAUPASSANT, Notre cœur, I, II, p. 41.

CONTR. Délasser, détendre, relaxer, reposer.

COURBE [kuʀb] adj. et n. f. — 1699; *corbe* (subst.), mil. XIIIᵉ; *corbe* (adj.) 1262; *curb* (adj.) après 1170; du lat. pop. *curbus*, class. *curvus* «courbe, recourbé».

I Adj. ◆ **1** Qui change de direction sans former d'angles; qui n'est pas droit. → **Arqué, arrondi, bombé, bouclé, busqué, cambré, cintré, circulaire, concentrique, contourné, coudé, courbé, enflé, enroulé, galbé, incurvé, infléchi, rebondi, recourbé, renflé, rond, tordu, tors, tortu, voûté;** préf. **curvi-.** *Ligne courbe selon plusieurs directions différentes.* → **Flexueux, gondolé, lacet** (en), **ondulé, onduleux, sinueux, tortueux, vallonné.** *Ligne, surface courbe. Objet, tige courbe.*

1 Un aviron droit semble courbe en l'eau.
MONTAIGNE, Essais, I, 319, *in* LITTRÉ.

---

2 (...) des petits ponts courbes aux balustres de granit rongés par le lichen.
LOTI, Mᵐᵉ Chrysanthème, XLII, p. 212.

3 (...) tout à coup dans une violente éclaircie surgit l'océan et ses longues vagues courbes.
J. CHARDONNE, les Destinées sentimentales, III, p. 365.

◆ **2** Géom. Qui a les caractères d'une courbe géométrique. *Ligne, surface courbe. Surface courbe en creux* (→ **Concave**), *bombée* (→ **Convexe**). *Volumes à formes courbes.* → **Cône, cylindre, ellipsoïde, sphère** ... *Espace* courbe.*

3.1 J'en conclus qu'il y a des lignes nobles, menteuses, etc. La ligne droite donne l'infini, la courbe limite la création (...)
Paul GAUGUIN, À Émile Schuffenecker, 14 janv. 1885, *in* Lettres de Gauguin, 1946, p. 45.

II N. f. (fin XVIIᵉ; «branche tordue», XIIᵉ; sens techn., XIVᵉ). ◆ **1** Ligne courbe. *Courbes décoratives. Courbes ouvertes.* → **Arabesque, arc, boucle, coude, feston, méandre, ondulation, serpentin, sinuosité, spirale*, volute.** *Courbe en S. La courbe des sourcils, des épaules, des hanches.* → **Courbure.** *Les courbes d'un vase, d'une coquillage... Courbe d'un mouvement. Décrire une courbe.* → **Trajectoire** (→ Cerf-volant, cit. 1). *Chemin qui suit une courbe.* → **Détourné, indirect.** *La route fait une courbe.* → **Tournant, virage.**

4 Je suis, sous le corsage et les frêles atours,
Le dos divin après la courbe des épaules.
RIMBAUD, Poésies, «À la musique».

5 Les traits semblaient avoir été moulés par une main sobre et sûre d'elle-même (...) les courbes, à la fois inhésitantes et douces, des joues et du cou, paraissaient être venues d'un seul jet, sans qu'une retouche y eût été nécessaire.
LOTI, Matelot, XXXI, p. 122.

6 Il entra et se laissa tomber sur une chaise quelconque, non sans avoir projeté dans la direction du foyer un jet de salive épaisse dont la courbe inexactement calculée s'acheva dans la ficelle d'une carpette (...)
Léon BLOY, la Femme pauvre, I, II, p. 14.

7 (...) chaque vague ne doit la beauté de sa courbe qu'au retrait de celle qui la précède (...)
GIDE, les Nouvelles Nourritures, p. 87.

7.1 (...) elle est belle, si l'on accepte les seins tombants; la ligne des hanches, du bassin et des jambes, d'une courbe très pure.
GIDE, Voyage au Congo, *in* Souvenirs, Pl., p. 759.

7.2 On ne peut décrire une ligne, mais je puis dire que la noblesse de cette courbe était telle que je songeai tout aussitôt au Bœuf Apis.
GIDE, Voyage au Congo, *in* Souvenirs, Pl., p. 835.

8 Ses cheveux en brosse, sa moustache aux courbes désuètes, rappelaient à Denise les vieux généraux russes des romans de Tolstoï.
A. MAUROIS, le Cercle de famille, IX, p. 175.

9 Le fleuve, indécis, s'étale à sa courbe comme un lac.
J. CHARDONNE, l'Amour du prochain, III, p. 68.

Courbe de raccordement d'une voie ferrée, qui permet de relier deux alignements.
Courbe de voûte. → **Arc.** *Surfaces courbes d'un toit.* → **Comble.** Techn. *Les courbes :* pièces de charpente coupées en arc.

10 Faîtes, lattes, chevrons, montants, courbes, filières.
CORNEILLE, l'Illusion comique, III, 4.

◆ **2** Géom. Lieu des positions successives d'un point qui se meut d'après une loi déterminée. *Courbe plane,* dont tous les points sont dans un même plan. *Courbe gauche* ou *dans l'espace,* dont tous les points ne sont pas dans le même plan. *Courbe transcendante*. Sommet, foyer d'une courbe. Axe d'une courbe. Partie de l'axe d'une courbe.* → **Sous-normale, sous-tangente.** *Tangente à une courbe. Rayon qui part d'un point déterminé pour aboutir à un point quelconque d'une courbe.* → **Vecteur.** *Point d'inflexion d'une courbe :* point où elle change de sens. *Défaut d'une courbe.* → **Jarret.**

Géométrie* transcendante qui étudie les propriétés des courbes. Différentes courbes. → **Anse, cardioïde, caustique, chaînette, conique, cycloïde, développante, développée, ellipse, ellipsoïde, enveloppe, enveloppée, épicycloïde, focale, hélice, hyperbole, lemniscate, parabole, roulette, sinusoïde, spirale...** *Courbes fermées.* → **Cercle, circonférence, ellipse, ove, ovale.** *Branche* d'une courbe. Figure formée de courbes.* → **Curviligne.** *Courbe rentrante,* qui revient sur elle-même. *Aire limitée par une courbe.* → **Quadrature.** *Courbes parallèles. Instrument pour mesurer les courbes* (→ **Curvimètre**), *pour les tracer* (→ **Curvigraphe**). *Rotation d'une courbe autour d'un axe.* → **Révolution.** *Courbe que décrit un mobile,* et, spécialt, *un astre* (→ **Orbite**); *mouvement par lequel il décrit cette courbe* (→ **Révolution**).

11 Quand les plus grands géomètres du XVIIᵉ siècle se mirent à étudier la nouvelle courbe qu'ils appellent la cycloïde, ce ne fut qu'une pure spéculation.
      FONTENELLE, *Utilité des mathématiques,* Préface, *in* LITTRÉ.

12 Tout mobile qui se meut dans un cercle ou dans une ellipse ou dans une courbe quelconque se meut autour d'un centre auquel il tend.
      VOLTAIRE, *Éléments de la philosophie de Newton,* III, 4.

Math. *Ligne représentant la loi d'un phénomène. Courbe algébrique. Fonction d'une courbe.* → **Fonction.** *Équation, paramètre* d'une courbe. Caractériser une courbe.*

13 Descartes avait trouvé l'art de mettre les courbes en équation.
      TURGOT, 2ᵉ discours, *Progrès de l'esprit humain,* p. 280.

Par ext. *Ligne représentant la loi, l'évolution d'un phénomène* (→ **Graphique, tracé,** et suff. **-gramme**). *Courbe de température. Courbe barométrique. Courbe de la production, des salaires, des prix... Minimum, maximum d'une courbe.*

Acoust. *Courbe de bruit.* — *Courbe de réponse d'un haut-parleur.* **Méd.** *Courbe d'audibilité* (→ **Audiogramme**). **Physiol.** *Courbe de visibilité (scotopique, photopique).*

Techn. *Courbe d'apprentissage*.*

Géogr. *Courbe de niveau :* ligne qui joint tous les points d'une même altitude (→ **Nivellement**). *Les courbes de niveau permettent la représentation du relief sur les cartes.* — **Syn.** : *isohypse.*

Par métaphore ou **fig.** *Trajectoire, ligne décrite. La courbe des désirs, des sentiments.*

14 Il ne faudra pas attendre que s'enregistre, dans la courbe de mes relations, de mes échanges avec l'animal, les premiers fléchissements.
      COLETTE, *la Naissance du jour,* p. 75.

15 Le dialogue seul, ou le colloque, peut rendre tous les moments, les incidents et les inflexions de la courbe intérieure.
      André SUARÈS, *Trois hommes,* «Dostoïevski», IV, p. 228.

♦ **3** *Courbe de la quille d'un navire,* sa convexité en son milieu. **Techn.** (mar.). *Courbe de capucine :* pièce de charpente qui lie l'étrave avec l'éperon. *Courbe métacentrique d'un navire.* → **Métacentre.** — *Courbe constante décrite par un navire. Courbe loxodromique.* → **Loxodromie.**

CONTR. Direct, droit, rectiligne. — Droite. ◊ **DÉR. Courber.** — **V. Courbette.**

COURBEMENT [kuʀbəmã] n. m. — 1478; de *courber.*
Rare. *Action, fait de courber qqch.;* forme courbe qui en résulte. → **Courbure.** *Le courbement d'une branche.* — Fait *de se courber. Le courbement des bois de construction.*

COURBER [kuʀbe] v. tr. — XIIᵉ; lat. pop. *curbare,* du lat. class. *curvare.*

I V. tr. ♦ **1** Rendre courbe (ce qui est droit). → **Plier; arquer, arrondir, bomber, busquer, cintrer, contourner, coucher, couder, déjeter, fausser, fléchir, gauchir, gondoler, incurver, infléchir, pencher, plier, recourber, replier, tordre, voûter.** *Courber une branche droite en l'inclinant*. Courber un arc pour le bander. Courber au feu une barre de fer. Courber à froid une plaque de métal.* → **Emboutir.**

«Quand l'eau courbe un bâton, ma raison le redresse :   1
La raison décide en maîtresse.»
      LA FONTAINE, *Fables,* VII, 18.

«(L'on voit les poulains) Dessous leurs pas précipités   2
Faire à peine courber les herbes.»
      RACINE, *Poésies diverses,* Ode VI.

Ibsen se replie sur soi-même, comme la forêt que courbe   3
un éternel orage, et le vent la fait moins ployer qu'il ne la
violente.
      André SUARÈS, *Trois hommes,* «Ibsen», IX, p. 180.

♦ **2** Pencher en abaissant (le corps, une partie du corps, qqn). *Courber le corps.* → **Affaisser.** *La vieillesse l'a courbé. — Courber le front, la tête sur un livre.* → **Incliner.** *Courber le dos pour jouer à saute-mouton.* → **Abaisser, baisser.**

(...) Vous avez jusqu'ici   4
Contre leurs coups épouvantables
Résisté sans courber le dos (...)
      LA FONTAINE, *Fables,* I, 22.

La vieillesse languissante et ennemie viendra rider ton   5
visage, courber ton corps, affaiblir tes membres (...)
      FÉNELON, *Télémaque,* XIX.

(...) quand il tient un homme, il en exige, je l'ai dit, le   6
«rendement» maximum, et, dans l'expression exacte du
mot, le *courbe* sur sa tâche.
      Louis MADELIN, *De Brumaire à Marengo,* VI, p. 95.

(Il) incline devant Dieu des épaules que, le reste du temps,   7
le labour courbe vers la terre.
      André SUARÈS, *Trois hommes,* I, «Pascal», p. 16.

Loc. *Courber le genou, le dos, le front...* en signe de respect, d'humilité, de soumission. *Courber la tête sous le joug.*

On courbait la tête sous leur bénédiction *(des évêques).*   8
      CHATEAUBRIAND, le *Génie du christianisme,* IV, III, 2.

(...) je courbais mon front : il n'était point encore chargé   9
de ces ennuis qui pèsent si horriblement sur nous, qu'on
est tenté de ne plus relever la tête lorsqu'on l'a inclinée au
pied des autels.
      CHATEAUBRIAND, *Mémoires d'outre-tombe,* t. I, p. 52.

Tout est désert. Mais non ; seul près des murs noircis,   10
Un enfant aux yeux bleus, un enfant grec, assis,
Courbait sa tête humiliée.
      HUGO, les *Orientales,* XVIII, L'enfant.

Fig. *Courber la tête, le front.* → **Céder, obéir, soumettre (se), subir.** *Refuser de courber la tête devant une autorité.* — (Abstrait). *Courber les pensées.*

Ah ! si la politique ne courbait à ce point ses pensées, quel 11
fin critique ce serait !   GIDE, *Journal,* 5 janv. 1907.

(Sujet n. de chose) :

À la fin du règne de Salomon, une immense lassitude   12
courbait les épaules de ses sujets.
      DANIEL-ROPS, le *Peuple de la Bible,* III, I, p. 198.

Allus. hist. *Courbe la tête, fier Sicambre, adore ce que tu as brûlé, brûle ce que tu as adoré* (→ Brûler, cit. 9).

♦ **3** (Compl. n. de personne). *Courber qqn sous sa loi, sous sa volonté, sous sa domination.* → **Assujettir, dominer, humilier, rabaisser, soumettre.**

♦ **4** Régional et fam. (Suisse, Belgique). Manquer (l'école, la classe, un cours). → **Sécher.** *Courber l'école, la gym.*

Écoute, dit-elle, il me vient une idée de génie. On «courbe»   12.
le basilic (le basilic était l'excellent Saugier, professeur de

philologie romane).
Janine MARAT, le Beau Maistre, p. 114.

II V. intr. Littér. et vx. **♦ 1** Devenir courbe. → **Ployer.** *Courber sous le poids, le faix de quelque chose. Arbre qui courbe sous le poids des fruits.*

13 L'ombrage n'était pas le seul bien qu'il sût faire :
Il courbait sous les fruits (...)
LA FONTAINE, Fables, x, 1.

14 Quatre monstres marins courbent sous ce fardeau.
CORNEILLE, la Toison d'or, 882.

♦ 2 (Abstrait). Plier, se soumettre. *Courber sous qqch.* → **Subir, supporter.** *Courber sous la volonté de qqn.* → **Soumettre** (se).

15 L'État est florissant, mais les peuples gémissent ;
Leurs membres décharnés courbent sous mes hauts faits.
CORNEILLE, la Toison d'or, 31.

♦ SE COURBER v. pron.
♦ 1 Être, devenir courbe. — (Choses). Devenir courbe. *Tiges qui se courbent dans le vent. Fer, acier qui se courbent lorsqu'on les trempe.* → **Envoiler** (s'). *Qui tend à se courber.* → **Curvatif** (→ ci-dessous, cit. 17).

(Personnes). S'incliner, se pencher. → **Baisser** (se). *Se courber pour passer sous une porte basse ; pour s'appuyer sur un bâton, une balustrade. Se courber pour ramasser qqch. Se courber sur un travail, un livre. Se courber en deux* (→ ci-dessous, cit. 16, 18, 19).

16 (...) nous l'avons vue,
Un poignard à la main, sur Pyrrhus se courber (...)
RACINE, Andromaque, v, 5.

17 La cataracte se divise en deux branches et courbe en fer à cheval. CHATEAUBRIAND, Atala, Épilogue.

18 (...) il s'affaiblissait, il se courbait davantage vers la terre, qui semblait le rappeler à elle.
ZOLA, la Terre, I, p. 215.

19 Il entra, obligé de se courber en deux comme un gros ours, car il était presque un géant.
LOTI, Pêcheur d'Islande, I, I, p. 5.

Par métaphore :
20 Son idée est constamment grande et haute ; mais, pour sortir de son esprit, elle se courbe et se rapetisse sous l'expression comme sous une porte trop basse.
HUGO, Littérature et philosophie mêlées,
Sur Mirabeau, VI.

♦ 2 Spécialt (personnes). Vieilli. *Se courber pour saluer.* → **Courbette** (faire des), **incliner** (s'), **révérence** (faire la). *Se courber jusqu'à terre devant qqn. Se courber en signe d'humiliation, de soumission.* → **Prosterner** (se).

21 L'insolent devant moi ne se courba jamais.
RACINE, Esther, II, 1.

22 Séraphins, prophètes, archanges,
Courbez-vous, c'est un roi ; chantez, c'est un martyr !
HUGO, Odes, I, v, II.

♦ 3 Fig. et littér. Se soumettre. → **Abaisser** (s'), **humilier** (s'), **incliner** (s'). *Tout se courbe devant lui.*

23 La véritable grandeur (...) se courbe par bonté vers ses inférieurs (...) LA BRUYÈRE, les Caractères, II, 42.

24 L'homme y voit *(en Flandres)* exclusivement ce qui est, sa pensée se courbe si scrupuleusement à servir les besoins de la vie qu'en aucune œuvre elle ne s'est élancée au delà du monde réel.
BALZAC, la Recherche de l'absolu, Pl., t. IX, p. 477.

♦ COURBÉ, ÉE p. p. et adj.
Qu'on a rendu courbe, qui est devenu courbe. → **Courbe, croche, crochu, plié.** *Branche courbée qui sert à faire un arc. Route à surface courbée.* → **Bombé.** *Être courbé sous le poids d'une charge. Une personne courbée de vieillesse, par l'âge.* → **Bossu, cassé.** *Dos, échine courbée* (→ Caresse, cit. 12). — *Incliné. Une personne courbée sur son ouvrage.*

Un pauvre bûcheron, tout couvert de ramée, 25
Sous le faix du fagot, aussi bien que des ans
Gémissant et courbé, marchait à pas pesants,
Et tâchait de gagner sa chaumine enfumée.
LA FONTAINE, Fables, I, 16.

Poli jusqu'à l'obséquiosité, il se tenait toujours les reins à 26 demi-courbés dans la position de quelqu'un qui salue ou invite. FLAUBERT, Mme Bovary, II, IV, p. 69.

Jusqu'ici il avait laissé dire sans broncher, courbé sur un 27 rapport (...)
COURTELINE, Messieurs les ronds-de-cuir,
5e tableau, I, p. 171.

Ils fuyaient tout courbés, rasant le sol, s'aplatissant comme 28 des léopards. LOTI, Pêcheur d'Islande, III, I, p. 139.

Je serai un vieux cassé, un vieux courbé, un vieux noueux. 29
Je serai un vieux retors.
Ch. PÉGUY, la République..., déc. 1905, p. 267.

Elle se tenait sur cette place, comme une fille des champs, 30 quand elle reprend haleine et, redressant son dos courbé, se donne un moment de repos, appuyée à la haie.
André SUARÈS, Trois hommes, «Ibsen», VI, p. 153.

Par métaphore. *Être courbé sous le joug*.* — Fig. et littér. → **Abaissé, écrasé, humilié, soumis.**

Paris sanglant, courbé, sinistre, inanimé, 31
Voit ces horreurs et garde un silence farouche.
HUGO, les Châtiments, VI, 2.

(...) ils *(bourgeois et paysans)* semblaient courbés sous le 32 joug d'une même pensée (...)
BALZAC, les Chouans, Pl., t. VII, p. 768.

Nom (littéraire).
À tous les déshérités, les courbés sous le joug et chargés, 33 les assoiffés, les meurtris, les dolents, l'assurance d'une survie compensatoire ! Si chimérique qu'elle soit, oserez-vous leur enlever cette espérance ?
GIDE, Journal, 7 août 1935.

CONTR. Dresser, raidir, redresser. — **Relever** (se). — **Défier, tête** (avoir la tête haute, relever la tête). — **Droit, raide, rectiligne.** ◊ **DÉR. Courbable, courbage, courbement, courbet, courbette, courbure.** ◀ **COMP. Recourber.**

COURBET [kuʀbɛ] n. m. — 1390 ; de *courber*, et *-et.*
Techn. Grande serpe à couper les branches.

COURBETTE [kuʀbɛt] n. f. — 1558 ; de *courber*, et *-ette* ; l'ital. *corvetta* est probablt empr. au franç. *corbete* «guirlande».

♦ 1 (1558). Techn. (t. de manège). Saut dans lequel le cheval lève et fléchit les deux membres antérieurs sous le ventre. *Faire aller le cheval à courbettes* (Littré). *Faire la courbette, faire faire une courbette à un cheval.*

(Ce cheval) se maniait très bien, et faisait de très belles 1 courbettes.
BRANTÔME, les Dames galantes, t. II, p. 298.

♦ 2 (Av. 1585). Cour. Action de s'incliner exagérément, avec une politesse obséquieuse. → **Révérence, salut.** *Faire une courbette.*

Voilà de mes réponses, que j'accompagnais civilement de 2 courbettes de corps courtes et fréquentes.
MARIVAUX, le Paysan parvenu, 5, in HATZFELD.

Le maître d'hôtel Baldozzo les accueillit avec une courbette 2.1 à chaque pas et du sourire incessant.
Pierre HAMP, la Peine des hommes (Moteurs),
p. 97.

(1704). Fig. *Faire des courbettes à qqn, devant qqn :* donner des marques serviles de déférence, de soumission. → **Aplatir** (s'), **bassesse** (faire des), **flatter, platitude** (faire des), **ramper.**

Ce qui n'empêchera pas que, traité comme Sancho, je ne 3 reçoive partout cent courbettes moqueuses avec autant de compliments de respect et d'admiration.
ROUSSEAU, Correspondance, Lettre à M. de
St-Germain, t. VII, p. 217, in LITTRÉ.

Nous voulons vivre en ermites, en solitaires, ce qui est 4 tout à fait de mon goût, et nous allons d'abord faire des

risettes et des courbettes aux gens que nous voulons fuir justement parce qu'ils nous dégoûtent.
G. DUHAMEL, Chronique des Pasquier, V, p. 27.

DÉR. Courbetter.

COURBETTER [kuʀbete] v. intr. — Après 1500; de *courbette.*

Manège. Faire une courbette (en parlant d'un cheval).

COURBURE [kuʀbyʀ] n. f. — XVᵉ, *corveure; de courber.*

♦ **1** Forme de ce qui est courbe. *La courbure d'une ligne, d'une surface.* → **Arrondi, cambrure, cintrage, courbe, fléchissement, flexion, galbe, inflexion, pliure.** *Courbure rentrante* (→ **Concavité**), *sortante* (→ **Convexité**). *Double courbure, courbure en S.* → **Torsion.** *Formes présentant plusieurs courbures.* → **Entrelacement, lacis, méandre, ondulation, sinuosité.** *Courbure en forme de genou.* → **Géniculation.** *La courbure d'un arc.* → **Arcure.** *Arc à contre-courbure.* → **Infléchi.** *La courbure d'une voûte.* → **Voussure.** *Courbure latérale d'un chemin* (→ **Tournant, virage**), *courbure verticale.* → **Dos** (d'âne), **ensellement.** *Courbure du nez.*

1   Que tes pieds sont beaux dans tes sandales, fille de prince ! La courbure de tes reins est comme un collier, œuvre d'un artiste.
BIBLE (CRAMPON), Cantique des Cantiques, VII, 2.

2   (...) on s'éloigne du Danube, selon les courbures du chemin et les inflexions du fleuve.
CHATEAUBRIAND, Mémoires d'outre-tombe, t. VI, p. 22.

3   (...) un nez d'une courbure aquiline dont le bout se rabattait en bec crochu sur une moustache épaisse (...)
Th. GAUTIER, le Capitaine Fracasse, t. II, IX, p. 47.

4   (...) on avait conscience (...) de la *courbure* de la terre, qui seule empêchait de voir au-delà.
LOTI, Mon frère Yves, XI, p. 52.

5   Elle jette sa tête contre l'épaule de Sammécaud, et lui donne sur la courbure de la joue un baiser assez vibrant.
J. ROMAINS, les Hommes de bonne volonté, t. IV, XII, p. 135.

Par métaphore :

6   (...) le vice ressemble souvent à une courbure de l'âme.
H. BERGSON, le Rire, p. 11.

Anat. *Courbure de la colonne vertébrale.* → **Ensellé, ensellure, lordose, scoliose.** *Courbure cervicale.* — *Courbure des branches :* inflexion qu'on leur donne en les attachant afin qu'elles produisent plus de boutons à fruits (→ **Arcure**). — *Courbure des bois.* → **Courbe.** *Courbure de la quille d'un navire.* → **Tonture.** *Courbure d'une voile.* → **Sein** (d'une voile).

♦ **2** Géom. *Courbure d'une ligne. La courbure d'un cercle est uniforme et la même en tous ses points; elle est inverse au rayon* (1/R). *Courbure moyenne d'un arc de courbe plane :* rapport algébrique de l'angle des tangentes à ses extrémités à la longueur de cet arc. *Courbure en un point donné d'une courbe plane :* limite de la courbure moyenne, quand les extrémités de l'arc se rapprochent indéfiniment du point donné. *Rayon de courbure en un point donné :* rayon du cercle osculateur* en ce point. *Courbure d'une courbe gauche. Courbure des surfaces.*
Géogr. *Courbure de la Terre* (en un point).
Phys. *Courbure de l'espace :* propriété d'un espace-temps à quatre dimensions, en fonction de la présence de matière et de la densité de cette matière.

♦ **3** Par métonymie. Partie courbe (d'une chose). *La courbure de cet arc est en pierres différentes de celles des pieds-droits.*

♦ **4** Rare. Action de rendre courbe une chose. — Syn. rare : *courbement.* → aussi **Cintrage, flexion, pliure, torsion.**

CONTR. Raideur, raidissement, redressement.

COURCAILLER [kuʀkaje] v. intr. → **Carcailler.**

COURCAILLET [kuʀkajɛ] n. m. — V. 1460; *court caillet*, après 1374; composé de *cour-*, terme onomatopéique et de *caillet*, dér. de caille.

Techn. (chasse, etc.). Cri de la caille. — Par anal. Appeau imitant ce cri et qui sert à attirer les cailles à la chasse.

COURÇON [kuʀsɔ̃] n. m. — 1316, *courchon; de court.* → Courson.

Techn. (arbor.). Branche d'arbre fruitier qui a été taillée court pour que la sève s'y concentre.

1. COURÉE [kuʀe] n. f. — 1678; de *couroy*, par substitution du suffixe *-ée.*

Mar. anc. Substance composée de suif, de soufre, de résine, etc., appliquée sur la carène des navires faisant des voyages au long cours.

HOM. 2. 3. Courée.

2. COURÉE [kuʀe] n. f. — Fin XIIᵉ, *coree;* du bas lat. *corata* «entrailles».

Vx ou régional. Poumons ou fressure d'animaux.

HOM. 1. 3. Courée.

3. COURÉE [kuʀe] n. f. — 1845; de *cour,* et suff. *-ée.*
Régional (Nord, Flandres). Petite cour commune à plusieurs immeubles dans les quartiers pauvres. → **Courette.** «(À Roubaix) *des rues vides, des portes murées, des boutiques abandonnées et pillées, des toits à claire-voie, des courées sales, encombrées de gravats»* (*l'Express,* nᵒ 1455 du 26 mai 79, p. 137).

(Jacqueline et Camille) remarquaient pour la première fois, (...) les ténèbres des entrées de courées, l'aspect de coupe-gorge de leurs longs couloirs tortueux, la mesquinerie sordide de ces agglomérations humaines où, depuis des générations, végète une humanité asservie.
VAN DER MEERSCH, Invasion 14, 1935, p. 453, in T. L. F.

HOM. 1. 2. Courée.

1. COURETTE [kuʀɛt] n. f. — 1797; de *cour.*
Petite cour intérieure.

L'énorme obus avait enfoncé le sol de la courette de deux et trois mètres.
DRIEU LA ROCHELLE, la Comédie de Charleroi, p. 254.

HOM. 2. Courette.

2. COURETTE [kuʀɛt] n. f. — XXᵉ; de *courir.*
Argot fam. Course; poursuite.

Pendant la guerre, la Gestapo leur a fait une sacrée courette, aux gitans   Joseph JOFFO, Baby-foot, p. 20.

HOM. 1. Courette.

COUREUR, EUSE [kuʀœʀ, øz] n. — V. 1160; de *courir.*

Ⅰ N. m. ♦ **1** Personne qui court. *Un coureur rapide, infatigable. Mauvais coureur. Le coureur de Marathon.* — Par anal. (en parlant des animaux). *Ce cheval est un excellent coureur. Le zèbre est un coureur,* il est rapide, léger à la course.

(...) le coureur de Marathon, est à l'heure actuelle, plus célèbre que la bataille même qu'il annonça (...)   1
G. DUHAMEL, Récits des temps de guerre, IV, p. 86.

Un coureur parti de Bambio, nous a précédés de deux   1.1
jours, pour annoncer notre arrivée.
GIDE, Voyage au Congo, in Souvenirs, Pl., p. 749.

Zool. *Coureurs* (n. m. pl.) : ordre d'oiseaux aux ailes rudimentaires, aux pattes puissantes. *Coureurs sans bréchet.* → **Ratites**. *Principaux coureurs.* → **Aepyornis, autruche, casoar, dronte, émeu.** — Au sing. *Un coureur.* — Adj. (masc. et fém.). *Oiseaux coureurs. Cette jument est coureuse plutôt que sauteuse.*

♦ **2** (1903). Sports. Personne qui participe à une course sportive. REM. *Coureur* est généralement suivi d'un déterminant. *Coureur à pied. Coureur de fond* (→ **Stayer**), *de demi-fond. Coureur spécialiste du mile.* → **Mileur.** *Coureur de haies* (→ **Hurdler, jumper**). *Le coureur (de haies) piétine devant l'obstacle, plane sur lui. Coureur de 110 m haies. Coureur qui prend le départ dans le premier couloir. Coureur de vitesse* (→ **Sprinter**). *Coureur qui part décalé, en bascule, les pieds appuyés contre les cales, les butoirs, les starting-blocks. Coureur de relais.* → **Relayé, relayeur, vireur.** *Coureur qui lance la course en menant le train.* → **Lièvre.** *Poussée du coureur au départ de la course. La foulée du coureur. Coureur qui allonge, griffe la piste, vire bien. Temps de passage du coureur. Coureur qui double 5 000 et 10 000 (mètres). «La Solitude du coureur de fond»* (titre de film). *Entraîner des coureurs* (→ **Entraîneur**).

1.2 Parmi les coureurs de cent mètres quelle immense variété ! et parmi les coureurs de quinze cents, et les marathoniens eux-mêmes (...)
Jean PRÉVOST, *Plaisirs des sports*, p. 180.

Coureur cycliste : coureur sur route, sur piste (→ **Pistard, routier**). *Chandail, maillot de coureur. Coureur amateur, professionnel. Contrôle anti-dopage des coureurs.* — Loc. fam. *Baisse la tête, t'auras l'air d'un coureur.*

(1908, in Petiot). *Coureur automobile, coureur motocycliste.* — *Les coureurs, à la ligne de départ ! Disqualifier un coureur.*

REM. Le féminin *coureuse* (1896, *in* Petiot) est peu employé du fait de l'acception ci-dessous, II.

Cheval* de selle particulièrement propre à la course. → **Racer; pur-sang.**

♦ **3** Vx. Celui qui fait des courses pour qqn. — (Déb. XIIIe). Valet chargé de porter des messages, d'accompagner à pied la voiture de son maître... → **Coursier, messager.** *Coureur de vin,* qui accompagnait le roi à la chasse et lui portait des victuailles.

Coursier. → **Commissionnaire, coursier, garçon** (de courses).

2 J'ai donné ordre à mon coureur, qui vous porte cette lettre, de vous chercher où que vous soyez, et de ne pas revenir sans votre réponse (...)
ROUSSEAU, *Julie ou la Nouvelle Héloïse*, III, Lettre XXIII.

♦ **4** Ⓐ Vx. *Coureur de...* : celui, celle qui va et vient, qui se déplace, parcourt (un lieu). — Au Canada (hist.). *Coureur de bois* (ou : *des bois*) : chasseur et trappeur.

Ⓑ Vx (v. 1160). *Coureurs* : cavaliers détachés pour battre la campagne ennemie. → **Éclaireur.**

3 Aussitôt que les premiers coureurs de l'armée française parurent, les ennemis levèrent le siège.
RACINE, *les Campagnes de Louis XIV.*

Ⅱ N. m. et f. Celui, celle qui court (II., 6.), fréquente ou recherche. ♦ **1** (1585). N. m. *Coureur de bals, de cafés, de tripots, de spectacles* : celui qui fréquente habituellement les bals... *Coureur de nuit.* → **Noctambule.** *Coureur de mauvais lieu. Ce matelot est un coureur de bordées. Coureur de places, coureur de dots* : celui qui cherche à obtenir une place par tous moyens, à épouser une jeune fille pour sa dot.

Un coureur de tavernes et de mauvais lieux. 3.1
ROUSSEAU, *Dialogues*, II.

REM. Semble inusité au fém.

♦ **2** (1566). N. m. *Coureur de filles, coureur de jupons...,* et, absolt, *coureur* : celui qui court de femme en femme, a de nombreuses aventures galantes. → **Débauché, juponnier** (→ pop. Cavaleur). — REM. Du fait des références morales dominantes, le mot est moins péj. que *coureuse. Un vieux coureur.* → **Galant, beau.**

Eh mon Dieu ! je sais mon Dom Juan sur le bout du 4 doigt, et connais votre cœur pour le plus grand coureur du monde (...) MOLIÈRE, *Dom Juan*, I, 2.

C'est tout de même dégoûtant qu'un vieux coureur de 5 femmes comme lui, qui n'a pas dételé, me donne perpétuellement des leçons.
PROUST, *le Côté de Guermantes*, p. 169.

Elle s'était dit que ses manières entreprenantes prouvaient 6 un «coureur», donc, qu'il pouvait avoir attrapé dans ses aventures quelque «vilaine maladie» (...)
J. ROMAINS, *les Hommes de bonne volonté*, t. V, XXVI, p. 270.

Adj. *Il est assez coureur.*

♦ **3** (1560). **COUREUSE** (n. f.) : fille, femme qui recherche les hommes, a des mœurs sexuelles libres (toujours péj., par référence à une morale de la chasteté ou de la réserve féminine). *C'est une petite coureuse.* → **Dévergondée** (→ Rouleur, cit. 4.1).

Ne voudrait-on point que je mariasse mon fils avec elle ? 7 Une fille inconnue, qui fait le métier de coureuse ?
MOLIÈRE, *les Fourberies de Scapin*, III, 10.

C'étaient bien les plus grandes salopes et les plus vilaines 8 coureuses qui jamais aient empuanti le bercail du Seigneur. ROUSSEAU, *les Confessions*, II.

On m'accusait, dans cette lettre, d'avoir exposé mes enfants 9 dans les rues, de traîner après moi une coureuse de corps-de-garde, d'être usé de débauche, pourri de vérole, et d'autres gentillesses semblables.
ROUSSEAU, *les Confessions*, XII.

Le fils de sa pipelette ayant, pour une coureuse, déserté 10 la loge maternelle, Max s'était engagé à le ramener dans le droit chemin.
Francis CARCO, *Ombres vivantes*, p. 243.

Adj. *Elle est un peu, plutôt coureuse.*

COMP. **Avant-coureur.**

1. **COURGE** [kuʀʒ] n. f. — Après 1350; du lat. class. *cucurbita.* → Gourde.

♦ **1** Plante potagère (*Cucurbitacées**), comportant de nombreuses variétés, herbacée, annuelle ou vivace, cultivée pour ses fruits généralement comestibles (→ **Pépon**), appelés *courges* (2.), *citrouilles, potirons. Courge potiron* (Cucurbita maxima), aux fruits volumineux, appelée vulgairement *bonnet turc, bonnet de prêtre.* → **Giraumon, potiron.** *Courge citrouille** (Cucurbita pepo) *avec ses variétés : courge des Patagons, courge sucrière, courge à la mœlle...* → aussi **Pâtisson.** *Courge musquée* (Cucurbita moschata). *Courge calebasse* (Cucurbita lagenaria) aux fruits ornementaux. *Courge torchon.* → **Luffa.**
Loc. régionale. *Boire comme un plant de courge,* boire énormément.

♦ **2** Cour. Le fruit de certaines variétés de courges, utilisé comme légume. *Manger des courges* (→ **Courgette**).
Huile de courge : huile extraite des pépins de courge.

♦ **3** Fam. Imbécile. *Quelle courge, ce type !* → **Gourde.** — Adj. (seulement attribut). *Ce que t'es courge !*

Quelle courge alle avait tété (*été*). Croire comme ça à un gosse ! C'est menteur les mômes, faut jamais croire c'qui disent. R. QUENEAU, *le Chiendent*, p. 363.

DÉR. **Courgeron.** — **Courgette.**

2. COURGE [kuʀӡ] n. f. — Fin XIᵉ, *corge;* probablt de l'anc. franç. *corjon* «courroie», de **corrigione,* du lat. *corrigia* «courroie».

Régional ou technique.

Ⅰ (Fin XIᵉ). Bâton courbe servant à porter deux seaux sur l'épaule (→ **Courgée**). — Par ext. Appareil servant au même usage (cerceau de bois, courroie...). Pièce de bois sur laquelle repose une cuve (en Bourgogne).

Ⅱ (1486). Techn. Corbeau qui supporte le manteau d'une cheminée (quand il n'y a pas de chambranle).

DÉR. **Courgée.**

COURGÉE [kuʀӡe] n. f. — XIVᵉ; de 2. *courge* «bâton», et *-ée.*

Ⅰ Régional. Charge de deux seaux que l'on porte sur l'épaule, à l'aide du bâton appelé *courge,* l'un en avant, l'autre en arrière.

Ⅱ (1723, in D.D.L., cf. Courge «sarment de vigne», dans le Centre). ♦ **1** Régional et vitic. Sarment qu'on sépare du cep pour l'attacher à un échalas éloigné. — Taille longue qui conserve sur le sarment un assez grand nombre d'yeux. — On dit aussi *aste.*

♦ **2** Régional. Mèche de fouet.

> *(Une)* arme effroyable, au manche d'épine, durcie au fer, faite de lanières de cuir tressées, avec une mordante courgée de six pouces (...)
> BARBEY D'AUREVILLY, le Chevalier des Touches, p. 110.

COURGERON [kuʀӡəʀõ] n. m. — 1852; de 1. *courge.*

Régional (Suisse romande). Petite courge.

COURGETTE [kuʀӡɛt] n. f. — 1929; de 1. *courge,* et *-ette.*

Fruit de certaines variétés de courges, récoltées au début de leur développement et consommées comme légumes. *Courgettes farcies. Courgettes au gratin.*

COURIR [kuʀiʀ] v. intr. et tr. [CONJUG.: *je cours, tu cours, il court, nous courons, vous courez, ils courent; je courais; je courus, nous courûmes; je courrai; je courrais; cours, courez, courons; que je coure; que nous courions; que je courusse; courant; couru, courue.*] — 1080, *curir;* a remplacé l'anc. franç. *courre,* du lat. *currere.* — Course.

Ⅰ V. intr. **Ⓐ** (Sujet n. d'être animé). ♦ **1** Aller, se déplacer* par une suite d'élans, en reposant alternativement le corps sur l'une puis l'autre jambe, et d'un train généralement plus rapide que la marche. → **Course; bondir, cavalcader, élancer** (s'), **hâter** (se), **précipiter** (se); **détaler, filer, galoper, gazer, trotter, voler, voltiger;** fam. **caleter, carapater** (se), **cavaler, droper, foncer, pédaler, tracer, trisser.** Cf. les loc. (littér. et vx) Dévorer l'espace, fendre l'air...; (fam.) jouer des flûtes; tricoter des pincettes; avoir le feu au derrière; le diable à ses trousses; (vx) brûler le pavé; prendre ses jambes à son cou; piquer un cent mètres. — *Courir vite. Courir à toutes jambes, de toutes ses forces, courir ventre à terre, tête baissée. Courir à perdre haleine, comme un dératé. Courir à fond de train. Courir comme un cerf, un lapin, un lévrier, un lièvre, un zèbre; comme le vent,* très vite. *Il traversa la rue, monta les escaliers en courant. Être essoufflé, hors d'haleine, brisé, éreinté, fourbu, avoir un point de côté pour avoir trop couru.*

> 1 (...) et nous partons, lui *(un conducteur de pousse-pousse)* courant ventre à terre; moi traîné par lui, tressautant sur la route dans son char léger...
> LOTI, Mᵐᵉ Chrysanthème, III, p. 17.

Le matin, de la terrasse de sa chambre, elle voyait les 2 enfants courir dans l'herbe (...)
> J. CHARDONNE, les Destinées sentimentales, II, p. 327.

Jerphanion qui avait joué sur des toits de village, grimpé à 3 travers des éboulements de phonolithes, couru pieds nus à flanc de précipice (...)
> J. ROMAINS, les Hommes de bonne volonté, t. III, I, p. 7.

Courir pour s'échapper, pour fuir. → **Enfuir** (s'), **détaler, filer;** cf. Ficher, foutre le camp. *Courir pour atteindre, pour rattraper.* → **Fondre** (sur), **jeter** (se jeter sur), **pourchasser, poursuivre, ruer** (se ruer sur). *Courir sus* à l'ennemi. Manifestation de personnes qui courent nues dans la rue.* → **Streaking.** *Courir au-devant de qqn. Courir à la rescousse, au secours de qqn. Courir après qqn,* pour le rattraper. → **Après,** cit. 48. — Fam. *On lui court après :* on le recherche.

Ou plutôt on se dira que c'est la vieille qui a renversé 4 le guéridon en se levant précipitamment pour me courir après.
> J. ROMAINS, les Hommes de bonne volonté, t. II, IV, p. 43.

Figuré :

(...) ils aperçevaient les bus et motorbus (...) se courant l'un 5 après l'autre avec des allures bousculées de troupeau (...)
> J. ROMAINS, les Hommes de bonne volonté, t. V, XXVI, p. 252.

Pop. et régional. *Tout courant :* en courant très vite. *Il est arrivé tout courant.*

(Animaux). *La gazelle, le zèbre courent très vite. Un lapin traversa la route en courant. Le lapin, le lièvre courent en sautant* (→ régional Boultiner). *Cheval courant à bride abattue, à toute bride, à franc étrier.* — REM. Pour le cheval et les équidés, *courir* est plutôt stylistique; on emploie normalement les verbes spécifiques. → **Trotter; galoper.** — *Il court, il court le furet...,* chanson d'enfant.

(...) un cheval eut alors différend 6
Avec un cerf plein de vitesse,
Et, ne pouvant l'attraper en courant,
Il eut recours à l'homme, implora son adresse.
> LA FONTAINE, Fables, IV, 13.

♦ **2** Disputer une épreuve de course. *Courir dans une compétition d'athlétisme. Courir aux Jeux Olympiques.* — (1855, in Petiot). *Ce cheval a couru dans la troisième course. Faire courir un cheval, des lévriers.* — Participer à une épreuve de vitesse de cyclisme, de motocyclette, d'automobile, de bateau, de ski, etc. (→ **Coureur, course**). *Courir à bicyclette.* Loc. *Courir contre la montre*. Faire courir un pilote,* le faire participer à une course.

(...) je parle à Émile de ses anciennes courses (...) on lui 7 demande s'il sait courir encore (...) Chacun se tient prêt, le papa donne le signal en frappant des mains. L'agile Émile fend l'air, et se trouve au bout de la carrière qu'à peine mes trois lourdauds sont partis (...) Au milieu de l'éclat du triomphe, Sophie ose défier le vainqueur, et se vante de courir aussi bien que lui.
> ROUSSEAU, Émile, V. (→ Course, cit. Rousseau).

Semelles raides ou pieds armés de pointes, les modernes 7.1 courent des pieds et du mollet. Les Anciens, forcés de poser en courant le pied à plat par terre, couraient de plus haut : les cuisses de leurs athlètes se prolongent sur les flancs jusqu'à la naissance des côtes flottantes; les fesses se continuent au niveau des reins; les muscles des cuisses et des jambes sont longs, et seul le pied se cambre et devient trapu, grâce à la liberté des orteils.
> Jean PRÉVOST, Plaisirs des sports, p. 59.

♦ **3** Aller vite, se dépêcher (sans précisément courir). → **Dépêcher** (se), **empresser** (s'), **hâter** (se), **presser** (se); **pas** (presser le pas). «*Vous ne marchez pas, vous courez*» (Littré). *Ce n'est pas la peine de courir, nous avons le temps. Faire qqch. en* *courant*, à la hâte, précipitamment. *On ne fait pas les affaires en courant. Lire qqch. en courant*, superficiellement (→ Couramment).

8   Achille va combattre, et triomphe en courant (...)
                              RACINE, Iphigénie, I, 1.

9   Il ne les lit pas, ou il ne les lit qu'en courant.
                            BOSSUET, Avertissement, I.

Aller rapidement à un but; chercher à atteindre qqch. le plus vite possible. → **Accourir, porter** (se porter vers, sur). *Je prends ma voiture et je cours chez vous. — Les gens courent à ce spectacle* (→ **Affluer**); *on y court* (→ **Écraser** : on s'y écrase). *Ce chanteur fait courir tout Paris.* → **Attirer.** — *Courir au feu. Courir au plus pressé*. Courir aux armes.* → **Prendre** (les armes). *Courir à la vengeance, au combat.* — *Courir à sa fin, à sa perte, à sa ruine.* → **Marcher, toucher.** *Courir à la mort.*
Courir après les honneurs, les places, la richesse; courir après la gloire, la fortune. → **Aspirer** (à). *Courir après les aventures, les dangers.* → **Chercher, rechercher.** *Courir d'aventure en aventure.* — *Courir après l'argent*, chercher à en obtenir par tous les moyens. *Courir après son argent* : chercher à regagner, à recouvrer une somme perdue ou prêtée, etc. — *Courir après l'esprit*, chercher à en faire étalage. — Fam. *Courir après qqn*, le rechercher avec assiduité. → **Presser, importuner.** *Courir après une femme*, la poursuivre de ses assiduités. *Courir après toutes les femmes.* → **Coureur**, II, 2.; fam. **cavaler.** — *Courir après son ombre* : poursuivre vainement un but inaccessible. — *Courir après les papillons*.* — *Courir sur les brisées* de quelqu'un.*

10   Montre toi digne fils d'un père tel que moi.
     Accablé des malheurs où le destin me range,
     Je vais les déplorer : va, cours, vole, et nous venge.
                           CORNEILLE, le Cid, I, 5.

11   Au tombeau comme au trône on me verra courir.
                       CORNEILLE, Héraclius, IV, 1.

12   (...) le mérite a pour moi des charmes si puissants, que je cours partout après lui.
            MOLIÈRE, les Précieuses ridicules, 9.

13   (...) L'homme au vœu
     Courut au trésor comme au feu (...)
            LA FONTAINE, Fables, IX, 13.

14   Mon cœur court après elle, et cherche à s'apaiser.
              RACINE, Andromaque, II, 5.

15   (...) après l'invective (...) contre les honneurs, les richesses et le plaisir, il ne reste plus à l'orateur qu'à courir à la fin de son discours (...)
       LA BRUYÈRE, les Caractères, XV, 26.

16   Il court de femme en femme, comme tous les jeunes cavaliers ont coutume de faire.
       A. R. LESAGE, Gil Blas, I, IV, V, p. 229.

17   Quand on court après l'esprit, on attrape la sottise.
              MONTESQUIEU, Variétés.

18   Une femme est comme votre ombre; courez après, elle vous fuit; fuyez-la, elle court après vous.
           A. DE MUSSET, Namouna, épigr.

19   L'amour est comme la fortune, il n'aime pas que l'on coure après lui.
     Th. GAUTIER, Mlle de Maupin, X, p. 215.

20   «Il court après l'esprit», disait-on devant Boufflers d'un prétentieux personnage (...) «Je parie pour l'esprit» *(répondit Boufflers).*
           H. BERGSON, le Rire, p. 88.

21   (...) voici cinq pesetas (...) Cours, ou plutôt descends en vol plané jusqu'à l'infernal paradis de Planche-à-pain.
       P. MAC ORLAN, la Bandera, XIV, p. 165.

(Semi-auxiliaire, suivi de l'inf.). → Aller. *Je cours acheter du pain. Elle a couru le prévenir.*

Prov. *Mieux vaut tenir que courir* (→ Un tiens* vaut mieux que deux tu l'auras).

Fam. *Tu peux toujours courir!*, attendre (se dit d'un souhait qui ne se réalisera pas, ou pour refuser quelque chose).

S'échapper en hâte. → **Détaler, distancer, enfuir** (s'), **fuir**; (fam.) **caleter, cavaler.** — Fig. et fam. *Il court encore*, il s'est échappé; il ne se laissera plus prendre...

22   Cela dit, maître loup s'enfuit, et court encor.
            LA FONTAINE, Fables, I, 5.

23   (...) Ami, je te conseille
     De fuir, en attendant que ton maître s'éveille;
     Il ne saurait tarder; détale vite, et cours.
         LA FONTAINE, Fables, VIII, 17.

24   (...) et ceux qui ne marchent que fort lentement peuvent avancer beaucoup davantage, s'ils suivent le droit chemin, que ne font ceux qui courent et qui s'en éloignent.
       DESCARTES, Disc. de la méthode, I, p. 70.

Prov. *Rien ne sert de courir, il faut partir à point* (La Fontaine, VI, 10, *Le Lièvre et la tortue*) : en toutes choses mieux vaut une allure soutenue, régulière, qu'une ardeur déréglée.

◆ **4** Se déplacer beaucoup et rapidement, pour des démarches (→ aussi **Course**). *Il a couru toute la journée pour ses affaires.*

24.1   Courant de porte en porte, j'expédiai le soir même les courses de Péra (...)   LOTI, Aziyadé, III, p. 180.

◆ **5** **ⓐ** Spécialt et vx. Vagabonder.

ⓑ Fréquenter les «mauvais lieux», les hommes (pour une femme; → **Coureuse**), les femmes (pour un homme; → **Coureur**) [→ ci-dessous, II., 6.]. → fam. **Cavaler.** *Il ferait mieux de travailler au lieu de courir. Son mari est gentil, mais il a tendance à courir.*

B (Sujet n. de chose). ◆ **1** Se mouvoir* avec rapidité. *Le train court dans la campagne. Les nuages courent dans le ciel. Des ombres courent sur le mur.* → **Glisser.** — *Le ruisseau court entre les roseaux. L'eau qui court.* → **Couler, écouler** (s'); 1. **courant.** *Un frisson lui courut par tout le corps.* → **Parcourir.** — *Faire courir, laisser courir sa plume sur le papier*, écrire au courant* de la plume.

25   Et nous faisons courir des ruisseaux de leur sang (...)
            CORNEILLE, le Cid, IV, 3.

26   (...) il est sur sa chaise, avec mille petites douleurs qui courent par toute sa personne.
     Mme DE SÉVIGNÉ, 1123, 14 janv. 1689.

27   Une eau courait, fraîche et creuse,
     Sur les mousses de velours (...)
     HUGO, les Contemplations, I, «Aurore», XIX.

28   Au loin court quelque voile hellène ou candide.
     HUGO, les Contemplations, V, «En marche», XX.

29   (...) j'écris sur mes genoux, à la lueur de ma bougie qui se tourmente et fait courir des ombres folles sur les murs blancs (...)
     E. FROMENTIN, Un été dans le Sahara, p. 195.

30   Quoique l'air fût encore tiède, on y sentait courir des fraîcheurs humides.
     E. FROMENTIN, Une année dans le Sahel, p. 103.

31   (...) et, sur la cime des platanes, la lune courait dans les nuées.   FRANCE, Histoire comique, II, p. 32.

32   Le vent qui courait sur la neige était glacial.
          M. BARRÈS, Leurs figures, p. 222.

33   (...) un frémissement parut courir sur toutes ces nuques ployées (...)
     MARTIN DU GARD, les Thibault, t. VII, p. 199.

34   De grandes ombres noires, plissées par le vent, couraient sur les eaux vertes (...)
     A. MAUROIS, le Cercle de famille, I, p. 14.

35   Deux navires courent à contre bord, lorsqu'ils vont l'un au nord, l'autre au sud, par exemple, en recevant la brise chacun de différent côté.
                Jules LECOMTE,
     Dict. pittoresque de marine (1836), p. 129.

◆ **2** Mar. **ⓐ** (D'un navire). Faire route. → **Filer.** *Courir à terre, au large. Courir sur un navire*, se diriger vers lui. *Courir largue, vent arrière, au plus près. Courir sur son erre, sur son ancre.*

b Jouer librement (d'un cordage). → **Claquer, glisser.**

36 Tout le gréement du bateau est englobé dans une coque de glace (...) et il est totalement impossible de faire courir les manœuvres (...)
CHARCOT, le «Pourquoi-pas?» dans l'Antarctique, p. 352, *in* T. L. F.

♦ **3** Circuler rapidement; aller çà et là. → **Circuler, mouvoir** (se), **passer.** *Les dés couraient sur le feutre vert. La conversation, les propos courent à bâtons rompus, d'un sujet à l'autre.*

♦ **4** (Choses; propos). Être répandu, passer de l'un à l'autre. → **Circuler, communiquer** (se), **propager** (se), **répandre** (se). *Faire courir une nouvelle.* → **Colporter.** *Le bruit court que...* : on dit que... *Les propos joyeux courent à la ronde. La rumeur courut dans la foule.* — Impers. *Il court un préjugé contre cette théorie.* — Par ext. Être en vogue, à la mode. *Une chanson qui court par le pays. La mode qui court* (Académie).

37 (...) je me mets entre vos mains, et connaissant votre fidélité, je dormirai en repos de ce côté-là, mais répondez-moi aussi de M. de Grignan; car ce ne serait pas une consolation pour moi que de voir courir mon secret par cet endroit.
M*me* de SÉVIGNÉ, 485, 1*er* jour de l'an 1676.

38 (...) vous verrez courir de ma façon, dans les belles ruelles de Paris, deux cents chansons (...)
MOLIÈRE, les Précieuses ridicules, 9.

39 (...) Mille bruits en courent à ma honte.
RACINE, Britannicus, IV, 2.

40 On fit courir sous son nom cet écrit.
RACINE, Port-Royal.

41 Et la légende court, se répand, s'enjolive, un vrai roman de George Sand.
Alphonse DAUDET, Numa Roumestan, IX, p. 180.

(Le sujet désigne une maladie). Sévir sous forme d'épidémie. *Il courait alors une fièvre dangereuse* (Littré). *Le mal court,* pièce d'Audiberti.

♦ **5** (En parlant du temps). Suivre son cours*, se passer. → **Continuer, passer.** *L'année, le mois qui court.* → **Cours** (en). — Loc. *Par le temps qui court, par le temps qui courent,* dans le temps où nous sommes. → **Actuellement** (→ fam. Au jour d'aujourd'hui*). *Le délai ne court qu'après la sommation.*

42 (...) ma douleur était de voir courir le temps trop vite.
M*me* de SÉVIGNÉ, 813, 25 mai 1680.

43 Dans le temps qui court, ce n'est pas un petit mérite (...)
M*me* de SÉVIGNÉ, 402, *in* LITTRÉ.

44 Quand chaque année on est sûr de la suivante, qui peut troubler la paix de celle qui court?
ROUSSEAU, Julie ou la Nouvelle Héloïse, V, Lettre II.

44.1 Je suppose que vous êtes toujours apatride, ce qui présente de graves inconvénients «par les temps qui courent».
Patrick MODIANO, les Boulevards de ceinture, p. 108.

(Le sujet désigne une somme d'argent due). Être compté (à partir d'une date). *L'intérêt de cette rente court à partir de tel jour. Mon loyer court du mois de décembre. Ses appointements, son calvaire courent du début de l'année.*

(Sujet n. de chose). Aller rapidement; être en voie, en chemin de. *Courir à sa fin.*

Fam. *Laisser courir* : laisser faire, laisser aller (cf. laisser tomber).

44.2 Ou vous diminuez la circulation fiduciaire, et c'est la porte ouverte à tous les conflits sociaux; ou vous laissez courir et c'est l'inflation.
Pierre DANINOS, Un certain Monsieur Blot, p. 238.

♦ **6** (Sujet n. de chose concrète; spatial). S'étendre*, se prolonger au long de qqch. *La côte court d'est en ouest. Le chemin court le long de la berge. La voie ferrée court vers le nord. Cette chaîne de montagne court jusqu'à la mer.*

45 (...) deux grandes chaînes de montagnes qui courent presque depuis l'extrémité occidentale de l'Asie Mineure... jusqu'à la mer qui baigne les côtes de Chine (...)
G. T. RAYNAL, Hist. philosophique, I, 4.

II V. tr. ♦ **1** (XIII*e*). Poursuivre à la course, chercher à attraper. → **Courser.** — Vx. *Courir qqn.* — Mod. Chasse. *Courir le cerf, le chevreuil, le daim, le lièvre, le sanglier.* → **Courre.**

46 Ce maraud de farceur m'a fait si bien connaître, Que les petits enfants, sitôt qu'on m'aperçoit, Me courent dans la rue et me montrent au doigt.
CORNEILLE, la Suite du Menteur, I, 3.

47 Mais aller attaquer de ces bêtes vilaines Qui n'ont aucun respect pour les faces humaines, Et qui courent les gens qui les veulent courir (...)
MOLIÈRE, la Princesse d'Élide, I, 2.

48 (...) le duc (...) m'a voulu mener (...) courir un cerf avec lui?
MOLIÈRE, les Précieuses ridicules, 11.

Fig. *Courir le même lièvre,* se dit de deux personnes qui poursuivent le même but. — *Il ne faut pas courir deux lièvres à la fois,* poursuivre deux buts en même temps.

♦ **2** Sports. Participer à (une épreuve de course). *Courir le cent mètres. Ce cheval a couru le grand prix.* — (Vx). *Courir la bague...* : participer à une course de bague...

49 Ce dimanche là (...) on courait le Grand Prix de Paris au Bois de Boulogne.
ZOLA, Nana, Pl., t. II, p. 1375.

Pron. (Passif). *Cette épreuve se court demain.*

♦ **3** Rechercher avec ardeur, avec empressement. → **Chercher, poursuivre, rechercher.** *Courir les honneurs. Courir une place.* — Loc. *Courir le cachet*. Courir la leçon*.*

Vx. *Courir qqn,* le rechercher. (S'emploie encore au p. p. → *infra,* Couru).

50 (...) je crois tout de bon que nous les verrions *(les femmes)* nous courir (...)
MOLIÈRE, la Princesse d'Élide, III, 2. (→ Acoquiner, cit.1).

51 L'oisiveté des femmes, et l'habitude qu'ont les hommes de les courir partout où elles s'assemblent (...)
LA BRUYÈRE, les Caractères, XV, 19.

♦ **4** Aller, s'exposer au devant de (qqch.). → **Exposer** (s'exposer à), **jeter** (se jeter dans, sur...). *Courir les aventures* (cit. 21 et 23).

Spécialt. *Courir un danger. Courir risque, le risque de...* : être en péril* de... *Il court le risque d'être ruiné. Courir la chance.* → **Essayer, tenter.** *Chacun doit pouvoir courir sa chance. Courir fortune.* → **Chercher.** — Vx. *Courir la même fortune* : être exposé aux mêmes risques.

52 Ils sont trop habiles pour vouloir courir la fortune.
M*me* DE SÉVIGNÉ, 44, *in* LITTRÉ.

53 Elle *(ma mère)* se représentait avec une terreur folle les dangers que je courais sans elle (...)
FRANCE, le Petit Pierre, I, p. 11.

54 (...) Au moins, *là-bas (sur le front),* chacun court sa chance; on peut s'en tirer, avec deux sous de veine!
MARTIN DU GARD, les Thibault, t. VII, p. 281.

55 Pour sauver la vie d'un malade, il était capable de tenter n'importe quelle action téméraire, de courir personnellement n'importe quel risque (...)
MARTIN DU GARD, les Thibault, t. III, p. 210.

♦ **5** Parcourir (un lieu, un espace) fréquemment. → **Parcourir, sillonner, traverser.** *Courir la ville, les rues.* → **Errer.** *Courir le pays, les bois, la campagne, les champs.* → **Battre.** *Courir le monde.* → **Voyager.** *Courir la mer, les océans* (spécialt, faire la course* comme corsaire). *Les ennemis courent le pays,* y font des incursions.

56 Tout cassé que je suis, je cours toute la ville (...)
CORNEILLE, le Cid, III, 5.

57 (...) je ne crois pas que personne s'avise de courir maintenant les rues. MOLIÈRE, le Sicilien, 2.

58 (...) Angélique avait couru les quatre coins du monde,
seule avec Roland, et on assure le lecteur qu'elle était aussi
entière que quand elle était sortie de chez son père (...)
Mᵐᵉ DE SÉVIGNÉ, 901, 23 déc. 1682.

59 Les dimanches et les jours où j'étais oisif, j'allais courir
les campagnes et les bois des environs, toujours errant,
rêvant, soupirant (...)
ROUSSEAU, les Confessions, IV.

60 Ah! ces grands chevaux de filles qui courent les chemins
seules (...) mènent leur voiture, fument du gros tabac et
engueulent père et mère (...)
COLETTE, la Naissance du jour, p. 127.

Loc. *Courir des bordées.* → **Bordée** (cit. 2, 3, 5).

(Sujet n. de chose). Se répandre, se propager. *Une
nouvelle, une rumeur qui court les salons, les ruelles.
— Courir les rues* : être banal, commun, vulgaire.
Ce genre d'esprit court les rues.

61 Il y a, dans la vertu qui court le monde, beaucoup de
paille (...)
André SUARÈS, Trois hommes, III, «Pascal», p. 52.

♦ 6 **a** Fréquenter assidûment. → **Fréquenter, hanter.**
*Courir les théâtres, les salons, les bals... Courir les
maisons de jeu, les mauvais lieux.*

REM. Cet emploi est archaïque avec des compl. d'une
autre nature.

62 (...) je lui ai laissé la liberté de courir les sermons.
Mᵐᵉ DE SÉVIGNÉ, 909, 5 mars 1683.

63 Courir le bal la nuit, et le jour les brelans?
RACINE, les Plaideurs, I, 4.

b Rechercher (un, une partenaire) pour des relations sexuelles. *Courir les filles; courir la gueuse,
courir le jupon.* → **Courailler; coureur** (II., 2.). *Courir
la prétantaine*, le guilledou*.* — REM. Le verbe ne
s'emploie qu'avec un compl. au plur. ou collectif, pour
exprimer une activité habituelle (→ Coureur). → aussi
Draguer (fam.).

♦ 7 Vieilli ou littér. Suivre (une profession, une carrière). *Courir la carrière des armes. Courir une
brillante carrière.*

64 Ô vous donc qui, brûlant d'une ardeur périlleuse,
Courez du bel esprit la carrière épineuse,
N'allez pas sur des vers sans fruit vous consumer (...)
BOILEAU, l'Art poétique, VIII.

65 Le dégoût de la théologie l'avait jeté dans les belles-lettres,
ce qui est très ordinaire en Italie à ceux qui courent la
carrière de la prélature.
ROUSSEAU, les Confessions, III.

♦ 8 Loc. (vx). *Courir la poste**, au fig., aller fort vite.

♦ 9 (1902). Fam. *Courir qqn*, l'ennuyer* (cf. Casser les
pieds, cavaler...). *Tu nous cours avec tes histoires.
Il commence à me courir!* (On dit de même *courir
sur le haricot, sur le système*...).

66 Il m'court, avec ses boniments.
Francis CARCO, Jésus-la-Caille, II, VIII, p. 137.

66.1 Cette Fiona commence à la courir mais, bon, elle ne peut
pas la laisser, dans l'état où elle est, ce soir.
Geneviève DORMANN, Je t'apporterai des orages,
p. 107-108.

66.2 Une dame qui passait dans le couloir a dit à une autre :
Elle commence à nous courir avec son escalier, son couloir. Jean FERNIOT, Pierrot et Aline, p. 220.

♦ COURANT, ANTE p. prés. et adj. Voir à l'article et à
l'ordre alphabétique.

♦ COURU, UE p. p. et adj.

♦ 1 Recherché. *Prédicateur, conférencier, auteur très
couru, à la mode, en vogue. Réunion très courue.
C'est un spectacle très couru.*

67 Ce n'est pas un attachement à ce qui est parfait, mais à
ce qui est couru (...)
LA BRUYÈRE, les Caractères, XIII, 2.

♦ 2 Fam. *C'est couru :* on peut le prévoir d'avance,
cela se produira, la chose ne fait pas de doute;
c'est prévu. → **Certain, sûr**; → Cuit (c'est du tout cuit).

Mais j'avais beau dire : «Attendez et prenez patience». La 67.1
réponse était toute prête : «Est-ce à l'impatient Lyautey qui
trouve toujours qu'on ne va pas assez vite, qui ne cesse
de secouer nerveusement son entourage, à nous prêcher
la patience? Il y a là un dessous; il ne veut pas de colons
et voilà tout!» C'était «couru».
L.-H. LYAUTEY, Paroles d'action, p. 171.

Maintenant, c'est foutu, dit M. Jo (...) 67.2
— C'était couru, dit Suzanne, puis, c'est toujours comme
ça.
M. DURAS, Un barrage contre le Pacifique,
p. 130-131.

REM. *Le courir*, n. m., est stylistique et peu usuel.

Nier, croire, et douter bien, sont à l'homme ce que le courir 68
est au cheval. PASCAL, Pensées, IV, 260.

Vx (et critiqué). *S'en courir :* aller (quelque part) en
courant.

(...) À la fin le pauvre homme 69
S'en courut chez celui qu'il ne réveillait plus.
LA FONTAINE, Fables, VIII, 2.

Des grammairiens ont condamné cette locution *(s'en 70
courir)* comme fautive; c'est à tort; elle est aussi correcte
que *s'en aller* ou *s'enfuir*. Tout ce qu'on peut dire, c'est
qu'elle est archaïque et tombée en désuétude.
LITTRÉ, Dict., art. *Courir.*

REM. 1. *Courir* a été employé avec l'auxiliaire *être*
(Sévigné, *Correspondance* 224, 472, 482, 766, 953, 1096;
Racine, *Bérénice*, II, 1...).

2. Le participe passé *couru* employé avec *avoir* s'accorde lorsque le verbe est transitif, et reste invariable
lorsque le verbe est intransitif. Ex. : *les cent mètres qu'il
a courus; les vingt minutes qu'il a couru* (il a couru pendant vingt minutes).

CONTR. Marcher, piétiner. — Arrêter (s'), stationner, stopper.
— Ralentir. — Éviter, laisser. — Fuir. ◊ DÉR. Courable, courailler, courant, courante, coureur. — COMP. — V. Accourir,
concourir, encourir, parcourir, recourir, secourir.

COURLAN [kuʀlɑ̃], **COURLIRI** [kuʀliʀi] n. m. — 1758,
Buffon; *courlan*, serait une altération de *courliri*, empr. au
galibi *kurliri*, d'origine onomatopéique.

Zool. Oiseau aquatique *(Échassiers).*

COURLIS [kuʀli] ou **COURLIEU** [kuʀljø] n. m. — XIIIᵉ,
corlieu; corlys, 1555; orig. obscure, ou évoque une onomatopée d'après le cri de l'oiseau.

Oiseau échassier migrateur, à long bec courbe,
dont la taille varie de celle du pigeon à celle du
corbeau, et qui vit près de l'eau. *Courlis cendré,
grand courlis* ou *bécasse de mer*, oiseau de passage.
Courlis corlieu ou *courlis de terre. Courlis vert. Le
cri du courlis est appelé* turlui *ou* turlu (→ Turluter).

Quand il fut au bas de la côte, tout au droit de la carrière, 1
il entendit une voix gémir et pleurer, et tout d'abord il crut
que c'était le courlis.
G. SAND, la Petite Fadette, XVII, p. 120.

Le marin se réveille étendu sur la grève, 1.1
Et, rassuré, voyant que ce n'était qu'un rêve,
Il chante, en regardant les mouettes, les courlis,
Qui volent sur la vague en poussant de longs cris (...)
A. JARRY, Ontogénie, Pl., p. 83.

(...) quelquefois le grincement des ais de la barque éveillait 2
un nid de courlis ou de brantes, posé dans une touffe
humide, au niveau des eaux noires; et j'entendais alors,
presque contre ma joue, quelques pépiements étonnés et
le bref frémissement des plumes.
H. BOSCO, Hyacinthe, p. 74.

COURONNANT, ANTE [kuʀɔnɑ̃, ɑ̃t] adj. → **Couronner.**

COURONNE [kuʀɔn] n. f. — V. 1560; *corone,* v. 1220; *curune,* v. 1100; *corona,* av. 950; du lat. *corona,* probablt empr. au grec *korone* «corneille», puis (à cause du bec) «extrémité recourbée», et «objet courbe».

Ⅰ Cercle destiné à ceindre la tête. ♦ **1** Cercle de fleurs, de feuillages, qu'on met autour de la tête comme ornement, comme parure ou comme marque d'honneur. *Couronne de branchages, de feuillages, de fleurs; couronne de chêne, de laurier, de lierre, d'olivier, de bluets, de roses* (→ **Guirlande**). *Couronne de première communiante. Couronne de fleurs d'oranger,* que portaient les jeunes filles qui se mariaient. *Gagner, mériter, obtenir une couronne. La couronne du vainqueur. Couronne olympique des Grecs. Décerner une couronne. Tresser des couronnes. Ceindre sa tête d'une couronne. Être coiffé d'une couronne.*

1 Apollon à portes ouvertes
Laisse indifféremment cueillir
Les belles feuilles toujours vertes
Qui gardent les noms de vieillir;
Mais l'art d'en faire des couronnes
N'est pas su de toutes personnes.
                MALHERBE, III, 2, *in* LITTRÉ.

Fig. *La couronne de l'innocence, de la vertu.* → **Attribut, ornement.**

Dans la Rome antique, Signe de mérite militaire ou civique. (1756, *in* D.D.L.). *Couronne triomphale. Couronne de l'ovation. Couronne obsidionale. Couronne civique. Couronne murale, vallaire. Couronne navale* ou *rostrale.* (Voir aux adj.).

2 Une couronne de feuilles de chêne, de laurier ou de quelque herbe plus vile encore, devenait inestimable parmi les soldats, qui ne connaissaient pas (...) de plus noble distinction que celle qui venait des actions glorieuses.   BOSSUET, Hist., III, 6, *in* LITTRÉ.

Théol. Cercle d'étoiles ceignant la tête de la Vierge, ou de rayons, ceignant la tête des saints. → **Auréole.** (V. 1175). **Mod.** *Couronne académique :* prix remporté dans un concours académique. *On donnait autrefois une couronne de laurier aux écoliers qui remportaient les prix. La couronne du lauréat. Couronne de rosière*. Donner, décerner une couronne à quelqu'un.*

Fig. → **Récompense; honneur, prix.** *Décerner une couronne au courage de qqn.* → **Honorer.** *Obtenir une couronne.*

3 Il y a de fausses vaillances qui ont leur couronne (...)
                BOSSUET, Honn., 1, *in* LITTRÉ.

Relig. Récompense céleste. *La couronne du juste. La couronne du martyre. La couronne de gloire :* la béatitude* réservée aux saints (→ **Auréole, nimbe**). *La couronne des vierges.*

4 Il y en aura tant *(de personnes)* qui tomberont de leur gloire et qui laisseront prendre à d'autres, par leur négligence, la couronne que Dieu leur avait offerte.
                PASCAL, Lettres, 1ᵉʳ fragment.

♦ **2** Cercle de métal qu'on met autour de la tête comme insigne d'autorité, de dignité, de noblesse. *Couronne votive. Couronne ouverte,* formée d'un simple cercle. → **Diadème.** *Couronne cintrée, à fleurons, perlée, radiale, tourelée. Couronne de prince; de duc, ducale; de comte; de vicomte; de vidame; de baron* (→ **Tortil**). *Couronne fermée,* dont le cercle est surmonté d'ornements qui couvrent la tête. *Seules les couronnes royale et impériale sont fermées. Couronne de roi, royale.* → **Bandeau** (royal). *Couronne d'empereur, impériale. La triple couronne :* la tiare* du pape. → **Tri-règne.** *Couronne d'or. La couronne de fer,* des rois lombards d'Italie.

5 Les animaux, au décès d'un lion,
En son vivant prince de la contrée,
Pour faire un roi s'assemblèrent, dit-on.

De son étui la couronne est tirée.
                LA FONTAINE, Fables, VI, 6.

Il reste encore aux meilleurs bourgeois une certaine 6
pudeur qui les empêche de se parer d'une couronne de marquis, trop satisfaits de la comtale (...)
                LA BRUYÈRE, les Caractères, XIV, 5.

Il avait sur la tête une espèce de coiffure cerclée et fermée 7
par le haut; mais il était difficile de distinguer si c'était un bourrelet d'enfant ou une couronne de roi; tant les deux choses se ressemblent.
                HUGO, Notre-Dame de Paris, II, VI.

L'Empereur est coiffé de la couronne provisoire, simple 8
cercle de lauriers d'or, le sceptre dans la main droite, *la main de justice* dans la gauche (...)
                Louis MADELIN, l'Avènement de l'Empire, XV, p. 204.

Blason. *Couronne héraldique,* un des ornements extérieurs de l'écu. — *Timbre d'une couronne. Couronne peinte.*

Loc. *La couronne d'épines,* que l'on mit par dérision à Jésus-Christ qui s'était appelé roi des Juifs. Au fig. → **Affliction, douleur, tourment.** *C'est sa couronne d'épines.*

Ils tressèrent une couronne avec des épines, qu'ils posèrent 9
sur sa tête, avec un roseau dans sa main droite; et, fléchissant le genou devant lui, ils lui disaient par dérision : «Salut, roi des Juifs!»
                BIBLE (CRAMPON), Évangile selon saint Matthieu, XXVII, 29.

Les génies sont une dynastie. Il n'y en a même pas d'autre. 10
Ils portent toutes les couronnes, y compris celle d'épines.
                HUGO, Shakespeare, I, III, III.

Loc. fig. *C'est un des plus beaux fleurons* de sa couronne,* ce que qqn a de plus précieux.

♦ **3 Fig.** La puissance, la dignité royale, impériale. → **Royauté, souveraineté.** *Donner la couronne à qqn.* → **Couronner.** *Avènement à la couronne. Aspirer, prétendre à la couronne; convoiter la couronne. Prétendant à la couronne; héritier présomptif de la couronne. Renoncer à la couronne.* → **Abdiquer.** *Perdre la couronne, le domaine de la couronne. Les droits de la couronne. Officier* de la couronne.* → **Bouteiller, connétable.** *Le trésor; les joyaux, les perles de la couronne.* — *Discours de la couronne,* prononcé par le souverain à l'ouverture d'une session législative. *Ordres de la couronne :* ordres honorifiques créés par des souverains.

Et l'art et le pouvoir d'affermir des couronnes 11
Sont des dons que le ciel fait à peu de personnes.
                CORNEILLE, Horace, V, 3.

(...) une foule d'écrivains trouvaient le désordre partout où 12
ils ne voyaient point de couronne.
                MONTESQUIEU, l'Esprit des lois, XXIX, 19.

(1676; dans quelques loc.). État gouverné par un roi, un empereur. → **Empire, monarchie.** *La couronne de France, d'Angleterre.*

Le pape Saint-Grégoire a fait cet éloge singulier de la 13
couronne de France, qu'elle est au-dessus des autres couronnes du monde, que la dignité royale surpasse les fortunes particulières (...)
                BOSSUET, Oraison funèbre de la Reine d'Angleterre.

Littér. Le souverain lui-même. → **Souverain; empereur, monarque, roi.** *Traiter de couronne à couronne.*

Le roi *(Louis XIII)* traita avec le duc d'Épernon de couronne 14
à couronne.   VOLTAIRE, Essai sur les mœurs, 175.

Ⅱ ♦ Par anal. Ce qui rappelle la forme d'une couronne. ♦ **1** (1080). Tonsure circulaire que l'on fait sur le haut de la tête des gens d'église. → **Tonsure.** *Couronne de prêtre. Couronne cléricale.* — **Par ext.** *Couronne de cheveux.*

♦ **2** Monnaie portant l'empreinte d'une couronne. **Ancienn.** *Couronne anglaise,* valant cinq shillings. *Demi-couronne.*

Papier de format 0,46 m × 0,36 m et qui portait une couronne dans son filigrane. Adj. *Papier couronne.*

♦ **3** Objet circulaire ; ensemble de choses disposées en cercle, en anneau...

Couronne funéraire, mortuaire. Couronne de fleurs artificielles, de perles (cit. 7) *bleues. Ni fleurs ni couronnes* (se dit d'une cérémonie, d'un enterrement très simple).

Pain en couronne, et, absolt (1825, *in* D.D.L.), *couronne :* pain en forme d'anneau. *Couronne de trois livres.*

15 Les pains n'avaient pas la même forme que chez nous. On les appelait des «couronnes». En voilà un nom !
    Alphonse DAUDET, le Petit Chose, I, II.

Techn. *Couronne de lumière :* couronne de suspension servant à porter des lampes (dans une église, etc.). — *Couronne d'office,* à laquelle on accrochait les victuailles. — Voûte d'un fourneau. — Mar. Cercle métallique entourant le cabestan. → **Barbotin.** — Autom. (Se dit de pignons dentés en forme de couronne). *Couronne d'embrayage. — Couronne de différentiel.* — Trépan annulaire pour forage.

En appos. *Bouchon*-couronne.*

Bot. Cercle formé par l'étui médullaire de certains végétaux. — Réunion des appendices qui surmontent la gorge de la corolle du périanthe. — (Qualifié, dans des noms de végétaux). *Couronne royale.* → **Mélilot.** *Couronne impériale.* → **Fritillaire** (cit.). *Couronne de terre :* lierre* terrestre. *Couronne de Saint Jean.* → **Armoise.** *Couronne des blés.* → **Lychnis.** Touffe de feuilles attachées au fruit de l'ananas. — Hortic. *Greffe* en couronne. Taille en couronne.*

(1728). Anat. Partie de la dent qui sort de la gencive. *Base de la couronne.* → **Collet** (ou *bourrelet*). — (1846). Chir. dent. Capsule métallique dont on entoure une dent plombée pour la consolider, ou une dent saine pour y fixer un bridge. *Couronne en or, en porcelaine.*

REM. Ce mot, employé seul, est d'usage très courant, mais les expressions suivantes sont du langage technique : *couronne creuse ; couronne trois quarts ; couronne à pivot ; couronne jacket,* en porcelaine. → Jacket (anglic.), jaquette.

5.1 La *couronne creuse* (...) est une enveloppe sertie au collet de la dent, devant s'enfoncer de 1 ou de 1/2 mm entre la muqueuse et la dent, et qui reconstitue la dent dans sa fonction lorsque le praticien l'estime trop fragile pour résister à la mastication.
    P.-L. ROUSSEAU, les Dents, p. 121.

Veines en couronne. → **Coronaire.** — *Couronne radiante :* épanouissement des fibres médullaires des pédoncules cérébraux. — Bourrelet entourant la base du gland.

(1600). Art vétér. Partie inférieure du paturon*. — Vén. Bois du cerf, quand les andouillers sont disposés en cercle.

Mus. Trait en demi-cercle surmontant le point d'orgue.

Mobilier. Cercle surmontant le lit et qui soutient des rideaux. *Lit à couronne.*

Géom. *Couronne circulaire,* comprise entre deux cercles concentriques.

Archit. → **Larmier.** — Art milit. Se dit de deux ouvrages à cornes juxtaposés.

Zone géographique concentrique. — Spécialt. Ensemble de départements de la Région parisienne qui sont disposés en cercle autour de la capitale. *Petite couronne* (Hauts-de-Seine, Seine-Saint-Denis, Val-de-Marne); *grande couronne* (Seine-et-Marne, Yvelines, Essonne, Val-d'Oise).

♦ **4** (XVIᵉ). Ce qui entoure d'un cercle lumineux. → **Anneau, auréole, halo.** *La couronne d'une aurore boréale,* son foyer. → aussi **Halo.**

(1858). Astron. *Couronne solaire :* atmosphère lumineuse diffuse formée principalement d'hydrogène et de coronium, et que l'on peut observer autour du soleil pendant les éclipses totales, ou à l'aide d'un instrument appelé *coronographe.* — Électr. *Effets de couronne,* se produisant autour des conducteurs électriques portés à une grande différence de potentiel par rapport à l'air ambiant.

♦ **5** Anneau, auréole, cercle... *Ville entourée d'une couronne de verdure. Couronne de montagnes. Couronne de lumière.* → **Auréole, halo, nimbe.**

16 Cette belle table de famille, cette couronne de jeunes frères et sœurs, qui l'adoraient (...)
    MICHELET, la Femme, p. 265.

17 (...) çà et là, des tours qui faisaient comme des fleurons à cette couronne de pierres *(la forteresse)...*
    FLAUBERT, Trois contes, «Hérodias», I.

18 (...) le long des golfes et des promontoires de l'Espagne, de l'Italie, de la Grèce, de l'Asie Mineure, de l'Afrique, elles *(les cités)* tressèrent une couronne de villes florissantes autour de la Méditerranée.
    TAINE, Philosophie de l'art, t. I, I, II, V, p. 65.

19 (...) l'heure où les minarets allument tous leurs couronnes de feux, pour la féerie d'une nuit de Ramazan (...)
    LOTI, les Désenchantées, XXXI, p. 185.

Fig. *La couronne des ans.*

♦ **6** Par métaphore. Ce qui ceint la tête, le sommet de qqch. — *Couronne de fer :* migraine.

♦ **7** Littér. Ce qui entoure en ornant (→ Couronner II., 2.).

DÉR. — V. **Couronner ; corollaire, corolle, coronaire, coronal, coronelle, coronille.**

COURONNEMENT [kuʀɔnmɑ̃] n. m. — 1559 ; *coronement,* v. 1165 ; de *couronner.*

♦ **1** Action de poser une couronne sur la tête (de qqn) et, spécialt, Cérémonie dans laquelle on couronne solennellement un souverain. → **Sacre.** *Le couronnement d'un roi, d'un empereur. Cérémonie, fêtes du couronnement. Le couronnement de Louis* (chanson de geste). — Icon. chrét. *Le Couronnement de la Vierge,* tableau de Fra Angelico. — *Le Couronnement de Poppée,* opéra de Monteverdi.

1 Étienne II avait renouvelé la consécration qu'il avait donnée à Pépin. Il avait couronné lui-même le nouveau roi, et ce couronnement, c'était un sacre.
    J. BAINVILLE, Hist. de France, III, p. 35.

2 (...) l'Empereur lui adressa *(au Pape)* la demande officielle, l'invitant «*à venir donner, au plus éminent degré, le caractère de la religion à la cérémonie du sacre et au couronnement du premier Empereur des Français*». (Au Pape, 15 sept. 1804, Corresp. IX, nº 8020).
    Louis MADELIN, l'Avènement de l'Empire, XIII, p. 182.

Action, fait de couronner (un lauréat d'un concours académique).

♦ **2** **ⓐ** Action de garnir la partie supérieure (de qqch.). *Travailler au couronnement d'un bâtiment.* **ⓑ** Ce qui termine et orne le sommet, le faîte (d'un édifice, d'un meuble, ou de toute autre chose dans sa partie supérieure). → **Faîte, sommet.** *Couronnement d'un édifice* (→ **Comble**)*, d'un meuble* (→ **Corniche**)*, d'une colonne* (→ **Abaque, chapiteau, tailloir**)*, d'un mur* (→ **Entablement**)*, d'un toit* (→ **Pignon**)*. Créneaux de couronnement d'une tour. Couronnement d'une voûte, d'un ciel de mine. Couronnement* (ou *sommet*) *d'une route bombée,* point le plus haut de son profil transversal. — Mar. L'extrémité supérieure arrière d'un navire. *Lisse de couronnement.*

3   Un buffet gigantesque de chêne, si haut que son léger
    couronnement de colonnettes joignait la céruse du plafond
    et l'écaillait d'une imperceptible morsure (...)
                    COURTELINE, Boubouroche, Nouvelle, IV, p. 62.

Milit. *Le couronnement d'une position*, fait de s'établir dans une position prise à ceux qui la défendaient.

♦ **3** (1559). Fig. Ce qui achève, rend complet.
→ **Accomplissement, achèvement, comble, conclusion, perfection, terminaison ; bouquet, clou** (fam.).
*Le couronnement d'une vie. Le couronnement de
l'œuvre. Ce succès fut le couronnement de sa carrière.*

4   Il ne lui manque plus que de mourir enfin,
    Pour le couronnement de toutes ses sottises.
                              MOLIÈRE, l'Étourdi, V, 6.

5   La vie de l'homme, avec tous ses projets, s'élève comme
    une petite tour dont la mort est le couronnement.
                    BERNARDIN DE SAINT-PIERRE, Paul et Virginie,
                                                      p. 140.

6   La musique est le couronnement, la suprême fleur des
    arts.   MICHELET, la Femme, p. 308.

7   (...) vous nous l'avez présenté *(le discours)* comme le cou-
    ronnement de son éloquence *(de Jaurès).*
                              Ch. PÉGUY, la République..., p. 27.

8   Ils *(les grands romanciers)* considèrent l'œuvre à la fois
    comme une fin et un commencement. Elle est l'aboutisse-
    ment d'une philosophie souvent inexprimée, son illustra-
    tion et son couronnement.
                              CAMUS, le Mythe de Sisyphe, p. 138.

♦ **4** (1845). Hortic. Taille en forme de couronne. —
Maladie d'un arbre qui se couronne. — (1863). Vétér.
Lésion au cheval couronné.

Méd. (obstétrique). L'entrée de la matrice, qui
entoure la tête de l'enfant comme une couronne
lors de l'accouchement.

CONTR. **Abdication, découronnement, déposition. — Base. —
Amorce, commencement, début.**

COURONNER [kuʀɔne] v. tr. — V. 1393 ; probablt dér.
de *couronne*, d'après le lat. class. *coronare.*

[I] ♦ **1** Ceindre, coiffer (qqn) d'une couronne. *Couronner qqn de fleurs, de laurier. Couronner une
rosière. Couronner la reine du bal.*

Placer une couronne sur (qqch.). *Les anciens couronnaient la poupe de leurs vaisseaux* (Académie).

Ceindre (qqn) d'une couronne en signe de distinction honorifique, de récompense. *Les anciens
couronnaient les vainqueurs des jeux, les héros militaires.*

1   Leurs fronts sont couronnés de ces fleurs que la Grèce
    Aux champs de Marathon prodiguait aux vainqueurs.
                              VOLTAIRE, Épîtres, LXVI.

(1680). Décerner un prix, une récompense à (qqn).
Couronner un brillant élève. Couronner le lauréat.
Couronner un académicien.* Par ext. *Couronner un
livre, un ouvrage. Le jury du Prix littéraire a couronné ce roman.*

2   (...) quand un homme a fait deux ou trois chefs-d'œuvre, si
    courts qu'ils soient, on doit le couronner et lui pardonner
    ses erreurs.
                    G. SAND, François le Champi, Avant-propos, p. 19.

Littér. et vieilli. → **Honorer, récompenser.** *Dieu couronne
les martyrs, les saints. — Couronner le mérite.*

3   Digne de venger les crimes de la vertu (...)
                    BOSSUET, Hist., II, 1, in LITTRÉ.

4   Pourquoi du saint bonheur sitôt me couronner ?
                              HUGO, Odes, II, 9.

♦ **2** (1155). Proclamer (qqn) souverain en ceignant
d'une couronne. → **Sacrer.** *Le jour où le roi fut couronné* (→ **Couronnement**)*. Couronner un empereur.*
— Par anal. *Le Christ fut couronné d'épines.*

Fig. Transmettre, conférer le titre de roi, d'empereur, de souverain à (quelqu'un).

Il va sur tant d'États couronner Bérénice (...)   5
                              RACINE, Bérénice, I, 4.

(...) Pie VII a quitté Rome pour *couronner* autant que pour   6
sacrer (...)
                    Louis MADELIN, l'Avènement de l'Empire, XV,
                                                      p. 205.

Par ext. Donner le pouvoir à... «*La Révolution française* (...) *couronna le peuple*» (Hugo, les *Misérables*,
t. 2, 1862, p. 207, *in* T. L. F.).

[II] ♦ **1** (Sujet n. de chose). Orner, entourer (la tête)
comme fait une couronne (→ **Coiffer ; auréoler**). *Des
fleurs, des guirlandes couronnaient sa tête. Un bandeau, un diadème couronnait son front.* → **Ceindre.**

La mort était sur elle et la sueur de l'agonie couronnait   7
son front.   FRANCE, Thaïs, III, p. 289.

(...) la blancheur de ses cheveux couronnait, comme un   8
diadème, son front jeune, largement découvert.
                    MARTIN DU GARD, les Thibault, t. II, p. 34.

♦ **2** (Sujet n. de chose). Fig. et littér. Entourer, ceindre
comme d'une couronne. → **Ceindre, entourer, environner.** *Des marécages couronnent la ville.*

Former le couronnement* de (un meuble, un
édifice). *Une corniche, un entablement couronne
la façade.* — Par ext. Dominer, surmonter, surplomber. *Les collines qui couronnent la vallée.*

Ces bois semblaient couronner ces belles prairies.   9
                    FÉNELON, Télémaque, I, *in* LITTRÉ.

Milit. Occuper une position (en général sur une
hauteur) qu'on a prise à l'ennemi. *Une batterie couronne la hauteur.*

♦ **3** (XVIᵉ). Sujet n. de personne ou de chose. Littér.
Achever en complétant, en rendant parfait.
→ **Accomplir, achever, conclure, finir, parachever,
parfaire, terminer.** *Couronner sa vie par une mort
héroïque. Le succès a couronné sa tentative. Cela
couronne son crime.* — Prov. *La fin couronne l'œuvre.*

Meurs, s'il y faut mourir, en citoyen romain,   10
Et par un beau trépas couronne un beau dessein.
                              CORNEILLE, Cinna, I, 4.

Et que demain l'hymen couronne leur amour.   11
                              CORNEILLE, Cinna, V, 3.

Ceux dont une honorable vieillesse couronne une vie sans   12
reproches.
                    ROUSSEAU, Lettres de la montagne, IX, *in* LITTRÉ.

Ainsi tout déconcerte nos projets, tout trompe notre   13
attente, tout espoir dont le feux que le ciel eût dû couronner !
                    ROUSSEAU, Julie ou la Nouvelle Héloïse, I, Lettre 53.

Iron. *Et pour couronner le tout, il arrive en retard.*

Vous vous offrez d'être chauve, d'être ventru, d'être   13.1
cagneux, et, pour couronner le tout, vous êtes méchant (...)
                    G. DUHAMEL, les Pasquier, le Notaire du Havre,
                                                      p. 227 (*in* T. L. F.).

Vieilli. *Couronner les vœux de qqn.* → **Réaliser, remplir.**

Jamais aucun succès n'a couronné mes vœux.   14
                              VOLTAIRE, Tancrède, I, 4.

♦ **4** (1845). Hortic. Tailler un arbre en couronne. *Couronner un arbre.*

♦ **5** Blesser au genou. *Couronner un cheval*, le laisser
se blesser au genou.

Il se rappela le jour de son enfance où, après avoir cou-   15
ronné son poney, il s'était creusé aux genoux deux plaies.
                    GIRAUDOUX, Bella, V, p. 115.

♦ **6** Chir. dent. *Couronner une dent*, mettre sur la dent
une capsule métallique, une couronne artificielle.

♦ **SE COURONNER** v. pron.

♦ **1** Se mettre une couronne. *Se couronner de fleurs.*

♦ **2** Se proclamer souverain. *Se couronner roi. Napoléon Iᵉʳ se couronna de ses mains.*

♦ **3** (Choses). Être couronné. *L'édifice se couronnait par une corniche.* — *Par ext. Arbre qui se couronne de fleurs.* → **Couvrir** (se).

16 Les pentes sont entièrement couvertes de broussailles, et les sommets se couronnent avec gravité de chênes verts, de chênes-lièges et d'arbres résineux.
          E. FROMENTIN, Un été dans le Sahara, p. 11.
Arbre qui se couronne, dont la tête se dessèche.

♦ **4** Se blesser au genou en tombant, en parlant du cheval. *Cette jument s'est couronnée.* — Fam. *Ce petit garçon s'est couronné en tombant.*

♦ **COURONNÉ, ÉE** p. p. et adj.

♦ **1** Qui porte, qui a reçu une couronne. *Héros, vainqueur couronné.* — *Vainqueur couronné de lauriers.*

17 Ce n'étaient que vœux et qu'offrandes,
    Sacrifices de bœufs couronnés de guirlandes.
                            LA FONTAINE, Fables, IV, 8.

18 Couronnés de thym et de marjolaine,
    Les Elfes joyeux dansent sur la plaine.
                        LECONTE DE LISLE, les Elfes.

Qui a reçu un prix dans un concours... → **Lauréat.** *Lauréat couronné.* — *Par ext. Ouvrage couronné par l'Académie française. Livre couronné.*

♦ **2** (1661). Qui porte la couronne de souverain. — Loc. *Tête couronnée,* souverain, souveraine.

19 Encore un lustre ou deux et sous tes destinées
    J'aurai rangé le sort des têtes couronnées.
                        CORNEILLE, la Toison d'or, Prologue.

20 (...) Esclave couronnée,
    Je partis pour l'hymen où j'étais destinée.
                        RACINE, Mithridate, I, 3.
Loc. *Les trois couronnés :* les trois rois mages. — *Couronné d'épines* (fig.) : tourmenté, affligé.

♦ **3** (Choses). Entouré, environné.

21 (...) que cette soupe aux châtaignes est parfumée! Elle me rappelle la table couronnée d'enfants où souriait ma mère.
                        FRANCE, Les dieux ont soif, p. 151.
Spécialt. *Ouvrage militaire couronné,* disposé en couronne.

(1605). Surplombé, dominé. *Montagnes couronnées de neige,* couvertes de neige.

22 Salut, bois suspendus d'un reste de verdure!
            LAMARTINE, Premières méditations, «L'automne».
Par métaphore. Orné, paré. *Un cœur couronné d'innocence* (Chateaubriand, *in* T. L. F.).

♦ **4** Fig. Accompli, achevé...; qui a reçu satisfaction. *Entreprise couronnée de succès*.*

♦ **5** (1690). Hortic. *Arbre couronné,* dont la tête est desséchée.

♦ **6** Qui a une plaie circulaire. — (1393). *Genou couronné,* qui porte les traces d'une chute.

23 Quelques nez saignants, des genoux couronnés, les blessures restaient bénignes.
            Raymond ABELLIO, Ma dernière mémoire, t. I,
                                                p. 113.
(1678). *Cheval couronné,* dont un genou est couronné.

♦ **7** Vén. *Cerf couronné,* dont les bois forment une sorte de couronne.
Grue couronnée, dont la tête est surplombée d'une aigrette couleur d'or.

♦ **COURONNANT, ANTE** p. prés. adj.
Rare. Qui couronne. «*Les têtes couronnées* et *les mains couronnantes*» (Hugo, *in* T. L. F.). — *Montagnes couronnantes,* dominant les alentours.

CONTR. Découronner. — Châtier, punir. — Détrôner, renverser (roi). — Commencer, entreprendre ; échouer. ◇ DÉR. et COMP. Couronnement ; découronner.

COUROS [kuʀos] n. m. → **Kouros.**

COUROUCOU [kuʀuku] n. m. — 1760; nom d'orig. onomatopéique.
Zool. Oiseau grimpeur des forêts tropicales, ayant une très longue queue et un très beau plumage d'utilisation ornementale.

En ce moment, une volée d'oiseaux de petite taille et d'un joli plumage, à queue longue et chatoyante, s'éparpillèrent entre les branches, semant leurs plumes, faiblement attachées, qui couvrirent le sol d'un fin duvet. Harbert ramassa quelques-unes de ces plumes, et, après les avoir examinées :
— Ce sont des «couroucous», dit-il.
                J. VERNE, l'Île mystérieuse, t. I, p. 69.

COU-ROUGE [kuʀuʒ] n. m. — 1767; terme dial. (Yonne); de *cou,* et *rouge.*
Régional. Rouge-gorge. — REM. On écrit aussi *cou rouge.*

1. COURRE [kuʀ] v. tr. [CONJUG.: Défectif : n'est attesté qu'à l'infinitif] — V. 1225; anc. forme de *courir*.

♦ **1** Vx (jusqu'au XVIIᵉ). Courir. *Faire, laisser courre un bruit.*

1   Quelques uns faisaient déjà courre le bruit que j'en étais venu à bout.   DESCARTES, Discours de la méthode.

♦ **2** Chasse. Poursuivre (une bête). → **Chasser, poursuivre, traquer.** *Courre la biche, le brocard, le cerf, le chevreuil, le daim, le faon, le lièvre, le renard, le sanglier.*

2   A-t-on jamais parlé de pistolets, bon Dieu !
    Pour courre un cerf?   MOLIÈRE, les Fâcheux, II, 6.
3   On avait fait le bois, en ce matin de Saint-Hubert (...) M. le duc préfère courre la bête noire.
                M. GENEVOIX, Forêt voisine, IX, p. 113.

Poursuivre une bête, en parlant des chiens. *Laisser courre les chiens,* et, absolt, *laisser courre* (les chiens). *Découpler les chiens pour qu'ils poursuivent la bête.* → **Découpler.** — N. m. *Le laisser-courre.* → **Laisser-courre.**

4   Il sait un rendez-vous de chasse, il s'y trouve ; il est au laisser-courre ; il entre dans le fort, se mêle avec les piqueurs (...)   LA BRUYÈRE, les Caractères, VII, 10.
(Absolt). Loc. cour. **CHASSE À COURRE** : chasse qui se fait avec les chiens courants et à cheval. → **Chasse*** (*supra* cit. 3); *vénerie. Chasser à courre.*

♦ **3** Vx. Équit. *Courre un cheval,* «le mener à bride abattue» (Littré).

HOM. Cour, 2. **courre,** cours, 1. et 2. **court.**

2. COURRE [kuʀ] n. m. — 1260; substantivation de 1. *courre.*
Vénerie.

♦ **1** Les chasseurs et les chiens d'une chasse à courre.

♦ **2** (1752). Région commode pour la chasse à courre.

HOM. Cour, 1. **courre,** cours, 1. et 2. **court.**

COURRIEL [kuʀjɛl] n. m. — V. 1990, au Québec; de *courrier,* et *-el,* dans *électronique,* pour remplacer l'anglic. *e-mail.*
(En usage en franç. du Canada). Courrier électronique.

COURRIER [kuʀje] n. m. — 1464; *courier, corier,* déb. XIVᵉ; ital. *corriere* «porteur de messages», de *correre* «courir».

♦ **1** Vx. Homme à cheval qui précédait les voitures de poste pour préparer les relais, etc. — Le préposé qui portait les lettres en malle-poste. *L'affaire du courrier de Lyon.*

Porteur de dépêches. → **Estafette, messager.** *Dépêcher, envoyer un courrier. Courrier à cheval. Courrier de cabinet :* porteur de dépêches diplomatiques. *Courrier apostolique :* messager du pape auprès des évêques.

1 L'un, d'éponges chargé, marchait comme un courrier (...)
LA FONTAINE, Fables, II, 10.

Vx. Valet de pied. — *Salle des courriers,* et, par ellipse, *courriers :* salle où se tenaient les courriers des voyageurs.

1.1 Mais si encore Françoise ne s'était liée qu'avec des femmes de chambre amenées par des clients, lesquelles dînaient avec elle aux «courriers» (...) si en un mot Françoise n'eût connu que des gens qui n'étaient pas de l'hôtel, le mal n'eût pas été grand (...)
PROUST, À l'ombre des jeunes filles en fleurs, 1918, p. 693, *in* T.L.F.

Par métaphore. «*Octobre* (cit. 2), *le courrier de l'hiver*».

◆ **2** Mod. *Courrier convoyeur, courrier auxiliaire :* sous-agent des postes qui accompagne les lettres transportées par chemin de fer. → **Ambulant.**

Fig. et littér. Personne (ou chose) qui porte une nouvelle. → **Messager, avant-courrier.** *Courrier de malheur,* celui qui annonce une mauvaise nouvelle.

2 Les yeux et tous nos sens ne sont que des messagers d'erreurs et des courriers de mensonges.
FRANCE, la Rôtisserie de la reine Pédauque, Œ., t. VIII, XIX, p. 213.

REM. On trouve dans la langue class. le fém. *courrière.*

3 La Renommée enfin, cette prompte courrière.
BOILEAU, le Lutrin, 2.

◆ **3** Cour. Moyen de transport des dépêches, des lettres, des journaux. → **Poste.** *Courrier maritime, aérien* (→ Avion postal*). En appos. *Avion* long-courrier, moyen-courrier, court-courrier. Courrier-Sud,* œuvre de Saint-Exupéry. *Le courrier de Chine, d'Amérique. Le départ, l'arrivée du courrier. Les heures du courrier. Hâtez-vous de poster votre lettre, vous allez manquer le courrier de cinq heures. La levée du courrier. Je vous réponds par retour du courrier.*

4 (...) dans la fiévreuse inquiétude de manquer un courrier qui allait passer, il avait écrit à sa mère et au père de Madeleine (...)
LOTI, Matelot, XL, p. 159.

5 — Télégramme pour les escales Nord : Prévoyons retard important du courrier de Patagonie. Pour ne pas retarder trop courrier d'Europe, bloquerons courrier de Patagonie avec le courrier d'Europe suivant.
SAINT-EXUPÉRY, Vol de nuit, XX, p. 157.

6 Courrier atterrira Agadir 21 heures repartira pour Cabo Juby 21 h 30 s'y posera (...)
SAINT-EXUPÉRY, Courrier-Sud, I, p. 13.

Courrier électronique : système de messagerie utilisant un réseau informatique ou télématique (notamment Internet) et permettant aussi l'envoi de fichiers (textes, sons, images) entre deux ordinateurs ; ce type de message. → **Courriel, e-mail.** *Correspondre par courrier électronique.*

◆ **4** (1770). L'ensemble des lettres, dépêches, journaux délivrés en même temps (à l'origine, transportés par un courrier). *Le courrier est arrivé. Je passe prendre mon courrier à la boîte postale. Le facteur, le vaguemestre distribue le courrier. — Faire adresser son courrier chez... Dépouiller, ouvrir, parcourir, lire son courrier. Faire son courrier.* → **Correspondance.** *Expédier le courrier ; mettre le courrier à la boîte. La censure a intercepté son courrier. Courrier à deux vitesses,* selon l'affranchissement. *Le cedex*, système de distribution rapide du courrier pour les entreprises.*

7 (...) il avait donné à son concierge (...) l'ordre d'intercepter son courrier ; et, de temps à autre, il venait, en personne,

chercher sa correspondance (...)
MARTIN DU GARD, les Thibault, t. III, p. 49.

8 En rentrant chez lui, Gurau trouva un peu de courrier, que l'on avait glissé sous sa porte : des imprimés, quelques prospectus, et une lettre.
J. ROMAINS, les Hommes de bonne volonté, t. III, XVI, p. 223.

9 On ouvrait, on disait : «Bonjour, madame», on écoutait l'éloge du disparu que la concierge désignait de la main, et on emportait son courrier.
CAMUS, la Chute, p. 42.

10 Le bureau de poste principal est-il éloigné ? Le guichet de la poste restante n'est-il pas déjà fermé, ou n'est-il pas sur le point d'être ? En prenant sa voiture, qu'il a parquée non loin de l'hôtel, sur le terre-plein de la plaza Real, ou un taxi, aurait-il quelque chance d'être à l'heure et d'obtenir qu'on lui donne son courrier ce soir-même ?
A. PIEYRE DE MANDIARGUES, la Marge, p. 16.

10 bis Deux ou trois fois par jour (...) au milieu de ce culte, le courrier multicolore, radieux et bête comme un oiseau des îles, tout frais émoulu des enveloppes marquées de noir par le baiser de la poste, vient tout de go se poser devant moi.
PONGE, le Parti pris des choses, p. 68.

◆ **5** (1631). Titre de certains journaux. *Le Courrier de l'Ouest.*

◆ **6** Article, chronique d'un journal transmettant les nouvelles des théâtres, de la mode, des sports, etc. → **Article, chronique.** *Courrier mondain. Courrier de la bourse. Courrier littéraire. Courrier des lecteurs. Courrier du cœur,* chronique sentimentale d'un journal, où les lecteurs font part de leurs problèmes et demandent des conseils. *Lire le Courrier du cœur, écrire au Courrier du cœur.*

11 Entre toutes les perles que nous propose ce Courrier du cœur hebdomadaire, admirez l'orient de celle-ci : «Mon mari, bien que jeune encore, est rentré de captivité très diminué. J'ai eu beaucoup de patience, mais ma susceptibilité se trouve atteinte. Je le rabroue. Cette situation me choque».
F. MAURIAC, Bloc-notes 1952-1957, p. 224.

12 Imbibée de courriers du cœur, elle s'identifiait avec la fille-mère abandonnée, la pucelle dévorée de points noirs, la femme de trente ans amoureuse du garçon laitier et l'éternelle-sentimentale-déçue-par-la-vie.
R. FALLET, le Triporteur, p. 21.

13 Quand Gerry lisait le Courrier du cœur de Marcelle Ségal — il le lisait — il soupirait :
— Elle doit en connaître un bout, cette femme.
F. MALLET-JORIS, le Jeu du souterrain, p. 19 (1973).

DÉR. et COMP. Courriériste. Avant-courrier, monte-courrier. Court-courrier, long-courrier, moyen-courrier.

COURRIÉRISTE [kuʀjeʀist] n. — 1857, Goncourt ; de *courrier.*

Journaliste qui fait la chronique, le courrier. *Courriériste littéraire, théâtral. Une courriériste du cœur.*

1 Sans doute, dans les temps habituels de la paix, une note mondaine subrepticement envoyée au *Figaro* ou au *Gaulois* aurait fait savoir à plus de monde que n'en pouvait tenir la salle à manger du Majestic que Brichot avait dîné avec la duchesse de Duras. Mais depuis la guerre, les *courriéristes* mondains ayant supprimé ce genre d'informations (s'ils se rattrapaient sur les enterrements, les citations et les banquets franco-américains), la publicité ne pouvait plus exister que par ce moyen enfantin et restreint, digne des premiers âges, et antérieur à la découverte de Gutenberg : être vu à la table de Mme Verdurin.
PROUST, le Temps retrouvé, Pl., t. III, p. 734.

2 La courriériste des journaux féminins pour le cœur.
R. BARTHES, Mythologies, p. 125.

COURROIE [kuʀwa] n. f. — V. 1268 ; *curreie,* 1080 ; du lat. *corrigia.*

Bande étroite d'une matière souple et résistante (cuir, étoffe, caoutchouc...) qui sert à lier, à attacher d'une façon plus ou moins serrée. *Courroie de cuir, de caoutchouc.* → **Attache, lanière, sangle.** *Engager l'ardillon* (cit. 1) *de la boucle* dans un* *trou de la courroie. Boucler, nouer, serrer une courroie. Lâcher la courroie. Courroie que l'on passe sur l'épaule pour porter quelque chose.* → **Bandoulière, bretelle** (→ Chien, cit. 20). *Courroie de bouclier.* → **Enguichure, guiche.** *Courroie d'un carquois* (→ **Archère**). *Courroie d'un chapeau, d'un casque.* → **Jugulaire.** *Courroie de guêtre.* → **Sous-pied.** *Courroies d'une malle. Courroies du harnais.* → **Étrivière, licou, longe, mancelle, martingale, poitrinière, porte-éperon, porte-étriers, rêne, sous-ventrière, sus-pied.** *Courroie de roulement. Assemblage des courroies qui soutiennent la caisse d'une voiture.* → **Soupente.**

0.1 Un bout de la courroie de transmission qui actionnait le treuil, pendait, semblait la lier, pareil à un fil d'araignée géant (...) ZOLA, Lourdes, p. 153.

1 Et Ramuntcho desserre les courroies de son gant (...) LOTI, Ramuntcho, I, IV, p. 62.

1.1 Ils soulèvent leur boîte à outils, passent la courroie à leur épaule, haussent l'épaule pour rajuster la courroie (...) N. SARRAUTE, le Planétarium, p. 19.

(1869). *Courroie de transmission, courroie sans fin :* sorte de courroie circulaire qui transmet, par frottement, le mouvement d'une poulie à une autre poulie. *Tension de la courroie* (→ **Tendeur**). *Brin conducteur de la courroie,* qui transmet le mouvement de la poulie motrice. *Brin conduit de la courroie. Courroie de moteur. Courroie d'un ventilateur d'automobile.*

2 Rien ne sent ici la courroie d'usine, avec son alentour de fer frotté et de graisse frite (...) J. ROMAINS, les Hommes de bonne volonté, t. V, XV, p. 3.

Par compar. ou métaphore. *Courroie de transmission,* ce qui met en relation des personnes, des choses.

3 Elle (...) battit les cartes si vivement que, d'une main à l'autre, elles filaient comme une courroie de transmission. H. TROYAT, le Vivier, p. 22.

COURROUCER [kuʀuse] v. tr. [CONJUG.: *placer.*] — V. 1170, *corrocier; corocier,* v. 1050; du bas lat. *corruptiare,* du lat. class. *corrumpere* «détruire, altérer». → Corrompre.

Littér. Mettre en colère, irriter. → **Courroux.** *Cette conduite courrouça son père contre lui. Courroucer son maître, ses chefs.*

◆ **SE COURROUCER** v. pron.

Se mettre en colère. *Se courroucer contre qqn, contre le mensonge.*

1 C'est contre le péché que son cœur se courrouce, Et l'intérêt du Ciel est tout ce qui le pousse. MOLIÈRE, Tartuffe, I, 1.

Fig. (En parlant de la mer). S'agiter, se déchaîner. *La mer se courrouce.*

◆ **COURROUCÉ, ÉE** p. p. et adj.

◆ **1** Littér. Animé de courroux; qui est en colère.

2 Maman ne mentait pas avec moi; et cette âme sans fiel, qui ne pouvait imaginer un Dieu vindicatif et toujours courroucé, ne voyait que clémence et miséricorde où les dévots ne voient que justice et punition. ROUSSEAU, les Confessions, VI.

Qui exprime la colère. *Parler d'un ton courroucé.*

◆ **2** Fig. Violemment agité. *Flots courroucés.*

CONTR. Apaiser, calmer, pacifier, rassurer. ◊ **DÉR. Courroux.**

COURROUX [kuʀu] n. m. — V. 1170, *corroz; corropt* au Xᵉ; probablt subst. verb. de l'anc. franç. *corrocier* (*courroucer**).

Littéraire.

◆ **1** Irritation véhémente (contre qqn, et, spécialt, contre un offenseur). → **Colère, dépit, emportement, fureur.** *Le courroux du ciel. Être, entrer, se mettre en courroux. Un noble courroux* (→ Colère, cit. 1). *Braver, soutenir le courroux de qqn. Fuir le courroux de qqn. Apaiser, calmer le courroux.* (→ Calmer, cit. 7).

1 Ces deux mots *(courroux, colère)* diffèrent non par le sens qui est le même, mais par l'emploi; c'est-à-dire que colère appartient à tous les styles, tandis que courroux n'appartient qu'au style soutenu et à la poésie. LITTRÉ, Dict., art. *Courroux.*

2 Que le plus coupable de nous Se sacrifie aux traits du céleste courroux (...) LA FONTAINE, Fables, VII, 1.

3 Ah! des dieux indignés, craignez que le courroux ne fasse retomber sur vos têtes ces crimes! (...) Victor BÉRARD, Trad. HOMÈRE, l'Odyssée, p. 25.

4 Très pressant désir de crier, à pleine gorge, trois ou quatre fois de suite, ce mot qui, chez nous, exprime le courroux, le désespoir, la rébellion, le dessein de mourir plutôt que de se rendre. G. DUHAMEL, Scènes de la vie future, XIV, p. 204.

4.1 C'est contre ça qu'il *(Monsieur Salomon)* protestait avec la plus grande tendresse et la plus terrible colère, que l'on appelait courroux chez les personnes bibliques. É. AJAR (R. GARY), l'Angoisse du roi Salomon, p. 29.

◆ **2** Fig. et poét. Agitation violente. *Le courroux de la mer. Les flots en courroux.*

5 Comme Neptune de son trident apaise les flots en courroux (...) FÉNELON, Télémaque, XXIII.

HOM. Kuru.

COURS [kuʀ] n. m. — V. 1100; du lat. *cursus* «course, cours», de *currere.* → Courir.

Ⅰ ◆ **1** (Av. 1200). Écoulement continu (de l'eau des fleuves, des rivières, des ruisseaux). *Cours rapide, impétueux.* → **Courant** (→ Bourbeux, cit. 1). *Cours lent, insensible, tranquille. Arrêter, barrer le cours d'un fleuve* (→ **Barrage**). *Détourner le cours de la rivière* (→ **Dérivation**), *détourner la rivière de son cours* (→ **Lit**). *Rivière qui charrie* des glaçons dans son cours. Descendre, remonter le cours du fleuve. Suivre le cours.* → **Fil** (→ Bateau, cit. 1). — **Par ext.** Parcours d'un fleuve, d'une rivière. *La Loire a un cours de 1 000 kilomètres* (→ Arroser, cit. 3.1). *Prendre cours, prendre son cours,* commencer à couler. *Le haut cours :* l'endroit proche de la source. *Cours supérieur, inférieur d'un fleuve. Rivière navigable dans son cours inférieur.*

1 Il rencontra sur son passage Une rivière dont le cours, Image d'un sommeil doux, paisible et tranquille, Lui fit croire d'abord ce trajet fort facile. LA FONTAINE, Fables, VIII, 23.

2 Il y a des rivières heureuses, dont le cours silencieux n'est troublé que d'un seul hoquet, un sanglot d'eau qui marque la place d'un caillou immergé (...) COLETTE, la Naissance du jour, p. 144.

3 L'individu le plus singulier n'est que le moment d'une race. Il faudrait pouvoir remonter le cours de ce fleuve aux sources innombrables, pour capter le secret de toutes les contradictions, de tous les remous d'un seul être. F. MAURIAC, la Vie de Jean Racine, p. 8.

◆ **2** (1754). **COURS D'EAU.** → **Fleuve, rivière*, ruisseau, torrent.** *Crues, divagations des cours d'eau. Cours d'eau antécédent*. Alluvions d'un cours d'eau. Matériaux en suspension, en dissolution dans un cours d'eau.* → **Charge** (I., A., 7.) *L'amont*, l'aval* d'un cours d'eau. Cours d'eau qui se jette dans un autre.* → **Affluent.** *Cours d'eau qui traverse, arrose* une région. Cours d'eau allogène*. Passage navigable dans un cours d'eau.* → **Chenal.** *Les cours d'eau navigables* et les cours d'eau flottables* font partie du* *domaine public* (cf. Code civil, art. 538). → **Canal, voie** (d'eau). *Canal qui double un cours d'eau.*

4 La vie économique est liée aux cours d'eau : voies de communication commerciales, quand ils sont assez réguliers, obstacles, quand leur largeur ou leur cours impétueux impose le passage en certains points, source des irrigations fécondant les terres arides.
E. DE MARTONNE, Traité de géographie physique, t. I, p. 449.

(En parlant d'autres liquides). Littér. *Le cours du sang dans les veines. Le cours des larmes.*

♦ **3** Loc. (Fin XVIIe). *Donner cours, donner libre cours à ses larmes,* les laisser couler.

5 De ses premiers sanglots laissez passer le cours (...)
RACINE, Bérénice, III, 2.

Fig. *Donner libre cours à sa fureur, à sa douleur, à sa joie...,* ne plus la contenir, la laisser déborder. → **Exhaler ; carrière** (donner carrière). *Donner libre cours à ses pensées, à son imagination.*

6 Il put même y donner libre cours à ses qualités incisives, mordantes, acérées (...)
SAINTE-BEUVE, Causeries du lundi, I, Montalembert.

II ♦ **1** (V. 1170). Vieilli. Mouvement réel ou apparent (d'un astre). → **Course.** *Le cours du soleil, de la lune. Le soleil est au plus haut de son cours. Le cours des astres détermine le temps, les saisons.*

7 Le firmament se meut, les astres font leur cours,
Le soleil nous luit tous les jours,
Tous les jours sa clarté succède à l'ombre noire.
LA FONTAINE, Fables II, 13.

♦ **2** (V. 1170). Suite continue, évolution dans le temps. → **Déroulement, développement, enchaînement, succession, suite.** *Le cours des saisons. Le cours des siècles. Le cours des événements. Le cours normal, habituel des choses. — Suivre son cours. La maladie suit son cours,* elle évolue normalement. *— Le cours que prend une affaire.* → **Tournure.** *Le cours des études. Cours de la discussion.* → **Fil.** *Reprendre le cours de ses idées, de ses pensées. Changer le cours de ses idées. Dans le cours de l'ouvrage. Retrouver le cours de ses occupations.* → **Train.** *Retarder, interrompre, arrêter le cours d'une entreprise. Rompre* le cours des débats.*

8 Nous ne tenons jamais au temps présent. Nous anticipons l'avenir comme trop lent à venir, comme pour hâter son cours ; ou nous rappelons le passé, pour l'arrêter comme trop prompt (...)
PASCAL, Pensées, II, 172.

9 Rompons, rompons le cours de ces fâcheux débats.
MOLIÈRE, Tartuffe, III, 7.

10 Faut-il, Abner, faut-il vous rappeler le cours
Des prodiges fameux accomplis en nos jours ?
RACINE, Athalie, I, 1.

11 Le temps nous engloutit et continue tranquillement son cours.
CHATEAUBRIAND, Mémoires d'outre-tombe, t. III, p. 260.

12 O temps, suspends ton vol ! et vous, heures propices,
Suspendez votre cours !
LAMARTINE, Premières méditations, « Le lac ».

13 Aussi loin que je retourne en arrière à travers ces souvenirs si médiocres à leur source, si tumultueux plus tard, et dont j'ai quelque peine à remonter le cours (...)
E. FROMENTIN, Dominique, IV, p. 70.

14 Ne sachant pas encore que tout s'oublie et se perd au cours rapide des heures, que toutes nos actions coulent comme l'eau des fleuves entre des rivages sans mémoire (...)
FRANCE, Histoire comique, VIII, p. 113.

15 Alors pour se changer le cours des idées, il entra dans un estaminet chercher facile conquête.
LOTI, Matelot, XXXI, p. 124.

15.1 Et maintenant c'est trop tard, les poursuites sont engagées, inéluctablement l'action va suivre son cours.
N. SARRAUTE, Vous les entendez ?, p. 117-118.

→ **Durée.** *Le cours de la vie, de l'existence.* → **Carrière** (vieilli). *Pendant le cours de son règne.*

16 Tout est vain en l'homme si nous regardons le cours de sa vie mortelle.
BOSSUET,
Oraison funèbre de Henriette-Anne d'Angleterre.

Vx (langue class.). *Commencer, finir son cours* (d'un sentiment, d'une action).

17 Je sentis que ma haine allait finir son cours.
RACINE, Andromaque, II, 1.

DANS LE COURS DE. *Pauses dans le cours de la journée* (→ Blanc, cit. 30). *Dans le cours de l'année.*

AU COURS DE, EN COURS (DE). → **Courant** (dans le), **durant, pendant.** *Au cours de sa carrière. Au cours de ces dix dernières années. Au cours de la conversation. L'année en cours. Affaires en cours. Négociations en cours. — Loc. En cours de route* (fig.) : pendant (une évolution).

18 Il est bien probable (...) que Madame de Fontanin renoncera en cours de route à son projet.
MARTIN DU GARD, les Thibault, t. VI, p. 220.

19 Ou bien, c'est au cours d'une promenade dans un parc que leur tendresse se faisait peu à peu plus pressante.
J. ROMAINS, les Hommes de bonne volonté, t. V, XXVI, p. 263.

III ♦ **1** (1602). Circulation régulière (d'une marchandise, et, spécialt, d'une monnaie) pour une valeur donnée ; cette valeur. *Cours des monnaies. — Avoir cours, avoir valeur légale. Ces pièces n'ont plus cours. — Donner cours à des billets. — Cours légal. Cours forcé. Le cours du dollar, de la livre a monté, a baissé.*

20 Il importe (...) de ne pas confondre le *cours légal* et le *cours forcé* des billets de banque. Ils ont simplement *cours légal* lorsque les vendeurs et les créanciers sont tenus de les accepter en payement sans limitation de sommes, mais la banque qui les a émis est obligée de les rembourser, au porteur et à vue, en monnaie métallique légale. Les billets de banque ont le *cours forcé* lorsque, tout en jouissant du cours légal, ils sont *inconvertibles,* c'est-à-dire lorsque la banque d'émission se trouve dispensée de les échanger contre de la monnaie métallique.
REBOUD et GUITTON, Précis d'économie politique, t. I, III, p. 659.

♦ **2** (1602). Prix auquel sont négociées (les marchandises, les valeurs). → **Cote, prix, taux.** *Le cours du coton, de la laine. Cours de l'or. Le cours de...,* pratiqué à... *Acheter, vendre au cours du marché, de la place, de la Bourse*. Au cours du jour, et, absolt, au cours. — Le cours du change*, de la rente. Cours d'ouverture, de clôture. Premier cours. Dernier cours. Cours moyen,* également distant du plus haut et du plus bas cours de la Bourse. *Soutenir les cours* (→ Alourdir, cit. 6). *Fermeté, bonne tenue des cours. Les cours sont en baisse* (→ **Baisse, chute**), *en hausse* (→ **Hausse**). *Cours élevés. — Les cours de la Bourse,* le relevé officiel des prix des transactions d'une journée. → **Cote.**

21 On avait énormément spéculé depuis un an. Les cours des valeurs à Wall-Street montaient à des hauteurs prodigieuses. L'activité des transactions était telle que la Bourse de Paris, en comparaison, n'était qu'un petit marché de margoulins. Et l'on avait beau dire que ce ne pourrait pas durer, que l'effondrement devait venir, la hausse reprenait de plus belle. Tout de même le krach est venu.
J. BAINVILLE, la Fortune de la France, p. 171.

22 En Bourse, une panique subite avait fait tomber le 3 % français à 80, et même, un moment, à 78 francs. Depuis 1871, jamais la rente n'avait connu un cours aussi bas.
MARTIN DU GARD, les Thibault, t. VI, p. 99.

22.1 (...) à Kinshasa, où les commerçants de caoutchouc revendent, les cours se maintiennent depuis quelque temps entre trente et quarante, ce qui laisse une jolie marge.
GIDE, Voyage au Congo, in Souvenirs, Pl., p. 718.

♦ 3 Par anal. (de I.). **AVOIR COURS** : être reconnu, utilisé. → **Crédit, vogue.** *Cette mode avait cours pendant la guerre. Ces usages n'ont plus cours.* → **Exister.** *Cette opinion a cours chez les gens bien informés.* — Vieilli. *Donner cours à une opinion,* la répandre, l'accréditer. — Vx (dans d'autres emplois).

23 Ces ouvrages ont cela de particulier qu'ils ne méritent ni le cours prodigieux qu'ils ont pendant un certain temps, ni le profond oubli où ils tombent (...)
LA BRUYÈRE, les Caractères, I, 58.

IV ♦ 1 (1331). Enseignement* suivi sur une matière déterminée. — (1694). L'une des leçons* au cours de laquelle cet enseignement est donné. → **Conférence, leçon.** *Cours de chimie, d'algèbre, de littérature. Cours de droit civil. Cours de musique, de danse. J'ai ce matin un cours de physique. Ouvrir, donner, faire, professer un cours.* → **Classe** (cit. 16 et *supra*). *Suivre un cours en Sorbonne, au Conservatoire. Assister à un cours en qualité d'auditeur* libre... Cours magistral :* conférence donnée par un professeur (par oppos. à *travaux pratiques, travaux dirigés, séminaire*). *Cours de rattrapage*.*

24 (...) sa mère aurait voulu (...) qu'il restât là, à Brest, pour suivre des cours d'hydrographie (...)
LOTI, Matelot, XXVII, p. 103.

25 (...) Aline pénétra timidement dans la salle parfumée où madame Lelong déclamait un cours de littérature devant une douzaine d'élèves renvoyées du lycée.
J. CHARDONNE, les Destinées sentimentales, III, p. 456.

25.1 Dans les amphis rococos, le ronronnement des cours magistraux se poursuivait en face d'étudiants passifs.
Claude COURCHAY,
La vie finira bien par commencer, p. 256.

(Au plur.). Enseignement. *Les cours d'été de l'université de X... Des cours par correspondance*.*

♦ 2 a (1887). Degré des études suivies. *Cours élémentaire, moyen, supérieur. Cours complémentaire*. — Cours d'adultes. Cours du soir :* enseignement postscolaire facultatif.
b Établissement généralement privé, qui ne reçoit qu'une catégorie d'élèves. *Un cours de jeunes filles, pour jeunes filles. Cours de vacances. Cours privé.* — Établissement d'enseignement spécialisé. *Cours de danse.*

♦ 3 (1606). Livre reproduisant les leçons d'un cours ; livre pédagogique exposant une matière d'enseignement. → **Manuel, traité.** *Ce professeur a publié son cours de philosophie. Cours de science illustré. Cours de composition musicale* (→ Canon, cit. 6). *Cours polycopié, manuscrit.*

V (1690; de l'anc. franç. *cours* «voyage en mer»). **AU LONG COURS.** *Voyage de long cours, au long cours :* longue traversée qu'accomplit un navire par opposition au cabotage et au bornage (→ Cabotage, cit. 1). *Capitaine au long cours,* commandant un bâtiment qui navigue au long cours. → **Long-courrier.**

VI (XVIIe; ital. *corso* «cours, suite continue dans l'espace». → **Corso**). Avenue* plantée d'arbres qui sert, dans les villes, de lieu de promenade ou de passage. *Se promener sur le cours. Le Cours-la-Reine,* à Paris. *Le cours Mirabeau,* (à Aix-en-Provence).
Régional. *Faire le cours :* se promener sur le cours.

DÉR. Coursière. ◊ COMP. Intercours. ◄ HOM. Cour, courre, court; formes de **courir.**

COURSE [kuʀs] n. f. — 1553; *corse,* 1213; forme fém. de *cours*, peut-être favorisée par l'ital. *corsa* «course».

I ♦ 1 Action de courir ; mode de locomotion dans lequel les phases d'appui unilatéral sont séparées

par un intervalle. → **Courir.** *La course d'une personne, d'un animal.*

La course, comme la marche, est un mode de progression dans lequel le corps est alternativement soutenu par l'un des membres inférieurs dont les appuis se succèdent à intervalles égaux. Mais elle en diffère en ce que les phases d'appui unilatéral n'empiètent pas l'une sur l'autre, et qu'elles sont, au contraire, séparées par un intervalle pendant lequel le corps est complètement suspendu en l'air. Il n'y a pas, dans la course, de phase de double appui. Il y a donc lieu de distinguer dans la course deux phases qui se succèdent régulièrement : la phase d'appui unilatéral et la phase de suspension (...)
Paul RICHER, Nouvelle anatomie artistique, t. III, p. 123 (→ aussi Appui, cit. 1).

Ce n'est plus de la marche, c'est une sorte de course, escortée de tam-tam, d'une troupe d'enfants rieurs (...)
GIDE, Voyage au Congo, *in* Souvenirs, Pl., p. 767.

Prendre sa course. → **Courir, partir.** *Accélérer, ralentir sa course. S'arrêter en pleine course. Course rapide, effrénée, folle. Être léger, prompt, rapide à la course* (→ **Coureur**). *Rattraper, distancer, semer à la course.*

Les femmes ne sont pas faites pour courir; quand elles fuient, c'est pour être atteintes. La course n'est pas la seule chose qu'elles fassent maladroitement, mais c'est la seule qu'elles fassent de mauvaise grâce : leurs coudes en arrière et collés contre leurs corps leur donnent une attitude risible, et les hauts talons sur lesquels elles sont juchées les font paraître autant de sauterelles qui voudraient courir sans sauter.
ROUSSEAU, Émile, V.

Tu fais trop d'exercice. Tu vas laisser la course, l'essoufflement et la natation.
J. CHARDONNE, les Destinées sentimentales, II, p. 241.

(Au jardin du Luxembourg) Les enfants courent, les pigeons s'envolent. Courses, éclairs blancs, infimes débandades.
SARTRE, l'Âge de raison, III, p. 53.

Loc. *À la course, au pas de course,* en courant (→ aussi Au pas accéléré, au pas gymnastique), et, fig., rapidement.

(Animaux). *La course de l'antilope. La course du cheval.* → **Galop, trot.**

Un cheval n'admire point son compagnon ; ce n'est pas qu'il n'y ait entre eux de l'émulation à la course, mais c'est sans conséquence (...)
PASCAL, Pensées, VI, 401.

(Une course, des courses). Course d'entraînement. → (anglic.) **Footing, jogging.**

(Athlétisme). *Course d'élan,* qui précède le saut, le lancer.

♦ 2 (1538; *course à pied,* 1884). Sports. Épreuve de vitesse ; compétition sur une distance, un parcours donné. *Course à pied. Course sur cent mètres, de cent mètres* (cf. un cent mètres). *Course de vitesse* (100 m, 200 m, 400 m) *avec départ décalé, par couloirs. Accélération en fin de course.* → **Rush, sprint.** *Course de fond*, de grand fond* (→ **Marathon**)*, de demi-fond. Course de haies. Course en terrain varié.* → **Cross-country, steeple.** *Course de relais.* → **Bâton, relais, témoin.** *Course avec handicap* ; sans handicap. Course scratch*. Donner le départ de la course* (→ **Starter**). *Ligne d'arrivée de la course. L'allure, le train de la course. Chronométrer une course. Gagner la course. Le vainqueur de la course. Piste de course. Les courses ont lieu au stade* (→ **Anneau**) *ou à l'extérieur* (→ **Cross-country, marathon**). *Les courses et les concours*.*

Dans les courses du stade, tous courent, mais un seul emporte le prix.
BIBLE (CRAMPON), 1re épître aux Corinthiens, IX, 24.

La course de qqn, sa course, la manière dont il fait une course.

Courses de natation. — Courses de ski (→ **Descente, slalom**)*, de bobsleigh, de luge...*

(1771). *Courses, courses de chevaux*, et, absolt, *les courses.* → 2. **Courtine** (argot). *Cheval de course.* → **Cheval** (*supra* cit. 6). *Déclarer forfait* avant la course. Course d'entraînement.* → **Canter.** *Courses de plat* ou *courses plates* : épreuves de vitesse au galop, sur gazon. *Course d'obstacles.* → **Steeple-chase; hippique** (concours). *Course de trot,* ou *trot. Course attelée* (→ **Sulky**). *Courses pour chevaux du même âge.* → **Critérium.** *Course pour tous les chevaux.* → **Omnium.** *Course simulant une chasse à courre.* → **Drag.** *Arrivée de la course.* → **Poteau.** *Départager les gagnants de la course par la photo* (→ **Photofinish**). *Gagner la course dead-heat. C'est le favori, c'est un outsider qui a gagné la course. Les résultats des courses.* → **Résultat.** — *Champ de courses.* → **Hippodrome; turf; paddock, pelouse, pesage, stand, tribune.** — *Les courses :* l'activité des courses de chevaux; le lieu (→ **Hippodrome**) où elles se font. *Aller aux courses, fréquenter les courses; jouer, parier aux courses.* → **Pari** (mutuel), **tiercé, quarté; bookmaker, ring, sweepstake.** *Avoir un bon tuyau*, une martingale* aux courses. Gagner, perdre de l'argent aux courses.* — *Écurie de courses. Garçon d'écurie de courses.* → **Lad.** — Loc. *Monter en courses :* participer à des courses en tant que jockey.

6.1   Horace qui fait du trapèze et qui monte en courses a été jusqu'à seize ans poitrinaire et condamné par tous les médecins.   PROUST, Jean Santeuil, Pl., p. 231.

7   Elle pense aux chevaux de course qui, le départ donné, filent ventre à terre jusqu'au poteau.
             J. ROMAINS, les Hommes de bonne volonté, t. V,
                                                        VIII, p. 67.

Course de lévriers (→ **Cynodrome**).

Courses de bicyclettes. → **Bicyclette, cyclisme.** *Course cycliste. Les étapes de la course. Course sur piste* (→ **Vélodrome**), *sur route. Course sur un circuit* (→ **Tour**). *Course-poursuite. Course derrière motos. Course contre la montre*. Course d'attente*. Course à l'américaine.* → **Américaine.**

Courses de motos. → **Moto; enduro, moto-cross.** *Course sur cendrée. Courses d'automobiles* et, absolt, *course* (→ **Coupe, rallye; gymkhana**). *Course de côte.* — *Une voiture de course.*

8   Dans des stades carrés, aux virages non relevés, plus semblables à ceux des courses de lévriers qu'aux pistes de vélodrome, dix à vingt mille personnes viennent à chaque séance suivre le jeu dangereux des motocyclistes.
                                        Paul MORAND, Londres.

Course de bateaux à voile. → **Régate.** *Course-croisière, course au large. Course à l'aviron.* → **Rowing.** *Course de hors-bord.*

Antiq. *Courses de chars*. Courses de flambeaux* (→ **Lampadophore**).

Loc. *Course au clocher,* qui se fait en vue d'un but à atteindre par tous chemins (→ **Clocher,** cit. 4). — *Course en sac.* — Abstrait. *Course à l'abîme*.*

Par anal. *Course de lenteur* : compétition où le vainqueur est celui qui met le plus de temps à accomplir, dans certaines conditions, un trajet.

... DE COURSE : que l'on destine à la course, aux épreuves sportives de vitesse; qui est formé, conçu, construit pour la course. *Cheval de course. Écurie de course,* de chevaux de course. *Voiture, moto, bateau de course.*

◆3 Fig. Compétition entre personnes, entre États pour arriver, obtenir le premier. *La course au pouvoir. La course aux armements.*

Loc. fam. **DANS LA COURSE.** *N'être pas, n'être plus dans la course* : n'être pas, plus en mesure de gagner; fig., avoir perdu contact avec la tête, avec

l'avant-garde, être complètement dépassé. → Mouvement (n'être plus dans le).

8.1   Il faut vraiment se creuser la tête pour trouver quelque chose à dire sur un film anglais. On se demande pourquoi. Mais c'est comme ça. Et il n'y a même pas d'exception qui justifie la règle. Surtout en tout cas *La femme en robe de chambre* (de J.-L. Thompson). Malgré son Prix d'Interprétation au récent festival de Berlin. Ça montre tout au plus que les Allemands, eux non plus, ne sont pas dans la course.
             J.-L. GODARD, Arts, n° 680, juil. 1958,
                 in Coll. des Cahiers du cinéma, p. 139.

◆4 (Esp. *corrida.* → Corrida). **COURSE DE TAUREAUX** (1830, Mérimée, *in* Petiot). → **Corrida, novillada; taureau.** *Une course de taureaux aux arènes de Nîmes.* — (1903). *Course landaise.* — Par ext. *Aimer les courses de taureaux.* → **Tauromachie.**

II (Déb. XVIIe). ◆1 **a** (1606). Action de parcourir un espace. → **Déplacement, parcours, trajet.** *Il y a une longue course d'ici à la ville.* → **Chemin, distance, espace.** *Course à cheval.* → **Chevauchée.** — *Faire une course en voiture, en fiacre, en taxi. Prix, tarif de la course. Payer sa course au chauffeur,* le prix de sa course.

9   J'allais faire de longues courses à travers la ville, sur les quais, dans la campagne (...)
                 LAMARTINE, Graziella, IV, I, p. 105.

10   (...) cette saveur d'imprévu des longues courses dans une campagne admirable (...)
             Alphonse DAUDET, Contes du lundi,
                                         Alsace! Alsace!

b (Régional, Suisse). Excursion, voyage organisé. *Course d'école. Course des contemporains :* voyage organisé par une association de personnes de la même classe d'âge. — Loc. *Aller, être en course d'école.* — Par métonymie. Les personnes qui participent à une telle excursion.

10.1 Des petits trains bleus, grenat et bruns aux boiseries encaustiquées emportent dans les vallées un peuple de varappeurs, d'Anglais à herbier, et de courses d'école.
             Jacques CHESSEX, Portrait des Vaudois, p. 150.

c Régional (Suisse). *Déplacement, trajet simple course* : aller simple, dans les transports publics. Loc. *Faire les courses,* se rendre à son travail, lorsqu'on habite une agglomération différente. *Il fait les courses en train.*

◆2 (1775, Saussure, *in* Petiot). Alpin. Excursion d'un alpiniste en montagne. → **Ascension.** *Une course difficile, une grande course. Course avec guide, sans guide. Faire une longue course en montagne.* → **Excursion, marche, randonnée.** *Course hivernale* (ou, n. f., *une hivernale*). *Course de plusieurs jours en moyenne montagne.* → **Trekking** (anglic.).

10.2 Jean Servettaz avait très bien pu rentrer à Chamonix à temps pour repartir sur la Charpona et les Drus. Il n'était pas homme à perdre une course, on lui reprochait assez de se surmener.
             R. FRISON-ROCHE, Premier de cordée, p. 28 (1941).

◆3 Allée et venue d'un commissionnaire. *Faire une, des courses.* → **Coursier.** — Loc. *Garçon de courses.* → **Commissionnaire; chasseur, coursier, saute-ruisseau; arpète, trottin.** *Envoyer qqn faire une, des courses; l'envoyer en course, en courses.*

11   Et vous, je puis avoir besoin de vous envoyer en courses à n'importe quel moment de la journée (...)
             J. ROMAINS, les Hommes de bonne volonté, t. II,
                                                        VI, p. 65.

Au plur. Déplacement effectué pour faire des achats. — Par ext. Les achats eux-mêmes. *Aller faire des courses dans les magasins.* → **Achat, commission; shopping** (anglic.). *J'ai quelques courses à faire.*

12   Il disposait de peu de temps pour des courses nombreuses, mais comme il sortait d'un magasin (...)
    J. CHARDONNE, les Destinées sentimentales, III, p. 491.

Loc. *Être en course,* en train de faire une course.

12.1   Mademoiselle est en course à Saint-Leu, dit l'homme, chez l'ami que Monsieur sait, pour lui porter la lettre.
    BERNANOS, l'Imposture, *in* Œ. roman., Pl., p. 431.

♦ **4** Spécialt (mar.). Anciennt. Action de parcourir le pays, la mer pour faire du pillage. *Guerre de course. Faire la course* (→ **Corsaire**). — Loc. *Armer un navire en course.*

13   Les Scythes ont plutôt fait des courses que des conquêtes.
    BOSSUET, Hist., III, 3, *in* LITTRÉ.

14   Les Danois et les Normands n'étaient point armés en course et ne savaient guère se battre que sur terre.
    G.-T. RAYNAL, Hist. philosophique..., X, 19.

♦ **5** Danse. Parcours de l'aire de la danse.

♦ **6** (Choses). Littér. Mouvement plus ou moins rapide. → **Cours, mouvement.** *La course d'un projectile; d'un véhicule. La course de la plume sur le papier. La course des nuages dans le ciel. La course d'un fleuve.* Poét. *La course des astres, du soleil, des planètes. La course du temps. La course des jours.* → **Fuite, succession, suite.** *Arriver au terme, au bout de la course,* de la vie. *La course des pensées.*

15   Les trois quarts de ma course pour le moins sont passés (...)   Mᵐᵉ DE SÉVIGNÉ, 1470, août 1696.

16   Enfin le silence est revenu et mes pensées ordinaires ont repris leur course.
    G. DUHAMEL, Chronique des Pasquier, III, VI, I.

17   Pourquoi suspendre la course de ma main sur ce papier qui recueille (...) ce que je sais de moi, ce que j'essaie d'en cacher, ce que j'en invente et ce que j'en devine?
    COLETTE, la Naissance du jour, p. 103.

Au plus haut, au sommet, à l'apogée de sa course. En fin de course, à bout* de course, épuisé. → **Déclin** (sur le déclin).

18   Ne trouvez-vous pas que les femmes, comme les fleurs et les fruits, traversent une courte saison où leur beauté s'arrête au plus haut de sa course?
    A. MAUROIS, les Discours du Dr O'Grady, XII, p. 117.

19   Mais ma femme n'était pas d'attaque, elle n'en pouvait plus, à bout de course, recrue de fatigue.
    F. MAURIAC, le Nœud de vipères, p. 192.

Le fait de se répandre rapidement. → **Élan, force.** *Le fléau n'a pu être arrêté dans sa course.*

♦ **7** Techn. Mouvement (d'un organe mécanique). *La course rectiligne d'un piston.* → **Va-et-vient.** *La course d'une valve, d'un excentrique. L'alésage et la course (du piston) servent à calculer la cylindrée*. À bout, à fond de course. Piston à mi-course.*

DÉR. Courser, 2. coursier. ◊ CONTR. Arrêt, immobilité.

COURSER [kuʀse] v. tr. — 1843; de *course; courcer* un cheval «le mettre au galop», XVᵉ (emploi régional); repris au XIXᵉ avec un *s* d'après *course;* mot fréquent dans les patois du Centre-Ouest et de l'Ouest de la France. Familier.

♦ **1** (1843). Poursuivre (une personne, un animal) à la course. — REM. *Courir qqn,* ne se dit plus dans ce sens. → **Courir** (II., 1. et 2.).

1   Vous savez, mon lieutenant, le grand type (...) qui nous avait coursés avec son vieux flingue (...)
    Roger VERCEL, Capitaine Conan, p. 24.

2   La Floupe a grossi, disait-il, chienne de rivière! le courant porte la moitié de mes engins, maintenant, Dieu sait où! J'ai marché là dedans quatre heures, avec de l'eau jusqu'au ventre. Puis le garde du marquis m'a coursé au petit jour, le long du bois Arbellot.
    BERNANOS, Monsieur Ouine, p. 94.

3   Quelle existence attend ces pauvres petits, songeait-elle *(la cane).* Ils seront malheureux comme nous, coursés par les chiens, relégués dans les odeurs nauséabondes de la basse-cour (...)
    J. DUTOURD, le Vilain Petit Cygne, *in* le Figaro littéraire, 3 août 1967.

4   *Coursé* est très joli. Je l'ai mis en toute connaissance de cause. *(... Il faut)* être totalement privé de sensibilité littéraire pour me reprocher ce mot, un peu populaire, un peu patoisan.
    J. DUTOURD, Lettre au Figaro littéraire, 27 nov. 1967.

♦ **2** (1871). Fam. Suivre (qqn, et spécialt, une femme). *Elle s'est fait courser par deux garçons.*

5   Je la verrai *(la fille)* un jour crever de faim ou en train de se faire courser par les Arabes dans les rues de la Chapelle et ce sera bien fait.   M. AYMÉ, Maison basse, p. 233.

♦ **SE COURSER** v. pron. (Récipr.).

Se courir après.

6   Dans le Parc des mômes qui galopent, qui foncent partout, se coursent à travers les allées...
    CÉLINE, Guignol's band, p. 165.

COURSIE [kuʀsi] n. f. — 1495; *corsia,* même sens, et «courant d'une rivière» du lat. médiéval *cursivus.* → Cursif.

Mar. (vx). Passage dans le sens de la longueur d'une galère, entre les bancs des forçats. → 1. **Coursier** (3.), **coursive.**

DÉR. — V. Coursive.

1. COURSIER [kuʀsje] n. m. — V. 1165, adj.; de l'anc. franç. *cors* «allure rapide».

♦ **1** Littér. Cheval*. — Spécialt. Grand et beau cheval de bataille, de tournoi... *Noble, généreux coursier. Coursier ardent, fougueux, rapide, vaillant. Coursier impétueux et bondissant.*

1   Ces superbes coursiers, qu'on voyait autrefois Pleins d'une ardeur si noble obéir à sa voix (...)
    RACINE, Phèdre, V, 6.

2   J'aimais les fiers coursiers, aux crinières flottantes, Et l'éperon froissant les rauques étriers.
    HUGO, Odes et Ballades, V, IX, 1.

Par plais. *Coursier à longues oreilles* (→ Ânier, cit. 1). Vx et fam. ou littér, par plais. Bicyclette, moto... → **Monture.**

Par métaphore :

3   Tandis que sur la mer, au loin sinistre et haute, Fuit le navire, ce coursier (...) Je songe au bord des eaux, triste (...)
    HUGO, Toute la lyre, t. I, 1885, p. 103, *in* T.L.F.

♦ **2** Canal qui conduit l'eau à la roue d'un moulin. → **Bief.**

♦ **3** Mar. (vx). Coursie. — Canon placé sous la coursie.

2. COURSIER, IÈRE [kuʀsje, jɛʀ] n. — Fin XIXᵉ; de *course,* II., 3.

♦ **1** Personne chargée de faire les courses (dans une administration, une entreprise, un hôtel). → **Course; chasseur, commissionnaire, coureur.** *Envoyez nous un coursier, en cas de grève de la poste. Envoi par coursier.* — REM. Le féminin est rare.

  (...) Mᵐᵉ Arnaud (...) exerçait des fonctions multiples : introductrice auprès du directeur, secrétaire de sa correspondance privée, coursière de ses commissions, trieuse du courrier.
    Pierre HAMP, la Peine des hommes (Moteurs), p. 16.

♦ **2** (1924, *l'Auto, in* D.D.L.). Vx. Coureur cycliste.

HOM. 1. Coursier.

COURSIÈRE [kursjɛr] n. f. — 1840; *corsiere*, v. 1290; de *cours*.

Régional. Sentier coupant à travers champs, à flanc de colline.

COURSING [kursiŋ] n. m. — 1828; mot angl., «chasse».

Anglic. Chasse à courre au lièvre (avec des lévriers). — Course de lévriers.

Ainsi un lévrier trop malin devine les «trucs» du coursing et y devient fraudeur.
           MONTHERLANT, les Bestiaires, p. 103.

COURSIVE [kursiv] n. f. — 1829; *courcive*, 1687; probablt transformation de *coursie**.

Mar. Couloir étroit à l'intérieur d'un navire.

Maintenant, je voyais une coursive. Elle s'ouvrait, étroite, noire, sur une file de cabines (...) Sur ma tête glissaient d'énormes tuyauteries grises dont la peinture s'était écaillée.   H. BOSCO, Un rameau de la nuit, p. 61.

COMP. Accourse.

COURSON [kursɔ̃] n. m. ou **COURSONNE** [kursɔn] n. f. → Courçon.

1. COURT, COURTE [kur, kurt] adj. et adv. — 1640, adj.; *cort*, 1155; *curt*, 1080; adv., v. 1205; du lat. *curtus* «écourté, tronqué; (fig.) incomplet, insuffisant».

I Adj. ◆ **1** ⓐ Concret. Qui a peu de longueur d'une extrémité à l'autre (relativement à la taille normale d'une chose, à l'idée qu'on s'en fait, ou par comparaison avec une autre chose). → **Petit; bas, étroit, mince.** *Herbe courte. Poils courts, cheveux courts.* → **Ras.** — *Robe courte. Son habit est trop court.* → **Étriqué, rétréci.** *Corsage à manches courtes. Manche plus courte que l'autre. Rendre court, plus court.* → **Accourcir, contracter** (2.), **couper, diminuer, écourter, raccourcir, réduire, restreindre.** *Un texte court, un livre court* (matériellement). → ci-dessous, 3. *Rendre un texte plus court.* → **Abréger.**

1   (...) les ouvrages les plus courts
Sont toujours les meilleurs.
           LA FONTAINE, Fables, X, 14.

2   Tacite fait un ouvrage exprès sur les mœurs des Germains. Il est court, cet ouvrage, mais c'est l'ouvrage de Tacite, qui abrégeait tout, parce qu'il voyait tout.
           MONTESQUIEU, l'Esprit des lois, XXX, 2.

Jambes courtes. Courte cuisse. Bras trop courts. Front court. Nez court et plat (→ **Camus**). *Si le nez de Cléopâtre eût été plus court...* (→ Changer, cit. 56). (Êtres vivants). Vieilli ou littér. Qui est de petite taille. → **Petit** (cour.). *Une personne courte.* → **Bas, bref, courtaud, crapoussin, lourd, ragot, rond, tassé, trapu, ramassé.** *Il est gros et court.* → **Courtaud.** *Avoir la taille courte :* être de petite taille. *Court de taille, de bras, de jambes...*

3   La trop courte beauté monta sur des patins.
           BOILEAU, Épîtres, IX.

4   Il était court de stature, mais large de carrure (...)
           ROUSSEAU, Confessions, III, p. 167 (→ Contrefait, cit. 14).

5   Ce nain hideux était gros, court, ventru (...)
           HUGO, Bug-Jargal, IV.

6   C'était un gros petit homme, chauve, court de bras, de jambes, de cou, de nez, de tout.
           MAUPASSANT, les Contes de la Bécasse, p. 209.

6.1   Enfin, ces hommes courts et chétifs, rehaussés en force sous le harnais et le casque, fondus par la discipline dans une minute d'amitié éternelle, passèrent, et il rentra dans son bureau signer des paperasses.
           DRIEU LA ROCHELLE, la Comédie de Charleroi, p. 129.

REM. Appliqué aux personnes, *court* ne s'utilise que stylistiquement ou dans des emplois spéciaux. Il n'en va pas de même en français d'Afrique : «*Cet enfant est trop court pour son âge*» (Zaïre; IFA). → Petit.

Manège. *Cheval court,* dont le corps a peu de longueur du garrot à la croupe. → **Bouleux, brassicourt, court-jointé** (dér.). *Cheval court de reins.*

Anat. *Muscle court. Os court,* par oppos. à *os plat* et *os long.*

Le chemin est court. La route est plus courte par la montagne. La ligne droite est le plus court chemin* d'un point à un autre. Aller par le plus court chemin. → **Direct** (Chemin, cit. 36). — N. m. *Prendre le plus court. Passez par là, c'est le plus court. Couper au court.* On dit aussi *prendre au plus court,* au fig. : prendre le moyen le plus rapide, le plus expéditif. *Le plus court et le meilleur, c'est...*

6.2   Il va s'en aller, fiche le camp par le plus court, sombrer au milieu du parc en faisant un trou dans l'éclaboussement vert de grands jets de branches, et il sera sans doute un peu mort, malgré que cela le mette de mauvaise humeur.
           A. JARRY, l'Amour en visites, I, Pl., t. I, p. 846.

6.3   Nous coupons au court à travers champs, vers Chalindry. Je connais les clôtures; j'irais les yeux fermés.
           BERNANOS, Sous le soleil de Satan, in Œ. roman., Pl., p. 168.

6.4   — Si c'est à l'hôpital que vous allez et si vous voulez couper au court, tournez tout de suite à droite et marchez jusqu'à ce que vous trouviez un restaurant à la façade peinte en bleu.
           G. SIMENON, Feux rouges, p. 161.

Loc. *Tirer à la courte paille.* → **Paille,** cit. 9, 10 et *supra.* — *Faire la courte échelle* à quelqu'un.*

Avoir la vue courte, ne pas voir de loin. → **Vue.** — Fig. N'avoir pas assez de prévoyance, de sagacité. *Un homme à courtes vues.* → **Borné** (cit. 23 et *supra*), **étroit, obtus.** *Des vues courtes :* sans ampleur. *Politique à courte vue.*

Cent francs, c'est un peu court. Le repas est un peu court : il n'y a pas assez à manger. → **Juste.** — Cuis. *La sauce est trop courte, il faut l'allonger.*

ⓑ Abstrait. Insuffisant. *Avoir l'esprit court.* → **Borné.** *Son intelligence est un peu courte. La science humaine est courte. Son pouvoir, ses moyens sont trop courts pour cela* (Académie).

◆ **2** Qui a peu de durée. → **Bref, éphémère, fugace, fugitif, intérimaire, momentané, passager, provisoire, temporaire, transitoire;** et aussi **fragile, périssable, précaire.** *Trouver le temps court. Les jours de l'hiver sont courts. Une courte nuit d'été. La vie est courte, de courte durée.* — Fig. et fam. *Vouloir la vie courte et bonne :* mener joyeuse vie sans souci de santé. — *Un court moment.* → **Apparition** (cit. 4), **échappée, instant, passade.** *Maladie courte mais grave. Le spectacle fut très court. Avoir un court entretien.*

7   Les plus courtes erreurs sont toujours les meilleures.
           MOLIÈRE, l'Étourdi, IV, 3.

8   Ces jours si longs pour moi lui sembleront trop courts.
           RACINE, Bérénice, IV, 5.

9   (...) si la vie est courte pour le plaisir, qu'elle est longue pour la vertu!
           ROUSSEAU, Julie ou la Nouvelle Héloïse, VI, Lettre 6.

10   Les hommes disent que la vie est courte et je vois qu'ils s'efforcent de la rendre telle.
           ROUSSEAU, Émile, V (→ Couler, cit. 17).

11   La vie est courte et l'art long!
           FLAUBERT, Correspondance, t. III, p. 168 (→ Bien (1), cit. 110).

12   (...) un homme est impossible à supposer sans habitudes. Celui qui dit n'en pas avoir est tout simplement un esprit à mémoire courte...
           E. FROMENTIN, Une année dans le Sahel, p. 64.

13   La vie est courte mais l'ennui l'allonge. Aucune vie n'est assez courte pour que l'ennui n'y trouve pas sa place.
           J. RENARD, Journal, 5 mars 1906.

14 Ils passent leur temps à ruminer leur jeunesse, ils ne font que des projets à court terme, comme s'ils n'avaient devant eux que cinq ou six ans.
SARTRE, l'Âge de raison, XII, p. 224.

Prov. *Les plaisanteries les plus courtes sont les meilleures.*

(1532). Fig. *Avoir la mémoire courte :* oublier très vite les choses. Vieilli. *Être court de mémoire* (même sens).

♦ **3** (Discours, énoncé). Qui est peu développé. *Livre, récit, roman très court.* → **Abrégé** (cit. 2), **bref, laconique, résumé, simple, sommaire, succinct.** *Maximes courtes. Exposé court mais complet.* → **Concis** (cit. 1). *Phrases courtes. Lettre courte.*

Loc. *Pour faire court :* pour abréger. → **Bref.**

Être court (en parlant des personnes) : parler, écrire de façon brève.

♦ **4** Qui est rapproché dans le temps. **ⓐ** Loc. *À court terme :* pour un avenir rapproché. *Projets à court terme. Crédit à court terme,* à échéances rapprochées.

ⓑ Littér. Récent. *Être de courte noblesse.*

♦ **5** Littér. Prompt, rapide. *Les moyens les plus courts pour réussir. Le plus court expédient.*

Loc. *Courte honte.* → **Honte,** 4.

♦ **6** Qui est de fréquence rapide. *Rythme court. Avoir l'haleine courte, la respiration courte, le souffle court :* s'essouffler facilement et très vite.

Radio. *Ondes* courtes.*

Ⅱ Adv. (*tenir court,* 1273). ♦ **1** De manière à rendre court. *Couper les cheveux court.*

15 Ses cheveux frisottants, coupés court (...)
MARTIN DU GARD, les Thibault, t. VII, p. 92.
16 Des cheveux (...) coupés court et frisés.
COLETTE, Julie de Carneilhan, p. 6.

REM. Si *court* est accordé, il s'agit non plus de l'adverbe mais de l'adjectif.

17 (...) un homme très grand, très gros, aux cheveux coupés courts (...)
G. DUHAMEL, Biographie de mes fantômes, X, p. 182.

♦ **2** Rare. D'une manière brusque, rapide; brièvement. *«Ils rirent court»* (Colette, *Julie de Carneilhan,* p. 10).

(XVᵉ). Cour. Loc. **COUPER COURT** (à un entretien), l'interrompre au plus vite. Absolt. *Couper court. Couper court au mal :* faire cesser le mal avant qu'il ne se propage. — Vx. *Couper court à qqn* (Académie), le quitter brusquement.

18 Je coupe court, parce que je ne veux point m'embarquer à vous dire les sentiments de mon cœur là-dessus (...)
Mᵐᵉ DE SÉVIGNÉ, 235, 6 janv. 1672.
19 Mon départ était le seul moyen de couper court à cette intrigue sans issue (...)
Th. GAUTIER, Mˡˡᵉ de Maupin, VII, p. 175.
20 (...) je pris le parti d'arrêter les frais et de couper court à la discussion.
COURTELINE, Petit historique de Boubouroche, p. 9.

TOURNER COURT (en parlant d'une voiture qui tourne dans un très petit espace). *Par ext. Faire un brusque changement de direction.* Fig. Passer d'une chose à une autre sans transition, et aussi s'arrêter brusquement dans son développement.

21 Réveil rapide. Les rêves tournent court.
J. ROMAINS, les Hommes de bonne volonté, t. III, XVII, p. 226.
22 Eh bien! il a tourné court, il a cané, deux ou trois fois.
G. DUHAMEL, Chronique des Pasquier, II, IV, VI.
22.1 D'une part, son savoir et son goût tournent souvent court.
M. YOURCENAR, Archives du Nord, p. 133.

Pendre qqn haut et court : pendre avec une corde courte, difficile à détacher. *Il a été pendu haut et court.* — REM. L'expression est devenue un simple intensif et équivalait à «pendre bel et bien».

Arrêter court, net. *Arrêter court un cheval lancé au galop* (→ Arrêter, cit. 7).

(1578, *in* D.D.L.). *Demeurer, rester, se trouver court :* manquer de mémoire, d'idées, d'esprit d'à-propos, de repartie. *Prédicateur qui reste court au milieu d'un sermon. Demeurer court devant les objections, les arguments.* → **Coi;** (fam.) **sec.**

23 (...) je ne demeurerais pas court, si je voulais vous dire tous les sentiments que j'ai pour vous.
Mᵐᵉ DE SÉVIGNÉ, 252, 26 févr. 1672.
24 Jeannie, étonné, ouvrit la bouche pour répondre, et resta court d'un air penaud.
G. SAND, François le Champi, V, p. 57.

♦ **3 TOUT COURT,** sans rien ajouter d'autre. *Il s'appelle Durand de X ou Durand tout court?*

25 — (...) à ceux qui sont au-dessus de nous il faut dire «Monsieur» tout court. — Hé bien! Monsieur tout court, et non plus Monsieur de Sotenville, j'ai à vous dire (...)
MOLIÈRE, George Dandin, I, 4.

Brusquement, subitement. *S'arrêter tout court dans la lecture d'une lettre.*

♦ **4 DE COURT.** *Tenir qqn de court,* le serrer de près; fig., lui laisser peu de liberté. → **Près.**

26 Mᵐᵉ de Marsan ne fut regrettée ni des siens, ni de son mari qu'elle tenait de court (...)
SAINT-SIMON, Mémoires, 73, 203.

Prendre qqn de court, à l'improviste, au dépourvu; ne pas lui laisser de temps pour agir. *Pris de court, il n'a pu achever son travail.*

♦ **5** (1556). **À COURT, À COURT DE.** *Être à court d'argent,* en manquer. Absolt. *Il ne put demeurer longtemps à Paris, il était à court d'argent* (Académie). *Il s'est tu, à court d'arguments*, d'idées.* → **Faute** (de). — REM. On dit dans le même sens *être court* (adj.). *Elles sont courtes d'argent.* Cette forme, la seule admise par Littré, tend à vieillir, l'usage préférant *être à court.*

26.1 Elle est fort riche. Marsy est toujours à court d'argent.
ZOLA, Son Excellence Eugène Rougon, t. I, p. 87.
27 Que tout me paraît difficile! J'avance pas à pas, peinant, à court de souffle, de joie, de ferveur.
GIDE, Journal, 13 août 1927.
28 (...) Suarès continue encore de parler. Il n'est jamais à court.
GIDE, Journal, Feuillets, p. 350.
28.1 Sophie avait réclamé de lui une cigarette, et, se trouvant à court, il avait partagé avec elle la dernière d'un paquet.
M. YOURCENAR, le Coup de grâce, p. 217.

CONTR. Allongé, élevé, épais, grand, large, long; gros; durable, éternel, interminable, prolongé; abondant, pourvu, riche; diffus. ◊ DÉR. Courtaud, courtement. — COMP. Court-bouillon, court-circuit, court-courrier, courte-queue, court-jointé, court-jus, court-noué, court-pendu, court-vêtu. — Écourter. — Raccourcir. — HOM. Cour, courre, cours, 2. court; formes du v. courir.

2. **COURT** [kuʀ] n. m. — 1880, *in* Petiot; mot angl., de l'anc. franç. *court* «cour».

Terrain spécialement préparé pour le jeu de tennis. *Court de tennis. Court en terre battue, en dur. Les courts d'un club sportif. Louer un court. Court central,* ou, ellipt., *le central,* n. m. (1932, *in* Petiot) : court principal, sur lequel se disputent les épreuves importantes.

Le tennis avait été aménagé sur une place à bâtir achetée à Auteuil en 1920 par M. Lasquin (...) Au bout du court, des hamacs étaient tendus en triangle (...)
M. AYMÉ, Travelingue, p. 49.

HOM. 1. **Court.**

COURTAGE [kuʀtaʒ] n. m. — 1248, *courratage; courtage*, 1358; du rad. de *courtier*, et *-age*.

♦ **1** Dr. comm. Profession du courtier. → **Courtier.** *Faire le courtage maritime. Courtage des marchandises. Le courtage des marchandises est libre depuis la loi du 18 juillet 1866. Le courtage des vins. Courtage en valeurs mobilières. Faire le courtage en librairie.* → **Démarchage.**
Procédé de vente par courtiers. *Vendre un produit par courtage. Vente par correspondance et vente par courtage. Le courtage est un canal de vente.*

♦ **2** Commission* destinée à rémunérer une opération de courtage. *Droit de courtage. Tarif de courtage.*

Cette affaire me mit en goût, et dix pistoles que je donnai à Scipion pour son droit de courtage l'encouragèrent à faire de nouvelles recherches.
A. R. Lesage, Gil Blas, VIII, 9.

♦ **3** Dr. civil. *Courtage matrimonial :* profession consistant à mettre en relation des personnes qui veulent se marier. → **Agence** (matrimoniale).

♦ **4** Fig. et Vx. Souvent péj. Négoce.

COURTAUD, AUDE [kuʀto, od] adj. et n. — 1439; *courtaut*, 1467; de 1. *court.*

♦ **1** Vx. Se dit d'un animal qui a la queue courte. Techn. *Chien courtaud,* à qui on a coupé la queue (et les oreilles; → **Essorillé.**) — N. m. *Un courtaud. Cheval courtaud,* à qui on a coupé la queue. — N. m. *Un courtaud.*
N. m. Vx. Gros cheval de selle servant de monture auxiliaire.

1   Je fis trois charges sur un excellent courtaud bai brun.
Saint-Simon, Mémoires, XII, 139, *in* Littré.

♦ **2** (Personnes). Dont la taille est courte et épaisse. *Il est courtaud, un peu courtaud. Une fille un peu courtaude.* → **Court, gros, râblé.** — *Un corps assez courtaud. Jambes, mains courtaudes.*

2   Leurs personnages *(des peintres flamands)* sont ordinairement des bourgeois ou des gens du peuple; ils les ont pris, tels qu'ils les voyaient (...) patauds, courtauds et lourdauds d'échoppe et de ferme, d'atelier et de cabaret.
Taine, Philosophie de l'art, t. II, v, III, v, p. 306.

N. (1640, *in* D.D.L.). *Un courtaud, une courtaude.*

♦ **3** N. m. (1585, par allus. aux vêtements plus courts et ajustés que ceux des bourgeois et des nobles). *Courtaud de boutique,* ou *courtaud :* commis de magasin.

3   Nos filles vendent leur honneur
Au dernier courtaud de boutique
Louise Michel, la Misère, t. II, p. 420.

N. Péj. Personne rustre.

DÉR. **Courtauder.**

COURTAUDER [kuʀtode] v. tr. — 1718; de *courtaud.* Rendre courtaud (un cheval, un chien). — Au p. p. *Cheval courtaudé !*

COURT-BOUILLON [kuʀbujɔ̃] n. m. — 1622, fig., *in* D.D.L.; de 1. *court,* et *bouillon.*

♦ **1** (1640, *in* D.D.L.). Bouillon composé d'eau, de vin blanc, d'épices et de beurre, dans lequel on fait cuire du poisson. *Carpe au court-bouillon. Court-bouillon fait avec du vinaigre.* → **Bleu** (au bleu). *Des courts-bouillons.*

— Oui, mon ami; il est cousu dans cette toile si étroitement que l'air n'y peut entrer. Il cuit dans ce joli court-bouillon qui chante et dans lequel j'ai jeté, avec une poignée de foin, des gousses d'ail, des ronds de carottes, des oignons, de la muscade, du laurier et du thym (...)
Huysmans, Là-bas, IX, p. 130.

Par métonymie. Plat préparé au court-bouillon. *Un court-bouillon de poisson.*

♦ **2** Sauce à base de court-bouillon. *Court-bouillon de volaille en gelée.*

♦ **3** Argot, vieilli. La mer. → (mod.) **Bouillon.**

DÉR. **Court-bouillonner.**

COURT-BOUILLONNER [kuʀbujɔne] v. tr. — 1872; de *court-bouillon.*
Cuis. Accommoder (un poisson) au court-bouillon.

COURT-CIRCUIT [kuʀsiʀkɥi] n. m. — 1890; de 1. *court,* et *circuit.*

♦ **1** Techn. (électr.). Mise en relation de deux points à potentiel différent (par un conducteur de résistance négligeable). *Machine, va-et-vient en court-circuit.* → aussi **Dérivation.**

♦ **2** Cour. Accident (interruption du courant par fusion des «plombs») qui résulte d'un court-circuit. → **Court-jus** (fam.). *Des courts-circuits. Provoquer un court-circuit.*

DÉR. **Court-circuiter.**

COURT-CIRCUITER [kuʀsiʀkɥite] v. tr. — 1931; au p. p., 1905, *in Rev. Gén. des sc.,* n° 4, p. 180; de *court-circuit.*

♦ **1** Mettre en court-circuit. → **Shunter** (anglicisme).

♦ **2** (Av. 1945). Fig. Laisser de côté (un intermédiaire normal) en passant par une voie plus rapide.

L'insurrection combinée «ville-montagne» qui, au jour J — d'ici à quelques mois au plus tard —, devrait court-circuiter les élections bidons.
Régis Debray, l'Indésirable, p. 16.

REM. On trouve aussi, dans ce sens, le dérivé *court-circuitage,* n. m. : *«un court-circuitage imprévu entre le comité (...) et le Réseau-Bombes»* (Cecil Saint-Laurent, les *Passagers pour Alger,* p. 218).

COURT-COURRIER [kuʀkuʀje] adj. m. et n. m. — 1965; de 1. *court,* et *courrier.*
Techn. Se dit d'un avion destiné à assurer des transports à de courtes distances. — N. m. *Des court-courriers.*

CONTR. **Long-courrier** (plus courant).

COURTE-BOTTE [kuʀtəbɔt] n. m. — 1762; de *courte,* fém. de 1. *court,* et *botte.*
Fam. et vx. Homme de très petite taille, aux jambes courtes. *Des courtes-bottes.*

COURTE ÉCHELLE [kuʀteʃɛl] n. f. → **Échelle** (*infra* cit. 7).

COURTELINESQUE [kuʀtəlinɛsk] adj. — 1942; du nom de Georges Courteline, écrivain français, par allus. au caractère de ses comédies.
Qui a le caractère comique et satirique d'une pièce de Courteline, notamment en parlant de l'armée, de l'administration. *Une bureaucratie courtelinesque.*

1   Une aube militaire parfumée au café de basse qualité, un frisson courtelinesque avec rumeurs de salle de police et cliquetis de verrous, un sergent de ville emmitouflé, pointant un nez comme un fanal, tirèrent Monsieur Jadis de l'engourdissement.
A. Blondin, Monsieur Jadis, p. 136.

2   (...) au milieu de ce désordre courtelinesque, Gérard Duglandier de la Bastie (...) travaillait avec élégance (...)
J. Dutourd, Au bon beurre, p. 171.

REM. On rencontre, chez P. Vialar, le subst. fém. *courtelinade* «histoire, affaire courtelinesque».

COURTEMENT [kuʀtəmɑ̃] adv. — XIIᵉ; de 1. *court.*

Vx (langue class.). D'une manière brève, courte (dans la parole). → **Brièvement, rapidement.**

CONTR. Longuement.

COURTEPOINTE [kuʀtəpwɛ̃t] n. f. — Fin XIIᵉ; *courtepointe*, 1439; de l'anc. franç. *coute* «lit de plumes» (→ 1. Couette), et du p. p. de *poindre*, au sens anc. de «piquer», d'où «couvre-pied piqué», *coute* altéré en *courte*, le premier mot étant devenu archaïque.

♦ **1** Couverture de lit ouatée et piquée. → **Couvre-pied.**

♦ **2** Couvre-lit d'ornement. → **Dessus-de-lit.**

1 On faisait son lit et il n'y avait plus que la courtepointe à y mettre.   SAINT-SIMON, Mémoires, 225, 17.

2 Elle était chez elle, ramenée ou rapportée, mise sur son lit sans savoir par qui (...) encore chaussée de ses souliers, qui avaient maculé de boue la courtepointe blanche.
          LOTI, Matelot, LIII, p. 211.

DÉR. Courtepointier.

COURTEPOINTIER, IÈRE [kuʀtəpwɛ̃tje, jɛʀ] n. — 1636; de *courtepointe.*

Techn. Fabricant, marchand de courtepointes.

COURTE-QUEUE [kuʀtəkø] adj. et n. — 1787; de *courte*, fém. de 1. *court*, et *queue.*

♦ **1** Adj. Vx. Se dit d'un chien ou d'un cheval courtaud*. — N. m. *Des courtes-queues.*

N. m. Animal à queue courte.

♦ **2** N. f. (1793). Bot., hortic. Cerise à queue courte appelée aussi *cerise de Montmorency.*

COURTEROLLE [kuʀtəʀɔl] n. f. — 1572; de *courtil.*

Vx. Larve du hanneton. → **Courtilière.** — **REM.** On écrit aussi *courterole.*

COURTIER, IÈRE [kuʀtje, jɛʀ] n. — 1538; *corretier*, 1241; *curratier, corratier*, v. 1235; probablt de l'anc. franç. *corre* (→ Courre, courir).

Personne qui s'entremet pour faciliter la conclusion d'une affaire. → **Agent, broker, intermédiaire.**

♦ **1** Dr. comm. Commerçant qui fait profession de s'entremettre pour ses clients dans les transactions commerciales, immobilières, etc. *Le rôle des courtiers cesse à partir du moment où les parties ont contracté entre elles. Rémunération de courtier.* → **Commission, courtage*.**

1 À la différence du commissionnaire, le courtier se borne à chercher une contrepartie pour son client et à faciliter la conclusion des opérations, sans y prendre part (à moins que son client ne lui ait donné mandat de contracter en son nom). Toute personne peut exercer la profession de courtier, sauf dans les cas où la loi a institué un monopole.
          JULLIOT DE LA MORANDIÈRE,
          Précis de droit commercial, nᵒ 790.

2 Cette courtière était une maquignonne d'affaires, qui prêtait et empruntait sur gages (...)
          VOLTAIRE, *in* LITTRÉ, Dict., art. *Maquignon.*

Cour. Personne qui fait profession de vendre en prenant contact avec la clientèle. → **Courtage.** — *Courtiers libres.* → **Agent, commissionnaire, placier, représentant.** *Courtiers de marchandises. Courtier en vins. Courtier en librairie. Courtier en immeubles. Courtier de publicité. Un réseau de courtiers. Vente par courtiers.* → **Courtage.**

3 Un pauvre journal d'opinion, qui tire péniblement à trente, trente-cinq mille et qui doit je ne sais combien à l'imprimeur, au fabricant de papier, aux courtiers de publicité.
          J. ROMAINS, les Hommes de bonne volonté, t. II,
          XI, p. 118.

(...) aujourd'hui la profession de courtier et celle de commissionnaire, bien que distinctes en théorie, sont généralement exercées par les mêmes individus. Rien ne s'oppose à ce qu'un courtier fasse des opérations commerciales pour son propre compte; mais il lui est interdit de se charger d'une entremise dans une affaire où il aurait un intérêt personnel, sans prévenir son client, sous peine d'amende et de dommages-intérêts (Loi de 1866, art. 7).
          JULLIOT DE LA MORANDIÈRE, Précis de droit
          commercial, nᵒ 791 (→ ci-dessus, cit. 1).   4

Elle fit mille choses pour nous maintenir à flot. Elle fut courtière de bijoux, acheta et revendit des fourrures et des antiquités (...)   4.1
          R. GARY, la Promesse de l'aube, p. 129.

Loc. (dr.). *Courtiers inscrits ou assermentés :* courtiers de marchandises inscrits sur une liste dressée par le tribunal de commerce. *Courtiers privilégiés,* officiers publics jouissant d'un monopole : *courtiers d'assurances maritimes* et *courtiers maritimes* (courtiers interprètes et conducteurs de navires). *Chambre syndicale des courtiers maritimes. Courtier marron* ou *clandestin,* qui exerce irrégulièrement le courtage.
Vx. *Courtiers en valeurs mobilières :* intermédiaires, qui jouaient le rôle d'agents de change pour la négociation des valeurs non admises au bulletin officiel de la cote. → **Bourse, coulissier.**

♦ **2** Fig., vx. Intermédiaire. → **Agent.** *Courtier électoral. Courtier de chair humaine.* → **Négrier.** — **Loc.** (vx). *Courtier de mariages. Courtier de galanterie.* → **Entremetteur, proxénète.**

C'est une chose merveilleuse que la facilité avec laquelle il se forme une liaison entre les courtiers de galanterie et les femmes qui ont besoin d'eux.   5
          A. R. LESAGE, Gil Blas, VIII, 10.

(...) ces intermédiaires encore nécessaires aux hommes, ces courtiers que sont les peintres et les poètes.   6
          GIRAUDOUX, les Aventures de Jérôme Bardini,
          p. 157.

Spécialt. Intermédiaire politique. *«Honnête courtier»* (expression utilisée par Bismarck pour qualifier le rôle de l'Allemagne au congrès de Berlin).

M. Churchill se tenait lui-même comme le courtier désigné   7
entre les prétentions du président Roosevelt et les refus du général de Gaulle.
          CH. DE GAULLE, Mémoires de guerre, 1956,
          p. 214, *in* T. L. F.

DÉR. Courtage.

COURTIL [kuʀtil] n. m. — V. 1170, *curtil*; du bas lat. **cohortile,* de *cohors.* → **Cour.**

♦ **1** Vx ou régional. Petit jardin attenant à une maison de paysan généralement entouré de haies ou de barrières.

Angélo passa plus de deux heures, assis par terre, le dos appuyé contre le tronc d'un lilas. Il était dans une paix complète et même dans une sorte de bonheur. Il voyait la femme aller et venir dans le courtil.
          J. GIONO, le Hussard sur le toit, p. 94.

Par métonymie. Petite maison de paysan.

♦ **2** Hist. Dans certaines régions de France, au moyen âge, Parcelle de terre plus petite que la manse.

DÉR. Courtille, courtillier. V. Courtilière.

COURTILIÈRE [kuʀtiljɛʀ] n. f. — 1762; *courtillière*, 1493; fém. de l'anc. franç. *cortillier* (→ Courtillier), ou de *courtil*, et *-ière.*

Insecte orthoptère sauteur appelé aussi *taupe-grillon,* de couleur rousse, et qui cause des ravages dans les jardins. *Les pattes antérieures de la courtilière sont élargies en forme de pelle, et lui servent à creuser des galeries dans les terrains secs.*

La nuit était vraiment très douce. Les grillons et les courti-
lières que la chaleur de ce jour de faux été avait revigorés
faisaient entendre maintenant ce crissement métallique
qui semble être l'enivrement de l'air lui-même.

    J. GIONO, le Hussard sur le toit, p. 318-319.

COURTILLE [kuʀtij] n. f. — 1705; forme fém. de *courtil*;
vx depuis le XVIIIᵉ.

♦ **1** Vx. Enclos, jardin champêtre. *La Courtille*, nom
d'un ancien faubourg de Paris.

♦ **2** Argot (jeu de mots sur *être à court* d'argent). *Être
de la courtille* : manquer d'argent (→ Être fauché,
raide).

COURTILLIER [kuʀtije] n. m. — V. 1350, *courtiller; cor-
telier*, fin XIIᵉ; *curtiller*, fém., fin XIIIᵉ; de l'anc. franç. *cortil*
«jardin». → Courtil.

Vx. Jardinier.

1. COURTINE [kuʀtin] n. f. — Xᵉ; du bas lat. *cortina*
«tenture», de *cohors*. → Cour.

Ⅰ (Xᵉ). ♦ **1** Rideau de lit (disposé autour des anciens
lits d'apparat).

1   Et tout ce qu'il vit, c'est que les courtines de son lit étaient
  closes et que, pour sûr, elle était dedans.
    G. SAND, François le Champi, XVI, p. 117.

1.1 Mais les courtines de pourpre se relevèrent; et l'on découvrit sur un large oreiller une tête humaine tout impassible
  et boursouflée (...)
    FLAUBERT, Salammbô, II, Pl., t. I, p. 772.

Tenture masquant un élément, une partie d'une
pièce.

♦ **Liturg.** Tenture disposée derrière un autel et de
couleur généralement assortie à celle de l'office du
jour.

2   Les ornements sacerdotaux foisonnent; ici, l'on rencontre
  des parements d'autel en drap vermeil, des courtines de
  soie émeraude, une chape de velours cramoisi (...)
    HUYSMANS, Là-bas, IV, p. 48.

♦ **3** Blason. *Les courtines*, partie du pavillon qui
forme le manteau.

Ⅱ ♦ **1** Archit. Façade d'un bâtiment, comprise entre
deux pavillons.

♦ **2** (1572). Fortif. Mur rectiligne, compris entre deux
bastions. *Terrain limité par une courtine.* → **Boulevard** (vieilli).

3   La fenêtre de mon donjon s'ouvrait sur la cour intérieure;
  le jour, j'avais en perspective les créneaux de la courtine
  opposée (...)
    CHATEAUBRIAND, Mémoires d'outre-tombe, t. I,
    p. 115.

4   (...) et l'archer qui tout le long du jour se promenait sur la
  courtine, dès que le soleil brillait trop fort rentrait dans
  l'échauguette, et s'endormait comme un moine.
    FLAUBERT, Trois contes,
    Légende de saint Julien l'Hospitalier, 1.

Par comparaison :

5   Devant l'îlot, le littoral se composait, en premier plan,
  d'une grève de sable, semée de roches noirâtres, qui, en
  ce moment, réapparaissaient peu à peu sous la marée
  descendante. Au deuxième plan, se détachait une sorte
  de courtine granitique, taillée à pic, couronnée par une
  capricieuse arête à une hauteur de trois cents pieds au
  moins.   J. VERNE, l'Île mystérieuse, t. I, p. 34 (1874).

2. COURTINE [kuʀtin] n. f. — 1896; de *course*, p.-ê.
d'après un nom propre de lieu (*la Courtille*; → Courtille)
ou infl. — peu compréhensible — de 1. *courtine*.

Argot, fam. (Surtout au plur.). Course de chevaux.

Dépliant le canard qu'il vient d'attriquer¹ au camelot qui
va de table en table, Pierrot s'absorbe dans la lecture de
la première page.

— Tu cherches un gagnant pour tantôt? charrie Max,
sachant fort bien que les courtines sont dans cette feuille
reléguées en fin de journal.
1. Acheter.

    A. SIMONIN, Hotu soit qui mal y pense, p. 223.

1. COURTISAN [kuʀtizɑ̃] n. m. — 1472; *courtisien*,
après 1350, au sens 1; altér. de l'ital. *cortigiano*, de *corte*
«cour».

♦ **1** Celui qui est attaché à la cour, au service du
roi, d'un prince. — Celui qui fréquente la cour d'un
souverain, d'un prince. → Cour (homme de cour).
Un vieux courtisan (→ Brigue, cit. 0.1, Corneille). *Un
adroit, un habile, un fin courtisan* (→ Assidu, cit. 6).
Les courtisans (hommes et femmes : le fém. est
rendu impossible par le sens qu'a pris *courtisane**).

1   Messieurs les courtisans, cessez de vous détruire :
  Faites, si vous pouvez, votre cour sans vous nuire.
    LA FONTAINE, Fables, VIII, 3.

2   J'étais né pour être courtisan. — On dit que c'est un métier
  si difficile! — Recevoir, prendre et demander, voilà le
  secret en trois mots.
    BEAUMARCHAIS, le Mariage de Figaro, I, 1.

3   (...) le prince Basile n'était plus jeune, mais il avait la grâce,
  l'adresse et l'expérience d'un courtisan consommé.
    MÉRIMÉE, Hist. du règne de Pierre le Grand, p. 26.

4   Pesez bien la force de ce mot. Un courtisan est un homme
  de la cour du roi, j'entends un homme qui a une charge
  ou un emploi domestique dans le palais (...)
    TAINE, Philosophie de l'art, t I, I, II, VII, p. 86.

♦ **2** (1560). Fig., péj. Celui qui cherche à plaire aux
puissants, aux gens influents, par des manières
obséquieuses, flatteuses. → **Flatteur; adulateur,
louangeur.** *Flatterie de courtisan. Manières de courtisan. Cet homme n'a point d'amis, il n'a que des
courtisans* (Académie).

5   L'homme riche a des commensaux ou des parasites,
  l'homme puissant des courtisans, l'homme d'action a des
  camarades qui sont aussi des amis.
    A. MAUROIS, Études littéraires, Saint-Exupéry,
    t. II, p. 260.

Par appos. *Poètes courtisans.*

♦ **3** Littér. et vx. Celui qui, par des manières flatteuses, recherche les faveurs d'une femme.

6   Et tu seras aimée de mes amants, courtisée par mes courtisans. Tu seras la reine des hommes aux yeux verts, dont
  j'ai serré aussi la gorge dans mes caresses nocturnes (...)
    BAUDELAIRE, Petits poèmes en prose,
    «Les bienfaits de la lune», 1867,
    p. 179, in T. L. F.

CONTR. Hautain, indépendant. ◊ DÉR. Courtisanerie.

2. COURTISAN, ANE [kuʀtizɑ̃, an] adj. — Mil. XVIᵉ;
de 1. *courtisan*

Vieux.

♦ **1** Qui est propre à la cour. *Mode courtisane.*

♦ **2** Qui courtise, a une attitude de courtisan
(1. Courtisan 2.). *Esprit courtisan. Manières courtisanes.*

COURTISANE [kuʀtizan] n. f. — 1547; *courtisanne*,
1537; *courtisienne*, v. 1500; ital. *cortigiana* «dame de
la cour, femme galante»; de *corte* «cour».

♦ **1** Anciennt ou littér. Femme d'un rang social assez
élevé, qui monnaye ses faveurs, qui accepte des
relations sexuelles moyennant rétribution (→ Prostituée).

Dans l'Antiquité, *Les courtisanes grecques. Aspasie,
Laïs, Phryné, Thaïs, célèbres courtisanes. Courtisane d'un rang assez élevé.* → **Hétaïre.** — *Influence
des courtisanes sur le gouvernement.* → **Pornocratie.**
Célèbres courtisanes des grandes villes d'Italie. Les

courtisanes de Venise. Les ambubaïes*, courtisanes d'origine orientale, à Rome.

1 Il *(dom Carlos)* savait bien qu'il y avait plusieurs princesses et dames de condition dans Naples, mais il savait bien aussi qu'il y avait force courtisanes affamées, fort âpres après les étrangers, grandes friponnes et d'autant plus dangereuses qu'elles étaient belles.
SCARRON, le Roman comique, I, IX, p. 29.

♦ **2** (1553). Demi-mondaine. → **Cocotte, créature** (vx), **fille** (spécialt), **grisette, lorette** (ancienni).

2 Il avait souvent singé la passion; il fut contraint de la connaître; mais ce ne fut point l'amour tranquille, calme et fort qu'inspirent les honnêtes filles, ce fut l'amour terrible, désolant et honteux, l'amour maladif des courtisanes.
BAUDELAIRE, la Fanfarlo.

3 (...) dans *Manon Lescaut*, la courtisane qui est bonne fille, immorale par le besoin du luxe, mais affectueuse par instinct, capable à la fin de payer d'un amour égal l'amour absolu qui pour elle a fait tous les sacrifices, est un type si visiblement durable que George Sand dans *Leone Leoni*, et Victor Hugo dans *Marion Delorme*, l'ont repris pour le mettre en scène, en retournant les rôles ou en changeant le moment.
TAINE, Philosophie de l'art, t. II, V, II, III, p. 260.

4 Quand un amant désirait se présenter à une courtisane, il lui suffisait d'écrire leurs deux noms avec le prix qu'il proposait; si l'homme et l'argent étaient reconnus dignes, la femme restait debout sous l'affiche, en attendant que l'amateur revînt.   Pierre LOUŸS, Aphrodite, II, p. 33.

COURTISANERIE [kuʀtizanʀi] n. f. — 1560, *courtisannerie; de* 1. *courtisan.*

Littér. et vieilli.

♦ **1** Vieilli. En gén. péj. Conduite de courtisan* (1. Courtisan, 2.). → **Adulation, flatterie.** *Courtisanerie basse et obséquieuse.*

1 (...) il *(Talleyrand)* est toujours dans la plus haute faveur et perd sans cesse en considération et en esprit ce qu'il gagne en souplesse et en courtisanerie.
MIRABEAU, cité par Louis BARTHOU, Mirabeau.

Par ext. Attitude servile (d'une personne qui cherche à plaire à un personnage puissant et influent).

♦ **2** *Une, des courtisaneries.* Acte, comportement propre au courtisan.

2 Toutes les courtisaneries du premier empereur sont pour l'opinion, toutes mes peurs aussi. Les salons le font trembler, il les hait. L'encre est le sang de l'opinion publique, il la hait; et cependant que d'actes, que de paroles, que de faussetés pour la séduire et lui plaire!
Ed. et J. DE GONCOURT, Journal, 1859, p. 622, *in* T.L.F.

COURTISANESQUE [kuʀtizanɛsk] adj. — 1578; empr. à l'ital. *cortigianesco, de cortegiano.* → Courtisan.

♦ **1** Vx ou littér. Relatif, propre aux courtisans. *Manières courtisanesques. Langue courtisanesque.*

♦ **2** Péj. Qui cherche à plaire en flattant. *Une âme courtisanesque.*

Ah! le décor a beau changer, la pièce sera toujours la même : vanité, bassesse, aptitude aux courbettes, courtisanesque besoin de s'avilir, de s'aplatir!
Alphonse DAUDET, l'Immortel, p. 125 (1883).

COURTISER [kuʀtize] v. tr. — 1557; altér. de l'ital. *corteggiare* «faire partie de la cour d'un personnage important», «faire sa cour à qqn de puissant», *de corte* «cour».

♦ **1** Littér. Faire sa cour* à (qqn) en vue d'obtenir des faveurs. → **Aduler, caresser, flatter, louanger; botte** (lécher les bottes), **cour** (faire la cour), **plat** (faire du plat). *Courtiser les grands, les riches, les puissants. Courtiser qqn en l'entourant d'attentions, de soins empressés.*

1 On t'honore dans Rome, on te courtise, on t'aime.
CORNEILLE, Cinna, V, 1.

Par anal. *Courtiser le pouvoir.*

Je ne sais s'il est maintenant plus profitable de courtiser 1.1
le pouvoir tombé que le pouvoir debout.
A. DE MUSSET, Revue des Deux-Mondes, 1833, p. 103, *in* T.L.F.

REM. Même dans ce sens, *courtiser* semble moins péjoratif que *courtisan* et *courtisanerie.*

♦ **2** (1560). Faire la cour* à (une femme), chercher à (lui) plaire, à (en) obtenir des faveurs. → **Coqueter** (vx), **galantiser** (vx), **mugueter** (vx). *Galant qui courtise les femmes. Courtiser une jeune fille. Courtiser la brune et la blonde* (cit. 10).

(...) plus d'un garçon, en la voyant marcher si légère et de 2
si belle grâce, eût souhaité qu'elle fût à la fin de son deuil, afin de pouvoir la courtiser et la faire danser.
G. SAND, la Petite Fadette, XXXIV, p. 224.

Cela semble absurde, au premier abord, que courtiser une 3
vierge soit plus difficile que de s'attaquer à une femme qui s'est donnée et qui, sachant tout, peut mieux se défendre.
Paul BOURGET, le Disciple, IV, p. 223.

Par anal. *Elle le courtise.*

Intrans. Régional (Belgique). Fréquenter* en vue du mariage.

La Mia n'est pas pour toi. C'est notre fille à nous. D'ailleurs, 3.1
elle courtise.
M. LEROY, les Chatons gelés, p. 78 (1969).

♦ **3** Fig. (Poét. et vx ou par plais.). *Courtiser les Muses :* s'adonner à la poésie, faire des vers. — *Courtiser la gloire, la fortune,* les rechercher.

Juge si, toujours triste, interrompu, troublé, 4
Lamoignon, j'ai le temps de courtiser les Muses.
BOILEAU, Épîtres, VI.

♦ **COURTISÉ, ÉE** p. p. et adj. *Femme très courtisée, courtisée par beaucoup d'hommes.*

N. *Un courtisé, une courtisée.*

Mais il faut être un courtisan fameusement subtil pour 5
savoir où réside exactement l'inquiétude du courtisé (...) Et quelle ampleur elle a, et comment l'apaiser.
F. GIROUD, Si je mens, p. 19.

CONTR. Dédaigner, mépriser; brocarder, fronder.

COURT-JOINTÉ, ÉE [kuʀʒwẽte] adj. — 1661; de 1. *court,* adv., et *jointé.* → Jointure.

Techn. Qui a le paturon court (cheval), les jambes courtes (faucon). *Des juments court-jointées.*

COURT-JUS [kuʀʒy] n. m. — V. 1914; de 1. *court-,* et *jus.*

♦ **1** (1914). Pop. Court-circuit. *Des courts-jus.*

♦ **2** (1920). Fam. Jus, sauce courte. *«Un court-jus doré»* (Léon Daudet, *in* T.L.F.).

COURT-MÉTRAGE [kuʀmetʀaʒ] n. m. → **Métrage.**

COURT-NOUÉ [kuʀnwe] n. m. — xxᵉ; de 1. *court,* adv., et *nouer.* → Nouer, III.

Régional. Maladie à virus de la vigne, transmise par la greffe, et affectant certains organes de la plante (sarment, feuille). → aussi **Roncet.** *Des courts-noués.*

COURTOIS, OISE [kuʀtwa, waz] adj. — V. 1130, *corteis; curteis,* 1080; de l'anc. franç. *court* (→ Cour II.) et suff. *-ois.*

♦ **1** Qui parle et agit avec une civilité raffinée. → **Affable, aimable, civil, gracieux, honnête, poli.** *Un homme courtois, peu courtois. Il a été parfaitement courtois avec nous.*

Ils sont toujours parfaitement courtois envers un chacun. 1
DESCARTES, les Passions de l'âme, 146, *in* LITTRÉ.

Qui est empreint de courtoisie*. *Un accueil cour-tois. Des manières courtoises. Un langage, un ton courtois. Discussion, polémique, conversation cour-toise. Une réclamation courtoise. Un refus courtois* (→ Acquiescer, cit. 6).

2   Il me convenait bien plutôt d'aborder de façon courtoise la dame au parler clair, de m'incliner devant elle (...)
FRANCE, le Crime de S. Bonnard, Œ., t. II, p. 305.

3   La conversation était restée jusque-là courtoise et imper-sonnelle.
J. ROMAINS, les Hommes de bonne volonté, t. II, XX, p. 214.

♦ **2** (Au moyen âge). *Littérature, poésie courtoise*, pra-tiquée dans les cours seigneuriales et qui exalte subtilement l'amour (→ Troubadour).

Littér. Qui correspond à l'esprit de la chevalerie du moyen âge. *Esprit courtois. Morale courtoise.*

L'amour* courtois, tel qu'il était défini et codifié par l'esprit courtois. *Cf.* provençal *Fin'amor.*

4   Au temps où régnait l'amour courtois, l'amant ne cher-chait guère à se faire aimer. Il acceptait d'aimer en silence ou au moins sans espoir. Cela fut vrai encore de Mon-sieur de Nemours et de la Princesse de Clèves. Certains jugent irréelles et naïves ces passions blanches. Mais *une admiration distante donne à une âme délicate des plaisirs vifs* et qui, étant tout subjectifs, semblent mieux protégés que d'autres contre déceptions et désillusions.
A. MAUROIS, Un art de vivre, II, III, p. 63.

Loc. *Armes courtoises* : armes dont la pointe et le tranchant étaient émoussés pour ne pas blesser l'adversaire. → **Arme** (*infra* cit. 40). *Fig. Combattre, discuter à armes courtoises.* → **Loyalement.**

CONTR. Discourtois, malappris. — Âpre, dur, grossier, impertinent, impoli, vulgaire. ◊ **DÉR.** Courtoisement. — Courtoisie.

COURTOISEMENT [kuʀtwazmɑ̃] adv. — 1080, *curtei-sement; de courtois.*

D'une manière courtoise, avec une politesse raffinée. *Répondre courtoisement. Saluer courtoise-ment qqn.* — «*Un sourire supérieur, courtoisement (...) méprisant*» (Barrès, *in* T. L. F.).

COURTOISIE [kuʀtwazi] n. f. — 1155, *curteisie; de courtois.*

♦ **1** Politesse raffinée. → **Affabilité, amabilité, civi-lité, distinction, politesse.** *Traiter qqn avec cour-toisie. Répondre avec courtoisie. Paroles de cour-toisie. Tournoi de courtoisie. Extrême courtoisie. Visite de courtoisie. Faire des assauts de courtoisie. Manquer de courtoisie.*

1   Mon cher ami, avait dit le pacha, dans un anglais très pur, et avec cet air de courtoisie parfaite des Turcs de bonne naissance, mon cher ami, avez-vous aussi l'intention d'em-brasser l'islamisme? LOTI, Aziyadé, IV, I, p. 177.

2   Mais, ce qui ne saurait être dit, rapporté en termes trop pompeux, ce fut l'extrême courtoisie qu'il apporta à l'ac-complissement de cette difficile opération (...)
COURTELINE, Boubouroche, Nouvelle, IV, p. 64.

Loc. *Il est de bonne courtoisie de faire...*

Péj. Politesse froide, conventionnelle.

3   (...) Edmée ne l'invita désormais (*Chéri*) que par courtoisie protocolaire, ainsi qu'on offre quand même la bécassine, à table, aux invités végétariens.
COLETTE, la Fin de Chéri, 1926, p. 63, *in* T. L. F.

♦ **2 Littér.** Attitude conforme à l'esprit de la cheva-lerie du moyen âge. — **Spécialt.** Cette attitude à l'égard d'une dame.

♦ **3** (Calque de l'angl. *courtesy*). *Miroir* de courtoisie.*

COURT-PENDU [kuʀpɑ̃dy] n. m. — 1560, Paré; de 1. court, adv., et p. p. de pendre.

Régional. Pomme à queue courte, de couleur rouge (H. Pourrat, *in* G. L. L. F.). *Des court-pendus.*

COURT-VÊTU, UE [kuʀvety] adj. — V. 1380; de 1. court, adv., et p. p. de vêtir.

Littér. Dont le vêtement est court. *Des fillettes court-vêtues.*

(...) il avisa, toute glacée sous une porte cochère, une mendiante de treize ou quatorze ans, si court-vêtue qu'on voyait ses genoux. La petite commençait à être trop grande fille pour cela. La croissance vous joue de ces tours. La jupe devient courte au moment où la nudité devient indé-cente. HUGO, les Misérables, IV, VI, II.

Rare (en parlant d'une partie du corps). *Des jambes court-vêtues.*

COUSCOUS [kuskus] n. m. — 1649, *in* Dauzat; *cos-cosson*, 1534, Rabelais; *couchou*, 1505; arabe magh-rébin *kŭskŭs.*

♦ **1** Semoule de blé dur étuvée et roulée en grains. *Un couscous fin, moyen. Du couscous. Couscous assaisonné à l'huile et à la menthe, servi froid.*
→ **Taboulé.** — Cette semoule, cuite à la vapeur pour préparer le plat du même nom.

1   Les Arabes préparent le kous-kous *(couscous)* en roulant à la main de la farine de façon à en former de petits grains pareils à du plomb de chasse.
MAUPASSANT, Au soleil, Le Zar'ez, p. 131.

♦ **2** Plat originaire du Maghreb composé de semoule (couscous, 1.), généralement servie avec de la viande, des légumes et de la sauce piquante (harissa). *Manger le couscous, un couscous. La viande, la semoule, les légumes, le bouillon d'un couscous. Couscous au mouton, couscous mouton; couscous poulet, brochettes. Couscous tunisien au poisson. Couscous algérois, marocain.*

REM. La forme *couscoussou* [kuskusu] est archaïque.

2   Les gens qui portent le plat de couscoussou dans un tapis (...) E. DELACROIX, Journal, 7 mars 1832.

♦ **3** Restaurant maghrébin où l'on sert notamment du couscous.

COUSCOUSSIER [kuskusje] n. m. — xxᵉ; de *couscous.*

Marmite en deux parties, l'une utilisée pour cuire la viande et les légumes du couscous (2.), et l'autre, percée d'orifices, que l'on pose sur la première pour cuire la semoule à la vapeur.

En franç. d'Afrique. Passoire pour la cuisson du cous-cous (semoule).

COUSETTE [kuzɛt] n. f. — Av. 1876; de 2. coudre.

♦ **1 Fam. et vx.** Jeune ouvrière dans la couture. → **Arpète, midinette** (1.).

1   Prends pour maîtresse une petite *cousette* de la ville, et ne pense plus à cette sacrée fille-là!
BARBEY D'AUREVILLY, les Diaboliques, «Le rideau cramoisi».

2   (...) les films où le milliardaire épouse la cousette ne domi-nent pas plus le cinéma que les contes où le prince épouse la bergère ne dominent la légende, pas plus qu'Hercule ne domine la mythologie antique.
MALRAUX, les Voix du silence, p. 512.

♦ **2** (1929). **Rare.** Petit étui contenant le nécessaire de couture.

COUSEUR, EUSE [kuzœʀ, øz] n. — Av. 1300, *cou-seres; de 2. coudre.*

♦ **1 N.** Celui, celle qui coud*. — (1803). Ouvrier, ouvrière qui coud les cahiers dans les ateliers de brochure. → **Brocheur.**

♦ **2 N. f. Vx.** (1863). **COUSEUSE** : machine à coudre industrielle.

(...) la couseuse mécanique, avec laquelle elle avait l'habi-tude de *rapetasser* ses costumes.
Ed. et J. DE GONCOURT, Journal, t. VII, p. 7.

Machine pour brocher les livres.

1. COUSIN, INE [kuzɛ̃, in] n. — V. 1150, *cosin germain; cusin*, 1080; lat. pop*. *cousinus*, lat. *consobrinus* «cousin germain», de *con-* (*cum*) et *sobrinus* «cousin», de *soror* «sœur».

♦ **1** Personne descendante de frères ou sœurs (par rapport aux autres descendants d'un frère, d'une sœur de l'un de leurs parents). *Cousins germains* : cousins ayant un grand-père (ou une grand-mère) commun. *Cousin germain du père ou de la mère. Cousins issus de germains**, ou *au deuxième degré* (*enfants de cousins*). *Cousin, cousine à la mode de Bretagne* : parent éloigné. *Cousins croisés*, enfants du frère et de la sœur. *Deux cousins germains sont parents au quatrième degré. Cousins au cinquième, au sixième degré... ou petits-cousins. Mon cousin. Mon cher cousin. Un cousin éloigné. Ils sont un peu cousins. Cousin, cousine par alliance* : conjoint, conjointe d'un cousin, d'une cousine. *Le Cousin Pons; la Cousine Bette*, romans de Balzac. *Les Cousins*, film de Cl. Chabrol.

1 (...) la chevelure noire (...) la sécheresse calabraise du teint qui faisaient de la cousine Bette une figure du Giotto (...)
BALZAC, la Cousine Bette, Pl., t. VI, p. 165.

2 (...) vous êtes bien bon, mon cousin. Vous dois-je beaucoup d'argent pour cette petite bêtise?
BALZAC, le Cousin Pons, Pl., t. VI, p. 549.

3 Ils étaient presque cousins, mais de familles si différentes et de parenté si vague que Pauline n'osait l'appeler par son prénom.
J. CHARDONNE, les Destinées sentimentales, I, p. 98.

En Afrique. Personne du même village, de la même région; ami ou relation. — *Cousins à plaisanterie**.

♦ **2** Fig. et fam. Vx. → **Ami, camarade; commère, compère.** *Si vous faites cela, nous ne serons plus cousins. Ils sont grands cousins.*

Mon cousin, titre que le roi de France donnait à des princes du sang, aux cardinaux, aux pairs, aux maréchaux de France...

Loc. prov. (1685, *in* D.D.L.). *Le roi n'est pas son cousin* : il s'estime au-dessus du roi, il est très prétentieux.

DÉR. Cousinage, cousinal, cousiner. ◊ HOM. 2. Cousin.

2. COUSIN [kuzɛ̃] n. m. — 1551; *cusin*, 1577; orig. discutée, peut-être dér. du lat. *culex, -icis* par le lat. pop. *culicinus*.

♦ **1** Régional ou vieilli. Moustique*. *Les femelles des cousins piquent les mammifères et les oiseaux pour en sucer le sang. La piqûre du cousin peut inoculer des germes pathogènes* (filariose, paludisme).

♦ **2** Fig., fam., vx. Parasite, importun. *Être mangé des cousins* : avoir constamment des importuns chez soi.

DÉR. Cousinière. ◊ HOM. 1. Cousin.

COUSINAGE [kuzinaʒ] n. m. — V. 1150; *cusinage*, déb. XIIᵉ; de 1. *cousin*, et -*age*.

♦ **1** Rare. Parenté entre cousins. — Par ext. Parenté relativement éloignée.

Fam. L'ensemble des parents, des cousins. → **Parenté.** *Le, son cousinage s'est réuni.*

♦ **2** Fig. → **Analogie, lien, ressemblance.** *Un air de cousinage.*

Aussi loin que soit du Chinois le Chinois de paravent cher à Diderot, aussi loin que soit du Persan celui de Montesquieu, ce n'était pas hasard si le XVIIIᵉ siècle leur reconnaissait un cousinage qu'il refusait à l'Inde et même à l'Islam. MALRAUX, les Voix du silence, p. 496.

COUSINAL, ALE, AUX [kuzinal, o] adj. — D. i. (XXᵉ); de *cousin*.

Rare. Relatif à la relation de cousin, au cousinage. *Rapports cousinaux. «Une famille (...) cultivant les relations cousinales avec un soin dévôt»* (Michel Déon, *les Poneys sauvages*, p. 41).

COUSINER [kuzine] v. — 1605; de 1. *cousin*, et -*er*.

♦ **1** V. tr. Vx. Appeler (qqn) cousin. *Cousiner quelqu'un.* — Pron. *Se cousiner* : s'appeler mutuellement «cousins».

♦ **2** V. intr. Être cousin. *Cousiner avec quelqu'un.*

Agir familièrement (avec qqn). — Fig. *Ils ne cousinent pas ensemble* : ils ne s'entendent pas.

COUSINIÈRE [kuzinjɛʀ] n. f. — 1723; de 2. *cousin*, et -*ière*.

Vx. Moustiquaire*.

(...) mais, quand je demande qu'on jette sur mon lit une cousinière pour me garantir des cousins qui m'empêchent de dormir (...)
STENDHAL, Mémoires d'un touriste, t. I, p. 107.

COUSOIR [kuzwaʀ] n. m. — 1680; *cousouer*, 1517; du rad. du p. p., de l'imparfait de *coudre*, et -*oir*.

Techn. Instrument, métier utilisé pour coudre manuellement les livres à brocher ou à relier. — Étau servant pour la couture et le montage des gants.

COUSSIN [kusɛ̃] n. m. — V. 1178, *cousin; coissin*, v. 1160; *cuisin*, av. 1250; du bas lat. *coxinus* «coussin», dér. du lat. impérial *coxa* «cuisse».

♦ **1** Pièce d'une matière souple, cousue et remplie d'un rembourrage, servant à supporter une partie du corps. → **Carreau, coussinet.** *Les coussins d'un fauteuil, d'un canapé, d'un divan, d'un sofa* (→ Ameublement, cit. 2). *Un lit, un divan recouvert de coussins. Coussin de plumes servant à tenir chaud.* → **Édredon.** *Coussin servant à supporter la tête pendant le sommeil.* → **Oreiller** (cit. 1), **traversin.** — REM. Le mot *coussin*, en franç. central, exclut les objets portant un nom spécifique courant tel que *oreiller, traversin* ou *édredon*, et en inclut d'autres (*pouf*, par exemple). *S'asseoir, s'étendre sur des coussins. → Pouf. Appuyer ses pieds sur un coussin. Les bourrelets, la broderie d'un coussin. Coussin en caoutchouc, à air, élastique.* → **Rond** (de cuir). *Coussin gonflable*.* — *Coussin de sécurité.* → **Airbag.** — *Les coussins et les dossiers de sièges de voiture.*

1 (...) pendant qu'il fumait, nonchalamment étendu sur les coussins du divan. G. SAND, Elle et lui, IV, p. 85.

2 Il revoit le divan, le coin où il s'est mis, les coussins où il s'est appuyé.
J. ROMAINS, les Hommes de bonne volonté, t. II, X, p. 104.

3 Adrienne heurta le dossier d'un fauteuil devant la table et recula en apercevant sur le siège un coussin un peu aplati au milieu, qui gardait l'empreinte de celui qui avait vécu des années assis à cette place.
J. CHARDONNE, les Destinées sentimentales, II, p. 270.

Objets servant de coussin. *Mettre sa tête sur un coussin de vêtements.*

Régional (Belgique). Oreiller.

♦ **2** Techn. Dispositif rappelant la forme ou la destination d'un coussin. → **Bourrelet, coussinet.** *Le coussin d'un collier d'attelage* : la partie rembourrée de ce collier. — Mar. → **Ventrière.**

Coussin d'air*. Suspension par coussin d'air.

(Reliure). Petite planche garnie de coton, de poils de chèvre, et recouverte d'une peau de veau sur laquelle on place les feuilles d'or.

Métier à dentelle formé d'une boîte carrée rembourrée extérieurement. → **Carreau.**

♦ **3** Radio. Élément musical comblant les trous d'un programme.

DÉR. **Coussinet, coussinière.**

COUSSINET [kusinɛ] n. m. — V. 1285 ; de *coussin.*

♦ **1** (V. 1285). Petit coussin*. → aussi **Bourrelet.** *Coussinet sur lequel on fiche des épingles, des aiguilles.* → **Pelote.** — *Petit coussin protégeant une partie du corps. Coussinet servant à protéger la tête qui supporte un fardeau.*

1   Perrette, sur sa tête ayant un pot au lait
Bien posé sur un coussinet,
Prétendait arriver sans encombre à la ville.
            LA FONTAINE, Fables, VII, 10.

2   (...) elle trouva un petit enfant assis devant sa planchette et jouant avec la paille qui sert de coussinet aux genoux des lavandières.
            G. SAND, François le Champi, I, p. 21.

Loc. Vx. *Jeter son coussinet sur qqch. :* avoir envie de quelque chose.

Anciennt (modes). Petit coussin utilisé pour avantager la poitrine de la femme.

♦ **2** (1676). Archit. Partie remplie d'un chapiteau ionique, qui s'enroule en volutes des deux côtés de la colonne.

♦ **3** Régional. *Coussinet des marais :* airelle des marais (→ Canneberge, myrtille).

♦ **4** (1863). Techn. Pièce cylindrique creuse placée dans un support (palier) et qui soutient une extrémité du tourillon d'un arbre (→ aussi **Bague**). *Coussinet en bronze, en alliage antifriction. Coussinet de tête de bielle. Rainure d'un coussinet de graissage.* → **Araignée, godet.**

(1863). Pièce de fonte sur laquelle reposent certains rails de chemin de fer.

3   Ils résistaient (les tréteaux), et il eut l'idée d'arracher les rails, de couper la voie, d'un bout à l'autre du carreau (...) Maheu fit sauter des coussinets de fonte, armé de sa barre de fer, dont il se servait comme d'un levier.
            ZOLA, Germinal, t. II, V, IV, p. 48.

♦ **5** Bourrelet (de chair, de tissus graisseux, etc.). — Anat. *Le coussinet adipeux de l'orbite (coussinet oculaire).* — Zool. Zone cutanée des extrémités des pattes des mammifères, formée d'une épaisse couche de corne souple dépourvue de poils (*coussinet plantaire*). — Cour. *Les coussinets du chat.* — Cour. *Des coussinets de chair.*

COUSSINIÈRE [kusinjɛR] n. f. — Mil. XVIᵉ, *couissinière ;* de *coussin.*

Régional (domaine occitan). Étoffe recouvrant un coussin.

COUSSO [kuso] n. m. — 1793, *cusso ;* empr. à l'amharique *koço.*

Bot. Plante d'Abyssinie (*Rosacées*) aux propriétés vermifuges. *Des coussos* [kuso].

COUSU, UE [kuzy] p. p. adj. → **Coudre.**

COÛT [ku] n. m. — XIIᵉ, *cost, cust ;* 1530, *coust ;* dér. verb. de *coûter.*

♦ **1** Somme que coûte une chose. → **Montant, prix.** *Le coût d'une marchandise, d'un service, d'un bien... Le coût de production d'un objet fabriqué.* → **Prix** (de

revient). *Le coût de cet objet est de..., le coût en est de dix mille francs. Le coût de la vie augmente dans les périodes d'inflation. Indices du coût de la vie. Les menus coûts :* les petites dépenses. → **Dépense.** — Loc. *Coût, assurance, fret.* → **C.A.F.** — Spécialt. *Coût de production :* coût directement lié à l'activité productive d'une industrie (à l'exclusion des frais généraux).

1   Tant en argent, et tant en cire,
Et tant en autres menus coûts.
            LA FONTAINE, Fables, VII, 11.

2   Et puis la Sainte-Alliance, que de coûts, que de dépenses !
            P.-L. COURIER, II, 94, in LITTRÉ.

3   À mesure que le coût de la vie augmente. En fait, ils gagnent moins qu'avant la guerre.
            J. CHARDONNE, les Destinées sentimentales, II, p. 406.

Prov. (vx). *Le coût fait perdre le goût :* le prix élevé d'un objet ôte l'envie de l'acquérir.

♦ **2** La conséquence négative, les effets supportés (de qqch., d'une action). → **Prix.** *Le coût d'une imprudence.*

♦ **3** (*Le coût de qqch. en...*). Dépense. *Le coût d'une production en énergie, en matières premières.*

DÉR. **Coûteux.** ◊ COMP. **Surcoûter.** ← HOM. **Cou, coup.**

COÛTANT [kutɑ̃] adj. m. — 1679 ; *constant* «coûteux», XIIIᵉ ; p. prés. de *coûter.*

Loc. *Prix coûtant :* prix qu'une chose a coûté. *Revendre qqch. à, au prix coûtant,* sans bénéfice.

COUTEAU [kuto] n. m. — 1316 ; *coutel, coltel,* 1316 ; du lat. *cultellus,* de *culter.* → Coutre.

▪ ♦ **1** Instrument tranchant servant à couper, composé d'une lame et d'un manche. → **Canif, couperet, coutelas, dague, navaja, poignard, tranchoir** (→ pop. Eustache, 2. schlass, surin). *Couteau pointu, couteau rond. Manche, poignée de couteau en bois, en corne, en ivoire. Virole* d'un manche de couteau. Couteau à manche travaillé. Lame de couteau en acier. Parties d'une lame de couteau.* → **Dos, fil, morfil, pointe, talon, tranchant.** *Couper, tailler, séparer, ouvrir, piquer, enduire, racler avec un couteau.* — Fig. *Coupé, taillé au couteau,* dont le contour, la section sont nets. — *Brouillard à couper* au couteau. — Couteau qui coupe bien. Se blesser en se servant d'un couteau. Peler une pomme avec un couteau* (→ Pomme à couteau). *Tailler un morceau de bois avec un couteau. La carotte* (cit. 0.5), jeu consistant à planter un couteau en terre. Couteau branlant dans le manche* (→ Couper, cit. 25.3). *Couteau ébréché, émoussé, épointé, rouillé. Affûter un couteau avec une pierre douce, un fusil...* → **Affiler, aiguiser** (cit. 2, 4), **émoudre, repasser.** *Donner un couteau à affûter au rémouleur*. Aiguiser deux couteaux lame contre lame. Poudre à nettoyer les couteaux. Gaine, étui, fourreau d'un couteau. Fabrication des couteaux.* → **Coutellerie.**

1   (...) un petit couteau affilé comme l'aiguille d'un palletier dont il (Panurge) coupait les bourses (...)
            RABELAIS, Pantagruel, XVI.

2   C'est avec son couteau qu'il coupait le pain dur (...) c'est avec son couteau qu'il grattait les fruits pourris (...) c'est avec son couteau qu'il se taillait des bâtons de voyage (...) c'est avec son couteau qu'il exerçait tous les arts de la vie.
            FRANCE, le Mannequin d'osier, Œ., t. XI.

3   Un employé, assis dans la lumière d'une grosse lampe, un couteau à la main, retaille l'extrémité du tuyau de sa pipe.
            J. ROMAINS, les Hommes de bonne volonté, t. III, VI, p. 96.

4   Le manche de corne de son couteau lui brûlait la paume de la main.   P. MAC ORLAN, la Bandera, XVI, p. 191.

5 Il prit d'une main le bras nu et doré d'Aïscha et, de la pointe de son couteau, il traça une croix sur la peau fine.
P. MAC ORLAN, la Bandera, XII, p. 140.

6 Le vent le flagelle, siffle à ses oreilles avec la stridence du couteau sur l'aiguisoir.
MARTIN DU GARD, les Thibault, t. VIII, p. 148.

6.1 Querelle ne voyait pas le couteau, mais il ne voyait que lui qui devint, d'être invisible et si important dans l'issue du combat (il ferait deux morts) monumental. La lame en était blanche, laiteuse et d'une matière un peu fluide. Car le couteau n'était pas dangereux du fait qu'il était coupant : il était le signe de la mort dans la nuit.
Jean GENET, Querelle de Brest, p. 300.

Loc. fig. EN LAME DE COUTEAU : pointu, acéré, aigu (d'une forme). *Visage en lame de couteau.* — Fam. *C'est comme le couteau de Jeannot* (se dit d'une chose transformée tant de fois qu'il ne reste plus rien de ce qui la constituait auparavant, par allus. au couteau dont Jeannot, personnage de comédie, avait renouvelé successivement le manche et la lame).

6.2 *La famille van Tricasse aurait pu s'appeler justement la famille Jannot.* Voici pourquoi :
Chacun sait que le couteau de ce personnage typique est aussi célèbre que son propriétaire et non moins inusable, grâce à cette double opération incessamment renouvelée, qui consiste à remplacer le manche quand il est usé et la lame quand elle ne vaut plus rien. Telle était l'opération, absolument identique, pratiquée depuis un temps immémorial dans la famille van Tricasse, et à laquelle la nature s'était prêtée avec une complaisance un peu extraordinaire. Depuis 1340, on avait vu invariablement un van Tricasse, devenu veuf, se remarier avec une van Tricasse, plus jeune que lui, qui veuve, convolait avec un van Tricasse plus jeune qu'elle, qui veuf, etc., sans solution de continuité.
J. VERNE, le Docteur Ox, p. 11.

Spécialt (couteaux pour les usages domestiques). *Couteau de poche,* ou *couteau pliant,* dont la lame se replie dans le manche, et est maintenue par un ressort ou un axe fixé à l'extrémité de celui-ci. → Canif, jambette. *Couteau pliant à virole.* → Laguiole, opinel (marques). *Couteau suisse. Ouvrir un couteau. Couteau pliant à plusieurs lames et divers outils* (tire-bouchon, ouvre-bouteille, etc.). *Cran d'arrêt, onglet d'un couteau pliant. Couteau de poche attaché à la ceinture par une chaîne. Couteau porté à la ceinture dans un étui. Couteau de scout.*

(Couteaux utilisés à table, pour manger, et faisant partie du couvert*). *Couteaux et fourchettes d'un service. Couteau inoxydable. Couteau à poisson, à asperges, à fromage, à dessert. Couper les aliments, les pousser sur la fourchette, les étaler sur le pain avec un couteau. Poser les couteaux sur les porte-couteaux* (→ Porte-couteau). *Service de couteaux rangés dans un écrin.* → Coutelière (vx). *Couteau à beurre. Couteau électrique,* muni d'un petit moteur qui actionne la lame. *Couteau à scie* (pour le pain, etc.). → Couteau-scie.

7 On entendait crier sous les couteaux les larges miches de pain de ménage.
M. BARRÈS, la Colline inspirée, p. 85.

8 De l'autre main, il jouait avec un couteau, disposait quelques miettes en une rangée régulière, sur la nappe.
J. ROMAINS, les Hommes de bonne volonté, t. II, XX, p. 216.

Couteau de cuisine. Grand couteau. → Couperet, coutelas. *Couteau à viande. Couteau à saigner* (→ Saignoir), *à découper, à dépecer* (→ Dépeçoir), *à hacher* (→ Hachoir). *Couteau à couper le lard.* → Tranchelard. *Couteau à légumes. Couteau pour éplucher.* → Épluchoir. *Couteau à lame de forme variable, servant à couper les légumes crus selon diverses formes.* → Coupe-légumes. *Couteau à frites. Jeu de couteaux.* — Vx. *Couteau à conserves,* pour découper le couvercle des boîtes. → Ouvre-boîte.

Cet instrument, utilisable comme arme blanche.
→ Coutelas, navaja, poignard, scramasaxe (hist.). *Couteau catalan. Couteau à cran* (cit. 2) *d'arrêt. Couteau-poignard des parachutistes.*
(1586). Loc. *Être à couteaux tirés,* en guerre ouverte. — *Jouer du couteau :* se battre au couteau. — *Coup de couteau. Donner des coups de couteau à qqn. Frapper** *à coups de couteau* → (vx et argot) Chouriner, piquer, suriner. — *Enfoncer, plonger, planter un couteau dans le ventre* (→ Crever le ventre), *entre les côtes...* — Fig. *Enfoncer, remuer le couteau dans la plaie :* aviver un chagrin. — *Trancher la gorge avec un couteau. Poser la pointe d'un couteau sur la gorge de qqn pour le menacer.* — Fig. (littér.). *Mettre le couteau sur la gorge** *(à qqn) :* contraindre par la menace, le chantage. Plus cour. *Avoir le couteau sous la gorge* (→ Être acculé). *Il a accepté ce marché le couteau sous la gorge.*
Spécialt. *Couteau de chasse,* pour achever le cerf, le sanglier...
Couteau sacré, couteau du sacrifice, qui servait à égorger les victimes dans les anciens sacrifices.
→ Fer.

9 Furieuse, elle vole, et sur l'autel prochain
Prend le sacré couteau, le plonge dans son sein.
RACINE, Iphigénie, V, 6.

10 *(Qu')* On lui fasse en mon sein enfoncer le couteau.
RACINE, Athalie, V, 6.

11 Elle sortit de son corsage le couteau de Chiquita, l'ouvrit, en tourna la virole et le plaça près d'elle à portée de sa main.
Th. GAUTIER, le Capitaine Fracasse, t. II, p. 193.

12 Imaginez-vous une grande salle tapissée de fusils et de sabres, depuis en haut jusqu'en bas; toutes les armes de tous les pays du monde : carabines, rifles, tromblons, couteaux (...)
Alphonse DAUDET, Tartarin de Tarascon, I.

13 (...) il saisit son couteau, ... il l'ouvre, veut l'enfoncer dans son cœur : la lame rencontre une côte et se replie sur la virole qui a cédé et il s'entame deux doigts.
FRANCE, Les dieux ont soif, p. 234.

14 (...) le matelot échappé, qui battait les gendarmes ou jouait du couteau contre les alguazils (...)
LOTI, Mon frère Yves, VIII, p. 35.

15 Comme chez un individu qui aurait la hantise d'un crime, on essayerait de loger l'idée qu'il ne pourra pas faire ce crime, que sa main tremblera, que le couteau lui échappera.
J. ROMAINS, les Hommes de bonne volonté, t. III, XXII, p. 294.

Vx. *Courte épée.* → Dague, rapière.
Par ext. (littér.). *Instrument de supplice. Le couteau du bourreau.* → Hache.

16 L'abandonnerez-vous à l'infâme couteau
Qui fait choir les méchants sous la main d'un bourreau ?
CORNEILLE, Horace, V, 3.

Partie tranchante (de la guillotine).

17 «envoie-moi à la guillotine; moi aussi, fais-moi trancher la tête!»
Et, à l'idée du couteau sur sa nuque, toute sa chair se fondait d'horreur et de volupté.
FRANCE, Les dieux ont soif, p. 224.

Couteau de chirurgie. → Bistouri, scalpel; -tome.

18 (...) comme un chirurgien avec son couteau affilé et à deux tranchants à la main (...)
BOSSUET, Pensées chrétiennes, VIII, *in* LITTRÉ.

19 Quand les chirurgiens ont décidé l'amputation, ils n'attendent pas un mois pour prendre le couteau.
G. DUHAMEL, Chronique des Pasquier, X, 8, p. 429.

Par métonymie. DEUXIÈME (SECOND) COUTEAU : personnage de second plan.

♦ 2 Techn., cour. Outil, instrument formé d'une lame coupante et d'un manche. *Couteau à papier :* lame de métal, de bois, d'ivoire... pour couper les pages d'un livre (→ Coupe-papier, plioir), pour marquer la page (→ **Liseur**). *Petit couteau pour effacer.* → **Grattoir.** *Couteau pour couper les ficelles* (→ **Coupe-ballot**). *Couteau mécanique. Couteau mécanique de charcutier* (→ **Coupe-jambon**). *Couteau de boulanger* (→ **Coupe-pâte**). *Couteau ramasseur,* instrument du chocolatier. *Couteau à tabac. Couteau à rogner* (le papier), *couteau à parer,* utilisés en reliure. *Couteau à pierre, à marbrier. Couteau à étain. Couteau à placage. Couteau de vitrier,* à mastiquer, à démastiquer. *Couteau de peintre,* à reboucher, à enduire. *Couteau à palette. Couteau pour broyer les couleurs.* → **Amassette.** *Couteau de doreur. Couteau de tanneur, de corroyeur.* → **Demi-rond, drayoir.** *Couteau à deux manches.* → **Allumelle, plane.** *Couteau d'apiculteur.* → **Désoperculateur.** *Couteau à greffe* ou (plus cour.) *couteau à greffer* (→ ci-dessous, cit. 20). → **Écussonnoir, entoir, greffoir.** — Vétér. *Couteau anglais* (vx), pour rogner la corne des sabots. *Couteau de feu :* instrument destiné, une fois chauffé, à brûler la partie affectée d'un animal. *Couteau de chaleur :* latte de bois pour racler la peau d'un cheval et en ôter la sueur après un violent exercice. — *Couteau à ruban.*

20   L'homme qui venait greffer gardait toujours sur lui son couteau à greffe, qui comportait une douce et courte petite lame d'ivoire en forme d'amande, accoutumée à décoller les écorces sans blesser les aubiers, à ménager les «yeux».
          COLETTE, Flore et Pomone, *in* Gigi, p. 175.

Peint. Petite truelle de peintre. *Peindre au couteau.*

♦ **3** Élément tranchant (d'un instrument). *Le couteau d'une charrue.* → **Coutre.**

☐ **II** Par anal. ♦ **1** (1863). Arête du prisme triangulaire qui porte le fléau (d'une balance). *Le couteau d'une balance.*

♦ **2** Plume droite (garniture d'un chapeau de femme). «*Canotier en feutre orné d'une plume-couteau*» (Colette, *Gigi*, 1944, *in* T.L.F.).

♦ **3** (1754). Zool. *Manche de couteau* ou *couteau :* coquillage bivalve rappelant par sa forme le manche d'un couteau de table. → **Coutelier, solen.**

21   (...) bientôt, le coquillage formel, cette coquille d'huître ou (...) ce «couteau», m'impressionnera comme un énorme monument (...)
          Francis PONGE, le Parti pris des choses, p. 74.

DÉR. Couteler, coutelet, coutelier. — V. Coutelas, coutille.
◊ **COMP. Couteau-scie. — Porte-couteau.**

COUTEAU-SCIE [kutosi] n. m. — 1723; de *couteau,* et *scie.*

Couteau dont la lame porte des dents, et qu'on utilise pour couper le pain, les aliments. «*Des couteaux-scie*» (Giono, *in* T.L.F.) ou *des couteaux-scies.*

COUTELAS [kutla] n. m. — 1410, *coutelasse, coutelace;* p.-ê. de l'ital. *coltellaccio* ou du moy. franç. *coutel.* → Couteau.

♦ **1** Vx. Épée courte à un seul tranchant.

♦ **2** Mod. Grand couteau à lame large et tranchante, utilisé en cuisine ou comme arme. *Être armé d'un coutelas.* → **Poignard.**

1   Mais Julien ne se fatiguait pas de tuer, tour à tour bandant son arbalète, dégainant l'épée, pointant du coutelas (...)
          FLAUBERT, Trois contes,
          «la Légende de St Julien l'Hospitalier», 1.

♦ **3** Techn., régional :

2   Au-dessous, jetée sur le sol, dans le coin le plus obscur, une lanière repliée, de celles que les toucheurs de bœufs nomment «coutelas», aiguë à sa pointe, large de trois doigts à sa base, pareille à un plat serpent noir.
          BERNANOS, Sous le soleil de Satan, *in* Œ. roman.,
          Pl., p. 288.

COUTELÉE [kutle] n. f. — Attesté 1862; de *couteler.*
Régional, agric. Étendue ou quantité d'herbe coupée d'un seul coup (de faux, faucille...).

COUTELER [kutle] v. tr. — 1160, *coltelé,* p. p.; v. tr. au XIIIe, repris 1833; de *coutel, couteau.*
Vieux.
♦ **1** Frapper avec un couteau.
♦ **2** Couper au couteau.
DÉR. Coutelée.

COUTELET [kutlɛ] n. m. — XIIIe; de *couteau.*
Vx ou littér. Petit couteau.
    Le capitaine les nourrissait mal mais leur offrait des arbres de Noël constellés de polissoirs, de limes, de coutelets pour ôter les peaux, et d'onguents.
          Jacques LAURENT, les Bêtises, p. 19.

COUTELIER, IÈRE [kutəlje, jɛr] n. et adj. — 1160; de *coutel, couteau.*
Technique ou vieux.
☐ **I** N. ♦ **1** Celui, celle qui fabrique, vend des couteaux et autres instruments tranchants (→ **Coutellerie**).
♦ **2** N. m. Coquillage bivalve. → **Couteau, solen.**
♦ **3** N. f. (XIIIe, «gaine, étui à couteau»). Vx. Boîte à compartiments où les couteaux de table sont rangés tête-bêche.
☐ **II** Adj. Relatif à la coutellerie. *Industrie, techniques coutelières.* → **Coutellerie.**
DÉR. Coutellerie.

COUTELLERIE [kutɛlri] n. f. — V. 1268; de *coutelier.*
♦ **1** Industrie, fabrication des couteaux et autres instruments tranchants. *Coutellerie ordinaire* ou *de table. Coutellerie fine. Coutellerie en ciseaux, rasoirs,* etc. *Coutellerie en instruments de chirurgie. Grosse coutellerie* (faux, haches, scies...). → **Taillanderie.** — *Opérations de coutellerie traditionnelle :* fabrication des lames (martelage avec un marteau spécial, le martinaire; forgeage, limage, perçage, émoulage, polissage, placage, métrage); fabrication du manche, par le cacheur ou redresseur de corne; montage du couteau, par le monteur; finissage du couteau (affilage, nettoyage). *Coutellerie de Châtellerault, Langres, Nogent, Thiers, Sheffield.*
    Je sors de l'École des Arts et Métiers. Depuis cinq ans, j'étais à la tête d'une grande maison de coutellerie chez Guéret.
          G. LEROUX, Rouletabille chez Krupp, p. 42.

♦ **2** Objets fabriqués par cette industrie (couteaux, lames, ciseaux, etc.). — REM. Les syntagmes énumérés sous 1. peuvent s'employer en ce sens.

♦ **3** Lieu où l'on fabrique, où l'on vend la coutellerie. *Travailler dans une coutellerie.*

COÛTER [kute] v. — XIIe, *coster;* du lat. *constare* («être fixé»; en lat. pop. «avoir pour prix», de *con (cum),* et *stare* «se tenir debout». → **Station.**
☐ **I** V. intr., suivi d'un compl. «interne» exprimant le prix (subst. numéral, adv.) et d'un compl. ind. en *à* (facultatif) exprimant le destinataire (*coûter qqch. à quelqu'un*).
♦ **1** Nécessiter (le paiement d'une somme) pour être obtenu. → **Valoir.** *Cet objet a coûté beaucoup, peu (X francs...) à* (qqn). *Somme que coûte une chose.* → **Valoir; coût, dépense, montant, prix.** *Coûter cher, coûter cent francs à qqn. Prix que coûte un objet, la fabrication d'un objet* (à qqn). → **Revenir** (a). *Combien cela coûte-t-il? Qu'est-ce que cela coûte? Cela ne lui coûte rien,* il l'a pour rien. *Du vin qui coûte*

*douze francs la bouteille. Les trois cent mille francs
que cette maison m'a coûté. Sans que cela coûte rien*
(cf. Sans bourse délier). *Coûter peu*: être bon marché.
Coûter cher, coûter gros; (vx) *coûter bon, bel et bon*;
(fam.) *coûter chaud*: être cher, coûteux. *Coûter les
yeux de la tête*: être très cher. Cf. *Être hors de prix.*
Loc. fam. *Coûter la peau des fesses, du cul,* (même
sens). — Par exagér. *Ne rien coûter,* être bon marché.
— Fam. (sans compl. ind.). *Ça coûtera ce que ça coûtera,* peu importe le prix. — Absolt. *Cela coûte*: c'est
cher. *Une grande famille, ça coûte.*

1　Il est bien nécessaire d'employer de l'argent à des perru-
　　ques, lorsque l'on peut porter des cheveux de son cru, qui
　　ne coûtent rien.　　　　　　　MOLIÈRE, l'Avare, I, 4.

1.1　— Elle l'a habillé tout à neuf, fit remarquer madame Le-
　　cœur. Il doit lui coûter bon.
　　　　　　　ZOLA, le Ventre de Paris, t. I, p. 120.

2　(...) énormes foulards de soie blanche que l'on fabriquait
　　exprès pour lui et qui coûtaient les yeux de la tête.
　　　　　　　G. DUHAMEL, Chronique des Pasquier, VIII, III,
　　　　　　　　　　　　　　　　　　　　　　　　p. 281.

3　C'est une eau-de-vie magnifique. Elle nous coûtera trois
　　cent mille francs, mais c'est une bonne affaire (...)
　　　　　　　J. CHARDONNE, les Destinées sentimentales, III,
　　　　　　　　　　　　　　　　　　　　　　　　p. 435.

3.1　C'est ce qui vous trompe, mon bon ami. Je ne suis pas
　　marié sous le régime de la communauté, moi. (Il souligna
　　ce moi d'un coup sur la poitrine). Margie me coûte les yeux
　　de la tête.　　　　Roger NAÏM, l'Ère des truands, p. 142.

◆ **2** Causer, entraîner (des frais, des dépenses). *Sa
famille lui coûte cher. Ce que coûte, l'argent que coûte
une santé délicate. Vous verrez ce que coûte la négligence.* — Impers. *Il vous en coûtera tant pour réparer
votre toiture.*

4　Le porc à s'engraisser coûtera peu de son:
　　Il était, quand je l'eus, de grosseur raisonnable (...)
　　　　　　　LA FONTAINE, Fables, VII, 10.

5　Le peu de soin que vous avez vous coûte quarante mille
　　écus (...)　　　　MOLIÈRE, les Femmes savantes, V, 4.

6　De tous les luxes, la femme est le plus rare et le plus
　　distingué, elle est celui qui coûte le plus cher, et qu'on
　　nous envie le plus (...)
　　　　　　　MAUPASSANT, Correspondance, Mes 25 jours,
　　　　　　　　　　　　　　　　　　　　　　　　p. 173.

7　Comme le journal, grâce à Gurau, n'était pas loin mainte-
　　nant de couvrir ses frais, l'affaire, au pis aller, ne coûtait
　　plus rien (...)
　　　　　　　J. ROMAINS, les Hommes de bonne volonté, t. V,
　　　　　　　　　　　　　　　　　　　　　　　XXIV, p. 226.

Fig. *Cela pourrait vous coûter cher,* vous attirer des
ennuis.

II Fig. ◆ **1** V. tr. Causer (une peine, un effort à qqn). *Ce
départ lui a coûté bien des larmes. Les efforts que ce
travail lui a coûtés. Ne me remerciez pas, cela
ne me coûte rien. Les promesses ne coûtent rien.*
→ **Engager.** — Impers. *Il ne lui coûte rien de promettre. Apprenez ce qu'il en coûte de mentir.*

8　(...) il m'en coûtera pour cela quelques paroles de douceur,
　　que je veux bien dépenser pour vous.
　　　　　　　MOLIÈRE, le Malade imaginaire, I, 8.

9　Après tous les ennuis que ce jour m'a coûtés (...)
　　　　　　　　　　　　RACINE, Britannicus, V, 3.

10　(...) l'*Émile,* qui m'avait coûté vingt ans de méditation et
　　trois ans de travail.
　　　　　　　ROUSSEAU, les Confessions, VIII.

11　Mes manuscrits raturés, barbouillés, et même indéchiffra-
　　bles attestent la peine qu'ils m'ont coûtée.
　　　　　　　　　　　　ROUSSEAU, Émile, I.

12　Un service vaut ce qu'il coûte.
　　　　　　　　　　　HUGO, l'Homme qui rit, II, I, X.

13　Nous ne nous attachons d'une manière durable aux choses
　　que d'après les soins, les travaux ou les désirs qu'elles nous
　　ont coûtés.
　　　　　　　BALZAC, Physiologie du mariage, Pl., t. X, p. 672.

Causer la perte de (qqch.); faire perdre. → **Ôter,
ravir.** *La guerre lui a coûté un fils, sa position
sociale et sa fortune. Cela lui coûte sa tranquillité,
sa situation. Coûter la vie à qqn,* le faire mourir.
— Impers. *Il vous en coûtera la vie.* → **Payer** (vous le
paierez de votre vie). *Quoi qu'il en coûte,* en dépit de
tous les ennuis.

14　(...) sa vanité
　　Lui coûta quatre dents: le cheval lui desserre
　　Un coup; et haut le pied.
　　　　　　　LA FONTAINE, Fables, XII, 17.

15　Il m'en coûterait trop s'il m'en coûtait deux fils.
　　　　　　　　　　RACINE, la Thébaïde, III, 6.

16　(...) ils ont été attaqués à leur tour. Il leur en a coûté quatre
　　ou cinq cents hommes et cinq canons.
　　　　　　　　　　RIVAROL, IV, XV, p. 324.

17　(...) je coûtai la vie à ma mère, et ma naissance fut le
　　premier de mes malheurs.
　　　　　　　ROUSSEAU, les Confessions, I.

Loc. adv. **COÛTE QUE COÛTE** (pour: *qu'il en coûte
ce qu'il en coûte*): à tout prix, quels que soient
les efforts à faire, les peines à supporter. → **Absolument.** *Il faut réussir coûte que coûte. Nous les
rattraperons coûte que coûte.*

18　(...) maintenant de gros capitaux sont engagés... Il faut que
　　nous tirions notre carte notre épingle du jeu.
　　　　　　　J. ROMAINS, les Hommes de bonne volonté, t. V,
　　　　　　　　　　　　　　　　　　　　　　XIV, p. 101.

19　(...) Antoine n'avait pas voulu se faire remplacer à l'hôpital
　　le lundi matin, et il devait, coûte que coûte, rentrer à Paris
　　dans la nuit.
　　　　　　　MARTIN DU GARD, les Thibault, t. III, p. 84.

19.1　De voir le compteur marquer soixante-dix lui donnait une
　　certaine fièvre et il souhaita presque qu'un policier à moto-
　　cyclette le prît en chasse, se raconta une histoire à ce sujet,
　　où il était question de sa femme qu'il fallait rejoindre coûte
　　que coûte et des enfants qui attendaient dans le Maine.
　　　　　　　G. SIMENON, Feux rouges, 1953, p. 34.

REM. Littré considère *coûter* comme un verbe toujours
intransitif, dont le participe passé reste invariable. Mais
dès le XVIIe s. l'usage s'est établi d'en faire un verbe transitif
aux sens figurés, et d'accorder dans ce cas le participe
passé. L'Académie a ratifié cet usage dans la huitième
éd. de son dictionnaire (ex.: *les efforts que ce travail m'a
coûtés*). Toutefois, on trouve aussi des exemples d'accord
pour le verbe transitif non figuré (ex.: «*Elle reprochait amèrement les sommes d'argent que lui avaient coûtées son
instruction*» Zola, *la Fortune des Rougon,* 1871, in T. L. F.) et
d'absence d'accord pour le verbe transitif figuré («(Les)
peines qu'elles m'ont coûté» Cuvier, *Anatomie comparée,*
1805, in T. L. F.).

20　(...) l'usage s'est établi de lui donner (*à coûter*), au figuré,
　　le sens actif de *causer, occasionner,* et l'exemple de nos
　　meilleurs écrivains semble autoriser cet emploi: «*Vous
　　n'avez pas oublié les soins* **que** vous m'avez **coûtés** depuis
　　votre enfance».
　　　　　　　F. BRUNOT, la Pensée et la Langue, IV, XVI, V,
　　　　　　　　　　　　　　　　　　　　　　　　p. 665.

◆ **2** Coûter à qqn. (Sans compl. direct). Être pénible,
difficile (à, pour qqn). *Cet effort me coûte. Rien ne
lui coûte; tout lui coûte.* → **Peser.** — *Il n'y a que le
premier pas* qui coûte.* — Impers. *Il ne lui coûte pas
d'obéir. Il m'en coûte de vous faire ces reproches.*

(Avec un compl. interne adverbial). *Cela lui coûte beaucoup.* — Impers. *Il lui coûte beaucoup, peu de faire...,
il lui en coûte beaucoup, peu.* — (Nominal). *Ce qui
lui coûte le plus, le moins à faire.* — Vx (impers.). *Il
coûte peu, beaucoup à qqn de..., à...* (faire qqch.).
→ cit. 21. Mod. *Il en coûte beaucoup, peu* (à...) *de...*

On convie, on invite, on offre sa maison, sa table, son bien
et ses services: rien ne coûte qu'à tenir parole.
　　　　　　　LA BRUYÈRE, les Caractères, IV, 52.

22　Il coûte peu aux femmes de dire ce qu'elles ne sentent
　　point (...)　　　LA BRUYÈRE, les Caractères, III, 66.

23　(...) dans tout il n'y a, dit-on, que le premier pas qui coûte.
　　　　　　　MARIVAUX, la Vie de Marianne, I, p. 15.

24 Ce n'est pas ce qui est criminel qui coûte le plus à dire, c'est ce qui est ridicule et honteux.
ROUSSEAU, les Confessions, I.

25 Je te croyais ingrat, et, quoique la fierté qu'on t'a enseignée te pousse à l'être, tu es si fidèle à ta parole que rien ne te coûte pour t'acquitter (...)
G. SAND, la Petite Fadette, XX, p. 136.

26 Elles sont toutes les mêmes, vois-tu : le premier pas leur coûte ; mais le second, elles le font toutes seules et plus vite qu'on ne pense. LOTI, Ramuntcho, I, XI, p. 284.

CONTR. Gratuit (être). — Économiser. — Rapporter. ◊ **DÉR.** Coût, coûteux.

COÛTEUSEMENT [kutøzmɑ̃] adv. — 1833, Balzac ; de coûteux.

D'une manière coûteuse. *Ils sont logés trop coûteusement pour leurs moyens.*

CONTR. Économiquement, gratuitement, modestement.

COÛTEUX, EUSE [kutø, øz] adj. — V. 1180-90 ; de coûter.

♦ **1** Qui coûte cher ; qui cause de grandes dépenses. → **Cher, dispendieux, onéreux, prix** (hors de), **ruineux.** *Les voyages sont coûteux. Une entreprise coûteuse. Un train de vie coûteux. Peu coûteux.*

1 (...) l'application qu'il apportait à la gestion de ses terres coûteuses. J. CHARDONNE, les Destinées sentimentales, I, p. 127.

♦ **2** Fig. et littér. Qui exige des sacrifices. Qui a des conséquences fâcheuses. → **Dangereux.**

2 En laissant les enfants en pleine liberté d'exercer leur étourderie, il convient d'écarter d'eux tout ce qui pourrait la rendre coûteuse. ROUSSEAU, Émile, II, *in* LITTRÉ.

CONTR. Abordable, donné, économique, gratuit, intéressant (d'un prix), marché (bon). ◊ **DÉR.** Coûteusement.

COUTIER, IÈRE [kutje, jɛʀ] n. — 1927 ; anc. franç. coute; couter. → Couette.

Vx. Matelassier. — Mod. Celui, celle qui fabrique, vend du coutil.

COUTIL [kuti] n. m. — 1202, kentil, kentie ; de coute, keute, anc. forme de couette.

Toile croisée et serrée, en fil ou en coton. → **Étoffe.** *Housse de coutil pour la confection des matelas, des oreillers.... Tente, store de coutil. Pantalon, corset de coutil. Tissage du coutil en France (traditionnellement à Évreux, Lille, Nantes, Roubaix, Armentières, Troyes).*

Un traversin de coutil rempli de plume, un sommier de crin (...) COLBERT, Lettres, VII, 383, *in* LITTRÉ.

Par métonymie. Enveloppe, vêtement fait de coutil. *Travailler en coutil.*

Coutil de soie, qui était utilisé pour fabriquer des corsets.

DÉR. Coutier, coutissé.

COUTILIER [kutilje] n. m. — Mil. XVᵉ ; de coutille.

Hist. Soldat armé d'une coutille.

Moi, j'aurais préféré être coutilier, archer, n'importe quoi. Mais pas un de ces pauvres types à cuirasse.
Michel DE SAINT-PIERRE, les Aristocrates, p. 320.

COUTILLE [kutij] n. f. — 1351 ; du rad. de couteau.

Hist. Épée large et tranchante fixée à une hampe.

DÉR. Coutilier.

COUTISSÉ, ÉE [kutise] adj. et n. f. — XIXᵉ ; de coutil.

Techn. Garni de coutil.

N. f. *Une coutissée* (ou *une coutisse*) : ensouple, sangle garnie d'une grosse bande de toile à laquelle l'étoffe à broder est fixée.

COUTON [kutɔ̃] n. m. — 1600, coston ; p.-ê. de côte (de plante).

Vx ou régional. Paille courte. — Par anal. Plume naissante (sur un oiseau) ou rudiment de plume sur une volaille plumée.

COUTRE [kutʀ] n. m. — V. 1150, cultre ; du lat. culter dont le dér. cultellus a donné couteau, mot d'orig. obscure (sans rapport avec le v. colere).

Technique.

♦ **1** Agric. Fer tranchant fixé à l'avant du soc de la charrue pour fendre la terre.

1 (...) on ne s'y servait pas déjà de mauvais coutres, comme en certaines parties de la France, et la houe suffisait au peu de labours qui s'y faisaient.
BALZAC, le Médecin de campagne, Pl., t. VIII, p. 364.

1.1 Ils étaient sur la limite d'un champ soigneusement ameubli : un cheval que l'on conduisait à la main traînait un large coffre monté sur trois roues. Sept coutres, disposés en bas, ouvraient parallèlement des raies fines, dans lesquelles le grain tombait par des tuyaux descendant jusqu'au sol.
FLAUBERT, Bouvard et Pécuchet, Pl., t. II, p. 690.

2 Il a retrouvé son instinct de tueur de bêtes pour enfoncer brusquement le coutre aigu dans la terre.
J. GIONO, Regain, II, II, p. 173.

Fig. :

3 (...) mais que l'on considère la vie apparente de Dostoïevski comme le moyen de sa vie intérieure : toutes les duretés de la fortune, les injures du malheur, autant de coutres et de socs qui servent, tranchants, au labour de la beauté cachée, et que seul le déchirement du sein devait rendre visible.
André SUARÈS, Trois hommes, «Dostoïevski», I, p. 208.

♦ **2** Hache à fendre le bois. → **Merlin.**

DÉR. Coutrier, coutrière.

COUTRIER [kutʀije] n. m. — 1791 ; de coutre.

Techn. (agric.). Charrue sans avant-train, labourant profondément le sol.

COUTRIÈRE [kutʀijɛʀ] n. f. — 1900 ; de coutre.

Techn. (agric.). Pièce servant à fixer le coutre à l'avant du soc de la charrue.

COUTUME [kutym] n. f. — Fin XIᵉ, custume ; du lat. pop. cosetudine, du lat. class. consuetudo, inis, du supin de consuescere de con- (cum) et suescere «habituer».

Façon d'agir établie par l'usage. → **Habitude, mœurs, tradition, usage.**

♦ **1** Dans une collectivité, Manière à laquelle la majorité se conforme. *C'est la coutume en Angleterre de prendre le thé à 5 heures. Fêter la Saint-Jean est une coutume paysanne. Coutume d'une petite communauté.* → **Règle.** *Vieille, ancienne coutume.* → **Tradition.** *Coutume passagère.* → **Mode.** *Fait qui passe en coutume. Coutume qui s'introduit, s'établit, se conserve... Coutume perdue, abolie, qui tombe en désuétude. Mœurs et coutumes des Lapons. Observer les us* et coutumes. Adopter (cit. 6) les coutumes d'un pays.*

1 (...) parfois je manie le pinceau, contre la coutume de France, qui ne veut pas qu'un gentilhomme sache rien faire (...) MOLIÈRE, le Sicilien, 9.

2 L'on peut définir l'esprit de politesse, l'on ne peut en fixer la pratique : elle suit l'usage et les coutumes reçues ; elle est attachée aux temps, aux lieux, aux personnes (...)
LA BRUYÈRE, les Caractères, V, 32.

3 Quand une fois les coutumes sont établies et les préjugés enracinés, c'est une entreprise dangereuse et vaine de vouloir les réformer ; le peuple ne peut pas même souffrir qu'on touche à ses maux pour les détruire, semblable à

ces malades stupides et sans courage qui frémissent à l'aspect du médecin.

ROUSSEAU, Du contrat social, II, VIII.

4   Or elles n'avaient jamais manqué à ce devoir-là, c'était même une des seules coutumes religieuses de l'Islam qu'elles observaient fidèlement encore (...)

LOTI, les Désenchantées, III, p. 47.

5   (...) on rejette pour le compte de tout le monde les habitudes séculaires d'une coutume et d'un ordre social.

André SUARÈS, Trois hommes, «Ibsen», III, p. 110.

6   Pauline longe le mur qui tient enfermé selon la coutume saintongeaise le jardin et l'habitation.

J. CHARDONNE, les Destinées sentimentales, III, p. 371.

◆ **2** Dr. et cour. Habitude collective d'agir, consentie à l'origine par ceux qui l'observent, et transmise de génération en génération. *La coutume est fondée sur la tradition et elle peut être transmise oralement, caractères qui la différencient de la loi. La coutume a force de loi. La coutume a longtemps régi le Nord de la France. Pays de coutume. Ensemble des coutumes.* → **Coutumier** (droit).

7   Jean Lapin allégua la coutume et l'usage.
Ce sont, dit-il, leurs lois qui m'ont de ce logis
Rendu maître et seigneur (...)

LA FONTAINE, Fables, VII, 16.

8   Un avocat (...) étudie pendant trois ans les lois de Théodose et de Justinien pour connaître la coutume de Paris (...)

VOLTAIRE, Dict. philosophique, Avocat.

9   (...) la coutume diffère à l'infini suivant les lieux.

Ch. SEIGNOBOS, Hist. sincère de la nation franç., p. 77.

10   (...) ils *(les Francs)* doivent accepter du coupable une composition proportionnée au crime et dont le taux est fixé par la coutume.

OLIVIER-MARTIN, Précis d'hist. du droit franç., nᵒ III, p. 45.

Spécialt. *La coutume :* loi non écrite et ancestrale, ensemble des règles de conduite traditionnelles (par ex. en Afrique). *Suivre la coutume* (I. F. A.).

Par ext. Recueil de droit coutumier. Au plur. *Les coutumes* (d'une région).

◆ **3** Vx ou littér. Manière ordinaire d'agir. → **Habitude**. *C'est sa coutume d'arriver sans prévenir. Il a agi selon sa coutume. Faire prendre une coutume à qqn.* — Loc. *Prendre coutume de :* prendre l'habitude. → **Accoutumance; accoutumer.** — Loc prov. Mod. *Une fois n'est pas coutume :* changer une fois sa manière de faire est une exception qui n'engage pas l'avenir; on peut faire une exception.

11   (...) la coutume est une seconde nature, qui détruit la première.

PASCAL, Pensées, II, 93.

12   Il y a trois moyens de croire : la raison, la coutume, l'inspiration.

PASCAL, Pensées, IV, 245.

13   Si vous pensiez ce que vous me dites là, Fanchon, vous me diriez tu et non pas vous; car ce n'est pas la coutume des bessons de se parler avec tant de cérémonie.

G. SAND, la Petite Fadette, XXXIX, p. 249.

14   — Une fois n'est pas coutume, susurra modestement M. Chasle.

MARTIN DU GARD, les Thibault, t. VII, p. 152.

15   La surprise des œuvres nouvelles provoquant une rupture entre les coutumes de l'esprit et la nouveauté qu'on lui soumet, le public trébuche. Il y aura donc chute et rire.

COCTEAU, la Difficulté d'être, Du rire, p. 182.

Vieilli ou littér. **AVOIR COUTUME DE :** être accoutumé* à, avoir l'habitude* de. → **Coutumier** (être), **souloir** (vx). *Elle avait coutume de se lever chaque matin à 6 heures.*

16   (...) Germain était si fatigué qu'il eût fort souhaité avoir le temps de faire un somme auparavant; mais il n'avait pas coutume de manquer la messe, et il se mit en route avec les autres. G. SAND, la Mare au diable, XII, p. 105.

Loc. adv. Cour. **...DE COUTUME** (surtout employé dans les comparatifs). → **Habitude** (d'), **habituellement, ordinaire** (d'), **ordinairement, toujours.** *Il est moins aimable que de coutume. Comme de coutume. Plus que de coutume, plus qu'il n'est coutume.*

(...) trouver les jours plus longs que de coutume.   17

RACINE, la Thébaïde, II, 1.

Peut-être bien qu'il avait simplement passé ces deux journées à bord et qu'il revenait comme de coutume, et que tout s'arrangerait encore une fois.   18

LOTI, Mon frère Yves, LXXXI, p. 189.

(Sur les murs des toilettes) il y a surtout des inscriptions chinoises, pour la plupart pornographiques et dénotant plus d'imagination qu'il n'est coutume dans ce genre de lieux.   19

A. ROBBE-GRILLET, la Maison de rendez-vous, p. 134.

CONTR. Exception, inhabitude, innovation, nouveauté.
◊ **DÉR.** Coutumier. ← **COMP.** Accoutumer.

COUTUMIER, IÈRE [kutymje, jɛʀ] adj. et n. m. — V. 1160, *custumier;* de *coutume.*

I Adj. ◆ **1** Vx ou littér. Qui a coutume de. *Être coutumier de* (qqch., faire qqch.). *Elle est coutumière de l'église. Cet enfant est coutumier de mentir.*

Le dieu d'amour est coutumier   1
À ce jour, de fête tenir (...)

Charles D'ORLÉANS, Ballades, 47.

Je suis coutumière   2
De payer toute ma première.

LA FONTAINE, les Cordeliers de Catalogne, *in* LITTRÉ.

Loc. (Mod.). *Être coutumier du fait* (généralt péj.). «*D'autant plus que sa Majesté, assez coutumière du fait, avait tenu à lui faire la surprise*» (Proust, À l'ombre des jeunes filles en fleurs, 1918, *in* T. L. F.).

◆ **2** Que l'on fait d'ordinaire. → **Habituel, ordinaire.** *Les travaux coutumiers. Cette manière de penser lui est coutumière. Chemin, route coutumiers,* que l'on a l'habitude de suivre. *Une bonne humeur coutumière. Un train-train coutumier.*

(...) mes yeux, éclairés des célestes lumières,   3
Ne trouvent plus aux siens leurs grâces coutumières.

CORNEILLE, Polyeucte, IV, 2.

(...) comme il avait négligé de tambouriner sur la porte son petit rappel coutumier (...)   4

COURTELINE, Boubouroche, Nouvelle, p. 50.

(...) on dirait qu'elle répugne à tout ce qui n'est pas coutumier; de sorte que le progrès dans la vie n'est pour elle que d'ajouter de semblables jours au passé.   5

GIDE, la Symphonie pastorale, p. 63.

◆ **3** Spécialt. *Droit coutumier :* ensemble de règles juridiques que constituent les coutumes*. → **Plaisir,** cit. 2. *Pays de droit coutumier,* et absolt, *pays coutumier.*

Si vous étiez en pays de droit écrit, cela se pourrait faire; mais (...) dans les pays coutumiers (...) c'est ce qui ne se peut (...)   6

MOLIÈRE, le Malade imaginaire, I, 7.

C'est des Latins également que nous tenons notre conception du droit, de ce droit écrit, aux arêtes dures, si différent du droit coutumier britannique.   7

André SIEGFRIED, l'Âme des peuples, III, IV, p. 65.

◆ **4** Vx. Roturier. *Vilain, paysan coutumier.*

◆ **5** En franç. d'Afrique. Qui suit la coutume, relève de la coutume (2., spécialt). *Chef coutumier. Mariage coutumier. Tribunal coutumier* (d'après I. F. A.).

II N. m. (1396). Didact. Recueil* des coutumes d'une province, d'un pays. *Le Grand Coutumier normand du XIIIᵉ siècle.*

Le grimoire d'un sorcier semble facile à comprendre en comparaison de plusieurs articles de nos codes et de nos coutumiers.   8

FRANCE, les Opinions de J. Coignard, Œ. compl., t. VIII, XXI, p. 504.

9   Il venait du même coup de violer le coutumier de Bretagne qui interdisait à tout baron de lever des troupes sans le consentement du Duc (...)
> HUYSMANS, Là-bas, XVI, p. 220.

CONTR. Exceptionnel, inaccoutumé, inattendu, inhabituel.
◊ **DÉR. Coutumièrement.**

COUTUMIÈREMENT [kutymjɛʀmɑ̃] adv. — 1201; de coutumier.

Didact. ou littér. D'une manière coutumière. → **Habituellement, ordinairement.**

Deux hommes disputèrent sur le propos de savoir si les Chinois mangeaient coutumièrement les yeux de leurs défunts.
> M. AYMÉ, le Vin de Paris, «La traversée de Paris», p. 36.

COUTURE [kutyʀ] n. f. — V. 980, costure; consture, XIIᵉ; du lat. pop. consutura, de consuere. → Coudre.

I ◆ **1** Action, art de coudre. *La couture a pour but de confectionner qqch. avec du tissu; de raccommoder, ou d'orner un tissu. Faire de la couture. Effectuer des petits travaux de couture. Apprendre la couture. Différents points* de couture. Points de couture pour assembler :* point de devant, point de bâti, point arrière, point de piqûre, point de côté, point de surjet, point d'ourlet; *pour froncer* (→ **Faufilage, faufilure**); *pour border :* point de boutonnière, point de feston, surfil; *pour raccommoder :* point de reprise; *pour orner :* point de chausson, d'épine, point de Paris, point turc. → aussi **Broderie.** *Ourlets, pinces, fronces, plis, nids d'abeille, smocks, drapés, volants, jours, incrustations d'un ouvrage de couture.*

1   La femme contribue de quelque chose à la dépense, par le travail de la quenouille, par la couture, par le tricotage de quelques paires de bas, ou par la façon d'un peu de dentelles selon le pays.
> VAUBAN, Dîme, p. 99, in LITTRÉ.

(Avec le possessif). *Ouvrage de couture. Elle est penchée sur sa couture,* sur son travail, ce qu'elle est en train de coudre.

Adj. (dans quelques syntagmes). Exécuté selon les méthodes de la couture. *Imperméable façon couture. Veste couture* (opposé à *tailleur*).

◆ **2** (1680, «atelier de couturière»). Profession de ceux qui confectionnent des vêtements féminins. *Travailler, être dans la couture. Branches annexes de la couture :* bonneterie, confection, lingerie, mode. **Spécialt.** Profession de couturier. *Maison de couture :* entreprise qui emploie un personnel assez important à la confection de vêtements et d'accessoires féminins. *La haute couture parisienne :* les grands couturiers. — Par métonymie. *La haute couture était présente à cette manifestation.* — En appos. *Un vêtement couture, haute couture.*

Magasin de couture : endroit où l'on vend des vêtements tout faits. → **Confection, mode.**

◆ **3 Chir.** *Couture d'une plaie :* fermeture au moyen de points d'une plaie accidentelle ou fermeture d'une plaie après une opération.

II *(Une, des coutures; la couture de...).* ◆ **1** Assemblage de deux morceaux d'étoffe, de tricot, de cuir, de fourrure... par une suite de points* exécutés avec du fil et une aiguille. → **Montage, raccord.** *Les coutures d'un vêtement, d'une chaussure, d'un rideau. Couture faite à la main, à la machine* (→ **Piqûre**). *Faire une couture à grands points.* → **Bâti, bâtir.** *Couture solide, à petits points. Endroit, envers d'une couture. Couture apparente, couture sellier,* qu'on a laissée à l'endroit. *Gants à*

coutures apparentes. *Largeur d'une couture :* largeur des bords du tissu à la piqûre. *Couture de 2 cm. Reprendre une couture,* en augmenter la largeur. *Ressortir une couture,* la diminuer. *Défaire, découdre une couture. Ouvrir une couture,* aplatir les dépassants de chaque côté de la piqûre. *Surfiler une couture.* → **Surfil, surfilage.** *Extra-fort* qui borde une couture, galon qui la recouvre.* → **Lézarde.** *Couture anglaise, couture plate ou rabattue* (qui dissimule les dépassants). *Couture bord à bord.* → **Surjet.** *Couture bout à bout.* → **Raboutissage.** *Couture invisible.* → **Rentraiture.** *Vêtement d'une seule pièce* ou *sans coutures. Tunique sans couture. Couture de bas,* qui le ferme derrière la jambe. *Bas sans coutures.*

(...) la couture de la patte de leur poche droite.   2
> SAINT-SIMON, Mémoires, 89, 171, in LITTRÉ.

Reliure. *Les coutures d'un cahier, d'une brochure. Fils de couture.*

◆ **2 Loc. fig. SOUS, (SUR) TOUTES LES COUTURES.** *Examiner qqn, qqch. sur toutes les coutures,* dans tous les sens, très attentivement.

Samedi à Baltimore le médecin continue à m'examiner sous toutes les coutures. Il trouve que j'ai la pression trop basse et peut-être du sucre.   2.1
> CLAUDEL, Journal, mars 1929.

... qu'elle passait pas inaperçue qu'on la voyait sous toutes coutures... elle pavanait aux entr'actes...   2.2
> CÉLINE, Guignol's band, p. 198.

(Fin XVᵉ). **BATTRE À PLATE COUTURE,** ou **À PLATES COUTURES :** battre, défaire complètement. → **Battre,** cit. 7.

Parlons maintenant de la plus grande affaire qui soit à la cour (...) c'est la défaite des *fontanges* à plate couture (...)   3
> Mᵐᵉ DE SÉVIGNÉ, 1321, 15 Mai 1691.

Milit. LE PETIT DOIGT SUR LA COUTURE (du pantalon) : dans un garde-à-vous impeccable. — **Fig.** Dans une attitude de respect affecté, de disponibilité absolue.

Je rêve pourtant de gens efficaces, d'enfants toujours prêts pour les situations, le doigt sur la couture du pantalon.   4
> Benoîte et Flora GROULT, Il était deux fois, p. 140.

III ◆ **1** (XIIIᵉ). **Fam.** Cicatrice allongée. → **Balafre, cicatrice.** *Il a le visage marqué de plusieurs coutures.* → **Couturé.** — **Spécialt.** Traces laissées par la petite vérole.

◆ **2 Techn. (archit.).** Assemblage de deux tables ou feuilles de métal.

(V. 1155). **Mar.** Jointure de deux bordages d'un navire, qu'on remplit d'étoupe.

Bot. *Herbe sans couture.* → **Ophioglosse.**

Techn. Fil de fer tortillé qui sert de lien entre les pièces d'un treillage. — Marque, pli des joints d'un moule sur un objet ou une figure coulée (plâtre ou métal).

DÉR. Couturer, couturier.

COUTURER [kutyʀe] v. tr. — XVᵉ; de couture.

◆ **1** Marquer de coutures, de cicatrices. → **Balafrer.** *Il s'est fait couturer le visage par une série d'accidents.*

◆ **2** Marquer de traces, de sillons, de plis. *Une quantité de chemins creux couturaient la campagne.*

◆ **COUTURÉ, ÉE** p. p. adj. (1787).

Marqué de cicatrices. → **Balafré.** *Visage tout couturé.*

DÉR. Coutureuse.

COUTUREUSE [kutyʀøz] n. f. — 1955, *Dict. des Métiers*; de *couturer* ou de *couture* «piqûre».

Techn. Ouvrière qui monte certains travaux ou objets par des coutures. *Coutureuse de bandes en lingerie; coutureuse en parapluies.*

1. COUTURIER [kutyʀje] n. m. — V. 1213, «tailleur»; repris en 1874; de *couture.*

Personne qui dirige une maison de couture*, crée des modèles, les fait présenter par des mannequins, et exécuter dans ses ateliers sur les commandes des clients; cette maison. *Collection* d'un couturier :* ensemble de vêtements et d'accessoires de mode généralement inspirés d'une même idée, qui se renouvelle chaque saison. *Présentation de la collection d'un couturier au public. Robe portant la marque d'un grand couturier.*

1   (...) des mannequins des grands couturiers, belles filles, longues, portant bien la toilette.
         FRANCE, le Mannequin d'osier, Œ. compl., t. XI,
                              p. 357.

2   (...) on les dirait *(les robes)* faites de brouillard bleu ou de brouillard rose; toutes les dernières *créations* de vos grands couturiers (...)
         LOTI, les Désenchantées, II, IV, p. 57.

2. COUTURIER [kutyʀje] adj. et n. m. — V. 1560; de *1. couturier* «tailleur», à cause de la position dite «en tailleur».

Anat. Muscle fléchisseur de la jambe sur la cuisse et de la cuisse sur le bassin. *Muscle (grand) couturier,* ou, n. m., *le couturier.*

À force de voir sa grande bouche gentille embrassée par Clarisse, ses longues jambes avec la belle cambrure du muscle grand couturier sur lequel Clarisse pose une main de propriétaire (...) je me sens parfaitement intime avec lui (...)
        Benoîte et Flora GROULT, Il était deux fois, p. 293.

COUTURIÈRE [kutyʀjɛʀ] n. f. — V. 1200, *costuriere;* de *couture.*

I ♦ **1** Ouvrière qui travaille dans une maison de couture*. → **Coupeuse, essayeuse, finisseuse, main** (petite main). *Apprentie couturière.* → **Arpète.** *Jeune couturière.* → fam. **Cousette, midinette.** *Fête des Catherinettes, célébrée par les couturières.*

♦ **2** (1837, Balzac). Femme qui dirige une maison de couture.

♦ **3** Celle qui exécute, à son propre compte, des vêtements de femme. *Couturière à façon. Couturière à la journée, à domicile. Atelier de couturière. Mannequin*, machine à coudre. boîte à coudre, ciseaux, marquoir*, buisse* de couturière. — Opérations successives de la couturière :* confection d'un patron, coupe, montage, essayage, finitions. *Aller faire un essayage chez sa couturière.*

L'aiguille de la couturière picore comme une poule minutieuse.   J. RENARD, Journal, juin 1896.

II (Ellipt. de *«répétition des couturières»*, Proust, *le Temps retrouvé*). Dernière répétition avant la générale* (où les couturières font en principe les dernières retouches aux costumes). *Être invité à une couturière, à la couturière d'une pièce.*

III Adj. et n. f. Zool. *Fauvette couturière,* ou, n. f., *une, la couturière :* variété de fauvette qui construit un nid dont les feuilles semblent cousues.

COUVADE [kuvad] n. f. — 1877, *in* Littré, cf. en 1538, *faire la couvade* «rester inactif»; de *couver.*

Ethnol. Coutume en usage chez certains peuples par laquelle le futur père calque son comportement sur celui de la future mère (repos, isolement, station couchée...) puis, après l'accouchement, reçoit les félicitations, les cadeaux de son entourage.

Conjurer la puissance féminine de fécondité, l'encercler, la circonscrire, éventuellement la simuler et se l'approprier, telle est l'entreprise de la couvade (...)
        J. BAUDRILLARD, De la séduction, p. 138.

COUVAIN [kuvɛ̃] n. m. — 1690; *couvin* au XIVe; de *couver.*

Techn. (apic.). Amas d'œufs d'abeilles ou d'autres insectes. **Par ext.** Dans une ruche, les rayons qui contiennent les œufs et les larves.

(...) prévoir le point où se concentreront les rayons du couvain, dont l'emplacement, sous peine de désastre, doit être à peu près invariable, ni trop haut, ni trop bas, ni trop près, ni trop loin de la porte.
        MAETERLINCK, la Vie des abeilles, II, p. 107.

COUVAISON [kuvɛzɔ̃] n. f. — 1542; de *couver.*

Vieilli ou **techn.** Action de couver. — Temps pendant lequel les oiseaux couvent leurs œufs.

Par métaphore :

Saturé d'histoire, en vérité, je le fus, par ces années de longues couvaisons.
        Raymond ABELLIO, Ma dernière mémoire, t. I,
                           p. 71.

COUVÉE [kuve] n. f. — Fin XIe, *covede; covee,* XIIe; de *couver.*

♦ **1** Ensemble des œufs couvés par un oiseau. *Une couvée de quinze œufs. Ces poussins sont de la même couvée. Une bonne couvée. Toute la couvée fut perdue.*

(...) adieu veau, vache, cochon, couvée.   1
       LA FONTAINE (→ Adieu, cit. 16 et aussi Cent,
                           cit. 10).

♦ **2** Les petits qui viennent d'éclore. → **Nichée.** *Couvée affamée* (→ Bégayant, cit. 1).

Notre alouette, de retour,   2
Trouve en alarme sa couvée.
        LA FONTAINE, les Fables, IV, 22.

(...) les nids des petits oiseaux qu'il *(Goupil)* savait découvrir (...) Tantôt il en gobait les œufs, tantôt il en dévorait les oisillons (...) il détruisit dans les blés en herbe les couvées de perdrix et de cailles (...)   3
        Louis PERGAUD, De Goupil à Margot, p. 42.

♦ **3 Fig. et fam.** Famille nombreuse. — **Par métaphore.** *Une couvée d'enfants.*

Je (...) vous souhaite toute sorte de bonheur, et à cette jolie couvée qui est sous votre aile (...)   4
        Mᵐᵉ DE SÉVIGNÉ, 991, 29 avril 1686.

Loc. fam. *Être de la même couvée :* avoir la même origine.

(...) le seul peut-être *(le général de Gaulle)* avec lequel je me sente un langage commun malgré tout ce qui sépare d'un simple homme de lettres un grand personnage historique; sans doute parce que nous sommes, à quelques années près, de la même couvée, que nous avons écouté les mêmes maîtres et aimé les mêmes livres (...)   5
        F. MAURIAC, le Nouveau Bloc-notes 1958-1960,
                            p. 316.

HOM. Couver, couvet.

COUVENT [kuvã] n. m. — Déb. XIIe, *covent, convent;* lat. *conventus* «assemblée» (→ Convent, conventuel; convention); de *convenire.* → **Convenir.**

♦ **1** Maison dans laquelle des religieux ou des religieuses vivent en commun. → **Communauté** (religieuse); **conventualité, conventuel; abbaye, béguinage,** chartreuse, cloître, monastère, prieuré, scolasticat, et aussi **séminaire**. *Couvent de carmélites, de chartreux, de dominicains. Les cénobites* d'un couvent. Chartres, règles d'un couvent. Supérieur, père supérieur d'un couvent.* → **Abbé, custode, gardien, prieur, supérieur.** *Supérieure, mère supérieure d'un couvent. Maître, maîtresse de novices d'un couvent. Archimandrite d'un couvent grec. Cloître, chapelle, parloir d'un couvent. Entrer au couvent, dans les ordres* (cf. *Prendre le voile, la robe*). *Le couvent effraye tout ce qui n'y entre pas.* → 1. Mourir, cit. 43.

1 *Couvent* (...) a été d'abord le nom vulgaire des monastères. On ne le trouve guère employé au XVIIᵉ siècle que dans le style de la conversation (...) *Le couvent n'est ni une prison comme le cloître, ni un désert comme le monastère, c'est un lieu de retraite où on se met pour vivre en commun sous une même règle avec d'autres personnes qui vous édifient* (...) LAFAYE, Dict. des synonymes, Couvent.

2 Voltaire n'écrira jamais une bonne histoire. Il est comme les moines, qui n'écrivent pas pour le sujet qu'ils traitent, mais pour la gloire de leur ordre. Voltaire écrit pour son couvent.   MONTESQUIEU, Des Modernes.

3 (...) cet ensemble de nonnes blanches, ou bleues, ou noires, qui, des innombrables couvents de la terre, font monter vers le ciel une immense et perpétuelle intercession pour les péchés du monde (...)   LOTI, Ramuntcho, I, XIX, p. 169.

Par anal. *Couvent de moines bouddhistes.* → **Lamaserie.**

♦**2** Par métonymie. Ensemble de ceux qui composent la communauté. → **Couventine, frère** (lai, convent...), **moine, religieux, sœur**; et aussi **pitancier, procureur**, etc. *Tout le couvent s'assembla dans la chapelle.*

Par anal. (Vx). Lieu où sont formées (des personnes). → **Pépinière, vivier.**

4 Les régiments sont des couvents d'hommes, mais des couvents nomades (...)   A. DE VIGNY, Servitude et Grandeur militaires, II, I, p. 104.

♦**3** (XVIIIᵉ). Pensionnat de jeunes filles dirigé par des religieuses. *Élever une jeune fille au couvent.*

5 *(Ce lieu)* évoquait de vagues souvenirs de couvent : les leçons de cuisine données par sœur Angélique, et qui étaient pour la plupart des élèves l'occasion de plaisanteries (...)   J. ROMAINS, les Hommes de bonne volonté, t. V, IV, p. 30.

♦**4** Fig. Lieu austère, contraignant. *J'ai hâte de quitter ce couvent. C'est un vrai couvent !*

DÉR. Couventine. ◊ HOM. Couvant (de couver).

COUVENTINE [kuvãtin] n. f. — Fin XIXᵉ; de *couvent.*
Relig. Religieuse qui vit dans un couvent. — Jeune fille élevée dans un couvent.

(...) des enfants, des maisons de campagne, un homme qui sourit (...) Et tout cela nous semble aussi lointain que le monde extérieur à des couventines (...)   Benoîte et Flora GROULT, Il était deux fois, p. 218.

COUVER [kuve] v. — Fin XIIᵉ; du lat. *cubare* «être couché».

I V. tr. ♦**1** (Oiseaux). Se tenir pendant un certain temps sur des œufs pour les faire éclore. → **Couvaison, couvée**. *La poule a couvé tant d'œufs. Couvoir*, nichoir*, nid* où l'oiseau couve ses œufs. Appareil pour couver artificiellement les œufs.* → **Couveuse, incubateur**. — Absolt. *Cette poule veut couver.*

1 Elle bâtit un nid, pond, couve et fait éclore.   LA FONTAINE, Fables, IV, 22.

Rare (au p. prés. adj.) :

1.1 L'alouette s'est levée pour aller se poser un peu plus loin, les ailes encore couvantes.   J. RENARD, Journal, le 10 mai 1905.

Loc. fam. *Être* (étonné) *comme une poule qui aurait couvé un œuf de cane* (ou *un canard*) : être surpris par un résultat inattendu.

♦**2** Fig. (Personnes). *Couver qqn*, l'entourer de soins attentifs. *Cette mère couve ses enfants.* → **Protéger.** — Par ext. Considérer avec une attention affectueuse, jalouse.

2 (...) cette douceur maternelle qui me couvait durant des heures entières d'un sourire attendri et placide (...)   G. SAND, Elle et Lui, X, p. 231.

3 Après avoir couvé Lucien par un regard de mère à qui l'on arrache le corps de son fils (...)   BALZAC, Splendeur et Misères des courtisanes, Pl., t. V, p. 1037.

4 (...) l'amour délirant de ces braves gens qui le couvaient *(Bonaparte)*, à la lueur des torches, de regards de tendresse.   Louis MADELIN, l'Avènement de l'Empire, XXV, p. 323.

Loc. *Couver* (qqn, qqch.) *des yeux, du regard* : regarder avec convoitise.

Par métaphore. *Couver son argent*, le garder jalousement.

Entretenir, nourrir, préparer mystérieusement, sourdement. *Couver des projets de vengeance. Couver un complot, une trahison.* → **Tramer.** *Couver une idée.*

5 Je vous avoue (...) que je couve une grande joie ; mais elle n'éclatera point que je ne sache votre résolution.   Mᵐᵉ DE SÉVIGNÉ, 370, 15 janv. 1674.

6 L'ouvrage d'un scélérat qui couvait de mauvais desseins.   ROUSSEAU, 1ᵉʳ dialogue.

7 (...) quelque noir projet de vengeance s'ébauchait déjà dans sa cervelle, projet qui voulait être couvé par la rancune pour être mené à bien.   Th. GAUTIER, le Capitaine Fracasse, t. II, p. 4.

♦**3** *Couver une maladie*, porter en soi les germes (→ **Incubation**). *Qu'est-ce qu'elle nous couve, une rougeole ?*

8 Qu'a donc maman ? Elle est malade. Elle «couve quelque chose».   G. DUHAMEL, Chronique des Pasquier, II, Jardin des bêtes sauvages.

II V. intr. Être entretenu sourdement jusqu'au moment de se découvrir, de paraître. *Le feu couve sous la cendre.* → **Cendre** (cit. 5 et *supra*).

9 Le feu lui paraissait presque éteint couvait sous la cendre, pour éclater bientôt avec plus de fureur que jamais.   ROUSSEAU, Émile, V.

Fig. Se préparer secrètement, sans se manifeste. *Un orage couve. La maladie couve en lui. La haine couve dans son cœur. La crise, la guerre couvait depuis longtemps.* → **Gestation** (être en gestation).

10 Le forban couvait déjà, paraît-il, sous le petit sauvage.   LOTI, Mon frère Yves, XXI, p. 72.

11 En Vendée, le fanatisme religieux, qui couvait depuis deux ans, éclata.   JAURÈS, Hist. socialiste..., t. VII, p. 169.

Fam. *Il faut laisser couver cela.* (Se dit de qqch. qu'on a intérêt à ne pas hâter.)

♦ **SE COUVER** v. pron.

Passif. *Les œufs qui se couvent*, qui sont couvés.

Impers. (fig.). *Il se couve qqch. de dangereux.*

♦ **COUVÉ, ÉE** p. p. adj. (sens I). *Œuf couvé. Maladie longuement couvée.* Fig. *Cet enfant est très couvé.*

12 (...) un poupon, c'est vrai, un nourrisson couvé, sans force... un gosse capricieux...   N. SARRAUTE, le Planétarium, p. 142.

13 (...) toujours couvé du regard par la mère, M. Jo apprenait à Suzanne l'art de se vernir les ongles.   M. DURAS, Un barrage contre le Pacifique, p. 99.

DÉR. et COMP. Accouver. — Couvade, couvain, couvaison, couvée, couvet, couveuse, couvi, couvoir.

COUVERCLE [kuvɛʀkl] n. m. — V. 1160; du lat. *cooper-culum*, de *cooperire* «couvrir», de *co-*, et *operire*.

♦ **1** Pièce mobile qui s'adapte à l'ouverture d'un récipient pour le fermer. *Le couvercle d'une boîte, d'un coffre. Le couvercle d'un pot, d'une marmite, d'une soupière. Un couvercle plat, bombé. Couvercle creux d'une braisière. Couvercle à charnière. Lever, soulever, mettre, visser le couvercle. Baisser, laisser retomber le couvercle.*

Par métaphore. Ce qui enferme hermétiquement (en général avec une valeur d'oppression).

1 Le Ciel! couvercle noir de la grande marmite
Où bout l'imperceptible et vaste Humanité.
   BAUDELAIRE, les Fleurs du mal, «Spleen et Idéal»,
   LXXXVII, «Le couvercle».

2 Une *pambéotie* redoutable, une ligue de toutes les sottises, étend sur le monde un couvercle de plomb, sous lequel on étouffe.   RENAN, Souvenirs d'enfance..., II, I, p. 64.

Prov. *Trouver couvercle à sa marmite.* — *Il n'est si méchant pot qui ne trouve son couvercle* : on trouve toujours à se marier.

♦ **2** Ce qui recouvre un objet pour le protéger.
→ **Capuchon, chape, chapeau, chapiteau, cloche, couvre-plat, enveloppe, tampon.**

Spécialt, anat. *Couvercle du larynx.* — Zool. *Couvercle des ouïes, des branchies d'un poisson.*

Mécan. Fermeture du piston vers le haut (opposé à *fond*). *Couvercle d'un cylindre à compression.* → **Soupape.**

Fig. Couche qui recouvre un liquide en fermentation (notamment en brasserie).

♦ **3** Vx et pop. Crâne. *Partir du couvercle :* délirer (→ Travailler du chapeau). — Chapeau. «*Les crânes bouillaient sous le soleil à faire sauter tous leurs couvercles*» (Daudet, *Tartarin de Tarascon*, 1885, *in* T. L. F.).

♦ **4** Par métaphore ou fig. Se dit de ce qui recouvre. *Un couvercle de nuages, de brume.* «*Le couvercle des mœurs*» (Gide) : les mœurs qui recouvrent, oppriment.

Par comparaison :

3 Quand le ciel bas et lourd pèse comme un couvercle
Sur l'esprit gémissant en proie aux longs ennuis (...)
   BAUDELAIRE, les Fleurs du mal, LXXVIII.

1. COUVERT [kuvɛʀ] n. m. — XIIᵉ, «logement, retraite»; p. p. subst. de *couvrir*.

I Ce qui couvre. ♦ **1** (XVIᵉ, «toit»). Vx. Logement où l'on est protégé des intempéries. *Donner le couvert à qqn.* — *Le vivre et le couvert* (loc. encore employée, mais mal comprise, à cause du sens II).

1 Il fit tant, de pieds et de dents,
Qu'en peu de jours il eut au fond de l'hermitage
Le vivre et le couvert; que faut-il davantage?
   LA FONTAINE, Fables, VII, 3.

2 On donne le couvert à des passants embarrassés de leur gîte.   ROUSSEAU, Émile, V.

3 Les populations de nos régions torturées travaillent : il leur faut bien, à défaut de reconstruction réelle, édifier, du moins, des cités de fortune, s'assurer à tout prix le couvert.
   G. DUHAMEL, Manuel du protestataire, II, p. 71.

♦ **2** (1285). Vx ou littér. Abri, ombre que donne le feuillage. → **Abri, ombrage.** — Par ext. Massif d'arbres qui donnent de l'ombre. *Couvert végétal. Un couvert de marronniers.*

4 (...) il plante un jeune bois, et il espère qu'en moins de vingt années il lui donnera un beau couvert (...)
   LA BRUYÈRE, les Caractères, XI, 124.

5 Par le beau matin de juin, nous descendons gaîment le sentier breton; au-dessus de nos têtes, le couvert des chênes et des hêtres tamise des petits ronds de lumière qui tombent par milliers à travers la verdure comme une pluie blanche.   LOTI, Mon frère Yves, XLVII, p. 119.

Là-haut, les renards ont mangé. Lourds de viande, ils mar-   5.1
chent pesamment, cherchent le couvert pour dormir.
   J. GIONO, les Vraies Richesses, p. 32.

Mod. *Sous le, un couvert, sous les couverts. Blindés dissimulés sous un couvert.*

Ils avaient pénétré sous le couvert des pins que le voisi-   6
nage de la rivière rend énormes.
   F. MAURIAC, le Sagouin, IV, p. 147.

Littér. Abri. «*L'humble couvert de tôle qu'on a construit près de la rue Grégoire-de-Tours*» (Carco, *Nostalgie de Paris*, 1941, *in* T. L. F.).

♦ **3** (1669). SOUS LE COUVERT DE : sous l'adresse, le nom de (qqn), en parlant d'un envoi. *Cela est arrivé franc de port sous le couvert du ministre. Écrire une lettre à qqn sous le couvert d'un tiers qui la lui remettra.*

Je supplie V. A. R. d'adresser les ordres sous le couvert de   7
M. du Breuil.   VOLTAIRE, Lettre au roi de Prusse, 12.

On m'a déjà adressé quelques volumes sous le couvert du   8
général Miollis.   P.-L. COURIER, Lettre, II, 16.

Fig. Sous la responsabilité ou la garantie de (qqn), par délégation de (qqn). *Il a agi sous le couvert de ses chefs.* — *Sous l'apparence, le prétexte* de (qqch.). *Sous le couvert de l'amitié il lui a extorqué des sommes considérables.* → **Voile** (sous le voile de). *Sous le couvert d'une visite à faire.* → **Couleur** (sous couleur).

(...) il *(le tsar)* envoya à Paris un émissaire, le baron d'Ou-   9
bril, chargé sous le couvert d'une mission très restreinte, de surveiller les pourparlers anglo-français.
   Louis MADELIN, Talleyrand, III, XVI, p. 170.

♦ **4** Loc. prép. À COUVERT DE; loc. adv. À COUVERT. Dans un lieu où l'on est couvert, garanti, protégé. → **Abri** (à l'abri de). — Protégé de (qqch.). *À couvert de la pluie. À couvert du bombardement. À couvert de l'ennemi.* — Protégé par (qqch.). *Être à couvert d'un bois, d'un rempart.* «*L'animation ne reprend qu'à couvert de la nuit*» (P. Morand, *Rien que la Terre*, p. 213).

Enfin notre dernier recours, c'est que la fuite nous peut   10
mettre à couvert de tout (...)   MOLIÈRE, l'Avare, I, 5.

(...) on avait dressé des tentes alentour, afin que tout le   10.1
monde fût à couvert pendant la cérémonie (...)
   A. GALLAND, les Mille et Une Nuits, t. II, p. 352.

Fuir à couvert, à l'abri des regards. *Se mettre à couvert.* → **Abriter** (s'), **garantir** (se), **protéger** (se), **réfugier** (se), **terrer** (se).

Julien sauta le mur d'une terrasse, fit à couvert une cin-   11
quantaine de pas, et se remit à fuir dans une autre direction.   STENDHAL, le Rouge et le Noir, I, XXX, p. 225.

Fig. *Agir à couvert. Se mettre à couvert :* dégager sa responsabilité.

M. Poincaré tient surtout à mettre notre responsabilité à   12
couvert (...)   MARTIN DU GARD, les Thibault, t. VII, p. 92.

Comm. *Être à couvert :* avoir des garanties sûres, pour les avances faites à quelqu'un.

II (V. 1570). Ce que l'on dispose sur la table pour prendre un repas. *Mettre, dresser le couvert :* disposer la nappe, les assiettes, les verres, les serviettes, les fourchettes, les cuillers, les couteaux. (Syn. : *mettre la table*). *Ôter le couvert. Ranger le couvert.*

Sur un tapis de Turquie   13
Le couvert se trouva mis.   LA FONTAINE, Fables, I, 9.

Jusqu'à ce couvert de campagne, ces verres propres, cette   14
fraîche assiette de beurre demi-sel, cette cruche à cidre, qui aidaient à l'intimité de cette table éclairée par une lampe (...)   HUYSMANS, Là-bas, V, p. 57.

Loc. fig. (argot). *Remettre le couvert :* recommencer; «remettre ça».

Hist. *Grand couvert :* repas qu'un prince prenait en public avec un certain cérémonial. *Petit couvert* ou *couvert privé :* repas sans cérémonie.

(1616). Les ustensiles de table à l'usage de chaque convive. *Une table de douze couverts. Un banquet de cent couverts.* → 2. **Assiette** (2., b). *Il manque un couvert. Apporter, rajouter un couvert* (→ Avidité, cit. 4). *Lave-vaisselle de douze couverts,* qui lave les ustensiles de table à l'usage de douze personnes; qui a une capacité de douze couverts. *Avoir toujours son couvert mis (chez qqn),* être certain d'y être toujours reçu.

Réserver quatre couverts au restaurant, quatre places.

15 (...) jusqu'au second couvert que parfois je dispose, sur la table ombragée, en face du mien. Un second couvert... Cela tient peu de place, maintenant : une assiette verte, un gros verre ancien, un peu trouble... Ce couvert est celui de l'ami qui vient et s'en va (...)
COLETTE, la Naissance du jour, p. 14.

15.1 Sur le pont, une vingtaine de convives à la table commune. Une autre table, parallèle à la première, où l'on a mis nos trois couverts.
GIDE, Voyage au Congo, *in* Souvenirs, Pl., p. 697.

Spécialt. *Un couvert,* l'ensemble des ustensiles de table dont on se sert avec la main, à l'usage d'une personne *(couvert individuel).*

ⓐ La cuiller et la fourchette. *Couvert d'argent massif. Couvert de ruolz, de maillechort, d'alfénide. Une douzaine de couverts. Coffret à couverts.* → **Ménagère.** *Offrir un couvert de baptême dans un écrin. Ranger les couverts et les couteaux.*

ⓑ La cuiller, la fourchette et le couteau. *Une ménagère de douze couverts, avec des couteaux à manche d'ébène.*

ⓒ (Ustensiles destinés, par leur taille ou leur forme, à un usage spécifique). *Couvert à dessert; couvert à poisson.*

Les couverts, l'ensemble de ces ustensiles (cuillers, fourchettes, couteaux). *Panier à couverts.*

16 (...) la grande table ovale où brillent sur la nappe damassée les couverts d'argent bien fourbis à la peau de chamois (...)
J. CHARDONNE, les Destinées sentimentales, III, p. 437.

DÉR. Couverte, couverture. ◊ HOM. Couvert, p. p. adj. du v. couvrir.

2. COUVERT, ERTE [kuvɛʀ, ɛʀt] p. p. adj. → **Couvrir.**

COUVERTE [kuvɛʀt] n. f. — XIIᵉ; p. p. fém. de *couvrir.*

♦ **1** Vx. Couverture (de lit). **Spécialt.** Couverture en laine à l'usage des soldats. — Couverture des chevaux. → **Couverture** (2.). — Par ext. Toile qui protège des intempéries. *Placer une couverte sur une voiture.*

Loc. fam. *Passer à la couverte; faire danser la couverte (à qqn) :* projeter qqn en l'air au moyen d'une couverture tendue. → **Berner.**

Il déshabilla précipitamment l'officier, pris (...) de rage parce que les habits ne se dégageaient pas assez vite du corps, comme si celui-ci les eût retenus. Il secouait ce corps sauveur comme s'il lui eût fait danser la couverte.
MALRAUX, la Condition humaine, p. 232.

♦ **2** Techn. Mod. (de *couvert*). Émail dont est revêtue la faïence, la porcelaine, et qui est composé de substances facilement vitrescibles. *On peint sur la couverte.*

COUVERTURE [kuvɛʀtyʀ] n. f. — 1155; du bas lat. *coopertura,* de *cooperire.* → Couvrir.

Ⅰ (Concret). ♦ **1** **ⓐ** Ce qui forme la surface extérieure du toit* d'un bâtiment. *La couverture d'une maison. Couverture de chaume. Couverture en tuiles, en ardoises, en zinc. Refaire la couverture d'une maison. Couvreur* qui répare, pose la couverture.*

Selon la surface entière d'un petit toit de zinc que le regard surplombe le ruisselle en nappe très mince, moirée à cause de courants très variés par les imperceptibles ondulations et bosses de la couverture.
Francis PONGE, le Parti pris des choses, p. 31.

ⓑ Agric. Ce qui sert à protéger une culture des intempéries (paille, feuilles, fumier, etc.).

ⓒ Techn. Revêtement de tôle qui cache une serrure.

♦ **2** (XIIᵉ). Pièce de toile, de drap, qu'on dresse ou qu'on étend pour recouvrir. *La couverture d'un parapluie. Couverture imperméabilisée sur des marchandises.* → **Bâche.** *Couverture mobile de voiture.* → **Capote.** *Couverture de cheval,* dont on couvre un cheval après une course. → **Couverte** (vx); **caparaçon.** *Couverture de voyage,* dont on s'enveloppe en voyage pour se garantir du froid. → **Plaid.**

Spécialt (plus cour.). *Couverture de lit,* et absolt, *couverture :* pièce (souvent de laine) qu'on place sur les draps, qu'on borde* sous le matelas, et qui recouvre le lit, pour tenir chaud. → 2. **Berlue** (argot), **courtepointe, couverte, couvrante** (argot), **couvre-lit, couvre-pied.** *Une couverture de laine, de coton. Couverture doublée d'ouate* (→ **Matelassure**). *Couverture piquée. Couverture chauffante :* couverture de lit munie d'un dispositif électrique chauffant. — Loc. *Faire sauter qqn dans une couverture.* → **Berne** (→ Berner, cit. 1), **brimade, couverte.** *Prendre toute la couverture,* être un mauvais coucheur*. — *Faire la couverture :* relever un coin des draps et de la couverture pour entrer plus facilement dans le lit.

1 (...) il y a des familles dont les membres sont réduits à s'entortiller ensemble pendant la nuit faute de couverture pour se réchauffer.
CHATEAUBRIAND, Mémoires d'outre-tombe, t. VI, p. 318.

2 Il essaya de rafistoler son lit, de reborder les couvertures saccagées, de regonfler les oreillers aplatis et il se coucha.
HUYSMANS, Là-bas, XIII, p. 190.

2.1 Elle se laissa hisser jusqu'à sa chambre et enfouir sous la couverture chauffante.
Hervé BAZIN, Qui j'ose aimer, V, p. 44.

Fig. *Amener, tirer la couverture à soi :* s'approprier la meilleure ou la plus grosse part de quelque chose.

2.2 Le général, élu chef du gouvernement à l'unanimité des votants, formait son ministère, dans lequel je devenais ministre de l'Information. Tâche instructive : il s'agissait surtout d'empêcher chaque parti de tirer la couverture à lui. Thorez observait la règle du jeu : mettre le parti communiste au service de la reconstruction de la France. Mais en même temps, le Parti noyautait, noyautait (...)
MALRAUX, Antimémoires, Folio, p. 138.

♦ **3** Ce qui couvre, recouvre un livre, un cahier. *Couverture de cuir, de basane, de chagrin, de maroquin.* → **Reliure.** *Couverture cartonnée, toilée.* → **Cartonnage.** *Couverture brochée.* → **Brochage.** *Titres dorés d'une couverture.* — Enveloppe dont on recouvre un livre pour le protéger. → **Couvre-livre, jaquette, liseuse.** *Couverture en étoffe, en papier, en matière plastique. Couverture d'un cahier.* → **Protège-cahier.**

Ⅱ (Abstrait; dans quelques emplois). ♦ **1** Action, fait de couvrir, de recouvrir (pour protéger). — *Engrais de couverture.*

0.1

Géol. *Pli de couverture*, qui n'affecte que la couche sédimentaire.

♦ **2** Action de couvrir, de protéger ; ce qui sert à protéger. — Milit. *La couverture d'une zone. Troupes de couverture* : troupes placées à la frontière d'un pays pour le défendre (→ Avant-poste, cit. 2). *Une couverture. Couverture atomique.* → **Parapluie.**

3 (...) les troupes de couverture sont tenues prêtes : en quelques heures, sous le premier prétexte, elles occuperont Belgrade !
MARTIN DU GARD, les Thibault, t. V, p. 133.

Par ext. Zone de protection. → **Tampon.**

4 (...) toute une *couverture* s'était ainsi créée, de républiques forgées par la France et par elle étroitement inféodées, tandis que le rêve allait jusqu'à envisager, sinon la possession, du moins l'inféodation de la rive droite du Rhin (...)
Louis MADELIN, De Brumaire à Marengo, V, p. 64.

Action de couvrir une zone (pour un dispositif). *La couverture d'un radar.* Fam. *La couverture radar. «Une bonne "couverture-météo"»* (B. Moitessier, *Cap Horn à la voile*, p. 69).

Zone couverte (par un dispositif, etc.).

♦ **3** Ce qui couvre, recouvre matériellement (une surface). *La couverture végétale d'un sol.* → ci-dessus, I., 1., b.

Anat. *Couverture musculaire, graisseuse.*

Zool. *Les couvertures* : plumes recouvrant la base des grandes pennes.

♦ **4** **a** Vx ou littér. Action de cacher ; ce qui sert à cacher, à dissimuler, à donner le change. → **Couvert, déguisement, paravent, prétexte.** Loc. *Sous couverture d'amitié, de dévouement, de dévotion.*

5 Il fallait trouver quelque couverture à un défaut si visible.
BOSSUET, Hist. des Variations, XV, *in* LITTRÉ.

6 J'avais déjà remarqué chez différentes personnes que l'affectation des sentiments louables n'est pas la seule couverture des mauvais, mais qu'une plus nouvelle et l'exhibition de ces mauvais, de sorte qu'on n'ait pas l'air au moins de s'en cacher.
PROUST, À la recherche du temps perdu, t. XIV, p. 58.

b Mod. *Une couverture* : affaire servant de prétexte et dissimulant une activité secrète. *Son bar est une couverture.*

6.1 Quant au maître de céans, s'il en a un pour ses affaires avouables — couverture indispensable —, il se trouve néanmoins obligé de conserver en permanence un capital liquide pour son trafic de base.
Roger NAÏM, l'Ère des truands, p. 233.

♦ **5** (1826). Fin. Garantie donnée pour assurer le paiement d'une dette. → **Garantie, provision.** *Ce négociant doit beaucoup, mais il a de bonnes couvertures. Une commande sans couverture.* → **Avance.**

7 (...) et que, dans le cadre de cette opération, nous trouvions moyen de vous assurer une large couverture du risque que vous prendriez d'autre part.
J. ROMAINS, les Hommes de bonne volonté, t. V, VI, p. 56.

♦ **6** *Couverture sociale* : protection dont bénéficie un assuré social.

Admin. (France). *Couverture maladie universelle (CMU)* : protection sociale permettant l'accès gratuit aux soins pour les personnes les plus défavorisées.

♦ **7** Le fait de couvrir* (I., 8.) un événement, pour un journaliste. *La couverture d'un fait divers sensationnel. La couverture d'une région par un correspondant. La couverture de l'actualité.*

8 L'universalité de la *couverture* des événements, la notion même d'actualité internationale (...)
Philippe GAILLARD, Technique du journalisme, p. 37.

DÉR. Couverturier.

COUVERTURIER [kuvɛʀtyʀje] n. m. — 1252 ; de *couverture.*

Vx. Fabricant ou marchand de couvertures de lit.

COUVET [kuvɛ] n. m. — 1350, *couwet*, dial. ; de *couver.*

Vx. Petit pot de cuivre ou de terre qui servait de chaufferette. — On dit aussi *couveau* ou *couvot* [kuvo].

HOM. Couvée, couver.

COUVEUSE [kuvøz] n. f. ou adj. — 1542 ; de *couver.*

I ♦ **1** Poule qui couve. *Une bonne couveuse.* — Par ext. Femelle d'oiseaux de basse-cour, susceptible de pondre et de couver.

Adj. *Poule couveuse.*

♦ **2** N. f. Fig. (souvent péj.). Femme qui protège excessivement ses enfants. Adj. *«La mère couveuse»* (Bachelard). Cf. Mère poule. — Par ext. Fam. (péj.). Mère de nombreux enfants. *«Si vous vouliez faire de ma fille une couveuse...»* (O. Feuillet, *in* T. L. F.). Par métaphore et littér. (n. ou adj.). *Couveuse de...*, qui couve (quelque chose).

II ♦ **1** **a** (1838). *Couveuse artificielle* : étuve où l'on fait éclore les œufs. → **Couvoir, incubateur.**

Vx. Appareil où l'on fait éclore les œufs des vers à soie.

b Appareil permettant d'élever à une température constante les enfants nés avant terme ou insuffisamment protégés contre les risques d'infection. → **Incubateur.** *Mettre un prématuré* en couveuse, dans une couveuse.*

c Loc. fig. *En couveuse* : dans un état de protection excessive. → Dans du coton*.

♦ **2** Adj. f. *Pile couveuse* : réacteur produisant à la fois de la matière fissible et de l'électricité.

COUVI [kuvi] adj. m. — Fin XIIᵉ, *couveïs* ; de *couver.*

Techn. *Œuf couvi* : œuf gâté pour avoir été couvé ou gardé trop longtemps. *Des œufs couvis.*

COUVOIR [kuvwaʀ] n. m. — 1564 ; de *couver.*

Agriculture.

♦ **1** Vx. Nid ou panier pour faire couver les poules.

♦ **2** Mod. Local où se fait l'incubation des œufs (naturelle ou par couveuse). — Par ext. Entreprise spécialisée dans l'incubation industrielle des œufs.

COUVRAILLES [kuvʀaj] n. f. pl. — XVIᵉ ; de *couvrir.*

Régional. Semailles. — REM. La var. *couvraines* [kuvʀɛn] est attestée dès le XIVᵉ siècle.

COUVRANT, ANTE [kuvʀɑ̃, ɑ̃t] adj. — 1901 ; p. prés. de *couvrir.*

♦ **1** Qui couvre, protège.

1 Or, rien ne peut se faire d'efficace à cet égard, sous peine d'être démoli chaque année par la mer, tant que la masse couvrante, la jetée protectrice, ne sera pas construite.
L. H. LYAUTEY, Paroles d'action, p. 88 (1927).

♦ **2** Techn. Qui recouvre sans aucune transparence. *Produit couvrant. Peinture couvrante. Un fond de teint très couvrant qui dissimule toutes les imperfections de la peau.*

2 L'*oxyde de titane* (...) est une poudre blanche, très couvrante (...)
Charles BOURGEOIS, Chimie de la beauté, p. 74.

Le pouvoir couvrant d'une peinture.

CONTR. Transparent.

COUVRANTE [kuvʀɑ̃t] n. f. — 1895; p. prés. de *couvrir*.
Argot familier.

♦ **1** Couverture (de lit). *Une bonne couvrante.*

♦ **2** (Abstrait). Couverture (II., 4.).

(...) si, avant vingt-quatre heures, on n'a pas fait part de la découverte d'un criminel, il y a non-dénonciation de malfaiteur et, pour le petit René, même avec une couvrante, le temps devenait précieux.
Martin ROLLAND, la Rouquine, p. 26.

COUVRE-CHEF [kuvʀəʃɛf] n. m. — XIIᵉ; de *couvrir*, et *chef* «tête».

♦ **1** Vx. Au moyen âge, Morceau d'étoffe qui servait de coiffe aux hommes.

♦ **2** Par plais. Ce qui couvre la tête. → **Chapeau, coiffure.** — REM. Ne se dit guère que des chapeaux d'hommes. *Des couvre-chefs. Il portait un superbe couvre-chef.*

COUVRE-FEU [kuvʀəfø] n. m. — V. 1260; de *couvrir*, et *feu*.

♦ **1** Signal qui indique l'heure de rentrer chez soi et parfois d'éteindre les lumières. → **Black-out** (anglic.). *Des couvre-feux.*

♦ **2** Interdiction de sortir après une heure fixée (mesure de police). *Décréter le couvre-feu. L'heure du couvre-feu.*
Par extension :

Il y a une loi dite du couvre-feu *(curfew)*, en vertu de laquelle ces boîtes sont quelquefois condamnées à l'amende pour être restées ouvertes trop tard (...).
Paul MORAND, New-York, p. 189.

♦ **3** Vx. Ustensile qui sert à couvrir le feu et à prévenir les dangers d'incendie, tout en conservant des braises.

COUVRE-JOINT [kuvʀəʒwɛ̃] n. m. — 1845; de *couvrir*, et *joint*.

Techn. Ce qui recouvre et cache les joints dans les ouvrages de maçonnerie ou de menuiserie. *Poser des couvre-joints.*
Mar. Bourrelet réunissant des éléments métalliques joints.

COUVRE-LIT [kuvʀəli] n. m. — 1863; de *couvrir*, et *lit*.

Pièce d'étoffe, couverture légère servant de dessus-de-lit (→ Jeté de lit). *Des couvre-lits.*

COUVRE-LIVRE [kuvʀəlivʀ] n. m. — XXᵉ; de *couvrir*, et *livre*.

Protection souple recouvrant un livre. → **Couverture, liseuse.** *Des couvre-livres.*

COUVRE-LUMIÈRE [kuvʀəlymjɛʀ] n. m. invar. — Déb. XXᵉ; de *couvrir*, et *lumière*.

Milit. (vx). Petite plaque métallique qui couvrait la lumière* du canon pour le protéger des intempéries. *Des couvre-lumière.*

COUVRE-NUQUE [kuvʀənyk] n. m. — 1833; de *couvrir*, et *nuque*.

Pièce adaptée à la coiffure pour protéger la nuque. *Des couvre-nuques. Les couvre-nuques des fantassins de l'ancienne armée d'Afrique, des légionnaires. Casque colonial du XIXᵉ siècle muni d'un couvre-nuque.*

COUVRE-PIED [kuvʀəpje] n. m. — 1696; de *couvrir*, et *pied*.

♦ **1** Vx. Pièce d'étoffe recouvrant et ornant un lit. → mod. **Dessus-de-lit.**

Le lit occupait une alcôve profonde et se drapait d'un couvre-pied en tapisserie au petit point (...)
Th. GAUTIER, le Capitaine Fracasse, t. II, p. 170.

♦ **2** Mod. Couverture, pièce de laine, édredon recouvrant une partie du lit, à partir des pieds, et destinée à augmenter la chaleur du lit. *Un couvre-pied de laine, ouaté* (→ aussi **Édredon**). *Des couvre-pieds.*
— REM. On écrit parfois : *un couvre-pieds* (invar.).

COUVRE-PLAT [kuvʀəpla] n. m. — 1688; de *couvrir*, et *plat*.

Couvercle dont on recouvre un plat (on dit aussi *dessus-de-plat*). *Des couvre-plats.*

COUVRE-RADIATEUR [kuvʀəʀadjatœʀ] n. m. — V. 1950; de *couvrir*, et *radiateur*.

Techn. Dispositif destiné à protéger du froid le radiateur d'une automobile. *Des couvre-radiateurs.*

COUVRE-SELLE [kuvʀəsɛl] n. m. — D. i. (mil. XXᵉ); de *couvrir*, et *selle*.

Petite housse protégeant une selle (de vélo, de moto). «(À Pékin) *Une grosse fille assise dans une carriole vend des couvre-selles de vélos bleus à liséré rose*» (Actuel, févr. 1980, p. 114).

COUVREUR [kuvʀœʀ] n. m. — Déb. XIIIᵉ; de *couvrir*.

Personne qui fait ou répare les toitures des maisons. *Couvreur-ardoisier* (→ en Belgique Ardoisier). *Couvreur-chaumier. Couvreur-zingueur. Le couvreur fixe les ardoises, les tuiles sur les voliges* (→ Ardoise, cit. 2). *Outils de couvreur :* aissette, enclume, tille, tire-clou. *Chevalet des couvreurs.* → **Oiseau** (II., 2.).

Le couvreur. Son plaisir, c'est de s'arrêter sur l'échelle et de surprendre par la fenêtre une fille qui s'habille. [1]
J. RENARD, Journal, 16 sept. 1902.

Si le destin m'avait obligé de choisir un métier manuel, [2] tourneur ou couvreur, soyez tranquille, j'eusse choisi les toits et fait amitié avec les vertiges.
CAMUS, la Chute, p. 31.

REM. Le mot ne semble pas avoir de forme féminine attestée; *couvreuse* serait normal, mais on dirait plutôt : *elle est couvreur.*

COUVREUSE [kuvʀøz] n. f. — 1975, in *la Clé des mots*; de *couvrir*.

Techn. Machine disposant autour d'un doigt, d'un article, un film plastique. — En appos. *Ensacheuse couvreuse.*

COUVRIR [kuvʀiʀ] v. tr. [CONJUG.: *je couvre, nous couvrons; je couvrais; je couvris; je couvrirai; couvre; que je couvrisse; couvrant; couvert.*] — Fin Xᵉ; du lat. *cooperire*, de *co-* (cum), et *operire*. → Ouvrir.

Revêtir pour cacher, fermer, orner, protéger...
A ♦ **1** Garnir (un objet) en disposant qqch. dessus. → **Appliquer, disposer, mettre** (sur), **recouvrir; couverture.** *Couvrir qqch., qqn de, avec qqch. Couvrir un lit d'un dessus-de-lit, d'une couverture. Couvrir un toit d'ardoises, de chaume, de paille, de tuiles* (→ **Couvreur; couverture,** I., 1.). *Couvrir une voiture d'une bâche. Couvrir des marchandises d'une toile.* → **Bâcher,** 2. **tenter.** *Couvrir le corps d'une armure, couvrir une surface d'un blindage.* → 2. **Barder, blinder, caparaçonner, cuirasser.** *Couvrir une surface, un sol d'une mosaïque, de pavés* (→ **Paver**), *d'une moquette, d'un tapis. Couvrir un*

objet d'un enduit. → **Cimenter, crépir, enduire, plâtrer ; revêtement.** *Couvrir un mur d'une couche de peinture.* → **Peindre.** *Couvrir une toile de couleurs. Couvrir son visage (se couvrir le visage) de poudre, de fard.* → **Farder, maquiller, poudrer.** *Couvrir un objet d'un métal, d'un alliage.* → **Métalliser, plaquer ; argenter, chromer, cuivrer, dorer, nickeler.** *Couvrir une semence de terre.* → **Enfouir, enterrer, terrer ; couvrailles, semailles.** *Couvrir les plates-bandes d'un jardin avec des branchages, des cloches*. Couvrir un meuble d'une housse.* → **Envelopper.** *Couvrir un pan de mur d'une tapisserie, un parquet d'un tapis.*

1 Un homme de cœur pense à remplir ses devoirs, à peu près comme le couvreur pense à couvrir (...) Le premier n'est guère plus vain d'avoir forcé un retranchement, que celui-ci d'avoir monté sur de hauts combles, ou sur la pointe d'un clocher.
LA BRUYÈRE, les Caractères, II, *in* LITTRÉ, Dict., art. *Couvreur.*

Spécialt. Mettre un enjeu sur (un des espaces d'un jeu).

2 Le résultat est qu'il cherchait à multiplier les placements, sans beaucoup plus de méthode qu'un joueur qui couvre, çà et là, des cases du tapis.
J. ROMAINS, les Hommes de bonne volonté, t. III, XIII, p. 183.

(Sans compl. en *de,* **dans des emplois spéciaux).** *Couvrir un plat, une marmite,* lui mettre son couvercle. — *Couvrir une maison,* en faire la toiture, la couverture. — *Couvrir un livre,* lui mettre une couverture. → aussi **Brocher, relier.** — *Couvrir le feu,* mettre de la cendre dessus pour le conserver, le faire couver. — Jeux. *Couvrir une carte :* mettre une carte sur une autre, ou de l'argent sur sa carte.

♦ **2** (Sujet n. de choses). Être disposé sur. *Housse qui couvre un fauteuil. Jaquette qui couvre un livre* (→ **Couvre-livre**). *Le toit couvre la maison. Les téguments couvrent le corps. La peau couvre les muscles. Duvet qui couvre les joues de l'adolescent. Cheveux qui couvrent le crâne. Chapeau couvrant la tête. Son vêtement* le couvre tout entier.* → **Vêtir.** *Des haillons le couvraient. Bandage, compresse* (cit. 2) *qui couvre le front.*

3 Qu'il voie que tous les hommes portent à peu près le même masque, mais qu'il sache aussi qu'il y a des visages plus beaux que le masque qui les couvre.
ROUSSEAU, Émile, IV.

4 (...) la toile qui couvrait son corps était si souple et si diaphane qu'elle laissait voir les boutons des seins, comme à ces statues de baigneuses couvertes d'une draperie mouillée.
Th. GAUTIER, Mlle de Maupin, IX, p. 196.

5 (...) des moquettes épaisses couvrirent les parquets (...)
J. CHARDONNE, les Destinées sentimentales, I, p. 35.

5.1 (...) les tendances à «contenir», «flotter», «couvrir», particularisées par le traitement de l'écorce donnent sa valeur, au canot, ou le toit.
Gilbert DURAND, les Structures anthropologiques de l'imaginaire, p. 54.

♦ **3** Parsemer (qqch., qqn) d'une grande quantité de (choses), de qqch. d'abondant. → **Éparpiller, étendre, parsemer, répandre.** *Couvrir sa poitrine de décorations.* → **Consteller.** *Couvrir une table de plats.* → **Charger.** *Couvrir une tombe de fleurs.* → **Fleurir.** *Couvrir de boue un passant.* → **Éclabousser, salir, souiller.** *Couvrir de sucre, de sel.* → **Poudrer, saupoudrer.** *Le tireur a couvert la cible de trous.* → **Cribler.**

6 (...) une gueule enflammée,
Qui les couvre de feu, de sang et de fumée.
RACINE, Phèdre, V, 6.

Par métaphore. *On l'a couvert de boue.*

Fig. *Couvrir qqn de caresses, de baisers. Couvrir qqn d'or, d'argent,* lui donner beaucoup d'argent. *Il la couvrait de cadeaux.*

(...) il est sûr qu'on couvrirait plutôt de soufflets que de baisers un laid visage effronté, au lieu qu'avec la modestie il peut exciter une tendre compassion qui mène quelquefois à l'amour.
ROUSSEAU, Julie ou la Nouvelle Héloïse, II, XXI, p. 269. 7

La Sicile a eu le bonheur d'être possédée, tour à tour, par des peuples féconds, venus tantôt du Nord et tantôt du Sud, qui ont couvert son territoire d'œuvres infiniment diverses (...) MAUPASSANT, la Vie errante, IV, p. 75. 8

Enfin elle saisit Puce à pleins bras, et s'enfuit en gambadant vers sa chambre, couvrant l'animal de caresses.
MARTIN DU GARD, les Thibault, t. I, p. 23. 9

Fig. → **Accabler, combler.** *On l'a couvert de huées, d'injures. Couvrir qqn de honte, d'opprobre* (→ **Honnir**). *Couvrir qqn de compliments, d'éloges,* ou *couvrir de fleurs. Couvrir d'honneur un général vainqueur.*

(...) vingt minutes on le couvrit de gloire (...) 10
COURTELINE, Messieurs les ronds-de-cuir, 6ᵉ tableau, II, p. 226.

♦ **4** (Sujet n. de chose). Être éparpillé, répandu sur (qqch.). *Les feuilles qui couvrent l'arbre.* → **Couronner.** *L'ombre des feuillages couvre la clairière.* → **Ombrager ;** → Abri, cit. 9 ; chêne, cit. 7. *Les feuilles couvrent le sol.* → **Joncher.** *Des nuages couvraient le ciel. Eau qui couvre la plaine.* → **Inonder, submerger.** *La neige couvre le chemin. Le sang, la boue couvre son vêtement. La sueur couvre son corps. Une rougeur lui couvrit le visage. La poussière qui couvre un meuble.* — (Par assimilation des personnes à des choses). *La foule des curieux couvrait la place.* — Fig. *Son discours fut couvert d'applaudissements. La honte couvre son visage.*

Où se peuvent cacher tes saints ? 11
Les pécheurs couvrent la terre.
RACINE, Athalie, II, 9.

Œnone, la rougeur me couvre le visage (...) 12
RACINE, Phèdre, I, 3.

(...) ses feux (de Kutusof) couvraient tellement tout le terrain occupé par les Français, que le même boulet qui renversait un homme du premier rang allait tuer sur les voitures les femmes fugitives de Moscou. 13
Ph.-P. SÉGUR, Hist. de Napoléon, X, 8.

Mais c'était l'heure du coucher du soleil ; et, plus nombreuse que la foule active, la foule désœuvrée couvrait la jetée. 14
Pierre LOUŸS, Aphrodite, II, p. 29.

De larges, de grandes rides, un réseau de soucis et d'efforts passionnés, couvre d'une tempe à l'autre son front sec et anguleux (...) 15
André SUARÈS, Trois hommes, III, «Ibsen», p. 111.

Les vêtements des hommes étaient blancs de poussière, ainsi que les huit cartouchières à chargeurs qui leur couvraient la poitrine et le ventre. 16
P. MAC ORLAN, la Bandera, VI, p. 66.

B ♦ **1** Cacher en mettant qqch. par-dessus, autour. → **Cacher, dissimuler.** *Couvrir le corps, la nudité de qqn. Couvrir les yeux d'un bandeau.* → **Bander.** *Couvrir une statue d'un voile.* → **Voiler.** *Couvrir qqch., qqn d'un drap.* → **Draper.**

Couvrez ce sein que je ne saurais voir : 17
Par de pareils objets les âmes sont blessées,
Et cela fait venir de coupables pensées.
MOLIÈRE, Tartuffe, III, 2.

(Sujet n. de choses). *Masque, voile qui couvre un visage. L'ombre qui couvre un objet. Cela couvre un mystère.* → **Contenir, receler.**

La lune se dégagea aussi des vapeurs qui la couvraient et commença à semer des diamants sur la mousse humide. 18
G. SAND, la Mare au diable, X, p. 87.

Il montait la garde, seul derrière un petit mur en chicane dont l'ombre le couvrait (...) 19
P. MAC ORLAN, la Bandera, X, p. 122.

♦ **2** Par ext. (le compl. désigne un son, un bruit, ou la source d'un son). *Couvrir la voix de qqn.* → **Dominer, étouffer.** *L'orchestre couvre la voix des chanteurs.*

*Les huées des députés couvraient la voix de l'orateur.
La rumeur couvrait l'orchestre.*

20   (...) la rumeur des écluses couvre mes pas.
         RIMBAUD, les Illuminations, «Enfance», IV.

21   Le son du piano devait couvrir les aboiements, car la
     musique ne cessa pas.
         MARTIN DU GARD, les Thibault, t. II, p. 268.

22   Il a profité du bruit de ses propres paroles, d'un raclement
     de gorge sonore qu'il y ajoute, pour couvrir un glissement
     et claquement de métal.
         J. ROMAINS, les Hommes de bonne volonté, t. II,
         XX, p. 238.

♦ **3** Loc. (idée de recouvrement pour cacher). *Couvrir
sa marche,* la dérober aux regards de l'ennemi.
Fig. Cacher sa conduite, ses démarches, ses vues.
— *Couvrir son jeu :* tenir ses cartes de telle sorte
que les autres joueurs ne puissent les voir. — Fig.
Il couvre bien son jeu. → **Cacher** (supra cit. 6), **celer,
déguiser.** — *Sa modestie couvre son ambition. Les
apparences de la vertu couvrent souvent le vice. —
Couvrir ses intentions par..., de...*

23   Quelque soin que l'on prenne de couvrir ses passions par
     des apparences de piété et d'honneur, elles paraissent tou-
     jours au travers de ces voiles.
         LA ROCHEFOUCAULD, Maximes, 12.

24   Elle tâchait de couvrir sous ces paroles menaçantes la joie
     de son cœur, qui éclatait malgré elle sur son visage.
         FÉNELON, Télémaque, I.

25   Il faut bien couvrir le vice d'une apparence agréable, autre-
     ment il ne plairait pas.
         A. R. LESAGE, le Diable boiteux, II, p. 31.

26   (...) on a beau déguiser la vérité là-dessus; elle se venge
     tôt ou tard des mensonges dont on a voulu la couvrir (...)
         MARIVAUX, le Paysan parvenu, I, p. 1.

27   Le devoir est exceptionnel : il faut le réserver pour les
     moments de réel sacrifice, et ne pas couvrir de ce nom
     sa propre mauvaise humeur et le désir qu'on a d'être dés-
     agréable aux autres.
         R. ROLLAND, Jean-Christophe, t. III, p. 177.

♦ **4** Vx ou littér. → **Compenser, effacer, excuser, pallier,
racheter, réparer.** *Les beautés de cet ouvrage n'en
couvrent pas les lacunes. L'excuse ne couvre pas la
faute. La prescription, l'amnistie couvre la faute.*

28   Non, vous voulez en vain couvrir son attentat (...)
         RACINE, Phèdre, V, 3.

28.1   (...) tant que l'on fera perdre la vie aux voleurs comme aux
     meurtriers, les vols ne se commettront jamais sans assas-
     sinats. Les deux délits se punissant également, pourquoi
     se refuser au second, dès qu'il peut couvrir le premier?
         SADE, Justine..., t. I, p. 49.

29   Il *(Lahrier)* chercha un mot heureux, un de ces mots qui
     couvrent la honte des défaites.
         COURTELINE, Messieurs les ronds-de-cuir,
         1ᵉʳ tableau, III, p. 51.

30   (...) je vous sais également gré d'être, pour nos vieux
     défauts français, plus indulgent que je ne peux l'être. Vous
     les couvrez généreusement, ces vieux défauts, parce que
     vous connaissez bien les Français et que vous savez quelle
     générosité nous emporte, jusque dans nos pires erreurs.
         GIDE, Journal, 5 févr. 1916.

C (Protéger, garantir). ♦ **1** Interposer (qqch.)
comme défense, protection. → **Garantir, protéger.**
Couvrir qqn de son corps. Couvrir ses arrières* (en
parlant d'une armée, d'une équipe sportive). — Milit. *Le
premier rang des soldats couvre le second. Une forte
armée couvre les frontières. Rideau* de troupes couvrant la retraite. Couvrir une ville, une position.* —
Protéger par une arme à feu dirigée contre d'éventuels ennemis. *Passe le premier, je te couvre.* — *Les
signaux couvrent la marche du train.*

31   En même temps que sur son flanc droit le maréchal se
     fait un rempart de ces malheureux, il a regagné les bords
     du Dniéper, dont il couvre son flanc gauche (...)
         Ph.-P. SÉGUR, Hist. de Napoléon, X, 9, in LITTRÉ.

Ainsi, sans compromettre son système de défense, il cou-   32
vrait encore sa complice, en permettant à chacun d'attribuer son crime à la nécessité d'avoir des fonds pour
accomplir un ambitieux projet.
         BALZAC, le Curé de village, Pl., t. VIII, p. 586.

La France avait conquis ses *limites naturelles* et, déjà, les   33
marches qui, au-delà du Rhin et des Alpes, la *couvraient*
et la prolongeaient.
         Louis MADELIN, le Consulat, XIII, p. 208.

Loc. *Le pavillon* couvre la marchandise.*

Techn. Avoir dans son rayon d'action. *Ce radar
couvre tant de kilomètres carrés en plaine.* → ci-
dessous, D.

♦ **2** Abriter (qqn) par son autorité, sa protection.
Couvrir les fautes de qqn, l'en décharger en les
prenant à son compte, sous sa responsabilité. *Ce
chef couvre toujours ses subordonnés* (→ **Endosser,
justifier**). *Cette assurance tous risques vous couvre
totalement.*

Supposez qu'on ait un pépin. Monsieur Alessandrovici   34
nous couvre tous.
         M. AYMÉ, la Tête des autres, III, p. 1.

♦ **3** Comm. et fin. Donner une couverture* financière à (qqn, un organisme). → **Garantir; approvisionner, payer, régler, rembourser.** *Couvrir un agent
de change. — Prière de nous couvrir par chèque.
Les recettes couvrent à peine, ne couvrent pas les
dépenses.* → **Balancer.** *Couvrir ses frais* (→ Goûter,
cit. 7).

(...) les revenus de leurs domaines devaient tout au plus   35
couvrir les dépenses qu'ils étaient amenés à y faire (...)
         J. ROMAINS, les Hommes de bonne volonté, t. III,
         XI, p. 145.

Couvrir un emprunt, une souscription : souscrire
la somme demandée. *Le public couvrit plusieurs
fois l'emprunt. Couvrir une enchère :* enchérir au-
dessus de qqn. → **Surenchérir.** — Par ext. *Couvrir les
risques,* y faire face.

D (Parcourir, s'étendre sur un espace). ♦ **1** Parcourir (une distance). *La voiture a couvert plus
de dix mille kilomètres en une semaine. Cet avion
couvre mille kilomètres en une heure. Les coureurs ont couvert la première étape en dix heures.*
→ **Courir.**

♦ **2** S'étendre sur (une durée). *Cette affaire couvre
une période de dix ans, couvre plus de dix ans. —
Cet ouvrage couvre une période de trente ans, couvre
le règne de Louis XIII, couvre la Deuxième Guerre
mondiale.*

♦ **3** Techn. Desservir, avoir ses effets sur (une surface, un espace). *La station émettrice couvre tout
le Bassin parisien.* — (Passif). *La vallée n'est pas couverte par les retransmissions.*

♦ **4** Fig. Inclure. *Ce billet, ce bon couvre vos dépenses
de logement et de transport.* → **Comprendre;** et ci-
dessus C., 3. : *couvrir les dépenses.*

♦ **5** (Angl., *to cover*). Assurer la couverture* de (un
événement). *Les journalistes qui couvrent le championnat, la conférence internationale.*

En général, le correspondant, seul représentant de son   35.
journal en un certain lieu, n'est pas spécialisé et *couvre*
aussi bien des événements sportifs et artistiques que politiques et que des faits divers.
         Philippe GAILLARD, Technique du journalisme,
         p. 22.

E (XIIIᵉ). Animaux. S'accoupler avec (une femelle).
→ **Monter, saillir, servir.** *Couvrir sa femelle,* en parlant de l'oiseau (→ **Côcher**), du chien (→ **Lacer,
mâtiner...**), du loup (→ **Ligner**), du bouc (→ **1. Bouquiner**)... *Le saut, action de l'étalon couvrant la
jument. Cette chienne a été couverte d'un épagneul,
par un épagneul* (Académie).

◆ **SE COUVRIR** v. pron.

◆ **1** S'envelopper* d'un vêtement. → **Vêtir** (se) ; **emmitoufler** (s'). *Il fait froid, il faut se couvrir davantage. Se couvrir de* (un vêtement, etc.).

36 Il est des degrés entre les pauvres comme entre les riches ; on peut aller depuis l'homme qui se couvre l'hiver avec son chien, jusqu'à celui qui grelotte dans ses haillons tailladés.
    CHATEAUBRIAND, Mémoires d'outre-tombe, t. II,
    p. 85.

Se couvrir de bijoux.

Spécialt. Mettre sur sa tête qqch. qui coiffe. → **Coiffer** (se). *Se couvrir d'un casque.* — Absolt. Mettre son chapeau. *Couvrez-vous, je vous prie.*

Fig. *Se couvrir de lauriers :* remporter d'éclatants succès. *Se couvrir de gloire, de ridicule.*

◆ **2** (Choses). Se remplir. *La place se couvrit de curieux.* → **Envahir.** *La terre se couvre de verdure. Arbre qui se couvre de fleurs. Le ciel, le temps se couvre de nuages.* — Absolt. *Le temps se couvre.* → **Assombrir** (s'), **barbouiller** (se), **charger** (se), **obscurcir** (s') ; → Orage, cit. 1. — Fig. *L'horizon se couvre,* des difficultés, des événements graves se préparent.

37 Au crépuscule, le ciel se couvrit de nuages gris, et les montagnes semblaient plus rapprochées sous des voiles roses mêlés de bleu, qui descendaient jusqu'au lac pareil à une soie un peu froncée.
    J. CHARDONNE, les Destinées sentimentales, II,
    p. 234.

Littér. *Son visage se couvrit de honte.* — Vx. (Personnes). *Il s'est couvert du sang de nombreux innocents,* il est responsable de leur mort.

◆ **3** (Personnes). Se cacher sous. *Se couvrir des apparences, du manteau de la vertu :* cacher ses vices sous des apparences d'honnêteté.

38 (...) ce voile de pudeur ou de pitié dont se couvrent avec tant de soin l'infirmité et l'erreur.
    A. DE MUSSET, l'Anglais mangeur d'opium.

◆ **4** (Personnes). S'abriter, se garantir, se retrancher derrière. *Se couvrir d'un bouclier. Se couvrir de l'autorité d'un grand personnage. Se couvrir d'un nom, d'un titre. Se couvrir d'un prétexte.*

(Concret). Milit. *Se couvrir d'un retranchement, d'un bois, d'une rivière,* s'en faire un abri contre l'ennemi.

Absolt. *Se couvrir :* se ménager une protection ; rejeter une responsabilité sur qqn d'autre que soi.

Boxe. Se protéger le visage avec ses gants.

Escr. *Se couvrir de son épée :* manier adroitement son épée pour se mettre à couvert. Absolt. Tenir la pointe de l'épée de son adversaire hors de la ligne du corps.

◆ **COUVERT, COUVERTE** p. p. adj.

Qu'on a couvert.

◆ **1** Qui a un vêtement. *Bien couvert, chaudement couvert* (de qqch.). *Être couvert d'une chemise, d'un manteau. Couvert de serge, de laine.*

39 Un jeune enfant couvert d'une robe éclatante (...)
    RACINE, Athalie, II, 5.

40 Le paysan est vieux, trapu, couvert des haillons.
    G. SAND, la Mare au diable, I, p. 9.

Loc. fam. *Être couvert comme un oignon :* être très couvert (l'oignon ayant de nombreuses peaux).

Spécialt. Qui a un chapeau sur la tête. *Restez couvert :* gardez votre chapeau.

(Choses). *Voiture couverte d'une bâche. Maison couverte en tuile. Piscine couverte. Préau* (cit. 4) *couvert.* — (1898, *in* Petiot). *Court* (de tennis) *couvert.*

Être clos et *couvert.* — *Livre couvert de basane.*

(...) un Ovide sur parchemin, couvert de cuir rouge avec   41
fermoir de vermeil et clef.
    HUYSMANS, Là-bas, IV, p. 48.

◆ **2** Qui a sur lui, au-dessus de lui (qqch.). → **Chargé, plein** (de). *Une table couverte de mets.* — (1623, *in* D.D.L.). Absolt. *Ciel couvert* (de nuages). → **Bouché, brumeux, nuageux.** — *Champ de bataille couvert de morts. Mont couvert de neige* (→ **Chenu**). — Absolt. *Pays couvert,* pays couvert de végétation arborescente. → **Boisé, buissonneux.** *Allée couverte :* allée taillée en berceau. *Allée couverte* (archéol.). → **Allée,** II., 2. — Par ext. *Page couverte d'inscriptions. Manuscrit couvert d'écriture au recto et au verso.* → **Opisthographe.** *Un visage couvert de boutons,* boutonneux. *Couvert de poussière. Couvert de sang :* sanglant.

Je l'ai vu, tout couvert de sang et de poussière,   42
Porter partout l'effroi dans une armée entière.
    CORNEILLE, le Cid, I, 5.

Ces portiques, ces lieux que vous voyez déserts,   43
De nombreux citoyens seront bientôt couverts.
    VOLTAIRE, Tancrède, III, 3.

Je me souviens de m'être éveillée à Nohant couverte de   44
taches hépatiques de la tête aux pieds, et de n'avoir pas
cessé depuis ce jour-là d'avoir mal au foie.
    G. SAND, Correspondance, à Alfred de Musset,
    p. 94.

(...) ils apercevaient les bus et motorbus, peinturlurés, cou-   45
verts d'inscriptions comme un mur d'affiches (...)
    J. ROMAINS, les Hommes de bonne volonté, t. V,
    XXVI, p. 252.

Fig. *Être couvert de gloire. Discours couvert d'applaudissements.* — *Couvert de honte, d'opprobre.*

◆ **3** Caché*. *Visage couvert d'un masque, par un masque.* Fig. *Faute couverte par le mensonge.* — Fig. et vx. Dissimulé, secret.

(...) je ne sais quel ennemi couvert,   46
Révélant nos secrets, vous trahit, et me perd.
    RACINE, Mithridate, IV, 2.

Par ext. Effacé, racheté, réparé.

Des fautes couvertes de ce qu'il a fait pour les réparer.   47
    BOSSUET, Oraison funèbre du prince de Condé.

Rare. *Mots couverts :* mots qui cachent un sens différent de celui qu'ils expriment. — Loc. cour. **À MOTS COUVERTS.** *Vous le lui direz à mots couverts,* en termes voilés. — Rare. *Voix couverte,* assourdie.

(...) les familiers du lieu s'entretenaient par petits groupes,   48
les uns à voix couverte, les autres sans baisser le ton.
    G. DUHAMEL, Chronique des Pasquier, IV, VIII, IX.

◆ **4** Abrité*, protégé*. *Armée couverte.*

Couverte de toutes parts, la France est capable de tenir la   49
paix avec une sûreté dans son sein, mais aussi de porter
la guerre partout où il faut.
    BOSSUET,
    Oraison funèbre de Marie-Thérèse d'Autriche.

(Personnes). Dont la responsabilité est dégagée par quelqu'un d'autre (→ ci-dessus cit. 34, et *supra*).

Je n'avais découvert qu'une alternative : entrer dans l'es-   50
prit du jour et transmettre impitoyablement les vexations,
cela, afin d'être «couvert», un mot encore qui venait de
reprendre toute sa valeur, ou bien, alors, m'interposer (...)
    Roger VERCEL, Capitaine Conan, p. 91.

(Personnes). Qui bénéficie de la garantie totale ou partielle d'une assurance. *Être totalement couvert. Il est couvert contre le vol uniquement. De toute façon vous êtes couvert par votre assurance.*

CONTR. Découvrir, démasquer, dévoiler, révéler. — (Du p. p.) Découvert, ouvert ; clair (temps). ◊ DÉR. Couvert, couverte, couverture, couvrailles, couvrant, couvrante, couvreur, couvreuse, couvrure. ➞ COMP. Recouvrement, recouvrir. — Couvre-chef, couvre-feu, couvre-joint, couvre-lit, couvre-livre, couvre-lumière, couvre-nuque, couvre-pied, couvre-plat, couvre-radiateur.

COUVRURE [kuvʀyʀ] n. f. — xxᵉ; de *couvrir*.

Techn. (reliure). Application de la couverture (brochage, reliure) sur l'assemblage des cahiers destinés à former un livre.

COVALENCE [kovalɑ̃s; kɔvalɑ̃s] n. f. — 1920; angl. *covalence*; de *co-*, et *valence*, de même orig. que le franç. *valence*.

Sc. *Covalence simple* : liaison formée par une paire d'électrons mis en commun (appelée *doublet*). *Covalence multiple* : dans laquelle plusieurs paires d'électrons sont mises en commun.

DÉR. **Covalent.**

COVALENT, ENTE [kovalɑ̃, ɑ̃t; kɔvalɑ̃, ɑ̃t] adj. — Mil. xxᵉ (attesté 1957); de *covalence*.

Sc. Relatif à la covalence. *Liaison covalente.*

(...) il y a lieu de distinguer deux classes :
a) les liaisons dites covalentes;
b) les liaisons non-covalentes.
Les liaisons covalentes (auxquelles on réserve souvent le nom de «liaison chimique» *sensu stricto*) sont dues à la mise en commun d'orbitales électroniques entre deux ou plusieurs atomes. Les liaisons non-covalentes sont dues à plusieurs autres types d'interactions (qui n'impliquent pas le partage d'orbitales électroniques).
　　　　Jacques MONOD, le Hasard et la Nécessité, 1970,
　　　　　　　　　　　　　　　　　　　　　　p. 76-77.

COVARIANCE [kovaʀjɑ̃s; kɔvaʀjɑ̃s] n. f. — 1921; de *co-*, et *variance*.

Math., statist. Moyenne des produits de deux variables centrées sur leurs espérances mathématiques et servant à définir leur cœfficient de corrélation*.
→ **Covariant.**

COVARIANT, ANTE [kovaʀjɑ̃, ɑ̃t; kɔvaʀjɑ̃, ɑ̃t] adj. et n. m. — 1877, n.; adj, 1932; de *co-*, et *variant*.

Math. Relatif à la covariance*. *Fonction, courbe covariante.*

N. m. «*Covariant bilinéaire; covariants algébriques*» (Bourbaki).

COVARIATION [kovaʀjasjɔ̃; kɔvaʀjasjɔ̃] n. f. — 1956; de *co-* «avec», et *variation*.

Didact. Changement qui coïncide avec un autre.

(...) il *(le physicien)* ne rejette pas cette mesure mais la situe au contraire dans un système de co-variations qui lui confère sa signification limitée (l'erreur n'ayant consisté qu'à la croire universelle).
　　　　J. PIAGET, Épistémologie des sciences de l'homme,
　　　　　　　　　　　　　　　　　　　　　p. 52 (1970).

COVEDETTE [kovədɛt] n. f. — Mil. xxᵉ; de *co-*, et *vedette*.

Rare. Personne qui est la vedette (d'un film, d'un spectacle) en même temps que d'autres.

COVENANT [kov(ə)nã; kɔv(ə)nã] n. m. — 1754, in Höfler; attestation isolée, 1652; mot angl. de l'anc. franç. *covenant* (1160).

◆ 1 Hist. Ligue formée par les Écossais en 1588 pour maintenir l'église presbytérienne.

◆ 2 Convention, pacte (dans un pays anglophone).

COVENDEUR, EUSE [kovɑ̃dœʀ, øz] n. — 1673; de *co-*, et *vendeur*.

Dr. Personne qui vend une chose conjointement avec une autre personne.

COVENTRISATION [kɔvɛntʀizasjɔ̃] n. f. — xxᵉ; de *Coventry*, ville anglaise systématiquement détruite par les bombardements allemands.

Vieilli (mot utilisé pendant et après la Seconde Guerre mondiale). Destruction complète (d'une ville) par bombardement aérien.

La coventrisation d'un port comme Hambourg, vous appelez ça un détail (...)! Mais c'est la plus formidable nouvelle de la guerre depuis la fin de la bataille de Stalingrad (...)　　　　B. CENDRARS, Bourlinguer, p. 282.

COVER-COAT [kɔvœʀkot] n. m. — 1896; angl. de *(to) cover* «couvrir», et *coat* «manteau».

Anglicisme.

◆ 1 Techn. Étoffe de laine à petits grains.

◆ 2 Vx. Manteau de voyage fait de cette laine. *Des cover-coats.*

REM. On écrit aussi *cover coat.*

COVER-GIRL [kɔvœʀgœʀl] n. f. — 1946; mot anglo-amér., de *cover* «couverture», et *girl* «fille».

Anglicisme (a remplacé *pin-up*, démodé). Jeune fille, jeune femme qui pose pour les photographies d'illustrés, et, spécialt, pour la page de couverture des magazines. *Des cover-girls. Elle a un physique de cover-girl.*

(...) ces brutes répugnantes qui préfèrent laisser leurs regards relâchés aller se vautrer ignoblement sur les fades rondeurs, les faciles et trompeuses douceurs des nez, des mentons et des joues des cover-girls, des stars. [1]
　　　　N. SARRAUTE, le Planétarium, p. 95.

(...) de jolies bêtes, bien habillées, bien coiffées, bien parfumées, starlettes de cinéma, cover-girls, beautés à la mode. [2]
　　　　J. DUTOURD, Pluche, V, p. 34.

— Bon, mais je rencontrai ensuite une très belle fille de vingt-deux ans, une cover-girl danoise... Ce qu'on faisait de mieux dans le prêt-à-porter à l'époque... Eh bien, elle aussi souffrait de cette difformité intérieure... [3]
　　　　R. GARY, Au-delà de cette limite votre ticket n'est
　　　　　　　　　　　　　　　　　　　plus valable, p. 23.

REM. Le correspondant masc. *cover-boy* (1956, in Höfler) s'emploie plus rarement : «*Cheveux plaqués, cravate et costume rayés, Veruschka s'est transformée en cover-boy pour vanter les mérites du mohair*» (*l'Express*, 29 janv. 1973, p. 61).

COVOITURAGE [kovwatyʀaʒ] n. m. — 1989; de *co-*, et *voiturage*.

Utilisation par plusieurs automobilistes et à tour de rôle d'une seule voiture pour effectuer le même trajet. *Le covoiturage en zone urbaine allège le trafic routier et diminue la pollution.*

COW-BOY [kawbɔj], cour. [kobɔj] n. m. — 1839, dans une tle; répandu fin xixᵉ; mot angl. «vacher», de *cow* «vache», et *boy* «garçon».

◆ 1 Gardien de troupeau de bovins (et, par ext., de chevaux), dans l'ouest des États-Unis. *Un cow-boy à cheval. Des cow-boys.*

Tout à coup j'entends des cris et des hennissements. Une centaine de chevaux en liberté, menés par un cow-boy, se ruaient au grand galop (...) Le cow-boy, jeune homme de vingt-cinq ans à peine, très confiant en ses bêtes, était resté en arrière (...) [1]
　　　　　　　　　　Albert TISSANDIER,
　　　　Voyage d'exploration dans l'Utah et l'Arizona,
　　　　　　in le Tour du monde, 1886, t. I, p. 365.

◆ 2 Cour. Personnage essentiel de la légende de l'Ouest américain, popularisé par le cinéma. *Les beaux cow-boys des années 30. Un cow-boy d'Hollywood. Film de cow-boys.* → Western. *Les gosses jouent aux cow-boys et aux Indiens. Panoplie de cow-boy.*

2 Plusieurs d'entre nous, sur le modèle des cow-boys qui laissent, pour tirer, leur revolver dans le veston, claquaient des doigts les mains dans les poches.
GIRAUDOUX, Simon le Pathétique, p. 26.

REM. 1. Le fém. *cow-girl* (ou *cow girl*) est peu utilisé en français. « *Les juniors aimeront la tendance trappeur, illustrée par des vestes de lainage bordées de cuir frangé, des houppelandes en peau à porter enroulées sur les pantalons, des robes de cow girls à corsage lacé, des toques et des tours de cou en renard* » (*Télé 7 Jours*, 28 juil. 1979, p. 104). *Calamity Jane*, « *mishérif, mi-redresseuse de torts, une cow-girl qui se bat tantôt contre les hors-la-loi, tantôt contre les Sioux ou les Cheyennes* » (*F Magazine*, déc. 1979, p. 74).
2. La prononciation approximativement américaine [kawbɔj] est souvent altérée, involontairement ou plaisamment en [kobwa], [kɔvbwa] ou [kaɔbwa], plus souvent en [kobɔj].

3 — L'art dramatique ça ne l'a pourtant jamais beaucoup intéressé, dirent les vieux parents, pas plus que le cinéma, sauf quand il était tout petit, Jacques, pour aller voir les coboys. R. QUENEAU, Loin de Rueil, p. 219.

COW-POX [kawpɔks; kopɔks] n. m. — 1828; *cowpox*, fin XVIIIᵉ; angl. *cow* « vache », et *pox* « éruption (de boutons) ».
Techn. (vétér.). Éruption qui se manifeste sur les trayons des vaches, et qui contient le virus vaccin, préservatif de la variole.

COXAL, ALE, AUX [kɔksal, o] adj. — 1811; dér. sav. du lat. *coxa* « cuisse ».
Anat. Relatif à la hanche. *Os coxal* (ou *iliaque**). *Muscles coxaux.*

COXALGIE [kɔksalʒi] n. f. — 1823; du lat. *coxa* « cuisse », et grec *algos* « douleur ».
Méd. Douleur ou maladie de la hanche; tuberculose de l'articulation coxo-fémorale (de la hanche).
Ma petite Eva, dit-il, je vais te conter une histoire. Il y a dix-huit ans que je vis. J'ai dix-huit. Tu sais comment m'éleva mon grand-père. Je vivais étendu, à cause de ma coxalgie, et de ma naissance au jour de la guérison je n'ai pas aperçu un jeune visage (...)
GIRAUDOUX, Siegfried et le Limousin, p. 137 (1922).

DÉR. Coxalgique. ◊ COMP. Sacro-coxalgie.

COXALGIQUE [kɔksalʒik] adj. et n. — 1863; de *coxalgie*.
Méd. Relatif à la coxalgie; atteint de coxalgie.
N. *Un, une coxalgique* : personne atteinte de coxalgie.
Nous avons dû revenir à pied depuis le haut de Montmartre, papa devant comme un chien berger et Flora derrière bien entendu, car elle avait mis ses chaussures neuves et boitait comme une coxalgique.
Benoîte et Flora GROULT, Journal à quatre mains, p. 128 (1962).

COXARTHROSE [kɔksartroz] n. f. — 1959; de *coxa* « cuisse », et *arthrose*.
Méd. Arthrose de l'articulation de la hanche.

COXITE [kɔksit] n. f. — Mil. XXᵉ; du lat. *coxa*, et *-ite*.
Méd. Inflammation de la hanche; arthrite* coxofémorale.

COXO-FÉMORAL, ALE, AUX [kɔksofemɔral, o] adj. — 1833; de *coxa* « cuisse », et *fémoral*.
Anat. Relatif à la hanche et à la cuisse ou à la tête du fémur. *Articulation coxo-fémorale. Arthrite coxofémorale.* ➙ **Coxite.** Plur. masc. (rare) : *coxo-fémoraux.*

COYAU [kɔjo] n. m. — 1304, *coiel, coiaux*; de *coe, coue.* → Queue.
Techn. Pièce de bois placée horizontalement sous l'arêtier d'un comble.

COYOTE [kɔjɔt] n. m. — Av. 1864, → cit.; aztèque du Mexique *coyotl.*
Mammifère carnivore d'Amérique, voisin du chacal. (On dit aussi *loup des prairies* ou *chacal aboyeur.*)
(...) avec le temps, les pieux (*du monument funéraire*) se pourrissent, tout l'échafaudage s'écroule, et les loups et les *coyotes* ou petits loups, qui rôdent sans cesse autour des cimetières, dispersent au loin les os des pauvres Indiens.
E. DE GIRARDIN,
Voyage dans les mauvaises terres de Nebraska, *in* le Tour du monde, 1864, t. I, p. 53-54.
Cf. plus loin : « le coyote ou loup des prairies » (p. 54).
Par métaphore (le coyote, comme ailleurs la hyène, symbolisant la traîtrise, la méchanceté fourbe et lâche). T. d'injure. ➙ **Chacal.**

C. P. E. M. [sepeøɛm] n. m. — 1963; sigle.
Certificat préparatoire aux études médicales. *Le C.P.E.M. a remplacé le P.C.B. Son amie prépare le C.P.E.M.*

C. Q. F. D. [sekyɛfde] Abréviation (sigle).
Ce qu'il fallait démontrer (formule employée à la fin d'une démonstration mathématique).

Cr [seɛr] Symbole chimique du chrome*.

CRABE [krab] n. m. — Déb. XIIᵉ; fém. jusqu'au XVIIIᵉ, mot surtout normand et picard; du moy. néerl. *krabe* (n. f.) ou de l'anc. nordique *krabbi* (n. m.) par le normand.

♦ 1 Crustacé décapode brachyoure*, animal marin de forme ovoïde ou ovale, à pattes et pinces latérales, se déplaçant souvent latéralement (ex. : *calappe, dromie, étrille, maïa, portune, tourteau* ou *dormeur, poupart*). ➙ **Cancer** (vx). — REM. L'emploi normal de *crabe* inclut ou non, selon les locuteurs, des décapodes plus sphériques à pattes plus longues, comme l'araignée* de mer. *Crabe nageur, coureur, sauteur. Crabe de terre, crabe de lagune* (en Afrique). *La carapace, les pinces d'un crabe. Pêche au crabe. Manger du crabe. Crabe en conserve, conserves de crabe. Salade de crabe. Crabe farci* (plat antillais).
(...) vous vous entre-dévorez comme des crabes dans un panier.
FRANCE, le Mannequin d'osier, Œ., t. XI, p. 436. 1

Une salade aux œufs durs l'enchantait, et il suffisait d'y ajouter une tranche de crabe ou de langouste pour qu'elle eût l'impression d'atteindre au sublime dans cet ordre de plaisirs.
J. ROMAINS, les Hommes de bonne volonté, t. IV, XX, p. 230. 2

(...) la voiture se déplaçant toujours aussi vite, avec cette différence qu'elle se propulsait à présent à la façon d'un crabe : non pas le capot en premier, mais un de ses flancs — le hurlement des pneus lui déchirant à ce moment les oreilles, puis quelque chose de dur le frappant violemment, non pas à gauche comme il s'y attendait, mais à droite (...) Claude SIMON, le Palace, 10/18, p. 67. 2.1

Sur la plage, fuite éperdue des troupeaux de crabes, hauts sur pattes et semblables à d'monstrueuses araignées.
GIDE, Voyage au Congo, *in* Souvenirs, Pl., p. 689. 2.2

Crabe des cocotiers : crustacé décapode de la famille des cénobitidés (n. sc. : *Birgus latro*).
➙ **Birgue.**

Loc. fig. *Un panier de crabes :* un ensemble de personnes qui se haïssent et cherchent à se nuire (→ ci-dessus, cit. 1, par comparaison).

2.3 (...) passer, au plus tôt, de notre panier de crabes à une civilisation où tâches et biens seraient équitablement répartis.
Michel LEIRIS, Frêle bruit, p. 392.

Astrol. *Nébuleuse du Crabe,* dans la constellation du Taureau. (On dit aussi *le Crabe*).

2.4 Dans de nombreux zodiaques la lune est symbolisée par l'écrevisse ou le crabe, ces derniers crustacés étant remplacés dans le zodiaque de Denderah par le scarabée qui, comme l'écrevisse, marche en rétrogradant (...)
Gilbert DURAND, les Structures anthropologiques de l'imaginaire, p. 362.

Fig. *Marcher en crabe,* de côté, en déplaçant les pieds latéralement.

(1913, *in* Petiot). **Aviat.** *Avancer, voler en crabe :* subir une dérive (en parlant d'un avion).

♦ **2** (1901). **Fam.** Individu ridicule, têtu. *C'est un vieux crabe.*

3 Mais Aragon traite la littérature de machine à crétiniser, les littérateurs de crabes.
J. PAULHAN, les Fleurs de Tarbes, I, p. 17.

♦ **3** Par anal., **méd.** Chancre à la plante des pieds, dû au pian*.

♦ **4** **Techn.** Véhicule à chenille.

DÉR. Crabier, crabillon.

CRABIER [kʀabje] n. m. — 1690; de *crabe.*

Animal se nourrissant de crabes. — **Spécialt.** *Crabier,* ou, appos., *héron crabier :* variété de héron qui se nourrit de petits crabes.

CRABILLON [kʀabijɔ̃] n. m. — 1954, M. Genevoix; de *crabe.*

Rare. Petit crabe, jeune crabe.

CRABOT [kʀabo] n. m.; **CRABOTAGE** [kʀabɔtaʒ] n. m. → **Clabot; clabotage.**

CRABRON [kʀabʀɔ̃] n. m. — 1530; lat. *crabro, -onis* «frelon».

♦ **1** Vx (langue class.). Frelon.
Fig. Critique acerbe, censeur.

♦ **2** **Zool.** Insecte hyménoptère fouisseur *(Sphégides)* qui se nourrit d'insectes. **Syn. :** *guêpe fouisseuse.*

CRABS [kʀabs; kʀaps] ou **CRAPS** [kʀaps] n. m. — 1779, *creps; krabs,* 1788; *kraps,* 1789; mot angl., de *crab* «crabe».

Anglic. Jeu de dés où le point à amener est déterminé par le serveur. *Jouer au craps.* — **Var. :** *creps* [kʀɛps] n. m.

1. CRAC [kʀak] interj. et n. m. — 1492; onomatopée. → Craquer.

Mot imitant le bruit sec que font certains corps en se brisant, en éclatant. → **Boum;** → Bander, cit. 6.

1 La corde se rompt : crac, pouf, il tombe à terre.
LA FONTAINE, Ragotin, IV, 2, *in* HATZFELD.

Soulignant le caractère soudain et inattendu d'un événement. *Crac, le voilà parti.* → Tout à coup. «*Crac! ma bougie s'éteint*» (Ed. et J. de Goncourt, *Manette Salomon,* p. 81). *Tout d'un coup, boum crac* (ou *crac boum*), *c'est arrivé!*

2 On avait une trouille intense, on se demandait ce qui arrivait, on dormait mal et crac, le Père Noël !
Jean FERNIOT, Pierrot et Aline, p. 21 (1973).

N. m. *On entend tout à coup un grand crac.*

DÉR. V. 1. **Craquer.** ◊ **HOM. Crack, craque, krach, krak;** formes des v. 1. et 2. **craquer.**

2. CRAC [kʀak] n. m. → **Crack.**

3. CRAC [kʀak] n. m. → **Krak.**

CRACHAT [kʀaʃa] n. m. — V. 1260; de *cracher.*

♦ **1** Salive, mucosité rejetée par la bouche. → **Bronchorrhée, glaire, pituite, salive;** fam. **Glaviot, 2. graillon, huître, mollard.** *Crachats muqueux, sanguinolents. Crachats spumeux. Faire, lancer un crachat.* → **Cracher.**

1 Alors Neptune ayant toussé
Et plusieurs crachats repoussé
Qui voulaient sortir tous ensemble (...)
SCARRON, Typhon, II, *in* LITTRÉ.

2 Le vinaigre, le fiel, le roseau, les crachats
Joignirent l'insulte au trépas.
CORNEILLE, Hymnes, 7.

2.1 Au bout d'un temps indéterminé, sans même enlever le mégot coincé à la commissure des lèvres, il envoie un crachat net et rond contre la vitre, derrière laquelle défilent les quais déserts et mal éclairés d'une station secondaire. Laura, qui contemple la tache de salive épaisse, blanchâtre, dont le bord inférieur commence à couler vers le bas (...)
A. ROBBE-GRILLET, Projet pour une révolution à New York, p. 110-111.

Par métaphore :

2.2 Dans le seau de toilette nageaient des cheveux enroulés sur eux-mêmes et de gros crachats de savons.
H. TROYAT, le Vivier, p. 215.

Fig. Marque de mépris, insulte. *Méprisez donc ces crachats.*

Loc. fig. *Se noyer, se laisser noyer dans un crachat :* se laisser arrêter, embarrasser par la moindre difficulté. → Se noyer dans un verre d'eau.

Loc. Vx. *Maison faite de boue et de crachat :* maison bâtie avec de mauvais matériaux.

♦ **2** **Fig. et fam.** Plaque, insigne, étoile servant à distinguer les grades supérieurs dans les ordres de chevalerie. → **Décoration.** *Des croix, des étoiles et des crachats.*

3 Près du Maître, les Dignitaires s'étageaient, couverts de rubans, de crachats et de plaques honorifiques (...)
Laurent TAILHADE, Contes et poèmes en prose, «Un souper chez Simon le pharisien».

4 Le baron de Meyendorff me dit que les indigènes des îles Aléoutes sont restés orthodoxes et qu'ils ont conservé l'habitude de s'habiller en se collant sur la poitrine d'énormes décorations et crachats en carton doré.
CLAUDEL, Journal, 26 janv. 1921.

5 Là-bas, vers Modane (...) il y avait tant d'ennemis, tout alentour et tout autour, que les gens déguisés sérieux, j'entends ceux qui ont des étoiles sur les manches et des crachats sur les pectoraux, décidèrent de se débiner avec armes et bagages. R. QUENEAU, le Chiendent, p. 410 (1932).

♦ **3** **Littér. ou stylistique.** Projection, jaillissement d'une matière. → **Crachement.** *Crachat d'un volcan, d'une mitrailleuse.*

Techn. Rejet d'un haut-fourneau.

♦ **4** **Régional.** *Crachat de lune :* nostoc*.

♦ **5** **Techn.** Défaut d'une glace sous la forme d'une tache blanche.

CRACHÉ, ÉE [kʀaʃe] adj. — Mil. XVᵉ; p. p. de *cracher.*

♦ **1** P. p. de *cracher.* → **Cracher.**

♦ **2** **Adj. invar. TOUT CRACHÉ** [tukʀaʃe] (après un n. ou un pron.) : très ressemblant. *C'est son père tout craché.* → C'est tout le portrait* de son père. — **Loc.** *C'est lui, c'est elle tout craché :* on le (la) reconnaît bien là, c'est tout à fait lui (elle); il n'y a que lui (elle) qui pouvait agir ainsi. — (Sans *tout*). *C'est son père craché.*

Le voilà tout craché comme on nous l'a défiguré.
MOLIÈRE, le Médecin malgré lui, I, 5.

CRACHEMENT [kʀaʃmɑ̃] n. m. — XIIIᵉ ; de *cracher*.

♦ **1** Action de cracher. → **Expectoration**. *Crachement de sang.* → **Hémoptysie**. *Crachement fréquent, continu.* → **Sputation**.

♦ **2** (1859). Fig. Projection de gaz, de vapeurs, d'étincelles. *Crachement de flammes. Crachement de lave d'un volcan.* Spécialt. *Crachement d'une mitrailleuse.*

♦ **3** Crépitement (d'un haut-parleur, d'un poste de radio, d'un téléphone). → Crachotement, friture.

CRACHER [kʀaʃe] v. — Déb. XIIᵉ ; du lat. pop. *craccare*, d'un rad. onomat. *krakk-*. → 1. Crac ; craquer.

I V. intr. ♦ **1** Projeter de la salive, des mucosités (→ **Crachat**) de la bouche. → **Expectorer ; crachoter ;** fam. **glavioter, molarder.** *Cracher par terre. Défense de cracher. Vieillard, malade, qui tousse et crache.*

1 Un homme (...) mouchant, toussant, crachant toujours (...)
   MOLIÈRE, le Malade imaginaire.

2 La reine Gisèle était toute courbée, toussant et crachant toute la journée avec une saleté qui faisait bondir le cœur.
   FÉNELON, Fables, XIX, 17.

3 Ils se tapèrent dans la main, crachèrent de côté pour indiquer que l'affaire était faite (...)
   MAUPASSANT, Clair de lune, «La légende du Mont Saint-Michel».

4 Les belles pommes rouges que les nègres astiquent en crachant dessus et en frottant ferme avec une loque de laine (...)
   G. DUHAMEL, Scènes de la vie future, VI, p. 88.

4.1 À La Haye, dit Courteline, les gens sont tellement propres que, quand ils ont envie de cracher, ils prennent le train pour aller cracher à la campagne.
   J. RENARD, Journal, 12 avr. 1894.

Cracher sur, dans qqch. Cracher dans l'eau pour faire des ronds, fig. : avoir des activités inutiles). *Cracher au visage de qqn* (pour exprimer sa haine, son mépris...). → Muet, cit. 6.
Loc. *Cracher dans la soupe* : afficher du mépris pour ce dont on tire avantage.
Prov. *Quand on crache en l'air votre crachat vous retombe sur le nez* : les actes inconsidérés tournent au désavantage de leurs auteurs. — Loc. *C'est comme si on crachait en l'air* : c'est inutile (→ Pisser dans un violon).

♦ **2** Fig. **a** Littér. *Cracher sur qqn.* → **Calomnier, insulter, outrager.**

4.2 Après vingt-deux ans de veuvage, elle (*Mᵐᵉ de La Barois*) s'est amourachée de M. de La Barois qui en aimait une autre, à la vue du public, à qui elle a donné tout son bien, et qui n'a jamais couché qu'un quart d'heure avec elle, pour fixer les donations, et qui la chassée de chez lui outrageusement (voici une grande période) ; mais quand on songe à tout cela, on a extrêmement envie de lui cracher au nez.
   Mᵐᵉ DE SÉVIGNÉ, Lettre à Mᵐᵉ de Grignan, 4 juin 1676.

5 Vous vous êtes assis aux festins qui corrompent,
   Vous avez applaudi le mal, ri du remords,
   Et vous avez craché sur la face des morts.
   HUGO, la Légende des siècles, «La vision de Dante», LIV, XI.

b Fam. *Cracher sur qqch., qqn,* exprimer un violent mépris, dédaigner.

5.1 Quand on a goûté à la vache enragée on n'aime pas voir les gens cracher sur le beau rôti.
   François NOURISSIER, le Maître de maison, p. 143.

Plus cour. *Ne pas cracher sur qqch.* → **Amateur** (être). *Il ne crache pas sur l'alcool. — Elle ne crache pas sur les jolis garçons.*

♦ **3** Par anal. *Cette plume, ce stylo crache,* l'encre en jaillit et éclabousse le papier sur lequel on écrit.

6 De fait, peu à peu les bâtons commencèrent à marcher plus droit, la plume crachait moins, et il y avait moins d'encre sur les cahiers (...)
   Alphonse DAUDET, le Petit Chose, I, VI, p. 80.

Fusil qui crache, qui projette de la poudre et des étincelles. — *Moule qui crache,* qui rejette une partie des matières en fusion.

♦ **4** Émettre des crépitements. *Haut-parleur, radio, téléphone qui crache.* → **Crachoter.**

♦ **5** *Cracher (au bassinet)* : payer (→ ci-dessous II., 3., cit. 9.1).

II V. tr. ♦ **1** Lancer (qqch.) de la bouche. *Cracher du sang. Cracher l'eau que l'on a dans la bouche.* → **Rejeter.**

6.1 (...) un remous (*d'un cortège*) dont le centre progresse en sinuosités irrégulières, finissant par expulser l'intrus d'un seul coup, comme un noyau que l'on crache au loin (...)
   A. ROBBE-GRILLET, Souvenirs du triangle d'or, p. 40.

Loc. fig. *Cracher ses poumons* : tousser en crachant du sang. Par ext. Fam. Tousser violemment. — *Cracher son venin*.

♦ **2** Fig., fam. *Cracher des injures.* → **Injurier, insulter, proférer.** *Cracher des insultes, son mépris* (cit. 8 et 11) *à la figure, au nez de quelqu'un.*

7 (...) il cracha sur moi toutes les malédictions des prophètes.
   FLAUBERT, Trois contes, «Hérodias», I.

8 Il reprit sa course, arriva d'une traite rue d'Amsterdam, bien décidé à chasser cette femme de chez lui (...) en lui crachant l'injure de son nom dans son dos.
   Alphonse DAUDET, Sapho, III, p. 17.

Cracher son fait à qqn, lui dire franchement ce qu'on pense de lui (→ Dire ses quatre vérités).
Cracher le morceau : avouer. *Il a fini par cracher le morceau.*
Vx (péj.). *Cracher du latin* : faire à tout propos des citations latines.

9 Et (*les hommes de mon temps*) dédaignaient l'argot du moine chassieux
   Qui crache du latin et fait des hexamètres (...)
   HUGO, la Légende des siècles, XX, «Les quatre jours d'Elciis», I.

♦ **3** Fam. (de la loc. *cracher au bassinet* cit. 2). Donner (de l'argent) ; payer. → **Casquer, débourser.** *Il a fini par cracher mille francs.* → aussi ci-dessus, I., 5.

9.1 — Ils ne peuvent pas cracher mille francs sans emmerder personne, vos philanthropes ?
   — Ils cracheront une fois, mais pas dix.
   S. DE BEAUVOIR, les Mandarins, p. 250.

♦ **4** Émettre en lançant. *Volcan qui crache de la lave. Dragon qui crache du feu, des flammes. — Foyer qui crache de la fumée, des cendres.* → **Projeter, rejeter.**

10 À chaque fois l'énorme tuyau de la machine se courbait en deux et crachait des torrents d'une fumée noire qui faisait tousser (...)
   Alphonse DAUDET, le Petit Chose, I, II, p. 17.

11 (...) la suie que crachaient sans arrêt cinquante petits tuyaux de poêle.
   G. DUHAMEL, Récits des temps de guerre, V, p. 278.

Mar. *Navire qui crache ses étoupes,* se dit d'un vieux bâtiment dont les étoupes sortent des coutures. *Calfatage qui crache.*

♦ **CRACHÉ, ÉE** p. p. adj. *Du sang craché. Un morceau de viande mâché et craché. — Des injures violemment crachées. — Tout craché.* → **Craché, adj.**

DÉR. et COMP. Crachat, craché, crachement, cracheur, crachin, crachis, crachoir, crachoter, crachouiller. Recracher.
◊ **HOM.** Crasher (se).

CRACHEUR, EUSE [kʀaʃœʀ, øz] n. et adj. — 1538 ; de *cracher*.

♦ **1** (Sans compl.). Rare. Personne qui crache (souvent, beaucoup). *Les tousseurs et les cracheurs nous ont gâté le concert.*

♦ **2** *Cracheur, euse de...* — *Cracheur de feu* : bateleur qui emplit sa bouche d'un liquide inflammable qu'il rejette en soufflant sur une torche enflammée (on dit aussi *avaleur de feu*).

Fig. (vx et péj.). *Cracheur de latin* : personne qui fait à tout propos des citations latines. *Un cracheur de latin ; de citations.* «*Un cracheur d'apophtegmes*» (Duhamel, *in* T. L. F.).

♦ **3** Adj. (fig.). «*Des tuyaux cracheurs*» (Duhamel, *in* T. L. F.).

CRACHIN [kʀaʃɛ̃] n. m. — 1880 ; mot dial. de l'Ouest ; de *cracher*.

Pluie fine et serrée. → **Bruine.**

1 Il était plus de huit heures du matin, et il faisait grand jour depuis longtemps ; mais ici, à cause du crachin et de la fraîcheur humide, on avait l'impression de l'aube.
G. SIMENON, Maigret et la vieille dame, p. 7.

2 Calme plat vers minuit... baromètre en baisse, ciel entièrement couvert, crachin. Quelle vie !
Bernard MOITESSIER, Cap Horn à la voile, p. 71.

DÉR. Crachiner.

CRACHINER [kʀaʃine] v. impers. — 1908 ; de *crachin*.

Faire du crachin. *Il commence à crachiner.* → **Bruiner, pleuvoter.** *Ça crachine depuis des heures.*

CRACHIS [kʀaʃi] n. m. — 1929, Larousse ; de *cracher*, suff. *-is*.

Techn. Éclaboussures d'encre utilisées en dessin lithographique, semis de points noirs qui en résulte (utilisé pour figurer ou renforcer les ombres).

CRACHOIR [kʀaʃwaʀ] n. m. — 1546, Rabelais ; de *cracher*.

♦ **1** Petit récipient, parfois muni d'un couvercle, dans lequel on peut cracher. *Crachoir à pied.*

♦ **2** Loc. fam. **TENIR LE CRACHOIR** : faire à soi seul les frais de la conversation ; parler sans arrêt. *Tenir le crachoir à qqn,* l'écouter sans pouvoir placer un mot. — REM. Cet emploi, de sens opposé à celui de *tenir le crachoir* employé absolument, est de ce fait plus rare. — *Conserver le crachoir.*

1 Pour peu que l'assistance ouvrît une oreille docile, Fauvet conservait le crachoir.
G. DUHAMEL, Chronique des Pasquier, VII, XIII, p. 122.

2 Il interloquait... il esbroufait bien les timides... il tenait pas le crachoir... tandis que Delphine l'opposé c'était des clameurs perpétuelles... du monologue à plus finir !... les circonstances de rien du tout !...
CÉLINE, Guignol's band, p. 196.

CRACHOTANT, ANTE [kʀaʃɔtɑ̃, ɑ̃t] adj. — XXᵉ ; de *crachoter*.

Qui crachote. — Par anal. Qui verse irrégulièrement quelques gouttes d'eau.

La pluie cessant, *(les hommes)* se bousculaient encore, à ras du sol autour de la source crachotante des gouttières.
Pierre GASCAR, le Temps des morts, p. 260.

Qui émet des sons, des crépitements irréguliers. *Une vieille radio crachotante.*

CRACHOTEMENT [kʀaʃɔtmɑ̃] n. m. — 1694 ; de *crachoter*.

♦ **1** Action, fait de crachoter. → **Crachement.** — Projection (→ **Postillon**), bruit fait en crachotant.

♦ **2** Par anal. *Les crachotements d'un vieux poste de radio.* → **Crachement, friture.**

CRACHOTER [kʀaʃɔte] v. — 1660 ; *cracheter*, 1578, d'Aubigné ; de *cracher*.

♦ **1** V. intr. **ⓐ** Cracher* souvent et peu à la fois. *Il ne fait que crachoter.*

ⓑ Par anal. Verser irrégulièrement des gouttes d'eau. *Ce robinet ne cesse de crachoter.* — Perdre de l'encre, éclabousser (en parlant d'une plume).

ⓒ Émettre des crépitements. *Radio, haut-parleur, téléphone qui crachote.*

♦ **2** V. tr. Projeter en crachotant.

Clappique (...) avançait dans le couloir de son hôtel chinois où les boys, affalés sur une table ronde au-dessous du tableau d'appel, crachotaient des grains de tournesol autour des crachoirs.
MALRAUX, la Condition humaine, p. 217.

DÉR. Crachotant, crachotement.

CRACHOUILLER [kʀaʃuje] v. intr. et tr. — 1924 ; de *cracher*, et suff. *-ouiller*.

Régional ou fam. → **Crachoter.**

1 (...) une petite usine qui crachouille sur le quai et nous fabrique, avec de la poussière et du brai, les briquettes que nous embarquons toutes fumantes.
J.-R. BLOCH, Sur un cargo, p. 177.

2 J'émergeai, soufflant par le nez, crachouillant une eau qui sentait le roui.
Hervé BAZIN, Qui j'ose aimer, 1, p. 9.

DÉR. Crachouillis.

CRACHOUILLIS [kʀaʃuji] n. m. — 1954, Butor ; de *crachouiller* ; cf. béarnais *crachoutis*.

Dial. ou fam. Crachotement.

(...) Georges disant, répétant : «Sacré veinard qu'est-ce que je donnerais pas pour cracheter moi aussi un petit peu : rien qu'un petit crachouillis de rien du tout bon sang si je pouvais aussi mais ce n'est pas moi qui aurais un pareil coup de pot...»
Claude SIMON, la Route des Flandres, p. 80 (1960).

CRACK [kʀak] n. m. — 1854 ; mot angl., «fameux», de *to crack* «craquer, se vanter».

Anglicisme.

♦ **1** Poulain préféré, dans une écurie de course ; cheval qui a remporté de nombreuses victoires, qui a une forte cote parmi les parieurs. *Un grand crack. Pour le Grand Prix tous les cracks étaient au départ.*

1 Rue Euler, c'est un rez-de-chaussée écrasé de peluches brodées, aux tons fracassants, orné sur les murs de lithographies anglaises : chasses, steeples, cracks célèbres, portraits variés du prince de Galles, dont un avec dédicace.
O. MIRBEAU, Journal d'une femme de chambre, p. 367.

♦ **2** (1886, *in* Petiot). Vieilli et fam. *C'est un crack,* une personne qui se distingue dans un sport. → **As, champion.** — Par ext. Personne remarquable. *C'est un crack en mathématiques. Seuls les cracks réussissent un tel concours. Un faux crack. Un grand crack.*

2 (...) un pauvre mec inintelligent, à peine plus évolué qu'une grenouille, et qui avait le ridicule supplémentaire de se prendre pour un grand crack, formé à l'image de Dieu et tout...
Jean-Louis CURTIS, le Roseau pensant, p. 150.

REM. On rencontre la graphie francisée *crac.*

3 Elle avait un lot de vieilles expressions, (...) un «crac» pour un champion. «Oh non, disait-elle de Dieu, ce n'est pas un crac.»
Jacques LAURENT, les Bêtises, p. 91.

HOM. Crac, craque, krach, krak ; formes des v. 1. et 2. **craquer.**

1. CRACKER [kʀakœʀ ; kʀakɛʀ] n. m. — 1962 ; apparu, mais non fréquent, au XIXᵉ ; mot angl., de *to crack* «craquer».

Anglic. Petit biscuit salé et croustillant. *Des crackers.*

2. **CRACKER** [kʀakœʀ] n. m. — 1989; mot angl. «pirate informatique», de *to crack* «briser».

Anglic. Inform. Personne qui force les systèmes de sécurité d'un ensemble informatique avec l'intention de nuire. → **Pirate** (informatique). *Les crackers et les hackers*.*

REM. On emploie aussi le verbe *cracker* «forcer le système de sécurité d'un système informatique, pirater».

CRACKING [kʀakiŋ] n. m. — 1892, *in* Höfler; var. *crackling*, 1899; mot angl., de *to crack* «briser».

Anglic. Procédé de raffinage du pétrole. → **Craquage** (recomm. off.).

CRACOVIEN, ENNE [kʀakɔvjɛ̃, ɛn] adj. et n. — Attesté XIXᵉ, → ci-dessous, 2.; de *Cracovie* (polonais *Kraków*), ville de Pologne.

♦ **1** Adj. Relatif à la ville, à la région ou aux habitants de Cracovie. — N. *Un Cracovien, une Cracovienne,* habitant de Cracovie.

♦ **2** N. f. (1840, cit. ci-dessous; du polonais *krakowiak* «danse de Cracovie»). Danse polonaise vive et légère.

> Pardine... quatre cent cinquante musiciens sur le théâtre... dansez donc la Cracovienne au milieu de ça.
> BAYARD et DUMANOIR, les Guêpes, 1840, *in* D. D. L., II, 2.

CRACRA [kʀakʀa] adj. invar. — Déb. XXᵉ; de la première syllabe de *crasseux*, redoublée.

Fam. Crasseux. → **Crado.** «*Il y a des séminaristes qui sont singulièrement cracra*» (R. Queneau).

> Il est cracra comme une poubelle et son accoutrement ferait merveille sur la piste de Médrano.
> SAN-ANTONIO, le Secret de Polichinelle, p. 56.

REM. On écrit parfois *cra-cra* : «*Un petit air cra-cra très Saint-Germain-des-Prés*» (Pierre Nord, *Miss Péril jaune*, p. 29).

CRADE [kʀad] adj. — 1980; de *crado*.

Fam. Sale, sali par l'usage ou taché. *Ta chemise est crade.* — Moralement sale. *C'est plutôt crade, comme façon de faire!*

CRADO [kʀado] adj. et n. (invar. en genre). — 1935; de *crasseux.*

Fam. Très sale, crasseux. → **Cracra, crade, craspec.** *Elle est plutôt crado!* — Var. graphique : *cradot.*

REM. Certains font *crado* invariable :

1 > Le sud, toujours peuplé de campements crado, sent la cloche : mélange d'urine, de bière tournée, de pieds mal lavés.   Pierre ACCOCE, le Polonais, p. 110.

N. *Un, une crado. Une bande de crados.*

REM. On dit aussi *cradingue* [kʀadɛ̃g], *cradoque* [kʀadɔk].

2 > (...) il faut avoir vécu en taule, ou être toubib aux urgences, pour savoir à quel point la majorité des gens est cradingue.   A. SARRAZIN, la Cavale, p. 413.

DÉR. **Crade.**

CRAIE [kʀɛ] n. f. — XIᵉ, *creide; croie,* v. 1175; *crée,* déb. XIVᵉ; du lat. *creta* «argile».

♦ **1** Calcaire des terrains crétacés. *Craie blanche,* faite de calcaire presque pur (carbonate de calcium, CaCO₃). *Craie blanche de la Champagne pouilleuse. Craie argileuse ou marneuse.* → **Marne.** *Amendement d'un sol au moyen de craie. Craie à ciment. Pierre à craie. Craie friable. Banc de craie. Falaise de craie,* sur les côtes de la Manche, dans la vallée de la Seine. — *Exploitation de la craie, dans des carrières à ciel ouvert ou par des galeries.*

Caves champenoises creusées dans la craie. Terrains de craie. → **Crayeux, crétacé** (1.).

1 > Les fonds de craie *(dans les fleuves)* résistent plus que ceux de sable ou de limon.   FONTENELLE, Guglielmini.

Par compar. *Blanc, pâle comme de la craie :* d'un teint pâle, mat et légèrement terreux. *Dur, friable comme de la craie.*

Par métonymie. Sol fait de craie. *Marcher sur la craie champenoise.*

Par métaphore. Substance friable (comparée à la craie).

2 > (...) la force de sa constitution résista jusqu'à la fin. Un corps et une âme ainsi bâtis semblent de porphyre et de granit, tandis que les nôtres sont de craie et de plâtras.   TAINE, Philosophie de l'art, t. I, II, V, p. 186.

♦ **2** Calcaire réduit en poudre et moulé (en bâtons) pour écrire, tracer des signes. *Un morceau de craie. Écrire, tracer avec de la craie, à la craie.*

3 > — Vous savez, au fond de l'impasse des Bourdonnais... Mon nom est écrit à la craie sur la porte, Claude Lantier... Venez voir l'eau-forte de la rue Pirouette.
> ZOLA, le Ventre de Paris, t. I, p. 44.

(Une, des craies). Bâtonnet de craie pour écrire (au tableau* noir, sur une ardoise*). *Passe-moi ta craie. Il n'y a plus de craies. Craies de couleur.*

♦ **3** Techn. Calcaire préparé (pour divers usages). *Craie broyée, lavée, mélangée d'eau gommée, moulée en pains.* → **Blanc** (d'Espagne, de Meudon). *Mélange de craie et d'huile.* → **Mastic.** *Mélange de craie, de pâte à papier et de colle forte pour obtenir du cartonpierre.* — *Craie de Briançon.* → **Stéatite, talc.** *Morceau de craie de Briançon à l'usage des tailleurs. Craie de couturière, de tailleur :* mélange de blanc de Meudon et de cire, servant à tracer sur le tissu. *Craie de charpentier.* → **Arcanne, rubrique.** *Craie de billard,* dont on frotte une queue de billard. *Cingler une surface au moyen d'une corde enduite de craie. Craie rouge utilisée en peinture.* → **Rosette.** — *Craie lévigée*,* utilisée dans la fabrication des pâtes dentifrices, dans le glaçage du linge. — Méd. *Craie préparée :* carbonate de chaux pur, servant à combattre l'acidité gastrique.

Une, des craies (et compl.) : morceau, bâtonnet de l'une de ces substances.

♦ **4** Vétér. Maladie des oiseaux de proie, aussi appelée *pierre.*

DÉR. **Crayère, crayeux.** — V. **Crayon, crétacé.**

CRAIGNOS [kʀɛɲos] adj. et interj. → **Craindre,** 6. (ça craint).

CRAILLEMENT [kʀajmɑ̃] n. m. — XVIᵉ; de *crailler.*

Régional ou techn. Cri de la corneille et du corbeau. → **Croassement.** — Par ext. Cri d'oiseau, semblable à celui de la corneille ou du corbeau.

CRAILLER [kʀaje] v. intr. — XVIᵉ; onomat. (→ Crac), probablt de la même famille que *cracher.*

♦ **1** Régional ou techn. Crier, en parlant de la corneille.

> Eh! bien vous vous trompiez Bertrand. Ce sont les corbeaux qui croassent. Les corneilles craillent.
> Claude MAURIAC, le Dîner en ville, p. 153.

Par ext. Crier, en parlant d'oiseaux au cri semblable à celui de la corneille. → **Croasser.**

♦ **2** Littér. (Personnes). Crier, parler d'une manière désagréable.

DÉR. **Craillement.**

CRAINDRE [kʀɛ̃dʀ] v. tr. [CONJUG.: *je crains, tu crains, il craint, nous craignons, vous craignez, ils craignent; je craignais, nous craignions; je craignis, nous craignîmes* (inus.); *je craindrai, nous craindrons; je craindrais, nous craindrions; crains, craignons, craignez; que je craigne, que nous craignions; que je craignisse* (inus.); *craignant, craint, crainte.*] — X[e]; *criembre*, v. 1050; refait d'après les verbes en *-aindre*; du lat. pop. *cremere*, altér. de *tremere* «trembler», puis «craindre», sous l'infl. d'un rad. gaul. *crit-*, attesté par l'irlandais *crith* «tremblement».

♦**1** Envisager (qqn, qqch.) comme dangereux, nuisible, et en avoir peur*. → **Appréhender** (cit. 3), **redouter; peur** (avoir peur de). *Craindre le danger, le péril, la mort. Ne pas craindre la mort. Craindre la douleur, les souffrances, la maladie. Craindre le ridicule. Craindre les responsabilités. Craindre les questions de qqn. Craindre le regard de qqn* (cf. Baisser les yeux). *Il ne viendra pas, je le crains. Ne craignez rien. Vous n'avez rien à craindre. Ne craignez rien, c'est indolore. Il craint ses menaces, sa colère. Faire craindre qqch. à qqn.* — *Craindre qqn. Tous le craignent. On le craint. Il est craint de tous. Je ne vous crains pas. Il sait se faire craindre.* → **Intimider; menacer;** → 1. Marine, cit. 6.

1 (...) ce chat exterminateur,
Vrai Cerbère, était craint une lieue à la ronde;
Il voulait de souris dépeupler tout le monde.
LA FONTAINE, Fables, III, 18.

2 Qui ne craint point la mort ne craint point les menaces.
CORNEILLE, le Cid, II, 1.

3 (...) avec moi vous n'avez rien à craindre (...)
MOLIÈRE, George Dandin, I, 6.

4 C'est la connaissance des dangers qui nous les fait craindre (...)
ROUSSEAU, Émile, I.

5 (...) à force de craindre les ridicules, les vices n'effrayent plus.
ROUSSEAU, Lettre à d'Alembert, p. 142.

6 «Qu'ils me haïssent, pourvu qu'ils me craignent!» c'est bien un mot d'ambitieux.
ALAIN, les Aventures du cœur, p. 27.

7 Il ne craignait ni les remords, ni la honte, mais il craignait la police et la terrible aventure dont elle ouvre les portes.
P. MAC ORLAN, la Bandera, VII, p. 84.

C'est une chose à craindre, c'est à craindre : c'est une chose pénible, désagréable et possible, vraisemblable.

Ne craindre personne (pour, dans, à qqch.), se considérer de force égale à n'importe qui, sinon meilleur. *Au billard je ne crains personne. Pour la cuisine, elle ne craint personne.*

Craindre qqch. de la part de qqn. «*Je craignais de ta part des suppositions odieuses*» (Flaubert, *Correspondance*, 1846, *in* T.L.F.).

Allus. littér. *Je crains les Grecs même quand ils font des offrandes* (timeo danaos...). — *Je crains l'homme d'un seul livre.* → **Livre** (*infra* cit. 11). — **Prov.** *Chat* échaudé craint l'eau froide.*

Absolt. *Cette mère craint pour ses enfants. Craindre pour la vie de qqn.* → **Redouter, trembler.** *Ne craignez point :* n'ayez pas peur. **Vieilli.** *Avoir quelques raisons de craindre.*

8 Non, non, ne craignez point : il se mariera avec vous tant que vous voudrez.
MOLIÈRE, Dom Juan, II, 2.

9 Andromaque (...) craint pour la vie de Molossus (...)
RACINE, Andromaque, 2e Préface.

9.1 Quoi de plus facile que de craindre?
ALAIN, Propos, 17 sept. 1927, la Foi qui sauve.

♦**2** **CRAINDRE QUE** (et subj.). **ⓐ** **Dans une affirmation** (presque toujours avec *ne* explétif). *Je crains qu'il ne vienne.* → **Ne,** cit. 21, 22. *Je crains qu'il ne soit mort. Il est à craindre que cet élève n'échoue à l'examen. Il est à craindre qu'un orage se prépare.* — *Il y a lieu de craindre qu'il ne vienne pas.*

Un lièvre, apercevant l'ombre de ses oreilles,
Craignit que quelque inquisiteur
N'allât interpréter à cornes leur longueur.
LA FONTAINE, Fables, V, 4.   10

Quoique la royauté actuelle ne semble pas viable, je crains toujours qu'elle ne vive au-delà du terme qu'on pourrait lui assigner.
CHATEAUBRIAND, Mémoires d'outre-tombe, t. VI, p. 149.   11

(...) il glissait une main dans sa poche, pour toucher la lettre, comme s'il craignait qu'un feuillet ne s'en échappât.
J. CHARDONNE, les Destinées sentimentales, I, p. 139.   12

Sans *ne* explétif :

(...) je crains pour vous qu'un Romain vous écoute (...)
CORNEILLE, Nicomède, I, 2.   13

Par le temps actuel, il serait à craindre qu'un monument élevé dans le but d'imprimer l'effroi des excès populaires donnât le désir de les imiter (...)
CHATEAUBRIAND, Mémoires d'outre-tombe, t. III, p. 331.   14

Elle le croyait malade et craignait qu'il le devînt davantage.
RACINE, le Crime de S. Bonnard, Œ., t. II, p. 385.   15

ⓑ **Dans une négation (sans *ne* explétif) :**

(...) on ne craint point qu'il venge un jour son père (...)
RACINE, Andromaque, I, 4.   16

ⓒ **Dans une interrogation (avec ou sans *ne* explétif) :**

Craignez-vous que mes yeux versent trop peu de larmes?
RACINE, Bérénice, V, 5.   17

Tu ne crains pas qu'il n'envoie des échos aux journaux?
M. PAGNOL, Topaze, III, 3.   18

♦**3** **CRAINDRE DE** (et l'inf.). *Il craint d'être découvert. Il craint de mourir.* → **Peur** (avoir peur de).

(Ma mère) se gardait bien de me conduire dans ces sentiers de la grammaire où elle craignait de s'égarer.
FRANCE, le Petit Pierre, XXIX, p. 200.   19

Hésiter, ne pas oser. *Je crains de le laisser entrer. Je ne crains pas d'affirmer :* je n'hésite pas à affirmer.

Joseph, fils de David, ne crains point de prendre chez toi Marie ton épouse, car ce qui est conçu en elle est du Saint-Esprit.
BIBLE (CRAMPON), Évangile selon saint Matthieu, I, 20.   20

♦**4** **Vx.** Compl. n. de personne. Respecter, vénérer (qqn). *Craindre son père, sa mère* → **Révérer.** — **Relig.** *Craindre Dieu.* → **Crainte** (cit. 9).

(...) afin que tu craignes Yahweh, ton Dieu (...) en observant, tous les jours de ta vie, toutes ses lois et tous ses commandements que je te prescris (...)
BIBLE (CRAMPON), Deutéronome, VI, 2.   21

Il n'en est pas ainsi de celui qui te craint :
Il renaîtra, mon Dieu, plus brillant que l'aurore.
RACINE, Esther, II, 8.   22

Loc. *Ne craindre ni Dieu ni diable :* n'avoir peur de rien.

♦**5** **Compl.** n. de chose. Être sensible à (qqch.), ne pas supporter (qqch.). *Cet enfant craint le froid. Elle craint l'odeur du tabac. Elle craint la voiture.* — *Ces arbres craignent le froid, l'humidité,* le froid, l'humidité leur sont nuisibles, contraires. — *Cette couleur, ce tissu craint le soleil, les lavages à haute température.*

Par ext. *Ce cheval craint l'éperon,* il y est sensible.

Ellipt. «*Craint l'humidité, la chaleur*», formule qu'on inscrit sur l'emballage d'une marchandise périssable.

♦**6** **Fam.** (avec le dém. neutre). *Ça craint pas :* ça ne risque rien. *Ça craint, ça craint drôlement :* la situation est mauvaise, dangereuse. «*Année russe : ça craint*» (Actuel, févr. 1980, p. 64 : titre).

Le Ponosse peut bien dire tant que ça lui plaît dans son église, ça craint pas que tu le déranges!
G. CHEVALLIER, Clochemerle, p. 186.   22.

Ça craint : c'est laid, désagréable, sans intérêt. Cf. argot fam. *craignos* [kʀɛɲos], adj. *(c'est craignos ; un truc craignos)* ou interj. péj. *(Craignos !)*

♦ **SE CRAINDRE** v. pron.

Récipr. *Les deux boxeurs se craignaient déjà avant le combat.*

Réfl. Avoir la crainte de soi-même.

23   Mais il se craint, dit-il, soi-même plus que tous.
             RACINE, Andromaque, V, 2.

CONTR. Affronter, aspirer (à), braver, désirer, espérer, mépriser, oser, rechercher, souhaiter. — Assuré, sûr (être).
◊ **DÉR. Crainte.**

CRAINTE [kʀɛt] n. f. — XIIᵉ, *crieme* ; *criente*, XIIIᵉ ; de *craindre*.

♦**1** Sentiment par lequel on craint* (qqn ou qqch.) ; appréhension inquiète. → **Alarme, angoisse, anxiété, appréhension, effarouchement, effroi, émoi, épouvante, frayeur, frousse (fam.), inquiétude, obsession, peur, terreur, timidité, trac.** *Crainte morbide.* → **Phobie ; transe.** *La crainte de qqch., qu'inspire qqch. La crainte de la mort* (→ *Courage,* cit. 6). *La crainte de qqn pour, envers qqch., qqn. Donner, inspirer de la crainte à qqn.* → **Défiance, méfiance.** *Éprouver un sentiment, une impression de crainte. Mouvement de crainte. Pâlir de crainte. Frémir, tressaillir, tressauter, trembler de crainte. Abjurer, éloigner toute crainte. Une crainte mystérieuse, superstitieuse.* → **Pressentiment.** — Loc. *Soyez sans crainte (à ce sujet). N'ayez crainte : n'ayez pas peur. N'ayez crainte il reviendra.* — Menace. *Vous me le paierez, n'ayez crainte !* — Apaiser (cit. 11), dissiper la crainte de qqn. Obéir par crainte. Approcher de qqch. avec crainte.* → **Craintivement.** — *(Une, des craintes).* Sentiment d'appréhension à l'occasion d'une situation particulière. *Il faut dissiper ses craintes. Il m'a ôté toutes mes craintes. Cet événement confirme nos craintes.*

1   L'espérance et la crainte sont inséparables, et il n'y a point de crainte sans espérance, ni d'espérance sans crainte.
             LA ROCHEFOUCAULD, Maximes, 515.

2   (...) Cette crainte maudite
M'empêche de dormir, sinon les yeux ouverts.
             LA FONTAINE, Fables, II, 14.

3   — Objection. — Ceux qui espèrent leur salut sont heureux en cela, mais ils ont pour contrepoids la crainte de l'enfer.
             PASCAL, Pensées, II, 239.

4   Comme nous passons plus notre vie dans l'espérance que dans la possession, nos espérances sont bien autrement multipliées que les craintes.
             MONTESQUIEU, Cahiers, p. 21.

4.1   Bien éloignée de soupçonner les desseins de ce monstre et d'imaginer qu'il devait y avoir pour moi, moins de sûreté avec lui, que dans l'infâme compagnie que je quittais, j'accepte tout sans crainte, comme sans répugnance ; nous dînons, nous soupons ensemble.
             SADE, Justine..., t. I, p. 62.

5   Enfin, ma belle amie, j'ai fait un pas en avant, mais un grand pas, et qui, s'il ne m'a pas conduit jusqu'au but, m'a fait connaître au moins que je suis dans la route, et a dissipé la crainte où j'étais de m'être égaré.
             CHODERLOS DE LACLOS, les Liaisons dangereuses,
                            I, XXI.

6   (...) elle ignorait la cause de ces jeunes désespoirs, alors que l'éveil ardent de son imagination et le travail mystérieux de sa chair la jetaient dans un trouble mêlé de désirs et de craintes.   FRANCE, le Lys rouge, I, p. 19.

6.1   (...) il est faux de croire que l'échelle des craintes correspond à celle des dangers qui les inspirent. On peut avoir peur de ne pas dormir et nullement d'un duel sérieux, d'un rat et pas du lion.
             PROUST, le Temps retrouvé, Pl., t. III, p. 834.

7   (...) il était retenu par (...) l'appréhension superstitieuse, s'il formulait tout haut ses craintes, de leur conférer soudain une infrangible réalité.
             MARTIN DU GARD, les Thibault, t. III, p. 250.

Vx. *Prendre crainte* : prendre peur*. *Faire crainte à qqn,* faire peur.

Dieu ! que vous m'avez fait crainte.   7.1
       BERNANOS, Un crime, Œ. roman., Pl., p. 727.

Crainte de qqn (éprouvée par qqn) *pour qqn. Les craintes du médecin pour son malade, d'une mère pour son enfant.* — *La crainte de qqch.,* éprouvée à l'égard de qqch.

Loc. Vx. *Crainte servile,* produite par la peur du châtiment, et non par un sentiment moral.

♦**2** Relig. *La crainte de Dieu.* → **Respect, révérence, vénération.**

La crainte de Yahweh *(l'Éternel)* est le commencement de   8
la sagesse ;
Les insensés méprisent la sagesse et l'instruction.
       BIBLE (CRAMPON), Proverbes, I, 7.

Soumis avec respect à sa volonté sainte,   9
Je crains Dieu, cher Abner, et n'ai point d'autre crainte.
             RACINE, Athalie, I, 1.

Dr. *Crainte révérencielle,* inspirée par la révérence. *Éprouver une crainte révérencielle pour ses parents, pour un supérieur.*

♦**3** ⓐ Loc. prép. **DANS LA CRAINTE DE, CRAINTE DE** (devant un n. de chose ou un inf.). *Dans la crainte de son départ. Crainte d'accident. Crainte de mourir. Dans la crainte d'échouer.*

Elle me fait renoncer à la délicatesse, à la finesse, à la   10
politesse, crainte de donner dans ses tours de passe-passe, comme vous dites (...)
       Mᵐᵉ DE SÉVIGNÉ, 636, 13 août 1677.

(...) les persécutés redoutaient de voir leurs amis, crainte   11
de les compromettre ; leurs amis n'osaient les visiter, crainte de leur attirer quelque accroissement de rigueur.
      CHATEAUBRIAND, Mémoires d'outre-tombe, t. IV,
                             p. 299.

PAR CRAINTE DE. *Il s'est enfui par crainte des représailles.*

SANS CRAINTE DE. *Parlez sans crainte de nous choquer.* — Absolt. *Parlez sans haine et sans crainte* (formule juridique s'adressant à un témoin).

ⓑ Loc. conj. **DANS LA CRAINTE QUE, DE CRAINTE QUE** (suivi du subjonctif avec *ne* explétif). *Dans la crainte qu'il ne vienne. De crainte qu'on ne vous entende.* → **Craindre** (2.).

(...) de crainte qu'on ne nous voye ensemble, retirons-nous   12
d'ici (...)
       MOLIÈRE, le Médecin malgré lui, II, 5.

(...) Mᵐᵉ de Montespan est embarrassée entre les consé-   13
quences qui suivraient le retour des faveurs et le danger de n'en plus faire, crainte qu'on n'en cherche ailleurs.
       Mᵐᵉ DE SÉVIGNÉ, 583, 30 sept. 1676.

PAR CRAINTE QUE. *Nous ne sommes pas allés voir ce film par crainte qu'il soit mauvais.*

CONTR. Aspiration, assurance, audace, bravoure, courage, décision, désir, détermination, effronterie, espérance, hardiesse, intrépidité, mépris, résolution, souhait, témérité.
◊ **DÉR. Craintif.**

CRAINTIF, IVE [kʀɛtif, iv] adj. — 1372, *craintis* ; de *crainte.*

♦**1** Qui est sujet à la crainte* (occasionnellement ou, plutôt, habituellement). → **Angoissé, anxieux, appréhensif (cit.), effarouché, effrayé, ému, épouvanté, inquiet, peureux, poltron, pusillanime, sauvage, terrifié, timide, timoré, tremblant, trembleur.** *Caractère, naturel craintif.* → **Inquiet, jaloux, méfiant, soupçonneux.** *Avoir l'âme craintive. Enfant craintif. C'est une fillette, une enfant timide et craintive.*

Je cours, et je ne vois que des troupes craintives   1
D'esclaves effrayés, de femmes fugitives.
             RACINE, Bajazet, V, 9.

J'ai toujours pris un singulier plaisir à apprivoiser les ani-   2
maux, surtout ceux qui sont craintifs et sauvages.
           ROUSSEAU, les Confessions, VI.

3 Le Petit Chose, remué jusqu'au fond des entrailles, regarda autour de lui comme un enfant craintif (...)
Alphonse DAUDET, le Petit Chose, II, XIII, p. 341.

N. *C'est un grand craintif. Une craintive.*

♦ **2** Choses. Qui manifeste de la crainte. *Jeter un regard craintif. Avoir des yeux craintifs. Une attitude craintive.*

4 Marie de Lados moulait du café. Mais ses yeux craintifs de chienne couchante ne quittaient pas ceux de la maîtresse (...)
F. MAURIAC, Génitrix, XI, p. 130.

5 Il avait l'air craintif et flaireur, un regard de chien sous ses épais sourcils.
SARTRE, l'Âge de raison, IX, p. 137.

♦ **3** Qui redoute le jugement des autres ; qui n'ose pas s'engager. → **Honteux, scrupuleux, timoré.**

CONTR. Assuré, audacieux, brave, courageux, crâne, décidé, déterminé, effronté, hardi, intrépide, méprisant, résolu, téméraire. ◊ DÉR. **Craintivement.**

CRAINTIVEMENT [kʀɛ̃tivmɑ̃] adv. — XVᵉ ; de *craintif.*
D'une manière craintive. *Agir, parler craintivement.*

CRAMBE [kʀɑb] ou **CRAMBÉ** [kʀɑbe] n. m. — 1545 ; lat. *crambe,* grec *krambê* «chou».

Bot. Plante dicotylédone (*Crucifèrées*) herbacée, vivace, cultivée pour ses pétioles comestibles (on l'appelle aussi *chou marin*).

CRAM-CRAM [kʀamkʀam] n. m. — 1926, cit. ; orig. inconnue.

Graminée d'Afrique, dont les graines portent des piquants qui s'accrochent aux vêtements ; ces graines.

Cette insupportable petite graminée, le «cram-cram», abonde dans les plaines de Fort-Archambault et dans toute la région du Tchad ; mais sa graine (...) fournit une sorte de semoule de la qualité la plus fine, le krebs.
GIDE, Voyage au Congo, in Souvenirs, Pl., p. 829 (note).

CRAMER [kʀame] v. — 1823 ; mot régional du Centre, var. dial. de *crémer* (XVIᵉ) ; cf. anc. provençal *cremar,* XIIIᵉ ; du lat. *cremare* «brûler».

Familier ou régional.

♦ **1** V. tr. Brûler* légèrement. *Cramer un rôti. Cramer du linge en le repassant.* → **Roussir.** — Fam. *Tu vas cramer ta chemise avec ta cigarette.*

♦ **2** V. intr. Brûler légèrement. *Les nouilles ont cramé.* → **Roussir ; prendre** (au sens d'«attacher»).
Fam. Brûler complètement. → **Flamber.** *Chaque été, on s'attend à ce qu'une partie de la forêt se mette à cramer. Toute la bicoque a cramé.*

Ils les oublient aussi, leurs gitanes, leurs gauloises sur les tablettes au-dessus des lavabos. Là rien ne crame. Ça s'éteint doucement en déposant sur l'émail une marque jaune, grasse, qui vous imprègne d'une odeur de jus de pipe.
François NOURISSIER, le Maître de maison, p. 196.

CRAMIGNOLE [kʀamiɲɔl] n. f. — 1465 ; altér. de *carmignolle,* 1464 ; orig. inconnue ; p.-ê. apparenté à *carmagnole**.

Toque à bords relevés, en usage au XVᵉ siècle, surmontée d'un bouton ou d'une houppe. *Cramignole en velours,* «de velours noir à grosses houppes» (Hugo, *Notre-Dame de Paris*).

CRAMIQUE [kʀamik] n. m. — 1831 ; *cramiche,* 1380 ; flamand *kraammik,* moy. néerl. *cramicke,* de l'anc. franç. *crammiche.*

Régional (Belgique). Pain brioché, au lait et au beurre, garni de raisins de Corinthe.

Le cramique qui est l'étrenne du boulanger ! Un cramique 1 qu'on a eu pour rien !
F. FONSON et F. WICHELER,
Le mariage de Mˡˡᵉ Beulemans, II, 2.

Les trois amis n'ont plus rien à se dire. Leur destin se dis- 2 sout dans une tasse de café, comme un bout de cramique dans trop de chicorée.
Alain BOSQUET, les Bonnes Intentions, p. 222.

CRAMOISI, IE [kʀamwazi] adj. et n. m. — 1418 ; *cremosi,* v. 1298 ; esp. *carmesi,* ou ital. *chermisi, cremisi* ; de l'arabe *qirmiz* «rouge de kermès».

♦ **1** Qui est d'une couleur rouge foncé, tirant sur le violet. *Velours cramoisi. Soie cramoisie.*

(...) des parements d'autel en drap vermeil (...) une chape 1 de velours cramoisi, violet (...)
HUYSMANS, Là-bas, IV, p. 48.

Un ciel couleur tourterelle, où le soleil fait une blessure 1.1 cramoisie.
GIDE, Voyage au Congo, in Souvenirs, Pl., p. 790.

♦ **2** Très rouge (teint*, peau). *Teint cramoisi.*

Mais soudain, vers onze heures, une vague de chaleur 1.2 pénétra par les fenêtres, les hommes s'épongeaient, les femmes devenaient cramoisies.
GIRAUDOUX, les Aventures de Jérôme Bardini, p. 66.

Devenir cramoisi : devenir très rouge (d'émotion, de honte, de dépit).

Mᵐᵉ la duchesse de Berry devint cramoisie et tremblait de 2 colère.   SAINT-SIMON, Mémoires, 296, 87, *in* LITTRÉ.

♦ **3** N. m. (1315, «étoffe rouge foncé»). La couleur cramoisie. *Teindre une étoffe en cramoisi, au moyen de la cochenille.*

DÉR. **Cramoisir.**

CRAMOISIR [kʀamwaziʀ] v. — Mil. XVIᵉ, attestation isolée ; repris 1869 ; de *cramoisi.*

Littéraire, rare ou plaisant.

♦ **1** V. intr. Devenir cramoisi. → **Rougir.** «*Sa femme cramoisissait*» (Queneau, *les Enfants du limon,* p. 46).

♦ **2** V. tr. Rendre cramoisi.

L'automne au lieu de jaunir les chênes, venait de les cra- moisir.   GIRAUDOUX, Bella, p. 181.

♦ **SE CRAMOISIR** v. pron. (Goncourt, Arnoux, *in* T.L.F.).

CRAMOUILLE [kʀamuj] n. f. — 1935, *in* Esnault ; p-ê. de *craque* «vulve», et de *mouiller.*

Érotique. Sexe de la femme. → **Vulve.** «*Sa chatte ! (...) Sa petite cramouille baveuse... !*» (J. Genet, *Querelle de Brest,* III, p. 285, *in* Cellard et Rey).

CRAMPE [kʀɑp] n. f. — Déb. XIIᵉ, *cranpe* ; *cramp,* adj., XIIIᵉ ; du francique **kramp,* *krampa ; cf. all. *krampf* «courbé». → **Crampon.**

♦ **1** Contraction* douloureuse, involontaire et passagère d'un muscle ou d'un groupe de muscles. *Avoir une crampe au mollet. Être pris, saisi d'une crampe en nageant.*

Une crampe lui serrait le gosier, l'étranglait. 1
MARTIN DU GARD, les Thibault, t. V, p. 243.

(...) il se noie tout de même, mais ses amis disent qu'il a 2 eu la crampe (...)
A. MAUROIS, les Discours du Dʳ O'Grady, VI, p. 61.

Crampe d'estomac : douleur gastrique due à la contracture des muscles de la paroi de l'estomac.

Le bâillement peut se répéter assez fréquemment pour 3 être considéré comme une maladie ; on a rapporté l'exemple (...) d'une personne qui, pendant plusieurs

jours et sans relâche, éprouvait ce tourment comme signe précurseur d'une crampe d'estomac.
    P. GENTIL, *in* F.-E. GUÉRIN,
    Dict. pittoresque d'hist. naturelle, I, 1834.

Crampes fonctionnelles ou professionnelles : abolition des mouvements nécessaires à l'accomplissement de mouvements professionnels. (On dit aussi *spasmes fonctionnels*). *La crampe d'écrivain* (vx), *de l'écrivain, des écrivains, la crampe des musiciens.*

4 (...) à la suite de nombreuses écritures rapides, il *(Sainte-Beuve)* a été attaqué de ce que les médecins appellent la crampe d'écrivain, qui lui a à peu près paralysé les muscles du bras droit (...)
    Ed. et J. DE GONCOURT, Journal, t. II, p. 109.

Par ext. Douleur se manifestant par des contractions.

♦ 2 Fig. Personne ennuyeuse et insistante (→ Pot de colle*). *Quelle crampe, ce type!*

♦ 3 (1747, crampe d'amour). **Fam. (érotique).** Érection. «*Dépêche-toi, la môme, j'ai ma crampe*» (T. Duvert, *Paysage de fantaisie*, p. 203).

Loc. *Tirer sa crampe :* parvenir à l'orgasme, à l'éjaculation (en parlant d'un homme). → **Crampée, crampette.** «*Sa crampe tirée, le Fernand (...)*» (Cavanna, *les Rituls*, p. 29).

DÉR. (Du sens 3) **Crampée, crampette.**

CRAMPÉE [kʀɑpe] n. f. — 1936, Céline ; de *crampe*, 3. **Fam.** Érotique. Érection. — *Tirer sa crampée,* sa crampe (3.).

CRAMPETTE [kʀɑpɛt] n. f. — xxᵉ ; de *crampe*, 3.
Fam. Érotique. Coït.

On trinque. — À vos crampettes légitimes, dit Turandot.
    R. QUENEAU, Zazie dans le métro, p. 140.

CRAMPILLON [kʀɑpijɔ̃] n. m. — 1949 ; de *crampon*. **Techn.** Clou* recourbé à deux pointes parallèles. → **Cavalier.**

CRAMPON [kʀɑpɔ̃] n. m. — 1268 ; du francique **krampo* «crochet», de **kramp*. → Crampe.

Ⅰ ♦ 1 Techn. et **cour.** Pièce de métal recourbée, servant à saisir, retenir, attacher, assembler (→ **Assemblage, attache**). *Outil en forme de crampon.* → **Griffe.** *Crampon reliant des pierres.* → **Agrafe, happe, harpon.** *Crampon en queue d'aronde.* → **Aronde** (2.). *Crampon à vis.* — *Crampon dont on se servait pour les assauts.* → **Crochet, grappin.**

1 Ce sont de vieilles murailles *(la prison de Saint-Pierre, à Rome),* où l'on montre des crampons de fer.
    CHATEAUBRIAND, Itinéraire..., II, 239.

1.1 Il ressemblait tout à fait à l'image que j'en avais gardée, avec ses petites maisons soignées, les contrevents de couleurs vives, les crampons en forme de petits personnages qui les plaquent aux murs.
    S. DE BEAUVOIR, Tout compte fait, p. 255.

Blason. Meuble de l'écu représentant un grappin de guerre.

♦ 2 Bout recourbé (des fers d'un cheval). *Crampons d'un cheval ferré à glace. Fers à crampons.*

2 (...) préparer aux chevaux de cavalerie, de l'artillerie et à ceux des voitures, des fers à crampons qui eussent rendu leur marche plus sûre et plus rapide (...)
    Ph.-P. SÉGUR, Hist. de Napoléon, x, 2.

♦ 3 (1906, *in* Petiot). Dispositif saillant augmentant l'adhérence d'une semelle. *Chaussures à crampons,* munies de clous, de petits cylindres de cuir, de caoutchouc, etc., destinés à empêcher de glisser. *Chaussures à crampons pour jouer au foot-ball, au rugby.* → aussi **Pointe** (*supra* cit. 12.1).

Ils arrivent sur le terrain, de ce trot un peu haut que poussent les crampons, et chacun des joueurs se sent mieux de l'équipe en apercevant l'autre équipe. 2.1
    Jean PRÉVOST, Plaisirs des sports, p. 125.

(1772, *in* Petiot). **Alpin.** Pièce métallique à pointes acérées qu'on fixe sous la chaussure par des sangles, des lanières, pour franchir les pentes de glace, de neige dure. *Crampons à dix, à douze pointes. Progresser sur des crampons.* → **Cramponner** (II.).

Ici, comme dans le Tyrol, les guides arment vos chaussures de crampons à l'aide desquels on remonte sans difficulté les pentes de glace médiocrement escarpées. 2.2
    C. RABOT, Annuaire du Club alpin français,
    4ᵉ année, 1877, p. 337.

♦ 4 Techn. *Crampon de serrure.* → **Cramponnet.**

♦ 5 (1835). **Bot.** Racine adventive de fixation. *Les crampons du lierre.* — Organe de fixation des algues.

Ⅱ (1858). **Fam.** Personne importune et tenace. → **Crampe.** *Quel crampon!* — **Par ext.** → **Collage, liaison.**

Eh! pour éviter le futur crampon, je ne ferai pas mal de lui laisser entendre aussi qu'une liaison sérieuse et soutenue avec moi n'est pas, pour des raisons de famille, possible. 3
    HUYSMANS, Là-bas, VI, p. 88.

Adj. invar. *Des interlocuteurs crampon l'ont mis en retard.* — En attribut. *Ce que tu peux être crampon!* → **Collant.** «*Est-il assez crampon!*» (Zola, *l'Œuvre,* p. 93).

DÉR. Crampillon, cramponner, cramponnet.

CRAMPONNAGE [kʀɑpɔnaʒ] n. m. — Mil. xxᵉ ; de *cramponner*, II. **Alpin.** Progression le long d'une pente avec des crampons. *Cramponnage frontal, latéral. Cramponnage en terrain mixte* (glace et roches).

(...) quand la pente est trop redressée la cheville ne peut plus se plier suffisamment : le moment est alors venu de tailler des marches. Cela demande beaucoup plus de temps que le cramponnage direct mais il est préférable et plus sûr de tailler que de cramponner de manière imparfaite. 1
    Paul BESSIÈRE, l'Alpinisme, p. 56.

Fig. (Correspond à *cramponner,* I., 3.) :

(...) le désir de mettre un peu d'air dans ses relations avec Mᵐᵉ Sorbier, de qui la passion tournait au cramponnage. 2
    Félix VALLOTTON, Corbehaut, p. 39.

CRAMPONNEMENT [kʀɑpɔnmɑ̃] n. m. — 1873 ; de *cramponner.*

Action de cramponner, de se cramponner.

(...) ce qui m'a sauvé, c'est une certaine obstination, certaine force de cramponnement qui me retenait secrètement de lâcher prise. GIDE, Journal, 30 janv. 1949.

CRAMPONNER [kʀɑpɔne] v. — 1428 ; de *crampon.*

Ⅰ V. tr. ♦ 1 Techn. Attacher, fixer, retenir, saisir avec un crampon. *Cramponner les pierres d'un mur. Assembler* deux pièces de bois en les cramponnant. Cramponner un cheval,* le ferrer avec des fers à crampon.

♦ 2 Fig. Fixer, retenir avec force (qqch.). → **Attacher.**

La peur de trébucher cramponne notre esprit à la rampe de la logique. 1
    GIDE, les Nouvelles Nourritures, I, II, p. 208.

♦ 3 Fam. *Cramponner qqn.* → **Ennuyer, importuner, obséder, retenir ; coller, tanner** (fam.).

À cet être, à telle femme dont nous ne dirons pas qu'elle nous aime mais qui nous cramponne, nous préférons la société de n'importe quelle autre qui n'aura ni son charme, ni son agrément, ni son esprit. 2
    PROUST, À la recherche du temps perdu, t. X, p. 73.

II V. intr. (Mil. xxᵉ). Alpin. Progresser sur des crampons. → **Crampon.** «*Elle émerge d'un couloir de glace dans lequel elle a "cramponné" tout le matin*» (*l'Express*, 12 août 1983, p. 48).

◆ **SE CRAMPONNER** v. pron. (De I.).

♦ **1** S'accrocher, s'attacher comme par un crampon. *Le lierre se cramponne au mur.*

3 La joubarbe se cramponne dans le ciment (...)
CHATEAUBRIAND, le Génie du christianisme, III, v, 5.

♦ **2** Cour. Se tenir fermement. → **Accrocher** (s'), **agripper** (s'), **retenir** (se), **tenir** (se). *Se cramponner au bras, au cou de qqn. Il se cramponnait au volant de sa voiture.*

3.1 (...) de ses mains, de ses jambes, et de tout ce que Dieu a donné à l'homme pour se cramponner ou se souder à la terre (...)
GIRAUDOUX, Siegfried et le Limousin, p. 207.

4 L'une des femmes voulait l'emmener chez elle. Elle se cramponnait lourdement à son cou.
P. MAC ORLAN, la Bandera, III, p. 31.

Absolument :

5 Elle soufflait l'alcool et se cramponnait pour ne pas tomber. Sans rien dire, il referma impétueusement, au risque d'envoyer rouler la pochade (...)
Léon BLOY, la Femme pauvre, II, p. 250.

Cramponnez-vous ! : tenez-vous, tenez-vous bien (au propre et au fig.).

Fig. *Se cramponner à une idée, à un espoir. Il s'y cramponne comme à une bouée, comme à une planche de salut. Se cramponner avec ténacité, obstination, frénésie à une dernière chance. Ce malade se cramponne à la vie.*

6 Non! non! le Petit Chose ne veut pas mourir. Il se cramponne à la vie, au contraire, et de toutes ses forces (...)
Alphonse DAUDET, le Petit Chose, II, XVI, p. 391.

7 (...) si vous pouviez supposer à quelle force de volonté je me retiens et je me cramponne (...)
COURTELINE, Boubouroche, Nouvelle, p. 66.

8 Il se cramponnait à cette idée comme un naufragé à une bouée. P. MAC ORLAN, la Bandera, IV, p. 51.

Fam. S'attacher obstinément à qqn pour en obtenir qqch.

◆ **CRAMPONNÉ, ÉE** p. p. adj. (De I.).

♦ **1** Attaché, lié par un crampon.

Fig. Fortement attaché, tenu contre qqch. «*Le type cramponné au volant*» (Cl. Simon, *le Palace*, p. 68).

9 Boghari (...) est un petit village entièrement arabe, cramponné sur le dos d'un mamelon soleilleux et toujours aride (...)
E. FROMENTIN, Un été dans le Sahara, I, p. 25.

10 (...) toujours cramponné à ses jupes, il faut à tout instant le remonter, le rassurer, le consoler (...)
N. SARRAUTE, le Planétarium, p. 142.

♦ **2** Blason. *Croix cramponnée*, dont les extrémités sont représentées munies de crampons.

CONTR. **Arracher, décramponner, défaire, détacher, rompre.** — **Abandonner, lâcher, laisser.** ◊ DÉR. **Cramponnage, cramponnement.**

CRAMPONNET [kʀɑ̃pɔnɛ] n. m. — 1611; dimin. de *crampon*.

Techn. Pièce de métal où se déplace le pêne d'une serrure.

1. CRAN [kʀɑ̃] n. m. — Fin XIIIᵉ; *cren*, XIᵉ; déverbal de *créner*, au sens anc. de «entailler».

♦ **1** Entaille que l'on fait à un corps dur et qui sert à accrocher, à arrêter qqch. → **1. Coche**, encoche, entaille. *Les crans et les dents d'une crémaillère*. Hausser d'un cran les taquets d'une étagère. Pratiquer des crans.* → **Cranter.**

♦ **2** (1672). Dans des loc., précédé de *d'un*. — Fig. → **Degré.** *Monter, hausser ; baisser, descendre d'un cran, passer à qqch. de supérieur, d'inférieur.* → **Augmenter, diminuer.** *Son esprit, sa fortune, sa santé a baissé d'un cran. Avancer, monter d'un cran dans une situation, un emploi... Il faudra qu'il baisse d'un cran, qu'il le prenne de moins haut.*

1 (...) le Chevalier est bien enragé de n'être point brigadier : (...) après ce qu'il fit l'année passée, il méritait bien de monter d'un cran.
Mᵐᵉ DE SÉVIGNÉ, 510, 4 mars 1676.

2 Du reste, que j'aie abandonné les échecs, ou qu'en jouant je me sois remis en haleine, je n'ai jamais avancé d'un cran depuis cette première séance.
ROUSSEAU, les Confessions, V.

♦ **3** Techn. Entaille où s'engage la tête de gâchette d'une arme à feu. *Les crans maintiennent la tête de gâchette dans une certaine position. Crans de l'abattu, de l'armé, de repos, de sûreté. Crans d'un fusil, d'un revolver.*

Dispositif retenant lame d'un couteau pliant. *Couteau à cran d'arrêt, de sûreté.*

3 (...) chaque fois que le ressort commençait à être bien bandé, crac, il échappait au cran d'arrêt (...)
MARTIN DU GARD, les Thibault, t. IV, p. 179.

4 On entendit le claquement sec des crans de sûreté des couteaux ouverts tout d'un coup.
P. MAC ORLAN, la Bandera, VII, p. 81.

Par métonymie. *Un cran d'arrêt*, couteau muni de ce dispositif.

4.1 (...) il se battait, sauvage, admirable, sa main unique armée d'un cran d'arrêt ouvert brusquement dans sa poche. Jean GENET, Journal du voleur, p. 133.

♦ **4** Entaille servant de repère. *Cran de mire** (d'une arme à feu), servant à déterminer avec le guidon la ligne de visée. *Cran de mire mobile, sur curseur. L'œilleton a le même usage que le cran de mire.*

Imprim. (Correspond au sens mod. de *créner*). Entaille, cannelure faite sur le côté d'une lettre pour que le compositeur puisse la placer dans le sens convenable. *Le côté du cran.*

Couture. Entaille pratiquée au ciseau en bordure d'une pièce, servant de repère.

Spécialt. Encoche marquant une dette, une quantité vendue.

♦ **5** Trou servant d'arrêt dans une sangle, une courroie. *Passer l'ardillon d'une boucle dans un cran. Les crans d'une ceinture.* Fig. *Serrer sa ceinture* d'un cran* : se priver. *Lâcher une courroie d'un cran.* Fig. *Lâcher d'un cran.* → **Abandonner, lâcher, planter** (là).

5 Il serra sa ceinture d'un cran et se dirigea vers la table (...)
P. MAC ORLAN, la Bandera, XVI, p. 191.

♦ **6** Ce qui forme comme une entaille, un repli. Géogr. *Le cran d'Écalles* (dépression d'une falaise). — Géol. Faille* de charriage. — Roche stratifiée.

Techn. Défaut du métal.

♦ **7** Cour. Forme ondulée, très marquée, donnée aux cheveux. → **Ondulation; boucle.** *Le coiffeur lui a fait un cran, des crans* (→ Pli : mise en plis).

♦ **8** (1879; p.-ê. de *cran d'arrêt*). Argot milit. *Il lui a collé deux crans*, deux jours de prison, de salle de police (→ Pain). Argot scol. Vx. *Jour de cran*, de retenue.

6 La «Jalousie de l'Adjudant» évoquait une cour de caserne où Lécurou, levant quatre doigts de la main droite, semblait adresser une furieuse semonce au zouave déjà vu sur l'image précédente ; la scène était brutalement accompagnée de cette phrase d'argot militaire : «Quatre crans !»
Raymond ROUSSEL, Impressions d'Afrique, p. 14.

DÉR. 2. **Cran, craner, cranter, créneau.**

2. CRAN [kʀɑ̃] n. m. — 1900; 1880, *à cran;* de 1. *cran,* dans des emplois comme *serrer d'un cran,* où *cran* exprime la tension.

♦ **1** Fam. → **Audace, courage, énergie; culot, estomac.** *Avoir du cran. Il ne manque pas de cran.* «*Le cran et le sang-froid hors de pair dont il a fait preuve*» (Lyautey, *Paroles d'action,* p. 336).

1 (...) on m'a accusée de ce que je n'avais pas fait, de ce que je n'aurais peut-être jamais eu le cran de faire (...)
MARTIN DU GARD, les Thibault, t. VI, p. 25.

2 (...) ceux qui ont le cran de dire «non» doivent être peu nombreux (...)
MARTIN DU GARD, les Thibault, t. VII, p. 182.

♦ **2** (1880). **À CRAN :** prêt à se mettre en colère.
→ **Exaspéré, irritable; bout** (être à). *Avoir les nerfs à cran* (→ Être à bout de nerfs*).

3 (...) quand Mme Clemeau, une fois par semaine aussi, donnait un coup de gueule, le patron se faisait le complice de la bande, feignait même d'avoir très peur pour faire rire et marmonnait *in petto* avec une drôlerie voulue : «La patronne est à cran!»
Jacques LAURENT, les Bêtises, p. 383.

1. CRÂNE [kʀɑn] n. m. — 1314, *cran;* lat. médiéval *cranium,* grec *kranion.*

♦ **1** Anat. et cour. Boîte osseuse renfermant l'encéphale, et, spécialt, Ensemble des os de la tête *(cranium),* souvent à l'exclusion de la mandibule *(calvarium).* → Crânien, cit. 2. *Les os du crâne* (occipital, sphénoïde, temporal, pariétal, frontal, ethmoïde) *et ceux de la face* (vomer, maxillaire, unguis, palatin, malaire, ceux du nez et des cornets inférieurs). *Os surnuméraires du crâne.* → **Wormien.** *La voûte du crâne. La base du crâne a trois étages. Périoste du crâne. Sutures; bosses, protubérances, trous du crâne. Capacité, forme du crâne.* → **Brachycéphale, dolichocéphale; céphal-, -céphale, cranio-; macrocéphale, microcéphale.** *Indice céphalique*, mesurant les proportions du crâne.* → **Céphalométrie.** — *Crâne ovoïde, piriforme. Crâne bossué. Développement du crâne. Espace membraneux entre les os du crâne d'un nouveau-né.* → **Fontanelle.** *Parties environnant le crâne.* → **Épicrâne, péricrâne.** *Peau recouvrant le crâne; la peau du crâne. L'hypophyse est à la base du crâne.* — *Étude du crâne.* → **Phrénologie.** *Théorie segmentaire, théorie vertébrale du crâne.* — *Se briser, se fendre le crâne. Fracture du crâne. Blessé au crâne; les blessés du crâne. Blessure, lésion du crâne. Chirurgie du crâne. Trépanation* du crâne. Crâne humain. Crânes d'animaux. Crâne de bœuf.* → **Bucrane.**

1 Les Scythes qui s'abreuvaient de sang dans le crâne de leurs ennemis. VOLTAIRE, Philosophie, I, 467.

2 (...) les physiologistes qui ont mesuré des crânes du XIIe siècle leur ont trouvé une capacité moindre qu'aux nôtres.
TAINE, Philosophie de l'art, t. II, v, II, IV, p. 269.

2.1 L'ethnographie enfin a souligné l'importance, dans le temps comme dans l'espace, du culte des crânes. Le crâne humain et animal, spécialement le massacre des cervidés, joue un rôle de premier plan chez le sinanthrope de Chou-Kou-Tien, comme chez l'européen de Weimar, de Steinheim ou de Castillo. Les vestiges crâniens semblent avoir été soigneusement préparés et conservés par putréfaction préalable, élargissement du trou occipital, coloration et orientation rituelles (...) Pour le primitif, la tête est centre et principe de vie, de force physique et psychique, et également réceptacle de l'esprit. Le culte des crânes serait donc la première manifestation religieuse du psychisme humain.
Gilbert DURAND, les Structures anthropologiques de l'imaginaire, p. 157.

♦ **2** Cour. Tête; sommet de la tête. *Avoir le crâne chauve, dénudé, déplumé, pelé.* — Fam. *Il n'a plus un poil sur le crâne :* il est chauve (→ Il n'a plus un poil sur le caillou*). *Crâne tonsuré d'un moine. Avoir*

le crâne haut, puissant. Crâne olympien.* → **Front.** *Avoir mal au crâne.* — *Se tirer une balle dans le crâne.*

3 Il en éprouve une telle angoisse qu'il se sent «le casque de plomb» sur la tête, et que la sueur lui perle sur tout le devant de son crâne chauve.
J. ROMAINS, les Hommes de bonne volonté, t. II, IV, p. 35.

4 Un frisson, qui n'était pas entièrement désagréable, lui parcourut la peau du crâne.
J. ROMAINS, les Hommes de bonne volonté, t. II, VII, p. 79.

Loc. fam. *Il est tombé sur le crâne :* il est fou. Syn. : *sur la tête.*

Fig. Cerveau, esprit, siège de l'intelligence. → **Tête.** Loc. *Avoir le crâne étroit,* peu de moyens intellectuels. *Avoir le crâne fêlé :* être un peu fou. *Une idée lui passa dans le crâne.* → **Cerveau.** *Bourrer le crâne à qqn; bourrage de crâne.* → **Bourrage** (cit. 1 et 2).

5 J'aurais voulu retrouver Mulot, dit-il. Cette idée me pousse dans le crâne comme une mauvaise herbe avec des racines de dent gâtée.
P. MAC ORLAN, la Bandera, XVII, p. 207.

(Par allus. au titre d'un chapitre des *Misérables* de V. Hugo). *Une tempête sous un crâne :* un conflit violent dans la conscience d'un individu placé devant un épouvantable dilemme.

REM. *Crâne* étant synonyme de *tête* au figuré, on peut trouver autant de locutions composées à partir de ce mot qu'il en existe avec *tête,* identiques de sens mais impliquant une nuance sur le plan de la signification (connotations) : *se mettre qqch. dans le crâne,* etc.

♦ **3** Fig., argot de police. Arrestation; affaire policière aboutissant à une arrestation (R. Beauvais, *Le français kiskose,* p. 16). — Personne à arrêter. «*Faire tomber les "beaux crânes"*» (R. Borniche, *Flic story,* p. 25).

DÉR. **Crânien, cranio-;** 2. **crâne, crâner, crânerie.**

2. CRÂNE [kʀɑn] adj. et n. m. — 1757, Vadé, n.; 1787, adj.; de 1. *crâne* («qui redresse le crâne, la tête»).

Vieilli. Qui a, qui montre du courage, de la bravoure. → **Audacieux, brave, courageux, décidé.** *Air crâne. Il est crâne,* d'une audace un peu insolente.

N. m. Vx. Celui qui tient à se montrer courageux. *C'est un crâne. Faire le crâne :* affecter le courage.

1 Oh! bien, elle dort, dit le petit crâne en voyant que la bossue n'avait pas bougé.
BALZAC, le Médecin de campagne, Pl., t. VIII, p. 450.

2 Le petit Deloche, joli gamin, la mine spirituelle et effrontée, arrivant la casquette en casseur, la blouse tapageuse, engueulant les modèles, faisant le crâne (...)
Ed. et J. DE GONCOURT, Manette Salomon, p. 21.

CONTR. **Capon, couard, craintif, peureux, poltron, timoré.**
◊ DÉR. **Crânement, crâner, crânerie.**

CRÂNEMENT [kʀɑnmɑ̃] adv. — 1833; de 2. *crâne.*

♦ **1** Vieilli. D'une manière crâne. → **Bravement, courageusement.** *Il fit face crânement. Le torse crânement bombé.* → **Fièrement.** — Péj. → **Vaniteusement.**

♦ **2** Vx, fam. Extrêmement, tout à fait. → **Joliment.** «*Quelqu'un de crânement heureux*» (Goncourt, *Manette Salomon,* p. 430).

On déchargeait toujours; des tombereaux jetaient leur charge à terre, une charge de pavés, ajoutant un flot aux autres flots, qui venaient maintenant battre le trottoir opposé. Et, du fond de la rue du Pont-Neuf, des files de voitures arrivaient, éternellement.
— C'est crânement beau tout de même, murmurait Claude en extase. ZOLA, le Ventre de Paris, t. I, p. 43.

CRANEQUIN [kʀɑ̃kɛ̃] n. m. — 1420, *grenequin; cranequin*, 1440; moy. néerl. *cranekijn* «arbalète»; de la famille de *cran*.

Hist. Arbalète à pied. — Tourniquet qui servait aux arbalétriers à tendre la corde des plus puissantes arbalètes.

> (...) vos muscles sont tendus comme des détentes de cranequins et des rouets d'arquebuse.
>
> BERNANOS, M⁰ᵉ Triomphe, *in* Œ. roman., Pl., p. 1753.

DÉR. Cranequinier.

CRANEQUINIER [kʀɑ̃kinje] n. m. — Fin XIVᵉ, *crennequinier;* de *cranequin*.

Hist. Arbalétrier (à pied ou à cheval) qui utilisait un cranequin.

CRANER [kʀane] v. tr. 1845; de 1. *cran*. → **Cranter.**

CRÂNER [kʀane] v. intr. — 1845; de 2. *crâne*, mais avec une valeur toujours péjorative.

♦ **1** Affecter la bravoure, le courage, la décision. → **Fanfaronner, poser;** → fam. Faire le malin, le mariole, le dur. *C'est un peureux, mais il crâne.*

♦ **2** Prendre un air fat, vaniteux (à la suite d'une prouesse, d'un succès...). → La ramener. *Il crâne parce qu'il est tout fier d'avoir gagné! C'est pas la peine de crâner, tu ne nous impressionnes pas!*

1 Seulement, je n'aime pas les orgueilleux. Vous avez une boutique, vous rêvez de crâner devant le quartier.
ZOLA, l'Assommoir, t. II, IX, p. 86.

2 Pour séduire les filles, pour épater les bleus, on parlait fort, on crânait, et lorsqu'on croisait les hommes d'un régiment relevé qui descendait au repos, on les regardait de haut, un peu gouailleurs.
R. DORGELÈS, les Croix de bois, X, p. 194.

CONTR. Trembler; (pop.) **dégonfler** (se). ◊ **DÉR.** Crâneur, crânoter.

CRÂNERIE [kʀɑnʀi] n. f. — 1784; de 2. *crâne*.

Vieilli.

♦ **1** Manière d'agir de celui qui tient à montrer du courage*. → **Aplomb, audace, bravade, fierté, hardiesse, intrépidité.** *Une belle, une héroïque crânerie.*

1 Le regard était droit, flambant de crânerie, dans un visage plein de dignité.
MARTIN DU GARD, les Thibault, t. III, p. 114.

♦ **2** Vx. Prétention, vanité.

2 À propos, dis-je, d'un ton léger, avec cette crânerie particulière aux poltrons (...)
FRANCE, le Crime de Sylvestre Bonnard, Œ., t. II, p. 300.

Une, des crâneries. → **Fanfaronnade, rodomontade.** *«Ses crâneries n'épouvantent personne»* (Littré). — **REM.** Le mot est vieilli, comme *crâne*, adj.; à la différence de *crâner* qui s'est séparé sémantiquement de *crâne*, il n'est pas péjoratif.

CONTR. Couardise, poltronnerie. — Simplicité.

CRÂNEUR, EUSE [kʀɑnœʀ, øz] adj. et n. — 1862; de *crâner*.

Familier.

♦ **1** Adj. Qui crâne, pose à l'important. → **Prétentieux, vaniteux.** *Elle est un peu crâneuse.*

♦ **2** N. *(Un crâneur, une crâneuse).* Personne qui crâne. → **Fanfaron, frimeur** (fam.), **plastronneur, ramenard** (fam.). *Faire le crâneur.* → **Malin.** *Des crâneurs en voiture de sport qui font les malins pour draguer.*

Et pas causante, avec ça. L'œil haut sur le monde. Saluant personne. Une crâneuse.
Geneviève DORMANN, le Bateau du courrier, p. 18.

CONTR. Dégonflé (fam.), effacé, humble, modeste, peureux, réservé, simple, timide.

CRANIECTOMIE [kʀanjɛktɔmi] n. f. — 1890, *Année sc. et industr.* 1891, p. 446; de *crani(o)*-, et -*ectomie*, du grec *ektomê* «résection».

Méd. (chir.). Détachement d'un volet osseux du crâne.

CRÂNIEN, IENNE [kʀɑnjɛ̃, jɛn] adj. — 1824; de 1. *crâne*.

Anat. Qui a rapport au crâne. *Boîte crânienne.* → **Boîte** (cit. 6). *Voûte crânienne. Capacité* crânienne.* — *Os crâniens. Sutures crâniennes. Vertèbres crâniennes. Nerfs crâniens*, qui partent de l'encéphale (→ Bulbe, cit. 2). — *Appui* crânien* (appareil de contention).

1 (...) les Andamans, les Papous, les Indiens de Bolivie (...) conservent pieusement les os crâniens de leurs proches dans un panier. (...) l'objet crânien *(est)* vénéré dans l'ensemble comme le «chef» du corps (...)
Gilbert DURAND, les Structures anthropologiques de l'imaginaire, p. 158.

2 Les anthropologues distinguent dans le crâne, le *cranium*, édifice complet avec la mandibule, et le *calvarium*, qui est le crâne sans la mandibule mais avec la face. Ils distinguent aussi la *calvaria* qui est la boîte crânienne sans la face et la *calva* qui est limitée à la calotte crânienne sans la base. Cette terminologie est de pure commodité pratique car elle est fondée sur l'état plus ou moins complet dans lequel les crânes exhumés parviennent à l'anatomiste.
A. LEROI-GOURHAN, le Geste et la Parole, t. I, p. 303.

CRANIO- Élément, du grec *kranion* «crâne», entrant dans la composition de termes de médecine, d'anthropologie et de botanique. Voir à l'ordre alphabétique, et **Craniectomie.**

REM. À la différence de *crâne* et de ses dérivés, les comp. en *cranio-* ne s'écrivent pas avec l'accent circonflexe.

CRANIOCLASIE [kʀanjɔklazi] n. f. — 1907; de *cranio-*, et -*clasie*, du grec *klaô* «je brise».

Méd. Extraction d'un fœtus après broiement de sa tête à l'aide d'un *cranioclaste*. → Céphalotomie.

CRANIOGRAPHE [kʀanjɔgʀaf] n. — XIXᵉ; de *cranio-*, et -*graphe*.

Méd. Spécialiste en craniographie. — (XXᵉ). Appareil de craniographie.

CRANIOGRAPHIE [kʀanjɔgʀafi] n. f. — XIXᵉ; de *cranio-*, et *graphie*.

Méd., anthropométrie. Radiographie du crâne.

DÉR. Craniographique.

CRANIOGRAPHIQUE [kʀanjɔgʀafik] adj. — XIXᵉ; de *craniographie*.

Méd. Relatif à la craniographie.

CRANIOLOGIE [kʀanjɔlɔʒi] n. f. — 1807, *in* D.D.L.; de *cranio-*, et -*logie*.

Étude du crâne humain sous tous ses aspects (forme, structure, développement).

DÉR. Craniologique.

CRANIOLOGIQUE [kʀanjɔlɔʒik] adj. — 1823; de *craniologie*.

Didact. Relatif à la craniologie.

CRANIOMÈTRE [kʀanjɔmɛtʀ] n. m. — XIXᵉ (attesté 1898, in *Année sc. et industr.* 1899, p. 44); de *cranio-*, et -*mètre*.

Anthropométrie. Instrument utilisé en craniométrie. → Céphalomètre.

CRANIOMÉTRIE [kranjɔmetri; kranjometri] n. f. — xixᵉ; de *cranio-*, et *-métrie*.

Anthropométrie. Partie de l'anthropométrie* qui a pour objet la mesure du crâne humain. → Céphalométrie.

DÉR. **Craniométrique.**

CRANIOMÉTRIQUE [kranjɔmetrik] adj. — xixᵉ; de *craniométrie*.

Didact. (anthropométrie). Relatif à la craniométrie (→ Céphalométrique). *« Le rapport de 1877 indique : "les registres craniométriques forment dix volumes où sont inscrites les mensurations faites sur plus de 2 500 crânes de toutes races "»* (*Sciences et Avenir*, août 1980, p. 96).

CRANIOPLASTIE [kranjoplasti; kranjɔplasti] n. f. — xxᵉ; de *cranio-*, et *plastie*.

Chir. Chirurgie plastique pratiquée sur la boîte crânienne. — Spécialt. Greffe osseuse faite au crâne après craniectomie*, etc.

CRANIOSCOPIE [kranjɔskɔpi] n. f. — 1813; de *cranio-*, et *scopie*.

Vx. → **Phrénologie.**

CRANIOTOMIE [kranjɔtɔmi] n. f. — 1935; de *cranio-*, et *-tomie*.

Chir. Section des os du crâne, incision pratiquée dans la boîte crânienne. → aussi **Craniectomie**; → Céphalotomie. *Craniotomie pratiquée à l'aide d'un craniotome.*

CRÂNOTER [kranɔte] v. intr. — xxᵉ; de *crâner*.

Fam., rare. Crâner un peu, faire son petit crâneur.

Je comprends qu'à force de se mettre la tête, un homme en arrive à crânoter dans des moments pareils.
    M. AYMÉ, Maison basse, p. 184.

CRANTAGE [krãtaʒ] n. m. — 1939; de *cranter*.

♦ **1** Action de faire des crans. *Le crantage d'une roue, d'un pignon. — Crantage des cheveux.*

♦ **2** Ensemble des crans. *Le crantage de ce pignon est détérioré.*

CRANTER [krãte] v. tr. — 1933; craner, 1845; de *cran*. → Créner.

♦ **1** Techn. Pratiquer des crans à, sur... *Cranter une roue, un pignon. Cranter une crémaillère. Cranter une couture. Ciseaux à cranter* (ou *cranteurs*, adj.).

1   Je devrais apprendre à couper, à coudre, à cranter des emmanchures, cela prendrait des mois.
    Violette LEDUC, la Folie en tête, p. 527.

♦ **2** Cour. *Cranter des cheveux*, leur faire des crans. → **Onduler.** — Au participe passé :

2   (...) il joue les play-boys auprès des serveuses de bistrots, l'œil incendiaire et le cheveu cranté à souhait, sous la couche de gomina.
    Roger BORNICHE, le Ricain, p. 372.

♦ **3** Argot (milit. et scol.). Consigner, mettre en retenue (punir d'un ou de plusieurs «crans»).

DÉR. **Crantage.**

CRAPAHUTER [krapayte] v. intr. — 1939, argot de Saint-Cyr, «faire de la gymnastique»; de *crapaud, crapaŭ* prononcé [krapay], d'abord «appareil de gymnastique» (1889), puis «marche, exercice» (1939).

Argot milit. Marcher, progresser dans un terrain accidenté, difficile. *«Les appelés du 126ᵉ d'infanterie crapahutent dans les bois»* (*l'Express*, 21 nov. 1977). — Par ext. Marcher en terrain difficile.

Sterling prend soudain des allures d'Indien sur le sentier de la guerre. Tout juste si nous ne crapahutons pas comme si nous allions tomber sur un régiment de S.S.
    Joseph JOFFO, Baby-foot, p. 228.

REM. On emploie parfois la graphie *crapaüter*.

CRAPAUD [krapo] n. m. — 1180, *crapot, crapaut*; du germanique **krappa* «crochet» (→ Crampe, crampon); l'anc. franç. *crape* «ordure», de *escraper* «nettoyer, racler», du francique **krappon*, semble trop récent; l'animal aurait été ainsi nommé à cause des pattes (forme courbe ou adhérence au sol).

♦ **1** ⓐ Batracien à tête large, au corps trapu recouvert d'une peau verruqueuse (évoque en général la laideur malfaisante). *Le crapaud vit dans les lieux humides et sombres.* → **Crapaudière.** *Le crapaud, insectivore utile dans les jardins. Crapaud de terre. Crapaud des marais. Première forme du crapaud.* → **Têtard.** *Cri du crapaud.* → **Coassement.** *Crapaud mâle, femelle. Femelle* (→ **Crapaude**), *petit* (→ **Crapelet**) *du crapaud.*

1   Près d'une ornière, au bord d'une flaque de pluie,
Un crapaud regardait le ciel, bête éblouie (...)
    HUGO, la Légende des siècles, LIII, «Le crapaud».

2   Les crapauds, par tout l'horizon, lançaient leur note métallique et courte.
    MAUPASSANT, la Femme de Paul, p. 29.

3   (...) le crapaud nocturne qui, ramassé sur le plat de ma main et haussé vers la lanterne, laisse tomber deux cris de cristal dans l'herbe (...)
    COLETTE, la Naissance du jour, p. 72.

3.1   Si le monde injuste le traite en lépreux, je ne crains pas de m'accroupir près de lui et d'approcher du sien mon visage d'homme. Puis je dompterai un reste de dégoût, et je te caresserai de ma main, crapaud ! On en avale dans la vie qui font plus mal au cœur. Pourtant, hier, j'ai manqué de tact. Il fermentait et suintait, toutes ses verrues crevées. — Mon pauvre ami, lui dis-je, je ne veux pas te faire de peine, mais, Dieu ! que tu es laid !
    J. RENARD, Histoires naturelles, «Le crapaud», p. 124.

3.2   Il est aisé, chez le crapaud, de transformer le mâle en femelle par castration précoce. L'organe de Bidder, petite glande rudimentaire qui coiffe le testicule, s'hypertrophie après l'ablation de celui-ci, et, en deux ou trois ans, devient un ovaire fonctionnel.
    Jean ROSTAND, Idées nouvelles de la génétique, p. 66.

ⓑ Zool. Batracien du groupe des *Bufonidés**. *Types de crapauds :* alyte ou *crapaud accoucheur*, bombinator ou sonneur, *crapaud commun, crapaud vert*, calamite, pélobate ou *crapaud à couteaux*, pélodyte, pipa. *Crapaud-buffle*, d'Afrique, au puissant coassement. — *Toxines contenues dans les sécrétions cutanées des crapauds* (→ Bufotaline, bufoténine). *Emploi thérapeutique du venin de crapaud.* → **Bufothérapie.**

3.3   Entourés de lucioles à éclairage intermittent et de crapauds-buffles soufflant dans leur trompe de carton, les trois hommes (...)
    Paul MORAND, Bouddha vivant, p. 12.

3.4   On entendait (...) venus des deux rives, l'appel espacé des crapauds-buffles ou d'étranges cris d'oiseaux.
    CAMUS, l'Exil et le Royaume, p. 184.

ⓒ Par compar. *Être laid comme un crapaud*, très laid. Par métaphore ou fig. *C'est un vilain crapaud.* — *Nager comme un crapaud*, mal, en s'agitant. *Sauter comme un crapaud*, gauchement, lourdement. *Chanter comme un crapaud*, d'une voix forte et désagréable. — Fig. *Avoir une voix de crapaud.*

ⓓ Fig., vx. *Un crapaud :* une personne laide, ignoble.

Vieilli. T. d'affection. *Des (petits) crapauds*, jeunes enfants. — Par ext. Apprenti. — Appellatif. *Allons, tais-toi, crapaud !*

e Loc. fig., vx. *Cracher des crapauds :* dire des choses méchantes, calomnieuses. — *Avaler un crapaud :* faire qqch. de désagréable, de pénible. → Avaler des couleuvres*, et ci-dessus, cit. 3.1.

4   M. de Lassay, homme très doux, mais qui avait une grande connaissance de la société, disait qu'il faudrait avaler un crapaud tous les matins, pour ne plus rien trouver de dégoûtant le reste de la journée, quand on devait la passer dans le monde.
CHAMFORT, Caractères et Anecdotes,
Le crapaud de M. de Lassay.

Regarder qqn avec des yeux de crapaud (amoureux, mort d'amour). → Avec des yeux de merlan* frit.

Vx. *Être chargé d'argent comme un crapaud de plumes*, sans argent.

Loc. prov. *La bave du crapaud n'atteint pas la blanche colombe :* la calomnie n'atteint, ne trouble pas l'innocent.

REM. *Crapaud* et *grenouille* désignent des batraciens différents ; mais ces deux mots, l'un masculin et l'autre féminin, sont mis en rapport pour constituer un pseudo-couple (par les enfants, notamment).

♦ 2 Par anal. Qualifié. Se dit de certains animaux (remarquables par leur laideur). — *Crapaud volant.* → **Engoulevent.** — *Crapaud de mer, crapaud-pêcheur,* nom donné à divers poissons. → **Anten-naire, baudroie, rascasse, scorpène.** — *Crapaud ailé :* stromble à la coquille très large.

♦ 3 a Défaut dans un diamant, dans une pierre précieuse (terme non technique).

5   (...) le premier diamantaire auquel elle le proposa en offrit dix mille francs. Il lui annonça que le diamant avait un défaut grave, un «crapaud», qui en diminuait considérablement la valeur. La mère tout d'abord ne crut pas au prétendu crapaud dont parlait le diamantaire. Elle en voulait vingt mille francs. Pourtant lorsqu'elle en vit un deuxième et qu'il lui reparla du crapaud, elle commença à douter. Elle n'avait jamais entendu dire qu'il pouvait y avoir des «crapauds» égarés dans les diamants, même dans les plus purs, pour la bonne raison qu'elle n'avait jamais eu de diamant avec ou sans crapaud.
M. DURAS, Un barrage contre le Pacifique, p. 177.

b Artill. Affût de mortier plat et sans roues. → **Cra-pouillot.** — Mar. Ancrage d'une mine, d'une bouée. → **Orin.** *Crapaud de mouillage.*

c Vétér. Ulcération du pied du cheval, particulièrement, de la sole et de la fourchette.

d Vx. Bourse enfermant les cheveux. — Porte-monnaie (d'où l'argotique *crapautard,* n. m.).

6   (...) en tirant les 60 francs de son petit crapaud noir de ménagère.   Jeanne CORDELIER, la Passagère, p. 273.

♦ 4 Cour. En appos. *Fauteuil crapaud,* bas et ramassé. — (Fin XIXᵉ ; dénomination attribuée à Gounod). *Piano crapaud ; crapaud :* petit piano à queue (petit quart de queue).

7   En bas de l'escalier, une cabine téléphonique et des meubles rescapés d'une autre époque s'accumulent en tas : une commode au marbre ébréché, des chaises dont la paille s'effiloche, deux fauteuils crapaud grisâtres, et une table branlante (...)
Christine ARNOTHY, Un type merveilleux, p. 84.

DÉR. Crapaude, crapaudière, crapaudine, crapelet, cra-pouillot, crapoussin. Crapahuter, crapoter. ◊ COMP. Crapauduc.

CRAPAUDE [kʀapod] n. f. — XVIIIᵉ ; de *crapaud.*
Rare. Femelle du crapaud.

CRAPAUDIÈRE [kʀapodjɛʀ] n. f. — 1394, *grapaudère ;* de *crapaud.*
Vieilli. Lieu où vivent beaucoup de crapauds. — Par ext. Lieu bas et humide.

CRAPAUDINE [kʀapodin] n. f. — 1235 ; de *crapaud,* par suite de la légende selon laquelle cette pierre provenait de la tête du crapaud.

I ♦ 1 Pierre provenant de la pétrification des dents fossiles d'un poisson (loup de mer). *Enchâsser une crapaudine.*

♦ 2 Bot. Plante dicotylédone (*Labiées*), scientifiquement appelée *sideritis,* herbacée, annuelle, bisannuelle ou vivace.

♦ 3 (1606 ; des sens techn. de *crapaud*). Techn. Godet de métal dans lequel entre le gond d'une porte. → **Couette** (2.). — Pivot d'un arbre vertical (spécialt, d'une antenne).

Les trois tores (ou volant des gyrostats), dans les trois plans perpendiculaires de l'espace euclidien, sont d'ébène cerclé de cuivre, montés selon leurs axes sur des tringles de tôle de quartz rubanée en spirale (...) Les extrémités pivotant dans des crapaudines de quartz.   0.1
A. JARRY, Texte en relation avec les gestes et opinions du Dʳ Faustroll, Pl., p. 740.

♦ 4 (1762). Plaque ou grille qui arrête les ordures, les animaux à l'entrée d'un bassin, d'un réservoir.

Nous plantâmes à l'entrée de petits bouts de bois minces et à claire-voie, qui, faisant une espèce de grillage ou de crapaudine, retenaient le limon et les pierres sans boucher le passage à l'eau.   ROUSSEAU, les Confessions, I.   1

Soupape de décharge au fond d'un réservoir, d'une baignoire. → **Bonde.**

II À LA CRAPAUDINE. a (1743). Cuis. *Poulet, pigeon à la crapaudine,* que l'on fait rôtir sur le gril, après les avoir aplatis (la forme évoque un crapaud).

Je n'aime ni le pigeon à la crapaudine ni le pain qui n'a pas de croûte.   VOLTAIRE, Lettre à d'Autré, 6 sept. 1765.   2

b (1866). Milit., vx. *Mettre (un soldat) à la crapaudine,* le punir en l'exposant aux intempéries les mains liées dans le dos et les jambes ramenées le long des cuisses.

CRAPAUDUC [kʀapodyk] n. m. — 1985 ; de *crapaud,* et *-duc,* sur le modèle d'*aqueduc.*
Conduit passant sous une route, pour permettre aux batraciens de la traverser. — REM. Ce mot-valise semble relever du discours journalistique pittoresque.

CRAPAÜTER [kʀapayte] v. intr. → **Crapahuter.**

CRAPELET [kʀaplɛ] n. m. — 1842 ; du rad. de *crapaud,* suff. *-elet.*
Rare. Jeune crapaud.

CRAPETTE [kʀapɛt] n. f. — Fin XIXᵉ ; orig. incert. ; p.-ê. de *crapeau* «bourse», ou du régional *jeter à la grapette* «jeter des pièces à des enfants», de *grapper, agrapper* «attraper».
Jeu de cartes. *Jouer à la crapette. Crapette !,* interjection lancée par l'un des deux joueurs pour notifier à son partenaire qu'il perd l'avantage du jeu.

CRAPOTER [kʀapɔte] v. tr. — V. 1930 ; de *crapaud,* p.-ê. à cause de la forme de la bouche quand on fume.
Fam. Fumer en tirant sur la cigarette sans avaler la fumée.

CRAPOTEUX, EUSE [kʀapɔtø, øz] adj. — D. i. (XXᵉ) ; de *crasseux,* et d'un élément obscur (*crapaud, pot,* altér. de *crapouilleux ?*).
Fam. Sale. → **Crado.**
Après plusieurs écluses, plusieurs bassins crapoteux (...)
Pierre ACCOCE, le Polonais, p. 71.

CRAPOUILLOT [kʀapujo] n. m. — 1880; de *crapaud* «canon trapu»; cf. *crapaudeau* (xvᵉ).
Petit mortier de tranchée utilisé pendant la guerre de 1914-1918. — Par métonymie. *Le projectile de ce mortier.* — REM. Le mot a servi de titre à une célèbre revue satirique.

CRAPOUSSIN, INE [kʀapusɛ̃, in] n. — 1752; de *crapaud*, avec infl. de *poussin*.
Fam., vieilli. Personne petite et trapue. → **Chétif, malingre.** T. d'affection. Vx. Gamin. → **Crapaud.**

CRAPS [kʀaps] n. m. → **Crabs.**

CRAPULE [kʀapyl] n. f. — Déb. xivᵉ; lat. *crapula* «ivresse», du grec *kraipalê*, même sens.
♦ **1** Vx. Débauche grossière, ivrognerie. *Se plaire, vivre dans la crapule,* dans le vice, la bassesse. *Tomber dans la crapule. Boire jusqu'à la crapule.*

1 L'ivrognerie et la crapule gâtent l'esprit.
RACINE, Remarques sur l'Odyssée.
2 C'était un ancien maître d'école tombé dans la crapule.
FLAUBERT, Bouvard et Pécuchet, p. 225.
2.1 Et de son côté, Justine voudrait-elle risquer ses mœurs dans la société d'une créature perverse qui allait devenir victime de la crapule et de la débauche publique.
SADE, Justine..., t. I, p. 10.

♦ **2** Vieilli. Ensemble de personnes qui ont des mœurs dissolues. → **Canaille, pègre.**
3 Il a le malheur, il est vrai, de se complaire parmi la crapule (...) Ed. et J. DE GONCOURT, Journal, p. 206.

♦ **3** Mod. *(Une, des crapules).* Individu très malhonnête. → **Bandit, canaille, escroc, voleur.** *C'est une crapule. C'est une petite crapule, un voyou sans envergure. Ce type est une vraie crapule. Sale crapule! Tas de crapules!*
Adj. *Elle est un peu crapule.*
4 Un pratiquant peut être crapule, mais jamais tout à fait de la même façon qu'un autre.
J. ROMAINS, les Hommes de bonne volonté, t. V, VII, p. 63.

CONTR. **Honnêteté.** — **Honnête, sérieux.** ◊ DÉR. **Crapuler, crapulerie, crapuleux.**

CRAPULER [kʀapyle] v. intr. — 1519; de *crapule.*
Vx. Vivre dans la crapule (1.).

CRAPULERIE [kʀapylʀi] n. f. — 1854; de *crapule.*
Vieilli. Malhonnêteté et bassesse. → **Canaillerie.** *La crapulerie de qqn.* — Action crapuleuse. *«Il ne signale plus les crapuleries de Palfy en France»* (Michel Déon, *le Jeune Homme vert,* p. 256). — Personnes crapuleuses. *«Toute la crapulerie distinguée...»* (→ Moisissure, cit. 4).

CRAPULEUSEMENT [kʀapyløzmã] adv. — 1781; de *crapuleux.*
D'une manière crapuleuse. ⓐ Aux sens 1 (vx) et 2 (littér.) de *crapuleux.*
(...) l'homme le plus crapuleusement débauché qu'il fût possible de voir (...)
Th. GAUTIER, Mˡˡᵉ de Maupin, X, p. 223.
ⓑ Au sens 3. *Détourner crapuleusement de l'argent.*

CRAPULEUX, EUSE [kʀapylø, øz] adj. — 1495; de *crapule.*
♦ **1** Vieilli. Qui se plaît, qui vit dans la crapule (1.). → **Débauché, vicieux.** *Des gens crapuleux. C'est un homme crapuleux.*
1 (...) une expérience constante semblait démontrer, confirmer, vérifier que c'étaient les plus crapuleux qui avaient le plus de talent. Ch. PÉGUY, la République..., p. 33.

♦ **2** Littér. Qui est relatif à la crapule. *Goûts crapuleux. Mener une vie crapuleuse. Des manières crapuleuses.*
2 Nous apprîmes qu'il menait une vie débordée et crapuleuse. VOLTAIRE, Jenni, 4.
3 Toute la joie de Rome ne consistait pas dans les débauches nocturnes et les fêtes crapuleuses de la cour (...)
DIDEROT, Essai sur Claude.
4 (...) un plaisir sadique de se mêler à une vie crapuleuse.
PROUST, À la recherche du temps perdu, t. XIV, p. 158.

♦ **3** Cour. *Crime crapuleux,* commis par intérêt. → **Sordide.**
Par ext. Digne d'une crapule (3.). *Une action crapuleuse. Un détournement de fonds assez crapuleux.* — Personnes. *Un individu crapuleux :* une crapule.
CONTR. **Honnête, sérieux.** ◊ DÉR. **Crapuleusement.**

CRAQUAGE [kʀakaʒ] n. m. — 1921, in Höfler; de 1. *craquer,* II., pour traduire l'angl. *cracking.*
Techn. Procédé de raffinage pétrolier par modification moléculaire d'une fraction du mélange (sous l'effet de la chaleur, de la pression et parfois d'un catalyseur). → **Hydrocraquage.** *«Le craquage est un procédé permettant de réaliser la coupure de molécules (...) pour obtenir des molécules plus courtes et plus valorisables»* (la *Recherche,* sept. 1980).
DÉR. 2. **Craqueur.** ◊ COMP. **Hydrocraquage, vapocraquage.**

CRAQUANT, ANTE [kʀakã, ãt] adj. — V. 1840, Balzac; du p. prés. de 1. *craquer.*
♦ **1** Qui craque, fait un craquement, des craquements. *Un gâteau sec dur et craquant.* → **Croquant.**
1 Yankel s'avança, embrassa son père sur les deux joues, à l'endroit où la barbe commençait; il retrouvait aux lèvres cette sensation, aussi vieille que sa mémoire, d'une peau molle et craquante sous les poils rêches et secs.
Roger IKOR, les Fils d'Avrom, La greffe de printemps, p. 274.
N. m. *Le craquant :* le caractère craquant (d'une matière, d'un objet).
2 (...) la teinte et le craquant de ces barbes de maïs qui sèchent en Bresse sous les avant-toits des fermes.
G. CHEVALLIER, Clochemerle, p. 9.
♦ **2** Fam. Qui fait craquer (I., A., 4., b); séduisant, tentant. *Un pull craquant. Une nana craquante.* → **Épatant.**

CRAQUE [kʀak] n. f. — 1802, in D.D.L.; déverbal de 2. *craquer.*
Fam. Hâblerie, mensonge* par exagération. *Cette histoire n'est pas vraie, c'est une craque. Raconter, débiter, dire des craques. Je te jure, c'est pas des craques!* — REM. On a dit aussi *craquerie* [kʀakʀi].
— Oui, mais il n'y a pas que sa mère, il ne faut pas nous raconter de craques. Il y a une donzelle, une cascadeuse de la pire espèce, qui a plus d'influence sur lui et qui est précisément compatriote du sieur Dreyfus. Elle a passé à Robert son état d'esprit.
PROUST, le Côté de Guermantes, t. I, Folio, p. 284.
REM. Un homonyme érotique, *craque* «vulve» est attesté (Céline, *Mort à crédit,* in Cellard et Rey).
HOM. **Crac, crack, krach, krak**; formes des verbes 1. et 2. **craquer.**

CRAQUELAGE [kʀaklaʒ] n. m. — 1863; de *craqueler.*
♦ **1** Action de se craqueler; résultat de cette action. → **Craquèlement, craquelure.**
♦ **2** Techn. Opération par laquelle on obtient la porcelaine craquelée.
Par anal. Fendillement qui se produit sur une peinture ou un vernis.

CRAQUELANT, ANTE [kʀaklɑ̃, ɑ̃t] adj. — xxᵉ; du p. prés. de *craqueler.*

Rare. Qui se craquelle. *Peinture craquelante.*

(…) cette mince pellicule de saleté et d'insomnie interposée entre son visage et l'air extérieur comme une impalpable et craquelante couche de glace (…)
Claude SIMON, la Route des Flandres, p. 32 (1960).

CRAQUÈLEMENT ou **CRAQUELLEMENT** [kʀakɛlmɑ̃] n. m. — 1882; de *craqueler.*

Apparition de craquelures. *Le craquèlement d'un mur, d'une paroi. Le craquèlement d'une porcelaine.*
— Par métonymie. Craquelage.

CRAQUELER [kʀakle] v. tr. [CONJUG.: *appeler.*] — 1761; de 1. *craquer.*

♦ **1** Fendiller (une surface polie ou lisse). *Craqueler une poterie.* — (Sujet n. de chose). *Le gel a craquelé le sol.*

♦ **2** Spécialt. Fendiller la glaçure de (la porcelaine...). *Craqueler de la porcelaine.*

♦ **SE CRAQUELER** v. pron.

Plus cour. → **Crevasser** (se), **fendiller** (se), **lézarder** (se). *La terre se craquelle sous l'effet de la sécheresse.*

♦ **CRAQUELÉ, ÉE** p. p. adj.

♦ **1** Qui présente un fin réseau de fissures sur sa surface. → **Fendillé.** *Émail craquelé. Poterie craquelée. Couleur craquelée d'une porcelaine.* → **Truité.**
— N. m. Techn. Dessin, décoration constituée par un léger fendillement à la surface d'un objet (en verre, en faïence, en porcelaine...). *Le craquelé d'un vase.* → **Craquelure.** — Par métonymie. L'objet lui-même. *Un très beau craquelé.*

1   Dans le soleil radieux et les fleurs, cris aigus des enfants de toutes parts. Les champs de riz, chacun formant une cloison irrégulière de boue, font l'effet du craquelé des vases, donnant plus de valeur au dessin.
CLAUDEL, Journal, 6 mars 1924.

♦ **2** Par anal. *Front craquelé de rides. Lèvres craquelées et gercées.*

2   Et, quittant le domaine, elle se trouve sur le chemin craquelé par la chaleur, entre les fougères des talus.
Francis JAMMES, Clara d'Ellébeuse, I.

CONTR. Glacer, lisser. ◊ **DÉR.** Craquelage, craquelant, craquèlement, craquelure.

1. CRAQUELIN [kʀaklɛ̃] n. m. — 1265; du moy. néerl. *crakeline,* de *craken* «craquer».

Régional. Biscuit qui craque sous la dent. → **Bretzel.** *Craquelin au beurre.*

2. CRAQUELIN [kʀaklɛ̃] n. m. — 1831; de 1. *craquer.*

Mar. Vx. Navire mal charpenté qui craque sur la mer.

CRAQUELURE [kʀaklyʀ] n. f. — 1857; de *craqueler.*

♦ **1** Fendillement du vernis, de l'émail d'une porcelaine, d'un tableau. → **Craqueler (craquelé,** n. m.). *Un réseau de craquelures.*

♦ **2** Par anal. → **Fente, ride, sillon.** *Terrain couvert de craquelures.* — *Craquelures du front, du cou.*

1   Elle montrait son cou très long où des craquelures marquaient l'âge de la femme.
Alphonse DAUDET, l'Immortel, p. 9.

2   Les chaussures avaient raidi et le soleil accusait les craquelures du cuir.   S. BECKETT, Nouvelles, p. 82.

CRAQUEMENT [kʀakmɑ̃] n. m. — 1553; de 1. *craquer.*

Bruit* sec (d'une chose qui se rompt, éclate, etc.). *Le craquement d'une poutre, d'un plancher, d'une boiserie, d'une branche qui casse. Les craquements de vieux meubles. Entendre un craquement insolite. Le craquement des feuilles sèches sous les pieds. On entend des craquements sinistres.*

(…) les craquements du vieux lit, quand vient le froid, à l'aube, toutes les plaintes du bois torturé par un travail intérieur.
G. DUHAMEL, Chronique des Pasquier, II, III, VI.

Craquement des doigts, des genoux, d'une articulation, des dents.

Méd. *Craquement pulmonaire :* bruit qui se fait quelquefois entendre au moment de l'inspiration.
Par métaphore. Signe avant-coureur d'une chute, d'un effondrement.

1. CRAQUER [kʀake] v. — 1544; du rad. onomatopéique *crac.*

I **A** V. intr. ♦ **1** Produire un bruit sec. *La neige durcie, les feuilles sèches craquent sous les pieds* (→ Automne, cit. 9). *Bonbon, gâteau qui craque sous les dents.* → **Croquer.** *Faire craquer ses doigts,* en tirant sur les articulations (→ Articulation, cit. 4). *Faire craquer ses dents.* → **Grincer** (des dents). *Vieux meuble, boiserie qui craque. Faire craquer une branche* (cit. 4) *d'arbre.*

(…) le bois mort craque sous les pieds.   1
G. SAND, la Mare au diable, VIII, p. 66.

(…) je voyais tous ses mouvements sans qu'elle me vît,   2
mais en m'en allant j'aurais fait craquer les buissons, elle m'aurait entendu et elle aurait pu croire que je m'étais caché là pour l'épier.
PROUST, À la recherche du temps perdu, t. I, p. 216.

C'était un train composé de vieux wagons démodés et sans   3
couloirs. Il craquait de toute sa charpente et cliquetait de toutes ses vitres.
G. DUHAMEL, Chronique des Pasquier, V, IX, VIII.

Spécialt. *Faire craquer une allumette,* en la frottant d'un coup sec.

♦ **2** → **Déchirer** (se), **défaire** (se). *Sa veste a craqué dans le dos. Les coutures ont craqué sous l'effort. Son bas a craqué.* → **Filer.**

Par exagération :

Les sarisses, les haches, les épieux, les bonnets de feutre   4
et les casques de bronze, tout oscillait à la fois d'un seul mouvement. Ils emplissaient la rue à faire craquer les murs (…)   FLAUBERT, Salammbô, II, p. 23.

Loc. **PLEIN À CRAQUER,** à éclater*. → **Bondé; éclater.** *La malle était pleine à craquer.* — Fig. *Maison pleine à craquer.*

(…) des villes pleines à craquer, où l'on couche dans les   5
hangars (…)   SAINT-EXUPÉRY, Pilote de guerre, XV, p. 110.

♦ **3** (1718). Fig. Être ébranlé, menacer ruine. → **Désorganiser** (se). *Le ministère craque. Projet qui craque.* → **Échouer, écrouler** (s'). *Faire craquer une fortune.* → **Claquer; manger, engloutir.**

(…) qu'une affaire craque, qu'une banque saute, que quel-   6
ques millions sombrent, voilà le prince comme aux abois.
Louis MADELIN, Talleyrand, XXIV, p. 248.

Philippe sentait bien que le prétexte craquait de toutes   7
parts et qu'il fallait en trouver un autre au plus tôt.
H. TROYAT, le Vivier, p. 88.

♦ **4** Personnes. **a** Avoir une grave défaillance physique, nerveuse. *Il n'a pas tenu le coup, ses nerfs ont craqué. Il est surmené et sur le point de craquer.* → **Effondrer** (s'). *Le coureur a craqué dans la dernière étape.* — *Je sens que je vais craquer. Je craque!*

Maintenant, je n'ai pas raison de craquer. Toujours du   8
travail devant moi, je suis contente de ma vie.
S. DE BEAUVOIR, les Belles Images, p. 23.

9   — Et si les tripes lui sortaient du ventre?
— Tu sais, malgré leurs airs impavides, il ne serait pas
le seul. Cette nuit, je parie que des tas de types vont se
flinguer. Les Boches, ça craque aussi à la fin.
> A. BOSQUET, les Bonnes Intentions, p. 31.

ⓑ Fam. Céder brusquement à une envie, un
besoin... *Je ne voulais pas partir avec lui, mais
quand il m'a proposé une semaine à Bali, j'ai
craqué. Elle suit un régime, mais elle craque toujours au moment du dessert. — Craquer pour... Elle
a craqué pour cet appartement.*

Par ext. Être brusquement et fortement séduit. *Il
craque complètement devant son bébé. Sa gentillesse
me fait craquer.* → **Craquant** (2.).

♦ **5** Rare. Crier, claquer du bec (en parlant de certains
oiseaux, et, spécialt, de la grue). → **Craqueter.** *La grue
craque quand elle fait du bruit en fermant son bec,
et aussi quand elle crie. La cigogne, le perroquet
craquent.*

Ⅱ V. tr. ♦ **1** (1908). *Craquer une allumette* : la faire
craquer, l'allumer.

♦ **2** Fam. Faire se déchirer. *Elle a craqué son bas.
Craquer son pantalon.* — Passif et p. p. *Son bas est
craqué.*

Ⅲ V. tr. (1931; angl. *to crack*). Techn. Traiter (un produit pétrolier) par craquage*.

DÉR. (Du I.). Craquant, craqueler, 2. craquelin, craquement,
craqueter, craqûre. V. 2. **Craquer, craquette. — (Du II.). Craquage.**

2. CRAQUER [krake] v. intr. — 1718; p.-ê. de 1. *craquer*,
I., A., 5., par anal. avec le bruit que font certains oiseaux.
Vx, fam. Hâbler, mentir. → **Craque.**

DÉR. Craque, 1. craqueur.

CRAQUERIE [krakri] n. f. → **Craque.**

CRAQUETANT, ANTE [kraktɑ̃, ɑ̃t] adj. — XVIᵉ, *cra-
craquetant;* du p. prés. de *craqueter*.
Rare. Qui craquette.
> Toujours craquetante de l'ardeur du charbon, la Radieuse
> (une salamandre) était flanquée de deux longs réservoirs
> d'eau (...)   Michel LEIRIS, l'Âge d'homme, p. 72.

CRAQUÈTEMENT ou **CRAQUETTEMENT** [kra
kɛtmɑ̃] n. m. — 1568; de *craqueter*.

♦ **1** Action de craqueter; bruit de ce qui craquette. *Un «craquètement de graines sèches dans
leur sachet de papier»* (Colette, *Flore et Pomone,*
in *Gigi*, p. 179). — Spécialt, méd. Spasme de la
mâchoire qui fait crisser, claquer des dents. *Craquètement des dents.*

♦ **2** (1843). Rare. Cri de la cigogne, de la grue. — Bruit
de la cigale. → **Craqueter, 2.**

CRAQUETER [krakte] v. intr. [CONJUG.: *jeter*.] — 1538;
dimin. de 1. *craquer*.

♦ **1** Produire des craquements* répétés. *Le sel craquette dans le feu.*

♦ **2** Crier (en parlant de la cigogne, de la grue). → 1. **Craquer** (I., 5.). — Émettre son bruit, en parlant de la
cigale. → **Striduler.**
> (...) au-dehors les cigales s'exaspèrent au même rythme
> que mon plaisir mille cigales frénétiques craquetant puis
> se taisant (...)
>   Claude MAURIAC, le Dîner en ville, p. 153.

DÉR. Craquetant, craquètement.

CRAQUETTE [krakɛt] n. f. — D. i.; provençal *craqueto*
(*in* Mistral), de la famille de 1. *craquer*.
Régional. Pâtisserie qui craque sous la dent. *«L'onctueuse mousse au chocolat accompagnée de cra-
quettes à l'anis»* (R. Sabatier, *les Enfants de l'été,*
p. 176).

1. CRAQUEUR, EUSE [krakœr, øz] n. — 1720; *cra-
queux,* v. 1640; de 2. *craquer*.
Vx, fam. Hâbleur, menteur.
HOM. (Du masc.) 2. **Craqueur.**

2. CRAQUEUR [krakœr] n. m. — Mil. XXᵉ; de *craquage*.
Techn. Installation de craquage. *Craqueur catalytique. «Il suffisait de menacer de fermer les cra-
queurs pour que la direction s'émeuve»* (*le Monde,*
5 mars 1980).
HOM. 1. **Craqueur.**

CRAQÛRE [krakyr] n. f. — 1883, → cit.; de 1. *craquer*.
Rare. Fait de craquer. — Au figuré:
> On peut croire Lavaux, qui est l'ami du prince, de la
> duchesse aussi du reste, mais qui dans la très prochaine
> craqûre du ménage s'est mis du côté qu'il suppose le plus
> solide (...)
>   Alphonse DAUDET, l'Immortel, p. 128 (1883).

CRASE [kraz] n. f. — 1613; grec *krasis* «mélange; contraction».

♦ **1** Gramm. grecque. Contraction de syllabes (syllabes finale et initiale de deux mots joints). Ex. :
kago, pour *kaî* et *ego*.
Par ext. En français, Contraction ou fusion de deux
éléments consécutifs. Ex. : *Au*, pour *à* et *le*.
Par métaphore. Didactique, littéraire.
> (...) c'est l'époque où la bourgeoisie, au pouvoir depuis
> encore peu de temps, opère une sorte de crase entre
> la Morale et la Nature, donnant à l'une la caution de
> l'autre (...)   R. BARTHES, Mythologies, p. 134.

♦ **2** **ⓐ** Vx ou hist. Composition équilibrée des quatre
humeurs organiques (sang, bile, atrabile, pituite).
→ **Dyscrasie.**

ⓑ Mod. Constitution du sang, ensemble de ses
propriétés «en ce qui concerne l'hémostase et la
coagulation» (Manuila).

CONTR. Diérèse.

CRASH [kraʃ] n. m. — 1956, *in* Höfler; mot angl., de *to
crash* «s'écraser».
Anglic. Aviat. Atterrissage forcé d'un avion, train
rentré. → **Casser du bois*. —** Écrasement au sol (d'un
avion).
Par ext. Choc accidentel violent (d'un véhicule automobile) contre un obstacle, un autre véhicule.
DÉR. Crasher (se).

CRASHER (SE) [kraʃe] v. pron. — Mil. XXᵉ; de *crash*.
Anglic. Aviat. Faire un atterrissage forcé. — S'écraser
au sol (en parlant d'un avion).
Par ext., en parlant d'un véhicule automobile, du conducteur, des passagers, etc. *Le semi-remorque s'est crashé
dans le virage.*
HOM. Cracher.

CRASH-TEST [kraʃtɛst] n. m. — 1989; expr. angl. «test
de collision»; de *crash*, et 2. *test*.

Anglic. Essais de chocs réalisés en laboratoire sur des véhicules pour tester leurs réactions en cas d'accident et la solidité de leur carrosserie. *Crash-test frontal, latéral.* «*Des crash-tests rigoureux sont imposés aux voitures, et leurs coques de carbone sont de plus en plus résistantes*» (*le Point*, 6 nov. 1989, p. 125). — On écrit aussi *crash test.*

CRASPEC [kʀaspɛk] adj. invar. — 1948 ; dér. argotique de *crasseux.*

Pop. Crasseux. → **Crado.** — Var. graphique : *craspect.*

Surget s'arrête devant la porte ; une plaque émaillée signale le nom. Un couloir venimeusement craspect conduit à un escalier de même espèce.
R. QUENEAU, le Vol d'Icare, p. 146.

CRASPÉDOTE [kʀaspedɔt] adj. — 1900, *Nouveau Larousse illustré* ; autre sens, 1866 ; lat. zool. *craspedota*, du grec *kraspedon* «frange».

Didact. (zool.). Se dit des méduses à velum.

Les méduses sont dites craspédotes ; leur musculature sous-ombrellaire, réduite, est remplacée par un organe nouveau, le velum, qui a la forme d'un large anneau aplati.
O. TUZET, les Cœlentérés, *in* Encycl. Pl., Zoologie, t. I, p. 476.

CRASSANE [kʀasan] n. f. — 1690, *crasane* ; p.-ê. de *Crazannes*, village de Saintonge.

Variété de poire* fondante. *Des crassanes.*
Appos. *Bergamote crassane. Des poires crassanes.*

COMP. **Passe-crassane.**

CRASSAT [kʀasa] n. m. — 1869, *in* Littré, *Suppl.* ; mot régional, probablt du même rad. que *gras.*

Techn. Petit bassin naturel formé par une surélévation du sol sous-marin, découvert à marée basse, dans lequel on peut parquer des huîtres.

Les chenaux se subdivisent et s'amenuisent comme un système artériel, entourant et pénétrant les crassats surélevés sur lesquels sont installés les parcs.
Louis LAMBERT, les Coquillages comestibles, p. 42.

CRASSE [kʀas] adj. et n. f. — V. 1176 ; du lat. *crassus* «épais, gras».

I Adj. ♦ **1** Méd. ancienne. *Humeur crasse*, épaisse, visqueuse. *Matière crasse.*

1 (...) une humeur crasse et féculente (...)
MOLIÈRE, Monsieur de Pourceaugnac, I, 8.

♦ **2** (XIVᵉ). Mod. *Ignorance crasse*, grossière, dans laquelle on se complaît. → **Grossier, inexcusable, lourd.**

2 De l'esprit, de l'enjouement, de l'agrément, peut-être même de la capacité : mais je n'ai guère vu d'ignorance plus crasse. RETZ, Mémoires, II, p. 472, *in* LITTRÉ.

3 Le commun des Français fait si volontiers ses délices de la crasse ignorance des plus illustres éléments de la géographie ! Ch. MAURRAS, Anthinéa, p. 110.
Par ext. Inadmissible. *Il est d'une paresse crasse. Une impolitesse crasse. Une imbécillité crasse.*

II N. f. (XIVᵉ). **A** (*La crasse*). ♦ **1** Couche de saleté qui se forme sur la peau, le linge, les objets. → **Ordure, saleté.** *Mains couvertes de crasse*, crasseuses. *La crasse du linge sale. Une crasse noire. Remplir de crasse.* → **Crasser, encrasser.** *Enlever la crasse.* → **Curer, décrasser, laver.** *La crasse d'un tableau.* → **Patine.**

4 D'un peu partout, des odeurs de débris, de balayures, de serpillières gorgées, de petits tas humides dans des recoins, des minces croûtes de crasse vivante collant à du carrelage qui ne sèche jamais.
J. ROMAINS, les Hommes de bonne volonté, t. IV, XV, p. 156.

Il est sale avec lyrisme. Il a l'air de suer la crasse, de la 5 produire, de la sécréter, exactement, de la faire sourdre des profondeurs de son être.
G. DUHAMEL, Chronique des Pasquier, V, Le désert de Bièvres, p. 223.

♦ **2** Fig. Vieilli. Condition basse et misérable. *Être né dans la crasse.* → **Misère, mouise** (fam.). *Tomber dans la crasse. Tirer qqn de la crasse ; le sortir de sa crasse.*

Vx. Avarice sordide. → **Crasserie.** *Vivre dans la crasse.*

♦ **3** Fig. Mar. Brouillard, crachin. *Naviguer dans la crasse.*

B (*Une, des crasses*). ♦ **1** (1843 ; 1826, «défaut de politesse»). Fam. *Faire une crasse à qqn*, une indélicatesse. → **Méchanceté, saleté, vacherie ;** cf. Tour de cochon, de vache.

Pour qu'ils se détachent de moi il faut que je leur fasse 5.1 des crasses. Jean GENET, Journal du voleur, p. 43.

♦ **2** Techn. Scorie d'un métal en fusion. → **Crassier.** Résidus des métaux quand on les frappe sur l'enclume.

♦ **3** Écume. (Cf. les mots dialectaux *crachée, crachie* «écume du beurre quand on le fait fondre» ; «écume des confitures»).

Ces raisins, chargés de vertus, dégorgent leur excès en une 6 «crasse» fastueuse, qui surnage écumante, s'assemble à la rigole du pressoir, l'engorge de caillots (...)
COLETTE, De ma fenêtre, 25 sept. 1941, p. 148.

♦ **4** Rare ou régional. Chose sale. → **Saleté** (cour.). — Figuré —

Au matin, secouer les songes, les crasses, les choses qui 7 ont profité de l'absence et de la négligence nocturne pour croître et encombrer (...)
VALÉRY, Cahiers, Pl., t. II, p. 1268.

CONTR. Léger. — Propreté. ◊ DÉR. Crasser, crasserie, crasseux, crassier.

CRASSER [kʀase] v. tr. — 1832 ; de *crasse*, II, n. f.

Vx. Remplir de crasse (spécialt, en parlant des armes à feu). → **Encrasser.** *Crasser son pantalon.* — Au p. p. *Fusil crassé.*

COMP. **Décrasser, encrasser.**

CRASSERIE [kʀasʀi] n. f. — 1867 ; de *crasse* «avarice», vx.

Vx. Avarice sordide.

Eux, les sales pingres, ils distribuent, quoi ? (...) du pain d'ouvrier (...) Est-ce pas honteux (...) des personnes si riches ? (...) Même que la Paumier, la femme du tonnelier, a entendu un jour Mᵐᵉ Lanlaire dire au curé qui lui reprochait doucement cette crasserie : «Monsieur le curé, c'est toujours assez bon pour ces gens-là !»
O. MIRBEAU, le Journal d'une femme de chambre, p. 42.

CRASSEUX, EUSE [kʀasø, øz] adj. et n. — XIIIᵉ ; de *crasse.*

I Adj. ♦ **1** Qui est couvert de crasse* (II.), très sale. → **Malpropre, sale.** *Cheveux, pieds crasseux. Chemise crasseuse. — Une maison crasseuse. Un escalier crasseux et puant. — Personnes. Des enfants crasseux.* → fam. Cracra, crado, craspec. *Un clochard crasseux.*

(...) les cheveux hirsutes, la barbe longue, le corps crasseux 1 et pouilleux, ils présentaient l'aspect de bandes de brigands, «toute la *ladrerie* de Provence et de Languedoc (...)»
Louis MADELIN, l'Ascension de Bonaparte, IV, p. 47.

Il était devenu très misérable, crasseux, pouilleux, oui, 2 pouilleux, et il a fini dans quelque hospice (...)
G. DUHAMEL, Cri des profondeurs, IV, p. 70.

3 Notre chambre était toute petite. Elle était sale. La cuvette était crasseuse. Personne n'eût songé, dans le Barrio Chino, à nettoyer sa chambre, ses objets ou son linge.
Jean GENET, Journal du voleur, p. 67.

♦ **2** Fig. Vx. Qui vit dans une avarice sordide. → **Avare, chiche, pingre**. — De basse condition.

♦ **3** Mod. Qui a les caractères d'une crasse (II., B., 1.), d'un mauvais ton.

4 Sa goujaterie frappait dans le vide (...). Mais il l'ignorait. Et le procédé reste parfaitement crasseux.
J. ROMAINS, les Hommes de bonne volonté, t. XXII, p. 280.

II N. ♦ **1** *Un crasseux, une crasseuse*, personne très sale. — Fig. Vx. Avare*. — T. d'injure. *Espèce de crasseux !*

♦ **2** Argot. Vieilli. Peigne. — Chapeau.

CONTR. Clair, propre. ◊ DÉR. Cracra, crado, craspec.

CRASSIER [kʀasje] n. m. — 1754; de *crasse*, II.
Techn. ou régional (pays de mines). Amoncellement des scories de hauts fourneaux, d'une mine. → **Terril**.

Et nulle part, je n'ai vu une île aussi moche : un cimetière sur les eaux. Même la montagne ressemble à un crassier.
Alain BOSQUET, les Bonnes Intentions, p. 88 (1975).

CRASSULACÉES [kʀasylase] n. f. pl. — Fin XVIIIᵉ; du lat. bot. *crassula*, suff. *acées*. → Crassule.
Bot. Famille de plantes dicotylédones *(phanérogames angiospermes)* comprenant des herbes et sous-arbrisseaux à feuilles charnues (crassule, joubarbe, ombilic). — Au sing. *Une crassulacée*.

CRASSULE [kʀasyl] n. f. — XIVᵉ; lat. *crassula*, dér. sav. de *crassus* «gras».
Bot. Plante grasse ornementale *(Crassulacées)*, à fleurs rouges, aux nombreuses variétés.

-CRATE, -CRATIE, -CRATIQUE Élément, du grec *kratos* «force, puissance», entrant dans la composition de mots désignant des groupes, des castes, etc. → **Aristocrate, aristocratie, aristocratique; autocrate...; bureaucrate; démocrate; gérontocrate; gynécocratie; ochlocratie; physiocrate; ploutocrate; pornocratie; théocrate; timocratie...**

CRATÈRE [kʀatɛʀ] n. m. — XVᵉ; lat. *crater*, grec *kratêr* «cratère», au sens I.

I Didact. Vase antique à deux anses, en forme de coupe, dans lequel on mêlait le vin et l'eau.

1 Les vins de palme et de tamaris, ceux de Safet et de Byblos, coulaient des amphores dans les cratères, des cratères dans les coupes, des coupes dans les gosiers (...)
FLAUBERT, Trois contes, «Hérodias», III.
Par ext. → **Coupe, hanap**.

II (1570). ♦ **1** Cour. Dépression située en général à la partie supérieure d'un volcan et par laquelle s'échappent des matières en fusion (fumerolles, laves, cendres, blocs et bombes volcaniques). *Le cratère du Vésuve, de l'Etna. Lac de cratère* (dans un *cratère éteint). Cratère d'explosion, cratère d'effondrement* (→ **Caldera**).

2 J'avance avec crainte sur la cendre chaude et la lave jusqu'au bord du grand cratère.
MAUPASSANT, la Vie errante, IV, p. 133.

3 Le cratère fut abordé. Il était bien tel que l'ingénieur l'avait reconnu dans l'ombre, c'est-à-dire une vaste entonnoir qui allait en s'évasant jusqu'à une hauteur de mille pieds au-dessus du plateau. Au bas de la crevasse, de larges et épaisses coulées de laves serpentaient sur les flancs du mont et jalonnaient ainsi la route des matières éruptives

jusqu'aux vallées inférieures qui sillonnaient la portion septentrionale de l'île.
L'intérieur du cratère, dont l'inclinaison ne dépassait pas trente-cinq à quarante degrés, ne présentait ni difficultés ni obstacles à l'ascension. On y remarquait les traces de laves très anciennes, qui probablement s'épanchaient par le sommet du cône, avant que cette crevasse latérale leur eût ouvert une voie nouvelle.
J. VERNE, l'Île mystérieuse, t. I, p. 132 (1874).

Par anal. *Cratère lunaire :* dépression circulaire à la surface de la Lune. → **Cirque**. *Cratère météorique,* ou *d'impact :* dépression du sol (lunaire; terrestre) due à la chute d'un météorite. → **Astroblème**. *Cratère de bombe :* dépression du sol due à l'explosion d'une bombarde.

♦ **2** **a** Méd. Orifice (d'un furoncle, d'un anthrax...).
(...) on introduit une mèche chargée d'iode, profondément, 4 dans le cratère du bubon.
GIDE, Voyage au Congo, in Souvenirs, Pl., p. 788.

b Techn. Ouverture pratiquée à la partie supérieure d'un fourneau de verrier.

DÉR. Craterelle. ◊ COMP. Cratériforme.

CRATERELLE [kʀatʀɛl] n. f. — 1846; lat. bot. *craterella*, dimin. de *crater*. → Cratère.
Bot. Champignon comestible en forme d'entonnoir *(Basidiomycètes)*. — Syn. : trompette-des-morts.

CRATÉRIFORME [kʀateʀifɔʀm] adj. — 1846; de *cratère*, et *-forme*.
Didact. En forme de coupe. *Enceinte cratériforme*.

CRATON [kʀatɔ̃] n. m. — 1974, Sciences et Avenir; angl. *craton*, de *crater* «cratère».
Géol. Aire continentale correspondant à une zone anciennement consolidée de la lithosphère. *Le craton européen comprend les zones précambriennes et les plus anciennes chaînes* (calédoniennes et hercyniennes). — REM. L'adjectif *cratonique* est également attesté (1974, Sciences et Avenir).

CRATYLISME [kʀatilism] n. m. — D. i. (v. 1970); de *Cratyle*, dans le dialogue de Platon.
Didact. Thèse selon laquelle les noms sont dans un rapport naturel avec les choses qu'ils désignent. *Le cratylisme suppose une motivation* naturelle (onomatopées) *et un fondement ontologique de l'étymologie* (cf. la «preuve par l'étymologie»); *il s'oppose à l'arbitraire du signe* (Saussure).

CRAVACHANT, ANTE [kʀavaʃɑ̃, ɑ̃t] adj. — XXᵉ; p. prés. de *cravacher*.
Littér. Qui blesse brutalement.

(...) entreprenant à grands frais une certaine Laura Tolleda, demi-mondaine célèbre, qui l'avait cent fois bafoué (mais il avait ce goût) et le conduisait à la ruine avec un cravachant mépris.
G. CHEVALLIER, Clochemerle, p. 230.

CRAVACHE [kʀavaʃ] n. f. — 1790; all. *Karbatsche*, du polonais; du turc *qyrbâtch* «fouet de cuir». → Courbache.

♦ **1** Badine* flexible généralement terminée par une mèche, et dont se servent les cavaliers. → **Houssine, jonc, stick**. *Coup de cravache. Battre, frapper à coups de cravache.* → **Cravacher** (→ Accès, cit. 10; cingler, cit. 3). *Conduire, monter à la cravache,* en cravachant (→ ci-dessous, 2., loc.).

Si je tenais le polisson qui a écrit ce billet, je lui donnerais 1 cinq cent dix-neuf coups de cravache à travers la figure.
REYBAUD, Jérôme Paturot..., in LITTRÉ.

(1924, *in* Petiot). **Par métonymie.** Cavalier. *Une célèbre, une légendaire cravache.*

♦ **2 Par métaphore ou fig.** Autorité qui s'exerce brutalement. → **Bâton, schlague, trique.**

2 Le monde a toujours obéi à des volontés qui s'exprimaient, la cravache ou la trique en l'air.
Léon BLOY, le Désespéré, IV, p. 188.

Loc. À LA CRAVACHE. *Mener qqn à la cravache,* brutalement. *Une affaire menée à la cravache.* — *Donner un coup de cravache* : travailler fort et vite pour terminer qqch. au plus tôt. → **Cravacher;** → Donner un coup de collier*.

DÉR. Cravacher.

CRAVACHER [kʀavaʃe] v. — 1834; de *cravache.*

♦ **1 V. tr.** Frapper à coups de cravache. *Cravacher sa monture.* — **Absolt.** *Il a fini la course en cravachant.* **Sujet n. de chose :**

1 Quand il allait se coucher, l'arrachant des passants du pantalon, Armand faisait claquer sa ceinture de cuir. Elle cravachait une victime invisible, une forme de chair transparente. L'air saignait.
Jean GENET, Journal du voleur, p. 143.

♦ **2 V. intr. Fig., fam.** Travailler d'arrache-pied pour atteindre le but qu'on s'est proposé. → Donner un coup de cravache*. *Il a cravaché dur pour préparer son examen.*

2 J'avais passé deux ans à savourer mon malheur, chaste et inconsolable. À vingt-cinq ans, je m'étais réveillé et pendant quelques mois j'avais cravaché ferme.
Cecil SAINT-LAURENT, la Mutante, p. 272.

DÉR. Cravachant.

CRAVAN [kʀavɑ̃] n. m. — 1532, Rabelais, au sens 1 ; p.-ê. du gaul. *kraganno, nom d'un coquillage (), que l'on retrouverait dans le bas lat. *cracatius* «esturgeon», *cragacus,* mais le sens ne convient guère.

♦ **1** Variété d'oie sauvage. → **Bernache.**

♦ **2** (1584). Anatife.

CRAVATAGE [kʀavataʒ] n. m. — D. i. (xxᵉ); de *cravater.*

Action de cravater; son résultat. — Au sens 3 du v. «*Cravatage n'est pas vol*» (Robert Sabatier, les Noisettes sauvages, p. 99).

1. CRAVATE [kʀavat] n. m. — Déb. xviiᵉ; altér. de *croate.*

Histoire ou vieux.

♦ **1** Cheval de Croatie.

♦ **2** Sous l'Ancien Régime, Régiment de cavalerie d'origine croate. — **En appos.** *Cavalier cravate.*

DÉR. 2. Cravate.

2. CRAVATE [kʀavat] n. f. — V. 1649 «bande de linge portée autour du cou» (comme en portaient les cavaliers croates); de 1. *cravate.*

♦ **1** Bande d'étoffe, généralement étroite et longue, que les hommes (et parfois les femmes) nouent autour de leur cou. *Cravate foulard, cravate écharpe. Cravate d'hermine. Cravate que portent les gens de robe.* → **Rabat.**
Cour. *Cravate d'homme,* étroite, qui se passe sous le col de chemise et se noue par devant. → **Régate.** (*Cravate* ne se dit pas couramment de la lavallière*, du nœud papillon*.) *Cravate de soie, de rayonne, de laine. Cravate de batiste. Cravate blanche, grise, noire* (→ Beau, cit. 106). *Cravate moirée. Cravate de couleur. Cravate unie. Cravate à rayures, à*

fleurs. *Cravate club. Nœud de cravate. Nouer sa cravate. Rajuster, remonter, serrer le nœud de sa cravate. Épingle de cravate. Pince cravate; fixe cravate.* **Anciennt.** *Cravate à ressort,* maintenue par un système à ressort.

1 Le vieux grand-père (...) était là, lui aussi, portant toujours la redingote noire et la cravate blanche qui donnaient à sa quasi-pauvreté des dehors tellement respectables.
LOTI, Matelot, II, p. 6.

1.1 Jean se dépêchait vite, sortait de son tiroir une nouvelle cravate qui s'harmonisait avec sa figure de manière à produire un effet tout différent des précédents, de sorte qu'on crût chaque fois que c'était une cravate rouge sur un veston bleu, une cravate blanche sur un habit noir, une cravate paille sur une jaquette paille, qui lui allait le mieux, donnant de lui-même comme différents portraits, d'une couleur et d'une harmonie différentes.
PROUST, Jean Santeuil, Pl., p. 458.

L'usage des cravates toutes faites était encore très répandu.

2 La cravate, appuyée sur le bouton, avait toujours l'air d'être tombée au bas du col. On voyait beaucoup de nœuds-papillons et nombre de lavallières.
J. ROMAINS, les Hommes de bonne volonté, t. I, p. 31.

3 (...) en habits de dimanche, des habits noirs, une cravate à ressort, un col de cellulo et un chapeau de paille dure. La grande allure, quoi !
J. GIONO, Un de Baumugnes, IV, Pl., t. I, p. 243.

4 (...) lui qui sans doute avait toute sa vie mis autour de son cou une cravate sans plus se soucier de sa couleur que de la façon dont il la nouait — et probablement même appartenant à cette catégorie de types qui nouent une cravate une fois pour toutes, se contentant le soir de la desserrer suffisamment pour pouvoir en faire passer la boucle autour de sa tête et le lendemain la renfilant de la même façon, et remontant le nœud, et c'est tout (...)
Claude SIMON, le Palace, p. 114.

Loc. fam. *S'en jeter un* (verre) *derrière la cravate,* dans le gosier. → **Boire.** *S'envoyer un petit coup derrière la cravate.*

5 (...) du zinc où il s'était envoyé coup sur coup derrière la cravate ses trois ou quatre pernods, à l'hôtel, à cette chambre (...)
Claude SIMON, le Vent, p. 171.

EN CRAVATE : à la manière d'une cravate. *Foulard noué en cravate. Fourrure portée en cravate.*
Par ext. Fourrure droite portée autour du cou (par une femme). *Une cravate de renard.*
Bande d'étoffe, insigne de haute décoration. *La cravate de commandeur** de la Légion d'honneur. Il a reçu la cravate au cours d'une cérémonie militaire,* la cravate de commandeur.
Loc. Vieilli. *Cravate de chanvre* : corde de pendu. *On lui a passé la cravate (de chanvre)* : on l'a pendu. — **Fig.** *Serrer la cravate* : étrangler.

♦ **2** *La cravate d'un drapeau* : ornement de soie brodée qu'on attache au haut d'une lance, à la hampe d'un drapeau.
Mar. Cordage qui entoure un mât, une ancre. — *En cravate. Ancre en cravate. Prendre une ancre en cravate.*

♦ **3 Zool.** Cou coloré d'un oiseau. — **Par métonymie.** L'oiseau. *Cravate blanche, jaune* (alouette), *verte* ou *noire* (colibri), *dorée.*

♦ **4** (1877, *in* Petiot). **Sport** (lutte). Coup par lequel on essaye de faire subir au menton de l'adversaire un mouvement de torsion.

DÉR. Cravater, cravatier. ◊ COMP. Micro-cravate.

CRAVATER [kʀavate] v. tr. — 1823; de 2. *cravate.*

♦ **1** Mettre une cravate à (qqn); entourer d'une cravate.
Pron. *Se cravater* : se mettre une cravate. *Il s'est cravaté pour se présenter devant le directeur.* — Au p. p. *C'est rare qu'il soit cravaté* (→ ci-dessous).

Fam. Attaquer (qqn) en le prenant et en le serrant par le cou. — (1877, *in* Petiot). Spécialt (lutte). Faire une cravate* (4.).

Par anal. *Cravater un drapeau.* — Mar. *Cravater une ancre,* l'entourer du cordage dit cravate.

♦ **2** (D. i. : XXᵉ). Fam. Tromper, abuser (qqn) en lui racontant des mensonges, en lui faisant payer trop cher, etc. *Il nous a cravatés. Cravater des touristes. On s'est fait cravater.* → **Avoir.**

♦ **3** a Prendre, attraper (qqn). *La police l'a cravaté à la gare. Il s'est fait cravater.*

(...) *Nadine, qui me donne le regret de n'avoir pas été cravaté six mois avant, pour avoir pu la connaître plus longtemps.*　　　　　A. SARRAZIN, la Cavale, p. 123.

b Argot. Compl. n. de chose. *Il m'a cravaté ma voiture.* → **Piquer** (fam.), **voler.**

◆ **CRAVATÉ, ÉE** p. p. adj. *Il est arrivé cravaté et ganté. Personne bien cravatée.* — Argot. Vx. *Être cravaté de rouge,* se faire couper la tête.

Zool. Se dit d'une variété de pigeons frisés sous le cou. *Pigeons cravatés.*

DÉR. **Cravatage.**

CRAVATIER, IÈRE [kʀavatje, jɛʀ] n. — 1866; de *cravate.*

Techn. Personne qui fabrique ou vend des cravates.

CRAVE [kʀav] n. m. — 1606; même rad. que *cravan* «oie sauvage», p.-ê. d'orig. gaul. Cf. anc. franç. *cras* «cri du corbeau».

Régional. Oiseau des montagnes *(Corvidés)* voisin du choucas. *Le crave détruit les insectes.*

CRAWL [kʀol] n. m. — 1906; mot angl., de *to crawl* «ramper».

Nage rapide sur le ventre, qui consiste en un battement continu des jambes (fouetté) et une rotation verticale alternative des bras. *Nager le crawl. Faire du crawl. Les compétitions de nage libre se disputent en crawl.* — En appos. *Faire un cent mètres crawl.*

1　Les sports, c'étaient ces réunions animées à la piscine où l'adorable championne d'Espagne faisait d'éblouissantes démonstrations et où je me faisais battre dans un deux cents mètres crawl par le dynamique M. Boiteux père.
　　　　　Alain BOMBARD, Naufragé volontaire, p. 152.

2　Tu peux dire que la petite fille t'idolâtre. Elle te vouera une reconnaissance éternelle de lui apprendre le crawl malgré sa patte folle.
　　　　　Roger NAÏM, l'Ère des truands, p. 218 (1972).

DÉR. **Crawler.**

CRAWLER [kʀole] v. intr. — 1931; au p. p., 1921, *in* Höfler; de *crawl.*

Nager le crawl.

1　Lors de mon entraînement pour la traversée de la Manche, en 1951, en bonne condition physique, j'avais nagé vingt et une heures. Affaibli maintenant par les privations et par une vie sans exercice, combien de temps allais-je pouvoir tenir ? J'avais immédiatement abandonné le coussin à son sort et m'étais mis à crawler de toutes mes forces. Je crois que jamais (...) je n'ai été si vite !
　　　　　Alain BOMBARD, Naufragé volontaire, p. 180.

Écrit *crauler* (orthographe francisée) :

2　Je rentre par la plage. Pleine. Des femmes, de plus en plus. Tout Londres. Tout Paris. Tout Zurich. Tout Antibes. Ça frugue. Ça jumpe. Ça craule. Ça s'écartèle. Se dore. Se mouille. Se flanque. S'étend.
　　　　　Jacques AUDIBERTI, Cent jours, p. 141.

DÉR. **Crawleur.**

CRAWLEUR, EUSE [kʀolœʀ, øz] n. — 1933; de *crawler.*

Nageur, nageuse de crawl. *Un grand crawleur. Une crawleuse de quinze ans.*

CRAYÈRE [kʀejɛʀ] n. f. — 1408; *croière* «lieu où il y a de la craie», 1379; de *craie.*

Régional. Cave à champagne creusée dans la craie.

CRAYEUX, EUSE [kʀejø, øz] adj. — XIIIᵉ; de *craie.*

♦ **1** Qui est de la nature de la craie*. *Terrain, sol crayeux. Marne crayeuse.*

♦ **2** Qui est de la couleur de la craie. → **Blanchâtre.** *Blanc crayeux. Il a un teint crayeux.*

On ne voit plus au loin sur la mer dans la nuit opaque que la voile crayeuse d'un contrebandier.
　　　　　A. ARTAUD, Scenarii, *in* Œ. compl., t. III, p. 64.

N. m. *Le crayeux* (de qqch.) : une couleur de craie. *Un teint d'un crayeux maladif.*

1. **CRAYON** [kʀejɔ̃] n. m. — 1309; *croion*; 1528, *créon* «bâtonnet de matière tendre, analogue à la craie»; *crayon,* 1704 (l'orth. normale aux XVIᵉ et XVIIᵉ s. est *créon*); de *craie.*

♦ **1** Petit morceau de divers minerais propre à écrire, à dessiner. → **Charbon, fusain, graphite, pastel, plombagine.** *Crayon noir. Crayon blanc,* formé de craie blanche taillée. *Crayon bistre. Crayon d'ardoise. Crayon de couleur,* fait d'argile, d'oxydes métalliques et de gomme arabique. → **Craie, ocre, rosette, sanguine.** *Crayon gras,* ou *crayon lithographique. Crayon noir, friable, servant à dessiner à l'estompe*.* → **Sauce.** *Crayon servant à calquer.* → **Calquoir.**

♦ **2** Instrument servant à écrire, formé d'une petite baguette, en général en bois, servant de gaine à une longue mine*. *Crayon à papier. Crayon noir* ou *crayon Conté. Crayon à encre* ou *crayon à copier,* dont la mine est un mélange de graphite, de kaolin, de gomme arabique et de quelques gouttes de violet-bleu d'aniline. *Écrire, dessiner au crayon.* → **Crayonner.** *Prendre des notes d'un coup de crayon rapide. Tailler, affûter, épointer un crayon.* → **Taille-crayon.** *Corriger des copies au crayon rouge* (→ Biffer, cit. 2). *Boîte de crayons de couleur.* — *Crayon en métal,* dont la mine est guidée automatiquement. → **Stylomine.**

Ces coups de crayon tracés au coin d'une table, sur un méchant morceau de papier (...)
1
　　　　　CHATEAUBRIAND, Mémoires d'outre-tombe, t. VI, p. 175.

Et le géographe, ayant ouvert son registre, tailla son crayon. On note d'abord au crayon les récits des explorateurs. On attend, pour noter à l'encre, que l'explorateur ait fourni des preuves.
2
　　　　　SAINT-EXUPÉRY, le Petit Prince, XV, p. 55.

Il tira un crayon de sa poche et dessina un croquis sur le journal.
3
　　　　　J. CHARDONNE, les Destinées sentimentales, III, p. 483.

Par ext. *Crayon à bille :* stylo* à bille. → **Bic** (n. de marque), 1. **bille** (cit. 10 et *supra*). *Crayon-feutre :* stylo à encre grasse où la plume est remplacée par une pointe en feutre. → **Feutre, marqueur.** «*Le crayon-feutre (...) au bout des doigts*» (Michèle Perrein, *le Buveur de Garonne,* p. 27). — On écrit aussi *crayon feutre.*

(...) j'aurais pensé à tous les dessins qu'on peut faire, en suivant avec un crayon à bille ces séries de pointillés.
3.1
　　　　　J.-M. G. LE CLÉZIO, la Fièvre, p. 92.

◆ **3** (1833). Bâtonnet cylindrique. **Méd.** *Crayon médicamenteux. Crayon hémostatique. Crayon de nitrate d'argent*, servant aux cautérisations. → **Infernal** (pierre infernale). *Crayon à cautériser.* — **Électr.** *Crayon voltaïque* : bâtonnet de charbon dans une lampe à arc.

Inform. *Crayon émetteur, électronique, lumineux*, ou, plus cour., *crayon optique* : dispositif permettant à l'utilisateur d'un ordinateur de donner des instructions à la machine en pointant telle ou telle zone de l'écran de visualisation. → **Photostyle.**

Cour. *Crayon de rouge à lèvres.* → **Bâton, tube.** *Crayon à sourcils*, pour les yeux. → **Fard** (1.), **maquillage.**

◆ **4** Manière de dessiner. *Avoir le crayon ferme, large, facile.*

(1554, *créon*). Par métonymie. Dessin fait au crayon, **et, spécialt,** portrait. *Les crayons de cet artiste sont très recherchés. Faire le crayon de quelqu'un.*

3.2 Cependant, Alcide Jolivet avait fait comprendre à son confrère qu'il ne pouvait quitter Tomsk sans avoir pris quelque crayon de cette entrée triomphale des troupes tartares, — ne fût-ce que pour satisfaire la curiosité de sa cousine (...)
J. VERNE, Michel Strogoff, p. 327 (1876).

Premier dessin d'un tableau. → **Croquis, ébauche, esquisse.** *Un crayon léger, grossier.*

◆ **5** (Av. 1615, «esquisse, projet d'une œuvre»). **Vieilli.** Description*, relation. *Faire un fidèle crayon de son voyage, de ses aventures.*

4 Je les peins dans le meurtre à l'envi triomphants
Rome entière noyée au sang de ses enfants (...)
Sans pouvoir exprimer par tant d'horribles traits
Qu'un crayon imparfait de leur sanglante paix.
CORNEILLE, Cinna, I, 3.

Fig. Ébauche (d'un ouvrage). → **Canevas, note, plan...** *Son roman n'est encore qu'un faible crayon. Un crayon imparfait, qu'il faut travailler.*

5 Ce n'est ici qu'un simple crayon, un petit impromptu (...)
MOLIÈRE, l'Amour médecin, Au lecteur.

◆ **6** (V. 1580, Montaigne). **Littér.** Style, manière (d'une description). *Avoir un crayon rapide, suggestif. Dépeindre d'un crayon évocateur.*

6 Lampourde, habitué de longue main à ces mœurs qui, d'ailleurs, lui paraissaient naturelles, ne prêtait aucune attention au tableau dont nous venons de tirer un crayon rapide. Th. GAUTIER, le Capitaine Fracasse, XII.

DÉR. Crayonnage. — Crayonner. ◊ **COMP. Porte-crayon, taille-crayon.**

2. **CRAYON** [kʀɛjɔ̃] n. m. — 1309, *croion* «matériau calcaire»; de *craie*; refait d'après 1. *crayon.*

Géol. Marne argileuse et sablonneuse.

DÉR. Crayonneux.

CRAYONNAGE [kʀɛjɔnaʒ] n. m. — 1790; de 1. *crayon.* Action de crayonner. *Le crayonnage d'une esquisse.* — Dessin au crayon, **et, spécialt,** dessin rapide, ébauche. *Des crayonnages informes.*

Perdu dans l'imaginaire, au réel m'échappant, il m'était impossible de peindre. Ce n'était que crayonnages.
François-Marie BANIER, la Tête la première, p. 179 (1972).

CRAYONNER [kʀɛjɔne] v. tr. — 1584; de 1. *crayon.*

◆ **1** Dessiner*, écrire avec un crayon, du crayon (le plus souvent de façon sommaire). *Crayonner des notes, un croquis.* → **Tracer.** *Crayonner un portrait*, le tracer à grands traits. → **Croquer, ébaucher, esquisser.** — Absolt. *Il passe ses journées à crayonner.* → **Dessiner.**

Je veux qu'il ait sous les yeux l'original même et non pas le papier qui le représente, qu'il crayonne une maison sur une maison, un arbre sur un arbre, un homme sur un homme, afin qu'il s'accoutume à bien observer les corps et leurs apparences (...) ROUSSEAU, Émile, II. 1

(...) sur le dos d'un prospectus qui traînait là, il s'était mis à crayonner un profil de Nicole. 2
MARTIN DU GARD, les Thibault, t. IX, p. 75.

L'ensemble se traçait très vite à la façon de ces gribouillages, qu'on crayonne distraitement pendant qu'on écoute quelqu'un. 3
J. ROMAINS, les Hommes de bonne volonté, t. III, XXIII, p. 323.

Spécialt. *Crayonner les yeux* : passer un crayon de maquillage sur les yeux. *Se crayonner les paupières.*

◆ **2** **Littér.** Marquer les grandes lignes, les traits essentiels par l'écrit ou le dessin. — **Fig.** *Crayonner le caractère de quelqu'un.*

Mais par le coin du tableau dont je vous crayonne un trait, vous jugerez aisément du reste. 4
P.-L. COURIER, À M. Chlewaski, 8 janv. 1799, Pl., p. 665.

On me prête des ambitions politiques. On n'ose pas m'approcher de trop près, de peur d'être «crayonné». Mais on reconnaît que je suis un honnête homme. 5
J. RENARD, Journal, 13 janv. 1902.

◆ **CRAYONNÉ, ÉE** p. p. adj. *Portrait, croquis crayonné.*

DÉR. Crayonnage, crayonneur.

CRAYONNEUR, EUSE [kʀɛjɔnœʀ, øz] n. — 1743; de *crayonner.*

Rare. Personne qui crayonne, qui dessine grossièrement. → **Barbouilleur.**

CRAYONNEUX, EUSE [kʀɛjɔnø, øz] adj. — 1731; de 2. *crayon.*

Géol. Qui est de la nature du crayon (2. Crayon). *Pierre crayonneuse.*

CRÉ [kʀe] adj. m. — Abrév. de *sacré.*

◆ **1** → **Crénom.**

◆ **2** (Antéposé à un nom). **Vx.** Sacré*.

Ah! cré Pénuri, va! Tiens, ça me fait plaisir de te voir (...) 1
E. LABICHE, les 37 Sous de M. Montaudoin, 8.

Cré coquin de sort! Qu'est-ce qu'elle fichait donc, cette fameuse Providence (...)? 2
Louise MICHEL, la Misère, t. I, p. 148.

CRÉANCE [kʀeɑ̃s] n. f. — XIe; dér. de *creire*, anc. forme de *croire* ou du lat. pop. *credentia.* → Croire.

◆ **1** **Vx** ou **archaïsme littér.** Action de croire en la vérité de qqch. → **Croyance, foi.** *Cela mérite créance, est digne de créance* (→ ci-dessous, cit. 7 et 8). — *«Tout ce qui est (...) de créance commune»* (Valéry, *Cahiers*, Pl., t. 2, p. 1335).

Loc. Vx. Hors de créance : invraisemblable.

Non : vous avez raison, et la chose à chacun 1
Hors de créance doit paraître.
MOLIÈRE, Amphitryon, II, 1.

Mod. Littér. *Donner créance à qqch.* : rendre croyable, vraisemblable, donner des garanties de sa véracité (→ ci-dessous, cit. 4). *Donner, ajouter créance à* : donner, ajouter foi à. → **Croire.** — *Trouver créance auprès de qqn* : être cru.

(...) les Français ont des ressources dans leurs envies de plaire au Roi, qui ne trouveraient point de créance dans ce qu'on nous en pourrait dire, si nous ne le voyions de nos propres yeux. 2
Mᵐᵉ DE SÉVIGNÉ, 1340, 27 janv. 1692.

Seigneur, à vos soupçons donnez moins de créance (...) 3
RACINE, Britannicus, III, 6.

4 Son caractère (...) donne créance à ses paroles.
> LA BRUYÈRE, les Caractères, V, 20.

5 Quelle créance (...) pourrais-je donner à des faits qui sont anciens et éloignés de nous par plusieurs siècles?
> LA BRUYÈRE, les Caractères, XVI, 22.

6 Les récits de Marco Polo, dont on s'est à tort moqué, comme de quelques autres voyageurs anciens, ont été vérifiés par les savants et méritent notre créance.
> BAUDELAIRE, les Paradis artificiels, «Le poème du haschisch», II.

6.1 Chose surprenante, je donnais créance au bruit fantastique qui circulait dans le régiment. Nous étions un régiment de Paris, un régiment de parade : nous ne nous battrions pas.
> DRIEU LA ROCHELLE, la Comédie de Charleroi, p. 67 (1934).

6.2 Il paraît que ces histoires *(de l'Occupation)* ne trouvent pas créance à l'étranger. Mais pendant quatre ans il a bien fallu qu'elles trouvent créance dans notre chair et notre angoisse. Pendant quatre ans, tous les matins, chaque Français recevait sa ration de haine et son soufflet.
> CAMUS, Actuelles I, *in* Essais, Pl., p. 314.

(Dans d'autres emplois). Vieux :

7 Il *(Euripide, dans* Hélène*)* y choque ouvertement la créance commune de toute la Grèce.
> RACINE, Andromaque, 2ᵉ Préface.

8 Ils croyaient cela tous, d'une croyance antique et enracinée, d'une créance indéracinable, indéracinée (...)
> Ch. PÉGUY, la République..., p. 292.

(1573). Vén. Confiance accordée à un chien de chasse bien dressé. → **Créancé.**

♦ **2 Vieilli.** Confiance qu'une personne inspire. → **Confiance, crédit, influence.** — Dans des loc. *Cet homme mérite créance. Il a perdu toute créance auprès de moi.*

9 Perdre toute créance dans les esprits.
> PASCAL, les Provinciales, 4.

10 Et tâchez, comme en vous il prend grande créance, De le dissuader de cette autre alliance.
> MOLIÈRE, l'École des femmes, V, 6.

Mod. *Lettre* de créance,* accréditant un diplomate. → **Accréditation.**

♦ **3 (XIIᵉ ; repris 1700). Dr.** Droit en vertu duquel une personne (→ **Créancier**) peut exiger qqch. de qqn (→ **Obligation**), et, **spécialt.**, une somme d'argent (opposé à *dette*). → **Hypothèque, nantissement, sûreté.** *Créance certaine,* dont la validité ne fait pas de doute. *Créance garantie. Gage d'une créance.* → **Gage.** *Saisie d'un bien pour la sûreté d'une créance. Créance hypothécaire*, privilégiée*. Créance chirographaire*. Contester une créance. Créance douteuse, litigieuse, véreuse, mauvaise créance. Créance irrécouvrable. Créance exigible,* dont l'exécution peut être réclamée actuellement. *Créance liquide,* dont le chiffre est exactement déterminé. *Cession* (cit. 2), *délégation, transport d'une créance. Transfert de créances commerciales à un organisme qui se charge de leur recouvrement.* → **Affacturage, factoring** (anglic.). — *Remise d'une créance. Novation d'une créance. Avoir une créance sur qqn. Recouvrer une créance. Partage au prorata des créances.* → **Marc** (au marc le franc).

11 Deux parents froids *(et)* éloignés délibérèrent sur ce qu'ils feraient des jeunes orphelines : leur part d'une succession absorbée par les créances se montait à cent écus pour chacune.
> SADE, Justine..., t. I, p. 8 (1791).

Par ext. Titre établissant une créance.

Loc. fig. *Avoir créance sur qqn,* lui avoir rendu un service qui fait de lui un débiteur.

CONTR. Incroyance, mécréance (vx), **méfiance, scepticisme.** — **Dette. ◊ DÉR.** Créancé, créancier.

CRÉANCÉ, ÉE [kʀeɑ̃se] **adj.** — 1810; de *créance* «confiance».

Vén. Bien dressé, en qui on peut avoir confiance (en parlant d'un chien de meute).

Manquer le cerf de Saint-Hubert, ce serait vexant. Ça ne s'est vu qu'une fois (...), l'année d'après la guerre, avec des chiens, forcément, qu'étaient pas créancés.
> M. DRUON, la Chute des corps, II, VII, p. 159.

CRÉANCIER, IÈRE [kʀeɑ̃sje, jɛʀ] **n.** — V. 1170; de *créance.*

Dr. et cour. Titulaire d'une créance (3.); personne à qui il est dû de l'argent. *Droits, garantie du créancier sur les biens du débiteur.* → **Antichrèse** (cit. 2), **gage, hypothèque, nantissement, sûreté.** *Limitation des droits du créancier à certains biens du débiteur.* → **Cantonnement.** *Actions que peut exercer un créancier :* action paulienne, révocatoire, oblique. *Saisie par créancier.* → **Saisie-arrêt.** *Créancier saisissant. Créancier à terme. Créancier putatif. Créancier chirographaire; gagiste, hypothécaire. Les sommes dues aux créanciers sont inscrites sur le bordereau* d'inscription hypothécaire. Concours de créanciers. Classement des créanciers.* → **Collocation, ordre.** *Créanciers solidaires. Créancier en sous-ordre. Créancier privilégié,* qui tient de la loi le privilège d'être payé avant les autres. → **Privilège.** — *Être poursuivi par ses créanciers. Créancier poursuivant.* — *Payer, contenter, désintéresser, satisfaire ses créanciers. La somme est-elle portable* par le débiteur ou requérable* par le créancier?* — *Créancier accommodant; impitoyable. Créancier importun. Être accablé par ses créanciers.* → **Dette.** *Cette femme est ma créancière.*

1 (...) les créanciers peuvent exercer tous les droits et actions de leur débiteur, à l'exception de ceux qui sont exclusivement attachés à la personne.
Ils peuvent aussi, en leur nom personnel, attaquer les actes faits par leur débiteur en fraude de leurs droits.
> Code civil, art. 1166-67.

2 Jupiter, dit l'impie, est un bon créancier :
Il ne se sert jamais d'huissier.
> LA FONTAINE, Fables IX, 13.

3 Je suis bourrelé de remords et de créanciers.
> HUGO, Notre-Dame de Paris, t. II, X, II.

3.1 Un jour on nous a mis dans la rue, maman et moi. Elle disait : c'est les créanciers. Moi, je ne savais pas ce que c'était, je croyais que c'étaient des bêtes. Aujourd'hui je le sais.
> Louise MICHEL, la Misère, t. III, p. 563.

Figuré :

4 Chaque être formé à la ressemblance du Dieu vivant a une clientèle inconnue dont il est, à la fois, le créancier et le débiteur.
> Léon BLOY, la Femme pauvre, II, p. 208.

Adj. *Les nations créancières de dettes de guerre.*

CONTR. Débiteur.

CRÉATEUR, TRICE [kʀeatœʀ, tʀis] **n. et adj.** — V. 1119, *creatur;* du lat. *creator,* du supin de *creare.* → Créer.

♦ **1 N. m.** La puissance qui crée, qui tire qqch. du néant (considérée ou non comme une personne). → **Dieu; démiurge.** *Le créateur du ciel et de la terre. Le créateur de l'homme. Le souverain créateur de toutes choses.* → **Cause, origine, principe, source.** — **Absolt.** *Le Créateur. Adorer le Créateur. Le Créateur et les créatures.*

1 Fléchissons le genou devant l'Éternel, notre créateur!
Car il est notre Dieu (...)
> BIBLE (SEGOND), Psaumes, XCV, 6.

1.1 Apprenez donc, jeune innocente, que la religion sur laquelle vous vous rejettez, n'étant que le rapport de l'homme à Dieu, que le culte que la créature crut devoir rendre à son créateur, s'anéantit aussitôt que l'existence de ce créateur est elle-même prouvée chimérique.
> SADE, Justine..., t. I, p. 55 (1791).

2   Salut, principe et fin de toi-même et du monde !
     Toi qui rends d'un regard l'immensité féconde,
     Âme de l'univers, Dieu, père, créateur,
     Sous tous ces noms divers, je crois en toi, Seigneur.
                LAMARTINE, Premières méditations poétiques,
                                          «La prière».

3   La créature étant égale au créateur (...)
                HUGO, les Contemplations, VI, 26. (→ Créer, cit. 3).
     Adj. *Dieu créateur. Principe créateur. Divinité créa-
     trice.*

4   Ce n'est pas qu'il fût athée. Il tenait, au contraire, l'existence
     d'un principe créateur pour assez probable.
                FRANCE, le Mannequin d'osier, Œ., t. XI, p. 365.

♦ **2** N. m. et f. Auteur d'une chose nouvelle. → **Auteur,
fondateur, innovateur, inventeur, novateur, père, promoteur.** *Le créateur d'un genre littéraire. La créatrice d'une œuvre. Le créateur d'une théorie scientifique. Minerve, créatrice des arts. Créateur de mode.*
→ **Couturier.** *Le créateur et l'animateur d'une société.
Créateurs de villes, d'empires.* → **Architecte, bâtisseur, constructeur, pionnier.** *Créateur d'entreprises.*
— Absolt. *Un créateur, une créatrice :* celui, celle
qui crée, en art (opposé à *imitateur, suiveur,* etc.).
*Homère, Shakespeare, Dante sont de grands créa-
teurs.*

5   Je relis Corneille ; c'est un créateur ; il n'y a de gloire que
     pour ces gens-là.
                VOLTAIRE, Lettre à d'Argental, 26 juin 1761.

6   Les créateurs des œuvres d'art et de littérature *(en France
     au moyen âge)* même quand ils avaient du génie et une
     grande habileté technique, partageaient les idées et les sen-
     timents de leur public.
                Ch. SEIGNOBOS, Hist. sincère de la nation française.

7   Le créateur nous supposons à une œuvre, comme une
     cause qui ne pouvait engendrer que cet effet (...)
                VALÉRY, Variété IV, p. 98.

8   La musique de Beethoven, spécialement lyrique, vaut sur-
     tout par la personnalité de son créateur.
                Éd. HERRIOT, la Vie de Beethoven, p. 16.

9   Il faut bien comprendre que l'art, je le répète, n'existe pas
     en tant qu'art, en tant que détaché, libre, débarrassé du
     créateur, mais qu'il n'existe que s'il prolonge un cri, un
     rire ou une plainte.
                COCTEAU, la Difficulté d'être, p. 274 (note).

10   Le dernier effort pour ces esprits parents, créateur ou con-
     quérant, est de savoir se libérer aussi de leurs entreprises :
     arriver à admettre que l'œuvre même, qu'elle soit con-
     quête, amour ou création, peut ne pas être ; consommer
     ainsi l'inutilité profonde de toute vie individuelle.
                CAMUS, le Mythe de Sisyphe, p. 158.

10.1 — (...) Cirer des souliers (...) faire en sorte que le lit d'un
     autre soit garni chaque jour de draps blancs et bien
     tendus, vivre en démiurge d'une vie indifférente (...) Mais
     on devient si rapidement, avec tous ces gestes de créateur
     que sont les gestes de domestique, le dieu de son maître !
                GIRAUDOUX, les Aventures de Jérôme Bardini,
                                               p. 189.
     Au théâtre. *Le créateur, la créatrice d'un rôle :* le pre-
     mier, la première interprète.

♦ **3** Comm. *Le créateur, la créatrice d'un produit, d'un
modèle.* → **Producteur.** *La maison X... est la créatrice
exclusive de ce modèle.*
     En appos. *Parfumeur-créateur.*

♦ **4** Adj. Qui crée, invente. *Esprit, cerveau créateur. Imagination, intelligence, sensibilité créatrice.
Feu créateur, impulsion, inspiration créatrice. Génie
créateur. Force, puissance créatrice.* → aussi **Générateur.** *Travail, acte créateur. L'Évolution créatrice,*
ouvrage de Bergson (1907).

11   (...) ces esprits créateurs qui ouvrent sur le monde de
     grandes vues originales (...)
                TAINE, Philosophie de l'art, t. I, III, I, II, p. 253.

12   Ta mémoire et tes sens ne seront que la nourriture de ton
     impulsion créatrice.
                RIMBAUD, les Illuminations, Jeunesse, IV.

L'émotion créatrice est la seule et véritable connaissance.   13
                André SUARÈS, Trois hommes, «Dostoïevski», III,
                                               p. 223.
Ni l'intelligence, ni le jugement ne sont créateurs.   14
                SAINT-EXUPÉRY, Pilote de guerre, XXIV, p. 205.

**CONTR. Création, créature. — Annihilateur, démolisseur,
destructeur. — Contrefacteur, copiste, imitateur, plagiaire.**

CRÉATICIEN, IENNE [kʀeatisjɛ̃, jɛn] n. — Après
1980 ; de *créatique.*

Didact. Spécialiste en créatique. «*L'Hexagone (...)
est en train de fabriquer une nouvelle race d'entrepreneurs : les "créaticiens". Des managers en bas-
kets et branchés sur l'informatique*» (le Nouvel Obs.,
17 févr. 1984, p. 42).

CRÉATIF, IVE [kʀeatif, iv] adj. — XIVᵉ, t. de méd.,
«qui a la vertu de créer» ; du rad. de *création ;* repris v.
1860 (Goncourt) d'après l'angl. *creative.*

Qui est d'esprit inventif, qui a de la créativité*.
→ **Inventif.** «*Le sens créatif de l'imagination*» (Goncourt, in T. L. F.). *Personne créative. Génie créatif.*
«*Son dynamisme créatif, sa rigueur d'exécution*»
(l'Express, 21 mai 1973, p. 124, publicité). — Qui
favorise la création. *Entreprise créative.*

N. m. (XXᵉ). *Un créatif :* un créateur, dans le domaine
de la communication publicitaire. *Les créatifs et
les commerciaux d'une agence de publicité, d'une
entreprise.*

Antoinette Trousselier, chef de publicité, responsable du
budget, intermédiaire entre l'annonceur et les «créatifs»
et les techniciens de l'agence, expose à ceux-ci le nouveau
produit, et la nature des messages à inventer.
                le Monde de l'Éducation, nᵒ 55, nov. 1979, p. 12.

DÉR. V. **Créativité.**

CRÉATINE [kʀeatin] n. f. — 1823 ; du grec *kreas, kreatos*
«chair».

Biochim. Substance protidique présente dans les
muscles, le cerveau et le sang, et qui joue un rôle
important dans l'énergétique musculaire. — *Créatine phosphate.* → **Phosphocréatine.**

DÉR. Créatinine. ◊ **COMP. Phosphocréatine.**

CRÉATININE [kʀeatinin] n. f. — 1863 ; de *créatine.*
Biochim. Dérivé de la créatine formé dans les muscles, présent dans le sang, et éliminé par l'urine.

CRÉATION [kʀeasjɔ̃] n. f. — V. 1220 ; lat. *creatio, -onis,*
du supin *(creatum)* de *creare.* → Créer.

♦ **1** Relig. Action de donner l'existence, de tirer du
néant. *La création de l'homme. La création des cieux
et de la terre selon la Genèse. La création du monde,
de l'univers,* et, absolt., *la création :* le fait par lequel
le monde a acquis l'existence, si l'on admet qu'il a
commencé dans le temps. *Création ex nihilo. Récit
de la création, dans la religion chrétienne.* → **Genèse.**
*Les sept jours de la création. Depuis la création du
monde.* → **Commencement, origine.** *Avant la création.* → Avant le temps*.

Ce que nous enseigne l'écriture sainte sur la création de   1
l'Univers (...)
                BOSSUET, Disc. sur l'hist. universelle, II, 1.

La création du monde commençant à s'éloigner, Dieu a   2
pourvu d'un historien unique contemporain, et a commis
tout un peuple pour la garde de ce livre, afin que cette
histoire fût la plus authentique du monde (...)
                PASCAL, Pensées, IX, 622.

La création qui paraît être un acte arbitraire, suppose des   3
règles aussi invariables que la fatalité des athées (...)
                MONTESQUIEU, l'Esprit des lois, I, 1.

4 Or l'idée de création, l'idée sous laquelle on conçoit que, par un simple acte de volonté, rien devient quelque chose, est, de toutes les idées qui ne sont pas clairement contradictoires, la moins compréhensible à l'esprit humain.
ROUSSEAU, Lettre à M. de Beaumont, 18 nov. 1762.

4.1 Un Dieu suppose une création, c'est-à-dire un instant où il n'y eut rien, ou bien un instant où tout fut dans le chaos. Si l'un ou l'autre de ces états était un mal, pourquoi votre Dieu le laissait-il subsister? Était-il un bien, pourquoi le change-t-il? Mais si tout est maintenant, votre Dieu n'a plus rien à faire : or, s'il est inutile peut-il être puissant, et s'il n'est pas puissant peut-il être Dieu.
SADE, Justine..., t. I, p. 56 (1781).

4.2 Il y a une différence entre le 1er jour de la Création et les autres. En ce premier jour Dieu crée de rien et parmi rien. Dans les autres Dieu crée au milieu de quelque chose. Son activité créatrice est en quelque sorte conditionnée par les choses qu'il a créées déjà. C'est une matière sur laquelle il agit, qu'il provoque.
CLAUDEL, Journal, 13 sept. 1922.

Théol. *Création continuée :* l'action par laquelle Dieu, dans la philosophie scolastique, cartésienne... conserve le monde dans l'existence.

5 Que Dieu ne veuille plus qu'il y ait le monde : le voilà donc anéanti (...) Si le monde subsiste, c'est donc que Dieu continue de vouloir que le monde soit. La conservation des créatures n'est donc, de la part de Dieu, que leur *création continuée.*
MALEBRANCHE, Entretiens métaphysiques, VII, 7, *in* LALANDE.

6 (...) vous-même m'aviez fait une théorie sur les choses qui n'existent que grâce à une création perpétuellement recommencée. La création du monde n'a pas eu lieu une fois pour toutes, me disiez-vous, elle a nécessairement lieu tous les jours.
PROUST, À la recherche du temps perdu, t. XIV, p. 123.

♦2 L'ensemble des choses créées ; le monde, considéré comme créé. → **Monde, nature, univers.** *Les merveilles de la création.* — Loc. *Toutes les plantes de la création :* toutes les plantes possibles. *Tous les ânes de la création :* l'ensemble des gens ignorants.

7 Et *(la nature)* semble offrir à Dieu, dans son brillant langage,
De la création le magnifique hommage.
LAMARTINE, Premières méditations poétiques, «La prière».

8 La création se moque impitoyablement de la créature et lui décoche à toute minute des sarcasmes sanglants. Tout est indifférent à tout et chaque chose vit ou végète par sa propre loi. Th. GAUTIER, Mlle de Maupin, IV, p. 61.

9 Nous avons également admis que la Matière et l'Esprit étaient deux créations qui ne se comprenaient point l'une l'autre (...) BALZAC, Séraphîta, Pl., t. X, p. 545.

10 La création sainte où rêve le prophète,
Pour être, ô profondeur ! devait être imparfaite.
HUGO, les Contemplations, VI, 26. (→ Créer, cit. 3).

♦3 Action de faire, d'organiser (une chose qui n'existait pas encore). → **Conception, élaboration, enfantement, invention.** *Processus de création. Création d'une société, d'un établissement.* → **Établissement, fondation, formation, réalisation.** *Création d'entreprises. Création de nouveaux emplois; d'un impôt. Création d'un ministère supplémentaire. Ils font partie de l'entreprise depuis sa création.* → **Commencement, début.** *La création de cette firme remonte à une quinzaine d'années. Cela est de sa création.* → **Découverte, façon, imagination, innovation, invention.** *Création d'idées nouvelles.* → **Apparition, naissance, survenance.** — *Création de la vie.* → **Génération.**

Spécialt. (art, littér., etc.). Le fait de créer une œuvre. → **Créatif, créativité.** *Création littéraire, artistique.* → Art, cit. 2, 37. — Théâtre. *Création d'un rôle :* première interprétation d'un rôle. — (1849). Par ext. Le rôle. *Création d'une pièce, d'un spectacle :* première (ou nouvelle) mise en scène.

11 Une petite fille et un oiseau grossissent aujourd'hui la foule des êtres de ma création, dont mon imagination est peuplée, comme ces éphémères qui se jouent dans un rayon de soleil.
CHATEAUBRIAND, Mémoires d'outre-tombe, t. VI, p. 255.

12 Il est bien convenu que ce qu'on appelle création dans les grands artistes n'est qu'une manière particulière à chacun de voir, de coordonner et de rendre la nature.
E. DELACROIX, Journal, 1er mars 1859.

13 Agir, c'est une création continue. La nature crée sans arrêt des formes qui n'ont aucune valeur pour elles-mêmes, mais l'ensemble de ces créations infinitésimales est la vie.
Edmond JALOUX, la Chute d'Icare, p. 217.

14 Ce qui sauve l'art c'est l'invention. Il n'y a création que là où il y a invention. Chaque art a ses inventions.
Max JACOB, Conseils à un jeune poète, p. 16.

15 De toutes les écoles de la patience et de la lucidité, la création est la plus efficace. Elle est aussi le bouleversant témoignage de la seule dignité de l'homme : la révolte tenace contre sa condition, la persévérance dans un effort tenu pour stérile.
CAMUS, le Mythe de Sisyphe, p. 156.

15.1 La création m'a toujours intéressé plus que la perfection.
MALRAUX, les Chênes qu'on abat, p. 7.

Comm. *La création d'un nouveau produit.* → **Production.** — Fin. *Création d'une monnaie. Création d'un système monétaire.*

♦4 Par métonymie. Ce qui est créé (par l'homme). *Les plus belles créations de l'homme. Cette fonction, cette institution, cet établissement sont des créations utiles. — Les créations de l'art.* → **Œuvre, ouvrage.** *Les créations de Molière. Création géniale. Création inattendue, originale*.* → **Trouvaille.**

15.2 Nous appelons réalité le système des rapports que nous prêtons au monde — au plus vaste englobant possible. La création, dans les arts plastiques et ceux du langage, semble la transcription fidèle ou idéalisée de ces rapports, alors qu'elle se fonde sur d'autres.
MALRAUX, l'Homme précaire et la Littérature, p. 159.

16 Il est donc raisonnable de penser que les créations de l'homme sont faites, ou bien en vue de son corps, et c'est le principe que l'on nomme utilité, ou bien en vue de son âme, et c'est là ce qu'il recherche sous le nom de beauté.
VALÉRY, Eupalinos, p. 184.

17 Chaque être est détruit quand nous cessons de le voir; puis son apparition suivante est une création nouvelle, différente de celle qui l'a immédiatement précédée, sinon de toutes.
PROUST, À l'ombre des jeunes filles en fleurs, t. III, éd. Gallimard, coll. la Gerbe, p. 209.

18 De même, la création unique d'un homme se fortifie dans ses visages successifs et multiples que sont les œuvres.
CAMUS, le Mythe de Sisyphe, p. 154.

Comm. Nouvelle fabrication ; modèle inédit. *Toutes les dernières créations seront exposées au salon.* — Spécialt. *Les créations des grands couturiers. Les dernières créations de la mode.*

19 (...) on les dirait faites *(les robes)* de brouillard bleu ou de brouillard rose ; toutes les dernières *créations* de vos grands couturiers (...)
LOTI, les Désenchantées, IV, p. 57.

20 Ce n'était pas l'argent, la convoitise d'un héritage qui les passionnaient si fort, mais la crainte de voir tomber la création ancestrale, le bien spirituel de la famille : la porcelaine Barnery.
J. CHARDONNE, les Destinées sentimentales, I, p. 131.

CONTR. Abolition, abrogation, anéantissement, annihilation, destruction. — Contrefaçon, copie, imitation, plagiat. — Néant. ◊ DÉR. Créationnisme, créatique.

CRÉATIONNISME [kreasjɔnism] n. m. — Av. 1890; de *création.*

Didact. Théorie de la création des espèces.
→ **Fixisme**.

(...) dans le fond, beaucoup de naturalistes commencent à trouver un peu bien enfantin le créationnisme de la Genèse.
>Jean ROSTAND,
>Esquisse d'une histoire de la biologie, p. 147.

DÉR. Créationniste.

CRÉATIONNISTE [kʀeasjɔnist] adj. et n. — 1869, *in* D.D.L.; de *créationnisme*.

Didact. Relatif au créationnisme. *Hypothèse créationniste.* — N. *Un, une créationniste :* partisan du créationnisme.

CRÉATIQUE [kʀeatik] n. f. — 1973, → ci-dessous; de *création, créativité*, et suff. de *informatique, mathématique*, etc.; bien que cette activité vienne des États-Unis, le mot ne semble pas être un anglicisme.

Didact. Ensemble des techniques de stimulation de la créativité, notamment dans le domaine économique tertiaire. «*Les entreprises en créatique s'efforcent d'abord d'obtenir que le client analyse et formule correctement son problème*» (*Paris-Match*, 27 oct. 1973, p. 84). «*Il y a* (sic) *des entreprises comme des hommes. Les maîtres en créatique qui ont pignon sur rue ne cessent de le dire : les situations de concurrence, de transformation profonde au sein des organisations exigent une adaptation rapide (...). Les praticiens de la créativité apprennent en quelque sorte aux managers et aux cadres à utiliser leurs propres ressources, à être audacieux, à puiser dans leur propre énergie*» (*Courrier Cadres*, 23 déc. 1983, p. 8).

DÉR. Créaticien.

CRÉATIVITÉ [kʀeativite] n. f. — 1946, Mounier, mot diffusé par Debesse; de *créatif*, d'après l'angl. *creativity* (même sens) employé par J.M. Moreno (1934).

Pouvoir de création, d'invention. *Manquer de créativité. Une créativité inépuisable.* → **Inventivité**. — *Techniques de développement de la créativité.* — **Créatique**. «*L'entreprise demande moins d'obéissance et de conformisme, plus de créativité, d'autonomie et d'ambitions*» (*Entreprise*, 9 août 1969).

1 Qu'est-ce que la littérature potentielle? (...) Quel est le but de nos travaux? Proposer aux écrivains de nouvelles «structures», de nature mathématique ou bien encore inventer de nouveaux procédés artificiels ou mécaniques, contribuant à l'activité littéraire : Des soutiens de l'inspiration, pour ainsi dire, ou bien encore, en quelque sorte, une aide à la créativité.
>R. QUENEAU, Bâtons, chiffres et lettres, p. 321.

2 En 1950, Guilford fit devant les psychologues américains sa célèbre conférence sur la «créativité», dimension de l'intelligence non repérable par les tests traditionnels.
>J. SCHNEIDER, *in* Éducation enfantine, nov. 1975, p. 7.

3 Et de libérer la créativité des masses, comme on dit quand on veut impressionner... qui, au fait?
>F. GIROUD, Si je mens, p. 195 (1972).

Exercices de créativité (en classe, par ex.).

(Angl. *creativity*). Ling. Faculté de produire et de comprendre un nombre indéterminé de phrases, pour un sujet parlant qui maîtrise le système de sa langue. *Créativité gouvernée par les règles.* — *La créativité lexicale* (L. Guilbert), *morphologique.*

CRÉATURE [kʀeatyʀ] n. f. — V. 1050; lat. *creatura*, de *creatum*, supin de *creare*. → Créer.

♦ **1** Didact. (relig.) ou littér. Être qui a été créé, tiré du néant. *Les créatures visibles. Les créatures animées, inanimées. L'homme, créature raisonnable.* —

Spécialt. Homme, animal en tant que créé (cit. 4, 5). *Massacre d'innocentes créatures.*

Théol. *La créature.* L'homme, opposé au *Créateur*, à *Dieu* (→ **Chair**, II.). → ci-dessous, cit. 1 et 8, et aussi recueillement, cit. 1.

(Les païens) qui ont adoré et servi la créature au lieu du Créateur, 1
>BIBLE (SEGOND), Épître aux Romains, I, 25.

Et je n'ai pu vous voir, parfaite créature, 2
Sans admirer en vous l'auteur de la nature (...)
>MOLIÈRE, Tartuffe, III, 3.

S'il y a un Dieu, il ne faut aimer que lui, et non les créatures passagères. 3
>PASCAL, Pensées, VII, 479.

On ne voit sous les cieux 4
Nul animal, nul être, aucune créature,
Qui n'ait son opposé : c'est la loi de nature.
>LA FONTAINE, Fables, XII, 8.

(...) un rossignol, chétive créature, 5
Forme des sons aussi doux qu'éclatants,
Est lui seul l'honneur du printemps.
>LA FONTAINE, Fables, II, 17.

Il faut que je m'élève au-dessus de l'homme pour faire 6
trembler toute créature sous les jugements de Dieu.
>BOSSUET, Oraison funèbre de la reine d'Angleterre.

(...) cette espèce bizarre de créatures qu'on appelle le genre 7
humain (...)
>FONTENELLE,
>Entretien sur la pluralité des mondes, 2ᵉ soir.

La créature étant égale au créateur, 8
Cette perfection, dans l'infini perdue,
Se serait avec Dieu mêlée et confondue (...)
>HUGO, les Contemplations, VI, 26 (→ Créer, cit. 3).

Spécialt. Être (non humain) considéré comme analogue à l'homme et doté d'une personne; notamment, être démoniaque ou étrange. *Créature du démon, créature infernale. Créatures humanoïdes. Des créatures venues d'un autre monde, d'une autre planète, de l'espace.* → **Extraterrestre**.

♦ **2** **a** (Sans spécification du sexe). L'être, la personne* humaine. → **Homme**. *Créature raisonnable. Cet homme est la meilleure créature du monde.*

Nous sommes des créatures tellement mobiles, que les 9
sentiments que nous feignons, nous finissons par les éprouver.
>B. CONSTANT, Adolphe, VI, p. 55.

CRÉATURE HUMAINE (même sens). *Une, des créatures humaines.* — Collectif. *La créature humaine est ainsi faite.*

Toute créature humaine est un être différent en chacun 10
de ceux qui la regardent.
>FRANCE, le Lys rouge, XXVII, p. 202.

Elle était aussi douce, polie et pure que peut l'être la créa- 11
ture humaine.
>Valery LARBAUD, Amants, heureux amants, I, p. 16.

Spécialt (qualifié par un compl. ou un adj.). Personnage créé par l'art, par un romancier, un peintre, etc. *Les créatures de l'homme, de la pensée, de l'imagination.*

(...) l'homme fait fournir au romancier des types, des 12
créatures figées dans un métier, dans un vice, dans une manie; l'adolescent lui propose un monde confus, et non pas un seul être, mais une multitude divisée.
>F. MAURIAC, le Jeune Homme, p. 88.

b (Avec un adj.). Vieilli. Femme*. *Une splendide créature. C'est une bonne créature*, une brave femme. *Une pauvre, une misérable créature. Quelle sotte créature! Odieuse créature; vile, méprisable créature. Des créatures bizarres.* → Platoniquement, cit. 1.

(XVIIᵉ). Absolt (sans adj.), vieilli. Femme dont les mœurs sexuelles sont réprouvées; femme galante, courtisane*. *Il sort avec des créatures.*

Mailly prit par le bois de Meudon pour n'être point vu 13
et pour arriver dans le quartier des Incurables où logeait une créature qu'il entretenait.
>SAINT-SIMON, 66, 100, *in* LITTRÉ.

13.1 — Bon! des Catins! tu n'y penses pas! elles t'avaient ensorcelé. — Ne parlons pas de ces Créatures.
RESTIF DE LA BRETONNE, la Vie de mon père, p. 110.

13.2 Son mari est voyageur de commerce. Il la quitte pendant des six mois, s'en va avec des créatures.
ZOLA, Lourdes, p. 77.

♦ **3** Vieilli ou littér. *La créature de qqn :* personne qui tient sa fortune, sa position de qqn à qui elle est dévouée (en général péj.). → **Favori, protégé; main** (homme de main). *C'est la créature du président. Les créatures d'un ministre, d'un dictateur.*

14 Certes plus je médite, et moins je me figure
Que vous m'osiez compter pour votre créature (...)
RACINE, Britannicus, I, II.

CONTR. **Auteur, créateur, démiurge. — Dieu. — Chose, objet. — Patron, protecteur.**

CRÉCELLE [kʀɛsɛl] n. f. — XIIᵉ, *cresselle;* p.-ê. du lat. pop. **crepicella,* du lat. class. *crepitacillum* «claquette», de *crepitare* «craquer».

♦ **1** Moulinet de bois formé d'une planchette mobile qui tourne bruyamment autour d'un axe denté. — Ce moulinet, dans des utilisations religieuses, liturgiques.

1 Et dans la synagogue, quand le Hazën psalmodie la Chronique d'Esther, tous ils agitent des crécelles (...)
J. et J. THARAUD, l'Ombre de la croix, XI, p. 243.

1.1 Sur le parvis du temple, des prêtresses en longue robe blanche élèvent des hymnes vers le ciel et, dans le vacarme des crécelles et des tambours, agitent vers l'orient des étoffes rouges et noires en souvenir des victimes.
Jean D'ORMESSON, la Gloire de l'Empire, p. 302.

Dans la liturgie catholique, Instrument qui remplace les cloches ou la sonnette durant l'office, du jeudi au samedi saint.

1.2 Les enfants du village, remplaçant les cloches absentes, annoncent l'heure avec des crécelles. Vieille tradition, émouvante. Absurde survivance (car l'horloge de l'église sonne à son habitude), mais si douce.
Claude MAURIAC, le Temps immobile, p. 37.

Hist. Moulinet qu'agitaient les lépreux pour signaler leur approche.

Jouet d'enfant. «*Un intolérable mioche de quatre ans jouait avec une crécelle sur les marches du comptoir*» (Flaubert, l'*Éducation sentimentale, in* T. L. F.).

Loc. *Faire un bruit de crécelle,* un bruit crépitant sec et aigu.

1.3 Il finit par ne plus entendre le bruit de crécelle *(de la pluie)* sur la carrosserie.
Régis DEBRAY, l'Indésirable, p. 300.

Voix de crécelle, aiguë, désagréable (→ ci-dessous, 3.).

♦ **2** Bruit semblable à celui de la crécelle. *La crécelle d'un insecte, d'un grillon, d'une cigale.*

2 Ils entendaient, dans le grand silence, la crécelle infatigable du grillon.
FRANCE, Pierre Nozière, I, V, L'école, p. 58.

♦ **3** (1866). Personne à la voix désagréable. *Une horrible crécelle.*

♦ **4** Argot milit., vieilli. Mitrailleuse.

♦ **5** Rare. Crécerelle.

CRÉCERELLE [kʀɛsʀɛl; kʀesʀɛl] n. f. — V. 1223, *cresserelle,* Gautier de Coincy; 1560, *crecerelle* «crécelle»; dér. par élargissement de *crécelle;* var. *cercerelle,* XIVᵉ.

Zool. Oiseau rapace diurne (faucon) de petite taille. *La crécerelle se nourrit de petits mammifères, de reptiles, d'insectes; on la nomme parfois* Émouchet* rouge. — En appos. *Faucon crécerelle.*

(...) et quelquefois, très haut, et très à l'écart du village, quelque petit rapace, un émouchet, un faucon crécerelle (...)
H. BOSCO, Un rameau de la nuit, IV, p. 145.

REM. Le dér. *crécerellette* [kʀesʀɛlɛt] n. f. «petit faucon, plus coloré que la crécerelle» est attesté (E. About, *in* T. L. F.).

CRÈCHE [kʀɛʃ] n. f. — V. 1150; du francique **kripja,* cf. all. *krippe* «crèche».

♦ **1** Vx et littér. Mangeoire* pour les bestiaux. → **Auge, râtelier.** *Les crèches d'une bergerie, d'une étable, d'une écurie. Mettre du foin, du fourrage dans une crèche.*

Absolt. Cour. La crèche où Jésus fut placé à sa naissance, dans l'étable de Bethléem, selon la tradition de Noël (en ce sens, prend parfois une majuscule). *La* (Sainte) *Crèche.*

1 Noël, Noël! Dans l'étable aux colonnes fuselées (...) repose l'Enfant-Dieu sur le foin de la crèche.
Louis TAILHADE, Contes et Poèmes en prose, «Noël triste».

(1803, Chateaubriand). Représentation en trois dimensions de l'étable de Bethléem. *Les crèches sont exposées dans les églises de Noël à l'Épiphanie. Fabriquer une petite crèche en carton. Les personnages de la crèche.* → **Santon.** *L'âne et le bœuf de la crèche.* — *Crèche vivante :* mise en scène de la crèche, en tableau vivant.

Par ext., poét., vx. Berceau (Chateaubriand, Proust, *in* T. L. F.).

♦ **2** (1782, L. S. Mercier). Établissement destiné à recevoir dans la journée les enfants de moins de trois ans. → **Garderie, pouponnière.** *Confier un enfant, mettre un enfant à la crèche. Crèche collective. Crèche familiale* (au domicile d'une assistante maternelle). *Crèche parentale* (gérée par les parents). *Crèche municipale. La crèche d'une entreprise. Crèche sauvage,* non déclarée.

1.1 Le premier étage *(de l'hospice)* est occupé par *la crèche* et les infirmeries. Cette salle de la crèche offre un spectacle également intéressant pour le cœur et pour les yeux. Cent cinquante berceaux en fer, disposés sur deux lignes parallèles et garnis en toile d'une éclatante blancheur, en sont le principal ornement.
Guillaume le Franc-Parleur, «l'Hospice des Enfans-Trouvés», t. I, p. 358 (10 déc. 1814).

2 (...) des femmes qui viennent déposer leurs enfants à la crèche, pour être libres d'aller trimer aux ateliers.
MARTIN DU GARD, les Thibault, t. VII.

♦ **3** (1905; «lit», 1793). Fam. Chambre; maison (→ Crécher).

3 (...) Pépé-la-Vache ajoutait que l'heure était venue, les «singes» *(les propriétaires)* partis depuis deux jours dans le Midi, de «nettoyer proprement la crèche» tout à son aise.
Francis CARCO, Jésus-la-Caille, V, p. 54.

4 Mais il fait trop noir dans la crèche... elle voit rien du tout...
CÉLINE, Guignol's band, p. 240.

DÉR. **Crécher.**

CRÉCHER [kʀeʃe] v. intr. [CONJUG.: *céder.*] — 1921; de *crèche,* 3.

Fam. Habiter, loger. *Où est-ce que tu crèches? Je crèche au sixième étage.*

1 Il demanda : Où c'est que je vais crécher, cette nuit? Il y avait sûrement de bons endroits, avec un peu d'herbe. Mais il fallait les connaître (...)
SARTRE, le Sursis, p. 122.

2 (...) il crèche chez des copains et il bouffe ce qu'on lui donne. En ce moment il dort chez moi.
S. DE BEAUVOIR, les Mandarins, p. 287.

CRÉDENCE [kʀedɑ̃s] n. f. — 1519, au sens 1; «croyance», v. 1360 (→ Créance); ital. *credenza* «confiance» dans la loc. *fare credenza* «faire l'essai» (des mets, des boissons) d'où le franç. *faire credance, 1474; credenza* vient du lat. *credere.* → Croire.

♦ **1** Didact. Buffet* dont les tablettes superposées servent à poser les plats, la verrerie, etc., dans une salle à manger. → **Desserte, dressoir, vaisselier.** *Une crédence en chêne. Les tablettes d'une crédence.* — Partie d'un buffet de salle à manger comprise entre le corps inférieur et le corps supérieur.

Vx. Garde-manger, lieu où l'on conservait la nourriture, dans les couvents, les séminaires, les collèges.

Par ext. Meuble destiné à contenir des bibelots, des objets précieux (→ Bibelot, cit. 2.1, Mallarmé).

1   Ils avancent vers la table... «Oh mais là, sur cette crédence, qu'est-ce que c'est? Elle s'arrête... Mais c'est très beau, dites-moi, cette Vierge gothique (...)»
N. SARRAUTE, le Planétarium, p. 303.

2   (...) il y a des étagères et des crédences qui portent de nombreux bibelots c'est ce qui représentera la Chine.
Tony DUVERT, Paysage de fantaisie, p. 204.

♦ **2** (1671). Liturgie cathol. Petite table, console sur laquelle on dépose les burettes, le bassin, servant pour la messe ou pour une cérémonie religieuse. *Autel flanqué de deux crédences.*

DÉR. Crédencier.

CRÉDENCIER [kʀedɑ̃sje] n. m. — 1552, *credentier,* Rabelais; de *crédence.*

♦ **1** Vx. Celui qui goûtait les mets à la table d'un prince (→ Crédence, étym.).

♦ **2** (1835). Relig. Vx. Personne chargée des provisions de bouche dans une communauté. → **Économe, intendant.**

CRÉDIBILISER [kʀedibilize] v. tr. — 1984; de *crédible.* Rendre crédible. *Crédibiliser qqn* : faire qu'il mérite d'être cru. *Crédibiliser des paroles, des projets,* les rendre vraisemblables, possibles, faire qu'on y croie.

CONTR. Décrédibiliser.

CRÉDIBILITÉ [kʀedibilite] n. f. — 1651; lat. *credibilitas,* de *credibilis.* → Crédible.

♦ **1** Ce qui fait qu'une chose mérite d'être crue; caractère de ce qui est croyable. → **Possibilité, vraisemblance;** (littér.) **crédit, créance** (mériter). *Établir la crédibilité d'un fait. La crédibilité d'une intrigue de roman. Sa thèse manque de crédibilité.*

1   Celui qui doute parce qu'il ne connaît pas les raisons de crédibilité n'est qu'un ignorant.
DIDEROT, Pensées philosophiques, 24.

2   La crédibilité est l'une des qualités nécessaires au roman.
A. MAUROIS, Études littéraires, J. Romains, t. II, p. 148.

3   Déjà les milieux, où elle (*l'épopée des Patriarches*) se situe, les multiples coïncidences qu'on observe, lui confèrent une grande crédibilité.
DANIEL-ROPS, le Peuple de la Bible, I, III, p. 55.

4   Eh bien, les pièces qu'ils voient sur leur écran, surtout si elles relèvent de la psychologie, gagnent beaucoup en vérité, et en «crédibilité».
F. MAURIAC, le Nouveau Bloc-notes 1958-1960, p. 177.

Théol. *Crédibilité d'un dogme,* son acceptabilité par la raison.

♦ **2** (V. 1960; angl. *credibility*). Milit. Certitude que fait éprouver une puissance quant à l'exécution d'une politique offensive (notamment en matière

nucléaire). «*Le problème fondamental de la crédibilité de notre institution militaire*» (*le Monde,* 31 juil. 1970).

CONTR. Impossibilité, improbabilité, incrédibilité, invraisemblance.

CRÉDIBLE [kʀedibl] adj. — XVᵉ; repris v. 1965, empr. angl. *credible;* le moy. franç. et l'angl. viennent du lat. *credibilis,* de *credere.* → Croire.

♦ **1** Qui présente un caractère de crédibilité, qui mérite d'être cru. → **Croyable, vraisemblable.** *Rendre crédible une information.* «*Une action simplette et peu crédible*» (R. Kanters, in *l'Express*).

♦ **2** (Anglic.). Milit. «*Une dissuasion rendue plus crédible*» (*le Monde,* 26 mars 1970). → **Crédibilité** (2.).

DÉR. et COMP. Crédibiliser, décrédibiliser.

CRÉDIÉ [kʀedje] interj. — D. i. (1879, cit. 1); abrév. de *sacrédié.*

Vx. Juron familier, équivalent à *Nom de Dieu.* → **Cré; crénom.**

REM. Le mot a subsisté au XXᵉ s. dans l'usage rural; la var. *crédieu* est attesté (Bernanos, *l'Imposture, in Œ.* roman., Pl., p. 454).

1   — Ah! vous n'insistez pas... (*Elle remonte.*) Partons! — Crédié! (*Haut.*) Monsieur Dardenbœuf!... j'aurais encore quelques mots à vous dire!
E. LABICHE, Mon Isménie, 11.

2   «Touche à ren, mon gars! Méfie-toi! Fais d'abord faire un constat, c'est la loi. Tu demanderas au premier venu, la route est passante. Crédié! Sa voiture s'est amenée en plein su la gauche (...)»
BERNANOS, Monsieur Ouine, in Œ. roman., Pl., p. 1411.

CRÉDIRENTIER, IÈRE [kʀediʀɑ̃tje, jɛʀ] n. — 1779; de *crédit,* et *rentier.*

Vx. Créancier d'une rente (constituée en perpétuel ou en viager).

CONTR. Débirentier.

CRÉDIT [kʀedi] n. m. — V. 1481, «créance»; lat. *creditum,* du supin de *credere* «croire» (→ Croire); empr. ital. *credito* «dette» au sens II.

I ♦ **1** Confiance qu'inspire qqn ou qqch. (dans quelques syntagmes verbaux sans article). → **Confiance.** *Cet auteur, ce livre n'a pas trouvé crédit auprès de lui.* → **Estime.** *Donner crédit à un bruit, à une rumeur. Accorder crédit, faire crédit à qqn.* → **Compter** (sur), **fier** (se fier à). *Avoir tout crédit pour faire qqch.* → **Liberté.** — Vx (avec un déterminant). *Avoir quelque crédit* (→ ci-dessous, cit. 2 et 3). *Accorder du crédit à qqn. On doit du crédit à cet homme.*

Mod. **FAIRE CRÉDIT À** (*qqn*), s'y fier, compter sur lui. *Les électeurs ont fait crédit au candidat non inscrit.* — Fig. *Faire crédit au hasard.*

1   Je lui fais crédit (*au cardinal de Retz*) pour sa conduite; tous ses amis se sont si bien trouvés de s'être fiés à lui, que je veux m'y fier encore (...)
Mᵐᵉ DE SÉVIGNÉ, 688, 28 avr. 1678.

2   Des gens à qui l'on peut donner quelque crédit.
MOLIÈRE, l'École des maris, II, 2.

3   Pour le faire venir vous avez tout crédit.
MOLIÈRE, les Femmes savantes, III, 3.

4   Le romancier, d'ordinaire, ne fait point suffisamment crédit à l'imagination du lecteur.
GIDE, les Faux-monnayeurs, I, VIII, p. 97.

5   (...) cette confiance du médecin qui fait crédit à la nature et à la fièvre plus qu'à ses remèdes (...)
J. CHARDONNE, les Destinées sentimentales, III, p. 480.

♦ **2** Littér. Influence dont jouit une personne ou une chose auprès de qqn, par la confiance qu'elle inspire. → **Ascendant, autorité, empire, influence, pouvoir.** *Jouir d'un grand crédit auprès de qqn.* → **Faveur.** *Cela lui a acquis du crédit. Il a gagné du crédit. Le crédit de qqn, son crédit (auprès de qqn). Il a renforcé son crédit. Perdre de son crédit. Il y a employé, usé, compromis, perdu, ruiné tout son crédit. Son crédit pâlit.* — *Il n'a plus aucun crédit.* → *Il est brûlé. Se servir de son crédit pour protéger, recommander qqn. Prêter son crédit.* → **Couvrir, engager** (s'), **répondre** (de). *Avoir beaucoup de crédit.* → *Avoir beaucoup de surface*; avoir toutes les portes* ouvertes devant soi. Garder son crédit.* → **Réputation** (vivre sur sa réputation). *Il est malaisé d'avoir du crédit dans son pays.* → *Nul n'est prophète* en son pays.* — *Cette idée a du crédit dans son esprit. Cette opinion acquiert du crédit dans tel milieu.* → **Force, importance.** — Loc. *En crédit* (→ ci-dessous, cit. 8). *Être en crédit, en grand crédit auprès de qqn.* → **Faveur** (en). — *Mettre une mode en crédit.* → **Vogue.** *Cette coutume est en crédit dans tout le pays.* → **Régner.**

6 — Je disais vérité. — Quand un menteur la dit,
   En passant sur sa bouche elle perd son crédit.
                              CORNEILLE, le Menteur, III, 6.

7 Sur l'esprit de Tartuffe elle a quelque crédit (...)
                              MOLIÈRE, Tartuffe, III, 1.

8 (...) ils ne laissent pas pour cela d'être en crédit parmi les gens (...)
                              MOLIÈRE, Dom Juan, V, 2.

9 (...) cette suite continuelle de méchantes affaires, qui nous réduisent, à toutes heures, à lasser les bontés du Souverain, et qui ont épuisé auprès de lui le mérite de mes services et le crédit de mes amis ?
                              MOLIÈRE, Dom Juan, IV, 4.

10 Les Jésuites ont assez bonne opinion d'eux-mêmes, pour croire qu'il est utile et comme nécessaire au bien de la religion, que leur crédit s'étende partout et qu'ils gouvernent toutes les consciences.
                              PASCAL, les Provinciales, 5.

11 En conscience, je suis contrainte de penser qu'un de ses moyens pour réussir dans une maison, est de chercher à séduire la femme qui a le principal crédit.
                              STENDHAL, le Rouge et le Noir, II, XXXV, p. 449.

12 Vous allez donc paraître ? et vous avez la bonté de compter sur ce que vous appelez mon crédit ! Il est en vérité bien mince. Je n'ai un peu un accès qu'à trois journaux (...)
                              SAINTE-BEUVE, Correspondance, 96, 30 nov. 1829,
                              t. I, p. 160.

13 (...) une singulière incapacité de jauger son crédit dans le cœur et l'esprit d'autrui leur était commune et les paralysait tous deux.
                              GIDE, les Faux-monnayeurs, I, IX, p. 100.

14 (...) cette effarante imputation de «haine» à l'égard de mon pauvre oncle Charles (...) était assimilable à une émission de billets faux, tant elle trouvait peu de crédit et d'assentiment dans mon cœur.
                              GIDE, Journal, 19 août 1927.

II ♦ **1** (Confiance dans la solvabilité de qqn.)
Loc. (V. 1508). **À CRÉDIT** : sans exiger de paiement immédiat (opposé à *au comptant*). *Achat, vente à crédit.* → **Tempérament** (vente à), **terme**; régional **carnet** (au).

FAIRE CRÉDIT À (qqn) : ne pas exiger de paiement immédiat. *On fait volontiers crédit aux fonctionnaires. Cafetier qui fait crédit aux consommateurs* (→ Ardoise, 3.). — Absolt. *La maison ne fait pas crédit.*

♦ **2** (1636). Confiance qu'inspire qqn; réputation de solvabilité. *Avoir du crédit. Le crédit de qqn, son crédit.*

15 Pour sauver son crédit, il faut cacher sa perte.
                              LA FONTAINE, Fables, XII, 7.

CRÉDIT PUBLIC : confiance que l'État inspire aux particuliers et qui lui permet de recourir à l'emprunt. — *Le crédit de l'État, de la banque centrale...*

(...) *le crédit des États reposait sur une armature financière que les contemporains estimaient devoir durer toujours* (...)   16
                              André SIEGFRIED, l'Âme des peuples, I, 1, p. 8.

Loc. *Prêter son crédit à qqn.* → **Aval, caution, ducroire.**

Prov. *Crédit est mort, les mauvais payeurs l'ont tué.*
— Vieilli. *Avoir du crédit comme un chien à la boucherie*, ne pas avoir de crédit.

♦ **3** Fin., cour. Opération par laquelle une personne met une somme d'argent à la disposition d'une autre, et, par ext., cette somme. → **Prêt; avance.** *Établissement de crédit.* → **Banque.** *Crédit bancaire. Ouverture de crédit :* engagement de prêt. *Carte* de crédit. Avoir un crédit de tant chez un banquier, dans une banque. Faire une demande de crédit.* → **Compte** (compte courant), **découvert.** *Bloquer* le crédit. Crédit à la production. Crédit agricole, commercial, foncier, hôtelier, industriel, maritime. Crédit réel. Crédit personnel. Crédit garanti par gage, hypothèque, cautions...* → **Garantie, sûreté.** *Crédit à long terme, à moyen terme, à court terme. Crédit étalé sur dix ans. Instruments de crédit, lettre* de crédit.* → **Billet, effet** (de commerce), **titre, valeur, warrant.**

Il serait fort gênant pour un vendeur à crédit ou pour un prêteur d'argent d'être toujours obligé d'attendre l'arrivée du terme pour toucher la somme promise (...) L'invention des *titres de crédit* a fourni un ingénieux moyen de concilier des intérêts en apparence inconciliables et de remettre les capitaux prêtés à la disposition des prêteurs quand ils le désirent, sans qu'il soit nécessaire de les réclamer prématurément aux emprunteurs.   17
                              Paul REBOUD, Précis d'économie politique, t. I,
                              p. 546.

Déjà, pour terminer son bungalow, elle avait fait une ou deux demandes de crédit aux banques de la colonie.   18
                              M. DURAS, Un barrage contre le Pacifique, p. 28.

Fin. *Crédit de campagne :* avance aux entreprises pour un achat de matières premières agricoles. *Crédit documentaire :* contrat par lequel un banquier accepte de régler le prix d'une marchandise au vendeur contre remise de documents attestant la livraison.

Crédit acheteur : forme de crédit à l'exportation, attribué à l'acheteur étranger par les banques du pays exportateur.

(V. 1966; pour traduire l'anglic. *leasing*). **CRÉDIT-BAIL** : opération de financement, à moyen ou à long terme, de l'achat d'immeubles ou de biens d'équipement, dans laquelle un organisme financier se porte acheteur du local ou du matériel dont une entreprise a besoin, et le lui loue en lui laissant le droit de rompre le contrat ou de ne pas acquérir en fin de bail. *Des crédits-bails.*

Crédit d'impôt. Crédit logement. Société de crédit différé, pour l'acquisition d'un logement neuf. *Crédit revolving* (anglic.), renouvelé au fur et à mesure des remboursements. → **Revolving.**

Il accepterait à la rigueur d'emprunter le minimum d'apport personnel exigé par le crédit logement : à condition de voir les deux familles y participer à parts égales.   19
                              Hervé BAZIN, Cri de la chouette, p. 181.

Au Canada. *Crédit social.* → **Créditiste.**

Crédit croisé (trad. de l'anglicisme *swap*, recomm. off.). «Troc portant sur des monnaies différentes et effectué, entre banques, par un jeu croisé d'écritures...» (*Journal officiel*, 1er mars 1974, p. 95).

(1852). Qualifié. Nom donné à des établissements de crédit. *Le Crédit foncier de France*, qui consent des prêts sur immeubles. *Crédit municipal*, nom des anciens monts-de-piété. *Le Crédit agricole.*

♦ 4 (1845). Fin., cour. (au plur.). Sommes allouées sur un budget pour un usage déterminé. *Crédits budgétaires. Vote des crédits. Crédits ordinaires. Crédits additionnels, supplémentaires, extraordinaires. Ouverture de crédits par décret.*

♦ 5 (1675). Comptab. Partie d'un compte où sont inscrites les sommes remises ou payées par l'ayant compte à celui qui tient le compte (opposé à *débit*). → **Avoir.** *Le crédit est porté sur le côté droit du compte. Balance du crédit et du débit.*

♦ 6 (Mil. xxᵉ ; mot angl. des États-Unis). Au Canada, Unité* de valeur dans l'enseignement universitaire.

CONTR. Discrédit. — Défiance, méfiance. — Débit, doit. ◊ **DÉR. et COMP.** Créditer, créditeur, créditiste. Crédirentier. Accréditer, décréditer, discrédit, eurocrédit.

CRÉDIT-BAIL [kʀedibaj] n. m. → **Crédit,** 3.

CRÉDITER [kʀedite] v. tr. — 1671 ; de *crédit.*

♦ 1 Comptab. Rendre (qqn) créancier d'une somme que l'on porte au crédit de son compte. *Créditer qqn.* — (Avec un compl. en *de*). *On la crédité de mille francs.* — Par ext. *Créditer un compte de telle somme.*

♦ 2 Fig. *Créditer qqn de qqch.,* lui reconnaître (un mérite particulier, le mérite de [qqch.]). *Le ministre a été crédité des bons résultats des négociations.*
Accorder à (qqn) qqch. :

Tout en lui m'inspirait une confiance absolue dont il ne m'a jamais été possible par la suite de créditer quelqu'un d'autre.   M. YOURCENAR, le Coup de grâce, p. 148.

Sports. *Cet athlète a été crédité d'une excellente performance.*

CONTR. (Du sens 1) Débiter. ◊ **DÉR.** V. **Créditeur.**

CRÉDITEUR, TRICE [kʀeditœʀ, tʀis] n. et adj. — 1723 ; de *créditer* ; «créancier», XIIIᵉ ; de *crédit.*

♦ 1 Personne qui a des sommes portées à son crédit, qui a consenti un crédit. *Les créditeurs ont refusé de renouveler leurs crédits.*

♦ 2 Adj. Qui correspond à un crédit (comptable). *Compte créditeur. Solde créditeur d'un bilan.*

CONTR. Débiteur.

CRÉDITISTE [kʀeditist] n. — 1930 ; de *crédit (social).* Au Canada, Partisan de la doctrine économique du crédit social (Major C.H. Douglas). — (1935). Membre du Parti du crédit social ou (1963) du *Ralliement des créditistes.*
Adj. Relatif à cette doctrine, à ce parti.

CREDO [kʀedo] n. m. — V. 1190 ; mot lat., «je crois», inf. *credere,* par lequel commence le Symbole des apôtres.

♦ 1 Relig. chrét. (souvent avec une majuscule). Symbole* des apôtres, contenant les articles fondamentaux de la foi catholique. *Dire, chanter le Credo. Il est entré dans l'église au moment du credo, pendant la messe au moment où on récite cette prière.*
Par ext. *Apprendre son Credo,* les éléments fondamentaux de sa religion (→ **Catéchisme**). *Le Credo d'une religion.* → **Base, dogme, fondement.** *Des credos.*

1   La violence n'est le Credo d'aucune religion.
                    R. ROLLAND, Mahatma Gandhi, p. 76.

1.1   Une grande sagesse conseilla aux Israélites, lorsqu'ils durent remettre un exemplaire de leurs livres aux mains du pouvoir, d'y substituer un chiffre, et de masquer sous des fables leurs découvertes sociales, économiques et scientifiques. Ces fables devinrent le credo d'une Église

qui les suspectait au XVIᵉ siècle, mais sans deviner qu'elles étaient l'envers de ce qu'il faudrait lire à l'endroit.
                    COCTEAU, Journal d'un inconnu, p. 81.

♦ 2 (1771). Qualifié par un compl. ou un adj. Ensemble des principes sur lesquels on fonde une opinion, une conduite. → **Foi, principe, règle.** *Le credo de qqn, son credo. Exposer son credo :* faire sa profession de foi. *Un credo moral, politique, social. Un credo libéral, marxiste. Formuler un credo esthétique, littéraire.* — **REM.** Dans ce sens, *credo* ne prend pas de majuscule.

À quoi sert un credo que l'on peut discuter, un dogme aussi changeant qu'une philosophie ?   2
                    A. MAUROIS, les Discours du Dr O'Grady, II, p. 12.

Les jeunes ne s'occupent que de l'Amérique et de la Russie.   3
Les autres sont des pays pour voyages d'agrément, des pays sans credo.
                    Henri MICHAUX, Un barbare en Asie, p. 99.

CRÉDULE [kʀedyl] adj. — 1393 ; lat. *credulus,* de *credere* «croire».

♦ 1 Qui croit trop facilement ; qui a une confiance aveugle dans les informations reçues. → **Candide, confiant, naïf, simple ;** et, fam., bonhomme, boniface, gobe-mouches, gobeur, gogo, jobard... *Esprit crédule. L'humanité est crédule. Un peuple crédule et superstitieux*. *Il est trop bon et trop crédule.*

(...) vous êtes un peu trop crédule, Prince, d'ajouter foi si   1
promptement à ce qu'il vous a dit.
                    MOLIÈRE, la Princesse d'Élide, IV, 4.

(...) les diseurs d'horoscopes (...) profitent de la vanité et   2
de l'ambition des crédules esprits.
                    MOLIÈRE, l'Amour médecin, III, 1.

(...) de ces opinions que le peuple reçoit avec une facilité   3
trop crédule (...)   PASCAL, Pensées, III, 195.

La haine ainsi que l'amour rend crédule.   4
                    ROUSSEAU, les Confessions, V.

(...) haineux, et crédules en proportion de leur haine.   5
                    MICHELET, Hist. de la Révolution franç., t. II, p. 155.

Et si, pensant à tel ou tel de vos amis chrétiens, vous étiez   6
tenté de vous dire : «Mais il est trop mou et trop bénin de caractère, trop crédule et trop simple agneau devant les hommes ; voilà son défaut réel trouvé, il est trop chrétien.»
                    SAINTE-BEUVE, Volupté, XXII, p. 232.

C'est d'ailleurs le propre de l'amour de nous rendre à la fois   7
plus défiants et plus crédules, de nous faire soupçonner, plus vite que nous n'aurions fait une autre, celle que nous aimons, et d'ajouter foi plus aisément à ses dénégations.
                    PROUST, À la recherche du temps perdu, t. IX, p. 296.

Littér. *Être crédule à qqch. Une foule crédule aux fausses rumeurs.*

N. (rare). *C'est un, une crédule.* → **Naïf.**

♦ 2 (Choses). *Croyance, confiance crédule,* naïve, irréfléchie. → ci-dessus, cit. 3.

CONTR. Défiant, incrédule, sceptique, soupçonneux. ◊ **DÉR.** Crédulement.

CRÉDULEMENT [kʀedylmɑ̃] adv. — 1544 ; de *crédule.*
Rare. D'une manière crédule ; avec crédulité.

CRÉDULITÉ [kʀedylite] n. f. — XIIᵉ ; lat. *credulitas,* de *credulus.* → **Crédule.**

♦ 1 Grande facilité à croire sur une base fragile. → **Bonhomie, candeur, confiance, jobarderie, naïveté, simplicité.** *Crédulité en matière de religion.* → **Superstition.** *Un charlatan qui abuse de la crédulité du public. Excessive, sotte crédulité.*

Avec quelle insolence et quelle cruauté   1
Ils se jouaient tous deux de ma crédulité !
                    RACINE, Bajazet, IV, 5.

2   Nos prêtres ne sont pas ce qu'un vain peuple pense;
Notre crédulité fait toute leur science.
VOLTAIRE, Œdipe, IV, 1.

3   Elle ressentait une sorte de honte aussi de s'être laissé surprendre sottement par un être facile à tromper, et qu'elle
méprisait pour sa crédulité.
FRANCE, le Mannequin d'osier, Œ., t. XI, VIII, p. 313.

♦ **2** Littér. *(Une, des crédulités).* Ce qui exprime cette
grande facilité à croire (paroles, comportement...).
Il devient agaçant avec ses crédulités. — Rare. L'objet
même de la crédulité. *«Et puis, par une foi, par
une croyance dans tant de crédulités»* (Goncourt,
Ch. Demailly, 1860, *in* T. L. F.).

CONTR. Défiance, incrédulité, scepticisme.

CREEK [krik] n. m. — 1865, Verne, *De la Terre à la Lune,*
p. 164; mot angl., «crique, estuaire», d'abord *crike,* 1250,
apparenté au franç. *crique.*

Anglic. Petite rivière (dans un pays anglophone).

Phileas Fogg, la jeune femme, Fix et Passepartout, confortablement assis, regardaient le paysage varié qui passait
sous leurs yeux, — vastes prairies, montagnes se profilant
à l'horizon, «creeks» roulant leurs eaux écumeuses.
J. VERNE, le Tour du monde en 80 jours, p. 229.

CRÉER [kʀee] v. tr. [CONJUG.: *régulière.*] — Mil. XIIᵉ; *crier,*
1119; lat. *creare.*

Faire exister. → **Création.**

♦ **1** Relig. Donner l'être, l'existence, la vie à...; tirer
du néant. → **Faire, former.** *Créer un être, ex nihilo.
Dieu créa le ciel et la terre. Dieu créa l'homme à son
image.*

1   Au commencement Dieu créa le ciel et la terre (...)
(...) Dieu créa donc l'homme à son image; il le créa à
l'image de Dieu, et il les créa mâle et femelle.
BIBLE (SACY), Genèse, I, (1 et 27).

2   J'ai créé l'homme saint, innocent, parfait, je l'ai rempli de
lumière et d'intelligence; je lui ai communiqué ma gloire
et mes merveilles (la Sagesse de Dieu).
PASCAL, Pensées, VII, 430.

3   Dieu n'a créé que l'être impondérable.
Il le fit radieux, beau, candide, adorable,
Mais imparfait; sans quoi, sur la même hauteur,
La créature étant égale au créateur (...)
HUGO, les Contemplations, VI, 26 (→ Créature,
cit. 8).

Absolument :

3.1   (...) le bien est voulu, il est le résultat d'un acte, le mal est
permanent. Le dieu caché quand il crée obéit à la nécessité
cruelle de la création qui lui est imposée à lui-même (...)
A. ARTAUD, le Théâtre et son double,
Idées/Gallimard, p. 155.

♦ **2** (V. 1130). Faire, réaliser (ce qui n'existait pas
encore). → **Composer, concevoir, découvrir, élaborer,
enfanter, engendrer, imaginer, inventer, naître** (faire
naître), **produire, réaliser.** *Créer des mots. Créer une
science. Créer un genre littéraire. Le romancier crée
des personnages. Créer une œuvre. Créer des formes.
Créer une mélodie, une symphonie.* → **Composer.**
Créer péniblement une œuvre. → **Accoucher** (fig. et
fam.). *Créer une idée, un rêve. Créer un système.*
→ **Élaborer.** *Créer qqch. de toutes pièces. Créer la
mode et la lancer.*

4   (...) il crée les modes sur les équipages et sur les habits (...)
LA BRUYÈRE, les Caractères, X, 8.

5   (...) on ne triomphe du temps qu'en créant des choses
immortelles; par des travaux sans avenir, par des distractions frivoles, on ne le tue pas : on le dépense.
CHATEAUBRIAND, Mémoires d'outre-tombe, t. VI,
p. 302.

Rare. Faire naître, donner naissance à (un être
vivant). → **Procréer.**

Absolt. *L'artiste, le poète créent. La joie de créer. Le
génie, l'inspiration crée.*

(...) il n'y a ici-bas de bonheur qu'un seul, créer et créer 6
toujours (...)
MICHELET, la Femme, p. 147.

Votre Lucien est un homme de poésie et non un poète, il 7
rêve et ne pense pas, il s'agite et ne crée pas.
BALZAC, Illusions perdues, Pl., t. V, p. 906.

Découvrir ou créer, n'est-ce pas même chose? Inventer, 8
c'est trouver, en bon français. On trouve ce qu'on invente,
on découvre ce qu'on crée, ce qu'on rêve, ce qu'on pêche
dans le vivier du songe.
R. ROLLAND, l'Âme enchantée, l'Été, t. II, p. 50.

Les artistes ont une grande estime pour leurs songes parce 9
qu'ils leur permettent de créer.
Edmond JALOUX, le Dernier Jour de la création,
XIX, p. 243.

La fatigue des sens crée. — Le vide crée. Les ténèbres 10
créent. Le silence crée. L'incident crée. Tout crée, excepté
celui qui signe et endosse l'œuvre.
VALÉRY, Autres rhumbs, p. 133.

Créer, en définitive, est la seule joie digne de l'homme et 11
cette joie coûte beaucoup de peine.
G. DUHAMEL, Chronique des Pasquier, III, VIII,
p. 88.

Créer, aussi, c'est donner son destin. 12
CAMUS, le Mythe de Sisyphe, p. 158.

Créer n'est pas un jeu quelque peu frivole. Le créateur s'est 12.1
engagé dans une aventure effrayante qui est d'assumer
soi-même jusqu'au bout les périls risqués par ses créatures. On ne peut supposer une création n'ayant pas l'amour
à l'origine. Comment mettre en face de soi aussi fort que
soi, ce qu'on devra mépriser ou haïr. Mais alors le créateur se chargera du poids du péché de ses personnages.
Jésus devint homme. Il expie. Après, comme Dieu, les
avoir créés, il délivre de leurs péchés les hommes : on
le flagelle, on lui crache au visage, on le moque, on le
cloue.
Jean GENET, Journal du voleur, p. 220.

Sc. nat. *Créer un genre, une espèce,* en établir les
caractères génériques, spécifiques.

(1811, *in* D. D. L.). *Créer un rôle, un personnage,* en
être le premier interprète. *Créer un spectacle,* l'organiser, le mettre en scène.

♦ **3** (Sujet n. de choses). Être la cause de. → **Causer,
engendrer, occasionner, produire, provoquer, susciter.** *La fonction crée l'organe. L'état de choses que
les événements ont créé. Ce contre-temps nous créera
des obstacles. Créer des embarras, des ennuis à qqn.
Créer un malaise. Créer une diversion.* → **Cause,
source** (être la...). *Créer des obligations à qqn. Créer
des besoins. La publicité crée des besoins nouveaux.*

(...) il faut du temps à l'âme pour s'accoutumer à la dou- 13
leur. Elle a un tel besoin de la joie que, quand elle ne la
possède pas, il faut qu'elle la crée. Quand le présent est
trop cruel, elle vit sur le passé.
R. ROLLAND, Vie de Beethoven, p. 16.

(...) un homme porte au fond de l'âme un sens de la souf- 14
france, qui finit par créer les occasions de souffrir.
André SUARÈS, Trois hommes, «Ibsen», II, p. 87.

J'en ai vu d'autres, tentés par le zèle de charité, qui eus- 15
sent créé les malades en ce monde pour leur donner des
soins, les coupables pour les sauver, et les lépreux pour
les entretenir.
André SUARÈS, Trois hommes, Pascal, III, p. 50.

Le capitalisme est par essence individuel, déréglé et 16
inventif. Il ne se conforme pas aux besoins : il les a
presque tous créés.
J. CHARDONNE, l'Amour du prochain, VIII, p. 206.

♦ **4** (1611). Constituer, fonder* qqch. (le compl.
désigne une réalité humaine, sociale). → **Aménager,
commencer, établir, former, instituer, organiser.**
*Créer une institution, un établissement. Créer et
animer une société. Créer une ville.* → **Bâtir, construire, édifier, élever, ériger.** *Créer un ordre religieux,
créer une institution. Créer un régiment, une armée,
un ordre honorifique. Créer une entreprise, un ministère, une agence. Créer des lois nouvelles. Créer de
nouvelles taxes, de nouveaux impôts. Créer une*

charge, un emploi, un poste. — *Créer, constituer une rente. Créer des actions, des obligations. Créer un chèque, un effet de commerce.*

17 On créa une seconde compagnie, une troisième, plusieurs successivement, et le gouvernement, qui se faisait une habitude d'en créer, croyait toujours qu'il lui était avantageux d'en créer encore.
> CONDILLAC, le Commerce et le Gouvernement..., II, XVII.

18 Ce corps d'élite, qui fut créé et commandé par le général Millan Astray, reçoit, comme la Légion étrangère française dont il s'inspire (...)
> P. MAC ORLAN, la Bandera, V, p. 54.

Fig. Créer son propre destin, l'élaborer, le diriger.
→ **Faire.**

19 Je m'imaginais avoir créé ma destinée et mérité mes réussites.   MARTIN DU GARD, les Thibault, t. IX, p. 249.

♦ **5** (V. 1350). Admin. Nommer (qqn) à un nouvel emploi. → **Désigner.** *Créer un fonctionnaire, un dignitaire, un magistrat.*

♦ **6** Comm. Fabriquer* ou mettre en vente (un produit nouveau). *Créer un nouveau produit. Créer un modèle de haute couture. Créer une collection. La maison X... a créé et lancé* ce produit.*

♦ **SE CRÉER** v. pron. (sens passif).

Être créé; s'élaborer. → **Former** (se). *Rien ne se crée, rien ne se perd, tout se transforme.*

20 Et maintenant nous sommes presque de vieux mariés; entre nous, les habitudes se créent tout doucement.
> LOTI, Mᵐᵉ Chrysanthème, V, p. 55.

21 Il a créé la terre. Mais la beauté de la terre se crée elle-même, à chaque minute.
> GIRAUDOUX, Amphitryon 38, II, 2.

22 Il se dit : «Ne péchons ni par précipitation, ni par excès de ménagements non plus. La situation doit se créer peu à peu.»
> J. ROMAINS, les Hommes de bonne volonté, t. IV, XII, p. 133.

Se créer (qqch.), susciter pour soi-même. → **Faire** (se), **former, imaginer.** *Se créer des habitudes, des besoins, Se créer des illusions.*

23 J'avais une tendre mère, une amie chérie; mais il me fallait une maîtresse. Je me la figurais à sa place; je me la créais de mille façons pour me donner le change à moi-même.
> ROUSSEAU, les Confessions, V.

24 Malheureusement, quand les journées sont si longues, et qu'on est désoccupé, on rêve, on fait des châteaux en Espagne, on se crée sa chimère (...)
> LACLOS, les Liaisons dangereuses, III, CXVIII.

Se créer des amis, une clientèle. → **Faire** (se). *Ce chanteur a dû se créer un public.*

♦ **CRÉÉ, ÉE** p. p. adj. *Le monde créé.* — N. m. Celui qui est créé. *Le créé* : l'ensemble des choses créées (contr. : *incréé*).

CONTR. Abolir, abroger, anéantir, annihiler, détruire. — (Du p. p.) Incréé. ◊ DÉR. (Du lat.) V. Créateur, création, créature. - COMP. Procréer, recréer.

CRÉMA [kʀema] n. f. — 1863, Littré; dér. du lat. *cremare* «brûler».

Techn. Résultat de l'oxydation du fer dans le fourneau.

CRÉMAILLÈRE [kʀemajɛʀ] n. f. — 1549; *carmeilliere* (XIIIᵉ), *cramailliere* (1445); de l'anc. franç. *cramail, cremail;* du lat. pop. *cramaculus,* de *cremaculus,* altér. de *ᵉcremasculus,* du grec *kremastêr* «qui suspend».

♦ **1** Tige de fer munie de crans qui permettent de la suspendre à différentes hauteurs dans une cheminée, et terminée par un bout recourbé auquel on accroche une marmite, un chaudron... *Suspendre, accrocher une crémaillère. Hausser, baisser la crémaillère.*

Une cheminée haute dont les jambages étaient de bois grossièrement cannelé, laissait pendre à une crémaillère, une marmite pleine de pommes de terre.
> LAMARTINE, Raphaël, 14.

Loc. fig. **PENDRE LA CRÉMAILLÈRE** : célébrer par un repas, une fête son installation dans un nouveau logement (→ Cabotin, cit. 1). *Aller pendre la crémaillère chez qqn.* — *Pendaison de crémaillère.* Ellipt. *La crémaillère* : ce repas, cette fête.

Nous donnâmes une fête de fort bon goût pour pendre la crémaillère.
> STENDHAL, Mémoires d'un touriste, p. 13.

♦ **2** (1680). Techn. Pièce munie de crans, qui sert à relever ou à baisser une partie mobile. *Crémaillère d'un fauteuil à dossier mobile. Crémaillères d'une armoire, d'une bibliothèque à rayons mobiles.*

Spécialt. *Tige, rail... muni de crans.*

Mar. *Crémaillère de ridage.* → **Ridoir.**

♦ **3** Loc. **À CRÉMAILLÈRE.** [a] Cour. (Sens propre). Muni d'une crémaillère, d'une tige rectiligne à crans qui s'engrènent dans une roue dentée pour transformer un mouvement de rotation continu en un mouvement rectiligne continu, ou inversement. *Cric à crémaillère.* «L'antique système de chemin de fer à crémaillère qui fut essayé à l'origine de nos voies ferrées» (l'*Année sc. et industr.* 1876, p. 314). *Automobile avec direction à crémaillère. Chemin de fer à crémaillère, à rail denté.* — *Limon à crémaillère* : sorte de limon taillé à dents qui, dans un escalier, est posé contre les murs et reçoit les marches. *Chevalet, pupitre à crémaillère.*

[b] Fig. Fin. *Parité à crémaillère* : régime dans lequel les parités de change sont susceptibles d'être révisées par une succession de modifications de faible amplitude.

CRÉMANT [kʀemã] adj. et n. m. — 1846; p. prés. de 1. *crémer.*

Champagne crémant, ou, n. m., *crémant* : vin de Champagne à mousse légère (spécialement préparé à cet effet). *Boire une coupe de crémant.*

HOM. Crément; p. prés. de 1. **crémer** et 2. **crémer.**

CRÉMASTER [kʀemastɛʀ] n. m. — 1546; du grec *kremastêr* «qui suspend».

Anat. Muscle suspenseur du testicule. — Appos. *Muscle crémaster.*

CRÉMATEUR [kʀematœʀ] n. m. — 1885, in D.D.L.; du rad. de *crémation.*

Rare.

♦ **1** Partisan de la crémation. → **Crématiste.**

♦ **2** Personne qui pratique la crémation.

CRÉMATION [kʀemasjɔ̃] n. f. — XIIIᵉ; rare av. 1823; lat. *crematio,* du supin de *cremare* «brûler».

♦ **1** Vx. Action de brûler (qqch.).

♦ **2** Didact. Action de brûler le corps des morts. → **Incinération.** *Pratique de la crémation.*

Les crémations royales ont lieu, en plein air (...) Le corps est placé sous un dais en drap d'or, entouré de parasols d'or. Il est dans une urne, assis.
> Paul MORAND, Rien que la Terre, p. 165.

CRÉMATISTE [kʀematist] n. — 1960; dér. sav. du lat. *crematio* ou du rad. de *crémation.*

Didact. Adepte de l'incinération des morts. → **Crémateur.** *Un, une crématiste convaincu(e).* — Adj. *Mouvement crématiste.*

CRÉMATOIRE [kʀematwaʀ] adj. — 1879; dér. sav. du lat. *crematum*, supin de *cremare* «brûler».

Qui a rapport à la crémation* (rare, sauf dans le syntagme ci-dessous). *Four crématoire*, où l'on réduit les corps en cendres. *Fours crématoires d'un cimetière.* → **Crematorium**. — Spécialt. *Les fours crématoires et les chambres à gaz des camps d'extermination.* → Camp, cit. 3. — N. m. *Un crématoire :* le lieu, le four où est effectuée une crémation (l'expression évoque presque toujours les camps d'extermination nazis; elle est rare dans les autres emplois, pour lesquels on recourt de préférence au terme *crematorium*, didactique et affectivement neutre).

1 (...) quand on sait que le gouvernement qui vient de décorer le poète chrétien Paul Claudel est celui-là même qui décora de l'ordre des Flèches Rouges Himmler, organisateur des crématoires, on est fondé à dire, en effet, que ce n'est pas Calderon ni Lope de Vega que les démocrates viennent d'accueillir dans leur société d'éducateurs mais Joseph Goebbels.
    CAMUS, Actuelles II, *in* Essais, Pl., p. 781.

2 L'épaisse fumée du crématoire se perd dans les nuages bas qui viennent de la forêt de Bavière et des monts de Bohême.   MALRAUX, Antimémoires, Folio, p. 607.

CREMATORIUM [kʀematɔʀjɔm] n. m. — 1882, cit.; mot lat., de *cremare*. → Crématoire.

Didact. Dispositif (four) où l'on incinère les restes des morts. «À côté du *crematorium* où le corps est brûlé...» (*l'Année sc. et industr.* 1882-83, p. 325).

CRÈME [kʀɛm] n. f. — 1190, *craime*; *cresme*, 1261; du lat. pop. *crama* d'orig. gauloise, croisé avec *chrisma*. → Chrème.

I A ◆ 1 Matière grasse et onctueuse du lait, à partir de laquelle est fait le beurre. *Crème fraîche. Mesurer la quantité de crème du lait. Un pot de crème. Séparer la crème du lait.* → **Écrémer.** *Crème double,* obtenue à l'écrémeuse* et qui contient deux fois plus de beurre que la crème qui monte naturellement à la surface du lait. *Crème fluide.* → **Fleurette.** *Battre la crème.* → **Baratter; beurre; babeurre.**

1 Les jattes sont alignées, pleines de lait toujours plus jaune jusqu'à ce que toute la crème en soit montée. La crème affleure lentement; elle se boursoufle et se ride et le petit lait s'en dépouille.
    GIDE, les Nourritures terrestres, V, III, p. 118.

Spécialt. **a** Crème prélevée sur le lait et consommée fraîche. *Préférez-vous de la crème ou du lait dans votre thé? Crème liquide; crème épaisse. Café avec de la crème.* → ci-dessous, II, 2.

b Pellicule qui se forme à la surface du lait qu'on a fait bouillir. → **Peau** (de lait).

◆ 2 *Crème de gruyère, de gorgonzola,* fromage fondu.

◆ 3 (Dans quelques expr.). Crème sucrée et montée au fouet, accompagnant desserts et pâtisseries. *Crème fouettée. Crème chantilly. Glace, fraises à la crème chantilly.* — Absolt. *Il aime les gâteaux avec de la crème.*

B Fig. Ce qu'il y a de meilleur en certaines choses. *Il n'y a plus rien à gagner, on a pris toute la crème. C'est la crème des hommes,* le meilleur des hommes (→ Pâte, B., 3.). *Il fréquente des gens douteux : ce n'est pas la crème.* → **Gratin.** *La crème de la crème.* → Le dessus du panier*.

1.1 Il rêvait déjà pour sa femme cet empire sur la crème de la société parisienne, sur le faubourg Saint-Germain le plus légitimiste et le plus fermé, sur le corps diplomatique et les familles royales étrangères qu'elle a conquis depuis.
    PROUST, Jean Santeuil, Pl., p. 433.

Mon oncle Henri était la crème des hommes : doux, paterne, même un peu confit (...)   2
    GIDE, Si le grain ne meurt, IV, p. 99.

C ◆ 1 (1802). Entremets composé ordinairement de lait et d'œufs. *Crème fortement battue.* → **Mousse.** *Crème pâtissière. Crème anglaise. Crème renversée,* ou *crème prise. Crème caramel. Crème au beurre. Crème à flan. Tarte à la crème* (→ **Flan**; → Affadir, cit. 2). Fig. → **Tarte.** *Chou, éclair à la crème. Crème aux amandes* (→ **Frangipane**). *Crème glacée* (calque de l'angl. *ice-cream*). → **Bienfait, glace, parfait.** *Crème à l'ananas, au café, au chocolat, aux fraises, à la pistache, à la vanille... Crème vendue prête à consommer.* → **Crème-dessert.**

Crème de marrons : préparation sucrée de marrons réduits en bouillie, additionnée de beurre et de crème (A., 1.). — *Chocolat à la crème,* fourré et parfumé.

◆ 2 Potage lié et velouté dont les éléments réduits en bouillie ont pris une consistance crémeuse. *Crème de riz. Crème d'asperges, de champignons. Crème d'avoine* (→ Flocons d'avoine). *Crème de volaille. Crème de crevettes, d'écrevisses.*

◆ 3 (1760, *in* D.D.L.). Liqueur de consistance sirupeuse. *Crème de bananes, de cacao, de cassis, de menthe, de moka, de vanille.*

◆ 4 (1818, *in* D.D.L.). Préparation crémeuse utilisée dans la toilette et les soins de la peau. *Crème à raser. Crème de beauté* (→ **Cold-cream**). *Crème de jour, crème de nuit. Crème hydratante. Crème antirides. Crème solaire.* — Appos. *Fard crème,* présenté sous forme de préparation crémeuse.

Pharm. *Crème (dermique) :* préparation molle, moins grasse que la pommade*, renfermant une importante quantité d'eau, utilisée comme excipient pour divers produits médicamenteux.

◆ 5 Produit d'entretien, à base de cire ou d'oléine (→ **Pâte**). *Crème pour chaussures.* → **Cirage.** — *Crème à récurer.*

◆ 6 Chim. anc. *Crème de tartre :* bitartrate de potasse que l'on extrait des lies de vin. — *Crème de soufre :* fleur de soufre.

II ◆ 1 Adj. invar. (1882, Zola; *blanc crème*, 1880, *in* D.D.L.; du sens A, 1). D'une couleur blanche légèrement teintée de jaune. *Des gants crème.*

Un cadre noir sur un papier vergé d'un ton crème (...)   3
    J. CHARDONNE, les Destinées sentimentales,
        I, IV, p. 170.

N. m. *Un crème, du crème :* cette couleur. *Pour la salle de séjour, nous avons choisi un crème légèrement ocré.*

La petite fillette était en crème avec des gants rouges sang   4
de bœuf.   J. RENARD, Journal, 9 avr. 1890.

◆ 2 (1898; *café à la crème*, 1822). Appos. **CAFÉ CRÈME :** café avec de la crème (plus souvent, avec du lait); tasse de cette boisson. *Deux cafés crème.* — (Ellipt). *Un crème* (n. m.) : un café crème. *Garçon! deux grands crèmes* (parfois invar., comme dans *café crème*). «*Si j'avais le temps, je me taperais un crème croissant au bistrot d'en face*» (Borniche, le Ricain, p. 297), un café crème avec un croissant.

«Je vous en offre un...» J'allais pas le vexer. «Entrons!» que   5
je fais. «Deux crème.»
    CÉLINE, Voyage au bout de la nuit, p. 277.

Le train jette son fardeau sur le quai. Le tas file vers une   6
ouverture où il se désagrège. Les uns prennent le B, d'autres le V, d'autres le CD, d'autres le métro. D'autres vont à pied. D'autres s'attardent pour avaler un crème avec un croissant.   R. QUENEAU, le Chiendent, Folio, p. 40.

DÉR. 1. Crémer, crémet, crémeux, crémier, crémoir. ◊ COMP.
Écrémer, écrémage. — Crème-dessert. ← HOM. Chrême. —
Formes des v. 1. et 2. crémer.

CRÈME-DESSERT [krɛmdesɛr] n. f. — XXᵉ ; de crème, et dessert.

Comm. Entremets à base de lait écrémé, de sucre, d'huile végétale hydrogénée, d'amidon modifié et de différents produits chimiques, aromatisé artificiellement et coloré, vendu dans le commerce en boîtes de conserve, ou sous forme de poudre. — Au plur. *Des crèmes-desserts.*

CRÉMENT [krɛmɑ̃] n. m. — 1743 ; du lat. *crementum* «accroissement», de *crescere* «croître».

Didact. Vx. Augmentation d'une ou de plusieurs syllabes que subit dans la déclinaison le nominatif d'un mot, ou, dans la conjugaison, la deuxième personne de l'indicatif présent d'un verbe.

HOM. Crémant ; p. prés. de 1. crémer et 2. crémer.

1. CRÉMER [kreme] v. intr. [CONJUG.: *céder*.] — 1580 ; de crème.

Rare. Se couvrir de crème, en parlant du lait. — Par anal. *Mousse qui crème.*

Trans. Donner la couleur de la crème, une couleur crème à (qqch.). *Crémer une dentelle.*

♦ CRÉMÉ, ÉE p. p. adj.
Tissé de fils couleur crème. *Dentelle crémée.*

DÉR. Crémant. ◊ HOM. 2. Crémer.

2. CRÉMER [kreme] v. tr. — V. 1200 ; du lat. *cremare* «brûler».

♦1 Vx. Brûler.

♦2 Mod., rare. Incinérer le corps de (un mort). → Crémation, crématoire.

HOM. 1. Crémer.

CRÉMERIE [krɛmri] n. f. — 1845 ; du rad. de crémier.

♦1 Lieu où l'on traite le lait, où l'on produit et l'on vend la crème (du lait), le lait.

♦2 Magasin où l'on vend les produits laitiers. → Beurrerie, laiterie ; crémier. *La crémerie vend du lait, de la crème, du beurre, des fromages, des yaourts, des œufs* (→ Beurre*, œufs, fromage).

♦3 Ancienn. Restaurant populaire où on servait à l'origine des produits laitiers. — Par ext. Petit restaurant bon marché.

Loc. fig. *Changer de crémerie :* aller ailleurs (→ Mettre les voiles*). → Déménager.

1   On s'emmerde ici... Si on allait dans une autre crémerie ?...
              A. MAUROIS, Terre promise, X, p. 72.

2   Chazot, Sagan, Merle étaient partis, poussés par le besoin de changer de crémerie.
              Jacques LAURENT, les Bêtises, p. 419.

CRÉMET [krɛmɛ] n. m. — Attesté 1953 ; de crème.

Régional. Petit fromage à la crème. — Au plur. *Crémets d'Angers, de Saumur :* fromages frais composés de crème fouettée et de blancs d'œufs (on dit aussi *mulon* «petite meule»).

CRÉMEUX, EUSE [krɛmø, øz] adj. — 1572 ; de crème.

♦1 Qui contient beaucoup de crème. *Lait crémeux, bien crémeux.*

♦2 Qui a la consistance, l'aspect de la crème. *Une préparation, une sauce crémeuse.*

♦3 Qui a la couleur de la crème ; qui tire sur le crème* (II., 1.). *Couleur crémeuse. Des mains blanches, crémeuses.*

(...) le tenon complètement rouillé, scellé dans le mur de briques, le ciment autour de l'épaisse lame de fer formant une collerette crémeuse dans laquelle on pouvait encore voir les traces de la truelle (...)
              Claude SIMON, la Route des Flandres, p. 212.

CRÉMIER, IÈRE [krɛmje, jɛr] n. — 1762 ; de crème.

♦1 Commerçant, commerçante qui vend des produits laitiers (lait, crème, beurre, fromage), des œufs. → Beurrier (VX), laitier. *Va acheter des yaourts chez le crémier.*

♦2 Techn. Récipient servant à conserver la crème.

DÉR. Crémerie.

CRÉMOIR [krɛmwar] n. m. — 1885 ; de crème, suff. -oir.

Techn. Ustensile pour écrémer le lait. *«(Les) crémoirs, d'où le petit lait s'en allait goutte à goutte»* (Zola, *in* T. L. F.).

CRÉMONE [krɛmɔn] n. f. — 1790 ; p.-ê. du rad. de *crémaillère*, ou du nom de la ville de *Crémone* en Italie.

Espagnolette* servant à fermer les fenêtres, composée d'une tige de fer qu'on hausse ou qu'on baisse en faisant tourner une poignée. *Faire jouer, manœuvrer la crémone.*

Sa main s'est posée sur la poignée de porcelaine, lisse et froide sous la paume. La crémone n'est pas fermée, les deux battants sont seulement poussés, ils s'ouvrent d'eux-mêmes sans aucun effort, par le simple poids du bras qui s'y accroche.
              A. ROBBE-GRILLET, Dans le labyrinthe, p. 102 (1959).

CRÉNAGE [krenaʒ] n. m. — 1835 ; de créner.

Techn. Action de créner*. — REM. On dit aussi *crénerie* [kren(ə)ri] n. f. (1782).

CRÉNEAU [kreno] n. m. — V. 1154 (plur.) crenel, creneaus ; de cren, cran*, suff. -el, -eau.

▮ ♦1 Ouverture dentelée pratiquée au sommet d'un rempart, d'une tour, d'une courtine et qui servait à la défense. *Les merlons*, l'embrasure du créneau. Créneaux de couronnement.* → Château (cit. 1). *Créneau mâchicoulis,* permettant d'atteindre les assaillants au pied de la muraille. → Mâchicoulis. *Château, mur à créneaux.* → Crénelé.

Spongieuses, sèches comme des pierres ponce, des tours,   1
argentées par des lichens et dorées par les mousses, se dressaient entières jusqu'à leurs collerettes de créneaux dont les débris s'usaient, peu à peu, dans les nuits de vent.   HUYSMANS, Là-bas, VIII, p. 114.

Motif décoratif de forme analogue à un créneau. *Pièce d'étoffe à créneaux.*

♦2 Ouverture d'un parapet de tranchée, d'une muraille pour viser et tirer. → Meurtrière.

Loc. fig. Mod. *Monter au créneau :* s'engager personnellement dans une action qui a le caractère d'une lutte. *Pour défendre votre projet, il va falloir que vous montiez au créneau.*

Vx. Intervalle entre deux sections, deux pelotons de soldats, et où se placent les chefs de section, de peloton. *Se placer en créneaux.*

Mod., techn. Ouverture des fourneaux de potiers. — *Écrou à créneaux,* muni d'une encoche, dans laquelle passe une goupille qui traverse aussi la tige du bouton pour le tenir solidement fixé.

Mar. Tuyau conduisant les ordures à la mer.

♦ 3 Astronaut. *Créneau de lancement.* **→ Fenêtre.**

II (Mil. XXe). **♦ 1** Espace disponible entre deux espaces occupés. *Créneau entre deux voitures* (en mouvement, en stationnement). *Se ranger dans un créneau, en créneau. Faire un créneau.*

♦ 2 (Abstrait). Temps disponible. *Trouver un créneau dans son emploi du temps.* — Spécialt (radio, télév.). Temps d'antenne réservé à une personne ou un groupe de personnes. *Les créneaux réservés aux grandes formations politiques.*

Occasion :

2 La difficulté (...) n'existait plus et je n'avais plus aucune excuse à tarder. Je ne cherchais plus qu'un créneau. Virginie me l'offrit.
     Cecil SAINT-LAURENT, la Mutante, p. 156.
Comm. Publicité. Possibilité de marché pour un produit ; place disponible sur un marché. *Trouver un créneau.* «*Nous cherchons alors un "créneau", une ouverture sur le marché pour un produit que nous créerons*» (*le Nouvel Obs.*, 2 avr. 1973, p. 51). *Créneau économique* (pour une invention).

DÉR. Créneler.

CRÉNELAGE [kʀenlaʒ] n. m. — 1723 ; de *créneler*.
Technique.

♦ 1 Action de créneler (une pièce de monnaie).

♦ 2 Cordon, sur l'épaisseur d'une pièce de monnaie, d'une médaille. **→ Grènetis.**

CRÉNELER [kʀenle] v. tr. [CONJUG. : *appeler*.] — V. 1160 ; de *créneau.*

♦ 1 Munir de créneaux. *Créneler une muraille, un parapet* (**→ Bretèche**).

♦ 2 Entailler en disposant des crans. **→ Denteler.** *Créneler une roue pour un engrenage.* — *Créneler une pièce de monnaie*, faire un cordon sur son épaisseur.

♦ SE CRÉNELER v. pron.

♦ 1 Milit. Vx. Former des créneaux* (2.).

♦ 2 Fig. Se protéger. **→ Barricader** (se). «*Il s'était crénelé dans cette masure*» (V. Hugo, *les Travailleurs de la mer*, 1866, *in* T. L. F.).

♦ CRÉNELÉ, ÉE p. p. adj.

♦ 1 Garni de créneaux. *Murs crénelés* (→ Arsenal, cit. 1). — Spécialt. Blason. *Écu crénelé* (**→ Bastillé, bretessé**). *Chape crénelée de l'écu.*
Fig. Barricadé, retranché.

♦ 2 Sc. nat. Dont le bord est découpé. *Feuille crénelée, aile crénelée.* — *Coquille crénelée.*

DÉR. Crénelage, crénelure.

CRÉNELURE [kʀenlyʀ] n. f. — XIVe ; de *créneler.*
Découpure en forme de créneaux. **→ Dentelure.** *La crénelure des remparts.* — *Crénelures de la feuille de chêne. Crénelure des os du crâne.*

CRÉNER [kʀene] v. tr. [CONJUG. : *céder*.] — XIe «entailler, couper» ; sens mod., 1754 ; p.-ê. du lat. *crena*, par un gaul. **crinare.*
Imprimerie.

♦ 1 Évider la partie qui déborde le corps d'une lettre.

♦ 2 Marquer d'un cran, d'une entaille (la tige d'une lettre).

DÉR. 1. Cran, crénage.

CRÉNOLOGIE [kʀenɔlɔʒi] n. f. — XXe ; du grec *krênê* «source», et *-logie*.
Méd. Étude de la valeur thérapeutique des eaux minérales.

CRÉNOM ou **CRÉ NOM** [kʀenɔ̃] interj. — 1832, *cré nom de nom, in* D. D. L. ; abrév. de *sacré* nom de Dieu*.
Juron atténué. *Crénom de nom ! Cré nom de Dieu !* (**→** aussi **Acré, cré, crédié**.)

Cré nom de nom ! Vous voyez bien que je suis occupé. Mademoiselle est un professeur. Je prends une leçon de danse.   J. ANOUILH, la Valse des toréadors, I, p. 123.

CRÉNOPHILE [kʀenɔfil] adj. — XXe ; du grec *krênê* «source», et *-phile*.
Biol. Se dit d'un organisme qui vit de préférence dans les eaux de source.

CRÉNOTHÉRAPIE [kʀenoteʀapi] n. f. — 1909, *in Rev. gén. des sc.*, n° 16, p. 718 ; du grec *krênê* «source», et *-thérapie*.
Méd. Traitement par les eaux de source. «*Les bienfaits escomptés de la crénothérapie*» (*le Monde*, 23 févr. 1978).

CRÉOLE [kʀeɔl] adj. et n. — 1670 ; altér. de *criolle, criollo, -a*, 1643 ; esp. *criollo*, du port. *crioulo* «serviteur nourri dans la maison», appliqué aux métis noirs du Brésil, de *criar* «nourrir, élever», du lat. *creare* (→ Créer) ; le suff. est obscur.

♦ 1 Qui se rapporte aux personnes de race blanche, nées dans les colonies intertropicales (en particulier aux Antilles). *Un planteur créole. Joséphine de Beauharnais était créole.*
N. *Un, une créole.*

1 (...) celle-ci *(la fille des Îles)* restera toujours enveloppante ; une certaine câlinerie naturelle aux créoles, et que son accent zézayant de la Martinique rendait plus séduisante (...)
     Louis MADELIN, l'Ascension de Bonaparte, II, p. 25.

2 M. Richard C. Lionel est ce qu'on nomme, en ce pays, un créole, c'est-à-dire qu'il descend des colons français, sans le moindre alliage de sang coloré.
     G. DUHAMEL, Scènes de la vie future, XI, p. 166.

REM. En français de l'île Maurice, *créole* désigne au contraire une personne de couleur.

♦ 2 Relatif aux pays de la zone tropicale caractérisés par la colonisation blanche et l'esclavage noir (à l'origine). *Noirs créoles et noirs africains. Parlers créoles* (→ ci-dessous, 3.). *Pays créoles.* — (N. f.). *À la créole. Coiffure à la créole.* Cuis. *Riz à la créole,* ou, adj., *riz créole :* riz cuit à l'eau et séché puis accompagné soit de fruits (entremets) soit de poivrons et de tomates. *Œufs à la créole,* frits, disposés sur des courgettes grillées.

♦ 3 (XIXe ; une première fois en 1668, *langue créole,* à propos d'un créole portugais d'Afrique). N. m. Ling. *Le créole, un créole.* Système linguistique mixte provenant du contact du français, de l'espagnol, du portugais, de l'anglais ou du néerlandais avec des langues africaines indigènes ou importées (Antilles) et devenu langue maternelle d'une communauté (opposé à *pidgin** et à *sabir**, qui ne sont pas des langues maternelles). *Le créole d'Haïti, de la Guadeloupe, de la Martinique. Les créoles anglais de la Jamaïque. Les créoles portugais, néerlandais. Parler créole, le créole, un créole* **→ Créolophone.** *Apprendre le créole. Grammaire du créole haïtien. Alphabétiser la population en créole. Ouvrage, bande dessinée, conte en créole. Étudier le créole.* **→ Créoliste.**

3 (...) à la Martinique (...) je suis entré dans la salle de la Cour d'assises qui était alors en session ; (...) Accusé, plaignant et témoins s'exprimaient en un créole volubile dont en un tel lieu la cristalline fraîcheur avait quelque chose de surnaturel.
Claude LÉVI-STRAUSS, Tristes tropiques, p. 20-21.

Adj. *Locutions créoles. Vocabulaire, dictionnaire créole.*

REM. La reconnaissance du créole comme véritable langue est relativement récente ; ces parlers étaient conçus, jusqu'à la fin du XIXe s., comme de simples altérations du français, de l'anglais, etc., ce qui n'est vrai que de leurs lexiques. Hugo, dans *Bug-Jargal* (1826), parle de *jargon*, de *patois créole.*

♦ 4 N. f. Grand anneau d'oreille. *Une paire de créoles.*

DÉR. et COMP. Créoliser, créolisme, créoliste. Créolophone.

CRÉOLISATION [kreɔlizasjɔ̃] n. f. — 1975 ; de *créoliser.*

Ling. Processus par lequel une langue se créolise.

CRÉOLISER [kreɔlize] v. tr. — 1838, v. pron. ; de *créole.*

♦ 1 (Surtout v. pron.). Adapter à la civilisation créole.

♦ 2 Ling. Donner à (un usage de la langue) des caractères d'un créole. *«Il ne s'agit pas de créoliser le français, mais d'explorer l'usage responsable (...) qu'en pourraient avoir les Martiniquais»* (E. Glissant, *le Discours antillais*, p. 347). — Pron. *Langue qui se créolise*, prend certaines caractéristiques d'un créole. — Au p. p. *Français, espagnol créolisé.* REM. Le comp. *décréoliser (se)* [dekreɔlize] v. pron. «perdre le caractère créole» est attesté, ainsi que *décréolisation* [dekreɔlizasjɔ̃] n. f.

DÉR. Créolisation.

CRÉOLISME [kreɔlism] n. m. — D. i. ; de *créole* (cf. angl. *creolism*, 1788).

♦ 1 Rare. Caractère créole* (1. et 2.). — Importance accordée à la culture et à la langue créoles.

♦ 2 Ling. Particularité linguistique provenant d'un créole* (3.). *Certains antillanismes* sont des créolismes.*

CRÉOLISTE [kreɔlist] n. et adj. — Mil. XXe ; de *créole.*

Didact. Linguiste spécialiste d'un créole, des créoles. *«Provoquer une réunion des créolistes et (...) faire le point sur les études créoles dans le monde»* (la Banque des mots, 1978, p. 117). — Adj. *Études créolistes.*

CRÉOLOPHONE [kreɔlɔfɔn] n. et adj. — V. 1960 ; de *créole*, et *-phone.*

Didact. Personne qui parle le créole, un créole. *Créolophones et francophones des Antilles, de Haïti.* — Adj. *«Les territoires créolophones de l'océan Indien»* (A. Valdman, *le Créole*, p. 35).

CRÉOPHAGE [kreɔfaʒ] adj. et n. — 1863 ; du grec *kreas* «chair», et *-phage.*

Biol. Se dit d'un organisme qui se nourrit de chair. *Insecte créophage.* → Carnivore. — N. *Un, une créophage.*

CRÉOSOL [kreozɔl] n. m. — 1866 ; de *créos(ote)*, et lat. *ol(eum)* «huile».

Chim., techn. Huile de la créosote* de hêtre.

CRÉOSOTAGE [kreozɔtaʒ] n. m. — 1869 ; de *créosoter.*

Techn. Action de créosoter. *Créosotage des traverses de chemin de fer.*

CRÉOSOTE [kreozɔt] n. f. — 1832 ; du grec *kreas* «chair», et *sôzein* «conserver».

Liquide huileux, transparent, désinfectant, qui contient du phénol et du crésol. *Les créosotes sont des mélanges complexes d'huiles lourdes. Huiles de créosote qui servent à la fabrication du carbonyle. Injecter de la créosote dans le bois pour le conserver.* → Créosoter. — *Créosote officinale :* antiseptique obtenu par rectification des créosotes industrielles.

L'artimon (c'est-à-dire le poteau de l'E.D.F.) était imprégné de créosote sous pression comme le sont les poteaux télégraphiques, ce qui les garantit contre la pourriture.
Bernard MOITESSIER, Cap Horn à la voile, p. 48.

DÉR. Créosoter. — V. Créosol, crésol.

CRÉOSOTER [kreozɔte] v. tr. — 1868 ; *créosoté*, 1934 ; de *créosote.*

Techn. Imprégner (le bois) de créosote* pour qu'il résiste à l'humidité. *Créosoter des poteaux télégraphiques, des traverses de chemin de fer.*

♦ CRÉOSOTÉ, ÉE p. p. adj.

Imprégné de créosote. *Bois créosoté. Produits créosotés*, qui contiennent de la créosote.

DÉR. Créosotage.

CRÊPAGE [krepaʒ] n. m. — 1723 ; de *crêper.*

♦ 1 Techn. Apprêt de (une étoffe) pour faire un crêpe.

♦ 2 [a] (1877). Fam. CRÊPAGE DE CHIGNON : bataille entre femmes ; violente dispute.

[b] (1922). Action de crêper (I., A., 1.) les cheveux.

Tu portes la question du cheveu sur le forum. Pour les photographes du journal, tu n'hésites pas à faire mousser dans ta tignasse un shampooing aux œufs, à t'offrir au sirocco brûlant d'un sèche-cheveux, à te soumettre à la loi de la mise en plis et du crêpage à la brosse.
P. GUTH, Lettre ouverte aux idoles, Antoine, p. 71.

CONTR. Décrêpage.

1. CRÊPE [krep] n. f. — 1380 ; *crispe*, v. 1285 ; substantivation de l'anc. adj. *cresp, crespe* «frisé», v. 1160, du lat. *crispus* «frisé», par allus. à l'aspect pris par la pâte.

♦ 1 Fine galette faite d'une pâte liquide composée de lait, de farine et d'œufs, que l'on a fait frire dans une poêle ou sur une plaque (dite *plaque à crêpes.* → Crêpier, II., galettière). *Crêpe roulée. Crêpe de froment, de sarrasin* (→ Blinis ; galette). *Crêpe fourrée. Crêpe salée, sucrée. Crêpe à la confiture, au jambon. Crêpe flambée. Crêpes bretonnes accompagnées de cidre. Crêpe des Chartreux*, fourrée et parfumée à la chartreuse verte. *Crêpe Suzette*, au sucre, parfumée au citron ou au curaçao. *Crêpes au Grand Marnier* (nom d'une liqueur). *Crêpe épaisse.* → Matefaim ; pannequet. *Faire sauter des crêpes. Manger des crêpes à la Chandeleur, le jour du mardi gras. Manger des crêpes dans une crêperie* bretonne.

Mais, d'ordinaire, pour sa réception du mardi, Pauline se bornait à commander des tartelettes et des crêpes aux confitures (...)
J. CHARDONNE, les Destinées sentimentales, I, p. 41.

Crêpe dentelle. → **Dentelle** (2.).

♦ **2** Loc. compar. *S'aplatir comme une crêpe :* se soumettre lâchement. *Retourner qqn comme une crêpe,* l'influencer au point de lui faire changer instantanément d'opinion. *Laisser tomber qqn comme une crêpe,* l'abandonner brutalement.

Fig., fam. Personne molle, niaise. *Quelle crêpe, ce type !*

DÉR. **Crêperie, crêpier.**

2. **CRÊPE** [kʀɛp] n. m. — 1285, *crepes,* «ornements de tête»; substantivation de l'anc. adj. *cresp, crespe* (→ 1. Crêpe).

♦ **1** (1357, *in* Gay). Tissu léger de soie, de laine fine, auquel on fait subir un certain apprêt suivi d'une compression. *Crêpe de soie* (dont les fils de chaîne sont très tordus). — (1827). *Crêpe de Chine :* étoffe de soie légèrement crêpée. *Crêpe marocain :* tissu épais à grain cannelé. *Crêpe Georgette* (ou *georgette*), souple, transparent. *Crêpe lisse, crêpe ondulé, crêpe crêpé* (*crêpes de garniture*). — (1925). *Crêpe satin.*

REM. Les syntagmes les plus courants sont *crêpe de Chine* et *crêpe Georgette.*

(Mil. XVIᵉ, *crespe noir*). *Un, des crêpes.* Morceau de crêpe noir, que l'on porte en signe de deuil. *Porter un crêpe à la coiffure, au revers de la veste, en brassard... — Mettre un crêpe, un bandeau de crêpe à un drapeau.*

1 (...) il avait gardé à son chapeau le crêpe de l'enterrement de Jacques (...)   GIRAUDOUX, *Bella,* IX, p. 212.

Par métonymie. Littér. Vêtement de deuil, et, fig., le deuil. «*Le crêpe et les fatigues accablaient la jeune veuve*» (J. Cocteau, *les Enfants terribles,* in T. L. F.). — Par métaphore, poét. Inquiétude, mélancolie.

♦ **2** (1929, *in* D.D.L.). Latex de caoutchouc coagulé et séché, très résistant, servant à faire des semelles de chaussures. *Chaussures à semelles de crêpe.* En appos. *Semelles crêpe.*

2 (...) des souliers, aux épaisses semelles de crêpe, des souliers dans lesquels on marcherait sans faire de bruit et sans se mouiller les pieds.
                 S. DE BEAUVOIR, *les Mandarins,* p. 86.

♦ **3** (XVIᵉ, *le crespe des cheveux*). Par anal. (Vx.) Petite touffe de cheveux, nattés ou frisés, que les femmes ajoutaient à leur coiffure.

DÉR. **Crépine, crépon, crépu.**

CRÊPÉ, ÉE [kʀepe] adj. et n. m. → **Crêper.**

CRÊPELAGE ou **CRESPELAGE** [kʀɛp(ə)laʒ] n. m. — 1877; de *crêpelé.*

Vx. Le fait de rendre crêpelés (les cheveux); état des cheveux crêpelés (→ **Crêpelure**). — Var. graphique : *crespelage.*

(...) chaque soir, après qu'un léger crêpelage ajouté à la brosse de ses cheveux roux avait tempéré de quelque douceur la vivacité de ses yeux verts (...)
                 PROUST, Du côté de chez Swann, Pl., t. I, p. 195.

CRÊPELÉ, ÉE ou **CRESPELÉ, ÉE** [kʀɛp(ə)le] adj. — 1513, *crespelez; crêpelu,* 1560; de *crêper.*

Frisé à très petites ondulations (cheveux). → **Crépu.** *Cheveux crêpelés. Chevelure crêpelée.* — Var. graphique : *crespelé.*

1 Tes cheveux crespelés, ta peau de mulâtresse
Rendaient plus attrayants tes charmes ingénus (...)
                 BAUDELAIRE, Premiers poèmes, XVI,
                 à Yvonne Pen-Moor.

Et les mèches de ses cheveux roux crespelés par la nature, 2 mais collés par la brillantine, étaient largement traitées comme elles sont dans la sculpture grecque (...)
                 PROUST, Du côté de chez Swann, Pl., t. I, p. 324.

DÉR. et COMP. **Crêpelage, crêpelure. Décrêpeler.** V. **Crêpeler** (se).

CRÊPELER (SE) ou **CRESPELER (SE)** [kʀɛp(ə)le] v. pron. [CONJUG.: *geler.*] — 1530; de l'anc. franç. *cresper* (→ Crêper), ou de *crêpelé,* qui semble antérieur.

Devenir ondulé. — Var. graphique : *se crépeler.*

Sur sa tête carrée du haut, large de front, se crespelait une chevelure abondante, qui s'échappait en boucles.
                 J. VERNE, Michel Strogoff, p. 32.

CRÊPELURE [kʀɛplyʀ] n. f. — XVIᵉ; de *crêpelé.*

État des cheveux crêpelés*; frisures à très petites ondulations. *De belles crêpelures brunes.* — On écrit aussi *crespelure* et *crépelure* (→ Accrocher, cit. 7.1).

CRÊPER [kʀepe] v. — 1523, *cresper;* probablt antérieur (cf. *crespeure,* v. 1377); p.-ê. de l'anc. franç. *cresp.* → 1. Crêpe.

I A ♦ **1** V. tr. Gonfler (les cheveux) en repoussant une partie de chaque mèche avec le peigne ou la brosse de manière à les faire gonfler. *Crêper une mèche. Les cheveux ne peuvent être crêpés qu'à sec.* — (Compl. n. de personne) :

Le coiffeur (...) vous crêpe avec une espèce de fureur. On 1 dirait qu'il espère parvenir à faire mousser vos cheveux, comme s'il battait des blancs d'œufs.
                 Ch. PAUL DE KOCK, la Grande Ville, t. I, p. 239.

♦ **2** Pron. Loc. fig., fam. *Se crêper le chignon :* se battre*, se prendre aux cheveux (en parlant de femmes). → **Attraper** (s'); **crêpage** (de chignon). — Par ext. Se quereller violemment. — Ellipt. *Se crêper :* se battre.

B V. intr. Friser, se crêper. «*Ses cheveux noirs crêpaient*» (Robert Sabatier, *les Noisettes sauvages,* p. 198).

II V. tr. Préparer (un tissu) comme le crêpe en faisant subir une torsion à la chaîne. *Crêper une étoffe.*

♦ **SE CRÊPER** v. pron. (Emploi réfl.; sens A). *Cheveux qui commencent à se crêper,* à friser*. → **Onduler.**

♦ **CRÊPÉ, ÉE** p. p. adj. *Cheveux crêpés, mèches crêpées.*

N. m. Mèche de cheveux crêpés. — Postiche frisé.

(...) la masse de cheveux qu'on portait alors prolongés en 2 «devants», soulevés en «crêpés», répandus en mèches folles le long des oreilles (...)
                 PROUST, Du côté de chez Swann, Pl., t. I, p. 197.

Qui ressemble au crêpe* (2. Crêpe, 1.). *Étoffe crêpée.*

DÉR. **Crêpage, crêpelé.** V. **Crêpeler** (se). ◊ COMP. et CONTR. **Décrêper.**

CRÊPERIE [kʀɛpʀi] n. f. — 1929; de 1. *crêpe.*

Endroit où l'on fait, où l'on consomme des crêpes, soit exclusivement, soit principalement. *Manger dans une crêperie bretonne. Cette crêperie sert des crêpes salées et des crêpes sucrées.*

CRÉPI [kʀepi] adj. et n. m. — 1528, *crespis;* p. p. de *crépir.*

I Adj. ♦ **1** Qui a été enduit d'une couche de plâtre, de ciment d'aspect raboteux. *Murs crépis. Appartement entièrement crépi.*

♦ **2** Fig., péj. Très fardé. *Visage crépi.* — Loc. (n. m.). Vx. *Un beau crépi :* une femme belle mais très fardée.

II N. m. Couche de plâtre, de ciment dont on revêt une muraille. *Faire un crépi.* → **Crépir.** *Refaire le crépi d'une maison.* → **Ravalement** (→ Badigeon, cit. 1). *Crépi moucheté. Crépi à la chaux.* → Plâtrer, cit. 1. *L'éclat d'un chaud crépi.* → Peinturlurage, cit.

1. CRÉPIDE [kʀepid] n. f. — 1754; lat. *crepida* «sandale», du grec.

Didact. Dans l'Antiquité grecque, Sandale très découpée ne couvrant complètement que le talon.

2. CRÉPIDE [kʀepid] n. f. ou **CRÉPIS** [kʀepis] n. m. — 1842, *crépide; crépis*, 1850; lat. *crepis, crepidis*, grec *krêpis, krêpidos,* même sens.

Bot. Plante herbacée des champs et des lieux incultes *(Composées)* à feuilles oblongues, à fleurs jaunes ou roses.

CRÊPIER, IÈRE [kʀepje, kʀepjɛʀ] n. — 1863, au fém.; de 1. *crêpe.*

I Personne qui fait des crêpes pour les vendre.

II ♦ **1** (XXᵉ). *Un crêpier* ou *une crêpière* : appareil à plaques sur lesquelles on fait des crêpes. «*Une crêpière très plate et sans rebords gênants*» (*Paris-Match,* févr. 1974).

♦ **2** N. f. **CRÊPIÈRE** : poêle sans rebord, pour faire des crêpes. → **Galettière.**

CRÉPIN [kʀepɛ̃] n. m. — 1723; *saint crespin,* 1640; de saint *Crépin,* patron des cordonniers.

Vieux.

♦ **1** Au plur. *Crépins* : outils et accessoires servant au cordonnier. *Marchand de cuirs et crépins.* → **Saint-crépin.**

♦ **2** Par métonymie. Cordonnier.

CRÉPINE [kʀepin] n. f. — 1245, *crespine* «collerette»; de 2. *crêpe.*

I ♦ **1** Frange, passementerie ouvragée (servant à orner un dais, une fenêtre...). *Crépine à houppes en soie, en argent, en or.* «*Une tenture de velours rouge à crépines d'or*» (Zola, *Son Excellence Eugène Rougon,* t. II, p. 187).

1   Le grand appartement *(de Versailles)* était meublé de velours cramoisi avec des crépines et des franges d'or.
          SAINT-SIMON, Mémoires, 67, 113.

2   (...) la terre rouge du sacrifice, parée de pampres et d'épices comme un front de bélier sous les crépines d'or et sous les ganses (...)
          SAINT-JOHN PERSE, Amers, VI,
          in Poètes d'aujourd'hui, Seghers, p. 195.

♦ **2** (1393). Techn. (boucherie). Membrane graisseuse et transparente qui enveloppe les viscères du veau, du porc, du mouton. → **Coiffe; épiploon.**

3   Le quartier fut fier de sa charcuterie (...) Pendant un mois, les voisines s'arrêtèrent sur le trottoir, pour regarder Lisa, à travers les cervelas et les crépines, de l'étalage. On s'émerveillait de sa chair blanche et rosée, autant que des marbres. Elle parut l'âme, la clarté vivante, l'idole saine et solide de la charcuterie; et on ne la nomma plus que la belle Lisa.   ZOLA, le Ventre de Paris, t. I, p. 82.

II Techn. Tôle perforée servant à arrêter les corps étrangers à l'ouverture d'un tuyau. *Crépine à clapet.*

DÉR. Crépinette, crépinier.

CRÉPINETTE [kʀepinɛt] n. f. — V. 1269, «ouvrage de passementerie»; de *crépine.*

I (1597). Régional. Renouée (plante).

II (1740). Cour. Saucisse plate entourée d'un morceau de crépine. → **Gayette** (régional).

CRÉPINIER, IÈRE [kʀepinje, jɛʀ] n. — V. 1260, *crespiniers, crespinière;* de *crépine.*

Vx. Marchand(e), fabricant(e) de passementerie. → **Passementier.**

CRÉPIR [kʀepiʀ] v. tr. — 1528; «devenir grenu» (du cuir), v. 1170; de l'anc. adj. *cresp.* → 1. **Crêpe.**

♦ **1** (1528). Garnir (une muraille) d'un crépi. → **Ravaler, renformir.** *Crépir un mur. Crépir une maison à la chaux. Crépir en donnant un genre rustique.* → **Rustiquer.**

Le mur du jardin et de la chènevière était crépi à chaux et à sable.   G. SAND, la Mare au diable, XII, p. 101.

♦ **2** Techn. *Crépir du cuir,* le rendre grenu.
Crépir le crin, le faire bouillir dans l'eau pour le friser.

DÉR. Crépi, crépissage, crépissoir, crépissure. ◊ COMP. Décrépir, recrépir.

CRÉPIS [kʀepis] n. m. → 2. **Crépide.**

CRÉPISSAGE [kʀepisaʒ] n. m. — 1611; de *crépir.*

Technique.

♦ **1** Action de crépir (un mur). *Crépissage à la truelle.*

♦ **2** État d'une surface crépie. → **Crépissure.**

CRÉPISSOIR [kʀepiswaʀ] n. m. — 1869, P. Larousse; de *crépir.*

Techn. Balai à manche court servant à crépir les murs.

CRÉPISSURE [kʀepisyʀ] n. f. — XIVᵉ; de *crépir.*

Techn. Surface crépie; manière dont une surface est crépie.

CRÉPITANT, ANTE [kʀepitɑ̃, ɑ̃t] adj. — XVᵉ; p. prés. de *crépiter.*

Qui crépite*, produit une succession de bruits secs. *Feu crépitant.*

(1833). Méd. *Râle crépitant :* râle pulmonaire, rapide et régulier. → **Crépitation.** *Râle crépitant observé lors d'une pneumonie.*

COMP. Sous-crépitant.

CRÉPITATION [kʀepitasjɔ̃] n. f. — 1560; de *crépiter.*

♦ **1** Le fait de crépiter; bruit de ce qui crépite. → **Crépitement.** *Crépitation du feu,* bruit formé d'une succession de petits craquements. *Crépitation du sel dans le feu. Crépitation des arbres, des feuilles sèches dans la forêt.*

1   La cueille des fruits n'est pas encore faite, et mille crépitations inusitées font ressembler les arbres à des êtres inanimés.
          G. SAND, la Mare au diable, Appendice I, p. 149.

2   Ils s'étonnaient de ce silence, interrompu quelquefois par le souffle rauque des éléphants qui s'agitaient dans leurs entraves, et la crépitation du phare où flambait un bûcher d'aloès.   FLAUBERT, Salammbô, Pl., t. I, p. 812.

♦ **2** Méd. *Crépitation osseuse :* bruit que font entendre les fragments d'un os fracturé quand ils frottent l'un contre l'autre. *Crépitation sanguine :* broiement des caillots sanguins dans un hématome. — (1833). *Crépitation pulmonaire :* bruit produit par l'air dans les alvéoles du poumon dans certains états pathologiques (pneumonie, œdème aigu). — REM. On dit aussi *crépitement* (vieilli).

COMP. Décrépitation.

CRÉPITEMENT [kʀepitmã] n. m. — 1866; de *crépiter.*
Le fait de crépiter. → **Crépitation.** *Le crépitement du feu dans l'âtre.* → **Grésillement** (→ Bûche, cit. 2). *Le crépitement d'une mitrailleuse.*

1 Dans ce bruit de fusillade, le crépitement régulier d'une mitrailleuse domine, exaspérant.
R. DORGELÈS, les Croix de bois, v, p. 100.

2 La chandelle, posée debout sur une pierre plate, faisait entendre, en brûlant, des crépitements sonores et prolongés rappelant exactement le bruit du tonnerre.
Raymond ROUSSEL, Impressions d'Afrique, p. 360.

Spécialt., méd. (vieilli). → **Crépitation, 2.**

CRÉPITER [kʀepite] v. intr. — Fin XVᵉ; lat. *crepitare,* fréquentatif de *crepare* «craquer».

♦ **1** Faire entendre une succession de bruits secs. *Le feu crépite.* → **Grésiller, pétiller.** *Sel qui crépite. L'huile crépite sur le feu. La pluie crépite sur les carreaux.* → **Frapper.** *Les applaudissements* (cit. 8) *crépitent. On entend crépiter la fusillade.*

1 Cinq légionnaires avaient été blessés par cette fusillade inattendue et précise qui avait fait crépiter la crête la plus voisine du poste, à cinq cents mètres, de l'autre côté d'une étroite vallée encombrée d'éclats de roches recouvertes de neige.
P. MAC ORLAN, la Bandera, XVII, p. 201.

2 Les cigales et le clayonnage neuf qui abrite la terrasse crépitent (...)
COLETTE, la Naissance du jour, p. 11.

♦ **2** Faire sur les sens un effet analogue à un bruit crépitant. *Couleurs qui crépitent.*

DÉR. Crépitant, crépitation, crépitement. ◊ **COMP.** Décrépiter.

CRÉPON [kʀepɔ̃] n. m. — V. 1550, *crespon;* de 2. *crêpe.*

♦ **1** Vx. Rouleau de cheveux postiches disposé sous les cheveux pour les faire bouffer.

♦ **2** Crêpe épais ou étoffe (laine, coton) semblable au crêpe. *Un peignoir de crépon.*

♦ **3** Appos. *Papier crépon,* gaufré et décoratif. — *Un crépon :* estampe japonaise sur papier grenu.

CREPS [kʀɛps] n. m. → **Crabs.**

C. R. E. P. S. [kʀɛps] — XXᵉ; sigle.
Centre régional d'éducation physique et sportive (centre de formation des professeurs d'éducation physique). *Faire le C. R. E. P. S.*

HOM. Creps (V. **Crabs**).

CRÉPU, UE [kʀepy] adj. — XIIIᵉ, *crespu,* attestation isolée, puis 1539; de 2. *crêpe.*

♦ **1** Frisé naturellement en touffes serrées (cheveux). → **Cotonné, crêpelé** (→ Cheveu, cit. 25). *Poil crépu. Cheveux crépus coiffés en boule* (→ **Afro**). *Tête crépue. Perruque crépue.*

(Le duc de Bourgogne) avait des cheveux châtains si crépus et en telle quantité qu'ils bouffaient à l'excès (...)
SAINT-SIMON, Mémoires, 822, 211.

♦ **2** Par anal. Semblable à une chevelure crépue. *Tête de balai crépue.* — Spécialt. Bot. *Mousse, feuille crépue.*

CRÉPUSCULAIRE [kʀepyskylɛʀ] adj. — 1705; de *crépuscule.*

♦ **1** Du crépuscule* (1.). *Lumière, lueur crépusculaire. Calme crépusculaire. Beauté crépusculaire.*

1 Cependant c'était bien comme une lueur de soleil, comme une lueur crépusculaire renvoyée de très loin par des miroirs mystérieux.
LOTI, Pêcheur d'Islande, I, I, p. 5.

2 (...) des choses qui semblent soudain éclairées d'un jour crépusculaire où certaines nuances prennent plus d'éclat.
J. CHARDONNE, les Destinées sentimentales, III, p. 375.

Astron. *Cercle crépusculaire :* cercle passant par le degré où se trouve le soleil quand cesse le crépuscule.

Zool. *Animaux crépusculaires,* qui ne sortent qu'au crépuscule. *Papillons crépusculaires.*

♦ **2** Fig. Qui est sur son déclin. *Âge, époque crépusculaire. Un art crépusculaire.* — Incertain, trouble. *Rêve crépusculaire. Des sentiments crépusculaires.* — (1847). Spécialt. Vx. *Histoire crépusculaire :* le premier âge de l'histoire.

(1900, *in* D.D.L.). Psychol., méd. *État crépusculaire :* état de demi-conscience précédant et suivant la perte absolue de la conscience. *État crépusculaire lors d'une crise d'épilepsie.* — *Vision crépusculaire :* réaction à la baisse de la lumière.

L'épisode hypnotique, dit-on, est ordinairement précédé d'un état crépusculaire : le sujet est en quelque sorte vide, disponible, offert sans le savoir au rapt qui va le surprendre. 3
R. BARTHES, Fragments d'un discours amoureux, p. 225.

DÉR. Crépusculairement.

CRÉPUSCULAIREMENT [kʀepyskylɛʀmã] adv. — 1942; de *crépusculaire.*
Rare (littér.). D'une manière crépusculaire.

Il faisait encore jour, mais déjà crépusculairement; avec une bonne petite moyenne au thermomètre, ça vous donnait l'envie de jouir du beau temps sans cuaser.
R. QUENEAU, Pierrot mon ami, éd. L. de Poche, p. 7.

CRÉPUSCULE [kʀepyskyl] n. m. — XIIIᵉ «aube» (ci-dessous, A., 2.); lat. *crepusculum,* de *creper* «douteux».

A ♦ **1** (1596). Lumière incertaine qui succède immédiatement au coucher du soleil. → **Brune; déclin** (du jour), **tombée** (du jour, de la nuit). *Le crépuscule du soir, de la nuit. Au crépuscule, à l'heure du crépuscule, à la nuit tombante.* → Entre chien* et loup. → **Crépusculaire.** *Un faible crépuscule. Paysage noyé dans le crépuscule d'hiver.*

Le crépuscule encor jette un dernier rayon (...) 1
LAMARTINE, Premières méditations poétiques, «L'isolement».

(...) les yeux de Fabrice furent attirés vers une des fenêtres du second étage, où se trouvaient, dans de jolies cages, une grande quantité d'oiseaux de toutes sortes. Fabrice s'amusait à les entendre chanter, et les voir saluer les derniers rayons du crépuscule du soir, tandis que les geôliers s'agitaient autour de lui. 1.1
STENDHAL, la Chartreuse de Parme, II, *in* Romans, Pl., t. I, p. 310.

Ce jour-là, le soleil, qui s'était levé à six heures vingt minutes, se couchait à cinq heures quarante, après avoir tracé pendant onze heures son arc diurne au-dessus de l'horizon. Le crépuscule devait lutter contre la nuit pendant deux heures encore. Puis, l'espace s'emplirait d'épaisses ténèbres (...) 1.2
J. VERNE, Michel Strogoff, p. 477.

Ce qui avait été un crépuscule blême, une espèce de soir d'été hyperborée, devenait à présent, sans intermède de nuit, quelque chose comme une aurore, que tous les miroirs de la mer reflétaient en vagues traînées roses (...) 2
P. LOTI, Pêcheur d'Islande, I, I, p. 11.

La bruine ruisselait toujours, sous un ciel uniforme et gris qu'enténébrait lentement l'approche du crépuscule. Une tristesse lugubre montait du creux blême de l'étang. 3
M. GENEVOIX, Forêt voisine, p. 169.

Le crépuscule se faisait nuit. Brigitte n'était plus éclairée que par la flamme. 4
F. MAURIAC, la Pharisienne, p. 192.

♦ **2** Par anal. Littér. (Avec un compl.). Lueur qui précède le lever du soleil. → **Aube, aurore.** *Le crépuscule du matin. Le crépuscule d'aube* (→ Brume, cit. 3).

C'était l'heure où le jour chasse le crépuscule (...) 5
HUGO, l'Année terrible, Juillet, 3.

6 En ce pays, soir et matin, le crépuscule n'existe pas.
       MAUPASSANT, Au soleil, p. 115.

7 *Crépuscule* convient aussi bien par rapport au passage de
   la nuit au jour que par rapport à celui du jour à la nuit :
   il y a un *crépuscule* du matin comme il y en a un du soir.
       LAFAYE, Dict. des synonymes, Suppl., Crépuscule.

♦ **3** Didact. *Crépuscule astronomique*, qui dure du
lever ou du coucher du soleil jusqu'au moment
où l'astre s'abaisse de 18° au-dessous de l'horizon.
Crépuscule nautique, jusqu'au moment où le soleil
s'abaisse de 12° sous l'horizon.

B Fig., littér. Déclin, fin. *Le crépuscule d'un empire.*
→ **Décadence.**

7.1 La solitude le silence
     Plus émouvant
     Au crépuscule de la peur
     Que le premier contact des larmes
            ÉLUARD, L'amour la poésie, Seconde nature, III,
                  in Œ. compl., Pl., t. I, p. 244.

♦ **1** (1778; du sens A, 1). *Le crépuscule de la vie.*
→ **Vieillesse.** — *Les Chants du crépuscule*, recueil de
poèmes de Victor Hugo. *Le Crépuscule des dieux*
(en all. *Götterdämmerung*), opéra de Wagner.

8 Au crépuscule de mes jours
   Rejoignez, s'il se peut, l'aurore.
            VOLTAIRE, Stances, XV (→ Âge, cit. 24).

9 (...) Hermès, dieu de l'adolescence, était aussi le dieu du
   crépuscule.
            MONTHERLANT, la Relève du matin, Conclusion,
                                    I, p. 130.

10 Elle avait cette grâce fugitive de l'allure qui marque la plus
    délicate des transitions, l'adolescence, les deux crépuscules
    mêlés, le commencement d'une femme dans la fin d'un
    enfant.   HUGO, les Travailleurs de la mer, I, 1, 1.

♦ **2** (Des sens A, 1 et 2). Ce qui est mal défini, trouble.
«*On ne peut que rêver dans les crépuscules de la
mauvaise foi sur la réalité positive du mystère*
(féminin)» (S. de Beauvoir, *le Deuxième Sexe*, 1949,
in T. L. F.).

CONTR. Jour. Nuit. ◊ DÉR. Crépusculaire.

CRÉQUIER [kʀekje] n. m. — V. 1280; de *creque* (XIIe)
«prune sauvage», néerl. *crieke* «sorte de prune».

♦ **1** Régional (Nord). Prunier sauvage.

♦ **2** (XIVe). Blason. Représentation d'un prunier sauvage muni de sept branches, prolongées par
autant de fruits, et ses racines.

CRESCENDO [kʀeʃɛndo] adv. et n. m. — 1775; ital.
crescendo «en croissant», gérondif de *crescere*, du lat.
crescere. → Croître.

♦ **1** Mus. En augmentant* progressivement l'intensité sonore. → **Rinforzando.** *Ce passage doit être
exécuté crescendo, il est précédé du signe <.* — N. m.
Un crescendo : une suite de notes que l'on doit exécuter en crescendo. *Ouverture qui se termine sur
un magnifique crescendo. Des crescendos* ou (invar.)
des crescendo.

1 À mesure qu'on s'enfonçait dans le couloir vert (...) le tintement monotone des cigales s'enflait comme un crescendo
   d'orchestre.   LOTI, Mme Chrysanthème, II, p. 5.

♦ **2** (Phénomènes sonores, et, par ext., tout phénomène).
En augmentant, en croissant. *Son mal va crescendo. Sa mauvaise humeur allait crescendo.* — N. m.
→ **Augmentation; amplification, hausse, montée, renforcement.**

2 (...) un cri général, un *crescendo* public, un *chorus* universel de haine et de proscription.
            BEAUMARCHAIS, le Barbier de Séville, II,
                         8 (→ Calomnie, cit. 5).

3 (...) le crescendo naturel qu'on observe toujours dans de
   telles agitations (...)
            MICHELET, Hist. de la Révolution franç., t. I, p. 272.

Un crescendo brusque, imprévu, effroyable, des râles, la   4
mêlée aérienne de deux voix furibondes (...)
       COLETTE, la Paix chez les bêtes, «Prrou», p. 20.

Petit à petit, mot à mot, mon père élevait la voix. C'était   5
un crescendo bien contenu, une gradation savante.
       G. DUHAMEL, Chronique des Pasquier, I, p. 209.

CONTR. Decrescendo, diminuendo.

CRÉSOL [kʀezɔl] n. m. — 1866; de *créosote*, et *-ol.*

Chim. Chacun des trois phénols isomères (*ortho-,
méta-* et *para-crésol*), de formule CH_3—C_6H_4—OH;
mélange de ces isomères. *Les phénols sont extraits
de divers goudrons; ils sont utilisés comme désinfectants* (→ **Crésyl**), *et dans l'industrie (fabrication
de résines, d'insecticides...).*

Ajoutons en outre que cette désignation (*phénoplastes*)
s'applique aussi à différents plastiques que l'on peut
obtenir par action du formol dans des corps à fonction
phénolique, autres que le phénol ordinaire, par exemple
le crésol.   Jean VÈNE, les Plastiques, p. 20.

CRESSICULTEUR, TRICE [kʀesikyltœʀ, tʀis] n.
— 1869; de *cressi-*, élément tiré de *cresson*, et *-culteur.*

Techn. Producteur de cresson; personne qui travaille dans une cressonnière, effectue la mise en
bottes.

CRESSICULTURE [kʀesikyltyʀ] n. f. — Fin XIXe; de
cressi-, élément tiré de *cresson*, et *-culture.*

Techn. Culture du cresson.

CRESSON [kʀesɔ̃] n. m. — 1130; du francique *kresso*
(cf. all. *Kresse*), avec infl. de *croître* (du lat. *crescere*).

♦ **1** Plante herbacée, à tige rampante et à feuilles
découpées en lobes arrondis, cultivée pour ses parties vertes comestibles. *Cresson de fontaine (cresson
charnu, cresson à feuilles minces, cresson gaufré)*,
qui croît dans les mares et les ruisseaux. *Le
cresson* (n. sc. : *Naturtium*, famille des *Cruciféracées*) *est une plante annuelle, bisannuelle ou vivace.
Culture du cresson.* → **Cressiculture; cressonnière.**
Salade de cresson. Cresson cuit.

C'est un carré de filet de bœuf rôti saignant, garni de
pommes soufflées et de cresson.
       J. ROMAINS, les Hommes de bonne volonté, t. IV,
                                    VI, p. 44.

Par anal. (Qualifié, désignant d'autres végétaux). *Cresson
alénois.* → **Passerage; nasitort.** — *Cresson des jardins :* passerage cultivé. — *Cresson des prés, cresson
amer, cresson des murailles.* → **Cardamine, cressonnette.** *Cresson de Para* ou *cresson du Brésil.* —
Cresson de cheval, de chien. → **Véronique.** — *Cresson
d'Inde, du Pérou :* la grande capucine. — *Cresson
doré :* dorine.

♦ **2** Fig., fam. (en loc.). Chevelure. *N'avoir plus de
cresson sur la fontaine, sur le caillou :* être chauve*.

DÉR. et COMP. Cressonnette, cressonnière. V. Cressiculteur,
cressiculture.

CRESSONNETTE [kʀesɔnɛt] n. f. — Fin XIXe; de
cresson.

Cardamine des prés (dite aussi *cresson des prés*).

CRESSONNIÈRE [kʀesɔnjɛʀ] n. f. — 1274; de *cresson.*

Lieu baigné d'eau où l'on cultive le cresson (de
fontaine).

Une façade (*de la ferme*) regardait les bassins d'une cressonnière bordée d'un coteau de sapins (...)
       Geneviève DORMANN, la Fanfaronne, p. 131.

CRÉSUS [kʀezys] n. m. — 1543, Marot; lat. *Croesus*, grec *Kroisos*, nom d'un roi de Lydie, célèbre pour sa richesse.

Homme extrêmement riche. *C'est un Crésus*; plus souvent : *il est riche comme Crésus*.

CRÉSYL [kʀezil] n. m. — 1866; marque déposée, de *crés(ol)*, et *-yl-*.

Solution désinfectante à base d'un mélange de crésols.

1 (...) il cautérisa la plaie au fer rouge, fit une application de crésyl et ajusta au sabot malade un fer légèrement bombé pour maintenir le pansement.
H. TROYAT, les Semailles et les Moissons, p. 37.

2 On peut utiliser le phénol et les crésols sous forme de savons en émulsions appelés crésyls.
Jean BECK, le Goudron de houille, p. 12.

DÉR. et COMP. Crésylé. Tricrésylphosphate.

CRÉSYLÉ, ÉE [kʀezile] adj. — 1926; de *crésyl*.

Qui contient du crésyl.

Le sol formait un lac d'eau crésylée au centre duquel se trouvait un lot de briques.
CAMUS, la Peste, éd. L. de Poche, p. 76.

CRÊT [kʀɛ] n. m. — 1210; en Suisse depuis 1150; repris en géol., 1832, en géogr., xxᵉ; mot dial. (Jura, Alpes...), var. de *crête*.

Régional ou didact. Escarpement rocheux qui borde une combe*.

HOM. Craie.

CRÉTACÉ, ÉE [kʀetase] adj. et n. m. — 1735; lat. *cretaceus*, de *creta*. → Craie.

♦ **1** Adj. Vx. Qui contient de la craie, est de nature crayeuse*. *Matière crétacée. Terrain crétacé* (→ Bassin, cit. 9).

♦ **2** Adj. Géol. Qui correspond à une période géologique de la fin du secondaire, au cours de laquelle se sont formés (notamment) les terrains à craie. *Période crétacée. Les dix étages de la période crétacée* : *berriasien, valanginien, hauterivien, barrémien, aptien, albien, cénomanien, turonien, sénonien, danien. La période crétacée est caractérisée par le foisonnement des mollusques et des foraminifères, et l'avènement des angiospermes (monocotylédones et dicotylédones).* N. m. *Le crétacé. Crétacé inférieur, supérieur, moyen. Mammifère du crétacé. Reptiles fossiles du crétacé* (ex. : *atlantosaure, iguanodon, mégalausaure...*).

COMP. Mésocrétacé.

CRÊTE [kʀɛt] n. f. — V. 1180, *creste*; du lat. *crista*, cf. l'anc. provençal *cresta*.

I ♦ **1** **a** Excroissance charnue, rouge et dentelée de la tête (de certains gallinacés). *Crête de coq.* — Absolt. *Crête du coq. Crête pendante. Crête droite. Double crête. Enlever la crête d'un coq.* → **Écrêter.**

1 La gent qui porte crête au spectacle accourut.
Plus d'une Hélène au beau plumage
Fut le prix du vainqueur...
LA FONTAINE, Fables, VII, 13.

Pâté de crête de coq (→ **Béatilles**) ou *crête de coq en pâté. Crêtes de coq rôties, frites, à la broche, farcies.* **b** Loc. métaphorique (symbole d'orgueil, de supériorité). *Lever la crête* : être arrogant mais aussi courageux, hardi. — *Baisser la crête* : témoigner de l'humilité. *Rabaisser, rabattre la crête à qqn,* l'humilier. *Rabaisser la crête à un insolent* (→ Le caquet). — *Avoir la crête rouge* : être colérique.

2 À cette époque j'avais déjà un fort belle crête et cette injure me parut impossible à supporter.
Léon BLOY, la Femme pauvre, II, IV, p. 202.

c Par métonymie. Fam., vx. Tête. *«Plus on tape sur la crête du bourgeois, plus je suis content»* (G. Flaubert, *Correspondance*, 1878, in T. L. F.).

♦ **2** Zool. Excroissance tégumentaire sur la tête. — (Oiseaux). *Crête d'une alouette, d'un cochevis.* → **Huppe.** — (Batraciens). *Crête d'un triton.* — (Reptiles). *Crête du caméléon, de l'iguane.* — (Poissons). *Crête de morue.*

II Par anal. (Concret). ♦ **1** (1539). *Crête-de-coq* : amarante* (plante). *Des crêtes-de-coq.*

♦ **2** Anat. Saillie osseuse. → **Apophyse.** — Partie saillante et allongée. *La crête du tibia.* — *Crête dermique* : saillie à la surface du derme. — (1834). Méd. → **Crête-de-coq.**

En forme de crête. → **Cristiforme.**

♦ **3** Archit. Ensemble des tuiles faîtières (d'un toit). → **Faîte.** *La crête d'un toit.* — Chaperon (d'un mur). → **Chaperon** (4.).

3 (...) le drapeau qui flotte à la crête du toit...
Alphonse DAUDET, Contes du lundi,
«La partie de billard».

Sommet d'un mur, d'une construction (→ **Parapet**). *Crête d'une fortification.*

4 Un matin, comme il *(Julien)* s'en retournait par la courtine, il vit sur la crête du rempart un gros pigeon qui se rengorgeait au soleil.
FLAUBERT, Trois contes,
«la Légende de saint Julien l'Hospitalier», I.

♦ **4** (XIIIᵉ). Géogr. et cour. Ligne de faîte (d'une montagne). → **Cime, sommet.** *Escalader une crête. Crêtes couvertes de neige.* — Ligne de crête, entre deux versants (→ **Barre,** II., 1.). *Succession de lignes de crêtes* (→ **Appalachien** [relief]).

5 Quelques brumes fumaient sur les pentes des Alpes, effaçaient les vallées en rampant vers les sommets dont les crêtes dessinaient une immense ligne dentelée dans un ciel rose et lilas.
MAUPASSANT, la Vie errante, p. 14.

5.1 Nous suivons longtemps la ligne des crêtes, puis descendons dans un vallonnement profond.
GIDE, Voyage au Congo, in Souvenirs, Pl., p. 779.

La crête d'un rocher. → **Haut, sommet.** — Au fig. :

5.2 Chateaubriand supporte peu la traduction (...) La beauté chez lui, même la beauté de la pensée, tient trop à la forme; elle est comme enchaînée à la cime des mots (...) à la crête brillante des syllabes.
SAINTE-BEUVE,
Chateaubriand et son groupe littéraire
sous l'Empire, t. I, 1860, in T. L. F.

♦ **5** Topogr. Ligne de partage des eaux.

♦ **6** (XIIIᵉ). Techn. Pièce élevée (d'un casque) servant d'ornement. *Crête d'un morion, d'un armet.* — Petite passementerie dentelée, servant à orner un tissu d'ameublement.

Crête d'un chien de fusil ou *crête du chien* : la partie supérieure du chien*.

♦ **7** Agric. *Crête de labour* : exhaussement du sol à l'extrémité d'une parcelle. *Crête d'un sillon.* Mar. et cour. *La crête d'une vague, d'une lame. Vagues aux crêtes blanches.*

6 (...) à quelques centaines de mètres, tout paraissait finir en espèces d'épouvantes vagues, en crêtes blêmes qui se hérissaient... LOTI, Pêcheur d'Islande, II, I, p. 75.

Levée de terre (d'un fossé).

III (Abstrait). ♦ **1** Sc. Valeur maximale (schématisée par une *crête* sur un graphique).

♦ **2** Électr. Valeur maxima par laquelle passe l'intensité d'un courant (→ **Modulation**). *Tension, courant de crête.*

♦ **3** Météor. *Crête de haute pression :* longue bande de hautes pressions s'allongeant en ligne entre deux dépressions stationnaires. → **Dorsale.** *Le temps est généralement beau dans les crêtes de haute pression.*

CONTR. **Fond, vallée.** ◊ DÉR. **Crêté, crételle, crêter ; accrêté.** → COMP. **Crête-de-coq.**

CRÊTÉ, ÉE [kʀete] adj. — V. 1170, *cresté ; de crête.*

♦ **1** Agric., zool. Qui a une crête. *Un coq bien crêté.* — Blason. *Coq d'argent crêté de gueules.*

♦ **2** Muni d'une crête (II.). *Mur crêté. Vague crêtée. Casque crêté.*

1 (...) un lourd et pesant nuage violet, crêté de blanc.
Ed. et J. DE GONCOURT, Manette Salomon, p. 66.

Fig., rare. Hérissé (au moment du combat).

2 On voudrait prendre dans ses bras toute femme qui ne se comporte pas en chatte aux poils crêtés.
François NOURISSIER, le Maître de maison, p. 202.

CRÊTE-DE-COQ [kʀɛtdəkɔk] n. f. — 1611 ; cf. *creste à géline,* 1539 ; *de crête, de,* et *coq.*

♦ **1** Régional. Nom de plusieurs plantes (sainfoin, rhinanthe) à feuilles dentelées.

♦ **2** (1834). Méd. Excroissances (papillomes) d'origine vénérienne.

CRÉTELER [kʀetle] v. intr. [CONJUG.: *appeler.*] — XIVᵉ ; orig. incert., p.-ê. *de se crêter.*

Rare. Crier, en parlant de la poule qui vient de pondre.

CRÉTELLE [kʀetɛl] n. f. — 1786 ; *de crête.*

Graminée fourragère. *La crételle des prés.*

CRÊTER [kʀete] v. tr. — V. 1175 ; *de crête.*

♦ **1** Garnir de crêtes (II.). *Crêter une étoffe.*

♦ **2** (Choses). Constituer une crête.

1 Les cheveux drus, emmêlés, constituant d'une broussaille rousse, presque rouge, le front bombé, les joues pleines et dures. J. KESSEL, le Lion, p. 46.

♦ **SE CRÊTER** v. pron.

(En parlant d'un gallinacé, et, spécialt, du coq). Hérisser sa crête au moment de se battre.

2 (...) des cris imitatifs dont il inquiétait la basse-cour, des *cocoricos* avec lesquels il faisait se piéter et se crêter batailleusement les coqs.
Ed. et J. DE GONCOURT, Manette Salomon, p. 270.

Fig., vx. (Personnes). Prendre une attitude agressive, se mettre en position de combat.

CRÉTIN, INE [kʀetɛ̃, in] n. — 1750, n. m. ; *du valaisan crétin,* var. *de chrétien,* au sens de «innocent».

♦ **1** Méd. et cour. Individu atteint de crétinisme* par insuffisance thyroïdienne. *Un crétin goitreux. Crétin du Valais, crétin des Alpes* (allus. à l'origine de l'expression, les populations de ces régions de haute altitude, carencées en iode, étant fréquemment atteintes d'hypothyroïdie).

1 Là où se trouvent les crétins, la population croit que la présence d'un être de cette espèce porte bonheur à la famille.
BALZAC, le Médecin de campagne, Pl., t. VIII, p. 334.

1.1 Quand je me levais le matin l'idiot était déjà debout, il furetait dans la cour à moitié habillé, ses cheveux dans la figure, de loin une certaine élégance, celle de la jeunesse, de près ses yeux absorbaient toute l'attention, d'une tristesse, dans ce paradis vague des crétins ou est-ce un enfer, le même pour tous (...) il avait des yeux de crétin c'est tout, trop écartés et qui n'allaient pas dans la même direction (...) Robert PINGET, Passacaille, p. 105.

Par compar. ou fig. Personne totalement inintelligente.

2 (...) c'est une espèce d'«innocente», de crétine, de «demeurée» comme dans les mélodrames ou comme dans l'*Arlésienne.*
PROUST, À la recherche du temps perdu, t. VIII, p. 128.

3 Non, imbéciles, non, crétins et goitreux que vous êtes, un livre ne fait pas de la soupe à la gélatine (...)
Th. GAUTIER, Préface Mˡˡᵉ de Maupin, p. 28 (éd. critique MATORÉ).

♦ **2** Personne sotte, stupide. → **Idiot, imbécile.** *C'est un crétin, il ne comprend rien. Quelle crétine ! Se faire traiter de crétin.*

Appellatif. *Crétin ! Bande de crétins ! Espèce, bougre de crétin ! Pauvre crétin !* → **Andouille, con** (fam.), **idiot.**

Adj. (Personnes). *Il est complètement crétin.* → **Abruti, con, débile, idiot.** *Il est encore plus crétin que son frère. Mais tu es complètement crétine !*

4 (...) eh bien ! c'est un imbécile tout à fait remarquable ; aussi congénitalement crétin que le plus crétin de l'École, avec cette circonstance aggravante qu'il a une instruction de garçon boucher et une fatuité de ténor.
J. ROMAINS, les Hommes de bonne volonté, t. IV, XXII, p. 240.

(Choses). *Quelle réaction crétine ! Sa réponse est totalement crétine.* → **Inepte ; absurde, idiot.**

♦ **3** Argot scol. (vx). Élève travailleur (Flaubert, *Correspondance, in* T. L. F.).

DÉR. **Crétinerie, crétiniser, crétinisme.**

CRÉTINERIE [kʀetinʀi] n. f. — 1860 ; *de crétin.*

♦ **1** Caractère du crétin (2.). → **Bêtise, connerie** (fam.), **sottise.** *«J'eus la crétinerie de faire un second article»* (Goncourt, *Charles Demailly, in* T. L. F.).

♦ **2** (*Une, des crétineries*). Action du crétin.

CRÉTINISANT, ANTE [kʀetinizɑ̃, ɑ̃t] adj. — 1926 ; p. prés. *de crétiniser.*

Qui rend bête, crétinise. → **Abêtissant.** *Une lecture crétinisante.*

Réflexion faite, je ne sais pourquoi je m'abstiendrais plus longtemps de dire que l'Humanité, puérile, déclamatoire, inutilement crétinisante, est un journal illisible, tout à fait indigne du rôle d'éducation prolétarienne qu'il prétend assumer.
A. BRETON, *in* la Révolution surréaliste, nº 8, p. 31 (1926).

CRÉTINISATION [kʀetinizasjɔ̃] n. f. — 1870 ; *de crétiniser.*

Action de crétiniser, de rendre crétin. → **Abêtissement.**

1 Après la crétinisation souriante, avant la robotisation totale, il y a le chiffrement.
Jean-Louis BORY, Ma moitié d'orange, p. 114.

2 Pas de basse besogne, pas de manifestations, pas de levées en masse de la crétinisation nationale qui ne trouvent chez vous un exutoire ou un tremplin.
A. ARTAUD, Lettres à l'administrateur de la Comédie-Franç., 21 févr. 1925, *in* Œ. compl., t. III, p. 128.

CRÉTINISER [kʀetinize] v. tr. — 1834 ; *de crétin.*

Rendre crétin (2.). → **Abêtir ; abrutir.** *Certains pensent que la télévision crétinise l'enfant.*

1 Sale bourgeois ! cria Claude exaspéré. Ah ! ils te crétinisent raide à l'École, tu n'étais pas si bête !
ZOLA, l'Œuvre, II, p. 53.

2 Qu'espérer d'une foule aux visages éteints ? Foutu, le Beau Jeu. Contemple-les, mon âme, ils sont vraiment crétins. Est-ce leur faute ? On les crétinise.
Jean-Louis BORY, Ma moitié d'orange, p. 112.

◆ **SE CRÉTINISER** v. pron.
Devenir crétin.

◆ **CRÉTINISÉ, ÉE** p. p. adj.
Rendu crétin. *Enfant crétinisé par son éducation.*

3   (...) à l'exception de Chauvet, tous les chefs de service crétinisés par l'ambition dansent devant le totem.
                  Pierre MOUSTIER, la Mort du pantin, p. 243.

DÉR. Crétinisant, crétinisation.

CRÉTINISME [kʀetinism] n. m. — 1784 ; de *crétin,* et *-isme.*

◆ **1** Méd. Forme de débilité mentale et de dégénérescence physique en rapport avec une insuffisance thyroïdienne et souvent accompagnée de goitre. *Être atteint de crétinisme. Crétinisme congénital.*

◆ **2** (1844, *in* D.D.L). Cour. Grande bêtise ; état du crétin (2.). → **Connerie** (fam.), **idiotie, imbécillité, sottise, stupidité.** *Quelle époque de crétinisme ! Il a eu le crétinisme de démissionner.*

CRÉTOIS, OISE [kʀetwa, waz] adj. et n. — V. 1165, *Creteis ;* de *Crète,* lat. *Creta.*

Qui se rapporte à l'île de Crète ou à ses habitants, notamment dans l'Antiquité. *Art crétois.*
N. *Un Crétois, une Crétoise :* habitant de la Crète (→ **Candiote,** vx).
N. m. *Le crétois :* langue parlée dans la Crète antique. — Dialecte grec de Crète.

CRETON [kʀətɔ̃] n. m. — 1120 ; orig. obscure, p.-ê. du néerl. *kerte* «entaille».

Morceau (de lard, de panne de porc) frit. *Creton de lard.* — Au plur. Résidus de la fonte des graisses d'animaux. *Pains de cretons servant d'aliments pour chiens.*

1   Depuis le temps, la révolte, l'horreur de son estomac pour la viande avait été telle, qu'elle avait passé toute sa jeunesse sans pouvoir toucher à un *creton* de lard (...)
        Ed. et J. DE GONCOURT, Manette Salomon, p. 273.

2   — Goûte ces cretons, Mathieu. J'ai fait boucherie pour les Fêtes.
    — Y a pas à dire, c'est bon.
            Jean-Yves SOUCY, Un dieu chasseur, p. 67.

CRETONNE [kʀətɔn] n. f. — 1723 ; p.-ê. de *Creton,* nom d'un village de l'Eure, renommé pour ses toiles au XVIᵉ.

Toile de coton très forte. *Cretonne blanche, imprimée. Rideaux, housses de cretonne.*

1   La couleur blanche du lit ancien et sa couverture en toile de Jouy, les brosses en ivoire sur la coiffeuse entre les deux fenêtres et leurs rideaux de cretonne à fleurs se détachent dans la pénombre de la chambre.
        J. CHARDONNE, les Destinées sentimentales, III, p. 419.

2   La chambre d'hôtel était tendue de cretonnes pimpantes ; il y avait dans la salle de bains de l'eau chaude, du vrai savon, des peignoirs en tissu éponge.
        S. DE BEAUVOIR, les Mandarins, p. 85.

CREUSAGE [kʀøzaʒ] ou **CREUSEMENT** [kʀøzmɑ̃] n. m. — 1716 ; v. 1287, *crousement ;* de *creuser.*

◆ **1** Action de creuser ; son résultat. *Le creusement d'un canal.*

Tout le long du chemin, la fabrication des fascines, des gabions, des sacs de terre, le creusage dans les tranchées des poudrières et des caves à pétrole...
        Ed. et J. DE GONCOURT, Journal, t. IV, p. 29.

◆ **2** (1753). Spécialt. Travail de gravure sur bois ou sur métal.

◆ **3** Figuré :
Creusement d'une perception une fois orientée.
        VALÉRY, Cahiers, Pl., t. II, p. 270.

COMP. Surcreusement.

CREUSER [kʀøze] v. tr. — V. 1173, *croser ;* de *creux.*

I ◆ **1** Rendre creux en enlevant de la matière. → **Évider, trouer.** *Creuser le bois, la terre. L'eau, le vent creusent les rochers.* → **Affouiller, caver ; miner.**
Faire un trou, des trous dans. *Creuser la terre* (→ **Défoncer, piocher**) *pour faire des travaux* (→ **Terrasser**), *pour la cultiver* (→ **Bêcher, labourer**), *pour chercher qqch.* (→ **Fouir, fouiller**). *Creuser en spirale une pièce qui doit recevoir une vis.* → **Tarauder.** *Creuser une médaille* (→ **Champlever**), *une pierre précieuse* (→ **Chever**).
Absolt. *Creuser dans la terre. Creuser pour percer.* → **Forer, percer.** *Creuser intérieurement.* → **Évider.**

1   Remuez votre champ dès qu'on aura fait l'août.
    Creusez, fouillez, bêchez, ne laissez nulle place
    Où la main ne passe et repasse.
            LA FONTAINE, Fables, v, 9.

2   (...) ce pouvait tout aussi bien être l'ouvrage d'un de ces gros rats d'eau qui fourragent, creusent et rongent en pareils endroits (...)
        G. SAND, la Petite Fadette, VIII, p. 55.

3   Chacun havait le lit de schiste, qu'il creusait à coups de rivelaine ; puis il pratiquait dans entailles verticales dans la couche, et il détachait le bloc (...)
        ZOLA, Germinal, t. I, IV, p. 40.

◆ **2** Donner une forme concave à... *Creuser le dos, la taille.* → **Cambrer, rentrer.** *Creuser un décolleté.* → **Échancrer.** *La maladie lui a creusé les joues* (→ **Amaigrir**), *les yeux* (→ **Enfoncer**). *Visage creusé de rides, aux rides profondes.*

4   Le travail ne l'avait pas creusé et flétri comme la plupart des paysans qui ont dix années de labourage sur la tête.
        G. SAND, la Mare au diable, v, p. 45.

5   Le violoniste couchant la joue sur son violon, comme si sa tête se pâmait ; et la pianiste qui se penche en creusant le dos, et se relève, et ondule.
        J. ROMAINS, les Hommes de bonne volonté, t. IV, xv, p. 154.

◆ **3** Loc. métaphorique. *Creuser l'estomac :* donner l'impression d'un vide dans l'estomac ; donner faim. *La marche nous a creusé l'estomac.* — Par métonymie. (Régional). *Creuser une faim à qqn.*
(1869). Fig. Donner de l'appétit à (qqn), donner faim. *Cet exercice les a creusés.* — Absolt. *Le grand air, ça creuse.*

5.1 (...) moi, on m'a invité à rester à la porte.... ça me creuse !...
        E. LABICHE, la Chasse aux corbeaux, 1.

◆ **4** (1865). Abstrait. Approfondir. *Creuser une idée, un sujet, une question. Creuser une science.* — *Creuser qqn,* l'analyser en profondeur.
Absolt. *Si l'on creuse un peu on s'aperçoit qu'il ne connaît rien.*

6   Vouloir rendre raison de Dieu (...) c'est creuser longtemps et profondément, sans trouver les sources de la vérité.
        LA BRUYÈRE, les Caractères, XVI, 23.

7   Plus on creuse avant dans son âme, plus on ose exprimer une pensée très secrète, plus on tremble lorsqu'elle est écrite.
        STENDHAL, Souvenirs d'égotisme, p. 187.

8   Après avoir entendu les paroles, ne creusez pas trop les consciences. Vous trouveriez souvent au fond de la sévérité l'envie, au fond de l'indulgence la corruption.
        HUGO, Post-Scriptum de ma vie, L'esprit, II.

9   Quel lourd aviron qu'une plume et combien l'idée quand il la faut creuser avec, est un dur courant !
        FLAUBERT, Correspondance, t. II, p. 62.

II Faire, former, en enlevant de la matière. *Creuser une fosse, un sillon, une tranchée, un trou, une rigole* (→ **Pioche,** cit. 2). *Creuser un canal, une carrière, une mine. Fleuve qui creuse son lit. Creuser un tunnel.* → **Ouvrir.** *Creuser un puits.* → **Foncer.** *Creuser la fosse d'une tombe.* → **Fossoyeur.** — (Sujet n. de chose). → ci-dessous cit. 12, 14, 14.1.

10 Celui qui creuse une fosse y tombe,
    et la pierre revient sur celui qui la roule.
                            BIBLE (CRAMPON), Proverbes, XXVI, 27.

11 Voyez-vous à nos pieds fouir incessamment
    Cette maudite laie, et creuser une mine?
    C'est pour déraciner le chêne assurément (...)
                            LA FONTAINE, les Fables, III, 6.

12 L'été, on se demande où sont les rivières qui ont pu creuser
    de pareils lits.
                            E. FROMENTIN, Un été dans le Sahara, p. 84.

13 Les terrassiers commenceraient à creuser tout de suite les
    fondations de l'hôtel, tracées dans la partie libre du ter-
    rain.
                            J. ROMAINS, les Hommes de bonne volonté, t. V,
                                                         XXVII, p. 272.

14 Les roues des ambulances avaient creusé des ornières dans
    l'allée, où il ne restait plus trace du gravier fin que M. Thi-
    bault faisait jadis ratisser chaque jour.
                            MARTIN DU GARD, les Thibault, t. IX, p. 59.

14.1 Par instants un remous creuse un sillon profond; une
    gerbe d'écume bondit.
                            GIDE, Voyage au Congo, in Souvenirs, Pl., p. 692.

    Loc. fig. *Creuser sa fosse, sa tombe* : être cause de
    sa propre mort. Loc. fig. *Creuser sa fosse avec ses
    dents* : manger avec excès. — *Creuser un abîme
    entre deux personnes.* → **Désunir, séparer.** *Creuser
    un abîme devant qqn.* — *Creuser son sillon* : pour-
    suivre son œuvre avec persévérance.

15 Ceux qui font les révolutions à demi ne font que creuser
    leurs tombeaux.
                            SAINT-JUST, in MICHELET,
                            Hist. de la Révolution franç., t. II, p. 780.

16 (...) les indemnités de guerre imposées au vaincu vien-
    dront, souvent, boucher les trous que la guerre même aura
    creusés dans les budgets militaires.
                            Louis MADELIN, Vers l'Empire d'Occident, V, p. 65.

♦ **SE CREUSER** v. pron.

    ♦ **1** (Sens passif). **Devenir creux, affecter une forme
    creuse.**

17 (...) son front large et haut commençait à se creuser de
    rides (...)   HUGO, Notre-Dame de Paris, I, II, III.

18 (...) l'avenue se creusait comme une tranchée d'ombre.
                            MARTIN DU GARD, les Thibault, t. I, p. 63.

    Mar. *La mer se creuse*, devient mauvaise. — REM. On
    rencontre dans le même sens un emploi intransitif : *«la
    mer creuse de plus en plus»* (Accoce, *Polonais*, p. 197).

    ♦ **2** (Faux pron., avec un compl.). **Creuser pour soi
    (qqch.).** *Se creuser un abri.*

19 Le blaireau est un animal paresseux, défiant, solitaire,
    qui se retire dans les lieux les plus écartés, dans les bois
    les plus sombres, et qui s'y creuse une demeure souter-
    raine (...)
                            BUFFON, Hist. nat. des animaux, Le blaireau.

20 Il se rappela le jour de son enfance où, après avoir cou-
    ronné son poney, il s'était creusé aux genoux deux plaies.
                            GIRAUDOUX, Bella, V, p. 115.

    ♦ **3** Fig. (Choses). **Se former.** *Abîme qui se creuse entre
    deux personnes.* → Abîme, cit. 11 et 14.

    ♦ **4** Fam. (Personnes). **Réfléchir intensément.** *Tu ne
    t'es pas trop creusé !* → **Casser** (fam.), **fatiguer.**

21 (...) quand je me suis bien creusée sur ce sujet (...)
                            Mme DE SÉVIGNÉ, 222, 25 nov. 1671.

    (Avec un compl.). *Se creuser la tête, l'esprit, la cervelle,
    le ciboulot* (même sens).

22 (...) ne vous y creusez point trop l'esprit (...)
                            Mme DE SÉVIGNÉ, 153, 8 avr. 1672.

23 (...) les idées me manquent, j'ai beau me creuser la tête,
    le cœur et les sens, il n'en jaillit rien.
                            FLAUBERT, Correspondance, t. II, p. 339.

    ♦ **CREUSÉ, ÉE** p. p. adj.
    Rendu creux. *Sol creusé par endroits. Visage creusé
    de rides.* → **Sillonné.**

24 (...) le visage (...) creusé par la mort, se ranima, ses mains
    se soulevèrent.   FRANCE, Les dieux ont soif, p. 165.

Les traits de son visage, fins et charmants mais hâlés,   25
creusés par la fatigue, endurcis par les soucis, avaient une
expression audacieuse et mâle.
                            FRANCE, Les dieux ont soif, p. 185.

(...) un ventre spacieux, comme une vasque creusée au   26
tour.   MARTIN DU GARD, les Thibault, t. III, p. 18.

Fait, taillé en forme de creux. *Trous creusés dans
le sol. Cannelures* creusées sur une colonne.*

La neige est partout : elle comble les mille vallées creusées   27
dans la puissante échine des montagnes (...)
                            André SUARÈS, Trois hommes, «Ibsen», I, p. 69.

Par métaphore :

Quand je monte à la tribune, je suis déjà vidé, je suis   28
creusé, je suis épuisé par ces dévorations intérieures, je
suis exténué d'avance.
                            JAURÈS, in Ch. PÉGUY, la République, p. 67.

REM. Le participe présent *creusant* est parfois adjectivé :

(...) ni par la plus creusante tempête tournant des paquets   29
de feuilles à la fois.
                            Francis PONGE, le Parti pris des choses, p. 60.

CONTR. **Arrondir, bomber, bouffer, bouffir, boursoufler,
combler, remplir, ressortir.** ◊ DÉR. **Creusage, creuseur,
creusoir, creusure.** ← HOM. **Creuset.**

CREUSET [kʁøzɛ] n. m. — 1514, *croiset;* altér. de l'anc.
franç. *croisnel* «lampe», du gallo-roman *croceolus*, mot
germanique (?) par attr. de *creux* et changement de
suffixe.

♦ **1 Récipient qui sert à faire fondre ou calciner
certaines substances (en chimie, dans l'industrie).**
*Creuset en terre, en porcelaine, en fer, en platine, en
plombagine, en graphite... Creuset de verrerie,* destiné à recevoir le verre fondu, et qui supporte une
température de 1 400°. *Passer une substance par le
creuset. Épurer au creuset. Mélanger des corps dans
un creuset. Fond métallique d'un creuset.* → **Culot.**
Petit creuset pour séparer l'or ou l'argent (cit. 33)
en alliage avec un autre métal. → **Coupelle.**

Un autre avantage bien rare de la porcelaine des Indes,   1
c'est que sa pâte est admirable pour faire des creusets (...)
                            G.-T. RAYNAL, Hist. philosophique..., V, 27.

♦ **2 Fig. Lieu où diverses choses se mêlent, se fondent.** *Le creuset américain* (→ Assimiler, cit. 10, cf.
angl. *melting pot*).

Le théâtre est un creuset de civilisation. C'est un lieu de   2
communion humaine.
                            HUGO, William Shakespeare, I, IV, II.

Le monde oriental avait toujours été un creuset où s'étaient   3
mêlés cent cultes divers.
                            DANIEL-ROPS, le Peuple de la Bible, IV, II, p. 331.

Moyen d'épuration. *Le creuset du temps, de la souffrance...* → **Épreuve.**

Tout son mérite *(de Corneille)*, à l'heure qu'il est, ayant été   4
mis par le temps comme dans un creuset, se réduit à huit
ou neuf pièces de théâtre qu'on admire (...)
                            BOILEAU, le Longin, Réflexion, 7e.

Feu sacré dont brûla ton âme généreuse   5
Qui s'épurait encore au creuset du malheur.
                            VOLTAIRE, Odes, XII, in LITTRÉ.

Mais, il faut le croire, dit-elle en appuyant ses doigts sur   6
mon bras, oui, croyons-le, Félix, nous devons passer par
un creuset rouge avant d'arriver saints et parfaits dans les
sphères supérieures.
                            BALZAC, le Lys dans la vallée, Pl., t. VIII, p. 923.

♦ **3 Techn. Partie inférieure (d'un haut fourneau) où
se trouve le métal en fusion.**

La fonte, épurée, autant qu'elle peut l'être dans un creuset   7
ou refondue une seconde fois, donne une régule qui fait
la nuance entre la fonte et le fer.
                            BUFFON, Hist. nat. des minéraux, t. IV, p. 141.

HOM. **Creuser.**

CREUSEUR, EUSE [kʀøzœʀ, øz] n. — XIVᵉ; de *creuser.*

Techn. Celui, celle qui creuse (au propre et au fig.). *Creuseur de puits.* → **Puisatier.**

CREUSOIR [kʀøzwaʀ] n. m. — 1785; var. régionale *crosioux* (1597), *crosoir* (1725); de *creuser.*

Techn. Outil de luthier pour creuser la table des instruments de musique.

CREUSURE [kʀøzyʀ] n. f. — 1547; de *creuser.*

Rare. Cavité peu profonde. *La creusure d'un évier.*

CREUX, EUSE [kʀø, øz] adj. et n. m. — XIIᵉ, *crues, cruose,* v. 1180; du lat. pop. *crosus* p.-ê. d'orig. gauloise.

I Adj. **A** (Qui présente un vide interne). ◆ **1** Qui est vide à l'intérieur. → **Évidé, vide.** *Tige creuse, arbre creux. Os creux. Balle creuse. Statue creuse. Bout creux d'une plume d'oiseau.* — *Dent* creuse,* trouée par une carie. — Iron. *Le dîner est bien maigre, il n'y a pas de quoi se boucher une dent creuse* : il n'y a rien à manger. *Partie creuse d'un instrument que l'on adapte au manche.* → **Douille.** *Les obus, les bombes, projectiles creux. Bijouterie creuse,* dont les pièces sont évidées (opposé à *massif*). — Par ext. *Rendre un son creux* : se dit d'un objet vide sur lequel on frappe. — *Voix creuse.* → **Grave, sourd** (→ Basse-taille, cit.). — *Ventre, estomac creux,* qui est vide. *Avoir l'estomac* creux* : avoir faim (→ L'estomac* dans les talons). — Fig. *Avoir le nez creux* : avoir du flair, deviner (→ Avoir le nez* fin).

1   L'aigle avait ses petits au haut d'un arbre creux (...)
              LA FONTAINE, Fables, III, 6.

2   C'était un buste creux, et plus grand que nature.
              LA FONTAINE, Fables, IV, 14.

3   Oh! que la science sonne creux quand on y vient heurter avec désespoir une tête pleine de passions!
              HUGO, Notre-Dame de Paris, VIII, IV.

4   (...) ce chandelier creux qu'est la Tour-Eiffel!
              HUYSMANS, Là-bas, XVII, p. 234.

Adv. *Sonner creux* : rendre un son creux (→ ci-dessus cit. 3).

◆ **2** Par ext. *Tissu creux,* dont le tissage est lâche. Loc. (1611). Vx. **VIANDE CREUSE** : viande peu nourrissante. Fig. *Aliment de l'esprit, nourriture intellectuelle ou spirituelle pauvre en substance. Se repaître de viandes creuses,* d'idées vaines, chimériques.

5   Ma foi! si vous songez à nourrir votre esprit
    C'est de viande bien creuse, à ce que chacun dit (...)
              MOLIÈRE, les Femmes savantes, II, 7.

6   Le renoncement, c'est très beau; n'empêche que si l'humanité ne vivait que de cette viande creuse, elle serait encore dans les cavernes (...)
        G. DUHAMEL, Chronique des Pasquier, IV, XIV, p. 393.

◆ **3** Fig. *Tête, cervelle creuse,* vide d'idées. *Paroles creuses,* vides de sens. → **Chimérique, futile, vain.** *Discours creux, ronflant et creux.* → **Parlage, phraséologie, verbiage.** *Jugement, raisonnement creux,* peu solide.

7   (...) ce sont des visions creuses.
            Mᵐᵉ DE SÉVIGNÉ, 348, 20 nov. 1673.

8   Le sublime du nouvelliste est le raisonnement creux sur la politique.   LA BRUYÈRE, les Caractères, I, 33.

9   (...) les sciences, séparées des lettres, demeurent machinales et brutes, et les lettres, privées des sciences, sont creuses, car la science est la substance des lettres.
           FRANCE, la Vie en fleur, VI, p. 77.

10   (...) les mots sonores sont aussi les plus creux.
           GIDE, les Nouvelles Nourritures, p. 135.

Fam. Sans intérêt, nul. *«Il est complètement creux, ce mec!»* (J. Merlino, *les Jargonautes,* p. 195).

◆ **4** (Avec un subst. désignant une durée). Qui correspond à une faible activité. *Heures creuses. Jours creux, mois creux,* pendant lesquels les activités sont ralenties. *Il ne passe que peu de trains de banlieue dans les heures creuses. Profiter des heures creuses pour visiter les expositions. Le lundi est un jour creux. Août est un mois creux à Paris.*

11   Il partageait sa pièce-atelier avec deux collègues qui, aux heures creuses, s'adonnaient à d'autres travaux, ou plaisirs.   Georges LECOMTE, Ma traversée, p. 122.

Spécialt. En démographie, *Classes creuses* (→ **Classe,** II., A., 2., d), les moins fournies de la population.

B Qui présente une courbe* rentrante, une concavité. *Vallée creuse.* → **Profond.** *Surface creuse.* → **Concave, rentrant.** *Assiette creuse,* qui peut contenir des liquides. *Le cuilleron, partie creuse d'une cuiller. Pli creux,* qui forme un creux en s'ouvrant. *Mer creuse,* qui se creuse en longues et hautes lames. — Cour. *Chemin creux,* situé en contre-bas. → **Encaissé.** — Littér. *Au plus creux, du plus creux de,* au plus, du plus profond de. → **Fond, profondeur.** *Au plus creux du sommeil.*

12   L'envieux qui verra du plus creux de l'abîme
    Le ciel ouvert aux saints et fermé pour son crime.
           CORNEILLE, l'Imitation de J.-C.

13   Il représentait les forêts sombres qui couvrent les montagnes et les creux vallons.   FÉNELON, Télémaque, II.

14   Nous nous acheminions tous trois par des sentiers creux très profonds (...)
           LOTI, Mon frère Yves, XLIV, p. 112.

15   (...) à côté, une écuelle vide et des œufs dans une assiette creuse.
        J. CHARDONNE, les Destinées sentimentales, III, I, p. 362.

Visage creux, joues creuses. → **Amaigri, maigre.** *Des yeux creux.* → **Cave, creusé, enfoncé.** *Orbites creuses. Reins creux.* → **Cambré.**

16   Des joues maigres, creuses.
        J. ROMAINS, les Hommes de bonne volonté, t. II, XIII, p. 136.

II N. m. **A** ◆ **1** Vide intérieur (dans un corps); espace entre deux corps. → **Trou.** *Creux du sol.* → **Abîme, anfractuosité, bas-fond, bourbier, caverne, cavité, dépression, excavation, fosse, fossé, gorge, gouffre, ornière, ravin, rigole, vallée.** *Creux d'une vallée.* → **Fond.** *Creux en retrait.* → **Enfoncement, renfoncement, rentrée.** *Creux étroit et profond.* → **Entaille, faille, fente.** *Creux peu profond pratiqué sur du bois ou du métal.* → **Cannelure, rainure.** *Creux d'une pièce de charpente.* → **Refouillement.** *Dans un creux.*

17   Quand Maurice peut tout du creux de son cercueil (...)
           CORNEILLE, Héraclius, I, 3.

18   Trou, ni fente, ni crevasse,
    Ne fut large assez pour eux,
    Au lieu que la populace
    Entrait dans les moindres creux.
           LA FONTAINE, Fables, IV, 6.

19   Thétis, les yeux en pleurs, dans le creux d'un rocher
    Aux monstres dévorants eut soin de le cacher.
           André CHÉNIER, la Jeune Tarentine.

20   La mer y entre par une infinité de golfes, d'anfractuosités, de creux, de dentelures (...)
        TAINE, Philosophie de l'art, t. II, IV, I, I, p. 94.

Fig. *Avoir un creux dans l'estomac* : avoir faim. Plais. *Avoir un petit creux.* — (1690). *Avoir un bon creux,* une voix de basse profonde, bien timbrée.

Sonner le creux : produire le son d'un objet vide frappé. Être sans intérêt.

◆ **2** Fig. Période d'activité ralentie. *Le creux du lundi, des vacances. Ménager un creux dans la semaine.*

B ♦ 1 Partie concave. → **Concavité.** *Le creux de la main*, le milieu de la paume. *Le creux et le dos de la main. Tenir dans le creux de la main :* être tout petit. *Tenir, avoir qqch. dans le creux de la main*, à portée. — *Le creux de l'épaule. Creux du cou*, derrière la clavicule. → **Salière.** *Creux de l'estomac :* partie extérieure du buste au-dessous du sternum. *Creux des joues. Petits creux qui sillonnent la peau.* → **Ride.**

Le creux d'une vague. Être dans le creux de la vague, au plus bas de son succès, de sa réussite. Ellipt. *«elle sera "dans le creux"»* (Guy des Cars, *l'Entremetteuse*, p. 175).

Le creux du lit, de l'oreiller.

20.1 Le creux, comme la psychanalyse l'admet fondamentalement, est avant tout l'organe féminin. Toute cavité est sexuellement déterminée, et même le creux de l'oreille n'échappe pas à cette règle de la représentation.
    Gilbert DURAND, les Structures anthropologiques de l'imaginaire, p. 275.

21 Les lignes qui tracent le contour du corps, ou qui, dans ce contour, marquent les creux et les saillies, ont une valeur par elles-mêmes (...)
    TAINE, Philosophie de l'art, t. II, v, IV, p. 333.

22 Le creux sous les yeux semblait s'étendre comme la morsure d'un acide.
    J. ROMAINS, les Hommes de bonne volonté, t. II, v, p. 45.

23 Elle reposa la tasse, et relevant un peu le ton, tandis qu'elle joignait ses mains maigres dans le creux de sa jupe (...)
    J. ROMAINS, les Hommes de bonne volonté, t. III, VII, p. 113.

24 (...) les eaux limpides des fontaines qu'on peut boire au creux de la main pour se rafraîchir.
    H. BOSCO, Un rameau de la nuit, p. 169.

25 Un peu plus haut, la soie blanche de la jupe est fendue latéralement, laissant deviner le creux du genou et la cuisse.
    A. ROBBE-GRILLET, la Maison de rendez-vous, p. 15.

Mar. Profondeur entre deux lames, de la crête à la base. *Mer d'un mètre de creux. — Creux d'un navire :* hauteur prise à mi-longueur du navire. **EN CREUX :** selon une forme concave, évidée. *Figure taillée, sculptée en creux* (opposé à *en saillie*). *Graver en creux.*

♦ 2 Dépression de terrain. *Il y a un creux. Des creux et des bosses.* — **Ski** (par oppos. à **bosse**). → **Cuvette.** *«Le skieur a intérêt à s'accroupir sur les bosses et à se détendre dans les creux»* (F. Gazier, *les Sports de la montagne*, p. 85).

♦ 3 Techn. Moule creux servant à former ou à imprimer des figures en relief. *Un creux de plâtre, d'acier.*

CONTR. Arrondi, bombé, bouffant, bouffi, boursouflé, convexe, élevé, gros, massif, plat, plein, proéminent, renflé, saillant, solide. — Arrondi, avancée, bosse, bouffissure, bourrelet, boursouflure, butte, convexité, éminence, pli, proéminence, relief, saillie. ◊ **DÉR.** Creuser. ◄ **COMP.** Songe-creux.

CREVABLE [kʀəvabl] adj. — 1845; de *crever*.

Qui est susceptible de crever. *Le ballon, le pneu serait facilement crevable.*

(Dans la maison japonaise traditionnelle) les parois sont fragiles, crevables, les murs glissent, les meubles sont escamotables (...)
    R. BARTHES, l'Empire des signes, p. 59.

CONTR. Increvable.

CREVAGE [kʀəvaʒ] n. m. — 1883, cit.; de *crever*.

Rare. Le fait de crever (attesté dans la nominalisation de : *crever de faim*).

Eh bien ! il a... il a... qu'il en a assez de cette vie de crevage de faim.
    Alphonse DAUDET, l'Immortel, p. 134 (1883).

CREVAILLE [kʀəvaj] n. f. — 1564; de *crever*.

Vx et **fam.** Ripaille*, bombance.

CREVAISON [kʀəvɛzɔ̃] n. f. — XIIIᵉ; de *crever*.

♦ 1 Action de crever; résultat de cette action. — (1906). **Spécialt.** *Crevaison d'un pneu de bicyclette, d'automobile.* → **Éclatement.** — Par métonymie. *Coller une rustine pour réparer une crevaison.*

Deux crevaisons de pneus : l'une au milieu de la Camargue, l'autre en plein mitan de la Crau.
    GIDE, Journal, 1910, Vers Marseille, en auto.

♦ 2 (1847). **Pop.** → **Mort; crève** (1.). — Par ext. → **Fatigue.** *Faire dix kilomètres à pied, quelle crevaison !*

CREVANT, ANTE [kʀəvɑ̃, ɑ̃t] adj. — Attesté 1883, Zola, cit. 1; p. prés. de *crever*.

♦ 1 Fam. Qui fait crever, mourir de fatigue. → **Épuisant, exténuant, fatigant, tuant.** *C'est un travail crevant.*

Clorinde voulut allonger la tête dans la salle des Pas perdus; mais un huissier referma brusquement la porte. Alors, elle revint auprès de sa mère, muette sous sa voilette noire. Elle murmura : — C'est crevant d'attendre.   1
    ZOLA, Son Excellence Eugène Rougon, t. I, p. 26 (autre attestation, entre guillemets, t. I, p. 201).

Il ne tenta pas de répondre. Il savait qu'il ne pouvait plus parler, c'était crevant. Il remuait encore les lèvres, non sans effort, et il n'en sortait pas plus de son que d'un sifflet bouché.   2
    G. SIMENON, Feux rouges, 1953, p. 69.

♦ 2 Qui fait crever, éclater de rire. → **Amusant, drôle, marrant, tordant.** *Il est crevant avec ce chapeau-là.*

CONTR. Reposant. — Triste.

CREVARD, ARDE [kʀəvaʀ, aʀd] adj. — 1860, «moribond»; de *crever*, et *-ard*.

Familier.

A ♦ 1 Qui a une mauvaise santé, paraît en mauvaise santé. *Il est un peu crevard.*

Tu sais que mon chef de service est un peu *crevard*, on nous en a donné un provisoire...   1
    Ed. et J. DE GONCOURT, Sœur Philomène, p. 84 (1861).

N. *Un crevard, une crevarde.*

Autour d'eux, des petits cons flanqués de leurs crevardes, celles du genre vous avez pas un franc, râlaient en se tâtant les poches devant les machines à sous.   2
    Pierre GOMBERT, le Prix d'un taxi, 1976, p. 95.

♦ 2 N. Rare. Mourant. → **Moribond.**

Je m'y suis fait à cette guerre, je me suis fait une mentalité pour cette guerre, une mentalité de crevard, et de chrétien, et de communard.   3
    DRIEU LA ROCHELLE, la Comédie de Charleroi, p. 223 (1934).

B (1939, *in* Esnault; de *crever* de faim). Qui a toujours faim; avide, glouton. — N. *Vous avez encore faim, bande de crevards ?*

CREVASSE [kʀəvas] n. f. — V. 1120, *cravace*; du lat. pop. *crepacia*, de *crepare*. → Crever.

♦ 1 Fente plus ou moins profonde à la surface d'une chose. → **Fente, fissure, trou.** *Les crevasses d'un mur.* → **Lézarde.** *Crevasse dans le sol.* → **Anfractuosité, cassure, craquelure, déchirure, entaille, faille, fondrière.**

(...) la terre était toute fendillée par des crevasses, qui faisaient, en la divisant, comme des dalles monstrueuses.   1
    FLAUBERT, Salammbô, XI, p. 216.

Le feu central avait brisé la croûte du globe, soulevé des terrains, fait des crevasses.   1.1
    FLAUBERT, Bouvard et Pécuchet, Pl., t. II, p. 744.

Géol. et cour. *Crevasse des glaciers* ou *crevasse gla-ciaire : cassure étroite et profonde dans la glace. Tomber dans une crevasse en faisant de l'alpinisme.*

♦ **2** Méd. Fissure enflammée de la peau ou au pourtour des orifices naturels (bouche, anus). → **Engelure, gerçure, rhagade.** *Avoir des crevasses aux pieds, aux mains. Crevasses des seins :* plaies superficielles situées sur la peau du mamelon d'une femme qui allaite.

2   Celui qui a des crevasses aux doigts (...)
> MONTAIGNE, II, *in* LITTRÉ.

3   La main de l'homme est rouge, abîmée par les travaux rudes et le froid ; les doigts, repliés vers l'intérieur de la paume, montrent, sur le dessus, de multiples petites cre-vasses au niveau des articulations ; ils sont en outre tachés de noir, comme par du cambouis, qui aurait adhéré aux régions crevassées de la peau et dont un lavage trop rapide ne serait pas venu à bout.
> A. ROBBE-GRILLET, Dans le labyrinthe, p. 66.

Vétér. *Crevasses du paturon :* infection cutanée chez le cheval située au pli du paturon. *Crevasses aux mamelles des vaches.*

DÉR. **Crevasser.**

CREVASSER [kʀəvase] v. tr. — V. 1300, *cravaciez ; de crevasse.*

Faire des crevasses sur, à (qqch.). *Le froid crevasse le sol, les mains.* → **Craqueler, fendiller, fendre, fis-surer, gercer, lézarder.**

0.1   Sophie les devait *(ces avantages),* aux promiscuités gênantes d'une maison changée en caserne, à ses des-sous de laine rose qu'elle était bien forcée de repriser devant nous sous la lampe, à nos chemises qu'elle lavait à l'aide d'un savon fabriqué sur place, et qui lui crevas-sait les mains.
> M. YOURCENAR, le Coup de grâce, p. 168 (1929).

♦ **SE CREVASSER** v. pron.

Se couvrir de crevasses. *Le sol, le mur se crevasse.*

1   (...) l'inflexible granit ne commence à se briser, à se cre-vasser, à s'onduler, qu'à deux cents pieds environ au-dessus des eaux.   BALZAC, Séraphita, Pl., t. X, p. 459.

2   La toiture de feuilles se crevassait, jaunissait, s'écaillait petit à petit et laissait insidieusement filtrer (...) sur les hôtes familiers des branchages, des filets de pluie (...)
> L. PERGAUD, De Goupil à Margot, p. 155.

♦ **CREVASSÉ, ÉE** p. p. adj.

Percé, parsemé de crevasses. *Mains crevassées par le froid* (→ Crevasse, cit. 3). *Sol crevassé.*

CRÈVE [kʀɛv] n. f. — 1902 ; déverbal de *crever.*

♦ **1** Pop., rare. Mort.

♦ **2** Loc. Cour. (Fam.). *Attraper la crève :* attraper du mal, spécialt, prendre dangereusement froid. *Choper la crève ; avoir la crève. Attraper la crève dans une pièce mal chauffée.* «*On attrape la crève !*» (Colette, *la Vagabonde,* I, p. 11). — (Avec d'autres verbes). *Il a pris la crève. J'ai la crève !*

CREVÉ, ÉE [kʀəve] adj. et n. → **Crever.**

CRÈVE-CŒUR [kʀɛvkœʀ] n. m. invar. — XIIe, *crieve-cuer ; de crever, et cœur.*

Grand déplaisir mêlé de dépit. → **Désappointement, peine, supplice.** *C'est un crève-cœur pour lui de voir partir ses camarades en vacances alors qu'il doit rester à la maison. Des crève-cœur. — Le Crève-cœur,* recueil de poèmes d'Aragon.

1   Ô honte ! ô crève-cœur ! ô désespoir ! ô rage !
> CORNEILLE, Clitandre, 345.

2   Quel crève-cœur ça devait être pour ce pauvre homme de quitter toutes ces choses (...)
> Alphonse DAUDET, Contes du lundi,
> «La dernière classe».

(...) tous les ans j'éprouve ce crève-cœur de voir une partie de la forêt à bas (...)   3
> E. DELACROIX, Journal, 30 avr. 1850.

CONTR. **Joie, plaisir, soulagement.**

CREVÉE [kʀəve] n. f. — 1867, → cit. ; du p. p. de *crever.*

♦ **1** Vx. Le fait de crever (concret).

(...) tout le désolé de la pluie, une trombe dans le buisson de Ruysdaël, la crevée de l'ondée au bout d'un champ (...)
> Ed. et J. DE GONCOURT, Manette Salomon,
> p. 304 (1867).

♦ **2** Régional (Suisse). Bévue, maladresse. → **Gaffe.** *Faire une crevée, une grosse crevée.*

CRÈVE-LA-FAIM [kʀɛvlafɛ̃] n. invar. — 1870 ; de *crever, la,* et *faim.*

Fam. Miséreux qui ne mange pas à sa faim. → **Misé-reux.** (On a dit aussi *crève-de-faim, crève-faim* : «*tous les crève-faim*» [Louise Michel, *la Misère,* t. I, p. 101]). *Des crève-la-faim.*

Un crève-la-faim qui cherche à raccrocher des leçons par-ticulières.   M. PAGNOL, Topaze, I, XIII.   1

Et le chômage trop souvent condamnait à de maigres beso-gnes (...) de crève-la-faim.   2
> M. GENEVOIX, Forêt voisine, XIV, p. 204.

REM. La formation analogique *crève-la-soif* est attestée (Jeanne Cordelier, *la Passagère,* p. 79).

CREVER [kʀəve] v. [CONJUG.: *lever.*] — Xe, *crever les yeux ;* du lat. *crepare* «craquer».

[I] V. intr. ♦ **1** S'ouvrir en éclatant, par excès de tension. → **Éclater.** *Nuage qui crève. Bulle qui crève. Sac trop plein, ballon trop gonflé qui risquent de crever. Abcès qui crève.* → **Percer.** — *Faire crever du riz,* le faire gonfler à l'eau bouillante jusqu'à ce que les grains s'ouvrent. — (1891, in Petiot). *Le pneu de sa bicyclette, de sa voiture a crevé* (→ **Crevaison**). — Vx. Éclater. *Bombe qui crève en l'air. Fusil qui crève dans les mains,* qui éclate au moment où l'on veut tirer. → **Péter.** — Fig. *Affaire qui crève dans les mains,* qui échoue, rate. → **Claquer** (fam.). — REM. Le pron. se *crever,* qui correspond syntactiquement au sens transitif II, s'est employé dans la langue classique et jusqu'au XIXe s. comme exact synonyme de *crever* (→ ci-dessous, cit. 1, 5 et 6).

Terre, crève-toi donc, afin de m'engloutir.   1
> CORNEILLE, Clitandre, variante, 1.

La chétive pécore   2
S'enfla si bien qu'elle creva.
> LA FONTAINE, Fables, I, 3.

(...) la nuée creva le soir à dix heures (...)   3
> Mme DE SÉVIGNÉ, 126, 31 déc. 1670.

Son fusil lui creva dans la main.   4
> Mme DE SÉVIGNÉ, 476, in LITTRÉ.

Il avait un abcès dans la poitrine, qui s'est crevé tout d'un coup, et l'a étouffé.   5
> Mme DE SÉVIGNÉ, 659, 4 oct. 1677.

Le bourgeon cotonneux du pommier se gonfle et se crève.   6
> BERNARDIN DE SAINT-PIERRE,
> Harmonies de la nature, I, in LITTRÉ.

Je crèverais comme un obus,   7
Si je n'absorbais comme un chancre.
> BAUDELAIRE, Poèmes divers, II, Bribes,
> «Le goinfre».

Loc. *Plein, rempli à crever :* trop plein. *Une armoire pleine* (cit. 2) *à crever.*

Figuré :

(...) furieusement, son long silence creva en un flot de paroles.   ZOLA, Germinal, t. III, p. 39.   8

(...) ce premier sommeil, grignoté par les mille bruits du coucher des autres, cède et crève de toutes parts.   9
> GIDE, Journal, 24 août 1926.

(Sujet n. de personne, de véhicule). *Avoir un pneu qui crève. Nous avons crevé deux fois de suite : plus de pneu de rechange ! — La voiture n'a pas crevé depuis six mois.*

9.1 *On arriverait à la ville tard dans la soirée à condition de ne pas trop crever en route.*
M. DURAS, *Un barrage contre le Pacifique,* p. 156.

♦ **2** Être sur le point d'éclater ; être trop gonflé, trop plein. *Crever d'embonpoint, de graisse* (→ cit. 11). *Manger à crever,* excessivement.

10 *Il soupe, il crève ; on y court*
On lui donne maints clystères.
LA FONTAINE, Glout., *in* LITTRÉ.

11 *Nanette crève de graisse.* RACINE, Lettres.

12 (...) *ils mangeront jusqu'à regorger, jusqu'à crever.*
ROUSSEAU, Émile, II.

CREVER DE (suivi d'un nom ou d'un infinitif) : être sur le point d'éclater, de mourir ; être gorgé, rempli de (selon les compl., acquiert des valeurs différentes). *Crever d'argent.* → **Regorger.** *Crever de santé* (→ Péter de santé*). — *Être rempli (d'un sentiment qui ravage). Crever de dépit, de colère rentrée, de jalousie. C'est à crever de rire,* à éclater de rire. → **Crevant** (fam.).

13 *Mais je suis trop barbon pour oser soupirer,*
Et je ferais crever de rire.
MOLIÈRE, Amphitryon, I, 4.

14 *Je crève de dépit.*
MOLIÈRE, les Précieuses ridicules, 15.

15 *M*ᵐᵉ *de Coulanges, qui crève d'argent, a prêté mille francs.*
Mᵐᵉ DE SÉVIGNÉ, 1069, 8 oct. 1688.

16 *Je ne connais pas cet abbé qui était là, mais il est redondant et rubicond, il pète dans sa graisse et crève de joie.*
HUYSMANS, Là-bas, XVII, p. 231.

17 (...) *ces filles qui crèvent de misère et d'orgueil, belles de leur dénûment éclatant.*
COLETTE, la Vagabonde, II, p. 99.

REM. Cet emploi tend à se confondre avec le sens 4 («mourir de...»). Cf. *Il crève de dépit,* et *il a manqué en crever de dépit,* ou : *qu'il en crève !* (sous-entendu : de dépit).

♦ **3** (XIIIᵉ). Mourir, en parlant d'un animal, d'une plante. → **Mourir.** *Faire crever un chien à force de mauvais traitements. Les poissons rouges crèveront si on ne change pas l'eau. Arrose cette plante, ou elle crèvera.* → **Dessécher** (se), **sécher.**

18 *Voilà mes chiens à boire : ils perdirent l'haleine,*
Et puis la vie ; ils firent tant
Qu'on les vit crever à l'instant.
LA FONTAINE, Fables, VIII, 25.

19 *Un serpent piqua Jean Fréron.*
Que pensez-vous qu'il arriva ?
Ce fut le serpent qui creva. VOLTAIRE, Épigramme.

19.1 *Pendant la campagne de France, officier de Napoléon, il sonna un soir, son cheval ayant crevé, à la porte d'un château* (...) M. LEBLANC, l'Aiguille creuse, p. 157.

♦ **4** (En parlant d'une personne ; fam. jusqu'au XVIIIᵉ ; très fam. de nos jours). Mourir. *Il va crever.* → **Mourir ; claboter, clamser, claquer** (→ Attraper la crève*). *Plutôt crever que de céder. «J'ai une soif à crever»* (Zola, Rome, p. 541). *Il fait un chaleur à crever. — Crever de faim :* mourir de faim. — Fig. *Avoir grand faim. Être dans la misère.* → **Crève-la-faim.** → ci-dessous II., 5., Crever la faim (même sens). — Par ext. *Être très incommodé par... Crever de chaud, de froid. Crever d'ennui.*

20 (...) *elle et son équipage ont pensé crever des chaleurs* (...)
Mᵐᵉ DE SÉVIGNÉ, 1211, 31 août 1689.

21 *Ou la malade crèvera, ou elle fera si sera à vous.*
MOLIÈRE, le Médecin malgré lui, II, 5.

22 *Sitôt que je m'assieds, je crève d'ennui. — Je ne chasserais pas trois jours à Fontainebleau sans périr de langueur.*
A. DE VIGNY, Servitude et Grandeur militaires, III, v, p. 209.

Non ! dit-elle, je ne crois pas ça... D'ailleurs, il n'y a personne qui soit resté trois jours sans manger. Quand on dit : «Un tel crève de faim», c'est une façon de parler. On mange toujours, plus ou moins... Il faudrait des misérables tout à fait abandonnés, des gens perdus... 22.1
ZOLA, le Ventre de Paris, t. I, p. 136 (1875).

«C'est l'heure de payer ton terme, ou d'aller crever dans la rue, parmi les enfants des chiens !» répond le propriétaire (...) Léon BLOY, la Femme pauvre, II, p. 284. 23

Avoir, à Paris, un foyer confortable, être le frère d'un médecin, et courir le risque de crever dans un hôpital d'Afrique (...) 24
MARTIN DU GARD, les Thibault, t. IV, p. 82.

(...) *son travail de journaliste, honnêtement payé, l'aurait juste empêché de crever de faim !* 25
J. ROMAINS, les Hommes de bonne volonté, t. III, XVII, p. 235.

Qu'il crève la gueule ouverte, seul dans le bled, en appelant sa mère, conclut le caporal-clairon. 26
P. MAC ORLAN, la Bandera, XII, p. 147.

Non, dit Kyo aux ouvriers : avant on ne mangeait pas. Je le sais, j'ai été docker. Et crever pour crever, autant que ce soit pour devenir des hommes. 27
MALRAUX, la Condition humaine, p. 130.

Pop. *Il est crevé :* il est mort. → ci-dessous Crevé, 4.

II ◆ V. tr. ♦ **1** Faire éclater (une chose gonflée ou tendue). *Crever un pneu en le perçant.* → **Déchirer, percer.** *Crever un ballon, un tambour, un papier d'emballage. Crever les yeux à qqn.* → **Éborgner.**

Et la foudre qui va partir,
Toute prête à crever la nue,
Ne peut plus être retenue. 28
CORNEILLE, Polyeucte, IV, 2.

En mai, une végétation formidable crevait ce sol de cailloux. ZOLA, la Faute de l'abbé Mouret, p. 31. 29

Figuré :

(...) *l'empire énervé et dépeuplé n'eut plus assez d'hommes ni d'énergie pour repousser les Barbares. Leur flot entra, crevant les digues, et, après le premier flot, un autre, puis encore un autre, et ainsi de suite pendant cinq cents ans.* 30
TAINE, Philosophie de l'art, t. I, I, II, VI, p. 77.

(...) *le dernier numéro des Marges où Suarès crève sa poche à fiel.* GIDE, Journal, 14 avr. 1933. 31

Crever le cœur de qqn, crever le cœur à qqn : faire de la peine ; provoquer de l'attendrissement, de la compassion chez qqn. → **Crève-cœur.** *Un spectacle qui crève le cœur. Cette injustice lui crève le cœur.* → **Fendre.**

Cela nous creva le cœur, et nous fit voir (...) *qu'à la mort on dit la vérité.* Mᵐᵉ DE SÉVIGNÉ, 288, 24 juin 1672. 32

Vx. *Se crever* pron. → ci-dessus, cit. 1 et REM. *supra.*

♦ **2** Loc. fig. (Sujet n. de chose). **CREVER LES YEUX :** être bien en vue, tout proche ; par ext. être évident. → **Sauter** (aux yeux). *Cela crève les yeux :* c'est évident, manifeste.

(...) *les saletés y crèvent les yeux (dans cette pièce).* 33
MOLIÈRE, la Critique de l'École des femmes, 3.

Mais j'étais alors si bête, que je ne voyais pas même ce qui crevait les yeux à tout le monde. 34
ROUSSEAU, les Confessions, IX.

(...) *l'évolution de la France vers la guerre crève les yeux !* 35
MARTIN DU GARD, les Thibault, t. V, p. 187.

(...) *Vous le saviez ? — Mais bien sûr qu'on le savait. Ça crève les yeux voyons.* 35.1
N. SARRAUTE, Vous les entendez ?, p. 85.

Se crever les yeux à lire dans la pénombre, s'altérer la vue.

Loc. *Crever l'écran*. Crever le plafond*.*

♦ **3** Faire mourir. **ⓐ** Vx. *Que la peste te crève !* imprécation contre quelqu'un.

ⓑ (Idée de coup de couteau). Pop. *Crever qqn.* → **Tuer.** — *Crever la peau de qqn. Se faire crever la peau, la paillasse...*

5.2 Le boucher dit à Chabouillet, venu chez lui pour prendre sa première leçon de savate : «Mon petit, donne-moi 60 francs et je t'apprendrai à crever un homme!»
Ed. et J. DE GONCOURT, Journal, t. I, p. 65.

36 Allez prévenir les agents. Moi... la Fernande... Oui... oui... Moi, j'ai crevé mon homme!
Francis CARCO, Jésus-la-Caille, III, IX, p. 225.

C Argot. Arrêter, prendre (qqn).

6.1 (...) c'est toujours avec un petit détail de rien qu'on se fait crever. A. SARRAZIN, la Cavale, p. 97.

♦ 4 (1895, in Petiot). Fam. (Sujet n. de chose). Exténuer (qqn) par un effort excessif. → Claquer, épuiser, fatiguer. *Ce travail vous crève.* → Crevaison, crevant. — Pron. *Se crever à faire qqch. Je me crève à te l'expliquer.*

37 Il est (...) usé, dit un grand; il s'est crevé à me suivre : qu'en faire? LA BRUYÈRE, les Caractères, IX, 7.

7.1 Mais à partir de ce jour a commencé l'indisposition qui m'a fort retenu et fort donné à penser sur la sottise de vouloir se crever de travail et compromettre tout par le sot amour-propre d'arriver à temps.
E. DELACROIX, Journal, 17 nov. 1852.

38 Qu'est-ce que vous avez fichu pour avoir vos places? Pendant que je me crevais la santé à faire du commerce, vous n'avez jamais bougé un orteil. M. AYMÉ, la Tête des autres, IV, 5.

REM. Le faux pronominal *se crever la santé, le tempérament* (vulg. *se crever le cul*) correspond à un transitif inusité et à la même sens que *se crever.*

Spécialt. *Crever un cheval,* le tuer de fatigue.

39 Pour moi, ajouta-t-il (encouragé par le sourire de quelques femmes), je ne croirai à la vertu de Mᵐᵉ de Merteuil, qu'après avoir crevé six chevaux à lui faire ma cour.
LACLOS, les Liaisons dangereuses, II, LXX.

♦ 5 (1873, Zola, cit., *crève-la-faim* semble antérieur). Fam. *Crever la faim :* crever de faim (ci-dessus, intrans.). *Crever la dalle* (même sens). — (1870). Ellipt. *La crever.* → La péter*, la sauter*. *On la crève, sers-nous quelque chose à bouffer!*

9.1 Quand il s'éveilla de son sermon sur la fraternité, il crevait la faim sur la dalle froide d'une casemate de Bicêtre.
ZOLA, le Ventre de Paris, t. I, p. 70.

♦ CREVÉ, ÉE p. p. adj.

♦1 Qui a crevé, présente une déchirure, une crevaison. → Percé, fendu. *Pneu crevé. Ballon crevé.* — Par ext. *Yeux crevés. Il, elle a un œil crevé.* → Borgne.

40 (...) la montagne semble avoir eu des convulsions, tant elle est soulevée, fendue, crevée dans tous les sens.
E. FROMENTIN, Un été dans le Sahara, p. 61.

41 Je m'en allais, les poings dans mes poches crevées (...)
RIMBAUD, Poésies, «Ma bohème».

42 (...) une bourre grise qui se dénoue en neige comme un édredon crevé. COLETTE, l'Étoile Vesper, p. 12.

♦2 N. m. *Un, des crevés :* fente pratiquée aux manches de certains habits et servant à les orner, en laissant apercevoir la doublure. *Les manches à crevés étaient de mode sous François Iᵉʳ. Un crevé Henri II* (→ Gigot, cit. 7).

42.1 Il distingua des habits noirs, puis une table ronde éclairée par un grand abat-jour, sept ou huit femmes en toilettes d'été, et, un peu plus loin, Mᵐᵉ Dambreuse dans un fauteuil à bascule. Sa robe de taffetas lilas avait des manches à crevés, d'où s'échappaient des bouillons de mousseline, le ton doux de l'étoffe se mariant à la nuance de ses cheveux.
FLAUBERT, l'Éducation sentimentale, Pl., t. II, p. 267.

42.2 (...) il était vêtu d'un pourpoint et d'un haut-de-chausses violet avec des aiguillettes de même couleur, sans aucun ornement que les crevés habituels par lesquels passait la chemise. DUMAS, les Trois Mousquetaires, t. I, p. 20.

42.3 (...) la conversation (...) va à l'étymologie, et l'on recherche celle de petit crevé. L'un dit que c'est l'antiphrase de gros crevé, c'est-à-dire, crevant de santé, l'autre soutient que cela vient des chemises bouillonnées qu'ils avaient l'habitude

de porter, et du nom donné à ces chemises par les blanchisseuses : chemises à petits crevés.
Ed. et J. DE GONCOURT, Journal, t. V, p. 149.

♦3 Vx. Gros, bouffi. — N. *Un crevé, une crevée. Un gros crevé* → ci-dessus cit. 42.3.

43 (...) elle (Mᵐᵉ de Verneuil) n'est plus rouge, ni crevée, comme elle était. Mᵐᵉ DE SÉVIGNÉ, 261, 1ᵉʳ avr. 1672.

44 (...) je ne suis plus une *grosse crevée :* j'ai le dos d'une plateur qui me ravit (...)
Mᵐᵉ DE SÉVIGNÉ, 556, 8 juil. 1676.

♦4 Mort (animal, plante). *Un chat crevé.* — Fam. (vx); pop. (mod.). En parlant d'une personne :

45 (...) vous n'êtes point crevé de toutes les médecines qu'on vous fait prendre (...)
MOLIÈRE, le Malade imaginaire, III, 3.

46 J'aime mieux te voir crevée que de te voir à un autre.
MOLIÈRE, Dom Juan, II, 3.

N. m. *Avoir une gueule de crevé.*

♦5 Fam. Très fatigué. → Claqué. *Être complètement crevé.*

47 — Écoute, il est tard et nous sommes tous les deux un peu crevés. Restons ensemble un de ces soirs, et tâchons d'avoir une vraie conversation (...)
S. DE BEAUVOIR, les Mandarins, p. 469.

N. *Des crevés.* → Crevard.

Loc. Vieilli. PETIT CREVÉ : jeune homme malingre, efféminé, élégant, qui mène une vie oisive et dissipée. → ci-dessus, cit. 42.3.

48 C'était un petit crevé, d'assez jolie mais fort insignifiante binette (...)
Louise MICHEL, la Misère, t. II, p. 478 (1881).

CONTR. Résister, tenir. — Reposer. ◊ DÉR. Crevable, crevage, crevaille, crevaison, crevant, crevard, crève, crevée, crevure. → COMP. Crève-cœur, crève-la-faim, crève-tonneau, crève-vessie.

CRÈVE-TONNEAU [kʀɛvtɔno] n. m. invar. — 1647; de *crever,* et *tonneau.*

Vx. Appareil inventé par Pascal, qui sert à vérifier les lois de la pression des liquides sur les parois des vases qui les contiennent.

CREVETTE [kʀəvɛt] n. f. — 1530; forme normande de *chevrette* «petite chèvre», le crustacé aurait été ainsi dénommé à cause des sauts qu'il fait.

♦1 Petit crustacé décapode marin ou d'eau douce (sous-ordre des décapodes nageurs). *Les crevettes appartiennent à deux groupes assez différents, les Caridés (petites crevettes, sauf le Macrobrachium) et Pénéidés («gambas», etc.). Crevette rose (Palaemon serratus;* → Bouquet) *ou chevrette; crevette grise (Crangon crangon; régional Boucaud). Pêche aux crevettes à marée basse. Filet pour pêcher les crevettes.* → Crevettier, crevettière, haveneau, puche, truble; régional bourraque, pousseux. *Faire cuire, éplucher, décortiquer des crevettes. Crevettes à la mayonnaise. Beignets de crevettes. Garniture, mousse, coulis de crevettes.* — *Grosses crevettes des mers chaudes.* → Gambas, scampi. *Crevettes congelées.* — REM. Employé absolument, le mot désigne en général les petites crevettes roses ou grises, dites régionalement *salicoques*.

1 Cependant, les crevettes roses, les crevettes grises, dans les bourriches, mettaient, au milieu de la douceur effacée de leurs tas, les imperceptibles boutons de jais de leurs milliers d'yeux; les langoustes épineuses, les homards tigrés de noir, vivants encore, se traînaient sur leurs pattes cassées, craquaient.
ZOLA, le Ventre de Paris, t. I, p. 150 (1875).

2 On nous apporte des crevettes de rivière; très grosses, semblables à du «bouquet»... Cuites, leur chair reste molle et gluante.
GIDE, Voyage au Congo, in Souvenirs, Pl., p. 766.

3 La crevette, de la taille ordinaire d'un bibelot, a une consistance à peine inférieure à celle de l'ongle. Elle pratique l'art de vivre en suspension dans la pire confusion marine au creux des roches (...) La crevette ressemble à certaines hallucinations bénignes de la vue, à forme de bâtonnets, de virgules, d'autres signes aussi simples, — et elle ne bondit pas d'une façon différente.
  Francis PONGE, la Crevette, *in* Pièces, p. 16 et 19.

(Autres crustacés). *Crevette d'eau douce.* → **Caridine, crevettine, gammare.**

Par compar. *Une barbe, des yeux de crevette* (*in* T. L. F.). *Des petits sauts de crevette.*

♦ **2** Argot. **a** (Vx). Femme galante de luxe. *Les crevettes des Années folles. La Môme Crevette,* personnage de Feydeau dans *la Dame de chez Maxim's (1899).*

b Mod. Amante, maîtresse. *Tu viendras dîner avec ta crevette ?* → **Langoustine.**

DÉR. **Crevettier, crevettière, crevettine.**

CREVETTIER [kʀəvetje] n. m. — 1877; de *crevette.*

♦ **1** Filet à crevettes. → **Crevettière, haveneau.**

♦ **2** Bateau qui fait la pêche à la crevette.

CREVETTIÈRE [kʀəvetjɛʀ] n. f. — 1863; de *crevette.* Filet à crevettes. → **Crevettier.**

CREVETTINE [kʀəvetin] n. f. — 1845; de *crevette.* Crustacé amphipode à petite tête, dont les espèces vivent dans l'eau de mer ou l'eau douce (syn. cour. : *crevette d'eau douce*). → **Gammare.**

CRÈVE-VESSIE [kʀɛvvesi] n. m. invar. — 1783; de *crever,* et de *vessie.*
Phys. (Vx). Appareil destiné à mettre en évidence la pression atmosphérique. *Le crève-vessie est un vase fermé par une vessie qui crève sous la pression extérieure de l'air lorsqu'on a fait le vide à l'intérieur. Des crève-vessie.*

CREVURE [kʀəvyʀ] n. f. — V. 1120, *creveure* «crevasse»; de *crever.*

I Vx ou littér. Coupure, entaille (Giono, *in* T. L. F.).

II Fam. (surtout rural). Chose, personne méprisable, ignoble. → **Ordure.** — (Surtout en appellatif injurieux). *Saloperie, crevure !*

— Sale crevure. Je te tiens pourtant ! Tête de vache, te voilà muselé... parfaitement, j'appellerai au secours... je vas t'apprendre à vivre, moi...
  M. AYMÉ, Maison basse, p. 137.

CRI [kʀi] n. m. — Xᵉ, *criz;* déverbal de *crier.*

♦ **1** Son intense, souvent aigu, perçant, émis par la voix humaine. → **Éclat** (de voix). *Élever un cri, des cris. Faire, pousser des cris.* → **Crier.** Vx. *Jeter, répandre des cris. Un long cris s'est fait entendre, a retenti. Un grand cri jaillit de sa poitrine. Le Cri,* film d'Antonioni. *Percer, remplir l'air de ses cris. Appeler à grands cris.* → **Appel** (→ Oh, hé !). *Cris de querelle. Aimer les cris* (→ Casse, cit. 1). *Redouter les cris. Avoir les oreilles rebattues des cris de qqn. Ne faire qu'un cri,* en parlant de cris ininterrompus, continuels. *Étouffer un cri. Cri aigu, assourdissant, bref, déchirant, éclatant, fort, perçant, strident, stridulant* (→ **Beuglement, braillement, braiment, gueulement, hurlement, rugissement**). *Des cris épouvantables. Cri étouffé, inarticulé, plaintif, sourd. Cri de surprise* (oh ! Ah !); *de joie, de triomphe; de frayeur, de colère, de douleur.* → **Gémissement, grognement, hurlement, plainte, pleur, protestation, râle,** *sanglot; lamentation.* Littér. *Des cris de damné.* Loc., vx. *Hauts cris :* cris forts et aigus. → ci-dessous, cit. 2 et, dans un autre contexte, au sens 2.

Elle jeta des cris, elle versa des pleurs.   1
  CORNEILLE, Médée, I, 1.

Je le trouvai (*La Rochefoucauld*) criant les plus hauts cris   2
des douleurs extrêmes de la goutte.
  Mᵐᵉ DE SÉVIGNÉ, 148, 23 mars 1671.

D'une mère en fureur épargne-moi les cris (...)   3
  RACINE, Iphigénie, I, 1.

Elle avait caché là sa tête, afin d'assourdir ses horribles   3.1
cris, obéissant à une sorte d'instinct pudique : c'étaient des
sanglots, des pleurs d'enfant, mais plus pénétrants, plus
plaintifs; il n'y avait plus rien dans le monde pour elle.
  BALZAC, le Message, éd. 1834, p. 23.

À quoi sert de pleurer ? À quoi bon ces clameurs ?   4
Les cris n'éveillent point les morts.
  LECONTE DE LISLE, les Érinnyes, II, IV.

(...) j'entendis des cris, des cris humains, plaintifs, étouffés,   5
déchirants.
  MAUPASSANT, Clair de lune, «Le père», p. 230.

L'homme s'exprime souvent, comme les animaux, par des   6
cris, réflexes ou non, qui traduisent surtout ses sensations
et ses sentiments. Les uns sont de vrais cris : Bah ! Pst !
Hop ! les autres sont des mots : Halte !
  F. BRUNOT, la Pensée et la Langue, I, I, p. 3.

(...) Vanini poussa un cri de douleur si fort, et si déchirant   7
que les assistants en frémirent.
  GIDE, Journal, 3 avr. 1945.

L'enfant laissa échapper un cri bref, qui se mua bien vite   8
en rire forcé.
  MARTIN DU GARD, les Thibault, t. III, p. 146.

Le cri, si fort et si vivant qu'on en fera quelque chose,   9
un jour. Il est absurde que cette énorme somme d'énergie
s'évapore ainsi, se perde dans l'espace.
  G. DUHAMEL, Scènes de la vie future, VIII, p. 129.

Ce trouble, elle (*la muette*) était impuissante à l'exprimer   10
par la parole. Prise de désespoir, un cri lui montait à la
gorge, dont elle retenait douloureusement l'émouvante et
terrible bestialité (...) et j'appréhendais toujours l'éclat de ce
cri qu'elle contenait avec peine, c'est-à-dire passionnément.
  H. BOSCO, Un rameau de la nuit, V, p. 202.

Longtemps la voix rauque des hommes, les cris des   11
femmes, les hurlements des chiens, la tenaient éveillée
sous ses couvertures.
  J. CHARDONNE, les Destinées sentimentales, II,
                                                                      p. 183.

Je devais rester fidèle à ce cri qui était sorti de moi quand   11.
l'énorme obus s'était abattu sur Thiaumont. Voilà : il fallait
me raccrocher à ce cri. Car ce cri était bien resté en moi.
  DRIEU LA ROCHELLE, la Comédie de Charleroi,
                                                                      p. 309.

Cri du nouveau-né. → **Vagissement.** *Cri d'enfants.* → **Braillement(s); criaillerie, piaillerie.**

Loc. *Pousser des cris d'orfraie* (cit. 1), *de paon* (→ le sens 7) : *des cris aigus, des protestations* (→ le sens 2). → **Protester.**

♦ **2** Ensemble des paroles, des phrases brèves émises simultanément par un groupe de personnes, une assemblée, une foule. *Concert de cris.* → **Clameur.** *Un long cri monta de la foule. Cris séditieux*. La foule pousse des cris de mort. Cri de protestation, de révolte, de désapprobation, d'indignation...* → **Bas** (à bas), **charivari, clabaudage, clabaudement, clabauderie, criaillerie, crierie, exclamation, glapissement, grognement, gueulement, haro, hou !, hourvari, huée, hurlement, improbation, interjection, mouvement, mugissement, murmure, piaillerie, protestation, réclamation, récrimination, tapage, tollé, tumulte, vacarme, vocifération...** *Protester à grands cris* (→ Applaudir, cit. 5; bousculer, cit. 4).

Chiens, chasseurs, villageois, s'assemblent pour sa perte.   12
Jupiter est là-haut étourdi de leurs cris (...)
  LA FONTAINE, Fables, X, 5.

Nous nous levons alors, et tous en même temps   13
Poussons jusques au ciel mille cris éclatants.
  CORNEILLE, le Cid, IV, 3.

14 Tout le peuple à grands cris demande Nicomède.
                CORNEILLE, Nicomède, v, 4.

Cris d'approbation. ➙ **Acclamation, ah, applaudissement** (cit. 4), **ban, battement** (des mains), **bis, bravo,
hourra, ovation, vivat, vive, vivre** (vive). ➙ Hip hip hip,
hourra! *Être accueilli aux cris de vive... — Cri de
louange.* ➙ **Hosanna.** *Cri de joie, d'allégresse* (➙ **Allé-
luia**). *Cris d'adieu. Cri d'encouragement.* ➙ **Aller**
(allez-y), **courage** (bon courage); **incitation.** *Cri de supplication.* ➙ **Prière.** *Cri des bacchantes.* ➙ **Évoé.**
Vx. *Hauts cris :* cris aigus, perçants. Loc. mod. *Jeter,
pousser les hauts cris :* protester véhémentement.

15 J'eus dans le même temps une autre affaire, qui occa-
sionna la dernière lettre que j'ai écrite à M. de Voltaire :
lettre dont il a jeté les hauts cris, comme d'une insulte
abominable, mais qu'il n'a jamais montrée à personne.
                ROUSSEAU, les Confessions, x.

16 Les prêtres, attaqués dans la *Confession du vicaire
savoyard,* jetèrent les hauts cris (...)
                CHAMFORT, Maximes, I,
        «Sur la philosophie et la morale», XCIV.

16.1 D'abord, son frère Saturnin avait poussé les hauts cris :
jamais d'la vie é n'irait voir Meussieu Narceuse. Qu'est-ce
quelle lui voulait? De quoi qu'è s'mêlait.
                R. QUENEAU, le Chiendent, p. 169.

À cor et à cri. ➙ **Cor** (cit. 5 et 6).

Argot. *Faire du cri, aller au cri :* faire du scandale,
protester bruyamment.

♦ **3** (1892). Loc. fig. **DERNIER CRI.** *Le dernier cri de la
mode,* sa toute dernière nouveauté. *Ce chapeau est
du dernier cri, de la suprême élégance.* ➙ **Mode,
vogue...** — En appos. *Des voitures dernier cri* (ces
emplois ont vieilli).

17 Nous pouvons dès la semaine prochaine commencer les
travaux d'un établissement hydrominéral, dernier cri,
sans avoir rien eu à payer que le prix du terrain.
                J. ROMAINS, les Hommes de bonne volonté, t. V,
                        XXII, p. 180.

17.1 Son chauffe-eau, son frigo, elle me les céderait volontiers,
elle choisirait des modèles dernier cri (...)
                Violette LEDUC, la Folie en tête, p. 409 (1970).

♦ **4** Par anal. **Parole(s)** lancée(s) très fort en signe
d'appel, d'avertissement. ➙ **Appel** (cit. 1 et 2), **avertissement.** *Cri d'alarme.* ➙ **Arme** (aux armes), **assassin**
(à l'assassin), **garde** (prenez garde), **moi** (à moi), **voleur**
(au voleur)... *Cri de détresse.* ➙ **Sauver** (sauve qui peut),
secours (au secours), **S. O. S.** *Cri de la sentinelle.* ➙ **Aller**
(qui va là?), **vivre** (qui vive?). — *Cri de guerre. Cri
d'armes,* et, ellipt., *cri.* ➙ **Devise, slogan.** «Mont-joie
Saint-Denis», ancien cri des Français. «Notre-Dame», cri de
la maison de Bourbon. «Dieu premier servi», cri de Jeanne
d'Arc. «Toujours prêt», cri des scouts. *Cri de ralliement.*

18 Le seul chapitre des cris d'exhortation remplirait des
pages. Il y a des cris de guerre, depuis *Montjoie* jusqu'à
En avant! des cris de chasse, de marche, de sport, etc. La
conversation la plus banale en fournit : *Attention! Prenez
garde! Un peu de patience! Allons, courage!*
                F. BRUNOT, la Pensée et la Langue, XII, v, v, p. 566.

Cri des chasseurs. ➙ **Hallali, hourvari, huée, taïaut.**
Spécialt. **Annonce des marchands ambulants**
(➙ **Criée**). *Le cri du rémouleur, du chiffonnier.
Les cris des marchands de journaux. Les cris de
Paris.*

19 Dans les grandes artères retentissaient les cris des vendeurs de journaux (...)
                MARTIN DU GARD, les Thibault, t. VII, p. 114.

♦ **5** Littér. **Opinion*** manifestée hautement. *Il n'y a
qu'un cri sur cet homme politique* (➙ **Bruit**). *Un
cri général et unanime s'élève contre lui. Les cris
de la cabale. Des cris de vengeance, de haine; de
misère. Les cris des opprimés. Cri d'amour. Cri de
désir... Cri d'ardeur.* — Spécialt. *Le cri public.* ➙ **Opinion** (publique). *Braver le cri public.*

(...) un cri général, un crescendo public, un chorus uni-   20
versel de haine et de proscription.
                BEAUMARCHAIS, le Barbier de Séville, II,
                        8 (➙ Calomnie, cit. 5).

♦ **6** Fig. **Mouvement intérieur (de la conscience).**
➙ **Appel, voix; avertissement, aveu.** — Loc. **CRI
DU CŒUR.** *C'est le cri du cœur,* l'expression non
maîtrisée d'un sentiment sincère. — *Le cri de la
conscience. Cri de l'âme* (➙ Auditoire, cit. 8; blues,
cit. 2.). *Cri du sang, de la nature. Le cri de l'amour
maternel.*

Le premier langage de l'homme, le langage le plus uni-   21
versel, le plus énergique, et le seul dont il eût besoin avant
qu'il fallût persuader des hommes assemblés, est le cri de
la nature.
                ROUSSEAU, De l'inégalité parmi les hommes, I,
                        p. 53.

Un cri sorti du cœur, un geste un mouvement,   22
Et nos cœurs confondus n'avaient qu'un battement.
                LAMARTINE, Jocelyn, Sixième époque,
                        Lettre à sa sœur, 26 sept. 1800.

Le cri de la chair. ➙ **Exigence, protestation.**

Saisie par ce grandiose, soupçonnant que le bonheur   23
devait justifier cette immolation, entendant en elle-même
les cris de la chair révoltée, elle demeura stupide en face
de sa vie manquée.
                BALZAC, le Lys dans la vallée, Pl., t. VIII, p. 960.

♦ **7** Didact. **Son vocal émis par les animaux et
variant avec les espèces.** *Désignation des cris
des animaux.* ➙ **Aboyer** (aboi, aboiement; *chien*),
babiller (babil, babillage; *corneille, merle, pie*), **bareter**
(éléphant, rhinocéros), **barrir** (barrissement, barrit; *éléphant),* **bêler** (bêlement, rare béguètement; *bélier, brebis,
chèvre, mouton),* **bégueter** (béguètement; *chèvre*), **beugler** (beuglement; *bœuf, buffle, taureau, vache*), **blatérer**
(bélier, chameau), **bourdonner** (bourdonnement; *abeille,
mouche),* **brailler** (braillement; *paon*), **braire** (braiement;
âne), **bramer** (bramement, régional bramée; *cerf, chevreuil, daim),* **cacaber** *(perdrix),* **cacarder** *(oie),* **cajoler**
(geai, pie), **caqueter** (caquet; *poule*), **caracouler** *(ramier),*
carcailler *(caille),* **chanter** (chant; *cigale, coq, fauvette,
rossignol..., oiseau),* **chicoter** *(souris),* **chuchoter** (chuchotement; *moineau*), **chuinter** (chuintement; *chouette*),
clabauder (clabaudage; *chien*), **clapir** *(lapin),* **clatir** (cla-
tissement; *chien de chasse),* **coasser** (coassement; *crapaud,
grenouille),* **coqueriquer** (cocorico ou coquerico; *coq*),
coucouler (coucou; *coucou*), **courailler** *(caille),* **crailler**
(craillement; *corneille),* **craquer** et **craqueter** (craquètement; *cigale, cigogne, grue),* **crételer** *(poule)* **criailler**
(criaillement; *oie, paon),* **croasser** (croassement; *corbeau),*
ébrouer (s') (ébrouement; *cheval),* **feuler** (feulement;
chat, tigre), **flûter** *(merle),* **frigoter** *(pigeon),* **gazouiller**
(gazouillement et gazouillis; *hirondelle..., oiseau),* **gémir**
(gémissement; *tourterelle),* **glapir** (glapissement; *grue,
renard),* **glatir** *(aigle),* **glouglouter** et **glogloter** (glouglou; *dindon),* **glousser** (gloussement; *gélinotte, perdrix,
poule),* **grailler** (graillement; *corneille),* **grésiller** et **gré-
sillonner** (grésillement : *grillon),* **gringotter** *(rossignol),*
grisoller *(alouette),* **grogner** (grognement; *ours, porc),*
grommeler (grommellement; *sanglier),* **hennir** (hennissement; *cheval),* **hôler** *(hulotte),* **huer** *(chouette, hibou),*
hululer (hululation, hululement; *chouette, hibou),* **hurler**
(hurlement; *chien, loup, ours),* **jacasser** (jacassement,
jacasserie; *pie),* **japper** (jappement; *chien*), **jargonner**
(jars), **jaser** (jasement; *geai, pie),* **lamenter** *(crocodile),*
margauder et **margoter** *(caille),* **meugler** (meuglement;
bœuf, taureau, vache), **miauler** (miaulement; *chat),* **mugir**
(mugissement; *bœuf, buffle, taureau, vache),* **nasiller** (nasil-
lement; *canard),* **parler** *(perroquet),* **pépier** (pépiement;
moineau, poussin... oiseau), **piailler, piauler** (piaulement,
piaulis; *poulet... oiseau),* **pupuler** *(huppe),* **raire** (cerf, *chevreuil, daim),* **râler, raller, réer** *(cerf, chevreuil, daim,
faon, tigre),* **ramager** *(oiseau),* **rauquer** (rauquement;

tigre), **ronronner** (ronronnement; *chat*), **roucouler** (roucoulement; *colombe, pigeon, ramier, tourterelle*), **rugir** (rugissement; *lion*), **siffler** (sifflement; *courlis, loriot, marmottfe, merle, serpent*), **souffler** (soufflement; *buffle*), **striduler** (stridulation; *cigale*), **tirelirer** (tire-lire; *alouette*), **trisser** (*hirondelle*), **trompeter** (*aigle, cygne, grue; mammifères marins*), **ululer** (ululation, ululement; *chouette, hibou*)... et aussi **voix**. *Imitation du cri de certains oiseaux.* → **Frouer** (frouée; *chouette*), **rossignoler** (*rossignol*), **turluter** (*courlis*), etc.

REM. Le mot s'applique surtout à propos des oiseaux dont le cri spécifique ne porte pas de nom, ou porte un nom peu connu; il paraît anormal lorsqu'il est appliqué au son non vocal produit par un insecte (→ ci-dessous cit. 29).

Collectif. *Le cri du loup.*

24 L'aigle, étant de retour et voyant ce ménage,
Remplit le ciel de cris (...)
              LA FONTAINE, Fables, II, 8.

25 Un cri par l'éléphant est aussitôt jeté;
Le peuple aussitôt sort en armes.
              LA FONTAINE, Fables, X, 13.

26 Les sifflements du courlis et le cri de la barnacle perchée sur les framboisiers de la grotte, m'annoncèrent le retour du matin (...)
              CHATEAUBRIAND, les Natchez, VIII, 333.

27 (...) en se cachant le visage avec leurs manches, elles poussèrent ensemble un cri bizarre, pareil au hurlement d'une louve (...)   FLAUBERT, Salammbô, VII, p. 140.

28 (...) dans le ciel, passaient et repassaient les tourbillons d'hirondelles noires, ivres de mouvement et de lumière, qui, de minute en minute, à chaque tour de leur vol, lançaient dans le collège silencieux leur cri comme une fusée.
              LOTI, Matelot, III, p. 12.

29 La lande n'était qu'un infini cri de cigales.
              F. MAURIAC, le Mal, I, p. 27.

29.1 Plusieurs fois, *(Jules Matrat)* s'arrêta pour écouter piauler une bête dont il ne reconnaissait pas le cri. Plus doux que le glapissement du renard, c'était aussi plus clair comme son. Il y avait si longtemps qu'il n'avait entendu de marmottes qu'il n'en pouvait plus reconnaître le sifflement.
              Charles EXBRAYAT, Jules Matrat, p. 242.

Imiter, faire des cris d'animaux.

♦ **8** Bruit aigu et peu harmonieux (d'une chose). → **Bruit**. *Le cri de la lime, des ciseaux.* → **Crissement**, frottement. *Cri de la soie.* → **Bruissement**. *Cri de la girouette.* → **Gémissement**, grincement. *Le cri d'une chaussure, d'un vieux meuble.* → **Craquement**. *Cri d'une locomotive.* → **Sifflement**.

30 Véronique reconnut à sa douceur exquise l'organe du curé, le frôlement de la soutane, et le cri d'une étoffe de soie qui devait être une robe de femme.
              BALZAC, le Curé de village, Pl., t. VIII, p. 739.

CONTR. **Silence**.

CRIAGE [kʀijaʒ] n. m. — Fin XIIᵉ; de *crier*.
Vx. Office du crieur public. Annonce faite en criant. *Criage sur la voie publique.*

CRIAILLEMENT [kʀijajmɑ̃; kʀijajmɑ̃] n. m. — 1611; de *criailler*.
Action de criailler; cri désagréable. Spécialt. *Le criaillement des oiseaux.* → **Piaillement**.

Et le criaillement d'un oiseau, qui seul dans ce temps si triste se hasardait à gazouiller (...)
              PROUST, Jean Santeuil, Pl., p. 511.

CRIAILLER [kʀiaje; kʀijaje] v. intr. — 1555, Ronsard; de *crier*, et suff. *-ailler*.

♦ **1** Crier de manière désagréable, fréquente ou constante; produire de petits cris aigus. → **Brailler, piailler.**

♦ **2** Se plaindre ou protester fréquemment et d'une façon désagréable. → **Brailler, clabauder, rouspéter.**

Il criaille à propos de tout et de rien. Il, elle criaille après ses enfants.

Si on ne leur donnait jamais *(aux enfants)* ce qu'ils auraient demandé en pleurant, ils apprendraient à s'en passer; ils n'auraient garde de criailler (...) pour se faire obéir.
              ROLLIN, Traité des Études, VI, I, I, III, *in* LITTRÉ.   1

Dans cette guerre, on s'appelait, on ne se répondait pas. J'ai senti cela, au bout d'un siècle de course. On a senti cela. Je ne faisais plus que gesticulailler, criailler.
              DRIEU LA ROCHELLE, la Comédie de Charleroi, p. 77.   2

♦ **3** Crier (oie, perdrix, faisan, paon, pintade). — (Des oiseaux en général). → **Piailler.**

DÉR. **Criaillement, criailleur, criaillerie.**

CRIAILLERIE [kʀiajʀi; kʀijajʀi] n. f. — 1580, Montaigne; de *criailler*.

♦ **1** Ensemble de cris discordants.

♦ **2** Fig. Plainte, cri répété et désagréable. → **Piaillerie, plainte, protestation, récrimination.** *Criailleries conjugales.* → **Discussion;** querelle, scène (scène de ménage). *Les criailleries de sa patronne*, réprimandes répétées, déplaisantes, sans objet. — Absolt. *La criaillerie :* l'habitude de criailler.

Délivrez-moi, Monsieur, de la criaillerie (...)
              MOLIÈRE, Tartuffe V, 7.   1

Ce qui nourrit les criailleries des enfants, c'est l'attention qu'on y fait, soit pour leur céder, soit pour les contrarier. Il ne leur faut quelquefois pour pleurer tout un jour, que s'apercevoir qu'on ne veut pas qu'ils pleurent.
              ROUSSEAU, Julie ou la Nouvelle Héloïse, V, lettre III.   2

La campagne électorale de 1881 est enfiévrée par ces critiques et par les acerbes criailleries de ceux qui, impatients de réaliser les réformes inscrites par les républicains à leur fameux programme de 1869, reprochent à Gambetta et à ses partisans, qualifiés avec mépris d'«opportunistes», de les ajourner pour finalement les renier.
              Georges LECOMTE, Ma traversée, p. 38.   3

Quand elle était énervée, quand elle voulait convaincre, sa voix devenait suraiguë, une vibration de pointe presque insupportable, une criaillerie piaillante (...)
              Ph. SOLLERS, Femmes, p. 41.   4

CRIAILLEUR, EUSE [kʀiajœʀ, øz; kʀijajœʀ, øz] adj. et n. — 1564; de *criailler*.
Fam. Qui a l'habitude de criailler. → **Criard, tapageur.** — N. (Vieilli). Personne qui criaille.

CRIANT, ANTE [kʀijɑ̃, ɑ̃t] adj. — 1677, au sens 2; p. prés. de *crier*.

♦ **1** Rare (ou senti comme verbal). Qui crie. «Couvée (...) criante» (Michelet, 1856, *in* T. L. F.). *Bêtes criantes.* → Crier, cit. 4. — Vx. Qui crie, qui émet un son aigu. *Une voix criante.* → **Criard** (plus cour.).

(XIXᵉ). Qui choque vivement. *Couleurs criantes.* → **Criard.** *Contraste criant.* → **Choquant.**

(...) le contraste, tous les jours plus criant, de cette misère générale avec la débauche dorée qui, plus que jamais s'étalait.
              Louis MADELIN, Ascension de Bonaparte, XIII, p. 181.   1

♦ **2** Cour. Qui fait pousser des cris, protester. *Une injustice criante. Des abus criants. L'insuffisance criante de moyens.*

♦ **3** Qui s'impose avec force. → **Flagrant.** *Une preuve criante.* → **Évident,** manifeste.

La fin de Candide est pour moi la preuve criante d'un génie de premier ordre. La griffe du lion est marquée dans cette conclusion tranquille, bête comme la vie.
              FLAUBERT, Correspondance, t. II, p. 94.   2

CRIARD, ARDE [kʀijaʀ, aʀd] adj. — 1495; de *crier.*

♦ **1** (Êtres humains). Qui crie* désagréablement et de façon continue. → **Braillard, brailleur, bruyant, criailleur, gueulard** (fam.), **tapageur.** *Enfant criard.* → **Pleurnicheur.**

1 La même cause qui le rend (*un enfant*) criard à trois ans le rend mutin à douze, querelleur à vingt, impérieux à trente, et insupportable toute sa vie.
ROUSSEAU, Julie ou la Nouvelle Héloïse, V, lettre III.

Qui proteste, crie ou criaille. → **Rouspéteur** (fam.), **querelleur.**

N. Fam. *Un insupportable criard. Une petite criarde.*

♦ **2** Aigu et désagréable. *Sons criards. Voix criarde.* → **Âcre, aigu, désagréable, discordant, glapissant, perçant; crécelle** (voix de crécelle). — *Instrument criard. Les gonds criards d'une porte. Musique criarde.*

2 Comment concevrez-vous jamais que la langue française, dont l'accent est si uni, si simple, si modeste, si peu chantant, soit bien rendue par les bruyantes et criardes intonations de ce récitatif?
ROUSSEAU, Lettre sur la musique franç., *in* LITTRÉ.

3 Rien n'avait pénétré ici de la richesse nouvelle, sauf un phonographe criard.
J. CHARDONNE, les Destinées sentimentales, III, v, p. 450.

(Animaux). *La poule et le canard sont des oiseaux criards.*

(1831). *Soie criarde,* dont le frottement produit un crissement. — *Toile criarde,* gommée et crissant au toucher. — N. f. (Vx). *Une criarde :* jupon qui était fait de cette toile.

3.1 Pour les criardes, ainsi nommées du bruit de leur toile gommée, elles n'étaient portées que par les actrices sur le théâtre et les dames du plus grand air.
Ed. et J. DE GONCOURT, la Femme au XVIIIᵉ siècle, II, p. 56.

♦ **3** Qui choque la vue. *Ton criard. Couleur criarde,* trop vive. → **Criant, dur, vif.** *Bijoux d'un luxe criard.* → **Tapageur.** *Toilette criarde.*

4 (...) des filles aux cheveux jaunes (...) traînaient sur les frais gazons le mauvais goût criard de leurs toilettes.
MAUPASSANT, la Femme de Paul, p. 10.

(1690). *Dettes criardes,* dont le paiement est sollicité avec insistance, importunité.

5 À condition que toutes les dettes criardes qu'il a faites dans ce pays-ci seraient préalablement acquittées.
VOLTAIRE, Lettre à Beaumont, 16 févr. 1770.

CONTR. **Calme, discret, doux, silencieux, taciturne. — Agréable, harmonieux. — Faible, pâle, sobre, sombre.**

CRIBLAGE [kʀibla3] n. m. — 1573; de *cribler.*

♦ **1** Techn. Action, fait de passer (qqch.) au crible. → **Calibrage, triage.** *Le criblage du grain* (→ **Cribleur,** 2.). — Spécialt. Triage mécanique du minerai par grosseur des morceaux. *Criblage du charbon.*

Par anal. Biol.

1 Il nous faudrait en France une véritable stratégie de criblage systématique («screening») permettant la sélection et la protection de souches bactériennes utilisables au plan industriel.
J. de ROSNAY, Biotechnologies et Bio-industrie, p. 138.

♦ **2** Littér. Action de «cribler» (fig.), de passer au crible.

2 C'est la supériorité et la loi puissante de cet art que son rythme, sa vitesse, son caractère d'éloignement de la vie, son aspect illusoire exigent un criblage serré et l'essentialisation de tous ses éléments.
A. ARTAUD, À propos du cinéma, *in* Œ. compl., t. III, p. 74.

CRIBLANT, ANTE [kʀiblã, ãt] adj. — 1892, → cit.; p. prés. de *cribler.*

Rare. Qui crible.

Hier, allés, par une pluie criblante, aux courses du Vélodrome, sachant qu'il ne pouvait pas y avoir de courses (...)
J. RENARD, Journal, 28 oct. 1892.

CRIBLE [kʀibl] n. m. — Fin XIIIᵉ; du lat. pop. *criblum,* altér. du lat. class. *cribrum.*

♦ **1** Instrument percé d'un grand nombre de trous, et qui sert à trier des objets de grosseur inégale. → **Grille, passoire, sas, tamis, van.** *Crible servant à passer de la terre, du sable* (→ **Claie**), *des grains* (→ **Cribleur** [2.]; *tarare*), *du plâtre* (→ **Trémie**). *Crible à la main, à la machine. Crible mécanique.* → **Calibreuse, trieuse.** — Loc. *Passer une substance au crible.* → **Cribler, trier; sélectionner.**

1 L'eau tombait du plafond comme des trous d'un crible.
HUGO, la Légende des siècles, «Les pauvres gens», VI.

2 (...) les mouvements d'une chose qu'on secouerait dans un crible, qu'on secouerait sans trêve, sans merci (...)
LOTI, Mon frère Yves, XXVIII, p. 90.

Bot. Paroi criblée de trous (d'un tube végétal) permettant le passage de la sève.

♦ **2** Fig. **PASSER** (une idée, une opinion) **AU CRIBLE :** examiner avec soin, pour distinguer le vrai du faux, le bon du mauvais. → **Cribler** (4.). — *Le crible de la critique, de la mémoire, du temps* (→ **Critère**). — *Passer qqn au crible.*

3 (...) le critique (...) peut soumettre les faits au crible de son analyse (...)
DANIEL-ROPS, le Peuple de la Bible, IV, III, p. 311.

Math. *Crible d'Ératosthène :* méthode inventée par Ératosthène (194 av. J.-C.), permettant de dresser une table des nombres premiers.

CRIBLER [kʀible] v. tr. — Déb. XIIIᵉ; du lat. pop. *criblare,* altér. du lat. class. *cribrare,* de *cribrum.* → Crible.

♦ **1** Passer au crible*. → **Démêler, épurer, grabeler, nettoyer, passer, purifier, sasser, séparer, tamiser, trier.** *Cribler du charbon, du minerai. Cribler de la terre, du sable. Cribler des fruits.* → **Calibrer, trier.** *Cribler des grains, des semences* (→ **Cribleur,** 2.).

1 Il faut cribler le froment et rejeter l'ivraie.
VOLTAIRE, Des singularités de la nature, 186, *in* LITTRÉ.

Au participe passé :

1.1 Un homme te panse avec soin, te lave, te donne de l'orge bien criblée et de l'eau fraîche et nette.
A. GALLAND, les Mille et une Nuits, t. I, p. 18.

♦ **2** *Cribler... de... :* percer de trous nombreux et rapprochés. — *Cribler qqn de coups.* → **Battre.** *Cribler une cible de flèches, un objectif d'obus.* → **Bombarder.** — Sans compl. en *de,* → ci-dessous, cit. 4. — Au p. p. *Corps criblés de blessures.* → **Percer, transpercer.** *Visage criblé par la petite vérole.*

2 Son visage (*le derviche de Djelfa*) criblé de rides ne peut plus vieillir (...)
E. FROMENTIN, Un été dans le Sahara, p. 68.

3 Il était tellement criblé de balles, qu'on l'aurait dit fusillé par jugement.
E. FROMENTIN, Un été dans le Sahara, p. 134.

Par ext. Frapper de coups nombreux et rapprochés.

4 Mais, ce soir, la pluie crible les carreaux, le vent a éteint les étoiles et les noyers ragent dans les prés.
J. RENARD, Poil de carotte, p. 12.

5 (...) sa figure ronde criblée de taches de rousseur.
P. MAC ORLAN, la Bandera, VI, p. 67.

REM. Cet emploi peut également être rattaché au sens 3.

Par métaphore :

6 (...) nous cribler des flèches barbelées de tes plaisanteries (...) Th. GAUTIER, Fortunio, X.

7 Le soleil, penchant à l'horizon, criblait de ses flèches enflammées les marronniers touffus.
FRANCE, Les dieux ont soif, p. 231.

♦ **3** Couvrir, parsemer (rare à l'actif). — Au p. p. *Nappe criblée de taches. Pelage criblé de mouchetures sombres.*

8 Le train traverse d'abord une plaine, criblée de flaques d'eau bizarres. On dirait une sorte de carte de géographie, avec les océans et les continents (...)
MAUPASSANT, la Vie errante, p. 247.

9 (...) les eaux du golfe et du Bosphore, les eaux criblées de navires, les eaux accablées de lumière, scintillent jusqu'à l'horizon comme un tapis gris-perle à grandes paillettes de mica. LOTI, Suprêmes visions d'Orient, p. 108.

10 Une heure plus tard, il entra en contact avec la nuit criblée d'étoiles. Elles clignotaient par milliers au-dessus de sa tête. P. MAC ORLAN, la Bandera, XX, p. 255.

Fig. *Être criblé de dettes**, en avoir beaucoup.

11 En deux mois, la maison fut criblée de dettes.
Alphonse DAUDET, le Petit Chose, II, XII, p. 337.

Cribler qqn de reproches, d'injures. → **Accabler.** — Rare (sans compl. en *de*). → cit. 12 ci-dessous.

12 Elle lui dit, sans préface, qu'elle venait lui demander grâce, qu'elle le priait du moins de lui dire pourquoi il ne passait pas un jour sans la cribler, l'accabler.
MICHELET, la Femme, p. 46.

13 (...) les critiques acérées dont, suivant son habitude, il criblait son successeur, le duc de Richelieu (...)
Louis MADELIN, Talleyrand, V, XXXIV, p. 374.

♦ **4** Fig. Passer au crible, trier. → **Crible** (passer au crible).

♦ **CRIBLÉ, ÉE** p. p. adj. → ci-dessus, cit. 2, 3, 5 et 8 à 10, pour le p. p. — Spécialt, anat. *Lames* criblées.*

CONTR. Mélanger, mêler. ◊ DÉR. Criblage, criblant, cribleur, cribleux, criblure.

CRIBLEUR, EUSE [kʀiblœʀ, øz] n. — 1556; *crieulleurs de grain*, 1493; de *cribler*.
Technique.
♦ **1** Personne qui crible.
♦ **2** N. f. ou n. m. (1878). Machine à cribler le grain. → **Crible.**

♦ **CRIBLEUX, EUSE** [kʀiblø, øz] ou **CRIBREUX, EUSE** [kʀibʀø, øz] adj. — 1561; A. Paré, *os cribleux*; de *cribler*.
Anat. (Vx). Qui est percé de trous comme un crible. *Os cribleux du nez. «La lame cribleuse de l'os ethmoïde»* (Cuvier), *lame criblée* (mod.).

CRIBLURE [kʀiblyʀ] n. f. — 1439; de *cribler*.
Agric. Résidu des grains passés au crible. *Donner des criblures aux volailles.*

1. CRIC [kʀik] n. m. — 1447, p.-ê. du moy. all. *Krier, Krich.*
Engin servant à pointer de lourdes machines de guerre. Appareil à crémaillère et à manivelle permettant de soulever à une faible hauteur certains fardeaux pesants. → **Treuil; cabestan, levier, orgueil** (cit. 27), **vérin.** *Cric à manivelle. Cric hydraulique. Cric à vis. Cric d'automobile.*
(...) le passage se fait aisément si l'on remplace la poulie par une roue dentée et deux crémaillères.
— Le cric, dit Lebrun.
ALAIN, Entretiens au bord de la mer, IV, in les Passions et la Sagesse, Pl., p. 1304 (1960).
Par ext. *Cric tenseur,* pour tendre les fils d'une clôture. *Cric faucon :* instrument de dentiste servant à ranger les dents déplacées.

HOM. 1. Creek, cric, 2. crique, 3. crique.

2. CRIC [kʀik] n. m. — XIXᵉ; 1877, Zola, l'Assommoir; orig. incert.; p.-ê. métaphore de 1. *cric,* l'alcool «remonte».
Fam., vieilli. Eau-de-vie de mauvaise qualité. *Un petit verre de cric.*

HOM. Creek, 1. cric, 1. crique, 2. crique, 3. crique.

3. CRIC [kʀik] n. m. → 3. Crique.

CRIC-CRAC ou **CRIC CRAC** [kʀikkʀak] interj. — 1520; onomatopée.
(Exprimant le bruit d'un mécanisme qui joue — serrure, en particulier). *Cric-crac... le pêne joua dans la gâche et la porte s'ouvrit.* — N. m. invar. *Des cric-crac.*
(...) le père Roquille sortit, poussa la porte, qui cria lourdement sur ses gonds rouillés, et fit résonner aux oreilles de Jean-Paul le quadruple cric-crac d'une grosse serrure.
Louis DESNOYERS, les Mésaventures de Jean-Paul Choppart, IV, p. 56-57 (1836).

CRICKET [kʀikɛt] n. m. — 1728; mot angl. «bâton», p.-ê. du moy. franç. *criquet* «bâton servant de but au jeu de boules», 1478.
Sport britannique qui se pratique avec des battes* de bois et une balle (→ Boxe, cit. 3.). *Dans le jeu de cricket, la balle est dirigée vers le wicket (guichet) ou but. Partie, match de cricket. Le base-ball* américain dérive du cricket.*
(...) on le croirait idiot, mais c'est une erreur : il a joué au cricket pour Essex.
A. MAUROIS, les Silences du colonel Bramble, p. 13.

DÉR. Cricketeur.

CRICKETEUR ou **CRICKETER** [kʀikɛtœʀ] n. m. — 1869, in Höfler; de *cricket.*
Rare. Joueur de cricket.

CRICOÏDE [kʀikɔid] adj. — XVIIᵉ; grec *krikoeidês,* de *krikos* «anneau», et *eidos* «forme».
En forme d'anneau. — *Cartilage cricoïde,* et, n. m., *le cricoïde :* anneau cartilagineux qui occupe la partie inférieure du larynx.
Le cartilage cricoïde occupe la partie inférieure du larynx : sur lui, reposent tous les autres. Il a la forme d'un anneau, d'où le nom de *cricoïde* qui lui a été donné.
L. TESTUT, Traité d'anatomie, t. III, p. 885.

CRI-CRI, CRI CRI ou **CRICRI** [kʀikʀi] n. m. — 1559; onomatopée.
♦ **1** Cri du grillon, de la cigale. — Fam. Grillon*. *Des cri-cri* ou *des cris-cris.*

1 Elle était montée dans sa chambre et songeait. Des souffles de chaleur remuaient de temps en temps les rideaux. Le chant des cris-cris emplissait l'air. Jamais encore elle ne s'était sentie si triste.
MAUPASSANT, Fort comme la mort, éd. 1889, p. 185.

Figuré :

2 Et quand je mets la petite Fadette en comparaison avec un grelet, c'est vous dire qu'elle n'était pas belle, car ce pauvre petit *cri-cri* des champs est encore plus laid que celui des cheminées. G. SAND, la Petite Fadette, VIII, p. 59.

♦ **2** Jouet d'enfant composé de lamelles qui imitent le cri du grillon lorsqu'on les presse.

♦ **3** Vx. T. d'affection désignant une personne frêle et sans défense. — Terme méprisant (donné par un souteneur aux prostituées autres que les siennes, selon Bruant).

CRID [kʀid] n. m. → Criss.

CRIÉE [kʀije] n. f. — V. 1130; de *crier*.

♦ **1** Ancienn. Proclamation verbale et publique par laquelle un huissier ou un sergent annonçait les ventes par autorité de justice. *Le code a substitué les affiches à la criée.*

♦ **2** Mod. Dr. **VENTE À LA CRIÉE,** et, ellipt., **CRIÉE :** vente publique aux enchères de biens meubles ou immeubles (→ **Enchère**). — *Audience des criées :* audience du tribunal où sont faites les ventes judiciaires d'immeubles. *Chambre des criées.*

♦ **3** Cour. Annonce à voix forte de la marchandise à vendre. *La criée du poisson, des légumes.* — Par ext. Vente effectuée par les grossistes à l'ouverture des marchés.

1 En passant à gauche du marché aux poissons, où l'animation ne commence que de cinq à six heures, moment de la vente à la criée, nous avons remarqué une foule d'hommes en blouse, en chapeau rond et en manteau blanc rayé de noir, couchés sur des sacs de haricots (...)
NERVAL, les Nuits d'octobre, XII,
«Le marché des innocents».

Par métonymie. Le lieu où se fait cette vente. *La Criée,* théâtre de Marseille (aménagé dans une ancienne criée).

2 Autour des neuf bancs de marché, rôdaient déjà des revendeuses, tandis que les employés arrivaient avec leurs registres, et que les agents des expéditeurs, portant en sautoir des gibecières de cuir, attendaient la recette, assis sur des chaises renversées, contre les bureaux de vente.
ZOLA, le Ventre de Paris, t. I, p. 148 (1875).

HOM. Crier.

CRIER [kʀije] v. — Xᵉ; du lat. pop. *critare*, contraction du lat. class. *quiritare* «appeler les citoyens au secours».
→ Quirite.

I V. intr. ♦ **1** Pousser un ou plusieurs cris* pour manifester une émotion, une sensation ou pour être entendu de loin. → **Beugler, brailler,** (fam.) **braire, bramer, égosiller** (s'), **époumoner** (s'), **gueuler, hurler.** *Crier de colère.* → **Rugir.** *Crier de douleur.* → **Gémir, plaindre** (se). *Crier de plaisir. Crier comme un beau diable, comme un enragé, un fou, un perdu, un damné, un brûlé... Crier comme un sourd :* crier fort. *Crier à tue-tête, à pleine tête. Crier comme un putois, un veau. Crier de toutes ses forces. Il crie comme si on l'écorchait.*

Enfant qui crie. → **Piailler, pleurer.** *Laissez-le crier.*
— Par métaphore (le sujet est une chose abstraite) → ci-dessous, cit. 2.

1 Elle me regardait, effarée, affolée, épouvantée, n'osant pas crier de peur du scandale (...)
MAUPASSANT, Contes de la Bécasse, Un fils, p. 232.

2 Érôs fait crier sur vos lèvres, ô femmes !
Le Désir douloureux et doux.
Pierre LOUŸS, Aphrodite, I, II, p. 27.

3 Des gitanes en robes à volants couvertes de taches criaient dans les ruelles; des enfants piaillaient (...)
P. MAC ORLAN, la Bandera, I, p. 16.

3.1 Puis, toujours immobile, elle se met à crier : un long hurlement continu, parti de très bas, qui s'enfle peu à peu jusqu'à un paroxysme coupé net, dont elle écoute ensuite l'écho qui se répercute d'un bout à l'autre de l'immense corridor.
A. ROBBE-GRILLET,
Projet pour une révolution à New York, p. 123.

Loc. (vx). *Il crie comme un aveugle qui a perdu son bâton.* — Loc. prov. (vx). *Il ressemble aux anguilles* (infra cit. 4), *il crie avant qu'on l'écorche.*

Rare. Pousser son cri (le sujet désigne un animal, et, spécialt, un oiseau). — REM. Alors que *cri* est courant dans ce sens, *crier* est souvent remplacé par un verbe spécifique; pour les oiseaux, on oppose *crier* et *chanter* (→ aussi Gazouiller, ramager).

L'oiseau crie ou chante; et la voix semble être à l'oiseau 4 d'une valeur assez différente de la valeur qu'elle a chez les autres bêtes criantes ou hurlantes.
VALÉRY, Autres rhumbs, Poésie perdue, p. 60.

Prov. *Chien** (infra cit. 42) *qui crie ne mord pas.*

♦ **2** Parler fort, élever la voix au cours d'une conversation, d'une discussion. → **Beugler, brailler, clamer, criailler, dire, égosiller** (s'), **gueuler** (fam.), **hurler, tonitruer, tonner, vociférer.** *Il ne sait pas parler sans crier. Crier fort; crier haut. C'est à qui criera le plus fort.* — Péj. Produire des sons forts, aigus, peu harmonieux. *Elle ne chante pas, elle crie.*
→ **Hurler.**

Je ne vous parle pas de ça, dit Germain en s'approchant 5 d'elle et en criant à tue-tête (...)
G. SAND, la Mare au diable, XIV, p. 117.

Lorsqu'une racine arrêtait le soc, le laboureur criait d'une 6 voix puissante, appelant chaque bête par son nom, mais plutôt pour calmer que pour exciter (...)
G. SAND, la Mare au diable, II, p. 21.

On peut discuter sans hurler. D'ordinaire on ne crie que 7 quand on a tort.
GIDE, Robert ou l'Intérêt général, III, 2ᵉ tableau, II.

♦ **3** Manifester son mécontentement sur un ton élevé. → **Accuser, conspuer, fâcher** (se), **gueuler** (fam.), **hurler, invectiver, plaindre** (se plaindre de), **protester, récrier** (se), **réprimander, rouspéter** (fam.), **rugir, tempêter.** → Musique (faire de la musique). *Crier sans raison.* → **Clabauder.** *Crier contre qqn. Crier après qqn.* → **Attraper, gronder, engueuler** (fam.). *Tes parents vont crier ou crier contre toi, après toi, te réprimander.* — REM. L'emploi transitif de *crier,* dans le même sens, est archaïque ou dialectal : *Pourquoi me criez-vous ?*

MOLIÈRE, l'École des femmes, V, 4. 8

(...) eux qui faisaient profession d'une sagesse si austère, 9 et qui criaient sans cesse après les vices de leur siècle.
MOLIÈRE, Tartuffe, Préface.

♦ **4** Manifester avec force un sentiment personnel ou collectif. — Spécialt, en implorant. *Crier au Seigneur, crier vers Dieu.* → **Implorer, invoquer, prier, supplier; appel** (faire appel).

À qui crierai-je, Seigneur, si ce n'est à vous ? 10
PASCAL, Prière.

(En protestant). *Crier à l'injustice.* → **Dénoncer, protester.** *Iniquité qui fait crier. C'est à crier. Crier à l'oppression, au scandale.* → **Révolter** (se).

La censure de guerre, qui nous a paru si naturelle, faisait, 11 en 1830, crier à un attentat contre la liberté.
J. BAINVILLE, Hist. de France, XVIII, p. 453.

♦ **5** (Choses). Produire un bruit aigre, désagréable. → **Crisser, grincer, hurler.** *La lime crie sur le fer. Les gonds de la porte crient. Essieu, roue qui crie en tournant. Faire crier les ressorts d'un fauteuil, d'un lit.* → **Gémir.** *Étoffe qui crie sous la main. Sirènes qui crient.* → **Retentir, ululer.**

Le char s'avança lentement sur le sable qui criait dans le 12 silence.
FRANCE, Histoire comique, X, p. 172.

La maison crie sous le vent comme un bateau (...) 13
PROUST, les Plaisirs et les Jours, p. 218.

On entendait crier sous les couteaux les larges miches de 14 pain de ménage.
M. BARRÈS, la Colline inspirée, V, p. 85.

Par métaphore :

La langue est un instrument dont il ne faut pas faire crier 15 les ressorts.
RIVAROL, Pensées et maximes, p. 7.

Avoir un effet brutal et désagréable (en parlant d'un autre sens que l'ouïe). *Couleurs qui crient entre elles* (→ **Criard**). *Dans ce décor, ce tissu crie.*
→ **Hurler, jurer.**

II V. tr. ♦ **1** Dire (qqch.) à qqn d'une voix forte. → **Dire, gueuler** (fam.), **hurler.** *Crier des injures à qqn. Crier* un ordre. → **Donner**. *Crier la vérité*. → **Proclamer**. *Crier qqch. d'une voix forte, autoritaire. Chacun crie ses péchés* (cit. 4) *à la face de tous. Il lui cria de se taire. Non, cria-t-il, je ne viendrai pas.* — REM. Comme *parler*, **crier** peut introduire un énoncé en style direct (*il cria : venez par ici*) et être employé en incise (*Sortez! cria-t-il*). — *Crier que...* (suivi d'un énoncé en style indirect). *Il a crié de loin qu'il allait revenir.*

16 On a entendu la voix de celui qui crie dans le désert : Préparez la voie du Seigneur (...)
BIBLE (SACY), Isaïe, XL, 3.

17 (...) d'une voix âpre, il cria un ordre à ses matelots.
FLAUBERT, Salammbô, VII.

18 Vers le 5 ou le 6, je vous jure, j'ai cru à la guerre. Et j'ai crié comme un sourd, j'ai crié qu'elle était impossible, fantastiquement absurde.
J. ROMAINS, les Hommes de bonne volonté, t. III, XXII, p. 294.

19 (...) une voix s'éleva, forte, vibrante, autoritaire, une voix qui criait rudement (...)
G. DUHAMEL, Chronique des Pasquier, IX, 1.

20 (Elle) criait sa foi dans les salons orthodoxes avec un courage agressif.
A. MAUROIS, le Cercle de famille, III, XI, p. 281.

21 Une voix répondit : «Je l'ai vu courir comme un fou. Il a crié qu'il allait manquer son train.»
J. CHARDONNE, les Destinées sentimentales, I, III, p. 115.

21.1 Sur quoi Thomas Trublet, lâchant sa barre et criant : «Frères à moi!» se précipita le premier, sabre d'une main pistolet de l'autre, poignard entre les dents, à l'abordage.
Claude FARRÈRE, Thomas l'Agnelet, p. 107.

♦ **2** Fig., littér. Faire connaître avec force, hautement. *Crier son mécontentement*. → **Exprimer, manifester**. — *Crier la vérité de qqch., crier son innocence*. → **Affirmer, clamer, proclamer**. — *Les faits crient que vous avez tort*. — Absolt. *Les faits crieront d'eux-mêmes*. → **Parler**.

22 Voltaire, comme historien, est souvent admirable; il laisse crier les faits.
HUGO, Littérature et philosophie mêlées, Journal des idées, Histoire.

Crier une nouvelle, un secret sur les toits, par toute la ville... → **Annoncer, proclamer, publier, répandre, trompeter**. *Crier une nouvelle à son de trompe. Crier qu'on a raison*.

23 Un fol allait criant par tous les carrefours Qu'il vendait la sagesse (...)
LA FONTAINE, Fables, IX, 8.

24 L'on ne vient point crier de dessus un théâtre ce qui se doit dire en particulier.
MOLIÈRE, la Comtesse d'Escarbagnas, 8.

25 Vous pensez bien qu'ils n'iraient pas le crier sur les toits (...)
J. ROMAINS, les Hommes de bonne volonté, t. II, IV, p. 39.

♦ **3** Annoncer à haute voix, sur la voie publique, pour vendre (→ **Crieur**). *Crier des journaux, de vieux chiffons*.

25.1 On entendait crier par les rues les mirabelles et les reines-Claude (...)
Alphonse DAUDET, Fromant jeune et Risler aîné, p. 42.

26 Des camelots traversaient le carrefour en criant des éditions spéciales.
MARTIN DU GARD, les Thibault, t. VII, p. 186.

26.1 Ils circulèrent à travers le lotissement. Rodrigue continuait de crier ses journaux (...)
Roger VAILLAND, Bon pied, bon œil, p. 30.

(1268). Dr. *Crier une vente*. → **Criée** (vente à la criée). *Crier des meubles*, les vendre à la criée.

♦ **4** V. tr. et tr. ind. (suivi d'un nom sans article), v. tr. ind. (suivi d'un nom introduit par *à*). Lancer d'une voix forte des paroles, une formule ayant une valeur d'avertissement, d'exhortation. *Crier aux armes. Crier au*

secours, au feu, au voleur, à l'assassin. → **Appeler**. Pop. *Crier au vinaigre* (crier contre qqn). — Loc. (trans. dir.). *Crier haro* sur...* → **Exciter**. *Sans crier gare*. Crier casse-cou.* → **Avertir, prévenir, signaler**. *Crier grâce**. Vx. *Crier merci, miséricorde*. → **Avouer** (s'avouer vaincu), **demander** (grâce), **rendre** (se), **supplier**. *Crier bravo*. — Trans. dir. (suivi d'un énoncé rapporté). *Crier : «Vive le roi, vive le président!»* → **Acclamer**. *Crier : à bas Untel!* → **Conspuer**.

27 Les autres animaux, créatures plus douces, Bonnes gens, s'étonnaient qu'il criât au secours; Ils ne voyaient nul mal à craindre.
LA FONTAINE, Fables, VIII, 12.

28 À ces mots, on cria haro sur le baudet.
LA FONTAINE, Fables, VII, 1.

29 J'entends crier partout : Au meurtre! on m'assassine!
BOILEAU, Satires, VI.

30 (...) tout leur fait croire, à Grimm et à elle, qu'en me poussant à la dernière extrémité, ils me réduiraient à crier merci, et à m'avilir aux dernières bassesses (...)
ROUSSEAU, les Confessions, X.

31 (...) on nous crie gare, et à peine avons-nous le temps de nous garer.
LOTI, Aziyadé, I, XX, p. 32.

32 (...) l'univers haletant criait grâce (...)
HUYSMANS, En route, p. 11.

33 Je ne souhaite pas que vous criiez casse-cou sans nécessité (...)
J. ROMAINS, les Hommes de bonne volonté, t. V, XXIV, p. 228.

33.1 (Voyant le gouverneur mort), les siens perdirent courage. Beaucoup jetèrent leurs armes, criant : «Grâce!» et «Quartier!» cependant que d'autres fuyaient de-ci et de-là, sans grand-chance d'échapper ailleurs.
Claude FARRÈRE, Thomas l'Agnelet, p. 188.

Vx. *Crier sa devise. Soldats qui attaquent en criant leur devise*. → **Cri** (4.). Lancer (un cri de ralliement). *Autrefois les Français criaient «Montjoie!»*.

Loc. fig. *Crier famine**. Par métaphore. *Estomac qui crie famine*. — *Crier misère**. → **Gémir, plaindre** (se). — Prov. : *Crier famine sur un tas de blé : se plaindre de manquer de tout, bien qu'on soit dans l'abondance*.

34 Elle alla crier famine Chez la fourmi sa voisine, La priant de lui prêter Quelque grain pour subsister (...)
LA FONTAINE, Fables, I, 1.

34.1 Si vous n'aviez du blé, je vous offrirais du mien; j'en ai vingt mille boisseaux à vendre. Je crie famine sur un tas de blé.
Mme DE SÉVIGNÉ, Lettre à Mme de Grignan, 21 oct. 1673.

Crier merveille. → **Admirer, extasier** (s').

35 La lunette placée, un animal nouveau Parut dans cet astre si beau; Et chacun de crier merveille (...)
LA FONTAINE, Fables, VII, 18.

Trans. ind. *Crier au miracle* (même sens) :

36 La santé dans ces murs tout d'un coup répandue Fait crier au miracle (...)
CORNEILLE, l'Œdipe, V, 9.

Loc. Vx. *Crier Noël* : se réjouir.

Crier vengeance*. → **Réclamer; exiger** (avec un sujet n. de chose). *Le sang du juste crie vengeance*, et, ellipt., *le sang crie*.

37 Et Dieu dit (à Caïn) : Qu'as-tu fait? La voix du sang de ton frère crie de la terre jusqu'à moi.
BIBLE (SEGOND), Genèse, IV, 10.

38 Le sang de vos rois crie, et n'est point écouté.
RACINE, Athalie, I, 1.

Fig. *La conscience crie des reproches, des avertissements*. → **Cri** (de la conscience).

39 La conscience crie devant le devoir comme le coq chante devant le jour.
HUGO, l'Homme qui rit, II, VII, 1.

♦ **CRIANT, ANTE** p. prés. et adj. → Criant.

CONTR. Chuchoter, murmurer. — Taire (se). ◊ **DÉR.** Cri, criage, criailler, criant, criard, criée, crierie, crieur. ◆ **COMP.** Décrier, écrier (s'), récrier (se). ◆ **HOM.** Criée.

CRIERIE [kʀiʀi] n. f. — V. 1180; de *crier*.

Rare.

♦ **1** Action de crier sans cesse; cris continuels. → Criaillerie.

♦ **2** Annonce à haute voix sur la voie publique pour vendre (→ Criée); cri des marchands.

Ces crieries de Paris se sont transmises depuis des siècles dans les divers métiers de la rue et lorsqu'il arrivait encore, avant cette guerre, de voir passer sous ses fenêtres un vieil homme qui, tous les vingt-cinq pas, jetait vers les étages son éternel : «Habits, chiffons !» il fallait réellement peu de chose pour que l'imagination s'en mêlât.
> Francis CARCO, *Nostalgie de Paris*, p. 63.

CRIEUR, EUSE [kʀijœʀ, øz] n. — XIIᵉ; de *crier*.

♦ **1** Rare. Personne qui crie* ou se manifeste à voix forte (pour se plaindre, protester, demander...). *Faites taire ce crieur.* — Rare au fém. *Une crieuse.*

1   C'est bien fait de fermer la porte à ce crieur.
> RACINE, les Plaideurs, II, 10.

Adj. (littéraire) :

1.1   Mais puisque c'est en vain, ô nos bouches, crieuses d'infini, dont la voix, comme un oiseau de feu, emporte au ciel l'amour des foules furieuses, ah ! puisque Dieu sans doute existe, mais si peu !
> Germain NOUVEAU, Premiers poèmes, Pl., p. 376.

♦ **2** Cour. Personne qui annonce en criant (une chose qu'elle propose, qu'elle vend). → Aboyeur. *Des crieurs de journaux. Les crieurs apportaient les journaux à domicile.* «*(Le) retard du crieur qui apporte le Temps*» (Proust, *Jean Santeuil*, Pl., p. 885).

2   Les aboiements des crieurs de journaux, dominant le sourd bruissement de la foule (...)
> MARTIN DU GARD, les Thibault, t. VII, p. 243.

(1723, *in* D.D.L.). Spécialt (vx ou anciennt). Celui qui est chargé des annonces, dans une vente à la criée*.

3   Le crieur, le bossu, allumé, battant l'air de ses bras maigres, tendait les mâchoires en avant. À la fin, il monta sur un escabeau, fouetté par les chapelets de chiffres qu'il lançait à toute volée, la bouche tordue, les cheveux en coup de vent, n'arrachant plus à son gosier séché qu'un sifflement inintelligible.
> ZOLA, le Ventre de Paris, t. I, p. 156.

Ancient. *Crieur public :* personne qui était chargée d'annoncer à haute voix, des proclamations publiques. *Juré* crieur. Crieur de nuit :* personne qui parcourait la cité en annonçant les heures de nuit.

CONTR. (De l'adj.) Silencieux.

CRIME [kʀim] n. m. — V. 1165, *crimme*; lat. *crimen* «accusation», d'où «crime».

♦ **1** (Sens large). Manquement très grave à la morale, à la loi. → Attentat, délit, faute, forfait, infraction, mal, péché. *Crime affreux, atroce, avilissant, horrible* (→ Abominable, cit. 1). *Crime inexpiable*, irrémissible*. S'avilir, se déshonorer, se souiller par un crime. C'est un crime. Le crime de parjure* (cit. 4). Crimes contre nature,* comportement condamné par la société comme particulièrement odieux et contraire aux interdits jugés naturels, notamment dans le domaine du meurtre (→ Fratricide, matricide, parricide...) et du sexe (→ Inceste, sodomie). — Collectif. *Le crime :* les actes criminels (→ ci-dessous, cit. 3).

1   L'intérêt, que l'on accuse de tous nos crimes, mérite souvent d'être loué de nos bonnes actions.
> LA ROCHEFOUCAULD, Maximes, 305.

Il y a des crimes qui deviennent innocents (...)
> LA ROCHEFOUCAULD, Maximes, 608 (→ Conquête, cit. 1).

2

Dans le crime il suffit qu'une fois on débute;
Une chute toujours attire une autre chute.
> BOILEAU, Satires, X.

3

J'ai conçu pour mon crime une juste terreur;
J'ai pris la vie en haine, et ma flamme en horreur.
> RACINE, Phèdre, I, 3.

4

Quelques crimes toujours précèdent les grands crimes.
> RACINE, Phèdre, IV, 2.

5

Si je savais quelque chose qui me fût utile, et qui fût préjudiciable à ma famille, je le rejetterais de mon esprit. Si je savais quelque chose utile à ma famille, et qui ne le fût pas à ma patrie, je chercherais à l'oublier. Si je savais quelque chose utile à ma patrie, et qui fût préjudiciable à l'Europe et au genre humain, je le regarderais comme un crime.
> MONTESQUIEU, Pensées diverses, Portrait de Montesquieu par lui-même.

6

Le bonheur des méchants est un crime des dieux.
> André CHÉNIER, Poésies diverses et fragments, XIII.

7

Tout crime porte en soi une incapacité radicale et un germe de malheur : pratiquons donc le bien pour être heureux, et soyons justes pour être habiles.
> CHATEAUBRIAND, Mémoires d'outre-tombe, t. II, p. 327.

8

Il faut avoir commis bien des crimes, plus ou moins intérieurs, et porter un passé lourd et varié, plein d'accidents moraux et autres, pour savoir, pour oser, réussir enfin quelque jour un acte bon, faire un peu de bien — sans erreur.
> VALÉRY, Rhumbs, Arrière-pensée, p. 255.

9

Certains prêtaient à Fouché le mot célèbre : «*C'est pire qu'un crime, c'est une faute !*»
> Louis MADELIN, l'Avènement de l'Empire, VI, p. 76.

10

Acte politique, social, de nature criminelle. *Histoire d'un crime,* œuvre de Hugo.

♦ **2** Dr. et cour. Infraction que les lois punissent d'une peine afflictive ou infamante, opposé à *contravention* ou à *délit* (Code pénal, art. 1). *Faire, commettre, consommer, perpétrer* (cit. 1 et 2) *un crime.* → Attenter. *Auteur d'un crime.* → Criminel. *Être coupable*, complice* d'un crime, d'une tentative de crime.* → Complicité, tentative. *Scélérat, bandit, brigand capable de tous les crimes. Crime commis avec préméditation. Mobile du crime. Crime flagrant. Commettre un nouveau crime.* → Récidive. *Victime d'un crime. Accuser qqn d'un crime.* → Accusation* (cit. 2); *incriminer. Imputer un crime à qqn. Poursuivre un crime au nom de la société.* → Vindicte. *Instruire un crime.* → Instruction. *Les crimes sont jugés par la cour d'assises.* → Assises; → 2. Pouvoir, cit. 16. *Être jugé coupable d'un crime. Punir un crime. Crime impuni. Crime qui mérite une peine sévère. Anc. Crime amendable*. Payer, réparer un crime.* → Expier. *Se venger d'un crime* (→ Vengeance; vendetta).

11

Si le fait est qualifié crime par la loi, et que la cour trouve des charges suffisantes pour motiver la mise en accusation, elle ordonnera le renvoi du prévenu aux assises.
> Code d'instruction criminelle, art. 231.

Crime d'État. Crime de lèse-majesté. Crime contre la chose publique. Crime contre la sûreté de l'État.* → Attentat, complot, espionnage, trahison. *Crime de guerre*. Crime politique. Crime de droit commun. Crime contre la paix publique.* → Faux, forfaiture (concussion, corruption, abus d'autorité); *association* (cit. 14. — association de malfaiteurs). *Crimes contre les particuliers.* → Assassinat, empoisonnement, homicide, meurtre. → suff. -cide (fratricide, génocide, homicide, infanticide, matricide, parricide). *Crime contre les mœurs.* → Attentat. *Crime passionnel. Crime crapuleux. Crime d'un dégénéré. Crime contre les propriétés.* → Vol; escroquerie, fraude...

Crime et Châtiment, roman de Dostoïevsky (1866).

12 Seront punis de la même peine ceux qui (...) auront fait l'apologie des crimes de meurtre, de pillage ou d'incendie, ou de vol, ou de l'un des crimes prévus par l'article 435 du Code pénal.   *Loi du 12 déc. 1893, art. 24.*

13 Quand le crime d'État se mêle au sacrilège,
Le sang ni l'amitié n'ont plus de privilège.
                        CORNEILLE, *Polyeucte,* III, 3.

14 Le crime fait la honte et non pas l'échafaud.
                Thomas CORNEILLE, *le Comte d'Essex,* IV, 3.

15 La honte est dans le crime et non dans le supplice.
                        VOLTAIRE, *Artémise,* IV, 3,
                        cité par Antoine ALBALAT,
                        la Formation du style, II, p. 48.

16 Enfin, à côté de la juridiction épiscopale, l'Église avait institué pour la répression du crime d'hérésie qui comprenait alors le parjure, le blasphème, le sacrilège, tous les forfaits de la magie, le Tribunal extraordinaire de l'Inquisition.
                        HUYSMANS, *Là-bas,* XVI, p. 223.

17 On ne voit dans vos rues et dans vos lieux publics que des gens qui, le nez dans des feuilles fraîchement noircies, semblent avec délices absorber tous les crimes possibles, qu'on croirait perpétrés sur commande pour qu'ils en trouvent tous les jours de tout neufs et de plus abominables.
                        VALÉRY, *Variété IV,* p. 182.

18 S'agit-il d'un crime contre la sûreté ou le crédit de l'État (contrefaçon du sceau de l'État, de monnaies nationales ayant cours, de papiers nationaux, de billets de banque...)? La compétence des juridictions françaises s'étend à ce crime, alors même que l'agent n'est pas rentré sur le territoire français (...) S'agit-il d'un crime de droit commun? (...) L'agent est justiciable des tribunaux français (...)
                        DONNEDIEU DE VABRES, *Droit criminel,* n°⁸ 1268, 1269.

Allus. hist. *«Ô liberté, que de crimes on commet en ton nom!»,* paroles attribuées à Madame Roland montant à l'échafaud.

♦ **3 Cour.** Assassinat, meurtre. *Ce n'est pas un suicide, c'est un crime. Le lieu, l'arme du crime. Le mobile* (cit. 8), *les mobiles d'un crime. L'auteur, les complices, la victime d'un crime. Crime crapuleux, passionnel. —* Loc. *Crime parfait,* dont l'auteur ne peut être découvert.

18.1 C'est sans doute la volupté de s'accuser sans risques, de se flageller sans souffrance, de s'étaler sans crainte, qui pousse la presse et le public à se repaître d'atroce.
Lorsqu'un bon crime éclate, le tirage des journaux triple.
                        COCTEAU, *Journal d'un inconnu,* p. 68.

18.2 C'est dans ces cas-là qu'il m'a vu ainsi, devant ce qu'on pourrait appeler des crimes d'amateur qu'on finit *toujours* par découvrir être des crimes d'intérêt.
Pas de crimes d'argent. Je veux dire pas de crimes commis par besoin immédiat d'argent, comme dans le cas des petites gouapes qui assassinent les vieilles femmes.
                G. SIMENON, *les Mémoires de Maigret,* p. 150.

18.3 C'est pas seulement à Paris que le crime fleurit
Nous au village l'on a de beaux assassinats.
                        G. BRASSENS, *l'Assassinat.*

♦ **4 Par exagér.** Faute blâmable, inexcusable. *C'est un crime d'avoir abattu de si beaux arbres. Ce n'est pas un (grand) crime :* ce n'est pas bien grave.

19 Prenez la femme la plus sensée, la plus philosophe, la moins attachée à ses sens; le crime le plus irrémissible que l'homme, dont au reste elle se soucie le moins, puisse commettre envers elle, est d'en pouvoir jouir et de n'en rien faire.   ROUSSEAU, *les Confessions,* VI.

Imputer qqch. à crime. Faire à qqn un crime d'une chose : donner beaucoup d'importance à une faute sans gravité, le plus souvent injustement. *Il lui en ferait un crime, un crime d'État.*

20 Il vous fait un crime des choses les plus innocentes.
                        FÉNELON, *Télémaque,* VII.

21 J'en étais bien sûre, que ces reproches-là viendraient dès le lendemain du bonheur rêvé et promis, et que tu me ferais un crime de ce que tu avais accepté comme un droit.
                G. SAND, *Lettre à Alfred de Musset,* p. 79.

Iron. *Faire un crime à qqn de qqch.,* lui reprocher ce qui est, en réalité, digne d'éloges. *«On lui faisait un crime de ses exploits, de ses vertus»* (Académie). *Son crime est, tout son crime est...,* se dit en parlant d'actions excusables ou même louables. *Tout mon crime est d'avoir cru en lui.*

♦ **5** *Le crime.* **a** Littér. Les criminels; le fait de commettre des crimes. *Poursuivre, châtier, désarmer le crime. Le vice appuyé sur le bras du crime* (→ Appuyer, cit. 42).

22 Je ne sais de tout temps quelle injuste puissance
Laisse le crime en paix et poursuit l'innocence.
                        RACINE, *Andromaque,* III, 1.

23 Ainsi que la vertu, le crime a ses degrés (...)
                        RACINE, *Phèdre,* IV, 2.

Prov., cour. *Le crime ne paie pas.*

b Cour. L'ensemble des crimes. *Le milieu du crime. La capitale du crime :* la ville ayant le taux le plus élevé de criminalité. *Les syndicats du crime* (aux États-Unis). → **Maffia.**

CONTR. Exploit, prouesse. — Innocence, justice; martyre, sacrifice.

CRIMINALISER [kʁiminalize] v. tr. — 1584 «incriminer»; dér. sav. du lat. *criminalis.* → Criminel.

Dr. Faire passer de la juridiction civile ou correctionnelle à la juridiction criminelle. *Criminaliser une affaire.*

CRIMINALISTE [kʁiminalist] n. — 1660; dér. sav. du lat. *criminalis.* → Criminel.

Dr. Juriste spécialisé dans le droit criminel (**ne pas confondre avec** *criminologue**). Une célèbre criminaliste.*

Bénéfice de la philanthropie, d'imbéciles criminalistes diminuent la pénalité, et d'ineptes moralistes le crime, et encore ils ne le diminuent que pour diminuer la pénalité.
                BARBEY D'AUREVILLY, *les Diaboliques,*
                        p. 379 (1874).

Adj. *Un médecin criminaliste. — Théories criminalistes.*

DÉR. Criminalistique.

CRIMINALISTIQUE [kʁiminalistik] n. f. — 1907; de *criminaliste.*

Didact. (dr. pénal). Science d'application de toutes les techniques d'investigation policière à l'identification d'un coupable. *Laboratoire de criminalistique.*

La Criminalistique peut être entendue de deux sens.
Au sens large, c'est l'ensemble des procédés applicables à la recherche et à l'étude matérielles du crime pour aboutir à sa preuve. Dans ce cas, il convient de distinguer :
des procédés policiers (...)
des procédés scientifiques (...)
des procédés juridiques (...)
Au sens strict, la Criminalistique sera cette science seule, séparée même de la médecine, de la toxicologie et de la psychiatrie légales (...) d'une technicité absolument différente et particulière (...)
Au sens large comme au sens strict, la Criminalistique s'intègre à la Criminologie, étude doctrinale et appliquée du phénomène appelé *Crime* (...)
                P.-F. CECCALDI, *la Criminalistique,* p. 6-7.

Adj. Relatif à la criminalistique. *Théories criminalistiques.*

CRIMINALITÉ [kʁiminalite] n. f. — 1539; dér. sav. du lat. *criminalis.* → Criminel.

♦ **1 Vx.** Caractère de ce qui est criminel, d'une personne criminelle. *«La criminalité de Michu»* (Balzac, *Une ténébreuse affaire,* in T. L. F.). → **Culpabilité.**

♦ 2 Mod. Ensemble des actes criminels dont on considère la fréquence et la nature, l'époque et le pays où ils sont commis, leurs auteurs. *Régression de la criminalité.* → **Crime,** 5. *Proportionnalité de la criminalité au surpeuplement, à la misère... Science de la criminalité.* → **Criminalistique, criminologie.**

COMP. Cybercriminalité.

CRIMINEL, ELLE [kʀiminɛl] adj. et n. — 1080, adj. *Chanson de Roland ;* 1648, n. ; bas lat. *criminalis,* de *crimen.* → Crime.

♦ 1 **ⓐ** **(Personnes).** Qui est coupable d'une grave infraction à la morale, ou, *spécialt,* d'une infraction que les lois punissent d'une peine afflictive ou infamante (→ **Crime,** 1. et 2.). *L'Homme criminel,* ouvrage de Lombroso. *Se rendre criminel* (→ Autorité, cit. 3). *Elle est criminelle devant Dieu et devant les hommes. Tous ceux qui sont accusés ne sont pas criminels* (Académie).

1   Je le crois criminel, puisque vous l'accusez.
                      RACINE, Phèdre, V, 7.

2   (...) celui qui, sans Autorité, tue un criminel, se rend criminel lui-même (...)   PASCAL, les Provinciales, XIV.

ⓑ **(Choses).** *Âme criminelle.*

3   Grâces au ciel, mes mains ne sont pas criminelles.
     Plût aux Dieux que mon cœur fût innocent comme elles !
                      RACINE, Phèdre, I, 3.

(Sentiments, actions). Très coupable*. *Attachements** (cit. 6) *criminels. Passion criminelle. Désirs, desseins criminels. Actes criminels* (→ Avortement, cit. 2). *Une politique criminelle. Vie criminelle.*

4   Un amour criminel causa toute sa haine.
                      RACINE, Phèdre, IV, 1.

5   (...) et jamais il n'eut un projet qui ne fût malhonnête ou criminel.   LACLOS, les Liaisons dangereuses, I, IX.

6   (...) en peignant la misère si laide, si avilie, parfois si vicieuse et si criminelle, leur but *(de certains artistes)* est-il atteint, et l'effet en est-il salutaire, comme ils le voudraient ?   G. SAND, la Mare au diable, I, p. 12.

Fam. (Par exagér.). *C'est criminel de jeter du pain.*

♦ 2 N. Personne qui est coupable d'un crime (en général, au sens 2 de *crime*). → **Coupable ; bandit, gangster, gredin** (VX)**, malfaiteur, scélérat ; assassin, empoisonneur, homicide, incendiaire, meurtrier, tortionnaire** et le suff. **-cide** (du lat. *caedere* «tuer»)**.** *Criminel dégénéré, fou, irresponsable ; responsable. Un grand criminel. Criminel d'État :* auteur d'un crime d'État. *Criminel de guerre,* qui commet des atrocités au cours d'une guerre. — *Criminel qui commet un nouveau crime.* → **Récidiviste.** *Demander l'extradition* d'un criminel. Arrêter le criminel et ses complices*. Passer les menottes à un criminel. Identification des criminels.* → **Anthropométrie.** *Interroger, juger, condamner le criminel. Ancien*t *Criminel condamné au bagne, aux travaux forcés.* → **Bagnard, forçat ; convict.** *Exécuter un criminel.* → **Exécution.** *Lyncher un criminel.*

REM. En droit, le mot désigne tout auteur de crime (2.), mais dans le langage courant, il ne s'applique guère qu'aux meurtriers (→ Assassin, meurtrier) ou aux auteurs de sévices graves.

7   *Condamnée !* Ah ! ce mot est choquant, et n'est fait
     Que pour les criminels.
                 MOLIÈRE, les Femmes savantes, V, 4.

8   Il y a des criminels que le magistrat punit, il y en a d'autres qu'il corrige.
           MONTESQUIEU, l'Esprit des lois, XXVI, 24.

9   Les malfaiteurs ont été condamnés aux mines, aux travaux publics ; leurs châtiments sont devenus utiles à l'État : institution non moins sage qu'humaine, partout ailleurs on ne sait que tuer un criminel, avec appareil ; sans jamais avoir empêché les crimes.
       VOLTAIRE, Hist. de l'Empire de Russie, I, 8.

Et puis... et puis... ces doctrines qui consistent à confondre   **10** maintenant les criminels et les aliénés, les démonomanes et les fous, sont insensées quand on y songe !
          HUYSMANS, Là-bas, VIII, p. 111.

LE COMMISSAIRE. — Un homme sans domicile... savez-vous   **10.1** bien ce que c'est ?...
JEAN GUENILLE. — Un malheureux... probable...
LE COMMISSAIRE. — Non... un réfractaire... quelque chose comme un déserteur civil... un criminel... quelquefois... un délinquant, toujours... vous êtes un délinquant, Jean Guenille...
       O. MIRBEAU, le Portefeuille, Comédie en 1 acte, Lib. Théâtrale, 1954, p. 22 (1900).

Quinette n'osait jurer qu'il n'avait pas obéi à quelque   **11** impulsion aussi aveugle que celle qui conduit les criminels à un traquenard de police.
      J. ROMAINS, les Hommes de bonne volonté, t. II, VIII, p. 80.

Le meurtrier, la plupart du temps, se sent innocent quand   **11.1** il tue. Tout criminel s'acquitte avant le jugement. Il s'estime, sinon dans son droit, du moins excusé par les circonstances. Il ne pense pas ni ne prévoit ; lorsqu'il pense, c'est pour prévoir qu'il sera excusé totalement ou partiellement.
     CAMUS, Réflexions sur la guillotine, in Essais, Pl., p. 1033.

Nous en savons assez pour dire que tel grand criminel   **11.2** mérite les travaux forcés à perpétuité. Mais nous n'en savons pas assez pour décréter qu'il soit ôté à son propre avenir, c'est-à-dire à notre commune chance de réparation.
     CAMUS, Réflexions sur la guillotine, in Essais, Pl., p. 1061.

Fam. (Par exagér.). Coupable* (d'une faute, d'une sottise). *Ah ! Voilà le criminel.*

♦ 3 Adj. (Dr. et cour.). Relatif aux actes délictueux et à leur répression (→ **Pénal**)**.** *Droit criminel. Législation criminelle. Instruction criminelle. Code d'instruction criminelle. Procédure criminelle. — Juridiction criminelle.* → **Assise** (cit. 8 et *supra*). *Chambre* criminelle* (→ Bouffon, cit. 9). *Procès criminel. Impliquer qqn dans une affaire criminelle. Audience criminelle. Juge criminel. Peines en matières criminelles* (→ Afflictif, cit. 2).

Droit criminel ou droit *pénal ?* Le premier de ces termes   **12** vise les *actes* délictueux, qu'il s'agit d'atteindre ; le second s'applique aux *sanctions.* L'usage courant les emploie comme synonymes pour désigner la science juridique qui traite de la répression.
     DONNEDIEU DE VABRES, Précis de droit criminel, nᵒ 2.

N. m. Dr. Juridiction criminelle. (Surtout dans : *au criminel ;* s'oppose à *civil,* à *correctionnel*). *Avocat au criminel. Poursuivre qqn au criminel. Procéder au criminel. Être jugé au criminel.*

CONTR. Innocent, juste, légitime, vertueux. **◊ DÉR.** Criminellement.

CRIMINELLEMENT [kʀiminɛlmã] adv. — XIIIᵉ, *criminaument, crimineusement ;* de *criminel.*

♦ 1 D'une manière criminelle. *Agir criminellement.*

♦ 2 Dr. Devant une juridiction criminelle ; au criminel. *Poursuivre, juger criminellement un accusé.*

CRIMINOGÈNE [kʀiminɔʒɛn] adj. — V. 1950 ; comp. sav. du lat. *crimen, criminis* «crime», et suff. *-gène.*

Didact. Qui contribue à l'extension de la criminalité, à la propagation du crime. *Facteur criminogène. Situation criminogène. Tendances criminogènes.*

On peut se demander s'il existe vraiment des perversions criminogènes spécifiques. D'une façon beaucoup plus probable, le crime est le symptôme d'une réaction à des causes qui peuvent être très variées, comme c'est le plus souvent le cas en psychologie.
       Guy PALMADE, la Psychothérapie, p. 14.

CRIMINOLOGIE [kʀiminɔlɔʒi] n. f. — 1890; du lat. *criminalis* «criminel», et *-logie*.

Didact. et cour. Science de la criminalité; étude des causes et des manifestations du phénomène criminel. → **Criminalistique** (→ Anthropologie, anthropométrie, médecine légale, psychologie, psychiatrie, sociologie criminelle). *Criminologie générale et criminologie clinique.* «*La criminologie clinique, discipline nouvelle dont l'épanouissement devrait entraîner une profonde transformation de l'univers carcéral*» (*le Monde*, 13 avr. 1966). *Branche de la criminologie s'intéressant aux victimes de la criminalité.* → **Victimologie.**

DÉR. **Criminologique, criminologiste.**

CRIMINOLOGIQUE [kʀiminɔlɔʒik] adj. — 1893; de *criminologie*.

Didact. Relatif à la criminologie; relatif au crime (Durkheim).

CRIMINOLOGISTE [kʀiminɔlɔʒist] ou **CRIMINOLOGUE** [kʀiminɔlɔg] n. — 1933; de *criminologie*.

Didact. Spécialiste de criminologie* (ne pas confondre avec *criminaliste**). *Un, une criminologiste.*

Il se tenait au courant des punitions qui pleuvaient autour de lui, comme ces honnêtes criminologistes qui font des livres sur la psychologie des assassins, ou des enquêtes sur les bagnes.
M. PAGNOL, le Temps des secrets, p. 385.

Adj. *École criminologiste. Théories criminologistes, des criminologistes.*

CRIN [kʀɛ̃] n. m. — V. 1050; «cheveux», du lat. *crinis* «cheveu», et p.-ê. «crin» (sens 1) en bas lat.

♦ **1** (V. 1160). Poil long et rude qui pousse au cou et à la queue de certains animaux, spécialement des chevaux. *Tirer, arracher un crin à la queue d'un cheval. Crins blancs, noirs, raides, soyeux. Touffe de crins aux boulets du cheval.* → **Fanon.** *Crins de l'encolure.* → **Crinière.** *Crins d'un lion, d'un bœuf.* — Collectif. *Le crin :* les crins, la crinière. → Le poil*. *Crin blanc* (nom du cheval mis en scène par l'œuvre d'Albert Lamorice qui porte ce titre). *Se cramponner au crin. Un beau crin.*

1   Des coursiers attentifs le crin s'est hérissé.
RACINE, Phèdre, v, 6.

2   (...) pendus aux crins de nos chevaux.
E. FROMENTIN, Un été dans le Sahara, p. 13 (→ Avancer, cit. 30).

3   Douce et vaillante bête, dès que l'homme a posé la main sur son cou pour empoigner ses crins, son œil s'allume, et l'on voit courir un frisson dans ses jarrets.
E. FROMENTIN, Un été dans le Sahara, p. 80.

♦ **2** (Premier sens attesté). Fam., vx. Cheveu, barbe. → **Poil.** *Avoir les crins bien plantés.* — Collectif. *Il a le crin revêche.* — *Se prendre aux crins,* aux cheveux. → **Disputer** (se), **quereller** (se); **battre** (se).

Argot. «*Nous avons eu la tirelire en palissandre* (la "gueule de bois") *et les crins en fil de fer*» (L. Forton, *les Aventures des Pieds-Nickelés,* in *l'Épatant,* 1909, p. 52).

♦ **3** Loc. **ⓐ À TOUS CRINS.** *Cheval à tous crins,* à qui on a laissé tous ses crins. — Par ext. *Un homme à tous crins,* barbu et chevelu. *Chevelure à tous crins,* longue.

(1840). Fig. *À tous crins :* complet, ardent, énergique. → aussi **Enduci, entier.** *Un brave à tous crins,* à toute épreuve. *Révolutionnaire, aventurier, marin à tous crins.*

4   — Oh! Mendès, le voilà romantique à tous crins. Ça l'a pris comme un retour en enfance.
J. RENARD, Journal, 16 nov. 1895.

ⓑ *Être comme un crin,* revêche, de mauvaise humeur.

ⓒ Vx. *Être tout crin,* irrité, énervé (Goncourt, *Manette Salomon,* p. 282). → À cran.

ⓓ Adj. Revêche, de mauvaise humeur. «*Elle est crin, mais elle est marrante*» (R. Dorgelès, *À bas l'argent,* p. 50).

N. m. *C'est un crin. Quel crin!*

♦ **4** (1680, *crin d'archet*). Poil d'animal utilisé à divers usages. — (*Un crin*). Crin plat utilisé dans la fabrication des balais, des pinceaux, des archets et des cordes d'instruments de musique. *Crin de ligne pour pêcher.* → **Empile, florence** (*crin de Florence*); → Avançon, cit. — (*Du crin*). Étoffes de crin. → **Cilice**; **crinoline.** *Tissu de crin pour fabriquer les tamis, les sas.* → **Étamine, rapatelle.** — Loc. *Gant de crin.* — *Crins crépis,* tordus en corde et bouillis pour être dégraissés, qu'utilisent les bourreliers, les matelassiers. *Rembourrer un coussin avec du crin. Matelas, oreiller de crin.*

Johnson se décide à monter dans un pousse-pousse rouge,   5
dont le coussin collant de molesquine laisse échapper son crin moisi par une déchirure du triangle.
A. ROBBE-GRILLET, la Maison de rendez-vous, p. 108.

CRIN VÉGÉTAL : fibres de certains végétaux — agave, palmier nain, *Phormium tenax,* tampico, tillandsie, etc. — préparées pour remplacer le crin animal. *L'industrie du crin végétal.*

Crin artificiel, synthétique ou *crin acétate,* utilisé en chirurgie ou pour la pêche.

DÉR. **Crinelle, crinier, crinière.** V. **Crincrin.** ◊ HOM. Formes du v. **craindre.**

CRINCRIN [kʀɛ̃kʀɛ̃] n. m. — 1661, Molière; onomat., p.-ê. redoublement de *crin*.

♦ **1** Familier. Mauvais violon. *Les grincements d'un crincrin.*

(...) ce sont des masques,   1
Qui portent des crincrins et des tambours de Basques.
MOLIÈRE, les Fâcheux, III, 6.

(...) on entendait toujours le crincrin du ménétrier qui   2
continuait à jouer dans la campagne.
FLAUBERT, Mᵐᵉ Bovary, I, IV, p. 23.

Instrument de musique quelconque.

(...) j'ai acheté pour moi ce grand crin-crin, qu'il te plaît   3
d'appeler un piano, afin que lorsque je râclerai du violon, tu puisses m'aider à faire le charivari qui me dispensera de parler politique à ton père.
Louise MICHEL, la Misère, t. I, p. 219.

Il piquait un crincrin dans le tas, un saxo, un piccolo,   4
mandoline... il taquinait le truc un petit peu... comme ci, comme ça... un air prélude... une fantaisie, un petit rien... il laissait tomber... tout caprice!...
CÉLINE, Guignol's band, p. 185.

♦ **2** Son produit par un mauvais violon. *On entendait un crincrin discordant.*

♦ **3** (Rare). Mauvais violoniste.

CRINELLE [kʀinɛl] n. f. — xxᵉ; de *crin*.

Pêche. Bas de ligne en acier pour la pêche aux poissons susceptibles de cisailler la ligne (brochets, etc.). «*Ou bien la crinelle d'acier est trop fine, ou bien les hameçons sont trop gros*» (*Au bord de l'eau,* n° 366, p. 25).

CRINIER [kʀinje] n. m. — 1680; de *crin*.

Techn. Ouvrier qui travaille, apprête le crin. — REM. Le fém. n'est guère utilisable en raison de l'homonymie avec *crinière*.

CRINIÈRE [kʀinjɛʀ] n. f. — 1556; de *crin*.

♦ **1** Ensemble des crins* qui garnissent le cou de certains animaux. *La crinière du lion, d'un lion. La lionne n'a pas de crinière. Crinière de cheval. Partie de la crinière du cheval qui tombe sur le front.* → Toupet. *Barde* de crinière* (→ Armure, cit. 4). *L'animal secoua sa crinière.* → Reconnaître, cit. 2.

1 Le lion hérisse sa crinière (...)
FÉNELON, Télémaque, II.

2 J'aimai les fiers coursiers, aux crinières flottantes,
Et l'éperon froissant les rauques étriers.
HUGO, Odes et Ballades, V, IX, I.

2.1 L'animal (...) portait, sur presque toute la longueur de l'épine dorsale, une crinière noire, touffue et dure. En examinant les crins, le chimiste remarqua certaines nodosités.
Raymond ROUSSEL, Impressions d'Afrique, p. 360-361.

Par ext. *Crinière d'un casque* : touffe de crins fixée à l'apex* du casque et qui sert d'ornement. *La crinière des cavaliers de la Garde républicaine.* Fig., poét. *Une crinière de brume, de fumée.* Spécialt. *La crinière des flots* : l'écume des vagues.

3 L'air siffle, le ciel se joue
Dans la crinière des flots (...)
LAMARTINE, Harmonies, I, 3.

♦ **2** Littér. (langue class.), puis fam. Chevelure* abondante.

4 Ce nouvel Adonis, à la blonde crinière (...)
BOILEAU, le Lutrin, I.

5 (...) l'allure libre, la longue chevelure d'or éparse en crinière, la mise presque élégante (...)
LOTI, Matelot, XXV, p. 95.

♦ **3** Méd. ⓐ *Crinière dorsale* ou *lombaire* : développement excessif du système pileux de l'épine dorsale lombaire, constaté chez les individus atteints de dysmorphie.
ⓑ Fig. *Crinière occipitale* : crête épineuse formée par l'inion trop saillant.

♦ **4** Agric. Terrain en friche, mal labouré.

CRINOÏDES [kʀinɔid] n. m. pl. — 1823; adapt. du grec *krinoeidês* «en forme de lis, liliacé», de *krinon* «lis», et *-eidês* (→ -oïde).

Zool. Classe d'animaux métazoaires échinodermes marins, munis de cirres*, qui vivent pour la plupart attachés au fond de la mer par un pédoncule.
— Au sing. *Un crinoïde.*

CRINOLINE [kʀinɔlin] n. f. — 1829; ital. *crinolino*, de *crino* «crin», et *lino* «lin».

♦ **1** Vx. Étoffe à trame de crin.

♦ **2** (1848). Anciennt. Jupon fait de cette étoffe pour soutenir la robe. Spécialt. Jupe de dessous, garnie de baleines et de cercles d'acier flexibles, que les femmes portaient pour faire bouffer les robes. → Bouffante, panier. *Robes à crinoline.*

1 (...) les femmes (...) imitant toutes, à l'envi, l'impératrice Eugénie (...) balançant leurs crinolines énormes qui nous semblent aujourd'hui burlesques (...)
FRANCE, la Vie en fleur, XXV, p. 279.

2 Ces gens, qui aujourd'hui sont authentiquement des fantômes, se tiennent devant nous, comme leurs revenants pourraient le faire, vêtus de spectrales redingotes et de fantomales crinolines.
M. YOURCENAR, Archives du Nord, p. 196.

Par métonymie. Femme portant une crinoline (→ Jupe, jupon).

3 Vous ne pouvez rien imaginer de plus drôle qu'une crinoline entrant dans une gondole.
MÉRIMÉE, Lettres à la Comtesse de Montijo, 1870, in T. L. F.

♦ **3** Mar. *Affût à crinoline* : affût de pièce d'artillerie légère. — Techn. «Armature à arceaux pour assurer la sécurité sur les échelles verticales» (*Banque des mots*, n° 9, p. 55).

CRIO- Élément, du grec *krios* «bélier», entrant dans la composition de termes didactiques (hist. antiq.; zool.). → Criocéphale, criocère.

CRIOCÉPHALE [kʀijosefal] n. m. — 1845; de *crio-*, et *-céphale.*

Didactique.

♦ **1** Sphinx à tête de bélier, dans la mythologie et l'art égyptiens anciens.

♦ **2** Zool. Coléoptère longiforme *(Cérambycidés)* vivant dans les pinèdes.

CRIOCÈRE [kʀijɔsɛʀ] n. m. — 1762, Geoffroy; de *crio-*, et grec *keras* «corne» (→ -cère).

Zool. Insecte coléoptère *(Chrysomélidés)* dont certaines variétés sont nuisibles aux plantes. *Criocère de l'asperge, du lis.*

CRIQUAGE [kʀikaʒ] n. m. — Mil. XXe; de *criquer.*

Techn. Formation de criques (→ 2. **Crique**) que l'on élimine par «décriquage».

1. CRIQUE [kʀik] n. f. — 1336; mot normand, de l'anc. scandinave *kriki* «crevasse».

♦ **1** Enfoncement du rivage où les petits bâtiments peuvent se mettre à l'abri. → Anse, baie, calanque, conche; (vx) cale. *Mouiller à l'abri d'une petite crique.*

1 Nous entrâmes au port de Sunium : c'est une crique abritée par le rocher. CHATEAUBRIAND, Itinéraire..., 252.

1.1 Les colons se trouvaient alors à l'échancrure d'une petite crique sans importance, qui n'eût même pas pu contenir deux ou trois barques de pêche, et qui servait de goulot au nouveau creek; mais, disposition curieuse, ses eaux, au lieu de se jeter à la mer par une embouchure à pente douce, tombaient d'une hauteur de plus de quarante pieds, — ce qui expliquait pourquoi, à l'heure où le flot montait, il ne s'était point fait sentir en amont du creek.
J. VERNE, l'Île mystérieuse, t. I, p. 346.

2 Ce sont des paroles sans faste et sans éloquence; mais comme une crique d'eau profonde, entre deux rochers, elles mirent dans la profondeur pure de la mer, l'immense ciel du soir, avec ses nuages et les premières étoiles.
André SUARÈS, Trois hommes, «Dostoïevski», III, p. 219.

♦ **2** Vx. Fossés creusés autour des places fortes pour empêcher l'ennemi de construire des tranchées.

HOM. Creek, 1. **cric**, 2. **cric**, 2. **crique**, 3. **crique**.

2. CRIQUE [kʀik] n. f. — 1832; de *criquer.*

Techn. Fente, fissure produite sur un métal lors de la trempe (solidification) dans les opérations de laminage, d'étirage, de forgeage.

(...) un inconvénient grave résulte de la trempe sous l'eau froide : c'est de produire souvent des fentes et des criques, qui altèrent la résistance des pièces de métal.
Louis FIGUIER, l'Année scientifique et industrielle 1874, p. 91 (1873).

HOM. Creeck, 1. **cric**, 2. **cric**, 1. **crique**, 3. **crique**.

3. CRIQUE [kʀik] n. m. ou f. — 1830, *la crique* (fém.); p.-ê. de l'onomat. *krikk* avec infl. de *croque, croquer.*

Vx. Type populaire, personnage imaginaire destiné à faire peur aux enfants. Loc. *Que le (la) crique me croque si...* (→ Que le diable* m'emporte si...). *Le grand crique me croque !* — REM. On trouve aussi la var. *cric.*

— Hello ! avait crié Red-Beard, lui claquant les deux cuisses à tour de bras, hellô ! camarade ! Voilà comme je t'aime ! Le Grand Cric me croque si, d'ici peu, moi et toi ne courons pas de conserve planter cette damnée longue dent-là dans quelque peau d'Espagne ! et branneux qui s'en dédit !

Claude FARRÈRE, Thomas l'Agnelet, p. 308.

HOM. **Creek**, 1. **cric**, 2. **cric**, 1. **crique**, 2. **crique**.

4. CRIQUE [kʀik] n. f. — 1897 ; mot régional (Ardèche, Vivarais) d'orig. obscure, p.-ê. d'un rad. onomat. *krikk-*, cette galette étant croquante sur les bords.

Régional. Galette de pommes de terre râpées.

CRIQUER [kʀike] v. intr. — 1845, mais probablt antérieur (→ Criquer) ; repris de l'anc. v. *crikier* (picard, fin XIIIᵉ) «grincer des dents» ; *criquer*, 1539 «faire un bruit sec» ; de l'onomat. *krikk*.

Techn. Se fendiller, se fissurer (en parlant d'un métal). *Métal qui crique au moment du trempage.* → **Crique** (2.).

DÉR. Criquage, 2. **crique**.

1. CRIQUET [kʀikɛ] n. m. — Déb. XIIᵉ ; de l'onomat. *krikk*.

♦ 1 Insecte orthoptère volant et sauteur, de couleur grise ou brune, très vorace. *Les criquets* (→ **Acridiens**) *sont appelés fréquemment et abusivement* sauterelles*. *Antennes, yeux à facettes du criquet. Développement des larves du criquet après six mues. Stridulation du criquet* (→ Canicule, cit. 2). *Criquets migrateurs* (locuste, criquet pèlerin). *Les criquets pèlerins se rassemblent pour leurs migrations et font disparaître toute végétation sur leur passage. Lutte antiacridienne pour arrêter et détruire les criquets. Un nuage, une nuée de criquets* (cour. : *de* sauterelles).

1 Comme les premiers grains d'une giboulée, quelques-unes se détachèrent, distinctes, roussâtres ; ensuite toute la nuée creva, et cette grêle d'insectes tomba drue et bruyante. À perte de vue les champs étaient couverts de criquets, de criquets énormes, gros comme le doigt.
Alors le massacre commença.

Alphonse DAUDET, Lettres de mon moulin, «Les sauterelles».

2 Sitôt que le soleil est couché, le concert des criquets commence.

GIDE, Voyage au Congo, in Souvenirs, Pl., p. 803.

Par anal. (Vx.) *Clé à criquet* : clé à écrou.

♦ 2 (1650). **Fig. et vx.** Petit cheval faible et de peu de valeur. — (1828). **Par ext.** Homme faible et de petite taille. → **Cri-cri** (vx).

3 Qu'est-ce qui m'a foutu des gars comme ça !
— Si c'est pas malheureux, des criquets pareils !

MALRAUX, Antimémoires, Folio, p. 305.

Adj. (Rare). «*Des hommes (...) si criquets*» (Goncourt, 1861).

♦ 3 (1863). **Pop. et vx.** Petit vin de qualité médiocre. → **Piquette.**

2. CRIQUET [kʀikɛ(t)] n. m. — Fin XIXᵉ (→ cit.) ; graphie francisée de *cricket*.

→ **Cricket.** «*Ces miss turbulentes qui ne vivent que par le criquet, le cheval...*» (la Science illustrée, 1882, t. II, p. 335).

CRIS-CRAFT [kʀiskʀaft] n. m. → **Chriscraft.**

CRISE [kʀiz] n. f. — 1478 ; *crisim*, XIVᵉ ; lat. médiéval *crisis*, grec *krisis* «décision ; phase aiguë d'une maladie».

♦ 1 Méd. Moment d'une maladie caractérisé par un changement subit et généralement décisif en bien ou en mal. → **Phase** (critique). *La crise se manifeste par des phénomènes particuliers : chute brusque de* la température, diurèse et sueurs abondantes. La crise se déclenche. → **Déclenchement.** Crise favorable, salutaire, annonciatrice de la guérison. Cette crise l'a sauvé. Crise aiguë. Crise funeste, fatale. Au plus fort de la crise.

Cour. Accident qui atteint une personne en bonne santé apparente, ou aggravation brusque d'un état chronique. → **Accès, attaque, atteinte, poussée.** *Être pris d'une crise. Fam. Piquer une crise. Crise violente et soudaine. Déclenchement d'une, de la crise. Crise de dépression. Crise de folie, de démence, crise d'épilepsie. Crise d'appendicite, d'asthme, de foie. Crise cardiaque, gastrique, intestinale, rhumatismale. Crises successives* (→ Aggravation, cit.).

1 Ces crises revinrent plusieurs fois, et toujours plus fortes ; la dernière même fut si violente, que j'en fus entièrement découragé, et craignis un moment d'avoir remporté une victoire inutile.

LACLOS, les Liaisons dangereuses, IV, CXXV.

2 (...) il découvre les zones hystérogènes, peut, en maniant adroitement les ovaires, enrayer ou accélérer les crises, mais quant à les prévenir, quant à en connaître les sources et les motifs, quant à les guérir, c'est autre chose !

HUYSMANS, Là-bas, IX, p. 147.

3 (...) les notes quotidiennes que je prends depuis le début, et qui permettent de suivre, jour à jour, crise par crise, le rythme régulier et continu de l'aggravation.

MARTIN DU GARD, les Thibault, t. IX, p. 145.

♦ 2 Manifestation émotive soudaine et violente. — **Loc.** (1825). **CRISE DE NERFS** (→ Accès, cit. 12, bénéfice, cit. 4). *Avoir, piquer une crise de nerfs. Faire prendre, piquer à qqn une crise de nerfs,* l'agacer, l'énerver. — *Piquer une crise de colère, de rage.* — **(Sans compl.).** *Piquer une crise, sa crise* : se mettre en colère ; **fam.,** faire un caprice. *Il lui a fait prendre une crise.* — *Crise de larmes, de sanglots* (→ Amener, cit. 16).

4 Elle *(ma mère)* affligea mon enfance par des accès de mélancolie et des crises de larmes.

FRANCE, le Petit Pierre, I, p. 11.

Crise d'enthousiasme, de désespoir, d'abattement. Piquer une crise de jalousie. Crise de fou rire.

Fig. (Qualifié). Période d'enthousiasme, de passion brusque et passagère (pour qqch.). → **Accès, élan.** *Crise de travail, de fainéantise. Crise de chauvinisme, de poésie.* — *Crise religieuse. Il passe par des crises de doute, de mysticisme, de désespoir* (→ Alternativement, cit. 2).

5 Cette perpétuelle critique exercée sur moi-même, cet œil impitoyable, tantôt ami, tantôt ennemi (...) tout cela me jeta dans une série de malaises, de troubles, de stupeurs ou d'excitations qui me conduisaient tout droit à une crise.

E. FROMENTIN, Dominique, V, p. 74.

6 Au sortir de ces aberrations, il tombait dans des crises de dégoût.

Romain ROLLAND, la Vie de Tolstoï, p. 49.

♦ 3 (1690). Phase grave dans l'évolution des choses, des événements, des idées. → **Perturbation, rupture** (d'équilibre). *Période de crise.* → **Phase** (critique).

[a] (Individuel et psychologique). Malaise profond causé par des transformations psychologiques ou physiologiques, affectant momentanément un individu et pouvant avoir sur lui des conséquences déterminantes. *Vivre, traverser une période de crise. L'année de son divorce fut pour lui une grave crise.* — **Psychol.** Phase critique du développement psycho-physiologique de l'individu. *La crise de trois ans. La crise de l'adolescence, de la ménopause.*

[b] (V. 1820). Collectif, économique, social. *Crises économiques* (→ **Difficulté, faillite, impasse, krach ; marasme, récession**). *Son affaire est en pleine crise.* → **Déconfiture, difficulté, faillite, marasme.** *Crises de production. Crise du papier, du pétrole ; il y a une crise dans la sidérurgie. Crise agricole, industrielle,* *financière, commerciale, monétaire. Crise générale, généralisée. Crises périodiques, cycliques. Mesures de lutte contre les crises économiques* (→ **Anticrise,** et aussi **anticyclique**). *La crise américaine de 1929.* → **Dépression.** *La crise de Wall Street. Crise génératrice de chômage* (cit. 1 à 3).

7 La crise, comme le mot le dit assez clairement, c'est une perturbation brusque dans l'équilibre économique. Mais elle peut être étudiée sous deux aspects très différents et même opposés.
Les crises peuvent apparaître comme des espèces de maladies de l'organisme économique : elles présentent des caractères tout pareils à ceux des innombrables maux qui affligent les hommes. Les unes ont un caractère périodique, les autres sont au contraire irrégulières. Les unes sont courtes et violentes comme des accès de fièvre ; elles se manifestent de même par une forte élévation de température suivie d'une brusque dépression, les autres sont lentes comme des anémies, dit M. de Laveleye. Les unes sont localisées à un pays déterminé, les autres sont épidémiques et font le tour du monde, comme le choléra.
Charles GIDE, Cours d'économie politique, t. I, p. 219.

8 La crise qui a commencé en 1929 en Amérique (...) *s'est transformée en une crise mondiale de crédit et de déséquilibre des prix* sur les divers marchés (...)
Dans le domaine économique et financier, ce fut un bouleversement général, la désorganisation du marché des placements, des régimes monétaires, des échanges internationaux, tandis que s'accroissaient les déficits budgétaires.
REBOUD ET GUITTON, Précis d'économie politique, n° 548.

9 (...) les germes de la crise étaient là. On eût pu en discerner la présence dans les effets, déjà sensibles, du machinisme et de la concentration industrielle (...)
André SIEGFRIED, l'Âme des peuples, I, I, p. 9.

9.1 Puis la crise *(économique)* avait fini par les atteindre directement. L'un perdait son emploi, son commerce, ses créances, un autre gagnait moins d'argent, un autre claquait des dents et touchait du bois.
M. AYMÉ, Maison basse, p. 169.

Crise de... : crise (sociale, etc.) dans un domaine, causée par une insuffisance. *Crise de la natalité. Crise de la main-d'œuvre. Crise de l'emploi. Crise du logement.*

9.2 À cette époque de la crise du logement, Jardin avait eu la chance de recueillir plusieurs adresses qui méritaient de retenir son attention. M. AYMÉ, Maison basse, p. 57.

(1814). *Crise politique. La, une crise du pouvoir.* — **Spécialt.** *Crise ministérielle* : période pendant laquelle le ministère démissionnaire n'est pas remplacé par un nouveau. **Absolt.** *La crise est ouverte. La crise menace de durer. Tenter de résoudre la crise. Dénouer la crise.*
Période de tension* internationale ; menace de conflit*. *Crise mondiale.*

10 Le rêve, caressé par Bonaparte, d'une paix féconde, s'était évanoui, et la grande crise se rouvrait, cette formidable lutte qui ne trouverait sa fin qu'aux champs de Waterloo.
Louis MADELIN, l'Avènement de l'Empire, I, p. 6.

[c] **(Abstrait).** *Crise de la moralité, des valeurs.* → **Chute.** *Crise de l'esprit, des mœurs, des mentalités...* → **Désarroi, désordre, ébranlement, faillite, incertitude, maladie, malaise, trouble.** *La Crise de la conscience européenne,* ouvrage de P. Hazard (1935). *Crise de la civilisation. Le mois de mai 1968 fut regardé en France comme une crise de civilisation après avoir débuté par une crise de l'Université.*

11 Le malaise actuel me paraît donc être une crise de l'esprit, une crise des esprits et des choses de l'esprit.
VALÉRY, Variété IV, p. 200.

12 Il y a manifestement une crise de l'Europe : après une longue période de prédominance, qui semblait aux contemporains devoir durer toujours, le Vieux Monde voit, pour la première fois, son hégémonie contestée. Mais ce qui risque d'être mis en cause de ce fait, c'est, avec la

destinée d'un continent, celle de toute une forme de civilisation. Sous son aspect le plus grave, la crise est là.
André SIEGFRIED, la Crise de l'Europe, p. 1.

13 La crise de civilisation que je viens d'évoquer d'un mot se manifeste par des troubles politiques, sociaux, économiques, certes, et tous les observateurs s'efforcent de comprendre ces troubles, de les expliquer, d'envisager leurs conséquences.
G. DUHAMEL, Manuel du protestataire, III, p. 98.

14 Mais il peut en sortir aussi bien, pour une longue période, des crises de contre-révolution, de réaction furieuse, de nationalisme exaspéré, de dictature étouffante, de militarisme monstrueux ; une longue chaîne de violences rétrogrades, et de haines basses, de représailles et de servitudes.
J. ROMAINS, les Hommes de bonne volonté, t. IV, XXIII, p. 256.

♦ **4 Littér.** Au théâtre, Point culminant, nœud de l'action psychologique. *Dans* Phèdre, *de Racine, la crise se noue lorsque l'héroïne apprend qu'Hippolyte aime Aricie.*

CONTR. Latent (état latent, latence), **rémission.** — **Accalmie, calme, équilibre.** — **Prospérité.** — **Abondance, épanouissement.** ◊ **DÉR.** (Du sens 3, b) **Crisette.** → **COMP. Anticrise.**

CRISETTE [krizɛt] n. f. — 1946 ; de *crise.*
Fam. Petite crise. «*Est-ce une crise, une "crisette", une guerre des nerfs que cherchent les Soviétiques...?*» (Gazette de Lausanne, 22 févr. 1946, *in* D. D. L.).

CRISPANT, ANTE [krispã, ãt] adj. — 1845, Richard de Radonvilliers ; autre sens, 1560 (→ Crisper) ; p. prés. de *crisper.*
Qui crispe, agace. → **Agaçant, énervant.** *Il est crispant avec ses jérémiades. Un enfant crispant.*
(...) la bêtise du film et le crispant maniérisme de l'étoile, Mary Pickford, dont M. chantait merveille.
GIDE, Journal, 9 mai 1920.

CRISPATION [krispasjɔ̃] n. f. — 1743 ; de *crisper.*
♦ **1 Rare.** (Concret). Mouvement de contraction* qui diminue la surface d'un objet et la plisse, la ride. *La crispation d'une feuille de papier, d'un morceau de cuir sous l'action du feu. Crispation de la peau.*
♦ **2 Méd.** et cour. Contraction brève, involontaire ou à peine volontaire de certains muscles (signe de nervosité, d'émotion). → **Contraction, convulsion, frisson, spasme, tétanie.** *Crispation nerveuse. Crispation de douleur.*
Il sentait à son bras la crispation d'une main de noyée.
F. MAURIAC, le Mal, VI, p. 82.
♦ **3 Cour.** Mouvement d'agacement, d'impatience, d'irritation. *Donner des crispations à qqn. Les crispations de l'opinion publique. — Tension, crispation des partis politiques* (→ aussi **Décrispation**).
CONTR. Détente, décrispation.

CRISPER [krispe] v. tr. — 1560, *crispant* «ondulant» ; *crispé,* déb. XVIIe ; *crisper,* 1798, Académie ; du lat. *crispare* «friser, rider».
♦ **1 Rare.** (Concret). Contracter* en ridant la surface. → **Crispation ; convulser, rider.** *Le froid crispe la peau. Le feu crispe le parchemin. La surface du lac est crispée par le vent.*
♦ **2 Plus cour.** Contracter les muscles. *Angoisse, douleur qui crispe le visage. Le mécontentement crispait son visage, lui crispait le visage.*
Ses poignets sont crispés d'avance du plaisir 1 D'atteindre le fuyard et de le ressaisir (...)
HUGO, la Légende des siècles, XV, Petit roi de Galice, VIII.

2 Un dernier combat d'idées crispa son visage (...)
Paul BOURGET, Un divorce, I, p. 2.

3 À tout moment, Gilbert regardait sa montre. Cette attente angoissante lui crispait le cœur ; il eût voulu entendre le signal, partir tout de suite, en finir.
R. DORGELÈS, les Croix de bois, XI, p. 208.

Pron. *Sa figure se crispa. Ses mains se crispèrent.*

4 Sa main se crispa sur la mantille blanche dont elle avait voilé ses cheveux.
MARTIN DU GARD, les Thibault, t. I, p. 25.

♦ **3** (1853). Cour. (Compl. n. de personne). Causer une vive impatience à (qqn). → **Agacer, impatienter, irriter.** *Il a le don de me crisper.* → **Crispant. Pron.** *Se crisper :* manifester son impatience ; devenir tendu. *Se crisper sur son travail.*

♦ **CRISPÉ, ÉE** p. p. adj.

♦ **1** Rare. Ridé. *Peau crispée. Eau crispée.*

♦ **2** Contracté, serré. *Avoir les nerfs* crispés d'impatience. Poings crispés. Mains crispées sur, à qqch. :* mains contractées qui s'agrippent. *Lèvres crispées. Le corps tout entier crispé,* tendu.

5 Les habitations éparses, de toutes leurs fenêtres éblouissantes, renvoyaient vers l'ouest, en traits de foudre, les dernières flèches solaires, ensanglantées. C'était un très merveilleux spectacle. Et Juana, ses deux mains crispées au plat-bord, regardait avidement, avec des yeux ardents.
Claude FARRÈRE, Thomas l'Agnelet, p. 204.

♦ **3** Cour. Tendu, angoissé, fiévreux. *Société crispée. Style crispé. Vers crispés.* – Bloqué. *Positions politiques, partis politiques crispés.* – Contraint, forcé. *Poignée de main crispée. Sourire crispé. Humour crispé.*

♦ **4** (Personnes). Guindé. *Un maître d'hôtel crispé.*

CONTR. **Détendre, étendre.** – **Adoucir, apaiser, calmer.** – **Décrisper.** ◊ DÉR. et COMP. Crispant, crispation. Décrisper.

CRISPIN [kʀispɛ̃] n. m. — 1654, Scarron ; ital. *Crispino,* nom d'un valet de la commedia dell'arte.

♦ **1** Anciennt. Type de valet de comédie. *Jouer les crispins.*

♦ **2** (1842). Vx. Manteau court à capuchon (imitation du costume du valet Crispin).

♦ **3** (1876). Manchette de cuir cousue à certains gants, pour protéger le poignet ; ensemble formé par le gant et la manchette. *Gant d'armes à crispin. Gant à crispin d'escrimeur, de motocycliste.*

Il aime l'uniforme : les bottes, les gants à crispins, le casque et la cuirasse qui flambent au soleil, comme des miroirs ardents (...)
M. YOURCENAR, Archives du Nord, p. 254.

CRISS [kʀis] n. m. → **Kriss.**

CRISSANT, ANTE [kʀisɑ̃, ɑ̃t] p. prés. et adj. → **Crisser.**

CRISSEMENT [kʀismɑ̃] n. m. — 1567 ; de *crisser.*

Action de crisser. → **Grincement.** *Le crissement des ongles, un crissement d'ongles. Le crissement de la craie contre le tableau.*

1 (...) le crissement soyeux des roues sur l'asphalte sec (...)
MARTIN DU GARD, les Thibault, t. V, p. 151.

2 Ça n'était pas un simple projet : la chose était déjà là, dans la lumière électrique, dans le crissement léger du rasoir (...)
SARTRE, l'Âge de raison, VII, p. 88.

3 Il traverse le parc d'un pas tranquille, guidé par la lueur bleue qui provient de la maison, dans le crissement fixe et strident des millions d'insectes nocturnes.
A. ROBBE-GRILLET, la Maison de rendez-vous, p. 213.

Des morceaux de verre ont tinté en retombant sur le dallage ; ensuite il y a les crissements plus menus des fragments de vitre (...) 4
A. ROBBE-GRILLET, Projet pour une révolution à New York, p. 64.

(...) l'indifférent et monotone crissement des grillons. 5
Claude SIMON, le Palace, p. 85.

CRISSER [kʀise] v. intr. — 1549 ; *crichier,* 1288 ; du francique *kriskjan, krisan* «craquer» (→ aussi Grincer).

Produire un bruit aigu par le frottement (objets durs et lisses). → **Grincer.** *Ses dents crissaient. Gravier, neige, lames de parquet qui crissent sous les pas.* → **Craquer.**

Les mâchoires étaient si serrées que, de la porte, Jacques entendit crisser les dents. 1
MARTIN DU GARD, les Thibault, t. IV, p. 153.

(...) il s'arrêta pour écouter les roues ferrées qui crissaient dans les silex. 2
MARTIN DU GARD, les Thibault, t. III, p. 102.

La neige, durcie par les pas répétés crisse sous les clous des semelles. 2.1
A. ROBBE-GRILLET, Dans le labyrinthe, p. 148.

dans la sacristie j'ai cherché son fantôme 2.2
entendu gémir la chaire et crisser les chaises
Jude STÉFAN, Laures, I, «À thomas gray».

(Sujet n. de personne). *Crisser des dents.* → **Grincer.**

Par ext. «On entendait crisser les cigales» (P. Morand, *Bouddha vivant,* p. 52).

♦ **CRISSANT, ANTE** p. prés. et adj.

Qui crisse. *Feuilles crissantes sous les pas. Soie crissante.*

Et, soudain, avec un bruit crissant et glouton, les ciseaux mordaient le drap. 3
G. DUHAMEL, Chronique des Pasquier, I, IV, p. 56.

Lama ne comprend pas pourquoi le convoi vient ainsi de s'immobiliser, au beau milieu du tunnel, dans un long bruit de freins crissants et de ferrailles entrechoquées. 4
A. ROBBE-GRILLET, Projet pour une révolution à New York, p. 144.

DÉR. **Crissement.**

CRISTAL [kʀistal] n. m. — 1080, *Chanson de Roland ;* du lat. *crystallus,* du grec *krustallos* «glace».

I *(Un cristal, des cristaux).* ♦ **1** Sc. Substance solide dont la structure atomique est caractérisée par la répétition triplement périodique d'un motif identique (selon l'un des systèmes *cristallins*). *Cristal unique* (monocristal) ; *agrégat de petits cristaux* (substances polycristallines). *Corps à l'état de cristaux.* → **Cristallisé.** *Centre, axe, plan de symétrie d'un cristal. Formes de cristaux.* → **Polyèdre ; cube** (système cubique), **parallélépipède** (systèmes rhomboédrique et triclinique), **prisme** (systèmes hexagonal, quadratique, orthorhombique et monoclinique). *Cristal bacillaire, lenticulaire. Cristal hyalin... Cristal aciculaire.* → **Aiguille, raphide.** *Dépôts de cristaux.* → **Arborisation, arbre** (III., 2.), **dendrite.** *Amas de cristaux.* → **Cristallisation.** *Minéral tapissé intérieurement de cristaux.* → **Géode.** *Cristal de gypse en fer de lance. Facettes d'un cristal.* → **Troncature.** *Fragmentation d'un cristal en plans.* → **Clivage.** *Groupement, combinaison de deux cristaux.* → **Hémitropie, macle.** *Cristal dissymétrique.* → **Hémièdre.** *Structure atomique des cristaux,* en réseaux disposés en plans réticulaires. *Les propriétés physiques, optiques des cristaux sont variables selon la direction suivant laquelle on les observe ; ils sont anisotropes. Cristal lévogyre* (ou *senestrogyre*), *dextrogyre. Biréfringence* de certains cristaux. Les cristaux cubiques sont seuls isotropes*.

Ces molécules *(des protéines)* constituent donc de véritables cristaux, microscopiques, mais appartenant à une 0.1

classe particulière que j'appellerai celle des «cristaux fermés» car, contrairement aux cristaux proprement dits (construits selon l'un des groupes de l'espace), ils ne peuvent pas croître sans acquérir de nouveaux éléments de symétrie, tout en perdant (en général) certains de ceux qu'ils possédaient.
> Jacques MONOD, le Hasard et la Nécessité, p. 112.

REM. Dans ce sens, *cristal* s'oppose à *verre* et à *substance amorphe*, alors que le *cristal* (II.) est une variété de verre.

Cristaux mous : cristaux à arêtes et faces courbes, déformables et aisément destructibles. — *Cristal liquide* : substance mésomorphe* (intermédiaire entre l'état cristallin et l'état amorphe), caractérisée par une structure en couches (smectiques) ou par une structure de liquide biréfringent (nématiques). *Les cristaux liquides sont utilisés pour l'affichage électronique.* Syn. : *cristaux électro-optiques.*

◆ **2 Spécialt, cour.** *Cristal hyalin* : silice, quartz cristallisé, dit aussi *cristal de roche. Le cristal de roche raye le verre. Le cristal est dur, transparent. Cabochon de cristal.*

1 C'est sur ce spath transparent qu'Érasme Bertholin a observé le premier la double réfraction de la lumière ; et, peu de temps après, Huyghens a reconnu le même effet dans le cristal de roche.
> BUFFON, Hist. nat. des minéraux, t. VII, p. 157,
> *in* LITTRÉ.

Cristal d'Islande : carbonate naturel de calcium, absolument transparent. → **Spath.**

◆ **3 Absolt, abusivt.** **CRISTAUX** : carbonate de soude en cristaux. *Faire dissoudre des cristaux dans de l'eau pour y faire tremper la lessive. Eau de cristaux.* — **Pop.** (fautif). *Acheter du cristaux* (pour : *des cristaux*).

◆ **4 Cour.** Élément des cristallisations de liquide (eau, etc.) qui se déposent sur une surface. *Cristaux de neige, de givre.*

2 Des cristaux de glace, en forme de feuilles de fougères, fleurissaient les vitres des fenêtres (...)
> FRANCE, le Crime de S. Bonnard, Œ., t. I, p. 267.

3 (...) je voudrais mes actions de même toujours plus solides et plus belles ; vraies, pures, cristallines, belles, belles, Ulysse, comme ces cristaux de clair givre, où, si le soleil paraissait, le soleil tout entier paraîtrait au travers.
> GIDE, Philoctète, II, 1.

◆ **5 Didact.** *Cieux de cristal* : les deux orbes imaginés entre le premier mobile et le firmament, dans le système de Ptolémée.

◆ **6 Techn.** Cristal de quartz utilisé en électricité. *Oscillateur à cristal.*

II (*Le cristal, du cristal*). ◆ **1** (XIVᵉ). Variété de verre (verre au plomb) plus transparent et plus lourd que le verre ordinaire. → **Strass.** *Fabrication, travail du cristal.* → **Cristallerie.** *Cristal de Bohême, de Baccarat. Flacon, carafe, verre de cristal. Lustre en cristal de Venise. Lentille d'optique en cristal. Boule de cristal d'une voyante* (→ **Cristallomancie**). *Vision dans le cristal.*

4 Sur la coiffeuse, l'écaille blonde des brosses chiffrées d'or, le cristal des flacons à bouchons de vermeil, jetaient un éclat discret.
> J. CHARDONNE, les Destinées sentimentales, II, I, p. 187.

Transparence, pureté du cristal. Par compar. *Clair, pur comme le cristal.* Fig., littér. *Une âme, un cœur de cristal.* → **Pur, transparent.**

5 (...) rien n'est bon que d'avoir une belle et bonne âme : on la voit en toute chose comme au travers d'un cœur de cristal (...)
> Mᵐᵉ DE SÉVIGNÉ, 442, 9 sept. 1675.

6 Son cœur transparent comme le cristal ne peut rien cacher de ce qui s'y passe.
> ROUSSEAU, 2ᵉ dialogue.

7 (...) le style est comme le cristal : sa pureté fait son éclat.
> HUGO, Odes et Ballades, Préface, 1826.

8 Le cristal le plus limpide n'a pas la transparence d'une pareille vie.
> Th. GAUTIER, Mˡˡᵉ de Maupin, V, p. 76.

En appos. Translucide, transparent. *Papier cristal. Vernis cristal.*

Poét. Eau* limpide, pure. *Le cristal de l'onde.* → **Limpidité.** — Se dit aussi de la glace* (→ Appuyer, cit. 29).

9 Ô beau cristal murmurant (...)
> RONSARD, Odes, V, 13 (→ Bleu, cit. 1).

10 Dans le cristal d'une fontaine
Un cerf se mirant autrefois
Louait la beauté de son bois (...)
> LA FONTAINE, Fables, VI, 9.

11 Les plus hautes cascades déroulent (...) leur nappe de cristal (...)
> PROUST, À la recherche du temps perdu, t. VI, p. 93 (→ Cascade, cit. 4).

Fig. *Une voix de cristal.* → **Cristallin.** *Le cristal d'un rire d'enfant.*

12 (...) une voix frêle de vieillard, une voix revenue au cristal de l'enfance, mais avec en plus quelque chose de doucement fêlé, s'éleva montant à mesure que se déroulait l'antienne.
> HUYSMANS, En route, p. 203.

13 (...) ce pays est vraiment un des coins du monde où le rire des filles éclate le mieux, sonnant le cristal clair, sonnant la jeunesse et les gorges fraîches.
> LOTI, Ramuntcho, I, XIV, p. 125.

Par compar. (au sens propre). *Comme du cristal* : de manière cristalline.

14 Jenny (...) vibrait des pieds à la tête, comme un cristal heurté.
> MARTIN DU GARD, les Thibault, t. V, p. 236.

◆ **2 Plur.** **LES CRISTAUX** : les objets de cristal. → **Cristallerie, verrerie.** *Magasin, collection de cristaux.*

15 (*Vous voyez*) Briller et rayonner cristaux, miroirs, balustres ;
Candélabres ardents, cercle étoilé des lustres (...)
> HUGO, les Feuilles d'automne, XXXII.

16 À ce moment, il se fit une très légère vibration dans les cristaux de la table des Saint-Papoul, et dans les verreries du grand lustre à gaz.
> J. ROMAINS, les Hommes de bonne volonté, t. III, XII, p. 161.

DÉR. Cristallerie, cristallier, cristalliser. — V. aussi **Cristallin, cristall(o)-.** ◊ **COMP.** **Cristallifère.**

CRISTALLERIE [kʀistalʀi] n. f. — 1745 ; de *cristal.*

◆ **1** Fabrication d'objets en cristal* (II.). → **Gobeleterie, verrerie.** *Opérations de cristallerie.* → **Affinage, cueillage, doucissage, ébauchage, façonnage, gravure, polissage, recuit, soufflage, taille.**

Fabrique d'objets en cristal. *Une cristallerie artisanale. Une grande cristallerie.*

◆ **2** Ensemble d'objets en cristal. → **Cristallier.** *La cristallerie de Baccarat.* Figuré :

Les Protozoaires du Musée. La vie a commencé par une étoile. Étonnantes cristalleries vivantes. Les moustiques. Le cadran de pierre noire dédié au soleil. Le disque de pierre noire avec une cavité et une rigole où se faisaient les sacrifices humains.
> CLAUDEL, Journal, avr.-mai 1928.

1. CRISTALLIER, IÈRE [kʀistalje, jɛʀ] n. — 1260 ; de *cristal.*

Technique.

◆ **1** Graveur en cristal.

◆ **2** Personne qui fabrique, fait commerce d'objets en cristal (II.).

2. CRISTALLIER [kʀistalje] n. m. — 1820 ; de *cristal.*

Technique.

◆ **1** (1820). Collection d'objets en cristaux. → **Cristallerie** (2.).

◆ **2** (1829). Lieu où est rangée cette collection.

CRISTALLIFÈRE [kʀistalifɛʀ] adj. — 1842; de *cristal,* et *-fère.*

Didact. Qui contient du cristal. *Terrain cristallifère.*

CRISTALLIN, INE [kʀistalɛ̃, in] adj. et n. — XIIᵉ, *cieux cristallins*; XIIIᵉ, au sens 2, a; lat. *crystallinus,* de *crystallus.* → Cristal.

[I] Adj. ♦ 1 (XVIIᵉ). Sc. Des cristaux (I.); relatif à un état solide où la disposition des atomes produit des formes géométriques définies (opposé à *amorphe*). *Réseau cristallin :* disposition régulière des atomes d'un cristal. *Systèmes cristallins :* triclinique; binaire ou monoclinique; orthorhombique; ternaire ou rhomboédrique; quadratique; hexagonal; cubique (selon les axes). — *Roche cristalline,* formée de cristaux. Par métonymie. *Massif, terrain cristallin,* riche en roches cristallines. — N. m. *Le cristallin :* caractère d'une roche cristalline.

♦ 2 [a] (Premier sens attesté). Clair, transparent comme le cristal (II.). → **Clair, limpide, pur, transparent.** *Des eaux cristallines.*

1   Notre humble ruisseau (...)
    Déroule sa nappe argentine
    Et dans son onde cristalline
    Aime à bercer le doux rayon.
                         LAMARTINE, Épître à Hugo.

[b] *Son cristallin,* aussi pur et clair que celui que rend le cristal. *Timbre cristallin. Voix cristalline.*

2   (...) les enfants de chœur, à genoux, débitaient les répons latins, d'une voix cristalline qui chantait sur les fins des mots.   HUYSMANS, Là-bas, XIX, p. 259.

[c] Fig. → **Céleste, pur.**

3   La joie de Mozart est faite de sérénité; et la phrase de sa musique est comme une tranquille pensée; sa simplicité n'est que de la pureté; c'est une chose cristalline; toutes les émotions s'y jouent, mais comme déjà célestement transposées.   GIDE, Journal, sept.-oct. 1893.

[II] N. m. Anat. *Le cristallin :* le plus important des milieux transparents de l'œil. *Faces du cristallin. Étoiles du cristallin. Capsule ou sac capsulaire du cristallin. Fibres du cristallin. Appareil suspenseur du cristallin.* → **Zonule.** *Modification de la courbure du cristallin par le muscle ciliaire.* → **Accommodation.** *Suivant la courbure du cristallin, l'œil est dit myope, hypermétrope, presbyte, astigmate. Lésion, altération du cristallin.* → **Cataracte, luxation.**

4   Le cristallin (...) est une lentille biconvexe, placée en arrière de la pupille, entre l'iris qu'il repousse en avant, et l'humeur aqueuse des chambres de l'œil, et le corps vitré, qui est en arrière.   L. TESTUT, Traité d'anatomie, t. III, p. 614.

5   (...) de même qu'on a dit des personnes qui s'habituent à regarder les objets de trop près qu'elles se brisent le rayon visuel, ce qui signifie, en terme plus technique, *se contracter le cristallin* (...)
                         RIVAROL, Littérature, I, v, p. 112.

Adj. Vx. → **Cristallinien.** *Lentille cristalline.*

[III] N. f. *Cristalline :* substance organique du cristallin de l'œil.

DÉR. Cristallinien, cristallinité. ◊ COMP. Holocristallin. V. **Microcristallin, monocristallin.**

CRISTALLINIEN, IENNE [kʀistalinjɛ̃, jɛn] adj. — 1855; de *cristallin.*

Anat. Du cristallin (II.). *Astigmatisme cristallinien. Fibres cristalliniennes. Lentille cristallinienne.*

CRISTALLINITÉ [kʀistalinite] n. f. — 1863; de *cristallin.*

Didactique.

♦ 1 Caractère de ce qui est cristallin, ou de ce qui ressemble à du cristal. *Degré de cristallinité d'un terrain.*

Le long d'une même macromolécule alternent donc domaines cristallisés et amorphes : on aura ainsi une cristallinité partielle de la fibre cellulosique.
              Jean VÈNE, Caoutchoucs et Textiles synthétiques, p. 56.

♦ 2 Phys. Aptitude d'un corps à cristalliser.

CRISTALLISABLE [kʀistalizabl] adj. — 1836; de *cristalliser.*

Didact., techn. Susceptible de prendre l'état cristallin. *Le sucre est cristallisable.*

CONTR. Incristallisable.

CRISTALLISANT, ANTE [kʀistalizɑ̃, ɑ̃t] adj. — 1845; de *cristalliser.*

Didactique.

♦ 1 Qui est en cours de cristallisation.

♦ 2 Qui provoque la cristallisation.

CRISTALLISATEUR, TRICE [kʀistalizatœʀ, tʀis] adj. et n. — 1931, n. m.; 1936, adj.; de *cristalliser.*

Didactique.

♦ 1 Adj. Qui effectue une cristallisation. «*Synthèse cristallisatrice*» (Sartre, *in* T. L. F.).

♦ 2 [a] N. m. Appareil où s'effectue une cristallisation.

[b] N. Personne qui cristallise (des idées, des sentiments).

CRISTALLISATION [kʀistalizasjɔ̃] n. f. — 1651; de *cristalliser.*

♦ 1 Sc. Phénomène par lequel les molécules d'un corps s'orientent régulièrement, le faisant passer à l'état de cristaux. *Cristallisation naturelle, artificielle. Cristallisation par fusion* (ex. : le soufre), *par sublimation* (ex. : l'iode, le naphtalène), *par dissolution et évaporation* (ex. : le chlorure de sodium), *par dissolution à chaud et refroidissement. Cristallisation fractionnée :* méthode permettant d'isoler, dans un mélange de corps dissous dans un solvant, le composé le moins soluble qui se déposera sous la forme de cristaux. — *Eau de cristallisation :* eau se trouvant en proportion définie dans certains cristaux (sels cristallins).

1   La cristallisation d'un sel toujours assujetti à prendre une même forme n'est-elle pas aussi admirable que la génération constante des animaux?   CONDORCET, Haller.

♦ 2 Concrétion de cristaux (notamment, de cristaux de neige, de glace). → **Arborisation.** *De belles cristallisations.*

♦ 3 (Fin XVIIIᵉ, Saint-Martin, *in* D. D. L.). Fig. et littér. Action de se cristalliser*, de s'organiser, de se fixer, en parlant des sentiments, des idées. *Cristallisation des pensées, des souvenirs.*

2   (...) des cristallisations, puis des émiettements suivis de cristallisations nouvelles avaient lieu dans l'âme des êtres.
              PROUST, À la recherche du temps perdu, t. XV, p. 118 (→ Conglomérat, cit.).

3   Dans *cristallisation,* on sent l'idée de *cristal,* et en outre l'idée de *formation de, passage à l'état, transformation en.*
              F. BRUNOT, la Pensée et la Langue, I, II, v, p. 60.

(1822, Stendhal). Spécialt (→ Retirer, cit. 8).

4   La première cristallisation commence.
    On se plaît à orner de mille perfections une femme de l'amour de laquelle on est sûr; on se détaille tout son bonheur avec une complaisance infinie (...) Laissez travailler

la tête d'un amant pendant vingt-quatre heures, et voici ce que vous trouverez :

Aux mines de sel de Salzbourg, on jette, dans les profondeurs abandonnées de la mine, un rameau d'arbre effeuillé par l'hiver ; deux ou trois mois après on le retire couvert de cristallisations brillantes : les plus petites branches (...) sont garnies d'une infinité de diamants, mobiles et éblouissants ; on ne peut plus reconnaître le rameau primitif. Ce que j'appelle cristallisation, c'est l'opération de l'esprit, qui tire de tout ce qui se présente la découverte que l'objet aimé a de nouvelles perfections (...)

Alors (après le doute) commence la seconde cristallisation produisant pour diamants des confirmations à cette idée : Elle m'aime. STENDHAL, De l'amour, II, p. 43-45.

5 Sans ce mot (cristallisation), qui, suivant moi, exprime le principal phénomène de cette folie nommée amour (...) la description que je donne de ce qui se passe dans la tête et dans le cœur de l'homme amoureux devenu obscure, lourde, ennuyeuse (...)
STENDHAL, De l'amour, III, p. 48.

CONTR. Désagrégation, éparpillement. ◊ **COMP.** Piézocristallisation, recristallisation.

CRISTALLISÉ, ÉE [kʀistalize] adj. → Cristalliser.

CRISTALLISER [kʀistalize] v. — 1620 ; de cristal.

I V. tr. ◆ **1** Faire passer (un corps) à l'état de cristaux. → **Cristal** (I., 1.). Cristalliser du sucre. Cristalliser un sel par dissolution. → **Cristallisation.**

◆ **2** (1845). Fig. et littér. Rassembler (des éléments épars) en un tout cohérent ; rendre fixe, stable (ce qui était fluide). → **Agglomérer, concrétiser, fixer, immobiliser, renforcer, stabiliser ; organiser.** Cristalliser dans son esprit des impressions, des idées jusqu'alors diffuses. Cristalliser des idées confuses en les classant*.

1 Un homme d'imagination forcenée comme Flaubert, déterminé à tout cristalliser en littérature (...)
A. THIBAUDET, Gustave Flaubert, p. 40.

(Sujet n. de chose). Les événements ont brusquement cristallisé la menace de guerre.

2 (...) cette mainmise sur de nouveaux territoires devait, soudain, cristalliser la coalition jusque-là en suspens.
Louis MADELIN, l'Avènement de l'Empire, XVI, p. 216.

3 (...) la lecture de l'affiche avait subitement cristallisé en lui des velléités jusqu'alors inconscientes et diffuses.
MARTIN DU GARD, les Thibault, t. VII, p. 255.

4 La nécessité a ainsi cristallisé d'un coup un projet qui restait fluide.
J. ROMAINS, les Hommes de bonne volonté, t. V, XV, p. 114.

II V. intr. ◆ **1** Didact. (sc.). Se solidifier sous forme cristalline. Substance qui cristallise lentement. Substance qui cristallise sous deux, trois formes différentes. → **Dimorphe, trimorphe.** Substances qui cristallisent selon la même structure. → **Isomorphe.** — Cristalliser en... Ce sel cristallise en prismes, en rhomboèdres.

4.1 On sait en effet que certains corps, en solution sursaturée, ne cristallisent pas, à moins que des germes de cristaux n'aient été inoculés à la solution. En outre, lorsqu'il s'agit d'un corps capable de cristalliser dans deux systèmes différents, la structure des cristaux qui apparaîtront dans la solution sera déterminée par celle des germes employés.
Jacques MONOD, le Hasard et la Nécessité, p. 28-29.

◆ **2** Fig. et littér. Devenir fixe, s'accroître, se préciser, en parlant de sentiments, d'idées... Passion qui cristallise. Ses rancœurs ont cristallisé en haine.

5 On ne saura jamais à quel point toute sa vie sentimentale a cristallisé autour d'une image maternelle.
A. THIBAUDET, Gustave Flaubert, p. 43.

6 (...) autour de lui certaines idées cristallisent, des idées d'avenir.
MARTIN DU GARD, les Thibault, t. IX, p. 149.

Autour d'une œuvre de circonstance, autour d'un travail 7 fait sur commande, tout un destin cristallisait.
F. MAURIAC, Souffrances et Bonheur du chrétien, Préface, p. 11.

Par ext. Personnes qui cristallisent dans un sentiment commun. — Par métaphore du sens 1 :

Tous les quartiers de Paris cristallisaient soudain en une 8 masse unique, en un sentiment unanime.
A. MAUROIS, Espoir et souvenirs, p. 20 (in HANSE).

◆ **SE CRISTALLISER** v. pron. (1784).

◆ **1** Se transformer en cristaux. Les sels se cristallisent.

Tous les sels dissous dans l'eau se cristallisent en forme 9 assez régulière par une évaporation lente et tranquille.
BUFFON, Hist. nat. des minéraux, t. III, p. 219.

(...) plans immobiles, en noir et blanc, me semble-t-il, et, 9.1 le plus souvent muets — sauf lorsque c'est sur les paroles mêmes, par exemple sur cette prière, ou sur l'Évangile de la Passion, lu par maman, que s'est cristallisé le souvenir.
Claude MAURIAC, le Temps immobile, p. 339.

◆ **2** (1845). Fig. et littér. S'agglomérer, se fixer en se précisant... (→ ci-dessus, II., 2.). Passions, souvenirs qui se cristallisent. Espoirs qui se cristallisent autour d'un chef. — Les partisans se sont cristallisés autour de ce personnage.

Le grand fleuve du XVIIIᵉ siècle, coulant à pleins bords 10 par Voltaire et Diderot, par Montesquieu et Buffon, s'arrête en quelque sorte, se fixe en plusieurs de ses résultats, se cristallise en Rousseau.
MICHELET, Hist. de la Révolution franç., t. I, p. 869.

Il faut sauver cette idée d'un dieu humain et charitable 11 qui s'est cristallisée dans les âmes au prix de tant de souffrances.
G. DUHAMEL, Chronique des Pasquier, VI, Les maîtres, p. 421.

◆ **CRISTALLISÉ, ÉE** p. p. adj.

◆ **1** Qui se présente sous la forme de cristaux, après cristallisation. — (1755, in D.D.L.). Sucre cristallisé. → **Candi.** Café cristallisé, présenté en paillettes après lyophilisation*. — Couvert de cristaux. Canaux cristallisés par le givre.

◆ **2** Fig. et littér. Fixé, concrétisé. → **Fixe, immobile.** Souvenirs cristallisés.

CONTR. Décristalliser. — Désorganiser, émietter, éparpiller.
◊ **DÉR.** Cristallisable, cristallisant, cristallisateur, cristallisation, cristallisoir.

CRISTALLISOIR [kʀistalizwaʀ] n. m. — 1845 ; de cristalliser.

◆ **1** Chim. Récipient en verre dans lequel on peut effectuer une cristallisation*. Par ext. Récipient en verre, à bords plats, utilisé dans les laboratoires.

◆ **2** (1868). Techn. Bassin dans lequel les eaux saturées laissent déposer le sel. Table salante d'un cristallisoir. (On dit aussi cristalloir [kʀistalwaʀ]).

CRISTALLITE [kʀistalit] n. f. — Fin XIXᵉ ; all. Kristallite, 1875, Vogelsang ; de cristall(in), et -ite.

Minér. Élément microscopique cristallisé que l'on rencontre dans les roches éruptives. — Ensemble de cristaux élémentaires contenus dans la cellulose. Les dimensions des cristallites varient suivant l'origine de la cellulose.

Les diagrammes donnés par un faisceau monochromatique comportent, dans le cas des fibres de ramie, des taches disposées comme celles du spectre d'un cristal tournant autour d'un de ses axes ; la présence des taches s'interprète par l'existence de cristallites ayant un axe orienté dans la direction de l'axe de la fibre. Pour d'autres fibres, notamment les cotons, les taches prennent la forme de croissants ; les cristallites sont aussi disposées en hélices le long de la fibre, mais leurs axes font avec celui de la fibre des angles plus grands que dans le cas de la ramie. Les cristallites sont des ensembles de cristaux élémentaires ; la spectrographie aux rayons X démontre que le cristal ultime, ou *maille*, est le même quelle que soit l'origine de la cellulose (...)

M. CHÊNE et N. DRISCH, la Cellulose, p. 29.

DÉR. Cristallitique.

CRISTALLITIQUE [kʀistalitik] adj. — Fin XIXᵉ ; de *cristallite*.

Minér. Riche en cristallite (d'une roche vitreuse).

CRISTALLO- Élément, tiré du grec *krustallos* «cristal» entrant dans la composition de mots didactiques (minér., phys., chim., anat.). → Cristallochimie, cristallogène, cristallogénie, cristallographie, cristallomancie, cristallométrie, cristallophyllien.

CRISTALLOCHIMIE [kʀistaloʃimi] n. f. — Mil. XXᵉ ; de *cristallo-*, et *chimie*.

Didact., phys., chim. Étude des propriétés chimiques et physiques d'un corps en fonction de sa structure cristalline.

DÉR. Cristallochimique.

CRISTALLOCHIMIQUE [kʀistaloʃimik] adj. — V. 1960 ; de *cristallochimie*.

Phys., chim. Relatif à la cristallochimie.

CRISTALLOGÈNE [kʀistaloʒɛn] adj. — 1918 ; de *cristallo-*, et *-gène*.

Didact. Qui engendre des cristaux. *Milieu cristallogène.*

CRISTALLOGENÈSE [kʀistaloʒenɛz] n. f. — XXᵉ ; de *cristallo-*, et *-genèse*.

Didact. Formation d'un cristal, de cristaux (I., 1.). «*Les deux méthodes dont on dispose pour suivre cette cristallogenèse, la microscopie électronique et la topographie aux rayons X...*» (*la Recherche*, nᵒ 91, p. 679).

CRISTALLOGÉNIE [kʀistaloʒeni] n. f. — 1846 ; de *cristallo-*, et *-génie*.

Didact., chim., phys. Étude de la formation des cristaux.

DÉR. Cristallogénique.

CRISTALLOGÉNIQUE [kʀistaloʒenik] adj. — 1864 ; de *cristallogénie*.

Didact. Relatif à la cristallogénie.

Dans le cours de ses importantes recherches sur la force cristallogénique, c'est-à-dire sur la tendance des molécules de même nature à constituer des cristaux.

Louis FIGUIER, l'Année scientifique et industrielle 1865, p. 259 (1864).

CRISTALLOGRAPHE [kʀistalɔgʀaf] n. — 1863 ; de *cristallographie*.

Didact. Spécialiste de cristallographie*. «*Un nouvel outil pour les métallurgistes, (les) minéralogistes, (les) cristallographes*» (*la Recherche*, Publicité, juil.-août 1970). *Une remarquable cristallographe.*

CRISTALLOGRAPHIE [kʀistalɔgʀafi] n. f. — 1772 ; de *cristallo-*, et *-graphie*.

Didact. Science qui étudie les formes cristallines (minéralogie), leurs structures, leur formation, leurs propriétés.

DÉR. Cristallographe, cristallographique.

CRISTALLOGRAPHIQUE [kʀistalɔgʀafik] adj. — 1846 ; de *cristallographie*.

Didact. Relatif à la cristallographie.

CRISTALLOÏDE [kʀistalɔid] adj. et n. — 1541 ; de *cristal-*, et suff. *-oïde*.

Didactique.

♦ **1** Vieilli. Semblable à un cristal. *Corps d'apparence cristalloïde.*

♦ **2** N. f. (1707). Anat. *La cristalloïde* : fine membrane enveloppant le cristallin (appelée aussi *capsule du cristallin*).

♦ **3** N. m. (1906, in *Rev. gén. des sc.*, nᵒ 24, p. 1087). Chim. Substance qui, en solution, peut traverser une membrane semi-perméable (opposé à *colloïde**). *Les sels, le sucre sont des cristalloïdes.* — Adj. *Substance cristalloïde.*

CRISTALLOIR [kʀistalwaʀ] n. m. → Cristallisoir, 2.

CRISTALLOMANCIE [kʀistalomãsi] n. f. — 1721 ; de *cristallo-*, et *-mancie*.

Didact. Divination au moyen d'objets de verre et, en particulier, d'une boule de verre dite *boule de cristal.*

CRISTALLOMÉTRIE [kʀistalometʀi] n. f. — 1842 ; de *cristallo-*, et *-métrie*.

Didact. (sc.). Mesure des formes géométriques des cristaux.

CRISTALLOPHYLLIEN, IENNE [kʀistalɔfiljɛ̃, jɛn] adj. — 1863 ; de *cristallo-*, et grec *phullon* «feuille».

Didactique.

♦ **1** Vieilli. *Roche cristallophyllienne*, dont la structure est cristalline et feuilletée. → Métamorphique.

♦ **2** (1905, in *Rev. gén. des sc.*, nᵒ 18, p. 812). Géol. Se dit des terrains transformés par métamorphisme général.

CRISTAUX [kʀisto] n. m. plur. → Cristal.

CRISTE-MARINE [kʀist(ə)maʀin] n. f. → Christe-marine.

CRISTI [kʀisti] interj. — 1866 ; abrév. de *sacristi*.

Vieilli (juron). *Cristi, qu'elle est belle !* → Sacristi, pristi. Ah ! farceur, cristi ! cristi !

E. LABICHE, Deux merles blancs, I, 5.   1

«Cristi ! on ne s'embête pas, là-dedans !» dit le garde de   2
Paris de planton dans le couloir.

Alphonse DAUDET, l'Immortel, p. 368.

Nom masculin :

Voici la ronde des jurons (...)   3
Tous les cristis, les ventre saint-gris
Les par ma barbe et les noms d'une pipe
Ainsi pardi que les sapristi
Et les sacristis (...)

G. BRASSENS, «La ronde des jurons».

CRISTIFORME [kʀistifɔʀm] adj. — XXᵉ (1974, in *la Clé des mots*) ; du lat. *crista* «crête», et *forme*.

Didact. (sc. nat.). En forme de crête. *Arête cristiforme. Dent à bords cristiformes.*

CRITÈRE [kʀiteʀ] ou **CRITERIUM, CRITÉRIUM** [kʀiteʀjɔm] n. m. — 1750, *critère* ; *criterium*, 1643 ; lat. scolast. *criterium* («jugement», au Vᵉ), du grec *kritêrion*, de *krinein* «discerner».

♦ **1** Philos. **CRITÈRE**, ou, vieilli, **CRITERIUM, CRITÉRIUM** : caractère, signe qui permet de distinguer une chose, une notion ; de porter sur un objet un jugement. → **Épreuve, touche** (pierre de touche). — Log. *Les critères de (la) vérité : les signes qui permettent de distinguer le vrai du faux. Critérium* (ou *critère) des idées claires et distinctes chez Descartes. Soumettre une hypothèse au critère de l'expérience.* → **Crible** (passer au crible).

1 Dans cette foule de sentiments, quel sera notre criterium pour bien juger ?
ROUSSEAU, Disc. sur les sciences, II.

2 (...) pour arriver à la vérité, il (*l'homme*) doit, au contraire, étudier les lois naturelles et soumettre ses idées, sinon sa raison, à l'expérience, c'est-à-dire au critérium des faits.
Cl. BERNARD, Introd. à l'étude de la médecine expérimentale, I, II, p. 64.

3 Le critérium d'une philosophie qui peut, sans réserve et sans équivoque, être appelée rationnelle, n'est-il pas qu'elle demeure incorruptiblement fidèle à soi-même ?
Julien BENDA, la Trahison des clercs, p. 287.

3.1 Où sont les critères de l'absurde ? Si je dis que l'histoire est absurde, je saurais ce qui ne l'est pas. Donc, l'absurde n'existerait plus.
IONESCO, Journal en miettes, p. 138.

REM. Dans ce sens, *critérium* s'emploie encore, notamment en histoire de la philosophie.

♦ **2** Cour. **CRITÈRE** (*criterium, critérium* sont vieillis dans cet emploi ; → cit. 3.2 et 5) : *ce qui sert de base à un jugement d'appréciation. Son seul critère est l'avis de son père. Le style n'est pas le seul critère pour juger de la valeur d'une œuvre. C'est un bon critère. Des critères. Des critériums.* — Absolt. Preuve ou raison. *Ce n'est pas un critère.*

3.2 (...) et la distance parcourue en peu de temps par les caractères physiques de chacune de ces jeunes filles faisant d'eux un critérium fort vague, et d'autre part ce qu'elles avaient de commun et comme de collectif étant dès lors fort marqué, il arrivait parfois à leurs meilleures amies de les prendre l'une pour l'autre sur cette photographie (...)
PROUST, À l'ombre des jeunes filles en fleurs, Folio, p. 479.

4 (...) Pierre Gilbert (...) les irrite pour ce qu'il n'a d'autre critère que l'opinion de Maurras, etc.
GIDE, Journal, 7 mai 1912.

5 Le docteur O'Grady, qui avait une rare culture artistique, semblait comprendre que l'exacte préséance des décorations n'est pas le seul critérium de la beauté d'un portrait.
A. MAUROIS, les Disc. du Dr O'Grady, XVI, p. 178.

6 En cette matière (*l'aptitude à jouer le rôle d'amant*), les critères purement physiques comptent moins que la vocation profonde qui se trahit par l'attitude.
J. ROMAINS, les Hommes de bonne volonté, t. IV, p. 130.

7 Pour lui aussi (*Kierkegaard*), l'antinomie et le paradoxe deviennent critères religieux. Ainsi cela même qui faisait désespérer du sens et de la profondeur de cette vie lui donne maintenant sa vérité et sa clarté.
CAMUS, le Mythe de Sisyphe, p. 57.

♦ **3 CRITÈRE.** [a] Écon. Signe révélant une corrélation ou un fait. *Critère de rentabilité, de rendement. Critère monétaire. Critère de choix :* ce qui détermine un choix entre diverses solutions à un problème. [b] Math. Condition nécessaire et suffisante. «*Critère de résolubilité d'une équation*» (Bourbaki, 1960, *in* T. L. F.). [c] Sociol. *Critère sociométrique :* nature d'une activité en fonction de laquelle des sujets s'associeront spontanément ou se rejetteront. *Si A choisit de travailler avec B et C de se promener avec D, ceci constitue, de la part de A et de C, un choix fondé sur des critères différents.* — Méd. → **Symptôme.**

COMP. Critériologie, multicritères.

CRITÉRIOLOGIE [kRiteRjɔlɔʒi] n. f. — Av. 1920 ; de *criterium, critère,* et *-logie*.

Didact. Partie de la philosophie qui traite du critère de la vérité (→ **Épistémologie**), des critères de la connaissance.

DÉR. Critériologique.

CRITÉRIOLOGIQUE [kRiteRjɔlɔʒik] adj. — 1914, G. Marcel ; de *critériologie*.
Didact. De la critériologie.

CRITERIUM ou **CRITÉRIUM** [kRiteRjɔm] n. m. — 1643 ; lat. scolast. *criterium*. → Critère.

[I] Vieilli. → **Critère** (1. et 2.).

[II] ♦ **1** (1859). Hippisme. Course réservée aux chevaux du même âge et servant à désigner le meilleur dans chaque catégorie (opposé à *omnium*). *Le critérium des deux ans.*

♦ **2** (1876, *in* Petiot). Sports. Épreuve sportive servant à classer, éliminer les concurrents. → **Compétition, épreuve, match, sélection.** *Critérium cycliste. Critérium de football amateur. Des critériums.*

CRITHME [kRitm] ou **CRITHMUM** [kRitmɔm] n. m. — 1823 ; lat. *crithmum,* grec *krêthmon*.
Botanique.

♦ **1** Plante dicotylédone (*Ombelliféracées*) qui croît sur le littoral, les sables, les rochers.

♦ **2** Christe-marine*, perce-pierre, fenouil de mer.

♦ **3** *Faux crithmum :* inule.

CRITICAILLER [kRitikaje] v. tr. — Av. 1908, R. Dargens, *in Encycl. du XXe siècle ; critiquailler,* 1907, cit. ; de *critiquer.*
Fam. Critiquer, blâmer sans raison. — On écrit parfois *critiquailler :*

Est-ce qu'il n'est pas beaucoup mieux et plus beau d'être aimé et compris de quelques braves gens, qu'entendu, critiquaillé ou flagorné par des milliers d'idiots ?
R. ROLLAND, Jean-Christophe, t. I, p. 423.

DÉR. Criticaillon.

CRITICAILLON [kRitikajɔ̃] n. m. — Mil. XXe ; de *criticailler.*
Fam. Personne qui criticaille, critique à tort et à travers. — Mauvais critique.

J'ai vu des gens qui tiraient les raisins du pudding avec la pointe de leur fourchette, les grignotaient et faisaient enlever leur assiette avec un air dégoûté sur le reste. Les criticaillons parisiens me font cette impression.
J.-R. BLOCH, Deux hommes se rencontrent, p. 214.

CRITICISME [kRitisism] n. m. — 1827 ; du rad. de *critique.*

♦ **1** Philos. Doctrine fondée sur la critique de la valeur de la connaissance. *Dans le criticisme, la connaissance humaine est considérée comme s'effectuant suivant des processus mentaux spécifiques qui l'enferment dans les limites de l'expérience.* — Spécialt. Théorie épistémologique de Kant. *Le criticisme kantien.*

♦ **2** Sc. Critique systématique (sur un point particulier). — Rare. Critique systématique en art, littérature, etc. (Sainte-Beuve, *in* T. L. F.).

DÉR. Criticiste. ◊ COMP. Néo-criticisme.

CRITICISTE [kRitisist] adj. et n. — 1838 ; de *criticisme.*
Philos. Relatif au criticisme*. *Méthode criticiste. Philosophie criticiste.* — N. *Les criticistes s'inspirent du kantisme ou du néo-kantisme.*

CRITICITÉ [kʀitisite] n. f. — V. 1960-1970; de 1. *critique*, adj., 3.

Sc. État d'un milieu ou d'un système critique (notamment en phys. nucléaire); point, masse critique (→ 1. **Critique**, 3.). *Conditions de criticité. Le «risque de criticité»* (*Sciences et Avenir*, le Risque nucléaire, n° spécial, p. 4). *«La manipulation de quantités importantes de plutonium pose des problèmes du point de vue de la criticité des risques de contamination et des pertes de matière fissile»* (la *Recherche*, mai 1980, p. 532).

CRITIQUABLE [kʀitikabl] adj. — 1737; de *critiquer*.

Qui mérite d'être critiqué (→ **Attaquable, discutable**); qui prête à la critique. → **Blâmable, condamnable, contestable.** *Attitude, prise de position critiquable. Être éminemment critiquable, critiquable sur tous les plans. Sa réponse n'est pas critiquable.*

Tout est à la fois admirable et critiquable, et celui-là seul sait admirer qui sait critiquer.
RENAN, l'Avenir de la science, p. 295.

REM. La graphie fautive *criticable* est attestée.

CONTR. **Admirable, louable; incontestable, incritiquable.**

1. **CRITIQUE** [kʀitik] adj. — 1372, *cretique*, en méd.; du bas lat. *criticus*, grec *kritikos*, de *krinein* «juger comme décisif». → Crise.

♦ **1** Méd. Qui a rapport à une crise*; qui décide de l'issue d'une maladie. *Phénomène critique. Signes critiques. La maladie entre dans sa phase critique. Jour critique. La période critique de l'épidémie est maintenant passée* (→ aussi **Métacritique**).

Temps, âge critique, où des modifications physiologiques importantes se manifestent (spécialt, la ménopause). On dit aussi *époque critique, jours critiques* : époque, jours des menstrues.

♦ **2** (1762). Cour. Qui décide du sort de qqn, qui amène un changement important. → **Décisif; crucial.** *Se trouver dans une situation critique.* → **Dangereux, difficile, grave; pas** (mauvais pas). *Année critique.* → **Climatérique.** *La cérémonie en était arrivée au moment critique.* → **Solennel.** *L'heure est critique, la catastrophe est imminente. L'âge critique d'une vie, les périodes critiques de l'histoire d'un pays.*

1 Vous êtes dans l'âge critique où l'esprit s'ouvre à la certitude, où le cœur reçoit sa forme et son caractère et où l'on se détermine pour toute la vie.
ROUSSEAU, Émile, IV.

1.1 Juste ciel, Madame, dit Thérèse en s'interrompant, est-il possible que le sort ne m'ait jamais placée que dans des situations si critiques, qu'il devienne aussi difficile à la vertu d'en entendre les récits, qu'à la pudeur de les peindre !
SADE, Justine..., t. I, p. 65-66.

2 Nous sommes dans un âge critique, c'est-à-dire un âge où coexistent nombre de choses incompatibles, dont les unes et les autres ne peuvent ni disparaître, ni l'emporter.
VALÉRY, Variété IV, p. 140.

3 Nous voici arrivés à une des heures critiques (...) de l'histoire de l'Empire (...)
Louis MADELIN, Vers l'Empire d'Occident, X, p. 123.

4 Dans la vie de chacun de nous, les actes tragiques ne correspondent pas toujours aux points critiques de notre destinée. GIRAUDOUX, Littérature.

♦ **3** Sc. Où se produit un changement important (par ex. : d'état). (1883). Phys. *Point critique* : état limite entre l'état solide et l'état gazeux. *Pression, température, volume critique. Masse critique* : masse minérale de matière fissile nécessaire à une réaction nucléaire en chaîne. — *Milieu, système critique*, dont l'état est critique. → **Criticité.** *Taille critique* (d'un réacteur nucléaire). *Expérience critique.*

Par ext. Qui correspond à un seuil. *Point critique d'une maladie.* → ci-dessus, 1.

Aviat. *Vitesse critique* (spécialt, seuil de vitesse égal à celle du son. → **Mur du son***). — Mécan. *Limite critique de résistance.*

DÉR. **Criticité, critiquer.** ◊ COMP. **Métacritique.**

2. **CRITIQUE** [kʀitik] n. f., n. et adj. — 1580; du lat. *criticus*. → 1. **Critique.**

I N. f. Examen d'un principe, d'un fait, en vue de porter sur lui un jugement de valeur. **A** (Jugement esthétique). ♦ **1** Activité intellectuelle qui consiste à juger les ouvrages de l'esprit, les œuvres littéraires, artistiques. *Les règles de la critique. La critique, genre littéraire. Critique dramatique, artistique, musicale. La critique littéraire classique.* → **Référer**, cit. 1. *Critique esthétique. Critique grammaticale. Soumettre une œuvre à la critique de qqn. Procéder à la, à une critique sévère de qqch. Le rôle de la critique dans l'éducation du public.* — Loc. prov. *La critique est aisée...* (cit. 2 ci-dessous, phrase souvent comprise au sens C).

La critique souvent n'est pas une science; c'est un métier, où il faut plus de santé que d'esprit, plus de travail que de capacité, plus d'habitude que de génie. 1
LA BRUYÈRE, les Caractères, I, 63.

— Mais on dit qu'aux auteurs la critique est utile. 2
— La critique est aisée, et l'art est difficile.
DESTOUCHES, le Glorieux, II, 5.

Si la critique est juste et pleine d'égards, vous lui devez 3 des remerciements et de la déférence; si elle est juste sans égards, de la déférence sans remerciements; si elle est outrageante et injuste, le silence et l'oubli.
D'ALEMBERT, Apologie de l'étude.

L'esprit de critique, vraiment utile à la littérature et au 4 bon goût, qui n'est autre chose que le discernement juste et fin des beautés et des défauts d'un ouvrage (...)
D'ALEMBERT, Éloges, Moncrif.

On dit qu'un homme a l'esprit de critique, lorsqu'il a reçu 5 du ciel, non seulement la faculté de distinguer les beautés et les défauts des productions qu'il juge, mais une âme qui se passionne pour les unes et s'irrite des autres, une âme que le beau ravit, que le sublime transporte, et qui, furieuse contre la médiocrité, la flétrit de ses dédains et l'accable de son ennui.
RIVAROL, Littérature, I, V, p. 111.

Quelque aménité doit se trouver même dans la critique; 6 si elle en manque absolument elle n'est plus littéraire (...) où il n'y a aucune délicatesse, il n'y a point de littérature.
Joseph JOUBERT, Pensées, XXIII, Des qualités de l'écrivain.

(...) je tâche, dans ces articles de critique, d'avoir le plus 7 de bon sens et de dire ce qui me semble la vérité le plus possible, pour éviter, non pas l'ennui, mais du moins la rouerie si fatale de ce métier.
SAINTE-BEUVE, Correspondance, t. I, 294, 10 juin 1833.

Par lui, et par lui seul (*Sainte-Beuve*), la critique est devenue 8 la dixième Muse (...)
A. THIBAUDET, Hist. de la littérature franç. de 1789 à nos jours, p. 292.

Souvent je me suis dit (...) que si la critique avait le pouvoir 9 magique d'effacer, d'abolir ce qu'elle condamne, et que si ces arrêts, s'exécutant à la rigueur, pouvaient annihiler ce qu'elle juge déplorable ou nuisible, les destins de la littérature en seraient fâcheusement affectés.
VALÉRY, Variété IV, p. 41.

L'on a parfois appelé le XIX⁰ siècle, siècle de la critique. Par 10 antiphrase, sans doute : c'est le siècle où tout bon critique *méconnaît* les écrivains de son temps.
J. PAULHAN, les Fleurs de Tarbes, I, p. 19.

L'on a longtemps admis qu'il existait une critique préven- 11 tive, créatrice – d'un mot, rhétoricienne – propre à frayer les voies au drame et au poème (...) Mais nous commençons par le poème ou le drame, et la critique suit, de son mieux (...) Boileau, Voltaire ou La Harpe jugeaient d'un poème qu'il était aimable ou déplaisant, qu'il flattait ou

froissait le goût, les règles, la nature. Mais il peut désormais suffire à Schwob, Albalat ou Gourmont d'«observer le mécanisme de la pensée humaine».
        J. PAULHAN, les Fleurs de Tarbes, I, p. 51.

♦ 2 *(La critique de... ; une critique).* Jugement porté sur un ouvrage de l'esprit, sur une œuvre d'art. → **Analyse, appréciation, examen, jugement.** *Faire la critique d'une pièce de théâtre, d'un roman, d'un ouvrage scientifique.* → **Compte** (compte rendu). *Critique détaillée, sérieuse ; excellente critique. Critique indulgente, bienveillante, enthousiaste. Critique acerbe, féroce, impitoyable, incisive, sévère. Critique à l'emporte-pièce, sans nuances. Critique polémique*.*

12   (...) l'une des meilleures critiques qui ait été faite sur aucun sujet est celle du *Cid.*
        LA BRUYÈRE, les Caractères, I, 30.

13   Le recueil des arrêts du goût s'appelle aussi *critique.* Il y a des critiques générales et des critiques particulières. Les sentiments de l'Académie sur *le Cid* sont une critique particulière ; le traité *du Sublime* est une critique générale. Un poète a placé la critique à la porte du temple du goût, comme sentiment des beaux-arts.
        RIVAROL, Littérature, I, v, p. 112.

14   La critique sans bonté trouble le goût et empoisonne les saveurs. La critique est un exercice de discernement.
        JOUBERT, Pensées, t. II, p. 128, *in* T. L. F.

Par ext. *(La critique, qualifié).* Rubrique (écrite ou parlée) dans laquelle un journaliste rend compte de l'actualité littéraire ou artistique. *S'occuper de la critique littéraire dans un grand journal. Critique théâtrale. La critique cinématographique, de cinéma.*

Par métonymie. L'ensemble des jugements portés sur une œuvre, un ouvrage. *Avoir une bonne critique. Cet auteur n'est pas content de sa critique.*

Spécialt. *(La critique, une critique, qualifié par un adj.).* Examen systématique (d'une œuvre) fondé sur l'analyse ; méthode critique. *Faire de la critique. Critique et théorie littéraire. Histoire de la critique littéraire en France. Critique impressionniste ou subjective. Critique biographique. Critique grammaticale, stylistique, formelle... Critique marxiste, existentialiste, structurale.* → aussi **Psychocritique, sociocritique.** *Critique textuelle.* — **Spécialt.** *Nouvelle critique* : critique qui considère l'œuvre dans ses significations profondes par des méthodes d'interprétation internes (linguistique, psychanalyse, sociologie...). — *Critique universitaire.* — *Disciplines voisines de la critique littéraire.* → **Poétique,** n. f. ; **rhétorique, stylistique.**

Critique d'un texte quant à son contenu ou *critique interne* (→ Textologie) ; *quant à son origine, aux influences...,* ou *critique externe.*

Critique philologique : critique externe de l'authenticité, du sens d'un texte sur le plan philologique. — *Critique historique* : examen de la valeur des documents, des témoignages.

Critique théologique. Critique biblique. Critique textuelle de la Bible. → **Commentaire, exégèse, glose.** — *La critique des sources.*

Absolt. *La critique* (en général : la critique littéraire).

15   La critique elle-même, dont on fait tant de bruit, n'est qu'un art de conjecture, l'art de choisir entre plusieurs mensonges.   ROUSSEAU, Émile, IV.

♦ 3 Cour. Jugement de valeur quant à une personne, ses actes (sur le plan moral). *Faire la critique de qqn. Exercer une sévère critique sur soi-même.* → **Autocritique** (→ Se remettre en cause*).

16   Cette perpétuelle critique exercée sur moi-même, cet œil impitoyable, tantôt ami, tantôt ennemi (...)
        E. FROMENTIN, Dominique, v, p. 74.

Les événements ont donné beaucoup de portée à la critique serrée et d'ailleurs fort remarquable, que votre chère belle-mère faisait de mon caractère (...)   17
        F. MAURIAC, la Pharisienne, p. 227.

♦ 4 L'ensemble de ceux qui font la critique, des critiques (→ ci-dessous, II.). *L'ensemble de la critique a bien accueilli son livre. Recevoir le prix de la critique.*

Qui publie s'expose à la critique et reconnaît les droits de la critique.   17.1
        Gustave LANSON, Manuel bibliographique...,
        Préface, p. VIII.

B (Jugement intellectuel ou moral). **Didact.** *(La critique, la critique de...).* Examen de la valeur (d'une pensée, d'un texte) sur le plan du jugement, du raisonnement. *Critique de la connaissance, de la vérité.* → **Agnosticisme, doute, scepticisme.** *La Critique de la raison pure ; la Critique de la raison pratique ; la Critique du jugement,* ouvrages de Kant (→ **Criticisme**). *La Critique de la raison dialectique* (Sartre). *Passer au crible de la critique. Faire la critique d'une assertion. Critique d'un raisonnement, d'un enchaînement logique.*

C **Cour.** Action de critiquer, tendance de l'esprit à émettre des jugements sévères, défavorables, négatifs *(la critique)* ; jugement défavorable *(une, des critiques).* → **Attaque, blâme, censure, condamnation, contradiction, glose ; critiquer.** *La critique de qqn, de qqch., exercée à l'encontre de qqn, qqch. La critique de qqn, exercée par qqn. La critique de votre comportement que fait X est assez sévère. La critique de X sur les actions de Y. Faire la critique de...* (→ **Procès**). *Exercer sa critique, une dure critique sur... La critique et la louange. — Esprit de critique :* esprit négatif qui ne voit que les défauts des personnes et des choses. **REM.** L'expression s'emploie aussi en bonne part. → ci-dessus, cit. 4 et 5. *Donner prise, prêter à la critique.* → **Critiquable.** *Sa conduite mérite une dure critique.* → **Réprimande ; observation, remarque, remontrance, reproche.** *Rien n'est à l'abri de sa critique. — On ne lui a pas épargné les critiques. Critique captieuse, injuste, injustifiée.* → **Argutie, chicane, ergoterie.** *Critique bruyante, tapageuse.* → **Clabaudage, clameur.** *Critique amère, sévère, violente.* → **Diatribe, éreintement, vitupération ; coup** (de patte, de griffe). *Une dure critique. Critique spirituelle.* → **Épigramme, raillerie.** *Cela lui a attiré la critique de tous les honnêtes gens.* → **Animadversion, improbation, réprobation.** *Ne pas admettre, ne pas supporter la critique, les critiques. Ne pas se laisser arrêter, rebuter par les critiques, par la critique. Critiques justes, fondées. Faire l'objet de critiques. Diriger ses critiques contre qqn ; se répandre en critiques sur qqch. — Faire des critiques sur la valeur littéraire d'un ouvrage.* → **Réserve.** *— La Critique de l'École des femmes,* comédie de Molière. — **Prov. et fam.** *La critique est aisée...* (→ ci-dessus, cit. 2) : il est plus facile de critiquer que de bien faire.

Le plaisir de la critique nous ôte celui d'être vivement touchés de très belles choses.   18
        LA BRUYÈRE, les Caractères, I, 20.

La jeunesse, sans expérience, se livre à une critique présomptueuse (...)   19
        FÉNELON, Télémaque, X.

En France, le premier jour est pour l'engouement, le second pour la critique et le troisième pour l'indifférence.   20
        LA HARPE, cité par GUERLAC, p. 130.

Toute notre critique, c'est de reprocher à autrui de n'avoir pas les qualités que nous croyons avoir.   21
        J. RENARD, Journal, 29 juil. 1895.

Il est aussi difficile de faire des compliments faux que de la critique sincère.   J. RENARD, Journal, 3 oct. 1907.   22

23 L'expérience de la louange et de la critique, du doux et de l'amer, donne les résultats suivants. La louange exerce et trouble la sensibilité bien plus que ne fait la critique. La critique engendre une sorte d'action, illumine des armes dans l'âme. VALÉRY, Variété III, p. 72.

24 (...) je veux tout de suite aborder avec vous les critiques que vous formulez à mon endroit.
MARTIN DU GARD, Jean Barois, I, 3, p. 141.

Par ext. (En parlant d'un acte, d'un comportement). Ce qui fait ressortir indirectement, par comparaison, les défauts, les vices de qqch. *Sa conduite est la meilleure critique de leur attitude.* → **Réponse.** — (D'un texte). *Ce roman, cette parodie constitue une critique indirecte de nos habitudes.*

II N. m. et f. (1637). Personne qui exerce la critique.
REM. L'homonymie avec le sens I peut limiter l'emploi du féminin.

♦**1** Personne qui juge des ouvrages de l'esprit, des œuvres d'art. → **Commentateur, métaphraste.** *Faire œuvre de critique. Les plus grands critiques sont souvent les créateurs eux-mêmes.* — Spécialt. Journaliste chargé d'apprécier les nouveautés littéraires ou artistiques. *Un, une critique littéraire, dramatique; un, une critique d'art. Critique de cinéma. C'est Mme X la critique musicale* (ou : *le critique musical*) *de ce journal. Critique habile, savant; critique éclairé, judicieux, subtil.* → **Aristarque** (littér.). *Critique sévère* (→ **Censeur**), *indulgent. Critique envieux, méchant.* → **Zoïle** (littér.). *Les arrêts des critiques.*

25 Craignez-vous pour vos vers la censure publique,
Soyez-vous à vous-même un sévère critique.
BOILEAU, l'Art poétique, I.

26 La plupart des critiques de profession ont un avantage dont ils ne s'aperçoivent pas peut-être, mais dont ils profitent comme s'ils en connaissaient toute l'étendue : c'est l'oubli auquel leurs décisions sont sujettes, et la liberté que cet oubli leur laisse d'approuver aujourd'hui ce qu'ils blâmaient hier. D'ALEMBERT, Éloges, Du Marsais.

27 Le critique qui n'a rien produit est un lâche; c'est comme un abbé qui courtise la femme d'un laïque : celui-ci ne peut lui rendre la pareille ni se battre avec lui.
Th. GAUTIER, Préface de Mlle de Maupin,
p. 19 (éd. critique MATORÉ).

28 Dans l'article assurément fort remarquable qu'un critique, aussi plein d'esprit que d'urbanité, a consacré ces jours derniers à l'examen du style et de la versification de *Cromwell* (...)
SAINTE-BEUVE, Correspondance, 47, 13 août 1828,
t. I, p. 96.

29 Le bon critique est celui qui raconte les aventures de son âme au milieu des chefs-d'œuvre.
FRANCE, Vie littéraire, I, Préface.

29.1 Écrivez vingt livres, un critique vous jugera en vingt lignes, et vous ne serez pas le plus fort.
J. RENARD, Journal, 25 nov. 1898.

29.2 Qu'est-ce qu'un critique? Un lecteur qui fait des embarras.
J. RENARD, Journal, 23 avr. 1899.

30 Critiques. Le plus sale roquet peut faire une blessure mortelle; il suffit qu'il ait la rage.
VALÉRY, Rhumbs, p. 201.

31 (...) vous êtes du moins l'homme rare que les critiques les plus difficiles, les polémistes les plus aigres, ceux même qui exercent sans relâche la fonction de diminution des renommées et qui se donnent pour emploi de ruiner dans l'esprit public toute grandeur qui s'y dessine, aient dû à peu près épargner. VALÉRY, Variété IV, p. 53.

31.1 L'objet d'un vrai critique devrait être de découvrir quel problème l'auteur s'est posé (sans le savoir ou le sachant) et de chercher s'il l'a résolu ou non.
VALÉRY, Cahiers, Pl., t. II, p. 1191.

32 Ce ne sont pas les critiques qui font les livres (...)
BERNANOS, Scandale de la vérité, p. 16.

33 Allory ne touchait, aux *Débats*, que cent francs par semaine pour son feuilleton de critique, tout en se targuant du double auprès de ses confrères.
J. ROMAINS, les Hommes de bonne volonté, t. III,
XIII, p. 177.

En somme, pour qui n'est pas critique né, comme Sainte-Beuve, la critique n'est qu'un instrument d'excitation personnelle. Elle est un stimulant pour notre liberté. 33.1
J.-R. BLOCH, Deux hommes se rencontrent, p. 162.

Par ext. Personne qui juge. «*Mme Mazerelles, esprit borné, critique nulle* (...) *par une admiration incompréhensive*» (Martin du Gard, *in* G. L. L. F.).

♦**2** Vx. Personne qui critique, condamne. → **Censeur, contempteur.**

Quoi? je souffrirai, moi, qu'un cagot de critique 34
Vienne usurper céans un pouvoir tyrannique (...)
MOLIÈRE, Tartuffe, I, 1.

III Adj. (1623, *in* D. D. L.). ♦**1** Didact. ou littér. Qui décide de la valeur, des qualités et des défauts des ouvrages, des œuvres d'art... *Analyses, appréciations, considérations, jugements critiques. Dissertation, éloge critique.*

(...) leurs ouvrages, dont j'ai fait des éloges critiques plus 35
ou moins étendus.
LA BRUYÈRE, Disc. à l'Acad., Préface (Variante).

Par métonymie. ŒIL, REGARD, VISION CRITIQUE : faculté de porter un jugement impartial sur qqch.

♦**2** Didact. Qui examine la valeur logique d'une assertion, l'authenticité d'un texte, etc. (→ ci-dessus, I., A., 2.). *Analyse, démarche, examen critique. Annotations, notes, remarques critiques* (→ **Scolie**). *Étude, bibliographie critique. Essai critique. Édition critique*, établie soigneusement après critique des textes originaux. *Appareil*, apparat critique*, accompagnant le texte d'une édition.

Une traduction du Nouveau Testament avec des remar- 36
ques littérales et critiques.
SAINT-SIMON, Mémoires, III, 358, *in* HATZFELD.

Cour. ESPRIT CRITIQUE, qui n'accepte aucune assertion sans s'interroger d'abord sur sa valeur (→ Doute* méthodique, libre examen*). *L'esprit critique d'un historien, d'un sociologue. Faire preuve, manquer d'esprit critique.* — *Intelligence, sens critique. Manquer de sens critique.*

Un esprit critique vaut *par l'action qu'il exerce au moyen* 37
des clartés qu'il fait.
Ch. MAURRAS, cité par Julien BENDA,
la Trahison des clercs, III, p. 221.

Par métonymie. *Un lecteur, un spectateur critique*, qui analyse et juge.
Un regard, un œil critique. → **Curieux, observateur, soupçonneux.** *Considérer qqn, qqch. d'un œil critique.*

Marcelle lâcha la main droite de Mathieu et lui happa 38
l'autre main au passage; elle la retourna comme une crêpe et en considéra la paume d'un œil critique.
SARTRE, l'Âge de raison, XVIII, p. 285.

REM. Dans l'usage courant, ces divers emplois glissent au sens 3 et ne s'appliquent guère qu'à la critique négative.

♦**3** Qui critique (2.); qui est porté à critiquer, à censurer. → **Destructeur, négatif...** (→ ci-dessus, I., 3.). *Humeur critique* : disposition à faire ressortir les défauts des personnes et des choses. *La partie affirmative et la partie critique d'un système.*

Toute parole libre et généreuse leur paraît hautaine, cri- 39
tique et séditieuse.
FÉNELON, Télémaque, XI.

Esprit critique : esprit prompt à critiquer (générale-ment de façon négative). → **Malveillant.**

Gardez-vous, dira l'un, de cet esprit critique 40
On ne sait bien souvent quelle mouche le pique.
BOILEAU, Satires, IX.

(...) un esprit critique destructeur, cruel, agressif, sans 41
bornes (...)
J. CHARDONNE, les Destinées sentimentales, II, II,
p. 241.

Par métonymie. *Une personne critique,* qui ne peut s'empêcher de dire du mal. *Vous êtes trop critique à l'égard de votre patron.*

CONTR. I. Crédulité, croyance, foi, naïveté. — **Admiration, adulation, apologie, approbation, compliment, congratula- tion, éloge, félicitation, flatterie, louange.** II. **Admirateur, apologiste, approbateur, flatteur.** III. **Crédule, naïf.** — **Admi- ratif, apologétique, élogieux, flatteur, laudatif.** — **Cons- tructif, positif** (esprit). ◊ **DÉR. et COMP. Critiquement.** — 1. **Acritique,** 2. **acritique, autocritique, hypercritique, sous- critique, surcritique.**

CRITIQUEMENT [kʀitikmã] adv. — 1863; de 2. *cri- tique.*

◆ **1** D'une manière critique (2. Critique, III., 1. ou 2.); en analysant et en jugeant. *Examiner critique- ment une dépêche d'agence, un communiqué.*

1 (...) comme le conseiller désigné, par sa logique et son intuition sans précédent en Allemagne, pour étudier cri- tiquement les projets de nos hommes d'État.
GIRAUDOUX, Siegfried et le Limousin, p. 174.

2 «Suis-je un porc?» se demande-t-il. Puis il pense que non, et que, critiquement, il n'en est un d'aucune façon, mais qu'il est une sorte de vieil enfant difficilement acceptable parmi les vieux ou parmi les jeunes.
A. PIEYRE DE MANDIARGUES, la Marge, p. 228.

◆ **2** Plus cour. D'une manière critique, négative. *Il ne faut pas en parler si critiquement.* → **Négativement, sévèrement.**

CRITIQUER [kʀitike] v. tr. — 1611, de 2. *critique;* en 1546, méd., «arriver à la dernière phase d'une maladie», in Rabelais; de 1. *critique.*

◆ **1** Analyser, examiner (une œuvre, un ouvrage...) pour en faire ressortir les qualités et les défauts. → 2. **Critique** (I., A., 1.); **analyser, commenter, discuter, étudier, examiner, juger.** *Critiquer minutieusement un ouvrage.* → **Éplucher** (fam.; → Passer au crible*).

1 Il faut, autant qu'on peut, apporter des exemples illustrés des choses qu'on dit, lorsqu'elles sont de conséquence, et c'est quelquefois faire honneur à un livre que de le criti- quer.
MALEBRANCHE, De la recherche de la vérité, II, III, 4, *in* LITTRÉ.

2 Il a bien critiqué le livre qu'il avait dans la tête, il n'a pas critiqué celui de l'auteur.
MONTESQUIEU, Défense de l'Esprit des lois, II.

Par ext. *Critiquer et contrôler un travail.*

Absolt. *Avoir le droit, le devoir de critiquer. Critiquer est pour lui une façon d'apprécier.*

◆ **2** Émettre un jugement explicite faisant ressortir les défauts de (qqn, qqch.). → **Attaquer, blâmer, cen- surer, cingler, condamner, contredire, décrier, dés- approuver, discuter, épiloguer** (sur), **fronder, gloser, improuver, remontrer, reprocher, réprouver, trouver** (à redire), **vitupérer;** et les fam. **arranger, assassiner, bêcher, charrier, chiner, débiner, descendre, éreinter, esquinter, étriller, sabrer, taper** (sur). *Critiquer qqch. avec violence. Critiquer sévèrement qqn.* → **Attraper** (fam.), **avertir, crier** (après), **réprimander, semoncer, tympaniser.** *Critiquer injustement qqn.* → **Calomnier, jaser** (sur, de), **médire** (de), **parler** (parler mal de), **cla- bauder** (sur); **criticailler.** *Critiquer les actions, la con- duite de qqn. Critiquer le gouvernement. Critiquer tout le monde. Il s'arroge le droit de tout critiquer.* → aussi **Détruire, nier; négatif.**

Il a peur de se faire critiquer. Il n'y a là rien à critiquer.

3 Un esprit chagrin et superbe, qui critiquait toutes mes actions (...)
FÉNELON, Télémaque, XI.

4 Une jeune fille craint de se faire critiquer en prenant un homme qui a dix ou douze ans de plus qu'elle, parce que ce n'est pas la coutume du pays (...)
G. SAND, la Mare au diable, XI, p. 92.

À critiquer l'irrémédiable, on perd son temps. 5
Pierre LOUŸS, les Aventures du roi Pausole, I, IV, p. 28.

Critiquer qqn de faire qqch., pour avoir fait qqch. — Critiquer qqn pour, en raison de qqch. — Je ne critique que sa dernière réaction. — Critiquer que... (et subj.).

Absolt. *Il passe son temps à critiquer,* à porter des jugements négatifs sur tout.

◆ **SE CRITIQUER** v. pron.

(Sens réfl.). Faire sa propre critique. → **Autocritique.** — (Sens récipr.). Se soumettre mutuellement à une critique. *Les co-auteurs se sont critiqués sans indul- gence.*

◆ **CRITIQUÉ, ÉE** p. p. adj.

Soumis au jugement de la critique (que ce juge- ment soit positif ou négatif). *Livres, films critiqués (dans un journal, etc.).* — Qui fait l'objet d'une cri- tique, de critiques. → **Blâmé, désapprouvé.** *Il a une conduite fort critiquée. C'est le ministre le plus cri- tiqué du gouvernement.*

CONTR. Admirer, aduler, apprécier, approuver, féliciter, flatter, louer, préconiser. ◊ **DÉR. Criticailler, critiquable, cri- tiqueur.**

CRITIQUEUR, EUSE [kʀitikœʀ, øz] adj. et n. — 1589; de *critiquer.*

Rare. Qui a la manie de critiquer* (2.). → **Criticail- leur.** — N. *Une bande de critiqueurs.*

CROA-CROA [kʀɔakʀɔa] onomat. et n. m. — Onoma- topée. → Croasser.

Fam. Cri du corbeau. → **Croassement.** — Var. ortho- graphique : *crôa-crôa.*

Horizon vide, ciel silencieux. N'existent bientôt plus que le bruit des pas, la plainte du vent qui se lève, le «crôa-crôa» funèbre des corbeaux.
Jean-Louis BORY, *in* le Nouvel Obs., n° 411, 25 sept.-1er oct. 1972, p. 68.

REM. Le mot évoque surtout le sens figuré et anticlérical de *corbeau*. Cf., avec un emploi verbal, l'exemple de Pré- vert (Paroles) : *Ceux qui croient / Ceux qui croient croire / Ceux qui croa-croa (...)*

CROASSANT, ANTE [kʀɔasã, ãt] adj. — 1836, Cha- teaubriand; p. prés. de *croasser.*

◆ **1** Qui croasse. *Corbeaux croassants.* — Fig. *Voix croassante.*

◆ **2** Littér. Qui émet des critiques malveillantes, hai- neuses. → Croasser, 2. «*Le concert croassant des médiocrités*» (Chateaubriand, *in* T. L. F.).

CROASSEMENT [kʀɔasmã] n. m. — 1549; de *croasser.*

◆ **1** Cri du corbeau, de la corneille. → **Craillement, croa-croa.** → Prudent, cit. 7.

(...) les corbeaux filaient au loin à tire-d'aile en poussant 1 des croassements de rappel significatifs.
Louis PERGAUD, De Goupil à Margot, «La captivité de Margot», p. 154.

Par ext. (Abusivt). Cri d'oiseau évoquant celui du cor- beau. *Croassement de l'aigle, du canard.*

Aucun bruit! pas même le croassement des aigles! Rien! 2 (...) et je me penche pour écouter l'harmonie des planètes.
FLAUBERT, la Tentation de saint Antoine, Pl., t. I, p. 177.

◆ **2** Littér. Critique* malveillante. *Le croassement des jaloux, des envieux.*

CROASSER [kʀɔase] v. intr. — XVᵉ, *croescer; cronasser, croacer,* XVIᵉ; onomat., *kro-* imitant le cri du corbeau.

♦ **1** Crier (en parlant du corbeau, de la corneille). → **Crailler.** (Ne pas confondre avec *coasser.*)

1 Comparez (...) le corbeau qui croasse au brillant rossignol.
DELILLE, Trois règnes, VII.

1.1 (...) la nuit
A l'heure où les corbeaux croassent
Volant dans l'ombre par milliers (...)
HUGO, la Légende de la nonne.

1.2 Dehors, les corbeaux, dérangés dans leurs occupations familiales par une brusque querelle de clans, se mettent soudain à croasser tous ensemble avec fureur.
A. ROBBE-GRILLET, Souvenirs du triangle d'or,
p. 95.

Par ext. (Abusif). Crier, en parlant de certains oiseaux dont le cri ressemble à celui du corbeau. «(Les mouettes) *venaient croasser tout autour*» (L.-F. Céline, *Mort à crédit*, 1936, *in* T.L.F.).

Par anal. (Personnes). Produire des sons semblables à un croassement en parlant, chantant.

2 Ses rivaux obscurcis autour de lui croassent.
BOILEAU, Épîtres, VII.

(1561, *in* D.D.L.). Fig. et trans. *Croasser de mauvais vers.*

♦ **2** Littér. Critiquer de façon malveillante. → **Calomnier, médire, récriminer** (→ Corbeau, cit. 6).

DÉR. Croassant, croassement.

CROATE [kʀɔat] adj. et n. — 1678; *crabbate,* 1633; de *Croatie,* aujourd'hui une des républiques de Yougoslavie.

Relatif à la Croatie et à ses habitants. *République croate. L'économie croate.*

N. *Un, une Croate* : habitant de la Croatie.

DÉR. (Du même rad.) V. **Cravate.**

CROBAR ou **CROBARD** [kʀɔbaʀ] n. m. — 1951; d'abord dans le jargon des ingénieurs «croquis, schéma»; de l'initiale de *croquis* et finale argotique *-ar* (cf. *calebar*), normalisée en *-ard*. Un premier mot *crobard* (1933) «petit enfant» vient de *crob* «petit», apocope de *microbe*.

Fam. Croquis, esquisse, dessin rapide.

Elle dessine des crobards à vitesse supersonique pour le cinoche et les agences de pub.
Tito TOPIN, Un gros besoin d'amour, p. 55.

1. CROC [kʀɔk] interj. — 1694; onomatopée.

Onomatopée imitant le bruit que font certaines choses dures quand on les brise avec les dents. → **Croquer; crac, cric.** *Cela fait croc sous la dent.*

HOM. Formes du v. **croquer.**

2. CROC [kʀo] n. m. — V. 1120; du francique **krok* (cf. anc. scandinave *krôkr*).

♦ **1** (Vx sauf dans quelques syntagmes). Instrument de fer, de bois... muni d'un ou de plusieurs crochets et qui sert à pendre qqch. → **Crochet, grappin.** *Croc de boucherie. Pendre de la viande au croc. Croc de cuisine. Le croc d'une crémaillère.*

1 Apprends-moi ton métier, camarade, de grâce;
Rends-moi le premier de ma race
Qui fournisse son croc de quelque mouton gras (...)
LA FONTAINE, Fables, XII, 9.

Loc. fig. Vx. *Mettre ou pendre (qqch.) au croc,* y renoncer. *Mettre les armes* (ou *son épée*) *au croc.* *Mettre un procès au croc,* l'abandonner. — *Être au croc* : être interrompu (procès, affaire). — *Mettre ou avoir qqch. à son croc,* à sa disposition.

♦ **2** Techn. Longue perche (instrument ou outil) terminée par un crochet et servant à tirer à soi, à accrocher (fixer) ou à décrocher. *Croc de batelier.* → **Gaffe, harpon.**

Agric. Pioche à deux dents. *Croc à fumier, à pommes de terre* (→ **Crochet, fourche**).

Archit. *Croc servant à maintenir une poutre.* → **Crochet** (crochet de corbeau), **harpon, patte.**

Mar. *Croc d'amure,* servant à amarrer l'amure d'une voile. — *Croc à cosse,* servant à fixer un cordage. — *Croc de palan* : crochet de la poulie d'un palan. — *Croc de remorque,* servant à accrocher la remorque d'un bateau. — *Croc de traversière*. Croc à émerillon.* → **Poulie.**

Ancienn. *Arquebuse* à croc. La fourchette* d'une arquebuse à croc.*

Vx. Crochet servant à ouvrir les serrures. *La pince et le croc des voleurs.*

♦ **3** (V. 1650). Cour. dans quelques expr.; rare au sing. Dent pointue de certains animaux (→ **Canine**). *Les crocs d'un chien* (cit. 13). *Donner un coup de croc. Découvrir, montrer ses crocs.* → **Menacer.** *Rentrer ses crocs. Crocs d'un jeune chien.* → **Crochet.** — *Croc blanc* (nom d'un chien de traîneau, dans la trad. française d'un roman de Jack London).

2 Miraut déjà montrait des crocs aigus, et, pour répondre à cette provocation, Goupil, à travers les mailles de la muselière, découvrait lui aussi, sous un froissement de mufle, des gencives décolorées d'où jaillissaient des canines pointues.
Louis PERGAUD, De Goupil à Margot,
Trag. avent. de Goupil, IV, p. 28.

3 Lorsqu'elle vit l'homme, elle rasa les oreilles, trop épuisée pour faire front; un hérissement courut dans les poils de son cou, un rictus découvrit ses crocs, éclatants sous les babines noirâtres.
M. GENEVOIX, Raboliot, IV, II, p. 236.

3.1 On croirait qu'il *(l'animal)* va terminer le mouvement interrompu : ramener la patte restée tendue en arrière, dresser les deux oreilles de façon égale, ouvrir davantage les mâchoires pour dégager largement les crocs, dans une attitude menaçante, comme si quelque spectacle l'inquiétait, du côté de la rue, ou mettait en danger sa maîtresse.
A. ROBBE-GRILLET, la Maison de rendez-vous, p. 14.

Par ext. (Au plur.). Dents (de l'homme). — Loc. Littér. *Montrer les crocs* : menacer. *Tomber sous les crocs de qqn.* — Fam. *Avoir les crocs* : avoir très faim.

3.2 Ça fait rien, dit-il, en attaquant la choucroute.
— Tu as l'air d'avoir les crocs, remarqua Paradis.
— Pas tellement. C'est seulement pour le plaisir.
R. QUENEAU, Pierrot mon ami, éd. L. de Poche,
p. 104.

3.3 On va bouffer? J'ai les crocs, moi! Je boufferai quelque chose de bon!... On y va?
Louis CALAFERTE, Partage des vivants, p. 62.

♦ **4** Loc. *Moustaches en croc,* et, ellipt. (vx), *croc* : moustaches recourbées de chaque côté de la bouche en forme de croc. *Relever ses moustaches en croc. Moustaches «cirées aux pointes et tournées en croc»* (Th. Gautier, *le Capitaine Fracasse,* III).

4 L'un étale sa barbe rousse
Comme Frédéric dans son roc;
L'autre superbement retrousse
Le bout de sa moustache en croc.
Th. GAUTIER, Émaux et Camées,
«Le château du souvenir».

DÉR. Croche, crocher, crochet, crochu. ◊ COMP. Accroc, accrocher, raccrocher, recroqueviller. — Croc-en-jambe.

CROC-EN-JAMBE [kʀɔkãʒãb] n. m. — 1611; *croc de la jambe,* 1554; de 2. *croc,* et *jambe.*

♦ **1** Manière de faire tomber qqn en lui tirant une jambe avec le pied. → **Croche-patte, croche-pied, jambette.** *Faire un croc-en-jambe à qqn. Des crocs-en-jambe.*

1 D'un croc-en-jambe par après
Je le renverserai sur l'herbe.
SCARRON, Jodelet maître et valet.

♦2 Fig. Manière adroite, mais peu loyale de supplanter qqn. *Donner, faire un croc-en-jambe à un concurrent.* → **Tour.**

2 Rameau, qui fut chargé des changements indiqués par M™ de la Poplinière, m'envoya demander l'ouverture de mon grand opéra pour la substituer à celle que je venais de faire. Heureusement je sentis le croc-en-jambe, et je la refusai.   ROUSSEAU, les Confessions, VII.

3 Nous savons bien que presque tous ses collègues n'auront, au fond, qu'une pensée, celle de lui faire un croc-en-jambe, de s'emparer de sa place et de s'emparer de son titre, pour une semaine ou pour un jour.
          G. DUHAMEL, Manuel du protestataire, II, p. 73.

Faire un croc-en-jambe à la vérité. → **Entorse.** *Un croc-en-jambe aux habitudes.*

1. CROCHE [kʀɔʃ] adj. — 1520; de 2. *croc.*

Vieux ou régional.

♦1 Qui est recourbé à son extrémité. → **Crochu, tordu.** *Doigts, jambes croches. Il a un grand nez croche.*

1 (...) Saad ne distingue ses clients qu'à leurs mains. Il y en a de larges, de sèches, de croches et de ridées.
          J.-R. BLOCH, la Nuit kurde, p. 49.

♦2 Fig. Crochu. *Avoir la main, les doigts, les ongles croches :* être avare.

2 Elle va nous traîner de pièce en pièce, abattant sa main croche un peu sur n'importe quoi, sans cesser de fulminer contre l'ingratitude, la filouterie du genre humain.
          Hervé BAZIN, Cri de la chouette, p. 43.

Avoir, se mettre dans la tête des idées croches, des idées fausses.

HOM. 2. **Croche, croches.**

2. CROCHE [kʀɔʃ] n. f. — 1680; *crochué,* 1611; de l'adj. *croche* «crochu» (→ 1. Croche) ou du subst. *croche* «crochet» (XIII°); de 2. *croc.*

Mus., cour. Note dont la queue porte un crochet et qui vaut la moitié d'une noire (symb. *8* — le huitième de la ronde). *Double, triple, quadruple croche :* croche portant deux, trois, quatre crochets et valant la moitié, le quart, le huitième de la croche. *Croche pointée**.

La musique pour nous n'est pas la science des sons, c'est celle des noires, des blanches, des doubles croches (...)
          ROUSSEAU, Dissertation sur la musique moderne, Préface.

DÉR. **Croches.** ◊ HOM. 1. **Croche, croches.**

CROCHÉ, ÉE [kʀɔʃe] p. p. adj. → **Crocher.**

CROCHE-PATTE [kʀɔʃpat] n. m. — xx°; de *crocher,* et *patte.*

Fam. (surtout enfantin). → **Croche-pied.** *Des croche-pattes.*

(...) embusqué derrière une haie alors Lucien marche sur le sentier croche-patte coups de pied dans la figure je prends son pognon je me cavale (...)
          Tony DUVERT, Paysage de fantaisie, p. 125.

CROCHE-PIED [kʀɔʃpje] n. m. — 1835; de *croche(r),* et *pied.*

Le fait d'accrocher au passage la jambe de qqn avec le pied, pour le faire tomber. → **Croc-en-jambe, croche-patte** (vieilli), *faire un croche-pied à qqn. Des croche-pieds.*

Fig. Croc-en-jambe (2.).

CROCHER [kʀɔʃe] v. — V. 1180, *crochier;* de 2. *croc.*

I V. tr. **♦1** Vx. Suspendre, saisir avec un croc*. → **Accrocher.**

Argot anc. *Crocher une serrure,* l'ouvrir avec un croc* (2. Croc, 2., vx). → **Crocheter.**

Par ext. (Vx, régional ou dans le langage des marins, → le sens 2). Attraper, saisir (qqn); accrocher*, serrer (qqch.). *Crocher qqn par le bras. Elle «le crochait du bras droit»* (Henri Pourrat, *in* T. L. F.).

1 Tout de même, je croche mes mains sur le plat-bord, et je me hisse pour regarder là-dedans (...)
          LOTI, Matelot, XXIV, p. 91.

Pron. *Se crocher :* s'empoigner (pour se battre).

♦2 Mod. Mar. Saisir avec un croc, un crochet. *Crocher un palan, une poulie.*

♦3 Régional (Suisse). Attacher (des boutons, un vêtement).

Accrocher (qqch. à qqch.); fixer solidement. Au p. p. *«La main droite crochée au roc»* (W. A. Prestre).

2 (...) cinq chevaux, crochant aux pavés le tranchant brillant de leurs fers.
          C.-F. RAMUZ, Samuel Belet, *in* Œ. compl., t. V, p. 187.

3 Les riches, ça ne croche pas au sol comme nous autres. Ils ne tiennent jamais en place.
          Guy DE POURTALÈS, la Pêche miraculeuse, p. 429.

♦4 Mus. (Rare). Transformer (une note) en croche, en lui faisant une queue (ou en double-croche, etc.). *La noire du troisième temps est pointée, crochez celle du quatrième pour que la mesure soit juste.*

II V. intr. **♦1** Mar. S'agripper. *Crocher dans la toile :* saisir fortement la toile pour la ferler.

4 (...) il s'agissait d'un animal des grands fonds : il possède un œil immense par rapport à sa tête et des crocs énormes; je ne le reconnais pas sur le moment (...) devant son aspect cuivré, l'apparence vénéneuse de la bave qu'il répandait sur le sac de couchage dans lequel il avait croché, je le reprends précautionneusement, par la queue, et le rejette dans l'eau.
          Alain BOMBARD, Naufragé volontaire, p. 182.

(En parlant de l'ancre, d'un grappin, etc.). Se fixer, s'accrocher. *L'ancre vient de crocher.* — (De celui qui lance une amarre, un grappin, etc.) :

5 Ils refusaient d'ailleurs tous de se déranger, sachant bien que le Cyclone *(un remorqueur),* avec son avance de dix heures, crocherait le premier de l'épave (...)
          Roger VERCEL, Remorques, p. 52.

♦2 Techn. Égaliser les boucles d'un tricot.

♦3 Régional. Faire un crochet*, changer de direction.

6 *(Le)* trois-quarts qui me ravit, charge, croche, et ne m'abandonne que lorsqu'il bascule, pris aux cuisses (...)
          A. ARNOUX, Suite variée, p. 47.

♦4 Régional (Suisse). Fig. **ⓐ** Avoir des difficultés. → **Accrocher, coincer** (se).

ⓑ Faire preuve de ténacité. → **Accrocher** (s').

7 L'Italien essaie bravement de s'y faire, il a le cafard, mais il croche.
          Jacques CHESSEX, Portrait des Vaudois, p. 34.

♦ CROCHÉ, ÉE p. p. adj. Vieux.

♦1 Suspendu, saisi. *Objet croché.* Mar. *«L'ancre est déjà parée, crochée dans la sous-barbe...»* (B. Moitessier, *Cap Horn à la voile,* p. 76).

♦2 Crochu, recourbé. *Doigt croché.*

CONTR. **Lâcher; décrocher.** ◊ COMP. **Croche-patte, croche-pied.**

CROCHES [kʀɔʃ] n. f. pl. — 1803; de 1. *croche* «crochu».

Techn. Tenailles à poignées recourbées servant à tenir le fer sur l'enclume. *Croches de forgeron.*

HOM. 1. **Croche, 2. croche.**

CROCHET [kʀɔʃɛ] n. m. — Fin XIIᵉ, *crokes,* n. m. plur. ; de 2. *croc.*

I ♦ 1 Pièce de métal recourbée, pour prendre ou retenir qqch. → 2.**Croc.** *Le crochet d'un porte-manteau* (→ Crochu, cit. 0.1, Robbe-Grillet). *Crochet de fer, d'acier. En forme de crochet, en crochet.* → **Unciforme.**

0.1 (...) appuyé au chambranle de la porte, *(il)* l'observe aussi sans rien dire fourrager maintenant à coups de crochet dans la cuisinière éteinte, froissant un journal, tirant de derrière le fourneau une poignée de sarments qu'elle casse rapidement.   Claude SIMON, le Vent, p. 50.

Crochet de boucherie, servant à suspendre la viande. → **Allonge, croc, pendoir.** *Viande au crochet.*

Spécialt. Outil formé d'un crochet de métal et d'une poignée pour accrocher et manier des fardeaux, les gros poissons, etc. — *Bâton armé d'un crochet. Crochet de chiffonnier.*

Loc. fig. et fam. (1694). *Vivre aux crochets de qqn,* vivre à ses dépens. *Je ne veux pas vivre à vos crochets.*

0.2 S'il pouvait être nommé dans n'importe quel trou, ce serait mieux que de courir les salons, de meubler des appartements, de vivre aux crochets — parfaitement — de ses beaux-parents (...)
                          N. SARRAUTE, le Planétarium, p. 273.

♦ 2 Attache mobile servant à fixer, à maintenir qqch. → **Agrafe,** 2. **croc** (2.), **esse, patte.** *Clou* à crochet,* à tête recourbée. → **Piton.** *Pendre un tableau à un crochet. Accrocher un plat sur un mur à l'aide d'un crochet.* → **Accroche-plats.** *Le crochet d'un cadenas, d'une serrure. Les crochets d'un attelage de wagons. Crochet d'une boîte,* servant à maintenir le couvercle fermé. *Crochet d'une gouttière, d'un chéneau. Crochet d'une tuile. Crochet d'une porte, d'une fenêtre* (→ **Bec-de-cane, espagnolette**). *Crochet d'un châssis, d'un assemblage. Mécanisme à crochet.* → **Déclic.** — *Crochet de menuisier.* → **Pélican.**

Tige de fer recourbée servant à enfiler des feuilles de note, des factures. → **Pique-notes.** *Crochet de bureau.*

♦ 3 Techn. Instrument présentant une extrémité recourbée. (→ **Unciné**).

Agric. Binette* servant au jardinage. *Crochet à biner. Biner au crochet.* — *Crochet à fumier.* → **Croc; fourche.** — *Crochet pour haler le bois.* → **Renard.**

Crochet de serrurier. → **Passe-partout, rossignol; clef** (cit. 4). *Ouvrir une porte à l'aide d'un crochet.* → **Crocheter.** — *Crochet à boutons.* → **Tire-bouton.** *Crochet à bottes.* → **Tire-botte.** — *Crochet à bourre.* → **Tire-bourre.**

Mar. *Crochet de voilier,* servant à retenir la toile près des genoux de l'ouvrier pendant qu'il coud une voile.

(1539). Au plur. Vx. Châssis du portefaix. → **Crocheteur.** *Porter les crochets.*

Chir. Pinces servant parfois dans des accouchements difficiles. → **Forceps.** — *Crochets servant à maintenir écartés les bords d'une plaie.* → **Araignée, érigne.**

♦ 4 (1835). Plus cour. Tige dont l'extrémité recourbée retient le fil qui doit passer dans la maille. *Aiguille* à crochet. Dentelle au crochet. Point de crochet. Travaux au crochet. Manier le crochet.*

1 (...) elle ne cessait jusqu'au soir de faire des couvertures de laine au crochet, d'un point régulier.
                          J. CHARDONNE, les Destinées sentimentales, I, II, p. 72.

Par ext. Le travail fait à l'aide du crochet. *Faire du crochet. Vêtement au crochet. Du crochet.*

♦ 5 (1393). Didact. **ⓐ** Anat., zool. Dent aiguë de certains animaux. *Les crochets d'un jeune chien.* → 2.**Croc,** 3. ; **canine.** — *Les canines du cheval.* — Plus cour. Dent à extrémité recourbée. → **Dent** (à venin). *Les crochets à venin des reptiles.* — Pièce recourbée (insectes ; arachnides).

Fam. Dent, canine humaine. Loc. fig. *Avoir les crochets* : avoir très faim. → 2.**Croc,** 3. (avoir les crocs).

1.1 J'ai les crochets, moi, grommelle l'Enflure (...) si je jaffe pas dans les immédiats, j'vas tomber en digue-dondaine.
                          SAN-ANTONIO, Remets ton slip, gondolier !, p. 61.

ⓑ Archit. Ornement en forme de feuille, recourbé à son extrémité, dans les chapiteaux, les rampants, les flèches...

ⓒ (1690, «accolade»). Typogr. et cour. Signe analogue à la parenthèse* consistant en une ligne verticale recourbée perpendiculairement à chacune de ses extrémités : [...]. *Mettre une phrase, un mot entre crochets.*

Mus. *Le crochet d'une croche, d'une double croche.*

♦ 6 Rare. Boucle de cheveux collés sur les tempes. → **Accroche-cœur.** *Elle portait de petits crochets.*

II (1907). Boxe et cour. Coup de poing lancé de l'extérieur vers l'intérieur, le bras étant replié. *Envoyer un crochet du gauche, du droit. Crochet sous la mâchoire* (→ **Uppercut**).

2 Mais si je lui disais ces choses, il m'allongerait un direct du droit auquel il m'apprit d'ailleurs à répondre par un crochet du gauche.
                          A. MAUROIS, les Discours du Dʳ O'Grady, XIII, p. 141.

2.1 Je me voyais descendre d'Artagnan d'un bon crochet, remonter dans ma voiture, poursuivre le sagouin qui m'avait frappé, le rattraper, coincer sa machine contre un trottoir, le tirer à l'écart et lui distribuer la raclée qu'il avait largement méritée.   CAMUS, la Chute, p. 64.

2.2 Il combat toujours de trop loin, puis tout à coup tout près. Crochet que j'esquive à peu près par dessous.
                          Jean PRÉVOST, Plaisirs des sports, p. 83.

III (1778). Cour. Détour brusque ; changement de direction qui allonge la route suivie. *La route fait un crochet.* → **Détour.** — *Faire un crochet pour éviter un obstacle* (→ **Contourner**). *Faire un crochet pour éviter qqn. Ils ont fait un crochet par Paris pour venir nous voir. Le lapin s'enfuyait en faisant de brusques crochets.*

3 (...) je fis le crochet à droite en approchant de la barrière (...)   ROUSSEAU, Rêveries..., 6ᵉ Promenade.

4 Nous n'emporterons avec nous, pour le crochet en Congo belge, que le «strict nécessaire» (...)
                          GIDE, Voyage au Congo, in Souvenirs, Pl., p. 696.

5 (...) solitaire qui aurait décidé de rejoindre son unique compagnon de route, mais au contraire avec toutes sortes d'arrêts, de détours et de crochets.
                          A. ROBBE-GRILLET,
                          Projet pour une révolution à New York, p. 135.

(1901, in Petiot). Sports (football, rugby). Feinte destinée à éviter un adversaire et constituée par un brusque changement de direction du joueur en possession du ballon.

IV (1931 ; un *crochet* attrapait sur scène le candidat malheureux). Ancienn. *Crochet radiophonique* ou *radio-crochet* (plus cour.) : concours public (de chant, etc.) où les gagnants sont désignés par le public (le concurrent malheureux étant éliminé au cri de : *crochet !*). — Par abrév. *Participer à un crochet.*

6 Voir cette troupe de music-hall ? C'est toujours moche les tournées comme ça : une chienlit.
Il y aura un crochet, dit Ginette.
                          R. QUENEAU, Loin de Rueil, p. 128.

7   Après avoir fait tes études à l'Athénée de Mons, tu embobines si bien ton père qu'au début de 1961 il te permet de te présenter à un radio-crochet.
P. GUTH, Lettre ouverte aux idoles, Adamo, p. 45-46.

(Fam.; du sens précédent). *Crochet ! :* fin !

8   (...) le tour de prestidigitation aurait pu être drôle, elle avait cru que cela distrairait ses invités, mais puisque cela a raté, tant pis... Qu'il *(le prestidigitateur)* descende maintenant, c'est fini, crochet... c'est sa force, à elle, ces renonciations immédiates, ces prompts rétablissements.
N. SARRAUTE, le Planétarium, p. 40.

CONTR. (Du sens III) **Droite.** ◊ DÉR. **Crocheter, 2. crocheteur.**

CROCHETABLE [kʀɔʃtabl] adj. — 1845; de *crocheter.*
Que l'on peut crocheter. *Serrure crochetable.*

CONTR. **Incrochetable.**

CROCHETAGE [kʀɔʃtaʒ] n. m. — 1803; de *crocheter.*
Technique.
◆1 Action de crocheter une serrure. → **Crocher** (I., 1.). *Serrure trois points interdisant tout crochetage.*
◆2 Opération exécutée dans le tissage par le métier rectiligne.

CROCHETER [kʀɔʃte] v. [CONJUG.: *acheter (il crochète)* ou *jeter (il crochette)*.] — 1457; de *crochet.*

I V. tr. ◆1 Ouvrir (une porte, la serrure d'un meuble) avec un crochet*. Par ext. Forcer (une serrure), ouvrir (une porte) par effraction.
1   (...) on lui montre le bandit crochetant sa porte et l'assassin guettant son sommeil.
G. SAND, la Mare au diable, I, p. 12.

◆2 Piquer avec un crochet, un instrument crochu. *Crocheter de vieux chiffons dans une poubelle.* — Absolt. *Les chiffonniers crochètent dans la rue.*

◆3 **a** Techn. (tissage). Exécuter un crochetage.
b Régional (Belgique, Suisse). Confectionner (un ouvrage) au crochet. *Elle a crocheté son tricot elle-même.*
2   Elle a déjà dû préparer tout un tiroir de layette soignée et spongieuse, elle a dû tricoter et crocheter des choses pour lui *(son bébé).*
Anne-Lise GROBÉTY, Zéro positif, p. 238.

◆4 Fam. Attraper, saisir. → **Accrocher, crocher** (I., 1.). *Crocheter qqn par le bras.*

II V. intr. Rare. Faire un crochet (III.). *Crocheter soudainement pour éviter qqch.*
3   Les lièvres débusqués partaient comme des flèches, mais leur élan se brisait lorsqu'ils croisaient d'autres bêtes fuyant en sens inverse. Déconcertés, ils crochetaient en désordre, et la beauté de leur trajectoire naturelle avec ses gammes de hourvaris, de forlongés, de changes et de doubles voies se noyait dans une panique qu'augmentait la fusillade.   M. TOURNIER, le Roi des Aulnes, p. 243.

(1911, *in* Petiot). Sports (football, rugby). Faire un crochet* (III.).
4   Le trois-quarts centre enfin passe à l'ailier avec la balle, les regards et les espérances de l'équipe. L'homme galope en levant haut les talons; il crochette et passe son premier adversaire, mais ralenti, le voilà atteint, fauché par l'ailier adverse, et toute l'équipe l'entend faire vlac.
Jean PRÉVOST, Plaisirs des sports, p. 128.

◆ **SE CROCHETER** v. pron.
Vx. Se battre. → **Crocher** (I., 1.).

DÉR. **Crochetable, crochetage, 1. crocheteur.**

1. CROCHETEUR [kʀɔʃtœʀ] n. m. — 1440; de *crocheter.*
Celui qui crochète les serrures, qui force les portes en vue de voler. *Un cambrioleur crocheteur de portes.*
Un coureur de cabarets, un crocheteur de bourses, qui va pochetant quelques écus çà et là chez le premier venu qu'il rencontre.   ROUSSEAU, Lettre à M. de Tonnerre.

REM. Le fém. *crocheteuse* [kʀɔʃtøz] est virtuel.

2. CROCHETEUR [kʀɔʃtœʀ] n. m. — 1533, Rabelais; de *crochet.*

◆1 Ancient. Celui qui portait des fardeaux avec des crochets. → **Porteur, portefaix.** *Le fardeau d'un crocheteur. Fort comme un crocheteur.* — Allus. littér. : «Quand on lui demandait (à Malherbe) son avis de quelque mot français, il renvoyait ordinairement aux crocheteurs du Port-au-Foin, et disait que c'étaient ses maîtres pour le langage» (Racan).
1   (...) je ferais plus d'état du fils d'un crocheteur qui serait honnête homme que du fils d'un monarque qui vivrait comme vous.   MOLIÈRE, Dom Juan, IV, 4.
2   C'est un bel arrondissement chaud, tout grouillant de commères, de crocheteurs et de camelots; un village déjà, parmi ceux qui font à Paris une ceinture de flanelle rouge.
A. BLONDIN, les Enfants du bon Dieu, p. 19.

◆2 Par ext. Vx. Homme brutal, grossier. *Se battre, s'injurier comme des crocheteurs. Langage de crocheteur.* → **Charretier.**

CROCHU, UE [kʀɔʃy] adj. — V. 1160; de 2. *croc.*

◆1 Qui est recourbé en forme de croc* (2. Croc). → **Courbé, recourbé.** *Morceau de fer crochu.*
0.1   Quant au fil de fer tordu, il constituera en réalité un bien meilleur que ce 7 dont on l'avait auparavant chargé, l'ample crochet arrondi du porte-manteau représentant — alors qu'il était jusque-là passé sous silence — la boucle supérieure du chiffre (...) Et l'objet prendra place aisément à la suite de la pomme croquée par lady Caroline, puisque l'inspecteur Francis s'en est servi (à moins qu'il ne confonde avec un autre fil d'acier pareillement crochu), pour extraire d'en dessous la grille en fonte, dans un trou de laquelle il avait glissé, le trognon de pomme (...)
A. ROBBE-GRILLET, Souvenirs du triangle d'or, p. 138.

Nez crochu. → **Aquilin** (→ Nez en bec d'aigle*). *Oiseaux au bec crochu.* → **Oncirostre.**
1   La concierge était une petite vieille, très maigre, très voûtée, au nez crochu, à l'œil encore vif.
J. ROMAINS, les Hommes de bonne volonté, t. II, VII, p. 74.

Des mains, des doigts, des ongles crochus. — Fig. et fam. *Avoir les mains crochues :* être avide, rapace*. — Vx. Être un voleur.
2   Et que leur main crochue, à voler toujours prête (...)
BOURSAULT, le Mercure galant.
3   L'Envie aux doigts crochus, au teint pâle et livide (...)
BEAUMARCHAIS, le Barbier de Séville, I, 2.

Anat. *Os crochu* ou *unciforme :* quatrième os de la seconde rangée du carpe.

◆2 Hist. de la philos. *Les atomes crochus :* dans la philosophie de Démocrite, Atomes dont la configuration est telle qu'ils peuvent s'accrocher les uns aux autres et ainsi constituer les corps.
Fig. *Atomes crochus :* affinités, sympathies profondes, spontanées entre des personnes. *Avoir des atomes crochus avec qqn. Ils n'ont pas d'atomes crochus.*

CONTR. **Droit, rectiligne.**

CROCO [kʀɔko] n. m. — XXᵉ; abrév. de *crocodile.*

Fam. *Peau de crocodile.* → **Crocodile** (2.). *Objet en croco.*

1 Mais quelles belles chaussures ! En croco ! Vous, au moins, vous faites honneur à ma boîte.
Francis CARCO, les Belles Manières, p. 10.

2 (...) Vivi qui s'était tenue tranquille jusque là dans un coin du bureau, son sac en croco sur les genoux.
F. MALLET-JORIS, le Jeu du souterrain, p. 17 (1973).

CROCODILE [krɔkɔdil] n. m. — 1538 ; *cocodrille,* déb. XIIᵉ ; *cocadrille,* 1175 ; *cododelle,* 1517 ; lat. *crocodilus,* grec *krokodeilos.*

◆ **1** Cour. Grand reptile amphibien à fortes mâchoires, à quatre courtes pattes qui vit dans les fleuves des régions chaudes ; tout crocodilien* de grande taille. *Crocodile du Nil. Cri du crocodile* (→ **Lamenter, vagir**). *Œufs de crocodile. Troupeau de crocodiles. Région, fleuve infestés de crocodiles. Se faire dévorer par un crocodile. Pour avoir été trop chassées, certaines espèces de crocodiles sont en voie de disparition. Élevage, ferme de crocodiles* (élevés pour la peau).

1 Le crocodile, ce terrible amphibie, dont la voracité est extrême, qui hante les grands fleuves de l'Inde, de l'Afrique et de l'Amérique, et qui ressemble tant par sa forme au lézard, est, comme lui, ovipare et pond comme lui dans le sable.
Charles BONNET, Contemplation de la nature, XI, V.

2 Et les crocodiles rapaces,
Sur le sable en feu des îlots,
Demi-cuits dans leurs carapaces,
Se pâment avec des sanglots.
Th. GAUTIER, Émaux et Camées,
«Nostalgies d'obélisques», II.

2.1 Les anciens Mexicains se représentaient la terre sous forme d'un être monstrueux aux mâchoires largement ouvertes (...) C'est lui qui avale le soleil à la tombée du jour ainsi que le sang des sacrifiés. Il chevauche un gigantesque crocodile (...) nageant sur les eaux primordiales.
Gilbert DURAND, les Structures anthropologiques de l'imaginaire, p. 93.

Zool. ⓐ (Au sens large). Animal de l'ordre des *Crocodiliens* (Crocodylia), sous-ordre des *Eusuchiens* (Eusuchia) y compris les espèces fossiles.

2.2 Les protosuchiens triasiques étaient d'assez petits animaux terrestres, hauts sur pattes. Les autres sous-ordres (d'*Archosauriens)* ont donné divers types de Crocodiles plus ou moins adaptés à la vie aquatique, parfois même marins et souvent de forte taille. *(Parmi d'autres familles)* les Eusuchiens, qui apparaissent au Crétacé et sont déjà pourvus d'un palais secondaire, aboutissent aux Crocodiles actuels. Quelques petites familles spécialisées ont disparu au Tertiaire et seuls subsistent aujourd'hui les Gavialidés et les Crocodilidés *(qui)* apparaissent dès le Crétacé supérieur et ont d'ailleurs assez peu évolué depuis cette époque.
M.-C. et H. SAINT GIRONS, les Reptiles, *in* Encycl. Pl., Zoologie, t. IV, p. 121.

ⓑ (Au sens étroit). Animal de la famille des Crocodilidés *(Crocodylidae),* par oppos. aux Gavialidés (→ **Gavial**), et, spécialt, de la sous-famille des Crocodilinés *(Crocodylinae)* appelé aussi *crocodile vrai* (par oppos. aux *Alligatorinés* → **Alligator, caïman**). — *Les Crocodiles, en ce sens, comprennent le genre Crocodylus* (espèces : *Crocodylus niloticus* du Nil ; *Crocodylus acutus* d'Amérique ; *Crocodylus porosus* d'Asie, etc.).

Loc. fig. (1562). **LARMES DE CROCODILE :** larmes hypocrites pour émouvoir et tromper (par allus. à la légende du moyen âge selon laquelle le crocodile pleurait après avoir dévoré un être humain). — Par ext. *Des soupirs de crocodile.* → aussi cit. 4, ci-dessous.

3 Larmes de crocodile, jeux lascifs, doux langage (...)
LA FONTAINE, *in* DOCHEZ, Dict. (→ Attraper, cit. 7).

4 Dire qu'il suffit que Marine verse une de ses larmes de crocodile pour obtenir tout ce qu'elle veut de maman (...)
Benoîte et Flora GROULT, Il était deux fois, p. 159 (1968).

◆ **2** (1897). *Peau de crocodile traitée. Sac, souliers de crocodile.* → **Croco.**

5 Stilitano avait su choisir des souliers de crocodile jaune et vert (...)
Jean GENET, Journal du voleur, p. 127.

◆ **3** Fig. Personne cruelle et rapace. «*Il aurait bien voulu savoir, le vieux crocodile, où je l'afurais, mon petit pèze*» (L.-F. Céline, *Mort à crédit,* 1936, *in* T. L. F.). — Personne dure, insensible, qui verse des «larmes de crocodile», hypocrite.

6 J'ignore si nous sommes un peuple léger, mais nous ne sommes pas un peuple tendre. Sauf lorsque ce sont des Hongrois qui sont tués et des Russes qui les tuent. Alors tous les crocodiles de la presse ruissellent. Il faut éponger dans les salles de rédaction.
F. MAURIAC, le Nouveau Bloc-notes, 1958-1960, p. 23.

◆ **4** (1881, → cit.). Techn. Appareil placé entre les rails d'une voie de chemin de fer et qui sert à faire fonctionner automatiquement un sifflet d'alarme lorsque le convoi a dépassé un signal d'arrêt.

7 Cette pièce, qui offre une surface polie au milieu de la voie, ressemble à un grand lézard couché, ce qui lui a fait donner le nom de *crocodile.*
Louis FIGUIER, l'Année scientifique et industrielle, 1882, p. 444 (1881).

Scie à dents crochues pour travailler la pierre tendre.

DÉR. Crocodilesque, crocodilidés, crocodiliens.

CROCODILESQUE [krɔkɔdilɛsk] adj. — 1886, L. Bloy ; de *crocodile.*

Littér. Digne d'un crocodile. «*L'œuf crocodilesque des traditionnelles usures*» (L. Bloy, le Désespéré, p. 86).

CROCODILIDÉS [krɔkɔdilide] n. m. pl. → **Crocodile** (1., Zool., b).

CROCODILIENS [krɔkɔdiljɛ̃] n. m. plur. — 1817 ; adj., 1575, *beste crocodilienne* ; de *crocodile.*

Zool. Ordre de reptiles des régions chaudes, caractérisés par de fortes et longues mâchoires et par un revêtement cuirassé formé d'écailles doublées de plaquettes osseuses. *Les crocodiliens, reptiles ovipares, vivent presque continuellement dans l'eau. Crocodiliens fossiles* (→ **Crocodile**, cit. 2.2). *Crocodiliens actuels :* deux familles, les *Crocodilidés* (→ **Alligator, caïman ; crocodile**) et les *Gavialidés* (→ **Gavial**). Au sing. Individu ou espèce de crocodiliens. *Le Protosuchus est le plus ancien crocodilien.* → **Crocodile** (1., Zool., a).

CROCUS [krɔkys] n. m. — 1372 ; mot lat. ; grec *krokos* «safran».

◆ **1** Plante herbacée à bulbe *(Iridacées)* dont une espèce est le safran*. — Fleur printanière de cette plante. *Safran obtenu à partir du Crocus sativus.*

Les crocus commençaient à percer les dernières croûtes de neige et l'on entendait chaque nuit les appels des oies rieuses qui se rassemblaient dans les lagunes du Haff de Courlande en attendant que les souffles printaniers les poussent plus au nord.
M. TOURNIER, le Roi des Aulnes, p. 196.

◆ **2** Vx. Alchim. Préparation métallique dont la couleur rappelle le safran. *Crocus metallorum :* oxysulfure d'antimoine.

CROIRE [krwar] v. [CONJUG.: *je crois, nous croyons ; je croyais, nous croyions ; je crus, nous crûmes ; je croirai ; je croirais ; crois, croyons, croyez ; que je croie, qu'il croie, que nous croyions ; que je crusse, que nous crussions ; croyant ; cru.*] — Xᵉ, *credre ; creire,* 1080, *Chanson de Roland ;* du lat. *credere* «confier» et fig. «avoir confiance».

I V. tr. dir. ♦ **1** Tenir pour véritable, donner une adhésion de principe à... (sans avoir de preuve, d'évidence formelle). → **Accepter, admettre, cuider** (vx), **penser, regarder** (comme vrai)... → Affirmation, cit. 2 ; assertion, cit. 2. *Croire une histoire, un conte, un récit, une nouvelle... Croire l'impossible. Je crois ce que vous dites. Je le crois.* → **Certain, sûr** (j'en suis certain...). *Il a de la peine à le croire. Ne croyez rien de ce qu'il vous raconte. Comment peut-on croire cela ? Il ne croit que ce qu'il voit. Cela est aisé à croire. Vous ne sauriez croire combien je suis content. À ce que je crois :* à mon avis, à ce qu'il me semble. → **Sembler.** — *Croire qqch. de qqn, de qqch.* Il croit du mal, du bien de lui, il en croit beaucoup de bien. Vous en croirez ce qu'il vous plaira. Je n'en crois rien :* je crois que c'est faux, je ne le crois pas du tout.

1 Pline le dit, il le faut croire.
   LA FONTAINE, *Fables,* IV, 7.

2 Et chacun croit fort aisément
   Ce qu'il craint et ce qu'il désire.
   LA FONTAINE, *Fables,* XI, 6.

3 Le monde est vieux, dit-on, je le crois ; cependant
   Il le faut amuser encor comme un enfant.
   LA FONTAINE, *Fables,* VIII, 4.

4 Rodrigue, qui l'eût cru ?
   Chimène, qui l'eût dit ?   CORNEILLE, *le Cid,* III, 4.

5 Vous avez cru des bruits que j'ai semés moi-même (...)
   RACINE, *Mithridate,* II, 2.

6 — Chère Philis, dis-moi, que crois-tu de l'amour ?
   — Toi-même, qu'en crois-tu (...) ?
   MOLIÈRE, *la Princesse d'Élide,* Intermède, V.

7 Je ne crois que les histoires dont les témoins se feraient
   égorger.   PASCAL, *Pensées,* IX, 593.

8 Le plus grand dérèglement de l'esprit, c'est de croire les
   choses parce qu'on veut qu'elles soient, et non parce qu'on
   a vu qu'elles sont en effet.
   BOSSUET, *Traité de la connaissance de Dieu...,* I, 16.

9 (...) car toute vérité n'est pas bonne à dire : et celle qu'on
   vante, sans y ajouter foi ; car toute vérité n'est pas bonne
   à croire (...)
   BEAUMARCHAIS, *le Mariage de Figaro,* IV, 1.

10 Ce que la bouche s'accoutume à dire, le cœur s'accoutume
   à le croire.
   BAUDELAIRE, *Curiosités esthétiques,* p. 424.

11 Je ne le *crois* pas, dit-il, j'en suis certain.
   A. MAUROIS, *Terre promise,* XXXI, p. 215.

Faire croire qqch. à qqn. → **Convaincre, démontrer, persuader, prouver.** — *Faire croire qqch. de faux à qqn.* → **Abuser, accroire** (faire), **monter** (un bateau, monter le coup), **tromper.** *Il lui a fait croire cette fable. Croire naïvement, sottement une histoire.* → **Accepter, avaler, gober ; mordre** (à l'hameçon), **prendre** (pour argent comptant), **prêter** (l'oreille à) ; **donner** (dans), **marcher.** — *Loc. Croyez cela et buvez de l'eau :* buvez de l'eau pour mieux accepter (→ Avaler) de pareilles sornettes.

(Sens fort). Donner son plein assentiment à une vérité ; avoir la certitude morale de... *«Nous savons que nous mourrons mais nous ne le croyons pas»* (P. Bourget).

♦ **2** (Compl. n. de personne). Tenir (qqn) pour sincère, véridique ; ajouter foi à ce qu'il dit. → **Confiance** (avoir confiance, faire confiance), **fier** (se... à). *Vous pouvez croire cet homme. On ne croit jamais les menteurs. Croire qqn sur parole. Je vous crois, je ne vous crois pas, je vous croirais si... Me croira qui voudra, mais... — Si vous voulez me croire, ne partez pas* (→ **Écouter**). — *Après quelques punitions il sera plus sage, croyez-moi (crois-moi).*

12 Jamais, s'il me veut croire, il ne se fera peindre.
   LA FONTAINE, *Fables,* I, 7.

Notre abbé Bigorre me prie fort de ne croire que lui sur   13
les nouvelles de Rome.
   Mᵐᵉ DE SÉVIGNÉ, 1253, 8 janv. 1690.

(...) si celui-là me trompe, je ne croirai de ma vie aucun   14
homme.   MOLIÈRE, *le Malade imaginaire,* I, 4.

Je ne prétendrai pas, monsieur, que je n'ai pas lu cette   15
circulaire confidentielle. Je n'aime pas mentir. Et vous ne
me croiriez pas.
   J. ROMAINS, *les Hommes de bonne volonté,* t. III,
   V, p. 91.

Fam. *Je vous crois ! Je te crois ! :* je pense ainsi, je
pense comme vous, comme toi ; et aussi, c'est évident ! (→ Et comment !).

(...) ça lui ferait 6 000 *(francs).* Avec ça, un garçon peut   15.1
vivre.
— J'te crois !   J. RENARD, *Journal,* 5 avr. 1897.

♦ **3** Absolt ou intrans. Avoir une attitude d'adhésion intellectuelle (sans preuve formelle). **Comprendre et croire. Croire sans comprendre.** → **Foi** (faire un acte de foi). *Le besoin de croire. Croire facilement, légèrement.* — Vx. *«Il ne faut pas être si facile à croire»* (Académie). → **Crédule.** — *Croyez-vous ? :* pensez-vous ? *Il viendra, tu crois ? Oui, je crois, je crois bien.* → **Penser.**

(...) il me répondit brutalement : «S'il est malade ! Je crois   16
bien (...)»
   Alphonse DAUDET, *le Petit Chose,* II, XV, p. 372.

On vous dit quelquefois : *Ceci est un fait. Inclinez-vous*   17
devant le fait. C'est dire : *Croyez. Croyez,* car l'homme ici
n'est pas intervenu, et ce sont les choses mêmes qui parlent. *C'est un fait.*   VALÉRY, *Variété IV,* p. 136.

(...) disons que «comprendre» et «croire» n'ont pas de commune mesure.   18
   MARTIN DU GARD, *les Thibault,* t. IV, p. 297.

Il n'est point de parfait sceptique : la sensation ne doute   19
pas ; sentir, sur le moment, c'est croire.
   André SUARÈS, *Trois hommes,* «Ibsen», IV, p. 113.

— Peut-être les civilisations se ressemblent-elles par leurs   19.1
vices, et se séparent-elles par leurs vertus ?...
— Ou se rapprochent-elles par ce qu'elles connaissent, et
se séparent-elles par ce qu'elles croient. Les croyances ne
sont pas seulement religieuses...
   MALRAUX, *Antimémoires,* Folio, p. 366.

Exclam. *Crois-tu, le culot qu'il a ! Je croyais,* formule
par laquelle on manifeste sa bonne foi. *Il ne fallait*
pas faire cela ? Excuse-moi, je croyais.

Alors l'enfant s'arrêta. — Pourquoi t'arrêtes-tu ?   19.2
— Je croyais. Il reprit sa sonatine comme on le lui demandait.   M. DURAS, *Moderato cantabile,* p. 21.

♦ **4** Littér. ou style soutenu. **EN CROIRE (qqn)** : s'en rapporter à (qqn, qqch.). *Je vous en croirai sur parole.*
Il n'en sera pas cru. Si vous m'en croyez, vous ne
lui prêterez pas ce livre. S'il avait voulu m'en croire.
À l'en croire, s'il faut l'en croire, tout est perdu. Si
j'en croyais mon courage. → **Écouter. En croyez-vous**
cette lettre ? S'il faut en croire les apparences. → **Fier**
(se fier à).

Vivez, si m'en croyez, n'attendez à demain[1] (...)   20
   RONSARD, *Sonnet à Hélène,* XLII.
1. N'attendez pas jusqu'à... (→ Attendre, cit. 34).

Ce n'était pas un sot, non, non, et croyez-m'en,   21
Que le chien de Jean de Nivelle.
   LA FONTAINE, *Fables,* VIII, 21.

(...) si vous m'en croyez, nous leur jouerons tous deux une   22
pièce (...)   MOLIÈRE, *les Précieuses ridicules,* I.

(Et pour accepter l'emploi). J'en veux croire vos lumières.   23
   MOLIÈRE, *Amphitryon,* Prologue.

Ah ! Madame, les Grecs, si j'en crois leurs alarmes,   24
Vous donneront bientôt d'autres sujets de larmes.
   RACINE, *Andromaque,* I, 4.

(...) Gennevilliers dit à madame Tonska :   24.1
— Si vous m'en croyez...
— Ne vous servez jamais de cette phrase avec moi, mon
ami, interrompit la comtesse. Soyons vrais entre nous, rien
que vrais, toujours vrais (...) Vous savez bien que je vous
crois en tout (...)
   J.-A. DE GOBINEAU, *les Pléiades,* II, IX.

Loc. *Ne pas en croire ses yeux, ses oreilles :* ne pas croire le témoignage des sens, s'étonner de ce qu'on voit (on entend) jusqu'à en douter. → **Revenir** (ne pas en revenir).

25 (...) lorsque ce premier versement en or leur fut fait, ils semblaient, dit un témoin, n'en croire leurs yeux, ni leurs oreilles, et tâtaient cet acompte comme s'il s'agissait d'une aubaine miraculeuse.
LEVASSEUR, Hist. de la classe ouvrière, p. 322, cité par Louis MADELIN, De Brumaire à Marengo, p. 186.

26 Cela sonnait ou dissonait étrangement dans l'atmosphère assez victorienne de son petit salon. Je n'en pouvais croire mes oreilles. (C'est là une expression tout usée, mais une figure admirable).
VALÉRY, Regards sur le monde actuel, p. 100.

26.1 (...) au milieu de tant de si jolis objets, de véritables œuvres d'art... il y avait un repaire, un foyer... il se passait des choses... Qui aurait pu s'en douter?... Un ami un jour a surpris, mais n'en a pas cru ses oreilles, n'en a jamais parlé à personne (...)
N. SARRAUTE, Vous les entendez? p. 193.

♦ **5 CROIRE QUE...** : considérer comme vraisemblable ou probable que. → **Considérer** (que), **convaincre** (être convaincu que), → **estimer**, **figurer** (se), **imaginer** (s'imaginer que), **juger**, **penser** (que), **persuader** (être persuadé que), **préjuger**, **présumer**, **sembler** (que), **supposer** (que).

REM. (règle générale des verbes déclaratifs). Forme affirmative : *Croire* est suivi de l'indicatif. — Forme interrogative, négative ou interro-négative : *croire* est suivi du subjonctif, de l'indicatif futur ou du conditionnel. *Je crois bien qu'il est sorti. Viendrez-vous ce soir? Je crois que oui, je crois que non.* — Ellipt. *Pensez-vous qu'il se trompe? Je crois* (pour je le crois ou je crois qu'il se trompe). — *Il croit que tous pensent comme lui. Nous lui avons fait croire que nous serions absents. Croire qu'on est aimé. Cela me fait croire qu'il a menti. Avoir tout lieu de croire qu'il est... Finir par croire qu'on s'est trompé. Nous croyons que cela suffit. Je crois que nous pouvons agir ainsi,* c'est mon avis. → **Juger** (à propos). → Consentement (donner son consentement).

(Interrog.). *Croyez-vous qu'il vienne?* — (Négation). *Je ne crois pas qu'il viendra. Je ne crois pas qu'il vienne.* — (Hypothèse). *Si vous croyez qu'il fasse mieux que moi. Si vous croyez qu'il fera mieux que moi, demandez-lui.*

27 Ce qui nous fait croire si aisément que les autres ont des défauts, c'est la facilité que l'on a de croire ce que l'on souhaite.
LA ROCHEFOUCAULD, Maximes, 513.

28 (...) Mes chers amis,
Je crois que le ciel a permis
Pour nos péchés cette infortune.
LA FONTAINE, Fables, VII, 1.

29 — J'ai cru jusques ici que c'était l'ignorance
Qui faisait les grands sots, et non pas la science.
— Vous avez cru fort mal (...)
MOLIÈRE, les Femmes savantes, IV, 3.

30 Je n'aurais jamais cru que l'on pût tant souffrir (...)
A. DE MUSSET, Poésies nouvelles, «Souvenir» (→ Cicatrice, cit. 10).

31 (...) ne pleurez pas, car si vous pleurez, je crois que je vais mourir de chagrin.
G. SAND, François le Champi, IX, p. 83.

32 Le cœur n'apprend que par la souffrance, et je crois, comme Kant, que Dieu ne s'apprend que par le cœur.
RENAN, Souvenirs d'enfance..., Appendice.

33 Notre tort, c'est de croire souvent qu'il n'y a qu'un seul type d'intelligence.
J. ROMAINS, les Hommes de bonne volonté, t. V, XXIII, p. 210.

34 Tu crois que l'on fait de la porcelaine avec du kaolin, des machines et des ouvriers.
J. CHARDONNE, les Destinées sentimentales, II, V, p. 312.

Non, répondit Fernando Lucas, en reprenant son sang-froid, c'est le ton de sa voix qui est comme ça. On croirait qu'il gueule, mais il parle.
P. MAC ORLAN, la Bandera, XII, p. 145.   35

L'erreur des démocrates est de croire que leur vérité en soit une pour tout le monde, et force l'adhésion.
André SUARÈS, Trois hommes, «Ibsen», VII, p. 161.   36

Loc. fam. *Croire que c'est arrivé* : imaginer qu'on a réussi. → ci-dessous, Se croire... *Il croit que c'est arrivé, il se prend pour un autre!* (→ Arriver, cit. 60.3, 60.4 et *supra*).

Ne croyez pas que..., formule de mise en garde. *Ne croyez pas que ce sera facile. N'allez pas croire que...* — *Ne croyez-vous pas que...,* formule destinée à atténuer une question.

Impers. *Il est à croire qu'il n'a jamais rien lu.* → **Dire** (on dirait); **probable** (il est probable que...), **sembler.** *Nous aimons à croire qu'il aura la sagesse de ne rien dire.* → **Espérer**, **souhaiter.** *Tout porte à croire qu'il dit vrai.* — *On croirait, à l'entendre, qu'il a fait un exploit. On croirait qu'il dort* (mais il ne dort pas). → **Dire** (on dirait...). *Je vous prie de croire que je ne dirai rien,* vous pouvez être sûr que... → **Sûr.**

Aussi, je vous prie de croire que les révolutionnaires n'étaient pas en odeur de sainteté dans la maison Eyssette.
Alphonse DAUDET, le Petit Chose, I, I.   37

Je l'aime beaucoup, votre fille. Elle vous ressemble tout à fait. Quand elle prononce certaines phrases, on croirait que vous avez oublié votre voix dans sa bouche.
MAUPASSANT, Fort comme la mort, p. 132.   38

♦ **6** *Croire* (et l'inf.). Sentir, éprouver comme vrai (ce qui ne l'est pas absolument). → **Estimer**, **imaginer** (s'), **juger**, **penser**, **préjuger.** *On croit aimer. Il croit partir ce soir. Nous croyons les avoir vus là-bas. Il croit aimer de l'esprit.*

Son cœur de ce qu'il sent n'est pas bien sûr lui-même;   39
Il aime quelquefois sans qu'il le sache bien,
Et croit aimer aussi parfois qu'il n'en est rien.
MOLIÈRE, le Misanthrope, IV, 1.

Les femmes croient souvent aimer, encore qu'elles n'aiment pas (...)   40
LA ROCHEFOUCAULD, Maximes, 277.

Ils croyaient s'affranchir *(en)* suivant leurs passions :   41
Ils étaient esclaves d'eux-mêmes.
LA FONTAINE, Fables, XII, 1.

J'ai cru sentir le temps s'arrêter dans mon cœur?   42
A. DE MUSSET, Lettre à Lamartine.

On croit pardonner; on va jusqu'à se féliciter de sa propre grandeur d'âme; et ce n'est que faiblesse.   43
Valery LARBAUD, Amants, heureux amants..., III, XXI, p. 234.

L'homme croit toujours émouvoir   44
La femme qu'il désire :
Elle n'est pour lui qu'un miroir
Dans lequel il s'admire (...)
A. MAUROIS, les Silences du colonel Bramble, XIII, p. 138.

Mais les gens qui croient avoir des indices, même très faibles, ont raison, dans ces cas-là, de nous les communiquer.   45
J. ROMAINS, les Hommes de bonne volonté, t. II, XIII, p. 134.

Il croit être heureux. → ci-dessous Se croire *(il se croit heureux). Ne croyez pas être raisonnable en agissant ainsi!*

Les grands croient être seuls parfaits, n'admettent qu'à peine dans les autres hommes la droiture d'esprit, l'habileté, la délicatesse...   46
LA BRUYÈRE, les Caractères, IX, 19.

Mais non, chère amie, nous croyons être acteurs, nous ne sommes jamais que spectateurs.   47
A. MAUROIS, Climats, II, II, p. 156.

Chacun de nous croit être aux yeux d'autrui ce qu'il est aux siens propres.   48
Edmond JALOUX, les Visiteurs, XV, p. 131.

J'ai fini par comprendre que ces actions avaient été émises par des sociétés en faillite ou qui n'existaient plus depuis   48.1

longtemps. Il croyait dur comme fer pouvoir les utiliser encore et les remettre sur le marché.

Patrick MODIANO, les Boulevards de ceinture, p. 89.

Croire pouvoir, devoir (et inf.). *Je crois pouvoir (vous) dire que... Je crois devoir dire, affirmer que...*

(*Croire* suivi d'un adj., de *de* et l'infinitif). *Croire important, nécessaire, utile... de dire, de faire. Je ne crois pas inutile de vérifier. J'ai cru bon, plus sage de...* — Loc. *Il a cru de son devoir* de vous prévenir.*

♦ **7** *Croire* (qqn, qqch.) et attribut du compl. → **Estimer, imaginer, juger, réputer, supposer, tenir** (pour). *Il l'avait cru plus intelligent. On l'a cru mort. Je la croyais belle. Je le crois capable de tout. On le croit ruiné.*

49   Si on ne voulait qu'être heureux, cela serait bientôt fait : mais on veut être plus heureux que les autres ; et cela est presque toujours difficile, parce que nous croyons les autres plus heureux qu'ils ne sont.

MONTESQUIEU, Pensées diverses, Variétés.

Ⅲ V. tr. ind. (construit avec *à, en*). — REM. D'une manière générale, *croire* à désigne plutôt l'adhésion intellectuelle, *croire en* y ajoute l'adhésion morale. ♦ **1** *Croire à, en une chose*, la tenir pour réelle, vraisemblable, possible ; lui accorder une adhésion intellectuelle ou morale. → **Adhérer** (à), **fier** (se fier à), **rallier** (se rallier à) ; **opinion** (avoir, embrasser, partager une opinion). *Croire aux promesses de qqn.* → **Compter** (sur). *Croire à ce qu'il dit. Croire au témoignage, à l'honnêteté de qqn. Croire à sa parole, en sa parole. Croire au talent de qqn.* → **Apprécier.** *Ne plus croire à rien* (→ **Nihilisme**). *Croire à la magie, à l'occultisme. Croire à la graphologie, à la psychotechnique. Il n'y croit pas. Il ne croit pas à la médecine.* — *Croire à l'innocence de qqn.* → **Persuader** (être persuadé), **présumer, reconnaître.** *Tu y crois, toi ? Je n'y crois pas, je n'y crois guère.* — Fam. *Il y croit dur comme fer, vraiment, fermement* (→ **Être coiffé*** d'une idée ; se fourrer qqch. dans la tête* ; il en donnerait sa tête* à couper). *C'est à n'y pas croire, à ne pas y croire* (→ **Incroyable**). — *Le médecin crut à une pneumonie, pensa que ce pouvait être une pneumonie.*

50   Si je vous le disais, qu'une douce folie
A fait de moi votre ombre et m'attache à vos pas (...)
Peut-être diriez-vous que vous n'y croyez pas.

A. DE MUSSET, Poésies nouvelles, «À Ninon».

51   L'*après, l'au-delà*, il n'y croyait guère, devenu matelot sous ce rapport comme sous tant d'autres (...)

LOTI, Matelot, XLIX, p. 192.

52   La syncope se renouvela cinq à six fois, de plus en plus inquiétante. Une minute, Nathan, terrifié, crut au tétanos.

Léon BLOY, le Désespéré, III, p. 130.

53   La culture positive de Vincent le retenait de croire au surnaturel (...)

GIDE, les Faux-monnayeurs, I, XVI, p. 183.

54   Il est de ceux qui ne croient qu'à l'initiative privée, pour qui fonctionnaire à tous les degrés signifie sinécure et paperasses, homme public à tous les degrés : impuissance et corruption (...)

J. ROMAINS, les Hommes de bonne volonté, t. V, XVIII, p. 139.

55   (...) il y a, quoi qu'on veuille, une chose irréductible, une chose qu'aucun doute ne parvient à entamer : ce besoin qu'a l'homme de croire en sa raison (...)

MARTIN DU GARD, les Thibault, t. III, p. 220.

56   Je crois à un monde spirituel, tout à fait opposé aux trésors de la terre.

J. CHARDONNE, les Destinées sentimentales, I, III, p. 93.

57   Il s'est reconnu pessimiste en ce qu'il ne croit pas à la durée éternelle d'un idéal, quel qu'il soit (...)

André SUARÈS, Trois hommes, «Ibsen», II, p. 93.

Croyez à ; veuillez croire à ; je vous prie de croire à (mes sentiments...), formule de politesse au terme d'une lettre. — REM. La tournure avec *en* semble moins normale.

Spécialt. *Croire à :* considérer comme probable, imminent. *Croire à la guerre. Croyez-vous à une crise prochaine ? J'y crois ; je n'y crois pas.*

♦ **2** *Croire en qqn,* avoir confiance en lui. → **Apprécier, compter** (sur), **estimer, fier** (se fier à) ; **disciple** (se faire disciple de) ; **confiance** (faire confiance à), **rapporter** (s'en rapporter à). *Croire en ses amis.*

Croire à qqn. Croire aux... (avec un compl. au plur. désignant une catégorie de personnes). *Croire aux astrologues, aux voyants. Croire aux médecins. Croire à... :* considérer comme vraie ou vraisemblable l'existence de qqn. — REM. Alors que *croire en...* implique en général une croyance considérée comme fondée, *croire à...* est ici associé à une croyance désapprouvée. *Cet enfant croit au père Noël*.* Fig. *Croire au père Noël :* se faire des illusions. *Croire au barbu* (même sens). — *Croire aux revenants, aux fantômes.* — *Il y croit, ce naïf.*

58   Il ne suffit pas de croire aux sirènes pour en rencontrer sur les eaux, mais il suffit parfaitement de croire à l'influence des mots, pour que cette influence aussitôt surgisse (...)

J. PAULHAN, les Fleurs de Tarbes, III, p. 133.

♦ **3** Être persuadé de l'existence et de la valeur de (un être religieux, un dogme). — (Avec *à*). *Croire au Messie.* Loc. *Ne croire ni à Dieu, ni à Diable.* — *Croire à la sainte Église. Croire à l'Évangile. Croire à la sainte Vierge.* — (Avec *en*). *Croire en Dieu :* avoir la foi*. → **Credo, croyance.** «*Je crois en Dieu, le Père tout-puissant...*», début du Credo.

59   Il faut croire en Dieu pour être sauvé.

ROUSSEAU, Émile, IV.

60   (...) une femme forte, qui ne croit ni à Dieu ni au diable, mais qui accepte aveuglément les prédictions des somnambules et du marc de café.

Alphonse DAUDET, le Petit Chose, II, XI, p. 308.

Loc. *Croire à qqch. comme à l'Évangile, comme (à) une parole d'Évangile, à un article de foi,* y croire fermement.

Intrans. ou absolt. *Croire :* avoir la foi. *Il ne croit plus :* il a perdu la foi. *Il faut croire et prier* (→ L'abêtissement* pascalien). *Le besoin, le bonheur de croire.*

61   Puis (*Jésus*) dit à Thomas «ne sois plus incrédule, mais croyant (...) Parce que tu m'as vu tu as cru ? Heureux ceux qui ont cru sans avoir vu.»

BIBLE (CRAMPON), Évangile selon saint Jean, XX, 27-29.

62   Je vois, je sais, je crois, je suis désabusée (...)
Je suis chrétienne enfin (...)

CORNEILLE, Polyeucte, V, 5.

63   Il y a peu de vrais Chrétiens, je dis même pour la foi. Il y en a bien qui croient, mais par superstition ; il y en a bien qui ne croient pas, mais par libertinage ; peu sont entre deux.

PASCAL, Pensées, IV, 256.

64   Suivez la manière par où ils ont commencé ; c'est en faisant tout comme s'ils croyaient (...) Naturellement même cela vous fait croire (...)

PASCAL, Pensées, III, 233 (→ Abêtir, cit. 1).

65   Je suis devenu chrétien. Je n'ai point cédé, j'en conviens, à de grandes lumières surnaturelles : ma conviction est sortie du cœur ; j'ai pleuré et j'ai cru.

CHATEAUBRIAND, le Génie du christianisme, 1ʳ Préface.

66   En présence du ciel il faut croire ou nier.

A. DE MUSSET, Poésies nouvelles, «L'espoir en Dieu».

67   Le débat religieux n'est plus entre religions, mais entre ceux qui croient que croire a une valeur quelconque, et les autres.

VALÉRY, Rhumbs, p. 246.

68   Je crus, d'une telle force d'adhésion, d'un tel soulèvement de tout mon être, d'une conviction si puissante, d'une telle certitude ne laissant place à aucune espèce de doute que, depuis, tous les livres, tous les raisonnements, tous les hasards d'une vie agitée, n'ont pu ébranler ma foi, ni, à vrai dire, la toucher.

CLAUDEL, in A. MAUROIS, Études littéraires, t. I, p. 190.

68.1 Croire, c'est faire crédit à Dieu qui nous a donné sa parole, le Verbe.   CLAUDEL, Journal, janv.-févr. 1910.

69 Pour que Pascal supportât la vie, il était nécessaire qu'il crût.
André SUARÈS, Trois hommes, «Pascal», II, p. 48.

69.1 *(Nietzsche)* a diagnostiqué en lui-même, et chez les autres, l'impuissance à croire et la disparition du fondement primitif de toute foi, c'est-à-dire la croyance à la vie.
CAMUS, l'Homme révolté, Pl., p. 475.

♦ **4** *Croire en soi* : avoir confiance en soi, et aussi être présomptueux. *L'orgueilleux rejette Dieu et ne croit qu'en soi-même.*

70 (...) ne faites jamais la folie de douter de vous-même. Il faut croire en soi.
André SUARÈS, Trois hommes, «Ibsen», V, p. 133.

♦ **SE CROIRE** v. pron.

♦ **1** Se considérer comme... *Se croire intelligent, bête. Se croire un grand savant.* → **Prendre** (se prendre pour). — Vieilli. *S'en croire. Il s'en croit beaucoup trop :* il a une confiance en soi exagérée. → ci-dessous Se croire.

71 *(Sieyès)* un «métaphysicien», un «idéologue», un homme à théories, sans bon sens, sans réalisme, et, par surcroît, rogue, pontifiant, orgueilleux à l'excès, s'en croyant jusqu'au ridicule.
Louis MADELIN, l'Ascension de Bonaparte, XXIII, p. 329.

Péj. (suivi d'un adj. positif). S'estimer à tort. *Se croire intelligent.* → **Estimer** (s'), **imaginer** (s'). *Il se croit plus malin que les autres. Se croire fort.* → **Supposer** (se). *Tu te crois fin, malin? Fam. Qu'est-ce qu'il se croit, celui-là!*

72 Se croire un personnage est fort commun en France.
On y fait l'homme d'importance,
Et l'on n'est souvent qu'un bourgeois :
C'est proprement le mal français.
La sotte vanité nous est particulière.
LA FONTAINE, Fables, VIII, 15.

73 Il n'y a que deux sortes d'hommes : les uns justes, qui se croient pécheurs; les autres pécheurs, qui se croient justes.
PASCAL, Pensées, VII, 534.

74 (...) je ne me serais jamais cru tant de vigueur.
Alphonse DAUDET, le Petit Chose, I, IX, p. 114.

Absolt. Être prétentieux.

74.1 Elle est toujours prête à y jouer un rôle grotesque ou dramatique, prédisant les malheurs de la France et de la fille du boucher, imitant la dame du troisième qui «se croit» (...)
F. MALLET-JORIS, le Jeu du souterrain, p. 149.

♦ **2** *Se croire* (et adj., p. p. ou compl. circonstanciel). S'imaginer être (dans un état, une situation). → **Supposer** (se). *Se croire perdu. Se croire dans une situation désespérée. Il se croit heureux. Il se croit dans une situation enviable.*

75 (...) je me serais cru sur une des croupes des Alleghanis, n'était qu'un haut aqueduc, surmonté d'un pont étroit, me rappelait un ouvrage de Rome (...)
CHATEAUBRIAND, Mémoires d'outre-tombe, t. V, p. 13.

76 Rien ne rend si aimable que de se croire aimé (...)
MARIVAUX, le Paysan parvenu, II, p. 81.

77 Je me suis crue à l'abri de l'outrage de vos désirs.
G. SAND, Elle et Lui, II, p. 26.

78 Il est de ces êtres qui ne se croient francs que lorsqu'ils sont brutaux.   GIDE, Journal, mai 1906.
Se croire quelque part. Je me croyais revenu dans mon pays. On s'y croirait : on a l'illusion, le sentiment d'y être.

♦ **CROIRE** n. m.

Rare. *Le croire* : la croyance, le fait de croire.

79 Sous le sommeil, l'homme est sans défense contre le croire. Il n'a aucun moyen de ne pas *croire* car il est privé du *second chemin*, de la dualité, — de la conscience de conscience.   VALÉRY, Cahiers, t. II, Pl., p. 174.

CONTR. Douter. — Contester, démentir, discuter. — Désabuser, nier, protester, révoquer (en doute). ◊ DÉR. Croyable, croyance, croyant. V. Créance, et aussi crédible, crédit. → COMP. Décroire, ducroire, mécroire. V. Accroire, recru.

CROISADE [kʀwazad] n. f. — XVᵉ; réfection de *croisée* (1390), *croisement* (fin XIIᵉ), *croiserie* (mil. XIIIᵉ), dér. de *croiser* employés au sens de «croisade», d'après l'anc. provençal *crozata* et l'esp. *cruzada*, de *croz, cruz.* → Croix.

♦ **1** Expédition entreprise par les chrétiens coalisés pour délivrer les Lieux saints qu'occupaient les Musulmans. → **Guerre** (sainte). *Prêcher la croisade. Partir pour la croisade, en croisade. L'ordre Teutonique, fondé au temps des croisades. Huit croisades eurent lieu du XIᵉ au XIIIᵉ siècle. Les deux dernières croisades furent dirigées par Saint Louis.*

Quel jugement porter sur les croisades et quel aura été   **1**
leur rôle mondial? On a tendance à ne voir en elles
qu'un magnifique mouvement d'idéalisme ne répondant
à aucune nécessité historique. C'est qu'on néglige de les
replacer dans l'histoire de la question d'Orient (...)
R. GROUSSET, Bilan de l'histoire, IV, p. 234.

Hist. Expédition militaire effectuée par des croyants (chrétiens) contre des hérétiques. *La croisade contre les Albigeois.*

Par anal. (souvent iron.). Expédition armée motivée par des desseins idéologiques, religieux. *«Croisade contre le bolchevisme»* (dans les slogans inspirés par l'occupant nazi, pendant la Seconde Guerre mondiale). *Un esprit de croisade. Partir en croisade contre...*

♦ **2** (XVIIIᵉ). Cour. Tentative pour diriger l'opinion dans une lutte. → **Campagne.** *Croisade contre l'alcoolisme, le tabagisme, la drogue. Croisade en faveur de...*

(...) ce serait trop humiliant pour elle, l'insoumise, qui   **2**
s'était tant vantée de ne se laisser marier qu'à son gré,
qui avait tant prêché aux autres la croisade féministe (...)
LOTI, les Désenchantées, I, III, p. 42.

♦ **3** Régional. → **Carrefour.** *Croisade de chemins.* → **Croisée,** 1.

CROISÉ, ÉE [kʀwaze] adj. et n. m. → **Croiser.**

CROISÉE [kʀwaze] n. f. — V. 1348; «transept», XIIᵉ; de *croiser.*

♦ **1** Techn. Point où deux choses se coupent transversalement (→ **Croiser**). — *Croisée d'une épée* : point de rencontre des quillons près la garde à garde en forme de croix. *Croisée des fils d'un réticule de lunette.* — Mar. *Croisée d'une ancre*.* — Archit. *Croisée d'ogives** (cit. 2). *Croisée du transept,* et, absolt, *la croisée* : croisement du transept et de la nef. → **Croisillon** (→ Clocher, cit. 1), **croix.**

CROISÉE DES CHEMINS : carrefour*, croisement de voies. *La croisée de deux rues, de deux routes. Se rencontrer à la croisée des chemins.* Fig. *Croisée des chemins* : moment de la vie où doit être fait un choix déterminant.

Je délibérais aux croisées des chemins.   **1**
ROUSSEAU, les Confessions, IV.

(Avec un autre subst. que *chemin*) :

(...) le milicien lui apparut un soir à la croisée de quatre   **1.1**
rues.   Jean GENET, Pompes funèbres, p. 54.

Des bars encore, de petits restaurants, sont au bas de   **1.2**
chaque maison; ou presque, et à droite et à gauche il jette
des regards en suivant le courant, car à partir de la croisée
des rues le mouvement s'est accentué dans la direction que
lui-même avait prise.
A. PIEYRE DE MANDIARGUES, la Marge, p. 63.

♦2 (1690; «montant de pierre ou de bois qui divisait l'ouverture d'une fenêtre», 1508). **Vieilli ou régional.** Châssis vitré, ordinairement à battant, qui ferme une fenêtre. *Ouvrir, fermer la croisée. Montants et traverses de la croisée.* → **Meneau.** *Linteau de la croisée.* → **Sommier.** *Espagnolette qui sert à fermer une croisée.* → **Crémone.** *Le solement, filet de plâtre autour de la croisée.*

Par ext. Fenêtre*. *Refermer la croisée* (→ Augure, cit. 11).

2 Les branches et la pluie se jettent à la croisée de la bibliothèque.
RIMBAUD, Illuminations, Enfance, IV.

3 Sans que je m'en fusse aperçu, ma lampe s'était éteinte; devant l'aube s'était ouverte ma croisée. Je mouillai mon front à la rosée des vitres, et repoussant dans le passé ma rêverie consumée, les yeux dirigés vers l'aurore, je m'aventurai dans le val étroit des métempsychoses.
GIDE, le Voyage d'Urien, *in* Romans, Pl., p. 15.

4 Assise, la fileuse au bleu de la croisée (...)
VALÉRY, Poésies, «La fileuse», *in* Œ., t. I, Pl., p. 75.

♦3 Techn. Pièce de bois ou de métal disposée en croix. *Croisée d'une presse d'imprimeur. Croisée de l'axe d'un dévidoir. Croisée d'une roue d'horlogerie. Croisée à la partie supérieure d'une ruche.*

HOM. Croiser.

CROISEMENT [kʀwazmɑ̃] n. m. — 1539; «croisade», 1195; de *croiser.*

♦1 Action de disposer en croix, de faire se croiser; disposition croisée. *Le croisement des fils d'un tissu.* → **Chaîne, trame.** *Croisement des jambes* (→ Cheville, cit. 4). *Croisement de mains, au piano.* → **Croiser.** *Croisement de deux pièces qui se recouvrent.* → **Chevauchement.** — *Le croisement de deux trains sur une voie double. Gare de croisement sur une voie simple. Le croisement de deux voitures sur une route. Effectuer un croisement sans ralentir.* — *Feux de croisement,* utilisés lors du croisement d'autres véhicules, ou en zone urbaine (**syn. :** *codes*).

1 En bien des points, tout croisement est difficile, voire impossible, au passage d'un car, même pour la plus étroite des voitures de tourisme.
G. DUHAMEL, Manuel du protestataire, IV, p. 137.

2 Ce que je revois ensuite, c'est un carrefour; avec ces croisements de reflets, de passants, de véhicules, de souffles d'air noir, qui déjà par eux-mêmes vous communiquaient un rien de tournoiement intérieur et d'incertitude.
J. ROMAINS, les Hommes de bonne volonté, t. III, IV, p. 74.

Escrime. *Le croisement du fer :* action de se mettre en garde contre son adversaire. — **Milit.** *Croisement de la baïonnette :* présentation du fusil, pointe de la baïonnette en avant.

♦2 Point où se coupent deux ou plusieurs voies. → **Bifurcation, carrefour, coupement, croisée, croiserie** (régional), **embranchement, fourche, intersection.** *Le croisement de deux chemins, de deux routes. Croisement d'une route départementale avec une route nationale. Contre-rails du croisement de deux voies ferrées.*

3 Le croisement des voies s'y opère à angles droits : quelques bâtisses fermières, avec leurs dépendances, occupent trois de ces angles; le quatrième (...) est à peu près libre et s'ouvre sur la campagne cultivée.
G. DUHAMEL, Récits des temps de guerre, V, p. 254.

Absolt. *Vous vous arrêterez au croisement. Croisement dangereux.*

3.1 — Tu as dépassé le croisement.
— Quel croisement?
— Celui qui était marqué d'une flèche (...)
G. SIMENON, Feux rouges, p. 20.

3.2 Un croisement, à angle droit, montre une seconde rue toute semblable : même chaussée sans voitures, mêmes façades hautes et grises, mêmes fenêtres closes, mêmes

trottoirs déserts.
A. ROBBE-GRILLET, Dans le labyrinthe, p. 15.

♦3 Ling. Composition d'un mot par contamination ou télescopage de deux mots. **Ex. :** *Franglais est un croisement de* français *et de* anglais. → Mot-valise.

♦4 Mus. Dans une composition harmonique, passage d'une partie au-dessus de celle qui lui est normalement supérieure. *Lorsque l'alto monte plus haut que le soprano, il y a croisement.*

♦5 (1829). **Biol. et cour.** Méthode de reproduction par fécondation réalisée sélectivement entre individus (animaux ou plantes) d'une même espèce ou d'espèces voisines (→ **Mélange**). *Améliorer une race de bovins par des croisements. Croisement de deux races, de deux variétés de la même espèce* (→ **Métissage**), *croisement de deux espèces.* → **Hybridation.** *Le croisement de l'âne et de la jument donne le mulet, qui est un hybride. Expériences de croisement des pois de Mendel.*

4 Le croisement diffère (...) de la sélection par la dissemblance des sujets qu'on unit, mais il s'en rapproche par la fécondité des produits, alors que les produits de l'hybridation demeurent stériles. Physiologiquement, le croisement tiendrait le milieu entre la sélection et l'hybridation.
Omnium agricole, p. 279.

Croisement consanguin, croisement (chez l'homme) : union féconde entre individus apparentés, pouvant manifester chez les enfants des caractères défavorables non apparents chez les parents.

5 D'ailleurs, plus plébéienne que son père, par suite de croisements sans doute, d'hérédités ancestrales inconnues (...)
LOTI, Matelot, VI, p. 30.

6 (...) les produits de croisement en qui coexistent et grandissent, se neutralisant, des exigences opposées, c'est parmi eux, je crois, que se recrutent les arbitres et les artistes.
GIDE, Si le grain ne meurt, I, I, p. 21.

COMP. Rétrocroisement.

CROISER [kʀwaze] v. — XIIe; *cruisier,* 1080, *Chanson de Roland;* de *crois, cruis* «croix».

I V. tr. **♦1** Disposer (deux choses) l'une sur l'autre, en forme de croix. *Croiser deux bouts de bois, deux brindilles.* — **Cour.** (en parlant des membres, des doigts). *Croiser les jambes* (→ Asseoir, cit. 17). *Croiser les bras :* ramener les bras sur la poitrine. *Croiser les doigts, croiser ses doigts,* pour conjurer le sort. **Fig.** Rester dans l'inaction, refuser d'agir, être indifférent.

Plus cour. *Se croiser les bras* (même sens). — **Par ext.** *Croiser un habit, une écharpe,* les disposer de manière que les côtés passent l'un sur l'autre.

1 (Mélanie) croisait sur sa poitrine son petit châle noir et le fixait avec une épingle.
FRANCE, le Petit Pierre, XIV, p. 81.

2 (...) puis il s'asseyait, croisait ses longues jambes en thyrse en se penchant tout d'un côté, à droite (...)
HUYSMANS, Là-bas, II, p. 22.

Croiser les fils d'une étoffe : faire traverser en les alternant les fils de la chaîne par les fils de la trame. → **Entrecroiser, entrelacer.** *Croiser les brins d'osier pour faire un ouvrage de vannerie. Croiser les soies, les fils,* les tordre avec un moulin.

Didact. (versification). *Croiser les rimes, les vers,* les alterner au lieu de les faire aller par couples. → **Croisure.**

♦2 (1835). *Croiser le fer, l'épée :* engager les épées; se battre à l'épée. → **Duel. Au fig.** Entrer en lutte (avec qqn), s'opposer (à qqn), rivaliser (avec qqn).

2.1 La personne qui vous écrit ces quelques lignes a eu l'honneur de croiser l'épée avec vous dans un petit enclos de la rue d'Enfer.
A. DUMAS, les Trois Mousquetaires, t. II, p. 554.

3 Il s'agissait du duel, aussi malheureux que ridicule, d'un confrère catholique assez (...) inconséquent pour avoir accepté de *croiser le fer* avec l'un des plus décriés représentants de cette vermine.
Léon BLOY, le Désespéré, IV, p. 212.

3.1 Ce qu'elle disait n'était pas si mal. Mais c'était le ton, cette agressivité, cette rage. Elle voulait croiser le fer et ne rencontrait que du beurre.
Claude COURCHAY,
La vie finira bien par commencer, p. 44 (1972).

Milit. *Croiser la baïonnette* : présenter pointe en avant la baïonnette fixée au fusil.

♦ **3** (1660). Passer au travers de (une ligne, une route). → **Couper, traverser; bifurcation, carrefour, croisée, croisement.** *La voie ferrée croise la route de biais. Cette route croise celle de Paris. — Nous venons de croiser la grand route.*

Fig. *Croiser le chemin de qqn,* lui susciter des obstacles, s'opposer à ses desseins. → **Chemin** (cit. 48 et supra).

♦ **4** Passer à côté de, en allant en sens contraire. *Croiser une file de voitures. Train qui en croise un autre sur une double voie. Croiser qqn dans la rue, dans un couloir.*

4 (...) ils *croisèrent* un taxi en maraude, qui, sur un signe, vint se ranger contre le trottoir.
MARTIN DU GARD, les Thibault, t. II, p. 123.

5 (...) elle croisait des domestiques dépouillés d'apparat (...) traversait des logements encombrés de meubles de rebut, se heurtant dans les couloirs à des êtres informes (...)
J. CHARDONNE, les Destinées sentimentales, II, I, p. 184.

Par ext. *Ma lettre a dû croiser la vôtre* : nous nous sommes écrit en même temps.

Mon regard a croisé le sien. Croiser qqn du regard.

♦ **5** Biol. Accoupler (des animaux), faire un croisement* (de plantes du même genre mais d'espèces différentes). → **Croisement** (cit. 4); **mâtiner, mélanger, mêler, métisser.** *Croiser deux races de chevaux. Croiser une race avec une autre. Croiser des plants de vigne.*

Par métaphore. (Rare). Mélanger (des choses contraires mais de même espèce). «*Croisons nos plaisirs*» (Sainte-Beuve, *Pensées et Maximes,* 1869, in T. L. F.).

II V. intr. ♦ **1** (1690). Passer l'un sur l'autre (en parlant de bords d'un vêtement). *Faire croiser un vêtement. Cette veste croise trop. Manteau qui ne croise pas assez.*

♦ **2** Mar. Couper la route à un navire sur son avant. *Avertir avant de croiser.*

Aller et venir dans un même parage (en parlant d'un navire). → **Croisière; parader.** *Croiser à vue de terre. Croiser au large. La flotte croise dans la Manche, sur les côtes.* — Spécialt. Exercer une surveillance. *Un navire garde-côte croise à faible distance de la plage.*

♦ **SE CROISER** v. pron. **A** ♦ **1** Être ou se mettre en travers l'un sur l'autre. *Deux chemins qui se croisent à angle droit. Branchages qui se croisent.*

Se ramener l'un sur l'autre en double (vêtement). *Les vestes d'homme se croisent généralement à droite, les vestes de femme, à gauche.*

♦ **2** Passer l'un à côté de l'autre en allant dans une direction différente ou opposée. — (Personnes). *Se croiser en route.* — (Choses). *Nos lettres se sont croisées.*

5.1 Piste juste assez large pour un seul corps. Jamais deux n'y s'y croisent.
S. BECKETT, Pour finir encore et autres foirades, p. 41.

Ils parcouraient tumultueusement la ville, cherchant les 6 uns des vivres, d'autres des fourrages, quelques-uns des logements; on se croisait, on s'entre-choquait, et, l'affluence augmentant à chaque instant, ce fut bientôt, comme un chaos (...)
Ph. P. SÉGUR, Hist. de Napoléon, IV, 7.

Regards qui se croisent.

Fig. et littér. *Des intrigues qui se mêlent et se croisent. Idées qui se croisent* (dans une conversation).

(Personnes). Littér. Se faire mutuellement obstacle. *Ils se croisent dans leurs prétentions.*

♦ **3** Biol. S'accoupler par croisement. *Le loup peut se croiser avec le chien.*

B (Soi crusier, 1174). Hist. S'engager dans une croisade. → **Croisade.** *Saint Louis se croisa.*

Littér. Entrer dans une coalition contre qqn ou qqch. *Se croiser contre un dictateur.*

♦ **CROISÉ, ÉE** p. p. adj. et n. m.

I Adj. ♦ **1** Disposé en croix, qui se croise (avec autre chose du même genre). *Bâtons croisés. Rideaux croisés. — Rester les bras* (cit. 19) *croisés* (fig.) : rester à ne rien faire. — *Mains croisées derrière la nuque. Jambes croisées.*

Les jambes croisées, dans une pose abandonnée, un peu 7 provocante, elle l'examinait sans rien dire.
MARTIN DU GARD, les Thibault, t. IX, p. 96.

(...) ses pieds chaussés d'espadrilles ramenés sous sa 7.1 chaise et croisés l'un sur l'autre (...)
Claude SIMON, le Palace, p. 165.

Tissu croisé. N. m. *Du croisé :* tissu où le croisement des fils est très serré. — (Vêtement). Dont les bords croisent. *Veste croisée, veston croisé* (opposé à *droit*). *Châle croisé sur la poitrine.*

Un sein qui semblait gonflé de tendresse soulevait le fichu, 8 croisé à la mode de l'année.
FRANCE, Les dieux ont soif, p. 26.

♦ **2** Fig. *Rimes croisées :* rimes qui alternent. *Vers croisés.*

Cour. *Mots croisés.* → **Mot; cruciverbiste.**

♦ **3** *Feu(x) croisé(s), tir(s) croisé(s),* qui proviennent de divers points mais qui convergent vers le même but. — Par métaphore. *Un feu croisé de moqueries.*

♦ **4** Escrime. *Tireur croisé,* qui a le pied droit trop en dedans de la ligne. — N. m. *Un croisé :* mouvement de l'épée pour faire sauter l'arme de la main de l'adversaire.

Danse. → **Chassé-croisé; brisé.**

♦ **5** Coupé, traversé. *Un chemin croisé par un autre.* → **Croisée, croisement.** — Blason. *Croisé de :* traversé en diagonale.

♦ **6** Qui est le résultat d'un croisement*, qui n'est pas de race pure. → **Hybride, mâtiné, mélangé, métis, métissé,** et aussi **bâtard.** *Race croisée. Sangs croisés. Chien croisé.*

Ils étaient, ces Berny, une très nombreuse famille du pays, 9 non croisée de sang étranger au moins depuis l'époque sarrasine, et leur type provençal avait pu se maintenir très pur.
LOTI, Matelot, I, p. 2.

♦ **7** Pathol. *Aphasie croisée.*

II N. m. (1194). **CROISÉ** : celui qui prenait la croix pour combattre les infidèles. → **Croisade.** *L'armée des croisés* (→ Bénir, cit. 10). *Un croisé.*

Adj. *L'armée croisée.*

Le pape Grégoire VII fut le premier communiste sérieux. 10 Sans lui les Croisés n'auraient jamais commis la folie de quitter le coin de leur femme et le coin de leur cheminée pour s'en aller conquérir un tombeau vide. C'étaient de bons militants.
Régis DEBRAY, l'Indésirable, p. 294.

Par extension :

11 Les grandes causes, il n'en connaît que de trois sortes : la prison spirituelle des croyants, les aberrations des croisés de toutes sortes, et le jeu de la politique.
Alain BOSQUET, les Bonnes Intentions, p. 213.

DÉR. Croisée, croisement, croiserie, croiseur, croisière, croisure.

CROISERIE [kʀwazʀi] n. f. — Fin XIIᵉ, a signifié aussi «croisade»; de croiser.

Régional.

♦ 1 Ouvrage de vannerie fait de brins d'osiers entrecroisés.

♦ 2 Croisement, carrefour.

CROISETÉ, ÉE [kʀwazte] adj. — D. i.; de croisette.
Didact., blason. Garni, orné de croisettes.
(...) une pyramide appliquée au mur, que surmonte une boule croisetée (...)
Th. GAUTIER, Constantinople, p. 30.

CROISETTE [kʀwazɛt] n. f. — V. 1170; de croix.

♦ 1 Vx ou régional. Petite croix (nom d'une célèbre avenue de Cannes). — Par anal. (Nord-Est). Tas de gerbes entassées sur le sol; gerbes en croix.
À gauche, l'école de Chaumot, une ferme, les piles de bois du canal, les croisettes, les champs Bargeot où je chasse, des prés peuplés de bœufs.
J. RENARD, Journal, 12 juil. 1901.

♦ 2 Techn. Fleuret dont la garde est en forme de croix.

♦ 3 Bot. Plante dont les feuilles et/ou les fleurs sont en forme de croix; spécialt, variété de gaillet* ou de gentiane.
Blason. Croix alésée et diminuée.

♦ 4 Régional. (Vx). Livre d'alphabet commençant par le signe de la croix. — Catéchisme.

DÉR. Croiseté.

CROISEUR [kʀwazœʀ] n. m. — 1690; de croiser.

♦ 1 Navire de guerre rapide, armé de canons et destiné à éclairer les escadres, à faire des raids de reconnaissance, à surveiller les routes maritimes. *Croiseur léger*, de 5 000 tonnes environ. *Croiseur lourd, croiseur de bataille*, de 10 000 tonnes. *Croiseur anti-aérien. Croiseur torpilleur. Croiseur auxiliaire* : cargo ou paquebot rapide utilisé comme croiseur en temps de guerre.
La vedette se détacha du quai, prit son élan dans la nuit. Elle disparut bientôt derrière une jonque. Des croiseurs, les faisceaux des projecteurs ramenés à toute volée du ciel sur le port continu se croisaient comme des sabres.
MALRAUX, la Condition humaine, p. 59.

♦ 2 (1863). Techn. Filon qui, dans une mine, en coupe un autre. — Adj. *Filon croiseur.*

♦ 3 Régional. Hirondelle de mer.

CROISIÈRE [kʀwazjɛʀ] n. f. — 1678; «croisade», 1285; «croisement de deux choses», 1344; de croiser.

♦ 1 Mar. Action de croiser, en parlant de navires de guerre qui surveillent des parages déterminés. → **Croiser**. *Une croisière de trois semaines en Méditerranée. Patrouilleur en croisière.*
Par métonymie. (Vx). Ensemble des navires qui croisent. → **Flotte**. — Le lieu où croisent ces navires.

♦ 2 (1924, in Petiot). Cour. Voyage d'excursion ou d'étude effectué par un paquebot, un navire de plaisance. *Croisière en Grèce. Faire une croisière. Partir en croisière.* — Adj. *Course croisière* : compétition nautique.

Par ext. Long voyage d'étude ou d'agrément. *La croisière noire* (1924-1925); *la croisière jaune* (1931-1932), expéditions organisées dans un but publicitaire à travers l'Afrique et l'Asie par André Citroën.
Croisière aérienne : voyage d'agrément organisé, par avion.

♦ 3 Loc. VITESSE DE CROISIÈRE : la meilleure allure moyenne pour un navire ou un avion, une machine pilotée par l'homme, sur une longue distance. — Fig. *Vitesse, régime, rythme, allure de croisière* : le rythme normal, après une période d'adaptation, de rodage. *Atteindre la, sa vitesse de croisière.*
Ces laboratoires et d'autres travaillaient, depuis longtemps, à un rythme qu'on appelle couramment de croisière. Le risque de grave famine a suscité une vive accélération des efforts, comme il arrive en temps de guerre, et la riposte a suivi.
A. SAUVY, Croissance zéro?, p. 147.
Et pourtant, derrière ces meurtres, c'est peut-être seulement de *tiédeur* qu'il s'agit? La mort en vitesse de croisière? Dans l'indifférence générale?
Ph. SOLLERS, Femmes, p. 171.

♦ 4 Techn. Ensemble des guides pour l'attelage à deux (les guides intérieures se croisent).

DÉR. Croisiériste.

CROISIÉRISTE [kʀwazjeʀist] n. — 1974; de croisière.

♦ 1 Touriste qui participe à une croisière. «*En dix ans, le nombre de croisiéristes français a doublé*» (*le Point*, 13 juil. 1984, p. 64).

♦ 2 Organisateur de croisières. → **Voyagiste**.

CROISILLÉ, ÉE [kʀwazije] adj. — 1879, Daudet; v. 1170, «orné de dessins en croix» — de l'anc. franç. *croisille*, de *croix* —; de *croix*, et suff. *-ille*, ou provençal *crousilhat* «entrecroisé».

Rare ou régional.

♦ 1 Disposé en forme de croix; garni de croix.

♦ 2 Garni d'éléments disposés en croix. → **Croisillonné** (Colette, in T. L. F.).

CROISILLON [kʀwazijɔ̃] n. m. — 1375; de l'anc. franç. *croisille*, dér. de *croix*.

♦ 1 La traverse d'une croix. *Les deux croisillons inégaux de la croix de Lorraine.*

Archit. Le transept* d'une église. Abusivt. L'un des bras du transept.
Il faut donc éviter de dire les croisillons nord et sud du transept, puisque ce mot désigne non un bras, mais l'ensemble du transept. Louis RÉAU, Dict. d'art, p. 134.

♦ 2 Barre qui partage une baie, un châssis de fenêtre, et qui sert à fixer les vitres. *Croisée à deux, trois croisillons.* Plur. Boiseries qui se croisent pour maintenir de petits carreaux, dans les fenêtres anciennes. *Fenêtre à croisillons.*
Morceau de charpente* qui en croise un autre perpendiculairement.
Croisillon d'un fauteuil. → Piètement, cit.

♦ 3 Au plur. (Techn.). Pièces de fer en croix à l'intérieur d'un arbre tournant pour le renforcer et l'empêcher de se fendre.

♦ 4 Mar. Petite bitte en forme de croix.

DÉR. Croisillonné.

CROISILLONNÉ, ÉE [kʀwazijɔne] adj. — Déb. xxᵉ; de *croisillon.*

Qui possède des croisillons* (2.). → **Croisillé.** *Fenêtre croisillonnée.*

1 (...) un simple rez-de-chaussée en maçonnerie, muni de petites et rares ouvertures croisillonnées de barreaux de fer (...)   R. FRISON-ROCHE, Premier de cordée, p. 109.

2 Puis il prit, pour chacun, deux assiettes de porcelaine blanche croisillonnées d'or transparent (...)
     Boris VIAN, l'Écume des jours, I, p. 16.

CROISSANCE [kʀwasɑ̃s] n. f. — V. 1190; du p. prés. de *croître.* Cf. le lat. *crescentia,* de *crescere.* → Croître.

◆ 1 Le fait de croître*, de grandir (organisme). → **Développement, poussée.** *L'âge de la croissance :* l'enfance; l'adolescence. *Enfant arrêté dans sa croissance. Croissance rapide, hâtive.* → Pousser comme un champignon*. *Crise de croissance. Maladie de croissance. L'atéliose est un trouble de la croissance. Animal en pleine croissance.* → **Crue.** *Ration de croissance. Finir sa croissance. Cet arbre a toute sa croissance.* → **Venue** (arbre d'une belle venue). *Croissance retardée par la sécheresse. L'actinauxisme, effet de la radiation sur la croissance des végétaux. Croissance particulière d'un organe.* → **Allométrie.**

1 Quand un enfant se plie sans défense à une bonne éducation, il est perdu. Heureusement, on se penche en vain sur cette existence oscillante, cette croissance mystérieuse, sans jamais comprendre son développement, rassuré à tort, tourmenté sans motifs, redoutant ce qui est bon, ignorant ce qu'il faut souhaiter.
     J. CHARDONNE, l'Amour du prochain, II, p. 57.

Le fait de se développer, de s'épanouir (intellectuellement, moralement, spirituellement). *La croissance intellectuelle de qqn.* → **Développement, évolution.**

◆ 2 (Choses). Le fait de grandir. → **Accroissement, agrandissement, augmentation, développement, progression.** *La croissance d'une ville. La croissance d'une passion, d'un sentiment.*

2 (...) chaque école poétique a ses phrases, son cours, sa croissance, sa décadence.
     SAINTE-BEUVE, Correspondance, t. I, p. 148.

3 (...) cette confiance en soi que donne la croissance de la richesse et l'essor des entreprises.
     JAURÈS, Hist. socialiste..., t. V, p. 9.

4 Il est trop vrai que la passion, à un certain point de sa croissance, nous tient et que nous ne pouvons plus rien contre ce cancer.
     F. MAURIAC, Souffrances et Bonheur du chrétien, p. 67.

Spécialt. *La croissance d'un cristal.*

5 Chaque élément de séquence dans l'une des deux fibres joue le rôle d'un germe cristallin, qui choisit et oriente les molécules qui viennent spontanément s'y associer, assurant la croissance du cristal.
     Jacques MONOD, le Hasard et la Nécessité, p. 141.

Croissance économique : accroissement à moyen et long terme de la production, qui implique des changements culturels. → **Développement, expansion, progrès.** *Pôle de croissance. Croissance matérielle et développement culturel. Croissance et développement. Croissance planifiée. Secteur industriel en pleine croissance. Une croissance ralentie, nulle. Croissance exponentielle* (cit. 2). *Croissance zéro :* hypothèse selon laquelle, à un certain degré de développement économique, l'accroissement de la production n'est pas souhaitable.

6 Cette société connaît, avons-nous dit et écrit, une croissance (économique, quantitative, mesurée en tonnes et kilomètres) remarquable et un développement faible.
     Henri LEFEBVRE, la Vie quotidienne dans le monde moderne, p. 155.

CONTR. Atrophie, chute, déclin, décroissance, décroissement, diminution, tassement.

---

1. **CROISSANT, ANTE** [kʀwasɑ̃, ɑ̃t] adj. — D. i.; du p. prés. de *croître.*

◆ 1 Qui croît, s'accroît, augmente. *Le nombre croissant des naissances. En nombre croissant. Bruit sans cesse croissant. Avec une colère croissante.*

Je sentis à mon trouble croissant que j'allais me perdre (...)
     ROUSSEAU, in LITTRÉ.

◆ 2 Math. *Fonction croissante :* fonction qui varie comme sa variable.

◆ 3 Mar. *Échelle des latitudes croissantes :* échelle utilisée pour corriger la représentation des méridiens sur une carte par rapport à leur distance réelle correspondant sur le globe.

2. **CROISSANT** [kʀwasɑ̃] n. m. — V. 1180; de *croître.*

I Vx. Temps pendant lequel la lune a une augmentation apparente. → **Progression.** *La lune est dans son croissant,* elle croît.

II Mod. ◆ 1 Figure échancrée de la lune pendant qu'elle croît et décroît. *Le croissant se dit de la nouvelle lune jusqu'au premier quartier; il se dit aussi de la figure échancrée depuis le dernier quartier jusqu'à la nouvelle lune. — Le croissant de la lune. Un croissant de lune. Cornes du croissant.*

1 Le croissant de la lune, constamment dirigé vers le soleil, indique évidemment qu'elle en emprunte sa lumière.
     LAPLACE, Exposition du système du monde, I, 3, in LITTRÉ.

2 (...) il lève les yeux de temps à autre vers ce qui se passe au-dessus, dans l'infini, regarde la lune nouvelle, dont le croissant, mince autant qu'une ligne, s'abaisse et va disparaître (...)
     LOTI, Ramuntcho, I, XIII, p. 119.

◆ 2 (1223). Forme arquée* analogue à celle du croissant de lune (surtout dans : *en croissant*). *Dessiner, découper un croissant. — Agrandir une ouverture en la taillant en forme de croissant.* → **Échancrer.** *Figure en croissant.* → **Lunule, ménisque.** *Fer en croissant de la faucille. — Bacille, corps en croissant. Troupes disposées en croissant. Fortifications en croissant.*

3 Il avait les joues rubicondes, les cheveux longs par derrière, très pommadés, ramenés en croissants le long des tempes.   HUYSMANS, Là-bas, XII, p. 175.

◆ 3 Emblème en croissant de l'Empire turc, de la religion musulmane. *La lutte de la croix et du (contre le) croissant.* (→ Chevalier, cit. 3). — *Le Croissant rouge* (équivalent de la Croix rouge dans les pays d'Islam).

Blason. Pièce héraldique en forme de croissant. *Croissant renversé, couché, tourné, contourné. Croissant montant. Croissants adossés.*

◆ 4 (1863; d'après all. *Hornchen,* de *Horn,* nom donné à des pâtisseries, à Vienne, après la victoire sur les Turcs, en 1689). Cour. Petite pâtisserie feuilletée, en forme de croissant (à l'origine : la plupart des croissants, au moins en France, sont en forme de navette). *Prendre un café et un croissant au petit déjeuner. Un croissant au beurre. Des croissants et des brioches. Croissant au beurre, croissant beurre.*

4 Elle demande un croissant pour la seconde fois. Mais le garçon, tout à ses manettes, n'a pas écouté; et la corbeille aux croissants se penche là-bas comme une barque échouée dans la rigole de zinc.
     J. ROMAINS, les Hommes de bonne volonté, t. IV, XVIII, p. 196.

5 J'ai pris encore un croissant. Elle préférait les tartines. C'est vrai que la France est coupée en deux. Il y a ceux qui préfèrent les tartines et ceux qui préfèrent les croissants.
     É. AJAR (R. GARY), l'Angoisse du roi Salomon, p. 254.

6 Prenez de la farine, ajoutez du sel, du sucre, de la levure, de l'eau, un peu de lait. Mélangez. Pétrissez. Laissez reposer douze heures à une température de cinq degrés. Puis feuilletez la pâte en y ajoutant un quart de beurre : vous pliez trois fois en longueur, trois fois en largeur. Laissez reposer dix minutes. Découpez en triangles que vous roulez sur eux-mêmes. Posez sur une plaque, dorez à l'œuf, passez quinze minutes à four très chaud. Qu'est-ce que vous obtenez ? Des croissants ? Pas seulement. Vous obtenez un symbole — symbole de la douceur de vivre bien française, du petit déjeuner-café-au-lait-au-lit du dimanche, des paradis perdus et des douceurs envolées.   le Nouvel Obs., 14 nov. 1977.

♦ **5** Disposition, objet, espace qui rappelle le croissant de lune. — *Les croissants d'une ville* : groupes de maisons disposées en croissant (d'après l'angl. *crescent*). *«Les croissants de Londres»* (Michelet). — (Au Québec, t. normalisé). Rue en forme de demi-cercle.

Techn. *Croissant d'un pneu*, sa partie bombée.

Techn. Instrument de fer en arc, muni d'un long manche, dont on se sert pour élaguer les arbres, tondre et tailler les haies.

7 Il s'est coupé la main avec un de ces croissants dont on se sert pour abattre les petites branches.
                   J. RENARD, Journal, juil. 1903.

Régional. Filet de peau autour d'un ongle.

Biol. Zone en forme de croissant.

Techn. Branche de fer recourbée et scellée aux jambages des cheminées pour retenir les pelles et pincettes.

Mar. *Croissant de gui* : chandelier fixé sur un pont et qui sert à soutenir un gui.

Fortif. Demi-lune.

Géogr. Zone en forme de croissant. *Le Croissant fertile* : zone fertile du Moyen-Orient qui va de la mer Morte au golfe d'Arabie, et est irriguée par le Tigre et l'Euphrate.

Opt. *Distorsion en croissant*, qui fait apparaître les droites infléchies vers l'intérieur de l'image (opposé à *distorsion en barillet**).

HOM. Croissant, p. prés. de **croître***. ◊ DÉR. **Croissanterie.**

CROISSANTERIE [kʀwasɑ̃tʀi] n. f. — 1980 ; marque déposée, de 2. *croissant.*

Boutique, échoppe où l'on vend des croissants, certains produits de boulangerie pâtissière (→ Viennoiserie).

CROISURE [kʀwazyʀ] n. f. — 1423 ; de *croiser.*

♦ **1** Vx. Point où se coupent deux lignes qui s'entrecroisent. — Blason. *Croisure de l'écu.*

♦ **2** Techn. Tissure d'une étoffe croisée. *Croisure de la serge*, par oppos. à la *filure du drap.* — *Croisure des fils*, pendant le tirage de la scie. — Mar. Longueur des vergues d'un navire.

♦ **3** Littér. Action de croiser les rimes des vers, d'entrecroiser des vers de différentes mesures.

La diversité de la mesure et de la croisure des vers que j'y ai mêlés (...)   CORNEILLE, Examen d'Andromède.

CROÎT [kʀwa] n. m. — V. 1160, *croiz* ; de *croître.*

♦ **1** Agric., dr. Augmentation d'un troupeau par les petits qui naissent chaque année.

(...) le preneur *(du bail à cheptel simple)* profitera de la moitié du croît (...) il supportera aussi la moitié de la perte.
                        Code civil, art. 1804.

♦ **2** Didact. Augmentation en nombre. *«Le croît du volume social»* (Durkheim, *in* T. L. F.).

♦ **3** Littér. et rare. Croissance, venue (d'un végétal).

CONTR. Déchet, diminution, perte. ◊ HOM. Croix ; formes de **croire** et **croître**.

CROÎTRE [kʀwatʀ] v. intr. [CONJUG.: *je croîs, tu croîs, il croît, nous croissons, vous croissez, ils croissent ; je croissais, nous croissions ; je crûs, nous crûmes* (inus.) *; je croîtrai, nous croîtrons ; je croîtrais, nous croîtrions ; que je croisse, que nous croissions ; que je crûsse, que nous crûssions* (inus.) *; croîs, croissant ; crû.*] — 1080, *creistre, Chanson de Roland ; croistre,* XIIᵉ *; crestre, crètre, craître jusqu'au* XVIIIᵉ *; du lat. crescere* «naître, grandir».

♦ **1** Vieilli ou littér. (→ **Grandir, pousser,** cour.). Grandir progressivement jusqu'au terme du développement normal, en parlant des êtres organisés. → **Développer** (se), **gagner ; croissance, crue.** *Croître insensiblement. Croître très vite, à vue d'œil, comme un champignon. Se remettre à croître.* → **Renaître, repousser.** *Les végétaux croissent à une certaine hauteur.* → **Tasser, végéter.** — Au p. p. *«Les arbres crûs depuis mon départ»* (Littré).

Ainsi l'on vit l'aimable Samuel   1
Croître à l'ombre du tabernacle.
                        RACINE, Athalie, II, 9.

Le bois qui, dans le même terrain, croît le plus vite est   2
le plus fort ; celui qui a crû lentement est plus faible que
l'autre.
        BUFFON, Expérience sur les végétaux, 1ᵉʳ mém.

Faire croître. Le beau temps a fait croître les légumes. — Laisser croître. Laisser croître la récolte.

Littér. (Des animaux, des personnes). Grandir*. *Les animaux, les enfants croissent jusqu'à un certain âge.* → **Croissance** (cour.). → aussi ci-dessous, 3.

Les bessons croissaient à plaisir sans être malades plus   3
que d'autres enfants, et mêmement ils avaient le tempérament si doux et si bien façonné qu'on eût dit qu'ils ne souffraient point de leurs dents ni de leur croît, autant que le reste du petit monde.
                G. SAND, la Petite Fadette, II, p. 13.

Pousser naturellement (végétaux). → **Naître, pousser, venir.** *Les pays où croissent la vigne et l'olivier. Ce sol fait croître des arbres magnifiques, de belles récoltes.* → **Nourrir, prospérer.** *Ici, le blé ne croît pas. Bois qui croît dans les terres labourables.* → **Écrues.**

Figuré :

Je ne fais pas un livre, il se fait. Il mûrit et croît dans ma   4
tête comme un fruit.
              A. DE VIGNY, Journal d'un poète, p. 109.

Littér. *Laisser croître sa barbe, ses cheveux* (→ Accompagner, cit. 11).

Loc. *Mauvaise herbe croît toujours*, se dit, par plaisanterie, des enfants qui grandissent beaucoup. — Loc. cour. *Ne faire que croître et embellir*, se dit d'une jeune personne qui devient de plus en plus belle en grandissant, ou, d'une chose qui augmente en bien, et, iron., en mal (→ Empirer).

(...) sa sottise tous les jours ne fait que croître et embellir. 5
                  MOLIÈRE, la Comtesse d'Escarbagnas, 1.

(...) le détraquement de Letondu ne fit que croître et   6
embellir.
            COURTELINE, Messieurs les ronds-de-cuir,
                            5ᵉ tableau, I, p. 161.

Par ext. **CROÎTRE EN** (suivi d'un subst. sans article). *Croître en liberté. Croître en harmonie.* — Loc. Spécial. *Croître en beauté, en sagesse, en vertu...* : acquérir progressivement plus de beauté, de sagesse, de vertu.

Et Jésus croissait en sagesse, en âge et en grâce, devant   7
Dieu et devant les hommes.
           BIBLE (SACY), Évangile selon saint Luc, II, 52.

♦ **2** (Choses). Devenir plus grand, plus nombreux, plus intense. → **Accroître, augmenter, développer.** *Croître en volume, en étendue.* → **Agrandir** (s'), **étendre** (s'), **enfler, grossir...** *Croître en intensité.* → **Redoubler.** *Croître en durée. La fonte des neiges fait croître la rivière. «La rivière a crû, est crue»*

(Académie). → **Crue**, n. f. *Le vent croît. La lune commence à croître* (→ **Croissant**). *Le jour, la nuit croît rapidement. Les marées croissent dans l'équinoxe. Jours qui croissent au printemps.* → **Allonger**. *Le bruit croît* (→ Arrêt, cit. 5). *Le tumulte croît à mesure que l'on se rapproche. La fièvre croît. Sentiment, passion qui croît.*

8 Ah! laisse à ma fureur le temps de croître encore (...)
   RACINE, Andromaque, III, 1.

9 L'amour qui croît peu à peu par degrés ressemble trop à l'amitié pour être une passion violente.
   LA BRUYÈRE, les Caractères, IV, 13.

10 (...) mon désir croît avec ma honte, et je rentre enfin comme un sot, dévoré de convoitise, ayant dans ma poche de quoi la satisfaire, et n'ayant osé rien acheter.
   ROUSSEAU, les Confessions, I.

11 L'amour peut toujours croître ou diminuer.
   STENDHAL, De l'amour, p. 315.

12 Par la jalousie véritable l'affection d'amour croît toujours.
   STENDHAL, De l'amour, p. 317.

13 Il peut arriver que la fureur des sens croisse avec la passion.
   André SUARÈS, Trois hommes, «Dostoïevski», IV, p. 238.

14 Son exaltation ne cessa de croître jusqu'au crépuscule de la nuit.   P. MAC ORLAN, la Bandera, XV, p. 180.

♦ **3** Allus. bibl. *Croissez et multipliez-vous :* augmentez en nombre. → **Multiplier**.

15 Dieu les bénit (*l'homme et la femme*), et leur dit : Croissez et multipliez-vous (...)   BIBLE (SACY), Genèse, I, 28.

16 (...) le nombre des Barbares qui se pressaient aux portes semblait croître.
   J. BAINVILLE, Hist. de France, p. 17 (→ Anarchie, cit. 6).

17 Son curé lui a dit : «Croissez et multipliez», de sorte qu'il ne prend plus de précautions. «Heureusement», dit sa femme, «j'ai fait une fausse couche, et j'ai tout arrêté. Mais si je l'avais laissé faire, il aurait rempli d'enfants la maison».
   J. RENARD, Journal, 1er nov. 1902.

♦ **4** V. tr. Vx. Accroître. *Croître les difficultés de qqn. Croître son bonheur, son malheur. Cet encouragement va croître son zèle.*

CONTR. **Atrophier, baisser, décliner, décroître, diminuer, rabougrir, tomber.** ◊ DÉR. et COMP. **Croissance**, 1. et 2. **croissant, croît, crue, décroître, recroître.** – V. **Accroître, excroissance, surcroît.** – HOM. Formes du v. **croire.** – (Du p. prés.) 1. et 2. **Croissant.**

CROIX [kʀwa] n. f. — Xe, *croiz;* du lat. *crux, crucis* «croix, gibet».

♦ **1** Hist. Gibet fait d'un poteau coupé par une traverse et sur lequel on attachait des condamnés pour les faire mourir. *Ériger, planter, dresser des croix. Mettre, attacher, clouer un criminel sur la croix, en croix. La mise en croix.* → **Crucifixion; crucifier.**

1 Ils l'attachèrent à une croix qui était un supplice ordinaire chez les Carthaginois, et l'y firent périr.
   ROLLIN, Hist. ancienne, Œ., t. I, p. 330, *in* LITTRÉ.

La peine, le supplice de la croix.

2 Carthage exténué ces peuples. Elle en tirait des impôts exorbitants; et les fers, la hache ou la croix punissaient les retards jusqu'aux murmures.
   FLAUBERT, Salammbô, VI, p. 97.

♦ **2** Spécialt et cour. (Souvent écrit avec un C majuscule). Le gibet sur lequel Jésus-Christ fut mis à mort. *L'arbre* (cit. 50) *de la Croix. La vraie Croix. La sainte Croix. Relique faite du bois de la vraie Croix. Jésus montant au calvaire et en portant sa croix* (→ **Passion**). *Tableau représentant le portement* de la Croix. Écriteau sur la croix* (→ **Inri**).

3 Alors il le leur abandonna pour être crucifié. Ils prirent donc Jésus, et l'emmenèrent. Et portant sa croix, il vint au lieu appelé le Calvaire, qui se nomme en hébreu Golgotha,

où ils le crucifièrent, et deux autres avec lui, l'un d'un côté, et l'autre de l'autre, et Jésus au milieu. Pilate fit aussi un écriteau, qui fut mis au haut de la croix; et voici ce qu'il portait : Jésus de Nazareth, Roi des Juifs.
   BIBLE (SACY), Évangile selon saint Jean, XIX, 16 à 19.

4 (...) méconnu (*le Christ*), persécuté, battu de verges, couronné d'épines, mis en croix pour et par les hommes, il meurt en leur laissant la lumière et ressuscite d'entre.
   CHATEAUBRIAND, Mémoires d'outre-tombe, t. VI, p. 209.

5 L'attitude que la croix fait prendre au Fils de l'Homme est sublime : l'affaissement du corps et la tête penchée font un contraste divin avec les bras étendus vers le ciel.
   CHATEAUBRIAND, le Génie du christianisme, IV, I, II, p. 58.

5.1 La souffrance n'a pas de sens. Mais la croix en a un.
   CLAUDEL, Journal, mars 1928.

5.2 La croix chrétienne, en tant que bois dressé, qu'arbre artificiel, ne fait que drainer les acceptions symboliques propres à tout symbolisme végétal. En effet, la croix est souvent identifiée à un arbre, tant par l'iconographie que par la légende, elle devient par là échelle d'ascension, car l'arbre (...) est contaminé par les archétypes ascensionnels. Se greffe également sur la légende de la croix le symbolisme du breuvage d'éternité, du fruit de l'arbre ou de la rose fleurissant sur le bois mort. L'on pourrait aussi souligner que la croix chrétienne est une inversion des valeurs (...) emblème romain infamant, elle devient symbole sacré, *spes unica.*
   Gilbert DURAND, les Structures anthropologiques de l'imaginaire, p. 379.

Relig. (mystique). Le mystère de la rédemption des hommes par la mort de Jésus-Christ sur la croix. *Le scandale de la croix :* ce qui, dans ce mystère, semble absurde aux incroyants. — *L'Exaltation*, l'invention* de la sainte Croix.* — (1845). *Le chemin de la Croix :* le chemin que Jésus-Christ fit en portant sa croix jusqu'au Calvaire. — *Un chemin de Croix :* les quatorze tableaux qui illustrent les scènes de ce chemin. → **Station**. *Faire le chemin de la croix,* un *chemin de croix :* s'arrêter et prier devant chacun de ces tableaux. — Fig. *C'est un véritable chemin de croix.* → **Calvaire**.

Fig. *Une croix, la croix de qqn.* → **Affliction, calvaire, épreuve, tourment.** *C'est une croix pour lui. C'est sa croix.* Loc. *Porter sa croix :* supporter ses épreuves avec la résignation et la foi de Jésus-Christ. *Chacun a sa croix, porte sa croix :* chacun a ses souffrances à supporter.

6 (...) si tu peux enfin t'affranchir d'une croix,
   Ce n'est que faire place à d'autres croix plus rudes,
   Qui te viennent sur l'heure accabler de leur poids.
   CORNEILLE, Imitation de J.-C., 1504.

7 (...) la vertu de la folie de la croix (...)
   PASCAL, Pensées, VIII, 587.

8 La croix est la vraie épreuve de la foi, le vrai fondement de l'espérance, le parfait épurement de la charité, en un mot le chemin du ciel; Jésus-Christ est mort à la croix, il a porté sa croix toute sa vie; c'est à la croix qu'il veut qu'on le suive, et il met la vie éternelle à ce prix (...)
   BOSSUET, Disc. sur l'Hist. universelle, II, 19.

9 (...) il n'y a plus moyen du tout de soutenir une croix si pesante et (...) si le secours d'en haut se fait plus longtemps attendre, elle va succomber dans quelques instants.
   Léon BLOY, la Femme pauvre, I, p. 114.

9.1 Notre croix est toujours faite sur mesure.
   CLAUDEL, Journal, avr. 1925.

10 Être aimé plus qu'on aime est une des croix de la vie.
   MONTHERLANT, les Jeunes Filles, p. 52.

10.1 Cette Grand-Croix (...) cette façon enfin, si remarquable chez un chrétien, de porter sa croix, mais en sautoir, quelle ample matière à réflexion, et même à méditation !
   F. MAURIAC, le Nouveau Bloc-notes 1958-1960, p. 125.

(1579). Vx. *Faire la croix;* mod. *(faire) le signe de la croix, un signe de croix,* un signe que l'on fait en portant le bout des doigts joints de la main droite au front, à la poitrine, puis à l'épaule gauche et à l'épaule droite. → **Signer** (se). *L'évêque bénit par trois signes de croix la main tendue vers le peuple lors d'une bénédiction solennelle.*

Jurer qqch. sur la croix (→ ci-dessous : *croix de bois, croix de fer...*).

Symbole du christianisme*. *L'étendard de la croix. Combattre, mourir pour la croix. Faire triompher la croix. La lutte de la croix et du croissant*. → **Croisade.** *Prédication de la croix.*

11   Le Christ n'a pas seulement vaincu la mort, il a vaincu la solitude humaine. En vain accuserez-vous la croix d'avoir enténébré la vie, l'Église vous y répond, avec une joie mêlée de larmes, le jour du vendredi saint (...)
    F. MAURIAC, Souffrances et Bonheur du chrétien, p. 181.

♦ **3** **a** Ornement en bois, en métal... qui figure une croix. *Montant de la croix.* → **Hampe** (ou *stipe*). *Traverse, bras, branches de la croix.* → **Croisillon.** *Croix ancrée. Croix ansée.* → **Ankh.** *Croix potencée. Croix pattée,* à extrémités évasées. *Croix fleuronnée* ou *tréflée, florencée* ou *fleurdelisée. Croix bretessée, écotée, pommetée, perlée, perronnée, recerclée, recroisetée... Croix patriarcale* ou *croix de Lorraine,* à double croisillon. *Croix grecque,* à branches égales. *Croix de Malte. Croix de Saint-André,* qui figure un X. — *Croix gammée*** (→ **Svastika**). — *Croix lobée,* dont les branches ont leur extrémité arrondie. — *Croix latine,* dont la branche inférieure est plus longue que les trois autres. *Église construite en forme de croix latine. Croix en tau, croix de Saint-Antoine.*

11.1   La forme actuelle de cette église est celle d'un crucifix ou croix latine.
    STENDHAL, Mémoires d'un touriste, I, p. 29.

b Représentation de Jésus-Christ sur la croix, ou de la croix seule. → **Crucifix.** *Le stipe* (stipes) *et le patibulum de la croix. La croix d'un clocher. Croix de mission. Croix commémorative. Croix érigée sur un chemin, sur une élévation.* → **Calvaire, croisette.** *Croix funéraire en fer forgé, en marbre, en bois...,* qu'on place sur une tombe. *Croix de bois. Les croix d'un cimetière.* — *Les Croix de bois,* roman de R. Dorgelès (1919). — Loc. (1918). *Gagner la croix de bois :* être tué.

12   On entrait dans ce champ plein de croix et de fosses, Lieu sévère où la mort dort si Dieu le permet (...)
    HUGO, la Légende des siècles, «Les petits», Petit Paul.

13   Sur les bords des fossés, leur file s'allongeait, croix de hasard, faites avec deux planches ou deux bâtons croisés.
    R. DORGELÈS, les Croix de bois, III, p. 38.

13.1   Les croix du cimetière étroit,
Les bras des morts que sont ces croix,
Tombent, comme un grand vol
Qui se rabat contre le sol.
    VERHAEREN, les Villages illusoires, «Le vent».

c (D'après les serments effectués qu'on jure) *Croix de bois, croix de fer, si je mens je vais en enfer !* (formule plaisante de serment).

13.2   Je te promets de la lui envoyer. Croix de bois croix de fer.
    Jean FOLLONIER, la Sommelière, p. 93.

d Spécialt. *Croix processionnelle, croix de procession.* — Loc. *Aller au devant de qqn avec la croix et la bannière* (au propre et au fig. → **Bannière**).

14   La croix et la bannière de l'église étaient tenues de chaque côté de l'estrade par deux sacristains en cheveux blancs.
    BALZAC, le Curé de village, Pl., t. VIII, p. 760.

Croix pastorale. Croix pectorale (cit. 1) *portée sur la poitrine. Croix pectorale simple d'un chapelain, d'un missionnaire, d'un aumonier militaire, d'une religieuse. Croix pectorale d'argent, d'or... des évêques.*

e Bijou* en forme de croix. → **Jeannette, médaillon.** *Une croix de, en diamants. Croix suspendue autour du cou* (cit. 9). *Croix huguenote,* soutenant la colombe du Saint-Esprit. *Porter une croix en sautoir.*

15   (...) elle fut étourdie, stupéfaite par le tapage des ménétriers, les lumières dans les arbres, la bigarrure des costumes, les dentelles, les croix d'or, cette masse de monde sautant à la fois.
    FLAUBERT, Trois contes, «Un cœur simple».

♦ **4** Croix figurée symbolique. **a** Loc. Hist. *Prendre la croix :* s'enrôler dans une croisade* (par allus. à la croix d'étoffe cousue sur les vêtements des croisés). → **Croiser** (se). *Privilège de la croix,* qu'avaient les croisés de ne pas être poursuivis pour dettes.

b (Décoration). Décoration d'ordres* de chevalerie. → **Cordon.** *La croix de Malte. La croix du Saint-Esprit. Croix de Saint-Louis* (→ Chevalerie, cit. 4). — (1802). Cour. *Croix de la Légion** d'honneur. Gagner, obtenir la croix de la Légion d'honneur.* Absolt. *Recevoir la croix.* — *La grand-croix :* la décoration la plus élevée de l'ordre (→ ci-dessus cit. 10.1). → **Grand-croix.**

16   D'ailleurs, il faut fréquenter les salons et avoir des *croix* ou des *pensions* (...)
    E. DELACROIX, Journal, 6 mai 1852.

(1915). *Croix de guerre :* médaille conférée aux soldats qui se sont distingués au cours d'une guerre. — (1930). *Croix du combattant.* — (1940). *Croix de la Libération.* — (1953). *Croix du combattant volontaire.* — (1956). *Croix de la valeur militaire.* — Par ext. *Croix du mérite ; croix de la sagesse,* décernée aux élèves méritants dans certaines écoles.

Croix-de-Feu : emblème et désignation d'un mouvement politique de droite, dans les années 1930. — Adj. (→ 2. Camelot, cit. 4).

Blason. Ornement figuré dans les armoiries. Pièce honorable de l'écu.

♦ **5** CROIX-ROUGE. Insigne de neutralité des services d'aide médicale, depuis la convention de Genève (1864). *Ambulances, brancardiers portant la croix rouge. Croix rouge des hôpitaux, des dispensaires.* — *La Croix-Rouge :* organisme d'entraide et de secours. *Le comité international de la Croix-Rouge à Genève. Brassard de la Croix-Rouge.* — *Le drapeau de la Croix-Rouge (croix rouge sur fond blanc) est l'inverse du drapeau suisse (croix blanche sur fond rouge).* — REM. Le Croissant*-Rouge est l'équivalent de la Croix-Rouge en pays musulman.

♦ **6** (XIVᵉ). Marque formée de deux traits croisés. *Faire une croix au bas d'un acte* (en guise de signature). *Les illettrés signaient d'une croix. Marquer qqch. d'une croix.* — Typogr. (vx). Marque (*croix latine*) qui, dans un texte, renvoie aux notes. — Marque qui, placée à côté d'un nom propre, indique que la personne est décédée. — *La marque de l'addition est une croix.* → **Plus.**

Loc. fig. *Il faut faire une croix, une croix à la cheminée,* noter qqch. d'extraordinaire. *Il y a un temps fou qu'on ne vous a vu, il faut faire une croix à la cheminée.*

17   Quand nous serons dix, nous ferons une croix.
    MOLIÈRE, l'Étourdi, I, 9.

Loc. fig. *Faire, mettre une croix sur qqch.,* y renoncer définitivement.

Loc. *La croix des vaches :* incision en croix constituant une marque d'infamie. — On écrit parfois *croix-des-vaches.*

17.1   Elle retrousserait la grosse mère, parfaitement, devant tout le monde. Elle la fesserait, lui arracherait la tignasse, la marquerait aux joues de la croix-des-vaches.
    R. DORGELÈS, À bas l'argent !, p. 215.

Vx. La face d'une monnaie marquée d'une croix.
→ **Face**. *Choisir croix ou pile.*

18   Rien ne pouvait lui donner quelque agitation et la guérir
     d'un fond d'ennui sans cesse renaissant que l'idée qu'elle
     jouait à croix ou pile son existence entière.
                     STENDHAL, le Rouge et le Noir, II, 17, p. 345.

♦ **7** Loc. adv. **EN CROIX** : à angle droit ou presque
droit (→ **Croiser, entrecroiser ; crucial, cruciforme**).
Les pétales des crucifères sont disposés en croix.
Chemins qui se coupent en croix.* → **Carrefour,
croisée, croisement**. *Avoir, mettre les bras en croix.* —
Mettre des bâtons, deux pièces en croix. → **Croiser** ;
sautoir. *Câbles en croix. Vergues en croix. Poutres
en croix.* → 2. **Guette**. *Tournevis en croix* (pour les
vis cruciformes).

19   Il resta pendant la messe, à plat ventre au milieu du por-
     tail, les bras en croix, et le front dans la poussière.
                                  FLAUBERT, Trois contes,
                     «Légende de saint Julien l'Hospitalier», II.

♦ **8** **POINT DE CROIX** : point de broderie très simple,
où le fil est disposé en petites croix garnissant des
carrés juxtaposés.

♦ **9** Par anal. Objets, choses en forme de croix. *Croix
de l'épée* : croix que forme la poignée de l'épée et
la garde (→ aussi **Croisette**, 2.).

20   Faute de prêtre, les anciens capitaines mourant sur le
     champ de bataille se confessaient à la croix de leur épée,
     ils en faisaient une fidèle confidente entre eux et Dieu.
                     BALZAC, le Médecin de campagne, Pl., t. VIII,
                                               p. 472.

Bot. *Croix d'une fleur*, ses pétales disposés en croix ;
la fleur elle-même. — Spécialt (dans un nom de fleur
et de plante). *Croix de Saint-Jacques* : espèce d'ama-
ryllis. *Croix de Jérusalem* ou *croix de Malte* : plante
d'ornement.

20.1 J'aurai bien d'autres verveines en rosaces, aristoloches en
      pipes, gazon d'Espagne en houppes, croix-de-Jérusalem en
      croix, lupins en épis (...)
                     COLETTE, Fleur et Pomone, in Gigi, p. 181.

Astron. *Croix-du-Sud* : constellation de l'hémisphère
austral. (On dit aussi *Grande Croix, Croix*, ou *Croix
australe*).

21   Il est tard, il est minuit ; la Croix-du-Sud est droite sur
     l'horizon.
                     BERNARDIN DE SAINT-PIERRE, Paul et Virginie,
                                               p. 83.

22   La nuit s'annonçait magnifiquement. La lune, qui avait été
     pleine cinq jours auparavant, n'était pas encore levée, mais
     l'horizon s'argentait déjà de ses nuances douces et pâles
     que l'on pourrait appeler l'aube lunaire. Au zénith aus-
     tral, les constellations circumpolaires resplendissaient, et,
     parmi toutes, cette Croix du Sud que l'ingénieur, quelques
     jours auparavant, saluait à la cime du mont Franklin.
                     J. VERNE, l'Île mystérieuse, p. 172.

23   À travers les cimes rapprochées de hauts arbres inconnus,
     je cherchais et trouvais la Croix-du-Sud dans les éclaircies
     des branchages.
                     Claude MAURIAC, le Dîner en ville, p. 273.

Régional. *Croix* : croisée* de chemins. → **Croisement**.

Archit. → **Croisée** (du transept).

Croix de Saint-André : partie en X d'une charpente.
— Mar. *Croix de Saint-André* : sangle avec laquelle
on soutient la voile de misaine.

Techn. *Croix de Malte* : dispositif d'entraînement
destiné à obtenir un mouvement intermittent, saccadé, à partir d'un mouvement de rotation. *La
croix de Malte d'un projecteur cinématographique.*

DÉR. **Croiser, croisette, croisillé**. V. **Croisillon**. ◊ HOM. **Croît** ;
formes de **croire** et de **croître**.

CROLLE [kʀɔl] n. f. — D. i. ; flamand *krol*, passé lui-même
dans le wallon *crole*.

Régional (Belgique), fam. Boucle de cheveux.

Déjà le garçonnet montrait une tête pleine de crolles
encore courtes et drues.
                     L. COUROUBLE, la Famille Kaekebrœck, III (1902).

DÉR. **Crollé**.

CROLLÉ, ÉE [kʀɔle] adj. — D. i. ; de *crolle*.

Régional (Belgique), fam. Bouclé (en parlant des cheveux).

Il est brun ou blond ? — Blond avec des cheveux crollés.
                     F. FONSON et F. WICHELER,
                     le Mariage de Mᴵˡᵉ Beulemans, II, 16 (1910).

CROMESQUIS [kʀɔmɛski] n. m. — 1866 ; orig. obscure
(le mot est considéré comme d'orig. polonaise).

Cuis. Petite croquette de homard, de gibier, de cervelle... *Servir des cromesquis comme hors-d'œuvre.*

CROMLECH [kʀɔmlɛk] n. m. — 1785 ; mot gallois et
breton «pierre (*lech, llech*) courbe (*crom*)», par l'anglais.

Archéol. Enceinte de monolithes verticaux
(→ **Menhir**) appartenant à l'âge de pierre. *Crom-
lechs de la Bretagne, du pays de Galles.*

Le noir cromlech, épars dans l'herbe,
Est sur le mont silencieux (...)
                     HUGO, les Contemplations, VI,
                     «Au bord de l'infini», XXIII, VII.

CROMORNE [kʀɔmɔʀn] n. m. — 1610, *cromehorne ;
cromhorne*, 1636 ; all. *Krummhorn* «cor (*horn*) à courbe».

Musique.

♦ **1** Ancien instrument de musique à vent, en bois
et à anche double en forme de J. *Le cromorne est
une quinte au-dessous du hautbois et son timbre
rappelle celui de la clarinette.*

♦ **2** Un des jeux à anche de l'orgue, remplaçant la
trompette dans les petites orgues.

1. **CRÔNE** [kʀon] n. m. — 1694 ; du néerl. *kraan*, mot
germanique ; cf. angl. *crane*.

Techn. (mar.). Grue utilisée dans les ports pour
charger et décharger les navires.

HOM. 2. **Crône, crosne**.

2. **CRÔNE** [kʀon] n. f. — 1700 ; mot de l'Ouest, d'orig.
incert. ; on allègue un gaulois *kros-no* «trou».

Techn., régional. Excavation produite par les eaux
sous une berge et où se retire le poisson. *Pêcher à
la main dans les crônes.*

HOM. 1. **Crône, crosne**.

CRONIR ou **CRÔNIR** [kʀoniʀ] v. — 1889 ; étym. incertaine.

Argot vieilli.

I V. intr. Mourir. — Au p. p. *Croni* : mort. *Elle est cronie.*

II V. tr. Tuer.

J'ai cru que vous alliez le cronir (...) — Comment ? fit
répéter le visiteur. — Les buter, quoi, les dessouder, les
mettre en l'air.
                     R. DORGELÈS, Tout est à vendre, p. 126.

CRONSTADT [kʀɔstat] n. m. — 1891 ; n. de la ville russe
de *Kronstadt*.

Anciennt. Chapeau d'homme, à coiffe légèrement
conique, en vogue au début du XXᵉ siècle. *Un
cronstadt en feutre mat. Porter un cronstadt.* — En
appos. *Chapeau cronstadt.*

Depuis que l'anarchie en chapeau cronstadt avait pénétré   1
dans notre appartement, il était d'évidence que le naufrage
semblait s'être accéléré.
                     A. BLONDIN, les Enfants du bon Dieu, p. 99.

2 Il était coiffé d'un petit cronstadt enfoncé légèrement de côté, ce qui était d'un effet très gai.
J. DUTOURD, Mémoires de Mary Watson, p. 111.

Var. graphique : *kronstadt.*

3 J'appris ainsi qu'il possédait une collection de couvre-chefs qui lui servait tantôt à aller dans le monde — et c'était un Kronstadt — tantôt, comme il le disait avec un rien de condescendance, chez des... gens — et c'était un melon.
Francis CARCO, Ombres vivantes, p. 244.

CROONER [kʀunœʀ] n. m. — 1946, *in* Höfler ; mot angl. des États-Unis, de *to croon* «chanter des chansons sentimentales».

Anglic. Chanteur de charme, dont le style s'apparente à celui des chanteurs américains des années 40 et 50. *«Une chanson de Jean Sablon, le crooner de l'époque»* (F. Giroud, *Si je mens...*, p. 83).

CROPETONS (À) ou **CROPPETONS (À)** [akʀɔptɔ̃] loc. adv. → **Croupetons** (à).

CROQUADE [kʀɔkad] n. f. — 1842 ; de 1. *croquer.*
Vieilli. Ébauche* rapide. → **Croquis, esquisse.** *Faire des croquades au crayon, à l'encre.*

1. **CROQUANT, ANTE** [kʀɔkɑ̃, ɑ̃t] adj. et n. m. — D. i. ; p. prés. de 1. *croquer.*

I ♦ **1** Adj. Qui croque sous la dent. → **Croustillant.** *Biscuit, cornichon croquant.*

♦ **2** Adj. Fig. et rare. En parlant d'une œuvre d'art. Croustillant (3.). *«La (...) croquante eau-forte de (...)»* (Goncourt, 1881, *in* T. L. F.).

♦ **3** N. m. Le croquant : ce qui croque. *Le croquant d'un morceau de viande, les endroits cartilagineux. Il n'y a que du gras et du croquant dans cette côtelette. — Le croquant de l'oreille.*

II N. m. (1829). Petit gâteau fait de pâte d'amandes et de blanc d'œuf roulés dans la cassonade. → **Croquante.**

CONTR. **Mou, rassis.** ◊ DÉR. **Croquante.**

2. **CROQUANT, ANTE** [kʀɔkɑ̃, ɑ̃t] n. — 1608, «paysan» ; orig. incert. ; p.-ê. du provençal *crouca* «arracher», ou de 1. *croquer,* au sens de «détruire».

♦ **1** Hist. Paysan révolté, sous Henri IV et Louis XIII, dans le sud-ouest de la France. *La révolte des croquants était une jacquerie*.

1 La deroute des croquans en Limousin au nombre de quinze mille (...)
SULLY, Mémoires, t. III, p. 159, *in* LITTRÉ.

♦ **2** (1603). Péj. Paysan. *Jacquou le Croquant,* roman d'Eugène Le Roy.

2 Passe un certain croquant qui marchait les pieds nus. Ce croquant par hasard avait une arbalète. Dès qu'il voit l'oiseau de Vénus, Il le croit en son pot, et déjà lui fait fête.
LA FONTAINE, Fables, II, 12.

3 Les croquants dont je suis ne savent rien ou presque rien au-delà de leurs aïeux immédiats, paternels ou maternels.
Léon BLOY, Choix de textes, p. 268.

4 Si un croquant vient un matin acheter trois mètres de drap bleu, il les renvoie le soir, sous prétexte qu'il les avait crus jaunes (...)
A. MAUROIS, Bernard Quesnay, XXI, p. 143.

♦ **3** Personne peu raffinée, grossière. *C'est un vrai croquant.* → **Rustre. —** Appellatif. *Bande de croquants ! —* Adj. *Il est un peu croquant.*

5 (...) il se sentait très à l'aise, il éprouvait même un petit sentiment protecteur pour les plus croquants d'entre eux.
R. QUENEAU, le Dimanche de la vie, p. 79.

REM. La forme fém. *croquante* (ici au sens 3) est rare :

6 Elle est à toi, cette chanson,
Toi, l'Auvergnat qui, sans façon,
M'as donné quatre bouts de bois
Quand, dans ma vie, il faisait froid,
Toi qui m'as donné du feu quand
Les croquantes et les croquants,
Tous les gens bien intentionnés,
M'avaient fermé la porte au nez...
G. BRASSENS, «Chanson pour l'Auvergnat».

CROQUANTE [kʀɔkɑ̃t] n. f. — 1716 ; de 1. *croquant.*
Vx ou régional. Gâteau croquant. → **Croquant. —** Gros gâteau de pâte d'amandes.

1. **CROQUE** [kʀɔk] n. f. — Mil. XXᵉ ; déverbal de 1. *croquer* «manger».
Fam. Action de manger ; nourriture. → 2. **Bouffe.**

Sur ce bateau poubelle, la croque ne doit pas ressembler à celle du Rogano *(un restaurant).*
Pierre ACCOCE, le Polonais, p. 130.

HOM. 1. **Croc.**

2. **CROQUE** [kʀɔk] n. m. → **Croque-monsieur.**

CROQUE AU SEL (À LA) [alakʀɔkosɛl] loc. adv. — 1718 ; de 1. *croquer, au,* et *sel.*
Cru, et sans autre assaisonnement que du sel. *Des radis à la croque au sel.*

CROQUE-MADAME [kʀɔkmadam] n. m. invar. — V. 1960 ; de 1. *croquer,* et *madame,* d'après *croque-monsieur.*
Croque-monsieur surmonté d'un œuf sur le plat. *Des croque-madame.*

CROQUEMBOUCHE [kʀɔkɑ̃buʃ] n. m. — 1845 ; *croque-en-bouche,* 1818, *in* D. D. L. ; de 1. *croquer, en,* et *bouche.*

♦ **1** Pâtisserie croquante. → **Croquignole,** 2. *Des croquembouches.*

♦ **2** Pièce montée faite de petits choux à la crème glacés de sucre (et par conséquent croquants).

CROQUEMENT [kʀɔkmɑ̃] n. m. — 1863 ; de 1. *croquer.*
Rare. Bruit que fait ce que l'on croque. → **Craquement.**

CROQUE-MITAINE [kʀɔkmitɛn] n. m. — 1820 ; de 1. *croquer,* et *mitaine,* soit dér. de *mite* «chat», en tant que compagnon du diable (Guiraud), soit au sens de «gifle, injure» en moy. franç., dans *croque ceste mitaine.*

♦ **1** Personnage imaginaire qu'on évoque pour effrayer les enfants et s'en faire obéir (→ Le moine bourru*, le loup-garou).

♦ **2** Fig. Personne très sévère qui fait peur à tout le monde. *C'est un vrai croque-mitaine. Des croque-mitaines.*

1 Le génie de Dickens vient de ce qu'il croyait également à ses deux personnages, le personnage bonasse et le croque-mitaine.
J. GREEN, Journal (Ce qui reste de jour), 4 avr. 1971, p. 298.

Fig. *«Les idées sont le croque-mitaine des gens au pouvoir»* (Stendhal, *Correspondance, in* T. L. F.).
→ **Épouvantail. —** Apposition :

2 Lâche ! un joli mot croquemitaine à l'usage des imbéciles.
BERNANOS, Un mauvais rêve, *in* Œ. roman., Pl., p. 959.

CROQUE-MONSIEUR [kʀɔkməsjø] n. m. invar.
— 1918, Proust (qui met le mot entre guillemets); de 1. *croquer* à l'impér., et *monsieur*.

Sorte de sandwich chaud fait de pain de mie grillé, au jambon et au fromage. *Ce café sert des croque-monsieur et des croque-madame.*

Se nourrir, à quoi bon? On avale quelques frites, un verre de lait, un croque-monsieur et on passe à des choses graves (...)
> Alain BOSQUET, les Bonnes Intentions, p. 242.

Abrév. fam. (langage des cafés) : *un croque* [kʀɔk]. *Deux croques, une pizza et trois demis!*

CROQUE-MORT [kʀɔkmɔʀ] n. m. — 1788; de 1. *croquer*, au fig., «faire disparaître», et *mort*, n. m.

♦ 1 Employé des pompes funèbres chargé du transport des morts au cimetière. *Les croque-morts hissent la bière dans le corbillard. — Loc. Avoir une figure, une tête, une gueule de croque-mort* : être très triste (→ Faire une figure d'enterrement*).

1 Au moment où les croque-morts allaient le coucher dans sa bière, Clotilde avait voulu baiser une dernière fois son petit Lazare que ne ressusciteraient les larmes d'aucun Dieu (...)
> Léon BLOY, la Femme pauvre, II, XII, p. 228.

2 La plaisanterie favorite des croque-morts algérois, lorsqu'ils roulent à vide, c'est de crier : «Tu montes, chérie?» aux jolies filles qu'ils rencontrent sur la route.
> CAMUS, Noces, *in* Essais, Pl., p. 73.

3 Mais où sont les funéraill's d'antan? (...)
Quand les héritiers étaient contents,
Au fossoyeur, au croqu'-mort, au curé, aux chevaux même,
Ils payaient un verre.
> G. BRASSENS, «Les funérailles d'antan».

♦ 2 Personne d'aspect sinistre et d'humeur sombre, funèbre.

CROQUENOT ou **CROQUENEAU** [kʀɔkno] n. m. — 1866; p.-ê. de 1. *croquer*, I. «craquer».

Fam. Gros soulier. → **Chaussure, godasse.** *De vieux croquenots.*

L'autre semaine, j'ai repéré sur le dessus d'une poubelle une paire de brodequins crevés, déchirés, brûlés par la sueur, humiliés de surcroît parce qu'avant de les jeter on avait récupéré leurs lacets, et ils bâillaient en tirant la languette et en écarquillant leurs œillets vides. Mes mains les ont cueillis avec amitié, mes pouces cornés ont fait ployer les semelles — caresse rude, mais affectueuse —, mes doigts se sont enfoncés dans l'intimité de l'empeigne. Ils semblaient revivre, les pauvres croquenots, sous un toucher aussi compréhensif, et ce n'est pas sans un pincement au cœur que je les ai replacés sur le tas d'immondices.
> M. TOURNIER, le Roi des Aulnes, p. 55.

CROQUE-NOTE ou **CROQUENOTE** [kʀɔknɔt] n. m. — 1767, Rousseau; de 1. *croquer*, et *note*.

Fam. Musicien pauvre, souvent dépourvu de talent. (On a dit aussi *croque-sol*). *Des croque-notes, des croquenotes.* — REM. On écrit aussi : *un croque-notes, un croquenotes.*

1 Le petit joueur de flûteau
Menait la musique au château.
Pour la grâce de ses chansons
Le roi lui offrit un blason.
«Je ne veux pas être noble,
Répondit le croque-note,
Avec un blason à la clé,
Mon "la" se mettrait à gonfler,
On dirait, par tout le pays,
"Le joueur de flûte a trahi" (...)»
> G. BRASSENS, «Le petit joueur de flûteau».

Figuré :

2 En somme, je ne serai jamais qu'un croque-notes littéraire.
> J. RENARD, Journal, 19 avr. 1890.

1. CROQUER [kʀɔke] v. — Fin XIIIe, «frapper»; «briser, faire craquer», fin XIVe; du rad. onomat. *krokk-* exprimant un bruit sec. → 1. Croc.

I V. intr. (XVe). Faire un bruit sec (le sujet désigne une chose que l'on broie avec les dents). → **Craquer.** *Salade, fruit vert qui croque. Bonbons qui croquent sous la dent.* → **Croquant.** *Les biscottes, le pain frais, les croustades croquent.* → **Croustillant, croustiller.**

1 (...) un pain (...) relevé de croûte partout, croquant tendrement sous la dent (...)
> MOLIÈRE, le Bourgeois gentilhomme, IV, 1.

2 Je ne connais rien de meilleur (...) mais je les veux *(les haricots verts)* cuits en bouillie. J'aimerais mieux mordre le fer d'une pioche que de manger un haricot qui croque sous la dent.
> J. RENARD, Poil de carotte, p. 68.

Spécialt. *Légumes qui croquent,* qui gardent des traces de terre parce qu'ils ont été mal lavés. *Soupe qui croque.*

II V. tr. **A** ♦ 1 (XVe). Broyer (qqch.) sous la dent en produisant un bruit sec. → **Gruger.** *Croquer une biscotte. Croquer un morceau de sucre. Croquer un bonbon. Pastille à laisser fondre dans la bouche sans la croquer. Croquer une pomme.* → **Mordre.** *Croquer un morceau de chocolat. Chocolat à croquer* (opposé à *chocolat à cuire*).

3 Elle enfonça une cuillère dans la terrine de veau en croûte, remplit l'assiette de l'enfant, prit du bout des doigts un morceau de la pâte dorée qu'elle croqua (...)
> J. CHARDONNE, les Destinées sentimentales, II, IV, p. 287.

Intrans. ou absolt. *Croquer dans une pomme,* mordre.

♦ 2 **Vieilli.** Manger à belles dents. *Il croquerait facilement un poulet à lui tout seul. Le chat a croqué une souris.*

4 Le monarque des dieux leur envoie une grue,
Qui les croque, qui les tue,
Qui les gobe à son plaisir.
> LA FONTAINE, Fables, III, 4.

Loc. *Que la crique (le crique, le cric) me croque si...* → 3. Crique.

Fig. Mod. *Croquer de l'argent* : dépenser beaucoup en peu de temps. → **Dilapider, dissiper, gaspiller.** *Croquer un héritage. Il croque un argent fou.* → **Claquer.** *Il a croqué tout son mois en deux jours.*

♦ 3 (1665). **Fam. et vx.** *Croquer une femme, une fille, une poulette...,* l'amener rapidement à se donner.

♦ 4 **Vieilli.** *Croquer une note en jouant un morceau de musique,* la sauter, ne pas la jouer. → **Escamoter;** aussi **croque-note.**

♦ 5 **Loc.** *Croquer le marmot* : attendre longtemps, en se morfondant. → **Marmot** (cit. 5 et 6).

5 Monsieur le nouveau secrétaire, me disais-je pendant ce temps-là, prenez, s'il vous plaît, patience. Vous croquerez bien le marmot, avant que vous le fassiez croquer aux autres.
> A. R. LESAGE, Gil Blas, VIII, 3.

B (1650). ♦ 1 **a** Prendre rapidement sur le vif (un site, un personnage...) en quelques coups de crayon, de pinceau... qui caractérisent l'aspect général. → **Dessiner, peindre; croquis.** — Par ext. Faire la première ébauche de... → **Ébaucher, esquisser.**

b Par anal. Décrire (qqch., qqn) en notant, en indiquant brièvement l'essentiel. *Croquer un personnage dans un livre.* → **Camper, caricaturer.**

6 (...) ce sont tous les plus beaux violents sentiments qu'on puisse imaginer; mais ils sont croqués comme les grosses peintures (...)
> Mme DE SÉVIGNÉ, 281, 30 mai 1672.

♦ 2 **Fig. et fam.** (du sens précédent; le fig. de «manger à belles dents» a surmonté la loc.). *Personne jolie, mignonne à croquer,* très jolie (au point de donner envie de prendre un croquis). *Ellipt. Elle est à croquer avec ce manteau-là. Par ext. Des paysages à croquer.*

7   On appelle, en termes d'atelier, croquer une tête, en prendre une esquisse, dit Mistigris d'un air insinuant, et nous ne demandons à croquer que les belles têtes. De là le mot : *Elle est jolie à croquer.*
     BALZAC, Un début dans la vie, Pl., t. I, p. 681.

8   «Il est à croquer là-dessous», disait Mme Eyssette.
     Alphonse DAUDET, le Petit Chose, I, II, p. 25.

C Trans. ind. Argot fam. EN CROQUER : profiter d'avantages inavouables ; toucher de l'argent (par la prostitution, la délation). → Poule, cit. 11. *Il, elle en croque.*

9   Parce que moi, les donneuses j'ai jamais pu les encaisser. Tu te rends compte de ce que ça pouvait m'être comme coup de massue de douter de toi ? De croire que tu pouvais en croquer ?   Jean GENET, Journal du voleur, p. 245.

CONTR. Fondre. Sucer. ◊ DÉR. Croquade, 1. **croquant**, 1. **croque**, **croquement**, 1. **croquet**, **croquette**, **croqueur**, **croquis**. — V. aussi 2. **Croquant**, 2. **croquer**, 2. **croquet**, **croquignole**. → COMP. **Croque au sel** (à la), **croque-madame**, **croquembouche**, **croque-mitaine**, **croque-monsieur**, **croque-mort**, **croquenot**, **croque-note**.

2. **CROQUER** [krɔke] v. tr. — 1869 ; d'après *croquet*, avec la valeur initiale de 1. *croquer*, I. «frapper».

Au croquet, Chasser (une boule) en la plaçant contre sa propre boule que l'on frappe avec le maillet. — (Aux boules)

Le joueur qui croque présentement la boule cloutée de son adversaire (...)   ARAGON, les Beaux Quartiers, p. 10.

CROQUE-SOL [krɔksɔl] n. m. Vx. → **Croque-note.**

1. **CROQUET** [krɔkɛ] n. m. — 1642, Oudin ; de 1. *croquer.*

Vx ou régional. Biscuit mince, sec et croquant, garni d'amandes.

2. **CROQUET** [krɔkɛ] n. m. — 1835 ; angl. *crocket*, altér. du franç. *crochet* ou du moy. franç. *croquet* «coup sec», de 1. *croquer* au sens de «frapper».

Jeu qui consiste à faire passer des boules de bois sous des arceaux au moyen d'un maillet, et selon un trajet déterminé par des règles. *Jeu de croquet. Jouer au croquet. Terrain de croquet. Faire une partie de croquet.*

1   C'est d'Angleterre que nous est revenu depuis quelques années, sous le nouveau nom de *croquet,* l'ancien paillemaille quelque peu transformé.
     P. LAROUSSE, art. *Croquet.*

2   Des appels venaient du tennis ; des enfants jouaient au croquet sur la pelouse et on entendait les coups secs sur les boules, des rires, des disputes (...)
     J. CHARDONNE, les Destinées sentimentales, I, III, p. 115.

3. **CROQUET** [krɔkɛ] n. m. — V. 1935 ; var. dial. de *crochet.*

Techn. (couture). Petit galon formant des dents, utilisé comme ornement de couture. *Jupe garnie de croquet rouge.*

CROQUETTE [krɔkɛt] n. f. — 1740 ; de 1. *croquer.*

♦ **1** Boulette (de pâte, de hachis...) qu'on fait frire dans l'huile après l'avoir trempée dans un jaune d'œuf et enrobée de farine ou de chapelure. *Croquettes de riz, de pommes de terre, de fromage blanc. Croquettes de veau, de volaille, de poisson.* → **Cromesquis.** *Croquettes de poisson à l'antillaise.* → **Acra.** *On sert les croquettes comme entrée.*

♦ **2** Confiserie au chocolat (spécialt, en forme de disque).

Elle dépapillota une croquette de chocolat, la mit entre ses dents, et l'offrit ainsi à Antoine (...)
     MARTIN DU GARD, les Thibault, t. III, p. 72.

♦ **3** (Au plur.). Préparation industrielle alimentaire pour animaux, en forme de boulettes sèches. *Boîte de croquettes. Donner des croquettes à son chat.*

CROQUEUR, EUSE [krɔkœR, øz] n. et adj. — 1668 ; *crocqueur de pies* «gros buveur», 1548, Rabelais ; de 1. *croquer.*

♦ **1** Personne qui croque*, mange avidement (qqch.). *Un croqueur de radis.*

Un vieux renard, mais des plus fins,   1
Grand croqueur de poulets, grand preneur de lapins (...)
     LA FONTAINE, Fables, v, 5.

Puisqu'on voit en France les hommes   1.1
Céder à leurs femmes le pas,
Et que les Croqueuses de pommes
Leur font mettre à tous chapeau bas (...)
     Germain NOUVEAU, Valentines, Pl., p. 584.

Le cinéma le jeudi après-midi avec les vieilles et les   1.2
enfants, parmi les croqueuses de bonbons, les éplucheuses d'oranges.   Violette LEDUC, la Folie en tête, p. 181.

Fig. et fam. Personne qui dilapide, dépense rapidement. *Un croqueur de fortune, de dot.* — (1952). *Une croqueuse de diamants :* femme entretenue qui dilapide l'argent, les bijoux.

Fig. et vx. *Un croqueur de femmes :* un Don Juan. → **Séducteur.** — *Un croqueur d'orémus :* un prêtre.

Convenez (...) que ce croqueur d'orémus avait de saintes   2
maximes sur le gouvernement.
     FRANCE, Les dieux ont soif, x, p. 109.

♦ **2** Artiste qui croque* sur le vif (un personnage, un site...).

CROQUIGNOL, OLE [krɔkiɲɔl] adj. — 1936, Céline ; de *croquignole* — ou dér. régressif de *croquignolet.*

Fam. Bizarre et comique. → **Croquignolet.**

Par exemple : en morale. Déjà l'idée de nature en art a provoqué les élucubrations les plus croquignoles — mais que la question se pose, on peut l'admettre.
     J.-L. BORY, Ma moitié d'orange, p. 68 (1973).

HOM. Croquignole.

CROQUIGNOLE [krɔkiɲɔl] n. f. — xve ; p.-ê. de 1. *croquer*, I., «donner un coup, frapper», finale obscure, p.-ê. (Guiraud) d'un double diminutif expr. -*ign*-, var. de -*in*-, et -*ole.*

♦ **1** Vx. Chiquenaude* sur le nez. *Donner une croquignole à qqn.*

Choisissez donc sans façon   1
D'avoir trente croquignoles,
Ou douze coups de bâton.
     MOLIÈRE, le Malade imaginaire, Premier intermède.

Ils prétendent que je me mets à genoux pour leur donner   2
des croquignoles.
     VOLTAIRE, Lettres au roi de Prusse, 187, *in* LITTRÉ.

♦ **2** (1542). Petite pâtisserie croquante. → **Croquembouche.**

(...) aussi désarmé que jadis, lorsqu'à l'abri du préau   3
d'école (...) il bourrait de croquignoles la pochette des filles.
     BERNANOS, Monsieur Ouine, *in* Œ. roman., Pl., p. 1397.

DÉR. Croquignolet. V. Croquignol. ◊ HOM. Croquignole.

CROQUIGNOLET, ETTE [krɔkiɲɔlɛ, ɛt] adj. — 1939 ; «pâtisserie», 1869 ; de *croquignole.*

Fam. Amusant, mignon, un peu ridicule. *Son col de dentelle est croquignolet.*

— Alors, tu dis que, dans ton rêve, Félix était en premier communiant, avec une aube blanche ?... Elle se mit à rire. Il devait être croquignolet, dans cette tenue...
     J.-L. CURTIS, le Roseau pensant, p. 121.

Fam. (intensif plaisant). *Ce problème est un rien croquignolet, difficile.* «*(Un suicide) du haut d'un avion, une nuit de brouillard, en plein océan. Ça, c'est croquignolet*» (A. Arnoux, *in* T.L.F.).
Var. : *croquignolesque* [krɔkiɲɔlɛsk]. «*Une petite colle, pas bien méchante, mais assez croquignolesque*» (Cecil Saint-Laurent, *la Mutante*, p. 49).
DÉR. V. **Croquignol.**

CROQUIS [krɔki] n. m. — 1752 ; de 1. *croquer*, II., B.

♦**1** Esquisse rapide (le plus souvent au crayon, à la plume), lignes essentielles d'une représentation graphique. → **Crayon, dessin, ébauche, esquisse ;** fam. **crobar, crobard.** *Le croquis est fait de premier jet. Croquis d'un paysage, d'un portrait. Croquis au fusain, à la sanguine. Carnet de croquis.*

1   Il disait une fois à un jeune homme de ma connaissance : «Si vous n'êtes pas assez habile pour faire le croquis d'un homme qui se jette par la fenêtre, pendant le temps qu'il met pour tomber du quatrième étage sur le sol, vous ne pourrez jamais produire de grandes machines».
       BAUDELAIRE, *Curiosités esthétiques*, L'œuvre et la vie de Delacroix, VI.

1.1   L'idée première, le croquis, qui est en quelque sorte l'œuf ou l'embryon de l'idée, est loin ordinairement d'être complet ; il contient tout si l'on veut, mais il faut dégager ce tout (...)   E. DELACROIX, *Journal*, 23 avr. 1854.

2   (...) Beltara fit du lieutenant Dundas un croquis aux trois crayons.
       A. MAUROIS, *les Discours du Dr O'Grady*, XVI, p. 171.

3   Il tira un crayon de sa poche et dessina un croquis sur le journal.
       J. CHARDONNE, *les Destinées sentimentales*, III, VII, p. 483.

Par ext. Dessin rapide servant à illustrer, à compléter une explication écrite ou verbale. *Faites un croquis pour m'expliquer où se trouve la poste.* → **Schéma.** *Les croquis d'un journal de mode, d'un grand couturier.* Dér. fam. : *croqueton* n. m.
Loc. fam. *Pas besoin de faire un croquis, inutile de faire un croquis :* la chose a été bien comprise (→ Faire un dessin*).
Géom. *Croquis coté.* → **Épure.**

♦**2** (1775). Esquisse. → **Ébauche.** *Croquis biographiques.*

4   Lekain a une vieille Éryphile de moi ; c'est une esquisse assez mauvaise de la Sémiramis ; il serait ridicule que ce croquis parût (...)
       VOLTAIRE, *Lettre à d'Argental*, 8 mars 1775.

CROSKILL [krɔskil] n. m. — 1890 ; *croskillage*, 1877, *in* Littré, *Suppl.* ; du nom de l'inventeur.
Techn. (agric.). Rouleau qui sert à briser les mottes de terre. → **Brise-mottes.**

CROSNE [kron] n. m. — 1882 ; de *Crosne* (ou Crosnes), village de l'Essonne (alors Seine-et-Oise) où cette plante importée du Japon fut cultivée pour la première fois en France.
Bot. Plante (*Labiacées ;* n. sc. : *Stachys tuberifera*) du genre épiaire, à tubercules comestibles, originaire du Japon.
Petit tubercule de cette plante, à goût voisin du salsifis. *Crosnes cuits à l'eau, frits, en sauce blanche.* «*M. Pallieux (...) a donné aux tubercules le nom de Crosnes, qui est, dit-il, le nom de son propre village*» (*Année sc. et industr.* 1888, p. 446 [1887]).
Je ne mange pas de crosnes parce qu'ils ont une vague figure de ver de hanneton (...)
       COLETTE, *Flore et Pomone, in Gigi*, p. 172.

HOM. 1. **Crône**, 2. **crône.**

CROSS [krɔs] ou **CROSS-COUNTRY** [krɔskuntRi] n. m. — 1892, *cross ; cross-country*, 1880 ; *across country*, 1885, *le Figaro* ; mot angl., de *across* «à travers», et *country* «campagne».

♦**1** Course de fond*, à pied, disputée à travers champs, en terrain varié, pendant la saison d'hiver. *Faire du cross-country. Des cross-countries.*
— REM. La forme *cross-country* est vieillie. — *S'entraîner pour un cross. Un champion de cross. Faire du cross* (→ **Crossman**).

1   (...) savoir s'il pleuvrait dimanche, auquel cas son cross-country était fichu.
       MONTHERLANT, *le Démon du bien*, p. 79.

2   — Ça fait une trotte, remarqua le sergent de ville bourgeoisement. Je suis pas champion de cross, moi.
       R. QUENEAU, *Zazie dans le métro*, Folio, p. 105.

♦**2** (1902, *in* Petiot). **CROSS**, abrév. de *cyclo-cross, moto-cross* (voir ces mots). *Moto de cross.*

COMP. **Bicross, cyclo-cross, moto-cross.** V. **Crossman.**
◊ HOM. (De *cross*) **Crosse, crosses.**

CROSSE [krɔs] n. f. — 1080, *Chanson de Roland ;* du germanique *krukja «bâton à bout recourbé», avec infl. de *croc*.

[I] ♦**1** Bâton pastoral d'évêque ou d'abbé dont l'extrémité supérieure se recourbe en volute. *La mitre et la crosse sont les symboles du pouvoir épiscopal. Crosse d'argent, d'or, de cuivre. Hampe, nœud d'une crosse. Crosse à nœud ouvragé. Personne qui porte la crosse d'un évêque.* → **Porte-crosse.**

1   Et lors il se leva, et s'appuya sur sa crosse.
       JOINVILLE, 198, *in* LITTRÉ.

2   (*Le prélat*) fit, au dos d'un carrosse,
À côté d'une mitre armorier sa crosse.
       BOILEAU, *le Lutrin*, VI.

3   En une silencieuse procession, ils s'avançaient, alourdis par leurs rigides chapes qui tombaient, en s'évasant, de leurs épaules, pareilles à des cloches d'or fendues sur le devant, et ils tenaient la crosse à laquelle pendait le manipule, une sorte de voile vert.
       HUYSMANS, *Là-bas*, XVII, p. 244.

Blason. Bâton pastoral ornant l'écu d'un évêque ou d'un abbé.

♦**2** (XIVe, *in* F.E.W.). Bâton recourbé utilisé dans certains jeux pour pousser la balle. *Crosse de cricket, de hockey. Crosse de golf.* → **Club.** *Garçon qui porte les crosses.* → **Caddie.**
Vx. Ancien jeu collectif semblable au hockey sur gazon. — Canada. Sport, héritier de l'ancienne crosse française et d'un jeu amérindien, voisin du hockey. *Une équipe de crosse.* → **Lacrosse.**

♦**3** (XIIIe). Vx. Béquille* qui se pose sous l'aisselle. *Marcher avec des crosses.*

[II] ♦**1** (XIIIe). Bout recourbé (d'un objet fabriqué). *La crosse d'une canne. La crosse d'un violon*; une crosse de violon :* partie recourbée qui porte les chevilles. — Mécan. *Crosse de piston :* extrémité de la tige du piston qui vient s'articuler avec la tête de la bielle motrice. — Mar. Longue pièce de métal protégeant la partie basse du gouvernail.

♦**2** (Déb. XVIIe, d'Aubigné). Cour. Partie postérieure recourbée (d'un pistolet, d'un revolver). *Crosse de revolver. Crosse sculptée, en argent. Les policiers gardaient la main sur la crosse de leur revolver. Assommer qqn à coups de crosse.*

4   Thomas Trublet, qui avait brisé sur les os espagnols trois épées, son poignard, et la crosse de tous ses pistolets, brandissait maintenant deux haches énormes, et se battait comme les bûcherons qui se battent contre les chênes.
       Claude FARRÈRE, *Thomas l'Agnelet*, p. 109.

Partie postérieure (d'une arme à feu portative) servant à épauler. *Crosse de fusil en bois, en acier. Crosse démontable. Appuyer la crosse du fusil contre l'épaule pour tirer. Coude de la crosse d'un fusil.* → **Busc.** — *Crosse d'un fusil-mitrailleur, d'un pistolet-mitrailleur.*

5 Dans les chambres, on entendait un brouhaha de voix, un fracas de crosses de fusil qui retombaient une à une sur le sol cimenté. P. MAC ORLAN, la Bandera, XV, p. 186.

Loc. *Mettre, lever la crosse en l'air.* Fig. Arrêter le combat ; se rendre.

5.1 Sur le bruit qu'un nouveau gouvernement venait de s'introduire dans le palais national, les troupes mirent la crosse en l'air.
La bataille était finie, la fraternisation commença.
A. ROBIDA, le Vingtième Siècle, p. 295 (1883).

Au temps pour les crosses !, ordre de recommencer le maniement d'armes, lorsque le bruit des crosses n'est pas synchrone. — Fig. Recommencez.

Vx. *Crosse d'affût d'un canon :* partie par laquelle il repose sur le sol. *Soc de la crosse d'un canon limitant le recul de la pièce.* → **Bêche.**

♦ **3** Objet naturel en forme de crosse ; extrémité recourbée. — (1752). Anat. *La crosse de l'aorte*, de l'azygos. Segment de la crosse de l'aorte* (→ **Arc).**
Bot. Extrémité recourbée d'une inflorescence. *Inflorescence en crosse* (l'axe des fleurs étant recourbé sur lui-même). — *Jeune feuille de fougère enroulée sur elle-même (comestible).*

6 Dorées aussi étaient les feuilles de chênes, et dorées les crosses de fougères, feutrées d'un duvet délicat, si vite épanouies que l'œil suivait leur déroulement, et déjà, une à une, l'éploiement de leurs palmes (...)
M. GENEVOIX, Raboliot, IV, II, p. 222.

Partie recourbée d'une plume d'oiseau. *Les crosses :* les plumes recourbées de l'aigrette.
Bouch. *Crosse de bœuf :* morceau situé au-dessous du gîte.

DÉR. et COMP. **Crossé, crosser, crossette. Porte-crosse.**
◊ HOM. **Cross, crosses.**

CROSSÉ [kʀɔse] adj. m. — XIIᵉ ; de *crosse,* I., 1.
Relig. Qui porte une crosse (I., 1.) ; qui a le droit de porter la crosse. *Abbé crossé et mitré. Évêque crossé.*

1 Il n'y avait ni évêque, ni abbé crossé.
VOLTAIRE, Philosophie, III, 300, in LITTRÉ.

2 (...) au fond, le clergé, les évêques crossés et mitrés, faisaient une gloire, un de ces resplendissements qui ouvrent une trouée sur le ciel (...)
ZOLA, Son Excellence Eugène Rougon, t. I, p. 116.

HOM. **Crosser.**

CROSSER [kʀɔse] v. tr. — 1270 ; de *crosse.*

♦ **1** Rare. Pousser avec une crosse*. *Crosser une balle, une pierre.* — Absolt. Jouer à la crosse.

♦ **2** Vx. Battre, frapper (à coups de crosse, et, par ext., avec un bâton, etc.). *Crosser qqn,* le malmener.

1 L'autre jour, le père Brabbant s'installe. Je m'accours. Il me coule dans le pavillon : «Pas là ? Alfred ?» Je lui retourne : «Parti.»
Alors il a crossé le guéridon :
«Tonnerre !» chevrota-t-il.
Je l'ai trouvé un peu dérangé.
R. QUENEAU, les Derniers Jours, p. 212.

2 Elle affectait maintenant de le mépriser et de le crosser ouvertement, lui reprochant d'être trop et trop docile aux ordres.
Claude FARRÈRE, Thomas l'Agnelet, p. 364 (1913).

Fig. et vieilli. Critiquer violemment.

◆ **SE CROSSER** v. pron.
Se quereller, se battre. → **Crosses.**

DÉR. **Crosseur, crosses.** ◊ HOM. **Crossé.**

CROSSES [kʀɔs] n. f. pl. — 1881 ; du v. pop. *crosser* (1790) «se plaindre», dial. «glousser», du lat. *glocire,* avec infl. de *crosser* «pousser avec une crosse», puis «battre».
Fam. Dispute, chicane. *Chercher des crosses à qqn,* lui chercher querelle. *Avoir des crosses avec qqn,* des sujets de dispute.

1 (...) au moins ma journée de travail est intacte et je n'ai pas de crosses avec papa...
COLETTE, Julie de Carneilhan, p. 92.

2 «Je n'aime pas ton air», dit Chatelard.
Busard fronça le sourcil.
«Pourquoi me cherchez-vous des crosses ? Je suis honnête.»
Roger VAILLAND, 325 000 francs, p. 110.

Argot. *Prendre les crosses de qqn,* prendre parti pour lui dans une querelle. → **Patin.**

HOM. **Cross, crosse.**

CROSSETTE [kʀɔsɛt] n. f. — 1551 ; de *crosse.*

♦ **1** Agric. Jeune branche de vigne, de figuier... portant un peu de bois de l'année précédente et taillée en forme de crosse, pour faire des boutures.

Une vigne dont les crossettes ont été *(ap)*portées directement de Candie. O. DE SERRES, 151, in LITTRÉ.

♦ **2** Archit. Partie d'un voussoir prolongée horizontalement au delà du joint. *Arc à crossettes.* — Ressaut d'un cadre de lucarne, de fenêtre, de porte. *Crossettes du linteau.*

CROSSEUR [kʀɔsœʀ] n. m. — 1680 ; de *crosser.*

♦ **1** (XVIIᵉ). Vx. Celui qui chasse la balle avec la crosse.

♦ **2** (1829). Fig. Vx et pop. Querelleur, batailleur. — Argot vieilli. Avocat général (Bruant, 1901).

REM. Le fém. *crosseuse* est virtuel.

CROSSING OVER [kʀɔsiŋɔvœʀ] n. m. invar. — 1926, in Rey-Debove et Gagnon ; mot angl. (1912), de *to cross over* «se croiser *(to cross)* en se recouvrant».

Anglic., didact. Enjambement* des chromosomes.

«Des chromosomes mixtes, dans lesquels les crossing-over auront permis d'abouter des segments originaires de chacun des parents» (la Recherche, oct. 1973, nº 38, p. 874). — REM. L'équivalent franç. est *enjambement.*

CROSSMAN [kʀɔsman] n. m. — 1909, in Höfler ; mot angl., de *across* «à travers» (→ Cross-country), et *man* «homme».

Anglicisme.

♦ **1** Coureur à pied spécialiste de cross-country. *Des crossmen.*

♦ **2** Coureur de cyclo-cross, de moto-cross. — REM. On rencontre la forme fém. *crosswoman* (1931, in Petiot).

CROSSOPTÉRYGIENS [kʀɔsɔpteʀiʒjɛ̃] n. m. pl. — 1875 ; lat. sc. *crossopterygii* (Huxley, 1861), du grec *krossos* «frange», et *pterux, pterugos* «aile». → -ptère.

Zool. Ordre de poissons très primitifs, représenté par des fossiles de l'ère primaire et par le cœlacanthe. — Au sing. *Un crossoptérygien.*

(...) les Poissons crossoptérygiens (...) chez lesquels apparurent les premiers signes d'une adaptation à la vie terrestre.
Jean GUIBÉ, les Batraciens, p. 13.

CROTALE [kʀɔtal] n. m. — 1596 ; lat. *crotalum,* du grec *krotalon.*

I Antiq. (généralt au plur.). Cliquette employée dans le culte de Cybèle et pour accompagner la danse. — Aujourd'hui, Cet instrument à percussion, en usage chez certains peuples (Afrique, notamment).

1 Et le rauque tambour, les sonores cymbales,
Les hautbois tortueux, et les doubles crotales
Qu'agitaient en dansant sur ton bruyant chemin
Le Faune, le Satyre et le jeune Sylvain (...)
André CHÉNIER, Bucoliques, «Bacchus».

2 Ses pieds passaient l'un devant l'autre, au rythme de la
flûte et d'une paire de crotales.
FLAUBERT, Trois contes, «Hérodias», III.

3 C'étaient les prêtresses de Tanit, accourues pour recevoir
les hommes. Elles se tenaient rangées sur le long du rempart, en frappant des tambourins, en pinçant des lyres,
en secouant des crotales.
FLAUBERT, Salammbô, Pl., t. I, p. 766.

4 Il chanta. Pendant le couplet de cette chanson d'un rythme
très bizarre, une danseuse vint se placer près de lui et
demeura immobile, l'écoutant; mais chaque fois que le
refrain revenait aux lèvres du jeune chanteur, elle reprenait sa danse interrompue, secouant près de lui son daïré
et l'étourdissant du cliquetis de ses crotales.
J. VERNE, Michel Strogoff, p. 338 (1876).
N. B. Il s'agit de Bohémiens.

II ♦ **1** (1804; lat. sc.). Reptile ophidien (*Solénoglyphes*)
venimeux, qui porte au bout de la queue une succession de cônes creux produisant un bruit de
crécelle, d'où son nom de *serpent à sonnette*. *Le
crotale vit en Amérique. Crotale des bois des montagnes Rocheuses; crotale cendré du Texas. Crotale
pygmée. Crotale des marais. La morsure du crotale
est mortelle.*

♦ **2** (1882; de *crotale*, II., 1., pour *serpent*, altér. de «*sergent*», selon Esnault). Argot de Polytechnique. Chef de
salle (plur. : *crotaux*).

5 Chaque salle se trouvait dès lors placée sous le commandement de l'un des premiers, qu'on nommait son *crotale*.
La première année, j'eus ainsi la chance de tomber sous le
major de l'École, un Marseillais qui d'après ses notes
au concours s'annonçait, disait-on, comme un nouveau
Laplace, un futur Arago.
Raymond ABELLIO, Ma dernière mémoire, t. II,
p. 20-21.

CROTAPHITE ou **CROTAPHYTE** [kʀɔtafit] adj. et
n. m. — XVIe, Paré; grec *krotaphites* «muscle temporal».
Anat. *Muscle crotaphyte*, ou, n. m., *le crotaphyte* :
l'un des muscles servant au mouvement de la
mâchoire inférieure.

En conséquence, je songeai vivement qu'il était à propos de
donner du jeu à l'héroïque appareil de muscles masséters
et crotaphytes, dont la Nature, en mère prévoyante, m'a
départi la propriété. L'instant d'après, mes deux paires de
mâchoires, se sentant dans le vrai, luttaient, sans bruit,
de rapidité, d'adresse et de vigueur, et joignaient la ruse
au discernement.
VILLIERS DE L'ISLE-ADAM, Tribulat Bonhomet,
p. 85-86 (1887).

CROTON [kʀɔtɔ̃] n. m. — 1791; grec *kroton* «ricin».
Bot. Arbuste (*Euphorbiacées*, tribu des *Crotonées*)
à fleurs unisexuées monoïques ou dioïques. *Les
espèces du genre croton appartiennent aux régions
équatoriales. Croton elateria ou cascarille*. *La maurelle*, *variété de croton. — Huile de croton :* huile
extraite des graines du *croton tiglium*, et qui a des
propriétés purgatives. *Colorant extrait du croton.*
→ **Tournesol.**

DÉR. Crotonique.

CROTONIQUE [kʀɔtɔnik] adj. — XIXe; de *croton*.
Chim. Se dit de l'acide extrait de l'huile de croton
par saponification. *Acide crotonique.* Syn. : *acide
buténoïde* (CH_3—CH=CH—CO_2H). *Alcool crotonique.
Aldéhyde crotonique.*

CROTTE [kʀɔt] n. f. — Fin XIIe; orig. incert., p.-ê. du francique *krotta* «excrément, fiente».

I *(Une, des crottes).* ♦ **1** Fiente globuleuse de certains
animaux. *Crottes de brebis, de chèvre, de lapin, de
souris.* → aussi **Crottin** (cit. 4).
Fam. Excrément solide (animal ou humain).
Crottes de chien. Une grosse crotte. → **Étron, sentinelle.** Loc. *Aller faire sa crotte :* aller à la selle.
Fig. et vx. *Ne pas chier de grosses crottes :* avoir
mal mangé. — *Mettre le nez de qqn dans sa crotte,*
l'obliger à reconnaître qqch. dont il est la cause.
→ Mettre le nez* (de qqn dessus). — *Panier à crottes :*
derrière.
Fam. *Crotte!,* interjection par laquelle on manifeste
son impatience, son dépit (euphém. pour *merde** :
→ **Flûte, zut**). *Crotte de bique!* (même emploi).

— Il n'est pas là ?   0.1
— Non, mademoiselle. Pas avant une heure.
— Crotte. Une heure. Qu'est-ce que je vais faire en attendant.   R. QUENEAU, le Vol d'Icare, p. 201.

Elle se mit à brailler en martelant la muraille avec un   0.2
instrument qu'elle avait, Monsieur Jadis présuma être son soulier,
car elle dit : «Crotte, j'ai encore craqué le talon».
A. BLONDIN, Monsieur Jadis, p. 144.

♦ **2** Fig. et fam. *De la crotte, de la crotte de bique :*
une chose sans valeur. *Il ne se prend pas pour de
la crotte (de bique)* (cf. vulg. Pour une merde, pour
la merde). *Son livre, c'est de la crotte.*

Et *ma* soupe de *mes* oignons gratinée, c'est de la crotte de   1
bique, alors ?
COLETTE, la Naissance du jour, p. 197.

(1898). T. d'affection. *Ma crotte; ma petite crotte; ma
petite crotte en chocolat, en sucre* (→ ci-dessous, 3.).
Spécialt. *Une crotte :* une production (littéraire, etc.)
insignifiante, sans valeur.

♦ **3** (V. 1900). Par anal. *Crotte de, en chocolat :* bonbon
de chocolat. *Des crottes de Noël. — Une crotte de
beurre.* → **Coquille, noix, noisette.**

II *(La crotte).* ♦ **1** (1635). Vx. Boue (des chemins, des
rues). → **Boue, fange, saleté.** *Avoir ses vêtements
souillés, maculés de crotte.* → **Crotter** (→ Boguet,
cit. 1).

♦ **2** Loc. fam., vx. *Être dans la crotte, tomber dans
la crotte :* vivre dans la misère, l'abjection. → **Boue**
(cit. 10), **crasse** (vx). *Il est dans la crotte :* il a de gros
ennuis.

Et le tremplin s'était cassé; il demeurait, les pieds dans la   2
crotte, rivés au sol.   HUYSMANS, Là-bas, XIII, p. 187.

Loc., vx. *Avoir le nez dans la crotte.*

— Tandis que nous autres, nous sommes bien fichus, le   3
nez dans la crotte, sans un espoir de nous en retirer (...)
ZOLA, Paris, t. II, p. 221.

REM. Ces emplois sont compris aujourd'hui comme des
figurés du sens I.

DÉR. Crotter, crottillon, crottin. ◊ COMP. Décrotter.

CROTTER [kʀɔte] v. — XIIe; de *crotte*.

♦ **1** V. tr. Vieilli ou régional. Salir de crotte (II., 1.).
→ **Maculer, souiller.** *Crotter un parquet avec des
chaussures sales.* — Pron. *Se crotter :* se salir avec
de la boue.

Ils ont des pieds qui vont chercher de la boue dans tous les   1
quartiers de la ville (...) et la pauvre Françoise est presque
sur les dents, à frotter les planchers *(qu'ils)* viennent crotter
régulièrement tous les jours.
MOLIÈRE, le Bourgeois gentilhomme, III, 3.

♦ **2** V. intr. Fam. Faire des crottes (I.). *Le chat a
crotté dans toute la maison.* → **Chier** (vulg.), **déféquer** (didact.), **faire** (fam.).

1.1 (...) il dit à l'enfant en lui désignant une chèvre qui crottait :
Tu vois, elle dit son chapelet par-derrière.
R. SABATIER, les Noisettes sauvages, p. 109.

◆ **CROTTÉ, ÉE** p. p. et adj. (V. 1170; de *crotte*, 4.).
♦ **1** Vieilli ou régional (mais plus vivant que le verbe). Couvert de boue. *Vêtement crotté, tout crotté.* → **Sale.**
Loc. fam. *Crotté comme un barbet, crotté jusqu'à l'échine, jusqu'aux oreilles.*

2 Tel s'est moqué de son confrère qui était arrivé le matin crotté jusqu'à l'échine et mouillé jusqu'aux os, qui, le soir, rentre chez lui dans le même état.
DIDEROT, le Neveu de Rameau, Pl., p. 469.

♦ **2** Par métaphore ou fig. Vx. Pauvre. *Un étudiant crotté. Un jupon crotté :* une miséreuse. *«Il la trahissait pour le premier jupon crotté, suivi sur un trottoir»* (E. Zola, *l'Assommoir*, 1877, *in* T. L. F.).

CONTR. Décrotter, laver, nettoyer.

CROTTILLON [kʀɔtijɔ̃] n. m. — D. i. (attesté XXe); de *crotte.*
Régional. Petite crotte séchée (notamment, à la «culotte» d'une vache; → Pâtis, cit.).

CROTTIN [kʀɔtɛ̃] n. m. — V. 1346; de *crotte.*
♦ **1** Excrément des équidés, des ovins. → **Crotte.**
Ramasser du crottin. Oiseaux qui picorent du crottin. Le crottin de cheval est apprécié comme engrais (→ **Fumier**). *Une odeur de crottin.*

1 (...) les moineaux s'ébattaient en troupes pour picorer le crottin.   FRANCE, la Vie en fleur, III, p. 45.

2 Le cheval de gauche trousse la queue avec grâce, expulse un crottin bien formé qui fait honneur à l'hygiène de l'écurie.
J. ROMAINS, les Hommes de bonne volonté, t. III, XII, p. 167.

3 Le crottin effrité, un crottin d'or (humide encore du cheval), tapissait l'argile et l'humus, où poussaient les légumes.   H. BOSCO, Antonin, p. 37.

4 Brioches paille, de désagrégation plutôt facile. Fumantes, sentant mauvais. Écrasées par les roues de la charrette, ou plutôt épargnées par l'écartement des roues de la charrette. L'on est arrivé à vous considérer comme quelque chose de précieux. Pourtant, l'on ne vous ramasserait qu'avec une pelle. Ici se voit le respect humain. Il est vrai que votre odeur serait un peu attachante aux mains. En tout cas, vous n'êtes pas du dernier mauvais goût, ni aussi répugnantes que les crottes du chien ou du chat, qui ont le défaut de ressembler trop à celles de l'homme, pour leur consistance de mortier pâteux et fâchement adhésif.
Francis PONGE, Pièces, «Le crottin», p. 49.

♦ **2** Petit fromage de chèvre de forme arrondie. *Crottin de Chavignol* (région de Sancerre).

5 Le choix des chèvres est magnifique. Ronds et roux, les secs petits crottins de Chavignol et quelques Saint-Marcellin (...)
Claude MAURIAC, le Dîner en ville, p. 228 (→ Chèvre, cit. 6).

♦ **3** *Crottin d'âne :* algue dont la forme et l'aspect rappellent un crottin d'âne.

CROUILLAT [kʀuja] ou **CROUILLE** [kʀuj] n. m. — 1917, répandu 1932; arabe *khouya* «frère».
Pop. et injurieux (terme raciste). Arabe d'Afrique du Nord.

1 (...) ce cardinal Lavigerie (...) premier archevêque de Carthage depuis la conquête des crouillats.
Hervé BAZIN, Vipère au poing, p. 39.

2 (...) j'ai entendu Suzanne qui disait au crouille :
Pas ici Ali, pas ici.
Albert SIMONIN, Touchez pas au grisbi, p. 47.

Var. graphique : *crouilla* (H. Charrière, *Papillon*, p. 48, 353).

CROULANT [kʀulɑ̃] adj. et n. m. — 1944; de *croulant, ante,* p. prés. de *crouler.* → Crouler.

I Adj. → **Crouler.**

II N. m. Fam. Personne qui n'est plus jeune, du point de vue des adolescents (cf. par plais. P. P. H. «passera pas l'hiver»). → vieilli **Amorti,** n. — REM. Le fém. *croulante* est virtuel.

Jacques, galant homme, ne lui fera pas le moindre mal non plus qu'au croulant qui n'est autre que le papa.   R. QUENEAU, Loin de Rueil, p. 40 (1944).

(...) elle a filé tout simplement, parce qu'elle se fout de nous, les croulants sont faits pour crouler de chagrin (...)
Benoîte et Flora GROULT, Il était deux fois, p. 344 (1968).

CONTR. Jeune.

CROULE [kʀul] n. f. — 1863; de 2. *crouler.*
Chasse.
♦ **1** Cri par lequel les bécasses font leur appel à la tombée du jour pendant la saison des amours (printemps).
Chasse à la croule : chasse à la bécasse, lors du passage du printemps.
Par ext. *Chasser le pigeon à la croule. Place de croule,* lieu favorable à cette chasse.
REM. On rencontre le mot au masc. :
J'assiste au coucher des grives, au croule des bécasses, à l'endormement du bois. J'en deviens bête.
J. RENARD, Journal, 19 mars 1889.

♦ **2** Moment où les bécasses poussent ce cri.

CROULEMENT [kʀulmɑ̃] n. m. — Déb. XIIe; de *crouler.*
Action de crouler; résultat de cette action. → **Affaissement, chute, éboulement, effondrement.** *Le croulement d'un pont.* Fig. *Le croulement d'un empire, d'une société.*
Les champs sont aux travailleurs. Un oisif comme moi aurait un peu honte s'il n'avait un fusil. Ça lui donne presque un air utile. J'entends le croulement des pommes de terre dans les tombereaux.
J. RENARD, Journal, 26 sept. 1903.

1. CROULER [kʀule] v. — X^e; *crodler, croller* «vaciller»; «secouer violemment», 1080, *Chanson de Roland;* p.-ê. du lat. pop. *corrotulare* «faire rouler», de *rotulare* «rouler», ou de *crotalare* «secouer», de *crotalum* (→ Crotale). → Grouiller.

I ♦ **1** V. tr. Vx (langue class.). Secouer, agiter.
Je les compare à ces ambitieux
Qui, monts sur monts, déclarèrent la guerre
Aux immortels; Jupin, croulant la terre,
Les abîma sous des rochers affreux (...)
LA FONTAINE, Poésies mêlées, LVII, Ballade au roi (1684), *in* LITTRÉ.

Spécialt (chasse). *La bête croule la queue,* elle agite la queue de peur.

♦ **2** (1721). Mar. Vx. *Crouler un vaisseau,* le lancer, le mettre à l'eau, à la mer.

II V. intr. ♦ **1** (V. 1177). Cour. (mais plutôt style écrit ou soutenu). Tomber en s'affaissant, en parlant d'une construction, d'un édifice... → **Abattre** (s'), **affaisser** (s'), **ébouler** (s'), **écrouler** (s'), **effondrer** (s'). *Cette maison croule.* → **Tomber** (en ruine). *Masse de neige qui croule* (→ **Avalanche**). *Terre qui croule sous les pieds* (→ **Croulier**).

Quand nous verrions partout les roches ébranlées,
Et jusqu'au fond des mers les montagnes croulées,
Nous n'aurions point lieu de trembler.
CORNEILLE, Office de la Vierge, 7.

3 Les murs évidés sont presque tout entiers occupés par les fenêtres; l'appui manque; sans les contreforts plaqués contre les parois, l'édifice croulerait (...)
TAINE, *Philosophie de l'art*, t. I, I, II, VI, p. 84.

4 Une seule pierre arrachée de cet édifice, l'ensemble croule fatalement. RENAN, *Souvenirs d'enfance...*, V, 3.

5 Il lui semblait voir crouler cet abri que, depuis trois ans, il s'était construit de ses mains (...)
MARTIN DU GARD, *les Thibault*, t. IV, p. 51.

5.1 Aux gueules des canons, braqués sur le vaisseau de ligne, dix longues flammes s'allumèrent, et la bordée, sifflant par mi mâts et cordages, jeta bas, comme par magie, ma moitié de cette pyramide de voiles qui surmontait le galion, et qui tout d'un coup fondit et croula, comme neige au soleil.
Claude FARRÈRE, *Thomas l'Agnelet*, p. 105.

Faire crouler (qqch.). → **Abattre, détruire.** *Faire crouler un pan de mur.*

Par ext. (vieilli). *Se laisser crouler à terre.* → **Tomber; glisser.** *Crouler lourdement sur le sol.*

6 Il se laissa crouler à terre, mit sa tête sur les genoux de la simple fille, et ses yeux, qu'on aurait pu croire plus arides que les citernes consumées dont il est parlé dans le Prophète lamentateur, devinrent des fontaines.
Léon BLOY, *la Femme pauvre*, II, p. 206.

Fig. S'écrouler (plus cour.). *Crouler de sommeil. Crouler de rire.*

6.1 Mais n'importe quelle bêtise, des grimaces, des singeries (...) personne comme ce petit pitre, un vrai petit clown, ne sait, mettant sa langue sous sa lèvre supérieure qu'il a très longue, rapetissant ses yeux, voûtant son dos, une main sous l'aisselle, se grattant, imiter un singe (...) Ça les fait chaque fois crouler de rire (...)
N. SARRAUTE, *Vous les entendez?*, p. 15.

(1831). **Fig. et cour.** *Salle de spectacle qui croule sous les applaudissements*, qui résonne d'applaudissements, en est ébranlée*.

♦ **2 Fig.** S'effondrer. *Faire crouler un projet.* → **Échouer.** *Cette objection fait crouler votre hypothèse.* → **Détruire; réduire** (à rien), **renverser, ruiner.**

7 Ce point une fois manqué, il est aisé de voir que tout le système de M. l'abbé Dubos croule de fond en comble.
MONTESQUIEU, *l'Esprit des lois*, XXX, 24.

Entreprise qui croule. → **Faillite** (faire faillite). *Société, empire qui croule.* → **Écrouler** (s'), **effondrer** (s').

8 Or, la compagnie avait croulé, et Arnoux, civilement responsable, venait d'être condamné, avec les autres, à la garantie des dommages-intérêts (...)
FLAUBERT, *l'Éducation sentimentale*, II, III, p. 204.

9 Raison de plus, riposta Carhaix; si la Société est telle que vous la dépeignez, il faut qu'elle croule!
HUYSMANS, *Là-bas*, XX, p. 283.

Crouler sous le poids des ans : être très âgé. *Crouler sous le ridicule.* — **Par ext.** *Crouler sous...* : être enfoui sous... *Le balcon croulait sous les fleurs.*

♦ **3 Techn.** (fauconnerie). Fienter, en parlant du faucon.

♦ **4** (Chasse). Crier, en parlant de la bécasse au moment des amours. → **Croule.**

♦ **CROULANT, ANTE** p. prés., adj. et n.

♦ **1** Qui menace ruine. *Édifice croulant* (→ Aspect, cit. 19). *Des murs croulants.*

(Personnes). Qui se laisse tomber.

10 Et je me trouvais toute croulante de sommeil, avec un solliciteur trop tenace pour être éconduit, et trop bien placé.
J. ROMAINS, *les Hommes de bonne volonté*, t. III, XV, p. 198.

Qui semble s'effondrer par une surcharge, un trop grand poids. «*Je n'ai jamais vu un tel monument de chairs croulantes, débordantes*» (B. Cendrars, *Bourlinguer*, 1948, *in* T. L. F.). — *Un arbre croulant de fruits.*

♦ **2 Fig.** En voie d'effondrement, de disparition. *Empire croulant, société croulante.* — (Personnes). *Personne croulante*, très âgée. → **Croulant**, n. m.

CONTR. Dresser (se), relever (se), résister, tenir. ◊ **DÉR.** Croulant, croulement, croulier. ← **COMP.** V. Écrouler (s'). ← **HOM.** 2. Crouler.

2. CROULER [kʀule] v. intr. — XVIᵉ, «roucouler»; altér. de l'all. *grillen* «crier», d'après 1. *crouler.*

Chasse. Crier (en parlant des bécasses) au moment des amours. → **Croule.**

DÉR. Croule. ◊ **HOM.** 1. Crouler.

CROULIER, IÈRE [kʀulje, jɛʀ] adj. et n. f. — 1572, adj.; n. f., v. 1200; de 1. *crouler.*

♦ **1 Adj.** Qui cède, qui s'enfonce sous les pieds. *Terre croulière. Prés crouliers.*

♦ **2 N. f.** *Une croulière* : une fondrière.

CROUP [kʀup] n. m. — 1773, *in* Höfler; mot angl. (Home, 1765) p.-ê. onomatopéique.

Vx en méd. Laryngite suffocante; **spécialt**, laryngite pseudo-membraneuse, de nature diphtérique (→ **Diphtérie**). *Être atteint du croup. Cet enfant est mort du croup.* — (1844, *in* Höfler). *Faux croup* ou *croup spasmodique* : spasme du larynx, appelé aussi *laryngite striduleuse.* — *Dans le croup du larynx, pour permettre le passage de l'air, on pratique le tubage du larynx.*

1 Un jour, — nous avons tous de ces dates funèbres! — Le croup, monstre hideux, épervier des ténèbres, Sur la blanche maison brusquement s'abattit, Horrible, et, se ruant sur le pauvre petit, Le saisit à la gorge. O noire maladie!
HUGO, *les Contemplations*, III, «Les luttes et les rêves», XXIII.

2 (...) c'est le croup, qui l'a emporté en quelques heures, au milieu de l'affolement de ceux qui le soignaient (...)
LOTI, *Figures et Choses...*, «Passage d'enfant», p. 9.

3 Eugène tenait sa tête de côté, sur le traversin, en fronçant toujours ses sourcils, en dilatant ses narines; sa pauvre petite figure devenait plus blême que ses draps; et il s'échappait de son larynx un sifflement produit par chaque inspiration, de plus en plus courte, sèche, et comme métallique. Sa toux ressemblait au bruit de ces mécaniques barbares qui font japper les chiens de carton. (...) Les secousses de sa poitrine le jetaient en avant comme pour le briser; à la fin, il vomit quelque chose d'étrange, qui ressemblait à un tube de parchemin. Qu'était-ce? Elle s'imagina qu'il avait rendu un bout de ses entrailles. Mais il respirait largement, régulièrement (...) M. Colot survint. L'enfant, selon lui, était sauvé.
FLAUBERT, *l'Éducation sentimentale*, Pl., t. II, p. 311 et 313.

DÉR. Croupal, croupeux. ◊ **HOM.** Croupe.

CROUPADE [kʀupad] n. f. — 1642; de *croupe.*
Équit. Saut dans lequel le cheval relève les jambes de derrière jusque sous le ventre.

CROUPAL, ALE, AUX [kʀupal, o] adj. — 1814, *in* Höfler; de *croup.*
Méd. Relatif au croup*. *Toux croupale*, dont sont affectés les enfants atteints du croup. *Membranes croupales.*

CROUPE [kʀup] n. f. — 1080, *crupe*, *in Chanson de Roland*; du francique **kruppa*; cf. bas all. *kropf*; les mots de cette famille germanique signifient «bosse, panse».

♦ **1** Partie postérieure arrondie qui s'étend des hanches à l'origine de la queue de certains animaux, particulièrement du cheval. → **Derrière, fesse.** *Cheval qui a une belle croupe, qui n'a guère*

de croupe, une maigre croupe. — Cheval chatouilleux sur la croupe. Cheval à croupe de mulet, dont la croupe est aiguë, pointue. *Croupe avalée,* qui tombe trop tôt. — *Croupe tranchante,* dont les cuisses sont trop plates. *Croupe coupée,* étroite et un peu arrondie. *Croupe osseuse* (→ Bidet, cit. 1).
— **EN CROUPE :** à cheval sur la croupe, derrière la personne en selle. *Monter, être en croupe. Porter qqn, qqch. en croupe. Prendre qqn en croupe.*

1 Après maints quolibets coup sur coup renvoyés,
L'homme crut avoir tort, et mit son fils en croupe.
LA FONTAINE, Fables, III, 1.

2 Le cheval accusa ce poids nouveau par un effort des jarrets, et, la croupe abaissée, partit au trot.
J. CHARDONNE, les Destinées sentimentales, p. 98.

Fig. *Monter qqn en croupe,* suivre, accompagner.

3 Le chagrin monte en croupe et galope avec lui.
BOILEAU, Épîtres, V.

♦ **2** (V. 1119). Fam. Fesses*, derrière* (humain) plus ou moins rebondi. → **Cul. — REM.** Le mot s'emploie surtout avec une implication érotique et plaisante, et plus souvent en parlant des femmes (→ ci-dessous cit. 6.1), dans la mesure où l'homme est souvent considéré comme objet érotique. — *Une croupe avantageuse. S'asseoir la croupe sur les talons.* → **Accroupir** (s'), **croupetons** (à). *Une croupe proéminente, rebondie, dodue. Manquer de croupe. Avoir de la croupe.*

4 (...) Le sexe, à Paris, a la mine jolie,
L'air attractif, surtout la croupe rebondie ;
Mais il est diablement sujet à caution.
J.-F. REGNARD, le Bal, 7.

5 Ceux qui la suivaient, qui la regardaient trotter avec ses petits pieds, et qui mesuraient cette large croupe que les jupons légers dessinaient la forme, doublaient le pas (...)
DIDEROT, le Neveu de Rameau, Pl., p. 504.

6 Elle a de la grâce (...) Mais je la soupçonne de manquer un peu de croupe. C'est un grave défaut !
FRANCE, le Mannequin d'osier, Œ., t. XI, p. 357.

6.1 Vous observerez du reste que le mot ne s'emploie guère que pour les femmes et les animaux. On dit une croupe de femme, comme on dit une croupe de jument. En somme, la croupe d'une femme est un peu une transition entre celui de l'homme et celui de l'animal.
M. AYMÉ, Travelingue, p. 209.

Fam. *Dandiner de la croupe. Tortiller la croupe :* balancer les hanches en marchant. → **Croupion, croupionner.**

7 (...) il n'ignorait pas que la nature l'avait affligé d'une croupe de houri, qui se dandinait de droite et de gauche dès qu'il pressait le pas (...)
MARTIN DU GARD, les Thibault, t. II, p. 116.

♦ **3** (XIVᵉ). Sommet arrondi d'une colline, d'une montagne. → **Renflement, sommet.** *Une croupe boisée, neigeuse.*

8 Une rangée de maisons assises sur la croupe de la colline, présentait le gai spectacle de jardins étagés (...)
BALZAC, le Curé de village, Pl., t. VIII, p. 606.

9 (...) la partie nord-ouest de la Terre de Baffin, paysage lunaire en blanc et gris, avec des sommets arasés, des croupes de glace, des fjords immobiles dans leur linceul d'hiver.
R. FRISON-ROCHE,
Peuples chasseurs de l'Arctique, p. 325.

♦ **4** (1374). Archit. Pan de charpente de forme triangulaire qui constitue l'une des petites faces d'un comble. *Croupe droite. Croupe biaise,* lorsque le bâtiment a la forme d'un trapèze. *Chevron de croupe.* — Sorte de coupole surmontant le chevet d'une église.

CONTR. Poitrail. — (Du sens 3.) Fond, vallée. ◊ **DÉR.** Croupade, croupé, croupetons (à), croupiat, croupier, croupion, croupir, croupon. - **COMP.** Accroupir (s'). - **HOM.** Croup.

CROUPÉ, ÉE [kʀupe] adj. — 1798 ; de *croupe.*
Techn. (hippol.). Qui a la croupe bien ou mal conformée (d'un animal). *Cheval bien croupé.*

CROUPETONS (À) [akʀuptɔ̃] loc. adv. — Fin XIIᵉ, *à coupeton ; à cropeton,* XVᵉ ; de *croupe.*
Dans une position accroupie, les fesses sur les talons. → **Accroupir** (s'). *Assis à croupetons. Se tenir à croupetons* (→ Attitude, cit. 9).

1 Il revint à la maison, alluma du feu non sans peine et se tint à croupetons, les yeux cuits par la fumée, pour souffler sur la flamme incertaine.
G. DUHAMEL, Chronique des Pasquier, V, p. 85.

2 Il était aussi humilié d'être plié nu dans une couverture, à croupetons près du feu qu'il fallait ça s'il voulait vivre. Or il y avait la liberté de cette jeune femme à conduire à Gap. Il parla du choléra.
J. GIONO, le Hussard sur le toit, p. 368.

Var. : *à cropetons, à croppetons.* — Figuré :

3 Les vieux chaumes, à cropetons
Autour des vieux clochers d'église,
Sont ébranlés sur leurs bâtons (...)
VERHAEREN, les Villages illusoires, Le vent.

CONTR. 1. **Droit.**

CROUPEUX, EUSE [kʀupø, øz] adj. — 1833 ; de *croup.*
Méd. Relatif au croup*. → **Croupal.** *Angine croupeuse.*

CROUPI, IE [kʀupi] p. p. et adj. → **Croupir.**

CROUPIAT [kʀupja] n. m. — 1845 ; *groupiall,* 1382 ; *croupias,* 1694 ; de *croupe.*
Mar. Grelin ou cordage servant à amarrer l'arrière d'un bateau à un quai ou à un navire voisin. → **Croupière.** *Amarrer avec un croupiat. Faire croupiat :* appareiller en s'aidant d'un croupiat, d'une amarre tournée à l'arrière.

CROUPIER, IÈRE [kʀupje, jɛʀ] n. — 1657 ; de *croupe.*

Ⅰ Vx (fém. non attesté). ♦ **1** Personne qui monte en croupe, derrière qqn. — Adj. ou appos. *Cavalier croupier.*

1 (...) le chevaucheur croupier se laissa tomber à terre et se mit à rire.
SCARRON, le Roman comique, II, 1.

♦ **2** (1676). Personne qui, étant de moitié avec un joueur de cartes, de dés, se tenait derrière lui.

2 Chamillart prit des croupiers *(au jeu du roi),* parce que le jeu était gros (...)
SAINT-SIMON, Mémoires, 70, 118, *in* LITTRÉ.

Personne qui se tenait derrière le banquier, au jeu de la bassette.

Ⅱ (1797 ; du sens Ⅰ, 2). Mod. ♦ **1** Employé, employée d'une maison de jeu, qui tient le jeu, paie et ramasse l'argent pour le compte de l'établissement. → **Changeur** (1.). *Les croupiers du casino de Nice, de Monte-Carlo. Laisser un pourboire au croupier. Rateau de croupier.* — Au fém. (rare, à cause de l'homonymie. On dira plutôt : *elle est croupier au casino de X*). «*Un casino à la James Bond où les annonces sont faites en français par des croupières terriblement sexy*» (Paris-Match, nᵒ 1280, 17 nov. 1973). «*(Elle) est la première femme croupier ou croupière de France*» (Cosmopolitan, août 1984, faisant référence à un décret du 23 mai).

♦ **2** N. m. Dr. comm. *Convention de croupier :* convention selon laquelle l'associé d'une société particulière cède à une tierce personne une partie des intérêts qu'il a dans la société sans que cette tierce personne (dite *croupier*) entre dans la société (cf. Code civil, art. 1861).

HOM. (Du fém.) **Croupière.**

CROUPIÈRE [kʀupjɛʀ] n. f. — V. 1160, *crupiere*; de *croupe*.

♦ **1** Longe de cuir que l'on passe sous la queue d'un cheval, d'un mulet... et qui, fixée au bât, empêche celui-ci de remonter sur le garrot. → **Harnais; bacul, culeron, trousse-queue.** *Mettre une croupière à une selle. Serrer la croupière d'un cheval.*

0.1   J'avais tourné autour du monstre *(un cheval)*, dont la robe gris fer, parcourue de longs frissons, ne présageait rien de bon, hésitant à choisir telle bride ou telle croupière, m'empêtrant dans les martingales, les colliers, les sellettes.
         A. BLONDIN, les Enfants du bon Dieu, p. 112.

Par métonymie. Endroit de la croupe où se fixe la croupière.

Par ext (en parlant d'une femme). Croupe*, fesse. *Remuer la croupière.*

♦ **2** Loc. vieillie. (1616). *Tailler des croupières à qqn* (par allus. aux cavaliers qui en poursuivent d'autres d'assez près pour couper à l'épée les croupières des chevaux), lui susciter des difficultés, des embarras; faire obstacle à ses projets.

1   Les ennemis, pensant nous tailler des croupières (...)
         MOLIÈRE, Amphitryon, I, 1.
2   Je crains que Laurence ne nous taille encore des croupières!
         BALZAC, Une ténébreuse affaire, Pl., t. VII, p. 577.
3   (...) avec des coups de main arrogants et maladroits, avec des enthousiasmes et des paniques, que les Allemands conçurent l'idée de vous tailler des croupières.
         DRIEU LA ROCHELLE, la Comédie de Charleroi, p. 238 (1934).

♦ **3** Par anal. Mar. → **Croupiat.** — Loc. *Mouiller en croupière :* mouiller par gros temps en jetant une ancre par l'arrière.

HOM. Croupière, fém. de **croupier.**

CROUPION [kʀupjɔ̃] n. m. — 1460; de *croupe*.

A ♦ **1** Extrémité postérieure du corps (d'un oiseau), composée des dernières vertèbres dorsales et supportant les plumes de la queue. → **As** (de pique). *Morceau délicat au-dessus du croupion d'une volaille.* → **Sot-l'y-laisse.** *Croupion de poule, de poulet, de pigeon* (cit. 3.2). *Du croupion.* → **Uropygial.**

1   L'Albanais voulut me régaler d'une de ces poules sans croupion et sans queue.
         CHATEAUBRIAND, Itinéraire..., 153.
2   (...) la géline s'affaissa sur ses jarrets, partageant en deux, au centre du croupion, les plumes de sa queue qui s'éploya en éventail horizontalement.
         L. PERGAUD, De Goupil à Margot, p. 205.
2.1   Un dos large et ferme s'achevant sur un croupion abondamment fourni par toutes ses faces de plumes fines et soyeuses, douze plumes caudales plutôt courtes que longues (...)   M. TOURNIER, le Roi des Aulnes, p. 150.

Loc. fam. *La bouche en croupion de poule.* → **Cul** (en cul de poule).

♦ **2** Chez les mammifères, La base de la queue.

♦ **3** Fam. Le derrière humain. → **Coccyx, croupe, cul, derrière** (→ Chignon, cit. 1). — Loc. fig. *Se décarcasser, se casser... le croupion :* se donner beaucoup de mal pour parvenir à un résultat.

3   Il recevait des millions et il se décarcassait le croupion pour faire faire à sa société une économie de cent sous.
         G. DUHAMEL, Chronique des Pasquier, X, p. 294.

B En appos. (après un nom). Hist. (trad. angl. *rump*). *Le Parlement Croupion :* dans l'histoire d'Angleterre, Nom donné au Parlement *(Long Parliament)* convoqué par Charles Iᵉʳ en 1640, dissous par Cromwell en 1653 et rappelé à deux reprises *(Rump parliament).*

Par ext. Se dit d'un organisme politique qui n'est plus que le résidu d'un autre qui était réellement représentatif. *Un syndicat, un parti croupion.*

DÉR. Croupionner.

CROUPIONNER [kʀupjɔne] v. intr. — 1858; de *croupion*.

♦ **1** (Cheval). Lever la croupe sans ruer.

♦ **2** Fam. et rare. (Personnes). Marcher en balançant la croupe. «(Mᵐᵉ Heaume) *taillait ses buis en croupionnant solennellement*» (H. Bazin, *l'Huile sur le feu*, 1954, in T.L.F.).

Trois canards domestiques, croupionnant de concert, apparurent sous le pont.
         Hervé BAZIN, Madame Ex, p. 61.

CROUPIR [kʀupiʀ] v. intr. — 1549; *soi cropir* «s'accroupir», 1178, le sens donné pour étymologique par Littré «demeurer couché dans ses ordures» semble artificiel; de *croupe*.

♦ **1** Demeurer longtemps (dans un état pénible, mauvais). *Croupir dans la paresse, l'abjection, l'oisiveté, le vice.* → **Rester, séjourner, vivre.** *Croupir dans l'ignorance.* → **Encroûter** (s'). *Croupir en prison* (ou en tout lieu où l'on est retenu contre son gré), *en pension, dans une caserne.* → **Moisir, pourrir.** — *Laisser croupir une minorité,* ne pas se préoccuper d'elle.

1   Nous aimons mieux croupir dans notre ignorance que de chercher à en sortir.
         BOSSUET, Hist., II, 13, in LITTRÉ.
2   Enfin, lui dit-il, c'est l'amour du luxe qui est cause de cette fainéantise où tous les esprits, excepté un petit nombre, croupissent aujourd'hui.
         BOILEAU, le Longin sublime, 35, in LITTRÉ.
3   C'est ainsi qu'ils vivaient, non! qu'ils croupissaient ensemble, rivés au même fer, couchés dans le même ruisseau (...)
         Alphonse DAUDET, le Petit Chose, II, XII, p. 339.

♦ **2** (1545, au p. p.). Rester sans couler et se corrompre (liquide). → **Stagner.** *Eau qui croupit au fond d'une mare.* — Demeurer dans l'eau stagnante. → **Moisir, pourrir.**

4   Au fond du bois croupit une eau dormante et sale :
     Là, le monde se plaît aux vapeurs qu'elle exhale (...)
         LA FONTAINE, Adonis.
5   (...) pas de jardins, pas de verdure, à peine un pied mourant de vigne ou de figuier qui croupit dans les décombres des carrefours.
         E. FROMENTIN, Une année dans le Sahel, p. 27.
6   Parfois, au milieu des bas-fonds où croupissait un reste d'eau, dans le lit vidé des rivières, quelques joncs verts faisaient une tache crue et toute petite (...)
         MAUPASSANT, Au soleil, Le Zar'ez, p. 117.

♦ **CROUPISSANT, ANTE** p. prés. et adj.

Qui croupit. *Eaux croupissantes.* → **Stagnant.** — Fig. *Vie croupissante.* → **Inactif, oisif.** — *Richesses croupissantes.* → **Improductif, inutile.**

7   Les imbéciles deviennent fous et dans leur folie l'imbécillité demeure croupissante ou agitée; dans la folie d'un homme de génie il reste souvent du génie : la forme de l'intelligence a été atteinte et non sa qualité (...)
         R. DE GOURMONT, le Livre des masques, p. 139.

♦ **CROUPI, IE** p. p. adj.

(1545). *Eau croupie,* devenue fétide pour avoir séjourné sans couler. → **Bourbe, cloaque.**

8   (...) odeur de sève et de pourriture, d'herbe fraîche et d'eau croupie, de fleurs mortes et de champignons (...)
         Edmond JALOUX, les Visiteurs, V, p. 56.

CONTR. Évader (s'), **sortir.** — **Couler, courir.** — **Actif, utile; vif. ◊ DÉR. Croupissement, croupissoir, croupissure.**

CROUPISSEMENT [kʀupismã] n. m. — 1610; de *croupir*.

Littér. (liquides). Action de croupir; état de ce qui croupit. — Fig. *Croupissement moral, intellectuel.*

CROUPISSOIR [kʀupiswaʀ] n. m. — 1835; de *croupir*.

Agric. (vx). Fosse où l'on faisait pourrir des herbes pour obtenir un engrais. — Fig. Lieu putride (Bloy, *in* T. L. F.).

CROUPISSURE [kʀupisyʀ] n. f. — 1886; de *croupir*.

Littér. Liquide croupi. *Une immonde croupissure.*

1   Si nous consultons Céline, dont la belle âme a trouvé son climat dans ces lieux, il répond : «Le passage? c'est pas croyable comme croupissures. C'est fait pour qu'on en crève lentement mais à coup sûr entre l'urine des petits clebs, les crottes, les glaviots, le gaz qui fuit. C'est plus infect qu'un dedans de prison».
           Francis CARCO, Nostalgie de Paris, p. 45.

2   (...) où les chambres se ressemblaient toutes, avec leurs meurtrières minces et leurs coins noirâtres, où se croisaient près du béton armé de lourdes odeurs de croupissures et d'excrément.
           J.-M. G. LE CLÉZIO, la Fièvre, p. 34 (1965).

CROUPON [kʀupɔ̃] n. m. — V. 1180, *crepon, croupon* «croupe d'un cheval»; sens mod., 1723; de *croupe*.

Techn. Peau tannée du bœuf ou de la vache dont on a retranché les parties minces de la tête et du ventre (→ **Cuir**). *Fabriquer des objets en croupon.*

CROUSTADE [kʀustad] n. f. — 1735; *pâté de croustade*, 1712; p.-ê. de l'ital. *crostata* ou du provençal mod. *croustado*, de *crousto* «croûte».

Entremets chaud, fait d'une pâte frite garnie d'une préparation. → *Pâté, vol-au-vent, bouchée. Croustade de foies gras, de viande. Croustade de homard.*

CROUSTANCE [kʀustãs] n. f. — D. i. (xxᵉ); de *crouste*, pour *croûte*, et suff. de *bouffetance*.

Fam. Nourriture; repas. → **Croûte**, I., 2.

CROUSTILLANT, ANTE [kʀustijã, ãt] adj. — 1751; sens 2; de *croustiller*.

♦ 1 (1832). Qui craque sous la dent comme une croûte de pain frais. *Pâte croustillante.*

♦ 2 Fig. Amusant et léger ou grivois. → **Croustilleux, piquant.** *Une histoire croustillante. Des détails assez croustillants.*

J'ai essayé de prendre le ton le plus enthousiaste possible.
— Un truc croustillant, vous comprenez?
— Parfaitement.
Il fait trop chaud pour discuter.
— Pas carrément pornographique, mais leste... un peu cochon... Qu'en dites-vous, Serge?
           Patrick MODIANO, les Boulevards de ceinture,
           p. 116 (1972).

♦ 3 Arts. [a] Vieilli. «Vif et séduisant» (Adeline) en parlant du rendu.

[b] Mod. (du sens 1). *«La matière croustillante de la "chambre" (dans un Matisse) se fait plus unie»* (A. Lhote, *Peinture*, p. 75, *in* T. L. F.).

CROUSTILLE [kʀustij] n. f. — 1680; de *croustiller*.

♦ 1 Vx (au plur.). Petite croûte. — Mod. et régional (Canada). Lamelles de pommes de terre frites. → **Chips.**

♦ 2 Fam. et vx. Repas léger. → **Collation.**

DÉR. **Croustillon.**

CROUSTILLER [kʀustije] v. intr. — 1612; provençal *croustilha*, de *crousta*. → Croûte.

♦ 1 Vx. Manger une croûte (de pain). — Fam. et vieilli. Manger. → **Croûter**, II., 2.

♦ 2 (1869). Croquer sous la dent (sans résister autant que ce qui croque*). *Des biscuits qui croustillent.* — Par ext. (stylistique). Produire de petits craquements.

Les cadavres de rats jonchent le sol, les squelettes de rats croustillent sous le pied.
           Robert PINGET, Graal flibuste, p. 9.

♦ 3 Fig. et rare. Être croustillant* (2.). *«La marquise lut, sautant tout ce qui ne croustillait pas»* (J. Péladan, *in* T. L. F.).

DÉR. Croustillant, croustille. — (Du sens 3.) **Croustilleux.**

CROUSTILLEUX, EUSE [kʀustijø, øz] adj. — 1680; de *croustiller*.

Vx. Croustillant (2.), léger, grivois. → **Piquant.** *Des détails croustilleux. Une histoire, un récit croustilleux.*

J'oubliais : il aimait à raconter des histoires croustilleuses.
           Georges BORGEAUD, le Voyage à l'étranger,
           p. 187, 1974.

CONTR. **Austère, sérieux, sévère.**

CROUSTILLON [kʀustijɔ̃] n. m. — 1852; de *croustille*.

Petite croûte (de pain). → **Croustille.** — Régional (Belgique). Beignet.

CROÛTAGE [kʀutaʒ] n. m. — D. i. (xxᵉ); de *croûte*, ou de *croûter*.

Techn. (agric.). Dessèchement de la couche superficielle du sol.

CROÛTE [kʀut] n. f. — xiᵉ, *croste*; du lat. *crusta* «ce qui enveloppe».

[I] ♦ 1 Partie extérieure (du pain) durcie par la cuisson (opposé à *mie*). *La croûte et la mie du pain. Croûte de pain. Croûte dure, épaisse, croustillante; dorée, brûlée, noire. Pain tout en croûte :* pain très cuit et qui a très peu de mie. *Manger toute la croûte et laisser la mie.* — *(Une, des croûtes de pain).* Morceau de croûte. *Croûtes de pain râpées.* → **Chapelure.** *Croûte de pain frottée d'ail.* → **Chapon.** *Croûte frite.* → **Croustade.**

Cétait un potage, et la moitié d'une poule rôtie sur une croûte de pain.   SAINT-SIMON, Mémoires, 225, 54.   1

(1740). *Des croûtes de pain :* des restes de pain, souvent secs et durcis. → **Croûton.**

Nous y rencontrâmes un homme (...) qui trempait des croûtes de pain dans une fontaine.   2
           A.-R. LESAGE, Gil Blas, II, 8.

Loc. (vieilli). *Ne manger que des croûtes :* faire maigre chère. *Ne laisser à qqn que la croûte,* les restes. — *Frotter la croûte contre la mie :* se contenter de pain pour son repas.

♦ 2 Loc. fam. (1878). **CASSER LA CROÛTE :** manger. → **Croûter.** Syn. : *casser la graine*. Casser une croûte, une petite croûte :* manger légèrement, faire une rapide collation*. → **Casse-croûte.** *Casser la croûte avec qqn,* manger avec lui, simplement, sans façon.

(...) et attend le matin pour casser une croûte.   3
           J. VALLÈS, Jacques Vingtras, L'enfant, p. 232.

C'est bien le diable si je ne trouve pas dans ce village un   4
bistrot où je pourrai casser la croûte.
           J. ROMAINS, les Hommes de bonne volonté, t. V,
           X, p. 77.

(De *casser la croûte*, ou déverbal de *croûter*). *La croûte :* la nourriture, le repas. *C'est l'heure de la croûte.* → **Bouffe, croustance, soupe.** *À la croûte ! :* à table !

4.1 À quoi que l'caporal pense de nous faire claquer du bec ? Le v'là. J'vais l'agrafer. Eh ! caporal, à quoi qu'tu penses d'pas nous faire croûter ?
— Oui, oui, la croûte ! répète le lot des éternels affamés.
H. BARBUSSE, le Feu, t. II, II, XX, p. 23.

4.2 Je vous invite chez moi après la croûte, vous le verrez (...)
René FALLET, le Triporteur, p. 224.

Loc. (1900). **GAGNER SA CROÛTE,** sa nourriture*, sa vie* (→ Gagner son bifteck*). *Il gagne bien sa croûte.* — *Travailler pour la croûte,* pour gagner sa vie.

4.3 (...) il était temps qu'il se démerde pour gagner sa croûte car il ne lui restait pas grands fonds en poche (...)
R. QUENEAU, Pierrot mon ami, éd. L. de Poche, p. 123.

Pop. *Faire qqch. à ses croûtes,* à ses frais.

♦ **3** (1611; v. 1165, *crouste* «pâte qui enveloppe un pâté»). Pâte cuite qui entoure (une préparation culinaire). *La croûte d'un pâté* (→ **Croustade**). *Croûte fine, feuilletée. Lever la croûte d'un pâté.* — Prov. (vx). *Croûte de pâté vaut bien pain :* le meilleur est assez bon pour moi.
EN CROÛTE : préparé avec une croûte. *Pâté en croûte* (cour., mais en contradiction avec le sens original de *pâté,* voir ce mot). *Terrine en croûte. Bœuf en croûte.*

5 Elle enfonça une cuillère dans la terrine de veau en croûte (...)
J. CHARDONNE, les Destinées sentimentales, II, IV, p. 287 (→ 1. Croquer, cit. 3).

Cuis. Préparation comportant des croûtes de pain, des tranches de pâte cuite, une croûte (ci-dessus, 3.). *Croûte au fromage. Croûte aux champignons.* — Vx. *Croûte au pot :* gros morceau de pain, croûtons mitonnés avec un bouillon (→ **Chapon**). Par métaphore et adj. (vx). → ci-dessous, cit. 10. — Pâte feuilletée destinée à recevoir un plat chaud. *Acheter des croûtes pour faire des bouchées à la reine.*

♦ **4** Partie superficielle du fromage (qui ne se mange pas, en général). *Enlever la croûte.* — Par métonymie. **CROÛTE ROUGE** (régional) : fromage de Hollande.

II (1314, méd.). Par ext. ♦ **1** Partie superficielle durcie. *Croûte de tartre formée autour d'un tonneau.* → **Dépôt.** *Croûte minérale* (→ **Incrustant**). *Croûte calcaire déposée sur les faces intérieures d'une chaudière.* → **Calcin.** *Croûtes de sel qui se déposent sur la peau après un bain de mer.* — Par ext. Couche de matières durcies.

6 D'un peu partout, des odeurs de débris, de balayures, de serpillières gorgées, de petits tas humides dans des recoins, de minces croûtes de crasse vivante collant à du carrelage (...)
J. ROMAINS, les Hommes de bonne volonté, t. IV, XV, p. 156.

Spécialt. Couche de terre durcie et asséchée à la surface du sol. → **Croûtage.** — Techn. Couche solide à la surface d'une cuve d'électrolyse d'alumine, formée d'alumine et de cryolithe.

♦ **2** (1855). Géol. *La croûte terrestre :* la partie superficielle du globe terrestre, formée par refroidissement. → **Écorce** (terrestre). → **Lithosphère.** *La croûte terrestre repose sur l'asthénosphère*.* — Loc. (vx en sc.). *Croûte continentale,* d'une épaisseur de 30 km. *Croûte océanique,* occupant le fond des océans.

7 Cette pâte encore souple que vous venez de voir est issue des plus anciennes roches cristallines, les premières qui ont paru sur la croûte terrestre, celles que l'on nomme les roches ignées (...)
J. CHARDONNE, les Destinées sentimentales, III, VII, p. 495.

♦ **3** Mar. Surface irrégulière (d'une pièce de bois). — Menuis. Première ou dernière planche sciée, dont une face conserve l'écorce.

♦ **4** Méd. Lamelle irrégulière formée sur une lésion de la peau par dessèchement du sang, du pus ou d'une sérosité. → **Écaille, escarre, squame.** *Faire tomber la croûte d'une plaie.* → **Écroûter.** *Croûtes dartreuses* (→ **Dartre**). *Croûtes vaccinales. Son corps est couvert de croûtes* (→ **Croûteux**).
Croûtes de lait, qui se forment parfois sur le corps des nourrissons, notamment sur leur cuir chevelu.

♦ **5** Fig. et rare. Ce qui recouvre superficiellement ; couche* superficielle. *Une croûte de culture.* → **Vernis.** — REM. Cet emploi est vieilli, le mot étant, au figuré, surtout péjoratif.

8 La croûte germanique étendue sur la nation est mince, ou se trouve percée de bonne heure par la renaissance de la civilisation latine.
TAINE, Philosophie de l'art, t. I, II, III, p. 126.

Péj. et cour. *Une croûte d'ignorance, d'indifférence.*

8.1 Une croûte d'ignorance et d'avarice a tellement recouvert les principes invariables de la doctrine monétaire (...)
MIRABEAU, Collection, t. V, p. 63.

♦ **6** Techn. **a** Face intérieure (d'un cuir). — (1723). *Cuir en croûte,* non apprêté. *Sac en croûte.*
b Céramique. Première ébauche d'un travail de porcelaine lorsque la pâte a été travaillée sur le tour.

III Fig. et péj. ♦ **1** (1730, «tableau faux», puis «tableau noirci, encroûté»). Fam. Mauvais tableau. *Ce peintre ne fait que des croûtes.*

8.2 Cet homme, lorsqu'il était nouvellement revenu d'Italie, faisait de très belles choses ; il avait une couleur forte et vraie ; sa composition était sage, quoique pleine de chaleur ; son faire large et grand. Je connais quelques-uns de ses premiers morceaux qu'il appelle aujourd'hui des croûtes et qu'il rachèterait volontiers pour les brûler.
DIDEROT, Salon de 1763, «Boucher», in Œ. esthétiques, p. 452-453.

9 Êtes-vous seulement connaisseur ? Je vous demande cela dans votre intérêt, parce que vous devez vous faire repasser des croûtes par les marchands (...)
PROUST, À la recherche du temps perdu, t. I, p. 28.

♦ **2** (1844). Personne bornée, encroûtée dans la routine. *C'est une vieille croûte.* → **Croûton.** *Quelle croûte !* → **Imbécile.**
Adj. (d'abord dans les milieux artistes, → cit. 10). (XIXᵉ). Fam. et vx. Médiocre, «bourgeois» (→ Tarte, II., 2.). *Il est un peu croûte.* → **Croûton** (plus cour.).

10 Il se prononçait sur toute chose par un seul mot à trois modificatifs, le mot *croûte.*
Un homme, un meuble, une femme pouvaient être *croûte ;* puis, dans un degré supérieur de malfaçon, *croûton ;* enfin, pour dernier terme, *croûte-au-pot ! Croûte-au-pot,* c'était le : *ça n'existe pas* des artistes, l'omnium du mépris. Croûte, on pouvait se décroûter ; croûton était sans ressources ; mais croûte-au-pot ! Oh ! mieux valait n'être jamais sorti du néant.
BALZAC, les Paysans, II, I, Pl., t. VIII, p. 227.
REM. Le locuteur dont il est question est un notaire bourguignon qui se donne des airs parisiens.

On trouve aussi, dans ce sens, le dér. *croûtard, arde,* au XIXᵉ s.

11 (...) rugissons contre M. Thiers. Peut-on voir un plus triomphant imbécile, un croûtard plus abject, un plus étroniforme bourgeois.
FLAUBERT, Correspondance, Lettre à George Sand, 5ᵉ série, 337 (1887), in D. D. L., II, 4.

CONTR. Mie. ◊ **DÉR. Croûtée, croûtelette, croûter, croûteux, croûton.** V. **Croûtage.** — **COMP. Casse-croûte. Écroûter, encroûter.**

CROÛTÉE [kʁute] n. f. — XXᵉ ; de *croûte.*
Neige croûteuse. *Des farts «pour la poudreuse, la tôlée et la croûtée»* (*Brefs échos du camp de ski valaisan,* in Falkenstein, 1947, p. 44).

CROÛTELETTE [kʀutlɛt] n. f. — V. 1280, méd.; de *croûte*.

Rare. Petite croûte sur la peau. — (1680). Par ext. Petite croûte (de pain). *Il ne reste sur la table que des croûtelettes.*

CROÛTER [kʀute] v. — xıᵉ, *croster* (en parlant du pain); de *croûte*.

I ♦ **1** V. tr. Couvrir (qqch.) de croûtes. *Des plaques lui croûtent la peau.*

♦ **2** V. intr. Techn. Former une croûte. *Sol qui croûte.*
→ **Croûtage.**

II V. tr. (1879; de *casser la croûte**). Fam. Manger.
→ **Bouffer, croustiller; croustance.** *N'avoir rien à croûter.* — Absolt. *On va croûter ensemble?*

1 — Tiens, voilà le fakir, dit Léonie. Ce qu'il vient tôt. Pour moi, il n'a pas dû déjeuner pour mieux croûter ce soir à nos dépens. On va le faire lanterner un peu, ça lui fera les pieds.
R. QUENEAU, Pierrot mon ami, éd. L. de Poche, p. 29.

2 C'est pas tellement la soif, dit le ch'timi, c'est la faim : j'ai rien croûté depuis hier.
SARTRE, la Mort dans l'âme, p. 202.

3 Tiens, j'ai soif, tout à coup, fit-il après réflexion. Et un peu faim, même. Il reste quelque chose à croûter dans le frigidaire?
Jean-Louis CURTIS, le Roseau pensant, p. 68.

DÉR. V. **Croûtage.**

CROÛTEUX, EUSE [kʀutø, øz] adj. — xıvᵉ; de *croûte*.

♦ **1** Qui a des croûtes. *Nez croûteux. Sol croûteux.* — Spécialt. Méd. *Eczéma croûteux. Pustules croûteuses.*

♦ **2** Qui présente une croûte. *Neige croûteuse.*
→ **Croûtée.**

Je suis rapidement distancé, harassé car les sacs sont lourds, et la neige très irrégulière et souvent croûteuse.
R. FRISON-ROCHE, Peuples chasseurs de l'Arctique, p. 349.

CROÛTON [kʀutɔ̃] n. m. — 1669; av. 1596, sens obscur; de *croûte*.

I ♦ **1** Extrémité d'un pain long. → **Quignon.** *Manger le croûton* (→ Câliner, cit.). *Je préfère le croûton.* — Par ext. Bout de pain sec.

♦ **2** Petite croûte utilisée en cuisine. *Croûtons à l'ail.* — Petit morceau de pain frit ou grillé. *Omelette aux croûtons. Garnir de croûtons un plat d'épinards.*

1 «Des croûtons de pain vieux frottés d'oignon ou d'ail, arrosés d'une goutte d'huile d'olive bien fruitée, voilà dont je ne me lasserais pas», pense-t-il.
A. PIEYRE DE MANDIARGUES, la Marge, p. 151.

II Fig. ♦ **1** (1838). Personne arriérée, d'esprit borné. → **Croûte.** *Un vieux croûton* (→ **Encroûter).**

2 Jolie femme, dites donc! Pour un vieux croûton comme vous!
M. AYMÉ, la Tête des autres, ıv, 7.

♦ **2** (1808). Mauvais peintre, qui ne fait que des croûtes. → **Barbouilleur.**

♦ **3** Adj. invar. en genre (emploi attribut). *Elle est un peu croûton. Ce que vous pouvez être croûtons!* → **Croûte,** cit. 10, Balzac.

DÉR. **Croûtonner.**

CROÛTONNER [kʀutɔne] v. intr. — 1833; de *croûton*.
Familier.

♦ **1** (De *croûton,* II., 2.). Arts. (Vieilli). Peindre des croûtes (III., 1.). — Trans. :

Lui? un barbouilleur qui me devait vingt-cinq francs... et qui m'a croutonné ça en payement... C'est le portrait de mon épouse!
E. LABICHE, la Chasse aux corbeaux, ıı, 2.

♦ **2** (De *croûton,* I., 1.). Fam., vx. Manger, grignoter.

♦ **3** Pron. *Se croûtonner* : s'ennuyer (de la loc. *s'ennuyer comme un croûton derrière une malle*).

CROWN-GLASS [kʀawnglas] n. m. — 1776, *Encyclopédie*; mot angl., de *crown* «couronne», et *glass* «verre», ce type de verre étant initialement présenté sous forme de disque.

Sc., techn. (anglic.). Verre blanc, transparent, formé de silicate de potasse et de chaux, servant à faire des lentilles d'instruments d'optique.

CROYABLE [kʀwajabl] adj. — xııᵉ, *credable;* de *croire*.
Qui peut ou doit être cru. → Croire.

♦ **1** (Personnes). Rare. *Ce témoin est croyable.* → **Digne** (de foi), **véridique.** «*Des personnes absolument croyables*» (Hugo, *in* T. L. F.).

J'ai voulu être hardi quelquefois, afin d'être croyable toujours.
GUEZ DE BALZAC, À Richelieu.

♦ **2** (Choses). Cour. à la forme négative ou dans un syntagme qui contient une nuance de doute, fait une restriction. *C'est à peine croyable, ce n'est pas croyable.* → **Imaginable, possible.** *Une histoire pas croyable. Ce qui rend la chose plus croyable.* → **Admissible, probable, vraisemblable.**

J'entre en des sentiments qui ne sont pas croyables (...)
CORNEILLE, Polyeucte, ııı, 5.

Voilà une femme qui m'aime (...) cela n'est pas croyable.
MOLIÈRE, le Malade imaginaire, ıı, 6.

Il n'est pas croyable ce qu'elle dépensait à (...)
SAINT-SIMON, Mémoires, ııı, 69, *in* HATZFELD.

Il n'est pas croyable que la femme qui sait lire s'estime au prix de l'homme qui ne sait qu'épeler.
André SUARÈS, Trois hommes, «Ibsen», ı, p. 73.

(Au positif). *Une histoire «vraie et croyable»* (J. Janin, *in* T. L. F.). *Caractère croyable.* → **Crédibilité,** et aussi le doublet savant **crédible.**

CONTR. Douteux, impensable, incroyable, inimaginable, invraisemblable. ◊ **COMP.** Incroyable.

CROYANCE [kʀwajɑ̃s] n. f. — 1361; réfection de *creance* (xıᵉ); de *croire*.

♦ **1** L'action, le fait de croire une chose vraie, vraisemblable ou possible. → **Attente, certitude, confiance, conviction, espérance, foi, idée, opinion, pensée, persuasion, prévision.** — (Rare). *La croyance de qqn. Sa croyance. Avoir une croyance. Il a la ferme croyance qu'il arrivera demain. Cela est arrivé, contre la croyance de tout le monde.* — Loc. Cour. *Contrairement à la croyance populaire... La croyance en la grandeur de l'homme. La croyance en l'honnêteté de qqn. La croyance vague en qqch.* → **Idée, soupçon; conscience** (avoir vaguement conscience).

Soit caprice ou raison, j'ai toujours ta croyance
Que votre âme en ces lieux souffre de son absence (...)
MOLIÈRE, Dom Garcie, ı, 3.

La croyance ou l'opinion des uns ne saurait être une chaîne pour les autres.
RENAN, Souvenirs d'enfance..., Préface, p. 15.

(...) la croyance qu'on pourra revenir vivant du combat aide à affronter la mort.
PROUST, À la recherche du temps perdu, t. VI, p. 149.

C'est le désir qui engendre la croyance et si nous ne nous en rendons pas compte d'habitude, c'est que la plupart des désirs créateurs de croyances ne finissent qu'avec nous-mêmes.
PROUST, Albertine disparue, éd. La Gerbe, p. 261.

La croyance indistincte, indéfinissable, à je ne sais quoi d'autre, à côté du réel, du quotidien, de l'avoué, m'habita durant nombre d'années (...)
GIDE, Si le grain ne meurt, I, ı, p. 27.

5.1 Il y a croire et croire, et cette différence paraît dans les mots croyance et foi. La différence va même jusqu'à l'opposition ; car selon le langage commun et pour l'ordinaire de la vie, quand on dit qu'un homme est crédule, on exprime par là qu'il se laisse penser n'importe quoi (...) Mais quand on dit d'un homme d'entreprise qu'il a la foi, on veut dire justement le contraire.
ALAIN, Propos, Pl., p. 736-737.

Vx. *Avoir la croyance que...* : croire. — *Donner croyance à qqn, à qqch.,* lui accorder du crédit*, s'y fier.

6   Je sais ce qu'est un songe, et le peu de croyance
Qu'un homme doit donner à son extravagance (...)
CORNEILLE, Polyeucte, I, 1.

7   Puis-je à de tels discours donner quelque croyance ?
CORNEILLE, le Cid, Variante.

La croyance (de qqn), *une croyance en qqn. Ma croyance en lui n'a jamais faibli. — Croyance en soi.*
→ **Confiance** (en soi).

Vx. *Être dans la croyance que...* : croire que...

7.1   Le roi de Perse, qui ne s'attendait pas à ce spectacle, poussa des cris épouvantables, dans la croyance qu'il ne reverrait plus le prince son cher fils (...)
A. GALLAND, les Mille et une Nuits, t. II, p. 294.

Spécialt. *Croyance en Dieu.* → **Foi ; espérance.**

8   La foi a on ne sait quel bizarre besoin de forme. De là les religions. Rien n'est accablant comme une croyance sans contour.   HUGO, les Travailleurs de la mer, II, II, V.

♦2 (*Une, des croyances*). **Plus cour.** au plur. Ce que l'on croit (spécialt, en matière religieuse). *Croyances religieuses.* → **Conviction, doctrine, dogme, foi ; religion ; coutume, tradition.** → Civilisation, cit. 15. *Les croyances des chrétiens. Croyance au Messie.* → **Messianisme.** *Il faut respecter toutes les croyances. Aspect philosophique d'une croyance religieuse.* → **Crédibilité.**

9   Tant qu'il reste quelque bonne croyance parmi les hommes, il ne faut point troubler les âmes paisibles, ni alarmer la foi des simples par des difficultés qu'ils ne peuvent résoudre (...)   ROUSSEAU, Émile, IV.

10   Crédule et incrédule, le manque de foi la portait à se moquer des croyances dont la superstition lui faisait peur.
CHATEAUBRIAND, Mémoires d'outre-tombe, t. II, p. 340.

11   (...) une croyance. Il n'est rien de plus puissant sur l'âme. Une croyance est l'œuvre de notre esprit, mais nous ne sommes pas libres de la modifier à notre gré. Elle est notre création, mais nous ne le savons pas. Elle est humaine, et nous la croyons Dieu. Elle est l'effet de notre puissance et elle est plus forte que nous. Elle est en nous ; elle ne nous quitte pas ; elle nous parle à tout moment. Si elle nous dit d'obéir, nous obéissons ; si elle nous trace des devoirs, nous nous soumettons. L'homme peut bien dompter la nature, mais il est assujetti à sa pensée.
FUSTEL DE COULANGES, la Cité antique, p. 149.

12   Les hommes ont grand'peine à mettre un peu de critique dans les sources de leurs croyances et dans l'origine de leur foi. Aussi bien, si l'on regardait trop aux principes, on ne croirait jamais.
FRANCE, le Jardin d'Épicure, p. 86.

13   La Gaule (*avant l'avènement du christianisme*) comme tous les autres pays d'Europe, n'avait jamais connu que les religions rudimentaires, faites de pratiques et de croyances transmises par la tradition sans doctrine d'ensemble, sans enseignement religieux, sans commune autorité ; les prêtres n'étaient que des gardiens de sanctuaires chargés d'accomplir les cérémonies.
Ch. SEIGNOBOS, Hist. sincère de la nation franç., p. 28.

14   Les faits ne pénètrent pas dans le monde où vivent nos croyances, ils n'ont pas fait naître celles-ci, ils ne les détruisent pas ; ils peuvent leur infliger les plus constants démentis sans les affaiblir, et une avalanche de malheurs ou de maladies se succédant sans interruption dans une famille ne la fera pas douter de la bonté de son Dieu ou du talent de son médecin.
PROUST, À la recherche du temps perdu, t. I, p. 201.

La croyance aux sciences occultes. → **Occultisme.** *Croyance aux esprits.* → **Spiritisme.** *Croyance à la valeur symbolique des nombres. Une croyance absolue, naïve à..., en...* — *Croyances superstitieuses.* → **Crédulité ; superstition.**

15   Regardez les institutions des anciens sans penser à leurs croyances, vous les trouvez obscures, bizarres, inexplicables.   FUSTEL DE COULANGES, la Cité antique, p. 3.

16   Le vieux, lui, avait une bonne tête : il ne risquait rien à tant apprendre. Et tous ces dictons de naguère, toutes ces croyances qui troublaient nos anciens le laissaient au fond bien tranquille, car il avait la peau du cœur épaisse.
M. GENEVOIX, Raboliot, II, III, p. 98.

Philos. Assentiment de l'esprit qui exclut le doute.
→ **Adhésion, assentiment ; certitude, savoir.** *Les croyances philosophiques :* les opinions auxquelles l'esprit adhère. *La croyance à la réalité, à l'existence du monde extérieur. La croyance à l'absurdité du monde.*

17   La croyance dans l'absurdité de l'existence doit donc commander sa conduite.
CAMUS, le Mythe de Sisyphe, p. 19.

CONTR. Doute ; défiance, incroyance, méfiance ; ignorance. — Agnosticisme, scepticisme. — Athéisme. **◊ COMP.** Incroyance.

CROYANT, ANTE [kʀwajɑ̃, ɑ̃t] adj. et n. — Mil. XIIe, *creanz* ; p. prés. de *croire.*

I Adj. Qui a une foi religieuse. → **Dévot, fidèle, mystique, pieux, religieux.** *Une âme croyante. Il était croyant à l'époque de son adolescence. Il n'est plus croyant :* il a perdu la foi. *Chrétien, juif, musulman, bouddhiste... croyant, à peine croyant.*

1   Puis (*Jésus*) dit à Thomas «ne sois plus incrédule, mais croyant (...) Parce que tu m'as vu tu as cru ? Heureux ceux qui ont cru sans avoir vu».
BIBLE (CRAMPON), Évangile selon saint Jean, XX, 27-29.

2   J'étais croyant, je l'ai toujours été, quoique non pas comme les gens à symboles et à formules.
ROUSSEAU, Dialogues, I, in LITTRÉ.

3   (...) il n'est ici-bas chrétien plus croyant et homme plus incrédule que moi.
CHATEAUBRIAND, Mémoires d'outre-tombe, t. VI, p. 331.

4   Croyante, elle l'était bien un peu ; pratiquait plutôt, comme tant d'autres femmes autour d'elle (...)
LOTI, Ramuntcho, II, VII, p. 254.

5   Elle avait beau être très croyante, jamais elle ne cherchait à imposer aux autres ses façons de voir. Aujourd'hui ! (...) Si vous l'entendiez catéchiser ses malades !
MARTIN DU GARD, les Thibault, t. IX, p. 55.

II N. Personne qui a une foi religieuse. *Un croyant, une croyante.* → **Fidèle.** *Les vrais croyants. Croyant qui pratique sa religion.* → **Pratiquant.** *Croyant qui attache une importance exagérée aux aspects secondaires, caducs de sa foi.* → **Bigot, crédule, superstitieux.**

6   En général, les croyants font Dieu comme ils sont eux-mêmes ; les bons le font bon, les méchants le font méchant ; les dévots, haineux et bilieux, ne voient que l'enfer, parce qu'ils voudraient damner tout le monde (...)
ROUSSEAU, les Confessions, VI.

7   (...) le corps des chrétiens primitifs se distinguait en *croyants* ou *fidèles,* et *catéchumènes.*
CHATEAUBRIAND, le Génie du christianisme, IV, III, 2.

8   Le croyant se réjouit de ses ulcères ; il a pour agréable les injustices et les violences de ses ennemis ; ses fautes même et ses crimes ne lui ôtent pas l'espérance.
FRANCE, le Jardin d'Épicure, p. 52.

9   Le fait merveilleux et indubitable, c'est qu'il existe des croyants. Mais il y a des incrédules ; cela aussi est extraordinaire.
J. CHARDONNE, l'Amour du prochain, VI, p. 153.

Vieux croyant : secte de catholiques orthodoxes russes attachés à la tradition.

10 (...) il ne lui en fallait pas tant pour se rassasier. Il se rassasia donc, et mieux même que son voisin de table, qui, en qualité de «vieux croyant» de la secte des Raskolniks, ayant fait vœu d'abstinence, rejetait les pommes de terre de son assiette et se gardait bien de sucrer son thé.
J. VERNE, *Michel Strogoff*, p. 65-66 (1876).

REM. Dans ses contextes culturels les plus courants, le mot s'applique à la foi chrétienne ou, moins souvent, juive. En principe, il s'applique à tous les dogmes religieux.

Loc. *Le père des croyants* : Abraham.

Spécialt. *Les croyants* : les musulmans. *Le commandeur des croyants* (→ **Calife**).

CONTR. **Agnostique, athée, incrédule, incroyant, infidèle, mécréant, penseur** (libre penseur), **sceptique.**

C. R. S. [SEERES] n. — V. 1960; abrév. de C(ompagnie) R(épublicaine) de S(écurité) (1947).

♦ 1 N. f. Compagnie républicaine de sécurité. *La C.R.S. 59 stationnée à... Poste de C.R.S. assurant la sécurité sur une plage. Officier de C.R.S.*

♦ 2 N. m. (Plus cour.). Fonctionnaire de police appartenant à une compagnie républicaine de sécurité. *Un cordon de C.R.S. Des C.R.S. «Dans la rue, des patrouilles de C.R.S. ratissent le trottoir»* (*l'Express*, 23 oct. 1972, p. 97).

REM. On rencontre la graphie *C. r. s.*; on écrit en général C. R. S. Cf. aussi la graphie plaisante : *céhéresse* (→ Briffer, cit. 3, Duvert).

(...) la grande grève des mineurs à laquelle je participais quotidiennement, à Carmaux. Lorsque les C.R.S. furent envoyés pour occuper la centrale de la mine, que nous leur avons reprise d'assaut, au prix de nombreux blessés.
Roger GARAUDY, *Parole d'homme*, p. 108-109 (1975).

1. CRU [kʀy] n. m. — 1307; de *crû*, p. p. de *croître.*

♦ 1 Vx. Quantité dont un végétal a crû. *Le cru d'un arbre pendant une période donnée.* → **Croissance, poussée.**

♦ 2 Vieilli ou régional. Ce qui croît dans une région (avec une connotation de qualité). — Par métonymie. La région elle-même.

1 (...) après ce qui lui vient de son cru, rien ne lui paraît de meilleur goût que le gibier et les truffes que cet ami lui envoie.
LA BRUYÈRE, les *Caractères*, III, 75.

Cour. Vignoble. *Les grands crus de France, de Bourgogne, du Bordelais. Les vins du cru,* du terroir lui-même. *Les vins* de grand cru.*

2 Le commerce classe les vins bordelais en six ou sept grandes appellations avec plusieurs douzaines de sous-régions, des centaines de noms de communes, des millions de noms de châteaux, de clos, de domaines ou clos (...) La classification est peut-être un peu touffue, mais les vins sont si bons!
DEMANGEON, *Géographie économique et humaine de la France,* t. I, III, XV, p. 335.

Bouilleur de cru. → **Bouilleur.**

♦ 3 (1573). Loc. DE SON CRU, DE SON PROPRE CRU : de sa production, de son invention propre. → **Personnel.** *Raconter une histoire, faire une réflexion de son cru. Le tout de mon cru.*

3 (...) employer de l'argent à des perruques, lorsque l'on peut porter des cheveux de son cru, qui ne coûtent rien.
MOLIÈRE, l'Avare, I, 4.

4 Coras lui dit : La pièce est de mon cru.
RACINE, *Poésies diverses*, 5.

5 Même si les nouvelles du journal ne sont pas passionnantes, elles valent bien ce que Maurice Ezzelin racontait de son cru.
J. ROMAINS, les *Hommes de bonne volonté*, t. II, I, p. 7.

Du même cru : de la même qualité. *Nous souhaitons trouver d'autres livres du même cru.*

HOM. 2. Cru, crue. — Formes des v. **croire** et **croître.**

2. CRU, UE [kʀy] adj. — V. 1165; du lat. *crudus* «saignant». → Cruor.

♦ 1 Qui n'est pas cuit (aliment). *Radis, oignons, légumes, fruits crus. Aliments qui se mangent crus.* → **Croque au sel** (à la); **crudité.** *Viande rouge crue.* → Tartare. *Bifteck presque cru.* → **Bleu, saignant.** *Poissons crus, mangés crus.*

1 (...) il (*le rat*) avait
Mangé le lard et la chair toute crue (...)
Clément MAROT, Épîtres, I, 6, «Le lion et le rat».

2 (...) préparer les viandes qu'auparavant ils dévoraient crues.
ROUSSEAU, De l'inégalité parmi les hommes, II, *in* LITTRÉ.

Loc. fig. *Vouloir avaler, manger qqn tout cru,* être furieux contre lui. — *Avaler qqch. tout cru,* croire naïvement ce qui est dit.

N. m. *Préférez-vous du cru ou du cuit au dîner? — Le Cru et le Cuit,* ouvrage de Cl. Lévi-Strauss (1965).

♦ 2 [a] (1260). Qui n'a pas subi la préparation nécessaire (matière première). → **Brut.** *Chanvre, cuir cru. Métal cru,* non purifié. *Toile, soie crue.* → Écru. *Briques, faïences crues,* séchées, mais non cuites. — N. m. *Travailler sur le cru,* sur la matière brute.

[b] Méd. *Humeurs crues,* qui n'ont pas atteint le degré de coction. — Spécialt. *Eau crue* : eau trop chargée de sels pour dissoudre le savon et cuire les légumes.

3 L'eau que je buvais était un peu crue et difficile à passer, comme sont la plupart des eaux des montagnes.
ROUSSEAU, les Confessions, VI.

[c] Qui n'est pas altéré (choses).

3.1 Ce serpent pour lécher le bol de tous les côtés répandit sur les herbes crues le paraphe de son corps qui battait le sol comme le galop d'un cheval.
Jacques LAURENT, les Bêtises, p. 172.

[d] Régional (France : Est et Nord, etc.; Belgique, Suisse, Canada). Humide et froid (temps, atmosphère). *Un temps cru. Il fait un peu cru, ce matin.* — D'un lieu (Suisse). *Un appartement cru.*
N. m. *Le cru du matin.*

♦ 3 Que rien n'atténue. → **Brutal.** *Parfums, sons crus.* — Spécialt. *Lumière crue* (→ Beau, cit. 31). *Éclairer de manière crue.* → **Crûment.** *Couleur crue,* qui tranche violemment sur le reste. → **Criard, vif** (→ aussi Blafard, cit. 3). *Ombre crue,* qui se détache net, sans dégradé, sans nuances.

4 Imagine ce qu'il y a de plus impétueux dans le désordre, de plus insaisissable dans la vitesse, de plus rayonnant dans les couleurs frappées de soleil.
E. FROMENTIN, Une année dans le Sahel, p. 280.

5 Le vert universel de la campagne n'est ni cru, ni monotone; il est nuancé par les divers degrés de maturité des feuillages et des herbes, par les diverses épaisseurs et les changements perpétuels de la buée et des nuages.
TAINE, Philosophie de l'art, t. I, III, I, III, p. 273.

6 Et maintenant, comme s'il avait plu,
Les ébéniers luisaient au soleil cru.
Francis JAMMES, De l'angélus de l'aube..., «Le vieux village», p. 65.

♦ 4 (XVᵉ). Vieilli. Exprimé sans ménagement. *Réponse, explication crue.* → **Brutal, désobligeant, franc.** *Dire la chose toute crue,* sans ménagement. *Voici la vérité crue, toute crue,* pure, sans atténuation. *Répondre de manière un peu trop crue.* → **Crûment.**

7 Je te vois accablé d'un chagrin si profond
Que j'excuse aisément ta réponse un peu crue.
CORNEILLE, la Veuve, III, 3.

Mod. *Employer le mot, le terme cru. Faire une description crue, d'un réalisme très cru.*

8 Accepter dans l'occasion le mot cru, rejeter le mot sale. Éviter ces deux écueils : le mot impropre, le mot malpropre.

HUGO, Post-Scriptum de ma vie, L'esprit, III.

Qui choque les bienséances. → **Choquant, graveleux, grivois, leste, libre, licencieux, salé.** *Histoires, plaisanteries crues.*

9 (...) j'ai exprimé en termes vifs des sentiments auxquels le monde pardonne à une femme de céder, mais dont il n'excuse jamais l'expression toute crue.

F. MAURIAC, la Pharisienne, p. 45.

N. m. *Il est d'un cru épouvantable.*

Adv. → **Crûment.** *Parler cru,* sans détour. *Je vous le dis tout cru, je ne mâche pas mes mots.*

♦ **5** Loc. adv. À CRU : en portant sur la chose même. *Construction à cru* ou *qui porte à cru,* qui repose sur le sol, sans fondation. *Monter à cru,* sans selle. → **Poil** (à). *Lumière qui tombe à cru,* sans être tamisée.

10 Monsieur le Prince a mandé (...) aux dames que leurs transparents seraient mille fois plus beaux si elles voulaient les mettre à cru sur leurs belles peaux (...)

Mᵐᵉ DE SÉVIGNÉ, 595, 5 nov. 1676.

10.1 *(De)* vieilles vestes posées à cru sur le torse.

Th. GAUTIER, Constantinople, p. 107.

11 Il avait froid aux os et froid au cœur. La lampe du wagon vacillait tristement dans son hublot et lui versait à cru sa morne clarté. Léon BLOY, le Désespéré, III, p. 118.

12 Aubin, enragé de grimper aux arbres, de monter à cru le cheval de Jobeau (...)

Hervé BAZIN, Cri de la chouette, p. 230 (1972).

Fig. Sans préparation. → **Froid** (à). *Dire qqch. à cru.*

CONTR. Cuit. — **Adouci, déguisé, doux, neutre, noble, tamisé, voilé.** ◊ DÉR. **Crûment.** — HOM. 1. **Cru, crue.** — Formes des v. **croire** et **croître.**

CRUAUTÉ [kʀyote] n. f. — V. 1150; *cruiauté, cruëlté, cruälté,* v. 1220; du lat. *crudelitas,* avec infl. de mots comme *loyauté,* de *crudelis.* → Cruel.

♦ **1** Tendance à faire souffrir. → **Barbarie, dureté, férocité, inhumanité, méchanceté, sadisme, sauvagerie.** *La cruauté trouve sa satisfaction dans la vue de la souffrance. Exercer sa cruauté sur des innocents, sur des animaux. Affreuse, horrible, odieuse cruauté. Cruauté impitoyable. Cruauté brutale* (→ **Brutalité**)*; froide, raffinée. La cruauté de Néron, d'Hérode. La cruauté d'un despote, d'un tyran.* → **Tyrannie.** *La cruauté des bourreaux. Traiter qqn avec cruauté. Cruauté envers soi-même.* → **Masochisme.** *Avoir la cruauté de brutaliser un enfant* (→ **Cœur, courage**)*. Pousser la cruauté jusqu'à sa dernière limite.*

1 Les marques de sa cruauté
Parurent avec l'aube : on vit un étalage
De corps sanglants et de carnage.
LA FONTAINE, Fables, XI, 3.

1.1 (...) assurément si vous êtes le plus fort, et que par d'atroces principes de cruauté vous n'aimiez à jouir que par la douleur, dans la vue d'augmenter vos sensations, vous arriverez insensiblement à les produire sur l'objet qui vous sert, au degré de violence capable de lui ravir le jour.
SADE, Justine..., t. I, p. 197.

2 (...) ce principe qu'on avait oublié depuis Louvois, maintenant lentement avoué, que la cruauté est une force et constitue dans les choses humaines un avantage dont on n'a pas à se priver !
RENAN, Dialogues et fragments philosophiques, p. 109.

2.1 Les femmes sont bien plus raffinées et complexes que vous le pensez (...) En incomparables virtuoses, en suprêmes artistes de la douleur qu'elles sont, elles préfèrent le spectacle de la souffrance à celui de la mort, les larmes au sang. Et c'est une chose admirablement amphibologique

où chacun trouve son compte, car chacun peut tirer des conclusions très différentes, exalter la pitié de la femme ou maudire sa cruauté, pour des raisons pareillement irréfutables, et selon que nous sommes, dans le moment, prédisposés à lui devoir de la reconnaissance ou de la haine (...)
O. MIRBEAU, le Jardin des supplices, p. 25-26.

3 (...) la cruauté est un reste de servitude : car elle atteste que la barbarie du régime oppresseur est encore présente en nous. JAURÈS, Hist. socialiste..., t. I, p. 305.

4 Et le crime des crimes, qui est la cruauté, il en débrouille aussi les racines, avec un saint effroi : il touche, il voit que la cruauté et la luxure se tiennent comme deux sœurs monstrueuses, unies par le même os de désir.
André SUARÈS, Trois hommes, «Dostoïevski», V, p. 262.

4.1 La cruauté est l'une des formes de la violence organisée. Elle n'est pas forcément érotique, mais elle peut dériver vers d'autres formes de la violence que la transgression organise. Comme la cruauté, l'érotisme est médité. La cruauté et l'érotisme s'ordonnent dans l'esprit que possède la résolution d'aller au-delà des limites de l'interdit. Cette résolution n'est pas générale, mais toujours il est possible de glisser d'un domaine à l'autre.
Georges BATAILLE, l'Érotisme, p. 88 (1957).

4.2 La guerre qui différait des violences animales développa une cruauté dont les animaux sont incapables. En particulier le combat, souvent suivi du massacre des adversaires, préludait banalement au supplice des prisonniers. Cette cruauté est l'aspect spécifiquement humain de la guerre.
Georges BATAILLE, l'Érotisme, p. 86 (1957).

(Calque de l'anglais des États-Unis *mental cruelty*). *Cruauté mentale,* qui s'exerce sur le plan psychologique. *Elle accuse son mari de cruauté mentale. Théâtre de la cruauté :* forme de théâtre définie par Antonin Artaud, appelant auteur, comédien et spectateur à la libération de leurs instincts élémentaires.

4.3 C'est pourquoi je propose un théâtre de la cruauté. — Avec cette manie de tout rabaisser qui nous appartient aujourd'hui à tous, «cruauté», quand j'ai prononcé ce mot, a tout de suite voulu dire «sang» pour tout le monde. Mais «théâtre de la cruauté» veut dire théâtre difficile et cruel d'abord pour moi-même. Et, sur le plan de la représentation, il ne s'agit pas de cette cruauté que nous pouvons exercer les uns contre les autres en nous dépeçant mutuellement les corps, en sciant nos anatomies personnelles, ou, tels des empereurs assyriens, en nous adressant par la poste des sacs d'oreilles humaines, de nez ou de narines bien découpés, mais de celle beaucoup plus terrible et nécessaire que les choses peuvent exercer contre nous (...) Nous ne sommes pas libres. Et le ciel peut encore nous tomber sur la tête. Et le théâtre est fait pour nous apprendre d'abord cela.
A. ARTAUD, le Théâtre et son double, Idées/Gallimard, p. 121 (1936).

Caractère de ce qui trahit cette tendance. La cruauté d'un geste, d'un acte. La cruauté d'un visage (→ **Bestialité**).

5 Dans cet homme jeune, de cheveux très noirs, énergique, entraîné aux exercices du corps, le pli de la bouche et tout le bas de la figure d'une admirable cruauté, trahissaient ce qu'on appelle «une belle morsure».
M. BARRÈS, Leurs figures, p. 138.

Par exagér. *Il eut la cruauté d'abandonner son ami dans le malheur.*

Spécialt (vieilli). En parlant d'une femme, d'une «cruelle» (II., 2.) qui fait souffrir ceux qui l'aiment. → **Indifférence, insensibilité, rigueur.**

6 (...) elle n'avait pas voix au chapitre dans la circonstance et même elle devait partager ostensiblement la mutine cruauté de ses compagnes.
G. SAND, la Mare au diable, Appendice II, p. 154.

7 Cette femme avait toute la cruauté des idoles, et la vanité glaciale des marbres dans un musée.
André SUARÈS, Trois hommes, «Ibsen», VI, p. 150.

En parlant d'un écrivain, d'un artiste, et, par ext. d'un journal satirique sans indulgence. → **Méchanceté.** *La cruauté de ce dessinateur satiriste est redoutable.*

Par ext. Férocité (d'un animal). *La cruauté du tigre.* → **Cruel** (I., 1., rem.).

8 Nous avons renchéri sur la cruauté des bêtes féroces, qui ne se font point de mal sans raisons sensibles.
France, les Opinions de J. Coignard, Œ., t. VIII, p. 428.

♦ **2** (Choses). Caractère de ce qui est inexorablement nuisible. → **Dureté, horreur, hostilité, inclémence, rigueur, rudesse, sévérité.** *La cruauté du sort, du destin, de la fortune. La cruauté aveugle de la mort. La cruauté d'une affliction. — Éprouver la cruauté d'une perte.*

9 (...) c'est une sorte de douleur dont je n'avais jamais senti la cruauté (...) Mᵐᵉ DE SÉVIGNÉ, 613, 15 juin 1677.

10 J'admire la patience qui peut souffrir la cruauté de cette pensée. Mᵐᵉ DE SÉVIGNÉ, 620, 30 juin 1677.

11 Je plains Gusman, son sort a trop de cruauté.
VOLTAIRE, Alsire, V, 2.

12 (...) il va falloir attendre (...) être sombre et seul, en révolte outrée et sans espoir contre la cruauté stupide de la mort (...) LOTI, Figures et Choses..., p. 12.

13 *(Le)* courage et *(le)* dévouement des légionnaires sous le feu, au milieu d'une nature hostile jusqu'à la cruauté.
P. MAC ORLAN, la Bandera, VI, p. 74.

♦ **3** Littér. *(Une, des cruautés).* Action cruelle. → **Atrocité.** *Commettre des cruautés sans nombre. Cruautés néroniennes. Ils supportèrent les cruautés du tyran.* → **Excès.** *Endurer les cruautés de qqn jusqu'au bout.* → **Boire le calice* jusqu'à la lie.** *C'est une injustice et une cruauté.*

14 (...) je prendrais plaisir à (...) exercer sur lui toutes les cruautés que je pourrais imaginer.
MOLIÈRE, la Princesse d'Élide, III, 5.

15 Par crainte de faire souffrir, et par défaut de volonté, de quelles cruautés l'on devient capable !
GIDE, Journal, Dimanche 18 févr. 1912.

Par exagér. Acte rigoureux, trop sévère. → **Injustice, rigueur, sévérité.** *«Vous refusez de me voir; quelle cruauté !»* (Littré).

Spécialt. Vx. *La cruauté d'une femme, d'une maîtresse.* → **Cruel** (cit. 14 et *supra*). → **Rigueur.**

16 Me faudra-t-il combattre encor vos cruautés ?
Je vous offre mon bras. Puis-je espérer encore
Que vous accepterez un cœur qui vous adore ?
RACINE, Andromaque, I, 4.

Fig. *Les cruautés du sort.*

17 Que nos plaisirs passés augmentent nos supplices !
Qu'il est dur d'éprouver après tant de délices
Les cruautés du sort ! LA FONTAINE, Psyché, II.

CONTR. Bénignité, bienfaisance, bienveillance, bonté, charité, clémence, débonnaireté, douceur, faveur, indulgence, miséricorde, pitié, sensibilité, tendresse.

CRUCHADE [kʀyʃad] n. f. — 1823; mot dial. du Sud-Ouest, probablt du gascon *cruchi* «cuire sur la braise», de l'idée de «rendre croquant, croustillant», probablt du francique *krussjan* «crisser», comme l'anc. franç. *cruissir, croissir.*

Régional. Bouillie de maïs.

À ce compte-là j'aurais pu aussi rester à tourner la cruchade dans une vieille casserole, à Carneilhan (...)
COLETTE, Julie de Carneilhan, p. 106.

CRUCHE [kʀyʃ] n. f. — XIIIᵉ; *cruie*, XIIᵉ; du francique *kruka.*

A ♦ **1** Récipient, souvent de grès ou de terre, à col étroit, à large panse, à deux anses. → **Cruchette, cruchon, vase.** *Cruche vernissée de brun, de vert. Cruche en forme de femme assise.* → **Jacqueline.** *Cruche de métal ciselé.* → **Buire;** (régional) **bue** (→ Chœur, cit. 12). *Porter, remplir sa cruche à la fontaine. Vider entre amis une cruche de vin. — La Cruche cassée,* tableau de Greuze.

Il l'avale *(le vin)* d'un trait et, chacun l'imitant, 1
La cruche au large ventre est vide en un instant.
BOILEAU, le Lutrin, I.

Jusqu'à ce couvert de campagne, ces verres propres, cette 2
fraîche assiettée de beurre demi-sel, cette cruche à cidre, qui aidaient à l'intimité de cette table éclairée par une lampe un peu usée (...) HUYSMANS, Là-bas, V, p. 57.

Maintenant, va puiser l'eau fraîche dans la cour, 3
Et veille que surtout la cruche, à ton retour,
Garde longtemps, glacée et lentement fondue,
Une vapeur légère à ses flancs suspendue.
Albert SAMAIN, Aux flancs du vase, «Le repas préparé».

Il but à la cruche, en laissant couler de haut un mince filet 4
d'eau qu'il avalait par d'habiles contractions du gosier.
P. MAC ORLAN, la Bandera, VII, p. 85.

Pas d'autre mot qui sonne comme cruche. Grâce à cet 4.1
U qui s'ouvre en son milieu, cruche est plus creux que creux et l'est à sa façon. C'est un creux entouré d'une terre fragile : rugueuse et fêlable à merci (...) La cruche est faite de la matière la plus commune; souvent de terre cuite. Elle n'a pas les formes emphatiques, l'emphase des amphores. C'est un simple vase, un peu compliqué par une anse; une panse renflée; un col large — et souvent le bec un peu camus des canards. Un objet de basse-cour. Un objet domestique. Francis PONGE, Pièces, p. 94-95.

Régional (Suisse). Bouillotte. *Préparer une bonne cruche.*

♦ **2** Par métonymie. Le contenu d'une cruche. → **Cruchée.** *Boire une cruche d'eau. Verser une cruche d'huile.*

Une cruche de vin de Falerne se vendait cent deniers 5
romains. MONTESQUIEU, l'Esprit des lois, VII, 2.

♦ **3** Fam. Par compar. *Être bête, ignorant comme une cruche.* → **Âne** (cf. Bête comme un balai, comme chou, comme ses pieds...). → ci-dessous, B.

Cornes cela ? Vous me prenez pour cruche; 6
Ce sont oreilles que Dieu fit.
LA FONTAINE, Fables, V, 4.

♦ **4** Prov. *Tant va la cruche à l'eau qu'à la fin elle se casse :* à s'exposer sans cesse à un danger, on finit par le subir.

(...) il faut que je décharge mon cœur, et qu'en valet fidèle 7
je vous dise ce que je dois. Sachez, Monsieur, que tant va la cruche à l'eau, qu'enfin elle se brise (...)
MOLIÈRE, Dom Juan, V, 2.

— Ah ! voilà notre imbécile avec ses vieux proverbes ! Eh 8
bien, pédant, que dit la sagesse des nations ? *Tant va la cruche à l'eau qu'à la fin...* — Elle s'emplit.
BEAUMARCHAIS, le Mariage de Figaro, I, 11.

Tant va la cruche à l'eau qu'à la fin elle casse. Elle périt par 9
usage prolongé. Non par usure : par accident. C'est-à-dire, si l'on préfère, par usure de ses chances de survie. C'est un ustensile qui périt par une sorte particulière d'usure : l'usure de ses chances de survie. Ainsi la cruche, qui a un caractère un peu simple et plutôt gai, périt par usage prolongé. Francis PONGE, Pièces, p. 95.

B (1633). Fig. (de A., 3.). Personne niaise, ignorante et bête. → **Imbécile.** *Ce type est une cruche. Quelle cruche !* → **Cruchon,** 2. — En appellatif. *Pauvre cruche.*
Adj. *Elle est un peu cruche. «Des enfants si cruches»* (Zola, *in* T. L. F.). *Avoir l'air cruche.*

DÉR. Cruchée, crucherie, cruchette, cruchon.

CRUCHÉE [kʀyʃe] n. f. — V. 1220; de *cruche.*

Vx. Contenu d'une cruche. → **Cruche,** A., 2. *Une cruchée d'eau, de vin, d'huile.*

CRUCHERIE [kʀyʃʀi] n. f. — 1897; de *cruche.*

Fam. et vieilli. Propos ou acte stupide. → **Cruche** (A., 3.); et aussi **ânerie, bêtise, ineptie.** *«Tomber dans la crucherie sentimentale»* (Bloy, *la Femme pauvre,* p. 55).

CRUCHETTE [kryʃɛt] n. f. — Mil. XIVᵉ; de *cruche*.
Rare. Petite cruche. → **Cruchon.** — Par métonymie. Son contenu. *Une cruchette d'eau, de vin.*

CRUCHON [kryʃɔ̃] n. m. — Fin XIIIᵉ; de *cruche*.

♦ **1** [a] Petite cruche. → **Cruchette.** *Un cruchon de grès.* — Par métonymie. Son contenu. *Boire un cruchon d'eau, de vin, de bière.* Ellipt. *Boire, vider, prendre un cruchon :* prendre une boisson alcoolisée.

1 Devant l'auberge «Zum Wilden Mann» on vidait des cruchons du petit vin blanc du pays, des cruchons curieusement armoriés d'une crosse d'évêque entourée de sept points rouges. B. CENDRARS, l'Or, p. 12.

[b] Bouteille de terre ou de grès qu'on remplit d'eau chaude et qu'on glisse dans le lit pour le chauffer. → **Bouillotte.** *Placer un cruchon entre les draps.* — Par métonymie. L'eau contenue dans le cruchon. *Tout le cruchon s'est répandu dans le lit.*

2 (...) je n'avais aucun moyen de chauffer ma mansarde. Ma mère me glissait chaque soir un cruchon dans mon lit (...)
G. DUHAMEL, Chronique des Pasquier, III, p. 168.

♦ **2** Fam. Cruche (B.). → **Bêta, nigaud, sot.**

3 Le bât blessait malgré tout Marthe sur la question non résolue des qualités mentales de La Godille (...) Elle y avait trouvé une parade, quand on lui rapportait que Ferrier le traitait de cruchon : «C'était son copain, non ?»
René FALLET, Y a-t-il un docteur dans la salle?, p. 340.

CRUCI- Élément, du lat. *crux, crucis* «croix», entrant dans la composition de mots savants. → **Cruciforme, crucinumériste, cruciverbiste.**

CRUCIAL, ALE, AUX [kʀysjal, o] adj. — 1560, Paré; du lat. *crux, crucis* (→ Cruci-), et suff. *-al.*

♦ **1** Didact. Fait en croix. *Ferrements cruciaux.* — *Incision cruciale.* — *Forme cruciale.* → **Cruciforme.**

0.1 Autour de la statue s'agitait, se démenait, se convulsionnait un groupe de vieux fakirs, zébrés de bandes d'ocre, couverts d'incisions cruciales qui laissaient échapper leur sang goutte à goutte.
J. VERNE, le Tour du monde en 80 jours, p. 90.

0.2 Jérusalem, circulaire et de plan crucial, est située au centre d'un monde circulaire, coupé en croix par quatre mers, avec les quatre vents cardinaux et les astres qui tournent autour.
A. LEROI-GOURHAN, le Geste et la Parole, t. II, p. 174.

♦ **2** Philos. *Expérience cruciale* (du lat. *experimentum crucis*, de F. Bacon, «expérience de la croix», par allus. aux poteaux indicateurs des carrefours), *qui permet de confirmer ou de rejeter une hypothèse, sert de critère*. → **Épreuve, contre-épreuve, expérience, pierre** (de touche).

1 Pour Bacon, l'expérience cruciale est celle qui permet de reconnaître une cause spécifique entre plusieurs autres qui semblent produire toutes ensemble un effet.
A. THÉRIVE, Querelles de langage, t. II, p. 145.

♦ **3** (1911; angl. *crutial* «décisif», dans *crutial instances* (1830), trad. de F. Bacon *instantia crucis* «épreuve, exemple de la croix» (1620); → le sens 2). Fondamental*, très important*. → **Capital, critique, décisif.** *Année, question cruciale. Le, un point crucial.* → **Délicat;** hic. *L'affaire est cruciale pour nous.*

2 À noter que le *Nouveau Larousse illustré*, ni le Littré, ne portaient l'acception scolastique de *crucial* et que le *Larousse du XXᵉ siècle* a cru devoir l'introduire, preuve de l'évidente fortune du mot (...) De *démonstratif*, le sens a, en effet, passé à *fondamental*, et même à *très important*, évolution que ne consigne encore aucun dictionnaire.
A. THÉRIVE, Querelles de langage, t. II, p. 146.

CONTR. Insignifiant.

CRUCIFÈRE [kʀysifɛʀ] adj. — 1690; lat. *crucifer* «ce qui porte une croix», de *crux, crucis,* et *ferre* (→ -fère).

♦ **1** Qui porte une croix. — (Choses). Archit. *Chapiteau crucifère,* surmonté d'une croix. — (Personnes). Relig. «*Le Christ crucifère, qui s'en vient vers toi*» (P. Claudel, *Corona Benignitatis,* 1915, in T. L. F.). — N. → **Porte-croix.**

Rappelez-vous la Passion de Jésus. De longues heures, Jésus a porté sa croix. Puis c'est sa croix qui l'a porté. Alors le voile du temple s'est déchiré et le soleil s'est éteint. Lorsque le symbole dévore la chose symbolisée, lorsque le crucifère devient crucifié, lorsqu'une inversion maligne bouleverse la phorie, la fin des temps est proche. Parce qu'alors, le symbole n'étant plus lesté par rien devient maître du ciel.
M. TOURNIER, le Roi des Aulnes, p. 301.

♦ **2** (1762). Bot. Qui a une fleur à pétales en croix. *Plantes crucifères.* → **Crucifères.**

CRUCIFÈRES [kʀysifɛʀ] ou **CRUCIFÉRACÉES** [kʀysiferase] n. f. pl. — 1762, crucifères; cruciféracées, XXᵉ (*Cruciférinées* au XIXᵉ); du lat. *crucifer,* de *cruci- -fère,* et *-acées.*

Bot. Famille de plantes dicotylédones dialypétales comprenant des herbes annuelles dont les fleurs ont quatre pétales disposés en croix : le fruit est une capsule dite silique*. Ex. : Alliaire, alysse ou alysson, cameline, cardamine, chou, cochléaria, crambé, cresson, giroflée, ibéride, julienne, lunaire, matthiole, monnoyère (monnaie-du-pape), moutarde, navet, passerage, pastel, radis, raifort, roquette, rose de Jéricho, thlaspi, tourette, vélar (sisymbre, herbe aux chantres). *Propriétés antiscorbutiques des cruciféracées.*

Il pouvait se rencontrer quelque utile plante qu'il ne fallait point dédaigner, et le jeune naturaliste fut servi à souhait, car il découvrit (...) de nombreux échantillons de crucifères, appartenant au genre chou, qu'il serait certainement possible de «civiliser» par la transplantation; c'étaient du cresson, du raifort, des raves et enfin de petites tiges rameuses, légèrement velues, hautes d'un mètre, qui produisaient des graines presque brunes *(du tabac).*
J. VERNE, l'Île mystérieuse, t. I, p. 330-331.

Au sing. *Une crucifère, une cruciféracée :* une plante (individu), une espèce de cette famille. «*On a combiné ainsi le chou (...) et le radis (...) pour créer une crucifère synthétique*» (Guénot, Jean Rostand, *Introduction à la génétique,* 1936, in T. L. F.).

CRUCIFIANT, ANTE [kʀysifjã, ãt] adj. → **Crucifier.**

CRUCIFIÉ, ÉE [kʀysifje] adj. → **Crucifier.**

CRUCIFIEMENT [kʀysifimã] n. m. — V. 1175; de *crucifier.*

♦ **1** Action de crucifier, supplice de la croix. *Le crucifiement de saint Pierre.* — Absolt. *Le Crucifiement :* l'élévation du Christ en croix. → **Crucifixion.** — Par ext. Tableau qui représente cette scène. *Le crucifiement de Grunewald.*

♦ **2** Relig. Pratique mortifiante, douleur, épreuve, poussée à l'extrême. → **Martyre, mortification, supplice.** *Le crucifiement de la chair, de la volonté.*

(Sainte Thérèse) porte (...) la chasteté jusqu'au continuel crucifiement de sa chair (...)
FLÉCHIER, Panégyrique de sainte Thérèse, in LITTRÉ.

Tourment, douleur morale intense. «*Les angoisses secrètes, le crucifiement journalier qu'elles éprouvent*» (Goncourt, *Journal,* in T. L. F.).

CRUCIFIER [kʀysifje] v. tr. — V. 1119; lat. ecclés. *cruci-figere* «fixer sur la croix», de *crux, crucis* «croix», d'après les verbes en *-fier*.

♦ **1** Attacher (un condamné) sur la croix pour l'y faire mourir. → **Croix** (mettre en). *Jésus fut crucifié sur le Calvaire* (cit. 1).

1   Lorsqu'ils furent arrivés au lieu appelé Calvaire, ils l'y crucifièrent, ainsi que les malfaiteurs, l'un à droite, l'autre à gauche. Et Jésus disait : «Père, pardonnez-leur, car ils ne savent pas ce qu'ils font.»
BIBLE (CRAMPON), Évangile selon saint Luc, XXIII, 33-34.

2   Portant sa croix, il sortit vers le lieu dit du «Crâne», — ce qui se dit en hébreu Golgotha, — où ils le crucifièrent, et deux autres avec lui, un de chaque côté et Jésus au milieu.
BIBLE (CRAMPON), Évangile selon saint Jean, XIX, 17-18.

2.1   Ils tirent sur les cordes, ahanent, poussent, arrachent de terre à demi la formidable croix qui semble peser, malgré leurs efforts, un étrange poids de marbre. Ils font leur travail, ces rudes ouvriers. Ça n'est pas de leur faute s'ils crucifient des brigands ou un dieu. Ça ne les regarde pas, vous comprenez, et ce qui leur importe c'est que l'ouvrage soit bien faite et la croix bien plantée. La famille doit être nourrie.
J. CAU, le Chevalier, la Mort et le Diable, p. 86-87.

♦ **2** Relig. Faire souffrir intensément. → **Martyriser, mortifier, supplicier, torturer.** *Crucifier sa chair, son cœur. Une terrible maladie le crucifie.* — Au passif. *Être crucifié dans son amour, dans ses enfants.*

3   Il faut renoncer à tout, tout crucifier pour le suivre.
BOSSUET, Hist., II, 11, *in* LITTRÉ.

4   Nous devons crucifier en nous le vieil homme.
BOSSUET, Pénitence, 3.

Absolument :

5   Elle est menée par une autre voie, par celle qui crucifie davantage.
BOSSUET, Oraison funèbre d'Anne de Gonzague.

♦ **SE CRUCIFIER** v. pron.

♦ **1** Par métaphore. *Se crucifier sur la croix du sacrifice.* — Par anal. Disposer son corps en forme de croix. *Se crucifier sur le sol.*

♦ **2** Fig. (Relig.). Se faire souffrir intensément. → **Mortifier** (se), **torturer** (se).

♦ **CRUCIFIANT, ANTE** p. prés. et adj.
Fig. Qui mortifie, qui torture. *Pratiques crucifiantes. Vivre des heures crucifiantes.* → **Suppliciant.**

6   Ôtez de sa morale les maximes crucifiantes, la violence, l'humilité.
MASSILLON, Mot. de Convers., 31, *in* LITTRÉ, Dict., art. *Crucifiant.*

6.1   Les obscurités et les douleurs intérieures que l'âme éprouve dans sa vie intime d'amour divin sont seulement assez crucifiantes pour pouvoir servir de prix, de monnaie, si j'ose dire, pour l'achat de l'amour divin, notre bien suprême.   CLAUDEL, Journal, févr. 1933.

♦ **CRUCIFIÉ, ÉE** p. p. adj. et n.

♦ **1** Mis en croix. *Adorer le Dieu crucifié.*

7   Jésus crucifié, qui a été le scandale du monde, et qui a paru ignorance et folie aux philosophes du siècle, pour confondre l'arrogance humaine, est devenu le plus haut point de notre sagesse.
BOSSUET, Panégyrique de saint Bernard, Préambule.

N. *Un crucifié, une crucifiée :* supplicié, suppliciée mis(e) en croix.

N. m. Spécialt. *Le Crucifié, le Divin Crucifié :* Jésus-Christ.

8   Il n'est pas triste. Ce sentiment de femme qui rêve au haut de la tour en filant sa quenouille lui est inconnu. S'il l'éprouve, nul ne le sait. Les prêtres du Crucifié lui ont appris que chacun allait le trajet de sa vie en projetant sur la terre l'ombre noire de la mort.
J. CAU, le Chevalier, la Mort et le Diable, p. 128.

N. Fig. Personne qui souffre atrocement.

♦ **2** Par anal. Disposé en forme de croix (connotant la douleur). *«Deux blessés couchés, crucifiés par terre»* (H. Barbusse, *le Feu*, 1916, *in* T. L. F.).

♦ **3** Fig. Supplicié, torturé. → **Martyrisé.** *Chair crucifiée.* → **Mortifié.**

(XXe). Littér. Qui dénote une torture morale violente. *Attitude crucifiée, visage crucifié,* douloureux. *Parler d'une voix crucifiée. — Crucifié de :* torturé par. *Crucifié d'angoisse, de désespoir, de remords.*

DÉR. **Crucifiement.** — (Du lat.) V. **Crucifix, crucifixion.**

CRUCIFIX [kʀysifi] n. m. — XIIe, *crecifis; crocefis* «le Crucifié, le Christ», 1170; lat. ecclés. *crucifixus,* p. p. de *crucifigere.* → Crucifier.

♦ **1** Croix sur laquelle est figuré Jésus crucifié. → **Christ** (2.). *Baiser, s'agenouiller devant le crucifix. Présenter le crucifix à un mourant. Orner le crucifix d'une branche de buis. Le crucifix,* poème de Lamartine. *Un crucifix de bois sculpté, d'argent, d'émail, de pierre, d'ivoire.*

1   Madame demande le crucifix sur lequel elle avait vu expirer la reine, sa belle-mère, comme pour recueillir les impressions de constance que cette âme vraiment chrétienne y avait laissées avec les derniers soupirs.
BOSSUET, Oraison funèbre d'Henriette d'Angleterre.

2   Le prêtre se releva pour prendre le crucifix, alors elle allongea le cou comme quelqu'un qui a soif, et, collant ses lèvres sur le corps de l'Homme-Dieu, elle y déposa de toute sa force expirante le plus grand baiser d'amour qu'elle eût jamais donné.
FLAUBERT, Mme Bovary, III, VIII.

3   Au mur nu *(de cette cellule)* un crucifix sans valeur, fleuri de buis sec, et c'était tout.
HUYSMANS, Là-bas, XVII, p. 228.

Loc. Vieilli. *Mangeur de crucifix :* faux dévot, bigot. — *Cracher sur le crucifix :* renier sa foi.

♦ **2** (1866). Argot. *Crucifix à ressort :* couteau à cran d'arrêt; pistolet.

CRUCIFIXION [kʀysifiksjɔ̃] n. f. — V. 1500; lat. ecclés. *crucifixio, -onis,* de *crucifigere.* → Crucifier.

♦ **1** Action de crucifier. Spécialt. Crucifiement* du Christ. — Par ext. Sa représentation en peinture, en sculpture.

1   (...) il sollicitait la musique religieuse, les proses désolées des psaumes, les crucifixions des Primitifs (...)
HUYSMANS, En route, p. 153.

2   À San Rocco *(à Venise),* les ciels du Tintoret croulent sur moi en cataractes fauves et, soudain, hallucinante, la gigantesque Crucifixion qui coupe les jambes et le souffle. Le Christ cloué dans un envol inouï. Un larron que l'on force et couche sur la croix et l'autre larron est déjà pantelant sur son châssis de bois que les hommes à gros mollets de danseurs et aux échines musculeuses de colosses hissent et s'efforcent avec peine de dresser comme on érige une colonne de marbre.
J. CAU, le Chevalier, la Mort et le Diable, p. 86.

♦ **2** Fig. et rare. → **Crucifiement** (2.).

3   La routine ou le scrupule, le laisser-aller de la démagogie à la petite semaine ou l'introspection qui, analysant chaque geste, d'avance le paralyse : dans son existence actuelle, comment concilier ces humeurs, ces facilités, ces crucifixions de l'esprit, à la fois cruelles et anodines?
Alain BOSQUET, les Bonnes Intentions, p. 144.

CRUCIFORME [kʀysifɔrm] adj. — 1754; *crucifère,* 1694; de *cruci-* et *-forme.*

Didact. En forme de croix. → **Crucial.** *Plan cruciforme d'une église.* — Techn. *Tournevis cruciforme,* pourvu d'une extrémité en forme de croix qui permet de serrer et de desserrer des vis dont la tête présente deux fentes perpendiculaires. *Vis à têtes cruciformes; vis cruciformes,* ces vis.

Anat. *Ligaments cruciformes des articulations des phalanges; de l'articulation du genou.*

CRUCINUMÉRISTE [kʀysinymeʀist] n. — 1973; de *cruci-, numéro,* et suff. *-iste,* d'après *cruciverbiste.*

Didact. Amateur de «nombres croisés» (jeu analogue aux mots croisés).

CRUCIVERBISTE [kʀysivɛʀbist] n. — 1955; de *cruci-,* et du rad. du lat. *verbum* «mot».

◆ **1** Didact. (assez cour.). Amateur de mots croisés. → **Mots-croisiste.**

1 Je feuillette les vieux journaux (...) je cherche les mots croisés. Hélas! Dans toutes les grilles, un Bic a précédé le mien, un Bic fortiche, d'ailleurs. Dès la promenade, je vais me mettre en quête de cette cruciverbiste : ces filles-là, en général, je m'en fais de bonnes potes.
A. SARRAZIN, la Cavale, p. 340.

◆ **2** Auteur de grilles de mots croisés. «*Aujourd'hui on trouve des grilles partout. La plupart des journaux ont leur cruciverbiste (auteur) attitré pour satisfaire l'appétit des cruciverbistes (amateurs)*» (L. Bernard, in *le Monde,* cité par Y. Lavoinne, *la Presse,* Larousse 1976, p. 134).

◆ **3** Adj. *Passion cruciverbiste.*

2 — Et tu t'appelles comment?
— Je ne sais plus très bien... Je ne vole plus, je nage... Et vous-même, mademoiselle : Hélène?
— Non, LN en deux lettres. Je suis d'origine cruciverbiste.
— Cruciverbiste?　　R. QUENEAU, le Vol d'Icare, p. 30.

CRUDE AMMONIAC [kʀydamɔnjak; kʀudamɔnjak] n. m. — 1888; mot angl. «ammoniaque crue».

Techn. (anglic.). Résidu du gaz d'éclairage, employé comme engrais.

CRUDITÉ [kʀydite] n. f. — 1398, «caractère indigeste», puis (1577) «état de ce qui n'est pas mûr»; lat. *cruditas* «indigestion», de *crudus.* → Cru.

◆ **1** Vx (sens étym.). Caractère indigeste de certains aliments crus. *Crudité des fruits verts.* — Par ext. Aigreur d'estomac provenant d'une mauvaise digestion. *Avoir des crudités.*

◆ **2** (1596). Mod. État de ce qui est cru* (1.), non cuit. — (1834). Cour. (au plur.). Légumes consommés crus (naturels ou en salade). *Manger des crudités comme hors-d'œuvre. Une assiette de crudités.*

1 Son goût allait d'abord aux crudités, aux crevettes et aux coquillages.
J. ROMAINS, les Hommes de bonne volonté, t. IV, XX, p. 230.

◆ **3** Caractère d'une eau chargée de sels. → 2. **Cru.**

◆ **4** (1754). Fig. Caractère de ce qui est cru (2. Cru, 3.), que rien n'atténue. *La crudité d'un son. — La crudité des couleurs, des ombres, de la lumière.* → **Brutalité.**

1.1 (...) cette grande lumière presque de la crudité : en un mot, c'est un effet extraordinaire, qui est sous mes yeux, plutôt qu'un objet naturel.
E. DELACROIX, Journal, 29 juil. 1854.

2 Le ciel gardait son aspect campagnard, sa crudité des vacances, tandis que la ville s'assombrissait, prenait son air morose, frileux et pauvre de la semaine de Toussaint.
Valery LARBAUD, Amants, heureux amants, p. 184.

◆ **5** (XVIIIᵉ). Caractère de ce qui est cru* (2. Cru, 4.), exprimé sans ménagement. *La crudité d'une description, d'une expression, d'une explication, d'un récit.* → **Brutalité, réalisme.** *Parler avec crudité :* appeler les choses par leur nom.

3 On me dira : «Ne pouviez-vous exprimer les mêmes vérités en les énonçant avec moins de crudité?»
CHATEAUBRIAND, Mémoires d'outre-tombe, t. VI, p. 145.

Cela était dit en sabir avec une crudité sauvage que le français ne peut traduire.　　4
LOTI, Aziyadé, Salonique, XVII, p. 26.

(...) Michel-Ange décrit, avec une crudité singulière d'expressions, ses angoisses d'amour (...)　　5
R. ROLLAND, Vie de Michel-Ange, p. 68.

Vieilli. *(Une, des crudités).* Ce qui est cru (spécialt, mot, parole). *Récit plein de crudités.* → **Inconvenance.** *Dire des crudités.*

CONTR. Douceur. — Délicatesse, réserve.

CRUE [kʀy] n. f. — XIIIᵉ, *creue;* du fém. du p. p. de *croître.*

◆ **1** Élévation du niveau dans un cours d'eau, un lac; niveau maximum (d'un cours d'eau). *Crue annuelle. La crue des eaux.* → **Montée.** *Crue d'un fleuve, d'une rivière. Les crues périodiques du Nil.* — (Sans compl.). *La crue a provoqué une inondation*. Rivière en crue. Alluvionnement* causé par les crues* (→ **Alluvion**).

Montez à travers Blois cet escalier de rues　　1
Que n'inonde jamais la Loire au temps des crues (...)
HUGO, les Feuilles d'automne, II.

(...) les cases de ce village, à l'époque des crues, sont inondées durant un mois et demi. On a de l'eau jusqu'à mi-cuisse.　　1.1
GIDE, Voyage au Congo, in Souvenirs, Pl., p. 709.

Une crue est toujours une crise dans la vie des cours d'eau; les chiffres en indiquant l'ordre de grandeur peuvent surprendre, même pour des rivières réputées tranquilles (...) Les niveaux au-dessus de l'étiage ne sont pas seulement en rapport avec les débits, mais aussi avec les conditions du lit, et avec son profil en long (...) La rapidité plus ou moins grande de la montée dépend des mêmes facteurs (...) Le plus haut niveau peut être comparé à une onde, dont la crête avance vers l'aval (...) La fréquence est naturellement moins grande pour les crues les plus fortes (...)　　2
E. DE MARTONNE, Traité de géographie physique, t. I, p. 470.

Laissant derrière moi le quartier détruit, je franchis derechef — en sens inverse — le pont sur la rivière grossie par la crue.　　3
A. ROBBE-GRILLET, Souvenirs du triangle d'or, p. 63.

◆ **2** (1651). Vx ou littér. Croissance*, développement. *La crue d'un enfant.* — Bot. *La crue d'une plante, d'un arbre.* — Fig. *La crue rapide d'une ville.* → **Essor.**

◆ **3** Fin. (Vx). Augmentation. *Crue de la taille :* augmentation de cet impôt. — (1325). Supplément de prix établi par ceux qui estimaient la valeur de meubles vendus aux enchères et cela en sus de la prisée.

CONTR. Assèchement, baisse, diminution, étiage, retrait.
◊ DÉR. Décrue. ◄ HOM. Cru (adj.) — Cru (n. m.) — Formes des v. croire et croître.

CRUEL, ELLE [kʀyɛl] adj. et n. — Xᵉ; du lat. *crudelis,* de *crudus* (→ Cru), au fig. «qui aime le sang».

I Adj. **A** (Animés; l'épithète est en général placée après le nom). ◆ **1** Qui prend plaisir à faire souffrir, à voir souffrir. → **Barbare** (littér.), dur, farouche, féroce, impitoyable, implacable, inexorable, inhumain, maupiteux (vx), méchant, sadique, sanguinaire, sauvage; → Altéré, buveur de sang*, ivre de sang*. *Homme cruel.* → **Boucher, bourreau, brute, cannibale, despote, exterminateur, monstre, ogre, persécuteur, tigre, tortionnaire, tyran, vampire.** *Être insensible* et cruel* (cf. Sans cœur, sans entrailles). *Parents cruels.* → **Dénaturé, indigne.** *Une mère cruelle.* → **Marâtre.** *Despote, tyran cruel. Être cruel envers soi-même.* → **Masochiste.** *Peuple cruel; peuplade, tribu, horde cruelle.* → **Sauvage.** *Homme perfide, sournois et cruel. Cruel et brutal.* → **Brutal, forcené, furibond, violent.** *Enfant cruel* (cf. Cet âge est sans pitié). *Être cruel avec, envers* *soi-même.* → **Masochiste.** *Être cruel avec les animaux. Il est cruel envers les innocents. Esprit, instinct cruel. Âme cruelle. La misère l'a rendu cruel.*

1 Valérien ne fut cruel qu'aux chrétiens.
　　　　　　　　BOSSUET, Hist., I, 10, *in* LITTRÉ.

2 J'ai mendié la mort chez des peuples cruels (...)
　　　　　　　　RACINE, Andromaque, II, 2.

3 Tu mettrais l'univers entier dans ta ruelle,
　Femme impure! L'ennui rend ton âme cruelle.
　　　　　　　　BAUDELAIRE, Spleen et Idéal, XXVI.

4 C'est la certitude qu'ils tiennent la vérité qui rend les
　hommes cruels.　　FRANCE, Les dieux ont soif, p. 11.
　*Qui tue sans nécessité. Bête cruelle. Le tigre est
　cruel.* — REM. La cruauté de la bête féroce qui tue sans
　nécessité apparente est un concept subjectif (vision unila-
　térale du rapport homme-bête) ou anthropomorphique.
　Fig. *Ses ennemis les plus cruels.* → **Acharné.**

♦ **2** Qui dénote de la cruauté; qui témoigne de la
cruauté des hommes. *Action, parole cruelle. Ordre
cruel. Colère, haine, rigueur, sévérité cruelle. Joie
cruelle.* → **Mauvais.** *Air, aspect cruel. Mine, apparence cruelle. Visage, œil cruel. Lèvres cruelles. Rire,
sourire cruel. Un mot cruel.* → **Féroce.** — *Régime
cruel, tyrannie cruelle.* → **Tyrannique.** — *Bataille,
guerre cruelle.* → **Acharné, sanglant.** — *Cette décision
est inutilement cruelle. C'est très cruel de sa part.*

5 La bataille sans doute allait être cruelle (...)
　　　　　　　　RACINE, la Thébaïde, III, 4.

6 La Révolution, qui semblait, n'est-ce pas, devoir le pro-
　téger, s'est montrée pour lui le plus cruel des régimes.
　　　　　　　　HUYSMANS, Là-bas, XX, p. 286.

7 Il est dur; il a l'air cruel; il semble jouir de la catastrophe,
　tant il se soucie peu de l'amortir.
　　　　　　　　André SUARÈS, Trois hommes, «Ibsen», V, p. 136.

8 Il aperçut tout de suite son chef direct : un visage gras,
　orné de deux yeux d'oiseau de proie, ronds et cruels.
　　　　　　　　P. MAC ORLAN, la Bandera, XIX, p. 235.

8.1 Ses yeux étaient redevenus durs, sa voix haletante, sa
　bouche impérieusement cruelle et sensuelle (...) Il me
　sembla que le Buddha lui-même tordait, maintenant, dans
　un mauvais soleil, une face ricanante de bourreau (...)
　　　　　　　　O. MIRBEAU, le Jardin des supplices, p. 174.

♦ **3** Littér. Qui fait souffrir par sa dureté, sa sévérité.
→ **Dur, implacable, inflexible, inexorable, intolérant,
rigide, sévère.** *Père cruel. Lois cruelles.* → **Draconien.**
— Vieilli. *Cruel à qqn.*

9 C'est cette vertu même, à nos désirs cruelle,
　Que vous louiez alors en blasphémant contre elle (...)
　　　　　　　　CORNEILLE, Polyeucte, II, 2.

10 La volonté pure n'a rien d'humain; elle est cruelle comme
　le glaive, et sourde comme la mécanique.
　　　　　　　　André SUARÈS, Trois hommes, «Ibsen», V, p. 138.
　N. f. pl. Loc. *En faire voir de cruelles à qqn,* être extrê-
　mement dur avec lui (cf. De dures, de sévères).

♦ **4** (Personnes). Sans indulgence, impitoyable (en
parlant d'un écrivain, d'un critique, d'un artiste). *Un satiriste cruel.* — Par métonymie. *Une plume, une palette
cruelle.*

♦ **5** (Choses personnifiées). Qui fait souffrir en manifestant une sorte d'hostilité. *Destin, sort cruel.*
→ **Implacable, inexorable.** *Fortune cruelle. La mort
est cruelle et aveugle. Adieu, monde cruel !*

11 O Mort, lui disait-il, que tu me sembles belle !
　Viens vite, viens finir ma fortune cruelle.
　　　　　　　　LA FONTAINE, Fables, I, 16.

12 Les Dieux depuis un temps me sont cruels et sourds.
　　　　　　　　RACINE, Iphigénie, II, 2.

13 On s'aperçoit un jour qu'elle *(la vie)* est souvent dure et
　parfois injuste et cruelle.
　　　　　　　　FRANCE, le Petit Pierre, p. 154.

13.1 La violence, qui n'est pas en elle-même cruelle, est dans
　la transgression le fait d'un être qui l'organise.
　　　　　　　　Georges BATAILLE, l'Érotisme, p. 88.

♦ **6** (Personnes). Indifférent*, insensible*. → **Dur.** —
Par métonymie. Se dit des signes extérieurs qui
manifestent cette indifférence. *Comportement
cruel. Désinvolture cruelle.*

♦ **7** Spécialt (vieilli ou stylistique, par plais.; langue class.).
Femme, maîtresse cruelle, celle qui fait souffrir
celui qui l'aime, par son insensibilité ou ses
rigueurs. → **Dur, indifférent, insensible.** → ci-dessous,
II, 2. : *une cruelle. Beauté cruelle.* — Par plais. *Elle n'est
guère cruelle :* elle est peu farouche.

14 (...) Tant de jeunes filles qui, pendant des mois entiers,
　résistent à leur penchant, cachent leur amour et parais-
　sent non seulement insensibles mais encore cruelles à un
　amant qui leur plaît?
　　　　　　　　SAINT-FOIX, Oracle, sc. 7, *in* LITTRÉ.

15 Si elle vous nomme audacieux, vous l'appellerez cruelle.
　Les femmes aiment beaucoup qu'on les appelle cruelles.
　　　　　　　　BEAUMARCHAIS, le Barbier de Séville, IV, 5.

B (Choses; l'épithète est placée avant ou après le nom).
Qui fait souffrir, qui est l'occasion d'une souf-
france. → **Affligeant, affreux, atroce, douloureux, dur,
épouvantable, insupportable, pénible.** *Un cruel sup-
plice, une cruelle mort, une mort cruelle, très cruelle.
Une peine, une perte cruelle. Subir des pertes cruelles*
(→ **Hécatombe**). *Un malheur cruel. Douleur cruelle.*
→ **Aigu, atroce.** *Une tâche cruelle à accomplir. Un
cruel moment, une cruelle époque. Un cruel hiver.*
→ **Rigoureux, rude.** *Un contretemps, un ennui cruel.*
→ **Ennuyeux, fâcheux, grave, malheureux, triste.** *Un
choix cruel. Être (plongé) dans un cruel embarras.
Affront cruel.* → **Amer, âpre, cinglant, cuisant.** *De
cruels reproches. Une cruelle situation. Une sépa-
ration cruelle. Des souvenirs cruels.*

16 Viens me venger. — De quoi ? — D'un affront si cruel,
　Qu'à l'honneur de tous deux il porte un coup mortel (...)
　　　　　　　　CORNEILLE, le Cid, I, 5.

17 Tant sa douleur de tête était encor cruelle !
　　　　　　　　MOLIÈRE, Tartuffe, I, 4.

18 (...) l'hiver est plus cruel ici qu'en nul autre lieu.
　　　　　　　　Mᵐᵉ DE SÉVIGNÉ, 1314, 19 janv. 1691.

19 Durant le triste cours d'une absence cruelle (...)
　　　　　　　　RACINE, la Thébaïde, II, 1.

20 Dans l'état cruel où vous m'avez réduit, je passe les jours
　à déguiser mes peines, et les nuits à m'y livrer (...)
　　　　　　　　LACLOS, les Liaisons dangereuses, XXXVI.

21 (...) tout cruel qu'est cet exil, il m'a encore mieux fait sentir
　la force du lien qui m'attache à un pays où vous êtes.
　　　　　　　　STENDHAL, Souvenirs d'égotisme, p. 266.

22 (...) la cruelle extase de son désir inassouvi (...)
　　　　　　　　PROUST, les Plaisirs et les Jours, p. 54.

II N. ♦ **1** Rare. Personne qui fait souffrir. *Un cruel.
Une cruelle. Les cruels.*

♦ **2** Spécialt (vieilli; langue class.). *Une cruelle :* une
femme insensible à l'amour qu'on lui porte.

23 Hé bien ! va donc disposer la cruelle
　A revoir un amant qui ne vient que pour elle.
　　　　　　　　RACINE, Andromaque, I, 1.
　Loc. (Vieilli). Le sujet désigne un homme. *Ne pas trouver,
　ne pas rencontrer de cruelles :* séduire toutes les
　femmes. — Au masc. (vx). *Faire le cruel :* affecter
　l'indifférence à l'égard des femmes.

24 (...) il est dur de faire le cruel avec de beaux yeux qui
　cherchent les vôtres.
　　　　　　　　MARIVAUX, le Paysan parvenu, II, p. 97.

25 (...) lui que les princesses accueillaient le sourire aux
　lèvres, pour qui les duchesses se pâmaient d'amour, et
　qui n'avait jamais rencontré de cruelle.
　　　　　　　　Th. GAUTIER, le Capitaine Fracasse, t. I, p. 297.

**CONTR. Bénin, bienveillant, bienfaisant, bon, clément,
débonnaire, doux, humain, indulgent, miséricordieux,
pitoyable, sensible, tendre. ◊ DÉR. Cruellement.** — (Du lat.)
V. Cruauté.

CRUELLEMENT [kʀyɛlmã] adv. — V. 1150; de *cruel*.

♦ **1** D'une manière cruelle. → **Férocement, méchamment.** *Traiter qqn cruellement.* → **Brutalement.** *Faire mourir qqn cruellement, à petit feu.* → **Sadiquement.** *Battre un enfant cruellement.*

♦ **2** D'une façon douloureuse, pénible. → **Douloureusement, durement, péniblement.** *Souffrir cruellement.* → **Affreusement, atrocement.** *Être cruellement éprouvé.* — Par exagér. *Être cruellement embarrassé.* → **Extrêmement, terriblement.**

1 (...) il est impossible de n'être pas sensiblement touchée de voir finir si cruellement une personne qu'on a toujours aimée (...)   Mᵐᵉ DE SÉVIGNÉ, 290, 27 juin 1672.

2 (...) Viens, viens, j'ai trop cruellement pensé à toi dans les tortures de l'absence (...)
     FRANCE, le Lys rouge, XXVI, p. 195.

CONTR. Doucement, humainement, tendrement.

CRUENTÉ, ÉE [kʀyãte] adj. — 1878; *cruenter* «ensanglanter», XIVᵉ; du lat. *cruentus* «sanglant», de *cruor* «sang».

Méd. Saignant, qui a perdu son revêtement cutané. *Plaie cruentée,* imprégnée de sang, à vif.

CRUISER [kʀuzœʀ] n. m. — 1879; mot angl. «croiseur».

Anglic. Petit yacht prévu pour la mer.

En effet, l'adepte du *dériveur* léger de 1943, du petit *cruiser* de 1948 s'intéresse toujours à quelque chose de plus grand et, si ses moyens le lui ont permis, possède maintenant un bateau de 7 à 9 m.
     Jean GIORDAN, le Yachting, p. 21.

CRÛMENT [kʀymã] adv. — 1559, *cruement*; de *cru.*

♦ **1** D'une manière crue* (→ 2. Cru, 4.), sèche et dure, sans ménagement, sans détours. → **Brutalement, durement, net** (tout), **nuement, rudement, sèchement.** *Il lui a dit cela tout crûment. Annoncer trop crûment une mauvaise nouvelle. Décrire crûment une scène scabreuse.*

1 (...) les deux amies se disaient crûment leurs moindres pensées sans prendre de détours dans l'expression (...)
     BALZAC, la Cousine Bette, Pl., t. VI, p. 278.

♦ **2** *Éclairer crûment,* d'une lumière crue (→ 2. Cru, 3.).

2 La lumière qui s'épandait par le haut de l'abat-jour l'éclairait crûment (...)
     MARTIN DU GARD, les Thibault, t. V, p. 144.

CONTR. Doucement, précautionneusement, progressivement.

CRUOR [kʀyɔʀ] n. m. — 1765; mot lat. «sang». → Cru.

Physiologie.

♦ **1** (Opposé à *sérum*). Partie solide du sang* qui se coagule (globules). — Caillot* formé par les globules et la fibrine.

♦ **2** Liquide rouge, riche en globules, que l'on obtient en exprimant le caillot.

CONTR. Sérum.

CRURAL, ALE, AUX [kʀyʀal, o] adj. — 1560, Paré; lat. *cruralis,* de *crus, cruris* «jambe».

Anat. Qui appartient à la cuisse*. *Artère crurale; arcade crurale.* → **Fémoral.** *Biceps* crural :* fléchisseur de la jambe sur la cuisse. *Nerf crural,* et, n. m., *le crural :* nerf issu du plexus lombaire. — REM. Ce mot est didact.; son emploi hors de ce registre est recherché.

Oscar Molinier pressait le pas tant qu'il pouvait et faisait effort pour suivre Profitendieu, mais il était beaucoup plus court que lui et de moindre développement crural (...)
     GIDE, les Faux-monnayeurs, I, II, *in* Romans, Pl., p. 938.

COMP. Génito-crural, inguino-crural.

CRUSTACÉ, ÉE [kʀystase] adj. et n. m. — 1713; lat. sav. *crustaceus,* de *crusta* «croûte».

♦ **1** Adj. Vx. Qui est recouvert d'une enveloppe dure. — Spécialt. *Animaux crustacés* (→ ci-dessous, 2.).

♦ **2** N. m. pl. Mod. **Zool. LES CRUSTACÉS :** classe d'animaux arthropodes, ovipares, antennifères, au corps formé de segments munis chacun d'une paire d'appendices, à respiration branchiale, à carapace chitineuse. *Le corps des crustacés se compose d'une tête* (2 paires d'antennes, 2 de mâchoires, 1 de mandibules), *d'un thorax* (1 à 5 paires de pattes mâchoires, 2 à 40 paires de pattes ambulatoires), *parfois réunis en un céphalothorax, et d'un abdomen parfois terminé par un appendice* (→ **Urogastre, uropode**). *Métamorphoses des crustacés* (→ **Nauplius, zoé**). *Crustacés fossiles.* → **Trilobites.** *Étude des crustacés.* → **Carcinologie** (1.). CLASSIFICATION DES CRUSTACÉS : Voir tableau page suivante.

Au sing. *Un crustacé :* un animal (individu) ou un groupe d'animaux de cette classe.

Cour. (au sing. ou au plur.). Se dit des crustacés aquatiques comestibles (crabes, crevettes, écrevisses, homards, langoustes). *Assiette de crustacés. Utiliser un casse-noix pour briser la carapace d'un crustacé.*

CRUZADO [kʀuzado] n. m. — 1985; empr. au port., dér. de *cruz* «croix».

Ancienne unité monétaire du Brésil (remplacée par le réal).

CRUZEIRO [kʀuzeʀo] n. m. — 1942; mot port., de *cruz* «croix».

Ancienne unité monétaire du Brésil. *Des cruzeiros.*

CRYANESTHÉSIE [kʀijanɛstezi] n. f. — XXᵉ; de *cry(o)-,* et *anesthésie.*

Didact. (méd.). Anesthésie par le froid. *Cryanesthésie à la neige carbonique dans le traitement de certains angiomes.*

CRYO- Élément, du grec *kruos* «froid», entrant dans la composition de mots scientifiques et techniques. → **Cryanesthésie, cryocautère, cryochirurgie, cryogène, cryogénie, cryogéniste, cryolithe, cryologie, cryoluminescence, cryométrie, cryophore, cryophysique, cryoplanation, cryopompage, cryoscopie, cryostat, cryosynérèse, cryotempérature, cryothérapie, cryoturbation;** et aussi **frigo-, frigori-.**

REM. De nombreux autres composés se rencontrent en sciences et en technique (ex. : *cryocâble, cryoalternateur, in la Recherche,* nº 98, p. 228; *cryoconcentration, in le Monde,* 23 févr. 1977, p. 20).

CRYOCÂBLE [kʀijokabl] n. m. → **Cryogénique.**

CRYOCAUTÈRE [kʀijokɔtɛʀ; kʀijokotɛʀ] n. m. — XXᵉ; de *cryo-,* et *cautère.*

Méd. Appareil employé en cryothérapie à des applications de neige carbonique.

CRYOCHIRURGIE [kʀijoʃiʀyʀʒi] n. f. — 1969; de *cryo-,* et *chirurgie.*

Méd. Utilisation de l'azote liquide à très basse température, en chirurgie, notamment pour détruire certaines cellules cancéreuses ou à des fins anesthésiques (→ **Cryanesthésie**).

CLASSIFICATION DES CRUSTACÉS

I. ENTOMOSTRACÉS

Branchiopodes : conchostracés *(Estheria)*; cladocères *(Daphnie** ou *puce d'eau)*; notostracés *(Apus* ou *ape)*; anostracés *(Artémie)*.

Ostracodes *(Cypris)*.

Copépodes *(Cyclope, harpacticus, lernée)*.

Branchioures *(Argulus)*.

Cirripèdes *(Anatife*, balane*, coronule, pouce-pied, sacculine)*.

II. MALACOSTRACÉS

Phyllocarides *(Nebalia)*.

Syncarides *(Bathynella)*.

Hoplocarides *(Squille*)*.

Péracarides : mysidacés, cumacés, tanaïdacés, isopodes *(Armadille, aselle, cloporte*)*, amphipodes *(Caprelle, cyame, gammare, talitre)*.

Eucarides : a) Euphausiacés (krill*); b) Décapodes : macroures *(Crevette*; homard*, écrevisse*, langoustine; langouste*, cigale de mer)*, anomoures *(Galatée*, pagure** ou *bernard-l'hermite)*, brachyoures ou crabes *(Carcinus, maia, porcellane, portunus)*.

REM. On divise également les décapodes en deux sous-ordres, les *Natantia* ou nageurs, comprenant les crevettes, et les *Reptantia* ou marcheurs : écrevisse, homard, langouste, crabe, etc.

CRYOGÈNE [kʀijɔʒɛn] adj. — 1903, in *Rev. gén. des sc.*, n° 8, p. 471; de *cryo-*, et *-gène*.

♦ **1** Phys. Qui produit du froid. *Mélange cryogène*, d'eau et d'un sel soluble. → **Réfrigérant**.

♦ **2** Méd. *Zones cryogènes :* zones cutanées sensibles au froid et qui répercutent celui-ci dans l'organisme profond.

DÉR. Cryogénique.

CRYOGÉNIE [kʀijɔʒeni] n. f. — xxᵉ; de *cryo-*, et *-génie*.
Phys. Production des basses températures.
DÉR. Cryogéniste.

CRYOGÉNIQUE [kʀijɔʒenik] adj. — Av. 1970; de *cryo-gène*.
Phys. Qui concerne la production du froid. → **Cryo-gène**. *Machine, fluide, liquide cryogénique. Centre d'études cryogéniques. «Un ensemble cryogénique composé d'ammoniac et de méthane solides»* (*Sciences et Avenir*, avr. 1980, p. 75).
Câble cryogénique, à supraconducteur réfrigéré (*cryocâble* [kʀijokabl] n. m.).

CRYOGÉNISTE [kʀijɔʒenist] n. — V. 1970; de *cryo-génie*, et suff. *-iste*.
Phys. Spécialiste du travail aux très basses températures.

CRYOLITHE ou **CRYOLITE** [kʀijɔlit] n. f. — 1808; de *cryo-*, et *-lithe*.
Chim., minér. Fluorure naturel d'aluminium et de sodium, très fusible. *Cryolithe en filons de l'Alaska, du Danemark, du Groenland, de l'Oural. Aluminium tiré du cryolithe.*

CRYOLOGIE [kʀijɔlɔʒi] n. f. — V. 1870; de *cryo-*, et *-logie*.
Didact. Science du froid. → **Cryogénie**.

CRYOLUMINESCENCE [kʀijolyminesɑ̃s] n. f. — 1905, in *Rev. gén. des sc.*, n° 15, p. 687; de *cryo-*, et *luminescence*.
Chim., phys. Production de lumière qu'on constate lorsqu'on refroidit brusquement certains corps en les plongeant dans l'air liquide. → **Frigoluminescence**.

CRYOMÉTRIE [kʀijɔmetri] n. f. — V. 1900; de *cryo-*, et *-métrie*.
Phys. Mesure des températures de congélation. → **Cryoscopie**.
DÉR. Cryométrique.

CRYOMÉTRIQUE [kʀijɔmetrik] adj. — xxᵉ; de *cryo-métrie*.
Phys. Relatif à la cryométrie.

CRYONIQUE [kʀijɔnik] adj. et n. f. — 1981; angl. des États-Unis, *cryonic, cryonics*, de *cryo-*. → Cryo-.
Didact. (Anglic.). Relatif à la conservation des cadavres par le froid. — N. f. Technique de conservation des cadavres par le froid. → **Cryosynérèse**.
En 1970, se crée la société cryonique de Californie. Ses promoteurs proposent de perfuser au diméthyle sulfonique puis de surgeler toute personne venant à mourir de maladie en attendant que la médecine ait fait des progrès (...) Pendant 11 ans, un détective privé devenu avocat combattra la cryonique. Il a gagné en juin dernier *(1981)* : tous les cadavres étaient à l'état de décomposition.
Libération, «L'immortalité, c'est pas au point...», 26 sept. 1981.
REM. D'autres mots de la même famille : *cryoniser*, v. tr. (angl. *to cryonize*) et *cryonisation*, n. f., sont attestés. — *«Les familles des onze "cryonisés"»* (*Libération*, «L'immortalité, c'est pas au point...», 26 sept. 1981).

CRYOPHORE [kʀijɔfɔʀ] n. m. — 1865, ex. ci-dessous; de *cryo-*, et *-phore*.
Techn. Instrument permettant d'obtenir la congélation d'un liquide par vaporisation partielle. *«Le cryophore est un tube de verre en forme d'U renversé se terminant par deux ballons»*, in *Année sc. et industr.*, 1865 (1866), p. 26.

CRYOPHYSIQUE [kʀijofisik] n. f. — 1969; de *cryo-*, et *2. physique*, cf. l'angl. *cryophysics* (1969).
Physique des très basses températures (→ **Cryotempérature**).

CRYOPLANATION [kʀijoplanasjɔ̃] n. f. — xxᵉ; de *cryo-*, et dér. du lat. *planare* «aplanir».
Géogr. Variété de cryoturbation dans laquelle le sol s'aplanit.

En climat périglaciaire, le résultat final des actions du gel est une fragmentation intense, allant parfois jusqu'à la fine poussière; une démolition des reliefs, d'autant plus rapide que la roche est plus fissurée; souvent un empâtement des points bas, par la solifluxion. Au total, les pentes s'adoucissent; c'est la *cryoplanation*.

V. ROMANOVSKY et A. CAILLEUX, la Glace et les Glaciers, p. 91.

CRYOPOMPAGE [kʀijɔpɔ̃paʒ] n. m. — 1971; de *cryo-*, et *pompage*.

Techn. Pompage par très basse température, provoquant un vide profond.

CRYOSCOPIE [kʀijɔskɔpi] n. f. — 1888; de *cryo-*, et *scopie*.

Didact. (phys.). Partie de la physique qui étudie les lois de la congélation des solutions étendues. → **Cryométrie**. *La cryoscopie a été étudiée par Raoult*.

DÉR. **Cryoscopique**.

CRYOSCOPIQUE [kʀijɔskɔpik] adj. — 1903, in *Rev. gén. des sc.*, n° 2, p. 98; de *cryoscopie*.

Phys. Relatif à la cryoscopie.

CRYOSTAT [kʀijɔsta] n. m. — 1903, in *Rev. gén. des sc.*, n° 2, p. 112; de *cryo-*, et *-stat*. → Rhéostat.

Didact. (phys.). Appareil permettant de maintenir des températures basses et constantes à l'aide d'un gaz liquéfié.

(...) travailler sur les gaz liquéfiés exige (...) que l'opérateur ait à sa disposition des quantités suffisantes et non point seulement quelques centimètres cubes de liquide; il est indispensable de pouvoir préparer et conserver plusieurs litres de gaz liquéfiés en étude; et cela pendant plusieurs heures, sans que la température de la matière varie sensiblement. Les récipients nécessaires, stabilisateurs de température, sont ce qu'on appelle des *cryostats*. Les températures réalisées dans les cryostats du laboratoire de Leyde sont comprises entre 0° et −272°.

Roger SIMONET, le Froid, p. 60.

CRYOSYNÉRÈSE [kʀijosineʀɛz] n. f. — 1954; de *cryo-*, et *synérèse*.

Biol. Mécanisme de la congélation des êtres vivants à basse température. *Cryosynérèse cytonucléoplasmique*.

CRYOTEMPÉRATURE [kʀijotɑ̃peʀatyʀ] n. f. — 1974; de *cryo-*, et *température*.

Techn. Température inférieure à −153 degrés centigrades ou 120 degrés Kelvin.

CRYOTHÉRAPIE [kʀijoteʀapi] n. f. — 1907; de *cryo-*, et *-thérapie*.

Méd. Traitement, thérapeutique par le froid. → aussi Cryochirurgie. *La cryothérapie se fait au moyen de douches froides, d'enveloppements humides, de vessies de glace..., d'acide carbonique neigeux*, etc.

Alors, elle put lire sur un portique taillé à l'antique dans la glace millénaire cette pancarte énorme : SILENCE. ICI CRYOTHÉRAPIE. Jean CAYROL, Histoire de la mer, p. 156.

CRYOTURBATION [kʀijotyʀbasjɔ̃] n. f. — 1952; de *cryo-*, et lat. *turbare*. → Perturbation.

Géol. Modification du sol sous l'effet du gel, par solifluxion*.

CRYPT- → Crypto-.

CRYPTAGE [kʀiptaʒ] n. m. — V. 1980; de *crypter*.

Inform. Moyen par lequel un message est rendu inintelligible lors de sa transmission depuis l'ordinateur jusqu'au terminal, à tout intercepteur qui ne dispose pas du décodeur approprié. → **Cryptophonie**.

CONTR. **Décryptage**.

CRYPTE [kʀipt] n. f. — XIVᵉ, *cripte*; lat. *crypta* «souterrain». → Grotte.

I Cour. Caveau souterrain servant de sépulcre dans certaines églises. → **Cimetière** (souterrain), **hypogée**. *La crypte de la basilique de Saint-Denis contient les restes des derniers Bourbons. Visiter une crypte. Le silence et l'obscurité d'une crypte.* «*Il avait cherché les âmes des anciens morts dans les cryptes...*» (→ Recommençant, cit.).
Chapelle souterraine (souvent plus ancienne que l'église sous laquelle elle se trouve).

(...) l'angoisse vous reprenait si (...) l'on atteignait les ruines isolées de la chapelle et si l'on pénétrait, en dessous, par une porte de cave, dans une crypte. Celle-là datait du onzième siècle. Petite, trapue, elle élançait sous une voûte en cintre des colonnes massives à chapiteaux sculptés de losanges (...) HUYSMANS, Là-bas, VIII, p. 115. | 1

Derrière la façade intacte de la cathédrale s'étendait la nef, éventrée comme celle des églises espagnoles de la guerre civile, mais emplie des ruines cosmogoniques des tremblements de terre. Au milieu, l'escalier d'une crypte. Et la crypte à pine plus haute que ma tête, avec des cierges qui semblaient fichés dans la terre, un crucifix invisible, et un seul Indien qui priait en tenant par la main un enfant aussi petit que celui que j'avais vu errer entre les lueurs du sanctuaire du marché. | 1.1

MALRAUX, Antimémoires, Folio, p. 74-75.

Par ext. Local souterrain (généralement secret), d'un édifice. *Crypte d'un château.*

Figuré :

La salle bouillonnante pleine de cris, de sanglots, d'éclats de rires, n'est plus qu'une crypte silencieuse peuplée d'ombres? | 2

BERNANOS, les Grands Cimetières sous la lune, p. 145.

Par métaphore. *La crypte, les cryptes de l'âme, de la mémoire.*

II Didact. ♦ **1** Anat. Cavité de forme irrégulière à la surface d'un organe. → **Follicule**. *Cryptes amygdaliennes, stomatifères.* «*Les requins* (ont la) *peau couverte de* (...) *cryptes sensorielles* (qui) *leur permet(tent) de détecter de très loin les effluves et les mouvements de tout ce qui pourrait devenir une proie*» (*le Figaro*, 14 juil. 1973).

♦ **2** (1845, Bescherelle). Zool. (Vx). Insecte (*Hyménoptères*) parasite des œufs d'autres insectes ou du corps des pucerons.

DÉR. **Crypter, cryptuaire**.

CRYPTER [kʀipte] v. tr. — 1951 au p. p. «marqué de signes mystérieux»; de *crypte*.

♦ **1** Rendre incompréhensible (un message). *Crypter un message secret.* → **Chiffrer, cryptographier**.

♦ **2** Inform. Sécuriser l'accès à (des données, des fichiers), le plus souvent à l'aide d'un mot de passe ou d'une clé. *Crypter un fichier, des informations.*

♦ **CRYPTÉ, ÉE** p. p. et adj.

♦ **1** Rendu incompréhensible, indéchiffrable. *Message secret crypté. Informations confidentielles cryptées.*

♦ **2** (1984). *Chaîne cryptée* : chaîne de télévision qui ne peut être reçue en clair qu'avec un décodeur. *Chaînes cryptées et chaînes câblées.*

♦ **3** Inform. Dont l'accès est sécurisé (par une clé, un mot de passe). *Fichier crypté.*

CONTR. **Décrypter.** ◊ DÉR. **Cryptage.**

CRYPTESTHÉSIE [kʀiptɛstezi] n. f. — 1922, Richet; de *crypt(o)-*, et *-esthésie.*

Didact. Perception de choses cachées, par une relation sujet-objet parapsychique (cf. Sixième sens). → aussi **Métapsychique.**

DÉR. **Cryptesthésique.**

CRYPTESTHÉSIQUE [kʀiptɛstezik] adj. — V. 1950; de *cryptesthésie.*

Didact. De la cryptesthésie. «*La théorie cryptesthésique de Richet*» (Amadou, *Parapsychologie, in* T. L. F.).

CRYPTIQUE [kʀiptik] adj. — 1576, Ramus; repris au xxᵉ; lat. *crypticus*, du grec *kruptos* «caché». → Crypte, crypto-.

◻ Didact. ♦ **1** Qui vit, se trouve dans les grottes. «*Palais cryptique*» (Gautier). — Par plaisanterie :

1 On peut dire beaucoup de mal de cette profession *(poinçonneur de métro)* excessivement rudimentaire et cryptique (...)

Jacques PERRET, Bâtons dans les roues, p. 139.

♦ **2** Anat. Qui a rapport aux cryptes (II., 1.) des muqueuses. *Angine cryptique.*

◻◻ Didact. ou littér. Caché*, secret*. → **Occulte.**

2 Léonard *(de Vinci)* était enfant naturel obsédé par le phantasme d'un vautour. La fanatique investigation qui fait apparaître ce vautour dans la Sainte Anne nous enseigne bien peu de ce qui nous contraint après quatre cents ans, à chercher là cette figure cryptique.

MALRAUX, les Voix du silence, p. 416.

3 (...) espérant (...) la révélation de cette volonté de Laure qu'elle avait voulue cryptique à dessein (...)

Marcel BRION, la Rose de cire, p. 204.

CRYPTO [kʀipto] n. — V. 1950; de *crypto-.*

Polit. Cryptocommuniste.

Ce Beigbeder n'est pas si sot que de croire le président Truman homme à se décider sur l'avis d'un écrivain français, fût-il prix Nobel, d'un écrivain qui aurait pris ses informations chez un «crypto» de l'espèce Beigbeder !

F. MAURIAC, Bloc-notes 1952-1957, p. 9.

CRYPTO- Élément, du grec *kruptos* «caché», entrant dans la composition de nombreux termes didactiques, notamment de sciences naturelles et, plus récemment, de termes politiques. (Voir à l'ordre alphabétique). — Var. : *crypt-.*

CRYPTOBIOSE [kʀiptobjoz] n. f. — 1989; adapt. de l'angl. *cryptobiosis*, 1959, D. Keilin, du grec *kruptos* «caché» (→ Crypto), et *bios* «vie» (→ Bio-). → Cryptobiotique.

Biol. Vie latente d'un organisme qui ne présente pas de signe de vie (→ **Anhydrobiose**).

CRYPTOBIOTE [kʀiptobjɔt] ou **CRYPTOBIOTIQUE** [kʀiptobjɔtik] adj. — Attesté mil. xxᵉ s.; empr. à l'allem. *kryptobiotisch* (1884, Kuntze) de *krypto-* (→ Crypto-) et *biotisch* (→ -biotique).

Biologie.

♦ **1** Relatif aux organismes vivants qui n'ont laissé aucune trace fossile.

♦ **2** Des organismes supposés vivants mais qui ne présentent pas de signes étudiables de vie.

CRYPTOBRANCHE [kʀiptobʀɑ̃ʃ] adj. — 1834, Landais; de *crypto-*, et *-branche*, de *branchie.*

Didact. (zool.). Se dit d'un animal dont les branchies sont dissimulées. *Larve cryptobranche.*

CRYPTOCAPITALISME [kʀiptokapitalism] n. m. — V. 1960; de *crypto-*, et *capitalisme.*

Polit. Forme non avouée de capitalisme.

CRYPTOCOMMUNISME [kʀiptokɔmynism] n. m. — V. 1960; de *crypto-*, et *communisme.*

Polit. Sympathie cachée ou non explicite pour le communisme, sans adhésion au Parti.

CRYPTOCOMMUNISTE [kʀiptokɔmynist] adj. et n. — 1949; de *crypto-*, et *communiste.*

Polit. Partisan occulte du communisme. *Être (un) cryptocommuniste.* → **Crypto.**

(...) on accusait Dubreuilh tantôt d'être un cryptocommuniste, tantôt un suppôt de Wall Street, il n'avait guère que des ennemis (...)

S. DE BEAUVOIR, les Mandarins, p. 470 (1954).

CRYPTO-ÉMOTIF, IVE [kʀiptoemɔtif, iv] adj. et n. — 1946; de *crypto-*, et *émotif.*

Psychol. (Personnes). Qui cache ses émotions. «*Crypto-émotifs ou émotifs inhibés*» (Mounier, *in* T. L. F.). — N. *Un crypto-émotif, une crypto-émotive.*

CRYPTOGAME [kʀiptɔgam] adj. et n. m. ou f. — 1771; lat. sc., de *crypto-*, et *-game.*

Botanique.

♦ **1** Adj. Se dit des plantes qui ont les organes de la fructification peu apparents. *Les mousses, les fougères sont des plantes cryptogames.*

♦ **2** N. m. ou f. *Les cryptogames* : un des deux embranchements du règne végétal (opposé à *phanérogames*). → **Botanique.** *Cryptogames vasculaires* : fougères, équisétinées, lycopodinées. → **Ptéridophytes.** *Cryptogames cellulaires* : algues, champignons, cyanophytes, bactéries. → **Thallophytes** (cit.). — *Reproduction des cryptogames.* → **Fructification**; **spore.** *Les cryptogames se reproduisent en deux temps* : des sporanges*, tombent les spores dont la germination engendre une plantule nommée prothalle* *(haplophase)*; le prothalle forme un œuf d'où naît la plante *(diplophase).*

Par plais. sur l'étymologie du mot, en emploi d'auteur. → Bernard-l'hermite, cit. 2, Queneau.

DÉR. **Cryptogamie, cryptogamique, cryptogamiste.** ◊ COMP. **Anticryptogamique.**

CRYPTOGAMIE [kʀiptɔgami] n. f. — 1771; de *cryptogame.*

Botanique.

♦ **1** Rare. Caractère des plantes cryptogames. → **Cryptogame.** — Étude des cryptogames.

♦ **2** Vx. Classe des plantes cryptogames dans le système de Linné.

CRYPTOGAMIQUE [kʀiptɔgamik] adj. — 1811; de *cryptogame.*

♦ **1** Didact. (vx, bot.). Des plantes cryptogames. Mod., méd. *Maladies cryptogamiques* : toutes les affections parasitaires des végétaux provoquées par les champignons. *Produits contre les affections cryptogamiques.* → **Anticryptogamique.**

♦ **2** Fig. et didact. Qui pousse vite (comme un champignon). «*Croissance cryptogamique*» (Morano, *in* T. L. F.).

Non, cependant, que l'odeur ou le magnétisme du corps métallique enterré vînt flatter le nez des bêtes, mais parce qu'à la longue, autour de cet objet incongru enseveli, la terre se dépensait en une espèce de floraison cryptogamique dont la senteur affleurait à la surface du sol.
Pierre GASCAR, les Bêtes, p. 194.

COMP. Anticryptogamique.

CRYPTOGAMISTE [kʀiptɔgamist] n. — 1898; de cryptogame.

Didact. (bot.). Personne qui s'occupe de l'étude des cryptogames, et, spécialt, des champignons.

CRYPTOGÉNÉTIQUE [kriptoʒenetik] adj. — 1909, in D.D.L; de crypto-, et génétique.

Méd. D'origine inconnue. Maladie, trouble cryptogénétique.

CRYPTOGRAMME [kʀiptɔgʀam] n. m. — 1846; de crypto-, et -gramme.

Ce qui est écrit en caractères secrets, en code, en langage chiffré*. → Cryptographie. Chiffrer un cryptogramme. → Cryptographier. Déchiffrer ou décrypter un cryptogramme.

1 Puisqu'il voulait que l'histoire fût un cryptogramme, il s'agissait de lire les lignes et d'en pénétrer les combinaisons.
Léon BLOY, le Désespéré, II, p. 101.

2 On en est encore au jus de citron, à l'École de guerre? Mes félicitations! Vous ne connaissez pas la nouvelle technique : le surcodage en lettres? Des cryptogrammes anodins. L'air de rien. Mais le fin du fin.
Régis DEBRAY, l'Indésirable, p. 309.

Fig. Phénomène, événement difficile à comprendre.

CRYPTOGRAPHE [kʀiptɔgʀaf] n. — 1845; de cryptographie.

Didactique, technique.

♦ **1** Personne qui connaît la cryptographie, qui l'utilise.

♦ **2** N. m. Instrument permettant d'écrire ou de lire un texte cryptographique.

CRYPTOGRAPHIE [kʀiptɔgʀafi] n. f. — 1624; de crypto-, et -graphie.

Didact. et cour. Code graphique déchiffrable par l'émetteur et le destinataire seulement. → Écriture (chiffrée); cryptogramme. Procédés de cryptographie : signes conventionnels, modification de l'ordre, de la disposition des lettres dans les mots; remplacement des lettres par d'autres, par des chiffres (→ Chiffre). Moyens qui en cryptographie permettent d'établir ou de traduire le texte secret. → Clef, code, grille. Spécialiste de la cryptographie. → Cryptographe; décrypteur. Le surchiffrement, moyen de protection supplémentaire utilisé en cryptographie.

DÉR. Cryptographe, cryptographier, cryptographique.
◊ COMP. Décrypter.

CRYPTOGRAPHIER [kʀiptɔgʀafje] v. intr. — xxᵉ; de cryptographie.

Didact. Écrire en cryptogramme. — P. p. adj. Texte cryptographié.

CRYPTOGRAPHIQUE [kʀiptɔgʀafik] adj. — 1752; de cryptographie.

Didact. et cour. Qui se rapporte à la cryptographie*, qui utilise la cryptographie. Message, document cryptographique.

Par ext. Très obscur. → Hermétique.

(...) dans un langage plus que cryptographique mêlé de termes de science et de représentations idiosyncrasiques.
VALÉRY, Correspondance avec Gide, p. 264, in T.L.F.

CRYPTOLOGIE [kʀiptɔlɔʒi] n. f. — xxᵉ, probablt antérieur; cryptologique, 1866; de crypto-, et -logie.

Didactique.

♦ **1** Étude, science des cryptogrammes.

♦ **2** Étude, science des phénomènes cachés. Cryptologie et herméneutique.

CRYPTOMÈRE [kʀiptɔmeʀ] ou **CRYPTOMERIA** [kʀiptɔmeʀja] n. m. — 1845, cryptomérie, n. f.; cryptoméria, 1890; lat. bot. cryptomeria, 1821; du grec kryptos (→ Crypto-), et meros «partie».

Bot. (et relativement cour.). Grand arbre de la famille des conifères à fût élancé, à feuillage d'un beau vert. «Les verts mordorés des cryptomerias» (Goncourt, in T.L.F.). Le cryptomère (ou cryptomeria, cryptoméria) est au Japon un arbre à forte valeur symbolique.

Cryptomérias du temps de Charlemagne, dont la verdure s'oxyde (...)
Paul MORAND, Rien que la Terre, p. 37.

Adj. D'un vert analogue au feuillage de cet arbre. «Velours cryptomeria» (Proust).

CRYPTON [kʀiptɔ̃] n. m. → Krypton.

CRYPTONYME [kʀiptɔnim] adj. et n. m. — 1842; de crypto-, et -nyme.

Didact. Dont le nom est caché. Œuvre cryptonyme.
N. m. Nom déguisé ou emprunté. → Anagramme, pseudonyme. Voltaire est le cryptonyme de Arouet.

CRYPTOPHONIE [kʀiptɔfɔni] n. f. — 1973; de crypto-, et -phonie.

Techn. Procédé destiné à rendre inintelligible une communication radio ou téléphonique si l'on ne dispose pas du décodeur approprié. → Cryptage.

CRYPTOPHYTE [kʀiptɔfit] n. f. — 1866; de crypto-, et -phyte.

Bot. Plante enfouie durant l'hiver. Une cryptophyte peut être une géophyte (dans la terre), une hélophyte (dans la vase), une hydrophyte (dans l'eau).

CRYPTOPSYCHIE [kʀiptɔpsiʃi] n. f. — 1907; de crypto-, et psychie.

Didact. et rare. Ensemble des phénomènes psychiques inconscients. → Inconscient (n. m.).

CRYPTORCHIDIE [kʀiptɔʀkidi] n. f. — 1904, in Rev. gén. des sc., nᵒ 4, p. 169; cryptorchide, 1904, in Rev. gén. des sc., nᵒ 4, p. 169; de crypto-, et or, orkhis «testicule». → Orchite.

Pathol. Absence des testicules dans les bourses, par rétention des glandes dans l'abdomen. → Anorchidie. Opération chirurgicale de la cryptorchidie. → Orchidopexie.

CRYPTUAIRE [kʀiptɥeʀ] adj. — 1957; de crypte.

Didact. et rare. Souterrain, caché, secret. → Cryptique.

Publicitairement, l'hydratation des profondeurs est donc une opération nécessaire. Et pourtant l'infiltration d'un corps opaque apparaît peu facile à l'eau : on imagine qu'elle est trop volatile, trop légère, trop impatiente pour atteindre raisonnablement ces zones cryptuaires où s'élabore la beauté.
R. BARTHES, Mythologies, p. 84.

Cs [seɛs] Symbole chimique du cæsium*.

CSAR ou **CZAR** [ksaʀ] n. m. → Tsar.

CSARDAS ou **CZARDAS** [ksaʀdas] n. f. — 1885; mot hongrois emprunté graphiquement et modifié phonétiquement.

Danse nationale de la Hongrie. — Mus. Pièce composée d'un andante et d'un allegro sur une mesure à 2 ou à 4 temps et qui constitue la musique sur laquelle on danse la csardas. *Composer, jouer une csardas. Csardas de Brahms.*

Et il *(Liszt)* improvisa une *csardas* endiablée de son pays, fermant les yeux, laissant courir ses doigts, plaquant les accords, changeant de rythmes (...)
B. CENDRARS, Bourlinguer, p. 397.

CTÉNAIRES [ktenɛʀ] ou **CTÉNOPHORES** [kte nɔfɔʀ] n. m. pl. — xxᵉ; lat. sc. *ctenaria*, Haeckel, fin xixᵉ (1878); lat. sc. *ctenophora*, Eschscholtz, 1829; désignant antérieurement un ordre de diptères; du grec *kteis, ktenos* «peigne», et *-phore.*

Didact. (zool.). Embranchement d'animaux diploblastiques pélagiques transparents, à symétrie bilatérale, dépourvus de cnidoblastes (→ Cnidaires), mais munis de colloblastes (cellules spéciales par lesquelles ils capturent leurs proies) et de palettes ciliées servant à leur locomotion (→ Cœlentérés, cit.). *Les cténaires possèdent un statocyste très complexe.* — Au sing. *Un cténaire. Le béroé est un cténaire.*

CTÉNOÏDE [ktenɔid] adj. — xxᵉ; du grec *ktenôdês*, de *kteis, kteinos* «peigne».

Sc. nat. *Écaille cténoïde* : écaille de poisson, à bord denticulé (→ 3. Cycloïde, cit.).

CTÉNOPHORES [ktenɔfɔʀ] n. m. pl. → **Cténaires** (→ Béroé, cit.).

Cu [sey] Symbole chimique du cuivre*.

CUADRILLA [kwadʀilja; kwadʀija] n. f. — 1858, *in* Petiot; mot esp., parfois francisé en *quadrille*.
Tauromachie. → **Quadrille** (cit. 1).

CUBAGE [kybaʒ] n. m. — 1783; de *cuber*.

♦ **1** Techn. Évaluation d'un volume; action de cuber. *Procéder au cubage d'un lot de bois. Cubage des bois en grume,* avec l'écorce et l'aubier.

♦ **2** Cour. Volume évalué; le chiffre de ce volume (en unités cubiques). *Relever le cubage d'eau utilisée au compteur. Le cubage d'air de cette pièce est insuffisant pour trois personnes.* — Par métonymie. *Cubage d'air* : volume (d'un local).

CUBAIN, AINE [kybɛ̃, ɛn] adj. et n. — 1866; de *Cuba.*
Qui se rapporte à Cuba ou à ses habitants. *Le régime cubain. L'économie cubaine. La littérature, la musique cubaine.* → aussi **Caraïbe.**
N. *(Un, une Cubaine).* Personne qui habite Cuba.
COMP. **Afro-cubain.**

CUBATURE [kybatyʀ] n. f. — 1714; lat. sc. *cubatura*, de *cubare.*
Géom. Transformation (d'un volume) en un cube; évaluation du côté du cube d'un volume.

CUBE [kyb] n. m. et adj. — xiiiᵉ, adj.; n. m., v. 1360; lat. *cubus*, du grec *kubos* «dé à jouer».

♦ **1** Géom. et cour. Solide à six faces carrées égales. → **Hexaèdre** (régulier). *Le cube est un parallélépipède rectangle dont toutes les arêtes* sont égales. *Côtés ou arêtes, angles droits, sommets, faces d'un cube.*

Volume d'un cube : produit de trois facteurs égaux à la mesure de l'arête. *En forme de cube.* → **Cubique.**

Quand nous regardons un cube, par exemple, il est certain **1** que tous les côtés que nous en voyons ne font presque jamais de projection ou d'image d'égale grandeur.
MALEBRANCHE, De la recherche de la vérité, i, 7.

Un cube est un solide dont la base, la hauteur et la pro- **2** fondeur sont égales.
CONDILLAC, la Langue des calculs, i, 6.

Chacun peut savoir ce que c'est qu'un cube, par des défi- **2.1** nitions, arêtes égales, angles égaux, faces égales.
ALAIN, 81 chapitres, *in* les Passions et la Sagesse, Pl., p. 1089.

Cour. Objet cubique ou parallélépipède (souvent, immeuble). → Parallélépipède, cit. 2.

(...) ces brutes ignares qui abattent les tendres vieilles **2.2** demeures et dressent à leur place des blocs de ciment, ces cubes hideux, sans vie, où dans le désespoir glacé, sépulcral, qui filtre des éclairages indirects, des tubes de néon, flottent de sinistres objets de cabinets de dentiste, de salles d'opération (...)
N. SARRAUTE, le Planétarium, p. 18.

Jeu de cubes : ensemble de cubes en bois avec lesquels les enfants font des constructions. — Ensemble de cubes dont chaque face est recouverte d'un morceau d'image qu'on peut recomposer.

Cet Être Suprême n'a pas pris des cubes, des petits dés **3** pour en former la terre. VOLTAIRE, Dialogues, 25.

(1978). *Cube de Rubik* (dit aussi *cube hongrois, cube magique,* et, par anglic., *Rubik's cube*) : cube à cinquante-quatre facettes de diverses couleurs, mobiles.

♦ **2** Par métonymie. Volume évalué. *Calculer le cube d'un matériau.* → **Cubage.** — *Cube d'air* : volume d'un local.

Fig. et rare. Quantité importante. *Un cube d'ignorance, de bêtise.*

♦ **3** Adj. Par métonymie et par appos. (en parlant d'une mesure). Qui exprime le volume d'un corps, pour le distinguer de la mesure linéaire correspondante; il s'écrit «³» (suscrit) et se lit «cube» [kyb]. *Mètre cube* (m³), *décimètre cube* (dm³), *centimètre cube* (cm³)... *Le centimètre cube évalue le volume d'un cube qui aurait un centimètre d'arête. Salle de 120 m³.* → **Cubage.** *Seringue de 5 cm³.*

Spécialt, mécan. (en parlant de la cylindrée* d'un moteur). *Cylindrée de 1 500 cm³,* 1 500 centimètres cubes. — N. *Un gros cube* : voiture, et, plus cour., moto de forte cylindrée. «*Si un motard a des ennuis sur la route, on s'arrête. Même si c'est un gros cube ou une petite moto, on se soutient*» (Interview d'un motard, in le Nouvel Obs., 16 oct. 1978, p. 82).

♦ **4** Math. *Cube d'un nombre* : produit de trois facteurs égaux à ce nombre. → **Puissance.** *Le cube de 2 est 8; a³ est le cube de a. Élever un nombre au cube,* à la puissance trois, le multiplier deux fois par lui-même. → **Cuber.** *Retrouver un nombre dont on a le cube.* → **Cubique** (racine).
Par métaphore. *Avoir le cube de qqch.*

♦ **5** (1867). Argot des écoles. Élève qui redouble la deuxième année préparatoire à une grande école. *Carrés, cubes et bicarrés* (cit.).

Argot. *Faire (à qqn) une tête au cube* : le frapper (→ Une tête au carré*; une grosse* tête).

CONTR. (Du sens 4.) **Racine** (cubique). ◊ DÉR. Cubature, cuber, cubicité, cubisme. — COMP. Archicube. — HOM. Formes du v. **cuber.**

CUBÈBE [kybɛb] n. m. — V. 1245 ; lat. médiéval *cubeba*, de l'arabe *kubbâba*.

Arbuste grimpant voisin du poivrier *(Pipéracées)*, dont les fruits contiennent un principe médicinal (n. **sc.** : *piper cuba*). — Par métonymie. Fruit du cubèbe. *Graine du cubèbe employée dans le traitement de la blennorragie.*

En appos. *Poivre cubèbe :* fruit du cubèbe.

(...) des navires chargés (...) de cannelle, de gaingal, de cubèbes, de girofle et autres épices (...)
  Jean D'ORMESSON, la Gloire de l'Empire, t. II, p. 513.

DÉR. Cubébine.

CUBÉBINE [kybebin] n. f. — XIXᵉ ; de *cubèbe*.

Chim. Substance cristallisable qu'on extrait du cubèbe. — REM. On trouve aussi le n. m. *cubébin* [kybebɛ̃], même sens.

CUBER [kybe] v. — 1549 ; de *cube*.

I V. tr. **♦ 1** Techn. Évaluer, mesurer (un volume) en unités cubiques*. → **Jauger.** *Cuber des bois de construction.*

♦ 2 Math. Élever au cube, à la puissance trois. → **Cube** (4.). *Cuber un nombre, un binôme.*

♦ 3 Fig. et rare. Augmenter considérablement. *Il a cubé sa fortune.*

II V. intr. **♦ 1** Avoir le volume de (suivi d'un nombre et d'une unité). *Cette citerne cube 200 litres. Une «chambre qui cubait 400 mètres»* (Giraudoux, *Juliette au pays des hommes*, p. 205).

(...) des files de sapins cubant leurs deux mètres de bois d'œuvre et laissant découvrir de beaux grands toits d'ardoise agrafée.
  Hervé BAZIN, Cri de la chouette, p. 74.

♦ 2 Fam. Représenter une grande quantité. → **Chiffrer.** *Si vous évaluez les frais, vous verrez que ça cube. Ça va finir par cuber.*

CONTR. Extraire (la racine cubique). **◊ DÉR. Cubage. ◄ HOM.** V. Cube.

CUBICITÉ [kybisite] n. f. — Av. 1973, in *la Clé des mots ;* de *cube*.

Didact. Qualité de ce qui est cubique.

CUBICULAIRE [kybikylɛʀ] n. m. — XIIIᵉ ; lat. *cubicularius* «valet de chambre».

Antiq. À Rome, Valet de chambre, notamment dans la maison impériale.

CUBILOT [kybilo] n. m. — 1841 ; p.-ê. altér. de l'angl. *cupilo, cupelow*, var. dial. (Sheffield) de *cupola* «four à coupole» de même orig. que le franç. *coupole ;* la «coupole», qui conduisait à la cheminée, a disparu dans les fours modernes.

Techn. Fourneau à creuset de métal pour la préparation de la fonte de seconde fusion.

La fonte court sur le sol de l'usine dans des moules en sable où elle se fige. Une partie du métal reçoit dans cette opération une forme définitive ; une autre partie subit dans un fourneau en forme de cuve, dit cubilot ou four à la Wilkinson, du nom de l'inventeur anglais, une seconde fusion, une sorte de raffinage.
  L. SIMONIN,
  le Creusot et les Mines de Saône-et-Loire,
  in le Tour du monde, t. I, 1867, p. 183.

CUBIQUE [kybik] adj. et n. f. — V. 1360 ; lat. *cubicus*, grec *kubikos*, de *kubos*. → Cube.

♦ 1 Du cube. *Forme cubique d'une caisse. Maison cubique.* — Figuré :

(...) ce calme profond qui dénote à l'observateur une puissance quelconque, la royauté que donne l'argent, le pouvoir tribunitien du bourgmestre, la conscience de l'art, ou la force cubique de l'ignorance heureuse.
  BALZAC, Séraphita, Pl., t. X, p. 487.

(Un couloir) qui donne accès (...) à une salle cubique, pauvrement éclairée par une ampoule nue qui pend au bout de son fil.
  A. ROBBE-GRILLET,
  Projet pour une révolution à New-York, p. 148.

Minér. *Système cubique :* ensemble des formes de cristaux dérivées du cube (le réseau cristallin possède 4 axes ternaires). → **Cristal.** *Cristal cubique.*

N. f. *Une cubique :* courbe plane ou gauche du troisième degré.

♦ 2 Arith. et alg. *Racine cubique d'un nombre :* nombre qui, élevé au cube* (à la puissance 3), donne ce nombre. *La racine cubique de 8 est 2 ; la racine cubique de a est* $\sqrt[3]{a}$. → **Racine.** *Extraire la racine cubique d'un nombre.*

Équation cubique (ou *équation du troisième degré*), dans laquelle l'inconnue est à la puissance 3.

CUBISME [kybism] n. m. — 1908 ; de *cube*, et *-isme ;* attribué parfois à une boutade de Matisse parlant d'un tableau de Braque, parfois à la critique. → ci-dessous, cit. 1.

École de peinture, florissante de 1910 à 1930, qui se proposait de représenter les objets décomposés en éléments géométriques simples (rappelant le cube) sans restituer leur perspective. *Le cubisme est surtout connu par les toiles de Picasso, de Braque, de Juan Gris.*

Par ext. Art qui s'inspire du cubisme. *Le cubisme littéraire de Pierre Albert-Birot.*

Braque avoue «quand nous avons fait du Cubisme, nous n'avions aucune intention de faire du Cubisme, mais d'exprimer ce qui était en nous». Et Picasso s'exprime dans le même sens. Mais, si proches l'un de l'autre qu'ils aient été, si ressemblants à certains égards, ce qui les unit demeure moins important que ce qui les divise. Leurs voies s'écartent de plus en plus au fur et à mesure qu'ils feront du Cubisme une aventure personnelle. Le terme, Cubisme, étant d'ailleurs né d'une manière toute fortuite sous la plume du critique d'art de Gil Blas, Louis Vauxcelles, qui avait écrit en effet que «Braque méprise les formes, réduit tout, sites, figures et maisons romaines, à des schémas géométriques, à des cubes». Le mot avait fait fortune et, l'année suivante, les toiles présentées au Salon des Indépendants étaient définies bizarreries cubiques.
  U. APOLLONIO, Matérialiser l'espace, in Braque, p. 4.

Dans le cubisme initial l'objet prédomine, puis progressivement l'analyse prend le dessus et dans la dernière phase du cubisme, en 1912-1913, Braque et Picasso procèdent à une synthèse de toutes les données issues de l'analyse des formes. Mais le monde extérieur n'est pas pour autant renié.
  Dora VALLIER, l'Art abstrait, p. 33-34.

DÉR. Cubiste.

CUBISTE [kybist] adj. et n. — V. 1910, peint. ; n. m., archéol., 1871 ; de *cubisme*.

Qui a rapport au cubisme*. *Peinture, toile cubiste. Mouvement cubiste.*

(Picasso dispose) l'objet, dans ses toiles cubistes (...) selon un processus, où les lois de la consistance et de la résistance matérielle sont déterminantes et où le découpage, le dépliage d'éléments apparents des solides sont coordonnés dans l'intention d'enlever à la surface plane de la toile la tricherie consistant à faire croire qu'elle possède une profondeur réelle.
  Tristan TZARA, Picasso.

N. *(Un, une cubiste).* Adepte du cubisme ; peintre qui appartient au cubisme. — Par ext. Artiste qui s'inspire des principes cubistes. *Un cubiste littéraire.*

2 L'apport le plus personnel des Cubistes a été de confondre la notion de mouvement avec celle de déplacement. En écartant les contours de la forme classique (...) en juxtaposant et en superposant sur la surface plate du tableau des fragments d'un réel démonté, les Cubistes ont cru avoir introduit positivement un facteur nouveau qu'ils ont baptisé comme une dimension.
Pierre FRANCASTEL, Art et Technique, p. 165.

3 Les cubistes ne rejettent nullement la réalité, objets et êtres sont présents dans le tableau cubiste, seulement leurs formes, au lieu d'être reprises à la lettre, sont analysées, et ce qui confère à la composition un aspect abstrait c'est l'analyse elle-même de plus en plus poussée d'une toile à l'autre.
Dora VALLIER, l'Art abstrait, p. 33.

CUBITAINER [kybitɛnɛʀ] n. m. — 1959; marque déposée, mot-valise formé de cubi(que), et (con)tainer.
Récipient de plastique, de forme approximativement cubique, servant au transport des liquides et en particulier du vin. Acheter du vin en cubitainer. — Recomm. off. : caisse-outre, n. f. (inusité).

CUBITAL, ALE, AUX [kybital, o] adj. et n. m. — 1478; lat. cubitalis «haut d'une coudée», de cubitus «coude»; pris comme adj. de coude.
♦ **1** Anat. Qui appartient au cubitus* ou au coude. — Nerf cubital, artère cubitale. Os cubital. → **Cubitus**; ulnaire. Muscles cubitaux.
N. m. Le cubital : muscle, nerf ou os du coude.
♦ **2** Zool. Nervure cubitale, de l'aile des hyménoptères, qui traverse l'aile du radius à l'extrémité.

CUBITIÈRE [kybitjɛʀ] n. f. — 1845; de cubitus «coude».
Techn. Pièce des anciennes armures qui protégeait le coude (→ Coudière).
(...) des genouillères et des cubitières jaillissait une pointe d'acier recourbé en façon de serre d'aigle, et le bout des pédieux s'allongeait en griffe.
Th. GAUTIER, le Capitaine Fracasse, t. II, p. 175.

CUBITO- Élément, du lat. cubitus «coude», entrant dans la composition de nombreux termes d'anatomie. → **Cubito-carpien, cubito-digital, cubito-palmaire, cubito-phalangien, cubito-radial.**

CUBITO-CARPIEN, IENNE [kybitokaʀpjɛ̃, jɛn] adj. — 1845; de cubito-, carpe, et suff. -ien.
Anat. Qui appartient au cubitus* et au carpe*. Muscle, ligament cubito-carpien.

CUBITO-DIGITAL, ALE, AUX [kybitodiʒital, o] adj. — 1842; de cubito-, et digital. → Doigt.
Anat. Qui appartient au cubitus* et au doigt. Douleur cubito-digitale.

CUBITO-PALMAIRE [kybitopalmɛʀ] adj. — 1842; de cubito-, et palmaire. → Paume.
Anat. Qui appartient au cubitus* et à la paume de la main. — Spécialt. Artère cubito-palmaire.

CUBITO-PHALANGIEN, IENNE [kybitofalɑ̃ʒjɛ̃, jɛn] adj. et n. m. — XIXᵉ; de cubito-, phalange, et suff. -ien.
Anat. Se dit du muscle fléchisseur sur l'avant-bras du cheval. — N. m. Le cubito-phalangien.

CUBITO-RADIAL, ALE, AUX [kybitoʀadjal, o] adj. — 1842; de cubito-, et radial.
Anat. Qui appartient au cubitus* et au radius*. — Au plur. Cubito-radiaux.

CUBITUS [kybitys] n. m. — 1541; mot lat., «coude».
Anat. Le plus gros des deux os de l'avant-bras, dont l'extrémité supérieure s'articule avec l'humérus au niveau du coude. → **Radius**. Fracture du cubitus. Apophyse saillante de l'extrémité du cubitus. → **Olécrane**.
La situation du radius est oblique, et celle du cubitus droite. Ambroise PARÉ, IV, 26, in LITTRÉ.
DÉR. Cubital, cubitière. ◊ COMP. V. Cubito-.

CUBOÏDE [kybɔid] n. m. et adj. — 1708; cyboïde, A. Paré, XVIᵉ; du grec kuboeidês, de kubos. → Cube.
Anatomie.
♦ **1** Os de la première rangée du tarse situé du côté externe du cou-de-pied, en avant du calcanéum.
♦ **2** Adj. (1869). Cour. Qui a la forme d'un cube. → **Cubique** (1.).

CUBOMÉDUSE [kybomedyz] n. f. — XXᵉ; du grec kubos (→ Cube), et méduse.
Didact. (zool.). Ancien groupe de méduses acalèphes, de forme plus ou moins cubique, dotées de quatre tentacules.

CUCUBALE [kykybal] n. m. — Déb. XVIIIᵉ; p.-ê. altér. de cucube; lat. cucubalus.
Bot. Plante dicotylédone (Caryophyllées) du groupe des silénées, vivace, à tige souvent grimpante, à fleurs blanches, à fruit charnu, noir et luisant (baie), qui croît dans les lieux humides, les haies; il est parfois assimilé à la silène*.

CUCUL [kyky] adj. — XXᵉ; redoublement de cul.
♦ **1** Fam. Niais, un peu ridicule. Il est cucul, ce film. Cucul la praline, ou (renforcement plaisant), cucul la praloche. — On écrit parfois cucu.
Tous les regards s'étaient tournés vers lui et le public se mit à rire gaiement, du reste sans hostilité. On le trouvait simplement cornichon, cucul la rainette, ratapoil et rantanplan. M. AYMÉ, Travelingue, p. 225. 1
Balzac et Proust resteront des amis intimes. J'estimai Corydon (de Gide) cucul. 2
Jean-Louis BORY, Ma moitié d'orange, p. 59.
N. Quel cucul! Va donc, pauvre cucu! Quelle cucul, cette fille!
♦ **2** Fam. (enfantin). Derrière, cul. «Il a encore bobo à son cucul!» (H. Bazin, in Colin). Panpan cucul!
DÉR. Cucuterie.

CUCULLE [kykyl] n. f. — 1308; lat. ecclés. cuculla.
Didactique.
♦ **1** Capuchon de moine (→ Cilice, cit. 3).
— Je vais pour vous — merci! —
Dire mon chapelet jusqu'au grain majuscule
— Bonne chance! Mes vœux suivent votre cuculle!
Edmond ROSTAND, Cyrano de Bergerac, III, 7.
♦ **2** Ancien vêtement de moine couvrant à la fois la tête et le corps. → 1. **Coule.**
♦ **3** Scapulaire de chartreux.

CUCUMÈRE [kykymɛʀ] n. m. — Déb. XIVᵉ, cucumer; mot lat., «concombre».
Didact. (latinisme). Concombre (Huysmans, la Cathédrale, in T. L. F.).

CUCURBITACÉES [kykyʀbitase] n. f. pl. — 1721, adj.; de l'adj. cucurbitacé, 1721 (→ REM.2.); du lat. sc. cucurbita «courge».

Bot. Famille de plantes phanérogames angiospermes, classe des dicotylédones gamopétales, comprenant des herbes annuelles ou vivaces, rampantes ou volubiles, dont le fruit est une péponide ou pépon*, et qui croissent dans les régions chaudes. *Types principaux de cucurbitacées.* → **Bryone, calebasse, coloquinte, concombre** (cornichon...), **courge** (gourde, citrouille, potiron), **luffa, melon, momordique** (ecbalium, élatérion), **pastèque.** — Au sing. *Une cucurbitacée.*

CUCURBITE [kykyʀbit] n. f. — XIVᵉ; lat. *cucurbita* «courge».

Didactique.

♦ **1** Partie inférieure de l'alambic, à panse renflée, dans laquelle on met les matières à distiller.

1 Bosse-de-Nage (*un singe*) se crut obligé de revêtir un habit noir et de couronner son crâne, semblable à une cucurbite malintentionnée, d'un chapeau belge.
A. JARRY, Gestes et Opinions du Dᴿ Faustroll, Pl., p. 695.

♦ **2** Minér. Pierre argileuse de la forme d'un concombre.

♦ **3** Fruit des cucurbitacées. → **Cucumère, pépon.**

2 (...) leur fruit, qui n'est ni celui du lierre, ni une cucurbite, ressemble exactement au fruit bien connu de l'asclépias (...)
Émile BURNOUF, la Science des religions, p. 247.

CUCURBITÉ, ÉE, ÉES [kykyʀbite] adj. et n. f. pl. — 1814; dér. sav. du lat. *cucurbita* «courge», et suff. -é. Didactique.

♦ **1** Adj. Semblable à la courge. → **Cucurbitacées.**

♦ **2** N. f. pl. (*Les cucurbitées*). → **Cucurbitacées.**

CUCURBITIN ou **CUCURBITAIN** [kykyʀbitɛ̃] n. m. — 1752, *cucurbitin*; *cucurbitain*, 1762; *cubitius*, XIVᵉ; du lat. *cucurbita* (→ Cucurbitacées), et suff. -ain.

Zool., méd. Chacun des derniers anneaux du strobile d'un ténia qui, bourré d'œufs, a la forme d'un pépin de citrouille et est rejeté hors de l'intestin.

CUCUTERIE [kykytʀi] n. f. — V. 1920; de *cucul.*

Fam. Niaiserie ridicule. *La cucuterie de sa conversation. — (Une, des cucuteries).* Paroles niaises et ridicules.

1 On a dans les oreilles les cucuteries que se chuchotent les amants.
J. DUTOURD, les Horreurs de l'amour, p. 629.

Chose ridicule.

2 Pas de villas croquignolettes (...) pas de cucuteries à pergola choisies sur catalogue ni de chalet normand pour retraités coquets.
Jacques PERRET, Bâtons dans les roues, p. 111.

CUEILLAGE [kœjaʒ] n. m. — 1343, *quellage*; de *cueillir.*

♦ **1** Rare. Action de cueillir (des fruits). → **Cueille, cueillette.**

♦ **2** Techn. **ⓐ** Opération de verrerie* qui consiste à prendre avec la canne le verre pâteux en fusion pour souffler dedans (→ **Cueilleur, 2.**).

ⓑ Bonneterie. Prise (du fil) par le bec de l'aiguille. *Les mouvements «nécessaires au cueillage, à l'amenage (...) du fil»* (Ch. Martin, la Laine, p. 93).

CUEILLAISON [kœjɛzɔ̃] n. f. — 1832; *quieuson*, 1260; *ceulison*, XVᵉ; de *cueillir.*

Littéraire.

♦ **1** Action de cueillir. → **Cueillage, cueille, cueillette.** — Fig. *«La cueillaison d'un rêve...»* (→ Cueillir, cit. 10, Mallarmé).

♦ **2** Par métonymie. Époque où l'on cueille (les fruits). → **Cueillette** (cour.). *Pendant la cueillaison des pêches.*

CUEILLE [kœj] n. f. — 1530; *cueil*, XVᵉ; de *cueillir.*

Vx ou régional. Action de cueillir. → **Cueillage, cueillaison, cueillette.** *La cueille des fruits* (→ Crépitation, cit. 1, Sand).

CUEILLE-FRUITS [kœjfʀɥi] n. m. invar. — XIXᵉ; de *cueillir*, et *fruits.*

Agric. Instrument pour cueillir des fruits inaccessibles. → **Cueilloir.**

Il y avait, pour attraper les figues hautes du jardin de B., un long cueille-fruits, fait d'un bambou et d'un entonnoir de fer (...)
R. BARTHES, Fragments d'un discours amoureux, p. 257.

CUEILLETTE [kœjɛt] n. f. — XIIIᵉ, *cueilloite* «impôt»; du lat. *collecta*, p. p. subst. de *colligere* (→ Cueillir), d'après *cueillir.*

♦ **1** Action de cueillir. → **Cueillage, cueillaison, cueille.** *Faire une cueillette, la cueillette de...* — Spécialt. Récolte*. *La cueillette des cerises, des pommes, des oranges, des olives. Cueillette manuelle, mécanique du coton.*

1 Les Californiens ont mis au point une technique minutieuse de la cueillette (*des agrumes*). Le cueilleur porte des gants de coton afin de ne pas égratigner les fruits avec ses ongles. Il se sert d'un sécateur spécialement étudié qui tranche le pédoncule au ras du fruit (...) Il met les fruits dans un sac de toile, fortement cousu et renforcé de cuir, qu'il porte en bandoulière sur le côté gauche.
Paul ROBERT, les Agrumes dans le monde, p. 207.

Par métonymie. Les fleurs ou les fruits que l'on a cueillis. *Une belle cueillette.*

2 Depuis huit jours il court les bois et les collines, pour la cueillette de ses plantes. Ce soir, il est rentré, chargé d'herbes, de fleurs. Il en avait plein les épaules. Ça embaumait.
H. BOSCO, le Jardin d'Hyacinthe, p. 278.

♦ **2** Action de rassembler (des objets que l'on trouve çà et là). → **Collecte, ramassage.** *La cueillette des chiffons.* — Loc. Vieilli. *Faire la cueillette,* la quête, une collecte au profit de déshérités. — Vieilli. *Voleur à la cueillette.* → À la tire*. — Fig. *La cueillette des idées. Une cueillette de sentiments.*

♦ **3** Mar. *Navire chargé à la cueillette, en cueillette,* dont la cargaison est composée de marchandises appartenant à divers affréteurs.

3 Les affrètements partiels sont de beaucoup les plus fréquents. Ils sont quelquefois faits *à cueillette* (...) c'est dans le cas où l'armateur d'un *tramp* ne veut pas s'engager d'une façon ferme envers un affréteur, sans savoir s'il trouvera de quoi compléter le chargement de son navire; il est donc convenu que le contrat sera résilié si, dans un certain délai, l'armateur ne trouve pas une cargaison suffisante pour remplir les trois quarts du navire.
Léon LACOUR, Précis de droit maritime, n° 209.

♦ **4** Sociol. Ramassage des produits végétaux comestibles (dans les groupes humains qui ignorent la culture). *Ils vivent de pêche, de chasse et de cueillette.*

CUEILLEUR, EUSE [kœjœʀ, øz] n. — 1303; «percepteur», 1272; de *cueillir.*

♦ **1** Personne qui cueille (→ Cueillette, cit. 1). *Des cueilleuses de fruits, de lavande.*

1 Feuillage, fleurs, bourgeons, vous vous êtes laissé prendre.
   Je ne connais pas vos morts, citadins cueilleurs de
   muguets, je connais les miens.
                          Violette LEDUC, la Folie en tête, p. 12.

2 (...) dans l'autre cartouche ovale on pouvait voir représenté
   un champ de tabac dont les larges feuilles dissimulaient
   jusqu'à mi-corps des hommes en manches de chemise et
   coiffés d'un vaste chapeau, occupés sans doute à la cueillette, le champ de tabac limité, au fond, par une colline
   sur laquelle poussaient plusieurs palmiers semblables à
   ceux qui étaient représentés sur le blason : il en compta
   cinq (un isolé sur la gauche, les quatre autres groupés en
   bouquet sur la droite), et huit cueilleurs dans le champ
   de tabac (ou plutôt, à y bien regarder, sept cueilleurs
   seulement, le buste courbé, les bras tendus ou à moitié
   repliés...)...   Claude SIMON, le Palace, p. 137.

♦ 2 Techn. Ouvrier verrier qui pratique l'opération
de cueillage* (2.).

N. f. *Cueilleuse* : machine qui permet de détacher
mécaniquement les capsules du cotonnier.

CUEILLI, IE [kœji] p. p. et adj. → **Cueillir.**

CUEILLIR [kœjiʀ] v. tr. [CONJUG.: *je cueille, nous cueillons ;
je cueillais, nous cueillions ; je cueillis ; je cueillerai ; que je cueille,
que nous cueillions ; que je cueillisse ; cueillant ; cueilli.*] — V. 980,
«prendre quelqu'un»; «accueillir, recueillir», 1080; du lat.
colligere «recueillir, rassembler», de *col- (cum)*, et *legere*
«ramasser».

♦ 1 Détacher (une partie d'un végétal) de la tige.
Cueillir une fleur, un fruit, une feuille (→ Bleuet,
cit. 1). *Cueillir des fleurs. Cueillir des marguerites,
des pâquerettes. — Cueillir les fruits.* → **Cueille,
cueillage, cueillaison, cueillette** (faire la); **défruiter,
récolter, vendanger** (le raisin). *Cueillir un fruit sur
l'arbre.* → **Détacher.** *Cueillir quelques grains sur une
grappe.* → **Picoter.** *Cueillir les grappes qui restent
après la vendange.* → **Grappiller.** *Saison où l'on
cueille les fruits.* → **Cueillaison** (2.).

1 Qui ne les eût à ce vêpre *(soir)* cueillies *(ces fleurs)...*
                          RONSARD, Amours diverses, II.

2 Tiens, ma bien-aimée, prends cette branche fleurie de
   citronnier que j'ai cueillie dans la forêt; tu la mettras, la
   nuit, près de ton lit.
                  BERNARDIN DE SAINT-PIERRE, Paul et Virginie,
                                                          p. 60.

3 Je veux aussi y cueillir de la menthe pour embaumer mon
   linge (...)   G. SAND, François le Champi, X, p. 90.

Par métonymie. *Cueillir un bouquet* : cueillir des
fleurs pour en faire un bouquet.

4 Et j'ai coupé la branche au hêtre
   Et cueilli en passant à l'automne qui dort
   Le bouquet des trois feuilles d'or.
              Mathurin RÉGNIER, Jeux rustiques et divins,
                                            «Odelette», II.

Loc. *Cueillir des pâquerettes, des marguerites,
cueillir les fraises...* : s'attarder, musarder (cf.
Aller aux fraises).

Par ext. *Cueillir des coquillages.* → **Récolter.**

♦ 2 Par métaphore ou fig. (littér.). Prendre. → **Moissonner, ramasser, récolter, recueillir** (plus cour.).
Cueillir des anecdotes. → **Collecter.** *Cueillir un
baiser,* le prendre avec douceur (cf. Voler un
baiser). — Vx. *Cueillir une femme,* la séduire,
obtenir ses faveurs. — Par métaphore. *Cueillir la
palme au martyre. Cueillir des lauriers* : remporter
des succès éclatants. → **Illustrer** (s'). *Cueillir les
roses de la vie,* les plaisirs (→ Attendre, cit. 34). —
*Cueillir des applaudissements. Cueillir le jour qui
passe.* → **Carpe diem.**

5 Donc, si vous me croyez, mignonne,
   Tandis que votre âge fleuronne
   En sa plus verte nouveauté,
   Cueillez, cueillez votre jeunesse (...)
                          RONSARD, À Cassandre.

C'est le fruit que j'attends des lauriers qui m'attendent;   6
Heureux si mon destin, encore un peu plus doux,
Me les faisait cueillir sans m'éloigner de vous.
                          CORNEILLE, Pompée, IV, 3.

Mes sens sont altérés, toutes mes facultés sont troublées   7
par ce baiser mortel (...) C'est du poison que j'ai cueilli sur
tes lèvres (...)
              ROUSSEAU, Julie ou la Nouvelle Héloïse, I,
                                                  Lettre XIV.

L'amour est une fleur délicieuse, mais il faut avoir le cou-   8
rage d'aller la cueillir sur les bords d'un précipice affreux.
                          STENDHAL, De l'amour, p. 128.

Cherchez les effets et les causes,   9
Nous disent les rêveurs moroses.
Des mots! Des mots! Cueillons les roses.
                          Th. DE BANVILLE, in P. LAROUSSE.

Ma songerie, aimant à me martyriser,   10
S'enivrait savamment du parfum de tristesse
Que même sans regret et sans déboire laisse
La cueillaison d'un rêve au cœur qui l'a cueilli.
                          MALLARMÉ, Apparition, Pl., p. 30.

Je les cueille toutes maintenant dans mon souvenir, ces   11
pensées (...)   PROUST, les Plaisirs et les Jours, p. 146.

Sois satisfait des fleurs, des fruits, même des feuilles,   12
Si c'est dans ton jardin à toi que tu les cueilles!
          Edmond ROSTAND, Cyrano de Bergerac, II, 8.

Et pourtant, que de fois, sur le point de cueillir une joie,   13
m'en suis-je soudain détourné comme aurait pu faire un
ascète.   GIDE, Nouvelles nourritures, III, I, p. 258.

♦ 3 (1878). Fig., fam. (Personnes). *Cueillir qqn,* le
prendre* aisément au passage. *Cueillir un ami
à la gare,* l'y accueillir alors qu'il ne s'y attend
pas. *Cueillir qqn au vol,* l'arrêter au moment où
il passe. — Spécialt. *Cueillir un voleur,* l'arrêter par
surprise. → **Pincer, piquer** (→ Bénéficier, cit. 3). *Se
faire cueillir.*

(...) tu serais cause qu'on nous cueillerait.   13.1
              Louise MICHEL, la Misère, t. III, p. 693.

Parlant d'un jeune voleur qu'il ramène encadré, le flic ose 13.2
dire : — J'viens de l'cueillir su' le macadam!
                          Jean GENET, Pompes funèbres, p. 37.

— Et on a fait vite, dit le caporal. Il s'agissait pas de traîner : 13.3
ceux du vingt-huitième, sur notre flanc gauche, qui ont
trop attendu, ils se sont laissé cueillir comme des gamins.
— Maintenant, de toute façon, dit le soldat, ça va bien
revenir au même. Un jour ou l'autre, on sera ramassés.
      A. ROBBE-GRILLET, Dans le labyrinthe, p. 176-177.

(1904, *in* Petiot). Boxe. *Cueillir un adversaire,* l'atteindre d'un coup qui le surprend.

(Choses). Le sujet désigne un projectile, un coup. *La
balle l'a cueilli à l'épaule.*

♦ 4 Techn. [a] Mar. *Cueillir un cordage,* le ramasser
en le roulant sur lui-même.

[b] Techn. *Cueillir les fils* : couper le fil dont on
fait les épingles. — *Cueillir la soie* : boucler la soie
placée sur les platines. — *Cueillir du plâtre,* en détacher une petite partie. — *Cueillir du verre fondu.*
→ **Cueillage** (2.), **cueilleur** (2.).

Lorsque la température élevée du four l'eut réduite à l'état   13.4
liquide ou plutôt à l'état pâteux, Cyrus Smith «cueillit» avec
la canne une certaine quantité de cette pâte; il la tourna
et la retourna sur une plaque de métal préalablement
disposée, de manière à lui donner la forme convenable
pour le soufflage; puis il passa la canne à Harbert en
lui disant de souffler par l'autre extrémité. «Comme pour
faire des bulles de savon? demanda le jeune garçon. —
Exactement», répondit l'ingénieur.
              J. VERNE, l'Île mystérieuse, t. I, p. 419.

♦ **CUEILLI, IE** p. p. adj.
Détaché (en parlant d'un végétal). *Des roses cueillies.*

(...) de petits paniers d'osier remplis de *mirtilles* noires, 14
fraîches cueillies.
          Alphonse DAUDET, Contes du lundi, «Alsace,
                                                Alsace!».

CONTR. **Laisser.** — **Disperser, éparpiller.** — **Filer** (un cordage). — **Dédaigner, gaspiller, repousser.** ◇ DÉR. **Cueillage,
cueillaison, cueille, cueilleur, cueilloir.** — COMP. **Accueillir,
recueillir.** — **Cueille-fruits.**

CUEILLOIR [kœjwaʀ] n. m. — 1322; de *cueillir*.

Technique (agriculture).

♦ **1** Instrument consistant en un long bâton armé de cisailles pour couper les fruits des hautes branches. → **Cueille-fruits.**

♦ **2** Corbeille de cueillette. *Mettre des fruits dans un cueilloir.*

CUESTA [kwɛsta] n. f. — 1925; mot esp. «côte».

Géogr. Plateau structural à double pente asymétrique. → 2. **Côte.** *Des cuestas.*

CUFAT ou **CUFFAT** [kyfa] n. m. — 1855; du lat. *cupa* «tonneau, cuve»; mot du Nord de la France.

Techn. (mines). Tonneau en acier accroché à un câble, utilisé pour la remontée des déblais ou pour la circulation du personnel dans un fonçage de puits de mine.

Deux grands procédés sont utilisés *(pour la remontée au jour)* : la remontée par cages et la remontée par skips (ce dernier procédé sous sa forme actuelle est extrêmement récent, mais il est une évolution naturelle de l'utilisation des *cuffats*). Michel CAZIN, les Mines, p. 105.

REM. On écrit aussi *cuffa.*

ÇUI-CI [sɥisi] pron. → **Celui-ci.**

CUI-CUI [kɥikɥi] interj. et n. m. invar. — 1856, *coui-coui; cuic,* 1869; onomatopée.

Pépiement des oiseaux.

1 Le piaf allait se planquer derrière le rideau. On l'appelait, il répondait : cui-cui.
Jean FERNIOT, Pierrot et Aline, p. 35.

N. m. invar. Pépiement (d'oiseau).

2 Pour beaucoup moins cher (...) vous pouvez avoir un petit oiseau modeste (...) il vous dira d'honnêtes cui-cui sans génie, mais purs comme la rosée, vrais comme le jour (...) C'est un fait que le manque de cui-cui authentiques se fait durement sentir dans le monde moderne, monstrueuse volière encombrée d'oiseaux braillards et funestes.
Jacques PERRET, Bâtons dans les roues, p. 271.

Loc. verb. *Faire cui-cui :* pépier, chanter, crier (en parlant d'un oiseau). — Par analogie :

3 De temps à autre le chien de Meussieu Exossé aboie; les poules de Mme Caumerse coassent; une auto fait coincoin, la bicyclette du facteur cuicui et la brouette du jardinier cuicui. Ces bruits divers et discrets donnent à la verdure des platanes un charme que seuls les esprits distingués peuvent apprécier. Théo les apprécie.
R. QUENEAU, le Chiendent, p. 330-331.

Var. (onomat.) : *cuic.* «*Quand il dit "Cuic!", le moineau croit avoir tout dit*» (J. Renard, *Journal,* 10 avr. 1907).

CUIDER [kɥide] v. tr. — V. 1050; du lat. *cogitare.* → (fam.) Cogiter.

Vx. Littér. ou par plais. Penser*, croire*.

Tel, comme dit Merlin, cuide *(croit)* engeigner *(tromper)* autrui,
Qui souvent s'engeigne soi-même.
LA FONTAINE, Fables, IV, 11.

♦ **SE CUIDER** v. pron.
Se croire, penser être.

ÇUI-LÀ ou **ÇUILÀ** [sɥila] pron. → **Celui-là.**

CUILLER ou **CUILLÈRE** [kɥijɛʀ] n. f. — XIe, *culier; coller,* n. m., v. 1150; *cuillier,* n. f., v. 1160; du lat. impérial *cochlearium,* de *cochlear* «proprt ustensile à manger les escargots», de *cochlea* «escargot» (→ Cochléaire).

♦ **1** Ustensile de table ou de cuisine formé d'un manche et d'une partie creuse, et qui sert à transvaser ou à porter à la bouche les aliments liquides ou peu consistants. *Manche, cuilleron*, dos de la cuiller. Cuiller de vermeil, d'argent, de ruolz, d'étain, de fer, de bois, d'os, d'ivoire. Cuiller ciselée. Cuiller à filet*. Cuiller et fourchette assorties.* → 1. **Couvert.** — (Camping) *Cuillère-fourchette :* ustensile à double fonction. — *Cuiller à bouche,* ou *cuiller à soupe. Cuiller à dessert,* ou *à entremets. Cuiller à café, à moka* ou *petite cuiller. Cuiller à œuf. Cuiller pour servir le poisson.* → **Truelle.** *Cuiller à salade, en bois, en os, en matière plastique. Cuiller à moutarde. Cuiller à sel. Cuiller pour servir les confitures.* → **Palette.** *Cuiller à punch, à sauce,* à cuilleron transversal. *Cuiller à manche long,* pour bocal. *Grande cuiller.* → **Poche.** *Cuiller à pot.* → 2. **Louche, pochon.** *Grande cuiller à trous pour écumer.* → **Écumoire.** — *Tourner la sauce dans la casserole avec une cuiller en bois. Faire fondre le sucre avec la cuiller. Étaler la pâte d'un gâteau avec une cuiller.* → **Biscuit** (à la cuiller).

On a inventé aux tables une grande cueillère *(sic)* pour la commodité du service : il la prend, la plonge dans le plat, l'emplit, la porte à sa bouche (...)   1
LA BRUYÈRE, les Caractères, XI, 7.

Le bruit des cuillers sonnant sur la faïence éclaira le début du repas.   2
G. DUHAMEL, Chronique des Pasquier, III p. 12.

(...) Pauline (...) remuait avec une cuiller de bois des morceaux de viande qui crépitaient dans la casserole.   3
J. CHARDONNE, les Destinées sentimentales, II, II, p. 228.

(...) Elle s'y connaît aussi en cuillères de bois parce que son sabotier de mari en fait encore de temps en temps. Et il les taille, dit-il, à la mesure de la bouche de chacun. Et chacun retrouve sa cuillère personnelle à la vue, sans autre marque. C'est peut-être difficile à croire, mais il reconnaît sa propre bouche dessus.   3.1
Ces cuillères, vers mes six ans, on peut encore les acheter, dans les foires et marchés, aux boisseliers ambulants. Les menuisiers, les sabotiers, les tourneurs en fabriquent à leurs moments perdus. Les petits pâtres les taillent au couteau en gardant les bêtes.
P.-J. HÉLIAS, le Cheval d'orgueil, p. 450.

(...) accrocher au mur la cuillère de mes trop rares repas, las de la voir traîner par terre (en l'absence de tout autre mobilier qu'une chaise de bois sans barreaux) cet ustensile censé demeurer à l'abri des souillures.   3.2
La cuillère en question est du reste assez incommode pour manger, car elle a été percée, au milieu de sa partie creuse, d'un trou circulaire où je peux presque passer le doigt, ce qui facilitera son accrochage ; mais une petite perforation à l'extrémité du manche aurait présenté le même avantage, sans les inconvénients de la solution adoptée.
A. ROBBE-GRILLET, Souvenirs du triangle d'or, p. 134.

Au plur. *(Cuillères).* Instrument à percussion formé de deux cuillers réunies par le manche au moyen d'une articulation à ressort. *Jouer des cuillères.*

Par métonymie. Contenu d'une cuiller. → **Cuillerée.** *Prenez une cuiller à café de cette potion matin et soir.* — Fam. (lang. enfantin). *Une cuillère pour maman, une cuillère pour papa.* → **Cuillerée.**

Si monsieur veut bien avaler du reste assez incommode cuiller pour papa (...)   3.3
Tony DUVERT, Paysage de fantaisie, p. 186.

♦ **2** [a] Techn. Ustensile de forme analogue à la cuiller (1.). *Cuiller de verrier, de plombier, d'ajusteur.* → **Casse.** *Cuiller de forgeron.* → **Gouge.** *Cuiller utilisée dans le raffinage du sucre.* → **Pucheux.** *Cuiller de glacier, pour mouler les boules de glace. Cuiller de pharmacien.* → **Spatule.** *Cuiller de chirurgien,* servant à cureter. — *Cuiller pour nettoyer l'âme d'un canon.* → **Curette.** — Vx. *Cuiller à boulets rouges :* outil avec lequel on transportait les boulets du fourneau à la pièce.

(1866). Pêche. Leurre métallique tournant ou ondulant. *Pêcher à la cuiller.*

3.4 Les Indiens accroupis sur leur garrot, parmi les touffes de plumes blanches, les retenaient avec la cuiller du harpon, tandis que, dans les tours, des hommes cachés jusqu'aux épaules promenaient, au bord des grands arcs tendus, des quenouilles en fer garnies d'étoupes allumées.
FLAUBERT, Salammbô, Pl., t. I, p. 881.

[b] (1878). Fam. Aujourd'hui seult dans la loc. *(se) serrer la cuiller.* Main. → 2. **Louche, pince.**

3.5 Je leur serre la cuiller à tous et je m'éloigne.
SAN-ANTONIO, le Secret de Polichinelle, p. 90.

[c] Partie d'objet dont la forme évoque une cuiller. *Ciseaux à cuiller :* ciseaux courbes. — Bot. *Herbe aux cuillers.* → **Cochléaria.**

4 Les cuillers arrondies du bec de la spatule paraissent propres à ramasser les coquillages. BUFFON, *in* LITTRÉ.

Méd. *Cuillers d'un forceps :* extrémité évasée et concave des branches du forceps.

Cuiller de tube lance-torpilles : extrémité évidée de la partie inférieure du tube, qui permet de soutenir et diriger la torpille à sa sortie. *Cuiller d'une grenade :* pièce qui maintient la goupille* d'une grenade.

4.1 La cuiller appuie contre le creux de sa paume et il savoure cette pression avec une exaltation secrète, en entretenant pour lui-même un inutile suspense.
Régis DEBRAY, l'Indésirable, p. 41.

[d] Loc. **CUILLER À POT** : sabre court, recourbé (comme une louche?) [*in* J. Perret, *le Vent dans les voiles,* cité par J. Cellard, *le Monde,* 7 sept. 1981]. (Techn. anc.). Grand composteur de typographe (E. Boutmy, 1883, cité par J. Cellard, *le Monde,* 7 sept. 1981).

[e] *En cuiller :* en forme de cuiller. *Pétales, feuilles en cuiller.*

♦ 3 Loc. fam., vx. *Avaler, rendre, verser sa cuiller (au magasin) :* mourir. — Mod. *Faire une chose en deux coups, en trois coups de cuiller à pot** (cit. 13), la faire très vite, en un tour de main. — *Être à ramasser à la petite cuiller :* être en piteux état.

Ne pas y aller avec le dos de la cuiller : agir sans modération.

5 Tu es engagé pour combien de temps? — Trois ans. — Eh bien! ma canaille, tu n'y vas pas, comme on dit, avec le dos de la cuiller.
P. MAC ORLAN, la Bandera, IX, p. 106.

DÉR. Cuillerée, cuilleron.

CUILLERÉE [kɥijʀe; kɥijeʀe] n. f. — 1393; de *cuiller.* La quantité contenue dans une cuiller. → **Cuiller** (1., par métonymie). *Prendre une cuillerée de sirop. Cuillerée à dessert, à soupe, à café. Boire par petites cuillerées* (→ Assiette, cit. 15). — *Une cuillerée pour papa, pour maman,* formule d'encouragement à manger, adressée aux jeunes enfants (syn. : *une cuiller pour papa...*).

CUILLERON [kɥijʀɔ̃] n. m. — 1352, *culleron;* de *cuiller.*

♦ 1 Techn. Coupe ovale ou ronde qui est au bout du manche d'une cuiller, pour prendre le liquide, la poudre, etc. *Cuilleron plat d'une truelle à poisson. Cuilleron transversal,* perpendiculaire au manche.

♦ 2 Zool. Enveloppe protectrice de l'organe stabilisateur de certains diptères (mouches). — On dit aussi *aileron.*

CUIR [kɥiʀ] n. m. — 1080, *quir,* Chanson de Roland; du lat. *corium* «peau».

[I] ♦ 1 Vx (langue class.) ou par plais. La peau de l'homme.

1 (...) ils ont la tête rasée jusqu'au cuir (...)
LA BRUYÈRE, les Caractères de Théophraste, De l'épargne sordide.

Donc, il dit à ses damnés, à ceux qui avaient le cuir plus 2 dur que les autres : «Allez me nettoyer la route».
BALZAC, le Médecin de campagne, Pl., t. VIII, p. 457.

Il était de stature moyenne, nerveux, brun de poil et de 3 cuir.
G. DUHAMEL, le Temps de la recherche, III, p. 29.

Loc. *Entre cuir et peau :* sous la peau. *Entre cuir et chair :* entre peau et chair. *S'enfoncer une épine entre cuir et chair.* Fig. *Jurer entre cuir et chair,* sourdement (→ Dans sa barbe*).

(1800). Mod. *Le cuir chevelu :* la peau du crâne qui porte les cheveux. *Affections du cuir chevelu* (→ **Alopécie, pelade, teigne**).

Fig. *Tanner** le cuir à qqn,* le battre.

(...) depuis trente ans que je reçois des coups, je devrais 4 avoir le cuir tanné.
G. DUHAMEL, Chronique des Pasquier, VII, p. 82.

♦ 2 (V. 1160). Peau (d'un animal); spécialt, peau épaisse. *Le cuir épais et dur du mulet. Le cuir de l'hippopotame, du rhinocéros, de l'éléphant.*

(...) la couleur faisait penser bizarrement au cuir d'un cha- 5 meau de Tartarie, à l'époque de la mue du poil (...)
Léon BLOY, la Femme pauvre, II, XV, p. 244.

♦ 3 Cour. Peau des animaux séparée de la chair, tannée et préparée pour différents usages. → **Peau; mégisserie, pelleterie, tannerie.** *Aspect d'un cuir.* → **Grain.** *Cuir grenu. Cuir lisse. Cuir souple. Cuir fort. Cuir dur, racorni*.* → **Coriace.** *Côté chair, côté fleur du cuir. Qui a l'aspect du cuir.* → **Alutacé.**

Variétés de cuirs. Cuir de bœuf, de buffle, de vache. → **Croupon, vachette.** *Cuir de veau.* → **Box-calf, vélin.** *Cuir de cheval.* → **Chagrin.** *Cuir de chèvre* (→ **Maroquin**), *de mouton* (→ **Basane**). *Cuir de reptiles.* → **Crocodile, lézard, serpent.** *Cuir de molleterie,* ou *cuir d'œuvre,* pour empeignes de chaussures. *Cuir de poule,* cuir souple pour la ganterie. *Préparation des cuirs. Cuir brut, cru*,* ou *cuir vert,* mis au tannage. → **Tanner; tan.** *Cuir corroyé.* → **Corroyage; corroyer. Apprêter le cuir.* → **Chamoiser, chevaler, chromer, drayer, écharner, fouler, gaufrer, greneler, lisser, vernir.** *Cuirs spéciaux. Cuir parcheminé. Cuir plaqué. Cuir en croûte*.* *Cuir suédé.* → **Chamois, daim.** *Cuir bouilli* (propre et fig. → **Bouilli**). *Cuir jusé. Cuir en huile,* traité à l'huile végétale, non teint. *Cuir grainé,* imprimé. *Cuir de Russie,* traité à l'huile de bouleau (→ **Dioggot**). *Cuir de Valachie,* préparé dans un passement d'orge. *Cuir de Hongrie* (→ **Hongroyer**). *Cuir de Transylvanie,* préparé à la farine de seigle. *Cuir de Cordoue.*

Cette agonie qu'on appelle l'existence, si elle n'était pas 5.1 meublée d'objets sensuels et parfaitement inutiles, ne mériterait pas qu'on la prolonge. De surcroît, l'art de la reliure, insiste Matri, est un art olfactif : un constant plaisir de la narine, qui doit déceler ses effort le vélin ivoire du demi-veau ou le chagrin du cuir de Russie, encore que parfois les gardes de soie en atténuent le parfum.
Alain BOSQUET, les Bonnes Intentions, p. 205-206.

Personnes qui travaillent le cuir. → **Corroyeur, coupeur, fouleur, mégissier, tanneur; bourrelier, cordonnier, sellier.** *Billot pour battre le cuir. Refendage du cuir. Coudre du cuir avec une alêne. Coudre, clouer le cuir. Teindre, cirer du cuir* (→ Cirage, cit. 1). *Cuir repoussé. L'industrie du cuir. Vente du cuir.* → **Maroquinerie.**

Objets de cuir, en cuir. Chaussures, semelle de cuir, tout cuir. Blouson, manteau, veste de cuir. Gants de cuir. Manchettes en cuir. → **Crispin.** *Bandes, lanières en cuir.* → **Bandoulière, baudrier, bourdalou, brayer, ceinture, courroie, cravache, guide, lanière, trépointe.** *Cartouchière, porte-monnaie en cuir. Livre relié en cuir* (→ Couvrir, cit. 41). *Tablier de cuir des forgerons.*

6 Une ceinture marocaine de cuir jaune ornée de broderies de couleurs vives serrait à la taille leurs petites robes très courtes, inspirées des modes européennes.
P. MAC ORLAN, la Bandera, VII, p. 77.

Par métonymie. *Porter un cuir,* un vêtement de cuir. *« "Dépouiller" les gosses de leurs "cuirs" »* (*le Nouvel Obs.,* 16 oct. 1978, p. 79).

Spécialt. *Cuir à rasoir :* bande de cuir pour donner le fil aux rasoirs.

Absolument :

6.1 Alidor... repassant son rasoir sur sa main : Savez-vous où il met son cuir ?
E. LABICHE, Deux merles blancs, II, 8.

Argot de sport. → **Ballon.**

Rond de cuir. → **Rond-de-cuir.**

♦ **4** Par anal. *Cuir de poisson. Carpe cuir :* type de carpe sans écaille. — *Cuir de requin.* → **Galuchat.** — Fig. *Cuir fossile.* → **Asbeste.** — *Cuir des Vosges :* sorte de carton. — *Cuir de laine :* étoffe de laine croisée très résistante. — *Cuir artificiel* ou *reconstitué :* toile enduite de cellulose. — On dit aussi *faux cuir,* ou *simili-cuir.*

II (1783). Fig. et fam. Faute de langage qui consiste à lier les mots de façon incorrecte (ex. : *les chemins de fer*[z] *anglais* [lɛʃ(ə)mɛ̃dfɛrzɑ̃glɛ]). *Faire un cuir. Parler sans (avec des) cuirs.*

7 (...) ces mots français que nous sommes si fiers de prononcer exactement ne sont eux-mêmes que des « cuirs » faits par des bouches gauloises qui prononçaient de travers le latin ou le saxon, notre langue n'étant que la prononciation défectueuse de quelques autres.
PROUST, À la recherche du temps perdu, t. IX, p. 176.

DÉR. **Cuirasse, cuirot, curée.** — V. **Coriace.** ◊ COMP. **Similicuir.** → HOM. Formes du v. **cuire.**

CUIRASSE [kɥiʀas] n. f. — 1417 ; *curasse, cuirace,* XIIIᵉ ; d'une langue romane (anc. provençal *coirassa,* ital. *corazza,* catalan *cuyrasse,* etc.); du lat. *coriaceus,* d'après *cuir,* les premières cuirasses pouvant avoir été en cuir.

♦ **1** Partie d'une armure* protégeant le buste. → **Corselet, cotte.** *Cuirasse antique.* → **Cataphracte.** *Cuirasse des chevaliers, des hommes d'armes. Cavalier portant la cuirasse.* → **Cuirassier** (dér.). *Corps* de cuirasse. Le devant* (→ **Plastron**)*, le dos* (→ **Dossière**) *de la cuirasse. Support de lance fixé à la cuirasse.* → **Faucre.**

Vx. *Endosser, ceindre la cuirasse :* prendre le parti des armes (→ Armet, cit. 1). *S'armer d'une cuirasse.* → **Cuirasser** (se cuirasser ; → Armer, cit. 10).

1 Amazan s'arme d'une cuirasse d'acier damasquinée d'or (...)
VOLTAIRE, la Princesse de Babylone, 11.

1.1 Dès la fin du XIᵉ siècle, la cuirasse est déjà devenue si complexe qu'elle vaut le prix d'une bonne exploitation agricole, et les perfectionnements de l'armement sont à la source du développement constant de la métallurgie du fer.
Georges DUBY, Guerriers et Paysans, p. 190.

1.2 Dans la forêt allemande, quel est le songe qui le hante et dont la respiration est rythmée par le cliquetis, toujours le même et apaisant, des plaques de la cuirasse qui bougent. Le bruit mou des sabots sur la mousse et l'humus, le cliquetis des plaques et des harnachements.
J. CAU, le Chevalier, la Mort et le Diable, p. 11.

Par métaphore.

1.3 J'étais loin d'être dans les eaux de Lenoir ; ses sophismes glissaient sur la cuirasse épaisse de mon Sens commun. — Voyons, mon ami, lui dis-je, abuseriez-vous de vos droits d'amphitryon jusqu'à vouloir insinuer que cette BÛCHE, par exemple, n'est pas de la matière ?
VILLIERS DE L'ISLE-ADAM, Tribulat Bonhomet, p. 102.

Loc. *Le défaut de la cuirasse :* l'intervalle entre le bord de la cuirasse et les autres pièces qui s'y joignent. — Fig. L'endroit faible, le côté sensible de qqn ou de qqch. *Chercher, trouver le défaut de la cuirasse.* → **Défaut** (→ Talon* d'Achille).

Fig. et littér. Ce qui recouvre comme une cuirasse (concret).

♦ **2** Fig. Défense*, protection*. → **Égide** (littér.), **rempart.** *Revêtir une cuirasse de froideur, d'indifférence. La cuirasse de la justice* (→ Bouclier, cit. 6).

2 (...) sa douleur portait cuirasse (...)
A. DE MUSSET, la Confession d'un enfant du siècle, p. 108.

3 Si l'on regarde au fond de ce solitaire, sous une triple cuirasse de froideur indulgente, d'ordre poussé jusqu'aux minuties, et de politesse, il y a, d'abord, l'amour ardent de la vie, et l'instinct de la domination.
André SUARÈS, Trois hommes, « Ibsen », II, p. 90.

4 Les insultes devraient glisser sur ma peau comme une cuirasse.
G. DUHAMEL, Chronique des Pasquier, VII, p. 82.

♦ **3** Vx. Corsage féminin descendant jusqu'aux hanches.

♦ **4** Zool. et cour. Tégument protecteur (de certains animaux). → **Carapace,** 1. **test.** *Cuirasse écailleuse des poissons dits cuirassés.*

5 Perchés dans les arbres voisins (...) de grands coqs combattants de la Malaisie, aux cuirasses damasquinées, surveillaient le manège des paons, et, sournois, attendaient l'heure du festin.
O. MIRBEAU, le Jardin des supplices, p. 215.

♦ **5** Revêtement d'acier qui protège les navires de guerre, les blindés, contre l'effet des projectiles. → **Blindage.** *Tourelle revêtue d'une cuirasse.* → **Coupole.**

DÉR. **Cuirassement, cuirasser, cuirassier.** ◊ HOM. Formes du v. **cuirasser.**

CUIRASSÉ, ÉE [kɥiʀase] adj. et n. m. — D. i. ; p. p. de *cuirasser.*

♦ **1** Revêtu d'une cuirasse. *Hommes d'armes, soldats cuirassés.*

Par anal. Doté d'un revêtement de protection.

♦ **2** (1859). Muni d'un blindage. → **Blindé.** *Automitrailleuse cuirassée.* — *Division cuirassée,* comportant des engins cuirassés. — *Navire, croiseur cuirassé* (→ ci-dessous Cuirassé, n. m.). *Frégate cuirassée. Flotte cuirassée.*

N. m. (1867). (*Un, des cuirassés*). Ancien navire de guerre de gros tonnage, fortement blindé* et armé d'artillerie lourde. → **Bâtiment** (de ligne), **navire** (de ligne). *Coupoles d'un cuirassé. Tourelles quadruples de cuirassé. Cuirassé lourd* (→ **Dreadnought**)*, moyen* (→ **Monitor**)*. Cuirassé de poche. La Mutinerie du cuirassé Potemkine* (1905), film d'Eisenstein (1925). — *Les cuirassés ont disparu en 1960.*

1 Pour la flotte, on se demande s'il convient que les nouveaux cuirassés aient tous des plaques de 61 centimètres, comme le garde-côte l'*Inflexible* (...)
L. FIGUIER, l'Année scientifique et industrielle 1876, p. 148 (1875).

2 Le *Deerhound* est mouillé près des grands cuirassés turcs, qui sont postés là comme des chiens de garde, à l'intention de la Russie.
LOTI, Aziyadé, Azraël, XXIX, p. 114.

♦ **3** Zool. Doté d'un tégument protecteur. *Poisson cuirassé.* → **Ganoïde.** — N. m. *Un cuirassé.* → **Loricaire.**

♦ **4** Fig. Armé d'une forte protection. → **Bardé, blindé, endurci, protégé.** *Cuirassé contre* (qqn, qqch.)*. Cuirassé contre les passions, les injustices du sort.* → **Indifférent.** *Cuirassé contre ses ennemis.* — *Cuirassé par* (qqn, qqch.)*. Il est cuirassé par son*

éducation, par ses parents. — Cuirassé de (qqch.).
Cuirassé d'indifférence.

3 (...) il était bien sûr d'échapper à tout cela, enfoui qu'il
était dans ses livres et dans ses cahiers, cuirassé par son
orgueil et armé par son ambition.
        Valery LARBAUD, Fermina Marquez, XVII, p. 208.

4 Un homme sorti de si bas, et qui avait dû essuyer tant
d'avanies jusqu'au jour de sa fortune, était cuirassé contre
les humiliations (...)
        R. ROLLAND, les Musiciens d'autrefois, p. III.

CUIRASSEMENT [kɥiʀasmɑ̃] n. m. — 1876; de *cuirasser.*

Action de cuirasser un navire, un ouvrage fortifié.
— Par métonymie. La cuirasse elle-même.

CUIRASSER [kɥiʀase] v. tr. — 1636; de *cuirasse.*

♦ **1** Armer, revêtir d'une cuirasse. → **Armer, barder,
blinder, matelasser.**

♦ **2** Mettre un revêtement de protection à (qqch.).
Cuirasser une barricade. → **Renforcer.** — Spécialt.
Cuirasser un navire, le protéger par un revêtement
d'acier. → **Blinder.** — Poét. *Le givre cuirasse les carreaux de la fenêtre.*

♦ **3** Abstrait. Endurcir, rendre insensible. *Cuirasser
ses enfants par une éducation rigoureuse. Cuirasser
son penchant à l'émotivité.*

♦ **SE CUIRASSER** v. pron.

(Personnes). Se revêtir d'une cuirasse. — Fig. *Se cuirasser contre* (qqch.): se protéger contre (qqch.), se
rendre insensible à (qqch.). → **Aguerrir** (s'), **endurcir**
(s'), **fortifier** (se); **garde** (se mettre en). *Se cuirasser
contre les affronts, les calomnies, les injures. Se cuirasser contre l'adversité, les passions, les émotions...*
Quand on ne peut se soustraire à la douleur, on fait en
sorte de se cuirasser contre elle.
        G. DUHAMEL, Récits des temps de guerre, IV, p. 74.

DÉR. Cuirassement. ◊ HOM. V. Cuirasse.

CUIRASSIER [kɥiʀasje] n. m. — 1577, *cuirachier;* de
cuirasse.

Anciennt. Cavalier protégé par une cuirasse. —
Spécialt. Soldat d'un régiment de grosse cavalerie.
Casque de cuirassier. Une charge de cuirassiers.
Par ext. *Le cinquième cuirassiers,* régiment de cui-
rassiers. — Mod. (précédé d'un ordinal : *le premier,
deuxième... cuirassiers*). Régiment blindé.

CUIRE [kɥiʀ] v. [CONJUG.: *conduire.*] — V. 880; du lat. pop.
*cocere, lat. class. *coquere.*

I V. tr. ♦ **1** Rendre (une substance comestible) propre
à l'alimentation, par le feu, par la chaleur.
→ **Cuisson.** *Cuire de la viande, des légumes, des
fruits, de la pâtisserie. Cuire le pain,* le faire en
cuisant de la pâte. Absolt. *Le boulanger cuit deux
fois par jour,* fait deux fournées de pain dans la
journée. — *Cuire des aliments sur un fourneau, une
cuisinière, un réchaud. Cuire qqch. au feu de bois
à la crémaillère, dans la braise, dans la cendre.
Cuire de la viande, des légumes dans une marmite
norvégienne. Cuire de la viande au four, au gril, à
la broche, au bain-marie. Cuire à feu doux,
à petit feu. Ustensiles pour cuire les aliments; art
de les préparer, de les faire cuire.* → **Cuisine.** *Cuire
à l'eau en faisant bouillir* (→ **Bouillir**), *sans faire
bouillir* (→ **Infuser**). *Cuire dans plusieurs eaux, en
changeant l'eau de cuisson. Cuire dans un récipient fermé, et à feu doux.* → **Braiser, étouffée** (cuire
à l'), **étuvée** (cuire à l'). *Cuire avec une matière grasse.*
→ **Frire.** *Cuire dans le beurre, l'huile... Cuire au lard.
Cuire à sec.* → **Griller, rôtir, rissoler.** — (*À cuire*).

Salade à cuire, fruits à cuire, qui ne peuvent être
consommés que cuits. *Chocolat à cuire,* qui doit
être utilisé pour préparer la boisson du même
nom, pour la pâtisserie (opposé à *à croquer*).
Ils cuisent et apprêtent à diverses sauces.   1
        MONTAIGNE, Essais, I, 106.

«J'ai vu, dit-il, un chou plus grand qu'une maison.   2
— Et moi, dit l'autre, un pot aussi grand qu'une église.»
Le premier se moquant, l'autre reprit : «Tout doux :
On le fit pour cuire vos choux».
        LA FONTAINE, Fables, IX, 1.

Embrochez la bête, cuisez la bête, j'ai faim, moi!   3
        A. JARRY, Ubu roi, IV, 6, p. 14.

Par ext. Transformer (une substance non alimentaire) par l'action du feu et dans un but déterminé.
→ **Calciner.** *Cuire une poterie.* → **Cuit** (terre cuite).
Cuire la porcelaine. → **Biscuiter.** *Cuire le plâtre, la
chaux, des briques. Cuire du fil, de la soie.*

(...) le seul matériau du pays est l'argile, qu'on cuit ou   4
qu'on sèche au soleil.
        DANIEL-ROPS, le Peuple de la Bible, I, 1.

Je dépense beaucoup dans cette nouvelle Fabrique et dans   5
l'ancienne où j'ai remplacé les fours au feu de bois par des
fours au mazout pour cuire le bleu.
        J. CHARDONNE, les Destinées sentimentales, III,
        p. 407.

Loc. (1611). Fig. et fam. **ÊTRE DUR À CUIRE** : opposer
une grande résistance. — N. (1829). *Un dur à cuire,
une dure à cuire.* → **Dur.**

Notre colonel, qui était ce qu'on nomme un *dur à cuire,*   6
voulut prendre sa revanche.
        A. DE VIGNY, Servitude et Grandeur militaires,
        III, VIII, p. 244.

(...) Michaud (...) un homme de ceux que les troupiers   7
appellent soldatesquement des *durs à cuire,* surnom
fourni par la cuisine du bivouac, où il s'est plus d'une
fois trouvé des haricots réfractaires.
        BALZAC, les Paysans, Pl., t. VIII, p. 133.

♦ **2** (Le sujet désigne la source de chaleur ou ce qui
permet de cuire). Opérer la cuisson de (qqch.). *Ce
four cuit bien la pâtisserie.* — Vx. *Fruits que le soleil
a cuits.*

— C'est une eau que vous supposez contaminée ?   8
— Non... non...
— Alors quoi ? Elle vous paraît trop dure? trop lourde?
Elle ne dissout pas le savon? Elle cuit mal les légumes?
        J. ROMAINS, les Hommes de bonne volonté, t. V,
        XI, p. 84.

♦ **3** Par ext. (Fam.). Faire chauffer en exposant à une
source de chaleur (soleil, etc.). *Cuire ses jambes,
son dos au soleil.* — *Les rayons du soleil le cuisaient.*
— Au p. p. *Peau cuite par le soleil.* — Pron. *Se cuire
au soleil.* → **Bronzer, dorer, rôtir** (se).

II V. intr. ♦ **1** Devenir propre à l'alimentation par l'action du feu. *Les pâtes doivent cuire dans beaucoup
d'eau. Mettre des pâtes à cuire. Laisser cuire vingt
minutes. Viande qui cuit dans son jus. Le ragoût
cuit doucement, à petit feu.* → **Frissonner, mijoter,
mitonner.** *Cuire à gros bouillons.* → **Bouillir.** *La
viande a cuit trop fort, trop longtemps.* — *Faire
cuire qqch. Faire cuire à feu vif dans un corps
gras* (→ **Blondir, rissoler**). *Faites-le cuire deux fois.*
→ **Recuire.** *Trop cuire.* → **Attacher, brûler, cramer,
renverser.** *Aliment qui cuit bien, facile à cuire.*
→ **Cuisant.** *Ces lentilles cuisent bien.*

(...) je me charge de vous le faire cuire sous la cendre sans   9
goût de fumée.
        G. SAND, la Mare au diable, VIII, p. 70.

(...) certaines volailles qui ne cuisent bien qu'au bois   10
vert (...)   Léon BLOY, la Femme pauvre, I, p. 100.
Par ext. *Porcelaine qui cuit.*

♦ **2** Être exposé à une grande chaleur. Fam. (Personnes). *Cuire dans son jus,* et, absolt, *cuire :* avoir

très chaud. *Ouvrez les fenêtres, on cuit là-dedans!*
→ **Étouffer**. Loc. *Laisser qqn cuire dans son jus*,
se désintéresser de lui et de ses ennuis; ne pas
l'aider.

11 Paris cuisait au feu d'un dimanche d'août.
MARTIN DU GARD, les Thibault, t. III, p. 9.

Spécialt et iron. *Faire cuire qqn*, lui faire subir le
supplice du feu. → **Brûler**.

12 Je vais te faire cuire à petit feu.
A. JARRY, Ubu roi, IV, 4, p. 128.

◆ **3** Sujet n. de chose : partie du corps, etc. *(Cuire à qqn)*.
Produire une sensation d'échauffement, de brû-
lure. → **Brûler**. *Les mains lui cuisent d'avoir pétri
des boules de neige. Les joues me cuisent.* → 1. **Feu**
(être en). *Les yeux me cuisent.* → **Piquer**. *Cette écorchure est à vif et me cuit.* → **Cuisant**. — (Absolt).
Ça cuit. Prov. *Trop gratter cuit, trop parler nuit.*
→ **Gratter**.

Loc. (1660). **EN CUIRE (à qqn)** : causer des souffrances morales, des ennuis (à qqn). *Il vous en
cuira si vous agissez de la sorte. Il pourrait vous
en cuire, il vous en cuira* : vous vous en repentirez.

13 On n'est sage qu'après qu'il en a cuit de ne pas l'être.
R. ROLLAND, l'Âme enchantée, t. II, p. 33.

14 Fais à ta tête, Père Ubu, il t'en cuira.
A. JARRY, Ubu roi, III, 1, p. 80.

14.1 Je ne cause pas avec la figuration. Qu'on m'amène un flic
avec du galon. Vous oubliez que je suis la fille du plus
grand maquignon de tout le Limousin. À Paris aussi, j'ai
des relations très haut placées, il pourrait vous en cuire.
A. BLONDIN, Monsieur Jadis, p. 144.

◆ **CUIT, CUITE** p. p. adj. et n.

◆ **1** Qui a subi la cuisson afin d'être consommé.
*Artichauts cuits. Aliment cuit à point, bien cuit.
Baguette trop cuit.* → **Attaché**, **brûlé**, **calciné**, **collant**, **cramé**, **roussi**), *peu cuit, dur,
ferme. Viande peu cuite* (→ **Bleu, rose, saignant**),
cuite à point (→ 1. **Point** [à]), *bien cuite, trop cuite.
Légumes cuits au beurre. Viande cuite au four.
Acheter des aliments tout cuits.*

VIN CUIT, épaissi par évaporation d'une partie du
moût. *Vin cuit servi comme apéritif.*

15 (...) il courut au logis
De la cigogne son hôtesse,
Loua, très fort la politesse,
Trouva le dîner cuit à point.
LA FONTAINE, Fables, I, 18.

16 (...) des étouffoirs, qui nécessitaient les copieuses rasades
des bières et des vins fermentés de mûres, des vins secs ou
tannés et cuits (...) HUYSMANS, Là-bas, VIII, p. 117.

17 *(Des)* truffes noires, que l'on mange cuites sous la cendre
de bois.
J. CHARDONNE, les Destinées sentimentales, I, I, p. 37.

N. m. *Le cuit* (opposé à *cru*). — *Le Cru et le Cuit*
(1964), ouvrage de Cl. Lévi-Strauss *dans lequel l'auteur tente d'expliciter la structure et la signification
de mythes relatifs au domaine de la nourriture préparée, montrant qu'ils sont construits sur des systèmes d'opposition.*

◆ **2** Loc. (XVIᵉ). Fig., vx. *Être cuit* : être ruiné. — (1675).
Mod. *Être cuit* : être pris, vaincu, battu. → **Fait, fichu,
refait**; et aussi *Être bon* (1. **Bon**, I., C., 1.). *C'est cuit, on
ne gagnera plus* : c'est fini, sans espoir. — Par métaphore. *Les carottes* sont cuites.*

17.1 Tu vois bien : tu crèves de ne pas avoir cette femme et tu
crèverais de l'avoir. Tu es cuit. Je m'étais déjà dit cela. De
plus, il paraissait plutôt réjoui.
Maurice CLAVEL, le Tiers des étoiles, p. 248-249.

N. m. *C'est du tout cuit* : c'est facile, c'est réussi
d'avance (→ **C'est dans la poche***). — Adj. (Vieilli). *C'est
tout cuit* : c'est simple, facile. — *Elle ne te tombera
pas toute cuite dans tes bras*, pas facilement.

Loc. *Avoir son pain cuit* : avoir ce qu'il faut pour
vivre aisément le reste de sa vie.

Vente, grêle, gèle, j'ai mon pain cuit (...) 18
VILLON, Ballades.

◆ **3** Brûlé* (par le soleil, le froid). *Avoir le visage cuit.
Mains cuites par la neige. Pierres, plantes cuites.*
→ **Griller**.

Les visages bruns, cuits par le soleil, les visages émaciés 19
par la fatigue ruisselaient de sueur sous le bonnet à passepoils rouges. P. MAC ORLAN, la Bandera, VI, p. 66.

Les légionnaires (...) connaissaient par expérience la mono- 20
tonie affreuse de l'existence quotidienne d'un poste cuit
comme une brique dans un four (...)
P. MAC ORLAN, la Bandera, VIII, p. 90.

Loc. Fig., vx. *Un homme cuit et recuit*, endurci.

◆ **4** Qui a subi la cuisson pour un usage particulier.
Terre cuite. → **Terre** (→ *Aviser*, cit. 6). — *Soie cuite*, lors
de l'opération du décreusage (→ **Décreuser**).

Pour une porcelaine dure, cuite à une température très 21
élevée et dont l'émail, comme chez nous, est profondément
incorporé à la pâte, la difficulté est grande.
J. CHARDONNE, les Destinées sentimentales, III, III, p. 410.

Peint. *Tons cuits, couleurs cuites d'un tableau*,
chauds, chaleureux. — Vx (argot des peintres). *Travaillé.*

(...) Dupré, qui allume familièrement une pipe, se met à 21.1
décrocher ses tableaux, et me les fait passer sous les yeux,
sans me dissimuler ses admirations pour ses enfants, me
disant de celui-ci : «Oh! c'est un des plus cuits!».
Ed. et J. DE GONCOURT, Journal, 10 juil. 1866.

◆ **5** (1606). Fam. et vieilli. *Être cuit* : être ivre. → **Saoul**;
cuite.

CONTR. V. **Refroidir**. — (Du p. p.) **Cru, incuit**. ◊ DÉR. Cuisage, cuisant, cuiseur, cuite. V. **Cuisine**. — COMP. **Biscuit.
Recuire, surcuire. Précuit**. — HOM. V. **Cuir** (n. m.), **cuisant**
(adj.), **cuite** (n. f.), formes du v. **cuiter** (se).

CUIROT [kɥiro] n. m. — 1518, «morceau de cuir»; de
cuir.

Techn. Peau de mouton séchée et délainée.

Quant aux peaux délainées, elles sont accrochées dans des
séchoirs à air chaud et deviennent les cuirots qui seront
tannés dans les mégisseries locales.
Charles MARTIN, la Laine, p. 28.

CUISAGE [kɥizaʒ] n. m. — XIVᵉ; de cuire.

Techn. Réduction du bois en charbon.

CUISAMMENT [kɥizamɑ̃] adv. — V. 1200, cuysam-
ment; de cuisant.

Rare. D'une manière cuisante. *Se ressentir cuisamment d'une erreur. Regretter qqch. cuisamment.*

CUISANT, ANTE [kɥizɑ̃, ɑ̃t] adj. — XIIᵉ; p. prés. de
cuire.

I ◆ **1** (Concret). Qui produit une sensation douloureuse analogue à celle d'une brûlure. *Une blessure
cuisante. Une claque, une fessée cuisante. Piment,
poivre cuisant. Saveur cuisante.* → **Aigre, piquant**. —
Par ext. *Un froid cuisant.* → **Âpre, mordant.**

Le marchand à sa peau devait faire fortune : 1
Elle garantirait des froids les plus cuisants (...)
LA FONTAINE, Fables, V, 20.

(...) désormais, au lieu de tremper mes flèches dans le 2
vinaigre, je les tremperai dans l'huile : la blessure sera
moins cuisante, mais plus sûrement mortelle (...)
SAINTE-BEUVE, Proudhon, p. 85.

◆ **2** (Abstrait). Qui provoque une douleur, une peine
très vive. *Un chagrin, un désir cuisant. Des regrets,
des remords cuisants. Une déception, une blessure
cuisante.* → **Aigu, brûlant, douloureux, 1. fort, vif.**

Remarque, réflexion cuisante. → **Blessant, caustique, cinglant, virulent.** *Cette équipe de football a subi une défaite cuisante.*

3   Je sens au fond du cœur mille remords cuisants (...)
CORNEILLE, Cinna, III, 2.

4   Amour, que sous ton empire
Je souffre des maux cuisants (...)
MOLIÈRE, le Grand Divertissement royal.

5   L'amour est la cause de nos maux les plus cuisants.
FRANCE, Thaïs, p. 62.

6   (...) un soulagement d'autant plus vif que ses angoisses de la veille avaient été plus cuisantes.
COURTELINE, Messieurs les ronds-de-cuir, VI,
2ᵉ tableau, p. 234.

7   (...) une de ces blessures dont (...) on garde toute sa vie le cuisant souvenir.
Louis MADELIN, l'Avènement de l'Empire, XVII,
p. 93.

II (1690; «qui sert à cuire», 1324). **Régional.** Qui cuit facilement. *Des haricots cuisants.*

CONTR. Adoucissant, doux. ◊ **DÉR. Cuisamment.** ← **HOM.** V. **Cuire.**

CUISEUR [kɥizœʀ] n. m. — 1270; de *cuire*.
Technique.

◆ **1** Ouvrier qui surveille la cuisson (des briques, du ciment, du vin, du sucre, etc.).
REM. Dans ce sens, le fém. *cuiseuse* [kɥizøz] est virtuel.

◆ **2** (1917, in D.D.L.). Récipient où l'on fait cuire (des aliments) en grande quantité. → **Autocuiseur.** *Cuiseur électrique.* «*Cuiseur à saucisses de 1,5 KW*» (*la Vie du rail,* 25 janv. 1976, p. 7). *Cuiseur employé en agriculture pour la préparation de l'alimentation des animaux.*

COMP. Autocuiseur.

CUISINAGE [kɥizinaʒ] n. m. — xxᵉ; de *cuisiner*.
Fam. Action de cuisiner (fig.), de faire avouer (qqn).

CUISINE [kɥizin] n. f. — 1155; du lat. *cocina,* altér. de *coquina,* de *coquere* «cuire» (→ Cuire).

◆ **1** **a** Pièce dans laquelle on prépare et fait cuire les aliments pour les repas. *Cuisine carrelée. Cuisine peinte. Cuisine au sous-sol. La cuisine d'un restaurant, d'une cantine. Cuisine de la marine.* → **Coquerie.**
Spécialt. Cette pièce, dans un local d'habitation. *Cuisine équipée. Meubles, éléments de cuisine* (placards, etc.) → aussi ci-dessous, b. *Évier, garde-manger, réfrigérateur d'une cuisine. Fourneau* de cuisine.* → **Cuisinière.** En appos. *Bloc* cuisine. Table, buffet, chaises... de cuisine. Dispositif pour passer les plats de la cuisine à la salle à manger.* → **Passe-plat,** 2. **tour** (3). *Monte-charge de cuisine.* → **Monte-plat.** *Pièce attenante à la cuisine et réservée aux mêmes usages.* → **Arrière-cuisine, office, souillarde.** *Faire livrer, apporter des provisions à la cuisine. Manger à la cuisine, dans la cuisine. Faire rapporter un plat à la cuisine.*

1   (...) ces grandes cuisines d'hôtellerie où le feu s'allume de bonne heure, avec ces frissonnements de sarments (...)
Alphonse DAUDET, Contes du lundi,
«Alsace! Alsace!».

2   Qu'elle était spacieuse et claire, cette vieille cuisine provençale, avec le manteau profond de sa cheminée, suspendu au-dessus du feu comme un large éteignoir, et son plafond traversé par de grosses solives apparentes !
Edmond JALOUX, Fumées dans la campagne, V,
p. 40.

3   À droite de l'entrée, une petite porte desservait la cuisine et ses dépendances.
J. ROMAINS, les Hommes de bonne volonté, t. II,
VI, p. 63.

Une petite cuisine, à gauche. D'une merveilleuse propreté :   4
toute peinte, ripolinée; le fourneau à gaz en émail, des placards rangés; sur chaque porte et sur chaque tiroir, une étiquette.
H. BOSCO, Un rameau de la nuit, p. 92.

(...) le mets n'est plus un produit réifié, dont la prépara-   4.1
tion est chez nous, pudiquement éloignée dans le temps et dans l'espace (repas élaborés à l'avance derrière la cloison d'une cuisine, pièce secrète où tout est permis, pourvu que le produit n'en sorte que composé, orné, embaumé, fardé).
R. BARTHES, l'Empire des signes, p. 22.

Studio avec coin cuisine (→ **Cuisinette,** anglic. **kitchenette**). — *Cuisine-salle à manger* (L. Daudet, 1934, *in* D.D.L.). — *Un trois-pièces cuisine :* un appartement de trois pièces comportant en plus une cuisine.
Régional (Belgique). *Cuisine-cave :* cuisine à mi-hauteur, en sous-sol.
Au plur. (En parlant d'une résidence importante). *Les cuisines d'un château, d'un palais, d'un hôtel, d'un grand restaurant.*

C'est pour des mensonges, de honteuses aumônes, pour   4.2
des chiffons inutiles... pour la desserte des cuisines que leur charité jette à la faim comme on jette un os à un chien (...) c'est pour ça... pour ça que tu t'obstines à ne pas te plaindre, à ne pas prendre ce qui est à toi (...)
O. MIRBEAU, les Mauvais Bergers, p. 22 et 24.

De cuisine : utilisé dans une cuisine, ou (plus souvent), pour faire la cuisine (→ ci-dessous le sens 2, *infra* cit. 6.1). *Fille de cuisine.* — Loc. *Latin* de cuisine,* parlé par des ignorants, fautif.

b Par métonymie. Ensemble des meubles équipant une cuisine. *Cuisine complète. Le catalogue d'un fabricant de cuisines.*

c Par ext. *Cuisine portative.* — *Cuisine roulante* (ou *roulante**) : fourneau sur roues utilisé par la troupe en campagne ou par certains campeurs. — *Cuisine de poupée.*

Pierrot : Dans l'étable on avait arrangé une cuisine rou-   4.3
lante, chacun se débrouillait pour bouffer et dormir, en bons Français.
Jean FERNIOT, Pierrot et Aline, p. 131.

◆ **2** Préparation des aliments; art d'apprêter les aliments de façon qu'ils soient propres à la consommation et agréables au goût; spécialt, style culinaire. → **Culinaire** (art), **gastrologie, gastronomie.** *Apprendre la cuisine. Cuisine bourgeoise*, familiale, régionale. Cuisine macrobiotique, cuisine végétarienne. La cuisine française, chinoise, grecque, italienne,* etc. : les caractères généraux des cuisines nationales. *La cuisine de qqn,* sa manière de préparer les aliments. *Rien n'égale pour lui la cuisine de sa mère. La cuisine des grands restaurants. La grande cuisine. Cuisine de femmes,* de chefs qui sont des femmes. *Personne qui sait bien faire la cuisine.* → **Cordon** (cordon-bleu). *Personne qui juge, apprécie la bonne cuisine.* → **Gastronome.**

Qu'importe qu'elle manque aux lois de Vaugelas,   5
Pourvu qu'à la cuisine elle ne manque pas?
(...) Malherbe et Balzac, si savants en beaux mots,
En cuisine peut-être auraient été des sots.
MOLIÈRE, les Femmes savantes, II, 7.

La cuisine est le plus ancien des arts, car Adam naquit   6
à jeun, et le nouveau-né, à peine entré dans ce monde, pousse des cris qui ne se calment que sur le sein de sa nourrice.
A. BRILLAT-SAVARIN, Physiologie du goût, t. II,
p. 80.

(...) la cuisine; elle le devient *(un sous-système comme la*   6.1
mode) en perdant son ancien statut de production locale, artisanale et familiale, qualitative, faite de recettes transmises oralement — en devenant activité formalisée, spécialisée, matière à des traités, à des guides «gastronomiques», à une hiérarchie des lieux, des mets, prétexte d'une ritualisation mondaine.
Henri LEFEBVRE, la Vie quotidienne dans le
monde moderne, p. 189-190.

Loc. (Av. 1972, *le Nouveau Guide,* de Gault et Millau). *La nouvelle cuisine* : style de cuisine, lancé en France dans les années 1960-1970, et caractérisé par l'invention, des associations d'éléments inattendus, des cuissons faibles, des sauces courtes et la légèreté des préparations. ... **DE CUISINE** : utilisé pour faire la cuisine, pour préparer les aliments (peut être compris, dans certains cas, comme relevant du sens I de *cuisine*). — *Accessoires, instruments de cuisine.* → **Boîte** (boîte à épices*), **bouilloire, bouillotte, broche, couronne** (d'office), **couvert** (en bois), **égouttoir, éplucheur, fouet, gril, grille-pain, moulin** (à café), **moussoir, ouvre-boîte, presse-agrumes, presse-citron, tranchoir, trépied.** *Couteaux de cuisine.* → **Couperet, coutelas, lardoire.** *Ustensiles de cuisine.* → **Artichautière, bassine, brûloir, calebasse, casserole, cassolette, chape, chaudron, chenêt, cocotte, coquetier, coquille, couteau, cuiller, écumoire, égrugeoir, entonnoir, faitout, fourchette, friteuse, gaufrier, hache-viande, hachoir, hâtelet, lèchefrite,** 2. **louche, marmite, mixeur, mortier, moule, moulin** (à légumes), **œufrier, panier, passe-purée, passoire, plat, pocheuse, poêle, poêlon, poissonnière, pot, presse-purée, presse-viande, râpe, réchaud, rôtissoire, saucier, terrine, timbale, tourtière, turbotière.** *Batterie de cuisine.* → **Batterie.** *Livre, recette de cuisine.* *Opérations de cuisine.* → **Arroser, assaisonner, barder, blanchir, braiser, brider, confire, crever** (faire), **cuire, débourber, découper, dégorger, dessaler, dresser, échauder, écumer, émincer, endauber, enrober, entrelarder, épépiner, épicer, éplucher, faisander, farcir, flamber, fouetter, fourrer, fraiser, fricasser, fricoter, frire, garnir, glacer, gratiner, griller, habiller, larder, lier, mariner, mouiller, paner, parer, parfumer, persiller, piquer, revenir** (faire), **rôtir, saisir, saupoudrer, sauter** (faire), **suer** (faire), **trousser, vider.** *Aromates, épices, fines herbes, champignons, quenelles... utilisés en cuisine. Sel de cuisine* : sel gris ou gros sel*.

(XVIIIᵉ). **Spécialt.** La préparation des aliments consommés immédiatement (à l'exclusion de la pâtisserie, confiserie, des conserves).

♦ **3** Fig. et fam. Manœuvre, intrigue louche. → **Fricotage, grenouillage, magouille.** *La cuisine électorale.* — (1883). *Cuisine parlementaire.*

6.2   Du diable si l'on sait ce qui va sortir de tout ça ! conclut Massot. Ah ! la sale cuisine ! Vous allez voir.
                                      ZOLA, Paris, t. II, p. 29.

6.3   Vous savez comme nous tous, que l'on ne peut rien augurer de la cuisine des cantonales.
                           F. MAURIAC, le Nouveau Bloc-notes 1958-1960,
                                                          p. 52.

Spécialt et **péj.** Suite d'opérations, pour obtenir un résultat. *Cuisine journalistique* : manière d'apprêter l'information pour satisfaire au goût du lecteur. *Cuisine scolaire, du bac* : mode de préparation étroit aux examens.

♦ **4** (V. 1170). Aliments préparés qu'on sert aux repas. → **Chère, manger** (fam.), **mets, ordinaire, repas, table ; menu ; fam. bouffe, bouffetance, croûte, cuistance, frichti, fricot, mangeaille, popote, tambouille.** *Préparer la cuisine. Amateur de bonne cuisine.* → **Gourmet.** *Cuisine saine, soignée, fine, légère. Cuisine sans sel. Cuisine de régime. Cuisine minceur. Grosse cuisine ; cuisine grasse, lourde. Mauvaise cuisine.* → **Ragougnasse** (fam.). *Cuisine de gargote. Cuisine bourgeoise. Cuisine de restaurant, d'auberge, de cantine. Surveiller la cuisine. Une bonne odeur de cuisine,* d'aliments en cours de préparation.

7   Je fume comme la chaumine
       Où se prépare la cuisine

Pour le retour du laboureur.
       BAUDELAIRE, les Fleurs du mal, Spleen et Idéal,
                                              «La pipe».

La cuisine française, chinoise, japonaise, l'ensemble des plats de ces traditions culinaires.

8   C'est à leur intervention *(des dames françaises)* qu'est due la prééminence indiscutable qu'a toujours eue en Europe la cuisine française et qu'elle a principalement acquise par une quantité immense de préparations recherchées, légères et friandes (...)
          A. BRILLAT-SAVARIN, Physiologie du goût, t. II,
                                                    p. 101.

♦ **5** Personnel qui travaille à la cuisine. → **Cuisinier, cuistot** (fam.) ; **chef** (de cuisine), **coq, queux** (maître), et aussi **brigade** (3.).

DÉR. Cuisiner, cuisinette, cuisinier, cuisinière, cuisiniste. Cuistance. ◊ COMP. Arrière-cuisine. ← HOM. Formes du v. **cuisiner.**

CUISINÉ, ÉE [kɥizine] adj. → **Cuisiner.**

CUISINER [kɥizine] v. — XIIIᵉ ; de *cuisine.*

Ⅰ V. intr. Faire la cuisine. *Elle cuisine bien. Vous avez ce qu'il faut pour cuisiner.*

1   De la maison venait une odeur exquise de thym, de céleri, d'aubergine. On cuisinait.
          H. BOSCO, le Jardin d'Hyacinthe, Les Borisols, v,
                                                    p. 49.

Ⅱ V. tr. ♦ **1** Préparer (des aliments) par la cuisine (2.). → **Accommoder, apprêter.** *Cuisiner des plats compliqués.*

2   Le dîner, de même que le déjeuner et le souper, toujours composés de choses exquises, étaient cuisinés avec cette science qui distingue les gouvernantes de curé entre toutes les cuisinières.
          BALZAC, les Paysans, Pl., t. VIII, p. 208.

2.1   (...) la nourriture japonaise est peu cuisinée, les aliments arrivent naturels sur la table ; la seule opération qu'ils aient vraiment subie, c'est d'être découpés, que sur l'assemblage mouvant et comme inspiré d'éléments dont l'ordre de prélèvement n'est fixé par aucun protocole (vous pouvez alterner une gorgée de soupe, une bouchée de riz, une pincée de légumes) : tout le faire de la nourriture étant dans la composition, en composant vos prises, vous faites vous-même ce que vous mangez (...)
          R. BARTHES, l'Empire des signes, p. 22.

Pron. *Se cuisiner des petits plats.*

♦ **2** Par métaphore ou fig. Combiner*, trafiquer.

3   (...) les décadents qui cuisinent des hachis de mots !
          HUYSMANS, Là-bas, II, p. 20.

Spécialt. *Cuisiner un article, un fait divers.* → **Cuisine** (3.).

Pron. (Passif). *Affaires, coups qui se cuisinent en secret.*

♦ **3** (1881). *Cuisiner qqn,* l'interroger, chercher à obtenir de lui des aveux par tous les moyens. → **Cuisinage.** *Cuisiner les complices d'un accusé. Se faire cuisiner par la police.*

4   Pendant quinze jours, on enquête, on cherche partout. On le questionne, on le cuisine : sans résultat.
          MARTIN DU GARD, Jean Barois, II, p. 226.

4.1   (...) si, véritablement, Lampieur avait participé d'une façon quelconque au crime, ses soupçons se seraient portés sur lui. On l'aurait fait venir au commissariat. On lui aurait au moins demandé de fournir l'emploi de son temps lors de cette fameuse nuit. On l'aurait cuisiné. On l'aurait fait parler (...)   Francis CARCO, l'Homme traqué, p. 123.

Passif et **p. p.** *Détenu cuisiné par les policiers.*

5   Lord Yarmouth, *cuisiné* (...) par Lucchesini, trahit, au cours de libations trop capiteuses (...) le secret de la négociation autour duquel, depuis trois mois, rôdait le représentant de la Prusse (...)
          Louis MADELIN, Talleyrand, XVI, p. 171.

◆ **CUISINÉ, ÉE** p. p. adj.

Préparé par la cuisine* (2.). *Des crudités et des plats cuisinés. — Des plats cuisinés à réchauffer.*

DÉR. Cuisinage. — REM. Le T. L. F. signale le dér. *cuisinement,* n. m., attesté au XVIᵉ s. puis chez Cotgrave (1611) et chez les Goncourt, aujourd'hui à peu près inusité. ◊ **HOM.** V. **Cuisine, cuisinier.**

CUISINETTE [kɥizinɛt] n. f. — 1936, *in* .D.L.; recommandé off. en 1973; de *cuisine.*

Partie d'une pièce utilisée comme cuisine (recomm. off. pour remplacer l'anglic. *kitchenette**). → Coin cuisine.

Avant de s'approcher de lui, elle pénétrait dans la cuisinette où l'eau chantait sur le réchaud électrique.
G. SIMENON, Trois chambres à Manhattan (1946), cité par WEBER (1963), *in* D.D.L., II, 10.

(V. 1950; cour. en Suisse romande, où *kitchenette* n'est pas utilisé). Petite cuisine moderne.

CUISINIER, IÈRE [kɥizinje, jɛʀ] n. — V. 1200, *quisinier;* de *cuisine.*

◆ **1** Personne qui a pour fonction de faire la cuisine. → **Bonne, chef, hâteur** (vx), **queux** (maitre), **rôtisseur, saucier;** (fam.) **cuistancier, cuistot.** *Métier de cuisinier. Bonnet, costume de cuisinier. Tablier de cuisinière. Les comptes de la cuisinière. Vatel, célèbre cuisinier du siècle de Louis XIV. Habile cuisinier.* → **Cordon-bleu.** *Grand, célèbre cuisinier. Mauvais cuisinier.* → **Empoisonneur, fricasseur, gargotier.** *Aide-cuisinier.* → **Frise-poulet** (vx), **gâte-sauce, marmiton, valet** (de cuisine, vx). *Cuisinier de la marine.* → **Coq** (maître coq). — Par appos. *Chef cuisinier.*

1 Un jour le cuisinier, ayant trop bu d'un coup,
Prit pour oison le cygne, et le tenant au cou,
Il allait l'égorger, puis le mettre en potage.
LA FONTAINE, Fables, III, 12.

2 Le grand cuisinier se reconnaît mieux à la perfection d'une pièce de bœuf, que dis-je? à l'assaisonnement d'une salade, qu'à la richesse de ses entremets.
A. MAUROIS, les Discours du Dᵣ O'Grady, VIII, p. 89.

3 Le cocher-valet de chambre Étienne, et la cuisinière, sa femme, recevaient pour le couple deux mille cinq cents francs de gages annuels.
J. ROMAINS, les Hommes de bonne volonté, t. III, XI, p. 145.

4 Elle dit en anglais à Louise d'aller à la cuisine faire des biscuits selon la recette d'une tante américaine que les cuisinières ne pouvaient réussir et dont le secret était transmis de mère à fille.
J. CHARDONNE, les Destinées sentimentales, II, v, p. 320.

REM. En français actuel, le masc. *cuisinier* s'applique professionnellement à tous les échelons de la cuisine (*un cuisinier de gargote; un grand cuisinier*); *cuisinière,* n. f., concerne, du fait du rôle social traditionnel de la femme, notamment celles qui font la cuisine pour autrui. *Ils sont très riches : ils ont une cuisinière et une bonne.*

Par ext. Personne qui sait faire la cuisine. *Elle est très bonne cuisinière. Il est médiocre cuisinier.*

Fig., péj. (symbolisant l'ignorance). *Une écriture,* (1835) *un roman de cuisinière.* — **REM.** Cet emploi reflète le mépris bourgeois pour certaines fonctions à la fois domestiques, salariées et féminines (→ Concierge).

◆ **2** (1881). **Vx.** Secrétaire de rédaction dans un journal.

◆ **3 N. m.** (1690). Livre de cuisine. *Le cuisinier français. Le Parfait Cuisinier.*

HOM. (Du masc.) Formes du v. **cuisiner.** — (Du fém.) **Cuisinière.**

CUISINIÈRE [kɥizinjɛʀ] n. f. — 1892; «rôtissoire», 1771; de *cuisine.*

Fourneau de cuisine servant à chauffer, à cuire les aliments. *Cuisinière à charbon, à gaz* (→ **Gazinière**). *Cuisinière électrique. Cuisinière en fonte, émaillée. Four, foyer, bain-marie d'une cuisinière.*

HOM. V. **Cuisinier.**

CUISINISTE [kɥizinist] n. — 1982; de *cuisine.*

Professionnel qui fabrique, vend et installe des cuisines. «*La plupart des cuisinistes établissant des devis métrés et gratuits, n'hésitez pas à en consulter plusieurs*» (*le Figaro,* 16 févr. 1990, p. 33).

CUISSAGE [kɥisaʒ] n. m. — XVIᵉ; de *cuisse.*

Féod. *Droit de cuissage :* droit qu'avait le seigneur de mettre la jambe dans le lit de la mariée la première nuit après les noces, et, dans certaines localités, de passer cette première nuit avec elle. *Le droit de cuissage ne pouvait être racheté qu'à prix d'argent.* — On dit aussi *droit de jambage.*

M. le comte Adhémar du Rut est rentré pour quelques jours en son château, afin de se reposer des fatigues de la saison balnéaire. Il exercera son droit de cuissage, mardi, jeudi et samedi courants. Les jeunes gens sont admis (...) Après avoir attentivement lu ce fragment du *Petit Écho de X...,* Narcense en fit usage et le jeta dans le trou.
R. QUENEAU, le Chiendent, Folio, p. 243 et 246.

CUISSARD [kɥisaʀ] n. m. — 1571; de *cuisse.*

I ◆ **1** Partie de l'armure qui couvrait la cuisse. → **Cuissière, cuissot.**

L'aïeul Jean avait rêvé à Marignan que son cuissard était défait et qu'il ne pouvait l'agrafer.
GIRAUDOUX, Églantine, p. 225.

◆ **2** (1906, escr., *in* Petiot). Garniture de protection de la cuisse. → aussi **Cuissière.**

Culotte courte et collante, dont le fond est garni de peau. *Cuissard de coureur cycliste.* → **Cycliste.**

◆ **3** (1863). Prothèse adaptée au moignon d'une cuisse amputée pour fixer une jambe artificielle.

II **Fig., techn.** Tube de jonction des bouilleurs au corps principal d'une chaudière à bouilleurs.

CUISSARDE [kɥisaʀd] n. f. — XXᵉ (1922, *in* D.D.L.); de *cuisse* (cf. *guêtre cuissarde,* 1894, *in* D.D.L.), et suff. *-ard, -arde.*

Botte qui emboîte la cuisse jusqu'à l'aine. *Cuissardes de pêcheur, d'égoutier.* — **Adj.** (1922). *Bottes cuissardes.*

(...) ils enfilent des cuissardes, des cirés canaris, des suroîts, par-dessus les vêtements qu'ils n'avaient pas ôtés pour dormir.
Pierre ACCOCE, le Polonais, p. 176.

CUISSE [kɥis] n. f. — V. 1100, *quisse,* du lat. *coxa* «hanche».

◆ **1** Partie du corps qui s'articule à la hanche et va jusqu'au genou. → **Jambe** (→ Faire, tailler une basane*). *Arcade de la cuisse.* → **Crural, fémoral.** *L'aine sépare la cuisse de l'abdomen. Os de la cuisse.* → **Fémur.** *Muscles de la cuisse.* → **Adducteur, biceps, crural, quadriceps, triceps, vaste; pectiné** (muscle). *Nerfs de la cuisse.* → **Crural, sciatique.** *Entre-deux des cuisses.* → **Entre-cuisse.** *Cuisse musclée d'athlète, de coureur cycliste. — Jarretière qui fixe le bas sur la cuisse. Vêtement qui recouvre la cuisse, qui arrive à mi-cuisse.*

La longueur de la cuisse, calculée du bord supérieur du pubis à l'interligne du genou, est normalement inférieure de deux centimètres à la longueur de la jambe, prise de l'interligne du genou à la plante du pied.
A. BINET, les Formes de la femme, p. 29.

2   Les pans de sa chemise flottaient sur ses cuisses, qui
    étaient grasses, blanches et duvetées de blond.
                              MARTIN DU GARD, les Thibault, t. VII, p. 90.

3   (...) je faisais corps avec l'âne ; sa chaleur se glissait tout
    le long de mes cuisses et passait dans mes reins ; le jeu
    du moindre de ses muscles était sensible aux miens.
                              H. BOSCO, l'Âne Culotte, p. 47.

3.1 Ses longues jambes sont découvertes jusqu'en haut des
    cuisses, la jupe déjà courte s'étant encore retroussée dans
    la culbute, ce qui met à nu et bien en valeur leurs lignes
    plaisantes.
                              A. ROBBE-GRILLET,
                              Projet pour une révolution à New York, p. 26.

3.2 (...) il pressait allègrement sa cuisse durcie par la pra-
    tique du cheval, contre la cuisse moelleuse de Béatrice,
    qui accepta l'hommage avec un rire charmant.
                              Salvador DALI, Visages cachés, p. 38.

Par métonymie. *La cuisse du pantalon* : partie du
pantalon qui couvre la cuisse. *Faire une reprise à
la cuisse.*

(Animaux). *Cuisse du cheval, du mouton.* → **Gigot.**
Cuisse du bœuf. → **Culotte, quasi.** *Cuisse du veau.*
→ **Cuisseau.** *Cuisse du cochon.* → **Jambon.** *Cuisse de
chevreuil.* → **Cuissot, gigue.** *Cuisses de grenouille.*

Spécialt. La partie d'une volaille qui correspond à
une patte. *Cuisse de poulet, de perdrix.* → **Pilon.**
L'aile* ou la cuisse. — **Loc. fig. Vx.** *Tirer cuisse ou
aile de qqch.*, en tirer parti, de quelque manière
que ce soit.

♦ **2 Loc.** *Se croire sorti de la cuisse de Jupiter* (par
allus. à Bacchus, enfermé dans la cuisse de Jupiter) : se
croire de très haute naissance, et, par ext., être très
orgueilleux. — **Fam.** *Se taper* (ou *se claquer*) *sur les
cuisses* : manifester ostensiblement sa joie.

4   Ni vous ni moi ne sortons de la cuisse de Jupiter, peut-
    être ?   BERNANOS, la Joie, in Œ. roman., Pl., p. 617.

Fam. (en parlant d'une femme, de la sexualité). → **Cul,
fesse.** *Montrer ses cuisses* : s'exhiber (notamment,
sur scène, dans un mauvais spectacle). — *Arriver
par les cuisses* : obtenir qqch. (une situation
sociale...) en se servant de relations sexuelles. —
Avoir la cuisse légère, accueillante, hospitalière :
avoir facilement des relations sexuelles.
Loc. (vulg.). *Ouvrir les cuisses* : accepter un rapport
sexuel ; faire l'amour. — *Serrer les cuisses* : refuser les
rapports sexuels. — *Histoires de cuisse.* → **Cul, fesse.**
Il y a de la cuisse, des femmes (dans un contexte
érotique). → (plus cour.) **Fesse.**

♦ **3 Bot.** *Cuisse de...* → **Cuisse-de-nymphe,** et aussi
cuisse-madame. — **Régional** (en appos.). *Vin cuisse
de bergère* : vin rouge, faible de couleur.

DÉR. Cuissage, cuissard, cuissardes, cuisseau, cuissettes,
cuissière, cuissot. ◊ **COMP.** Cuisse-de-nymphe, cuisse-
madame. — **Sous-cuisse.**

CUISSEAU [kɥiso] n. m. — 1651 ; de *cuisse.*

Techn. (bouch.). Partie du veau dépecé, du dessous
de la queue au rognon.

HOM. Cuissot.

CUISSE-DE-NYMPHE [kɥisdənɛ̃f] n. f. — XVIIIe ; de
cuisse, de, et *nymphe.*

Variété de rose blanche teintée de rose. **Appos.**
Rosier cuisse-de-nymphe (→ Chèvrefeuille, cit. 2). —
Adj. invar. *Rose pâle. Des teintes cuisse-de-nymphe.*
— **Loc. adj.** (vx ou par plais.). *Cuisse-de-nymphe émue* :
d'un rose incarnadin. — **Parfois écrit sans tirets :**

(...) ce quatrième porte un pantalon collant cuisse de
nymphe émue, un gilet de velours et des bagues à tous
les doigts (...)   ARAGON, Anicet, 2, p. 28.

CUISSE-MADAME [kɥismadam] n. f. — 1611, *cuisse-
dame* ; de *cuisse,* et *madame.*

Variété de poire de forme allongée et de couleur
fauve. *Des cuisses-madame.*

La cuisse-madame, je vois encore sa forme aussi suave
que son nom (...)
                              COLETTE, Flore et Pomone, in Gigi, p. 174.

CUISSETTES [kɥisɛt] n. f. pl. — XXe ; de *cuisse,* et suff.
dimin. *-ette.*

Régional (Suisse). Culottes courtes de sport, sans
poche ni braguette (à la différence du *short**). *Cuissettes de gymnastique.*

Le temps d'enfiler ses cuissettes et ses espadrilles, et le
voilà à la cuisine.
                              G. CLAVIEN, les Moineaux de l'Arvêche, p. 85.

CUISSIÈRE [kɥisjɛʀ] n. f. — 1280 ; de *cuisse.*

♦ **1 Vx.** Cuissard* (I., 1.) d'armure. → **Cuissot.**

♦ **2** (1831, in D.D.L.). Garniture de peau qui recouvre
et protège la cuisse gauche du tambour.

♦ **3** (1930). **Par ext.** *Cuissière de hockeyeur* (sur glace).
→ aussi **Cuissard.**

CUISSON [kɥisɔ̃] n. f. — 1256, «brûlure» ; du lat. *coctio,
onis,* de *coquere,* avec infl. de *cuire*.*

♦ **1** (XVe). Action de cuire ; préparation des aliments par le feu, la chaleur. → **Caléfaction, coction ; cuire.** *Cette viande demande une cuisson prolongée. Cuisson à l'anglaise*. Cuisson des sucres, des
sirops.* → **Cuite.** *La cuisson du pain par le boulanger.
Cuisson de la charcuterie. Cuisson de la bière* (hou-
blonnage). *Cuisson rapide, lente. Degré de cuisson.*

Pencroff, qui connaissait cinquante-deux manières d'ac-   0.1
commoder les œufs, n'avait pas le choix en ce moment. Il
dut se contenter de les introduire dans les cendres
chaudes, et de les laisser durcir à petit feu. En quelques minutes, la cuisson fut opérée, et le marin invita à
reporter à prendre sa part du souper. Tel fut le premier
repas des naufragés sur cette côte inconnue.
                              J. VERNE, l'Île mystérieuse, t. I, p. 61.

*Table, surface de cuisson d'un fourneau. Plaque de
cuisson d'une cuisinière électrique.*

♦ **2 Techn.** [a] Préparation de certaines substances
par le feu. *Cuisson industrielle. Cuisson des briques,
des poteries, de la porcelaine.*

(...) il n'aurait pu expliquer à un profane (...) quelle éco-   1
nomie lui procurerait l'emploi de condensateurs pour la
force motrice, ni les inconvénients du foyer Cressemann
ou les avantages d'un four à mazout pour la cuisson du
bleu.
                              J. CHARDONNE, les Destinées sentimentales, III,
                                                             III, p. 391.

[b] Préparation des cocons de vers à soie pour la
filature.

♦ **3** [a] Sensation analogue à une brûlure ; douleur
cuisante*. *Ressentir une cuisson dans une plaie.*

[b] (Abstrait). Souffrance morale. *La cuisson d'une
douleur morale.*

Je ne jurerais pas non plus que beaucoup plus tard la   2
cuisson du désir ne m'a pas été quelquefois trop vive pour
ne m'être pas douloureuse.
                              FRANCE, le Petit Pierre, p. 243.

COMP. Surcuisson.

CUISSOT [kɥiso] n. m. — V. 1290 ; de *cuisse.*

♦ **1 Vx.** Cuissard* (1.) d'armure. → aussi **Cuissière.**

♦ **2 Vén.** Cuisse du gros gibier. *Cuissot de cerf, de
chevreuil, de sanglier.*

♦ **3 Par ext.** (souvent par plais.). Cuisse (d'un animal).
→ **Gigot.** *Cuissots bien gigotés d'un chien.* — **Par plais.**
(d'une personne). *Ce gamin a de beaux cuissots.*

HOM. Cuisseau.

CUISTANCE [kɥistɑ̃s] n. f. — 1912; de *cuisine*, p.-ê. d'après *béquetance*.

♦ **1** Argot milit. Cuisine (1.).

♦ **2** Cour. (fam.). Cuisine (2.), préparation des mets. *Faire la cuistance.*

Les mobiliers bien cassés d'abord, passaient à faire du feu pour la cuistance, chaises, fauteuils, buffets (...)
CÉLINE, *Voyage au bout de la nuit*, p. 39.

Fam. Cuisine (3.), mets préparés. *De la bonne cuistance.* → **Bouffe, bouffetance.**

DÉR. Cuistancier, cuistot.

CUISTANCIER [kɥistɑ̃sje] n. m. — 1915; de *cuistance*. Argot milit. Vx. → **Cuistot.**

CUISTOT, OTE [kɥisto, ɔt] n. — 1894; de *cuistance*. Argot. milit. et cour. (fam.). Cuisinier professionnel (surtout dans une communauté). *Les cuistots de la caserne, de la cantine. Travailler comme cuistot :* exercer le métier de cuisinier.

Il *(l'ordonnance)* n'avait pas à sa suffisance à la cantine. Voilà mon de Saint-Loup qui s'est amené et le cuistot en a entendu : «Je veux qu'il soit bien nourri, ça coûtera ce que ça coûtera.»
PROUST, *le Côté de Guermantes*, Pl., t. II, p. 95.

Au fém. Rare. «*Dédette la cuistote*» (Tony Duvert, *Paysage de fantaisie*, p. 126).

REM. La var. graphique *cuisteau* est rare.

CUISTRE [kɥistʀ] n. m. — 1622; argot des écoliers, anc. franç. *quistre*, de *coistron* «marmiton», du bas lat. *coquistro* «officier chargé de goûter les mets», avec infl. de *cuire*, et *cuisine*.

♦ **1** Vx. Surveillant de collège.

♦ **2** Littér. Pédant vaniteux et ridicule. *Un cuistre fieffé.* — Grossier personnage dépourvu de savoir-vivre. *Espèce de cuistre !*

1 — Allez, bélitre de pédant.
— Allez, cuistre fieffé (...)
MOLIÈRE, *le Bourgeois gentilhomme*, II, 3.

2 (...) il ne s'exprimait jamais sur mon compte qu'en termes outrageants, méprisants, sans me désigner autrement que par ce *petit cuistre* (...)
ROUSSEAU, *les Confessions*, VIII.

3 Ceux-là furent des cuistres qui prétendirent donner des règles pour écrire, comme s'il y avait d'autres règles pour cela que l'usage, le goût et les passions, nos vertus et nos vices, nos faiblesses, toutes nos forces.
FRANCE, *Pierre Nozière*, p. 146.

4 (...) le manque de goût familier aux cuistres.
Ch. MAURRAS, *Anthinéa*, p. 55.

5 Je ne suis pas un cuistre, je n'irai pas faire grief d'une minute d'absence à un écrivain qui se recommande justement par la pureté et l'exactitude de son style.
M. AYMÉ, *le Confort intellectuel*, IV, p. 42.

Adj. *Il, elle est un peu cuistre. Air, manière cuistre.*

CONTR. Savant; poli. ◊ DÉR. Cuistrerie. — REM. L'adv. **cuistrement** est attesté (1901, Willy, *in* D.D.L.).

CUISTRERIE [kɥistʀəʀi] n. f. — 1844; de *cuistre*. Littér. Pédanterie, procédés de cuistre* (2.). → **Pédantisme; grossièreté, vulgarité.** *La cuistrerie de ses manières.*

J'ai utilisé mon bras valide à faire passer le bachot. Je vous envoie, pour vous distraire, le texte des questions que ces malheureux ont eues à débrouiller, une vraie concurrence à l'écolier limousin *(allusion à Rabelais)*... Vive la dissertation française, la cuistrerie n'est pas morte !
J.-R. BLOCH, *Deux hommes se rencontrent*, p. 209.

CONTR. Éducation, savoir-vivre.

CUIT, CUITE [kɥi, kɥit] p. p. adj. et n. → **Cuire.**

CUITE [kɥit] n. f. — XIIIᵉ; de *cuit*, p. p. de *cuire*.

♦ **1** Cuisson* de certaines substances jusqu'à un degré déterminé. *Cuite du sucre. Cuite de la porcelaine. Mettre à la cuite. Donner une première, une seconde cuite* (→ **Recuire**, *infra*). — Par ext. Ce qu'on cuit dans la même fournée.

Spécialt. Concentration d'un sirop.

Agric. Petit lait, résidu de la fabrication du fromage.

♦ **2** (1864). Fam. Ivresse. → **Biture** (fam.). *Prendre une cuite, une bonne cuite :* s'enivrer*. → **Caisse** (IV., 4.), **cuiter** (se). *Il a sa cuite. Elle tient une sacrée cuite.*

1 (...) il disparaissait de la maison, et se flanquait une cuite de quarante-huit, de soixante heures, au bout desquelles, la pauvre femme allait le ramasser, plus mort que vif, chez quelque marchand de vin.
Ed. et J. DE GONCOURT, *Journal*, 7 avr. 1886.

2 Chez le bistro où il devait attendre le moment d'entrer en scène, l'ami Ribouldingue avait liché de nombreux verres, et avait la cuite. Néanmoins, il se souvint du rôle qu'il devait jouer et, d'un pas mal assuré, il se dirigea vers l'endroit où se trouvaient ses acolytes.
L. FORTON, *les Aventures des Pieds-Nickelés*, *in* l'Épatant, 1908, p. 17.

Cf. dans le même texte, l'adage «*les bons crus provoquent les bonnes cuites*» (1908, p. 91).

3 (...) le légionnaire Pedro Garcia s'épanouissait dans une cuite magnifique (...)
P. MAC ORLAN, *la Bandera*, V, p. 62.

DÉR. Cuiter. ◊ HOM. V. **Cuire**; formes du v. **cuiter** (se cuiter).

CUITER (SE) [kɥite] v. pron. — 1869; de *cuite*. Fam. Prendre une cuite*, s'enivrer. → **Soûler** (se).

1 Qu'est-ce qu'il demande? À roupiller, à bouffer, à se cuiter (...)
J. ROMAINS, *les Hommes de bonne volonté*, t. V, XXVIII, p. 297.

2 — Réfléchis, 325 000 francs (...) quatre heures — quatre heures, dit Busard. Tu auras tout le temps de dormir et même de te cuiter.
Roger VAILLAND, *325 000 francs*, p. 80.

♦ **CUITÉ, ÉE** p. p. adj.

3 Bras dessus, bras dessous, la bande s'achemina vers un cabaret borgne et, aussitôt attablés dans le bouge, ils s'occupèrent d'achever complètement le matelot, qui était déjà plus qu'indécemment *cuité* (...)
L. FORTON, *les Aventures des Pieds-Nickelés*, *in* l'Épatant, 1909, p. 88.

COMP. Décuiter. ◊ HOM. V. **Cuite.**

CUIVRAGE [kɥivʀaʒ] n. m. — 1777; de *cuivrer*. Techn. Action de cuivrer* (1.). *Cuivrage par voie électrolytique.* → **Galvanoplastie.** *Cuivrage du fer, de la fonte, de l'acier, du bronze.*

CUIVRE [kɥivʀ] n. m. — Déb. XIIᵉ, *queivre*; *quivre, coivre*, jusque v. 1165; du lat. *coprium, cuprium*, lat. class. *cyprium*, ellipse d'*aescuprium* «bronze de Chypre».

♦ **1** Corps simple (symb. Cu); nᵒ at. 29; p. at. 63,54; métal rouge fusible à 1 083 °C, très malléable et ductile, bon conducteur électrique (dens. 8,96). → **Chalco-, cupri-.** *Cuivre rouge.* → **Rosette.** *Minerais de cuivre.* → **Cuprifère; azurite, bournonite, chalcopyrite, chalcosine, chrysocolle (et préf. chryso-), cuprite, malachite.** *Le cuivre est l'un des métaux les plus importants. Cuivre vierge,* non fondu, non raffiné. *Mine de cuivre. Extraction, métallurgie du cuivre. Fonderie de cuivre. Traitement des minerais sulfurés de cuivre :* grillage (en tas, en four à tablettes), fusion pour matte* (en fours à cuve, en réverbères), convertissage en matte blanche, affinage. *Alliages de cuivre.* → **Airain, alfénide, argentan, bronze, chrysocale, constantan, laiton (ou** cuivre jaune), **maillechort, pacfung, potin, pyrope, tombac.** *Cuivre blanc* : alliage de cuivre, arsenic et étain. *Le bronze d'aluminium est un alliage de cuivre.*

Composés du cuivre (composés halogénés) : chlorure cuivreux (Cu_2Cl_2), chlorure cuivrique ($CuCl_2$). *Oxydes de cuivre* : oxyde cuivreux Cu_2O (ou *oxydule*), oxyde cuivrique (CuO). *Sulfate de cuivre* ($CuSO_4$). *Sels de cuivre* : sulfate (couperose bleue, vitriol bleu), azotate, carbonates (cuivre bleu) et hydrocarbonates (→ **Azurite, malachite, vert-de-gris**). *Sulfate de cuivre,* employé en viticulture sous le nom de *bouillie bordelaise.* → **Sulfatage.** *Acétate de cuivre employé en bouillie anticryptogamique.* → **Verdet.**

Utilisations du cuivre. → **Chaudronnerie, dinanderie, quincaillerie.** *Cuivre embouti. Cuivre repoussé. Ustensiles de* ou *en cuivre.* → **Cuivré.** *Batterie de cuisine, casseroles en cuivre. Clou, cabochon en cuivre. Clochette, cymbale en cuivre. Récipient en cuivre servant au transport du lait.* → 2. **Canne.** — *Monnaie de cuivre. — Cuivre employé en bijouterie en faux.* → **Clinquant, paillon, oripeau.** — *Gravure* sur cuivre.* → **Chalcographie.** *Cliché typographique, galvanotype en cuivre. — Instruments de musique en cuivre* (→ ci-dessous, 2., b. : les cuivres). — *Emploi du cuivre par l'industrie électrique.*

1 Qu'un joueur est heureux ! Sa poche est un trésor !
Sous ses heureuses mains le cuivre devient or.
J.-F. REGNARD, le Joueur, III, 6.

2 J'étalerai mes baisers sans remords
Sur ton beau corps poli comme le cuivre.
BAUDELAIRE, les Fleurs du mal, Épaves, IV, «Léthé».

3 (...) vous y découvrirez, çà et là, quelques détails sur les alliages de cuivre rouge et d'étain fin (...)
HUYSMANS, Là-bas, IX, p. 130.

4 Sur une assise de briques, les cuves et les appareils de cuivre rouge, renflés en bulbes ou recourbés en col de cygne, ont une couleur riche de viscère rutilant, entre les murs noircis.
J. CHARDONNE, les Destinées sentimentales, I, III, p. 95.

Âge du cuivre, précédant l'âge de bronze*, marquant l'apparition des métaux (→ aussi **Chalcolithique.**)

En appos. *Rouge cuivre* (→ **Cuivré,** cuivreux). — *Le cuivre de qqch.* : sa couleur cuivrée. *Le cuivre d'un sous-bois en automne.*

Par ext. *Cuivre gris* : sulfure complexe de cuivre à l'état natif. *Cuivre noir. Cuivre jaune* : laiton (alliage). *Cuivre vierge.*

♦ **2** Généralt au plur. *(Les cuivres).* Objets en cuivre. [a] (1823). Ensemble d'instruments de cuisine, d'objets d'ornement... en cuivre, en laiton (→ **Dinanderie**). *Astiquer, nettoyer, faire briller les cuivres. Faire les cuivres* (fam.). *Faire les cuivres avec de la pâte à cuivre, de l'eau de cuivre.* «*Les cuivres luisants Au dos du comptoir*» (→ Comptoir, cit. 0.2, Elskamp).

5 (...) nous enseigna doctement l'emploi du tripoli pour le polissage des cuivres.
FRANCE, le Crime de Sylvestre Bonnard, II, p. 396.

6 (...) un yacht étranger, en bonne place, à ras de quai, exhibait sans pudeur, ses cuivres, son électricité, son pont en bois des îles (...)
COLETTE, la Naissance du jour, p. 204.

7 (...) l'on voyait, sur le bahut, étinceler les plats et les grands cuivres rouges, polis religieusement par Sidonie.
H. BOSCO, le Jardin d'Hyacinthe, Sidonie, III, p. 102.

[b] (1832). Ensemble des instruments à vent en cuivre employés dans l'orchestre. → **Cor, saxhorn, trombone, trompette; clairon, cornet.** *Orchestre de cuivres.* → **Fanfare.** *Les cuivres de cet orchestre manquent de justesse.* Au sing. collectif :

8 (...) Pour entendre un de ces concerts riches en cuivre,
Dont les soldats parfois inondent nos jardins (...)
BAUDELAIRE, les Fleurs du mal, Tableaux parisiens, «Les petites vieilles», III.

9 Les cuivres et les roulements de tambour, les coups sourds de la grosse caisse rythmaient ses chansons et sa voix autoritaire qui bouleversait les soldats.
P. MAC ORLAN, la Bandera, IX, p. 110.

10 Sigismond ne dérange personne en allant vers un rideau de vieux velours vert, derrière lequel se fait entendre un orchestre fort en cuivres.
A. PIEYRE DE MANDIARGUES, la Marge, p. 169-170.

[c] (1845). Planche de cuivre gravée; par métonymie, la gravure elle-même. *Acheter les cuivres des illustrations d'un livre. De beaux cuivres.*

11 Chez Villot vers trois heures et retouché le cuivre des Arabes d'Oran (...)
E. DELACROIX, Journal, 13 juin 1847.

DÉR. et COMP. Cuivrer, cuivrerie, cuivreux, cuivrique. Décuivrer.

CUIVRÉ, ÉE [kɥivre] adj. → **Cuivrer.**

CUIVRER [kɥivre] v. tr. — 1723; de *cuivre.*

♦ **1** Techn. Recouvrir d'une feuille de cuivre. *Cuivrer un métal.*

♦ **2** Donner une teinte de cuivre à (qqch.). *Cuivrer la peau, le teint de qqn* (→ Bronzer).

1 La glace qui les mord, les soleils qui les cuivrent (...)
BAUDELAIRE, les Fleurs du mal, CXXVI, «Le voyage».

♦ **3** Donner à (un son) le timbre éclatant d'un instrument de cuivre. *Cuivrer un son.*

♦ **SE CUIVRER** v. pron.

♦ **1** Prendre une teinte de cuivre. *Les feuilles se cuivrent en automne.*

♦ **2** Prendre le timbre éclatant d'un instrument de cuivre. *Son qui se cuivre.*

♦ **CUIVRÉ, ÉE** p. p. adj.

♦ **1** En cuivre; qui contient du cuivre.

♦ **2** (1740, *in* D.D.L.). Qui a la couleur rougeâtre du cuivre. *Couleur cuivrée.* — (En parlant de la peau). → **Bronzé, hâlé.** *Les Indiens d'Amérique ont la peau cuivrée.* — N. m. *Le cuivré de la peau.*

2 Tu n'es point blanche ni cuivrée,
Mais il semble qu'on t'a dorée
Avec un rayon du soleil.
HUGO, les Orientales, XII, «La sultane favorite».

♦ **3** (1848). Qui a un timbre éclatant comme un instrument de cuivre. *Voix cuivrée et chaude.* — N. m. *Le cuivré d'une voix.*

3 (...) j'entendais cette note courte, monotone et triste, que jette aux étoiles la voix cuivrée des crapauds.
MAUPASSANT, Contes, «Sur l'eau», p. 142.

DÉR. Cuivrage.

CUIVRERIE [kɥivrəri] n. f. — 1877; de *cuivre.*

Technique.

♦ **1** Fonderie de cuivre; fabrique d'ustensiles en cuivre.

♦ **2** Par métonymie. Ornement ou ensemble d'ornements en cuivre (→ Astiquer, cit. 1).

CUIVREUX, EUSE [kɥivʀø, øz] adj. — 1571, *cuyvreux;* de *cuivre.*

♦ **1** Vx. Qui contient du cuivre. *Alliage cuivreux.*

♦ **2** Mod. Chim. Se dit d'un composé de cuivre monovalent. *Oxyde cuivreux* (Cu_2O) ou *cuprite.*

♦ **3** (1740). Cour. De la couleur du cuivre. → **Cuivré.** *Couleur cuivreuse. Peau cuivreuse.* — N. m. (Rare). *Le cuivreux d'une feuille d'automne.*

♦ **4** (1838). Qui a un timbre éclatant comme un instrument de cuivre. → **Cuivré.** *Son, tintement cuivreux. Voix cuivreuse et chaude.* — N. m. (Rare). *Le cuivreux d'une voix.*

CUIVRIQUE [kɥivʀik] adj. — 1834; de *cuivre.*
Chim. Composé de cuivre bivalent. *Sels cuivriques.* → **Cuivre.**

CUL [ky] n. m. — V. 1180; du lat. *culus,* même sens.

I En parlant des humains (emplois marqués, considérés en général comme vulgaires ou tabous). ♦ **1** Très fam. Derrière, fesses* (d'un être humain). → **Croupe, derrière, fesse, fondement, postérieur;** fam. 4. **baba, croupion, culasse, dargeot, derche, fias,** 1. **fion, lune, panier, pétard, popotin, train, troufignon, trou** (de balle), **verre** (de montre). *Un petit cul. Un gros cul. Le petit cul joufflu d'un nourrisson. Avoir mal au cul.* «*Si l'Italie a la forme d'une botte il ne faut pas croire que la France a la forme d'un cul*» (mot prêté à A. Briand). *Poser son cul sur une chaise. Soulever son cul.*

1 J'ai *(répondit Gargantua)* par longue et curieuse expérience inventé un moyen de me torcher le cul, le plus seigneurial, le plus excellent, le plus expédient que jamais fut vu.
RABELAIS, Gargantua, XIII.

2 (...) au plus élevé trône du monde, si *(pourtant)* ne sommes assis que sur notre cul.
MONTAIGNE, Essais, III, 373.

3 Revenez, mes fesses perdues
Revenez me donner un cul.
SCARRON, Œ., t. VII, p. 233, *in* POUGENS,
cité par LITTRÉ.

Être bas du cul : avoir des jambes courtes (fam. *basduc'* [badyk]). *Il est un peu bas du cul.* Par métonymie. *Un bas-du-cul, une bas-du-cul.*

La peau du cul (ou *des fesses*). Loc. fig. *Ça vaut, ça coûte la peau du cul,* très cher.

Loc. Terme très productif de locutions désignant :

a Une action, un mouvement, une position. Fam. *Tomber sur le cul :* tomber assis; au fig., être très étonné. *En rester, en être sur le cul* (même sens). *Mettre qqn sur le cul,* le surprendre. — *Renverser* (ou *envoyer, jeter, mettre*) *qqn cul par-dessus tête.* → **Basculer, culbuter.** *La tête a emporté le cul,* se dit d'une personne qui est tombée sur la tête. — *Avoir le cul sur la selle :* être (souvent) à cheval, et être (bien) assis*.

4 (...) si vous étiez dans un autre état, je vous dirais de marcher (...) je suis persuadée que la plupart des maux viennent d'avoir le cul sur la selle.
Mme DE SÉVIGNÉ, 197, 26 août 1671.

Être, demeurer le cul entre deux selles, entre deux chaises : hésiter entre deux avis, deux manières d'agir, etc.; être sollicité par deux séries d'obligations contradictoires.

Traîner le cul à écorche-cul, le derrière par terre. *Taper le cul par terre, faire un tape-cul.* Fig. *Se taper le cul par terre,* de rire.

Vx. *Donner du pied au cul à qqn.* — Mod. *Donner, foutre un coup de pied au cul de qqn. Recevoir un coup de pied au cul.* — *Mettre* (ou *foutre*) *son pied au cul (à qqn). S'il continue ainsi je vais lui mettre mon pied au cul...* (Par allus. au sens 3 «anus»). *Coup de pied dans le cul. Chasser qqn à coups de pied dans le cul, au cul. Je vais lui faire comprendre la situation à coups de pied dans le cul, au cul.* Loc. *Se donner des coups de pied dans le cul :* se faire des reproches. — *Botter* le cul à qqn.

5 (...) vous verrez qu'un de ces jours on vous donnera du pied au cul, et qu'on vous chassera comme un faquin.
MOLIÈRE, les Amants magnifiques, I, 2.

6 Voulez-vous parier que je vais donner un coup de pied au cul de Béchamel (...)?
SAINT-SIMON, Mémoires, 118, 34, *in* LITTRÉ.

7 Bah! dit Turpin. Ça a toujours été pareil. Comment est-ce qu'on a construit les Pyramides? À coups de fouet et de bottes dans le cul.
J. ROMAINS, les Hommes de bonne volonté, t. V,
XXVIII, p. 297.

8 À coups de pied dans le cul, je le chasse de ma chambre.
Henri MICHAUX, La nuit remue, Mon Roi, p. 14.

Loc. (Vieilli) *Aller de cul et de tête comme une corneille qui abat des noix :* s'y prendre avec ardeur, avec maladresse.

9 M. de Vendôme fit donner ses troupes d'arrivée, de cul et de tête, sans ordre et sans règle.
SAINT-SIMON, Mémoires, 204, 234, *in* LITTRÉ.

Chercher à, vouloir péter plus haut que son cul : «viser trop haut» (Académie).

Être à cul : ne pouvoir reculer. → **Acculer** (être acculé). — *Être, se trouver le cul contre, sur, dans qqch. :* ne plus pouvoir reculer. — Loc. *Bite*-à-cul.*

10 Nous étions campés le cul dans le Necker (...)
SAINT-SIMON, Mémoires, I, 184, *in* HATZFELD.

(1694). *Baiser, flairer, lécher le cul à qqn,* le flatter bassement. → **Flagorner.** (On dit aussi *c'est un lèche-cul*). *Pousser qqn au cul,* le presser. Absolt. *Il pousse un peu au cul :* il est quelque peu impatient. (Réfl. ou récipr.). *Se pousser au cul.*

10.1 Le céramiste ne rongeait pas son frein; même, il se poussait au cul pour allumer ses yeux, ou montrer les dents. Son état profond était atone alors que Petr se consumait.
Jacques LAURENT, les Bêtises, p. 429.

Courir au cul de qqn, essayer de le rattraper. *Avoir qqn au cul :* être poursuivi par qqn (→ Avoir quelqu'un aux trousses*).

10.2 J'ai repris ma tire *(voiture)* rue Duperré. J'avais personne au cul; je suis parti au hasard.
A. SIMONIN, Touchez pas au grisbi, p. 56.

(D'abord argot milit.). *Tirer au cul :* travailler le moins possible sous de mauvais prétextes, en simulant. On dit aussi *c'est un tire,* ou (rare), *un tireur au cul.* → **Tire-au-flanc.**

10.3 Et ce grand diable là-bas, qui est pour s'en aller avec eux. Bougre de Savoyard de tireur au cul, voulez-vous rester là et attendre vos camarades pour partir à la manœuvre!
A. JARRY, les Jours et les Nuits, Pl., p. 810.

(Jeux). *Jouer à cul levé,* en remplaçant le perdant chacun à son tour. — *Fendre le cul de* (une carte) : couper. — *Baiser le cul de la vieille :* être capot à la fin de la partie, à certains jeux.

b Un état, une impression, un sentiment. *Aller le cul tout nu* (cf. Le derrière au vent), *montrer son cul :* avoir des vêtements déchirés. — Fig. *Montrer son cul, le cul :* fuir, et, par ext., être ruiné. — *Se geler le cul :* avoir très froid. *On se gèle le cul ici!*

Vx. *Prendre son cul pour ses chausses :* se tromper grossièrement. *Tenir qqn au cul et aux chausses.* → **Chausse** (cit. 3).

Parle à mon cul, ma tête est malade! : tu peux toujours parler, je ne t'écoute plus. — *Et mon cul, c'est du poulet?,* formule de dérision (d'orig. obscure).

Plus marqué, vulg. *(Qqn* ou *qqch.) de mon cul,* inefficace, inutile, ridicule. *Où est-il ce gardien de mon cul?* — Exclam. *Mon cul! :* non! jamais. *S'ils comptent m'attraper, mon cul!,* jamais, c'est inutile. *Pour*

vous aider dans les ennuis, les amis, mon cul, oui!
— REM. Cet emploi a été largement utilisé par R. Queneau dans *Zazie dans le métro.*

10.4 Les petits macs ils me faisaient sourire... Ils avaient mangé du bobard !... ça leur tournait leurs petites têtes !... Je disais rien !... C'est l'expérience... Je savais moi !... Faut pas se vanter !... C'était des enfants dans un sens !... «affranchis» mon cul !... Ils apprendraient les galipettes là-bas aux Secteurs !...   CÉLINE, Guignol's band, p. 91.

Au cul! :

10.5 — Voulez-vous boire un verre?
— Cela m'est interdit
— Au cul! s'écria Hartog et Julie sourcilla follement.
                                       J.-P. MANCHETTE, Folle à tuer, 3, p. 19.

Avoir des couilles* au cul : être courageux (hommes).
— *Il, elle a du poil au cul* (même sens).

Fam. (non vulg.). *Avoir le feu au cul :* courir très vite; être très pressé. — (Autre sens, érotique, → ci-dessous, 4.).

Être comme cul et chemise, très amis, complices.
— Vieilli. *Être (comme) deux culs dans une même chemise.*

10.6 — Je t'adore. Nous ne nous quittons pas. Nous sommes comme cul et chemise (...)
— Tu vois, tu dis encore des gros mots exprès pour me mettre mal à l'aise.   J. ANOUILH, Ornifle, p. 30.

c N. m. **FAUX CUL** : tournure* que les femmes portèrent à diverses époques.

11 Quand elles veulent sortir dehors elles disent : Apportez-moi mon cul. Et quelquefois on crie : On ne trouve point le cul de madame, le cul de madame est perdu... Il y a de ces culs (qu'aucunes plus honnêtes appellent hausse-culs) qui sont fort précieux (...)
                                       H. ESTIENNE, Dialogues du langage français italianisé..., I, 272, *in* HUGUET.

Fig. Hypocrite (syn. : *faux derche*). *Un tel est un faux cul.* — Adj. *Il est très faux-cul. Des airs faux-cul.*

♦ **2** Par métonymie, désignant la personne elle-même, péjorativement.

a (Dans des expressions). *Allez, pousse ton cul! :* pousse-toi. *Tire ton cul de là! Se remuer, se manier (magner) le cul :* se remuer, se dépêcher. → **Fesse, train.** *Se bronzer le cul sur les plages* (→ **Bronze-cul**).

(Avec un adj.). *Gros, petit cul :* personne grosse, petite... (Péj.). *Pousse-toi, gros cul! — Bout de cul :* personne très petite, enfant.

Cul-bénit : personne bigote. Adj. «*Les Ritals* (Italiens) *culs-bénits*» (Cavanna, *les Ritals,* p. 88).

11.1 Même les profs, à l'école, ils ne peuvent pas s'empêcher de nous faire sentir qu'on est des culs-bénits, de la graine de fascistes.   CAVANNA, les Ritals, p. 40.

Fam., péj. *Cul-terreux :* paysan (→ **Terreux,** 2.).

11.2 J'affirme que cette malédiction des agriculteurs — toujours aussi endurcis contre leurs frères nomades — nous la voyons s'exercer de nos jours. Parce que la terre ne les nourrit plus, les culs-terreux sont obligés de plier bagage et de partir.   M. TOURNIER, le Roi des Aulnes, p. 40.

(1640). Non vulg. **CUL-DE-PLOMB** : personne sédentaire, routinière. Par ext. Employé de bureau. → **Rond-de-cuir.**

12 Une démarche à la Salubrité publique, où sa patience fut exercée par une vingtaine de culs-de-plomb à moutarde répartis dans des bureaux inaccessibles, apprit du moins à Léopold qu'il n'y avait rien à espérer de cette administration.   Léon BLOY, la Femme pauvre, II, p. 230.

12.1 Culs-de-plomb, au goût de Philippe, nous ne savons pas rester en place.   J. RENARD, Journal, 12 juil. 1901.

Vx. *Cul-nu, cul d'amour :* petit(s) amour(s) représenté(s) tout nu(s). → **Putto.**

CUL-DE-JATTE [kydʒat] n. m. (1604, Scarron; de *cul,* et *jatte;* analytiquement, *cul* est pris au sens III «fond (d'un objet)», mais le sens global concerne l'être humain). Non

vulg. Personne qui est privée de ses membres inférieurs, ou qui n'en peut faire usage. *Des culs-de-jatte. La voiturette, le chariot d'un cul-de-jatte.* Adj. *Être cul-de-jatte.*

Souvent le doux penser me flatte   13
De n'être plus un cul-de-jatte,
Et qu'un jour je pourrais marcher.
                   SCARRON, Poésies diverses, Œ., t. VII, p. 10,
                                                      in POUGENS.

Il a dit quelque part : «Qu'on me rende impotent,   14
Cul-de-jatte, goutteux, manchot, pourvu qu'en somme
Je vive, c'est assez, je suis plus que content».
                                       LA FONTAINE, Fables, I, 16.

Fig. Personne dont les capacités intellectuelles sont limitées.

b (Terme d'injure ou péj.). Personne sotte, inepte, bête ou ridicule. *Quel cul!* → **Crétin, idiot, trou du cul.** *Va donc, eh, pauvre petit cul! —* REM. À la différence de *con* qui implique une bêtise souvent malfaisante, *cul* a surtout l'implication de ridicule (→ **Cucul**).

Adj. (surtout en attribut). Bête, sot, un peu ridicule. *Il, elle est un peu cul. Ce que t'es cul!*

— Ça te chagrine que je puisse respirer sans toi. Si tu y   14.1
tiens vraiment, et pour soulager ton bon cœur un peu
cul, tu peux me laisser un cadeau. Je ferai semblant de te
trouver sublime.
                      Alain BOSQUET, les Bonnes Intentions, p. 225.

♦ **3** Anus*, considéré en tant que voie d'excrétion ou que voie de pénétration (sodomie). *Torcher le cul à qqn., se torcher le cul.* → **Torche-cul.** — Par appos. *Papier cul :* papier hygiénique (fam. : *papier de cabinets, P. Q.*).

J'ai vu des bardaches qui achetaient des dragées, sans   14.2
doute avec l'argent de leur cul, l'anus allait rendre à l'estomac ce que celui-ci lui procure d'ordinaire.
                   FLAUBERT, Correspondance, Pl., p. 706 (1850).

Loc. *Saluer à cul ouvert :* faire de profondes salutations. *Casser le cul* (le pot*) *à qqn,* le sodomiser. Fig. Ennuyer fortement. → **Casse-cul** (→ Faire chier*), emmerder, et aussi casser* les couilles, les pieds). — *Se casser, se fendre* (vx) *le cul pour faire qqch. :* se dépenser beaucoup pour faire qqch. Absolt. *Se casser le cul. Il ne s'est pas cassé le cul :* il n'a pas fait beaucoup d'efforts.

Se foutre, se mettre qqch. ou qqn au cul; se torcher le cul de qqn ou de qqch., s'en désintéresser, ne pas en vouloir.

Il n'y a pas plus de (qqch., qqn) que de beurre au cul. → **Beurre** (cit. 4.4).

Avoir (qqn, qqch.) dans le cul, au cul, le détester, le mépriser. → **Emmerder** (→ Avoir dans le nez*).

En avoir plein le cul : en avoir assez (→ les euphémismes Plein les bras*, plein le dos* et ras* le bol). *Ras le cul* (même sens).

L'avoir dans le cul : être trompé, attrapé (→ Être baisé*, possédé*). *Dans le cul, la balayette!*

Parler, chanter comme un cul, très mal.

REM. La plupart de ces locutions sont analysées dans les dictionnaires et parfois perçues comme relevant du sens 1, par suite du tabou sur la sodomie (→ aussi Enculer).

♦ **4** Le derrière, les fesses considérés comme objet sexuel. → **Fesse, cuisse.** *Un cul attirant, magnifique.*

Oh, mes amis, dit le Moine exalté, comment ne pas fustiger   14.3
l'écolière qui nous montre un aussi beau cul!
                                       SADE, Justine, t. 1, p. 211.

Par métonymie. La personne, et, spécialt, la femme objet de désir sexuel. *Se faire, s'envoyer, se taper un beau cul. Un cul célèbre.* — Collectif. Les femmes. *Voir s'il y a du cul quelque part* (cf. De la fesse).

Loc. *Tortiller du cul.* → **Croupionner.**

(1536). *Avoir le feu* au cul* : être excité. *Mettre le feu au cul de qqn*, l'exciter (autre sens, non érotique, → ci-dessus 1., b.).

4.4 Ma femme est soit dit en passant
D'un naturel concupiscent
Qui l'incite à se coucher nue
Sous le premier venu
Mais
M'est-il permis soyons sincèr'
D'en parler au café-concert
Sans dire qu'elle a suraigu
Le feu au cul.   G. BRASSENS, le Pornographe.

Au cul la vieille (c'est le printemps)!, incitation plaisante (ou ironique) à l'amour.

Montrer son cul : s'exhiber nu(e). *Elle montre son cul dans une boîte de Pigalle.* — (Aux sens 2 et 3). *Prêter, vendre son cul* : se prostituer. — *Arriver par le cul* : obtenir qqch., une situation, par le sexe.

♦ **5** Sexe de la femme. → **Con** (vulg.), **sexe.** — REM. Cet emploi est encore plus «marqué» que les précédents; il est usuel dans le milieu de la prostitution (cf. J. Cellard et A. Rey, *Dict. du français non conventionnel*, art. *Cul*).

4.5 Elle avait des bas de soie noire montant au-dessus du genou. *J'avais pu encore la voir jusqu'au cul (ce nom que j'employais avec Simone est de beaucoup pour moi le plus joli des noms du sexe).*
          Georges BATAILLE, Histoire de l'œil, p. 13,
                              in Cellard et Rey.

♦ **6** (Des sens 3, 4 et 5 indifféremment). *Le cul* : la sexualité. *«Ils pensent qu'au cul, ces voyous-là!»* (Céline, in Cellard et Rey). → **Cuisse, fesse.** *Le cul et la bouffe.* → **Baise.**
De cul. Des histoires de cul. → **Cochon** (II., 5.), **égrillard, grivois, paillard.** — Spécialt. À caractère pornographique*. *Film de cul. Journal, revue de cul. Bande dessinée de cul.*

♦ **7** (Du sens 3). Argot. Chance. → **Bol, pot, vase** (même métaphore). *Il a un sacré cul. Un vrai coup de cul.*

II Fam. (non vulg.). Arrière-train (d'un animal).
♦ **1** L'arrière-train (de certains animaux). → **Train.** *Cul de chien, de porc.* — Chasse. *Tirer au cul levé, au moment de l'envol du gibier.*
Loc. *Mettre un cheval à cul*, le faire reculer jusqu'à un point fixe. → **Acculer.**

♦ **2** (Dans des composés : par métonymie). *Cul*, et adj. de couleur (oiseaux, insectes). *Cul-blanc* (chevalier, pétrel, traquet...); *cul-brun, cul-doré* (bombyx); *cul-rouge* (pic épeiche); *cul-rousset* (sorte de fauvette).

15 (...) il est indigne (...) d'employer si souvent un mot déshonnête et ridicule, pour signifier des choses communes (...) pourquoi donc donner le nom de *cul-blanc*, à l'ænante, et de *cul-rouge* à l'épeiche? Cette épeiche est une espèce de pivert, et l'ænante une espèce de moineau cendré. Il y a un oiseau qu'on nomme *fête-en-cul* ou *paille-en-cul* (...)
          VOLTAIRE, Dict. philosophique, art. *Cul.*

(Par anal. de forme avec l'arrière-train de certains animaux, désignant des objets, des formes). *Cul* suivi de *de* et d'un nom d'animal. **CUL-DE-POULE** : renflement en forme de cul de poule. Techn. Renflement d'une espagnolette. — Mar. *Arrière en cul de poule.*
Loc. Cour. *Bouche en cul de poule*, dont les lèvres sont contractées en rond. *Faire la bouche en cul de poule.* → **Moue** (→ La petite bouche*).
CUL-DE-MULET : variété de figue.
CUL-DE-PORC (par altér. de *cul-de-pot*) : nœud de marine au bout d'un cordage.

III (Non vulgaire). Par anal. ♦ **1** (Emploi général). Fond (de certains objets). → **Arrière, base, derrière, fond.** — Vx. *Cul de verre, de pot...* — Mod. *Le cul d'une bouteille; un cul de bouteille.* — Adj. (invar.). **CUL-DE-BOUTEILLE.** *Couleur cul-de-bouteille, cul-de-bouteille, vert très foncé.* — Vétér. (n. apposé). *Cheval cul de*

verre, dont le fond de l'œil est opaque; qui est atteint de la cataracte. — *Le cul d'une barrique. Mettre un tonneau sur le cul, sur cul*, le renverser, le vider.

16 Un baril défoncé, deux bouteilles sur cul
Qui disaient, sans goulet, nous avons trop vécu.
          Mathurin RÉGNIER, Satires, XI.

17 Quelques grains de sel dans le cul d'un pot de terre cassé.
          A. R. LESAGE, Don Guzman, I, 5.

18 Il les mouillait d'une goutte de borax, prise dans le cul d'un verre cassé, à côté de lui; et, rapidement, il les rougissait à la lampe, sous la flamme horizontale du chalumeau.
          ZOLA, l'Assommoir, t. I, II, p. 70.

Loc. **(Faire) CUL SEC** : vider son verre d'un seul trait, jusqu'au fond.

18.1 Marcheret, taciturne, avalait cul sec de grandes rasades de cognac.
          Patrick MODIANO, les Boulevards de ceinture,
                                                  p. 135.

Cul de chapeau. → **Fond.** Fig. Techn. Extrémité de la platine d'une targette, d'un verrou.
Vx. *Cul d'artichaut* : fond d'artichaut* (cit. 2).
Le cul d'une charrette, d'un véhicule. Mettre une charrette à cul, le fond par terre.

19 L'escouade poussait la voiture au cul pour soulager le mulet accablé sous la charge des approvisionnements.
          P. MAC ORLAN, la Bandera, XII, p. 142.

Mar. L'arrière, la poupe (d'un navire). *Ce bâtiment est sur cul*, sa poupe est trop enfoncée. *Mettre cul au vent. Mouille-cul* : navire toujours à l'ancre. — *Le cul d'une poulie*, la partie opposée au point d'attache.
Cul-de-basse-fosse. → **Basse-fosse.**

20 Bonaparte déclara que s'il eût été prononcé *(le discours de Chateaubriand)*, il aurait fait fermer les portes de l'Institut et m'aurait jeté dans un cul de basse-fosse pour le reste de ma vie.
          CHATEAUBRIAND, Mémoires d'outre-tombe, t. III,
                                                  p. 24.

♦ **2** Par métonymie. Fam. **GROS CUL.** Camion, navire de fort tonnage. → **2. Gros cul.**

20.1 Pour moi, ce sont des vacances à bord de ce «gros cul» qui ronronne bêtement en traçant ses trois cent cinquante milles dans les vingt-quatre heures avec du pétrole plein le ventre, qu'il court décharger à New York.
          Bernard MOITESSIER, Cap Horn à la voile, p. 25.

♦ **3** **CUL-DE-FOUR** [kydfuʀ] n. m. (1555; *au cul du four*, déb. XVᵉ; de *cul*, de *et four*).
Archit. Voûte formée d'une demi-coupole (quart de sphère). *Abside romane voûtée en cul-de-four. Niche en cul-de-four. Des culs-de-four.*

21 Cette tourelle est répétée vers le jardin par une autre à cinq pans, terminée en cul-de-four (...)
          BALZAC, Béatrix, Pl., t. II, p. 329.

♦ **4** **CUL-DE-LAMPE** [kydlãp] n. m. (1448, autre sens; de *cul*, de *et lampe*).
a (1657, Tallemant des Réaux). Archit. Ornement dont la forme rappelle le dessous d'une lampe d'église. *Cul-de-lampe servant de console, d'encorbellement. Cul-de-lampe sculpté. Clef pendante en cul-de-lampe. Des culs-de-lampe.*

21.1 Charmantes petites figures en culs-de-lampe au-dessous de la tribune du Comte, représentant les Vertus assises. Au milieu la Justice et la Paix, conformément au Psaume, la joue contre la joue.
          CLAUDEL, Journal, 28 mars 1920.

b (1690). Typogr. Vignette gravée à la fin d'un chapitre ou dans les blancs et dont la forme triangulaire rappelle le fond des lampes d'église. *Cul-de-lampe historié.*

22 On se sert continuellement du mot *cul-de-lampe* pour exprimer un fleuron, un petit cartouche, un pendentif, un encorbellement, une base de pyramide, un placard, une vignette.

Un graveur se sera imaginé que cet ornement ressemble à la base d'une lampe ; il l'aura nommé *cul-de-lampe* pour avoir plus tôt fait ; et les acheteurs auront répété ce mot après lui. C'est ainsi que les langues se forment.
VOLTAIRE, Dict. philosophique, art. *Cul*.

22.1 On me pardonne parce que je n'ai pas de vers à donner, et tous offrent des vers.
— Frontispice et culs-de-lampe, bien entendu. Oui, beaucoup de culs-de-lampe pour détacher les pièces de vers les unes des autres, car elles se tiennent comme on fait queue au théâtre avec la peur de ne pas entrer. Si on allait se confondre !...   J. RENARD, Journal, nov. 1889.

Lignes en cul-de-lampe, inégales et décroissantes.

♦ 5 CUL-DE-SAC [kydsak] n. m. (1307 ; de *cul, de,* et *sac*).

[a] Rue sans issue. → **Impasse**. *Des culs-de-sac.*

23 (...) ma chambre était la plus sombre et la plus triste de la maison. Un mur pour vue, un cul-de-sac pour rue, peu d'air, peu de jour, peu d'espace (...)
ROUSSEAU, les Confessions, V.

24 (...) ce dédale inextricable de ruelles, de carrefours et de culs-de-sac (...) qui ressemble à un écheveau de fil brouillé par un chat.   HUGO, Notre-Dame de Paris, I, II, IV.

Par ext. Endroit sans issue (chemin, passage, couloir, galerie, pièce, grotte, etc.). — *En cul-de-sac :* sans issue. *Couloir qui se termine en cul-de-sac.* — Adj. *Galerie cul-de-sac.*

25 Et, avec une hâte fébrile, elle creuse, elle aussi, un couloir nouveau tortueux, sournois, enchevêtré, avec des culs-de-sac multiples.
L. PERGAUD, De Goupil à Margot,
Le viol souterrain, p. 72.

Ch. de fer. *Voie en cul-de-sac.*

[b] Anat. Fond, repli (d'une cavité anatomique). *Cul-de-sac des plèvres* ou *culs-de-sac pleuraux. Cul-de-sac ovarien. — Culs-de-sac péricardiques.*

[c] (XVIIIe). Fig. Carrière, entreprise sans issue, qui ne mène à rien. *Cette situation, cette carrière est un cul-de-sac.* → **Impasse**. *Nous sommes dans un cul-de-sac.*

26 Il me tarde bien de sortir du cul-de-sac de cette œuvre individuelle pour jouir un peu de la vie d'intelligence et d'amitié, mais je n'ose encore compter par semaines sur ce terme que ma lenteur recule sans cesse.
SAINTE-BEUVE, Correspondance, 347, 12 janv. 1834.

27 Elle faisait finir en cul-de-sac la vie d'un homme qui, à cinquante-deux ans, était encore tout jeune.
J. ROMAINS, les Hommes de bonne volonté, t. V,
XVIII, p. 129.

♦ 6 CUL-DE-JATTE. Voir ci-dessus, I., 2., a (cit. 13, 14, et *supra*).

DÉR. et COMP. Acculer, bacul, basculer, cornecul, cucul, culasse, culbuter, culée, culer, culeron, culier, culot, culotte, éculer, enculer, 1. reculer. V. Bousculer. — Cul-bénit, cul-blanc, cul-brun, cul-doré, cul-rouge, cul-rousset, cul-de-four, cul-de-jatte, cul-de-lampe, cul-de-mulet, cul-de-plomb, cul-de-porc, cul-de-poule, cul-de-sac, cul-terreux (V. ci-dessus à l'article). — Bronze-cul, casse-cul, faux cul (V. ci-dessus à l'article), gratte-cul, 1. gros cul, 2. gros cul, lèche-cul, paille*-en-cul, peigne-cul, pose-cul, sous-cul, tapecul, tire-au-cul, torche-cul, trou du cul. ◊ HOM. Q.

CULASSE [kylas] n. f. — 1538 ; de *cul*.

♦ 1 Extrémité postérieure du canon (d'une arme à feu). *La culasse d'un fusil, d'un canon ; une culasse de pistolet. Se charger par la culasse. — Culasse mobile :* pièce d'acier contenant le système de percussion et qui ferme l'orifice postérieur des fusils et canons. *Poignée de culasse. Bloc de culasse. Démonter, remonter la culasse. La culasse contient le percuteur, les griffes de l'extracteur. Ouverture, fermeture, verrouillage, déverrouillage de la culasse. Culasse de mitrailleuse, de pistolet automatique.*

1 Il se hissa donc sur la guibre, et, par le beaupré, il arriva au gaillard d'avant du brick. Se glissant alors entre les convicts étendus çà et là, il fit le tour du bâtiment, et il

reconnut que le Speedy était armé de quatre canons, qui devaient lancer des boulets de huit à dix livres. Il vérifia même, en les touchant, que ces canons se chargeaient par la culasse. C'étaient donc des pièces modernes, d'un emploi facile et d'un effet terrible.
J. VERNE, l'Île mystérieuse, t. II, p. 618.

2 Coude à coude, nous étions soudainement comme autant de machines au travail : poussée brutale du recul, quand le coup part, geste automatique de la culasse qu'on ouvre et bloque, main qui se brûle au canon trop chaud.
R. DORGELÈS, les Croix de bois, XV, p. 297.

3 On racontait que les canonniers bondissaient comme des diables, embrassaient tendrement les obus allongés avant de les loger dans la culasse (...)
ALAIN, Souvenirs de guerre,
in les Passions et la Sagesse, Pl., p. 472.

♦ 2 Techn. Partie d'un pont située sous la culée*.

Phys. Pièce en acier offrant au champ magnétique d'un électro-aimant un trajet plus facile que dans l'air.

Joaill. Partie inférieure d'un diamant taillé.

Bot. Partie de la racine d'une plante, située au-dessous du collet.

Autom. Partie supérieure du cylindre d'un moteur à combustion ou à explosion, dans laquelle les gaz sont comprimés. *Refroidissement des culasses. Moteur à culasse rapportée. Joint de culasse.*

♦ 3 Fig. (vx et pop.). → **Cul**. *Tomber sur la culasse.*

DÉR. Culasser. ◊ HOM. Formes du v. **culasser**.

CULASSEMENT [kylasmã] n. m. — XIXe ; de *culasser*.
Techn. Action de culasser*. *Le culassement d'une arme à feu.*

CULASSER [kylase] v. tr. — D. i. ; de *culasse*.
Techn. Mettre une culasse* à (une arme, un moteur). — P. p. adj. *Arme culassée.*

DÉR. Culassement. ◊ HOM. V. **Culasse**.

CUL-BÉNIT [kybeni] adj. et n. m. → **Cul** (I., 2., a).

CUL-BLANC [kyblã] n. m. → **Cul** (II., 2.).

CULBUTABLE [kylbytabl] adj. — 1765 ; de *culbuter*.
Qui peut être culbuté(e)*.

CULBUTAGE [kylbytaʒ] n. m. — 1853 ; de *culbuter*.

♦ 1 Rare. Action de culbuter. → **Culbutement**.

♦ 2 Régional. Opération de renversement d'une ruche en paille pour la recouvrir d'une ruche vide afin qu'elle serve de magasin à miel.

♦ 3 Astronaut. Mouvement incontrôlé (d'un véhicule spatial) autour de son centre de gravité (trad. de l'angl. *tumbling*). — Syn. : *culbutement.*

CULBUTANT [kylbytã] n. m. — 1845, au sens I ; p. prés. de *culbuter*.

[I] Techn. (colombophilie). Pigeon* domestique qui fait des culbutes en volant. «*Un tumbler, un culbutant...*» (M. Tournier, le Roi des Aulnes, p. 155).

[II] (1872). Argot. Vieilli. Pantalon*. → **Falzar**. *Perdre son culbutant.*

Le soir, on fait ses épates,
On étal' son culbutant
Minc' des gnoux et larg' des pattes.
À Ménilmontant.   A. BRUANT, Dans la rue, p. 89.

HOM. P. prés. de **culbuter**.

CULBUTE [kylbyt] n. f. — 1538; *cullebute* «pénis», XVᵉ; de *culbuter*.

◆ **1** Tour qu'on fait en mettant la tête en bas et les jambes en haut, de façon à retomber de l'autre côté. → **Bascule** (3.), **cabriole, cumulet** (régional), **galipette, roulé-boulé**. *Prendre appui sur les mains et la tête pour faire la culbute. Faire la culbute.*

Fam. (en parlant des rapports sexuels d'une femme; → Caramboler, cit. 2). *Faire la culbute* (→ Se faire culbuter*). «*Ses continuelles culbutes, les amants qu'elle ramassait...*» (Zola, *Pot-bouille, in* T. L. F.).

Fig. et vx. *À la culbute :* en désordre. → **Culbutis.**

◆ **2** Chute où l'on tombe brusquement à la renverse. → **Chute, dégringolade.** *Se rompre le cou en faisant une culbute dans l'escalier.*

1 François (...) dégalocha ses sabots à plus d'une fois; il arriva sans culbute à la passerelle.
G. SAND, François le Champi, XV, p. 114.

Par ext. (choses). *Culbute d'une automobile dans un ravin.*

(1680). Fig. et fam. Crise importante, ruine. Fin. *Faire la culbute :* tomber dans la ruine. *Ce banquier a fait la culbute.* → **Banqueroute, faillite, ruine.** — Polit. *La culbute d'un ministère.* → **Chute, effondrement.** — Prov. *Au bout du fossé la culbute,* se dit en parlant de qqn qui s'est engagé sur une voie périlleuse.

2 Au bout du fossé, la culbute! Le monde va droit à la crise, à la catastrophe inévitable.
MARTIN DU GARD, les Thibault, t. V, p. 97.

La culbute (finale) : la mort.

◆ **3** Fig. (Du double mouvement de la culbute). Comm. *Faire la culbute :* revendre qqch. au double du prix d'achat.

◆ **4** Ancienn. Ruban porté par les jeunes filles à l'arrière de leur coiffe, au XVIIᵉ siècle.

◆ **5** Argot. (Vx). *Culbutant* (2.).

3 Va, mon vieux, pèt' dans ta culbute,
Tes dans la ru', va, t'es chez toi.
A. BRUANT, Dans la rue, p. 12.

HOM. Formes du v. **culbuter.**

CULBUTÉ, ÉE [kylbyte] p. p. adj. → **Culbuter.**

CULBUTEMENT [kylbytmã] n. m. — 1884; de *culbuter*.

◆ **1** Rare. Action de culbuter.

◆ **2** Astronaut. (en parlant d'un véhicule spatial). → **Culbutage.**

CULBUTER [kylbyte] v. — 1534, *cullebuter*, Rabelais; de *cul* et *buter*.

Ⅰ V. intr. ◆ **1** Faire une culbute (2.). Tomber à la renverse. → **Basculer, dégringoler, écrouler** (s'), **tomber.** *Cavalier qui culbute par-dessus son cheval.* → **Panache** (faire panache). *Culbuter dans un trou.*

1 Car heurtant une porte en passant m'accoter
Ainsi *(aussitôt)* qu'elle obéit, je suis à culbuter.
Mathurin RÉGNIER, Satires, X.

2 Un pont crève sous nous et je ne sais pas comment nous ne culbutons pas dans la rivière.
GIDE, Voyage au Congo, *in* Souvenirs, Pl., p. 728.

(Le sujet désigne des choses : véhicules, embarcations...). *Voiture qui culbute.* → **Capoter, renverser** (se), **verser.** *Embarcation qui culbute.* → **Chavirer.**

◆ **2** Fig. et vieilli. Faire faillite, s'effondrer. *Banquier, ministre qui culbute.* → **Culbute** (2., faire la culbute).

3 Il faut relever d'anciennes familles qui relèveront la monarchie si elle culbute en Espagne (...)
P.-L. COURIER, II, 267, *in* LITTRÉ.

Ⅱ V. tr. (1546, *cullebuter*). ◆ **1** Faire tomber brusquement (qqn). → **Renverser.** *Pousser qqn pour le culbuter. Être culbuté par un cycliste.*

La semaine dernière... j'ai aussi... ma foi (...) culbuté une vache et son veau... J'ai même failli écraser un enfant (...) un enfant de cantonnier...
O. MIRBEAU, Les affaires sont les affaires, p. 21 (1903). 3.1

Fam. et vulg. *Culbuter une fille, une femme,* avoir des relations sexuelles plus ou moins brutales avec elle (→ Bousculer, renverser). Pron. (en parlant des deux partenaires). *Se culbuter* (→ S'envoyer* en l'air).

Il devenait tout passionné... même comme ça tout suffoquant... Voilà qu'il attrape la Delphine... Il la serre de toutes ses forces !... Il la culbute sur sa couche! toujours à bout de souffle... Il lui passe une langue... une belle... il lui fait de la déclaration...
CÉLINE, Guignol's band, p. 223. 3.2

(Compl. n. de chose). *Culbuter un tonneau,* le renverser.

◆ **2** Bousculer, pousser. *Il a tout culbuté sur son passage.* → **Chahuter; bouleverser, démolir, mettre** (sens dessus dessous).

Spécialt. *Culbuter l'ennemi.* → **Battre, défaire, enfoncer, repousser, vaincre.** — *Culbuter ses adversaires.* — Par anal. Résoudre, mettre fin à, venir à bout de (qqch.). *Culbuter des préjugés, des traditions.* — Spécialt. *Culbuter un ministère.* → **Renverser, repousser.** *Le ministère a été culbuté.*

(...) deux déserteurs belges lui avaient rapporté (...) que l'armée anglaise attendait la bataille. — *Tant mieux!* s'était écrié Napoléon. J'aime encore mieux les culbuter que les refouler.
HUGO, les Misérables, II, I, VII. 3.3

Mais aussi ce Shakespeare ne respecte rien, il va devant lui, il essouffle qui veut le suivre, il enjambe les convenances, il culbute Aristote (...)
HUGO, William Shakespeare, II, I, V. 4

(...) certaines *(parmi les premières sonates de Beethoven)* sont d'un jaillissement irrésistible, d'une nouveauté et d'une vérité d'accent qui culbute les objections.
GIDE, Journal, 15 avr. 1917. 5

◆ **CULBUTÉ, ÉE** p. p. adj.

◆ **1** Perturbé, en désordre (au propre et au fig.).

◆ **2** (1956). Techn. *Moteur culbuté :* moteur à explosion dont les soupapes sont commandées par des culbuteurs*. *Cylindre culbuté.*

DÉR. Culbutable, culbutage, culbutant, culbute, culbuteur, culbutis. ◊ HOM. V. Culbutant, culbute.

CULBUTEUR, EUSE [kylbytœr, øz] n. m. et adj. — 1599, «acrobate»; de *culbuter*.

Ⅰ N. m. **A** ◆ **1** (1876; adj., 1860). Techn. Dispositif servant à faire basculer un récipient, un wagon, un levier. → **Basculer.** — *Culbuteur de wagonnet à benne mobile :* heurtoir contre lequel le wagonnet vient buter, faisant ainsi basculer sa charge. *Culbuteur de wagonnet utilisé dans les mines. Wagonnet-culbuteur :* wagonnet équipé d'un dispositif de culbutage et pouvant ainsi se passer du culbuteur).

◆ **2** (1904, *in* Rev. gén. des sc., nº 1, p. 30). Dans un moteur à explosion, Levier oscillant placé au-dessus des cylindres et servant à ouvrir et à fermer les soupapes. *Tiges de culbuteur. Moteur à culbuteurs. Culbuteur renversé.*

◆ **3** Électr. *Interrupteur à culbuteur.*

B Fam., rare. Celui qui culbute (qqch., qqn); spécialt au sens érotique de *culbuter*. — REM. Dans ce sens, le fém. *culbuteuse* est virtuel. — «*Un culbuteur de boniches*» (La Varende, *in* T. L. F.).

II Adj. Qui culbute, fait des culbutes.

(...) Oscar est mis debout sur le plan de la mer. Et son corps culbuteur toujours contre l'attrait du sol efforce ses muscles : animaux, d'une vaine chaleur mécanique, vaincus (...)
Francis PONGE, le Parti pris des choses, p. 21.

CULBUTIS [kylbyti] n. m. — 1644; de *culbuter*.

Vx. Amas de choses culbutées (au propre et au fig.), en désordre. → **Fouillis, pêle-mêle.** *Un culbutis de personnes, de choses. Un culbutis d'idées.*

Tout à coup, dans l'atelier, des bonds, des élancements, une espèce de course volante entre l'homme et la bête, un bousculement, un culbutis, un tapage, des cris, des rires, des sauts, une lutte furieuse d'agilité et d'escalade, mettaient dans l'atelier le bruit, le vertige, le vent, l'étourdissement, le tourbillon de deux singes qui se donnent la chasse.
Ed. et J. DE GONCOURT, Manette Salomon, p. 142 (1867).

CUL DE BASSE-FOSSE [kyd(ə)basfos] n. m. → **Basse-fosse;** et aussi **cul** (III., cit. 20).

CUL DE BOUTEILLE [kydbutɛj] n. m. → **Cul** (III., 1.).

CUL-DE-FOUR [kydfuʀ] n. m. → **Cul** (III., 3.).

CUL-DE-JATTE [kydʒat] n. m. → **Cul** (cit. 13, 14, et *supra*).

CUL-DE-LAMPE [kydlãp] n. m. → **Cul** (III., 4.).

CUL-DE-MULET [kydmylɛ] n. m. → **Cul** (II., 2.).

CUL-DE-PLOMB [kydplɔ̃] n. m. → **Cul** (I., 2., cit. 12, et *supra*).

CUL-DE-PORC [kydpɔʀ] n. m. → **Cul** (II., 2.).

CUL-DE-POULE [kydpul] n. m. → **Cul** (II., 2.).

CUL-DE-SAC [kydsak] n. m. → **Cul** (III., 5.).

CULÉE [kyle] n. f. — 1355; de *cul*.

I Archit. Massif de maçonnerie destiné à contenir la poussée d'un arc, d'une arche, d'une voûte, de câbles (pont suspendu, etc.). *La culée d'un arc-boutant.* → **Contrefort.** *Les culées épaulent, contre-butent un élément de construction.*

1 (...) le gîte et la culée d'atterrissage des maîtres cables sous-marins (...)
SAINT-JOHN PERSE, Exil, V.

(1499). Butée* (d'un pont).

2 J'aime à y accéder à pied, à la tombée de la nuit, après en avoir suivi les butées, le long de Lower Madison Street, en bas de ces culées immenses, de ces maçonneries aveugles pareilles aux aqueducs de la campagne romaine.
Paul MORAND, New York, p. 65.

II (1694). Mar. Action de culer*. Chemin fait en arrière. → **Acculée.**

III ♦ 1 Techn. Partie d'une peau tannée, prise sur l'arrière-train d'un animal.

♦ 2 Souche d'arbre (après abattage). *Bois de culée,* provenant d'une souche.

3 Les mains en avant, devant l'âtre qui fut celui de Bertine et où brûle encore ce noueux bois de culée qui appartient à l'abatteur et que Jobeau, ahanant a dû passer des heures à fendre, je n'ai plus qu'à écouter Marthe.
Hervé BAZIN, Cri de la chouette, p. 153 (1972).

HOM. P. p. de *culer.*

CULEMENT [kylmã] n. m. — XIXᵉ; de *culer.*

♦ 1 Mar. Action, mouvement d'un navire qui cule. → **Culer.**

♦ 2 Vx ou régional. (Véhicules, animaux). Action de reculer.

CULER [kyle] v. intr. — 1687; «frapper au cul», 1482; de *cul.*

♦ 1 Mar. **a** Aller en arrière. → **Reculer.** *Navire qui cule. Bateau qui vire de bord en culant.* Spécialt. *Nager à culer. Brasser les voiles à culer,* les préparer pour une marche arrière.

b Marcher moins vite qu'un autre (d'un navire). — *Le vent cule,* il se rapproche du vent arrière.

♦ 2 Vx ou régional. *Faire culer une charrette, une paire de bœufs.* → **Reculer.**

DÉR. Culement. ◊ **HOM.** V. Culée, culeron, culier.

CULERON [kylʀɔ̃] n. m. — 1611; de *cul,* et suff. diminutif.

Techn. Partie de la croupière sur laquelle repose la queue d'un cheval harnaché.

HOM. Formes du v. **culer.**

CULEX [kylɛks] n. m. — XVIIIᵉ, Linné; mot lat., même sens.

Zool. Nom scientifique du moustique appelé *cousin* (*Culicidés**).

CULICIDÉS [kyliside] n. m. pl. — 1845, *culicide,* cf. *culicoïde;* 1839, Boiste, *Compl.;* du lat. *culex, -icis* «moucheron», et suff. *-icis.* *-idés.*

Zool. Famille d'insectes diptères nématocères aux antennes plumeuses, à l'abdomen allongé, aux pattes grêles. *Types principaux de culicidés.* → **Anophèle, cousin, culex, stégomye.** — Au sing. *Un culicidé.*

CULIER, IÈRE [kylje, jɛʀ] adj. — XIIIᵉ; de *cul.*

Vx ou par plais. Relatif au cul. *Raie culière.* — *Boyau culier* (*in* Rabelais, *Gargantua*). → **Rectum.**

Il ne lui restait plus qu'à enrouler à côté de ça quelques mètres de boyaux, sans oublier le culier qui donne de l'espace et du lyrisme.
J. GIONO, le Hussard sur le toit, p. 376 (1951).

DÉR. Culière. ◊ **HOM.** Formes du v. **culer.** — (Du fém.) **Culière.**

CULIÈRE [kyljɛʀ] n. f. — 1260; fém. de *culier.*

Techn. Sangle fixée à la croupe du cheval pour empêcher le harnais de glisser.

CULINAIRE [kylinɛʀ] adj. — 1546, Rabelais; du lat. *culinarius,* de *culina* «cuisine».

Qui a rapport à la cuisine* (2.). → **Gastronomique.** *Art culinaire. Recettes culinaires. Préparations, spécialités culinaires. Le matériel culinaire d'un restaurant. Elle a des habitudes culinaires très précises.*

L'art culinaire sert d'escorte à la diplomatie européenne.
CARÊME, *in* Pierre LAROUSSE.

DÉR. Culinairement.

CULINAIREMENT [kylinɛʀmã] adv. — 1825, Brillat-Savarin; de *culinaire.*

En ce qui concerne la cuisine.

Pendant quelques minutes, la conversation fut insignifiante et culinairement lyrique.
Gabriel BARRAULT, la Foire aux crabes, p. 355.

CULMEN [kylmɛn] n. m. — 1906; *culm*, 1904, in *Rev. gén. des sc.*, n° 16, p. 793; au fig., 1891; mot lat. *culmen, -inis*. → Culminer.

♦ **1** Géogr. (rare). Sommet* (d'une montagne, etc.). → **Cime.**

♦ **2** Fig., littér. → **Apogée, comble, sommet.**
(...) le culmen de la conscience n'est que l'apparence de l'indépendance des objets d'avec le moi, l'invariance du monde quant à son soutien (...)
VALÉRY, *Cahiers*, Pl., t. II, p. 279.

CULMIFÈRE [kylmifɛʀ] adj. — XIXᵉ; du lat. *culmus* «chaume», et *-fère*.
Bot. Dont la tige constitue un chaume. *Le blé est culmifère.*

CULMINAISON [kylminɛzɔ̃] n. f. — 1910, Péguy; de *culminer*.
Fig. (rare et littér.). Point culminant. → **Culmination.**
«*Cette culminaison, ce couronnement*» (Péguy, *in* T. L. F.).

CULMINANCE [kylminɑ̃s] n. f. — 1946; de *culminer*.
Didact. Action de culminer. Point culminant*. → **Culminaison, culmination.**

CULMINANT, ANTE [kylminɑ̃, ɑ̃t] adj. → **Culminer.**

CULMINATION [kylminasjɔ̃] n. f. — V. 1600, fig.; lat. *culminatio*, du supin de *culminare*. → Culminer.

♦ **1** Didact. (astron.). Passage d'un astre à son point culminant. *Point de culmination.*
1 Harbert comprit alors comment l'ingénieur allait procéder pour constater la culmination du soleil, c'est-à-dire son passage au méridien le plus haut, ou, en d'autres termes, le midi du lieu. C'était au moyen de l'ombre projetée sur le sable par la baguette, moyen qui, à défaut d'instrument, lui donnerait une approximation convenable pour le résultat qu'il voulait obtenir.
J. VERNE, *l'Île mystérieuse*, t. II, p. 187 (1874).

♦ **2** Géogr. (rare). Sommet, cime. → **Culmen.**

♦ **3** Fig. et littér. Point culminant*.
2 L'affaire Dreyfus, le dreyfusisme, la mystique, le mysticisme dreyfusiste fut une culmination, un recoupement en culmination de trois mysticismes au moins : juif, chrétien, français. Ch. PÉGUY, *la République...*, p. 238.
3 Cette mollesse soudaine dans les ombres des oliviers, cette chaleur qui tout à coup, cède le pas au soir qui s'annonce, ces signes divers qui accourent de toutes parts de la fin de la culmination du jour ramènent à Maria.
M. DURAS, *Dix heures et demie du soir en été*, p. 178.

CULMINER [kylmine] v. intr. — 1751; lat. médiéval *culminare*, de *culmen, -inis* «comble».

♦ **1** Astron. Passer par le point le plus élevé au-dessus de l'horizon (en parlant d'un astre). *Étoile, planète qui culmine.*
1 La médaille représente un combat, avec un soleil qui culmine sur la tête des combattants.
VOLTAIRE, *le Siècle de Louis XIV*, 9.

♦ **2** (1907). Géogr. Atteindre une grande hauteur. *Cette montagne, ce pic culmine au-dessus des sommets voisins.* → **Dominer, surplomber.**
(1897). Fig., littér. Atteindre son maximum, son point culminant. → **Plafonner.** *Cet écrivain a culminé dès son premier livre. Culminer dans qqch.* : être l'un des plus qualifiés, des meilleurs (personnes), très intense (choses).
2 Mˡˡᵉ Séchoir, très digne, culminait à la pointe de sa quarantaine. Léon BLOY, *la Femme pauvre*, I, p. 108.

Aujourd'hui l'autorité du tribun est une espèce de grosse autorité puissante qui se ramassent l'autorité du commandement romain, l'autorité du commandement oratoire (...) où ces autorités se confondent sourdement, culminent et s'épanouissent. Ch. PÉGUY, *la République...*, p. 88.

◆ **CULMINANT, ANTE** p. prés. et adj.

♦ **1** (1708). Qui atteint sa plus grande hauteur. *Astre culminant*, qui culmine. *Le point culminant d'un astre.*

♦ **2** (1823). Géogr. Qui domine. *Le point culminant d'une chaîne de montagnes. Un chemin de crête culminant.*
Quand nous sommes au point culminant de cette route de lacets (...) LOTI, *Figures et Choses...*, p. 105.

♦ **3** Fig. Qui domine. → **Dominant, éminent, haut, supérieur.** Rare, littér., sauf dans : **POINT CULMINANT.** → **Apogée,** 1. **comble** (4.), **faîte, maximum, sommet, summum, zénith.** *C'est son point culminant.* — *Être au point culminant de sa carrière, de sa fortune, de sa puissance; de la gloire.*
La Convention est peut-être le point culminant de l'histoire. HUGO, *Quatre-vingt-treize*, II, III, 1, 1.
En réalité, dès qu'Antoine croyait être parvenu à une constatation psychologique culminante, une nouvelle déclaration de Jacques venait généralement renverser l'échafaudage de ses réflexions (...) MARTIN DU GARD, *les Thibault*, t. II, p. 72.

CONTR. Baisser, descendre, ramper. — Bas, inférieur. ◊ DÉR. Culminance, culminaison. — V. Culmination.

CULOT [kylo] n. m. — 1292, «fond»; de *cul*, et suff. dimin. *-ot*.

I ♦ **1** Techn. Partie inférieure. → **Fond.** *Le culot d'une lampe à huile.* — (1680). Partie inférieure (d'une lampe d'église, d'un bénitier).
Archit. Ornement d'où partent des volutes, des rinceaux.
Techn., cour. (armement). Fond métallique d'une cartouche contenant la capsule. *Le culot d'un obus. Un culot d'obus, de bombe.* — Base sur laquelle on appuie une fusée pour la charger.
Métall. Base sur laquelle repose un creuset. — Autom. *Culot de bougie.* — Plus cour. Pièce d'une lampe servant à la fixer dans sa douille. *Culot à vis, culot à baïonnette.*

♦ **2** (1690). Ce qui s'amasse au fond d'un récipient. → **Dépôt, résidu.** — (1636). Résidu métallique au fond d'un creuset. *Culot de centrifugation*, la partie la plus dense.
(XVIIIᵉ). Résidu qui se forme au fond d'une pipe (→ **Culotter**). — Par métonymie. L'endroit de la pipe où se forme ce résidu. Reste de vin.
(XXᵉ). Géol. *Culot volcanique* : ancienne cheminée remplie de lave, que l'érosion a épargnée (elle forme alors une *cheminée dressée*). — *Culot de glace morte* : volume de glace abandonné par une langue glacière en cours de récession.

♦ **3** (1606). Fig., vieilli. **a** Dernier jeune (animal) éclos d'une couvée, né d'une portée.
b Dernier enfant d'une famille. → **Benjamin.**
c Argot scol. Élève qui est le dernier de sa classe; le dernier reçu à un concours.

II (1879, par métaphore; cf. l'évolution du mot *aplomb*). Fam., cour. Assurance excessive, effrontée. → **Aplomb, assurance, audace, effronterie, toupet** (fam.). *Avoir du culot. Il a eu le culot de me demander encore de l'argent. Quel culot! Il ne manque pas de culot; il a un sacré culot.* — Loc.

Faire qqch. au culot, avec assurance. *Y aller au culot.*

1 Nous *(Léautaud et Gide)* convenons que «de notre temps»... jamais nous n'aurions eu le «culot» de déranger nos aînés pour leur faire lire de maladroits essais et solliciter d'eux des conseils (...) GIDE, *Journal*, 23 août 1938.

Il est compétent, mais il manque de culot. → (fam.) **Estomac.**

1.1 (...) soit qu'ayant adopté pour expliquer sa conduite la thèse de l'indifférence, elle trouvât, une fois lancée sur la pente de son mauvais sentiment, qu'il y avait quelque originalité à l'éprouver, une perspicacité rare à avoir su le démêler, et un certain «culot» à le proclamer ainsi, Mme Verdurin tint à insister sur son manque de chagrin. PROUST, *la Prisonnière*, t. III, p. 239.

2 (...) le seul fait de penser beaucoup à une action avant d'avoir l'occasion de l'accomplir suffit déjà à vous paralyser... Pour qu'un intellectuel attrape du culot, il faut qu'il se décide à faire certaines actions sans y penser autrement que le premier couillon venu. J. ROMAINS, *les Hommes de bonne volonté*, t. III, IV, p. 66.

CONTR. **Haut, sommet. — Couardise, timidité; retenue.**
◊ DÉR. (Du sens I) 2. **Culotter.** — (Du sens II) 2. **Culotté.**

CULOTTAGE [kylɔtaʒ] n. m. — 1841; de 2. *culotter.*
Action de culotter une pipe; état de ce qui est culotté, noirci.

(...) ayant des teints d'une fraîcheur charmante, malgré le culottage du soleil sur nos cuirs. FLAUBERT, *Correspondance*, Pl., t. I, p. 275.

CULOTTE [kylɔt] n. f. — XVIe; *une paire de culottes*, 1593; de *cul,* et suff. dimin. *-otte.*

I ♦ **1** Vêtement masculin de dessus qui couvre le corps de la ceinture aux genoux (à l'origine, serré aux genoux) et dont la partie inférieure est divisée en deux éléments habillant chacun une jambe (opposé au *pantalon*, qui va jusqu'aux chevilles). → **Chausse** (haut-de-chausses), **grègue, trousse** (vx). *Culotte de drap, de velours, de pl.. «Le bon roi Dagobert a mis sa culotte à l'envers»,* chanson enfantine. — Spécialt, hist. Ce vêtement, serré aux genoux et opposé au *pantalon* (au sens pris par ce mot au XVIIIe s.). *La culotte était portée par les aristocrates, d'où le nom de sans-culottes* donné aux hommes du peuple, porteurs de pantalons* (→ Pantalon, cit. 3).

Mod. *Culotte,* ou *culotte courte :* vêtement analogue au pantalon, mais à jambes courtes. *Les jambes, le fond d'une culotte.*

1 (...) le sculpteur, qui traversait la placette, vêtu, en toute innocence, d'une culotte courte, en toile vert Nil, d'un veston rose sans manches, ouvert sur un chandail brodé (...) COLETTE, *la Naissance du jour*, p. 96.

2 Leurs mollets maigres garnis de bandes molletières s'échappaient d'une culotte dont le fond très large leur retombait sur les jarrets. P. MAC ORLAN, *la Bandera*, VI, p. 73.

Au plur. *(Des culottes). Une paire de culottes, culottes courtes,* généralement portées par les garçonnets. → **Bermuda, short.** *Culottes bouffantes.* → **Bloomer.** *Bouton de culotte* (fig. → **Bouton**). *Culottes à braguette; culottes à pont. Porter des culottes. Culotte de cavalier; culotte de cheval,* évasée aux hanches. — (1946, *in* D.D.L.). Par anal. *Culotte de cheval :* saillie graisseuse sur le haut des cuisses. *Culotte de golf,* descendant jusqu'à mi-mollet (→ **Knickerbockers**). — *Culotte de sport.* → **Caleçon, short.** *Culotte de cycliste.* → **Cuissard, cycliste** (3.). — *Jupe*-culotte :* jupe large séparée en deux éléments.

Vx. **CULOTTE DE PEAU,** que portaient autrefois les militaires. — Fig. et péj. *Une vieille culotte de peau :* un militaire borné. → **Baderne.**

(Incluant les pantalons). *Acheter à un enfant des culottes longues.* → **Pantalon.**

Se moquer de qqch. comme de sa première culotte, n'y accorder aucun intérêt (→ Comme [de] sa première chemise*). *Jouer sa culotte, ses culottes :* jouer jusqu'à ses derniers sous. — *Perdre sa culotte :* tout perdre (→ ci-dessous III., 1.).

Fam. *Baisser, poser (sa) culotte :* aller à la selle. — Fig. Renoncer à qqch. «se déculotter» (fig.).

Faire, trembler dans sa culotte : avoir peur. → **Froc.** — Vulg. *N'avoir rien dans la culotte :* être impuissant et, fig., être lâche (→ Ne pas avoir de couilles*).

FOND DE CULOTTE. *Attraper qqn par le fond de la culotte, par le fond (son fond) de culotte.* → **Fond.** — Loc. *Avoir usé ses fonds de culotte sur les bancs de (telle) école :* avoir fait ses études dans telle école.

3 *(Un)* géant empoigna Biggs par le fond de sa culotte et le hissa avec son fusil à la hauteur du parapet. A. MAUROIS, *les Discours du D^r O'Grady*, X, p. 105.

(1798). *Porter les culottes (la culotte) :* assumer le rôle de l'homme dans un couple. *Dans ce ménage, c'est la femme qui porte la culotte.*

4 On disait au ministère, sans y mettre ombre de malice, que, dans le ménage, c'était le mari qui portait les jupes et la femme les culottes. PROUST, *À la recherche du temps perdu*, t. IX, p. 62.

♦ **2** (1903, Willy, *in* D.D.L.). Vêtement féminin de dessous, plus haut que le slip, qui couvre le bassin et les fesses avec deux ouvertures pour les jambes. → **Cache-sexe, slip; string** (anglic.). *Culotte en coton, en soie. Culotte en dentelle. Petite culotte. Entrejambes renforcé d'une culotte.* — Appos. *Gaine-culotte* (→ **Panty**).

♦ **3** Sous-vêtement pour un jeune enfant. *Culotte de bébé. Culotte imperméable.* — En composition. *Couche-culotte.* → **1. Couche** (I., 2.), et aussi **change** (III.). — *Culotte de bain* (homme, enfant). → **Caleçon, slip.** — Par ext. *Bouée-culotte.*

♦ **4** En franç. d'Afrique. *Culottes courtes :* short*.

II ♦ **1** Bouch., cuis. Partie de la cuisse du bœuf, de l'échine au filet. — *Culotte de veau, de mouton,* les deux gigots, les deux cuisseaux entiers, non séparés. *Culotte de pigeon :* la partie de derrière du pigeon.

4.1 Voilà que l'étalier (...) me flanque dans sa balance un gros os (...) avec un morceau de la culotte. Henri MONNIER, *Scènes populaires*, t. I., *Le dîner bourgeois*, p. 159.

Fesses et cuisses (d'une vache, d'un veau) lors-qu'elles sont souillées d'excréments (→ Pâtis, cit.).

♦ **2** (XIXe). Techn. Tuyau bifurqué. — *Culotte d'un pistolet :* morceau de métal rond et creux à l'extrémité de la crosse.

Ch. de fer. *Culotte d'échappement :* pièce de fonte cylindrique et creuse, dans la boîte à fumée, qui reçoit la vapeur pour la diriger dans la cheminée (d'une locomotive à vapeur).

Mar. *Culotte de cheminée :* boîte à fumée, conduit par où passe la flamme avant d'aller dans la cheminée.

Mines. *Culotte de décalabrage :* cage suspendue sur laquelle travaillent les ouvriers dans les ardoisières.

III ♦ **1** (1838). Fam. Perte importante au jeu. *Prendre une culotte, sa culotte. Il a pris une sacrée culotte, une sévère culotte.*

5 Quand il a pris sa *culotte,* ainsi qu'il s'exprime, le prêteur est obligé, neuf fois sur dix, d'attendre qu'il ait regagné, pour rattraper son pauvre argent (...) Léon BLOY, *le Désespéré*, V, p. 249.

♦ **2** (1821). Fam., vx. *Prendre, se donner une culotte :* s'enivrer.

DÉR. 1. **Culotter. — Culottier.** ◊ COMP. **Couche-culotte, gaine-culotte, jupe-culotte, sans-culotte, surculotte.**

1. **CULOTTÉ, ÉE** [kylɔte] adj. et n. → **Culotter** (1. et 2. Culotter).

2. **CULOTTÉ, ÉE** [kylɔte] adj. — 1792, repris fin XIXᵉ ; de *culot* (II.).

Fam. Qui a du culot*, un aplomb (II.) excessif. → **Assuré, effronté.** *Ils sont quand même culottés de nous faire payer si cher.*

(En bonne part). → **Audacieux, courageux, gonflé** (fam.). *Il est culotté d'oser s'opposer ainsi à la direction. Ça, c'est culotté !*

1 Ça n'fait rien, i's sont culottés, ces zigues-là, d'sortir par un marmitage pareil.
H. BARBUSSE, le Feu, t. I, II, XIX, p. 16.

2 Fallait être culotté, dit le garçon.
R. QUENEAU, Loin de Rueil, p. 71.

N. (Rare). *Un, une culottée :* personne qui a du culot. *Un petit culotté :* un petit malin.

HOM. Formes des v. 1. **culotter**, 2. **culotter**.

1. **CULOTTER** [kylɔte] v. tr. — 1792, p. p. ; de *culotte.* Vêtir d'une culotte ; mettre une culotte à (qqn). *Culotter un bébé.*

1 Votre majesté
Est mal culottée.
Chanson du roi Dagobert, *in* LITTRÉ.

Vx. Faire des culottes pour (qqn). → **Habiller.** *Le tailleur qui a culotté tel grand personnage.* — Absolt. *Tailleur qui culotte bien.*

♦ **SE CULOTTER** v. pron.
Mettre sa culotte, ses culottes. *Il a mis sa chemise et il s'est culotté en vitesse.*

♦ **CULOTTÉ, ÉE** p. p. adj.
Vêtu d'une culotte. *Personne mal culottée,* qui a mal mis sa culotte (→ ci-dessus, cit. 1). — *Culotté de... Personnage culotté de cuir, culotté de bleu :* vêtu d'une culotte de cuir, d'une culotte bleue.

2 Le portrait du Président de la République faisait face à la porte, tandis que sur un autre mur, un général chamarré d'or, coiffé d'un chapeau à plumes d'autruche et culotté de drap rouge, voisinait avec des nymphes toutes nues sous des saules.
MAUPASSANT, Fort comme la mort, p. 134.

CONTR. **Déculotter.** ◊ HOM. 2. **Culotter.** — V. 2. **Culotté.**

2. **CULOTTER** [kylɔte] v. tr. — 1823, p. p. ; de *culot* (I., 2.).

♦ **1** *Culotter une pipe,* garnir son fourneau, à force de la fumer, d'un dépôt noir, qui donne meilleur goût au tabac (→ Panatela, cit.).

♦ **2** Noircir par l'usage. *Culotter des gants de peau.* → 3. **Patiner.** — Vx. *Le soleil culotte la peau.* → **Bronzer, brûler, tanner.**

0.1 Je crois n'avoir rien perdu de cette belle voix qui me caractérise. En revanche j'ai bougrement perdu de cheveux. Le voyage m'a culotté la figure. Je n'embellis pas, tant s'en faut. Le jeune homme s'en va. — Je ne voudrais pas vieillir davantage.
FLAUBERT, Correspondance, Pl., t. I, p. 732 (1850).

♦ **SE CULOTTER** v. pron.
ⓐ (Passif) :

0.2 Lui, ses tableaux... ça recule, ça s'enfonce, ça se dore, ça se culotte en chef-d'œuvre (...)
Ed. et J. DE GONCOURT, Manette Salomon, p. 303 (1867).

Fig. *Sentiments qui se culottent,* s'affermissent.

ⓑ (Réfl.). Argot. (Vx). *Se culotter :* s'enivrer (→ Être noir*).

♦ **CULOTTÉ, ÉE** p. p. adj.

♦ **1** *Pipe culottée,* garnie à l'usage d'un dépôt noir.
C'était une superbe pipe en écume admirablement culottée, aussi noire que les dents de son maître (...) 1
MAUPASSANT, Boule de suif, p. 44.
Les gentlemen assis autour de la table tapotent leurs 1.1 vieilles pipes culottées, sirotent leur brandy (...)
N. SARRAUTE, Vous les entendez ?, p. 8.

♦ **2** Noirci par l'usage. *Des gants culottés.* → 3. **Patiner.**
C'était une pièce toute en longueur, aux murs culottés de 2 fumée (...) COURTELINE, le Train de 8 h 47, p. 10.

DÉR. **Culottage, culotteur.** ◊ HOM. 1. **Culotter.** — V. 2. **Culotté.**

CULOTTEUR [kylɔtœʀ] n. m. — 1845 ; de 2. *culotter.* Rare. Personne qui culotte les pipes ; grand fumeur (de pipes). *Culotteur de pipes.* — REM. Le fém. *culotteuse* est virtuel.

CULOTTIER, IÈRE [kylɔtje, jɛʀ] n. — 1790 ; de *culotte.*
Techn. Personne qui confectionne des culottes, des pantalons.
(...) vu que j'ai fini tes bretelles, que j'ai brodées, et qu'on me les a rendues de chez le culottier.
Henri MONNIER, Scènes populaires, t. I, La petite fille, p. 184.

HOM. Formes des v. 1. **culotter**, 2. **culotter**.

CULPABILISANT, ANTE [kylpabilizɑ̃, ɑ̃t] adj. → **Culpabiliser.**

CULPABILISATION [kylpabilizasjɔ̃] n. f. — 1968 ; de *culpabiliser.*
Psychol., psychan. Le fait de culpabiliser (qqn) ; son résultat. *«Il y a une entreprise de démoralisation de la France, de culpabilisation de la France»* (O. R. T. F., 31 janv. 1970).
CONTR. **Déculpabilisation.**

CULPABILISER [kylpabilize] v. — 1946, d'abord en psychan. ; de *coupable,* d'après *culpabilis.*

♦ **1** V. tr. Psychol., psychan., cour. Donner un sentiment de culpabilité à. *L'inaction le culpabilise. Il est culpabilisé par la maladie de sa mère.* Pron. *Se culpabiliser :* se sentir coupable. *Il ne faut pas se culpabiliser pour si peu.* — (Au passif). *Être culpabilisé :* avoir un sentiment de culpabilité.
Le malentendu était d'autant plus profond qu'il croyait 1 être en partie responsable de mes malaises, ce qui le culpabilisait et lui donnait, en même temps, une impression d'échec.
Marie CARDINAL, les Mots pour le dire, p. 257 (1975).
Par ext. *Culpabiliser l'opinion.*

♦ **2** V. intr. *Se culpabiliser :* devenir culpabilisé.
Mort aux tabous ! Magnifique ! Alors, de temps en temps, 2 bien sûr, la névrose : on culpabilise ! Et en avant les neuroleptiques. M. CLAVEL, le Tiers des étoiles, p. 30.

♦ **CULPABILISANT, ANTE** p. prés. et adj. Qui culpabilise, donne un sentiment de culpabilité. *«Tout est fait pour que la contraception apparaisse comme honteuse, culpabilisante»* (le Nouvel Obs., 14 févr. 1968). → **Culpabilisation.**
Les exemples de prise de pouvoir individuelle abondent 3 et presque toujours l'arme culpabilisante est maniée par des femmes, rarement par des hommes.
Michèle PERREIN, Entre chienne et louve, p. 114 (1978).
Tendance culpabilisante : tendance à envisager les actes ou les attitudes de qqn sous l'angle des fautes dont celui-ci se sentirait coupable.

♦ **CULPABILISÉ, ÉE** p. p. adj.

Qui a un sentiment de culpabilité. *Personne culpabilisée.* **Psychan.** *Désirs œdipiens culpabilisés.* — Par ext. *L'opinion publique culpabilisée.*

N. (Rare). *Un culpabilisé, une culpabilisée.*

4 *(Elle)* employait encore un mot du langage préfabriqué en usage autour d'elle : je me sens culpabilisée.
René FALLET, Y a-t-il un docteur dans la salle ?, p. 99.

CONTR. Déculpabiliser. ◊ DÉR. Culpabilisation.

CULPABILITÉ [kylpabilite] n. f. — 1791, lat. *culpabilis,* de *culpa* «faute». → Coulpe, coupable.

♦ **1** État d'une personne qui est coupable*. *Nier sa culpabilité. Établir la culpabilité d'un accusé. Charges établissant la culpabilité.* → **Charge** (II., 5.). *Culpabilité morale. Preuves de la culpabilité.*

1 La culpabilité de l'humanité, presque chaque humain la porte. GIRAUDOUX, Littérature, p. 119.

2 Ce qu'il y a de grave, c'est que cette femme détient — sans le savoir, soit, mais détient — la preuve formelle de votre culpabilité (...)
J. ROMAINS, les Hommes de bonne volonté, t. II, v, p. 50.

3 Il est des crimes si odieux, qu'à discuter seulement la culpabilité de l'accusé l'on devient aussitôt suspect — comme si l'horreur que doit inspirer le crime devait ici s'opposer à tout examen, et que l'on fût suspect d'immoralité pour avoir gardé la tête libre.
J. PAULHAN, les Fleurs de Tarbes, II, p. 88.

4 Il se débattait, bien entendu, comme un beau diable, il essayait de se justifier, de s'expliquer, donc, de se trouver des excuses. Ce qui faisait que plus il se débattait, plus il s'enfonçait aux yeux de sa femme, peut-être même à ses propres yeux, dans le marécage de la culpabilité.
IONESCO, Journal en miettes, p. 159.

5 Alors, nous avons le droit de vivre. Nous avons même le devoir, vis-à-vis de nous-mêmes, d'être heureux, indépendamment de tout. La culpabilité est un symptôme dangereux. C'est un signe de manque de pureté.
IONESCO, Rhinocéros, III, p. 227.

6 Ce qui me frappe d'abord, c'est mon absence de culpabilité. Toute ma vie, j'aurai plus ou moins essayé d'*apprendre*, comme on m'y invitait, à me sentir coupable... Je n'y arrive pas, je l'avoue... Je me sens innocent... Ou pire : pardonné, racheté, sauvé... C'est étrange. Aucun sens moral ? Au contraire... Mais uniquement intellectuel, dirait-on. Je n'arrive pas à sentir la faute qu'il y aurait à satisfaire ses passions... En revanche, je perçois très clairement leur inanité...
Philippe SOLLERS, Femmes, p. 33.

♦ **2** **Psychol., psychan., cour.** Sentiment par lequel on se sent coupable, qu'on le soit réellement ou non *(sentiment de culpabilité). Culpabilité subjective, irrationnelle, endogène*.* → **Auto-accusation.** *S'infliger une punition par sentiment de culpabilité.* → **Autopunition.** *Culpabilité normale, ressentie pour une faute réelle.* **Psychiatrie.** *Idées, délire de culpabilité* (dans la mélancolie). **Psychan.** *Sentiment de culpabilité inconscient. Culpabilité œdipienne.*

Complexe de culpabilité : le fait de ressentir habituellement un sentiment de culpabilité.

CONTR. Innocence.

CULPEU [kylpø] n. m. — XIXe ; créé en ital. par Molina, 1787 ; orig. incert., p.-ê. de l'esp. du Chili.

Zool. Chien sauvage de l'Amérique antarctique *(Canis magellanicus).*

«Ah! on dirait des renards!» s'écria Harbert, quand il vit toute la bande décamper au plus vite. C'étaient des renards, en effet, mais des renards de très grande taille, qui faisaient entendre une sorte d'aboiement (...) ces renards, gris roussâtre de pelage, à queues noires que terminait une bouffette blanche, avaient décelé leur origine. Aussi, Harbert leur donna-t-il, sans hésiter, leur véritable

nom de «culpeux». Ces culpeux se rencontrent fréquemment au Chili, aux Malouines, et sur tous ces parages américains traversés par les 30e et 40e parallèles.
J. VERNE, l'Île mystérieuse, t. I, p. 271 (1874).

CUL SEC [kysɛk] → **Cul** (III., 1.).

CULTE [kylt] n. m. — 1570, var. *cult* ; lat. *cultus,* p. p. de *colere* «honorer, adorer», par métaphore du sens propre «cultiver, soigner». → Cultiver.

♦ **1** Hommage religieux rendu à la divinité ou à un saint personnage (→ **Adoration).** *Culte de Dieu, des saints (culte de latrie et de dulie,* dans le catholicisme). *Culte d'hyperdulie,* adressé à la Sainte Vierge. *Culte marial.* → **Marianisme.** *Servir Dieu par un culte fervent* (→ **Déicole).** *Culte divin. Le vrai culte. Culte du vrai Dieu. Culte des dieux. Culte extérieur, public. Culte intérieur,* ou *culte du cœur,* qu'un croyant rend à Dieu au-dedans de lui-même (par la charité*, la prière). *Culte de Jéhova.* → **Jéhovisme.** *Culte du bouddha Amida.* → **Amidisme.** *Culte romanisant*. Le culte de l'Être suprême,* institué par Robespierre.

1 Quel est cet aveuglement dans une âme chrétienne, et qui le pourrait comprendre, d'être incapable de manquer aux hommes et de ne craindre pas de manquer à Dieu ; comme si le culte de Dieu ne tenait aucun rang parmi les devoirs.
BOSSUET, Oraison funèbre d'Anne de Gonzague.

2 Le culte que Dieu demande est celui du cœur ; et celui-là, quand il est sincère, est toujours uniforme.
ROUSSEAU, Émile, IV.

3 Dans ses premiers rêves mystiques de petite fille, — inspirés surtout par les rites pompeux du culte, par la voix des orgues, les bouquets blancs, les mille flammes des cierges, — c'étaient des images seulement qui lui apparaissaient (...) LOTI, Ramuntcho, I, XIX, p. 165.

4 Aline restait assise auprès de son amie, imitant sa tenue sans se mêler au culte, mais peu à peu elle avait éprouvé sa ferveur, sa soumission aux développements majestueux et invariables de la liturgie.
J. CHARDONNE, les Destinées sentimentales, III, 5, p. 470.

4.1 (...) les règles du culte apaisent toutes les passions et toutes les émotions en disciplinant les mouvements.
ALAIN, 81 chapitres, *in* les Passions et la Sagesse, Pl., p. 1247.

4.2 Le travail est ainsi une sorte de prière, dont on espère beaucoup, dont on n'est pas assuré. Culte et culture sont le même mot que coultre, qui est soc.
ALAIN, Propos, Pl., p. 731 (1927).

REM. En fait, le lat. *culter* (d'où vient *coutre)* semble sans rapport avec les dérivés en *cult-* du verbe *colere* (voir Ernoult et Meillet) ; en revanche, *culte* et *culture, cultiver* ont bien la même origine.

♦ **2** Pratiques réglées par une religion pour rendre hommage à la divinité. → **Liturgie ; mystère, office, pratique, prière, rite, service.** *Cultes antiques, grecs, romains. Culte catholique, protestant, chrétien, juif, musulman, bouddhique.* — *Ministre du culte.* → **Clergé ; pasteur, prêtre, rabbin.** *Édifice consacré au culte d'une divinité, de la divinité.* → **Chapelle, église, mosquée, temple** (→ Asile, cit. 12), **synagogue.** *Terrain sur lequel on célébrait le culte.* → **Fanum.** — **Absolt** (le plus souvent en parlant du culte chrétien). → **Messe, office** (→ ci-dessous Culte, 3.). *Les instruments, les objets du culte.* → **Chandelier, clergé ; autel ; ornement ; vase** (sacré). *Ablutions prescrites pour rendre le culte. Les pratiques extérieures du culte.* → **Rite** (→ Bigot, cit. 6). *Les rites pompeux* (cit. 2) *du culte. L'entretien du culte. Faire des quêtes pour les besoins du culte. Denier* du culte.* — *L'exercice, l'organisation du culte. Les cérémonies du culte.* → **Cérémonial, cérémonie.**

4.3 (...) le scandaleuse impertinence de se planter devant un objet du culte, un objet sacré que tous vénèrent pieusement (...) N. SARRAUTE, Vous les entendez ?, p. 47.

Dr. La liberté des cultes. Administration des cultes. Police des cultes. Ministre des cultes, chargé (avant la loi de 1905) de l'administration des cultes. *Abolir, interdire, rétablir un culte. La loi du 9 décembre 1905 sur la séparation des Églises et de l'État garantit le libre exercice des cultes.*

5 La République (...) garantit le libre exercice des cultes *(elle)* ne reconnaît, ne salarie ni ne subventionne aucun culte. L'État, les départements et les communes pourront engager les dépenses nécessaires pour l'entretien et la conservation des édifices du culte dont la propriété leur est reconnue par la présente loi.
> Loi du 9 déc. 1905, art. I, 2, 13.

♦ **3** Spécialt. *Le culte :* service religieux protestant où l'on récite des prières (→ **Liturgie**) et où l'on commente la parole de Dieu. → **Office, service.** *Commémorer la cène à l'issue du culte. Faire le culte. Assister au culte. Présider le culte.* — (Qualifié). *Culte réformé* ou *calviniste. Culte luthérien de la confession d'Augsbourg.*

♦ **4** Par anal. Hommage rendu à des objets ou des valeurs déifiés (aussi les suff. **-lâtre, -lâtrie**). *Culte rendu aux images pieuses.* → **Iconolâtre.** — *Culte des idoles.* → **Idolâtrie; fétichisme.** — *Culte domestique* (→ Chef, cit. 14). *Le culte de la cité* (→ Citoyen, cit. 1). *Culte du feu. Culte aphrodisiaque. Culte phallique.* — *Culte des astres.* → **Astrolâtre.** — *Culte des serpents.* → **Ophiolâtrie.** — *Culte de l'homme.* → **Androlâtrie.** — *Culte que l'on rend au démon, à Satan.* → **Messe** (noire).

6 Ce feu était quelque chose de divin; on l'adorait, on lui rendait un véritable culte.
> FUSTEL DE COULANGES, la Cité antique, p. 22.

7 Le culte du Démon n'est pas plus insane que celui de Dieu; l'un purule et l'autre resplendit, voilà tout (...)
> HUYSMANS, Là-bas, XVII, p. 251.

8 Longtemps, l'homme a été distrait de la vie par des esprits malins, le culte des morts et des divinités, le souci de sa tombe et de sa survie.
> J. CHARDONNE, l'Amour du prochain, VI, p. 157.

8.1 Héroïsées, divinisées, les stars sont plus qu'objet d'admiration, elles sont aussi sujet de culte. Un embryon de religion se constitue autour d'elles.
> E. MORIN, les Stars, p. 65.

Spécialt. *Culte de la Raison*, sous la* Convention. *Culte décadaire, sous le Directoire.*

♦ **5** Religion. → **Confession.** *Abandonner son culte, changer de culte* (→ **Apostat, relaps, renégat**). *Abandonner le culte, renoncer, revenir, retourner au culte de ses pères. Ne suivre aucun culte, n'être attaché à aucun culte.*

♦ **6** (XVIIe). Fig. Admiration mêlée de vénération, parfois d'adoration, que l'on voue à qqn ou à qqch. → **Admiration, adoration, amour, attachement, dévouement, respect, vénération.** *Rendre un culte à qqn.* → **Honorer.** *Culte de la personnalité** (cit. 7.1). *Avoir un culte pour ses parents. Culte rendu à une femme* (→ **Amour; adulation**). *Ferveur d'un culte. Vouer un culte à la mémoire de qqn. Il voue à son père un véritable culte. Le culte des morts* (→ Ancien, cit. 6). *Le culte du passé, des ancêtres, de la tradition.*

9 Si l'illustre auteur des *Maximes* eût été tel qu'il a tâché de peindre tous les hommes, mériterait-il nos hommages et le culte idolâtre de ses prosélytes?
> VAUVENARGUES, Maximes, 299.

10 Il *(Proudhon)* eut de tout temps pour sa mère un dévouement, un culte dont il ne trahissait que l'essentiel, mais qui, comme tous les cultes, avait ses délicatesses et ses pudeurs.
> SAINTE-BEUVE, Proudhon, p. 16.

Polit. *Culte de la personnalité* (trad. du russe) : excès dans la célébration d'un dirigeant politique (appliqué à Staline, lors de la déstalinisation).

10.1 Le culte de la personnalité, en voilà un crime! Ce n'est pas le vôtre, camarades staliniens.
> F. MAURIAC, Bloc-notes 1952-1957, p. 253.

Avoir le culte de la nation, de la patrie. Culte du drapeau. Culte de l'humanité. Culte de la justice. Culte des muses (→ **Poésie**). *Culte des livres. Culte de la beauté, de la force, de la nature, de l'amour.*

11 L'amour est un temple que bâtit celui qui aime à un objet plus ou moins digne de son culte, et ce qu'il y a de plus beau dans cela, ce n'est pas tant le dieu que l'autel.
> G. SAND, Lettres à Alfred de Musset, p. 58.

12 Ce n'est pas un esprit belliqueux qui anime et dicte ce culte, c'est la nécessité, quand on a vu la France tomber si bas, de la relever afin qu'elle reprenne sa place dans le monde.
> GAMBETTA, Discours prononcé aux Fêtes de Cherbourg, août 1880.

13 (...) elle m'initia au culte de la grâce et de la vénusté; elle m'enseigna, par son indifférence, à goûter la beauté (...)
> FRANCE, le Petit Pierre, XXIX, p. 209.

14 (...) mon culte, c'est celui de la justice et de l'humanité.
> ROBESPIERRE, cité par JAURÈS, Hist. socialiste..., t. IV, p. 37.

Avoir le culte de l'argent (→ Adorer le veau* d'or).

CONTR. Indifférence, haine. ◊ **DÉR.** Cultuel.

CULTELLAIRE [kyltelɛʀ] adj. — 1588; du lat. *cultellus* «couteau», et suff. *-aire.*
Didact. En forme de couteau.

CUL-TERREUX [kytɛʀø] n. m. → **Cul,** I., 2., a (*infra* cit. 11.1).

-CULTEUR Élément, du lat. *cultor* «qui cultive», correspondant aux adj. en *-cole* et aux subst. en *-culture.* Ex. : *agrumiculteur, carpiculteur, ostréiculteur, pisciculteur,* etc. → aussi **Agriculteur.**

CULTISME [kyltism] n. m. — 1823; esp. *cultismo,* du lat. *cultus* «cultivé».
Hist. de la littér. Affectation, préciosité du style, mise à la mode au début du XVIIe siècle, par certains écrivains espagnols (notamment Gongora; → **Gongorisme**).

CULTIVABLE [kyltivabl] adj. — 1308; de *cultiver.*

♦ **1** Qui peut être cultivé, qui peut produire des récoltes. *Espace, terrain, terre cultivable.* → **Arable, labourable.**

♦ **2** Fig. Qui peut être formé par l'éducation. *L'intelligence, la mémoire est cultivable.*

L'effort de l'homme est cultivable. L'activité de Tityre, encouragée, semblait s'accroître (...)
> GIDE, le Prométhée mal enchaîné, *in* Romans, Pl., p. 336 (1899).

CONTR. Incultivable.

CULTIVAR [kyltivaʀ] n. m. — Av. 1974, in *la Clé des mots;* de *cultivé,* et var(iété).
Agric., bot. Variété d'une espèce végétale obtenue artificiellement et cultivée (hybrides, espèces sélectionnées).

CULTIVATEUR, TRICE [kyltivatœʀ, tʀis] n. — V. 1360; de *cultiver,* et suff. *-ateur.*

I ♦ **1** Personne qui cultive la terre, exploite une terre. → **Agriculteur; colon, fermier, métayer, paysan, planteur, vigneron.** *Un riche cultivateur. Les petits cultivateurs. Des cultivateurs propriétaires. L'exploitation d'un cultivateur.* → **Culture, domaine,** 2. **ferme** (→ Arpentage, cit.; bétail, cit. 1). *Un cultivateur de fruits, de blé.*

L'agriculture ne peut se perfectionner que lorsque des propriétaires riches, devenus cultivateurs, s'occuperont des progrès de l'art par curiosité, par intérêt, par ce sentiment naturel qui attache l'homme à l'objet de ses travaux.
CONDORCET, Duhamel, *in* LITTRÉ.

Adj. (Personnes). *Peuple cultivateur.* — (Choses). Vx. Qui sert à la culture. *Outil cultivateur.*

♦ **2** Fig. et littér. Celui, celle qui cultive (fig.) qqch. *«Le cultivateur de l'au-delà»* (Huysmans, *in* T. L. F.).

II N. m. (1796). **a** Machine aratoire servant au labour superficiel, équipée de petits socs réversibles montés sur des étançons semi-rigides. → **Charrue**; **extirpateur.** *Faire des travaux d'ameublissement avec un cultivateur.*

b Outil à main, griffe à petits socs munie d'un long manche. *Cultivateur à trois dents, à cinq dents.*

CULTIVÉ, ÉE [kyltive] adj. → **Cultiver.**

CULTIVER [kyltive] v. tr. — V. 1119; réfection de l'anc. franç. *coutiver* «vénérer»; du lat. médiéval *cultivare*, de *cultus*, p. p. de *colere* «cultiver». → Culture.

♦ **1** Travailler (la terre) pour lui faire produire des végétaux utiles aux besoins de l'homme. → **Agricole** (travaux, opérations agricoles), **culture**; **bêcher, défricher, fertiliser, labourer, planter, semer.** *Cultiver un champ, un coin* (cit. 12) *de terre, son domaine, sa propriété, son jardin* (cf. Planter ses choux).

1   Pourquoi venir troubler une innocente vie ?
Nous cultivions en paix d'heureux champs, et nos mains
Étaient propres aux arts ainsi qu'au labourage (...)
LA FONTAINE, Fables, XI, 7.

2   (...) la terre ne se lasse jamais de répandre ses biens sur ceux qui la cultivent; son sein fécond ne peut s'épuiser.
FÉNELON, Télémaque, V.

3   Cela est bien dit, répondit Candide, mais il faut cultiver notre jardin.   VOLTAIRE, Candide, XXX.

4   (...) à cause du père Maurice et de la qualité des terres que vous cultivez, j'aimerais mieux que ce fût vous. Mais ma fille est majeure et maîtresse de son bien : elle agira selon son idée. G. SAND, la Mare au diable, XII, p. 102.

Absolt. *Cultiver et récolter.*

En franç. d'Afrique. Travailler la terre; être paysan. *Il cultive.*

♦ **2** Soumettre (une plante) à divers soins en vue de favoriser sa venue. → **Entretenir, faire** (faire du blé...), **pousser** (faire pousser), **soigner, venir** (faire venir). *Cultiver une vigne. Cultiver des céréales.* **Absolt.** *Cultiver sous abri.*

5   Les hommes sont comme les plantes, qui ne croissent jamais heureusement, si elles ne sont pas bien cultivées (...)   MONTESQUIEU, Lettres persanes, 123.

6   (...) le paysan n'est pas sans ressembler à la betterave qu'il cultive avec tant d'assiduité.
A. MAUROIS, les Discours du D' O'Grady, XX, p. 222
(→ Bucolique, cit. 2).

7   L'Amérique leur a fait comprendre qu'il était bien préférable, pour obtenir un bon rendement, de ne cultiver que deux variétés de pommes et qu'une seule «variété» de poire, le mot variété souffre un tel contresens.
G. DUHAMEL, Scènes de la vie future, XV, p. 230.

(1869, *cultiver les abeilles*). Élever (certains animaux inférieurs et fixés). *«Parmi les coquillages les plus goûtés, certains sont cultivés»* (L. Lambert, *les Coquillages comestibles*, p. 8). → **Culture.**

(1880, *in* Année sc. et industr. 1881, p. 403). Biol. *Cultiver des microbes dans un bouillon de culture*.* — *Cultiver des tissus,* les maintenir artificiellement vivants.

♦ **3** (1538). Fig. Former (une faculté) par l'éducation, l'instruction. → **Développer, diriger, éduquer, élever, entretenir, former, instruire, perfectionner; culture**

(II.). *Cultiver l'intelligence, les bonnes dispositions d'un enfant. Cultiver un goût, un don. Cultiver son caractère* (→ Chevalier, cit. 7). *Cultiver l'insensibilité. Cultiver en soi une erreur, un vice. Cultiver sa mémoire, sa raison. Cultiver son esprit par les sciences, la lecture, les voyages.*

8   On ne suit pas toujours ses aïeux ni son père :
Le peu de soin, le temps, tout fait qu'on dégénère.
Faute de cultiver la nature et ses dons,
Oh ! combien de Césars deviendront Laridons !
LA FONTAINE, Fables, VIII, 24.

9   Heureux ceux qui se divertissent en s'instruisant et qui se plaisent à cultiver leur esprit par les sciences !
FÉNELON, Télémaque, II.

10   Il y a deux sortes d'hommes dont les corps sont dans un exercice continuel, et qui sûrement songent aussi peu les uns que les autres à cultiver leur âme, savoir, les paysans et les sauvages.   ROUSSEAU, Émile, II.

11   Voulez-vous donc cultiver l'intelligence de votre élève; cultivez les forces qu'elle doit gouverner.
ROUSSEAU, Émile, II.

12   C'est, pour le romancier observateur aussi bien que pour le médecin, un devoir professionnel que de cultiver une certaine insensibilité naturelle (...)
A. THIBAUDET, Gustave Flaubert, p. 12.

13   (...) il aimait peu cultiver en lui les humeurs sombres et le soupçon.
J. ROMAINS, les Hommes de bonne volonté, t. II,
XV, p. 180.

14   L'homme cultive les vices qui lui sont profitables; mais il a besoin de les légitimer; il ne veut pas les sacrifier; il faut qu'il les idéalise.
R. ROLLAND, Au-dessus de la mêlée, p. 86.

(Compl. n. de personne). Rare. Rendre cultivé* (→ ci-dessous).

♦ **4** Fig. (Littér. ou style soutenu). S'intéresser à (qqch.) en y consacrant son temps, ses soins... → **Adonner** (s'adonner à), **apprendre, donner** (se donner à), **intéresser** (s'intéresser à), **plaire** (se plaire à...), **travailler...** *Cultiver les sciences. Cultiver la poésie, la musique, les arts. Cultiver les Muses* (→ 1. Muse, cit. 6). — *Cultiver sa réputation, son image.* → **Entretenir.** — *Cultiver sa tristesse, son pessimisme,* s'y prendre plaisir, s'y complaire. — *Cultiver le bien, la vertu. Cultiver le mal.*

15   Pour réussir dans un art, il faut le cultiver toute sa vie.
VOLTAIRE, Disc. sur la tragédie, Avant Brutus.

16   Il cultivait Dieu comme certains honnêtes gens cultivent un vice, avec un profond mystère.
BALZAC, Honorine, Pl., t. II, p. 261.

17   Les conservatoires de Venise cultivaient avec succès la musique instrumentale.
R. ROLLAND, Voyage musical au pays du passé,
p. 238.

18   M. et Mᵐᵉ Dupin cultivèrent ensemble les lettres et la musique.   A. MAUROIS, Lélia, I, I, p. 22.

Fam. et vx. *Cultiver la bouteille** : boire beaucoup.

♦ **5** Entretenir des relations amicales avec (qqn). → **Conserver, entretenir.** *Cultiver l'amitié de qqn,* par attachement ou par intérêt. *Cultiver la bienveillance de qqn. Cultiver ses relations.* → **Soigner.** *C'est une relation, c'est un homme à cultiver, qu'il est prudent de cultiver. Cultiver ses électeurs, ses lecteurs.*

19   (...) les cultiver *(ses amis)* par intérêt : c'est solliciter.
LA BRUYÈRE, les Caractères, IV, 57.

20   (...) il cultive les jeunes *(femmes),* et entre celles-ci les plus belles et les mieux faites, c'est son attrait (...)
LA BRUYÈRE, les Caractères, XIII, 24.

21   Sensible à l'amitié, il la cultivait avec soin (...)
MARMONTEL (→ Amitié, cit. 22).

22   Je la cultivai, je sus lui plaire, et elle devint non pas ma protectrice, mais une amie dont les sentiments eurent je ne sais quoi de maternel.
BALZAC, le Lys dans la vallée, Pl., t. VIII, p. 911.

♦ **SE CULTIVER** v. pron.

♦ **1** (Passif). Être cultivé. *Ces terres se cultivent facilement, sont cultivables. Plante qui se cultive dans les pays tropicaux.*

Fig. Être entretenu, conservé. *Image de marque qui se cultive.* — (Relations, amitié). *La véritable amitié se cultive par beaucoup de détachement de soi-même.*

23   L'amitié qui se cultive aux dépens du devoir, n'a plus de charmes.
              ROUSSEAU, Lettre à M. Moultou, t. V, p. 172,
                            in LITTRÉ.

♦ **2** (Réfl.). Se former* par l'éducation, l'instruction.
→ **Éduquer** (s'), **instruire** (s'), **perfectionner** (se). *Se cultiver par la lecture, les voyages.*

♦ **CULTIVÉ, ÉE** p. p. adj.

♦ **1** **a** Travaillé par la culture (→ Mis en valeur*). *Terres cultivées.*

b Qu'on a fait pousser. *Plantes cultivées.*

♦ **2** (Avec un n. désignant une faculté humaine, un être humain). Qui a de la culture, une instruction générale bien assimilée (d'une faculté, de l'esprit). *Esprit cultivé.* → **Érudit, lettré, savant.**

24   Pour de l'esprit (...) elle n'en manque pas ; elle l'a même assez cultivé.
                  A.-R. LESAGE, Gil Blas, IV, 6.

25   Un bon esprit cultivé est, pour ainsi dire, composé de tous les esprits des siècles précédents.
            FONTENELLE, Digr. anc. et mod., Œ., t. IV, p. 190,
                         in POUGENS.

26   Si ce siècle n'est pas celui des grands talents, il est celui des esprits cultivés.
         VOLTAIRE, Lettre à Mme du Deffand, 24 sept. 1766.

27   (...) un esprit cultivé diffère d'un esprit simplement instruit.
               ALAIN, Abrégés pour les aveugles,
          in les Passions et la Sagesse, Pl., p. 837.

Plus cour. (Personnes). Qui a une forte culture intellectuelle. *Il n'est pas très cultivé, mais remarquablement intelligent. Des gens cultivés et distingués. Ses études supérieures ne l'ont pas rendu plus cultivé. Il est plus brillant que vraiment cultivé.*

CONTR. Friche (laisser en friche) ; **abandonner, délaisser, désintéresser** (se), **négliger**. — (De *cultivé*) **Béotien, fruste, ignorant, inculte, incultivé.** ◊ **DÉR. Cultivable, cultivateur.** — (De *cultivé*) V. **Cultivar.**

CULTUEL, ELLE [kyltɥɛl] adj. — 1872 ; de *culte*.
→ Rituel.

Didact. Du culte ; relatif au culte. *Édifices cultuels.*

1   (...) croyance en un monde de l'au-delà, sens moral fondé sur la distinction du bien et du mal, notion du péché, organisation cultuelle, sacerdoce, distinction entre le profane et le sacré, établissement de la famille comme centre religieux et social.
        CLAUDEL, Journal, juil.-août 1909, Pl., t. I, p. 102.

1.1 Le geste cultuel qui symbolise la Grèce, c'est la présentation de l'offrande.
         MALRAUX, la Métamorphose des Dieux, p. 50.

Dr. *Association cultuelle* : association (en France, conforme à la loi de 1905) ayant pour but de soutenir financièrement la pratique d'un culte.

2   La loi de 1905 ne reconnaissant plus aucun culte et ayant supprimé les établissements publics qui possédaient et administraient les biens destinés au service du culte a remplacé ces établissements par des associations cultuelles dont elle réglemente les caractères, la constitution et le fonctionnement.
        DALLOZ, Nouveau répertoire, art. Culte, n° 45.

DÉR. Cultuellement.

CULTUELLEMENT [kyltɥɛlmã] adv. — Mil. XXe ; de *cultuel*.

Didact. Quant au culte.

CULTURAL, ALE, AUX [kyltyRal, o] adj. — 1846 ; de *culture.*

Didactique.

♦ **1** Agric. Relatif à la culture des terres, du sol.
→ **Agricole, agronomique.** *Procédés culturaux. Façon culturale. Traditions culturales.*

♦ **2** (1926). Biol. Relatif aux techniques de culture microbienne. *Caractères culturaux d'un microbe :* caractères d'un microbe observé dans un milieu reconstitué.

CULTURALISATION [kyltyRalizasjɔ̃] n. f. — 1969 ; de *culturaliser.*

Didact. Le fait de (se) culturaliser ; son résultat. *La culturalisation des masses, des mass-média.*

CULTURALISER [kyltyRalize] v. tr. — 1968 ; de *culture.*

Didactique.

♦ **1** Rendre culturel. *Culturaliser un groupe.*

♦ **2** Considérer comme culturel.

Pour déjouer l'Origine, il culturalise d'abord à fond la Nature : aucun naturel, nulle part, rien que de l'historique ; puis cette culture, (convaincu avec Benveniste que toute culture n'est que langage) il la remet dans le mouvement infini des discours, montés l'un sur l'autre (et non engendrés) comme dans le jeu de la main chaude.
        R. BARTHES, Roland Barthes, p. 142.

♦ **SE CULTURALISER** v. pron.

♦ **1** (Personnes). Accéder à la culture. — S'adonner davantage à la culture.

♦ **2** (Choses). Devenir (plus) culturel. *Association qui se culturalise. Programmes de télévision qui se culturalisent.*

DÉR. Culturalisation.

CULTURALISME [kyltyRalism] n. m. — Mil. XXe ; de *culturel,* au sens de l'anglo-amér. *cultural.*

Didact. (sociol., psychol.). Doctrine sociologique qui met en évidence l'action du milieu «culturel» (des formes acquises de comportement) sur l'individu. *Le culturalisme fait distinction entre le comportement social de l'individu humain et son comportement biologique et physiologique* (→ **Biologisme**). *Le culturalisme américain* (école de Kardiner).

1   Le dialogue entre le biologisme et le culturalisme est plein d'enseignements pour la pathologie psychosomatique.
                        Jean DELAY,
           Introd. à la médecine psychosomatique, p. 27.

2   L'idéologie de la culture, ou culturalisme, étaye la thèse branlante de la cohérence et de l'unicité de «la» culture. Thèse officielle. Alors que de toute évidence la culture se pulvérise. Il n'y a depuis longtemps que des sub-cultures, d'origines diverses : campagne et vie rurale, vie urbaine, aristocratie, prolétariat, bourgeoisie, pays et secteurs dits «sous-développés», culture de masse, etc. (...)
             Henri LEFEBVRE, la Vie quotidienne dans le
                      monde moderne, p. 184.

CULTURALISTE [kyltyRalist] adj. et n. — Mil. XXe ; de *culturel.* → Culturalisme.

Didact. (sociol., psychol.). Relatif au culturalisme. *Psychanalyse culturaliste.* — N. *(Un, une culturaliste).* Partisan du culturalisme.

1   Même les psychanalystes de l'École de Freud qui a promu une théorie psycho-biologique du développement des instincts, sont amenés à reconnaître, à la suite des travaux des «culturalistes», que les stades psycho-sexuels, d'abord considérés comme faisant partie de la nature humaine, dépendent pour une large part de la structure du groupe et des normes culturelles propres aux types de civilisation.
                        Jean DELAY,
       Introd. à la médecine psychosomatique,
              Notes et observations, p. 47 (1961).

2 Il est entièrement inutile de retracer l'histoire des disputes classiques autour de la question de savoir si c'est la société qui forme l'individu, ce qui est évident du langage et ce que Durkheim soutenait de la logique naturelle, des sentiments moraux, etc., ou si c'est l'individu qui façonne la société par ses tendances «naturelles» ou organiques, comme le pensaient Rousseau et le sens commun avant la découverte de la sociologie, et comme le supposent les psychanalystes n'appartenant pas à la sous-école dite culturaliste, ainsi que d'autres auteurs s'occupant de celles des conduites qui sont peu modifiées par les sociétés particulières.
J. PIAGET, Épistémologie des sciences de l'homme,
p. 170 (1970).

CULTURE [kyltyʀ] n. f. — V. 1150, *colture*; lat. *cultura*, de *cultum*, supin de *colere* «cultiver».

Ⅰ ♦ 1 Action de cultiver la terre; ensemble des opérations propres à tirer du sol les végétaux utiles à l'homme et aux animaux domestiques. → **Agriculture, exploitation** (d'une terre). *La culture d'un champ, d'un verger, d'un domaine, d'une exploitation... Travaux de culture.* → **Agricole** (travaux, opérations agricoles). *Mettre une terre en culture,* l'exploiter. — *Instruments de culture.* → **Agricole** (outillage agricole).

1 Ils ont pour maxime de tirer de la culture tout ce qu'elle peut donner, non pour faire un plus grand gain, mais pour nourrir plus d'hommes.
ROUSSEAU, Julie ou la Nouvelle Héloïse, IV,
lettre 10.

2 La moindre culture représente un effort et un plan — une prévision du lendemain (...) D'une manière générale et quasi universelle, l'homme qui cultive la terre ne la cultive pas pour lui seul, mais pour un groupe familial ou social (...) Tous ces faits d'exploitation de la terre sont multipliés et perfectionnés en vue de cette fin sociale (...) Dès que les hommes veulent en effet utiliser les ressources et les richesses naturelles, ils doivent résoudre non seulement des problèmes techniques — cultures, mines, etc., — mais encore des problèmes de coordination et de subordination de leurs propres effets.
BRUNHES, la Géographie humaine, t. I, p. 53-55.

Grande, moyenne, petite culture. Pays de petite, de moyenne culture. Culture familiale.

3 Dans la *petite culture,* le personnel de la ferme se compose exclusivement du cultivateur et de sa famille; la *moyenne culture* est celle dans laquelle les travaux exigent quelques ouvriers auxiliaires; la *grande culture* occupe un personnel nombreux, à raison de l'étendue de l'exploitation. On dit: *pays de petite culture* ou *pays de grande culture,* pour désigner les régions dans lesquelles l'une ou l'autre de ces situations domine.
Ces expressions sont d'une très grande élasticité; mais généralement, et à part quelques exceptions, en France, la petite culture ne dépasse pas 10 hectares, la moyenne culture atteint 50 à 60 hectares, et on considère comme de la grande culture les exploitations qui sont plus vastes.
Omnium agricole, p. 281.

4 (...) il existe deux grands types de propriété rurale: l'une, celui de la petite propriété, se caractérise par l'*adaptation des dimensions du domaine aux possibilités d'une culture familiale;* l'autre, la grande propriété, implique la concentration, sur la tête d'une seule personne, d'une étendue foncière *qui excède notablement les possibilités de la culture familiale.*
PIROU et BYÉ, Traité d'économie politique, t. I, p. 65.

Formes, méthodes de culture. Culture irriguée. Culture sèche. → **Dry farming.** *Culture de pleine terre, de plein champ. Culture en serre. Culture sous coffre, sous châssis, sous abri.* — *Culture hâtée, forcée:* usage de méthodes artificielles pour obtenir des récoltes en dehors des saisons normales. *Culture intensive*; culture extensive*.* — *Culture alterne* ou *rotation de culture.* → **Assolement** (cit.). 3. **sole.** *Cultures améliorantes,* qui accroissent la fertilité du sol (opposé à *cultures épuisantes*). *Alternance culture-jachère* ou *culture sidérale*. Culture spécialisée.* → **Monoculture.** *Cultures multiples simultanées.* → **Polyculture.** *Culture en lignes. Culture en*

billons, en planches, à plat... → **Labour; façon** (culturale). *Culture mécanique* ou *motoculture. Frais, dépenses de culture.*

♦ 2 (Au plur.). Terres cultivées (→ Parcelle, cit. 1). *L'étendue des cultures. Le bon état des cultures.*

Au Sud, la campagne bleuâtre, délicatement accidentée: : 5
fermes, coteaux, cyprès, cultures, routes étroites, et lointainement un ou deux villages.
H. BOSCO, Un rameau de la nuit, p. 147.

♦ 3 Action de cultiver (un végétal), et, par métonymie, ce végétal cultivé (souvent au plur.). → **Agricole** (produits agricoles), **plantation, plante...** *Les différentes sortes de cultures. Cultures alimentaires. Culture des céréales; culture fruitière, culture maraîchère.* — *Cultures tropicales. Cultures de plantes textiles, de plantes oléagineuses, tinctoriales. Cultures de plantes médicinales, pharmaceutiques. Culture florale. Cultures industrielles. Cultures fourragères... Cultures dérobées:* plantes qui n'occupent le sol que pendant quelques semaines, ce qui permet de les cultiver entre deux récoltes principales.

Si l'on cherche quelles sont les cultures introduites depuis 6
deux mille ans, on trouve à peine quelques fourrages artificiels, quelques plantes à graines aromatiques comme le caféier, et à une époque toute contemporaine, quelques lianes de caoutchouc (...) Quel maigre rapport, en comparaison de toutes ces plantes fondamentales qui ont littéralement nourri l'humanité depuis qu'elle existe: le blé, l'orge, le seigle, le maïs, le riz, la pomme de terre, le dattier, le bananier, etc. Or, toutes ces cultures de l'Ancien et du Nouveau Monde, nous sommes certains qu'elles remontent à deux mille ans et, pour plusieurs d'entre elles, nous pouvons affirmer qu'elles remontent au moins à cinq ou six mille ans.
Jean BRUNHES, la Géographie humaine, t. I, p. 301.

Tout cultivateur doit pouvoir mesurer l'étendue des pièces 7
de terre de son exploitation, ne fût-ce que pour régler convenablement l'ordre des cultures.
Omnium agricole, p. 57 (→ Arpentage).

Alfred observa les premières plantations anglaises en 8
Malaisie et s'aperçut que la culture des hévéas, dans cette contrée, permettrait d'obtenir du caoutchouc avec plus de facilité et d'abondance; on pouvait prévoir que les plantations d'hévéas en Malaisie supplanteraient les forêts du Congo.
J. CHARDONNE, l'Amour du prochain, IV, p. 101.

♦ 4 (1845, Bescherelle). Par anal. (d'après des mots comme *ostréiculture, mytiliculture;* → Culture). Élevage (de certains animaux fixés). *Culture des moules sur bouchots, sur pendis. Culture des huîtres.*

Dès le XIIIᵉ siècle, la culture de la moule était pratiquée 8.1
sur nos côtes du Centre-Ouest (...)
Louis LAMBERT, les Coquillages comestibles, p. 9.
Par ext. *Culture des perles.* Loc. *Perles* de culture.

♦ 5 (1878). *Culture microbienne* (ou *bactérienne*): méthode consistant à faire croître des microorganismes en milieu approprié; les microorganismes ainsi obtenus. *Bouillon de culture.* → **Bouillon** (cour et fig., et cit. 11). — *Culture de tissus:* multiplication de cellules provenant d'un fragment de tissu vivant, obtenue artificiellement sur des milieux nutritifs adéquats. *Mettre en culture des tissus.*

Ⅱ ♦ 1 (1549). Développement des facultés intellectuelles par des exercices appropriés. — Par ext. Ensemble des connaissances acquises qui permettent de développer ce sens critique, le goût, le jugement (opposé à *nature*). → **Connaissance, éducation, érudition, formation, instruction,** 2. **savoir, science.**

Tout ce qui flatte le plus notre vanité n'est fondé que sur 9
la culture, que nous méprisons.
VAUVENARGUES, Maximes, 595.

Avant d'en revenir à la culture je considère que le monde 9.1
a faim, et qu'il ne se soucie pas de la culture; et que c'est

artificiellement que l'on veut ramener vers la culture des pensées qui ne sont tournées que vers la faim.
A. ARTAUD, le Théâtre et son double,
Idées/Gallimard, p. 9 (1938).

Une vaste, une haute, une forte, une solide culture. Culture encyclopédique. Culture superficielle. Un vernis de culture. Culture désintéressée. Culture livresque. Esprit sans culture. C'est un homme dépourvu de culture. → **Inculte.**

10 Et puis cette haute culture dont elles faisaient preuve, et cette parfaite aisance !
LOTI, les Désenchantées, XI, p. 96.

11 (...) la culture désintéressée, qui leur paraît comique passe-temps d'oisifs (...)
PROUST, À la recherche du temps perdu, t. X,
p. 219.

12 Le savoir est la condition nécessaire de la culture, il n'en est pas la condition suffisante (...) C'est surtout à la qualité de l'esprit que l'on songe quand on prononce le mot culture, à la qualité du jugement, du sentiment.
D. ROUSTAN, la Culture au cours de la vie, p. 15,
in LALANDE.

13 Dostoïevski est un homme de longue culture, tant par la race que par l'éducation.
André SUARÈS, Trois hommes, «Dostoïevski», III,
p. 215.

(Dans un domaine particulier). Culture philosophique, littéraire, scientifique, artistique : culture spécialisée ou technique.

(Caractérisant une forme de savoir institutionnalisée). Culture scolaire (→ Capital scolaire). Culture secondaire, supérieure, correspondant à l'enseignement secondaire, supérieur. *Culture d'autodidacte. Culture classique* (→ **Humanités**). — **CULTURE GÉNÉRALE,** dans les domaines considérés comme nécessaires à tous (en dehors des métiers, des spécialités).

14 Ce mot d'humanités, qui veut dire élégance, s'applique bien à la culture classique.
FRANCE, le Livre de mon ami, p. 129.

15 Sa création *(du Centre Universitaire Méditerranéen à Nice)* intéresse à la fois la Ville et la Nation ; elle peut et doit intéresser les nations voisines ; elle peut et doit servir la culture générale, favoriser les relations dont le nombre et la variété ont cette culture pour effet.
VALÉRY, Regards sur le monde actuel, p. 305.

16 Remarquons que cet abaissement de la culture classique a coïncidé, chez les écrivains français, avec la découverte des grands réalistes allemands (...) Hegel et surtout Nietzsche, par le génie desquels ils ont été d'autant mieux envahis qu'en manquant de la grande discipline classique ils manquaient précisément de la vraie digue à lui opposer.
Julien BENDA, la Trahison des clercs, III, 3, p. 239.

17 Même dans vingt, dans trente ans, il restera la preuve vivante que la plus haute culture moderne, reçue à l'abri de toute influence cléricale, non seulement n'est pas incompatible avec la foi, mais peut y ramener.
J. ROMAINS, les Hommes de bonne volonté, t. V,
XVII, p. 122.

Culture de classe, propre à une classe sociale déterminée. *Culture bourgeoise. Culture populaire. Culture de masse,* diffusée au sein d'une société par des moyens d'information massifs (mass-média) et correspondant à une idéologie. *Culture massifiée*. L'idéologie de la culture* (→ Culturalisme, cit. 2). — *Accès, droit à la culture.* — Loc. *Maison de la culture.* → **Maison.**

(Dans une perspective marxiste, où la culture est assimilée à une idéologie propre à une classe et notamment à la classe dominante). Culture dominante, légitime, imposée par l'institution.

17.1 Le principal ressort de l'imposition de la reconnaissance de la culture dominante comme culture légitime et de la reconnaissance corrélative de l'illégitimité de l'arbitraire

culturel des groupes ou classes dominés réside dans l'exclusion, qui n'a peut-être jamais autant de force symbolique que lorsqu'elle prend les apparences de l'auto-exclusion.
P. BOURDIEU et J.-C. PASSERON, la Reproduction,
p. 57.

♦ **2** (1810, Mme de Staël ; 1796, dans une trad. de Kant ; de l'all. *Kultur* «civilisation», de même orig. que le franç. *culture*). Ensemble des aspects intellectuels d'une civilisation. → **Idéologie.** *La culture gréco-latine. Culture occidentale, orientale. La culture française. Cultures régionales, la culture québécoise. Culture occitane, celte. Un fait de culture.* → **Culturel.** *Intégrer à une culture.* → **Assimiler** (B., 3.); **acculturation.** *Coexistence de deux cultures.* → **Biculturalisme ;** → Biculturel. *Contact des cultures* (→ Interculturel, transculturel). — REM. Le mot, dans ce sens, ne s'est répandu en français qu'au XXe s. ; l'origine allemande semble encore perçue au début du siècle.

Si quelqu'un disait le mot culture, elle l'arrêtait, souriait,   17.2
allumait son beau regard, et lançait : «la KKKKultur», ce qui faisait rire les amis qui croyaient retrouver là l'esprit des Guermantes.
PROUST, le Temps retrouvé, Pl., t. III, p. 1005.

Si l'Europe doit voir périr ou dépérir sa culture ; si nos   18
villes, nos musées, nos monuments, nos universités doivent être détruits dans la fureur de la guerre scientifiquement conduite ; si l'existence des hommes de pensée et des créateurs est rendue impossible ou atroce (...)
VALÉRY, Regards sur le monde actuel, p. 111.

La guerre politique impliquant la guerre des cultures,   19
cela est proprement une invention de notre temps qui lui assure une place insigne dans l'histoire morale de l'humanité.
Julien BENDA, la Trahison des clercs, I, p. 110.

La culture, la civilisation ? On me posa cette question le   19.1
jour où, devant les principaux magistrats des quais, des entrepôts et des phares, j'aspirais aux fonctions de surveillant du port de Hambourg. J'obtins la note 0, mais je crois cependant devoir te faire la même réponse. La culture est la superstition de la culture. Les pays de culture sont aux autres ce que sont aux vrais les champignons de culture. Au lieu de suivre les leçons et les instincts que donne le sol qui leur fournit les oranges et les pommes de terre, ils se forgent un modèle, et croient dur comme fer à la didactique.
GIRAUDOUX, Siegfried et le Limousin, p. 254.

Nous nous apparentons ainsi à des sociétés qui ne nous   20
sont plus contemporaines, à des formes de culture que l'Europe nordique estime lui être étrangères, mais auxquelles une secrète sympathie nous relie.
SIEGFRIED, l'Âme des peuples, III, 1, p. 49.

Les deux termes de *culture* et de *civilisation* recouvrent   21
des notions non pas mêlées, mais connexes, et qui procèdent étroitement les unes des autres. Suivant le pays et même suivant les individus, le sens varie. La «culture» allemande est assez voisine de ce que nous entendons le plus généralement en français par civilisation, mais on connaît des penseurs français qui utilisent le mot dans un sens proche du germanique. Pour certains, culture est entendu avec des résonances plus strictement intellectuelles : dans le sens où l'on parle de culture classique, de culture scientifique, d'homme «cultivé» ; pour d'autres, il désigne une méthode, une certaine aisance que l'homme acquiert dans l'exercice de son esprit, une participation à une certaine manière de réagir et de penser (on parlera alors de «culture française») ; pour d'autres, enfin, la culture est tout ce qui élargit la pensée et la conscience individuelle ou collective (on pourra dans cette acception parler de «culture politique»).
DANIEL-ROPS, Ce qui meurt..., II,
p. 58 (→ Culturel, cit. 1).

♦ **3** Didact. (angl. *culture ;* → Culturel, 3.). Ensemble des formes acquises de comportement, dans les sociétés humaines. → **Culturel** (3.); **culturalisme.** *Opposer la nature et la culture, et les cultures.*

(...) je venais de lire Saussure et j'en retirai la conviction   21.1
qu'en traitant «les représentations collectives» comme des systèmes de signes on pouvait espérer sortir de la dénonciation pieuse et rendre compte en détail de la mystification qui transforme la culture petite-bourgeoise en nature universelle.
R. BARTHES, Mythologies, p. 7.

♦ 4 (1808). **CULTURE PHYSIQUE** : développement et entretien méthodiques du corps par des exercices appropriés et gradués. → **Culturisme, éducation** (physique), **gymnastique**. *Faire de la culture physique. Séances de culture physique.*

22　Pourquoi avez-vous pris comme dérivatif à votre douleur la culture des muscles, qui tuera en vous ce qui seul peut vous sauver ?
　　　　　LOTI, Aziyadé, Eyoub à deux, XL, p. 135.

23　Heureusement la culture physique semblait depuis quelque temps devoir le dispenser du régime.
　　　　　J. ROMAINS, les Hommes de bonne volonté, t. III, XI, p. 148.

CONTR. (Du sens I) Friche, jachère. — (Du sens II) Ignorance ; béotisme, rusticité. — (Des sens I et II) Inculture. ◊ **DÉR.** Cultural, culturaliser, culturel, culturisme, culturiste. → **COMP.** V. Agriculture, contre-culture, cyberculture, inculture et les comp. en -culture.

-CULTURE Élément de substantifs composés, correspondant aux adj. en *-cole*. → **Agrumiculture,** algoculture, apiculture, aquaculture, arboriculture, astaciculture, aviculture, carpiculture, conchyliculture, cuniculiculture, électroculture, floriculture, héliciculture, hirudiniculture, horticulture, monoculture, motoculture, mytiliculture, oléiculture, osiériculture, ostréiculture, pisciculture, polyculture, puériculture, saliculture, sériciculture, spongiculture, sylviculture, viticulture.

CULTUREL, ELLE [kyltyʀɛl] adj. — 1907 ; de *culture* (II.).

♦ 1 Qui est relatif à la culture (II., 2.), à la civilisation dans ses aspects intellectuels ou idéologiques. *Activités culturelles. Besoins culturels. Régression culturelle. Développement, progrès culturel. Les revendications culturelles des minorités ethniques. Assimilation* culturelle. Relations culturelles. Attaché culturel auprès d'un gouvernement étranger. Mission culturelle de l'U. N. E. S. C. O.*

1　Y a-t-il donc opposition entre culture et civilisation ? Elles sont étroitement liées. Il n'y a pas de culture sans civilisation, car l'effort pour conquérir le monde, l'effort culturel, est lui-même une valeur de civilisation. Il n'y a pas de civilisation sans culture, car, abandonné nu et faible aux forces de la nature, l'homme ne peut s'élever au-dessus des nécessités matérielles ; et, par ailleurs, tout progrès d'ordre culturel, en haussant le niveau moyen de la masse humaine, doit (en principe) permettre une progression semblable de la civilisation.
　　　　　DANIEL-ROPS, Ce qui meurt..., II, p. 58
　　　　　　　　　　　　　　(→ Culture, cit. 21).
2　Plusieurs groupes mettent l'accent sur l'activité intellectuelle (en 1946, on ne dit pas encore «culturelle» ou très peu).
　　　　　Henri LEFEBVRE, la Vie quotidienne dans le
　　　　　　　　　　　　monde moderne, p. 67.

CENTRE CULTUREL : lieu public d'une municipalité où sont groupées les activités culturelles (bibliothèque, théâtre, cinéma, discothèque, etc.) et destiné essentiellement à la diffusion de la culture populaire. → **Maison** (de la culture).

♦ 2 Par métonymie. *Le niveau culturel d'une personne,* son degré de culture par rapport à une norme. *Patrimoine culturel :* ce qui est hérité, dans une culture donnée, de son histoire intellectuelle. *Identité culturelle. Tradition culturelle.*
N. m. *Le culturel :* ce qui appartient à la culture.

♦ 3 (Mil. xxᵉ ; angl. *cultural*). Didact. Relatif aux formes acquises de comportement, et non pas à l'hérédité biologique. *Facteurs naturels et facteurs culturels. Milieu culturel. — Anthropologie* culturelle* (ou *sociale*).

DÉR. Culturalisme, culturaliste ; culturellement. ◊ **COMP.** Interculturel, multiculturel, pluriculturel, transculturel.

CULTURELLEMENT [kyltyʀɛlmɑ̃] adv. — 1926 ; de *culturel.*

Relativement à la culture. *Envisager culturellement une question,* sous l'angle de la culture. *Culturellement parlant. Une jeune fille «culturellement révoltée»* (Françoise Mallet-Joris, *la Maison de papier,* p. 257).

CULTURISME [kyltyʀism] n. m. — Mil. xxᵉ ; de *culture.*

Culture* physique analytique, où l'on fait travailler certains muscles ou groupes musculaires en vue de les développer d'une façon apparente. → **Body building** (anglic.). *Le culturisme est à base de barres, poids et haltères. Les notions d'esthétique corporelle sont différentes dans la chorégraphie et le culturisme.*

CULTURISTE [kyltyʀist] adj. et n. — 1910 ; repris mil. xxᵉ ; de *culture.* → Culturisme.

♦ 1 Qui concerne le culturisme. *Méthodes culturistes.*

Une fois (...) on se baignait, un de ces mecs couverts d'huile à friture qu'on voit sur les couvertures des journaux culturistes était là (...)　　　　CAVANNA, les Ritals, p. 153.　1

♦ 2 (Personnes). Qui pratique le culturisme. — **N.** Personne qui pratique le culturisme.

Par la suite, on lui a coupé la jambe et mis une jambe de　2
bois. Mais il n'a pas voulu s'avouer vaincu par la vie. Il est devenu culturiste.
　　　　　Jean FERNIOT, Pierrot et Aline, p. 178 (1973).

CUMIN [kymɛ̃] n. m. — xIIᵉ, comin, coumin ; lat. *cuminum,* du grec *kuminon,* mot d'orig. orientale.

♦ 1 Plante dicotylédone *(Ombellifères)* originaire du Levant, à graines aromatiques. — **Syn.** : *faux anis. Préparation du thymol avec de l'essence de cumin. Le kummel*, liqueur au cumin.*

Face à face deux comptoirs avec, sur l'un, des volailles farcies et, sur l'autre, des petits pains couverts de graines de cumin ou de pavot.
　　　　　Alain BOSQUET, les Bonnes Intentions,
　　　　　　　　　　　　　　　　p. 15 (1975).

(Qualifié ; désignant des plantes analogues). *Cumin des prés* ou *Carnum carvi* (→ **Carvi**), *Silaüs pratensis. Cumin cornu* ou *hypecoom.*

♦ 2 Graines de cette plante, utilisées comme assaisonnement. *Fromage de Munster au cumin.*

DÉR. Cuminique.

CUMINIQUE [kyminik] adj. — 1876 ; de *cumin.*

Chim. Se dit de divers composés chimiques dérivés de l'essence de cumin. *Acide cuminique* $(C_{10}H_{12}O_2)$, obtenu par l'oxydation de l'aldéhyde cuminique (isomère : acides métacuminique et paracuminique). — *Alcool cuminique* $(C_{10}H_{14}O)$, obtenu par l'action de la potasse alcoolique sur l'aldéhyde cuminique. — *Aldéhyde cuminique* ou *cuminaldéhyde* $(C_{10}H_{12}O)$, qui existe dans l'essence de cumin, mêlée à du cymène.

CUMUL [kymyl] n. m. — 1692 ; déverbal de *cumuler.*

Action de cumuler (→ **Accumulation**).

♦ 1 (Du sens 1 de *cumuler*). Dr. *Cumul d'actions :* faculté d'exercer simultanément ou successivement plusieurs actions en justice, ayant rapport au même fait juridique. *Cumul du possessoire et du pétitoire.* → **Pétitoire, possessoire.**

Cumul de peines : système en vertu duquel, en cas de pluralité d'infractions, les peines encourues s'additionnent. *Le cumul des peines n'est pas appliqué en France* (→ **Non-cumul**).

♦ **2** (Du sens 2 de *cumuler*). Admin., cour. *Cumul de fonctions, de charges* : réunion en une même personne de plusieurs fonctions publiques ou mandats électifs et des traitements ou émoluments qui y sont attachés. *Cumul de traitements,* par une personne occupant ou ayant occupé plusieurs emplois. *Impossibilité de cumul* (→ **Incompatibilité**). — *Cumul des responsabilités* : recherche, par la victime, de la faute de l'État ou de son agent. — *«Le cumul des pouvoirs»* (Proudhon).

1   Je ne songe même pas, bien entendu, à l'affreuse bassesse de certains qui sacrifient le quotidien irremplaçable de leur vie non à des œuvres qui leur seraient demandées par un instinct profond, mais à un cumul de besognes sur la valeur desquelles ils ne se méprennent pas, et dont la seule raison est qu'ils veulent soutenir un train de maison trop coûteux (...)
     J. ROMAINS, les Hommes de bonne volonté,
     La douceur de la vie, IV, p. 39.

♦ **3** (Des sens 3 et 4 de *cumuler*). Littér. *«Opérer le cumul de la fortune et du talent»* (Balzac, *la Cousine Bette,* p. 139, *in* T. L. F.). *«Il y a une telle diversité, un tel cumul de goûts alternants, si même ils ne sont pas simultanés...»* (Proust, *le Temps retrouvé*, Pl., t. III, p. 708). — *Le cumul de plusieurs caractères, de plusieurs qualités dans qqch.*

2   La méchanceté d'une certaine personne (...) et la méchanceté devinée de la dame en noir lui faisaient comme un ensemble de tourments, un cumul d'angoisse.
     Léon BLOY, Journal, 1905, p. 270.

♦ **4** Inform. Addition de valeurs successives, dont le résultat est pris en compte.

CONTR. **Indépendance, séparation.** ◊ COMP. **Non-cumul.** ◤ HOM. Formes du v. **cumuler.**

CUMULABLE [kymylabl] adj. — Mil. XX⁰ (1960, *in* T. L. F.); de *cumuler.*

Dr. Qui peut être cumulé. *Amendes cumulables. Fonction cumulable avec une autre.*

CUMULARD, ARDE [kymylaʀ, aʀd] n. — 1821; de *cumuler,* et suff. péj. *-ard.*

Péj. Personne qui cumule des emplois, des avantages auxquels elle ne devrait pas avoir droit.

(...) et puis d'abord pourquoi que tu es pape et pas moi... hein peux-tu le dire... t'as profité de mon voyage pour te faire élire... combinard... cumulard... tout ce que tu veux c'est te remplir la tirelire...
     J. PRÉVERT, Paroles, «La crosse en l'air».

REM. Le fém. *cumularde* est virtuel.

CUMULATIF, IVE [kymylatif, iv] adj. — 1690; de *cumuler,* et *-atif.*

Didactique.

♦ **1** Dr. Qui fait double emploi. *Donation cumulative.*

♦ **2** Didact. Qui s'ajoute. — (Biol.). *Facteurs cumulatifs.* — (Écon.). *Effet cumulatif. Processus cumulatifs. Propriété cumulative,* qui inclut les propriétés logiquement antérieures. *Intérêt cumulatif.*

♦ **3** Didact. Qui fonctionne, évolue en cumulant des éléments. *Le caractère cumulatif de la science, de la technique. «La valeur cumulative du temps»* (Charles du Bos, *Journal,* janv. 1925, p. 275).

Outre les effets signalés, l'unité motrice engendre des *effets d'agglomération* : elle rassemble des activités complémentaires qui suscitent des occasions cumulatives de gains et de coûts en un lieu. Entre les unités agglomérées, la

réalisation de moyens de transport et de communication provoque des *effets de jonction (...)*
     François PERROUX, l'Économie du XXᵉ siècle,
     1964, p. 169, *in* T. L. F.

DÉR. **Cumulativement.**

CUMULATION [kymylasjɔ̃] n. f. — 1486; de *cumuler;* repris 1792; probablt. d'après l'angl. *cumulation,* de *to cumulate* «cumuler».

Littér. et rare. Action de cumuler. → **Cumul.**

(Au sens 1 de *cumul*) :

Il s'agissait de savoir «si la cumulation d'un emploi de judicature avec une place de membre du conseil privé s'accordait ou non avec les principes de la constitution anglaise».
     Joseph DE MAISTRE, Constitution politique, p. 21,
     in T. L. F.   1

(Au sens 2 de *cumul*) :

Cette singulière cumulation de régime, les eaux et la promenade, fait de toutes les parties de plaisir une ambulance.   G. SAND, Histoire de ma vie, 4, p. 17.   2

REM. Le mot semble d'usage moderne dans le discours philosophique (Ricœur, Jankélévitch, *in* T. L. F.).

CUMULATIVEMENT [kymylativmɑ̃] adv. — 1549; de *cumulatif.*

Didactique.

♦ **1** D'une manière cumulative; par cumul. *«X est député (...) et cumulativement chargé de mission à l'Élysée»* (le Nouvel Obs., 6 nov. 1978, p. 55).

♦ **2** Par accumulation.

CUMULER [kymyle] v. tr. — 1354; lat. *cumulare,* de *cumulus* «tas»; → Comble, combler.

♦ **1** Dr. Réunir en sa personne (plusieurs choses différentes). *Cumuler des droits, dans une succession. On ne peut cumuler le pétitoire* et le possessoire*. Cumuler l'opposition et l'appel.* — Dr. pén. *Cumuler des peines.*

♦ **2** (1784). Admin., cour. Réunir en sa personne (plusieurs mandats électifs, plusieurs fonctions, plusieurs traitements) notamment lorsque cette réunion est anormale ou illégale. → **Cumul.** *Député qui cumule divers mandats.* — Cour. *«Il était (...) portier, jardinier à la sous-préfecture, où il cumulait en outre les emplois de cocher, maître d'hôtel»* (A. Daudet, l'Évangéliste, p. 50, *in* T. L. F.). *Cumuler des pensions, des bénéfices, des traitements.*

Absolt. *Il cumule.*

Par ext. *Cumuler tous les pouvoirs.*

♦ **3** Réunir en soi (des caractères, des qualités). *Cumuler des idées, des caractères. Cumuler plusieurs réputations. Cumuler la réussite et le bonheur, diverses qualités. Cumuler toutes les chances, tous les malheurs. «Les génies modernes sont ainsi faits : ils cumulent toutes les gloires et suffisent à tous les devoirs»* (L. Reybaud, Jérôme Paturot, p. 203).

Il semblait cumuler en sa personne toutes les façons dont un corps peut être contrefait (...)   1
     RENAN, Souvenirs d'enfance (...) IV, p. 236.

Les unes *(congrégations)* en effet, ainsi que les jésuites,   2
les franciscains, les rédemptoristes, les dominicains, les missionnaires prêchent, ménagent des retraites, évangélisent les mécréants; d'autres tiennent des pensionnats et des écoles; d'autres, tels que les sulpiciens et les lazaristes des séminaires, la plupart cumulent même ces différents emplois (...)   HUYSMANS, l'Oblat, XII, p. 148.

Absolt :

3   J'en suis arrivé à avoir une rage sereine contre mon espèce, et puisqu'on n'est entouré que de canailles ou d'imbéciles dans ce bas monde (il y en a qui cumulent), que ceux qui ne se croient être ni des uns ni des autres, se rejoignent et s'embrassent.

              FLAUBERT, Correspondance, 1853, p. 168.

♦ 4 Réunir plusieurs choses (qui produisent un effet). *Cumuler les subjonctifs dans un texte. Le peintre cumule les tons violents.* — (Choses). *Texte qui cumule les contradictions.*

4   (...) il *(l'instituteur)* ne peut pas assumer la représentation de la politique, parce qu'il ne peut pas cumuler les deux représentations.   Ch. PÉGUY, la République..., p. 51.

♦ 5 Inform. Accumuler (des données qui s'additionnent) dans une zone, un registre (d'un ordinateur).

◆ **SE CUMULER** v. pron. (sens passif).

S'additionner, s'ajouter. *Somme qui se cumule avec une autre. Intérêts qui se cumulent sur un livret de caisse d'épargne.*

5   L'activité de l'individu finit par se transporter tout entière dans l'objet extérieur : la couleur, la forme, la distance, tout se cumule sur le noyau solide, et se confond dans une impression (...)

             MAINE DE BIRAN, De l'habitude, p. 77, *in* T. L. F.

◆ **CUMULÉ, ÉE** p. p. adj.

Ajouté. *Valeurs, intérêts cumulés. Dépenses cumulées.*

CONTR. Dissocier, séparer. ◊ **DÉR.** Cumul, cumulable, cumulard, cumulatif, cumulation. ◄ **COMP.** Accumuler.

CUMULET [kymylɛ] n. m. — D. i.; mot wallon d'orig. obscure, la première syllabe représente probablement *cul.*

Régional (Belgique). Culbute (1.).

1   Nos petits enfants, près de ceux de leur village, gambadaient déjà et faisaient des cumulets.

         L. DELATTRE, Histoire de trois petits enfants, *in* Contes à Saint-Christophe (1910).

2   Le monde redevint ludique. On tint en grande révérence le cumulet et le saute-mouton.

         NORGE, Bal masqué parmi les comètes, VII (1972).

CUMULIFORME [kymylifɔrm] adj. — xxᵉ; de 1. *cumulus,* et -*forme.*

Météor. Se dit d'un nuage qui se développe en forme de cumulus.

CUMULONIMBUS [kymylonɛ̆bys] n. m. — 1891; de 1. *cumulus,* et *nimbus.*

Météor. Gros cumulus à fort développement vertical, à la base gris sombre, au sommet d'un blanc éclatant, affectant souvent la forme caractéristique d'une enclume. *Les cumulonimbus se forment surtout sur les fronts froids des perturbations, et leur passage s'accompagne souvent d'orages.*

CUMULOSTRATUS [kymylostratys] n. m. — 1830, cit.; de 1. *cumulus,* et *stratus.*

Didact. → **Strato-cumulus.**

Nuage dans lequel la structure du Cumulus est mêlée à celle du Cirro-stratus ou du Cirro-cumulus, le Cumulus s'aplatissant par le haut et faisant saillir sa base. Le Cumulo-stratus est ce nuage d'un aspect laineux qui se montre quelquefois au sommet du Cumulus quand celui-ci s'accroît par en bas.

         C. BAILLY DE MERLIEUX, Résumé de météorologie, 1830, p. 121.

CUMULO-VOLCAN [kymylovɔlkã] n. m. — 1902; du lat. *cumulus* «amas», et *volcan.*

Géol. Volcan dont la lave sort et se solidifie en formant un dôme. *Des cumulo-volcans.*

1. **CUMULUS** [kymylys] n. m. — 1830, Bailly de Merlieux, *Résumé de météorologie,* p. 118; mot lat. «amas».

Météor. (assez cour.). Gros nuage arrondi ayant des parties vivement éclairées et des ombres marquées. → **Altocumulus, cirrocumulus, cumulonimbus, cumulostratus, stratocumulus.** *Les cumulus sont appelés aussi balles de coton. Cumulus aplati.* → **Humilis.**

L'alizé est bien établi, force 4, et *Joshua* court à 6 nœuds dans une mer devenue régulière sous les cumulus de beau temps ronds et dodus, particuliers à la zone des vents réguliers, ces *cumulus* que je retrouve avec une émotion toute neuve après tant d'années, tant d'années passées en eaux étrangères (...)

         Bernard MOITESSIER, Cap Horn à la voile, p. 75.

COMP. Altocumulus, cirrocumulus, cumuliforme, cumulonimbus, cumulostratus, stratocumulus.

2. **CUMULUS** [kymylys] n. m. — Première moitié xxᵉ; lat. *cumulus* au sens de «accumulation».

Techn. et cour. Réservoir d'eau chaude. *Un cumulus de 300 litres.*

Mais à l'extension de l'électricité réellement indispensable, s'ajouta vite l'installation non moins urgente d'un service d'eau qui ne pouvait fonctionner que sur pompe immergée avec, cela allait de soi, un réservoir de filtrage et de pression, sans oublier le cumulus de taille suffisante pour assurer l'eau chaude à un évier moderne et à une salle de bain.

         Hervé BAZIN, Cri de la chouette, p. 162.

CUNÉIFORME [kyneifɔrm] adj. et n. m. — 1559, anat; du lat *cuneus* «coin», et -*forme.*

Didact. Qui a la forme d'un coin.

♦ 1 (1813). *Écriture cunéiforme :* écriture des Assyriens, des Mèdes, des Perses... formée de signes en fer de lance ou en clous diversement combinés. *Caractères cunéiformes formés dans l'argile. Texte cunéiforme.*

Depuis la découverte des textes cunéiformes et leur déchiffrement (...) nous sommes en présence de documents originaux (...)   1

         G. CONTENAU, Hist. de l'Orient ancien, L'Asie, Avant-propos.

N. M. *Le cunéiforme :* l'écriture cunéiforme. — Fig. et plais. Écriture illisible. → **Hiéroglyphe.**

Mais cela était écrit en cunéiforme maternel et le paraphe noir de Mᵐᵉ Rezeau couvrait largement la menue signature bleue de Salomé (...)   1.1

         Hervé BAZIN, Cri de la chouette, p. 151.

♦ 2 ⓐ (Premier sens attesté). Anat. Se dit des trois os de la seconde rangée du tarse. — N. m. *Les cunéiformes.*

Les trois cunéiformes sont enclavés à la manière de coins   2 (...) entre le scaphoïde, le cuboïde et les quatre premiers métatarsiens.

         L. TESTUT, Traité d'anatomie, t. I, p. 445.

ⓑ (1778). Bot. *Feuilles, pétales cunéiformes.*

ⓒ Minér. *Octaèdre cunéiforme :* octaèdre dont quatre faces sont des triangles et quatre des trapèzes.

CUNETTE [kynɛt] n. f. — 1642; ital. *cunetta,* de *lacunetta,* dimin. de *lacuna* «mare, fossé plein d'eau».

Techn. (archit., trav. publ.) Canal pratiqué au fond d'un fossé de fortification. — Petit canal au fond d'un égout, du canal d'écoulement d'un aqueduc.

CUNICULICOLE [kynikylikɔl] adj. — Déb. xxᵉ; du lat. *cuniculus* «lapin», et -*cole.*

Didact. et rare. Relatif à l'élevage des lapins. → **Cuniculiculture.** (On dit aussi *cunicole* [kynikɔl]).

CUNICULICULTEUR, TRICE [kynikylikyltœʀ, tʀis] n. — Déb. xxᵉ; du lat. *cuniculus* «lapin», et *-culteur*.
Didact. et rare. Personne qui élève des lapins.
→ **Cuniculiculture**. (On dit aussi *cuniculteur, trice* [kynikyltœʀ, tʀis]).

CUNICULICULTURE [kynikylikyltyʀ] n. f. — Déb. xxᵉ; du lat. *cuniculus* «lapin», et *-culture*.
Didact. et rare. Élevage des lapins. (On dit aussi *cuniculture* [kynikyltyʀ]).

CUNNILINCTUS [kynilɛ̃ktys] n. m. — 1967; d'après le lat. *cunnus* «con» (→ Con), et *linctus*, supin de *lingere* «lécher».
Didact. Acte sexuel consistant à exciter les parties génitales féminines par des caresses de la bouche et de la langue (relations sexuelles bucco-génitales, → aussi **Fellation**). *Faire un cunnilinctus* (→ vulg. Brouter, gamahucher, lécher, sucer; faire minette*).
REM. On emploie souvent la forme *cunnilingus* [kynilɛ̃gys] n. m., qui est mal formée. On trouve aussi la forme francisée *cunnilingue* [kynilɛ̃g] n. m.

CUNNILINGUS [kynilɛ̃gys] n. m. → **Cunnilinctus**.

CUPIDE [kypid] adj. — 1371; lat. *cupidus*, de *cupere* «désirer».
♦ **1** Vx. *Cupide de* : avide de. *Cupide de richesses. Cupide d'honneurs.* → **Ambitieux**.
♦ **2** Mod., littér. Qui est avide de posséder (et, spécialt, avide d'argent). → **Âpre, avare, avide, mercantile, rapace** (fam.), **vénal**. *Un homme d'affaires cupide. Un commerçant cupide. Une âme cupide et mercenaire.*
Admettons que (...) l'enfant soit né *amoral*; pourquoi, d'amoral deviendrait-il nécessairement *immoral*, sans foi et sans conscience, avide de jouir plus que de créer, cupide jusqu'à la vénalité la plus éhontée (...)
Louis MADELIN, *Talleyrand*, I, ɪ, p. 18.
N. Rare. *Un, une cupide* : personne avide (d'argent). *Une «bande d'affamés, de cupides et d'ambitieux»* (M. Van der Meersch, *Invasion 14*, p. 493, *in* T.L.F.).
(Choses). *Passion, pensée cupide. Une intention cupide. Une «servilité cupide»* (Murger, *in* T.L.F.). — *Geste, regard, sourire cupide*, qui dénote la cupidité.
CONTR. **Désintéressé, détaché, généreux**. ◊ DÉR. **Cupidement**.

CUPIDEMENT [kypidmɑ̃] adv. — 1583; de *cupide*.
Littér. D'une manière cupide; avec cupidité.

CUPIDITÉ [kypidite] n. f. — 1398; lat. *cupiditas*, de *cupere* «désirer». → **Cupide**.
Littér. ou style soutenu. Désir immodéré de qqch., et, spécialt, de l'argent, des richesses. → **Âpreté, avarice, avidité, convoitise, rapacité, vénalité**. *Une cupidité insatiable. Regarder qqch. avec cupidité.* → Avaler* des yeux. *Cupidité dans les affaires, le commerce.* → **Mercantilisme**.
1 La convoitise, la cupidité et l'avidité sont de ces mauvais désirs qui ont pour principe la concupiscence. Ils sont définis tous les trois de même par l'Académie : désirs immodérés. Ils ont pour but immédiat, non pas la jouissance, le plaisir, mais l'acquisition des choses qui les procurent. Ils marquent l'envie d'avoir (...) Ce qui distingue la cupidité, c'est son ardeur, sa violence.
LAFAYE, *Dict. des synonymes*, p. 455.
2 La cupidité cause la perte de ceux qui s'y livrent.
BIBLE (SEGOND), *Proverbes*, ɪ, 19.
3 *Figuratif.* — Rien n'est si semblable à la charité que la cupidité, et rien n'y est si contraire.
PASCAL, *Pensées*, X, 663.

(...) et mieux que tout cela, je déracinai de mon cœur les 4 cupidités et les convoitises qui donnent du prix à tout ce que je quittais.
ROUSSEAU, *Rêveries...*, 3ᵉ promenade.
(Avec un adj. précisant la nature du désir). *Cupidité financière, sexuelle.*
(Avec un compl. désignant l'objet du désir). Vieilli. *Cupidité de* + subst. *La cupidité des honneurs.* → **Ambition**. *La cupidité des satisfactions sensibles* ou *sensuelles.* → **Concupiscence**.
Il est probable qu'au fond de ces tracasseries il y avait 5 quelque cupidité de domination (...)
CHATEAUBRIAND, cité par DOCHEZ (*in* Littré).
Par ext. (Le sujet est une chose personnifiée.)
La surprise des nourritures nouvelles excitait la cupidité 6 des estomacs. FLAUBERT, *Salammbô*, ɪ, p. 4.
Par métonymie. *La cupidité d'un sentiment, d'une expression, d'un comportement.*
CONTR. **Abnégation, désintéressement, détachement, générosité, prodigalité**.

CUPIDON [kypidɔ̃] n. m. — xvɪɪᵉ; lat. *Cupido*, nom du dieu de l'amour, fils de Vénus, représenté en enfant, avec un carquois et des flèches :
En même temps j'aperçus l'enfant Cupidon (...) Quoiqu'il eût sur son visage la tendresse, les grâces et l'enjouement de l'enfance, il avait je ne sais quoi dans ses yeux perçants qui me faisait peur. FÉNELON, *Télémaque*, IV.
♦ **1** Représentation du dieu de l'amour sous les traits d'un enfant. *Un petit cupidon de plâtre.* — Symbole de l'amour. → **Amour**.
Au plur. *Les cupidons* : petits génies ailés qui accompagnent l'Amour et Vénus.
♦ **2** Fig. Vx ou plais. Enfant, adolescent d'une beauté séduisante.
(1803). Vx. Homme qui se croit beau et s'efforce de séduire toutes les femmes (Béranger, *in* T.L.F.). → **Bellâtre; galant**.
♦ **3** Vx. (Au xvɪɪɪᵉ). Homosexuel, giton.

CUPR-, CUPRI-, CUPRO- Élément, du lat. *cuprum* «cuivre rouge», entrant dans la composition de termes de chimie. → **Cuprammonium, cuprifère, cuprique, cuprite, cupro-alliage, cupro-aluminium, cupro-ammoniacal, cupro-nickel, cuprophane**.

CUPRAMMONIUM [kypʀamɔnjɔm] n. m. — xxᵉ; cf. *cupro-ammoniaque*, 1890; de *cupr-*, et *ammonium*.
Chim. Solution d'hydrate cuivrique dans l'ammoniaque, appelée aussi *liqueur de Schweitzer*, utilisée comme solvant de la cellulose.

CUPRESSINÉES [kypʀesine] n. f. pl. — 1856; dér. sav. du lat. *cupressus* «cyprès» (→ Cyprès).
Bot. Sous-famille des plantes phanérogames gymnospermes de la famille des conifères. *Types principaux des cupressinées* : callitris, cyprès, cryptomeria, dammara, genévrier, libocedrus, sciadopitys, séquoia, taxodium. — Au sing. *Une cupressinée.*

CUPRESSUS [kypʀesys] n. m. invar. — 1802; mot lat. → **Cyprès**.
Bot. Cyprès. *«Les cupressus au feuillage mou et plat»* (Zola, *in* T.L.F.).

CUPRI- → **Cupr-**.

CUPRIFÈRE [kyprifɛr] adj. — 1834; de *cupri-*, et *-fère*.

Didactique.

◆ **1** Qui renferme du cuivre; qui est de la nature du cuivre. → **Cuprique.** *Terrain, minerai cuprifère.*

◆ **2** Relatif au cuivre, à son exploitation, à sa commercialisation. *Industrie cuprifère.*

(Bourse). *Valeurs cuprifères* ou, n. m. pl., *les cuprifères :* valeurs des mines de cuivre cotées en bourse.

CUPRIQUE [kyprik] adj. — 1845; de *cupr*, et suff. *-ique.*

Didact. Qui est relatif au cuivre; qui est de la nature du cuivre, qui contient du cuivre (→ **Cuprifère**). *Bouillie cuprique; traitement antiparasitaire cuprique. L'hémocyanine, protéide cuprique.*

CUPRITE [kyprit] n. f. — 1866; de *cupr-*, et suff. *-ite.*

Chim., minér. Oxyde de cuivre naturel, de couleur rougeâtre, transparent ou translucide, appelé aussi *cuivre rouge* ou *cuivre rubis.* → **Cuivre.** *Cristaux réguliers de cuprite. L'industrie exploite la cuprite pour l'extraction du cuivre.*

CUPRO- → Cupr-.

CUPRO-ALLIAGE [kyproaljaʒ] n. m. — xxᵉ; de *cupro-*, et *alliage.*

Techn. Alliage à base de cuivre (ex. : *cupro-aluminium*; cuprobéryllium,* n. m.; *cuprochrome,* n. m.; *cupromanganèse,* n. m.; *cupro-nickel*; cuproplomb,* n. m.; *cuprosilicium,* n. m.). — On écrit aussi *cuproalliage.*

CUPRO-ALUMINIUM [kyproalyminjɔm] n. m. — xxᵉ; de *cupro-*, et *aluminium.*

Techn. Alliage (cupro-alliage) de cuivre et d'aluminium, appelé aussi *bronze aluminium.* — On écrit aussi *cuproaluminium.*

(...) la découverte récente de l'aluminium devait finalement doter les orfèvres d'un alliage, le cupro-aluminium (appelé aussi bronze aluminium) qui apportait l'illusion presque parfaite de l'or. À 90 % de cuivre, c'est le fac-similé de l'or, à 92 % c'est un or vert, à 95 % c'est un or rosé.
Gaston COHEN, le Cuivre et le Nickel, p. 19.

CUPRO-AMMONIACAL, ALE, AUX [kyproamɔnjakal, o] adj. — 1890; de *cupro-*, et *ammoniacal.*

Chim. *Liqueur cupro-ammoniacale :* solution ammoniacale d'oxyde cuivrique, utilisée pour l'imperméabilisation de certains corps (papier, voile...). — On écrit aussi *cuproammoniacal.*

CUPRO-NICKEL [kypronikɛl] n. m. — 1909, in *Rev. gén. des sc.,* nᵒ 18, p. 779; de *cupro-*, et *nickel.*

Techn. Alliage (cupro-alliage) de cuivre et de nickel. — On écrit aussi *cupronickel.*

CUPROPHANE [kyprɔfan] n. f. — 1936; de *cupro-*, et *-phane.*

Techn. Vieilli. Film de cellulose, analogue à la cellophane, obtenu par le procédé au cuivre.

CUPULAIRE [kypylɛr] adj. — xixᵉ; de *cupule.*

Bot. Qui a la forme d'une cupule. *Bractée cupulaire.* (On dit aussi *cupuliforme*).

CUPULE [kypyl] n. f. — 1611; lat. *cupula* «petit tonneau», de *cupa* (→ Cuve), avec infl. sémantique de *coupe*.*

Bot. Assemblage soudé de bractées formant une petite coupe et qui se couvre d'émergences écailleuses ou épineuses. *La cupule d'un gland.* → **Vélanède.**

Pâles plantes glauques élastiques et épaisses comme des algues. Cette toute petite fleur bleue avec une cupule violette et un imperceptible point jaune.
CLAUDEL, Journal, avril 1936.

(...) les cupules des glands transformées en pipes avec un trou latéral (...)
Tony DUVERT, Paysage de fantaisie, p. 126.

Par anal. Objet en forme de petite coupe.

(...) il frappait à petits coups de sa main droite sa main gauche tenant une feuille de papier pliée en deux dans l'angle de laquelle une poudre blanche croulait en infimes quantités dans une cupule.
M. TOURNIER, le Vent Paraclet, p. 13.

Méd. *Cupule optique :* aspect de l'ébauche rétinienne chez l'embryon.

Phys. *Cupule de concentration, de focalisation :* petite coupe dans laquelle est fixée la cathode incandescente d'un tube à rayons X.

DÉR. et COMP. Cupulaire. Cupulifère, cupulifères.

CUPULIFÈRE [kypylifɛr] adj. — 1823; du rad. de *cupule*, et *-fère.*

Bot. Qui porte des cupules.

CUPULIFÈRES [kypylifɛr] ou **CUPULIFÉRACÉES** [kypyliferase] n. f. pl. — 1836, Landais; du rad. de *cupule*, *-fère* (et *-acées*).

Bot. Ancien nom des arbres de l'ordre des fagales*, de la famille des Fagacées, dont le fruit est enveloppé par une cupule.

CURABILITÉ [kyrabilite] n. f. — 1801; de *curable.*

Didact. Caractère de ce qui est curable, de ce qui peut être guéri; état d'un malade qui peut être guéri. *La curabilité d'un malade. La curabilité d'un kyste. Degré de curabilité d'une affection.*

CONTR. Incurabilité.

CURABLE [kyrabl] adj. — 1340; lat. médiéval *curabilis*, de *curare* «avoir soin de; soigner, traiter, guérir». → Curer.

Qui peut être guéri. → **Guérissable.** *Malade, maladie curable.*

CONTR. Incurable (plus courant). ◊ DÉR. Curabilité.

CURAÇAO [kyraso] n. m. — 1801; nom d'une île des Antilles qui produit des oranges.

◆ **1** Vx. Orange amère (bigarade) de l'île de Curaçao.

◆ **2** Mod. Liqueur faite avec de l'eau-de-vie, de l'écorce d'oranges amères (→ **Bigarade**) et du sucre. *Une bouteille de curaçao.*

Michel-Charles, qui dispense en ce moment à ses hôtes des curaçaos et des fines (...)
M. YOURCENAR, Archives du Nord, p. 195.

CURAGE [kyraʒ] n. m. — 1328; de *curer.*

◆ **1** Action de curer; son résultat. *Le curage du bassin a été mal fait.*

(...) à propos du balayage des ruisseaux et du curage des égouts.
J. VERNE, le Docteur Ox, p. 79.

◆ **2** Chir. Évacuation du contenu d'une cavité au moyen des doigts. — Excision de l'ensemble des éléments d'une région. *Curage ganglionnaire* (dans un cancer généralisé). → **Curetage.**

CURAILLE [kyʀaj] n. f. — xxᵉ; de *curé*.

Péj., fam. Ensemble des curés, du clergé; par ext., des pratiquants catholiques.

1 Et tu voudrais qu'il entre dans la curaille, ça te ferait plaisir de le voir sans... (la grossièreté fit rougir Christine).   Maurice ZERMATTEN, Christine, p. 252.

2 Ah, la curaille s'en paye! pense Charlotte. Notre petit abbé Darbois n'a pas laissé passer l'occasion (...)
Denyse VAUTRIN, le Tourbillon des jours, t. II, p. 24.

CURAILLON [kyʀajɔ̃] n. m. — xxᵉ; de *curé*.

Fam. Jeune curé. — Péj. Curé, prêtre. → **Cureton.**

Donc la baronne descendit vivement de voiture (...) et toqua sèchement à la porte du presbytère, offusquée d'avoir à venir sonner chez ce *petit curaillon de village.*
G. CHEVALLIER, Clochemerle, p. 226.

CURANDIER, IÈRE [kyʀɑ̃dje, jɛʀ] n. — 1292, *curandiere*; repris 1780; de *curer*.

Vx. Personne qui blanchissait les toiles.

CURARE [kyʀaʀ] n. m. — 1758; répandu xixᵉ; esp. d'Amérique *curare* (1745), d'un mot indien (caraïbe, tupiguarani...) *k-urary* signifiant «là où il vient (*ur-*), on tombe (*-ar-*)».

Substance paralysante complexe contenant de l'ammonium, et agissant sur les muscles par la plaque motrice (synapse neuromusculaire). *On distingue deux types de curares selon leur action dépolarisante. Curares d'origine végétale* (lianes du genre *Strychnos*), *animale; curares de synthèse. Certains Indiens d'Amérique du Sud empoisonnaient leurs flèches avec au curare. Action, effets du curare* (sur les muscles). → **Curariser, curarisation.** *Utilisation des curares en anesthésie, en réanimation* (traitement du tétanos).

En 1845, M. Pelouze me remit une substance toxique appelée *curare,* qui lui avait été rapportée d'Amérique (...) Or, chez ma grenouille empoisonnée par le curare, le cœur continuait ses mouvements, les globules du sang n'étaient point altérés en apparence dans leurs propriétés physiologiques, non plus que les muscles, qui avaient conservé leur contractilité normale. Mais (...) les propriétés des nerfs avaient cependant complètement disparu. Il n'y avait plus de mouvements ni volontaires ni réflexes, et les nerfs moteurs excités directement ne détermineraient plus aucune contraction dans les muscles (...) J'arrivai finalement à cette proposition générale que le *curare détermine la mort par la destruction de tous les nerfs moteurs, sans intéresser les nerfs sensitifs.*
Cl. BERNARD, Introd. à la médecine expérimentale, III, 1, 4ᵉ exemple.

DÉR. et COMP. Curarine, curariser. Tubocurarine.

CURARINE [kyʀaʀin] n. f. — 1834, in D.D.L.; de *curare*.
Chim. Alcaloïde extrait d'un curare, chimiquement apparenté à la strychnine*.

CURARISANT, ANTE [kyʀaʀizɑ̃, ɑ̃t] adj. → **Curariser.**

CURARISATION [kyʀaʀizasjɔ̃] n. f. — 1875; de *curariser*.

Action de soumettre un sujet aux effets du curare. — Méd. Traitement par le curare ou les curarisants. Intoxication par le curare ou les curarisants (appelée parfois *curarisme* [kyʀaʀism] n. m.).

La vératrine exerce une action paralysante sur la contraction musculaire, mais par un processus antagoniste de la curarisation, puisque l'hétérochronisme neuro-musculaire résulte dans le cas présent d'une diminution de la chronaxie du tissu musculaire.
Jacques GUILLERME, la Vie en haute altitude, p. 32.

CURARISER [kyʀaʀize] v. — xixᵉ; de *curare*.

Didact. Placer sous l'influence du curare. *Curariser un cobaye.* «*Votre grenouille n'est donc pas curarisée*» (Duhamel, *Vue*, p. 53).

◆ **CURARISANT, ANTE** p. prés. adj. et n. m.

Méd. Qui agit sur les nerfs moteurs comme le curare. → **Paralysant.** *Substance curarisante.* — N. m. *Un curarisant.*

◆ **CURARISÉ, ÉE** p. p. adj. (1903, in *Rev. gén. des sc.*, nº 9, p. 529).

Animal curarisé, placé sous l'influence du curare.

DÉR. **Curarisation.**

CURARISME [kyʀaʀism] n. m. → **Curarisation.**

CURATELLE [kyʀatɛl] n. f. — 1426; lat. médiéval *curatela*, de *curatio*; d'après *tutela*. → Curateur.

◆ **1** Dr. Charge de curateur. → **Tutelle.** *Mineur placé sous la curatelle de son oncle. Avoir la curatelle d'une succession.* — Spécialt. Régime sous lequel sont administrés les biens d'un mineur émancipé (→ **Émancipation**). — Régime de protection destiné à assister les actes publics d'un malade mental.

◆ **2** Hist. admin. Direction d'un service public.

CURATEUR, TRICE [kyʀatœʀ, tʀis] n. — xiiiᵉ; lat. jurid. *curator,* du supin de *curare* «prendre soin de».

◆ **1** Dr. Personne qui a la charge d'assister un mineur émancipé dans certains actes, d'administrer les biens ou de veiller aux intérêts d'une autre personne (→ Assister, cit. 8; assistance, cit. 4 et 6).

1 Le compte de tutelle sera rendu au milieu émancipé assisté d'un curateur de l'un ou de l'autre sexe nommé par le conseil de famille.
Si la curatrice est mariée, elle devra obtenir l'autorisation de son mari.   Code civil, art. 480.

Curateur à la personne d'un aliéné, chargé de veiller à ce que les revenus d'un aliéné servent à adoucir son sort, et de réclamer sa sortie dès que son état mental le permet.

2 (...) le tribunal pourra nommer (...) un curateur à la personne de tout individu non interdit placé dans un établissement d'aliénés (...)   Loi du 30 juin 1838, art. 38.

Curateur à succession vacante, chargé de gérer une succession vacante et de la liquider.

3 Le curateur à une succession vacante est tenu, avant tout, d'en faire constater l'état par un inventaire (...)
Code civil, art. 813.

Curateur au ventre, chargé de surveiller une femme veuve, enceinte, en vue d'éviter une suppression ou une supposition de part*, et d'administrer provisoirement la succession du père décédé de l'enfant qui n'est pas encore né.

4 Si, lors du décès du mari, la femme est enceinte, il sera nommé un curateur au ventre par le conseil de famille. À la naissance de l'enfant, la mère en deviendra tutrice, et le curateur en sera de plein droit le subrogé tuteur.
Code civil, art 393.

Curateur à la mémoire, chargé de poursuivre la réhabilitation d'un condamné.

◆ **2** Hist. admin. Directeur d'un service public *(curatelle).* «*Curateur des aqueducs, des jeux publics*» (Académie, 1842).

CURATIF, IVE [kyʀatif, iv] adj. — 1314; dér. sav. du lat. *curare* «prendre soin de, soigner».

Didact. Qui est propre à la guérison, qui est relatif à la cure d'une maladie. → **Thérapeutique, maladie.** *Traitement curatif. Remède curatif* (opposé à *remède préservatif*). *Propriété, vertu curative d'une eau minérale* (→ Composition, cit. 3).

> Je pensais d'abord que la morphine, en aucune façon, ne représente un médicament curatif.
> G. DUHAMEL, *Cri des profondeurs,* XI, p. 228.

N. m. *Les curatifs. Employer les curatifs.* → **Remède.**

CURATION [kyʀasjɔ̃] n. f. → 1. **Cure** (II., 1.).

CURCULIONIDÉS [kyʀkyljɔnide] n. m. pl. — 1834; du lat. *curculio* «charançon».

Zool. Famille d'insectes coléoptères dont la tête porte un rostre à l'extrémité duquel est placée la bouche (appelés couramment *charançons**). *Types principaux de curculionidés :* anthonome, balanin, baris, calandre, ceuthorhynque, cléonus, cosson, cryptorynque, hylobie, lixe, orcheste, otiorhynque, pissode, sitone. *Les curculionidés comportent plus de 100 000 espèces.*

CURCUMA [kyʀkyma] n. m. — 1559; esp. *curcuma;* de l'arabe *kŭrkŭm* «safran».

Bot. Plante dicotylédone *(Scitaminées),* exotique, à rhizome tubéreux, appelée aussi *safran des Indes* ou *safran bâtard* en raison d'une matière colorante jaune (→ **Curcumine**) qu'elle contient. *Le curcuma possède des propriétés digestives; il est aussi utilisé dans l'assaisonnement de certains mets* (→ **Curry**). *Racine de curcuma.*

> *(Aux Indes)* un écroulement de bouquets semblable à celui des fleuristes de nos cimetières le jour des morts; le curcuma pour les taches de caste, les bondieuseries, le basilic, le santal, le camphre (...)
> MALRAUX, *Antimémoires,* Folio, p. 280.

DÉR. Curcumine.

CURCUMINE [kyʀkymin] n. f. — D. i.; de *curcuma.*

Chim. Matière colorante jaune extraite de la racine de curcuma.

1. **CURE** [kyʀ] n. f. — V. 1050; du lat. *cura* «soin».

Ⅰ Vx. Soin, souci.

Loc. mod. *N'avoir cure d'une chose,* ne pas y faire attention. *Il n'en a cure :* il ne s'en soucie pas, n'en tient pas compte (→ **Curieux**).

1   (...) il voulut le retenir, exposant que la nuit était trop noire, que l'eau avait monté et que les gués étaient couverts. Mais le Champi n'avait cure de ces dangers-là (...)
    G. SAND, *François le Champi,* VIII, p. 75.

2   (...) avec tes prophéties, dont nul de nous n'a cure.
    Victor BÉRARD, trad. d'HOMÈRE, Odyssée, p. 29.

Ⅱ ♦ 1 (XIIIᵉ). **Méd. et cour.** Traitement médical d'une certaine durée. Syn. rare : *curation, traitement. Prescrire une cure. Établissement, maison de cure,* où le malade est soigné. — *Cure libre :* traitement d'un malade, d'un enfant dans son milieu familial.

3   (...) un médecin d'importance, qui fait des cures merveilleuses (...)   MOLIÈRE, *l'Amour médecin,* III, 4.

4   Madame, je vois deux cures possibles : elles ont la même valeur médicale, mais non la même valeur morale.
    A. MAUROIS, *les Discours du Dʳ O'Grady,* XII, p. 136.

Méthode thérapeutique particulière. Cure radicale : opération destinée à remédier d'une façon complète et définitive à une déformation (hernie) ou à une lésion (hydrocèle).

Cure psychanalytique, analytique. → **Psychanalyse; analyse.**

4.1   Pis encore : à ce ritualisme, ni la psychanalyse ni son fondateur n'échappent. La cure exige que le patient s'étende sur un divan, le médecin derrière lui, elle exige qu'il paie un tribut — qu'il note ses rêves et les communique.
      Emmanuel BERL, *le Visage,* p. 76.

4.2   S'il y a quelque similitude entre la crise amoureuse et la cure analytique, je fais alors le deuil de qui j'aime, comme le patient fait le deuil de son analyste : je liquide mon transfert, et c'est ainsi, paraît-il, que la cure et la crise finissent.
      R. BARTHES, *Fragments d'un discours amoureux,* p. 125.

♦ 2 (1863). **Plus cour.** Traitement dans une station thermale (→ **Saison**). *Cure thermale* ou *hydrominérale. Faire, suivre une cure dans une station thermale. Faire sa cure, chaque année, à Vichy* (→ Eau : aller aux eaux). *Baigneurs, curistes qui font leur cure dans un établissement thermal.*

4.3   Vichy. Cette vie avec ses bains, ses verres d'eau de demi-heure, ses petites promenades de l'hôtel aux sources, le règlement et les coupures de la journée, la discipline de la cure, dissipe un peu en nous le spleen abominable de nos derniers jours à Paris (...)
      Ed. et J. DE GONCOURT, *Journal,* t. III, p. 106.

4.4   Il faut dire que la pauvre femme était la proie de plusieurs grands médecins. Quoiqu'elle eût une excellente santé, la belle saison lui suffisait à peine pour faire ses cures. Quand elle avait bu toutes ses eaux, quand elle s'était trempée dans toutes ses boues aux quatre coins de l'Europe, elle n'avait plus que le temps matériel de regagner Paris (...)   J. ANOUILH, *la Répétition,* p. 9-10.

♦ 3 CURE DE... ⓐ Usage abondant et salutaire que l'on fait de (qqch.). → **Régime.** *Faire une cure de raisin, une cure uvale. Cure de lait.* — Par anal. *Cure d'air.* — *Il lui faudrait une cure de repos.*

5   Après des déboires qui les avaient atteints physiquement, les deux cadets se refaisaient dans cette bienfaisante monotonie du cloître, comme des éléments dans une cure de repos.   M. BARRÈS, *la Colline inspirée,* IV, p. 43.

ⓑ Fig. État d'esprit, comportement prolongé pour manifester qqch. *Cure de silence. Il a fait une petite cure de philologie, de structuralisme.*

DÉR. Curiste.

2. **CURE** [kyʀ] n. f. — V. 1130, du lat. *cura* «soin», d'après *curé.*

♦ 1 Fonction de curé (→ Bénéfice, cit. 12). *Demander, obtenir une cure. Une cure de village.*

> Si j'avais quelque pauvre cure de bonnes gens à desservir (...)   ROUSSEAU, *Émile,* IV.

♦ 2 (1496). Résidence du curé. → **Presbytère.** *Aller à la cure. La cure est située à côté de l'église.* — **Vieilli.** Territoire sur lequel le curé exerce son ministère. → **Paroisse.**

DÉR. V. Curial (II.).

CURÉ [kyʀe] n. m. — 1259; du lat. ecclés. *curatus* «chargé d'une paroisse», de *curare* «prendre soin».

♦ 1 Prêtre catholique placé à la tête d'une paroisse. *Le curé et ses paroissiens* (→ **Ouaille**). *L'abbé* X, *curé de telle paroisse. Prêtre chargé d'aider le curé.* → **Vicaire.** *Résidence du curé.* → **Cure, presbytère.** *Revenu d'un curé.* → **Casuel.** *Curé chargé d'une paroisse annexe.* → **Desservant.** *Curé de grande paroisse. Le curé de la cathédrale. Curé archiprêtre*. *Curé doyen. Curé de village. Curé de campagne. Tiens, c'est la bicyclette du curé, de Monsieur le curé.* — *Le Curé de Tours; le Curé de village,* romans de Balzac. *Le Journal d'un curé de campagne,* roman de Bernanos (1936).

1   Un mort s'en allait tristement
S'emparer de son dernier gîte ;
Un curé s'en allait gaiement
Enterrer ce mort au plus vite.
LA FONTAINE, Fables, VII, 11.

2   (...) néanmoins il se conduisit avec une aménité digne,
où se trahissait l'indépendance souveraine que l'Église
accorde aux curés dans leurs paroisses.
BALZAC, le Curé de village, Pl., t. VIII, p. 261.

3   Tu sais qu'en sus du curé ou du desservant des vicaires,
du clergé en pied, il y a dans chaque église des prêtres
adjoints ou suppléants, ce sont ceux-là.
HUYSMANS, Là-bas, XIV, p. 195.

3.1   Le curé fut secoué au fond de sa stalle, comme par la commotion d'une décharge électrique ; et chose inexplicable,
miraculeuse, l'orgue poussa un cri de détresse, qui parcourut la voûte, et vint mourir dans le chœur, au-dessus
des diacres et des chantres consternés.
— J'ai forniqué ! répéta l'abbé Jules, de toutes ses forces.
O. MIRBEAU, l'Abbé Jules, 10/18, p. 67 (1888).

4   Mais elle n'avait pas de peine à concevoir que, dans l'enseignement comme dans l'Église, il y a, fort au-dessous
des évêques et des curés de paroisses mondaines, les desservants de campagne.
J. ROMAINS, les Hommes de bonne volonté, t. III,
VII, p. 119.

5   Un curé y vieillit aussi qu'on a oublié là vers la fin de sa
vie, y élève des abeilles. Il s'appelle l'abbé Vergélian. C'est
un bon prêtre ; mais il a peu de paroissiens à sa messe
du dimanche. Pourtant, c'est une bonne messe, bien dite,
sur un ton paisible, affectueux, avec des gestes paternels.
H. BOSCO, le Jardin d'Hyacinthe, Les Borisols, I,
p. 20.

Appellatif. *Bonjour, Monsieur le curé !*
Le curé de (qqn), de la paroisse à laquelle appartient un fidèle. *Mon curé chez les riches, chez les
pauvres,* romans de C. Vautel.

Loc. Fig. et vieilli. *C'est Gros-Jean qui en remonte à
son curé,* en parlant d'un ignorant prétentieux qui
veut conseiller qqn de plus instruit ou de plus
habile que lui.

Avoir affaire au curé et aux paroissiens : avoir
affaire à plusieurs parties ensemble.

♦ **2** Fam. (emploi souvent péj. ou iron.). Prêtre catholique. *Les curés.* → **Clergé.** *Il veut se faire curé,*
devenir prêtre. — Par plais. *Apprenti curé :* séminariste. *Petit curé.* → **Curaillon, cureton.**

6   Vous savez que l'ordination confère aux curés un caractère
indélébile, qui les suit jusqu'en enfer.
Ch. PÉGUY, la République..., p. 36.

7   — Vous ne croyez pas à l'enfer ?
— Des histoires de curés !
R. QUENEAU, les Derniers Jours, p. 188.

8   L'Abbé Riquet est communiste. Ça se dit tout bas, puis
tout haut. C'est un « bruit » qui fait du bruit. D'un étage à
l'autre des lits, on commente la nouvelle. Les communistes
se montrent un brin méfiants, voire jaloux. Un curé communiste, ça ne peut être bon teint. « Z'êtes communiste,
l'Abbé ? » interrogent-ils. L'Abbé devient tout rouge !... C'est
la couleur du Saint-Esprit, du Sacré-Cœur... des martyrs...
c'est la couleur du sang et de l'amour.
Il blague, mais ça sonne sérieux.
R. JAVELET, Camarade curé, p. 167.

Fam. *Les curés :* le clergé catholique ; par ext., les
personnes dévotes.

Loc. fig., fam. *Manger, bouffer du curé :* être anticlérical. *Un mangeur de curé.*

Adj. (invar.). Fam. a *Avoir l'air curé.*

9   Jacques s'étonnait de son apparence si curé après tant d'années (...)   R. QUENEAU, Loin de Rueil, p. 72.

b *Il est complètement curé.* → **Clérical.**

♦ **3** *De curé* (dans des syntagmes). *Une maison de
curé :* un presbytère. *Jardin de curé :* petit jardin
clos. *Fleurs de curé,* caractéristiques des jardins de
curé (roses, lis, œillets...). — *Poire de curé.*

DÉR. **Curaille, curaillon, cureton.** ◊ HOM. **Curée, curer.**

CURE-DENT ou **CURE-DENTS** [kyʀdã] n. m.
— 1416 ; de *curer* et *dent(s).*

♦ **1** Petit instrument pour se curer (cit. 2) les dents.
*Cure-dent d'argent, de bois, de matière plastique.
Cure-dents disposés dans un petit pot sur une table
de restaurant. Pochette de cure-dents.*

Loc. fam. Vieilli. *Inviter qqn en cure-dents,* l'inviter
après le repas.

Ah ! vous arrivez tard, dit Mᵐᵉ Verdurin à un fidèle qu'elle
n'avait invité qu'en cure-dents (...)
PROUST, Du côté de chez Swann, Pl., t. I, p. 264.

♦ **2** En franç. d'Afrique. « Bâtonnet de bois tendre utilisé pour se frotter et se brosser les dents et non
pour les curer » (IFA).

♦ **3** Argot milit. Baïonnette.

CURÉE [kyʀe] n. f. — XVIᵉ ; *curiée,* v. 1160 ; de *cuir.*

♦ **1** Vén. Portion de la bête que l'on donne aux
chiens de chasse après qu'elle est prise. *Curée de
cerf, de lièvre. Donner la curée aux chiens. Mettre
les chiens en curée. Jeter à la curée. Curée chaude,*
donnée aux chiens aussitôt qu'ils ont pris la bête.
Curée froide, donnée une fois rentrés à la maison.
Faire curée : manger la bête sans permission (se
dit des chiens).

La riche proie une fois saisie, il s'est trouvé force chiens   1
à la curée (...)   CHATEAUBRIAND, t. V, p. 232.

Suivrons-nous le chasseur sur les monts escarpés ?   2
La biche le regarde ; elle pleure et supplie ;
Sa bruyère l'attend ; ses faons sont nouveau-nés (...)
Il *(le chasseur)* se baisse, il l'égorge, il jette à la curée
Sur les chiens en sueur son cœur encor vivant.
A. DE MUSSET, la Nuit de mai.

Il a été impossible de rien organiser pour ce soir, expli-   2.1
quait M. de Combelot au petit groupe formé par Rougon
et ses amis. Demain, après la chasse à courre, il y aura
une curée froide aux flambeaux.
ZOLA, Son Excellence Eugène Rougon, t. I, p. 201.

Et la curée déferla d'une seule nappe, dans un cliquetis de   3
mâchoires enragées, un enchevêtrement de pattes raidies,
d'échines arquées et frémissantes. Des mâtins, d'un seul
coup de gosier, engloutissaient des blocs de chair énormes.
On en voyait qui s'affrontaient à deux, leurs gueules rivées
par des cordes d'entrailles.
M. GENEVOIX, Forêt voisine, XII, p. 174.

Par ext. Le fait de donner la curée ; le moment
où on la donne. *La curée se fit devant le château.*
(→ Nappe, cit. 5). *Sonner la curée.*

♦ **2** (XVIᵉ). Ruée sur qqch., dispute âpre et violente
pour qqch. (places, butin...) laissé disponible à l'occasion d'un événement. *La curée des places, des
honneurs... Se ruer à la curée. Être âpre* (cit. 19) *à
la curée,* avide. *La Curée,* roman de Zola (1874). —
Le fait de s'acharner contre qqn, lorsqu'il est en
difficulté, en mauvaise posture. → **Hallali.**

C'était tout un remaniement du Saint-Empire, donnant   4
prétexte à une curée où les deux principales puissances
intéressées, Autriche et Prusse, s'affrontaient.
Louis MADELIN, le Consulat, XVIII, p. 287.

Nous entendons le duc de Bade qui offre le pavois du   5
dominateur prussien et l'acclamation de triomphe et les
gros rires de la horde en liesse, prête à la curée, avide de
butin.   Georges LECOMTE, Ma traversée, p. 471.

HOM. **Curé, curer.**

CURE-MÔLE [kyʀmol] n. m. — 1795 ; de *curer,* et *môle.*
Bateau ponté muni d'un dispositif propre à curer
les ports. → **Drague.** *Des cure-môles.* « *Notre marine
marchande (...) a pour charge d'immatriculer tout
ce qui navigue, de la barcasse au cure-môle et au
paquebot privé...* » (l'Express, 24-30 juil. 1967).

CURE-ONGLE ou **CURE-ONGLES** [kyʀɔgl] n. m.
— 1893; de *curer*, et *ongle*.

Instrument pour se curer le dessous des ongles.
*Des cure-ongles. Se servir d'une lime à ongles, d'une
allumette comme cure-ongles.*

CURE-OREILLE ou **CURE-OREILLES** [kyʀɔʀɛj]
n. m. — 1416; de *curer*, et *oreille*.

Instrument, petite spatule, pour se nettoyer l'intérieur de l'oreille. *Des cure-oreilles.*

CURE-PIED [kyʀpje] n. m. — D. i.; de *curer*, et *pied*.

Techn. Instrument de maréchal-ferrant servant à
nettoyer les pieds des chevaux. *Des cure-pieds.*

CURE-PIPE ou **CURE-PIPES** [kyʀpip] n. m. — 1802;
de *curer* et *pipe*.

Instrument servant à gratter, à nettoyer le fourneau d'une pipe. *Des cure-pipes.*

CURER [kyʀe] v. tr. — Déb. XIIᵉ; lat. *curare* «prendre soin
de», de *cura* «soin». → *Cure*.

◆ **1** ⓐ Nettoyer (qqch.) en raclant. → **Nettoyer, racler.**
*Curer un fossé, un étang, un canal. Curer un puits,
un égout. Curer une citerne.* — Agric. *Curer une
charrue* : nettoyer le soc de la terre qui s'y est attachée.
ⓑ Spécialt. *Curer ses dents, ses ongles.*

1   (...) le mouchoir s'attardant ensuite une seconde à curer
le creux de chaque narine.
                    J. ROMAINS, les Hommes de bonne volonté, t. II,
                                                    I, p. 5.

ⓒ Régional. *Curer une casserole, un chaudron.*
→ **Écurer, récurer.**
ⓓ Techn. *Curer un bois,* le débarrasser des bran-
ches mortes ou cassées, des souches malvenues.
Curer une vigne en pied, retrancher du cep le bois
inutile.
ⓔ Absolt. *Outil qui sert à curer.* → **Curette.** *Elle passe
son temps à gratter, à curer.* → **Récurer.**

◆ **2** Enlever (ce qui salit) en grattant. *Curer de la
boue, de la vase.*

◆ **3** SE CURER (et compl.) : se nettoyer (une partie du
corps). *Se curer les dents* : retirer au moyen d'un
cure-dent, ou d'un objet analogue, les fragments
de nourriture logés dans les dents. — *Se curer les
oreilles* : retirer le cérumen sécrété dans le conduit
de l'oreille externe. *Se curer les ongles.* Fam. *Se curer
le nez.*

2   (...) et il se curait les dents avec un cure-dents dont le seul
mérite était d'être en or, ou parfois, quand il se croyait
soudain à l'abri de chacun des trois cents regards, avec
sa main entière, d'or aussi et de pierreries.
                    GIRAUDOUX, Siegfried et le Limousin, p. 221.

CONTR. Encrasser, salir. ◊ DÉR. Curage, curandier, cureter,
curette, cureur, curure. — COMP. Écurer, récurer. — Cure-
dent, cure-môle, cure-ongle, cure-oreille, cure-pied, cure-
pipe. — HOM. Curé, curée.

CURETAGE [kyʀtaʒ] n. m. — Fin XIXᵉ, écrit *curettage*;
de *cureter*.

◆ **1** Méd. Opération qui consiste à nettoyer avec
une curette une cavité naturelle (utérus, cavité
articulaire), ou pathologique (abcès), ou une plaie
infectée. — Cour. Nettoyage de l'utérus après une
fausse couche.

L'avortement pratiqué par une commère avait mal tourné.
Le chirurgien de l'hôpital avait fait le curetage sans anesthésier la jeune fille, pour la punir «d'avoir attenté à sa
santé».   Roger VAILLAND, 325 000 francs, p. 65.

◆ **2** Élimination de bâtiments vétustes et sans
intérêt archéologique, dans une ville.

CURETER [kyʀte] v. tr. [CONJUG.: *jeter.*] — Fin XIXᵉ; de
curer.

Méd. Faire le curetage de (un organe, une personne).

DÉR. **Curetage.**

CURETON, ONNE [kyʀtɔ̃, ɔn] n. m. et adj. — 1916; en
argot des prisons, 1798, «détenu qui disait le bénédicité»;
dimin. de *curé.*

◆ **1** N. m. Vieilli. Jeune prêtre. → **Curaillon.** — Péj., mod.
Prêtre.

Faut qu'il aille rudement mal, le copain, pour qu'ils aient   1
fait venir un cureton.
                    SARTRE, le Sursis, p. 249 (1945).

◆ **2** Adj. Religieux; propre aux «curés».

Là-dessus, l'abbé nous dit quels illustrés pouvaient être   2
lus avec profit par un enfant chrétien. C'étaient *Pierrot,
Guignol,* ainsi que *Lisette* (en note : ces trois-là édités   1
rue Gazon... maison curetonne et archi-curetonne...).
                    CAVANNA, les Ritals, p. 194.

CURETTE [kyʀɛt] n. f. — 1415; de *curer.*

◆ **1** Outil formé d'un manche muni à l'une de
ses extrémités d'un tranchant (racle) et servant à
curer, à racler, à nettoyer. → **Racle, raclette.** *Curette
d'agriculteur, de menuisier, de tonnelier (petite spatule).*

◆ **2** Chir. Petite cuillère à long manche servant à
nettoyer l'intérieur d'une cavité (→ **Curetage**) ou à
creuser un os ou un cartilage.

CUREUR [kyʀœʀ] n. m. — XIIIᵉ; de *curer.*

Techn. *Cureur de* : personne qui fait le curage
d'un lieu où passent, stagnent des eaux. *Cureur de
citerne, d'égouts, de puits, de canal.* — REM. Le fém.
cureuse est virtuel.

CURIAL, ALE, AUX [kyʀjal, o] adj. — V. 1428; subst.,
«courtisan», XIIIᵉ; lat. *curialis,* de *curia.* → 1.Curie.

Ⅰ Antiq. rom. Qui est relatif à la curie (I.) romaine.
Chaire curiale. Loi curiale.

Ⅱ (Avec infl. de *cure, curé*). Rare. Relatif à la cure ou au
curé. *Conseil curial* : conseil paroissial. — Maison
curiale : *presbytère.*

1. CURIE [kyʀi] n. f. — 1538; R. Estienne; lat. *curia.*

Ⅰ Antiq. rom. Division de la tribu chez les Romains.
*Romulus partagea le peuple romain en trois tribus,
et chaque tribu en dix curies. Assemblée des curies.*
→ **Comice.** *Le curion, chef de curie. Voter par curies,*
en appelant seulement les habitants de la ville de
Rome.

(...) le peuple chercha toujours à faire par curies les assemblées qu'on avait coutume de faire par centuries, et à faire
par tribus les assemblées qui se faisaient par curies (...)
                    MONTESQUIEU, l'Esprit des lois, XI, 14.

*Sénat de Rome, et, par ext., sénat des villes muni-
cipales* (soumises ou alliées à Rome). *Lieu où s'assemblait la curie.*

Ⅱ (1845; ital. *curia*). Ensemble des administrations
qui constituent la Cour de Rome, le gouvernement
pontifical. *La curie romaine, et, absolt, la curie. Cardinal de curie.*

Curie diocésaine, épiscopale : organisme administratif et judiciaire d'un évêché catholique.

DÉR. (Du lat.) V. **Curial.** ◊ HOM. 2.Curie, curry.

2. **CURIE** [kyʀi] n. m. — 1910, *Congrès de radiologie* de Bruxelles; de *Curie* (Pierre et Marie), physiciens français, première moitié xxᵉ.

Phys. nucl. Ancienne unité de radioactivité (symb. Ci). *Le curie équivaut à l'activité nucléaire d'une substance radioactive dans laquelle le nombre de désintégrations par seconde est $3,7 \times 10^{10}$, soit $3,7 10^{10}$ becquerels.* → **Microcurie, millicurie.** *Le becquerel a remplacé le curie en 1975.*

Aussi le *Congrès international de radiologie*, tenu à Bruxelles en septembre 1910 sous la présidence d'honneur de Mᵐᵉ CURIE et de RUTHERFORD, a-t-il décidé la création d'une unité de mesure radioactive qu'il a appelée le *curie*.

Augustin BOUTARIC, la Vie des atomes, p. 192.

REM. Le nom propre *Curie* a plusieurs dérivés en physique : outre *curiethérapie**, *curium**, on peut signaler *curiepuncture* [kyʀipɔ̃ktyʀ], n. f. (une thérapie à l'aide d'aiguilles); *curietest* [kyʀitɛst], n. m. (appareil de mesure de la radioactivité des préparations radioactives). Il sert en outre à former le syntagme *point de Curie* (température au-dessus de laquelle un corps ferromagnétique devient paramagnétique).

COMP. Curiethérapie. — Microcurie, millicurie. ◊ **HOM.** 1. **Curie, curry.**

CURIETHÉRAPIE [kyʀiteʀapi] n. f. — 1920; de *Curie*, n. pr. (→ 2. Curie), et *-thérapie.*

Méd. Traitement médical par la radioactivité (radium, thorium, éléments artificiels). → **Radiumthérapie.** *Curiethérapie employée dans la lutte contre le cancer.*

CURIEUSEMENT [kyʀjøzmɑ̃] adv. — 1559; *curiusement* «soigneusement», v. 1160; de *curieux.*

♦ **1** Rare. Avec curiosité. → **Soigneusement.** *Il nous a interrogés curieusement.*

(...) que sert-il... de chercher curieusement tous les défauts de sa condition ?

GUEZ DE BALZAC, VII, Lettre 26, *in* LITTRÉ.

De manière indiscrète, curieuse et à la fois étrange. *«Les gens ils me fixaient curieusement»* (Céline, *Mort à crédit*, p. 678, *in* T. L. F.).

♦ **2** (XVIIIᵉ). Cour. D'une manière curieuse, étrange, bizarre (II.). → **Bizarrement, étrangement.** *Elle a curieusement disparu. Chose curieusement faite.*

Spécialt, vieilli (en parlant d'une œuvre d'art). *Un bibelot curieusement travaillé.*

Adv. de phrase, antéposé. *Curieusement, très curieusement, il est parti sans nous dire un seul mot.*

CURIEUX, EUSE [kyʀjø, øz] adj. et n. — xiiᵉ; du lat. *curiosus* «qui a soin de», de *cura* «soin». → **Cure.**

Ⅰ Sens actif. (Personnes). *Curieux de...; curieux.* ♦ **1** Vx. **ⓐ** Qui a soin, souci de qqch. → **Intéressé** (par). *Il n'en est pas curieux :* il n'en a cure*. *Être curieux de qqn,* s'y intéresser (parfois, érotiquement). *Être curieux des pauvres,* se préoccuper de leur misère.

ⓑ Vx. *Être curieux de qqch.,* le rechercher.

1 *(...) elle n'est curieuse que d'une propreté fort simple, et n'aime point les superbes habits (...)*

MOLIÈRE, l'Avare, II, 5.

N'être pas curieux de... : ne pas y tenir, ne pas vouloir. *N'être pas curieux que...* (même sens). — **REM.** Cet emploi archaïque était, semble-t-il, populaire au xixᵉ siècle.

1.1 *(...) elle n'est pas curieuse de recevoir la nuit des gens qu'on n'connaît pas.*

Henri MONNIER, Scènes populaires, t. I, p. 63.

N. m. (souvent au plur.). *Les curieux.* → ci-dessous, sens 5.

♦ **2** Vieilli. Qui recherche avec intérêt (des objets). *Il est curieux de tableaux, de vieux livres. Elle est curieuse de fleurs.*

N. m. (Mod. et littér.). Personne désireuse de posséder des œuvres d'art, des objets de collection. → **Amateur, collectionneur.** *Le cabinet, les collections d'un curieux. C'est un curieux et un connaisseur. Bibliothèque des chercheurs et des curieux. Amateurs et curieux.*

♦ **3** Mod. et littér. (en bonne part). CURIEUX DE... (et subst. ou inf.) : qui est désireux de voir et de savoir. *Être curieux de qqch., de nouvelles, des choses littéraires. Être curieux de tout.* — Plus cour. (avec l'infinitif). *Curieux de connaître, d'apprendre.* → **Avide; anxieux, désireux.** *Je suis curieux de voir la fin de cette affaire. Je serais curieux de savoir...*

(...) et lorsqu'on est trop curieux des choses qui se pratiquaient aux siècles passés, on demeure ordinairement fort ignorant de celles qui se pratiquent en celui-ci.   2

DESCARTES, Discours de la méthode, I.

Que les gens du monde et les ignorants, curieux de connaître des jouissances exceptionnelles, sachent donc bien qu'ils ne trouveront dans le haschisch rien de miraculeux, absolument rien que le naturel excessif.   3

BAUDELAIRE, les Paradis artificiels, «Poème du haschisch», III.

Peu à peu, la foule s'écoulait, innombrable, curieuse d'elle-même et se regardant passer.   4

Pierre LOUŸS, Aphrodite, II, p. 29.

(...) badaud insatiable et curieux de tout, assoiffé de musique, de théâtre, de lectures, je voulais tout voir, tout entendre, tout lire.   5

Georges LECOMTE, Ma traversée, p. 141.

Nous nous y rendons, curieux de voir si ces messieurs d'hier y viendront et si le même scandale s'y reproduira.   5.1

GIDE, Voyage au Congo, in Souvenirs, Pl., p. 719.

(Sans compl.). *Un homme curieux. Un chercheur, un observateur curieux. — Il n'est pas curieux,* il n'a posé aucune question. — **Par métonymie.** *Regard curieux.* → **Avide** (cit. 20). *Esprit curieux,* qui ne néglige aucune occasion de s'instruire.

(...) son intelligence était si curieuse qu'il m'adressait à chaque moment des questions.   6

FLAUBERT, la Tentation de saint Antoine, I, p. 5.

N. (rare au fém.). Personne désireuse de connaître, de savoir. *Un philosophe, un savant mais surtout un curieux.*

♦ **4** Cour. (en mauvaise part). Sans compl. Qui cherche à connaître ce qui ne le regarde pas. → **Indiscret.** *Vous êtes trop curieux. Assez curieux pour écouter aux portes.*

Les femmes sont curieuses; fassent le ciel et la morale qu'elles ressentent leurs curiosités d'une manière plus légitime qu'Ève leur grand-mère, et n'aillent pas faire au serpent des questions au serpent.   7

Th. GAUTIER, Mˡˡᵉ de Maupin, Préface, éd. critique MATORÉ, p. 24.

REM. Dans ce sens, l'adj. est en général postposé, pour éviter l'ambiguïté avec le sens II, 2. Cf. *C'est un garçon curieux* (plein de curiosité); *c'est un curieux garçon* (bizarre).

N. Personne indiscrète. *Petite curieuse.* → **Fouille-au-pot** (vx), **fouinard.**

♦ **5** N. m. (Souvent au plur.). Personne qui s'intéresse à qqch. par simple curiosité. → **Fouineur, fureteur; badaud.** *La foule des curieux et des curieuses. Un attroupement de curieux. Scène qui attire les curieux* (→ Béer, cit. 12). *Écarter, éloigner les curieux.*

(...) les curieux sont aussi des amoureux, et les amoureux peuvent avoir leurs illusions.   8

SAINTE-BEUVE, Correspondance, t. II, p. 21.

9 (...) moi qui suis un curieux, un fureteur, j'en ai connu, et qui n'étaient pas des mythes.
> PROUST, À la recherche du temps perdu, t. XII, p. 116.

♦ **6** N. m. Argot. Juge d'instruction. — Commissaire de police (av. 1900, Goron, *l'Amour à Paris*, t. 3, p. 1765). — *Le grand curieux :* le président d'une cour d'assises. — N. f. (Vx). *La curieuse :* la police.

10 (...) la lutte a pour objet le secret gardé par ceux-ci *(les prévenus)* contre la curiosité du juge, si bien nommé *le curieux* dans l'argot des prisons (...)
> BALZAC, Splendeur et misères des courtisanes, Pl., t. V, p. 937.

Vx. *Un curieux :* un voyeur.

♦ **7** N. f. Argot. vx. *Les curieuses :* les oreilles.

10.1 Ah ! bon, je comprends, se confia-t-il in petto. Des curieuses *(oreilles)* se maquillaient *de la toison des poteaux* (se cachaient sous les arbres)... Allons, voilà encore que je parle argot (...)
> Paul D'IVOI, le Docteur Mystère, p. 380.
> REM. L'«argot» de Paul d'Ivoi semble artificiel et livresque.

II (1559). Sens passif. — REM. Dans ce sens, l'adj. épithète est souvent antéposé, notamment s'il peut y avoir une ambiguïté avec le sens I. ♦ **1** (Choses). Qui pique la curiosité ; qui attire et retient l'attention. → **Amusant, attachant, bizarre, drôle, étonnant, étrange, incompréhensible, original, singulier, surprenant, unique** (fam.). *C'est une chose curieuse. Ce qui est curieux, c'est que... Le curieux de l'affaire, c'est que...* → **Piquant, plaisant.** *Par une curieuse coïncidence... Spectacle curieux.* — (Choses concrètes). *Bibelot curieux. Des pièces curieuses ont enrichi sa collection.* → **Rare.** *Un travail curieux.* — *Une curieuse nouvelle. Une théorie nouvelle et curieuse.* → **Intéressant.**

10.2 Il serait curieux de demander au plus averti et au plus sensible des lecteurs de révéler sincèrement ce qu'il perçoit.
> N. SARRAUTE, l'Ère de soupçon, p. 110, *in* T.L.F.

♦ **2** (Personnes ; œuvres humaines). Original. → **Bizarre, étrange.** *Un homme curieux, très curieux.* (Antéposé, pour éliminer l'ambiguïté avec le sens I). *C'est une curieuse fille, un curieux type.* — *Un texte, un roman, un essai assez curieux.*

11 À la première lecture, le livre *(l'Adolescent, de Dostoïevski)* ne m'avait pas paru si extraordinaire, mais plus compliqué que complexe, plus touffu que rempli, et, somme toute, plus curieux qu'intéressant.
> GIDE, Journal, mai 1903.

Loc. fig. *Faire la bête curieuse* (→ Bête, cit. 18). *Ne me regardez pas comme une bête curieuse.*

CONTR. **Incurieux, indifférent, insouciant. — Discret, réservé. — Banal, commun, ordinaire, quelconque, vulgaire.** ◊ DÉR. **Curieusement.**

CURIOLOGIQUE [kyʀjɔlɔʒik] ou (mieux) KYRIOLOGIQUE [kiʀjɔlɔʒik] adj. — 1755, Encyclopédie, art. *Écriture*, d'après l'ouvrage de Warburton ; grec *kyriologikos* (Saint Clément d'Alexandrie), de *kyrios* «régulier, exact», et *logos* «parole» ; l'angl. *curiologic* est attesté en 1669.

Didact. *Écriture kyriologique* ou *curiologique :* forme d'écriture hiéroglyphique où les signifiés sont représentés par leur image ou par celle d'un élément (et non par leur parole). → **Synecdoque.**

L'écriture véritable a commencé *(selon Warburton)* lorsqu'on s'est mis à représenter, non plus la chose elle-même, mais un des éléments qui la constituent, ou bien une des circonstances habituelles qui la marquent, ou bien une autre chose à quoi elle ressemble. De là trois techniques : l'écriture curiologique des Égyptiens (...) qui utilise «la principale circonstance d'un sujet pour tenir lieu de

tout» (un arc pour une bataille, une échelle pour le siège des cités)...
> Michel FOUCAULT, les Mots et les Choses, I, IV, 6, p. 127.

CURION [kyʀjɔ̃] n. m. — 1721 ; du lat. *curio, onis*, de *curia*. → Curie (I.).

Antiq. rom. Magistrat ou prêtre qui commandait une curie. *Les curions présidaient aux curionies* [kyʀjɔni] ; n. f., *sacrifices annuels des curies.*

CURIOS [kyʀjo] n. m. pl. — 1926, cit. 1 ; mot angl., de *curiosity* «curiosité, objet curieux à vendre» (cf. *Curiosity shop*), de même orig. que le franç. *curiosité.*

Anglic. Curiosité (II, 1.).

Chacun sait que vous avez vu l'heure d'avant, quels 1 «curios» vous avez achetés, et le prix.
> Paul MORAND, Rien que la Terre, p. 60.

(...) dans toutes les civilisations l'aurore scientifique débute 2 dans le bric-à-brac des «curios».
> A. LEROI-GOURHAN, le Geste et la Parole, t. II, p. 214.

REM. Claudel emploie le nom au singulier (en le citant comme mot anglais) :

(...) le goût du «bibelot», du «curio», comme disent les 3 Anglais, de la nouveauté dans l'étrange et dans le baroque. C'est à lui que nous devons les charmantes contre-rimes de Toulet.
> CLAUDEL, Poésie française et Extrême-Orient, *in* Œ. en prose, Pl., p. 1041 (déc. 1937).

CURIOSA [kyʀjoza] n. f. pl. — D. i. (probabl. XIXᵉ) ; mot lat., fém. plur., «choses curieuses», de *curiosus.* → Curieux.

Bibliophilie. Publications (livres, illustrations, etc.) de nature libre, libertine ou érotique, destinées aux «curieux» (au sens I, 2).

CURIOSITÉ [kyʀjozite] n. f. — V. 1190, *curioseté*, au sens I, 1 ; lat. *curiositas* «soin», de *curiosus.* → Curieux.

I ♦ **1** Vx. Soin, souci de qqch. *Avoir de la curiosité pour... La curiosité de qqn.*

(...) de rendre un cœur content, de combler une âme de 1 joie, de prévenir d'extrêmes besoins ou d'y remédier, leur curiosité ne s'étend point jusque-là.
> LA BRUYÈRE, les Caractères, IX, 4.

♦ **2** (XIIIᵉ ; *curiositeiz*). Mod. Tendance qui porte à apprendre, à connaître des choses nouvelles. → **Appétit, avidité, soif** (de connaître). *Avoir de la curiosité pour qqn, pour qqch.* → **Intérêt.** *Inspirer de la curiosité. Attirer, éveiller, exciter la curiosité de qqn* (→ Maniéré, cit. 4). *Fournir un aliment à la curiosité. Contenter, satisfaire, rassasier, assouvir sa curiosité. Réprimer, contenir sa curiosité. Observer avec une curiosité mêlée d'inquiétude, de jalousie. Cela excite, pique, redouble sa curiosité.* (Avec un adj. précisant le caractère de la curiosité). *Une curiosité légitime, louable. Une vive curiosité. Vaine, futile curiosité.* — (Précisant la nature de la curiosité). *Curiosité littéraire, scientifique.* — Spécialt. *Curiosité amoureuse :* désir d'avoir des expériences amoureuses (→ ci-dessous, cit. 12). — (Avec un compl. désignant la personne curieuse). *La curiosité du chercheur, du savant* (→ ci-dessous, cit. 11). *La curiosité de l'enfant* (→ cit. 10). *La curiosité de qqn pour, à l'égard de qqch., quant à qqch.* — *La curiosité de son esprit.* — (Désignant l'objet de la curiosité). *La curiosité de qqch.* (→ ci-dessous, cit. 13). *N'avez-vous pas la curiosité de savoir ce qui est arrivé ?*

Il y a diverses sortes de curiosité : l'une d'intérêt qui nous 2 porte à désirer d'apprendre ce qui nous peut être utile ; et l'autre d'orgueil, qui vient du désir de savoir ce que les autres ignorent.
> LA ROCHEFOUCAULD, Maximes, 173.

3 (...) la maladie principale de l'homme est la curiosité inquiète des choses qu'il ne peut savoir (...)
PASCAL, Pensées, I, 18.

4 Curiosité n'est que vanité. Le plus souvent on ne veut savoir que pour en parler (...)
PASCAL, Pensées, II, 152.

5 La faiblesse humaine est d'avoir
Des curiosités d'apprendre
Ce qu'on ne voudrait pas savoir.
MOLIÈRE, Amphitryon, II, 3.

6 Nous le suivîmes (...) par la seule curiosité de voir une chose si extraordinaire. FÉNELON, Télémaque, V.

7 Elle médita sur les livres, elle compara les méthodes, elle augmenta démesurément la portée de son intelligence et l'étendue de son instruction, elle ouvrit ainsi la porte de son âme à la Curiosité.
BALZAC, le Curé de village, Pl., t. VIII, p. 565.

8 L'amour, après tout, n'est qu'une curiosité supérieure, un appétit de l'inconnu qui vous pousse dans l'orage, poitrine ouverte et tête en avant.
FLAUBERT, Correspondance, t. I, p. 156.

9 (...) la curiosité excite le désir plus encore que le souvenir du plaisir.
FRANCE, la Rôtisserie de la reine Pédauque, Œ., t. VIII, p. 239.

10 L'art d'enseigner n'est que l'art d'éveiller la curiosité des jeunes âmes pour la satisfaire ensuite, et la curiosité n'est vive et saine que dans les esprits heureux.
FRANCE, le Crime de S. Bonnard, Œ., t. II, p. 430.

11 L'insatiable curiosité du fureteur de sciences cherchait à crocheter les portes du mystère.
R. ROLLAND, le Voyage intérieur, p. 100.

12 La curiosité amoureuse est comme celle qu'excitent en nous les noms de pays ; toujours déçue, elle renaît et reste toujours insatiable.
PROUST, À la recherche du temps perdu, t. XI, p. 177.

13 (...) la curiosité douloureuse, inlassable, que j'avais des lieux où Albertine avait vécu, de ce qu'elle avait pu faire tel soir, des sourires, des regards qu'elle avait eus, des mots qu'elle avait dits, des baisers qu'elle avait reçus !
PROUST, À la recherche du temps perdu, t. XII, p. 228.

14 (...) la curiosité avide avec laquelle je fouillais du regard le troupeau bourgeois et paysan qui se pressait à l'offrande.
F. MAURIAC, la Pharisienne, XII, p. 178.

15 Toute l'éducation moderne nous enseigne au contraire l'excellence de la curiosité. La science (...) Après tout qu'est-elle, sinon une longue et systématique curiosité ?
A. MAUROIS, Terre promise, XXX, p. 216.

♦ **3** (V. 1268, Br. Latini). **En mauvaise part. Désir de connaître les secrets, les affaires d'autrui. → Indiscrétion.** — *La curiosité de qqn, sa curiosité. Sa curiosité le pousse à écouter aux portes. Sa curiosité fut punie. Le démon de la curiosité. Loc. prov. La curiosité est un vilain défaut.*

16 J'ai été tenté un moment de lui envoyer mon coup de fusil, qui, quoique de petit plomb seulement, lui aurait donné une leçon suffisante sur les dangers de la curiosité (...)
LACLOS, les Liaisons dangereuses, I, XXI.

Au plur. *Des curiosités :* besoins de savoir une chose particulière. *Avoir des curiosités malsaines.*

17 (...) peu à peu les curiosités qu'excitait en lui sa jalousie furent neutralisées par la peur des tortures nouvelles qu'il s'infligerait en les satisfaisant.
PROUST, À la recherche du temps perdu, t. II, p. 202.

18 (...) des curiosités qui sont l'infâme volupté de la plupart des gens du monde.
PROUST, les Plaisirs et les Jours, p. 119.

La curiosité des passants, du public. La curiosité de la foule (→ **Curieux**, I., 5.).

19 Aline se taisait, marchant un peu éloignée de lui, gênée par la curiosité des rares passants qui regardaient ce couple étrange traverser le jardin dans le crépuscule.
J. CHARDONNE, les Destinées sentimentales, III, V, p. 468.

La représentation commence par un jeu de déshabillage à 19.1 la mode du Seu-Tchouan. L'actrice est une jeune Japonaise que les habitués ne connaissent pas encore ; elle excite par conséquent la curiosité du public.
A. ROBBE-GRILLET, la Maison de rendez-vous, p. 99.

♦ **4** Vx. **Goût, passion d'amateur pour certaines choses rares, pour des objets de collection.** *Avoir la curiosité des tableaux, des vieux livres.* — (Sans complément) :

La curiosité n'est pas un goût pour ce qui est bon ou ce qui 20 est beau, mais ce qui est rare, unique, pour ce qu'on a et ce que les autres n'ont point (...) Ce n'est pas un amusement, mais une passion (...)
LA BRUYÈRE, les Caractères, XIII, 2.

Vieilli. *Objets de curiosité,* de collection. → **Curios** (anglic.).

(...) la boutique était égayée par de menus objets de curio- 21 sité, poignards, buires, hanaps, figurines, gaudrons de cuivre et plats hispano-arabes à reflets métalliques.
FRANCE, le Crime de S. Bonnard, Œ., t. II, p. 326.

REM. Dans ce contexte, *curiosité* est plus archaïque que *curieux*.

II (XVᵉ). ♦ **1** *(Une, des curiosités).* Chose curieuse (II.) ; spécialt, objet recherché par les curieux, les amateurs. → **Nouveauté, rareté ; bibelot, curios** (anglic.). *Magasin de curiosités. Curiosités d'une collection, d'un musée. Cet objet n'est pas beau, ce n'est qu'une curiosité. Amateur* de curiosités.*

(...) j'ai pris le goût déplorable des tatouages ; aussi ai- 22 je désiré emporter comme curiosité, comme bibelot, un spécimen du travail des tatoueurs japonais (...)
LOTI, Mᵐᵉ Chrysanthème, LII, p. 237.

Collectif. *«La rue de la curiosité»* (Goncourt, *Madame Gervaisais,* p. 35).

Par ext. (surtout au plur.). *Visiter les curiosités d'une ville. Curiosités naturelles :* sites remarquables (exploitables par le tourisme).

Sartre refusa catégoriquement de faire halte à Lérida pour 23 y contempler une montagne de sel. «Les beautés naturelles, soit, déclara-t-il, mais pour les curiosités naturelles, non !» S. DE BEAUVOIR, la Force de l'âge, p. 89.

♦ **2** Littér. **a** Vx. **Caractère de ce qui éveille l'intérêt.** *Je voudrais le voir, l'entendre pour la curiosité du fait.*

b Caractère curieux, insolite, étrange (de qqch.).

Et rien, rien dans le livre de la curiosité, de l'originalité, de 24 la particularité des milieux où la vie de la femme-auteur s'est passée.
Ed. et J. DE GONCOURT, Journal, p. 665 (1887), *in* T.L.F.

CONTR. Incuriosité, indifférence, inertie, insouciance. — Discrétion, réserve. — Banalité.

CURISTE [kyʀist] n. — 1899 ; de 1. *cure* (II., 2.).

Personne qui fait une cure thermale (→ aussi **Baigneur, buveur,** 3.)

Auriez-vous l'obligeance, Monsieur, de me garder ceci un instant ?
Elle montre le tricot, le livre qu'elle vient de déposer sur sa chaise. Elle tient à la main le verre de «curiste», dans son étui de raphia. C'est l'heure d'aller boire (...)
Roger VERCEL, l'Île des revenants, p. 92.

CURIUM [kyʀjɔm] n. m. — 1945 ; de *Curie,* n. pr., et suff. -*ium.*

Sc. Élément radioactif (n° at. 96) découvert dans les produits de transformation de l'uranium. Symb. *Cm.*

CURLING [kœʀliŋ] n. m. — 1792 ; répandu fin XIXᵉ ; mot angl., de *to curl* «enrouler».

Anglic. Sport d'hiver qui consiste à faire glisser un palet (de pierre polie ou de fonte) sur la glace.

Jeu pratiqué dans les pays nordiques, qui s'apparente à la fois au tir sur glace et au jeu de boules : il consiste à atteindre un objectif en décrivant une légère courbe (to curl : boucler). Né sur les lacs gelés d'Écosse, au XVIe siècle, il se pratiquait vers la fin du XVIIIe siècle avec des pierres pesant jusqu'à 52 kg (...) Le curling se joue sur des pistes de glace artificielle. Les équipes comportent 4 joueurs qui ont le droit de tirer 2 fois. Lorsqu'un joueur a lancé la pierre, ses coéquipiers «balaient» la glace devant l'engin pour prolonger ou corriger le tir.
Encyclopédie Alpha, art. Curling.

(1956). Piste où l'on pratique ce sport. Un beau curling. Des curlings.

CUROPALATE [kyʀɔpalat] n. m. — 1845; lat. curopalates «maréchal du palais».

Hist. Chef de la garde palatine, dans l'Empire byzantin (première dignité impériale sous la dynastie justinienne; plus tard, titre honorifique).

CURRICULUM VITÆ [kyʀikylɔmvite] ou **CURRICULUM** [kyʀikylɔm] n. m. — 1900; mots lat., «course de la vie», de currere «courir» et vita «vie».

Ensemble des indications relatives à l'état civil, aux capacités, aux diplômes et aux activités passées d'une personne. Établir son curriculum vitæ, son curriculum. Des curriculums. — Abrév. : C. V. [seve] n. m.

Dès mon arrivée, j'avais écrit une vingtaine de lettres rédigées avec soin, en réponse aux offres d'emploi publiées par France-Soir. Mais je ne devais pas être le seul à offrir mes talents sur le marché du travail car depuis, rien de rien, aucune nouvelle de mes futurs employeurs. Il est vrai que mon curriculum vitæ n'est pas tout à fait du genre «engageant» dans un pays de vieille civilisation !
Bernard MOITESSIER, Cap Horn à la voile, p. 32.

Par ext. Le document fournissant l'ensemble de ces indications. Les candidats doivent joindre à leur demande d'emploi un curriculum vitæ. Les curriculums vitæ (ou invar. : les curriculum vitæ) de tous les candidats.

Anglic. Cours d'études. → **Cursus, programme** (in Dict. du savoir moderne, la Pédagogie, p. 204, 213). Des curricula (didact.) ou des curriculums.

CURRY [kyʀi] n. m. — 1602, caril; mot malabar (→ Cari); la forme curry est reprise à l'angl., 1820.

Assaisonnement indien composé de froment, de curcuma, de piment et d'autres épices pulvérisées. Riz au curry. — (1821, in Höfler). Par métonymie. Un curry d'agneau, de volaille : agneau, volaille au curry. Un curry à l'indienne.

1 Après notre déjeuner, je fais le tour de notre camp et je m'aperçois que nos gens n'ont pas été oubliés dans la royale hospitalité : Musulmans et Hindous se livrent à un banquet féerique de pilau et de curry, envoyés par le roi.
Louis ROUSSELET, l'Inde des Rajahs,
in le Tour du monde, 1873, t. I, p. 155.

Var. anc. : cari*, carry, cary, karry (le Tour du monde, 1868, 2, p. 183), kari.

2 On a confectionné des curries et une cuisine soi-disant orientale, encore plus impossible que l'autre (...)
Paul MORAND, Bouddha vivant, p. 88.

HOM. 1. et 2. Curie.

CURSEUR [kyʀsœʀ] n. m. — 1562; courseur «messager», 1372; lat. cursor, de cursum, supin de currere «courir».

♦ **1** Techn. Petit index qui glisse dans une coulisse (pratiquée sur une règle, un compas, une hausse de pointage, un rhéostat, un potentiomètre...). Pousser, faire glisser le curseur. La position du curseur.

♦ **2** (1776). Astron. Fil qui traverse le champ d'un micromètre et sert à mesurer le diamètre apparent d'un astre.

♦ **3** Marque mobile sur un écran de visualisation, indiquant la position de l'opération à effectuer. Déplacer, arrêter le curseur.

CURSIF, IVE [kyʀsif, iv] adj. — 1532; lat. médiéval cursivus, du supin de currere «courir».

♦ **1** Didact. Qui est tracé à main courante. Écriture cursive. Caractères cursifs. Lettres cursives. — N. f. La cursive. → Anglaise. Écrire en cursive.

On appelle cursive toute écriture représentant une forme rapide d'une écriture plus lente.   1
L'alphabet paraît bien être une cursive par rapport à une pictographie. Par la suite, il a pris soit des formes monumentales, soit des formes plus cursives, plus rapides. Lorsqu'une forme monumentale, éventuellement une forme livresque, et une forme courante coexistent on dit généralement que la forme courante est la cursive des autres. Mais, historiquement, il faut distinguer suivant que l'une a précédé l'autre. Pour le grec et le latin la minuscule, ou cursive, a précédé la majuscule, ou onciale (...)
M. COHEN, l'Écriture, Les tracés, p. 94 et 95.

♦ **2** Fig., littér. ou didact. Bref, rapide. Style cursif (→ Caractère, cit. 29). Lecture cursive (→ En diagonale).
Une autre attention est la création cursive de significations   2
le long d'un temps.
VALÉRY, Cahiers, t. II, Pl., p. 254.

DÉR. **Cursivement.**

CURSIVEMENT [kyʀsivmã] adv. — XVe; de cursif.
Didactique.

♦ **1** En écriture cursive. Texte transcrit cursivement.

♦ **2** Littér. ou didact. Rapidement. Texte cursivement déchiffré.

CURSUS [kyʀsys] n. m. invar. — Mil. XXe, d'abord en méd.; mot lat. «cours», de currere «courir».

Didact. Ensemble des études dans une matière. → **Cours.** Cursus des études médicales. Des cursus universitaires. → **Curriculum.**

(...) la formation du psychanalyste est des plus longues qui soient. Dans l'hypothèse où il est médecin, il faut additionner les sept ans (minimum) de cursus médical, les trois ans de formation spécialisée de neuropsychiatrie (...) et trois à cinq ans de psychanalyse dite «didactique» à laquelle il faut ajouter l'obligation d'un «contrôle» (des premières thérapies effectuées).
C. KOUPERNIK, Un traitement d'exception,
in la Nef, n° 31, p. 159.

CURSUS HONORUM [kyʀsysɔnɔʀɔm] n. m. — 1900; mots lat., «carrière (cursus "cours") des honneurs».
Didactique.

♦ **1** Antiq. rom. À Rome, Suite ordonnée de magistratures que devait parcourir l'homme qui faisait une carrière politique. Auguste modifia le cursus honorum de la République.

♦ **2** Mod. Suite, progression de titres. «Le cursus honorum était jadis en sens inverse : on quittait le plan pour l'Élysée ou pour Matignon (l'administration du plan pour les services de la présidence de la République ou du Premier ministre)» (l'Express, 25 sept. 1972, p. 105). «Elle a suivi le "cursus honorum" universitaire normalement» (Sciences et Avenir, mai 1980, p. 29).

CURULE [kyʀyl] adj. — XIVe; lat. curulis.

♦ **1** Antiq. rom. Chaise curule : siège d'ivoire réservé aux premiers magistrats de Rome. Magistrats, édiles curules, qui avaient droit à la chaise curule.

Chaise curule, comme ils l'appellent, c'est-à-dire qui se porte sur un chariot par la ville.
AMYOT, Marius, 6, *in* LITTRÉ.

♦ **2** Didact. (d'un siège). Qui a la forme du siège curule romain. *«Un fauteuil curule»* (Goncourt, 1859).

CURURE [kyʀyʀ] n. f. — 1348; *cureure*, jusqu'au XVIIIᵉ; de *curer*.

Techn. Ce que l'on retire d'un étang, d'un fossé que l'on cure (boues). *Les curures sont riches en azote.*

L'opinion qui prévalut longtemps dans les milieux viticoles était que les vignes ne devaient pas être fumées. On leur apportait néanmoins d'assez fortes doses d'humus et d'éléments nutritifs sous forme de curures de fossés, de terreau et même parfois de fumier (...)
Louis LEVADOUX, la Vigne et sa culture, p. 98.

CURVATIF, IVE [kyʀvatif, iv] adj. — 1856, dér. sav. du supin du lat. *curvare* «courber».

Didact. et rare. Qui tend à se courber. — Bot. *Feuilles curvatives*, dont les bords s'enroulent.

CURVE [kyʀv] adj. — Fin XIVᵉ, Oresme; du lat. *curvus* «courbe».

Littér. (latinisme archaïsant). Courbe (*«la curve flûte»*, Moréas, *in* T. L. F.).

CURVI- Élément, du lat. *curvus* «courbe», entrant dans la composition de termes didactiques. → **Curvigraphe, curviligne, curvimètre.**

CURVIGRAPHE [kyʀviɡʀaf] n. m. — 1832 — l'instrument a été inventé en 1811; de *curvi-*, et *graphe*.

Techn. Instrument pour tracer des courbes.

CURVILIGNE [kyʀviliɲ] adj. — 1613; de *curvi-*, et *ligne*.

♦ **1** Didact. (assez courant). Qui est formé par des lignes courbes. → **Arrondi, cintré, incurvé.** *Polygone curviligne. Angle curviligne. Mouvement curviligne.* → **Centrifuge, centripète.**

1 J'ai déjà décrit ce miroir cassé, sans cadre et mal fixé par trois pitons branlants, que, contre tous usages, on a laissé au mur de ma prison (le mur de gauche, en regardant la chaise (en bois tourné, laqué de blanc) pour apercevoir, interrompu par le bord inférieur curviligne et coupant, le haut de mon visage (...)
A. ROBBE-GRILLET, Souvenirs du triangle d'or, p. 126.

♦ **2** Didact. Qui se rapporte à la courbe, aux lignes courbes.

2 Qui prononcera donc entre la géométrie rectiligne et la géométrie curviligne?
BALZAC, Séraphîta, Pl., t. X, p. 550.

CURVIMÈTRE [kyʀvimɛtʀ] n. m. — 1874; de *curvi-*, et *mètre*.

Techn. Instrument servant à mesurer la longueur des lignes courbes tracées sur un graphique, une carte.

CUSCUTE [kyskyt] n. f. — V. 1256; lat. médiéval *cuscuta*; de l'arabe *kušūt*; du grec.

Bot. Plante dicotylédone *(Cuscutacées)* herbacée, volubile, dépourvue de chlorophylle et parasite d'autres végétaux (luzerne, céréales). *La cuscute cause de grands dommages aux luzernières.*

Une clairière, à la cuscute rongeuse, parasite, méchante, choléra des bonnes luzernes, étend sa barbe de filaments.
J. RENARD, Poil de carotte, p. 52.

CUSPIDE [kyspid] n. f. — 1839; lat. *cuspis, idis* «pointe». Didact. (sc. naturelles).

I ♦ **1** Anat., bot. Pointe aiguë et allongée. *Valvule à deux* (→ **Bicuspide**), *à trois cuspides* (→ **Tricuspide**).

♦ **2** Anat. Éminence des molaires et des prémolaires, sur la face triturante en contact avec la dent opposée. *Prémolaire pourvue de deux cuspides* (→ **Bicuspide**). *Cuspides et sillons des molaires.*

II Astrol. Endroit central d'une «maison» (où ses caractéristiques sont les plus nettes).

DÉR. Cuspidé, cuspidien.

CUSPIDÉ, ÉE [kyspide] adj. — XIXᵉ; de *cuspide*.

Bot. Muni d'une cuspide (1.). *Feuille cuspidée de l'ananas, de l'aloès.*

CUSPIDIEN, IENNE [kyspidjɛ̃, jɛn] adj. — XXᵉ; de *cuspide*.

Anat. D'une cuspide dentaire. *Érosion cuspidienne.*

1. CUSTODE [kystɔd] n. m. — V. 980; *custod* «gardien», XIIᵉ; du lat. *custos, -odis*, «gardien».

♦ **1** Vx. Gardien de musée ou de monument.

♦ **2** (1293). Relig. Dans certains ordres religieux, moine qui remplace le provincial.

2. CUSTODE [kystɔd] n. f. — V. 1370; lat. *custodia* «garde», de *custos*. → 1. Custode.

I Relig. (t. technique). ♦ **1** Relig. Tenture qui, dans certaines églises, orne les côtés du maître-autel.

♦ **2** Relig. Voile qui couvre le saint ciboire. → **Pavillon.**

♦ **3** Relig. Boîte où le prêtre enferme l'hostie pour l'exposer, la transporter.

Au masculin :

Thérèse de Jésus comme un custode resplendissant où les saintes espèces se conservaient inaltérées d'une communion à l'autre.
CLAUDEL, Journal, 3 juin 1910.
(XVIᵉ). Fig., vx. *Sous la custode :* en secret.

II Techn. (autom.). Panneau latéral arrière de la carrosserie (d'une automobile). *Glaces de custode.* — *Baie de custode :* chacun des panneaux vitrés fixés de part et d'autre d'une vitre ouvrante.

CUSTODI-NOS [kystɔdinos] n. m. invar. — 1576; mots lat. «garde (*custodi*)-nous».

Vx. Celui qui gardait temporairement un bénéfice ou un office ou qui n'ayant que le titre de confidentiaire, laissait les fruits à la personne dont il était le prête-nom.

CUSTOM [kœstɔm] n. m. — V. 1974; d'après l'angloamér. *custom motorcycle* «moto sur mesure», de *custom* «clientèle, pratique» (XVIᵉ), anc. franç. *custum* (→ Coutume, costume) ayant pris en antéposition le sens «fait, arrangé sur commande ou sur mesure»; *custom car*, 1968, Oxford *Supplément.*

Anglic. Véhicule de série (voiture, moto) dont la carrosserie et l'intérieur ont été modifiés et spécialement adaptés aux goûts du propriétaire. *Des customs ou des custom.*

C'est un lutteur poids lourd, ou, si vous préférez, une formidable masse de muscles enveloppée de chrome et de filets dorés. Les chiffres de reprises à partir de 60 km/h vous le diront; sur ce terrain, elle met tous les autres custom d'accord.
Moto-Revue, 6 mai 1981, p. 21.

Appos. *Modèle, adaptation custom. Une moto, une voiture custom;* n. f. *une custom.*

DÉR. Customiser.

CUSTOMISER [kœstɔmize] v. tr. — 1979 au p. p.; de *custom*, pour adapter l'angl. *to customize* «fabriquer sur mesure».

Anglic. Transformer en custom, personnaliser. *Customiser une voiture ancienne.* — On emploie aussi le dérivé *customisation* [kœstɔmizasjɔ̃] n. f.

CUTANÉ, ÉE [kytane] adj. — 1546; du lat. *cutis* «peau», suff. -ané.

♦ **1** Anat. et cour. Qui appartient à la peau. → **Dermique, épidermique.** *Tissus cutanés racornis.* → **Corne.**

(*Le tatouage des Maoris*) donne au système cutané un surcroît d'épaisseur qui permet à la peau de résister aux intempéries des saisons et aux incessantes piqûres des moustiques.
    J. VERNE, les Enfants du capitaine Grant, t. III,
    p. 103, *in* T. L. F.

♦ **2** Qui se manifeste, fonctionne au niveau de la peau. *Respiration cutanée. Circulation cutanée. Sensibilité cutanée.*

Pathol. *Affection, maladie cutanée.* → cour. Maladie de peau*. → **Dermatose.** *Symptôme, éruption, plaie cutanée.*

COMP. **Intracutané, sous-cutané.**

CUTI [kyti] n. f. — D. i. (attesté 1946, *in* T. L. F.); abrév. de *cuti-réaction*.

Fam. Cuti-réaction. *Faire une cuti à un enfant. Cuti positive, négative.*

Loc. fam. *Virer sa cuti* : avoir une cuti-réaction positive pour la première fois. — Fig. **ⓐ** S'émanciper, devenir adulte. → Être majeur et vacciné*. *T'as pas encore viré ta cuti, petit morpion?*

ⓑ (1969, *in* Gilbert). Changer totalement d'opinion, d'attitude, de situation. *Il était membre de ce parti, mais il a viré sa cuti après les élections.* — Spécialt. (1974, *in* D. D. L.). Commencer à avoir des relations homosexuelles (pour un hétérosexuel), hétérosexuelles (pour un homosexuel).

CUTICOLE [kytikɔl] adj. — 1911, *in* Rev. gén. des sc., n° 21, p. 855; dér. sav. du lat. *cutis* «peau», et suff. -cole.

Biol., méd. *Parasite cuticole*, qui se développe sous la peau.

CUTICULE [kytikyl] n. f. — 1532; lat. *cuticula* «petite peau», de *cutis* «peau» (→ Cutané).

♦ **1** Zool. Membrane externe de certains animaux (insectes, crustacés), qui contient de la chitine.

♦ **2** Bot. Pellicule, riche en cutine, qui revêt la tige et les feuilles des plantes (→ **Cutine**).

♦ **3** Anat. Couche très mince de peau, membrane ou pellicule qui recouvre une structure anatomique. *Cuticule de l'émail dentaire, du poil. Les cuticules des ongles.*

CUTINE [kytin] n. f. — 1878; dér. sav. du lat. *cutis* «peau».

Bot. Substance provenant de la transformation de la membrane cellulosique des cellules et qui constitue la cuticule.

CUTI-RÉACTION [kytiʀeaksjɔ̃] n. f. — 1907, *in* Rev. gén. des sc., n° 12 (30 juin 1907), p. 515; du lat. *cutis* «peau», et *réaction*.

Méd. et cour. Réaction cutanée inflammatoire provoquée par l'introduction dans la peau d'un produit (végétal ou animal, toxine bactérienne) auquel un sujet peut être sensibilisé et qui sert à déceler une réponse immunitaire contre certaines maladies (la tuberculose, par ex.). → fam. **Cuti.** *Des cuti-réactions. Cuti-réaction positive, négative.*

La cuti-réaction pratiquée avec la tuberculose révèle l'existence d'un foyer tuberculeux latent ou en activité (...)
    GARNIER et DELAMARE, Dict. des termes techn. de
    médecine, art. *Cuti-réaction*.

DÉR. **Cuti.**

1. CUTTER [kœtœʀ; kytɛʀ] n. m. — 1777; mot angl., littéralt «ce qui coupe (*to cut* "couper") l'eau».

Vx. Cotre.

(...) un petit cutter formidablement armé s'approcha du bâtiment marchand, se donnant comme garde-côte (...)
    DUMAS, les Trois Mousquetaires, t. II, p. 565 (1844).

2. CUTTER [kœtœʀ; kytɛʀ] n. m. — 1979; *cutteur*, 1971; angl. *cutter* «celui, ce qui coupe» (1671), de *to cut* «couper».

Techn., anglic. Instrument où est insérée une lame qui peut trancher très précisément le papier, le carton, etc.

CUVAGE [kyvaʒ] n. m. ou **CUVAISON** [kyvɛzɔ̃] n. f. — XIIIᵉ, *cuvage; cuvaison*, 1843; de *cuver* (cf. *cuvaige*, XIIᵉ); de *cuve*.

Techn. (viticulture).

♦ **1** Séjour et fermentation du moût de raisin dans les cuves. → **Vinification; cuver.** *Claie pour immerger le marc pendant le cuvage.*

Le cuvage est une des phases les plus importantes dans la fabrication des vins rouges; pour les vins blancs, le moût est immédiatement extrait par pression, et il fermente isolément.   1
Pendant le cuvage, les rafles, les pellicules et les pépins des grains de raisin macèrent dans le moût en lui abandonnant les principes immédiats solubles qu'ils renferment.
    Omnium agricole, Cuvage.

En cidrerie, Séjour de la pulpe de pomme en cuve avant le pressage.

♦ **2** Par métonymie. Ensemble de cuves, de tonneaux; lieu (cave, hangar...) où ils se trouvent.

Pendant que Gaspard était chez Artona, Madozet entrait dans son cuvage, où depuis quelque temps, il faisait des séances tellement longues, qu'elles avaient éveillé l'attention du quartier Saint-Antoine.   2
Il n'est pas rare de voir les Auvergnats s'attabler dans les caves et s'y réunir pour jouir ensemble de la douce atmosphère du sous-sol et aussi, parfois, pour échapper à des recherches matrimoniales qui viennent trop souvent troubler le doux tête-à-tête des amis de tonneau (...) Le cuvage de M. Madozet prenait jour sur l'impasse (...)
    Louise MICHEL, la Misère, t. I, p. 190-191.

CUVE [kyv] n. f. — XIᵉ; *cuvhe*, XIIᵉ; du lat. *cupa* (la var. *cuppa* a donné *coupe**).

♦ **1** Grand récipient (de bois ou de maçonnerie, de béton, de métal...) utilisé pour la fermentation du raisin, la conservation du vin. *Les douves d'une cuve en bois. Cercler une cuve. Cuve émaillée. Retirer le moût des cuves. Ensemble des cuves.* → **Cuvage** (ou **cuvaison**). *Cépages, viticulture de cuve* : production de raisin destiné à faire du vin. — *Cuve close* : cuve métallique fermée.

Parmi les rires et les chants, de jeunes hommes, pieds nus, jambes nues, foulaient les raisins dans les cuves.   1
    GIDE, Feuillets d'automne, *in* Journal, 1939-1949,
    Pl., p. 1108.

Les cuves les plus généreuses ont leur lie.   2
    HUGO, Quatre-vingt-treize, II, III, I, 5.

Par métaphore. «*Toute une humanité en travail, la cuve énorme où fermentait le vin de l'avenir*» (Zola, *Paris*, t. II, p. 154, in T. L. F.).

Par métonymie. Contenu d'une cuve. → **Cuvée.**

Loc. *Fond de cuve. Fossé à fond de cuve*, à parements verticaux.

♦ **2** Grand récipient de forme analogue. → **Bassine; bac, citerne.** *Cuve portative. Cuve fixe. Porter, transporter une cuve. Cuve à mazout, à pétrole. La cuve est vide. — Cuve à lisier* (agric.). *Cuve de brasseur.* → **Brassin.** (Techn.). *Cuve-matière* : chaudière munie d'un agitateur où se fait le premier mélange de malt *(des cuves-matières). Cuve filtrante; cuve-filtre,* dans laquelle on sépare le moût des drêches *(des cuves-filtres). — Cuve à teinture.* Loc. *Teindre en cuve, à la cuve.*

Cuve de papetier. Papier de cuve, à la cuve, fait à la main.

Photogr. *Cuve à laver; cuve à développement. —* En gravure. *Cuve à morsure* (bains d'acide). — Chim. *Cuve à eau, à mercure.* — Phys. *Cuve électrolytique,* contenant un électrolyte de faible conductivité servant à déterminer la répartition des champs électriques dans les lentilles électrostatiques ou électroniques.

Cuve de... (suivi d'un nom d'action précisant la nature de l'opération qui s'y fait). *Cuve de décantation, d'épuration, de fermentation, de stockage.*

Spécialt. *Cuve de stockage, de transport,* à bord d'un véhicule, d'un navire.

Récipient intégré à un dispositif. *Cuve d'un réfrigérateur. La cuve d'un lave-vaisselle.*

Partie creuse (d'un dispositif). *La cuve d'un haut-fourneau. Cuve monobloc. Four à cuve. — Cuve de carburateur :* partie du carburateur qui reçoit l'essence et dans laquelle le débit en est réglé.

Par métaphore. «*Cette cuve immense de la mer*» (Baudelaire, *Poèmes en prose*, p. 169, in T. L. F.).

♦ **3** *Cuve baptismale.* → **Fonts** (baptismaux). *Cuve funéraire :* sarcophage de pierre.

♦ **4** Techn., archéol. Lame de fer frettée servant à la construction des pièces d'artillerie (XIVᵉ-XVᵉ siècles).

♦ **5** Vx. Habitacle d'un avion (Malraux, l'*Espoir*, in T. L. F.). → **Cockpit.**

DÉR. **Cuvage, cuveau, cuvée, cuveler, cuver, cuvette, cuvier.** ◊ COMP. **Décuver, encuver. Pied-de-cuve, plate-cuve.**

CUVEAU [kyvo] n. m. — XIIᵉ, *cuvel;* de *cuve.*
Techn. ou régional. Petite cuve. *Cuveau à lessive; cuveau de vendange.* → aussi **Comporte, hotte.**
(...) quelqu'un débitait un conte, vingt fois ressassé, d'amante avide, de mari berné, de séducteur caché dans un cuveau, ou de marchands retors se dupant l'un l'autre.
          M. YOURCENAR, l'Œuvre au noir, p. 24.

DÉR. (De *cuvel*) **Cuvelle.**

CUVÉE [kyve] n. f. — V. 1220; de *cuve.*
♦ **1** Contenu d'une cuve. Spécialt. Quantité de vin qui se fait à la fois dans une cuve. *Ces tonneaux sont de la même cuvée. Vin de la première, de la seconde cuvée. Tête de cuvée. —* Par métonymie. Le vin de la cuve, et, spécialt, sous l'angle de sa qualité. *Une excellente, une médiocre cuvée. Cuvée réservée.*
Loc. fig. et fam. *Un buveur de première cuvée :* un ivrogne. — *Prendre une cuvée :* s'enivrer.

♦ **2** Produit d'une vigne. *La totalité de la cuvée.*

♦ **3** Fig. *De... cuvée. Choses de la même cuvée,* de même origine, de même nature. *Chose de la dernière cuvée,* la plus récente. — Spécialt (sous l'angle de sa qualité). *Chose de première, de seconde cuvée. Bons résultats aux examens de la cuvée 1980.*

(...) les jeunes gens, constatant le fait accompli sans savoir ce qui l'a précédé, croyaient que c'était une Guermantes d'une moins bonne cuvée, d'une moins bonne année, une Guermantes déclassée.
          PROUST, le Temps retrouvé, Pl., t. III, p. 1004.

HOM. **Cuver.**

CUVELAGE [kyvlaʒ] n. m. — 1756; de *cuveler.*
Technique.
♦ **1** Action de boiser un puits de mine.
Par métonymie. Dispositif étanche qui renforce les parois d'un puits de mine, des galeries. → **Revêtement.**
Souvarine (...) constata une déformation très grave de la cinquième passe du cuvelage. Les pièces de bois faisaient ventre, en dehors des cadres; plusieurs même étaient sorties de leur épaulement.
          ZOLA, Germinal, VII, II, p. 184.

♦ **2** Action d'introduire dans un puits artésien le tube qui en garnit les parois. → **Tubage.**
Par métonymie. Ensemble des tubes d'acier que l'on descend dans les puits de pétrole pour en consolider les parois.

CUVELER [kyvle] v. tr. [CONJUG.: *appeler.*] — 1758; «laver du linge», XIᵉ; de *cuve.*
Techn. Garnir d'un cuvelage. *Cuveler les parois d'un puits de mine. — Cuveler un puits de pétrole.* → **Tuber.**

◆ **CUVELÉ, ÉE** p. p. adj. *Parois cuvelées d'un puits.*

DÉR. **Cuvelage, cuvellement.**

CUVELLE [kyvɛl] n. f. — D. i.; de *cuvel,* anc. forme de *cuveau.*
Régional (Belgique). Cuveau, bassine. — (Utilisée dans un jeu) :
Ailleurs, le jeu de la cuvelle passionne la curiosité publique.   C. LEMONNIER, la Belgique, p. 40 (1888).   1
En cuvelle : en forme de cuvelle.
Ma maison!... La douce et vieille maison de Stanworth Street, sentant bon l'excellente cuisine d'Elfrida, et la fraîche amertume des lauriers-tins en cuvelle de mon jardinet (...)   Jean RAY, les Derniers Contes de Canterbury, p. 62.   2

CUVELLEMENT [kyvɛlmã] n. m. — 1776; de *cuveler.*
Vx. → **Cuvelage,** 1. *Le cuvellement d'un puits.*

CUVER [kyve] v. — 1373; de *cuve.*
♦ **1** V. intr. Techn. (vitic.) Séjourner dans la cuve pendant la fermentation (en parlant du produit de la vendange). → **Cuvage.** *Le vin cuve. Faire cuver le vin.*

♦ **2** V. tr. Cour. *Cuver son vin :* dissiper son ivresse en dormant, en se reposant. → **Digérer.**
Tandis que Monsieur dort, et cuve vos bouteilles!   RACINE, les Plaideurs, III, 1, variante.   1
C'est à coups de crosses de fusil que l'on calmait les combattants avant de les emmener cuver leur vin dans les locaux disciplinaires.   P. MAC ORLAN, la Bandera, VI, p. 75.   2
Absolt. *Il dort encore; il cuve.*
Tas besoin d'aller cuver, François. Tes présentement fin saoul.   G. CHEVALLIER, Clochemerle, p. 185.   2.1

Par métaphore. Cuver (son vin) : se calmer, revenir à la raison. *Il faut qu'il cuve son vin.* — Fig. Laisser calmer, refroidir (un sentiment). *On le laissa cuver sa colère, sa douleur.*

3   Le gros homme, affalé sur une chaise, les mains sur les cuisses, cuvait encore sa colère.
            MARTIN DU GARD, les Thibault, t. I, p. 223.

(Sujet n. de chose) :

4   Le jardin saoulé d'odeurs cuve sa journée de soleil.
            MARTIN DU GARD, les Thibault, t. IV, p. 19.

♦ 3 V. tr. Fig. et vx. *Cuver quelque chose :* entretenir en soi (un sentiment, une sensation...). *Cuver une vengeance.* → **Couver.**

DÉR. Cuvage ou cuvaison, cuveur. ◊ **HOM.** Cuvée.

CUVETTE [kyvɛt] n. f. — V. 1200; de *cuve.*

♦ 1 (1680). Récipient portatif large, peu profond, à bords évasés, qui sert principalement à la toilette (→ **Bassinet, bidet, lavabo;** et aussi **évier**). *Cuvette en porcelaine, de faïence. Cuvette en aluminium, en plastique. Cuvette émaillée. Un broc et une cuvette assortis.*

1   Sera-t-il dieu, table ou cuvette?
            LA FONTAINE, Fables, IX, 6 (→ Ciseau, cit. 2).

Par métonymie. Le contenu d'une cuvette. Jeter une pleine cuvette d'eau sale.

Par anal. En cuvette : en creux. *Matelas en cuvette.* — *Loc. Faire la cuvette :* former une courbe; s'incurver. → **Creuser** (se).

Spécialt. La cuvette des cabinets*. Absolt. La cuvette. — Partie d'un lavabo où coule l'eau. — *Cuvette de photographe.* → **Cuve.**

♦ 2 Techn. Partie creuse faisant office de réceptacle. — *Archit. Cuvette réceptrice :* entonnoir où affluent les eaux d'un toit pour s'écouler par un tuyau. — *La cuvette d'un canal,* lit de ce canal. *La cuvette d'un aqueduc*.* — Petit fossé d'irrigation au pied d'un arbre.

♦ 3 (1835). Phys. Petit récipient rempli de mercure où plonge un baromètre. — *Par ext.* Renflement de la partie inférieure du tube d'un baromètre. *Mar. Cuvette du compas :* récipient qui contient aiguille aimantée, rose des vents et liquide amortisseur d'un compas de navire.

♦ 4 Techn. (Partie creuse, incurvée). **a** Plaque de métal incurvée qui recouvre en arrière le mouvement d'une montre.
b *Cuvette de percussion d'une culasse de fusil.*
c (Cordonnerie). Surface creuse sous le talon, destinée à recevoir le dessous de l'emboîtage de la chaussure.
d *Mus. Cuvette d'une harpe,* partie inférieure où se trouvent les pédales. *Cuvette de résonance.* → **Caisse.**
e Électricité :

2   (...) la cathode qui, au lieu d'être une simple calotte sphérique ou hémisphérique de métal quelconque, devient un ensemble formé d'une cuvette parabolique au foyer de laquelle se trouve un filament producteur de thermoélectrons (...)
            Gilbert SIMONDON,
            Du mode d'existence des objets techniques, p. 33.

♦ 5 (Fin XIXᵉ). Géogr. Dépression fermée de tous côtés, de dimension relativement réduite. → **Bassin** (cit. 9); **chott, creux, dépression.**

3   Bâti au fond d'une cuvette, au confluent du Salat et d'un autre torrent plus modeste, le ruisseau d'Esbins, le village bruissait de toutes ses eaux courantes (...)
            Raymond ABELLIO, Ma dernière mémoire, t. I,
                      p. 80.

Ski (fam.). *Les bosses et les cuvettes* (ou *creux*) *d'une pente neigeuse.*

4   C'est tout un art, qui s'acquiert avec le temps, que de façonner une trace régulière et dépourvue d'à-coups, utilisant judicieusement les bosses et les cuvettes, évitant les pentes raides ou avalancheuses.
            F. GAZIER, les Sports de la montagne, p. 99.

CONTR. Bosse.

CUVEUR, EUSE [kyvœʀ, øz] n. — 1867, cit.; de *cuver,* au sens 2.

Personne qui cuve (son vin, et, fig., un sentiment).

Et l'atelier Langibout possédait encore les deux types du *cuveur* et du *rêveur* dans le peintre Vivarais et le sculpteur Romanet.
            Ed. et J. DE GONCOURT, Manette Salomon, p. 23.

CUVIER [kyvje] n. m. — V. 1200; de *cuve.*

♦ 1 Vx ou régional. Cuve où l'on fait la lessive. *Le charrier* d'un cuvier. La Farce du cuvier* (XVᵉ siècle).

Au fond l'une, où l'on sème,
Parmi l'eau, la cendre du four,
Que tout mon linge de bohème
Repose durant tout un jour (...)
            Gaston COUTÉ, la Chanson d'un gas qu'a mal
                tourné, «Jour de lessive».

♦ 2 Récipient destiné à recevoir le contenu du panier des vendangeurs. *Par métonymie.* Endroit où se trouvent cuves et pressoirs. → **Cellier.**

♦ 3 Techn. Cuve où l'on trempe l'acier; où l'on lave le kaolin; où la pâte à papier diluée est brassée.

CV Symbole du cheval* fiscal.

C. V. [seve] Abréviation de *curriculum vitæ.*

Cx [seiks] n. m. Phys. Coefficient de traînée, de résistance à l'avancement, en aérodynamique.

CYAN [sjã] n. m. — 1960; angl. *cyan,* du grec *kuanos* «bleu sombre».

Techn. Arts et techniques graphiques (photogr., imprim., etc.). L'une des trois couleurs monochromatiques fondamentales utilisées dans la reproduction des images polychromes, donnant à l'œil l'impression d'un bleu violacé profond. *Le cyan, le jaune et le magenta.*

CYAN-, CYANO- Élément, du grec *kuanos* «bleu sombre», entrant dans la composition de termes scientifiques, et, spécialt, de chimie. → **Cyanamide, cyanhydrique, cyanine, cyanite, cyanobactéries, cyanocobalamine, cyanogène, cyanophycées, cyanose;** et aussi **cyanure.** REM. De très nombreux autres termes techniques de chimie sont formés avec cet élément (*acide cyanacétique; cyananthrène,* n. m., «matière colorante bleue»; *cyanate,* n. m.; *cyanoalcool,* n. m.).

CYANAMIDE [sjanamid] n. f. — 1851; de *cyan(o)-,* et *amide.*

Chim. Corps dérivant de l'ammoniac par substitution du groupe CN à un atome d'hydrogène. *Spécialt. Cyanamide calcique,* engrais artificiel.

CYANHYDRIQUE [sjanidʀik] adj. — 1840; de *cyan(o)-,* et *hydrique.*

Chim. *Acide cyanhydrique :* liquide de formule $H-C\equiv N$, préparé industriellement, mais se rencontrant dans certains produits naturels (amandes amères). → **Prussique** (acide prussique; vx). *Sels de l'acide cyanhydrique. L'acide cyanhydrique, liquide incolore, est un poison violent* (→ **Cyanure**).

CYANINE [sjanin] n. f. — 1866; de cyan(o)-, et -ine.

♦ 1 Chim. Matière colorante utilisée comme sensibilisateur en photographie.

♦ 2 Biol. Pigment cuprique respiratoire de certains invertébrés. **Bot.** Pigment du bleuet, du chrysanthème et de certaines algues.

CYANIQUE [sjanik] adj. — 1815; de cyan(o)-, et -ique.

♦ 1 Chim. *Acide cyanique,* de formule HNCO.

♦ 2 Techn. D'une teinte bleue qui tend au vert. *Azur, bleu cyanique.*

COMP. Isocyanique.

CYANITE [sjanit] n. m. — 1792; de l'all. *Cyanit, kyanit,* du grec *kuanos.* → Cyano-.

Chim. Silicate naturel d'aluminium. **Syn.** : *disthène.*

CYANOBACTÉRIES [sjanobakteRi] n. f. pl. — xxᵉ; de cyano-, et bactérie.

Sc. nat. Bactéries possédant de la chlorophylle associée à un pigment bleu, appelées aussi *algues bleues* ou *cyanophycées.* — Au sing. *Une cyanobactérie.*

CYANOCOBALAMINE [sjanokɔbalamin] n. f. — xxᵉ; de cyano-, cobal(t), et amine.

Chim., biol. Vitamine B_{12} qui joue un rôle essentiel dans la formation des globules rouges.

CYANOGÈNE [sjanɔʒɛn] n. m. — 1815, Gay-Lussac; de cyano-, et -gène.

Chim. Gaz incolore, d'odeur vive et pénétrante, toxique, composé d'azote et de carbone. *Le cyanogène* (NC–CN) *a été obtenu en décomposant le cyanure* [*de mercure par la chaleur. À partir du cyanogène on obtient l'acide cyanhydrique ou acide prussique.*

DÉR. Cyanure.

CYANOPHYCÉES [sjanofise] n. f. pl. — 1885; de cyano-, et grec *phukos* «algue».

Sc. nat. Cyanobactéries. — Au sing. *Une cyanophycée.*

CYANOPHYTIQUE [sjanofitik] adj. — xxᵉ; de cyano-, phyt(o)-, et -ique.

Bot. Relatif aux algues bleues. *Flore cyanophytique,* d'algues bleues. — **Var.** : *cyanophycique* (de *phukos*).

CYANOSE [sjanoz] n. f. — 1814, Nysten, in D.D.L.; du grec *kyanos* «bleu» (→ Cyano-), et -ose.

♦ 1 Méd. Coloration bleue, quelquefois noirâtre ou livide de la peau, produite par différentes affections, en particulier par des troubles circulatoires (→ Cyanodermie, cyanopathie). — **Spécialt.** Maladie bleue.

♦ 2 (1832). Minér. Sulfate de cuivre hydraté de couleur bleue. — **Syn. mod.** : *chalcanthite.*

DÉR. Cyanoser, cyanotique. ◊ **COMP.** Acrocyanose.

CYANOSER [sjanoze] v. tr. — 1835, cyanosé; le v. semble postérieur; de cyanose.

Didact. Marquer, colorer de cyanose, d'un bleu noirâtre (la peau, les chairs humaines).

1   Elle *(la mourante)* avait les yeux clos et sa bouche entrouverte produisait à chaque respiration un bruit sifflant et bref. Au-dessus de sa face étrécie, décharnée et légèrement cyanosée par le début d'asphyxie, ses abondants cheveux blancs la coiffaient (...)
        M. DRUON, Rendez-vous aux enfers, I, vi, p. 47.

♦ CYANOSÉ, ÉE p. p. adj.

Qui est coloré de cyanose. *Visage cyanosé.* — Qui est atteint de cyanose. *Malade cyanosé.*

2   Ailleurs, le curieux d'art croit reconnaître un château en viande ainsi qu'une pièce montée, avec des hommes et des femmes en viande, vêtus de viande, penchés à de petites fenêtres coupées en pleine viande, et la bastille autant que ses habitants a les tons rutilants et cyanosés du bœuf à l'étal.
        A. PIEYRE DE MANDIARGUES, la Marge, p. 132.

3   Mᵐᵉ Rezeau n'a pas vraiment perdu connaissance, mais elle est incapable de parler : cyanosée, les yeux exorbités par l'anxiété, elle ouvre la bouche comme un poisson hors de l'eau (...)   Hervé BAZIN, Cri de la chouette, p. 267.

CYANOTIQUE [sjanɔtik] adj. — 1863; Littré; de cyanose.

Pathol. Qui est relatif à la cyanose; qui a les caractères de la cyanose. → **Cyanoser,** p. p. adj.

(...) le visage est le plus souvent cyanotique, c'est-à-dire que peau et muqueuses prennent une teinte violacée en rapport avec la faible oxygénation du sang (...)
        Jacques GUILLERME, la Vie en haute altitude, p. 62.

CYANURATION [sjanyRasjɔ̃] n. f. — 1907; de cyanurer.

Chim. Extraction de l'or par dissolution dans une solution de cyanure de potassium, par réduction du produit avec du zinc et filtrage.

CYANURE [sjanyR] n. m. — 1815; de cyano(gène), et suff. -ure.

Chim. Sel de l'acide cyanhydrique. *Cyanure de potassium, de zinc, d'or, de mercure. Tous les cyanures sont toxiques.* — **Spécialt.** *Cyanure de mercure.*

1   On use... du cyanure contre l'aménorrhée et les scrofules, du chlorure de sodium et d'or contre les vieux ulcères!
        HUYSMANS, Là-bas, VII, p. 101.

2   On est venu m'apporter un énorme «goliath» que j'ai le plus grand mal à faire entrer dans mon flacon de cyanure, si large que soit son embouchure.
        GIDE, Voyage au Congo, in Souvenirs, Pl., p. 770.

Cour. Préparation au cyanure de potassium, poison violent. *Avaler une pastille de cyanure.*

3   Tous deux, et plusieurs centres clefs révolutionnaires portaient du cyanure dans la boucle plate de leur ceinture, qui s'ouvrait comme une boîte.
        MALRAUX, la Condition humaine, p. 172.

DÉR. Cyanurer.

CYANURER [sjanyRe] v. tr. — 1846, cyanuré; de cyanure.

Chim. Effectuer la cyanuration de.

♦ CYANURÉ, ÉE p. p. adj.

Qui a subi la cyanuration; à l'état de cyanure. — Qui contient un cyanure. *Produit cyanuré.*

DÉR. Cyanuration.

CYATHE [sjat] n. m. — V. 1314; lat. *cyathus* «mesure de capacité», du grec *kuathos.*

Archéol. Petit vase qui servait à puiser le vin dans le cratère pour le verser dans les coupes. **Par ext.** Mesure de capacité, à Athènes et à Rome.

CYBER- Élément tiré de *cybernétique* et employé dans des composés dans le contexte des réseaux de communication numériques.

CYBERCAFÉ [sibɛRkafe] n. m. — 1994; de cyber-, et café.

Café, bar dans lequel des ordinateurs sont mis à la disposition des clients qui peuvent ainsi se connecter à Internet, au web. «*Créés il y a une dizaine d'années en Californie, apparus en France à la fin de l'année dernière, les cybercafés sont le meilleur moyen de découvrir le monde de l'Internet*» (*50 Millions de consommateurs*, 1ᵉʳ sept. 1995, p. 67).

CYBERCRIMINALITÉ [siberkriminalite] n. f.
— 1997; de *cyber-*, et *criminalité*.

Ensemble des actes délictueux effectués par l'intermédiaire des réseaux informatiques, et spécialement d'Internet.

REM. On emploie aussi *cyberdélinquance*, n. f.

Attaques de systèmes informatiques sensibles, escroqueries, pédophilie : une cybercriminalité se développe peu à peu sur Internet. Face à ces nouvelles formes de délinquance, les moyens de la police sont modestes (...) Aujourd'hui, la «cellule Internet» mise en place en 1997 par le ministère de l'intérieur compte une douzaine de policiers spécialisés. En 1997, 424 procédures ont été diligentées qui concernent essentiellement des fraudes aux télécommunications et des contrefaçons de logiciels.
Le Monde, 22 sept. 1998, p. 1.

CYBERCULTURE [siberkyltyr] n. f. — 1995; de *cyber-*, et *culture*.

Culture véhiculée et développée par le biais d'Internet. «*Une nébuleuse de sites où cyberculture et esprit de communauté font un*» (*le Monde*, 28 sept. 1988).

CYBERESPACE [siberespas] n. m. — 1995; calque de l'angl. *cyberspace*. → Cyber-, espace.

Espace virtuel créé par la communauté des utilisateurs du réseau Internet, du web (→ **Cybernaute, internaute**) et regroupant toutes les ressources d'informations accessibles à travers l'interconnexion mondiale des ordinateurs. «*L'homme a élargi son horizon en explorant des régions jusque-là interdites ou encore en créant, grâce à l'informatique, des territoires virtuels tel le cyberespace*» (*le Monde*, 21 févr. 2000, p. 19).

REM. On emploie parfois *cybermonde* [sibermɔ̃d].

CYBERNAUTE [sibernot] n. — 1995; de *cyber-*, et *-naute*, par l'angl. des États-Unis *cybernaut*, de *cyber-*, et *(astro)naut*.

Usager des réseaux de communication numériques. → **Internaute**. «*Le candidat et son équipe répondront à toutes les questions posées par les cybernautes via la messagerie électronique*» (*le Nouvel Obs.*, 6 avr. 1995, p. 74).

CYBERNÉTICIEN, IENNE [sibernetisjɛ̃, jɛn] n. et adj. — V. 1950; de *cybernétique*.

Spécialiste de la cybernétique.

CYBERNÉTIQUE [sibernetik] n. f. — V. 1945; angl. *cybernetics*, du grec (→ ci-après); «science du gouvernement», 1836, Ampère; grec *kubernêtiké*, de *kubernaô*. → Gouverner.

Science constituée par l'ensemble des théories groupant les études relatives aux communications et à la régulation dans l'être vivant et la machine (→ **Automatique**, II.). «*L'emploi du terme cybernétique doit être limité à la science des mécanismes régulateurs et servomécanismes, tandis que télétechnique comprendrait tout ce qui relève de la technique des télécommunications et de la théorie de l'information*» (*Comité consultatif du langage sc. de l'Académie des Sciences*, in *Sciences*, nov.-déc. 1959).

— *Application de la cybernétique au moyen de l'électronique* (→ **Bionique, électronique; asservissement, autorégulation, commande, information, ordinateur, régulation, rétroaction, servomécanisme, signal, système**).

Dans le groupe de Wiener, physiologistes et mathématiciens étaient gênés par l'absence d'un vocabulaire qui leur permît de bien s'entendre. Ils n'avaient même pas de terme qui exprimât l'unité essentielle des problèmes de communication et de contrôle dans les machines et chez les êtres vivants, cette unité dont ils s'étaient mutuellement persuadés. Tous les mots proposés mettaient trop l'accent du côté de la machine ou trop du côté de la vie; alors qu'on devait, au contraire, exprimer la dualité de la nouvelle science (...)
Qu'il évoque le pilote d'un bateau, les gouvernes d'une machine, le «governor» de Watt, ce vocable a donc été remarquablement choisi. Quelque jour lointain il retrouvera peut-être même son acception grecque de «gouvernement», car l'homéostat d'Ashby porte la promesse de «machines à gouverner».
La définition de la «cybernétique» ressort donc du nom lui-même : la science du gouvernement, du «self-gouvernement» pourrait-on dire.
P. DE LATIL, la Pensée artificielle, I, p. 23. [1]

(...) ceux des logiciens qui, dépassant les problèmes de pure formalisation, s'interrogent sur les relations entre les structures logiques et les activités du sujet s'orientent naturellement dans la direction des systèmes autorégulateurs qui sont susceptibles de rendre compte de l'autocorrection propre aux mécanismes logiques. Or, la cybernétique, susceptible de fournir de tels modèles, est une synthèse des théories de l'information ou communication et du guidage ou régulation.
J. PIAGET, Épistémologie des sciences de l'homme, p. 352. [2]

Adj. *Moyens cybernétiques*.

Il y a un mécanomorphisme de l'animal et de l'homme comme il y a un zoomorphisme de l'homme, et les frontières ne sont ni nettes, ni stables. On peut, dans une certaine mesure, expliquer l'humain par le mécanique et l'animal, mais c'est une dangereuse illusion que de voir le mécanique et l'animal à travers le prisme déformant de l'anthropomorphisme. Le rêve cybernétique s'évanouit devant l'épreuve du langage. C'est donc maintenant aux linguistes de dire leur mot.
Robert ESCARPIT, Théorie générale de l'information et de la communication, p. 77. [3]

DÉR. **Cybernéticien, cybernétisation, cybernétiser.**

CYBERNÉTISATION [sibernetizasjɔ̃] n. f. — V. 1960; de *cybernétiser* — attesté, semble-t-il, plus tard — ou de *cybernétique*.

Didact. Application de la cybernétique à (une science, une technique). → aussi **Automatisation, informatisation**.

Un tel mouvement rejoint en fait tous les courants tendant à une mathématisation et surtout à une cybernétisation des sciences s'intéressant à la vie organique mentale ou sociale.
J. PIAGET, Épistémologie des sciences de l'homme, p. 123. [1]

Nous n'avons plus seulement devant nous le découpage et l'agencement du quotidien, mais sa programmation. La société bureaucratique de consommation dirigée, sûre de ses capacités, fière de ses victoires, approche de son but. Sa finalité, mi-consciente mi-inconsciente jusqu'ici, transparaît : la cybernétisation de la société par le biais du quotidien.
Henri LEFEBVRE, la Vie quotidienne dans le monde moderne, p. 125. [2]

CYBERNÉTISER [sibernetize] v. tr. — V. 1970; de *cybernétique*.

Rare. Mettre en application la cybernétique.

◆ **CYBERNÉTISÉ, ÉE** p. p. adj.

Qui subit une application de la cybernétique.

(...) est-ce que l'usine cybernétisée nous conduit à une aliénation croissante de l'homme comme l'imaginaient déjà, avant la cybernétique d'ailleurs, Huxley ou Orwell ? Est-ce qu'il n'y aura plus de joies que pour des robots drogués ?
     Roger GARAUDY, Parole d'homme, 1975, p. 181.

DÉR. Cybernétisation.

CYBISTIQUE [sibistik] n. f. — 1757 ; du grec *kubistekê*, de *kubistein* «plonger tête en avant».

Didact. Danse ou exercice gymnique de l'antiquité grecque, comportant des culbutes effectuées tête en avant.

Par certains côtés, ce divertissement rappelait la cybistique des anciens, sorte de danse militaire dont les coryphées manœuvraient au milieu de pointes d'épée et de poignards, et il est possible que la tradition en ait été léguée aux peuples de l'Asie centrale ; mais cette cybistique tartare était rendue plus bizarre encore par ces feux de couleurs qui serpentaient au-dessus des ballerines, dont tout le paillon se piquait de points ignés.
     J. VERNE, Michel Strogoff, p. 340.

CYCADÉES [sikade] ou **CYCADALES** [sikadal] n. f. pl. — 1836, *cycadées; cycadales,* fin XIXᵉ ; de *cycas.*

Bot. Ordre de plantes phanérogames gymnospermes des régions tropicales et dont le type principal est le cycas*. On a dit aussi *cycadinées* [sikadine], *cycadoïdées* [sikadɔide], on emploie encore *cycadacées* [sikadase]. — Au sing. *Une cycadée, une cycadale.*

CYCAS [sikas] n. m. — 1803 ; mot lat., du grec *koikos* «palmier d'Égypte».

Bot. Plante phanérogame gymnosperme *(Cycadées),* arbre ou arbuste exotique, à port de palmier, qu'on cultive en serre comme ornementale. *Le tronc du cycas renferme une moelle riche en fécule; on l'appelle couramment* arbre à pain.

Excursion à Thérézopolis au Camp dos Antes, la plus haute cime de la Serra dos Orgãos (le Champ des Tapirs, ainsi nommé parce que ces animaux paissaient dans l'épaisse prairie parsemée de cycas nains que l'on trouve au sommet).   CLAUDEL, Journal, 31 août 1918.

DÉR. Cycadées ou cycadales.

CYCLABLE [siklabl] adj. — 1893, *in* Petiot ; de *cycler,* et *-able.*

Réservé aux cyclistes (bicyclettes et vélomoteurs). *Piste cyclable d'une route. Trottoir cyclable.* — REM. Ce qualificatif a été précédé par *véloçable* (1870, *in* Petiot).

L'être humain adulte en est venu, quoique plus lentement que son compagnon quadrupède, à laisser le passage libre aux véhicules rapides. L'homme à pied ne grouille plus par bancs sur les trottoirs cyclables (...)
     A. JARRY, Spéculations, «Les piétons écraseurs», Œ. compl., t. VII, p. 38.

CYCLADIQUE [sikladik] adj. — Attesté mil. XXᵉ ; de *Cyclades,* grec *Kyklades,* nom d'un archipel de la mer Égée.

Didact. Des îles Cyclades. — Art cycladique, *de la civilisation ancienne (âge de bronze) des Cyclades. Une idole cycladique.*

N. m. Civilisation ancienne des Cyclades. *Le cycladique ancien date du IIIᵉ millénaire.*

CYCLAMATE [siklamat] n. m. — 1957 ; de 2. *cyclo-,* et suff. de *sulfamate.*

Chim. *Cyclamate de sodium* (cyclohexylsulfamate de sodium) : édulcorant de synthèse (→ Saccharine). «*L'utilisation des cyclamates dans les boissons et aliments (...) a été interdite aux États-Unis (parce qu'on les croit cancérigènes)*» (*Science et vie,* nᵒ 698, nov. 1975, p. 44).

CYCLAMEN [siklamɛn] n. m. — XIVᵉ, *ciclamen;* mot lat.; du grec *kuklaminos.*

♦ **1** Bot. et cour. Plante dicotylédone *(Primulacées)* herbacée, vivace, à rhizome tubéreux, dont les fleurs, très décoratives, portées par un pédoncule recourbé en crosse, ont un parfum agréable et une couleur d'un rose mauve caractéristique. (Il y a aussi des cyclamens blancs). *Le cyclamen, fleur de montagne.*

Il arrivait que le teint de ses joues atteignit le rose violacé du cyclamen, et parfois même, quand elle était congestionnée ou fiévreuse, et donnant alors l'idée d'une complexion maladive qui rabaissait mon désir à quelque chose de plus sensuel et faisait exprimer à son regard quelque chose de plus pervers et de plus malsain, la sombre pourpre de certaines roses d'un rouge presque noir.
     PROUST, À l'ombre des jeunes filles en fleurs, Folio, p. 622-623.

Fleur de cyclamen. *Un bouquet de cyclamens.*

♦ **2** (1894, *in* D.D.L.). Par métonymie. *Une robe couleur de cyclamen,* ou, ellipt., *une robe cyclamen,* d'un rose mauve. — N. m. (1924, *in* D.D.L.). *Le cyclamen,* cette couleur.

♦ **3** Parfum tiré du cyclamen.

CYCLANE [siklan] n. m. — 1946 ; de *cycl(ique),* et suff. *-ane.* → Propane.

Chim. Hydrocarbure cyclique saturé. — Syn. : *cycloalcane.*

DÉR. Cyclanique.

CYCLANIQUE [siklanik] adj. — XXᵉ ; de *cyclane.* Chim. Des cyclanes. *Carbures cycliques.*

CYCLAS [siklas] n. f. — 1896 ; *cyclade,* 1798 ; mot lat., du grec *kuklas.*

Antiq. Robe arrondie que portaient les Grecques et les Romaines.

1. CYCLE [sikl] n. m. — 1534 ; lat. *cyclus,* du grec *kuklos.*

[I] Abstrait. ♦ **1** Astron., chron. Période d'un nombre déterminé d'années à la fin de laquelle certains phénomènes astronomiques se produisent dans le même ordre. → **Cercle, révolution.** *Cycle solaire :* période de vingt-huit ans, à la fin de laquelle les dates des différents jours de l'année reviennent aux mêmes jours de la semaine. *Cycle lunaire* ou *métonien* (du nom de l'astronome Méton), dit aussi «nombre d'or» *: période de dix-neuf ans, qui ramène les lunaisons dans le même ordre. Études des cycles.* → **Chronologie;** et aussi **comput, épacte.**

Le premier de ces astronomes *(Méton)* se rendit célèbre par le cycle de dix-neuf années correspondant à deux cent trente-cinq lunaisons qu'il introduisit dans le calendrier.   1
     LAPLACE, Exposition du système du monde, V, 2, *in* LITTRÉ.

♦ **2** (XIXᵉ). Cour. Suite de phénomènes ou de métamorphoses se renouvelant dans un ordre immuable sans solution de continuité (→ L'éternel retour). *Le cycle des saisons, des heures. Le cycle liturgique. Les phases d'un cycle.*

(...) ce qui se déploie en lui, c'est une vision du mouvement   2
de l'année. Le rythme processionnel des quatre saisons (...) mais (...) le cycle imperturbable de l'année ne doit pas nous enseigner une sérénité paresseuse. Aucune récolte ne lève toute seule.
     J. ROMAINS, les Hommes de bonne volonté, t. IV, XXIII, p. 254.

L'histoire des religions nous montre sur de nombreux   2.1
exemples cette collusion du cycle lunaire et du cycle végétal. C'est ce qui explique la très fréquente confusion

sous le vocable de «Grande-Mère», de la terre et de la lune, toutes deux représentant directement ou indirectement la maîtrise des germes et de leur croissance.

Gilbert DURAND, les Structures anthropologiques de l'imaginaire, p. 340-341.

Écon. Alternance de périodes de croissance et de périodes de crise. *Cycle économique. Cycle des crises.* — *Cycle historique.*

Math. (alg.). Permutation* dans laquelle certains éléments subissent une permutation circulaire, les autres restant invariants.

Sc. Série de changements subis par un système, qui le ramène à son état primitif. → **Boucle.** *Les cycles d'un phénomène périodique. La fréquence d'un courant alternatif se mesure en hertz*, cycles par seconde. Cycle biogéochimique, qui assure la régénération des ressources de la biosphère.* **Spécialt.** *Cycle de l'azote*, de l'eau, du carbone*.*

Cycle de Carnot : cycle réversible idéal des transformations dans une machine thermique. — (1884). *Cycle d'un moteur à explosion,* à quatre temps (admission, compression, combustion, échappement) ou à deux temps. *Cycle de Bethe :* série de réactions nucléaires de l'atome de carbone (expliquant par ex. les hautes températures des étoiles).

Biol. *Cycles physiologiques. Cycle génital, menstruel* ou *œstrien :* déroulement régulier et continuel des phénomènes physiologiques sexuels chez la femme et chez le mammifère femelle. → **Formation, ménopause, menstrues, ovulation, période, puberté, règle** (règles).

3   Le cycle génital a été comparé à un film, mais à un film tournant au ralenti. En effet, tandis que le rythme de la circulation est très accéléré (...) celui des fonctions génitales de la femme va nécessiter une longue période de vingt-huit jours.
Les cycles sexuels commencent à la puberté pour se poursuivre jusqu'à la fin de la vie génitale (...) La durée du cycle est à peu près constante pour chaque espèce animale, mais varie d'une espèce à l'autre.

A. BINET, la Vie sexuelle de la femme, III, I, p. 90-91.

Géol. *Cycle des phénomènes géologiques,* comportant la sédimentation, puis l'émersion du continent et son érosion.

4   *L'histoire géologique de notre planète n'est pas autre chose que l'histoire de ces cycles successifs.* Chaque grand cycle correspond à une division de premier ordre dans la succession des temps géologiques.

Émile HAUG, Traité de géologie, t. I, I, p. 17-18.

Géogr. *Cycle d'érosion* (d'une région émergée), comprenant les stades dits de *jeunesse,* de *maturité,* de *sénilité.*

5   Si la réduction à l'état de pénéplaine représente le terme final de l'érosion normale, il est intéressant d'embrasser l'ensemble des transformations qui y conduisent. Cest encore à W. M. Davis qu'on doit l'expression de *cycle d'érosion* pour le désigner, expression qui a fait fortune.

E. DE MARTONNE, Traité de géographie physique, t. II, IV, p. 605.

♦ **3 Littér.** Série de poèmes épiques ou romanesques se déroulant autour d'un même sujet et où l'on retrouve plus ou moins les mêmes personnages. *Le cycle épique troyen. Les grands cycles narratifs du moyen âge : cycle antique, cycle arthurien, cycle carolingien, cycle breton* (ou *armoricain**).

6   Wagner a bien emprunté au cycle français de la Table Ronde et du Graal maints thèmes de ses drames (...)

DANIEL-ROPS, le Peuple de la Bible, III, p. 278.

♦ **4** (1902). **Admin., cour.** *Cycle d'études.* (En France). *Premier cycle* (6ᵉ, 5ᵉ, 4ᵉ, 3ᵉ), *second cycle* (jusqu'au baccalauréat), dans l'enseignement secondaire. — *Premier cycle* (1ʳᵉ et 2ᵉ années universitaires), *second cycle* (3ᵉ et 4ᵉ années universitaires), *troisième cycle*

(doctorat), dans l'enseignement supérieur. *Faire un troisième cycle. Doctorat, thèse de 3ᵉ cycle ;* ellipt *elle a eu son 3ᵉ cycle.*

II (Concret). *Cycle floral :* ensemble des pièces florales de même nature disposées autour de la tige. *Cycle des pétales.*

DÉR. Cyclique. ◊ **COMP. Recycler.**

2. CYCLE [sikl] n. m. — 1887 ; angl. *cycle,* du grec *kuklos* (→ 1. Cycle).

Véhicule à deux (ou plus rarement trois, quatre) roues, mû par la pression des pieds sur des pédales (→ **Bicyclette, célérifère, vélocipède**) ou par un moteur (→ **Motocycle**). *Cycle à trois* (→ **Tricycle**), *à quatre roues* (→ **Quadricycle**). *Cycle à deux places.* → **Tandem.** *Cycle à trois places* (ou *triplette*). *Magasin réparateur de cycles.* — *Cycles à moteur.* → **Motocycle ; autocycle, cycle-car, cyclomoteur, motocyclette, scooter, side-car, vélomoteur** (→ Un deux roues). *Cycle poussant une voiturette.* → **Triporteur.** *Fabricant de cycles. Réparateur et marchand de cycles.* → **Vélociste.**

(...) je voulus rendre ma bicyclette, mais le magasin de cycles qui me l'avait donnée en location n'existait pas encore.   M. AYMÉ, le Passe-muraille, p. 115.

DÉR. Cycler, cyclisme, cycliste. ◊ **COMP. Cycle-car, partiecycle.** — V. 3. **Cyclo-.**

-CYCLE Élément de certains mots savants (mais souvent du langage courant), du grec *kuklos* «cercle». → **Autocycle, bicycle, bicyclette, épicycle, hémicycle, motocycle, motocyclette, quadricycle, tricycle.**

CYCLE-CAR [siklakaʀ] n. m. — 1914, *in* D.D.L. ; *cyclecar,* 1913 ; de 2. *cycle,* et angl. *car.*

Vx. Voiturette à pédales. *Cycle-car à trois ou quatre roues.* → **Tricycle, quadricycle.**

CYCLER [sikle] v. intr. — 1892, *in* Petiot ; de 2. *cycle.*

Vx. Pédaler ; aller en cycle, à bicyclette.

Le bon pédard que cycler vanne
Affronte toute excursion
Grâce à cette précaution :
Il met dans le train sa bécane :
Tatane !

A. JARRY, Texte en relation avec l'Almanach illustré, Pl., p. 624.

DÉR. Cyclable.

CYCLICITÉ [siklisite] n. — 1976, → cit. ; de *cyclique.*

Didact. Caractère d'un phénomène cyclique. «*La cyclicité des fluctuations glaciaires, interglaciaires*» (la Recherche, juil.-août 1980, p. 795).

(...) en trike de Copala (langue mixtèque de l'État d'Oaxaca, Mexique), la réduplication du prédicat (itérative, intensive ou durative) suppose l'application des règles de sandhi tonal (Hollenbach, *Reduplication*), alors qu'elle devrait, en vertu du principe de cyclicité, précéder toutes les règles de la composante phonologique, puisqu'elle appartient à la composante syntaxique.

Claude HAGÈGE, Grammaire générative, Réflexions critiques, p. 90.

CYCLIQUE [siklik] adj. — 1679 ; *écrivain cyclique,* 1578 ; de 1. *cycle.*

♦ **1** Relatif à un cycle astronomique, chronologique. *Année cyclique.*

La lune est (...) à la fois mesure du temps et promesse explicite de l'éternel retour. L'histoire des religions souligne le rôle immense que joue la lune dans l'élaboration des mythes cycliques. Mythes du déluge, du renouveau, liturgies de la naissance et de la croissance, mythes de la

décrépitude de l'humanité s'inspirent toujours des phases lunaires.
Gilbert DURAND, les Structures anthropologiques de l'imaginaire, p. 337.

♦ **2** Cour. Qui se reproduit à intervalles réguliers. → **Périodique**. *Phénomènes cycliques. Crise cyclique.* Méd. (vx). *Folie cyclique.* — N. *Un, une cyclique :* malade dont les crises ont lieu à intervalles réguliers.

♦ **3** Didact. Qui manifeste un cycle, fonctionne selon un, des cycles.

Sc. Relatif à un système ramené à son état primitif après avoir subi une série de changements.
Qui se développe selon un processus invariable. *Maladie cyclique,* dont on peut prévoir chaque étape.

Math. *Courbe cyclique,* obtenue en coupant une courbe du second degré par une sphère.

Chim. *Série cyclique :* ensemble des composés organiques dont la molécule contient au moins une chaîne fermée (opposé à *acyclique*). → 2. **Cyclo-**. *Composé cyclique* à deux chaînes fermées (→ **Bicyclique**). *Hydrocarbure cyclique saturé.* → **Cyclane**.

♦ **4** Littér. D'un cycle littéraire. *Poèmes cycliques. Personnages cycliques,* qui réapparaissent dans un cycle littéraire. — N. m. plur. *Les cycliques :* auteurs ayant écrit après Homère sur la guerre de Troie ou sur les légendes de Thèbes.

Mus. *Œuvre cyclique,* où un thème reparaît dans chaque mouvement.

2 Ce morceau de musique qui dure depuis un certain temps, ou même depuis le début de la soirée, est une sorte de rengaine à répétitions cycliques, où l'on reconnaît toujours les mêmes passages à intervalles réguliers.
A. ROBBE-GRILLET, la Maison de rendez-vous, p. 64.

CONTR. Acyclique. ◊ DÉR. Cyclicité, cycliser. – COMP. Acyclique, alicyclique, anticyclique.

CYCLIQUEMENT [siklik(ə)mã] adv. — D. i.; de *cyclique,* 2. et 3.
Didact. De manière cyclique. *Un phénomène qui se reproduit cycliquement.*

CYCLISATION [siklizasjɔ̃] n. f. — 1906, in *Rev. gén. des sc.,* n° 18, p. 836; de *cycliser.*
Chim. Action de cycliser. *Cyclisation d'un composé chimique.*

CYCLISER [siklize] v. tr. — 1907, in *Rev. gén. des sc.,* n° 3, p. 122; de *cyclique* (3.).
Chim. Transformer, dans un composé chimique, une chaîne ouverte en chaîne fermée.
Pron. *Molécule qui se cyclise.*
DÉR. **Cyclisation.**

CYCLISME [siklism] n. m. — 1886, in Petiot; de 2. *cycle.*

♦ **1** Pratique de la bicyclette, du tandem. → **Vélocipédie** (vx). — *Le cyclisme, facteur de développement du tourisme.* → **Cyclotourisme.**
Par extension :
Le soleil alors prélève un plus grand tribut. Il la force (l'eau) à un cyclisme perpétuel, il la traite comme un écureuil dans sa roue.
F. PONGE, le Parti pris des choses, p. 62.

♦ **2** Sport de la bicyclette. *Cyclisme professionnel,* comportant *courses sur route* (avec compétition par équipes et «*luttes contre la montre*») et *courses sur pistes* (→ **Vélodrome**), avec épreuves de *vitesse,* de *fond* (endurance), de *demi-fond,* derrière *entraîneur* et à l'*américaine. Les professionnels du cyclisme.* → **Champion, coureur, cycliste, routier, stayer.**

CYCLISTE [siklist] adj. et n. — 1883, n.; adj., 1902; de 2. *cycle.*

♦ **1** Adj. Qui concerne le cyclisme. *Courses, coureurs, champions cyclistes. Les grands coureurs cyclistes. Dossard, maillot de coureur cycliste. Le peloton* des coureurs cyclistes.*

♦ **2** N. *Un, une cycliste :* personne qui va à bicyclette. → **Bicycliste** (vx). *Être renversé par un cycliste. Une jeune cycliste. Cyclistes roulant coude à coude, roue à roue. Chandail de cycliste.*

1 (...) le piéton court moins de risques que le cycliste ou le chauffeur; il s'expose à une simple chute de sa hauteur et non à une projection hors d'un appareil de vitesse, ni au bas de cet appareil précieux.
A. JARRY, le Piéton écraseur, Œ. compl., t. VII, p. 39.

2 J'ai vu les fétiches du musée de Nuremberg justifier leur très vieux rire par les dernières fumées qui filtraient de l'amas des ruines où une cycliste chargée de lilas cahotait dans le chant des camionneurs noirs (...)
MALRAUX, les Voix du silence, p. 623.

Spécialt. *Un cycliste :* un agent (de police), un livreur, un soldat (vx) à bicyclette. — Sport. Coureur.
Appos. ou adj. *Un chandail cycliste,* de cycliste.

3 Quelquefois il pleuvait et nous nous abritions sous des capes cyclistes, en ciré jaune.
S. DE BEAUVOIR, la Force de l'âge, p. 566.

♦ **3** Chaussure plate lacée rappelant celle des coureurs cyclistes. *Une paire de cyclistes.*
N. m. Short long et collant aux cuisses, comme celui que portent les coureurs cyclistes. → **Cuissard.**

CYCLITE [siklit] n. f. — '1865; du grec *kuklos* «cercle», et suff. *-ite.*
Méd. Inflammation du corps ciliaire de l'œil, le plus souvent associée à l'inflammation de l'iris.

CYCLO [siklo] n. m. — V. 1960; de *cyclomoteur.*
Fam. Abrév. de *cyclomoteur. Des cyclos.*

1. **CYCLO-, CYCL-** Élément, du grec *kuklos* «cercle», entrant dans la composition de termes didactiques. → **Cyclométrie, cycloptère, cyclorama, cyclostome, cyclotron ; épicycloïde.**

2. **CYCLO-, CYCL-** (De *cyclique*). Préfixe servant à former des mots de chimie, et indiquant la présence dans une molécule d'une chaîne fermée d'atomes. → **Cyclamate, cyclane, cyclohexane, cyclohexène, cyclopropane ;** aussi le suff. **-ane.** — On peut signaler aussi *cycloalcane* (→ **Cyclane**) ; *cyclopentane,* n. m.; *cyclopentadiène,* n. m. (hydrocarbure C_5H_6); *cyclophosphamide,* n. m.

3. **CYCLO-** (De 2. *cycle*). Élément entrant dans la formation de termes désignant un cycle (2. Cycle) ou un rapport au cycle. → **Cyclo-cross, cyclomoteur, cyclopousse, cyclorameur, cyclotourisme.**

CYCLO-CROSS [siklokrɔs] n. m. — 1927, in Petiot; de 3. *cyclo-,* et *cross (country).* → **Moto-cross.**
Épreuve de cyclisme en terrain accidenté. *Le gagnant du cyclo-cross.*
Le sentier, bourré d'ornières comme le sont de rails de tramway les rues de Marseille, orné de flaques d'eau croupie, était un parcours idéal de cyclo-cross.
René FALLET, le Triporteur, p. 110.

CYCLOGENÈSE [siklɔʒənɛz] n. f. — xxᵉ; de *cyclo(ne),* et *genèse.*
Didact. (météor.). Processus de la formation d'un cyclone. → **Dépression.**

CYCLOHEXANE [siklɔɛgzan] n. m. — 1905, in *Rev. gén. des sc.*, n° 19, p. 845; de 2. *cyclo-*, et *hexane*.

Chim. Cyclane de formule C_6H_{12}. Syn. : *hexaméthylène*. *On obtient le cyclohexane par hydrogénation catalytique du benzène.* «*L'usine* (...) *fut rasée par une gigantesque déflagration à la suite d'une fuite de cyclohexane*» (la *Recherche*, nov. 1979, p. 1147).

On peut également partir du benzène, que l'on hydrogène en cyclohexane (...)
> Jean VÈNE, Caoutchoucs et Textiles synthétiques, p. 82.

REM. On peut aussi signaler les comp. *cyclohexanol*, n. m. (alcool dérivé du cyclohexane) et *cyclohexanone*, n. m. (cétone).

DÉR. **Cyclohexanique.**

CYCLOHEXANIQUE [siklɔɛgzanik] adj. — 1936; de *cyclohexane*.

Chim. Du cyclohexane. *Chaîne cyclohexanique.*

CYCLOHEXÈNE [siklɔɛgzɛn] n. m. — 1903, in *Rev. gén. des sc.*, n° 2, p. 109; de 2. *cyclo-*, et *hexène*.

Chim. Carbure éthylénique à chaîne fermée, de formule C_6H_{10}.

Mais on peut aussi partir du cyclohexène, extrait du pétrole brut et qui fournit, par hydratation catalytique, le cyclohexanol.
> Jean VÈNE, Caoutchoucs et Textiles synthétiques, p. 82.

CYCLOÏDAL, ALE, AUX [siklɔidal, o] adj. — 1701; de 1. *cycloïde*.

Géom. Qui appartient à la cycloïde. *Courbe cycloïdale. Pendules cycloïdaux*, dont le mobile décrit un arc de cycloïde.

1. CYCLOÏDE [siklɔid] n. f. — 1638; adapt. du grec *kukloeidês* «circulaire», de *kuklos* (→ 1. Cycle, 1. cyclo-), et *-eidês* (→ -oïde).

Géom. Courbe décrite par l'entière révolution d'un point appartenant à la circonférence d'un cercle qui roule sans glisser sur une droite fixe. → **Roulette** (de Pascal), **trochoïde.**

La nuit, un point brillant sur une roue de bicyclette, je le vois décrire une cycloïde (...)
> SARTRE, Situations I, p. 240.

DÉR. **Cycloïdal.**

2. CYCLOÏDE [siklɔid] n. — 1930; all. *zykloid*, Kretschmer, grec *kukloeidês*. → 1. Cycloïde.

Psychiatrie (rare). Malade atteint de cycloïdie. → **Cycligue.** *Le cycloïde est un cyclothymique chez lequel l'alternance excitation-dépression a pris un caractère pathologique.*

Kretschmer a décrit les formules complexes du schizoïde et du cycloïde (...) La vie sexuelle du cycloïde, bien adapté à la vie sexuelle et aux hommes, est d'ordinaire sans incidents (...) bien fondue dans l'affectivité générale. Jamais, chez lui, la sexualité n'apparaît comme un corps étranger, ainsi qu'elle le fait chez le schizoïde.
> E. MOUNIER, la Relation sexuelle, vue d'ensemble, tiré du «Traité du caractère» (1948), *in* Dʳ WILLY, la Sexualité, t. I, p. 33-40.

Adj. *Tempérament cycloïde.*

DÉR. **Cycloïdie.**

3. CYCLOÏDE [siklɔid] adj. — 1900, Encycl. Berthelot, art. *Poisson; cycloïdes* «poissons à écailles circulaires», Agassiz, v. 1840; grec *kukloeidês*. → 1. Cycloïde.

Sc. nat. Se dit de l'écaille de certains poissons, dont le bord postérieur libre est lisse (opposé à *cténoïde*). Si le bord externe de l'écaille est lisse et arrondi, l'écaille est dite *cycloïde*; s'il est denticulé comme un peigne, elle est *cténoïde*. Sans en faire une loi absolue, on peut dire que les Malacoptérygiens ont en général des écailles cycloïdes et les Acanthoptérygiens des écailles cténoïdes. Les poissons à écailles cycloïdes ont, le mucus aidant, des téguments lisses, alors que les poissons à écailles cténoïdes sont plus ou moins rugueux au toucher. C'est l'impression que donnent par exemple la Perche et les *Gobius*.
> R. et M.-L. BAUCHOT, les Poissons, p. 27.

CYCLOÏDIE [siklɔidi] n. f. — 1946; de 2. *cycloïde*.

Psychiatrie (rare). Cyclothymie aiguë, tendance à la psychose maniaco-dépressive.

DÉR. **Cycloïdique.**

CYCLOÏDIQUE [siklɔidik] adj. — Mil. xxᵉ; de *cycloïdie*.

Psychiatrie. De la cycloïdie.

CYCLOMÉTRIE [siklometri] n. f. — 1948; de 1. *cyclo-*, et *-métrie* (→ -mètre).

Sc. (rare). Mesure des courbes, des cercles.

CYCLOMOTEUR [siklomɔtœr] n. m. — 1939, in Petiot; de 3. *cyclo-*, et *moteur*.

Bicyclette à moteur (moins de 50 cm³). → 3. **Cyclo-, vélomoteur.** «*Tout cyclomoteur doit porter une plaque indiquant le nom et le domicile de son propriétaire*» (le *Monde*, 29 août 1973). — Abrév. fam. : *cyclo* n. m. — REM. Le mot, plutôt de l'usage administratif, est assez répandu, sans être courant comme *vélomoteur* ou certains noms de marque (*mobylette*, etc.).

DÉR. **Cyclo, cyclomotoriste.**

CYCLOMOTORISTE [siklomɔtɔrist] n. — V. 1950; de *cyclomoteur*.

Admin. Personne qui roule en cyclomoteur. *Les motocyclistes et les cyclomotoristes.*

CYCLONAGE [siklonaʒ] n. m. — 1973; de *cyclone*, 3., et suff. *-age*.

Techn. Opération de séparation des différentes fractions d'un mélange par utilisation de la force centrifuge. «*Dans ce qui a traversé la grille, les verres seront séparés du reste par un cyclonage, c'est-à-dire par un tourbillon, pour être ensuite pulvérisés puis séparés par flottation dans un liquide de densité appropriée*» (*Science et Vie*, n° 319, sept. 1973).

CYCLONAL, ALE, AUX [siklonal, o] adj. — 1863; de *cyclone*.

Météorologie.

◆ **1** D'un cyclone (zone de basses pressions). *Aire cyclonale.*

◆ **2** Cyclonique. *Pluies cyclonales.*

CONTR. **Anticyclonal.**

CYCLONE [siklon] n. m. — 1860; mot angl., du grec *kuklos* «cercle».

◆ **1** Météor. et cour. Tempête caractérisée par le mouvement giratoire convergent et ascendant du vent autour d'une zone de basse pression où il a été attiré violemment d'une zone de haute pression. → **Tempête; ouragan, tornade;** → Perturbation, cit. 1. *Cyclone à très court rayon.* → **Trombe.** *Déchirure du ciel bleu, dite «œil de la tempête», au centre du cyclone. La marche du cyclone.* → 2. Marche, cit. 24. *Cyclone tropical : cyclone très violent, qui se forme sur les mers tropicales.* → **Hurricane, typhon.**

0.1 Or, les tremblements de terre (...) de ces jours-ci — et les cyclones qui s'ensuivirent — ayant aggravé — vu sa nature sensitive — l'affaissement nerveux dont il souffrait, il dut s'aliter, le 2 du courant, se jugeant au plus mal.
VILLIERS DE L'ISLE-ADAM, Tribulat Bonhomet, p. 181 (1887).

1 La force du vent est d'autant plus grande que le «gradient» ou différence des deux pressions (la haute et la basse) est plus élevé. Si le «gradient» est très fort, le mouvement tourbillonnaire du vent autour de la basse pression qui l'attire peut être d'une grande violence : c'est alors un «cyclone», dans le sens vulgaire du mot. Ainsi s'expliquent les «*tornades*» d'Afrique, les «*hurricanes*» de l'Amérique Centrale et des Antilles, les «*typhons*» de l'Extrême-Orient, les «*bourrasques*» de l'Atlantique et de l'Europe Occidentale. Quelquefois la dépression atteint un chiffre si bas qu'elle fait ventouse, jouant le rôle d'un véritable aspirateur, soulevant en spirales l'eau de la mer, le sable des continents, tandis que le vent de l'anticyclone (haute pression) qu'elle a attiré tourne autour d'elle avec une telle violence qu'il enlève le toit des maisons et fauche les arbres... Un cyclone, en 1927, a saccagé *Tamatave* à Madagascar, coulant les bateaux dans la rade.
BARON, Géogr. générale, chap. XII, p. 177.

Par métonymie. La zone de basse pression elle-même. Syn. : *aire cyclonale* (→ **Cyclonal**) ou *minimum* (opposé à : *zone de haute pression, anticyclone, aire anticyclonale* ou *maximum*). *Différence de pression entre le cyclone et l'anticyclone.* → **Gradient** (→ ci-dessus, cit. 1).

2 On connaissait dans la zone tropicale des tourbillons atmosphériques très violents, appelés cyclones dans le nord de l'Océan Indien, et dont le passage est marqué par une forte baisse du baromètre. Par analogie, on a donné le nom d'*aires cyclonales* (on dit aussi *cyclones*) aux régions de basses pressions enveloppées par des isobares concentriques. On a forgé l'expression d'*aire anticyclonale* ou *anticyclone*, pour désigner les régions de hautes pressions enveloppées également par des isobares fermées.
E. DE MARTONNE, Traité de géographie physique, t. I, III, p. 158.

3 Suivant le mot heureux de Teisserenc de Bort, le temps est réglé par la position des «centres d'action de l'atmosphère», c'est-à-dire des minima barométriques, ou cyclones, et des maxima, ou anticyclones. Leurs déplacements constants dans la zone tempérée sont la cause des changements que nous constatons journellement dans l'état du ciel.
E. DE MARTONNE, Traité de géographie physique, t. I, V, p. 206.

♦2 Cour. Bourrasque en tourbillon, vent très violent. → **Tornade, tourbillon.** *Être pris par un cyclone à l'entrée de la rue.*

Par compar. ou par métaphore. *Cette personne est un cyclone*, elle bouleverse tout, étourdit tout le monde. *Arriver comme un cyclone, en cyclone.* → **Tourbillon** (en), **trombe** (en), **vent** (en coup de vent).

4 Elle allait à grandes phrases lui reprocher son inconséquence. Et que serait-ce quand elle apprendrait qu'il désirait partir !... Il préférait ne pas imaginer la scène. Cyclone de hurlements et de gestes !... Que cette agitation, ce bruit lui répugnaient !
H. TROYAT, le Vivier, p. 216.

Vie bouleversée par un cyclone, par une catastrophe soudaine et terrible.

♦3 Techn. Appareil à pièces mobiles (souvent de forme cylindroconique) qui entraîne violemment dans un fluide des déchets, des particules (grains), etc.; spécialt, appareil de lavage des fines de charbon. *Séparateur à cyclones.* — **Appos.** *Foyer cyclone*, où les particules combustibles sont entraînées dans un mouvement giratoire rapide. — **REM.** Dans ce sens, on emploie en techn. un dérivé *cycloner* (v. tr.).

CONTR. Calme; anticyclone, maximum. ◊ **DÉR.** Cyclonage, cyclonal, cyclonique. ← **COMP.** Anticyclone, cyclonomie.

CYCLONIQUE [siklɔnik] adj. — 1875; de *cyclone*.

Météor. Qui accompagne un cyclone (tempête). *Pluies cycloniques.*

Cette fois, il approchait, j'ouvrais les bras pour le recevoir, quand un vent cyclonique le chassa de côté vers une porte entr'ouverte.
Henri MICHAUX, Ailleurs, p. 239.

Fig. «*L'alcoolique avait des fureurs cycloniques*» (Henri Calet, *la Belle Lurette*, p. 166).

CYCLONOMIE [siklɔnɔmi] n. f. — 1863, ex. ci-dessous; de *cyclone*, et *-nomie*.

Sc. (météor.). Vx. Étude des cyclones; théorie des cyclones. «*Manuel de cyclonomie, extrait de l'Étude de M. Bridet, sur les ouragans de l'hémisphère austral (...), 1863*» (in *Année sc. et industr.* 1864, p. 219 [1863]).

CYCLOPE [siklɔp] n. m. — XVᵉ; *ciclope*, 1372; lat. *cyclops*; grec *kuklôps*, de *kuklos* «cercle», et *ops* «œil».

♦1 Dans la mythologie grecque, Géant monstrueux n'ayant qu'un œil au milieu du front. *Les cyclopes, dans les récits mythologiques, mènent la vie pastorale et se nourrissent de chair humaine* (→ Anthropophage, cit.). *Les cyclopes, forgerons de Vulcain. Ulysse crevant l'œil du cyclope Polyphème. Le cyclope Polyphème amoureux de la nymphe Galatée. Les plaintes du cyclope*, poème de Leconte de Lisle.

Apollon (...) indigné de ce que Jupiter par ses foudres troublait le ciel (...) voulut s'en venger sur les Cyclopes qui forgeaient les foudres, et il les perça de ses flèches. Aussitôt le mont Etna cessa de vomir des tourbillons de flamme; on n'entendit plus les coups des terribles marteaux (...)
FÉNELON, Télémaque, 2ᵉ livre.

♦2 Méd. Monstre à œil unique (→ **Cyclopie, cyclopien**). — (1732). → **Borgne.**

Pontchartrain, ce détestable cyclope (...)
SAINT-SIMON, Mémoires (in Hatzfeld).

♦3 Cour. Personne qui forge un travail considérable. → **Titan.** *Travail de cyclopes :* œuvre gigantesque (→ **Cyclopéen**).

Poét., vx. *C'est l'antre des cyclopes*, se dit d'une forge, d'une usine métallurgique. — Par ext. (poét.). Forgeron.

♦4 (1801). Zool. Petit crustacé d'eau douce, à l'œil unique très apparent (*Copépodes*). On dit aussi *cyclops* [siklɔps].

DÉR. Cyclopéen.

CYCLOPÉEN, ENNE [siklɔpeɛ̃, ɛn] adj. — 1808; de *cyclope*.

♦1 Didact. Qui se rapporte aux cyclopes. *Légendes cyclopéennes.* — *Murs cyclopéens, constructions cyclopéennes :* enceintes et monuments remontant à l'époque mycénienne et faits de blocs de pierre si énormes que la tradition les attribuait aux cyclopes. → **Pélasgique.** *Les portes des Lionnes, à Mycènes, monument cyclopéen.*

Toute la base du monument est en pierres géantes, d'aspect cyclopéen, et fut construite par le roi David, pour honorer magnifiquement le tombeau du père des Hébreux (...)
LOTI, Jérusalem, III, p. 26.

♦2 (1823). Littér. Énorme, gigantesque. *Un travail cyclopéen.*

On avait l'impression de pénétrer dans les entrailles d'un formidable massif, d'un enchevêtrement de monts cyclopéens.
VAN DER MEERSCH, l'Élu, p. 205.

CONTR. Insignifiant, minime, minuscule, puéril.

CYCLOPIE [siklɔpi] n. f. — 1832, I. Geoffroy Saint-Hilaire; de *Cyclope*, géant de la mythol. grecque pourvu d'un seul œil.

Didact. (tératologie). Malformation congénitale avec fusion des deux orbites et existence d'un œil unique.

DÉR. Cyclopien.

CYCLOPIEN, IENNE [siklɔpjɛ̃, jɛn] adj. et n. — 1863; de *cyclopie*.

Didact. (tératologie). Affecté de cyclopie. *Monstre cyclopien.*

CYCLO-POUSSE ou **CYCLOPOUSSE** [siklopus] n. m. — 1966; de 3. *cyclo-*, et *pousse*. → Pousse-pousse.

Pousse-pousse tiré par un cycliste. → **Vélopousse.** *«La colonne des cyclopousses»* (*l'Express*, 5 janv. 1980, p. 92).

Il connaissait Phnom Penh, ses larges avenues : Mao, de Gaulle, Nehru... Son trafic vibrant de klaxons, engorgé de cyclo-pousses, noyé dans une fumée grasse.
Claude COURCHAY,
La vie finira bien par commencer, p. 199.

CYCLOPROPANE [siklopʀɔpan] n. m. — D. i.; de 2. *cyclo-*, et *propane*.

Chim. Hydrocarbure cyclanique gazeux, C_3H_6, employé comme anesthésique dans les interventions de courte durée. Syn. : *triméthylène*.

CYCLOPTÈRE [siklɔptɛʀ] n. m. — D. i.; de 1. *cyclo-*, et *-ptère*.

Zool. Poisson téléostéen (*Cycloptéridés*) au squelette peu ossifié, à peau nue, à disque adhésif ventral, vivant dans les mers froides (n. sc. : *Cyclopeus lumpus*. → **Lump**). Syn. vieillis : *mollet, poule de mer* (le mâle surveille la ponte).

CYCLORAMA [siklɔʀama] n. m. — V. 1960; de 1. *cyclo-*, et *-(o)rama*.

Techn. (théâtre, cin., télév.). Toile de fond semi-circulaire ou semi-elliptique enveloppant un décor, sur laquelle on fait des projections lumineuses pour obtenir des effets spéciaux. *«Devant un cyclorama gris foncé, sur lequel se refléteront incendies, éclairs et fumées»* (*le Nouvel Obs.*, 14 nov. 1977).

CYCLORAMEUR [siklɔʀamœʀ] n. m. — 1936; de 3. *cyclo-*, et 1. *rameur*.

Tricycle d'enfant, dirigé avec les pieds et mû par la force des bras.

CYCLOSPORINE [siklospɔʀin] n. f. — 1976; de *cyclo-*, et *spore*.

Pharm. Substance médicamenteuse extraite de champignons inférieurs, connue pour ses propriétés immunodépressives et utilisée pour éviter les réactions de rejet après une greffe d'organes. — Graphie fautive : *ciclosporine*.

CYCLOSTOME [siklostom] n. m. — 1801; de 1. *cyclo-*, et lat. sc. *stoma* «bouche».

Zoologie.

♦ **1** Mollusque gastéropode prosobranche, sous-ordre des monocardes, chez lequel la cavité palléale est transformée en poumon. *Le cyclostome vit sur terre et dans les lieux humides.*

♦ **2** N. m. pl. **CYCLOSTOMES** : sous-classe de poissons dont le corps allongé n'est soutenu que par un squelette cartilagineux et recouvert d'une peau molle sans écailles, et qui possèdent une bouche circulaire en entonnoir formant ventouse.

→ **Agnathes**. *Types principaux :* lamproie (lampetra, pétromyzon), myxine. *Les cyclostomes sont les poissons les moins organisés.* — Au sing. *Un cyclostome.*

♦ **3** N. m. pl. *Cyclostomes :* ordre de Bryozoaires marins dont la zoécie a un opercule lisse. — Au sing. *Un cyclostome.*

CYCLOTHYME [siklɔtim] n. — 1953; de *cyclothymique*.

Méd. (vieilli). Personne atteinte de cyclothymie.
→ **Cyclothymique.**

Le cyclothyme est un extraverti (*Jung*) tourné vers l'extérieur, vibrant à l'unisson avec l'ambiance ; Bleuler a appelé syntonie cet accord affectif du sujet et de son milieu humain.
Jean DELAY, la Psycho-physiologie humaine, p. 80.

CYCLOTHYMIE [siklɔtimi] n. f. — 1909; mot all. (1882), du grec *kuklos*, et *thumos* «état d'esprit».

Méd., psychol. Anomalie ou constitution psychique qui fait alterner les périodes d'excitation (instabilité, euphorie) et de dépression (apathie, mélancolie).

Il est probable enfin qu'Alexis se situe plus près de la cyclothymie — et peut-être de la schizothymie ou de la schizoïdie — que de la paranoïa coutumière chez les puissants et les chefs d'empire.
Jean D'ORMESSON, la Gloire de l'Empire, t. II, p. 523.

DÉR. Cyclothymique.

CYCLOTHYMIQUE [siklɔtimik] adj. — 1909; de *cyclothymie*.

Médecine, psychologie.

♦ **1** De la cyclothymie. *État cyclothymique.*

♦ **2** Atteint de cyclothymie. *Il est cyclothymique.* REM. Ce terme de médecine tend à se répandre dans l'usage courant au sens de «qui est d'humeur instable». — N. *Un, une cyclothymique.*

Il a dû vous expliquer, sans doute, que je suis un cyclothymique, donc assez fréquemment sujet à des dépressions (...) Geneviève DORMANN, Saint Jules, p. 193.

DÉR. Cyclothyme.

CYCLOTOURISME [sikloturism] n. m. — 1893, in Petiot; *cyclo-tourisme*, 1890; de 3. *cyclo-*, et *tourisme*.

Didact. Tourisme à bicyclette. *La Fédération française de cyclotourisme. Faire du cyclotourisme.*

CYCLOTOURISTE [sikloturist] n. — 1893, in Petiot; *cyclo-touriste*, 1890; de 3. *cyclo-*, et *touriste*.

Didact. Personne qui pratique le tourisme à bicyclette. *«Une bicyclette de cyclotouriste à pneus ballons»* (Michel Déon, *le Jeune Homme vert*, p. 145). — Adj. *Épreuve cyclotouriste.*

CYCLOTRON [siklotʀɔ̃; siklɔtʀɔ̃] n. m. — V. 1930; de 1. *cyclo-*, et *(élec)tron*.

Phys. nucl. Accélérateur circulaire de particules lourdes dans lequel le champ magnétique et la fréquence du champ électrique alternatif sont fixes.
→ aussi **Synchrocyclotron.**

Le principe du cyclotron se ramène à celui de la balançoire : en donnant une série de petites impulsions, il est possible à un enfant d'envoyer très haut un homme de 80 kilos. C'est aussi par une série de petites impulsions ne mettant chacune en jeu qu'un voltage très modéré que le cyclotron parvient à imprimer à des particules une énergie correspondant à plus de 20 millions de volts. S'il est balançoire, il est d'ailleurs aussi fronde, car, en faisant tourner les particules avec une vitesse toujours accrue, il les oblige finalement à se ruer sur la cible à transmuer avec une rapidité de milliers de kilomètres à la seconde.
Pierre ROUSSEAU, Hist. de l'atome, VII, p. 136.

COMP. Synchrocyclotron.

CYCNOÏDE [siknɔid] adj. — 1866; dér. sav., du lat. *cycnus* (→ Cygne), et *-oïde.*

Didact. Qui évoque les allures d'un cygne. — On dit aussi *cycniforme* [siknifɔrm] adj. (1913).

CYGNE [siɲ] n. m. — Mil. XIIIe; réfection de *cisne,* v. 1170, du lat. pop. *cicinus,* d'après le lat. class. *cygnus,* var. de *cycnus,* grec *kuknos.*

♦ **1** Oiseau palmipède *(Anatidés),* de grande taille, migrateur, remarquable par la blancheur éclatante et soyeuse de son plumage (exception faite d'une espèce d'Australie dite *cygne noir*), par la longueur de son cou flexible, par la grâce majestueuse de sa nage. *Cygne domestique* ou *cygne commun. Cygne tuberculé :* cygne domestique, au bec orangé surmonté d'un tubercule oblong. — *Cygne sauvage. Cygne chanteur* ou *à bec noir :* cygne sauvage, à bec noir, jaune à la base, sans caroncule *(cygne de Bewick). Cygne trompette d'Amérique* (buccinator). *Cygne nain de Sibérie. Le passage des cygnes. Qui a l'allure du cygne.* → **Cycnoïde.** — Myth. *Le chant du cygne :* le chant d'une douceur merveilleuse que, d'après une tradition fabuleuse, le cygne exhale au moment de mourir (→ ci-dessous, 2., e et cit. 10, Buffon).

Spécialt. Le mâle adulte de cette espèce. *Jupiter se transforma en cygne pour séduire Léda.*

Littér. Mus. *Le Chevalier au Cygne,* de Lohengrin. *Le Cygne,* titre d'un poème de Baudelaire, d'un poème de Sully Prudhomme, d'une page musicale de Saint-Saëns. *Le Lac des cygnes,* ballet romantique de Tchaïkovski.

0.1 Les grâces de la figure, la beauté de la forme répondent, dans le cygne, à la douceur du naturel; il plaît à tous les yeux, il décore, embellit tous les lieux qu'il fréquente; on l'aime, on l'applaudit, on l'admire. Il nage si vite, qu'un homme, marchant rapidement au rivage, a grand'peine à le suivre. Il vit longtemps, jusqu'à trois cents ans, a-t-on dit, mais sans doute avec exagération.
BUFFON, Hist. nat. des animaux, le Cygne.

1 Lui *(Byron)* qui, rassasié de la grandeur humaine,
Comme un cygne, à son chant sentait sa mort prochaine,
Sur terre autour de lui cherchait pour qui mourir (...)
A. DE MUSSET, Poésies nouvelles,
Lettre à Lamartine.

2 (...) le chant du cygne, un chant merveilleux tout trempé de pleurs, montant jusqu'aux sommités les plus inaccessibles de la gamme, et redescendant l'échelle des notes jusqu'au dernier degré (...)
Th. GAUTIER, le Nid de rossignols, p. 251.

3 *(Je vis)* Un cygne qui s'était évadé de sa cage,
Et, de ses pieds palmés frottant le pavé sec,
Sur le sol raboteux traînait son blanc plumage.
BAUDELAIRE, les Fleurs du mal, «Le cygne».

4 Sans bruit, sous le miroir des lacs profonds et calmes,
Le cygne chasse l'onde avec ses larges palmes,
Et glisse. Les flancs et plumage est pareil
À des neiges d'avril qui croulent au soleil (...)
SULLY PRUDHOMME, les Solitudes, «Le cygne».

5 Et voici que les beaux cygnes, l'un après l'autre, troublés par ce bruit, au profond de leurs sommeils, se détiraient onduleusement la tête de dessous leurs pâles ailes d'argent (...) et les purs cols de neige de deux ou trois chanteurs étaient traversés ou brisés avant l'envolée radieuse des autres oiseaux-poètes. Alors l'âme des cygnes expirants s'exhalait, oublieuse du bon docteur, en un chant d'immortel espoir, de délivrance et d'amour, vers des Cieux inconnus.
VILLIERS DE L'ISLE-ADAM, Tribulat Bonhomet,
p. 16-17.

6 Rien n'est beau comme de les voir côtoyer le lac et parler aux cygnes, tandis que le jeune Louis-Pilate leur jette des pierres... déjà!
— Je voudrais bien savoir pourquoi on appelle ces volatiles des cygnes? demande M. Isidor-Joseph Tarabustin.
À quoi l'ami répond avec un grincement.

— Ce sont des oies qui ont le cou trop long, voilà tout... Toujours l'amour du mensonge.
O. MIRBEAU,
les Vingt et un Jours d'un neurasthénique, p. 82.

Et je ne chante pas comme le cygne chante 7
Quand il atteint le jour à sa nuit dévolu
ARAGON,
le Voyage de Hollande et autres poèmes, p. 91.

Par ext. *Duvet de cygne,* dont on garnit les coussins, les édredons. *Plumes de cygne,* dont on se sert comme poil de pinceau. — Ellipt. *Du cygne :* duvet, peau ou plumes de cygne. *Manteau garni de cygne.*

C'étaient des pantoufles en satin rose, bordées de cygne. 8 Quand elle s'asseyait sur ses genoux, sa jambe, alors trop courte, pendait en l'air, et la mignarde chaussure, qui n'avait pas de quartier, tenait seulement par les orteils à son pied nu. FLAUBERT, Mme Bovary, III, V.

Par compar. (littér.). *Une blancheur de cygne :* une blancheur éclatante. — *Un cou de cygne :* un cou long, étroit, blanc, flexible et gracieux. «*Édith au cou de cygne*», maîtresse d'Harold, roi d'Angleterre. — Hippol. *Encolure de cheval en col de cygne.*

♦ **2** Par métaphore ou compar., vieilli ou littér. **[a]** (Idée d'innocence). *Une candeur de cygne. Être blanc comme cygne :* n'avoir rien à se reprocher.

(...) il *(Luxembourg)* est sorti de la Bastille plus blanc qu'un 9 cygne (...) Mme DE SÉVIGNÉ, 811, 18 mai 1680.

[b] Vx. *Avoir la lenteur, la puissance d'un cygne,* de la majesté, de la force.

[c] Loc. Vx. *Faire un cygne d'un oison :* s'attacher une personne qui n'en est pas digne. *Être bête comme un cygne.* → **Oie.**

[d] Littér. Surnom donné à différents artistes (auteur, compositeur, orateur) à cause de la douceur mélodieuse de leur style. *Le cygne de Mantoue :* Virgile. *Le cygne d'Ionie :* Homère. *Le cygne de Dircé :* Pindare. *Le cygne de Cambrai :* Fénelon.

[e] Loc. fig. *Chant du cygne :* dernier chef-d'œuvre avant un silence définitif (→ ci-dessus, 1.).

Les anciens ne s'étaient pas contentés de faire du cygne 10 un chantre merveilleux : seul entre tous les êtres qui frémissent à l'aspect de leur destruction, il chantait encore au moment de son agonie, et préludait par des sons harmonieux à son dernier soupir. Nulle fiction en histoire naturelle, nulle fable chez les anciens, n'a été plus célébrée, plus répétée, plus accréditée. Les cygnes, sans doute, ne chantent point leur mort; mais toujours, en parlant du dernier essor et des derniers élans du cygne près de s'éteindre, on rappellera avec sentiment cette expression touchante : C'est le chant du cygne!
BUFFON, Hist. nat. des animaux, Le Cygne.

♦ **3** Loc. techn. **COL DE CYGNE :** tuyau ou tube recourbé. — **BEC DE CYGNE :** robinet dont la forme évoque un *bec de cygne.* (On dit aussi *col de cygne,* dans ce sens.) — Chir. *Bec de cygne :* pince de la forme d'un bec de cygne.

♦ **4** Astron. *Constellation du Cygne,* constellation boréale.

HOM. Signe. — Formes du v. **signer.**

CYLINDRAGE [silɛ̃draʒ] n. m. — 1765; de *cylindrer.*

Techn. Passage sous un cylindre ou entre deux cylindres. *Le cylindrage d'une étoffe. Cylindrage à froid d'une étoffe.* → **Calandrage.**

Compression par un rouleau. *Le cylindrage du macadam.*

CYLINDRAXE ou **CYLINDRE-AXE** [silɛ̃draks] n. m. — 1863; de *cylindre,* et *axe.*

Anat. Vx. Axone.

La cellule nerveuse (ou *neurone*) comprend un corps ou centre cellulaire, l'ancienne cellule nerveuse, analogue aux cellules des autres organes et pourvu comme elles d'un noyau. De ce corps cellulaire partent des fibres nerveuses en nombre variable ; l'une souvent très longue et peu ramifiée est le *cylindraxe* ou *axone* (...)

> Paul CHAUCHARD,
> le Système nerveux et ses inconnues, p. 15.

CYLINDRE [silɛ̃dʀ] n. m. — V. 1380 ; lat. *cylindrus*, grec *kulindros*.

♦ 1 Géom. Solide engendré par une droite qui se déplace parallèlement à elle-même en s'appuyant sur une courbe (dite directrice). *Cylindre de révolution,* dont la directrice est un cercle. *Cylindre droit. Cylindre oblique. Directrice, génératrice d'un cylindre. Bases circulaires d'un cylindre. Diamètre du cylindre.* → **Calibre.** *Aire latérale du cylindre* $(2\pi Rh)$. *Volume du cylindre* $(\pi R^2 h)$. → **Cylindrée.** *Volume déterminé par deux plans qui passent par l'axe du cylindre.* → **Onglet.**

♦ 2 Techn. et cour. Rouleau (de bois, de pierre, de métal...) employé pour soumettre certains corps à une pression uniforme. → **Meule, rouleau ; cylindrage, cylindrer.** *Cylindre pour briser les mottes d'un champ.* → **Brise-mottes.** *Cylindre compresseur.* → **Compresseur.** *Cylindre de laminoir.* → **Laminoir.** *Cylindre de travail. Broyeur* à cylindres. Cylindre à fouler, à lustrer, à moirer, à imprimer les étoffes.* → **Calandre.** *Cylindre à broyer les chiffons dans une papeterie. Cylindre défibreur, raffineur, refroidisseur, sécheur* (fabrication de papier).

1   Il écoute le bruit des courroies et des cylindres broyeurs qui triturent la pâte humide, puis il traverse de grands ateliers silencieux.
> J. CHARDONNE, les Destinées sentimentales, II, III, p. 268.

Archéol. Petit rouleau de pierre, de bois, de bronze, gravé, servant de sceau, dont l'ornementation est parfois remarquable (→ **Cylindre-sceau**).

1.1   De cette époque *(archaïque)* datent de nombreux cylindres ou des empreintes sur bouchons de jarre, qui figurent soit des défilés d'animaux, soit des emblèmes ou des hiéroglyphes, et qui sont en étroit rapport avec certaines classes de cylindres élamites ou sumériens.
> G. CONTENAU et V. CHAPOT, l'Art antique, p. 20.

♦ 3 (Av. 1900). Techn., cour. **a** Enveloppe cylindrique de métal dans laquelle se meut le piston d'une machine à vapeur, d'un moteur à explosion. *Machine à plusieurs cylindres.* → 1. **Compound.** *Moteurs à un, deux cylindres* (→ **Monocylindre, bicylindre**), *à cylindres opposés. Cylindres à plat* (→ **Flat-four, flat-twin**), *en ligne, en V...* — (1903, in *Rev. gén. des sc.,* n° 18, p. 942). *Cylindres inclinés. Cylindre culbuté. Chemise, soupapes d'un cylindre. Rectification d'un cylindre.* → **Alésage.** *Volume des cylindres d'un moteur.* → **Cylindrée.**

1.2   J'aurais peut-être surpris l'amour paresseux, sourd, profond, rythmé et qui ne finit pas du piston d'acier gris luisant et du cylindre huileux.
> Henri CALET, la Belle Lurette, p. 181.

(1914 ; n. m., 1903). Fam. *Un n cylindres :* un moteur de n cylindres. — *Une six cylindres :* une automobile à six cylindres. *Une quatre cylindres* (fam. *une quatre pattes*) : une moto à quatre cylindres.

1.3   (...) le S.T. 19, sans soupape, allait changer les séries pour des avantages non certains par rapport au M. 14 de la Société des Moteurs actuellement en cours et qui n'avait que 50 chevaux de moins que le quatorze cylindres américain.
> Pierre HAMP, la Peine des hommes (Moteurs), p. 9.

1.4   Il y a des gens qui croient qu'il suffit de penser qu'on a un moteur à la place du cœur, des cylindres dans les poumons, un delco à la place du foie, des vilebrequins

dans les entrailles et un carburateur dans l'estomac. Mais ça c'est idiot, c'est une plaisanterie.
> J.-M. G. LE CLÉZIO, les Géants, p. 187.

b (Autres mécanismes). *Le cylindre d'une pompe.* → **Corps** (de pompe). — *Le cylindre d'une machine à écrire.*

1.5   *(Le)* type assis derrière la Remington, celui-ci retirant d'un coup sec la feuille engagée, introduisant une autre feuille, faisant tourner le cylindre, le réglant, puis commençant à taper (...)
> Claude SIMON, le Palace, p. 170.

♦ 4 Objet plus ou moins long et épais, de forme arrondie. *Cylindre d'assemblage.* → **Manchon.** *Cylindres pour enrouler certaines choses.* → **Bobine, canette, tambour.** *Cylindre de chronomètre. Cylindre de revolver.* → **Barillet ;** aussi **bâton, bâtonnet, boudin, canon, cartouche, colonne, coussinet, mandrin, rondin, tambour, tige, tube.**

(1878). Ancienn. Cylindre servant de support à un enregistrement. *Phonographe à cylindres.* — *Le cylindre d'un orgue de barbarie, d'une boîte à musique.*

Vx. Rouleau (de cheveux).

1.6   Son cylindre sur la nuque donnait à sa mine éveillée, à son regard hardi une badauderie affectée.
> Louise MICHEL, la Misère, t. I, p. 152.

Mus. Tube (des instruments à vent et à piston).

(1842). *Bureau à cylindre :* bureau sur lequel s'adapte un couvercle cylindrique.

2   Elle resta un moment immobile, puis, sans bruit, souleva le cylindre du bureau, prit des lettres, des photographies.
> J. CHARDONNE, les Destinées sentimentales, II, V, p. 326.

♦ 5 (Formes naturelles). Bot. Région centrale de la tige et de la racine ou d'un tronc.

Biol., méd. Masse microscopique de substance protéique, qui se forme dans les tubes urinifères et en prend la forme. *Cylindres urinaires. Cylindres amorphes. Cylindres épithéliaux, hématiques, leucocytaires, granuleux* (pouvant avoir un rôle pathologique). *Cylindres muqueux* (ou *cylindroïdes*), amorphes. *Présence de cylindres dans les urines (cylindrurie).*

3   (...) en prenant connaissance des résultats de l'analyse. Un peu d'albumine et des cylindres, ce ne serait rien (...)
> Hervé BAZIN, Qui j'ose aimer, VII, p. 64.

DÉR. Cylindrée, cylindrer, cylindrique, cylindroïde.
◊ COMP. Cylindraxe, cylindre-sceau. Bicylindres, bloc-cylindres, monocylindre, porte-cylindres. Hémicylindrique, monocylindrique. V. **Cylindro-.**

CYLINDRÉE [silɛ̃dʀe] n. f. — 1886 ; de *cylindre.*

Techn. et cour. Volume des cylindres d'un moteur à explosion (demi-produit de l'alésage au carré par π, par la course et par le nombre de cylindres). *Voiture de 1 500 cm³ de cylindrée* (ellipt : *une 1 500*). → **Cube.** — Par métonymie. *Une petite, une grosse cylindrée :* voiture, moto de petite, grosse puissance.

HOM. Cylindrer.

CYLINDRER [silɛ̃dʀe] v. tr. — 1765 ; de *cylindre.*

♦ 1 Donner la forme d'un cylindre à (qqch.). *Tour à charioter pour cylindrer une pièce extérieurement. Cylindrer du linge empesé, de la dentelle.* → **Tuyauter.** *Cylindrer du papier,* le mettre en rouleau.

♦ 2 Faire passer sous un rouleau. *Cylindrer du linge,* pour le fouler, le lustrer. → **Calandrer.** *Nappe cylindrée.* — Par ext. *Cylindrer une route.* → **Rouleau** (passer le).

◆ **CYLINDRÉ, ÉE** p. p. adj.

◆ **1** Qui a reçu la forme d'un cylindre. → **Cylindrique**. *Pièce cylindrée.* — Qui est passé sous un rouleau. *Macadam cylindré.*

◆ **2** (V. 1960). Argot. Loufoque, dingue. → **Cintré**.

«Y vont peut-être être tous fous, mais en attendant, c'est toi qu'es cylindrée, ma fille», pensé-je (...)
A. SARRAZIN, la Cavale, p. 359.

DÉR. Cylindrage, cylindreur. ◊ **HOM. Cylindrée.**

CYLINDRE-SCEAU [silɛ̃dRǝso] n. m. — XXᵉ; de *cylindre*, et *sceau*.

Archéol. Petit cylindre de bronze gravé servant de sceau et agissant par roulement (dans les civilisations anciennes du Moyen Orient). Plur. *des cylindres-sceaux.*

À l'époque kassite, les *cylindres-sceaux* changent de caractère et tendent de plus en plus vers la clarté et la simplicité qui sont caractéristiques de l'art babylonien (...)
G. CONTENAU et V. CHAPOT, l'Art antique, p. 74.

CYLINDREUR, EUSE [silɛ̃dRœR, øz] n. — 1817; de *cylindrer*.

Techn. Personne qui cylindre un objet; ouvrier, ouvrière chargé(e) d'un cylindrage.

CYLINDRICITÉ [silɛ̃dRisite] n. f. — XXᵉ; de *cylindrique*. **Didact.** Forme cylindrique.

CYLINDRIQUE [silɛ̃dRik] adj. — 1596; de *cylindre*.

Qui a la forme d'un cylindre (bobine, tambour, tube...). → **Cylindrer**, p. p. adj., 1. **rond, tubulaire**. *Colonne cylindrique; rouleau cylindrique.* — **Géom.** *Surface cylindrique,* engendrée par une génératrice parallèle à une direction fixe qui s'appuie sur une courbe plane *(directrice).*

DÉR. Cylindricité.

CYLINDRO- Élément de mots composés, tiré de *cylindre.* → **Cylindro-conique, cylindro-ogival**; et aussi **cylindraxe.**

CYLINDRO-CONIQUE [silɛ̃dRokɔnik] adj. — 1869; de *cylindro-*, et *conique*.

Didact. Qui tient du cylindre et du cône. *Des obus cylindro-coniques.*

Ce jour-là donc, en présence de tout le personnel de la colonie, ainsi que Jup et Top compris, les quatre canons furent successivement essayés. On les chargea avec du pyroxile (sic), en tenant compte de sa puissance explosive, qui, on l'a dit, est quadruple de celle de la poudre ordinaire; le projectile qu'ils devaient lancer était cylindro-conique.
J. VERNE, l'Île mystérieuse, t. II, p. 664.

CYLINDROÏDE [silɛ̃dRɔid] adj. et n. m. — 1709; adj., 1801; grec *kulindroeidês,* de *kulindros* (→ Cylindre), et *-eidês* (→ -oïde).

Didactique.

◆ **1** Adj. Qui ressemble au cylindre. — **Anat.** *Patte cylindroïde du cheval.* — *Protubérances cylindroïdes.* — N. *Les cylindroïdes.*

◆ **2** N. m. **Géom.** Solide qui ressemble au cylindre mais dont les bases sont des ellipses.

CYLINDROME [silɛ̃dRom] n. m. — D. i.; de *cylindr(o)-*, et *-ome*.

Méd. Épithélioma, tumeur épithéliale formée de cordons cellulaires cylindriques. *Cylindrome cutané du cuir chevelu* (tumeur bénigne). *Cylindrome bronchique, nasal, salivaire.*

CYLINDRO-OGIVAL, ALE, AUX [silɛ̃dRoɔʒival, o] adj. — D. i.; de *cylindro-*, et *ogival*.

Didact., techn. En forme de cylindre surmonté d'une ogive (forme caractéristique des projectiles des armes à canon rayé).

CYMAISE [simɛz] n. f. → **Cimaise**.

CYMBALAIRE [sɛ̃balɛR] n. f. — 1762; *cinbalaire,* XVᵉ; bas lat. *cymbalaria,* lat. class. *cymbalaris,* de *cymbalum.* (→ Cymbale).

Bot. Variété de linaire *(Scrofulariacées)* aux feuilles rondes et lobées. *Les cymbalaires poussent souvent sur de vieilles murailles.*

CYMBALE [sɛ̃bal] n. f. — V. 1154; lat. *cymbalum* (plur. *cymbala*), grec *kumbalon*; var. anc. *cymble(s),* déb. XIIᵉ.

◆ **1** Chacun des deux disques de cuivre ou de bronze, légèrement coniques au centre, formant un instrument de musique à percussion *(les cymbales).* *Une cymbale. Une paire de cymbales. Les cymbales font partie de la batterie*.* Frapper les cymbales l'une contre l'autre. Coup de cymbales. Son vibrant des cymbales.* → Prêtresse, cit. 1. — *Cymbales antiques* (de petit diamètre).

Les cymbales de cuivre et les disques de buis à bruits sourds (...) Vibrant, grondant, sifflant, résonnent dans la plaine (...)
LECONTE DE LISLE, Poèmes antiques, «Çunacépa», VI.

Cymbale suspendue, cymbale charleston, faisant partie de la percussion des orchestres de danse, de jazz.

◆ **2** Mus. Un des jeux de l'orgue.

REM. A. Billy emploie le composé *cymbaliforme* («un chaperon cymbaliforme», *Sur les bords de la Veule,* p. 169). Au fig., J. Renard écrit à propos de Heredia : «sa poésie du cymbalisme» (Journal, 14 janv. 1898).

DÉR. Cymbaler, cymbalette, cymbalier ou **cymbaliste.**

CYMBALER [sɛ̃bale] v. intr. — 1838; de *cymbale.* **Rare.** Jouer des cymbales.

CYMBALETTE [sɛ̃balɛt] n. f. — 1509, attestation isolée (→ cit.); repris XXᵉ; de *cymbale.*

Vx. Clochette. **Mod. rare.** Petite cymbale.

Au bas de ce vestement nompareil pendoient franges vermeillettes avec petis tintinables et cymbalettes armonieusement sonnans quand elle marchoit.
LEMAIRE DE BELGES, Illustrations, I, 24 (1509).

CYMBALIER [sɛ̃balje] n. m. ou **CYMBALISTE** [sɛ̃balist] n. — 1671, *cymbalier; cymbaliste,* 1845; de *cymbale.*

Mus. Musicien qui joue des cymbales. *Il, elle est cymbaliste dans un ensemble de percussions.*

CYMBALUM [sɛ̃balɔm] ou **CZIMBALUM** [tʃimbalɔm] n. m. — 1887; hongrois *czimbalom,* empr. lat. *cymbalum,* par une langue romane; cf. ital. *cembalo.*

Instrument à cordes d'acier tendues, frappées par de petits maillets, utilisé dans la musique populaire hongroise.

(...) quant au cymbalum, il donne envie de se jeter dans l'East River comme dans le Danube.
Paul MORAND, New York, p. 212.

CYME [sim] n. f. — 1771; lat. *cyma* «tendron de chou». **Bot.** Mode d'inflorescence où des pédoncules nés d'un même endroit de la tige se ramifient selon une loi définie, pour donner des fleurs (ex. : *myosotis*). *Cyme triflore, cyme multiflore.*

DÉR. Cymeux. ◊ **HOM. Cime.**

CYMÈNE [simɛn] n. m. — D. i.; du lat. *cyma*, et suff. *-ène.*

Chim. Paraméthylisopropylbenzène, de formule $CH_3-C_6H_4-CH(CH_3)_2$. *Le cymène, qui peut s'extraire d'essences de fruits* (ombellifères) *possède des propriétés pharmaceutiques (antirhumatismales).*

CYMEUX, EUSE [simø, øz] adj. — 1803; de *cyme.*

Bot. Dont les fleurs sont disposées en cyme.

CYMOPHANE [simɔfan] n. f. — 1792; du grec *kuma* «vague», et *-phane.*

Minér. Aluminate naturel de béryllium. **Syn. :** *chrysobéryl.*

CYMRIQUE [simrik] adj. et n. → **Kymrique.**

CYN- → **Cyno-.**

CYNANTHROPIE [sinɑ̃trɔpi] n. f. — xxᵉ; de *cyn-*, et *-anthropie.*

Psychiatrie. Délire dans lequel le malade croit être transformé en chien. → **Lycanthropie.**

CYNÉGÉTIQUE [sineʒetik] adj. et n. f. — 1750; grec *kunêgetikos*, de *kunêgetein* «chasser avec une meute», de *kunes*, plur. de *kuôn* «chien» (→ Cyno-), et *agein* «mener».

Didact. Qui se rapporte à la chasse. *Exercices cynégétiques. Gestion cynégétique du gibier.* — **Par ext.** *Société cynégétique. Traité, auteur cynégétique.*

1   (...) ces messieurs *(les Tarasconnais)* en avaient fait leur grand justicier cynégétique et le prenaient pour arbitre dans toutes leurs discussions.
        Alphonse DAUDET, Tartarin de Tarascon, II, p. 20.

2   (...) trois cors de chasse, fixés non loin de la harpe, lançaient avec entrain une assourdissante sonnerie. D'infimes refroidissements donnèrent ensuite un échantillon des principales fanfares cynégétiques, dont la dernière fut un hallali plein de gaîté.
        Raymond ROUSSEL, Impressions d'Afrique, p. 60.

N. f. *La cynégétique :* l'art de la chasse. *Traité de cynégétique.*

CYNIPIDÉS [sinipide] n. m. pl. — 1890; de *cynips.*

Zool. Famille d'insectes hyménoptères (→ **Cynips**).

CYNIPS [sinips] n. m. — 1748; lat. mod., du grec *kuôn, kunos,* «chien», et *ips* «insecte rongeur».

Zool. Insecte hyménoptère *(Cynipidés)* qui forme sur les feuilles de chêne des galles sphériques atteignant la taille d'une grosse cerise et connues sous le nom de *galle du Levant* ou *noix de galle.* — *Le cynips gallicole*, parasite de l'églantier et du rosier (→ **Bédégar**).

(...) des petits cynips, ces insectes qui se chargent de tout dans le mariage du figuier (...)
        GIRAUDOUX, Juliette au pays des hommes, p. 43.

DÉR. Cynipidés.

CYNIQUE [sinik] adj. et n. — 1375, au sens II, 1; lat. *cynicus* «du chien», grec *kunikos,* qui a les sens I et II.

Ⅰ (1552, *à la cynique* «comme des chiens»). **Rare ou didact.** Qui appartient au chien. — **Spécialt.** Relatif aux muscles spécifiques du chien (muscles de la tête). — (1752). **Méd.** *Spasme cynique :* mouvement des muscles de la face (s'applique à l'homme, en ce sens). → **Sardonique** (rire sardonique).

Ⅱ ♦ **1** Hist. philos. Qui appartient à l'école philosophique d'Antisthène et de Diogène qui prétendait revenir à la nature en méprisant les conventions sociales, l'opinion publique et la morale communément admise. *L'école cynique. Philosophe cynique,* à qui l'on reprochait d'être mordant et sans pudeur, comme les chiens. — **N. (rare au fém.).** *Les cyniques.*

1   Socrate s'éloignait du cynique; il épargnait les personnes, et blâmait les mœurs qui étaient mauvaises.
        LA BRUYÈRE, les Caractères, XII, 66.

2   Les railleries, les satires, les invectives furent leurs armes, et ils ne ménagèrent personne; voilà le caractère d'esprit qui était commun à tous les cyniques.
        CONDILLAC, Hist. ancienne, III, 18.

♦ **2** (1674). **Cour.** Qui exprime sans ménagement des opinions contraires à la morale reçue, aux bienséances morales. → **Audacieux, brutal, effronté, immoral, impudent, insolent, monstrueux** (→ Sans foi ni loi). *Un individu cynique. Une attitude cynique et provocante. Langage, écrit cynique* (→ Alarmer, cit. 3). *Mœurs cyniques. Spectacle cynique.* → **Choquant.**

3   Les trois lettres sur le gouvernement sont d'un style dur, cynique, et plus insolent que rigoureux.
        VOLTAIRE, Lettre à Damilaville, 19 sept. 1766.

4   Ma sotte et maussade timidité que je ne pouvais vaincre, ayant pour principe la crainte de manquer aux bienséances, je pris, pour m'enhardir, le parti de les fouler aux pieds. Je me fis cynique et caustique par honte; j'affectai de mépriser la politesse que je ne savais pas pratiquer.
        ROUSSEAU, les Confessions, VIII.

5   Mais l'homme qui pense, s'il a de l'énergie et de la nouveauté dans ses saillies, vous l'appelez cynique.
        STENDHAL, le Rouge et le Noir, II, IX, p. 295.

N. *C'est un, c'est une cynique.*

Par ext. *Un gouvernement cynique. Une société cynique.*

6   Mais non, à la fin, la créature humaine est née égoïste, abusive, vile. Regardez donc autour de vous et voyez! une lutte incessante, une société cynique et féroce, les pauvres, les humbles, hués, pillés par les bourgeois enrichis, par les viandards!   HUYSMANS, Là-bas, XX, p. 283.

(Vieilli). Sur le plan sexuel. → **Inconvenant, obscène.**

CONTR. Conformiste. — **Décent, modeste, pudique, scrupuleux, timide.** ◊ **DÉR. Cyniquement.**

CYNIQUEMENT [sinikmɑ̃] adv. — 1537; de *cynique.*

D'une manière cynique. *Il avoue cyniquement son vol.*

1   Il avoue cyniquement que, lorsque l'on ne peut pas gagner suffisamment sur la marchandise, *on se rattrape en truquant les poids.*
        GIDE, Voyage au Congo, *in* Souvenirs, Pl., p. 756.

2   — Je ne sais pas, c'est la plus chère que je voudrais, dit Suzanne.
— Vous ne pensez qu'à ça, dit M. Jo.
Et ce disant, il rit un peu cyniquement.
        M. DURAS, Un barrage contre le Pacifique, p. 127.

CYNISME [sinism] n. m. — V. 1740; bas lat. *cynismus,* grec *kunismos,* de *kunikos.* → **Cynique.**

♦ **1** Cour. Mépris des convenances, de l'opinion, de la morale qui pousse à l'effronterie ou à l'impudence. → **Audace, brutalité, effronterie, immoralité, impudence, inconvenance, insolence, licence, obscénité.** *Le cynisme d'une attitude, d'une conduite, d'un langage. Le cynisme des mœurs. Le cynisme de son entourage le choque* (cit. 10).

1   Les gestes rendaient les images sensibles; tout était appelé par son nom, avec le cynisme des chiens, dans une pompe obscène et impie de jurements et de blasphèmes.
        CHATEAUBRIAND, Mémoires d'outre-tombe, t. II, p. 16.

2   Cynos signifie chien; cynisme, acte de chien.
        P.-L. COURIER, Pamphlets politiques, Pl., p. 154.

3   Je ne parle même pas de son cynisme, de son dandysme, de son affectation d'immoralité, et autres griefs que lui font les manuels de littérature.
        J. ROMAINS, les Hommes de bonne volonté, t. III, II, p. 43.

4 On observe chez lui *(le Russe)*, dans le même individu, la coexistence de l'humilité et de l'orgueil, de l'idéalisme et du cynisme, de la sainteté et du vice, et le passage se fait sans transition avec des retours singuliers.

André SIEGFRIED, l'Âme des peuples, VI, III, p. 15.

♦ **2** (1775). Philos. Philosophie cynique ; doctrine des philosophes cyniques. — REM. Cet emploi est resté exceptionnel, à cause du sens 1.

CONTR. Conformisme. — Bienséance, décence, idéalisme, modestie, pudeur, pudicité, respect, retenue, scrupule, timidité.

CYNO [sino] n. m. → **Cynocéphale** (2.).

CYNO-, CYN- Élément, du grec *kuôn, kunos* «chien», entrant dans la composition de termes didactiques et spécialt de sc. nat. → **Cynanthropie, cynégétique, cynocéphale, cynodonte, cynodrome, cynoglosse, cynomorphe, cynophagie, cynophile, cynophobie, cynorexie, cynorhodon, cynosure, cynotechnique ; et aussi cynique, cynisme.**

CYNOCÉPHALE [sinosefal] adj. et n. m. — 1372 ; lat. *cynocephalus,* grec *kunokephalos* «à la tête de chien». → Cyno-, et -céphale.

♦ **1** Adj. Qui a une tête de chien. *Singe cynocéphale. Un dieu cynocéphale* (→ Amour, cit. 44.2).

1 Berthe se cramponnait à son seigneur comme un bébé cynocéphale à sa mère.

Claude COURCHAY,
La vie finira bien par commencer, p. 230.

N. m. *Un cynocéphale. Le cynocéphale Anubis :* dieu égyptien à tête de chacal.

2 Anubis, les oreilles droites, bondissait autour de moi, jappant, et fouillant de son museau les touffes des tamarins. Merci, bon Anubis, merci !

FLAUBERT, la Tentation de saint Antoine, Pl., t. I, p. 157.

♦ **2** N. m. Zool. Genre de singe à museau fortement allongé comme celui d'un chien. *«Les mauvais instincts du cynocéphale»* (→ Orang-outan, cit. 2). — *Principaux cynocéphales.* → **Babouin,** 1. **drill, hamadryas, mandrill,** 1. **tartarin (VX).**

3 (...) entre deux acolytes bien semblables à des cynocéphales de Tanit, la tête du roi géant carbonisait devant la fournaise de la lune.

A. JARRY, Gestes et Opinions du Dr Faustroll, Pl., p. 681.

Abrév. : *cyno,* n. m. (cour. en franç. d'Afrique). *Une troupe de cynos.*

CYNODONTE [sinodɔ̃t] n. m. — D. i. ; de *cyn(o)-,* et *-odonte.*

Zool., paléont. Reptile thérapside (fossile) du trias, dont la dentition, la structure crânienne, etc. annoncent les mammifères. *Les «thériens* (groupe de mammifères) *qui ont évolué à partir des reptiles mammaliens cynodontes»* (la Recherche, févr. 1980, p. 149).

CYNODROME [sinodʀom] n. m. — V. 1938 ; de *cyno-,* et *-drome.*

Piste aménagée pour les courses de lévriers.

CYNOGLOSSE [sinoglɔs] n. f. — XVᵉ ; lat. sc., d'orig. grecque. → Cyno-, et glosse.

Bot. Plante dicotylédone *(Borraginacées),* annuelle ou bisannuelle, vénéneuse, à odeur désagréable, à belles fleurs, appelée vulgairement *langue de chien. Cynoglosse officinale,* utilisée en médecine. *Cynoglosse cultivée comme plante ornementale.*

CYNOMORPHE [sinomɔʀf] adj. et n. m. — Mil. XXᵉ ; de *cyno-,* et *-morphe.*

Qui a la forme, l'apparence du chien. *«Les singes cynomorphes» (Sciences et Avenir,* les Origines de l'homme, 1980, p. 80). — N. m. pl. Super-famille de singes catarrhiniens arboricoles pourvus d'une queue. — Au sing. *Un cynomorphe.*

CYNOPHAGIE [sinofaʒi] n. f. — 1876 ; de *cyno-,* et *-phagie.*

Didact. et rare. Usage de la viande de chien.

CYNOPHILE [sinofil] adj. et n. — 1846 ; de *cyno-,* et *-phile.*

♦ **1** Didact. Qui aime les chiens, s'intéresse aux races canines (→ Cynotechnique). *Il est cynophile.* — N. *Un, une cynophile.*

♦ **2** (1977). Milit. *Groupe cynophile,* chargé du dressage de chiens.

DÉR. Cynophilie.

CYNOPHILIE [sinofili] n. f. — XXᵉ ; de *cynophile.*

Didactique.

♦ **1** Rare. Intérêt porté aux chiens.

♦ **2** (1977). Milit. Services, fonction de l'emploi (dressage, gestion) des chiens dans l'armée, la police. → **Cynotechnique.**

CYNOPHOBIE [sinofɔbi] n. f. — XXᵉ ; de *cyno-,* et *phobie.*

Psychol. Crainte maladive, phobie des chiens.

CYNOREXIE [sinoʀɛksi] n. f. — XXᵉ ; de *cyn(o)-,* et grec *orexis* «appétit».

Vétér. Boulimie du chien. *Cynorexie comme symptôme de gastrite chronique ou de gastralgie.*

CYNORHODON ou **CYNORRHODON** [sinoʀodɔ̃] n. m. — V. 1590, G. Bouchet ; grec *kunorodon,* proprt «rose *(rodon)* de chien *(kuôn, kunos ;* → Cyno-)», c.-à-d. «plante contre les morsures de chien».

Bot. Fruit rouge des rosiers et des églantiers (qui est en fait le réceptacle), appelé familièrement *gratte-cul. «Le cynorrhodon, c'est le gratte-cul de nos 10 ans, ce poil à gratter que l'on allait cueillir sur l'églantier pour le glisser dans le dos des copains. C'est aussi une infusion délassante et une confiture bourrée de vitamines C»* (l'Express, 25 août 1979, p. 101).

CYNOSURE [sinozyʀ] n. f. — XVIᵉ ; lat. bot. *cynosura,* grec *kunosoura* «queue *(oura)* de chien *(kuôn, kunos ;* → Cyno-)», à cause de la forme des épis.

Bot. Graminée fourragère des pays tempérés, appelée communément *queue-de-chien.*

CYNOTECHNIQUE [sinotɛknik] adj. — XXᵉ ; de *cyno-,* et *technique.*

Didact. Qui se rapporte à l'utilisation des chiens. → **Cynégétique, cynophile.** *Cellule cynotechnique de l'armée.* → **Cynophilie.**

CYNTHIA [sɛ̃tja] ou **CYNTHIE** [sɛ̃ti] n. f. — Fin XIXᵉ ; lat. sc. *cynthia,* d'après le surnom de Diane, déesse du *Cynthe* (grec *Kunthos*), montagne de Délos.

Zool. Animal marin à tunique cartilagineuse et opaque.

CYON [sjɔ̃] n. m. — Fin XIXᵉ; grec *kuôn* «chien». → Cyno-.

Zool. Chien sauvage d'Asie.

HOM. Scion.

CYPÉRACÉES [siperase] n. f. pl. — Fin XVIIIᵉ; du lat. *cyperos*, grec *kupeiros* «souchet», et suff. *-acées*.

Bot. Famille de plantes phanérogames angiospermes, classe des monocotylédones comprenant des herbes vivaces ou annuelles à rhizome traçant et ayant beaucoup d'analogie avec les graminées. *Les cypéracées croissent dans les lieux humides. Types principaux de cypéracées.* → Carex (ou **laiche**), **linaigrette, papyrus, scirpe, souchet.** — Au sing. *Une cypéracée.*

CYPHO-SCOLIOSE [sifoskɔljoz] n. f. — 1833; de *cyphose*, et *scoliose*.

Méd. Déformation de la colonne vertébrale, associant des traits de la cyphose et de la scoliose.

CYPHOSE [sifoz] n. f. — 1752; grec *kuphôsis* «courbure», de *kuphos* «courbe».

Méd. Déviation de la colonne vertébrale avec convexité postérieure. → **Bosse, gibbosité.**

COMP. Cypho-scoliose.

CYPRE [sipʀ] n. m. — XIIᵉ; lat. *cypros*, grec *kupros* «henné».

Bot. Plante orientale à très forte odeur, dont on tire le henné.

CYPRÉE [sipʀe] n. f. — 1892; lat. sc. *cypraea*, du grec *Kupris*, l'un des noms d'Aphrodite. → Cypris.

Zool. Mollusque gastéropode *(Cypréidés)* couramment appelé *porcelaine* à cause de la beauté de sa coquille.

DÉR. Cypréidés.

CYPRÉIDÉS [sipreide] n. m. pl. — XIXᵉ; de *cyprée*.

Zool. Famille de mollusques gastéropodes dont le type principal est la cyprée. — Au sing. *Un cypréidé.*

CYPRÈS [sipʀɛ] n. m. — V. 1170; bas lat. *cypressus,* lat. *cupressus,* grec *kuparissos.*

♦ 1 Arbre de la famille des Conifères *(Cupressinées)* à feuillage vert sombre, à forme droite et élancée. *Fruit du cyprès.* → **Galbule.** *Le cyprès est un arbre fastigié. Un bois de cyprès.* → **Cyprière.** *Rangée, allée de cyprès. Le bois du cyprès est dur et d'un grain fin. Le cyprès, arbre funéraire qu'on plante auprès des tombes, dans les cimetières.* — *Cyprès commun,* cultivé en Europe et notamment dans le Midi méditerranéen, comprenant le *cyprès pyramidal* et le *cyprès horizontal* selon la forme de ses rameaux. — *Cyprès funèbre* (Chine). — *Cyprès chauve. Petit cyprès.* → **Santoline.**

1 Un maigre cyprès, pointant dans le ciel comme un fil sombre, mais qui, de loin, ressemble à une aigrette sur un turban.
    E. FROMENTIN, Une année dans le Sahel, p. 10.

2 (...) les cyprès élevaient leurs quenouilles noires (...)
    FRANCE, le Lys rouge, V, III, p. 86.

3 Sur leurs pentes austères, les cyprès dressaient leurs campaniles muets (...)
    Edmond JALOUX, Fumées dans la campagne, XXII, p. 187.

4 Cette ombre bleue parmi les cyprès et les saules du cimetière, est-ce le ciel ou le lac ou les montagnes?
    J. CHARDONNE, les Destinées sentimentales, II, I, p. 212.

Les énormes cyprès, comme de grandes ombres noires et bienveillantes, se dressent dans le ciel gris et veillent sur les stèles (...)   4.1
    J. GREEN, Journal, 28 oct. 1976, La terre est si belle, p. 65.

Par compar. *Beau, grand, long, majestueux comme un cyprès. Une immobilité de cyprès.*

Fig., poét. (vx). *Cyprès* (opposé à *laurier*), symbole de la mort, du deuil, de la tristesse. — Loc. *Changer les lauriers en cyprès :* changer la victoire en deuil.

J'irai sous mes cyprès accabler ses lauriers.   5
    CORNEILLE, le Cid, IV, 2.

♦ 2 Par métonymie. Bois de cyprès. *Meuble, charpente en cyprès.*

DÉR. Cyprière.

CYPRIEN, IENNE [sipʀijɛ̃, jɛn] adj. et n. → Cypriote.

CYPRIÈRE [sipʀijɛʀ] n. f. — 1744; de *cyprès,* et suff. *-ière.*

Rare. Bois planté de cyprès.

L'eau noire des cyprières comme un miroir funèbre (Edgar Poe).   1
    CLAUDEL, Journal, 8 avril 1928.

Sur la médaille de ciel monta la fusée noire d'un cyprès,   2
puis deux, puis trois, puis toute une cyprière.
    J. GIONO, Naissance de l'Odyssée, p. 128.

CYPRIN [sipʀɛ̃] n. m. — 1783; lat. *cyprinus,* grec *kuprinos* «carpe».

Zoologie.

♦ 1 Poisson de la famille des Cyprinidés.

♦ 2 *Cyprin doré* ou *cyprin :* poisson physostome (famille des Cyprinidés) scientifiquement appelé *Carassius.* → **Carassin.** — et cour. **poisson** (rouge). *Cyprins vivant dans des bassins, des aquariums.* — *Cyprin à queue de voile, cyprin télescope* (variétés obtenues par sélection).

Il montra l'aquarium où les cyprins noirs, mous et dentelés comme des oriflammes, montaient et descendaient au hasard.   MALRAUX, la Condition humaine, p. 37.   1

Il faut, une fois pour toutes, réduire au silence goujons et ablettes, cyprins de toutes sortes, rachitiques, qui ne feraient pas de mal même à un hameçon et qui se laissent attraper par des retraités somnolents.   2
    Jean CAYROL, Histoire de la mer, p. 60 (1973).

DÉR. Cyprinidés.

1. CYPRINE [sipʀin] n. f. — 1824; lat. *cyprium* «cuivre», par anal. de couleur.

Minér. Pierre précieuse de couleur bleue. — Par métonymie. Cette couleur.

2. CYPRINE [sipʀin] n. f. — V. 1970; du lat. *Cypris,* grec *Kupris,* surnom d'Aphrodite, et *-ine.*

Didact. Sécrétion vaginale.

Une agitation trouble l'écoulement de la cyprine eau fluide transparente.
    Monique WITTIG, le Corps lesbien, 1973, p. 20.

CYPRINIDÉS [sipʀinide] n. m. pl. — 1825; *cyprinide;* de *cyprin,* et suff. *-idés.*

Zool. Famille de poissons physostomes, vivant surtout en eau douce (ablette, barbeau, bouvière, brème, carassin, carpe, cyprin, gardon, goujon, ide, tanche, vairon, vandoise). — Au sing. *Un cyprinidé* (→ **Cyprin**).

CYPRIOTE [sipʀijɔt] adj. et n. — 1843; du lat. *Cyprus* «Chypre».

Qui se rapporte à l'île de Chypre ou à ses habitants (on dit aussi *chypriote,* ou *cyprien*).

N. *Un, une Cypriote :* habitant de l'île de Chypre (on dit aussi *Chypriote*).

CYPRIPÈDE [sipʀipɛd] ou **CYPRIPEDIUM** [sipʀi pedjɔm] n. m. — 1735; lat. sc. *cypripedium* «pied de Vénus», de *Cypris*, surnom de Vénus, et *pes, pedis* «pied», «pied de Vénus».

Bot. Orchidée appelée *sabot-de-Vénus* ou *sabot-de-la-Vierge* à cause de la forme du labelle de sa fleur (en conque et d'un jaune lumineux).

1. CYPRIS [sipʀis] n. f. — 1846; mot lat. d'orig. grecque, l'un des surnoms d'Aphrodite.

Didact. ou littér. (vx) Jeune femme d'une grande beauté.

2. CYPRIS [sipʀis] n. f. — 1806; lat. sc. *cypris*, grec *Kupris* → Cyprée.

Zoologie.

♦ **1** Crustacé malacostracé *(Ostracodes)* vivant en eau douce ou salée.

♦ **2** Stade du développement des crustacés cirripèdes (qui les fait ressembler à l'ostracode appelé *cypris*). — **Appos.** *Larve cypris* (M. Caullery).

CYRARD [siʀaʀ] n. m. — D. i.; de *(Saint-) Cyr*, et suff. *-ard*.

Argot de l'école. Élève de l'école militaire de Saint-Cyr (→ **Bazard**; → Piston, cit. 2.1; x, cit. 8).

(...) il ne traitait les officiers supérieurs que de vieilles badernes (...) les cyrards de crétins pas aidés.
 Vladimir VOLKOFF, le Retournement, p. 122-123.

CYRÉNAÏQUE [siʀenaik] adj. et n. — 1726, n. m. pl.; lat. *cyrenaicus*, du grec *kurênaikos* «de Cyrène».

♦ **1** (1834). **Didact.** Relatif à l'ancienne ville grecque de Cyrène (en Afrique) ou à ses habitants.

N. *Un, une Cyrénaïque* : habitant de Cyrène.

♦ **2 Hist. philos.** *École cyrénaïque*, fondée par Aristippe, disciple de Socrate et précurseur de l'épicurisme, pour lequel il n'y a pas d'autre bonheur que le plaisir sensuel de l'instant (→ Cynisme, épicurisme, scepticisme, stoïcisme). **N. m.** *Les cyrénaïques.*

DÉR. Cyrénaïsme.

CYRÉNAÏSME [siʀenaism] n. m. — 1829; de *cyrénaïque*, 2.

Philos. Doctrine de l'école cyrénaïque (2.).

CYRILLIQUE [siʀi(l)lik] adj. — 1832; de *Saint-Cyrille*.

Alphabet cyrillique : l'alphabet slave, attribué à saint Cyrille de Salonique. *Lettres cyrilliques. Le russe, l'ukrainien, le bulgare, le serbe s'écrivent en caractères cyrilliques.* — **Var. anc.** : *cyrillien, ienne* [siʀiljɛ̃, ɛn].

CYRTOMÈTRE [siʀtɔmɛtʀ] n. m. — XIXᵉ; du grec *kurtos* «cage», et *-mètre*.

Méd. Instrument de mesure du thorax.

CYST-, CYSTI-, CYSTO-, -CYSTE Éléments, du grec *kustis* «vessie» (organe et sac), «objet creux», entrant dans la composition de termes scientifiques, et, spécialt, de médecine (ex. : *aérocyste, blastocyste, tricocyste*).

CYSTALGIE [sistalʒi] n. f. — 1926; de *cyst-*, et *-algie*.
Méd. Névralgie de la vessie.

CYSTECTASIE [sistɛktazi] n. f. — XXᵉ; de *cyst-*, et grec *ektasis* «extension».
Méd. Dilatation de la vessie.

CYSTECTOMIE [sistɛktɔmi] n. f. — 1617, *cystotomie*; de *cyst-*, et *-ectomie*.
Méd., chir. Ablation de la vessie (partielle ou totale).

CYSTÉINE [sistein] n. f. — 1900; all. *Cysteïn*.
Biochim. Aminoacide non indispensable, qui entre dans la composition de nombreuses protéines, et a des utilisations pharmaceutiques. *La cystéine donne par oxydation la cystine.*

CYSTHÉPATIQUE [sistepatik] adj. — XIXᵉ; de *cyst-*, et *hépatique*.
Méd. Relatif à la vésicule biliaire. → **Cystique.**

CYSTI- → **Cyst-.**

CYSTICERCOSE [sistisɛʀkoz] n. f. — 1910; de *cysticerque*, et *-ose*, *qu* devenant *c* devant *o*.
Méd. Infection causée par la présence de cysticerques.

CYSTICERQUE [sistisɛʀk] n. m. — 1812; de *cysti-*, et grec *kerkos* «queue».
Zool. Ténia à son dernier stade larvaire, formant une vésicule de 1 cm de diamètre contenant le scolex du futur ver. (On dit aussi *cystoïde*). «*Les bactéries les plus sensibles sont* (...) *les salmonelles et le pseudomonas aeruginosas. Ajoutons que dans le cas de la viande, la congélation détruit les larves de ténia ou cysticerques*» (*le Monde*, 23 févr. 1977).
COMP. Cysticercose.

CYSTINE [sistin] n. f. — 1834; de *cyst-*, et suff. *-ine*.
Biochim. Acide aminé soufré constituant la forme oxydée de la cystéine, présent dans de nombreuses protéines (surtout les scléroprotéines : kératine de la peau, des cheveux et des ongles).
DÉR. Cystinurie.

CYSTINURIE [sistinyʀi] n. f. — 1905, in *Rev. gén. des sc.*, nᵒ 5, p. 191; de *cystine*, et *-urie*.
Médecine.

♦ **1 Vx.** Présence (anormale pour un taux élevé) de cystine dans l'urine.

♦ **2 Mod.** Élimination accrue de cystine (trouble métabolique congénital).

CYSTIQUE [sistik] adj. — V. 1560; de *cyst-*, et suff. *-ique*.

♦ **1 Anat.** Relatif à la vésicule biliaire (→ **Cysthépatique**), ou, moins cour., à la vessie. *Bile cystique, provenant de la vésicule biliaire et conduite de la vésicule biliaire au duodénum par le canal cholédoque. Calculs cystiques.*

♦ **2 Zool.** *Ver cystique* : forme larvaire du ténia (cénure, cysticerque).

CYSTITE [sistit] n. f. — 1803; *cystitis*, 1795; de *cyst-*, et suff. *-ite*.
Méd. (assez cour.). Inflammation aiguë et chronique de la vessie. *La cystite est parfois accompagnée de prostatite.*

CYSTO- → **Cyst-.**

CYSTOCÈLE [sistɔsɛl] n. f. — XIXᵉ; de *cysto-*, et grec *kêlê* «hernie».
Méd. Hernie de la vessie.

CYSTOGRAPHIE [sistɔgʀafi] n. f. — V. 1950; de cysto-, et (radio)graphie.
Méd. Radiographie de la vessie.

CYSTOÏDE [sistɔid] adj. — 1834; de cyst-, et suff. -oïde.
♦ **1** Méd. Qui ressemble à une vessie. *Tumeurs cystoïdes.*
♦ **2** Zool. *Ver cystoïde,* et, n. m., *un cystoïde.* → **Cysticerque.**

CYSTOLITHE [sistɔlit] n. m. — XIXᵉ; de cysto-, et -lithe.
Méd. Calcul de la vessie. → **Pierre** (B., 8.).

CYSTOPLÉGIE [sistopleʒi] n. f. — XXᵉ; de cysto-, et -plégie.
Méd. Paralysie de la vessie.

CYSTOSCOPE [sistɔskɔp] n. m. — 1842; de cysto-, et -scope.
Méd. Instrument qui permet de regarder dans la vessie après cathétérisme de l'urètre.
DÉR. **Cystoscopie.**

CYSTOSCOPIE [sistɔskɔpi] n. f. — 1846; de cystoscope.
Méd. Examen de la vessie au cystoscope.
DÉR. **Cystoscopique.**

CYSTOSCOPIQUE [sistɔskɔpik] adj. — XXᵉ; de cystoscopie.
Méd. Relatif à la cystoscopie.

CYSTOSTOMIE [sistɔstɔmi] n. f. — 1901, Garnier et Delamare, in D.D.L.; de cysto-, grec *stoma* «bouche», et suff. -ie.
Méd. Abouchement de la vessie à la peau (avec la paroi abdominale, etc.).

CYSTOTOME [sistotom] n. m. — 1834; de cysto-, et -tome.
Méd. Instrument servant à pratiquer la cystotomie.

CYSTOTOMIE [sistotɔmi] n. f. — 1617; de cysto-, et -tomie.
Méd., chir. Incision de la vessie.

CYSTOZOÏDE [sistozɔid] n. m. — XXᵉ; de cysto- «vessie», et -zoïde. → Spermatozoïde.
Didact. (zool.). Polype excréteur d'une cormidie (axe animal, une colonie), composé de cellules ciliées à grosses vacuoles contenant les produits d'excrétion, et d'un filament en hélice contenant des nématocystes.

CYT-, CYTO- Élément, du grec *kutos* «cavité, cellule», entrant dans la composition de termes scientifiques, et, spécialt, de biologie. Voir à l'ordre alphab. REM. Cet élément est très productif dans la biologie contemporaine (ex. : *cytoarchitectonie,* n. f.; *cytochimie,* n. f.; *cytomégalique,* adj.; *cytostatique,* adj.; *cytotropisme,* n. m.).

CYTE [sit] n. f. — XXᵉ; grec *kutos.* → Cyt-.
Biol. Cellule mère des produits sexuels.

-CYTE Élément, du grec *kutos* «cavité, cellule» (→ **Cyt-**). Ex. : *lymphocyte, mastocyte, mélanocyte, normocyte.*

CYTHÉRÉE [sitere] n. f. — 1806; de *Cythère.*
Zool. Crustacé *(Branchiopodes).* «*De précieuses espèces de cythérées et de vénus*» (J. Verne, *Vingt mille lieues sous les mers,* t. I, p. 110).

CYTHÉRÉEN, ENNE [sitereɛ̃, ɛn] adj. et n. — 1855; de l'île de *Cythère.*
Didactique.
♦ **1** Qui se rapporte à l'île de Cythère ou à ses habitants.
N. *Un Cythéréen, une Cythéréenne :* habitant de Cythère.
♦ **2** Littér. et vx. Qui se rapporte aux plaisirs de l'amour. *Chants cythéréens.*

CYTISE [sitiz] n. m. — 1507, *cythison;* lat. *cytisus,* grec *kutisos.*
Bot. et cour. Plante dicotylédone *(Légumineuses-papilionacées)* arbrisseau vivace aux fleurs en grappes jaunes. *Le cytise laburnum (aubour, faux ébénier) est ornemental et fournit un bois d'ébénisterie.* (On l'appelle vulgairement *faux acacia, faux ébénier*). *Le cytise scoparius est appelé* genêt à balai.

(*Partout*) Où le chevreau lascif mord le cytise en fleurs (...) HUGO, les Feuilles d'automne, 38.   1
(...) cytises étincelants comme de l'or au milieu des noirs buissons de myrte.   G. SAND, Elle et lui, X, p. 226.   2
Un cytise, dans une encoignure, balance avec ravissement ses grappes d'or.   G. DUHAMEL, Inventaire de l'abîme, I, p. 10.   3
Promenade à Ambléon, les bois remplis de cytise. Les beaux frênes sous la lune d'où pend une espèce de trophée vaporeux.   CLAUDEL, Journal, 19 mai 1937.   4
Fleurs de cette plante. *Un bouquet de cytises.*

CYTO- → **Cyt-.**

CYTOBACTÉRIOLOGIQUE [sitobakteʀjɔlɔʒik] adj. — 1961, *cyto-bactériologique;* de cyto-, et bactériologique.
Méd. *Analyse cytobactériologique :* analyse d'urine comportant un examen macroscopique, une recherche d'éléments anormaux (cellules, cristaux) et de bactéries. *Examen cytobactériologique normal* (abrév. : *E. C. B. U.*).

CYTOBIOLOGIE [sitobjɔlɔʒi] n. f. — 1970; de cyto-, et biologie.
Didact. Biologie cellulaire. → **Cytologie.**

CYTOBLASTE [sitoblast] n. m. — XXᵉ; de cyto-, et -blaste.
Biol. Vieilli. Nucléus ou noyau de la cellule végétale.
Schleiden insiste... sur le rôle du noyau qui, d'après lui, constitue pour ainsi dire le germe de la cellule (cytoblaste).   Jean ROSTAND, Esquisse d'une histoire de la biologie, p. 137.

CYTOCHROME [sitokʀom] n. m. — V. 1970; de cyto-, et -chrome.
Chim., biol. Pigment cellulaire (chromoprotéine) renfermant du fer, proche de l'hémoglobine, et jouant un rôle dans les processus d'oxydation (respiration) cellulaire des végétaux et des animaux.

CYTOCIDE [sitosid] adj. — 1927; de cyto-, et -cide.
Biochim. (Rare). Qui tue les cellules.

CYTODE [sitɔd] n. m. — 1906, in Rev. gén. des sc., nᵒ 10, p. 463; de cyt-, et -ode.
Biol., vieilli. Plastide sans noyau.

CYTODIAGNOSTIC [sitodjagnɔstik] n. m. — 1900, Widal et Ravant; de *cyto-*, et *diagnostic*.

Méd., **biol.** Diagnostic établi après examen au microscope de frottis ou de cellules provenant de liquides organiques.

CYTOGAMIE [sitogami] n. f. — 1931; de *cyto-*, et *-gamie*.

Biol. Mélange de cellules (mâles et femelles) lors de la copulation ou de la conjugaison. *Cytogamie chez certains crustacés, certains champignons.*

CYTOGÉNÉTICIEN, IENNE [sitoʒenetisjɛ̃, jɛn] n. — xxᵉ; de *cytogénétique*.

Biol. Spécialiste de cytogénétique, des études sur la modification du patrimoine génétique de la cellule.

CYTOGÉNÉTIQUE [sitoʒenetik] n. f. — 1855; sens mod. v. 1950; de *cyto-*, et *génétique*.

Biol. Partie de la génétique appliquée aux chromosomes (à l'état normal et pathologique). *La cytogénétique moderne s'est développée par l'étude de la trisomie 21 (mongolisme).*

DÉR. Cytogénéticien.

CYTOKINE [sitokin] n. f. pl. — xxᵉ; de *cyto-*, et du grec *kinein* «bouger». → Interleukine.

Biol. Facteur d'activation de l'immunité cellulaire produit par le système immunitaire lui-même. → **Interleukine, lymphokine.**

CYTOLOGIE [sitɔlɔʒi] n. f. — 1890, P. Larousse, *Deuxième Suppl.*; de *cyto-*, et *-logie*.

Didact. (biol.). Partie de la biologie générale qui étudie la cellule vivante sous tous ses aspects (structure, propriétés, activité, évolution). *Cytologie descriptive. Cytologie expérimentale. Cytologie statistique.*

DÉR. Cytologique, cytologiste ou cytologue.

CYTOLOGIQUE [sitɔlɔʒik] adj. — 1898, in *l'Année biol.*, XIX, p. 574; trad. de l'ital.; de *cytologie*.

Biol. Relatif à la cytologie. *Examen cytologique. Méthodes cytologiques.*

DÉR. Cytologiquement.

CYTOLOGIQUEMENT [sitɔlɔʒikmɑ̃] adv. — 1922; de *cytologique*.

Biol. Du point de vue de la cytologie.

CYTOLOGISTE [sitɔlɔʒist] ou **CYTOLOGUE** [sitɔlɔg] n. — 1897, *cytologiste*; *cytologue* 1860; de *cytologie*.

Didact. (biol.). Spécialiste de la cytologie. *Une excellente cytologiste.*

(...) la prodigieuse architecture de la cellule reproductrice, telle que nous la révèlent aujourd'hui tout ensemble l'observation des cytologistes et l'expérimentation des généticiens (...)

Jean ROSTAND, Esquisse d'une histoire de la biologie, p. 78.

CYTOLYSE [sitɔliz] n. f. — 1905; de *cyto-*, et *-lyse*.

Biol. Destruction d'une cellule vivante par dissolution des éléments dont elle est formée.

CYTOMÉGALOVIRUS [sitomegalovirys] n. m. — 1979; de *cyto-*, *mégalo-*, et *virus*.

Biol. Virus de la famille de l'herpès, normalement peu pathogène pour l'homme, mais pouvant provoquer des affections graves chez les sujets immunodéprimés. *Infections à cytomégalovirus.*

Je lui demande *(à l'interne)*: «Si, pour une raison ou pour une autre, on n'avait pas détecté tout de suite le cytomégalovirus, en combien de temps j'aurais perdu mon œil, ça aurait été une affaire de mois, de semaines ou de jours? — De jours», répond-elle. Peut-être qu'il est perdu, on va voir! Hervé GUIBERT, Cytomégalovirus, p. 12.

CYTOPATHOGÉNICITÉ [sitopatoʒenisite] n. f. — Mil., xxᵉ; de *cyto-*, *pathogène*, et suff. *-icité*.

Biol. «Aptitude, pour un type cellulaire en culture, à servir de support à la croissance d'un virus donné» (J. Verne et S. Hébert). *Spectre de cytopathogénicité.*

CYTOPATHOLOGIE [sitopatɔlɔʒi] n. f. — xxᵉ; de *cyto-*, et *pathologie*.

Didact. Étude des maladies cellulaires.

CYTOPHOTOMÉTRIE [sitofɔtɔmetri] n. f. — 1936; de *cyto-*, et *photométrie*.

Biol. (vieilli). Mesure de l'absorption d'un rayonnement lumineux par des structures cellulaires, en vue de l'étude de leur composition chimique.

CYTOPHYLAXIE [sitofilaksi] n. f. — 1916; de *cyto-*, et *(pro)phylaxie*.

Biol., **méd.** (vieilli). Méthodes de protection des cellules par l'utilisation de certaines solutions salines.

CYTOPHYSIOLOGIE [sitofizjɔlɔʒi] n. f. — xxᵉ; de *cyto-*, et *physiologie*.

Didact. Étude physiologique de la cellule.

DÉR. Cytophysiologiste.

CYTOPHYSIOLOGISTE [sitofizjɔlɔʒist] n. — xxᵉ; de *cyto-physiologie*.

Didact. Spécialiste de cytophysiologie.

CYTOPLASIQUE [sitoplazik] adj. — V. 1970; de *cyto-*, et *-plasique*.

Biol. Qui se rapporte à la formation des cellules (→ Cytopoïèse).

CYTOPLASME [sitɔplasm] n. m. — 1878; de *cyto-*, et *(proto)plasme*.

Biol. Protoplasme de la cellule à l'exclusion du noyau, de structure très complexe, comprenant le cytoplasme fondamental et les organites (mitochondries, vacuoles, granulations), ainsi qu'un élément liquide (cytosol) et des formations contrôlant la forme de la cellule (cytosquelette).

L'ensemble des données fournies par la science de l'hérédité a permis d'attribuer aux chromosomes, situés dans le noyau de la cellule, une importance primordiale quant au déterminisme et à la transmission des caractères organiques. Mais le cytoplasme de l'ovule n'en a pas moins son rôle, et qui est multiple.
En premier lieu, il constitue le milieu nécessaire à la croissance et à la multiplication des gènes, ainsi qu'à la manifestation de leurs effets. De plus, il présente une organisation et des propriétés fort complexes, qui sont l'œuvre des gènes maternels. De cette organisation et de ces propriétés peuvent dépendre, non seulement le mode de développement embryonnaire et certains caractères de l'embryon, mais encore certains caractères de l'organisme adulte, qui présentent alors un type d'hérédité très particulière.

Jean ROSTAND, Idées nouvelles de la génétique, p. 107.

DÉR. Cytoplasmique.

CYTOPLASMIQUE [sitɔplasmik] adj. — Fin XIXᵉ ; de *cytoplasme.*

Biol. Du cytoplasme ; contenu dans du cytoplasme.

Cette prédétermination cytoplasmique n'est point continue comme la prédétermination nucléaire, elle se reconstitue à chaque ontogenèse.

> Jean ROSTAND, Esquisse d'une histoire de la biologie, p. 221 (note).

CYTOPOÏÈSE [sitopɔjɛz] n. f. — XXᵉ ; de *cyto-*, et grec *poiêsis* «formation».

Biol. (vieilli). Formation des cellules (→ **Cytoplasique**).

CYTOSINE [sitozin] n. f. — 1903, in *Rev. gén. des sc.*, n° 16, p. 844 ; de *cyto-*, *-s-* de liaison, et *-ine.*

Chim., biol. Base pyrimidique qui entre dans la composition des acides nucléiques (l'une des quatre bases, notée C, complémentaire de la guanine). → Adénine, cit.

CYTOSOL [sitozɔl] n. m. — Mil. XXᵉ ; de *cyto-*, et *-ol.*

Biol. Partie liquide du cytoplasme.

CYTOSQUELETTE [sitoskəlɛt] n. m. — 1977 ; de *cyto-*, et *squelette.*

Biol. Formation filamenteuse du cytoplasme (microtubules), qui contrôle la forme des cellules.

CYTOSTOME [sitostom] n. m. — Déb. XXᵉ ; t. créé en all. *Zytostom*, av. 1888. → Cyto-, et *-stome.*

Zool. Ouverture de la membrane protoplasmique servant à l'ingestion des aliments, chez certains organismes unicellulaires. *Ciliés sans cytostome.* → **Astome.**

CYTOTHÈQUE [sitɔtɛk] n. f. — 1967 ; de *cyto-*, et *-thèque.*

Zool. Enveloppe extérieure du thorax d'une chrysalide.

CYTOTHÉRAPIE [sitoterapi] n. f. — XXᵉ ; de *cyto-* «cellule», et *-thérapie* «cure».

Méd. Thérapeutique où l'on emploie des émulsions de cellules.

CYTOTOXICITÉ [sitotɔksisite] n. f. — Av. 1970 ; de *cytotoxique.*

Biol. Action destructrice d'une substance sur des cellules. *Étude de la cytotoxicité* (→ Cytotoxique, cit.). *«Le rejet des greffes (...) se réalise par destruction directe d'une cellule-cible au contact d'une cellule immunitaire dite effectrice (...) Cette destruction de cellules s'appelle cytotoxicité»* (la Recherche, sept. 1979, p. 826).

CYTOTOXINE [sitotɔksin] n. f. — 1903, in *Rev. gén. des sc.*, n° 622, p. 11 ; de *cyto-*, et *toxine.*

Biologie. Médecine.

♦ **1** Substance des sérums préparés qui provoquerait une lyse cellulaire.

♦ **2** Toxine produite par la cellule.

DÉR. Cytotoxique.

CYTOTOXIQUE [sitotɔksik] adj. — 1904, in *Rev. gén. des sc.*, n° 5, p. 274 ; de *cytotoxine*, d'après *toxique.*

Biol. Se dit d'une substance susceptible de détruire telle ou telle espèce de cellule. — Se dit aussi de l'action toxique (d'une substance) sur une espèce de cellule. *Action cytotoxique, d'ordre cytotoxique.*

La culture de tissus a permis d'étudier les anticorps cytotoxiques (...) le sérum cytotoxique pour le rein de rat est sans action sur les autres tissus de rat en culture. Il est également sans action sur les cultures de reins provenant d'autres animaux. Il existe donc une étroite spécificité de la cytotoxicité.

> Jean VERNE et SIMONE HÉBERT, la Culture de tissus, p. 99.

DÉR. Cytotoxicité.

CZAR [tzaʀ], **CZAREVITCH** [tsaʀevitʃ], **CZARINE** [tsaʀin] n. → **Tsar, tsarévitch, tsarine.**

CZIMBALUM [tʃimbalɔm] n. m. → **Cymbalum.**

D

D [de] nom masculin.

I Quatrième lettre et troisième consonne de l'alphabet : *D* (majuscule) ou *d* (minuscule). *Le d représente une occlusive dentale sonore* [d] *qui s'assourdit en liaison : un grand homme* [ɡ̃ɑ̃ɡʁɑ̃tɔm]. *Le d se prononce à la fin de certains mots d'origine étrangère :* caïd, raid, David [kaid, ʁɛd, david] *et n'est pas prononcé à la fin des autres mots :* grand, laid [ɡʁɑ̃, lɛ]. — *La forme matérielle de la lettre. Écrire un d minuscule. Ses d sont mal formés. Le son d.*

II Abréviations et symboles. ♦ **1** Abréviation de certains mots dont il est l'initiale : *Dame*, dans N.-D., *Dom*, dans le nom d'un religieux bénédictin (*D. Béranger*) ou d'un grand seigneur espagnol (*D. Juan*). — Fam. *Système D* : le système des gens débrouillards, qui savent toujours se tirer d'affaire.

♦ **2** Sc. (chim.). *D* : symbole du *deutérium*.
Géom. *D* (majuscule) : abrév. de *droit* (désigne l'angle droit). — *d* (minuscule) : abrév. de *déci-*.
Méd., biol. *Vitamine D.* → Minéraliser, cit.
Météor. *Couche D :* partie de l'ionosphère au-dessus de 60 000 m et au-dessous de 80 000 m.

♦ **3** Mus. Ancien nom de la note *ré*. — *d* (au-dessus de la portée) : doucement (indication de mouvement ; ital. *dolce*).

III Chiffre de la numération romaine, représentant le nombre cinq cents ; cinq mille s'il est surmonté d'un trait (D̄), cinquante mille, de deux traits (D̿).

1. D' Prép. élidée. → 1. De.

2. D' Article indéfini élidé, article partitif élidé. → 2. De.

DA ou (vx) **DÀ** [da] interj. — XVIᵉ ; contraction de *dea* (XVᵉ), qui paraît être une altér. de *diva* (XIIᵉ) ; *dis va*, double impératif.

Vx ou plais. Particule que l'on place après *oui* pour en renforcer le sens. *Oui-da !* : oui bien sûr.

1 La dévote Caliste
De son mari a fait un Jean :
Oui-dà, un Janséniste.   SCARRON, *in* Trévoux, Dict.

REM. On trouve aussi (rarement) les formes *nenni-da* (opposé à *oui-da*), *oh da !* et *da* employé seul comme terme d'affirmation ou de renforcement d'une affirmation.
Il la fouetta comme une petite fille, et dit à son gendre :   2
«Dà, dà, la voilà corrigée !»
    Ed. et J. DE GONCOURT, Journal, 22 sept. 1862.

DAB ou **DABE** [dab] n. m. — 1827 ; «père, roi, maître», 1628 ; orig. obscure, on a évoqué le lat. *dabo* «je donnerai», par l'italien.

Argot. Père. → **Daron, pater, vieux.** — Vx. *Grand-dab* (*dabe*), *beau-dab* : grand-père, beau-père.

Je n'ai plus qu'à te redemander de promptes nouvelles.   1
Je cherche ta main de grand-dab, par-dessus la Manche, pour te la serrer.
    Germain NOUVEAU, Lettre à Jean Richepin, Pl., p. 819.
Mais moi, ça me faisait du bien de parler de tout, du dab,   2
de la mère, des musettes et des pépées (...)
    P. MAC ORLAN, la Bandera, VI, p. 72.
Le Miquel, il me plaisait bien aussi, ce trapu au front   3
bas, dont je distinguais les tiffes raides comme crin, mais brillantinés au maximum. Il devait y avoir des bûcherons et des charbonniers chez ses grands-dabs, des hommes de bois !
    Albert SIMONIN, Touchez pas au grisbi, p. 192.
Par ext. (au plur.). *Les dabs* ou *les dabes :* les parents.
→ **Vieux.** — Au fém. *Dabe.* → **Dabesse.**

DÉR. Dabesse, dabuche. — V. aussi **Doche.**

D. A. B. [deabe] n. m. Abrév. de *distributeur automatique de billets.*

DABBIEH [dabjɛ] n. f. → **Dahabieh.**

DABESSE [dabɛs] n. f. — 1872 ; de *dab.*

Argot (rare). Mère. → **Daron** (daronne), **doche, mater, vieux** (vieille). — Vx. Femme du patron. — *Belle-dabesse :* belle-mère.

REM. On rencontre aussi la var. *dabuche* [dabyʃ] et l'emploi de *dabe* au féminin.

Je trouvai mon dab, en plein boum, les boules à la main, qui me dit de m'en remettre à la belle dabesse.
    Jeanne CORDELIER, la Passagère, p. 22.

D'ABORD [dabɔʁ] loc. adv. → **Abord.**

DABUCHE [dabyʃ] n. f. Argot (rare). → **Dabesse.**

DA CAPO [dakapo] loc. adv. — 1705; loc. ital. «depuis le commencement», de *capo* «tête; début».

Mus. Locution indiquant qu'il faut reprendre le morceau depuis le début (abrév. : *D. C.*). *Reprise da capo.* — N. m. Reprise. *Ne pas oublier le da capo. Des da capo.*

D'ACCORD [dakɔʀ] loc. adv. → **Accord.** — Abrév. fam. : *d'ac.*

1. DACE [das] adj. et n. — Av. 1740; lat. *Dacius.*

Hist. Qui se rapporte à la Dacie (nom de la région correspondant à l'actuelle Roumanie avant la colonisation romaine) ou à ses habitants. → aussi **Dacique.** *Le peuple dace.* — N. *Un, une Dace :* un habitant, une habitante de la Dacie. *Les Daces.*

HOM. 2. Dace.

2. DACE [das] n. f. — Attesté, dans l'usage courant, du XVIᵉ au XVIIIᵉ, avec au XVIᵉ les var. *dache, dasse;* lat. médiéval *datio* «contribution, impôt» (en lat. class. «action de donner»), de *dare* «donner».

Hist. (Ancient). Impôt, taxe, contribution; spécialt, impôt perçu sur le transport des marchandises d'un pays à un autre.

HOM. 1. Dace.

DACHE (À) [adaʃ] loc. adv. — 1866; orig. incert., peut-être déformation mal expliquée de *diache* «diable», régionalement bien attesté; *Dache* est traité comme un nom propre, et l'absence d'article (*à Dache, chez Dache* et non *au Dache, chez le Dache*) s'expliquerait par l'attraction d'autres locutions, la plus fréquente dans le même emploi étant : *à, chez Plumepatte* «au diable».

Argot. Au diable. *C'est à Dache,* très loin. *Envoyer qqn* (plus rarement, *qqch.*) *à Dache,* l'envoyer promener.

(...) c'est promis, je l'enverrai à dache, tout ce fatras (...)
Jeanne CORDELIER, la Passagère, p. 334.

DACIQUE [dasik] adj. — 1740, *Domitien Dacique, in* Trévoux; lat. *dacicus* «des Daces, relatif aux Daces». → 1. Dace.

Relatif aux Daces, à la Dacie. *Guerres daciques,* menées par Trajan (101-107 après J.-C.), auquel elles valurent le surnom de *Dacius* «vainqueur des Daces», et qui firent de la Dacie une province romaine.

DACITE [dasit] n. f. — 1866; en all., Stacke, 1878; de *Dacie,* nom ancien de la Roumanie. → 1. Dace.

Minér. Roche microlithique composée de quartz et de feldspaths. *«Un type de lave, la dacite, recueillie sur le mont japonais Hazuna» (Science et Vie,* 1967, n° 588, p. 60).

DACRON [dakʀɔ̃] n. m. — 1951; nom déposé.

Fibre textile synthétique, polyester (fabriquée sous licence américaine). → **Tergal.**

Je l'aurais aimée, même fossilisée, même squelette, même ventrue et obèse (...) en soutien-gorge sans pinces ni fermeture, ancré sur ruban et bretelles stretch (...) en dacron, en style débardeur, en alliage léger, pulvérulente, siliceuse, sédimentaire... Je l'aime !
Jean CAYROL, Histoire d'un désert, p. 75.

DACRYO- Élément, du grec *dakruon* «larme», entrant dans la composition de mots savants. Voir ci-après à l'ordre alphabétique.

DACRYOCYSTITE [dakʀijosistit] n. f. — 1845; de *dacryo-, cyst-,* et suff. *-ite.*

Méd. Inflammation du sac lacrymal.

DACRYOGÈNE [dakʀijɔʒɛn] adj. — Mil. XXᵉ; de *dacryo-,* et *-gène.*

Méd. (physiol.). Rare. Qui produit la sécrétion des larmes. → **Lacrymogène.**

DACTYL-, DACTYLO- Élément, du grec *daktulos* «doigt», entrant dans la composition de termes didactiques et courants. Voir à l'ordre alphabétique.

1. DACTYLE [daktil] n. m. — V. 1370; lat. *dactylus;* grec *daktulos* «doigt».

Didact. Pied formé d'une syllabe longue suivie de deux brèves (par comparaison avec les doigts, qui ont une grande phalange et deux petites), dans la prosodie grecque et latine. → **Dactylique.**

DÉR. Dactylique.

2. DACTYLE [daktil] n. m. — XVIᵉ; lat. *dactylus,* du grec *daktulos.* → 1. Dactyle.

Bot. Plante monocotylédone *(Graminacées),* herbacée, vivace, qui croît dans les endroits incultes et dont une variété, le *dactyle pelotonné* ou *aggloméré,* est une plante fourragère.

3. DACTYLE [daktil] n. m. → **Dactylopodite.**

-DACTYLE Élément, du grec *daktulos* «doigt», entrant dans la composition de termes didactiques (de biologie, notamment). → **Adactyle, artiodactyle, brachydactyle, décadactyle, didactyle, isodactyle, isodactylie, macrodactyle, macrodactylie, pentadactyle, polydactyle, polydactylie, ptérodactyle, syndactyle, syndactylie, tétradactyle, tridactyle.**

DACTYLÉ, ÉE [daktile] adj. — XXᵉ; dér. sav. du grec *daktulos.* → Dactyl-.

Sc. nat. Qui porte des prolongements en forme de doigts.

DACTYLIQUE [daktilik] adj. — 1466; de 1. *dactyle.*

Didact. Qui se rapporte au dactyle, dans la prosodie grecque et latine. *Hexamètre dactylique :* hexamètre formé uniquement de dactyles, sauf le dernier pied qui est un spondée; hexamètre dont le dernier pied est un dactyle.

DACTYLITE [daktilit] n. f. — 1956; de *dactyl-,* et suff. *-ite.*

Méd. Inflammation du doigt.

DACTYLO [daktilo] n. → **Dactylographe.** — N. f. → **Dactylographie.**

DACTYLO- → **Dactyl-.**

DACTYLOGRAMME [daktilɔgʀam] n. m. — XXᵉ; de *dactylo-,* et *-gramme.*

♦ 1 Didact. Empreinte digitale, utilisée comme moyen d'identification par le procédé dit *dactyloscopie*. Dactylogrammes portés sur une fiche anthropométrique.*

♦ 2 Dactylographie, manuscrit dactylographié (syn. : *tapuscrit).* → Manuscrit, cit. 7.

DACTYLOGRAPHE [daktilɔgʀaf] (vx) ou **DAC-TYLO** [daktilo] n. 1832, «clavier pour sourds-muets et aveugles»; «machine à écrire», 1873; sens actuel à la fin du xixᵉ; dactylo, 1923; de dactylo-, et -graphe.

♦ **1** Personne (généralt, femme) dont la profession est d'écrire ou de transcrire des textes, des lettres, des documents, en se servant de la machine à écrire. *Dactylo tapant une lettre à la machine. Dactylo qui connaît la sténo(graphie).* → **Sténodactylo, sténodactylographe.** *Dactylographe travaillant avec une machine à dicter.* → **Audiotypiste.** *Une bonne dactylo, une dactylo rapide. Le métier de dactylo est différent de celui de compositeur, de claviste d'imprimerie.*

1   Une dactylographe peut produire une copie médiocre ou une copie admirable : cela dépend de sa frappe, des soins qu'elle donne à sa machine, de la symétrie des titres, de la mise en page, de l'attention avec laquelle elle se relit.
      A. MAUROIS, Un art de vivre, III, 3, p. 116.
Adj. *Secrétaire* dactylographe. — En attribut. *Êtes-vous dactylo? Il, elle est dactylo.*
REM. 1. Le mot est rare au masculin, surtout comme substantif : *c'est un excellent dactylo* est à peine acceptable.
2. En composition : *dactylo-facturière*, n. f. (*le Nouvel Obs.*, 15 juin 1981, p. 68).

♦ **2** N. m. Régional (Canada). Machine à écrire (emploi critiqué au Québec, et qui tend à disparaître).

2   Puis il s'est redressé, un pied sur le dactylographe qui en gémit, l'autre sur la couverture.
      Jacques GODBOUT, D'amour P.Q., p. 112.
DÉR. Dactylographie. ◊ **COMP. Sténodactylographe. — Dactylo-facturière** (V. ci-dessus, REM. 2.).

DACTYLOGRAPHIE [daktilɔgʀafi] n. f. — 1832; de dactylographe.

♦ **1** Vx. Art de converser par le toucher avec les sourds-muets aveugles.

♦ **2** (1900). Mod. Technique, métier d'une personne (→ **Dactylographe**) qui écrit mécaniquement en frappant sur les touches d'une machine (*machine à écrire*), qui tape à la machine. *Dactylographie combinée avec la sténographie.* → **Sténodactylographie, sténotypie.** — Par abrév. *Apprendre la dactylo.*

♦ **3** (V. 1927). Didact. Texte dactylographié. → **Dactylogramme.**
J'ai aujourd'hui sous les yeux la dactylographie d'une conférence de presse faite par l'ethnarque Makarios sur le comportement des autorités militaires britanniques à Chypre (...)
      F. MAURIAC, Bloc-notes 1952-1957, p. 350.
DÉR. Dactylographier, dactylographique. ◊ **COMP. Sténodactylographie.**

DACTYLOGRAPHIER [daktilɔgʀafje] v. tr. — 1907; de dactylographie.
Didact. Écrire en dactylographie. → **Taper** (cour.). *Dactylographier une lettre. Faire dactylographier sa thèse.*

♦ **DACTYLOGRAPHIÉ, ÉE** p. p. adj.
Écrit en dactylographie, tapé à la machine. *Texte dactylographié.* → **Dactylogramme, tapuscrit.** *Passage bien, mal dactylographié.*
CONTR. (Du p. p. adj.) **Manuscrit.**

DACTYLOGRAPHIQUE [daktilɔgʀafik] adj. — 1832; de dactylographie.

♦ **1** Vx. Qui se rapporte à l'art de converser par le toucher avec les sourds-muets aveugles.

♦ **2** (1900). Mod. et didact. Qui se rapporte à la dactylographie (2.). *Exercices dactylographiques.*

DACTYLOLALIE [daktilɔlali] n. f. — 1808; de dactylo-, et -lalie.
Vx. → **Dactylologie.**
DÉR. Dactylolalique.

DACTYLOLALIQUE [daktilɔlalik] adj. — xixᵉ; de dactylolalie.
Vx. Qui a rapport à la dactylolalie; dactylologique.

DACTYLOLOGIE [daktilɔlɔʒi] n. f. — 1797; de dactylo-, et -logie.
Didact. Langage digital inventé par l'abbé de l'Épée, à l'usage des sourds-muets. — On trouve aussi *dactylolalie* (vx) et *dactylophasie.*
DÉR. Dactylologique.

DACTYLOLOGIQUE [daktilɔlɔʒik] adj. — xviiiᵉ; de dactylologie.
Didact. Qui a rapport à la dactylologie. **Syn.** (vx) : *dactylolalique, dactylophasique.*

DACTYLOMANCIE [daktilɔmãsi] n. f. — 1795, Sade, in D.D.L.; *dactyliomancie*, 1721; de dactylo-, et -mancie.
Didact. Divination, prédiction au moyen d'un anneau (de doigt), d'une bague.

DACTYLOPHASIE [daktilɔfazi] n. f. — xxᵉ; de dactylo-, et -phasie.
Vx. → **Dactylologie.**
DÉR. Dactylophasique.

DACTYLOPHASIQUE [daktilɔfazik] adj. — xxᵉ; de dactylophasie.
Vx. Dactylologique.

DACTYLOPODITE [daktilɔpɔdit] n. m. — 1893; de dactylo-, grec *podos* «pied», et suff. -ite.
Zool. Article terminal de la patte des crustacés, pouvant prendre la forme d'une griffe ou d'une pince. — **REM.** On dit aussi, par abréviation, *dactyle.*

DACTYLOPTÈRE [daktilɔptɛʀ] n. m. — 1808; de dactylo-, et -ptère «aile».
Zool. Poisson volant (*Triglidés*), commun dans la Méditerranée, et appelé *hirondelle de mer. Le dactyloptère se sert de ses nageoires pectorales très vastes pour sauter au-dessus de l'eau* (1 m). *L'exocet* et le dactyloptère sont tous deux des poissons volants.*
Les performances des Dactyloptères, autres poissons volants cousins des Grondins, sont plus modestes. Plus lourds, nantis de pectorales plus amples mais beaucoup moins longues, ils les agitent fortement pour un résultat médiocre.   R. et M.-L. BAUCHOT, les Poissons, p. 22.

DACTYLOSCOPIE [daktilɔskɔpi] n. f. — 1906; de dactylo-, et -scopie.
Didact. (admin.). Procédé d'identification par les empreintes digitales (→ **Dactylogramme**) utilisé surtout en anthropométrie judiciaire.
DÉR. Dactyloscopique.

DACTYLOSCOPIQUE [daktilɔskɔpik] adj. — 1945; de dactyloscopie.
Didact. (admin.). De la dactyloscopie.
L'Identité judiciaire a pris les photos mais n'a pu relever d'empreintes digitales sauf celles de la victime, bien entendu! Elles ne correspondent à aucune fiche dactyloscopique.   G. SIMENON, Pietr-le-Letton, p. 37.

DACTYLOTYPE [daktilɔtip] n. f. — Déb. xxᵉ; de *dactylo-*, et *-type*.

Vx. Machine à écrire.

DACTYLOZOÏDE [daktilozɔid] n. m. — 1897; de *dactylo-*, et *-zoïde*.

Zool. Individu défenseur dans une colonie d'hydrozoaires, polype sans bouche mais muni de tentacules porteurs de nématocystes.

DADA [dada] n. m. — 1508; onomat., p.-ê. de *dia*.

I ♦ 1 Cheval (langage enfantin). *Un dada, des dadas. Être, se mettre à dada*, à cheval.

1 Un bâton entre les jambes qu'il appelait son dada.
FURETIÈRE, le Roman bourgeois, I, 108.

♦ 2 (1776; trad. angl. *hobby horse*). Sujet favori, idée à laquelle on revient sans cesse. → **Hobby, manie, marotte; idée** (fixe), **toquade**. *Il garde le même dada depuis dix ans*. — (Avec un ou plusieurs termes définissant la nature du sujet favori). *Dada musical*.

REM. Le mot s'est d'abord employé, et s'emploie encore, avec des verbes ou dans des constructions où la métaphore du «cheval» est sentie : *enfourcher un, son dada. Le voilà parti sur son dada* (→ ci-dessous, cit. 2 et 3.1).

2 «Voilà Hector à cheval sur son dada, dit-il. Au chapitre des jeunes filles, il est inépuisable».
Marcel PRÉVOST, les Demi-vierges, I, III, p. 19.

3 Un des dadas de Teste, non le moins chimérique, fut de vouloir conserver l'art — *Ars* — tout en exterminant les illusions d'artiste et d'auteur.
VALÉRY, M. Teste, p. 120.

3.1 (...) il se mettait à parler avec chaleur sans s'arrêter, comme sans voir les sourires que son enthousiasme excitait chez ses admirateurs qui l'invitaient souvent à dîner pour le servir à ceux qui ne le connaissaient pas encore : «Vous verrez, nous le mettrons sur un de ses dadas, et quand il est parti, vous verrez, c'est extraordinaire.» Et en effet il partait. PROUST, Jean Santeuil, Pl., p. 275.

3.2 (...) Laborde passait, à juste titre, pour le plus incisif et le plus savoureux illustrateur de sa génération. Mac Orlan, qui a toujours eu ses dadas, l'agaçait quelquefois, en lui rebattant les oreilles du nom de Grosoz dont les dessins publiés à Berlin commençaient d'être répandus à Paris.
Francis CARCO, Nostalgie de Paris, p. 238.

II N. propre; sans article et avec la majuscule. Dénomination adoptée par un mouvement artistique et littéraire révolutionnaire, en 1916. *Le surréalisme est issu de Dada*.

3.3 On apprend dans les journaux que les nègres Krou appellent la queue d'une vache sainte : DADA. Le cube et la mère en une certaine contrée d'Italie : DADA. Un cheval en bois, la nourrice, double affirmation en russe et en roumain : DADA. Des savants journalistes y voient un art pour les bébés (...) On ne construit pas sur un mot la sensibilité; toute construction converge à la perfection qui ennuie, idée stagnante d'un marécage doré, relatif produit humain.
Tristan TZARA, Manifeste DADA, 1918, in DADA, Réimpression..., p. 54.

4 DADA naquit d'une révolte qui était commune à toutes les adolescences, qui exigeait une adhésion complète de l'individu aux nécessités profondes de sa nature, sans égards pour l'histoire, la logique ou la morale ambiantes; Honneur, Patrie, Morale, Famille, Art, Religion, Liberté, Fraternité (...) autant de notions (...) dont il ne subsistait que de squelettiques conventions.
Tristan TZARA, le Surréalisme et l'Après-guerre, p. 17.

4.1 L'honneur s'achète et se vend comme le cul. Le cul, le cul représente la vie comme les pommes frites, et vous tous qui êtes sérieux, vous sentirez plus mauvais que la merde de vache.
DADA lui ne sent rien, il n'est rien, rien, rien.
Francis PICABIA, Manifeste cannibale Dada, Bulletin Dada nᵒ 6, 1920, in DADA, Réimpression..., p. 113.

C'est en glissant un coupe-papier au hasard dans les pages 5
d'un Larousse que fut trouvé le mot DADA. Il fut adopté (...) pour sa parfaite insignifiance. Il était en lui-même un manifeste. René LACOTE, Tristan Tzara, p. 16.

Adj. *Mouvement dada. Manifestes dada*.

Machine à chavirer l'esprit, selon Aragon, le surréalisme 6
s'enracine dans le mouvement «dada» dont il faut noter les origines romantiques, et le dandysme anémié.
CAMUS, l'Homme révolté, Pl., p. 500.

Par métonymie. *Un, une dada* : membre du mouvement dada. → **Dadaïste**. *Les dadas et les surréalistes*.

DÉR. Dadaïsme, dadaïste.

DADAIS [dadɛ] n. m. — 1640, in D.D.L.; mot onomatopéique *dadée* «enfantillage», xvIᵉ. → Dandin.

Garçon niais et de maintien gauche. → **Ballot, dandin, niais, nigaud, sot**.

Nous avons le fils du gentilhomme de notre village qui 1
est le plus grand malitorne et le plus sot dadais que j'aie jamais vu. MOLIÈRE, le Bourgeois gentilhomme, III, 12.

Plus cour. : *grand dadais*.

Si Marcel (*maître à danser en vogue au XVIIIᵉ s.*) rencon- 2
trait un homme placé comme l'Antinoüs (...) «Allons donc, grand dadais, lui dirait-il, est-ce qu'on se tient comme cela?» DIDEROT, Essai sur la peinture, IV, p. 1170.

DADAÏSME [dadaism] n. m. — 1916; de *Dada*.

École, mouvement dada; sensibilité particulière à l'école dadaïste. *Dadaïsme poétique, pictural*.

Le Dadaïsme. Pour introduire l'idée de folie passagère en mal de scandale et de publicité d'un isme nouveau — si banal, avec le manque de sérieux inné à ces sortes de manifestations, les journalistes nommèrent Dadaïsme ce que l'intensité d'un art nouveau leur rendit impossible compréhension et puissance de s'élever à l'abstraction, la magie d'une parole (DADA), les ayant mis, (par sa simplicité de ne rien signifier) devant la porte d'un monde présent, vraiment trop forte éruption pour leur habitude de se tirer facilement d'affaire.
Note au Manifeste DADA, 1918, in DADA, Réimpression..., p. 54.

DADAÏSTE [dadaist] adj. et n. — 1918; de *Dada*.

Qui se rapporte au mouvement dada. *Poésie dadaïste. La spontanéité dadaïste*.

N. *Un, une dadaïste* : membre de l'école dada. (On dit aussi *dada*).

(La révolte des romantiques) s'enracine à un niveau profond, mais du Cleveland de l'abbé Prévost jusqu'aux dadaïstes, en passant par les frénétiques de 1830, Baudelaire et les décadents de 1880, plus d'un siècle de révolte s'associent à bon compte dans les audaces de «l'excentricité». CAMUS, l'Homme révolté, Pl., p. 462.

DADIN [dadɛ̃] n. m. — Mil. xxᵉ; probablt mot régional *dadin* «dadais». → Nigaud.

Régional. Fou, gros oiseau marin.

Le bateau est entouré de dadins, qu'on appelle aussi des fous, palmipèdes de la taille des goélands, dont le plumage est fauve en dessus, blanc bordé de gris en dessous.
J.-R. BLOCH, Sur un cargo, p. 215.

DAGENAN [dagenã] n. m. — V. 1938; nom pharmaceutique allemand, déposé (Specia).

Pharm. Sulfamide puissant, spécifique contre la pneumonie.

DAGORNE [dagɔʀn] n. f. — 1611; de *dag(ue)* et *(c)orne*.

Vieux ou régional.

♦ 1 Vache qui n'a plus qu'une corne.

♦ 2 Péj. Femme vieille, laide, méchante.

DAGUE [dag] n. f. — 1229, «poignard»; provençal *daga*, p.-ê. du lat. pop. *daca* «épée dace» ou (P. Guiraud), d'un gallo-roman *deacua*, de l'adj. *accuus* «pointu, aiguisé» (→ Aigu), avec préfixe intensif *de-* (→ 2. Dé-).

♦ **1** Épée courte ou long poignard que l'on portait au côté droit et dont la lame aiguë et plate pouvait pénétrer au défaut de la cuirasse ou à travers les cottes de maille. → **Couteau, épée, poignard.** *Dague de miséricorde*, et, ellipt. *miséricorde :* dague dont on achevait l'adversaire terrassé, s'il n'implorait miséricorde.

1 Aod (...) fit faire une dague à deux tranchants, qui avait une garde de la longueur de la paume de la main, et il la mit sous sa casaque à son côté droit (...)
    BIBLE (SACY), Livre des Juges, III, 16.

2 Je le garde *(mon nom),* secret et fatal pour un autre
 Qui doit un jour sentir, sous mon genou vainqueur,
 Mon nom à son oreille et ma dague à son cœur.
    HUGO, Hernani, I, 2.

2.1 (...) la dague, spécialement destinée à percer les cottes de mailles ou les joints des armures (...) doit avoir une lame de trente à quarante centimètres dont la partie percutante, très aiguë, est de section carrée ou losangique. Cet idéal fonctionnel a été atteint entre le XIVᵉ et le XVIIIᵉ siècle en Europe, dans le Proche-Orient et au Japon.
    A. LEROI-GOURHAN, le Geste et la Parole, t. II, p. 130.

Loc. (vx). *Fin comme une dague de plomb :* lourd d'esprit.

3 Panurge était (...) fin à dorer comme une dague de plomb.
    RABELAIS, Pantagruel, XVI.

♦ **2** Techn. Lame de fer emmanchée par les deux bouts, avec laquelle les relieurs raclent les peaux.

♦ **3** Vén. Ⓐ Défense (du sanglier). *Les dagues puissantes d'un vieux solitaire.*

Ⓑ (XVIᵉ). *Dagues de cerf, de daim,* premiers bois en forme de petites cornes pointues que portent ces animaux vers la seconde année. *Petit cerf avant la pousse des dagues.* → **Hère.** *Petit cerf après la pousse des dagues.* → **Daguet** (ou dagard).

4 Les autres hères, comme lui, s'éloignèrent dès la fin de la nuit, tourmentés par la pousse de leurs bois. Déjà, sur la tête du Brèche-Pied, les dagues s'allongeaient hors des bosses, moins faites encore que celle du Rouge, mais jaillissant d'un jet courbe et nerveux sous la mollesse duveteuse de la peau qui les gainait.
    M. GENEVOIX, la Dernière Harde, VII, p. 50.

DÉR. Dagorne, daguer, daguet ou **dagard, daguette.** — V. aussi **Dail.**

DAGUER [dage] v. — V. 1572; de *dague.*

Techn. (t. de chasse).

Ⅰ V. tr. ♦ **1** Frapper à coups de dague. *Daguer un sanglier.*

Mes deux frères aînés sont morts à la guerre, mon cousin germain de Loynes en daguant un cerf, dans notre forêt de Dampierre (...)
    BERNANOS, Dialogues des carmélites, *in* Œ. roman., Pl., p. 1594.

♦ **2** (1694). Saillir (la femelle), en parlant du cerf, du daim. — Intr. *Cerf en train de daguer.*

Ⅱ V. intr. Voler de toutes ses forces, en parlant d'un faucon.

♦ **SE DAGUER** v. pron.

(De I.). Régional. Se battre à coups de cornes, en parlant des chèvres.

DAGUERRÉOTYPE [dageʀɔtip; dagɛʀɔtip] n. m. — 1838; de *Daguerre,* nom de l'inventeur, et *-type.*

Procédé primitif de la photographie, par lequel l'image de l'objet était fixée sur une plaque métallique. → **Photographie.** *«Le charme cruel et surprenant du daguerréotype»* (Baudelaire).

1 C'est à Paris que le daguerréotype a pris naissance (...) et si maintenant son succès est devenu européen, l'admirable invention de Daguerre ne cesse pas pour cela d'être cultivée à Paris.
    Ch. PAUL DE KOCK, la Grande Ville, t. I, p. 193.

2 Or, ce changement du rapport de l'homme avec la terre, que nous entrevoyons, sera aussi éclatant dans un siècle, que l'est pour nous le passage du daguerréotype au cinéma.
    MALRAUX, l'Homme précaire et la Littérature, p. 214-215.

Par métonymie. L'instrument employé pour obtenir cette image. *Restaurer un daguerréotype.* — Atelier de daguerréotypie.

3 Au rez-de-chaussée, le café-billard ; au premier, la salle de danse ; au second, la salle d'escrime et de boxe ; au troisième le daguerréotype, instrument de patience qui s'adresse aux esprits fatigués, et qui, détruisant les illusions, oppose à chaque figure le miroir de la vérité.
    NERVAL, les Nuits d'octobre, «Pantin», Pl., p. 109.

Plus cour. Image obtenue par daguerréotype. *Collection de daguerréotypes.*

4 (...) une belle commode à dessus de marbre portait sa pendule sous globe de verre, deux chandeliers en cuivre, une boîte incrustée de coquillages, des daguerréotypes très orgueilleux, notamment celui d'un vieil homme en militaire avec dolman à brandebourgs, poing sur la hanche et moustaches en cornes de taureau (...)
    J. GIONO, le Hussard sur le toit, p. 108.

5 Nicéphore Niepce engloutit sa fortune pour inventer le moteur à combustion interne et, sur ses vieux jours, s'amuse à fixer à l'aide d'essence de lavande les images dessinées par le soleil sur un écran imprégné de bitume de Judée. Après sa mort, son associé Daguerre perfectionne le truc par une plaque de métal couverte d'iodure d'argent, que l'on développe en l'exposant à des vapeurs de mercure. En 1839, il expose ses premiers daguerréotypes : une galerie du Louvre, les ponts de la Seine... Niepce ne sera pas le père du moteur à combustion interne, il sera le grand-père de la photographie.
    Jean DUCHÉ, Histoire du monde, IV, p. 32.

DÉR. Daguerréotyper, daguerréotypie.

DAGUERRÉOTYPER [dageʀɔtipe; dagɛʀɔtipe] v. tr. — Mil. XIXᵉ ; de *daguerréotype.*

Vx. Reproduire en image, par le procédé du daguerréotype.

♦ **DAGUERRÉOTYPÉ, ÉE** p. p. adj. (1839, Gautier). *Épreuve daguerréotypée. Portrait daguerréotypé.*

Je regrette de ne pouvoir t'envoyer mon épreuve daguerréotypée de ce dernier qui est à Schoubra ; quelque peintre t'en donnerait le dessin.
    NERVAL, Lettre à Th. Gautier, 2 mai 1843, Pl., p. 871.

DÉR. Daguerréotypeur.

DAGUERRÉOTYPEUR [dageʀɔtipœʀ; dagɛʀɔtipœʀ] n. m. — 1842, Balzac, *lettre à Mᵐᵉ Hanska;* de *daguerréotyper.*

Vx. Personne qui reproduit une image par daguerréotypie. → **Photographe.** — REM. Le fém. est virtuel.

Nous voici bien loin de notre humble besogne de daguerréotypeur littéraire.
    Th. GAUTIER, Constantinople, p. 308.

DAGUERRÉOTYPIE [dageʀɔtipi; dagɛʀɔtipi] n. f. — 1839; de *daguerréotype.*

Vx. Photographie au moyen du daguerréotype. — Par métonymie (rare). Image obtenue par ce procédé. → **Daguerréotype.**

DAGUERRIEN, IENNE [dagɛʀjɛ̃, jɛn] adj. — 1841; du nom propre *Daguerre*. → Daguerréotype.

Didact. Qui se rapporte au daguerréotype et à la daguerréotypie.

DAGUET [dagɛ] ou (vx) **DAGARD** [dagaʀ] n. m. — 1655, *daguet*; *dagard*, xvɪᵉ; de *dague* (3.).

Vén. Jeune cerf ou jeune daim, généralement dans sa deuxième année, qui pousse son premier bois (→ **Dague,** 3.).

Le faon ne porte ce nom que jusqu'à six mois environ, alors les bosses commencent à paraitre, et il prend le nom de hère jusqu'à ce que ces bosses allongées en dagues lui fassent prendre le nom de daguet.
BUFFON, Hist. nat. des animaux, Le cerf, *in* LITTRÉ.

DAGUETTE [dagɛt] n. f. — Av. 1466; de *dague*, 1. Didact. (archéol.). Petite dague. → aussi **Dail.**

DAHABIEH [daabjɛ] n. f. — 1869; *dhahbia*, 1787; *dahabi*, n. m., 1848; arabe égyptien *dahabiyya*, même sens, littéralement «la dorée», de *dahab* «or».

Didact. Grande barque à voile triangulaire, employée pour le transport des voyageurs sur le Nil. *Des dahabiehs et des felouques.* — REM. On rencontre les var. *dabbieh* (cf. cit.), et *dahabîyé* (Barrès, 1908, *in* T. L. F.).

Védrine ne voyait dans cet argent du chef-d'œuvre que trois mois de flâne, en dabbieh, sur le Nil.
Alphonse DAUDET, l'Immortel, p. 178.

DAHIR [daiʀ] n. m. — 1929; mot arabe.

Décret du sultan du Maroc. *Dahir interdisant de vendre des boissons alcooliques aux musulmans marocains.*

1 Sa Majesté le Sultan a signé les Dahirs réorganisant les nouvelles juridictions et promulguant les nouveaux codes de l'Empire. L. H. LYAUTEY, Paroles d'action, p. 95.

2 l... ramène à ses proportions exactes une fortune dont le souverain n'a pas l'administration, qu'un dahir peut lui enlever à chaque instant et sur les revenus de laquelle il doit faire vivre trente personnes.
F. MAURIAC, Bloc-notes 1952-1957, p. 88.

DAHLIA [dalja] n. m. — 1804; de *Dahl*, nom du botaniste suédois qui, en 1789, rapporta cette plante du Mexique.

Plante ornementale dicotylédone *(Composées)* vivace, aux grosses racines charnues, produisant des fleurs simples ou doubles aux couleurs riches et variées. *Les racines du dahlia renferment de l'inuline. Dahlia-glaive,* à feuilles en forme de glaives. — Plus cour. Fleur de cette plante. *Une gerbe de dahlias.*

1 L'ameublement, les rideaux et les tapisseries de ce petit salon étaient d'un rouge sombre ; des vases d'albâtre sur la cheminée. Dans l'ombre, une toile dans le style des élèves de Rembrandt ; de mauvais dahlias violets dans une coupe, sur le piano.
VILLIERS DE L'ISLE-ADAM, Tribulat Bonhomet, p. 71.

2 Le copal montait au-dessus du village, des églises de sucre, et d'une tache de dahlias-glaives éclatante comme un tesson de verre rouge.
MALRAUX, Antimémoires, éd. Folio, p. 79.

DAHOMÉEN, ENNE [daɔmeɛ̃, ɛn] adj. et n. — 1870; *dahoman, -mien*, 1796; de *Dahomey*, région historique d'Afrique.

Qui se rapporte au Dahomey (aujourd'hui Bénin, d'où l'adj. **béninois, oise**) ou à ses habitants. *Les ethnies dahoméennes.*

N. (Anciennt). *Un Dahoméen, une Dahoméenne* : un habitant, une habitante du Dahomey (Bénin), ou une personne qui en est originaire. Syn. mod. : *Béninois, oise.*

DAHU [day] n. m. — Attesté xɪxᵉ dans diverses régions, avec la var. *daru*; notamment : *chasse au dahû*, Berry, et *darue* «chasse de nuit aux oiseaux», Mons, 1812; aussi, par croisement avec *garou* : *darou* «être imaginaire qu'on fait craindre aux innocents», Bresse; Wartburg rattache ces termes, comme *daru* et *dalu* «niais, stupide» à une forme hypothétique *darrutu*.

Animal imaginaire à l'affût duquel on poste une personne crédule qu'on veut mystifier. Syn. plus rare : *daru* [daʀy]. *La chasse au dahu. Le dahu passe pour être tantôt un oiseau, tantôt un quadrupède dont deux pattes* (latérales ou antérieures) *sont beaucoup plus courtes que les deux autres : surpris par un coup de sifflet du chasseur, l'animal se retourne et perd l'équilibre.* — REM. Dans la tradition populaire, le chasseur revenu bredouille après une nuit d'attente, se voyait attribué le sobriquet de *daru* ou *dahu.*

N'empêche que depuis qu'il est mort, Ramos a pris dans mon souvenir toute sa véritable importance et l'espèce de majesté que je n'avais pas voulu lui accorder sans réserve du temps que nous courions ensemble dans la montagne, tantôt excités par la chasse aux dahus, tantôt gibiers nous-mêmes... Jacques PERRET, Bande à part, p. 145.

DAÏER [daje] v. tr. — Attesté xɪxᵉ; *dallier* «railler», xvᵉ, Nord-Est de la France; de l'allemand *dahlen* «badiner».

Régional (Lorraine). Provoquer (qqn) pendant la veillée, par la porte ou la fenêtre, en lançant des sornettes ou des propos satiriques, pour s'attirer des répliques de l'intérieur. Dér. : *daïe* [daj] n. f.

On assistait là à une de ces séances plaisantes, comme on en voit aux veillées lorraines, où les filles et les garçons échangent des facéties et des bouts rimés. C'était une véritable séance de *daïe*, où François *daïait* la religieuse. Tous ces paysans étaient enchantés (...)
M. BARRÈS, la Colline inspirée, p. 91.

DAIGNER [deɲe; dɛɲe] v. tr. — V. 880, *degnier*; *deignier*, xɪɪᵉ; du lat. *dignari* «juger digne».

Vouloir bien accepter de (faire qqch.), soit en faveur d'une personne qui n'en paraît pas indigne, soit parce qu'on ne juge pas cette chose indigne de soi. → **Condescendre** (à), **consentir** (à); → Affabilité, cit. 2; associer, cit. 4 et 8; auparavant, cit. 6; bonté, cit. 11. *Le président, le directeur-général a daigné nous recevoir.* — Iron. *Quand est-ce que tu vas daigner m'écouter ? L'employé a finalement daigné s'occuper de moi* (→ ci-dessous, cit. 6 et 9). — En négation. *Ne pas daigner* (et l'inf.) : refuser de (faire qqch.), par indifférence, par fierté ou par mépris (→ ci-dessous, cit. 8). *Il ne daigne pas répondre à la calomnie. Il ne daigne rien faire.* — Absolt (rare). «*Ne sais-tu pas que tu seras ma femme si tu ou tu daigneras ?*» (Toulet, le Mariage de Don Quichotte, 1902, *in* T. L. F.). «*Roi ne puis, duc ne daigne, Rohan suis*», devise des Rohan.

À répondre à cela je ne daigne descendre. 1
MOLIÈRE, les Femmes savantes, I, 2.

Qu'un peuple tout entier, tant de fois triomphant, 2
N'eût daigné conspirer que la mort d'un enfant ?
RACINE, Andromaque, I, 2.

Daigne-t-elle sur nous tourner au moins la vue ? 3
Quel orgueil ! RACINE, Andromaque, III, 6.

Vos pleurs pour Xipharès auraient daigné couler ? 4
RACINE, Mithridate, II, 6.

Daigne, daigne, mon Dieu, sur Mathan et sur elle 5
Répandre cet esprit d'imprudence et d'erreur (...)
RACINE, Athalie, I, 2.

Cette personne si dédaigneuse daigna me jeter un second 6
regard qui valait tout au moins le premier (...)
ROUSSEAU, les Confessions, I, 3.

Sire, on *(la Reine)* m'a dit toute la bonté, toute la pitié qu'on 7
daignait avoir (...) A. DE MUSSET, Carmosine, III, 9.

8 (...) ne daignant rien voir ni rien entendre, il poursuivit sa marche monotone et féroce.
FRANCE, l'Anneau d'améthyste, XXII, Œ., t. XII, p. 255.

9 Nous dûmes patienter presque trois heures d'horloge avant que les officiers préposés à ces divers services daignassent se déranger.
G. DUHAMEL, Scènes de la vie future, I, p. 32.

Spécialt. Dans une formule de respect :

a (Adressée à une haute autorité : demande, prière). *Que votre Majesté daigne s'asseoir. Seigneur, daignez écouter ma prière* (→ Apaiser, cit. 8 et ci-dessus, cit. 5).

b (Adressée à une femme). *Daignez agréer (Madame) mes hommages.*

c (Adressée à un correspondant, dans la formule finale d'une lettre). *Daignez agréer, M..., l'expression (l'hommage...) de mes sentiments... Daignez recevoir, M..., mes salutations respectueuses.*

CONTR. et COMP. Dédaigner.

DAIL n. m. ou **DAILLE** [daj] n. f. — XVᵉ; lat. vulg. *daculum*, p.-ê. dimin. de *daca*. → Dague.

♦ **1** Régional. Faux à manche court.

♦ **2** (XVIᵉ). Rare. Mollusque dont la coquille est semblable à une faux (en zool. : *pholade*).

DAIM [dɛ̃] n. m. — V. 1170; forme en concurrence avec *dain*; du bas lat. *damus*, du lat. class. *dama*.

♦ **1** Mammifère ruminant ongulé *(Cervidés)* de taille moyenne ou petite, caractérisé par l'aplatissement de ses andouillers supérieurs et sa robe tachetée. *Les bois du daim.* → **Andouiller, dague, perche.** *Cri du daim.* → **Bramement; bramée.** *Daim qui brame. Femelle du daim.* → **Daine.** *Petit du daim.* → **Daneau, faon.** *Jeune daim qui pousse son premier bois.* → **Daguet.** *Jeune daim de cinq ans qui possède ses palmatures** (dit *paumier*). *Chasse au daim.*

1 Le premier *(chasseur)*, de son arc, avait mis bas un daim.
LA FONTAINE, Fables, VIII, 27.

2 Je suis comme le daim, au guet sur le rocher,
Qui geint de peur, palpite et dans l'herbe s'enfonce,
Parce qu'il sent venir la flèche de l'archer.
LECONTE DE LISLE, Poèmes barbares, «la Vigne de Naboth», III, p. 35.

2.1 Mais deux daims, superbes à voir, étaient restés sur le champ de bataille. Le crâne baissé, cornes contre cornes, les jambes de l'arrière-train puissamment arc-boutées, ils se faisaient tête.
J. VERNE, le Pays des fourrures, t. I, p. 75.

Par métonymie. Viande de cet animal.

♦ **2 a** Ancienne. Peau préparée de cet animal.

b Mod. Cuir suédé (veau retourné). *Souliers, gants, veste, sac en peau de daim,* ou, ellipt., *en daim, de daim.* → **Suède.** *Usine où l'on travaille les peaux de daim.* → **Chamoiserie.**

2.2 (...) il fit tomber son soulier de daim gris (...)
MONTHERLANT, Pitié pour les femmes, p. 99.

♦ **3** Comm. *Corne de daim :* bois de daim, utilisé comme matière première dans la fabrication de menus objets (boutons, manches de couteaux, etc.).

♦ **4** Fig. (en parlant d'un homme). Vx. Bellâtre. *Un jeune, un vieux daim.*
Fam. Imbécile. *C'est un daim. Quel vieux daim!* — Vx. *Daim huppé :* personne riche et stupide.

3 (...) Adèle est une petite gueuse? Vous êtes un vieux daim et une poire. COURTELINE, Boubouroche, II, 4.

DÉR. **Daine** ou **dine; daneau.**

DAÏMIO [daimjo] n. m. — 1870; mot japonais, littéralt «grand nom».

Membre de l'aristocratie militaire qui, du IXᵉ siècle à la révolution de 1868, domina au Japon. — REM. Écrit aussi *daimyo*, et, par les spécialistes, *daimyō*.

DAINE [dɛn] ou **DINE** [din] n. f. — V. 1320, *deyme*; de *daim*.

Vén. Femelle du daim.

DAÏQUIRI [dajkiʀi] n. m. — 1954, répandu v. 1973; mot amér., du nom d'un quartier de El Caney, à Cuba.

Cocktail fait de rhum blanc, de citron vert et de sucre.

Je serais volontiers allée dîner au Relais-Plazza, marmonna Lucile en marchant. J'aurais pris un daïquiri glacé avec le barman et commandé un hamburger avec une salade. F. SAGAN, la Chamade, p. 193.

DAÏRA [dajʀa] n. f. — Mil. XXᵉ; mot arabe déjà enregistré en franç. (Bescherelle, 1846) pour désigner la suite d'Abd-el-Kader, puis (Larousse) comme syn. de *dovar,* arabe *dawwar;* du verbe *dara* «aller en cercle».

En Algérie, Section, comité local, circonscription; spécialt (1962), circonscription territoriale correspondant en général aux anciennes sous-préfectures. *«Aïn-Témouchent : une daïra pilote»* (El Moudjahid, 23 janv. 1973, p. 2). — Plur. *Daïrate* [dajʀat]. *«(...) les commissions de recours au niveau de la wilaya et des daïrate (...)»* (El Moudjahid, 23 janv. 1973, p. 6). — Plur. francisé (barbarisme en arabe) : *des daïras.*

DAIS [dɛ] n. m. — XVIᵉ, *dois; deis* «table», v. 1165; du lat. *discus* «disque» ou «plateau pour disposer les mets», d'où, par ext., «table», «estrade» et «tenture au-dessus de l'estrade». → Disque.

♦ **1** Ouvrage (de bois, de pierre, de tissu), fixé ou soutenu de manière qu'il s'étende comme un plafond au-dessus d'un trône, d'un autel, d'une chaire, de la place où doit siéger un personnage éminent. → **Baldaquin, ciel.** *Dais de bois sculpté, doré, de velours, de drap d'or. Dais fixé au mur. Petit dais de pierre ou de bois, en avancée au-dessus d'une statue.* → **Chapiteau.** *Dais surmontant un lit.* → **Ciel** (de lit). *Bande de bois, de métal découpé, d'étoffe passementée..., retombant autour d'un dais.* → **Gouttière, lambrequin.**

1 La chaire a pour dais un élégant clocher terminé en pointe comme une mitre (...)
CHATEAUBRIAND, Mémoires d'outre-tombe, t. VI, p. 20.

2 (...) un dais seigneurial coiffé de plumes, historié d'armoiries dont il eût été difficile de déchiffrer le blason, et surmontant un fauteuil en forme de trône (...)
Th. GAUTIER, le Capitaine Fracasse, t. II, XVI, p. 177.

3 Le trône du sultan, orné de plusieurs soleils, est placé sous un dais rouge et or.
LOTI, Aziyadé, II, XII, «Solitude», p. 53.

Loc. fig. Vx. *Être sous le dais :* être sur le trône, régner.

♦ **2** Liturgie. Étoffe tendue, soutenue par de petits montants, sous laquelle on porte parfois le saint sacrement, particulièrement dans les processions. *Porter le dais le Jeudi Saint* (→ **Porte-dais**). *Tenir les cordons du dais.*

4 (...) deux encenseurs se retournaient à chaque pas vers le saint sacrement que portait, sous un dais de velours ponceau tenu par quatre fabriciens. M. le curé, dans sa belle chasuble.
FLAUBERT, Trois contes, «Un cœur simple», V.

5 Sous un petit dais de velours rouge, marchait le prêtre,
portant l'hostie et les saintes huiles.
Alphonse DAUDET, le Petit Chose, I, I, p. 24.

♦ **3** Par anal. Archit. Voûte saillante au-dessus d'une
statue.

♦ **4** Fig. et littér. Abri, voûte. *Dais de feuillage.*

6 La fleur dort sur sa tige, et la nature même
Sous le dais de la nuit se recueille et s'endort.
LAMARTINE, Méditations..., «Ischia», II, 2.

HOM. **Dès, dey.**

DAL [dal] n. m. → 2. **Dalle.**

DALAÏ-LAMA [dalailama] n. m. — 1762, Académie;
dalaé-lama, 1692; mot mongol, de *dalaï* «océan» et
lama (→ 2. Lama), mot tibétain.
→ 2. **Lama.**

DALBERGIE [dalbɛʀʒi] n. f. — 1786; lat. des naturalistes *dalbergia*, nom donné par Linné à cette plante, en
l'honneur des frères *Dalberg.*

Bot. Plante dicotylédone (*Légumineuses-papilionacées*), arbre ou arbrisseau grimpant, exotique, au
bois odorant et violacé, très estimé dans l'ébénisterie de luxe. *Bois de dalbergie.* → Palissandre. Syn. :
*bois royal, bois de rose des Anglais, bois de trac, bois
de Sainte-Lucie, ébène* du Sénégal. Gomme laque de
dalbergie.*

DALE [dal] n. m. → 2. **Dalle.**

DALEAU [dalo] n. m. → **Dalot.**

DALLAGE [dalaʒ] n. m. — 1831; de *daller.*

♦ **1** Action de daller. *Faire le dallage d'une église.*

♦ **2** Ensemble des dalles d'un pavement. *Dallage
incrusté de mosaïques.* — Par ext. → **Pavement.**

1. DALLE [dal] n. f. — 1331, «évier»; mot normand, de
l'anc. scandinave *daela* «gouttière».

I ♦ **1** Tablette peu épaisse (de pierre dure, de
marbre...) destinée au pavement du sol, au revêtement. *Dalles d'église, de trottoir, de vestibule, de
cuisine, du foyer. — Dalle funèbre, funéraire* ou
tumulaire : pierre recouvrant une tombe.

1 Chaque dalle de cette église est une dalle funéraire, et on a
conscience que ce sol où l'on marche est plein d'ossements.
LOTI, Figures et Choses..., «Messe de Minuit», p. 95.

2 Le maître des cérémonies s'inclina de nouveau, faisant
sonner sous sa canne les dalles du parvis.
MARTIN DU GARD, les Thibault, t. IV, p. 274.

Par métonymie. *La dalle :* le dallage. *La dalle d'un
couloir.*

Par métaphore. Hortic. *Une dalle de fleurs, de pelouse.*
→ **Massif.**

♦ **2** Géol. Grande plaque de roche lisse.

3 Près du gîte d'étape, à peine sorties du sol, de belles
grandes dalles de granit gris.
GIDE, Voyage au Congo, *in* Souvenirs, Pl., p. 812.

Alpin. Plaque de roche lisse difficile à franchir.

♦ **3** Cuis. Tranche de poisson. *Une dalle de colin.*
→ **Darne.**

♦ **4** Techn. Plaque (de béton armé, de ciment...)
servant de plancher ou de couverture. Appos.
Plancher-dalle. — Dalle de verre.

Phys. Plaque, élément plat.

Si l'on pouvait découvrir un moyen pour augmenter le ren- 4
dement de la transformation d'énergie qui s'opère sur la
dalle de l'anticathode, on améliorerait toutes les caractéristiques du tube de Coolidge, en supprimant ou diminuant
le plus important des antagonismes qui subsistent dans
ce fonctionnement.
G. SIMONDON,
Du mode d'existence des objets techniques, p. 38.

♦ **5** (All. *Thaler*). Vx. Ancienne pièce de cinq francs.
— Par ext. Argot anc. *De la dalle :* de l'argent.

II ♦ **1** Auget en bois, en métal, servant de conduit à
un liquide. → **Dalot.**

Spécialt (mar.). Gouttière sur le pont d'un navire destinée à conduire l'eau vers les dalots.

Techn. Dans l'industrie sucrière, conduit ouvert ou
bassin dans lequel passe le sucre (qui, à cause de
sa consistance, ne peut s'écouler dans un conduit
fermé).

Loc. (sylv.). *Dalle humide :* couloir de flottage.

♦ **2** (XVᵉ). Par anal. Fam. Gorge, gosier (dans quelques
loc.). *Se mouiller, se rincer la dalle.* → **Boire.** — (1881).
Avoir la dalle en pente : aimer à boire.
Avoir la dalle : avoir faim. → Avoir la dent*.

DÉR. (De I.) **Daller.** — (De II.) **Daleau** ou **dalot.** ◊ COMP. (De
II., 2.) **Casse-dalle.** ← HOM. 2. **Dalle.**

2. DALLE, DALE ou **DAL (QUE)** [kədal] loc.
— 1884; *dail*, 1829 en argot, p.-ê. de *daye dan daye*
(1644), refrain de chanson. → Tralala, lanlaire, etc.

Pop. ou fam. Rien. *N'y voir, n'y entraver que dalle :*
n'y rien voir, n'y rien comprendre. → *Que couic*,
que pouic*. J'y pige que dalle à ce truc. On y a gagné
que dalle! Travailler pour que dalle,* pour rien, sans
rien gagner. — Interj. (exprimant qu'on se désintéresse
de qqch., qu'on refuse...). *Que dalle!*

Le synonyme populaire de *rien,* qui signifiait à l'origine 1
«quelque chose», est aujourd'hui *dalle,* employé exclusivement, pendant longtemps, sous la forme restrictive : *je
(n') y vois que dalle,* la dalle étant le symbole plaisant de
l'objet invisible, comme la tringle de l'objet introuvable.
A. DAUZAT, l'Argot de la guerre, V, p. 133.

Pierrot, il entrave plus que dalle. Loin de le calmer, les 2
précisions l'ahurissent. Les mots savants surtout, qui lui
filent un complexe d'infériorité.
Albert SIMONIN, Hotu soit qui mal y pense, p. 41.

Qu'à son rapport à lui je ne comprends que dalle. Que je 3
tiens à n'y rien comprendre; à l'énigme; sans histoire.
Hélène CIXOUS, Souffles, p. 88.

HOM. 1. **Dalle.**

DALLER [dale] v. tr. — 1319; de 1. *dalle.*

Revêtir de dalles. → Carreler, paver. *Daller une salle.*
— P. p. adj. (plus cour.). *Cuisine, salle dallée. Entrée
dallée de grès. Terrasse dallée d'ardoise.*

DÉR. **Dallage, dalleur.**

DALLEUR [dalœʀ] n. m. — 1877; de *daller.*

Techn. Ouvrier qui pose les dalles. *Faire venir un
dalleur pour réparer un pavement.* — REM. Le féminin
dalleuse est virtuel.

DALMATE [dalmat] adj. et n. — 1721; lat. *dalmatius.*

♦ **1** Qui se rapporte à la Dalmatie (région naturelle
à l'ouest des Balkans, le long de l'Adriatique) ou à
ses habitants. *La côte dalmate est la partie la plus
touristique de la Yougoslavie. L'économie dalmate.
Folklore dalmate. La guzla, instrument dalmate.*

N. *Un, une Dalmate :* un habitant, une habitante de
la Dalmatie, ou une personne qui en est originaire.

N. m. (Ling.). Ensemble des parlers romans représentés autrefois en Dalmatie. — Adj. *Les parlers dalmates ont disparu entre 1600* (pour le *ragusain*) *et 1900* (pour le parler de l'île de Veglia).

♦ **2** Géogr. Se dit d'une côte, d'un littoral rappelant les caractéristiques de la côte dalmate. *Le Chili méridional présente une côte dalmate.*

DALMATIEN [dalmasjɛ̃] n. m. — 1961; *chien de Dalmatie*, 1831; de l'anglo-amér. *dalmatian*, de *Dalmatia* «Dalmatie».

Chien à poil ras, de taille moyenne, à robe blanche tachetée de noir ou de brun, autrefois nommé *petit danois, chien de Dalmatie.*

DALMATIQUE [dalmatik] n. f. — XIIᵉ, au sens 2; lat. ecclés. *dalmatica* «blouse faite en laine de Dalmatie» puis «tunique à la mode dalmate», sens 1; de *dalmatius*. → Dalmate.

♦ **1** Anciennt. Riche tunique à manches amples et courtes, costume d'apparat des empereurs romains, des Romains de haut rang, puis de certains souverains et grands personnages.

1   Retournés à Venise, nous faisions la connaissance d'une patricienne vêtue d'une dalmatique brodée, quand j'entendis la sonnette.
FRANCE, le Crime de S. Bonnard, IV, Œ., t. II, p. 443.

2   Le vicomte est en doge ? — Oui... grande dalmatique ! (...)
Edmond ROSTAND, l'Aiglon, IV, 3.

♦ **2** Liturgie. Chasuble réservée aux diacres et aux sous-diacres. Ornement de soie porté par l'évêque sous la chasuble. *La «dalmatique impériale» ou «chasuble de saint Léon III»*, conservée à Rome

3   Elle n'était que dans la soie, le satin, le velours, les draps d'or et d'argent. Elle brodait des chasubles, des étoles, des manipules, des chapes, des dalmatiques (...)
ZOLA, le Rêve, III.

4   Les enfants de chœur apparaissaient les premiers. Vêtus d'une soutane rouge et d'un capuchon d'hermine, ils tenaient dans leurs mains un luminaire plus haut qu'eux (...) Derrière eux suivaient les diacres habillés de la dalmatique, puis venaient les officiants en chape et enfin Monseigneur portant la capa-magna soulevée par deux caudataires.
Georges BORGEAUD, le Préau, *in* Littératures de langue franç. hors de France, p. 605.

DALOT ou **DALEAU** [dalo] n. m. — 1382; de 1. *dalle*, II.

Technique.

♦ **1** Mar. Trou dans la paroi d'un navire, au-dessus de la flottaison, pour l'écoulement des eaux. *Mauge** (ou *maugère*) *de dalot.* — REM. La graphie *daleau* est rare.

Sauf le lent dégoulinement des dalots, aucun bruit ne sortait du navire.
H. BOSCO, Un rameau de la nuit, p. 56.

♦ **2** Petit aqueduc en maçonnerie pratiqué dans les remblais des routes, des chemins de fer, pour l'écoulement des eaux. → Canal.

DALTON [daltɔn] n. m. — D. i. (XXᵉ); attesté 1938, en angl.; de *Dalton*, n. propre. → Daltonisme.

Phys., biochim. Unité de masse égale au seizième de la masse d'un atome d'oxygène. *«Une protéine (poids moléculaire : 45 000 daltons) qui porte un groupe actif oxydable non encore identifié»* (la Recherche, déc. 1974, p. 1039).

DALTONIEN, IENNE [daltɔnjɛ̃, jɛn] adj. et n. — 1827; de *Dalton*. → Daltonisme.

Méd. Atteint de daltonisme.

N. *Un daltonien, une daltonienne :* une personne atteinte de daltonisme. *Daltonien total :* personne qui ne distingue aucune des trois couleurs fondamentales.

DALTONISME [daltɔnism] n. m. — 1841; de (John) *Dalton*, nom du physicien (1766-1844) qui, le premier, étudia cette affection, et suff. *-isme*.

Méd. Anomalie de la vue (dyschromatopsie) qui consiste dans l'absence de perception de certaines couleurs ou dans la confusion de certaines couleurs entre elles. *Daltonisme total.* → Achromatopsie. *Daltonisme portant sur le rouge :* anérythropsie. *Daltonisme portant sur le vert :* achloropsie. *Daltonisme portant sur le bleu :* acyanopsie, tritanopie.

1. DAM [dã], cour. mais fautif [dam] n. m. — 842, *Serments de Strasbourg;* lat. *damnum;* le sens 2, empr. au lat. ecclés. *damnum.* → Damner.

♦ **1** Vx. → **Dommage, préjudice.** — Mod. et littér. *À mon propre dam, au dam, au grand dam de...* : à mon, son... détriment.

1   (...) j'entends bien qu'il y aura toujours des gens pour jouir de certains privilèges et pour en jouir au grand dam et à la colère des non-nantis.
G. DUHAMEL, Manuel du protestataire, IV, p. 131.

2   Or il a si bien gardé son secret que Clotilde elle-même (ne le sais-je pas pour mon propre dam ?) n'en a jamais levé le voile.
H. BOSCO, Un rameau de la nuit, VI, p. 308.

♦ **2** (1579). Théol. Châtiment des réprouvés, qui consiste à être éternellement privé de la vue de Dieu. → **Damnation.** *Peine du dam,* qui correspond à la damnation. *La peine et le dam.*

3   Qu'est-ce que c'est ce pur amour qui accepterait l'Enfer à condition qu'on reste uni à la volonté de Dieu ? Il y a là une contradiction dans les termes. On resterait uni à la volonté d'un Dieu injuste et méchant. Tout se tient dans l'Enfer et l'on ne peut séparer la peine du dam.
CLAUDEL, Cahier VIII, 20 avr. 1938, *in* Journal, Pl., t. II, p. 232.

CONTR. Avantage. — Béatitude. ◊ DÉR. Dommage. ← HOM. Dans, dent.

2. DAM [dam] interj. → 4. **Dame.**

DAMAGE [damaʒ] n. m. — 1838; de 2. *damer.*

Techn. Action de damer (le sol); résultat de cette action. Spécialt. *Damage de la neige. Le damage d'une pente, d'une piste de ski.*

DAMALISQUE [damalisk] n. m. — 1929; *damalis*, 1846; *damaliscus*, 1902; lat. sav. *damaliscus*, du grec *damalis* «génisse».

Zool. Genre d'antilopidés du Nord-Est de l'Afrique équatoriale, aux cornes en forme de lyre, qui comporte cinq espèces.

DAMAN [damã] n. m. — 1765; mot arabe.

Zool. (Cour. en Afrique). Mammifère ongulé (*Hyraciens*) scientifiquement appelé *hyrax*, ayant l'apparence d'une marmotte et vivant par petites bandes dans les régions escarpées ou forestières de l'Afrique et de l'Asie Mineure.

(...) vous ne mangerez pas le chameau, le lièvre et le daman, qui ruminent, mais qui n'ont pas la corne fendue : vous les regarderez comme impurs.
BIBLE (SECOND), Deutéronome, 14, 7.

En Afrique. *Daman des rochers :* «petit mammifère dépourvu de queue, à longs poils bruns et à la silhouette ramassée» (*Procavia capensis*) [I. F. A.].

DAMARA [damaʀa] n. m. — 1723; p.-ê. var. de *damavar*, orig. inconnue.

Vx. Taffetas à fleurs provenant des Indes.

DAMAS [dama] n. m. — 1532, «étoffe»; de *Damas*, ville de Syrie.

Nom donné à divers objets primitivement de Damas.

♦ **1** Étoffe tissée de façon que les dessins qu'elle présente à l'endroit en satin sur fond de taffetas apparaissent à l'envers en taffetas sur fond de satin. *Damas de deux couleurs. Damas broché. Ornements d'église en damas. Meubles tendus de damas* (→ Baldaquin, cit. 2). *Rideaux* (cit. 1) *en damas vert.*

1 Ils déroulèrent (...) des damas d'un blanc satiné, d'autres d'un vert de prairie, d'autres d'un rouge à éblouir (...)
     Bernardin de Saint-Pierre, Paul et Virginie,
     p. 74.

2 Souvent, sur le velours et le damas soyeux,
     On voit les plus hâtifs des convives joyeux
     S'asseoir au banquet avant l'heure.
     Hugo, Odes, v, 20.

2.1 Beaucreau ayant, de son côté, emporté un stock d'étoffes destinées à Ballesteros, s'était servi d'un souple damas écarlate pour poser deux larges rideaux se rejoignant au milieu de l'estrade ou s'écartant jusqu'aux montants.
     Raymond Roussel, Impressions d'Afrique,
     p. 299-300.

Par anal. Tout tissu dont les dessins brillants sur fond mat à l'endroit se retrouvent mats sur fond brillant à l'envers. *Damas de laine. Linge de table en damas.* → **Damassé** (linge).

2.2 (...) les doigts du vieux rencontrent avec surprise non pas le bois de la table, mais une serviette fraîche, une des belles serviettes de damas toutes neuves, encore raidie par l'apprêt.
     Bernanos, Monsieur Ouine, in Œ. roman., Pl.,
     p. 1435.

♦ **2** Techn. Acier d'alliage, d'une trempe supérieure, et qui présente, après décapage, un beau moiré métallique au milieu duquel les métaux alliés, devenus visibles, font courir, par contraste, des dessins variés. → **Damassé** (acier). — Par ext. Tout acier moiré.

(1732). Par métonymie. Littér., archéol. Sabre à lame de damas.

3 Certes, le vieux Omar, pacha de Négrepont,
     Pour elle eût tout donné (...)
     Et ses sonores espingoles,
     Et son courbe damas (...)
     Hugo, les Orientales, xxi, «Lazzara».

4 De plus, trempé dans les neiges, comme un damas dans les eaux de Syrie, il avait une santé de fer.
     J. Verne, Michel Strogoff, p. 37.

♦ **3** Arbor. Prunus d'une variété utilisée comme porte-greffe.

DÉR. **Damasser.**

DAMASCÈNE [damasɛn] adj. et n. — 1870, *in* P. Larousse; lat. *damascenus*, de *Damascus* «Damas». → Damasquin.

Didact. De Damas, capitale de la Syrie (→ Damasquin). *Saint Jean Damascène.*

DAMASQUIN, INE [damaskɛ̃, in] adj. et n. — V. 1405, n.; ital. *damaschino*, de *Damasco* «Damas». → Damascène.

♦ **1** Didact. ou littér. Qui se rapporte à Damas ou à ses habitants (→ Damascène). — N. *Un Damasquin, une Damasquine* : un habitant, une habitante de Damas.

Je vous fus présenté Madame, dans la salle
De marbre frais et sombre où vous passiez les jours

Au bruit de ces jets d'eau monotones des cours
Damasquines; l'or blanc cerclait votre bras pâle.
     Germain Nouveau, Sonnets du Liban,
     «Set Ohaëdat», *in* Œ. compl., Pl., p. 545.

♦ **2** N. f. Techn. *Une damasquine* : un dessin, une décoration de métal réservée en relief sur une surface métallique. — Étoffe de soie multicolore à dessin tissé. (Syn. : *damasquin*, n. m.).

DAMASQUINAGE [damaskinaʒ] n. m. — 1611; de *damasquiner.*

♦ **1** Art de damasquiner. *Damasquinage à l'or.* → Azziminia. *Damasquinage d'une épée, d'un poignard.* (On dit aussi *damasquinerie*).

♦ **2** Travail, aspect de ce qui est damasquiné. *Un riche damasquinage.* (On dit aussi *damasquinerie, damasquinure.* À distinguer de *damasquine*).

DAMASQUINE [damaskin] n. f. → **Damasquin**, 2.

DAMASQUINER [damaskine] v. tr. — 1537; de *à la damasquine*, «à la manière de Damas», le damasquinage étant originaire de cette ville.

Traiter (une surface de fer, d'acier, de bronze...) en incrustant un ou des filets d'or, d'argent, de cuivre formant un dessin. *Damasquiner une arme.*

1 Tout, jusqu'au cheval blanc qu'il élève au sérail,
     (...) Jusqu'au frein que l'or damasquine!
     Hugo, les Orientales, xxi, «Lazzara».

♦ **DAMASQUINÉ, ÉE** p. p. adj.

(Plus cour.). Se dit d'un métal, d'un objet incrusté d'or, d'argent... formant un dessin. *Couteau, pistolet damasquiné* (→ Armer, cit. 10). — *Bronze damasquiné d'or, d'argent; damasquiné en or, en argent.*

Par métaphore :

2 L'esprit seul, un esprit brillant, damasquiné et affilé comme une épée, allumait parfois dans ce regard vitrifié les éclairs de ce glaive qui tourne dont parle la Bible.
     Barbey d'Aurevilly, les Diaboliques,
     «Le dessous de cartes...»

Par anal. Orné de dessins faisant penser à un damasquinage.

3 C'est un lieu que j'aime (...) je ne m'y sens jamais entièrement perdu devant le velours des tourteaux, l'anthracite des moules, l'éclat damasquiné des maquereaux et des raies déployées comme des cerfs-volants.
     A. Blondin, Un singe en hiver, p. 58.

DÉR. **Damasquinage, damasquinerie, damasquinure; damasquineur.**

DAMASQUINERIE [damaskinʀi] n. f. — 1571; de *damasquiner.*

→ **Damasquinage.**

DAMASQUINEUR [damaskinœʀ] n. m. — 1558; de *damasquiner.*

Techn. Ouvrier dont le métier est de damasquiner. — REM. Le fém. *damasquineuse* [damaskinøz] est virtuel.

DAMASQUINURE [damaskinyʀ] n. f. — 1611; de *damasquiner.*

Techn. → **Damasquinage** (2.).

DAMASSER [damase] v. tr. — 1386; de *damas.*
Fabriquer en façon de damas (étoffe, acier).

◆ **DAMASSÉ, ÉE** p. p. adj. et n. (plus cour.).

♦ **1** Tissé comme le damas. *Étoffe, nappe damassée.*

1   La table était couverte d'une nappe de cette toile damassée inventée sous Henri IV par les frères Graindorge, habiles manufacturiers qui ont donné leur nom à ces épais tissus si connus des ménagères.
      BALZAC, le Médecin de campagne, Pl., t. VIII, p. 432.

N. m. Étoffe damassée. *Un beau damassé. C'est du damassé.*

♦ **2** *Acier damassé,* travaillé en damas (2.); moiré et présentant l'aspect du damas.

◆ **SE DAMASSER** v. pron.

Littér. Prendre l'apparence d'un tissu damassé.

2   La chambre entière se damasse, joue de son satin sous son taffetas (...)   Hélène CIXOUS, Souffles, p. 16.

CONTR. Uni. ◊ DÉR. Damasserie, damasseur, damassure.

DAMASSERIE [damasʀi] n. f. — 1870; de *damasser.*
Techn. Fabrique de linge damassé.

DAMASSEUR, EUSE [damasœʀ, øz] n. — 1800; de *damasser.*
Techn. Ouvrier, ouvrière dont le métier est de damasser.

DAMASSURE [damasyʀ] n. f. — 1556; de *damasser.*
Techn. Travail du damassé. Dessin d'un tissu damassé. *La damassure du linge de table figure généralement une guirlande de fleurs.*

1. DAME [dam] n. f. — V. 1050; du lat. *domina* «maîtresse».

I ♦ **1** Féod. Titre donné à une femme détentrice d'un droit de souveraineté ou de suzeraineté. *Notre sire le roi et notre dame la reine. Haute et puissante dame. La dame de...,* suivi du nom du lieu dont elle est suzeraine. *La Dame de Monsoreau,* roman d'A. Dumas.

Loc. Anciennt ou par archaïsme. *La dame de céans, du logis,* «*notre dame*» : la châtelaine, et, par ext., la maîtresse de maison (→ Céans, cit. 3). — *Le chevalier et sa dame, la dame de ses pensées,* celle qui régnait sur son cœur et dont il portait les couleurs. → **Ami(e), maîtresse** (→ Cependant, cit. 4; chevalier, cit. 4). — Mod. et par plais. *La dame de ses pensées.* → **Dulcinée.**

Par anal. Littér. *Les dames des prairies, des bois :* les fées, maîtresses souveraines de la nature. *La Dame du lac* (dans les romans de la Table ronde) : la fée Viviane, dont le domaine se cachait au fond d'un lac enchanté. — *La dame blanche :* fantôme féminin de plusieurs traditions nordiques. *La Dame blanche,* opéra-comique de Boieldieu.

Relig. *La Dame du Ciel :* la sainte Vierge, reine spirituelle de la chrétienté et du paradis. → **Notre-Dame.**

1   Las ! Je suis seul, sans compagnie !
    Adieu ma Dame, ma liesse !
           Ch. D'ORLÉANS, Ballade, LVII, «Sur la mort de sa dame».

2   Loué soit-il *(le Fils de Dieu),* et Notre Dame, Et Loïs, le bon roi de France !
           VILLON, Testament, VII.

3   Dame du Ciel, regente terrienne *(de la terre)*
    Emperiere *(impératrice)* des infernaux palus (...)
    Les biens de vous, ma Dame et ma Maîtresse,
    Sont trop plus grands que ne suis pecheresse (...)
      VILLON, le Testament, «Ballade» (Prière de la mère de Villon à Notre-Dame).

4   Je n'eus pas besoin qu'on m'en dît davantage, pour me déterminer à établir Violante dame souveraine de mes pensées.   A. R. LESAGE, Gil Blas, V, I, p. 324.

Déjà il baissait sa visière et se recommandait à la dame de ses pensées, lorsque le son du cor se faisait entendre.   5
    CHATEAUBRIAND, le Génie du christianisme, t. II, IV, V, IV.

Perinis *(le page de la reine),* beau doux ami, dit Tristan,   6
retourne en hâte vers ta dame. Dis-lui que je lui envoie salut et amour, que je n'ai pas failli à la loyauté que je lui dois, qu'elle m'est chère par-dessus toutes les femmes (...)
        J. BÉDIER, Tristan et Iseut, XVII, p. 184.

Dame *(la reine Guenièvre),* c'est vous qui me fîtes votre ami,   7
si votre bouche ne mentit. Le jour que je pris congé de vous, je vous dis que je serais votre chevalier où que je fusse et vous me répondîtes que vous le vouliez bien. Et je vous dis encore : *Adieu, dame!* Et vous répliquâtes : *Adieu, beau doux ami!* Et jamais plus ce mot ne m'est sorti du cœur.
    J. BOULENGER, les Amours de Lancelot du lac, p. 219.

La dame des pensées est toujours présente à l'esprit, ou   8
aux sens, de celui qui médite, réfléchit, compose, exprime. Elle suscite en lui le rythme créateur.
    Léon DAUDET, la Femme et l'Amour, II, p. 41.

♦ **2** Vx ou hist. Femme de haute naissance. *Une noble dame, une dame de haut parage.* — *Les dames de la cour. Dame de qualité*.* — *La Ballade des Dames du temps jadis,* de Villon. — Hist. *Les Dames de France :* les filles du roi de France. — Loc. *Dame du palais :* femme de haute naissance remplissant une charge honorifique auprès d'une princesse royale (syn. : *dame d'atour, dame d'honneur*).

Ci entrez, vous, dames de haut parage (...)   9
Fleurs de beauté à céleste visage (...)
    RABELAIS, Gargantua, LIV, Inscription mise sur la grande porte de Thélème, p. 176.

Les dames du palais sont dans une grande sujétion. Le   10
Roi (...) veut que la Reine en soit toujours entourée. Mᵐᵉ de Richelieu, quoiqu'elle ne serve plus à table, est toujours au dîner de la Reine, avec quatre dames, qui sont de garde tour à tour.   Mᵐᵉ DE SÉVIGNÉ, 367, 5 janv. 1674.

Vx (largement attesté au XIXᵉ). Femme d'un certain rang social.

(...) sa femme qui a voulu faire la dame, au lieu de faire   10.1
un métier et d'en faire faire un à ses filles.
    E. DELACROIX, Journal, 8 juin 1854.

Mod. **GRANDE DAME** : femme de haute naissance, de la noblesse. *Faire la grande dame :* affecter de grands airs. *Agir en grande dame,* avec noblesse, distinction, générosité. — Par ext. (mod.) *Une grande dame de la chanson, du théâtre,* une artiste exceptionnelle. *C'est vraiment une grande dame* (équivalent masculin : *un grand monsieur*).

(...) ce que faisant, elle restait grande dame quand même,   11
grande dame jusqu'au bout des ongles, et imposante à tous.   LOTI, les Désenchantées, II, p. 26.

Être grande dame, c'est jouer à la grande dame, c'est-à-   12
dire, pour une part, jouer la simplicité.
    PROUST, À la recherche du temps perdu, t. VII, p. 91.

Loc. *La première dame de France :* l'épouse du président de la République française.

♦ **3** Vieilli. Femme mariée (opposé à *demoiselle*). *Est-ce une dame ou une jeune fille?*

Dr. (précédant un nom propre). *Le sieur X contre la dame Y.* → **Madame.**

Pop. Épouse, femme. → **Bourgeois**(e). *Venez-donc avec votre dame. C'est la dame à monsieur Paul.* — REM. Cet emploi est normal dans certains usages régionaux ; il était moins populaire au XIXᵉ s. que de nos jours.

Plusieurs de ces messieurs étaient avec leurs dames. La   12.1
femme du proviseur, la jolie blonde, vêtue d'une toilette bleu ciel du plus piquant effet, causa une grosse émotion (...)
    ZOLA, Son Excellence Eugène Rougon, t. II, p. 90.

Puis nous allâmes dîner, avec nos «dames», chez Jean   12.2
Galtier-Boissière où René Lefèvre, que je n'avais pas revu depuis le temps de la zone libre, à Nice, s'amenait en voiture.   Francis CARCO, Ombres vivantes, p. 207.

12.3 — Et qui c'est, qu'on invitera à ma noce ? demande-t-elle.
— J'y ai déjà pensé, répondit Sidonie. Y aura moi, turellement ; et puis Dominique, Eulalie et Clovis ; et puis Saturnin et sa dame.

R. QUENEAU, le Chiendent, p. 233-234.

Vx (langue class.). *Dame,* suivi d'un n. propre, employé par courtoisie pour les petites commerçantes, les domestiques ou salariées occupant dans la maison un rang un peu élevé (intendante, gouvernante, duègne). Cf. *Dame Claude,* in *l'Avare,* de Molière ; le personnage de *Dame Pluche,* dans *On ne badine pas avec l'amour,* de Musset. — Fig. et par plais. *Dame Belette,* dans La Fontaine (→ Belette, cit.)...

13 Il jugea qu'à son appétit
Dame baleine était trop grosse.
Dame fourmi trouva le ciron trop petit (...)

LA FONTAINE, Fables, I, 7.

Par allégorie. *Dame,* suivi d'un n. de valeur abstraite. *Dame fortune, dame justice, dame nature.*

♦ 4 Relig. Religieuse de certaines congrégations ; chanoinesse. *Les dames de Remiremont, de Fontevrault, du Sacré-Cœur.* — Loc. *Dame de chœur :* religieuse qui a le droit de siéger au chœur (par oppos. à *sœur converse*). → Professe.

14 Ainsi, au couvent comme ailleurs, il y avait une aristocratie et une démocratie. Les *dames de chœur* vivaient en patriciennes. Elles avaient des robes blanches et du linge fin. Les converses travaillaient comme des prolétaires, et leur vêtement sombre était plus grossier.

G. SAND, Histoire de ma vie, III, XII, t. II, p. 155.

15 Quinze ans après, en 1655. Le parc du couvent que les Dames de la Croix occupaient à Paris.

Edmond ROSTAND, Cyrano de Bergerac,
Décor du 5ᵉ acte.

15.1 C'est une fois veuve que Mᵐᵉ de Miramion s'engage dans la confrérie des Dames de la Charité, que sainte Jeanne de Chantal fonde la Visitation, que Louise de Marillac administre les œuvres de saint Vincent, c'est une fois veuve que Mᵐᵉ de La Fayette écrira, que Mᵐᵉ de Sévigné connaîtra la renommée, que d'autres voyageront, administreront leurs biens, acquerront enfin cette autonomie que la vie leur a refusée jusque-là. La mise en garde de Bossuet souligne bien que l'état de veuve est un état enviable.

F. MALLET-JORIS, Jeanne Guyon, p. 127.

♦ 5 Mod. Personne adulte du sexe féminin (dans un usage de bon ton). → **Femme.** *Un monsieur et une dame. Ce n'est pas à dire devant les dames. Se montrer galant envers les dames. Plaire aux dames. Être le cavalier d'une dame,* à la danse, dans un cortège. *Que veut cette dame ? Une dame âgée.* — Fam. (à un enfant) ou par plais. *Dis bonjour à la dame !* Allus. littér. *La Dame aux Camélias* (A. Dumas fils). *Ces dames au chapeau vert,* roman de Germaine Acremant.

16 Pour les dames on sait mon respect en tous lieux (...)

MOLIÈRE, les Femmes savantes, III, 2.

17 Rien ne pèse tant qu'un secret :
Le porter loin est difficile aux dames ;
Et je sais même sur ce fait
Bon nombre d'hommes qui sont femmes.

LA FONTAINE, Fables, VIII, 6.

18 Je me rappelai heureusement une maxime de feu mon grand-père, qui avait coutume de dire que tout est permis aux dames, et que tout ce qui vient d'elles est grâce et faveur.

FRANCE, le Crime de S. Bonnard, II, Œ., t. II, p. 358.

19 (...) vous excuserez un vieillard déshabitué du monde, peu fait au langage des dames et désolé de son erreur.

FRANCE, le Crime de S. Bonnard, IV, Œ., t. II, p. 457.

19.1 Songez-donc ! une dame américaine catholique et qui nous invite à déjeuner, Mounier et moi (...)

F. MAURIAC, Bloc-notes 1952-1957, p. 15.

Sports (Au pluriel, en apposition à un nom désignant une épreuve sportive, pour indiquer qu'elle est réservée aux femmes). *La finale dames* (opposé à *messieurs*).

Loc. *Les belles dames :* les femmes élégantes de la haute société. → fam. Du beau linge*. — REM. Attesté avec un redoublement ironique (vieilli) : «*Les robes inédites des belles dadames, qui rendirent (...) d'autres belles dadames vertes de jalousie*» (Marianne, 5 juil. 1939, p. 8). — *C'est une dame, une vraie dame,* une femme distinguée. — *Dame de fer*.*

Loc. Vx. *Les dames de la Halle :* les vendeuses des Halles à Paris. — Vieilli. *Dame de comptoir.* → **Caissière.** *Dame de vestiaire, de lavabo ;* (fam. et mod.) *dame pipi,* préposée à l'entretien et à la surveillance des toilettes publiques (variante : «*Elle a pu trouver du boulot comme madame pipi dans une brasserie*» E. Ajar [R. Gary], *l'Angoisse du roi Salomon,* p. 219.)

19. Deux couples se précipitèrent vers le buffet, bousculant Madeleine, aussi indifférents à la maîtresse de maison que si elle avait été la dame-pipi de cette assemblée hétéroclite.

Michel DÉON,
les Vingt ans du jeune homme vert, p. 325.

Dame de chœur : choriste figurant dans un ballet. *Dame d'œuvres, dame de charité, dame patronnesse :* femme du monde qui se consacre à des œuvres de bienfaisance, qui patronne des fêtes de charité. — *Dame de compagnie* (ou de bienfaisance). → **Compagnie.**

REM. Cet emploi est issu du sens 2 : selon les époques, il implique l'extension d'un terme honorifique ou l'assimilation, par courtoisie, des femmes à celles de la haute société : il reflète toujours une hiérarchie sociale appartenant au passé, d'où ses connotations souvent ironiques (→ ci-dessus, cit. 12.1 et divers emplois spéciaux). Cependant, dans les inscriptions publiques, *Dames,* plutôt que *Femmes,* est encore souvent opposé à *Hommes* (lui-même souvent remplacé par : *Messieurs*).

♦ 6 Fam. ou pop. En appellatif, s'adressant à une «dame», aux sens 3 ou 4, indifféremment. — (Précédé d'un adj.). *Oui, ma bonne dame. Eh, dites-donc, ma brave dame, ce n'est pas votre tour ! Bonjour, ma petite dame !*

Pop. (Au pluriel, en appellatif, coordonné avec *Messieurs*). *Bonjour, Messieurs* (pop. *Monsieur, M'sieu*) *Dames ! Ces messieurs dames désirent ?* — Les formules standard correspondantes sont : *Messieurs, Mesdames ; Madame, Monsieur* (→ Madame) ; *ces messieurs et ces dames.*

♦ 7 (Dans quelques expressions ; en parlant de femmes «de petite vertu»). *Dame galante, petite dame vertu.* Allus. littér. *La Vie des Dames galantes,* de Brantôme. *Les Dames du bois de Boulogne* (film de R. Bresson). — (Dans le langage des maisons closes). *Ces dames au salon !*

II Fig. ♦ 1 (XVIᵉ). Une des pièces maîtresses dans certains jeux. — (Échecs). Deuxième pièce en importance (après le roi) qui se déplace d'un nombre indéterminé de cases selon les directions perpendiculaires et diagonales de l'échiquier. → **Reine.** *Faire échec à la dame. Aller à dame :* transformer un pion en dame en le poussant jusqu'à la dernière ligne de cases de l'échiquier.

20 (...) souvent, avec des pions qu'on ménage bien, on va à dame, et l'on gagne la partie (...)

LA BRUYÈRE, les Caractères, VIII, 64.

21 C'était un peu comme une partie d'échecs : il poussait un pion, déplaçait un cavalier, une dame ou un événement.

P. MAC ORLAN, la Bandera, V, p. 64.

(Tric-trac). Rondelle avec laquelle on joue. → **Pion.**

♦ 2 *Jeu de dames,* qui se joue à deux, avec quarante pions sur un damier de cent cases. *Avoir une dame, faire une dame, aller à dame :* avoir transformé un pion qui, ayant traversé victorieusement le damier, a été doublé pour le distinguer des autres et qui peut avancer, reculer, prendre en diagonale à toute distance. → **Damer, damier** (dér.). *Jouer aux dames, faire une partie de dames. Déplacer une dame.* → *Pion,* cit. 4. *Prendre, souffler une dame. Dame damée.*

♦ **3** Cartes. Chacune des quatre cartes où est figurée une reine. *Judith, dame de cœur; Rachel, dame de carreau; Argine, dame de trèfle; Pallas, dame de pique. Abattre une dame. Le roi l'emporte sur la dame, qui l'emporte sur le valet. Un carré de dames.* — Spécialt (belote). *Avoir la dame et le roi d'atout.* → **Belote, rebelote.** — Loc. *Courtiser, peloter la dame de pique* : aimer les cartes. — Fig. → **Pique.**

22 Je prends avec la dame... L'as, le roi, le valet, le dix, et c'est trois pour moi. À vous de faire, monsieur Brun.
PAGNOL, Marius, III, 6.

III *Dame blanche* : libellule.

23 À l'ouest dormaient debout les quenouilles des roseaux, serrées comme les lances d'une armée, d'où montait à intervalles réguliers la note flûtée d'une rainette. Une dame blanche le frôla de son aile, se posa sur un cyprès, et tourna vers lui sa face hallucinée.
M. TOURNIER, Vendredi..., p. 165.

Dame des marais, dame au long bec. → **Bécasse.** — *Dame d'onze heures.* → **Dame-d'onze-heures.**

IV Interj. → **4. Dame.**

CONTR. Cavalier, chevalier, serviteur, sujet, vassal; roturier; célibataire, demoiselle, fille (jeune, vieille); convers (sœur converse); homme, monsieur, sieur. ◊ DÉR. 1. Damer, dameret, damette, damier. ◈ COMP. Belle-dame, bonne-dame, dame-blanche, dame-d'onze-heures. — Madame, Notre-Dame.

2. DAME [dam] n. f. — 1734; emplois métaphoriques de 1. *dame.*

♦ **1** (1743). Techn. Hie de paveur (l'ouvrier la prend par les deux anses pour la soulever, comme un danseur soulève sa danseuse). → aussi **Demoiselle;** 2. **damer.** *Dame à manche incliné.* → **Batte.**

(...) il a écouté son cœur qui battait dans son oreille, comme si on damait la cave à la dame de fonte, au fond de la maison.
J. GIONO, le Grand Troupeau, I, *in* Œ. roman., Pl., t. I, p. 553.

Pop. *Aller à dame* : tomber.

♦ **2** (1878). Mar. Creux, encoche pratiquée sur le bord d'une embarcation pour y encastrer l'aviron; appareil (ferrure sur pivot) servant à retenir ce dernier. → **Tolet.** *Dame de nage. Remplacer la dame par des tolets.*

♦ **3** Fam. Bouteille ou contenu (alcool) d'une bouteille. *Dame blanche* : bouteille de vin blanc. — *Dame-Jeanne* (voir ce mot). — *Dame verte* : absinthe.

DÉR. (Du sens 1) 2. **Damer.** ◊ COMP. (Du sens 3) **Dame-jeanne.**

3. DAME [dam] n. f. — 1270; *dam, damp* au XVe; néerl. *dam* «digue». Cf. Amsterdam, Rotterdam.

Technique

♦ **1** Digue qu'on laisse en travers d'un canal en creusement pour empêcher l'eau qui est dans la partie déjà utilisable de se déverser en aval.

♦ **2** (1694). Petite éminence de terre laissée comme témoin dans un endroit où l'on a creusé.

♦ **3** (1752). Partie de terre restée debout entre des fourneaux de mine explosés.

♦ **4** (1757). Métall. Petit mur incliné qui ferme la partie inférieure de l'orifice d'un creuset de haut

fourneau, en laissant un passage par lequel s'écoulent les laitiers.

COMP. **Dame-ronde.**

4. DAME [dam] interj. — 1665; de l'anc. franç. *tredame,* juron issu de *par nostre dame* ou de *damedieu* «Seigneur Dieu».

Fam. et vieilli (ou régional). Exclamation qui suppose entre ce qui la précède et ce qui la suit une relation logique (conséquence, cause, explication...) et la renforce. → **Foi** (ma foi), **pardi.** *Ils sont partis ?* — *Dame oui !* : c'est naturel, c'était à prévoir. *Dame non !* : ce serait anormal. *Mais dame !* : mais naturellement. — Régional (1825, *in* D. D. L.). *Bé dame* (pour *Eh bien, dame !*).

1 Ce doit être à midi; oui, monsieur, en plein midi... Mais dame! avec la brume de mer ce plein midi-là ne valait guère mieux qu'une nuit noire comme la gueule d'un loup...
Alphonse DAUDET, Lettres de mon moulin, «l'Agonie de la Sémillante».

2 Et pouvait-il en être autrement avec une femme qui foulait aux pieds les plus saintes choses (...) qui dans l'affaire Dreyfus avait pris ouvertement parti contre l'armée et fait cause commune avec les pires anarchistes (dame oui!). (On n'aurait pas pu penser, n'est-ce pas, qu'un Réveillon serait avec les anarchistes? Voilà ce qui prouve qu'on doit faire bien attention en mariant les jeunes gens [...].)
PROUST, Jean Santeuil, Pl., p. 524.

REM. 1. Le mot n'est plus compris et serait rattaché aujourd'hui à 1. *dame.*
2. On trouve aussi la graphie *dam!* :

3 Voilà; mon cher Valade, je compte mener cette existence une semaine ou deux encore : je fais des vers, et je me trouve un peu soûl tous les soirs; que voulez-vous de plus? Soûl? direz-vous, pourquoi? Dam! mais Vana, il est difficile, tant cette fille aime la noce, de se coucher avec toute sa raison.
Germain NOUVEAU, Lettre à Léon Valade, été 1873, Pl., p. 816.

DAME-BLANCHE [damblɑ̃ʃ] n. f. — XIXe; de 1. *dame,* et *blanche.*

♦ **1** (*Dame blanche,* 1828). Anciennt. Diligence de couleur blanche, en usage vers 1830. *Des dames-blanches.*

♦ **2** Cuis. Dessert fait de glace à la vanille nappée de crème au chocolat.

DAME-D'ONZE-HEURES [damdɔ̃zœʀ] n. f. — 1846; de 1. *dame, onze,* et *heure.*

Ornithogale en ombelle, plante (*Liliacées*) dont les fleurs s'épanouissent vers onze heures du matin. *Des dames-d'onze-heures.*

DAME-JEANNE [damʒan] n. f. — 1694, *dame-jane;* de 2. *dame,* et *Jeanne,* personnification de la bouteille par anal. de forme. P. Guiraud suppose ici une corruption de la forme provençale *demejana,* lat. *dimidiana,* fém. d'un adj. formé sur *dimidius* «demi».

Bonbonne de grande contenance. → **Jacqueline.** *Des dames-jeannes clissées.*

1 (...) elles versaient l'excellent vin du cru renfermé dans des dames-jeannes de la grandeur de trois bouteilles.
CHATEAUBRIAND, Mémoires d'outre-tombe, t. II, p. 350.

2 Il y avait un réduit encombré de bouteilles, de sacs, de dames-jeannes, de tonneaux. Un jour ayant débouché une bonbonne, j'ai approché mon nez du goulot. J'ai eu la sensation très précise d'un coup de poing en pleine figure qui m'a fait chanceler en arrière. Ce n'était que de l'ammoniaque, mais cinquante litres d'ammoniaque.
M. TOURNIER, le Vent Paraclet, p. 12.

1. DAMER [dame] v. tr. — 1552; de 1. *dame*, II.

(Dames, échecs). Transformer en dame, ou en une figure de son camp (un pion qui atteint la dernière rangée du damier, de l'échiquier). *Damer un pion*, le doubler d'un autre pion, pour le faire reconnaître.

Absolt ou **intrans.** *Pion qui dame*, qui parvient sur la dernière rangée.

Loc. **DAMER LE PION À (quelqu'un) :** l'emporter sur (qqn); surpasser, répondre victorieusement aux attaques de (qqn).

1 (...) un gros père à ventre de chef de bataillon et à crâne de futur maire de Paris ne se laisse pas souffler sa dame, sans damer le pion (...)
> BALZAC, la Cousine Bette, Pl., t. VI, p. 239.

1.1 N'essayez pas de leur damer le pion dans ces rochers, vous vous feriez harponner en moins de deux. Ils ont bouché tous les chemins même les plus petits. C'est ici qu'il faut connaître la musique. Et, pour votre écu, je vous l'apprends.
> J. GIONO, le Hussard sur le toit, p. 263.

◆ **DAMÉ, ÉE** p. p. adj.

(Jeu de dames). *Dame damée*, munie de son second pion. *Pion damé*, devenu dame.

2. DAMER [dame] v. tr. — 1834; de 2. *dame*.

(1834). **Techn.** Tasser (le sol : terre, pavés, béton, neige...) avec une dame (→ 2. *Dame*), et, par ext., avec tout autre engin. — **Spécialt.** *Damer une pente, une piste*, pour la rendre skiable.

2 (...) j'entassais l'algue dessalée, puis je la recouvrais de terre que je damais des deux pieds ainsi qu'une vendange (...)
> COLETTE, la Naissance du jour, p. 133.

◆ **DAMÉ, ÉE** p. p. adj.

Techn. *Sol, piste damée. Argile damée*, battue.

DÉR. et **COMP.** Damage. Vibrodameur.

DAMERET [damRɛ] n. m. — Déb. XVIᵉ, adj.; de 1. *dame*.

Vx ou **hist.** Homme qui a de sa toilette un souci excessif et qui fait le galant auprès des dames. → **Beau, dandy, freluquet, petit-maître** (→ aussi Casser, cit. 18).

DAME-RONDE [damRɔ̃d] n. f. — 1907; de 3. *dame*, et *ronde* (rond).

Techn. Petite tour pleine, dressée sur la crête d'un mur ou sur un batardeau. *Des dames-rondes.*

DAMETTE [damɛt] n. f. — 1846, Bescherelle «bergeronnette à collier»; «mésange», Lons-le-Saulnier, attesté 1859; *dametta* «pic épeiche», Savoie, attesté 1902; de 1. *dame*.

Régional. Pic épeiche.

DAMIER [damje] n. m. — 1529; de 1. *dame*, II.

◆ **1** Plateau divisé en cent carreaux alternativement blancs et noirs (→ **Case**), sur lesquels on pousse les pions du jeu de dames. → **Échiquier, tablier.** — **Par anal.** *Le trictrac se joue sur un damier à deux compartiments.*

◆ **2** Surface divisée en carrés sensiblement égaux, de couleur ou d'aspect différent.

1 (...) il scruta attentivement du regard les carrés de ténèbres que les tas de planches jetaient au fond du terrain. Il y avait là comme un damier blanc et noir de lumière et d'ombre, aux cases nettement coupées.
> ZOLA, la Fortune des Rougon, I, p. 9.

Carreaux réguliers (d'une étoffe). *Damier d'une étoffe.* — **Loc. adj.** *En damier :* composé de carreaux réguliers de deux couleurs. *Tissus en damier. Drapeau en damier*, à carreaux noir et blanc, utilisé dans les courses (automobiles, motocyclistes). — (1843; p.-ê. par attraction de *à carreaux*). *À damiers. Jupe à damiers.* — **Adj.** *Pantalon, robe damiers.*

Archit. Ornement (courant dans le style roman) fait de moulures carrées ou rectangulaires alternativement saillantes et creuses. *Damier de marbre, de pierre.* — **Adv.** *En damier. Dalle en damier.*

(En parlant d'une zone urbaine). *Ville, rues en damier. Plan en damier des villes américaines.*

◆ **3** Nom donné à des animaux, à des plantes dont les couleurs alternent comme celles d'un damier : pétrel brun (ou «à lunettes»); variété de papillon diurne; coquillage du genre cône. *Grand damier.*

2 Ces damiers sont des oiseaux du large, proches parents des goélands, et les plus jolis de toute cette famille de la mer (...)
> LOTI, Mon frère Yves, XII, p. 53.

Adjectif :

3 Elle *(la petite fille)* se pelotonna à côté d'une sorte de vivier naturel où avait dû servir autrefois. Elle ne répondit pas à un pétrel damier, ni à un grèbe. «Si je mourais, personne ne viendrait à mon secours» pensa-t-elle.
> Jean CAYROL, Histoire de la mer, p. 128.

DAMMAR [damaR] n. m. — 1867, Littré; d'un mot malais désignant l'arbre qui produit cette résine.

Techn. Résine de certains arbres (conifères, etc.), et notamment la résine du dammara*, employée dans la fabrication des vernis et dite aussi *faux copal* ou *kauri*.

DAMMARA [damaRa] n. m. — 1870; lat. mod., du malais. → Dammar.

Bot. Plante phanérogame gymnosperme conifère (*Cupressinées*) qui croît en Océanie et de laquelle on retire une résine transparente. → **Dammar; kauri.**

DAMNABLE [danabl] adj. — V. 1180; de *damner*.

◆ **1** **Théol.** Qui mérite la damnation (personnes); qui peut la faire encourir (choses). *Opinion, doctrine damnable.*

1 (...) pour les rejeter *(les erreurs particulières)* autant qu'il faut, il faut les rejeter jusqu'à dire qu'elles sont damnables. Or elles ne sont pas damnables, si elles se sont trouvées dans les martyrs, si l'Église les y a vues, et les y a tolérées.
> BOSSUET, Hist. des Variations, 1ᵉʳ avertissement, XXIV.

N. m. *Le damnable :* ce qui est damnable.

1.1 Il faut avoir en soi une théologie qui condamne, qui soupçonne le damnable dans les idées, qui sache retrancher.
> VALÉRY, Cahiers, t. II, Pl., p. 1411.

◆ **2** **Vx** ou **littér.** Qui mérite la réprobation. *Coutumes, maximes damnables.* → **Condamnable.**

2 Tout cela vient de ce que chacun épris de soi-même, veut tout mettre à ses pieds et s'établir une damnable supériorité, en dénigrant tout le genre humain.
> BOSSUET, Traité de la concupiscence, X.

3 (...) ces damnables victoires *(sur les femmes)*.
> BOSSUET, Traité de la concupiscence, XVI.

CONTR. Louable, rédempteur, salvateur. ◊ **DÉR.** Damnablement.

DAMNABLEMENT [danabləmɑ̃] adv. — V. 1327; de *damnable*.

Rare.

◆ **1** De manière damnable. *Agir, vivre damnablement.*

◆ **2** À se damner. *Damnablement jolie.* → **Diablement.**

DAMNANT, ANTE [danɑ̃, ɑ̃t] adj. → **Damner**.

DAMNATION [danɑsjɔ̃] n. f. — V. 1170; lat. ecclés. *damnatio*, du supin de *damnare*.

♦ **1** Théol. Condamnation aux peines de l'enfer, et, par métonymie, ces peines. → **Châtiment, dam** (peine du dam), **supplice** (supplices éternels). *La damnation est éternelle. Condamner à la damnation.* → **Damner**. — *La Damnation de Faust*, œuvre musicale de Berlioz.

1 (...) que, bien loin de former en secret des désirs de leur salut *(aux jansénistes)*, vous ayez fait en public des vœux pour leur damnation (...)
PASCAL, les Provinciales, 11.

2 (...) tous les péchés qui se sont commis dans le monde et la damnation de ce nombre innombrable de réprouvés.
NICOLE, Ess. de mor., IIᵉ traité, v., *in* LITTRÉ.

3 Des gens qui sont en état de damnation (...)
BOSSUET, Variations, XV.

4 (...) qu'importe l'éternité de la damnation à qui a trouvé dans une seconde l'infini de la jouissance?
BAUDELAIRE, le Spleen de Paris, «Le Mauvais Vitrier», IX.

(XIXᵉ). Par ext. Condamnation sur le plan moral. Littér. *Damnation! Enfer et damnation! Mort et damnation!*, imprécation de colère ou de désespoir.

♦ **2** Littér. État moral intérieur qui évoque, par son horreur, celui des damnés.

5 Désormais, j'avais la damnation logée en moi. Je portais en même temps le gouffre et son vertige.
J. ROMAINS, les Hommes de bonne volonté, t. IV, p. 58.

6 (...) souffrir pour rien, il n'est pas d'autre damnation.
André SUARÈS, Trois hommes, III, Dostoïevski, V, p. 270.

CONTR. Béatitude, rédemption, salut.

DAMNER [dane] v. tr. — Xᵉ; lat. ecclés. *damnare*, en lat. class. «condamner», de *damnum*. → **Dam**.

♦ **1** Condamner aux peines de l'enfer. *Se faire damner. Loc.* interj. *Dieu me damne!* (si ce que je dis n'est pas vrai).

1 Ahi, ahi, ahi, doucement! Dieu me damne, Mesdames, c'est fort mal en user (...)
MOLIÈRE, les Précieuses ridicules, IX.

2 Mon Dieu! que ce sont de sots discours : Dieu aurait-il fait le monde pour le damner?
PASCAL, Pensées, VI, 390.

3 (...) qu'y a-t-il de plus contraire aux règles de notre misérable justice que de damner éternellement un enfant incapable de volonté, pour un péché où il paraît avoir si peu de part, qu'il est commis six mille ans avant qu'il fût en être?
PASCAL, Pensées, VII, 434.

♦ **2** (Sujet n. d'action). Conduire à la damnation. *Damner son âme.* → **Perdre** (son âme). — Intrans. *Péché qui damne.*

4 Les plaisirs innocents le deviennent bien *(péchés mortels)* par l'excès de l'attachement (...) et seuls ils ont pu damner le mauvais riche pour avoir été trop goûtés (...)
BOSSUET, Oraison funèbre de Marie-Thérèse d'Autriche.

5 C'est un sexe engendré pour damner tout le monde *(les femmes).*
MOLIÈRE, l'École des maris, III, 9.

6 (...) vous avez commis plus de meurtres qu'il n'en faudrait pour damner tous les saints du Paradis.
A. JARRY, Ubu roi, III, 5.

Loc. *Faire damner qqn.*, le mettre dans une colère qui lui vaudrait d'être damné. → **Impatienter, tourmenter.** *Il ferait damner un saint.*

7 Elles *(les femmes)* ont un répertoire de malices couvertes de bonhomie, plaquées de bienveillance à faire damner un saint, à rendre un singe sérieux et à donner froid à un démon.
BALZAC, Petites misères de la vie conjugale, Pl., t. X, p. 917.

♦ **3** Déclarer (qqn) digne de la damnation.

8 Le vrai croyant, sachant que l'infidèle est aussi un homme, et peut-être un honnête homme, peut sans crime s'intéresser à son sort. Qu'il empêche un culte étranger de s'introduire dans son pays, cela est juste; mais qu'il ne damne pas pour cela ceux qui ne pensent pas comme lui (...)
ROUSSEAU, Lettre à M. de Beaumont.

♦ **SE DAMNER** v. pron.

Faire en sorte d'être damné. → **Perdre** (se). *Vous vous damnez.* Par ext. *Se damner pour qqn, qqch. Il se damnerait pour elle.*

9 (...) voudraient-ils renoncer à leur conscience et se damner par ces calomnies?
PASCAL, les Provinciales, 15.

10 On l'autorise *(le pénitent)* dans son erreur, on l'entretient dans son libertinage, on le damne et on se damne avec lui (...)
BOURDALOUE, Carême. Sur les tentations, *in* LITTRÉ.

♦ **DAMNANT, ANTE** p. prés. et adj.

(1666, Furetière, *Roman bourgeois*, in D.D.L.). **Rare.** Qui fait damner.

10.1 (...) et je ne voulais pas renoncer, si je ne pouvais avoir que cela, à la possibilité de retrouver la main ou le pied de cette damnante Alberte qui, après ce qu'elle avait osé, restait toujours la grande Mademoiselle Impassible.
BARBEY D'AUREVILLY, les Diaboliques, «Le Rideau cramoisi».

♦ **DAMNÉ, ÉE** p. p. adj. et n.

♦ **1** (Attribut ou après le nom). Condamné aux peines de l'enfer.

11 (...) les fidèles ainsi plongés dans le crime seraient damnés s'ils mouraient alors (...)
BOSSUET, Hist. des Variations, XIV, 60.

12 (...) tous damnés depuis qu'ils ne croyaient plus au diable.
ZOLA, la Terre, II, p. 60.

13 (...) le Tasse, ce malheureux homme, qui mêlait étrangement la dévotion au plaisir, qui se torturait de terreurs religieuses, et dont la folie consistait à se croire damné, à aller se dénoncer aux inquisiteurs (...)
R. ROLLAND, Musiciens d'autrefois, (notes) p. 42.

Loc. *Être l'âme damnée de qqn.* : lui être dévoué jusqu'à encourir au besoin la damnation pour lui.

14 Mais dites un peu à votre âme damnée, à ce M. Rafle, qu'il me traite plus humainement la première fois que j'aurai besoin de lui.
A. R. LESAGE, Turcaret, III, 4.

15 Ils *(les Chavigny)* devinrent les instruments de l'abbé Dubois puis ses confidents et ce que, en langage commun, on appellerait ses âmes damnées.
SAINT-SIMON, Mémoires, *in* LITTRÉ.

N. (1160). *Les damnés.* → **Réprouvé.** *Le supplice des damnés.* → **Dam, feu.** *Le lieu où souffriront les damnés après la résurrection des corps* ou *Séjour des damnés.* → **Enfer.** *Souffrir comme un damné :* souffrir d'une manière abominable.

16 Je souffre en damné.
MOLIÈRE, l'École des femmes, II, 5.

17 Ce sera une des confusions des damnés, de voir qu'ils seront condamnés par leur propre raison, par laquelle ils ont prétendu condamner la religion chrétienne.
PASCAL, Pensées, VIII, 563.

18 Jette un cri vers le ciel, ô chantre des enfers!
Le ciel même aux damnés enviera tes concerts.
LAMARTINE, Premières méditations, II, l'Homme, «À Lord Byron».

19 (...) à quel supplice de damné je suis livré sans relâche depuis trois ou quatre heures du matin jusqu'au jour!
SAINTE-BEUVE, Correspondance, I, p. 210.

Fig. *Un damné de la civilisation* (→ Paria, cit. 3), *de la terre :* personne qui se trouve réduite à des conditions d'existence intolérables, rejetée de la société. *Debout, les damnés de la terre!* (paroles de l'*Internationale*).

♦ 2 Adj. (avant le nom). Fam. Qui cause de l'humeur (obstacle, désagrément). → **Maudit, sacré, sale.** *L'affaire a échoué à cause de cette damnée histoire, de ce damné X... J'en ai assez de ce damné travail.*

20 Je ne vois ni ciel ni terre, et je crains que cet enfant-là ne prenne la fièvre si nous restons dans ce damné brouillard (...) G. SAND, la Mare au diable, VII, p. 62.

21 (...) c'est l'enfer que des hommes avaient établi dans ce coin du monde, avec leur damnée politique.
J. GREEN, Journal 1958-1967, 7 sept. 1959,
Vers l'invisible, p. 145.

DÉR. et COMP. Damnable.

DAMOCLÈS [damɔklɛs] n. pr. → **Épée** (épée de Damoclès).

DAMOISEAU [damwazo] n. m. — V. 1135, *dameisel; lat. pop. dom(i)nicellus,* dimin. de *dominus* «seigneur».

♦ 1 Anciennt. Titre du jeune gentilhomme qui n'était pas encore chevalier.

1 (...) de *damoisel* (l'usage fait), *damoiseau* (...)
LA BRUYÈRE, les Caractères, XIV, 73.

2 L'éducation du chevalier commençait à l'âge de sept ans (...) Bientôt on passait à l'office de page ou de *damoiseau* dans le château de quelque baron.
CHATEAUBRIAND, le Génie du christianisme, IV,
V, 4.

♦ 2 (XVIᵉ). Par plais. Jeune homme qui fait le beau et l'empressé auprès des femmes. → **Dameret, éphèbe, freluquet, galant.**

3 (...) Et chez vous iront les damoiseaux?
MOLIÈRE, l'École des maris, I, 2.

Soupirant, amoureux.

CONTR. Barbon. ◊ DÉR. V. Damoiselle.

DAMOISELLE [damwazɛl] n. f. — XIIIᵉ; *dameisele,* fin IXᵉ; lat. pop. *dom(i)nicella,* dimin. de *domina.* → Dame.

♦ 1 Anciennt. Au moyen âge, Jeune fille noble ou femme d'un damoiseau. → **Demoiselle,** I. — (Fin du moyen âge). Femme mariée de la petite noblesse et de la bourgeoisie.

REM. Le mot s'emploie encore par archaïsme et pour évoquer le moyen âge.

♦ 2 Dr. (vx). Femme non mariée.

DAN [dan] n. m. — 1944, en sport (*in* Petiot); mot japonais.

♦ 1 Chacun des grades qui marquent les étapes dans l'acquisition de la maîtrise d'un art traditionnel, au Japon (en particulier dans le domaine des arts martiaux). — Sports et cour. (en France et dans les pays francophones). Chacun des grades de la ceinture noire, dans les arts martiaux japonais et les sports de combat qui en dérivent. *Ceinture noire premier, deuxième dan. Champion de karaté troisième dan.*

♦ 2 Par métonymie, avec un numéral ordinal. *Un troisième dan :* un pratiquant d'un art martial titulaire du troisième dan. *Un deuxième dan de karaté qui est aussi premier kyu* (→ **Kyu**) *de judo.* — (Attribut). *Il est, elle est premier dan depuis le dernier passage de grade.*

1. DANAÏDE [danaid] n. f. — 1546; nom myth., «fille de Danaos», grec *Danaïs,* au plur. *Danaïdes.*

♦ 1 Loc. *Le tonneau des Danaïdes,* se dit d'une chose qu'on ne peut remplir, d'une personne aux dépenses de qui l'on ne peut suffire, d'une tâche qu'on n'arrive pas à achever, par allusion au tonneau percé que les Danaïdes étaient condamnées

à remplir sans fin aux enfers, en châtiment de leur crime (le meurtre de leurs époux la nuit même des noces). «*La Haine* (cit. 7, Baudelaire) *est le tonneau des pâles Danaïdes*».

Le journalisme, ce *tonneau des Danaïdes* où toutes les imaginations de notre temps ont versé leur amphore, finira par dévorer à son horrible festin de chaque nuit les intelligences que Dieu avait destinées à la poésie.
Arsène HOUSSAYE, *in* P. LAROUSSE.

♦ 2 (1857, *in* T. L. F.). Par anal. Techn. Roue hydraulique.

2. DANAÏDE [danaid] n. f. — 1808; nom myth. → 1. Danaïde.

Zool. Papillon diurne d'Afrique, aux couleurs éclatantes.

DANCE [dɑ̃s; dɛns] n. f. et adj. — 1994; d'abord *dance music,* 1989; angl. *dance music* «musique de danse».

Anglic. Musique très rythmée, issue du disco. — Adj. invar. *Un tube dance.*

REM. La paronymie avec le français *danse* fait que le mot est d'emploi malaisé. Il est critiqué comme anglicisme mal venu.

DANCHÉ, ÉE [dɑ̃ʃe] adj. → **Denché.**

DANCING [dɑ̃siŋ] n. m. — V. 1919; ellipse de l'angl. *dancing-house* «maison de danse».

Établissement public où l'on danse. → **Boîte, discothèque, night-club.** *Aller au dancing. Des dancings.*

1 À l'horrible présence de la misère se mêlaient les vapeurs nocturnes des bars enfumés et des dancings pouilleux qui renouvelaient leurs mètres cubes d'air en prévision de la nuit suivante. P. MAC ORLAN, la Bandera, I, p. 16.

2 (...) les manèges ne tournaient toujours pas, le dancing était désert, et les voyantes ne voyaient rien venir.
R. QUENEAU, Pierrot mon ami, Folio, p. 9.

REM. Le mot tend à vieillir, au bénéfice de ses quasi-synonymes, notamment *boîte* (de nuit).

DANDIN [dɑ̃dɛ̃] n. m. — 1526; déverbal de *dandiner.*

Vx. Homme niais, de contenance gauche. → **Dadais** (→ Anter, cit.)

REM. Le mot sert de nom propre, caractérisant divers personnages de niais, dans la langue classique : *Perrin Dandin* (cf. Rabelais, La Fontaine, Racine), juge ridicule; *George Dandin* (cf. la pièce de Molière), paysan ridiculisé par sa femme.

Vous l'avez voulu; vous l'avez voulu, George Dandin, vous l'avez voulu, cela vous sied fort bien et vous voilà ajusté comme il faut (...) MOLIÈRE, George Dandin, I, 7.

Vieilli. *Un George Dandin :* un mari trompé ridicule.

DANDINANT, ANTE [dɑ̃dinɑ̃, ɑ̃t] adj. — XVIIIᵉ; de *se dandiner.*

Rare. Qui se dandine.

(...) le gardien chef ne se pressait point. Le sourire de biais, la démarche dandinante, il se déplaçait avec la satisfaction d'un conservateur de musée montrant une collection.
M. DRUON, les Grandes Familles, VI, IV, p. 369.

DANDINEMENT [dɑ̃dinmɑ̃] n. m. — 1585; de *dandiner.*

Action de se dandiner, mouvement qui en résulte. → **Balancement, déhanchement.**

1 Il remarquait les balancements gracieux ou les dandinements comiques de toutes ces créatures qui suivaient leur chemin facile ou ardu.
FRANCE, le Chat maigre, *in* Œ., t. II, p. 182.

2 Leur figure brune, leur rire, avaient encore une grâce jeune d'enfant : leur dandinement, la façon souple et moelleuse dont ils posaient leurs pieds nus, avaient quelque chose du chat. LOTI, Mon frère Yves, XI, p. 47.

3 (...) le dandinement monotone d'une mule au trot.
LOTI, Mon frère Yves, LXXXVII, p. 206.

Rare (en parlant d'une chose). *«Le dandinement d'une flamme»* (L. de Vilmorin, *in* T. L. F.).

DANDINER [dãdine] v. — V. 1500, intrans.; anc. franç. *dandin* «clochette».

◆ **1 V. tr. Rare.** Balancer gauchement d'un côté de l'autre. *Dandiner sa taille.* → **Déhancher** (se). *Dandiner sa jambe.*

1 Avec une grâce espagnole, les filles, dont les larges manches s'éploient comme des ailes, dandinent leurs tailles serrées, au-dessus de leurs hanches vigoureuses et souples (...)
LOTI, Ramuntcho, I, v, p. 68.

◆ **2 V. intr.** (→ *infra*, Se dandiner.) *S'avancer en dandinant* (→ Bêtise, cit. 3). *Dandiner de la taille, des hanches.*

◆ **SE DANDINER** v. pron. (XVIIᵉ).

Cour. Se balancer gauchement d'un côté et de l'autre soit en se déplaçant soit (plus cour.) sur place. → **Déhancher** (se); → Danser, cit. 15. *Se dandiner comme un canard.* → **Canard**, cit. 2; 1. **caneter** (vx). *Il se dandinait sur sa chaise.*

2 (...) et tous deux ils fouillaient le lointain de la pièce où se dandinaient, saluant les murs de droite et de gauche, un petit vieux monsieur au crâne nu, au visage mangé de barbe grise.
COURTELINE, Messieurs les ronds-de-cuir, 1ᵉʳ tableau, II, p. 37.

3 (...) il commençait de se dandiner d'une jambe sur l'autre en cherchant son chapeau, ses gants, sa canne et sa serviette.
G. DUHAMEL, Chronique des Pasquier, VIII, p. 406.

Rare (en parlant des choses). Se balancer. *Voiture, canot qui se dandine.*

◆ **DANDINÉ, ÉE** p. p. adj.
Que l'on dandine. *Pas dandiné.*

4 (...) cinq faisans qui traversent la voie sans hâte, dédaigneux familiers, et qui semblent nous dire, sur le rythme de leur petit pas dandiné de poules grasses : «Vous êtes bien pressés (...)»
COLETTE, la Paix chez les bêtes, p. 240.

DÉR. Dandin, dandinant, dandinement, dandinette.

DANDINETTE [dãdinɛt] n. f. — 1866; de *dandiner*.

◆ **1 Pêche.** Appât imitant la forme d'un poisson (→ **Leurre**).

◆ **2** (1900). **Surtout dans la loc. à la dandinette.** Technique de pêche à la ligne où l'on attire le poisson par le va-et-vient d'un leurre. *Pêcher à la dandinette.* → **Trembleuse.** *Brochet, perche péchés à la dandinette.*

(...) ce juriste, président de la «Canne nantaise» (...) ose pêcher à la dandinette sur bord réservé.
Hervé BAZIN, Qui j'ose aimer, 10, p. 89.

1. DANDY [dãdi] n. m. — 1817; *daindy*, 1813, Mᵐᵉ de Staël; mot angl. d'orig. obscure.

◆ **1 Hist.** En Grande-Bretagne, Jeune homme élégant de la haute société. *George Brummel, type du dandy.*

1 (...) le *dandy* doit avoir un air conquérant, léger, insolent; il doit soigner sa toilette, porter des moustaches ou une barbe taillée en rond comme la fraise de la reine Élisabeth, ou comme le disque radieux du soleil (...) il monte à cheval avec une canne qu'il manie comme un cierge, indifférent au cheval qui est entre ses jambes par hasard.
CHATEAUBRIAND, Mémoires d'outre-tombe, t. IV, p. 176.

Par ext. (dans d'autres pays). — REM. La cit. suivante illustre un emploi intermédiaire entre le sens 1 et le sens 2.

2 Vous n'auriez pas la notion juste de mon vicomte de Brassard, chez qui, esprit, manières, physionomie, tout était large, étoffé, opulent, plein de lenteur patricienne, comme il convenait au plus magnifique dandy que j'aie connu, moi qui ai vu Brummel devenir fou, et d'Orsay mourir !
BARBEY D'AUREVILLY, les Diaboliques, «Le rideau cramoisi».

REM. Le mot ne s'emploie pas au fém.; le pluriel est *dandies* (plur. angl.) ou *dandys*.

3 L'admiration et l'attention avaient donné si chaud à Albertine qu'elle suait à grosses gouttes. Andrée gardait le flegme souriant d'un dandy femelle.
PROUST, À l'ombre des jeunes filles en fleurs, Folio, p. 585.

◆ **2 Littér.** Personne raffinée, dont l'élégance physique ou morale relève d'une éthique non conformiste et anti-bourgeoise (→ **Dandysme**, cit. 1), exposée notamment par Baudelaire, Villiers de l'Isle-Adam, Barbey d'Aurevilly (→ **Esthète**).

4 «Vivre et mourir devant un miroir», telle était, selon Baudelaire, la devise du dandy. Elle est cohérente, en effet. Le dandy est par fonction un oppositionnel. Il ne se maintient que dans le défi.
CAMUS, l'Homme révolté, *in* Essais, Pl., p. 462.

5 Paul Léautaud, sordide et noir, le col graisseux, était tout de même un dandy.
F. MAURIAC, Mémoires intérieurs, p. 225, *in* T. L. F.

◆ **3** Homme élégant (souvent par allus. au XIXᵉ s. — voir sens 1 — et aux connotations morales — voir sens 2).

REM. Le mot est très caractérisé et s'oppose aux équivalents spécifiques d'autres époques ou d'autres contextes (→ **Gandin, gommeux, mirliflore, muguet, muscadin,** etc., tous archaïques).

Adj. (attribut). *Il est assez dandy.*

DÉR. Dandyfier, dandysme, dandystique.

2. DANDY [dãdi] n. m. — 1877; mot écossais.
Mar. → **Dundee.**

DANDYFIER [dãdifje] v. tr. — 1918, Toulet, *in* T. L. F.; de 1. *dandy.*
Rare. Transformer (qqn) en dandy.

DANDYSME [dãdism] n. m. — 1830; de 1. *dandy.*
Littér. Manières élégantes et raffinées; raffinement du dandy. → 1. **Dandy.**

1 Le Dandysme est toute une manière d'être, et l'on n'est pas dandy que par le côté matériellement visible. C'est une manière d'être, entièrement composée de nuances, comme il arrive toujours dans les sociétés très vieilles et très civilisées, où la comédie devient si rare et où la convenance triomphe à peine de l'ennui.
BARBEY D'AUREVILLY, Du dandysme, Pl., t. II, p. 673-674.

2 Il aurait pu, en très peu de temps, s'élancer aux premiers rangs de la hiérarchie militaire, mais le dandysme !... Si vous combinez le dandysme avec les qualités qui font l'officier : le sentiment de la discipline, la régularité dans le service, etc., etc., vous verrez ce qui restera de l'officier dans la combinaison et s'il ne saute pas comme une poudrière !
BARBEY D'AUREVILLY, les Diaboliques, «Le rideau cramoisi».

3 (...) Baudelaire ne peut être évoqué ici que dans la mesure où il a été le théoricien le plus profond du dandysme et donné des formules définitives à l'une des conclusions de la révolte romantique.
Le romantisme démontre en effet que la révolte a partie liée avec le dandysme (...)
CAMUS, l'Homme révolté, *in* Essais, Pl., p. 463.

4 (...) toutes ces merveilleuses photographies de Nadar où Baudelaire ne se voit pas poser, où, hors du lieu et de l'espace, il dure, lui, l'apologiste du dandysme, c'est-à-dire «de ce qui participe du caractère d'opposition et de révolte

(...) de ce qu'il y a de meilleur dans l'orgueil humain (...)»
Et nul homme non plus n'a été aussi possédé de lui-même.
> ÉLUARD, Donner à voir, «Le miroir de
Baudelaire», *in* Œ. compl., Pl., t. I, p. 109.

DANDYSTIQUE [dãdistik] adj. — 1838, Balzac; de
1. *dandy*.

Rare et vx. Du dandy. — REM. 1. On rencontre chez
J. Lacan la forme *dandyste* :

Formes altières ou perfides, dandystes ou débonnaires de
cette royauté cachée, il n'est pas jusqu'aux plus méprisées
dont Freud ne sache faire briller l'éclat secret.
> J. LACAN, Écrits, p. 270.

2. Les adj. *dandyque* (1892, vx) et *dandyesque* (→ Échancrure, cit. 1.1, Queneau) sont également attestés.

DANEAU [dano] n. m. — 1700, *in* Wartburg; de *daim*.
Rare. Petit du daim.

DANGER [dãʒe] n. m. — XIIᵉ, *dangier* «domination,
pouvoir sur...» (*estre en dangier de...* «à la merci de...»);
sens mod. en 1340, dans *en dangier*; du lat. pop. *domi-
narium* «pouvoir de dominer», de *dominus* «maître»; le
mot a pris au XIVᵉ s. le sens de «péril».

I ♦ **1** Ce qui menace ou compromet la sûreté, l'existence d'une personne ou d'une chose en général
(*le danger*), ou dans une circonstance donnée
(*un, des dangers*). → **Aléa, péril; menace, risque.**
*Danger imminent, inattendu, inévitable. Danger
grave, grave danger. Danger mortel. Danger de
chute, de ruine. Danger pour la sécurité nationale.*
— **EN DANGER.** *La Patrie est en danger* (→ Appartenir, cit.7). *Sa vie est en danger. Ses jours sont en
danger. Il s'est trouvé en danger de mort. En danger
de mourir. Le ministère est en danger de tomber.
Mettre en danger la vie, l'honneur, la réputation,
les intérêts de qqn.* → **Compromettre.** *Courir un
grave danger.* → **Hasard, risque** (→ Passer un mauvais quart* d'heure; dormir sur un volcan*). *S'exposer
au danger.* → **Risquer.** *Ce n'est pas sans danger.
Avertir qqn d'un danger. Il y a du danger, il y a
quelque danger à passer par là* (cf. Il ne fait pas
bon...). *Une situation pleine de dangers.* → **Guê-
pier, impasse, piège...** *Le signal d'un danger; signal
de danger.* → **Alarme, alerte.** *À l'heure du danger.*
→ **Critique** (au moment). *Au plus fort du danger.
Se rendre compte du danger. Considérer, mesurer,
voir le danger. Avoir une claire notion du danger.
Aimer, mépriser, craindre le danger. Avoir peur
en face du danger. Être prudent devant le danger.
Faire face au danger. Affronter, braver, défier le
danger* (→ Anxieux, cit. 2). *Accoutumer au danger.*
→ **Aguerrir.** *Conjurer* (cit. 6), *détourner, écarter, éloigner, éviter un danger. Fuir un danger. Échapper au
danger.* → **Affaire** (se tirer d'affaire). *Sortir sain et sauf
d'un danger. Réchapper d'un danger. Se prémunir
contre un danger. Mettre en sûreté, en sûreté, pour
soustraire au danger, préserver d'un danger. Tirer
d'un danger. Hors de danger. Abri contre le danger.*
→ **Asile** (cit. 19), **refuge, sauvegarde, sûr** (lieu sûr). *En
cas de danger.* → **Urgence.** *Le S.O.S., signal d'un
navire en danger de sombrer* (→ **Alerte, détresse,
perdition**).

1 Le trop de confiance attire le danger (...)
> CORNEILLE, le Cid, II, 6.

2 La vraie épreuve du courage
N'est que dans le danger que l'on touche du doigt.
> LA FONTAINE, Fables, VI, 2.

3 C'est dans les grands dangers qu'on voit un grand courage.
> J.-F. REGNARD, le Légataire universel, IV, 1.

4 La guerre met un État en danger de périr.
> FÉNELON, Télémaque, XIV.

Puisse l'esprit de sagesse te guider pour te préserver des   5
innombrables dangers dont ta route est semée !
> RENAN, Œ. compl., t. I, p. 905.

Aux yeux d'un noble, le mépris du danger est le premier   6
devoir d'une âme bien née.
> TAINE, Philosophie de l'art, I, II, VII, p. 87.

L'attrait du danger est au fond de toutes les grandes pas-   7
sions.
> FRANCE, le Jardin d'Épicure, p. 18.

Il est permis de n'être pas brave devant les dangers ima-   8
ginaires, quand on a quatre-vingt-deux ans. Devant les
dangers véritables, je n'ai jamais reculé, Mesdames.
> MAUPASSANT, Clair de lune, p. 194.

C'est là l'amulette qui préserve les individus — et parfois   9
les peuples — non du danger mais de la peur du danger,
en réalité de la croyance au danger, ce qui dans certains
cas permet de le braver sans qu'il soit besoin d'être brave.
> PROUST, À la recherche du temps perdu, t. IV,
p. 14.

La sirène annonciatrice des bombes ne troublait pas plus   9.1
les habitués de Jupien que n'eût fait un iceberg. Bien
plus, le danger physique menaçant les délivrait de la
crainte dont ils étaient maladivement persécutés depuis
longtemps. Or il est faux de croire que l'échelle des craintes
correspond à celle des dangers qui les inspirent. On peut
avoir peur de ne pas dormir et nullement d'un duel
sérieux, d'un rat et pas d'un lion !
> PROUST, le Temps retrouvé, Pl., t. III, p. 834.

Sur les sacs d'écus, Notre-Seigneur aurait écrit de sa main :   10
«Danger de mort» comme fait l'administration des ponts
et chaussées sur les pylônes des transformateurs électriques (...)
> BERNANOS, Journal d'un curé de campagne, II,
p. 68.

Loc. Danger public, se dit d'une personne qui par sa
maladresse, son étourderie, son insouciance, met
les autres en danger. *Empêchez-le de conduire, c'est
un danger public !*

Avec des voix déjà très montées, ils se traitèrent de mal-   10.
adroits, de malappris, d'abrutis, de couillons, et de dangers publics.
> M. AYMÉ, Maison basse, p. 8.

Dr. Assistance à personne en danger : obligation de
porter secours à toute personne en danger dans le
cas où la sécurité du sauveteur ou des tiers n'est
pas menacée. *Délit de non-assistance* (cit.) *à personne en danger.*

♦ **2** Péril qu'une menace est susceptible de produire. *Attention, danger ! Le danger de* (qqch.),
constitué par (qqch.). *Les dangers de la curiosité.
Le danger d'une telle situation. Le danger des mauvaises doctrines.*

Le danger de cet homme, le péril de cet homme, signifiant   11
le danger, le péril que court cet homme, sont absolument
synonymes; là danger et péril ont un sens passif et expriment la situation où cet homme est mis. Mais au sens
actif, au sens de mettre en danger, c'est non pas péril,
mais danger qui se dit : le danger des mauvaises doctrines signifie non pas que les mauvaises doctrines sont
en péril mais qu'elles causent du péril.
> LITTRÉ, Dict., art. *Danger.*

Ne fallait-il pas prémunir la jeune fille, au moment de son   12
entrée dans le monde, contre les dangers d'une éducation
par trop conventionnelle ?
> J. ROMAINS, les Hommes de bonne volonté, t. III,
p. 130.

Fam. Il n'y a pas de danger (en parlant d'une chose qui
n'arrivera sûrement pas). *Il reviendra, pas de danger*
(ou *aucun danger*). *Pas de danger que* (suivi du subj.).
Pas de danger qu'il se laisse attraper.

II (1701). *Mar.* Roche, récif, banc ou tout autre obstacle fixe (épave, etc.) qui peut faire courir un
danger à un navire. → **Écueil.** *Balisage, bouées indiquant les dangers à éviter. Par temps bouché, ce
danger n'est visible que lorsqu'on est presque dessus.*

**CONTR. Assurance, calme, garantie, paix, refuge, repos,
sécurité, sûreté, tranquillité.** ◊ **DÉR. Dangereux.**

DANGEREUSEMENT [dãʒʀøzmã] adv. — 1538; de *dangereux*.

D'une manière dangereuse. *Être dangereusement blessé, malade.* → **Gravement, grièvement.** *Être dangereusement attaqué, compromis.* → **Sérieusement.** *Se pencher dangereusement par la fenêtre. Cet enfant joue dangereusement avec des allumettes.*
Loc. *Vivre dangereusement,* dans le risque, en affrontant le danger, en ne se protégeant pas.

DANGEREUX, EUSE [dãʒʀø, øz] adj. — XIIIᵉ; «difficile», XIIᵉ; de *danger*.

♦ **1** Qui constitue un danger, présente du danger, expose à un danger. → **Périlleux, redoutable.** *Poison, venin dangereux. Maladie dangereuse.* → **Grave, mauvais, sérieux.** *Blessure dangereuse.* → **Vilain.** *Chemin dangereux.* Loc. fig. *Vous vous engagez sur un terrain dangereux.* → **Brûlant, critique, délicat, difficile, glissant.** *Pente dangereuse. Passage, tournant dangereux* (s'emploie aussi au fig.). *Endroit dangereux.* → **Coupe-gorge, pas** (mauvais pas), **traquenard.** *Côte dangereuse à la navigation.* → **Inhospitalier.** *Cette rivière est dangereuse, malgré les apparences.* → **Traître.** *Zone dangereuse d'un front. C'est une arme dangereuse, à double tranchant. Ça devient dangereux.* → **Barder** (ça va barder, fam.). *Dangereux pour l'avenir.* → **Menaçant, redoutable; conséquence** (tirer à). *Aventure, équipée, expédition, entreprise dangereuse.* → **Aventureux, hasardé, hasardeux, risqué, téméraire.** *Dangereuse posture.* → **Fâcheux.** *Votre conduite est dangereuse.* → **Compromettant, imprudent.** *Liaisons* dangereuses. Doctrines, lectures dangereuses* → **Malsain, mauvais, nocif, nuisible, pernicieux, scabreux.** *Agir de manière dangereuse.* → **Jouer avec le feu*.** — *Dangereux à... (et inf.). Chose dangereuse à manier, à faire. — Il est dangereux, assez dangereux de... (et inf.). — Chose dangereuse pour quelqu'un.*

1 Rien n'est si dangereux qu'un ignorant ami;
   Mieux vaudrait un sage ennemi.
                                      LA FONTAINE, Fables, VIII, 1.

2 Tous les grands divertissements sont dangereux pour la vie chrétienne; mais, entre tous ceux que le monde a inventés, il n'y en a point qui soit plus à craindre que la comédie. PASCAL, Pensées, XXIV, 65, *in* LITTRÉ.

3 (...) il est aussi dangereux d'encourir sa faveur que de mériter sa disgrâce (...)
                                      CHATEAUBRIAND,
                  Mémoires d'outre-tombe (→ Abjection, cit. 1).

3.1 Le lac est dangereux; nous pourrions être retardés par une tornade.
             GIDE, Voyage au Congo, *in* Souvenirs, Pl., p. 705.

3.2 À trente pas se dressait la porte du corral, qui paraissait être fermée. Ces trente pas qu'il s'agissait de franchir entre la lisière du bois et l'enceinte constituaient la zone dangereuse pour employer une expression empruntée à la balistique.   J. VERNE, l'Île mystérieuse, t. II, p. 743.

4 (...) le langage est essentiellement dangereux pour la pensée : toujours prêt à l'opprimer, si l'on n'y veille.
                       J. PAULHAN, les Fleurs de Tarbes, p. 71.

5 Il a la frousse, pensa Gilieth. Le coin lui paraît dangereux.
                    P. MAC ORLAN, la Bandera, XIII, p. 156.

♦ **2** (Personnes). Qui a pouvoir de nuire, à qui on ne peut se fier. → **Méchant, redoutable, sinistre.** *Individu dangereux. C'est un type dangereux. Il est dangereux quand il a bu.* → **Violent; agressif.** *Criminel, meurtrier, traître dangereux. Passer la camisole de force à un fou dangereux. Méfiez-vous, votre ennemi est dangereux. Vos concurrents sont peu dangereux.* — Spécialt. *Une coquette dangereuse* (→ Courtisane, cit. 1). *Un dangereux séducteur.*

6 Les gens sans bruit sont dangereux :
   Il n'en est pas ainsi des autres.
                                      LA FONTAINE, Fables, VIII, 23.

Perdez un ennemi d'autant plus dangereux   7
Qu'il s'essaiera sur vous à combattre contre eux.
                            RACINE, Andromaque, I, 2.

Or, ce peut être une tactique profitable que de repousser   8
un voisin dangereux jusqu'à l'extrême opposé, ou tout au contraire le tenir déjà gagné à notre cause (quoi qu'il en pense lui-même). Bref, nous débarrasser de lui, par la flatterie ou la terreur.
                J. PAULHAN, Entretien sur des faits divers, p. 139.

Comme il parlait un peu l'espagnol, il s'était lié avec quel-   9
ques jeunes ruffians du quartier : des hommes pauvres, rageurs et souvent humbles, quelquefois dangereux.
                    P. MAC ORLAN, la Bandera, III, p. 32.

N. (Pop.). Personne qui est dangereuse.

Je les avais crus des minables, c'étaient de vrais dangereux.   10
                Albert SIMONIN, Touchez pas au grisbi,
                                      p. 140 (1953).

♦ **3** (Animaux). Qui s'attaque à l'homme (notamment par piqûre, morsure, etc.). *La vipère est dangereuse.*

CONTR. Avantageux (cit. 2), bon (cit. 6). — Assuré, sain, sûr. — Calme, inoffensif, paisible. ◊ DÉR. Dangereusement, dangerosité.

DANGEROSITÉ [dãʒʀozite] n. f. — 1969, *in* P. Gilbert; dér. sav. de *dangereux*.

Didact. (psychol.). Caractère dangereux. *«Protéger la société contre — mot superbe — votre dangerosité»* (le Nouvel Obs., 11 déc. 1978, p. 71). *«... sa dangerosité n'avait jamais été clairement mise au jour par les psychiatres avant le meurtre des deux otages...»* (l'Express, 23 juin 1979, p. 139). *La «"dangerosité" de l'alcoolique au volant»* (la Recherche, mai 1981, p. 617).

DANIEN, IENNE [danjɛ̃, jɛn] adj. et n. m. — 1846; du lat. *Dania* «Danemark».

Didact. (géol.). Se dit de l'étage le plus élevé du crétacé supérieur. — N. m. Cet étage lui-même. *Le danien se situe au-dessus du sénonien.*

DANOIS, OISE [danwa, waz] adj. et n. — XIIᵉ; *Daneis,* 1080, *Chanson de Roland;* lat. mod., du germanique *danisk.*

♦ **1** Qui se rapporte au Danemark, pays scandinave, ou à ses habitants. — Vx. *Hache danoise.*
N. *Un Danois, une Danoise :* un habitant, une habitante du Danemark, ou une personne qui en est originaire. *Les Danois.*
N. m. Ling. *Le danois,* langue germanique parlée au Danemark (et en Norvège, jusqu'au XVIIIᵉ siècle). *Parler le danois, danois.* — Adj. *Dictionnaire danois, danois-français.*

♦ **2** Spécialt. Zool. *Âne, cheval danois,* espèce trapue, originaire du Danemark. — *Mouton danois,* race de moutons. — (1753). *Chien danois :* chien de grande taille, à tête allongée et à poil court, originaire du Danemark.
N. *Un danois :* un âne, un cheval, un mouton de race danoise. Cour. *Chien danois. Un danois arlequin,* à taches blanches et noires. *Une paire de danois. Un énorme danois. Petit danois.* → **Dalmatien.**

Le grand danois, transporté en Irlande, est devenu chien d'Irlande, et c'est le plus grand de tous les chiens.
                    BUFFON, Hist. nat. des animaux, Le chien.

DANS [dã] prép. — V. 1112, *denz,* adv.; a remplacé *en* comme prép.; du lat. pop. *de intus,* renforcement de *intus* «dedans».

Préposition indiquant la situation d'une personne, d'une chose par rapport à ce qui la contient.

♦ 1 (Marque l'intériorité par rapport à un lieu). **À l'intérieur de...** (un espace, un objet...). → **Dedans** (vx). (Suivi d'un nom de chose). *Objet rangé dans une boîte, dans un meuble. Être dans sa chambre, entrer dans sa chambre.* → **Intérieur** (à l'intérieur de). *Monter dans une voiture.* → **En.** *Les poissons vivent dans l'eau. Enfouir quelque chose dans la terre. S'envelopper dans un manteau, dans une couverture.* — *Sortir dans la rue. Se promener dans la forêt.* → **Cœur** (au cœur de), **fond** (au fond de). *S'asseoir dans un fauteuil. Lire qqch. sur une affiche, dans un livre, dans un journal* (lesquels peuvent s'ouvrir et se fermer). (Suivi du nom d'une partie du corps). *Tenir qqch. dans la main. Tenir, serrer qqn dans ses bras.* → **Embrasser** (tenir embrassé). *Parler à qqn dans le creux de l'oreille. Mettre une fleur dans ses cheveux.* — Loc. *Dans le cul*.* — Fig. *C'est dans sa tête* : c'est mental, psychique.

(Suivi d'un nom de pays). → ci-dessous, cit. 4. — (Suivi du nom d'une ville envisagée comme étendue). *Se promener dans Paris* (→ ci-dessous, cit. 2).

1 Il crut que dans son corps elle *(la poule)* avait un trésor.
    LA FONTAINE, Fables, V, 13.

2 La scène est dans Astorgue, ville d'Espagne, dans le royaume de Léon.
    MOLIÈRE, Dom Garcie, Indication de scène.

3 *(Les copies)* furent aussitôt dans les mains de tout le monde.
    RACINE, Hist. de Port-Royal.

4 Devant les noms propres de lieux désignant des pays et des provinces, *en* et *dans* sont encore en concurrence. On dit *en Auvergne*, **en** *Lorraine*, **en** *Allemagne*, mais **dans** *les Vosges*, **dans** *le Lyonnais*. Les règles capricieuses qu'on donne remontent au XVIIᵉ siècle. Elles ont entretenu un tel désordre que, lors de la création des départements, l'usage s'est partagé. *En* se met avec les noms composés : **En** *Meurthe-et-Moselle*, **en** *Seine-et-Oise*; mais avec les simples : **Dans** *le Doubs*, **dans** *la Meuse*. Encore cette règle n'a-t-elle rien d'absolu. On dit fort bien : X... est élu **dans** *le Tarn-et-Garonne*; **en** *Hautes-Alpes* serait impossible.
    BRUNOT, la Pensée et la Langue, XI, II, p. 425.

Par ext. *Apercevoir qqn dans la foule.* → **Milieu** (au milieu de), **parmi, sein** (au sein de). *Vivre dans ses meubles*.*

(Le nom désigne un milieu humain). *Entrer dans une famille.* → **Partie** (faire partie de).

(Métier). *Entrer dans l'administration, dans l'enseignement, dans les postes. Il est dans l'armée (dans la cavalerie, dans les chars...).*

(Abstrait). *Entrer dans un complot. Tomber dans la faillite. C'est dans ses projets.* → **Partie** (faire partie de). *On l'admire dans tout ce qu'il fait.* → **En.** — *Parler dans la langue de Shakespeare* (anglais), *de Molière* (français), etc. — *Dans sa conscience, dans son esprit.*

(Suivi d'un nom au pluriel). *Parmi* (→ ci-dessous, cit. 8, 9). Fam. *Trouver dans ses connaissances une personne disponible.*

5 (...) Admirant dans toi l'esprit et le courage,
    De la Bastille au Louvre il te fit un passage.
    CORNEILLE, Poésies diverses, 51.

6 Enfin, si dans ces vers je ne plais et n'instruis,
    Il ne tient pas à moi, c'est toujours quelque chose.
    LA FONTAINE, Fables, V, 1.

7 (...) dans le milieu du théâtre on voit (...)
    MOLIÈRE, le Bourgeois gentilhomme, Notice.

8 (...) je fais entrer Junie dans les Vestales (...)
    RACINE, Britannicus, Préface.

9 (...) ce qui est dans les grands splendeur, somptuosité, magnificence, est dissipation, folie, ineptie dans le particulier.
    LA BRUYÈRE, les Caractères, VII, 22.

10 Nous sommes conscients de toutes ces choses, nous sentons que c'est en nous, dans notre moi qu'elles se passent.
    Charles BONNET, Essai de psychologie, XXXV.

(...) c'est dans son impuissance que l'homme a trouvé le   11
point d'appui, la prière.
    HUGO, les Travailleurs de la mer, III, I, 1.

Spécialt (suivi d'un nom propre). *C'est dans Descartes* : on trouve cette idée dans l'œuvre de Descartes. → **Chez.** *Entrer dans Kant*, dans la pensée de Kant.

Maurois a toujours soutenu que la pensée d'Alain était   11.1
«fermement religieuse» (...) Oserai-je le contredire, moi qui ne suis jamais entré dans Alain? Non que Claude *(Mauriac)* ne m'ait appris à en aimer certaines pages (...)
    F. MAURIAC, Bloc-notes 1952-1957, p. 5.

Loc. *L'un dans l'autre* : les choses étant comparées entre elles. → **Tout compte*** fait.

Par ext. (locatif, mais sans idée d'intériorité). *Sur* (une chose, une partie du corps envisagée comme capable de recevoir). *Embrasser qqn dans le cou.* — *Dans le dos* (euphémisme probable pour : *dans le cul*). *Recevoir un coup de pied dans les fesses.* Fig. *Avoir, sentir un frisson dans le dos.*

♦ 2 (Marquant la manière, la situation). *Être dans une mauvaise position. Tomber dans le coma. Travailler dans le bruit. Dormir dans le noir. Répondre dans un sourire, dans un soupir, dans un cri, en parlant tout en souriant, en soupirant, en criant. Vivre dans l'angoisse. Blesser qqn dans son orgueil. Dire qqch. dans un accès de colère.* — Loc. *Dans le fond*; dans l'ensemble** : en général, en gros.

Mais puisqu'un même jour nous met tous dans la joie (...)   12
    MOLIÈRE, l'Étourdi, V, 11.

(...) nous l'avons élevée dans toute la sévérité possible.   13
    MOLIÈRE, George Dandin, I, 4.

Les Religieuses y étaient dans de continuelles prières.   14
    RACINE, Hist. de Port-Royal.

(... le) Saint des Saints *(du Temple de Salomon)*, où, dans le   15
silence et l'obscurité totale, l'Arche d'Alliance reposait, sous la protection de deux Chérubins d'olivier plaqué d'or (...)
    DANIEL-ROPS, le Peuple de la Bible, III, 2, p. 197.

Elle était très belle (...) autant dans la colère, le désespoir,   15.1
que dans la joie.
    M. DURAS, les Petits Chevaux de Tarquinia, p. 27.

Prov. *Dans le doute abstiens-toi.*

Agir dans les règles, conformément aux règles. *Il a fait cela dans les règles de l'art. Maison construite dans tel style.* → **Après** (d'), **selon.**

Littér. *Dans la perfection.* → **À.**

Dans la manière grecque et dans le goût romain (...)   16
    MOLIÈRE, la Gloire du Val-de-Grâce.

(...) dans les bonnes règles, vous devez en guerre être   17
habillés de fer (...)
    LA BRUYÈRE, les Caractères, XII, 119.

Avoir confiance, avoir foi ou *craindre, croire, espérer... dans* (qqn ou qqch.)

Loc. *Dans l'attente, dans le but* (emploi critiqué; → **But**), *dans l'espoir de... Faire qqch. dans l'espoir d'une récompense.* — (Formule finale d'une lettre). *Dans l'attente (dans l'espoir...) de votre réponse, je vous prie...* — *Nous l'avons vu jouer dans le rôle de...* — *Mot pris dans tel sens.* → **Avec.**

Adieu. — Dans quel dessein vient-elle de sortir?   18
    RACINE, Bérénice, IV, 5.

(...) une nymphe souriante dans tout l'éclat de sa blanche   19
nudité.
    Th. GAUTIER, Fortunio, XII, p. 85.

Nous construisons aussi avec *dans* des compléments de   20
situation considérés comme des causes : **Dans sa généreuse résolution** *de ne pas laisser une tache sur le souvenir de son fiancé, elle laissa croire que la rupture venait d'elle seule* (G. SAND, Elle et lui, 111); — **Dans mon ignorance des choses,** *je ne demandais qu'à oublier* (DUMAS, Étr., IV, 5).
    BRUNOT, la Pensée et la Langue, V, XXI, VII, p. 816.

♦ 3 (Marquant le temps). — **ⓐ** (Indiquant un moment, une époque). → **Cours** (au cours de), **lors** (de), **pendant.** *Dans la vie. Cela lui arriva dans son enfance. Ce* *sera fait dans les délais convenus. Être dans sa vingtième année. Vivre dans le passé* (→ Compte, cit. 33). *Dans le moment* même :* aussitôt.

21 Rien ne doit tant diminuer la satisfaction que nous avons de nous-mêmes que de voir que nous désapprouvons dans un temps ce que nous approuvons dans un autre.
         LA ROCHEFOUCAULD, Maximes, 51.

22 Vous n'avez, dans votre vie, jamais rien vu de si beau.
         MOLIÈRE, le Sicilien, 19.

23 La fierté de Julien, si récemment blessée, en fit un sot dans ce moment.   STENDHAL, le Rouge et le Noir, IX.

b (Pour reporter à une date future). Avant* la fin de (une période déterminée). → **Ici** (d'ici). *Quand partez-vous ? Dans quinze jours.* — REM. Comparez avec : *ce travail sera fait en quinze jours,* où *en* indique la durée. On dit aussi : *dans les quinze jours. On en parlera dans longtemps. Dans une minute, dans un instant :* bientôt.

24 Je viens vous retrouver dans un quart d'heure.
         MOLIÈRE, Dom Juan, II, 4.

25 Elle saura peut-être dans cinq années quels seront les juges, et dans quel tribunal elle doit plaider le reste de sa vie.   LA BRUYÈRE, les Caractères, XIV, 41.

26 On construit les compléments de temps avec diverses prépositions (...) Je m'y mettrai dans huit jours.
     BRUNOT, la Pensée et la Langue, III, XI, C, v, p. 449.

Pop. *Dans pas une semaine :* avant une semaine, dans moins d'une semaine.

26.1 Dans pas un mois, tu me verras revenir ici avec elle, mariés tous les deux devant le maire et devant le curé.
         M. AYMÉ, la Vouivre, p. 219.

◆ **4** Fam. **DANS LES,** marquant l'approximation. **a** Un chiffre voisin de... *Cela coûte dans les deux mille francs.* → **Autour** (de), **environ, près** (à peu près).

b (Temps).

26.2 C'était une jolie figure de peau de vache, aux traits fins, dans les vingt ans d'âge.
     M. AYMÉ, le Vin de Paris, «L'indifférente», p. 10.

27 Nous disons (...) *quelque chose comme, dans les :* elle a dans les quarante ans.
     BRUNOT, la Pensée et la Langue, I, IV, VI, p. 115.

Fam. *Dans les âges de qqn,* avoir à peu près son âge. *Il sort avec une fille qui est à peu près dans ses âges.*

c (Manière). *Dans les bleus :* se rapprochant de la couleur bleue; de l'une des variétés du bleu.

28 Le visage de ses lignes régulières, très accusées. Les cheveux sont noirs. Mais les yeux ont une teinte claire, dans le bleu-vert ou gris-bleu.
     A. ROBBE-GRILLET, Dans le labyrinthe, p. 63 (1959).

Être dans les teintes, les tailles (de qqn, de qqch.), les goûts (de qqn). *Cette écharpe est dans vos teintes,* correspond à vos coloris favoris.

CONTR. **Dehors** (en dehors de), **extérieur** (à l'extérieur de), **hors** (de). ◇ COMP. **Dedans.** — V. préf. **Inter-, intra-, intro-.** → HOM. **Dam, dent.**

DANSABLE [dãsabl] adj. — 1845; de *danser.*
Qui peut être dansé. *Musique dansable. Ce truc n'est pas dansable, est à peine dansable.*
CONTR. **Indansable.**

DANSANT, ANTE [dãsã, ãt] adj. — Fin XVIIᵉ; p. prés. de *danser.*

I ◆ **1** Qui danse. *Une troupe dansante. Un chœur* (cit. 5) *dansant.* — Qui évoque la danse (dans ses mouvements). *Une démarche dansante.*

◆ **2** Qui remue, bouge d'une manière rythmée. *Des reflets dansants.*

II (Mil. XVIIIᵉ). Qui est propre à faire danser. *Musique dansante. Thème dansant* (→ Chorégraphe, cit.).

III (1838). Pendant lequel on danse. *Thé dansant. Soirée dansante.*

DANSE [dãs] n. f. — V. 1172; de *danser.*

◆ **1** Action de danser; suite expressive de mouvements du corps exécutés selon un rythme, le plus souvent au son d'une musique et suivant un art, une technique ou un code social plus ou moins explicite. *La danse :* l'activité qui consiste à danser. *L'art de la danse.* → **Chorégraphie; saltation** (antiq.). *Une danse :* l'acte, les mouvements spécifiques par lesquels on danse. *Exécuter, interpréter une danse. Pas, figure de danse. Rythme, mesure de la danse.* → **Cadence.** *Rythmer une danse en frappant du pied, des mains, avec des castagnettes, en chantant, en jouant de la musique. Danse légère, sautillante, trépidante, effrénée, endiablée, échevelée; danse lente, lourde, grave. Danse exécutée par une personne, un couple* (→ **Danseur**), *un groupe de personnes* (→ **Ballet, quadrille**). Loc. *Ouvrir la danse,* la commencer. *Festival, récital, intermède de danse. Leçon, cours de danse. Art de transcrire la danse sur du papier.* → **Chorégraphie, orchésographie.** *Libretto* d'une danse.* — *Terpsichore, muse de la danse. Danse de Salomé devant Hérode. La danse,* groupe sculptural de Carpeaux. *L'Âme et la Danse,* œuvre de Paul Valéry. *La danse cosmique de Çiva* (→ ci-dessous, cit. 7.1).

1 La danse est donc le quatrième des beaux-arts employés dans la constitution de la scène lyrique; mais les trois autres concourent à l'imitation (...)
     ROUSSEAU, Julie ou la Nouvelle Héloïse, II, XXIII.

2 On faisait cercle, on l'applaudissait, en lancée, elle ramassait ses jupes, les retroussait jusqu'aux genoux, toute secouée par le branle du chahut, fouettée et tournant pareille à une toupie, s'abattant sur le plancher avec de grands écarts qui l'aplatissaient, puis reprenant une petite danse modeste, avec un roulement de hanches et gorge d'un chic épatant.   ZOLA, l'Assommoir, II, XI.

3 Les espadrilles à semelle de corde rendent cette danse *(le fandango)* silencieuse et comme infiniment légère; on n'entend que le froufrou des robes, et toujours le petit claquement sec des doigts imitant un bruit de castagnettes.
     LOTI, Ramuntcho, I, IV.

4 Il semblait que la danse fût pour elle le rythme même de la vie, tant elle s'y livrait avec jouissance et avec art.
     Edmond JALOUX, le Jeune Homme au masque, I, p. 8.

5 La danse eut toujours pour objet d'apprivoiser la timidité du mâle, tout en le contraignant à maîtriser ses désirs.
     A. MAUROIS, Un art de vivre, p. 71.

6 Qui n'a pas éprouvé, à l'annonce d'une nouvelle particulièrement heureuse, cette détente intérieure qui nous pousse à sauter, à bondir ? C'est cela la danse.
     Francis DE MIOMANDRE, la Danse, Introd.

7 Ce mouvement, si étrange pour ceux qui restent immobiles à le regarder, pour celui qui s'y livre si naturel, ce mouvement provient d'un instinct, un des plus puissants de notre physiologie. Pour en saisir l'origine, il faudrait remonter au delà de toute histoire à ce moment de la durée presque inconcevable où l'homme, découvrant en lui ce besoin de remuer en mesure, s'y abandonna.
     Francis DE MIOMANDRE, la Danse, Introd.

7.1 (...) l'âme du temple est la danse de Çiva. Mais le mot danse nous suggère le contraire de ce qu'il signifie dans l'Inde, qui ignore le bal. La danse des dieux est une solennisation du geste, comme la musique sacrée est une solennisation de la parole. Initialement, Çiva dansait sa victoire sur les ennemis qu'il venait d'exterminer; mais il danse aussi la danse de Mort, celle que voient les Hindous dans les flammes des bûchers (...)
     MALRAUX, Antimémoires, Folio, p. 284.

Par métonymie. Vx ou régional. *La danse :* l'ensemble des danseurs. Loc. *Entrer dans la danse :* se mettre à danser avec les autres. *Mener la danse :* diriger un groupe de danseurs en dansant soi-même. Au fig. → ci-dessous, 4.

(Qualifié; désignant une sorte de danse). *Danse classique. Danse de caractère,* qui exprime les caractères d'un lieu, d'une action, d'un type humain.

Danse villageoise, paysanne (→ **Olivettes, sabotière, villanelle...**), *de marins* (→ **matelote**), *danse régionale, folklorique, populaire, nationale, exotique; danses typiques de différentes cultures.* → **Allemande, aragonaise, bamboula, boléro, bossa-nova, cachucha, chica, cracovienne, czardas, derviches** (danse des), **écossaise, fandango, flamenco, forlane, fricassée, gavotte** (bretonne), **gitan** (danse gitane), **habanera, hussarde, jabadao, jota, matchiche, mauresque** (danse), **pavane, polonaise, russe** (danse russe), **saltarelle, sardane, séguedille, sicilienne, tarentelle, tyrolienne, varsovienne, zapatéado, zorongo.** *Composition musicale dont les différentes parties empruntent la forme d'une danse ancienne* (→ **Partita, suite**). *Le kasatchok*, danse cosaque. Le bugaku*, danse rituelle japonaise exécutée par les musiciens de gagaku. Danse profane; danse religieuse, sacrée, liturgique, rituelle. Danses sacrées antiques.* → **Emmélie, gymnopédies.** *Danses des prêtres de Cybèle.* → **Corybante,** cit. *Danse des derviches tourneurs. Danses guerrières des «primitifs», des Anciens* (→ **Pyrrhique**). *Danse érotique, lascive, grotesque, satyrique* (→ **Sicinnis**); *danse orgiaque, dionysiaque, bachique; danse des Bacchantes, des Ménades.* → **Bacchanale, bibasis, cordace.** *Danse du Sabbat; danse rythmée. Genres qui s'apparentent à la danse de caractère.* → **Mime, mimique, pantomime.** — *Danse rythmique, gymnique, plastique; danse acrobatique, funambulesque.* → **Gymnastique.** — *Danse du ventre*. — Danse rythmée par le bruit des pieds.* → **Claquettes.** *Danse enfantine où l'on court en se donnant la main.* → **Chaîne, farandole, ronde.**

8   La danse elle-même *(en Grèce)* est un exercice ou un défilé. Dès cinq ans, on enseigne aux garçons dans la pyrrhique, pantomime de combattants armés qui imitent tous les mouvements de la défense et de l'attaque, toutes les attitudes que l'on prend et tous les gestes que l'on fait pour frapper, parer, reculer, sauter, se courber, tirer de l'arc, lancer la pique. Il y en a une autre nommée anapale, où les jeunes garçons simulent la lutte et le pancrace. Il y en a d'autres pour les jeunes hommes; il y en a d'autres pour les jeunes filles, avec des sauts violents, des «bonds de biche», des courses précipitées où, «pareilles à des poulains et les cheveux flottants, elles font voler la poussière». Mais les principales sont les gymnopédies, grandes revues où figure toute la nation distribuée en chœurs.
      TAINE, *Philosophie de l'art,* t. II, IV, III, II, p. 186.

9   Sa danse *(de la bayadère)* est plutôt une série de poses et d'expressions, une sorte de monologue mimé, avec ces continuelles alternatives d'approche et de recul (...)
      LOTI, *l'Inde* (sans les Anglais), IV, XII, p. 220.

10 À l'heure actuelle, la danse liturgique persiste encore, mais c'est en Espagne surtout que la tradition de ces saintes fariboles s'est conservée.
      HUYSMANS, *la Cathédrale,* p. 475.

Danse professionnelle. Danse classique. Danse moderne. Conservatoire de danse. Faire des exercices de danse à la barre*. Costume de danse.* → **Danseur.** *Chaussons de danse* : chaussons à bouts durs permettant de faire les pointes. *Mouvements, pas de danse.* → **Adage, aile** (ailes de pigeons), **arabesque, assemblé, attitude, balancé, ballonné, basque** (pas de), **battement, battu, bond, bourrée** (pas de), **brisé, cabriole, changement** (de pied), **chassé, chassé-croisé, contredanse, contretemps, coulé, coupé, couronne** (bras en), **course, déboulé, déchassé, dégagé, détiré, détourné, développé, écart** (grand), **échappé, emboîté, enlevé, entrechat, fouetté, gargouillade, glissade, glissé, jeté, moulinet, piqué, pirouette, plié, pointe, relevé, révérence, rond** (de jambe), **saut, sissonne, soubresaut, temps, tombé, tour, zéphyr** (pas de). *Personne chargée d'organiser la danse.* → **Chorège, chorégraphe, coryphée, maître** (de ballet).
Foyer de la danse : salle de réunion d'un corps de ballet.

Activité sociale qui consiste à danser entre hommes et femmes; exercice occasionnel de cette activité. → (pop.) **Gambille, guinche.** *Réunions consacrées à la danse.* → **Bal,** 2. **boum** (fam.), **dancing, dansant** (thé dansant, soirée dansante), **sauterie, surprise-party; danser.** *Danse en plein air, sur une place publique. Salle de danse. Endroit d'une salle uniquement réservé à la danse* (→ **Plateau, piste**). *Cirer une piste de danse. Orchestre* de danse. Être invitée à une danse; ne jamais être invitée* (→ **Faire tapisserie***). *Réserver, promettre une danse à un cavalier. Couple qui ouvre la danse. Reprises d'une danse. Danses anciennes.* → **Anglaise, boiteuse, bourrée, branle, cancan, carmagnole, carole, chacone, chahut, chaîne** (anglaise), **contredanse, cotillon, courante, gaillarde, galop, gavotte, gigue, guimbarde, lanciers, loure, mazurka, menuet, momerie, passacaille, passe-pied, pastourelle, pavane, polka, redowa, rigaudon, sarabande, scottish, shimmy, tambourin, tricotets.** *Danses modernes.* → **Be-bop, biguine, black-bottom, blues, boston, cake-walk, calypso, cha-cha-cha, chaloupée, charleston** (cit. 1), **fox-trot, java, jerk, marche, mambo, one-step, paso-doble, pogo, rock** (and roll), **rumba, samba, ska, slow, swing, tango, twist, valse...**

11 Notre duchesse de Bourgogne, qui, malgré tout son mérite, est un peu trop engouée de la danse, des bals et des mascarades (...)
      Mme DE MAINTENON, *Lettre au duc de Noailles,*
                                            25 janv. 1711.

12 Les danses s'interrompirent, les couples se dénouaient, et l'on cessa de voir tourner les monstres bicéphales, qui écrasaient sous leurs pieds des raisins imaginaires, mais dont la fermentation était réelle et se mêlait à la chaleur de l'air.
      Edmond JALOUX, *le Jeune Homme au masque,* I,
                                            p. 1.

13 (...) les danses ardentes et chaloupées du Moulin de la Galette, où fréquentent indistinctement trottins et gigolettes, calicots valseurs, barbillons, rapins et curieux.
      Francis CARCO, *Jésus-la-Caille,* II, IV, p. 101.

Par métonymie. Vx ou régional. Lieu où l'on danse. → **Bal.** *Aller à la danse.*

♦**2** *Musique sur laquelle on danse ou l'on peut danser; air à danser. Jouer une danse au piano.* — *Musique inspirée d'un rythme de danse. Danses norvégiennes,* de Grieg. *Danse macabre,* de Saint-Saëns. → aussi ci-dessus les noms de danse (polka, valse, etc.).

♦**3** *Par anal. Série de mouvements rythmés qui évoquent la danse.* (Animaux). *Danse de l'ours* : dandinement de l'ours dressé sur ses deux pattes postérieures. *Faire exécuter une danse à des caniches.* — *Mouvement naturel dansant* (oiseaux, insectes). *Danse des libellules, des abeilles. Danse nuptiale des oiseaux.*

14 Au bord de la rivière, les moucherons par essaims menaient leur danse.
      FRANCE, *le Lys rouge,* XXVII, p. 200.

(Choses). *Danse des flocons de neige, des feuilles, des vagues. Danse des corpuscules dans un rayon de lumière.*

15 Gilieth fonça dans la poussière de neige qui tourbillonnait autour de lui dans une danse joyeuse et malfaisante.
      P. MAC ORLAN, *la Bandera,* XVII, p. 206.

Spécialt (personnes). *Démarche dansante.* — Par métaphore :

16 La prose n'est pas une danse. Elle marche. C'est à cette marche ou démarche qu'on reconnaît sa race, cet équilibre propre à l'indigène dont la tête porte des fardeaux.
      COCTEAU, *la Difficulté d'être, Des mots,* p. 199.

(1754). Méd. *Danse de Saint-Guy.* → **Chorée.**

♦**4** *Fig. et fam. Entrer dans la danse, entrer en danse* : entrer en action, participer à qqch. → **Course, scène** (entrer en scène). — *Renoncer à, se retirer de la danse :* ne plus avoir d'affaires de cœur. — *Mettre en danse, en action.*

17 (...) cet homme pris et possédé de son savoir (...) qui veut rentrer à toute force dans la conversation, et qui est toujours au guet pour prendre au bond l'occasion de se remettre en danse (...)
Mᵐᵉ DE SÉVIGNÉ, 1128, 26 janv. 1689.

18 Plutôt qu'un bout-rimé me fasse entrer en danse !
MOLIÈRE, Poésies diverses, Bouts-rimés.

Péj. Mener la danse : diriger une action collective.

♦ **5** (Choses). *La danse des prix, des valeurs.* → **Valse.**

♦ **6** Fam. *Donner une danse à qqn,* lui administrer une correction, des coups. → aussi **Contredanse,** 2.

19 Tout juste bon à prendre ma paie, à rentrer soûl et me taper dessus. Tenez, regardez (elle retrousse sa manche), ça, c'est la danse d'hier.
A. SARRAZIN, la Cavale, p. 214.

COMP. Contredanse, dansomanie. ◊ **HOM. Dense.**

DANSEMENT [dɑ̃smɑ̃] n. m. — 1885; de *danser.* Rare. Le fait de danser (B.).

DANSER [dɑ̃se] v. intr. et tr. — XIIIᵉ; *dancier, dancer,* v. 1170; p.-ê. du francique *dintjan* «se mouvoir de-ci de-là» ou (P. Guiraud) du lat. *deantiare* «faire un mouvement vers l'avant», doublet de *abantiare* (→ Avancer) à préfixe intensif *de-* (→ 2. Dé-).

A (Sens propre). ♦ **1** V. intr. Exécuter une danse; se mouvoir avec rythme, en accord avec une musique, un type de mouvement réglé. → **Baller** (vx); fam. **gambiller, gigoter, guincher;** → Trémousser (se); tricoter* (des jambes, des gambettes, des pincettes); en suer* une. *Danser au son de l'accordéon, de la musique. Danser légèrement, avec grâce. Elle danse bien, mal. Il ne sait pas danser. Apprendre à danser dans un cours de danse* (se dit surtout des danses de salon; pour la chorégraphie, on dira plutôt : *apprendre la danse*). *Danser en mesure. Artiste qui danse au music-hall, à l'opéra.* — Vx ou ancienrt. *Maître à danser :* professeur de danse. *Danser sur un air, une musique.* — Ancienrt. *Air à danser :* musique de danse. *Réception, fête à laquelle on danse* (→ **Danse**). *On dansera. Endroits publics où l'on danse.* → **Bal, bastringue, boîte** (de nuit), **cabaret, dancing, guinguette.** *Danser avec un cavalier, une cavalière. Inviter à danser. Marcher sur les pieds de sa cavalière en dansant. Danser joue contre joue. Danser toute la nuit. Robe à danser.* — *Faire danser* (qqn), danser avec. *Faire danser une femme,* l'inviter à danser, danser avec elle. *En hôte bien élevé, il a fait danser la maîtresse de maison. L'accordéoniste a fait danser les invités, a fait danser la noce, a joué de la musique pour qu'on puisse danser.*

1 Vous chantiez ? j'en suis fort aise.
Eh bien ! dansez maintenant.
LA FONTAINE, Fables, I, 1.

2 On danse aux violons, aux chansons, etc. On dit qu'on *danse* un tel jour en un tel endroit, pour dire, qu'il y aura assemblée pour *danser,* et qu'on y donnera le bal.
FURETIÈRE, Dict., art. *Danser.*

3 Tous les malheurs des hommes (...) les bévues des politiques (...) tout cela n'est venu que faute de savoir danser.
MOLIÈRE, le Bourgeois gentilhomme, I, 2.

4 Puis elle (*Salomé*) se mit à danser. Ses pieds passaient l'un devant l'autre, au rythme de la flûte et d'une paire de crotales. Ses bras arrondis appelaient quelqu'un, qui s'enfuyait toujours. Elle le poursuivait, plus légère qu'un papillon, comme une Psyché curieuse, comme une âme vagabonde, et semblait prête à s'envoler.
FLAUBERT, Trois contes, «Hérodias», III.

5 Avec ses vêtements ondoyants et nacrés,
Même quand elle marche, on croirait qu'elle danse (...)
BAUDELAIRE, les Fleurs du mal, Spleen et idéal,
XXVII.

(...) je le fis entrer dans le petit Casino (...) maintenant   6
plein du tumulte des jeunes filles qui, faute de cavaliers, dansaient ensemble.
PROUST, À la recherche du temps perdu, t. IX,
p. 249.

Au centre de la grande salle, bordée de guéridons en tôle   7
peinte en vert, des légionnaires dansaient avec des fillettes publiques au son du fameux phonographe qui jouait un fox-trot cafardeux, extrait d'une «revista» à succès.
P. MAC ORLAN, la Bandera, VII, p. 78.

Prov. *Quand le chat* n'est pas là les souris dansent.*
Loc. fig. Fam. *Danser devant, autour d'une chose,* en avoir envie ou avoir envie de ce qu'elle représente. *Danser devant le buffet*.*
Danser sur une corde raide; sur un volcan*.*
Faire danser qqn : contraindre (qqn) à l'esquive par des coups, des menaces (→ **Malmener**); fam., infliger une correction (à qqn). — *Ne pas savoir sur quel pied* danser :* hésiter entre deux partis, deux termes d'une alternative.

Mon petit maître à danser, je vous ferais danser comme il   8
faut (...)
MOLIÈRE, le Bourgeois gentilhomme, II, 2.

(...) et avec lui (*le représentant soviétique*) on ne sait   9
jamais sur quel pied danser, tantôt c'est un diplomate aux manières avenantes, tantôt une sorte de Mérovingien égaré au vingtième siècle.
André SIEGFRIED, l'Âme des peuples, VI, 3.

Danser de bonheur, de joie : être transporté de bonheur, de joie.

♦ **2** V. tr. Exécuter (une danse). *Danser la valse, une valse* (→ **Valser**), *la rumba, le twist* (→ **Twister**), *le jerk* (→ **Jerker**), *etc. Les enfants ont dansé une ronde.*

Des demoiselles qui dansent la bourrée dans la perfection.   9.1
Mᵐᵉ DE SÉVIGNÉ, 277, in LITTRÉ.

Pron. (passif). *La valse musette se danse à l'envers.*
Spécialt (chorégr.). *Les premiers sujets qui danseront ce ballet ne sont pas désignés. Elle vient de danser le Lac des cygnes.*
Littér. Exprimer par la danse. *Danser le printemps, l'amour.*

Alors le cerf dansa pour lui-même (...) Il dansa le vieil   9.2
homme, il dansa le jeune homme aux yeux paisibles. Il dansa le cheval malheureux et le cerf malheureux. Il dansa la lande. Il dansa son désir de printemps. Il dansa la brume et le ciel. Il dansa toutes les odeurs, et tout ce qu'il voyait (...) Il dansa le monde qui était ainsi entré dans lui. Il dansa ce qu'il aurait dansé s'il avait été joyeux. Et il devint joyeux.
J. GIONO, Que ma joie demeure, Pl., p. 494.

Danse-La-Nuit, vous comprenez, cela ne veut pas dire qu'il   9.3
danse la nuit, à l'ablatif, ce serait trop bête ! Il danse la nuit, eh bien, comme on dit qu'il danse la polka, à l'accusatif.
CLAUDEL, la Lune à la recherche d'elle-même, Pl.,
p. 1282, in T. L. F.

Faire (qqch.) *en dansant. Il danse presque son rôle.*

B Par ext. ♦ **1** Se mouvoir, remuer d'une manière rythmée. — (Animaux). *Ours, abeilles, libellules qui dansent.* → **Danse,** 3. — (Choses). *Flamme qui danse.* → **Trembler.** *Bateau qui danse sur les flots.* → **Tanguer.** *La mer devient mauvaise, on commence à danser, à être ballotté. Les verres dansaient sur la table à chaque secousse.*

Plus léger qu'un bouchon, j'ai dansé sur les flots (...)   10
RIMBAUD, Poésies, «Le bateau ivre».

Elle n'éprouvait pas du trouble, — mais un trouble ignoré   11
jusque-là, un vertige qui faisait tourner, danser, devant ses yeux, maisons et passants (...)
LOTI, Matelot, XXXII, p. 127.

Le feu que tu as allumé tout à l'heure danse dans la   12
chambre comme une joyeuse bête prisonnière qui guette notre retour (...)
COLETTE, Histoires pour Bel-Gazou,
«Le dernier feu».

Bouger de manière incontrôlée.

13 Le pauvre vieux leva son front blême; ses yeux dansaient derrière ses lunettes.
				MARTIN DU GARD, les Thibault, t. II, p. 138.

Loc. fig. *Faire danser les écus* (→ Faire valser*) : dépenser beaucoup avec insouciance, gaspiller. — *Faire danser l'anse* du panier.

♦ **2** Donner l'impression de bouger; être perçu comme mouvant, intermittent (lumière). *Les mots dansaient devant ses yeux.*

♦ **3** (Abstrait). S'agiter confusément. *Ses pensées, ses idées dansaient dans sa tête.*

♦ **4** Être dans un espace trop grand, ne pas être maintenu à sa place. — (Sujet n. de personne). *Danser dans ses habits.* — (Sujet n. de chose). *La lame du couteau danse dans le manche.* → **Branler.**

14 Leur très modeste mobilier (...) dansait dans les pièces trop vastes.				ZOLA, Fécondité, p. 92, *in* T.L.F.

♦ **DANSÉ, ÉE** p. p. adj.

Qui sert d'accompagnement à une danse, sur quoi l'on danse. *Air dansé. Poème dansé.*

♦ **DANSER** n. m. (par substantivation de l'inf., au sens A, 1). Littéraire :

15 Puis, Boniface leva l'autre jambe, et il arrondit ses bras, et il se dandina de la hanche, puis il bougea les épaules, puis sa barbe se mit à flotter dans le mouvement. Il dansait. Il dansait là, en face de l'homme qui ne le quittait pas des yeux. Il dansait comme en luttant, contre son gré, à gestes encore gluants. C'était comme la naissance du danser.
				J. GIONO, Solitude de la pitié, Pl., t. I, p. 452.

DÉR. Dansable, dansant, danse, dansement, danserie, danseur, dansoter. ◊ COMP. Dansomanie. Maître-à-danser.

DANSERIE [dɑ̃sʀi] n. f. — Av. 1506, Molinet ; de *danser.*

♦ **1** Vx ou hist. de la mus. (dans des titres). Danse.

♦ **2** Régional. Bal, lieu, réunion où l'on danse.

DANSEUR, EUSE [dɑ̃sœʀ, øz] n. — Fin XIIIe; de *danser.*

Personne qui danse (à un moment donné ou habituellement).

♦ **1** Celui, celle dont la profession est la danse. *Métier de danseur. Danseur, danseuse classique. Ordre hiérarchique des danseurs et danseuses :* élèves, seconds quadrilles, premiers quadrilles, coryphées, petits sujets, grands sujets, premières danseuses et premiers sujets, étoiles. *Premier danseur, première danseuse; danseur (danseuse) étoile. Danseuse très jeune.* → **Rat.** *Danseurs de ballet.* → **Baladin** (vx), **ballerine, chœur** (dame de chœur). *Tunique, tutu* de danseuse. Chaussons de danseuse. Maillot, collant de danseur. Une grande, une célèbre danseuse. — Danseuse antique.* → **Caryatide, ménade.** *Danseuse orientale.* → **Almée, bayadère.** *Danseuse nue. Danseur, danseuse de music-hall.* → **Boy; girl.** *Danseur de claquettes*. Danseuse de cabaret.* → **Entraîneuse, taxi-girl.** *Danseur mondain,* qui a les mêmes fonctions que l'entraîneuse. *Danseur, danseuse de corde*.* → **Acrobate; fil-de-fériste, funambule.** *Le balancier des danseurs de corde. Danseur ambulant,* qui danse sur les places publiques. → **Bateleur, matassin** (vx), **saltimbanque.**

1 Les oiseaux deviennent danseurs
Dessus mainte branche fleurie (...)
				Charles D'ORLÉANS, Rondeau.

2 (...) on pense à moi pour une place, mais par malheur j'y étais propre : il fallait un calculateur, ce fut un danseur qui l'obtint.
				BEAUMARCHAIS, le Mariage de Figaro, v, 3.

HÉRODE. — (...) Approchez, Salomé! Approchez, afin que je puisse vous donner votre salaire. Ah! je paie bien les danseuses, moi. Toi, je te paierai bien. Je te donnerai tout ce que tu voudras.				Oscar WILDE, Salomé, p. 66.		2.1

Par les dieux, les claires danseuses!... Quelle vive et gracieuse introduction des plus parfaites pensées!... Leurs mains parlent, et leurs pieds semblent écrire. Quelle précision dans ces êtres qui s'étudient à user si heureusement de leurs forces moelleuses!...
				VALÉRY, l'Âme et la Danse, p. 137.		3

Une simple marche, l'enchaînement le plus simple!... On dirait qu'elle *(la danseuse)* paye l'espace avec de beaux actes bien égaux, et qu'elle frappe du talon ces sonores effigies du mouvement. Elle semble énumérer et compter en pièces d'or pur, ce que nous dépensons distraitement en vulgaire monnaie de pas, quand nous marchons à toute fin.				VALÉRY, l'Âme et la Danse, p. 146.		4

Loc. fig. *Danseur, danseuse de corde :* personne très adroite dans les situations délicates (→ Équilibriste, fig.).

Au fém. *Les banquiers entretenaient des danseuses.* — **Par ext.** Maîtresse coûteuse. *Avoir, entretenir une danseuse; c'est sa danseuse.* — **Fig.** Personne, chose à laquelle on consacre par plaisir beaucoup d'argent. *«Je suis ta danseuse, ton écurie, ta collection, je te reviens à des prix fous!»* (Valéry, Corresp., à Gide, *in* T.L.F.). *Cet industriel a fondé un musée d'art contemporain : c'est sa danseuse.*

♦ **2** Personne qui danse avec son partenaire. → **Cavalier** (cavalière); fam. **gambilleur, guincheur.** *Les danseurs dansent par couples. Couples de danseurs qui évoluent sur la piste de twist* (→ **Twisteur**). *Danseur qui invite, qui raccompagne sa cavalière.*

Personne qui danse fréquemment, qui aime la danse ou (qualifié) qui danse (de la manière qu'indique le qualificatif). *Un danseur enragé. Un bon, un excellent, un médiocre danseur.*

Il était un charmant danseur, droit comme un chêne de futaie, et tournant avec une grâce à la fois légère et noble, la tête rejetée en arrière.
				LOTI, Pêcheur d'Islande, I, v, p. 48.		5

La petite jeune fille qui s'est bien pomponnée pour son premier bal. Un danseur l'invite. Elle se met à pleurnicher : «Maman, je ne veux pas. Maman, remmenez-moi.»
				J. ROMAINS, les Hommes de bonne volonté, t. V, p. 7.		6

Le danseur et le bridgeur, ne pouvant vivre sans partenaires, sont sociables par nécessité; mais, vous, un livre vous suffit. Vous êtes un mauvais citoyen.
				A. MAUROIS, les Discours du Dr O'Grady, XV, p. 158.		7

REM. Dans ce sens, on dira facilement : *sa danseuse* pour «sa cavalière», mais le fém. est rare en emploi absolu : *un danseur,* selon les contextes, s'entend aussi bien au sens 2 qu'au sens 1, alors que *une danseuse* évoque en général le sens 1.

♦ **3** (1919). **EN DANSEUSE :** en pédalant debout et en faisant porter le poids du corps alternativement sur chacune des pédales, à bicyclette. *Monter une côte en danseuse.*

Le 8 passa le premier, un garçon si trapu que bien qu'il montât debout sur les pédales, nous ne pensâmes pas au joli terme «monter en danseuse» qui désigne cette figure du style cycliste.
				Roger VAILLAND, 325 000 francs, p. 16.		8

♦ **4** N. f. Techn. (ch. de fer). Traverse de voie qui ne repose pas sur le ballast, mais reste suspendue au rail. — Adj. *Traverse danseuse.*

DANSOMANIE [dɑ̃somani] n. f. — 1801 ; de *danse,* et *-manie.*

Vx. Passion de la danse. — **REM.** On a parlé aussi de *dansomanes* [dɑ̃soman], au début du XIXe s.

DANSOTEMENT ou **DANSOTTEMENT** [dɑ̃sɔtmɑ̃] n. m. — 1845, Richard de Radonvilliers, attestation isolée; de *dansoter*.

Action de dansoter.

Pendant tout le reste de l'après-midi, la tragédienne en resta là. Son dansottement pesait tantôt sur le pied droit, tantôt sur le pied gauche. Elle essayait toutes ses intonations. Elle modulait ses chuintements de vapeur en variant leur intensité. P. GUTH, le Naïf locataire, p. 73.

DANSOTER ou **DANSOTTER** [dɑ̃sɔte] v. tr. — 1648; Scarron; de *danser*.

Danser à peine, bouger par petits mouvements irréguliers.

1 Sur sa face livide dansotait cet infini petit sourire d'affection pure que je n'ai jamais pu oublier. CÉLINE, Voyage au bout de la nuit, p. 222.

2 La rue fait un peu le ventre; mais la lumière glisse au ras du mur et vient dansoter sur les écailles de poissons. J. GIONO, les Vraies Richesses, p. 36.

3 Après l'ablation des couettes, tu devins nubile. Tu ne peux pas continuer à chanter L'École est finie. Ça paraîtrait bête, cette grande bringue qui dansotte avec son petit cartable. P. GUTH, Lettre ouverte aux idoles, «Sheila», p. 100.

DÉR. **Dansotement.**

DANTESQUE [dɑ̃tɛsk] adj. — 1828; de *Dante*, par l'ital. *dantesco*.

♦ **1** Didact. Qui se rapporte à Dante ou à sa poésie. *La symbolique dantesque.*

1 Diable! douze vers dantesques et une ébauche de passion perdus, on regarde à cela. Th. GAUTIER, les Jeunes-France, p. 113 (1833).

♦ **2** Cour. Qui a le caractère sombre et sublime de l'œuvre de Dante. *Poésie dantesque. Vision dantesque.* → **Effroyable.**

2 Ces nobles d'autrefois dont parlent les romans, Ces preux à fronts de bœuf, à figures dantesques. NERVAL, Odelettes, «Nobles et valets», *in* Œ., Pl., t. I, p. 41 (1832).

3 (...) l'abrupt rocher de la Sainte-Victoire tout baigné d'horreur dantesque, quand on l'aborde par le vallon aux terres sanglantes (...) M. BARRÈS, la Colline inspirée, I, p. 1.

4 (...) un de ces agonisants à échéance calculable, que vomissent les voitures numérotées, à l'heure des consultations, sur le seuil dantesque des hôpitaux. Léon BLOY, le Désespéré, p. 133.

Par ext. Fam. (intensif). → **Formidable, terrible.**

DANUBIEN, IENNE [danybjɛ̃, jɛn] adj. — 1878; de *Danube*, fleuve d'Europe.

Qui se rapporte au Danube et aux régions qu'il traverse. *Les régions danubiennes. L'Europe danubienne.*

D. A. O. [deao] Abréviation (sigle).

Techn. Dessin assisté* par ordinateur.

DAPHNÉ [dafne] n. m. — 1537; grec *daphnê* «laurier».

Bot. Plante dicotylédone (*Daphnoïdées*), arbuste à feuilles rouges ou blanches odorantes qui croît dans les bois des régions montagneuses. *Principales variétés de daphné :* le garou ou sainbois; le *daphné camélée*, ou *thymélée*; le *daphné morillon* ou bois grenu, bois joli; le *daphné des Alpes*; le *daphné lauréolé*, ou bois gentil.

DÉR. **Daphnoïdées.**

DAPHNIE [dafni] n. f. — 1803; lat. sav. *daphnia*, du grec *daphnê*. → Daphné.

Zool. Petit crustacé branchiopode d'eau douce (*Cladocères*), appelé communément *puce d'eau*. *Les daphnies servent de nourriture aux poissons élevés dans les viviers, aux poissons d'aquarium.*

DAPHNOÏDÉES [dafnɔide] n. f. pl. — XIXᵉ; de *daphné*.

Bot. Famille de plantes phanérogames angiospermes, classe des dicotylédones apétales. *Types principaux de daphnoïdées :* aquilaria, daïs, daphné, dirca, garou, gampi, gnidie, lagetta, passerine, pimélie, retombet, stellera, trintanelle, thymélée, wikstroemia. — Au sing. *Une daphnoïdée.*

DAPIFER [dapifɛʁ] n. m. — Déb. XVIIᵉ; du lat. *dapes* «mets», et *-fèr*(e).

Hist. Au moyen âge, Officier de la maison royale qui servait le souverain à table (→ Sénéchal).

(...) le dapifer, qui est le grand maître ou le souverain maître d'hôtel (...) SAINT-SIMON, Mémoires, 249, 69, *in* LITTRÉ.

DARAISE [daʁɛz] n. f. — 1808; orig. obscure, p.-ê. d'un gaul. *doraton «porte».

Déversoir d'un étang.

DARBOUKA [daʁbuka] ou **DERBOUKA** [dɛʁbuka] n. f. — 1859, *darbouka*; *derbouka*, 1847; de l'arabe algérien *derbouka*.

Tambour en usage au Maghreb, fait d'une peau tendue sur l'extrémité pansue d'un tuyau de terre cuite, plus rarement de métal. «(...) l'extraordinaire mêlée des flûtes hystériques, des cymbales affolées, du tamtam, de la darbouka (...)» (les Temps modernes, déc. 1952, p. 992).

DARCE [daʁs] n. f. → **Darse.**

1. DARD [daʁ] n. m. — 1080, Chanson de Roland; orig. incert., lat. médiéval *dardus*, du francique *daroth*. (Cf. anc. haut-allemand *tart*). P. Guiraud préfère un étymon *de-arduus*, de *de-* (→ 2. Dé-), et *arduus* «qui se dresse».

♦ **1** Ancienne arme de jet, composée d'une hampe de bois garnie à l'une de ses extrémités d'une pointe de fer. → **Flèche, javeline, javelot, jet** (arme de jet), **lance, pique, plombée.**

1 (...) Pousse au monstre, et d'un dard lancé d'une main sûre,
Il lui fait dans le flanc une large blessure. RACINE, Phèdre, V, 6.

2 C'est souvent le mobile de la vanité qui a engagé l'homme à montrer toute l'énergie de son âme. Du bois ajouté à un acier pointu il fait un dard; deux plumes ajoutées au bois font une flèche. CHAMFORT, Maximes, Sur les sentiments, XLIX.

2.1 Quelques-uns s'approchaient du rempart, en cachant sous leurs boucliers des pots de résine; puis ils les lançaient à tour de bras. Cette grêle de balles, de dards et de feux passait par-dessus les premiers rangs et faisait une courbe qui retombait derrière les murs. FLAUBERT, Salammbô, Pl., t. I, p. 953.

Par compar. *Affilé comme un dard. Rapide comme un dard.* Loc. fam. *Filer comme un dard,* très vite. Spécialt. *Dard que l'on plante sur le cou du taureau pendant la corrida.* → **Banderille.** — *Dard à feu :* baguette d'artifice garnie de barbes et destinée à être lancée au moyen d'un fusil dans les voiles d'un navire ennemi.

Pêche. Petit harpon*. — Pointe de l'hameçon.

Fig. et vx ou littér. Trait acéré. *Les dards de la satire.*

3 Je te défends de hasarder une seule de tes plaisanteries à triple dard sur madame de Mortsauf (...) BALZAC, le Lys dans la vallée, Pl., t. VIII, p. 977.

♦ **2** (1668). Zool. Organe pointu et creux de certains animaux, servant à piquer la proie ou le prédateur et à lui inoculer du venin. → **Aiguillon.** *Dard d'une abeille* (cit. 5), *d'une guêpe, d'un scorpion.*

4   (...) une ardente broussaille de dards empoisonnés qui se
     hérissent.
                    MAETERLINCK, la Vie des abeilles, VI, II, p. 258.

Poét. Langue pointue des serpents, inoffensive,
mais à laquelle une tradition ancienne prêtait de
puissantes propriétés maléfiques.

Par ext. (Au plur.). Piquant de la carapace épineuse
(du hérisson, du porc-épic). *Dards du hérisson.*

♦ **3** (1870). Arbor. Ⓐ Rameau à fruits, très court, du
poirier ou du pommier.
Ⓑ Pistil*.

♦ **4** Archit. Ornement en forme de fer de lance qui
sépare les oves.

♦ **5** Techn. Partie la plus chaude (du chalumeau).
— Cône de combustion d'une cigarette ou d'un
cigare.

♦ **6** Argot. Pénis. Loc. vulg. *Pomper le dard :* pratiquer
la fellation.

5   (...) une lucarne croisée de fers gros comme un dard d'âne.
                    M. DRUON, la Loi des mâles, p. 281.

DÉR. Darder, dardière, dardillon. ◊ **HOM.** 2. Dard.

2. DARD [daʀ] n. m. — 1197, *dars;* du lat. médiéval
darsus.

Vandoise* (poisson). → **Vandoise,** cit.

HOM. 1. Dard.

DARDAR [daʀdaʀ] adv. → **Dare-dare.**

DARDER [daʀde] v. tr. — XVᵉ; de 1. *dard.*

♦ **1** Vx. Frapper avec un dard*.

1   Élina, je darderai pour toi la baleine.
                    CHATEAUBRIAND, les Natchez, VIII, 336.

♦ **2** Lancer (une arme, un objet) comme on ferait
d'un dard. *Darder un trait, une flèche, un javelot.*

2   Julien darda contre eux ses flèches; les flèches, avec leurs
     plumes, se posaient sur les feuilles comme des papillons
     blancs.
                    FLAUBERT, Trois contes,
                    «La légende de St Julien l'Hospitalier», II.

♦ **3** Fig. Lancer (ce qui est assimilé à un dard, à une
flèche). *Le soleil darde ses rayons.* — (Sujet n. de personne). *Darder sur qqn un regard perçant.* → **Jeter,
lancer, percer.** *Darder des paroles cinglantes.*

3   (...) le soleil dardait à plomb ses rayons poudreux.
                    NERVAL, la Main enchantée, in Œ., Pl., t. II, p. 485.

4   Le soleil de midi dardait ses flammes subtiles et blanches.
     Pas un nuage dans le ciel, pas un souffle dans l'air.
                    FRANCE, l'Orme du mail, Œ., t. XI, p. 143.

5   Grégory n'objecta rien. Mais, avant de monter dans l'auto,
     il darda sur son compagnon un regard tellement précis,
     un regard qui semblait tellement perspicace, qu'Antoine
     se sentit rougir.
                    MARTIN DU GARD, les Thibault, t. V, p. 279.

Absolt. Briller, brûler. *Soleil qui darde.*

♦ **4** Par ext. → **Dresser, élancer.**

6   (...) des centaines de cierges dardaient dans l'air bleu des
     encens les fers dorés de leurs lances (...)
                    HUYSMANS, En route, p. 97.

Absolt. Bander (vx) ; ou argot. anc. Être en état d'érection.

♦ **5** Par anal. *L'abeille darde son aiguillon.* — *Le serpent darde sa langue.*

7   Une guêpe partagée par le milieu du corps continue à
     marcher, et son ventre darde l'aiguillon comme le ferait
     la guêpe elle-même.   Ch. BONNET, in LITTRÉ.

♦ **SE DARDER** v. pron. (réfl.).
Rare. S'élancer, se dresser.

    Pays de labours verts autour de blancs villages; (...)   7.1
    Tu te dardes dans tes beffrois ou dans tes tours,
    Comme en un cri géant vers l'inconnu des jours!
                    VERHAEREN, Toute la Flandre, in Littératures de
                    langue franç. hors de France, p. 217.

    Pour quelqu'un qui se serait placé debout, au centre de la   8
    cour déserte, ces bruits auraient ressemblé à une espèce
    de grande étoile dont les rayons se seraient dardés dans
    toutes les directions, fixes et monotones.
                    J.-M. G. LE CLÉZIO, la Fièvre, p. 133.

♦ **DARDANT, ANTE** p. prés. adj. (1842).
Rare. Qui darde (qqch.).

    (...) au contraire de ces clairs miroirs d'extase, allumables   9
    seulement au foyer de quelque émotion profonde, les siens
    étaient perpétuellement dardants et perscrutateurs (...)
                    Léon BLOY, le Désespéré, p. 122.

♦ **DARDÉ, ÉE** p. p. adj. (1902). Rare. *Feux dardés. Yeux
dardés.*

DARDIÈRE [daʀdjɛʀ] n. f. — XVᵉ; de 1. *dard,* suff. *-ière.*
Chasse. Piège à chevreuil. *Braconnier qui tend une
dardière.*

DARDILLON [daʀdijɔ̃] n. m. — XVᵉ; de 1. *dard.*

♦ **1** Petit dard.

♦ **2** (1783). Pêche. Languette pointue, dans un
hameçon. → **Barbillon.**

DARE-DARE [daʀdaʀ] loc. adv. — 1640; p.-ê. onomatopée.

Fam. Promptement*. → **Hâte** (en toute hâte), **précipitamment, suite** (tout de suite), **vite.** *Arriver, accourir
dare-dare.* — **REM.** Variante vieillie : *dardar,* in Eugène
Labiche, *Deux Merles blancs,* acte III, scène 5 (1853).

    Si vous aviez à me proposer un meilleur sujet tout prêt   1
    pour cette semaine, je le prendrais dare-dare.
                    SAINTE-BEUVE, Correspondance, I, p. 190.

    Dare-dare, il dépêche vers le navire qu'il présume conta-   2
    miné la barque du pilote et quelques hommes, avec l'ordre
    pour le *Grand-Saint-Antoine* d'avoir à virer de bord tout de
    suite, et de faire force de voiles hors de la ville, sous peine
    d'être coulé à coups de canon. La guerre contre la peste.
                    A. ARTAUD, le Théâtre et son double,
                    Idées/Gallimard, p. 19.

CONTR. Calmement, doucement, lentement, tranquillement.

DARGEOT [daʀʒo] ou **DARGIF** [daʀʒif] n. m.
→ **Derche.**

DARIOLE [daʀjɔl] n. f. — 1292; p.-ê. altér. de *doriole,*
de *doré.*
Flan* léger au beurre et aux œufs.

    Et combien fastueux fut le dessert composé de vingt-deux
    sortes de fromages, de darioles au beurre, à l'anis, à la
    menthe, à la marjolaine et montées en pyramides, de
    rayons de miel, de gelées (...)
                    Jean RAY, les Derniers Contes de Canterbury,
                    p. 214.

Par métonymie. Moule servant à préparer ce flan.

DARIQUE [daʀik] n. f. — 1547; du nom de *Darius,* roi
des Perses.
Hist. Monnaie d'or des anciens Perses, dont la
frappe était réservée au roi Darius.

    À l'imitation des rois de Lydie, le souverain perse avait fait
    frapper des monnaies, des «dariques», où il était repré-
    senté tirant de l'arc : elles avaient cours partout.
                    DANIEL-ROPS, le Peuple de la Bible, IV, II, p. 302.

1. DARNE [daʀn] n. f. — V. 1216; du breton *darn* «morceau».

Tranche (d'un gros poisson) coupée à cru. → **Dalle.** *Une darne de colin, de saumon.*

HOM. 2. **Darne.**

2. DARNE [daʀn] adj. — 1873, Rimbaud; mot dial. de l'Est.

Régional. Ébloui; étourdi (par le vertige).

Le soleil, clair comme un chaudron récuré
Lui darde une migraine et fait son regard darne.
     RIMBAUD, Poésies, 1871, *in* T.L.F.

HOM. 1. **Darne.**

DARON, ONNE [daʀɔ̃, ɔn] n. — 1680, orig. obscure; p.-ê. de l'anc. franç. *daru* «fort».

♦ **1** Argot anc. (Au masc.) Maître, patron. — (1836). *Daron (de la raille, de la rousse) :* préfet de police. — (Au fém.). Maîtresse du logis, patronne.

♦ **2** Mod. (Au masc.). Père; (au fém.) mère. *Le daron et la daronne :* le père et la mère. *Mes darons :* mes parents.

♦ **3** (Au fém.). Maîtresse (d'un homme). — REM. Cette acception, faux sens selon G. Esnault, est attestée chez Richepin (1891), et au XXᵉ s. : «*il vit avec une daronne plus vioque que lui (...)*» (San-Antonio, En peignant la girafe, p. 26).

DARSE ou **DARCE** [daʀs] n. f. — XVᵉ; du génois *darsena*, de l'arabe *dār sīnāʿāh* «maison de travail».

Bassin abrité, dans un port. *La vieille darse de Marseille. La grande darse de Toulon.*

1   (...) dans cette darse où ni vent ni pluie n'agitaient une mer captive à l'eau grasse et lourde.
     H. BOSCO, Un rameau de la nuit, p. 54.

2   La darse de Las Palmas, maintenant pleine de yachts, ressemble à un petit village cosmopolite.
     Bernard MOITESSIER, Cap Horn à la voile, p. 83.

DÉR. **Darsine** ou **darcine.**

DARSINE ou **DARCINE** [daʀsin] n. f. — 1690; de *darse.*

Petite darse.

DARSONVALISATION [daʀsɔ̃valizasjɔ̃] n. f. — 1903, d'Arsonvalisation; arsonvalisation, 1907; du nom de d'Arsonval.

Méd. Traitement par les courants à haute fréquence. → **Diathermie.**

Nom proposé par Benedickt de Vienne, en 1899, pour désigner toutes les applications thérapeutiques ou expérimentales des courants de haute fréquence découverts par d'Arsonval en 1890.
     M. GARNIER et J. DELAMARE,
     Dict. des termes techniques de médecine.

DARTOIS [daʀtwa] n. m. — 1878; orig. incert.; p.-ê. de la famille d'*Artois.*

Gâteau feuilleté, à la frangipane ou aux confitures, dit aussi *gâteau à la Manon.*

DARTRE [daʀtʀ] n. f. — Fin XIVᵉ; *dertre,* XIIIᵉ; du bas lat. *derbita,* d'origine celtique.

Desquamation de l'épiderme, accompagnée de rougeurs, de démangeaisons. → **Pityriasis.** *Dartre furfuracée :* desquamation non inflammatoire de l'épiderme corné. — *Dartre volante :* taches arrondies rosées, avec desquamation furfuracée, se présentant généralement sur le visage des individus jeunes. → **Impétigo** (sec), **mentagre.** *Les dartres se traitent parfois au borate de soude.*

(Le Sphinx). Mes pieds, depuis qu'ils sont à plat, ne peuvent plus se relever. Le lichen, comme une dartre, a poussé sur ma gueule. À force de songer, je n'ai plus rien à dire.
     FLAUBERT, la Tentation de saint Antoine, Pl.,
     p. 191.

DÉR. **Dartreux, dartrose.**

DARTREUX, EUSE [daʀtʀø, øz] adj. — Fin XIVᵉ; de *dartre.*

♦ **1** Qui est de la nature des dartres. *Affection dartreuse.*

♦ **2** Qui est couvert de dartres. *Enfant dartreux.* — N. *Traitement des dartreux.*

♦ **3** Fig. et littér. → **Lépreux** (fig.).

(...) une lugubre masure dartreuse et sombre, suant les immondes et honteux métiers qu'elle abritait...
     Alphonse DAUDET, l'Immortel, p. 368 (1883).

DARTROSE [daʀtʀoz] n. f. — 1901; de *dartre.*

Didact. Maladie cryptogamique de la pomme de terre.

DARU [daʀy] n. m. → **Dahu.**

DARWINIEN, IENNE [daʀwinjɛ̃, jɛn] ou **DARWINISTE** [daʀwinist] adj. et n. — 1867; de *Darwin.*

Qui est relatif à la doctrine de Darwin, concernant l'évolution* des espèces vivantes. Qui est partisan de cette doctrine. → **Darwinisme.** *Thèse darwinienne. Disciple darwinien. Théorie darwinienne ou néo-lamarckiste.* → **Évolutionniste, transformiste.**

1   L'idée darwinienne d'une adaptation s'effectuant par l'élimination automatique des inadaptés (...) a déjà bien de la peine à rendre compte du développement progressif et rectiligne d'appareils complexes (...)
     H. BERGSON, l'Évolution créatrice, p. 56.

2   Acceptons d'abord, en effet, la thèse darwiniste des variations insensibles.
     H. BERGSON, l'Évolution créatrice, p. 64.

N. *Un darwinien, une darwinienne* ou *un, une darwiniste :* un partisan, une partisane du darwinisme.

3   Tout caractère qui persiste ne peut être qu'utile puisque maintenu par la sélection naturelle. Un tel principe a conduit maint darwinien à soutenir des opinions qui par leur puérilité ne le cèdent guère au finalisme anthropocentrique de Bernardin de Saint-Pierre.
     Max ARON et Pierre-Paul GRASSÉ,
     Biologie animale, p. 1163.

DARWINISME [daʀwinism] n. m. — 1864; de *Darwin,* savant anglais (1809-1882).

Théorie exposée par Darwin (dans *De l'origine des espèces,* 1859), selon laquelle les espèces sont issues les unes des autres suivant les lois de la sélection* naturelle, effet de la lutte pour la vie. → **Évolutionnisme, transformisme.** *Le darwinisme prétend que l'espèce humaine descend d'espèces animales, mais ne préjuge pas sur l'origine de la vie. Darwinisme moderne, néo-darwinisme.*

Le darwinisme, après une période de déclin, a peu à peu regagné le terrain perdu, sachant abandonner ce qui, de la théorie primitive, était caduc (...) À la notion de variation continue des espèces, telle qu'elle fut comprise par Lamarck et Darwin, il *(Hugo de Vries)* substitua celle de *variation discontinue,* par mutation se faisant brusquement (...)
     Max ARON et Pierre-Paul GRASSÉ,
     Biologie animale, p. 1167.

DÉR. et COMP. **Darwinien** ou **darwiniste. Néo-darwinisme.**

DASEIN [dazajn] n. m. → 2. **Être,** I.

DASH-POT [daʃpɔt] n. m. — XXᵉ; mot angl., de *to dash* «jeter», et *pot* «récipient».

Anglic. Techn. Appareil régulateur qui, par l'intermédiaire d'un fluide (air, huile), communique une liaison sans durée entre deux organes mécaniques. (Recomm. off. : *retardateur*). — Au plur. *Des dash-pots.*

DASYPELTIS [dazipɛltis] n. m. — 1870, Larousse; *dasypeltide*, 1846, Bescherelle; lat. sc. dû à l'all. J. G. Wagler, 1830, du grec *dasus* «velu», et élément sav. -*peltis* «à plaque protectrice», du lat. *pelta*, grec *peltê* «bouclier léger».

Zool. Couleuvre de l'Afrique du Sud, non venimeuse.

DASYPODE [dazipɔd] n. m. — XIXᵉ; du grec *dasus* «velu», et -*pode*.

Zool. Abeille solitaire, aux pattes postérieures velues, qui fait son nid dans le sol.

DASYURE [dazjyʀ] n. m. — 1796, Geoffroy Saint-Hilaire; du grec *dasus* «velu», et -*ure*, élément sav., du grec *oura* «queue».

Zool. Mammifère océanien (*Marsupiaux*). *Le dasyure se distingue de la sarigue par sa queue velue. Le dasyure, animal nocturne et carnassier.*

D. A. T. [deate] n. m. invar. — 1987; sigle anglais de *Digital Audio Tape* «enregistrement magnétique audionumérique».

Anglic. Procédé d'enregistrement du son sous forme numérique, sur un support magnétique. — Le lecteur enregistreur; la cassette enregistrée selon ce procédé. *Des D. A. T.*

DATABLE [databl] adj. — Déb. XIXᵉ; de *dater*.

Auquel on peut attribuer une date certaine. *Document aisément, difficilement datable. Cet épisode est datable avec précision.*

CONTR. Indatable.

DATAGE [dataʒ] n. m. — 1961; de *dater*.

Action de mettre une date (sur un document, etc.).

DATAIRE [datɛʀ] n. m. — 1533, Rabelais; lat. ecclés. *datarius*, dér. de *data*. → Date.

Relig. cathol. Officier de la chancellerie romaine chargé de présider à l'expédition des dispenses, rescrits, etc. — Appos. (1598). *Un cardinal dataire.*

DÉR. Daterie. ◊ COMP. Sous-dataire.

DATATION [datasjɔ̃] n. f. — Fin XIXᵉ — sans référence — selon Dauzat; pas d'attestation sûre avant 1943 (T. L. F.); de *dater*.

♦ **1** Action de dater, de mettre la date (sur une pièce). *Datation et signature d'un acte de vente.* → **Datage.** *Procéder à la datation d'un acte.*

♦ **2** Attribution d'une date. *Datation d'un fossile à l'aide du carbone* 14. Méthodes de datation en archéologie* (dendrochronologie, palynologie, etc.). *Datation d'un texte. Datation d'un mot* (première attestation). — Par ext. *Date attribuée. Cette datation est contestable, approximative.*

DATCHA [datʃa] n. f. — 1902; *datsha*, 1849; mot russe.

Maison de campagne, souvent située aux portes d'une grande ville, en Russie. *Avoir sa datcha.* «*(...) la datcha que l'on m'a attribuée aux environs de Moscou*» (Michel Déon, *les Poneys sauvages*, p. 472).

DATE [dat] n. f. — 1281; lat. médiéval *data littera* «lettre donnée», premiers mots de la formule indiquant la date où un acte avait été rédigé, p. p. fém. du verbe *dare* «donner».

♦ **1** Indication du jour du mois (→ **Quantième**), et de l'année (→ **Millésime**) où un acte a été passé, où un fait s'est produit. → **Temps.** *Mettre, indiquer la date. Date en chiffres, en lettres. Noter une date sur un éphéméride, un agenda. Chercher une date à l'aide d'un calendrier. Relever une date. Une fausse date. Date postérieure à la date véritable.* → **Postdate.** *Date antérieure à la date réelle.* → **Antidate; anticipation.** *Coordination de dates. Lettre sans date. Inscrire une date sur une lettre.* → **Dater.** *Deux lettres de la même date. Phrase dont les lettres numérales fournissent une date.* → **Chronogramme.** *Ce sera pour telle date.* → **Jour.** *Prendre date : fixer avec qqn le moment d'un rendez-vous. Une date importante. Date de naissance. Date anniversaire.*

> Quelquefois cependant le passant arrêté,   1
> Lisant l'âge et la date en écartant les herbes,
> (...) Dit : «Elle avait seize ans! c'est bien tôt pour mourir!»
>   LAMARTINE, Harmonies..., IV, 10.

> Il y aurait, gravées sur sa tombe, deux dates côte à côte,   2
> 1876-1926, séparées par un tiret.
>   GIRAUDOUX, Bella, VI, p. 133.

> En somme, des organisations secrètes de divers pays cherchaient à se mettre d'accord sur la date d'un prochain mouvement révolutionnaire.   3
>   J. ROMAINS, les Hommes de bonne volonté, t. IV, p. 205.

> Je peux, dans ma chronique personnelle, considérer comme une date cardinale celle de ce dimanche (...)   4
>   G. DUHAMEL, Cri des profondeurs, X, p. 185.

> Je fis cette découverte le 16 septembre. Je me rappelle ce détail parce que la date avait été gravée, elle aussi, au couteau au-dessus de la barque, entre le soleil et la Croix. Elle me frappa vivement, car c'est aussi celle de ma naissance. Le matin, j'avais constaté fortuitement que le calendrier, mis à jour par Mélanie Duterroy, marquait le 16 septembre.   H. BOSCO, Hyacinthe, p. 25.   5

À la date de... À date fixe. — En date du...

Dr. *Date d'un contrat, d'un arrêt. Date d'un testament. Dans certains actes juridiques* (acte de naissance), *l'heure de l'événement enregistré est indiquée dans la date. Date authentique,* constatée par un officier public. *Date certaine :* jour à partir duquel l'existence d'un acte sous seing privé n'est plus contestable par les tiers. *La date certaine constitue à l'égard des tiers la date de l'acte.*

> Les actes sous seing privé n'ont de date contre les tiers que du jour où ils ont été enregistrés, du jour de la mort de celui ou de l'un de ceux qui les ont souscrits (...)   6
>   Code civil, art. 1328.

Lettre de change à 20 jours, 3 mois... de date, dont le paiement est exigible 20 jours, 3 mois... après le jour où elle a été émise. *Date de paiement d'un billet.* → **Échéance, terme.** *Emprunt à longue, à courte date.*

Loc. *En date de Londres, de Paris :* daté* de Londres, de Paris.

♦ **2** Époque, moment où un événement s'est produit; indication de cette époque. → **An, année, époque, moment, période, temps.** *Science des dates, de l'ordre des événements.* → **Chronologie.** *Qui n'est pas de la même date.* → **Anachronique.** *Coïncidence de date.* → **Synchronisme.** *Indication de date.* → **Rubrique.** *Faire une erreur de date. Cet événement a mille ans de date. La date en est très ancienne. Date d'impression, de publication d'un ouvrage.* → **Achevé** (d'imprimer).

Par métonymie. L'événement lui-même. *Se souvenir d'une date.*

6.1 (...) un chant d'oiseau dans le parc de Montboissier, ou une brise chargée de l'odeur de réséda, sont évidemment des événements de moindre conséquence que les plus grandes dates de la Révolution et de l'Empire. Ils ont cependant inspiré à Chateaubriand, dans les *Mémoires d'Outre-tombe,* des pages d'une valeur infiniment plus grande.
PROUST, le Temps retrouvé, Pl., t. III, p. 728.
(Date de qqch.). Date d'un édifice, d'un objet, époque à laquelle il a été construit, fabriqué. *Date d'un vin.* → **Millésime.** *Date d'une formation géologique. — Qui n'a pas de date, sans date :* très ancien. → **Immémorial.**

7 Quel charme ou quelle horreur à la fin t'arrêta?
Ce furent ces forêts, ces ténèbres, cette onde,
Et ces arbres sans date, et ces rocs immortels (...)
LAMARTINE, Harmonies..., I, 11.

7.1 (...) tout le décor de cet appartement de jeune femme attirait ou retenait l'œil par sa forme, sa date ou son élégance.
MAUPASSANT, Notre cœur, p. 6.
Loc. *Faire date :* faire époque. → **Marquer.** *Porter sa date :* être dans un état (ou : d'une forme, etc.) qui indique une date ancienne (→ Style).

8 La photo s'arrêtait un peu au-dessous de la taille. Les vêtements, sans être d'une mode ancienne, portaient déjà leur date.
J. ROMAINS, les Hommes de bonne volonté, t. IV, p. 139.

8.1 Ah! vous tenez là un livre (...) qui fera date!
F. MALLET-JORIS, le Jeu du souterrain, p. 86.
Précédé d'une préposition. — (Préposition *à). À dates fixes.* — (Préposition *de). De date* (vx) : d'âge. *Leur amitié a vingt ans de date. D'ancienne, de vieille date :* ancien. — Mod. *Ils se connaissent de longue date,* depuis longtemps. *Une connaissance de fraîche date,* récente (aussi : *de date récente,* de *nouvelle date).*
Loc. fig. *Être le premier en date :* avoir priorité sur qqn pour une raison d'antériorité.

9 — Comment, pendard? tu as l'audace d'aller sur mes brisées?
— C'est vous qui allez sur les miennes; et je suis le premier en date. MOLIÈRE, l'Avare, IV, 3.
DÉR. Dater. ◊ **COMP. Antidate, postdate.** ◄ **HOM. Datte.**

DATER [date] v. — 1367, au p. p.; de *date.*

I V. tr. ◆ 1 Mettre la date sur (un écrit, un acte...). → **Datage, datation.** *Dater une lettre. Dater faussement une pièce.* → **Antidater, postdater.**

1 Diderot ne datait jamais ses lettres. Mme d'Épinay, Mme d'Houdetot ne dataient guère les leurs que du jour de la semaine. ROUSSEAU, les Confessions, IX.
Dr. *Dater un arrêt, un contrat, un testament.*

2 Le testament olographe ne sera point valable, s'il n'est écrit en entier, daté et signé de la main du testateur : il n'est assujetti à aucune autre forme. Code civil, art. 970.
◆ 2 Attribuer une date à (qqch.). *Dater l'apparition d'un mot, une pièce archéologique. Dater un fossile au carbone 14.*

2.1 Comment *dater,* par exemple, un concept mathématique chez Leibniz? voire chez Bourbaki? Il a au moins trois âges : *l'âge de son apparition* dans la tradition mathématique, *l'âge de sa réactivation* dans le système qui lui donne un sens nouveau, *l'âge récurrent* de sa puissance de fécondité dont nous pouvons être juges maintenant.
Michel SERRES, Hermès I, la Communication, p. 83.
◆ 3 Fig. Rare et littér. Marquer l'apparition de.

2.2 Plus tard, il se rappellerait avec étonnement ces sensations d'aujourd'hui, qui dataient un nouvel être.
Charles-François LANDRY, Petit Bar Mistral, p. 153.

II V. intr. ◆ 1 *Dater de :* avoir commencé d'exister, avoir eu lieu (à telle époque). → **Remonter** (à). *Ce traité date du* XVIIe *siècle. Document qui date de plus d'un siècle.*

Des motors-cabs, qui dès ce temps-là avaient l'air anciens, 3 comme s'ils eussent daté d'un précédent règne, dépassaient lentement le hansom-cab agile.
J. ROMAINS, les Hommes de bonne volonté t. V, XXVI, p. 254.
Loc. *À dater de :* à partir de, en prenant pour point de départ (telle date). *À dater de ce jour.* → **Compter, partir** (à). *Votre traitement vous sera versé à dater d'aujourd'hui.*

Il y a longtemps, à dater du ministère du Cardinal de 4 Fleury (...) qu'elles *(les lettres)* sont en France sans encouragement et sans considération.
D'ALEMBERT, Lettre au roi de Prusse, 22 août 1772.
Dater de loin : être arrivé, s'être produit il y a longtemps; remonter à une époque lointaine. *Notre amitié date de loin. — Cet homme ne date pas d'hier, il date de loin :* il y a longtemps qu'il est né, il a de l'expérience (→ Naître : il n'est pas né d'hier).
◆ 2 Faire date. → **Marquer.** *Cet événement date dans sa vie :* il a de l'importance à ses yeux. *Événement qui date dans l'histoire,* qui fait époque.
◆ 3 Être démodé. *Costume qui date. — Œuvre qui commence à dater.*

♦ **SE DATER** v. pron. *Une lettre se date toujours,* elle doit être datée.

♦ **DATÉ, ÉE** p. p. adj. *Pièce non datée. Testament non daté. Lettre datée du tant. —* Par ext. *Lettre datée de Paris, de Madrid.*
Quoique ma lettre soit datée du dimanche, je l'écris 5 aujourd'hui, samedi au soir (...)
Mme DE SÉVIGNÉ, 937, 1er oct. 1684.
DÉR. Datable, datage, datation, dateur. ◊ **COMP. Antidater, postdater.**

DATERIE [datʀi] n. f. — 1605; de *dataire.*
Relig. cathol. Office de dataire. — Chancellerie de la cour pontificale où s'expédient divers actes.

DATEUR, EUSE [datœʀ, øz] adj. et n. — 1929; de *dater.*
◆ 1 Adj. Qui sert à dater. *Timbre dateur. —* N. m. *Dateur :* timbre dateur. *Dateur-numéroteur. Mettre le dateur à la date du jour.*
◆ 2 N. m. (1969). Dispositif qui indique la date sur le cadran d'une montre.
COMP. Horodateur.

1. **DATIF** [datif] n. m. — XIIIe; lat. *dativus* (sous-entendu *casus)* «cas attributif», du supin de *dare* «donner».
Gramm. Cas marquant le complément d'attribution dans les langues à déclinaison (→ **Cas, déclinaison).** — (En français). *Datif éthique :* emploi du pronom personnel dit *«d'intérêt»* (ex. : courez-moi chercher du pain).

2. **DATIF, IVE** [datif, iv] adj. — 1437; lat. *dativus,* du supin de *dare* «donner».
Dr. *Tuteur datif :* tuteur nommé par le conseil de famille ou dans certains cas, par le tribunal agissant comme conseil de famille. *Tutelle dative.*

DATION [dasjɔ̃] n. f. — 1272; lat. *datio,* du supin de *dare* «donner».
◆ 1 Action de donner. *Dation de tuteur, de curateur,* par disposition testamentaire (ou par décision du juge). — *Dation de mandat :* désignation d'un mandataire par le mandant. — *Dation en paiement :* mode d'extinction d'une obligation suivant lequel le débiteur fournit à son créancier une prestation différente de celle primitivement convenue.

Spécialt. Faculté donnée d'acquitter certains impôts en œuvres et objets d'art. *«Suggérée par André Malraux, qu'effrayait à juste titre la fuite à l'étranger du patrimoine artistique, une loi avait été votée, en 1968, permettant aux héritiers d'acquitter leurs droits de succession non en argent mais en œuvres d'art : c'est le système de la dation»* (*l'Express*, 29 sept. 1979, p. 140). — *En dation :* dévolu par une dation en paiement. *«Œuvres en dation au Louvre (...) première moisson de la loi dite des "dations en paiement de droits de succession"»* (*le Monde*, 1er mars 1978, p. 1). — REM. À distinguer de *donation**.

1 Les acquisitions à titre gratuit sont constituées par les dons, legs et dations en paiement de droits de succession (...) La dation en paiement (*a été prévue par la loi*) du 31 décembre 1968 dont le champ d'application a été étendu en 1982 aux mutations à titre gratuit entre vifs (...) L'exemple le plus fameux de dation est, en 1979, l'ensemble d'œuvres de Picasso (...) remis à l'État par les héritiers du peintre pour couvrir les droits de succession exorbitants.
Pierre CABANNE, *in* Guide des Musées de France, p. 298.

♦ **2 Didact.** Fait de donner, attribution.

2 *«Le génie»* (...) n'est peut-être pas dans le fait même, instantané — de la production d'une combinaison *qui gagne* — mais dans ceci que cette combinaison reçoit presque aussitôt — *mais après,* — un *sens* de grande valeur.
L'esprit répond à ce qu'IL vient d'émettre par une dation de valeur. VALÉRY, Cahiers, t. II, Pl., p. 1038.

DATTE [dat] n. f. — XIIIe ; *dade,* v. 1080; du provençal *datil,* lat. *dactylus,* grec *daktulos* «doigt».

♦ **1** Fruit du dattier*, baie dont le «noyau» est en réalité la graine. *Datte fraîche. Datte sèche. Datte fourrée. Régime de dattes. Sirop de datte.*

1 Ils étaient rangés devant mes yeux, comme des dattes dans une boîte. P. MAC ORLAN, la Bandera, XIX, p. 231.

1.1 (...) les dattes séchées au goût de miel et de poivre.
J.-M. G. LE CLÉZIO, Désert, p. 17.

♦ **2** (1896). Fig., fam. *Des dattes! :* rien du tout, absolument rien (→ Des clous*, des nèfles*, des prunes*...). *Ne pas en ficher (en foutre) une datte :* ne rien faire. → Ne pas en foutre une rame*.

2 Je lui répondis que tout allait au plus mal dans le plus moche des mondes mais qu'à Tilloloy on était bien, vu qu'on n'en foutait pas une datte, que l'escouade avait fondu à vue d'œil mais que ceux qui restaient se portaient bien.
B. CENDRARS, la Main coupée, Œ. compl., t. X, p. 74.

Français d'Afrique du Nord. *Faire une datte à qqn,* un attouchement obscène (doigt dans l'anus), qui, selon les situations, prend la valeur d'un geste soit de mépris insultant soit de chahut amical.

DÉR. **Dattier.** ◊ HOM. **Date.**

DATTIER [datje] n. m. — V. 1230, *datier*; de *datte*.
Arbre (palmier*) d'Afrique et du midi de l'Europe qui produit les dattes. *Le dattier peut atteindre trente mètres de hauteur; il est couronné d'une ample touffe de longues feuilles pennées; de l'aisselle de ces feuilles sortent de longues spathes renfermant les régimes de dattes. Les dattiers d'une palmeraie*, d'une oasis.* — En appos. *Palmier dattier.*

DATURA [datyʀa] n. m. — 1597; hindi *dhatura,* par le portugais.
Bot. Solanacée des régions chaudes et tempérées originaire de l'Inde, dite *pomme épineuse* ou *jusquiame du Pérou,* toujours toxique (*alcaloïdes*), et dont plusieurs espèces sont utilisées comme narcotique (→ **Stramonium**) et comme plantes ornementales.

1 Il poussa la porte et s'avança vers le colonel qui, debout contre son bureau, les mains dans les poches, l'attendait

en suçotant une cigarette de datura.
P. MAC ORLAN, la Bandera, XII, p. 144.

Ils exhibaient de fausses blessures frottées d'orties et de 1.1 jus de datura.
J. GIONO, Naissance de l'Odyssée, *in* Œ. roman., Pl., t. I, p. 19.

(...) dans les fromages mous il y aura des aiguilles cachées 2 qui perforeront les intestins; dans les liqueurs, il y aura de la ciguë et du datura, et dans les petits cylindres des cigarettes qui sentent le miel et la menthe, il y aura du HCN. J.-M. G. LE CLÉZIO, les Géants, p. 97.

DAUBE [dob] n. f. — 1640; déb. XVIe, *adobbe*; ital. *addobbo* «assaisonnement», de *addobbare* «cuisiner», lui-même d'origine germanique, *dobjan* «préparer» (→ Adouber), passé en italien et dans les dialectes du sud de la France; répandu à Paris au XIXe.

I Cuis. Manière de faire cuire certaines viandes à l'étouffée dans un récipient fermé. → **Braisière, daubière.** *Faire une daube.* → 2. **Dauber, endaubage.** *À la daube* (vx), *en daube,* préparé de cette manière. *Bœuf en daube, gigot de mouton, carré de porc en daube. Viandes en daube.*

Freind fit apporter une trentaine de poulardes à la daube.
VOLTAIRE, Hist. de Jenni, 7.

Par ext. La viande accommodée de cette manière. *Servir, manger une daube.*

II Fig. Très fam. et péj. (langage des jeunes). Chose ou action laide ou insignifiante. *C'est de la daube :* c'est nul, sans intérêt.

DÉR. 2. **Dauber, daubière.**

1. **DAUBER** [dobe] v. — V. 1507; «garnir, crépir», XIIe; probablt du lat. *dealbare* «blanchir», de *de-* et *albus* «blanc»; le sens mod. «mettre à mal» procéderait (P. Guiraud) d'une métaphore suscitée par *daube :* cf. les sens analogues de *accommoder, assaisonner, arranger.*

I V. tr. ♦ **1** Fam. et vx. Frapper (qqn) à coups de poing. → **Battre, frapper, rouer** (de coups). *On l'a daubé d'importance.*

♦ **2** Mod. (littér.). Railler, dénigrer qqn. → **Dénigrer, discréditer, injurier, médire, moquer** (se moquer de), **railler.** *Dauber tout le monde.*

(...) on m'a dit qu'on va le dauber, lui et toutes ses comé- 1 dies, de la belle manière (...)
MOLIÈRE, l'Impromptu de Versailles, 5.

(...) Camille Desmoulins, dans une maligne brochure, en 2 daubant l'ancien Comité, effleura le nouveau (...)
MICHELET, Hist. de la Révolution franç., t. II, p. 694.

Pron. (récipr.). Vx. *Se dauber :* se battre.

II V. intr. Vx ou littér. *Dauber sur qqn.*

Comme les maris (...) 3
De tout temps votre langue a daubé d'importance (...)
MOLIÈRE, l'École des femmes, I, 1.

Nos contemporains se gâchent trop en notations, en petits 4 poèmes, en courtes proses... Me voilà à dauber sur le prochain sans avoir eu l'intention de le faire.
J.-R. BLOCH, Deux hommes se rencontrent, p. 172.

DÉR. **Daubeur.** ◊ HOM. 2. **Dauber.**

2. **DAUBER** [dobe] v. tr. — 1803; de *daube.*
Cuis. Accommoder (une viande) en daube. → **Endauber.**

COMP. **Endauber.** ◊ HOM. 1. **Dauber.**

DAUBEUR, EUSE [dobœʀ, øz] adj. et n. — 1650; de 1. *dauber.*

♦ **1** Vx. Qui se plaît à dauber* (1. Dauber) les autres. — N. *Un daubeur, une daubeuse.*

♦ **2** N. m. Techn. Celui qui aide le forgeron à battre le fer.

DAUBIÈRE [dobjɛʀ] n. f. — 1829; de *daube*.

Ustensile muni d'un couvercle, sur lequel on peut mettre des charbons allumés (→ **Braisière**), et où l'on fait cuire des viandes en daube.

DAUCUS [dokys] n. m. — 1701, Furetière; lat. sc. dû à Tournefort, 1694 ou 1700, adapt. du lat. *daucum* ou *daucos* «carotte», du grec *daukon* ou *daukos* «panais».

Didact. Genre botanique dont le type est la carotte*; plante appartenant à ce genre. — Vx. *Daucus de Candie* : rosacée à semence carminative.

1 Vanhelmont assûre qu'un jurisconsulte fut exempt pendant plusieurs années des douleurs du calcul, en bûvant d'une infusion de la graine de *daucus* dans de la bierre.
DE VANDENESSE, *in* Encyclopédie, art. *Carotte*.

2 (...) quelques roses du Bengale clairsemées parmi les folles dentelles du daucus, les plumes de la linaigrette, les marabouts de la reine des prés, les ombellules du cerfeuil sauvage (...) tout ce que ces naïves créatures ont de plus échevelé (...)
BALZAC, le Lys dans la vallée, Pl., t. VIII, p. 858.

DAUFER ou **DAUFFER** [dofe] v. tr. — 1890; de *daufe* «pince-monseigneur» et, par anal., «pénis», apocope de *dauphin*, en argot «pince-monseigneur» (1821).

Argot (érotique et injurieux). Pénétrer sexuellement; le plus souvent : sodomiser. — Var. : *daupher, doffer.*

(...) je vais te dauffer moi-même. On n'est pas beau, mais on est si cochon.
A. JARRY, les Jours et les Nuits, IV, 10, Pl., t. I, p. 805 (1897).

DAUMONT (À LA) [aladomɔ̃] n. f. et loc. adj. — 1832, une *d'Aumont*; 1837, *à la d'Aumont*; du n. du duc d'Aumont.

Loc. adj. *Attelage à la daumont* : sorte d'attelage d'apparat, composé de quatre chevaux, dont deux montés par des postillons, à la manière de l'attelage du duc d'Aumont (sous la Restauration). N. f. *Une daumont* : une calèche attelée à la daumont.

1. DAUPHIN [dofɛ̃] n. m. — 1150, *daufin*, refait en *dauphin* d'après le lat. class.; du bas lat. *dalfinus*, altér. du lat. class. *delphinus*, du grec *delphis*.

Mammifère marin carnivore (*Cétacés; Odontocètes*) scientifiquement appelé *delphinus*, dont la tête se prolonge en forme de bec armé de dents. → **Delphinidés; épaulard, souffleur.** *Le dauphin est muni d'une nageoire pectorale en forme de faux; sa taille est d'environ deux mètres; il vit par bandes dans les mers de l'hémisphère nord. Apprivoiser, dresser un dauphin. Utilisation scientifique, militaire des dauphins* (à cause de leur aptitude à communiquer par moyens acoustiques. → Sonar).

1 Un navire en cet équipage
Non loin d'Athènes fit naufrage.
Sans les dauphins tout eût péri.
Cet animal est fort ami
De notre espèce.   LA FONTAINE, Fables, IV, 7.

2 Les dauphins (...) sont tout bonnement de petits cachalots que les marins appellent des oies de mer à cause d'une certaine ressemblance dans la forme de la tête.
FRANCE, le Lys rouge, XXXII, p. 244.
REM. Cette citation est évidemment sans rapport avec la vérité scientifique.

3 Hier des poissons volants. Aujourd'hui des troupeaux de dauphins. Le commandant les tire de la passerelle.
GIDE, Voyage au Congo, *in* Souvenirs, Pl., p. 684.

4 Jung rapproche l'étymologie grecque de *delphis*, le dauphin, et de *delphus*, l'utérus, et rappelle que le trépied delphique, *delphinis*, reposait sur trois pieds en forme de dauphins.
Gilbert DURAND, les Structures anthropologiques de l'imaginaire, p. 245.

Ornement en forme de dauphin. *Dauphin d'église, de fontaine. Un petit dauphin d'argent.*

Blason. Représentation de cet animal courbé en demi-cercle.

Par ext. Représentation schématique de cet animal. *Bras de fauteuil en dauphins.*

Astron. Constellation de l'hémisphère boréal, figurant un dauphin.

Mar. → **Jottereau.** — Techn. Extrémité recourbée d'un tuyau de descente pluviale (figurant à l'origine un dauphin).

2. DAUPHIN [dofɛ̃] n. m. — 1420, au sens 2; *dalfin*, v. 1245, au sens 1; du lat. pop. *Dalfinus*, lat. *Dalphinus*, surnom puis nom des comtes d'Albon, puis nom de dignité en Auvergne et dans la province appelée à cause de ce nom *Dauphiné*.

♦ **1** Hist. Titre des seigneurs du Dauphiné. *Monseigneur le Dauphin.*

♦ **2** (*Dalphin*, 1360). Fils aîné des rois de France. *Le Grand Dauphin* : le fils de Louis XIV. *Le menin, gentilhomme attaché au service du Dauphin. La mort du Dauphin*, conte d'A. Daudet.

1 Le petit Dauphin est malade, le petit Dauphin va mourir (...) Quand l'aumônier a fini, le petit Dauphin reprend avec un gros soupir : «Tout ce que vous me dites là est bien triste, monsieur l'abbé; mais une chose me console, c'est que là-haut, dans le paradis des étoiles, je vais être encore le Dauphin... Je sais que le bon Dieu est mon cousin et ne peut pas manquer de me traiter selon mon rang.»
Alphonse DAUDET, Lettres de mon moulin, «La mort du Dauphin».

En appos. Vx. *Couleur caca dauphin, caca-dauphin* → **Caca** (cit. 5).

N. f. (*Dauphine*, 1297). *La Dauphine* : la femme du Dauphin. *Madame la Dauphine.*

2 Monsieur le Dauphin demande à M. de Montausier quand Madame la Dauphine sera grosse.
Mᵐᵉ DE SÉVIGNÉ, 774, 24 janv. 1680.

♦ **3** Par ext. (1953). Successeur choisi par un chef d'État, une personnalité importante. *Le dauphin du Président.*

DÉR. Dauphinat. V. Dauphine.

DAUPHINAT [dofina] n. m. — V. 1970; de 2. *dauphin*.

Institution ou organisation politique prévoyant un dauphin habilité à succéder, notamment, au chef d'État en exercice. «*Nous ne voulons plus être enfermés dans le dauphinat imposé*", disent sans ambages les militants giscardiens» (l'Express, 19-25 juin 1967).

DAUPHINE [dofin] n. f. — 1690; de 2. *dauphin* ou de *Dauphiné*.

I Hist. → 2. **Dauphin.**

II ♦ **1** (1718). Vx. Soie qui était fabriquée à Lyon. — Droguet de laine, de soie.

♦ **2** Appos. (Av. 1962). *Pomme dauphine* : boulette à base de purée de pommes de terre et de pâte à chou, frite dans l'huile. *Des pommes dauphine.*

DAUPHINELLE [dofinɛl] n. f. — 1786; du lat. bot. *delphinium* (1694), grec *delphinion*, avec infl. de *dauphin*.

Bot. Plante dicotylédone (*Renonculacées*; n. sc. *Delphinium*), herbacée, annuelle ou vivace, ornementale (fleurs bleues, roses, blanches). *Variétés de dauphinelle* : consoude, pied d'alouette, staphisaigre ou herbe aux poux.

DAUPHINOIS, OISE [dofinwa, waz] adj. et n.
— 1636, subst.; de *Dauphiné*.

Qui se rapporte au Dauphiné ou à ses habitants. *Coutumes dauphinoises.*

Cuis. *Gratin* dauphinois* ou *à la dauphinoise.*

N. *Un Dauphinois, une Dauphinoise* : un habitant ou une habitante du Dauphiné; personne qui en est originaire.

N. m. Ling. *Le dauphinois* : ensemble des dialectes romans parlés dans le nord du Dauphiné. *Le dauphinois constitue une transition entre le domaine de la langue d'oïl et celui de la langue d'oc.*

DAURADE ou **DORADE** [dɔrad] n. f. — 1550, *daurade; dorade,* v. 1525; de l'esp. *dorada* «dorée» et de l'anc. provençal *daurada* «dorée»; du lat. *aurata* «daurade».

Poisson téléostéen à reflets dorés ou argentés, des mers chaudes ou tempérées. *Daurade grise.* → **Canthère, griset.** *Daurade rose.* — **Rousseau.** — Spécialt. Poisson de la famille des *Sparidés* (n. sc. : *Sparus aurata;* n. franç. : *daurade royale* ou *dorée,* et, sans adj., *daurade*), estimé en cuisine. *Daurade au four.*

1 J'aurais voulu montrer aux enfants ces dorades
Du flot bleu, ces poissons d'or, ces poissons chantants.
RIMBAUD, Poésies, «le Bateau ivre».

2 J'ai vu hier mon premier requin depuis les Canaries. Il est vite fait passé. Quant aux daurades, elles me sont déjà familières; j'en reparlerai fréquemment, car elles sont la seule présence amicale autour de moi. Dans la nuit, lorsque je me réveille, je suis frappé par la beauté de ces animaux qui tracent des sillages parallèles au mien que la phosphorescence de la mer transforme en traînées lumineuses.
Alain BOMBARD, Naufragé volontaire, p. 172.

DAVANTAGE [davɑ̃taʒ] adv. — 1530; *d'avantage,* 1360; de *de,* et *avantage.*

♦ **1** (Modifiant un verbe). Plus. *Il n'en sait pas davantage. Travaillez davantage, et vous réussirez. Il l'aime comme un frère, sinon davantage. Jamais il n'avait davantage eu confiance en lui-même.*

Avoir guère davantage, à peine davantage, presque autant. *N'avoir pas davantage* : avoir autant.

1 PLUS, DAVANTAGE. La différence entre ces deux mots, c'est que davantage, s'employant absolument, indique une comparaison avec un terme énoncé d'abord; tandis que plus, ne s'employant guère absolument, indique la comparaison avec un terme qui s'énonce ensuite. Cette femme est belle, son amie l'est davantage. Mais on dira cette femme est plus belle que son amie.
LITTRÉ, Dict., art. *Davantage.*

2 **Davantage,** formé d'un nom, doit toujours s'appuyer sur un verbe. On dira correctement : *Il est intelligent, sa sœur l'est davantage,* mais non : *Elle est davantage intelligente que son frère.* Dans l'expression du comparatif, plus reste le seul mot qui convienne.
René GEORGIN,
Difficultés et finesses de notre langue, p. 213.

3 Le père mort, les fils vous retournent le champ,
Deçà, delà, partout; si bien qu'au bout de l'an
Il en rapporta davantage.
LA FONTAINE, Fables, V, 9.

4 Oui, vous ne pourriez pas lui dire davantage
Que ce que je lui dis pour le faire être sage.
MOLIÈRE, l'Étourdi, I, 7.

5 Concurremment à *plus,* la langue moderne emploie *davantage : il vous gâte moins qu'elle, cependant vous l'aimez davantage; — ces échappées serreraient le cœur davantage* (LOTI, Pêch., 82) [...] *il n'y a rien que je déteste davantage que de blesser... la vérité* (PASC., Prov., XI).
F. BRUNOT, la Pensée et la Langue, p. 727.

(Modifiant le pronom *le,* représentant un adj.). *Son frère est intelligent, mais le mien l'est davantage.*

♦ **2** Vx. (Placé en tête de phrase). Bien plus, de plus, en outre. *«Davantage, peut-on nier que la messe ne fût le service public de l'Église»* (Bossuet).

♦ **3** Plus longtemps. *Ne l'interrogez pas davantage. Ne restez pas davantage.*

Gardes, obéissez sans tarder davantage. 6
RACINE, Britannicus, III, 8.

Elle réprima sa répugnance, et, sans balancer davantage, 7
s'y rendit *(à cette adresse).*
MARTIN DU GARD, les Thibault, t. I, p. 43.

♦ **4** Vx ou littér. Le plus. *Ils s'empressaient à qui lui plairait davantage.*

(...) le plus pressant intérêt d'une femme (...) celui qui 8
l'agite davantage, est moins de persuader qu'elle aime, que de s'assurer si elle est aimée.
LA BRUYÈRE, les Caractères, III, 72.

Je ne sais qui de nous deux cette conversation oppressait 9
davantage. GIDE, la Symphonie pastorale, p. 125.

Bien davantage, encore davantage. Si vous me rendez ce service, je vous estimerai bien davantage.

On fut bien davantage choqué du style confus et embar- 10
rassé, de la barbarie des termes *(des* Maximes des Saints, de *Fénelon).* SAINT-SIMON, Mémoires, t. I, 408.

Dans la salle illuminée du restaurant, l'amaigrissement, la 11
mauvaise mine d'Antoine, le frappèrent davantage encore.
MARTIN DU GARD, les Thibault, t. VIII, p. 250.

♦ **5** Vx ou littér. **DAVANTAGE DE** et subst. *Davantage de choses. Prendre davantage de soupe.* → **Encore.** *Il voudrait avoir davantage d'argent; il en voudrait davantage. J'en prendrai davantage.*

Je ne vous ferai pas davantage de reproches. 12
RACINE, Lettres.

Je n'aime plus au monde que quelques églises, deux ou 13
trois livres, à peine davantage de tableaux.
PROUST, Du côté de chez Swann, I, p. 186,
in GREVISSE.

Mod. (considéré autrefois comme fautif; devenu courant au XIXe). **DAVANTAGE QUE :** plus que. *Celui-ci me plaît davantage que celui-là.* — Absolt. *«Ricardo, que je rejoignis peu après, ne l'avait pas vu davantage»* (J. Peyré, *Sang et Lumière,* p. 278).

Les grammairiens modernes ont décidé que *davantage* ne 14
pouvait être suivi de *que.* Toutefois cette décision est en contradiction avec l'usage des meilleurs écrivains.
LITTRÉ, Dict., art *Davantage.*

(...) le repos de la solitude lui plaît davantage que la cour 15
ou Paris. Mme DE SÉVIGNÉ, 617, 23 juin 1677.

Il n'y a rien assurément qui chatouille davantage que les 16
applaudissements (...)
MOLIÈRE, le Bourgeois gentilhomme, I,
1 (→ Applaudissement, cit. 10).

Je me persuadai que la qualité des applaudissements 17
importe bien davantage que leur nombre.
GIDE, Si le grain ne meurt, p. 250.

(...) c'est (...) parce que certains mots venus du cœur tou- 18
cheraient le lecteur davantage que tous ces raisonnements plus ou moins captieux, c'est précisément pour cela que, ces mots, je ne les ai point prononcés.
GIDE, Feuillets, *in* Journal 1889-1939, Pl., p. 672.

Rien ne dérange davantage une vie que l'amour. 19
F. MAURIAC, Trois grands hommes devant Dieu,
p. 104, *in* GREVISSE.

CONTR. **Moins.**

DAVIER [davje] n. m. — 1540; dimin. de l'anc. franç. *david* «outil de menuisier», de *David,* nom propre.
Technique.

♦ **1** Outil de menuisier formé d'une barre de fer recourbée en crampon à l'une de ses extrémités, et qui sert à maintenir des pièces de bois. — Outil servant au tonnelier à ajuster les cercles d'un tonneau.

♦ **2** Plus cour. Pince à longs bras de leviers et à mors très courts (chirurgie osseuse et dentaire).

Dur et salutaire comme le davier du dentiste (...)
BALZAC, Illusions perdues, Pl., t. IV, p. 754.

♦ **3** (1643; *davyet*, 1516). Mar. Rouleau en bois ou en fer, mobile autour d'un axe et destiné à faciliter le glissement des câbles.

DAWAMESC [dawamɛsk] n. m. — 1860, Baudelaire, *in* G. L. L. F.; mot turc, «haschisch».
Rare. Préparation de haschisch.

DAYA [daja] n. f. — 1849; mot arabe *day'a*.
Géogr. Légère dépression de terrain où séjournent temporairement les eaux de pluie.

DAZIBAO [da(d)zibao; datzəbao] n. m. — V. 1970; mot chinois.
Polit. Journal mural, souvent manuscrit, affiché dans les lieux publics, et qui exprime parfois des opinions individuelles. *«L'usage des dazibaos, qui a nourri tant de rêves chez les maoïstes européens (...) est en fait sévèrement réglementé»* (*l'Express*, 23-29 janv. 1978, p. 100). — REM. On trouve aussi le plur. *des dazibao* (*le Monde*, 14 févr. 1976).

1. dB [debe] Symbole du *décibel**. — *dB A*, décibel A; *dB B*, décibel B, etc.

2. D. B. [debe] n. f. Sigle de *division blindée*. *La 2ᵉ D. B.*

D. B. O. [debeo] n. f. — 1962; abrév. de *demande biochimique en oxygène*.
Quantité d'oxygène nécessaire à la biodégradation des matières organiques contenues dans une eau. → aussi **D.C.O.** — *D. B. O. 3* : mesure effectuée en trois jours. *«(Ou bien) la quantité d'oxygène du cours d'eau est supérieure à celle de la D. B. O. totale de l'effluent; ou bien elle lui est inférieure»* (Maurice Beau, *le Lait et l'Industrie laitière*, p. 72, 1962).

1. d. c. ou **D. C.** Abrév. de *da capo*.

2. DC [dese] (suivi d'un chiffre) n. m. 1950; sigle américain de la *Douglas Company*. Élément de noms d'avions de ligne Douglas. *Un DC-8.*
Le plafond avait des grâces ridicules de pachyderme, posant avec légèreté sa masse verdâtre sur les quatre murs, tout à fait comme un DC-8 en train de décoller.
J.-M. G. LE CLÉZIO, la Fièvre, p. 68.

D. C. A. [desea] n. f. — 1918 (pour *défense contre aéronefs*); abrév. de *défense contre avions*.
Défense antiaérienne. → **Antiaérien** (cit.). *La D. C. A. Canon de D. C. A. Batterie de D. C. A.* — Artillerie utilisée à cet effet. *Une D. C. A. efficace, moderne.*

1 L'instant d'après, la D. C. A. se déchaîna. Elle tirait de partout, des torpilleurs, des cargos, de la plage, du toit des maisons. Le vacarme était assourdissant.
Robert MERLE, Week-end à Zuydcoote, p. 86.

2 Gilles, après notre arrivée, nous raconta comment son copain Rougioux et lui étaient déguisés en Allemands, grâce aux imperméables verts réservés aux cyclistes et à deux casques plats de char ou de D. C. A. L'histoire était combinée avec un *passeur*.
Jacques LAURENT, les Bêtises, p. 85.

D. C. O. [deseo] n. f. — V. 1972; abrév. de *demande chimique en oxygène*.
Chim., techn. Quantité d'oxygène absorbable par les matières oxydables présentes dans une eau. → aussi **D. B. O.**

D. D. T. [dedete] n. m. invar. — V. 1945; abrév. de *DichloroDiphénylTrichloréthane*.
Cour. Insecticide organique, appelé aussi *gésarol*, utilisé en prophylaxie, toxique pour l'homme (→ **Clofénotane**). *Le D. D. T. a été utilisé pendant la Seconde Guerre mondiale par l'armée américaine contre la malaria et la fièvre pourprée.*

1 (...) l'emploi de produits toxiques en agriculture, pour combattre les parasites, se retourne contre l'homme. L'exemple le plus connu est celui du D. D. T. qui s'accumule peu à peu dans le corps humain.
A. SAUVY, Croissance zéro?, p. 10.

2 Pour moi, profondément ébranlé par cette querelle d'officiers supérieurs sur les frontières de mon retour (...) je me laissai empaqueter vers l'avenir, chatouiller sous les bras, saupoudrer de D. D. T., et c'est couvert de talc, comme un nouveau-né pour l'entrée dans la vie, que je rejoignis Sophie qui m'avait attendu.
A. BLONDIN, les Enfants du bon Dieu, p. 37.

1. DE [də] prép. — 842, *Serments de Strasbourg*; du lat. class. *de* qui s'est substitué en bas lat. à l'emploi du génitif.
Mot invariable qui sert à établir des rapports variés entre deux mots ou groupes de mots.
REM. 1. *De* s'élide en *d'* devant une voyelle ou une *h* muette, se contracte en *du* avec l'article *le*, et en *des* avec l'article *les*. → **Des, du.**
2. Phonét. Le [ə] tombe parfois dans des expressions très courantes, ou par l'effet d'une prononciation relâchée : *«(...) le petit peuple de Montmartre avec ses marchands d'chiffons, ses "v'là d'la carotte!" et ses artistes (...)»* (*l'Express*, 14 févr. 1981, p. 35).

Ⅰ (Préposition à sens analysable). **A** Après un verbe (ou dans une proposition elliptique), un adjectif ou un nom. — REM. Dans ce cas, l'idée analysable (provenance, origine) est très affaiblie et *de* est interprété comme une marque syntaxique, voir ci-dessous. — Marque l'origine concrète ou abstraite (parfois opposé à «à», à «en»). ♦ **1** (Lieu, provenance). Après un verbe. *Venir de l'école. Sortir de chez soi. Aller de Bruxelles à Marseille, de France en Angleterre. D'où êtes-vous? De Normandie, du Québec, du Havre. Chasser l'ennemi du pays. Rayez cela de vos papiers. Ôtez cela de ma vue. Ôter, tirer qqch. d'un lieu.* — (Après un nom). *Le train de Paris, l'avion de Montréal*, qui vient de... (opposé à : *pour...*). — *Porcelaine de Chine* (→ ci-dessous, B., 1.).

1 Prends ton luth dorien du clou où il est attaché.
RACINE, Remarque sur Pindare.

2 Tu te dis de cette maison?
MOLIÈRE, Amphitryon, I, 2.

3 (...) je l'attends de Limoges, et il devrait être arrivé.
MOLIÈRE, M. de Pourceaugnac, II, 2.

4 Un homme de la ville est pour une femme de province ce qu'est pour une femme de ville un homme de la cour.
LA BRUYÈRE, les Caractères, III, 30.

4.1 Je m'en irai moi-même de vous, de tout, dans quelques jours.
M. JOUHANDEAU, la Jeunesse de Théophile, p. 233.

5 Des toits, des porches, des fenêtres, les insurgés tiraient.
MALRAUX, la Condition humaine, II, p. 239.

6 On trouve *de* = *vers* : *route* **de** *Paris* (Cf. *route d'Amiens* à *Paris*). De sorte que le train **d'Italie**, c'est bien *le train qui se dirige* **vers l'Italie** que *celui qui provient* **de ce pays.**
F. BRUNOT, la Pensée et la Langue, III, XI, sect. B, III, p. 434.

Loc. *De bouche à oreille*. Se parler d'homme à homme*.* (Comparer : *De vous à moi*; → moi, cit. 38).
(Abstrait). *Savoir qqch. de source sûre. Sentiment qui vient du fond du cœur. Se tirer d'embarras, d'affaire.* — *D'où...; de là... Il est maladif, de là sa paresse. De là à l'épouser, il y a un pas.*

7 Il veut de pure source obtenir vos ardeurs,
Et ne veut rien tenir des nœuds de l'hymenée (...)
MOLIÈRE, Amphitryon, I, 3.

8 On me veut arracher de la beauté que j'aime.
MOLIÈRE, l'École des femmes, v, 6.

9 Pas un être humain sur cent ne connaît ses vrais projets, ses réels désirs : d'où tant de vaines poursuites vers des objets décevants.
Marcel PRÉVOST, Lettres à Françoise mariée, p. 233.

Spécialt. Particule nobiliaire qui relie le nom de famille (à l'origine, nom du lieu d'où viennent le titre et la personne) au titre, à l'appellation ou au prénom. *Pierre de Ronsard. Joachim du Bellay. Jean de La Fontaine. Monsieur de Pourceaugnac. Le duc de Talleyrand. Le maréchal d'Estrées.*

REM. Avec un nom de famille seul, on ne garde pas la particule (*La Fontaine, Ronsard*) excepté devant une voyelle (*d'Aubigné*), un h muet (*d'Harcourt*) ou un nom d'une syllabe (*de Thou, de Gaulle*) ou encore lorsque celle-ci est contractée en *du, des* (*Du Bellay, Des Périers*).

10 Analogie du mot de Maistre sur la conscience d'un honnête homme !
VALÉRY, M. Teste,
Extraits du log-book de M. Teste, p. 60.

11 Maistre justifie sans doute l'ordre établi.
CAMUS, l'Homme révolté, III, p. 238.

12 Un portrait de de Gaulle.
A. ARNOUX, les Crimes innocents, p. 211.

13 Dans le livre intéressant que M. François Fosca vient de consacrer aux frères de Goncourt.
CLAUDEL, L'œil écoute, *in* Œuvres en prose.

N. Fam. *Un, une de, les de :* un, une, les nobles.

13.1 (...) c'était pour la nièce du lieutenant-colonel, petite bourgeoise qui aimait le naturel de Borodino quoiqu'elle déclarât «ne pas aimer les de» et qui disait «celui-là n'en est pas un», comme disent d'un ami juif certains antisémites, que Borodino faisait sortir par son valet de chambre l'argenterie donnée à sa mère par l'Impératrice (...)
PROUST, Jean Santeuil, Pl., p. 547.

♦ **2** (Temps). **À partir de** (tel moment). *Appointements versés à compter du mois de mars. Du 1ᵉʳ janvier au 31 décembre. De ce moment nous ne le vîmes plus. L'an II de la Révolution.* → **Partir** (à partir de).

14 *(Rome)* Du règne de Néron compte sa liberté.
RACINE, Britannicus, I, 2.

15 (...) ce n'est que d'aujourd'hui qu'elle s'est résolue à l'accepter.
MOLIÈRE, le Bourgeois gentilhomme, III, 6.

16 Un cœur ne commence à vivre
Que du jour qu'il sait aimer.
MOLIÈRE, la Princesse d'Élide, Intermède, VI.

(Marquant la provenance temporelle). *Être du mois de mars. Se lever de bon matin. Coutume des temps anciens.*

(Durée). → **Cours** (au cours de), **pendant.** *Ne rien faire de la journée. Travailler de nuit. Nous ne l'avons vu de six mois. De tout temps. De mon temps :* pendant ma jeunesse. *De nos jours. Du temps de... On ne le verra plus de longtemps. Il n'a rien fait de sa vie,* pendant toute sa vie (peut aussi vouloir dire : « il n'a pas su utiliser sa vie»).

17 De deux mille ans et plus, je ne tremblai si fort.
CORNEILLE, l'Illusion comique.

18 Je ne crois pas voir M. Arnaud de longtemps.
RACINE, Lettres.

19 (...) je ne vous la pardonnerai *(cette offense)* de ma vie.
MOLIÈRE, le Misanthrope, v, 4.

♦ **3** (Origine figurée). **À cause de.** *Être puni de ses fautes.* → **Pour.** *Mourir de faim, de froid.* → **Par.** — (Après un adj.). *Blanc de peur; heureux de voyager.*

20 (...) je le veux quereller de cette action;
MOLIÈRE, la Comtesse d'Escarbagnas, 2.

21 Je vous vois tout pensif, Seigneur, de ses dédains (...)
MOLIÈRE, la Princesse d'Élide, I, 4.

22 J'en dois rougir de honte et de confusion.
MOLIÈRE, le Dépit amoureux, III, 4.

23 Sois béni, juste Ciel, de mon sort adouci.
MOLIÈRE, l'Étourdi, IV, 2.

(...) je me sens un étrange dépit 24
Du tort que l'on nous fait du côté de l'esprit (...)
MOLIÈRE, les Femmes savantes, III, 2.

Amenant une proposition. **ⓐ** Suivi de l'indicatif ou du subjonctif. *Nous sommes contrariés de ce qu'il fait mauvais temps, de ce qu'il fasse mauvais temps.*

N'êtes-vous pas fâché (...) de ce que je vous aie quitté si 25
brusquement ? CHAMPFLEURY, Contes, 236.

Ellénore (...) éprouva quelque joie de ce que je paraissais 26
plus tranquille. B. CONSTANT, Adolphe, IX, 81.

ⓑ Suivi de l'infinitif (équivalant à une proposition ou à un gérondif). *Nous sommes contrariés de sortir par ce temps. Il perd son temps de s'occuper d'elle* (en s'occupant).

Je mérite la mort de mériter sa haine (...) 27
CORNEILLE, le Cid, III, 1.

(...) je pleure de songer où nous verrions Monsieur le che- 28
valier, s'il avait été son chemin (...)
Mᵐᵉ DE SÉVIGNÉ, 1270, mars 1690.

(Moyen, instrument). → **Avec.** *Être armé d'un bâton. Frapper un âne d'un bâton. Coup de bâton.* — *Mouvement des jambes. Se couvrir d'un manteau. User de ruse.* — *Faire signe à qqn d'un clin d'œil, d'un geste.*

Il faisait le moulinet autour de soi avec une houssine (...) 29
et il s'en escrimait comme d'un bâton (...)
Charles SOREL,
Vraye histoire comique de Francion, XII.

Je vis de bonne soupe, et non de beau langage. 30
MOLIÈRE, les Femmes savantes, II, 7.

(...) de ce couteau que voici je me tuerai sur la place. 31
MOLIÈRE, George Dandin, III, 6.

(...) tandis que de ses mains osseuses elle égratigne son 32
chapelet.
A. DE MUSSET, On ne badine pas avec l'amour, I, 1.

Loc. fig. *Vivre d'amour* * et d'eau fraîche.

♦ **4** (Manière). *Citer de mémoire. Agir de concert. Accepter de grand cœur.* — **Loc.** *De l'avis de tous.* → **Selon, suivant.** *De l'avis de qqn. De vrai* (vx) : véritablement.

Le Ciel défend, de vrai, certains contentements (...) 33
MOLIÈRE, Tartuffe, IV, 5.

D'une fureur pareille ils courent à l'autel ! 34
CORNEILLE, Polyeucte, III, 3.

(...) je m'en vais la traiter du mieux qu'il me sera possible. 35
MOLIÈRE, le Sicilien, 17.

Ah ! j'y consens de tout mon cœur. 36
MOLIÈRE, le Médecin malgré lui, I, 2.

REM. Pour les expressions du type *Ce ciel est d'un bleu !*
→ *infra,* II., 3. (attribut).

♦ **5** (Mesure). **ⓐ** **DE... EN, DE... À...** Marque l'intervalle, la périodicité. (Avec un compl. répété). *Compter de dix en dix. Venir de temps en temps.* — *Il doit arriver du jour au lendemain. Changer d'avis d'une minute à l'autre. D'ici à ce qu'il arrive, nous avons le temps. De vous à moi* *.

(...) il y a grande différence de vous à nous (...) 37
MOLIÈRE, George Dandin, I, 4.

ⓑ (Introduisant une évaluation, une mesure). *Avancer d'un pas. Retarder de cinq minutes. Dépasser de cent coudées.* — (Reliant deux noms). *Un salaire de quinze mille francs. Bijou d'un sou. Pain de cent grammes. Bouteille d'un litre. Enfant de cinq ans.*

Il appela le garçon, paya avec un billet de cent dollars. 38
MALRAUX, la Condition humaine, I, p. 185.

Le prix est le plus souvent marqué par un complément 39
introduit à l'aide des prépositions **de** et à : *un canif* **de**
treize sous (...)
F. BRUNOT, la Pensée et la Langue, IV, XVI, v,
p. 665.

C (Dans une approximation large). DE... À... *Elle pouvait avoir de quarante à quarante-cinq ans. Il mesure de 1 m 65 à 1 m 70.* → **Entre.** — REM. Dans une approximation plus restreinte on dira : *Elle pouvait avoir quarante ou quarante et un ans.* → **Environ.**

♦ **6** (Introduisant un n. de personne). Agent, auteur (à la voix passive). *Être aimé de sa femme. Se faire détester ou respecter de tout le monde.* → **Par.**

40 C'est un méchant moyen de se faire aimer de quelqu'un que de lui faire violence.
MOLIÈRE, le Malade imaginaire, II, 6.

41 Un mérite attaqué de beaucoup d'ennemis (...)
MOLIÈRE, les Femmes savantes, IV, 4.

42 (...) je suis salué des gens que je rencontre (...)
MOLIÈRE, Dom Juan, III, 1.

Chose comprise, connue, entendue, sue, vue de qqn. Aspect ignoré de tous. Elle est aujourd'hui oubliée de tous. — Être entouré de bons amis. Commissaire accompagné d'agents. — (Choses). *Livres accompagnés de disques.*

B (Reliant un nom, un pronom ou un adj. à un nom, et marquant des relations d'origine — comme en A., mais avec une valeur très atténuée —, d'appartenance ou de détermination). — REM. Dans ces emplois, *de* a une valeur moins analysable qu'en A., et sa fonction syntaxique prime, comme en II., ci-dessous. ♦ **1** (Origine ; introduisant un nom de personne). *Le système de ce philosophe, de Kant. La méthode de X...* (souvent remplacé par l'apposition : *la méthode X...*). *Les œuvres de Valéry. Œuvres romanesques de Giono* (→ aussi **Par**).

(Dans un nom de famille). *Monsieur de l'Ile.* — REM. Dans cet emploi, *de* marque étymologiquement la provenance locale. → ci-dessus, *infra* cit. 9.

(Noms de choses). *Porcelaine de Chine,* venant de Chine, originaire de Chine. → ci-dessus, I., 1. (Dans un syntagme lexicalisé, un nom composé). *Pomme de terre.*

♦ **2** (Appartenance, dépendance). *Le fils de Pierre,* son fils (cf. pop : *le fils à Pierre*). → **À.** *La veuve de Pierre. La famille de notre ami. Le représentant d'un tel. Les défenseurs d'une communauté.*

43 (...) un gentilhomme qui est créature de Monsieur le Maréchal.
CORNEILLE, Lettres.

44 Elle me paraissait plutôt quelque fille de pauvres gens (...)
MAUPASSANT, les Sœurs Rondoli, Pl., t. II, p. 155.

(Chose appartenant à qqn). *Les livres, la voiture de Pierre. Le style de Flaubert. Les réactions de la foule.* — (Chose d'une chose). *Le cadre d'un tableau. Les lois d'un pays. L'esprit de clan.*

45 Il lira seulement l'histoire de ma vie.
CORNEILLE, le Cid, I, 3.

46 Ils firent quelques pas sur le sable du jardin.
MALRAUX, la Condition humaine, I, p. 185.

♦ **3** (Qualité, détermination). *La couleur du ciel. La longueur d'une rue. Le prix d'une maison. La valeur d'une idée. La bonté de Pierre. L'amour de Pierre,* qu'il ressent pour qqn (peut vouloir dire : l'amour qu'on ressent pour lui ; → ci-dessous, II, 1.).

47 (...) l'admiration de tant d'hommes parfaits (...) N'est pas grande vertu si l'on ne les imite (...)
CORNEILLE, Nicomède, III, 3.

48 Dans le monde on n'entend que plaintes de l'Amour ; On m'impute partout mille fautes commises (...)
MOLIÈRE, Psyché, Prologue.

(Matière). *Des gants de cuir. Du pâté de foie. Banc de marbre. Un sac de papier,* fait en papier (peut vouloir dire : contenant du papier). → **En.** *Cours d'eau. Nuage de poussière. Tas de sable.* — Fig. *Cœur de pierre. Cheveux d'or.* (Introduit par le verbe *être*). *Ces gants sont de cuir, et non de matière plastique.* → **En.** — Fig. *On n'est pas de bois*.*

Que d'une serge honnête elle ait son vêtement (...)   49
MOLIÈRE, l'École des maris, I, 2.

Une cheminée haute dont les jambages étaient de bois   50
grossièrement cannelé (...)
LAMARTINE, Raphaël, 14.

C'est ainsi que *de,* qui marque l'origine, et *en* finissent par   51
se rejoindre dans les compléments de matière : *une toiture de zinc, une toiture en zinc ;* qu'on dit **pendre à** *un gibet* et **dépendre d'**une volonté étrangère.
F. BRUNOT, la Pensée et la Langue, III, XI, sect. A, III, p. 415 (note).

(Dans un nom composé, où *de* a perdu sa valeur sémantique). *Chemin de fer.*

(Genre, espèce). *Objet de luxe. Un couteau de cuisine. Une robe de bal.*

(De l'hébreu par la Bible : *«Dieu de majesté».* Le déterminant peut toujours être remplacé par l'adjectif correspondant). *Regard de pitié. Paroles de haine,* haineuses. — Littér. *Un ciel de douceur. «La fée au chapeau de clarté»* (Mallarmé).

Il eût fallu à Madame Fenigan un cœur de pitié ou de   52
pardon.
Alphonse DAUDET, la Petite Paroisse, p. 198, *in* GREVISSE.

Jean-Paul évoqua, dans un visage creux, des yeux d'ardeur   53
et de passion.
F. MAURIAC, l'Enfant chargé de chaînes, IV, *in* GREVISSE.

On n'apercevait, par intervalles, qu'une bête rampante ou   54
quelque hulotte sur ses ailes de silence.
ROSNY aîné, la Guerre du feu, III, 20, *in* BRUNOT.

(Contenu). *Un verre d'eau. Une cuillerée de soupe. Paquet de cigarettes.*

(Après un collectif). *Assemblée d'hommes. Troupeau de moutons. Collection de timbres. Recueil de poèmes.*

Il assiste chaque jour à quelques assemblées de créan-   55
ciers (...)
LA BRUYÈRE, les Caractères, XI, 125.

(...) les peuples, en tant qu'ils ne sont que des collections   56
d'individus (...)
PROUST, À la recherche du temps perdu, t. X, p. 236.

Fig. *Lettre d'injures.*

(Contenant). *De* et déterminant (article, etc.). **a** (Exprimant l'idée de totalité d'un ensemble). *Les hommes de l'assemblée. Les membres d'un jury. Les moutons d'un troupeau. Les chapitres du livre, de ce livre, de son livre.* Par ext. *L'eau du verre. Toutes les cigarettes du paquet sont fumées.*

Il fallait voir comme son souffle orageux faisait mou-   57
tonner toutes les têtes de l'assemblée !
HUGO, Littérature et Philosophie mêlées, p. 107.

b (Exprimant l'idée de partie d'un ensemble). *La moitié d'une somme. La plupart des hommes. Un de nous, plusieurs d'entre nous. Des deux choisissez. C'est le seul de ses amis qui lui soit fidèle. De tout ce qu'il a entrepris rien n'a réussi.* → **Entre, parmi.** *Être de... :* faire partie de... *Il est de mes amis.* — *Un des...* plus* (et adj.). *C'est un des hommes les plus efficaces,* et, ellipt., *c'est un des plus efficaces ; il est des plus efficaces.*

Sganarelle, *en robe de médecin, avec un chapeau des plus*   58
pointus.
MOLIÈRE, le Médecin malgré lui, Jeu de scène, II, 2.

(...) l'on nous assembla un jour, trois de nous autres, avec   59
un médecin de dehors, pour une consultation (...)
MOLIÈRE, l'Amour médecin, II, 3.

Nous t'avons élu pour nous dire qui a raison, de ma fille   60
ou de moi.
MOLIÈRE, l'Avare, I, 5.

Léandre est de la troupe, et votre père aussi (...)   61
MOLIÈRE, l'Étourdi, V, 9.

Les choses nombrables partageables se divisent en parties   62
égales ou inégales. Le total à partager se construit avec *de :* **de tous,** *j'en ai élevé deux* ; **de toutes les misères** parisiennes, *les plus difficiles à découvrir (...) sont celles des*

gens honnêtes (BALZAC, Env. hist. cont., 135); **de tout** *ce qu'il m'a fallu sacrifier,* **de tant d'ambitions** *foudroyées, ce que je pleure, c'est vous* (DAUDET, Pet. par., 23). Le développement de ce complément est très grand. On dit par analogie : **de lui** *ou* **de sa femme,** *on ne sait qui mourra le premier.*

F. BRUNOT, la Pensée et la Langue, I, IV, x, p. 129.

Vx (après un verbe). Un, quelques-uns parmi...

62.1 Voici la cinquantième que je fais cette École : j'y ai vu vos Pères, et même de vos Grands-pères;
RESTIF DE LA BRETONNE, la Vie de mon Père, p. 44.

Spécialt., dans la construction du superlatif relatif : *Le plus travailleur des deux. La meilleure de toutes. Le moins bon de l'année.*

63 L'astronomie, cette micrographie d'en haut, est la plus magnifique des sciences (...)
HUGO, Post-scriptum de ma vie, p. 70.

64 De toutes les écoles que j'ai fréquentées, c'est l'école buissonnière qui m'a paru la meilleure (...)
FRANCE, le Petit Pierre, VIII, p. 38.

De, entre deux noms répétés (le plus souvent le second au pluriel), pour souligner la perfection, l'excellence. *C'est l'as des as. Le saint des saints. Le Cantique des cantiques. Voilà le fin du fin.* → **Entre, parmi.** — REM. Lorsque ce tour est imité de la Bible *(le Cantique des cantiques, le Roi des Rois)* il adopte un tour syntaxique hébreu qui correspond à un intensif («le Cantique (chant), le roi... suprême»).

65 (...) Aristote, le philosophe des philosophes (...)
MOLIÈRE, le Mariage forcé, 4, note.

♦ **4** (Après un adj.). Limitation. *Être rouge de figure :* avoir seulement la figure rouge. *Large d'épaules. Être dur d'oreille. Être simple d'esprit. Souffrir de l'estomac.*

66 (...) un homme noir, et d'habit et de mine (...)
MOLIÈRE, le Misanthrope, IV, 4.

67 (...) Caritidès, Français de nation, Grec de profession (...)
MOLIÈRE, les Fâcheux, III, 2.

68 (...) quelqu'un même des laquais cria tout haut qu'elles étaient plus chastes des oreilles que de tout le reste du corps.
MOLIÈRE, Critique de l'École des femmes, 3.

69 Quand la caractérisation ne peut pas être appliquée dans toute son extension, qu'elle ne convient pas absolument et de tous points de vue, on indique dans quelle mesure, sous quel rapport elle convient : *Belle* est général, *belle* **de taille** indique que la qualité ne porte que sur une partie de la personne considérée (...) Cette construction est fort ancienne. Le *de* qui figure est le *de* héréditaire, au sens de *quant à...* — Cf. *une tapisserie passée* **de ton** ; — *une aiguière jolie* **de forme.**
F. BRUNOT, la Pensée et la Langue, IV, XVII, A, I, p. 677.

▣ (La fonction grammaticale primant le sens; après un verbe, un adjectif ou un nom). ♦ **1** Pour introduire l'objet d'une action, la destination.

Après les verbes transitifs indirects. *Se souvenir de qqn. Douter de la vérité. Il s'agit de vous. Parler de tout.* — REM. Ne pas confondre cette construction avec : *lire de tout, manger de tout* où *de* est article partitif.

70 Il semblait toutefois parler d'affection.
CORNEILLE, la Suivante, III, 6.

71 Il s'agit de Pompée (...) CORNEILLE, Pompée, I, 1.

72 *(Les dames)* Se plaignent justement des larcins de vos yeux (...) MOLIÈRE, l'Étourdi, V, 8.

73 Ajax s'était vanté d'échapper de la mer.
RACINE, Remarque sur l'Odyssée.

Après les verbes transitifs employés indirectement. *Penser du mal de qqn.* → **Propos** (à propos de), **sujet** (au sujet de). *Chapitre qui traite de la mode,* et, ellipt., (dans des titres d'ouvrages, de parties d'ouvrage) *De la mode* (La Bruyère); *De l'Allemagne,* ouvrage de Mᵐᵉ de Staël; *De l'Amour,* ouvrage de Stendhal.

74 Un autre auteur (...) trouverait d'abord cent belles choses à dire de Votre Altesse Royale (...)
MOLIÈRE, Épître à Madeleine.

On vous aura forgé cent sots contes de lui. 75
MOLIÈRE, Tartuffe, V, 3.

Introduisant le complément de nom. *La taille des arbres. La pensée de la mort. L'amour des arts. Soif de célébrité. Abus de confiance. Le Système des beaux-arts,* essai d'Alain. *Le Système de la mode,* ouvrage de R. Barthes. *Vendeur de journaux. Allumeur* (cit. 3) *de réverbères.*

La crainte de Yahweh (l'Éternel) est le commencement de 76 la sagesse, BIBLE (CRAMPON), Proverbes, I, 7.

Si l'amour des grandeurs, la soif de commander (...) 77
RACINE, Athalie, III, 3.

Le bombardement des villes est exclu par le gouvernement 78 espagnol. MALRAUX, l'Espoir, p. 478.

Après un adjectif. *Être avide de richesses. Être incapable de quoi que ce soit. Amoureux de la première venue.*

(...) d'un tel sonnet peu de gens sont capables (...) 79
Je soutiens qu'on ne peut en faire de meilleur (...)
MOLIÈRE, les Femmes savantes, III, 3.

J'estimais fort l'éloquence et j'étais amoureux de la 80 poésie (...) DESCARTES, Discours de la méthode, I.

Après un adverbe, introduisant le complément. — (Manière). *Indépendamment de...* — (Quantité). *Beaucoup de, peu de, trop de...* — REM. Comparer : *beaucoup de mal, de chance, de gens* et *bien du mal, de la chance, des gens.* → 2. **De.**

♦ **2** (En apposition, après le nom). *La ville de Paris. Ce maladroit d'Un Tel* (ou *de Un Tel*). *Ce cochon de Morin,* conte de Maupassant. *Cet amour d'enfant. Le mot de liberté* (ou : *le mot liberté*).

Ah! si mon fou de frère en pouvait faire autant. 81
CORNEILLE, Mélite, III, 5.

Notre grand flandrin de Vicomte (...) 82
MOLIÈRE, le Misanthrope, V, 4.

(Notre mère) Que du nom de savante on honore en tous 83 lieux (...) MOLIÈRE, les Femmes savantes, I, 1.

Ah! le chien de temps, il gèle à pierre fendre (...) 84
A. JARRY, Ubu Roi, IV, 5.

(...) visiter désespérément cette saleté de banlieue dans 84.1 cette putain de voiture.
Geneviève DORMANN, la Fanfaronne, p. 46.

♦ **3** (En attribut avec les v. *traiter, qualifier*). *Il qualifie ce journal de tendancieux. Traiter qqn de menteur.*

Hélas! ne traitez point ceci de raillerie (...) 85
MOLIÈRE, le Dépit amoureux, IV, 1.

(...) on s'en vient de hauteur 86
Me traiter de faquin (...) MOLIÈRE, l'Étourdi, I, 8.

Fam. *Comme* de juste, comme de vrai, comme de bien entendu* (comme il est juste, vrai, bien entendu).

(Emphatique). *Le ciel est d'un bleu! Il est d'une force, d'une audace extraordinaire.*

La tente-abri était d'un lourd! 87
Alphonse DAUDET, Tartarin de Tarascon, «Chez les Teurs», VII.

Ce petit tableau que Louise a découvert, la robe est d'un 88 réussi! ZOLA, Mᵐᵉ Neigeon, 68.

Il but une partie de sa citronnade; il trouvait ça d'un mau- 88.1 vais. R. QUENEAU, Pierrot mon ami, p. 168.

(Vieilli ou régional). *Être de, que de :* être à la place de. *Si j'étais de vous... Si j'étais que de vous...*

(...) si j'étais que des médecins, je me vengerais de son 89 impertinence (...)
MOLIÈRE, le Malade imaginaire, III, 3.

Si j'étais de Philippe, je montrerais moins de patience. 90
Francis AMBRIÈRE, la Gal. dram., p. 199.

♦ **4** (Devant un infinitif) — Devant un infinitif sujet. *Il est ennuyeux de rester chez soi; mais c'est folie de partir* (cf. vx. *C'est folie que partir*); *c'est folie de partir. C'est à nous d'y aller* (ou *c'est à nous à y aller*). *Sa joie, c'est de danser.*

91 Je remets à ton choix de parler ou te taire (...)
CORNEILLE, le Menteur, I, 6.

92 Votre dessein est-il d'aller du côté de la ville?
MOLIÈRE, Dom Juan, III, 3.

93 On hésite souvent entre la construction directe et l'indirecte : *il fait bon vivre* et : *il fait bon de vivre* (...)
F. BRUNOT, la Pensée et la Langue, II, IX, XVIII,
p. 347.

93.1 Mais en politique, avoir raison, c'est empêcher le mal. Ce
n'est pas de voir clair.
F. MAURIAC, le Nouveau Bloc-notes 1958-1960,
p. 30.

Devant un infinitif compl. d'objet d'un verbe trans. *Cessez
de parler. Nous vous prions de revenir. Il craint
d'échouer dans cette entreprise. J'aime mieux agir
ainsi que d'agir selon vos conseils* (ou *qu'agir selon
vos conseils*).

94 Ne te tiens-tu pas fort de ma poltronnerie
Pour m'empêcher d'entrer chez nous?
MOLIÈRE, Amphitryon, I, 2.

95 Lopez proposait d'emporter les bustes à Madrid (...)
MALRAUX, l'Espoir, p. 644.

96 Plutôt mourir que d'y renoncer.
M. AYMÉ, les Contes du chat perché, p. 46.

Devant un infinitif à valeur active (de narration). *Et les
enfants de sauter et de crier* (se mirent à sauter et à
crier). *Et lui de répondre...* (Ces tournures commencent
généralement par *et*).

97 Et grenouilles de se plaindre;
Et Jupin de leur dire (...)
LA FONTAINE, Fables, III, 4.

98 Et l'ivrogne de se diriger vers la porte et de sortir.
MALRAUX, l'Espoir, p. 650.

◆ **5** (Devant un participe passé, un adjectif ou un
adverbe).

99 Selon A. BLINKENBERG (*Le probl. de l'accord en fr. mod.*,
p. 116), le *de* dans *cent hommes de tués*, a eu, à l'origine, une valeur partitive (donc : *un homme de TUÉS*, suivant le sens primitif); puis le dernier terme étant regardé
comme le prédicat de *homme(s)*, s'est accordé avec lui : *cent
hommes de TUÉS, un homme de TUÉ*, et le *de* est devenu
un simple indice de la valeur prédicative du terme qu'il
introduit.   GREVISSE, le Bon Usage, p. 779, note.

a (Emploi facultatif). *Nous avons trois jours de libres*
(ou *trois jours libres*). *Voici une lettre de terminée*
(ou : *une lettre terminée*). *Encore un carreau de
cassé* (ou : *un carreau cassé*).

100 (...) il y a déjà deux mailles de rompues.
MOLIÈRE, le Bourgeois gentilhomme, II, 5.

101 Il y avait eu six mille barbares de tués.
FLAUBERT, Salammbô, p. 246.

Fam. *Et de deux, et de trois...*

b (Emplois obligatoires). — Avec *en. En voici une de
terminée. Il y en a deux de cassés.*

Avec *ne... que. Il n'y a de beau que le vrai. Cette pièce
n'a de comique que la situation des personnages.*

Devant un adverbe. *Cinq minutes de plus.*

Après un pronom indéfini. *Quoi de neuf? Rien de nouveau. Ils ont cela de bien.*

102 (...) ils ont cela de mauvais, qu'ils s'émancipent un peu
trop (...)   MOLIÈRE, le Sicilien, 13.

103 La médecine n'a de certain que les espoirs trompeurs
qu'elle nous donne.
J. RENARD, Journal, 15 févr. 1901.

104 Il n'y a de divin que la pitié.
Léon BLOY, le Désespéré, p. 28.

◆ **6** Fam. (Devant un nom). — REM. Cet usage, souvent
considéré comme incorrect, est propre au langage parlé
qui, en brisant la ligne mélodique habituelle, insiste sur le
propos mis (syntaxiquement et psychologiquement) en
avant.

Après un pronom. (Possessif). *C'est le mien, de bouquin* : c'est mon bouquin. — (Démonstratif). *Elle a
choisi celle-ci, de robe* : cette robe est celle qu'elle a
choisie. — En corrélation avec *en. Il en a retenu une,
de candidature;* (avec plur.) *il en a retenu plusieurs,
de candidatures.* (→ ci-dessous, cit. 106; et aussi *un*,
cit. 19 et *supra*).

105 (...) nous cherchions la nôtre d'affiche, l'affiche qui devait
annoncer à Paris la publication d'EN 18 (...)
Ed. et J. DE GONCOURT, Journal, 2 déc. 1851.

105.1 (...) ma montre elle marche plus (...) t'en avais une de
montre toi?
Tony DUVERT, Paysage de fantaisie, p. 67.

Après un adjectif en emploi nominal : *... sa dernière, de
chemise.... pas la plus moche, de fille.*

106 Il admire l'œuvre d'art en détail tout en pensant qu'il
faudra bientôt en refaire une autre, d'œuvre d'art, pour
la prochaine, de guerre, car fallait pas compter y couper,
à une prochaine autre.
R. QUENEAU, le Dimanche de la vie, p. 83.

CONTR. À. ◊ DÉR. Davantage, deçà, dedans, dehors, delà,
depuis, dessous, dessus, devers, dorénavant... — V. 2. De,
des et du.

2. **DE** [də], **DU** [dy] (pour *de le*), **DE LA** [dəla],
DES [de] (pour *de les*) art. dit «partitif». XIIIᵉ; de la
prép. *de* associée, dans certains cas, à l'article défini.
REM. Phonét. : Voir ci-dessus, 1. De. Article précédant
les noms de choses qu'on ne peut compter.

◆ **1** Devant un nom concret. *Manger du pain. Manger
des épinards. Fumer du tabac blond. Consommer
de la bière. Filer de la laine. Couper du bois.*

Buvant de l'eau dans un vieux pot à bière (...)   1
VOLTAIRE, le Pauvre Diable.

REM. Ne pas confondre : *manger des épinards et manger
des gâteaux* (art. indéfini. → Des, III.). — Cependant, dans
l'expression *manger des gâteaux que j'ai apportés, des*
représente l'article partitif.

◆ **2** Devant un nom concret nombrable auquel on donne
la valeur d'une espèce. *Manger du lapin. Pêcher de la
sardine. Il y a de la fraise dans ce bois. On trouve
en lui du collégien.*

(...) dans tous les cœurs il est toujours de l'homme.   2
MOLIÈRE, le Misanthrope, V, 4.

Dans tout ancien professeur, il y a de l'apôtre.   3
Paul BOURGET, le Tribun, p. 32.

Fam. (devant des noms désignant des personnes réelles) :

(...) on n'avait pas une clientèle bien passionnante, du   3.1
boutiquier du quartier, de l'employé, du facteur, pas
grand'chose d'intéressant (...)
R. QUENEAU, Loin de Rueil, p. 217.

◆ **3** Devant un nom abstrait. *Éprouver de la répulsion.
Avoir du courage. Faire de la publicité. Faire de la
moto, du vélo. Jouer de la musique, et, par ext., jouer
du Rameau. C'est du Valéry. — Avoir bien de la
chance, bien des déceptions. — (Avec en; fam.) Il en
a, des remords. Tu en as du temps.*

Il n'y a là que de la musique écrite?   4
MOLIÈRE, le Malade imaginaire, II, 5.

Nul n'aura de l'esprit hors nous et nos amis (...)   5
MOLIÈRE, les Femmes savantes, III, 2.

(...) je (...) n'aurai de l'attachement que pour vous.   6
MOLIÈRE, George Dandin, III, 6.

REM. À la forme négative, l'article est omis et seule la préposition reste. *Ne pas manger de* (du) *pain. Ne pas
avoir de* (de la) *conscience. Elle n'a pas perdu de
temps. Vous n'avez pas d'excuses. Il n'a pas pris de
précautions.*

◆ **4** Vx. *De*, devant un adj., remplaçant *du, de la, des.
Manger de bonne soupe* (ne pas confondre avec *de*
venant de *des*, article indéfini. → Des). *Mod. Manger
de la bonne soupe.* Dans des expressions proverbiales

figées. *Faites-moi de bonne politique, je vous ferai de bonne finance.*

7 (...) il faut manger de bon gros bœuf, de bon gros porc, de bon fromage de Hollande (...)
MOLIÈRE, le Malade imaginaire, III, 10.

8 J'ai le plus grand plaisir, dit-il, à jouer de bonne musique.
G. DUHAMEL, la Musique consolatrice, p. 82.

9 (...) de la bonne encre et du bon papier (...)
GIDE, Journal, 4 juin 1949.

1. **DE-, DÉ-, DES-, DÉS-** Élément, du lat. *dis-* (ou *di-* devant certaines consonnes), indiquant l'éloignement, la négation, la privation, la séparation et entrant dans la formation de nombreux termes. Ex. : *débâillonner, déboisement, décolorer, dénuder, dépourvu, désapprobation, dératiser, désillusion, desserrer...*
REM. Ce préfixe très productif sert à former des mots éphémères (noms et verbes), d'un usage souvent individuel. Ex. : *déblanchir, débleuir, défanatiser, désembrumer, désidentifier* (1973, *in* D.D.L.). Dans un nom : *débretonnisation* (*le Nouvel Obs.*, 2 mars 1981, p. 46).

1 Elle pleure ; ses yeux ne débouffissent pas.
J. RENARD, Nos frères farouches, Ragotte, *in* Œ., t. II, Pl., p. 369.

2 (...) il semble bien qu'un commerçant déchaussé et déchaussetté penché sur ses arpions se met dans une situation inférieure vis-à-vis du client.
R. QUENEAU, le Dimanche de la vie, p. 159.

3 (...) décuitez-le (*dessoûlez-le*) en temps utile, à grands coups de torchon mouillé dans le nez, en lui faisant boire un verre d'Eno's ou de café au vitriol (...)
Boris VIAN, Vercoquin, p. 30-31.

4 Elle écrit : «D'abord des poèmes, pour "désocialiser" le sens des mots ; puis, avec ces mots, des nouvelles.»
S. DE BEAUVOIR, la Force de l'âge, p. 439.

5 (...) les cheveux désondulés, à la pointe desquels frissonnaient encore la raclure légère d'un drap, le duvet d'un oreiller (...)
O. MIRBEAU, le Journal d'une femme de chambre, p. 49.

6 Il se leva et dessiégea son épouse sans ménagements.
R. QUENEAU, Loin de Rueil, p. 102.

7 Pour répondre aux exigences de la situation, on cherche des idéologies nouvelles. On comprend qu'il n'est pas possible de vivre sur le fonds américain des années 1950 à 1960 ; désidéologisation, résolution de plus en plus harmonieuse des tensions, fin des classes.
Henri LEFEBVRE, la Vie quotidienne dans le monde moderne, p. 183.

2. **DE-, DÉ-, DES-, DÉS-** Élément, du lat. *de-*, qui a une valeur intensive (achèvement, renforcement de l'action) et entre principalement dans la formation de verbes. Ex. : *débagouler, découper, délaver,* etc.

1. **DÉ** [de] n. m. — Déb. XIIᵉ ; du lat. *datum* «pion de jeu», p. p. substantivé de *dare* «donner» et «placer, mettre, jeter».

♦ 1 Petit cube (os, ivoire, bois...) dont chaque face est marquée de un à six. *Dé à jouer. Jouer aux dés. Dé marqué sur une face seulement.* → Farinet. *Dé à douze faces.* → Cochonnet. *Dé en forme de toupie.* → Toton. *Dé pipé* ou *chargé, dé truqué* (pour qu'il tombe de préférence sur un côté déterminé). — Fig. *Les dés sont pipés :* il y a tricherie. — *Cornet* pour agiter et jeter les dés. Un beau coup de dés. Coup de dés où l'on amène les deux as* (→ Bezet), *les deux trois* (→ Terne), *les deux six* (→ Sonnez). *Coup où chacun des deux dés indique le même point.* → Rafle. *Coup de dés amenant trois faces semblables.* → Brelan.

1 M. de... fort adonné au jeu, perdit en un seul coup de dés son revenu d'une année ; c'était mille écus.
CHAMFORT, Caractères et Anecdotes, «Belle leçon à un joueur.»

Fogar, l'aîné de tous, placé derrière parmi les plus grands, portait dans ses bras un immense cube de bois, transformé en dé à jouer par un complet badigeonnage blanc semé de rondelles creuses peintes en noir. 1.1
Raymond ROUSSEL, Impressions d'Afrique, p. 17.

Par métonymie. *Les dés :* le jeu, les jeux de dés.
→ **Craps, jacquet, momon, passe-dix, poker** (poker dice, corrompu en poker d'as), **quatre-cent-vingt-et-un, trictrac, zanzibar.**

♦ 2 Fig. **COUP DE DÉS :** affaire qu'on laisse au hasard. *Jouer sa fortune sur un coup de dés,* la risquer dans une entreprise hasardeuse. *Un coup de dés jamais n'abolira le hasard,* poème de Mallarmé.

Non, non, celui qui a mis sa vie entière sur un coup de dé ne doit pas si vite abandonner la chance. 2
A. DE MUSSET, la Nuit vénitienne, 1.

Toute pensée émet un Coup de Dés. 2.1
MALLARMÉ, Un coup de dés..., Pl., p. 477.

Ils disent, d'un œil faisandé, 2.2
Les manches très sacerdotales,
Que ce bas monde de scandale
N'est qu'un des mille coups de dé.
Jules LAFORGUE, Poésies, «Pierrots», V.

Loc. *Lancer les dés :* se décider (→ Risquer le coup).

Alors brusquement, Gavache réalisa que le moment de se jeter à l'eau était arrivé. Merde, il lui fallait frapper tout de suite un grand coup pour persuader ces deux minables. Il décida de lancer les dés. 2.3
— J'ai pas le choix, déclara-t-il (...)
Pierre GOMBERT, le Prix d'un taxi, p. 91.

Les dés sont jetés (ou : *le dé en est jeté,* ou encore : *les dés en sont jetés*) : la résolution est prise et l'on s'y tiendra quoi qu'il advienne (cf. le lat. *Alea jacta est :* «le sort en est jeté»).

Le sort en était jeté, et le dé lancé. Le reste était du destin. 3
MICHELET, Hist. de la Révolution franç., I, p. 972.

Vx ou littér. **TENIR LE DÉ :** être maître de qqch. — Spécialt. *Tenir le dé dans la conversation :* se rendre maître de la conversation et garder la parole.

Il n'était content d'une visite que lorsqu'il avait tenu le dé (...) 4
STENDHAL, Lamiel, Appendice.

Deux de ces histoires (*Le plus bel amour de Don Juan* et *À un dîner d'athées*) mettent directement en scène un conteur en verve qui tient le dé à une table de dîneurs ou de dîneuses (...). 5
J. GRACQ, Préface *in* BARBEY D'AUREVILLY, les Diaboliques.

Durant tout le repas, M. Venois avait tenu presque constamment le dé de la conversation. Son abondante et facile élocution se ressentait de ses anciens succès oratoires. 6
A. BILLY, Sur les bords de la Veule, p. 32.

♦ 3 **a** (1680). Techn. Partie cubique d'un piédestal. — Cube de pierre placé sous un poteau, une colonne.
b Plaque de cuivre adaptée au centre d'une poulie pour recevoir l'axe.
c Cheville, tampon parallélépipédique.
d Cuis. Petit morceau cubique. *Couper des carottes en dés. Dés de lard.*

HOM. D, 2. dé (à coudre), des (art.).

2. **DÉ** [de] n. m. — V. 1200, *deel ; dé,* d'après 1. dé (1.) ; du lat. pop. *ditale* pour *digitale,* du lat. class. *digitus* «doigt».

♦ 1 Petit étui cylindrique (de métal, d'ivoire...) à surface piquetée, destiné à protéger l'extrémité du doigt qui pousse l'aiguille. *Dé à coudre. Dé d'argent. Dé ouvert,* dont se servent les tailleurs.

Leurs ménages étaient tout leur docte entretien,
Et leurs plaisirs le dé, du fil et des aiguilles,
Dont elles travaillaient au trousseau de leurs filles.
MOLIÈRE, les Femmes savantes, II, 7.

♦ 2 Mar. Plaque de métal piquetée de petits trous fixée sur une paumelle de voilier et servant, comme le dé (1.), à pousser l'aiguille.

♦ **3** Fig. et fam. **DÉ À COUDRE :** verre à boire très petit ; son contenu. *Servir à boire dans des dés à coudre. Boire un dé à coudre de cognac.* — Par ext. Espace très petit. *Travailler dans un dé à coudre.*

DÉR. **Délot.** ◊ HOM. **D,** 1. **dé** (à jouer), **des** (art.).

D. E. A.   [deøa] n. m. invar. — 1964 ; sigle de *Diplôme d'Études Approfondies.*

En France, Diplôme de troisième cycle, nécessaire pour préparer un doctorat. *Un D. E. A. de géologie. Préparer son D. E. A.*

DEAD-HEAT   [dɛd(h)it] et, pop., [dedɛt] n. m. — 1855 ; attestation isolée, 1841 ; mot angl., de *dead* «morte», et *heat* «course».

Hippol. Dans une course de chevaux, Arrivée simultanée de deux ou plusieurs concurrents. → **Ex æquo.** — Ellipt. *Une dead-heat :* épreuve terminée par un *dead-heat.* — Adj. *Chevaux dead-heat.* — Adv. *Une course «qui se termina* dead-heat*».* — Par ext. (Cyclisme). Franchissement simultané de la ligne d'arrivée par deux coureurs.

DÉAFFÉRENTATION   [deaferɑ̃tasjɔ̃] n. f. — 1951, Delay ; → Sommeil, cit. 6.1 ; de 1. *dé-*, et *afférent.*

→ **Désafférentation** ou **désafférentiation.**

DÉALBATION   [dealbasjɔ̃] n. f. — 1721, Trévoux ; lat. *dealbatio,* du supin de *dealbare* «blanchir», de *de* et *albus* «blanc».

♦ **1** Vx. Alchimie. «Changement de couleur noire en couleur blanche, qui arrive par la force du feu à la matière de la pierre philosophale» (Trévoux, 1740). → **Albification.**

♦ **2** (1793, Lavoisier). Didact. Passage d'une couleur à la couleur blanche. → **Blanchiment.**

1. DEALER   [dilœr] n. m. — V. 1970 ; s'est dit aussi pour «vendeur (d'une équipe de vente) ; revendeur (représentant d'une marque)» ; mot angl., «vendeur», de *to deal* «traiter, négocier».

Anglic. Acheteur et revendeur de drogue (souvent pour subvenir à l'usage de quelques personnes et à un usage personnel). *«Autant de maillons (des cafés) où l'on peut trouver le dealer qui vend du shit (...)»* (*le Nouvel Obs.*, 3 mars 1975, p. 42). *Des petits dealers.*

On rencontre aussi *dealeur, euse* [dilœr, øz] n.

2. DEALER   [dile] v. tr. — V. 1980 ; adapt. de l'angl. *to deal,* «fournir».

Anglic. Fam. Revendre (de la drogue) au détail. *«Chez moi, ils dealent du shit (...), et, du coup, les dealers de plus gros calibre n'entrent pas dans la cité»* (*le Monde,* 19 janv. 1999, p. 10).

DÉAMBULAGE   [deɑ̃bylaʒ] n. m. — 1932 ; de *déambuler.*

Rare. Action de déambuler. → **Déambulation, déambulement.**

On n'était même plus forcé de les reconnaître, les passants. Pourtant ça m'aurait plu de les arrêter dans leur vague déambulage, une petite seconde (...)
     CÉLINE, Voyage au bout de la nuit, p. 315 (1932).

DÉAMBULATEUR, TRICE   [deɑ̃bylatœr, tris] n. et adj. — 1950 ; de *déambuler.*

♦ **1** Rare. Personne qui déambule. → **Flâneur.**

Vous doutez-vous que je n'avais jamais rencontré Péguy avant de l'avoir croisé dans votre cabinet ? Il en est ainsi de tous les hôtes de la Maison et à plus forte raison de tous les déambulateurs de la Foire. Rappelez-vous que je sors de six ans de travail scientifique où je n'ai eu de pensées que pour ma besogne.
     J.-R. BLOCH, Deux hommes se rencontrent, p. 44.

Adj. *Une manie déambulatrice.* → **Déambulatoire.**

♦ **2** N. m. Méd. Appareil à pieds, très stable, conçu pour être utilisé comme appui dans la marche par des personnes souffrant de troubles de la locomotion.

DÉAMBULATION   [deɑ̃bylasjɔ̃] n. f. — 1492 ; de *déambuler.*

Littér. ou didact. Action de déambuler. → **Déambulage, déambulement ; flânerie, marche, promenade.**

Enfin, les jambes rompues par cette déambulation   1
d'aveugle, il se laisse glisser à terre, et ferme les yeux.
     MARTIN DU GARD, les Thibault, t. VIII, p. 143.

Et les voilà maintenant qui traversent l'usine (...)   2
C'est d'abord un préau immense tout sillonné de rails, encombré d'engins, de débris, couvert de barres d'acier et de machines.
Et puis, ce fut une déambulation dans un tintamarre de plus en plus assourdissant, le long des murs interminables (...)
     G. LEROUX, Rouletabille chez Krupp, p. 90-91.

Spécialt (psychiatrie). Tendance à marcher, à errer sans cesse.

1. DÉAMBULATOIRE   [deɑ̃bylatwar] adj. — XVᵉ, adj., «de la marche» ; du lat. *deambulatorius,* du supin de *deambulare.* → **Déambuler.**

Vx. Relatif à la promenade ; qui déambule. *«La troupe déambulatoire»* (Gautier, *le Capitaine Fracasse*).

2. DÉAMBULATOIRE   [deɑ̃bylatwar] n. m. — 1571, comme adj. : *galerie deambulatoire* ; «lieu de promenade», 1530 ; «parvis, cloître», repris mil. XIXᵉ ; lat. *deambulatorium,* neutre de l'adj. → 1. Déambulatoire.

Archit. Galerie qui tourne autour du chœur d'une église, reliant les bas-côtés (→ 2. **Carole,** vx ; **promenoir**), ou autour du sanctuaire d'un temple.

Nous avons visité, toute jaune et très belle, l'église romane   1
de Paray-le-Monial, sa haute nef voûtée en berceau brisé et le gracieux déambulatoire qu'on appelle «le promenoir des anges».
     S. DE BEAUVOIR, Tout compte fait, p. 261.

On la voit de si loin que malgré l'ombre propice du déam-   2
bulatoire de l'église Saint-Arnoult, je l'ai aperçue (...)
     Hervé BAZIN, Cri de la chouette, p. 220.

DÉAMBULEMENT   [deɑ̃bylmɑ̃] n. m. — Déb. XXᵉ ; de *déambuler.*

Rare. Action de déambuler. → **Déambulage, déambulation.**

DÉAMBULER   [deɑ̃byle] v. intr. — V. 1477 ; repris XIXᵉ ; lat. *deambulare,* de *de-,* et *ambulare* «aller et venir». → Ambuler.

Marcher sans but précis, selon sa fantaisie. → **Ambuler** (littér.), **errer, flâner, promener** (se). *Déambuler à travers les rues. Déambuler toute une journée dans une ville.*

Tous les bancs étaient occupés, et des grappes animées   1
d'étudiants déambulaient dans les allées rectilignes, où les hauts ombrages entretenaient un peu de fraîcheur.
     MARTIN DU GARD, les Thibault, t. V, p. 110.

Nous devisions en déambulant au long des trottoirs de   2
cette ville étrange (...)
     G. DUHAMEL, la Pesée des âmes, IX, p. 217.

3   Il déambulait charrié par la foule, parfois stationnaire
     comme une épave abandonnée par les flots sur la grève,
     puis de nouveau déambulant, comme repris dans le bouil-
     lonnement d'une charge triomphante des vagues.
                              R. QUENEAU, Pierrot mon ami, p. 21.

◆ **DÉAMBULANT, ANTE** p. prés. adjectif.
Rare. Qui déambule, se promène.
4   Tous les gens qui défilaient dans les couloirs du Paritz...
     des militaires, des officiers déambulants (...)
                         CÉLINE, Voyage au bout de la nuit, p. 60.

DÉR. Déambulage, déambulateur, déambulatoire, déambulation, déambulement.

DÉAMINATION [deaminasjɔ̃] n. f. → **Désamination.**

DE AUDITU [deodity] loc. adv. — 1870, P. Larousse;
lat. *de,* et ablatif de *auditus* «ouïe», du supin de *audire*
«écouter».
Au moyen de l'ouïe. *Savoir qqch. de auditu.* → Par
ouï-dire*. *Il le sait de visu et de auditu. Je ne le sais
que de auditu.*
(...) deux américains allaient pouvoir en parler *(de Tombouctou) de visu, de auditu* et même *de olfactu,* à leur retour
en Amérique (...)
De visu, parce que leur regard put se porter sur tous les
points de ce triangle de cinq à six kilomètres, que forme
la ville; — *de auditu,* parce que ce jour était un jour de
grand marché, et qu'il s'y faisait un bruit effroyable; — *de
olfactu,* parce que le nerf olfactif ne pouvait être que très
désagréablement impressionné par les odeurs de la place
de Youbou-Kamo, où s'élève la halle aux viandes (...)
                         J. VERNE, Robur-le-conquérant, XIII, p. 191.

DEB [dɛb] n. f. — 1941; mot angl., abrév. de *debutante*
«débutante».
Fam. Anglic. Débutante (2.). — **Plur.** *Debs* [dɛbs]. *Le
bal des debs.*

DÉBÂCHER [debaʃe] v. tr. — 1741; de 1. *dé-, bâche,*
et suff. verbal.
Enlever la bâche de. *Débâcher une voiture.* —
Absolt (ancienn). Débâcher une voiture, au relais
de poste. *«On débâche»* (Hugo, *in* T. L. F.). — **REM.**
Le T. L. F. atteste les dér. *débâchement,* n. m. (Stendhal) et
débâcheur, n. m. (Hugo).

DÉBÂCLAGE [debaklaʒ] n. m. — 1415; de *débâcler.*
Vx. Action de débâcler* (1., b) un port. *Officier qui
préside au débâclage.* → **Débâcleur.**

DÉBÂCLE [debakl] n. f. — 1690; «action de débâcler
un port», 1680; déverbal de *débâcler.*

◆ **1** Dans un cours d'eau gelé, Rupture subite de la
couche de glace dont les morceaux sont emportés
par le courant (→ **Dégel;** → au Canada, Bous, **cueil**).
*Icebergs des débâcles polaires. Crues de débâcles.
Amoncellement de glaçons barrant le lit d'une rivière
au moment de la débâcle.* → **Embâcle.**
1   Les premiers qui s'éloignent du bord avertissent que la
     glace plie sous eux, qu'elle s'enfonce, qu'ils marchent dans
     l'eau jusqu'aux genoux; et bientôt on entend ce frêle appui
     se fendre avec des craquements effroyables qui se prolon-
     gent au loin comme dans une débâcle.
                         Ph.-P. SÉGUR, Hist. de Napoléon, X, 9.
1.1 Déjà la débâcle s'était produite dans différents endroits,
     et quelques glaçons flottants se dirigeaient vers la haute
     mer.   J. VERNE, Un hivernage dans les glaces, p. 328.
     Par métaphore :
1.2 (...) ces premiers craquements, en Russie soviétique,
     étaient annonciateurs non d'un simple dégel mais d'une
     débâcle immense (le terme n'offre rien de péjoratif quand
     il désigne des glaces qui fondent).
                         F. MAURIAC, Bloc-notes 1952-1957, p. 242.

◆ **2 Fig.** Désorganisation brusque qui entraîne le
désordre, la confusion. *Débâcle des opinions, des
mœurs.*
2   Quel que fût l'intérieur du roi, il est certain que sa décence
     contenait quelque peu la débâcle des mœurs, à la cour,
     dans l'église.
                         MICHELET, Louis XIV et le duc de Bourgogne,
                                      p. 151, *in* LITTRÉ.
2.1 Sous l'action du fléau, les cadres de la société se liquéfient.
     L'ordre tombe. Il assiste à toutes les déroutes de la morale,
     à toutes les débâcles de la psychologie, il entend en lui le
     murmure de ses humeurs, déchirées, en pleine défaite, et
     qui, dans une vertigineuse déperdition de matière, devien-
     nent lourdes et se métamorphosent peu à peu en charbon.
                         A. ARTAUD, le Théâtre et son double,
                                      Idées/Gallimard, p. 19-20.

◆ **3** [a] Fuite soudaine et massive (d'une armée). *Le
front percé, ce fut la débâcle.* → **Débandade, déroute.**
*Retraite qui s'achève en débâcle. Une débâcle géné-
rale. La Débâcle,* roman d'É. Zola.

[b] Effondrement soudain. *C'est la débâcle pour son
entreprise.* → **Faillite, ruine.** *La débâcle d'une fortune.
Débâcle financière.* → **Krach, renversement.**
3   (...) ils furent tous obligés de fermer (...) Pourtant, au
     milieu de la débâcle, un moulin avait tenu bon et con-
     tinuait de virer courageusement (...)
                         Alphonse DAUDET, Lettres de mon moulin,
                                      «Le secret de Mr Cornille».
4   La débâcle s'est faite si je puis dire d'un seul tenant, et en
     moins de quelques années.
                         Ch. PÉGUY, la République..., p. 283.

◆ **4** *Débâcle intestinale,* ou, absolt, *Débâcle.* → **Colique,
diarrhée.**

CONTR. Embâcle. — Réussite, victoire.

DÉBÂCLEMENT [debakləmɑ̃] n. m. — 1684, Mᵐᵉ de
Sévigné, *in* D.D.L.; de *débâcler.*
Rare. Fait de débâcler* (2.). *Débâclement d'une
rivière.*

DÉBÂCLER [debakle] v. — 1415; de 1. *dé-,* et *bâcler.*
→ Bâcler.
◆ **1 V. tr. Vx.** [a] Ouvrir (une porte, une fenêtre) en
enlevant la bâcle.
[b] Faire sortir d'un port les navires déchargés
pour laisser leur place aux bâtiments qui arrivent.
Débâcler un port.
[c] **Régional (Canada).** Se débarrasser de.
◆ **2 V. intr.** (Le sujet désigne une rivière gelée). Dégeler
brusquement, la couche de glace se fractionnant
avant d'être emportée par le courant. → **Débâcle.**
La Néva débâclait.
CONTR. Bâcler. ◊ **DÉR.** Débâclage, débâcle, débâclement,
débâcleur.

DÉBÂCLEUR [debaklœr] n. m. — 1415; de *débâcler.*
Vx. Celui qui supervise le débâclage d'un port. —
REM. Le fém. est virtuel.

DÉBAGOULAGE [debagulaʒ] n. m. — 1869, Flaubert;
de *débagouler.*
Suite ininterrompue de paroles.
(Ce morceau) est le type accompli du débagoulage de rhéteur.   J. ROMAINS, les Hommes de bonne volonté, t. IV,
                                      p. 249.

DÉBAGOULER [debagule] v. — Déb. XVIᵉ; de 2. *dé-,*
et anc. franç. *bagouler* «se moquer vulgairement».
→ Bagou.
◆ **1 V. intr. Pop. et vx.** Vomir.

♦ **2** V. tr. (1547). Fam. Proférer. *Débagouler des injures.*
On va recommencer à faire les mêmes sottises (...) à débagouler les mêmes inepties !
FLAUBERT, Correspondance, IV, p. 63.

Absolt. *Débagouler sur qqch. :* parler sans s'arrêter, en général de manière péjorative, offensante.

(...) toujours parlant, débagoulant, levant pour des toasts inouïs un verre vide au pied cassé (...)
Ed. et J. DE GONCOURT, Manette Salomon, p. 88.

Par ext. Émettre (des paroles) de manière intarissable. *Débagouler des histoires vulgaires, des injures.* — (Sujet n. de chose). → Bonisseur, cit. 2. *La radio débagoule ses âneries.*

DÉR. **Débagoulage, débagouleur.**

DÉBAGOULEUR, EUSE [debagulœʀ, øz] n.
— 1636; de *débagouler.*
Personne qui débagoule (→ Acrobate, cit. 3).

DÉBAGUER [debage] v. tr. — Attesté 1970; de 1. *dé-, bague,* et suff. verbal.
Ôter la bague de. *Débaguer un cigare. Débaguer un oiseau.* — Au p. p. *Doigt débagué.*

DÉBÂILLONNER [debajɔne] v. tr. — Av. 1842, Stendhal; de 1. *dé-,* et *bâillonner.*
♦ **1** Débarrasser (qqn) d'un bâillon. *On l'a délivré, débâillonné et détaché.*
♦ **2** Fig. Rendre la liberté de parole à. *Débâillonner la presse.*

♦ **DÉBÂILLONNÉ, ÉE** p. p. adj.
♦ **1** Dont on a ôté le bâillon.
♦ **2** Qui a retrouvé sa liberté de parole.
Si peu que nous sachions ce qui s'y passe aujourd'hui, le même cri de l'esprit à demi débâillonné monte vers nous du fond de la vieille Russie, depuis que Staline n'est plus là.   F. MAURIAC, Bloc-notes 1952-1957, p. 295.

CONTR. **Bâillonner.**

DÉBALLAGE [debalaʒ] n. m. — 1671; de *déballer.*
♦ **1** ⓐ Action de déballer. *Le déballage d'une caisse, d'un paquet, d'un colis. Procéder au déballage.*
ⓑ Ce qui est déballé. *Range le paquet, tout ce déballage, s'il te plaît !*
Spécialt. Commerce d'objets déballés et exposés pour être vendus. → **Étalage.** *Vente au déballage, de caractère occasionnel, accompagnée de publicité (et légale).*
Fam. Accumulation d'objets en désordre (quelle qu'en soit la provenance). *Quel déballage !*
♦ **2** Fam. Aveu, confession sans retenue.
J'ai continué mon déballage, je lui ai expliqué (...) tout, enfin !   MARTIN DU GARD, les Thibault, IV, p. 95.
♦ **3** Argot. (En parlant d'une femme). Déshabillage.

DÉBALLASTAGE [debalastaʒ] n. m. — 1974; de *déballaster.*
Mar. Vidange des ballasts. *Déballastage des citernes d'un pétrolier. Station portuaire de déballastage.* «Il existe une autre source de pollution des mers par les hydrocarbures (...) le déballastage des citernes et le rinçage des moteurs» (*Science et Vie, n° 106, p. 135, 1974*).

DÉBALLASTER [debalaste] v. tr. — 1950; de 1. *dé-, ballast,* et suff. verbal.
Mar. Vidanger les ballasts de (un navire).
DÉR. **Déballastage.**

DÉBALLER [debale] v. tr. — 1480; de 1. *dé-,* 2. *balle,* et suff. verbal.
♦ **1** ⓐ Sortir et étaler (ce qui était dans un contenant : caisse, paquet, colis). → **Désemballer; déballage.** *Déballer des marchandises. Ouvrir sa valise et déballer ses affaires. Déballer des livres d'une caisse. Tu ne vas pas tout déballer ?*
Je tracassais quelques instants autour de mes livres et papiers pour les déballer et arranger, plutôt que pour les lire, et cet arrangement, qui devenait pour moi l'œuvre de Pénélope, me donnait le plaisir de muser quelques moments (...)   ROUSSEAU, les Confessions, XII.
En un tour de main, tout cela, déballé, étalé par terre avec une prestesse prodigieuse et un certain art d'arrangement (...)   LOTI, Mᵐᵉ Chrysanthème, II, p. 8.
Spécialt et absolt. Exposer des marchandises destinées à être vendues. → **Étaler.** *Le marchand forain déballe.*
ⓑ Sortir ce qui était dans (un contenant). *Déballer une caisse (de livres).* — Vx. *Déballer une charrette, un camion.* → **Décharger.**
♦ **2** (Compl. n. de personne). Fam. et vieilli. *Déballer qqn :* faire descendre (qqn) d'un véhicule; le déposer.
Allons, vite, montez dans ma voiture ! Vous nous faites perdre un temps, là !... Je vais aux Halles, je vous déballerai avec mes légumes.   ZOLA, le Ventre de Paris, p. 8.
♦ **3** Fam. Exposer (ce qui était caché); se livrer totalement. → **Confesser, épancher** (s'), **ouvrir** (s'); → Vider son sac*. *Déballer ses petits secrets. Déballer toute son histoire, tous ses souvenirs. Tout déballer.* — Absolt : «*Je déballais à n'en plus finir, en mélangeant les faits et les années*» (Geneviève Dormann, le Bateau du courrier, p. 29).
Alors Paul s'expliqua, détachant les syllabes, chuchotant, déballant toute la vérité.
COCTEAU, les Enfants terribles.
Loc. fig. Par métaphore. *Déballer sa marchandise :* montrer ce dont on est capable, exposer ce que l'on a à dire.

♦ **SE DÉBALLER** v. pron. (Correspond au sens 3 du transitif). *Besoin, goût de se déballer.*
Argot. Vx. (En parlant d'une femme). Se déshabiller.

♦ **DÉBALLÉ, ÉE** p. p. adj.
♦ **1** *Marchandise déballée.* — Par ext. *Caisse déballée.*
♦ **2** Fig. *Secrets, souvenirs déballés.* — Par métonymie. *Apparence, attitude déballée,* d'une personne qui déballe (3.) facilement ses pensées, etc.
Dans Chen-yi, où reparaît le conquérant de Chang-hai ? La Chine s'accorde au disque comme elle s'accorde au cérémonial; et malgré un côté déballé, le maréchal est manifestement en représentation.
MALRAUX, Antimémoires, Folio, p. 508.
♦ **3** Fig. et fam. (Personnes). Écœuré, fatigué jusqu'à l'écœurement. *Après ces échecs, il est complètement déballé.*

CONTR. **Emballer.** — **Taire.** ◊ DÉR. **Déballage, déballeur.**

DÉBALLEUR, EUSE [debalœʀ, øz] n. — 1929; «marchand ambulant vendant au déballage», 1842; de *déballer.*
Techn. Personne qui déballe (qqch.); ouvrier, ouvrière qui procède au déballage. → **Magasinier, manutentionnaire.**

DÉBALLONNAGE [debalɔnaʒ] n. m. — Attesté 1949; de *déballonner.*

Fam. Fait de se déballonner.

(...) un luxe qu'ils n'avaient pas eu le temps de s'offrir pendant leur vie : le déballonnage. Tu comprends ? C'est une fête pour eux de pouvoir s'aller remettre à la police. Ça les repose.

> Jean GENET, Journal du voleur, p. 233.

DÉBALLONNER (SE) [debalɔne] v. pron. — V. 1920 ; «sortir de prison», 1883 ; de 1. *dé-*, et *ballon* «prison» et, pour le sens mod., *(pneu) ballon*, pour remplacer *se dégonfler*.

Fam. et péj. Reculer, par manque de courage, devant une action. → **Dégonfler** (se).

1   C'est prêt. Tu vas pas te dégonfler, non ? pasque faut me le dire, si au dernier moment tu te déballonnes...
> Jean GENET, Querelle de Brest, p. 319.

2   Maintenant, au fur et à mesure que Noëlle se veut plus proche, c'est plus sûrement qu'il la perd. Sans remède. Au bout du chemin il y a le renoncement. Je me serai déballonné – pas la peine de travestir le pantin (...)
> François NOURISSIER, Allemande, p. 186.

DÉR. **Déballonnage.**

DÉBALOURDER [debaluʀde] v. tr. — V. 1960 ; de 1. *dé-*, et *balourd.*

Techn. Supprimer le balourd de (une pièce centrée, un élément mécanique tournant).

DÉBANDADE [debɑ̃dad] n. f. — 1559, *desbandade ;* de 2. *débander.*

♦ **1** Vx ou littér. Action, mouvement, situation d'une troupe qui se débande* (2. Débander). → **Débandement ; débâcle, fuite, retraite.** *La débandade générale des troupes.*

Cour. Fait de se disperser rapidement en tous sens (personnes). → **Dispersion, ruée ; course.** *Une débandade d'écoliers après la classe. Ce fut la débandade générale.*

1   Alors ce fut une débandade folle avec des cris et des rires, pour grimper sur la haute falaise (...)
> LOTI, Pêcheur d'Islande, IV, 6, p. 243.

Loc. **EN DÉBANDADE.**

2   Ils se hâtent, en débandade, tête basse, épuisés, tirant la jambe, inquiets d'être à la traîne.
> MARTIN DU GARD, les Thibault, t. VII, p. 185.

À LA DÉBANDADE. *Les soldats s'enfuirent à la débandade.*

♦ **2** Fait de se disperser en désordre, de se défaire (en parlant d'éléments nombreux, de choses abstraites). *La débandade des idées, des convictions.* → **Débâcle.**

2.1   Ah ! cette débandade, chez moi, quand tout devient trop difficile !
> Georges BORGEAUD, le Voyage à l'étranger, II, p. 135.

Par métonymie. État de choses (concrètes) répandues en désordre. → **Confusion, désordre, fatras, fouillis.**

2.2   Beaucoup de boursiers étaient ainsi en train de partir, qui restèrent, debout devant le dieu (*le banquier*), lui faisant une coup d'échines respectueuses, au milieu de la débandade des nappes salies.
> ZOLA, l'Argent, p. 13 (1891).

Loc. **À LA DÉBANDADE :** dans le désordre, la confusion d'un abandon général. Vieilli. *Mettre tout à la débandade,* en désordre. *Tout va à la débandade.*

3   (...) tout a été à la débandade, on a jeté l'argent (...)
> Mᵐᵉ DE SÉVIGNÉ, 517, 4 juin 1690.

Par ext. Situation de choses concrètes disposées en désordre, comme si elles avaient été lâchées en vrac.

4   On distinguait nettement les masures bâties à la débandade le long de la route (...)
> ZOLA, la Faute de l'abbé Mouret, p. 379.

CONTR. Discipline, ordre, méthode règle. — (Personnes) Alignement, ordre, rassemblement.

DÉBANDEMENT [debɑ̃dmɑ̃] n. m. — 1555 ; de 2. *débander.*

Milit. et vx. Action de se débander. *Débandement d'une armée.*

1. DÉBANDER [debɑ̃de] v. — Fin XIIᵉ ; de 1. *dé-*, et *bander.* → 1. Bande.

I V. tr. ♦ **1** Enlever une bande à (qqch.). *Débander une plaie. Il se débande le bras. On lui débanda les yeux.*

♦ **2** (V. 1549). Vieilli. Détendre ce qui est bandé. *Débander un ressort.* — Pron. *Se débander :* se détendre, se relâcher.

Fig. *Se débander l'esprit :* se détendre en s'accordant du repos.

II V. intr. (1690). Cesser d'être en érection.

1   Que c'est triste Venise. Jean n'en finissait pas de débander. Voulant se conforter, il l'embrassa dans le cou.
> Claude COURCHAY,
> La vie finira bien par commencer, p. 64.

2   (...) une fille qui me caresse les cheveux en me disant Jeannot Lapin, ça me fait débander (...)
> É. AJAR (R. GARY), l'Angoisse du roi Salomon, p. 98.

Fig. Cesser d'être excité, attiré par qqch.

Loc. fig. Fam. *Sans débander :* sans cesser, sans interrompre son effort.

3   (...) on a maintenu la cadence sans débander pendant deux jours (...)
> CAVANNA, les Ritals, p. 223.

2. DÉBANDER [debɑ̃de] v. tr. — 1556, v. pron. ; XVIᵉ ; de 1. *dé-*, 2. *bande*, et suff. verbal.

Vx. Mettre (une troupe) en désordre, disperser.

1   (...) ces Prussiens aperçurent la brigade russe ; sans reprendre haleine, ils la chargent, la débandent et lui arrachent deux bataillons.
> Ph.-P. SÉGUR, Hist. de Napoléon, XII, 8, in LITTRÉ.

♦ **SE DÉBANDER** v. pron.

Rompre les rangs et se disperser soit pour piller, soit pour fuir. *L'armée se débanda devant l'ennemi.*

Fig. (Sujet n. de chose). Être dispersé, épars.

1.1   Des chaises dépaillées se débandaient, parmi des chevalets boiteux.
> ZOLA, l'Œuvre, p. 17 (1886).

♦ **DÉBANDÉ, ÉE** p. p. adj. *Armée, soldats débandés.*

2   Pendant plusieurs jours de suite des lambeaux d'armées en déroute avaient traversé la ville. Ce n'était point de la troupe, mais des hordes débandées.
> MAUPASSANT, Boule de suif, p. 7.

CONTR. Aligner, former (se), ordonner, rallier, rassembler.
◊ DÉR. Débandade, débandement.

1. DÉBANQUER [debɑ̃ke] v. tr. — 1701 ; de 1. *dé-*, *banque*, et suff. verbal.

Jeux. Priver (la banque, un joueur) des moyens de poursuivre la partie.

HOM. 2. **Débanquer.**

2. DÉBANQUER [debɑ̃ke] v. — 1702 ; de 1. *dé-*, *banc*, et suff. verbal avec adaptation graphique.

♦ **1** V. tr. (Mar.). Dégarnir (un bateau) de ses bancs.

♦ **2** V. intr. (Pêche). Quitter un banc de pêche.

HOM. 1. **Débanquer.**

DÉBAPTISER [debatize] v. tr. — 1599 ; d'abord sens relig., XVᵉ ; de 1. *dé-*, et *baptiser.*

Priver (qqn) de son nom pour lui en donner un autre.

1   Qui diable vous a fait aussi vous aviser,
    À quarante et deux ans, de vous débaptiser (...)
> MOLIÈRE, l'École des femmes, I, 1.

V. pron. *Se débaptiser :* supprimer son nom (pour en prendre un autre).

Par anal. *Débaptiser une rue.* — REM. En ce sens, on note le dérivé *débaptisage* [debatizaʒ] n. m., 1879, *in* D.D.L.

2 (...) le passage Tocanier fut débaptisé et reçut, avec le nom de Claude Tillier, la dignité de rue.
G. DUHAMEL, Inventaire de l'abîme, IV, p. 57.

DÉBARBOUILLAGE [debaʀbujaʒ] n. m. — 1588; repris fin XIXe; de *débarbouiller.*

Action de débarbouiller, de se débarbouiller.

Les débarbouillages hâtifs avec le coin d'une serviette.
COLETTE, Chéri, p. 28.

Fig. Action d'enlever ce qui salit, barbouille (au fig.), encombre. → Nettoyage. *Un débarbouillage de conscience. Le débarbouillage d'un texte.*

DÉBARBOUILLER [debaʀbuje] v. tr. — 1549; de 1. *dé-,* et *barbouiller.*

♦ 1 Nettoyer pour enlever ce qui salit, ce qui barbouille. → Laver. Spécialt. Laver le visage de (qqn). *Débarbouiller un enfant.*

Pron. réfl. *Il est allé se débarbouiller.* (Avec compl. d'obj. interne). *Se débarbouiller la figure.*

1 Les matins pour se débarbouiller, il tirait un seau d'eau dans lequel il barbotait à la façon des vieux soldats en se frottant vaguement la barbiche.
ALAIN-FOURNIER, Le Grand Meaulnes, p. 18.

♦ 2 Fig. Rendre plus propre, plus net. *Débarbouiller un manuscrit, un texte,* en enlever rapidement les plus grosses imperfections. → Nettoyer.

♦ 3 Fig. Vx. Faire disparaître (qqch. de gênant), modifier en rendant plus propre, plus net.

2 Une fille qui met tout en usage pour ne point passer pour la fille d'un bourgeois (...) Votre fille vous fait honneur de chercher à débarbouiller sa naissance, par le commerce des beaux esprits et des gens de qualité.
MONTCHESNAY, la Cause des femmes, 1687, in GUERARDI, Théâtre italien, II, 6 (in T.L.F.).

♦ 4 (Croisement avec *débrouiller* ; à la forme pron.). Mod. Fam. Se tirer d'affaire, d'embarras, se dégager d'un mauvais pas. → Débrouiller (se), dépêtrer (se). *Laissez-le se débarbouiller tout seul.*

◆ **DÉBARBOUILLÉ, ÉE** p. p. adj. *Enfant mal débarbouillé,* sale. — Fig. *Personne mal débarbouillée,* mal dégrossie.

DÉR. Débarbouillette.

DÉBARBOUILLETTE [debaʀbujɛt] n. f. — Probablt fin XIXe; *débarbouilloir,* n. m., et *débarbouilloire,* n. f., XIXe; mot canadien, de *débarbouiller.*

Régional (franç. du Canada). Petite serviette de toilette carrée, en tissu-éponge (correspond au *gant de toilette* utilisé en France). Syn. : *carré-éponge.*

DÉBARCADÈRE [debaʀkadɛʀ] n. m. — 1773; *débarcadour,* 1687; de *débarquer,* d'après *embarcadère*.*

♦ 1 Lieu spécialement aménagé pour l'embarquement et le débarquement (des navires, des passagers...). → Appontement, embarcadère, gare (maritime), quai. *Accoster, arriver* (cit. 4) *au débarcadère.*

Devant eux, sur la rivière, un ponton de débarcadère affleurait la berge.
FRANCE, Jocaste, Œ., t. II, XI, p. 109.

♦ 2 Vx. (1840, in D.D.L.). Ch. de fer. Quai de départ et d'arrivée dans les gares de marchandises.

DÉBARDAGE [debaʀdaʒ] n. m. — 1680; aussi *débardement,* XVIIe et XVIIIe; de *débarder.*

Mar. ou techn. Action de débarder; son résultat. → Déchargement; bardage. *Débardage des betteraves,* leur transport jusqu'à un chemin carrossable, après l'arrachage.

DÉBARDER [debaʀde] v. tr. — 1522; de 1. *dé-, bard,* et suff. verbal «décharger d'un bard».

♦ 1 Mar. Décharger (du bois) hors des bateaux ou des trains de flottage et le porter sur le bord. *Débarder un train de bois flotté.* → Débarquer.

Par ext. Décharger à quai (des marchandises).

Iron. ou par plaisanterie :

De la nonagénaire enfouie au capiton du cercueil qu'on débarde, qu'on pousse sous le drap noir du catafalque, je tiens le quart de mes gènes.
Hervé BAZIN, Cri de la chouette, p. 57.

♦ 2 Techn. Transporter (des bois) hors du taillis où ils ont été coupés. — Transporter (la pierre) hors de la carrière.

CONTR. Charger. ◊ DÉR. Débardage, débardeur.

DÉBARDEUR, EUSE [debaʀdœʀ, øz] n. — 1528; de *débarder.*

♦ 1 Vieilli. Personne qui décharge (et charge) un navire (→ Docker), un véhicule (→ Porteur). — Adj. *Ouvrier débardeur.* — REM. Dans ce sens, le fém. est virtuel.

♦ 2 (1845). Par ext. Vx. Costume de débardeur, à la mode au XIXe siècle, notamment dans les bals costumés.

Voyez cette femme en débardeur figurant devant une petite vivandière.
Ch. PAUL DE KOCK, la Grande Ville, t. I, p. 381.   0.1

(V. 1970). Mod. Tricot court, collant, sans col ni manches et très échancré. *Porter un débardeur sous une veste.*

Un moment distraite, Catherine regarde le débardeur vert et groseille.   1
F. MALLET-JORIS, le Jeu du souterrain, p. 165 (1973).

♦ 3 *Débardeuse :* femme du peuple de forte stature.

Il fallait voir, le samedi soir, à la fermeture des chantiers maritimes, la fine fleur des ouvriers du port en cotte bleue et des débardeuses, qui portaient sur la tête des mouchoirs rouges à pois blancs, se réunir pour festoyer.   2
Francis CARCO, Brumes, p. 11.

DÉBAROULER [debaʀule] ou **DÉGAROULER** [degaʀule] v. intr. — Attesté fin XIXe (Mâconnais, Lyonnais, Dauphiné), *débarouler; dégarouler,* av. 1903 (Boulogne); de 2. *dé-,* et de mots régionaux (Sud-Est) *barroulô, barulá,* (Ardennes) *carouler* «dégringoler une pente», dér. de variantes de *rouler* avec préfixes dépréciatifs *ba-* et *ca-.*

Régional. Tomber en roulant. → Débouler, dégringoler (sujet nom de personne ou de chose). — Trans. *Dégarouler un escalier.*

Mais il nous a échappé quand même. Il a débaroulé toute l'épaule et rebondi sur le glacier. Plus de quatre cents mètres de chute!   1
R. FRISON-ROCHE, Premier de cordée, p. 171 (1941).

◆ **SE DÉBAROULER** v. pron.

(...) Agnès *(le nom)* a roulé comme une boule de laine des genoux, et le fil se débobine, les conséquences (...) Il les voit devant ses yeux, les conséquences, la laine qui se débaroule (...)   ARAGON, Blanche..., II, v, p. 260.   2

DÉBARQUAGE [debaʀkaʒ] n. m. — 1863; de *débar-quer*.

Fig. et fam. Fait de «débarquer» (1. Débarquer II., 3.), d'arriver à l'improviste.

C'était, en somme, à l'hôtel, ce «débarquage» des Cambremer que ma grand'mère redoutait si fort autrefois (...)
PROUST, Sodome et Gomorrhe, Pl., t. II, p. 805.

Fait d'être «débarqué» (1. Débarquer I., 2.), renvoyé.

DÉBARQUANT [debaʀkã] n. m. — 1766; p. prés. substantivé de *débarquer*.

Vieilli. Personne qui débarque. Fig. Personne qui arrive.

Je ne pouvais pas hier avoir des nouvelles de M. Cranford à moins que ce n'eût été par quelque débarquant d'Angleterre.
Mᵐᵉ DU DEFFAND, Lettre à Walpole, 20 oct. 1766.

DÉBARQUEMENT [debaʀkəmã] n. m. — 1583; *désembarquement*, 1542; de *débarquer*.

♦ **1** Mar. Action de débarquer* (1. Débarquer I.), de mettre à terre (des passagers ou des marchandises). → **Déchargement**. *Le débarquement des passagers a commencé. Les formalités de débarquement. Passerelle de débarquement.*

♦ **2** (De 1. Débarquer, II.). Action de débarquer (pour des personnes). *Le débarquement des réfugiés, des immigrés. Il fut arrêté à son débarquement* (→ Colonie, cit. 3).

Loc. *Quai de débarquement d'un port* (et, par ext., *d'une gare de chemin de fer*). → **Débarcadère**.

♦ **3** Opération militaire consistant à mettre à terre un corps expéditionnaire embarqué et destiné à agir en territoire ennemi. → **Descente**. *Le débarquement allié sur les côtes normandes. Chaland de débarquement. Troupes de débarquement. Compagnies de débarquement :* marins qui, sur les navires de guerre, sont constitués en compagnies d'infanterie pour opérer des coups de main à terre.

1   L'apparente démonstration de conquête et de débarquement en Angleterre, l'évocation des souvenirs de Guillaume le Conquérant, la découverte du camp de César à Boulogne, le rassemblement subit de neuf cents bâtiments dans ce port, sous la protection d'une flotte de cinq cents voiles, toujours annoncée (...)
A. DE VIGNY, Servitude et Grandeur militaires,
III, VI, p. 217.

2   (...) grâce aux «cinq» qui, d'Alger, préparèrent le débarquement américain en Afrique du Nord (...)
Pierre GAXOTTE, Hist. des Français, t. II, p. 558.

CONTR. Embarquement.

1. DÉBARQUER [debaʀke] v. — 1564; *désembarquer*, XVIᵉ; de 1. *dé-*, et *barque*.

I V. tr. ♦ **1** Faire sortir (des personnes, des choses) d'un navire, mettre à terre. → **Débarquement; débarcadère.** *Débarquer les passagers, les marchandises. Débarquer une cargaison de bois.* → **Débarder.** Spécialt. *Débarquer un corps expéditionnaire sur les côtes ennemies.* → **Débarquement**, 3. — Par ext. *Débarquer les marchandises (d'un wagon).* → **Décharger.**

♦ **2** Fam. Se débarrasser de (qqn). → **Congédier, destituer, écarter, limoger, vider** (fam.). *Il faut le débarquer. Débarquer un ministre. Il s'est fait débarquer.* → (fam.) **Vider, virer.**

II V. intr. ♦ **1** Quitter un navire, descendre* à terre. *Tous les passagers n'ont pas encore débarqué. Il débarquera à Marseille.* — Spécialt. *L'ennemi n'a pas pu débarquer,* il n'a pu prendre pied.

À tous les étrangers qui passent nos frontières, débarquent   1
dans nos ports ou prennent terre sur nos aérodromes, comment donner, non certes une leçon de français dont la plupart n'ont pas besoin, mais, plus justement, une bonne «leçon de France»?
G. DUHAMEL, Manuel du protestataire, III, p. 93.

Par ext. *Débarquer d'un train, d'un avion. Il vient de débarquer à Roissy.*

♦ **2** Mar. Cesser de faire partie de l'équipage d'un navire (se dit d'un marin). «*Un marin débarque lorsqu'il ne fait plus partie du bord*» (Gruss).

♦ **3** Fam. *Débarquer chez qqn,* arriver* à l'improviste. *Il a débarqué ce matin à la maison.*

♦ **4** Fig. et fam. Ne pas être au courant de faits récents (comme si l'on rentrait d'un lointain voyage). *Une femme pour mon frère? Tu débarques, il est marié depuis un an.*

Les gens m'interrogent d'un air fin : «Vous qui connaissez   1.1
les dessous des cartes (...)» Mais non. Je débarque, après un mois de vacances.
F. MAURIAC, le Nouveau Bloc-notes 1958-1960,
p. 52.

♦ **DÉBARQUÉ, ÉE** p. p. adj. et n.
Qui est sorti d'un navire. *Marchandises débarquées, à quai.* — (Personnes). Fig. Qui vient d'arriver. *Il est tout frais débarqué de sa province.*

(...) il veut (...) gouverner les grands : (...) À peine un grand   2
est-il débarqué qu'il l'empoigne et s'en saisit (...)
LA BRUYÈRE, les Caractères, IX, 15.

REM. Cet emploi, non marqué dans la langue classique, serait aujourd'hui familier.

Comme il advient tous les ans, Paris, qui s'était endormi   3
au bruit berceur d'une pluie battante, s'était réveillé ce matin-là avec le printemps sur la tête, un printemps gai, charmant, exquis, tout frais débarqué de la nuit sans avoir averti de sa venue, en bon provincial qui arrive du Midi (...)
COURTELINE, Messieurs les ronds-de-cuir,
1ᵉʳ tableau, I, p. 20.

N. *Un débarqué, une débarquée :* personne qui vient de débarquer. Fig. *Un nouveau débarqué :* un nouveau venu. *Une nouvelle débarquée.*

N. m. *Le débarqué.* → 2. **Débarquer** (n. m.).

CONTR. Embarquer. ◊ DÉR. Débarquage, débarquant, débarquement, 2. débarquer.

2. DÉBARQUER ou **DÉBARQUÉ** [debaʀke] n. m.
— 1771, Trévoux; de 1. *débarquer*.

Rare. Action de débarquer, d'arriver quelque part. → **Arrivée**.

Loc. (plus cour.). *Au débarquer :* au moment du débarquement.

Les premiers autocars montaient des basses vallées, amenant leur contingent habituel de touristes d'un jour et ceux-là, au passage, se précipitaient sur les magasins de cartes postales et de souvenirs.   1
R. FRISON-ROCHE, Premier de cordée, p. 90.

Je vous prie d'excuser le décousu d'une lettre écrite au   2
débarqué du train (...)
J.-R. BLOCH, Deux hommes se rencontrent, p. 29.

DÉBARRAS [debaʀa] n. m. — 1798; déverbal de *débarrasser*.

I ♦ **1** Fam. Fait d'être débarrassé, délivré de ce qui embarrassait (en parlant des personnes ou des choses). → **Délivrance.** *C'est un débarras pour tout le monde.* — (Surtout précédé de *bon, quel...*) *Les voilà partis, bon débarras! Ouf, quel débarras!*

Si je m'étais noyé, bon débarras pour moi et pour les   1
autres!
CHATEAUBRIAND, Voyage en Amérique, 306.

♦ **2** Fait de ranger, de mettre de côté des objets encombrants ou qu'on utilise peu (dans des syntagmes comme : *cabinet de débarras;* → ci-dessous, II.).

Loc. (Franç. du Canada). *Vente*-débarras.*

II (1810). Endroit où l'on remise les objets qui encombrent ou dont on se sert peu. → **Décharge** (vx), **grenier, remise.** *Des placards et des débarras.*

1.1 Une porte de la salle à manger donnait dans la vaste cuisine carrée. Et, au bout de celle-ci, il y avait une petite cour dallée, qui servait de débarras, encombrée de terrines, de tonneaux, d'ustensiles hors d'usage (...)
ZOLA, le Ventre de Paris, t. I, p. 82 (1875).

2 Bien au fond du couloir, un débarras (...) où malles, valises, sacs de cuir, vêtements, souliers et cantines étaient disposés méthodiquement en vue d'un usage commode.
H. BOSCO, Un rameau de la nuit, p. 92.

CONTR. Embarras.

DÉBARRASSER [debaʀɑse] v. tr. — 1584; *débarracée «délivrée»* (après avoir accouché), 1544; probablt de 1. *dé-*, et rad. de *embarrasser* pour *désembarrasser*, d'après ital. *sbarazzare* (hypothèse critiquée par P. Guiraud).

Dégager ce qui embarrasse. → **Enlever, ôter.** *Débarrasser qqch. Débarrasser la voie publique.* → **Déblayer, dégager, désencombrer, désobstruer.** *Débarrasser le plancher* (→ **Balayer, nettoyer**); au fig. *Partir* (→ **Plancher,** cit. 3, 4). Régional (Suisse). Enlever, emporter (qqch.) pour en débarrasser qqn. *Débarrasser du matériel.* — Loc. *À débarrasser :* à emporter.
Débarrasser qqch. de qqch. Débarrasser une pièce, un meuble des objets qui l'encombrent. Débarrasser la table de... → ci-dessous, cit. 6. — Absolt. *Vous pouvez débarrasser,* enlever le couvert de la table. — *Débarrasser des impuretés.* → **Filtrer, purger, purifier.** *Débarrasser un minerai de sa gangue. Débarrasser un arbre de ses branches mortes.* → **Tailler.** *Débarrasser un cheval de son collier.* → **Déharnacher.** *Débarrasser les mains, les pieds de leurs liens.* → **Arracher, délivrer, dépêtrer, désempêtrer, désenlacer.**

Délivrer de ce qui gêne. *Débarrasser qqn.* (Fam.) *Il m'a bien débarrassé quand il est parti. Débarrasser qqn de qqch. Débarrasser qqn de son chapeau, de son manteau.* Par plais. *Des voleurs l'ont débarrassé de son argent.* → **Délester, soustraire.** *Débarrasser d'un poids, d'un fardeau, d'une charge.* → **Décharger, exonérer, soulager.** *Débarrasser qqn d'un souci en le tirant d'affaire* (→ Tirer une épine* du pied). *Cette lettre l'a débarrassé d'une grande inquiétude.* — *Débarrasser qqn de qqn,* le délivrer de qqn que l'on écarte, éloigne, expulse, ou même que l'on fait mourir. *Débarrasser la société des indésirables.* — Passif. *Être débarrassé de qqn par...*

1 (...) il n'est rien d'égal au Fâcheux d'aujourd'hui; J'ai cru n'être jamais débarrassé de lui (...)
MOLIÈRE, les Fâcheux, I, 1.

2 Mais je veux de mon doute être débarrassée.
RACINE, Athalie, II, 6.

3 Il souhaitait la mort, disant qu'il n'était bon à rien; qu'on l'épargnait par compassion de son état, mais qu'il était une charge pour ses parents, et que la plus grande grâce que le bon Dieu pût leur faire, ce serait de les débarrasser de lui.
G. SAND, la Petite Fadette, XXXI, p. 207.

4 Il est évident que je ne puis vous débarrasser de cette tumeur morale, comme je vous débarrasserais d'une tumeur physique, par une opération chirurgicale.
A. MAUROIS, les Discours du D' O'Grady, XII, p. 120.

5 En le débarrassant de son chapeau et de son pardessus, le valet de chambre, Étienne, lui glissa d'une voix discrète (...)
J. ROMAINS, les Hommes de bonne volonté, t. III, p. 104.

6 Le garçon vient de débarrasser la table des derniers raviers de hors-d'œuvre. La nappe reste vide, sauf les verres, la carafe de chablis, et la corbeille à pain.
J. ROMAINS, les Hommes de bonne volonté, t. IV, p. 43.

♦ **SE DÉBARRASSER** v. pron. *Se débarrasser d'un objet encombrant ou inutile.* → **Abandonner, balancer, bazarder, colloquer** (1.), **défaire** (se), **jeter, rejeter.** *Lieu où l'on se débarrasse des vieilleries.* → **Débarras.** *Se débarrasser d'un vêtement.* → **Ôter, quitter.** *Se débarrasser de ses dettes.* → **Acquitter** (s'). *Se débarrasser d'une affaire.* → **Finir** (en), **liquider, vendre.** *Se débarrasser d'un souvenir, d'une idée.* → **Oublier.** *Se débarrasser d'un secret.* → **Délivrer** (se). *Se débarrasser d'un joug.* → **Affranchir** (s'). — *Se débarrasser de qqn :* éloigner, expulser une personne indésirable, ou, par euphémisme, la faire mourir. *Se débarrasser d'un ennemi.*

7 En tournant sa masse d'armes, il se débarrassa de quatorze cavaliers.
FLAUBERT, Trois contes, «La légende de St Julien l'Hospitalier», II, p. 122.

8 (...) il ne faut pas se débarrasser légèrement de ce qu'on a mis dans son cœur.
FRANCE, le Lys rouge, XII, p. 115.

9 L'on peut juger ici de la peine que nous avons à nous débarrasser d'une idée toute faite.
J. PAULHAN, Entretien sur des faits divers, p. 15.

10 En un clin d'œil, il se débarrassa de son gilet (...)
MARTIN DU GARD, les Thibault, t. II, p. 139.

11 Même dans les milieux révolutionnaires, on essaye maintenant de se débarrasser de la vieille terminologie humanitaire et libérale de 48 (...)
MARTIN DU GARD, les Thibault, t. V, p. 221.

CONTR. Embarrasser, entraver, gêner. ◊ **DÉR. Débarras.**

DÉBARRER [debaʀe] v. tr. — 1174; de 1. *dé-*, et *barrer.*

♦ **1** Vx ou régional **a** Ôter la barre (ou les barres) de... *Débarrer une porte, une fenêtre.*
b Laisser passer, s'écouler (un flot, etc.).
(...) après le choc des plombs et des mailles de l'épervier, voici la petite roue du moulin qui se presse, en lui, débarre d'autres torrents d'eau glacée. Pas le moment de faire des blagues.
A. JARRY, l'Amour en visites, Pl., t. I, p. 845.

♦ **2** Techn. (textile). Faire disparaître les irrégularités de (un tissu fini ou teint) par une opération dite *débarrage* (n. m.). *Débarrer une étoffe.*

♦ **3** Mus. En parlant d'un instrument, Enlever l'âme de. *Débarrer un violon.*

DÉR. Débarreur.

DÉBARREUR, EUSE [debaʀœʀ, øz] n. — 1870; de *débarrer.*
Techn. Ouvrier, ouvrière qui débarre* (2.) une étoffe.

DÉBARRICADER [debaʀikade] v. tr. — 1845; de 1. *dé-*, et *barricader.*
Enlever la barricade de; ouvrir en supprimant la barricade. — Par ext. Ouvrir, dégager (ce qu'on avait barricadé).
On n'osa débarricader la sortie qu'en apercevant, par la fente d'un auvent, un mince rayon de jour.
MAUPASSANT, les Contes de la Bécasse, «La peur».

♦ **SE DÉBARRICADER** v. pron.
Se dégager d'une barricade. — Par ext. Sortir, se dégager d'un lieu où l'on s'était enfermé, barricadé. *Il s'est débarricadé de sa chambre.*

CONTR. Barricader.

DÉBAT [deba] n. m. — XIII°; dr., 1283, au plur.; déverbal de *débattre.*

♦ **1** Action de débattre une question, de la discuter avec un ou plusieurs interlocuteurs qui allèguent leurs raisons. → **Contention** (vx), **contestation, démêlé, différend, discussion, dispute, examen,**

explication, panel (anglic.), polémique, table ronde.
*Débat vif, passionné, orageux. Le débat a roulé sur
telle question. Soulever un débat. Éclaircir le débat.
Entrer dans le vif, dans le cœur du débat : aborder
le point le plus important ou le plus délicat du
sujet. Concéder un point dans un débat. Verser des
arguments au débat. Vider un débat. Abandonner
le débat. Arbitrer, régler, trancher, clore un débat.
Le problème s'est réglé après de nombreux débats.*

1 Je m'attendais à des débats, à des objections sans nombre ;
   et je la trouve juste, bonne, généreuse (...)
                       BEAUMARCHAIS, la Mère coupable, III, 9.
2 (...) et il eût mal supporté que Denise rouvrît le débat.
                       A. MAUROIS, le Cercle de famille, II, XI, p. 182.
3 Il s'appliquait à ne pas passionner le débat, à lui garder
   un tour spéculatif.
                       MARTIN DU GARD, les Thibault, t. V, p. 223.
4 Quand un homme, ayant suffisamment instruit son jugement, jette courageusement son autorité dans le débat,
   élève la voix, demande une mesure de justice ou de clémence et se présente ainsi comme l'avocat libre d'une
   cause difficile et dangereuse, il faut l'écouter respectueu-
   sement, il faut le saluer toujours, et l'assister autant qu'on
   le peut.
                       G. DUHAMEL, la Défense des lettres, II, VIII, p. 176.

*En débat. Mettre une question en débat, en
débattre*. Être en débat sur une question.*
Spécialt. Discussion organisée et dirigée. *Conférence suivie d'un débat. Débat télévisé. Organiser
un débat.* — (En deuxième élément, dans des noms
composés dont le genre est celui du premier terme)
-**DÉBAT** : qui comporte un ou des débats (1.,
spécialt). *Une conférence-débat, un dîner-débat, une
émission-débat. Des conférences-débats.*

◆ **2 Fig.** Combat intérieur, psychologique, d'arguments qui s'opposent. *Un débat intérieur. Débat de
conscience.* → **Cas.** *Débat cornélien,* dans une tragique alternative.

5 (...) et subitement il se débonda, épandant au hasard des
   mots, ses plaintes, avouant l'inconscience de sa conversion, ses débats avec sa chair, son respect humain, son
   éloignement des pratiques ecclésiales (...)
                       HUYSMANS, En route, p. 72.

Littér. Genre littéraire du moyen âge dans lequel
deux personnages allégoriques s'opposent dans un
dialogue sur un thème donné. *Débat de Folie et
d'Amour,* œuvre de Louise Labé (1555).

◆ **3 Par ext.** → **Altercation, querelle.** *Il s'éleva un débat
entre eux. Apaiser un débat.*

6 Petits princes, videz vos débats entre vous.
                       LA FONTAINE, Fables, IV, 4.

◆ **4 (Plur.).** Discussion* dans une assemblée politique. → **Séance.** *Débats parlementaires. Débats sur
un projet de loi. Débats sur l'amnistie. Ouvrir,
reprendre les débats. Diriger les débats* (→ **Président**).
Intervenir dans les débats. Incidents au cours des
débats. Clôturer les débats* (→ **Clôture**, cit. 2). *Le président a résumé les débats. Secrétaire des débats.* —
*Lire le compte rendu analytique des débats dans le
Journal officiel.*

7 Trois heures plus tôt, il était intervenu avec éclat dans le
   débat sur la grève des postiers, et sans l'avoir tout à fait
   prévu.
                       J. ROMAINS, les Hommes de bonne volonté, t. V,
                                                             p. 214.

Dr. Procès. Spécialt. Phase du procès «qui débute
par les plaidoiries des avocats et les conclusions
du Ministère public et qui prend fin par la *clôture des débats* prononcée par le Président avant
de rendre le jugement» (Capitant). *Débats d'un
procès. Débats d'une affaire civile, criminelle. Débats
publics.* «*Les débats sont publics, sauf les cas où la
loi exige ou permet qu'ils aient lieu en chambre du*

conseil» (Code de procédure civile, art. 22). *Débats
à huis clos. Les débats dureront plusieurs jours.
Suivre les débats. Réouverture des débats.*

DEBATER [debatœʀ] n. m. — 1830, répandu v. 1954 ;
mot angl. ; francisé *débatteur,* 1967, rare.

Anglic. Polit., journal. Orateur qui excelle aux débats,
aux discussions publiques. «*Debater habile, spécialiste des formules choc*» (*l'Express,* 10 mars 1979). —
La forme française *débatteur* [debatœʀ] est recommandable : «*C'est le professeur qui le rectifie, le débatteur qui l'obstrue, l'orateur qui le coupe*» (*le Monde,*
11 févr. 1977, p. 15).

Dans ce camp, le grand *debater* était un jeune inspecteur
des finances déjà célèbre, (...) qui nous parlait savamment
d'«open market» et de «gold exchange standard».
                       Raymond ABELLIO, Ma dernière mémoire, t. II,
                                                             p. 102.

DÉBÂTER [debate] v. tr. — 1474 ; de 1. *dé-, bât,* et suff.
verbal.

Débarrasser (une bête de somme) de son bât.
Débâter un âne.

Il en trouva une (*porte*), en effet, qui donnait dans une
resserre où ils débâtèrent le mulet. Cette une sellerie ;
l'écurie était derrière ; on pouvait y entrer librement. Ils
raclèrent dans les mangeoires assez d'avoine et de foin sec
pour leur bête.
                       J. GIONO, le Hussard sur le toit, p. 347.

DÉBÂTIR [debatiʀ] v. tr. — XIIIᵉ ; de 1. *dé-,* et *bâtir.*
Démolir, démonter (ce qu'on a bâti).
Fig. → **Déconstruire.**
Cout. Découdre le bâti de. *Débâtir une jupe.*

1. **DÉBATTEMENT** [debatmã] n. m. — 1929 ; de
2. *dé-,* et *battement* ; l'anc. franç. *debatement, debattement* «action de battre, battement (par ex. d'yeux,
d'ailes)» vient de *débattre.* → 2. Débattement.
Technique.

◆ **1 Mécan.** Amplitude maximale des mouvements
d'un ensemble suspendu (châssis d'automobile,
wagon...) par rapport à son train de roulement.
Débattement d'une suspension.

◆ **2** Espace libre pour le réglage de l'élément d'une
optique. *Le débattement d'une bague de mise au
point.*

2. **DÉBATTEMENT** [debatmã] n. m. — Attesté XVIᵉ,
debattement (in Godefroy) ; de (*se*) *débattre.*
Rare. Fait de se débattre.

(...) Jean ignorait encore que pour avoir une belle oie rôtie
(...) il avait fallu épouvanter une bête, lutter avec elle, lui
tordre le cou et faire couler des mares de sang sur l'évier
de la cuisine (et quand il entendait des cris et des débat-
tements effrayés dans la cour, il croyait qu'on punissait
sans lui faire mal un coq méchant avec les poules) [...]
                       PROUST, Jean Santeuil, Pl., p. 282.

DÉBATTEUR [debatœʀ] n. m. → **Debater.**

DÉBATTRE [debatʀ] v. tr. et pron. [CONJUG.: *battre.*]
— XIIᵉ ; v. 1050, «battre fortement» ; de 2. *dé-,* et *battre.*

I V. tr. ◆ 1 Examiner contradictoirement (qqch.) avec
un ou plusieurs interlocuteurs. *Débattre une question.* → **Agiter, délibérer, démêler, discuter, disputer,
examiner, traiter ; conférence, débat.** *Débattre une
affaire, un projet. Avoir qqch. à débattre avec qqn. Ils
ont débattu la chose entre eux. Débattons d'abord
ce point. Débattre les articles d'un compte. Débattre
un prix.* → **Marchander.** *Débattre les conditions d'un
pacte, d'un accord.* → **Négocier, parlementer, traiter**

(→ Capitulation, cit. 4). — **(Au p. p.).** *Problèmes longue-ment débattus. Tout bien débattu.*

1　Tout débattu, tout bien pesé,
　　Les âmes des souris et les âmes des belles
　　Sont très différentes entre elles.
　　　　　　　　　　　LA FONTAINE, *Fables*, IX, 7.

2　J'ignorais tout des raisons qu'elle avait eues de me quitter, mais j'acceptais de débattre silencieusement avec elle, dans cette dernière rencontre, premier match du spectacle olympique, le drame qui nous séparait.
　　　　　　　　　　　GIRAUDOUX, *Bella*, VI, p. 150.

3　«Que vais-je faire l'an prochain? Préparer cet examen? Ou tel autre? Ou partir pour l'étranger? Ou entrer dans cette usine?» Il est naturel que ces questions soient mûrement débattues, mais nécessaire aussi qu'une limite de temps soit fixée, après laquelle une décision devra intervenir.
　　　　　　　　　　　A. MAUROIS, *Un art de vivre*, III, p. 95.

V. tr. ind. *Débattre de, sur (qqch.). Débattre d'une affaire.*

Absolument.

4　(...) ils apprécient, distinguent, débattent, jugent, criti-quent, pèsent le pour et le contre, dégustent une objection, démontrent et concluent (...)
　　　　　　　　　　　SARTRE, *la Mort dans l'âme*, II, p. 204.

♦2 Régional (Suisse). Cuis. Agiter pour mêler (des sub-stances alimentaires). → **Battre.** *Débattre des œufs, de la farine dans de l'eau.*

Ⅱ V. pron. SE DÉBATTRE. ♦1 Lutter* en faisant beaucoup d'efforts pour se défendre, résister, se dégager. → **Agiter** (s'), **démener** (se). *Se débattre comme un beau diable, comme un possédé, comme un forcené. Il s'est longtemps débattu quand on l'a arrêté. Nageur qui se débat contre le courant.*

5　Je l'ai vu dans leurs mains quelque temps se débattre (...)
　　　　　　　　　　　RACINE, *Andromaque*, V, 3.

6　Elle se débattait dans ses bras. Il la couvrait de baisers écumants.　　　　　HUGO, *Notre-Dame de Paris*, XI, I.

7　Je me vois encore dans ma chaire, me débattant comme un beau diable, au milieu des cris, des pleurs, des gro-gnements, des sifflements (...)
　　　　　　　　　　　A. DAUDET, *le Petit Chose*, I, IX, p. 111.

8　(...) Tristan se débattait, ainsi qu'un jeune loup pris au piège.　　　　　J. BÉDIER, *Tristan et Iseult*, I.

9　Je l'ai assommé pour qu'il ne se débatte pas.
　　　　　　　　　　　GIRAUDOUX, *la Folle de Chaillot*, I.

♦2 Fig. *Se débattre contre les difficultés de la vie.* → **Batailler, battre** (se battre avec). *Se débattre contre la misère, la maladie.* → **Colleter** (se). *Se débattre au milieu de problèmes insolubles.*

10　(...) je me débattais contre mon impuissance à rendre dans une langue humaine le charme pénétrant des choses.
　　　　　　　　　　　LOTI, *Madame Chrysanthème*, VIII.

11　Il y a des jours où l'on touche au fond des choses, où l'on se débat en vain contre tout ce qui est bas et vil.
　　　　　　　　　　　A. MAUROIS, *le Cercle de famille*, p. 122.

12　Moi je me débats au milieu de difficultés humaines qui (...)
　　　　　　　　　　　G. DUHAMEL, *Chronique des Pasquier*, VI,
　　　　　　　　　　　　　　　　　Les maîtres, X, p. 364.

♦3 (Passif). Être débattu. → **Débattre,** I. *Cette question se débat en ce moment.*

CONTR. Taire (se). — **Céder, laisser** (se laisser faire, se laisser aller). ◊ **DÉR. Débat,** 2. **débattement.**

DÉBAUCHAGE [deboʃaʒ] n. m. — 1900; de *débau-cher.*

♦1 Vx. Action d'engager (qqn) à quitter un poste, un travail.

♦2 Mod. Action de priver qqn de son emploi (ouvriers, employés). → **Licenciement, renvoi.** *Le débauchage d'employés. De nombreux débauchages ont aggravé le chômage.*

CONTR. Embauchage, embauche.

DÉBAUCHE [deboʃ] n. f. — 1499; de *débaucher.*

Usage excessif, jugé condamnable, des plaisirs sensuels.

Ａ ♦1 (La débauche). **ⓐ Vx ou relig.** Excès, abus des plaisirs sensuels en général, condamnés par un jugement moral et social (lié aux idées domi-nantes à chaque époque, notamment aux idées reli-gieuses); conduite qui en découle. → **Abus, excès; corruption, immoralité; débordement, déportement, dérèglement, désordre** (de la conduite), **inconduite.** — REM. La notion est liée à celles d'excès, de désordre, de faute morale (→ Vice) et d'abaissement (→ Crapule) autant qu'à celle de plaisir (→ Jouissance; plaisirs, n. m. pl.; volupté); au XVIIᵉ siècle, cette notion s'applique sur-tout aux hommes, et concerne «l'abandonnement au vin, aux femmes, au jeu et aux autres vices» (Furetière, 1690). — *S'adonner, s'abandonner à la débauche. Tomber dans la débauche. Vivre, passer sa vie dans la débauche* : avoir une conduite* désordonnée, relâ-chée, scandaleuse. *Compagnons de débauche.* — (Qualifié). *Débauche de table* (sens b); *la débauche des femmes* (sens c).

Par exagér. Excès (dans quelque domaine que ce soit), écart par rapport à des règles de conduite. *«Un petit rentier (...) dont l'unique débauche était d'acheter de la peinture»* (Zola, *in* T. L. F.).

N. B. Cet exemple atteste le glissement de la notion de «excès moralement condamnable» à «entorse aux prin-cipes bourgeois d'économie, etc.», fondé sur la notion commune d'«excès»; l'extension de sens est attestée dès le XVIIᵉ siècle.

ⓑ Spécialt et vx. Excès des plaisirs de la table; intempérance dans la gourmandise (→ **Glouton-nerie**) et la boisson (→ **Ivrognerie.**) *«Repas de débauche»* (Dupuis, 1796, *in* T. L. F.). *Partie de débauche.* → **Beuverie, ripaille, soûlerie.**

REM. Dans ce sens, qui ne survit plus qu'au sens 2 *(une débauche... de table)*, *débauche* implique en général aussi la notion d'excès d'ordre sexuel (ci-dessous, c).

ⓒ Spécialt et mod. Excès des plaisirs de la chair; recherche et pratique de la sexualité sans retenue et au mépris des règles morales de la société.
— REM. Cette valeur est la plus vivante du mot; mais l'évolution des mœurs fait qu'en dehors des contextes de jugement moral explicite (religion, etc.), *débauche,* comme les mots de la même famille, est souvent iro-nique ou plaisant. → **Dépravation, dévergondage, dissolution, incontinence, intempérance, libertinage, licence, luxure, orgie, paillardise, polissonnerie, relâ-chement, ribauderie** (vx). *Débauche effrénée, éhontée. Débauche honteuse.* → **Stupre, turpitude.** *S'adonner à la débauche. Se plonger, se vautrer, sombrer, tomber dans la débauche.* → **Boue, fange, ordure.** *Vivre dans la débauche, mener une vie de débauche.* → (loc.) *Rôtir le balai*, mener une vie de bâton* de chaise, courir* les mauvais lieux, faire la noce*. Un homme perdu de débauche.* → **Débauché.** *Actes, partie de débauche.* → **Bacchanale, bamboche, bam-boula, bombe, bordée, bringue, foire, godaille, orgie, partie, partouse, ribote, ribouldingue, riole** (vx), **virée.** *Bruyantes scènes de débauche.* → **Bacchanales, satur-nales.** *Lieu de débauche.* → **Bordel, boucan** (vx), **bousin, lieu** (mauvais lieu, lieu de perdition); **prostitu-tion.**

Dr. *Excitation des mineurs à la débauche.* → **Corrup-tion, prostitution.**

1　Sera puni (...) 1° Quiconque aura attenté aux mœurs en excitant, favorisant ou facilitant habituellement la débauche ou la corruption de la jeunesse de l'un et de l'autre sexe (...) 2° Quiconque, pour satisfaire les passions d'autrui, aura embauché, entraîné ou détourné, même avec son consentement une femme ou fille (...) en vue de la débauche (...)　　　Code pénal, anc. art. 334-1.

REM. 1. Les attestations littéraires concernent en général cette valeur sexuelle ; fréquentes dans la langue classique, elles se font plus rares au XXᵉ s., où le mot est assez «marqué».

2 Je sais fort bien que la débauche,
Tantôt à droit, tantôt à gauche,
Déshonore infailliblement
La maîtresse plus que l'amant.
BUSSY-RABUTIN, Maximes d'amour.

3 (...) quand la débauche et le dévergondement sont poussés à un certain point de scandale, cet excès fait plus de tort aux hommes qu'aux femmes (...)
Mᵐᵉ DE SÉVIGNÉ, 663, 15 oct. 1677.

4 L'avantage de l'amour sur la multiplication des plaisirs. Toutes les pensées, tous les goûts, tous les sentiments deviennent réciproques. Dans l'amour, vous avez deux corps et deux âmes ; dans la débauche, vous avez une âme qui se dégoûte de son propre corps.
MONTESQUIEU, Cahiers, p. 26.

5 Il entre, dans toute espèce de débauche, beaucoup de froideur d'âme ; elle est un abus réfléchi et volontaire du plaisir.
Joseph JOUBERT, Pensées, V, XIII, p. 65.

5.1 J'arrive toute émue, *Dubourg* était seul, dans un état plus indécent encore que la veille. La brutalité, le libertinage, tous les caractères de la débauche éclataient dans ses regards sournois.
SADE, Justine..., t. I, p. 25 (1791).

6 Ah ! malheur à celui qui laisse la débauche
Planter le premier clou sous sa mamelle gauche !
A. DE MUSSET, Premières poésies,
«La coupe et les lèvres», IV, 1.

7 Le grand plaisir du débauché, c'est d'entraîner à la débauche.
GIDE, Si le grain ne meurt, II, II, p. 343.

8 Je veux remarquer à présent dans les vices une sorte de défi à l'honneur ; et je vois trois vices principaux, l'ivresse, la débauche et la cruauté (...)
ALAIN, les Aventures du cœur, p. 94.

REM. 2. À l'opposé de *dévergondage**, *débauche* se dit surtout des hommes.

◆ 2 *(Une, des débauches).* Vieilli. Acte de débauche.

9 (...) tu prétends, ivrogne (...) que j'endure (...) tes insolences et tes débauches ?
MOLIÈRE, le Médecin malgré lui, I, 1.

10 (...) un père de famille qui a enfin réussi à embarquer pour la Bolivie le fils prodigue dont les honteuses débauches souillaient de fange les cheveux blancs.
COURTELINE, Messieurs les ronds-de-cuir,
4ᵉ tableau, II, p. 244.

Fam. et vieilli. Excès de table inaccoutumé. *Faire une petite débauche.* — Vx. Excès, action inaccoutumée.

B Par métaphore et fig. (→ Orgie, fig.) ◆ 1 (Qualifié). Usage excessif et déréglé (de qqch.). → Abus, excès, intempérance. *Une débauche d'esprit, d'imagination. Se livrer à des débauches intellectuelles, verbales.* — Loc. *Faire débauche de...*

11 (...) vous soupez peut-être à l'heure qu'il est chez l'Intendant. Vous n'y faites pas, à mon avis, débauche de sincérité.
Mᵐᵉ DE SÉVIGNÉ, 367, 5 janv. 1674.

(Produits consommés). *Faire une débauche de cigarettes, de cigares.*

◆ 2 *Une débauche de...* Profusion (de ce qui est surabondant et étalé). → Étalage, luxe, profusion, surabondance. *Une débauche de couleurs, de bons mots, de fleurs.*

12 Débauche de couleurs : toutes les nuances de l'arc-en-ciel.
MARTIN DU GARD, les Thibault, t. IX, p. 188.

13 C'est une débauche de poésie dramatique, une orgie de beautés sublimes !
G. DUHAMEL, Inventaire de l'abîme, IX, p. 137.

Littér. (sans compl. en *de*).

13.1 (...) la nourriture elle-même (...) exposée derrière le comptoir avec cette profusion, cette débauche ostentatoire qu'on ne rencontre que chez les pauvres (....).
Claude SIMON, le Palace, éd. de Minuit, p. 21-22.

Avec un jeu de mots entre les sens A et B :

14 Et, bientôt, la grande débauche des phrases avait commencé, accompagnant la grande débauche des principes et suivie de la grande débauche des gestes.
Louis MADELIN, Hist. du Consulat et de l'Empire,
De Brumaire à Marengo, IV, p. 47.

CONTR. Frugalité, sobriété. — Ascétisme, austérité ; chasteté, continence, décence, innocence, pudeur, retenue, sagesse, vertu. — Modération, pondération. — Insuffisance, parcimonie.

DÉBAUCHÉ, ÉE [deboʃe] adj. et n. — 1549 ; p. p. de *débaucher.*

Vieilli ou stylistique.

◆ 1 Adj. Qui vit dans la débauche*. → Corrompu, dépravé, dissolu, immoral, pervers, vicieux. *Ce jeune homme est dissipateur et débauché. Un bohème ivrogne et débauché. Une femme débauchée.* → Femme (femme de mauvaise vie, coquine....), fille (fille perdue...). Par ext. (en parlant d'une ville, d'un pays, d'une époque). → ci-dessous, cit. 2.

1 (...) ils entrèrent dans la maison d'une femme débauchée, nommée Rahab, et reposèrent chez elle.
BIBLE (SACY), Josué, II, 1.

2 (...) je ne dis pas dans Rome débauchée et sous la licence des empereurs, mais dans Rome disciplinée, sous la sagesse des consuls (...)
MOLIÈRE, Tartuffe, Préface.

3 (...) tel qui se flatte d'être corrompu et voleur n'est que débauché et fripon ; tel qui se croit vicieux n'est que vil ; tel qui se vante d'être criminel n'est qu'infâme.
CHATEAUBRIAND, Mémoires d'outre-tombe I,
p. 225.

4 (...) l'homme le plus crapuleusement débauché qu'il fût possible de voir, un vrai satyre, moins les pieds de bouc et les oreilles pointues.
Th. GAUTIER, Mˡˡᵉ de Maupin, X, p. 223.

Par ext. (Sentiments, attitudes). *Appétits débauchés.*

◆ 2 N. Personne qui s'adonne sans retenue aux plaisirs de la sexualité (avec une idée d'excès, de vice). → Débauche. N. m. *Un débauché.* → Bambocheur, cochon, coureur, drille, godailleur, noceur, paillard, polisson, porc, ribaud, roué, ruffian (VX), satyre, viveur. *Mœurs dissolues des débauchés. Alcibiade, Sardanapale, types célèbres de débauchés.* → Libertin, libidineux. *Un débauché honteur, hypocrite ; cynique, impudique.* → Putassier. *Un vieux débauché.* — N. f. *Une débauchée.* → Dévergondée.
— REM. L'idée de *débauché* implique le goût gratuit du plaisir, et se distingue nettement de celle de prostitution.

5 (...) ce serait une injustice (...) que de vouloir condamner Olimpe qui est femme de bien, parce qu'il y a eu une Olimpe qui a été une débauchée.
MOLIÈRE, Tartuffe, Préface.

6 Je connaîtrais un homme qui a des mœurs entre cent mille débauchés.
ROUSSEAU, Émile, IV.

7 Les débauchés (...) ne disent pas : «Cette femme m'a aimé» ; ils disent : «J'ai eu cette femme» (...)
A. DE MUSSET,
la Confession d'un enfant du siècle, V, 4, p. 291.

Personne condamnée pour ses excès sensuels au nom d'une morale sociale. → Sujet (mauvais). *Ce jeune débauché...* → Polisson.

CONTR. Ascète, austère. — Chaste, pudique, rangé, sage, sobre, vertueux. ◊ HOM. Débaucher.

DÉBAUCHER [deboʃe] v. tr. — 1195, *desbauchier* «disperser (des gens)» ; v. 1300, (réfl.) «partir» ; 1350, «écarter (qqn)» ; selon le F. E. W., de *des-* (→ 1. *dé-*), et *bauch* «poutre» (même étymon francique que *balcon*), bien que les sens concrets «dégrossir du bois pour en faire des poutres» (→ Ébaucher) et de là «fendre, séparer», qui fonderait «écarter», ne soient pas attestés ; P. Guiraud préfère une dérivation de *bauche* «maison»,

d'abord «mortier de terre et de paille, mélange boueux» (→ Bauge).

II (Opposé à *embaucher*; XVᵉ; repris XIXᵉ). ♦ **1** Détourner (qqn) d'un travail, d'une occupation, de ses engagements; provoquer à la défection, à la grève. *Débaucher un ouvrier, un domestique. Débaucher les soldats d'un régiment.*

1 (...) des vaisseaux qu'il *(le prince d'Orange)* envoyait pour débaucher une partie de la flotte anglaise (...)
Mᵐᵉ DE SÉVIGNÉ, 1074, 20 oct. 1688.

2 (...) cela n'est ni beau ni honnête de nous les débaucher *(nos laquais)* comme vous faites.
MOLIÈRE, les Précieuses ridicules, 15.

3 (...) dans l'espoir de débaucher quelques éléments intéressants du petit clan et de les agréger à son propre salon (...)
PROUST, À la recherche du temps perdu, t. IX, p. 185.

♦ **2** Renvoyer (qqn) faute de travail. → **Congédier, licencier, renvoyer.** *Débaucher une partie du personnel.* Absolt. *On débauche dans telle usine.*

♦ **3** V. intr. Régional. *Il, elle débauche à cinq heures :* il, elle cesse le travail.

III (XVᵉ). ♦ **1** Vieilli ou relig. Détourner (qqn) de ses devoirs, entraîner* à l'inconduite. → **Corrompre, dépraver, déranger, détourner, dévergonder, dissiper, pervertir, prostituer.** *Débaucher un mineur, une jeune fille.* → **Débauche** (cit. 1); **séduire.** *Le mauvais exemple débauche la jeunesse. Les mauvaises compagnies l'ont débauché.*

4 Femme n'était ni fille dans Florence
Qui n'employât, pour débaucher le cœur
Du cavalier, l'une un mot suborneur,
L'autre un coup d'œil, l'autre quelque autre avance.
LA FONTAINE, Contes, «Le faucon».

5 Je n'ai débauché le mari d'aucune femme, je n'ai jamais attiré dans mes filets aucun jeune homme.
G.-T. RAYNAL, Hist. philosophique, XVII, 21,
in LITTRÉ.

♦ **2** (XVIIᵉ). Fam. Détourner (qqn) de ses occupations ou de ses habitudes pour un divertissement honnête. *Se faire débaucher pour une partie de cartes. Viens, je te débauche, on va au cinéma.*

6 Je me suis laissé débaucher par M. Félix pour aller demain avec le Roi à Maintenon. RACINE, Lettre.

♦ **SE DÉBAUCHER** v. pron. (XVIᵉ).
Vieilli. Se livrer à la débauche. *Il s'est débauché très jeune.* → **Perdre** (se).

♦ **DÉBAUCHÉ, ÉE** p. p. adj. et n. Voir à l'ordre alphab.

CONTR. Embaucher. — Moraliser, redresser. ◊ DÉR. Débauchage, débauche, débauché, débaucheur. ← HOM. Débauché, adj. et n.

DÉBAUCHEUR, EUSE [deboʃœʀ, øz] n. — Déb. XVIᵉ; de *débaucher.*
Vx. Personne qui incite à la débauche.

DÉBECTAGE ou **DÉBÉQUETAGE** [debɛktaʒ] n. m. — 1901, *in* Cellard et Rey, *débectage*; *débequetage*, Bauche, 1929; de *débecter**, *débe(c)queter.*
Pop. Action de vomir; vomissement, nausée. → **Débectance.** — Fig. Dégoût. — REM. On écrit aussi *débecquetage.*

Je la ressentais drôlement cette sensation de débectage, rien qu'à l'idée d'aller m'attabler seul dans un restaurant parmi les branques.
Albert SIMONIN, Touchez pas au grisbi, p. 127.

DÉBECTANCE [debɛktɑ̃s] n. f. — 1901, Bruant; de *débecter.*
Pop. et vx. Dégoût, répugnance. → **Débectage.**

DÉBECTANT ou **DÉBÉQUETANT, ANTE** [debɛktɑ̃, ɑ̃t] adj. — 1883, «contrariant»; 1901, «nauséeux»; p. prés. de *débecter**, *débe(c)queter* (voir graphie cit.).
Fam. Qui dégoûte. → **Dégoûtant.** — REM. On écrit aussi *débecquetant.*

Et ta mère? lui demanda Julie.
— Remariée, ma chère, rien que pour me vexer. À soixante et onze ans!
— Ça, alors... dit Coco Vatard. C'est débecquetant.
COLETTE, Julie de Carneilhan, p. 83.

DÉBECTER ou **DÉBÉQUETER, DÉBEC-QUETER** [debɛkte] v. tr. — 1892; «vomir» (sens concret), 1883; de 1. *dé-*, et *bec*, d'après *becqueter* «manger».
Familier.

♦ **1** Dégoûter. *Ça me débecte, débèquete.*

On prend un verre ensemble? proposa Pierrot. 1
— Merci. J'ai mal au foie, et le vichy-fraise me débecte.
R. QUENEAU, Pierrot mon ami, éd. L. de Poche, p. 176.

♦ **2** (1914). Vieilli. Rejeter avec répugnance, vomir (au figuré).

J'suis dégoûté, v'là c'que j'suis! Les gens, j'les débecte, et 2 j'les r'débecte, tu peux leur dire.
H. BARBUSSE, le Feu, t. I, I, IX, p. 48 (1916).

DÉR. **Débectage, débectance, débectant.**

DÉBELLATOIRE [debɛlatwaʀ; debelatwaʀ] adj. — 1532; bas lat. *debellatorius*, du supin de *debellare* «soumettre par les armes», de *de-*, et *bellare* «faire la guerre», de *bellum* «guerre», cf. l'anc. v. *débeller* (mil. XIVᵉ) «vaincre».
Vx. Victorieux. *Cris débellatoires.*

DÉBENZOLAGE [debɛ̃zɔlaʒ] n. m. — 1922; de *débenzoler.*
Techn. Opération par laquelle on débenzole (le gaz).

DÉBENZOLER [debɛ̃zɔle] v. tr. — 1922; de 1. *dé-*, et *benzol.*
Techn. Traiter (le gaz de houille) pour en enlever le benzol. — P. p. adj. *Gaz débenzolé.*

DÉR. **Débenzolage.**

DÉBÉQUETAGE [debɛktaʒ] n. m. → **Débectage.**

DÉBÉQUETANT, ANTE [debɛktɑ̃, ɑ̃t] adj. → **Débectant.**

DÉBÉQUETER [debɛkte] v. tr. → **Débecter.**

DÉBÉQUILLER [debekije] v. tr. — 1968; de 1. *dé-*, et *béquille*, 3.
Enlever ou relever la ou les béquilles qui soutiennent (un bateau; un véhicule). *Débéquiller sa moto.*

DÉBET [debɛ] n. m. — 1441; lat. *debet* «il doit».
Fin. Ce qui reste dû après l'arrêté d'un compte. *Les débets. Le débet d'un compte.*

Un refus extrêmement poli du notaire à une nouvelle demande, apprit ce débet à Victurnien (...)
BALZAC, le Cabinet des antiques, Pl., t. IV, p. 389.

Spécialt. Dette envers l'État ou une collectivité publique. *Arrêt de débet de la Cour des comptes,* condamnant le comptable à solder le débet. — *Arrêté de débet d'un ministre,* contre un comptable, un entrepreneur, un fournisseur.

DÉBÊTIR [debetiʀ] v. tr. — Attesté 1869 (Centre de la France); aussi *débétir*, *débéter*; *débété*, adj., 1795, *in* D. D. L.; de 1. *dé-*, *bête*, et suff. verbal.

Rare (ou régional). Rendre moins bête, moins sot.

Elle dit à Gloriette qui compte sa monnaie : «Vous en avez des jolis sous! Il n'y a que ça qui débêtit le monde!»
    J. RENARD, Nos frères farouches, Ragotte, *in* Œ., Pl., t. II, p. 330-331.

DÉBIFFER [debife] v. tr. — XIVe; orig. incert., p.-ê. de 1. *dé-*, 1. *biffe*, et suff. verbal, ou de 2. *dé-*, et *biffer* «détruire, anéantir».

Vx. Mettre en mauvais état. — P. p. adj. *Pâle et débiffé.* → **Défait.**

De cela elle n'a cure; elle s'est présentée amaigrie, débiffée par les docteurs qui la médicamentaient.
    CHATEAUBRIAND, Mémoires d'outre-tombe, t. V, IV, I, p. 311.

DÉBILE [debil] adj. et n. — V. 1265, subst.; lat. *debilis* «faible».

◆ **1** Littér. ou didact. (vieilli). Qui manque de force physique, d'une manière permanente. → **Cacochyme, déficient, égrotant, faible, fragile, frêle, malingre, rachitique.** *Un enfant débile. Vieillard débile. Une constitution débile. Avoir des jambes débiles. Main débile.*

1 *Debilis, de de habilis,* veut dire proprement qui, par une décadence, une dégradation, un déchet, un déclin, a perdu son *habileté*, son aptitude, est devenu inepte ou incapable de remplir ses fonctions. On peut être *faible* par constitution, par un défaut de naissance, ou parce qu'on n'a pas encore acquis assez de force; on n'est proprement *débile* que par la perte de la force qu'on aurait avait.
    LAFAYE, Dict. des synonymes, Faible, débile, p. 602.

2 Un corps débile affaiblit l'âme.   ROUSSEAU, Émile, I.

3 (...) les ministres dont la main débile laissa tomber dans le gouffre la couronne de saint Louis (...)
    CHATEAUBRIAND, Mémoires d'outre-tombe, t. IV, p. 73.

4 Âme de feu dans un corps débile, volonté de fer, esprit qu'agitait un cœur effréné (...)
    Louis MADELIN, Hist. du Consulat et de l'Empire, t. V, XIII (→ Ardeur, cit. 38).

Par anal. *Arbrisseau débile. Plante débile.*

◆ **2** Littér. ou vx (abstrait). Sans aucune vigueur. → **Faible; chancelant, impuissant.** *Une volonté débile. Courage débile. Avoir le cerveau, l'esprit débile.*

5 Son courage sans force est un débile appui (...)
    CORNEILLE, Horace, IV, 2.

6 (...) ces petits chapeaux *(de vos jeunes muguets)* Qui laissent éventer leurs débiles cerveaux (...)
    MOLIÈRE, l'École des maris, I, 1.

7 L'esprit humain est débile; il s'accommode mal de la vérité toute pure; il faut que sa religion, sa morale, ses États, ses poètes, ses artistes, la lui présentent enveloppée de mensonges.   R. ROLLAND, Jésus-Christ, IV, p. 21.

8 (...) ma débile raison s'en laissait imposer par mes désirs.
    GIDE, le Retour de l'enfant prodigue, Ve tableau, p. 42.

◆ **3** (V. 1909). Psychol. Qui est atteint de débilité* mentale (pour un adulte, âge mental entre 7 et 10 ans). — N. *Un débile mental, une débile mentale.* → aussi **Déficient** (mental), **retardé** (mental). *Débiles légers, moyens. Débiles profonds.* → **Infirme** (infirmes mentaux).

Cour. Atteint d'une insuffisance mentale plus ou moins marquée.

9 (...) un après-midi, une jeune fille de dix-huit ans un peu débile, Claudine, avait été torturée par trois très jeunes hommes (...)
    Michèle PERREIN, Entre chienne et louve, p. 209.

◆ **4** Fam. Imbécile, idiot. → **Taré.** *Complètement débile, ce mec! Des profs débiles.* «Quand tu t'ennuies, tu deviens débile (...)» (le Nouvel Obs., 16 oct. 1978, p. 69). — N. Personne débile. *Espèce de débile!* — N. m. Ce qui est débile. «Cinéma simpliste : ce n'est pas loin d'être débile. Mais c'est du débile américain (...)» (l'Express, 8 déc. 1979, p. 32). — REM. Ce sens est devenu si courant dans la langue parlée (comme en témoigne la suffixation : *débilos* [debilos], in Actuel, déc. 1974, p. 54) que les valeurs 1 à 3 sont aujourd'hui stylistiques (didact., littér., etc.).

Débile : contraire de génial.   10
    Jacques MERLINO, les Jargonautes, p. 196.

CONTR. Énergique, ferme, fort, résolu, robuste, vigoureux.
◊ **DÉR.** Débilement.

DÉBILEMENT [debilmã] adv. — Fin XVe; de *débile*. Rare. D'une manière débile.

DÉBILITANT, ANTE [debilitã, ãt] adj. et n. — D. i.; p. prés. de *débiliter.*

Qui affaiblit. *Régime débilitant. Température débilitante.*

Fig. → **Décourageant, démoralisant, déprimant.** *Atmosphère débilitante.*

(...) une fois de plus, mais cette fois définitivement, la profonde métaphysique chrétienne se transformait en une morale sociale de circonstance, qui n'allait pas tarder à se révéler utopique et inopérante quant à son projet, débilitante et niveleuse quant à son résultat (...)
    Raymond ABELLIO, Ma dernière mémoire, t. II, p. 56.

N. m. Méd. *Un débilitant :* un traitement, un remède qui affaiblit.

CONTR. Analeptique, fortifiant, réconfortant, reconstituant, tonique.

DÉBILITATION [debilitasjɔ̃] n. f. — 1304; de *débiliter.* Didact. Affaiblissement, épuisement, étiolement. *Débilitation de l'organisme. Débilitation intellectuelle, morale.*

Il y avait plus de deux mois que j'allais voir la comtesse, dont la santé ne s'améliorait pas et présentait de plus en plus les symptômes de cette débilitation si commune maintenant, et que les médecins de ce temps énervé ont appelée du nom d'anémie.
    BARBEY D'AUREVILLY, les Diaboliques, «Le bonheur dans le crime».

DÉBILITÉ [debilite] n. f. — Déb. XIVe; lat. *debilitas*, de *debilis.* → **Débile.**

◆ **1** Didact. et vx. État d'une personne débile, de ce qui manque «d'énergie vitale». → **Adynamie, asthénie, faiblesse, imbécillité** (sens vx), **impuissance.** *Une extrême débilité. Débilité congénitale, constitutionnelle.*

Au fait, je souffre; ma santé est très mauvaise, et ma débilité de poitrine est revenue.   1
    SAINTE-BEUVE, Correspondance, IV, 1200, 27 avr. 1841, p. 81.

◆ **2** Cour. (Abstrait). Extrême faiblesse. → **Incapacité,** et aussi **carence.** — Par ext. *Débilité du gouvernement.*

La poésie n'est point une débilité de l'esprit.   2
    FLAUBERT, Correspondance, II, p. 81.

Leur violence théorique *(de ces fonctionnaires)* était la   3 revanche de leur débilité, de leurs rancœurs et de la compression de leur vie.
    R. ROLLAND, Jean-Christophe, p. 1267.

◆ **3** (V. 1909, Dupré). Psychol. *Débilité mentale :* insuffisance du développement de l'intelligence, correspondant à un âge mental de sept à dix ans (classiquement située, dans l'échelle des arriérations mentales, entre l'imbécillité et la normalité). *Relative à un repérage psychométrique dans un contexte social déterminé, la débilité mentale ne constitue pas une entité nosologique. «Les formes et les degrés de la débilité mentale sont sans limites précises et sans caractères définitifs (...)»* (R. Lafon, *Vocabulaire de psychopédagogie*, p. 218 a).

Par ext. Cour. Faiblesse d'esprit.

Didact. *Débilité motrice :* «retard du développement des fonctions motrices volontaires» (Piéron, 1973).

♦ **4** Fam. Idiotie, imbécillité. *La débilité de ce bouquin est totale. Ce film est d'une rare débilité.*

CONTR. **Énergie, fermeté, force, puissance, verdeur, vigueur.** ◊ HOM. **Débiliter,** v.

DÉBILITER [debilite] v. tr. — 1308; lat. *debilitare*, de *debilis*. → Débile.

♦ **1** Didact. Rendre débile*, très faible; diminuer la force, la résistance de (qqch., qqn). → **Affaiblir, casser; débilité.** *Ce régime lui débilite l'estomac.* — Abstrait :

1 Heureusement, l'excès de la jouissance débilite l'imagination comme le jugement. La souffrance dort alors avec la virilité, et aussi longtemps qu'elle.
CAMUS, la Chute, p. 123.

Absolt. *Ce climat débilite.*

Pron. *Les alcooliques se débilitent. Plante qui se débilite.* → **Étioler** (s').

2 (...) il y a des eaux qui désencrassent, mais qui en même temps débilitent. La nôtre aurait des aptitudes à désencrasser, tout en tonifiant.
J. ROMAINS, les Hommes de bonne volonté, t. V, XXII, p. 178.

♦ **2** Fig. Décourager, démoraliser, déprimer. *Cet endroit le débilite.*

CONTR. **Conforter, fortifier, réconforter, restaurer, tonifier, vitaliser, vivifier.** ◊ DÉR. **Débilitant, débilitation.** ◄ HOM. **Débilité,** n. f.

DÉBILLARDER [debijaʀde] v. tr. — 1752; de 1. *dé-*, et *billard.* → 2. Bille.

Techn. Couper (une pièce de bois...) diagonalement, en vue de lui donner une forme adaptée (généralement courbe).

(Serrurerie). *Débillarder un fer,* le cintrer en plan et en élévation.

DÉBINAGE [debinaʒ] n. m. — 1836; de 1. *débiner.*

Fam. et vieilli. Action de débiner. → **Dénigrement, médisance.** *Le débinage de qqn par qqn. Le débinage d'une personne :* le mal qu'elle dit d'autrui, ou, selon les contextes, celui que l'on dit d'elle. *«Partie de débinage»* (A. Daudet).

1 (...) le débinage de la maison va son train, mêlé aux affaires intimes du pays.
O. MIRBEAU, le Journal d'une femme de chambre, p. 62.

2 (...) échanger surtout des potins parisiens et (...) se réfugier dans un perpétuel débinage.
Raymond ABELLIO, Ma dernière mémoire, t. II, p. 87.

(Un, des débinages). Propos médisants.

3 (...) le reste, c'est la conversation européenne, les débinages, le bridge (...)
Paul MORAND, Rien que la Terre, p. 60.

DÉBINE [debin] n. f. — 1803, *in* D.D.L.; de 1. ou 2. *débiner* «être dans la misère», attesté 1808, d'orig. obscure.

Fam. Misère. → **Dèche** (pop.), **pauvreté, purée** (fam.). *Être, tomber dans la débine. Période de débine.*

(...) tous les gosselins en débine (...)   1
Louise MICHEL, la Misère, t. III, p. 703 (1881).

Je vous dirai que mon oncle est riche, d'une férocité   2
extrême et d'un esprit obtus. Dans la famille, ils sont tous comme ça ; un autre oncle, non moins riche, féroce et obtus, m'abrite dans un immeuble somptueux, mais il me laisse moisir dans la débine.
R. QUENEAU, le Chiendent, p. 94.

1. DÉBINER [debine] v. — 1790; p.-ê. (P. Guiraud) de 1. *dé-*, et régional *biner* «s'accoupler» (aussi *abiner* «accoupler», *rebiner* «faire s'accoupler une seconde fois»), du lat. *bini* «deux» (→ Biner), l'idée première étant de se séparer, de se désolidariser d'un complice en parlant; ont existé aussi *rembiner* «rétracter, désavouer», et *rebineur* «qui revient sur ce qu'il a dit». La même idée de désolidarisation apparaît dans l'emploi argotique *débiner le pante* «voler l'homme qu'un autre voleur s'était réservé» (Henri France, 1907, *in* T.L.F.).

♦ **1** V. intr. Argot. Vx. Passer aux aveux.

♦ **2** V. tr. (1821). Fam. Décrier (qqn; qqch.). → **Dénigrer; déblatérer** (sur), **médire.** *Action de débiner qqn.* → **Débinage.**

Ah! c'est trop fort!... débiner mes costumes!   0.1
E. LABICHE, le Choix d'un gendre, 12.

L'obscur plaisir que j'ai à débiner mon frère quand nous   0.2
parlons de lui.   J. RENARD, Journal, 18 févr. 1901.

Nous v'là deux à vivre et les copains nous débinent tant   1
qu'ça peut (...)
Francis CARCO, Jésus-la-Caille, II, VIII, p. 136.

Pron. réciproque.

(...) partout où vous rencontrerez deux Français, vous les   1.1
trouverez brouillés et se débinant mutuellement.
L. H. LYAUTEY, Paroles d'action, p. 261.

♦ **3** V. tr. (1866). *Débiner (le truc) :* dévoiler (le secret de qqch.). — Au participe passé :

Peuh. Tous leurs trucs sont débinés maintenant. Dans les   1.2
music-halls, on n'en veut plus.
R. QUENEAU, Pierrot mon ami, p. 30.

DÉR. **Débinage, débineur.** — V. **Débine.**

2. DÉBINER (SE) [debine] v. pron. — V. 1850 (régional, début XIXe); *se biner,* 1771; probablt de 2. *dé-*, et *(se) biner,* anc. français *(s'en) bin(n)er* «s'en aller secrètement» (*bignier,* XIIIe), d'orig. inconnue; mais P. Guiraud ne distingue pas ce verbe de 1. *débiner.*

♦ **1** Se sauver, s'enfuir, partir. → **Filer.** *Se débiner au dernier moment. N'essaye pas de te débiner.*

Sur les routes, y a non seulement les troupes, mais tous   2
les civils des patelins, qui ont les foies, et qui se débinent!
MARTIN DU GARD, les Thibault, t. VIII, p. 169.

Et débine-toi, si tu ne veux pas être fait comme un rat!   3
MARTIN DU GARD, les Thibault, t. VIII, p. 187.

Ce qui m'amuserait, moi, ça serait de savoir comment que   4
tu t'y prends, pour te débiner de chez ta maîtresse.
J. ROMAINS, les Hommes de bonne volonté, t. IV, VIII, p. 83.

REM. Parfois sans pronom : *«Oh! le beau pognon! (...) sucrons-nous et débinons»* (l'Épatant, 1908, p. 43).

C'est pas la peine d'attendre... Vous allez prendre froid...   5
(Criant de plus en plus.) Allez, débinez..., débinez..., débinez !... Laissez-moi tout seul... puisque je suis tout seul... Je ne demande rien... à personne... Qu'on me foute la paix...
J. PRÉVERT, Le jour se lève, 1939, *in* l'Avant-scène, n° 53, p. 35, 1965.

♦ **2** S'en aller, s'user. *Des chaussettes qui se débinent.* — Abstrait :

FRANÇOIS, *hochant la tête avec dérision.* Tu as peut-être les   6
idées larges, mais t'as la tête trop petite... Alors, les idées..., ça se débine de tous les côtés... Tout à l'heure, tu parlais

de Françoise et, maintenant, c'est de Clara... Tu mélanges tout..., t'es fatigué.

J. PRÉVERT, Le jour se lève, 1939, *in* l'Avant-scène, n° 53, p. 26, 1965.

DÉBINEUR, EUSE [debinœʀ, øz] n. — 1875; de 1. *débiner.*

Fam. et rare. Personne qui débine* (qqn, qqch.). → **Dénigreur.**

Ils ne sont pas débineurs. Ils aiment ceux qui ont du talent (...)   J. RENARD, Journal, 23 janv. 1907.

DÉBIRENTIER, IÈRE [debiʀɑ̃tje, jɛʀ] n. — 1663; de 2. *débit,* et *rentier.*

Dr. Débiteur d'une rente.

CONTR. Crédirentier.

1. DÉBIT [debi] n. m. — 1565; déverbal de *débiter.*

♦ **1** Écoulement continu des marchandises par la vente au détail (→ Afin, cit. 3). *Avoir le débit de sa marchandise. Obtenir le débit d'un produit monopolisé,* obtenir le droit de le vendre. *Article d'un faible débit, d'un bon débit.*

1 Le prompt débit est la coupelle et la plus sûre épreuve d'un livre.   FURETIÈRE, Dict., Factums, *in* LITTRÉ.

2 On appelle marchand en détail celui qui vend la marchandise dont il fait négoce, à plus petites mesures et à plus petits poids qu'il ne l'a achetée, qui la coupe et qui la divise pour en faire le débit.
SAVARY, Dict. du commerce, 1759, *in* LITTRÉ.

3 *(Selon J.B. Say)* il ne saurait y avoir de surproduction générale. Lorsqu'il y a engorgement, il ne saurait être que partiel : «C'est toujours parce que d'autres canaux, loin d'être engorgés, sont au contraire dépourvus de plusieurs produits. C'est parce que la production des produits manquants a souffert, que les produits surabondants ne trouvent point de débit.»
René GONNARD, Hist. des doctrines économiques, IV, v, p. 365.

♦ **2** Par métonymie. Boutique. *Débit de tabac :* endroit où l'on vend du tabac. *Débit de boissons :* endroit où l'on vend des boissons à consommer sur place. → **Café ; bar, bistro, buvette.** *Licence pour ouvrir un débit de boissons. Réglementation des débits de boissons.*

4 Essayez de confondre un restaurant avec une guinguette, un café avec un caboulot ou un zinc. Ce sont tous des débits, mais qui ne débitent pas exactement les mêmes choses, ou surtout ne les débitent pas aux mêmes gens, ni dans le même cadre, ni pour les mêmes prix.
F. BRUNOT, la Pensée et la Langue, IV, XIII, III, p. 581.

♦ **3** (1754; de 1. *débiter,* 1.). **Techn.** Opération par laquelle on débite (le bois). → **Débitage.** *Le débit d'un chêne en planches, poutres, merrains, cerceaux.*

♦ **4** (1838). Volume de fluide écoulé en un point donné (section d'écoulement) par unité de temps. *Débit horaire. Le débit, pour une pompe, d'un robinet, d'une source d'eau, de gaz... : quantité d'eau, de gaz... fournie dans l'unité de temps. Petit appareil régulateur du débit.* → **Ajutage.** *Appareil mesurant le débit du gaz.* → **Gazomètre.** *Débit d'un fleuve,* variable suivant les saisons (→ **Crue, étiage, maigre, régime**).

5 Le débit d'un cours d'eau est le volume qui passe pendant l'unité de temps (seconde) par la «section mouillée», c'est-à-dire par la surface du«enveloppe le «périmètre mouillé» (...) Le périmètre mouillé et la section mouillée varient avec le niveau des eaux. Le plus bas niveau connu est l'étiage, auquel correspond le plus faible débit. Dans la plupart des cours d'eau importants on distingue un *lit mineur* et un *lit majeur,* le premier occupé par les eaux moyennes, le second seulement au moment des crues (...) L'ensemble

des opérations conduisant à l'évaluation du débit est ce qu'on appelle le *jaugeage.*

E. DE MARTONNE, Traité de géographie physique, t. I, III, V, III, p. 459.

Donnez-moi aussi le chiffre de son débit *(de la source),*   6 le plus exact possible... Vous concevez qu'avec un débit trop réduit, il soit difficile d'envisager des bains... Maintenant je serais bien surpris si dans le voisinage du point où elle sort, il n'y avait pas d'autres jaillissements ou suintements. Une source est rarement seule. Et on a vu dans un même périmètre un débit passer de un à dix par suite d'explorations intelligentes.
J. ROMAINS, les Hommes de bonne volonté, t. V, p. 109.

Physiol. *Débit cardiaque :* quantité de sang expulsée en une minute par chacun des deux ventricules cardiaques.

Par ext. (Hydraulique). *Débit solide :* quantité de matériaux solides qui franchissent une section d'écoulement donnée par unité de temps, dans un cours d'eau.

♦ **5** Par anal. Quantité fournie (→ **Volume**) en un point donné (d'un circuit, d'une chaîne, d'une voie...) par unité de temps. *Débit d'une source électrique.* — (Choses nombrables). *Débit d'une machine, d'une usine,* nombre de pièces produites en une heure, en un jour. *Débit faible, élevé, débit journalier* (d'une voie de circulation, etc.). *Débit maximum d'une voie de communication.* → **Capacité.** *Débit d'informations.* → **Cadence.**

♦ **6** (Déb. XVII°). Fig. Vx. Action de raconter, d'exprimer.

Du débit des nouvelles.   7
LA BRUYÈRE, les Caractères de Théophraste (Titre).

Mod. Manière d'énoncer, de réciter (quant à la rapidité); vitesse, rythme d'élocution. → **Diction, élocution.** *Le débit d'un orateur. Avoir un bon débit, le débit facile, lent, rapide, fatigant, saccadé. Cadencer son débit. Quel débit !* → **Faconde.**

Le monotone débit des acteurs égalise le texte et le ponce   8 pour ainsi dire.
GIDE, Journal 1889-1939, 11 mai 1920.

Il montrait, sans en avoir le parler, le regard sombre et   9 le débit enflammé des méridionaux.
G. DUHAMEL, Temps de la recherche, III, p. 29.

COMP. Débitmètre. ◊ **HOM.** 2. **Débit.**

2. DÉBIT [debi] n. m. — 1675; lat. *debitum* «dette», du supin de *debere* «devoir».

Compte des sommes dues par une personne à une autre. *Note de débit. Mettre une dépense au débit de qqn,* la lui faire supporter. *Je mets cette somme à votre débit.*

C'est vrai, après tout. Je suis un peu son notaire. Il est juste que je mette ces frais-là à son débit. Les dépenses déjà effectuées seulement. Cinquante et cinq, cinquante-cinq.
J. ROMAINS, les Hommes de bonne volonté, t. II, IX, p. 97.

Comptab. Partie d'un compte, à gauche du crédit*, où figurent les sommes remises ou payées à l'ayant compte par celui qui tient le compte. → **Doit.** *Inscrire, porter au débit. Le débit est tenu dans la colonne de gauche, le crédit dans celle de droite.* — *Différence entre le débit et le crédit.* → **Balance, solde.**

Comm. Enregistrement immédiat d'une vente. *Faites faire votre débit et passez à la caisse.*

CONTR. Crédit ; avoir. ◊ **COMP. et DÉR. Débirentier,** 2. **débiter.** → **HOM.** 1. **Débit.**

1. DÉBITABLE [debitabl] adj. — 1863; de 1. *débiter*.
Qui peut être découpé en morceaux. *Bois débitable en planches.* — Qui peut être écoulé par la vente au détail. *Marchandise débitable.*

Par métaphore :

(...) encore faut-il que je sois intelligible, que je ne terrifie pas tous les éditeurs sans exception, que je sois débitable, au moins autant qu'un amer nouvellement importé, sur le zinc en cœur de chêne de leurs comptoirs.
Léon BLOY, le Désespéré, p. 100.

HOM. 2. **Débitable.**

2. DÉBITABLE [debitabl] adj. — xxᵉ; de 2. *débiter*.
Comptab. Qui peut être rendu débiteur. *Compte débitable.*

HOM. 1. **Débitable.**

DÉBITAGE [debitaʒ] n. m. — 1794; «vente au détail», 1611; de 1. *débiter*.
Techn. Opération par laquelle on débite (du bois, etc.) → 1. **Débit**, 3. *Le débitage d'un chêne.*
Comme artisan il *(l'Homo sapiens)* disposait d'un outillage varié, approprié au débitage du silex et à un très fin travail des matières osseuses.
A. LEROI-GOURHAN, le Geste et la Parole, t. I, p. 189.

DÉBITANT, ANTE [debitã, ãt] n. — 1730; p. prés. de 1. *débiter*.

♦ **1** Vx. Détaillant*. → 1. **Débiteur**, II.; et aussi **boutiquier, commerçant** (petit), **marchand**. *Un(e) débitant(e) de...*

♦ **2** Mod. (Sens restreint). Personne qui tient un débit (de tabac, de boissons). → 1. **Débit**, 2. *Débitant, débitante de tabac, de boissons* (→ fam. **Mastroquet**).

1. DÉBITER [debite] v. tr. — V. 1330; de 2. *dé-*, et *bitte* «pièce de bois sur laquelle on enroule les câbles d'amarrage», de l'ancien scandinave *biti*, ou plutôt (P. Guiraud), d'un dérivé direct en anc. français (cf. *bit(e)* «pierre de taille», normand, 1508) de l'ancien scandinave *bite* «morceau», de même étymon *biten* «mordre» que *biti*.

I ♦ **1** Découper (du bois, et, par ext., une autre matière) en morceaux prêts à être employés. → **Couper, découper, diviser, partager.** *Débiter un chêne à la scie, en planches, en poutres, en cerceaux. Débiter des plaques d'ardoises. Débiter un bœuf, un mouton.* — Passif. *Être débité en morceaux.*

0.1 (...) Pencroff, brandissant sa hache de charpentier, de s'écrier :
«Au pont, d'abord!»
C'était le travail le plus urgent. Des arbres furent choisis, abattus, ébranchés, débités en poutrelles, en madriers et en planches. J. VERNE, l'Île mystérieuse, t. I, p. 390.

0.2 (...) Chènevillot, aidé de ses ouvriers, auxquels les outils ne manquaient pas, abattit un certain nombre d'arbres dans le Béhuliphruen. Les troncs furent débités en planches, et la construction s'ébaucha sur la place des Trophées (...)
Raymond ROUSSEL, Impressions d'Afrique, p. 293.

1 Comme s'il y avait près d'ici une profonde carrière de viande, qui fût dans toute son épaisseur de la même qualité, du même grain; le flanc ouvert d'une colline de viande, qu'un carrier aux mains dégoulinantes n'aurait qu'à débiter suivant les dimensions choisies.
J. ROMAINS, les Hommes de bonne volonté, t. IV, VI, p. 44.

♦ **2** (1464). Écouler (une marchandise) par la vente au détail. → **Vendre.**

2 Il (...) déclame contre le temps présent (...) De là il se jette sur ce qui se débite au marché, sur la cherté du blé (...)
LA BRUYÈRE, les Caractères de Théophraste, «De l'impertinent ou du diseur de rien».

3 Suis-je mieux nourri (...) après vingt ans entiers qu'on me débite *(qu'on débite mon livre)* dans la place?
LA BRUYÈRE, les Caractères, XII, 21.

4 Elle tenait un petit estaminet tout près de Lens, une affreuse baraque de planches où l'on débitait du genièvre aux mineurs trop pauvres pour aller ailleurs dans un vrai café.
BERNANOS, Journal d'un curé de campagne, II, p. 62.

Fig. *Il débite bien sa marchandise :* il a le don de persuasion, il sait faire valoir ce qu'il dit.

♦ **3** (xviiᵉ) Littér. Énoncer en détaillant. → **Dire, raconter.** *Débiter tout ce que l'on sait sur un sujet* (→ Avoir, cit. 45).

5 Je vous demande pardon si je vous débite avec tant de franchise ma pensée sur les présents que vous m'avez faits. CORNEILLE, Lettres.

6 On vient de débiter, Madame, une nouvelle
Que je ne savais pas (...) MOLIÈRE, Tartuffe, II, 4.

7 (...) il court par toute la ville le débiter *(ce secret)* à qui le veut entendre.
LA BRUYÈRE, les Caractères de Théophraste, «Du débit des nouvelles».

8 Et je commence à lui débiter, sans le laisser parler, tout ce que la girl avait pu picorer; vous pensez si, au bout de cinq minutes, il en avait plein le dos.
A. MAUROIS, les Discours du Dr O'Grady, V, p. 55.

Cour. et péj. Dire à la suite (des choses incertaines, inopportunes). → (fam.) **Débagouler, dégoiser, servir, sortir.** *Débiter des lieux communs* (→ Aplomb, cit. 4). *Débiter des fadaises, des sottises, des bourdes, des âneries, des inepties, des sornettes, des fagots, des fariboles, des mensonges, des blagues, des craques, des coquecigrues.* → **Conter.** *Débiter des paradoxes, des impertinences, un mauvais compliment. Débiter des calomnies, des méchancetés sur qqn.* → **Déblatérer** (contre). *Débiter qqch. d'un air avantageux...* → **Pérorer.**

9 (...) un homme de mon âge a cru légèrement
Ce qu'un homme du tien débite impudemment?
CORNEILLE, le Menteur, V, 3.

10 À table, on ne manque pas, selon la méthode française, de faire beaucoup babiller le petit bonhomme. La vivacité naturelle à son âge, et l'attente d'un applaudissement sûr, lui firent débiter mille sottises (...)
ROUSSEAU, Émile, II.

11 Je commençais à débiter mon mensonge en tremblant (...)
Alphonse DAUDET, le Petit Chose, I, III, p. 29.

12 Cela donne d'ailleurs dans le monde une multitude de sujets de conversation et permet de débiter des banalités artistiques qui semblent toujours profondes.
MAUPASSANT, les Sœurs Rondoli, Pl., t. II, p. 157.

Loc. fig. *Débiter son chapelet.* → **Chapelet.**

Spécialt. Dire en public (un texte déjà étudié). *Débiter sa harangue, sa plaidoirie, son sermon.* → **Prononcer.** *Débiter une tirade d'une seule haleine. Débiter un texte appris par cœur.* → **Réciter.** *Débiter avec emphase.* → **Déclamer.** *Débiter d'une manière monotone.* → **Psalmodier.** *Débiter un rôle en sacrifiant certaines parties pour faire valoir les autres.* → **Déblayer.**

13 (...) je distinguais, par-dessus la grouillante et sombre masse des spectateurs, l'émerveillement de la scène, sur laquelle une divette venait débiter des fadeurs.
GIDE, Si le grain ne meurt, I, 1, p. 18.

Dire d'une manière étudiée, en cherchant l'effet.

14 Phellion fut confondu par cette tirade admirablement bien débitée (...)
BALZAC, les Petits Bourgeois, Pl., t. VII, p. 141.

15 Caillaux débitait cela par petits tronçons agiles, d'une voix gaie, toujours prête à pétiller sous la pression d'une malice intérieure.
J. ROMAINS, les Hommes de bonne volonté, t. III, XVI, p. 209.

Dire mécaniquement et avec volubilité comme un texte appris par cœur.

16 — Comme vous débitez tout cela d'une haleine! On dirait que c'est une phrase apprise par cœur (...)
Th. GAUTIER, Mᵉ de Maupin, II, p. 26.

Absolument :

17 Vertu de ma vie, comme vous débitez! Il semble que vous ayez appris cela par cœur, et vous parlez tout comme un livre. MOLIÈRE, Dom Juan, I, 2.

II ♦ **1** (1848; du sens I, 2). Fournir, faire s'écouler (une quantité de fluide dans un temps donné). *Cette fontaine débite mille litres à l'heure.* Par anal. (au p. p.). *Courant débité par une dynamo.*

(1968). Permettre le passage en un temps donné de (une quantité de personnes, de choses). *«Les téléskis débitent 2 600 skieurs à l'heure»* (*le Monde,* 6 janv. 1968).

Absolt. (Fam.). *Ça débite :* le courant, la circulation s'écoule vite.

♦ **2** (1838). Produire (le sujet désigne une usine, une machine). *Cette usine, cette chaîne débite tant de voitures par jour.* → **Sortir.**

♦ **SE DÉBITER** v. pron. (valeur passive).
Être débité. *Bois qui se débite facilement. Marchandise qui se débite bien. Voilà des nouvelles qui se débitent.*

18 Les sourdes accusations de perfidie et d'ingratitude se débitaient avec plus de précaution, et par là même avec plus d'effet. ROUSSEAU, les Confessions, X.

19 Sa phrase s'était débitée en trois tronçons, comme un vers romantique, avec de fortes césures.
J. ROMAINS, les Hommes de bonne volonté, t. V, XXIII, p. 204.

CONTR. Bloquer. — Garder (pour soi), rentrer (fam.), taire.
◊ DÉR. 1. Débit, 1. débitable, débitage, débitant, 1. débiteur.
→ HOM. 2. Débiter.

2. **DÉBITER** [debite] v. tr. — 1723; de 2. *débit.*

♦ **1** Rendre (qqn) débiteur d'une certaine somme que l'on porte au débit de son compte. *Débiter qqn d'une somme de... Débiter qqn. Débiter un client dans un magasin.*

♦ **2** Faire figurer au débit. *Débiter un compte de telle somme.* — Mettre au débit la valeur de (qqch.). *Allez faire débiter cet article, puis passez à la caisse.*

CONTR. Créditer. ◊ DÉR. 2. débitable, 3. débiteur. → HOM. 1. Débiter.

1. **DÉBITEUR, EUSE** [debitœR, øz] n. — 1611; de 1. *débiter.*

I Péj. et vx. Personne qui débite (des nouvelles, des sottises). *Un débiteur de boniments.* → **Charlatan.**
(Le duc de la Feuillade) était fort avantageux, fort hardi, grand débiteur de maximes et de morale (...)
SAINT-SIMON, Mémoires, *in* LITTRÉ.

II (1793) Vx. Commerçant, détaillant. → **Débitant.**

III ♦ **1** Techn. Ouvrier qui débite (du bois, etc.). *Les débiteurs d'une ardoisière.*

♦ **2** Techn. *Débiteur,* n. m., ou *débiteuse,* n. f. *Appareil qui débite qqch. Débiteuse pour le sciage du marbre.* — *Débiteur de caméra :* magasin qui débite la pellicule vierge.

HOM. 3. Débiteur. — (Du masc.) 2. Débiteur.

2. **DÉBITEUR, TRICE** [debitœR, tRis] n. et adj. — 1239; lat. *debitor,* fém. *debitrix*; a remplacé *detteur* encore employé par La Fontaine; de *debitum,* supin de *debere* «devoir».

♦ **1** Personne qui doit qqch. (→ **Dette, obligation**) à qqn (→ **Créancier**). *Le débiteur d'une obligation de faire ou de ne pas faire. Le débiteur d'une somme d'argent. Le débiteur est obligé de faire l'appoint* (cit. 1). *Être débiteur d'une somme déposée, prêtée,*

avancée, du reliquat d'un compte. → **Consignataire, dépositaire, emprunteur, reliquataire.** *Débiteur d'une rente.* → **Débirentier.** *Débiteur avec un autre, avec d'autres.* → **Codébiteur.** *Extinction de la dette de deux débiteurs mutuels* (→ Compensation, cit. 12; confusion, cit. 6). *Caution* d'un débiteur. Garantie du créancier sur les biens du débiteur. Titre par lequel le débiteur reconnaît sa dette.* → **Créance, obligation, reconnaissance** (de dette). *Date à laquelle le débiteur doit s'acquitter.* → **Échéance, terme.** *Dommages et intérêts dus par le débiteur qui n'exécute pas son obligation. Débiteur solvable, insolvable. Déclaration d'insolvabilité faite par un débiteur à ses créanciers.* → **Banqueroute, banqueroutier, failli, faillite.** *Débiteur qui dépose son bilan. Exécuter un débiteur. Saisie des biens du débiteur. La contrainte par corps ou emprisonnement du débiteur insolvable* (mesure aujourd'hui abolie). *Débiteur qui s'enfuit sans payer ses créanciers.* → (fam.) Faire un trou à la lune*. Attestation écrite du créancier reconnaissant qu'un débiteur a acquitté, payé, rendu, restitué, ou remboursé ce dont il était redevable.* → **Acquit, décharge, quittance, reçu.**

Si un homme est juste et pratique le droit et la justice (...) 1
s'il n'opprime personne, s'il rend au débiteur son gage (...)
s'il ne prête pas à usure et ne prend pas d'intérêt (...)
BIBLE (CRAMPON), Livre d'Ézéchiel, XVIII, 5, 6, 7, 8.

Un créancier avait deux débiteurs : l'un devait cinq cents 2
deniers, et l'autre cinquante. Comme ils n'avaient pas de
quoi rendre, il fit remise à tous les deux (...)
BIBLE (CRAMPON) Évangile selon saint Luc, VII,
41, 42.

Je suis votre serviteur, et de plus votre débiteur. 3
— Ah! Monsieur...
— C'est une chose que je ne cache pas, et je le dis à tout
le monde. MOLIÈRE, Dom Juan, IV, 13.

Toute obligation de faire ou de ne pas faire se résout en 4
dommages et intérêts, en cas d'inexécution de la part du
débiteur. Code civil, art. 1142.

Le débiteur doit exécuter son obligation à l'époque et de la 5
manière convenues. S'il tarde à le faire, il se trouve, sous
certaines conditions, *en demeure,* et cet état de demeure
entraîne pour lui diverses conséquences. En outre, s'il persiste dans son refus d'exécuter, la loi donne au créancier le
droit et les moyens d'en exiger l'accomplissement : à défaut
d'exécution volontaire, le créancier peut s'adresser à la justice, qui constatera son droit; après quoi l'État mettra la
force sociale à sa disposition pour lui procurer l'exécution
effective. C'est l'*exécution forcée.*
M. PLANIOL, Traité élémentaire de droit civil,
t. II, II, I, p. 64.

Pour un gouvernement ancien modèle, tous les citoyens 5.1
sont des débiteurs à qui l'on fait rendre le plus possible,
très brutalement et très impoliment, à grand renfort de
percepteurs et d'huissiers.
A. ROBIDA, le Vingtième Siècle, p. 320.

Adj. (Comptab.). *Solde débiteur d'un compte, d'un bilan*.

♦ **2** Fig. Personne qui a une dette morale. → **Redevable.** *Je serai toujours votre débiteur pour le bien que vous m'avez fait.*

À l'égard du corps social, chacun de nous est à la fois 6
créancier et débiteur : créancier par héritage de tous les
efforts accomplis par les vivants qui nous ont précédés
sur la terre, débiteur envers ceux qui nous succéderont.
DANIEL-ROPS, Ce qui meurt..., p. 148.

CONTR. Créancier, créditeur; consignateur, prêteur.
◊ COMP. Codébiteur. → HOM. (Du masc.) 1. Débiteur,
3. débiteur.

3. **DÉBITEUR, EUSE** [debitœR, øz] n. — 1897, *débitrice;* de 2. *débiter.*

Comm. Dans un magasin, Employé, employée chargé(e) de débiter les clients. *«Dans le langage commercial, la débitrice est celle qui est en dette; la débiteuse est l'employée chargée de comptabiliser les achats»* (Dupré).

HOM. 1. **Débiteur.** — (Du masc.) 2. **Débiteur.**

DÉBITMÈTRE [debimɛtʀ] n. m. — 1948; de 1. *débit*, et *-mètre*.

Techn. Instrument pour mesurer le débit.

DÉBLAI [deblɛ] n. m. — 1641; *desblée*, 1265; déverbal de *déblayer*.

♦ **1** Action de déblayer, et, spéciait, d'enlever les terres, les décombres pour niveler ou abaisser un terrain (→ **Terrassement**), pour creuser des fondations, un fossé (→ **Excavation**). — Rare. *Le déblai est effectué.* — Cour. *De, en déblai. Travaux de déblai. Endroit d'une route, d'un canal en déblai, où il a fallu faire un déblai. Talus en déblai.* → **Talus.**

♦ **2** Par métonymie (souvent plur.). Les terres, les décombres enlevés (s'oppose à *remblai*). *Combler un fossé avec le déblai. Enlever les déblais. Amas de déblais sur le côté de la route.* → **Cavalier.**

1   Le blaireau a plus de facilité qu'un autre pour jeter derrière lui les déblais de son excavation.
          BUFFON, Hist. nat. des animaux, Le blaireau,
                               in LITTRÉ.

2   Ces déblais et ces remblais, ainsi que leurs transports à des distances déterminées, sont désignés généralement sous le nom de terrassements, (...)
          GIRARD, Inst. mém. sc., *in* LITTRÉ,
                              art. *Terrassement.*

3   Tous ces pauvres débris glorieux nous apparaissent là, trempés de pluie, au milieu des récents déblais, mêlés encore à cette terre qui, pendant des siècles, les avait gardés et cachés.   LOTI, Jérusalem, VI.

♦ **3** Fig. (vx). Débarras.

DÉBLAIEMENT [deblɛmã] n. m. — 1775; *desblafviement*, 1301; de *déblayer*.

Opération par laquelle on déblaie (→ **Déblayer**, 1.) un lieu, un passage. — REM. On écrit aussi *déblayement.*

CONTR. **Remblayage.**

DÉBLATÉRATION [deblateʀasjɔ̃] n. f. — 1870; de *déblatérer.*

Rare. Le fait de déblatérer.

DÉBLATÉRER [deblateʀe] v. intr. [CONJUG.: *céder.*] — 1798; lat. *deblaterare* «criailler, bavarder», de *de-*, et *blaterare*, mot onomatopéique.

Parler longtemps et avec violence (contre qqn, qqch.). → **Déclamer** (contre), **dénigrer**, **médire** (de), **vitupérer.** *Déblatérer contre qqn, contre qqch.*

1   Elle donnait cependant à dîner par hasard; mais elle déblatérait contre le café que personne n'aimait, suivant elle, et dont on n'usait que pour allonger le repas.
          CHATEAUBRIAND, Mémoires d'outre-tombe, t. II,
                                  p. 339.

1.1   Puis, Claude déblatéra contre le romantisme; il préférait ses tas de choux aux guenilles du moyen âge.
          ZOLA, le Ventre de Paris, p. 87.

Absolt. *Il ne cesse de déblatérer.*

2   (...) d'obscurs agents anarchistes continuaient à déblatérer dans les cabarets des faubourgs (...)
          Louis MADELIN, Hist. du Consulat et de l'Empire,
                        le Consulat, IX, p. 141.

Transitif. *Déblatérer des injures.*

CONTR. **Louer, vanter.** ◊ DÉR. **Déblatération.**

DÉBLAYAGE [deblɛjaʒ] n. m. — 1866; de *déblayer*, 2.

(Surtout au fig.). Action de déblayer. → **Déblaiement.** *Procéder à un déblayage, au déblayage de gravats. Faire le déblayage de sa correspondance, de ses affaires,* y mettre de l'ordre (→ Amoncellement, cit. 3).

Je suis dans la liquidation et dans le déblayage de nos affaires.   SAINTE-BEUVE, Proudhon, p. 31.

(1890). Spéciait (théâtre). *Déblayage d'un rôle.* → **Déblayer**, 2.

DÉBLAYEMENT [deblɛmã] n. m. → **Déblaiement.**

DÉBLAYER [deblɛje] v. tr. [CONJUG.: *payer.*] — 1388; *desbleer*, (1265), *desblaver* (1311); sens primitif «débarrasser la terre du blé», «moissonner»; sens actuel au XIVᵉ; de *des-* (→ 1. Dé-), et *blé.*

♦ **1** Débarrasser (un endroit) de ce qui encombre ou obstrue. → **Dégager.** *Déblayer la salle, l'entrée, la porte, le chemin.*

1   Il faudrait des sommes aussi énormes pour déblayer le chenal du golfe que pour s'ouvrir une voie dans l'intérieur des terres.   BALZAC, Séraphîta, I, Pl., t. X, p. 460.

2   J'essayai d'approcher du trou par où j'étais tombé. La neige l'avait obstrué. J'y mis les mains pour en déblayer l'orifice. Je creusai un moment.   H. BOSCO, Hyacinthe, p. 138.

Faire des travaux de terrassement pour aplanir un terrain.

3   C'est lord Elgin qui a fait ouvrir ce monument et déblayer les terres (...)
          CHATEAUBRIAND, Itinéraire de Paris à Jérusalem,
                                in LITTRÉ.

4   Après le déjeuner, tous allèrent assister à l'ouverture des travaux, que vinrent voir aussi tous les vieux de Montégnac (...) Cinq terrassiers rejetaient les bonnes terres au bord des champs, en déblayant un espace de dix-huit pieds, la largeur de chaque chemin.
       BALZAC, le Curé de village, IV, Pl., t. VIII, p. 727.

Absolt. *Les terrassiers vont déblayer.*

Loc. fig. *Déblayer le terrain* : faire disparaître les premiers obstacles avant d'entreprendre (une affaire, une discussion). → **Aplanir, balayer, préparer.**

5   Avec ce qui me reviendra de maman, je n'aurai plus besoin (...) que d'un million. Une fois le terrain déblayé, je m'en tirerai toujours.
          F. MAURIAC, le Nœud de vipères, XVII, p. 208.

5.1   Faites vos questions. Si je puis y répondre, j'essaierai de contenter votre curiosité. Pour simplifier les choses, je vais même déblayer le terrain.
          M. AYMÉ, Travelingue, p. 70.

♦ **2** *Déblayer sa correspondance, un travail* : préparer, trier.

Spéciait (théâtre). Mettre en valeur les bonnes parties d'un rôle en débitant les autres très vite. *Déblayer un rôle,* ou, absolt, *déblayer. Acteur qui a l'art de déblayer.*

Simplifier en enlevant tout ce qui encombre.

6   L'apologue arabe est tellement déblayé, qu'il n'y a plus rien, qu'une espèce de tension, un mot juste, une situation lapidaire... Brèves sentences, bref éclat.
          Henri MICHAUX, Un barbare en Asie, p. 50.

♦ **3** V. intr. Fam. (De *déblayer le terrain, le chemin*). → **Dégager.**

7   LE COMMISSAIRE, *aux agents.* J'ai déjà dit que je ne voulais personne dans l'escalier.
UN DES AGENTS, *à la dame.* Allez!... Allez!... Déblayez!
          J. PRÉVERT, Le jour se lève, 1939, *in* l'Avant-scène,
                            nº 53, p. 13, 1965.

♦ **SE DÉBLAYER** v. pron.
Être déblayé. *Le chemin ne se déblaye pas vite.*

♦ **DÉBLAYÉ, ÉE** p. p. adj. Voir à l'article.

CONTR. **Encombrer, engorger, remblayer.** ◊ DÉR. **Déblai, déblaiement** ou **déblayement, déblayage, déblayeur.**

DÉBLAYEUR, EUSE [deblɛjœʀ, øz] n. et adj. — Av. 1901, Colette ; de *déblayer*.

♦ **1** N. Techn. Personne qui déblaye. Spéciaʟt. Ouvrier d'une mine qui déblaye les matériaux. — Adj. *Ouvrier déblayeur.*

♦ **2** Adj. Littér. *«Un geste déblayeur»* (Duhamel, *in* T. L. F.).

DÉBLOCABLE [deblɔkabl] adj. — 1842 ; de *débloquer*.

Qui peut être débloqué.

DÉBLOCAGE [deblɔkaʒ] n. m. — 1819 ; de *débloquer*.

♦ **1** Action de débloquer (qqch.). *Déblocage des freins. Déblocage des crédits, des salaires.* — (1970). Fig. *Déblocage d'une situation politique, sociale.* (1951). Psychol. Levée d'inhibitions affectives (opposé à *blocage*).

♦ **2** Fam. Fait de débloquer (II.).

CONTR. Blocage.

DÉBLOCUS [deblɔkys] n. m. — 1835 ; de 1. *dé-*, et *blocus*.

Milit. → **Déblocquement.**

DÉBLOQUEMENT [deblɔkmã] n. m. — 1870 ; de *débloquer*.

Milit. Action de faire lever le blocus. — REM. On dit aussi *déblocus*.

CONTR. Blocus, investissement, siège.

DÉBLOQUER [deblɔke] v. — Fin XVIᵉ ; de 1. *dé-*, et *bloquer*.

I V. tr. ♦ **1** Milit. (vx). Dégager du blocus ennemi. *Débloquer une ville, la place.*

♦ **2** (1754). Techn. (imprim.). Enlever (une lettre bloquée) pour (la) remplacer par celle qui convient.

♦ **3** Remettre en marche (une machine, un rouage bloqué*). → Commande, cit. 7.

Par ext. Remettre en circulation, en vente. *Débloquer des marchandises, des denrées. Débloquer un compte en banque,* autoriser le titulaire à en disposer de nouveau. → **Dégeler.**

(V. 1960). Fig. Lever (les obstacles qui bloquent une situation). *«Le Marché commun a débloqué les problèmes agricoles»* (le Monde, 6 août 1963).

♦ **SE DÉBLOQUER** v. pron.

Se dégager d'un blocage. — Fig. *La situation politique, sociale se débloque,* va pouvoir évoluer.

II V. intr. (1915 ; du sens de «ouvrir, lâcher». Cf. Débloquer les vannes). Fam. Dire des sottises. → **Divaguer ;** (fam.) **déconner.**

1 Tu débloques, lui dit Boris avec douceur. Il faudra bien que tu saches ce qui en est quand tu reverras les parents.
SARTRE, l'Âge de raison, XIII, p. 235.

2 — Je ne saurais pas, dit Lambert...
— Ne débloque pas ! dit Henri... c'est normal qu'on rate son coup, la première fois.
S. DE BEAUVOIR, les Mandarins, p. 132.

3 (...) un grand écrivain... Mais quand il a voulu le faire au politique, qu'est-ce qu'il a pu débloquer ?
R. QUENEAU, Bâtons, chiffres et lettres, p. 54.

Dans ce sens, on emploie aussi *débloquant, ante* adj. → **Déconnant.**

CONTR. Bloquer. — Assiéger, investir. — Geler. ◊ DÉR. Déblocable, déblocage, déblocquement.

DÉBOBINER [debɔbine] v. tr. — 1886 ; de 1. *dé-*, et *bobine.*

Dérouler (ce qui était en bobine). Techn. Démonter les enroulements de (un dispositif électrique). — Pron. *Se débobiner :* se dérouler. — P. p. *Des fils débobinés.*

CONTR. Embobiner.

DÉBOGUER [debɔge] v. tr. — 1983 ; de 1. *dé-*, et 4. *bogue,* pour traduire l'angl. *to debug.*

Inform. Éliminer les bogues de (un programme...). *«En cas d'échec, il va devoir chercher la source de l'erreur. En langage informatique, cela s'appelle "déboguer" le programme»* (le Monde, 29 sept. 1999, p. 14).

DÉBOIRE [debwaʀ] n. m. — 1468 ; de 1. *dé-*, et *boire.*

♦ **1** Vx. Arrière-goût désagréable laissé par une boisson.

D'un Auvernat fumeux, qui, mêlé de Lignage, 1
Se vendait chez Crenet pour vin de l'Hermitage,
Et qui, rouge et vermeil, mais fade et doucereux,
N'avait rien qu'un goût plat, et qu'un déboire affreux.
BOILEAU, Satires, III.

Le pauvre enfant, à qui l'on avait fait prendre médecine 2
il n'y avait pas quinze jours, et qui ne l'avait prise qu'avec
une peine infinie, en avait encore le déboire à la bouche.
ROUSSEAU, Émile, II.

♦ **2** (1559). Fig. et mod. (au plur.). Impression pénible laissée par l'issue fâcheuse d'un événement dont on avait espéré mieux, ou par un événement fâcheux et inattendu. → **Amertume, chagrin, déception, déconvenue, dégoût, déplaisir, désagrément, désillusion, ennui, mortification.** *Affaire qui réserve, qui n'a donné que des déboires. Éprouver, essuyer des déboires.*

Vx ou littér. (au sing.). *Un amer déboire.*

Il lui laissa sentir toute l'amertume et tout le déboire de 3
mille événements fâcheux (...)
BOURDALOUE, Pensées, in LITTRÉ.

Je crois que ce que l'on appelle «expérience», n'est souvent 4
que de la fatigue inavouée, de la résignation, du déboire.
GIDE, Journal, 26 déc. 1921.

Événement fâcheux. → **Échec, ennui, épreuve.** *Être atteint par des déboires.*

Oui, le succès fut nul. Mais j'ai le caractère ainsi fait que je 5
pris plaisir à ma déconvenue. Au fond de tout déboire gît,
pour qui sait l'entendre, un «ça t'apprendra» que j'écoutai.
GIDE, Si le grain ne meurt, IX, p. 248.

CONTR. Chance, contentement, joie, réussite, satisfaction, succès.

DÉBOISAGE [debwazaʒ] n. m. — 1905 ; de *déboiser.*

Techn. (mines). Action de déboiser (II.), d'enlever le soutènement d'une taille d'un chantier de mine, pour le récupérer ou réaliser le foudroyage. *Treuil de déboisage :* treuil d'arrachage.

(...) dans toute opération de déboisage, il faut d'abord détruire les assemblages, de façon que ce soit seulement deux bois à la fois qui servent à *l'effondrement de l'un d'entre eux.* Michel CAZIN, les Mines, p. 80.

CONTR. Boisage.

DÉBOISEMENT [debwazmã] n. m. — 1803 ; de *déboiser.*

Action de déboiser (I.) ; son résultat. → **Déforestation.** *Le déboisement à outrance multiplie les torrents* et *provoque les éboulements. Réglementation du déboisement.* → **Défrichement.**

Par anal. (Fam. ou par plais.). Perte des cheveux. *Un déboisement précoce.*

CONTR. Boisement, reboisement.

DÉBOISER [debwaze] v. tr. — 1803 ; de 1. *dé-*, et *boiser.*

I Cour. Dégarnir (un terrain) des bois qui le recouvrent. *Déboiser pour défricher. Déboiser une colline.*

II Techn. (mines). Opérer le déboisage* de (une galerie de mines).

◆ **SE DÉBOISER** v. pron.
Perdre ses bois. *Montagnes qui se déboisent.* — Fam. (Personnes). Perdre ses cheveux.

CONTR. **Boiser, reboiser.** ◊ DÉR. **Déboisage, déboisement, déboiseur.**

DÉBOISEUR [debwazœʀ] n. m. — xxᵉ ; de *déboiser.*
Techn. (mines). Ouvrier employé au déboisage. —
REM. Le fém. *déboiseuse* est virtuel.

DÉBOÎTAGE [debwataʒ] n. m. — 1876 ; de *déboîter.*
Fait de se déboîter (en parlant d'une articulation).
→ **Déboîtement,** 1.

DÉBOÎTÉ, ÉE [debwate] p. p. adj. → **Déboîter.**

DÉBOÎTEMENT [debwatmɑ̃] n. m. — 1530 ; de *déboîter.*

◆1 Déplacement d'un os de son articulation.
→ **Entorse, foulure, luxation ; déboîtage.**

◆2 (1869). Action de déboîter (II.). — (1948). Par ext. *Déboîtement d'une automobile* (qui sort d'une file).

DÉBOÎTER [debwate] v. — 1545 ; de 1. *dé-*, et *boîte.*

I V. tr. ◆1 Faire sortir de ce qui emboîte. *Déboîter une porte,* la faire sortir de ses gonds. → **Démonter.** *Déboîter une montre,* sortir le mouvement du boîtier. *Déboîter un livre,* le sortir de son enveloppe protectrice. *Déboîter des tuyaux,* les séparer les uns des autres lorsqu'ils sont emboîtés. → **Disjoindre.**

◆2 Sortir (un os) de l'articulation. → **Démancher, désarticuler, disjoindre, disloquer, luxer.** *Chute qui déboîte l'épaule, la hanche, le bras.*

1   Ôtez-moi mes coiffes. Doucement donc, maladroite, comme vous me saboulez la tête avec vos mains pesantes ! — Je fais, Madame, le plus doucement que je puis. — Oui ; mais le plus doucement que vous pouvez est fort rudement pour ma tête, et vous me l'avez déboîtée.
           MOLIÈRE, la Comtesse d'Escarbagnas, 2.

II V. intr. (1826, milit.). Sortir de sa place (dans une colonne) pour se porter sur le côté.

(1935, *in* Petiot). Par ext. Sortir d'une file (en parlant d'un véhicule). *Mettre son clignotant avant de déboîter. Déboîter pour doubler.*

1.1   La voiture fait un bond en avant, déboîte de la file dans un hurlement de pneus (...)
           Roger BORNICHE, le Gringo, p. 312.

Sortir d'un alignement. «*Aucun titre ne doit être couvert par le titre de l'article qui le précède* (...) *c'est-à-dire qu'un titre sur deux ou trois colonnes, placé sous un article titré sur trois colonnes, doit déboîter au moins d'une colonne*» (Ph. Gaillard, *Technique du journalisme,* p. 111).

◆ **SE DÉBOÎTER** v. pron. (de I.).

◆1 Sortir de son emplacement, de son articulation.
→ **Démettre** (se).

2   Il arriva quelque temps après que Darius, étant tombé de son cheval à la chasse, se donna une violente entorse au pied, et que son talon se déboîta (...)
           ROLLIN, Hist. ancienne, III, 56, *in* POUGENS.

◆2 *Se déboîter un os :* avoir un os qui sort de l'articulation. *Il s'est déboîté l'épaule.*

◆ **DÉBOÎTÉ, ÉE** p. p. adj.
Qui est sorti de ce qui emboîte. — Spécialt. *Épaule déboîtée.*

CONTR. **Emboîter, remboîter, assembler, emmancher, encastrer.** ◊ DÉR. **Déboîtage, déboîtement.**

DÉBONDAGE [debɔ̃daʒ] n. m. — V. 1805 ; de *débonder.*

◆1 Action de débonder (1.).

◆2 Fig. Fait de débonder (2.) son cœur, de donner libre cours à des sentiments longtemps contenus.
REM. On dit aussi *débondement,* n. m.

DÉBONDEMENT [debɔ̃dmɑ̃] n. m. — 1836 ; de *débonder.*
Rare. → **Débondage.**

DÉBONDER [debɔ̃de] v. — V. 1462, sens fig. ; de 1. *dé-*, *bonde,* et suff. verbal.

I V. tr. ◆1 Techn. Ouvrir en retirant la bonde. → **Débondonner.** *Débonder une barrique, un réservoir, une pièce d'eau.* — Par anal. et fam. *Ce purgatif l'a débondé.*

◆2 *Débonder son cœur :* donner libre cours à des sentiments longtemps contenus. → **Épancher, ouvrir.** — Absolt et vx (→ cit. 2). *Débonder :* soulager son cœur en parlant, en évoquant librement ce qui pesait sur la conscience. → **Libérer.**

Vois-tu, Charlotte, il faut, comme dit l'autre, que je   1
débonde mon cœur.   MOLIÈRE, Dom Juan, II, 1.

Tout à coup il *(le duc d'Orléans)* débonda et nous dit ce   2
que nous eussions voulu ne point entendre (...)
           SAINT-SIMON, Mémoires, *in* LITTRÉ.

Le petit débonda son cœur. Il dit qu'il était laid. Il dit que   3
ses camarades avaient dit que leur révolution n'était pas
pour lui.   R. ROLLAND, Jean-Christophe, p. 1307.

Je m'abandonnais parfois à des mouvements d'impatience.   3.1
J'explosais en vulgarités qui débondent.
           P. GUTH, le Naïf sous les drapeaux, III, II, p. 93.

II V. intr. Se répandre avec abondance et violence (→ ci-dessous, Se débonder, 2.). *Le lac a débondé. L'eau a débondé par une ouverture.*

◆ **SE DÉBONDER** v. pron.

◆1 Perdre sa bonde. *Le tonneau s'est débondé, le vin se répand à flots.*

◆2 Se répandre avec violence. *L'étang s'est débondé cette nuit.* → **Vider** (se).

Que se passe-t-il, alors ? C'est comme si s'ouvrait en moi le   4
soupirail de l'abîme, comme si se débondait en moi tout
l'enfer.   GIDE, Journal, 25 mars 1927.

◆3 Fig. *Se débonder le cœur,* ou simplement *se débonder.* → supra, Débonder, 2.

(...) et subitement, il se débonda, épandant au hasard des   5
mots, ses plaintes, avouant l'inconscience de sa conversion, ses débats avec sa chair, son respect humain, son
éloignement des pratiques ecclésiales (...)
           HUYSMANS, En route, p. 72.

◆ **DÉBONDÉ, ÉE** p. p. adj.

◆1 Dont on a retiré la bonde. *Réservoir débondé.*

Maintenant il le sentait *(son honneur)* baisser de niveau,   6
diminuer en lui comme diminue l'eau dans une baignoire
débondée.   M. AYMÉ, Maison basse, p. 34.

◆2 Fig. Qui s'épanche en abondance. *Larmes débondées,* qu'on ne retient plus. — Qui laisse libre cours à ses sentiments.

Ces poètes débondés font aimer ceux qui se retiennent,   7
les régulateurs. N'importe quelle idée bien, ils la mettent
impudemment en cinq actes.
           J. RENARD, Journal, 21 janv. 1898.

DÉR. **Débondage, débondement, débondoir.**

DÉBONDOIR [debɔ̃dwaʀ] n. m. — 1900, Larousse ; de *débonder*.

Techn. Outil de tonnelier servant à débonder. — REM. On a dit aussi *débondonnoir* (attesté 1870 ; de *débondonner*).

DÉBONDONNER [debɔ̃dɔne] v. tr. — 1549, *desbondonner* ; de 1. *dé*, *bondon*, et suff. verbal.

Techn. Ouvrir en retirant le bondon. → **Débonder.** *Débondonner un tonneau.*

DÉR. **Débondonnoir** (V. **Débondoir**, REM.)

DÉBONNAIRE [debɔnɛʀ] adj. — 1080, *Chanson de Roland* ; de l'expression *de bonne aire* «de bonne race».

◆ **1** Vx. De noble nature, digne de sa race. → **Généreux.**

◆ **2** Vieilli ou littér. (Personnes). D'une bonté poussée à l'extrême, un peu faible. *Un prince débonnaire.* → **Bienveillant, bon, clément, indulgent, paternel.** *La directrice est assez débonnaire.*

N. *Un, une débonnaire. Louis le Débonnaire.*

1   Heureux les débonnaires, car ils hériteront la terre !
        BIBLE (SECOND), Évangile selon saint Matthieu, V, 5.

2   (...) il vous devait suffire
    Que votre premier roi fût débonnaire et doux (...)
        LA FONTAINE, Fables, III, 4.

3   Je hais de tout mon cœur les esprits colériques,
    Et porte grand amour aux hommes pacifiques ;
    Je ne suis point battant, de peur d'être battu,
    Et l'humeur débonnaire est ma grande vertu.
        MOLIÈRE, Sganarelle, 17.

4   (...) d'ordinaire débonnaire, il *(Samson)* avait des colères terribles (...)
        DANIEL-ROPS, le Peuple de la Bible, II, III, p. 153.

Il a un air très débonnaire, mais il ne faut pas s'y fier. Humeur débonnaire. → **Doux, patient.**

Spécialt. Vieilli. Qui tolère, supporte l'infidélité d'un conjoint. *Une épouse débonnaire. Mari débonnaire.* → **Accommodant, complaisant, facile, tolérant.**

5   *(Il faut)* N'imiter pas ces gens un peu trop débonnaires
    (qui) De leurs femmes toujours vont citant les galants (...)
        MOLIÈRE, l'École des femmes, IV, 8.

(Choses abstraites). *Une politique, une religion débonnaire.*

CONTR. **Autoritaire, bourru, cruel, despotique, dur, impitoyable, intransigeant, jaloux, méchant, querelleur, redoutable, sévère, susceptible, terrible, tyrannique.** ◊ DÉR. **Débonnairement, débonnaireté.**

DÉBONNAIREMENT [debɔnɛʀmɑ̃] adv. — 1167 ; de *débonnaire.*

Littér. D'une manière débonnaire. → **Bienveillamment, indulgemment.**

DÉBONNAIRETÉ [debɔnɛʀte] n. f. — V. 1170 ; de *débonnaire.*

Littér. Caractère d'une personne débonnaire, de ce qui est débonnaire. → **Bénignité, bienveillance, bonté, faiblesse.**

1   Mais quoi ! s'écriait-il tout à coup en marchant d'un pas convulsif, souffrirai-je comme si j'étais un homme de rien, un va-nu-pieds, qu'elle se moque de moi avec son amant ! Faudra-t-il que tout Verrières fasse des gorges chaudes sur ma débonnaireté ?
        STENDHAL, le Rouge et le Noir, XXI, p. 125.

2   Sitôt que le peuple sera désarmé, il faudra encore acclamer la débonnaireté du lion ; mais dès le lendemain, on pourra déjà insinuer que cette révolution que l'on croyait si pure n'a pas été sans mélange de crimes (...)
        CAMUS, Actuelles I, in Essais, Pl., p. 1547.

En fait, il y a bien des personnes (...) qui (...) attachent une   3
idée de naïve complaisance au rôle qu'il *(Joseph)* joua dans
la nativité. Cette impression de débonnaireté un peu simplette se trouve encore aggravée par l'habitude de superposer à la personne du saint celle de l'autre Joseph qui se
déroba aux avances de la femme de Putiphar.
        M. AYMÉ, le Vin de Paris, «La grâce», p. 87.

REM. On trouve chez Goncourt (*Journal*, t. V, p. 74) la var. *débonnarité.*

CONTR. **Cruauté, intransigeance, jalousie, méchanceté, sévérité, susceptibilité, tyrannie.**

DÉBORD [debɔʀ] n. m. — 1556, *desbord* ; déverbal de *déborder.*

◆ **1** Régional. Action de déborder ; résultat de cette action. *Le débord d'une rivière, d'un ruisseau.* → **Crue.** — Méd. et vx. *Débord de bile, d'humeurs.* → **Écoulement.**

◆ **2** Liséré qui dépasse le bord dans la doublure d'un vêtement. → **Passepoil.**

◆ **3** Techn. Partie (d'une médaille, d'une pièce de monnaie) qui va de la légende à la circonférence.

◆ **4** Techn. Partie (d'une route) qui borde le pavé.

(...) un passant, sur le débord, allonge une ombre déme-   1
surée (...)
        A. ARNOUX, Suite variée, p. 87.

◆ **5** Fig. et littér. Débordement* (de). *Un débord de chagrin, de tendresse.*

S'ils me voient comme ça, à la mort, ils auront le débord   2
de la pitié et ils arrangeront.
        J. GIONO, Solitude de la pitié, Pl., t. I, p. 498.

DÉBORDANT, ANTE [debɔʀdɑ̃, ɑ̃t] adj.
→ **Déborder** (cit. 18 à 20).

DÉBORDÉ, ÉE [debɔʀde] p. p. adj. → **Déborder.**

DÉBORDEMENT [debɔʀdəmɑ̃] n. m. — XVᵉ ; de *déborder.*

◆ **1** Action de déborder ; résultat de cette action. *Le débordement d'un torrent, d'un fleuve.* → **Crue, débord, inondation.**

(...) lorsque le débordement du Nil montait à douze cou-   1
dées, la fertilité était fort grande (...)
        ROLLIN, Hist. ancienne, in LITTRÉ.

Le débordement d'un liquide, d'un trop-plein.

Mais sitôt seul, tout éclatait ! c'était le brusque déborde-   2
ment d'un liquide laissé trop longtemps sur le feu.
        COURTELINE, Messieurs les ronds-de-cuir,
                                3ᵉ tableau, II, p. 104.

Méd. *Débordement de bile, d'humeurs.*

◆ **2** Fait de se répandre en abondance. *Le débordement de ses protestations, de sa colère. Un débordement de paroles, d'injures, de protestations, de
compliments.* → **Bordée (fam.), déluge, flot, flux, pluie,
profusion, torrent.** *Débordement de joie, d'enthousiasme.* → **Effusion, explosion.** *Débordement de vie,
de sève.* → **Exubérance, surabondance.** — *Débordement d'immoralité, débordement des instincts.*
→ **Déchaînement, libertinage, licence.** — Plur. Excès,
débauche. *Tomber dans des débordements... Les
débordements de Messaline.*

Pour ses débordements j'en ai chassé Julie (...)   3
        CORNEILLE, Cinna, V, 2.

(...) du corps tout usé la traînante langueur   4
Dans le débordement de cette plénitude
Souvent trouve un trésor de nouvelle vigueur.
        CORNEILLE, l'Imitation de J.-C., IV, 241.

(...) c'est un débordement de louanges en sa faveur, qui   5
inonde les cours et la chapelle (...)
        LA BRUYÈRE, les Caractères, VIII, 32.

6 La morale sous le *Directoire* eut plutôt à combattre la corruption des mœurs que celle des doctrines; il y eut débordement.
> CHATEAUBRIAND, Mémoires d'outre-tombe, t. IV, p. 115.

7 Elle ne se retenait plus, lancée dans un débordement d'injures, d'infamies, jusqu'à ne pouvoir bégayer à la fin que des mots «lâche... menteur... lâche...»
> Alphonse DAUDET, Sapho, XII.

8 Jean Blaise (...) vint dans l'atelier (...) embrasser le juré avec un débordement de mâle tendresse.
> FRANCE, Les dieux ont soif, p. 99.

9 En somme, je ne me suis jamais soucié des grands problèmes que dans les intervalles de mes petits débordements. Et combien de fois, planté sur le trottoir, au cœur d'une discussion passionnée avec des amis, j'ai perdu le fil du raisonnement qu'on m'exposait parce qu'une ravageuse, au même moment, traversait la rue.
> CAMUS, la Chute, p. 71.

♦ **3** Milit. Action de déborder. *Débordement des armées ennemies sur un pays.* → **Irruption; déferlement, envahissement.** — *Débordement d'une armée par les ailes. Manœuvre de débordement et d'encerclement* (→ Mouvement tournant).

(1904, *in* Petiot). Par anal. (Sports). Contournement d'un adversaire destiné à percer sa ligne de défense.

CONTR. Endiguement, maintien, refoulement, retrait.

DÉBORDER [debɔʁde] v. — XIIIᵉ; de 1. *dé-, bord,* et suff. verbal.

I V. intr. ♦ **1** (En parlant du contenant). Répandre une partie de son contenu (liquide) par-dessus bord. *Vasque, vase qui déborde. Verre plein à déborder.*

Loc. *La coupe déborde :* la mesure est à son comble. *Quand le vase est plein, il faut qu'il déborde. C'est la goutte d'eau qui fait déborder le vase,* la petite chose pénible qui vient s'ajouter au reste et qui fait qu'on ne supporte plus l'ensemble. → **Combler** (combler la mesure), **pousser** (à bout).

1 L'entrée soudaine de cet homme fut pour Julien la goutte d'eau qui fait déborder le vase.
> STENDHAL, le Rouge et le Noir, I, X, p. 60.

Métaphore. *Cœur qui déborde,* qui éprouve le besoin de s'épancher.

2 Mon cœur est trop rempli pour ne pas déborder.
> LAMARTINE, *in* P. LAROUSSE.

3 (...) le silence est pénible lorsque le cœur déborde (...)
> GIDE, Pages de journal, 30 oct. 1939.

Déborder de... : être plein*, rempli* de... → **Fourmiller, regorger, surabonder.** — (Concret). *En été, Paris déborde d'étrangers. Train qui déborde de voyageurs, de marchandises.*

(Abstrait). En parlant d'un sentiment, d'un principe qui s'exprime dans le comportement. *Elle déborde de bonne volonté, cette petite. Déborder de vie, d'esprit. Cœur qui déborde de tendresse, de joie, de reconnaissance.*

4 Il avait reporté sur cet enfant le besoin de dévouement dont son cœur débordait.
> R. ROLLAND, Vie de Beethoven, p. 54.

5 (...) répandre sur nous cette douce chaleur humaine dont leur cœur débordait.
> G. DUHAMEL, Inventaire de l'abîme, VI, p. 89.

♦ **2** (En parlant du contenu). Se répandre par-dessus le bord. → **Couler** (cit. 7), **échapper** (s'), **répandre** (se). *L'eau a débordé du vase. Les eaux du fleuve ont débordé. Fleuve, rivière qui déborde à l'époque des crues,* qui sort de son lit. *Torrent qui déborde à la fonte des neiges. Les pluies ont fait déborder l'étang. Le trop-plein déborde. Attention! ça va déborder!*

Fig. *Faire déborder qqn :* le pousser à bout au point de le faire sortir de lui-même. — *Déborder en injures, en imprécations.* → **Déchaîner** (se), **éclater, exploser, répandre** (se). — *Après s'être longtemps contenu, il déborda. La colère lui déborde du cœur.* — *Sa bile a débordé :* il s'est emporté. — *Chez lui, la force, la sève débordent.*

6 Et la pitié si tendre, qu'il avait déjà éprouvée à voir les rides et les cheveux blancs de sa mère, déborda comme un flot de son cœur très jeune; il répondit à son appel par tout ce qu'on peut donner d'étreintes et d'embrassements désolés.
> LOTI, Ramuntcho, II, VII, p. 254.

7 Et sa joie, qui de son cœur déborde, pleure (...)
> GIDE, le Retour de l'enfant prodigue, I.

Par anal. *Les spectateurs débordent* (du trottoir) *sur la chaussée. L'ennemi déborde sur nous de tous les points de la frontière.* → **Déferler, déverser** (se), **envahir, irruption** (faire irruption).

8 De là vient que Paris voit chez lui de tout temps Les auteurs à grands flots déborder tous les ans (...)
> BOILEAU, Satires, IX.

9 La foule s'épaississait à tout moment, et, comme une eau qui dépasse son niveau, commençait à monter le long des murs, à s'enfler autour des piliers, à déborder sur les entablements, sur les corniches (...)
> HUGO, Notre-Dame de Paris, I, 1.

♦ **3** Mar. *Embarcation, chaloupe qui déborde,* qui se détache du bord, prend le large.

9.1 Mais à l'instant où l'on détachait les amarres, apparut Alcide Jolivet, tout courant. Le steamboat avait déjà débordé, la passerelle était même retirée sur le quai (...)
> J. VERNE, Michel Strogoff, p. 111.

II V. tr. ♦ **1** **a** (1636). Concret. Dépasser (le bord), aller au-delà de... *La ville a débordé son enceinte primitive.* → **Franchir.**

10 Peu à peu, le flot des maisons, toujours poussé du cœur de la ville au dehors, déborde, ronge, use, et efface cette enceinte.
> HUGO, Notre-Dame de Paris, III, II.

Être en saillie, en avancée sur (qqch.). *Pierre qui en déborde une autre. Maison qui déborde les autres,* qui dépasse l'alignement. Absolt. *La terrasse du café déborde, déborde sur le trottoir.*

b Abstrait. *Déborder le cadre de la question, le domaine de...* → **Dépasser.**

11 Quand tout à coup l'on se met à penser à ce lâche rongement de l'oubli, le cœur fond dans un désespoir qui déborde soudain le cas particulier, qui se répand jusqu'aux limites (...)
> J. ROMAINS, les Hommes de bonne volonté, t. III, XXIII, p. 320.

12 Pour son Paris à lui, le piéton Haverkamp nourrit une sorte de passion remuante qui, comme toutes les passions, déborde le métier et l'intérêt.
> J. ROMAINS, les Hommes de bonne volonté, t. V, XVIII, p. 133.

Absolt ou intrans. Ne pas rester dans un cadre. *Déborder de son rôle, de sa mission.* → **Sortir** (de).

13 (...) de ce bureau, cette main blême, aux longs doigts maigres, tendue, six ans, sans fatigue le filet où se jetteront les conspirateurs avant qu'ils n'aient pu achever de nouer leur trame. Mais il débordera de son rôle, nous le verrons, à tout instant (...)
> Louis MADELIN, Hist. du Consulat et de l'Empire, Avènement de l'Empire, X, p. 147.

c Milit. *Déborder le front ennemi, l'aile droite, gauche.* → **Contourner, dépasser, encercler, tourner.**

14 Déjà, à sa gauche et à sa droite, il *(Napoléon)* voyait le prince Eugène et Poniatowski déborder la ville ennemie *(Moscou)* (...)
> Ph.-P. SÉGUR, Hist. de Napoléon, VIII, 4, *in* LITTRÉ.

Par métaphore :

14.1 La monarchie sera débordée et emportée par le torrent des lois démocratiques, ou le monarque par le mouvement des factions.
> CHATEAUBRIAND, Mémoires d'outre-tombe, t. V, p. 267.

(En parlant d'un chef de parti). *Ses propres troupes l'ont débordé*, sont allées plus loin qu'il n'en avait l'intention. — *Vague de popularité, mouvement d'opinion qui déborde tout.*

15 Et malgré tout, ce mouvement continuait à s'enfler, à s'étendre, à tout déborder.

> Louis MADELIN, Hist. du Consulat et de l'Empire,
> le Consulat, VII, p. 93.

(1900, *in* Petiot). **Sports.** Dépasser l'adversaire par l'extérieur. — **Mar.** *Déborder les avirons*, les ôter des tolets*. *Déborder une chaloupe*, la mettre à la mer. *Déborder une embarcation*, l'éloigner du bord du navire ou du quai où elle est accostée. — Absolt. *Déborde, débordez !* Ordre de déborder donné à l'équipage d'une embarcation.

15.1 Les blancs surprennent l'adversaire, débordent l'adversaire par de longs coups de pied; l'arrière même est dépassé, la balle passe la ligne (...)

> Jean PRÉVOST, Plaisirs des sports, p. 136.

♦ 2 Détacher du bord. *Déborder un drap, une couverture*, les tirer du bord du lit, de dessous les matelas. — **Mar.** *Déborder les avirons*, les ôter des tolets*. *Déborder une chaloupe*, la mettre à la mer. *Déborder une embarcation*, l'éloigner du bord du navire ou du quai où elle est accostée. — Absolt. *Déborde, débordez !* Ordre de déborder donné à l'équipage d'une embarcation.

♦ 3 (1680). Dégarnir de sa bordure. *Déborder une jupe, un tapis, un rideau.* — *Déborder un lit*, tirer les draps, les couvertures de dessous les bords du matelas. — Par métonymie. *Déborder un malade, un enfant.* — Pron. *Se déborder en dormant.*

16 Chaque élève s'est glissé dans ses draps, comme dans un étui, en se faisant tout petit, afin de ne pas se déborder.

> J. RENARD, Poil de Carotte, «Les joues rouges»,
> p. 145.

16.1 Ils replient les dix doigts sur le drap tiré jusqu'au cou la bouille enchantée puis ils dorment et se débordent surtout à présent que l'été vient.

> Tony DUVERT, Paysage de fantaisie, p. 69.

Mar. *Déborder un navire*, le dégarnir de ses bordages. *Déborder une voile*, larguer les écoutes.

◆ **DÉBORDANT, ANTE** adj.

♦ 1 Concret. Qui déborde. → **Plein, rempli.** *Casserole débordante de lait bouillant.*

♦ 2 Abstrait (plus cour.). *Cœur débordant de joie.* → **Gonflé.** *Joie débordante.* → **Expansif, exubérant, exultant.** *Enthousiasme débordant. Être débordant de vie, de santé.* → **Pétulant, vif.** *Activité débordante*, que rien n'arrête, qui fait face à tout. *Nature débordante*, qui se répand en gestes et en paroles.

17 Autant je me sens expansif, fluide, abondant et débordant dans les douleurs fictives, autant les vraies restent dans mon cœur âcres et dures.

> FLAUBERT, Correspondance, I, p. 94.

18 (...) le flot de vie débordante, la fièvre de joie qui fait tourbillonner ces mondes.

> R. ROLLAND, Musiciens d'aujourd'hui, p. 130.

19 Cet individualisme n'était pas abondant et débordant, mais obstiné, replié.

> R. ROLLAND, Jean-Christophe, p. 981.

♦ 3 Par exagér. *Une femme aux appas débordants.* → **Plantureux.**

20 (Rubens) peint du même style une Madeleine débordante et une Sirène potelée (...)

> TAINE, Philosophie de l'art, t. II, III, II, III, p. 52.

♦ 4 Milit. *Mouvement débordant, attaque débordante.* → **Débordement.**

◆ **DÉBORDÉ, ÉE** p. p. adj.

♦ 1 Rare. Dont l'eau est sortie. *Fleuve débordé.*

21 Quand un fleuve débordé s'avance, on peut élever les digues pour arrêter sa marche (...)

> RENAN, l'Avenir de la science, Œ. compl., t. III,
> XVII, p. 1018.

♦ 2 Fig. et cour. (Personnes). Submergé* (par les occupations, le travail...). *Être débordé de travail, de requêtes, de visites.* — Absolt. *Être débordé* (→ Ne savoir où donner de la tête). — Adj. *Homme d'affaires, infirmière, professeur débordé(e)*, surchargé(e) de travail. *Je n'en peux plus, je suis débordé.*

22 Il jouait le monsieur débordé de besogne, qui repassera une autre fois n'ayant pas le temps de flâner.

> COURTELINE, Messieurs les ronds-de-cuir,
> 2ᵉ tableau, III, p. 84.

22.1 Évidemment si le sergent de Bol était plus puissant, moins débordé, ce serait à lui de veiller à tout et d'empêcher les exactions.

> GIDE, Voyage au Congo, *in* Souvenirs, Pl., p. 844.

♦ 3 Vieilli. (Contenu). Répandu par-dessus bord. *Eau débordée.*

23 De même qu'une eau débordée ne fait pas partout les mêmes ravages (...)

> BOSSUET,
> Oraison funèbre de Henriette-Marie de France.

♦ 4 Milit. Dépassé. *Ligne débordée par l'ennemi.* Par anal. *Être débordé par ses propres troupes.* → **Dépassé.** — Fig. *Être débordé par les événements.*

♦ 5 Détaché du bord. *Couverture débordée, drap débordé.* — *Lit débordé.* — Par métonymie. *Malade débordé.*

♦ 6 Dont les écoutes sont larguées.

24 *Joshua* court presque vent arrière (...) artimon bien débordé et foc bordé plat (...)

> Bernard MOITESSIER, Cap Horn à la voile, p. 207.

CONTR. (De déborder) **Aborder, amarrer, border, contenir, engloutir, engouffrer, reborder, rentrer, retrait** (être en). — (De débordant) **Maigre, squelettique, vide.** — **Canalisé, contenu, discipliné, enchaîné, endigué, réservé...** ◊ **DÉR. Débord, débordement.**

DÉBOSQUAGE [debɔskaʒ] n. m. — Fin XIXᵉ; de 1. dé-, et rad. *bosc-* (→ Bois, bosquet). REM. *Débosquer* («sortir d'un bois», 1611) n'est pas attesté dans le sens correspondant, mais il existe des formes régionales *déboquer* «tirer du bois hors des taillis», *débouscá* «enlever le bois qu'on a coupé dans une forêt»...

Techn. Transport du bois qui a été coupé dans la forêt.

DÉBOSSELER [debɔsle] v. tr. [CONJUG.: *bosseler*.] — Déb. XVIIIᵉ; 1807, techn.; de 1. dé-, et *bosseler*.

Techn. Supprimer les bosses de ; aplanir. *Débosseler une pièce d'argenterie, le capot d'une voiture accidentée.*

Pron. *Se débosseler :* perdre sa bosse, ses bosses.

CONTR. Bosseler.

DÉBOTTÉ ou **DÉBOTTER** [debɔte] n. m. → **Débotter.**

DÉBOTTELER [debɔtle] v. tr. [CONJUG.: *botteler* (→ Appeler).] — 1918, Genevoix; de 1. dé-, et *botteler*.

Agric. Défaire, délier les bottes de... *Débotteler la paille.* — Absolt. *Il faut débotteler.*

DÉBOTTER [debɔte] v. tr. — Fin XIIᵉ ; de 1. dé-, et *botte*.

Retirer les bottes de (qqn). → **Déchausser.**

1 Deux demoiselles masquées et un nain masqué (...) le vinrent déshabiller sans savoir de lui s'il avait envie de se coucher (...) le nain le déchaussa ou débotta et puis le déshabilla.

> SCARRON, le Roman comique, I, IX, p. 35.

N. m. *Le débotter.* → *infra*, Débotté.

◆ **SE DÉBOTTER** v. pron.

Quitter ses bottes.

2 Il *(l'évêque d'Autun)* m'a conté qu'il passa une fois à Langeron et qu'il ne voulait pas se débotter seulement : il y fut six semaines. Mᵐᵉ DE SÉVIGNÉ, 723, 20 juil. 1679.

3 Encore tout poudreux et sans me débotter.
BOILEAU, *Épîtres*, VI.

4 Ce héros *(Bonaparte)* gouvernait à cheval, organisait en poste, et fonda en se débottant un empire qui dure encore.
P.-L. COURIER, *in* LITTRÉ.

◆ **DÉBOTTÉ, ÉE** p. p. adj.

Qui a quitté ses bottes.

N. m. (vx) *Le débotté* ou *le débotter* : le moment où l'on se débotte. *Le débotté du roi.*

5 Au vrai, je vois que la grande affaire de ce siècle-ci c'est le débotté et le petit coucher.
P.-L. COURIER, *Lettres*, *in* LITTRÉ.

(1701). Loc. mod. *Au débotté* : au moment où l'on arrive. *Prendre, surprendre, saisir qqn au débotté,* à l'improviste. *Il m'a reçu au débotté,* en arrivant.

6 Alors faire l'amour au débotté, quand nous revenons l'un et l'autre d'une autre rive, moi, je ne peux pas.
François Marie BANIER, la Tête la première, p. 182.

CONTR. Botter.

1. **DÉBOUCHAGE** [debuʃaʒ] n. m. — 1850; de 1. *déboucher.*

◆ **1** (→ Déboucher, 1.). Action de déboucher, d'ôter ce qui bouche, obstrue (qqch.). *Débouchage d'un conduit, d'un évier. «(...) j'avais cassé l'aiguille de débouchage du réchaud à l'intérieur du gicleur»* (Bernard Moitessier, *Cap Horn à la voile*, p. 32). — **REM.** On dit aussi *débouchement.*

◆ **2** (→ Déboucher, 2.). Action de déboucher*, d'ôter le bouchon de (qqch.). *Le débouchage d'une bouteille, d'un flacon. Un débouchage difficile.*

CONTR. Bouchage.

2. **DÉBOUCHAGE** [debuʃaʒ] n. m. — 1844, Mérimée; de 2. *déboucher.*

Rare. Fait de déboucher (dans, sur qqch.). *«Débouchage de l'arc entre la tour et la nef»* (Mérimée, *Correspondance générale*, IV, 186, *in* D.D.L.). — **Syn.** : 2. *débouchement.* → aussi **Débouché.**

DÉBOUCHÉ [debuʃe] n. m. — 1723, Savary; p. p. de 2. *déboucher.*

◆ **1** (Déb. XVIIIᵉ). Issue* qui permet de passer d'un lieu resserré dans un lieu plus ouvert. *Le débouché d'une vallée, d'un défilé. Tendre une embuscade à l'ennemi au débouché d'une gorge. Débouché d'un canal, d'une pièce d'eau, où les eaux peuvent s'écouler.* → **Déversoir.**

1 On tend les trappes pour les loups à l'entrée des passes, au débouché d'un fourré (...)
CHATEAUBRIAND, Voyage en Amérique, *in* LITTRÉ.

2 Des torrents d'eau s'écoulaient en tourbillonnant comme au débouché d'une écluse (...)
CHATEAUBRIAND, les Natchez, *in* LITTRÉ.

3 Menez-moi (...) au point où les eaux se répandent sur les communaux.
Il est d'autant plus utile que madame y aille (...) que, par le conseil de monsieur le curé, feu monsieur Graslin est devenu propriétaire, au débouché de cette gorge, de trois cents arpents sur lesquels les eaux laissent un limon qui a fini par produire de la bonne terre sur une certaine étendue.
BALZAC, le Curé de village, IV, t. VIII, p. 675.

4 La partie la plus large de la rue du Tourniquet était à son débouché dans la rue de la Tixanderie, où elle n'avait que cinq pieds de largeur.
BALZAC, Une double famille, Pl., t. I, p. 925.

L'autobus Jardin des Plantes-Batignolles, coincé à l'arrêt dans une file de voitures, fit une longue station au débouché de la rue de Clichy. 4.1
M. AYMÉ, Maison basse, p. 258.

Spécialt. *Débouché d'un pont :* intervalle entre les culées, par lequel débouchent les eaux.

◆ **2** (1723). Voie, port, qui assure l'écoulement d'un produit.

Le Transsaharien serait le débouché des pays du Niger et du Soudan. 5
Albert DEMANGEON, Géographie économique et humaine de la France, p. 58.

(...) le port de *Dantzig*, destiné à être le débouché économique de la Pologne, était constitué en *ville libre* (...) 6
MALET et ISAAC, Hist. contemporaine, la Grande Guerre, Les traités de paix, p. 741.

Écon. et cour. Moyen d'écouler un produit, d'assurer son exportation, sa vente. *Marchandises qui se vendent bien, grâce à leurs nombreux débouchés, qui se vendent mal faute de débouchés.* → **Écoulement, exportation.** *Cette invention lui ouvre un nouveau débouché. Sa production ne trouve pas de débouchés. La «théorie des débouchés», de Jean-Baptiste Say.*

Il faut qu'ils *(les producteurs)* trouvent ce qu'en terme de commerce on appelle des débouchés, des moyens d'effectuer l'échange des produits qu'ils ont créés contre ceux dont ils ont besoin. 7
Jean-Baptiste SAY, Cours d'économie politique pratique, 1840, *in* LITTRÉ.

Il est bon de remarquer qu'un produit créé offre, *dès cet instant,* un débouché à d'autres produits pour tout le montant de sa valeur; car tout produit n'est créé que pour être consommé (...) Du moment qu'il existe, il cherche donc un autre produit avec lequel il puisse s'échanger (...) On voit que le seul fait de la formation d'un produit, ouvre, dès l'instant même, un débouché à d'autres produits. 8
Jean-Baptiste SAY, *in* P. GEMAHLING, les Grands Économistes, La théorie des débouchés, p. 168.

Bien plus! les économistes estiment que, étant donné l'engorgement dans une branche quelconque de la production, le remède le plus efficace qu'on puisse apporter à ce mal c'est précisément de pousser à un accroissement proportionnel dans les autres branches de la production. La crise résultant de l'abondance ne peut se guérir que par l'abondance elle-même (...) : *similia similibus.* Ainsi tous les producteurs se trouvent intéressés à ce que la production soit aussi abondante et aussi variée que possible. Cette théorie est connue sous le nom de *loi des débouchés.* C'est J.-B. Say qui l'a formulée le premier et qui s'en montrait très fier, disant «qu'elle changerait la politique du monde». On peut l'exprimer de la façon suivante : *chaque produit trouve d'autant plus de débouchés qu'il y a une plus grande variété et abondance d'autres produits.* 9
Ch. GIDE, Cours d'économie politique, II, I, IV, La surproduction et la loi des débouchés, t. I, p. 217.

Say a surtout attaché son nom à la fameuse «loi des débouchés», qu'il expose dans le chapitre XV du premier livre de son *Traité.* L'analyse, dit-il, des faits les plus connus et les plus constants montre ceci : l'entrepreneur, qui crée des valeurs, ne peut espérer les faire payer, que si d'autres hommes ont des moyens d'acquisition. Or ceux-ci, «en quoi consistent-ils? En d'autres valeurs, d'autres produits, fruits de leur industrie, de leurs capitaux, de leurs terres»; d'où il résulte, quoique au premier aperçu cela semble un paradoxe, que c'est la production qui ouvre des débouchés aux produits. Ce qu'on énonce souvent d'une manière plus brève : les produits s'échangent contre les produits. 10
R. GONNARD, Hist. des doctrines économiques, IV, L'école libérale..., p. 364.

◆ **3** Par métonymie. Lieu où une industrie, un pays trouve des débouchés pour ses produits (→ **Marché**). *Créer, ouvrir des débouchés. Ce pays constitue un débouché considérable pour l'industrie automobile.*

Les Açores, Madère, les Canaries, l'Espagne, le Portugal offrent un débouché avantageux aux grains et aux bois 11

de la Pennsylvanie, qu'ils achètent avec des vins et des piastres (...)
G.-J. RAYNAL, Hist. philosophique..., XVIII, V, *in* LITTRÉ.

12 Regrettant les désastres coloniaux de la France et son déclin économique, Chaptal pouvait écrire en 1818 : «La perte de nos plus belles colonies nous a privés à la fois de débouchés considérables et de moyens d'échange pour notre commerce avec l'étranger.»
Albert DEMANGEON, Géographie économique et humaine de la France, t. I, III, Le commerce extérieur et l'empire colonial, p. 60.

♦ **4** (XVIIIᵉ). **Fig.** *Débouchés offerts par une carrière,* perspectives qu'elle ouvre, situations qu'elle peut donner. *Débouchés offerts par les études supérieures. Les débouchés sont assez minces. Crise des débouchés.*

13 De là, il *(M. Peletier)* devint conseiller d'État, qui est le débouché ordinaire des prévôts des marchands.
SAINT-SIMON, Mémoires, t. I, XXX.

CONTR. Barrière, cul-de-sac, impasse.

1. DÉBOUCHEMENT [debuʃmã] n. m. — 1740; de 1. *déboucher.*
Rare. Action de déboucher (un passage, un conduit). → **Désobstruction; 1. débouchage.**

2. DÉBOUCHEMENT [debuʃmã] n. m. — 1844, Mérimée; de 2. *déboucher.*
Rare. Syn. de 2. *débouchage.*

1. DÉBOUCHER [debuʃe] v. tr. — XVIᵉ; *debochier,* XIIIᵉ; de 1. *dé-,* et *boucher.*
♦ **1** Débarrasser (qqch.) de ce qui bouche, obstrue. → **Dégager, désengorger, désobstruer.** Vx. *Déboucher un chemin, un passage, une voie.* Mod. *Déboucher un conduit, un tuyau, une pipe, un lavabo* (→ **Débouchement**). — Méd. *Déboucher un conduit naturel.* → **Désopiler** (vx).

1 (...) j'attends que tous ces Messieurs aient débouché la porte, pour présenter là mon visage.
Têtebleu! quelle foule! Je n'ai garde de m'y aller frotter, et j'aime mieux entrer des derniers.
MOLIÈRE, l'Impromptu de Versailles, 3.

2 Je voudrais que vous eussiez été saignée (...) cela vous eût débouché les veines, cela eût donné du jeu et de l'espace à votre sang (...) Mᵐᵉ DE SÉVIGNÉ, 1160, 6 avr. 1689.

3 Le voyage, l'exercice, des eaux qui lavent le sang et qui débouchent les canaux rétablissent presque toujours la machine. VOLTAIRE, Lettre à Damilaville, 2 avr. 1764.

♦ **2** Débarrasser (un contenant) de son bouchon. → **Ouvrir; décapsuler; débouchage.** *Déboucher une carafe, un flacon. Déboucher une bouteille de vin avec un tire-bouchon.*

4 Il déboucha la première bouteille, la renifla, remplit le verre que la patronne avait préparé pour Haverkamp.
J. ROMAINS, les Hommes de bonne volonté, t. V, p. 80.

♦ **3** Fig. *Déboucher qqn,* lui ouvrir l'esprit. *«Déboucher l'esprit d'un sot»* (Chamfort, *Maximes et Pensées,* 1794, *in* T. L. F.).

♦ **SE DÉBOUCHER** v. pron.
Cesser d'être bouché. *L'évier se débouche petit à petit.*

CONTR. Boucher, condamner, engorger, fermer, murer, obstruer, reboucher. ◊ DÉR. 1. Débouchage, 1. débouchement, 1. déboucheur, débouchoir.

2. DÉBOUCHER [debuʃe] v. intr. — 1640; de 1. *dé-, bouche,* et suff. verbal.
♦ **1** (Sujet n. animé : personnes, animaux; ou véhicules...).
Passer d'un lieu resserré dans un lieu plus ouvert. **DÉBOUCHER DE..., DANS..., SUR...** *Déboucher d'une passe, d'une gorge, d'un défilé dans la plaine, d'un sous-bois dans une clairière* (cit. 2). *Déboucher d'une petite rue dans une grande artère* (→ Charrette, cit. 2). — *Le gibier débouche de la forêt.* → **Débucher.** — *Bateau qui débouche d'un canal.* → **Débouquer.** Milit. *Armée qui débouche sur l'ennemi* (→ Attaquer, cit. 4).

1 Le 15 novembre on débouche sur Arcole : le jeune général passe le pont qui l'a rendu fameux; dix mille hommes restent sur la place.
CHATEAUBRIAND, Mémoires d'outre-tombe, t. III, p. 88.

2 Vers trois heures, en débouchant d'une gorge haute qui nous avait tenus longtemps enfermés, nous nous trouvons dominer tout à coup des immensités inattendues.
LOTI, Jérusalem, III, p. 18.

3 (...) on s'attend, à chaque pas, à déboucher sur un décor de vieilles pierres, sur quelque château entouré d'ifs taillés en boulingrins. M. BARRÈS, la Colline inspirée, p. 218.

4 Soudain, en juillet 1918, la victoire changea de camp. Débouchant de la forêt de Villers-Cotterets, des centaines de chars Renault (...) ouvrirent une brèche dans la forteresse allemande et déterminèrent le premier reflux des armées de Ludendorff.
A. MAUROIS, Terre promise, p. 183.

♦ **2** (Le sujet désigne un cours, une voie d'eau). → **Jeter** (se). *La Marne débouche dans la Seine, la Seine dans la Manche.* — *Canal qui débouche dans une rivière.*

♦ **3** (Le sujet désigne une voie, un passage). Aboutir à un lieu ouvert ou à une artère plus large. → **Donner** (sur), **tomber** (dans). *La rue débouche sur une avenue, sur une place.*

5 *(La rue)* débouchait sur une place immense, où mille lumières éparses vacillaient dans le brouillard confus de la nuit. HUGO, Notre-Dame de Paris, II, p. 104.

Par extension :

6 Son itinéraire débouche dans les larges voies du quartier des Invalides.
J. ROMAINS, les Hommes de bonne volonté, t. V, p. 136.

♦ **4** (V. 1954). Fig. Aboutir, mener (à), ouvrir (sur). → **Parvenir.** *«Là où la lutte pour l'indépendance a débouché sur une révolution sociale»* (le Monde, 27 avr. 1963). *«Les problèmes de stratégie vont déboucher dans la métaphysique»* (Vie et Langage, oct. 1969).

7 (...) ces interminables discussions, ces réunions qui ne débouchent sur rien, où l'on n'a pas pu dire ce qu'il y avait à dire, qui vous reviennent en tête le soir, vous empêchant de dormir et vous recommencez tout depuis le début (...)
Régis DEBRAY, l'Indésirable, p. 88-89.

CONTR. Enfiler, engager (s'), engouffrer (s'). — Bloquer (être bloqué). **◊ DÉR. 2. Débouchage, débouché, 2. débouchement, 2. déboucheur.**

1. DÉBOUCHEUR, EUSE [debuʃœʀ, øz] n. — 1870, n. m., «celui qui débouche»; de 1. *déboucher.*
♦ **1** N. Personne qui débouche (qqch.). *Une déboucheuse de bouteilles.*

♦ **2** N. m. Produit utilisé pour déboucher un conduit. *Acheter du déboucheur pour évier.* — Appos. *Produit déboucheur.*

(...) ils achètent n'importe quoi (...) pour la seule satisfaction de voir le marchand de couleurs faire l'article à propos d'un déboucheur de lavabos (...) d'un décapeur de bouilloires (...)
Christine DE RIVOYRE, les Sultans, p. 36.

2. **DÉBOUCHEUR, EUSE** [debuʃœʀ, øz] n. — 1935, en sports (cyclisme); de 2. *déboucher.*
Rare. Personne qui débouche (2. Déboucher), sort d'un lieu.

DÉBOUCHOIR [debuʃwaʀ] n. m. — 1754; de 1. *déboucher.*
Instrument qui sert à déboucher (1. Déboucher). *Débouchoir à ventouse.* — Techn. (agric.). Bâton avec lequel on décrasse le soc d'une charrue. — Outil de lapidaire.

DÉBOUCLER [debukle] v. tr. — Mil. xııᵉ, *desboucler* «enlever la bosse du bouclier»; de 1. *dé-, boucle,* et suff. verbal.

Ⅰ ♦ **1** Ouvrir en détachant l'ardillon d'une boucle. → **Dégrafer.** *Déboucler son ceinturon, ses souliers.* — Pron. *Ma ceinture s'est débouclée.*
Geste classique, ils débouclèrent le ceinturon ; leur baïonnette heurta la chaise de fer.
P. MAC ORLAN, la Bandera, VII, p. 78.

♦ **2** Libérer de la boucle, des boucles qui entravent. *Déboucler une jument, un porc.*
(1836). Fig. et fam. *Déboucler un prisonnier,* lui rendre la liberté. → **Libérer.**

Ⅱ (1704; de 1. *dé-,* et *boucler,* Ⅱ.). Défaire les boucles de cheveux de (qqn). → **Défriser.** *La pluie l'avait toute bouclée.* — Pron. *Sa chevelure se déboucle.*

♦ **DÉBOUCLÉ, ÉE** p. p. adj.
(De Ⅰ.). Détaché. *Ceinture débouclée.* — (De Ⅱ.). Défrisé. *Chevelure débouclée.*

CONTR. Boucler.

DÉBOUILLI [debuji] n. m. → **Débouillir** (p. p.); débouillissage.

DÉBOUILLIR [debujiʀ] v. tr. [CONJUG.: *bouillir.*] — 1669 au p. p.; de 2. *dé-,* et *bouillir.*
Techn. Faire bouillir dans une eau additionnée de certains ingrédients (des échantillons d'un tissu dont on veut éprouver la teinture, ou des étoffes auxquelles on veut rendre leur première blancheur).
Ils font, comme nous, débouillir la chaîne à fond, mais ils ne cuisent la trame qu'à demi (...)
G. T. RAYNAL, Hist. philosophique..., t. V, *in* LITTRÉ.

♦ **DÉBOUILLI, IE** p. p. adj. *Tissu débouilli.* — N. m. (1669). *Le débouilli.* → **Débouillissage.**

DÉR. Débouilli, débouillissage.

DÉBOUILLISSAGE [debujisaʒ] ou **DÉBOUILLI** [debuji] n. m. — 1819, *débouillissage; débouilli,* 1669; de *débouillir.*
Techn. Opération qui consiste à débouillir*. *Mettre un tissu au débouillissage,* ou *au débouilli.*

DÉBOULÉ [debule] n. m. → **Débouler,** p. p., Ⅱ.

DÉBOULÉE [debule] n. f. → **Débouler,** p. p., Ⅱ.

DÉBOULER [debule] v. intr. — 1793, → cit. 1; de 2. *dé-,* et *bouler.*
Sujet n. animé : personnes, animaux; ou véhicules...
♦ **1** Fam. et vx. Partir sur le champ. → **Déguerpir.**
1 *(Le magistrat de Worms)* assure avoir notifié à M. Condé et compagnie de débouler grand train sans trompettes.
À. F. LE MAIRE, Lettres bougrement patriotiques du véritable père Duchesne, 272ᵉ lettre (1793).

♦ **2** Fam. Tomber de haut en bas et rouler comme une boule. → **Débarouler; dégringoler.** *Le chien déboula de la colline.*

Choses :
Les ordures déboulèrent de la boîte métallique et churent 2 en trombe dans la poubelle, coquilles d'œufs, trognons, papiers graisseux, épluchures.
R. QUENEAU, Loin de Rueil, p. 9.
Par ext. Descendre précipitamment. *Débouler du premier étage.* — Trans. *Débouler l'escalier.* — Par métaphore. *Débouler sur (qqn),* se précipiter sur. Fig. et fam. *Ça déboule ! :* ça va vite. — Absolt. Arriver précipitamment. «*Les Parisiens débouleront par milliers* (à Reims)» (*Actuel,* déc. 1974, p. 55).

♦ **3** Chasse. Fuir précipitamment après avoir surgi à l'improviste. → **Partir.**
Subst. (loc. adv.). *Au débouler :* à la sortie du gîte, du terrier. *Tuer un lapin au débouler.* — On écrit aussi *au débouler;* → ci-dessous.

♦ **4** Fam. (Cf. dial. *débouler* «sortir de terre, percer»). Commencer à changer, à s'épanouir (en parlant d'une jeune fille). → **Partir.**
Marie, au physique, a été une petite fille assez quelconque 3 (...) À dix ans, elle était maigre comme un chat; à dix-sept, elle n'avait pas encore, comme on dit, déboulé.
J. DUTOURD, Pluche, VII, p. 68.

♦ **5** Sports. Aller à très vive allure (dans une épreuve de vitesse, un sprint final, une attaque).

♦ **DÉBOULÉ, ÉE** p. p. et nom.

Ⅰ P. p. adj. *Un quidam déboulé de je ne sais où. Des escaliers déboulés à toute allure.*

Ⅱ N. ♦ **1** N. m. (Chasse). *Le déboulé d'un lapin. Tirer un lièvre au déboulé,* au débouler, quand il déboule (→ ci-dessus, 3.).

♦ **2** N. m. Danse. Mouvement tournant, par une série de pivotements sur les pointes ou les demi-pointes.

♦ **3** N. m. Sports. Course, charge rapide et puissante. — (1872, *in* Petiot; hippisme). Épreuve de courte distance, où la vitesse compte dès le départ.

♦ **4** N. f. Chute de qqch. qui s'effondre en roulant.
Le feu de bois. Toute cette fête, toute cette vie. Puis cette 4 agonie, puis cette mort, cette déboulée des bûches.
J. RENARD, Journal, 30 sept. 1897.

REM. On trouve chez Céline un composé *débouliner* formé sur *débouler* et *dégouliner.*
Ils attendent l'heure de la marée que ça resiffle aux Wharfs 5 Poplar, que le barouf reprenne, détonne, que les bennes culbutent (...) alors c'est la trombe sur les soutes! et ça débouline de partout! (...)
CÉLINE, Guignol's band, p. 53, 1951.

DÉR. Débouleur.

DÉBOULEUR, EUSE [debulœʀ, øz] n. — xxᵉ; de *débouler.*
Sports. Celui qui déboule vite. *Un bon débouleur.*

DÉBOULONNAGE [debulɔnaʒ] ou **DÉBOULONNEMENT** [debulɔnmɑ̃] n. m. — 1873, *déboulonnage; déboulonnement,* 1877; de *déboulonner.*
Action de déboulonner* (1. et 2.); état de ce qui est déboulonné.

DÉBOULONNER [debulɔne] v. tr. — 1867; de 1. *dé-,* et *boulonner.*
♦ **1** Démonter (ce qui était boulonné). *Déboulonner une statue. La colonne Vendôme fut déboulonnée par la Commune.*

♦ **2** Fam. (Compl. n. de personne ou de groupe). Détruire le prestige, la légende de (qqn), comme si l'on faisait tomber sa statue; déposséder de sa place, de son poste. → **Démolir, renverser.** *«Débou-lonner les idoles»* (A. Gill, *in* D. D. L.). *Il s'est fait déboulonner aux dernières élections.* → **Blackbouler, vider.**

1 Les Henri Rondeaux recevaient le *Triboulet,* journal humoristique ultra, créé pour déboulonner Jules Ferry ; cette feuille était pleine d'immondes dessins dont tout l'esprit consistait à instrumenter en trompe le nez du «Tonkinois», ce qui faisait la joie de mon cousin Robert.
GIDE, Si le grain ne meurt, IV, p. 99.

2 (...) une élite nouvelle (...) s'attelait à la tâche de déboulonner une féodalité (...).
Claude LÉVI-STRAUSS, Tristes tropiques, p. 9.

◆ **DÉBOULONNÉ, ÉE** p. p. adj.

Démonté. *Statue déboulonnée.* — Figuré :

3 S'il avait été un écrivain célèbre au lieu d'être le second personnage d'une République déboulonnée, peut-être s'en fût-il tiré lui aussi.
F. MAURIAC, le Nouveau Bloc-notes 1958-1960, p. 165.

CONTR. Boulonner, relever. — Appuyer, soutenir. — Réélire.
◊ **DÉR. et COMP. Déboulonnage, déboulonnement, indéboulonnable.**

DÉBOUQUEMENT   [debukmɑ̃] n. m. — 1505 ; de *débouquer.*

◆ **1** Mar. Action de débouquer.

◆ **2** Par métonymie. La passe, le canal par où l'on débouque. → **Bouque.** *Archipel aux nombreux débouquements.*

Extrémité (d'un canal, d'une passe).

DÉBOUQUER   [debuke] v. intr. — 1586 ; de 1. *dé-, bouque,* et suff. verbal.

Mar. Sortir d'une bouque*, de l'embouchure d'un canal.

1 La saison qui nous contraignait de regagner le Petit Goave pour débouquer avant le 10 septembre à cause du mauvais temps (...)
LE COMTE D'ESTRÉES, *in* Augustin JAL, Glossaire nautique.

N. m. *Le débouquer :* le fait de débouquer, la sortie du chenal.

2 (...) malgré l'approche du mauvais temps dont les premiers effets se faisaient déjà violemment sentir au débouquer (...)   B. CENDRARS, Bourlinguer, I, p. 11.

CONTR. Embouquer. ◊ **DÉR. Débouquement.**

DÉBOURBAGE   [debuʁbaʒ] n. m. — 1838 ; de *débourber.*

Action de débourber. — Spécialt (techn.). Action de débourber un minerai. *Débourbage mécanique.* — (Œnologie). *Débourbage du moût de raisin,* clarification.

DÉBOURBER   [debuʁbe] v. tr. — 1564 ; de 1. *dé-, bourbe,* et suff. verbal.

◆ **1** Techn. **a** Débarrasser (qqch., un passage, un lieu) de sa bourbe. *Débourber un étang, un canal.* → **Curer, désenvaser, draguer.** *Débourber un minerai.*

b *Débourber le vin,* le soutirer après qu'il a déposé sa lie. → **Décanter.**

c *Débourber un poisson,* le faire vivre quelque temps dans l'eau claire pour lui faire perdre son goût de bourbe. → **Dégorger** (faire dégorger).

◆ **2** Vieilli. Retirer de la bourbe. *Débourber un tombereau.* → **Désembourber.**

Fig. et vieilli. Tirer (qqn) d'un mauvais pas. → **Débarbouiller, débrouiller.** — Pron. *Il s'est débourbé tout seul.*

Ce fut ainsi que l'ennemi de Pont-Chartrain *(Colbert)* débourba son fils par une sorte de nécessité (...)   1
SAINT-SIMON, Mémoires, *in* LITTRÉ.

◆ **DÉBOURBÉ, ÉE** p. p. adj. (Par métaphore) :

L'homme de l'espace dont c'est le jour natal sera un milliard de fois moins lumineux et révélera un milliard de   2
fois moins de choses cachées que l'homme granité, reclus et recouché de Lascaux, au dur membre débourbé de la mort.   René CHAR, les Matinaux, p. 200.

CONTR. Embourber, envaser. ◊ **DÉR. Débourbage, débourbeur.**

DÉBOURBEUR   [debuʁbœʁ] n. m. — 1870, «ouvrier» ; de *débourber.*

Techn. Appareil qui enlève la bourbe d'un minerai, la boue d'une racine.

DÉBOURGEOISÉ, ÉE   [debuʁʒwaze] adj. — 1834 ; de *débourgeoiser* «défaire des manières bourgeoises», 1700 ; de 1. *dé-,* et *bourgeois.*

Rare. Qui a perdu ses habitudes bourgeoises.

Nous sommes des Rezeau débourgeoisés qui n'ont aucune envie de réintégrer la caste.
Hervé BAZIN, Cri de la chouette, p. 11.

CONTR. Embourgeoisé.

DÉBOURRAGE   [debuʁaʒ] n. m. — 1858, *Année sc. et industr.,* 3e année, p. 257 (sens 2) ; de *débourrer* (I.).

Techn. Action de débourrer* (I.).

◆ **1** Opération qui consiste à enlever avant le tannage et le chamoisage les poils adhérant encore aux peaux. *Débourrage des peaux.*

◆ **2** Nettoyage des cardes. *Débourrage mécanique des cardes.*

Par métonymie. Déchets provenant du travail de la laine.

◆ **3** Équit. Action de débourrer (un cheval, des chevaux). → **Dégrossissage.** *Chevaux de débourrage et de dressage.*

Éducation du cheval de selle (...).
1° *Le débourrage.* — C'est la première période de l'éducation du cheval. Il a pour but d'acclimater à son nouveau milieu et à son nouveau métier le jeune cheval sortant du pré ; de le mettre progressivement en condition de travail, tout en le laissant se développer physiquement ; de former son caractère et de lui donner les premières notions des aides. Il comprend : le dressage à la selle et la leçon du montoir ; la recherche du calme ; la recherche du mouvement en avant ; un dressage élémentaire aux jambes et aux rênes.
Henri AUBLET, l'Équitation, p. 98.

DÉBOURREMENT   [debuʁmɑ̃] n. m. — V. 1890 ; de *débourrer* (II.).

Arbor. Action de débourrer (des plantes arbustives, et, spécialt, la vigne). → Débourrer, cit. 2.

DÉBOURRER   [debuʁe] v. — 1209, v. pron. ; rare jusqu'au XVIIe ; de 1. *dé-,* et *bourrer.*

I V. tr. ◆ **1** Débarrasser de la bourre, du poil. *Débourrer le cuir,* le débarrasser de son poil en le trempant dans une préparation qui dilate les pores. → **Dépiler, ébourrer.**

Elle *débourre* les cocos, casse les noix pour extraire   0.1
l'amande qui deviendra coprah (...)
Bernard MOITESSIER, Cap Horn à la voile, p. 151.

◆ **2** **a** Débarrasser de ce qui bourre. *Débourrer une pipe,* en ôter le tabac. *Débourrer une banquette.* — Passif et p. p. :

Jamais un point ne manquait aux gants de M. Henry ; ses   0.2
pipes étaient toujours débourrées (...)
Ed. et J. DE GONCOURT, Sœur Philomène, p. 65.

b Vulg. Évacuer (des excréments). → ci-dessous, II., 3.

Par métaphore :

1 C'est mon ancêtre ! Si je je la connais un peu la langue et pas d'hier comme tant et tant ! Je le dis tout de suite ! dans les finesses !
J'ai débourré tous mes «effets», mes «litotes» et mes «pertinences» dedans mes couches...
CÉLINE, Guignol's band, 1951, p. 376-377.

♦ **3** Nettoyer (les cardes) en enlevant la bourre.

♦ **4** (1754). Fig. **a** (Équit.). Commencer à dresser (un jeune cheval). → **Débourrage.**

b Par ext. (Personnes). → **Dégourdir, dégrossir, déniaiser, dessaler.**

II V. intr. ♦ **1** Arbor. Sortir de la «bourre», éclore, en parlant des bourgeons qui s'ouvrent pour former des rameaux.

2 Au printemps, lorsque les premières feuilles commencent à sortir, on dit que la vigne *débourre*. L'époque du débourrement diffère, non seulement des caractères de la saison, mais aussi suivant les variétés ou *cépages ;* les unes sont à débourrement hâtif, les autres à débourrement plus ou moins tardif. En outre, la taille opérée hâtivement fait avancer le débourrement, tandis qu'une taille tardive le retarde. Omnium agricole, Vigne, p. 780.

♦ **2** (À propos du bétail). Changer de pelage.

2.1 Les bœufs ont encore leur pelage d'hiver, mais commencent à débourrer.
R. FRISON-ROCHE,
Peuples chasseurs de l'Arctique, p. 370.

♦ **3** Argot. Aller à la selle (→ *supra*, I., 2., b). → **Chier ;** → Chiotte, cit. 3.

3 C'est un voluptueux. Il connaît tous les cafés de Paris qui ont des W.-C. avec un siège :
— Pour bien débourrer, faut que j'soye assis, dit-il.
Il fait des kilomètres, portant précieusement dans ses flancs l'envie de chier, qu'il déposera avec gravité dans les cabinets tapissés de mosaïque mauve du Terminus-Saint-Lazare.
Jean GENET, Notre-Dame des fleurs, p. 58, 1948.

♦ **4** Pop. (en emplois négatifs ; d'après *se bourrer*). Ne pas *débourrer* : ne pas dessoûler. *Il n'a pas débourré de la semaine.*

♦ **SE DÉBOURRER** v. pron. (au sens I, 1). *Ce coussin commence à se débourrer*, à se vider de sa bourre.

♦ **DÉBOURRÉ, ÉE** p. p. adj. *Coussin débourré. Pipe débourrée. — Cheval débourré.*

CONTR. Bourrer, rembourrer. ◊ DÉR. Débourrage, débourrement, débourreur.

DÉBOURREUR, EUSE [debuʀœʀ, øz] adj. et n. — Av. 1870, Alcan, in P. Larousse ; de *débourrer.*
Technique.

♦ **1** Adj. Qui enlève la bourre. *Tarare débourreur.*

♦ **2** N. **a** Ouvrier, ouvrière qui débourre (1.) le cuir, qui débourre (3.) les cardes.
b N. m. Mécanisme qui enlève la bourre.

DÉBOURS [debuʀ] n. m. — 1599 ; de *débourser.*
(Au plur.) *Les débours :* l'argent déboursé.
→ **Déboursé** (n. m. : p. p. de *débourser*), **déboursement.** Par ext. Dépense, frais.
HOM. Formes du v. **débourrer.**

DÉBOURSEMENT [debuʀsəmɑ̃] n. m. — 1508 ; de *débourser.*
Action de débourser. *Le déboursement d'une somme* (→ **Débours**).

DÉBOURSER [debuʀse] v. tr. — XIIIᵉ ; de 1. *dé-*, *bourse*, et suff. verbal.
Tirer de sa bourse, de son portefeuille, et, par ext., de son avoir (une somme d'argent). → **Dépenser ; boursiller (vx), décaisser, payer, verser ; et, fam., aligner, casquer, cracher, lâcher.** *Obtenir une chose sans rien débourser, sans débourser un sou.* → Sans bourse* (1. Bourse) délier, gratis, à l'œil*. — Absolt. *Faire qqch. sans débourser.*

1 Car aux faveurs d'une belle il eut part
Sans débourser (...)
LA FONTAINE, Contes,
«À femme avare galant escroc», II, 9.

2 Les soixante pistoles qu'il a déboursées pour moi.
BOSSUET, Lettre, in LITTRÉ.

♦ **DÉBOURSÉ, ÉE** p. p. adj. *Argent déboursé.*
N. m. plur. → **Débours, dépense, frais.** *Faire le total de ses déboursés. Rentrer dans ses déboursés.*

CONTR. Empocher (fam.), encaisser, ramasser (fam.), rembourser, toucher. ◊ DÉR. Débours, déboursement.

DÉBOURSÉS [debuʀse] n. m. pl. → **Débourser.**

DÉBOUSSOLÉ, ÉE [debusɔle] adj. — 1920 ; de 1. *dé-*, *boussole*, et *-é.*
Désorienté. *Il est déboussolé depuis que sa femme l'a abandonné.* — Adj. «*Le réquisitoire (...) parle de patriotisme déboussolé et dévoyé*» (le Monde, 8 janv. 1963).

Frank se sent rétrograder dans cet espace et ce temps déboussolés où il errait jadis, sans complices ni filières, avant qu'Armando ne le hisse au sommet de la pyramide, grâce en partie à sa «qualité» de ressortissant étranger (...)
Régis DEBRAY, l'Indésirable, p. 86 (1975).

DÉR. Déboussoler.

DÉBOUSSOLER [debusɔle] v. tr. — 1961 ; de *déboussolé.*
Désorienter (qqn), faire qu'il ne sache plus où il en est. *Cette situation semble le déboussoler totalement.*

DEBOUT [d(ə)bu] adv. — 1530 ; *de bot*, *de but*, 1155 ; «bout à bout», 1190 ; de *de*, et *bout.*

♦ **1** (Choses). Verticalement* ; sur l'un des bouts. → **Aplomb** (d'), **droit.** *Mettre, dresser un meuble debout. Cette chaise ne tient pas debout*, elle n'est pas stable. — (Avec un n., en fonction d'adj.). *Une table, un tonneau debout.*

1 Une espèce de petit balcon vers le haut, en saillie et soutenu en dessous par deux chevrons et deux poutres debout (...) DIDEROT, Salon de 1767.

Gravure. *Le bois se grave debout*, à contre-fil.

Loc. *Mettre debout :* dresser, redresser. (Abstrait). *Mettre une affaire debout*, la mettre sur pied, l'organiser.

Mar. (vx). *Debout les avirons !* (pour rendre les honneurs).

Loc. fig. *Tenir debout* (→ ci-dessous, 2. et 3.).

♦ **2** (Personnes). Sur ses pieds (opposé à *assis* [cit. 36], *couché*). *Il est là, debout, devant moi. Se tenir debout. Rester debout les bras* (cit. 5) *ballants.* → Planté comme une borne*. *Se mettre debout.* → **Lever** (se) ; **dresser** (se). *Ne restez pas debout :* asseyez-vous. *Laisser qqn debout*, ne pas le faire asseoir. *L'astasie*, trouble caractérisé par l'impossibilité de rester debout.*

(Avec un verbe exprimant une action, habituellement accomplie en position assise). *Manger debout. Voyager debout dans le train. Pédaler debout sur sa bicyclette.* → **Danseuse** (en).

(Construit avec un subst.). *Les personnes debout.* — Par métonymie. *Place debout dans un autobus. Faire une station debout prolongée lui est insupportable.*

2 (...) debout et assis *(au parterre comme aux meilleures places)*, on peut donner un mauvais jugement (...)
MOLIÈRE, la Critique de l'École des femmes, 5.

3 Il faut que je reste là cloué sur une chaise ou debout, planté comme un piquet, sans remuer ni pied ni patte, n'osant courir, ni sauter, ni chanter, ni crier, ni gesticuler quand j'en ai envie (...)
ROUSSEAU, les Confessions, XII.

4 Il avait toujours aimé s'étendre pour causer. «Debout ou couché», disait-il : «la position assise est pour les fonctionnaires.» MARTIN DU GARD, les Thibault, t. V, p. 174.

5 Dès qu'il fut parti et qu'on sut que son absence durerait un peu, les gens debout, leur verre de porto à la main, se rapprochèrent les uns des autres, firent cercle et se communiquèrent promptement leurs réflexions.
J. ROMAINS, les Hommes de bonne volonté, t. V, p. 191.

6 Elle se mit debout avec effort, et, appuyée au bras de Bernard, gagna la pièce qu'elle occupait au-dessus du grand salon. F. MAURIAC, Thérèse Desqueyroux, p. 173.

Tout debout (intensif).

6.1 (...) deux indigènes creusaient un trou très profond et peu large, ce qui nous laissa supposer qu'on ensevelit les morts verticalement, tout debout.
GIDE, Voyage au Congo, in Souvenirs, Pl., p. 784.

Interj. *Debout!* : ordre par lequel on invite qqn à se lever, à partir, à se remettre en route. *Debout! là-dedans* : levez-vous! (formule militaire). *Allons, debout! Debout, et partons.* — Mar. (dans divers commandements). *Debout au quart!*, cri de matelot pour appeler la relève.

7 Debout! les régiments sont là dans les casernes, Sacs au dos, abrutis de vin et de fureur, N'attendant qu'un bandit pour faire un empereur.
HUGO, les Châtiments, I, Nox.

8 Debout! Qu'il vous souvienne des Vikings! Assez dormi dans la vase! Réveillez-vous : il n'est que temps ; vous n'avez que trop vécu en carrassins, sous le varech et le sable.
André SUARÈS, Trois hommes, Ibsen, III, p. 102.

Spécialt (personnes). Levé (alors qu'on devrait ou pourrait être couché). *Rester debout toute la nuit. Passer la nuit debout.* → **Veiller.**

9 Madeleine ne s'épargna pas et passa trois nuits debout au chevet de sa belle-mère, qui rendit l'esprit entre ses bras.
G. SAND, François le Champi, IV, p. 48

Être debout dès le matin : se lever tôt. → **Lever.** *Vous êtes déjà debout!*

10 Malgré l'heure matinale, Si-Chériff et son frère étaient debout pour recevoir nos adieux (...)
E. FROMENTIN, Un été dans le Sahara, I, p. 83.

Guéri (→ ci-dessous, 3.). *Il va mieux, il est debout. Il s'est remis debout rapidement.* → **Guérir, rétablir** (se) ; → **Pied** (il est sur pied).

11 Monsieur, je suis ravi de vous trouver debout et de voir que vous vous portez mieux.
MOLIÈRE, le Malade imaginaire, II, 2.

12 Mieux vaut goujat debout qu'empereur enterré.
LA FONTAINE, Contes, «La matrone d'Éphèse», VI.

Par métaphore. En valeur d'adj. Dressé, fort. «*Un style debout*» (Valéry, in T.L.F.). *Un peuple debout contre l'envahisseur.* — Allusion hist. (interjection) :

13 Les Allemands ont envahi une tranchée et brisé toute résistance ; nos soldats gisent à terre, mais soudain de cet amas de blessés et de cadavres, quelqu'un se soulève et saisissant à portée de sa main un sac de grenades, s'écrie : «Debout, les morts!» À cet appel les blessés se redressent. Ils chassent l'envahisseur. Le mot sublime avait fait une résurrection.
M. BARRÈS, l'Écho de Paris, 18 nov. 1915, in GUERLAC.

14 Debout! les damnés de la terre!
Debout! les forçats de la faim!
Eugène POTTIER, L'Internationale.

Loc. DORMIR DEBOUT, TOUT DEBOUT : éprouver un violent besoin de dormir au point de s'assoupir sans être couché. *Allez donc vous coucher, vous dormez debout.*

Fig. *Conte, histoire à dormir debout* : histoire ennuyeuse ou extravagante.

TENIR DEBOUT (métaphore du sens 2 ou du sens 1 : choses). → aussi 3. *Argument qui ne tient pas debout*, qui ne respecte pas les règles de la logique. *Projet qui ne tient pas debout*, qui est illogique, irréalisable, peu réaliste. *Thèse, théorie qui ne tient pas debout*, qui est insoutenable, qui ne résiste pas à l'examen.

15 L'Histoire universelle de Bossuet n'a plus, dans l'état actuel des études historiques, aucune partie qui tienne debout (...)
RENAN, Questions contemporaines, in Œ. compl., t. I, p. 96.

16 Si l'on considère tout cela sous le jour des affaires, sous le jour commercial, votre projet ne tient pas debout.
G. DUHAMEL, Chronique des Pasquier, V, Le désert de Bièvres, V, p. 72.

16.1 Ça ne tient pas debout, cette histoire, c'est rocambolesque, c'est du Grand-Guignol... «Tss... tss... tu perds la tête, je t'assure, c'est une simple coïncidence, je t'en réponds (...)»
N. SARRAUTE, le Planétarium, p. 270.

Tomber, retomber debout : se tirer avec bonheur d'une situation dangereuse ou critique. → **Pied** (retomber sur ses pieds).

Mourir debout, en pleine activité, dans l'exercice de ses fonctions.

17 Il crut qu'un évêque plus qu'un empereur devait mourir debout et dans l'exercice de sa charge (...)
FLÉCHIER, Panégyrique, I, p. 312.

◆ **3** *Être (tenir) debout, être (tenir) encore debout* : se dresser, être en bon état (mur, construction) ; résister à la destruction. → **Dresser** (se). *Cette muraille est, tient toujours debout.*

18 Ils vivent cependant, et leur temple est debout.
RACINE, Athalie, II, 5.

18.1 (...) il ne reste pas beaucoup de maisons debout... plus? moins qu'à Berlin? pareil je dirais, mais plus chaud, plus en flammes, et des flammes en tourbillons... plus hautes... plus dansantes... vertes... roses... entre les murs...
CÉLINE, Rigodon, p. 161.

(Personnes). *Ne pas tenir debout* : être privé de force physique, être malade. *Ce vieillard ne tient pas debout.* — Être ivre. *Après quelques verres je ne tiens plus debout.*

18.2 C'est une femme toujours couchée, une femme qui ne tient pas debout. J. RENARD, Journal, 3 mars 1899.

Fig. *Cette vieille institution tient encore debout. Ne rien laisser debout* : tout détruire.

19 Le veau d'or est toujours debout ;
On encense
Sa puissance
D'un bout du monde à l'autre bout.
J. BARBIER et M. CARRÉ, Faust, II, 4.

◆ **4** (Animaux). Dressé, et, spécialt, dressé sur ses pattes de derrière. Blason. Animal ainsi représenté. Chasse. *Mettre une bête debout*, la forcer à se lancer. (Arbres). *Vente du bois debout*, sur pied, l'acheteur se chargeant de l'abattage et de l'enlevage (opposé à *façonné*). — REM. *Bois debout* signifie aussi «coupé perpendiculairement au sens des fibres».

◆ **5** Mar. (En parlant d'un navire). [a] *Debout au vent, debout au courant, debout à la lame*, face à eux. → **Bout** (I., 1. : bout au vent, à la lame...) ; → ci-dessous, *Vent debout. Faire route debout au courant. Navire qui se place debout à la lame.* — Vieilli. *Aborder* (un navire) *debout au corps*, le heurter avec la proue, l'éperonner. *Aller, courir debout à la terre*, se diriger vers le rivage.

ⓑ En valeur d'adj. *Vent debout,* de face. *Navire qui a le vent debout.* Mer debout, dont les vagues se présentent face à l'étrave du navire.

Par anal. *Coureur cycliste qui a le vent debout et qui pédale en danseuse.*

ⓒ Loc. adv. et adj. VENT DEBOUT : avec l'étrave tournée dans la direction d'où vient le vent. *Virer de bord vent debout* (s'oppose à *virer vent arrière,* ou *lof* pour lof*). *Placer le bateau vent debout; se mettre vent debout pour mouiller.*

Aviat. (même sens). *Atterrissage vent debout.*

9.1   Sur les quatre-vingt-dix milles que mesurait le périmètre de l'île, la côte sud en comptait une vingtaine depuis le port jusqu'au promontoire. De là, nécessité d'enlever ces vingt milles au plus près, car le vent était absolument debout.
           J. VERNE, l'Île mystérieuse, t. II, p. 573, 1874.

20   Nous avions vent debout, une brise fraîche qui augmentait toujours, comme si ce pays eût soufflé de toutes ses forces contre nous pour nous éloigner de lui.
           LOTI, Mᵐᵉ Chrysanthème, I, p. 2.

♦ 6 Adj. invar. Dr. *Magistrature debout :* le ministère public, qui parle debout (par oppos. à *magistrature assise*). → **Parquet.**

21   Le désespoir de sa vie était qu'affligé d'un zézaiement un peu enfantin, il n'avait pu, dans la magistrature debout, remplir son mérite, car il se piquait d'être un grand orateur.   ZOLA, Paris, t. I, p. 79.

Par une analogie plaisante. «*Mais cette place, il ne la cherchait que dans ce qu'il appelait le* commerce debout, *sa santé s'opposant à toute occupation assise*» (Alphonse Daudet, *Fromont jeune et Risler aîné,* p. 17).

CONTR. Assis, couché. — Malade. — Détruit, mort, renversé, ruiné. ◊ COMP. Passe-debout.

DÉBOUTÉ [debute] n. m. — 1690; p. p. substantivé de *débouter.*

Dr. Acte par lequel un plaideur est déclaré mal fondé en sa demande. → **Rejet.** *Jugement de débouté. Débouté d'opposition.*

DÉBOUTEMENT [debutmã] n. m. — 1846; de *débouter.*

Dr. Action de rejeter la demande (de quelqu'un).

DÉBOUTER [debute] v. tr. — 1549; «repousser, chasser», XIIᵉ; de 2. *dé-,* et *bouter.*

Dr. Rejeter par jugement, par arrêt, la prétention de (un demandeur). *Débouter un demandeur. Débouter qqn de sa demande. Le tribunal l'a débouté de sa demande. Débouter un plaideur de son appel.*

DÉR. Débouté, déboutement.

DÉBOUTONNAGE [debutɔnaʒ] n. m. — 1904; sens 1; sens 3, 1878, Goncourt (aussi *déboutonnement,* 1875); de *déboutonner.*

♦ 1 Action de déboutonner*, de se déboutonner. *Le déboutonnage d'une veste, d'un manteau.*

Cette invitation malencontreuse m'empêcha de vérifier pleinement l'hypothèse audacieuse de Mangiapan, qui était mon voisin, en classe, et qui prétendait que les enfants sortaient du nombril de leur mère. Cette idée m'avait d'abord paru absurde : mais un soir, après un assez long examen de mon nombril, je constatai qu'il avait vraiment l'air d'une boutonnière, avec, au centre, une sorte de petit bouton : j'en conclus qu'un déboutonnage était possible, et que Mangiapan avait dit vrai.
           PAGNOL, la Gloire de mon père, t. I, p. 66-67.

♦ 2 (1974). **Techn.** Destruction des points de soudure.

♦ 3 Fig. Action de se déboutonner (2.), de s'exprimer librement.

CONTR. Boutonnage.

DÉBOUTONNER [debutɔne] v. tr. — V. 1360, Froissart; de 1. *dé-,* et *boutonner.*

♦ 1 Ouvrir (un vêtement) en dégageant les boutons de la boutonnière. → **Défaire,** et aussi **dégrafer.** *Déboutonner son pardessus, ses vêtements, pour se déshabiller. Son gilet est déboutonné.*

Avec une adresse de femme de chambre, et une viva-   1
cité d'homme pressé, il déboutonnait, dénouait, dégrafait, délaçait sans repos.
       MAUPASSANT, les Sœurs Rondoli, p. 145.

Il déboucla son ceinturon, déboutonna sa vareuse.   2
       P. MAC ORLAN, la Bandera, VI, p. 76.

♦ 2 Escr. *Déboutonner un fleuret,* en ôter le bouton, en vue de s'en servir comme d'une arme dans un assaut réel, un duel, etc.

♦ SE DÉBOUTONNER v. pron.

♦ 1 (Réfl.). Défaire les boutons de ses vêtements.

Ce beau seigneur, tantôt qu'on a dîné,   3
A mangé comme un diable et s'est déboutonné.
       SCARRON, Jodelet, III, 2.

Par métaphore, jouant sur le sens 2 :

Barrès se retient trop. Il (...) mourra d'une conviction ren-   3.1
trée, étouffera de civilisation comme d'autres d'un manque d'air (...) Barrès, mon ami, déboutonnez-vous; vous sentez le concentré. On étouffe chez vous. Aérez !
       J. RENARD, Journal, 4 nov. 1889.

(Sens passif). En parlant d'un vêtement. *Mon gilet s'est déboutonné.*

♦ 2 (Av. 1611). **Réfl. et fig.** Parler* librement, sans réserve; dire tout ce que l'on pense (de qqn ou de qqch.). → **Abandonner** (s'), **ouvrir** (s'). *Déboutonnez-vous ! :* laissez-vous aller, parlez librement.

Suivit un autre tête-à-tête où le duc se déboutonna sur tous   4
ceux qui avaient part aux affaires.
       SAINT-SIMON, Mémoires, 305, 224.

Montaigne se déboutonne sans cesse et il fait cette chose   4.1
qui nous le fait aimer qui est de se contredire avec une grâce et une insouciance irrésistibles.
       J. GREEN, Journal, 18 déc. 1976,
       La terre est si belle, p. 87.

♦ DÉBOUTONNÉ, ÉE p. p. adj.

♦ 1 Dont on a dégagé les boutons de la bouton-nière. *Vêtement déboutonné.*

Le roi, tout déboutonné, se leva de son prie-Dieu (...)   5
       SAINT-SIMON, Mémoires, 91, 195.

Loc. fig. *Manger à ventre déboutonné,* avec excès, à satiété. *Rire à ventre déboutonné,* sans retenue.

♦ 2 Fig. Très libre, sans réserve (paroles, propos...). → **Débridé.**

(...) l'heure des vanteries qui arrive si vite dans les dîners   6
d'hommes, d'abord décente, — puis indécente bientôt, — puis déboutonnée, — enfin chemise levée et sans vergogne, amena les anecdotes, et chacun raconta la sienne (...)
       BARBEY D'AUREVILLY, les Diaboliques,
       «À un dîner d'athées».

♦ 3 Escr. *Fleuret déboutonné,* dont on a enlevé le bouton.

CONTR. Boutonner.

DÉBRAGUETTER [debʀagete] v. tr. — 1535, *desbra-guetter*; de 1. *dé-,* braguette, et suff. verbal.

Fam. Ouvrir la braguette de.

Pronominal :

Prisonnière, la main de Louise avait pris, malgré elle, la mesure de l'homme : le salaud s'était débraguetté, ça n'était pas ce qu'elle voulait. C'était trop brutal, trop vulgaire.
       Jacques LANZMANN, les Transsibériennes, p. 15.

CONTR. Rebraguetter.

DÉBRAILLÉ, ÉE [debʀaje] adj. — V. 1508; de 1. *dé-*, et anc. franç. *braiel* «ceinture». → Braie.

♦ **1** Dont les vêtements sont en désordre, ouverts ou mal fermés. → **Négligé.** *Il est tout débraillé. Poitrine débraillée.* — Par métonymie. *Robe débraillée. Tenue, mise débraillée.*

1   Toujours débraillée et décoiffée.
                 ROUSSEAU, les Confessions, II.

2   Un vieux Belge, débraillé, coiffé d'un képi, faisait, avec un arrosoir, des huit sur le dallage poussiéreux.
         MARTIN DU GARD, les Thibault, t. VI, p. 50.

N. m. *Le débraillé de sa tenue, de ses manières.* → **Débraillement, désordre, laisser-aller, liberté, négligé.** *Le débraillé artistique. Se mettre en débraillé.*

♦ **2** Fig. D'une liberté d'allures excessive; sans tenue. *Des manières débraillées. Vie, mœurs débraillées.* → **Libre.** *Avoir un air débraillé. Le genre débraillé.* → **Bohème.** *Allure débraillée.*

3   Le gilet de piqué, surchargé de broderies saillantes, ouvert, boutonné par un seul bouton sur le haut du ventre, donnait à ce personnage un air d'autant plus débraillé que ses cheveux noirs, frisés en tire-bouchons, lui cachaient le front et descendaient le long des joues.
         BALZAC, Une ténébreuse affaire, Pl., t. VII, p. 459.

4   (...) les gens débraillés qui croient faire preuve d'indépendance.   BAUDELAIRE, Curiosités esthétiques, XIII.

5   (...) le jour d'un grand match de rugby est un jour de licence, où l'on a le droit de redevenir celui qu'on est resté, profondément, sous le vernis de la maturité et de la réussite sociale : un jeune Méridional débraillé.
         Jean-Louis CURTIS, le Roseau pensant, p. 15.

Conversation débraillée, libre, sans retenue.

CONTR. Correct, décent, distingué, modeste, recherché, réservé.

DÉBRAILLEMENT [debʀajmɑ̃] n. m. — 1694; de *débrailler.*

Action de se débrailler; fait d'être débraillé. → **Débraillé** (n. m.). — REM. Syn. (rare) : *débraillage* [debʀajaʒ] n. m.

DÉBRAILLER [debʀaje] v. tr. — 1680; de *débraillé.*

Vx. Ouvrir, retrousser (un vêtement), le vêtement de (qqn).

♦ **SE DÉBRAILLER** v. pron. Mod.

ⓐ Se découvrir d'une manière indécente, en ouvrant, en retroussant ses vêtements. *Se débrailler en public.* → **Déshabiller** (se).
ⓑ Fig. *La conversation se débraille,* elle perd toute retenue, toute décence.

DÉR. Débraillement.

DÉBRANCHEMENT [debʀɑ̃ʃmɑ̃] n. m. — 1890; de *débrancher.*

Action de débrancher (des wagons, un appareil électrique).

CONTR. Branchement.

DÉBRANCHER [debʀɑ̃ʃe] v. tr. — 1611; *ébrancher,* XIIIᵉ; *desbranchier,* 1409; de 1. *dé-,* et *branche* (sens 1) ou *brancher* (autres sens).

♦ **1** Vx. Faire descendre (un oiseau) d'une branche, d'un perchoir.

♦ **2** (1890). Séparer et trier (les wagons d'une rame de chemin de fer).

♦ **3** Électr. Couper le courant de (un circuit). → **Couper.** — Cour. Arrêter (un appareil électrique) en supprimant son branchement. *Débrancher un fer à repasser. Débrancher une prise.*

♦ **4** (V. 1960; d'après *brancher,* II., 4.; compl. n. de personne). Fam. Faire cesser d'être branché*. *Cesse de lui parler, tu le débranches.* — Pron. *Se débrancher.* → **Décrocher.**

1   Les clichés s'enclenchaient entrelardés de «Moi, je», et Jean se débrancha.
         Claude COURCHAY,
         La vie finira bien par commencer, p. 23.

Intrans. (même sens).

2   Quand les gens parlent le français trop vite, elle n'a pas le temps de traduire dans sa tête, alors elle débranche et se contente de faire oui de la tête.
         Henri LOPES, Tribaliques, *in* Littératures de langue franç. hors de France, p. 146.

CONTR. Accrocher, brancher. ◊ **DÉR. Débranchement.**

DÉBRAYAGE [debʀɛjaʒ] n. m. — 1860; *désembrayage,* 1838; de *débrayer.*

♦ **1** Fait de débrayer. *Manette, pédale de débrayage.*

♦ **2** (1952). Cessation du travail; mouvement de grève. *Débrayage du personnel.*

DÉR. Auto-débrayage.

DÉBRAYER [debʀeje] v. — 1865; *désembrayer,* 1838; de 1. *dés-,* et *embrayer.*

Ⅰ V. tr. Techn. Séparer (une pièce mobile) de l'arbre moteur. — Absolt. Interrompre la liaison entre une pièce, un mécanisme et l'arbre moteur. — Cour. Interrompre la liaison entre le moteur et les roues d'une automobile. *Débrayer, passer les vitesses et embrayer.*

Ⅱ V. intr. (1937). Fam. Arrêter le travail (dans une usine, un atelier), notamment pour manifester, protester. → **Grève** (faire, se mettre en). *Les ouvriers ont débrayé. Plusieurs ateliers ont débrayé.*

♦ **DÉBRAYÉ, ÉE** p. p. adj.

(De I.) Qui n'est plus en contact avec la pièce correspondante (dans un mécanisme de transmission). «*(...) la position du point mort, c'est-à-dire les deux frictions débrayées*» (*Année sc. et industr.,* 1896, p. 289 [1895]). — Par métaphore :

L'esprit débrayé de l'acte, donne aussitôt une indéfinité incohérente.   VALÉRY, Cahiers, t. II, Pl., p. 739.

DÉR. Débrayage.

DÉBRIDÉ, ÉE [debʀide] p. p. adj. → **Débrider.**

DÉBRIDEMENT [debʀidmɑ̃] n. m. — 1604; de *débrider.*

♦ **1** Action de débrider. *Le débridement d'un cheval.* — Par anal. *Le débridement d'une plaie.*

♦ **2** (1659). Fig. Déchaînement, laisser-aller. *Se refuser à tout débridement.*

1   (...) quantité de poétereaux, s'imaginant flatteusement que la poésie de Jammes consistait dans sa négligence et dans sa forme abandonnée, ont résolu d'être poètes simplement en ne se contraignant point.
Je dirais volontiers, généralisant un peu ma pensée, que tous les exemples de débridement sont funestes.
         GIDE, Feuillets, *in* Journal 1889-1939, Pl., p. 723.

2   Au déchaînement des forces de la matière correspond le débridement des instincts de violence : et cette rencontre n'est pas due au hasard, car une mystérieuse correspondance lie l'univers de la créature et celui de la création.
         DANIEL-ROPS, Ce qui meurt et ce qui naît, I, p. 2.

Le débridement des mœurs, de la moralité.

3   Vous faites sans doute allusion au... (il chercha le mot juste) au débridement des mœurs? Mais ce n'est qu'une apparence! On monte en épingle tel ou tel désordre très circonscrit, alors que la masse de la population, croyez-moi, demeure parfaitement saine.
         Jean-Louis CURTIS, le Roseau pensant, p. 34.

DÉBRIDER [debʀide] v. tr. — 1534; v. pron., fig., 1463; de 1. dé-, et brider.

♦ 1 Enlever la bride à (un cheval, une bête de somme).

1   Nous mîmes donc pied à terre. Nous débridâmes nos chevaux pour les laisser paître, et nous nous couchâmes sur l'herbe.   A. R. LESAGE, Gil Blas, VI, II.

Absolt. *Il est temps de débrider. Faire un long trajet sans débrider,* sans ôter la bride à sa monture.

1.1   Michel Strogoff, arrivé à Oubinsk, laissa son cheval reposer pendant toute la nuit, car il voulait, dans la journée suivante, enlever sans débrider les cent verstes qui se développent entre Oubinsk et Ikoulskoë.   J. VERNE, Michel Strogoff, p. 225-226.

Fig. et vx. Cesser de faire un travail, prendre du repos. *Il faut débrider après un tel effort.*

Sans débrider : sans interruption, sans arrêt. *Travailler huit heures sans débrider* (→ D'arrache-pied; (fam.) sans débander*). *Dormir toute une nuit sans débrider.*

2   Il avait dormi sans débrider jusqu'à neuf heures.   Éd. ABOUT, in P. LAROUSSE.

♦ 2 Par anal. Dégager (qqch.) de ce qui le serre comme une bride.

Chir. *Débrider un organe :* sectionner la bride qui étrangle cet organe. *Débrider une hernie. Débrider une plaie. Débrider un abcès,* en vue de permettre l'écoulement du pus. → **Inciser, ouvrir** (→ Chirurgien, cit. 2).

3   Il avait fallu débrider la plaie, extraire le projectile.   FLAUBERT, l'Éducation sentimentale, III, I.

3.1   Cyrus Smith l'approuva complètement, et il fut décidé qu'on panserait les deux plaies sans essayer de les fermer par une coaptation immédiate. Fort heureusement, il ne sembla pas qu'elles eussent besoin d'être débridées.   J. VERNE, l'Île mystérieuse, p. 688, 1874.

Loc. fig. *Débrider la plaie, l'abcès.* → Crever l'abcès*.

4   (...) il nous faudrait porter le fer dans cette plaie, débrider l'abcès, évacuer l'humeur malfaisante.   G. DUHAMEL, le Voyage de P. Périot, II, p. 42.

Cuis. *Débrider une volaille :* couper les fils dont on l'a entourée pour la faire cuire.

Fig. *Débrider les yeux de qqn,* les dessiller, les ouvrir.

Donner libre cours à (qqch.).

4.1   (...) les événements qu'il déclencha, ou plus exactement débrida (...)   Claude SIMON, le Vent, p. 11.

Pron. Se donner libre cours, se laisser aller.

4.2   J'avais remarqué, à la campagne, et Montaigne l'explique mieux que moi, comme l'imagination se débride et s'éreinte à l'aveuglette si on ne la fixe pas sur quelque objet.   COCTEAU, Journal d'un inconnu, p. 21.

♦ DÉBRIDÉ, ÉE p. p. adj. (1466).

♦ 1 Dont on a ôté la bride. *Cheval débridé.*

Par métaphore. Sans contrainte (→ Lâcher).

4.3   Lui, au fond, n'avait contre le mariage que ses anciennes préventions d'artiste débridé dans la vie.   ZOLA, l'Œuvre, p. 291.

♦ 2 Chir. *Organe débridé.* — **Fig.** *Abcès, plaie débridée :* situation difficile et pénible à laquelle on a mis un terme.

♦ 3 Fig. et cour. → **Déchaîné, effréné.** *Imagination débridée. Langue débridée,* sans retenue. *Une plume agile* (cit. 7) *et débridée. Instincts, appétits débridés.*

5   (...) molles et longues inflexions de la chair vivante et ployante, fureur de l'élan, impétuosité des convoitises, magnifique étalage de la sensualité débridée, triomphante (...)   TAINE, Philosophie de l'art, t. II, V, I, 1, p. 230.

6   Il les sentait hors d'eux, dans cet instant débridé de la défense personnelle, où l'on cesse d'obéir aux chefs.   ZOLA, Germinal, t. II, p. 34.

CONTR. (De débrider). **Brider.** — **Arrêter** (s'), **cesser.** — **Enchaîner, lier.** — (De débridé) **Contenu, discipliné, modéré, retenu. ◊ DÉR.** Débridement.

DÉBRIEFER [debʀife] v. tr. — 1984; de l'angl. *to debrief* «faire un compte rendu», de *brief* «rapport» et *to brief* «faire un rapport», famille de *bref.*

Anglic. Interroger (qqn qui doit faire un compte rendu).

DÉBRIEFING [debʀifiŋ] n. m. — 1985; angl. *debriefing,* de *to debrief.* → Débriefer.

Anglic. Conférence, réunion de travail qui a lieu après une mission, un événement, pour en tirer les enseignements. «*Pas de sorties, pas de loisirs. Repos, briefing, mission, debriefing* (sic). *Une opération tous les deux jours*» (le Monde, 22 mai 1999, p. 2).

1. DÉBRINGUER [debʀɛ̃ge] v. tr. — 1807; de 2. dé-, 1. bringue «pièce, morceau», et suff. verbal.

Fam. et régional. Abîmer, briser, mettre en pièces. → **Déglinguer.** *Cet enfant ne peut s'empêcher de débringuer ses jouets.*

♦ SE DÉBRINGUER v. pron.

S'abîmer. *Ma voiture se débringue à vue d'œil.* — *Sa santé se débringue un peu plus chaque jour,* se détériore.

♦ DÉBRINGUÉ, ÉE p. p. adj.

Abîmé, en pièces. *Jouets complètement débringués.* — Débraillé. *Allure débringuée.*

2. DÉBRINGUER (SE) [debʀɛ̃ge] v. pron. — Var. régionales attestées fin XIXᵉ, Isère; de 1. dé-, et 1. bringue «morceau de bois, entrave». → Embringuer.

Fam. et régional. Se dégager, se débarrasser (de qqch. qui emprisonne, entrave).

(...) je n'avais plus qu'à (...) me débringuer de mon armure qui commençait à m'oppresser.   M. AYMÉ, le Nain, p. 214 (1934), in T.L.F.

CONTR. V. **Embringuer.**

DÉBRIS [debʀi] n. m. — 1549; de l'anc. v. *débriser* (XIIᵉ-XVIIᵉ), de 2. dé-, et *briser.* → Briser.

▍ Vx. Action de briser, de détruire. → **Bris.** *Le débris du temps.*

▍▍ Mod. ♦ 1 (Rare au sing.). Reste d'un objet brisé, d'une chose en partie détruite. → **Fragment, morceau.** *Les débris d'un vase. Des débris de vaisselle. Débris de bouteille.* → **Tesson.** *Débris de meubles. Débris de vêtement.* → **Lambeau.** *Débris de bois.* → **Copeau, sciure.** *Débris de métal, de vieilles machines.* → **Ferraille.** *Débris de maçonnerie.* → **Blocage, plâtras.** *Débris de végétaux. Débris d'animaux, de coquillages.* → **Falun, fossile.** *Débris de poteries recueillis lors de fouilles archéologiques. Les kjökkenmöddings*, amas de débris ménagers de l'âge de pierre.*

Spécialt. Déchet, détritus. → **Ordure, rebut, résidu, rognure.** *Des débris jonchent le sol. Ramasser, balayer des débris. Mettre des débris au rebut, aux ordures.*

Dans les rues latérales s'ouvrent de petites boutiques à demi obscures, d'où viennent des relents de légumes écrasés, de fruits fermentés. D'un peu plus loin viennent des odeurs de viande, de sang, de graisse, de tripes. D'un peu partout, des odeurs de débris, de balayures (...)   J. ROMAINS (→ Crasse, cit. 4).

Restes. *Les débris d'un repas, d'un plat* : restes de ce qui est en partie consommé. → **Relief, rogaton.**

2 (...) des Bédouins mangeant avec leurs doigts (...) déchiquetant, à belles dents blanches, d'immondes débris de poulets.   LOTI Jérusalem, XVI, p. 195.

Épave. *Débris d'un navire naufragé.* → **Bris, carcasse.**

3 Tout à coup elle aperçut les débris d'un navire qui venait de faire naufrage (...)
       FÉNELON, Télémaque, I (→ Blanc, cit. 3).

4 Quand dans l'éternité leur sort sera plongé,
Les insensés en vain s'attacheront aux heures,
Comme aux débris épars d'un vaisseau submergé.
       HUGO, Odes et Ballades, II, 10, p. 40.

Littér. Restes (d'un corps après la mort). *Débris* (du corps) *humain.* → **Cendre, os, ossement, poussière, reste; relique.**

5 L'ange rassemblera les débris de nos corps;
Il les ira citer au fond de leur asile.
       LA FONTAINE, Odes, VI, 8.

6 Au pied de la chapelle, sur l'un des côtés, l'on a rangé les restes du cimetière : car la haine et la destruction ont ici porté une main si avide, que les tombes mêmes en ont été ôtées, et que les seuls débris y sont les restes de restes, les reliques de la mort, et non pas même de la vie.
       André SUARÈS, Trois hommes, Pascal, I, p. 19.

Vieilli. Décombre, ruine, vestige. *Les débris d'un édifice en ruine.*

7 Quoi! ces monuments chéris
Histoire de notre gloire
S'écrouleraient en débris!
       BÉRANGER, la Gaule poétique.

8 Il ferait volontiers de la terre un débris
Et dans un bâillement avalerait le monde (...)
       BAUDELAIRE, les Fleurs du mal, «Au lecteur».

(En parlant de personnes). Vx ou par plais. → le sens 3 (le vers de l'abbé Delille, aujourd'hui comique, ne l'était nullement dans la langue classique).

9 (...) Telle jadis Carthage
Vit sur ses murs détruits Marius malheureux
Et ces deux grands débris se consolaient entre eux.
       Abbé DELILLE, les Jardins, IV.

10 On disputait chez Madame de Luxembourg sur ce vers de l'abbé Delille : «Et ces deux grands débris se consolaient entre eux.»
On annonce le bailli de Breteuil et madame de la Reynière : «Le vers est bon», dit la maréchale.
       CHAMFORT, Caractères et anecdotes, p. 193.

♦ **2** (Au plur.) **Littér.** Ce qui reste de qqch. → **Reste.** *Les débris d'un État, d'un royaume, d'une institution.*

11 *(Il)* fondait sur trente États son trône florissant,
Dont le débris est même un empire puissant?
       RACINE, Mithridate, III, 1.

12 J'ai resté plus d'un an en Italie, où je n'ai vu que le débris de cette ancienne Italie si fameuse autrefois.
       MONTESQUIEU, Lettres persanes, 113.

Les débris d'une armée : ce qui reste de cette armée après la défaite.

13 Il va recueillir au delà du Rhin les débris d'une armée défaite (...) La nuit sauve le reste de son armée.
       BOSSUET, Oraison funèbre du prince de Condé.

14 Ce prince *(Valérius),* après avoir mis le feu à ses vaisseaux, retourna par terre en Macédoine, menant avec lui les tristes débris de ses troupes presque entièrement désarmées et dépouillées.
       ROLLIN, Hist. ancienne, Œ., t. VIII, p. 109,
       in LITTRÉ.

Les débris d'une fortune. Réunir les débris de sa fortune. Les débris d'un héritage.

♦ **3 Fam. et péj.** *Un vieux débris :* une personne très âgée.

15 Vous êtes dur, vous alors, dit Gabriel. Il a quand même du chagrin, ce vieux débris.
       R. QUENEAU, Zazie dans le métro, Folio,
       p. 176 (1959).

DÉBROCHAGE [debʁɔʃaʒ] n. m. — 1842; de *débrocher.*

Techn. Action de débrocher (qqch.).

DÉBROCHER [debʁɔʃe] v. tr. — Fin XIVᵉ; de 1. *dé-,* et *broche.*

♦ **1** Retirer de la broche (une volaille, une viande).

Ce fut là sans doute que Quenu prit l'amour de la cuisine. Plus tard, après avoir essayé de tous les métiers, il revint fatalement aux bêtes qu'on débroche, aux jus qui forcent à se lécher les doigts.   1
       ZOLA, le Ventre de Paris, t. I, p. 67.

Absolument :

Il restait des heures, tout rouge des clartés dansantes de la flambée, un peu abêti, riant vaguement aux grosses bêtes qui cuisaient, et il ne se réveillait que lorsqu'on débrochait. Les volailles tombaient dans les plats; les broches sortaient des ventres, toutes fumantes; les ventres se vidaient, laissant couler le jus par les trous du derrière et de la gorge, emplissant la boutique d'une odeur forte de rôti.   2
       ZOLA, le Ventre de Paris, t. I, p. 67.

♦ **2** (1842, de *brocher*). **Techn.** Défaire la brochure de (un livre). — Au p. p. (1889). *Livre débroché.*

CONTR. Embrocher. — Rebrocher. ◊ **DÉR. Débrochage.**

DÉBRONZÉ, ÉE [debʁɔ̃ze] adj. — 1900; de 1. *dé-,* et *bronzé.*

♦ **1** Dont le bronze est parti. → **Dédoré.**

Et sur la cheminée, entre deux lampes débronzées, entre des photographies pâlies, cette agaçante pendule, qui rendait les heures plus longues (...)
       O. MIRBEAU, le Journal d'une femme de chambre,
       p. 332.

♦ **2** Qui a perdu son bronzage, son hâle. *Les vacanciers sont débronzés après quinze jours de pluie.*

CONTR. Bronzé. ◊ **HOM. Débronzer.**

DÉBRONZER [debʁɔ̃ze] v. — 1936; de 1. *dé-,* et *bronzer.*

♦ **1 V. tr.** Faire perdre le bronze de, et, par ext., faire perdre le brillant de. → **Dédorer.** *Débronzer une lampe.*

♦ **2 V. intr.** Perdre son bronzage. *Débronzer rapidement au retour des vacances.*

CONTR. Bronzer. ◊ **HOM. Débronzé.**

DÉBROUILLABLE [debʁujabl] adj. — 1852; de *débrouiller.*

Qui peut être débrouillé. *Intrigue facilement débrouillable.*

CONTR. Indébrouillable.

DÉBROUILLAGE [debʁujaʒ] n. m. — 1855; de *débrouiller.*

♦ **1** Action de se débrouiller; résultat de cette action.

Il *(le Latin)* se plaît à discuter ces principes plus que les réalités : il aime la politique dans l'absolu, quitte ensuite à se fier, pour les intérêts matériels (qui ne lui sont nullement indifférents) à l'opportunisme le plus cynique, au débrouillage le plus artiste.   1
       André SIEGFRIED, l'Âme des peuples, II, II, p. 39.

♦ **2** Débrouillement.

Assomption. Excursion manquée vers la Gavea, terrible débrouillage dans la forêt vierge.   2
       CLAUDEL, Journal, 29 août 1918.

DÉBROUILLAMINI [debʀujamini] n. m. — 1890 ; de *débrouiller*, d'après *embrouillamini*.

Littér. Action de débrouiller un embrouillamini.
→ **Débrouillement.**

Le jour où je voudrai recommencer d'écrire dans ce cahier des notes vraiment sincères, il me faudra d'abord un tel travail de débrouillamini dans ma cervelle encombrée, que j'attends, pour remuer toute cette poussière (...)
GIDE, Journal, nov. 1890.

DÉBROUILLARD, ARDE [debʀujaʀ, aʀd] adj. et n. — 1872 ; de *débrouiller*.

Fam. Qui sait se débrouiller, se tirer facilement d'affaire. → **Adroit, futé, habile, malin, resquilleur, roublard ; coule** (à la coule). *C'est un garçon débrouillard* (→ régional Débrouille).

1   Très instruit, très pratique, «très débrouillard» pour employer un mot de la langue militaire française, c'était un tempérament superbe, car, tout en restant maître de lui, quelles que fussent les circonstances, il remplissait au plus haut degré ces trois conditions dont l'ensemble détermine l'énergie humaine : activité d'esprit et de corps, impétuosité des désirs, puissance de la volonté.
J. VERNE, l'Île mystérieuse, p. 13, 1874.

2   (...) son honneur, à lui, c'était d'être plus beau que les autres, plus leste et plus fort, plus *débrouillard* aussi.
LOTI, Mon frère Yves, XXVI, p. 83.

3   Nous voudrions surtout trouver quelques collaboratrices débrouillardes.
BERNANOS, Un mauvais rêve, *in* Œ. roman., Pl., p. 989.

N. *C'est un débrouillard, une débrouillarde, adepte du système D*.*

CONTR. Embarrassé, empoté, gauche, maladroit. ◊ DÉR. Débrouillardise.

DÉBROUILLARDISE [debʀujaʀdiz] n. f. — 1902, *in* D.D.L. ; de *débrouillard*.

Qualité d'une personne débrouillarde. → **D** (système D), **débrouille.** *Allons, un peu de débrouillardise, c'est très faisable !*

Marcou aime bien Albert, sa bonne humeur rouspéteuse, sa gouaille et sa débrouillardise d'ouvrier parisien.
Roger IKOR, À travers nos déserts, p. 441.

REM. La forme *débrouillardisme*, n. m. (1919), n'a pas vécu.

DÉBROUILLE [debʀuj] n. f. et adj. — 1855 ; de *débrouiller*.

Familier.

♦ **1** N. f. Art et pratique de se tirer d'affaire, de se débrouiller. → **Débrouillardise.** *Système débrouille.* → **D** (système D).

♦ **2** Adj. Régional (Suisse). Débrouillard. *Il est débrouille.*

DÉBROUILLÉ, ÉE [debʀuje] p. p. adj. → **Débrouiller.**

DÉBROUILLEMENT [debʀujmã] n. m. — 1611 ; de *débrouiller.*

Action de débrouiller, de démêler. *Le débrouillement d'une intrigue compliquée, d'un imbroglio.*

Vous le voyez, Monsieur le chevalier, je m'occupe toujours du débrouillement de vos affaires.
Louise MICHEL, la Misère, t. I, p. 210.

DÉBROUILLER [debʀuje] v. tr. — 1549 ; de 1. *dé-*, et *brouiller.*

♦ **1** Démêler (ce qui est embrouillé). → **Démêler, distinguer, ordonner, ranger ; ordre** (mettre, remettre en ordre), **séparer, trier.** *Débrouiller les fils d'un écheveau.* → **Dévider.** *Débrouiller des papiers, des titres. Débrouiller des comptes. Débrouiller une signature.* → **Déchiffrer, lire.**

♦ **2** (Abstrait). Tirer de la confusion. → **Débarrasser, défricher, dégager, démêler, éclaircir, élucider, expliquer, tirer** (une affaire au clair)... → Chaos, cit. 3. *Débrouiller un cas compliqué. Débrouiller une intrigue.* → **Dénouer.** *Débrouiller ses idées. Débrouiller un sujet, une question, les abords d'un problème. Débrouiller un argument* (→ Argutie, cit. 1).

Villon sut le premier dans ces siècles grossiers,   1
Débrouiller l'art confus de nos vieux romanciers.
BOILEAU, l'Art poétique, I.

Il débrouillera tout ce mélange de passion et de raison, il   2
séparera l'une d'avec l'autre.
BOURDALOUE, le Jugement dernier,
1er avertissement, p. 80.

S'il veut débrouiller l'antiquité de sa noblesse qui remonte   3
aux temps les plus reculés, il enverra chercher un bénédictin (...)   VOLTAIRE, Jeannot et Colin.

Durant ce temps, j'ébauchai, je dévorai mon *Traité de l'har-*   4
monie ; mais il était si long, si diffus, si mal arrangé, que
je sentis qu'il me fallait un temps considérable pour l'étudier et le débrouiller.   ROUSSEAU, les Confessions, V.

Je m'en aperçus à merveille, et cet art de lire dans l'esprit   5
des gens et de débrouiller leurs sentiments secrets est un
talent que j'ai toujours eu et qui m'a quelquefois bien servi.
MARIVAUX, le Paysan parvenu, p. 94.

J'aime passionnément le mystère, parce que j'ai toujours   6
l'espoir de le débrouiller.
BAUDELAIRE, Spleen de Paris, XLVII.

(...) aider un homme à débrouiller l'écheveau de sa vie   7
intérieure (...)   F. MAURIAC, la Pharisienne, p. 68.

Fam. (Compl. n. de personne). *Débrouiller qqn,* lui apprendre à se tirer d'affaire, l'aider à devenir plus habile dans les difficultés. — *Débrouiller un élève,* lui apprendre les rudiments.

♦ **SE DÉBROUILLER** v. pron. (Déb. XVIIe, en parlant du temps.)

♦ **1** (Choses). S'éclaircir.

Le jour ne se débrouillait pas, sale et triste, un de ces petits   7.1
jours d'hiver lugubres (...)   ZOLA, l'Œuvre, p. 475.

S'ordonner. *Confusion, désordre qui se débrouille.* → **Démêler** (se).

Insensiblement ce grand mouvement s'apaise, ce chaos se   8
débrouille, chaque chose vient se mettre à sa place, mais
lentement, et après une longue et confuse agitation.
ROUSSEAU, les Confessions, III.

♦ **2** (Personnes). Se tirer (d'une situation confuse ou compliquée) en (y) mettant de l'ordre. *Se débrouiller au milieu de difficultés sans nombre. Se débrouiller parmi les embûches.*

(...) je sentais que je n'apprendrais jamais rien, qu'entre la   9
multiplicité entremêlée des détails réels et des faits men-
songers je n'arriverais jamais à me débrouiller.
PROUST, À la recherche du temps perdu, t. IX,
p. 173.

(...) il avait eu plusieurs fois l'occasion de montrer qu'il se   10
débrouillait assez bien parmi les dialectes slaves ; mais il
connaissait aussi les choses d'Asie Mineure et d'Espagne.
MARTIN DU GARD, les Thibault, t. V, p. 31.

Absolt et fam. Se comporter habilement, se tirer d'af-
faire, d'embarras. → **Débarbouiller** (se), **démerder** (se), **sortir** (se, s'en sortir). *Apprendre à se débrouiller tout seul* (→ Cellule, cit. 11). *Il sait se débrouiller.* → **Défendre** (se). → Affecter, cit. 2. *Il est arrivé à se débrouiller. Débrouillez-vous. Débrouille-toi tout seul. Que chacun se débrouille avec ce qu'il a.* → **Arranger** (s'). *Voilà ce qu'il y a à faire : à vous de vous débrouiller.*

Je trouve beaucoup plus beau de se débrouiller tout seul.   11
G. DUHAMEL, Chronique des Pasquier,
Vue de la terre promise, III, p. 119.

(...) on nous renvoie parmi vous avec la seule consigne,   11.1
comme on dit, de nous débrouiller, d'agir pour le mieux.
BERNANOS, Monsieur Ouine, *in* Œ. roman, Pl.,
p. 1486.

Se débrouiller avec (qqn, qqch.) : trouver un accord, un compromis avec. → **Arranger** (s'). *Se débrouiller avec l'administration, les autorités.* → aussi **Démêlé** (avoir un).

12 Eh bien! que l'homme se débrouille avec sa conscience, en ce qui touche certains problèmes.
G. DUHAMEL, Scènes de la vie future, v, p. 86.

♦ **DÉBROUILLÉ, ÉE** p. p. adj. *C'est un garçon assez débrouillé.* → **Débrouillard, dégrossi.**

13 Debout derrière l'instituteur, elle assistait au supplice (...) «Quels sont les quatre points cardinaux?»
La petite fille ne connaissait que cela. Elle tenta de les souffler à l'enfant du bout des lèvres (...) C'était une petite fille débrouillée.
GIRAUDOUX, les Aventures de Jérôme Bardini, p. 166.

CONTR. Brouiller, confondre, embrouiller, emmêler, mêler, obscurcir; désordre (mettre du désordre). ◊ DÉR. Débrouillable, débrouillage, débrouillard, débrouille, débrouillement, débrouilleur.

DÉBROUILLEUR, EUSE [debʀujœʀ, øz] n. et adj. — 1648; de *débrouiller.*
Rare. Personne ou chose qui débrouille, aide à débrouiller. — Adjectif :

Il y a la parole qu'on prend pour se tirer d'affaire, écran de fumée, ou se tirer au clair, brise-nuées. Si je raconte, me raconte (...) c'est parce que mon hypothèse de travail *débrouilleur* est que, d'un cas particulier, on peut tirer quelques leçons, qui le dépasseront, heureusement.
Claude ROY, Nous, p. 386.

DÉBROUSSAGE [debʀusaʒ] n. m. — 1897; de *débrousser.*
Action de débrousser. → **Débroussement.**

DÉBROUSSAILLAGE [debʀusajaʒ] n. m. → **Débroussaillement.**

DÉBROUSSAILLANT, ANTE [debʀusajɑ̃, ɑ̃t] adj. et n. m. — D. i. (mil. xxᵉ); p. prés. de *débroussailler.*
Techn. (agric.) Se dit d'un agent chimique destructif des plantes ligneuses, destiné au débroussaillement. Produit débroussaillant. N. m. *Un débroussaillant.*

DÉBROUSSAILLEMENT [debʀusajmɑ̃] n. m. — 1877; de *débroussailler.*
♦ 1 Action de débroussailler; son résultat.
♦ 2 Fig. Débrouillement, dégrossissage. — REM. Dans ce sens on dit aussi *débroussaillage*, n. m.

DÉBROUSSAILLER [debʀusaje] v. tr. — 1876, *Journal officiel*; de 1. *dé-*, et *broussaille.*
♦ 1 Arracher, enlever les broussailles (d'un terrain...). → **Défricher, dégager, éclaircir, essarter.** *Débroussailler un chemin de terre.*

1 Avant que d'attaquer enfin ce réduit central, il nous en faut débroussailler les approches.
A. MAUROIS, Un art de vivre, p. 50.

♦ 2 Fig. → **Débrouiller, dégrossir.**

2 En professeur habile et expérimenté (...) M. Cherbonneau s'est fait un devoir de leur aplanir la route; il l'a débroussaillée pour ainsi dire, et débarrassée de ses épines.
Journal officiel, 18 mars 1876.

CONTR. Embroussailler. ◊ DÉR. Débroussaillant, débroussaillement, débroussailleur.

DÉBROUSSAILLEUR, EUSE [debʀusajœʀ, øz] n. — Av. 1877, n. m., *in* Littré, *Supplément;* de *débroussailler.*

Technique.
♦ 1 Ouvrier forestier chargé de débroussailler (le féminin est virtuel).
♦ 2 N. f. **DÉBROUSSAILLEUSE.** (xxᵉ). Machine à débroussailler.

DÉBROUSSE [debʀus] n. f. — 1897; de *débrousser.*
Rare. Lieu débroussé.

DÉBROUSSEMENT [debʀusmɑ̃] n. m. — 1932; de *débrousser.*
Action de débrousser. → **Débroussage.**

DÉBROUSSER [debʀuse] v. tr. — 1889; de 1. *dé-*, et *brousse*, d'après *débroussailler.*
Défricher (la brousse, les plantes de la brousse). *«La partie du champ que nous débroussions»* (O. Bhêly-Quénum). *Débrousser une plantation en Afrique noire.*

Là-bas, nous débroussions les mauvaises herbes, coupions les arbustes inutiles. Je revois encore les lames tranchantes des machettes s'abattre furieusement (...)
O. BHÊLY-QUÉNUM, Un piège sans fin, *in* Pages africaines, t. II.

DÉR. Débroussage, débrousse, débroussement, débrousseur.

DÉBROUSSEUR, EUSE [debʀusœʀ, øz] n. — 1898; de *débrousser.*
Personne (n. m. et f.), chose, machine (n. m.) servant au débroussage. *Le feu est un grand débrousseur.*

DÉBRUTIR [debʀytiʀ] v. tr. — 1680; de 1. *dé-*, et *brut.*
Techn. Enlever les parties brutes de. → **Dégrossir; polir.** *Débrutir un diamant.* → **Ébruter.** *Débrutir du marbre.*
REM. En joaillerie, on emploie aussi le v. tr. *débruter* [debʀyte] et son dérivé *débrutage* [debʀytaʒ].
DÉR. Débrutissement.

DÉBRUTISSEMENT [debʀytismɑ̃] n. m. — xixᵉ; de *débrutir.*
Techn. Action de débrutir; son résultat.

DÉBUCHER [debyʃe] v. — V. 1130, *desbuschier; débusquer* au xviᵉ; de *dé*, et *bûche.* → **Embusquer.**
♦ 1 V. intr. (Chasse). Sortir du bois, du taillis (en parlant des gros animaux, du gros gibier). → **Déboucher.** *Le cerf a débuché. Le loup a débuché.*

1 (...) J'appuie, et sonne fort.
Mon cerf debuche, et passe une assez longue plaine (...)
MOLIÈRE, les Fâcheux, ii, 6.

1.1 Je connais une passée à la Croix-de-la-Brosse... j'y cours! et je me dis : «Toi, j'en mangerai!»... mais pas du tout! v'là mon galopin qui débuche au carrefour des Trois-Poteaux... v'là qui se rembuche à la Croix-de-la-Brosse... v'là qui redébuche aux Trois-Poteaux!...
E. LABICHE, Deux merles blancs, i, 4.

N. m. (1740). *Le débucher* (ou *débuché*) : la sonnerie de trompe annonçant que la bête sort du bois (→ Chasse, cit. 3).
♦ 2 V. tr. (1636; personnes, xiiiᵉ). Faire sortir (une bête) du bois. → **Débusquer.** *Débucher le cerf.*

2 D'autres fois, pour débucher les lièvres, on battait du tambour (...)
FLAUBERT, Trois contes,
«la Légende de saint Julien l'Hospitalier», i, p. 107.

Fig. et littér. Chasser, déloger. *Débucher l'ennemi de la place.* → **Débusquer.**

3 Son nez? Pensait-on que la mort de son père pouvait l'atteindre dans cette vie toute neuve qu'il s'était faite, le débucher de son refuge, changer quoi que ce fût aux motifs qui avaient exigé sa disparition?
MARTIN DU GARD, les Thibault, t. IV, p. 50.

♦ **DÉBUCHÉ, ÉE** p. p. adj. et n. m. *Bête débuchée.* — N. m. *Le débuché* (ou *le débucher*). → *supra*, 1.

CONTR. Embûcher, rembucher (se). ◊ DÉR. Débusquer.

DÉBUDGÉTISATION [debydʒetizasjɔ̃] n. f. — 1953; de *débudgétiser.*

Écon. Transfert de charges supportées par le budget de l'État à un organisme disposant de ressources propres. *«La débudgétisation, ajoute-t-il* (Edgar Faure), *constitue un progrès par rapport à la budgétisation»* (*Combat*, 6 nov. 1953).

CONTR. Budgétisation.

DÉBUDGÉTISER [debydʒetize] v. tr. — 1953; de 1. *dé-*, et *budget.*

Écon. Opérer la débudgétisation de. *«Certaines catégories de sommes débudgétisées n'ont fait que glisser des caisses de l'État dans d'autres caisses publiques»* (*le Monde*, 15 déc. 1966).

DÉR. Débudgétisation.

DÉBUSQUAGE [debyskaʒ] ou **DÉBUSQUE- MENT** [debyskəmã] n. m. — XXᵉ, *débusquage; débusquement* 1636; de *débusquer.*

Action de débusquer; résultat de cette action.

Entendez par malfaiteur tout musulman traqué ou affolé par le débusquage des paras et qui cherchait à se terrer n'importe où, sachant que, s'il était pris, il serait torturé.
F. MAURIAC, Bloc-notes 1952-1957, p. 339.

DÉBUSQUER [debyske] v. — 1556; doublet de *débu-cher*, refait d'après *embuscher.*

I V. tr. ♦ **1** Chasser (le gibier) du bois où il est réfugié. → **Débucher.** — Par ext. *Débusquer un lièvre de son terrier.* → **Bouquer** (faire bouquer).

1 Un jour, j'étais de patrouille, dans une vigne, j'avais à vingt pas de moi un vieux gentilhomme chasseur qui frappait avec le bout de son fusil sur les ceps, comme pour débusquer un lièvre, puis il regardait vivement autour de lui dans l'espoir de voir partir un *patriote;* chacun était là avec ses mœurs.
CHATEAUBRIAND, Mémoires d'outre-tombe, t. II, p. 48.

♦ **2** (Compl. n. de personne). Déloger (qqn) de sa position, de son refuge. → **Chasser, déloger, sortir** (faire sortir). *Débusquer l'ennemi.*

1.1 Moi-même, le soleil brûlant à fendre ou fondre ma tête, je me fis débusquer de tous les parasols, comme un chien pisseux.
Maurice CLAVEL, le Tiers des étoiles, p. 200.

(1640). Fig. et fam. Déposséder (qqn) d'un poste, d'une situation avantageuse. → **Vider** (fam.).

II V. intr. ♦ **1** Sortir du bois, d'un lieu couvert, d'un refuge (gibier). *Le lièvre a brusquement débusqué.*

♦ **2** (Personnes). Littér. Apparaître brusquement.

♦ **DÉBUSQUÉ, ÉE** p. p. adj. *Lièvre débusqué de son gîte.*

2 Les chasseurs partirent. Le sanglier débusqué fila, suivi des chiens hurleurs, à travers des broussailles (...)
MAUPASSANT, Contes de la Bécasse, p. 212.

3 Tandis que sa mère s'occupait de le livrer à l'instituteur rouge, le petit lièvre débusqué de son gîte, désespérait de s'y tapir encore; il clignait des yeux dans la lumière aveuglante des grandes personnes.
F. MAURIAC, le Sagouin, II, p. 80.

CONTR. Embusquer. ◊ DÉR. Débusquage, débusquement.

DÉBUT [deby] n. m. — 1642; déverbal de *débuter.*

♦ **1** Lang. class. Premier coup, dans certains jeux, pour déterminer celui qui doit jouer le premier. *Faire un beau début.* — REM. Ce sens originel est senti aujourd'hui comme une spécialisation du sens 2 ou 3.

♦ **2** (1674, Boileau; généralt au plur.). *Les débuts*, premiers pas d'un acteur. → **Essai.** *Faire ses débuts au théâtre. Un rôle de début. C'est son premier, son second début. Il a terminé ses débuts.*

1 Pour le théâtre ayant quitté l'aiguille,
À mon début
Craignant quelque rebut (...)
BÉRANGER, Bonne fille, in LITTRÉ.

Spécialt. Le premier ouvrage d'un auteur. *Livre de début. La Thébaïde, début de Racine.*

2 Les amours-propres alarmés, les envies surprises par le début heureux d'un auteur, se coalisent et guettent la seconde publication du poète, pour prendre une éclatante revanche.
CHATEAUBRIAND, Mémoires d'outre-tombe, t. III, p. 8.

♦ **3** (1690). Première tentative (dans une activité quelconque); activité commençante (de qqn). *Le début d'une carrière, d'une activité...* → **Apprentissage, balbutiement, commencement, entrée, essai, premier** (premiers pas, premières armes...); **ABC, b.a.-ba.** *Il en est à son début.* → **Débuter.** *Il n'en est plus à ses débuts. Au début de son apprentissage, il lui a fallu beaucoup travailler. Il a réalisé ce que le début laissait prévoir. Appointements de début. Aider qqn à ses débuts. Faciliter le début de qqn.* → *Lui mettre le pied à l'étrier**.

3 Après avoir à ses débuts abordé le théâtre, pour lequel il ne se jugeait ni assez recommandé ni assez mûr, il s'était jeté dans le journalisme.
E. FROMENTIN, Dominique, X.

4 Un bon condisciple alsacien, M. Kl., dont je vois souvent le nom cité pour les services qu'il rend à ses compatriotes à Paris, voulut bien me faciliter les débuts.
RENAN, Souvenirs d'enfance..., V, p. 212.

4.1 On comprend que le fils ait tenu à conserver précieusement ce curieux témoignage des humbles débuts d'une des plus puissantes organisations du monde !...
G. LEROUX, Rouletabille chez Krupp, p. 124.

Manière dont on commence à se comporter dans le monde. *Faire son début dans le monde.* → **Entrée.**

♦ **4** (1664). Littér. Façon de commencer une œuvre, un poème.

5 Ah ! le joli début !
MOLIÈRE, les Femmes savantes, III, 2.

6 Que le début (*du poème*) soit simple et n'ait rien d'affecté.
BOILEAU, l'Art poétique, III.

♦ **5** Commencement, premiers moments (de qqch.). → **Commencement; départ, origine, prémices, principe;** poét. **berceau.** *Le début de la vie.* → **Seuil.** *Le début du jour.* → **Aube, aurore, matin.** *Le début de la semaine, du mois, de l'année. Au début du siècle. Du début jusqu'à la fin. Dès le début du* XIXᵉ *siècle. Le début d'une action. Les débuts d'une science. Le début d'un livre. Le début d'un discours.* → **Entrée** (en matière), **exorde.** *Le début d'une lettre. Formule de début.* → **Initial.** *Le début d'un raisonnement, d'un argument.* → **Prémisse, principe.** *Le début de la guerre. Au début des hostilités. Le début d'une réunion.* → **Ouverture.** *Dans les débuts :* au commencement, initialement.

7 (...) une crainte qu'elle avait eue dès le début de leurs relations (...)
J. ROMAINS, les Hommes de bonne volonté, t. V, p. 269.

8 (...) quand la gloutonnerie du début a fait place à un appétit de bon ton.
J. ROMAINS, les Hommes de bonne volonté, t. V, p. 112.

9 Si le gaulois a complètement disparu depuis le début du moyen âge (...)   A. DAUZAT (→ Breton, cit. 2).

10 Avant le début des hostilités, il avait déjà été fort entamé par la déconfiture d'un sieur Vaneken (...)
      A. MAUROIS, Bernard Quesnay, XXXIII, p. 227.

11 Au début d'un amour, chacun a mille choses à découvrir en l'autre.   A. MAUROIS, Un art de vivre, p. 76.

(Loc.). Absolt. *Au début. Au début, tout allait bien* (→ Banque, cit. 3; arrêter, cit. 25; assister, cit. 7).

12 Nous ignorons presque toujours les infiniment petits qui sont à l'origine de nos actions; c'est toujours l'exemple de l'avalanche, que déclenche au début la moindre pierre.
      Edmond JALOUX, l'Alcyone, p. 29.

Dès le début. Dès le début, il se mit courageusement au travail.

13 Sammécaud lui trouva dès le début quelque chose non pas de froid, mais de réticent et de préoccupé.
      J. ROMAINS, les Hommes de bonne volonté, t. V, XXVIII, p. 305.

♦ **6** UN DÉBUT DE... : un commencement de... (le complément désigne un processus, une chose qui évolue). *Un début de pneumonie, de crise. Un début de haine, de passion. Faire de la gymnastique pour combattre un début de sclérose. Il a un petit début de ventre.*

CONTR. Clôture, conclusion, consommation, dénouement, fin, retraite, terme.

DÉBUTANT, ANTE [debytɑ̃, ɑ̃t] adj. — 1767, au théâtre; p. prés. de *débuter.*

♦ **1** (1782). Qui débute. *Un professeur débutant.* → Commençant.

N. Personne qui débute. → Apprenti, néophyte, nouveau (I., 3.), novice; fam. bizut, bleu. *Il faut aider les débutants. La timidité, l'émotion d'un débutant. Ce n'est qu'un débutant.*

1 (...) comme un débutant, arrivé à la onzième heure.
      SAINTE-BEUVE, Correspondance, I, p. 318.

2 (...) Même parmi les débutants, il flaire tout de suite à qui il a affaire.
      J. ROMAINS, les Hommes de bonne volonté, t. IV, XXII, p. 242.

♦ **2** N. f. (1930; l'angl. des États-Unis *debutante,* lui-même du franç.). *Débutante* : jeune fille qui sort pour la première fois dans la haute société. → Deb (fam.). *Présentation des débutantes. Bal des débutantes* (ou *des debs*).

3 La haute société américaine (...) très formaliste (...) bridgeuse, donneuse de grandes réceptions pour «débutantes» avec laquais poudrés, d'immenses dîners avec du caviar gris et de la tortue verte (...)
      Paul MORAND, New York, p. 221.

4 Le bal des Débutantes, en 1966, au Palais des Beaux-Arts, à Bruxelles, doit être ton triomphe. Cent cinquante jeunes filles vêtues de blanc, portant une rose d'argent à la ceinture et un diadème de perles dans les cheveux, les plus beaux noms de la noblesse de Belgique et du Luxembourg, acclament, dès son arrivée, le fils du mineur de Sicile (...)
      P. GUTH, Lettre ouverte aux idoles, Adamo, p. 41.

CONTR. Expert; ancien, vétéran.

DÉBUTER [debyte] v. — 1547, «déplacer»; 1549, «écarter une boule du but»; de 1. *dé-,* et *but.*

▌**I** V. intr. ♦ **1** (1640). Vx (lang. class.). Jouer le premier coup, dans certains jeux. *Être le premier à débuter.*

♦ **2** (1754). Faire ses premiers essais, commencer à paraître (au théâtre, au cinéma...). *Acteur qui débute. Il a fort bien débuté. Il a d'abord débuté au théâtre avant la guerre.*

1 Elle aspire à débuter dans le tragique.
      MARMONTEL, Mém. d'un père pour servir à l'instruction de ses enfants, 4.

Spécialt. Donner son premier ouvrage, en parlant d'un écrivain.

♦ **3** (1665). Faire ses premiers pas dans une carrière, une activité. → Commencer; premier (faire ses premiers pas, ses premières armes...). *Débuter au barreau. Débuter dans la vie comme employé de bureau. Débuter à six mille francs par mois. Débuter avec aisance, avec difficulté. Vous travaillerez ici pour débuter. Débuter dans les sciences, dans les lettres.*

Je la passai *(l'année),* hélas ! (...) au collège où je débutais sans le moindre brio...   2
      LOTI, Figures et choses..., Vacances de Pâques, I, p. 27.

Il avait débuté jadis, à la succursale de Chartres, comme   3 infime gratte-papier.
      J. ROMAINS, les Hommes de bonne volonté, t. III, IV, p. 54.

Spécialt. *Débuter dans le monde :* faire son entrée dans le monde. — *Débuter dans la vie.*

(...) Quoi ? débuter d'abord par le mariage !   4
      MOLIÈRE, les Précieuses ridicules, 4.

Dans le crime il suffit qu'une fois on débute;   5
Une chute toujours attire une autre chute.
      BOILEAU, Satires, X.

♦ **4** (Choses). Commencer. *Discours qui débute par une citation. Livre qui débute par une longue introduction.*

Le motif en notes détachées, par lequel débute l'allégro *(de* 6 *la 4e symphonie)* [...]
      BERLIOZ, Beethoven, p. 31 (→ Canevas, cit. 3).

Il est admis aujourd'hui que le capitalisme a débuté sous 7 la forme commerciale, avant de se constituer sous la forme industrielle.
      GONNARD, Histoire des doctrines économiques, p. 52 (→ Capitalisme, cit. 1).

▌**II** V. tr. (1649, Cyrano de Bergerac). Vx, ou considéré comme incorrect par les puristes. Commencer. «*Je ne sais par lequel débuter mes admirations*» (Cyrano de Bergerac). «*(...) débuter des recherches sur le comportement*» (J. Testart, l'Œuf transparent, p. 46).

Et je débutai ce jour-là une existence toute nouvelle qui 8 me donna des joies que je saurai bien mal exprimer.
      Maurice SACHS, le Sabbat, p. 104.

CONTR. Achever, clore, clôturer, conclure, dénouer, finir, retirer (se), terminer. ◊ DÉR. Début, débutant.

DEÇÀ [dəsa] adv. et loc. prép. — V. 1130, *de çà;* de *de,* et *çà.*

♦ **1** Vx. De ce côté-ci (opposé à *delà*).

Delà j'aperçois les prairies (...)   1
Deçà je vois les pampres verts.
      RACINE, Poésies diverses, 11 et 15.

Loc. adv. *Aller, courir deçà et delà, deçà, delà,* de côté et d'autre, sans direction précise.

Cours deçà, cours delà (...)   2
      CORNEILLE, l'Imitation de J.-C., I, 590.

(...) mais vous êtes, parmi les gens que j'ai rencontrés deçà 3 et delà dans le monde, un de ceux avec lesquels je puis trouver du plaisir à vivre et à échanger mes impressions.
      LOTI, Aziyadé, I, X, p. 17.

Jambe deçà, jambe delà : à califourchon.

Prép. *La Provence est deçà les Alpes,* en deçà des Alpes (→ ci-dessous, 2.).

♦ **2** Loc. prép. Mod. EN DEÇÀ DE... : de ce côté-ci de. — Vx. *Au deçà de.*

Ni en deçà, ni au delà (ou *au-delà*) : nulle part, d'aucun côté.

Plaisante justice qu'une rivière borne ! Vérité au deçà des 4 Pyrénées, erreur au delà.   PASCAL, Pensées, V, 294.

Merci, cher comte, je ne veux de rivale ni au delà ni en 5 deçà de la frontière.
      BALZAC, le Lys dans la vallée, Pl., t. VIII, p. 1031.

Fig. *Être en deçà de la vérité. Rester en deçà de la vérité* : ne pas exagérer. → **Dessous** (en dessous de).

Loc. adv. **EN DEÇÀ.** *Le projectile tomba en deçà,* avant d'avoir atteint l'objectif.

CONTR. Delà (au-delà de).

DÉCA [deka] n. m. — Abrév. de *décaféiné.*
Fam. Café décaféiné. → **Décaféiner, p. p.** *Du déca. — Garçon, un déca!*

HOM. Decca.

DÉCA- Élément, du grec *deka-,* de *deka* «dix», entrant dans la composition de termes didactiques et indiquant une multiplication par dix de la chose désignée dans la seconde partie du terme. → **Décacorde, décadactyle, décadi, décaèdre, décagone, décagramme, décalitre, décalogue, décamètre, décapeptide, décapodes, décastère, décasthène, décasyllabe, décathlon,** et aussi **décamired, décapole,** et **décade.**

DÉCABOSSER [dekabɔse] v. tr. — 1945; de 1. *dé-,* et *cabosser.*
Redresser (ce qui était cabossé); supprimer les bosses de...

René décabossait au maillet des casques qui venaient du front.　　　　Georges NAVEL, Travaux, p. 40.

CONTR. Cabosser.

DÉCACHETABLE [dekaʃtabl] adj. — 1842; de *décacheter.*
Qui peut être décacheté.

CONTR. Indécachetable.

DÉCACHETAGE [dekaʃtaʒ] n. m. — 1854; de *décacheter.*
Action de décacheter; son résultat. *Le décachetage d'une lettre.*

CONTR. Cachetage.

DÉCACHETER [dekaʃte] v. tr. [CONJUG.: *cacheter.* → **Jeter.**] — 1544; de 1. *dé-,* et *cacheter.*
Ouvrir (ce qui est cacheté). *Décacheter une lettre, un billet, un paquet.* → **Ouvrir.** *Action de décacheter.* → **Décachetage.**

1　Les prêtres *(païens)* n'étaient pas scrupuleux jusqu'au point de n'oser décacheter les billets qu'on leur apportait; il fallait qu'on les laissât sur l'autel.
　　　　FONTENELLE, Hist. des oracles, I, 14.

2　Et dans son fauteuil au coin de son feu, décachetant des lettres que lui adressaient chaque jour les grands personnages du pays, Marie avait l'agréable sentiment qu'il ne ferait que ce qu'il voudrait, qu'il était tout à fait maître de ses actes.　　　　PROUST, Jean Santeuil, Pl., p. 586.

3　C'est un drôle de type, mon concierge, vous savez. Il lit toutes mes lettres; il les décachette et les recachette.
　　　　R. QUENEAU, le Chiendent, p. 130.

◆ **SE DÉCACHETER** v. pron.
S'ouvrir. *Votre lettre s'est décachetée en route.*

CONTR. Cacheter, fermer, sceller. ◊ **DÉR. Décachetable, décachetage.**

DÉCACORDE [dekakɔrd] n. m. — 1370; de *déca-,* et *corde.*
Mus. Instrument à dix cordes, de forme triangulaire. — Adj. *Lyre décacorde.*

Je chanterai vers toi sur la harpe décacorde.
　　　　CLAUDEL, Journal, s. d., Pl., t. I, p. 135.

DÉCADACTYLE [dekadaktil] adj. — 1913, in *Rev. gén. des sc.,* n° 4, p. 132; de *déca-,* et *-dactyle.*
Didact. Qui a dix doigts.

DÉCADAIRE [dekadɛʀ] adj. — 1793; de *décade.*
Qui se rapporte aux décades du calendrier républicain. *Mois décadaire. journal décadaire,* qui paraissait chaque décade. *La Décade philosophique, journal décadaire de l'an II.*

DÉCADE [dekad] n. f. — Mil. XIVᵉ; bas lat. *decas, -adis,* empr. grec *dekas, -ados* «groupe de dix, dizaine», de *deka* «dix». → **Déca-.**
Série de dix. → **Déca-, dizaine.**

Ⅰ ♦ 1 Période de dix jours. *Les mois grecs étaient divisés en décades. La décade républicaine :* espace de dix jours qui remplaçait la semaine, dans le calendrier républicain de 1793. → **Décadaire, décadi.** *Les dix jours de la décade républicaine* (→ **Calendrier**). *La Décade philosophique :* journal politique et littéraire créé en l'an II.

Le soir même, la *Décade* plaisantait, en termes acerbes, la　1
nouvelle religion d'État (...)
　　　　Louis MADELIN, la Révolution, XXXIII, p. 364.

Vous entrez dans la décade majeure.　　　　2
　　　　G. DUHAMEL, Chronique des Pasquier,
　　　　La nuit de la St-Jean, II, p. 259.

♦ 2 (Souvent sous l'infl. de l'angl.). Emploi critiqué. Période de dix ans. → **Décennie.** *La dernière décade du XIXᵉ siècle.*

(...) il y a des femmes qu'à chaque décade on retrouve　2.1
en une nouvelle incarnation, ayant de nouvelles amours,
parfois alors qu'on les croyait mortes, faisant le désespoir
d'une jeune femme que pour elle abandonne son mari.
　　　　PROUST, le Temps retrouvé, Pl., t. III, p. 1015.

En ce temps, (je parle de la dernière décade du XIXᵉ siècle)　3
certaines villes étaient peuplées de retraités et de rentiers.
　　　　G. DUHAMEL, Inventaire de l'abîme, VI, p. 86.

Décade (...) désigne un groupe de dix vers ou de dix livres　4
et, dans le temps, un espace de dix jours, sens qu'il a
pris en particulier dans le calendrier révolutionnaire. Ce
dernier sens est si connu — les fumeurs n'ont pas oublié
le temps proche encore où ils touchaient leurs décades —
qu'il est préférable, pour éviter l'équivoque, de ne pas le
prendre comme on le fait couramment aujourd'hui, au
sens de dix années.
　　　　René GEORGIN, Pour un meilleur français, p. 54.

Ⅱ Chacune des parties d'un ouvrage composé de dix livres ou chapitres. *Les Décades,* de Tite-Live (cf. le *Décaméron,* de Boccace).

Je travaillai sur la langue grecque et sur la neuvième　5
décade de Tite-Live.　　　　RETZ, Mémoires, IV, 286.

DÉR. Décadaire.

DÉCADENASSER [dekadnase] v. tr. — 1845; de 1. *dé-,* et *cadenasser.*
Ouvrir en enlevant le cadenas. → **Déverrouiller.** *Décadenasser une porte.*

Venez boire le coup, les gars, dit Papadakis en décade-　1
nassant le capot pour descendre dans sa cambuse (...)
　　　　B. CENDRARS, Bourlinguer, p. 176.

Par métaphore :

Ces barrières fermées entre tous les êtres, et que le temps　2
pousse une à une, lorsque la sympathie, les goûts pareils,
une même culture intellectuelle et des relations constantes
les ont décadenassées peu à peu, semblaient ne pas exister
entre lui et moi (...)
　　　　MAUPASSANT, «Un portrait», Pl., t. II, p. 1052.

CONTR. Cadenasser.

DÉCADENCE [dekadɑ̃s] n. f. — 1413; lat. médiéval *decadentia*, de *de-* (→ 2. Dé-), et *cadens*, p. prés. de *cadere* «tomber». → Caduc; déchoir.

♦ **1** Vx. Dégradation (d'une construction). *La décadence d'un palais.* Loc. *En décadence :* en ruine. *Cette maison tombe en décadence.*

1 Les plus fermes bâtiments tombent enfin en décadence.
        DESCARTES, Traité du monde, 3, *in* LITTRÉ.

♦ **2** (1468). Mod. Acheminement vers la ruine, la dégradation. → **Abaissement, affaiblissement, affaissement, chute, déchéance, déclin, décrépitude, dégénérescence, dégradation, dégringolade, descente, détérioration, écroulement, fin, perte, ruine.** *La décadence d'un État, d'un empire. Considérations sur les causes de la grandeur des Romains et de leur décadence,* ouvrage de Montesquieu. *Grandeur et décadence de César Birotteau,* roman de Balzac. *La décadence des arts, des lettres. Tomber en décadence.* → **Baisser, déchoir, périr, tomber.** *Être en décadence. Génie en décadence.* → **Couchant** (à son couchant). *Présenter des signes, des symptômes de décadence* (→ **Bercer**, cit. 8). — Par métonymie. *Moment de l'histoire où a lieu cette dégradation (politique, sociale, morale, artistique...). Vivre en pleine décadence, dans une complète décadence.*

2 Nous, l'État le plus mûr et le plus avancé, nous montrons de nombreux symptômes de décadence.
        CHATEAUBRIAND, Mémoires d'outre-tombe, t. VI, p. 316.

3 (...) chaque école poétique a ses phases, son cours, sa croissance, sa décadence.
        SAINTE-BEUVE, Correspondance, I, p. 148.

4 La décrépitude et la décadence de l'Inde brahmanique, l'usure de ses monuments surhumains, la tombée en poussière de ses rites et de ses fêtes, m'apparaissent irrémédiables, en cette décevante minute, de même que l'amoindrissement de sa race superbe.
        LOTI, l'Inde (sans les Anglais), IV, IV, p. 173.

5 J'affirme qu'un peuple soumis pendant un demi-siècle au régime actuel des cinémas américains s'achemine vers la pire décadence.
        G. DUHAMEL, Scènes de la vie future, III, p. 59.

6 (...) au contraire d'un consentement résigné au spectacle de la décadence, une confiance profonde dans l'homme et dans le monde où il agit.
        DANIEL-ROPS, Ce qui meurt et ce qui naît, I, p. 5.

Hist. Les derniers siècles de l'Empire romain. *Les Romains de la décadence. Les poètes de la décadence.*

7 D'autres croient en rhéteurs, parce que les auteurs auxquels ils ont voué un culte ont été de cette opinion : sorte de religion classique, littéraire. Ils croient au christianisme comme les sophistes de la décadence croyaient au paganisme.
        RENAN, Souvenirs d'enfance..., Appendice, p. 285.

CONTR. Avancement, croissance, épanouissement, grandeur, montée, progrès, triomphe. ◊ **DÉR. Décadent.**

DÉCADENT, ENTE [dekadɑ̃, ɑ̃t] adj. et n. — 1516; de *décadence.*

♦ **1** Qui est en décadence. *Période, époque décadente. Art décadent. Monarchie décadente. Peuple décadent.*

1 De cette civilisation décadente, Cléopâtre sera la fleur suprême, attirante et empoisonnée.
        DANIEL-ROPS, le Peuple de la Bible, IV, III, p. 317.

1.1 De tout temps, les époques de vieillissement ont confondu la plénitude et le bourrage. Toute politique décadente multiplie sans fin le nombre des lois.
        Raymond ABELLIO, Ma dernière mémoire, t. II, p. 16.

Qui appartient à la décadence de l'Empire romain. *Les Romains décadents.*

♦ **2** (1885). Se dit de l'école littéraire pessimiste qui prépara le symbolisme. *L'école décadente. Les poètes décadents,* représentants du *décadentisme*.*

Il y eut, vers 1880, toute une série de cénacles de jeunes (...) C'est dans ces milieux qu'apparaît l'état d'esprit «décadent». *Décadent* est un mot nouveau, peut-être créé après la lecture d'un sonnet où Verlaine, évoquant des images de la décadence romaine, disait sa «langueur», son dégoût de l'action, sa certitude que rien, dans la vie, ne valait la peine qu'on la vécût. Jules Laforgue, dès le début de 1882, emploie ce mot pour caractériser, avec éloges, l'esprit des jeunes.
        MARTINO, Parnasse et Symbolisme, VIII, p. 144.

N. (Av. 1872, Gautier, *in* T. L. F.). Personne qui appartient à une période décadente et qui en présente les caractères. — V. 1875. Adepte de l'école décadente. *«Le Décadent»,* revue du mouvement décadent (1886-1889).

Il reste des décadents attardés qui s'obstinent à peindre avec des mots.
        FRANCE, *in* LAROUSSE, Deuxième Suppl.

Les Décadents paraissent se soucier fort peu des questions de forme et d'art. Poètes, ils acceptent d'abord les rythmes traditionnels et ne revendiquent que le droit au néologisme : «à des besoins nouveaux correspondent des idées nouvelles, subtiles et nuancées à l'infini. De là la nécessité de créer des vocables inouïs pour exprimer une telle complexité de sentiments et de sensations physiologiques.»   MARTINO, Parnasse et Symbolisme, p. 145.

CONTR. Archaïque (1.). ◊ **DÉR. Décadentisme** ou **décadisme.**

DÉCADENTISME [dekadɑ̃tism] n. m. — 1885, *in* D. D. L.; de *décadent.*

Littér. Caractère de l'esprit décadent.

(...) toutes les affectations du décadentisme (...)
        A. ARTAUD, Bilboquet, *in* Œ. compl., t. I, p. 238.

(...) vous n'êtes qu'un pauvre snob du décadentisme et de la pourriture (...)
        MONTHERLANT, Pitié pour les femmes, p. 215.

Spécialt. Doctrine de l'école littéraire décadente.

Quoique très philistin au point de vue littéraire, je puis cependant assurer que le magisme répond à une réaction contre les doctrines matérialistes en science, de même que le symbolisme, la psychologie, le décadentisme, répondent à une réaction nécessaire contre le positivisme, dont est issue l'école naturaliste.
        PAPUS, *in* J. HURET, Enquête sur l'évolution littéraire, 1891 (*in* D. D. L., II, 1).

REM. On a dit dans le même sens *décadisme* [dekadism], n. m.

DÉR. Décadentiste.

DÉCADENTISTE [dekadɑ̃tist] n. m. — 1891; de *décadentisme.*

Membre de l'école décadente; partisan du décadentisme.

Les symbolistes, les décadentistes, enfin les gens qui se posent, d'avance, pour nos successeurs, me semblent être presque tous des poètes.
        Ed. DE GONCOURT, *in* J. HURET, Enquête sur l'évolution littéraire, 1891 (*in* D. D. L., II, 1).

REM. On a dit dans le même sens *décadiste* [dekadist], n. m. et adj.

DÉCADI [dekadi] n. m. — 1793; de *déca-,* et *-di,* d'après *lundi, mardi, etc.*

Hist. Dixième jour de la décade républicaine. *Le décadi était un jour chômé.*

DÉCADISME [dekadism] n. m. → **Décadentisme.**

DÉCADISTE [dekadist] n. m. et adj. → **Décadentiste.**

DÉCADRER [dekadʀe] v. tr. — 1774; de 1. *dé-, cadre,* et suff. verbal.

◆ **1** Enlever (un tableau, une toile, etc.) de son cadre. — Syn. : *désencadrer.*

(...) la pluie tombant sur nos tapisseries comme dans la rue, et nous faisant relever, toute une nuit, pour décadrer des dessins et les sauver d'un déluge.

Ed. et J. DE GONCOURT, Journal, 31 oct. 1865.

◆ **2** V. pron. Spécialt (cinéma). *Se décadrer :* sortir du plan, du champ; ne plus être cadré.

DÉCAÈDRE [dekaɛdʀ] adj. et n. — 1783; de *déca-,* et *-èdre.*

◆ **1** Adj. Qui a dix faces.

◆ **2** N. m. Solide de dix faces. *Un décaèdre.*

DÉCAFÉINER [dekafeine] v. tr. — 1911; de 1. *dé-,* et *caféine.*

Traiter (le café) pour en enlever la caféine. *Décaféiner totalement ou partiellement du café.*

◆ **DÉCAFÉINÉ, ÉE** p. p. adj. et n. m.

Dont on a enlevé la caféine. *Café décaféiné.*

N. m. Café décaféiné. *Un paquet de déca.* — Plus cour. Café (boisson) préparé à partir de café sans caféine. *Du décaféiné. Un décaféiné. Une tasse de décaféiné.* — Abrév. fam. → **Déca.**

DÉCAGONAL, ALE, AUX [dekagɔnal, o] adj. — 1801; de *décagone.*

Didact. (géom.). Qui a la forme d'un décagone. *Figure décagonale. Prismes décagonaux.*

DÉCAGONE [dekagon; dekagɔn] n. m. — 1652; de *déca-,* et *-gone.*

Géom. Polygone qui a dix angles et dix côtés. *Un décagone régulier,* qui a ses angles et ses côtés respectivement égaux. — Adj. *Bassin décagone.*

Fortif. Place munie de dix bastions.

DÉR. Décagonal.

DÉCAGRAMME [dekagʀam] n. m. — 1795; de *déca-,* et *gramme.*

Didact. et rare. Poids de dix grammes. Abrév. : *dag.*

DÉCAISSAGE [dekɛsaʒ] n. m. — 1870; de *décaisser.*

Action de décaisser; résultat de cette action (on dit aussi *décaissement*).

DÉCAISSEMENT [dekɛsmã] n. m. — 1877; de *décaisser.*

Décaissage. — Spécialt (banque). *Décaissement de fonds.* (→ **Décaisser,** 2.). *D'importants décaissements.*

CONTR. Encaissement.

DÉCAISSER [dekese] v. tr. — 1680; de 1. *dé-,* et *caisse.*

◆ **1** Retirer (qqch.) d'une caisse. *Décaisser des marchandises.* → **Déballer.** *Décaisser des oranges.*

◆ **2** Banque. Tirer d'une caisse (une somme d'argent). → **Payer.**

CONTR. Emballer, encaisser. ◊ DÉR. Décaissage, décaissement.

DÉCALAGE [dekalaʒ] n. m. — 1845; de *décaler.*

◆ **1** Action d'enlever les cales (de qqch. : roue, véhicule); résultat de cette action. *Le décalage d'un wagon.*

◆ **2** Le fait de décaler (2.) dans l'espace, le temps; écart temporel ou spatial. *Décalage de l'heure. Un décalage horaire de cinq heures entre deux villes. Le décalage (horaire) l'a fatigué, après son voyage en avion. Décalage en avant, en arrière. Décalage des lignes de départ, dans les courses en couloirs comportant une partie en virage.* — Par métonymie. *Course de vitesse avec lignes de départ décalées.*

◆ **3** Fig. Manque de correspondance, défaut d'adaptation entre deux choses, deux faits. → **Écart; avance, retard; désaccord, rupture.**

En même temps que l'échelle des continents et des pays se modifiait, il se produisait un décalage du centre de gravité mondial.   1

André SIEGFRIED, l'Âme des peuples, I, II, p. 17.

(...) comme les transformations techniques vont plus vite   2
que l'adaptation de la tradition à ces conditions nouvelles, il y a décalage entre l'idéologie des pères de la constitution et la chaîne d'assemblage de Ford.

André SIEGFRIED, l'Âme des peuples, VII, III, p. 177.

Le décalage qu'entraîne ce renversement dans la marche   3
des idées s'accompagne d'un embarras de terminologie.

L. BRUNSCHVICG, Descartes, p. 35.

Mais qu'elle soit ou non spontanée, habituelle, naïve, la   4
puissance des mots révèle en tous cas un décalage, et comme une rupture des rapports qui jouent à l'intérieur du langage entre le mot et le sens, entre le signe et l'idée.

J. PAULHAN, les Fleurs de Tarbes, p. 70.

CONTR. Accord, adaptation, concordance, conformité.

DÉCALAMINAGE [dekalaminaʒ] n. m. — 1929; de *décalaminer.*

Techn. Action de décalaminer; son résultat.

DÉCALAMINER [dekalamine] v. tr. — 1929; de 1. *dé-,* et *calamine.*

Techn. Enlever la calamine déposée sur les parois des cylindres et des pistons, etc.

(...) 50 heures de travail à l'ébarbeuse pour décalaminer, sur les deux faces, toutes les tôles de la coque.

Bernard MOITESSIER, Cap Horn à la voile, p. 44.

DÉR. Décalaminage.

DÉCALCIFIANT, ANTE [dekalsifjã, ãt] adj. — 1913; p. prés. de *décalcifier.*

Qui décalcifie. *Régime décalcifiant.*

CONTR. Calcifiant.

DÉCALCIFICATION [dekalsifikasjɔ̃] n. f. — 1873; de *décalcifier.*

◆ **1** Mod. et cour. Diminution de la quantité de calcium (d'un tissu, d'un organe, d'un organisme). *Décalcification des os* ou *décalcification osseuse. Faire de la décalcification.*

Et encore, si vous voyiez les fractures du bassin, poursuivit   1
Don Santiago. C'est curieux, ses os ont la friabilité du verre, il fait une décalcification comme j'en ai vu rarement, il tombe en miettes. Il a quarante-neuf ans, n'est-ce pas?

Joseph PEYRÉ, Sang et Lumières, 1892, éd. L. de poche, p. 219.

Elle a maigri, elle a mauvaise mine. L'autre jour, elle a eu   2
un saignement de gencives. Je crois qu'elle se décalcifie. — Non?

Martial n'avait jamais pensé à cet effet de l'amour malheureux : la décalcification!

Jean-Louis CURTIS, le Roseau pensant, p. 315.

◆ **2** Géol., minér. Diminution de la proportion de calcaire (d'une roche).

DÉCALCIFIER [dekalsifje] v. tr. — 1911; au p. p., 1873; de 1. *dé-*, et *calcifier*.

Priver d'une partie de son calcium. *L'abus de citron décalcifie l'organisme.* — Pron. *Roche, organisme qui se décalcifie.*

P. p. adj. *Décalcifié :* qui a perdu son calcium. *Os, roches décalcifiés.*

DÉR. Décalcifiant, décalcification.

DÉCALCOMANIE [dekalkɔmani] n. f. — 1840; de *décalquer*, et *-manie.*

Procédé par lequel on transporte sur une surface à décorer des images dessinées sur un support de papier. — Par métonymie. L'image que l'on transporte; cette image une fois appliquée sur la surface à décorer.

1   (...) elle avait tant aimé, enfant, les mystérieuses décalcomanies que Germaine lui achetait (...)
F. MALLET-JORIS, le Jeu du souterrain, p. 176.

2   Bernard fume assis près du pont il a sa lampe de poche décorée de dragons en décalcomanie.
Tony DUVERT, Paysage de fantaisie, p. 129.

DÉCALER [dekale] v. tr. — 1845; de 1. *dé-*, et 2. *caler*, sens 1; selon P. Guiraud, le sens 2 vient de 2. *dé-*, et 1. *caler.*

♦ **1** Enlever la cale, les cales (de qqch.). *Décaler un meuble.*

Techn. Retirer un appareil de sa cale. *Décaler le piston de sa tige.*

♦ **2** Déplacer un peu de la position normale. → **Avancer, reculer, retarder; changer.** — Espace. *Décaler toutes les choses une rangée, en avant, en arrière.* — Temps. *Décaler l'heure*, par rapport à un méridien donné. *Décaler un horaire. Décaler tous les trains d'une heure.*

♦ **DÉCALÉ, ÉE** p. p. adj. *Meuble décalé. Temps décalé.* — Sports. *Départ décalé* (course en couloirs). **Fig.** (V. 1980). Qui n'est pas conforme à ce que l'on attendait. *Un ton, un discours décalé. Un personnage décalé, une personnalité décalée*, qui ne correspond pas aux schémas sociaux habituels. → **Marginal**; (fam.) **déphasé.** — N. *«Depuis la crise, les publicitaires se tournent de plus en plus vers les "décalés", jeunes urbains en porte-à-faux avec une société de masse et ses normes institutionnelles»* (*Libération*, 30 nov. 1984, pp. 12-13).

DÉR. Décalage.

DÉCALITRE [dekalitʀ] n. m. — 1795; de *déca-*, et *litre.*

Didact. Mesure de capacité qui vaut dix litres. **Abrév. :** dal. — Par ext. Récipient contenant un décalitre. *Un double décalitre.* — Son contenu. *Un décalitre d'avoine.*

DÉCALOGUE [dekalɔg] n. m. — 1455; lat. *decalogus*, grec *dekalogos*; de *deka-* «dix», et *logos* «loi».

Les dix commandements gravés sur des tables, que Dieu donna à Moïse sur le Sinaï. → **Loi** (de Moïse). *Les préceptes du décalogue.*

1   Ceux dont l'intelligence et le corps sont élus, à moins d'imprévu détraquement, se laissent aller dans la gravitation de leurs actes autour de leur synthèse intérieure, et ne désobéissent à aucune prescription du Décalogue, respectant en Dieu soi.   A. JARRY, Jours et Nuits, Pl., p. 814.

2   Quel est le texte que Dieu a remis à Moïse, ce décalogue gravé sur les tables de la Loi? C'est un traité de morale, le plus simple, le plus naturel qui soit.
DANIEL-ROPS, le Peuple de la Bible, II, II, p. 113.

Fig. L'ensemble des lois concernant un domaine. *Décalogue moral, politique.*

DÉCALOTTER [dekalɔte] v. — 1791; de 1. *dé-*, et *calotte.*

♦ **1** V. tr. Ôter la calotte de (qqch.). *Décalotter un dôme.*

Enlever la calotte crânienne de (qqn).

Garnero n'avait pas la tête emportée. Un obus l'avait décalotté. Il gisait là comme un enfant mais tout rouge de sang.   B. CENDRARS, la Main coupée, p. 83.   1

♦ **2** Fam. (par métaphore). Enlever le bouchon de (une bouteille). → **Ouvrir.**

Nous décalottâmes deux, trois bouteilles.   2
B. CENDRARS, Bourlinguer, p. 200.

♦ **3** **a** V. intr. (Déb. XIXᵉ). Méd. et cour. Découvrir le gland en faisant glisser le prépuce vers la base de la verge.

b V. tr. *«(...) son gland était complètement recouvert. Il le décalotta pour pisser»* (Apollinaire, *les Exploits d'un jeune Don Juan*, p. 39, *in* Cellard et Rey).

♦ **SE DÉCALOTTER** v. pron.

♦ **1** Rare. Enlever sa calotte. *Évêque qui se décalotte.*

♦ **2** Méd. et cour. Se découvrir le gland.

DÉCALQUAGE [dekalkaʒ] n. m. — 1870; de *décalquer.*

♦ **1** Action de décalquer; son résultat. → **Calque,** décalque; copie, impression; décalcomanie.

♦ **2** Fig. → **Imitation, reproduction.**

DÉCALQUE [dekalk] n. m. — 1837; de *décalquer.*

♦ **1** Reproduction par décalquage.

♦ **2** Fig. → **Imitation, reproduction.**

Lorsqu'il s'efforce de donner un décalque musical d'une œuvre littéraire, l'artiste poursuit une chimère.
Henri LICHTENBERGER, Richard Wagner, p. 130 (1898).

DÉCALQUER [dekalke] v. tr. — 1691; de 1. *dé-*, et *calquer.*

♦ **1** Reporter le calque de (qqch., dessin, tableau) sur une surface (papier, toile, bois, pierre, étoffe). → **Imprimer.**

♦ **2** Fig. → **Imiter, reproduire.**

♦ **DÉCALQUÉ, ÉE** passif, p. p. adj. *Dessin décalqué.* *«Cachet décalqué au papier carbone»* (Vercel, *in* T. L. F.). — *Ce roman est décalqué sur une nouvelle peu connue de X.*

DÉR. Décalquage, décalque.

DÉCALVANT, ANTE [dekalvɑ̃, ɑ̃t] adj. — 1855; de 2. *dé-*, et lat. *calvus* «chauve».

Rare. Qui rend chauve.

DÉR. Décalvation.

DÉCALVATION [dekalvasjɔ̃] n. f. — XIXᵉ; de *décalvant.*

Rare. Chute des cheveux. → **Alopécie, calvitie.**

DÉCAMBRURE [dekɑ̃bʀyʀ] n. f. — 1981, *F Magazine*, juil.-août, p. 13; de 1. *dé-*, et *cambrure.*

Effacement de la cambrure des reins, par une bascule du bassin vers l'avant.

DÉCAMÈTRE [dekamɛtʀ] n. m. — 1795; de *déca-*, et *mètre*.

Mesure de longueur valant dix mètres. — Abrév. : *dam*.

(...) sur chaque surface stérile (...) des faubourgs sans ville, des cheminées (...) parallèles à la route et fonctionnant à l'air, des courroies de transmission qui reliaient deux pignons dans deux bâtiments séparés de vingt décamètres.
GIRAUDOUX, Siegfried et le Limousin, p. 75-76.

Décamètre d'arpenteur : chaîne d'arpenteur de dix mètres de longueur.

DÉR. **Décamétrique.**

DÉCAMÉTRIQUE [dekametʀik] adj. — Mil. xxᵉ; de *décamètre*.

Didact. Qui se rapporte au décamètre; qui est mesuré au décamètre.

DÉCAMIRED [dekamiʀɛd] n. m. — Av. 1976; mot angl., de *deca-* «déca-», et *mired*. → Mired.

Photogr. Unité de température de couleur, égale à dix mireds.

Quand il convient de déterminer avec précision le filtre à employer, on peut transformer les différentes températures de couleur (...) en décamireds (...) et on calcule le coefficient de filtre à l'aide de la formule :
décamireds *(film)*–décamireds *(source lumin.)* = décamireds *(filtre)*.
Gérard BETTON, la Photomacrographie, p. 110 (1976).

DÉCAMPEMENT [dekɑ̃pmɑ̃] n. m. — 1611; de *décamper*.

Vx. Action de décamper; résultat de cette action.

CONTR. **Campement.**

DÉCAMPER [dekɑ̃pe] v. intr. — V. 1550; *descamper*, 1516; de 1. *dé-*, et *camper*.

♦ **1** Vx ou par plais. Lever le camp. *L'armée décampa pendant la nuit. L'ennemi dut décamper précipitamment. L'ennemi était décampé, avait décampé quand nous arrivâmes* (Académie).

1   Le Parthe a décampé, pressé par d'autres guerres.
CORNEILLE, Rodogune, I, 4.

2   Les Russes ne l'attendirent pas, ils décampèrent (...)
VOLTAIRE, Charles XII, 4.

♦ **2** S'en aller précipitamment. → **Décaniller** (fam.), **déguerpir, déloger, détaler, enfuir** (s'), **escamper** (vx), **fuir, partir, retirer** (se), **sauver** (se), **sortir;** → Plier bagage*, ficher le camp*, prendre le large*, quitter la place*. *Dès qu'il m'a vu, il a décampé. S'empresser de décamper. Décampez d'ici ! —* Vieilli. Partir (sans idée de fuite; → ci-dessous, cit. 4).

3   Décampez au plus vite, il nous vient compagnie.
LA CHAUSSÉE, la Gouvernante, III, 3, *in* LITTRÉ.

4   Monsieur d'Hautesserre décampait au lever du soleil, il allait surveiller ses ouvriers (...)
BALZAC, Une ténébreuse affaire, I, Pl., t. VII, p. 493.

5   Il faut vous dire, Monsieur, que Jacques, à quatorze ans, avait déjà fait une fugue : il avait décampé, un beau matin, entraînant avec lui un camarade, et on les a retrouvés, trois jours après, sur la route de Toulon.
MARTIN DU GARD, les Thibault, t. III, p. 277.

CONTR. **Camper. — Demeurer, installer** (s'), **rester.** ◊ DÉR. **Décampement.**

DÉCAN [dekɑ̃] n. m. — 1796; lat. *decanus* «génie qui préside à dix degrés du zodiaque», de *decem* «dix».

♦ **1** Astron. (vx) ou astrol. Chacune des trois dizaines de degrés comptées par chaque signe du zodiaque. *Le premier décan du Scorpion. Les décans.*

♦ **2** Spécialt. Astre ou dieu secondaire correspondant à un tiers d'un signe zodiacal, dans l'ancienne Égypte.

DÉCANAL, ALE, AUX [dekanal, o] adj. — 1476; du lat. *decanus*. → Décanat.

Didact. Relatif au doyen, au décanat. *Arrêté décanal.*

DÉCANAT [dekana] n. m. — 1650; lat. ecclés. *decanatus* «charge de doyen», de *decanus*, même sens (→ Doyen), de *decem* «dix».

Didact. Dignité, fonction de doyen. *Le décanat d'une faculté. Le décanat d'une église cathédrale. Être promu au décanat.*

(...) une haute place au dix-huitième siècle, aujourd'hui tombée presque à rien, où une personnalité de valeur reste inutile et enterrée avec le seul avenir du décanat de la Rote qui mène au cardinalat.
Ed. et J. DE GONCOURT, Madame Gervaisais, p. 82.

Par ext. Exercice de cette fonction. *Son décanat a duré cinq ans. Pendant son décanat.*

Ensemble des services administratifs placés sous l'autorité d'un doyen et, spécialt, d'un doyen de faculté. *Votre demande doit être déposée auprès du décanat dans les trois jours. —* Siège (bureaux, etc.) de ces services. *Le décanat se trouve au deuxième étage, au fond de la galerie.*

DÉCANILLER [dekanije] v. intr. — 1792; orig. incert. On a proposé une dérivation du lyonnais *canille* «jambe», dimin. de *canne*, même sens (mais Wartburg voit dans ce suffixe *-ille* une influence de *décaniller*). Les régionalismes *déquenailler, décanailler* «s'en aller, quitter la place» et *se deichonilla* «se déprendre; s'enfuir» (en parlant d'un chien et d'une chienne accouplés) suggéreraient le rattachement de *décaniller* au lat. *canis* «chien» (→ Canaille). Enfin P. Guiraud propose une base *canille, de *nille* «niche» et préfixe *ca-* indiquant un creux, d'après le v. *niller* «nicher» (du lat. *nidiculare*).

Familier.

♦ **1** Bouger, déménager (d'un endroit).

Vous les faites inutilement décaniller d'un département dans un autre.
MARAT, Convention Nationale, 24 oct. 1792, *in* BRUNOT, Hist. de la langue franç., t. X, I, p. 225.

Quant à Edmond il n'avait pas décanillé de Paris, sous le prétexte de l'hôpital.
ARAGON, les Beaux Quartiers, p. 296.

Spécialt. Se lever, sortir (du lit).

(...) comme j'le ferais décaniller du pajot, si seulement j'étais là.
H. BARBUSSE, le Feu, t. II, p. 13, *in* CELLARD et REY.

Absolt. Se lever et partir. *Décaniller de bonne heure.*

Mathurin aussitôt se leva, comme un matelot dont le quart est fini :
Allons, Jérémie, faut décaniller.
L'autre se mit en mouvement avec plus de peine, prit son aplomb en s'appuyant à la table; puis il gagna la porte et l'ouvrit pendant que son compagnon éteignait la lampe.
MAUPASSANT, Contes du jour et de la nuit, p. 76.

Trans. Faire lever (qqn), sortir (qqn) du lit.

Je le décanille... je le décampe de son grillage... Je le vire tel quel, en kimono...
CÉLINE, Mort à crédit, p. 755, *in* CELLARD et REY.

♦ **2** (Fin xviiiᵉ). Partir, s'en aller (généralement contre sa volonté et précipitamment). → **Enfuir** (s'); **décamper, déguerpir.**

Elle priait la compagnie de décaniller et plus vite que ça.
Louise MICHEL, la Misère, t. I, p. 76.

Vous êtes bien mignons, leur dis-je. Amusez-vous bien. Mais, Kupka, pas de blague, hein ? Il faut que ta femme décanille demain matin avant la diane !...
B. CENDRARS, la Main coupée, p. 65.

♦3 Fig. Mourir. → **Partir.**

7 Comme nous apprenions coup sur coup plusieurs morts, elle ne manqua pas de dire : «Crois-tu qu'on décanille, hein?».   J. RENARD, Journal, 12 mars 1895.

DÉCANTAGE [dekɑ̃taʒ] n. m. — 1838; de *décanter*.

♦1 Techn. Action de décanter; résultat de cette action. → **Décantation.** — Techn. Séparation de l'eau (qui contient argile ou kaolin) du sable dans une terre à céramique.

♦2 Fig. Action de décanter **(fig.)**, de tirer au clair (ex. de Colette, M. Bloch, *in* T. L. F.).

DÉCANTATION [dekɑ̃tasjɔ̃] n. f. — 1680; du lat. des alchimistes *decanthatio*, du supin de *decanthare*. → Décanter.

♦1 Action de décanter; son résultat. → **Décantage; clarification; centrifugation; lavage** (d'un minerai). *Le principe de la décantation est utilisé dans la distillation des betteraves. Bassin de décantation.* → **Décanteur.**

♦2 Fig. Action de décanter **(fig.)**, de tirer au clair. *La décantation d'une idée.* → **Éclaircissement.**

DÉCANTER [dekɑ̃te] v. — 1701; lat. des alchimistes *decanthare*, de *de-*, et *canthus* «bec de cruche».

Ⅰ V. tr. **♦1** Séparer par gravité (un liquide) des matières solides ou liquides en suspension, qu'on laisse déposer. → **Clarifier, épurer, purifier, transvaser.** *Pour décanter un liquide, on laisse d'abord déposer les matières en suspension, puis on fait écouler le liquide. Décanter du vin, du sirop.* — Absolt. *Ne pas décanter. Ampoule à décanter.*

♦2 Fig. *Décanter ses idées :* se donner un temps de réflexion pour comprendre plus clairement une question. → **Éclaircir; clair** (tirer au clair). — Absolt. *Il connaît bien le sujet mais il a besoin de décanter.*

Ⅱ V. intr. Se clarifier par séparation, au repos, de ses composants liquides et solides. *Mettre du vin à décanter.*

0.1 (...) le Gigondas décantait dans de hautes carafes.   R. SABATIER, les Enfants de l'été, p. 304.

Par métaphore ou fig. : *«(...) que mon œuvre décante avant que je la relise»* (Claudel à André Gide, *in* T. L. F.).

♦ SE DÉCANTER v. pron.

Devenir plus clair, plus limpide. *L'eau polluée se décante dans un décanteur*.* — Fig. :

1 Peu à peu ses réflexions se décantaient.   J. ROMAINS, les Hommes de bonne volonté, t. II, XII, p. 122.

♦ DÉCANTÉ, ÉE p. p. adj.

Rendu plus clair, plus limpide. *Eau décantée.* — Fig. :

2 Ainsi décantés, réduits à des schèmes bien nets, les événements s'enchaînaient avec une logique impressionnante.   MARTIN DU GARD, les Thibault, t. VIII, p. 258.

3 Par sa discrétion même, ce langage décanté m'a semblé particulièrement convenir à la lenteur pensive et scrupuleuse d'Alexis (...)   M. YOURCENAR, Alexis, Préface, p. 14.

CONTR. Mélanger. ◊ **DÉR. Décantage, décanteur.**

DÉCANTEUR, EUSE [dekɑ̃tœr, øz] n. m. et f. — 1873, n. m.; de *décanter*.

Techn. (Appareil servant à décanter). — N. m. *Décanteur industriel.* — N. f. (XXᵉ). *Déshydrater des boues à l'aide de décanteuses.*

DÉCANTONNEMENT [dekɑ̃tɔnmɑ̃] n. m. — Attesté XXᵉ; de *décantonner*.

Régional ou chasse. Fait de décantonner. *«Augmentation de la distance de fuite des animaux, décantonnements trop fréquents de ceux-ci* (dans les parcs nationaux fréquentés par les touristes)» (*la Recherche*, oct. 1979, p. 1035).

DÉCANTONNER [dekɑ̃tɔne] v. intr. — Attesté XXᵉ; «quitter un endroit précipitamment», attesté fin XIXᵉ (Yonne); de 1. *dé-*, et *canton*.

Régional ou chasse. Quitter son habitat normal, sa portion de bois, etc. (en parlant du gibier). — Au p. p. *Gibier décantonné.*

Par métaphore (au p. p.) :

Je vous dis, c'est une veuve récente, décantonnée et qui ne sait plus où s'installer.   Claude MICHELET, Des grives aux loups, p. 38.

DÉR. Décantonnement.

DÉCANULATION [dekanylasjɔ̃] n. f. — Av. 1970 (*in* Manuila) de 1. *dé-*, *canule*, et suff. *-ation*.

Méd. Action de retirer une canule mise en place lors d'une trachéotomie (au moment où la respiration est redevenue normale).

DÉCAPAGE [dekapaʒ] n. m. — 1768; de *décaper*.

♦1 Action de décaper; son résultat. *Décapage chimique, mécanique* (aux abrasifs) *d'une surface.* → **Ponçage.** *Eaux de décapage* (on dit aussi *décapement,* n. m.).

♦2 Mines. Enlèvement des terrains qui recouvrent un gisement de faible profondeur (on dit aussi *découverture*).

Trav. publ. → **Décapement.**

DÉCAPANT [dekapɑ̃] adj. et n. m. — Attesté XXᵉ; p. prés. de *décaper*.

♦1 Qui décape. *Produit décapant.* → **Décapeur.**

Par métaphore. *Un vin «trouble et décapant»* (A. Arnoux), acide.

N. m. (1929). Substance chimique propre à décaper. *Un décapant puissant. Décapant mécanique.* → **Abrasif.** — Plais., par métaphore :

Le vinaigre est le seul luxe de Mᵐᵉ Rezeau, dont l'estomac aime les décapants.   Hervé BAZIN, la Mort du petit cheval, p. 256.

♦2 Par métaphore et fig. Qui supprime les vieilles habitudes, qui renouvelle. *Une action tonique, décapante.*

DÉCAPELAGE [dekaplaʒ] n. m. — XVIIIᵉ; de *décapeler*.

Mar. Action de décapeler; fait de se décapeler; son résultat.

DÉCAPELER [dekaple] v. [**CONJUG.**: *appeler.*] — 1783; de 1. *dé-*, et *capeler*.

Marine.

♦1 V. tr. Défaire le capelage de (un cordage, un espar). *Décapeler un cordage, une manœuvre. Décapeler un mât.* Au p. p. *Mât décapelé,* dégarni de ses cordages.

Par ext. Argot des marins. Ouvrir (un vêtement). *Il ne pleut plus, on peut décapeler les cirés.*

♦2 V. intr. (D'un cordage, d'un lien...). Se dégager en passant par dessus la tête de l'élément auquel il est fixé. — (Avec un compl. ind. en *de*). *«La chaîne de l'ancre (...) fit décapeler de la bitte le manchon de fer (...)»* (Dumont d'Urville, *in* T. L. F.).

CONTR. Capeler. ◊ **DÉR. Décapelage.**

DÉCAPEMENT [dekapmã] n. m. — 1885, «blanchiment (d'un cuir)», 1693; de *décaper*.

Techn. Fait de décaper, d'être décapé. → **Décapage.** *Décapement d'une chaussée,* fait d'en gratter la surface, pour la préparer à un nouveau revêtement.

DÉCAPEPTIDE [dekapɛptid] n. m. — Mil. xxᵉ; de *déca-*, et *peptide*.

Biochim. Polypeptide formé de dix acides aminés. *Décapeptide cyclique.*

1. DÉCAPER [dekape] v. tr. — 1742, attesté (→ Décapement); xvɪᵉ, *deschaper* «ôter la chape»; de 1. *dé-*, et 1. *cape*.

♦ **1** Mettre à nu (une surface métallique) en enlevant les dépôts d'oxydes, de sels, les corps gras qui la couvrent. → **Dérocher, poncer.** *Ouvrier qui décape* (les métaux). → **Décapeur.** — Pron. *Fer qui se décape dans un bain d'acide sulfurique.*

Par métaphore :

1 (...) mon intention n'était vraiment que de faire des exercices, le résultat, c'est peut-être de décaper la littérature de ses rouilles diverses, de ses croûtes.
R. QUENEAU, Bâtons, chiffres et lettres, p. 43.

♦ **2** Par ext. Nettoyer (une surface) en en enlevant la ou les couches superficielles de matière. *Décaper des boiseries peintes, un parquet sale.* → **Frotter, nettoyer.** — En emploi absolu :

2 Le premier shampooing ne mousse jamais. Il glisse sur les cheveux encore gras. Il ne sert qu'à décaper.
P. GUTH, le Mariage du naïf, XII, p. 115.

(1898). Spécialt. *Décaper une chaussée,* en nettoyer la surface pour un nouveau revêtement. — Chasse. Dépouiller (un animal) de sa peau.

♦ **3** Fig. Dégager, rendre plus net.

3 Une lueur froide et minérale décapait les contours des arêtes de pierre dure.
J. GRACQ, le Rivage des Syrtes, p. 352.

Décaper (qqn) de (un sentiment, une idée, etc.), le débarrasser de (ce qui embarrasse, empêche de fonctionner aisément...).

DÉR. Décapage, décapant, décapement, décapeur, décapeuse.

2. DÉCAPER [dekape] v. intr. — 1755; de 1. *dé-*, *cap*, et suff. verbal.

Mar. Vx. Manœuvrer en vue de s'éloigner d'un ou de plusieurs caps (→ Prendre la haute mer*).

DÉCAPEUR [dekapœr] adj. et n. m. — 1845; de 1. *décaper*.

Qui décape. → **Décapant.** — N. m. Techn. Ouvrier qui décape les métaux. — REM. Le fém. *décapeuse* est virtuel.

DÉCAPEUSE [dekapøz] n. f. — 1931; de 1. *décaper*.

Techn. Engin de terrassement qui racle les surfaces, emmagasine les matériaux enlevés et les répand au point de déchargement. *Décapeuse tractée. Décapeuse automotrice.* — Recomm. off. pour *scraper*.

1. DÉCAPITALISER [dekapitalize] v. tr. — 1846; de 1. *dé-*, *capitale*, et suff. *-iser*.

Didact. Retirer à (une ville) le statut de capitale.

Jamais l'idée de décapitaliser Rome n'est venue à un empereur.
Ferdinand LOT, la Fin du monde antique..., p. 41.

2. DÉCAPITALISER [dekapitalize] v. tr. — 1870; de 1. *dé-*, et *capitaliser.*

♦ **1** Retirer la valeur de capital à (des intérêts, des valeurs).

♦ **2** Écon., fin. Retirer tout ou partie du capital investi dans une entreprise. *«Décapitaliser l'entreprise sans la décapiter»* (le *Monde,* 4 janv. 1963).

DÉCAPITATION [dekapitasjɔ̃] n. f. — 1392; de *décapiter*.

♦ **1** Action de décapiter; son résultat. → **Exécution** (capitale). *Être condamné à la décapitation.*

Par les décalages moraux qu'ils provoquent, les crimes font naître des féeries (...) la clémence d'une neige qui tombe afin de protéger la fuite d'un voleur (...) les découvertes grandioses du hasard, dont la décapitation d'un homme est le but (...)
Jean GENET, Journal du voleur, p. 209-210.

♦ **2** (De *décapiter,* 2.) *La décapitation d'un arbre, d'un clou.* → **Étêtage, étêtement.**

♦ **3** Fig. (De *décapiter,* 3.). Destruction, extermination (de qqch. d'essentiel). *L'action des services de police a permis l'arrestation des principaux responsables et la décapitation de cette dangereuse organisation.*

DÉCAPITER [dekapite] v. tr. — V. 1320; du lat. médiéval *decapitare* «enlever la tête, l'extrémité supérieure de», de *de-* (→ 1. Dé-), et rad. *capit-*, de *caput* «tête».

♦ **1** Trancher la tête de (qqn), et, spécialt, exécuter par décapitation. → **Décoller; couper** (la tête). *Décapiter un condamné à l'épée, au sabre, à la hache, à la guillotine* (→ **Guillotiner**). *Condamner qqn à être décapité. Le tyran décapitait, faisait décapiter tous les captifs.* → Faire sauter, voler les têtes de...

1 On bandait les yeux de ceux qu'on décapitait pour crimes de trahison envers le roi et l'État (...)
SAINT-FOIX, Essai sur l'histoire de Paris, Œuvres, t. IV, p. 217, *in* POUGENS.

(Sujet n. de chose) :

2 (...) nous lui mettrions le cou sur un rail, de manière à ce que le premier train le décapitât.
ZOLA, la Bête humaine, p. 365.

♦ **2** Par anal. *Décapiter un arbre,* lui enlever la partie supérieure. → **Découronner, écimer, étêter.** — *Décapiter un clou, une épingle.*

3 (...) on ne cesse de commettre sur soi une espèce de saccage, comme un homme qui se promènerait dans son jardin en décapitant tout ce qui lève la tête, les tiges les plus assurées de croître.
J. ROMAINS, les Hommes de bonne volonté, t. II, II, p. 13.

♦ **3** Fig. Détruire ce qui est à la tête, l'élément essentiel de (qqch.). → **Abattre, détruire, exterminer, tuer.**

4 Être un homme corrosif, avoir en soi une volonté d'acier, une haine de diamant, une curiosité ardente de la catastrophe, et ne rien brûler, ne rien décapiter, ne rien exterminer.
HUGO, l'Homme qui rit, II, I, X.

5 Car ils diminuent d'autant ce que je nommerai le total de *civisme* dans le monde, et même ils décapitent le civisme et ils découronnent la liberté dans le monde (...)
Ch. PÉGUY, la République..., p. 324.

♦ **DÉCAPITÉ, ÉE** p. p. adj. et n.

♦ **1** Dont on a tranché la tête. *Cadavre décapité. Statue décapitée.* — N. *Un décapité, une décapitée :* personne dont on a tranché la tête.

6 Ici l'on ne pouvait admettre aucun des subterfuges employés pour le classique *décapité parlant;* nul système de glaces n'existait sous la table, que Jenn maniait au hasard sans précautions suspectes. Le barnum d'ailleurs, marcha jusqu'au bord de l'estrade et tendit la plate-forme ronde au premier spectateur désireux de la

prendre.

Raymond ROUSSEL, Impressions d'Afrique, p. 90.

♦ **2** Par anal. Étêté, écimé. *Arbre décapité.*

♦ **3** Fig. Privé de ce qui est capital, essentiel (pour qqch.). *Institutions décapitées.*

DÉR. Décapitation.

DÉCAPODES [dekapɔd] adj. et n. m. pl. — 1804, Hatzfeld; de *déca-*, et *-pode.*

Zoologie.

I Adj. Qui a cinq paires de pattes, dix pattes. *Mollusque décapode. Crustacés décapodes* : décapodes (II., 2.).

(...) chez les Arthropodes comme chez les Vertébrés l'organe le plus antérieur de la locomotion peut intervenir, à des degrés variés, dans la capture et la préparation alimentaire. Le fait est particulièrement net chez les Crustacés décapodes, comme le crabe, chez qui la première paire de pattes, évoluée en pinces, assure la préhension et le morcellement des proies.

A. LEROI-GOURHAN, le Geste et la Parole, t. I, p. 49-50.

II N. m. pl. ♦ **1** Sous-ordre de mollusques céphalopodes dibranchiaux possédant huit bras disposés en couronne autour de la bouche et deux autres bras plus longs (tentacules) servant d'organes de préhension. *Principaux types de décapodes.* → **Calmar, seiche...** — Au sing. *Un décapode.*

♦ **2** Ordre de crustacés malacostracés, caractérisés par trois paires de pattes-mâchoires et cinq paires de pattes ambulatoires ; les anneaux de l'abdomen portent en outre deux fausses paires de pattes. *On divise l'ordre des décapodes en deux sous-ordres, les* Natantia (ou nageurs) *et les* Reptantia (ou marcheurs), *et en trois divisions* (→ **Anomoures, brachyoures, macroures**). *Principaux types de décapodes* : crabe, crevette, écrevisse, galatée, gébie, homard, langouste, nephrops ou langoustine, pagure ou bernard-l'ermite. — Au sing. *Un décapode.*

DÉCAPOLE [dekapɔl] n. f. — 1803 ; grec *dekapolis,* de *deka* «dix», et *polis* «ville».

Hist. Association, groupe de dix villes. *La Décapole alsacienne.*

DÉCAPOTABLE [dekapɔtabl] adj. et n. f. — 1927, subst.; de *décapoter.*

Adj. Qui peut être décapoté (en parlant d'un véhicule). *Voiture, cabriolet décapotable. Rouler en voiture décapotable.*

J'aimais sa voiture : c'était une lourde américaine décapotable qui correspondait plus à sa publicité qu'à ses goûts (...) Tous les trois devant (...) soumis au même plaisir de la vitesse et du vent, peut-être à une même mort.

F. SAGAN, Bonjour tristesse, p. 142.

N. f. *Une décapotable. Rouler en décapotable.*

DÉCAPOTER [dekapɔte] v. tr. — 1929; «ôter un vêtement», 1894 (Canada); de 1. *dé-*, *capote,* et suff. verbal.

Enlever ou ouvrir la capote (et, par ext., le toit mobile) de. *Décapoter sa voiture.* → **Découvrir.** — Pron. *Cette voiture se décapote facilement.* — Au p. p. *Rouler en voiture décapotée.* → **Découvert.** *Sa décapotable n'est jamais décapotée.*

CONTR. 1. Capoter. ◊ DÉR. Décapotable.

DÉCAPSIDATION [dekapsidasjɔ̃] n. f. — 1976; de 1. *dé-*, *capside,* et suff. *-ation.*

Biol. Libération de l'acide nucléique qui constitue le matériel génétique du virus, après la pénétration de celui-ci dans la cellule parasitée. → **Décapsider** (se). *Dans la décapsidation, la particule virale quitte son enveloppe protéique, la* capside.

DÉCAPSIDER (SE) [dekapside] v. pron. — 1979, *la Recherche*, oct., p. 955; de 1. *dé-*, *capside,* et suff. verbal.

Biol. Quitter sa capside, son enveloppe protéique (en parlant d'un virus). → **Décapsidation.**

DÉCAPSULAGE [dekapsylaʒ] n. m. — 1929; de *décapsuler.*

Action de décapsuler (une bouteille).

CONTR. Capsulage.

DÉCAPSULATION [dekapsylasjɔ̃] n. f. — 1904, in *Rev. gén. des sc.*, nº 1, p. 37; de *décapsuler*, ou de 1. *dé-*, et *capsule.*

Chir. Résection de la capsule d'un organe, et, spécialt, du rein.

Opération d'Edebohls. Syn. Décapsulation totale ou décortication du rein. Opération qui consiste à séparer le rein de sa capsule propre par une sorte de décortication. Elle est préconisée par quelques auteurs dans le traitement du mal de Bright, de certaines formes d'anurie et d'hypertension artérielle.

M. GARNIER et J. DELAMARE, Dict. des termes techniques de médecine.

DÉCAPSULER [dekapsyle] v. tr. — 1929; p. p., 1903; de 1. *dé-*, *capsule,* et suff. verbal.

♦ **1** Enlever la capsule de. → **Ouvrir.** *Décapsuler une bouteille, une canette de bière, etc.* → **Décapsulage.**

(...) il décapsula la bouteille et but une longue rasade au goulot (...)

Michel DÉON, la Corrida, p. 25.

♦ **2** (Probablt déb. xxᵉ → Décapsulation). Chir. Enlever la capsule de (un organe) par décapsulation.

DÉR. Décapsulage, décapsulation, décapsuleur.

DÉCAPSULEUR [dekapsylœʀ] n. m. — 1929; de *décapsuler*, 1.

Ouvre-bouteilles pour enlever les capsules.

(...) alors je déjeunerai sur des plateaux amarrés et délicats, je manierai le décapsuleur de poupée, le tube de moutarde miniature et le sixième de savonnette «avec les compliments d'Air France» qu'oncle ne manque jamais de me rapporter, en souvenir.

A. SARRAZIN, la Traversière, p. 225.

DÉCAPUCHONNER [dekapyʃɔne] v. tr. — 1611; de 1. *dé-*, et *capuchon; se descapuluchonner* «ôter son capuchon; cesser d'être moine», de *capeluche,* est attesté en 1566.

♦ **1** Enlever le capuchon, la capuche de (qqn, qqch.). *Décapuchonner un enfant trop couvert. Décapuchonner un faucon pour le lâcher.* → **Déchaperonner.** — *Décapuchonner un stylo.*

Mignon aime l'élégance du geste qui mêle les dés. Il goûte aussi la grâce des doigts qui roulent une cigarette, qui décapuchonnent un stylo.   1

Jean GENET, Notre-Dame des fleurs, p. 58.

Mais voilà : dès qu'ils *(les hommes)* décapuchonnent leur stylo, ça les prend, ça les reprend, ils n'ont plus qu'un mot à la plume, le Désir (...)   2

Annie LECLERC, Parole de femme, p. 147.

♦ **2** (1789, in D. D. L., pron., 1566). Rare. Faire quitter les ordres à (un religieux). → **Défroquer.**

CONTR. Capuchonner, encapuchonner.

DÉCARBONATATION [dekaʀbɔnatasjɔ̃] n. f.
— 1888; de *décarbonater*.
Chim. Action de décarbonater (un composé); son résultat. *La décarbonatation des eaux industrielles.*

DÉCARBONATER [dekaʀbɔnate] v. tr. — 1856; *décarbonaté*, 1834; de 1. *dé-*, *carbonate*, et suff. verbal.
Chim. Retirer l'acide carbonique de (un composé). *Décarbonater de la chaux.*
DÉR. **Décarbonatation.**

DÉCARBONISER [dekaʀbɔnize] v. tr. — 1856; de 1. *dé-*, *carbone*, et suff. *-iser*.
Techn. (vx). Priver (une substance) du carbone qu'elle renferme. → **Décarburer.** — Pron. *Le sang se décarbonise dans les poumons.*

DÉCARBOXYLASE [dekaʀbɔksilaz] n. f. — XXᵉ; de 1. *dé-*, *carboxyle*, et *-ase*.
Biol., chim. Enzyme agissant par décarboxylation et activant la décomposition d'un acide organique, en libérant le gaz carbonique.

DÉCARBOXYLATION [dekaʀbɔksilasjɔ̃] n. f. — XXᵉ; de *décarboxyler*.
Chim. Perte du groupement carboxyle. «(Les) amines résultant de la décarboxylation des acides aminés» (*le Monde*, 23 févr. 1977, p. 19).

DÉCARBOXYLER [dekaʀbɔksile] v. tr. — XXᵉ; de 1. *dé-*, et *carboxyle*.
Chim. Priver (un composé) du groupement carboxyle.
DÉR. **Décarboxylation.**

DÉCARBURANT, ANTE [dekaʀbyʀɑ̃, ɑ̃t] adj. et n. m. — V. 1870; du p. prés. de *décarburer*.
Chim. Qui a la propriété de décarburer. — N. m. *Un décarburant* : un corps à propriété décarburante.

DÉCARBURATEUR, TRICE [dekaʀbyʀatœʀ, tʀis] adj. — XXᵉ; de *décarburer*.
Techn. Qui peut décarburer la fonte.

DÉCARBURATION [dekaʀbyʀasjɔ̃] n. f. — 1834; de *décarburer*.
Techn. Opération qui consiste à décarburer la fonte par affinage; son résultat.
(...) l'acier est une combinaison de fer et de charbon que l'on tire, soit de la fonte, en enlevant à celle-ci l'excès de charbon, soit du fer, en ajoutant à celui-ci le charbon qui lui manque. Le premier, obtenu par la décarburation de la fonte, donne l'acier naturel ou puddlé; le second, produit par la carburation du fer, donne l'acier de cémentation.
J. VERNE, l'Île mystérieuse, t. I, p. 201.

DÉCARBURER [dekaʀbyʀe] v. tr. — 1839; de 1. *dé-*, *carbure*, et suff. verbal.
Techn. Enlever à (un métal) le carbone qu'il contient. → **Décarboniser.** *Décarburer la fonte*, en enlever le carbone pour la transformer en fer ou en acier.
DÉR. **Décarburant, décarburateur, décarburation.**

DÉCARCASSER [dekaʀkase] v. — 1821, v. pron.; 1878, v. tr.; de 1. *dé-*, *carcasse*, et suff. verbal.
I V. tr. Ôter la carcasse de (un animal, une volaille). *Décarcasser une volaille.*

II V. pron. Fam. *Se décarcasser :* se donner beaucoup de peine pour parvenir à un résultat. → **Démener** (se). *Il se décarcasse sans grand résultat. Se décarcasser à qqch., à faire qqch.*
Je peux bien me décarcasser à faire de l'ironie, elle n'a même pas l'air d'entendre. 1
COLETTE, Julie de Carneilhan, p. 188.
(Avec un compl. interne). *Se décarcasser le croupion.* → Se casser* le cul.
Il recevait des millions et il se décarcassait le croupion 2
pour faire faire à sa société une économie de cent sous.
G. DUHAMEL, Chronique des Pasquier, X, I, p. 294.

♦ **DÉCARCASSÉ, ÉE** p. p. et adj.
♦ 1 (Du sens I). Dont il ne reste plus que la carcasse. *Volaille décarcassée.* — Par ext. *Des meubles décarcassés.*
Sur la route qui longe la piste, il y a trois avions finis. 3
L'un enfoui aux trois quarts dans un fouillis de feuilles de bananiers poussiéreuses, le nez en terre et la queue en l'air; l'autre, décarcassé au bord même de la route, le fuselage en dentelle et le troisième, hypocritement intact, mort sans blessures apparentes.
Geneviève DORMANN, le Bateau du courrier, p. 62.
♦ 2 (Personnes). Qui semble être désossé, grand et dégingandé. *Un grand diable tout décarcassé.*

DÉCARCÉRATION [dekaʀseʀasjɔ̃] n. f. — 1973; de 1. *dé-*, et lat. *carcer* «prison», d'après *incarcération*.
Techn. Dégagement d'un prisonnier accidentel (personne bloquée à l'intérieur d'un véhicule, etc.).

DÉCARÊMER (SE) [dekaʀeme] v. pron. — XIIᵉ-XIIIᵉ, *desquaresme*, de 1. *dé-*, *carême*, et suff. verbal.
Fam. et vx. Se dédommager de l'abstinence du carême, par un bon repas. *Se décarêmer le Samedi saint.* — Par ext. Se dédommager d'une privation quelconque.

DÉCARNISATION [dekaʀnizasjɔ̃] n. f. — 1912, *Larousse mensuel*, juin; de 1. *dé-*, rad. *carn-*, du lat. *caro, carnis* «chair», et *-isation*. → Décharner.
Paléont. Action de détacher la chair des os d'un animal, d'un squelette. *Stries de décarnisation.* «*Les os brisés de ces deux sites montrent (...) des rainures (...) bien différentes des marques de dents des carnivores ou des rongeurs, et tout à fait comparables aux traces de décarnisation visibles sur des os plus récents*» (*Sciences et Avenir*, oct. 1981, p. 22).

DÉCAROTTAGE [dekaʀɔtaʒ] n. m. — 1973; de 1. *dé-*, et *carotte*.
Techn. Dégagement d'une carotte de la carotteuse.

DÉCARRADE [dekaʀad] n. f. — 1821, *décarade* «sortie d'un spectacle», in Esnault; de *décarrer*.
Argot.
♦ 1 Sortie (d'un lieu), départ.
J'ai récupéré ma tire (*voiture*) à vingt mètres de là, et je 1
suis descendu la faire briquer et graisser rue de Berri... J'en suis ressorti en pleine décarrade des bureaux.
Albert SIMONIN, Touchez pas au grisbi, p. 41.
Spécialt. Sortie de prison, élargissement (d'un détenu).
Bien sûr, on ne se farcit pas des années de taule pour rien; 2
bien sûr, nos affaires sont faites et, le soir de la décarrade, nous roulerons grosse voiture et crânerons sous les belles fringues (...) A. SARRAZIN, la Cavale, p. 268.
♦ 2 Fuite, départ précipité (de qqn).
(...) la fille s'était barrée en hurlant (...) Ah! Il s'en souvien- 3
drait de la décarrade de la grande brune (...)
Martin ROLLAND, la Rouquine, p. 34.
♦ 3 Fig. Mort (→ Décaniller).

DÉCARRELAGE [dekaʀlaʒ] n. m. — 1881; de *décarreler*.

Action de décarreler; son résultat. *Le décarrelage d'une cuisine.*

CONTR. **Carrelage.**

DÉCARRELER [dekaʀle] v. tr. [CONJUG.: *carreler*. → Appeler.] — 1642, *descarreler*; de 1. *dé-*, et *carreler*.

Ôter les carreaux de (une surface, un sol, une pièce...). *Faire décarreler une cuisine.* — P. p. adj. : (...) les hautes salles sont nues et décarrelées, les fenêtres, dégarnies de châssis, ont l'air d'yeux sans prunelles.
Louise MICHEL, la Misère, t. I, p. 215.

CONTR. **Carreler, recarreler.** ◊ DÉR. **Décarrelage.**

DÉCARRER [dekaʀe] v. — V. 1790; de 1. *dé-*, et *carre* «coin, endroit retiré, cachette», de *carrer* «donner une forme carrée».

I V. intr. Argot. Sortir de prison. *Je serai décarré avant huit jours*, libéré de prison (Esnault). — S'enfuir, s'évader.

1 Je t'ai vu décarer *(sic)* par la lanterne, il était temps (....)
Ch. PAUL DE KOCK, la Grande Ville, t. I, p. 182 (éd. 1842).

Par ext. Pop. Partir (en sortant ou en s'enfuyant). → **Casser** (se), **tirer** (se).

2 À sept heures, on ferme. Valentin enlève la clenche et décarre. R. QUENEAU, le Dimanche de la vie, p. 161.

Spécialt. S'évader (de prison).

3 Je le laisse se débattre pour obtenir un permis de communiquer. Permis de quoi ? De communiquer quoi ? Répartissons les tâches : il essaie de m'écrire, j'essaie de décarrer.
A. SARRAZIN, la Cavale, p. 63.

II V. tr. Pop. Rare. ♦ 1 Sortir qqch. *Décarrer un couteau de sa poche.*

♦ 2 Donner, envoyer (un coup). *Décarrer un coup de pied, un coup de poing à qqn.*

DÉR. **Décarrade.**

DÉCARTELLISATION [dekaʀtelizasjɔ̃] n. f. — 1945; de 1. *dé-*, et *cartel*.

Écon. Dissolution des cartels de producteurs. *Politique de décartellisation. La décartellisation de l'industrie allemande, après la Seconde Guerre mondiale.*

CONTR. **Cartellisation.**

DÉCARTONNER [dekaʀtɔne] v. tr. — XIXᵉ; de 1. *dé-*, et *carton*.

Techn. Enlever le carton (de qqch.). *Décartonner un livre.*

CONTR. **Cartonner.**

DÉCASER [dekɑze] v. tr. — 1821; de 1. *dé-*, et *caser*.

Vieux.

♦ 1 *Décaser qqn*, le déplacer, en le privant d'une position acquise.

♦ 2 *Décaser qqch.*, le changer de place. *On a dû décaser les papiers inutiles.*

REM. Claude Courchay a forgé sur *case* «habitation traditionnelle africaine» l'homonyme *décaser* «détruire les cases». «*On avait décasé en grand, mais sur les franges des H. L. M., le bidonville proliférait*» (*La vie finira bien par commencer*, p. 99, 1972).

DÉCASTÈRE [dekastɛʀ] n. m. — 1839; de *déca-*, et *stère*.

Didact. Mesure de volume qui vaut dix stères. — Abrév. : *dast. Un décastère de bois de chauffage.*

DÉCASTHÈNE [dekastɛn] n. m. — Déb. XXᵉ de *déca-*, et *sthène*.

Didact. (phys.). Mesure de force qui vaut dix sthènes. — Abrév. : *dasn.*

DÉCASYLLABE [dekasi(l)lab] adj. et n. m. ou **DÉCASYLLABIQUE** [dekasi(l)labik] adj. — 1551, *décasillabe*; *décasyllabique*, 1762; de *déca-*, et *syllabe*, *syllabique*.

Didact. Qui a dix syllabes, en parlant d'un vers. *Vers décasyllabe*, ou *décasyllabique.*

N. m. *Un décasyllabe* : vers de dix syllabes. *Poème écrit en décasyllabes.*

DÉCATHLON [dekatlɔ̃] n. m. — 1912 (aux Jeux olympiques de Stockholm), *in* l'Écho de Paris, *in* D. D. L.; de *déca-*, et *-athlon*, d'après *pentathlon*.

Sport. Compétition (masculine) d'athlétisme regroupant dix épreuves disputées successivement par les mêmes athlètes (→ Pentathlon). *Athlète qui pratique le décathlon.* → **Décathlonien.**

DÉR. **Décathlonien.**

DÉCATHLONIEN [dekatlɔnjɛ̃] n. m. — 1931, *in* Petiot; *décathlète*, v. 1920; de *décathlon*.

Sport. Athlète pratiquant le décathlon. — Le fém. *décathlonienne* [dekatlɔnjɛn] est virtuel.

DÉCATHOLICISER [dekatɔlisize] v. tr. — 1763, Voltaire; *descatholizé*, 1578; de 1. *dé-*, et *catholiciser*.

Rare. Faire perdre la religion catholique à. *Décatholiciser une nation, un pays.* — Pron. *Se décatholiciser.*

CONTR. **Catholiciser.**

DÉCATIR [dekatiʀ] v. tr. — 1753; de 1. *dé-*, et *catir*.

Techn. Débarrasser (une étoffe) du brillant, du lustre que les apprêts lui ont donné. → **Délustrer.** *Décatir du drap à la vapeur.*

♦ **SE DÉCATIR** v. pron. (1870).

Fig. et cour. Perdre sa fraîcheur; vieillir. *Commencer à se décatir.*

1 (...) quatre glorieux dont trois jeunes maîtres, car Sylvain commence à se décatir.
Léon BLOY, le Désespéré, p. 199.

♦ **DÉCATI, IE** p. p. adj. (1846).

♦ 1 *Étoffe décatie. Le tissu décati devient plus moelleux.*

♦ 2 Fig. et cour. Éprouvé par l'âge; qui a perdu sa fraîcheur, sa beauté. → **Vieilli.** *Vieillard décati. Elle est un peu décatie.*

2 Mais elle, à cette heure, se sentait joliment changée et décatie. ZOLA, l'Assommoir, t. II, x, p. 107.

Par ext. Qui a perdu ses belles apparences, sa fortune.

CONTR. **Catir, lustrer.** ◊ DÉR. **Décatissage, décatisseur.**

DÉCATISSAGE [dekatisaʒ] n. m. — 1815; de *décatir*.

♦ 1 Techn. Opération par laquelle on décatit une étoffe; son résultat. → **Délustrage.**

♦ 2 Le fait d'être décati, d'être tombé dans la misère (Zola, l'Assommoir, *in* T. L. F.).

CONTR. **Catissage.**

DÉCATISSEUR, EUSE [dekatisœʀ, øz] adj. et n. — 1832; de *décatir*.

Techn. Qui effectue le décatissage. — N. Ouvrier, ouvrière qui décatit une étoffe. — N. f. Machine qui effectue le décatissage.

DÉCAUSER [dekoze] v. tr. — Attesté XXe; de 2. *dé-*, et 2. *causer.*

Régional (Belgique). Dire du mal de. → **Dénigrer, médire.** *Elle passe son temps à décauser les voisins.*

DECAUVILLE [dəkovil] n. m. — Fin XIXe; du nom de l'inventeur.

Techn. Chemin de fer à voie étroite, très employé dans les mines, les carrières, et pour le transport des pondéreux en général. *Des decauvilles.*

DÉCAVAILLONNAGE [dekavajɔnaʒ] n. m. — XXe; de *décavaillonner.*

Agric. Labour entre les ceps de vignes où n'est pas passée la charrue vigneronne.

Un autre travail qui s'impose dans le vignoble est le «décavaillonnage» qui consiste à labourer (ou passer un simple soc) les intervalles («cavaillons») non travaillés par les charrues déchausseuses (...)
          Tony BALLU, le Machinisme agricole, p. 43. (1951).

DÉCAVAILLONNER [dekavajɔne] v. tr. — 1872; de 1. *dé-*, et *cavaillon.*

Agric. Procéder au décavaillonnage de. *Décavaillonner un carré de vigne.*

DÉR. Décavaillonnage, décavaillonneuse.

DÉCAVAILLONNEUSE [dekavajɔnøz] n. f. — 1878; de *décavaillonner.*

Agric. Petite charrue pour le décavaillonnage.

1. DÉCAVER [dekave] v. tr. — 1801, *in* D.D.L.; de 1. *dé-*, et 3. *cave,* 1.

Jeux. Gagner toute la cave de (un joueur). *Décaver son adversaire en deux coups.* — Par ext. Ruiner (qqn).

◆ **SE DÉCAVER** v. pron.
Perdre sa cave, au jeu. — Par ext. Se ruiner.

◆ **DÉCAVÉ, ÉE** p. p. adj. et n. (plus cour.).
Joueur décavé.

1 (...) les joueurs qui tentent leur chance jusqu'à l'aube et quittent le cercle fortune faite (bientôt défaite) ou décavés (...)   Michel LEIRIS, Frêle bruit, p. 226.
Par ext. Ruiné. *Il est complètement décavé.*

2 Cependant, un garçon olivâtre (...) en qui je reconnus tout de suite le marquis de Isla Cristina, aristocrate décavé de l'ancienne cour de Ricardo (...) se présenta tout débraillé, et essaya de me traduire à la française ses titres et ceux de son compagnon titubant (...)
          Joseph PEYRÉ, Sang et Lumières, éd. L. de Poche, p. 154.

N. *Un décavé, une décavée :* joueur décavé; personne ruinée (rare au fém.).

2. DÉCAVER (SE) [dekave] v. pron. — 1939; de 2. *dé-*, et 1. *caver.*

Littér. Se décharner. → **Caver** (se), **creuser** (se). *Visage qui se décave.*

◆ **DÉCAVÉ, ÉE** p. p. adj.
Cave (2.), creux. *Des yeux décavés.*

(...) Partout des faces souriantes et proprettes, avec des yeux décavés.   SARTRE, l'Âge de raison I, XI, p. 175.

DECCA [deka] n. m. sing. — 1971; angl. *Decca*, nom de la firme britannique qui a mis au point et fabriqué ce système.

Techn. Système de radionavigation utilisé dans la marine et l'aviation, fondé sur l'interprétation du déphasage de signaux émis par un réseau de balises fixes.

HOM. Déca.

DÉCÉDÉ, ÉE [desede] adj. et n. → **Décéder.**

DÉCÉDER [desede] v. intr. [CONJUG.: *céder;* auxiliaire *être.*] — XIVe, *décédir;* du lat. *decedere* «s'en aller», de *de-* (→ 2. De-), et *cedere* «marcher, s'avancer» (→ Céder).

Dr. civ., admin. (Personnes). Mourir. *Il vient de décéder. Il est décédé l'année dernière. Le fait de décéder.* → **Décès.**

◆ **DÉCÉDÉ, ÉE** p. p. adj. et n.
Défunt, mort, trépassé. *Fils de père et mère décédés. Décédé le...*

1 Si les policiers, pour mesurer sa bonne foi, avaient glissé dans le paquet quelques photographies d'individus décédés, ou depuis des mois en prison?
          J. ROMAINS, les Hommes de bonne volonté, t. II, XVI, p. 189.

N. *Le décédé, la décédée :* le défunt, la défunte.

2 Et, comme je me penchai sur la décédée, — avec une frénétique rage d'énergumène et de sacrilège — pour examiner encore le spectacle exécrable qui me fascinait, l'ophtalmoscope s'échappa de mes mains à l'aspect des traits de la morte; lui ayant, précipitamment, soulevé la tête, un grand frisson me glaça : je voyais deux larmes jaillir et couler, lentement, lourdement, sur les joues livides.
          VILLIERS DE L'ISLE-ADAM, Tribulat Bonhomet, p. 175.

CONTR. Naître. ◊ COMP. Prédécéder.

DÉCEINDRE [desɛ̃dʀ] v. tr. [CONJUG.: *ceindre.* → Peindre.] — XIIe; de 1. *dé-*, et *ceindre.*

Vx. Défaire ce qui ceint. *Déceindre son épée, son écharpe.*

CONTR. Ceindre.

DÉCELABLE [des(ə)labl] adj. — 1897, ex. ci-dessous; de *déceler.*

Qui peut être décelé. → **Détectable, repérable.** «*Le Bacillus scarlatinae était décelable dans le sang durant les trois premiers jours de fièvre*» (G. M. Debove et C. Achard, *Manuel de médecine*, VIII, p. 106, *in* D.D.L.) — Plus cour. dans des tournures négatives dans l'usage non technique. *La supercherie n'était pas décelable.*

C'est là un phénomène curieux, souvent constaté lors des atterrissages : une ligne bleutée à peine décelable se transforme en une masse gris-bleu aussitôt que l'on s'en est rapproché d'un mille, comme s'il existait une sorte de rideau de tulle au-delà duquel tout devient brusquement visible.
          Bernard MOITESSIER, Cap Horn à la voile, p. 75-76.

CONTR. Indécelable.

DÉCÈLEMENT [desɛlmã] n. m. — 1546; de *déceler.*
Rare. Le fait de déceler. → **Découverte.**

HOM. Descellement.

DÉCELER [des(ə)le] v. tr. [CONJUG.: *lever.*] — 1188; de 1. *dé-*, et *celer.*

◆ **1** Faire voir. — (Sujet n. de chose). Découvrir, laisser voir (ce qui était celé, caché); être le signe, le symptôme de (une chose cachée). → **Découvrir, dévoiler, montrer, percer, révéler.** — (Concret). *Une brèche dans le mur décelait un superbe parc.* — (Abstrait). *Son article décèle un secret, une intrigue.*

1 Ses papiers décelèrent le libertinage du jeune homme.
          SAINT-SIMON, Mémoires, XI, 184.

2 Ses pieds nus, ses genoux que la robe décèle (...)
          A. DE VIGNY, Poésies complètes, «La dryade».

2.1 Cependant Jasper Hobson surveillait lui-même toutes les parties du massif, écoutant si quelque bruit ne décelerait pas un travail souterrain. Mais rien ne se fit entendre.
          J. VERNE, le Pays des fourrures, t. II, p. 261.

(Sujet n. de personne). Percer à jour, révéler. — (Concret). *Déceler la présence d'un trésor. Déceler une fuite de gaz.* → **Détecter.** — (Abstrait). *Déceler les sentiments vrais de qqn, ses intentions.*

3 *(Il)* savait en déceler les faux semblants chez les autres.
J. ROMAINS, les Hommes de bonne volonté, t. III, XVI, p. 209.

4 Je n'irai pas jusqu'à dire qu'elle interprète toujours sainement les faits ni les motifs des actions d'autrui, mais elle a une sorte de don pour déceler leur malice occulte.
F. MAURIAC, la Pharisienne, XIV, p. 228.

Vx. (Sujet n. de personne ou de chose). *Déceler qqn.* → **Dénoncer, trahir.**

5 Mes frères, leur dit-il, ne me décelez pas ;
Je vous enseignerai les pâtis les plus gras ;
Ce service vous peut quelque jour être utile,
Et vous n'en aurez point regret.
LA FONTAINE, Fables, IV, 21.

6 (...) Ciel ! si quelque infidèle,
Écoutant nos discours, nous allait déceler !
RACINE, Esther, II, 8.

♦ **2** (1564). Sujet n. de chose. Faire connaître, être l'indice de... → **Annoncer, démontrer, indiquer, manifester, montrer, prouver, révéler, signaler, trahir** (→ Affection, cit. 16; aspect, cit. 16). *Cette végétation décèle la présence de carbonate de chaux dans le sol. Symptômes qui décèlent une maladie grave.*

7 (...) mais tout décèle à mon cœur attentif vos agitations secrètes.
ROUSSEAU, Julie ou la Nouvelle Héloïse, I, Lettre III.

8 La certitude qu'elle allait disparaître lui infligea ce serrement de la gorge, ce spasme de la poitrine qui décèlent le désarroi produit dans notre système nerveux par un choc trop intense.
Paul BOURGET, Un divorce, III, p. 108.

9 C'était un quartier aristocratique : les vieilles maisons, bâties en planches de nuances foncées, décelaient une opulence mystérieuse (...)
LOTI, Aziyadé, IV, XIX, p. 203.

♦ **SE DÉCELER** v. pron.
Se manifester, se trahir, se montrer.

10 Son éloquence était déjà formée et se décelait par mille traits.
MAIRAN, Éloges, Polignac.

11 (...) Sainte Thérèse était la bonté même, mais lorsque (...) elle parle de nonnes qui se liguent pour discuter les volontés de leur mère, elle se décèle inexorable (...)
HUYSMANS, En route, p. 138.

CONTR. Cacher, celer. ◊ **DÉR. Décelable, décèlement.**

DÉCÉLÉRATION [deseleʀasjɔ̃] n. f. — Déb. XXᵉ; de 1. *dé-*, et *(ac)célération.*
Accélération négative d'un mouvement retardé, réduction de la vitesse d'un mobile. *Décélération d'un avion, d'une fusée. Décélération d'un véhicule. Une forte décélération.*

1 Aux États-Unis, des sujets se sont prêtés à des expériences de décélérations extrêmement brutales, au cours d'études pratiquées dans le but de rechercher les meilleurs moyens de contention de l'homme dans le «crash» (choc accidentel au sol); l'expérience a montré que l'on peut infliger sans dommage à l'homme, de très brèves décélérations importantes (jusqu'à −35 g).
Jacques GUILLERME, la Vie en haute altitude, p. 101-102.

2 (...) mais moi, dans la masse humaine compacte qui oscille au gré des accélérations et décélérations du train, j'ai découvert un visage ravissant, mon regard se pose sur lui comme un oiseau dans un arbre de fraîcheur.
M. TOURNIER, le Vent Paraclet, p. 290.

CONTR. Accélération.

DÉCÉLÉRER [deseleʀe] v. intr. [CONJUG.: *céder*.] — Déb. XXᵉ; de 1. *dé-*, et *(ac)célérer.*
Rare (en parlant d'un mobile). Ralentir, réduire sa vitesse. — (Personnes). Réduire la vitesse de son véhicule. «*Attia a décéléré. Tel un gros félin méfiant, la voiture s'approche du pont*» (Roger Borniche, le Gang, p. 180).

♦ **DÉCÉLÉRÉ, ÉE** p. p. adj.
Dont la vitesse se réduit. *Véhicule décéléré. Mouvement décéléré,* retardé.

CONTR. Accélérer. ◊ **COMP. Décéléromètre.**

DÉCÉLÉROMÈTRE [deseleʀɔmetʀ] n. m. — Mil. XXᵉ; de *décélérer,* et *-mètre.*
Techn. Appareil indiquant la décélération d'un mobile.

DÉCEM- Élément, du lat. *decem* «dix», qui entre dans la composition de plusieurs mots.

DÉCEMBRE [desɑ̃bʀ] n. m. — 1119; lat. *decembris (mensis),* rac. *decem* «dix».

♦ **1** Le douzième et dernier mois de l'année grégorienne. *Dans le calendrier romain, décembre était le dixième mois. Nivôse (le quatrième mois du calendrier républicain) commençait le 21 décembre. Le mois de décembre. Le 25 décembre.* → **Noël.** *L'hiver commence le 21 décembre. Décembre, dans l'Année terrible des Châtiments de V. Hugo.*

1 Ces longues baraques en planches, alignées sur le sol battu, sec et dur de décembre (...)
Alphonse DAUDET, Contes du lundi, «Le concert de la huitième».

2 Et ce sera la nuit de fête qui console (...)
(...) Ce sera quelque nuit limpide de décembre
Avec la même route unie et parfumée (...)
Henri BATAILLE, la Chambre blanche, «L'adieu».

Allus. hist. *L'homme de décembre :* l'empereur Napoléon III, qui prit le pouvoir par le coup d'État du 2 décembre 1851.

3 Et l'homme de décembre abrégea son exil.
— «Puisque c'est pour mourir qu'elle rentre !» dit-il.
HUGO, les Châtiments, V, XI, Pauline Roland.

♦ **2** Littér., poét. L'hiver, la mauvaise saison.

DÉR. Décembriste.

DÉCEMBRISTE [desɑ̃bʀist] n. m. — 1907; de *décembre.*
Hist. russe. Membre de la conspiration fomentée à Saint-Pétersbourg contre Nicolas Iᵉʳ, en décembre 1825 (on dit aussi *décabriste,* du mot russe signifiant «décembre»).

Les décembristes font penser à ces nobles français qui s'allièrent au tiers état et renoncèrent à leurs privilèges. Patriciens idéalistes, ils ont fait leur nuit du 4 août et ont choisi, pour la libération du peuple, de se sacrifier eux-mêmes.
CAMUS, l'Homme révolté, in Essais, Pl., p. 557-558.

DÉCEMMENT [desamɑ̃] adv. — 1523; de *décent.*

♦ **1** D'une manière décente, conforme à la décence. *Se tenir, être vêtu décemment. Pauvrement* (cit.), *mais décemment vêtu. S'exprimer décemment.* → **Convenablement.**

1 Notre hôtesse elle-même avait rôti le balai : il n'y avait là que moi seul qui parlât et se comportât décemment.
ROUSSEAU, les Confessions, VII.

♦ **2** D'une manière appropriée, sans plus. → **Correctement.** *Faire décemment un travail.*

2 Ainsi l'on m'avait appris à réciter à peu près décemment les vers, ce à quoi déjà m'invitait un goût naturel (...)
GIDE, Si le grain ne meurt, I, IV, p. 110.

♦ **3** Raisonnablement. *Il ne peut décemment prétendre à un tel poste. Décemment, vous ne pouvez pas partir sans lui dire au revoir.*

3 (...) je ne pouvais décemment m'abstenir de m'asseoir à cet immense banquet, annoncé par les plus alléchantes fanfares de presse.
Georges LECOMTE, Ma traversée, p. 309.

CONTR. (Du sens 1) **Indécemment.**

DÉCEMVIR [desɛmviʀ] n. m. — V. 1355; lat. *decemvir*, de *decem* «dix», et *vir* «homme».

Didact. (Antiq. rom.). Membre d'un collège composé de dix personnes. — Spécialt. Magistrat chargé de rédiger la loi des Douze Tables (an 304 de Rome). — Magistrat chargé d'administrer la justice en l'absence du préteur.

DÉR. Decemviral, décemvirat.

DÉCEMVIRAL, ALE, AUX [desɛmviʀal, o] adj. — V. 1355; de *décemvir*.

Didact. (Antiq. rom.). Qui est relatif à la charge de décemvir. *Collège décemviral. Édits décemviraux.*

DÉCEMVIRAT [desɛmviʀa] n. m. — V. 1355; de *décemvir*.

Didact. (Antiq. rom.). Dignité de décemvir. — Période pendant laquelle Rome fut soumise au gouvernement des décemvirs. *Le décemvirat dura deux ans.*

DÉCENCE [desɑ̃s] n. f. — XIIIᵉ; lat. *decentia*, de *decens*, → Décent; de *decere* «convenir».

♦ **1** Respect de ce qui touche les bonnes mœurs, les convenances (spécialt en matière sexuelle). → **Bienséance, convenance, honnêteté.** *La décence commande de ne pas faire telle chose. Garder une certaine décence. Blesser, choquer la décence. Être vêtu avec décence.* → **Modestie, propreté.** *La décence du maintien, de la tenue, de l'habillement.* → **Réserve; discrétion, pudeur, pudicité.** *La décence des figures.* → Provocation, cit. 2. *La décence du langage.*

1 La journée se passa de cette sorte à folâtrer avec la plus grande liberté, et toujours avec la plus grande décence. Pas un seul mot équivoque, pas une seule plaisanterie hasardée; et cette décence, nous ne nous l'imposions point du tout, elle venait toute seule, nous prenions le ton que nous donnaient nos cœurs.
ROUSSEAU, les Confessions, IV.

2 Mais la décence des figures tempérait les provocations du costume (...)
FLAUBERT, l'Éducation sentimentale, II, II, II, p. 191.

3 D'ailleurs elle se flattait de savoir sa langue; on lui faisait souvent compliment de la façon dont elle parlait de tout, même devant les enfants, sans jamais blesser la décence.
ZOLA, l'Assommoir, t. II, X, p. 118.

4 Ces mots de pudeur, de modestie et de décence, dont vous avez la bouche pleine, n'ont, en fait, aucun sens précis et stable. C'est la coutume et le sentiment qui seuls les peuvent mesurer avec mesure et vérité.
FRANCE, les Opinions de J. Coignard, XVII, p. 471.

REM. Dans ce sens, le mot, comme tous ceux qui touchent à la morale sexuelle, tend à vieillir ou à devenir marqué (littéraire, ironique, etc.).

♦ **2** Vieilli. Respect des habitudes sociales, des convenances sociales (sans connotation sexuelle). *Il est de la plus élémentaire décence que je vous le remercie.* → **Politesse; correction, savoir-vivre, tact.** — Vx. *Vivre avec décence,* selon sa condition sociale.

♦ **3** Mod. Discrétion, retenue dans les relations humaines, sentimentales.

5 (...) une discrétion qui n'est que de la décence le retient.
GIDE, Journal, 3 oct. 1916.

♦ **4** (Dans des emplois négatifs). Correction morale. *Il n'a pas eu la décence, l'élémentaire décence de se taire.*

CONTR. Cynisme, déshonnêteté, effronterie, immodestie, incongruité, inconvenance, incorrection, indécence, indiscrétion, licence, malhonnêteté, malséance, obscénité.
◊ COMP. Indécence.

DÉCENNAIRE [desenɛʀ] adj. et n. m. — 1752; bas lat. *decen(n)arius* «de dix», de *decem* «dix».

Didact. Qui procède par dix. *Numération, numérotation décennaire.* → **Décimal.** — Qui dure dix ans. → **Décennal.**

N. m. Rare. Dizième anniversaire.

Concordant avec le décennaire de l'établissement du Protectorat, votre passage en Algérie par Oudjda marque de la manière la plus tangible le trait d'union entre le Maroc et l'Algérie. L. H. LYAUTEY, Paroles d'action, p. 368.

DÉCENNAL, ALE, AUX [desenal, o] adj. — V. 1540; bas lat. *decennalis*, du lat. class. *decennis*, de *decem* «dix», et *annus* «année».

Didactique (plus cour. que *décennaire*).

♦ **1** Qui dure dix ans. → **Décennaire.** *Prescription décennale. Responsabilité décennale des constructeurs.*

♦ **2** Qui revient tous les dix ans. *Jeux décennaux. Prix décennal.*

La France est un gouvernement parlementaire tempéré par des révolutions régulières par vacances décennales. Rien de plus sage et de mieux ordonné. En dix ans la machine politique, chauffée et surchauffée, a eu tout le temps de s'encrasser et de s'abimer. La révolution régulière est la soupape de sûreté qui supprime tout danger d'explosion. Pendant ce temps d'arrêt des vacances décennales, la machine se nettoie, se remet à neuf et, au bout du trimestre, le gouvernement, réparé et rétamé, se trouve de nouveau en état de marcher dix ans sans remontage ni catastrophe.
A. ROBIDA, le Vingtième Siècle, p. 258 (roman d'anticipation).

N. f. pl. (Antiq. rom.). *Les décennales :* fêtes instituées par les empereurs romains en vue de célébrer chaque dixième année de leur avènement.

DÉR. V. Décennie.

DÉCENNIE [deseni] n. f. — 1888; du rad. de *décennal*. Période de dix années. → **Décade** (critiqué).

Les ministres M.R.P. ont collaboré, durant la dernière décennie, à une politique à la fois jacobine et inepte (...)
F. MAURIAC, Bloc-notes 1952-1957, p. 132.

Je me souviens de la tête des copains du Front quand, petit con tombant de la lune, j'évoquais devant eux les Longues Marches d'ailleurs, les patientes édifications des partis d'antan, ces stratégies complexes, articulées en décennies et à l'issue aléatoire, qui ravissent notre intelligentsia péninsulaire (...)
Régis DEBRAY, l'Indésirable, p. 137.

DÉCENT, ENTE [desɑ̃, ɑ̃t] adj. — V. 1450; *descent*, lat. *decens*, p. prés. de *decere* «convenir».

♦ **1** (Actions, attitudes). Qui est conforme à la décence, notamment en matière sexuelle. → **Bienséant** (cit. 15), **convenable, honnête, séant, sortable.** *Cette conduite est peu décente. Tenue décente.* → **Discret, modeste, propre, pudique, réservé.** — *Langage décent. S'exprimer en termes peu décents* (→ Blesser, cit. 22). (Personnes; groupes). *Qui se conduit avec décence, qui est décent, pudique.* — Par ext. *Air décent.*

REM. d'usage concernant le sens 1. → Décence, 1., REM.

♦ **2** Vieilli. Qui a de la décence (2.), respecte les convenances et une certaine retenue dans les relations sociales.

L'air décent est nécessaire partout, mais l'air grave n'est convenable que dans les fonctions d'un ministre important, dans un conseil.
VOLTAIRE, Dict. philosophique, Grave.

(...) la société décente, où chacun sait tenir son quant-à-soi. A. DE MUSSET, l'Anglais mangeur d'opium.

♦ **3** Qui a de la discrétion, une retenue jugée correcte.

♦ **4** Acceptable. → **Correct.** *Elle joue du piano d'une manière décente. Il a fait un travail décent, à peine décent.*

3 L'agrégation lui assurerait une situation décente.
S. DE BEAUVOIR,
Mémoires d'une jeune fille rangée, p. 333.

CONTR. Cynique, déshonnête, effronté, éhonté, immodeste, incongru, inconvenant, incorrect, indécent, licencieux, malhonnête, malséant, obscène. ◊ DÉR. **Décemment.** → HOM. Formes du v. descendre. (Du fém.) Descente.

DÉCENTRAGE [desɑ̃tʀaʒ] n. m. — 1876; de *décentrer.*
Didact. Action de décentrer; son résultat. — Spécialt. Opt. *Le décentrage d'un objectif.* → **Décentrement.**

DÉCENTRALISABLE [desɑ̃tʀalizabl] adj. — 1842; de *décentraliser.*
Didact. Qui peut être décentralisé.

(...) ainsi, l'énergie nucléaire restera probablement fort longtemps inapplicable sous forme directe à des utilisations restreintes, comme celles qui consomment quelques dizaines de watts; au contraire, l'énergie photoélectrique est une énergie très décentralisable; elle est essentiellement décentralisée dans sa production, alors que l'énergie nucléaire est essentiellement centralisée.
Gilbert SIMONDON, Du mode d'existence des objets techniques, p. 69-70.

DÉCENTRALISATEUR, TRICE [desɑ̃tʀalizatœʀ, tʀis] adj. et n. — 1845; de *décentraliser.*
Didact. Qui est relatif à la décentralisation. *Une politique décentralisatrice.*
N. Partisan d'une politique décentralisatrice.

CONTR. **Centralisateur.**

DÉCENTRALISATION [desɑ̃tʀalizasjɔ̃] n. f. — Déb. XIXe; de *décentraliser.*
Action de décentraliser; son résultat. *Décentralisation politique* (→ Centraliser, cit.). *Décentralisation administrative (décentralisation territoriale),* par laquelle la gestion administrative d'une région est remise à des autorités locales élues (et non à des agents nommés par le pouvoir central; → Déconcentration). *Décentralisation industrielle.* → aussi **Délocalisation.**

1 (...) l'augmentation du nombre des services publics implique une décentralisation de plus en plus grande de ces services.
Léon DUGUIT, Traité de droit constitutionnel, t. II, p. 66.

2 La tournée que je viens de faire à travers le Maroc m'a de plus en plus convaincu qu'il n'y a pas de réalisations possibles sans la plus large décentralisation, et que nous n'arriverons à rien si, partout, les représentants des intérêts locaux n'ont pas voix prépondérante pour ce qui doit se faire chez eux.
L. H. LYAUTEY, Paroles d'action, p. 187.

CONTR. **Centralisation.**

DÉCENTRALISER [desɑ̃tʀalize] v. tr. — 1827, de 1. *dé-,* et *centraliser.*

♦ **1** Rendre plus autonome (ce qui dépend d'un pouvoir central). — Spécialt. Donner le pouvoir de décision, dans la gestion administrative locale, à des collectivités territoriales, à des personnes publiques élues par les administrés.

♦ **2** Séparer géographiquement des sièges d'activités auparavant rassemblés dans un même lieu. → aussi **Délocaliser.** *Décentraliser une industrie concentrée dans une même région.* — Éloigner d'un grand centre. *Société parisienne qui décentralise ses services de vente.*

♦ **SE DÉCENTRALISER** v. pron.
(Rare). Être réparti entre un plus grand nombre d'autorités. *Le pouvoir de décision s'est décentralisé.* — Cour. Déplacer tout ou partie de ses services en banlieue ou en province (à propos d'une société, d'un organisme... situé dans un grand centre). *Relogement du personnel d'une entreprise qui se décentralise.*

♦ **DÉCENTRALISÉ, ÉE** p. p. adj. *Pouvoir décentralisé* (opposé à *centralisé*). — REM. Attesté substantivement, v. 1967-1970, au sens «salarié d'un service, d'une entreprise décentralisée».
Il y a des provinces décentralisées ou des colonies d'États unitaires qui sont plus autonomes que les membres des États fédéraux.
L. LE FUR, Précis de droit international public, n° 194.

CONTR. **Centraliser.** ◊ DÉR. **Décentralisable, décentralisateur, décentralisation.**

DÉCENTRATION [desɑ̃tʀasjɔ̃] n. f. ou **DÉCENTREMENT** [desɑ̃tʀəmɑ̃] n. m. — 1845, *décentration*; *décentrement*, 1899; de *décentrer.*
Didact. Action de décentrer, son résultat. *La décentration, le décentrement des perceptions.*
Spécialt. opt. Défaut d'alignement des centres des lentilles d'un appareil optique. — Action de décentrer un objectif (pour que son axe ne soit pas au centre du cliché). *Appareil à décentrement.*
Didact. ou littér. Action de prendre comme point de référence un autre centre que soi-même, ou que celui habituellement pris.

1 La troisième *(voie méthodologique),* surtout représentée dans les écoles ayant subi des influences marxistes, consiste à coordonner l'analyse structuraliste avec l'analyse historique, l'explication consistant alors à combiner la structure et la genèse. Jointes aux recherches ethnologiques (et il convient de signaler le regain d'intérêt qui depuis quelques années semble se manifester un peu partout pour les formes politiques et culturelles de développement), ces tendances historico-structuralistes sont naturellement de nature à favoriser la «décentration» des observateurs occidentaux.
J. PIAGET, Épistémologie des sciences de l'homme, p. 79.

2 (...) la force subtile de cette œuvre *(de Proust)* c'est de nous faire opérer, dans un exercice hautement antiromanesque (le décentrement savamment entretenu entre le *je* du romancier qui n'écrit pas son œuvre et le *je* présupposé de Marcel Proust qui fait parler ce *je* non encore advenu), l'illusion en nous (...) de la réminiscence de figures et de lieux qui nous sont donnés (...) comme étant des figures et des lieux que nous aurions connus.
J. GILLIBERT, la Création littéraire, *in* la Nef, n° 31, p. 95.

DÉCENTRER [desɑ̃tʀe] v. tr. — 1841; de 1. *dé-,* et *centrer.*
Déplacer le centre de. — Spécialt. opt. *Décentrer un objectif* (pour que son axe ne soit pas au centre du cliché).
Fig. Didact. Changer le centre, le système de référence de (qqch.). *Un problème mal posé, qu'il faudrait décentrer et recentrer. Décentrer sa vision du monde.*

1 Freud parle de la psychanalyse comme d'une blessure et d'une humiliation du narcissisme, comme le furent, dit-il, à leur façon, les découvertes de Copernic et de Darwin, qui ont décentré le monde et la vie par rapport à la prétention de la conscience. La psychanalyse décentre de la même manière la constitution du monde fantasmatique par rapport à la conscience.
P. RICŒUR, Une interprétation philosophique de Freud, *in* la Nef, n° 31, p. 122.

♦ **SE DÉCENTRER** v. pron.

Se déplacer du centre de. — Spécialt, opt. *Objectif se décentrant en hauteur.*

2   Dès que l'objet se rapproche ou le sujet myope, il survient entre l'accommodation et la convergence dissociation d'harmonie (...) il faut que les cristallins se décentrent par un effort spontané.

GIRAUD-TEULON, Comptes rendus,
Acad. des sciences, t. LII, p. 23, *in* LITTRÉ.

Didact. Prendre en considération un autre point de vue que le sien propre (→ Égocentrisme) ou celui de son propre milieu. *Faire un effort pour se décentrer.*

♦ **DÉCENTRÉ, ÉE** p. p. adj.

Dont le centre est déplacé. Spécialt, opt. *Objectif décentré.* — Par anal. Sans point de convergence :

3   Devant lui, dans un bain de vapeur, une quarantaine de personnes se trémoussaient aux sons d'une trompette hystérique. Saisis de folie, des garçons luisants de sueur malmenaient des filles échevelées, au regard décentré et aux seins ballants.

H. TROYAT, la Tête sur les épaules, p. 167.

Didact. Qui a un autre centre de référence que sa propre personne, ou son propre milieu.

4   (...) il convient dès l'abord de distinguer le sujet individuel, centré sur ses organes des sens ou sur l'action propre (...) et le sujet décentré qui coordonne ses actions entre elles et avec celles d'autrui, qui mesure, calcule et déduit de façon vérifiable par chacun et dont les activités épistémiques sont donc communes à tous les sujets (...)

J. PIAGET, Épistémologie des sciences de l'homme,
p. 46 (1970).

Régional (Suisse). Éloigné du centre (d'une agglomération), des centres. *Un immeuble décentré. Régions décentrées.* → **Excentrique.**

CONTR. Centré. ◊ DÉR. Décentrage, décentration.

DÉCEPTEUR, TRICE [deseptœr, tris] adj. et n.
— 1537, dans une trad. de l'ital.; lat. *deceptor,* de *decipere.* → Déception, décevoir.

Vx. (Personne) qui déçoit (1.), trompe, abuse.

N. m. Mod., anthrop. Rôle de l'actant, du personnage qui trompe (dans les récits populaires, les mythes).

DÉCEPTIF, IVE [deseptif, iv] adj. — 1378; lat. *deceptivus,* de *decipere.* → Décevoir.

Vx (langue du XVIe et déb. du XVIIe, Corneille, notamment). Propre à tromper, à décevoir (1.).

DÉCEPTION [desepsjɔ̃] n. f. — 1160, au sens 1; lat. *deceptio,* de *decipere.* → Décevoir.

♦ **1 Vx** (encore au déb. du XIXe : Las Cases, 1823, et Ozanam, 1838, *in* T.L.F.). Action de décevoir (1.), d'abuser, de tromper.

♦ **2** (XIXe, Vigny). Le fait d'être déçu (→ **Décevoir,** 2.). Sentiment pénible causé par un désappointement, une frustration. → **Chagrin, déboire, décompte, déconvenue, désabusement, désappointement, désenchantement, désillusion, ennui, mécompte.** *La déception de qqn,* celle qu'il éprouve. *Une, des déceptions. Éprouver une grande déception. Une amère, une cruelle déception* (→ Amer, cit. 11). *Ruminer sa déception. Épargnez-lui cette déception.*

1   Plus grande que jamais cette tristesse du retour qui ressemble à une grande déception (...)

Ed. et J. DE GONCOURT, Journal, p. 95.

2   Innocentes blessées, une déception précoce, un deuil secret du cœur, leur a gâté l'univers.

FRANCE, le Jardin d'Épicure, p. 121.

3   Et si je faisais la récapitulation des déceptions de ma vie (...)

PROUST, À la recherche du temps perdu, t. XV,
p. 20.

Un immense et universel écœurement suivait nécessairement tant de déceptions.   4

Louis MADELIN, Hist. du Consulat et de l'Empire,
Ascens. de Bonaparte, XX, p. 285.

(...) ce visiteur encore inconnu (...) qui serait peut-être une déception, mais peut-être une agréable surprise (...)   5

J. ROMAINS, les Hommes de bonne volonté, t. V,
V, p. 34.

CONTR. **Contentement, enchantement, satisfaction, surprise** (heureuse surprise).

DÉCERCLER [desɛʀkle] v. tr. — V. 1165; de 1. dé-, et *cercler.*

♦ **1 Techn.** Enlever les cercles de (un tonneau, etc.). *Décercler une cuve.*

Par métaphore. *Se décercler le cœur :* s'épancher (→ **Débonder**).

C'est notre meilleure heure pour nous décercler le cœur ensemble.   1

BARBEY D'AUREVILLY, Cinquième mémorandum,
9 déc. 1864.

♦ **2** (De 1. dé-, et *cercle*). Enlever la forme circulaire à (qqch).

Les yeux, barrés, décerclés par la paupière rectiligne, plate, et que ne soutient aucun cerne inférieur (le cerne des yeux : valeur proprement expressive du visage occidental : fatigue, morbidesse, érotisme), les yeux débouchent directement sur le visage, comme s'ils étaient le fond noir et vide de l'écriture, «la nuit de l'encrier» (...)   2

R. BARTHES, l'Empire des signes, p. 121.

DÉCÉRÉBRATION [deseʀebʀasjɔ̃] n. f. — 1925; au fig., 1902; de *décérébrer.*

Physiol. Action de décérébrer (un animal). *La décérébration prive l'animal de toutes les fonctions encéphaliques. Expériences de décérébration.*

Les EXPÉRIENCES de décérébration consistent à supprimer progressivement sur un animal les différentes couches du cerveau et à faire le bilan des réactions qui persistent après ces ablations. Des recherches sur le chien et le chat décortiqués, c'est-à-dire dont la décérébration avait consisté dans l'ablation de la couche superficielle du cerveau ou cortex, avaient démontré que les réactions émotionnelles continuaient à se produire.

Jean DELAY,
Introduction à la médecine psychosomatique,
Notes et observations, p. 60 (1961).

Par ext. Résultat de cette action; état d'un animal décérébré. *Rigidité de décérébration :* rigidité consécutive à l'hypertonie des muscles extenseurs dans la décérébration. *«(...) elle a plongé pendant huit jours dans un coma profond aux frontières de la décérébration, c'est-à-dire la mort clinique du cerveau»* (*l'Express,* 5 déc. 1977).

DÉCÉRÉBRER [deseʀebʀe] v. tr. [CONJUG.: *céder.*]
— 1896, Barrès; de 1. dé-, et rad. du lat. *cerebrum* «cerveau».

♦ **1 Physiol.** Enlever l'encéphale de (un animal); sectionner le névraxe au niveau du mésencéphale. *Décérébrer une grenouille.*

♦ **2 Fig.** Priver d'intelligence, de raison (comme par une opération de décérébration).

La campagne aura été décérébrée, démoralisée, dévitalisée, vidée d'hommes par le virus politique et les lois mauvaises.   1

André SOUBIRAN, les Hommes en blanc, III, p. 384.

♦ **DÉCÉRÉBRÉ, ÉE** p. p. adj.

♦ **1** (1905, *in Rev. gén. des sc.,* n° 4, p. 144). **Physiol.** Privé d'encéphale. *Grenouille décérébrée.*

Par analogie :

Les yeux de Sezenac étaient encore plus vides que de coutume; il ressemblait à un Rimbaud décérébré.   2

S. DE BEAUVOIR, les Mandarins, p. 62.

Par métonymie. Propre à la décérébration. *Rigidité décérébrée.*

♦ **2** Fig. Comme privé de ses facultés intellectuelles.

3 Entre colonisateur et colonisé, il n'y a de place que pour la corvée, l'intimidation, la pression, la police (...) la suffisance, la *muflerie*, des élites décérébrées, des masses *avilies.* Aimé CÉSAIRE, Disc. sur le colonialisme, p. 21.

DÉR. Décérébration.

DÉCERNEMENT [desɛrnəmã] n. m. — 1870, de *décerner.*

Littér. Action de décerner qqch.; son résultat. *Décernement d'un prix.* → **Remise.**

DÉCERNER [desɛrne] v. tr. — V. 1247; lat. *decernere* «décider, décréter», de *de-* intensif, et *cernere* «juger, décider, discerner».

♦ **1** Vx. Décréter, ordonner juridiquement.

1 Le parlement (...) décerna que, si quelqu'un entreprenait de le délivrer, dès lors Richard II serait digne de mort.
VOLTAIRE, Essai sur les mœurs, 78.

Mod. Dr. *Décerner un mandat d'arrêt* (cit. 6), *de dépôt.*

♦ **2** (XVIe). Cour. Accorder à qqn (une récompense, une distinction). → **Accorder, adjuger, attribuer, conférer, déférer, donner, récompenser.** *Honneurs divins décernés par le sénat romain. Décerner un prix, un brevet, un diplôme.* → **Remettre.** *L'Académie vient de décerner ses prix.* → **Couronner** (un ouvrage).

2 Les organes des lois, les ministres des dieux
Vont, libres dans leur choix, décerner la couronne.
VOLTAIRE, Mérope, I, 1.

3 Ce ruban rouge qu'une bonne grâce de jour de l'an décerne, au prix de combien d'épreuves et par quels sanglants efforts ne l'achète-t-on pas à l'armée?
SAINTE-BEUVE, in P. LAROUSSE.

Fig. et fam. *Décerner la palme à qqn,* déclarer sa supériorité sur ses rivaux.

DÉR. Décernement.

DÉCERVELAGE [desɛrvəlaʒ] n. m. — 1898, A. Jarry; de *décerveler.*

Action de décerveler; son résultat.

1 Quand le dimanch' s'annonçait sans nuage,
Nous exhibions nos beaux accoutrements
Et nous allions voir le décervelage
Ru' d' l'Échaudé, passer un bon moment,
Voyez, voyez la machin' tourner,
Voyez, voyez la cervell' sauter,
A. JARRY, «Chanson du décervelage», Œ. compl.,
Pl., t. I, p. 471.

Fig. Destruction des facultés de jugement (d'une personne). → Lavage de cerveau*. «(...) comme tous les grands du régime, elle se livre (...) à l'indispensable opération du décervelage» (R. Escarpit, in *le Monde,* 27 avr. 1960).

2 (...) le balancement de notre monde qui penche tantôt d'un côté, tantôt de l'autre, redresse la situation à grands coups de rame sur la tête, longues cordes passées au cou, pelotons d'exécution, camps de mort, décervelage psychiatrique (...)
Michèle PERREIN, Entre chienne et louve, p. 183.

DÉCERVELER [desɛrvəle] v. tr. — XIIIe, «faire sauter la cervelle, fendre le crâne»; repris vers 1888, A. Jarry; de 1. *dé-,* et *cervelle.*

Familier.

♦ **1** Faire sauter la cervelle (de qqn). — Absolt. *La machine à décerveler.*

1 (...) ils tomberont dans les sous-sols du Pince-Porc et de la Chambre-à-sous, où on les décervèlera.
A. JARRY, Ubu Roi, III, 2.

---

2 (...) nous avons été roi de Pologne et d'Aragon, nous avons massacré une infinité de personnes, nous avons perçu de triples impôts, nous ne rêvons que de saigner, écorcher, assassiner; nous décervelons tous les dimanches publiquement, sur un tertre, dans la banlieue avec des chevaux de bois et des marchands de coco autour.
A. JARRY, Ubu enchaîné, III, 2.

3 Je suppose qu'un aviateur qui laisse tomber ses torpilles pense encore bien moins à décerveler ou éventrer. Il est assez occupé de ce qu'il fait; je ne sais pas s'il a seulement le loisir d'avoir peur.
ALAIN, Propos, 27 sept. 1923,
«Jouir de la puissance».

♦ **2** Fig. Priver de ses facultés intellectuelles. → **Décérébrer.**

4 (...) l'écran fascinateur de la télévision, insidieuse machine à décerveler (...)
Michel LEIRIS, Frêle bruit, p. 178.

Pron. *Se décerveler :* se défaire de son intelligentsia (en parlant d'un pays). «*Puisque l'Allemagne tient à se décerveler...*» (Gide, *Journal,* 1933, in T. L. F.). — P. p. adj. *Décervelé, ée :*

5 Spectacle navrant de voir cet honnête homme décervelé et comme ensorcelé sous la frénétique incantation des coquins. M. BARRÈS, Leurs figures, p. 311.

DÉR. Décervelage, décerveleur.

DÉCERVELEUR, EUSE [desɛrvəlœr, øz] n. — V. 1900, au masc.; de *décerveler.*

♦ **1** (Rare). Personne qui exécute un décervelage; partisan du décervelage.

♦ **2** Fig. Personne qui vise à affaiblir l'intelligence de (qqn).

Mais comment, sans que ce soit une démission, épouser la cause de la non-violence, dans un monde où de plus en plus la parole est aux ogres, aux robots, aux étrangleurs papelards et aux décerveleurs.
Michel LEIRIS, Frêle bruit, p. 210.

DÉCÈS [desɛ] n. m. — V. 1050; du lat. *decessus,* de *decedere.* → **Décéder.**

Dr. admin. Mort naturelle d'une personne. → **Fin, mort, trépas.** *Le décès de qqn, son décès. Constatation du décès. Acte, avis de décès. Faire-part de décès. Date du décès. Fermé pour cause de décès. Apposition* (cit. 1) *des scellés après décès. Contrat exécutoire après décès. Assurance en cas de décès* ou *assurance-décès. Capital-décès.*

Aucune inhumation ne sera faite sans une autorisation sur papier libre et sans frais, de l'officier de l'état civil, qui ne pourra la délivrer qu'après s'être transporté auprès de la personne décédée, pour s'assurer du décès, et que vingt-quatre heures après le décès, hors le cas prévus par les règlements de police. Code civil, art. 77.

CONTR. Naissance. ◊ COMP. Prédécès.

DÉCESSER [desese] v. intr. — 1794, in D. D. L.; de 2. *dé-,* et *cesser* par infl. de *incessant.*

Vx ou littér. (d'abord fam.). *Ne pas décesser :* ne pas cesser, ne pas s'arrêter.

La pluie n'avait pas décessé. Les chevaux et les hommes étaient trempés.
ARAGON, la Semaine sainte, I, p. 16.

DÉCEVANT, ANTE [des(ə)vã, ãt] adj. — XIIe; p. prés. de *décevoir.*

♦ **1** Vx (ou archaïsme littér.). Qui séduit ou abuse par son apparence (personnes ou choses). → **Illusoire, mensonger, trompeur.**

1 Toute femme qui veut à l'honneur se vouer
Doit se défendre de jouer
Comme d'une chose funeste :
Car le jeu, fort décevant,
Pousse une femme souvent
À jouer de tout son reste.
MOLIÈRE, l'École des femmes, III, 2.

2 (...) quelle haine endurcie
Pourroit, en vous voyant, n'être point adoucie?
Ai-je pu résister au charme décevant (...)
RACINE, Phèdre, II, 2.

3 (...) il se rapprocha lentement pour mieux contempler la
séduisante créature qui gisait étendue à ses yeux, mollement couchée, la tête appuyée sur sa main et accoudée
dans une pose décevante.
BALZAC, Séraphîta, Pl., t. X, II, p. 480.

4 Cependant, par delà ces collines flexibles
Et sous ce même ciel au calme décevant,
À quelques lieues d'ici, par ce beau soir paisible
Les portes de l'enfer s'ouvrent pour des vivants.
A. MAUROIS, les Silences du colonel Bramble,
XXII, p. 224.

♦ **2** Mod. Qui ne répond pas à ce qu'on attendait.
*Un élève décevant. L'orateur, l'interprète a été assez
décevant.* — (Choses). *Attitudes, réactions décevantes.
Des nouvelles décevantes. Film, livre, spectacle décevant. Cette expérience a été plutôt décevante.*

5 (...) nous sommes un milliard de fois plus infortunés,
nous autres, les déshérités de votre Présence *(de Dieu)* qui
n'avons pas même le décevant réconfort de savoir en quel
lieu de votre univers vous dormez votre interminable sommeil!
Léon BLOY, le Désespéré, p. 228.

DÉCEVOIR [des(ə)vwar] v. tr. [CONJUG.: *recevoir*.] — V.
1121; lat. *decipere* «tromper».

♦ **1** Vx. Tromper, séduire par une apparence engageante, par qqch. de spécieux. → **Abuser, amuser,
attraper, duper, leurrer, surprendre, tromper.** *Décevoir un naïf par des promesses. L'apparence* (cit. 13)
déçoit.

♦ **2** (XVIᵉ). Mod. Littér. Ne pas répondre à (une attente).
→ **Désappointer, frustrer; déception.** *Décevoir la confiance, l'attente, les espérances de qqn.*

1 Il *(votre mérite)* n'a point déçu
Le généreux espoir que j'en avais conçu.
CORNEILLE, Polyeucte, II, 2.

(XXᵉ). Cour. Tromper (qqn) dans ses espoirs;
donner une impression moins agréable que l'impression attendue. → **Trahir; voler** (être volé). —
Absolt. *Cet élève déçoit.* — Au p. p. *Il est, il a été déçu
par...* (→ ci-dessous, Déçu).

2 Madame, je vois bien que vous êtes déçue (...)
RACINE, Bérénice, III, 3.

3 De quoi est fait cet amour qui, né du désir, lui survit?
De confiance, d'habitude et d'admiration. Presque tous les
êtres humains nous déçoivent.
A. MAUROIS, Un art de vivre, II, VI, p. 85.

4 Les objets ne déçoivent pas; ils donnent toujours exactement le plaisir que l'on attend d'eux. Les objets ne trahissent pas (...)
A. MAUROIS, Terre promise, XLVI, p. 320.

5 Venise avait déçu Jacques comme un décor gondolé à
force de servir. COCTEAU, le Grand Écart, p. 21.

♦ **DÉÇU, UE** p. p. adj. (XIVᵉ).
À l'attente de qui on n'a pas répondu; qui a été
trompé dans ses espoirs (→ **Attrapé, dépité**). *Spectateur déçu.* — (Choses). *Espérances déçues.*

6 (...) quelles espérances en lui placées se trouvèrent par lui
déçues. G. DUHAMEL, le Temps de la recherche, XVI, p. 227.

7 Elle fait des yeux tristes. Elle incline la tête, avec une légère
crispation, comme une femme déçue qui va pleurer.
J. ROMAINS, les Hommes de bonne volonté, t. IV,
XV, p. 158.

Par métonymie. *Air déçu, moue déçue,* qui exprime
la déception.

N. (surtout au plur.). *Les déçus d'une politique, d'un
parti...*

CONTR. Contenter, enchanter, satisfaire. — Répondre (à l'attente); combler, remplir (l'attente).

DÉCHAÎNEMENT [deʃɛnmã] n. m. — 1671; de
déchaîner.

♦ **1** Vx (dès le XVIIIᵉ). Action de défaire des chaînes
ou de se défaire de chaînes (→ **Désenchaîner**). *Le
déchaînement d'un chien de garde.*

♦ **2** Mod. et fig. Action de déchaîner (2.), de se
déchaîner; son résultat. *Le déchaînement des éléments. Le déchaînement des flots, de la tempête.*
→ **Fureur.**

1 Et le déchaînement de toute la nature
Ne m'accablerait pas comme cette aventure.
MOLIÈRE, le Misanthrope, IV, 2.

2 Au déchaînement des forces de la matière correspond le
débridement des instincts de violence (...)
DANIEL-ROPS (→ Débridement, cit. 1).

(Sentiments, passions). → **Débordement, débridement,
emportement, exaltation, explosion, soulèvement,
transport.** *Le déchaînement des passions, de la
colère, de la violence, de la haine. Déchaînement
d'attaques, de calomnies, d'injures.* → **Flot, tempête.**
Un déchaînement d'enthousiasme.

Spécialt. Fureur, emportement.

3 *(Voilà)* Un mérite attaqué de beaucoup d'ennemis;
Et ce déchaînement aujourd'hui me convie
À faire une action qui confonde l'envie.
MOLIÈRE, les Femmes savantes, IV, 4.

4 Votre Majesté n'a point d'idée du déchaînement général
des hypocrites et des fanatiques contre la malheureuse
philosophie (...)
D'ALEMBERT, Lettre au roi de Prusse, 14 mai 1773.

Littér. (avec un compl. de nom désignant un sentiment
doux, tendre...) :

5 (...) une effusion, un déchaînement de tendresse comme
en connaissent seuls les gens qui sont retombés intacts
des mâchoires de la mort.
G. DUHAMEL, Récits des temps de guerre, V, p. 22.

Par anal. *Déchaînement d'un orchestre.*

CONTR. Apaisement.

DÉCHAÎNER [deʃɛne] v. tr. — Fin XIIᵉ, *deschaener;* de
1. *dé-*, et *chaîne.* → **Chaîne.**

♦ **1** Vx (dès le XVIᵉ) ou archaïsme littér. Enlever ou détacher la chaîne de; détacher de la chaîne. → **Désenchaîner, détacher, libérer.** *Déchaîner des prisonniers.
Déchaîner un chien de garde.*

0.1 Il le fit déchaîner.
A. GALLAND, les Mille et Une Nuits, t. II, p. 197.

Fig. Libérer (qqn) de son esclavage.

♦ **2** Mod. Donner libre cours à (une force).
*Déchaîner la tempête. Déchaîner les passions, la
colère, le courroux, la fureur, la haine, la jalousie,
la rage de qqn.* → **Animer, entraîner, exciter, inciter
(à), irriter, provoquer, soulever.** *Déchaîner l'hilarité
générale, l'enthousiasme d'une foule.* → **Déclencher.**
*Déchaîner une campagne de presse, une cabale.
Déchaîner l'opinion contre qqn.* → **Ameuter** (→ Anarchie, cit. 4). *Déchaîner la guerre, un conflit, une
bagarre.*

1 Je (...) saurai déchaîner contre eux des zélés indiscrets (...)
MOLIÈRE, Dom Juan, V, 2.

2 Les esprits de ténèbres déchaînent dans Rome même les
passions des chefs et des ministres de l'empire.
CHATEAUBRIAND, les Martyrs, 392, *in* LITTRÉ.

3 Voir d'abord s'il y a moyen d'avancer la date du congrès
de Vienne... Ensuite, et dès maintenant, déchaîner partout
à la fois une campagne ouverte, officielle, retentissante (...)
MARTIN DU GARD, les Thibault, t. V, p. 139.

4 Il commente, pour la foule, toutes les phases du match,
annonce le point où la punition (que l'on appelle en français un penalty) déchaîne ou refrène les enthousiasmes,
provoque, par ses traits d'esprit ou sa gesticulation, les
réflexes du public.
G. DUHAMEL, Scènes de la vie future, XII, p. 181.

♦ SE DÉCHAÎNER v. pron.

♦ 1 Vx. Se dégager de sa chaîne. → **Désenchaîner** (se), **rompre**. *Les chiens se sont déchaînés.*

♦ 2 Mod. Se déclencher, commencer avec violence. *La tempête se déchaîne. Les vents se sont déchaînés avec furie.*

5 Le mistral et le vent d'ouest s'y déchaînent en liberté (...)
Ch. MAURRAS, Anthinéa, p. 206.

Sa fureur s'est déchaînée. Les instincts excités se déchaînent.

6 Seulement, tous les bas instincts se déchaînent, les crimes se multipliaient et d'étranges vices se propageaient que signalait la police.
Louis MADELIN, Hist. du Consulat et de l'Empire, Ascension de Bonaparte, t. I, p. 12.

(Personnes). Se mettre en colère, s'emporter (contre qqn). *Il s'est déchaîné à la tribune de l'Assemblée. Se déchaîner contre qqn,* (littér.) *sur qqn.*

7 (...) jamais on ne s'était si fort déchaîné contre le théâtre.
MOLIÈRE, Tartuffe, préface.

8 Belle d'amour, mais plus belle de haine
Une amante qui se déchaîne
Promet bien pire que la mort (...)
VALÉRY, Mélange, p. 225.

♦ DÉCHAÎNÉ, ÉE p. p. adj. et n. (XVᵉ).

♦ 1 Vx. Désenchaîné. *Chien déchaîné.* — Fig. (Rendu) libre. *Esclave déchaîné.*

♦ 2 Mod. et fig. Qui s'agite avec violence. → **Démonté, furieux, impétueux.** *Les vents, les flots déchaînés.*

9 C'est le mauvais temps qui m'a arrêtée (...) tout était déchaîné. Mᵐᵉ DE SÉVIGNÉ, Lettre 803, 1ᵉʳ mai 1680.

10 Alors j'ai aperçu toute la mer : la mer déchaînée dans les roches, au-dessous de moi, presque à pic ; la mer tout autour de moi, à perte de vue.
MARTIN DU GARD, les Thibault, t. II, p. 258.

(Personnes). Furieux, emporté. *Groupe de députés de l'opposition déchaînés contre le gouvernement. Cet enfant est déchaîné, il ne reste pas en place. Une bande de gamins déchaînés.* → **Excité.** *Être déchaîné.* → Avoir le diable* au corps. — N. (rare). *Une bande de déchaînés.*

Loc. fig. (vx). *Le diable est déchaîné :* c'est le désordre, l'agitation. → Archange, cit. 1. *C'est un diable déchaîné.*

11 Les ennemis sont dans la ville,
Qui font les diables déchaînés.
SCARRON, Virgile travesti, II.

12 Le diable est déchaîné en cette ville ; de mémoire d'homme on n'a point vu de temps si vilain.
Mᵐᵉ DE SÉVIGNÉ, Lettre 312, 20 mars 1673.

(Sentiments, passions). *Des passions déchaînées. Instincts déchaînés.* → **Débordant, effréné.** *Bruit, tumulte déchaîné par un orateur.*

13 Hélas ! il faut se modérer, se contenir, trouver, au lieu des phrases déchaînées qui viendraient toutes seules, des phrases atténuées et réticentes (...)
J. ROMAINS, les Hommes de bonne volonté, t. V, XXIV, p. 232.

CONTR. **Amortir, apaiser, calmer, contenir, discipliner, enchaîner, maintenir, maîtriser, modérer, museler, restreindre.** ◊ DÉR. **Déchaînement.**

DÉCHALER [deʃale] v. intr. — 1838 ; orig. incert. ; p.-ê. de 1. dé-, et *chaler, variante de cal(l)er «enfoncer dans l'eau, immerger», du lat. chalare, var. de calare (→ 1. Caler), grec khalan «relâcher, laisser aller, abaisser» employé dans la langue nautique.

Mar. Baisser, découvrir, en parlant des marées. *La mer déchale beaucoup. Être à découvert, en parlant d'un navire échoué, d'une plage...*

DÉCHANT [deʃɑ̃] n. m. — V. 1164 ; de 1. dé-, et chant, d'après le lat. médiéval discantus.

Hist. mus. Mélodie en contrepoint qui était écrite au-dessous du plain-chant. — Par ext. Parties de fantaisie que les chantres ajoutaient au plain-chant pour l'orner. — Harmonie à deux voix.

Vers le XIIᵉ siècle commença pour l'art du chant une ère nouvelle, car à cette époque le *déchant* fit son apparition.
Initiation à la musique, p. 124.

DÉR. 1. **Déchanter.**

1. DÉCHANTER [deʃɑ̃te] v. intr. — V. 1220 ; de déchant.

Hist. mus. Exécuter le déchant. — Chanter d'une autre manière.

2. DÉCHANTER [deʃɑ̃te] v. intr. — 1663 ; de 1. dé-, et chanter. REM. Terme souvent reformé, à différentes époques et en différents lieux, avec des sens divers (cf. Wartburg).

Cour. Changer de ton ; rabattre de ses prétentions, de ses espérances, perdre ses illusions. *Il commence à déchanter* (→ Cité, cit. 10). *Il va lui falloir déchanter. Nous avons vite déchanté.*

1 Tu vois qu'à chaque instant il te fait déchanter (...)
MOLIÈRE, l'Étourdi, III, 1.

2 À la première vue, il est transporté (...) il commence ses inspections, et aussitôt il déchante.
Louis MADELIN, Hist. du Consulat et de l'Empire, Avènement de l'Empire, V, XI, p. 164.

DÉCHAPERONNER [deʃaprɔne] v. tr. — V. 1465 ; de 1. dé-, et chaperonner.

♦ 1 Chasse. Enlever le chaperon de (un oiseau) de proie. *Déchaperonner un faucon.* → **Décapuchonner.**

♦ 2 (1802). Techn. Enlever le chaperon de (un mur).

♦ DÉCHAPERONNÉ, ÉE p. p. adj. *Oiseau déchaperonné.* — *Mur déchaperonné.*

CONTR. **Chaperonner.**

DÉCHARDONNAGE [deʃardɔnaʒ] n. m. — XXᵉ, attesté ; de 1. dé-, et chardon, échardonnage étant employé dans plusieurs sens. → Échardonner*, 1.

Techn. Opération mécanique qui précède le cardage, et qui a pour but de débarrasser la laine des chardons qui s'y trouvent. → **Échardonnage.**

On doit (...) débarrasser la fibre des corps étrangers (...) Les chardons, en particulier, fibre naturelle servant entre autres à la nourriture du mouton, y sont abondants (...) on s'en débarrasse par une opération mécanique (le déchardonnage) qui précède immédiatement le cardage.
Raymond THIÉBAUT, la Filature, p. 52.

DÉCHARGE [deʃarʒ] n. f. — 1306 ; déverbal de décharger.

Ⅰ ♦ 1 Vx. Action de décharger [I., 1.] (un contenant, et, par métonymie, un contenu), et, spécialt, mar. → **Déchargement.** *Décharge d'une cargaison. Décharge d'une benne.*

Spécialt. Fait de se débarrasser ou de se soulager d'objets encombrants ou d'usage peu fréquent. *Chambre de décharge* (dans une maison). → **Débarras.** *Terrain de décharge* (→ ci-dessous), *Décharge publique.*

0.1 Contre ce mur, songea Étienne, j'installerai ma bibliothèque. Une grande table avec le téléphone dessus. Une table de décharge pour les dossiers. À droite, un fichier, contenant les adresses des clients (...)
H. TROYAT, la Tête sur les épaules, p. 16.

Par ext. Lieu où l'on décharge, où l'on se décharge de (qqch.).

(1690). Mod. *Décharge publique*, où l'on dépose, où l'on jette des déblais, des décombres, des ordures.

♦ **2** Techn. *Tuyau de décharge*, par lequel s'écoule le trop-plein d'un barrage, d'un bassin, d'un canal. → **Déchargeoir.** — Par ext. Réservoir destiné à recevoir le trop-plein (d'une citerne, d'un lac...). *La décharge d'un étang.*

Teinturerie. Action d'enlever l'excédent de teinture (d'une étoffe). — Typogr. Feuille de papier qu'on presse sur une forme pour sécher l'excès d'encre sur les caractères.

II (1677). ♦ **1** Le fait de décharger (I., 2.) une arme à feu. — Spécialt. Tir simultané de plusieurs armes (à feu). → **Arrosage** (fam.). — Par métonymie. Les projectiles tirés. *Décharge de mousqueterie* (→ **Fusillade**), *d'artillerie* (→ **Bordée, salve, volée**). *Essayer une décharge. Bruit d'une décharge* (→ **Détonation**).

1   Quand les deux camps furent ainsi en présence, une décharge d'armes à feu, partie du dehors, mit en grande rumeur tous les chiens des environs.
        G. SAND, la Mare au diable, Appendice II, p. 154.

2   Ils *(les cavaliers)* passèrent comme la foudre en faisant une décharge générale qui nous couvrit de poudre et les enveloppa de fumée blanche.
        E. FROMENTIN, Une année dans le Sahel, p. 279.

♦ **2** Par ext. Fam. et vx. *Une décharge de coups de bâton.* → **Bastonnade.**

♦ **3** **a** Vx. Le fait de se décharger des excréments, des humeurs... Loc. *Décharge de ventre.* → **Défécation.**

b Le fait d'éjaculer (→ **Décharger,** III.).

2.1 Quelle que fût sa manière de jouir alors, ses mains nécessairement s'égaraient toujours, et l'on l'a vu plus d'une fois étrangler tout net une femme à l'instant de sa perfide décharge.
        SADE, les 120 Journées de Sodome, introd., t. I, p. 31.

c *Décharge nerveuse :* mouvement spasmodique.

3   Le corps de l'enfant, sillonné par des décharges nerveuses, sautait sous les draps ; les yeux se rouvrirent (...)
        MARTIN DU GARD, les Thibault, t. I, p. 61.

d Psychan. Action de se libérer psychologiquement (de ce qui entrave le fonctionnement normal de l'appareil psychique). *Processus de décharges* (→ **Défoulement**) *et processus de défenses. Décharges agressives, émotionnelles.*

3.1 Si la défense du Moi s'oppose à la décharge d'une pulsion instinctive ressentie comme dangereuse ou reprochable, la pulsion «mise en culpabilité» n'est pas pour autant supprimée (...) Le blocage défensif de la psychonévrose empêchant une décharge suffisante, cette condition détermine une production continuelle de symptômes actuels (...)
        Daniel LAGACHE, la Psychanalyse, p. 62.

♦ **4** Brusque diminution d'un potentiel électrique (baisse de charge). *Décharge conductrice. Décharge disruptive. Décharge d'un condensateur. Décharge d'une batterie d'accumulateurs, d'une pile.* — *Décharge atmosphérique.* → **Foudre.**

III (1680). ♦ **1** (Dans l'expression : de *décharge*). Diminution de la charge, du poids. — Archit. *Voûte de décharge d'un pont. Arc de décharge.*

4   Les linteaux monolithes des portails d'Église sont généralement soulagés par un *arc de décharge* qui reporte sur les pieds-droits le poids des superstructures.
        Louis RÉAU, Dict. d'art et d'archéologie, Décharge.

♦ **2** Par métonymie. Techn. Pièce de charpente destinée à diminuer une charge.

♦ **3** Turf. Remise de poids consentie aux chevaux dans certaines conditions (monte d'un apprenti, absence de gains depuis un temps déterminé, etc.). *Décharges et surcharges* calculées de manière*

à *égaliser les chances des chevaux sur le terrain. Décharges et rendements* de distances.*

4.1 (...) les hongres, juments et pouliches portent 1,500 kg de moins que les chevaux ou poulains entiers. De même, surcharges et décharges s'appliquent aux chevaux d'après les résultats qu'ils ont obtenus dans l'année.
        Pierre ARNOULT, les Courses de chevaux, p. 95.

IV (1365). ♦ **1** Dr. Libération d'une obligation, d'une dette ; acte qui atteste cette libération. → **Exemption, exonération, extinction, quittance, quitus.** *Décharge de mandat, de compte de tutelle. Décharge de l'obligation alimentaire.*

5   Lorsque celui qui fournit ou celui qui reçoit des aliments est replacé dans un état tel, que l'un ne puisse plus en donner, ou que l'autre n'en ait plus besoin en tout ou en partie, la décharge ou réduction peut en être demandée.
        Code civil, art. 209.

Libération d'un comptable public ou d'un contribuable. *Décharge définitive*, par laquelle la Cour des comptes déclare quitte un comptable. — *Décharge de responsabilité d'un comptable en cas de vol ou de perte de fonds. Réclamation en décharge ou réduction d'un contribuable imposé à tort ou surtaxé.* → **Dégrèvement.**

♦ **2** Le fait de lever les charges qui pèsent sur un accusé. *Témoin à décharge*, qui dépose à l'appui de la défense. — Par anal. *Il faut dire, à sa décharge...*, pour l'excuser...

Comptab. *Porter une somme en décharge*, l'inscrire comme reçue, acquittée. *Payer tant à la décharge de qqn, à la décharge d'un compte.*

Loc. Fig. *Je l'avoue pour la décharge de ma conscience.* → **Acquit, allégement, justification, libération, soulagement.**

CONTR. Charge, chargement. — Accusation, aggravation.

DÉCHARGEMENT   [deʃaʀʒəmɑ̃] n. m. — 1272, «action de s'acquitter d'une dette»; de *décharger.*

♦ **1** (1611). Action de décharger un navire, une voiture, une bête de somme, et, par ext., les marchandises ; résultat de cette action. → **Décharger ; débarquement.** *Opérations de chargement* et de déchargement.* → **Aconier, déchargeur, docker.** *Commencer le déchargement d'une cargaison. Déchargement d'un wagon, des colis d'un wagon. Lieu de déchargement.* → **Appontement, débarcadère, quai.** *Temps réservé au déchargement d'un navire.* → **Estarie** (ou starie), **jour** (de planches).

1   Ces contrariétés retardaient le déchargement du vaisseau et prolongeaient le temps de son chargement (...)
        G.-T.-F. RAYNAL, Hist. philosophique..., XIII, 22.

2   Il faut leur permettre *(aux navires)* d'effectuer vite et aisément les opérations d'embarquement et de débarquement, afin de diminuer la durée du leur séjour dans le port. De là, cet équipement que chaque port s'efforce de perfectionner, longueur des quais, postes de déchargement pourvus d'appareils de levage (...)
        DEMANGEON, la France, II, p. 561.

3   (...) les nègres avaient extrait des profondeurs du *Lyncée* une foule d'objets et de caisses qu'ils placèrent soudain sur leurs épaules (...) Plusieurs trajets devaient, par la suite, compléter le déchargement du navire, dont le butin entier serait peu à peu transporté à Éjur.
        Raymond ROUSSEL, Impressions d'Afrique, p. 289.

♦ **2** (1845). Techn. *Déchargement d'une arme à feu :* action d'en retirer la charge, de la désarmer.

CONTR. Chargement.

DÉCHARGEOIR   [deʃaʀʒwaʀ] n. m. — V. 1548 ; de *décharger.*

Technique.

♦ **1** Conduit pour l'écoulement d'un trop-plein. *Déchargeoir d'un bassin, d'un réservoir.* — Par métonymie. Endroit où l'eau se décharge.

♦ **2** (1680). Cylindre des métiers sur lequel la toile s'enroule à mesure qu'elle est tissée.

DÉCHARGER [deʃaʀʒe] v. tr. et intr. [CONJUG.: *charger*, → **Bouger**.] — Fin XIᵉ; de 1. *dé-*, et *charger*.

I Enlever la charge de. ♦ **1** Débarrasser de sa charge (une personne, un navire, une voiture, une bête de somme...). *Décharger un voyageur de ses bagages, un porteur de son fardeau.* — Sans compl. second. *Décharger un bateau, un wagon, un mulet, un âne.*

1   On se préparait à décharger l'éléphant qui portait le dîner et le service (...)
     VOLTAIRE, le Blanc et le Noir, p. 184.

Par métonymie. Enlever (un chargement). → **Débarder, débarquer; décharge** (I., 1.), **déchargement**. *Décharger des marchandises, des ballots, du bois, des pierres, du blé.*

2   Docker. À la rigueur et de temps il pouvait prétendre à décharger du charbon.
     P. MAC ORLAN, la Bandera, III, p. 29.

Absolt. *Appareils de levage* (crône, grue),... pour décharger. Le bateau déchargera sur tel quai. Les dockers déchargeront cet après-midi.*

Vidanger ses soutes (le sujet désigne un bateau) :

2.1   Si des bateaux lâchent leurs déchets de pétrole dans la mer, ce bien commun, le remords est modeste (...) Les bateaux déchargeant dans la mer devraient être frappés de lourdes taxes ou amendes de dissuasion.
     A. SAUVY, Croissance zéro?, p. 191 et p. 239.

♦ **2** (1553). Retirer la charge ou faire partir le coup de (une arme à feu). *Décharger son fusil en rentrant de la chasse. Décharger son arme sur, contre qqn.* → **Tirer.**

3   Rambures a été tué par un de ses soldats qui déchargeait son mousquet très innocemment.
     Mᵐᵉ DE SÉVIGNÉ, Lettre 561, 24 juil. 1676.

4   Les assiégeants, de leur côté, faisaient rage : ils déchargeaient leurs pistolets dans les portes, faisaient gronder les chiens, frappaient de grands coups sur les murs, secouaient les volets, poussaient des cris effroyables (...)
     G. SAND, la Mare au diable, Appendice II, p. 160.

Par anal. (Vx et fam.). → **Asséner**. *Décharger un coup*.*

5   *(Mercure)* Leur en décharge un grand coup *(de cognée)* sur la tête.
     LA FONTAINE, Fables, V, 1.

Littér. et vieilli. *Décharger un regard.* → **Décocher.**

6   Jacques, en le voyant, déchargea sur lui un regard foudroyant, capable d'assommer un buffle; mais il dut le manquer, car la longueur de flûte ne broncha pas.
     Alphonse DAUDET, le Petit Chose, III, VI, p. 236.

♦ **3** (1611). Enlever (un poids, un fardeau qui surcharge). *Décharger une poutre qui fléchit. Décharger un plancher.* — Hortic. *Décharger un arbre,* lui ôter les branches inutiles, les fruits en excès. — Mar. *Décharger la voilure,* la modifier en la diminuant.

♦ **4** Techn. Débarrasser d'un excès, d'un trop-plein. *Décharger un réservoir, un bassin.*

Teinturerie. *Étoffe qui décharge la couleur.* Absolt. *Étoffe qui décharge,* qui perd de sa couleur. → **Déteindre.** — *Encre qui décharge :* encre qui macule. → **Bavocher.** — Typogr. *Décharger les formes :* ôter l'encre restée sur les caractères.

♦ **5** (1773). Électr. Diminuer la charge électrique de. *Décharger un accumulateur.*

II (1287). Fig. ♦ **1** Débarrasser ou libérer (qqn) d'une charge, d'une obligation, d'une responsabilité. → **Débarrasser, dispenser, libérer.** *Décharger qqn d'un travail. Il me déchargera de cette corvée.* —

Décharger un comptable de sa dette. Décharger les contribuables. Décharger qqn d'un impôt, d'une dette. → **Dégrever, exempter, exonérer** (→ Augmentation, cit. 1). — Passif et p. p. *Être déchargé d'une partie du travail par des collaborateurs.*

7   (...) plusieurs casuistes ont trouvé moyen de décharger les personnes les plus riches de l'obligation de donner l'Aumône.
     PASCAL, les Provinciales, 6.

8   (...) le magistrat décharge le prince d'une partie du soin de juger les peuples (...)
     LA BRUYÈRE, les Caractères, IX, 40.

Dispenser (qqn) d'un travail en le faisant soi-même.

9   (...) il a trouvé une situation toute faite, qui lui procurait, outre beaucoup de loisirs — car ses employés le déchargent de presque tout —, une soixantaine de mille francs de revenu.
     J. ROMAINS, les Hommes de bonne volonté, t. IV, X, p. 110.

♦ **2** Libérer (qqn) d'une accusation. *Décharger un accusé.* → **Blanchir, disculper, innocenter, justifier.** *Décharger qqn d'accusation :* prononcer par un jugement qu'une personne est innocente de l'accusation dirigée contre elle. → **Renvoyer** (d'accusation). — *Être déchargé d'accusation, de l'accusation, de toute accusation.*

10   Tels arrêts nous déchargent et nous renvoient absous, qui sont infirmés par la voix du peuple.
     LA BRUYÈRE, les Caractères, XII, 88.

11   J'ai relevé toutes vos bonnes qualités; je vous ai déchargé de toutes les choses odieuses; que pouvais-je faire de mieux?   FÉNELON, Dialogues des morts, *in* LITTRÉ.

♦ **3** Fig. *Décharger sa conscience*.* → **Libérer, soulager.** — Passif et p. p. *Avoir la conscience déchargée, l'esprit déchargé d'un souci, d'un remords.*

12   (...) la conscience déchargée du fardeau *(le tombeau de Jules II)* qui avait pesé sur toute sa vie.
     R. ROLLAND, Vie de Michel-Ange, p. 130.

Décharger son cœur (vx) : s'épancher, se confier. → **Avouer; cœur** (*supra*, cit. 129). *Décharger son cœur dans le sein d'un ami* (→ Aveu, cit. 16).

13   (...) nous causions donc de choses indifférentes, pendant qu'elle se creusait la tête en cherchant à se ménager un moment où elle pourrait enfin décharger son cœur dans le mien.
     BALZAC, le Lys dans la vallée, Pl., t. VIII, p. 967.

Fam. *Décharger sa rate, sa bile :* laisser libre cours à sa colère, à sa mauvaise humeur. *Décharger sa colère sur qqn.*

14   (...) il faut qu'enfin j'éclate,
Que je lève le masque, et décharge ma rate (...)
     MOLIÈRE, les Femmes savantes, II, 7.

III V. intr. (V. 1650). Fam. Éjaculer.

14.1   Nous gamahuchons bien, nous langottons beaucoup, nous pelotons lentement, mais baiser! mais décharger pour faire l'enfant!
     FLAUBERT, Lettre à Louis Bouilhet, 2 juin 1850, Pl., t. I, p. 628.

♦ **SE DÉCHARGER** v. pron.

♦ **1** *Se décharger d'un fardeau, d'un poids.* — Fig. :

15   Il brûle de parler, bien plus que nous d'entendre;
Sa nouvelle lui pèse, il veut s'en décharger (...)
     MOLIÈRE, Mélicerte, I, 3.

Se décharger sur qqn d'une affaire, lui en abandonner le soin, la direction. *Se décharger d'une commission.*

16   Déchargez-vous sur moi du fardeau de l'empire (...)
     CHATEAUBRIAND, les Martyrs, II, XVIII, 172.

17   (...) plus il mettra d'opiniâtreté à ne pas s'acquitter de sa tâche, plus il déploiera d'énergie à s'en décharger sur les autres et à stimuler leur ardeur.
     COURTELINE, Messieurs les ronds-de-cuir, IVᵉ tableau, III, p. 158.

Se décharger d'une faute sur un autre, la lui imputer.

♦ **2** (Le sujet désigne ce qui contient un liquide). → **Déverser** (se), **écouler** (s'), **jeter** (se). *Le trop-plein du réservoir se décharge. Le bassin se décharge dans une citerne. Rivière qui se décharge dans un fleuve.* — (1631). Teinturerie. Déteindre (I., 4.).

♦ **DÉCHARGÉ, ÉE** p. p. adj.

Qui n'est pas, qui n'est plus chargé. *Navire déchargé. Pistolet déchargé. Batterie déchargée.* — Voir aussi à l'article.

CONTR. **Charger, surcharger.** — **Alourdir.** — **Aggraver, augmenter, graver.** — **Accuser, condamner.** — **Enfouir, garder.**
◊ DÉR. **Déchargement, déchargeoir, déchargeur.**

DÉCHARGEUR [deʃaʀʒœʀ] n. m. — 1241, *deschargeur; de décharger.*

Technique.

♦ **1** Vieilli. Celui qui décharge (un contenant). → **Porteur; docker.** *Déchargeur aux halles.* — → 3. **Fort** (de la halle). — Mod. Travailleur déchargeant les bateaux, sans matériel moderne (Malraux, Claudel, *in* T. L. F., à propos de l'Extrême-Orient). — REM. Le fém. virtuel *déchargeuse*, n'est pas attesté.

♦ **2** (1929). Machine servant à décharger.

♦ **3** (1811). Système qui permet d'éviter des perturbations sur les lignes (télégraphiques, téléphoniques) en déchargeant dans le sol l'électricité atmosphérique.

DÉCHARNÉ, ÉE [deʃaʀne] p. p. adj. → **Décharner.**

DÉCHARNEMENT [deʃaʀnəmã] n. m. — 1845; de *décharner.*

Rare.

♦ **1** État d'une personne décharnée, de ce qui est décharné. → **Décharner.** *Le décharnement d'un malade Un décharnement causé par la maladie. «Le décharnement de la drogue»*, dû à la drogue (Drieu La Rochelle, *le Feu follet*, p. 52).

1 (...) je suis frappé du décharnement cadavéreux de sa figure autour des ailes de son nez, autour de sa bouche. Barrès doit avoir une maladie organique, doit être phtisique.

Ed. et J. DE GONCOURT, Journal, 1893, *in* T. L. F., p. 489.

Littér. *Un, des décharnements.*

2 Quelque chose de malsain était répandu dans tous ses tissus et les rendait grossiers, même la chair de ses yeux. Mais cette graisse jaune, qu'avait fait affleurer le travail difficile de la désintoxication, c'était encore trop de vie, trop d'être : le moindre rictus, la moindre grimace faisait reparaître ces terribles creusements, ces terribles décharnements qui avaient commencé, un an ou deux auparavant, de sculpter un masque funéraire à même sa substance de vivant. Il devinait, prêtes à reparaître, ces grisailles, ces ombres qui l'avaient rongé si profondément jusqu'au mois de juillet précédent.

DRIEU LA ROCHELLE, le Feu follet, p. 581.

♦ **2** Littér. Dépouillement de ce qui est décharné, squelettique. *Le décharnement des arbres en hiver.*

♦ **3** Fig. *Décharnement d'un style.* → **Appauvrissement, dessèchement.**

DÉCHARNER [deʃaʀne] v. tr. — V. 1280; au p. p., v. 1200; de 1. *dé-*, et *charn*, forme ancienne de *chair.* → **Chair, charnel.**

Vieux (pour le verbe).

♦ **1** Dépouiller de la chair. *Décharner un cadavre.*

♦ **2** (Sujet n. de chose). Rendre maigre ou faire paraître maigre. — (Surtout au passif). *Cette maladie l'a complètement décharné* (Académie).

1 (...) Ce visage si grave
N'a sauvé toutefois des ravages du temps
Qu'un peu d'os et de nerfs qu'ont décharnés cent ans (...)
CORNEILLE, l'Illusion comique, I, 1.

♦ **3** Fig. Dépouiller (le style) de tout agrément ou ornement. → **Appauvrir, dessécher.** *Il décharne son style à force de le châtier, de l'épurer.*

2 Il savait que les préceptes, quand on les traite d'une manière si nue et si subtile, ne sont propres qu'à dessécher l'esprit et qu'à décharner, pour ainsi dire le discours, en lui ôtant toute grâce et toute beauté (...)
ROLLIN, Hist. ancienne, t. XI, p. 728, *in* LITTRÉ.

♦ **DÉCHARNÉ, ÉE** p. p. et adj. Mod.

♦ **1** Qui n'a plus de chair. *Des os décharnés. Cadavre, squelette décharné* (→ Chose, cit. 10).

Par métaphore, vx. *Avoir un rapport décharné avec qqn*, dans lequel n'intervient aucun facteur physique.

♦ **2** Cour. Très maigre. → **Amaigri, efflanqué, étique, maigre, sec.** *Visage décharné. Bras, doigts décharnés.* — Par anal. *Arbre décharné* (→ Anguleux, cit. 1). *Colline décharnée*, aride sans végétation (→ Château, cit. 4).

3 La banlieue, décharnée, montre un squelette rachitique.
G. DUHAMEL, Chronique des Pasquier, Vue de la terre promise, XII, p. 146.

♦ **3** (1671). Fig. → **Aride, dépouillé, sec.** *Style; récit décharné*, sans ampleur, sans ornement.

4 Sans les circonstances, les faits demeurent comme décharnés : ce n'est que le squelette d'une histoire (...)
FÉNELON, Œ., t. XXI, p. 229.

5 Les étrangers se plaignent qu'il (*le Dictionnaire de notre académie*) est sec et décharné (...)
VOLTAIRE, Lettre à Damilaville, 28 mai 1762.

CONTR. **Charnu, gras.** — **Luxuriant; riche.** ◊ DÉR. **Décharnement.**

DÉCHAULER [deʃole] v. tr. — 1947, *in* T. L. F.; de 1. *dé-*, et *chaux*, d'après *chauler.*

Techn. Débarrasser (une peau) de la chaux, après le pelanage.

DÉCHAUMAGE [deʃomaʒ] n. m. — 1835; de *déchaumer.*

Agric. Action de déchaumer; son résultat. *Charrue employée au déchaumage.* → **Déchaumeur.**

Le déchaumage est une opération d'une grande importance pour débarrasser le sol des plantes nuisibles qui tendent toujours à l'envahir. Enfouies par ce travail, les graines de ces plantes germent assez rapidement, et les jeunes plantes sont détruites, quelques semaines plus tard, par le premier labour d'automne.
Omnium agricole, Déchaumage.

DÉCHAUMER [deʃome] v. tr. — 1732; de 1. *dé-*, et *chaume.*

Agric. Débarrasser (le sol) par un labour superficiel, du chaume ou des plantes nuisibles qui l'envahissent (syn. régional : *échaumer*). *Déchaumer avec une charrue, un extirpateur, un scarificateur, une herse.*

DÉR. **Déchaumage, déchaumeur.**

DÉCHAUMEUR, EUSE [deʃomœʀ, øz] adj. et n. — 1835; de *déchaumer.*

Technique (agriculture).

♦1 Adj. Qui sert à déchaumer. *Charrue déchaumeuse.*

♦2 N. m. (1860), *un déchaumeur*, ou, n. f. (1921), *une déchaumeuse* : charrue légère polysoc pour le déchaumage.

DÉCHAUSSAGE [deʃosaʒ] n. m. — 1838; de *déchausser.*

Action de déchausser (2.) un arbre. → **Déchaussement.** — (1907). Spécialt. Mise à nu d'une partie des racines des plantes herbacées sous l'action de la gelée à la surface du sol.

DÉCHAUSSEMENT [deʃosmã] n. m. — 1538; de *déchausser.*

♦1 Action de (se) déchausser, d'enlever ses (les) chaussures.

♦2 Techn. Action de déchausser (un mur, un arbre, la vigne, une dent...); résultat de cette action. → **Déchaussage.**

DÉCHAUSSER [deʃose] v. tr. — XIᵉ, *desjalcier*; *deschalcier*, XIIᵉ; du lat. pop. *discalceare*, de *dis-*, et *calceare*. → Chausser.

♦1 Enlever les chaussures de (qqn). → **Débotter.** *Déchausser un enfant.* — Par ext. *Déchausser des skis*, les ôter des pieds. — Absolt. *Déchausser* : enlever ses skis; cesser de faire du ski. *J'en ai assez, je déchausse.*
Fig. *N'être pas digne de déchausser qqn*, lui être de beaucoup inférieur. → Ne pas arriver à la cheville* de...

♦2 Dénuder, dégarnir à la base. *Déchausser les dents*, les découvrir et les détacher de la gencive.

0.1 Je rêve que je n'ai plus qu'une molaire dans la partie supérieure de la mâchoire et que cette molaire ne tient plus; en effet, je la déchausse avec les doigts; la dent est longue, une racine très profonde. Je la remets en place, je pousse avec les doigts pour l'enfoncer, elle tient à peine.
IONESCO, *Journal en miettes*, p. 242.

Techn. *Déchausser un arbre, une plante*, en mettre à découvert le pied et les racines.
Déchausser un mur : enlever la terre qui est autour des fondations. *Eau courante qui déchausse un mur.* → **Dégravoyer.**

♦ **SE DÉCHAUSSER** v. pron.

♦1 Enlever ses chaussures. *Elle se déchausse.*

1 La rêve a obtenu une femme pour la servir, mais Monsieur le duc se déchausse lui-même.
Mᵐᵉ DE SÉVIGNÉ, 588, 14 oct. 1676.

2 Ici, c'est comme dans les mosquées; on se déchausse en entrant pour ne pas apporter la boue du dehors.
GIDE, *les Faux-monnayeurs*, I, VII, p. 80.

♦2 Chasse (le sujet désigne un animal, notamment le loup). Gratter le sol après avoir fienté. *Lieu où le loup s'est déchaussé.* → **Déchaussure.**

♦3 Techn. Se dénuder à la base. *Dent, plante, mur qui se déchausse.* → **Découvrir** (se), **dégrader** (se), **détacher** (se).

♦ **DÉCHAUSSÉ, ÉE** p. p. adj. (V. 1230, *pie deschaucié*, en parlant d'un arbre).

♦1 Qui n'est plus chaussé, qui n'a plus de chaussure. *Pied déchaussé.* — Spécialt. *Carmes déchaussés* : carmes réformés par sainte Thérèse, et dont le pied est nu, protégé seulement par une sandale. → **Déchaux.**

♦2 Qui s'est déchaussé (→ ci-dessus, Se déchausser, 3.). *Dent déchaussée. Dents déchaussées par l'arthritisme.*

3 (...) un maigre bidet, dont la croupe saillait en protubérances osseuses, tirait d'un râtelier vide quelques brins de paille du bout de ses dents jaunes et déchaussées (...)
Th. GAUTIER, *le Capitaine Fracasse*, t. I, 1, p. 6.

Mur déchaussé, dont les fondations sont dégradées. — *Arbre déchaussé.*

4 De gros caïeux de lis, déchaussés par les pluies, paraissaient à la surface de la terre.
CHATEAUBRIAND, *Itinéraire...*, 33.

CONTR. Chausser. — Butter. ◊ DÉR. Déchaussage, déchaussement, déchausseuse, déchaussoir, déchaussure.

DÉCHAUSSEUSE [deʃosøz] n. f. — 1888; de *déchausser.*

Techn. (agric.). Petite charrue pour déchausser les pieds de vigne.

DÉCHAUSSOIR [deʃoswaʀ] n. m. — 1471, *deschaussouers*; de *déchausser.*

Technique.

♦1 Agric. Outil pour déchausser les arbres. → **Houe.**

♦2 (1561). Chir. Instrument de chirurgie qui sert pour déchausser les dents. — Syn. : *syndesmotome.*

DÉCHAUSSURE [deʃosyʀ] n. f. — 1690; de *se déchausser*, 2.

Vén. Lieu où le loup a gratté la terre (après avoir fienté).

(...) combien je suis épris de toi, loup, qu'on dit à tort funèbre, pétri des secrets du mauvais pays. C'est dans une masse d'amour légendaire que tu laisses la déchaussure vierge, pourchassée de ton ongle.
René CHAR, *les Matinaux*, p. 131.

DÉCHAUX [deʃo] adj. — V. 1170; du lat. pop. *discalceus*, altération de *discalceatus* «déchaussé». → Déchausser.

Relig. Se dit de religieux qui ont les pieds nus dans des sandales. *Carmes déchaux* ou *déchaussés*.* — REM. La langue classique utilisait *déchaux* dans d'autres syntagmes.

DÈCHE [dɛʃ] n. f. — 1846; «perte au jeu», 1835, Raspail; probablt de *déchoir.* → Déchéance.

♦1 Fam. Manque d'argent, grande gêne. → **Débine, misère, pauvreté.** *Quelle dèche! Être dans la dèche.*

1 Et vous abandonnez les copains dans la dèche.
Sacha GUITRY, *Ils étaient neuf célibataires*, p. 225.

2 Oui, Ernestine, je vous sors de la dèche, de la mouise, de la débine! Je vous sors de la pauvreté, de la misère, de l'indulgence. Je vous ferai couvrir de bijoux, voui!
R. QUENEAU, *le Chiendent*, p. 161.

Loc. *Battre la dèche* : être dans la dèche, dans la misère.

3 (...) une bande d'aigrefins comme il n'en manque pas à Naples parmi la noblesse locale, voire d'Église, qui veut paraître et bat la dèche de père en fils.
B. CENDRARS, *Bourlinguer*, p. 108.

♦2 Argot. Perte d'argent, dépense. *Pas de dèche* (cf. A. Simonin, *Du mouron pour les petits oiseaux*, p. 68, *in* Cellard et Rey).

DÉR. Décher.

DÉCHÉANCE [deʃeãs] n. f. — 1174, *decaance*; de *déchoir.*

♦1 Action de déchoir, de faire déchoir; état de celui qui est déchu. *La déchéance de l'être*

humain, d'une société. → **Abaissement, chute, décadence, déclin, dégradation, disgrâce.** *La déchéance
d'une nation, d'une civilisation, des mœurs.* → **Décadence, éclipse.** *Déchéance physique :* affaiblissement
anormal. → **Décrépitude, vieillesse, vieillissement.**
Avoir le sentiment de sa déchéance.

1   (...) avec tout ce qu'une semblable déchéance comporte de
    dégradant (...)   Paul BOURGET, Un divorce, v, p. 167.

2   Sans doute, il ne s'agissait même pas de déchéance, mais
    seulement de suspension.
                             JAURÈS, Hist. socialiste..., t. IV, p. 150.

3   Aujourd'hui, dans la décroissance, dans la déchéance des
    mœurs politiques et privées, nous sommes littéralement
    des assiégés.   Ch. PÉGUY, la République..., p. 219.

4   Avec quoi l'homme se consolera-t-il d'une déchéance ?
    sinon avec ce qui l'a déchu.   GIDE, Saül, v, 3.

5   (...) il y avait des mois de souffrance, une déchéance phy-
    sique momentanée, un vieillissement précoce qui, pas un
    instant, ne se laissait oublier.
                      MARTIN DU GARD, les Thibault, t. VIII, p. 226.

♦ **2** Dr. Perte d'un droit ou d'une fonction, à titre de
sanction. *Déchéance encourue à titre de sanction.
Déchéance de la puissance paternelle, de l'usufruit,
du bénéfice d'inventaire.*

6   Dans le cas de déchéance de plein droit encourue par le
    père, le ministère public ou les parents (...) saisissent sans
    délai la juridiction compétente, qui décide si, dans l'intérêt
    de l'enfant, la mère exercera les droits de la puissance
    paternelle tels qu'ils sont définis par le Code civil.
                                  Loi du 15 nov. 1921, art. 9.

*Déchéance d'un droit ou d'une action à l'expiration
d'un délai fixé par la loi.* → **Forclusion.** *Déchéance
de la propriété littéraire.* — *En déchéance. Action en
déchéance pour non-exploitation d'un brevet.*
Par ext. Fait de priver de ses droits (qqn) ; état d'une
personne déchue de ses droits, de sa fonction.
Prononcer, proclamer la déchéance d'un souverain.
→ **Déposition, destitution.**

CONTR. Amélioration, ascension, avancement, progrès,
redressement, réhabilitation, relèvement. — Conservation.

DÉCHER [deʃe] v. intr. [CONJUG.: *céder.*] — 1876 ; de
dèche «perte au jeu», 1835 (être en dèche).
Argot. Donner, dépenser de l'argent.

    Tout le monde avait déché à la quête.
                    Albert SIMONIN, Touchez pas au grisbi, p. 35.

DÉCHET [deʃɛ] n. m. — 1493 ; *déchié,* v. 1270 ;
déchiet, v. 1328, par confus. avec *il dechiet* «il déchoit».
→ **Déchoir.**

♦ **1** Perte, diminution en volume, quantité ou qualité, qu'une chose subit dans l'emploi qui en
est fait. → **Altération, déperdition, freinte, perte.** *Le
déchet que la cuisson fait subir au pain. Il y a du
déchet dans la fonte de l'or. On a constaté un certain
déchet dans le poids et la qualité des marchandises emmagasinées.* → **Discale, tare.** *Tenir compte
du déchet.*

1   Le moindre déchet leur est de conséquence *(aux pauvres) ;*
    dans un triste ménage, un pot cassé est une perte consi-
    dérable.   BOSSUET, Sermons, 4ᵉ exhortation pour une visite.

Fam. *Il y a du déchet,* de la perte.

2   Il y a généralement beaucoup de déchet sur la fleur
    coupée ; mais le bénéfice rachète la perte.
                            Journal officiel, 11 mai 1874, *in* LITTRÉ,
                                      Supplément, art. *Fleur.*

Comm. *Déchet de route, déchet de freinte* (admis au
cours d'un transport).

♦ **2** (Surtout au plur.). Ce qui tombe d'une matière
qu'on travaille. → **Bris, chute, débris, épluchure,
parcelle, résidu, rognure, scorie.** *Déchets de métal,
de ferraille* (→ **Battitures, riblon**), *déchets de fonte,*

d'étoffe... *Déchets de filature* (→ **Blousse, bourre**).
Déchets de laine et de coton. Déchets de viande
(→ **Abats**), *de poisson. Déchets de boucherie.*

3   Déchet désigne tout ce qui tombe d'une matière qu'on tra-
    vaille ou qu'on débite, et dont on peut quelquefois encore
    tirer parti (...) Résidu désigne en général ce qui reste après
    une opération quelconque, et qu'on peut utiliser à nouveau
    pour une opération analogue.
                          R. BAILLY, Dict. des synonymes de la langue
                                              franç., art. *Déchet.*

♦ **3** Résidu inutilisable (en général sale ou encombrant). → **Détritus.** *Déchets domestiques. Déchets
urbains. Déchets industriels, agricoles. De pleines
poubelles de déchets. Déchets biodégradables, recyclables. Incinération, récupération des déchets.
Étude des déchets.* → **Rudologie.** — *Déchets radioactifs :* résidus de combustion dans les réacteurs
nucléaires, contenant des substances radioactives
dangereuses, ou objets contaminés irrécupéra-
bles. *Stockage, immersion des déchets radioactifs.
Retraitement des déchets radioactifs.*

♦ **4** Physiol. Résidu, partie non assimilée. *Les déchets
de la nutrition. L'appareil circulatoire* (cit.) *emporte
les déchets des tissus. Déchets demeurant dans l'organisme.* → **Récrément.**

♦ **5** Fig. Personne déchue, méprisable. *C'est un
déchet d'humanité, un pauvre déchet,* un dégénéré.
C'est un vieux déchet. → **Débris.**

4   Regardez-moi cette loque, clama-t-il, ce déchet. S'il ne se
    met pas à quatre pattes, c'est qu'il a peur de la fourrière.
    Vieux, pouilleux, pourri, à la poubelle.
                              S. BECKETT, Nouvelles, p. 102.

♦ **6** Vx ou littér. Déchéance. *Le déchet des bonnes
mœurs.*

♦ **7** Vx. Préjudice. *Faire qqch. sans déchet pour son
honneur.*

DÉR. Déchetterie.

DÉCHETTERIE [deʃetri] n. f. — 1988 ; de *déchet.*
Lieu accessible au public, aménagé pour recevoir
les déchets toxiques ou recyclables.

DÉCHEVELER [deʃəv(ə)le] v. tr. [CONJUG.: *appeler.*] — V.
1160, *deschevelees,* p. p. ; de *dé-,* et *cheveu.*
Vx ou littér. Mettre en désordre la chevelure de
(qqn). → **Écheveler.**

♦ **DÉCHEVELÉ, ÉE** p. p. adj.
Littér. Dont la chevelure est en désordre. Syn. cour. :
échevelé.

1   Le petit page était tellement harassé qu'il dormait sur les
    bras de son maître, et que sa petite tête toute déchevelée
    allait et venait comme s'il eût été mort.
                              Th. GAUTIER, Mˡˡᵉ de Maupin, I, p. 7.

2   Ses cheveux, appesantis par la chaleur, croulaient lourde-
    ment sur sa nuque dorée, et cette belle ainsi, déche-
    velée, négligée, languissante à tenter Satan et à venger
    Ève !
                      BARBEY D'AUREVILLY, les Diaboliques,
                                      «À un dîner d'athées».

Par anal. *Arbres déchevelés.* → **Échevelé.**

3   (...) c'était pour elle *(Thérèse)* que le vent soufflait dans les
    arbres déchevelés ou que le gris fin de la pluie trempait
    l'horizon des avenues, ou que le soleil traînait dans le ciel
    frileux son bloc refroidi (...)
                              FRANCE, le Lys rouge, p. 228.

DÉCHEVÊTRER [deʃ(ə)vetre] v. tr. — XVIᵉ ; de 1. *dé-,*
et *chevêtre.*

♦ **1** Techn. et vx. Débarrasser du chevêtre (une bête
de somme).

♦ **2** Fig. et rare. Débrouiller, démêler.

CONTR. Enchevêtrer.

DÉCHEVILLER [deʃ(ə)vije] v. tr. — V. 1160; de 1. *dé-*, et *cheville*.

Techn. Défaire les chevilles, le chevillage de (un assemblage).

CONTR. Cheviller.

DÉCHIFFONNER [deʃifɔne] v. tr. — 1870; de 1. *dé-*, et *chiffonner*.

Remettre en état (ce qui était chiffonné).
→ **Défriper, défroisser.**

CONTR. **Chiffonner, friper, froisser.**

DÉCHIFFRABLE [deʃifʀabl] adj. — 1609; de *déchiffrer*.

Qui peut être déchiffré. *Écriture déchiffrable, à peine déchiffrable. Les caractères hiéroglyphiques n'étaient pas déchiffrables avant Champollion.*

CONTR. **Indéchiffrable.**

DÉCHIFFRAGE [deʃifʀaʒ] n. m. — 1881; de *déchiffrer*.

Action de déchiffrer. → **Déchiffrement.**

1   (...) peut-être l'avais-je lu étourdiment, dans le lapsus d'un déchiffrage trop rapide (...)
PROUST, À la recherche du temps perdu, t. I, p. 949.

Figuré :

2   (...) ces déchiffrages rapides d'un être qu'on voit à la volée nous exposant ainsi aux mêmes erreurs que ces lecteurs trop rapides (...)
PROUST, À la recherche du temps perdu, t. I, p. 797.

(1900). Spécialt. Fait de déchiffrer (de la musique).

DÉCHIFFREMENT [deʃifʀəmã] n. m. — 1553; de *déchiffrer*.

Action de déchiffrer. → **Déchiffrage.** *Le déchiffrement d'un télégramme, d'un caractère.*

1   Je suppose que, latiniste, ce notaire en avait quelque peu restitué le sens, là où les abréviations et les lettres effacées rendaient difficile le déchiffrement.
H. BOSCO, Un rameau de la nuit, p. 113.

2   La bicyclette qui n'a aucune vertu sur la personne des adultes agit sur le corps d'un enfant comme une grille de déchiffrement : elle isole son essence et amorce son élucidation.
M. TOURNIER, le Roi des Aulnes, p. 335.

Spécialt. Action de déchiffrer (un cryptogramme).
→ **Décodage, décryptage, décryptement.**

Dans la technique de la lecture, Action de retrouver le mot oral à partir du mot graphique (sans considération de sens). → Déchiffrer, 2., d.

3   C'est un piège, un cadeau empoisonné, particulièrement pour tous les enfants issus de milieu familial où l'on parle peu, que de faire dépendre, à travers le déchiffrement, la lecture de la langue orale. Ils apprendront à grand peine à prononcer des signes écrits et n'en seront pas plus avancés, tandis que si la lecture se conquiert par ce qu'elle est, comme elle est, elle devient un puissant levier dans l'évolution linguistique de l'individu, qui transforme et fait passer à un autre niveau la maîtrise de la langue orale.
Jean FOUCAMBERT, la Manière d'être lecteur, p. 47.

DÉCHIFFRER [deʃifʀe] v. tr. — V. 1467; de 1. *dé-*, et *chiffre*; → Chiffre.

♦ **1** Lire (ce qui est écrit en chiffre); traduire en clair. *Déchiffrer un message, une dépêche diplomatique. Déchiffrer un cryptogramme, une correspondance secrète dont on n'a pas la clef.* → **Décoder, décrypter.**

1   Nayant jamais travaillé dans aucun bureau, ni vu de ma vie un chiffre de ministre, je craignis d'abord d'être embarrassé, mais je trouvai que rien n'était plus simple, et en moins de huit jours, j'eus déchiffré le tout (...)
ROUSSEAU, les Confessions, VII.

♦ **2** Parvenir à lire, à comprendre (qqch.). **ⓐ** (1559). Parvenir à comprendre un texte, des mots faits de signes inconnus. *Déchiffrer les inscriptions cunéiformes. Déchiffrer des hiéroglyphes* (→ Blason, cit. 3).

2   (...) jusque sur les granits de Mezraïm, Champollion a déchiffré ces hiéroglyphes qui semblaient être un sceau mis sur les lèvres du désert, et qui répondait de leur éternelle discrétion.
CHATEAUBRIAND, Mémoires d'outre-tombe, t. VI, p. 336.

ⓑ (1671). Parvenir à comprendre un texte, des mots faits de signes connus mais mal formés. *Écriture difficile à déchiffrer.* → Paraphe, cit. 1.1. *Déchiffrer l'ordonnance d'un médecin.*

3   Je voudrais bien savoir comment je ferais si votre écriture était comme celle de d'Hacqueville : la force de l'amitié me la déchiffrerait-elle?
Mme DE SÉVIGNÉ, 181, 5 juil. 1671.

ⓒ Parvenir à comprendre un texte, des mots faits de signes connus, bien formés mais de sens obscur (ce sens interfère avec le sens 4).

4   Faisons donc quelques récits
Qu'elle déchiffre sans glose.
LA FONTAINE, Fables, VIII, 13.

5   J'arrive à mieux comprendre à présent Virgile; presque aisé à relire, mais parfois fort dur à déchiffrer.
GIDE, Journal, 28 oct. 1944.

ⓓ Retrouver un mot oral à partir d'un mot graphique sans pour autant en connaître le sens. *Dans l'apprentissage de la lecture, déchiffrer n'est pas lire* (→ Déchiffrement, supra cit. 3).

♦ **3** (1761). *Déchiffrer de la musique,* la lire à première vue. → **Déchiffrage.** *Déchiffrer un morceau.* — Absolt. *Elle ne sait pas déchiffrer.* — Jouer, chanter à la première lecture de la partition.

6   Me voilà maître à chanter sans savoir déchiffrer un air (...)
ROUSSEAU, les Confessions, IV.

7   (Elles) se passionnaient pour Gluck aussi bien que pour César Franck ou Wagner et déchiffraient les partitions de Vincent d'Indy.   LOTI, les Désenchantées, II, p. 26.

8   Il n'en était pas de même pour la musique, et je commençai bientôt d'envier les gens qui sont en état de déchiffrer facilement et qui peuvent satisfaire au plus franc de leur appétit.
G. DUHAMEL, Biographie de mes fantômes, XL, p. 222.

♦ **4** Fig. Comprendre (un sens obscur, caché). *Déchiffrer une énigme.* → **Découvrir, démêler, éclaircir.** *Déchiffrer une intrigue. Déchiffrer les significations des choses.* → Réel, cit. 7. — *Déchiffrer un caractère,* en découvrir la nature intime, les sentiments secrets. — (Compl. n. de personne). *Déchiffrer qqn.* → **Deviner, expliquer, pénétrer.** *C'est un être compliqué, bien difficile à déchiffrer.*

9   Essayez d'y déchiffrer des goûts, des habitudes, un caractère.   Paul BOURGET, le Disciple, p. 44.

10   N'espère pas que je n'aie pas déchiffré à la longue tes paroles rusées, ton visage trompeur et quelque chose d'âpre et de calculé sous tant de rêves exaltés et tendres.
M. BARRÈS, Sur l'Oronte, p. 228.

11   Elle déchiffrait sur ma figure le dépit d'être dérangé.
F. MAURIAC, la Pharisienne, XIV, p. 232.

12   Ma mère est vivante. Je déchiffre mes troubles sur son visage. Elle ne m'interroge pas. Elle souffre. Je souffre.
COCTEAU, Journal d'un inconnu, p. 51.

CONTR. **Chiffrer. — Obscurcir. —** (Du p. p.) **Indéchiffré.**
◊ DÉR. **Déchiffrable, déchiffrage, déchiffrement, déchiffreur.**

DÉCHIFFREUR, EUSE [deʃifʀœʀ, øz] n. — 1529; de *déchiffrer*.

Personne qui déchiffre (qqch.). *Déchiffreur de messages chiffrés, de manuscrits, d'inscriptions, de dépêches.* → **Décodeur.**

Spécialt, mus. Personne qui déchiffre (un morceau, une partition). *Une déchiffreuse de musique, de partitions.* — Absolt. *Il est excellent pianiste, mais ce n'est pas un très bon déchiffreur.*

DÉCHIQUETAGE [deʃiktaʒ] n. m. — XIVᵉ; de *déchiqueter.*

Action de déchiqueter; état, forme de ce qui est déchiqueté.

Le déchiquetage des remous y semblait immobilisé et avoir dessiné pour toujours leurs cercles concentriques (...)
PROUST, À la recherche du temps perdu, t. II, p. 897.

On dit aussi *déchiquètement.*

DÉCHIQUÈTEMENT [deʃikɛtmã] n. m. — 1538; de *déchiqueter.*

→ **Déchiquetage.**

DÉCHIQUETER [deʃikte] v. tr. [CONJUG.: *jeter.*] — 1530; *deschiqueté* «orné de dessins de diverses couleurs», 1338; probablt de l'anc. franç. *eschiqueté* «découpé en cases comme un échiquier» (→ Échiqueté) et préf. 2. *dé-*; P. Guiraud suppose un croisement avec le mot dialectal *chique* «morceau».

◆**1** Déchirer irrégulièrement en petits morceaux. → **Broyer, couper, déchirer, découper, dilacérer, hacher, lacérer, mordre, taillader, tailler** (→ Beau, cit. 24). *Déchiqueter une étoffe. Déchiqueter la peau. Déchiqueter de la viande à belles dents.* — Mettre en lambeaux, en pièces. *Il ne découpe pas le poulet, il le déchiquette* (Académie). — *La scie mécanique lui a littéralement déchiqueté le bras.* — (Faux pron.). *Il s'est déchiqueté le bras.*

◆**2** Par métaphore (→ cit. 2) ou fig. Attaquer (qqch., qqn) avec violence, de manière à détruire. → Mettre en pièces* (fig.).

1   (...) les libraires, les censeurs, et tout ce qui s'attache à la peau des malheureux gens de lettres, achevaient de déchiqueter et sucer le peu de substance qui leur restait (...)
BEAUMARCHAIS, le Barbier de Séville, I, 2.

1.1   Cela a déchiqueté le plaisir que j'avais à le revoir (...)
E. DELACROIX, Journal 1823-1850, 27 oct. 1822.

2   (...) c'est cette idée fixe qui revenait sans cesse qui le torturait, qui lui mordait la cervelle et lui déchiquetait les entrailles.   HUGO, Notre-Dame de Paris, t. II, IX, I.

3   (...) un impitoyable besoin d'analyser, de critiquer, de n'être pas dupe, qui lui faisait déchiqueter, mettre en pièces, son impératif moral.
R. ROLLAND, Jean-Christophe, p. 975.

◆ **SE DÉCHIQUETER** v. pron.
◆**1** (Récipr.). Se tailler en pièces. → **Entre-tuer** (s').

4   Il y a une bataille où six cent mille hommes se déchiquettent (...)   Th. GAUTIER, Mˡˡᵉ de Maupin, IV, p. 61.

◆**2** (Passif). Être mis en pièces. *Le corps s'est déchiqueté dans la chute.* — S'en aller par morceaux. *Fleur, vieil édredon, nuages qui se déchiquettent.*

◆**3** (Passif). Fig. Avoir de nombreuses entailles ou découpures. *«Son pourpoint se déchiquetait en crevés à l'espagnole»* (Th. Gautier, *Italia*, 1852, p. 9, in T. L. F.). — Fig. Paraître irrégulièrement découpé. *Le ciel se déchiquette au-dessus des arbres.*

◆ **DÉCHIQUETÉ, ÉE** p. p. adj.
◆**1** En lambeaux, en pièces. *Drapeau déchiqueté.*

5   Percé, sabré, égorgé, exterminé, déchiqueté, coupé en morceaux! Voyez-vous ça, le gueux!
HUGO, les Misérables, V, III, XII.

Par métaphore :

Journée particulièrement déchiquetée par les importuns.   6
GIDE, Journal, 17 oct. 1929.

◆**2** Inégalement découpé. *Roche déchiquetée* (→ Aiguille, cit. 16). — Spécialt, bot. *Feuille déchiquetée.* Géogr. *Côte déchiquetée.*
Par anal. *Style déchiqueté,* composé de phrases courtes, hachées.

◆**3** Fam. Très fatigué, épuisé; ivre ou drogué. *Il est rentré complètement déchiqueté.*

DÉR. *Déchiquetage, déchiquètement, déchiqueteur, déchiqueture.*

DÉCHIQUETEUR, EUSE [deʃiktœr, øz] n. — 1529; de *déchiqueter.*

◆**1** Rare. Personne qui déchiquette. — Adj. «(Des) crocs déchiqueteurs» (Daudet, *Ariane*, 1936, *in* T. L. F.).

◆**2** Techn. *Déchiqueteur,* n. m. (1893, *in* D. D. L.) ou *déchiqueteuse,* n. f. (v. 1970) : appareil, machine à déchiqueter. *Déchiqueteuse de bureau pour la destruction des documents confidentiels.*

DÉCHIQUETURE [deʃiktyʀ] n. f. — 1534, Rabelais; de *déchiqueter.*

◆**1** Forme, état de ce qui est déchiqueté. → **Déchirure, découpure, taillade.**

De la crête des deux collines, découpant sur le ciel la déchi-   1
queture de leurs arêtes, jusqu'au bas de la pente, il croyait voir l'éboulement, l'avalanche, la cascade de morceaux de montagnes lâchés par une défaite de Titans.
Ed. et J. DE GONCOURT, Manette Salomon, p. 244.

Spécialt. *Déchiqueture d'une étoffe :* mauvaise entaille, mauvaise découpure.

◆**2** Fig. Chose déchiquetée; morceau déchiqueté.

Les ruines, les déchiquetures de murs de la descente de   2
Passy au Trocadéro, escaladées par des hommes, par des gamins, qui, étagés dans la pierraille croulante, suivent de l'œil la canonnade (...)
Ed. et J. DE GONCOURT, Journal, 13 oct. 1870.

DÉCHIRAGE [deʃiʀaʒ] n. m. — 1700; de *déchirer.*

Techn. Séparation des troncs (d'un train de bois flotté). Désassemblage des couples, des membrures (d'un vieux bateau).

DÉCHIRANT, ANTE [deʃiʀã, ãt] adj. — 1611; rare av. le XVIIIᵉ; du p. prés. de *déchirer,* au figuré.

Qui déchire (le cœur), qui émeut fortement. → **Bouleversant, douloureux, émouvant, pathétique, triste.** *Spectacle déchirant.* → **Navrant.** *Des cris* (cit. 5 et 7) *déchirants.* → Aigu, perçant. *Voix déchirante. Pensée déchirante.* — REM. Le mot est du langage soutenu, mais est usuel; plus rare ou littéraire, cependant, avec des noms de sens positif (*une beauté déchirante, etc.*).

L'idée d'une séparation éternelle est sans doute pour moi   1
aussi déchirante que terrible.
Mᵐᵉ DE GENLIS, les Veillées du château, t. II, p. 411.

Ce fut alors que j'éprouvai la douleur déchirante et toute   2
l'horreur de l'adieu sans retour.
B. CONSTANT, Adolphe, X, p. 99.

Le faon, tout de suite, fut tué. Alors sa mère, en regardant   3
le ciel brama d'une voix profonde, déchirante, humaine.
FLAUBERT, Trois Contes, Légende de saint Julien
L'Hospitalier, II, 1. (→ Bramer, cit. 1).

(...) c'était l'une de ces heures exquises que plus tard, dans   4
la tristesse angoissée des réveils, on se rappelle avec un regret à la fois déchirant et charmé (...)
LOTI, Ramuntcho, I, XIV.

Soudain, deux notes plaintives se firent entendre. Elles   5
devinrent déchirantes, humaines, inhumaines (...)
COCTEAU, les Enfants terribles, I, p. 25.

6 — Pourquoi aller en Guyane, lui demandai-je, puisque le préfet affirme qu'elle est perdue?
— C'est la dernière terre française en Amérique... Et puis, il faut y aller parce que c'est déchirant.
Je l'entendais employer ce mot pour la première fois et je devais bientôt comprendre pourquoi il l'avait employé.
MALRAUX, Antimémoires, éd. Folio, p. 162.

Loc. (anglicisme). *Révision* déchirante.*

CONTR. **Charmant, exquis, gai, heureux, indifférent, neutre.**

DÉCHIREMENT [deʃiʀmã] n. m. — V. 1170, «anéantissement»; de *déchirer.*

♦ **1** Action de déchirer; son résultat. *Le déchirement d'une étoffe.* — (1721). Spécialt. *Le déchirement d'un muscle, d'une fibre...* → **Déchirure, lacération, rupture.**

1 Le taureau (...) mal habitué encore au déchirement lacérant des banderilles qui battaient son épaule (...) cherchait l'ennemi qui le faisait souffrir.
Joseph PEYRÉ, Sang et Lumière, p. 289.

Par métaphore. *Déchirement du tonnerre, des bombes.*

Fig. *Un déchirement d'entrailles* : violentes douleurs d'entrailles.

2 Ma mère (...) me mit au monde avec de grands déchirements d'entrailles (...)
CHATEAUBRIAND, Atala, «le Drame».

♦ **2** (1673). Grande douleur morale entraînant un sentiment de rupture intérieure (notamment lors des séparations). → **Déchirure** (rare); **déchirant.** *Déchirement de cœur.* → **Affliction, arrachement, chagrin, douleur, plaie, tourment.** Ellipt. *Ressentir un grand déchirement. Cette séparation fut un déchirement.*

3 (...) le déchirement d'une première séparation, après nous être à peine perdus de vue un seul jour pendant près de dix-sept ans. ROUSSEAU, les Confessions, XI.

4 S'il avait fallu cependant renoncer à cette tendre et marivaudante amitié (...) elle aurait ressenti un gros chagrin, un chagrin pareil à un déchirement.
MAUPASSANT, Fort comme la mort, I, I.

5 Mais voici qu'ils tenaient presque à tout; le sacrifice de chaque objet était un petit déchirement.
LOTI, Matelot, XV, p. 56.

6 Il faut que dans le bonheur se formions des liens bien doux et bien forts de confiance et d'attachement pour que leur rupture nous cause le déchirement si précieux qui s'appelle le malheur.
PROUST, À la recherche du temps perdu, t. XV, p. 58.

7 Il *(Mozart)* connut la douleur, sous toutes ses formes; il connut les déchirements de la souffrance, la terreur de l'inconnu et les mornes angoisses de l'âme solitaire.
R. ROLLAND, Musiciens d'autrefois, p. 290.

8 D'ailleurs on se reverrait à Paris, chaque hiver. Pour Aurore, ce fut un déchirement : «Ma mère et ma grand-mère s'arrachèrent les lambeaux de mon cœur.»
A. MAUROIS, Lélia, I, III, p. 37.

♦ **3** Division brutale au sein d'une communauté. → **Discorde, discussion, division, trouble.** *Nation en proie à de grands déchirements. Hérésie, dissidence qui provoque un déchirement au sein d'une Église, d'un parti.*

9 On prépare la France à tous les déchirements de l'ambition, à toutes les fureurs de l'anarchie.
CAMBON, *in* JAURÈS, Œuvres, t. IV, p. 270.

10 Dans mon enfance, j'avais l'habitude de lui demander dix fois par jour : «Maman, êtes-vous contente de moi?» Le sentiment d'un déchirement entre elle et moi m'était cruel.
RENAN, Souvenirs d'enfance..., VI, II.

DÉCHIRER [deʃiʀe] v. tr. — Déb. XIIᵉ; de l'anc. franç. *escirer,* avec substitution de 2. *dé-* à *es-*; du francique **skerian* «séparer, partager».

♦ **1** **a** Mettre en pièces ou faire une ouverture à, dans (qqch.) en tirant des deux côtés opposés,

sans se servir d'un instrument tranchant. → **Déchiqueter, délabrer, dilacérer, diviser, lacérer.** *Déchirer une étoffe, de la toile, ses habits.* — Pron. Devenir *déchiré. La robe s'est déchirée.* → **Déchirure; découdre.**

Arrachons, déchirons tous ces vains ornements (...)   1
RACINE, Esther, I, 5.

(...) la maudite jument a tout emporté, même mon manteau, qu'elle va perdre et déchirer à toutes les branches.   2
G. SAND, la Mare au diable, VIII, p. 65.

(...) si une ronce déchirait son bas, si une goutte tombait sur le foulard, elle ne s'en souciait pas plus que si le temps allait tout recoudre ou détacher.   3
GIRAUDOUX, Bella, III, p. 75.

Il déchira seulement son faux col qui l'étranglait.   4
P. MAC ORLAN, la Bandera, III, p. 29.

Loc. fig. *Déchirer le voile* : découvrir la vérité (→ **Dévoiler**).

Déchirer une feuille de papier en deux. Déchirer une affiche. → **Lacérer.** *Déchirer une lettre* (→ Chiffonner, cit. 1).

Te rappelles-tu les légionnaires Lucas et Gilieth, le grand Gilieth qui était fort et mince et qui déchirait un jeu de cartes avec ses mains?   5
P. MAC ORLAN, la Bandera, XIX, p. 231.

Fig. *Déchirer un contrat, un traité,* n'en tenir aucun compte.

b Érafler, écorcher (la peau, notamment la peau humaine). → **Balafrer, écarteler, égratigner, érafler, érailler, griffer, labourer, ouvrir.** *La balle a déchiré les chairs. Les épines lui ont déchiré le bras.* — P. p. adj. → ci-dessous, cit. 7. *Se déchirer la peau du genou en tombant.* → **Entamer** (la peau).

Le malheureux lion se déchire lui-même (...)   6
LA FONTAINE, Fables, II, 9.

Et de son corps hideux les membres déchirés (...)   7
RACINE, Athalie, I, 1.

Il me semblait que deux mains puissantes me déchiraient le cœur en deux.   8
Edmond JALOUX, Fumées dans la campagne, XXV.

Loc. *Déchirer la main qui protège, nourrit.* → **Mordre** (la même idée est exprimée par le sens fig. ci-dessous, cit. 31).

c Littér. *Déchirer la terre* (par le labour).

Soulever, pénétrer, déchirer la terre est un labeur, — un plaisir — qui n'va pas sans une exaltation que nulle stérile gymnastique ne peut connaître.   9
COLETTE, la Naissance du jour, p. 133.

d Pron. et fig. (littér.). *Se déchirer* : se séparer, se disjoindre brutalement.

La nue se déchire, et l'éclair trace un rapide losange de feu.   10
CHATEAUBRIAND, Atala, «les Chasseurs».

(...) les nuées se déchirèrent sous l'effort du vent (...)   11
BALZAC, Jésus-Christ en Flandre, Pl., t. IX, p. 255.

Le voile de tristesse qui couvrait la figure de Sigognac se déchira comme un nuage traversé d'un rayon de soleil (...)   12
Th. GAUTIER, le Capitaine Fracasse, t. I, p. 70.

e Régional. Démonter (un vieux véhicule) pour en utiliser les pièces. → **Déchireur.**

♦ **2** Rompre violemment par un son éclatant (le compl. désigne le silence, l'atmosphère, etc.). → **Boîte,** cit. 6. *Un cri perçant déchira le silence. Sirène qui déchire l'air.* — (Le sujet désignant la cause du bruit, la personne, l'animal qui émet un son).

Un coq ridicule déchira le silence, perché sur le poulailler. Il avait un cri furieux. Il s'applaudissait avec ses moignons d'ailes.   13
Francis JAMMES, le Roman du lièvre, I, p. 12.

♦ **3** Causer une vive douleur physique à. → **Arracher.** *Toux qui déchire la poitrine. Cri perçant qui déchire l'oreille* (→ **Blesser, casser**).

Un miaulement de cor lui déchire le tympan.   14
MARTIN DU GARD, les Thibault, t. VIII, p. 152.

♦ 4 Fig. Causer un déchirement, une vive douleur morale, une grande émotion ou une profonde affliction à (qqn, un organe). → **Affliger, arracher, émouvoir, fendre** (le cœur), **meurtrir, tourmenter.** *Déchirer le cœur, la conscience de qqn* (→ Adieu, cit. 17 ; agiter, cit. 9).

Pron. *Sentir son cœur se déchirer.* — **Ellipt.** *Cris à déchirer l'âme. Leurs plaintes me déchirent.* — **Absolt.** *Un spectacle qui déchire.* → **Attrister, désoler, navrer.** — **Au p. p.** → ci-dessous, cit. 19.

15 Un trouble assez cruel m'agite et me dévore,
Sans que des pleurs si chers me déchirent encore (...)
RACINE, Bérénice, IV, 5.

16 Mille soupçons affreux viennent me déchirer.
RACINE, Mithridate, IV, 1.

17 (...) celle que le remords déchire et que la honte écrase (...)
ROUSSEAU, Julie ou la Nouvelle Héloïse, I,
Lettre LXIII.

18 Et puis voici mon cœur, qui ne bat que pour vous,
Ne le déchirez pas avec vos deux mains blanches (...)
VERLAINE, Romances sans paroles, «Aquarelles,
Green» (→ Cœur, cit. 74).

19 (...) elle me les reprochait *(mes torts)* avec un accent si douloureux que j'en avais le cœur déchiré.
FRANCE, le Petit Pierre, I.

20 La sainteté du matin, quand la douceur et la lumière luisent sur l'eau et les feuillages, le déchirait.
M. BARRÈS, Un jardin sur l'Oronte, p. 117.

21 On rêve peu à ceux qu'on a perdus, tant que leur perte nous déchire. Ils reparaissent plus tard, quand l'oubli vient.
R. ROLLAND, Jean-Christophe, IX, p. 172.

P. p. adj. :

22 Une voix déchirée, naïve, chancelante, une voix d'enfant malheureux répondit, un petit moment plus tard (...)
G. DUHAMEL, Chronique des Pasquier,
«Suzanne et les jeunes hommes», XXI, p. 259.

♦ 5 Séparer par de tragiques divisions. → **Diviser, scinder.** *La guerre civile a déchiré le pays.*

23 L'Église a trois sortes d'ennemis : les Juifs, qui n'ont jamais été de son corps ; les hérétiques, qui s'en sont retirés ; et les mauvais Chrétiens, qui la déchirent au dedans.
PASCAL, Pensées, XIII, 840.

24 (...) le désordre et le péché qui partout ternissent, avilissent, tachent et déchirent ce monde (...)
GIDE, la Symphonie pastorale, p. 38.

P. p. adj. :

25 (...) la division était partout. Le pays était littéralement déchiré : luttes politiques, luttes sociales, luttes religieuses ont, après dix ans d'horrible virulence, laissé mille plaies saignantes.
Louis MADELIN, Hist. du Consulat et de l'Empire,
De Brumaire à Marengo, III, p. 38.

Être déchiré entre deux sentiments contraires (→ Être écartelé, être partagé). *Se déchirer soi-même.*

26 (...) notre cœur se sent déchiré entre des efforts contraires (...)
PASCAL, Pensées, VII, 498.

27 J'avais imaginé que je serais déchirée entre le déplaisir de quitter ma tante et les craintes de la guerre pour mon fils.
Mme DE SÉVIGNÉ, 290, 27 juin 1672.

♦ 6 (Compl. n. de personne ou nom abstrait : *réputation,* etc.). Critiquer, attaquer férocement pour détruire. → **Calomnier, dépecer, diffamer, médire, offenser, outrager.** — **Loc.** (1626, *in* D. D. L.). *Déchirer son prochain.* — **Loc.** (1626, *in* D. D. L.). *Déchirer qqn à belles dents,* médire cruellement de lui.

28 (...) je vais composer contre eux une satire du style de Juvénal, qui les déchirera de la belle façon.
MOLIÈRE, le Bourgeois gentilhomme, II, 4.

29 (...) par quelles injures et par combien de titres infâmes on déchire parmi vous l'Église romaine.
BOSSUET, Réfutation du catéchisme..., Conclusion,
in LITTRÉ.

Au dehors de l'assemblée, la presse le déchirait *(Mirabeau)* 30 avec une étrange fureur. C'était une pluie battante de pamphlets sur cet homme.
HUGO, Littérature et philosophie mêlées,
«Sur Mirabeau», II.

(...) le monde n'a jamais d'estime pour ceux qui déchirent 31 les personnes à qui ils ont de l'obligation.
F. MAURIAC, la Vie de Jean Racine, IV.

Pron. Se faire réciproquement du mal, de la peine avec violence et cruauté. *Des amants qui se déchirent. Ces anciens alliés se déchirent entre eux.* → **Entre-déchirer** (s').

♦ DÉCHIRÉ, ÉE p. p. adj. (1185).

♦ 1 Qu'on a déchiré, qui s'est déchiré. *Chemise déchirée. Porter des vêtements (tout) déchirés.*
Spécialt. Éraflé, écorché. *Main déchirée par un coup de griffe* (→ Déchirer, *supra* cit. 6).
Prov. *Chien* hargneux a toujours l'oreille déchirée.*

♦ 2 Qui souffre moralement, éprouve un déchirement (2.). *Il est déchiré. Avoir le cœur déchiré* (→ *supra* Déchirer, 4., fig., cit. 19). — **Par ext.** *Voix déchirée,* coupée par l'émotion. → **Étranglé** (→ *supra* cit. 22).

♦ 3 Qui est tragiquement divisé, scindé. *Église déchirée par un schisme. Un pays déchiré par les passions politiques.*
(Personnes). Partagé entre deux sentiments contraires. → **Écartelé.**

Tel est le fond du débat racinien : le conflit tragique a 32 pour théâtre une âme jalouse déchirée entre l'amour et la haine, incapable jusqu'au dernier moment de voir clair en elle-même.
LAGARDE et MICHARD, le XVIIe Siècle, p. 303.

CONTR. Raccommoder, recoudre, stopper. — Cicatriser, coller, guérir. — Consoler. — Apaiser, pacifier, réconcilier, unir. ◊ DÉR. Déchirage, déchirant, déchirement, déchireur, déchirure. — COMP. Entre-déchirer (s').

DÉCHIREUR, EUSE [deʃiʀœʀ, øz] n. — 1660, *des-,* attesté seulement au masc. ; de *déchirer.*

♦ 1 Personne qui déchire (au propre ou au fig.).

♦ 2 N. m. (1754). **Techn.** Celui qui achetait pour les démonter (les «déchirer», **régional**) les vieux bateaux, les vieux wagons.

DÉCHIRURE [deʃiʀyʀ] n. f. — V. 1250 ; de *déchirer.*

♦ 1 Rupture, fente faite en déchirant. → **Accroc, coupure, déchiqueture, éraillure, rupture.** *Elle a fait une déchirure à sa robe. Déchirures d'un tissu, d'une étoffe* (→ Bourre, cit. 1 ; recoudre, cit. 2). *Déchirure dans la voile d'un navire.* — **Par ext.** *Une déchirure dans la coque d'un bateau.*

(Il) rapprocha du pan déchiqueté le morceau déchiré. La 1 déchirure s'adaptait exactement, et le lambeau complétait l'habit.
HUGO, les Misérables, V, IX, IV.

Spécialt. Rupture ou ouverture irrégulière dans les tissus, les chairs. → **Blessure, coupure, crevasse, écorchure, égratignure, éraflure, éraillure, plaie.** *Déchirure d'un muscle, d'un tendon.* → **Fouet** (coup de fouet).

(...) une balle, amortie par le portefeuille, avait dévié et 2 fait le tour des côtes avec une déchirure hideuse, mais sans profondeur, et par conséquent sans danger.
HUGO, les Misérables, V, III, XII.

♦ 2 Déchirement (2.). *Il ressentit une violente déchirure lors de leur séparation.*

♦ 3 Fig. → **Ouverture, percée, trouée.**

L'Inconnu fait parfois à l'esprit de l'homme des surprises. 3 Une brusque déchirure de l'ombre laisse tout à coup voir l'invisible, puis se referme.
HUGO, les Travailleurs de la mer, I, I, VII.

4 Une déchirure bleue s'ouvrait derrière la nuée (...)
ZOLA, Nana, II, p. 132.

5 Dans le ciel très couvert, très épais, il y avait çà et là des déchirures, comme des percées dans un dôme, par où arrivaient de grands rayons couleur d'argent rose.
LOTI, Pêcheur d'Islande, I, I.

♦ 4 Littér. *Déchirure de l'écorce terrestre.* → **Crevasse, faille.**

6 Ce passage est une déchirure étroite, qu'on dirait faite de main d'homme, dans une énorme muraille de rochers de trois ou quatre cents pieds d'élévation.
E. FROMENTIN, Un été dans le Sahara, I.

DÉCHLORURANT, ANTE [deklɔryrɑ̃, ɑ̃t] adj. et n. — 1911, *in* T. L. F.; p. prés. de *déchlorurer.*

Méd. Qui fait diminuer le taux de chlorures (chlorure de sodium, en particulier) de l'organisme. *Effet déchlorurant des vomissements.* — N. m. *Un déchlorurant.*

DÉCHLORURATION [deklɔryrasjɔ̃] n. f. — 1904, *in Rev. gén. des sc.*, n° 13, p. 631; de *déchlorurer.*

Méd., biol. Diminution de la quantité de chlore ou de chlorures (de l'organisme). *Déchloruration pathologique* (vomissements, sudation massive, diarrhée). *Déchloruration thérapeutique*, par restriction du sel alimentaire.

DÉCHLORURER [deklɔryre] v. tr. — 1907, *in Rev. gén. des sc.*, n° 3, p. 124 (→ Déchloruration, attesté 1904); de 1. dé-, et *chlorure.*

Chim., méd. Débarrasser des chlorures, et, spécialt, du chlorure de sodium.

♦ **DÉCHLORURÉ, ÉE** p. p. adj. (1908).

Dépourvu de chlorure (de sodium). *Régime déchloruré recommandé aux cardiaques et aux hypertendus.* — Syn. cour. : *sans sel.*

(...) comme quelqu'un qui après un long et utile régime déchloruré, aurait besoin de sel.
PROUST, Contre Sainte-Beuve, p. 265, *in* D. D. L., II, 7.

DÉR. **Déchlorurant, déchloruration.**

DÉCHOIR [deʃwaʀ] v. intr. [CONJUG.: *je déchois, tu déchois, il déchoit, nous déchoyons, vous déchoyez, ils déchoient; je déchus; je décherrai* (VX) ou *je déchoirai; que je déchoie; que je déchusse; déchu;* pas d'imparfait ni de p. prés.] — 1080, decheeir, Chanson de Roland; du lat. pop. decadere, de de-, préfixe intensif, et cadere «tomber».

♦ 1 Vx ou littér., sauf à l'inf. et au p. p. Tomber dans un état inférieur à celui où l'on était. → **Décadence, déchéance; abaisser** (s'), **décliner, dégrader** (se), **dégringoler** (fam.), **descendre, rouler** (dans), **tomber.** *Déchoir de sa grandeur, de son rang, de son poste.* → **Déclasser** (se), **déroger, rétrograder.** *Il a déchu de son prestige, de sa réputation. Déchoir dans l'estime du public.* → **Baisser.** *Vous pouvez accepter son offre sans déchoir. Ce serait déchoir que d'accepter une telle offre. Depuis ce moment, il a déchu de jour en jour.*

1 Voilà ce qui fit déchoir un roi d'ailleurs si juste (...)
FÉNELON, Télémaque, XIV.

2 Il était, comme toutes les natures essentiellement vaniteuses et légères, sujet à ce singulier point d'honneur qui consiste à ne pas déchoir aux yeux de son public (...)
BALZAC, la Muse du département, Pl., t. IV, p. 204.

3 La noblesse se conquiert par l'épée et se perd par le travail. Elle se conserve par l'oisiveté. Ne rien faire, c'est vivre noblement; quiconque ne travaille pas est honoré. Un métier fait déchoir.
HUGO, les Travailleurs de la mer, I, VI, II.

Vieilli. *Commencer à déchoir*, se dit d'une personne âgée dont les facultés baissent. → **Affaiblir** (s'), **décliner, vieillir.**

L'âge la fit déchoir; adieu tous les amants. 4
LA FONTAINE, Fables, VII, 5.

(...) mais l'idée de déchoir physiquement à ses yeux lui 5
était quand même insupportable.
LOTI, les Désenchantées, V, XXXIX.

Théol. Perdre l'état de grâce.

♦ 2 (Choses). → **Affaiblir** (s'), **baisser, décliner, dégénérer, diminuer.** *Sa popularité, sa fortune commence à déchoir.*

(...) cet ordre humaniste de police et morale où a déchu 5.1
notre foi chrétienne, nous induisant enfin à penser avec
paresse que Dieu est mort.
Maurice CLAVEL, le Tiers des étoiles, p. 13.

Laisser qqch. déchoir, se détériorer, se dégrader.

♦ **DÉCHU, UE** p. p. adj.

♦ 1 (1307). Qui n'a plus (une position supérieure, un avantage). *Déclarer un prince déchu de ses droits et privilèges.* → **Déposer; priver** (de); **ban** (mettre au ban). *Déchu de sa renommée, de son rang. Père déchu de l'administration des biens de ses enfants mineurs.* → **Déchéance** (→ Administrateur, cit. 1).

(...) à peine j'ai conçu ce dessein flatteur, que me voilà 5.2
déchu de toutes mes espérances.
A. GALLAND, les Mille et une Nuits, t. II, p. 359.

Ma vie de misère, en Espagne, était une sorte de dégra- 5.3
dation, de chute avec honte. J'étais déchu.
Jean GENET, Journal du voleur, p. 48.

Théol. Privé de l'état de grâce. *Humanité déchue par le péché.* — *Ange* déchu. — N. (rare). *Un déchu, une déchue.*

(...) il (l'homme) est déchu d'une meilleure nature, qui lui 6
était propre autrefois.
PASCAL, Pensées, VI, 409.

Cette religion, qui consiste à croire que l'homme est déchu 7
d'un état de gloire et de communication avec Dieu en un
état de tristesse, de pénitence et d'éloignement de Dieu (...)
PASCAL, Pensées, IX, 613.

Courage, enfant déchu d'une race divine! 8
LAMARTINE, Première méditation poétique,
«l'Homme».

La concupiscence dont l'humanité déchue est pétrie, ne 9
peut être vaincue que par une délectation plus puissante
(...) la délectation victorieuse de la Grâce.
F. MAURIAC, Souffrances et Bonheur du chrétien,
p. 78.

♦ 2 (Choses). *Fortune déchue. Une bâtisse déchue,* détériorée, en ruine.

CONTR. Élever (s'), monter, progresser, racheter, redresser, réhabiliter, relever. — Conserver. ◊ DÉR. Déchéance, déchet.

DÉCHRISTIANISATION [dekristjanizasjɔ̃] n. f. — 1810; de *déchristianiser.*

Action, fait de (se) déchristianiser; son résultat.

Il y a ici un problème et je dirai même un mystère extrêmement grave. Ne nous le dissimulons pas. C'est le problème même de la déchristianisation.
Ch. PÉGUY, la République..., p. 290.

DÉCHRISTIANISER [dekristjanize] v. tr. — 1792; descristianer, 1174; de 1. dé-, et *christianiser.*

Éloigner du christianisme (un pays, un groupe humain). *Déchristianiser un peuple pour lui imposer une nouvelle idéologie.*

Absolt. «(...) à qui déchristianisera le plus vite» (F. Mauriac, *Journal*, 1940, *in* T. L. F.).

Pourquoi ne pas faire des concessions plus larges à l'Italie 0.1
par la peur de déchristianiser la France?
PROUST, le Temps retrouvé, Pl., t. III, p. 761.

REM. Le n. m. *déchristianisateur* [dekristjanizatœr] est attesté.

♦ **SE DÉCHRISTIANISER** v. pron.

S'éloigner du christianisme. *Nations qui se déchristianisent.*

1 Vous dites que le pays continue de se déchristianiser ? Entendons-nous : il est vrai que les habitudes chrétiennes, les mœurs chrétiennes n'apparaissent presque plus dans ce stupide monde motorisé (...) Il est trop vrai que les paroisses meurent une à une (...)
F. MAURIAC, Bloc-notes 1952-1957, p. 268.

2 — Qu'est-ce que vous croyiez ? demanda l'abbé, l'air peu commode.
— Eh bien, on entend dire de tous côtés que la pratique religieuse est en régression, que l'Occident se déchristianise de plus en plus... On lit des articles là-dessus, même dans la presse catholique.
Jean-Louis CURTIS, le Roseau pensant, p. 256.

♦ **DÉCHRISTIANISÉ, ÉE** p. p. adj.

Qui cesse, a cessé d'être chrétien (d'une collectivité). *Pays, monde déchristianisé. «On est de gauche et athée, de droite et croyant. Quelques provinces seulement (... sont) de droite sans être particulièrement chrétiennes, ou de gauche sans être parfaitement déchristianisées» (l'Express,* 21 mars 1981, p. 148).

3 Marx a réintroduit dans le monde déchristianisé la faute et le châtiment, mais en face de l'histoire. Le marxisme, sous un de ses aspects, est une doctrine de culpabilité quant à l'homme, d'innocence quant à l'histoire.
CAMUS, l'Homme révolté, p. 644.

CONTR. Christianiser. ◊ **DÉR. Déchristianisation.** — V. REM. *infra* cit. 0.1.

DÉCHRONOLOGIE [dekʀɔnɔlɔʒi] n. f. — 1958 ; de 1. *dé-,* et *chronologie.*

Didact. Présentation qui ne tient pas compte de l'ordre chronologique. *Opérer une déchronologie dans le montage d'un film.* → **Flash-back, retour** (en arrière), **rétrospective.**

1 (...) il faut louer l'ingéniosité de l'adaptation *(dans The killing, de Stanley Kubrick)* qui, adoptant systématiquement la déchronologie des actions, sait nous intéresser à une intrigue qui, par ailleurs, ne sort pas des sentiers battus.
J.-L. GODARD, Cahiers du cinéma, nº 80, févr. 1958, *in* Collection des cahiers, p. 110.

2 Dans ce phénomène, la déchronologie joue un rôle capital. Libérés de l'ordre chronologique qui les aurait liés à un ensemble par une seule de leurs facettes, les événements sont rapprochés et, de toutes les manières, mis en *présence* dans une sorte d'éternel *présent* où l'ordre de signification chronologique est remplacé par ce que l'on pourrait qualifier *un ordre de signification morphologique.*
Jean RICARDOU, *in* Claude SIMON, la Route des Flandres, p. 289.

DÉCHU, UE [deʃy] p. p. adj. → **Déchoir.**

DÉCI [desi] n. m. — 1941 ; abrév. de *décilitre.*

Décilitre. Spécialt (en Suisse et dans les régions de France avoisinantes). Mesure d'un décilitre de boisson, et, spécialt, de vin blanc (Suisse).

1 Oh ! Jean-Baptiste, viens boire trois décis.
R. FRISON-ROCHE, Premier de cordée, p. 86 (1941).

2 Il buvait ses trois décis devant les cafés pour ne pas avoir à se séparer d'elle *(sa bête, son mulet).*
Maurice ZERMATTEN, l'Été de la saint Martin, p. 185.

DÉCI- Préfixe, tiré du lat. *decimus* «dixième», qui entre dans la composition de plusieurs termes servant à désigner la dixième partie de certaines unités de mesure. → **Déciare, décibel, décigrade, décigramme, décilitre, décimètre, décistère, décisthène.** REM. Il est noté par *d* dans les symboles correspondants. Ex. : *dg,* pour *décigramme.*

DÉCIARE [desjaʀ] n. m. — 1793, dans un rapport à la Convention ; de *déci-,* et *are.*

Rare. Dixième partie d'un are (symb. *da*).

DÉCIBEL [desibɛl] n. m. — 1932 ; de *déci-,* et *bel.*

♦ **1** Phys. Unité, égale au dixième du bel, servant à exprimer le rapport de deux puissances (acoustiques, électriques, etc.), notamment d'une puissance donnée par rapport à une puissance de référence (symb. *dB*).

Un décibel pris à divers niveaux représente (...) une valeur 0.1 relative identique, *mais cette valeur n'est pas constante en valeur absolue ;* un décibel correspond à un rapport de puissance d'un à 1,259 (...)
Comme les pressions acoustiques (ou les intensités, les voltages électriques, etc.) varient, dans le meilleur des cas, comme la racine carrée des puissances correspondantes, le décibel est également le vingtième du logarithme décimal du rapport des pressions acoustiques (ou des intensités, des voltages électriques, etc.) correspondantes. Un décibel correspond à un rapport de pression (de voltage, etc.) d'un à 1,122.
René CHOCHOLLE, le Bruit, p. 19-20.

Décibels A, B, C... (symb. *dB A, dB B, dB C...*) valeurs (dites aussi *décibels pondérés*) lues sur un sonomètre, relativement à des courbes de pondération normalisées A, B, C correspondant sensiblement aux lignes isosoniques de 40, 70, et 100 phones. «*La normalisation internationale demande de ne se référer qu'aux dB A dans tous les cas*» (René Chocholle, *in* Piéron, 1973). «*(...) un travailleur ne doit pas être exposé pendant huit heures consécutives à plus de 90 dB A (...) À titre de repère, 90 dB A est le bruit du marteau piqueur le mieux insonorisé ; 120 dB A est le seuil de la douleur*» (l'Express, 5 mai 1979, p. 121).

♦ **2** Cour. Unité de puissance sonore (correspondant en général au décibel A, ci-dessus).

1 Quand le bruit atteignit environ 135 décibels, ou quelque chose de cet ordre, Besson sentit qu'il allait glisser dans un trou profond.
J.-M. G. LE CLÉZIO, le Déluge, p. 108.

2 Dès mon arrivée, je me suis abandonné à ces turbulences et à ces outrances, à ce ruissellement de décibels et de radiances qui semblaient mettre la vie à vif.
Régis DEBRAY, l'Indésirable, p. 129.

REM. Alors que *bel* appartient à l'usage scientifique, *décibel,* devenu le type de l'unité de bruit, est entré dans la langue courante en perdant toute valeur précise (→ cit. 2, ci-dessus ; cf. aussi le dérivé fantaisiste *décibélité,* n. f., «bruit correspondant à un nombre élevé de décibels»).

3 Les deux roues motorisées accrurent la décibélité de leur vacarme (...)
R. QUENEAU, Zazie dans le métro, éd. Folio, p. 108.

DÉCIDABILITÉ [desidabilite] n. f. — V. 1957 ; de *décidable.*

Log. Caractère d'un système décidable.

CONTR. et COMP. Indécidabilité.

DÉCIDABLE [desidabl] adj. — Attesté 1957 ; de *décider,* p.-ê. d'après l'angl. *decidable* (1942, Carnap).

Log. Se dit d'un système hypothético-déductif dont on peut déterminer par un procédé effectif (méthode de décision) qu'une proposition quelconque est démontrable (syn. : *résoluble*). — Par ext. Se dit des propositions elles-mêmes.

Toute une école de psychologie allemande (la *Denkpsychologie* de Wurzburg [*sic*]) a même tenté au début de ce siècle, pendant qu'A. Binet s'occupait des mêmes problèmes à Paris, de faire rendre à l'introspection son *maximum* d'information en utilisant une méthode d'introspection provoquée et en centrant l'introspection sur des questions bien délimitées et décidables : le rôle de l'image dans la pensée et les différences entre un jugement et une association d'idées, etc.

> J. PIAGET, Épistémologie des sciences de l'homme,
> p. 137.

CONTR. Indécidable. ◊ DÉR. Décidabilité.

DÉCIDÉ, ÉE [deside] adj. — 1725 ; p. p. du verbe *décider.*

♦ 1 (Personnes). Qui n'hésite pas pour prendre un parti. → **Audacieux, brave, courageux, crâne, déterminé, ferme, hardi, résolu, volontaire.** *Un homme décidé. Un gaillard bien décidé. C'est un caractère décidé.*

1 Antoine de Bourbon, roi de Navarre, père du plus intrépide et du plus ferme de tous les hommes, fut le plus faible et le moins décidé (...)
> VOLTAIRE, la Henriade, II, note 13.

Par ext. *Caractère décidé. Un air décidé.* → **Convaincu, net, tranchant.** *Une allure décidée.*

♦ 2 Qui n'est pas douteux. → **Arrêté, certain, déclaré, délibéré, évident, franc, manifeste, net.** *Un goût décidé pour les mathématiques.*

2 J'ai eu toute ma vie un goût décidé pour les ouvrages des anciens (...) MONTESQUIEU, Pensées, Des anciens.

Arrêté par décision. *C'est une chose décidée, c'est chose décidée.* → **Entendu, fixé, réglé, résolu, vu** (c'est tout vu). → aussi **Décider** (III.).

CONTR. Chancelant, craintif, faible, flottant, hésitant, incertain, indécidé, indécis, indéterminé, irrésolu, perplexe, vacillant, vague. ◊ DÉR. Décidément.

DÉCIDÉMENT [desidemã] adv. — 1762 ; de *décidé.*

I Vx (langue class.). D'une manière décidée. → **Résolument.**

1 (...) croyant reconnaître dans *Rodin* quelques bons principes, je m'engageai décidément chez lui.
> SADE, Justine..., t. I, p. 116.

II Mod. D'une manière certaine, décisive, définitive. *On se sent décidément mieux lorsqu'on a fini de travailler.*

2 (...) le siècle de la philosophie décidément allait régénérer le monde. SAINTE-BEUVE, Causeries du lundi, 17 janv. 1852,
> Grimm.

(Adv. de phrase). En définitive, manifestement. *Décidément, je n'ai pas de chance. Décidément ce garçon est idiot.* → **Beau** (bel et bien).

3 Décidément rien n'est beau comme la noblesse de l'âme ; beau, non, il faudrait dire : sublime.
> GIDE, Journal, 23 juin 1891.

DÉCIDER [deside] v. tr. — 1403 ; du lat. *decidere* «trancher», de *de-* intensif, et *cædere* «tailler, abattre en coupant».

I V. tr. dir. (Décider qqch.). **♦ 1** Vx ou didact. Dr. Porter un jugement sur, donner une conclusion définitive à (un point en litige). → **Arrêter, conclure, décréter, déterminer, dire, fixer, juger, ordonner, prononcer, régler, résoudre, trancher.** *Décider un point de droit, une question, une affaire, un différend. Décider ce qui est important ou secondaire. Argument qui décide une question en suspens.* → **Vider.** *Le tribunal a décidé... Le Concile a décidé ce point de dogme. Contrevenir à ce qui était décidé. Dieu décide la vie des hommes de toute éternité.* → **Prédestiner.** *Décider qqch. après délibération, en dernier ressort. Décider ce qui convient. Décider si...* → ci-dessous, cit. 4. — (Rare ; avec un sujet n. de chose, → ci-dessous, cit. 3).

1 On pouvait nier sans hérésie un fait que le Pape avait décidé. RACINE, Port-Royal, I.

(...) quels sont les plus assujettissants et les plus pénibles 2 *(des devoirs réciproques du souverain et de ses sujets),* je ne le déciderai pas. LA BRUYÈRE, les Caractères, X, 28.

Ce que décident ici-bas les plus petites choses, ce que les 3 objets et les circonstances en apparence les moins importants amènent de changements dans notre fortune, il n'y a pas, à mon sens, de plus profond abîme pour la pensée.
> A. DE MUSSET,
> la Confession d'un enfant du siècle, II, 1.

Tout juge qui saura cause de récusation en sa personne 4 sera tenu de la déclarer à la chambre, qui décidera s'il doit s'abstenir. Code de procédure civile, art. 380.

(...) c'est lui *(le lecteur)* dont le sentiment admettra ou rejet- 5 tera certains faits, décidera ce qui est histoire et ce qui ne l'est point.
> VALÉRY, Regards sur le monde actuel,
> Avant-propos.

L'acte fondamental d'une vie est de décider ce qui est 6 important et ce qui ne l'est pas.
> MONTHERLANT, les Olympiques, p. 318, *in* T. L. F.

Absolt. *Décider à tort et à travers, à la légère, par le sort*. Aimer à décider* (→ Académie, cit. 1).

Quand l'eau courbe un bâton, ma raison le redresse : 7 La raison décide en maîtresse.
> LA FONTAINE, Fables, VII, 18.

(...) la foule décide bien moins par ce qu'elle voit que par 8 ce qu'on lui dit être le jugement de la foule.
> MICHELET, la Femme, p. 45.

Mon tourment est plus profond encore ; il vient également 9 de ce que je ne puis décider avec assurance : le bien est ici, de ce côté ; le mal est là.
> GIDE, Journal 1939-1949, 12 janv. 1941.

♦ 2 Arrêter, déterminer (ce qu'on doit faire). → **Décision** (prendre une décision) ; **arrêter, choisir, fixer, résoudre.** *Que décidez-vous ? Décider la perte de qqn. Exécuter ce qu'on a décidé. Décider un plan, un programme d'action, de travail. Décider un mariage.*

L'autorité s'exerce. Elle ne défère point. Elle seule discute 10 son droit, limite son domaine et décide son action.
> Pierre LOUŸS, les Aventures du roi Pausole, V.

Tenir un agenda : écrire pour chaque jour ce que je devrai 10. faire dans la semaine, c'est diriger sagement ses heures. On décide ses actions soi-même ; on est sûr, les ayant résolues d'avance et sans gêne, de ne point dépendre chaque matin de l'atmosphère.
> GIDE, Paludes, *in* Romans, Pl., p. 96.

Jerphanion s'interroge, moins sur ce qu'il va décider que 11 sur le retentissement intérieur de la décision, sur l'indice dont elle marquera son destin.
> J. ROMAINS, les Hommes de bonne volonté, t. IV,
> XV, p. 157.

Quand les chirurgiens ont décidé l'amputation, ils n'atten- 12 dent pas un mois pour prendre le couteau.
> G. DUHAMEL, Chronique des Pasquier,
> la Passion de J. Pasquier, VIII, p. 429.

DÉCIDER QUE suivi de l'indicatif (ou du conditionnel). *Il décide qu'il n'ira pas travailler ; il a décidé qu'il n'irait pas travailler.*

À combien d'enfants serait utile la loi qui déciderait que 13 c'est le ventre qui anoblit !
> LA BRUYÈRE, les Caractères, XIV, 11.

L'assemblée décidait que l'échafaud serait dressé de nou- 14 veau sur la place de la Révolution.
> FRANCE, Les dieux ont soif, p. 343.

Musgrave décida avec courage que les travailleurs n'au- 15 raient pas de repos et se contenteraient de prendre, tout en coltinant, un léger repas sur le pouce.
> A. MAUROIS, les Discours du Dr O'Grady, VII.

DÉCIDER QUE et subj. (emploi critiqué mais attesté, surtout au passif). *J'ai décidé qu'on y aille.*

DÉCIDER suivi d'une interrog. indir. *Je n'ai pas décidé si je reste, qui j'emmène, lequel je prends.*

♦ 3 Absolt. Prendre une décision, les décisions ; être en mesure de décider. *Délibérer, décider et exécuter. Je vous laisse décider pour moi. C'est moi (toi, lui,* *elle) qui décide. C'est nous qui déciderons en dernier ressort. Qui est-ce qui décide, ici?* → **Commander.**

15.1 C'est moi qui mène la barque, c'est moi qui décide.
F. MAURIAC, la Pharisienne, p. 41.

II V. tr. ind. ♦ **1** *Décider de qqch.* (Sujet n. de personne). Disposer en maître, par son action ou son jugement. → **Arrêter, disposer, fixer, ordonner.** *Le chef de l'État décide de la paix et de la guerre. Peuple qui décide de son statut politique* (→ **Autodétermination**). *Cet événement a décidé de son sort. Lui seul décide de sa fortune. L'arbitre décidera de la régularité des coups.* → **Arbitrer, juger.** *Décider de tout.*

16 (...) ces gens qui décident toujours et parlent hardiment de toutes choses sans s'y connaître (...)
MOLIÈRE, Critique de l'École des femmes, 5.

(Sujet n. de chose). Déterminer, être la cause principale. *Le hasard décide de tout.*

17 Trois degrés d'élévation du pôle renversent toute la jurisprudence; un méridien décide de la vérité; en peu d'années de possession, les lois fondamentales changent, le droit a ses époques; l'entrée de Saturne au Lion nous marque l'origine d'un tel crime.
PASCAL, Pensées, V, 294 (→ Climat, cit. 3).

18 Sa sacrée Majesté le Hasard décide de tout.
VOLTAIRE, Lettres, à M. Mariott, 26 févr. 1767.

19 L'occasion, le désir de s'avancer, décident de l'état qu'on choisit.
ROUSSEAU, Julie ou la Nouvelle Héloïse, V, Lettre II.

20 Il y a des progrès qui s'accomplissent obscurément et qui pourtant décident de l'avenir d'une classe et transforment une société.
FUSTEL DE COULANGES, la Cité antique, IV, VII.

21 La guerre n'est point un art, et le hasard décide seul du sort des batailles.
FRANCE, Les dieux ont soif, p. 203.

22 N'avez-vous pas remarqué (...) que les actions les plus décisives de notre vie, je veux dire : celles qui risquent le plus de décider de tout notre avenir, sont le plus souvent des actions inconsidérées?
GIDE, les Faux-monnayeurs, III, XV, p. 460.

Décider de, suivi de l'inf. : prendre la résolution de, la détermination de. *Ils ont décidé de travailler. Décidons de nous retrouver ce soir.*

23 La voilà arrivée dans la cohue de ce grand magasin sans qu'elle se soit aperçue du moment où elle décidait d'y venir.
J. ROMAINS, les Hommes de bonne volonté, t. IV, XVII, p. 191.

24 J'ai décidé de rire dorénavant le moins possible, à cause de mes rides.
MONTHERLANT, les Jeunes Filles, p. 149.

En décider : trancher, prendre une décision définitive sur. *Nous en déciderons plus tard.*

♦ **2** *Décider sur :* trancher, se prononcer sur. *Décider sur un point litigieux. Décider hardiment sur la valeur d'une œuvre.*

24.1 Je conseille à ces messieurs de ne plus décider si légèrement sur les ouvrages des anciens.
RACINE, Iphigénie, Préface.

III V. tr. dir. *(Décider qqn).* ♦ **1** (Avec un compl. second en à). *Décider qqn à qqch., à l'action, au départ.* — (Suivi de l'inf.). *Décider qqn à faire qqch. Nous l'avons enfin décidé à venir.*

25 Il n'y a que cette raison-là qui puisse me décider à te quitter, répondit Landry (...)
G. SAND, la Petite Fadette, XXXII, p. 212.

26 Aussi comme je ne voulais pour rien partir seul en ce voyage d'Italie, je décidai à m'accompagner mon ami Paul Pavilly.
MAUPASSANT, les Sœurs Rondoli, I, Pl., p. 135.

27 Il est difficile de décider trois propriétaires mitoyens à vendre (...)
J. ROMAINS, les Hommes de bonne volonté, t. V, XXII, p. 182.

REM. L'emploi au passif peut résulter de la transformation de cet emploi trans. ou du pronominal (→ Se décider, ci-dessous, B., 2.). *Être décidé à partir* (s'être décidé ou avoir été décidé par qqn).

28 Eh bien !... si je savais qu'il existe quelque part une société secrète de gens qui aient en gros le même but que moi, et décidés à tout, je ferais des pieds et des mains pour y entrer.
J. ROMAINS, les Hommes de bonne volonté, t. IV, X, p. 100.

Être décidé à ce que (et subj.). *«Je suis bien décidé à ce qu'il m'entende»* (Hanse).

♦ **2** *Décider qqn,* l'amener à faire qqch., à agir, à se déterminer. *Il faudra d'abord le décider. Il sera difficile à décider.*

29 Mais il ne se donnerait la peine de décider son client que si l'on pouvait marcher à coup sûr. C'était à prendre ou à laisser.
J. ROMAINS, les Hommes de bonne volonté, t. V, XXII, p. 180.

♦ **SE DÉCIDER** v. pron. **A** (Passif). Être tranché, résolu. *La question s'est décidée après une longue discussion.*

B (Réfléchi). ♦ **1** Prendre une décision. *Ne pas oser se décider* (→ Se tâter le pouls*). *Se décider à la légère.* → **Hasarder** (se). *Il faut bien se décider.* → **Finir** (en finir); → Franchir le pas* (1. Pas), sauter le fossé*. *Se décider après avoir longtemps hésité. Allons, décidez-vous!*

30 Les protestants sont généralement mieux instruits que les catholiques. Cela doit être : la doctrine des uns exige la discussion, celle des autres la soumission. Le catholique doit adopter la décision qu'on lui donne; le protestant doit apprendre à se décider.
ROUSSEAU, les Confessions, II.

31 Il faut se décider, agir et se taire.
B. CONSTANT, Journal intime, p. 177.

♦ **2** *Se décider à :* prendre la décision de. → **Résoudre** (se résoudre à); **parti** (prendre le parti de), **solution** (adopter telle solution). *Il se décide à faire ce travail.*

32 Même mon insomnie m'apparaissait, cette nuit, comme une forme de perplexité, une difficulté de me décider à dormir.
GIDE, Journal, Neuchâtel, janv. 1912, p. 358.

33 Puis, comme s'il se ressaisissait, Philip se recula, toussa légèrement, et se décida enfin à partir.
MARTIN DU GARD, les Thibault, t. III, p. 138.

Par anal. Cette voiture ne se décide pas à partir.

♦ **3** *Se décider pour :* donner la préférence à, prendre parti pour (qqn, qqch.). → **Opter** (pour), **prononcer** (se prononcer pour). *Se décider pour tel ou tel parti.*

34 Il n'en a encore choisi aucune *(photo).* Il écarte de nouveau le paquet. Entre deux doigts, il en pince une, au hasard, comme un enfant qui a longtemps hésité se décide brusquement pour un des nombreux gâteaux d'une pâtisserie (...)
J. ROMAINS, les Hommes de bonne volonté, t. II, p. 189.

(Aux temps comp. et au passif → ci-dessus, III., 1.).

C (Récipr.). *Ils se sont décidés mutuellement.*

♦ **DÉCIDÉ, ÉE** p. p. adj. → **Décidé,** adj., et ci-dessus, III., 1.

CONTR. Atermoyer, balancer, barguigner, délibérer, flotter, hésiter, tâter (se), tergiverser, vaciller. ◊ DÉR. Décidable, décideur.

DÉCIDEUR [desidœʀ] n. m. et adj. — 1969; de *décider,* probablt d'après l'angl. *decider.*

Didact. (Théorie de la décision). Celui qui décide. *Les stratégies possibles du décideur.* — Cour. Polit., admin. Personne physique ou morale ayant le pouvoir de

décision (en matière d'environnement, d'aménagement du territoire). *Les «vrais problèmes sont ailleurs (...) dans la sphère des "décideurs" (banquiers et promoteurs)»* (*le Nouvel Obs.*, 28 août 1972).
Adj. *Organisme décideur.* — Le fém. *décideuse* est virtuel.

DÉCIDU, UE [desidy] adj. — 1970; empr. sav. au fém., lat. *decidua* «caduque». → Décidual.
Sc. Qui se détache et tombe au rythme des saisons. *Feuilles décidues.* → **Caduc.**

DÉCIDUALE [desidɥal] adj. et n. f. — 1929, adj.; du lat. sav. *decidualis* «relatif à la caduque», de *decidua* «caduque», de *deciduus* «qui tombe».
Anat. *Membrane déciduale,* ou, n. f., *la déciduale :* la membrane caduque. → **Caduc; décidu.**

DÉCIGRADE [desigʀad] n. m. — 1922; de *déci-*, et *grade.*
Didact. Dixième partie du grade. Symb. *dgr.*

DÉCIGRAMME [desigʀam] n. m. — 1795; de *déci-*, et *gramme.*
Dixième partie du gramme. Symb. *dg.*

DÉCILAGE [desilaʒ] n. m. — 1951; de *décile.*
Didact. (statist.). Division d'un ensemble ordonné de données statistiques en dix classes d'effectif égal (→ Décile, 2.). — Calcul des déciles (1.). → Centilage.

DÉCILE [desil] n. m. — 1947; du rad. du lat. *decem* «dix», probablt du rad. du l'angl. *decile,* 1882.
♦ **1** Chacune des neuf valeurs de la variable au-dessous desquelles se classent respectivement 10 %, 20 %,... 90 % des éléments d'une distribution statistique. *Le cinquième décile se confond avec la médiane.*
♦ **2** Chacune des classes résultant de la division, en dix classes d'effectif égal, d'un ensemble statistique ordonné. → Centile, quartile.
DÉR. Décilage.

DÉCILITRE [desilitʀ] n. m. — 1795; de *déci-*, et *litre.*
Dixième partie d'un litre. Symb. *dl.*
DÉR. V. Déci.

DÉCIMAL, ALE, AUX [desimal, o] adj. et n. f. — 1520, «qui concerne un sur dix»; dér. sav. du lat. *decimus* «dixième»; fin XIIIᵉ, «soumis à la dîme»; lat. médiéval *decimalis* «qui possède le droit de lever la dîme», de *decimus.*
♦ **1** Qui procède par dix; qui a pour base le nombre dix. *Numération décimale,* dans laquelle les unités vont en croissant ou en décroissant de dix en dix (→ **Numération**). *Nombre décimal,* composé d'une partie entière et d'une partie décimale. *5,25 est un nombre décimal. Calcul décimal. Fraction décimale,* dont le dénominateur est une puissance de dix. *Logarithmes* décimaux. Système décimal :* système de poids et mesures dans lequel les multiples et les sous-multiples des unités sont des puissances décimales de ces unités. → **Métrique** (système métrique).
N. f. *Une décimale :* chacun des chiffres placés après la virgule, dans un nombre décimal. *3,25 a deux décimales; 2 est la première décimale, 5 la seconde* (ou *deuxième*) *décimale.* — **REM.** Au Canada (comme dans les pays anglo-saxons), les *décimales* suivent le point (3.25; $ 10,000.30).

♦ **2** **Méd.** homéopathique. Se dit d'une préparation où le rapport entre les quantités de médicament et d'excipient utilisé est de 1/10ᵉ. *Dilution, trituration décimale.* → **Dilution, trituration.**
N. f. *Une décimale :* une dilution, une trituration décimale.
Par ext. *Procédé, méthode décimale,* qui applique dans la préparation du remède la méthode de dilution ou de trituration décimale.
DÉR. Décimaliser, décimalité. — V. **Décimalisation.** ◊ **COMP.** Hexadécimal.

DÉCIMALE [desimal] n. f. → **Décimal.**

DÉCIMALISATION [desimalizasjɔ̃] n. f. — 1897; *Année sc. et industr.* 1898, p. 21; repris mil. XXᵉ, sous l'influence de l'angl.; de *décimal* ou *décimaliser.*
Didact. Action de décimaliser; son résultat.

DÉCIMALISER [desimalize] v. tr. — 1907; repris mil. XXᵉ, sous l'influence de l'angl. *to decimalize;* de *décimal.*
Didact. Appliquer le système décimal à (une mesure, un ensemble de mesures). *«50 à 75 % du commerce* (britannique) *seront décimalisés dès lundi»* (*le Monde*, 9 févr. 1971).
DÉR. Décimalisation.

DÉCIMALITÉ [desimalite] n. f. — 1877; de *décimal.*
Didact. Caractère décimal (d'un système).

DÉCIMATEUR [desimatœʀ] n. m. — 1542; du lat. pop. *decimator,* du supin de *decimare.* → Décimer.
Hist. Personne qui percevait la dîme dans une paroisse et devait participer aux frais d'entretien de celle-ci. — **Rare.** Personne qui décime.

DÉCIMATION [desimasjɔ̃] n. f. — XVIᵉ; «dîme», XIIᵉ; lat. *decimatio,* du supin de *decimare.* → Décimer.
♦ **1** Antiq. rom. Action de décimer (1.); son résultat. *Ville condamnée à la décimation.*
♦ **2** Par ext. Action de décimer (2.); son résultat.
Par la décimation et la dissociation des régiments, des unités, par la disparition de la discipline qui le cimentait, tout un ordre militaire *est complètement désagrégé.*
　　　　　Jean RICARDOU, Un ordre dans la débâcle,
　　　　　in Claude SIMON, la Route des Flandres, p. 282.

1. DÉCIME [desim] n. f. — XVᵉ; «dîme», XIIIᵉ; lat. *decima* (*pars*) «dixième (partie)», de *decem* «dix».
Hist. Sous l'Ancien Régime, Taxe perçue par le roi sur les revenus du clergé. *Les receveurs et contrôleurs des décimes.*
Clément IV accordait à saint Louis une décime sur le clergé (...) 　　VOLTAIRE, Essai sur les mœurs, 58.
REM. On rencontre ce mot au masculin, chez les historiens, depuis le XIXᵉ s. (cf. T. L. F.).

2. DÉCIME [desim] n. m. — 1795; lat. *decimus* «dixième», de *decem* «dix».
♦ **1** Vx. Dixième partie du franc. *Un décime vaut dix centimes.*
♦ **2** (XIXᵉ; cf. le sens initial «dîme»). Dr. fisc. Majoration d'un décime par franc, sur un impôt, une amende fiscale. *Le principal et les décimes. Décime de guerre. Décime sur les spectacles. Double décime.*

DÉCIMER [desime] v. tr. — XVᵉ; lat. *decimare* «mettre à mort une personne sur dix», de *decem* «dix».

♦ **1** Antiq. rom. Mettre à mort une personne sur dix, désignée par le sort. *Décimer une armée. Décimer les habitants d'une ville conquise.*

1 Comme il n'était pas possible de faire mourir tous les coupables on les décimait par le sort, et celui dont le nom était tiré le dixième était mis à mort.
ROLLIN, Histoire ancienne, XI, 2, 477, *in* LITTRÉ.

♦ **2** (1793). Cour. Faire périr un grand nombre de personnes dans (une population, un groupe, un lieu...). → **Anéantir, détruire, exterminer, faucher, tuer.** *L'épidémie a décimé cette ville. Les guerres modernes déciment les populations civiles.* — Pron. *Ces tribus se sont décimées au cours de guerres continuelles.* — P. p. adj. *Armées décimées par l'attaque ennemie* (→ ci-dessous, cit. 3).

2 Si du moins au hasard il (*le malheur*) décimait les hommes,
Ou si sa main tombait sur tous tant que nous sommes,
Avec d'égales lois !
LAMARTINE, Méditations, I, 7, «Désespoir».

3 Que cette noblesse française était étrange ! Tantôt fidèle, dévouée, prête à verser son sang, décimée à Crécy, décimée à Poitiers, décimée à Azincourt; tantôt insoumise et dressée contre l'État.
J. BAINVILLE, Hist. de France, VII, p. 121.

4 De quoi étaient composés ces régiments qui, dans les rues de Moscou, ont sauvagement décimé, par leurs fusillades, le prolétariat révolutionnaire?
MARTIN DU GARD, les Thibault, t. V, p. 86.

5 Le Père qui dirige l'importante mission de Liranga, malade, a dû quitter son poste le mois dernier pour aller se faire soigner à Brazzaville emmenant avec lui les enfants les plus malades de cette contrée que décime la maladie du sommeil.
GIDE, Voyage au Congo, *in* Souvenirs, Pl., p. 707.

DÉR. **Décimation.**

DÉCIMÈTRE [desimɛtʀ] n. m. — 1793; de *déci-*, et *mètre.*

♦ **1** Dixième partie d'un mètre (abrév. : *dm*). *Décimètre carré* : superficie équivalent à un carré de 1 décimètre de côté (abrév. : *dm²*). — *Décimètre cube* : volume équivalent à un cube ayant un décimètre d'arête (abrév. : *dm³*).

♦ **2** Règle graduée en centimètres et en millimètres. *Tracer une figure à l'aide d'un décimètre. Double décimètre* : cette règle d'une longueur de 2 décimètres.

DÉR. **Décimétrique.** ◊ COMP. **Double-décimètre.**

DÉCIMÉTRIQUE [desimetʀik] adj. — 1836; de *décimètre.*

Didact. (sc.). Dont la longueur est de l'ordre du décimètre. *Ondes décimétriques.*

DÉCIMO ou **DECIMO** [desimo] adv. — 1863; lat. *decimo (loco)* «en dixième (lieu)», ablatif de *decimus* «dixième».

Didact. Dixièmement.

DÉCINTRAGE [desɛ̃tʀaʒ] ou **DÉCINTREMENT** [desɛ̃tʀəmɑ̃] n. m. — 1863, *décintrage; décintrement,* 1798; de *décintrer.*

Techn. Action de décintrer; son résultat. *Décintrage d'une arcade. Décintrement d'une voûte.*

DÉCINTRER [desɛ̃tʀe] v. tr. — 1680; de 1. *dé-,* et *cintrer.*

Archit. *Décintrer une voûte, un arc,* les dégarnir des cintres qui ont servi à leur construction.

DÉR. **Décintrage** ou **décintrement.**

DÉCISIF, IVE [desizif, iv] adj. — 1413; du lat. *decisivus,* de *decisum,* supin de *decidere.* → Décider.

♦ **1** (Choses). Qui décide. → **Capital, déterminant, important, prépondérant, principal.**

Dr. *Jugement décisif* (→ **Décisoire**). *La pièce décisive d'un procès. Le point décisif d'un litige. Arrêt décisif.*

1 Un arrêt aussi favorable et aussi décisif que celui-ci (...)
BOURDALOUE, le Mystère de la Passion de J.-C., I, p. 247.

Cour. Qui résout une difficulté, indique une solution; qui entraîne la conviction, tranche un débat. → **Concluant, convaincant, irréfutable, péremptoire.** *Apporter une preuve décisive dans une discussion. Un argument décisif. L'expérience décisive qui assoit une hypothèse.* → **Crucial.**

Qui conduit à un résultat définitif, capital. *Bataille* (cit. 8) *décisive,* qui met fin au combat (→ Combat, cit. 1). *Frapper le coup décisif,* le coup qui décide de la victoire. → **Définitif, dernier.** *Intervention décisive. Appoint* (cit. 4) *décisif. Avoir une influence décisive sur la vie de qqn. Prendre des mesures décisives* (→ Abîme, cit. 20). *Vivre des heures décisives. Le moment* décisif approche.*

2 Le comte : Gardez-vous bien de lui parler de la lettre. — Bartholo : Avant l'instant décisif? elle perdrait tout son effet (...)
BEAUMARCHAIS, Le Barbier de Séville, III, 2.

3 La compagnie, par ses nombreuses maisons en province, eut une influence décisive sur l'éducation du clergé français (...)
RENAN, Souvenirs d'enfance..., IV, p. 158.

4 Or, à l'heure la plus décisive de sa vie, Jenny s'était cachée d'elle (...)
MARTIN DU GARD, les Thibault, t. VIII, p. 63.

Mots décisifs (→ Appartenir, cit. 28).

♦ **2** (Personnes). Vx. Qui décide hardiment, avec un air d'autorité, d'importance. → **Affirmatif, décidé, dogmatique, important, magistral, péremptoire, tranchant.**

5 (Ils) sont (...) vifs, hardis et décisifs avec ceux qui ne savent rien.
LA BRUYÈRE, les Caractères, IX, 50.

Par ext. Qui annonce la décision, l'autorité. *Ton décisif.*

6 Si j'étais plus sûr de moi-même, j'aurais pris avec vous un ton dogmatique et décisif; mais je suis homme ignorant, sujet à l'erreur : que pouvais-je faire ?
ROUSSEAU, *in* P. LAROUSSE.

CONTR. **Accessoire, dérisoire, négligeable, secondaire.** — **Hésitant, indécis.** ◊ DÉR. **Décisivement.**

DÉCISION [desizjɔ̃] n. f. — 1314; lat. *decisio,* de *decisum,* supin de *decidere.* → Décider.

♦ **1** Action de décider (I., 1.), de juger un point litigieux; son résultat. → **Arrêt, conclusion, décret, délibération, édit, jugement, juger** (bien jugé), **ordonnance, règlement, résolution, sentence, ukase, verdict.** *Soumettre un cas de conscience, une question délicate à la décision de qqn. La décision appartient à l'arbitre.* → **Arbitrage.** *L'arbitrage a la décision,* le pouvoir de décider.

♦ **2** Jugement qui apporte une solution. *Décision judiciaire* : résultat du délibéré d'un tribunal sur un procès qu'il doit juger; ordonnance rendue par un magistrat. *Les décisions des tribunaux* (→ **Jurisprudence**). *Rendre des décisions dans un débat judiciaire. Prendre une décision qui annule une décision antérieure* (→ **Cassation; déjuger**).

Décision administrative. → **Décret; arrêté.** *Décision ministérielle, préfectorale.* — *Décision de rejet.* → **Rejet.** *Décision exécutoire.* → **Exécutoire.** *Motifs d'une décision. Décision motivée. Le bien-fondé d'une décision. Les Décisions de Justinien* ou *les cinquante décisions.*

Les décisions d'un Concile. → **Article, canon...**

1 Ne voulant d'autre règle de la foi que les décisions du concile de Nicée.
FLÉCHIER, Hist. de Théodore, III, 50, *in* LITTRÉ.

Les décisions d'une Assemblée législative. → **Loi, règlement.**

Les décisions des dieux païens. → **Oracle.**

Spécialt, techn. (milit.). Document relatant des ordres. → **Rapport** (réponse au rapport).

♦ **3** Fin de la délibération dans un acte volontaire qui entraîne le choix de l'action. → **Choix, conclusion, détermination, parti, résolution.** *Prendre une décision.* → **Décider.** *Incapacité de prendre une décision* (→ **Aboulie,** cit. 1). *Prendre la décision de ne plus fumer. Argument, événement qui emporte la décision.* → **Certitude, conviction.** *Consulter avant d'arrêter sa décision. Justifier, motiver sa décision. Décision réfléchie. Décision irrévocable. Sa décision est bien arrêtée.* → *Il est à cheval* là-dessus. Prendre une décision à la légère.* → **Caprice.** *Décision hasardeuse. Une décision s'impose. Ne pas hésiter à prendre une décision énergique* (→ Faire le saut*, sauter* le pas, le fossé, ne faire ni une* ni deux, couper, trancher dans le vif*). *S'en tenir à sa décision. Forcer une décision. Obliger qqn à prendre une décision* (→ Mettre au pied du mur*; arracher, cit. 36). *Peser* (cit. 24) *sur la décision d'autrui.*

2 (...) car on sentait que, la décision prise, tous devaient concourir à son exécution, que plus la position devenait périlleuse, plus il y fallait de courage (...)
Ph. P. SÉGUR, Hist. de Napoléon, VI, 2, *in* LITTRÉ.

2.1 Généralement, dès qu'il avait pris une décision, la décision contraire lui paraissait à partir de ce moment comme infiniment préférable.
PROUST, Jean Santeuil, Pl., p. 412.

3 À ce moment, il se rend compte que sa décision est prise; que demain matin rien ne pourra l'empêcher de se lever de bonne heure, de soigner sa toilette, d'aller chez le commissaire. Mais il veut savoir pourquoi il faut y aller.
J. ROMAINS, les Hommes de bonne volonté, t. II, p. 125.

4 Vous n'avez qu'à écouter, qu'à recevoir mes ordres, — à vous conformer à mes décisions irrévocables.
F. MAURIAC, Thérèse Desqueyroux, IX, p. 162.

5 Tout geste est une décision. Respirer, c'est opter.
G. DUHAMEL, Récits des temps de guerre, II, p. 10.

Aviat. *Hauteur de décision :* hauteur à laquelle le pilote doit obligatoirement voir le sol pour être autorisé à atterrir. *Vitesse de décision :* vitesse au sol au-dessus de laquelle le décollage doit obligatoirement être poursuivi.

Cybern. Choix du comportement optimal en fonction des informations disponibles. *Théorie de la décision et théorie des jeux.* → **Stratégie.** *Organes de décision :* ensemble des circuits d'un calculateur où s'élaborent les choix.

(1957, *in* Blanché). Log. *Problème de la décision :* question de la décidabilité d'un système.

5.1 Et surtout il existe un système d'opérations portant non pas sur la connaissance des structures, mais sur le réglage des forces à disposition, et la théorie des jeux lui a donné un statut sous le nom de «décision» : c'est la volonté, dont l'explication n'a cessé de faire problème et difficultés chez les psychologues.
J. PIAGET, Épistémologie des sciences de l'homme, p. 328.

♦ **4** Résultat final d'une affaire. → **Solution.** *Attendre la décision. Se battre jusqu'à une décision.*

6 Et plus d'une année se passe sans amener la «décision».
PROUST, À la recherche du temps perdu, t. XII, p. 190.

Milit. Issue d'un combat, d'une guerre.

♦ **5** Qualité du caractère d'une personne, qui consiste à ne pas s'attarder inutilement dans la délibération et à ne pas changer sans motif ce qu'on a décidé. → **Audace, caractère, courage, énergie, fermeté, hardiesse, volonté.** *Agir avec décision. Faire preuve d'un esprit de décision. Il a de la décision. Un air, un ton de décision* (→ **Décidé, décisif**).

7 M. de la Rochefoucauld était doux, complaisant, agréable, insinuant; et il n'avait pas cet air de décision et d'autorité qu'avait M. de Montausier.
SEGRAIS, Mémoires, t. II, p. 49, *in* LITTRÉ.

8 L'Assemblée semblait avoir perdu toute vertu de décision, et ses décrets étaient purement négatifs.
JAURÈS, Hist. socialiste..., t. IV, p. 131.

9 Me sentir regardé, jugé, admiré, stimulait toutes mes facultés, exaltait mon audace, mon esprit de décision, le sentiment de ma puissance, donnait à ma volonté un élan irrésistible.
MARTIN DU GARD, les Thibault, t. IX, p. 250.

CONTR. Atermoiement, délibération, hésitation, incertitude, indécision, indétermination, irrésolution, perplexité, tergiversation, vacillation. ◇ **DÉR.** Décisionnaire, décisionnel. — **COMP.** Indécision. — Codécision, macrodécision.

DÉCISIONNAIRE [desizjɔnɛr] adj. — XVIIIᵉ, Montesquieu; de *décision.*
Rare (un ex. chez Valéry). Qui décide avec autorité.

DÉCISIONNEL, ELLE [desizjɔnɛl] adj. — 1964; de *décision,* d'après l'angl. *decisional,* 1883.
Didact. De décision. *La fonction décisionnelle. «Les usines (...) dépendent souvent de centres décisionnels installés à Paris ou à l'étranger»* (l'Express, 14 févr. 1981, p. 64).
Cybern. *Analyse d'une activité complexe en unités décisionnelles discrètes. Charge décisionnelle :* nombre total de décisions à prendre par seconde, dans une situation et pour un opérateur donnés.

DÉCISIVEMENT [desizivmɑ̃] adv. — XVIᵉ; de *décisif.*
Rare. D'une manière décisive. *Juger décisivement de qqch.*

DÉCISOIRE [desizwar] adj. — 1380; du lat. médiéval *decisorius,* du supin de *decidere.* → Décider.

♦ **1** Dr. Qui décide, entraîne la décision dans un procès. *Serment décisoire :* serment déféré par l'une des parties à l'adversaire pour en faire dépendre la solution du litige.
Le serment judiciaire est de deux espèces : 1° Celui qu'une partie défère à l'autre pour en faire dépendre le jugement de la cause : il est appelé décisoire (...)
Code civil, art. 1357, 1°.

♦ **2** Philos. Qui résulte d'une libre décision de l'esprit.

♦ **3** Log. *Compréhension décisoire :* ensemble des caractères constituant la définition d'un concept.

DÉCISTÈRE [desistɛr] n. m. — 1795; de *déci-,* et *stère.*
Didact. Dixième partie du stère. Symb. *dst.*

DÉCISTHÈNE [desistɛn] n. m. — Déb. XXᵉ; de *déci-,* et *sthène.*
Didact. Dixième partie d'un sthène. Symb. *dsn.*

DÉCITEX [desitɛks] n. m. — 1956; de *déci-,* et *tex-,* première syllabe de *textile.*
Techn. Unité de mesure du titre d'une fibre textile, correspondant à la masse en grammes de 10 000 mètres de fil, et qui a remplacé le denier*.

DÉCIVILISER [desivilize] v. tr. — 1792; de 1. *dé-*, et *civiliser*.

Littér. Faire cesser d'être civilisé (qqn, une communauté). — Pron. *Peuple qui se décivilise.*

Il faudrait d'abord étudier comment la colonisation travaille à déciviliser le colonisateur, à l'abrutir au sens propre du mot, à le dégrader (...)

         Aimé CÉSAIRE, Discours sur le colonialisme, p. 11.

CONTR. Civiliser.

DÉCIZE [desiz] n. f. — 1838, *decise* «courant descendant, fil de l'eau»; terme franco-provençal (nombreuses variantes attestées — Suisse, Lyonnais, Dauphiné — aux sens de «descente, descente d'un cours d'eau»...); lat. *descensa*, de *descendere*. → Descendre.

Régional.

◆**1** Descente (du Rhône) en bateau. — *À la décize* (A. Arnoux, *in* T. L. F.) : en aval.

◆**2** (1845). Bateau à fond plat, en usage sur la Loire.

DECK [dɛk] n. m. — 1925; angl. *deck*, même sens, d'abord «couverture, revêtement, toit», emprunt au moyen néerlandais *dec*.

Mar. (vx). Anglic. Pont (d'un bateau).

(...) le 8 novembre, quand le *Columbia* appareille, il est en train d'installer sa cahute sur le pont (...) Comme il se dresse sur la pointe des pieds et fait un effort, son pantalon se tend et il perd un bouton de sa brayette. C'est un bouton de cuivre qui roule sur le deck. Aussitôt un affreux chien jaune se précipite et le lui rapporte.

         B. CENDRARS, l'Or, éd. Grasset, p. 59-61.

DÉCLAMATEUR, TRICE [deklamatœʀ, tʀis] n. et adj. — 1519; lat. *declamator* «celui qui s'exerce à la parole», du supin de *declamare*. → Déclamer.

◆**1** N. m. Antiq. rom. Rhéteur qui composait et déclamait des exercices oratoires (→ **Déclamation**).

1   Les noms de déclamateurs et de sophistes n'avaient point alors l'acception défavorable qu'on y attacha depuis.

         DIDEROT, Règne de Claude et Néron, I, 1, *in* LITTRÉ.

◆**2** Vx. Personne qui récite (un discours, des vers) en déclamant. *C'est un excellent déclamateur. Une brillante déclamatrice.* — Adj. :

2   (...) et, s'il (le prédicateur) s'écarte de ces lieux communs il n'est plus populaire, il est abstrait ou déclamateur, il ne prêche plus l'Évangile.

         LA BRUYÈRE, les Caractères, XV, 26.

Mod. et péj. Orateur, écrivain emphatique, qui débite ou écrit des choses banales. → **Phraseur**; Orateur, cit. 3. *Style de déclamateur :* style ampoulé, boursouflé. *Déclamateur ennuyeux, ridicule* (→ Arrêter, cit. 24).

3   (...) Faisons taire
Cet ennuyeux déclamateur.
Il cherche des grands mots, et vient ici se faire,
Au lieu d'arbitre, accusateur.

         LA FONTAINE, Fables, X, 1.

4   (...) ceux-ci le virent (Danton) avec surprise, ôter le masque du violent, du furieux, du déclamateur, et montrer le politique.

         MICHELET, Hist. de la Révolution franç., II, p. 85.

DÉCLAMATION [deklamasjɔ̃] n. f. — 1375; lat. *declamatio* «exercice de la parole», du supin de *declamare*. → Déclamer.

◆**1** Antiq. rom. Exercice d'éloquence que les rhéteurs romains composaient et débitaient.

1   Déclamation est un mot connu dans Horace (...) on appelait ainsi des compositions par lesquelles on s'exerçait à l'éloquence.

         ROLLIN, Œuvres, t. XI, 2, p. 692, *in* LITTRÉ.

◆**2** Mod. Art de déclamer. → **Éloquence, oratoire** (art oratoire), **rhétorique**. *Déclamation oratoire, théâtrale. Professeur de chant et de déclamation. Conservatoire de musique et de déclamation. Avoir une bonne déclamation. Déclamation froide, fausse, exagérée, outrée. Déclamation proche du chant.* → **Récitatif**.

2   (...) certaine habitude de déclamation qui fait que l'on dirait qu'ils chantent (...)

         MOLIÈRE, Monsieur de Pourceaugnac, II, 10.

3   La déclamation exige d'articuler parfaitement, de prononcer clairement et de dire juste.

         Louis JOUVET, Réflexions du comédien, p. 145.

◆**3** Emploi de phrases pompeuses, emphatiques (semblables à celles que déclame un acteur). *Tomber dans la déclamation. Discours plein de déclamations.* → **Enflure; emphase**. *Déclamation de place publique.* — Par métonymie. Phrase, discours emphatique, redondant.

4   (...) ils ont contracté du barreau certaine habitude de déclamation (...)

         MOLIÈRE, Monsieur de Pourceaugnac, II, 10.

5   Ennemi de l'enflure et des grands airs, il (Girardin) a aidé à désabuser de bien des déclamations en vogue (...)

         SAINTE-BEUVE, Causeries du lundi, t. I, p. 17.

6   Il entama ensuite de longues déclamations sur la gravité de mes nouveaux devoirs (...)

         Alphonse DAUDET, le Petit Chose, V, p. 57.

7   À côté de Gœthe (...) Musset (est) un collégien sous la fenêtre de sa belle. Je ne parle pas de Lamartine dont la redondante déclamation est ennuyeuse (...)

         Léon DAUDET, la Femme et l'Amour, II, p. 52.

CONTR. Naturel, simplicité, sobriété (d'un discours).

DÉCLAMATOIRE [deklamatwaʀ] adj. — 1549; du lat. *declamatorius* «relatif à l'exercice de la parole», de *declamator*. → Déclamateur.

◆**1** Didact. et rare. Qui se rapporte à la déclamation (2.).

0.1   Après l'achèvement de cette séance inattendue, la tragédienne Adinolfa voulut expérimenter au point de vue déclamatoire l'acoustique de la place des Trophées (...) elle monta sur la scène et récita des vers italiens accompagnés d'une impressionnante mimique.

         Raymond ROUSSEL, Impressions d'Afrique, p. 304.

◆**2** Cour. Pompeux, emphatique. *Ton, style déclamatoire.*

0.2   Flaubert avait lu à ses amis la première version de *La Tentation de saint Antoine*. Ils l'avaient jugée mauvaise et déclamatoire.

         MALRAUX, l'Homme précaire et la Littérature, p. 136.

Nom masculin :

1   (...) peut-être que dans ce que j'ai admiré comme haute poésie et observation pour ainsi dire idéale, il y a du faux, du déclamatoire : revoyons donc cela.

         SAINTE-BEUVE, Correspondance, I, p. 355.

(Des personnes). Littér. → **Déclamateur.**

2   Il était raisonneur, sophiste, déclamatoire, surtout impertinent. Mais il n'avait pas les insolences des soudards de l'Empire et des régicides apostats de 93.

         BARBEY D'AUREVILLY, les Diaboliques, «À un dîner d'athées».

CONTR. Discret, naturel, simple, sobre.

DÉCLAMER [deklame] v. — 1542; lat. *declamare*, de *de-* intensif et *clamare*. → Clamer.

◆**1** V. tr. — Vx. Réciter à haute voix en marquant, par les intonations qu'exige le sens, l'accent grammatical et l'accent oratoire. *Déclamer des vers.* → **Dire, réciter, scander**. *Déclamer un poème. Déclamer des prières, des psaumes.* → **Psalmodier; chanter**. — Mod. (péj.). Réciter, dire, de manière artificielle et pompeuse. → **Débiter.**

1   Quel supplice que celui d'entendre déclamer pompeuse-
    ment un froid discours (...)
                    LA BRUYÈRE, les Caractères, I, 7.

2   Souvent elle le priait de lui dire des vers; Léon les décla-
    mait d'une voix traînante et qu'il faisait expirer soigneu-
    sement aux passages d'amour.
                    FLAUBERT, Mme Bovary, II, IV.

    Absolt. *S'exercer à déclamer.*

3   Oubliant qu'il était malade, coiffé d'un bonnet blanc, vêtu
    d'un spencer ouaté, il déclamait à tue-tête; puis, laissant
    échapper son cahier, il disait d'une voix qu'on entendait à
    peine : «Je n'en puis plus; je sens une griffe de fer dans
    le côté.»
                    CHATEAUBRIAND, Mémoires d'outre-tombe, t. II,
                                                    p. 237.

4   Il (*Fénelon*) a voulu se hausser à la grande éloquence, et
    il a déclamé.   Gustave LANSON, l'Art de la prose.

    ♦ **2** Littér. **DÉCLAMER CONTRE...** : parler avec violence
    contre (qqn ou qqch.). → **Crier, déblatérer, invec-
    tiver.** *Déclamer contre le gouvernement, contre son
    directeur. Déclamer contre l'injustice, contre les abus
    d'un régime. Déclamer contre la sottise de qqn.*

5   (...) son malheur (*de la cour*) est grand de voir que (...)
    Vous autres beaux esprits vous déclamiez contre elle.
                    MOLIÈRE, les Femmes savantes, IV, 3.

6   Tandis que vous déclamez contre la fortune et ma négli-
    gence, vous voyez que je m'informe adroitement de tout
    ce qui peut assurer notre correspondance et prévenir nos
    perplexités.
                    ROUSSEAU, Julie ou la Nouvelle Héloïse, I, xx.

    DÉCLAMER SUR : parler de (qqch., qqn) avec
    emphase. *Déclamer sur le patriotisme.*

    **CONTR. Bafouiller, murmurer. — Encenser. ◊ DÉR. Décla-
    mateur, déclamation, déclamatoire.**

DÉCLANCHEMENT [deklɑ̃ʃmɑ̃] n. m. → **Déclenchement.**

DÉCLANCHER [deklɑ̃ʃe] v. → **Déclencher.**

DÉCLARABLE [deklarabl] adj. — 1842; de *déclarer*.
Admin. Qui peut ou doit être déclaré. *Objet déclarable en douane.*

DÉCLARANT, ANTE [deklarɑ̃, ɑ̃t] p. prés., adj. et
n. → **Déclarer.**

DÉCLARATIF, IVE [deklaratif, iv] adj. et n. m.
— XIVe; lat. *declarativus* «qui fait voir, qui manifeste»,
du supin de *declarare*. → **Déclarer.**

♦ **1** Dr. Qui donne déclaration de qqch. *Jugement
déclaratif d'absence. Acte, titre déclaratif.*

On oppose *déclaratif* à *attributif* : le partage entre héritiers est déclaratif de propriété, c'est-à-dire que le droit de
chaque copartageant ne dérive pas de l'acte de partage,
mais lui est antérieur.   LITTRÉ, Dict., art. *Déclaratif.*

♦ **2** (XIXe). Ling. **a** *Verbes déclaratifs*, «qui énoncent
une simple communication (*dire, expliquer...*), par
opposition à ceux qui expriment une disposition d'esprit du sujet parlant (*croire, vouloir...*)»
(J. Marouzeau, *Lexique de la terminologie linguistique*).

N. m. *Un déclaratif* : un verbe déclaratif. *Proposition
infinitive régie par un déclaratif, en latin.*

b *Phrase déclarative.* → **Assertif.**

DÉCLARATION [deklarasjɔ̃] n. f. — 1290; lat. *decla-
ratio*, du supin de *declarare*. → **Déclarer.**

♦ **1** Action de déclarer; discours ou écrit par
lequel on déclare qqch. → **Déclarer; affirmation,
annonce, assurance, aveu, promesse, révélation.** *Faire
une déclaration à qqn sur, à propos de qqch. Suivant sa propre déclaration,* suivant ce qu'il a dit

lui-même. → **Dire, parole.** *Faire une déclaration
publique, solennelle, sous serment. — Les déclarations de qqn. Sensationnelles déclarations d'un
témoin.* → **Révélation.**

Je lui ai fait ma déclaration que je ne pouvais être son   1
ami (...)
                    LA ROCHEFOUCAULD, Mémoires, in LITTRÉ.

Si Bloch nous avait fait des professions de foi mécham-   2
ment antimilitaristes une fois qu'il avait été reconnu
«bon», il avait eu préalablement les déclarations les plus
chauvines quand il se croyait réformé pour myopie.
                    PROUST, À la recherche du temps perdu, t. XIV,
                                                    p. 62.

(...) Eugène Spuller (...) avait eu le courage de pro-   3
noncer son fameux discours sur «l'esprit nouveau» pour
répondre loyalement aux déclarations conciliantes du
Pape Léon XIII et pour dire que, victorieuse, la République se devait
à elle-même de faire une politique de concorde (...)
                    Georges LECOMTE, Ma traversée, p. 181.

Déclaration de (qqch.), faite au sujet de (qqch.).
→ **Protestation.** *Déclaration d'amitié* (cit. 25),
d'amour (→ ci-dessous, 2.). Théol. *La déclaration
de ses péchés par le croyant.* → **Confession. — Loc.
cour.** *Déclaration de principes*.* → **Manifeste, proclamation, profession** (de foi). *«Déclaration des droits de
l'homme et du citoyen»* (1791). → aussi ci-dessous, 3.

♦ **2** (1660). Aveu qu'on fait à une personne de
l'amour qu'on éprouve pour elle. *Elle lui a fait une
véritable déclaration. Faire une déclaration à qqn;
faire sa déclaration; faire des déclarations enflammées.*

La déclaration est tout à fait galante (...)   4
                    MOLIÈRE, Tartuffe, III, 3.

Mais, mon Dieu! c'est bien pis qu'une phrase, c'est une   5
déclaration que vous me faites là. Avertissez au moins :
est-ce une déclaration, ou un compliment de bonne
année?
                    A. DE MUSSET,
                    Il faut qu'une porte soit ouverte ou fermée.

Il se torturait à découvrir par quel moyen lui *faire sa décla-* 6
ration; et, toujours hésitant entre la crainte de lui déplaire
et la honte d'être si pusillanime, il en pleurait de découragement et de désirs.   FLAUBERT, Mme Bovary, II, IV.

D'où l'importance des déclarations; je veux sans cesse arra-   6.1
cher à l'autre la formule de son sentiment, et je lui dis sans
cesse de mon côté que je l'aime : rien n'est laissé à la suggestion, à la divination : pour qu'une chose soit sue, il
faut qu'elle soit dite; mais aussi, dès qu'elle est dite, très
provisoirement, elle est vraie.
                    R. BARTHES, Fragments d'un discours amoureux,
                                                    p. 254.

♦ **3** Dr. Affirmation orale ou écrite par laquelle
on déclare l'existence d'une situation de fait
ou de droit. *Déclaration émanant d'un tribunal.
Déclaration d'absence. Déclaration d'adjudication. Déclaration de faillite*. Déclaration de la
Cour des comptes. Déclaration du jury.* → **Verdict.**
Déclaration d'utilité publique (→ **Expropriation**).
Admin. *Déclaration ministérielle,* par laquelle le
Premier ministre (naguère, le président du Conseil) désigné par le président de la République
indique les lignes générales de son programme
devant l'Assemblée nationale. *Déclaration d'inten-
tion* du gouvernement. — Déclaration émanant
de particuliers. Déclarations de command.* → **Command.** *Déclarations d'état civil* (décès, naissance;
→ Accouchement, cit. 1). *Déclaration de changement
de domicile. Déclaration de succession*. Déclaration d'expédition. — Déclaration d'accident,* adressée
après un accident à l'organisme d'assurances
qualifié. — *Déclaration en douane :* formalité obligatoire permettant à l'administration des douanes
de déterminer les droits de douane applicables à
toute marchandise tarifée. → **Permis-chef.** Dr. mar.
Déclaration faite au bureau des douanes par le

capitaine d'un navire dès l'arrivée au port, des marchandises se trouvant à bord.

7 (...) avez-vous rempli et signé la déclaration concernant les objets que vous comptez soumettre à la douane ?
G. DUHAMEL, Scènes de la vie future, I, p. 34.

Déclaration fiscale, faite par le contribuable en vue de permettre l'assiette et le recouvrement d'un impôt. *Déclaration, déclaration d'impôts* (**même sens**). *Faire, rédiger sa déclaration (d'impôts).*

7.1 Est-ce vrai que ton père a rentré une fois trente bouteilles d'eau-de-vie, sans déclaration ?
GIRAUDOUX, Provinciales, p. 102.

8 Aujourd'hui, Descartes passerait son précieux temps à répondre aux odieux questionnaires de la Sécurité sociale ou à remplir les absurdes feuilles de «déclarations» qu'exige l'hydre fiscale.
G. DUHAMEL, Manuel du protestataire, III, p. 91.

8.1 (...) Avez-vous calculé combien le fait d'être mariée allège votre déclaration d'impôts, Madame ?
Sacha GUITRY, Ils étaient neuf célibataires, p. 164.

Déclarations de témoins. Signer sa déclaration. — Les déclarations de qqn (aveux, accusations). → ci-dessus, 1.

9 (...) je dirais, dans l'intérêt d'un tiers, tout ce que je sais de lui, et il sortirait blanc comme neige de ma déclaration.
CHATEAUBRIAND, Mémoires d'outre-tombe, Appendice, t. V, p. 454.

10 J'ai été témoin de la scène (...) l'agent s'était mépris : il n'avait pas été insulté (...) L'agent maintint le marchand en état d'arrestation et m'invita à le suivre au commissariat (...) Je réitérai ma déclaration devant le commissaire.
FRANCE, Crainquebille, III.

Donner à ses créanciers une déclaration de son bien, de son avoir. → **Énonciation, énumération, état** (détaillé).

Déclaration des droits : document précédant une Constitution qui énonce les droits et les libertés reconnus aux citoyens (→ aussi ci-dessus, 1.). *Déclaration universelle des droits de l'homme.*

Déclaration de guerre, des hostilités : action de déclarer la guerre, commencement des hostilités, dont un pays prend l'initiative.

COMP. Contre-déclaration.

DÉCLARATOIRE [deklaratwar] adj. — 1483 ; dér. savant de *déclarer.*

Dr. Qui déclare juridiquement. *Acte, sentence déclaratoire.*

DÉCLARER [deklare] v. tr. — V. 1250 ; lat. *declarare*, de *de-* intensif, et *clarare* «rendre clair», de *clarus.* → Clair.

♦ **1** Faire connaître (un sentiment, une volonté, une vérité) d'une façon expresse, manifeste. → **Affirmer, annoncer, avouer, découvrir, dénoncer, dévoiler, dire, exprimer, indiquer, manifester, montrer, porter** (à la connaissance), **proclamer, professer, publier, reconnaître, révéler, signaler, signifier.** *Déclarer ses sentiments, ses intentions à qqn.* → **Confier.** — (1661). Spécialt. *Déclarer son amour, sa passion à qqn.* → Déclaration, cit. 6 (et ci-dessous, cit. 5). — *Déclarer son goût pour qqch. Déclarer son ignorance. Il le déclare tout net. Confirmer ce qu'on a déclaré. Revenir sur ce qu'on a déclaré.* → **Rétracter** (se). *Il le déclare formellement.*

(Avec attribut). *Déclarer qqch. bon.* → **Préconiser.** *Déclarer qqn perdu. Déclarer coupable un accusé.* → **Condamner.** *Déclarer une loi injuste, inique, sans valeur... Déclarer la séance ouverte,* l'ouvrir.

Déclarer qqn coupable (→ **Dénoncer**), *coupable* (cit. 2) *de haute trahison. Déclarer qqn en faillite. Déclarer qqn son héritier...* → **Nommer ;** → Porter, coucher sur son testament*.

DÉCLARER QUE... (avec l'indicatif). *Il a déclaré que c'était sûr, certain, décidé.* → **Assurer, prétendre, promettre.** *Je déclare que je n'accepterai aucun compromis. Je déclare que c'est faux.* → **Protester** (que...) ; **nier.** — *Déclarer à qqn que... Je lui ai déclaré que j'en avais assez.* — *L'arrêt déclare que...* → **Porter.**

1 (...) je vous déclare, pour moi, que ce n'est point moi qui me veux battre (...)
MOLIÈRE, Dom Juan, V, 3.

2 Son testament, où il déclare à Dieu le fond de son cœur.
RACINE, Port-Royal.

3 Divers articles que je reprends et sur lesquels je vais vous déclarer quelques-unes de mes pensées.
BOURDALOUE, Dim. oct. du St Sacr., Dominic., t. II, p. 301, *in* LITTRÉ.

4 Le malheureux déclara formellement qu'il était las de chasser la casquette (...)
Alphonse DAUDET, Tartarin de Tarascon, IX.

5 (...) le jour où Lucien oserait lui déclarer un amour qu'elle voyait distinctement sous toutes ses timidités.
Paul BOURGET, Un divorce, IV, p. 141.

6 Comme il avait déclaré délicieux les premiers de ces chastes rendez-vous, il aurait eu mauvaise grâce de se dérober aux suivants.
J. ROMAINS, les Hommes de bonne volonté, t. V, XX, p. 148.

♦ **2** Faire connaître (à une autorité) l'existence de (une chose, une personne, un fait). *Déclarer des marchandises à la douane* : signaler les marchandises tarifées que l'on passe afin de payer les droits. *Vous n'avez rien à déclarer ? Rien à déclarer ? Certificat par lequel on déclare vrai un fait, une situation.* → **Attester, certifier.** *Employeur qui déclare ses employés* (à la Sécurité sociale). — *Déclarer ses revenus* (au fisc). → **Déclaration.** — *Déclarer une naissance, un décès. Déclarer un enfant à la mairie.*

♦ **3** (1668). *Déclarer la guerre à un pays,* lui faire savoir qu'on commence les hostilités contre lui. — Par anal. *Le fisc a déclaré la guerre aux fraudeurs.*

♦ **4** V. intr. *Déclarer forfait*.*

♦ **SE DÉCLARER** v. pron.

♦ **1** (Sujet n. de personne). Donner son avis. *Il ne veut pas se déclarer sur ce point.* → **Compromettre** (se), **expliquer** (s').

♦ **2** (Sujet n. de personne ; avec un attribut). S'avouer, se signaler comme. *Se déclarer satisfait. Se déclarer l'auteur d'une action.* → **Reconnaître** (se).

♦ **3** (Sujet n. de chose). Commencer à se manifester. → **Apparaître, déclencher** (se), **survenir.** *L'orage, la pluie, l'incendie se déclarent.* — (1676). Spécialt. *La maladie s'est déclarée très vite.*

7 (...) nous parlions de torticolis (...) mais le lendemain cela se déclara pour un rhumatisme.
Mᵐᵉ DE SÉVIGNÉ, 501, 9 févr. 1676.

8 Il *(le sirocco)* mit néanmoins plus de deux heures à se déclarer dans toute sa violence.
E. FROMENTIN, Un été dans le Sahara, I, p. 85.

9 Une maladie du corps se déclare bien, sans cause visible, chez quelqu'un qui nous paraissait en parfaite santé.
J. ROMAINS, les Hommes de bonne volonté, t. II, XIV, p. 155.

♦ **4** (Sujet n. de personne). Se prononcer, prendre parti pour, contre (qqn, qqch.). *Se déclarer pour tel candidat, en faveur de tel candidat. Se déclarer violemment contre qqch.*

10 Son grand zèle pour vous vient de se déclarer :
Il ne va pas à moins qu'à vous déshonorer (...)
MOLIÈRE, Tartuffe, III, 5.

11 Je sentis contre moi mon cœur se déclarer (...)
RACINE, Iphigénie, II, 1.

Absolt. *Ne pas hésiter à se déclarer.*

12 On attendait que les chefs de l'armée se déclarassent.
FÉNELON, Télémaque, XV.

(Sujet n. de chose). *La victoire se déclara pour les alliés. Le ciel se déclare en notre faveur.*

◆ **5** Spécialt. Déclarer son amour, faire sa déclaration. *Un amoureux timide qui n'ose pas se déclarer.*

◆ **DÉCLARANT, ANTE** p. prés., adj. et n.

Témoin déclarant. — N. Personne qui fait une déclaration, notamment à un officier d'état civil. *Le déclarant, la déclarante.*

◆ **DÉCLARÉ, ÉE** p. p. adj. (1558).

(Rare, sauf dans quelques syntagmes). Qui se veut tel, s'est fait connaître comme tel. *Être l'ennemi déclaré de qqn.* → Juré (I., 2.). *Un athée déclaré* (→ Athée, cit. 13). *Mener une guerre déclarée contre qqn.* → Franc, ouvert (guerre ouverte).

13 Après mille ans et plus de guerre déclarée,
Des loups firent la paix avecque les brebis.
LA FONTAINE, Fables, III, 13.

14 Combien d'âmes saintes et prédestinées ont souffert là-dessus les mêmes attaques que les plus déclarés impies.
BOURDALOUE, Sermon du 15ᵉ Dimanche après la Pentecôte, t. III, p. 451, *in* LITTRÉ.

CONTR. Garder (pour soi), taire. ◊ DÉR. Déclaratoire.

DÉCLASSANT, ANTE [deklasɑ̃, ɑ̃t], **DÉCLASSÉ, ÉE** [deklase] adj. → Déclasser.

DÉCLASSEMENT [deklasmɑ̃] n. m. — 1836; de *déclasser.*

◆ **1** Action de déclasser (I.); son résultat. — Péj. → Déchéance.

1 (...) quelqu'un qui choisissait ses fréquentations en dehors de la caste où il était né, en dehors de sa «classe» sociale, subissait à ses yeux un fâcheux déclassement.
PROUST, À la recherche du temps perdu, t. I, p. 34.

2 (...) déclassement, dernier cercle de l'enfer bourgeois, damnation sans recours!...
BERNANOS, Un crime, *in* Œ. roman., Pl., p. 869.

Spécialt. *Déclassement d'un voyageur.*

(1884, *in* Petiot). Sports. Mise hors de course, ou rétrogradation (d'un concurrent, d'une équipe), pour infraction au règlement.

(Choses). *Le déclassement d'un hôtel trop vétuste.*

Dr. admin. Décision administrative par laquelle un bien ou un objet quitte la catégorie juridique soumise à un régime particulier, pour retomber dans le droit commun. — Mar. Acte par lequel un bâtiment est rayé de la catégorie à laquelle il appartenait, et, spécialt, de la catégorie des bâtiments de combat.

◆ **2** (De *déclasser*, II.). Choses. *Le déclassement de ses papiers, de ses livres.* → Changement, déplacement, dérangement.

CONTR. Classement, reclassement, surclassement.

DÉCLASSER [deklase] v. tr. — 1813, «retirer de l'inscription maritime»; de 1. *dé-*, et *classer.*

I ◆ **1** (Personnes). Faire sortir (qqn) de la classe sociale, de la catégorie où il était placé, et, spécialt, pour une classe, une catégorie inférieure. Absolt. *De telles fréquentations déclassent.*

Mar. *Déclasser un marin,* le rayer des contrôles de sa classe.

Spécialt (transports). *Déclasser un voyageur,* le faire passer dans une classe différente de celle qu'il avait d'abord choisie (cour., dans une classe inférieure).

(1903, *in* Petiot). Sports. Faire rétrograder (un concurrent) dans le classement final d'une épreuve (pour pénaliser); mettre (un concurrent) hors de course.

◆ **2** (Choses). Faire passer (qqch.) dans une catégorie inférieure. *Déclasser un hôtel trop vétuste. Déclasser un monument* (qui avait été classé monument historique).

Mar. *Déclasser un bâtiment,* le rayer des listes de la flotte de combat.

II (De *classer*). Déranger (des objets classés). → Changer, déplacer. *Déclasser des papiers, des livres, des fiches.*

◆ **SE DÉCLASSER** v. pron.

Sortir de sa classe, et, spécialt (péj.), de sa classe sociale d'origine. → Déchoir. *Se déclasser par de mauvaises fréquentations.*

1 Apprenez que tout ce qui se classe empeste la mort. Il faut se déclasser, Tirésias, sortir du rang. C'est le signe des chefs-d'œuvre et des héros. Un déclassé, voilà ce qui étonne et ce qui règne.
COCTEAU, la Machine infernale, p. 150.

Changer de classe (cour., aller dans une classe inférieure) au cours d'un voyage. *Devant l'affluence en deuxième classe, il avait décidé de se déclasser, et d'aller en première.*

◆ **DÉCLASSANT, ANTE** p. prés. et adj. (1918).

Rare. Qui déclasse.

1.1 (...) Saint-Loup demanda si ce cercle était le cercle de la rue Royale, lequel était jugé «déclassant» par la famille de Saint-Loup (...)
PROUST, À l'ombre des jeunes filles en fleurs, Pl., t. I, p. 772.

◆ **DÉCLASSÉ, ÉE** p. p. adj. et n. (1834).

◆ **1** Qui n'appartient plus à sa classe sociale, mais à une classe inférieure. → Déchu. — N. (1856). Cour. *Un déclassé, une déclassée.* → Charlatanisme, cit. 1.

2 (...) que Ramuntcho, jusqu'ici ignorant et libre, ne saurait plus atteindre les dangereuses régions de vertige où s'était élevée l'intelligence de son père, mais plutôt qu'il languirait en dessous comme un déclassé.
LOTI, Ramuntcho, I, 1, p. 19.

3 On ne se connaît pas, on ne se salue pas, on n'existe pour personne. Une maison de déclassés, voilà ce que c'est, où les bonnes manières finissent de se perdre.
M. AYMÉ, Maison basse, p. 201.

4 Je me penche sur ces déclassés, ces marginaux, pour retrouver, à travers eux, l'image fuyante de mon père.
Patrick MODIANO, Boulevard de ceinture, p. 76.

◆ **2** Sports. Qu'on a déclassé. Qui est en compétition avec d'autres d'une classe inférieure. *Athlète, club déclassé.*

◆ **3** Transports. Dont on a modifié la classe. *Billet, wagon déclassé. Place d'avion déclassée.*

◆ **4** Qu'on a déclassé (2.). *Monument, hôtel déclassé. Ville déclassée.*

◆ **5** Qu'on a dérangé, déplacé. *Fiches, livres déclassés.*

CONTR. Classer, reclasser. ◊ DÉR. Déclassement.

DÉCLASSIFIER [deklasifje] v. tr. — V. 1960; calque de l'angl. *to declassify* (attesté 1865, courant après 1940), de *dé-*, et *classify,* au sens de «classer comme secret». → Classifier.

Anglic. Admin. Rendre accessible en supprimant la classification parmi les informations secrètes. *Déclassifier un document confidentiel. Déclassifier un système d'usage militaire devenu obsolète.* — Au p. p. *Documents déclassifiés et rendus publics.*

On emploie aussi le dér. *déclassification,* n. f.

DÉCLAVETER [deklavte] v. tr. [CONJUG.: *claveter.*
→ Jeter.] — 1611; repris fin XIXᵉ (1894, *in* D.D.L.); de
1. *dé-*, et *claveter.*

Techn. Défaire, ouvrir (qqch.) en enlevant les clavettes, en défaisant un clavetage.

CONTR. Claveter.

DÉCLENCHE [deklãʃ] n. f. — 1870; déverbal de
déclencher.

Techn. Appareil servant à séparer deux pièces
d'une machine pour permettre le libre mouvement de l'une d'elles. → Déclencher, 2.

DÉCLENCHEMENT [deklãʃmã] n. m. — 1863; de
déclencher.

♦ **1** Action de déclencher; son résultat (→ Animalité,
cit. 2). *Le déclenchement du chien d'un fusil armé.*
Mécanisme de déclenchement. → Déclencheur, déclic.

1   Le premier (...) vient d'appuyer au passage sur le bouton
de la minuterie (n'y avait-il pas de bouton au rez-de-
chaussée, puisque la montée s'est effectuée dans le noir?);
mais le déclenchement du système n'a fait entendre qu'un
simple déclic; le mouvement d'horlogerie, trop atténué, est
couvert par le bruit des grosses chaussures à clous (...)
          A. ROBBE-GRILLET, Dans le labyrinthe, p. 101.

♦ **2** Le fait de se déclencher. *Le déclenchement*
des hostilités. Le déclenchement d'une guerre, d'une
grève.

2   L'histoire nous autorise-t-elle à croire qu'on peut prévoir,
qu'on peut fixer par avance le déclenchement d'une révolution?   MARTIN DU GARD, les Thibault, t. V, p. 81.

REM. Attesté dans la graphie critiquée *déclanchement* :

3   Le fait que l'Europe passait de l'amour pour la France
à la haine pour la France, c'était simplement, d'après
Lemançon, un «déclanchement».
          GIRAUDOUX, Juliette au pays des hommes, p. 134.

DÉCLENCHER [deklãʃe] v. tr. — 1732; *déclanquer,*
dial., v. 1625; de 1. *dé-*, et *clenche.*

♦ **1** Vx. Ouvrir (une porte) en soulevant la clenche.

♦ **2** Techn. Manœuvrer la déclenche d'un assemblage pour séparer deux pièces liées d'une
machine. → Décliquer.

Spécialt, cour. Déterminer par l'intermédiaire d'un
mécanisme relativement simple la production
d'un phénomène plus complexe. *Déclencher la*
sonnerie d'une horloge.

♦ **3** (1899). Mettre en mouvement, déterminer
brusquement (une action, un phénomène, un
processus). → Branle (mettre en branle), déchaîner,
déterminer, entraîner, provoquer. *Déclencher une*
avalanche (cit. 7). *Déclencher qqch. par sa seule*
présence (→ Catalyser, fig.). *Légère imprudence qui*
déclenche une maladie grave.

1   (...) son fils aîné souffrait d'une telle angoisse nerveuse
que toute punition, tout reproche déclenchaient en lui une
crise dangereuse.
          A. MAUROIS, À la recherche de Marcel Proust, I,
                                                  p. 18.

2   Il est dangereux de déclencher ainsi dans un enfant concentré et passionné le mécanisme des comparaisons : cela
les mène loin, les tourne en jalousie et en haine (...)
          A. THIBAUDET, Gustave Flaubert, p. 17.

Déclencher l'offensive. → Commencer, lancer. *Décl-*
cher une guerre. → Provoquer. *Déclencher une révo-*
lution. Déclencher une campagne de presse.

3   Il se propose de déclencher ou de faire déclencher contre
son rival une campagne de presse.
          G. DUHAMEL, Chronique des Pasquier,
          la Passion de Joseph Pasquier, VI, p. 399.

4   (...) il savait, par expérience, que, s'il est facile de déclencher une révolution, il est difficile de l'arrêter dans ses
excès (...)
          Louis MADELIN, Histoire du Consulat et de
          l'Empire, Ascension de Bonaparte, XV, p. 219.

5   — Renaudin, dit-il, a déclenché un mouvement qui l'embarrassera bien dans deux jours. L'enthousiasme ne dure
pas.   A. MAUROIS, Bernard Quesnay, XV, p. 96.

♦ **SE DÉCLENCHER** v. pron. (sens passif).

Vx. S'ouvrir. *Porte qui se déclenche.* — Techn. et cour.
Mécanisme qui se déclenche.

Fig. *La guerre s'est déclenchée en Europe.*

6   D'ailleurs, ce «Mon Dieu! que la vie est triste!» est chez
moi non pas une rengaine... non, pas du tout... mais une
espèce de jugement tout préparé, de sentence rituelle, qui,
lorsqu'elle a ses raisons, intervient soudain, se déclenche.
          J. ROMAINS, les Hommes de bonne volonté, t. IV,
                                                  VII, p. 56.

REM. La graphie critiquée *déclancher* (H. Bordeaux,
G. Duhamel, La Varende, *in* P. Dupré, *Encyclopédie*
du bon français dans l'usage contemporain) semble
relativement rare.

CONTR. Enclencher. — Arrêter. ◊ DÉR. Déclenche, déclenchement, déclencheur.

DÉCLENCHEUR, EUSE [deklãʃœr, øz] n. — 1893
(cit. 1); de *déclencher.*

♦ **1** N. m. Techn. Pièce ou organe destiné à séparer
des pièces enclenchées (→ Déclenche) ou à déclencher un mécanisme. → Déclic.

1   Deux manettes placées à l'extérieur (...) actionnent l'obturateur et le déclencheur de plaque.
          L. FIGUIER, l'Année scientifique et industrielle
                                        1894, p. 47 (1893).

♦ **2** Personne, chose qui déclenche (3.) un processus.

2   Dans le monde animal, le déclencheur de la mécanique
sexuelle n'est pas un individu détaillé, mais seulement
une forme, un fétiche coloré (ainsi démarre l'Imaginaire).
Dans l'image fascinante, ce qui m'impressionne (tel un
papier sensible), ce n'est pas l'addition de ses détails, c'est
telle ou telle inflexion.
          R. BARTHES, Fragments d'un discours amoureux,
                                                  p. 226.

DÉCLÉRICALISATION [deklerikalizasjõ] n. f.
— 1927; de *décléricaliser.*

Rare. Action de décléricaliser; son résultat.

DÉCLÉRICALISER [deklerikalize] v. tr. — 1873; de
1. *dé-*, et *clérical.*

♦ **1** Rare. Rendre moins clérical. *Décléricaliser l'en-*
seignement. — Pron. *Mouvement qui se décléricalise.*

♦ **2** (V. 1966). Relig. Confier (une paroisse, un organisme) à des laïcs, quant aux services qui ne relèvent pas strictement du clergé. *Décléricaliser un*
patronage.

DÉR. Décléricalisation.

DÉCLIC [deklik] n. m. — 1510, *desclic*; de l'anc. verbe
descliquer, décliquer, de *de-*, et *cliquer* «faire un bruit
sec, un clic».

♦ **1** Techn. Mécanisme simple de déclenchement.
→ Crochet, ressort. *Faire jouer un déclic. Levier à*
déclic. Chronomètre à déclic. Le déclic à pince d'une
sonnette.

0.1   Les rois ne touchent pas aux portes.
Ils ne connaissent pas ce bonheur : pousser devant soi avec
douceur ou rudesse l'un de ces grands panneaux familiers,
se retourner vers lui pour le remettre en place, — tenir
dans ses bras une porte (...)
D'une main amicale il la retient encore, avant de la
repousser décidément et s'enclore, — ce dont le déclic du
ressort puissant mais bien huilé agréablement l'assure.
          Francis PONGE, le Parti pris des choses, p. 44.

Par compar. *Comme par, comme sur, comme sous un déclic...* (→ ci-dessous, 4.).

1 Tout le monde se tait. Satisfait, le capitaine continue sa revue. À mesure qu'il approche, les corps se redressent, comme sous un déclic ; les bras gauches tombent bien raides et les yeux pas rassurés regardent intelligemment dans le vague (...)
R. DORGELÈS, les Croix de bois, IV, p. 70.

Par métaphore :

1.1 (...) mieux vaudrait pour lui qu'il n'ait pas plus de capacité de souffrance qu'un appareil photographique, qu'on puisse à tout moment et aussi souvent que l'on voudrait enlever le couvercle, retirer la bobine impressionnée, la jeter et la remplacer par une vierge, et qu'il recommence à fonctionner, armement et déclic, avec la même mécanique et neuve indifférence (...)
Claude SIMON, le Vent, p. 50.

À propos d'un mécanisme biologique :

1.2 À peine l'insecte s'est-il enfoncé dans cette belle fleur cordiforme qu'un déclic referme sur lui une partie de la corolle. Le voilà prisonnier pour un instant du réceptacle le plus capiteusement féminin qui soit.
M. TOURNIER, Vendredi..., p. 119.

♦ **2** Par métonymie. **Bruit sec produit par ce qui se déclenche** (→ Borborygme, cit. 2 ; déclenchement, cit. 1).

2 Le claquement de la grille, le déclic des battants vitrés, le vrombissement qui suivait la mise en marche, tous ces bruits si connus, — qui, depuis toujours, s'enchaînaient dans le même ordre, et qui, de nouveau, après un siècle d'oubli, pénétraient en lui, un à un, — plongèrent Jacques en plein passé.
MARTIN DU GARD, les Thibault, t. IV, p. 145.

3 Il monte la marche, pousse un peu plus le battant, se glisse dans l'ouverture et referme la porte derrière soi, sans la faire claquer, mais en laissant entendre néanmoins avec netteté le déclic du pêne qui reprend sa place.
A. ROBBE-GRILLET, Dans le labyrinthe, p. 46.

♦ **3** Fam. Déclenchement soudain d'un processus psychologique. *Les célèbres déclics de Sherlock Holmes.*

♦ **4** Loc. adv. *D'un déclic* : soudainement, comme par l'action d'un ressort. *«(...) se levant d'un déclic»* (R. Dorgelès, *Tout est à vendre*, p. 194).

DÉR. Décliquer.

DÉCLIMATER [deklimate] v. tr. — D. i. (XVIIIᵉ) ; de 1. *dé-, climat,* et suff. verbal. → Acclimater.

→ **Désacclimater.** — REM. Une variante *déclimatiser* (attestée en 1794) s'est employée dans le même sens.

DÉCLIN [deklɛ̃] n. m. — 1080, *Chanson de Roland ;* déverbal de *décliner.*

♦ **1** État de ce qui diminue, commence à régresser. → **Abaissement, affaiblissement, baisse, décadence, décroissance, diminution, fin.** *Le déclin des jours à l'automne. Un déclin sensible, insensible. Le déclin du jour.* → **Agonie, crépuscule, soir.** *— Le soleil est à son déclin, sur son déclin.* → **Couchant.**

1 Au déclin tranquille du jour, ils commençaient à traîner le pas sur la grande allée du parc.
FRANCE, l'Anneau d'améthyste, p. 15.

Le déclin d'une maladie. → **Décours.**

2 Les femmes du pays précipitent le déclin de leur beauté par des artifices qu'elles croient servir à les rendre belles (...)
LA BRUYÈRE, les Caractères, VIII, 74.

Le déclin de la vie. → **Penchant, vieillesse.** *Déclin de l'intelligence.* → **Déchéance, dégénérescence, étiolement.** *Le déclin de l'amour, le déclin de la beauté.*

3 Le commencement et le déclin de l'amour se font sentir par l'embarras où l'on est de se trouver seuls.
LA BRUYÈRE, les Caractères, IV, 33.

(Après une préposition). *Aller, être, toucher à son déclin* (littér.) : décliner. *Au déclin de l'âge. Dans le déclin de...* — *Aller vers son déclin.* — *Sur son déclin.* Vieilli. *La fièvre est sur son déclin.* Mod. *Une passion sur son déclin.*

4 Je me vis déjà sur le déclin de l'âge, en proie à des maux douloureux, et croyant approcher du terme de ma carrière.
ROUSSEAU, les Confessions, IX.

5 (...) dans le déclin de l'amour, comme dans le déclin de la vie, personne ne se peut résoudre de prévenir les dégoûts qui restent à éprouver ; on vit encore pour les maux, mais on ne vit plus pour les plaisirs.
LA ROCHEFOUCAULD, Réflexions diverses, 9.

6 On ne peut demander au peuple très prolifique d'avoir les mêmes égards pour la vie humaine et le même respect de l'individu qu'une race sur le déclin.
GIDE, Journal, 26 oct. 1915.

Le déclin et la chute de l'Empire romain. → **Décadence.** *Le Déclin du Moyen Âge,* ouvrage de J. Huizinga (1967).

7 (...) sur le déclin de ces royaumes (...)
PASCAL, Pensées, XI, 722.

♦ **2** Astron. La dernière phase (de la lune), le dernier quartier. → **Décours.**

CONTR. Accroissement, aube, croissance, élévation, essor, fleur, force, gloire, jeunesse, montée, naissance, progrès, renaissance.

DÉCLINABLE [deklinabl] adj. — XIVᵉ ; bas lat. *declinabilis,* même sens, de *declinare.* → Décliner.

Gramm. Susceptible d'être décliné (I., B.).

CONTR. Indéclinable.

DÉCLINAISON [deklinɛzɔ̃] n. f. — V. 1220 ; de *décliner* (comparer à *déclination*).

♦ **1** Hist. de la philos. Déviation spontanée des atomes (→ Clinamen), dans la philosophie d'Épicure.

♦ **2** Astron. Arc de méridien céleste compris entre un astre et l'équateur céleste. *La déclinaison d'un astre. Cercle de déclinaison d'un astre* : méridien qui passe par cet astre. *Déclinaison boréale. Déclinaison australe. La déclinaison et l'ascension* droite : les deux coordonnées équatoriales d'un astre.

0.1 Le 5 mai, Jasper Hobson annonça à ses compagnons que l'île Victoria venait de franchir le Cercle polaire. Elle rentrait enfin dans cette zone du sphéroïde terrestre que le soleil n'abandonnait jamais, même pendant sa plus grande déclinaison australe.
J. VERNE, le Pays des fourrures, t. II, p. 246-247.

0.2 (...) la déclinaison du soleil change de signe «mine de rien» (...) entre le 20 et le 21 mars. Et si l'on a continué à soustraire la déclinaison (...) alors qu'il eût fallu l'ajouter (...) on peut tout simplement se retrouver sur un caillou que l'on croyait laisser prudemment à une vingtaine de milles sous la ligne (...)
Bernard MOITESSIER, Cap Horn à la voile, p. 116.

♦ **3** Didact. *Déclinaison magnétique* ou *déclinaison* : angle existant, en un lieu et un temps donnés, entre la direction du Nord géographique et celle du Nord magnétique. → **Magnétisme.** *La déclinaison magnétique est produite par l'action du magnétisme terrestre sur l'aiguille de la boussole.*

♦ **4** Gramm. Ensemble des formes (→ **Désinence, paradigme**) *que prennent les noms, pronoms, et adjectifs des langues à flexion, suivant les nombres, les genres et les cas. Les cinq déclinaisons latines. Les noms de la seconde déclinaison.*

1 (...) les Latins ayant placé les nuances de la déclinaison et de la conjugaison dans les finales des mots, nos ancêtres, qui avaient leurs articles, leurs pronoms et leurs verbes auxiliaires, tronquèrent ces finales qui leur étaient inutiles, et qui défiguraient le mot à leurs yeux.
RIVAROL, Disc. sur l'universalité de la langue franç.

2 Le français a perdu sa déclinaison et cependant, il continue d'employer des ablatifs absolus.
Michel BRÉAL, Essai de sémantique, p. 53.

DÉCLINANT, ANTE [deklinã, ãt] p. prés. et adj.
→ **Décliner.**

DÉCLINATEUR [deklinatœʀ] n. m. → **Déclinatoire** (2.).

DÉCLINATION [deklinasjɔ̃] n. f. — XIIIe (astron.); *déclination*, lat. *declinatio*, du supin de *declinare*. → Décliner; comparer à *déclinaison*.
Rare.

♦ **1** Action de décliner.

♦ **2** Vx. Pente.

DÉCLINATOIRE [deklinatwaʀ] adj. et n. — XIVe; dér. sav. de *décliner*.

♦ **1** Dr. Se dit d'un moyen allégué par l'une des parties, pour contester la compétence d'une juridiction et faire renvoyer la cause devant une autre juridiction. *Exceptions, moyens, fins déclinatoires.* — N. m. *Élever, présenter, faire signifier un déclinatoire. Accueillir, rejeter un déclinatoire* (→ Compétence, cit. 1).

Ces bons théologiens n'auraient rien eu à opposer au déclinatoire des arminiens, s'ils avaient rompu avec les églises de Hollande (...)
BOSSUET, Hist. des variations, IV, 73.

♦ **2** N. m. (1701, «boussole»). Appareil servant à mesurer la déclinaison d'un astre. — Boussole d'arpenteur qui sert à orienter un plan par rapport à la direction nord-sud. — Syn. : *déclinateur.*

DÉCLINEMENT [deklinmã] n. m. — XVIe; de *décliner*.
Syn. de *déclination.*

DÉCLINER [dekline] v. — 1080, *Chanson de Roland*, au sens II, 2; lat. *declinare* «détourner, incliner», d'où «changer les formes des mots par des flexions», de *de*-marquant la séparation, et *clinare* «pencher». → Incliner.

I V. tr. **A** ♦ **1** (V. 1397). Dr. Écarter (une juridiction, la compétence d'un tribunal). *Décliner la compétence d'un juge.* → **Déclinatoire** (1.); **renvoi** (demande en renvoi).

1 Charles Ier déclina la compétence de la cour, et, la tête couverte, parla en roi.
CHATEAUBRIAND, Stuarts, 221, *in* LITTRÉ.

♦ **2** (V. 1350). Cour. Ne pas accepter, refuser. *Décliner une invitation, un honneur.* → **Écarter, éloigner, éviter, repousser.** *Je décline votre offre.* — *Décliner toute responsabilité.* → **Rejeter.**

B (1236; du sens spécial de *declinare*). Gramm. Faire passer (un nom, un pronom, un adjectif) par toutes ses désinences, suivant les nombres, les genres et les cas. *Décliner* rosa, dominus... Absolt. *Apprendre à, savoir décliner en latin.*
Pron. *Cet adjectif se décline sur la troisième déclinaison,* il se transforme suivant les formes de cette déclinaison.

C (V. 1100, «dire, réciter»). Énoncer officiellement. *Décliner ses noms, prénoms, titres et qualités.* → **Dire, énoncer.** *Décliner son état civil.*

2 J'aimerais mieux encor qu'il déclinât son nom,
Et dit : Je suis Oreste ou bien Agamemnon.
BOILEAU, l'Art poétique, III.

II V. intr. ♦ **1** (XIIe). Vieilli. (Emploi général). S'écarter d'une direction donnée, d'un point fixe. *Décliner vers la droite, la gauche.*

♦ **2** Philos. S'écarter de la verticale, en parlant des atomes dans la philosophie d'Épicure. → **Déclinaison; clinamen.**
Astron. S'éloigner de l'équateur de la sphère céleste, en parlant des astres.
Phys. S'écarter du nord géographique (méridien terrestre), en parlant de l'aiguille aimantée. *La boussole décline d'un angle donné en un lieu donné.*

♦ **3** Cour. (temporel). Être à son déclin, pencher vers sa fin. → **Baisser, décroître, diminuer, tomber.** *Le jour décline. Le soleil décline à l'horizon, sur l'horizon.* → **Disparaître.** *L'année déclinait.* → **Achever** (s'), **finir, terminer** (se).

Le jour, si bref en cette saison, commença à décliner. 3
M. BARRÈS, Leurs figures, p. 373.

Toute la pente est tapissée d'arbres et colorée d'un vert 4
plus âpre, à mesure que l'année décline.
E. FROMENTIN, Une année dans le Sahel, p. 13.

La belle saison décline. Les jours qui suivent s'effeuillent 5
sous les vents désolés d'automne ou s'endorment au bruit des pluies.
Francis JAMMES, Clara d'Ellébeuse, IV.

♦ **4** (V. 1200). S'affaiblir. *Les forces du malade déclinent chaque jour.* → **Affaiblir, décroître.** *Son état va en déclinant.* → **Empirer.** Par ext. *Le malade décline à vue d'œil.* → **Dépérir, languir** (→ Coffre, cit. 3). *Elle déclinait doucement.* → **Étioler** (s').

Il supporta toutes ces pertes avec un courage apparent; 6
mais son cœur ne cessa de saigner en dedans tout le reste de sa vie, et sa santé ne fit plus que décliner.
ROUSSEAU, les Confessions, XI.

On avait espéré merveille du changement d'air pour me 7
rendre les forces nécessaires à la vie d'un soldat; mais ma santé, au lieu de se rétablir, déclina.
CHATEAUBRIAND, Mémoires d'outre-tombe, t. II,
p. 77.

D'instant en instant, Jean Valjean déclinait. Il baissait; il se 8
rapprochait de l'horizon sombre. Son souffle était devenu intermittent; un peu de râle l'entrecoupait.
HUGO, les Misérables, V, IX, V.

Sa vie décline, elle est sur son déclin. → **Vieillir.**

Mais depuis qu'ayant passé l'âge mûr, je décline vers la 9
vieillesse, je sens que ces mêmes souvenirs renaissent, tandis que les autres s'effacent, et se gravent dans ma mémoire avec des traits dont le charme et la force augmentent de jour en jour (...)
ROUSSEAU, les Confessions, I.

M. de Lagrange est jeune, et je suis presque vieux; son 10
ardeur est naissante, et la mienne décline.
D'ALEMBERT, Lettre au roi de Prusse, 11 juil. 1766.

Tes jours, sombres et courts comme les jours d'automne, 11
Déclinent (...)
LAMARTINE, Premières méditations poétiques,
«le Vallon».

Vieilli. Faiblir, s'affaiblir. *Le génie de cet auteur commence à décliner.* → **Déchoir, dégénérer, faiblir.**

Empire qui décline. → **Effondrer** (s'), **péricliter, tomber...**

(...) à son tour, leur puissance décline (...) 12
RACINE, Britannicus, V, 3.

♦ **DÉCLINANT, ANTE** p. prés. et adj. (1690).

♦ **1** Techn. *Cadran solaire déclinant,* qui ne regarde pas directement un des points cardinaux. — *Plan déclinant,* qui fait un angle avec le méridien.

♦ **2** Fig. et cour. Qui est sur son déclin. *Puissance déclinante. Force déclinante.*

(...) de tempérament ferme encore, mais de race appauvrie 13
déjà et déclinante.
Émile FAGUET, XVIIe siècle, Saint-Simon, III.

♦ **DÉCLINÉ, ÉE** p. p. adj.

♦ **1** Dr. *Juridiction déclinée.* — Cour. *Offre déclinée.*

♦ **2** Gramm. *Nom, adjectif décliné.*

♦ **3** (Concret). Qui penche. — Bot. *Étamine déclinée,* qui penche vers la base de la fleur.

Zool. *Nageoire déclinée*, dont les osselets vont en décroissant. — *Terrain décliné*, en pente.

CONTR. Accepter (une invitation). — **Accroître** (s'), **croître**, **élever** (s'), **fortifier** (se), **monter**, **progresser**. — **Rajeunir**.
◊ **DÉR. Déclin, déclinable, déclinaison, déclinateur, déclinement.**

DÉCLIQUER [deklike] v. tr. — XIVᵉ, «faire partir une arme à feu»; repris en 1838; de 1. *dé-*, et anc. franç. *clique* «loquet, targette; détente» (→ Cliquet).

Techn. Faire jouer le déclic d'un appareil. → **Déclencher.**

DÉR. Déclic.

DÉCLIQUETAGE [deklikta‍ʒ] n. m. — 1869, *Année sc. et industr.* 1870, p. 334; de *décliqueter*.

Techn. Action de décliqueter; son résultat.

DÉCLIQUETER [deklikte] v. tr. [CONJUG.: *jeter*.] — 1754; de 1. *dé-*, et *cliquet.*

Techn. Dégager le cliquet d'un engrenage en vue de permettre le mouvement en sens inverse. — Pron. *L'engrenage s'est décliqueté.*

DÉR. Décliquetage.

DÉCLIVE [dekliv] adj. et n. f. — 1492, *declifz*; du lat. *declivis* «qui est en pente», de *de-*, et *clivus* «pente».
Didactique.

♦ **1** Adj. Qui présente un plan incliné. *La partie déclive d'un terrain. Terres déclives*, en pente. *La partie déclive d'un toit.* → **Pente.** *Être en position déclive.*

1   Avant de prendre quelque repos, il voulait savoir si ce cône pourrait être tourné à sa base, pour le cas où ses flancs, trop déclives, le rendraient inaccessible jusqu'à son sommet.
        J. VERNE, *l'Île mystérieuse*, t. I, p. 127.

2   Je me sens décharmé de toute la planète, sauf de Venise, sauf de Saint-Marc, mosquée dont le pavement déclive et boursouflé ressemble à des tapis de prière juxtaposés.
        Paul MORAND, *Venises*, p. 9.

♦ **2** Anat., méd. Qui indique le point le plus bas (d'un organe, d'une partie du corps, d'une lésion).

♦ **3** N. f. Loc. *En déclive :* en pente. *Voie en déclive.*

DÉCLIVITÉ [deklivite] n. f. — 1487; lat. *declivitas*, de *declivis.* → Déclive.

♦ **1** Cour. État de ce qui est en pente. *La déclivité d'un terrain.* → **Inclinaison, penchant, pente.** *Les déclivités de la montagne. La déclivité d'une route, d'une voie de chemin de fer.* → **Pente, rampe.** *Déclivité d'une rivière.*

1   Les parties supérieures de l'eau d'une rivière, et éloignées des bords, peuvent couler par la seule cause de la déclivité, quelque petite qu'elle soit (...)
        FONTENELLE, *Guglielmini, in* LITTRÉ.

2   L'ingénieur s'approcha alors et reconnut que les parois du déversoir, dans sa partie supérieure, n'accusaient pas une pente de plus de 30 à 35°. Elles étaient donc praticables, et, pourvu que leur déclivité ne s'accrût pas, il serait facile de les descendre jusqu'au niveau même de la mer.
        J. VERNE, *l'Île mystérieuse*, t. I, p. 233-234.

♦ **2** (*Une, des déclivités*). Pente. *Une déclivité dangereuse.*

3   Le lac de l'Esclave est l'un des plus vastes qui se rencontre dans la région située au delà du soixante et unième parallèle (...) Toute la contrée environnante s'abaisse en longues déclivités vers un centre commun, large dépression du sol, qui est occupée par le lac.
        J. VERNE, *le Pays des fourrures*, t. I, p. 36-37.

DÉCLOCHARDISATION [deklɔʃardizasjɔ̃] n. f. — 1959, *in* P. Gilbert; de 1. *dé-*, et *clochardisation.*

Processus inverse de la clochardisation.

DÉCLOISONNEMENT [deklwazɔnmɑ̃] n. m. — 1963; de *décloisonner.*

Action de décloisonner (surtout au sens 2); son résultat.

CONTR. Cloisonnement.

DÉCLOISONNER [deklwazɔne] v. tr. — 1869; de 1. *dé-*, et *cloisonner*, ou de *cloison*, et suff. verbal.

♦ **1** Vx. Enlever les cloisons de; enlever (ce qui sépare, partage un lieu).

♦ **2** (1963). Mod. et fig. Supprimer les cloisons (4.) administratives, économiques, psychologiques de... «(...) *décloisonner les différents ordres d'enseignement*» (*le Monde*, 5 sept. 1963).

CONTR. Cloisonner. ◊ **DÉR. Décloisonnement.**

DÉCLOÎTRER [deklwatʀe] v. tr. — Fin XVIᵉ, *descloitrer*; de 1. *dé-*, et *cloîtrer.*

Relig. Retirer du cloître. — Pron. *Se décloîtrer :* quitter un ordre religieux.

CONTR. Cloitrer.

DÉCLORE [deklɔʀ] v. tr. [CONJUG.: *clore* (3ᴱ pers. du sing. : *il déclôt*; Acad. : *il déclot*).] — 1080, *desclore, Chanson de Roland*; de 1. *dé-*, et *clore.*

♦ **1** Vieilli. Enlever la clôture de. *Déclore un champ, un jardin.* — Absolt. Dr. *Droit de déclore :* droit d'ouvrir la clôture qui ferme un terrain lorsqu'il n'y a pas d'autre chemin praticable.

♦ **2** Vx ou littér. Ouvrir.

Mignonne, allons voir si la rose
Qui ce matin avait déclose
Sa robe de pourpre au soleil,
A point perdu, cette vêprée,
Les plis de sa robe pourprée
Et son teint au vôtre pareil.
        RONSARD, «À Cassandre».

◆ **DÉCLOS, OSE** p. p. adj. *Fleur déclose. Bouche, lèvres décloses.* Fig., rare. «(...) *qu'Antigone soit toute déclose par la mort*» (Barrès, *in* T. L. F.).

CONTR. Clore.

DÉCLOUAGE [deklua‍ʒ] ou **DÉCLOUEMENT** [deklumɑ̃] n. m. — 1894, *déclouage*; *déclouement*, 1888; de *déclouer.*

Action de déclouer, son résultat (les deux formes sont attestées chez Goncourt, *in* T. L. F.).

DÉCLOUER [deklue] v. tr. — XIIᵉ, *desclauer*; de 1. *dé-*, et *clouer.*

Défaire (ce qui est cloué). *Déclouer une planche. Déclouer une caisse.* → **Ouvrir.** — Par ext. *Déclouer un tableau*, le décrocher. Pron. (sens passif). *Tableau qui s'est décloué*, qui s'est décroché.

◆ **DÉCLOUÉ, ÉE** p. p. adj.
Qui n'est plus cloué.

Bosse-de-Nage rentrait avec onze voitures à décors combles, posées de champ, de toiles non déclouées.
        A. JARRY, *Gestes et opinions du docteur Faustroll, pataphysicien, in* Œ. compl., Pl., t. I, p. 712.

CONTR. Clouer. ◊ **DÉR. Déclouage** ou **déclouement.**

DÉCO [deko] → **Décoratif; décoration.**

DÉCOCHAGE [dekɔʃa‍ʒ] n. m. — 1929; de 2. *décocher.*

Techn. Démoulage (d'une pièce de fonderie) par destruction du moule. *Sable de décochage.*

DÉCOCHEMENT [dekɔʃmã] n. m. — 1550; de 1. *décocher.*

Action de 1. décocher (propre et fig.) — Spécialt, techn. (textile). «*Décalage des points de liage dans le sens chaîne-trame*» (J.-C. Desjeux et J. Duflos, *les Plastiques renforcés*, p. 34).

1. DÉCOCHER [dekɔʃe] v. tr. — XIIIᵉ; de 1. *dé-*, *coche* «entaille», et suff. verbal.

♦ **1** Lancer, avec un arc, une arme de trait. *Décocher une flèche.*

1 (...) un arc bandé dont toute la disposition tend à décocher le trait.
BOSSUET, Traité de la connaissance de Dieu..., III, 11.

2 Il fendit l'air comme une flèche décochée avec violence.
A. R. LESAGE, le Diable boiteux, III, p. 34.

Par ext. Lancer par une brusque détente. *Décocher un trait, un javelot. Décocher un coup à qqn.*

Envoyer brusquement.

2.1 Pierre sort un peu de la ligne d'attaque, décoche un coup d'arrêt en plein nez, si parfait, si juste, qu'il néglige de poursuivre son avantage et se retire comme pour en jouir.
Jean PRÉVOST, Plaisirs des sports, p. 73.

(1785, *in* D.D.L.). *Décocher (qqn) à (qqn)* : envoyer auprès de (qqn).

♦ **2** (Abstrait). Envoyer, lancer avec brusquerie à l'adresse de qqn. *Décocher un trait de satire, une épigramme, un mot d'esprit. On lui décocha force critiques. Décocher un regard, une œillade, un sourire. Décocher un compliment.*

3 (...) la Soubrette (...) voyant un beau seigneur si bien nippé, lui avait décoché une œillade incendiaire et un sourire vainqueur.
Th. GAUTIER, le Capitaine Fracasse, t. I, III, p. 91.

4 Conversations littéraires, conversations où il arrive que, en riant, on décoche quelques fléchettes qui amusent sans faire grand mal.
Georges LECOMTE, Ma traversée, p. 257.

5 Jean-Paul baissa le front, sans répondre. Il décocha vers Antoine un coup d'œil en dessous, suivi d'un regard hésitant Daniel qui s'en allait (...)
MARTIN DU GARD, les Thibault, t. IX, p. 82.

DÉR. Décochement, 1. décocheur.

2. DÉCOCHER [dekɔʃe] v. tr. — 1929; de 1. *dé-*, et 1. *coche.*

Techn. Démouler en détruisant le moule (→ Décochage).

DÉR. Décochage, 2. décocheur.

1. DÉCOCHEUR [dekɔʃœʀ] n. m. — XVIᵉ; de 1. *décocher.*

Vx. Archer.

2. DÉCOCHEUR, EUSE [dekɔʃœʀ, øz] n. — Mil. XXᵉ; de 2. *décocher.*

♦ **1** N. Ouvrier, ouvrière qui fait le décochage*.

♦ **2** N. f. *Décocheuse* : machine servant à sortir une pièce de fonderie du moule où elle a été coulée.

DÉCOCONNER [dekɔkɔne] v. intr. — 1842; sans doute antérieur : cf. *décoconage*, 1767, *in* D.D.L.; de 1. *dé-*, et *cocon.*

Techn. Détacher les cocons des vers à soie de leur support. «*Alors, seulement, pour l'éleveur exténué par le ramassage incessant de la feuille survient la récompense : le bombyx repu consent à "monter à la bruyère" pour y tisser le précieux cocon. Quelques jours plus tard, on "décoconne" – c'est le mot – avec les voisins et les amis*» (*l'Express*, nº 1463, 21 juil. 1979, p. 56).

DÉCOCTÉ [dekɔkte] n. m. — 1863; de *décoction.*

Techn. Produit d'une décoction. → **Décoction**, 2.

DÉCOCTION [dekɔksjɔ̃] n. f. — 1256; bas latin *decoctio*, de *decoquere* «réduire par la cuisson», de *de-* intensif, et *coquere* «cuire».

♦ **1** **Techn.** Action de faire bouillir dans un liquide (une substance) pour en extraire les principes solubles. → **Digestion, infusion, macération.** *La décoction s'emploie dans la préparation des bières de fermentation basse.*

♦ **2** Par métonymie. Liquide résultant de cette opération. → **Apozème, décocté, tisane.** *Boire une décoction. Le racinage, décoction d'écorce de noyer servant à la teinture.*

1 Effectivement, la décoction du café cru est une boisson insignifiante (...)
BRILLAT-SAVARIN, Physiologie du goût, t. I, p. 135.

2 D'abord ils lui appliquent sur la tête un formidable coup de bâton qui l'assomme. (Il faut qu'un homme reste en dehors de sa maladie.) Ensuite vient le traitement. Il y a dans leur pharmacie des décoctions de quantités de plantes. Bien sûr ! Comme partout.
Henri MICHAUX, Ailleurs, p. 38.

Par anal. (péj.). Breuvage composé, peu appétissant.

♦ **3** Fig. et fam. *Une décoction de coups de bâton* (→ Dégelée). — (Abstrait). *Une bonne décoction de Kant.*

DÉR. Décocté.

DÉCODAGE [dekɔdaʒ] n. m. — 1959; de *décoder.*

Didact. Action de décoder. → **Déchiffrage, décryptage.** *Le décodage d'un cryptogramme, de signaux, d'une phrase.*

Si l'inconscient (...) reflète (...) les grandes peurs et les grandes émotions des millénaires au cours desquels s'est accomplie son évolution phylogénétique, le décodage de ces signaux ne peut nous révéler rien d'autre que nous ne puissions savoir sans doute, que nous ne pourrons en tout cas, bientôt expliquer rationnellement.
R. HELD, le Processus de guérison, *in* la Nef, nº 31, p. 18.

Ling. et sémiol. Action d'interpréter le sens, les signes de (un message) selon son code. *Décodage d'un panneau de signalisation routière. Le décodage des symboles culturels.*

Biol. Déchiffrement et exécution du «programme génétique» par une cellule.

CONTR. Codage, encodage.

DÉCODER [dekɔde] v. tr. — 1959; de 1. *dé-*, et *code*, d'après l'angl. *to decode*, 1896.

Didactique.

♦ **1** Traduire dans un autre code, en langage clair (un message formulé en code). *Décoder un cryptogramme.* → **Déchiffrer, décrypter.**

♦ **2** Analyser le contenu de (un message) selon le code partagé par l'émetteur et le récepteur. «*La tâche essentielle de ce convertisseur est de décoder les signaux et de les recomposer dans un code identifiable par le perforateur de cartes qui lui est connecté*» (*Science et Vie*, nº 588, p. 56-57).

Le signe tracé vous avait l'air de ces choses qu'écrivent sur les murs les vagabonds, les voleurs, pour se donner entre eux des renseignements sur les gens du voisinage ou les coups à faire, qu'ils sont seuls à décoder.
ARAGON, Blanche..., III, I, p. 363.

Spécialt (ling.). Analyser ou saisir intuitivement le sens de (un énoncé en langue naturelle). → **Comprendre.**

CONTR. Coder, encoder. ◊ **DÉR.** Décodage, décodeur.

DÉCODEUR [dekɔdœʀ] n. m. — V. 1968; de *décoder.*

Didact. Système fonctionnel (appareil ou personne) effectuant un décodage. *Décodeur stéréophonique.* — Spécialt. Appareil muni d'un dispositif de décodage automatique permettant de recevoir certains programmes de télévision.

Ling. *Le locuteur est l'émetteur et l'encodeur du message, l'auditeur son récepteur-décodeur.* — REM. Le tém. *décodeuse* est virtuel.

CONTR. **Encodeur.**

DÉCOFFRAGE [dekɔfʀaʒ] n. m. — 1948; de *décoffrer.*

Techn. Action de décoffrer (→ **Démoulage**). *Béton brut de décoffrage.*

DÉCOFFRER [dekɔfʀe] v. tr. — 1948; «sortir d'un coffre», XIIe; de 1. *dé-*, et *coffrer.*

Techn. Enlever (un ciment, un béton...) de son coffrage.

CONTR. **Coffrer.** ◊ DÉR. **Décoffrage.**

DÉCOHÉRENCE [dekɔeʀɑ̃s] n. f. — 1907; de 1. *dé-* et *cohérence.*

Didact. Suppression de la cohérence (de qqch.). → Décohérer, cit.

DÉCOHÉRER [dekɔeʀe] v. tr. [CONJUG.: *cohérer.* → **Céder.**] — 1897, in *Année sc. et industr.* 1898, p. 50; de 1. *dé-*, et *cohérer.*

Didact. Faire cesser la cohésion de, rendre moins cohérent ou non cohérent.

La veille est essentiellement due à la pluralité d'excitations ou plutôt à la pluralité des genres d'excitations. Lorsque des excitations cessent d'appartenir au même genre il y a une sorte de réveil – par concurrence – par décohérence (...) Compare un système Branly – indépendance des ondes, de la cohérence et du système à marteau qui décohère la limaille.
VALÉRY, Cahiers, Pl., t. II, p. 26-27.

DÉCOHÉSION [dekɔezjɔ̃] n. f. — Mil. XXe (attesté 1964, cit.); de 1. *dé-*, et *cohésion.*

Techn. Absence de cohésion.

(Pour la fabrication de plaques pare-balles), il est nécessaire que le renforcement soit orienté, très dense et très cohérent, tandis que la résine doit au contraire avoir peu de cohésion (...) et peu d'affinité pour le renforcement; ainsi, par (...) décohésion des couches, le stratifié peut absorber au maximum le choc d'un impact.
J.-C. DESJEUX et J. DUFLOS, les Plastiques renforcés, p. 12.

DÉCOIFFAGE [dekwafaʒ] n. m. — 1891; de *décoiffer.*

♦ **1** Action de décoiffer qqn. → **Décoiffement.**

♦ **2** Techn. Le fait de décoiffer qqch. — Spécialt. Action d'ôter la coiffe de la fusée d'un projectile.

DÉCOIFFEMENT [dekwafmɑ̃] n. m. — 1671; de *décoiffer.*

Action de décoiffer (qqn). → **Décoiffage.**

DÉCOIFFER [dekwafe] v. tr. — XIIIe; de 1. *dé-*, et *coiffer.*

♦ **1** Rare (compl. n. de personne). Enlever la coiffure de (qqn), priver de sa coiffure. *Décoiffer un enfant.*

♦ **2** (Compl. n. de chose). *Décoiffer une bouteille.* → **Déboucher.** *Décoiffer un pot. Décoiffer un stylo.*

1   Puis je décoiffai la pointe d'or adoucie d'un de mes stylographes (...)   COLETTE, la Naissance du jour, p. 228.

Décoiffer qqch. de qqch. (le second compl. désignant ce qui coiffe, bouche...).

2   (...) Ensuite, Maria débarrassa un pot de confiture de son couvercle de papier, décoiffa les fromages de leurs cloches pansues (...)   H. TROYAT, le Vivier, p. 65.

Spécialt. *Décoiffer une fusée,* en enlever la coiffe.

♦ **3** Cour. (compl. n. de personne). Déranger la coiffure, l'ordonnance des cheveux de (qqn). *Décoiffer qqn avec les doigts.* — *Le vent l'a décoiffée.* → **Dépeigner.**

♦ **4** Fam. (compl. n. de personne). Contrarier. → **Défriser.**

2.1   Ce qui le décoiffait le plus était la dimension réduite de son «rival».
René FALLET, Y a-t-il un docteur dans la salle?, p. 330.

♦ **5** Emploi absolu (lang. de la publicité). Déranger, mettre en mouvement (comme un grand vent qui décoiffe). *«La publicité qui "décoiffe"»* (le Point, 16 janv. 1984).

♦ **SE DÉCOIFFER** v. pron.

♦ **1** Rare. Enlever sa coiffure. *Elle s'est décoiffée en entrant.* → **Découvrir** (se).

♦ **2** Déranger sa coiffure. → **Dépeigner** (se). *Il se décoiffe sans cesse en se grattant la tête, en fourrageant dans ses cheveux.*

♦ **3** Fig. et fam. (vx). *Se décoiffer d'une idée,* s'en débarrasser, cesser d'en être coiffé*.

♦ **DÉCOIFFÉ, ÉE** p. p. adj.

♦ **1** Rare. Qui n'a plus sa coiffure. *Elle était sortie avec un chapeau, elle est revenue décoiffée.*

♦ **2** Par ext. *Bouteille décoiffée.*

♦ **3** Cour. Dont la chevelure, la coiffure est en désordre. *Elle était toute décoiffée.*

3   (...) elle n'avait pas l'air d'une femme, elle était quelque chose d'informe, d'innommable, un monstre affreux, toute décoiffée, quelques mèches tristes, elle le savait, pendaient dans son cou, elle n'avait pas osé lever la main pour les rentrer sous son chapeau (...)
N. SARRAUTE, le Planétarium, p. 200.

CONTR. **Coiffer, peigner.** ◊ DÉR. **Décoiffage, décoiffement.**

DÉCOINCEMENT [dekwɛ̃smɑ̃] ou **DÉCOINÇAGE** [dekwɛ̃saʒ] n. m. — 1870, *décoincement; décoinçage,* 1931; de *décoincer.*

Action de décoincer (I., 2.); son résultat.

CONTR. **Coinçage; coincement.**

DÉCOINCER [dekwɛ̃se] v. [CONJUG.: *coincer.* → **Placer.**] — 1859; de 1. *dé-*, et *coincer.*

I V. tr. ♦ **1** Techn. Dégager (une pièce) du coin qui assujettit, fixe. *Décoincer un rail pour le changer.* — Pron. :

Les rails tendent constamment à se décoincer; cela résulte de l'élasticité de la voie, de la forme des coins et de la trépidation de la voie.
Presse scientifique, 1861, t. III, p. 229, in LITTRÉ.

♦ **2** Cour. Dégager* (ce qui est coincé, bloqué). → **Débloquer.** *Essayez donc de décoincer ce tiroir.* — Pron. *Le tiroir ne se décoince pas.*

Par ext. *Aidez-moi à décoincer mon pied, je ne peux plus le retirer.* — *Les séances de massage ont décoincé sa colonne vertébrale.*

♦ **3** Fam. Compl. n. de personne. Mettre (qqn) à l'aise, faire qu'il ne soit plus coincé*. — Pron. *Il n'arrive pas à se décoincer.*

II V. intr. Fam. Sortir d'un état d'inactivité, d'incertitude ; devenir actif. *Alors, tu décoinces ? On n'attend plus que toi !* — Spécialt (surtout emploi négatif). Cesser d'être endormi, devenir conscient et actif, au réveil. *Elle n'arrive pas à décoincer, ce matin* (→ Émerger).

CONTR. Coincer. ◊ DÉR. Décoincement ou décoinçage.

DÉCOLÉRER [dekɔlere] v. intr. [CONJUG.: *céder*.] — 1836 ; subst. *decholeré* «celui qui n'est plus en colère», XVIe ; de 1. *dé-*, et *colère*.

Cesser d'être en colère. → **Calmer** (se). Ne s'emploie guère que négativement. *Ne pas décolérer. Il n'a pas décoléré de la journée.*

1 La conversation s'échauffait. On en vint au corps législatif, qu'on traita très-mal. Logre ne décolérait pas. Florent retrouvait en lui le beau crieur du pavillon de la marée, la mâchoire en avant, les mains jetant les mots dans le vide, l'attitude ramassée et aboyante (...)
ZOLA, le Ventre de Paris, 1875, t. I, p. 169.

2 Dans son solide visage auvergnat, ses yeux étaient injectés de sang : pendant une ou deux heures, il ne décolérait pas.
S. DE BEAUVOIR, la Force de l'âge, p. 544.

Fig. et littér. (sujet n. de chose) :

3 (...) le vent d'est s'était acharné après nous, et la mer ne décolérait pas.
Alphonse DAUDET, Lettres de mon moulin, p. 85.

DÉCOLLABLE [dekɔlabl] adj. — 1912 ; proposé par Richard de Radonvilliers, 1845 ; de 2. *décoller*.

Qu'on peut décoller. *Timbre décollable. Vignette pharmaceutique facilement décollable.*

CONTR. Indécollable.

DÉCOLLAGE [dekɔlaʒ] n. m. — 1847 ; de 2. *décoller*.

I Action de décoller (2. Décoller, I.). → **Décollement**. *Le décollage d'une affiche. Décollage soigneux, brutal* (arrachage).

II (1910, *in* Petiot). Action de décoller (2. Décoller, III., B., 1.). *Le décollage d'un avion, d'un hélicoptère, d'une fusée.* → Envol. *Avion à décollage et atterrissage courts* (Adac), *verticaux* (Adav). *Défaillance de l'avion au décollage. Se présenter à l'aéroport une heure avant le décollage.* → Départ.

(1963 ; d'après l'angl. *take off*). Écon. Démarrage économique ; fait de décoller (2. Décoller, III., B., 2.). *«La région du Bas-Rhône vient d'amorcer son décollage économique»* (*Entreprise*, 27 juin 1970).

CONTR. Recollage. — Atterrissage ; appontage.

DÉCOLLATION [dekɔlasjɔ̃] n. f. — 1227 ; lat. jurid. *decollatio*, de *decollare*. → 1. Décoller.

◆ **1** Vx ou littér. Didact. Action de couper la tête, décapitation. *Le supplice de la décollation.*

1 Une tapisserie de la décollation de saint Jean-Baptiste.
Mme DE SÉVIGNÉ, Lettres, 587, *in* LITTRÉ.

1.1 Et je lui vouai ce culte que je garde encore peut-être huit ans après sa décollation. Durant le temps qui va du meurtre à la mort, Pilorge devint plus grand que moi. Pensant aussi à sa vie tranchée, à son corps pourrissant, c'est quand je pus dire : «Pauvr' môme», que je l'aimai.
Jean GENET, Journal du voleur, p. 159.

Chir. Opération qui consiste à sectionner le cou d'un fœtus mort pour rendre son extraction possible.

◆ **2** Fait d'être décapité.

2 Entre deux gares, sans explications, le train ralentit, puis s'immobilise. Des têtes surgissent brusquement par les portières ; celles de droite doivent aussitôt rentrer dans leur coquille, sous peine de décollation, car un train en sens inverse passe (...)
R. QUENEAU, le Chiendent, p. 24.

◆ **3** Rare et littér. (emploi d'auteur). Coupure, section résultant de la décapitation.

3 (...) un petit saxe sans tête qui devait être à l'origine un ange musicien était devenu par l'agrandissement des ombres portées, par le vif éclat que la lumière donnait aux brisures de sa décollation, une sorte d'oiseau des îles (...)
J. GIONO, le Hussard sur le toit, p. 142.

REM. L'homonyme *décollation*, de 2. *décoller*, est attesté isolément au sens de «décollement» (emploi métaphorique) : «*cette décollation d'une glu subtile*» (Jean Genet, Miracle de la rose, p. 139).

DÉCOLLÉ, ÉE [dekɔle] adj. → **Décoller**.

DÉCOLLEMENT [dekɔlmɑ̃] n. m. — 1635, *decolement* ; de 2. *décoller*.

Action de décoller (2. Décoller, I.) ; état de ce qui est décollé. *Le décollement d'une affiche.*

Méd. Séparation d'un organe, ou d'une partie d'organe (des régions anatomiques qui lui sont normalement adhérentes). *Décollement de la rétine* (cour.) : soulèvement de la rétine, repoussée vers le corps vitré. *Décollement des épiphyses des os longs. Décollement du placenta* (de la muqueuse utérine, lors de l'accouchement).

CONTR. Adhérence, collage.

1. DÉCOLLER [dekɔle] v. tr. — Xe ; du lat. *decollare*, de *de-* (→ 1. Dé-), et *collum* «cou» (→ Col ; cou).

Vx. → **Décapiter**.

(Le czar Pierre) avait décollé de sa propre main son fils aîné.
LAMBERTI, cité par VOLTAIRE, Hist. de l'Empire de Russie..., II, 10.

Spécialt (pêche). Trancher la tête des morues (avant le salage).

DÉR. Décollation, décolleur.

2. DÉCOLLER [dekɔle] v. — 1382 ; de 1. *dé-*, et *coller*.

I V. tr. dir. ◆ **1** Détacher, séparer (ce qui était collé) sans déchirer. *Décoller un timbre, une affiche. Je n'arrive pas à décoller ces deux feuilles.* → **Décollement**. *Ne tire pas comme ça, au lieu de le décoller, tu vas l'arracher.*

◆ **2** (Jeu de billard). *Décoller une bille,* la détacher de la bande.

◆ **3** Fam. *Ne pas décoller* (qqn) : importuner, ne pas lâcher. → **Coller** (I., B., 5.). *Il ne nous a pas décollés une minute.*

(1896, *in* Petiot). Sports. *Décoller* (un concurrent), prendre de l'avance sur lui. → **Distancer ; décrocher ; lâcher.** *Se faire décoller.*

◆ **SE DÉCOLLER** v. pron.

Se détacher. *Affiche qui se décolle.* — Par comparaison :

1 Réveil rapide. Les rêves tournent court. Ou se décollent et oscillent, comme l'emplâtre d'affiches que le vent détache d'un mur.
J. ROMAINS, les Hommes de bonne volonté, t. III, p. 226.

Méd. Ne plus adhérer. *La rétine s'est décollée. Greffe qui se décolle.*

Par anal. *Ne pas* (ou *plus*) *pouvoir se décoller de* (qqch.), être incapable de s'en séparer. — Fam. *Ne pas pouvoir se décoller de* (qqn d'importun), ne pas réussir à s'en débarrasser. → **Dépêtrer** (se).

Pop. Ne plus être «à la colle». → **Casser, rompre.**

1.1 On se rencontre... on se colle, c'est bien... On se quitte, on se décolle... c'est bien aussi.
O. MIRBEAU, le Journal d'une femme de chambre, p. 386.

III V. tr. ind. (avec *de*...). ♦ **1** Fam. S'en aller, partir (s'emploie surtout négativement). *Il ne décolle pas d'ici. Pas moyen de le faire décoller* (→ ci-dessus, I., 3.).

♦ **2** Se détacher de... (au propre et au fig.). *L'avion décolle de la piste* (→ ci-dessous, III., B.). — Spécialt (ski). *Décoller du tremplin dans une épreuve de saut.* — Trans. *Décoller une bosse.* ⇒ **Bosse.** — Absolument :

1.2   Son élan reçu d'une première pente, le skieur arrive sur une plate-forme (opposé à *tremplin* proprement dit — à l'extrémité de laquelle il donne, en décollant, une détente des jarrets qui le portera plus ou moins loin en contrebas sur la pente d'atterrissage.
           Jean DAUVEN, Technique du sport, Le ski, p. 120.

Sports. Se détacher des autres concurrents dans une course, etc., prendre de l'avance. *Le cycliste a décollé du peloton* (→ ci-dessus, I., 3.).

Fig. *Décoller de la réalité :* quitter le réel pour l'imaginaire.

III V. intr. **A** Fam. Maigrir. *Ce qu'il a décollé depuis sa maladie!*

B ♦ **1** (1910, *in* Petiot). Quitter le sol, en parlant d'un avion (opposé à *atterrir*). ⇒ **Envoler** (s'); **décollage** (II.). *L'avion de New York vient de décoller. Le pilote prend la piste pour décoller.*

2   Et comme un aviateur qui a jusque-là péniblement roulé à terre, «décollant» brusquement, je m'élevais lentement vers les hauteurs silencieuses du souvenir.
           PROUST, À la recherche du temps perdu, t. XIV,
                              p. 200.

3   — Paré, le mitrailleur ? — Paré. — Alors on y va. Et je décolle.   SAINT-EXUPÉRY, Pilote de guerre, IV, p. 39.

Par anal. Ski (→ ci-dessus, II., 2.).

(En parlant d'un autre type de véhicule). Rare. *Train, bateau qui décolle,* qui part.

♦ **2** (1962; d'après l'angl. *to take off*). Fig. Écon. Prendre son essor économique ; sortir d'une phase de stagnation, du sous-développement. «*Un pays capable de faire "décoller" les économies africaines*» (R. Dumont). — Par ext. *Discipline, science qui décolle. La télévision en couleurs a décollé dans les années 70.*

♦ **DÉCOLLÉ, ÉE** p. p. adj.

Détaché. *Affiches décollées,* qui ne sont plus collées ou qui sont mal collées.

Fig. *Oreilles décollées,* qui s'écartent de la tête (cf. En feuille de chou).

4   Parmi les trois acolytes, de même style, se distingue un rouquin efflanqué, aux oreilles décollées (...)
           Georges LECOMTE, Ma traversée, p. 477.

CONTR. Coller, réunir. — **Adhérer** (faire). — **Atterrir, poser** (se). — **Rester.** ◊ **DÉR.** Décollable, décollage, décollement, décolleur, décolleuse, décolloir. — **HOM.** 1. **Décoller.**

DÉCOLLETAGE [dekɔltaʒ] n. m. — 1835, au sens 2 ; de *décolleter.*

♦ **1** (1849). Action de décolleter (une robe), de se décolleter ; partie décolletée d'une robe. ⇒ **Décolleter** (p. p. adj.). *Décolletage en V. Un décolletage carré.*

1   On sentait qu'elle était avec le public en désaccord aussi profond sur la beauté de sa toilette que sur celle de sa personne, car il était visible qu'elle mettait sous sa haute protection l'espèce de canne qu'elle tenait à la main, son gigantesque éventail, ses cheveux bouffant dans le dos, son décolletage excessif (...)
           PROUST, Jean Santeuil, Pl., p. 741.

2   (...) la dentelle qui bornait le décolletage de sa robe.
           COLETTE, la Fin de Chéri, p. 55.

♦ **2** Agric. Opération par laquelle on décollette (2.). *Décolletage des racines cultivées,* section de leur partie supérieure, juste au-dessous du collet*. *Décolletage à la machine* (décolleteuse).

♦ **3** (1900). Techn. Travail des pièces métalliques tournées à partir de barres métalliques (ou de couronnes de fil) et pouvant comporter des perçages, des filetages, des taraudages.

DÉCOLLETER [dekɔlte] v. tr. [CONJUG.: *jeter.*] — 1700, au p. p. ; de 1. *dé-,* et *collet,* dimin. de *col.*

♦ **1** Couper (un vêtement) de manière qu'il dégage le cou. ⇒ **Échancrer.** *Décolleter une robe, un corsage.*

(Le sujet désigne un vêtement). Laisser le cou, la gorge, les épaules à nu. *Cette robe la décollette trop.*

♦ **2** (1835). Agric. Couper la partie supérieure de (racines alimentaires) pour empêcher le développement du bourgeon. *Décolleter des carottes, des betteraves.*

♦ **3** (1873, *in* D.D.L.). Techn. Travailler par décolletage* (3.). *Décolleter un boulon,* en creuser le pas de vis. *Tour à décolleter.*

♦ **SE DÉCOLLETER** v. pron.

Porter un vêtement laissant le cou découvert, en parlant d'une femme. *Elle se décollette trop.*

♦ **DÉCOLLETÉ, ÉE** p. p. adj. et n. m. **A** ♦ **1** Adj. (Vêtements). Qui laisse voir le cou et une partie de la gorge, du dos. *Robe décolletée devant, dans le dos* (opposé à *montant*). — Par anal. *Soulier décolleté,* qui dégage le cou de pied.

1   Elle a une robe d'intérieur, très décolletée, qui découvre sa nuque fine et ses épaules rondes et pâles (...)
           Edmond JALOUX, Fumées dans la campagne, XIV,
                              p. 115.

(Personnes). *Femme décolletée, trop décolletée.*

1.1   (...) une femme en cire... une vertu décolletée... pour son salon de coiffure, et tournant sur pivot...
           E. LABICHE, Un monsieur qui a brûlé
                         une dame, 17.

2   Celles qui m'entouraient, entièrement décolletées (leur chair apparaissait des deux côtés d'une sinueuse branche de mimosa ou sous les larges pétales d'une rose)...
           PROUST, À la recherche du temps perdu, t. VIII,
                            p. 55.

Fig. et vx. *Propos décolletés,* très libres, licencieux.

2.1   En voilà une dont la tournure est équivoque et les manières tant soit peu décolletées.
           Ch. PAUL DE KOCK, la Grande Ville, t. I,
                      p. 396 (éd. 1842).

♦ **2** N. m. (1849). Bords d'un vêtement par où passe la tête, lorsqu'ils dégagent le cou et une partie de la gorge, du dos. ⇒ **Décolletage.** *Décolleté plongeant ; décolleté carré ; décolleté bateau ; décolleté en pointe.* — *Être en grand décolleté,* en robe de soirée décolletée.

3   Le décolleté laissait voir la naissance d'une gorge abondante et agréable.
           J. ROMAINS, les Hommes de bonne volonté, t. III,
                       XI, p. 147.

(1922). Par ext. Partie de la gorge laissée nue par le décolleté. *Elle a un beau décolleté. Un décolleté opulent.*

(1894). Soulier décolleté. *Des décolletés en daim noir.*

B Adj. Chir. dent. «Se dit d'un appareil de prothèse mobile dont la plaque-base laisse partiellement libres les collets des dents» (*Dict. odonto-stomatologique,* Suppl., n° 18).

C Techn. *Pièces décolletées au tour.*

DÉR. Décolletage, décolleteur.

DÉCOLLETEUR, EUSE [dekɔltœʀ, øz] n. — 1881 ; de *décolleter.*

Technique.

♦ 1 Ouvrier, ouvrière qui fait du décolletage* (3.).

♦ 2 N. f. DÉCOLLETEUSE. Machine à décolleter les racines. *Une décolleteuse-arracheuse. Décolleteuse-récupératrice*, récoltant les feuilles et les collets. Machine servant au décolletage* (3.).

DÉCOLLEUR [dekɔlœʀ] n. m. — XIIIᵉ; de 1. *décoller* «couper le *col*, le *cou*».

Vx. Bourreau. — (1732). Mod. Pêcheur chargé de couper la tête des morues et de les vider.

DÉCOLLEUSE [dekɔløz] n. f. — XXᵉ; de 2. *décoller*. Machine servant à décoller (un revêtement). *Une décolleuse à papier peint.*

DÉCOLLOIR [dekɔlwaʀ] n. m. — XXᵉ; de 2. *décoller*. Techn. Lame de bois qui sépare une forme de bois et la matière à travailler.

DÉCOLONISABLE [dekɔlɔnizabl] adj. — 1845, attestation isolée, J.-B. Richard de Radonvilliers; de *décoloniser*.

Rare. Qui peut être décolonisé.

DÉCOLONISANT, ANTE [dekɔlɔnizã, ãt] adj. → **Décoloniser.**

DÉCOLONISATEUR, TRICE [dekɔlɔnizatœʀ, tʀis] adj. et n. — 1964; néologisme proposé en 1845 par J.-B. Richard de Radonvilliers; de *décoloniser*.

Qui décolonise. *Politique, action décolonisatrice,* de décolonisation. *Les décolonisateurs.*

DÉCOLONISATION [dekɔlɔnizasjɔ̃] n. f. — 1836, Fonfrède, *in D.D.L.*, repris 1952; de 1. *dé-*, et *colonisation*.

Cessation pour un pays de l'état de colonie, processus par lequel une colonie devient indépendante.

1 Je vous épargne l'analyse mille fois recommencée du phénomène de décolonisation qui a affecté tous les empires (...)
F. MAURIAC, le Nouveau Bloc-notes 1958-1960, p. 391.

2 Pour moi, l'histoire du siècle était depuis quarante ans celle de la montée communiste, et de la substitution de l'Amérique à l'Europe. Pour lui (*Nehru*), c'était celle de la décolonisation et d'abord, de la libération de l'Asie.
MALRAUX, Antimémoires, Folio, 1972, p. 202-203.

(1963). Par ext. Libération de groupes humains ou de secteurs socio-économiques dont l'exploitation est comparée à celle de la colonisation.

CONTR. Colonisation.

DÉCOLONISER [dekɔlɔnize] v. tr. — V. 1955; *décolonisant* et *décolonisé*, adj., avaient été proposés comme néologismes par J.-B. Richard de Radonvilliers, 1845; de 1. *dé-*, et *coloniser*.

Permettre, effectuer la décolonisation de (un pays colonisé). *Décoloniser un territoire, un pays pour qu'il accède à l'indépendance.* — Absolument :

1 Une fois libre, la France s'était intéressée à la Libération de ses filleules, décolonisait de Cao Bang au cap Bon.
Claude COURCHAY,
La vie finira bien par commencer, p. 7.

Par ext. Rendre indépendant (un groupe humain, un secteur socio-économique considéré comme colonisé). *Décoloniser la province*, lui rendre une sorte d'autonomie par rapport à Paris. «*Il faut décoloniser la femme*» (Françoise Parturier, 14 avril 1970, *in les Mots dans le vent*).

♦ DÉCOLONISÉ, ÉE p. p. adj. et n.

Qui n'est plus colonisé, qui a accédé à l'indépendance. *Les pays décolonisés d'Afrique.*

2 Aujourd'hui, la plupart des États fraîchement décolonisés se ruinent en armements sans trop savoir pourquoi, probablement parce qu'ils y voient le principal et coûteux attribut de leur indépendance.
Gaston BOUTHOUL, Sociologie de la politique, p. 121.

N. *Un décolonisé, une décolonisée,* personne dont le pays est décolonisé. *Les nouveaux décolonisés font entendre leur voix.*

CONTR. Coloniser. ◊ DÉR. Décolonisable, décolonisateur.

DÉCOLORANT, ANTE [dekɔlɔʀã ãt] adj. et n. m. — 1792; p. prés. de *décolorer*.

♦ 1 Adj. Qui décolore. *Substance décolorante. Action décolorante de l'eau oxygénée.*

♦ 2 N. m. (1890). *Un décolorant :* une substance décolorante. *Le noir animal, l'eau de Javel, l'anhydride sulfureux sont des décolorants.*

Techn. (coiffure). Produit chimique à base d'eau oxygénée intervenant en plus ou moins grande proportion, selon le degré de décoloration à obtenir.

DÉCOLORATION [dekɔlɔʀasjɔ̃] n. f. — V. 1370; du lat. *decoloratio*, du supin de *decolorare*. → Décolorer.

♦ 1 Action de décolorer, de se décolorer; fait d'avoir perdu sa couleur. *La décoloration d'une étoffe exposée au soleil. Décoloration de la peau, des végétaux.* → **Chlorose, étiolement.** *Décoloration des cheveux, du système pileux.* → **Canitie.**

D(*oumic*) a bien la plus sale tête de pion rabougri et obtus que j'aie jamais vue. Immense quantité de vieillards à tous les stades de la décoloration.
CLAUDEL, Journal, 30 nov. 1933.

Par ext. Techn. (coiffure). Opération consistant à éclaircir les pigments colorants par oxydation. *Décoloration suivie d'une teinture. Se faire faire une décoloration. Décoloration de mèches prises sur la masse de la chevelure.* → **Balayage.**

♦ 2 Fig. et rare. *La décoloration d'un style.* → **Affadissement, altération.**

DÉCOLORER [dekɔlɔʀe] v. tr. — 1080, Chanson de Roland; du lat. *decolorare*, de *color.* → Couleur.

♦ 1 Altérer, effacer la couleur de. *Décolorer une étoffe. Le soleil a décoloré les rideaux.*

♦ 2 Spécialt. *Décolorer les cheveux*, leur enlever leur couleur naturelle. — Par métonymie (le compl. désigne la personne). *Se faire décolorer.* → **Décoloration.**

♦ 3 Fig. Enlever ou atténuer la beauté, le brillant de (qqch.). *Décolorer le style.*

1 Sainte-Beuve avait eu à batailler pour empêcher Sénancour de faire à son texte des retouches qui l'auraient décoloré.
A. BILLY, Sainte-Beuve, sa vie et son temps, p. 230.

♦ SE DÉCOLORER v. pron.

♦ 1 Perdre sa couleur. → **Déteindre.** *Son teint s'est décoloré* → **Faner** (se), **flétrir** (se).

♦ 2 (Personnes). Décolorer ses cheveux. *Il s'est décoloré avec de l'eau oxygénée.* → **Blondir.** — (Passif.) *Il se décolore avec l'âge.* → **Blanchir.**

♦ 3 Perdre ses couleurs. *Le ciel, la lumière se décolore peu à peu.*

1.1 Le crépuscule commença à balayer la mer. Et le ciel, lentement, se décolora. L'ouest seul resta rouge encore. Il s'effaçait.
M. DURAS, Moderato cantabile, p. 18.

Par métaphore :

2 (...) quand le soleil du moyen âge est tout à fait couché, quand le génie gothique s'est à jamais éteint à l'horizon de l'art, l'architecture va se décolorant, se ternissant, se décolorant, s'effaçant de plus en plus.　　HUGO, Notre-Dame de Paris, V, 2.

3 Tous les événements de l'existence qui, autrefois, resplendissaient à mes yeux comme des aurores, me semblent se décolorer.
　　MAUPASSANT, les Sœurs Rondoli, «Suicides», p. 261.

Fig. S'altérer* en perdant ses couleurs (fig.), son attrait. → **Affadir** (s'), **effacer** (s'), **ternir** (se). *Son style s'est singulièrement décoloré.*

◆ **DÉCOLORÉ, ÉE** p. p. adj.

◆ **1** Qui a perdu sa couleur. *Étoffe décolorée.* → **Déteint, passé.** *Bleu décoloré.* → **Pâle.** *Lèvres décolorées.* → **Blafard, blême, pâle.**

4 Elle a un caraco rouge à pois blancs, décoloré par la sueur sous les bras.　　J. GIONO, Colline, p. 160.

Spécialt. *Cheveux décolorés,* qui ont subi une décoloration. — N. (rare) *Un décoloré, une décolorée :* une personne dont les cheveux sont décolorés.

◆ **2** Par métaphore ou fig. → **Morne, plat, terne.** *Un style décoloré.*

5 Oui vraiment, depuis longtemps je n'avais traversé suite de jours plus mornes et décolorés, moins profitables.
　　GIDE, Journal, 23 févr. 1930.

6 La nature aussi avait pris cet aspect décoloré et plat, cette maigreur de décor que donne le malheur aux paysages les plus saints, aux soirées les plus riches en relief.
　　GIRAUDOUX, les Aventures de Jérôme Bardini, Stéphy, p. 145.

CONTR. **Colorer, teindre, teinter. — Colorant. — Brillant, frais, vif, vigoureux.** ◊ DÉR. **Décolorant. — V. Décoloration.**

DÉCOMBINAISON

DÉCOMBINAISON [dekɔ̃binɛzɔ̃] n. f. — 1855; de 1. *dé-,* et *combinaison,* ou d'un verbe *décombiner.*

Didact. Séparation (d'éléments en combinaison).

La vie (...) est une combinaison et une décombinaison perpétuelle, combinaison des substances qui entrent, décombinaison des substances qui sortent.
　　É. LITTRÉ, De la science de la vie dans ses rapports avec la chimie, in Revue des Deux-Mondes, 1er janv. 1855, p. 75.

DÉCOMBRE [dekɔ̃bʀ] n. m. (rare au sing.). — 1572; «action de décombrer», 1404; de *décombrer.*

I Au plur. *Décombres.* ◆ **1** Amas de matériaux provenant d'un édifice détruit. → **Déblai, débris, gravats, ruine.** *Décharger les décombres.* → **Décharge.** *Enterrer qqn, qqch. sous les décombres. Plante qui croît dans les décombres.* → **Rudéral.** *Un amas, un monceau de décombres* (→ Cloaque, cit. 2).

1 (...) en se glissant à travers les décombres (...)
　　VOLTAIRE, Candide, 5.

2 Voilà un homme dont la maison tombe en ruine; il l'a démolie pour en bâtir une autre. Les décombres gisent sur son champ, et il attend des pierres nouvelles pour son édifice nouveau.
　　A. DE MUSSET, la Confession d'un enfant du siècle, I, II.

3 Jean Tournier était occupé, avec une équipe de jeunes gens, ces derniers matins, à extraire les cadavres et les blessés de dessous les décombres d'un pâté de maisons (...)
　　GIDE, Journal, 1er janv. 1943.

◆ **2** Fig. et littér. Résidus, ruines. *Les décombres d'un mouvement littéraire, d'une civilisation.*

II Au sing. (avec une valeur stylistique). Rare. Démolition; fait de s'effondrer. → **Décombrement** (2.).

4 Braoum! Vraoum!... C'est le grand décombre!... Toute la rue qui s'effondre au bord de l'eau!... C'est Orléans qui s'écroule et le tonnerre au Grand Café!... Un guéridon vogue et fend l'air! (...) Tout un mobilier qui bascule, jaillit des croisées, s'éparpille en pluie de feu!...
　　CÉLINE, Guignol's band, p. 7.

DÉCOMBREMENT [dekɔ̃bʀəmɑ̃] n. m. — Av. 1105, «action de débarrasser»; de *décombrer.*

◆ **1** Vx. Action de décombrer.

◆ **2** (Attesté XVIIe-XVIIIe). Techn. et vx. Démolition → **Décombre**(s).

DÉCOMBRER [dekɔ̃bʀe] v. tr. — XIIe; de l'anc. franç. *combre* «barrage de rivière» (n. f. selon Godefroy, attesté au masc. *in* du Cange), d'un mot gaulois **comboros* «abattis (d'arbres)», ou (P. Guiraud) doublet de *comble.* → Encombrer.

Vx. Débarrasser de ce qui encombre. → **Débarrasser, désencombrer.**

CONTR. **Encombrer.** ◊ DÉR. **Décombre, décombrement.**

DÉCOMBRES [dekɔ̃bʀ] n. m. pl. → **Décombre.**

DÉCOMMANDE [dekɔmɑ̃d] n. f. — V. 1900, J. Renard, in T. L. F.; déverbal de *décommander.*

Rare. Fait de se décommander.

DÉCOMMANDER [dekɔmɑ̃de] v. tr. — 1832; «annuler un ordre», vers 1330; de 1. *dé-,* et *commander.*

◆ **1** Annuler la commande de (une marchandise). *Décommander une robe, une voiture.*

◆ **2** Différer ou supprimer (une invitation que l'on avait faite). *Décommander un repas, un lunch, un bal. Décommander un rendez-vous.* — Par ext. *Décommander qqn, décommander des invités.* → **Contremander.**

◆ **SE DÉCOMMANDER** v. pron.

Faire savoir qu'on ne viendra pas à un rendez-vous, qu'on n'ira pas chez qqn comme convenu.

Costals téléphone pour se décommander.
　　MONTHERLANT, le Démon du bien, p. 106. 　1

(...) ils ne peuvent plus se quitter, c'est si rare, de tels moments... Mais que faites-vous maintenant?... Si je me décommandais?... Oh oui, je vous en prie... Tant pis, après tout, on ne vit qu'une fois (...)
　　N. SARRAUTE, le Planétarium, p. 163. 　2

Se décommander de (un dîner, un bal, un rendez-vous).

CONTR. **Commander, maintenir.** ◊ DÉR. **Décommande.**

DÉCOMMETTRE [dekɔmɛtʀ] v. tr. [CONJUG.: *commettre.*] — 1870, in P. Larousse; de 1. *dé-,* et *commettre.*

Mar. Détordre* (un cordage) pour en séparer les torons. — Au p. p. *Bout décommis.* — Pron. *Se décommettre :* se détordre, en parlant d'un cordage. *L'aussière s'est décommise sur un mètre.*

CONTR. **Commettre** (I., 5.).

DE COMMODO ET INCOMMODO [dekɔmɔdoɛ tinkɔmɔdo] loc. adj. — 1753; formule latine, «quant aux avantages et aux inconvénients».

Dr. Se dit d'une enquête destinée à déterminer les avantages et les inconvénients d'un projet soumis à l'administration.

DÉCOMMUNISER [dekɔmynize] v. tr. — 1966, in D. D. L.; de 1. *dé-,* et *communiser.*

Faire cesser d'être communiste, rendre moins ou non communiste. *«Tito décommunise son régime»* (le Provençal, 1966).

On trouve aussi le dér. *décommunisation,* n. f.

DÉCOMPACTER [dekɔ̃pakte] v. tr. — 1989; de *dé-*, et *compacter*.

Inform. Restituer des données préalablement compactées dans leur taille et leur format d'origine. *Fichiers décompactés.* → **Décompresser.**

CONTR. **Compacter.**

DÉCOMPENSATION [dekɔ̃pɑ̃sasjɔ̃] n. f. — 1926; de 1. *dé-*, et *compensation*.

♦ **1** Méd. Faillite des mécanismes régulateurs, à la suite de laquelle les troubles dus à une maladie provoquent des perturbations très graves dans l'organisme (ces perturbations étant normalement compensées). *Décompensation d'un diabète, d'une maladie cardiaque.*

♦ **2** Non technique. (Rare). Action de décompenser, fait de se décompenser.

DÉR. **Décompenser.**

DÉCOMPENSÉ, ÉE [dekɔ̃pɑ̃se] adj. — 1953; de 1. *dé-*, et *compensé*.

Méd. Se dit d'une affection organique dont les mécanismes physiologiques de compensation* ne suffisent plus à contrebalancer les effets. *Diabète décompensé. Cardiopathie décompensée.*

CONTR. **Compensé.**

DÉCOMPENSER [dekɔ̃pɑ̃se] v. intr. — D. i. (mil. XXᵉ); de *décompensation*, et *compenser*.

♦ **1** Méd. Être dans un état de rupture d'équilibre, de faillite des mécanismes régulateurs (décompensation).

♦ **2** Non technique. (Rare). Cesser de compenser, de s'équilibrer, par une décompensation.

♦ **SE DÉCOMPENSER** v. pron. (même sens).

DÉCOMPLÉTER [dekɔ̃plete] v. tr. [CONJUG.: *compléter* (→ Céder).] — 1779; de 1. *dé-*, et *compléter*.

Rare. Rendre incomplet. → **Dépareiller, désassortir.** *La perte de cette pièce a décomplété sa collection.*

♦ **SE DÉCOMPLÉTER** v. pron. (passif). *Avec le temps sa collection s'est décomplétée.*

♦ **DÉCOMPLÉTÉ, ÉE** p. p. adj. *Collection décomplétée.* (...) le socialisme brouillé qu'il avait puisé çà et là dans un Fourier décomplété et dans des lambeaux de papiers déclamatoires (...)
     Ed. et J. DE GONCOURT, Manette Salomon,
     p. 93 (1867).

DÉCOMPLEXER [dekɔ̃plɛkse] v. tr. — 1962; de 1. *dé-*, et *complexer*.

Fam. Libérer (qqn) de ses complexes, de ses inhibitions (au sens courant de «complexe d'infériorité»). → **Décontracter** (fig.), **défouler**: *Être décomplexé :* cesser d'avoir des complexes, d'être inhibé.

Fig. Libérer d'une gêne. «*Cette marocanisation (...) décomplexe l'économie marocaine*» (*le Monde*, 30 nov. 1962).

♦ **SE DÉCOMPLEXER** v. pron. *Ce n'est pas sa vie professionnelle qui lui permettra de se décomplexer.*

♦ **DÉCOMPLEXÉ, ÉE** p. p. adj.

Libéré de ses complexes. *Personne décomplexée.* — Par ext. À l'aise. → **Décontracté.**

CONTR. **Complexer.** — (Du p. p. adj.) **Complexé.**

DÉCOMPLIQUER [dekɔ̃plike] v. tr. — 1845; de 1. *dé-*, et *compliquer*.

Rare. Rendre moins compliqué. → **Simplifier.** — REM. Le mot est utilisé par Gide, qui l'emploie avec deux compl. (*décompliquer qqch. de qqch.*) et pronominalement.

DÉCOMPOSABLE [dekɔ̃pozabl] adj. — 1790; de *décomposer*.

Qui peut être décomposé*.

CONTR. **Indécomposable, inséparable, monolithique, simple.**

DÉCOMPOSER [dekɔ̃poze] v. tr. — V. 1516; de 1. *dé-*, et *composer*.

A ♦ **1** Diviser, séparer en éléments. → **Désagréger, dissocier, diviser, résoudre, séparer.** *Décomposer un sel. Décomposer de l'eau par électrolyse. — Le prisme décompose la lumière solaire. — Pron. La lumière blanche se décompose en couleurs fondamentales.*

(...) un rayon de lumière blanche, en traversant un prisme transparent, se décompose dans une infinité de couleurs.   1
     LAPLACE, Exposition du système du monde, IV, 17.

Il ne manquait à l'appel que l'oncle Jules, qui, dans une furie inverse, s'acharnait depuis six semaines à décomposer l'ion.   GIRAUDOUX, Bella, VI, p. 154.   2

Mécan. *Décomposer une force, un mouvement en ses composantes.*

(1754). Math., géom. *Décomposer un produit en ses facteurs. Décomposer un polygone en triangles. Décomposer une équation en équations partielles pour la résoudre. — Décomposer un compte.*

Techn. (typogr.). Distribuer*.

♦ **2** Diviser, analyser en ses éléments. → **Analyser, dissocier, diviser, réduire, résoudre, scinder, séparer; dépecer, désosser, disséquer** (fig.). *Décomposer un texte en phrases, en propositions grammaticales. Décomposer un mot. Décomposer une phrase musicale. Décomposer les idées* (→ Chaîne, cit. 35), *un raisonnement. Décomposer un problème pour le résoudre.*

Le physiologiste et le médecin, aussi bien que le physicien et le chimiste, quand ils se trouveront en face des questions complexes, devront donc décomposer le problème total en des problèmes partiels de plus en plus simples et de mieux en mieux définis.   3
     Cl. BERNARD, Introd. à l'étude de la médecine expérimentale, II, I.

Vous parlez d'or quand vous rappelez au philosophe qu'après avoir décomposé l'univers il est tenu de le recomposer.   Julien BENDA, Lettre à Mélisande, IV, p. 34.   4

♦ **3** Effectuer (un mouvement, une action complexe) en détachant les éléments. *Décomposer un pas de danse, un mouvement de gymnastique. — Décomposer les changements de vitesse, à moto. —* Absolt. *Bien décomposer pour éviter les à-coups.*

Je la vis soudain pâlir, fermer les yeux, tomber à genoux puis en arrière, puis glisser, encore un peu inhabile de ces gestes suprêmes, décomposant sa chute, l'inscrivant au ralenti dans nos yeux.   5
     GIRAUDOUX, Bella, VIII, p. 208.

L'empereur, ainsi costumé en cantatrice, monta sur la scène, et cette fois Carmichaël, en donnant sa leçon, décomposa lentement les divers mouvements de bras qui lui étaient familiers, tout en habituant son élève à marcher avec aisance en chassant d'un adroit coup de pied la longue traîne embarrassante.   5.1
     Raymond ROUSSEL, Impressions d'Afrique, p. 325.

B ♦ **1** Altérer chimiquement (une substance organique). → **Altérer, corrompre, désorganiser, gâter, putréfier.** *La chaleur décompose les matières animales. — Pron. Cadavre qui se décompose.* → **Pourrir.** *Gibier qui commence à se décomposer.* → **Faisander, mortifier.**

Fig. → **Détruire, dissoudre.** *L'anarchie décompose une société.*

6 Tout ce que nous laissons derrière nous, au long de la vie, se décompose lentement, et c'est là un poison qui intoxique notre présent.
Edmond JALOUX, le Jeune Homme au masque, VIII, p. 135.

◆**2** (1752). Altérer passagèrement (les traits du visage). → **Altérer, troubler.** *La souffrance décomposait ses traits.* — Pron. *Son visage se décomposa de terreur.* → **Convulser** (se), **tordre** (se).

7 (...) une pâleur profonde envahit son visage dont les traits se décomposèrent.
Paul BOURGET, Un divorce, IV, p. 159.

8 Des rires décomposaient ces figures de Landais.
F. MAURIAC, Génitrix, IX, p. 109.

◆ **DÉCOMPOSANT, ANTE** p. prés. et adj.
Qui décompose. *Chaleur décomposante.*

◆ **DÉCOMPOSÉ, ÉE** p. p. adj.
◆**1** Divisé, séparé en éléments. *Eau décomposée en hydrogène et oxygène. Lumière décomposée par le prisme.* — Analysé, dissocié. *Produit décomposé en facteurs.*

◆**2** Altéré, corrompu, pourri. *Cadavre décomposé.*

8.1 (...) si rien ne meurt, si rien ne se détruit, si rien ne se perd dans la Nature, si toutes les parties décomposées d'un corps quelconque n'attendent que la dissolution, pour reparaître aussitôt sous des formes nouvelles, quelle indifférence n'y aura-t-il pas dans l'action du meurtre, et comment osera-t-on y trouver du mal?
SADE, Justine..., t. I, p. 129.

9 Alors, ô ma beauté! dites à la vermine
Qui vous mangera de baisers,
Que j'ai gardé la forme et l'essence divine
De mes amours décomposés!
BAUDELAIRE, les Fleurs du mal, XXIX, «Une charogne».

◆**3** Altéré. *Traits décomposés par la douleur, la frayeur...*

10 Debout devant une glace, il contemplait son visage, si décomposé, qu'il ne le reconnaissait pas.
ZOLA, Germinal, II, v, p. 60.

CONTR. Assembler, combiner, composer, rassembler, synthétiser, unir. — Conserver, maintenir. ◊ **DÉR.** Décomposable, décomposeur, décomposition.

DÉCOMPOSEUR [dekɔ̃pozœʀ] n. m. — Mil. XXᵉ; de décomposer.
Organisme, constituant le dernier maillon dans une chaîne alimentaire, qui assure la minéralisation (→ **Minéralisateur**) ou la transformation en humus de la matière organique (provenant des cadavres, des excréments et des débris végétaux) dont cet organisme se nourrit. → **Saprophage.**

DÉCOMPOSITION [dekɔ̃pozisjɔ̃] n. f. — 1694; de décomposer, d'après composition.

A ◆**1** Résolution, séparation (d'un corps, etc.) en ses éléments. → **Division.** *Décomposition chimique d'une substance, d'un composé. La chaleur, l'électricité, la lumière, les chocs sont des causes de décomposition. Décomposition incomplète.* → **Dissociation.** *La décomposition de la lumière par le prisme.*

◆**2** Analyse. *La décomposition d'une idée, d'un raisonnement. Décomposition d'un produit en ses facteurs. Décomposition d'un nombre en facteurs* premiers. Décomposition d'une mesure musicale, d'un pas de danse. Décomposition d'un bilan, d'une comptabilité.* → **Décompte.**

B ◆**1** Désorganisation, altération (d'une substance organique), ordinairement suivie de putréfaction.

→ **Altération, corruption, désorganisation, gangrène, moisissure, pourriture, putréfaction.** *La décomposition de la viande, du gibier.* → **Faisandage.** *Début de décomposition des fruits.* → **Blettissement.** — *Décomposition des débris végétaux par des microorganismes.* → **Biodégradation.**

1 On craint alors les pertes sanglantes des femmes dans leurs indispositions ou leurs couches et, par-dessus tout, la décomposition du cadavre, l'image la plus parlante de la dissolution suprême et inévitable, du triomphe des énergies de destruction qui sapent aussi dangereusement l'existence biologique que la santé du monde et de la société.
Roger CAILLOIS, l'Homme et le Sacré, p. 67.

Loc. *En décomposition, en cours de décomposition. Cadavre en décomposition.*

◆**2** Fait de se décomposer (fig.). *La décomposition d'une société.* → **Agonie, décadence, désagrégation, dissolution, mort.**

2 Cette révolution-là, elle porterait dans l'œuf son germe de décomposition.
MARTIN DU GARD, les Thibault, t. V, p. 105.

◆**3** (1824). Par ext. *Décomposition des traits du visage.* → **Altération, convulsion, trouble.**

CONTR. Assemblage, combinaison, composition, synthèse, union. — Conservation, fraîcheur.

DÉCOMPRESSER [dekɔ̃pʀese] v. — 1966; de 1. dé-, et compresser.

I V. tr. ◆**1** Techn. Cesser de compresser, faire cesser ou diminuer la compression de. → aussi **Décomprimer.**

(...) il se peut que la psycho-chimie (...) permette de décompresser le paléocéphale, le cerveau ancien. L'homme pourrait mieux gouverner et mieux utiliser son intelligence.
L. PAUWELS, in Planète, nº 4, févr. 1969, p. 14.

Spécialt. Réduire la compression de (un gaz). → **Décomprimer, détendre.** — (Le plus souvent, à propos de moteurs à explosion, et en emploi absolu). *«Soudain, Geoffrey décompressa. La plaine s'étendait devant eux, ils survolèrent une belle rivière»* (Daniel Odier, l'Année du lièvre, p. 247).

◆**2** Inform. Rendre à (un fichier compressé) sa taille normale. → **Décompacter.**

II V. intr. Fam. Relâcher sa tension nerveuse, après un effort intense; adopter un rythme de travail plus calme. *Tu devrais décompresser un peu.*

CONTR. Compresser, comprimer.

DÉCOMPRESSEUR [dekɔ̃pʀesœʀ] n. m. — 1904, in D.D.L.; de 1. dé-, et compresser.
Techn. Appareil ramenant à la pression normale un gaz comprimé. — Spécialt. Dans un moteur à explosion, Soupape supprimant la compression dans les cylindres.

DÉCOMPRESSION [dekɔ̃pʀesjɔ̃; dekɔ̃pʀɛsjɔ̃] n. f. — 1868; de 1. dé-, et compression.

◆**1** Action de décomprimer; cessation ou diminution de la compression (d'un gaz). *La décompression lente, soudaine d'un gaz.* → **Détente, dilatation, expansion.** *Soupape, robinet de décompression.* → **Décompresseur.**
Par métaphore. *Une politique de décompression, de détente.* → **Décompresser (fam.).**

◆**2** Diminution ou suppression de la pression exercée sur un organisme par l'air, un gaz ou un liquide. *Accidents physiologiques provoqués par la décompression (céphalées, vomissements, syncopes...).* → **Aéro-embolisme, caisson** (maladie des caissons), **dysbarisme.**

1   Il est reconnu que les accidents qui résultent du travail des ouvriers dans l'air comprimé, tiennent à la subite *décompression* qui arrive lorsque l'ouvrier, remontant à la surface libre de l'air, reçoit l'impression du retour à la pression normale.

L. FIGUIER, l'Année scientifique et industrielle
1873, p. 305 (1872).

Spécialt. Réduction progressive de la pression, dans un caisson où travaille un sujet, pour éviter un retour trop brutal à la pression atmosphérique normale. *Chambre de décompression*, à l'usage des plongeurs, des scaphandriers qui remontent en surface. *Tables de décompression*, fournissant les données physiques et physiologiques nécessaires aux opérations de décompression.

2   Nous disposons des tables de décompression les plus récentes et nous en avons déduit une courbe dite de sécurité, qui donne pour chaque profondeur la durée limite des plongées ne nécessitant pas d'arrêt aux fastidieux «paliers».

J.-Y. COUSTEAU et F. DUMAS, le Monde du silence,
p. 202-203.

♦ **3** Méd. Technique destinée à réduire une pression anormale sur un organe. *Décompression cardiaque*, par évacuation d'un épanchement de sang du péricarde.

CONTR. **Compression.**

DÉCOMPRIMER [dekɔ̃pʀime] v. tr. — 1864; *Revue des cours sc.*, t. I, p. 92; de 1. *dé-*, et *comprimer*.

♦ **1** Faire cesser ou diminuer la compression de (un gaz). → **Décompresser.** *Décomprimer de l'air.*

♦ **2** Méd. Réaliser la décompression de (un organe).

CONTR. **Compresser, comprimer.**

DÉCOMPTE [dekɔ̃t] n. m. — Fin XIIIᵉ; déverbal de *décompter*.

♦ **1** Ce qu'il y a à déduire sur une somme qu'on paie. → **Déduction, réduction.** *Mille francs de décompte. Faire le décompte :* rabattre sur une certaine somme, calculer ce qu'il y a à rabattre.

1   Le président a fait son décompte, et lui a prouvé qu'en vivant sobrement il en aurait encore de reste *(de l'argent)* à son arrivée.

VOLTAIRE, Lettre à d'Argental, 9 mars 1763.

♦ **2** Littér. Mécompte. *Trouver, éprouver du décompte :* en rabattre*. → **Déception, désillusion.**

1.1   Quel décompte! J'ai écrit seulement vingt pages en deux mois.

FLAUBERT, Correspondance, 1853, p. 384, in T. L. F.

♦ **3** Décomposition (d'une somme, d'un tout...) en ses éléments. → **Compte** (2.), **dénombrement.** — Figuré :

2   Il *(le vers libre)* vient de la poésie populaire, qui, immémorialement, ne s'est pas astreinte à la rime, ni au décompte syllabique.

A. THIBAUDET, Hist. de la littérature franç. de
1789 à nos jours, p. 486.

DÉCOMPTER [dekɔ̃te] v. — XIIᵉ; de 1. *dé-*, et *compter*.

I V. tr. ♦ **1** Déduire, rabattre (qqch., une somme) d'une somme. → **Déduire, retrancher, soustraire.** *Il y a tant à décompter.* — Au p. p. *Les sommes décomptées.*

♦ **2** Fig. et absolt (à l'inf.). Rabattre de l'opinion qu'on avait de qqch. *Trouver à décompter. Il faudra bien en décompter.* → **Rabattre** (en), **revenir** (en).

Je le croyais comme toi, Fierdrap; mais il faut décompter.

BARBEY D'AUREVILLY, le Chevalier des Touches,
p. 38.

♦ **3** (1944; de *décompte*, 3., ou par analogie avec *dénombrer; descompter* a eu ce sens aux XIIIᵉ-XVᵉ). Décomposer (une somme, un tout...) en ses éléments. → **Compter, dénombrer.** *Décompter des suffrages.*

Au p. p. *Années décomptées pour le calcul d'une retraite.*

II V. intr. Techn. (le sujet désigne une horloge). Sonner en désaccord avec l'heure qu'indiquent les aiguilles. *Pendule qui décompte.*

CONTR. **Ajouter, remettre.** ◊ DÉR. **Décompte.**

DÉCONCENTRATION [dekɔ̃sɑ̃tʀasjɔ̃] n. f. — 1907; de 1. *dé-*, et *concentration*.

♦ **1** Admin. Système dans lequel le pouvoir de décision est exercé par des agents et organismes locaux, résidant sur place mais soumis à l'autorité centrale (à la différence de la *décentralisation**). *Le régime administratif français résulte d'un compromis entre centralisation, déconcentration et décentralisation.*

1   Cette *déconcentration*, palliatif de défense, aboutira forcément à une nouvelle impasse : le département, la grande ville, veulent décider eux-mêmes, n'être pas soumis à un fonctionnaire central, fût-il installé chez eux.

Planète, n° 4, févr. 1969, Pourquoi les régions?,
p. 30.

♦ **2** Didact. Action de déconcentrer, 2. (spécialt, une zone urbaine); résultat de cette action. *Déconcentration urbaine.*

♦ **3** Chim. Diminution de la concentration (d'une substance liquide ou solide). *Déconcentration d'un remède homéopathique.* → **Dilution.**

2   Les triturations et les dilutions sont obtenues à partir des teintures mères et des drogues naturelles animales, végétales ou minérales par déconcentration. La déconcentration d'une substance aboutit à une trituration si elle est solide; à une dilution si elle est liquide ou en suspension.

Pierre VANNIER, l'Homéopathie, p. 117-118.

CONTR. **Centralisation, concentration.**

DÉCONCENTRER [dekɔ̃sɑ̃tʀe] v. tr. — Mil. XXᵉ; *déconcentré, adj.,* 1835, Lamartine; de 1. *dé-*, et *concentrer*.

♦ **1** Provoquer la déconcentration* administrative de... → **Décentraliser.** — Absolument :

(...) l'administration centrale se défend :
— Vous voulez, dit-elle aux grandes villes et aux départements, que les décisions ne soient plus prises à Paris? Fort bien : nous allons «déconcentrer».
Et il y a quelques semaines, une série de textes sont parus, transférant en province la signature d'un certain nombre de dépenses ou de décisions. Mais les signataires seront toujours des fonctionnaires relevant de l'administration centrale (...) C'est toujours l'administration centrale qui décide.

Planète, n° 4, févr. 1969, Pourquoi les régions?,
p. 30.

♦ **2** Diminuer la concentration (1.) de... *Déconcentrer une zone urbaine saturée.* → **Déconcentration** (2.).

♦ **3** Chim. Diminuer la concentration (2.) de (une substance). *Déconcentrer une solution.*

♦ **4** Cesser de concentrer (son attention). *Déconcentrer son attention.*

♦ **SE DÉCONCENTRER** v. pron.

Cesser de se concentrer. *Amener l'esprit à se détendre, se déconcentrer.*

◆ **DÉCONCENTRÉ, ÉE** p. p. adj.

◆ **1** Qui a subi une déconcentration. *Administration déconcentrée.* — *Zone urbaine déconcentrée.*

◆ **2** Qui est (ou s'est) déconcentré. *Joueur déconcentré.*

CONTR. Centraliser, concentrer.

DÉCONCERTEMENT [dekɔsɛrtəmɑ̃] n. m. — V. 1700, Saint-Simon, *in* F. E. W.; de *déconcerté.*
Littér. Fait d'être déconcerté.

1 Je regardais vivre et agir cette femme, qui m'intéressait comme spectateur, et qui cachait les déportements du vice le plus impudent sous les déconcertements les plus charmants de l'innocence.
BARBEY D'AUREVILLY, les Diaboliques, «À un diner d'athées».

2 Je dois l'avouer : l'ayant lu deux fois *(ce roman)*, je me trouve dans un tel déconcertement que je ne vois plus bien ce que je pourrais en dire.
P.-H. SIMON, *in* le Monde, 15 nov. 1967.

DÉCONCERTER [dekɔsɛrte] v. tr. — Fin XVᵉ; de 1. *dé-*, et *concerter.*

◆ **1** Vx. Troubler en dérangeant l'accord, le concert des parties.

1 Tu dis, et ta voix déconcerte
L'ordre éternel des éléments.
RACINE, Poésies diverses, 21.

2 Il montrait (...) combien la transpiration, facilitée ou diminuée, déconcerte ou rétablit toute la machine du corps.
FÉNELON, Télémaque, XIII.

◆ **2** Littér. Empêcher la réalisation de (un projet). *Déconcerter les projets, les plans, les ruses de qqn.* → **Déjouer.**

3 Ainsi tout déconcerte nos projets, tout trompe notre attente, tout trahit des feux que le ciel eût dû couronner!
ROUSSEAU, Julie ou la Nouvelle Héloïse, I, Lettre LIII.

4 Carlos baissa les stores *(de la voiture)* et fut mené d'un train à déconcerter toute espèce de poursuite.
BALZAC, Splendeurs et Misères des courtisanes, Pl., t. V, p. 810.

REM. Dans les exemples récents, cet emploi peut être senti comme une métaphore du sens courant 3.

4.1 Patrick a une petite fiancée peu attirante : je n'ai fait l'amour avec elle que pour brouiller les cartes et déconcerter la fatalité.
Jacques LAURENT, les Bêtises, p. 565.

Fig. → **Déranger, troubler.**

5 Je vous aimais d'une affection dont aucune espérance de plaisir charnel ne venait déconcerter la sagacité sensible.
PROUST, les Plaisirs et les Jours, p. 34.

Empêcher (qqn) de réaliser des projets. *Ce contretemps l'a déconcerté dans ses tentatives.*

◆ **3** (1671; un emploi du XVᵉ s. est ambigu). Cour. Faire perdre contenance à (qqn); jeter (qqn) dans l'incertitude de ce qu'il faut faire, dire ou penser. → **Confondre, déconfire, décontenancer, déférer, démonter, démoraliser, dépayser, dérouter, désarçonner, désorienter, embarrasser, embrouiller, inquiéter, interdire, intimider, surprendre, troubler** (→ Assommer, cit. 18.3). *Ses caprices me déconcertent et me désespèrent. Les railleries de son interlocuteur le déconcertèrent. Cette nouvelle l'a déconcerté.* → **Asseoir (fam.).** *Il se laisse déconcerter facilement.* — Pron. *Il se déconcerta, perdit contenance, rougit...* (cf. Vider les étriers).

6 (...) cette gêne extrême et l'inaptitude que je me sens me trouble, me déconcerte; et je serais bien plus à mon aise devant un monarque d'Asie que devant un bambin qu'il faut faire babiller.
ROUSSEAU, Rêveries..., 9ᵉ promenade.

Je n'étais plus cet homme timide, et plutôt honteux que modeste, qui n'osait ni se présenter ni parler; qu'un mot badin déconcertait, qu'un regard de femme faisait rougir. 7
ROUSSEAU, les Confessions, IX.

On est brave en présence de tout, et l'on se déconcerte en 8 présence de la justice. Pourquoi? c'est que la justice de l'homme n'est que crépusculaire, et que le juge s'y meut à tâtons.
HUGO, l'Homme qui rit, II, IV, VII.

Moreau continuait à être dans l'ignorance la plus grande; 9 l'attaque qui se produisait à sa gauche le déconcerta (...)
Louis MADELIN, Hist. du Consulat et de l'Empire, Le Consulat, IV, p. 54.

◆ **DÉCONCERTANT, ANTE** p. prés. et adj.

◆ **1** Vx ou didact. Qui dérange un accord.

Il s'agit de savoir, aujourd'hui qu'on les porte sur le théâtre 9.1 (...) il s'agit de savoir si nous reconnaîtrons leurs voix déconcertantes à travers les intonations concertées des acteurs.
GIDE, Dostoïevski, p. 52.

◆ **2** (1835). Qui déconcerte (3.). → **Déroutant, embarrassant, inquiétant, surprenant.** *Attitude déconcertante.* → **Bizarre, étonnant, imprévu, inattendu, troublant.** *Nouvelles contradictoires et déconcertantes.*

(...) de subites volte-face, de déconcertantes surprises. 10
Paul BOURGET, Un divorce, III, p. 104.

On y retrouve Mirabeau tout entier, avec sa complexité 11 déconcertante et presque indéfinissable, menaçant et tendre, autoritaire et ironique, brusque et câlin.
Louis BARTHOU, Mirabeau, p. 42.

◆ **DÉCONCERTÉ, ÉE** p. p. adj.

◆ **1** Vx. Dont l'accord, le concert est troublé (au propre et au fig.).

Le concert étant ainsi déconcerté, l'hôte fit ouvrir la porte. 12
SCARRON, le Roman comique, XV.

◆ **2** Mod. → **Confus, dépaysé, désorienté, interdit, pantois, penaud, surpris, troublé.** *Il avait l'air tout déconcerté; il était tout déconcerté.*

Déconcerté par le sourire complice et le clignement d'œil 13 qu'Antoine lui décochait, il hésita une seconde.
MARTIN DU GARD, les Thibault, t. IX, p. 33.

CONTR. Encourager, enhardir, raffermir, rassurer. — (Du p. prés.) **Encourageant, rassurant.** — (Du p. p. adj.) **Hardi, sûr** (de soi)... ◊ **DÉR.** (Du p. p. adj.) **Déconcertement.**

DÉCONDITIONNEMENT [dekɔdisjɔnmɑ̃] n. m. — 1951, Piéron, art. *Réflexe (conditionné);* de 1. *dé-,* et *conditionnement.*

◆ **1** Didact. (physiol.). Méthode permettant de supprimer un réflexe conditionné par la répétition du stimulus conditionnel seul, en l'absence du stimulus normal auquel il avait été associé dans le conditionnement.

◆ **2** Cour. Action de déconditionner*; son résultat.

(...) bien avant la psychologie des profondeurs, les sages et les ascètes indiens ont été amenés à explorer les zones obscures de l'inconscient (...) Ce n'est pas (...) cette anticipation pragmatique de certaines techniques psychologiques modernes qui est précieuse : c'est son utilisation en vue du «déconditionnement» de l'homme.
Mircea ELIADE, le Yoga, p. 9 (1954).

CONTR. Conditionnement.

DÉCONDITIONNER [dekɔdisjɔne] v. tr. — 1904; de 1. *dé-,* et *conditionner.*
Soustraire aux effets d'un conditionnement* psychologique. «*Déconditionner l'opinion américaine*» (*le Nouvel Obs.,* 7 févr. 1968). → aussi **Déshabituer.**

◆ **SE DÉCONDITIONNER** v. pron.

Se défaire d'un conditionnement, d'une accoutumance, d'une habitude. *Le besoin de se déconditionner.*

♦ **DÉCONDITIONNÉ, ÉE** p. p. adj. *«Une oreille décon-ditionnée des écoutes ordinaires»* (P. Schaeffer, *la Musique concrète*, p. 38).

CONTR. **Conditionner, intoxiquer.**

DÉCONFÈS, ESSE [dekɔ̃fɛ, ɛs] adj. et n. — 1080, *Chanson de Roland* ; de 1. *dé-*, et *confès*.

Relig. Vx. Sans confession. *Communier déconfès.* — Spécialt. *Mourir déconfès.*

Tout homme qui mourait sans donner une partie de ses biens à l'Église, ce qui s'appelait mourir *déconfès* (...)
MONTESQUIEU, l'Esprit des lois, XXVIII, 41.

N. Personne qui ne s'est pas confessée, et, spécialt, qui est morte sans s'être confessée.

DÉCONFIRE [dekɔ̃fiʀ] v. tr. — 1080, *Chanson de Roland* ; de 1. *dé-*, et *confire* «préparer».

♦ **1** (XIIᵉ). Vx. Défaire dans une bataille, un combat.

1   On vous avait trompé de même sur les quatre cents hommes pris en débarquant en Corse ; c'est bien, par tous les diables, au milieu de la terre ferme qu'ils ont été déconfits.
VOLTAIRE, Lettre à M. Vernes, 13 nov. 1768.

1.1   Dégainant son braquemart pour la seconde fois de la journée, Joachim d'Auge (...) occit deux cent seize personnes, hommes, femmes, enfants et autres (...)
Pour sortir de la ville, il fallut également déconfire des archers.
R. QUENEAU, les Fleurs bleues, p. 36.

♦ **2** Fig. et vx. → **Déconcerter, décontenancer, embarrasser, interdire.** *Déconfire un contradicteur en lui rivant son clou.*

♦ **DÉCONFIT, ITE** p. p. adj.

♦ **1** Vx. Battu, défait. — Fig. et familier :

2   Ah ! si tu m'entreprends deux jours de cette sorte,
Mon cœur est déconfit, et je me tiens pour morte (...)
CORNEILLE, la Suite du Menteur, 2.

♦ **2** Mod. → **Déconcerté, décontenancé, honteux, interdit, penaud.** *Air déconfit, mine déconfite. Rester tout déconfit.*

3   M. de Luxembourg est déconfit : ce n'est pas un homme, ni un petit homme, ce n'est pas même une femme, c'est une petite femmelette.
Mᵐᵉ DE SÉVIGNÉ, Lettres, 777, 31 janv. 1680.

CONTR. **Encourager, enhardir, rassurer.** — (Du p. p. adj.) **Hardi, sûr** (de soi), **triomphant.** ◊ DÉR. **Déconfiture.**

DÉCONFITURE [dekɔ̃fityʀ] n. f. — XIIᵉ ; de *déconfire*.

♦ **1** Vx. Défaite complète. → **Carnage, déroute, destruction, extermination.** *Une grande déconfiture.*

1   Un chat nommé Rodilardus
Faisait des rats telle déconfiture
Que l'on n'en voyait presque plus (...)
LA FONTAINE, Fables, II, 2.

♦ **2** Fam. Échec*, défaite morale. → **Chute, faillite, ruine.** *Entreprise qui tourne à la déconfiture. La déconfiture d'un parti politique, d'une faction. La déconfiture de qqn.*

2   Léon Daudet et Souday prennent inopinément ma défense, et cette maladroite attaque de Henri Béraud tourne à sa déconfiture.
GIDE, Journal, mai 1923.

♦ **3** Fam. Ruine financière entière. → **Banqueroute, faillite, insolvabilité, ruine.** *La déconfiture d'un banquier, d'un négociant, d'un commerçant. — Être, tomber en déconfiture, en complète déconfiture.*

3   (...) ce n'est pas que beaucoup de gens ne se ruinassent ; mais cela ne s'appelait point banqueroute ; on disait *déconfiture* ; ce mot est plus doux à l'oreille.
VOLTAIRE, Dict. philosophique,
Banqueroute (cit. 1).

4   Avant le début des hostilités, il avait déjà été fort entamé par la déconfiture d'un sieur Vanekem, par la baisse du change roumain (...)
A. MAUROIS, Bernard Quesnay, XXXIII, p. 227.

Dr. Situation d'un débiteur notoirement hors d'état de payer ses créanciers (s'emploie pour les non-commerçants qui ne sont pas soumis à la procédure de faillite).

Les créanciers personnels de la femme ne peuvent, sans son consentement, demander la séparation des biens. Néanmoins, en cas de faillite ou de déconfiture du mari, ils peuvent exercer les droits de leur débitrice (...)
5
Code civil, ancien art. 1446.

CONTR. **Succès, triomphe, victoire.**

DÉCONFORT [dekɔ̃fɔʀ] n. m. — V. 1165 ; déverbal de *déconforter*.

Vx ou littér. Découragement, désespoir.

DÉCONFORTER [dekɔ̃fɔʀte] v. tr. — V. 1050 ; de 1. *dé-*, et *conforter*.

Vx ou littér. Décourager. — Pron. *Se déconforter.*

CONTR. **Conforter, réconforter.** ◊ DÉR. **Déconfort.**

DÉCONGÉLATION [dekɔ̃ʒelasjɔ̃] n. f. — 1893, → cit. ; de 1. *dé-*, et *congélation*.

♦ **1** Changement d'état physique d'un corps congelé, quand il est ramené à des températures supérieures à son point de congélation*. *Décongélation d'un terrain aquifère, après fonçage d'un puits avec congélation.*

Dès lors le choix s'imposait d'une machine réfrigérante de tout repos, car le moindre arrêt dans son fonctionnement, en produisant la décongélation plus ou moins complète du terrain (...)
L. FIGUIER, l'Année scientifique et industrielle
1894, p. 206 (1893).

♦ **2** Action de décongeler. *Décongélation d'aliments.*

CONTR. **Congélation, surgélation.**

DÉCONGELER [dekɔ̃ʒle] v. tr. [CONJUG. : *geler*.] — 1907 ; de 1. *dé-*, et *congeler*.

Ramener (un corps congelé) à une température supérieure à 0 °C. *Décongeler de la viande, des aliments surgelés.* → **Décongélation.**

CONTR. **Congeler, frigorifier, surgeler.**

DÉCONGESTIF, IVE [dekɔ̃ʒestif, iv] adj. et n. m. — 1928 ; de 1. *dé-*, et *congestif*.

Méd. Qui atténue ou fait disparaître une congestion. *Médication décongestive.* — N. m. *Un décongestif.*

DÉCONGESTION [dekɔ̃ʒɛstjɔ̃] n. f. — 1944 ; de 1. *dé-*, et *congestion*.

♦ **1** Action de décongestionner* ; son résultat.

♦ **2** Fig. Dégagement. *La décongestion d'une rue par l'établissement d'un sens unique. La décongestion d'une zone urbaine, d'une région.* → **Décongestionnement ; déconcentration, désencombrement.**

CONTR. **Encombrement, engorgement.**

DÉCONGESTIONNANT, ANTE [dekɔ̃ʒestjɔnɑ̃, ɑ̃t] adj. et n. m. — 1908 ; du p. prés. de *décongestionner*.

Méd. Propre à décongestionner (1.). *Compresses décongestionnantes.* — N. m. *Un décongestionnant efficace.*

DÉCONGESTIONNEMENT [dekɔ̃ʒestjɔnmɑ̃] n. m. — 1925 ; de *décongestionner*.

Fait de décongestionner. → **Décongestion.** *«Décongestionnement du centre des villes»* (Le Corbusier, 1925, *in* D.D.L.).

DÉCONGESTIONNER [dekɔ̃ʒɛstjɔne] v. tr. — 1874, Flaubert; de 1. dé-, et congestionner.

♦ 1 Méd. Faire cesser la congestion de. *Décongestionner les poumons.*

♦ 2 Fig. Dégager*, désencombrer. *Décongestionner une rue en établissant un sens unique.*

Deux cents mètres plus loin, déjà, une auto était renversée au bord du trottoir, une femme assise par terre, des gens autour d'elle et un agent qui s'efforçait de décongestionner l'avenue en attendant l'ambulance.
G. SIMENON, Feux rouges, p. 11.

(1899). Abstrait. *Décongestionner une zone urbaine, une région.* → **Déconcentrer.**

♦ DÉCONGESTIONNÉ, ÉE p. p. adj.

Qui n'est plus congestionné. *Poumons décongestionnés.* — Fig. Dégagé, désencombré. *Rue, carrefour décongestionnés.*

CONTR. Congestionner. ◊ DÉR. Décongestionnant, décongestionnement.

DÉCONNAGE [dekɔnaʒ] n. m. — 1896; de déconner.

Fam. Action de déconner; propos de celui qui déconne, dit des bêtises. → **Connerie.**

Ils n'ont rien d'autre à foutre qu'à me juger? Pourtant, ils ont l'air plutôt sérieux. Il n'écoutait pas un mot de leurs déconnages. J. CAU, la Pitié de Dieu, p. 130.

REM. On écrit parfois *déconage.* «(...) fini aussi les peintres cubistes et les déconages de poètes» (M. Aymé, le Chemin des écoliers, p. 99).

DÉCONNAGE [dekɔnaʒ] n. m. — 1896; de déconner.

Fam. Action de déconner; propos de celui qui déconne, dit des bêtises. → **Connerie.**

Ils n'ont rien d'autre à foutre qu'à me juger? Pourtant, ils ont l'air plutôt sérieux. Il n'écoutait pas un mot de leurs déconnages. J. CAU, la Pitié de Dieu, p. 130.

REM. On écrit parfois *déconage.* «(...) fini aussi les peintres cubistes et les déconages de poètes» (M. Aymé, le Chemin des écoliers, p. 99).

DÉCONNANT, ANTE [dekɔnɑ̃, ɑ̃t] adj. — D. i. (probablt déb. xxᵉ); de déconner.

Familier.

♦ 1 (Personnes). Qui déconne*, dit ou fait des bêtises, des incongruités. *«Le fin fond de la Critique (...) toute là debout, hagarde, déconnante l'écume!»* (Céline, Guignol's band, p. 375).

♦ 2 (Choses). Inepte, absurde. *Des histoires complètement déconnantes. C'est un peu déconnant, son histoire.*

DÉCONNECTER [dekɔnɛkte] v. tr. — 1943; de 1. dé-, et connecter.

♦ 1 Électr. Supprimer la connexion* de (qqch.) dans un circuit électrique. — Spécialt. Démonter (un raccord d'appareil qui met en connexion). → **Débrancher.**

Il y a une demi-heure, les six hommes du groupe de protection ont occupé la petite centrale électrique du quartier, sans même avoir à dégainer leur revolver, et ont déconnecté le transformateur.
Régis DEBRAY, l'Indésirable, p. 27 (1975).

♦ 2 (1968). Par ext. Fig. Séparer*. *«Peut-on (...) continuer à envisager l'enseignement en lui-même et le déconnecter du monde (...) où l'on a à gagner sa vie»* (le Monde, 17 déc. 1968).

♦ DÉCONNECTÉ, ÉE p. p. adj.

Fig. *Se sentir déconnecté :* ne plus être concerné, intéressé. → **Détaché; largué** (fam.). *«Depuis qu'il est au chômage, il est complètement déconnecté»* (Jacques Merlino, les Jargonautes, p. 196). — REM. On rencontre, au sens propre, la variante *déconnexé, ée* [dekɔnɛkse]. *«Comme sous l'effet d'un stupéfiant, Gonzague recevait successives et déconnexées toutes ces perceptions»* (Cecil Saint-Laurent, la Bourgeoise, p. 335).

CONTR. Connecter, relier. — (Du p. p.) Branché. ◊ DÉR. Déconnection ou déconnexion.

DÉCONNECTION ou **DÉCONNEXION** [dekɔnɛksjɔ̃] n. f. — 1951, déconnection; déconnexion, 1954; déconnection p.-ê. d'après l'angl. to disconnect; de déconnecter.

♦ 1 Physiol., méd. Suppression de certaines voies normales de liaison ou de communication de l'organisme (vaisseaux, nerfs), par un procédé chirurgical ou au moyen de médicaments qui bloquent la transmission des impulsions nerveuses. *Déconnection neuro-végétative* (par paralysie pharmacodynamique des centres nerveux). — REM. La graphie *déconnection* est critiquée.

Dans la psychochirurgie, il y a déconnection du lobe préfrontal avec ce centre (du sommeil). On y voit sous narcose légère obtenir qu'un sujet révèle ce qu'il tenait à garder caché volontairement ou non, propriété également utilisée en psychiatrie (narco-analyse).
   1
Paul CHAUCHARD,
le Système nerveux et ses inconnues, p. 103.

♦ 2 Électr. Action de déconnecter* (1.); son résultat.

♦ 3 Fig. Séparation* de choses qui étaient liées pour fonctionner ensemble.

(...) quoiqu'à ce moment il perçût avec netteté quelque chose qui se cassait en lui, ou plutôt, dit-il plus tard, comme une déconnection, une rupture (...)
   2
Claude SIMON, le Vent, p. 189.

Fait de ne plus être concerné, intéressé par qqch. → **Détachement.**

(...) il m'est arrivé, accoudé au comptoir, de rester de longues minutes silencieux et le regard perdu ou même de claquer des doigts et de changer de physionomie sous l'effet d'une agitation intérieure, et j'ai appris à ne plus corriger ces moments de déconnection parce que ces moments confirmaient les spectateurs dans la certitude que la part téméraire et insolite de ma vie était ailleurs (...)
   3
Jacques LAURENT, les Bêtises, p. 403.

DÉCONNER [dekɔne] v. intr. — 1883; de 1. dé-, con, et suffixe verbal; le sens initial érotique est vx ou très rare; le passage de ce sens au sens 1 n'est pas clair (métaphore de «sortir du vagin» ou croisement avec le sens fam. de con «imbécile»).

Familier.

♦ 1 Dire ou faire des absurdités, des «conneries». → **Débloquer** (II.). *Arrêtez de déconner! Déconner sur, à propos de qqch. Faut pas déconner! :* il ne faut pas exagérer. *Tu déconnes! :* tu te trompes (ou : tu mens, ou aussi : tu plaisantes). — *Sans déconner :* sans blague*. → Sans mentir, sans rire. *Sans déconner, il est drôlement fort. Sans déconner, il a vraiment dit ça? Abrév. fam. : sans dec'* [sɑ̃dɛk]. → ci-dessous, cit. 1.

— Des idées moi? Dis donc tout de suite que je déconne!... Vas-y! des idées!
   1
CÉLINE, Mort à crédit, in Romans, t. I, Pl., p. 561.

— Ce que je pouvais déconner pardon : dire des bêtises quand j'étais môme.
   2
R. QUENEAU, Loin de Rueil, p. 147.

— (...) Quand pourra-t-on passer une soirée sans parler politique?
   3

— On n'a pas parlé : on a déconné.
— On a déconné sur de la politique.
S. DE BEAUVOIR, les Mandarins, p. 467.

4 Sans dec',
j'vous jure qu'c'est vrai, les mecs.
RENAUD, Mistral gagnant, «Sans dec'», p. 72 (1978).

♦ **2** Agir de manière gratuite ou absurde, pour s'amuser. *«Finalement vous tirez* (volez à la tire) *pourquoi ? (...) on fait ça pour déconner»* (Interview, in *Libération*, 13 mars 1978, p. 20).

♦ **3** (Choses). Ne pas aller ; mal fonctionner. *La radio déconne. J'ai l'impression que ma montre déconne. Il y a quelque chose qui déconne, dans ce programme.*

DÉR. et COMP. Déconnage, déconnant, déconneur. Déconophone.

DÉCONNEUR, EUSE [dekɔnœʀ, øz] n. — 1912 ; de *déconner*.
Fam. Personne qui aime dire ou faire des bêtises, plaisanter.

DÉCONNEXÉ, ÉE [dekɔnɛkse] adj. ; **DÉCON-NEXION** [dekɔnɛksjɔ̃] n. f. → **Déconnecter, p. p. ; déconnection.**

DÉCONOPHONE [dekɔnɔfɔn] n. m. — Av. 1934 (le récit de Vercel (cit. 1) se passe en 1918) ; de *déconner*, et *-phone* (dans des noms d'appareils : *téléphone*, etc.).
Fam. et plais. «Appareil» à déconner, c'est-à-dire : ce qui énonce des conneries, suite de conneries. *Voilà le déconophone qui se met en marche :* il commence à dire des conneries, des bêtises.

1 Amène-toi fumer une pipe dehors. Pas la peine d'entrer : le déconophone fonctionne à pleins tuyaux, là-dedans !
Roger VERCEL, Capitaine Conan, IV, p. 78 (1934).

2 — C'est moi, ton copain ? dit Maillat de sa voix taquine... — Tu déconnes. — C'est moi ton copain, Alexandre ? — Ferme ton déconophone, dit Alexandre. Je veux dormir, moi.
Robert MERLE, Week-end à Zuydcoote, p. 180 (1949).

DÉCONSEILLER [dekɔ̃seje] v. tr. — 1050, au p. p., «désemparé» ; de 1. *dé-*, et *conseiller*.

♦ **1** (*Déconseiller à qqn qqch., de faire qqch.*). Conseiller de ne pas faire. → **Détourner, dissuader ; contre-indiquer.** *Il me l'a fermement déconseillé.* — (Sujet abstrait). *La prudence le (lui) déconseillait.* — (Sujet n. de chose). Littér. → **Dissuader.**

1 J'erre un instant sur le boulevard Montparnasse, me fais conduire au cinéma Édouard VII, mais, à l'entrée, les photos du film me déconseillent d'entrer.
GIDE, Journal, 6 sept. 1936.

♦ **2** Rare. (*Déconseiller qqn*). Dérouter, détourner d'un projet.

2 Les médiocres se laissent déconseiller par l'obstacle spécieux ; les forts, non. Périr est leur peut-être, conquérir est leur certitude.
HUGO, les Travailleurs de la mer, II, II, IV.

3 (...) l'œil intéressé de la comtesse expertisait le salon. Il y régnait une modestie décourageante (...) chaises de reps vert (...) console d'acajou (...) tapis en chenilles de laine (...) tout déconseillait la comtesse, qui sentait le cœur lui manquer.
GIDE, les Caves du Vatican, III, 3, in Romans, Pl., p. 765.

♦ **DÉCONSEILLÉ, ÉE** p. p. adj. *C'est tout à fait déconseillé,* contre-indiqué.
Subst., au sens «personne privée de conseil» (exemple isolé) :

4 Pauvres abandonnées,
pauvres déconseillées,
nous avons perdu notre bon père,

nous allons perdre notre bonne dame.
J. GIONO, Présentation de Pan, I, in Œ. roman., t. I, Pl., p. 763.

CONTR. Conseiller, engager, recommander.

DÉCONSIDÉRATION [dekɔ̃sideʀasjɔ̃] n. f. — 1792 ; de *déconsidérer.*
Littér. Fait de déconsidérer ; perte de la considération. → **Discrédit, mépris, mésestime.** *La déconsidération de qqn pour, à l'égard de (qqn, qqch.). Jeter la déconsidération sur qqn. Tomber dans la déconsidération.*

1 Mais non, je ne veux pas ébruiter cela encore ; ce serait risquer de jeter sur Chrysanthème une déconsidération anticipée et injuste (...)
LOTI, Mᵐᵉ Chrysanthème, III, p. 21.

2 (...) des employés amateurs sacrifiant à leur coupable fainéantise la dignité de leurs fonctions, jusqu'à laisser choir dans la déconsidération publique et dans le mépris sarcastique de la foule l'antique prestige des administrations de l'État.
COURTELINE, Messieurs les ronds-de-cuir, 1ᵉʳ tableau, II, p. 35.

La déconsidération de qqn, de qqch., subie par qqn, qqch.

3 Le mépris, la déconsidération de cet événement *(l'accouchement)* qui représente pour la femme le moment d'une épreuve extrême et cruciale de la vie, n'est autre que le mépris de la femme en général.
Annie LECLERC, Parole de femme, p. 93.

CONTR. Considération, estime, faveur.

DÉCONSIDÉRER [dekɔ̃sideʀe] v. tr. — 1790, → cit. ; de 1. *dé-*, et *considérer.*
Priver (qqn, qqch.) de la considération. → **Couler** (fam.), **discréditer, nuire** (à la réputation), **perdre** (de réputation). *Déconsidérer qqn par la médisance, la calomnie. Ce scandale l'a déconsidéré. Il est complètement déconsidéré auprès de ses amis.* — (Compl. n. de chose). *Déconsidérer un journal.*

Le mot de «considération» semble n'avoir point de place *(dans le langage politique révolutionnaire)* [...] En revanche «déconsidérer» est commun.
(En note). *«Déconsidérer»* l'Assemblée Nationale (C. Desmoulins, *les Révolutions de France et de Brabant,* nᵒ 48, 1790 [...]).
F. BRUNOT, Hist. de la langue franç., IX, II, p. 806.

♦ **SE DÉCONSIDÉRER** v. pron.
Agir de manière telle que l'on se prive de la considération des autres. *Il se déconsidère par sa conduite.* — (Choses). *Journal qui se déconsidère par son manque de sérieux.* → **Discréditer** (se).

♦ **DÉCONSIDÉRÉ, ÉE** p. p. adj. *Personne déconsidérée.* → **Méprisé.** *Journal déconsidéré, entreprise déconsidérée.* → **Discrédité.**

CONTR. Considérer, élever (au pinacle), **estimer, vanter.**
◊ **DÉR. Déconsidération.**

DÉCONSIGNER [dekɔ̃siɲe] v. tr. — 1870 ; de 1. *dé-*, et *consigner.*

♦ **1** Affranchir de la consignation. *Déconsigner des troupes.*

♦ **2** (1900). Retirer de la consigne (3.). *Déconsigner une valise.*

♦ **3** (Mil. XXᵉ). Rembourser le prix de la consigne (d'un emballage). *Déconsigner une bouteille.*

CONTR. Consigner.

DÉCONSTITUTIONNALISER [dekɔ̃stitysjɔnalize] v. tr. — 1841 ; de 1. *dé-*, et *constitutionnaliser.*
Didact. Faire perdre son caractère constitutionnel à. *Déconstitutionnaliser un texte législatif.*

CONTR. Constitutionnaliser.

DÉCONSTRUCTION [dekɔ̃stryksjɔ̃] n. f. — D. i. (mil. XXᵉ); de *déconstruire*, d'après *construction*.

Didact. (philos.). Fait de déconstruire.

(...) la situation du texte saussurien que nous ne traitons pour le moment (...) que comme un index, très voyant dans une situation donnée (...) Notre justification serait la suivante : cet index et quelques autres (d'une manière générale le traitement du concept d'écriture) nous donnent déjà le moyen assuré d'entamer la dé-construction de *la plus grande totalité* — le concept d'épistémé et la métaphysique logocentrique — dans laquelle se sont produites (...) toutes les méthodes occidentales d'analyse, d'explication, de lecture ou d'interprétation.

J. DERRIDA, De la grammatologie, p. 68.

DÉCONSTRUIRE [dekɔ̃stryiʀ] v. tr. — 1835; «défaire», 1798; de 1. *dé-*, et *construire*.

♦ **1** Philos. Défaire par l'analyse une construction de concepts, un système.

M. Villemain, dans la Préface du *Dictionnaire de l'Académie* (édition de 1835), parlant des langues qui se constituent, se transforment et périssent selon les lois qui règlent la vie des choses humaines, écrit la phrase suivante : «Dans une contrée de l'immobile Orient où nulle invasion n'a pénétré, où nulle barbarie n'a prévalu, une langue parvenue à sa perfection s'est déconstruite et altérée d'elle-même (...)» *Déconstruire* manque au *Dictionnaire de l'Académie*; il n'est pas admis par l'usage (...) et toutefois ici (...) c'est le seul terme propre.

Arsène DARMESTETER, la Vie des mots, p. 116.

♦ **2** (1981). Littér. *Déconstruire qqn*, briser la personnalité qu'il s'était construite. → **Abattre**.

DÉR. Déconstruction.

DÉCONTAMINATION [dekɔ̃taminasjɔ̃] n. f. — 1952; de 1. *dé-*, et *contamination*.

Didact. ou techn. Action de décontaminer; son résultat. — Élimination ou atténuation des effets d'une contamination (radioactive, chimique...). *Indice de décontamination d'une substance radioactive.*

CONTR. Contamination, pollution.

DÉCONTAMINER [dekɔ̃tamine] v. tr. — 1952; de 1. *dé-*, et *contaminer*.

Didact. ou techn. Éliminer ou atténuer les effets d'une contamination* sur (qqn., qqch.). *Décontaminer les victimes d'une irradiation accidentelle. Décontaminer une rivière polluée par des agents chimiques.* → **Dépolluer**.

CONTR. Contaminer, polluer.

DÉCONTENANCÉ, ÉE [dekɔ̃tnɑ̃se] p. p. adj. → **Décontenancer**.

DÉCONTENANCEMENT [dekɔ̃tnɑ̃smɑ̃] n. m. — 1676; de *décontenancer*.

Action de se décontenancer; son résultat.

DÉCONTENANCER [dekɔ̃tnɑ̃se] v. tr. [CONJUG.: *placer*.] — XVIᵉ; au p. p., 1549; de 1. *dé-*, et *contenance*.

Faire perdre contenance à (qqn). → **Déconcerter, démonter; embarrasser, intimider;** fam. **asseoir**. *Votre froideur l'a décontenancé.* Il décontenance ses adversaires par son aplomb. — (Au passif). *Il est tout décontenancé. Je ne me laisserai pas décontenancer* (→ Redire, cit. 5).

1 Il y eut un rire éclatant des écoliers qui décontenança le pauvre garçon, si bien qu'il ne savait s'il fallait garder sa casquette à la main, la laisser par terre ou la mettre sur sa tête.
FLAUBERT, Mᵐᵉ Bovary, I, I.

2 Ces derniers mots achevèrent de décontenancer Frédéric. Son trouble, que l'on voyait, pensait-il, allait confirmer les soupçons (...)
FLAUBERT, l'Éducation sentimentale, II, IV.

Or, Villeneuve, à cette heure, errait, démoralisé, presque «désespéré» — il écrira le mot tout à l'heure. C'était (...) un brave soldat au feu, mais le moindre incident malheureux, la moindre difficulté, la moindre crainte, — parfois imaginaire, — le décontenançaient. 3
Louis MADELIN, Hist. du Consulat et de l'Empire, Avènement de l'Empire, XIX, p. 245.

♦ **SE DÉCONTENANCER** v. pron.

♦ **1** Perdre contenance. → **Troubler** (se). *Il se décontenance facilement, c'est un timide.*

♦ **2** (Avec un sujet abstrait, et allusion au sens I, 2 de *contenance*). Se décomposer, se démonter.

Nous avons vu comment chacune de ces velléités contra- 3.1 dictoires s'épuise et pour ainsi dire se déprécie, se décontenance par son expression même et par sa manifestation, pour laisser place précisément à la velléité contraire (...)
GIDE, Dostoïevsky, p. 141.

♦ **DÉCONTENANCÉ, ÉE** p. p. adj. → **Déconcerté, déconfit...**

S'il faut agir je ne sais que faire; s'il faut parler, je ne sais 4 que dire; si l'on me regarde, je suis décontenancé.
ROUSSEAU, les Confessions, I.

Le nouveau s'était redressé, vexé, un pli barrant son petit 5 front têtu. Mais, tout de suite décontenancé par l'attitude railleuse de l'ancien, il détourna la tête et rougit.
R. DORGELÈS, les Croix de bois, I, p. 10.

CONTR. Encourager, enhardir, rassurer. — (Du p. p. adj.) **Hardi, sûr** (de soi). ◊ **DÉR. Décontenancement.**

DÉCONTRACTANT, ANTE [dekɔ̃traktɑ̃, ɑ̃t] adj. et n. m. — 1965; du p. prés. de *décontracter*.

Qui apaise, détend. «*Une bande magnétique qui susurre des paroles décontractantes*» (*l'Express*, 10 mai 1965, *in* Gilbert, 1971). — N. m. «*Sur une étagère, il y a la collection de drogues (...) calmants, euphorisants, décontractants*» (Christine de Rivoyre, *les Sultans*, p. 92).

DÉCONTRACTÉ, ÉE [dekɔ̃trakte] adj. — 1924; du p. p. de *décontracter*.

♦ **1** (1924, *in* Petiot). Relâché (muscle).

♦ **2** (V. 1955). Détendu. → **Souple**. *Corps décontracté. Restez décontracté.*

♦ **3** Fig. et fam. Insouciant, sans crainte ni angoisse. → **Décomplexé**. *Un style de play-boy décontracté.* — Péj. Sans-gêne. — Libre, détendu, dégagé. Qui marque de l'aisance, de la désinvolture. *Allure, tenue décontractée. Mode décontractée. Conduite décontractée* (d'une voiture). — Abrév. fam. : *décontracte* ou *décontract'* [dekɔ̃trakt].

CONTR. Contracté, soucieux, tendu. — **Contraint, embarrassé, guindé.** ◊ **DÉR. Décontraction** (3.).

DÉCONTRACTER [dekɔ̃trakte] v. tr. — 1860; de 1. *dé-*, et *contracter*.

♦ **1** Faire cesser la contraction musculaire de. → **Détendre, relâcher**. *Décontracter ses muscles.*

Puis on monta le long d'après (...) Il feignit une fatigue, décontracta ses bras et dégringola de sa corde.
A. JARRY, les Jours et les Nuits, II, II, Pl., t. I, p. 772.

♦ **2** Fig. et fam. *Décontracter qqn*, l'aider à se détendre.

♦ **SE DÉCONTRACTER** v. pron.

(1942, *in* Petiot). Se détendre. → **Relaxer** (se), anglic. *Son visage se décontracte. Décontractez-vous pour bien exécuter ce mouvement. Se décontracter avant une épreuve, un examen.* — Devenir (plus) décontracté.

CONTR. Contracter, crisper, raidir, tendre. ◊ **DÉR. Décontractant, décontracté, décontraction.**

DÉCONTRACTION [dekɔ̃tʀaksjɔ̃] n. f. — 1892; de *décontracter.*

◆ **1** Relâchement du muscle, succédant à la contraction. → **Relâchement.**

C'est à une qualité subtile de cris, c'est à des revendications désespérées de l'âme que nous prédispose une émission sept et douze fois répétée. Et ce souffle nous le localisons, nous le répartissons dans les états de contraction et de décontraction combinés. Nous nous servons de notre corps comme d'un crible où passent la volonté et le relâchement de la volonté.
A. ARTAUD, le Théâtre et son double,
Idées/Gallimard, p. 202.

◆ **2** (1945). Détente du corps. → **Relaxation (anglicisme).**

◆ **3** (1963; de *décontracté*). Fig. Souplesse dans le comportement. → **Désinvolture; décontracté (3.).** «*Faire prendre pour de la décontraction voulue ce qui n'est que laisser-aller, impuissance*» (la *Semaine radio-télévision*, 27 janv. 1968). — Loc. *Faire qqch. en décontraction*, avec souplesse, aisance.

CONTR. **Contraction. — Contrainte.** ◊ COMP. **Autodécontraction.**

DÉCONVENTIONNER [dekɔ̃vɑ̃sjɔne] v. tr. — 1963, pron., *in* Blochwitz; de 1. *dé-*, et *conventionner*. → Conventionné.

Faire cesser d'être conventionné (un médecin, un établissement). — Pron. *Se déconventionner.* — Au p. p. *Médecin déconventionné.*

DÉCONVENUE [dekɔ̃vny] n. f. — 1822; *desconvenue* «malheur, insuccès», v. 1178; de 1. *dé-*, et *convenu*, p. p. de *convenir.*

Désappointement causé par un insuccès, une mésaventure, une erreur. → **Déception, dépit, désappointement, désillusion, humiliation.** *Éprouver une grande déconvenue. Amère, cuisante, terrible déconvenue. De petites déconvenues.*

1 Joseph sut dissimuler son amère déconvenue au public : ses intimes, seuls, connurent son vif dépit dont ils devaient nous faire parvenir les échos.
Louis MADELIN, Hist. du Consulat et de l'Empire,
Le Consulat, IV, xv, p. 243.

2 Il avait peur que ce rendez-vous lui échappât comme les autres; et il lui sembla qu'il serait d'autant moins ridicule qu'il aurait eu moins de hâte à courir à sa déconvenue.
J. ROMAINS, les Hommes de bonne volonté, t. II,
p. 103.

CONTR. **Réussite, succès, triomphe.**

DÉCOORDINATION [dekɔɔʀdinasjɔ̃] n. f. — 1912, → cit.; de 1. *dé-*, et *coordination.*

Didact. Absence ou perte de coordination.

Si la théorie matérialiste était vraie et si la folie consistait dans une décoordination de nos cellules nerveuses, elle serait caractérisée par l'irruption du hasard.
CLAUDEL, Journal, mai-juin 1912.

CONTR. **Coordination.**

DÉCOQUILLER [dekɔkije] v. tr. — XXᵉ; de 1. *dé-*, *coquille*, et suff. verbal.

Retirer (un mollusque) de sa coquille.

Le Cardium edule décoquillé est employé comme amorce par les marins du Portel, de Gravelines, etc. (...)
Louis LAMBERT, les Coquillages comestibles, p. 87.

DÉCOR [dekɔʀ] n. m. — 1603, *decore; decore* «honneur, bienséance», XVIᵉ; déverbal de *décorer.*

◆ **1** Ⓐ Ce qui sert à décorer un édifice, un intérieur, etc. *Peintures, sculptures, boiseries, tentures formant un décor.* → **Décoration, ornement.** *Un décor somptueux. Décor simple, sobre, classique. Boudoir avec décor Louis XV, Louis XVI.*

Motifs décoratifs à la surface d'un objet (de verre, de porcelaine...). Des assiettes 1900 à décor floral.
Ⓑ Ensemble des arts et techniques qui concourent à la décoration. → **Décoratif** (arts décoratifs). *Les arts du décor. L'histoire du décor.*

◆ **2** Plus cour. Représentation ou évocation du lieu où se passe l'action (théâtre, cinéma, télévision). → **Décoration** (I., 3.). *Décors de théâtre.* → **Scène, scénographie, théâtre.** *Décor figuré, en trompe-l'œil, panoramique.* → **Toile** (de fond). *Décor praticable.* → **Praticable.** *Montant* (→ **Portant**), *châssis, toile d'un décor. Décor sur châssis.* → **Ferme.** *La coulisse* est derrière les décors. Peintre de décors. Créateur, installateur de décors.* → **Accessoiriste, décorateur.** *Changement de décors* (→ Perpétuel, cit. 5). *Décors d'une comédie, d'un opéra, d'un ballet. Décors d'un film. Mettre en scène sans décors ou en décor naturel. Jouer dans les décors.*

1 La richesse des costumes et l'éclat des décors étouffent le drame qui ne veut pour parure que la grandeur de l'action et la vérité des caractères.
FRANCE, le Petit Pierre, x, p. 66.

2 La tendance moderne, en matière de décoration théâtrale, l'incline vers une simplification artistique, aussi bien dans le métier pictural que dans le choix des éléments dont se compose un décor. L'idée de tableau interprété par l'intelligence l'emporte sur l'idée d'image photographique, et celle d'impression sur celle de description. On cherche à évoquer, à suggérer, plutôt qu'à représenter.
Jacques COPEAU, in Encycl. franç. (DE MONZIE),
17-64-1.

3 *(Adolphe Appia)* proscrit le décor en trompe-l'œil, peint à plat et purement pittoresque, pour lui substituer un décor construit, à trois dimensions, purement praticable, autrement dit purement dramatique ou dynamique. Les principales réformes de la scène contemporaine sont parties de là.
Jacques COPEAU, in Encycl. franç. (DE MONZIE),
17-64-4.

4 (...) ce costume de la pièce qu'est le décor (...)
Louis JOUVET, Réflexions du comédien, p. 189.

5 C'est dans cet atelier *(le studio)* que sont édifiés les décors où se déroule l'action du film.
Les prises de vues et de sons dites «en extérieur» sont destinées aux scènes qui exigent un décor qui serait trop difficile ou trop coûteux de reconstituer au studio.
René CLAIR, in Encycl. franç. (DE MONZIE),
17-88-10.

Loc. *Faire décor :* ne jouer qu'un rôle décoratif de toile de fond.

5.1 (...) comme dans les toiles de certains vieux peintres les objets se mettent eux-mêmes à parler. La lumière au lieu de faire décor prend les apparences d'un véritable langage et les choses de la scène toutes bourdonnantes de signification s'ordonnent, montrent des figures.
A. ARTAUD, le Théâtre et son double,
Idées/Gallimard, p. 182 (1938).

Loc. fig. *Changement de décor :* changement de circonstances, évolution brusque d'une situation (syn. vx : *changement de décoration;* → Décoration, cit. 5.1). — *L'envers du décor :* ce qui est caché derrière une apparence trompeuse.

◆ **3** Par ext. Aspect extérieur du milieu dans lequel se produit un phénomène, vit un être, considéré sous son aspect extérieur et accidentel. → **Ambiance, apparence, atmosphère, cadre, milieu, toile** (de fond). *Un décor de verdure, de montagnes.* → **Paysage.**

6 (...) ces toilettes n'étaient pas un décor quelconque, remplaçable à volonté, mais une réalité donnée et poétique (...)
PROUST, À la recherche du temps perdu, t. XI, p. 39.

7 C'était la première fois aussi qu'il avait à la voir descendre d'un train, s'avancer vers lui parmi d'autres voyageurs, dans le décor d'une gare.
J. ROMAINS, les Hommes de bonne volonté, t. V,
p. 195.

8 (...) la musique forme, à ses pensées *(de Sosthène),* une sorte de toile de fond, un décor sonore et harmonieux (...)
G. DUHAMEL, Manuel du protestataire, VI, p. 157.

9 (...) jusqu'à ce qu'une poigne profonde arrache de l'ombre, à l'improviste, tout le décor d'un drame où elle tenait son rôle, où je tenais le mien, et que j'avais complètement oublié. COCTEAU, la Difficulté d'être, p. 194.

(1908, *in* Petiot). **Loc. fam.** (le suj. désigne un véhicule, ou son conducteur). *Entrer dans le décor, dans les décors* (attesté 1919) : quitter accidentellement la route (→ Aller dans les platanes).

DÉCORABLE [dekɔʀabl] adj. — 1870, P. Larousse ; proposé par Richard de Radonvilliers, 1845 ; de *décorer.*
Rare.

♦ **1** (Choses). Qu'on peut décorer. *Avec ses murs nus et ses vastes proportions, la pièce était facilement décorable.*

♦ **2** (Personnes). Qui peut être décoré. *Un ancien combattant décorable.*

DÉCORATEUR, TRICE [dekɔʀatœʀ, tʀis] n. — Av. 1634, sens 2 ; «celui qui honore», 1572 ; de *décorer.*

♦ **1** Personne qui fait des travaux de décoration. *Décorateur d'intérieurs, d'appartements.* → **Ensemblier.** *Le décorateur, la décoratrice de qqn :* la personne qui fait des travaux de décoration pour qqn. — Appos. *Peintre* (cit. 1) *décorateur, tapissier décorateur.*

1 (...) son décorateur avait raison, tout dépend de l'ambiance, tant au chaud de ces chênes entrent en jeu... ce beau chêne, ce mur, ce rideau, ces meubles, ces bibelots (...)
N. SARRAUTE, le Planétarium, p. 11.

♦ **2** Personne qui exécute ou dirige l'exécution des décors, pour un spectacle. *Une décoratrice de théâtre, de cinéma. Ce décorateur travaille pour tel metteur en scène, tel scénographe.*

2 Le *décorateur* — encore un mot impropre auquel on devrait substituer le mot «architecte», employé dans les studios allemands — exécute, après lecture du scénario, les maquettes des décors et, après entente avec le réalisateur, dirige la construction de ces décors. Il a sous ses ordres divers corps de métiers : machinistes, charpentiers, peintres, tapissiers, serruriers.
René CLAIR, *in* Encycl. franç. (DE MONZIE), 17-88-11.

DÉCORATIF, IVE [dekɔʀatif, iv] adj. — 1478 ; de *décorer.*

♦ **1** Destiné à décorer. *Peinture décorative.* → **Ornemental.** *Motifs décoratifs.*

ARTS DÉCORATIFS : arts appliqués aux choses utilitaires, aussi nommés *arts appliqués, arts industriels* (par exemple : ameublement, costume, orfèvrerie, céramique, tapisserie, mosaïque). → **Design, esthétique** (industrielle). *L'école, le musée des Arts décoratifs* (fam. : *les Arts déco* [lezaʀdeko]). — *Style Art déco :* style à la mode dans les années suivant l'exposition d'arts décoratifs de 1925.

♦ **2** Qui décore bien. *Ce vase est d'un bel effet décoratif. Un bas-relief, un tableau décoratif. Style décoratif. Tableau traité dans une intention décorative.* → **Décoration** (I., 2.).

Qui forme un décor, un élément de décor.

1 (...) la population la plus colorée, bigarrée, drapée, pavoisée, miroitante, soyeuse et décorative, de tout ce rivage oriental.
MAUPASSANT, la Vie errante, p. 148.

♦ **3** Fam. Se dit d'une personne qui a une belle prestance, qui relève l'éclat d'une réunion. *Un personnage, un invité décoratif.*

Ils accueillent plus volontiers les personnages décoratifs (...) F. MAURIAC, Bloc-notes 1952-1957, p. 34. 2

♦ **4** Péj. Agréable, mais accessoire, gratuit, peu important. *Jouer, en société, un rôle purement décoratif.*

CONTR. Enlaidissant, laid. — Insignifiant. ◊ **DÉR. Décorativement.**

DÉCORATION [dekɔʀasjɔ̃] n. f. — 1463 ; «honneur», 1393 ; bas lat. *decoratio,* de *decorare.* → **Décorer.**

Ⅰ ♦ **1** Action de décorer (un lieu, un espace). → **Embellissement, ornementation.** *Cet architecte a été chargé de la décoration du palais. L'ensemblier qui a effectué la décoration de son appartement.*

(...) faire servir Dieu et la religion à la politique, c'est-à-dire à l'ordre et à la décoration de ce monde (...) 1
LA BRUYÈRE, les Caractères, XVI, 3.

Art de décorer. Connaître les règles de la décoration. Arts de la décoration, les arts décoratifs.

Abrév. fam. : *déco* [deko] n. f. *Refaire la déco de son appartement. — S'intéresser à la déco. Revue de déco.*

♦ **2** (1549). Ensemble de ce qui décore, de ce qui sert à décorer. → **Ornement.** *Décoration architecturale.* → **Architecture.** *Décoration sculpturale.* → **Sculpture ; mannequinage.** *Divers éléments de décoration.* → **Ameublement, mosaïque, orfèvrerie, peinture, tapisserie...** *Décoration intérieure, extérieure. Décoration d'une église, d'un appartement. Décoration en pierre, en stuc... Décoration en relief.* → **Bosse** (II., 3.).

On changeait *(chez le roi Crésus)* la décoration des jardins comme on change une décoration de scène. 2
FÉNELON, Œuvres, t. XIX, p. 32, *in* LITTRÉ.

Une décoration du Second Empire subsistait encore au 3 plafond et aux murs.
J. ROMAINS, les Hommes de bonne volonté, t. V, p. 238.

Arts. Aspect formel d'une œuvre d'art (par oppos. à son contenu iconographique).

♦ **3** (1674). Vx. → **Décor** (2.). *Décoration scénique. Décoration de théâtre.*

La décoration représente un lieu champêtre fort agréable. 4
MOLIÈRE, 1er Prologue du Malade imaginaire.

Dans cent ans le monde subsistera encore en son entier : 5 ce sera le même théâtre et les mêmes décorations, ce ne seront plus les mêmes acteurs.
LA BRUYÈRE, les Caractères, VIII, 99.

Loc. fig. Vx. *Changement de décoration,* de décor.

Changement de décoration : Mlle Émilie me reçoit avec 5.1 toute l'aisance, toute l'amitié, tout le naturel des plus beaux jours de notre goût mutuel.
STENDHAL, Journal (1813), Pl., p. 1257.

Par ext. Littér. Aspect extérieur dans lequel se produit un phénomène, dans lequel on vit. → **Décor** (3.).

♦ **4** Fig. et vx. → **Ornement, parure ;** et aussi **apparat, décorum.**

Ne négligez point une certaine décoration publique ; 6 qu'elle soit noble, imposante, et que la magnificence soit dans les hommes plus que dans les choses. On ne saurait croire à quel point le cœur du peuple suit ses yeux, et combien la majesté du cérémonial lui en impose.
ROUSSEAU, le Gouvernement de Pologne, III.

Les ténèbres et la lumière, les saisons, la marche des astres 7 (...) varient les décorations du monde (...)
CHATEAUBRIAND, le Génie du christianisme, I, V, II.

Ⅱ (1740). Insigne d'un ordre honorifique. → **Banane** (fam.), **chaîne, cordon, crachat** (fam.), **croix, étoile, médaille, palme, plaque, rosette, ruban.** *Obtenir, recevoir une décoration. Procéder à une remise de décorations. Porter une décoration en sautoir, à* *la boutonnière. Poitrine chamarrée, constellée, couverte de décorations* (cf. fam. Batterie de cuisine, panoplie). *Décoration d'un ordre* de chevalerie. Décorations anciennes, en France :* ordre de Saint-Michel, du Saint-Esprit, de Saint-Lazare, de Saint-Hubert, de Saint-Louis, du Mérite militaire, de la Couronne de fer, de la Réunion. *Décorations françaises modernes :* Légion d'honneur, Médaille militaire, Croix de guerre, Croix de la Libération, Médaille de la Résistance... *Anciennes décorations coloniales françaises :* Dragon de l'Annam, Nichan-Iftikhar, Nichan-el-Anouar, Ouissam-alaouite. *Décorations civiles :* Palmes académiques, Mérite agricole... — *Le port illicite de décorations est puni par l'article 259 du Code pénal.*

8 (...) il allait considérer les magasins de décorations. Il examinait tous ces emblèmes de formes diverses, de couleurs variées. Il aurait voulu les posséder tous, dans une cérémonie publique (...) marcher en tête d'un cortège, la poitrine étincelante, zébrée de brochettes alignées l'une sur l'autre (...)
MAUPASSANT, les Sœurs Rondoli, Décoré !, p. 276.

8.1 Oui, je porte ma décoration. Il faut avoir le courage de ses faiblesses. J. RENARD, Journal, 9 déc. 1901.

9 Les obus et les décorations tombent au hasard, sur le juste et l'injuste (...)
A. MAUROIS, les Discours du Dr O'Grady, XI, p. 108.

10 (...) du vieux portier — et dont on aurait arraché galons et décorations, c'est-à-dire non pas les officielles rocailleuses et minérales croix de diamants ou d'or constellant ostensiblement la tunique jaune safran, mais celles que le général portait à l'intérieur (...)
Claude SIMON, le Palace, p. 26.

DÉCORATIVEMENT [dekɔʀativmã] adv. — 1874, *in* Littré, *Suppl.; de décoratif.*

D'une manière décorative (surtout au sens 2). — Plais. et péj. «*Sortir décorativement de la lutte...*» (A. Breton, *in* T. L. F.).

DÉCORDER [dekɔʀde] v. tr. — 1549; *descorder* «tirer une flèche», v. 1170; de 1. *dé-*, et *corder.*

♦ **1** Techn. Défaire (une corde) en séparant les brins tordus ensemble. → **Décommettre.** *Décorder un câble.*

♦ **2** Détacher la corde qui attache, lie (qqch.; un animal). *Décorder une malle, des bestiaux.*

◆ **SE DÉCORDER** v. pron. (1904).

Alpin. Se détacher de la cordée (opposé à *s'encorder*).
(...) si Warfield avait été normal on aurait pu se décorder, utiliser tour à tour la corde d'attache pour faire le rappel.
R. FRISON-ROCHE, Premier de cordée, p. 61 (1941).

◆ **DÉCORDÉ, ÉE** p. p. adj. *Malle décordée.* — Alpin. Détaché de la cordée. *Alpiniste décordé.*

CONTR. Corder.

DÉCORER [dekɔʀe] v. tr. — XIVᵉ; «honorer», v. 1350; du lat. *decorare,* de *decus, decoris* «ornement», de *decere* «convenir». → Décorum; décent.

♦ **1** Pourvoir d'accessoires destinés à embellir, à rendre plus agréable. → **Agrémenter, embellir, enjoliver, orner, parer.** *Décorer un édifice, un appartement avec..., de...*

1 Segonzac ne décore sa «salle» (...) vaste comme une grange, que de trophées rustiques, faux et râteaux croisés, fourches à deux dents en bois poli, couronnes d'épis, et fouets à manches rouges (...)
COLETTE, la Naissance du jour, p. 107.

(Le sujet désigne ce qui décore). Agrémenter, embellir (un lieu). *Tableaux, sculptures, tapisseries qui décorent un palais, un salon.*

Fig. et littér. (Vieilli). → **Orner.**

Le cygne décore, embellit tous les lieux qu'il fréquente (...) 2
BUFFON, Hist. nat. des oiseaux, Le cygne.

La grâce décorait son front et ses discours (...) 3
André CHÉNIER, Odes, La jeune captive.

On se sent une estime infinie pour l'immoralité parce 4 qu'elle n'a pas cessé d'être, et que le temps l'a décorée de rides.
CHATEAUBRIAND, Mémoires d'outre-tombe, t. II, p. 221.

♦ **2** *Décorer qqn, qqch. de qqch. :* couvrir d'une apparence trompeuse et séduisante. → **Honorer, orner, parer, revêtir.** *Il décore sa cruauté du nom de justice.*

(...) une de ces gentilhommières (...) que les villageois décorent du nom de château. 5
Th. GAUTIER, le Capitaine Fracasse, t. I, p. 1 (cf. Château, cit. 4).

♦ **3** Attribuer, remettre à (qqn) une décoration, l'insigne d'un ordre, d'une distinction honorifique. → **Conférer.** *Décorer d'une médaille.* → **Médailler.** *Décorer de la Croix de guerre, de la Médaille militaire.* — Absolt. *Il va être décoré* (de la Légion d'honneur).

(...) c'est à Elchingen que, pour la première fois, l'Empereur, détachant de sa poitrine sa croix de la Légion 6 d'honneur, en décora un soldat.
Louis MADELIN, Hist. du Consulat et de l'Empire, Avènement de l'Empire, V, XII, p. 278.

Nous aimons bien qu'un ministre nous décore, même 6.1 si nous n'avons aucun titre à cela, mais après cela s'il décore d'autres personnes qui n'y ont pas de titres, nous voudrions volontiers l'arrêter et l'empêcher d'abaisser follement par là le prix de ce qu'il nous a donné.
PROUST, Jean Santeuil, Pl., p. 739-740.

◆ **SE DÉCORER** v. pron.

(Passif). *Pièce, salle qui se décore facilement,* que l'on peut décorer... *Pièce qui se décore de...,* qui est décorée de...

(Personnes). S'attribuer un, des titres. *Se décorer de titres qu'on ne possède pas.*

◆ **DÉCORÉ, ÉE** p. p. adj. et n.

♦ **1** (Choses, lieux). Agrémenté, orné. *Appartement décoré par un artiste. Galerie décorée d'œuvres d'art. Colonnettes décorées de reliefs.* — Fig. Littér. et vx. *Visage décoré par la grâce.*

♦ **2** Péj. Couvert d'une apparence trompeuse. *Cruauté décorée du nom de justice. Une baraque décorée du nom d'hôtel.* → **Paré.**

♦ **3** (Personnes). À qui l'on a attribué, remis une décoration ; qui porte une, des décorations. *Militaire décoré de la Croix de guerre.* — Absolt (en parlant de la Légion d'honneur). *Un monsieur décoré.*

M. Sacrement n'avait, depuis son enfance, qu'une idée en 7 tête, être décoré.
(...) il souffrait d'une façon continue de n'avoir point le droit de montrer sur sa redingote un petit ruban de couleur. Les gens décorés qu'il rencontrait sur le boulevard lui portaient un coup au cœur (...)
Et il allait lentement, inspectant les vêtements, l'œil exercé à distinguer le petit point rouge. Quand il arrivait au bout de sa promenade, il s'étonnait toujours des chiffres : «Huit officiers et dix-sept chevaliers. Tant que ça ! C'est stupide de prodiguer les croix d'une pareille façon».
MAUPASSANT, les Sœurs Rondoli, Décoré !, p. 273.

CONTR. Dégrader, déparer, détériorer, enlaidir. ◊ **DÉR. Décor, décorable, décorateur, décoratif.**

DÉCORNER [dekɔʀne] v. tr. — XVIᵉ; de 1. *dé-,* et *corne.*

♦ **1** Rare. Dégarnir de ses cornes. → **Écorner** (1.). — Loc. cour. (1832, *in* D. D. L.). *(Il fait) un vent à décorner les bœufs,* très fort. *Donner un coup à décorner un bœuf,* un coup violent. — (Dans un autre contexte ; stylistique) :

J'ai été tirée de mes rêveries obsessionnelles par Raymonde qui commentait les films de son mari de sa voix à décorner les bœufs.

Benoîte et Flora GROULT, Il était deux fois, p. 404.

♦ **2** (1759). Redresser (ce qui est corné). *Décorner la page d'un livre, une carte à jouer.* — Au p. p. *Page décornée.*

DÉCORTICAGE [dekɔʀtikaʒ] n. m. — 1870; de *décortiquer.*

♦ **1** Opération par laquelle on dégage (un grain, une graine) de son enveloppe. → **Décortication**; et aussi **écorçage.** *Le décorticage du riz, des amandes.* — Par ext. *Le décorticage d'un crustacé.*

♦ **2** Fig. *Le décorticage d'un texte.* → **Épluchage.**

DÉCORTICATION [dekɔʀtikasjɔ̃] n. f. — 1747; du lat. *decorticatio,* du supin de *decorticare.* → Décortiquer.

♦ **1** Action de décortiquer, de dépouiller de son écorce. → **Décorticage.** *Décortication d'un arbre à la raclette. Décortication annulaire.*

Quand le lin a roui, on lui fait subir une sorte de décortication qui ne laisse subsister que la fibre textile.

RENAN, Souvenirs d'enfance..., Le broyeur de lin, p. 39.

♦ **2** Techn. (méd.). Opération par laquelle on sépare un organe de son enveloppe fibreuse. *Décortication du cœur, du rein.*

Spécialt, sc. (zool., etc.). Ablation totale ou partielle du cortex cérébral (d'un animal, aux fins d'expérience). → aussi **Décérébration.**

DÉCORTIQUER [dekɔʀtike] v. tr. — 1826; du lat. *decorticare,* de *cortex, corticis* «écorce».

♦ **1** Dépouiller (une tige, une racine) de son écorce; séparer (un fruit, une graine) de son enveloppe. → **Décorticage, décortication.** *Décortiquer un arbre pour détruire ses parasites. Décortiquer du riz, du café; des amandes, des noix.* — (1898). Par ext. Dépouiller (un crustacé) de sa carapace. *Décortiquer des écrevisses.*

♦ **2** Méd. Priver du cortex. *Décortiquer un animal.* → aussi **Décérébrer.**

♦ **3** (1893). Fig. Analyser* à fond, minutieusement (pour expliquer, interpréter). → **Éplucher.** *Décortiquer un texte. Décortiquer le discours d'un homme politique. S'appliquer à «décortiquer l'univers»* (J. Renard, *Journal,* 28 mars 1893).

On lui soumettait des textes qu'il décortiquait en se jouant. Il épluchait les fautes des copistes, écalait les interpolations (...)

HUYSMANS, l'Oblat, t. I, p. 63, in T. L. F.

♦ **DÉCORTIQUÉ, ÉE** p. p. adj.

♦ **1** Qu'on a dépouillé de son écorce. *Arachides décortiquées* (opposé à *en cosses*). — Par ext. *Acheter des crevettes décortiquées.*

♦ **2** Physiol. Qui a subi une ablation (totale ou partielle) du cortex* (1.). *Chien, chat décortiqué* (→ Décérébration, cit.).

♦ **3** Fig. *Texte décortiqué,* analysé minutieusement, dans tous ses détails.

DÉR. **Décorticage, décortiqueur** ou **décortiqueuse.**

DÉCORTIQUEUR, EUSE [dekɔʀtikœʀ, øz] n. — 1870; fém. 1874 (*Année sc. et industr.,* 1875, p. 419); de *décortiquer.*

Techn. Machine à décortiquer* (1.).

DÉCORUM [dekɔʀɔm] n. m. — 1587; lat. *decorum,* de *decere* «convenir». → Décor.

♦ **1** Ensemble des règles qu'il convient d'observer pour tenir son rang dans une bonne société. → **Bienséance, cérémonial, convenance, protocole.** *Des décorums. Garder, observer le décorum. Être soucieux des lois, des règles du décorum. Ignorer le décorum. Blesser le décorum.*

(...) elle dépouilla nécessairement ce décorum que toute femme, même la plus naturelle, garde en ses paroles, dans ses regards, dans son maintien quand elle est en présence du monde ou de sa famille, et qui n'est plus de mise en déshabillé. 1

BALZAC, le Lys dans la vallée, Pl., t. VIII, p. 932.

Je suis arrivé en retard étant donné le quartier lointain où j'ai dormi. Ai été directement (il était 9 h 20) vous attendre devant l'Odéon. Espère que ce sera bien passé. N'étant pas repassé chez moi, étais d'ailleurs fort sale et ç'aurait manqué de décorum. 1.1

A. JARRY, Correspondance (à Lugné-Poe), Pl., p. 1058.

Ici, pour le décorum, il faut se séparer de nos femmes. 2

LOTI, Mᵐᵉ Chrysanthème, XII, p. 84.

♦ **2** (1889). Apparat officiel. → **Étiquette.** *Décorum royal.*

(...) le maître, qui, au fond, détestant pour lui la contrainte des cérémonies, a le mépris des pompes et des parades, ce maître voudra cependant (...) faire régner l'étiquette et le décorum, endosser la soie et l'hermine, instituer autour de lui des officiers de cour et des «archi-dignitaires». 3

Louis MADELIN, Hist. du Consulat et de l'Empire, Avènement de l'Empire, VIII, p. 109.

♦ **3** (1835). Péj. Décor très soigné, pompeux. *Entretenir autour de soi un certain décorum.*

Ils contournaient une succession de petites collines toutes plus gentilles les unes que les autres. Chaque détour les emmenait dans des perspectives où il n'était question que de pins espacés autour de bosquets rutilants en un décorum que le premier venu aurait trouvé royal. 4

J. GIONO, le Hussard sur le toit, p. 265.

CONTR. Grossièreté, impertinence, insolence, laisser-aller, rusticité, sans-gêne.

DÉCOTE [dekɔt] n. f. — 1953; de 1. *dé-,* et *cote.*

♦ **1** Fisc. Exonération appliquée à une contribution.

♦ **2** (1969). Fin. Évaluation (d'une monnaie, d'une valeur boursière) inférieure au cours de référence.

DÉCOUCHAGE [dekuʃaʒ] n. m. — 1862; de *découcher.*

Action, fait de découcher.

(...) ce que la pédante Mᵐᵉ Bloch appelait ses découchages en cuisine (...) 1

PROUST, Sodome et Gomorrhe, Pl., t. II, p. 844.

(...) au lieu de t'embrasser comme j'avais envie de le faire, je t'ai fait une scène ridicule et conventionnelle dont je n'avais pas du tout envie. Genre empoignade conjugale, dépit amoureux, accusations de découchage, appel à «la morale la plus élémentaire». 2

Régis DEBRAY, l'Indésirable, p. 124.

DÉCOUCHER [dekuʃe] v. intr. — 1579; «se lever», pron., 1190; de 1. *dé-,* et *coucher.*

♦ **1** Vx. Quitter son lit, se lever (cf. A. Dumas père, *in* T. L. F.).

♦ **2** Coucher hors de chez soi; rester absent une nuit entière. *Il a découché cette nuit.*

Lui-même se marie le matin, l'oublie le soir, et découche la nuit de ses noces (...) 1

LA BRUYÈRE, les Caractères, XI, 7.

Lantier n'était pas rentré. Pour la première fois, il découchait. 2

ZOLA, l'Assommoir, I, 1, p. 1.

Vx. *Découcher d'avec qqn* : cesser de coucher avec qqn.

DÉR. Découchage.

DÉCOUDRE [dekudʀ] v. tr. [CONJUG.: *coudre*.] — 1175; de 1. *dé-*, et *coudre*.

♦ **1** Défaire (ce qui est cousu). *Découdre une doublure, un bouton, une manche. Découdre un bâti* (→ **Débâtir**), *un faufilage* (→ **Défaufiler**), *une piqûre* (→ **Dépiquer**). *Découdre une bordure de dentelle. Découdre un soulier.*

1   Elle connaissait si bien les places où elle avait cousu ses louis, qu'elle les décousit avec une promptitude qui tenait de la magie.   BALZAC, *in* P. LAROUSSE.

1.1   Elle décousait la doublure d'une robe, dont les bribes s'éparpillaient autour d'elle (...)   FLAUBERT, Mme Bovary, III, II.

Absolument :

2   (...) ayant passé la plus grande partie de la nuit à coudre et à découdre, il se coucha (...)   SCARRON, le Roman comique, II, IX.

Loc. (Vx). *Ne pas oser découdre les lèvres :* ne pas oser parler.

♦ **2** Mar. *Découdre le bordage d'un navire*, le déclouer*.

♦ **3** (1678). Vén. (le sujet désigne un cerf, un sanglier, etc.). Déchirer le ventre par une blessure en long. *Cerf qui découd un chien.*

3   Le sanglier, rappelant les restes de sa vie,
Vient à lui, le découd, meurt vengé sur son corps ʃ...)   LA FONTAINE, Fables, VIII, 27.

Fam. (Personnes). *Il s'est fait découdre*, blesser. → **Charcuter, couper** (*infra* cit. 4).

♦ **4** V. intr. (XVIe). EN DÉCOUDRE : se battre, lutter. *Voici l'ennemi, il faut en découdre. Il est toujours prêt à en découdre*, à se battre, à en venir aux mains*. *En découdre avec qqn.*

♦ **SE DÉCOUDRE** v. pron.

Se détacher naturellement par les coutures. *Cette doublure se découd.*

♦ **DÉCOUSU, UE** p. p. adj.

♦ **1** (XIIIe). Dont la couture a été défaite. *Ourlet décousu.*

4   Que ce mot tapisserie n'éveille en votre imagination aucune idée de luxe inopportun. Celle-ci était usée, élimée, passée de ton; les lés décousus faisaient cent hiatus et ne tenaient plus que par quelques fils et la force de l'habitude.   Th. GAUTIER, le Capitaine Fracasse, I, 1, p. 10.

4.1   Tous les insignes distinctifs de son costume ont été décousus : non seulement ceux du col, mais aussi les galons sur les manches et sur le calot, laissant voir à l'emplacement qu'ils occupaient une petite surface de drap neuf, plus moelleuse (...)   A. ROBBE-GRILLET, Dans le labyrinthe, p. 98.

Vén. Dont le ventre est ouvert. *Animal décousu.*

♦ **2** (1577, *in* D.D.L.). Fig. Qui est sans suite, sans liaison, sans logique. → **Désordonné, illogique, incohérent, inconséquent, sautillant.** *Travailler d'une façon décousue. Conversation décousue* (cf. À bâtons rompus; passer du coq à l'âne; n'aller que par sauts et par bonds). *Propos décousus*, sans ordre, sans plan suivi. *Style décousu.*

5   (...) tu es la bonté de lire jusqu'au bout mes indéchiffrables barbouillages, mes rêvasseries sans queue ni tête : si décousues et si absurdes qu'elles soient, elles t'offrent toujours de l'intérêt, parce qu'elles viennent de moi, et ce qui est moi, quand même cela est mauvais, n'est pas sans quelque prix pour toi.   Th. GAUTIER, Mlle de Maupin, VI, p. 123.

5.1   (...) mais, à peine lancé, un doute le prend, si bien qu'il préfère se limiter, par prudence, à une succession de phrases

décousues, c'est-à-dire sans lien apparent, pour la plupart inachevées, et de toute façon très obscures pour son interlocuteur, où lui-même d'ailleurs s'embrouille davantage à chaque mot. L'autre ne (...)   A. ROBBE-GRILLET, Dans le labyrinthe, p. 150-151.

N. m. *Le décousu d'un style, d'un discours.* → **Désordre, incohérence.**

6   (...) le décousu et l'absurdité de la rédaction indiquent quelque chose de plus que la difficulté d'exprimer sa pensée.   MÉRIMÉE, Hist. du règne de Pierre le Grand, p. 292.

7   Leur affectation d'immoralité m'empêcha de voir le décousu de leur philosophie.   RENAN, Souvenirs d'enfance..., III, 1, p. 119.

8   Il y a dans toute l'œuvre *(de Mahler)* un mélange de rigueur pédante et d'incohérence; du décousu, des arrêts brusques qui coupent le développement, des idées parasites qui l'interrompent sans raison musicale, des interruptions de vie.   R. ROLLAND, Musiciens d'aujourd'hui, p. 189.

CONTR. Coudre. — Bâtir, faufiler, piquer. — (Du p. p.) **Cousu. — Cohérent, conséquent, lié, logique, suivi.** ◊ **DÉR.** (Du p. p.) **Décousure.**

DÉCOULEMENT [dekulmɑ̃] n. m. — 1519; de *découler*.

♦ **1** Vx ou littér. Action de découler. → **Flux.**

♦ **2** Fig. (Rare et didact.). *Le découlement naturel des effets.*

DÉCOULER [dekule] v. intr. — V. 1180; de 2. *dé-*, et *couler*.

♦ **1** Vx ou littér. Couler peu à peu en s'échappant. → **Couler, écouler** (s'). *Le sang découle de la plaie. La sueur découle de son front.* — Figuré :

1   (...) la raillerie, l'injure, l'insulte leur découlent des lèvres comme leur salive.   LA BRUYÈRE, les Caractères, V, 27.

2   Tout cela ne vaut pas le poison qui découle
De tes yeux, de tes yeux verts (...)   BAUDELAIRE, les Fleurs du mal, «Le poison».

Par ext. → **Dégoutter.**

3   (...) mon front à large goutte
Découlait de sueur (...)   LAMARTINE, Jocelyn, IX, 338.

3.1   Elle s'arrêta. De livide, elle était devenue pourpre. La sueur lui découlait des tempes. Elle s'enrouait. Était-ce le coup de la honte ?... Elle saisit fébrilement une carafe sur la commode (...)   BARBEY D'AUREVILLY, les Diaboliques, «La vengeance d'une femme».

♦ **2** Cour. S'ensuivre par développement naturel. → **Déduire** (se), **dériver, émaner, procéder, provenir, résulter, venir** (de). *Conséquences*, effets qui découlent d'une cause, d'un principe. Les résultats qui en découlent... Maux qui découlent de la guerre. La règle découle d'elle-même.*

4   Les règles constitutives de cette monarchie furent très simples, et il ne fut pas nécessaire de les chercher longtemps; elles découlèrent des règles mêmes du culte.   FUSTEL DE COULANGES, la Cité antique, IX, 2, p. 206.

CONTR. Remonter (à la source). **— Amener, causer, donner** (lieu à), **entraîner, occasionner, provoquer, susciter.** ◊ **DÉR. Découlement.**

DÉCOUPAGE [dekupaʒ] n. m. — 1497, *décoppalge*; de *découper*.

♦ **1** Action de découper. *Découpage d'une volaille, d'un gâteau par qqn. Découpage de la viande.* → **Débitage, dépeçage, équarrissage.** — *Découpage d'une étoffe, d'un tissu pour la confection d'un vêtement.* → **Coupe.** *Découpage du caoutchouc, du cuir. Découpage d'une image en carton. — Découpage des* tôles à la cisaille, au burin. *Découpage au chalumeau; à la presse. Découpage d'un flan de métal au moyen d'une matrice tranchante. Découpage des formes, des clichés* (en typographie).

REM. Les emplois absolus *(le découpage),* selon les contextes, appartiennent à l'usage technique.

◆ **2** Image, figure destinée à être découpée. *Acheter des découpages à un enfant.* — Par métonymie. Figure découpée. *Faire des découpages.*

◆ **3** (1917; au théâtre, 1891). Cinéma. Division du scénario en scènes (→ **Séquence**) numérotées. — Par métonymie. Le scénario ainsi détaillé. *Établir le découpage d'après un synopsis.*

◆ **4** Admin. *Découpage électoral :* division (d'un État, d'une région) en circonscriptions électorales. *Les partis d'opposition sont défavorisés par le découpage électoral.*

DÉCOUPE [dekup] n. f. — 1868; de *découper.*
Action de découper*. — Spécialt (cout.). Taille décorative pratiquée dans un vêtement. *La découpe d'un chemisier. Blue-jean bicolore à découpes.*

DÉCOUPER [dekupe] v. tr. — V. 1150, *descolper* «couper, tailler, déchirer»; de 2. *dé-,* et *couper.*

◆ **1** Diviser en morceaux en coupant ou en détachant (une pièce de viande qu'on sert à table). → **Couper, tailler.** *Découper un gigot, un rôti. Découper un perdreau, un poulet, un lapin,* en détacher les membres. → **Démembrer.** *Découper une aile de poulet.* → **Détacher, lever.** — Absolt. *Savoir découper. Couteau, fourchette à découper.* — Par anal. *Découper un gâteau, une tarte.*

1 Mon parrain découpait lui-même les grosses pièces et servait en faisant parvenir les parts à ses invités, vieil usage, suivi autrefois dans les meilleures maisons.
FRANCE, la Vie en fleur, XXII, p. 248.

Le boucher découpe la viande de boucherie, découpe un demi-bœuf. → **Débiter, dépecer.** *Découper une bête abattue.* → **Équarrir.** *Découper malproprement de la chair.* → **Charcuter, déchiqueter.** — Par ext. *Découper un tronc d'arbre.* — Par métaphore ou fig. → **Diviser, morceler, partager.**

2 (...) avançant leurs pattes crochues, toutes les royales araignées découpèrent l'Europe, et de la pourpre de César se firent un habit d'Arlequin.
A. DE MUSSET,
la Confession d'un enfant du siècle, I, II.

3 Car la douleur, le doute, et même le feu d'une cheminée, découpent le temps à leur fantaisie.
COCTEAU, Thomas l'imposteur, p. 151.

◆ **2** Couper régulièrement (une matière) suivant un contour, un tracé. *Découper une étoffe avec des ciseaux, découper une jupe.* → **Couper.** *Découper l'encolure d'un habit.* → **Échancrer.** *Découper sur un patron.* → **Patronner.** — *Découper du carton, du papier. Découper l'intérieur d'un objet.* → **Évider.** *Découper une pièce de bois, de métal suivant un profil donné.* → **Chantourner.** *Fer à découper le cuir. Scie à découper.* — Absolt. *Découper à l'emporte-pièce.* Fig. *La mer a découpé la côte en dents de scie.*

◆ **3** Détacher avec des ciseaux (un contour, des figures sur une toile, sur du papier). *Découper les personnages d'une image. Découper une figurine de carton.* — Absolt. *Planche à découper. Découper des fleurs pour les appliquer sur un fond. Découper un article dans un journal. Découper une citation. Découper un bon-réclame, des tickets d'alimentation.*

4 Il s'était interrompu de découper avec les ciseaux maternels des maximes dans une édition populaire d'Épictète.
F. MAURIAC, Génitrix, II, p. 16.

◆ **4** Fig. Donner à voir avec netteté, comme un découpage. → **Détacher, profiler** (→ ci-dessous, Se découper). *Les montagnes découpent leurs cimes sur l'horizon.*

5 À l'horizon, les Alpilles découpent leurs crêtes fines (...)
Alphonse DAUDET, Lettres de mon moulin,
«Installation», p. 9.

6 Les brouillards du soir voilèrent avec douceur le disque rouge du soleil couchant. Un étroit nuage y découpa, comme dans une estampe japonaise, une bande noire aux contours précis.
A. MAUROIS, les Discours du Dr O'Grady, IV, p. 41.

◆ **SE DÉCOUPER** v. pron.

◆ **1** Être découpé. *Cette volaille est tendre, elle se découpe facilement.*

◆ **2** *Se découper sur :* se détacher* avec des contours nets (sur).

7 Tout y était silencieux et frémissant comme est la campagne à midi. Les feuillages immobiles se découpaient nettement sur le fond bleu du ciel (...)
BALZAC, le Lys dans la vallée, Pl., t. VIII, p. 815.

8 (...) à l'extrémité de cette immense campagne stérile, l'arête vaporeuse du Djebel-Amour se découpait sur un ciel d'une extraordinaire transparence.
E. FROMENTIN, Un été dans le Sahara, III, p. 228.

9 Le rivage effiloché se découpe sur du bleu cru.
MARTIN DU GARD, les Thibault, t. IV, p. 11.

◆ **DÉCOUPÉ, ÉE** p. p. adj.

◆ **1** Qu'on a découpé (1. et 2.). *Volaille découpée. Frange découpée, figure découpée dans du carton.*
Qui présente des éléments à angles vifs, des découpures. *Côtes découpées. Clocher* (cit. 1) *découpé à jour.*

Bot. → **Dentelé, sinué.** *Feuille d'acanthe découpée,* dont les bords irréguliers présentent des formes aiguës, en dents de scie.

Blason. *Pièces découpées en feuilles d'acanthe.*

◆ **2** (XVIe, «extrait»). Qu'on a découpé (3.), détaché aux ciseaux. *Article découpé.* → **Découpure.** *Papiers découpés et collés.* → **Collage.**

◆ **3** Dont le contour tranche sur le fond. *Silhouettes découpées sur l'horizon.*

10 À l'avant, dans cette blancheur brouillée qui l'environne, il distingue une silhouette, des épaules, un casque, découpés en ombres chinoises, sous les vastes plans noirs des ailes (...)
MARTIN DU GARD, les Thibault, t. VIII, p. 148.

CONTR. **Ligaturer, rassembler, réunir.** — (Du p. p.) **Entier, plein, uni.** ◊ DÉR. **Découpage, découpe, découpeur, découpoir, découpure.** ← COMP. (Du p. p.). **Prédécoupé.**

DÉCOUPEUR, EUSE [dekupœr, øz] n. — V. 1268, *decouperes;* de *découper.*
Technique.

☐ ◆ **1** Ouvrier, ouvrière qui découpe. *Découpeur de bois de placage.*

◆ **2** Cinéma. Technicien chargé du découpage des scénarios.

☐☐ N. f. (1754). Machine à découper le bois, les tissus, à diviser la laine. *Découpeuse à bois :* scie à découper.

DÉCOUPLAGE [dekuplaʒ] n. m. — Mil. XXe; de 1. *dé-,* et *couplage.*
Techn. Élimination d'un couplage parasite (entre deux signaux, deux émissions radioélectriques). «*Fonction de découplage» d'un blindage électrostatique à l'intérieur d'une triode* (cf. Gilbert Simondon, *Du monde d'existence des objets techniques,* p. 28).

DÉCOUPLE [dekupl] n. m. — 1561; déverbal de *découpler.*

T. de chasse. Action de découpler les chiens. — REM. On dit aussi *découpler,* n. m. — *Sonner le découple* ou *le découpler.*

DÉCOUPLER [dekuple] v. tr. — V. 1160; de 1. *dé-,* et *coupler.* → Couple.

Détacher (des chiens couplés) pour qu'ils courent après la bête. *Le veneur découpla les chiens.* — Absolt. *Dès qu'on fut arrivé, on découpla.*
Fig. Rare. Lancer à la poursuite de qqn ou de qqch. *Découpler des agents après un évadé.*

◆ **DÉCOUPLÉ, ÉE** p. p. adj.

◆1 Vén. Débarrassé de la couple* (I., 1.). *Chiens découplés.*

◆2 Fig. ⓐ Vx. Qui a de l'aisance dans les mouvements.

1 Or, rien n'est plus commun que de voir des enfants adroits et découplés avoir dans les membres la même agilité que peut avoir un homme. ROUSSEAU, *Émile,* II.

ⓑ (1690). Mod. Qui a un corps souple, agile, une belle taille. *Un jeune homme, un athlète bien découplé. Grande jeune fille bien découplée* (cf. fam. Bien bâtie, bien roulée).

2 Comme tous les hommes, triés pour la cavalerie d'élite, sa taille, belle et svelte encore, pouvait faire dire du garde qu'il était bien découplé.
BALZAC, les *Paysans,* Pl., t. VIII, p. 85.

3 L'abbé Mionnet était un garçon robuste, d'assez haute taille, bien découplé, en dépit d'une sorte de gaucherie que lui donnait, sous la soutane, la carrure même de ses épaules.
J. ROMAINS, les *Hommes de bonne volonté,* t. III, XI, p. 153.

CONTR. Apparier, coupler. — (Du p. p.) Lourd. ◇ DÉR. Découple.

DÉCOUPOIR [dekupwaʀ] n. m. — 1754; de *découper.* Technique.

◆1 Instrument qui sert à découper. *Découpoir à main.*

◆2 Taillant d'une machine à découper.

DÉCOUPURE [dekupyʀ] n. f. — 1379, *decopure;* de *découper.*

◆1 Rare. Action de découper, de tailler (une étoffe, de la toile, du papier...); (plus cour.) résultat de cette action. → Coupure, découpage. *La découpure d'une étoffe par le tailleur.* → Découpe; coupe. *Une découpure fine, élégante, gracieuse. Faire de la découpure.* Ce qui tombe quand on découpe qqch. → Chute, rognure.

1 La vie n'est belle que de loin. Au fond elle ne nous réserve rien plus que ce que contient la plus ennuyeuse journée de classe. En la passant médiocrement, nous avons vécu la vie d'avance : comme *(dans)* une étroite découpure d'étoffe on peut se figurer toute l'étoffe, puisqu'elle n'est que la répétition des mêmes fils et des mêmes laines pareillement entrecroisés. PROUST, *Jean Santeuil,* Pl., p. 854.

◆2 Cour. État, forme de ce qui est découpé; bord découpé. *Découpure d'une guirlande, d'une broderie, d'une dentelle.* → Feston. *Découpure de pierre.* → Crénelure, dentelure, redan (→ Campanile, cit. 1; clocher, cit. 3).

2 Elle *(la grille du tombeau)* se compose de hautes plaques de marbre mises debout, si finement ajourées que l'on dirait d'immenses découpures d'ivoire (...)
LOTI, l'Inde (sans les Anglais), VI, III, p. 380.

Bot. *Découpure d'une feuille :* petites incisions du bord d'une feuille.
Par anal. Sinuosité. *Les découpures d'une côte rocheuse.*

DÉCOURAGEANT, ANTE [dekuʀaʒɑ̃, ɑ̃t] adj. — 1763; p. prés. de *décourager.*

◆1 Propre à décourager, à rebuter. → Affligeant, décevant, démoralisant, désespérant. *Obstacle décourageant. Nouvelle décourageante.*
Iron. *Il est d'une douceur décourageante; il est d'un calme décourageant,* parfait, immuable.

◆2 (En parlant des personnes). *Enfant décourageant par son inertie. Vous êtes décourageant.*

(...) il est décourageant de voir combien de gens instruits, quand vous analysez une œuvre d'art, vous reprochent d'attribuer à l'auteur des intentions qu'il n'a jamais eues (...) A. THIBAUDET, Gustave Flaubert, p. 219.

CONTR. Encourageant, réconfortant.

DÉCOURAGEMENT [dekuʀaʒmɑ̃] n. m. — XIIᵉ, *descoragement;* de *décourager.*

◆1 État d'une personne découragée; perte du courage, de l'énergie. → Abattement, accablement, cafard, démoralisation, désenchantement, écœurement, lassitude. *Le comble du découragement.* → Désespoir. *Un vif désappointement qui engendre le découragement. Être en proie au découragement. Abandonner, renoncer par découragement* (→ Jeter le manche après la cognée*). *Se laisser aller au découragement. Il n'a jamais connu le découragement.*

1 (...) c'était un chant d'une volupté triste, d'une langueur exténuée, exprimant la fatigue du corps et le découragement de la passion; on y pouvait deviner aussi l'ennui lumineux de l'éternel azur, l'indéfinissable accablement des pays chauds.
Th. GAUTIER, le Roman de la momie, I, p. 49.

2 (...) pleines *(ses lettres)* d'une amertume qui signifie presque découragement.
STROWSKI, Montaigne..., p. 113.

3 (...) cette crise de lassitude n'était pas une crise de découragement. Louis BARTHOU, Mirabeau, p. 205.

◆2 Rare. Fait de décourager (qqn).

CONTR. Courage, énergie, espérance. — Encouragement, réconfort.

DÉCOURAGER [dekuʀaʒe] v. tr. [CONJUG.: *bouger.*] — V. 1165, *descoragier;* de 1. *dé-, courage,* et suff. verbal. → Courage.

◆1 Rendre (qqn) sans courage, sans énergie, ni envie d'action. → Abattre, accabler, briser (le courage), dégoûter, démonter, démoraliser, désenchanter, désespérer, écœurer, lasser, rebuter. *Décourager qqn. Nouvelle qui décourage* (→ Couper, briser bras* et jambes). *Cet échec l'a déçu* (→ Décevoir) *et découragé.*

1 Le nom de bataille perdue impose aux vaincus et les décourage. VOLTAIRE, le Siècle de Louis XIV, 21.

◆2 *Décourager qqn de,* lui ôter l'envie, le désir de. *Décourager qqn d'une entreprise hasardeuse.* → Détourner, dissuader. *Vous m'avez découragé de travailler.*

(Sans complément second en *de*) :

2 (...) ils découragent par mille contradictions les poètes et les musiciens (...) LA BRUYÈRE, les Caractères, I, 49.

3 Surtout c'est parce que l'Amérique, malgré la vive curiosité qu'elle soulève à l'heure actuelle, décourage le voyageur. Elle exigerait du touriste une fortune à dissiper.
G. DUHAMEL, Scènes de la vie future, XV, p. 229.

4 Note que je le crois très capable de ne pas décourager les néophytes qui se présenteraient avec cet état d'esprit.
J. ROMAINS, les Hommes de bonne volonté, t. IV, X, p. 111.

◆3 Diminuer, arrêter l'élan, le développement de (qqch.). *Décourager un projet. Ces complications découragent les meilleures volontés. Décourager le zèle de qqn.* → Refroidir.

5 Froid et hautain, il décourageait la *familiarité* l'ayant en
horreur.   Louis MADELIN, Talleyrand, V, 40, p. 437.

♦ **SE DÉCOURAGER** v. pron.

Perdre courage. *Il se décourage au premier obstacle, à la première difficulté.* → **Effrayer** (s'), **lasser**
(se).

6 L'humanité n'est pas différente de moi, c'est-à-dire qu'elle
se décourage et se ranime avec une grande facilité.
                    G. SAND, *in* P. LAROUSSE.

7 On ne veut pas croire qu'un homme tel que Beethoven
se soit découragé en présence de toutes ces complications
que lui apportait le Destin.
            Éd. HERRIOT, la Vie de Beethoven, p. 305.

♦ **DÉCOURAGÉ, ÉE** p. p. et adj.

♦ **1** Qui a perdu tout courage. *Une armée découragée. Être découragé.* → **Abattu, las, triste.** *S'asseoir
découragé sur un banc* (→ Aventure, cit. 30).

♦ **2** Qui exprime le découragement. *Attitude découragée.*

8 Il dépeignit l'ininterrompu défilé des lésés et des mécontents, leurs attitudes découragées, leurs figures navrées et
navrantes.
            COURTELINE, Messieurs les ronds-de-cuir,
                    3ᵉ tableau, III, p. 114.

CONTR. Animer, électriser, encourager, raffermir (le courage), **ranimer, réconforter.** — (Du p. p.) **Gai.** ◊ **DÉR. Décourageant, découragement, décourageur.**

DÉCOURAGEUR, EUSE [dekuraʒœr, øz] n. et adj.
— 1874, A. Daudet ; de *décourager.*
Rare. (Personne) qui décourage. *«Le métier de
décourageur est triste...»* (Renan, *in* T. L. F.). — REM.
Le fém., virtuel, n'est pas attesté dans notre documentation. — Le T. L. F. signale la var. *décourageateur, trice,*
chez les Goncourt et Léon Daudet. Aussi *découragateur*
(Ed. et J. de Goncourt, *Manette Salomon,* p. 350).

DÉCOURONNEMENT [dekurɔnmã] n. m. — 1863 ;
de *découronner.*
Rare. Action de découronner.

DÉCOURONNER [dekurɔne] v. tr. — V. 1190, *desco-
roner* ; de 1. *dé-, couronne,* et suff. verbal.
Littéraire ou style soutenu.

♦ **1** Rare. Priver de la couronne (un souverain, un
noble). *La révolution découronna le roi.* → **Détrôner.**
— Fig. Littér. → **Décapiter, détruire ; déshonorer.**

1 De quel droit viennent-ils découronner nos gloires ?
                    HUGO, Odes, III, 7.

2 (...) ils décapitent le civisme et ils découronnent la liberté
dans le monde (...)
            Ch. PÉGUY, la République..., p. 324.

♦ **2** Fig. Dépouiller (qqch.) de ce qui couronne ;
enlever le sommet, la cime de.

3 Les colons auraient voulu s'avancer jusqu'à la plaine sur
laquelle s'était abattu le cône supérieur du mont Franklin,
mais les laves leur barraient alors le passage (...) Le volcan,
découronné, n'était plus reconnaissable. Une sorte de table
rase le terminait et remplaçait l'ancien cratère.
            J. VERNE, l'Île mystérieuse, t. II, p. 848.

♦ **DÉCOURONNÉ, ÉE** p. p. adj. *Arbre découronné par
la tempête :* arbre dont les branches ont été arrachées par le vent. — *L'âge a découronné cet édifice.*
— *Front découronné.*

CONTR. Couronner. ◊ **DÉR. Découronnement.**

DÉCOURS [dekur] n. m. — XIIᵉ ; du lat. *decursus*
«course sur une pente», francisé d'après *cours.*

♦ **1** Astron. Période de décroissance* (de la lune).

♦ **2** Méd. Période de déclin* (d'une maladie).
→ **Déclin.** *Phase de décours d'une maladie. Dans le
décours, en décours.*
J'étais fiévreux, bien que le mal fût dans le décours.
            G. DUHAMEL, la Pesée des âmes, VIII, p. 190.

DÉCOUSU, UE [dekuzy] p. p. adj. → **Découdre.**

DÉCOUSURE [dekuzyr] n. f. — 1611 ; du p. p. de
découdre.

♦ **1** Vx. Partie décousue d'une étoffe, d'un vêtement.
La décousure d'une manche.

♦ **2** Vén. Blessure, plaie faite à un chien par le sanglier, le cerf. → **Dentée.**

1. **DÉCOUVERT, ERTE** [dekuver, ɛrt] p. p. adj.
→ **Découvrir.**

2. **DÉCOUVERT** [dekuver] n. m. — Fin XIIIᵉ ; p. p. de
découvrir.

I ♦ **1** Rare. Terrain découvert. *Atteindre un découvert.*

♦ **2** Loc. adv. À **DÉCOUVERT** : dans une position
qui n'est pas couverte, dissimulée ou protégée. *Se
trouver à découvert dans la campagne* (→ En rase
campagne* ; à ciel* ouvert ; en plein champ* ; en plein
vent*). — *Mettre qqch. à découvert,* l'exposer à la vue.
*Vêtement qui laisse le cou à découvert. La mer laisse
le rivage à découvert.* — *Combattre à découvert,* en
étant exposé aux coups de l'ennemi (→ Mire, cit. 3).

1 À découvert, en plein boulevard, il mit un genou en terre,
épaula son arme, tira, tua le chef d'escadron, et se retourna
en disant : *En voilà encore un qui ne nous fera plus de mal.*
            HUGO, les Misérables, V, I, XIII.

2 Les tubes du chauffage central y rampent à découvert et
y répandent une chaleur douceâtre.
            G. DUHAMEL, le Voyage de P. Périot, III, p. 45.

Fig. → **Clairement, franchement, ouvertement.** *Agir à
découvert,* sans dissimulation ni artifice. *Montrer
son cœur à découvert.*

II ♦ **1** (1690). Comm. Ensemble des avances consenties par une banque, une maison de commerce, à
ses clients, le plus souvent sans exiger de garanties
immédiates. *Crédit à découvert. Le découvert d'une
caisse, d'un compte.* — *Être à découvert :* n'avoir pas
la contrepartie des avances faites. *Compte à découvert :* compte qui n'est pas suffisamment approvisionné*.

3 (...) l'angoisse qu'ils éprouvent en voyant toutes les entreprises privées vivre à crédit, avec de gros découverts, c'est-
à-dire grâce à l'argent que les banques reçoivent, en dépôt,
des simples particuliers, ce qui, effectivement, traduit un
curieux déséquilibre de la machine économique.
            G. DUHAMEL, Manuel du protestaire, II, p. 76.

Découvert du Trésor : ensemble des créances
envers les services, les budgets... que le Trésor
doit prendre en charge. → **Déficit.**

♦ **2** Techn. (bourse). Situation d'un agent qui vend
des valeurs sans les posséder, ou qui achète des
marchandises à des tiers sans en fournir immédiatement le prix. *Vendre à découvert. Vendeur à
découvert.*

4 (...) pouvoir rester vendeur à découvert, avec la certitude
de toujours payer ses différences, jusqu'au jour où la
baisse fatale lui donnerait la victoire.
            ZOLA, l'Argent, X, p. 347-8 (Charpentier),
                    in D. D. L., II, 16.

♦ **3** Techn. (assurances). Excédent de la valeur d'une
chose assurée sur la valeur couverte par l'assurance.

CONTR. Couvert (à).

DÉCOUVERTE [dekuvɛʀt] n. f. — 1209, *descoverte;* du p. p. de *découvrir.*

I ♦ **1** Action de découvrir (ce qui était ignoré, inconnu). — REM. Le compl. peut désigner une chose concrète ou abstraite. *La découverte de qqch. par qqn.* → **Découvrir.** *La découverte d'un trésor. Découverte d'une mine. Découverte de ruines, de manuscrits antiques. Découverte d'une relique. La découverte de l'Amérique par Christophe Colomb. Voyage de découverte.* → **Exploration, recherche, reconnaissance.** *La découverte d'une planète par un astronome.*
Brusque découverte. → **Illumination, trait** (de lumière, de génie), **trouvaille.** *Découverte et invention** (→ ci-dessous, cit. 5). — Par anal. *La découverte d'un secret, d'un complot, d'une intrigue* (→ Mise au jour*). *Il s'imagine avoir fait une importante découverte alors qu'il n'a trouvé que la pie* au nid.* — Vieilli. *Faire la découverte de qqch. La découverte des propriétés d'une substance.* — Littér. *(Faire) la découverte que...* (→ ci-dessous, cit. 4).

1 (...) la découverte que l'oncle a faite du secret de notre mariage (...)
MOLIÈRE, les Fourberies de Scapin, I, 2.

2 Quelque découverte que l'on ait faite dans le pays de l'amour-propre, il y reste encore bien des terres inconnues.
LA ROCHEFOUCAULD, Maximes, 3.

3 La feinte *(fiction)* est un pays plein de terres désertes ; Tous les jours nos auteurs y font des découvertes.
LA FONTAINE, Fables, III, 1.

4 Ce que j'appelle cristallisation, c'est l'opération de l'esprit qui tire de tout ce qui se présente la découverte que l'objet aimé a de nouvelles perfections (...)
STENDHAL, De l'amour, II, p. 43-45.

Absolt. *Découverte et invention.*

5 (...) la *découverte* est proprement une conquête de l'esprit humain ; l'*invention* en est une production. On *découvre* ce qui est, et c'est l'observation qui joue le principal rôle dans la *découverte* (...)
C'est surtout dans les sciences, là où il s'agit d'étudier ce qui est, que se font les *découvertes*; c'est surtout en industrie, en mécanique, et dans les arts, là où il s'agit de créer ou d'imaginer des engins, des instruments ou des procédés nouveaux, que les *inventions* ont lieu.
LAFAYE, Dict. des synonymes, Découverte.

Par métonymie. Chose découverte. *Il nous a montré sa découverte, sa dernière découverte. Cette pièce archéologique est sa plus belle découverte.* — (Personnes, dans le domaine des arts, du spectacle, du sport) *Ce pianiste, une récente découverte...* → **Révélation.**

Loc. adv. **À LA DÉCOUVERTE** : avec le dessein d'explorer, de découvrir. *Aller, partir à la découverte de qqch.,* et, absolt, *à la découverte* (→ À l'aventure*). *Envoyer qqn à la découverte. Éclaireur allant à la découverte. Se lancer à la découverte de gisements miniers.* — Fig. *Aller à la découverte de nouveaux thèmes d'inspiration.*

♦ **2** Spécialt. Action de faire connaître un objet, un phénomène caché ou ignoré (mais préexistant) ; ce qui est ainsi révélé. → **Découverte scientifique.** *Une découverte. La découverte de la radioactivité.*

6 (...) Platon, voyant que les mathématiciens de Sicile appliquaient leurs découvertes aux machines, leur reprocha de dégrader la science (...)
TAINE, Philosophie de l'art, t. II, IV, I, 2, p. 100.

7 Il me semble parfois qu'entre la recherche et la découverte, il s'est formé une relation comparable à celle qui s'institue entre la drogue et l'intoxiqué.
VALÉRY, l'Idée fixe, p. 25.

8 Les plus importantes découvertes scientifiques sont le résultat de la patiente observation de petits faits subsidiaires, si particuliers, si menus, inclinant si imperceptiblement les balances — que l'on ne consentait pas jusqu'alors à en tenir compte.
GIDE, Pages de journal (1929-1932), p. 82.

9 Toutes ces belles découvertes qui sont en train de modifier si profondément la démarche, le rythme et le cadre de la vie humaine (...)
G. DUHAMEL, Manuel du protestataire, V, p. 135.

10 Qui donc oserait penser que ces belles inventions de l'intelligence, que ces découvertes dont les plus hauts esprits se déclarent si fiers, vont ruiner les sociétés humaines après les avoir enrichies, vont les asservir après les avoir abusées par des promesses de franchise ?
G. DUHAMEL, le Temps de la recherche, IX, p. 121.

11 En ce moment même, l'histoire inaugure par une période d'activité intense, par ce qu'on a appelé «les grandes découvertes», une nouvelle phase de la conquête du monde sensible. L'homme se considère comme un nouveau créateur. Le quinzième et le seizième siècles jouent, proportions gardées, un rôle analogue à celui qu'assumeront plus tard le dix-neuvième et le vingtième : l'empire qu'il assoit sur les choses, sur la nature, remplit l'homme d'un singulier vertige.
DANIEL-ROPS, Ce qui meurt..., II, p. 55.

II (1870). Techn. Élément d'arrière-plan en trompe-l'œil (d'un décor scénique, cinématographique). — Syn., au théâtre : *pantalon. Le tournage en décors réels a supplanté les procédés des découvertes, agrandissements photographiques ou maquettes, et des transparences*.*

12 Il y eut un sacré remue-ménage sur le plateau. Les deux «dépliants» se déplaçaient dangereusement avec une découverte en forme, de cinq mètres de long, peinte sur carton, qui représentait la Grande Bleue.
Armand LANOUX, le Commandant Watrin, p. 406.

DÉCOUVERTURE [dekuvɛʀtyʀ] n. f. — 1863, «action d'enlever la couverture d'un édifice»; *descouverture* «révélation, découverte», XIVᵉ; de *découvrir,* d'après *couverture.*

Mines. Décapage*.

DÉCOUVRABLE [dekuvʀabl] adj. — 1902; de *découvrir* (I., A., 1.).

Se dit d'un véhicule qui peut être découvert, dont on peut ouvrir le toit. → **Décapotable; toit** (à toit ouvrant). — REM. Le mot est générique par rapport à ces deux termes : un véhicule qualifié de *découvrable* peut être *décapotable* ou *à toit ouvrant.*

DÉCOUVREUR, EUSE [dekuvʀœʀ, øz] n. — XVIᵉ; «éclaireur, explorateur», XIIIᵉ; de *découvrir.*

Personne qui découvre. → **Inventeur, savant.** *Un découvreur génial. Un découvreur de mondes.* → **Explorateur.**
(...) et si le Découvreur *(Colomb)* réussit dans sa merveilleuse entreprise, ne va-t-il pas rapporter l'or d'Ophir, qui permettra de se retourner vers Jérusalem, afin d'y délivrer le Saint-Sépulcre ?
ARAGON, le Fou d'Elsa, p. 343-344.

REM. Le fém. semble rare.

DÉCOUVRIR [dekuvʀiʀ] v. [CONJUG.: *couvrir.*] — Déb. XIIᵉ, *descouvrir;* du bas lat. *discooperire,* de *dis-,* et *cooperire.* → *Couvrir.*

I V. tr. **A** (Concret). ♦ **1** Dégarnir (qqch.) de ce qui couvre. → **Dégager.** *Découvrir un plat, un vase, un panier en enlevant, en soulevant le couvercle.* → **Ouvrir.** *Découvrir une voiture en rabattant la capote.* → **Décapoter.** *Découvrir des marchandises en soulevant une bâche. Découvrir des ruines par des fouilles* (→ Archéologue, cit. 1 ; argile, cit. 3). *Découvrir les racines d'un arbre en le déchaussant. Découvrir un os en le dépouillant de la chair qui l'entoure. Découvrir une statue de son voile.* → **Dévoiler.** *Découvrir son front, sa tête.*

1 S'il s'assied, vous le voyez (...) abaisser son chapeau sur ses yeux pour ne voir personne, ou le relever ensuite, et découvrir son front par fierté et par audace.
LA BRUYÈRE, les Caractères, VI, 83.

♦ **2** Laisser voir ; montrer.

2 Brigitte poussa un soupir, et, écartant le drap qui la couvrait, comme oppressée d'un poids importun, découvrit son sein blanc et nu.
A. DE MUSSET,
la Confession d'un enfant du siècle, V, VI.

3 Le courant d'air, soulevant la pèlerine, découvre un bras en écharpe.
MARTIN DU GARD, les Thibault, III, p. 109.

4 Le marquis avait un veston noir, avec un gilet très peu ouvert qui découvrait le haut d'une cravate-plastron bariolée, prise dans un faux col double.
J. ROMAINS, les Hommes de bonne volonté, t. III, XI, p. 147.

5 (...) les jambes dont elle était fière et qu'elle découvrait beaucoup malgré les robes demi-longues dont l'affublait déjà notre belle-mère.
F. MAURIAC, la Pharisienne, p. 21.

Par anal. Les nuages se dissipent et découvrent le soleil. Sourire qui découvre de belles dents (→ Croc, cit. 2 et 3).

6 Un jeune homme et une jeune fille aux figures sombres, aux yeux constellés, riant et découvrant des mâchoires superbes.
COCTEAU, le Grand Écart, I, p. 14.

♦ **3** (1681). La mer découvre (le rivage) : elle baisse, se retire, et laisse le rivage à sec (→ ci-dessous, II., v. intr.).

♦ **4** Priver de ce qui protège. → **Exposer**. Découvrir une frontière. Recul de l'infanterie qui découvre l'artillerie. Le général découvrit son flanc droit. — Fig. Découvrir le flanc aux attaques. → **Prêter** (le flanc). — Par anal. (aux échecs). Dégager les pièces qui en protègent une autre. Découvrir imprudemment son roi.

B (Abstrait). ♦ **1** (XIIᵉ). Faire connaître (ce qui est caché). → **Apprendre, confier, déclarer, dénoncer, dévoiler, dire, divulguer, exposer, laisser** (voir), **mettre** (au jour), **montrer, publier, révéler** ; → (littér.) Lever le voile* sur... — (Le sujet fait connaître ce qu'il cachait). → **Avouer, dire, exprimer**. Ils ont découvert leur secret. Découvrir ses projets, ses plans à un ami. Découvrir imprudemment ses buts. Découvrir ce qu'on voulait cacher. → **Trahir** (se). — Découvrir son cœur, ses secrets. → **Avouer, confesser** ; **confier** (se), **livrer** (se), **ouvrir** (s'). Découvrir ses secrets à qqn. — (Le sujet fait connaître ce qui est caché par d'autres). → **Révéler** (→ Percer* à jour). Découvrir un complot à la police (→ Auteur, cit. 42). — (Sujet nom de chose). Contribuer à faire connaître. Un seul geste a découvert ses intentions.

7 Il cherche vos besoins au fond de votre cœur ;
Il vous épargne la pudeur
De les lui découvrir vous-même.
LA FONTAINE, Fables, VIII, 11.

8 (...) il faut vous découvrir mon cœur (...)
MOLIÈRE, l'Avare, IV, 3.

9 (...) il n'est pas vrai que tout découvre Dieu et il n'est pas vrai que tout cache Dieu.
PASCAL, Pensées, VIII, 557 (cf. Condition, cit. 6).

10 Un geste la découvre (la nature), un rien la fait paraître (...)
BOILEAU, l'Art poétique, III.

11 (...) À Calchas, je vais tout découvrir.
RACINE, Iphigénie, IV, 11.

12 Tu vois, Gil Blas, ajouta-t-il, que je te découvre mon cœur. Comme j'ai lieu de penser que tu m'es tout dévoué, je t'ai choisi pour mon confident.
A. R. LESAGE, Gil Blas, t. II, XI, VIII.

13 Il ne faut présenter au monde que ce qui est beau ; ce n'est pas mentir à Dieu que de ne découvrir de sa vie que ce qui peut porter nos pareils à des sentiments nobles et généreux.
CHATEAUBRIAND, Mémoires d'outre-tombe, t. II, p. 279.

14 Il faut savoir gré à M. Félix Weingartner, quand il dirige la sixième symphonie, de nous en découvrir toute la puissance (on dirait presque : tout le panthéisme) [...]
Éd. HERRIOT, la Vie de Beethoven, p. 181.

15 Vous avez retourné des âmes comme on retourne la terre, leur découvrant à elles-mêmes leurs joyaux.
MONTHERLANT, les Jeunes Filles, p. 15.

Découvrir son jeu (fig.) : laisser connaître ses intentions.

♦ **2** (XVIᵉ). Apercevoir, voir d'un lieu (ce qu'on ne verrait pas d'un autre). → **Apercevoir** (cit. 1), **discerner, remarquer, repérer**. Du haut de la colline, on découvre la mer (→ Arriver, cit. 10). — Commencer d'apercevoir, apercevoir tout à coup. Découvrir qqch. du premier coup d'œil, d'un coup, d'un clin d'œil. Découvrir dans une foule la personne que l'on cherche (→ Cher, cit. 14). On découvre le clocher de très loin. On découvrit à l'horizon les navires ennemis. La vigie découvrit la terre.

16 (...) nous nous arrêtâmes sur une hauteur d'où l'on découvrait toute la ville (...)
FRANCE, la Rôtisserie de la reine Pédauque, Œuvres, t. VIII, p. 238.

17 On ne découvrait d'ailleurs au total qu'un modeste clocher d'église et quelques toits.
J. ROMAINS, les Hommes de bonne volonté, t. V, X, p. 77.

Découvrir un détail, un caractère visible à qqch.

18 Pasteur découvrait, aux cristaux de l'acide tartrique et aux tartrates, de petites facettes qui avaient échappé à tous (...) En retournant, si l'on peut dire, un phénomène sur toutes ses faces, il avait vu ce que nul, avant lui, n'avait su voir. Il se révélait, à 26 ans, par le coup d'œil, un observateur hors pair.
Henri MONDOR, Pasteur, p. 29.

♦ **3** (1614). Arriver à connaître (ce qui était resté caché ou ignoré). → **Trouver**. Chercher à découvrir le mystère. → **Deviner, pénétrer** ; **jour** (percer à jour ; mettre au jour). Découvrir un trésor, une mine, une source (→ **Découverte**). Découvrir le siège d'un mal, la cause d'une maladie. → **Déceler, détecter, dépister**. Découvrir la cause, la raison de qqch. → **Apprendre, comprendre, connaître, saisir**. Nous avons découvert un terrain d'entente. Vous allez découvrir la raison de ce comportement. J'ai découvert l'homme qu'il vous faut. → **Dégoter** (fam.), **dénicher** (fam.), **recruter**. Découvrir un logement à force de recherches. Découvrir une œuvre d'art chez un brocanteur, un antiquaire. Découvrir une idée nouvelle, dans un livre. Découvrir un vol, un scandale. Découvrir une erreur. → **Constater**. Découvrir l'innocence d'un accusé. → **Reconnaître**. Découvrir une qualité, un caractère à qqch., à qqn. Découvrir que... → **Comprendre, trouver**. — Découvrir un bon sujet de roman. Découvrir les aspects nouveaux d'une question. → **Envisager**. — Absolt. Découvrir et inventer, et créer (→ ci-dessous, cit. 24). — Établir, par une démarche scientifique, l'existence de (qqch.) et faire connaître (un phénomène, un être qui était caché ou ignoré). → **Découverte** (cit. 5). Découvrir une loi naturelle. Découvrir un remède, un vaccin. Découvrir un microbe, un virus au microscope ; un astéroïde au télescope, par la photographie. Découvrir qqch. par l'observation*, par le calcul*. Découvrir un théorème. Faire de longues recherches pour découvrir une propriété. → **Chercher, sonder, tâtonner**.

19 À mesure qu'on a plus de lumière, on découvre plus de grandeur et plus de bassesse dans l'homme.
PASCAL, Pensées, VII, 443.

20 (...) j'ai découvert que tout le malheur des hommes vient d'une seule chose, qui est de ne savoir pas demeurer en repos, dans une chambre.
PASCAL, Pensées, II, 139.

21 Il est clair qu'en ce moment on découvre la nature ; les écailles tombent des yeux ; on vient de comprendre,

presque tout d'un coup, tout le dehors sensible, ses pro-portions, sa structure, sa couleur.
TAINE, Philosophie de l'art, t. II, III, II, p. 18.

22 Il fallait ses lumières transcendantes de martyr et d'ascète pour découvrir ce qui échappait si complètement à ceux qui dirigeaient ma conscience (...)
RENAN, Souvenirs d'enfance..., IV, II.

23 (...) tous tant que nous sommes, nous ne découvrons que notre propre pensée dans la pensée d'autrui (...)
FRANCE, Thaïs, p. 110.

24 Découvrir ou créer, n'est-ce pas même chose? Inventer, c'est trouver, en bon français. On trouve ce qu'on invente, on découvre ce qu'on crée, ce qu'on rêve, ce qu'on pêche dans le vivier du songe.
R. ROLLAND, l'Âme enchantée, l'Été, t. II, p. 50.

25 Il semblait avoir découvert que le plus sûr moyen de ne jamais dire de bêtises est de ne point parler du tout.
GIDE, Si le grain ne meurt, X, 1, p. 272.

26 Il n'arrive pas à beaucoup d'hommes de retrouver dans le réel, à portée de leur regard, ce monde que la plupart ne découvrent qu'en eux-mêmes quand ils ont le courage et la patience de se souvenir.
F. MAURIAC, le Nœud de vipères, I, 1.

27 Vous allez bientôt découvrir pourquoi j'insiste sur cette particularité.
MARTIN DU GARD, les Thibault, t. II, p. 164.

♦ **4** Parvenir à connaître (ce qui était délibéré-ment caché ou qqn qui se cachait). → **Surprendre**. *Découvrir un secret.* → **Deviner.** *Découvrir les véri-tables raisons.* → **Dégager, démasquer; doigt** (mettre le doigt sur). *Découvrir la vérité. Découvrir un sen-timent, une pensée dans les yeux de qqn.* → **Lire.** *Découvrir un complot, une machination, les des-sous d'une intrigue.* → **Éventer; dénoncer.** — Passif. *Craindre, éviter d'être découvert.*

28 D'autres ne disent pas précisément une chose qui leur a été confiée; mais ils parlent et agissent de manière qu'on la découvre de soi-même.
LA BRUYÈRE, les Caractères, V, 81.

28.1 Je n'osais bouger de peur d'être aperçue (...) lorsque le maître s'approche du buisson qui me recèle; mon bonnet me trahit... Il l'aperçoit... — Jasmin, dit-il à son valet, nous sommes découverts... Une fille a vu nos mystères...
SADE, Justine, I, p. 67.

29 (...) quand on a découvert le souffleur, les mœurs des acteurs, les ficelles de l'intrigue, on a envie de s'en aller.
A. MAUROIS, Climats, II, XXI, p. 267.

30 Il est monté jusqu'au petit local de l'escalier J; a découvert les papiers d'identité de Leheudry dans un tiroir de la table (...)
J. ROMAINS, les Hommes de bonne volonté, t. III, V, p. 81.

Loc. fig. (Du sens A., 1.). *Découvrir le pot** (cit. 6 et 7) *aux roses.*

II V. intr. (Fin XVIIe). Cesser d'être couvert par la mer, à marée basse (→ ci-dessus, I., A., 3.).

30.1 Trois heures plus tard, à mer basse, la plus grande partie des sables, formant le lit du canal, avait découvert. Il ne restait entre l'îlot et la côte qu'un chenal étroit qu'il serait aisé sans doute de franchir.
J. VERNE, l'Île mystérieuse, t. I, p. 35.

♦ **SE DÉCOUVRIR** v. pron.

♦ **1** Enlever ce dont on est couvert (spécialt, les vête-ments). *Se découvrir quand vient l'été. Se découvrir d'un manteau.* — Prov. *En avril*, ne te découvre pas d'un fil.* — *Le malade s'est découvert en dormant. Elle se découvre trop les épaules.* → **Décolleter** (se), **dénuder** (se), **déshabiller** (se), **dévêtir** (se), **montrer.**

♦ **2** Ôter son chapeau, sa coiffure. *Se découvrir en entrant dans une église.* → **Saluer** (→ Chapeau, cit. 2).

31 Louis XIV se découvrait même pour une femme de chambre, et les *Mémoires* de Saint-Simon citent tel duc qui, saluant toujours, ne pouvait traverser les cours de Versailles que le chapeau à la main.
TAINE, Philosophie de l'art, t. I, II, VII, p. 88.

♦ **3** (Temps). Devenir plus clair, moins couvert. *Le ciel se découvre.* → **Dégager** (se), **éclaircir** (s'), **éclairer** (s').

♦ **4** → **Exposer** (s'). *Cette armée se découvre trop.* — (1686, in Petiot). T. d'escrime. Se mettre imparfaite-ment en garde. *Se découvrir imprudemment.* — Boxe. Ouvrir sa garde*. — Figuré :

32 (...) il arrive presque toujours que celui qui s'en sert *(de la finesse)* pour se couvrir en un endroit, se découvre en un autre.
LA ROCHEFOUCAULD, Maximes, 125.

♦ **5** Se manifester clairement au grand jour. *Le secret se découvrit enfin.* — (Sujet n. de personne). Déclarer sa pensée. *Il se découvrit à ses amis.* → **Confier** (se). — (En mauvaise part). Se trahir. *Ses noirs desseins se découvrirent.*

33 Il est juste qu'un Dieu si pur ne se découvre qu'à ceux dont le cœur est purifié. PASCAL, Pensées, XII, 737.

34 J'aime un esprit aisé qui se montre, qui s'ouvre, Et qui plaît d'autant plus, que plus il se découvre.
BOILEAU, Épîtres, IX, *in* LITTRÉ.

35 Je vais, par mon pouvoir diabolique, enlever les toits des maisons et je veux que malgré les ténèbres de la nuit, le dedans se découvre sans voile à vos yeux.
A.-R. LESAGE, le Diable boiteux, III.

36 (...) la petite Fadette (...) exigea de lui un si grand secret qu'ils passèrent environ un an avant que la chose se découvrit. G. SAND, la Petite Fadette, XXIV, p. 175.

37 (...) un simple artifice qui permettait plus d'abandon, m'au-torisait à me découvrir un peu plus moi-même (...)
E. FROMENTIN, Un été dans le Sahara, Préface (→ Autoriser, cit. 12).

♦ **6** Être aperçu, vu ou visible. *Les lumières de la ville se découvrent de loin.*

38 (...) tous deux penchés sur des bleus, des épures, des vues cavalières, où se découvrait, entre des frondaisons fou-gueuses, une suite d'édifices plus ou moins déconcertants.
J. ROMAINS, les Hommes de bonne volonté, t. V, XXVII, p. 282.

♦ **7** Être trouvé, connu, inventé après une recherche. *La solution ne se découvrit qu'après de longues recherches.*

39 Si une fatale invention venait à se découvrir, elle serait bientôt prohibée par le droit des gens, et le consentement unanime des nations ensevelirait cette découverte.
MONTESQUIEU, Lettres persanes, 106, *in* LITTRÉ.

Se découvrir soi-même. → **Connaître** (se).

40 Quand on est enfant on se *découvre*, on découvre lente-ment l'espace de son corps (...) On se tord et on se trouve ou on se retrouve, et on s'étonne! On touche son talon, on saisit son pied droit avec sa main gauche (...)
VALÉRY, M. Teste, p. 31.

41 On ne lit jamais un livre. On se lit à travers les livres, soit pour se découvrir, soit pour se contrôler.
R. ROLLAND, le Voyage intérieur, p. 43.

42 La terre nous en apprend plus long sur nous que tous les livres. Parce qu'elle nous résiste. L'homme se découvre quand il se mesure avec l'obstacle.
SAINT-EXUPÉRY, Terre des hommes, p. 9.

♦ **DÉCOUVERT, ERTE** p. p. et adj.

♦ **1** [a] Qui n'est pas couvert (par une pièce d'habil-lement). *Femme aux épaules découvertes. Avoir la tête découverte.* — Spécialt. Sans coiffure, sans cha-peau.

43 Ils ne savent pas que c'est une femme découverte et non une femme nue qui est indécente.
DIDEROT, Salon de 1765, Œuvres, t. XIII, p. 18, *in* LITTRÉ.

44 Ceux qui assisteront aux audiences, se tiendront décou-verts, dans le respect et le silence (...)
Code de procédure civile, art. 88.

45 (...) ces femmes en robe collante, aux joues découvertes, aux beaux yeux fixes, accoutumées aux hardiesses du regard, semblent toutes singulières dans ce monde uni-versellement voilé.
E. FROMENTIN, Une année dans le Sahel, p. 31.

Dans plusieurs pays islamiques, les femmes ne sortent pas à visage découvert. — Fig. *À visage découvert :* sans masque, sans voile, sans détour. → **Franchement, ouvertement.**

46 L'athéisme, qui marche à visage découvert chez les papistes, est obligé de se cacher dans tout pays où, la raison permettant de croire en Dieu, la seule excuse des incrédules leur est ôtée.
Rousseau, Julie ou la Nouvelle Héloïse, V, Lettre V.

47 Ce jour-là, j'ai vu pour la première fois à visage découvert, ma vieille ennemie la solitude, avec qui je fais bon ménage aujourd'hui. Nous nous connaissons : elle m'a asséné tous les coups imaginables, et il n'y a plus de place où frapper.
F. Mauriac, la Pharisienne, p. 144.

Par métonymie. *Chaussures découvertes,* qui découvrent le pied. → **Décolleté.**

47.1 Ils portaient des souliers découverts, en cuir jaune ou marron, dont les lacets, aussi larges que des rubans, étaient noués par une ganse qui ressemblait à un papillon.
Pagnol, le Temps des secrets, p. 365.

b (Plus généralt). Qui n'est pas couvert. *Front largement découvert,* dégarni de cheveux. *Coin de ciel découvert.* → **Éclaircie.** *Allée découverte,* dont les arbres ne se rejoignent pas par le haut. *Terrain découvert, devant un édifice.* → **Esplanade.** *Lieu découvert.* → **Déboisé, dénudé.**

48 La marte fuit les pays habités et les lieux découverts.
Buffon, Marte, *in* Littré.

♦ **2** → **Exposé.** *Place découverte,* sans couverture*. *Artillerie découverte par le recul de l'infanterie.* Par ext. *Compte découvert.*

♦ **3** → **Révélé, manifesté.** *Secret découvert par un bavard. Projets, plans découverts à un confident.*

♦ **4** → **Aperçu.** *Point de vue découvert d'un sommet. Navire découvert à l'horizon.*

♦ **5** → **Trouvé.** *Meurtrier découvert par la police. Remède récemment découvert.* → **Inventé.**

49 Croire tout découvert est une erreur profonde ;
C'est prendre l'horizon pour les bornes du monde.
A. Lemierre, Utilité des découvertes.

♦ **6** N. m. *Un découvert.* — *À découvert.* → 2. **Découvert.**

CONTR. Couvrir. — Abriter, cacher, celer, dissimuler, masquer, receler, voiler. — Garantir, protéger. — Copier, imiter, plagier. ◊ DÉR. Découvert, découverte, découverture, découvrable, découvreur.

DÉCRAMPONNER [dekrɑ̃pɔne] v. tr. — Av. 1614 ; de 1. dé-, et *cramponner.*

♦ **1** Techn. Enlever les crampons de (qqch.). *Décramponner une poutre.*

♦ **2** Fam. Faire lâcher prise à (qqn) ; se débarrasser de (qqn).

(...) essayant de filer en douce, de décramponner leur grand-mère qui se glissait toujours au dernier moment dans la voiture (...)
Hervé Bazin, Cri de la chouette, p. 230.

DÉCRAPOUILLER (SE) [dekrapuje] v. pron. — Mil. XXe ; de 1. dé-, *cra(sseux),* et *pouiller* (de *pouilleux*). Fam. Se laver, se décrasser.

En attendant, si vous permettez je vais me décrapouiller un peu : on est parti comme des dingues et on a marché toute la matinée. Quelle chaleur !
A. Sarrazin, la Traversière, p. 47 (1966).

DÉCRASSAGE [dekrasaʒ] ou **DÉCRASSEMENT** [dekrasmɑ̃] n. m. — V. 1900, *décrassage ; décrassement,* fin XVIIIe ; de *décrasser.* Action de décrasser.

DÉCRASSER [dekrase] v. tr. — 1476 ; de 1. dé-, et *crasse.*

♦ **1** Débarrasser de la crasse, de sa crasse. → **Laver, nettoyer.** *Décrasser la tête, les mains d'un enfant. Se décrasser la peau.* — *Décrasser du linge,* en ôter la crasse dans une première eau. *Décrasser une bougie de voiture.* — Figuré :

(...) notre âge est si lamentable, que je me plonge avec 1 délices dans l'antiquité. Cela me décrasse des temps modernes. Flaubert, Correspondance, III, p. 169.

Fam. (Arts). *Décrasser sa (la) palette :* supprimer ou diminuer les noirs (ombres, etc.).

♦ **2** (1680). Fig. et fam. Débarrasser (qqn) de son ignorance, de sa grossièreté en lui donnant une certaine instruction. → **Dégrossir, polir.** *On le mit à l'école pour le décrasser. Il commence à se décrasser un peu.*

(1690). Vieilli. Tirer qqn de sa basse condition, de son abjection.

Mais lisons-les, continuai-je en les tirant de ma poche ; 2 voyons un peu de quelle façon on y décrasse le vilain.
A.-R. Lesage, Gil Blas, XII, VI.

Pron. Se défaire de manières considérées comme mauvaises ou grossières.

(...) fais un effort pour sortir de toi-même ou au moins 3 acquérir le vernis qui fasse oublier le milieu d'où je t'ai tiré... tu n'imagines pas à quel point tu as besoin de te décrasser. M. Aymé, Travelingue, p. 139.

(...) c'était un Marseillais *sans accent,* un de ces provin- 4 ciaux dont la famille bourgeoise à force de s'appliquer à se corriger, à se décrasser du parler local considéré comme vulgaire, parvient à cette sorte de ton dévitalisé, décoloré, «qui ne se fait pas remarquer», recommandé par les bons usages.
Raymond Abellio, Ma dernière mémoire, t. II, p. 21.

CONTR. Encrasser, salir. ◊ DÉR. Décrassage ou décrassement, décrassoir.

DÉCRASSOIR [dekraswar] n. m. — 1861 ; de *décrasser.*

♦ **1** Vx. Peigne à dents fines et serrées destiné à décrasser la tête.

♦ **2** Techn. Petite brosse qui sert à décrasser les peignes.

DÉCRÉDIBILISER [dekredibilize] v. tr. — 1980 ; de 1. dé-, et *crédible.*
Enlever sa crédibilité à (qqn, qqch.). «*La défense a aussi cherché à décrédibiliser le principal accusateur de l'avionneur*» (*le Monde,* 31 oct. 1998, p. 19). — Au p. p. *Des politiciens décrédibilisés.*

On emploie aussi le dér. *décrédibilisation,* n. f.

CONTR. Crédibiliser.

DÉCRÉDITEMENT [dekreditmɑ̃] n. m. — XVIIe ; de *décréditer.*
Vieilli. Action de décréditer. «*Le décréditement du genre humain*» (La Bruyère).

DÉCRÉDITER [dekredite] v. tr. — 1572 ; de 1. dé-, *crédit,* et suff. verbal.

♦ **1** Vx. Priver (qqn) du crédit* ; faire perdre l'honneur, la considération. → **Avilir, dénigrer, déprécier, discréditer, noircir.** *Décréditer un homme politique, un auteur. Ce procédé l'aura décrédité. Se décréditer auprès de qqn.*

(...) celui qui n'observerait pas les bienséances (...) se décré- 1 diterait au point qu'il deviendrait incapable de faire aucun bien. Montesquieu, l'Esprit des lois, IV, 2.

2   Cette édition me paraissait nécessaire pour constater ceux
des livres portant mon nom qui étaient véritablement de
moi, et mettre le public en état de les distinguer de ces
écrits pseudonymes que mes ennemis me prêtaient pour
me décréditer et m'avilir.
                ROUSSEAU, les Confessions, XII.

Par ext. *Décréditer une doctrine, une opinion.*

3   Ces élégances de la langue post-classique furent, sous l'influence du romantisme, décréditées, et la langue se tourna
vers la précision (...)
                F. BRUNOT, la Pensée et la Langue, I, IX.

◆**2** (1707). Priver (qqn) du crédit financier, commercial. *La mauvaise foi décrédite un commerçant.*

CONTR. Accréditer. ◊ **DÉR. Décréditement.**

DÉCRÉMENT   [dekʀemã] n. m. — 1899, Poincaré;
angl. *decrement,* du lat. *decrementum,* de *decrescere*
«décroître».

Sc. (math.). Diminution de la valeur d'une fonction
pour un accroissement donné de la variable.
Inform. Mesure de l'amortissement d'un signal.

CONTR. Incrément.

DÉCRÊPAGE   [dekʀepaʒ] n. m. — 1960; de *décrêper.*
Action de décrêper les cheveux.

1   Le *défrisage* ou mieux le *décrêpage* est l'opération inverse
de l'indéfrisable. Cette opération est délicate à réaliser car
généralement effectuée sur les cheveux très résistants de
noirs ou de mulâtres.
        Charles BOURGEOIS, la Chimie de la beauté, p. 92.

Traitement capillaire consistant à rendre lisses
des cheveux crépus.

2   Éléony l'étonna, une Amérique prospère et bourgeoise,
mais en négatif, all black, avec des pages de publicité
pour perruques et décrêpages.
                Claude COURCHAY,
        La vie finira bien par commencer, 1972, p. 103.

DÉCRÊPELER   [dekʀeple; dekʀeple] v. tr. — 1930, cit.;
de 1. *dé-,* et *crêpelé.*

Défaire la crêpelure de (cheveux). → **Décrêper.**

(...) cette fameuse Mᵐᵉ Sarah J. Walker, morte en 1919, qui
gagna vingt-cinq millions en inventant une préparation à
décrêpeler les cheveux.
                Paul MORAND, New-York, p. 233.

DÉCRÊPER   [dekʀepe] v. tr. — 1842; de 1. *dé-,* et
crêper.

◆**1** Rendre lisses (des cheveux crépus), faire un
décrêpage. → **Décrêpeler.** — P. p. adj. *«une panthère
noire, couverte de bijoux en or, le cheveu court et
décrêpé»* (Michel Déon, *les Gens de la nuit,* p. 187).

◆**2** Lisser (des cheveux crêpés).

CONTR. Crêper. ◊ **DÉR. Décrêpage.**

DÉCRÉPIR   [dekʀepiʀ] v. tr. — 1796, *in* D. D. L.; de 1. *dé-,*
et *crépir.*

◆**1** Techn. Dégarnir du crépi. *Décrépir un mur
lézardé, fissuré.* — Pron. *Ce mur se décrépit.* — Au
p. p. *Façade décrépie.* — **REM.** Ne pas confondre avec
décrépit, 2. (une maison peut être à la fois *décrépie* et
décrépite).

◆**2** Pron. et fig. S'altérer, se dégrader.

DÉR. Décrépissage. ◊ **HOM.** (Du p. p.) **Décrépit.**

DÉCRÉPISSAGE   [dekʀepisaʒ] n. m. — 1857; de
décrépir.

Techn. Action de décrépir. *Le décrépissage d'un
mur.*

DÉCRÉPIT, ITE   [dekʀepi, it] adj. — V. 1192, *des-
crepie;* lat. *decrepitus,* même sens, p.-ê. de *de-* (→ 2.
Dé-), et *crepitus,* p. p. de *crepare* «craquer, se fendre
avec bruit», d'où «se fendre, se rompre, crever», à
propos de choses (bois, portes, étoffes) et sans doute, à
basse époque, d'êtres vivants.

◆**1** (Personnes). Qui est dans la décrépitude, dans
une extrême déchéance physique. → **Usé, vieux.** *Un
vieillard décrépit et cassé. Une vieille décrépite. Je ne
suis pas encore décrépit!*

Un lion décrépit, goutteux, n'en pouvant plus,   1
Voulait que l'on trouvât remède à la vieillesse.
                LA FONTAINE, Fables, VIII, 3.

En dépit des hommes, je saurai goûter encore le charme   2
de la société, et je vivrai décrépit avec moi dans un autre
âge, comme je vivrais avec un moins vieux ami.
                ROUSSEAU, Rêveries..., 1ʳᵉ promenade.

Ses cheveux blanchissaient sur son front décrépit (...)   3
        HUGO, la Légende des siècles, La vision de Dante,
                                        LIV, XV.

N. → **Vieillard, vieux.**

Les paladins à la vieille contèrent   4
Leur aventure, et conseil demandèrent.
La décrépite alors se recueillit (...)
                VOLTAIRE, la Pucelle, VIII.

◆**2** (Choses). *Maison décrépite,* qui menace ruine. —
REM. Ne pas confondre avec *décrépi.* → **Décrépir.**

DÉR. Décrépitude. ◊ **HOM. Décrépi** (p. p. de *décrépir*).

DÉCRÉPITATION   [dekʀepitasjɔ̃] n. f. — 1641; de
2. *dé-,* et *crépitation,* ou de *décrépiter* (attesté postérieurement).

Sc. nat. Éclatement ou fendillement de cristaux
sous l'effet de la chaleur (par dilatation de l'eau
contenue en eux); bruit qui en résulte.

DÉCRÉPITER   [dekʀepite] v. — 1660; de 2. *dé-,* et
crépiter.

Sciences naturelles.

◆**1** V. intr. Crépiter*, pétiller par l'action du feu. *Le
sel de cuisine décrépite lorsqu'on le jette sur le feu.*

◆**2** V. tr. Vx. Calciner (un sel) jusqu'à ce qu'il ne
crépite plus.

DÉR. V. Décrépitation.

DÉCRÉPITUDE   [dekʀepityd] n. f. — V. 1387; de
décrépit.

◆**1** Vieilli. État de déchéance, de grand affaiblissement physique, qui provient d'une extrême vieillesse. → **Sénilité; caducité** (cit. 1). *Il est tombé dans
la décrépitude et le gâtisme.*

Mes sentiments pour vous ne se ressentent point de ma   1
décrépitude.
        VOLTAIRE, Lettre à Chabanon, 8 janv. 1776,
                                        in LITTRÉ.

◆**2** (1836). Mod. → **Décadence, vieillesse.** *Décrépitude
morale. Décrépitude des mœurs. Décrépitude d'une
nation, d'une civilisation.* → **Agonie.**

On ne sort de l'assoupissement des trop longs attache-   2
ments que par le dépit et le chagrin de se voir toujours
attaché; enfin de toutes les décrépitudes, celle de l'amour
est la plus insupportable.
        LA ROCHEFOUCAULD, Réflexions diverses, 9,
                        De l'amour et de la vie.

Mais on prend pour des *conspirations* ce qui n'est que   3
le malaise de tous, le produit du siècle, la lutte de l'ancienne société avec la nouvelle, le combat de la décrépitude
des vieilles institutions contre l'énergie des jeunes générations (...)
        CHATEAUBRIAND, Mémoires d'outre-tombe, t. V,
                                        p. 126.

4 La décrépitude et la décadence de l'Inde brahmanique, l'usure de ses monuments surhumains, la tombée en poussière de ses rites et de ses fêtes, m'apparaissent irrémédiables, en cette décevante minute, de même que l'amoindrissement de sa race superbe.
LOTI, l'Inde (sans les Anglais), IV, IV, p. 173.

CONTR. Jeunesse, verdeur, vigueur.

DECRESCENDO [dekreʃɛndo] adv. et n. m. — XVIIIᵉ; ital. *decrescendo* «en décroissant», de *decrescere*.

Mus. En diminuant progressivement l'intensité d'un son. → **Diminuendo.** — N. m. *Un decrescendo.* — REM. Le plur. normalisé est *des decrescendos*; on trouve *des decrescendi*, à l'italienne (cf. A. Cortot, *in* T. L. F.).

Et cela se continue par une kyrielle de mots dits en decrescendo rapide, vite, vite; une prière basque dégoisée à perdre haleine, commencée très fort, puis mourante pour finir.
LOTI, Ramuntcho, I, XVI, p. 142.

Fig. et fam. En décroissant. *Sa réputation, son talent va decrescendo.*

CONTR. Crescendo.

DÉCRET [dekrɛ] n. m. — V. 1170; lat. *decretum* «décision, sentence», p. p. de *decernere*. → Décerner.

♦1 Relig. Acte de l'autorité ecclésiastique. → **Bulle.** — Spécialt (au moyen âge). Décision rendue par les théologiens de Sorbonne. → **Sentence.**

1 Les théologiens ne donnent des décrets ni en Angleterre, ni en Prusse; aussi les Anglais et les Prussiens nous ont bien battus.
VOLTAIRE, Lettre à Marmontel, 1ᵉʳ janv. 1768.

Recueil d'anciens canons des conciles, des constitutions des Papes et des sentences des Pères formant la base de l'élaboration du Droit canon. → **Décrétale.** *Le Décret de Gratien. École du Décret. Les commentaires du Décret.*

♦2 (1789). **Cour.** Décision écrite émanant du pouvoir exécutif dans le cadre tracé par la constitution, et soumis au contreseing ministériel. → **Arrêté; ordonnance.** *Le décret est un écrit qui porte des considérants* (motifs) *avec visas, un dispositif* formé le plus souvent de plusieurs articles, la date, la signature, un ou plusieurs contreseings. Faire passer* (cit. 24) *un décret.*

2 Traditionnellement, le décret est un acte du chef de l'État. Sous la Restauration et le Gouvernement de Juillet, il s'est appelé «ordonnance»; sous la République de 1848 «arrêté». Aujourd'hui, il peut émaner également du chef du Gouvernement.
Marcel PRÉLOT, Précis de droit constitutionnel, IV, 449.

Décret présidentiel, contresigné par le président du Conseil et par un ministre, au moins. — *Décret pris par le président du Conseil,* contresigné par le ou les ministres des départements intéressés. *Décret pris en Conseil des ministres,* signé par tous les membres du gouvernement. *Décrets réglementaires. Décrets individuels* (relatifs à des situations particulières). *Décret pris après consultation du Conseil d'État.*

Décret portant règlement d'administration publique. → **Règlement.** *Décret de nomination. Décret de naturalisation. Le décret est publié au Journal officiel.* — *Décret de grâce.* — *Décrets ratifiant un traité.*

3 Toute congrégation religieuse peut obtenir la reconnaissance légale par décret rendu sur avis conforme du Conseil d'État (...)
Loi du 8 avr. 1942 modifiant l'art. 13 de la loi du 1ᵉʳ juil. 1901.

4 Il est certain qu'en France, en dépit de décrets et de circulaires absurdes, tout va plutôt mieux qu'ailleurs.
A. MAUROIS, les Discours du Dʳ O'Grady, XVII, p. 187.

5 Il voudrait être le chef qui dicte des plans, rature et redresse les projets, indique au crayon bleu des tracés impératifs; celui qui promulgue les décrets et les ordonnances, qui parle au nom de l'utilité publique; celui qui démolit les masures, met les rues à l'alignement, joint l'un à l'autre deux tronçons d'avenues qui, par-dessus un labyrinthe de plâtras, se faisaient vainement signe depuis un siècle.
J. ROMAINS, les Hommes de bonne volonté, t. V, XVIII, p. 137.

♦3 Littér. Décision, volonté d'une puissance supérieure. *Les divins décrets, les décrets de la Providence.* → **Arrêt, décision, dessein, jugement, loi, ordre, volonté.** *Se soumettre, se conformer aux décrets de la Providence.*

6 (...) l'obligation du travail et la nécessité de la mort tiennent le même rang dans les divins décrets (...)
BOURDALOUE, Dim. de la Septuag., I, p. 352, in LITTRÉ.

7 Il s'était soumis aux décrets de la Providence.
Antoine HAMILTON, Mém. du comte de Grammont, VI.

Les décrets du sort, du destin. Les décrets de la nature.

8 (...) les sages mouches à miel. Si économes, si sobres, si prévoyantes d'habitude, obéissaient à une sorte de folie fatale, à une impulsion machinale, à une loi de l'espèce, à un décret de la nature, à cette force qui pour tous les êtres est cachée dans le temps qui s'écoule.
MAETERLINCK, la Vie des abeilles, I, VI, p. 47.

Les décrets de la mode, du bon goût.

DÉR. Décréter. ◊ COMP. Décret-loi.

DÉCRÉTALE [dekretal] n. f. — V. 1260; lat. ecclés. *decretalis,* de *decretum.* → Décret.

Hist. des relig. Lettre du pape écrite en réponse à des consultations sur des questions disciplinaires et d'administration.

Au plur. **DÉCRÉTALES** : recueil de ces lettres. *Les Clémentines, recueil des décrétales de Clément V, publiées par Jean XXII.*

(...) nos sacrées Décrétales et leurs corollaires : ce beau *Sixième,* ces belles *Clémentines,* ces belles *Extravagantes.* Ô livres déifiques !
RABELAIS, le Quart livre, LIII.

DÉCRÉTER [dekrete] v. tr. [CONJUG.: *céder.*] — 1382; de *décret.*

♦1 Vx. Lancer un décret contre (qqn). → **Décret** (1.).

1 Ainsi en décrétant le cardinal de Bouillon et en donnant ordre qu'on le mît dans les prisons (...)
VOLTAIRE, le Siècle de Louis XIV, 38.

Par extension :

2 (...) l'on décrète aussi contre les femmes.
MOLIÈRE, Tartuffe, V, 4.

♦2 Dr., admin. Ordonner par un décret. → **Décider, ordonner, régler.** *Décréter une nomination. Décréter la mobilisation.*

♦3 Cour. Décider avec autorité. *Décréter qu'on fera qqch. Il décréta qu'ils ne partiraient pas.*

3 Il décrétait le temps qu'il fera demain. Il auscultait le vent; il tâtait le pouls à la marée.
HUGO, les Travailleurs de la mer, I, V, 1.

4 Clotilde décréta qu'il fallait veiller, pour pouvoir au premier appel courir chercher un prêtre (...)
MARTIN DU GARD, les Thibault, t. III, p. 266.

Pron. (passif) :

5 Celle-ci *(la France)* avait compris, par une si rude leçon, — l'ennemi une fois repoussé, — que la paix ne se décrète pas, qu'elle se conquiert et s'impose.
Louis MADELIN, Hist. du Consulat et de l'Empire, De Brumaire à Marengo, V, p. 69.

◆ **DÉCRÉTÉ, ÉE** p. p. adj.

Qui est l'objet d'un décret (1.).

6 Carnot, décrété d'arrestation, fut averti à temps et put
s'évader par une poterne du Luxembourg (...)
Louis MADELIN, Hist. du Consulat et de l'Empire,
Ascension de Bonaparte, XII, p. 174.

DÉCRET-LOI [dekrɛlwa] n. m. — 1924; de *décret*, et
loi.

Décret pris par un gouvernement et qui a la force
juridique d'une loi. *Les décrets-lois de la IIIᵉ République.* → **Ordonnance.**

DÉCREUSAGE [dekrøzaʒ] ou **DÉCREUSEMENT**
[dekrøzmã] n. m. — 1791, *décreusage; décreusement*,
1700; de *décreuser*.

Techn. Action de décreuser; résultat de cette action.
— REM. On dit aussi *décruage, décrûment, décrusage*.

DÉCREUSER [dekrøze] v. tr. — 1690; du provençal
(Dauphiné) *descreusa*, de 1. *dé-*, et *cru* «non préparé».
→ **Décruer.**

Techn. Lessiver un fil textile brut (dit *cru, écru*)
avant tissage, teinture. — SPÉCIALT. Lessiver le fil
de soie grège pour le dépouiller de sa gaine de
séricine (grès). — On dit aussi *décruer, décruser. Soie
décreusée* (opposé à *soie grège* ou *crue*).

DÉR. **Décreusage** ou **décreusement.**

DÉCRI [dekri] n. m. — XVᵉ; de *décrier*.

Rare et vieilli. Action de décrier (qqn, qqch.). *Le décri
de qqn, de qqch. par qqn.*

Perte de réputation, d'estime. → **Défaveur, dépréciation, discrédit.** *Tomber dans le décri.*

(...) le décri universel où tombe nécessairement tout ce
qu'ils exposent au grand jour de l'impression (...)
LA BRUYÈRE, Disc. de réception à l'Académie,
Préface.

CONTR. **Apologie, appréciation, estime, réputation** (bonne).

DÉCRIER [dekrije] v. tr. — XIIIᵉ; de 1. *dé-* et *crier*.

Littér. Attaquer, rabaisser (qqn) dans sa réputation
→ **Calomnier, dénigrer, discréditer, déprécier, médire**
(sur), **vilipender.** *Décrier la conduite de qqn. Décrier
qqn par vengeance.*

1 (...) si je faisais une comédie qui décriât les hypocrites (...)
MOLIÈRE, Tartuffe, 1ᵉʳ placet.

2 (...) toujours prêt dans la concurrence à trahir l'un, à supplanter l'autre, à décrier celui-ci, à perdre celui-là (...)
BOURDALOUE, Sermon de l'Épiphanie, X, p. 127,
in LITTRÉ.

3 Il m'ôtait même, autant qu'il était en lui, la ressource du
métier que je m'étais choisi, en me décriant comme un
mauvais copiste (...)
ROUSSEAU, les Confessions, IX.

4 À l'heure actuelle Mirabeau ne remuerait personne, bien
que sa corruption ne lui nuirait point : car présentement
nul n'est décrié pour ses vices; on n'est diffamé que par
ses vertus.
CHATEAUBRIAND, Mémoires d'outre-tombe, t. VI,
p. 268.

Décrier l'œuvre de qqn. → **Critiquer, déprécier.**

5 Il y a des esprits naturellement si chagrins, que c'est assez
pour eux qu'un ouvrage réussisse pour le décrient.
A. R. LESAGE, le Diable boiteux, XVI, p. 178.

Décrier une marchandise, un article. — LOC. fig.
Décrier sa marchandise : se faire tort dans ses
affaires par la mauvaise opinion que l'on donne
de soi.

◆ **SE DÉCRIER** v. pron.

Vx. Attirer sur soi le décri. → **Discréditer** (se).

6 On se décrie beaucoup plus auprès de nous par les moindres infidélités qu'on nous fait, que par les plus grandes
qu'on fait aux autres.
LA ROCHEFOUCAULD, Maximes, 360.

◆ **DÉCRIÉ, ÉE** p. p. adj.

Cour. Contesté et critiqué; rabaissé dans sa réputation.

Dans la langue littéraire, les métaphores ont été tour à   7
tour en faveur ou décriées.
F. BRUNOT, la Pensée et la Langue, I, II, VIII, p. 78.

Cet homme de génie *(Zola)*, décrié injustement par ceux   8
qui ne l'ont jamais lu (...)
G. DUHAMEL, Défense des lettres, III, p. 260.

Institution très discutée au début et même très décriée.   9
Georges LECOMTE, Ma traversée, p. 106.

CONTR. **Apprécier, célébrer, exalter, louer, prôner, vanter.**
◊ DÉR. **Décri.**

DÉCRIMINALISATION   [dekriminalizasjɔ̃] n. f.
— Attesté 1975; dér. sav. de 1. *dé-*, et lat. *criminalis*
«criminel». → Criminaliser.

Dr. Fait de ne plus considérer (une infraction)
comme criminelle, de soustraire à la juridiction
criminelle. *La «décriminalisation de fait* (aux États-
Unis) *de l'usage du cannabis (...)» (le Nouvel Obs.,*
25 oct. 1981, p. 116).

DÉCRIRE [dekrir] v. tr. [CONJUG.: *écrire.*] — 1119, *des-
crire;* du lat. *describere* (de *de-*, préfixe à valeur intensive
et *scribere*, → Écrire), d'après *écrire.*

I Représenter dans son ensemble, par écrit ou oralement. → **Dépeindre, expliquer, exposer, peindre,
raconter, représenter, retracer; description.** *Personne
qui décrit :* descripteur. *Décrire une plante, un
animal. Décrire et classer* des espèces. Décrire une
œuvre d'art. Décrire un paysage. Décrire une aventure. Décrire avec exagération ses propres aventures.
On ne saurait décrire cette merveille. Décrire fidèlement la réalité. Décrire qqch. en général, à grands
traits*, dans le détail, minutieusement.* → **Détailler.**

Journée délicieuse. J'en gâterai le plaisir en la décrivant.   1
STENDHAL, Journal, p. 209.

En décrivant ce qui est, le poète se dégrade et descend au   2
rang de professeur; en racontant le possible, il reste fidèle
à sa fonction; il est une âme collective qui interroge, qui
pleure, qui espère et qui devine quelquefois.
BAUDELAIRE, l'Art romantique, XIX, I, Victor Hugo.

Et de ce tableau, que je copie sur nature, mais auquel   3
il manquera la grandeur, l'éclat et le silence, et que je
voudrais décrire avec des signes de flammes et des mots
dits tout bas (...)
E. FROMENTIN, Un été dans le Sahara, p. 28.

Tel nom lu dans un livre autrefois, contient entre ses syl-   3.1
labes le vent rapide et le soleil brillant qu'il faisait quand
nous le lisions. De sorte que la littérature qui se contente
de «décrire les choses», d'en donner seulement un misérable relevé de lignes et de surfaces, est celle qui, tout
en s'appelant réaliste, est la plus éloignée de la réalité,
celle qui nous appauvrit et nous attriste le plus, car elle
coupe brusquement toute communication de notre moi
présent avec le passé, dont les choses gardaient l'essence,
et l'avenir, où elles nous incitent à la goûter de nouveau.
PROUST, le Temps retrouvé, Pl., t. III, p. 885.

Je vais décrire l'endroit, ça c'est sans importance. Le   3.2
sommet, très plat, d'une montagne, non, d'une colline,
mais si sauvage, si sauvage (...)
S. BECKETT, Textes pour rien, p. 115.

Décrire ses sentiments. → **Analyser.** *Comment
décrire sa fureur? Décrire un caractère.*

(...) ce sont les caractères ou les mœurs de ce siècle que   4
je décris. LA BRUYÈRE, les Caractères, t. I, p. 106.

(...) Michel-Ange décrit, avec une crudité singulière d'ex-   5
pressions, ses angoisses d'amour (...)
R. ROLLAND, Vie de Michel-Ange, p. 68.

Absolt. *L'art de décrire. Romancier qui décrit trop,
qui abuse de la description*.*

REM. *Décrire* s'oppose en logique à *définir*. On *définit* un concept, une idée générale ; on *décrit* une personne ou une chose concrète. → Définir.

II Tracer ou suivre (une ligne courbe, un cercle). → Boucle, cit. 6 ; cercle, cit. 3 et 4. *L'oiseau décrit des cercles dans l'air. Orbe que décrit une planète. La route décrit une ellipse autour de la forêt. La trajectoire que décrit un projectile.*

6   *Telles, quand une bombe ardente, meurtrière,*
Décrit dans un ciel noir sa courbe incendiaire (...)
                          HUGO, Odes, III, 6, 8.

♦ **SE DÉCRIRE** v. pron.
Être décrit (I.). *Un tel spectacle ne se décrit pas.*

7   *Encore un coup, le vrai bonheur ne se décrit pas, il se sent, et se sent d'autant mieux qu'il peut le moins se décrire, parce qu'il ne résulte pas d'un recueil de faits, mais qu'il est un état permanent.*
                          ROUSSEAU, les Confessions, VI.

♦ **DÉCRIT, ITE** p. p. adj.
♦ **1** *Paysage bien décrit* (par un auteur, etc.).
♦ **2** *Courbe décrite* (par un mobile ; par une ligne, etc.).

8   *Toute peinture hollandaise est concave ; je veux dire qu'elle se compose de courbes décrites autour d'un point déterminé par l'intérêt, d'ombres circulaires autour d'une lumière dominante.*
                          E. FROMENTIN, les Maîtres d'autrefois, Hollande, 2.

HOM. (Du p. p.) **Décri.**

DÉCRISPATION [dekʀispasjɔ̃] n. f. — 1946, Mounier ; de 1. *dé-*, et *crispation*, ou de *décrisper*.

♦ **1** Méd. État de décontraction (physique, psychique).
♦ **2** Polit. Fait de détendre (les rapports politiques ou sociaux) ; état qui en résulte. *«J'ai donc fait ce qui dépendait de moi pour que cette décrispation de la politique française puisse avoir lieu»* (V. Giscard d'Estaing, in *le Monde*, avr. 1976).

REM. Le mot, répandu par la radio et la télévision, est devenu un tic du langage politique vers 1976-1980.

DÉCRISPER [dekʀispe] v. tr. — 1790, in D.D.L. ; de 1. *dé-*, et *crisper*.

♦ **1** Décontracter (les muscles). *«Il* (Rroû) *décrispe ses muscles»* (Genevoix, *Rroû*, 1931). — Par métaphore. *«Cela décrispait l'âme»* (René Fallet, *Y a-t-il un docteur dans la salle ?*, p. 43).
Rendre (qqn) moins tendu, moins crispé. — Pron. (plus cour.). *«Il fit un effort pour se décrisper dans un sourire mondain»* (Christine Arnothy, *Toutes les chances plus une*, p. 327).

♦ **2** Polit. Rendre (une relation, un rapport politique, social) moins crispé. → Détendre ; apaiser. *«La France "décrispe" sa position»* (*le Monde*, 4 oct. 1974).

DÉR. V. **Décrispation.**

DÉCRISTALLISATION [dekʀistalizasjɔ̃] n. f. — 1925 ; au fig., fin XIXᵉ ; de 1. *dé-*, et *cristallisation*.

Didact. ou littér. Phénomène inverse de la cristallisation.

(1893 ; Mérimée emploie *se décristalliser*, en 1856). Correspond au sens stendhalien de *cristallisation* (→ Cristallisation, cit. 4 et 5) :

On parle sans cesse de la brusque cristallisation de l'amour. La lente décristallisation, dont je n'entends jamais parler, est un phénomène psychologique qui m'intéresse bien davantage.
                          GIDE, les Faux-monnayeurs, I, VIII, Pl., p. 988.

DÉCROCHAGE [dekʀɔʃaʒ] n. m. — 1884 ; de *décrocher.*

♦ **1** Action, fait de décrocher (I., 1.). *Levier de décrochage.*
♦ **2** Milit. (De *décrocher*, II., 1.). Mouvement de repli, de recul. → **Désengagement.**

Depuis, des stratèges improvisés ont inventé la guerre 1 *droite, la guerre de mouvement, la guérilla, le harcèlement, le décrochage, le repli sur des positions préparées (...)*
                          Boris VIAN, Textes et Chansons,
                  «Lettre sur les truqueurs de la guerre», p. 139.

Par ext. Fait d'interrompre une activité, une relation.

Fait de «décrocher», de ne plus porter attention à qqch.

♦ **3** (V. 1955). Techn. (radio.). Interruption d'une retransmission radiophonique, télévisée. *Station régionale qui diffuse, en décrochage, les actualités de la province* (qui cesse de retransmettre les programmes nationaux pour diffuser sa propre émission). → **Décrocher** (II., 3.). — Aviat. Chute de la portance, due à un décollement d'air à l'extrados*. — Autom. Perte subite et totale de l'adhérence d'un pneu sur la route. — (1969). Astron. Abandon d'une orbite (par un vaisseau spatial). *Décrochage de l'orbite lunaire.*

Maintenant, il volait seul. Un jour de vent, il lui prit fan- 1.1 *taisie de faire un décrochage. Rien de sorcier : cabrer l'appareil en réduisant le moteur. L'avion pique du nez, reprend de la vitesse. On remet les gaz. C'est quand même chouette de tomber en plein ciel.*
                          Claude COURCHAY,
                  La vie finira bien par commencer, p. 190.

♦ **4** Par métaphore, didact. Séparation, interruption d'un rapport.

(...) le discours lui-même ne sait plus sur quoi s'appuyer 2 *et s'appliquer. En regardant d'un peu près, on s'aperçoit que le décrochage des signifiants et des signifiés n'est pas un phénomène partiel, local ou localisé.*
                          Henri LEFEBVRE, la Vie quotidienne dans le
                                        monde moderne, p. 224.

DÉCROCHEMENT [dekʀɔʃmɑ̃] n. m. — 1636 ; de *décrocher.*

État de ce qui est décroché ; forme de ce qui est en retrait. — Géol. Écart entre deux terrains qui ne sont plus au même niveau. — Loc. *En décrochement* : en présentant un décrochement, en retrait par rapport à un alignement.

En remontant la rue du Fg-S.-Honoré. Les hautes falaises des maisons à balcons en décrochement et perspective dans la pluie et dans la brume, avec çà et là ces tranches crayeuses.
                          CLAUDEL, Journal, 13 déc. 1938, Pl., t. II, p. 252.

DÉCROCHER [dekʀɔʃe] v. — V. 1120 ; de 1. *dé-*, et *croc.*

I V. tr. ♦ **1** Détacher (une chose qui était accrochée). *Décrocher une casserole, des rideaux.* → **Dépendre.** *Décrocher un wagon d'un autre, un tableau d'un clou.*

René décrocha le châle noir et le mit sur les épaules d'Hé- 1 *lène.*   FRANCE, Jocaste, Œ., t. II, XI, p. 109.

Spécialt. *Décrocher le récepteur téléphonique* (opposé à *raccrocher*). — Absolt. *«Un déclic... On a décroché»* (N. Sarraute).

Loc. *Décrocher la timbale* : atteindre le prix au jeu du mât de cocagne. — (1719). Remporter la victoire dans une épreuve sportive, et, fig., atteindre un but difficile.

(...) le bonheur, ça n'est pas une timbale qu'on décroche (...) 2
                          MARTIN DU GARD, les Thibault, t. V, p. 206.

♦ **2** Fig. et fam. → **Atteindre, obtenir**; et aussi (fam.) **dégoter, dénicher.** *Représentant qui décroche une commande. Il a fini par décrocher une bonne situation.*

3   Il s'agit de l'emmener dîner. Nous décrochons cela sans trop de difficultés, mais au chagrin marqué de ses deux cousines.   Gide, Journal, avr. 1905.

♦ **3** Fig. Détacher, séparer. — Fin. Dissocier une valeur d'une autre. *Décrocher le dollar de l'or.* — (1905, *in* Petiot). Sports. Distancer. *Cycliste qui décroche le peloton dans une échappée.* → **Décoller.** — Astron. Faire quitter son orbite à (un vaisseau spatial).

♦ **4** Fig. Fam. et vx. Tuer. → **Descendre** (cf. Mérimée, *in* T. L. F.). — Renverser une personne au pouvoir (cf. Duhamel, *in* T. L. F.).

II V. intr. ♦ **1** Milit. Rompre le contact; se retirer. → **Reculer, replier** (se).

3.1   Le régiment se repliait, laissant en ligne ses bataillons sans prévenir! Il se maîtrisa, se tourna vers le chasseur. — Nous avons le temps de décrocher dans la nuit, dit Gondamini. — Il n'est pas question de décrocher, coupa le commandant.
     Armand Lanoux, le Commandant Watrin, 1956, p. 233.

Par ext. (Fam.). Abandonner ou suspendre une activité; renoncer à poursuivre un effort. → **Dételer.**

3.2   La scène officielle est connue : c'est le 6 février à Alger, les tomates lancées à la tête du président du Conseil, sa débandade... et la suite. La longue suite navrante qui s'est décidée, à cet instant-là... Le 7 février, Camus, écœuré, désespéré, avait décroché.
     Françoise Giroud, Si je mens, p. 168.

♦ **2** *Décrocher de* : se détacher de; se désolidariser de. *Décrocher d'un parti politique.*

♦ **3** (1954). Radio. En parlant d'un émetteur, Interrompre un relais pour diffuser ses propres émissions; faire un décrochage*.

♦ **4** Aviat. En parlant d'un avion, Perdre la portance nécessaire à la sustentation.

♦ **SE DÉCROCHER** v. pron.

♦ **1** Se détacher. *Le tableau risque de se décrocher.* — Loc. fam. (faux pron.). *Bâiller à se décrocher la mâchoire.*

♦ **2** Fig. et fam. *Réussir à se décrocher d'un engagement.* → **Dégager** (se); **défaire** (se).

4   D'année en année, ma vie littéraire, remplie par les travaux indiqués au commencement de ce chapitre, se compliquait et s'alourdissait. Cependant, au début d'un printemps, je réussis à me «décrocher» de toutes obligations pour aller vivre quelques semaines en Espagne (...)
     Georges Lecomte, Ma traversée, p. 300.

♦ **DÉCROCHÉ, ÉE** p. p. adj. et n. m.

♦ **1** Qui a été décroché (aux divers sens du verbe).

5   (...) punaisées sur les murs (mais pas exactement à la place des gravures galantes décrochées, de sorte que les rectangles clairs étaient nettement visibles)... deux photographies (...)
     Claude Simon, le Palace, éd. de Minuit, p. 15.

♦ **2** Qui est en retrait, forme un décrochement*. *«Des "maisons" à étages décrochés»* (P. Morand, *in* T. L. F.).

N. m. Imprim. *Un décroché* : un titre, un texte, etc. qui «mord» sur une composition.

CONTR. Accrocher, raccrocher. — Attacher, pendre. ◊ DÉR. Décrochage, décrochement, décrocheur. — Décrochez-moi-ça.

DÉCROCHEUR, EUSE [dekʀɔʃœʀ, øz] n. — 1873, Corbière; de *décrocher.*

♦ **1** Rare. Personne qui décroche (qqch.). — Fig. *«Beau décrocheur d'étoiles»* (Corbière, *les Amours jaunes*).
Décrocheur, décrocheuse de prix.

♦ **2** N. m. Techn. (alpin.). Appareil permettant de décrocher facilement la corde, lors d'une descente en rappel.

DÉCROCHEZ-MOI-ÇA [dekʀɔʃemwasa] n. m. invar. — 1842; de *décrocher, moi,* et *ça.*

Fam. Vêtement d'occasion. — Par ext. Boutique de fripier. *S'habiller au décrochez-moi-ça.*

1   Quelques pauvres costumes, les oripeaux du «décrochez-moi-ça», de vieilles vestes de débardeur couleur de raisin de Corinthe usé, sautaient au milieu des paletots et des redingotes.
     Ed. et J. de Goncourt, Manette Salomon, p. 178.

2   (...) sa mince silhouette, son corps mince et droit habillé de choses chères, portées comme si elles avaient été achetées au décrochez-moi-ça (...)
     Claude Simon, le Vent, p. 62.

DÉCROIRE [dekʀwaʀ] v. tr. [CONJUG.: *croire.*] — Déb. XIIIᵉ, *descreire* «ne pas croire»; emploi mod., XVIᵉ; de 1. *dé-,* et *croire.*

Littér. (employé en coord. avec *croire*). Cesser de croire (qqch.). — REM. N'est attesté dans l'usage mod. qu'en emploi absolu (cf. Mérimée, Giono, *in* T. L. F.).

Or, le sage leur dit que l'opiniâtreté du travail de l'âme et de l'esprit s'exerçant sur des matières intérieures en lesquelles nulle expérience sensible ne peut intervenir, conduit à parcourir un cercle dont le sens importe peu, et qu'à chaque instant l'athée est en voie de croire *s'il est en mouvement*; et le croyant, en voie de dé-croire, *s'il est en mouvement.*   Valéry, Cahiers, t. II, Pl., p. 653.

DÉCROISEMENT [dekʀwazmã] n. m. — 1836; de *décroiser.*

Action de décroiser; résultat de cette action. *Le décroisement des fils d'un métier.*

DÉCROISER [dekʀwaze] v. tr. — 1548, *descroiser*; de 1. *dé-,* et *croiser.*

Faire cesser d'être croisé. *Décroiser les bras, les jambes. Décroiser les fils d'un métier.*

CONTR. Croiser. ◊ DÉR. Décroisement.

DÉCROISSANCE [dekʀwasãs] n. f. — V. 1265; de *décroître,* d'après *croissance.*

État de ce qui décroît. → **Déclin, décrue, diminution.** *La décroissance des revenus. La décroissance de la natalité. La fièvre est en décroissance.*

Écon. Politique économique visant à réduire le taux de croissance du Produit national brut. *La nécessité «de consommer moins d'énergie et de matières premières fait apparaître un nouvel objectif prioritaire : la décroissance»* (Sciences et Avenir, févr. 1974, p. 179).

Spécialt (phys. nucl.). (Loi de) décroissance radioactive : affaiblissement de l'activité des radioéléments avec le temps.

CONTR. Croissance. — Accroissement, augmentation.

DÉCROISSANT, ANTE [dekʀwasã, ãt] adj. → **Décroître.**

DÉCROISSEMENT [dekʀwasmɑ̃] n. m. — V. 1210, *descroisement; de décroître.*

Rare. Mouvement de ce qui décroît. → **Diminution.** *Le décroissement d'une rivière.* → **Baisse, décrue.** *Le décroissement des jours. Décroissement de la lune.* → **Décours, décroît.** — Fig. *Le décroissement d'une influence.*

La décroissance, étant précisément le contraire de la croissance, s'applique particulièrement aux êtres vivants ou à ce qui leur est comparé : la décroissance d'un empire. Décroissement, n'impliquant pas en soi cette particularité, se dit de tout ce qui diminue : le décroissement de la rivière, des jours, de la vie humaine.
É. LITTRÉ, Dict., Décroissement.

CONTR. Augmentation, croissance, progression.

DÉCROÎT [dekʀwa] n. m. — V. 1174, *decreis* «décadence»; déverbal de *décroître.*

◆ **1** (1583). Astron. Décroissement de la lune, lorsqu'elle entre dans son dernier quartier. *La lune est dans son décroît, sur son décroît.*

◆ **2** (1664). Agric. Diminution du bétail qui a été donné par bail à cheptel.

DÉCROÎTRE [dekʀwatʀ] v. intr. [CONJUG.: *croître*, sauf *décru* (sans accent circonflexe).] — 1160, *descroistre*; du lat. pop. *discrescere*, var. de *decrescere*, d'après *croître.*

Diminuer progressivement. → **Baisser, diminuer.** *Le niveau de la rivière décroît lentement. Les eaux ont décru. Les jours commencent à décroître. Ses forces décroissent chaque jour.* → **Affaiblir** (s'), **amoindrir** (s'); **perdre** (ses forces). *La fièvre décroît.* → **Tomber.** *Son, lumière qui décroît.* — *Son émotion commence à décroître.*

1   Je sens à tes regards décroître ma colère.
CORNEILLE, Médée, III, 3.

2   Il la regarde s'éloigner. La silhouette décroît et devient douteuse en s'enfonçant dans l'agitation de la rue.
J. ROMAINS, les Hommes de bonne volonté, t. IV,
XVIII, p. 202.

3   J'entends encore ce bruit décevant, qui croît, fait naître l'espoir d'un arrêt, puis continue, décroît et s'éloigne.
A. MAUROIS, Climats, II, XX, p. 253.

◆ **DÉCROISSANT, ANTE** p. prés. et adj. (1276).

Qui décroît. *Aller décroissant. Courbe décroissante. Par ordre décroissant. Vitesse, intensité décroissante. Bruit décroissant des vagues.*

P. présent :

3.1   La moto était allée et venue, plusieurs fois, sillonnant à faible allure les rues avoisinantes, s'approchant, s'éloignant, s'approchant de nouveau, mais son intensité maximum décroissant bientôt, à chaque passage, la machine explorant des voies de plus en plus reculées.
A. ROBBE-GRILLET, Dans le labyrinthe, p. 199.

Adjectif :

4   (...) des hauts, des bas, d'amplitude décroissante.
A. MAUROIS, Bernard Quesnay, XXV, p. 162.

Écon. *Frais décroissants.* — Math. *Fonction* décroissante.*

◆ **DÉCRU, UE** p. p. adj.

Les eaux sont décrues (exprime statiquement le résultat, à la différence de *ont décru*). — N. f. → **Décrue.**

CONTR. Accroître (s'), **augmenter, croître, grandir, grossir, progresser.** ◊ **DÉR. Décroissance, décroissement, décroît, décrue.**

DÉCROTTAGE [dekʀɔtaʒ] n. m. — 1845; de *décrotter.*

Action de décrotter; son résultat. *Procéder au décrottage d'une paire de bottes.* — Spécialt (bâtiment). Enlèvement d'un enduit, de parties de plâtre ou de mortier excédentaires.

(...) il se disait que sous la patine de leur culture aromatique et affinée les d'Argenti n'avaient pas besoin de se laver. Adversaires du savon, «de toute la civilisation américaine du perpétuel décrottage» pensait encore Mathieu (...) ils étaient au-dessus de tout parfum puisqu'ils conservaient l'odeur du passé (...)
Marie-Claire BLAIS, Une liaison parisienne, p. 30.

DÉCROTTER [dekʀɔte] v. tr. — V. 1300; de 1. *dé-*, et *crotte* «boue».

◆ **1** Vieilli. Nettoyer en ôtant la boue. *Décrotter des chaussures, des vêtements.* → **Brosser, décrasser.** — *Se faire décrotter.*

◆ **2** (1680). Fig. et fam. (Vieilli). *Décrotter qqn*, le débarrasser de ses manières grossières, de sa rusticité, de son ignorance. → **Décrasser, dégrossir.** *Ce rustre aurait besoin d'être décrotté, de se décrotter.*

◆ **3** (1807). Pop. et vx. Manger jusqu'à l'os. → **Nettoyer.** Manger, consommer beaucoup.

REM. Le sens fig. (2.) est le seul en usage aujourd'hui; encore est-il assez marqué (régional ou stylistique).

CONTR. Crotter, salir. ◊ **DÉR. Décrottage, décrotteur, décrottoir.**

DÉCROTTEUR, EUSE [dekʀɔtœʀ, øz] n. — 1611; *descrotteur*, fig., «celui qui dit rapidement», 1534; de *décrotter.*

◆ **1** Vx. Personne qui fait métier de décrotter les chaussures. → **Cireur.**

Antoine est installé devant la boutique du marchand de vin, avec sa boîte de décrotteur devant lui (...)
LABICHE, la Chasse aux corbeaux, I, 1.

◆ **2** N. m. Agric. Machine pour nettoyer les racines, les tubercules.

DÉCROTTOIR [dekʀɔtwaʀ] n. m. — 1829; *descrotouer* «brosse», 1480; de *décrotter.*

Lame de fer servant à décrotter les chaussures, à enlever la boue collée aux semelles. → **Gratte-pieds, grattoir.**

(...) ils ne sont pas au bas de l'escalier C qu'on les entend crier merde! parce que leur pied a buté dans un décrottoir.
J. ROMAINS, les Hommes de bonne volonté, t. IV,
XIX, p. 212.

DÉCROÛTER [dekʀute] v. tr. — 1530, *décroûter le pain;* de 1. *dé-*, *croûte*, et suff. verbal.

◆ **1** Enlever (ce qui forme croûte, une croûte). Absolt (hortic.). Rompre la croûte de terre pour aérer les racines des plantes. *La griffe, le cultivateur servent à décroûter.*

◆ **2** Débarrasser (un objet) de sa croûte, d'une croûte. Techn. (joaill.). *Décroûter un diamant*, enlever la gangue.

◆ **3** Vén. Se dit du cerf qui frotte sa tête pour la nettoyer, après la chute des bois.

DÉCRUAGE [dekʀyaʒ] n. m. — 1793; de *décruer.* Techn. → **Décreusage.**

DÉCRUE [dekʀy] n. f. — XVIᵉ, repris XIXᵉ; du p. p. de *décroître.*

◆ **1** Baisse du niveau des eaux (après une crue). *Attendre la décrue pour traverser un fleuve. La décrue a été d'un mètre en deux jours.*

◆ **2** Fig. Décroissance, décroissement. → **Baisse, diminution.**

(...) l'appauvrissement du sang, la décrue progressive de la vitalité française.
R. ROLLAND, Jean-Christophe, p. 983.

DÉCRUER [dekʀye] v. tr. — 1614; de 1. *dé-, cru,* et suff. verbal.

Techn. Lessiver (le fil). → **Décreuser.**

DÉR. **Décruage, décrûment.**

DÉCRÛMENT [dekʀymã] n. m. — 1800; *décruement,* 1723; de *décruer.*

Techn. → **Décreusage.**

DÉCRUSAGE [dekʀyzaʒ] n. m. — 1845; de *décruser.*

Techn. Action de décruser. — Syn. : *décreusage.*

DÉCRUSER [dekʀyze] v. tr. — XVIIᵉ, *décreuser;* provençal mod. *decruza,* correspond à *décruer.*

Techn. Lessiver (des cocons) pour en dévider la soie plus facilement. → **Décreuser.**

DÉR. **Décrusage.**

DÉCRUSTER [dekʀyste] v. tr. — 1918; de 1. *dé-,* et *incruster.*

Rare. Dégager (ce qui était incrusté). → **Désincruster.** «*L'inondation (...) qui décrusta nos incrustés de leurs coquilles*» (R. Rolland, *Liluli* [1918], *in* D. D. L.).

DÉCRYPTAGE [dekʀiptaʒ] ou **DÉCRYPTEMENT** [dekʀiptəmã] n. m. — 1962, *décryptage; décryptement,* 1929; de *décrypter.*

Action de décrypter. *Le décryptage, le décryptement d'un message.* → **Décodage.**

Les décrypteurs distinguent couramment entre diverses sortes de langages chiffrés, assez différents pour que la pratique du décryptement y doive varier dans une assez grande mesure (...) Passons aux règles du décryptement.
J. PAULHAN, les Figures ou la Rhétorique décryptée, *in* Cahiers du Sud, nº 295, p. 362-363 et suivantes, *in* D. D. L., II, 7.

DÉCRYPTER [dekʀipte] v. tr. — 1929; de 1. *dé-,* et grec *kruptos* «caché» (→ Crypto-).

Traduire (des messages chiffrés dont on ne possède pas la clef). Restituer le sens d'un texte obscur. → **Déchiffrer, décoder.** *Décrypter un message chiffré, une phrase en code.* — Par ext. *Tenter de décrypter une écriture inconnue, un texte incompréhensible.* — Au p. p. *Message mal décrypté.*

DÉR. **Décryptage** ou **décryptement, décrypteur.**

DÉCRYPTEUR, EUSE [dekʀiptœʀ, øz] n. — 1929; de *décrypter.*

Didact. Personne qui décrypte (un message, un texte). → Décryptage, cit. — Appos. «*Même les télex reçus (...) étaient filtrés par des spécialistes décrypteurs*» (Daniel Odier, *l'Année du lièvre,* p. 237).

C'est presque un axiome parmi les décrypteurs d'écritures nouvelles qu'un texte dont la langue est suffisamment connue par ailleurs ne peut résister longtemps aux efforts des chercheurs.
Jean BOTTÉRO, Encycl. Pl., l'Histoire et ses méthodes, p. 160.

DECTIQUE [dɛktik] n. m. — XIXᵉ; grec *dêktikos* «qui mord».

Zool. Insecte orthoptère sauteur (*Locustidés*), assez commun dans les blés mûrs.

DÉÇU, UE [desy] adj. → **Décevoir** (p. p.).

DÉCUBITUS [dekybitys] n. m. — 1747; lat. *decubitus,* du supin de *decumbere* «se mettre au lit» (→ Succomber).

Didact. Position du corps reposant sur un plan horizontal. *Décubitus dorsal. Décubitus ventral. Décubitus latéral. Décubitus en chien de fusil. Le décubitus a une grande influence sur tous les organes.* — Être en décubitus.

DÉCUIRASSER [dekɥiʀase] v. tr. — Av. 1755; de 1. *dé-,* et *cuirasser.*

Rare. Débarrasser de sa cuirasse*. *Décuirasser un navire de guerre.*

CONTR. **Cuirasser.** — **Blinder.**

DÉCUIRE [dekɥiʀ] v. tr. — Déb. XIIIᵉ, *décuit* «cru»; de 1. *dé-,* et *cuire.*

Techn. (cuis.). Abaisser le régime de cuisson de (un sirop, une confiture...) en ajoutant de l'eau.

DÉCUITER [dekɥite] v. intr. — XXᵉ; de 1. *dé-, cuite,* et suff. verbal.

Fam. Sortir de l'ivresse. → **Débourrer, dessoûler.** «*Dès midi, l'est noir comme une cheminée. Il décuite juste pour la soupe du soir*» (Claude Michelet, *Des grives aux loups,* p. 251).

DÉCUIVRAGE [dekɥivʀaʒ] n. m. — Mil. XXᵉ; de *décuivrer.*

Techn. Action de décuivrer; son résultat.

DÉCUIVRER [dekɥivʀe] v. tr. — Mil. XXᵉ; de 1. *dé-, cuivre,* et suff. verbal.

Techn. Débarrasser (une surface) du cuivrage, d'un dépôt de cuivre (par dissolution, électrolyse).

DÉR. **Décuivrage.**

DE CUJUS [dekyʒys; dekujus] n. m. — XVIIIᵉ; premiers mots de la locution juridique latine *de cujus successione agitur* «celui (ou celle) dont la succession est en cause».

Dr. Personne dont la succession est ouverte. *La volonté du de cujus,* du testateur.

(...) en résumé six mois de tergiversations à s'assurer d'abord que le de cujus était dans son bon sens et les experts hésitaient tant les choses se présentaient bizarrement mais les témoins surtout la bonne ont pu certifier qu'il était sain d'esprit, ensuite le testament mentionnait comme légataire un neveu qui était mort en laissant lui-même un neveu décédé aussi dans l'intervalle (...)
Robert PINGET, Passacaille, p. 64-65.

DÉCULASSER [dekylase] v. tr. — 1842; loc. pop. *triple canon déculassé,* 1793; de 1. *dé-, culasse,* et suff. verbal.

Techn. Enlever la culasse* de (une arme à feu). *Déculasser un fusil.* — Au p. p. *Arme déculassée.*

CONTR. **Culasser.**

DÉCULOTTAGE [dekylɔtaʒ] n. m. — 1890; de 1. *déculotter.*

Action de déculotter, de se déculotter.

Toujours vifs au déculottage, elles (...) croient les soldats, et vifs à pousser de l'avant, sans prendre conseil ni demander la permission.
G. CHEVALLIER, Clochemerle, éd. Ferenczi et Fils, p. 186.

Fig. Exhibition de mauvais goût. → **Strip-tease.** «*Les déculottages mystiques de feu Gounod*» (Huysmans, *in* T. L. F.).

DÉCULOTTÉE [dekylɔte] n. f. — 1906; de 1. *déculotter.*

Fam. Défaite et humiliation totale. → **Fessée.**

Tu peux le dire! Comment qu'ils nous ont eus! *(les soldats de l'armée allemande).*
— C'est la dérouillée, dit Charlot avec une sorte d'ivresse, c'est la déculottée, la fessée!
SARTRE, la Mort dans l'âme, p. 69 (1949).

1. DÉCULOTTER [dekylɔte] v. tr. — 1739; de 1. *dé-,* et 1. *culotter.*

♦ **1** Enlever la culotte, le pantalon de (qqn). *Déculotter un enfant.*

♦ **2** Fig. et fam. Mettre à nu (qqn) en faisant avouer; révéler complètement et indécemment (qqch.).
→ **Découvrir; jour** (mettre au jour). *«Déculottez-la moi* (cette espionne) *très rapidement»* (Pierre Nord, *Miss Péril jaune,* p. 36).

♦ **SE DÉCULOTTER** v. pron.
Enlever sa culotte, son pantalon. — Fig. et fam. Adopter une attitude servile, humiliante; se soumettre.

CONTR. 1. Culotter. ◊ DÉR. Déculottage, déculottée.

2. DÉCULOTTER [dekylɔte] v. tr. — 1850; de 1. *dé-,* et 2. *culotter.*

Débarrasser (une pipe) de son dépôt. *Déculotter une pipe, le foyer d'une pipe.*

CONTR. 2. Culotter.

DÉCULPABILISATION [dekylpabilizasjɔ̃] n. f. — 1966; de *déculpabiliser.*

Action de déculpabiliser; son résultat.

CONTR. Culpabilisation.

DÉCULPABILISER [dekylpabilize] v. tr. — V. 1968; de 1. *dé-,* et *culpabiliser.*

♦ **1** Libérer (qqn) d'un sentiment de culpabilité. *«le bon vieux péché originel, au fond, pour vous déculpabiliser c'était génial, divin»* (Maurice Clavel, *le Tiers des étoiles,* p. 30).

♦ **2** Enlever à (qqch.) son caractère de faute. *«Cette loi sur l'avortement déculpabilise toute une série de situations (...) considérées comme criminelles abstraitement»* (O.R.T.F., 20 juin 1970).

CONTR. Culpabiliser. ◊ DÉR. Déculpabilisation.

DÉCULTURATION [dekyltyRasjɔ̃] n. f. — V. 1963; de 1. *dé-,* et *culture,* d'après *acculturation.*

Didact. (ethnol.). Dégradation de l'identité culturelle (d'un groupe ethnique).

1 Le colon, la dépersonnalisation, la déculturation, c'est une série qui aboutit à la formulation par Fanon de ce que Césaire avait dénoncé (...) la réduction à l'état de bête de l'*indigène.*
Éd. ELIET,
Panorama de la littérature négro-africaine, p. 257.

Par analogie :

2 L'ouvrier est mis en présence de tronçons de chaînes mesurés au rythme de la machine, de séries de gestes qui laissent le sujet à l'extérieur, une «décculturation technique» complète se produit conjointement avec la perte d'appartenance à un groupe de personnalité marquée et d'échelle confortable.
A. LEROI-GOURHAN, le Geste et la Parole, t. II, p. 59.

Par ext. Abandon, rejet de certaines normes culturelles.

CONTR. Acculturation.

DÉCULTURÉ, ÉE [dekyltyRe] adj. — Après 1950; de 1. *dé-,* et *culture,* d'après *déculturation.*

Didact. (ethnol., sociol.). Qui a subi une déculturation.

Des hommes aliénés, décculturés, détruits dans leur âme et dans leur chair par la violence de l'occupant conquièrent une identité, prennent la direction de leur histoire.
Jean ZIEGLER, Main basse sur l'Afrique, p. 39.

DÉCUPLE [dekypl] adj. et n. m. — 1350; lat. *decuplus,* de *decem* «dix».

Didact. Qui vaut dix fois une quantité donnée. *Nombre décuple d'un autre. 100 est décuple de 10.*

(...) la distance de la terre à Saturne est au moins décuple de celle de la terre au soleil (...)
LA BRUYÈRE, les Caractères, XVI, 43.

N. m. *Le décuple :* une quantité décuple d'une autre.

CONTR. Dixième. ◊ DÉR. Décupler.

DÉCUPLEMENT [dekypləmɑ̃] n. m. — Av. 1837; de *décupler.*

Action de décupler; son résultat. *Un décuplement d'énergie.*

DÉCUPLER [dekyple] v. — 1584; de *décuple.*

♦ **1** V. tr. Rendre dix fois plus grand. *Décupler une somme. Décupler ses revenus.* → **Multiplier.**

(...) ce génial forban de Ludwigson, installé à Londres depuis le début des hostilités, et qui, affirmait-on, avait plusieurs fois décuplé sa fortune en créant, avec l'appui équivoque des banquiers de la *City* et de quelques politiciens anglais, une *Société anonyme de Carburants,* la fameuse S.A.C.
MARTIN DU GARD, les Thibault, t. IX, p. 51. 1

♦ **2** (1808). Fig. Augmenter, développer considérablement. *La colère décuplait ses forces. «cette impatience qui décuplait la mienne»* (Geneviève Dormann, *le Bateau du courrier,* p. 26).

La concentration des forces morales par quelque système que ce soit en décuple la portée. 2
BALZAC, l'Envers de l'histoire contemporaine, Pl., t. VII, p. 294.

C'était *(Pichegru)* un homme vigoureux dont la fureur 3
sembla décupler la force; n'ayant pas eu le temps de saisir son fameux pistolet, il se battit contre les quatre gendarmes, à coups de poing, pendant un quart d'heure — une demi-heure même, écrira, le lendemain, Napoléon — et cet affreux corps à corps se termina d'ignoble façon (...)
Louis MADELIN, Hist. du Consulat et de l'Empire, Avènement de l'Empire, v, p. 49.

♦ **3** V. intr. Devenir dix fois plus grand. *L'indice du coût de la vie a décuplé.*

CONTR. Diminuer. ◊ DÉR. Décuplement.

DÉCURIE [dekyRi] n. f. — 1549; lat. *decuria.*

Antiq. rom. Groupe de dix soldats constituant le dixième d'une centurie. — Groupement administratif de dix citoyens, puis d'un nombre indéterminé de citoyens.

Antoine fit des décuries de sénateurs, de chevaliers (...)
MONTESQUIEU, l'Esprit des lois, VIII, XII.

DÉCURION [dekyRjɔ̃] n. m. — 1213; lat. *decurio,* de *decuria.* → **Décurie.**

Antiq. rom. Chef d'un groupe de dix soldats ou de dix citoyens. — Magistrat municipal.

DÉCURRENCE [dekyRɑ̃s] n. f. — XVIIIᵉ; de *décurrent.*

Bot. Fait d'être décurrent. *La décurrence des feuilles.*

DÉCURRENT, ENTE [dekyʀɑ̃, ɑ̃t] adj. — 1786; lat. *decurrens, -entis* «qui court le long de».

Bot. *Feuilles décurrentes :* feuilles dont le limbe se prolonge le long de la tige. — *Lames décurrentes (d'un champignon),* attachées au pied.

DÉR. Décurrence.

DÉCUSCUTAGE [dekyskytaʒ] n. m. — 1911, *Larousse mensuel,* avril; de *décuscuter.*

Agric. Action de décuscuter; son résultat. *Le décuscutage des luzernes.* — **REM.** On dit aussi *décuscutation* [dekyskytasjɔ̃] n. f.

DÉCUSCUTER [dekyskyte] v. tr. — 1911, in *Larousse mensuel,* avril; de 1. *dé-,* et *cuscute*.

Agric. Éliminer la cuscute ou les graines de cuscute de (la semence).

DÉR. Décuscutage, décuscutation, décuscuteuse.

DÉCUSCUTEUSE [dekyskytøz] n. f. — 1911, in *Larousse mensuel,* avril; de *décuscuter.*

Agric. Trieur servant à débarrasser la semence des graines de cuscute.

DÉCUSSATION [dekysasjɔ̃] n. f. — 1690; lat. *decussatio,* du supin de *decussare* «croiser en X», de *decussis* «forme en X», de *decem* «dix», noté X en chiffres romains.

Anat. Croisement en X (de fibres, de nerfs).

DÉCUSSÉ, ÉE [dekyse] adj. — 1812, in Boiste; du lat. *decussatus.* → Décussation.

Sc. nat. Disposé en croix. *Feuilles décussées :* feuilles opposées dont les paires se succèdent perpendiculairement l'une à l'autre.

DÉCUVAGE [dekyvaʒ] n. m. ou **DÉCUVAISON** [dekyvɛzɔ̃] n. f. — 1785, *décuvage; décuvaison,* 1838; de *décuver.*

Techn. Action de décuver; son résultat. → **Transvasement.**

CONTR. Cuvage, cuvaison. — Encuvage, encuvement.

DÉCUVER [dekyve] v. tr. — 1611; de 1. *dé-, cuve,* et suff. verbal.

Techn. Mettre (le raisin, le vin) hors de la cuve.

CONTR. Encuver. ◊ **DÉR. Décuvage ou décuvaison.**

DÉDAIGNABLE [dedɛɲabl] adj. — 1588; *desdaignable* «qui témoigne du mépris», av. 1270; de *dédaigner.*

(Surtout en emploi négatif). Qui ne mérite pas d'être pris en considération. → **Négligeable.** *Cet avantage n'est pas dédaignable,* n'est pas à dédaigner*.

CONTR. Estimable.

DÉDAIGNER [dedeɲe] v. tr. — V. 1160; de 1. *dé-,* et *daigner.*

♦ **1** Considérer avec dédain; repousser, rejeter avec mépris. → **Mépriser.** — **Par ext.** Négliger (→ Faire fi*, faire bon marché* de...). *Dédaigner un rival. Il ne dédaigne pas un bon repas* (→ Il ne crache* pas dessus, sur...). *Dédaigner ce que l'on ne peut obtenir* (→ Les raisins sont trop verts*). *Ce n'est pas à dédaigner.* → **Dédaignable.** *Dédaigner les injures, les menaces,* n'en pas tenir compte. *Dédaigner les humbles, les pauvres. Dédaigner les honneurs* (→ Brillant, cit. 11), *même les honneurs, jusqu'aux honneurs.*

1 *Ô Dieu! tu ne dédaignes pas un cœur brisé et contrit.*
        BIBLE (SEGOND), Psaumes, 51, 19.

Hermione, Seigneur, au moins en apparence,
Semble de son amant dédaigner l'inconstance,
Et croit que trop heureux de fléchir sa rigueur,
Il la viendra presser de reprendre son cœur.
        RACINE, Andromaque, I, 1.   2

Nous n'avons pas assez d'amour-propre pour dédaigner le mépris d'autrui.   VAUVENARGUES, Maximes, 549.   3

La calomnie, monsieur ! Vous ne savez guère ce que vous dédaignez (...)   4
        BEAUMARCHAIS, le Barbier de Séville, II, 8 (→ Calomnie, cit. 5).

Le bourgeois de Paris rit du bourgeois d'une petite ville; le noble de cour se moque du noble de province; l'homme connu dédaigne l'homme ignoré, sans songer que le temps fait également justice de leurs prétentions, et qu'ils sont tous également ridicules ou indifférents aux yeux des générations qui se succèdent.   5
        CHATEAUBRIAND, Mémoires d'outre-tombe, t. I, p. 74.

En amour, notre vanité dédaigne une victoire trop facile, et, dans tous les genres, l'homme n'est pas sujet à s'exagérer le prix de ce qu'on lui offre.   6
        STENDHAL, in Adolphe RICARD, l'Amour, les Femmes et le Mariage.

Les hommes du moyen âge n'étaient pas assez vertueux pour dédaigner l'argent, mais ils méprisaient les hommes d'argent.   7
        BERNANOS, les Grands Cimetières sous la lune, p. 41.

D'abord, il ne faut dédaigner personne. Il ne faut jamais rien dédaigner. Les petites gens, les petits profits, les petites choses... (...) C'est toujours une erreur de dédaigner ce qui peut encore servir.   8
        GIDE, Robert ou l'intérêt général, I, 10.

♦ **2** Trans. ind. **Littér. DÉDAIGNER DE** (suivi de l'inf.). *Il dédaigne de répondre. Dédaigner d'obéir à un ordre.*

Et pour tout autre objet ton âme indifférente
Dédaignait de brûler d'une flamme innocente.   9
        RACINE, Phèdre, IV, 2.

On dédaigne, on méprise, on est au-dessus de ça, on ne se soucie pas, on se moque de. Il est rare qu'on le serve derrière ces expressions de subordonnées introduites par *que,* on dit dédaigner de faire. Cf. Cependant : je me moque qu'il soit ou non content.   10
        F. BRUNOT, la Pensée et la Langue, III, XII, IV, VIII, p. 552.

♦ **DÉDAIGNÉ, ÉE** p. p. adj. *Femme dédaignée, dédaignée des hommes. Dédaigné et abandonné.* → **Disgracié, paria.** *Chose dédaignée,* mise au rebut*.

CONTR. Admirer, aimer, apprécier, cas (faire), **considérer, convoiter, désirer, estimer, respecter, soucier** (se), **vénérer.** ◊ **DÉR. Dédaignable, dédaigneux, dédain.**

DÉDAIGNEUSEMENT [dedɛɲøzmɑ̃] adv. — V. 1220, *desdaingneusement; de dédaigneux.*

D'une manière dédaigneuse. *Regarder dédaigneusement qqch. Traiter dédaigneusement qqn.*

(...) présomptueux, qui, avec un langage superbe et une mine pesante, rabrouent si dédaigneusement les personnes, qu'ils ne semblent faire montre de leur fortune que pour acquérir des ennemis.   1
        MALHERBE, Traité des Bienfaits de Sénèque, I, 9.

Il avait l'âme bien terre à terre, ce banquier, et la poésie n'était pas son fort. Paris la nuit ne l'intéressait même pas. Il ne donnait rien de plus qu'un regard dédaigneusement distrait au magique spectacle présenté par l'énorme cité fantastiquement éclairée par ses phares électriques à réflecteurs.   A. ROBIDA, le Vingtième Siècle, p. 95.   2

DÉDAIGNEUX, EUSE [dedɛɲø, øz] adj. — 1165, *desdeignos; de dédaigner.*

Qui a ou exprime du dédain. → **Altier, distant, fier, hautain, impérieux, méprisant.** *C'est un homme dédaigneux. Avoir un air, l'air dédaigneux.* → **Superbe, supérieur.** *Caractère, ton, regard dédaigneux. Manières dédaigneuses. Lèvre dédaigneuse. Réponse dédaigneuse. Silence dédaigneux. Une bonté* *légèrement dédaigneuse.* → **Condescendant, protecteur.**

1 Dédaigneux et fiers, ils n'abordent plus leurs pareils (...)
LA BRUYÈRE, les Caractères, VIII, 18.

2 Il *(Théocrine)* est abstrait, dédaigneux, et il semble toujours rire en lui-même de ceux qu'il croit ne le valoir pas.
LA BRUYÈRE, les Caractères, I, 25.

3 Le mépris flamboyait dans les yeux de Laurence, son front pâle et ses lèvres dédaigneuses insultaient à ces hommes (...)
BALZAC, Une ténébreuse affaire, Pl., t. VII, p. 525.

4 De temps en temps une pourpre de honte, un éclair de colère enflammait ses yeux ou ses joues ; une parole dédaigneuse semblait hésiter sur ses lèvres (...)
HUGO, Notre-Dame de Paris, VII, 1.

5 (...) il le traite avec une bonté affectueusement protectrice, et un peu dédaigneuse ; il le regarde comme un enfant qu'il faut guider.
R. ROLLAND, Musiciens d'aujourd'hui, p. 115.

6 (...) elle se détourna, et d'un air indifférent et dédaigneux, se plaça de côté pour épargner à son visage d'être dans leur champ visuel (...)
PROUST, À la recherche du temps perdu, t. I, p. 192.

7 Papa souriait faiblement, l'air lointain, dédaigneux.
G. DUHAMEL, Chronique des Pasquier, III, I.

Littér. *Femme dédaigneuse,* qui n'a aucune considération pour les hommages de ses admirateurs.

8 Il se trompait pourtant sur le caractère de Formosante ; elle n'était pas si dédaigneuse qu'elle le paraissait (...)
VOLTAIRE, la Princesse de Babylone, III.

N. *Un dédaigneux, une dédaigneuse. Faire le dédaigneux* (→ Faire la petite bouche*).

9 (...) les précieuses
Font dessus tout les dédaigneuses.
LA FONTAINE, Fables, VII, 5.

10 Elles aiment ailleurs, ces belles dédaigneuses (...)
CORNEILLE, Agésilas, I, 4.

(Littér.). Rare. **DÉDAIGNEUX DE...** : qui dédaigne, qui néglige... *Dédaigneux de plaire. Être dédaigneux du malheur des autres.*

11 Les gens riches sont bien injustes et bien comiques lorsqu'ils se font juges dédaigneux de tous les péchés et crimes commis pour de l'argent.
STENDHAL, Souvenirs d'égotisme, p. 111.

12 (...) une âme, laissant aller le monde physique et dédaigneuse des chocs et des accidents, ne s'adonne qu'à des relations et à des intimités directes avec l'infini.
R. DE GOURMONT, le Livre des masques, p. 24.

CONTR. Admiratif, respectueux, révérencieux. ◊ DÉR. Dédaigneusement.

DÉDAIN [dedɛ̃] n. m. — 1172 ; *desdein* « attitude méprisable », 1155 ; de *dédaigner.*

♦1 Fait de dédaigner ; mépris exprimé. → **Arrogance** (→ Arrogant, cit. 1), **hauteur, mépris, mésestime, orgueil,** 1. **superbe** (n. f.). *Un dédain hautain, ironique, narquois, railleur. Expression de dédain. Paroles de dédain. — Anciennes exclamations exprimant le dédain : baste ! fi ! foin ! Marque de dédain. Moue de dédain. Relever la lèvre avec dédain. Répondre avec dédain* (→ Du bout* des lèvres, du bout du cœur). *Éclabousser, écraser qqn de son dédain. Considérer avec dédain.* → **Toiser** (→ Regarder du haut de sa grandeur, de haut en bas, de travers). *Sourire de dédain.* → **Dérision ; protection.** *Se contenter de sourire avec dédain. Témoigner du dédain à qqn. N'avoir que du dédain pour qqn, pour qqch. Affecter le dédain. Moquerie* pleine de dédain.*

1 Vous serez au foyer une vieille accroupie,
Regrettant mon amour et votre fier dédain.
RONSARD, Sonnets pour Hélène, II, XXIV.

1.1 (...) nous qu'on ne voit qu'avec dédain, parce que nous sommes faibles ; nous, dont les lèvres ne sont abreuvées que de fiel, et dont les pas ne pressent que des ronces (...)
SADE, Justine..., t. I, p. 37.

Quant aux injures, aux calomnies, aux colères extérieures, 2 on peut les multiplier, les entasser tant qu'on voudra, on ne les élèvera jamais au-dessus de mon dédain.
F. GUIZOT, Disc. à la Chambre des députés, 26 janv. 1844.

(...) de toutes les blessures, celles que font la langue et 3 l'œil, la moquerie et le dédain sont incurables.
BALZAC, le Cabinet des antiques, Pl., t. IV, p. 349.

Le juste opposera le dédain à l'absence 4
Et ne répondra plus que par un froid silence
Au silence éternel de la Divinité.
A. DE VIGNY, Poèmes philosophiques, « Le mont des Oliviers », III.

Dédain pour, de : mépris ou indifférence à l'égard de.

Son dédain pour la philosophie perçait à chaque mot ; 5 c'était un perpétuel sarcasme, où il développait une sorte de talent âpre.
RENAN, Souvenirs d'enfance..., IV, p. 173.

Quel garçon était-il donc, ce Yann, avec son dédain des 6 filles, son dédain de l'argent, son dédain de tout (...)
LOTI, Pêcheur d'Islande, I, XI, p. 123.

Action de dédaigner (→ ci-dessus, cit. 3). *Répondre au dédain par l'indifférence.*

(...) subir l'épreuve des comparaisons, affronter la critique, 7 la jalousie, la concurrence, la raillerie, et le dédain.
VALÉRY, Regards sur le monde actuel, p. 152.

♦2 Vx ou littér. *(Un, des dédains).* Manifestation de dédain.

Et que ferai-je, Arbate, en déclarant ma peine, 8
Qu'attirer les dédains de cette âme hautaine ?
MOLIÈRE, la Princesse d'Élide, I, 1.

Leurs airs insolents, leur puérile vanité, ne leur atti- 9 rent que mortifications, dédains, railleries ; ils boivent les affronts comme l'eau (...)
ROUSSEAU, Émile, II.

CONTR. Admiration, appréciation, considération, convoitise, déférence, désir, estime, respect, souci, vénération.

DÉDALE [dedal] n. m. — 1543, *dedalus ;* lat. *Daedalus,* grec *Daidalos,* nom du constructeur légendaire du labyrinthe de Crète.

♦1 Lieu où l'on risque de s'égarer à cause de la complication des détours. → **Labyrinthe.** *Un dédale inextricable de rues, de passages. Dédale obscur de couloirs, de portes, d'escaliers.*

(...) dédale inextricable de ruelles, de carrefours et de culs- 1 de-sac, qui ressemble à un écheveau de fil brouillé par un chat.
HUGO, Notre-Dame de Paris, II, IV.

Et il conta que depuis vingt minutes il errait, triste chien 2 perdu, par les tortueux dédales de la Direction.
COURTELINE, Messieurs les ronds-de-cuir, 1er tableau, III, p. 48.

♦2 (Abstrait). Ensemble de choses embrouillées. → **Brouillamini** (embrouillamini), **complication, confusion, enchevêtrement.** *Un dédale d'idées, de pensées. Le dédale des lois. Comment y voir clair dans ce dédale, dans cette affaire embrouillée. Le dédale d'une élucubration philosophique. Se diriger dans un dédale de complications grâce à un fil* d'Ariane.* → **Écheveau.** *Le dédale d'une intrigue. Le dédale des cœurs.* → **Secret.**

(...) Est-ce quelque dédale où ta raison perdue 3
Ne se retrouve pas ?
MALHERBE, Consolation à M. du Périer.

Vouloir tromper le ciel, c'est folie à la terre ; 4
Le dédale des cœurs en ses détours n'enserre
Rien qui ne soit d'abord éclairé par les dieux.
LA FONTAINE, Fables, IV, 19.

(...) avec la folle idée de vouloir tout prévoir, ils ont fait de 5 leurs lois un dédale immense où la mémoire et la raison se perdent également.
ROUSSEAU, Considérations sur le gouvernement de Pologne, X, p. 382.

6 (...) le poète laisse errer sa pensée dans un dédale enivrant de conjectures.
BAUDELAIRE, l'Art romantique, XIX, I, Victor Hugo, 4.

7 Cependant, la tentative de trouver un fil pour se guider dans ce dédale ne saurait être taxée de subtilité gratuite.
RENAN, Vie de Jésus, Introduction, p. 82.

8 Puis il réfléchit et, lentement, mollement, il s'égara dans un dédale d'incertitudes et de contradictions.
FRANCE, le Mannequin d'osier, Œ., t. XI, VI, p. 302.

CONTR. Clarté, simplicité. ◇ DÉR. Dédaléen.

DÉDALÉEN, ENNE [dedaleɛ̃, ɛn] adj. — 1832, Hugo ; de *dédale*.

Littér. Qui tient du dédale. → **Inextricable.** *Un réseau dédaléen de rues.*

1 L'égout Montmartre est un des plus dédaléens du vieux réseau.   HUGO, les Misérables, III, I.

REM. On dit aussi *dédalien* [dedaljɛ̃] et *dédalique* [dedalik], moins courant.

2 Comprendre, c'est se poser telle question à quoi ce que l'on comprend devienne la très exacte réponse.
De combien de dédaliques problèmes la plus modeste fleur n'est-elle point la solution naturelle ?
GIDE, Journal, 18 mai 1929.

DEDANS [d(ə)dã] prép., adv. et n. m. — V. 1050, *dedenz* ; de *de*, et *dans*.

[I] ♦ 1 Prép. de lieu. Vx. À l'intérieur de. → Dans.

REM. En ancien français, *dedans* est à la fois adverbe et préposition. Depuis le XVIᵉ s., *dans* se substitue à *dedans*, préposition ; mais ce n'est qu'à la fin du XVIIᵉ s. que *dedans* est condamné par les grammairiens. Attesté cependant au XXᵉ s. (renforcement de *dans*) : «*il m'est donné dedans mon sein une formidable capacité : je peux loger les frénésies et les désordres du chaos, contenir les germes en folie du non encore décidé*» (Hélène Cixous, *Souffles*, p. 54).

1 Mais ma main, aussitôt dedans mon sein plongée (...)
CORNEILLE, Cinna, III, 4.

2 Mon argent bien-aimé, rentrez dedans ma poche.
MOLIÈRE, l'Étourdi, II, 5.

3 J'en voyais et dehors et dedans nos murailles.
RACINE, la Thébaïde, II, 1.

♦ 2 Adv. de lieu. À l'intérieur*. → Intérieurement ; et aussi **in-, inter-.** *Vous attendrai-je dehors ou dedans ?* **→ Céans** (vx). *La valise est légère, il n'y a rien dedans.* «*Avez-vous mis le chèque dans l'enveloppe ? Oui, il est dedans*».

4 Un trésor est caché dedans.   LA FONTAINE, Fables, V, 9.

5 Allons, entrons dedans.   MOLIÈRE, Dom Juan, III, 5.

6 Et tout ce qu'il vit, c'est que les courtines de son lit étaient closes et que, pour sûr, elle était dedans.
G. SAND, François le Champi, XVI, p. 117.

7 Quand il faut que je me livre à l'action, je me jette dedans tête baissée. Mais le cœur m'en saute de dégoût.
FLAUBERT, Correspondance, IV, p. 85.

(1561, *in* D. D. L., *mettre là dedans*). Spécialt. Fam. *Mettre qqn dedans*, mettre en prison. — Argot milit. *Mettre dedans* : emprisonner, consigner.

(1634). Vx. *Mettre dedans une porte*, l'enfoncer.

Donner dedans, entrer dedans, rentrer dedans : se heurter violemment contre. *Il y a un mur sur la droite, faites attention de ne pas rentrer dedans.* — Fam. *Il va lui rentrer dedans*, se précipiter sur lui pour lui donner une correction.

8 On dit à Paris : *C'est un tramway qui lui est rentré dedans.*
F. BRUNOT, la Pensée et la Langue, III, XI, II, Section A, II, p. 412.

(1670, *in* D. D. L.). Fam. Vx. *Donner dedans* : se laisser prendre à un piège, se laisser duper. — (1649, *in* D. D. L.). Mod. *Mettre, ficher qqn dedans*, le tromper. *Se mettre dedans* : se tromper*.

8.1 Mais le pauvre M. Calpin avait été complètement mis dedans par la politesse du duc, qui dès la première présentation avait eu l'air de le reconnaître (...)
PROUST, Jean Santeuil, Pl., p. 444.

♦ 3 Loc. LÀ-DEDANS : à l'intérieur de ce lieu, en cet endroit. *Il est caché là-dedans. Il y a du vrai là-dedans.*

9 Hé ! dites-moi un peu (...) vous venez de là-dedans ?
MOLIÈRE, George Dandin, I, 2.

10 Il y a bien quelque chose là-dedans que je ne comprends pas (...)   MOLIÈRE, Dom Juan, V, 2.

DE DEDANS : de l'intérieur. *Quand on vient de dedans, il fait plus froid encore.*

11 Ajax crie de dedans sa tente.
RACINE, Livres annotés.

EN DEDANS : à l'intérieur. *Vide en dedans.* **→ Creux.** *Cette villa est mieux en dehors qu'en dedans.*

12 — Ouvrez donc doucement. — On a fermé en dedans (...)
MOLIÈRE, George Dandin, III, 6.

Vers le côté intérieur. *Marcher les pieds* en dedans.*

13 (...) un petit mouvement du poignet ou en dedans, ou en dehors.   MOLIÈRE, le Bourgeois gentilhomme, III, 3.

14 Il avait un pied faisant avec la jambe une ligne presque droite, ce qui ne l'empêchait pas d'être tourné en dedans, de sorte que c'était un équin mêlé d'un peu de varus (...)
FLAUBERT, Mᵐᵉ Bovary, II, 11, p. 114.

Vieilli. *Avoir les yeux en dedans.* **→ Enfoncé, rentré.**

15 C'était une grande femme assez grosse et de bonne mine, quoique avec les yeux un peu en dedans.
SAINT-SIMON, Mémoires, 357, 206.

Vx. *Personne en dedans*, peu communicative. **→ Renfermé.**

16 (...) et ce ne sont pas les hommes en dehors qui font les révolutions, ce sont les hommes en dedans.
Ch. PÉGUY, la République..., p. 108.

Loc. prép. EN DEDANS DE. *Poser l'écriteau en dedans de la porte. En dedans de son action* : en fournissant un effort au-dessous de ses possibilités.

[II] N. m. (1530, *le dedens*). **♦ 1** *Le dedans.* **→ Intérieur.** *Le dedans d'une maison, d'une voiture, d'une boîte. Ce bruit vient du dedans. Les ennemis du dehors et ceux du dedans.*

17 (...) les dedans de la main sont fort enflés, et les doigts aussi.   Mᵐᵉ DE SÉVIGNÉ, Lettres, 543, 28 mai 1676.

18 Le drame d'Ibsen est héroïque par le dedans.
André SUARÈS, Trois hommes, «Ibsen», IV, p. 116.

Mar. *Dedans d'une voile*, surface de cette voile remplie par le vent lorsque le navire fait route. *Avoir le dedans* : avoir les voiles gonflées par le vent dans le sens convenable. — (Manège). *Rêne, jambe du dedans*, du côté de l'intérieur du manège.

♦ 2 Fig. Âme, cœur (par oppos. au *corps* ou au *monde extérieur*).

19 Et quoique le dehors soit sans émotion,
Le dedans n'est que trouble et que sédition.
CORNEILLE, Polyeucte, II, 2.

20 Qui considère les hommes attentivement, y est rarement trompé (...) La nature a imprimé sur le dehors une image du dedans.
BOSSUET, Politique tirée de l'Écriture sainte, V, II, 2.

21 Rien du dedans n'éclairait les dehors de cette femme. Rien du dehors ne se répercutait au dedans !
BARBEY D'AUREVILLY, les Diaboliques, «Le dessous de cartes».

22 L'intuition est une vue du cœur dans les ténèbres. La nuit extérieure s'illumine de l'éclair jailli du dedans.
André SUARÈS, Trois hommes, «Dostoïevski», III, p. 261.

♦ **3** Loc. adv. **AU DEDANS, AU-DEDANS** : à l'intérieur, dedans (1.). — **REM.** L'Académie met un trait d'union, mais l'usage reste très libre. *Dont le siège est au dedans.* → **Interne.** *Qui est au dedans, propre à...* → **Intrinsèque.**

23 La guerre civile, la guerre étrangère, le feu au dedans et au dehors.
> BOSSUET, Oraison funèbre d'Anne de Gonzague, 1.

Fig. Dans le cœur, l'âme.

24 Pour reconnaître si c'est Dieu qui nous fait agir, il vaut bien mieux s'examiner par nos comportements au dehors que par nos motifs au dedans.
> PASCAL, Lettre à M. Périer, 1661.

Loc. prép. *Au dedans de (au-dedans de)* : à l'intérieur de (**mêmes sens que la loc. adv.**).

25 Le témoignage invisible dont nous ressentons au dedans de nous l'impression (...)
> BOURDALOUE, Sermon pour le dimanche de l'Ascension, *in* Dominicales, t. II, p. 232.

26 (...) mais les sentiments gardés trop longtemps au dedans de nous (...)
> BARBEY D'AUREVILLY, Une histoire sans nom, p. 71.

CONTR. Dehors. — **Extérieur.** — **Extérieurement, hors** (de).

DÉDICACE [dedikas] n. f. — XIVᵉ ; *dicaze, ducaze* «fête patronale», fin XIIᵉ (→ Ducasse) ; lat. ecclés. *dedicatio* «consécration», de *dedicare*. → Dédier.

♦ **1** Relig. judaïque. Consécration du temple de Jérusalem. → **Consécration.**

1 Les princes présentèrent leur offrande pour la dédicace de l'autel, le jour où on l'oignit.
> BIBLE (CRAMPON), les Nombres, VII, 10.

Fête des dédicaces : fête des Juifs, célébrée en souvenir de la restauration et de la nouvelle dédicace du temple par les soins de Judas Maccabée.

♦ **2** Liturgie. Consécration d'une église, d'une chapelle au culte divin. — *Fête de la Dédicace :* fête liturgique annuelle par laquelle on célèbre l'anniversaire de la dédicace de l'église d'un lieu donné. Action de placer une église sous l'invocation d'un saint. → **Invocation.**

♦ **3** Consécration d'un monument à un personnage. — Par ext. Inscription qui relate cette consécration sur le monument.

♦ **4** (1613). Hommage* qu'un auteur fait de son œuvre à qqn, par une inscription imprimée en tête de l'ouvrage.

2 Votre Majesté n'a que faire de toutes nos dédicaces.
> MOLIÈRE, la Critique de l'École des femmes, Épître à la Reine Mère.

3 Je dédiai ma pièce à M. Duclos (...) et je déclarai que ce serait ma seule dédicace.
> ROUSSEAU, les Confessions, VIII.

4 Cet homme (...) qui mendiait dans des dédicaces adulatrices l'aumône des riches financiers du temps pour payer ses faiblesses (...)
> LAMARTINE, Premières méditations, Préface.

Cour. Formule manuscrite (sur un livre, une photographie...) pour en faire hommage à qqn. → **Envoi** (→ Autographe, cit. 2) ; **dédicacer.** *Collectionner les dédicaces.*

5 Sur le piano, quelques photos de duchesses, d'académiciens, de princes régnants, avec dédicaces.
> J. ROMAINS, les Hommes de bonne volonté, t. V, XIV, p. 99.

Par ext. (emploi d'auteur) :

6 DÉDICACE. Épisode de langage qui accompagne tout cadeau amoureux, réel ou projeté, et, plus généralement, tout geste, effectif ou intérieur, par lequel le sujet dédie quelque chose à l'être aimé.
> R. BARTHES, Fragments d'un discours amoureux, p. 89.

DÉR. Dédicacer.

DÉDICACER [dedikase] v. tr. — 1819 ; de *dédicace.*

Dédier (un livre, une photographie...) en y écrivant un envoi. *L'auteur dédicacera son ouvrage. Le pianiste dédicace ses disques.*

♦ **DÉDICACÉ, ÉE** p. p. adj. *Livre dédicacé à un ami. Exemplaire dédicacé. Photo, portrait dédicacé.*

DÉDICATAIRE [dedikatɛʀ] n. — 1902, A. Jarry ; du lat. *dedicatio,* du supin de *dedicare.* → Dédier.

Didact. Personne à qui est adressée une dédicace* (4.).

DÉDICATOIRE [dedikatwaʀ] adj. — 1542 ; dér. sav. du lat. *dedicator* «celui qui fait une dédicace», ou du supin de *dedicare.* → Dédier.

Didact. Qui contient la dédicace imprimée d'un livre, d'un ouvrage d'art. *Épître dédicatoire.*

1 Il a dessein de le dédier, et il y a six heures qu'il travaille à l'épître dédicatoire.
> A. R. LESAGE, le Diable boiteux, III.

2 Je ne fais point ici d'épître dédicatoire, et je ne demande point de protection pour ce livre : on le lira, s'il est bon ; et, s'il est mauvais, je ne me soucie pas qu'on le lise.
> MONTESQUIEU, Lettres persanes, Introduction, I.

DÉDIÉ, ÉE [dedje] adj. — 1989 ; de *dédier,* pour traduire l'angl. *dedicated.*

Anglic. (électron., inform.). Réservé et affecté à un usage particulier. *«La plupart des fournisseurs, y compris des prestataires sans abonnement, réservent à leurs abonnés un espace dédié à leurs propres publications»* (le Monde, 17 nov. 1999, p. 3). — (Sans compl.). *Un équipement dédié,* conçu pour un type d'utilisation.

DÉDIER [dedje] v. tr. — 1130 ; lat. ecclés. *dedicare* «consacrer», de *de-,* et *dicare,* var. durative de *dicere.* → Dire.

Dédier qqch. à qqn, à qqch.

♦ **1** Consacrer au culte divin, mettre sous l'invocation d'un saint (une église, une chapelle, un autel). → **Consacrer ; dédicace.** *Dédier un autel à la Vierge. Dédier une chapelle à saint Joseph.*

1 Hercule (...) dédia un temple à Jupiter.
> RACINE, Remarques sur Pindare.

♦ **2** Mettre (un livre, une œuvre d'art) sous le patronage de qqn, par une inscription imprimée ou gravée sur l'œuvre. → **Dédicacer** (→ Dédicatoire, cit. 2). *Il lui a dédié son dernier livre.*

2 Et le récit en vers qu'ici je vous dédie.
> LA FONTAINE, Fables, VIII, 4.

3 J'ai donc osé, Monseigneur, dédier une bagatelle à Votre Altesse Royale (...)
> MOLIÈRE, l'École des maris, Épître.

4 Le savant et pauvre Théodore de Gaza, qui, ayant dédié à Sixte IV sa traduction du livre d'Aristote sur les animaux, en reçut pour tout remerciement le prix de la reliure, que ce pape lui fit rendre.
> D'ALEMBERT, Éloges, Dangeau, note 1.

♦ **3** Par ext. → **Consacrer, offrir, vouer.** *Dédier ses efforts à l'intérêt public.* → **Dévouer.** *Dédier ses biens aux bonnes œuvres.*

5 (...) il (Ibsen) a écrit dans un journal révolutionnaire, et dirigé deux théâtres. Il a donc vécu dans les deux cercles de l'enfer dédiés au mensonge (...)
> André SUARÈS, Trois hommes, «Ibsen», II, p. 87.

Relig. (→ ci-dessus, 1.). *Dédier sa vie, dédier son enfant à Dieu, à la Vierge.*

DÉR. Dédié.

DÉDIFFÉRENCIATION [dediferɑ̃sjasjɔ̃] n. f. — 1922; de 1. *dé-*, et *différenciation*.

Biol. Perte partielle ou totale, par une cellule (ou un tissu), de ses caractères particuliers. → **Dédifférencier** (se).

Au bout de quelques repiquages, la culture est généralement uniquement constituée de fibroblastes. Les myoblastes disparaissent progressivement en se dédifférenciant. Étant, comme les fibroblastes, d'origine mésenchymateuse, ils font retour à l'état primitif. On a beaucoup discuté sur le point de savoir si une telle dédifférenciation était un phénomène général.
J. VERNE et S. HÉBERT, la Culture de tissus, p. 26.

DÉDIFFÉRENCIER (SE) [dediferɑ̃sje] v. pron. — V. 1920; de 1. *dé-*, et *différencier*.

Biol. En parlant d'une cellule, d'un tissu, Perdre tout ou partie de ses caractères spécifiques. → **Dédifférenciation.** *Cellules qui, cultivées in vitro, se dédifférencient. — P. p. adj. Cellule dédifférenciée gardant son potentiel d'histogénèse.*

CONTR. Différencier (se).

DÉDIRE [dediʀ] v. tr. — *Je dédis, nous dédisons, vous dédisez;* impér. : *dédis, dédisez;* autres formes, conjug. *dire.* — Fin XIIᵉ, *desdire;* de 1. *dé-*, et *dire*.

Vx. Désavouer les paroles, la conduite de (qqn). → **Contredire, démentir, désavouer.** *N'allez pas me dédire. Se permettre de dédire un supérieur.*

1 (...) Nous allons voir s'il dédira sa mère.
CORNEILLE, la Veuve, III, 5.

En dédire qqn... Je ne vous en dédirai pas.

2 Puisque je l'ai promis, ne m'en dédites *(dédisez)* pas.
MOLIÈRE, Tartuffe, III, 4.

3 Et moi je n'ai pas osé l'en dédire, m'a dit Dorante, parce que j'aurais indisposé contre moi cette fille (...)
MARIVAUX, les Fausses Confidences, II, 12.

◆ **SE DÉDIRE** v. pron.

Se rétracter, dire le contraire de ce que l'on a affirmé précédemment. → **Annuler, contredire** (se), **démentir, désavouer** (se), **rétracter** (se), **revenir** (sur ce que l'on a dit). *Se dédire d'une affirmation. Les témoins se sont dédits. Après ce mensonge, vous êtes obligés de vous dédire* (→ Cabale, cit. 7). *Il ne veut pas se dédire.*

4 Ah! pour cet article, j'ai tort.
Je m'en dédis (...) MOLIÈRE, Amphitryon, II, 3.

5 (...) lorsqu'on a tort avec ses subalternes, on se garde surtout de se dédire.
P.-L. COURIER, Lettre au Gᵈ d'Arancey, 13 sept. 1808, Pl., p. 771.

6 Ils lui ont fait une telle insulte que si je les tenais là, il faudrait qu'ils eussent à se dédire ou à se battre avec moi, jusqu'à ce qu'il en restât un de nous par terre.
G. SAND, la Petite Fadette, XXVIII, p. 189.

Ne pas tenir sa parole; ne pas suivre sa décision. → **Délier** (se), **désister** (se), **raviser** (se), **révoquer** (→ Déclarer forfait*, manquer à sa parole*). *Se dédire d'une convention, d'un contrat, d'une promesse, d'un engagement.* → **Dédit.**

7 Mais quand ce choix est fait, on ne s'en dédit plus.
CORNEILLE, Sertorius, III, 2.

8 L'avenir se dédit, la gloire se dément (...)
HUGO, l'Année terrible, avril, VII.

Loc. *Il n'y a pas à s'en dédire :* l'affaire est trop engagée, on ne peut reculer. — Fam. *Cochon qui s'en dédit,* formule qui accompagne un serment (→ Parier, cit. 3.1).

9 Hélas! madame, repris-je, je n'ai suivi que vos conseils, il n'est plus temps de se dédire (...)
MARIVAUX, la Vie de Marianne, 9ᵉ partie, p. 442.

10 — Je parie, dit Narcense, que je devine quel métier vous faites. — Parions! Dix francs que vous ne devinez pas! —

Dix francs que je devine! — Cochon qui s'en dédit (...)
R. QUENEAU, le Chiendent, p. 68.

CONTR. Appuyer, confirmer, démordre (ne pas en), engager (s'), maintenir, ratifier, sanctionner, tenir (sa parole). ◊ DÉR. **Dédit, dédite.**

DÉDIT [dedi] n. m. — V. 1165, *desdit;* de *dédire*.

♦ **1** Rare. Action de se dédire; révocation d'une parole donnée. → **Rétractation, révocation.**

♦ **2** Dr. Faculté de ne pas exécuter son engagement ou d'en interrompre l'exécution (le plus souvent en abandonnant une certaine somme). → **Dédite** (régional). *Contrat comportant un dédit. En cas de dédit, le contractant devra payer telle somme. Abandonner les arrhes versées, en cas de dédit.*
Cour. Montant de l'indemnité que le contractant doit payer en cas de dédit. *Payer son dédit.*

DÉDITE [dedit] n. f. — 1454, *desdicte,* à Neuchâtel; de *dédire.* → Dédit.

Régional (Suisse). Dédit (refus d'exécuter une clause). *Frais de dédite. —* Somme à payer en ce cas. *Donner trois mois de dédite.*

DÉDIVINISATION [dedivinizasjɔ̃] n. f. — Mil. XXᵉ; de *dédiviniser.*

Didact. Action de dédiviniser; son résultat. «*La démythisation, sinon la dédivinisation de l'univers*» (J. Cassou, *in* D. D. L.).

DÉDIVINISER [dedivinize] v. tr. — 1842, Académie, *Complément;* de 1. *dé-*, et *diviniser.*

Didact., littér. Enlever un caractère divin à...

Pour ne voir dans la crucifixion qu'un accident (...) il faut d'abord dédiviniser le Christ.
GIDE, Journal, 9 juin 1931.

CONTR. Diviniser. ◊ DÉR. Dédivinisation.

DÉDOMMAGEMENT [dedɔmaʒmɑ̃] n. m. — 1309, *desdamagement;* de *dédommager.*

♦ **1** Réparation d'un dommage*. → **Compensation, dommage** (dommages et intérêts), **indemnité, réparation.** *Demander, réclamer, obtenir, recevoir une somme d'argent en dédommagement de..., à titre de dédommagement. Accorder un large dédommagement à qqn.*

1 Le moindre dédommagement ne lui a pas été accordé.
G. T. RAYNAL, Hist. philosophique, XIII, 48.

♦ **2** (1723). Ce qui compense un dommage. → **Compensation, consolation** (→ Aveugle, cit. 38). *Votre amitié est pour lui un dédommagement à tous ses malheurs. Ces représailles sont un vain dédommagement à, pour toutes nos souffrances.*

2 L'invoquerons-nous *(la mort)* comme le châtiment de l'injustice et le dédommagement de la souffrance?
G. SAND, la Mare au diable, I, p. 11.

3 (...) le sang n'est pas un dédommagement. La vengeance ne répare pas le mal, elle l'aggrave.
G. DUHAMEL, Récits des temps de guerre, t. II, IV, XX, p. 75.

DÉDOMMAGER [dedɔmaʒe] v. tr. [CONJUG.: *bouger.*] — 1262; de 1. *dé-*, et *dommager.*

♦ **1** Indemniser (qqn) d'un dommage subi. → **Compenser, indemniser, payer, réparer.** *Dédommager qqn d'un tort qu'on lui a causé. Dédommager qqn d'une perte, d'un manque.*

1 Le vainqueur trouva dans la Havane pour environ 45 millions d'argent ou d'autres effets précieux qui le dédommagèrent amplement des frais de son expédition.
G. T. RAYNAL, Hist. philosophique, X, 16.

♦ 2 (1665). Donner une compensation à (qqn). *Comment pourrai-je jamais vous dédommager?* → **Remercier.** — *Le succès le dédommagera de tant d'efforts.* → **Récompenser, rémunérer.** *Être dédommagé d'une disgrâce.*

2   Ce petit nain, si disgracié dans son corps par la nature, en avait été dédommagé du côté de l'esprit : il l'avait naturellement agréable, et il avait pris soin de l'orner.
                ROUSSEAU, les Confessions, IV.

3   Ils *(les Français)* aiment mieux railler qu'applaudir ; le plaisir de la critique les dédommage de l'ennui du spectacle (...)
          ROUSSEAU, Julie ou la Nouvelle Héloïse, I, Lettre XXIII, p. 291.

4   Bah ! Vous serez dédommagé de ces menues misères par l'affable hospitalité de vos hôtes américains.
         G. DUHAMEL, Scènes de la vie future, I, p. 35.

♦ SE DÉDOMMAGER v. pron.

Être dédommagé. *Se dédommager de ses pertes.* → **Récupérer.** *Se dédommager par un bon repas des austérités du carême.* → **Décarêmer** (se).

5   L'orgueil se dédommage toujours et ne perd rien, lors même qu'il renonce à la vanité.
         LA ROCHEFOUCAULD, Réflexions morales, 33.

6   (...) un cœur sans fiel, qui loin de s'aigrir par ses malheurs, s'en console avec lui-même, et trouve en soi de quoi s'en dédommager.   ROUSSEAU, les Confessions, XI.

DÉR. Dédommagement.

DÉDORAGE [dedɔraʒ] n. m. ou **DÉDORURE** [dedɔryʀ] n. f. — 1870, *dédorage*; *dédorure*, 1863; de *dédorer*.

Techn. Action de dédorer; son résultat. *Le dédorage du cadre d'un tableau.*

Par métaphore, rare. *La dédorure d'une civilisation,* son déclin visible.

DÉDORER [dedɔʀe] v. tr. — Fin XIIIᵉ; de 1. *dé-*, et *dorer.*

Enlever la dorure de (qqch.). — Par métaphore :

1   Comme je dédore mon tableau de l'Iran — il nous arrive de tous côtés des rumeurs touchant la cruauté du shah dans sa répression des révoltes universitaires (...)
         J. GREEN, Journal 1976-1978, 15 oct. 1977, La Terre est si belle, p. 186.

♦ SE DÉDORER v. pron.

Perdre sa dorure. *Cette vaisselle commence à se dédorer.*

♦ DÉDORÉ, ÉE p. p. adj. (1418).

Qui a perdu sa dorure.

2   Sur les murs, trois portraits de famille, un guerrier vêtu de fer, un cardinal et un président, fumaient de longues pipes de porcelaine, tandis qu'en son cadre dédoré par les ans, une noble dame, à poitrine serrée montrait d'un air arrogant une énorme paire de moustaches faite au charbon.   MAUPASSANT, Mademoiselle Fifi, p. 8.

Fig. Dont la valeur est amoindrie. *Aristocratie dédorée,* ruinée.

DÉR. Dédorage ou **dédorure.**

DÉDOUANEMENT [dedwanmã] ou **DÉDOUANAGE** [dedwanaʒ] n. m. — 1900, *dédouanement; dédouanage,* 1900; de *dédouaner.*

♦ 1 Action de dédouaner (une marchandise); son résultat.

♦ 2 Fig. Justification, réhabilitation. → **Dédouaner** (2.). *«Les limites de la bonne conscience et du dédouanement intérieur»* (le Monde, 7 déc. 1966).

DÉDOUANER [dedwane] v. tr. — 1835, v. intr.; de 1. *dé-,* et *douane.*

♦ 1 Faire sortir (une marchandise) de l'entrepôt de la douane en accomplissant certaines formalités. — P. p. adj. *Cargaison, voiture dédouanée.*

1   Servais se prépara pour la douane, prévoyant les réponses évasives qu'il lui faudrait faire pour passer ses appareils dont les trois quarts n'étaient pas dédouanés.
         Christopher FRANK, la Nuit américaine, p. 61.

♦ 2 (1946). Fig. Relever (une personne physique ou morale) du discrédit dans lequel elle était tombée, la blanchir*. *«Il y a un tas de crapules que vous dédouanez en douce»* (S. de Beauvoir).

♦ SE DÉDOUANER v. pron. (1941).

Agir de manière à faire oublier un passé répréhensible.

2   Liée aux Palestiniens, la bande à Baader se dédouane à ses propres yeux parce qu'elle peut se battre ainsi, à gauche, pour les plus opprimés des opprimés (...)
         Michèle PERREIN, Entre chienne et louve, p. 201.

DÉR. Dédouanage ou **dédouanement.**

DÉDOUBLAGE [dedublaʒ] n. m. — 1845; de *dédoubler.*

Technique.

♦ 1 Action d'enlever un doublage, une doublure.

♦ 2 (1863). *Dédoublage de l'alcool :* action d'abaisser le degré d'un alcool en y ajoutant de l'eau.

DÉDOUBLEMENT [dedubləmã] n. m. — Av. 1755; de *dédoubler.*

♦ 1 Action de dédoubler; son résultat. *Le dédoublement d'une classe dont l'effectif est excessif.* — Spécialt. *Le dédoublement d'un train en période de départ en vacances.* → **Dédoubler** (2.).

♦ 2 Didact. Fait de se dédoubler; processus dans lequel qqn, qqch. se dédouble.

0.1   Un produit est dû à l'inconscient lorsque quelle *(que)* soit sa complexité (...) il semble donné par un seul acte — et comme dans un indivisible de temps (...) En dernière analyse, c'est le *Dédoublement* qui est le fait essentiel psychique. C'est la netteté, la fréquence, l'intensité de ce dédoublement qui distinguent les degrés du psychisme — (animaux) — C'est lui qu'on appelle «conscience».
         VALÉRY, Cahiers, t. II, Pl., p. 224.

Occult. État d'une personne qui use de son pouvoir de se dédoubler.

(1870). Psychol. *Dédoublement de la personnalité :* état d'un sujet qui présente deux types de comportement, l'un normal et adapté, l'autre pathologique, présentant un caractère d'automatisme. *Le dédoublement,* thème de Stevenson dans Dʳ *Jekyll et M. Hyde.* — Cour. Fait d'avoir deux comportements différents, deux ensembles de traits de caractère, et, par ext., deux apparences sensiblement différentes. — REM. L'emploi attesté chez Loti (→ ci-dessous, cit. 1), «produit du dédoublement, double», est rare.

1   (...) c'était un autre Yves, moins jeune, encore plus basané et plus athlétique peut-être — les traits plus durs, ayant plus souffert; — mais il avait tellement ses yeux, son regard, que c'était comme un dédoublement de lui-même qui m'impressionnait.
         LOTI, Mon frère Yves, LXXXV, p. 202.

2   Chaque héros, chaque homme, qui ne vit pas à l'abandon mais s'efforce vers un idéal, qui tend à se conformer à cet idéal, nous offre un exemple de ce dédoublement, de ce *bovarysme.*   GIDE, Dostoïevsky, p. 172.

3   La création d'un personnage est (...) moins rare qu'il ne semble : le dédoublement est commun chez les hautes figures religieuses, et frappant chez les stars, non seulement dépossédées de leur personne, mais encore de leur visage, que l'écran métamorphose.
         MALRAUX, Antimémoires, éd. Folio, p. 154.

DÉDOUBLER [deduble] v. tr. — 1429, *desdoubler ;* de
1. *dé-,* et *doubler.*

♦ **1** Rare. Défaire (ce qui est double) en ramenant à
l'unité. *Dédoubler une étoffe qui était pliée en double.*
Milit. *Dédoubler les rangs :* faire mettre sur un seul
rang les hommes qui étaient alignés sur deux files.
*L'étroitesse du sentier força l'officier à dédoubler ses
hommes.*
Mar. *Dédoubler les amarres* (au moment de l'appareillage) : rester amarré par une seule amarre de
chaque sorte.

♦ **2** Enlever la doublure de... *Dédoubler un manteau.* — Mar. *Dédoubler un navire,* déclouer son
doublage.

♦ **3** Cour. Partager, séparer* en deux. → **Diviser, partager.** *Dédoubler un régiment. Dédoubler une classe,
dans une école.* — Techn. *Dédoubler une pierre,* la
partager en deux parties dans le sens de sa longueur. — Chim. *Dédoubler un corps composé.* —
Dédoubler un brin de fil, un fil de laine, le séparer
en deux brins, deux fils.

♦ **4** Rendre deux fois plus important par des éléments identiques. *Il «acheta un second fauteuil,
dédoubla sa literie»* (Flaubert). — *Dédoubler un
train :* faire partir successivement deux trains au
lieu d'un pour une même destination, en raison
de l'affluence des voyageurs.

♦ **5** Doubler, redoubler. *Dédoubler la mesure.*

♦ **SE DÉDOUBLER** v. pron.
Être dédoublé ; se séparer en deux.

1 Les grandes montagnes, toutes noires à présent, se dédou-
blaient par la base dans l'eau immobile qui nous portait,
se reflétaient avec leurs découpures renversées, donnant
l'illusion de précipices effroyables au-dessus desquels nous
aurions été suspendus (...)
               LOTI, Mme Chrysanthème, II, p. 10.

Psychol. Perdre l'unité de sa personnalité psychique. → **Dédoublement.** — Occult. User de la
faculté (pour qui en est doué) d'être présent en
deux endroits à la fois. → **Ubiquité ; bilocation.**

2 (...) quoi de plus stupéfiant que le don de bilocation, le
pouvoir de se dédoubler, d'être en même temps, au même
moment, dans deux endroits ?
               HUYSMANS, En route, p. 273.

Cour. *Je ne peux pas me dédoubler,* être à deux
endroits à la fois.
CONTR. Doubler. ◊ DÉR. Dédoublage, dédoublement.

DÉDRAMATISATION [dedramatizasjɔ̃] n. f. — V.
1965 ; de *dédramatiser.*
Action de dédramatiser ; son résultat. *La dédramatisation d'un conflit par la négociation.*

DÉDRAMATISER [dedʀamatize] v. tr. — 1965 ; de
1. *dé-,* et *dramatiser.*
Supprimer à la représentation de (qqch.) le caractère dramatique ; réduire les proportions de.
→ **Dépassionner, minimiser.** *Dédramatiser la mort.*
*«Ces greffes hétérotopiques — mise en place du cœur
ailleurs qu'en position normale (le cœur du donneur étant greffé "en parallèle", à côté du cœur du
receveur) — peuvent présenter chez l'homme plusieurs intérêts (...) cette technique "dédramatise" la
greffe cardiaque (...) le geste chirurgical n'est plus
définitif»* (Sciences et Avenir, 1975, nᵒ 337, p. 214).
Il n'y a pas de drame apparent (...) On dédramatise ostensiblement. Il n'y a plus de drame ; seulement des choses,
des certitudes, des «valeurs», des «rôles», des satisfactions,
des «jobs», des emplois, des situations et des fonctions.
           Henri LEFEBVRE, la Vie quotidienne dans le
                      monde moderne, p. 126 (1968).

REM. Ce mot appartient surtout au vocabulaire politique
et journalistique.
CONTR. Dramatiser. ◊ DÉR. Dédramatisation.

DÉDUCTIBILITÉ [dedyktibilite] n. f. — 1943 ; de
déductible.

♦ **1** Fin. Caractère de ce qui est déductible.

♦ **2** Philos. Caractère de ce qui peut être déduit.

DÉDUCTIBLE [dedyktibl] adj. — 1931 ; du lat.
deductum (→ Déduction), et suff. *-ible.*
Législ. fin. Qui peut être admis en déduction d'un
revenu, d'un bénéfice. *Charges et frais déductibles.
Cette somme est déductible du revenu imposable.*
DÉR. Déductibilité.

DÉDUCTIF, IVE [dedyktif, iv] adj. — 1842 ; du lat.
deductum (→ Déduction), et suff. *-if, -ive.*
Philos. Qui procède par déduction. → **Démonstratif,
discursif ; axiomatique** (adj.). *Raisonnement déductif,*
qui présente un caractère rigoureux et aboutit à
une conclusion nécessaire. → **Syllogisme.** *Méthode
déductive. Esprit déductif.* → **Logique, mathématique,
rationnel, rigoureux, systématique ; géométrie** (esprit
de géométrie).
Les philosophes (...) ont admis deux méthodes scientifiques : la méthode *inductive* ou l'*induction,* propre aux
sciences physiques expérimentales, et la méthode *déductive* ou la *déduction* appartenant plus spécialement aux
sciences mathématiques.
           Cl. BERNARD, Introd. à l'étude de la médecine
                  expérimentale, I, II, p. 83.

CONTR. Inductif, intuitif. ◊ DÉR. Déductivement. ← COMP.
Hypothético-déductif.

DÉDUCTION [dedyksjɔ̃] n. f. — 1355, *deduction ;* lat.
deductio, de *deductum,* supin de *deducere.* → Déduire.

Ⅰ Comm. et cour. Action de soustraire (une somme)
d'une autre somme. → **Décompte, défalcation,
retranchement, soustraction.** *Faire déduction des
arrhes versées. Somme qui entre en déduction de...,
sous déduction de 10 %.* → **Remise.** *Somme à payer,
déduction faite de la réduction habituelle.*
Dr. fisc. Dans le calcul de la base imposable,
Retranchement effectué dans des conditions particulières déterminées (à distinguer de *abattement*).
Déduction forfaitaire pour frais professionnels.

Ⅱ (Abstrait). Procédé de pensée par lequel on conclut de propositions prises pour prémisses* à une
proposition qui en résulte nécessairement (→ **Conclusion**), en vertu de règles logiques rigoureuses,
parfois formelles. → **Démonstration ; raisonnement.**
Le syllogisme est la forme usuelle de la *déduction.*
→ aussi **Modus ponens, modus tollens.** *Déduction philosophique, mathématique. Critère, règle de déduction.*

1 On définit l'induction en disant que c'est un procédé de
l'esprit qui va du particulier au général, tandis que la
déduction serait le procédé inverse qui irait du général
au particulier ; mais en ma qualité d'expérimentateur, je me
bornerai à dire que dans la pratique il me paraît bien difficile de justifier cette distinction et de séparer nettement
l'induction et la déduction.
           Cl. BERNARD, Introd. à l'étude de la médecine
                  expérimentale, I, II, p. 84.

2 Il n'est pas exact de définir la déduction comme le
raisonnement qui va «du général au particulier», soit
qu'on entende par cette formule équivoque et courante :
«De l'universel au particulier» soit qu'on entende : «Du
plus général au plus spécial» (...) on remarquera que
la méthode mathématique, type indiscuté de déduction
(...) s'élève souvent du plus spécial au plus général, par
exemple, quand on «généralise» une propriété, ou une

démonstration (...) L'idée vraie contenue confusément dans la formule contraire est sans doute que le passage d'une règle à ses applications, d'une variable à ses valeurs, est une des opérations les plus fondamentales du raisonnement déductif.

LALANDE, Voc. philosophique, Déduction.

Déduction transcendentale : opération de l'esprit par laquelle Kant justifie que des concepts a priori s'appliquent aux données de l'expérience.

Cour. Raisonnement rigoureux ; action de déduire, de conclure. *Vos déductions sont un peu hasardeuses.* → **Conclusion.**

REM. *Induction* n'étant pas de l'usage courant, *déduction,* dans cet emploi vague, recouvre le sens des deux termes.

3 La puissance de vision qui fait le poète, et la puissance de déduction qui fait le savant (...)
BALZAC, la Recherche de l'absolu, Pl., t. IX, p. 540.

4 Robespierre partait d'un point de départ excellent et judicieux ; mais son imagination, sombre et systématique dans les déductions de la haine, en tirait un vaste ensemble de conjectures erronées.
MICHELET, Hist. de la Révolution franç., I, p. 842.

5 (...) et comment, par une série de déductions critiques qui s'imposèrent à mon esprit, les bases de ma vie, telle que je l'avais comprise jusque-là, furent totalement renversées.
RENAN, Souvenirs d'enfance..., IV, p. 191.

6 Tout l'effort du drame est de montrer le système logique qui, de déduction en déduction, va consommer le malheur du héros. CAMUS, le Mythe de Sisyphe, p. 177.

CONTR. Induction, intuition.

DÉDUCTIVEMENT [dedyktivmɑ̃] adv. — 1832, Comte ; de *déductif.*

Philos. De manière déductive, par déduction (opposé à *inductivement*).

DÉDUIRE [dedɥiʀ] v. tr. [CONJUG.: *dire.*] — Fin XIᵉ ; du lat. *deducere* «faire descendre, amener», de *de-*, et *ducere* «tirer, conduire».

I Retrancher (une certaine somme) d'un total à payer. → **Décompter, défalquer, enlever, ôter, retenir, retrancher, soustraire.** *Déduire d'un compte les sommes déjà versées. Déduire ses frais.*

1 Implacables à l'égard d'un valet qui aura (...) cassé par malheur quelque vase d'argile, ils lui déduisent cette perte sur sa nourriture.
LA BRUYÈRE, les Caractères de Théophraste,
De l'épargne sordide.

II (XVIᵉ). ◆ **1** Vx. Exposer en détail et suivant un ordre précis. → **Développer, énoncer, énumérer, exposer, raconter.** *Déduire par le menu ses raisons d'agir.*

2 Il ne faut pas moins d'adresse à réduire un grand sujet, qu'à en déduire un petit.
CORNEILLE, Préface de Clitandre.

3 (...) raconter, c'est tout de même déduire. Le dialogue seul, ou le colloque, peut rendre tous les moments, les incidents et les inflexions de la courbe intérieure.
André SUARÈS, Trois hommes, «Dostoïevski», IV,
p. 228.

◆ **2** Mod. Conclure rigoureusement en partant de propositions prises pour prémisses. → **Conclure, démontrer ; tirer** (une conséquence). *Déduire qqch. par enchaînement.* — Absolt. *Déduire et induire.*

4 (...) quand l'expérimentateur déduira des rapports simples de phénomènes précis et d'après des principes connus et établis, le raisonnement se développera d'une façon certaine et nécessaire (...)
Cl. BERNARD, Introd. à l'étude de la médecine
expérimentale, I, II, p. 87.

Cour. Conclure, décider ou trouver (qqch.) par un raisonnement, à titre de conséquence, etc. *De ce que vous exposez, on peut déduire que... :* il ressort, il résulte que...

REM. Dans ce sens plus vague, *déduire* correspond aussi à la valeur stricte de «induire» (inconnu de l'usage courant). *Il m'a encore emprunté de l'argent ; j'en déduis que ses affaires vont mal* (il s'agit en fait d'une induction).

5 Il *(Descartes)* introduit l'idée admirable de déduire les solutions de la supposition du problème résolu.
VALÉRY, Variété V, p. 223.

◆ **SE DÉDUIRE** v. pron. → **Découler.** *La solution se déduit naturellement de l'hypothèse.*

6 L'attaque et la défense, l'audace des hommes, la pudeur des femmes, ne sont point des conventions, comme le pensent les philosophes, mais des institutions naturelles dont il est facile de rendre raison, et dont se déduisent aisément toutes les autres distinctions morales.
ROUSSEAU, Julie ou la Nouvelle Héloïse, I,
Lettre XLVI.

◆ **DÉDUIT, ITE** p. p. adj. *Conclusion déduite nécessairement d'un principe. Cette proposition est parfaitement déduite de la précédente.*

7 Un philosophe contemporain, argumentateur à outrance, auquel on représentait que ses raisonnements irréprochablement déduits avaient l'expérience contre eux, mit fin à la discussion par cette simple parole : «l'expérience a tort». H. BERGSON, le Rire, I, p. 37.

N. m. → **Décompte.**

8 (...) et il alla chercher un vieux cahier d'écriture contenant, par demandes et réponses, tout le déduit des chasses.
FLAUBERT, Trois contes,
La légende de saint Julien l'Hospitalier.

CONTR. Additionner, ajouter. — Résumer. — Induire. ◊ DÉR. V. **Déduit.** → HOM. (Du p. p.) **Déduit.**

DÉDUIT [dedɥi] n. m. — V. 1160 ; de *déduire,* au sens de «divertir, amuser», en anc. franç.

Vx. Divertissement, récréation.

1 (...) n'ayant d'autre déduit
Que d'y ruminer jour et nuit (...)
LA FONTAINE, Fables, IV, 20.

Spécialt. Jeux amoureux (cf. Baudelaire, *les Fleurs du mal,* 97).

2 «De mon temps, dit l'ânier, nos bonnes amies sentaient l'ail et le soleil seul les peignait, mais c'étaient de belles garces (...)» D'autres avouaient que museaux attifés et haleine souple étaient meilleurs compagnons du déduit (...)
J. GIONO, Naissance de l'Odyssée, Pl., t. I, p. 25.

HOM. **Déduit** (p. p. de *déduire*).

DÉESSE [deɛs] n. f. — V. 1160 ; du lat. *dea,* et suff. *-esse.*

◆ **1** Divinité féminine. → **Divinité.** *Les déesses et les mortelles. Les six grandes déesses de l'Olympe :* Junon (Héra *en grec), déesse du mariage ;* Vesta (Hestia), *déesse du foyer ;* Minerve (Athéna), *déesse de la sagesse, la déesse aux yeux bleus ;* Cérès (Déméter), *déesse de l'agriculture, des moissons ;* Diane (Artémis), *déesse de la nuit et de la chasse ;* Vénus (Aphrodite), *déesse de l'amour et de la beauté.* — *Déesses secondaires :* Flore, Pomone, Proserpine (Perséphone), Latone (Léto) ; Thémis, *déesse de la justice ;* Hygie, *déesse de la santé ;* Amphitrite, *déesse de la mer...* → **Grâce, muse, nymphe.** — (1827). *Déesse-mère. Les déesses-mères, déesses de la fécondité. La déesse aux cent bouches :* la Renommée. — *Fils d'une déesse et d'un mortel.* → **Demi-dieu, héros.** — *Isis, la déesse égyptienne, symbole du mystère.* — *Déesse-lune azièque.* — *Culte hindou de la Grande Déesse. Divinités féminines inférieures aux déesses, en Inde.* → **Apsara.** — *Tara ou Guanyin, déesse bouddhique de la miséricorde.* — *Déesses guerrières du Walhalla scandinave.* → **Walkyrie.** — *Déesses nordiques des eaux.* → **Ondine.** — *Déesses celtiques.* → **Fée.** — *Déesse associée à un dieu comme son homologue féminin.* → **Parèdre.** —

La Déesse aux serpents, statuette provenant des fouilles du palais de Cnossos.

1   Les dieux et les déesses de l'Olympe, assemblés dans un profond silence, avaient les yeux attachés sur l'île de Calypso (...)   FÉNELON, *Télémaque,* VII.

2   Déesse irrésistible au port victorieux,
Pure comme un éclair et comme une harmonie,
Ô Vénus, ô beauté, blanche mère des Dieux !
       LECONTE DE LISLE, *Poèmes antiques,*
       «Vénus de Milo».

3   Il me semblait que la Déesse avait laissé son vêtement pour toi et qu'il t'appartenait ! Dans son temple ou dans ta maison, qu'importe ? n'es-tu pas toute-puissante, immaculée, radieuse et belle comme Tanit !
       FLAUBERT, *Salammbô,* XI, p. 222.

4   Ô noblesse ! ô beauté simple et vraie ! déesse dont le culte signifie raison et sagesse, toi dont le temple est une leçon éternelle de conscience et de sincérité, j'arrive tard au seuil de tes mystères ; j'apporte à ton autel beaucoup de remords. Pour te trouver, il m'a fallu des recherches infinies (...) Je suis né, déesse aux yeux bleus, de parents barbares (...)
       RENAN, *Souvenirs d'enfance...,* II, I, p. 62.

♦ **2** Personnage allégorique féminin. *La déesse de la Liberté, de la Raison, de la Victoire. La déesse Raison, la déesse Liberté furent sous la Révolution française l'objet d'un culte officiel.*

5   On a maintes fois décrit cette célèbre fête, et comment une Liberté, empruntée à l'Opéra, siégea – gracieusement drapée de tricolore – sur l'autel de la Raison. L'Assemblée s'étant, sous prétexte de travail, refusée à la fête, un cortège, (fort mêlé) amena la déesse aux Tuileries et, en sa présence, força l'Assemblée à décréter que Notre-Dame deviendrait *Temple de la Raison.*
       Louis MADELIN, *la Révolution,* XXXI, p. 346.

♦ **3** *Fig. et littér. Allure de déesse :* allure d'une grâce souveraine. *– Port de déesse,* majestueux et imposant. *– C'est une déesse* (en parlant d'une femme), une personne d'une suprême distinction, d'une beauté distante.

6   Mais les épousez-vous, la déesse s'humanise-t-elle : leur idolâtrie finit où nos bontés commencent. Dès qu'ils sont heureux, les ingrats ne méritent plus de l'être.
       MARIVAUX, *les Serments indiscrets,* I, 2.

7   – La beauté ?
– Je l'aimerais volontiers, déesse et immortelle.
       BAUDELAIRE, *le Spleen de Paris,* I.

8   Elle était bien cette sorte de déesse humaine, délicate, dédaigneuse, exigeante et hautaine, que le culte amoureux des mâles enorgueillit et divinise comme un encens.
       MAUPASSANT, *Notre cœur,* II, V, p. 169.

DÉFÂCHER (SE) [defaʃe] v. pron. — 1538, *desfascher qqn,* v. tr. ; de 1. *dé-,* et *fâcher.*

Fam. et vieilli. S'apaiser, revenir à la bonne humeur après s'être mis en colère. *S'il est fâché, qu'il se défâche.* → **Calmer** (se). — Intrans. *«Elle ne défâchait pas»* (Ch.-F. Landry).

DÉFAÇONNER [defasɔne] v. tr. — XIIIᵉ, au fig., *se desfachonner de...* «se déshabituer de...» ; de 1. *dé-, façon,* et suff. verbal.

Rare. Faire perdre sa forme, sa façon à (qqch.). — Pron. *S'altérer et se défaçonner* (cf. de Renan, *in* T. L. F.).

DE FACTO [defakto] loc. adv. — 1870 ; mots lat., «de fait, selon le fait (*factum*)».

Dr. De fait* (par oppos. à *de jure* «de droit»). → **De jure.** *Reconnaître un gouvernement de facto.*

CONTR. **De jure.**

DÉFAILLANCE [defajãs] n. f. — 1190, *defaillir ;* de *défaillir.* → **Défaillant.**

♦ **1** *Vx.* État de ce qui fait défaut. → **Défaut, manque, suppression.** *Défaillance des héritiers mâles d'une famille.* — Spécialt. *Défaillance d'un astre.* → **Éclipse.**

♦ **2** (1540). Diminution importante et momentanée des forces physiques, état de malaise, syncope. → **Évanouissement, faiblesse, pâmoison.** *Avoir une défaillance. Tomber en défaillance.* → **Mal** (se trouver mal) ; **tomber** (cf. fam. Tomber dans les pommes). *Moment de défaillance.*

Méd. Insuffisance fonctionnelle d'un organe.

Fig. Diminution, perte momentanée (des forces morales). *Défaillance de la volonté, de l'énergie.*

1   L'homme qui attente à ses jours montre moins la vigueur de son âme que la défaillance de sa nature.
       CHATEAUBRIAND, *Mémoires d'outre-tombe,* t. I,
       p. 131.

2   (...) quoiqu'il semble qu'avec un peu de constance et d'activité une carrière assez belle peut enfin s'ouvrir pour moi, j'ai souvent et même toujours un grand vide, de grandes défaillances d'âme, des ennuis, des désirs.
       SAINTE-BEUVE, *Correspondance,* 48, août 1828,
       t. I, p. 99.

3   Je renie les blasphèmes que les défaillances de la dernière heure pourraient me faire prononcer contre l'Éternel.
       RENAN, *Souvenirs d'enfance...,* VI, V, p. 268.

♦ **3** (*Choses*). Faiblesse, incapacité. *Devant la défaillance des pouvoirs publics. Défaillance mécanique, humaine.*

♦ **4** *Loc. Sans défaillance :* sans défaut, qui agit ou fonctionne sans faiblesse.

4   Une mémoire sans défaillance n'est pas un très puissant excitant à étudier les phénomènes de la mémoire (...)
       A. MAUROIS, *À la recherche de M. Proust,* I, p. 25.

♦ **5** *Dr.* Défaut d'exécution, au terme fixé, d'une clause contractuelle.

CONTR. **Maintien, présence. — Regain, retour** (de forces). — **Énergie, fermeté, force, puissance, stabilité.**

DÉFAILLANT, ANTE [defajã, ãt] adj. — 1130 ; p. prés. de *défaillir.*

♦ **1** *Vx ou dr.* Qui fait défaut, qui manque. *Ligne défaillante :* ligne qui s'éteint faute d'héritiers. *Candidat défaillant,* qui ne se présente pas à l'appel.

Qui manque à comparaître en justice personnellement ou par représentant. *Témoin défaillant. Partie défaillante.* – N. *Le défaillant a été condamné.* → **Défaut.**

1   Si, de deux ou plusieurs parties assignées, toutes ne constituent pas avoué, les parties défaillantes seront, à l'expiration des délais d'aujourd'hui, réassignées (...)
À l'expiration des nouveaux délais d'ajournement, il sera statué par un seul jugement contradictoire entre toutes les parties, qu'elles soient ou non représentées par un avoué.
       Code de procédure civile, art. 153.

♦ **2** (En parlant des forces physiques ou morales). Qui s'affaiblit, décline, vient à manquer. → **Affaibli, chancelant, faible.** *Force défaillante. Raison, mémoire défaillante.*

2   Toi-même, rappelant ma force défaillante.
       RACINE, *Phèdre,* III, 1.

3   Les enfants n'aiment pas la vieillesse. L'aspect de la nature défaillante est hideux à leurs yeux.
       ROUSSEAU, *Rêveries,* 9ᵉ promenade.

(En parlant des personnes). Qui défaille. → **Languissant.** *Être défaillant de fatigue, d'amour.*

4   (...) elle renversa son cou blanc, qui se gonflait d'un soupir et, défaillante, tout en pleurs, avec un long frémissement et se cachant la figure, elle s'abandonna.
       FLAUBERT, *Mᵐᵉ Bovary,* II, IX, p. 105.

5   Et Bertin, plein d'angoisses secrètes, soutint jusqu'à la portière son amie pâle et encore défaillante, dont il sentait battre le cœur sous le corsage.
       MAUPASSANT, *Fort comme la mort,* p. 245.

CONTR. **Présent. — Comparant** (dr.). — **Ferme, florissant, fort.**

DÉFAILLIR [defajiʀ] v. intr. [CONJUG.: *assaillir* : «*À les voir je défaille*» (Giraudoux) ; futur *je défaillirai* ou *je défaillerai* («*Je ne défaillerai pas*», Psichari) ; (vx) *je défaus, il défaut* («*Son secours qui ne défaut point*», Colette) ; (vx) *je défaudrai*.] — 1080 ; de 2. dé-, et *faillir*.

♦ **1** Vx. Faire défaut*, manquer. — Dr. *Défaillir au procès.* → **Défaillant** (cit. 1). *Condition* défaillie.*

♦ **2** (XVIᵉ). Mod. Perdre momentanément ses forces physiques, tomber en défaillance. → **Évanouir** (s'), **pâmer** (se) ; → Se trouver mal ; fam. tourner de l'œil* ; tomber dans les pommes*. *Se sentir prêt à défaillir. Se sentir défaillir. Défaillir de faim, d'effroi... À cette nouvelle, son cœur défaillit* (cf. Le cœur lui manqua).

1   Elle défaillait, en proie à une syncope qui dénonçait l'intensité de son émotion, et son propre amour, plus certainement qu'un aveu.
Paul BOURGET, Un divorce, IV, p. 159.

1.1   Il se sentit prêt à défaillir : un nuage glissa devant ses yeux, et ses jambes se mirent à trembler, pendant que son cœur frappait dans sa poitrine des coups sourds et pressés.
Raymond ROUSSEL, Impressions d'Afrique, p. 222.

♦ **3** (Choses). Littér. → **Affaiblir** (s'), **aller** (s'en aller), **décliner, diminuer.** *Ses forces défaillent de jour en jour. Sa mémoire commence à défaillir.* → **Baisser** (fam.). — Fig. et poét. *Le jour défaille.* → **Tomber.**

2   Comme un malade en péril se préoccupe de ce qu'il trouvera dans sa tombe, une nation qui se sent défaillir s'inquiète de son sort futur.
CHATEAUBRIAND, Mémoires d'outre-tombe, t. VI, p. 317.

3   (...) le jour défaillait, et le ciel, à l'ouest, était couleur de fleur de pêcher (...)
CHATEAUBRIAND, Mémoires d'outre-tombe, t. VI, p. 44.

4   Et la moitié du ciel pâlissait, et la brise
Défaillait dans la voile, immobile et sans voix.
LAMARTINE, Harmonies..., II, 2.

♦ **4** Littér. (En parlant des forces morales). *Sentir son courage, sa volonté défaillir.* → **Faiblir, manquer.** *Remplir son devoir, accomplir sa tâche sans défaillir.*

5   Défaillir quelque peu a sa compensation : c'est l'exhortation de soi-même à soi-même (...)
É. LITTRÉ, Comment j'ai fait mon dict. de la lang. franç., p. 28.

6   (...) les mots défaillent sur les lèvres et la langue se paralyse sous la plume (...)
HUYSMANS, En route, p. 165.

7   Toute la volonté défaille, toute pensée s'arrête, le sommeil s'empare du corps et de l'âme.
MAUPASSANT, la Vie errante, II, p. 14.

8   Même à cette heure d'attente mortelle (...) — même à cette heure où défaille l'espérance, les images qui passent et repassent sous ses paupières baissées, la font rougir de honte et de plaisir...
BERNANOS, Monsieur Ouine, p. 95.

Sentiment qui ne peut défaillir. → **Indéfectible.**

CONTR. Maintenir (se). — Remonter (se), renforcer (se), revenir (à soi). — Affermir (s'). — Augmenter, redoubler.
◊ DÉR. Défaillance, défaillant, défaut.

DÉFAIRE [defeʀ] v. tr. [CONJUG.: *faire*.] — 1080, *desfaire* ; de 1. dé-, et *faire*.

♦ **1** Changer (une chose) de manière qu'elle cesse d'être faite, construite, élaborée, sans en détruire les éléments. *Défaire un mur pierre par pierre.* → **Déconstruire, démolir, renverser.** *Défaire ce qui était assemblé, cloué, monté, rivé, vissé...* → **Déclouer, démonter, dériver, dévisser.** *Défaire une corde* (→ **Décorder, détortiller**), *une natte* (→ **Dénatter**), *une tresse* (→ **Détresser**), *une pelote* (→ **Dépelotonner**), *un nœud* (→ **Dénouer**), *un paquet* (→ **Ouvrir**). *Défaire une toile, un tissu.* → **Découdre, effiler, parfiler.** *Défaire une couture* (→ **Débâtir, découdre, défaufiler, dépiquer**), *une fronce* (→ **Défroncer**). *Défaire ce que l'on avait fait pour le refaire, le changer...*

(Abstrait). *Défaire une réputation.* → **Miner, saper.** *Dieu fait et défait les destins. La révolution défait successivement les empires. Défaire un contrat, un mariage.* → **Rompre.**

1   Ce qui naît d'un moyen périt par son contraire ;
Tout ce que l'un a fait, l'autre le peut défaire (...)
CORNEILLE, le Menteur, V, 3.

2   Ils ne songent pas, les bonnes gens qui veulent maintenir toutes choses intactes, qu'à Dieu seul appartient de créer ; qu'on ne fait point sans défaire ; que jamais détruire c'est ne jamais renouveler (...)
P.-L. COURIER, Lettre, V, *in* LITTRÉ.

3   Ce que Charlemagne avait fait, le «successeur de Charlemagne» avait «le droit» de le défaire.
Louis MADELIN, Hist. du Consulat et de l'Empire, Vers l'Empire d'Occident, XII, p. 153.

4   Femmes, éternelles Pénélopes, qui défont le jour ce qu'elles ont tissé la nuit.
MONTHERLANT, le Démon du bien, p. 226.

♦ **2** Supprimer l'ordre, l'arrangement de (qqch.). → **Déclasser, déranger, modifier.** *Défaire sa valise, ses bagages,* en défaire le contenu. → **Déballer.** *Défaire la table, le couvert,* par oppos. à *mettre* la table, etc. *Défaire son lit. Défaire ce qui présente une certaine forme. Défaire un pli.* → **Détordre, redresser ; déplier, déplisser.** *Défaire sa coiffure.* → **Décoiffer.** *Défaire ses cheveux.* → **Dénouer.**

Fig. *Défaire l'ordre des mots dans une phrase. Ce romancier a défait puis refait sa conclusion.*

5   Cent et cent fois j'avais fait, défait et refait la même page.
CHATEAUBRIAND, Mémoires d'outre-tombe, t. III, p. 8.

♦ **3** Détacher, dénouer (ce qui maintient assemblées les pièces d'un vêtement, d'un ajustement). → **Détacher.** *Défaire les agrafes* (→ **Dégrafer**), *les boutons* (→ **Déboutonner**) *d'un vêtement. Défaire sa cravate,* en défaire le nœud (→ **Dénouer**) ; *défaire ses souliers.* → **Délacer.** *Défaire une courroie, un harnais, un licou* (→ **Délicoter**), *une sangle* (→ **Dessangler**). *Défaire une boucle.* → **Déboucler.** — Par ext. *Défaire ses vêtements.* → **Enlever, ôter, quitter ; déshabiller** (se).

6   Un homme a le droit (...) de glisser la main dans leur corsage, de défaire les boutons, les agrafes, les rubans.
J. ROMAINS, les Hommes de bonne volonté, t. IV, XV, p. 151.

Fig. → **Casser, rompre.** *Défaire un contrat, un marché. Défaire un mariage. Défaire une union, une alliance.*

♦ **4** Vx ou littér. *Défaire qqn de qqch.* : délivrer (qqn) de ce qui gêne. → **Affranchir, débarrasser, dégager, délivrer, dépêtrer** (fam.). *Défaites-moi de cet importun. Défaire qqn de ses chaînes, de ses entraves. Défaire qqn d'une mauvaise habitude. Défaire qqn de ses préjugés, de ses opinions.*

7   Ce lion fut pris dans des rets
Dont ses rugissements ne le purent défaire.
LA FONTAINE, Fables, II, 11.

8   Ne voulez-vous pas me défaire de votre marquis extravagant ?
MOLIÈRE, Critique, 1, *in* LITTRÉ.

9   Elle est ravie que, tout en riant, je la défasse d'un tel embarras.
Mᵐᵉ DE SÉVIGNÉ, Lettres, 837, 31 juil. 1680.

Speciált. Débarrasser par la mort ou le meurtre.

10   Le lendemain Constantin gagna cette célèbre bataille qui défit Rome d'un tyran, et l'Église d'un persécuteur.
BOSSUET, Hist., I, 11, *in* LITTRÉ.

♦ **5** Littér. Infliger une défaite* à, mettre en déroute. → **Battre, culbuter, enfoncer, vaincre ; tailler** (en pièces). *Défaire une armée. Défaire l'ennemi.*

11   Il y a moins de grandeur et de véritable gloire à défaire cent mille hommes qu'à en mettre vingt millions à leur aise et en sûreté.
VOLTAIRE, Apologue de Richelieu.

12 Il défit, en champ clos, tous ceux qui se proposèrent.
FLAUBERT, la Légende de saint Julien
l'Hospitalier, II (cf. Champ, cit. 6).

◆ **SE DÉFAIRE** v. pron.

◆ **1** Cesser d'être fait, élaboré, arrangé. *Nœud lâche,
desserré qui se défait. Liens qui ne peuvent se
défaire. Couture qui se défait. Sa cravate se défait.
Ma coiffure s'est défaite.*

13 (...) ces nœuds ont ceci de bon qu'une fois faits ils ne se
défont pas. A. JARRY, Ubu Roi, v, 4.
Fig. Les destinées se font et se défont.

14 La race, comme nous l'entendons, nous autres, historiens,
est donc quelque chose qui se fait et se défait.
RENAN, Disc. et conférences, Œ. compl., t. I, p. 898.
Par ext. Perdre son ancienne apparence. → **Décom-
poser** (se)... *Il s'est défait avec l'âge* (→ ci-dessous,
Défait, 2.).

15 Maintenant que je me défais peu à peu et que dans le
miroir peu à peu je lui ressemble, je doute que, revenant,
elle me reconnaisse pour sa fille (...)
COLETTE, la Naissance du jour, p. 8.

◆ **2** Régional. Défaire ses vêtements. → **Déshabiller**
(se). *Défaites-vous, et prenez place.*

◆ **3** Se débarrasser de qqn. → **Affranchir** (s'), **débarrasser** (se), **dégager** (se), **délivrer** (se), **dépêtrer** (se),
écarter, **éliminer**. *Se défaire d'un importun, d'un
fâcheux. Avoir de la peine à se défaire d'un gêneur.
Se défaire d'un mauvais employé.* → **Congédier, renvoyer.** *Se défaire d'un assaillant, d'un ennemi, en le
mettant en fuite, en le tuant. Se défaire de qqn par
la violence, par la ruse, par le fer, par le poison.*

16 — Ne voulez-vous point vous défaire de vos pensées extravagantes ? — Non, Madame ; mais je voudrais bien me
défaire d'une femme qui me déshonore.
MOLIÈRE, George Dandin, II, 7.

17 Jenny n'aimait pas que l'on s'imposât ; elle eut un sentiment d'impatience à ne pouvoir se défaire de son compagnon au moment qu'elle le souhaitait.
MARTIN DU GARD, les Thibault, t. II, p. 214.
Se défaire de qqch. → **Abandonner, balancer** (fam.),
bazarder (fam.), **débarrasser** (se), **délaisser, écarter,
jeter, rejeter, renoncer** (à) ; **rancart** (mettre au). *Se
défaire d'un objet inutilisable.* — *Se défaire d'une
mauvaise habitude, d'une mauvaise prononciation,
d'un défaut, d'une passion, d'un vice.* → **Corriger**
(se), **perdre.** *Se défaire d'une mauvaise pensée, d'une
croyance, d'une opinion, d'un préjugé, d'un sentiment.* → **Dépouiller** (se).

18 Il est plus facile de prendre de l'amour quand on n'en a
pas, que de s'en défaire, quand on en a.
LA ROCHEFOUCAULD, Maximes supprimées, 634.

19 C'est une maison de famille, et qu'il a héritée de son père ;
mais (...) il veut s'en défaire (...) parce qu'elle est trop petite.
LA BRUYÈRE, les Caractères de Théophraste,
De l'ostentation.

20 De grâce, défaites-vous d'une détestable habitude ; n'imitez
pas les veuves qui parlent toujours de leur premier mari,
qui jettent toujours à la face du second les vertus du
défunt.
BALZAC, le Lys dans la vallée, Pl., t. VIII, p. 1029.

21 L'ironie n'est pas médiocre de voir les grands esprits rejeter
la religion, sans pouvoir se défaire de la morale.
André SUARÈS, Trois hommes, «Ibsen», IX, p. 179.
Par anal. *Se défaire du pouvoir, d'une charge, d'une
fonction.* → **Démettre** (se).

22 Pour le cardinal de Retz, vous savez qu'il a voulu se
démettre de son chapeau de cardinal. Le pape ne l'a pas
voulu, et (...) s'est trouvé offensé qu'on veuille se défaire
de cette dignité (...)
Mme DE SÉVIGNÉ, Lettres, 695, 27 juin 1678.
Spécialt. Se débarrasser (de qqch.) en vendant.
→ **Aliéner, donner, échanger, séparer** (se), **vendre.** *Se
défaire d'un cheval, d'un domaine. Je ne veux pas*

m'en défaire. Se défaire à tout prix de sa marchandise.
(...) votre conseil sent son homme qui a envie de se défaire 23
de sa marchandise.
MOLIÈRE, l'Amour médecin, I, 1.

◆ **DÉFAIT, AITE** p. p. adj.

◆ **1** Qui n'est plus fait, arrangé. *Nœud défait. Cheveux défaits. Lit défait.* → **Désordre** (en). — Fam. *Il est
défait : ses vêtements sont en désordre.* → **Dépenaillé.**

◆ **2** Qui semble épuisé. → **Abattu, affaibli, amaigri,
exténué.** *Défait par la maladie, les chagrins, les
veilles. Visage défait, pâle, décomposé. Mine défaite.*
→ **Triste** (triste mine ; triste figure). cf. Mine de papier
mâché, de déterré.
(...) plus défait et plus blême 24
Que n'est un pénitent sur la fin d'un carême.
BOILEAU, Satires, 1.
Un homme agité ou défait, toujours en frisson, ou en 25
sueur, toujours en peine.
SUARÈS, Trois hommes, Dostoïevski, II, p. 209.
Fig. Qui a perdu sa contenance, sa fierté. → **Décon-
tenancé.** *Visage défait et honteux*.*
Vous rougissiez, vous pleuriez, votre visage était défait... 26
il l'est encore.
BEAUMARCHAIS, le Mariage de Figaro, II, 19.

◆ **3** Vaincu, mis en déroute. *Débris d'une armée
défaite.*

CONTR. Faire. — **Assembler, attacher, construire, fabriquer,
monter.** — **Conserver, garder, maintenir.** — **Établir, consolider** (une réputation, etc.). — **Classer, ranger, mettre** (la
table). — **Agrafer, boutonner, lacer...** — **Endosser, mettre**
(des vêtements). — **Contracter** (une union), **unir.**
(Du v. pron.) **Se faire.** — **S'habiller.** — **S'affubler, s'encombrer.** — **Garder.** — **Acheter, acquérir, adopter.**
(Du p. p.) **Arrangé, fait, ordre** (en). — **Fort.** — **Florissant,
forci, gaillard, grossi, reposé, solide.** — **Coloré** (visage). —
Vainqueur, victorieux. ◊ **DÉR. Défaite.** — **COMP. Redéfaire.**

DÉFAISANCE [defəzɑ̃s] n. f. — 1988 ; calque de
l'angl. *defeasance*, t. jurid., aussi «destruction» en anglo-
normand, de l'anc. franç. *défaisance* «destruction».
Comptab. Opération financière réalisée par une
société (le *défaiseur*) qui charge une entité distincte (le *défaisé*) de liquider les actifs de mauvaise
qualité, dans le but d'améliorer le bilan. *Opération de défaisance. Structure de défaisance.* «(...) la
solution de facilité consistant à créer une structure
de "défaisance" masquant en partie l'ampleur des
pertes» (le *Monde*, 8 mai 2000, p. 26).

DÉFAITE [defɛt] n. f. — 1415 ; autre sens, 1266 ; p. p.
substantivé de *défaire*.

I (V. 1550). Vx. ◆ **1** Facilité plus ou moins grande de
se défaire de qqch. (surtout dans la construction *de...
défaite*). *Ces marchandises-là sont de défaite* (Académie). *De bonne, de prompte défaite.* → **Placement.**

◆ **2** Excuse artificielle, mauvaise raison pour se
débarrasser, se défaire de ce qui gêne. → **Échap-
patoire, excuse, faux-fuyant, prétexte.** *Chercher une
défaite. Se tirer d'affaire par une défaite.*
C'est un vieux importun, qui n'a pas l'esprit sain, 1
Et pour qui j'ai toujours quelque défaite en main.
MOLIÈRE, les Fâcheux, III, 3.
Va, mon pauvre Figaro, n'use pas ton éloquence en 2
défaites ; nous avons tout dit.
BEAUMARCHAIS, le Mariage de Figaro, II, 20.

II Mod. ◆ **1** Échec subi par une armée ; perte* d'une
bataille. → **Échec, revers,** (fam.) **branlée, brossée,
déculottée, frottée, pile, raclée.** *Défaite sévère, écrasante, sanglante. Aller au devant d'une défaite. Ils*

subiront forcément une défaite : ils auront le dessous*. *Infliger une défaite à l'adversaire. Essuyer,
subir une défaite.* → **Succomber.** *Défaite complète.*
→ **Déconfiture.** *Défaite qui se change en déroute.*
→ **Débâcle, débandade, déroute, fuite, retraite.**

Perte d'une guerre. *La défaite de 1871. Capitulation,
reddition qui suit la défaite.*

3   Le major resta quelques secondes étourdi par cette idée
    du drapeau blanc, de la défaite, de la capitulation (...)
                                ZOLA, la Débâcle, t. II, p. 22.

4   «Une belle déculottée», dit Brunet. «Battus pour battus (...)
    c'est encore une chance que ça se soit fait si vite : la saignée
    est moins forte.» Schneider ricane : «Ils nous saigneront
    à la petite semaine...» Brunet lui jette un coup d'œil : «Tu
    m'as l'air drôlement défaitiste.» «Je ne suis pas défaitiste :
    je constate la défaite.»
                    SARTRE, les Chemins de la liberté, III, II, p. 217.

Moment où une guerre est perdue. *Avant, après
la défaite (française) de 1940.*

♦ **2** Échec (d'une personne, d'un groupe, d'une opinion). *Avouer sa défaite. Tenter de couvrir* (cit. 29) *la
honte d'une défaite. La défaite d'une cause, d'une opinion, d'une théorie. Défaite électorale. Défaite d'un
parti politique.*

5   (...) je vois dans l'affluence des pèlerins un triomphe de la
    religion, comme vous y voyez vous-même une défaite de
    la philosophie matérialiste.
                    FRANCE, l'Orme du mail, in Œ., t. XI, X, p. 106.

6   Autrefois, — il y a bien vingt ans, — toute chose au-dessus
    de l'ordinaire accomplie par un autre homme, m'était une
    défaite personnelle.   VALÉRY, M. Teste, p. 28.

7   L'échec, il l'acceptait à la rigueur, mais en fin de partie.
    Une première entreprise peut tourner mal. Un homme
    d'action n'est pas déshonoré par une défaite.
                    J. ROMAINS, les Hommes de bonne volonté, t. V,
                                                XVIII, p. 126.

8   La défaite momentanée de l'idéal pacifiste ne pouvait en
    altérer la grandeur, ni en compromettre le triomphe.
                    MARTIN DU GARD, les Thibault, t. VIII, p. 26.

CONTR. Succès, triomphe, victoire. ◊ DÉR. Défaitisme, défaitiste.

DÉFAITISME [defetism] n. m. — 1915, mot forgé en
français et en russe par un écrivain russe; de *défaite.*

Manque de confiance dans l'issue victorieuse
d'une guerre; opinion de ceux qui préconisent
l'abandon de la lutte, la cessation des hostilités.
Le défaitisme ruine le moral des combattants
(→ Défaitiste, cit. 1).

1   (...) pendant les angoisses et les douleurs de la guerre de
    1914-18, lorsque l'ardent patriote Clemenceau fut appelé
    au pouvoir par ses compatriotes réunis pour juguler le
    défaitisme alors très dangereux et donner à la guerre
    une impulsion victorieuse, que de fois je me suis rappelé
    cette vision de Clemenceau dressé au-dessus de ces ruines.
    Image symbolique.
                    Georges LECOMTE, Ma traversée, p. 175.

Par ext. → **Pessimisme.** *Le défaitisme d'un chef d'entreprise devant une crise économique.*

2   Harcelée par les reproches de ses parents, elle était prête
    à sombrer dans un amer défaitisme.
                    S. DE BEAUVOIR, la Force de l'âge, p. 237.

CONTR. Patriotisme, résistance. — Confiance, optimisme.

DÉFAITISTE [defetist] adj. et n. — 1915 (→ Défaitisme); de *défaite.*

Relatif au défaitisme. *Propos défaitistes. Journal
défaitiste.*

1   Lassitude, démoralisation, révolte, les phénomènes sur les-
    quels l'Allemagne comptait, qu'elle cherchait à produire,
    allaient se manifester en 1917 chez les Alliés avant de se
    manifester chez elle (...) Des mutineries éclatèrent dans
    l'armée (...) Une propagande «défaitiste» s'exerçait (...)
                    J. BAINVILLE, Hist. de France, XXII, p. 559.

N. Partisan du défaitisme. → **Capitulard** (2.); **pessimiste.** *Faire taire les défaitistes.* «*les défaitistes et
les pactiseurs avec l'ennemi*» (Romain Gary, *la Promesse de l'aube,* p. 252).

2   (...) si le but à atteindre est la cohabitation pacifique de
    huit millions de musulmans et de huit cent mille Euro-
    péens, la politique suivie (...) est la mieux faite pour gâcher
    toutes les chances que nous gardions encore d'y parvenir.
    Ceux que la presse officielle appelle défaitistes, les lecteurs
    de *la Croix* reconnaîtront en eux plus de sagesse politique,
    plus de bon sens que chez les prétendus réalistes qui se
    moquent des «belles âmes».
                    F. MAURIAC, le Nouveau Bloc-notes 1958-1960,
                                                        p. 13.

CONTR. Belliqueux, jacobin, patriote, résistant. — Optimiste.

DÉFALCATION [defalkasjɔ̃] n. f. — 1307, *défalca-
cion;* du lat. médiéval *defalcatio,* du supin de *defalcare.*
Didact., admin. Action de défalquer. → **Déduction.**
*Faire, opérer une défalcation, la défalcation des frais
généraux de* (par rapport à) *la recette brute. Défalcation faite des frais, il vous reste tant.* — Figuré :
— Sa nature véritable, interne, devait être d'une *férocité*
compassée, défalcation faite de son degré de civilisation.
                    VILLIERS DE L'ISLE-ADAM, Tribulat Bonhomet,
                                                        p. 88.

DÉFALQUER [defalke] v. tr. — 1384, *deffalquer;* du
lat. médiéval, d'abord *defalcare* «couper avec la faux»,
de *de-,* et *falx, falcis.* → 2. Faux.
Retrancher (une somme, une quantité) d'une
somme, d'une quantité. → **Déduire, diminuer, ôter,
rabattre, réduire, retrancher, soustraire.** *Défalquer
ses frais généraux de la recette brute pour obtenir
le bénéfice net. Défalquer la tare dans une pesée. Il
faudra défalquer les avances. Action de défalquer
qqch.* → **Défalcation.** — Pron. *Les frais peuvent se
défalquer.*
À mesure que l'on prend des points, on en défalque autant
sur la partie de l'adversaire.
                    CHATEAUBRIAND, Voyage en Amérique, 85,
                                                    in LITTRÉ.

♦ **DÉFALQUÉ, ÉE** p. p. adj. *Frais défalqués.*
CONTR. Ajouter, augmenter.

DÉFANAGE [defanaʒ] n. m. — 1704; *effanage,* 1791;
de 1. *dé-,* et *fanage,* ou de *défaner,* verbe dialectal.
Agric. Opération qui consiste à débarrasser des
fanes (des tubercules).

DÉFANANT [defanã] n. m. — V. 1972; de 1. *dé-,* et
fane, ou de *défaner* (verbe dialectal, XIXᵉ).
Agric. Produit chimique destiné à la destruction
des fanes de tubercules.

DÉFARDER [defaʀde] v. tr. — 1611; «priver (qqn) de
son lustre, de sa renommée», 1555; de 1. *dé-,* et *farder.*
Rare. Enlever le fard de (qqn, un visage...). → **Démaquiller.**

♦ **DÉFARDÉ, ÉE** p. p. adj. *Visage défardé.* — Par métaphore :

1   Comme j'avais eu tort de surprendre à son réveil ma
    France défardée et défaite !
                    GIRAUDOUX, Simon le pathétique, p. 50.

2   Incendie du Ritz. Tous les vieux polichinelles défardés
    s'échappant en hurlant de leurs cambuses.
                    CLAUDEL, Journal, janv. 1926.

DÉFARGUER (SE) [defaʀge] v. pron. — 1821,
Esnault; de 1. *dé-,* et *farguer* «charger» («fargués de
camelote»).

Argot.

♦ **1** Se décharger, se soulager. *«Se défarguer sur le dos d'un complice»* (G. Sandry) : mettre sur le compte d'autrui ses propres méfaits.

♦ **2** Se débarrasser (de qqch.). *Se défarguer de fausses pièces d'identité, d'objets volés.*

REM. Aussi attesté comme v. tr. non pron., au sens «acquitter» (cf. Goron, *l'Amour à Paris*, t. III, p. 1764-1765).

DÉFATIGANT, ANTE [defatigã, ãt] adj. — 1956; de *défatiguer.*

Qui défatigue. *Régime défatigant.*

DÉFATIGUER [defatige] v. tr. — 1836; de 1. *dé-,* et *fatiguer.*

Supprimer la fatigue ou l'impression de fatigue à (qqn, une partie du corps...). → **Délasser.** *Bas qui défatiguent les jambes.* — Absolt. *Massages propres à défatiguer.*

1 Amélie s'appuya au dossier de sa chaise pour se défatiguer les épaules.   H. TROYAT, la Grive, p. 20.

♦ **SE DÉFATIGUER** v. pron. *Se défatiguer par un bon bain après une journée pénible. Se défatiguer d'une course éreintante. «dormir une heure, moins encore, et me simplement se défatiguer»* (Ch.-F. Landry, *Garcia,* p. 225).

♦ **DÉFATIGUÉ, ÉE** p. p. adj.

2 Je me repose, dit-elle, je suis lasse, j'ai fait un grand tour ! Quand je serai défatiguée, je repartirai.
        J. RENARD, Nos frères farouches, Ragotte, *in* Œ., t. II, Pl., p. 388.

CONTR. **Fatiguer.** ◊ DÉR. **Défatigant.**

DÉFAUFILER [defofile] v. tr. — 1823; de 1. *dé-,* et *faufiler.*

Cout. Défaire (ce qui était faufilé).

CONTR. **Faufiler.**

DÉFAUSSE [defos] n. f. — XXe; de 2. *défausser* (se).

Jeu. Fait de jouer les cartes que l'on estime inutiles ou dangereuses à conserver.

1. DÉFAUSSER [defose] v. tr. — 1845; de 1. *dé-,* et *fausser.*

Techn. Redresser (ce qui a été faussé). *Défausser une clef, un outil.*

CONTR. **Fausser.**

2. DÉFAUSSER (SE) [defose] v. pron. — 1792; de 1. *dé-,* et *faux* (fausse carte), ou de 2. *dé-,* et *fausser* au sens anc. «tromper; faire défaut».

Jeu. Se débarrasser (d'une carte inutile ou dangereuse à conserver). *Se défausser de l'as de carreau.* — Sans compl. *Se défausser à propos. Il s'est défaussé à trèfle.*

Fig. Se décharger (d'une responsabilité, d'une corvée...). *«il accorde ou refuse la grâce d'un condamné à mort ; il est seul. Et il ne peut se défausser sur personne»* (B. Tricot, in *l'Express,* 31 oct. 1977, p. 156).

DÉR. **Défausse.**

DÉFAUT [defo] n. m. — V. 1165; anc. p. p. de *défaillir.*

I (Idée de manque, d'absence). ♦ **1** Absence (de ce qui serait nécessaire ou désirable). → **Absence, carence, faute, manque, pénurie, privation.** *Le défaut de vivres obligea la ville à se rendre.* → **Disette.** *Effet protesté par défaut de paiement.* — *Préfixes indiquant le défaut, le manque* → **Dé-, di-, dis-.** *Défaut d'accord,*

d'harmonie, de proportion. → **Déséquilibre, discordance, disproportion.** — *L'ignorance, défaut de connaissances; la sottise, défaut de jugement. Défaut d'énergie. Un défaut total de talent.* → **Nullité.** *Défaut d'attention* (cit. 3), *de pénétration, de jugement. Défaut d'imagination, de mémoire. Défaut de prévoyance :* négligence. *Défaut de soin.*

1 (...) ils n'ont commis aucun péché par le défaut de charité et de pénitence.   PASCAL, les Provinciales, IV.

2 Si la pauvreté est la mère des crimes, le défaut d'esprit en est le père.   LA BRUYÈRE, les Caractères, XI, 13.

3 Ni l'ignorance n'est défaut d'esprit, ni le savoir n'est preuve de génie.
      VAUVENARGUES, Réflexions et maximes, 217.

4 Le défaut d'exercice est fatal aux enfants.
      BALZAC, *in* P. LAROUSSE.

5 Il sentit que le défaut de maturité de leur esprit se trahissait dans tout ce qu'ils disaient (...)
      Valéry LARBAUD, Fermina Marquez, XV, p. 159.

REM. Sans être vieilli ni littér., cet emploi est d'un style soutenu; *manque* est le mot le plus courant dans ce sens.

Cour. **FAIRE DÉFAUT (à...).** → **Défaillir** (vx), **disparaître, manquer.** *La santé lui fait peu à peu défaut. Les forces m'ont fait défaut.* → **Abandonner, trahir.** *Le temps nous fait défaut. Au moment de parler, la voix lui a fait défaut.* — Sans compl. *Suppléer à ce qui fait défaut.*

6 (...) toujours la sagesse fait défaut par quelque endroit.
      FRANCE, le Mannequin d'osier, *in* Œ., t. XI, IX, p. 331.

7 Je ne suis que trop capable de la joie : c'est elle qui me manque, dans la marée continuelle du néant, ce flux et ce reflux misérable de vie et de mort; partout où le temps fait défaut, partout je perds pied dans le vide dévorant aux parois de ténèbres ; c'est la douleur qui tient tout l'espace.
      André SUARÈS, Trois hommes, «Ibsen», VII, p. 161.

Sc. (opposé à *excès*). Math. Différence en moins d'une quantité à une autre. *Approximation (d'un nombre) par défaut,* inférieure à ce nombre (opposé à *par excès*). *Un total approché par défaut.*

Figuré.

8 Si je pèche par excès, ils pèchent par défaut; je comprends ce qu'ils comprennent, et ils ne comprennent pas ce que je comprends.
      CHATEAUBRIAND, Mémoires d'outre-tombe, t. VI, p. 328.

Inform. **PAR DÉFAUT :** qualifie l'état des réglages d'un ordinateur, d'un périphérique, d'un logiciel tel qu'il est proposé à l'origine par le fabricant. *Modifier les paramètres par défaut d'une imprimante.*

Phys. *Défaut de masse :* différence entre le poids atomique d'un atome et son nombre en masse (positive quand le poids isotopique est supérieur au nombre de masse). *Défaut de réseau :* défaut caractérisant un réseau cristallin par rapport à un réseau idéal ou parfait (où tous les éléments de structure sont à leur place normale). — *Défauts ponctuels* (lacunes, insertions, substitutions), *linéaires* (des locations). — *Défauts extrinsèques, intrinsèques. Défaut de Schottky, de Frenkel.*

♦ **2** Solution de continuité entre deux choses. → **Creux.** *Défaut des côtes :* espace entre deux côtes. *«Une seule balle (...) au défaut de l'épaule foudroie l'ours»* (R. Frison-Roche, *Peuples chasseurs de l'Arctique,* p. 347).

Loc. *Le défaut de la cuirasse, le défaut de l'armure :* l'endroit le plus faible, où il y a une solution de continuité entre deux pièces contiguës (→ Armure, cit. 4.1). — Fig. L'endroit faible. — Absolt et vx. *Le défaut.*

9 Fuyez un ennemi qui sait votre défaut (...)
      CORNEILLE, Polyeucte, I, 1.

10 Mais si j'avais voulu t'attaquer au défaut
De l'armure, ta honte égalerait ta gloire.
BAUDELAIRE, les Fleurs du mal,
«Châtiment de l'orgueil».

♦ **3** LOC. prép. AU DÉFAUT DE (vx); À DÉFAUT DE :
dans le cas d'un manque de... → **Faute** (de), **lieu** (au
lieu de). *Engager tel employé à défaut d'un autre.
À défaut d'entente...* (→ Arbitrage, cit. 4). *Nous nous
en contenterons à défaut de mieux. À défaut de vin
nous boirons de l'eau.*

10.1 (...) la princesse commanda (...) qu'on lui montrât l'oratoire
dont l'intendant des jardins du sultan avait eu soin de faire
accompagner la maison, au défaut de mosquée dans le
voisinage.
A. GALLAND, les Mille et une Nuits, t. III, p. 451.

11 Il aurait trouvé dans ce travail, à défaut de joie, la paix
de l'esprit.
FRANCE, le Mannequin d'osier, *in* Œ., t. XI, I.

♦ **4** Dr. Situation d'une partie qui, à un procès,
demeure étrangère, volontairement ou non. → **Contumace, défaillance**; **défaillant**. *Le défaut d'une
partie empêche le débat d'être contradictoire. Défaut
de comparaître. Faire défaut. Constater le défaut*
(→ Conciliation, cit. 2). *Donner défaut :* donner acte
de la non-comparution. *Jugement par défaut :* décision rendue contre une partie non comparante et
non représentée. *Condamner par défaut. Former
opposition à un jugement par défaut.*

12 Si, au jour indiqué par la citation, l'une des parties ne
comparaît pas la cause sera jugée par défaut (...)
La partie condamnée par défaut pourra former opposition (...) Code de procédure civile, art. 19 et 20.

13 Si le défendeur ne constitue pas avoué, ou si l'avoué constitué ne se présente pas au jour indiqué pour l'audience,
il sera donné défaut.
Code de procédure civile, art. 149.

DÉFAUT-CONGÉ, accordé au défendeur quand le
demandeur ne vient pas soutenir sa demande à
l'audience (*Code de procédure civile,* art. 154). *Le tribunal prononce le congé du demandeur après avoir
constaté son défaut. Défaut contre avoué* ou *défaut
faute de conclure :* défaut de l'avoué du défendeur
quand il n'a pas déposé de conclusions. *Défaut
contre partie* ou *faute de comparaître :* défaut du
défendeur qui ne comparaît pas ou qui ne constitue pas avoué. *Adjuger le profit du défaut :* statuer
par suite du défaut en faveur du demandeur.
Défaut profit-joint.

14 Si, de deux ou plusieurs parties assignées, toutes ne constituent pas avoué, les parties défaillantes seront, à l'expiration des délais d'ajournement, réassignées par huissiers
commis par ordonnance du président, avec mention, dans
la réassignation, que le jugement à intervenir aura les
effets d'un jugement contradictoire.
Code de procédure civile, art. 153.

♦ **5** Vén. Perte de la voie par les chiens (surtout dans
en défaut). *Mettre les chiens en défaut,* les induire
en erreur. → **Dépister.** *Les chiens sont en défaut*
(→ Change, cit. 2.1). *Relever le défaut :* se remettre
sur la voie.

15 Il s'enfuit (*le lièvre*) dans son fort, met les chiens en défaut,
Sans même en excepter Brifaut.
LA FONTAINE, Fables, V, 17.

Loc. fig. EN DÉFAUT. *Être en défaut :* manquer à
ses engagements (→ **Faillir**) ou commettre quelque
erreur. → **Ignorer, tromper** (se). *Mettre, prendre,
surprendre, trouver qqn en défaut.* → **Manquement**
(→ Aventure, cit. 34). — Par anal. → **Échec.** *Mettre
en défaut la vigilance de qqn. Sa mémoire est en
défaut.* → **Faute.** *Sa compétence* (cit. 4) *n'est jamais
en défaut.*

16 Les fautes des sots sont quelquefois si lourdes et si difficiles à prévoir qu'elles mettent les sages en défaut et ne
sont utiles qu'à ceux qui les font.
LA BRUYÈRE, les Caractères, XI, 62.

II (Idée d'imperfection, de mal). Cour. ♦ **1** (1608; de *il faut*
«il manque»). Imperfection physique. → **Anomalie,
défectuosité, difformité, mal, malforma-
tion, tare, vice** (*défaut* est plus faible que ces mots).
*Défaut congénital. Défaut de conformation. Défaut
du corps, du visage. Peau sans un défaut* (→ Brûlure,
cit. 4). — «*La privation des grâces est un défaut...*»
(→ Pardonner, cit. 13).

17 Les défauts de l'esprit augmentent en vieillissant, comme
ceux du visage.
LA ROCHEFOUCAULD, Maximes, 112.

18 Ils comptent les défauts pour des perfections,
Et savent y donner de favorables noms.
La pâle est aux jasmins en blancheur comparable;
La noire à faire peur, une brune adorable (...)
C'est ainsi qu'un amant dont l'ardeur est extrême
Aime jusqu'aux défauts des personnes qu'il aime.
MOLIÈRE, le Misanthrope, II, 4.

18.1 Rien n'était joli comme les sujets qu'admettait Rodin. Si on
lui en présentait un qui eût quelques défauts corporels,
ou point de figure, il avait l'art de le rejeter sous vingt
prétextes (...) SADE, Justine..., t. I, p. 104.

19 Même les petits défauts de sa figure, une marque de
petite vérole, par exemple, donnent de l'attendrissement
à l'homme qui aime (...)
STENDHAL (→ Attendrissement, cit. 4).

Par anal. (chez un animal). Irrégularité de proportions du corps.

♦ **2** Détail irrégulier, partie imparfaite, défectueuse
(dans une matière ou un ouvrage). *Défauts d'une
étoffe. Meuble sans défaut de fabrication. Ce diamant a un léger défaut.* → **Crapaud.** *Les nœuds* sont
des défauts du bois. Défauts d'un acier, d'un alliage*
(pailles, etc.). *Cacher* les défauts d'une marchandise.*

20 Le vendeur est tenu de la garantie à raison des défauts
cachés de la chose vendue qui la rendent impropre à
l'usage auquel on la destine, ou qui diminuent tellement
cet usage, que l'acheteur ne l'aurait pas acquise, ou n'en
aurait donné qu'un moindre prix, s'il les avait connus.
Code civil, art. 1641.

21 Si l'astronome s'obstine à prendre pour un lac de la lune
le défaut de sa lunette, il ne change donc de lunette.
J. PAULHAN, les Fleurs de Tarbes, III, 8, p. 129.

Loc. fam. (d'un sketch comique de Fernand Raynaud).
Y a (il y a) *comme un défaut! :* ça ne va pas, il y
a un grave défaut.

♦ **3** (Opposé à *qualité*). Imperfection morale, comportement habituel ou tendance condamnable
(moins grave que *vice, péché*). → **Faiblesse, imperfection, mal, tare, travers.** *Avoir de nombreux défauts.
Il n'a pas de défauts, il est parfait, c'est un saint.*
Loc. prov. *La curiosité est un vilain défaut. De gros,
de petits défauts. Défaut véniel. La colère* (cit. 15),
la gourmandise, l'orgueil sont des défauts. → aussi
Péché. *Chacun a ses défauts. Voir, connaître, avouer
ses défauts. Se corriger* (cit. 1 et 2) *de ses défauts.
Défaut incorrigible. Déceler, découvrir les défauts
d'autrui. Reprocher ses défauts à qqn. C'est là son
moindre défaut :* il a des défauts bien plus grands
encore (→ Abandonner, cit. 30; et, ci-dessous, cit. 22).
Être aveugle, indulgent pour les défauts de qqn.
Excuser, pardonner, couvrir* (cit. 30) *les défauts
d'une personne. — Ouvrage qui dépeint les défauts
du temps.* → **Ridicule, travers.** *La comédie* (cit. 21)
représente les défauts des hommes (→ Appliquer,
cit. 25).

22 La fourmi n'est pas prêteuse :
C'est là son moindre défaut.
LA FONTAINE, Fables, I, 1.

23 Il fit pour nos défauts la poche de derrière (...)
LA FONTAINE, Fables, I, 7 (→ Besacier, cit. 1).

24 C'est sans doute un mal que d'être plein de défauts; mais
c'est encore un plus grand mal que d'en être plein et de ne
les vouloir pas reconnaître, puisque c'est y ajouter encore

celui d'une illusion volontaire.

PASCAL, Pensées, 100.

25 On n'a guère de défauts qui ne soient plus pardonnables que les moyens dont on se sert pour les cacher.

LA ROCHEFOUCAULD, Maximes, 411.

26 Si nous n'avions point de défauts, nous ne prendrions pas tant de plaisir à en remarquer dans les autres.

LA ROCHEFOUCAULD, Maximes, 31.

27 Nous n'avouons de petits défauts que pour persuader que nous n'en avons pas de grands.

LA ROCHEFOUCAULD, Maximes, 327 (cf. aussi Maximes 90, 130, 154, 184, 190, 194, 251, 354, 365, 383, 397, 399, 424, 426, 442, 462, 493, 526).

28 Les amants ne voient les défauts de leurs maîtresses que lorsque leur enchantement est fini.

LA ROCHEFOUCAULD, Maximes, 545.

29 L'on ne voit en amour de défauts dans ce qu'on aime que ceux dont on souffre soi-même.

LA BRUYÈRE, les Caractères, IV, 27.

30 On peut aimer de tout cœur ceux en qui on reconnaît de grands défauts.

VAUVENARGUES, Réflexions et maximes, 176.

31 Celui qui t'entretient des défauts d'autrui entretient les autres des tiens.

DIDEROT, Opinions des anciens philosophes, in LITTRÉ.

32 (...) il arrive qu'on nous aime plus pour nos défauts que pour nos qualités. Joseph JOUBERT, Pensées, V, 44.

33 Mais le défaut n'est point un *vice* de tempérament, c'est tout ce qui nous manque de droit, de juste, de régulier, de normal, d'où résulte quelque inconvénient pour nous ou pour les autres.

LAFAYE, Dict. des synonymes, p. 680.

34 Les défauts de nos morts se fanent, leurs qualités fleurissent, leurs vertus éclatent dans le jardin de notre souvenir.

J. RENARD, Journal, 17 juin 1905.

35 Sous prétexte que la perfection n'est pas de ce monde, ne gardez pas soigneusement tous vos défauts.

J. RENARD, Journal, 13 mars 1906.

36 On a tort de dire que l'amour est aveugle ; la vérité est que l'amour est indifférent à des défauts ou à des faiblesses qu'il voit fort bien, s'il croit trouver dans un être ce qui lui importe plus que tout et qui souvent est indéfinissable.

A. MAUROIS, Climats, II, IV, p. 170.

♦ **4** Ce qui est insuffisant, médiocre ou mauvais (dans une œuvre, une activité). ➙ **Imperfection, faiblesse, faute, maladresse, malfaçon, tache, tare.** *Relever les défauts d'un poème, d'une peinture, d'une sculpture.* ➙ 2. **Critique** (cit. 4). *Trouver un défaut dans une chose, une ombre au tableau. Ouvrage rempli de défauts.* ➙ **Imparfait.** *Tomber dans un défaut commun. Un défaut à surveiller. Masquer un défaut. Défaut de langage, de style.*

37 Un sonnet sans défauts vaut seul un long poème.

BOILEAU, l'Art poétique, II.

Par anal. Les défauts d'un auteur (cit. 27), *d'un artiste. Écrivain sans défaut, sans défauts.*

38 Oh ! parbleu, je reconnais bien les défauts de Zola ; mais, tout comme ceux de Balzac ou de tant d'autres, ils sont inséparables de ses qualités.

GIDE, Journal, 17 juil. 1932.

➙ **Désavantage, inconvénient.** *Défauts d'une théorie, d'un système. Il y a un défaut dans le raisonnement,* il boite*, il cloche*. *Défaut caché* (→ Le ver est dans le fruit). *Défaut d'une construction. Défaut de fonctionnement d'un appareil. Remédier à un défaut.*

39 Le grand défaut des maisons bien réglées est d'avoir un air triste et contraint.

ROUSSEAU, Julie ou la Nouvelle Héloïse, t. II, V, Lettre II.

CONTR. **Abondance, excès, mérite, perfection, progrès, qualité, vertu.**

DÉFAVEUR [defavœʀ] n. f. — XVᵉ, *deffaveur ;* de 1. *dé-,* et *faveur.*

♦ **1** Perte de la faveur*, de l'estime ; disposition défavorable (à l'égard de qqn, de qqch.). ➙ **Décri,**

discrédit, disgrâce. *La défaveur d'un prince, d'un ministre, du gouvernement* (à l'égard de...), *leurs dispositions défavorables. S'attirer la défaveur de l'opinion, du public.* ➙ **Défiance, hostilité, inimitié ; déplaire, déprécier** (se). *Tomber dans une cruelle défaveur. Défaveur passagère* (➙ **Éclipse**). *Une certaine défaveur s'attache à ce genre de spectacle. Une «preuve publique de défaveur»* (É. Zola).

1 Une société qui n'était pas de celles que la faveur attire et que la défaveur éloigne.

MARMONTEL, Mémoires d'un père..., X.

2 La *défaveur* est moindre que la *disgrâce :* elle consiste seulement à être malvoulu, et encore passagèrement peut-être, à n'inspirer plus ce goût de prédilection, cet intérêt particulier qui fait le *favori* (...) Un écrivain est en *défaveur* (mais non pas en *disgrâce,* ce serait trop dire), quand ses écrits ne sont plus goûtés ou accueillis du public avec une disposition *favorable* ou bienveillante.

LAFAYE, Dict. des synonymes, *Défaveur, disgrâce.*

3 J'étais indépendant d'esprit et de parole, j'étais sans fortune et poète, triple titre à la défaveur (...)

A. DE VIGNY, Journal d'un poète, p. 56.

Loc. *En défaveur. Être en défaveur auprès de qqn. Tomber en défaveur.*

4 (...) la plupart des badauds — j'étais un de ceux-là — venus pour voir le peloton des derniers partisans d'une cause alors bien en défaveur, regardaient avec un discret amusement les obstinés de la vieille garde, du dernier carré.

Georges LECOMTE, Ma traversée, p. 35.

♦ **2** Vx ou rare. (*Une, des défaveurs*). Comportement, appréciation défavorable envers qqn. *Afficher une défaveur pour qqn.*

CONTR. **Faveur. — Amitié, crédit, estime, grâce. — Popularité, vogue.**

DÉFAVORABLE [defavɔʀabl] adj. — Av. 1475, *desfavorable ;* de 1. *dé-,* et *favorable.*

♦ **1** *Défavorable à... :* qui n'est pas favorable (envers qqn, qqch.) ; qui désavantage ou risque de désavantager (qqn, qqch.). — (Personnes). *Être défavorable à qqn. Examinateur défavorable à un candidat.* ➙ **Ennemi, hostile.** *Il est défavorable à cette candidature* (→ Voir d'un mauvais œil*). — (Actes, jugements). *Le jugement lui fut défavorable. Avis, opinion défavorable à qqn, à un ouvrage.* — (Sans compl.). *Les terminaisons en -ache, -ard, -âtre ajoutent une nuance défavorable.* ➙ **Péjoratif** (→ -ard, cit. 1).

♦ **2** (Choses, circonstances). **a** (Sans compl. en *à*). *Conditions, circonstances défavorables.* ➙ **Adverse, contraire, désavantageux, funeste, mauvais, néfaste, nuisible, opposé.** *La situation est défavorable, très défavorable. Dans l'hypothèse la moins défavorable. La situation est défavorable pour nous* (même sens que : nous est défavorable ; → ci-dessous, b).

b *Les circonstances lui furent défavorables. Être défavorable à qqn, à qqch. :* constituer un élément négatif, dangereux pour...

(Elle) ne voulait pas un conflit qui eût été défavorable à l'offensive conjuguée qu'elle prenait plaisir à mener, avec Madame Marcenat, contre les jeunes générations (...)

A. MAUROIS, Climats, II, XX, p. 258.

CONTR. **Avantageux, favorable, propice.** ◊ COMP. **Défavorablement.**

DÉFAVORABLEMENT [defavɔʀabləmɑ̃] adv. — 1752 ; de *défavorable.*

D'une manière défavorable. *Influer, agir défavorablement sur qqn, sur l'opinion. Il a répondu défavorablement,* en exprimant sa défaveur. *Être défavorablement disposé à l'égard de qqn.*

CONTR. **Favorablement.**

DÉFAVORISER [defavɔRize] v. tr. — 1468; de 1. dé-, et favoriser.

(Sujet n. de personne ou de chose). Priver (qqn) d'un avantage (consenti à un autre ou qu'on aurait pu lui consentir). → **Désavantager, desservir, frustrer, handicaper.** *Je ne voudrais pas défavoriser certains candidats.* — (Sujet n. de chose). *Cette décision, cette mesure, cette loi nous défavorise par rapport à nos concurrents.* — Cour., au passif. *Être défavorisé par le sort, par la malchance.*

Jacques (Sobieski) [...] était né avant l'élection de son père, ce qui le défavorisait fort.
SAINT-SIMON, Mémoires, I, 383.

(Le compl. désigne une chose, une abstraction). *Les mutations qui «favorisent ou qui défavorisent plus ou moins l'espèce»* (J. Rostand, in T. L. F.).

♦ **DÉFAVORISÉ, ÉE** p. p. adj. *Candidat défavorisé.* — *Classes sociales défavorisées. Régions, pays défavorisés économiquement.* → **Pauvre, sous-développé.** *Les zones les plus défavorisées du pays.*

CONTR. Aider, avantager, favoriser, soutenir.

1. **DÉFÉCATEUR** [defekatœR] n. m. — 1877; de déféquer (1.).

Chim. Appareil propre à opérer la défécation*. *Emploi de défécateurs dans l'industrie sucrière.*

2. **DÉFÉCATEUR, TRICE** [defekatœR, tRis] adj. — 1948; de déféquer (2.).

Physiol. Qui se rapporte à la défécation. *Fonction défécatrice du gros intestin.*

DÉFÉCATION [defekasjɔ̃] n. f. — 1660, defæcation; du lat. defæcatio, du supin de defæcare. → Déféquer.

♦ 1 Chim. Dépuration (d'un liquide) par précipitation des parties qui le troublent. → **Clarification,** 1. **défécateur.**

♦ 2 (1814). Physiol. Expulsion des matières fécales (ou fèces); acte terminal de la digestion. → 2. **Défécateur** (adj.). *L'acte de défécation. Pendant, après la défécation.*

DÉFECTIF, IVE [defɛktif, iv] adj. — 1629; «défectueux», 1314; lat. defectivus, de defectum, supin de deficere «faire défaut».

♦ 1 (1680). Gramm. Se dit des verbes auxquels manquent, dans l'usage réel, certaines formes de la conjugaison à laquelle ils appartiennent (ex.: chaloir, choir, clore, gésir, quérir, seoir).

♦ 2 Géom. Se dit d'une hyperbole qui n'a qu'une asymptote.

♦ 3 Mus. Qui ne comporte pas de demi-tons. *Une gamme défective.*

DÉFECTION [defɛksjɔ̃] n. f. — 1680; «éclipse», v. 1170; lat. defectio, du supin de deficere. → Défectif.

Action d'abandonner une cause, un parti auquel on appartient. → **Abandon, apostasie, désertion, trahison.** *La défection de qqn, sa défection. Défection générale, massive.* → **Débandade, déroute.** *Le parti enregistre peu de défections. Faire défection.* → **Abandonner, quitter, retirer** (se), **trahir.** *La défection d'un allié.*

1 La défection des Caraïbes rouges qui ne voulurent donner contre leurs rivaux aucun des secours qu'ils avaient promis à des alliés trop dangereux (...)
G. T. RAYNAL, Hist. philosophique, XIV, 37, in LITTRÉ.

(Il) avait prétendu qu'il y avait eu au début de la guerre 1.1 dans certains régiments français des défections qu'il appelait des défectuosités, et avait accusé de les avoir provoquées ce qu'il appelait le «militariste prussien» (...)
PROUST, le Temps retrouvé, Pl., t. III, p. 747.

(...) il redoutait la trahison des uns et la défection des 2 autres (...)
Ch. PÉGUY, la République..., p. 76.

(...) au moment de quitter Bafio, il y eut défection de por- 2.1 teurs, désordre, et confusion, ce qui nous retarda de près d'une heure.
GIDE, Voyage au Congo, in Souvenirs, Pl., p. 774.

CONTR. Constance, fidélité. — Ralliement. ◊ **DÉR.** Défectionnaire.

DÉFECTIONNAIRE [defɛksjɔnɛR] n. et adj. — 1843, in D. D. L.; de défection.

Vx ou hist. Personne qui fait défection.

Le ci-devant comte de Mirabeau, et le ci-devant évêque d'Autun, passés, au milieu des anathèmes des leurs, dans le camp de la Révolution, défectionnaires des deux premiers ordres et par là odieux à leurs congénères, ne désespéraient pas (...)
Louis MADELIN, Talleyrand, I, p. 52.

DÉFECTUEUSEMENT [defɛktɥøzmɑ̃] adv. — 1380; de défectueux.

Rare. D'une manière défectueuse. → **Imparfaitement, mal.**

CONTR. Bien.

DÉFECTUEUX, EUSE [defɛktɥø, øz] adj. — 1336; lat. médiéval defectuosus, de defectus «manque», ou directement, par analogie, du supin de deficere. → Défectif.

♦ 1 Dr. Qui manque de certaines conditions, de certaines formes requises. → **Incomplet.** *Inventaire, acte défectueux. Compte défectueux. Jugement défectueux.*

♦ 2 Cour. Qui n'a pas les qualités requises; qui présente des imperfections, des défauts. → **Imparfait, insuffisant, mauvais; désirer** (laissant à désirer). *Raisonnement défectueux.* → **Boiteux, incorrect, vicieux.** *Résultat défectueux.* → **Manqué, raté.** *Machine défectueuse, outil défectueux.* → **État** (hors d'état). *Ouvrage défectueux. Installation, organisation défectueuse. Sa vue est défectueuse.* → **Déficient.**

La vérité qui nous reprend et qui nous fait voir en nous- 1 mêmes ce qu'il y a de défectueux et de vicieux.
BOURDALOUE, 4ᵉ Dimanche après Pâques, Dominic., t. II, p. 126, in LITTRÉ.

Il y a dans l'art un point de perfection, comme (...) de 2 maturité dans la nature. Celui qui le sent et qui l'aime a le goût parfait; celui qui ne le sent pas, et qui aime en deçà ou au delà, a le goût défectueux.
LA BRUYÈRE, les Caractères, I, 10.

L'admiration de Chateaubriand n'est si souvent défec- 3 tueuse que parce que le sens esthétique si éminent dont il était doué ne reposait pas sur une solide instruction.
RENAN, l'Avenir de la science, in Œ., t. III, p. 963.

L'installation est aussi rudimentaire et défectueuse que 4 possible.
J. ROMAINS, les Hommes de bonne volonté, t. V, XXII, p. 176.

CONTR. Correct, exact, irréprochable, parfait. ◊ **DÉR.** Défectueusement.

DÉFECTUOSITÉ [defɛktɥozite] n. f. — 1486, deffectuosité; du lat. médiéval defectuositas, de defectuosus. → Défectueux.

♦ 1 Rare. État de ce qui est défectueux. → **Imperfection, insuffisance, vice.** *La défectuosité d'un produit, d'une fabrication, d'une œuvre.*

Absence d'un élément important ou constitutif.
→ **Défaut** (I.).

♦ **2** (*Une, des défectuosités*). Caractéristique de ce qui est défectueux. → **Défaut** (II.), **imperfection, lacune**. *Les défectuosités d'un produit.* → **Malfaçon**.

REM. Relativement courant dans le domaine concret, le mot est littéraire en matière psychologique, morale.

(...) chez les hommes forts de hautes parties d'intelligence et de génie sont compatibles avec les déviations et les défectuosités les plus abruptes.
SAINTE-BEUVE, Volupté, XIX, p. 197.

Spécialt, vx. Défaut physique (d'une personne). — (Avec un compl. en *de*). *Son élégance «cherchant à dissimuler les défectuosités de sa taille»* (R. Rolland, in T. L. F.).

DÉFÉMINISATION [defeminizasjɔ̃] n. f. — Attesté xxᵉ; de *déféminiser*.

Didact. Suppression ou diminution de la féminité.

L'érotisme devient obsédant. Ce qui ne témoigne qu'en apparence d'une virilité accrue (ou d'une «féminité») ainsi que d'une capacité plus grande à la volupté. Nous y verrions volontiers le symptôme inverse; dévirilisation et déféminisation, frigidité non pas vaincues mais devenues plus conscientes, exigences d'une compensation.
Henri LEFEBVRE, la Vie quotidienne dans le monde moderne, p. 162 (1968).

DÉFÉMINISER [defeminize] v. tr. — Av. 1801; de 1. *dé-*, et *féminiser*.

Didact. Supprimer le caractère féminin de. — Pron. Perdre sa féminité.

Eh bien, moi (...) je vais vous prédire ce qui arrive aux femmes qui se sont trop longtemps refusé à ce qu'elles désiraient : elles se déféminisent. Oui, je ne vois pas d'autre terme. Une déféminisation qui ne dépend ni de l'âge ni de la beauté, et qui les prive à leur insu, de toute attirance (...)
G. CESBRON, Don Juan, p. 173.

DÉR. Déféminisation.

DÉFENDABLE [defãdabl] adj. — 1265; de *défendre*.

Qui peut être défendu (surtout en emploi négatif ou restrictif). *Cette position, cette ville n'est pas défendable sans artillerie.*

Abstrait. *Cause défendable. La thèse qu'il soutient n'est pas défendable.* → **Soutenable**. *Cette conduite est défendable.* → **Justifiable**.

L'idée d'entourer la Russie soviétique d'un cordon sanitaire de bases menaçantes pour elle, eût été défendable si ces bases n'avaient pas été établies sur des terres étrangères, parmi des peuples où la Russie soviétique avait ses bases, elle aussi, dans les cœurs et dans les esprits.
F. MAURIAC, le Nouveau Bloc-notes 1958-1960, p. 346.

CONTR. et COMP. **Indéfendable.**

DÉFENDANT (À SON CORPS) [asɔ̃kɔrdefãdã] loc. adv. → **Défendre** (I., 2.); **corps** (cit. 29 et 30).

DÉFENDEUR, ERESSE [defãdœr, rɛs] n. — Déb. xIIᵉ; de *défendre*.

Dr. Personne contre qui une demande en justice est formulée. *Défendeur en appel.* → **Intimé.**

1 Vous, maître Petit Jean, serez le demandeur; Vous, maître l'Intimé, soyez le défendeur (...)
RACINE, les Plaideurs, II, 14.

2 En matière personnelle, le défendeur sera assigné devant le tribunal de son domicile (...)
Code de procédure civile, art. 59.

3 Au vrai, je suis l'avocat de la ville, l'un des mieux connus défendeurs besogneux perdus dans le marais des procédures, louvoyant entre le droit féodal et le droit papal, le droit royal et le droit impérial.
Herbert LE PORRIER, le Luthier de Crémone, p. 11.

CONTR. **Appelant, demandeur.**

DÉFENDRE [defãdr] v. tr. [CONJUG.: *rendre*.] — 1080; du lat. *defendere* «repousser, faire opposition; protéger».

I ♦ **1** Aider, protéger (qqn) contre une attaque en se battant. → **Protéger, secourir, soutenir; rescousse** (aller à la rescousse de). *Défendre qqn au péril de sa vie. Il est prêt à le défendre contre toutes les attaques, toutes les agressions. Défendre les faibles; les opprimés. Son escorte le défendit contre l'agresseur.* — Vieilli. *Défendre qqn de qqch., d'une action, de la violence,* contre qqch... — Par ext. *Défendre la vie de qqn.*

Défendez-moi des fureurs de Pharnace.   1
RACINE, Mithridate, I, 2.

Prince aimable, dis-nous si quelque ange au berceau   2
Contre tes assassins prit soin de te défendre (...)
RACINE, Athalie, IV, 6.

Je ne balance point, je vole à son secours :   3
Je défendrai sa vie aux dépens de mes jours.
RACINE, Andromaque, I, 4.

Il sait que Don Quichotte, sincèrement et ardemment, vou- 4
lait être un chevalier, défendre les faibles et pourfendre
les méchants.
A. MAUROIS, Études littéraires, Duhamel, t. II,
p. 93.

Par ext. *Défendre sa vie, sa liberté en combattant. Défendre chèrement sa vie* (cf. Vendre cher sa vie).

Quand le loup a besoin de défendre sa vie (...)   5
LA FONTAINE, Fables, XI, 6.

Défendre une femme contre un importun, les entreprises d'un galant (→ Ajustement, cit. 4).

— Et toi, Marie, dit Germain, je te prierai de te demander 6
à toi-même si, quand il s'agit de défendre une femme et
de punir un insolent, un homme de vingt-huit ans n'est
pas trop vieux!
G. SAND, la Mare au diable, XV, p. 127.

(Collectif). *Défendre un groupe, une classe. Défendre un allié contre l'envahisseur* (→ ci-dessous, II.).

♦ **2** Loc. adv. Vx. À SON CORPS DÉFENDANT : en se défendant contre une attaque (cf. Légitime défense). — Fig. (Mod.). À contre-cœur*, malgré* soi (→ Corps, cit. 29 et 30). *Il a accepté à son corps défendant.*

♦ **3** Fig. *Défendre l'honneur, la renommée de qqn contre les médisants. Défendre une théorie, une opinion, un parti.* → **Prononcer** (se prononcer pour), **tenir** (pour). → Prendre fait* et cause, prendre parti* pour... *Défendre son point de vue, ses idées. Défendre ses droits.* → **Valoir** (faire valoir). *Défendre ses intérêts.* → **Main** (prendre en main), **sauvegarder**. *Défendre une cause avec acharnement, avec chaleur. Défendre la religion, la foi.*

On ne doute pas qu'il ne faille exposer sa vie pour défendre 7
le bien public; mais pour la religion, point.
PASCAL, Pensées, VI, 380.

Je ne mérite pas de défendre la religion, mais vous ne   8
méritez pas de défendre l'erreur et l'injustice.
PASCAL, Pensées, XIV, 921.

(...) la classe qui est assez forte pour défendre une société 9
n'est assez pour y conquérir des droits et y exercer une
légitime influence.
FUSTEL DE COULANGES, la Cité antique, IV, VII,
p. 327.

Et toute l'activité qu'ils auraient pu déployer à défendre la 10
paix, ils l'emploient, comme les précédents, à préparer la
guerre.   MARTIN DU GARD, les Thibault, t. V, p. 184.

Mais je veux être maître dans ce journal, y défendre les   11
idées qui me plaisent, sans avoir à ménager personne.
J. ROMAINS, les Hommes de bonne volonté, t. V,
XXIV, p. 226.

Il se sentit prêt à défendre et son amour et son honneur   12
professionnel.
P. MAC ORLAN, la Bandera, XV, p. 187.

(1867, in Petiot). Sports. *Défendre sa chance :* disputer une épreuve, avec la volonté d'être classé le mieux possible.

♦ **4** Soutenir (qqn) contre les accusations, les attaques ; intervenir en faveur de. *L'avocat a bien défendu son client.* → **Plaider** (pour) ; **défense** (3.). *Défendre la cause de qqn. — Défendre un enfant pris en faute.* → **Intercéder** (pour) ; **excuser.**

13 Et je me chargerais du soin de le défendre ?
RACINE, *Phèdre*, IV, 5.

14 Il n'est pas de manière plus sûre de compromettre un innocent (et tout aussi bien un coupable) que de le louer sans mesure ou de le défendre avant que personne songe à l'attaquer (...)
J. PAULHAN, Entretien sur des faits divers, p. 112.

II ♦ **1** Interdire (un lieu) par la force, les armes. → **Garder, interdire.** *Défendre une place, en élevant des fortifications.* → **Fortifier.** *Une division défend la frontière.* → **Couvrir** (4.). *Défendre une ville, un village, un pont, un point stratégique. Défendre l'approche d'une route... Défendre une position pied à pied, sans esprit de recul.* → **Tenir.** *On ne peut défendre cette position* (cf. Elle est intenable).

15 Notre avare habitait un lieu dont Amphitrite
Défendait aux voleurs de toutes parts l'abord.
LA FONTAINE, *Fables*, XII, 3.

16 (...) ils allaient tenter de défendre contre les colonnes motorisées des Italiens leur village de cailloux.
MALRAUX, l'Espoir, p. 778.

Par ext. *Défendre son pays, sa patrie, en se battant, en veillant à sa sécurité.*

(Sujet n. de chose, de dispositif). Aider, servir à la défense de... *Une batterie défend l'entrée du port. Le poste est défendu par deux mitrailleuses.* → **Flanquer** (→ Char, cit. 6).

♦ **2** (1900, *in* Petiot). Sports. Organiser la défense de (son camp, ses buts). → **Défense, défenseur.** *Joueur chargé de défendre les buts.* → **Gardien.** — Absolt. *L'équipe qui attaque et l'équipe qui défend.*

♦ **3** (Sujet n. de chose). *Défendre de* : garantir, préserver, protéger contre. *Des rideaux défendent la chambre du soleil.* — (Sujet n. de personne). *Défendre* (qqn, qqch.) *de* (un danger, un mal, etc.).

17 Et la garde qui veille aux barrières du Louvre
N'en saurait point nos rois *(de la mort).*
MALHERBE, Consolation à du Périer.

18 (...) c'était donc une heure dans la vie à noter, à graver, à défendre, autant que faire se pourrait, contre un trop rapide oubli (...)
LOTI, les Désenchantées, V, XXXIV, p. 197.

(Même sens). *Défendre qqch. contre...*

III Enjoindre (à qqn) de ne pas faire (qqch.). → **Inhiber** (vx), **interdire, prohiber, proscrire.** *Défendre l'alcool, le tabac à un malade. — Défendre à qqn de...* (et inf.). *Je te défends de rentrer trop tard.* — (Sujet compl. second). *La loi, la religion défend le meurtre.* → **Condamner.** *Sa religion le lui défend. L'Islam défend l'alcool, la viande de porc.*

19 Le Ciel défend, de vrai, certains contentements ;
Mais on trouve avec lui des accommodements (...)
MOLIÈRE, Tartuffe, IV, 5.

20 (...) l'Académie française (...) défend aux académiciens d'écrire ou de faire écrire contre leurs confrères (...)
LA BRUYÈRE, Disc. à l'Académie, Préface.

21 Grâce à la douce cérémonie, ce qu'on vous défendait hier, on vous le prescrira demain (...)
De toutes les choses sérieuses le mariage étant la plus bouffonne (...)
BEAUMARCHAIS, le Mariage de Figaro, I, 9.

22 La loi n'a le droit de défendre que les actions nuisibles à la société. Tout ce qui n'est pas défendu par la Loi ne peut être empêché, et nul ne peut être contraint à faire ce qu'elle n'ordonne pas.
Déclaration des droits de l'homme, art. 5.

23 (...) il faut que tu obéisses à ton père, qui, j'en suis certaine, va te défendre de me fréquenter.
G. SAND, la Petite Fadette, XXIX, p. 194.

(...) élèves, qui par l'esprit de contradiction ordinaire à la jeunesse sont entraînés vers ce qu'on leur défend.   24
MÉRIMÉE, Hist. du règne de Pierre le Grand, p. 59.

Défendre sa porte, sa maison à qqn, refuser de le recevoir. → **Condamner, fermer.**

J'étais si affligée de cette perte, de la mort de mon mari   25
(...) que j'avais fait défendre ma porte (...)
VOLTAIRE, la Princesse de Babylone, IV.

Défendre que... (et subj.). *Il défend qu'on passe par là. Il défendit qu'on passât par là.* — REM. Avec un compl. en *à...*, cette construction semble populaire : *«Il nous défend tous qu'on bouge»* (Céline).

♦ **SE DÉFENDRE** v. pron.

♦ **1** Résister à une attaque. → **Lutter, résister.** *Se défendre les armes à la main, en rendant coup pour coup. Se défendre pied à pied :* disputer* le terrain. *Se défendre courageusement, vaillamment* (→ Vendre* cher sa vie, sa peau ; avoir bec* et ongles). *Se défendre comme un lion.* → **Battre** (se). *Se défendre contre tous les coups.* → **Parer.** *Se défendre en attaquant. Se défendre désespérément.* → **Débattre** (se). *Se défendre en attaquant à son tour.* → **Riposter.** *Se défendre soi-même, sans faire appel aux services de sécurité.* → **Autodéfense.**

Mais il fallait livrer bataille,   26
Et le mâtin était de taille
À se défendre hardiment.
LA FONTAINE, Fables, I, 5.

(...) si je me défends, ce n'est qu'en reculant.   27
MOLIÈRE, les Femmes savantes, IV, 3.

On s'y défendit comme des vainqueurs se défendent, en   28
attaquant.   Ph. P. SÉGUR, Hist. de Napoléon, IV, 7.

Quand on est en péril de mort toutes les armes sont   29
bonnes pour se défendre.
CLAUDEL, Feuilles de saints, Sainte Thérèse, p. 73.

Fig. → **Protéger** (se). *Se défendre de ses ennemis* (→ Ami, cit. 18).

Fig. *Ce vieillard se défend* (Académie), il résiste aux épreuves de l'âge, du temps.

♦ **2** Fam. Être apte à faire qqch. (→ Être à la hauteur*). *Il se défend bien en affaires. On se défend !* «*Oh ! moi je me défends*» (Genet) : je réussis à peu près. → **Aller** (ça va).

Sports. Figurer honorablement dans une épreuve sportive.

Spécialt. Gagner convenablement sa vie. — REM. Normalement qualifié *(mal, bien),* le verbe est marqué favorablement en emploi absolu.

Argot. Se prostituer. «*les femmes qui se défendent sont parfois les meilleures mères du monde, parce que ça les change des clients et puis un môme, ça leur donne un avenir*» (É. Ajar [R. Gary], *la Vie devant soi,* p. 58).

♦ **3** Se justifier. *L'accusé s'est bien, mal défendu. — Se défendre contre... Se défendre contre les médisances, les calomnies. Se défendre contre une accusation.* → **Réfuter, répondre.** *Employer pour se défendre un arsenal d'arguments...*

Je me défendrai mal : l'innocence étonnée   30
Ne peut s'imaginer qu'elle soit soupçonnée (...)
CORNEILLE, Rodogune, V, 4.

(...) mais le monde se fait comme cela que quand deux   31
ou trois personnes se mettent après une autre, toutes s'en mêlent, lui jettent la pierre et lui font une mauvaise réputation sans trop savoir pourquoi ; et comme si c'était pour le plaisir d'écraser qui ne peut se défendre.
G. SAND, la Petite Fadette, XXX, p. 201.

Littér. *Se défendre de...* → **Nier ; cacher** (se). *Je ne m'en défends pas. Il se défend de toute arrière-pensée.*

(...) vous ne vous rendez pas encore, et vous vous défendez   32
d'être médecin ?
MOLIÈRE, le Médecin malgré lui, I, 5.

33 Mon Dieu! point de façons; cessez de vous défendre
De ce que vos regards m'ont souvent fait entendre (...)
        MOLIÈRE, les Femmes savantes, I, 4.

34 Quelques-uns se défendent d'aimer et de faire des vers,
comme de deux faibles qu'ils n'osent avouer, l'un du cœur,
l'autre de l'esprit.
        LA BRUYÈRE, les Caractères, IV, 84.

♦ **4** (Personnes). SE DÉFENDRE DE..., CONTRE... : se
protéger, s'abriter. → **Garantir** (se), **préserver** (se),
protéger (se). *Se défendre du froid, de la pluie. Se
défendre de la maladie, des épidémies.*
Se défendre des (contre les) *mauvaises tentations.
Se défendre contre le découragement, le désespoir.*
→ **Garde** (se mettre en garde); **cuirasser** (se cuirasser
contre).

35 Une conscience habituellement tonique se défend plus
qu'une autre d'un surcroît de tension (...)
        J. ROMAINS, les Hommes de bonne volonté, t. V,
        VII, p. 59.

SE DÉFENDRE DE... (et inf.). → **Empêcher** (s'), **interdire**
(s'), **refuser** (se). *Se défendre de céder à la tentation.
Se défendre de manifester son émotion. Il se défend
de conclure.* → **Garder** (se). *On ne peut se défendre
de l'estimer. Il ne put se défendre de rire.*

36 Une fille d'honneur doit toujours se défendre
De lire les billets qu'un homme lui fait rendre (...)
        MOLIÈRE, l'École des maris, II, 3.

37 (...) l'homme qui assiste son semblable se défend mal de
devenir son ami. COLETTE, l'Étoile Vesper, p. 176.

38 Antoine ne put se défendre de sourire en voyant le petit
homme s'aventurer en sautillant sur le parquet ciré du
vestibule.
        MARTIN DU GARD, les Thibault, t. II, p. 133.

39 Elle se défendit néanmoins d'y voir l'aveu d'un détachement. MARTIN DU GARD, les Thibault, t. II, p. 235.

40 Les deux jeunes gens se turent. Ils ressentaient l'un pour
l'autre une sympathie assez vive. Mais ils se défendaient
d'y céder trop rapidement, et surtout d'en laisser paraître
les signes avec une facilité vulgaire.
        J. ROMAINS, les Hommes de bonne volonté, t. II,
        XV, p. 162.

Absolt. → **Résister.**
41 La petite Fadette ne put se défendre plus longtemps; elle
jeta ses deux bras au cou du père Barbeau; et son vieux
cœur en fut tout réjoui.
        G. SAND, la Petite Fadette, XXXVI, p. 236.

♦ **5** (Choses). Se justifier, résister à la critique.
→ **Défendable.** — Fam. (en parlant de choses concrètes) *Un whisky qui se défend.*

41.1 Un seul mot d'ordre : l'ordre. Cela peut se défendre, bien
sûr. F. MAURIAC, Bloc-notes 1952-1957, p. 73.

♦ **DÉFENDU, UE** [defãdy] p. p.
♦ **1** Protégé, secouru. *Pays défendu par ses alliés.
— Assassin défendu par un grand avocat. — Pays
découvert et mal défendu.* — Fig. *Une vertu mal
défendue.*
Prov. *Bien attaqué, bien défendu,* se dit lorsque la
défense et l'attaque ont été menées avec un égal
bonheur.
Blason. Muni de défenses d'un autre émail que le
reste du corps. *Sanglier défendu d'argent.*

♦ **2** Interdit, prohibé. *Il est défendu de fumer.*
→ **Défense** (de). *Actions défendues.* → **Illicite.** *Le
braconnage, la contrebande sont défendus par la
loi.* → **Illégal.** *Tout ce qui n'est pas défendu est
permis* (→ ci-dessus, cit. 22).

42 Tout ce que Dieu ne veut pas est défendu. Les péchés
sont défendus par la déclaration générale que Dieu a faite,
qu'il ne les voulait pas. Les autres choses qu'il a laissées
sans défense générale, et qu'on appelle par cette raison
permises, ne sont pas néanmoins toujours permises.
        PASCAL, Pensées, X, 668.

43 Ce qui nous est défendu par la nature, c'est d'étendre nos
attachements plus loin que nos forces : ce qui nous est
défendu par la raison, c'est de vouloir ce que nous ne
pouvons obtenir; ce qui nous est défendu par la conscience n'est pas d'être tentés, mais de nous laisser vaincre
aux tentations. ROUSSEAU, Émile, V.

Adj. *Le fruit* défendu.*

CONTR. Assaillir, attaquer, provoquer. — Accuser. — Abandonner (un poste, etc.), déserter, fuir. — Autoriser, commander, conseiller, ordonner, permettre, supporter, tolérer.
— Rendre (se). — Abandonner (le combat). — Légal, licite,
permis. ◊ DÉR. Défendable, défendeur.

DÉFENDS [defã] n. m. → **Défens.**

DÉFENESTRATION [def(ə)nɛstʀasjɔ̃] n. f. — 1838;
de 1. dé-, et du lat. *fenestra,* probablt par l'angl. *defe-
nestration* (1260); cf. l'anc. franç. *défenestrer* «enlever
les fenêtres», XVIᵉ.
Chute (accidentelle ou provoquée) de qqn par une
fenêtre.
♦ **1** Hist. *La défenestration de Prague* (1618) : épisode qui fut à l'origine de la guerre de Trente Ans
(les conseillers du roi furent jetés par les fenêtres
par les protestants). — Action de jeter (qqn) par
la fenêtre. → **Défenestrer.**

♦ **2** Méd. légale. Chute accidentelle ou intentionnelle
d'une personne tombant d'une fenêtre située à un
niveau élevé. — REM. On dit aussi *précipitation.*
Cour. Chute provoquée (d'une personne) par la
fenêtre; attentat, assassinat perpétré en jetant par
la fenêtre. — Par plais. (Compl. n. de chose) :
Enfin, le père Mouche plaqua une ultime série d'accords
qui évoquaient la défenestration d'une lessiveuse (...)
        René FALLET, le Triporteur, p. 264.

DÉFENESTRER [def(ə)nɛstʀe] v. tr. — 1863; de 1. dé-,
et *fenêtre,* d'après *défenestration.*
Jeter, précipiter (qqn) par une fenêtre, notamment
pour le tuer. — Passif. *«Mᵐᵉ B. N. aurait été défenes-
trée par son mari. Celui-ci soutient qu'il s'agit d'un
accident»* (le Figaro, 29 nov. 1966, in P. Gilbert). —
Pron. *Se défenestrer :* se jeter, ou tomber par une
fenêtre.

DÉFENS ou **DÉFENDS** [defã] n. m. — 1119; du lat.
defensus, p. p. de *defendere.* → Défendre, défense.
♦ **1** Vx. Défense.
♦ **2** (V. 1200). Dr. ou techn. *Bois en défens :* bois jeune,
dont l'entrée est défendue aux bestiaux (ou bien,
où les coupes sont interdites).
DÉR. Défensable. ◊ HOM. Formes du v. défendre.

DÉFENSABLE [defãsabl] adj. — 1829; sens contraire,
XVIᵉ.
Dr. ou techn. (eaux et forêts). *Bois défensable* ou *en
défense,* assez fort pour être à l'abri des destructions des bestiaux. *Les bois défensables ne sont plus
en défens.* → 1. Défense.

1. DÉFENSE [defãs] n. f. — XIᵉ; bas lat. *defensa,* p. p.
substantivé au fém. de *defendere.* → Défendre.

I ♦ **1** Action de défendre qqn en se battant. *La
défense d'un homme attaqué (par qqn).* → **Protection.** — *Aller, courir à la défense de qqn.* → **Aide,
rescousse, secours.** — Action de défendre (II.) un
lieu contre les ennemis. *La défense de la ville, du
pays (par les troupes).* — Action, fait de se défendre
ou de défendre un lieu (combat individuel ou
guerre). → **Résistance.** *Défense énergique, obstinée.
Ligne, position de défense. Moyen, arme de défense.*

→ **Défensif.** *Ouvrage de défense.* → **Abri, fortification, retranchement.**

1 Il y a toujours plus de sûreté en la défense qu'en la fuite.
DESCARTES, Traité des passions.

2 Les Allemands préparent des lignes de défense à la base du cap Bon où ils s'apprêtent à se retirer et à résister le temps qu'il faudra (...)
GIDE, Journal, 26 mars 1943.

Ensemble des moyens militaires utilisés pour défendre un pays. **DÉFENSE NATIONALE :** ensemble des moyens visant à assurer l'intégrité matérielle d'un territoire national contre les attaques de l'étranger. *Ministère de la Défense nationale. Le gouvernement de la Défense nationale* (sept. 1870-févr. 1871). (En France ; 1999-2000) *Appel de préparation à la défense :* journée d'information remplaçant le service national. — *Défense des côtes :* ensemble des moyens militaires disponibles pour interdire à un ennemi l'approche du littoral. — *Défense contre avions :* ensemble des moyens de défense opposés aux attaques aériennes (artillerie, aviation d'interception, radar). → **D.C.A.** — **DÉFENSE PASSIVE :** moyens de protection contre les bombardements aériens.

2.1 Personne n'ose donc plus ouvrir l'électricité dans les pièces qui donnent sur la rue ? Pourquoi ces gens continuent-ils à respecter les instructions périmées de la défense passive ?
A. ROBBE-GRILLET, Dans le labyrinthe, p. 115.

(1900, *in* Petiot). **Sports.** **[a]** Action, manière de s'opposer aux offensives de l'adversaire vers son camp, ses buts. *Zone d'attaque et zone de défense.* — (Jeux de ballon). *Tactiques de défense. Défense d'obstruction.* → **Anti-jeu.** *Jouer la défense.* → **Béton ;** et aussi **mur, verrou.** *Équipe de football, de handball qui se replie en défense. Défense de zone*, *défense de ligne. Défense individuelle,* où chaque attaquant est pris en charge par un défenseur.

[b] Ensemble des joueurs chargés de défendre les buts. *Cette équipe a une excellente défense. Il faut renforcer la défense.*

2.2 L'homme qui court passe la balle devant lui ; celui qui la reçoit n'est plus séparé du but que par les trois joueurs de la défense.
Jean PRÉVOST, Plaisirs des sports, p. 140.

♦ **2** Fig. Action de défendre, de protéger, de soutenir (qqn, qqch.). → **Protection, sauvegarde.** *La défense d'une idée, d'un idéal, d'une doctrine, d'une théorie. Défense orale, écrite d'un ouvrage. Défense de l'esprit des lois,* de Montesquieu. *La deffence (défense), et illustration de la langue françoyse,* de J. du Bellay. → **Apologie.** — *La défense de l'honneur, de la réputation de qqn. Prendre la défense du faible, de l'opprimé. La défense du bon droit. Se mettre en défense contre les tentations. Avoir pour sa défense, comme défense.*

3 (...) Il n'a pour sa défense
Que les pleurs de sa mère, et que son innocence.
RACINE, Andromaque, I, 4.

♦ **3** Fait de se défendre (fig.), de résister contre qqn ou qqch.

Dr. LÉGITIME DÉFENSE, fait justificatif enlevant son caractère illégal à un homicide ou à des coups et blessures volontaires lorsque l'acte dommageable a été commandé par la nécessité actuelle de se défendre ou de défendre autrui.

Fig. *Une défense obstinée. Opposer une défense farouche à qqn. Moyen de défense. — Être sans défense.*

4 (...) mon âme sans défense
N'a point contre ses yeux cherché de résistance (...)
A. CHÉNIER, Élégies, 35, *in* LITTRÉ.

5 Plus Mirbel se laissait emporter et moins l'abbé lui opposait de défense (...)
F. MAURIAC, la Pharisienne, XIII, p. 205.

Le souvenir passionné des caresses de cette fille lui ôtait 6 ses moyens de défense.
P. MAC ORLAN, la Bandera, XVI, p. 196.

Fam. *Ne pas avoir de défense :* être incapable de résister aux sollicitations, de répondre aux railleries...

Physiol. *La défense de l'organisme contre l'invasion des corps étrangers* (microbes...), *l'infection* (→ Antitoxine, cit. 2). — **Psychol.** *Instinct de défense. Réflexe de défense.* — **Psychan.** *Les défenses,* mécanismes inconscients par lesquels le moi rejette certains éléments affectifs, certaines pulsions. → **Barrage.**

La fécondité de la théorie psychanalytique s'est renouvelée 6.1 lorsqu'elle a dépassé et complété la psychologie profonde des instincts par la psychologie du Moi et des mécanismes de défense.
Daniel LAGACHE, la Psychanalyse, p. 121.

♦ **4** Action de défendre qqn ou de se défendre contre une accusation. *Prendre la défense d'un enfant en faute.* → **Cause** (prendre fait et cause pour...). *On peut dire pour sa défense que...* → **Décharge** (à sa décharge), **excuse, justification.**

La vérité est mon seul asile, toute ma défense est dans ma 7 conscience.
ROBESPIERRE, *in* MICHELET, Hist. de la Révolution franç., t. II, p. 1071.

Non : rien à dire pour sa défense ; pas même une raison 8 à fournir ; le plus simple sera de se taire, ou de répondre seulement aux questions.
F. MAURIAC, Thérèse Desqueyroux, IX, p. 155.

Dr. Acte de procédure par lequel le défendeur* dénie les droits du demandeur*. *Droit de la défense :* droit qu'a celui qui est poursuivi devant les tribunaux de se défendre avant d'être jugé.

Dr. pén. *L'avocat* (cit. 13) *prend en main la défense de l'accusé. Une défense brillante.* → **Plaidoirie, plaidoyer.** *Système de défense. L'accusé invoqua un alibi pour sa défense. Qu'avez-vous à dire pour votre défense ?*

Le président *(des assises)* demandera à l'accusé s'il n'a rien 9 à dire pour sa défense.
Code d'instruction criminelle, art. 363.

Dr. civ. *L'avocat a le monopole de la défense, sous réserve du droit de plaider qu'ont parfois les avoués, et de l'autorisation qu'ont les magistrats de plaider leurs causes personnelles.* — N. f. pl. *Défenses :* acte par lequel l'avoué du défendeur signifie à l'avoué du demandeur les moyens qu'il oppose à l'action du demandeur* (→ Audience, cit. 16). — REM. On dit aussi *conclusions en défenses. Actes en demandes* et *actes en défenses.* → **Demandeur, défenseur.**

Par métonymie. Représentation en justice des intérêts des parties. → **Avocat, défenseur.** *La parole est à la défense* (opposé à *accusation*).

Dommanget défendait une cause qui, aux yeux des juges, 10 était absolument perdue avant d'être plaidée ; rien ne laisse plus de liberté à la *défense,* parce que rien ne la contraint moins aux ménagements : il dut plaider coupable, mais exalta la loyauté du «brigand», son courage, sa générosité, sa fidélité à ses convictions.
Louis MADELIN, Hist. du Consulat et de l'Empire, Avènement de l'Empire, V, IX, p. 126.

♦ **5** Ce qui sert à défendre, à se défendre. — (Au sing.) *Ouvrages de défense.* → **Fortification.** *Les fossés, les remparts... d'une défense. Ville sans défense :* ville ouverte*. *Une division servira de défense à cette région.* → **Couverture.** — Au sing. et au plur. *(Une, des défenses). Les défenses d'une ville.*

En 1863 (...) les Maoris occupaient une grande position 11 fortifiée sur le haut Waikato, à l'extrémité d'une ligne de collines escarpées, et couverte par trois lignes de défense.
J. VERNE, les Enfants du capitaine Grant, t. III, p. 84, *in* T.L.F.

Techn. Engin destiné à protéger la coque d'un navire lors d'un accostage. *Pneus servant de défenses.* — Dispositif protecteur d'une côte, d'un ouvrage d'art exposés à la mer. *Défense du cap de la Hève.*

Fig. et littér. *Institutions servant de défense contre la tyrannie, contre l'anarchie.* → **Abri, bouclier, citadelle, cuirasse, rempart, retranchement.**

III Fait de défendre (III.), d'interdire. → **Interdiction, prohibition; inhibition** (vx). — *Vieilli. Faire défense à qqn de faire qqch.* → **Défendre** (III.).

Mod. (dans des syntagmes figés sans déterminant : *défense de...*). *Défense de fumer; défense d'afficher. Défense absolue, expresse de... Défense d'entrer sous peine d'amende... Faire défense (à...) de... Défense faite à un navire de quitter un port.* → **Embargo.**

12 On édicta une restriction très redoutable du nombre de leurs pas et de leurs mouvements naturels. On chargea le poète de chaînes. On l'accabla de défenses bizarres et on lui intima des prohibitions inexplicables. On lui décima son vocabulaire.   VALÉRY, Variété IV, p. 47.

13 (...) la plus heureuse des cités libres (...) ignorante des lois, des polices (...) des permis de pêche, des défenses d'afficher, de fumer, de marcher sur le gazon (...)
            René FALLET, le Triporteur, p. 189.

Relig. *Défenses canoniales,* imposées par les canons* de l'Église.

CONTR. **Agression, assaut, attaque, offensive, provocation. — Abandon, désertion, fuite. — Accusation. — Demande, demandeur** (dr.). **— Autorisation, permission, tolérance. — Ordre.** ◊ DÉR. **2. Défense.** ◆ COMP. **Autodéfense.**

2. DÉFENSE [defɑ̃s] n. f. — 1585; de 1. *défense* «ce qui sert à se défendre».

Dent très saillante (chez quelques animaux). *Défenses du sanglier* (canines inférieures), *du morse* (canines supérieures). — Spécialt. *Défense (d'éléphant) :* incisive très développée en arc de cercle.

— Tes bras sont arrondis comme deux défenses d'ivoire (...)
            Pierre LOUŸS, Aphrodite, I, 1, p. 24.

DÉFENSEUR [defɑ̃sœʀ] n. m. — 1213, *defenseor; défendeur,* av. XVIᵉ; lat. *defensor,* du supin de *defendere.*

◆ **1** Personne qui défend (qqn, qqch.) contre les attaques. → **Champion, garde** (du corps), **pilier** (fig.), **protecteur, soutien.** *Les défenseurs d'une ville assiégée, d'une position stratégique. Défenseurs de la patrie, du peuple. Défenseur des faibles, des opprimés.* → **Chevalier, redresseur** (de torts). *Défenseur du bon droit, de la justice, de la liberté.*

1 (...) il est le défenseur de l'orphelin timide (...)
            RACINE, Athalie, II, 7.

2 Liberté, liberté chérie
Combats avec tes défenseurs.
            ROUGET DE LISLE, la Marseillaise.

3 Et l'observateur impartial est bien obligé de reconnaître que l'agresseur choisit le lieu, l'heure et les moyens, alors que le défenseur s'énerve à garder toutes ses lignes et à veiller nuit et jour.
            G. DUHAMEL, la Pesée des âmes, XII, p. 285.

Défenseur de la foi, titre décerné à Henri VIII d'Angleterre par Léon X. — *Défenseur de la cité* (lat. *defensor civitatis*) : fonctionnaire municipal dans le Bas-Empire romain.

REM. Faute de forme féminine, le mot s'emploie en parlant des femmes. *Elle s'est faite le défenseur des travailleurs immigrés.*

Spécialt (sports). Joueur de la défense*. — Contr. : *attaquant.*

◆ **2** Fig. Personne qui soutient une cause, une doctrine. → **Apôtre, avocat, champion, intercesseur, partisan, soutien, tenant.** *Les défenseurs d'une opinion.*

◆ **3** Dr. Personne chargée de soutenir les intérêts d'une partie, devant le tribunal. → **Défense** (4.). *Donner un défenseur à un accusé.* → **Avocat.** *C'est Maître Louise X qui sera son défenseur.*

Reprendre ma profession d'avocat, que je n'ai pratique- 4
ment jamais exercée? Qui aura besoin de moi? Et ces affaires louches, ces causes iniques, ces intérêts ignobles, dont je deviendrai le défenseur et le mandataire.
            J. ROMAINS, les Hommes de bonne volonté, t. II, p. 184.

CONTR. **Agresseur, assaillant. — Déserteur, fuyard. — Accusateur, adversaire.**

DÉFENSIF, IVE [defɑ̃sif, iv] adj. et n. f. — XIVᵉ; lat. médiéval *defensivus,* du supin de *defendere.*

◆ **1** Adj. Qui est fait pour la défense*. *Armes* défensives : armure, bouclier, cuirasse... Alliance défensive et offensive. Moyens défensifs.* — Fig. *Attitude, position défensive.* → **Hostile, passif; résistance.**

(...) la position défensive est antipathique au caractère 1
français.   CHATEAUBRIAND (cf. Attaquer, cit. 35).

Sans doute l'expression du regard demeurait-elle trop 2
fermée, presque défensive.
            J. ROMAINS, les Hommes de bonne volonté, t. III, p. 126.

◆ **2** N. f. Littér. **DÉFENSIVE :** attitude de défense; disposition à se défendre sans attaquer.

La défensive, après les épreuves des deux guerres mon- 3
diales, semble tout à fait condamnée (...)
            G. DUHAMEL, la Pesée des âmes, XII, p. 285.

(1690). Cour. *Être, se tenir sur la défensive,* prêt à répondre à toute attaque, sans attaquer soi-même. → **Méfiant.**

Je n'aurais pas été assez sot pour me tenir sur la défensive; 4
il m'était aisé de devenir agresseur sans même qu'il s'en aperçût, ou qu'il pût s'en garantir.
            ROUSSEAU, les Confessions, XII.

Il restait sur la défensive. Non qu'il craignît outre mesure 5
les responsabilités; mais il avait une répugnance native de l'indiscrétion, et l'horreur de s'immiscer dans le privé des gens.
            MARTIN DU GARD, les Thibault, t. III, p. 276.

CONTR. **Agressif, attaque, offensif. — Offensive.** ◊ DÉR. **Défensivement.**

DÉFENSIVEMENT [defɑ̃sivmɑ̃] adv. — 1834; de *défensif.*

Dans un but défensif.

C'était un détachement qui venait d'Omsk. Il se composait de cavaliers usbecks, race dominante en Tartarie, que leur type rapproche sensiblement des mongols (...) Ils étaient armés, défensivement d'un bouclier, et offensivement d'un sabre courbe, d'un long coutelas et d'un fusil à pierre suspendu à l'arçon de la selle.
            J. VERNE, Michel Strogoff, 1876, p. 236-237.

DÉFÉQUER [defeke] v. [CONJUG.: *céder.*] — 1573; lat. *defæcare* «débarrasser de la lie», de *de-* et *fæx, fæcis* «lie».

◆ **1** V. tr. Chim. Opérer la défécation*, le filtrage de. → **Clarifier, épurer, filtrer.** *Déféquer une liqueur par précipitation.*

◆ **2** V. intr. Physiol. Expulser les matières fécales (→ Se décharger* le ventre, aller à la selle*, se soulager*...). → **Chier** (vulg.), **faire; caca** (faire caca, fam.). — REM. Outre ce verbe didactique (parfois employé plaisamment), le français ne dispose que de mots «marqués» (familiers, enfantins, vulgaires) ou d'euphémismes.

Respirant, digérant, déféquant avec nonchalance, je vivais parce que j'avais commencé à vivre.
            SARTRE, les Mots, p. 71.

DÉFÉRENCE [deferɑ̃s] n. f. — 1392; de *déférer*.
Considération très respectueuse que l'on témoigne
à qqn. → **Considération, estime, respect.** *Traiter qqn
avec déférence*, le traiter avec les égards dus à un
supérieur, déférer* à ses désirs et à ses avis. *Avoir,
éprouver de la déférence pour qqn, pour son âge,
son mérite, sa dignité. Faire qqch. par déférence
pour qqn.* → **Égard.** *Déférence mutuelle.* → **Civilité,
politesse.** *Déférence servile.* → **Bassesse, obséquiosité,
servilité.** *Visite de déférence.* → **Cérémonie** (visite de).
Marques de déférence.

1 Enfin, ma fille, il faut payer d'obéissance,
Et montrer pour mon choix entière déférence.
MOLIÈRE, Tartuffe, II, 2.

2 Elles eussent signé par déférence pour leur archevêque.
RACINE, Port-Royal.

3 Accoutumé à une déférence obséquieuse pour ses idées
systématiques, il était quelquefois désagréablement surpris de trouver parmi nous moins de révérence et de
docilité. MARMONTEL, Mémoires, VII, *in* LITTRÉ.

4 L'Empereur avait, pour cet homme qui n'était cependant
que mûr *(Cambacérès)*, une sorte de déférence de jeune
homme à vieillard et le traitait, sinon en Mentor, du moins
en Nestor : il le jugeait éminemment sage (...)
Louis MADELIN, Hist. du Consulat et de l'Empire,
Vers l'Empire d'Occident, III, p. 36.

5 Naturellement la déférence ne doit pas devenir servilité.
A. MAUROIS, Un art de vivre, p. 106.

CONTR. Effronterie, impertinence, insolence, irrespect,
moquerie. — Arrogance, condescendance, dédain, hauteur,
mépris, supériorité.

1. DÉFÉRENT, ENTE [deferɑ̃, ɑ̃t] adj. — 1520; du
lat. *deferens*, p. prés. de *deferre*. → Déférer.
Sc. Qui porte, qui conduit vers l'extérieur. — **Anat.**
Canal déférent : canal excréteur des testicules. —
Bot. Canal de circulation de la sève.

2. DÉFÉRENT, ENTE [deferɑ̃, ɑ̃t] adj. — 1690, Furetière; de *déférer* (B.) et de 1. *déférent*.
Qui a, qui témoigne de la déférence*. → **Respectueux.** *Être, se montrer déférent envers, à l'égard
de qqn. Excessivement déférent.* → **Bas, obséquieux,
servile, soumis.** *Réponse, formule, attitude déférente.
Ton déférent.*

REM. Dans cette acception, *déférent* s'est écrit *déférant*
de 1694 (Académie) à la fin du XIXᵉ s. Les grands dictionnaires du XIXᵉ s. en font un participe présent de *déférer* et
le signalent comme vieilli ou peu usité. L'orthographe et
l'usage modernes adoptent *déférent* sous l'influence de
déférence.

En parlant à Jerphanion, Étienne, bien loin d'escamoter les
tournures déférentes, mettait du zèle à user de la troisième
personne. J. ROMAINS, les Hommes de bonne volonté, t. III,
VII, p. 105.

CONTR. Effronté, impertinent, insolent, irrespectueux,
moqueur, narquois. — Arrogant, condescendant, dédaigneux, hautain, impérieux, méprisant, supérieur.

DÉFÉRER [defere] v. tr. [CONJUG.: *céder*.] — 1541; lat.
deferre «porter», bas lat. «faire honneur», de *de-* «du
haut en bas», et *ferre* «porter».

A Trans. dir. ◆ **1** Dr. Porter* (une affaire), traduire (un
accusé) devant l'autorité judiciaire compétente.
Déférer un coupable à la justice. → **Citer, traduire;** et
aussi **accuser, dénoncer, livrer.** *Déférer une affaire à
un tribunal.* → **Saisir** (le tribunal). *Déférer une affaire
devant un nouveau juge.* → **Renvoi.**

1 (...) vous êtes obligés de déférer cet impie au Roi et au
Parlement (...) PASCAL, les Provinciales, XVI.

2 Le mineur de l'un ou de l'autre sexe de moins de treize
ans, auquel est imputée une infraction à la loi pénale,
qualifiée crime ou délit, n'est pas déféré à la juridiction
répressive. Code pénal, Loi du 22 juil. 1912, art. 1ᵉʳ.

Dr. canon. *Déférer un ouvrage, une proposition à la
Cour de Rome.*

3 (...) ce décret *(du pape Honorius)* y fut déféré *(au Sixième
Concile général);* et après avoir été lu et examiné, il fut con-
damné comme contenant l'hérésie des Monothélites (...)
PASCAL, les Provinciales, XVII.

Spécialt. *Déférer le serment à l'une des parties*, s'en
rapporter à sa parole donnée sous serment. → **Serment** (délation de serment, serment décisoire, supplétoire).

4 Platon dit que Rhadamanthe (...) expédiait tous les procès
avec célérité, déférant seulement le serment sur chaque
chef. MONTESQUIEU, l'Esprit des lois, XIX, 22.

5 Celui à qui le serment aura été déféré ou référé en matière
civile, et qui aura fait un faux serment, sera puni d'un
emprisonnement (...) et d'une amende (...)
Code pénal, art. 366.

◆ **2** Vx. Accorder (une dignité, un commandement)
en vertu d'une autorité. → **Conférer, décerner.**
*Déférer une dignité, un grade, un titre; déférer
une charge, un commandement, des honneurs. Les
Romains déférèrent les honneurs divins à de nombreux empereurs.*

6 Quelques titres nouveaux que Rome lui défère (...)
RACINE, Britannicus, I, 1.

7 Il déféra le commandement de l'armée à Polymène (...)
FÉNELON, Télémaque, XI.

Dr. *Déférer une succession à...,* déclarer qu'elle doit
revenir à... → **Attribuer** (→ Ascendant, cit. 11).

8 Les successions sont déférées aux enfants et descendants
du défunt, à ses ascendants et à ses parents collatéraux,
dans l'ordre, et suivant les règles ci-après déterminées.
Code civil, art. 731.

B Trans. ind. Mod. (Littér.). *Déférer à :* accorder qqch. à
qqn, lui céder par respect. *Déférer à qqn, à son âge,
à sa dignité, à son mérite. — Déférer au jugement, à
l'avis, à la décision, aux ordres de qqn.* → **Acquiescer,
céder, conformer** (se), **obéir, obtempérer, rapporter**
(s'en), **remettre** (s'en), **soumettre** (se).

9 Ce ne sont point ici des choses où les enfants soient obligés
de déférer aux pères. MOLIÈRE, l'Avare, IV, 3.

10 (...) je suis persuadé qu'il vous arrivera quelque chose de
désagréable, si vous ne déférez pas à ma prière.
Lettre de Mirabeau à Chamfort, *in* CHAMFORT,
p. 310.

11 Animé du même esprit, je déférai donc à son vœu.
Georges LECOMTE, Ma traversée, p. 359.

CONTR. Braver, contrecarrer, opposer (s'), passer (outre),
refuser, résister. ◊ **DÉR.** Déférence. — V. 2. Déférent. — V.
Délateur, délation. ← **HOM.** Déferrer.

DÉFERLAGE [defɛrlaʒ] n. m. — XVIIIᵉ; de *déferler* (1.).
Mar. Action de déferler (une voile, un pavillon).
CONTR. Ferlage.

DÉFERLANT, ANTE [defɛrlɑ̃, ɑ̃t] adj. et n. f. — 1897;
de *déferler.*
Qui déferle. *Vague déferlante. — N. f. Mar. Une déferlante :* une vague déferlante; la masse d'eau qui
déferle. *Embarquer une déferlante par l'arrière. —
Fig. Les armées déferlantes de l'envahisseur.*

1 (...) les princesses russes les plus retroussées sont accourues, déferlantes et pâmées, du fond des steppes, jusqu'à
ses pieds (...) Léon BLOY, le Désespéré, p. 197.

2 (...) une déferlante sur quatre ou cinq recouvre le bateau,
balayant le pont de bout en bout.
Bernard MOITESSIER, Cap Horn à la voile, p. 186.

DÉFERLEMENT [defɛrləmɑ̃] n. m. — 1883; de
déferler (2.).

Action de déferler; résultat de cette action. *Le déferlement des vagues sur les brisants.*

Une rime heureuse arrivant au bout d'un beau vers, c'est quelque chose comme le panache ou la frange d'écume qui parachève avec un fracas de tonnerre ou un murmure délicieux, le déferlement d'une belle lame.
J.-M. DE HÉRÉDIA, *in* J. HURET,
Enquête sur l'évolution littéraire, *in* D. D. L., II, I.

Fig. *Le déferlement des barbares en Gaule. Un déferlement d'enthousiasme, de haine...* → **Vague.**

CONTR. **Reflux.**

DÉFERLER [defɛʀle] v. — 1678; *deferlée,* 1578; de *1. dé-,* et *ferler,* sous la forme *fresler.*

♦ **1** V. tr. Mar. Déployer (les voiles ou un pavillon). → **Déployer, larguer.** *Déferler une voile en détachant le raban de ferlage.* → **Déferlage.**

1 Son pavillon flottait au grand mât; ses voiles étaient à demi déferlées. CHATEAUBRIAND, les Natchez, II.

♦ **2** V. intr. (1787). Se dit des vagues qui se brisent en écume en roulant sur elles-mêmes. *Les lames, les vagues, les flots déferlent sur les brisants.*

1.1 La grande lame s'approchait (...) Elle croula (...) et avec un bruit épouvantable. Elle déferla sur l'embarcation, dont l'arrière fut entièrement coiffé.
J. VERNE, le Pays des fourrures, t. I, p. 115.

2 Au-dessous d'eux, la mer très calme déferlait faiblement sur les galets de la grève, avec un petit bruissement intermittent, régulier comme une respiration de sommeil (...)
LOTI, Pêcheur d'Islande, IV, IV, p. 232.

2.1 Elle regarde la mer grise et bleue où avancent les crêtes pointues des vagues. Les vagues tombent sur la plage, en suivant un chemin un peu oblique; elles déferlent d'abord à l'est, vers le cap rocheux, puis à l'ouest, du côté de la rivière. Enfin elles déferlent au centre. Le vent bondit, attrape les paquets d'écume et les projette au loin, vers les dunes; l'écume se mêle au sable et à la poussière.
J.-M.G. LE CLÉZIO, Désert, p. 80.

Par anal. Imiter le mouvement, le bruit des vagues qui déferlent.

3 La moisson débordant le plateau diapré
Roule, ondule et déferle au vent frais qui la berce (...)
J.-M. DE HÉRÉDIA, Trophées, «Floridum Mare».

(XIXᵉ). Fig. Se déployer, survenir avec force, avec impétuosité, comme une vague. *La foule déferle dans la rue. Les manifestants déferlèrent sur la place. Enthousiasme qui déferle.*

4 La guerre prochaine sera une guerre de mouvement. D'énormes masses qui déferleront d'un coup, qui submergeront tout un territoire.
J. ROMAINS, les Hommes de bonne volonté, t. III, XIV, p. 189.

CONTR. **Ferler, serrer. — Refluer, retirer (se).** ◊ DÉR. **Déferlage, déferlant, déferlement.**

DÉFERRAGE [defɛʀaʒ] ou **DÉFERREMENT** [defɛʀmɑ̃] n. m. — 1861, *déferrage; déferrement,* XIVᵉ; de *déferrer.*

Techn. Action de déferrer; son résultat. → **Déferrure.** *Le déferrage d'une porte; d'un cheval.*

DÉFERRER [defɛʀe] v. tr. — V. 1130, *desferrer;* de *1. dé-,* et *ferrer.*

♦ **1** Techn. Dégarnir (une chose) du fer, des éléments métalliques qui y avaient été appliqués. *Déferrer une caisse, une porte,* en enlever les ferrures. — Spécialt. *Déferrer une voie* (de chemin de fer) : enlever les rails. — (1289). *Déferrer un prisonnier,* lui retirer les fers qu'il a aux mains et aux pieds. → **Déchaîner, désenchaîner.** — *Déferrer un cheval,* lui retirer les fers qu'il a aux sabots.

♦ **2** (1640). Fig. Vx. *Déferrer (qqn).* → **Déconcerter.**

♦ **SE DÉFERRER** v. pron. *Ce cheval s'est déferré,* a perdu le fer de l'un de ses sabots, les fers de ses sabots.

(D'après *ferrer*). *Poisson qui se déferre,* qui réussit à se dégager de l'hameçon. — Par métaphore. *Le juge «se débattait, tentait de se déferrer. Mais l'hameçon le tenait ferme»* (Maurice Zermatten, le Sang des morts, p. 250).

♦ **DÉFERRÉ, ÉE** p. p. adj. *Jument déferrée.*
(...) ces troupes blindées allemandes qui faisaient retraite vers Dijon. Mais le défilé qui dura trois jours et trois nuits révéla de degré en degré l'inexorable délabrement d'une armée vaincue (...). Cependant les fossés se remplissaient d'armes, de mines, de munitions, de sacs de ravitaillement; des autos en panne restaient sur place, et on voyait des chevaux déferrés divaguer à travers champs.
M. TOURNIER, le Roi des Aulnes, p. 83.

DÉR. **Déferrage** ou **déferrement, déferrure.** ◊ HOM. **Déférer.**

DÉFERRURE [defɛʀyʀ] n. f. — 1611; de *déferrer.*
Techn. Fait d'être déferré; état de ce qui est déferré. *La déferrure d'un cheval.*

DÉFERVESCENCE [defɛʀvesɑ̃s] n. f. — 1870; du lat. *defervescere* «cesser de bouillonner», de *de-,* et *fervescere,* de *fervere* «bouillonner». → **Ferveur; effervescent.**
Didactique.

♦ **1** Chim. Diminution de l'effervescence*.

♦ **2** (1872). Méd. Période de décroissance de la température, au cours d'une maladie fébrile.

DÉFET [defɛ] n. m. — XIVᵉ, *defect;* du lat. *defectus* «manque», du supin de *deficere.* → **Déficient.**
Techn. Feuille superflue et dépareillée d'un ouvrage imprimé. *Les défets ne peuvent former des exemplaires complets, mais peuvent remplacer les feuilles défectueuses d'un volume.*
HOM. Formes du v. **défaire.**

DÉFEUILLAGE [defœjaʒ] n. m. — 1870; de *défeuiller.*
Didact. ou techn. Fait d'enlever les feuilles (pour faciliter la maturation des fruits). → **Défoliation.**

DÉFEUILLAISON [defœjɛzɔ̃] n. f. — 1803; de *défeuiller.*
Didact. Chute des feuilles. → **Défoliation.** — Par ext. Littér. Époque de l'année où elle se produit. *Aimer se promener en forêt à la défeuillaison.* — REM. On trouve chez Péguy la var. *défeuillement* [defœjmɑ̃] n. m.
CONTR. **Feuillaison, pousse.**

DÉFEUILLER [defœje] v. tr. — Av. 1262; de *1. dé-,* *feuille,* et suffixe verbal.
Littér. Dépouiller de ses feuilles*. → **Effeuiller, défolier.** *L'automne a défeuillé les arbres, la campagne.* — Pron. *Arbres qui se défeuillent.*

♦ **DÉFEUILLÉ, ÉE** p. p. adj.
1 La campagne, encore verte et riante, mais défeuillée en partie, et déjà presque déserte, offrait partout l'image de la solitude et des approches de l'hiver.
ROUSSEAU, Rêveries, 2ᵉ promenade.

1.1 Enfin, ils purent aborder dans une sorte de golfe où s'était arrondie une petite prairie rousse, portant quelques noisetiers défeuillés et des touffes de buis.
J. GIONO, le Hussard sur le toit, p. 275.

Par ext. *Rose défeuillée,* qui a perdu ses pétales.

2 (...) cette femme solitaire et droite, comme une rose triste qui d'être défeuillée a le port plus fier.
COLETTE, la Naissance du jour, p. 229.

DÉR. **Défeuillage, défeuillaison.**

DÉFEUTRAGE [deføtraʒ] n. m. — 1870; de *défeutrer*.
Techn. Traitement que l'on fait subir à la laine peignée pour redresser les fibres et réduire leur tendance au feutrage. *Le défeutrage, comprenant aussi un lissage des fibres, est l'opération qui succède au cardage* (au sens large : → **Cardage**), *et précède le peignage.*

DÉFEUTRER [deføtre] v. tr. — 1870; de 1. *dé-*, et *feutre*.
Techn. Travailler (la laine cardée) par doublage et étirage afin d'obtenir un ruban régulier. — Au p. p. *Le ruban défeutré est ensuite peigné.*
DÉR. Défeutrage, défeutreur.

DÉFEUTREUR [deføtrœr] n. m. — 1870; de *défeutrer*.
Techn. Machine à défeutrer la laine.

DÉFI [defi] n. m. — 1575; déverbal de 1. *défier*.

♦ **1** Hist. (féod.). Fait de défier (1.), de proclamer la résiliation d'un engagement. *Défi au suzerain.*

♦ **2** Action de défier en combat singulier, à une compétition, et, par métonymie, notification de cet acte (→ Appel, cit. 18). *Adresser, envoyer, lancer, jeter; recevoir, accepter, relever un défi* (→ Descendre dans l'arène*; jeter le gant*). *Le chevalier qui lançait le défi dans un tournoi était dit le tenant*. Cartel* de défi. Un insolent défi. Un défi imprudent, téméraire.*

1 *(Il) Lui jette pour défi son assiette au visage.*
BOILEAU, Satires, III.

2 *(...) chaque matin, l'arrogance du géant est plus grande, son défi plus moqueur et l'insulte qu'il y mêle outrageante.*
GIDE, Saül, I, 6.

♦ **3** Déclaration provocatrice par laquelle on signifie à qqn qu'on le tient pour incapable de faire une chose (surtout dans *mettre au défi*). *Mettre qqn au défi de faire qqch.* (cf. Mettre au pied du mur, prendre au mot). *Je relève le défi.* → fam. **Chiche.**

3 *Paraissez donc, mes accusateurs, et publiez ces choses sur les toits (...)*
En vérité, mes pères (...) vous n'avez point répondu à un tel défi. PASCAL, les Provinciales, XV.

♦ **4** Refus de s'incliner devant qqn ou qqch.; refus de se soumettre. → **Bravade, provocation.** *Je considère cet acte comme un défi à mon autorité. Regard, attitude, expression de défi* (→ Changer, cit. 46). *Un défi au danger, à l'opinion, au bon sens, à la raison.*

4 *Il fallait bien quelque chose de nouveau, quelque révélation subite, pour qu'elle prît cette attitude de défi agressif, cette expression de provocante ironie (...)*
LOTI, Ramuntcho, I, XXVII, p. 197.

5 *Les plus grands penseurs, depuis Aristote, se sont attaqués à ce petit problème (le rire), qui toujours se dérobe sous l'effort, glisse, s'échappe, se redresse, impertinent défi jeté à la spéculation philosophique.*
H. BERGSON, le Rire, I, p. 1.

♦ **5** (V. 1965, pour traduire l'angl. *challenge*). Anglicisme. Obstacle extérieur ou intérieur qu'une civilisation doit surmonter dans son évolution. → **Challenge,** 2. (cit.). *«Dans les sociétés comme pour les hommes il n'y a pas de croissance sans défi»* (J.-J. Servan-Schreiber). *Le défi atomique.*

CONTR. Concession, obéissance, recul, respect, soumission.

DÉFIANCE [defjɑ̃s] n. f. — XVIᵉ; «défi», 1170; de 2. *défier (se).*
Sentiment d'une personne qui se défie; méfiance jointe à la crainte. → **Crainte, doute, méfiance, prudence, suspicion.** *Défiance injustifiée.* → **Prévention.** *Éprouver, ressentir, témoigner de la défiance pour qqn, envers qqn, à l'égard de qqn, vis-à-vis de qqn.*

Accueillir une nouvelle avec défiance. → **Incrédulité, réserve, scepticisme.** *Inspirer de la défiance. L'ombre excite la défiance et l'inquiétude chez les chevaux.* → **Effaroucher; ombrage** (donner de l'ombrage). *Éveiller la défiance* (→ Mettre la puce* à l'oreille). *Il a justifié notre défiance en nous trompant, en nous trahissant.*

1 *La méfiance fait qu'on ne se fie pas du tout; la défiance fait qu'on ne se fie qu'avec précaution. Le défiant craint d'être trompé; le méfiant croit qu'il sera trompé.*
E. LITTRÉ, Dict., art. *Défiance.*

2 *Notre défiance justifie la tromperie d'autrui.*
LA ROCHEFOUCAULD, Maximes, 86.

3 *L'esprit de défiance nous fait croire que tout le monde est capable de nous tromper.*
LA BRUYÈRE, les Caractères de Théophraste, De la défiance.

4 *L'extrême défiance n'est pas moins nuisible que son contraire. La plupart des hommes deviennent inutiles à celui qui ne veut pas risquer d'être trompé.*
VAUVENARGUES, Réflexions et maximes, 101.

5 *(...) il eut une pensée de prudence, ou de défiance si vous voulez.*
BALZAC, Mᵐᵉ de La Chanterie, Pl., t. VII, p. 251.

6 *(...) avec cet accent de Montélimar qui éveille la défiance d'un Normand.* M. BARRÈS, Leurs figures, p. 81.

(Une, des défiances). Sentiment ou attitude particulière de défiance.

7 *Dès que la jalousie est découverte, elle est considérée par celle qui en est l'objet comme une défiance qui autorise la tromperie.*
PROUST, À la recherche du temps perdu, t. XI, p. 73.

EN DÉFIANCE. *Être, mettre en défiance.*

8 *Son attitude obséquieuse aurait suffi à me mettre en défiance, si je n'avais rien su, et à m'avertir que j'étais trahi.*
F. MAURIAC, le Nœud de vipères, II, XVI, p. 183.

Défiance envers, à l'égard de, vis-à-vis de soi-même : manque de confiance en soi.

9 *(...) au jugement que je fais de moi-même je tâche toujours de pencher vers le côté de la défiance plutôt que vers celui de la présomption (...)*
DESCARTES, Discours de la méthode, I.

Prov. *Défiance est mère de sûreté.* → **Méfiance, prudence.**

CONTR. Confiance. — Abandon, assurance, crédulité, croyance, foi, imprudence, sécurité, tranquillité. — Présomption.

DÉFIANT, ANTE [defjɑ̃, ɑ̃t] adj. — XVIᵉ; de 2. *défier (se).*

♦ **1** Qui se défie, qui est porté à se défier d'autrui. → **Circonspect, méfiant, ombrageux, soupçonneux.** *Mari défiant.* → **Jaloux.** *Caractère, individu défiant, sombre, fermé.*

1 *(Les rois sont) défiants, par l'expérience continuelle qu'ils ont de l'artifice des hommes corrompus dont ils sont environnés (...)* FÉNELON, Télémaque, XI.

2 *(...) tout jaloux, tout défiant qu'il est, je suis plus difficile à surprendre que lui.*
A. R. LESAGE, le Diable boiteux, X.

3 *C'est d'ailleurs le propre de l'amour de nous rendre à la fois plus défiants et plus crédules (...)*
PROUST, À la recherche du temps perdu, t. IX, p. 296 (→ Crédule, cit. 7).

(Avec un compl.). Être défiant envers, à l'égard, vis-à-vis de qqn. Défiant de soi, de soi-même.

♦ **2** Qui témoigne de la défiance. *Air défiant. Un comportement défiant.*

4 *Et les soins défiants, les verrous et les grilles Ne font pas la vertu des femmes ni des filles.*
MOLIÈRE, l'École des maris, I, 2.

CONTR. Assuré, communicatif, confiant, crédule, naïf, tranquille.

DÉFIBRAGE [defibraʒ] n. m. — 1876; de *défibrer.*
Techn. Action de défibrer; son résultat.

DÉFIBRER [defibʀe] v. tr. — 1876; de 1. *dé-, fibre,* et suff. verbal.
Techn. Dépouiller de ses fibres. *Défibrer la canne à sucre. Défibrer le bois pour faire du papier.*
DÉR. Défibrage, défibreur.

DÉFIBREUR, EUSE [defibʀœʀ, øz] n. — 1877; de *défibrer.*
Technique.
♦ **1** N. Ouvrier, ouvrière dont le travail consiste à défibrer le bois.
♦ **2** N. m. Machine à défibrer le bois. «*Les rondins sont (....) pressés fortement contre* (les meules) *dans une machine appelée défibreur*» (J.-C. Reggiani, *Industries et commerce du bois,* p. 115). — Machine qui permet d'obtenir, à partir de rondins, la fibre d'emballage.

DÉFIBRILLATEUR [defibʀijatœʀ] n. m. — 1960; de *défibriller.*
Méd. Appareil électrique servant à réaliser une défibrillation*.

DÉFIBRILLATION [defibʀijasjɔ̃] n. f. — V. 1960; de 1. *dé-,* et *fibrillation.*
Méd. Intervention visant à rétablir un rythme cardiaque normal chez un patient atteint de fibrillation*. *Défibrillation par chocs électriques au moyen d'un défibrillateur.*
DÉR. V. Défibriller.

DÉFIBRILLER [defibʀije] v. tr. — 1967; de 1. *dé-, fibrille,* et suff. verbal, d'après *défibrillation.*
Méd. Faire cesser la fibrillation de (fibres musculaires).
(Il faut) pouvoir «défibriller» *le cœur et lui rendre des battements corrects. Cela est possible en lui envoyant un choc électrique bref. Cette véritable électrocution, à l'aide d'un* «défibrillateur électrique», *le remet le plus souvent sur la bonne voie* (...)
Cl. D'ALLAINES, la Chirurgie du cœur, p. 89.
DÉR. Défibrillateur.

DÉFIBRINATION [defibʀinasjɔ̃] n. f. — 1874, in *Année sc. et industr.* 1875, p. 321; de *défibriner.*
Méd. Action de défibriner.

DÉFIBRINER [defibʀine] v. tr. — 1870; p. p., 1845; de 1. *dé-,* et *fibrine.*
Méd. Priver de fibrine ou de fibrinogène (un liquide organique, notamment le sang). — Au p. p. *Du sang défibriné.*
Lors de la boucherie, quand Joseph, le boucher du village, plante son couteau dans le cou du porc, recueillez ce sang, brassez-le bien pour le défibriner.
Jean FOLLONIER, Valais d'autrefois, p. 39.
DÉR. Défibrination.

DÉFICELER [defisle] v. tr. [CONJUG.: *ficeler.* → Appeler.] — 1705; de 1. *dé-,* et *ficeler.*
Dégager (un objet) des ficelles qui le tiennent. *Déficeler un paquet.* → **Déballer, défaire, dépaqueter.** — Au p. p. *Colis déficelé.*
«Voyons donc, ce service gothique dont on m'a tant parlé dans mon enfance», s'écria-t-il, et il fait sonner l'argenterie, et il déficelle le linge (...)
Ed. et J. DE GONCOURT, Journal, 21 sept. 1856.
CONTR. Attacher, ficeler.

DÉFICIENCE [defisjɑ̃s] n. f. — 1907; de *déficient.*
♦ **1** Insuffisance organique. *Déficience cardiaque, glandulaire.*
Insuffisance d'une fonction. — (Fonction physique). *Déficience sensorielle, visuelle, sexuelle.* — (Fonction mentale). *Déficience psychique, intellectuelle.*
♦ **2** Par ext. Faiblesse, insuffisance. → **Limite; carence, défaillance.**
Proust n'est nullement aveugle aux déficiences des Guermantes.
A. MAUROIS, À la recherche de M. Proust, IX, IV, p. 297.
COMP. Immunodéficience.

DÉFICIENT, ENTE [defisjɑ̃, ɑ̃t] adj. et n. — 1290, *deficiens;* lat. *deficiens,* p. prés. de *deficere* «manquer», de *de-,* et *facere* «faire».
♦ **1** Adj. Qui présente une déficience. *Organisme déficient. Intelligence déficiente.* → **Faible, insuffisant.** — (Personnes). *Cet enfant est déficient.* → **Arriéré, débile.** — N. Personne qui présente une déficience mentale, sensorielle ou motrice. *Un déficient moteur, sensoriel, mental. Une déficiente motrice.*
♦ **2** Adj. Insuffisant. *Une argumentation déficiente.* → **Faible, médiocre.** — Philos. *Cause déficiente,* qui agit par son absence. *La causalité exercée par le mal est déficiente.* — Math. *Nombre déficient :* nombre dont la somme des parties aliquotes est inférieure au nombre lui-même. *10 est un nombre déficient* $(1 + 2 + 5 = 8)$.
Vx. *Récolte déficiente.* → **Déficitaire.**
DÉR. Déficience.

DÉFICIT [defisit] n. m. — 1771; sens lat., 1560; mot lat., «(la chose) manque», 3e pers. du sing. du présent de l'indicatif de *deficere.* → Déficient.
♦ **1** Vx. Dans les inventaires, s'employait pour signaler qu'un article manquait. *Une paire de chaussures : déficit.* — Par ext. L'article manquant.
♦ **2** Fin. et cour. Ce qui manque pour compléter une quantité donnée de numéraire, ou pour balancer un compte. → **Dette, manque, perte; découvert.** *Déficit de caisse. Un déficit de plusieurs millions. Déficit d'un compte. Déficit budgétaire :* ce qui manque aux recettes pour équilibrer les dépenses. → **Budget.** *Combler le déficit par un emprunt, des impôts.* (cit. 8). *L'État est en déficit.* — *Déficit d'exploitation :* perte effective subie par un contribuable et dont il est tenu compte pour l'établissement de l'assiette de l'impôt sur le revenu.
Je vis cependant au premier coup d'œil qu'il ne serait pas [1] difficile de balancer ce déficit entre la recette et la dépense ordinaire (...) le dernier état (...) annonçait un déficit de 24 millions de la recette à la dépense ordinaire (...)
NECKER, Compte rendu au Roi, janv. 1781, p. 6, *in* LITTRÉ.
Quand il y a déficit budgétaire, cela veut dire que les [2] recettes budgétaires de *bonne qualité* ne suffisent pas à payer les dépenses : un équilibre nominal a été atteint par des procédés (emprunts, inflation, etc.) que la science des finances réprouve.
L. TROTABAS, Précis de science et de législation financières, Introd., 18, p. 14.
♦ **3** Écon. Écart entre une quantité réelle et celle, supérieure, qui avait été prévue ou qui est nécessaire. *Récolte de blé en déficit,* insuffisante pour la consommation.
Méd. Manque qui déséquilibre. *Déficit hormonal. Déficit immunitaire. Déficit psychologique.* → **Déficience.**

Fig. → **Insuffisance, manque.**

2.1 Dans mon agenda il y a deux parties : sur une feuille j'écris ce que je ferai, et sur la feuille d'en face, chaque soir, j'écris ce que j'ai fait. Ensuite je compare ; je soustrais, et ce que je n'ai pas fait, le déficit, devient ce que j'aurais dû faire. Je le récris pour le mois de décembre et cela me donne des idées morales.   GIDE, Paludes, *in* Romans, Pl., p. 96.

3 Il est des jours où l'on se sent particulièrement *loin de compte* ; en retard ; en dette ; en déficit.
                                GIDE, Journal, 20 oct. 1929.

CONTR. Excédent, excès. — Bénéfice. — Abondance. ◊ DÉR. Déficitaire. ⬥ COMP. Immunodéficitaire.

DÉFICITAIRE [defisitɛʀ] adj. — 1909 ; admis Académie, 1932 ; de *déficit.*

⬥ **1** Qui se solde par un déficit. *Budget déficitaire.*

⬥ **2** Insuffisant. *Récolte déficitaire.* — Par ext. *Année déficitaire en blé, en vin.*

CONTR. Bénéficiaire.

---

1. **DÉFIER** [defje] v. tr. — 1080 ; de 1. *dé-*, et *fier.*

⬥ **1** Hist. (féod.). Aviser (qqn) que l'on renonce à la foi jurée à son égard. *Défier son suzerain, son frère d'armes.*

1 Je défiai le preux Roland et Olivier, et tous leurs compagnons. Charles et ses nobles barons entendirent mon défi. Je me suis vengé, mais ce ne fut pas trahison.
                J. BÉDIER, la Chanson de Roland, CCLXXV, p. 287.

⬥ **2** Inviter (qqn) à venir se mesurer comme adversaire. → **Provoquer ; défi** (2.). *Défier qqn en combat singulier, en champ clos. — Défier un adversaire à la boxe, aux échecs. Défier ses camarades à la course, à courir* (cit. 7). *Défier des amis à boire, à qui boira le plus. Champions, rivaux, qui se défient. Défier un champion pour son titre.* → **Challenger.**

2 Je te défie en vers, prose, grec et latin.
                MOLIÈRE, les Femmes savantes, III, 3.

3 Il ne tarda pas à rejoindre celui qui l'avait défié, et de son premier coup de lance il le tua.
                J. BOULENGER, les Amours de Lancelot du Lac, XX, p. 199.

Fig. et littér. *Un teint qui défie le lis et la rose.* → **Comparaison** (soutenir la), **rivaliser** (avec).

⬥ **3** DÉFIER QQN DE... : mettre (qqn) au défi, en demeure de faire qqch., en laissant entendre qu'on l'en croit incapable. *Je vous défie de deviner cette énigme. Je le défie de faire mieux. Je le défie de se tirer de ce mauvais pas. Voilà une pièce unique, je défie quiconque de trouver la pareille.* — (Compl. n. de chose). *Je défie son orgueil, sa méchanceté, sa douceur, sa patience..., d'arriver à un tel résultat.*

4 On voudrait, à quelque prix que ce soit, ternir la beauté de son action ; mais j'en défie la plus fine jalousie.
                Mme DE SÉVIGNÉ, Lettres, 433, 21 août 1675.

5 Je défiais ses yeux de me troubler jamais.
                RACINE, Andromaque, I, 1.

6 Je la défie de fournir un signalement qui tienne debout ; en tout cas un signalement que la précision du mien ne flanquera pas par terre.
                J. ROMAINS, les Hommes de bonne volonté, t. II, XII, p. 126.

REM. Il ne faut pas confondre *défier à* (→ ci-dessus, 2.) avec *défier de. Je le défie à courir* : je lui propose de se mesurer avec moi à la course. *Je le défie de courir* : je le déclare incapable de courir.

(Sans compl. second). *Il ne faut pas défier les fous* (de faire leurs folies). *Il est imprudent de défier les gens à tout propos.*

7 Mon oncle, il ne faut jurer de rien, et encore moins défier personne.
                A. DE MUSSET, Comédies et proverbes, « Il ne faut jurer de rien », III, 4.

⬥ **4** (Sujet n. de chose). N'être aucunement menacé par (qqch. qui pourrait s'exercer contre). *Prix qui défient toute concurrence* (d'en faire de plus avantageux). — *Raisonnement, conclusion qui défient toute logique* (d'arriver à les justifier). *Conduite irréprochable qui défie la critique* (de trouver à s'exercer). → **Désarmer.** — *Monument qui défie le temps, les siècles* (de parvenir à le détruire).

8 Ce qui devait tenir contre les vents et défier la durée même des siècles (...)
                MASSILLON, Petits Carême, Inconstance, *in* LITTRÉ.

9 Toujours est-il qu'elle était vertueuse ; sa réputation défiait la calomnie.
                BARBEY D'AUREVILLY, le Dessous de cartes, p. 33.

⬥ **5** Refuser de se laisser intimider par..., d'obéir à..., de se soumettre à... (qqch., une force, etc.). → **Affronter, braver, dresser** (se dresser contre). *Défier l'autorité, l'opinion, le sort, le danger, la mort.*

10 Je m'en vais défier les vents au milieu de l'océan.
                VOLTAIRE, Lettres, *in* LITTRÉ.

11 Et ils s'imaginaient une vie exclusivement amoureuse, assez féconde pour remplir les plus vastes solitudes, excédant toutes joies, défiant toutes les misères (...)
                FLAUBERT, l'Éducation sentimentale, Pl., t. II, IV, p. 303.

12 (...) il faut défier l'avenir si l'on ne veut pas être réduit à le redouter.
                G. DUHAMEL, Récits des temps de guerre, t. I, II, p. 184.

(Compl. n. de personne). *Défier qqn du regard.*

⬥ **6** Mar. Conjurer par une manœuvre. *Défier la lame, l'embardée, un abordage. — Défier une embarcation d'une lame,* l'en mettre à couvert.

◆ **SE DÉFIER** v. pron. récipr.

(Au sens 3.). Se mettre au défi. — (Au sens 4.). S'affronter (mutuellement) en refusant d'obéir, de céder, etc. *Ils se sont défiés.*

CONTR. Consacrer (se), **vouer** (se). — **Céder** (à), **plier** (devant), **reculer** (devant). ◊ DÉR. **Défi.**

---

2. **DÉFIER (SE)** [defje] v. pron. — XVIe ; de 1. *dé-*, et *fier,* d'après le lat. *diffidere,* d'où *difier* (XIIe), de *dis-,* et *fidere* « avoir foi en ».

Littér. Avoir peu de confiance en ; être, se mettre en garde contre (qqn ou qqch). — REM. Le verbe courant, non marqué, est *se méfier.* → **Garde** (être sur ses gardes) ; **garder** (se), **méfier** (se). — *« Ne vous y frottez pas ! C'est un individu dont il faut se défier ! » Je me défie de ses caresses, de ses protestations d'amitié, de ses bonnes résolutions. — Se défier de son propre cœur.* → **Appréhender, craindre...**

REM. *Se défier* et *se méfier* ne diffèrent que par les préfixes. Littré (à l'art. *Méfier*) observe que la nuance qui les sépare est très petite et que, dans le fait, l'usage les emploie l'un pour l'autre, ce qui n'est plus exact. L'usage actuel de *se méfier* est beaucoup plus étendu. *Se défier* ne s'emploie guère hors de la langue littéraire.

1 Il est plus honteux de se défier de ses amis que d'en être trompé.   LA ROCHEFOUCAULD, Maximes, 84.

2 Défions-nous du sort, et prenons garde à nous Après le gain d'une bataille.
                LA FONTAINE, Fables, VII, 13.

3 Tous les animaux se défient de l'homme, et n'ont pas tort : mais sont-ils une fois qu'il ne leur veut pas nuire, leur confiance devient si grande qu'il faut être plus que barbare pour en abuser.   ROUSSEAU, Confessions, VI.

4 Il faut qu'il se défie de moi, pensa-t-il, et que cette fille qu'il aime tant le porte à me craindre et à me détester.
                G. SAND, la Petite Fadette, XXVII, p. 180.

5 Les femmes se défient trop des hommes en général et pas assez en particulier (...)
                FLAUBERT, Correspondance, t. II, p. 142.

6 (...) ceux-là se défient des richesses, parce qu'elles rendent sensible aux flatteries et sourd aux malheureux ; ils se défient des plaisirs, parce qu'ils obscurcissent et éteignent enfin la lumière de l'intelligence.
ALAIN, Propos sur le bonheur, p. 98.

Se défier de soi-même : avoir peu de confiance en soi, en ses capacités. → **Douter.** *Je me défie de mes premiers mouvements.*

7 Le silence est le parti le plus sûr de celui qui se défie de soi-même.   LA ROCHEFOUCAULD, Maximes, 79.

CONTR. Compter (sur), **confier** (se), **fier** (se), **reposer** (se reposer sur). ◊ **DÉR. Défiance, défiant.**

DÉFIGER [defiʒe] v. tr. [CONJUG. : figer (→ Bouger).]
— 1856 ; de 1. dé-, et figer.

♦ **1** Techn. (cuis.). Ramener à l'état liquide ce qui est figé. *Défiger de l'huile, une sauce, du jus.*

♦ **2** Fig. et rare. → **Dégeler, dégourdir, dérider.** *Défiger un timide.* → **Aise** (mettre à l'), **apprivoiser.** *«Constance (...) essaya de défiger ses traits»* (H. Bazin, in T. L. F.).

CONTR. Figer. — **Engourdir, geler, glacer.** — **Paralyser.**

DÉFIGURATION [defiɡyʀasjɔ̃] n. f. — 1866 ; deffiguration, fin XIIIᵉ ; «état de ce qui est défiguré», 1260 ; de défigurer.

Rare. Action de défigurer (qqn). — État qui en résulte. → **Défigurement.**

Gwynplaine ne songeait à sa défiguration qu'avec reconnaissance. Il était bien dans ce stigmate. Il le sentait avec joie imperdable et éternel.
HUGO, l'Homme qui rit, t. XII, p. 322.

DÉFIGUREMENT [defiɡyʀmã] n. m. — 1886 ; de défigurer.

♦ **1** État d'une personne défigurée. → **Défiguration.**

Défigurement bizarre et triste, qui faisait conjecturer la fantasmatique juxtaposition d'une moitié de vieux visage à la cassure inférieure de quelque sublime chapiteau humain.   Léon BLOY, le Désespéré, p. 153.

♦ **2** Action de défigurer la réalité ; état de ce qui est défiguré. *Le défigurement d'un texte traduit.*

DÉFIGURER [defiɡyʀe] v. tr. — 1119 ; de 1. dé-, figure «forme», et suff. verbal.

♦ **1** Rendre méconnaissable en altérant la forme, l'aspect. → **Abîmer, altérer, changer, contrefaire, décomposer, enlaidir, gâter.** *Défigurer le visage de qqn* (on dira plutôt aujourd'hui *défigurer qqn*). — Passif et p. p. *Corps défiguré par la maladie, par l'âge.* → **Difforme, laid.** *Visage défiguré par les larmes, par un rictus.*

1 (...) de ces larmes désagréables qui défigurent un visage (...)   MOLIÈRE, Scapin, I, 2.
2 (...) ce héros expiré
N'a laissé dans mes bras qu'un corps défiguré.
RACINE, Phèdre, V, 6.
3 (Charles XII) avait (...) le bas du visage désagréable, trop souvent défiguré par un rire fréquent qui ne partait que des lèvres (...)   VOLTAIRE, Hist. de Charles XII, VIII.

(Compl. n. de personne ; d'après figure «visage»). Abîmer le visage de (cf. fam. Abîmer le portrait). *Défigurer qqn au vitriol.* → **Vitrioler.** *Les Gueules cassées, anciens combattants qu'une blessure a défigurés.* — Plus cour. au passif et au p. p. *Défiguré par la petite vérole* (→ Masque, cit. 24).

4 J'en ai vu certaines *(des victimes du bombardement)*... défigurées par de hideuses blessures, sans plus qu'une moitié de visage   GIDE, Journal, 3 mars 1943.

(Sujet n. de chose ; compl. n. de personne). Altérer l'apparence du visage. *La peine et l'amour l'avaient défiguré* (→ Méconnaissable, cit. 1).

(Compl. n. de chose). *Défigurer une œuvre d'art en la retouchant. Défigurer un monument antique en le restaurant maladroitement. La tempête, l'orage ont défiguré le parc.*

Au passif :

Notre malheureux jardin est défiguré par l'automne : on 5
n'ose même plus le regarder.
G. DUHAMEL, Chronique des Pasquier, III, t. II, p. 147.

♦ **2** Donner une reproduction ou description fausse de (qqch.). → **Dénaturer, transformer.** *Défigurer la réalité d'une manière grotesque. Défigurer les faits, la vérité.* → **Altérer, caricaturer, travestir.** *Défigurer la pensée, les intentions de qqn.* → **Fausser.** *Défigurer une histoire en l'enjolivant.* → **Broder.** *Défigurer une légende. Défigurer un personnage historique, en le présentant sous un faux jour.* — Rare (ambigu). *Défigurer qqn,* lui attribuer en mal un caractère qu'il n'a pas.

(...) la Samaritaine ne fut point déshonorée ; quelle douleur 6
de la voir défigurée par des prédicateurs indignes !
Mᵐᵉ DE SÉVIGNÉ, Lettres, 1157, 28 mars 1689.

Quelquefois de ceux qui ont lu un ouvrage en rapportent 7
certains traits dont ils n'ont pas compris le sens (...) et ces traits ainsi corrompus et défigurés (...) ils les exposent à la censure (...)   LA BRUYÈRE, les Caractères, I, 22.

(...) quand, entraîné par le plaisir d'écrire, j'ajoutais à des 8
choses réelles des ornements inventés, j'avais plus de tort encore, parce qu'orner la vérité par des fables, c'est en effet la défigurer.
ROUSSEAU, Rêveries, 4ᵉ promenade.

♦ **DÉFIGURÉ, ÉE** p. p. adj. *Visage, corps défiguré* (→ ci-dessus, cit. 2). — *Accidentés défigurés. La chirurgie esthétique réparatrice peut rendre un visage normal aux personnes défigurées.* — (Choses). *Œuvre défigurée,* modifiée jusqu'à être méconnaissable. — *Histoire, légende défigurée,* travestie, modifiée, rendue fausse (→ ci-dessus, cit. 6 et 7).

CONTR. Arranger, embellir, reproduire, respecter, restituer. ◊ **DÉR. Défiguration, défigurement.**

DÉFILADE [defilad] n. f. — 1845 ; de 2. défiler, puis de 1. défiler.

Rare.

♦ **1** (De 2. défiler). Action de défiler, d'aller à la file. → **Défilé.** — Par ext. Cortège qui défile. → **Cavalcade.**

♦ **2** (De 1. défiler). Action de se défiler, de s'enfuir. — Par ext. Fuite. → **Défilage** (3).

C'était alors une bousculade, une défilade rapide d'ombres fuyantes devant nos réseaux de fils de fer ; une déroute de godillots, de rires, de chutes (...)
B. CENDRARS, l'Homme foudroyé, p. 18.

1. DÉFILAGE [defilaʒ] n. m. — 1784 ; de 1. défiler.

♦ **1** (1784). Techn. Action de défiler ce qui est enfilé. *La charpie est obtenue par le défilage de la toile. Défilage des chiffons pour en faire de la pâte à papier.*

♦ **2** (De 1. défiler, pron.). Fam. Dérobade. → **Défilade,** 2. (au fig.).

(...) pendant tout ce temps, j'oscillais entre mon nationalisme théorique d'avant l'armée et ma pratique de défilage, de lâchage, me défendant minute par minute (...) ou sortant un livre de ma poche aussitôt que je pouvais.
DRIEU LA ROCHELLE, la Comédie de Charleroi, p. 35.

2. DÉFILAGE [defilaʒ] n. m. — 1772 ; de 2. défiler.

Rare. Allées et venues incessantes de gens qui défilent.

Apprenez-moi le défilage des gens de votre voisinage.
Mᵐᵉ DU DEFFAND, Correspondance, mars 1772, in D. D. L., II, 3.

DÉFILÉ [defile] n. m. — 1643; de 2. *défiler.*

◆ **1** Couloir naturel encaissé, resserré (étymologiquement : tel qu'on n'y peut passer qu'à la file). → **Couloir, passage.** *Défilé en cul-de-sac, sans issue. Le fleuve a creusé un défilé dans la roche.* → **Canyon, gorge.** *Défilé entre deux montagnes. Cluse, col en défilé, formant un défilé. S'engager dans un défilé. Attendre, surprendre l'ennemi, dresser une embuscade à l'entrée, aux portes, au seuil, à la sortie, au débouché d'un défilé. Citadelle, fort qui commande, surveille un défilé. Le Défilé des Thermopyles.*

1 El-Kantara — le pont — garde le défilé et pour ainsi dire l'unique porte par où l'on puisse, du Tell, pénétrer dans le Sahara.
E. FROMENTIN, Un été dans le Sahara, I, p. 4.

2 Enfin, un soir, entre la Montagne-d'Argent et la Montagne-de-Plomb, au milieu de grosses roches, à l'entrée d'un défilé, ils surprirent un corps de vélites (...)
FLAUBERT, Salammbô, XIV, p. 304.

Passage maritime étroit. → **Bras** (de mer), **canal, détroit, fjord, grau.**

Par métaphore :

3 (...) on les fait passer par un défilé bien étroit, je veux dire entre la vie et leur argent.
MONTESQUIEU, Lettres persanes, XCIX.

◆ **2** (1669). Manœuvre des troupes qui défilent. → 2. **Défiler.** *Le défilé du 14 juillet à Paris. Aller à la revue*, à la parade* pour voir le défilé. La musique marche en tête du défilé. Défilé de troupes, de cavaliers, de chars d'assaut. Défilé naval. Défilé spectaculaire.*

4 Le 20 octobre *(1805)*, Napoléon, placé au pied du Michelsberg, assista au défilé des 30 000 hommes restés à Mack et qui, avec le feld-maréchal et un énorme état-major, tombaient ainsi, sans plus de coups férir, entre ses mains.
Louis MADELIN, Hist. du Consulat et de l'Empire, Avènement de l'Empire, XXII, p. 280.

◆ **3** Suite de personnes, de voitures en mouvement et disposées en colonne, en file. → **Colonne, cortège, file.** *Le défilé des troupes montant vers la ligne de feu. Un défilé interminable de réfugiés. Défilé d'anciens combattants, de manifestants. Défilé de cavaliers à une parade, à un carnaval.* → **Cavalcade.** *Défilé de masques.* → **Mascarade.** *Défilé religieux.* → **Procession.** *Défilé aux flambeaux.* → **Retraite.** — (1925). *Le défilé des mannequins à une présentation de collection de couture. — Arriver à un mariage, à un enterrement pour le défilé, pour le moment où les assistants défilent devant la famille afin de lui présenter leurs félicitations ou leurs condoléances. — Le défilé du cortège, dans une noce.*

5 Les jeunes mariés venaient d'abord, puis les parents, puis les invités, puis les pauvres du pays, et les gamins qui tournaient autour du défilé, comme des mouches, passaient entre les rangs, grimpaient aux branches pour mieux voir.
MAUPASSANT, Contes de la Bécasse, «Farce normande».

◆ **4** Par ext. → **Procession, succession.** *Un défilé ininterrompu de visiteurs, de quémandeurs. Un défilé de voitures à la sortie de l'autoroute.* → **Carrousel** (fig.).

6 (...) il dépeignit l'ininterrompu défilé des lésés et des mécontents, leurs attitudes découragées, leurs figures navrées et navrantes.
COURTELINE, Messieurs les ronds-de-cuir, III, III, p. 114.

◆ **5** (Abstrait). → **Chapelet, cortège, succession, théorie.** *Le défilé des générations.*

7 Venise (...) évoque d'un seul coup dans l'esprit un éclatant défilé de souvenirs magnifiques et tout un horizon de songes enchanteurs.
MAUPASSANT, la Vie errante, p. 245.

HOM. 1. **Défiler,** 2. **défiler.**

1. **DÉFILEMENT** [defilmã] n. m. — 1785; de 1. *défiler* (3.).

Milit. Possibilité de se mettre à couvert (en étant protégé par un accident de terrain, une construction); protection, mise à couvert.

Avec de grandes demi-lunes, des fronts en ligne droite et un bon défilement, on doit tenir un certain temps.
P.-L. COURIER, in LITTRÉ.

2. **DÉFILEMENT** [defilmã] n. m. — 1921; «défilé* (de troupes)», 1832; de 2. *défiler** (3.).

Techn. Passage, déroulement continu. *Le défilement d'une bande enregistrée. Vitesse de défilement d'un film à la projection, à la prise de vues.*

1. **DÉFILER** [defile] v. tr. — XIIIᵉ; de 1. *dé-, fil,* et suff. verbal.

◆ **1** Détacher, défaire (une chose enfilée). → **Désenfiler.** *Défiler un collier.* — Pron. *Une perle s'est défilée.*

J'ai songé cette nuit de perles défilées (...)
MOLIÈRE, le Dépit amoureux, v, 6.

1

Fig. *Défiler son chapelet** : raconter à la suite, énumérer.

◆ **2** Techn. Défaire fil à fil. → **Effiler, effilocher.** *Défiler des chiffons,* pour en faire de la pâte à papier.

◆ **3** Milit. Disposer (des troupes, un ouvrage) de manière à les soustraire à l'enfilade du feu ennemi.

◆ **SE DÉFILER** v. pron.

◆ **1** Cesser d'être enfilé, sortir du fil. *Perles qui se défilent.*

◆ **2** [a] Vieilli. *Troupes qui se défilent,* qui se mettent à l'abri du feu ennemi. → 1. **Défilement.**

[b] (1860). Fam. Se cacher ou se récuser au moment critique. → **Caner, dérober** (se); **enfuir** (s'). *Je comptais sur eux : ils se sont tous défilés.* → **Claquer** (dans les mains).

Sans doute, ils se «défileront» par la suite, nieront avoir rien vu.
GIDE, Voyage au Congo, in Souvenirs, Pl., p. 743.

2

CONTR. **Enfiler.** — **Exposer.** — **Payer** (de sa personne). — **Tisser.** ◊ DÉR. **Défilade,** 1. **défilage,** 1. **défilement, défileuse.** — V. **Défilocher.** — HOM. **Défilé,** 2. **défiler.**

2. **DÉFILER** [defile] v. intr. — 1648; de 2. *dé-,* et *file.*

◆ **1** Marcher en file. *Défiler à la queue leu leu, en file indienne, un par un, deux par deux.*

(...) quand ils émigrent *(les bisons du Missouri),* leur troupe met plusieurs jours à défiler.
CHATEAUBRIAND, Voyage en Amérique, Bisons.

1

(...) tous les ouvriers défilaient devant lui, un après l'un, silencieux, le dos courbé.
MARTIN DU GARD, les Thibault, t. V, p. 67.

2

Passer en colonne devant un chef militaire. → **Défilé** (2.). *La troupe a défilé après avoir été passée en revue par son chef. Défiler au pas, drapeau en tête, musique en tête, par compagnies.* — Par ext. *Régiment qui défile en allant à l'exercice.*

Sur la place, le bataillon de jeunes était rangé (...) On n'entendait que la musique fiévreuse, que la cadence mécanique du régiment en marche. Le regard volontaire de ceux qui défilaient semblait vouloir dominer tous ces gosses muets qui présentaient les armes.
R. DORGELÈS, les Croix de bois, XI, p. 237.

3

Les rues sont pleines de troupes en armes, qui défilent en scandant des chants rythmés, aux intonations basses, plus nostalgiques que joyeuses.
A. ROBBE-GRILLET, Dans le labyrinthe, p. 211-212.

3.1

Par anal. Passer solennellement, l'un derrière l'autre, devant des spectateurs. *Défiler comme à la parade. Cortège, cavalcade qui défilent.*

♦ **2** Se succéder sans interruption. *Les visiteurs avaient défilé toute la journée. — (Choses). Le paysage défile aux fenêtres du train.* → **Dérouler** (se).

4 Le taxi roulait à vive allure vers la gare ; les quais déjà déserts, le pont noir et luisant, la place du Carrousel, défilèrent au rythme accéléré d'un film d'aventures (...)
MARTIN DU GARD, les Thibault, t. IV, p. 43.

Fig. *Souvenirs, visions qui défilent dans la mémoire.*

5 — Et de longs corbillards, sans tambours ni musique,
Défilent lentement dans mon âme (...)
BAUDELAIRE, les Fleurs du mal, LXXVIII, «Spleen».

6 C'est cette existence fangeuse, ce sont ces heures misérables qui défilent aujourd'hui devant mes yeux, quand je fredonne le refrain de la négresse (...)
Alphonse DAUDET, le Petit Chose, II, XII, p. 339.

♦ **3** (1932). Passer de manière continue. → 2. **Défilement.** *Faire défiler une bande magnétique devant une tête de lecture.*

CONTR. Disperser (se), **égailler** (s'), **mêler** (se). ◊ **DÉR. Défilade**, 2. **défilage, défilé**, 2. **défilement.** ► **HOM. Défilé**, 1. **défiler.**

DÉFILEUSE [defiløz] n. f. — 1846 ; de 1. *défiler.*
Techn. Machine qui fait le défilage.

DÉFILOCHAGE [defilɔʃaʒ] n. m. — 1865 ; de *défilocher.*
Techn. → **Effilochage.**

DÉFILOCHER [defilɔʃe] v. tr. — 1890 ; de 1. *dé-*, et *filoche* «bout de fil» (→ Fil), ou de 1. *défiler*, et suffixe *-ocher.*
Techn. → **Effilocher.**
DÉR. Défilochage.

DÉFINI, IE [defini] adj. et n. m. — XVIIᵉ ; de *définir.*

♦ **1** Qui est défini. → **Définir** (1.). *Mot bien défini, mal défini. Les termes définis dans ce glossaire.*
Et en effet on peut tout prouver si les mots dont on se sert ne sont pas clairement définis.
A. MAUROIS, Un art de vivre, p. 18.

N. m. Logique. LE **DÉFINI** : le concept, la notion (représenté[e] par un mot), qui est défini(e) dans une définition. *«La définition doit s'appliquer à tout le défini et au seul défini»* (Goblot).

♦ **2** Qui est défini. → **Définir** (2.). *Les caractères définis d'un type humain.*

♦ **3** → **Déterminé, précis.** *Avoir une tâche bien définie à remplir. Aller vers un but défini* (→ Commande, cit. 31). *Dans des proportions définies.*

Gram. *Article défini*, qui se rapporte (en principe) à un objet particulier, déterminé (masc. : *le* ; fém. : *la* ; plur. : *les*). *Passé défini.* → **Parfait, passé** (simple).

CONTR. Indéfini, indéterminé.

DÉFINIR [definiʀ] v. tr. — Fin XIIᵉ ; lat. *definire*, de *de-*, et *finire* «finir».

♦ **1** Déterminer par une formule précise (→ **Définition**) l'ensemble des caractères qui appartiennent à un concept. — REM. On *définit* un concept, une idée générale. On *décrit* un objet concret, une classe (→ Décrire). *Définir un mot*, indiquer sa signification ; donner ses significations par une définition de type lexicographique. *Chercher dans un dictionnaire comment définir un mot, une expression.* → **Déterminer** (le sens), **expliquer** (→ Artisan, cit. 10, caricature, cit. 1). *Définir clairement et distinctement*

un mot, un terme, une expression. Définir qqch. par le genre prochain et la différence spécifique. Définir un mot à l'aide de son contexte.

La dissimulation n'est pas aisée à bien définir : si l'on se 1 contente d'en faire une simple description, l'on peut dire (....)
LA BRUYÈRE, les Caractères de Théophraste, De la dissimulation.

(...) il n'y a rien de plus faible que le discours de ceux 2 qui veulent définir ces mots primitifs (espace, temps, mouvement, nombre, égalité...). Quelle nécessité y-a-t-il, par exemple, d'expliquer ce qu'on entend par le mot *homme?* (...) pour définir l'être, il faudrait dire *c'est*, et ainsi employer le mot défini dans sa définition.
PASCAL, l'Esprit géométrique, I.

Mais ces mots primitifs *(être, faire, etc.)* sont en très petit 3 nombre, et ne sauraient autoriser, pour les autres, le défaut de méthode qui consiste à définir un premier terme par un second, et le second à son tour par le premier (...)
HATZFELD, Dict., Introd., XV.

Les nuances de sens ou d'emploi qui distinguent les syno- 4 nymes les uns des autres apparaissent bien plus clairement quand on les oppose et les compare que quand on se borne à les définir isolément.
Gaston PARIS, Extrait du Journal des Savants, oct. et nov. 1890, Compte rendu Dict., p. 23.

♦ **2** Par ext. Caractériser (une chose, une personne particulière). → Ordre, cit. 5. *Une sensation difficile à définir.* → **Indéfinissable.**

Ne formez pas l'idée de votre tristesse. Ne la définissez 5 pas. La tristesse est déjà une faiblesse.
A. MAUROIS, le Cercle de famille, II, III, p. 143.

Il l'a vite définie : une paresseuse.

Quel moyen de vous définir (...) il faudrait (...) vous con- 6 fronter avec vos pareils, pour porter de vous un jugement sain et raisonnable.
LA BRUYÈRE, les Caractères, IX, 20.

♦ **3** Préciser l'idée de. → **Déterminer, expliquer, fixer, indiquer, préciser.** *Il faudra le faire, dans des conditions qui restent à définir. Définir un but, les conditions d'un travail. Il lui est difficile de définir ce qu'il ressent. Cela est malaisé à définir* (→ Attitude, cit. 29 ; artiste, cit. 14). *Demander au gouvernement de définir sa position.*

La mémoire a donc bien ses degrés successifs et distincts 7 de tension ou de vitalité, malaisés à définir, sans doute, mais que le peintre de l'âme ne peut pas troubler entre eux impunément.
H. BERGSON, Matière et mémoire, p. 186.

Théol. Déterminer le sens de (un point de dogme). → **Décider, fixer, trancher.** *Les conciles ont défini que... Définir un dogme. Définir ex cathedra.* → **Définition.**

Il est vrai qu'on ne définit expressément à Nicée que ce qui 8 était expressément révoqué en doute, qui était la divinité du Fils de Dieu.
BOSSUET, Hist. des variations, 1ᵉʳ avertissement, paragr. 30, in LITTRÉ.

♦ **4** Rare. (Concret). Fixer les limites de. → **Circonscrire, déterminer.** *Définir un lieu, un terrain, une surface.*

♦ **SE DÉFINIR** v. pron.

(Passif). Être défini. *Terme qui se définit malaisément.*

(Réfléchi). Donner une définition de soi-même. → **Caractériser** (se).

Ils s'expliquaient indéfiniment l'un à l'autre, ou plutôt ils 9 essayaient de se définir, c'est-à-dire de ressembler à l'image qu'ils traçaient d'eux-mêmes.
Edmond JALOUX, le Dernier Jour de la création, VIII, p. 91.

(Récipr.). *«Celui qui rêve et ce qu'il rêve se définissent réciproquement — c'est un cercle vicieux»* (Paul Valéry).

DÉR. Défini, définissable, définissant, définisseur.

DÉFINISSABLE [definisabl] adj. — Fin XVIIᵉ; de *définir*.

Que l'on peut définir. *Les mots «primitifs» ne sont pas définissables. Éprouver un sentiment très définissable.*

CONTR. Indéfinissable.

DÉFINISSANT [definisɑ̃] n. m. — V. 1951; de *définir*. Didactique.

♦ **1** Second membre d'une définition (1., philos. ou ling.); énoncé servant à définir. *Un définissant du mot traité ici (définissant) est «énoncé servant à définir». Équivalence entre le définissant et le défini.*

♦ **2** Ling. Unité lexicale qui fait partie d'une définition. → **Définisseur** (2.). *Les définissants du mot définissant sont ici «unité lexicale», «faire partie», et «définition».*

DÉFINISSEUR [definisœʀ] n. m. — 1771, Voltaire, «celui qui a la manie des définitions». Didactique.

♦ **1** Personne qui définit. *Le lexicographe est un définisseur.*

♦ **2** Mot d'une définition, qui sert à définir. → **Définissant.**

DÉFINITEUR [definitœʀ] n. m. — 1646, *definiteur; diffinitour*, 1347; lat. ecclés. *definitor*, du supin de *definire*. → Définir.

Relig. Dans certains ordres, Celui qui est délégué aux chapitres de son ordre pour assister le général ou le provincial dans l'administration de l'ordre.

(...) il parvint, malgré des concurrents très jaloux, à être élu définiteur de sa province, ou, comme on dit, un des grands colliers de l'ordre. ROUSSEAU, les Confessions, V.

DÉFINITIF, IVE [definitif, iv] adj. — XIIᵉ; lat. *definitivus* «de la définition» en lat. class., et en bas lat. «limité, défini», du supin de *definire*. → Définir.

♦ **1** Qui est fixé de manière qu'il n'y ait plus à revenir sur la chose. → **Déterminé, fixe, invariable, irrémédiable, irrévocable.** *Succès définitif.* → **Décisif.** *Les résultats définitifs d'un examen. Édition définitive d'une œuvre. Être nommé à un poste à titre définitif. Sa résolution est définitive. Leur séparation est définitive,* c'est un fait accompli (→ Brouille, cit. 1; cicatrice, cit. 5). → **Irréparable.**

1 Ce n'est jamais qu'à cause d'un état d'esprit qui n'est pas destiné à durer qu'on prend des résolutions définitives. PROUST, À la recherche du temps perdu, t. III, p. 188.

2 Cette opinion, chez sa mère et chez les bourgeoises de son entourage, était définitive et entière. Valery LARBAUD, Fermina Marquez, IX, p. 74.

Dr. *Jugement définitif,* qui statue sur le fond.

Par ext. Qui résout totalement un problème. *On a publié un article définitif sur cette question.*

N. m. Fam. *Le définitif :* ce qui ne sera plus changé (par oppos. à *provisoire*). *Faire du définitif.*

♦ **2** Loc. adv. **EN DÉFINITIVE** : après tout, tout bien considéré. → **Après** (après tout), **décidément, définitivement, finalement;** → En dernière analyse*, au bout du compte*, tout compte* fait; en un mot*, pour conclure, pour finir, pour terminer. *En définitive, il ne viendra pas. Que choisissez-vous en définitive ?*

3 Ces énormes batailles de Napoléon sont au-delà de la gloire; l'œil ne peut embrasser ces champs de carnage qui, en définitive, n'amènent aucun résultat proportionné à leurs calamités. CHATEAUBRIAND, Mémoires d'outre-tombe, t. III, p. 175.

Créer, en définitive, est la seule joie digne de l'homme et cette joie coûte beaucoup de peine. 4
G. DUHAMEL, Chronique des Pasquier, III, t. II, p. 88.

CONTR. (Du 1.) Momentané, provisoire. — (De en *définitive*) Commencer (pour commencer), **momentanément, provisoirement.** ◊ **DÉR. Définitivement.**

DÉFINITION [definisjɔ̃] n. f. — 1160, *definicion;* lat. *definitio,* du supin de *definire.* → Définir.

♦ **1** Log. Proposition dont le premier membre est le terme à définir, le second étant composé de termes connus qui permettent de déterminer les caractères du premier (*définition en compréhension* ou *intensionnelle*), ou de déterminer la classe d'objets qu'il désigne (*définition en extension* ou *extensionnelle*). *Définition exacte, juste, correcte, claire, distincte; fausse; confuse, obscure, incomplète, imparfaite. Compléter une définition par une description. Définition caractéristique,* par genre prochain et différence spécifique. *Une définition perd en extension ce qu'elle gagne en compréhension.* — *Définition logique, terminologique. Définition «de mots», «de choses».*

J'entends corner sans cesse à mes oreilles : *L'homme est un animal raisonnable.* Qui vous a passé cette définition ? 1
LA BRUYÈRE, les Caractères, XII, 119.

Il (*Leibniz*) pose des définitions exactes qui le privent de l'agréable liberté d'abuser des termes dans les occasions. 2
FONTENELLE, Éloge de Leibniz.

Une définition exacte doit s'appliquer au mot défini, à l'exclusion de tous les autres, et rendre raison de toutes ses acceptions. 3
HATZFELD, Dict., Introd., XIII.

La définition est un jugement qui a pour sujet et pour attribut deux concepts équivalents (...) La condition générale de toute définition est que le défini et la définition aient même extension, c'est-à-dire soient attributs des mêmes jugements virtuels; elle doit être *caractéristique,* convenir à tout le défini et au seul défini, *omni et soli definito.* Edmond GOBLOT, Traité de logique, IV, 73. 4

REM. La plupart de ces exemples ne distinguent pas la définition logique (ci-dessus) de la définition de dictionnaire (ci-dessous). L'exemple suivant étend le concept :

(...) il n'est de définitions précises qu'*instrumentales* (c'est-à-dire qui se réduisent à des actes, comme de montrer un objet ou d'accomplir une opération). Il est impossible de s'assurer que des sens uniques, uniformes et constants, correspondent à des mots comme *raison, univers, cause, matière,* ou *idée.* Il en résulte le plus souvent que tout effort pour préciser la signification de tels termes aboutit à introduire sous le même nom, un nouvel objet de pensée *qui s'oppose au primitif dans la mesure où il est nouveau.* 5
VALÉRY, Variété, V, p. 272.

Math., sc. Convention logique établissant les caractères d'un concept. → **Hypothèse, principe, règle.** *Seules les définitions mathématiques et logiques sont créatrices de concept. Cette proposition est vraie par définition,* puisque les conventions logiques qui ont été initialement acceptées. — Cour. *Par définition, vous avez raison.*

On juge que le résultat obtenu est nécessaire parce qu'on est convaincu qu'on a opéré selon les règles qui sont : 1° les conventions logiques, c'est-à-dire les définitions et les hypothèses; 2° les propositions générales antérieurement démontrées. 6

Edmond GOBLOT, Traité de logique, XI, 166.

Ling. Action de définir (une unité du lexique : mot, expression). *Procéder à la définition d'un mot, d'une expression; d'un terme* dans une terminologie. *Définition d'un terme mathématique* (cit. 0.3). — Ensemble formé par le terme défini (sujet) et le prédicat définissant. → **Définissant,** 2. — Spécialt. Le prédicat seul; formule brève correspondant à un concept reconnaissable, et capable d'en susciter l'élaboration. *Définition d'un mot, d'un mot dans* un sens (ellipt, *d'un sens*). *La définition est une péri-phrase synonymique du défini.*

7 Les définitions des dictionnaires sont des définitions de choses, car le mot, dans ce cas est une chose, un fait d'expé-rience, un donné. La tâche du lexicographe est de constater l'usage ou les usages, d'enregistrer avec exactitude le sens que donnent à un mot ceux qui le prononcent et ceux qui l'entendent, en un temps, en un lieu et en un milieu donnés (...) Cependant lorsqu'un dictionnaire fait auto-rité, il fixe, précise et unifie l'usage. Un bon dictionnaire améliore une langue ; il en diminue l'indétermination, en ralentit l'évolution, en élimine les variétés dialectales. Ses définitions ont, dans une certaine mesure, le caractère de conventions acceptées.

  Edmond GOBLOT, Traité de logique, IV, 81.

8 On formerait, sur un cadran, le mot auquel on s'intéresse et l'appareil donnerait, à haute voix, la définition et les explications.

  G. DUHAMEL, Cri des profondeurs, III, p. 53.

Par ext. Aux mots croisés, Courte phrase, expres-sion (définition proprement dite, description, allu-sion, jeu de mots...) destinée à faire trouver un mot dont le nombre de lettres est déterminé par la grille (ex. : *«tragédie de racine»* pour le mot *carie*).

Math. Ensemble (ou *domaine*) *de définition d'une fonction* : ensemble des éléments qui admettent une image* par cette fonction.

♦ **2** Action de caractériser. → **Description.**

9 On le voit, la nation française est particulièrement difficile à définir d'une façon simple ; et c'est là même un élément assez important de sa définition que cette propriété d'être difficile à définir.

  VALÉRY, Regards sur le monde actuel, p. 116.

♦ **3** Action de préciser (une idée), de déterminer. (1561). **Théol.** Action de déterminer un point de dogme ; résultat de cette action. *Les définitions des conciles. Définition ex cathedra,* formulée par le pape parlant en tant que pasteur de l'Église catholique romaine, sur un point de dogme ou de morale (→ Infaillibilité).

♦ **4** (1953). Nombre fixe de lignes, par lesquelles l'image télévisée est analysée. *La précision de l'image augmente avec le nombre de lignes de sa définition.*

DÉR. Définitionnel. V. Définitoire.

DÉFINITIONNEL, ELLE [definisjɔnɛl] adj. — 1906 ; de *définition.*

Didactique.

♦ **1** Qui se rapporte à la définition. *La structure définitionnelle.*

♦ **2** Qui constitue une définition. → **Définitoire.** *Énoncé définitionnel.*

DÉFINITIVEMENT [definitivmã] adv. — 1558 ; de *définitif.*

♦ **1** D'une manière définitive. → **Invariablement, irré-médiablement, irrévocablement ; fois** (une fois pour toutes, une bonne fois). *Il est parti définitivement.* → **Toujours** (pour toujours).

1 Cela parut drôle, et l'on pensa définitivement qu'elle devait être sa *bonne amie.*

  FLAUBERT, Mme Bovary, II, IV, p. 66.

♦ **2** Pour en finir ; en fin de compte. *Définitivement, que voulez-vous en faire ?* → **Décidément, définitive** (en).

2 La *Léopoldine* devait mouiller en grande rade devant ce Pors-Even, et n'appareiller définitivement que le soir (...)

  LOTI, Pêcheur d'Islande, V, II, p. 274.

DÉFINITOIRE [definitwaʀ] adj. — V. 1960 ; n. m., «lieu où s'assemblent les définiteurs», 1680, empr. lat. relig. mod. *definitorium,* du lat. class. *definitor* (→ Défini-teur) ; sens mod. de *définition,* d'après l'italien *definitorio,* B. Croce.

Didact. Qui sert à définir, qui constitue une défini-tion (→ Définitionnel). *Exemple, citation définitoire.*

DÉFISCALISATION [defiskalizasjɔ̃] n. f. — D. i. ; attesté 1984 (→ ex. ci-dessous) de *défiscaliser.*

Didact. (dr., admin., etc.). Fait de défiscaliser ; état de ce que l'on a défiscalisé. *«Pour le juriste bruxellois M. Van Notten, pionnier des zones franches en Bel-gique, celles-ci se reconnaissent d'abord au critère de la défiscalisation : "L'intérêt de ces zones, dit-il, c'est qu'elles permettent de faire la démonstration du caractère anti-économique de l'impôt sur les sociétés (...) En fait, elles mettent en question toute la struc-ture fiscale"»* (l'Express, 27 janv. 1984).

DÉFISCALISER [defiskalize] v. tr. — D. i. (xxᵉ) ; de 1. *dé-,* et *fiscaliser.*

Didact. (admin., dr., etc.). Faire sortir de la compé-tence de l'administration fiscale ; libérer de tout prélèvement fiscal. Au p. p. *Épargne défiscalisée.* — Instituer, proclamer zone franche (une ville, une région...).

DÉR. Défiscalisation.

DÉFLAGRANT, ANTE [deflagʀã, ãt] adj. — 1870 ; de *déflagrer.*

♦ **1** Techn. Qui a la propriété de déflagrer. *Matières déflagrantes.*

♦ **2** Fig. Qui provoque un effet de choc.

(...) trouvant trop lent sur eux et leurs semblables le travail déflagrant de la musique, de la littérature ou des cou-leurs *(ils)* lui préfèrent des agents plus rapides, comme la cocaïne, le trafic des bêtes fauves et les complots.

  J. GIRAUDOUX, Siegfried et le Limousin, p. 158.

DÉFLAGRATEUR [deflagʀatœʀ] n. m. — 1846 ; de *déflagrer.*

Techn. Appareil destiné à mettre le feu à des matières déflagrantes.

DÉFLAGRATION [deflagʀasjɔ̃] n. f. — 1691 ; lat. *deflagratio,* du supin de *deflagrare.* → Déflagrer.

♦ **1** Didact. Combustion vive d'un corps ; propaga-tion rapide d'une flamme par conductibilité ther-mique. → **Combustion.**

0.1 (...) dans le moteur à carburation préalable, l'échauffement du mélange carburé dans le cylindre au moment de la compression est inessentiel ou même nuisible, puisqu'il risque de produire la détonation au lieu de produire la déflagration (com bustion à onde explosive progressive), ce qui limite le taux de compression admissible pour un type donné de carbu-rant (...)

  Gilbert SIMONDON,
  Du mode d'existence des objets techniques, p. 44.

♦ **2** Cour. Explosion accompagnée d'une projection de matières enflammées. → **Détonation, explosion.** *Une violente déflagration.*

1 (...) que l'univers finirait par une déflagration générale.

  DIDEROT, Opinions des anc. philosophes,
  Pythagorisme.

2 La déflagration a fait sauter une porte-fenêtre de la chambre où je dormais, et défoncé une grande et épaisse glace du salon. GIDE, Journal, 6 janv. 1943, p. 71.

♦ **3** Par ext. → **Bruit, éclatement, explosion, fracas.**

3   Les mauvais jazz, le fracas des horribles klaxons et des trompes stridentes, la pétarade abjecte des motocyclettes, la muflerie des «échappements libres», les déflagrations de pneus qui crèvent, les clameurs des phonos ou des appareils de radio de mauvaise qualité munis d'amplificateurs brutalement maniés, tout ce vacarme enfin qui oblige tympans et gosiers à des efforts épuisants pour peu qu'on veuille échanger quelque propos dans un endroit public, ne sont pas pour raffiner les oreilles.
         Initiation à la musique, p. 121.

(Av. 1791). Par **métaphore**. Manifestation soudaine, qui a un grand retentissement.

4   Pourquoi a-t-il *(le christianisme)* possédé cette puissance formidable de déflagration qui a changé le cours de l'Histoire et qui a modifié dans les profondeurs l'homme lui-même ?   F. MAURIAC, Bloc-notes 1952-1957, p. 16.

DÉR. V. **Déflagrer.** ◊ **COMP.** (Du rad.) **Antidéflagrant.**

DÉFLAGRER [deflaɡʀe] v. intr. — 1870; lat. *deflagrare* «se consumer entièrement», de *de-* intensif, et *flagrare* «brûler», sens d'après *déflagration*.

Chim., techn. S'enflammer en explosant.

Par métaphore. Rare. Se manifester brutalement.

DÉR. Déflagrant, déflagrateur.

1. DÉFLATION [deflasjɔ̃] n. f. — 1909; de l'all. *Deflation* (Walther, 1891); du lat. *deflare* «enlever en soufflant».

Géol. Ablation éolienne des matériaux meubles et secs (→ Corrosion, érosion). *Rôle de la déflation dans le relief désertique. Cuvettes de déflation,* où se déposent les matériaux transportés par le vent.

2. DÉFLATION [deflasjɔ̃] n. f. — V. 1920 (1909, selon T. L. F.); angl. *deflation,* même sens, au propre «dégonflement», de *inflation.* → Inflation.

Écon. et cour. Freinage ou résorption totale de l'inflation (par des mesures visant à la diminution de la masse monétaire, à la réduction de la demande par rapport à l'offre, etc.). *La déflation est un facteur de récession économique.*

1   (...) le reflux aux banques des instruments de crédit ayant servi à soutenir l'essor antérieur, pendant la guerre et pendant le boom, c'était de la déflation de crédit (...)
         André SIEGFRIED, les États-Unis d'aujourd'hui, 1927, p. 230.

2   Au lieu de réduire la crise, la politique de déflation menée par les gouvernements issus du 6 février faisait partout baisser les salaires et croître le chômage.
         R. ABELLIO, les Militants, p. 232.

CONTR. Inflation. ◊ **DÉR. Déflationniste.**

DÉFLATIONNISTE [deflasjɔnist] n. et adj. — 1947, in D. D. L.; de *2. déflation.*

Économie.

◆ **1 N.** Partisan ou théoricien de la déflation économique. → Anti-inflationniste. *Déflationnistes et inflationnistes.*

◆ **2 Adj.** Qui se rapporte ou tend à la déflation économique. *Théories déflationnistes en matière d'économie. Système d'échanges à tendance déflationniste.*

CONTR. Inflationniste.

DÉFLÉCHIR [defleʃiʀ] v. — Av. 1778; *desflechier* «détourner», XIIIᵉ; de *2. dé-* et *fléchir,* cf. le lat. *deflectere.* → Déflecteur.

Didactique.

◆ **1 V. tr.** Modifier la direction de. → **Dévier.** — P. p. adj. *Faisceau de particules défléchi.*

◆ **2 V. intr.** Changer de direction.

DÉFLECTEUR [deflɛktœʀ] n. m. — 1890; du lat. *deflectere* «fléchir», de *de-,* et *flectere* «ployer, fléchir».

◆ **1 Mar.** Appareil servant à déterminer la déviation des compas des navires.

◆ **2** (1921). **Techn.** Appareil servant à changer la direction d'un courant gazeux, d'un flux d'électrons, etc.

◆ **3** (Mil. XXᵉ). **Cour.** Petit volet orientable d'une vitre de portière d'automobile, servant à aérer.

C'était plus impitoyable que de rouler dans une voiture sur une autoroute, et d'entendre le bruit du vent à 155 kilomètres à l'heure dans les déflecteurs.
         J.-M. G. LE CLÉZIO, les Géants, p. 260.

DÉFLEGMATEUR [deflɛɡmatœʀ] n. m. — 1931; adj., 1888; de *déflegmer.*

Chim. Partie de l'alambic où s'effectue la déflegmation.

DÉFLEGMATION [deflɛɡmasjɔ̃] n. f. — Av. 1741; de *déflegmer.*

Chim. Action de déflegmer; son résultat. — **Spécialt.** Distillation des moûts en fermentation.

DÉFLEGMER [deflɛɡme] v. tr. — 1700; p. p. adj., 1641; de *1. dé-,* et *flegme.*

Chim. Rectifier (un alcool) en retirant les flegmes*. → **Rectifier.**

DÉR. Déflegmateur, déflegmation.

DÉFLEURAISON [deflœʀɛzɔ̃] n. f. — 1744; de *défleurir,* d'après la finale de *floraison.*

Littér. et bot. Action de défleurir, de perdre ses fleurs (végétal); moment où les fleurs d'un arbre se fanent et tombent. → **Défloraison.**

DÉFLEURIR [deflœʀiʀ] v. — XIVᵉ; de *1. dé-,* et *fleurir.*

Littéraire.

◆ **1 V. intr.** Perdre ses fleurs. → **Faner** (se), **flétrir** (se).

Pendant une bouffée de silence, épaisse comme une brume, je viens d'entendre choir sur la table voisine les pétales d'une rose qui n'attendait, elle aussi, que d'être seule pour défleurir.   COLETTE, l'Étoile Vesper, p. 40.

◆ **2 V. tr.** Enlever les fleurs de (une plante). → **Déflorer** (1.). *La gelée a défleuri les pêchers.*

L'hiver a défleuri la lande et le courtil.
Tout est mort. Sur la roche uniformément grise
Où la lame sans fin de l'Atlantique brise,
Le pétale fané pend au dernier pistil.
         J. M. DE HEREDIA, Trophées, «Brise marine», p. 148.

Par anal. Enlever le velouté de (un fruit). *Défleurir des pêches en les manipulant.*

◆ **3 V. tr. Fig.** Enlever la fraîcheur, la candeur, le charme, l'attrait de. → **Déflorer, défraîchir, flétrir.**

◆ **SE DÉFLEURIR** v. pron. **Fig.** :

Mais cette première nuance, si l'on n'y prend garde, s'épuise dans une courte durée et se défleurit.
         SAINTE-BEUVE, Volupté, XV, p. 145.

◆ **DÉFLEURI, IE** p. p. adj.

Littér. Qui a perdu ses fleurs. *Bouquet défleuri. Haie défleurie.*

(...) je venais de reconnaître, aux feuilles découpées et brillantes qui s'avançaient sur le seuil, un buisson d'aubépines défleuries, hélas, depuis la fin du printemps.
         PROUST, À la recherche du temps perdu, t. V, p. 191.

Le petit pavillon avec la fenêtre juste pour que l'œil passe et voie la rivière rapide, au-dessus l'autre fleuve que l'air d'avril, les forêts qui, dit-on, sont remplies de singes, les cerisiers à peine défleuris.
         CLAUDEL, Journal, avr. 1923.

Figuré :

5 (....) sa vie attristée et défleurie n'a pas peu contribué à sa mort.
CHATEAUBRIAND, Mémoires d'outre-tombe, t. IV, p. 327.

CONTR. **Refleurir.** ◊ DÉR. **Défleuraison.**

DÉFLEURISSANT, ANTE [deflœʀisã, ãt] adj.
— 1940; du p. prés. de *défleurir.*
Littér. et rare. Qui enlève, détruit les fleurs. *Une gelée défleurissante.* — Qui défraîchit, flétrit. → **Flétrissant.**

J'aimerais, parents, que vous n'écrasiez pas sous des railleries défleurissantes un rêve qui a sa pudeur, et son romantisme.
COLETTE, De ma fenêtre, 25 déc. 1940, p. 50.

DÉFLEXION [deflɛksjɔ̃] n. f. — 1754; *deflection* «mouvement tournant», XVIᵉ; du bas lat. *deflexio,* de *deflexum,* supin de *deflectere* «détourner». → Déflecteur.

Didactique et technique.

♦ 1 Phys. Déviation d'un faisceau lumineux ou d'un autre rayonnement. → **Diffraction, dispersion.**

♦ 2 (1863). Méd. Position du fœtus en extension, à l'accouchement.

♦ 3 Méd. Dans un électrocardiogramme, Déviation du tracé par rapport à la ligne isoélectrique.

♦ 4 Psychan. Détournement inconscient de l'attention.

♦ 5 Aviat. Changement de direction des filets d'air derrière un empennage.

DÉFLOCAGE [deflɔkaʒ] n. m. — V. 1990; de *dé-,* et *flocage.* → Flocage.
Techn. Supprimer les substances fibreuses, notamment l'amiante, projetées par flocage. *Le déflocage des plafonds d'un bâtiment.* → **Désamiantage.**
On emploie aussi le verbe *défloquer,* v. tr.

DÉFLOCULATION [deflɔkylasjɔ̃] n. f. — Mil. XXᵉ; de 1. *dé-,* et *floculation.*
Didact. Dispersion, par divers moyens physiques ou chimiques, des particules formées au cours d'une floculation*.

DÉFLORAISON [deflɔʀɛzɔ̃] n. f. — 1771; de *déflorer,* d'après *floraison.*
Littér. et bot. Chute des fleurs. — Saison où s'effectue cette chute. → **Défleuraison.**

DÉFLORATEUR, TRICE [deflɔʀatœʀ, tʀis] adj. et n. — Déb. XIXᵉ; de *déflorer.*
Rare. Qui déflore, cherche à déflorer.

1 Qui pouvait résister à l'esprit déflorateur de Louis XVIII, lui qui disait qu'on n'a de véritables passions que dans l'âge mûr (...)
BALZAC, le Lys dans la vallée, Pl., t. VIII, p. 986.

2 C'est le début de la saison des guerres, les paysannes de la brousse craignent la venue des grands babouins déflorateurs des filles pubères.
P. GRAINVILLE, les Flamboyants, p. 13.

DÉFLORATION [deflɔʀasjɔ̃] n. f. — 1314; lat. *defloratio,* du supin de *deflorare.* → Déflorer.
Action de déflorer (une fille vierge). → **Dépucelage** (fam.). Rupture de l'hymen.

Il y a à Paris, dans le monde, des professionnels de la défloration, des hommes à l'affût de l'innocence (...)
Marcel PRÉVOST, les Demi-vierges, I, III, p. 29.

DÉFLORER [deflɔʀe] v. tr. — Déb. XIIIᵉ; lat. *deflorare* «ôter la fleur de», de *de-,* et *flos, floris* «fleur».

♦ 1 Vx. Dépouiller de ses fleurs (une plante).
→ **Défleurir.**

♦ 2 Vieilli ou littér. *Déflorer une jeune fille,* lui faire perdre sa virginité. → **Dépuceler** (fam.).

1 (...) le druide ou (...) le lama qui de la part du ciel exige une partie de la récolte, en attendant qu'il déflore ou qu'il sacrifie sur l'autel la fille du bon-homme dont il dévore la subsistance (...)
VOLTAIRE, Dialogues, XXIX, 12.

♦ 3 Fig. Enlever la fraîcheur, la nouveauté de (qqch.). → **Gâter.** *Déflorer un sujet,* en le traitant d'une manière maladroite ou incomplète.

2 Je craignais de déflorer les moments heureux que j'ai rencontrés, en les décrivant, en les anatomisant.
STENDHAL, Souvenirs d'égotisme, p. 3.

◆ **DÉFLORÉ, ÉE** p. p. adj. *Plante déflorée.* — *Fille déflorée.* Par métaphore. *«Phèdre demeure le moins défloré des rôles»* (Mauriac, *in* T. L. F.).
DÉR. **Défloraison, déflorateur.**

DÉFLORESCENCE [deflɔʀesãs] n. f. — D. i.; du lat. *deflorescere* «perdre ses fleurs», de *flos, floris* «fleur».
Méd. Disparition des lésions cutanées au stade final d'une maladie éruptive.

DÉFLUENT [deflyã] n. m. — V. 1956; p. prés. de *défluer* «couler vers le bas» (vx), lat. *defluere,* d'après *affluent, confluent.*
Géogr. Bras formé par diffluence* d'un cours d'eau. *Les défluents d'un delta.*

DÉFLUER [deflye] v. intr. — 1732; «couler» au XIVᵉ; de 1. *dé-,* et *fluer* «couler».
Astron. S'écarter (d'un astre, d'une planète ; en parlant d'un corps céleste).

DÉFLUVIATION [deflyvjasjɔ̃] n. f. — V. 1956; de 1. *dé-,* et radical du latin *fluvius* «fleuve» (→ Fluvio-).
Géogr. Changement de lit d'un fleuve, ou d'un défluent deltaïque, dans la plaine de niveau* de base. *Défluent formé par défluviation, à la suite d'une crue.* → **Diffluence, divagation.**

DÉFOCALISATION [defɔkalizasjɔ̃] n. f. — D. i.; de *défocaliser.*
Sc. Action de défocaliser (un rayonnement); fait d'être défocalisé, de se défocaliser, pour un rayonnement. *La défocalisation d'un faisceau. «Vient enfin l'effet peut-être le plus fâcheux de tous : la défocalisation thermique. Il provient de ce que l'air s'échauffe au passage du rayon. De ce fait son indice de réfraction change et le faisceau tend à diverger. Pour cet effet ce sont les faibles longueurs d'onde qui sont avantagées car elles échauffent moins l'air. Mais dans tous les cas cette défocalisation va fixer une limite à la puissance qu'un laser peut délivrer»* (*Sciences et Avenir,* nᵒ 407, janv. 1981, p. 20).

DÉFOCALISER [defɔkalize] v. tr. — D. i.; de 1. *dé-,* et *focaliser.*
Sc. Faire diverger (un rayonnement : lumière, faisceaux d'électrons...). — Au p. p. *Faisceau défocalisé.*
Pron. *«L'onde initialement émise (...) se trouve déformée à mesure qu'elle se propage dans l'atmosphère. De ce fait, le faisceau se défocalise et l'énergie est beaucoup moins concentrée à l'arrivée»* (*Sciences et Avenir,* nᵒ 407, janv. 1981, p. 21).

DÉFOLIANT, ANTE [defɔljɑ̃, ɑ̃t] adj. et n. m. — V.
1966; angl. des États-Unis *defoliant*, de *to defoliate* — et
de *défolier*.

Didact. Qui provoque la défoliation. — N. m. Produit
chimique destiné à la défoliation. → **Herbicide.** *Ter-*
ritoires dévastés par les défoliants et le napalm.

1　Au Vietnam, ces mêmes Américains avec leur napalm,
leurs défoliants, n'ont pas agi autrement qu'ils avaient agi
en 1945, en Allemagne ou au Japon, mais comme là-bas
ils n'étaient plus nos alliés, nous le leur avons reproché.
　　　　　Michèle PERREIN, Entre chienne et louve, p. 196.

2　Les ingrédients utilisés avaient des noms savants et barbares (...) mais ils étaient en général connus du grand
public sous le nom simple et pudique de défoliants.
　　　　　Pierre BOULLE, les Oreilles de Jungle, p. 120.

DÉFOLIATION [defɔljasjɔ̃] n. f. — 1801, Fourcroy; de
1. *dé-*, et *foliation.*

◆**1** Bot. Chute prématurée des feuilles d'un arbre.
→ **Défeuillaison.**

◆**2** (V. 1966, angl. des États-Unis *defoliation*, de *to defo-*
liate. → Défolier). Destruction artificielle massive
des feuilles d'arbres et des surfaces végétales (au
moyen de défoliants).

DÉFOLIER [defɔlje] v. tr. [CONJUG.: *méfier*.] — V. 1966; du
lat. *defoliare* «défeuiller», d'après l'angl. des États-Unis *to*
defoliate de même origine.

Provoquer la défoliation (2.) de. — Absolt. «*On*
débarquait, on bombardait, on défoliait» (*l'Express,*
27 mars 1967).

DÉFONÇAGE [defɔ̃saʒ] n. m. — 1797; de *défoncer.*

◆**1** Action de défoncer; son résultat. *Le défonçage*
d'un tonneau.

◆**2** (1863). Agric. Labour à grande profondeur (40 à
60 cm).

DÉFONCE [defɔ̃s] n. f. — V. 1972; déverbal de *se*
défoncer.

Fam. (argot de la drogue). Ivresse éprouvée après
l'absorption de certains hallucinogènes (→ Voyage).
«*L'hôpital se trouve loin des quartiers où somnolent,*
entre deux défonces, les drogués» (*le Nouvel Obs.,*
22 oct. 1973). *Être en pleine défonce.*

«*Moi, ça m'arrive* (*de fumer du H*)*. Mais ce n'est plus de*
la défonce. Juste un joint les jours de déprime.»
　　　　　Cecil SAINT-LAURENT, la Bourgeoise, p. 195.

DÉFONCÉ, ÉE [defɔ̃se] adj. et n. — Fin XVIᵉ; du p. p.
de *défoncer.*

◆**1** Brisé, abîmé par enfoncement.

1　(...) un divan qui n'est peut-être qu'un sommier défoncé,
mais que recouvre une étoffe suffisamment orientale.
　　　　　J. ROMAINS, les Hommes de bonne volonté, t. V,
　　　　　　　　　　　　　　　XXI, p. 165.

◆**2** Qui présente de grandes inégalités, de larges
trous. *Route, chaussée défoncée. Terrain défoncé.*

◆**3** Personnes (fam.; de *défoncer,* 5.). Qui est sous
l'effet d'hallucinogènes. → **Stoned** (anglic.).

N. :

2　Tu ne décollais pas d'avec ce mec du Living Theater et
toute sa bande de défoncés qui me regardaient danser
avec des airs méprisants.
　　　　　Jeanne CORDELIER, la Passagère, p. 49.

DÉFONCEMENT [defɔ̃smɑ̃] n. m. — 1653; de
défoncer.

◆**1** Action de défoncer. → **Défonçage** (1. et 2.).

◆**2** Forme de ce qui est défoncé. → **Enfoncement.**

Plus loin, un défoncement de terrain, marais ou rivière,
qu'abritent quelques arbres énormes d'essence inconnue.
　　　　　GIDE, Voyage au Congo, in Souvenirs, Pl., p. 701.

DÉFONCER [defɔ̃se] v. tr. [CONJUG.: *placer*.] — XIVᵉ; de
1. *dé-*, et *foncer.*

◆**1** Techn. Enlever le fond de (une caisse, un tonneau). *Défoncer une caisse à coups de marteau.*

Elle fit défoncer trois muids de vin.　　　　　　　1
　　　　　Mᵐᵉ DE SÉVIGNÉ, Lettres, 291, in LITTRÉ.

◆**2** Cour. Briser, abîmer par enfoncement. → **Briser,**
détériorer, éventrer. *Défoncer une chaise, un fau-*
teuil, un sommier. — Défoncer un chapeau d'un coup
de poing. — Défoncer une porte. → **Enfoncer.**

Projetée à toute volée d'une extrémité à l'autre de la pièce,　2
la lourde masse de fer en venait heurter la porte, qu'elle
défonçait peu à peu (...)
　　　　　COURTELINE, Messieurs les ronds-de-cuir,
　　　　　　　　　　　　Vᵉ tableau, I, p. 165.

◆**3** *Défoncer un terrain,* le labourer profondément.
→ **Labourer.**

Par anal. Creuser. *La pluie a défoncé la route. —*
Passif. *La terre, le sol est défoncé.* → **Défoncé.**

(...) un terrain vague, devant la palissade duquel on était　3
passé bien des fois, est défoncé par les excavateurs (...)
　　　　　J. ROMAINS, les Hommes de bonne volonté, t. V,
　　　　　　　　　　　　　　　XVIII, p. 132.

Mar. Crever le fond de (une voile). *Le vent a défoncé*
la voile.

Milit. Culbuter (une troupe). → **Culbuter, enfoncer.**

Ney accourut; il lança tout sur le flanc de cette colonne　4
russe; Doumerc et sa cavalerie, qui la défoncèrent, lui
prirent deux mille hommes (...)
　　　　　Ph. P. SÉGUR, Hist. de Napoléon, XI, 8.

Pron. *Se défoncer,* être défoncé. *Fauteuil qui com-*
mence à se défoncer. → **Effondrer** (s').

◆**4** Mécan. Façonner à la défonceuse (une pièce de
bois).

◆**5** (V. 1960, argot de la drogue). Fam. Provoquer chez
(qqn) l'état hallucinatoire recherché (en parlant d'un
hallucinogène). → **Défonce.** *Le H ne me défonce pas.*

◆ **SE DÉFONCER** v. pron. (du sens 5).
Familier.

◆**1** Atteindre en se droguant un état d'ivresse hallucinatoire (ou un état comparable, par d'autres
moyens). → Shooter (se). «*Plus graves sont l'arrivée*
de jeunes toxicomanes qui se défoncent avec n'im-
porte quoi — détachants vendus dans le commerce,
barbituriques, sirops, éther aussi — et l'apparition
de la violence» (*le Nouvel Obs.,* 22 oct. 1973).

Tu as la déprime, tu te défonces, après tu as encore plus　5
la déprime.
　　　　　Cecil SAINT-LAURENT, la Bourgeoise, p. 197.

◆**2** Par ext. **ⓐ** Se donner avec intensité à une tâche,
une entreprise physique, etc. (pour obtenir un
résultat). *Il s'est défoncé pour finir le travail à*
temps. Il se défonce comme une bête dans son tra-
vail. Il s'est défoncé pour terminer la course.

Je dois me défoncer si je veux que le père Raymond me　6
négocie ma première rencontre.
　　　　　Joseph JOFFO, Baby-foot, p. 122.

ⓑ S'amuser. → **Éclater** (s'). «*On n'a pas du plaisir :*
on prend son pied. On ne rigole pas : on se défonce.»
(J. Merlino, *les Jargonautes,* p. 63).

DÉR. Défonçage, défonce, défoncé, défoncement, défonceuse.

DÉFONCEUSE [defɔ̃søz] n. f. — 1855, *in* D.D.L.; de *défoncer*.

♦ **1** Agric. Puissante charrue employée pour le défoncement des terres.

♦ **2** Mécan. Machine-outil servant à l'usinage des pièces en bois.

♦ **3** Trav. publ. *Défonceuse portée* : engin de terrassement muni de dents massives, destiné à défoncer profondément le sol. (Recomm. off. pour *ripper*). — *Défonceuse tractée* (recomm. off. pour *dragline*).

DÉFORCER [defɔʀse] v. tr. [CONJUG.: *placer*.] — 1360, *déforcir*; de 1. dé-, *force*, et suff. verbal.
Régional (Belgique). Ôter les forces morales à. → **Affaiblir, déprimer, ébranler.**

1 L'auteur a eu un mérite certain à exhumer des textes peu connus, mais la passion a parfois déforcé le jugement.
    H. HASQUIN, Historiographie et politique, p. 105 (1981).

♦ **SE DÉFORCER** v. pron.

2 Un président d'Assises (...) se déforce et court au cas de cassation en sortant de son devoir de réserve et de sérénité.
    F. KIESEL, *in* Pourquoi pas? 26 nov. 1981, p. 48.

♦ **DÉFORCÉ, ÉE** p. p. adj.
Découragé.
CONTR. **Renforcer.**

DÉFORESTATION [defɔʀɛstasjɔ̃] n. f. — 1877; angl. des États-Unis *deforestation*, de *de-*, et *forest* «forêt».
Techn. Action de détruire une forêt; son résultat. → **Déboisement.**
REM. On rencontre aussi *déforestage* [defɔʀɛstaʒ] n. m.
CONTR. **Afforestation, reforestation.**

DÉFORMABILITÉ [defɔʀmabilite] n. f. — 1898; de *déformable*.
Techn. Aptitude à se déformer (plus ou moins). — Spécialt. Aptitude d'une forme déterminée à s'altérer pour diminuer l'impact d'un choc éventuel. *«Des constructions qui ont besoin de déformabilité»* (*l'Année sc. et industr.*, 1899, p. 319 [1898]). *«De nouveaux critères (...) en sécurité passive (...) de la résistance des pare-chocs à la déformabilité des parties AV et AR (...) chaque détail a été conçu pour réduire au maximum les conséquences d'accidents»* (*le Point*, nᵒ 403, 9 juin 1980, publicité).

DÉFORMABLE [defɔʀmabl] adj. — 1875; proposé par Richard de Radonvilliers en 1845; de *déformer*.
Qui peut être déformé. *La mécanique des solides déformables.*
CONTR. **Indéformable.** ◊ DÉR. **Déformabilité.**

DÉFORMANT, ANTE [defɔʀmɑ̃, ɑ̃t] adj. — Mil. XXᵉ; du p. prés. de *déformer*.

♦ **1** Qui déforme (1.). *Les miroirs déformants des parcs d'attraction, des fêtes foraines. Verres déformants.*

1 (...) des glaces déformantes reflètent en long et en large les passants.
    S. DE BEAUVOIR, l'Amérique au jour le jour, p. 30.

2 Comment oserais-je me regarder si je ne portais pas soit un masque, soit des lunettes déformantes?
    Michel LEIRIS, l'Âge d'homme, p. 182.

♦ **2** Mod. Qui produit ou peut produire des déformations. *Rhumatismes déformants.*

♦ **3** Fig. Qui altère (qqch.). *Une vision déformante des faits, du réel.* → **Déformateur.**

DÉFORMATEUR, TRICE [defɔʀmatœʀ, tʀis] adj. — 1846; de *déformer*, d'après *formateur*.
Littér. Qui déforme (2.). *Une interprétation déformatrice.* → **Déformant** (3.).

(...) Jean Lorrain, dont on connaît l'esprit spirituellement   1
pervers, diabolique et déformateur.
    Georges LECOMTE, Ma traversée, p. 262.

Ajouterai-je que la manière de saisir le réel est elle-même,   2
en dépit de toutes les résolutions préalables, déformatrice, et, selon les chances de l'heure, mutilatrice ou transfiguratrice?
    G. DUHAMEL, Inventaire de l'abîme, II, p. 21.

N. :

C'est un déformateur, si c'est bien là le conventionnel nom   3
du peintre qui fait ce qui Est et non — forme soufflée dont il se dégangue — ce qui est conventionnel.
    A. JARRY, Critique d'art, «Filiger», *in* Œ. compl., t. VII, p. 167 (1894).

DÉFORMATION [defɔʀmasjɔ̃] n. f. — 1374; du lat. *deformatio*, du supin de *deformare*. → **Déformer.**

♦ **1** Action de déformer, de se déformer. Altération de la forme.

Il eût été vain que l'Europe dominât la terre, si elle n'avait   0.1
suscité la peinture par laquelle les artistes l'ont opérée de la cataracte, et qui lui a révélé le «pouvoir de formation» d'œuvres dont elle attribuait la «déformation» à l'impuissance et à la maladresse.
    MALRAUX, la Métamorphose des Dieux, p. 21.

Méd. Modification anormale et non congénitale de la forme (d'une partie du corps ou d'un organe). → **Difformité, infirmité.** — Par ext. *Déformation du visage.* → **Contorsion, grimace.**

(...) l'indication d'un pli qui s'annonce, l'esquisse d'une   1
grimace possible, enfin une déformation préférée où se contournerait plutôt la nature.
    H. BERGSON, le Rire, I, III, p. 20.

Techn. *Déformation des corps soumis à des forces. Résistance aux déformations* (→ Corps, cit. 2).

Souvarine (...) constata une déformation très grave de la   2
cinquième passe du cuvelage. Les pièces de bois faisaient ventre, en dehors des cadres; plusieurs même étaient sorties de leur épaulement.
    ZOLA, Germinal, t. II, VII, II, p. 184.

♦ **2** Abstrait. Altération de la nature de (qqn, qqch.). *Votre compte rendu est une déformation de la pensée de l'auteur.*

(Personnes). Modification dans la façon d'être ou de penser, due à une cause extérieure. — Loc. *Déformation professionnelle* : habitudes, manières de penser prises dans l'exercice d'une profession, et abusivement appliquées à la vie courante.

(...) je ne crois pas, comme Rousseau, que l'homme naturel   3
soit toujours bon, ni que tout le mal soit le résultat de déformations et déviations ultérieurement apportées par la civilisation, la société (....).
    GIDE, Journal, 4 nov. 1929.

CONTR. **Formation, redressement.**

DÉFORMER [defɔʀme] v. tr. — V. 1220, *desformer;* lat. *deformare*, de *de-*, et *forma*. → **Forme.**

♦ **1** Altérer la forme* de. → **Altérer, changer, transformer.** *Déformer une pièce de bois, de fer.* → **Bistourner, contourner, courber, distordre, gauchir, tordre.** *Prisme, miroir qui déforme les images* (→ **Anamorphose**). *Déformer un vêtement, des chaussures.* → **Avachir.** *Déformer un chapeau.* → **Bosseler.** — *Déformer son visage par des grimaces, des contorsions. Dessin qui déforme les traits.* → **Caricaturer, enlaidir.**

Toute passion où il entre de la colère déforme et enlaidit   1
les traits (...)
    Jules LEMAITRE, les Rois, p. 150.

(...) l'éclairage oblique qui tombait sur lui le déformait   2
comme l'eût fait un caricaturiste (...)
    Edmond JALOUX, le Dernier Jour de la création, IX, p. 105.

3 Le beau visage d'adolescent était déformé par la graisse.
P. MAC ORLAN, la Bandera, XX, p. 254.

♦2 Abstrait. Altérer en changeant. *Déformer un fait, un événement en le racontant.* → **Défigurer, dénaturer, fausser, mutiler, travestir.** *Déformer la pensée de quelqu'un en l'interprétant.* → **Trahir.** *Mots qui déforment la pensée. Science qui déforme l'esprit. Lectures qui déforment le goût.* → **Corrompre, dépraver, gâter.**

4 Les mauvais jours, je peine sur mon écriture, et sa malformation déforme à son tour mes pensées.
GIDE, Journal, 5 févr. 1902.

5 Mais j'ai si peur de tout fausser en «exprimant». Vous ne trouvez pas que les mots déforment tout? Ils sont tellement plus immobiles et plus solides que les sentiments.
A. MAUROIS, le Cercle de famille, III, V, p. 253.

6 Les êtres que nous connaissons le mieux, comme nous les déformons dès qu'ils ne sont plus là!
F. MAURIAC, Thérèse Desqueyroux, IX, p. 160.

Absolt. *Un enseignement qui déforme plus qu'il ne forme.*

♦ SE DÉFORMER v. pron.
Être déformé, perdre sa forme. *Cette poutre se déforme sous le poids qu'elle supporte. Vêtement qui se déforme par l'usage.* → **Avachir** (s'). — Fig. *Pensée qui se déforme sous l'influence de lectures, d'études trop spécialisées.*

7 J'avais peur, si je le couvais plus longtemps, de voir le sujet foisonner, se déformer (...)
GIDE, Journal, 16 mars 1907.

♦ DÉFORMÉ, ÉE p. p. et adj.
♦1 (Choses). Dont la forme est altérée. *Vêtement déformé.* → **Avachi, défraîchi, fatigué, usé** (→ Conception, cit. 3).

8 Il était seul, le front collé contre la vitre, les poings enfoncés dans les poches d'un veston déformé et taché.
F. MAURIAC, l'Enfant chargé de chaînes, p. 51.

Corps déformé par la vieillesse (→ Braie, cit. 2).

9 Figure-toi qu'une momie qui aurait été regonflée par des clowns pour faire un numéro de cirque! Une vieille juive égyptienne et pour le moins centenaire, déformée par la graisse et la goutte (...)
MARTIN DU GARD, les Thibault, t. II, p. 88.

♦2 (Personnes). Dont la nature est altérée. *Il est complètement déformé par son métier.* → **Déformation** (professionnelle).

CONTR. Former, reformer, redresser. ◊ **DÉR.** Déformable, déformant, déformateur.

DÉFOULEMENT [defulmã] n. m. — 1946; de 1. *dé-*, et *(re)foulement** (2. et 3.); «foulage, reflux», XVᵉ, de *défouler.*

Psychan. Accession libératrice à la conscience de représentations (liées à une pulsion) maintenues jusque-là dans l'inconscient. → Abréaction, catharsis, décharge.

Cour. Fait de se défouler.

1 Le théâtre, c'est une gigantesque entreprise de défoulement : de l'auteur qui fait parler ses personnages comme il n'a jamais osé le faire lui-même ; des acteurs qui jouent enfin à pleine voix un rôle qu'ils n'auront jamais le courage d'assumer dans la vie ; des spectateurs qui viennent écouter ce qu'ils ne veulent pas, ce qu'ils ne peuvent pas, dire chez eux (...)
Pierre DANINOS, Un certain Monsieur Blot, p. 93.

2 Mai 68... Elle n'était pas près de l'oublier... quelle rigolade... naturellement elle y avait cru comme en 14! Oh! elle n'était pas la seule... ils y avaient tous cru! Un mois de grand défoulement collectif.
Jacqueline MONSIGNY, le Miroir aux pingouins, p. 310.

CONTR. Refoulement. ◊ **DÉR.** V. Défouler.

DÉFOULER [defule] v. tr. — 1958; «maltraiter, opprimer», 1080; de 1. *dé-*, et *fouler*, d'après *défoulement.*

Fam. (Choses). Permettre, favoriser le défoulement de (qqn). *«Je voudrais voir un jour analyser l'automobile en tant qu'instrument à défouler les citadins emprisonnés»* (*Elle*, 31 mars 1958).

♦ SE DÉFOULER v. pron.
Donner libre cours à des impulsions ordinairement réprimées. Faire une dépense d'énergie vitale. *Se défouler en allant courir au bois.*

Se défouler sur, contre, au détriment de (qqn, qqch.) : libérer sur (qqn, qqch.) son agressivité.

Que les députés aient voulu se venger du référendum, qui crée chez eux un réel sentiment de frustration ; que longtemps contraints par la rigueur procédurière et oratoire de M. Debré, ils se soient en quelque sorte «défoulés» au détriment de M. Pompidou (...)
Jacques FAUVET, *in* le Monde, 20 avr. 1962.

♦ DÉFOULÉ, ÉE p. p. adj.
(Personnes). Qui s'est défoulé.

DÉR. Défouloir.

DÉFOULOIR [defulwaʀ] n. m. — 1981; de *défouler.*
Fam. Lieu où l'on se défoule; activité, occupation qui défoule. → **Exutoire.** *Il fait du kung-fu; ça lui servira de défouloir.*

DÉFOURAILLER [defuʀaje] v. — XVIIIᵉ; de 1. *dé-*, et *fourailler*, dér. de *four* («mettre au four»), avec infl. de *fourrer.*

Argot.
♦1 V. intr. Vx. Sortir. Spécialt. Sortir (de prison). — Filer, s'esquiver. — Fig. Sortir (d'une mauvaise situation).

Tas eu de la chance d'en défourailler!
Louise MICHEL, la Misère, t. III, p. 549.

♦2 V. tr. Vieilli. Tirer, sortir (qqch., une arme) de sa poche. — (1928). *Défourailler sa saccagne* (*in* Esnault).

♦3 V. intr. (1950, *défourailler dedans*). Mod. Sortir une arme à feu et tirer. *Fais gaffe, il va défourailler!*

DÉFOURNAGE [defuʀnaʒ] ou **DÉFOURNEMENT** [defuʀnəmã] n. m. — 1876, *défournage; défournement*, 1845; de *défourner.*

Techn. Action de défourner. *Le défournage des briques.* — Résultat de cette action.

DÉFOURNEMENT [defuʀnəmã] n. m. → **Défournage.**

DÉFOURNER [defuʀne] v. tr. — 1456, *desforner;* de 1. *dé-*, *four* et suff. verbal.

Techn. Tirer d'un four. *Défourner du pain, des poteries de terre.*

Absolt. Sortir le pain du four.

Angelo demanda où il pourrait acheter du pain. On lui dit d'aller un peu sur la gauche vers des cyprès. Il y avait là, paraît-il, un boulanger qui avait essayé de faire un four de campagne (...)
— Vous tombez à pic, dit-il, on va défourner. Quant à vous dire ce que ça sera, je n'en sais rien ; peut-être du pain, peut-être de la galette (...)
J. GIONO, le Hussard sur le toit, p. 179.

CONTR. Enfourner. ◊ **DÉR.** Défournage, défournement, défourneur.

DÉFOURNEUR, EUSE [defurnœr, øz] n. — 1905, in *Rev. gén. des sc.*, n° 13, p. 617; de *défourner*.

Technique.

♦ **1** N. (1929). Ouvrier, ouvrière qui sort (une matière quelconque) du four (→ Enfourneur).

Les deux vivants travaillaient à la tuilerie; l'un était enfourneur et l'autre défourneur.
A. ARNOUX, Suite variée, p. 78.

♦ **2** N. f. Machine servant à défourner.

DÉFOURRER [defure] v. tr. — 1845; attestation isolée au XIIᵉ; de 1. *dé-*, et *fourrer*.

Rare. Enlever la fourrure de (un vêtement, etc.).

DÉFRAI [defrɛ] n. m. — 1403; de *défrayer*.

Fin. (vx). Action de défrayer*. → **Défraiement.**

DÉFRAÎCHIR [defreʃir] v. tr. — 1856; de 1. *dé-*, et *frais, fraîche*.

Rare. Dépouiller de sa fraîcheur. → **Faner, flétrir.** *Le temps a défraîchi cette robe. Le soleil a défraîchi la couleur de ce papier.* — *Défraîchir une étoffe.* → **Décatir.** — Fig. *L'âge a défraîchi son visage.*

♦ **SE DÉFRAÎCHIR** v. pron. (Plus cour. que le trans.). Perdre sa fraîcheur (couleur, étoffe, vêtement). *Ce vêtement se défraîchira très vite.*

♦ **DÉFRAÎCHI, IE** p. p. et adj. *Vêtement défraîchi.* → **Déformé, élimé, fripé, usé.**

1 Il s'aperçut qu'il avait gardé à son chapeau le crêpe de l'enterrement de Jacques, un peu défraîchi (...)
GIRAUDOUX, Bella, IX, p. 212.

Fleurs défraîchies. Couleur défraîchie. → **Passé.** — *Visage défraîchi.* → **Fatigué, flétri, vieilli.** *Beauté défraîchie.*

2 Ces deux jeunes femmes, quoiqu'un peu fatiguées et pâlies, étaient charmantes encore à la lumière du jour. Elles semblèrent à Sigognac les plus rayonnantes du monde, bien qu'un observateur méticuleux eût pu trouver à reprendre à leur élégance un peu fripée et défraîchie (...)
Th. GAUTIER, Capitaine Fracasse, t. I, II, p. 53.

CONTR. **Rafraîchir.**

DÉFRAIEMENT [defrɛmɑ̃] n. m. — Mil. XIVᵉ, *desffrayement*; de *défrayer*.

Action de défrayer (Arnoux, qui écrit *défraîment*, in T. L. F.).

(...) deux ou trois engagements lui avaient valu jadis des défraiements convenables : voyage en classe touriste et séjour payé dans des hôtels de bon standing.
René MASSON, Drugstore, p. 176-177.

DÉFRANCHI, IE [defrɑ̃ʃi] adj. — XIXᵉ, *disfranki, disfranchi*; de 1. *dé-*, et *franc* «assuré».

Régional (Belgique). Qui a perdu son assurance, est intimidé. *Il s'est senti tout défranchi quand on l'a interpellé.*

CONTR. — V. **Affranchir.**

DÉFRAPPER [defrape] v. tr. — 1906; de 1. *dé-*, et *frapper*.

Mar. (vx). Détacher (un cordage) de son point d'attache.

DÉFRAYER [defreje] v. tr. [CONJUG.: *payer*.] — 1378, *deffroyer*; de 1. *dé-*, et anc. franç. *frayer* «faire les frais».

♦ **1** Décharger (qqn) de ses frais. → **Payer** (la dépense de...). *Sa société le défraie de ses dépenses pendant tout son voyage. Être défrayé de tout* (→ Bail, cit. 7).

Il fallut bien avouer l'état de mes finances. On y pourvut : la Merceret se chargea de me défrayer; et, pour regagner d'un côté ce qu'elle dépensait de l'autre, à ma prière on décida qu'elle enverrait devant son petit bagage, et que nous irions à pied à petites journées. Ainsi fut fait. 1
ROUSSEAU, les Confessions, IV.

(Sans compl. second). *Défrayer qqn*, lui rembourser ses frais. → **Entretenir.**

Défrayer (qqch.) : payer les frais correspondant à (qqch.). *Défrayer un voyage, un séjour* (Balzac, Renan, Zola, *in* T. L. F.). — Par pléonasme. *Défrayer des frais, des dépenses.* «*Trois mille francs (...) défrayaient toutes ses dépenses*» (Balzac).

Pron. (passif). *Se défrayer* : être payé, défrayé. — (Réfl.). Payer ses frais.

♦ **2** Fig. *Défrayer la conversation*, en faire tous les frais, soit par la part qu'on y prend, soit parce qu'on en est l'objet. — (1640, *in* D. D. L. II., 19). *Défrayer la compagnie de bons mots*, l'amuser par des plaisanteries.

Ils pensaient tous qu'il était là pour défrayer la compagnie 2 de bons mots.
MOLIÈRE, la Critique de l'École des femmes, 2.

Par ext. Être le sujet essentiel et unique de. *Défrayer la chronique.* → **Alimenter.**

Une douzaine de personnages et de scènes évangéliques 3 ou mythologiques ont défrayé toute la grande peinture (...)
TAINE, Philosophie de l'art, t. II, V, I, I, p. 227.

(...) des aventures à défrayer un roman picaresque. 4
Ed. et J. DE GONCOURT, Journal, p. 24.

DÉR. **Défrai, défraiement.**

DÉFRICHAGE [defriʃaʒ] ou **DÉFRICHEMENT** [defriʃmɑ̃] n. m. — 1519, *défrichage; défrichement*, 1486; de *défricher*.

♦ **1** Action de défricher; résultat de cette action. *Le défrichement des forêts, des terres boisées. Le défrichement des landes, des terres incultes. Défrichement superficiel. Défrichement profond. Labour de défrichement.*

Ces barbares eux-mêmes, nés dans un climat tempéré, ne pouvaient soutenir les travaux pénibles d'un défrichement sous un ciel brûlant et malsain.
G. T. RAYNAL, Hist. philosophique, XI, 1.

♦ **2** (*Un, des défrichements*). Terrain défriché. → **Arrachis, défrichis, essart.**

♦ **3** Action de défricher (fig.) éclaircissement, première étude. *Le défrichage, le défrichement d'un sujet difficile.*

DÉFRICHEMENT [defriʃmɑ̃] n. m. → **Défrichage.**

DÉFRICHER [defriʃe] v. tr. — 1356, *deffricher*; de 1. *dé-*, et *friche*.

♦ **1** Transformer en terre cultivable (une terre en friche) en détruisant la végétation spontanée. Spécialt. *Défricher une forêt*, en détruire les arbres. → **Déboiser.** *Défricher une lande*, la transformer en terre labourable. → **Débroussailler, essarter.** *Défricher un coin de terre inculte, une garrigue.*

L'homme qui les gouvernait (*les bœufs*) avait à défricher 1 un coin naguère abandonné au pâturage et rempli de souches séculaires, travail d'athlète auquel suffisaient à peine son énergie, sa jeunesse et ses huit animaux quasi indomptés.
G. SAND, la Mare au diable, II, p. 20.

♦ **2** Par métaphore ou fig. Rendre moins confus, moins obscur en parcourant (un domaine, un sujet). → **Déblayer, débrouiller, dégrossir, démêler, éclaircir.** *Défricher le champ de la science. Défricher un terrain, un domaine entièrement neuf. Il faut d'abord défricher le terrain.* → **Préparer.**

2   Qui sait si je n'aurais pas mieux donné ma mesure en me consacrant aux maladies nerveuses et mentales ? C'est un terrain où il reste encore tant à défricher (...)
         MARTIN DU GARD, les Thibault, t. III, p. 192.

Littér. et vx. Éclairer (qqn qui est d'une ignorance grossière).

3   Elle est dans une parfaite ignorance ; nous nous faisons un jeu de la défricher généralement sur tout.
         Mme DE SÉVIGNÉ, Lettres, 491, 12 janv. 1676.

CONTR. — V. Friche (laisser, mettre en friche). ◊ **DÉR.** Défrichage, défrichement, défricheur, défrichis.

DÉFRICHEUR, EUSE [defʁiʃœʁ, øz] n. — 1541, *défricheur ; de défricher.*

A ♦ **1** Personne qui défriche (un terrain en friche). *Défricheur de forêts.*

♦ **2** Personne qui défriche (fig.). → **Pionnier.** *Les défricheurs de l'inconnu.*

B N. f. (Techn.). Charrue à soc très tranchant pour effectuer les défrichements.

Tu manieras la pioche, la pelle et la défricheuse.
         R. SABATIER, les Enfants de l'été, p. 181.

DÉFRICHIS [defʁiʃi] n. m. — 1833, Balzac ; de *défricher.*

Vx. Terre défrichée.

DÉFRIMER [defʁime] v. tr. — 1895, Esnault. ; de 2. *dé-, et frimer* (l., 1.).

Argot. Dévisager, regarder attentivement (qqn), fixer avec insolence.

1   C'est le gardien. Ancien truand, je vous le répète, ça se voit à sa frime rapiécée comme une vieille chambre à air, à son naze écrasé, à ses étiquettes en haillons et, plus encore, à son regard en virgule.
Je le défrime complaisamment.
         SAN ANTONIO, le Secret de Polichinelle, p. 36.

2   Ces messieurs-dames me défriment, mais sans marquer la moindre stupeur, avec seulement une curiosité un peu méprisante.
         SAN ANTONIO, Ne mangez pas la consigne, p. 206.

DÉFRINGUER [defʁɛ̃ge] v. tr. — 1883 ; de 1. *dé-, et fringuer.*

Argot. fam. Déshabiller. **Pron. :**

1   Ayant dépouillé tous ses vêtements, Milou tourna sa nudité à l'endroit et dit : «Tu te défringues ?»
         M. AYMÉ, Travelingue, p. 84.

2   Ct en tôle. Le soir on devait se défringuer, enlever même la liquette devant l'agâfe pour lui faire voir qu'on ne passait rien en loucedé (ni cordelettes, limes ou lames).
         Jean GENET, Notre-Dame des Fleurs, p. 61.

DÉFRIPEMENT [defʁipmɑ̃] n. m. — xxe ; de *défriper.*

Rare. Action de défriper.

DÉFRIPER [defʁipe] v. tr. — 1660, *défripper ; de* 1. *dé-* et *friper.*

Remettre en état (ce qui était fripé). → **Déchiffonner, défroisser.** *Défriper un vêtement en le repassant.* — **Fig. :**

Quelques plongeons dans la solitude me sont aussi indispensables, chaque jour, que le sommeil des nuits. Je m'y défripe.
         GIDE, Journal, 8 août 1905.

CONTR. Friper. ◊ **DÉR.** Défripement.

DÉFRISEMENT [defʁizmɑ̃] n. m. — 1836 ; de *défriser.*

Rare. Action de défriser (1. et 2.).

REM. Le T. L. F. mentionne la forme *défrisage,* n. m., avec des exemples tirés de publicités, ainsi que l'adj. *défrisant,* ante (aussi : *un défrisant,* n. m.).

DÉFRISER [defʁize] v. tr. — XVIIe ; de 1. *dé-, et friser.*

♦ **1** Défaire la frisure de. *Le temps humide défrise les cheveux. Elle est toute défrisée. Le coiffeur lui a défrisé les cheveux* (naturellement frisés).

1   (...) afin que vous ne vous amusiez plus à faire cent petites boucles sur vos oreilles, qui sont défrisées en un moment (...)   Mme DE SÉVIGNÉ, Lettres, 36, *in* LITTRÉ.

2   Il passa un pantalon blanc, des chaussettes fines, un habit vert (...) puis, s'étant fait friser, se défrisa, pour donner à sa chevelure plus d'élégance naturelle.
         FLAUBERT, Madame Bovary, III, I.

Techn. Aplatir les pages de (un livre), avant reliure.

♦ **2** (1839). **Fam.** Décevoir, désappointer (qqn), en parlant d'un fait, d'une action. *Son échec l'a défrisé. Ça vous défrise ?*

CONTR. Friser. ◊ **DÉR.** Défrisement.

DÉFROISSABLE [defʁwasabl] adj. — Attesté 1964 ; de *défroisser.*

Qui peut être aisément défroissé. *Tissu défroissable.*

DÉFROISSER [defʁwase] v. tr. — 1935 ; de 1. *dé-,* et *froisser.*

Remettre en état (ce qui est froissé). → **Déchiffonner, défriper.**

1   (...) fouillant rageusement dans son sac, finissant par en sortir une lettre, une enveloppe toute chiffonnée qu'elle défroissa, aplatit de deux tapes tandis qu'une fine poussière de tabac blond s'échappait des plis (...)
         Claude SIMON, le Vent, 1957, p. 67.

♦ **SE DÉFROISSER** v. pron.

(Vêtements, étoffes, etc.). *Cette robe ne se défroissera jamais.*

Se remettre en état (d'un organe froissé).

2   Il se sentait apaisé. Bientôt les deux images n'en feraient plus qu'une, ses côtes se défroisseraient, son genou s'assouplirait.
         Claude COURCHAY,
         La vie finira bien par commencer, p. 84.

CONTR. Froisser. ◊ **DÉR.** Défroissable.

DÉFRONCER [defʁɔ̃se] v. tr. [CONJUG.: *froncer.* → Placer.] — XIIIe ; de 1. *dé-* et *froncer.*

Défaire (ce qui était froncé). — Par anal. Effacer (les rides du front), détendre (les traits du visage). *Défroncer les sourcils, ou le sourcil.* — Fig. Reprendre un visage serein.

Le corps abandonné qu'il fallait sauver et qui, par cela même se laissait prendre à pleins bras, ce visage insensible qui cependant ne défronçait pas ses sourcils me touchèrent au-delà de ce qui pourra jamais me toucher.
         J. GIONO, le Hussard sur le toit, p. 357.

CONTR. Froncer.

DÉFROQUE [defʁɔk] n. f. — 1611 ; *defroc,* 1540 ; déverbal de *défroquer.*

♦ **1** Vx ou relig. Objets et vieux habits qu'un religieux laisse en mourant. *La défroque d'un moine appartient au Père abbé.*

♦ **2** Mod. Vieux vêtements qu'on abandonne lorsqu'on les juge hors d'usage. → **Frusques, guenille, haillon, hardes.**

1   C'est un bienfait, après avoir été si longtemps son esclave, son prisonnier, que nous puissions enfin le rejeter, le dépouiller, nous évader de lui, l'abandonner au bord du chemin, comme une défroque !
         MARTIN DU GARD, les Thibault, t. IV, p. 137.

Péj. Vieux vêtements ou habillement bizarre (qui ont été ou non portés par un autre). *Qu'est-ce que c'est que cette défroque ?*

2   (...) Dostoïevski ne peut vêtir l'habit de tout le monde sans paraître porter une défroque, et s'être glissé dans le vêtement d'autrui.
André SUARÈS, Trois hommes, «Dostoïevski», I, p. 202.

Par métaphore. Attitude, apparence peu sincère. *La défroque romantique.*

DÉFROQUER [defʀɔke] v. — XVᵉ ; de 1. dé-, et froc.

I V. tr. Faire quitter le froc, l'habit ecclésiastique à un religieux.

1   Il semble que la réforme aboutisse à défroquer quelques moines (...)   BOSSUET, Hist. des variations..., 2.

II V. intr. Abandonner le froc, l'état ecclésiastique.

1.1   Et je comprenais cet homme qui, étant entré dans les ordres, défroqua parce que sa cellule, au lieu d'ouvrir, comme il s'y attendait, sur un vaste paysage, donnait sur un mur.   CAMUS, la Chute, p. 32.

◆ **SE DÉFROQUER** v. pron.

(1563 ; du sens I). Abandonner l'état ecclésiastique. *Luther se défroqua.*

◆ **DÉFROQUÉ, ÉE** p. p. adj.

(Du sens I). Qui a abandonné l'état de moine ou de prêtre. *Moine, prêtre défroqué.* → **Apostat.**

2   Nous avons l'impression qu'il y a des dangers beaucoup plus urgents pour l'humanité que la présence des Sœurs dans tel hôpital, ou de quelques prêtres mal défroqués dans une institution libre.
J. ROMAINS, les Hommes de bonne volonté, t. IV, X, p. 114.

N. m. *Un défroqué.*

3   (...) il lui avait avoué qu'il ne croyait plus, qu'il voulait quitter la soutane et faire son droit. «Mon pauvre enfant !» s'était écrié *(son père).* «Il faut que tu restes ! Je ne veux pas être le père d'un défroqué !»
A. BILLY, Sur les bords de la Veule, p. 117.

Fig. et par plais. (aussi féminin) :

4   (...) tandis que dans le monde politique et artistique on la tenait pour une créature mal définie, une sorte de défroquée du faubourg Saint-Germain qui fréquente les sous-secrétaires d'État et les étoiles, dans ce même faubourg Saint-Germain, si on donnait une belle soirée, on disait : «Est-ce même la peine d'inviter Oriane ? Elle ne viendra pas. Enfin pour la forme, mais il ne faut pas se faire d'illusions.»   PROUST, le Temps retrouvé, Pl., t. III, p. 959.

DÉR. Défroque.

DÉFRUITEMENT [defʀɥitmã] n. m. — Déb. XXᵉ ; de *défruiter.*

Techn., agric. Action de défruiter ; son résultat.

DÉFRUITER [defʀɥite] v. tr. — 1803 ; *se deffruicter* «perdre ses fruits», 1232 ; de 1. dé, et *fruit.*

◆ **1** Rare. Dépouiller de ses fruits (→ **Cueillir**). *Défruiter un arbre.*

◆ **2** (Av. 1902). Techn. Enlever le goût du fruit à. *Défruiter de l'huile d'olive.*

DÉR. Défruitement.

DÉFUBLER [defyble] v. — XIIᵉ ; de 1. dé- et *(af)fubler.*

Vx. Désaffubler. — P. p. adj. *Défublé, ée.*

(...) l'hypocrisie de société si énorme, qu'on serait curieux d'assister à l'immédiate détente après la pose officielle, de saisir le vrai des accents, des natures, les rapports réels de ces êtres, tout à coup libérés et défublés, dans ce coupé filant à travers le Paris désert entre les reflets de ses lanternes.   Alphonse DAUDET, l'Immortel, p. 218.

DÉFUNT, UNTE [defœ̃, œ̃t] adj. et n. — 1243, *defuns ;* du lat. *defunctus,* p. p. de *defungi* «accomplir sa vie», de *de-* et *fungi* «accomplir».

◆ **1** Littér. (antéposé). Qui est mort. → **Décédé, mort.** *Sa défunte mère. Le défunt M. X...*

De ta défunte mère est-ce là la leçon ?   1
RACINE, les Plaideurs, I, 4.

Plus rare (le déterminant étant absent ou postposé). *Défunt M. X... Défunt son frère.* → **Feu** (→ Contenter, cit. 14).

REM. Cet emploi a été familier ; il est aujourd'hui régional ou archaïque.

— Non, monsieur. J'en ai eu du temps de défunt mon   2 homme ; mais depuis sa mort j'ai été si malheureuse que j'ai été forcée de les vendre.
BALZAC, le Médecin de campagne, Pl., t. VIII, p. 325.

Si défunt mon mari, M. Badoulard, vivait encore, ça ne   2.1 se passerait pas comme ça...
H. MONNIER, Scènes populaires, t. I, p. 288.

N. m. et f. *Un défunt. Les enfants du défunt. Prière pour les défunts* (→ De profundis). *Aller sur la tombe d'une défunte.*

Ma fille, lui dit-il, c'est trop verser de larmes :   3
Qu'a besoin le défunt que vous noyiez vos charmes ?
Puisqu'il est des vivants, ne songez plus aux morts.
LA FONTAINE, Fables, VI, 21 (→ Autre, cit. 137 ; Bien, cit. 31).

Les vivants sont pressés de jeter le défunt à l'Éternité et   4 de se débarrasser de son cadavre.
CHATEAUBRIAND, Mémoires d'outre-tombe, t. II, p. 133.

◆ **2** Littér. Fig. → **Passé, révolu.** *Des amours défunts.*

Le beau valet de cœur et la dame de pique   5
Causent sinistrement de leurs amours défunts.
BAUDELAIRE, les Fleurs du mal, «Spleen et idéal», LXXV.

Fam. (Choses concrètes). Hors d'usage. → Mort (fig. et fam.).

(Lieux, etc.). Qui a été, mais n'est plus. → **Ancien.** *«La défunte barrière de Paris»* (Colette, *in* T. L. F.). *La défunte gare Montparnasse, les défuntes Halles de Baltard.*

◆ **3** (Attribut). Mort. *Il est défunt.*

CONTR. Vif, vivant. — Actuel, présent. ◊ DÉR. Défunter.

DÉFUNTER [defœ̃te] v. intr. — 1739 ; de *défunt ; defunctee* «défunte», XIIIᵉ ; du lat. *defunctus.*

Vx, régional (rural) ou par plais. Mourir. → **Périr, trépasser.**

— Tâchez de lui faire avaler ça, c'est pratiquement sans saveur...
— Et les résultats ?
— En quelques heures, l'intéressé défunte d'un arrêt du cœur.
SAN ANTONIO, le Secret de Polichinelle, p. 116.

Par archaïsme : *défuncter* (Rostand, *Cyrano,* II, 9).

DÉGAGEMENT [degaʒmã] n. m. — 1465 ; de *dégager.*

◆ **1** Action de dégager (ce qui est en gage) ; résultat de cette action. → **Dégager.** *Dégagement d'effets déposés au mont-de-piété. Le dégagement a déjà été effectué.*

Fig. *Dégagement d'une parole, d'une promesse :* action de tenir parole, d'accomplir la promesse, ou d'obtenir que la parole, la promesse soient rendues.

(1958). Polit. Pour un État, Fait de se libérer d'engagements contractés envers un autre État. → Désengagement. *«Le terme "dégagement" confirme la volonté du chef de l'État de sortir (...) d'une situation qui empêche la France d'assumer ses autres missions* » (*le Monde*, 7 août 1961).

◆ **2** Action de faire sortir, de libérer (qqn ou qqch.). *Le dégagement des blessés ensevelis sous les décombres.* — Escr. Action de dégager le fer du fer adverse. — Méd. Dans un accouchement, Ensemble des processus qui permettent le passage du fœtus au niveau du détroit inférieur et de l'orifice vulvaire.

◆ **3** Action de dégager de ce qui embarrasse, de ce qui obstrue. — (Le compl. désigne une voie, un espace). *Dégagement de la voie publique.* → **Déblaiement.** — (Le compl. désigne l'obstacle). *Le dégagement d'un camion renversé, d'un navire échoué.*

Sports. Action de dégager la balle loin des buts. *Dégagement par les arrières, par le gardien. Dégagement en touche* (au rugby).

Ski. Mouvement d'appel en flexion, suivi d'une extension vive, au passage d'une bosse, de manière à ne pas décoller. → **Optracken.**

1 Lorsque la bosse a un profil tel que le décollement est inévitable (...) le skieur fait alors soit un *dégagement*, soit un *op-xacken*, deux mouvements utilisés en compétition.
Jean FRANCO, le Ski, p. 22.

Action d'écarter les parties du corps qui risquent de heurter la barre, lors d'un saut.

◆ **4** Le fait de pouvoir passer, communiquer (dans : *de dégagement*). *Porte, escalier, sortie de dégagement.* — Ch. de fer. *Voie de dégagement :* voie de garage*. — *Autoroute**, *route de dégagement*.

◆ **5** Par métonymie. Partie d'un appartement qui sert de passage, de communication d'une pièce à une autre. → **Corridor, couloir.** *Cette maison manque de dégagements. Ouvrir un dégagement en abattant une cloison.* → **Issue.** — (Dans un autre lieu qu'un appartement). *Dégagement d'un théâtre.*

Espace libre. *Il y a un grand dégagement devant notre maison.*

Techn. *Dégagement d'un véhicule au-dessus du sol* (→ Garde au sol).

◆ **6** Par ext. Action de se dégager (en parlant d'un fluide). → **Émanation, production, sortie.** *Dégagement de gaz carbonique. Dégagement de vapeur. Dégagement de chaleur.* — *Tuyau, conduite de dégagement.* → **Échappement.**

Par métaphore :

2 (...) comme le gaz sulfureux empêche le départ de la fermentation du vin dans la cuve, l'air de la Sorbonne, le gaz érudit empêchait tout dégagement de féminité (...)
J. ROMAINS, les Hommes de bonne volonté, t. IV, XV, p. 148.

CONTR. Engagement; dépendance; contrainte; cul-de-sac, impasse; absorption. ◊ COMP. Contre-dégagement.

DÉGAGER [degaʒe] v. tr. [CONJUG.: *bouger*.] — XIIᵉ; de 1. *dé-* et *gage*. → Gage.

I ◆ **1** Retirer (ce qui avait été donné en gage, en hypothèque, en nantissement). *Dégager sa montre du mont-de-piété. Il a dégagé ses bijoux. Dégager des terres de toute hypothèque*.*

1 Nous devions tantôt le dégager *(un bijou)*;
Et, contre mon avis, vous avez fait la chose.
J.-F. REGNARD, le Joueur, V, 7.

Fig. *Dégager sa parole :* tenir* sa parole, ou, plus souvent, la retirer après l'avoir imprudemment engagée. *Dégager sa responsabilité*, faire savoir qu'on ne se tient pas pour responsable, qu'on désapprouve (→ Tirer son épingle* du jeu).

(...) je ne prétends pas qu'un impuissant courroux   2
Dégage ma parole et m'acquitte envers vous.
RACINE, Britannicus, I, 3.

Je reviens dégager mes serments et les tiens (...)   3
VOLTAIRE, Zaïre, I, 4.

◆ **2** *Dégager* (qqch., qqn) *de* (qqch.) : libérer (ce qui est engagé, retenu) en enlevant de ce qui enveloppe, retient. *Dégager un blessé des décombres.* → **Délivrer, tirer.** *Dégager un minéral de sa gangue.* → **Extraire.** *Dégager un liquide, un mélange de ses impuretés.* → **Épurer, filtrer, purger, purifier.** *Dégager une vis de son logement.* → **Dévisser.** *Dégager l'épée de son fourreau.* → **Dégainer.** — *Dégager sa main d'une étreinte.* → **Enlever, ôter, retirer.** *Dégager des liens, des chaînes.* → **Délier, désenchaîner, désenlacer** (→ Chaînon, cit. 1). *Dégager l'ardillon de la boucle d'une courroie* (→ **Déboucler**), *un bouton de sa boutonnière* (→ **Déboutonner**). → aussi **Défaire.**

(...) la Grise qui s'ennuyait fort de ce voyage, donna   4
un coup de reins, dégagea les rênes, rompit les sangles
et, lâchant, par manière d'acquit, une demi-douzaine de
ruades plus haut que sa tête, partit à travers les taillis (...)
G. SAND, la Mare au diable, VII, p. 63.

(...) j'essayai de dégager ma main de celle de mon père;   5
lui, croyant que j'avais glissé, me serra plus fort.
Alphonse DAUDET, le Petit Chose, I, II, p. 18.

Nous apprenons comment on dégage la truffe sans la   6
meurtrir (...)
COLETTE, la Paix chez les bêtes,
«La petite truie de M. Rouzade».

(...) d'un mouvement des épaules, il dégage bien son cou   7
de l'engonçure des vêtements.
J. ROMAINS, les Hommes de bonne volonté, t. II,
II, p. 22.

Escr. *Dégager le fer*, et, absolt, *dégager :* ôter son arme de celle de son adversaire et la passer à droite ou à gauche de celle-ci. — Danse. Faire glisser un pied sur le sol après avoir libéré la jambe correspondante du poids du corps. *Dégagez!*

Par ext. (le sujet désigne un vêtement, une garniture). Rendre plus libre, donner de l'aisance à (une partie du corps). *Encolure qui dégage la tête. Cet habit dégage bien les épaules, la taille*, il les fait ressortir.

L'habit de cour, si favorable aux jeunes personnes, mar-   8
quait sa jolie taille, dégageait sa poitrine et ses épaules,
et rendait son teint encore plus éblouissant par le deuil
qu'on portait alors.   ROUSSEAU, les Confessions, III.

◆ **3** Tirer d'une position critique ou embarrassante. → **Délivrer, sortir.** *Dégager une armée encerclée, une ville investie* (→ **Débloquer**). *Dégager qqn d'une foule hostile.* — *Dégager un navire dans un combat*, se porter à son secours et lui permettre de se retirer.

Jusqu'à ce que ma main de ses fers le dégage.   9
CORNEILLE, Nicomède, V, 6.

Ce grand voyage de M. le Prince et de M. de Turenne pour   10
aller dégager M. de Luxembourg (...)
Mᵐᵉ DE SÉVIGNÉ, 282, *in* LITTRÉ.

(...) on dégagea Philoclès des mains de ces trois   11
hommes (...)   FÉNELON, Télémaque, XI.

◆ **4** Débarrasser (un lieu, un espace) de ce qui encombre. *Dégager la table, pour qu'on puisse écrire. Dégagez la voie publique.* → **Déblayer, désencombrer.** — *Dégager une surface, le sol de ce qui recouvre.* → **Découvrir, dénuder, dépouiller.** *Dégager un arbre de ses branches inutiles.* → **Élaguer, tailler.** *Dégager une allée de ses herbes* (→ **Désherber**), *un jardin des broussailles qui l'encombrent* (→ **Débroussailler**).

Fam. (sujet n. de personne) *Il va falloir que tu dégages la piste.* — Absolt. *Allons, dégagez!* : partez, circulez.

♦ 5 (1900, *in* Petiot). Sports. Renvoyer (la balle) le plus loin possible des buts. — Absolt. *Arrière qui dégage.*

♦ 6 Intrans. Fam. **a** Avoir du punch, de la vitalité. «*Un art qui dégage*» (*le Nouvel Obs.*, n° 991, 4-10 nov. 1983, p. 64). «*Un rien désinvolte, une crinière sauvage en mouvement, une allure saine presque fruitée : c'est Caroline Berg... Du punch, elle en a, elle dégage*» (*Elle*, in *Lire*, sept. 1982).

b (En emploi impersonnel). *Ça dégage :* ça arrache. «*Bette Midler dans "Divine Madness", ça dégage!*» (P. de Nussac, in *Signature*, n° 133, 1981).

II ♦ 1 *Dégager* (qqn) *de* (qqch.) : soustraire (qqn) à (une obligation, à un lien moral quelconque). → **Affranchir, libérer.** *Dégager qqn de sa parole, de sa promesse*, lui rendre sa parole, sa promesse. *Dégager qqn d'une charge, d'une dette, d'une obligation.* → **Décharger, dégrever, dispenser, exonérer, soustraire.** — *Dégager son esprit de toute préoccupation, de tout préjugé.*

12 D'un serment solennel qui peut nous dégager?
CORNEILLE, Horace, I, 2.

13 Quand nous sommes las d'aimer, nous sommes bien aises qu'on nous devienne infidèle, pour nous dégager de notre fidélité. LA ROCHEFOUCAULD, Maximes, 581.

♦ 2 Isoler (un élément, un aspect) d'un ensemble, rendre manifeste. → **Extraire, tirer** (→ Mettre en évidence). *Dégager la conclusion d'un exposé, d'un rapport. Dégager la morale des faits* (→ Contingent, cit. 3). *Dégager les idées essentielles.*

14 (...) ce qui le fait artiste, c'est l'habitude de dégager dans les objets le caractère essentiel et les traits saillants, les autres hommes ne voient que des portions, il saisit l'ensemble et l'esprit. TAINE, Philosophie de l'art, t. I, I, II, III, p. 59.

15 (...) dégager, avec le plus de clarté possible, les causes et les effets. J. BAINVILLE, Hist. de France, Avant-propos, p. 7.

16 Les idées s'offraient presque toujours à l'état brut : il fallait les dégager péniblement de la gangue.
R. ROLLAND, Jean-Christophe, p. 384.

17 C'est l'expérience qui dégagera les lois, répondait-il, la connaissance des lois ne précède jamais l'expérience.
SAINT-EXUPÉRY, Vol de nuit, XI, p. 100.

→ **Distinguer, isoler, séparer.** *Dégager la vérité; dégager la vérité de l'erreur.*

18 Il (*Socrate*) dégageait la morale de la religion; avant lui, on ne concevait le devoir que comme un arrêt des anciens dieux; il montra que le principe du devoir est dans l'âme de l'homme. FUSTEL DE COULANGES, la Cité antique, V, I, p. 420.

Math. *Dégager une inconnue :* faire les opérations nécessaires pour isoler l'inconnue dans l'un des membres de l'équation, l'autre membre contenant la valeur de l'inconnue.

♦ 3 Laisser échapper (un fluide, une émanation). → **Émettre, exhaler, produire, répandre; dégagement, émanation.** *Effluves, parfums que dégagent les fleurs.* → **Sentir.** *Charogne qui dégage une odeur nauséabonde* (→ Carcasse, cit. 2).

19 (...) des rangées d'arbustes plantés autour du bassin dégageant leurs parfums faibles et doux.
Th. GAUTIER, le Roman de la momie, IV, p. 87.

Par métaphore :

20 Les chefs-d'œuvre, parfois même sans que la volonté de leurs auteurs y ait part (...) dégagent continuellement, mystérieusement, divinement, et répandent, pour ainsi dire, dans l'air autour d'eux, une moralité pénétrante et douce.
HUGO, Post-scriptum de ma vie, L'esprit, «Tas de pierres», I.

21 (...) tous ces effluves du passé que dégagent ici les pierres (...) LOTI, Jérusalem, X, p. 128.

Chim. Mettre en liberté. *Réaction qui dégage du gaz carbonique.* Par anal. *L'eau dégage de la vapeur, de la buée.*

L'eau dégageait quelques bulles. 22
J. ROMAINS, les Hommes de bonne volonté, t. V, X, p. 80.

♦ SE DÉGAGER. v. pron. **A** (Réfléchi; personnes, êtres vivants). Libérer son corps de ce qui l'enveloppe, le retient. → **Délivrer** (se), **dépêtrer** (se), **tirer** (se). *Se dégager de ses liens, d'une étreinte. Faire des efforts pour se dégager.*

(1900, *in* Petiot). Spécialt. Rugby. Échapper à la pression de l'attaquant.

Fig. Se libérer (d'une obligation). *Se dégager d'une promesse.* — Se libérer (d'une contrainte morale). *Se dégager d'habitudes paralysantes.*

Mon père m'a dit, Monsieur, que vous vous étiez venu 23 dégager de la parole que vous aviez donnée.
MOLIÈRE, le Mariage forcé, 9.

L'on voit des gens brusques (...) qui (...) vous expédient, 24 pour ainsi dire, en peu de paroles, et ne songent qu'à se dégager de vous. LA BRUYÈRE, les Caractères, v, 26.

Corinne comprit sa pensée; et, l'interrompant aussitôt, en 25 se dégageant doucement de ses bras (...)
Mᵐᵉ DE STAËL, Corinne, VIII, 1.

(...) il éperonna son cheval pour se dégager et voulut 26 frapper de son bâton des mains du laboureur pour lui faire lâcher prise (...)
G. SAND, la Mare au diable, XIV, p. 123.

— Non, mademoiselle Gaud, répondit-il à la fin en se déga- 27 geant avec une aisance de fauve.
LOTI, Pêcheur d'Islande, I, XI, p. 122.

(...) une place assiégée qui se doit, de temps à autre, 28 *dégager* par des *sorties* violentes (...)
Louis MADELIN, Hist. du Consulat et de l'Empire, Ascension de Bonaparte, I, p. 6.

Il est beaucoup plus facile pour ceux-ci de se dégager des 29 routines où les a maintenus toute leur carrière, qu'à un esprit neuf de ne s'y engager pas du tout.
GIDE, Journal, 25 oct. 1916.

(...) une imagination si abondante qu'elle ruisselle (*chez* 30 *Goethe et Beethoven*) en improvisations, une personnalité si forte qu'elle se dégage des enseignements du passé.
Éd. HERRIOT, la Vie de Beethoven, p. 294.

Régional (Centre, Suisse). *Se dégager :* se dépêcher.

B ♦ 1 (Passif; choses). Devenir libéré de ce qui entrave. *La rue se dégage peu à peu. Le ciel se dégage*, les nuages, le brouillard s'en vont. → **Découvrir** (se), **éclaircir** (s'). *Ma tête, mon nez se dégage.*

La lune se dégagea aussi des vapeurs qui la couvraient (...) 31
G. SAND (→ Couvrir, cit. 18).

À ces mots, Séraphita se passa les mains sur le front, et 32 quand elle se dégagea la figure, Wilfrid fut étonné de la religieuse et sainte expression qui s'y était répandue.
BALZAC, Séraphita, Pl., t. X, p. 479.

♦ 2 Sortir d'un corps. → **Émaner, exhaler** (s'), **jaillir, répandre** (se), **sortir.** *Émanations, vapeurs qui se dégagent d'un corps. De l'oxygène se dégage.* — *Il s'en dégage une forte odeur.*

Fig. *Rumeur qui se dégage de la foule.* — *Une sorte de poésie se dégage de ce paysage, de cet être* (→ Chercher, cit. 25). *Un grand charme* (cit. 15) *se dégage de sa personne.*

Cependant le calme s'était peu à peu rétabli. Il ne restait 33 plus que cette légère rumeur qui se dégage toujours du silence de la foule. HUGO, Notre-Dame de Paris, I, 1.

Comme de la mer venait malgré ses vagues, il se dégage 34 de cette plaine un sentiment de solitude (...)
Alphonse DAUDET, Lettres de mon moulin, «En Camargue».

Une sorte de poésie se dégageait de tout son être, qui 35 venait, je crois, de ce qu'il se sentait faible et cherchait à se faire aimer.
GIDE, Si le grain ne meurt, I, III, p. 86.

◆ 3 Se faire jour. *La vérité se dégage peu à peu.* → **Manifester** (se). *Il se dégage de l'étude des faits que...* → **Ressortir, résulter.** *L'impression qui s'en dégage est bonne.*

♦ DÉGAGÉ, ÉE p. p. adj.

◆ 1 Qui n'est plus en gage. *Terre dégagée de toute hypothèque.*

◆ 2 Qui n'est pas ou plus recouvert, encombré. → **Débarrassé, libre.** *Route dégagée. Accès dégagé. Entrée dégagée. — Roue dégagée de l'ornière. — Avoir le cou dégagé.* → **Décolleté.** *Nuque dégagée. Front dégagé. — Armée dégagée d'une position périlleuse.* Par ext. *Horizons dégagés. Une vue dégagée,* qui offre un large champ visuel libre.

35.1 (...) j'ai aperçu d'un seul coup la scène : deux personnages immobilisés dans des attitudes dramatiques (...) Il est aisé de les apercevoir, dans un halo de lumière bleue (...) et dans une perspective brusquement dégagée, juste à cet endroit.
         A. ROBBE-GRILLET, la Maison de rendez-vous,
                     p. 25-26.

Fig. (avec un compl. en *de*). *Travail dégagé de toute ambition, de toute préoccupation matérielle* (→ Art, cit. 83). *Âme dégagée des liens terrestres* (→ Choc, cit. 13).

36 Un instinct de vie si pur, une âme si dégagée des liens qui l'enserrent dès sa naissance, que le mot liberté reprenait un sens à sa vue.
         GIRAUDOUX, Aventures de J. Bardini, p. 193.

◆ 3 Qui a de la liberté, de l'aisance. *Une taille svelte et dégagée. Démarche vive, dégagée.* → **Alerte.**

Qui dénote des manières libres, du sans-gêne. → **Cavalier, désinvolte, léger, libre.** *Un air dégagé. Allures, manières dégagées. Propos dégagés. Parler d'un ton dégagé.*

37 (...) comme la petite Fadette disait cela d'un ton assez fier et dégagé, le père Barbeau en fut inquiet.
         SAND, la Petite Fadette, XXXVI, p. 233.

N. m. Danse. «Déplacement d'une jambe qui s'écarte du pied de position (...) en glissant sur le sol» (M. Bourgat, *Techn. de la danse*). — Escr. Action de dégager le fer (on dit aussi *dégagement*).

38 (*Hauteclaire*) avait des coups irrésistibles (...) Elle avait, entre autres, un dégagé de quarte en tierce qui ressemblait à de la magie. Ce n'était plus là une épée qui vous frappait, c'était une balle !
         BARBEY D'AUREVILLY, les Diaboliques,
                 «Le bonheur dans le crime».

CONTR. Engager, hypothéquer. — Embarrasser, encombrer; attacher, envelopper, engoncer, fixer, lier, renfermer. — Confondre, mélanger. — Absorber. — Couvert, embarrassé, engagé; engoncé, gauche, gêné. ◊ DÉR. Dégagement.

DÉGAINE [degɛn] n. f. — 1611; «action de dégainer», XVIᵉ; déverbal de *dégainer.*

Fam. Tournure ou attitude ridicule; allure extérieure bizarre, comique. → fam. **Gueule,** fig. *Il, elle a une drôle de dégaine. Quelle dégaine !*

1 (...) pourvu que l'effet total, la posture du personnage, sa dégaine monacale, épiscopale ou royale soit fidèlement reproduite.
         SAINTE-BEUVE, Correspondance, Lettre 52,
                 12 sept. 1828.

2 — Son mari ! Ah ! elle est bonne, celle-là ! (...) Le mari à madame ! comme si on avait des maris avec cette dégaine !
         ZOLA, l'Assommoir, t. I, I, p. 29.

Rare; en parlant d'un animal, d'un vêtement. *On a vu les singes du zoo, quelle dégaine ils ont ! Son vieux frac avait une dégaine incroyable.*

REM. Le mot peut impliquer une bizarrerie sans ridicule, voire sympathique.

DÉGAINER [degɛne] v. tr. — XIIIᵉ, *deswainer;* de 1. *dé-,* et *gaine.* → Gaine.

◆ 1 Tirer (une arme blanche) de son fourreau, de sa gaine. *Dégainer un sabre, un poignard, une épée.* → Mettre flamberge au vent (→ Coutelas, cit. 1).

1 C'est l'heure de la mort. Le supplice est au terme.
Voici le carrefour funèbre et le pavé.
Un sombre Éthiopien dégaine d'un poing ferme
Le sabre grêle et long tant de fois éprouvé.
         LECONTE DE LISLE, Poèmes tragiques,
         «Apothéose de Mouça-Al-Kébyr», p. 15.

Absolt. Mettre l'épée à la main pour se battre. → **Battre** (se). *Il fallut dégainer. Ferrailleur aimant à dégainer.*

2 Vous êtes de l'humeur de ces amis d'épée
Que l'on trouve toujours plus prompts à dégainer
Qu'à tirer un teston, s'il fallait le donner.
         MOLIÈRE, l'Étourdi, III, 4.

Par ext. Sortir son pistolet de l'étui. → argot **Défourailler.**

◆ 2 Fam. Sortir (un objet) de son étui. *Dégainer ses lunettes, son chapelet.* — REM. Cet emploi, étymologique, est senti aujourd'hui comme un fig. plaisant du sens 1.

Par anal. (sexuel) :

3 (...) sous prétexte de lui montrer des photos de peintures rupestres il l'avait entraînée au bordj dans sa chambre où sans préavis il avait dégainé. Cela avait été court et brutal. Il avait un sexe énorme.
         Jacques LAURENT, les Bêtises, p. 375.

◆ 3 N. m. Vx. *Être brave jusqu'au dégainer* (Mᵐᵉ de Sévigné, IV, 221), jusqu'au moment de se battre.

CONTR. Rengainer. ◊ DÉR. Dégaine.

DÉGALONNER [degalɔne] v. tr. — XIIIᵉ; au p. p.; de 1. *dé-, galon* et suff. verbal.

Enlever le ou les galons de (un tissu, un vêtement). — Rare. Enlever ses galons à (quelqu'un).

DÉGANTER [degɑ̃te] v. tr. — 1330; de 1. *dé-, gant* et suff. verbal.

Retirer les gants de. *Déganter sa main droite.*

1 (...) ces mains de jeune fille qui m'enfermaient dans leur étau par je ne sais quel pouvoir — celui que je leur attribuais — se mirent à déganter mes propres mains longues et parfaites.
         P. KLOSSOWSKI, la Révocation de l'Édit de Nantes,
                 p. 17.

♦ SE DÉGANTER v. pron.

Enlever ses gants.

2 (...) quand tu te dégantais pour la collation (...)
         ROUSSEAU, Julie ou la Nouvelle Héloïse,
                 Lettre XXXIV.

♦ DÉGANTÉ, ÉE p. p. adj. *Une main dégantée.*

DÉGARNIR [degaʀniʀ] v. tr. — 1080; de 1. *dé-,* et *garnir.*

◆ 1 Dépouiller totalement ou en partie, de ce qui remplit, garnit. → **Débarrasser, dépouiller, dépourvoir.** *Dégarnir un appartement,* le vider de son contenu. → **Démeubler; déménager.** *Dégarnir une cheminée. — Dégarnir une place (forte),* en retirer une partie de la garnison*. *Dégarnir le centre d'une armée pour renforcer l'aile.* — Arbor. Enlever les branches inutiles. → **Émonder, tailler.**

Mar. *Dégarnir un mât, une vergue,* en ôter les agrès. *Dégarnir un compte en banque.* → **Vider.**

◆ 2 Spécialt. Dépouiller des garnitures. *Dégarnir une robe, un chapeau.*

♦ SE DÉGARNIR v. pron.

♦ 1 Perdre une partie de ce qui garnit. *Après le spectacle, la salle se dégarnit rapidement.* → **Vider** (se). *Cet arbre se dégarnit,* il perd ses feuilles. — *Les rayons du magasin se dégarnissent.* → **Désassortir** (se).

1 Chaque matin il fallait que nos soldats allassent au loin chercher la nourriture du soir et du lendemain ; et, comme les environs de Moscou se dégarnissaient de plus en plus, on s'écartait tous les jours davantage.
Ph. P. SÉGUR, Hist. de Napoléon, VII, 10, *in* LITTRÉ.

Spécialt. *Ses tempes se dégarnissent,* perdent leurs cheveux. — (Sujet n. de personne) —

1.1 Lilian, se redressant à demi, toucha du bout de ses doigts les cheveux châtains de Robert :
— Vous commencez à vous dégarnir, mon ami. Faites attention : vous n'avez que trente ans à peine. La calvitie vous ira très mal !
GIDE, les Faux-Monnayeurs, *in* Romans, Pl., p. 967.

♦ 2 Se démunir d'argent comptant. *La caisse se dégarnit.*

♦ DÉGARNI, IE p. p. adj. → **Dépourvu.** *Table dégarnie. Pays dégarni de troupes. Salle dégarnie de spectateurs.*

(1798, *in* D.D.L.). Spécialt. *Front dégarni, tempes dégarnies.*

2 Son front dégarni et ses tempes grisonnantes (...)
J. ROMAINS, les Hommes de bonne volonté, t. III, XVIII, p. 249.

3 (...) l'on pouvait voir à présent le sommet de son crâne légèrement dégarni par une tonsure que les cheveux ne dissimulaient plus.
Claude SIMON, le Palace, 10/18, p. 77.

CONTR. **Garnir, munir, pourvoir.** — **Peupler** (se), **remplir** (se). ◊ DÉR. **Dégarnissage, dégarnissement.**

DÉGARNISSAGE [degaʀnisaʒ] n. m. — 1933 ; de *dégarnir.*

Action de dégarnir.

DÉGARNISSEMENT [degaʀnismɑ̃] n. m. — XIIᵉ ; repris mil. XVIIIᵉ ; de *dégarnir.*

♦ 1 Action, fait de dégarnir, de se dégarnir.

♦ 2 Archit. Le fait de supprimer le jointement d'un mur.

DÉGAROULER [degaʀule] v. intr. → **Débarouler.**

DÉGASOLINAGE [degazɔlinaʒ] n. m. ; **DÉGASOLINER** [degazɔline] v. → **Dégazolinage ; dégazoliner.**

DÉGÂT [dega] n. m. — V. 1207, *degast* ; de l'anc. v. *degaster* «dévaster» ; de 2. *dé-,* et *gâter.* → **Gâter.**

♦ 1 (Au sing.). Vieilli. Dommage important.

1 *(les paysans)* forcés de souffrir le dégât que le gibier fait dans leurs champs, sans oser se défendre (...)
ROUSSEAU, les Confessions, XI.

1.1 (...) les cadavres des singes furent transportés dans le bois, où on les enterra ; puis les colons s'employèrent à réparer le désordre causé par les intrus, — désordre et non dégât, car s'ils avaient bouleversé le mobilier des chambres, du moins n'avaient-ils rien brisé.
J. VERNE, l'Île mystérieuse, t. I, p. 386.

1.2 Plus tard, on aperçut les poutres et les planches de la maison, qui avaient glissé sous l'île, flottant au large du rivage, comme les épaves d'un navire naufragé. Ce fut le dernier dégât produit par la tempête, dégât qui dans une certaine proportion compromettait encore la solidité de l'île, puisqu'il permettait aux flots de la ronger à l'intérieur.
J. VERNE, le Pays des fourrures, t. II, p. 286.

♦ 2 N. m. pl. **DÉGÂTS** : dommages résultant d'une cause violente. → **Dégradation, destruction, détérioration, dommage ; méfait, ravage, ruine.** *Dégâts causés par la tempête, l'orage. La gelée, la grêle ont fait de grands dégâts dans les vignobles. Dégâts accumulés par une grande calamité*. Pillage avec dégâts.* → **Déprédation.** *Le gibier, les oiseaux font des dégâts dans les cultures* (→ An, cit. 3). *Marchandises ayant subi des dégâts.* → **Avarie, perte.** *Être responsable des dégâts. Constater, estimer les dégâts. Faire évaluer les dégâts. Payer les dégâts. Réparation, restauration des dégâts.*

2 Le lendemain matin, Achmet et moi, nous constatons les dégâts ; ils étaient relativement minimes, et le mal pouvait aisément se réparer.
LOTI, Aziyadé, III, Eyoub à deux, LIII, p. 153.

3 Le mal qui est dans le monde vient presque toujours de l'ignorance, et la bonne volonté peut faire autant de dégâts que la méchanceté, si elle n'est pas éclairée.
CAMUS, la Peste, p. 150.

3.1 (...) les dégâts — façades criblées d'éclats, églises incendiées, magasins pillés, glaces étoilées par les balles — se trouvaient au contraire en plus grand nombre en son cœur même.
Claude SIMON, le Palace, 10/18, p. 75.

Fam. *Il y a du dégât.* → **Casse.**

♦ 3 Loc. *Limiter les dégâts* : faire en sorte qu'une situation compromise n'ait pas d'issue dramatique (échec, scandale, rupture, perte, etc.). → **Pire** (éviter le).

4 Pourquoi hésiter puisqu'ils savent tout (...) il s'agit de limiter les dégâts, de sauver ce qui peut encore être sauvé, il vaut mieux se dépêcher (...)
N. SARRAUTE, le Planétarium, p. 204.

Fam. *Les dégâts* : les graves inconvénients. *Bonjour les dégâts !* (dans un slogan antialcoolique).

CONTR. **Réparation.**

DÉGAUCHIR [degoʃiʀ] v. tr. — 1397, *desgauchir* ; de 1. *dé-,* et *gauchir.*

♦ 1 Techn. Rendre unie, droite (la surface d'une pierre, d'une pièce de menuiserie ou de charpente). → **Aplanir, raboter, redresser.** *Dégauchir une poutre. Dégauchir une planche au rabot.* P. p. *Planche dégauchie.*

1 (...) le pic et la pioche achevèrent le dessin ogival des cinq fenêtres, puis de la vaste baie, des œils-de-bœuf et de la porte, ils en dégauchirent les encadrements, dont les profils furent assez capricieusement arrêtés (...)
J. VERNE, l'Île mystérieuse, t. I, p. 246.

Par métaphore. Littéraire :

2 La quête d'un frère signifie presque toujours la recherche d'un être, notre égal, à qui nous désirons offrir des transcendances dont nous finissons à peine de dégauchir les signes.
René CHAR, les Matinaux, p. 203.

♦ 2 (1801). Fig. Corriger la gaucherie de (qqn). → **Corriger, dégourdir, dégrossir.** *Dégauchir un jeune homme. Il commence à se dégauchir :* il devient moins gauche.

♦ 3 Argot, fam. Trouver (qqch.) après l'avoir recherché (souvent avec l'idée de prendre).

3 Le temps d'un aller-retour chez la grande Paulette, celui de dégauchir, dans l'appartement de ma tante encore, une cache insoupçonnable, sans doute quelques minutes de mieux pour changer de linge et de costard.
Albert SIMONIN, Hotu soit qui mal y pense, p. 36.

CONTR. **Gauchir.** ◊ DÉR. **Dégauchissement** ou **dégauchissage, dégauchisseuse.**

DÉGAUCHISSAGE [degoʃisaʒ] n. m. 1838 ; de *dégauchir.* → **Dégauchissement.**

DÉGAUCHISSEMENT [degoʃismɑ̃] n. m. — 1513, *degochissement* ; de *dégauchir.*
Techn. Action de dégauchir.

DÉGAUCHISSEUSE [degoʃisøz] n. f. — 1888; de *dégauchir*.

Techn. Machine servant à dégauchir; raboteuse* mécanique.

DÉGAZAGE [degazaʒ] n. m. — 1929; de *dégazer*.

Technique.

♦ **1** Extraction des gaz contenus (dans une substance, un espace). *Dégazage d'une eau. Dégazage d'une galerie de mine grisouteuse.*

Les eaux utilisées dans les chaudières *(des centrales thermiques)* sont traitées pour éviter les incrustations, les corrosions et les dépôts de silice (...) L'eau, retour du condenseur, doit être séparée de l'oxygène qu'elle aurait pu absorber, notamment dans les zones où sa pression est inférieure à celle de l'atmosphère et donc où des rentrées d'air sont possibles. Ce dégazage s'effectue dans le condenseur grâce aux pompes à vide et surtout au dégazeur (...)
M. CHASSELOUP et L. LEMAÎTRE, les Centrales thermiques, p. 81-83.

♦ **2** Extraction des hydrocarbures gazeux ou volatils contenus (dans un produit pétrolier).

♦ **3** Nettoyage des citernes et des soutes de (un pétrolier), pour éliminer les résidus d'hydrocarbures.

DÉGAZER [degaze] v. — 1838; de 1. *dé-*, et *gaz*.

I V. tr. (Chim.). Expulser les gaz contenus dans (un liquide, un solide).

II V. intr. (V. 1971). Procéder au dégazage (3.). *Pétrolier surpris en train de dégazer en mer.*

DÉR. Dégazage.

DÉGAZOLINAGE ou **DÉGASOLINAGE** [degazɔlinaʒ] n. m. — 1948, *dégazolinage; dégasolinage*, 1961; de *dégazoliner*.

Techn. Traitement destiné à extraire d'un gaz naturel humide les hydrocarbures condensables qu'il contient. *Dégazolinage par le froid.*

DÉGAZOLINER ou **DÉGASOLINER** [degazɔline] v. tr. — 1948, *dégazoliner; dégasoliner*, 1961; de 1. *dé-*, et *gazoline, gasoline*.

Techn. Traiter par dégazolinage (un gaz naturel humide). P. p. adj. *Gaz sec, dégazoliné, expédié sur des centres de consommation.*

DÉR. Dégazolinage ou dégasolinage.

DÉGAZONNAGE [degazɔnaʒ] ou **DÉGAZONNEMENT** [degazɔnmɑ̃] n. m. — 1922, *dégazonnage; dégazonnement*, 1863; de *dégazonner*.

Action de dégazonner.

DÉGAZONNER [degazɔne] v. tr. — 1863; de 1. *dé-*, et *gazon*.

Enlever le gazon de. *Dégazonner une pelouse.*

CONTR. Gazonner. ◊ DÉR. Dégazonnage ou dégazonnement.

DÉGEL [deʒɛl] n. m. — 1265; de *dégeler*.

♦ **1** Fonte naturelle de la glace et de la neige, lorsque la température s'élève. → **Fonte, liquéfaction.** *Le dégel est venu tout à coup. Brusque dégel d'un cours d'eau.* → **Débâcle.**

1 Elle m'a appris que vers quatre heures le vent avait soufflé un peu. Il avait apporté l'odeur de la forêt. Il était chaud, humide.
— Cela annonce le dégel, dit-elle. Dès que la neige aura fondu je partirai. H. BOSCO, Hyacinthe, p. 173.

Au mois de mai, le dégel se fit rapidement. La neige qui couvrait le rivage fondait de tous côtés et formait une boue épaisse, qui rendait la côte presque inabordable. Des petites bruyères, roses et pâles, se montraient timidement à travers les restes de neige et semblaient sourire à ce peu de chaleur. Le thermomètre remonta enfin au-dessus de zéro. 1.1
J. VERNE, Un hivernage dans les glaces, p. 328.

Barrière de dégel. → **Barrière** (I., 1., a).

♦ **2** (1834). Fig. Détente, adoucissement.

Je me rappelle ce dégel de tout mon être sous ton regard, ces émotions jaillissantes, ces sources délivrées. 2
F. MAURIAC, le Nœud de vipères, I, III, p. 38.

♦ **3** Reprise de l'activité (politique, économique, sociale) après une période de stagnation.

♦ **4** Fait de dégeler (I., 3.). → **Déblocage.**

Car, quelle possibilité de dégel entre les délégués officiels du G. P. R. A. et des porte-parole à qui toute initiative paraît être interdite? 3
F. MAURIAC, le Nouveau Bloc-notes 1958-1960, p. 350.

CONTR. Gel; congélation.

DÉGELÉE [deʒle] n. f. — 1790, *in* D.D.L., au sens 2.; de *dégeler*.

Familier. Fam. Volée (de coups). *Une dégelée de coups de bâton.* — Absolt. *Il a reçu une sévère dégelée.*

«Comment s'appelle ton maître, Simon? 1
— J'sais pas, moi!»
Dégelée de claques sur les fesses nues. Hurlements. Du geste, Yankel écarta sa femme.
Roger IKOR, les fils d'Avrom, «Les eaux mêlées», p. 371.

Mitraillade, fusillade. *Recevoir une dégelée.*

Les Allemands séduits par la facilité se remettaient à tirer. 2
Et comment. Quelle dégelée de balles. C'est si facile de déchirer un centimètre de chair avec une tonne d'acier.
DRIEU LA ROCHELLE, La Comédie de Charleroi, p. 77.

Donner une dégelée à (qqn) : infliger une défaite écrasante à (qqn). → **Déconfiture.**

DÉGÈLEMENT [deʒɛlmɑ̃] n. m. — XIXe; de *dégeler*.

Rare. Action de dégeler. → **Dégel.**

DÉGELER [deʒle] v. [CONJUG.: *geler*.] — 1213, *desgeler*; de 1. *dé-*, et *geler*.

I V. tr. ♦ **1** Faire fondre (ce qui est gelé ou figé). *Le vent du sud a dégelé la rivière.*

Ils traversèrent les Tuileries (...) Le bassin des Tuileries n'était qu'à demi dégelé. Mais entre les blocs de glace l'eau était bleue comme au printemps. 0.1
PROUST, Jean Santeuil, Pl., p. 888.

Figuré :

(...) ces jeunes déesses eussent sans nulle doute fait fondre la neige et dégelé la nature aux feux de leurs prunelles. 1
Th. GAUTIER, Capitaine Fracasse, t. I, VII, p. 231.

Fam. → **Ranimer, réchauffer.** *Je n'arrive pas à me dégeler les pieds.*

♦ **2** *Dégeler qqn; dégeler une assemblée,* lui faire abandonner sa froideur, sa réserve. → **Dérider.**

Ma mère l'irritait beaucoup par les constants efforts qu'elle faisait pour le dégeler (...) 2
GIDE, Si le grain ne meurt, I, II, p. 41.

Un tour à l'œil? proposa Petit-Pouce. Ça dégèlerait le public, ça encouragerait les philosophes et, une fois embrayée, la soirée n'aurait plus qu'à rouler de séance en séance jusque vers le minuit (...) 3
R. QUENEAU, Pierrot mon ami, p. 10.

Dégeler l'atmosphère d'une réunion, la détendre, la réchauffer.

Pron. *Se dégeler :* sortir de sa réserve, de sa timidité. *Il s'est vite dégelé.*

♦ **3** Débloquer, remettre en circulation, en mouvement. *Dégeler des crédits, des dossiers en souffrance.*

♦ **4** (1963, *in* D.D.L.). Détendre, débloquer (une situation politique, sociale, psychologique).

II V. intr. Cesser d'être gelé. *Le lac commence à dégeler. Faire dégeler un produit congelé.* — Impers. *Il dégèle. Ça commence à dégeler.*

CONTR. Congeler, geler. — Figer, bloquer. ◊ **DÉR.** Dégel, dégelée, dégèlement.

DÉGÉNÉRATIF, IVE [deʒeneʀatif, iv] adj. — 1877; de *dégénérer.*

Didact. Qui se rapporte à la dégénérescence; qui entraîne une dégénérescence. *Lésion dégénérative. Processus dégénératifs qui aboutissent à la destruction de l'organisme.*

1　Le corps est détruit plus rapidement par une maladie dégénérative pendant la jeunesse que pendant la vieillesse.
　　　　　Alexis CARREL, l'Homme, cet inconnu, VII, IV,
　　　　　　　　　　　　　　　　　　　　p. 297.

2　Ces troubles, au point de vue étiologique, relèvent essentiellement de processus vasculaires (avant tout athérome, accessoirement hypertension) et de processus dits dégénératifs. Moins souvent, on rencontre chez le vieillard des processus inflammatoires et tumoraux.
　　　　　Léon BINET, Gérontologie et gériatrie, p. 43.

Par extension :

3　Al. Hamilton dans le Fédéraliste remarque que déjà de ce temps on attribuait au climat américain une influence dégénérative. «Dans ce pays même les chiens n'aboient plus. (C'est d'ailleurs parfaitement exact). Ni les coqs ne chantent.» CLAUDEL, Journal, 18 janv. 1933.

DÉGÉNÉRATION [deʒeneʀasjɔ̃] n. f. — XVᵉ, rare au déb. XVIIIᵉ; bas lat. *degeneratio* «dégénération, dégénérescence», du supin du lat. *degenerare.* → Dégénérer.

Vx. Le fait de perdre les qualités naturelles de sa race; état qui en résulte. → Dégénérescence.

DÉGÉNÉRER [deʒeneʀe] v. intr. [CONJUG.: *céder.*] — 1361; lat. *degenerare,* de *de-,* et *genus, generis* «race».

♦ **1** Littér. Perdre les qualités naturelles de sa race, de son espèce. → Abâtardir (s'). *Cette espèce animale, cette race a dégénéré. Le blé dégénère dans un mauvais terrain. Graines qui dégénèrent.* → Biser (1.); détériorer (se).

1　On eut soin d'empêcher qu'une indigne maîtresse
　　Ne fît en ses enfants dégénérer son sang.
　　　　　　　　　LA FONTAINE, Fables, VIII, 24.

2　Les mariages entre parents qui peuvent affaiblir les faibles et les faire dégénérer, fortifient, au contraire, les forts.
　　　　　　　　　MICHELET, la Femme, p. 228.

3　(...) il semble, à regarder les vitraux, les statues des cathédrales, les peintures primitives, que la race humaine ait dégénéré et que le sang humain se soit appauvri : saints étiques, martyrs disloqués, vierges à la poitrine plate, aux pieds trop longs (...)
　　　　　TAINE, Philosophie de l'art, t. II, v, III, v, p. 303.

Vx. (Personnes). Avoir moins de valeur, de vertu... que ceux dont on est issu. → Déchoir, forligner. *Son fils a dégénéré. Dégénérer de (ses ancêtres, leurs qualités...).*

4　Viens, tu fais ton devoir, et le fils dégénère
　　Qui survit un moment à l'honneur de son père.
　　　　　　　　　CORNEILLE, le Cid, II, 2.

5　(...) ne point dégénérer de leurs vertus, si nous voulons être estimés leurs véritables descendants.
　　　　　　　　　MOLIÈRE, Dom Juan, IV, 4.

On ne suit pas toujours ses aïeux ni son père : 　　6
Le peu de soin, le temps, tout fait qu'on dégénère.
　　　　　LA FONTAINE (→ Cultiver, cit. 8).

Perdre ses qualités. → **Appauvrir** (s'), **avilir** (s'), **baisser, décliner, dégrader** (se), **perdre, pervertir** (se), **tomber.** *Cet auteur, cet artiste a bien dégénéré.* — *On a vu dégénérer les mœurs et les arts.*

C'est le sort ordinaire des choses humaines, quand elles 　　7
sont parvenues à leur plus grande perfection, d'en déchoir bientôt et d'aller toujours en dégénérant.
　　　　　Charles ROLLIN, Hist. ancienne, XXV, III, *in* LITTRÉ.

Tout est bien sortant des mains de l'Auteur des choses, 　　8
tout dégénère entre les mains de l'homme.
　　　　　　　　　ROUSSEAU, Émile, I.

♦ **2** Cour. *Dégénérer en :* se transformer (en ce qui est pis). → **Tourner.** *Dispute qui dégénère en rire. Pratiques qui dégénèrent en abus. Liberté dégénérant en licence. Sa bonté dégénère en faiblesse.*

Il y a de bonnes qualités qui dégénèrent en défauts quand 　　9
elles sont naturelles, et d'autres qui ne sont jamais parfaites quand elles sont acquises (...)
　　　　　LA ROCHEFOUCAULD, Maximes, 365.

Pour empêcher la pitié de dégénérer en faiblesse, il faut 　　10
donc la généraliser et l'étendre sur tout le genre humain.
　　　　　　　　　ROUSSEAU, Émile, IV.

(...) on devient vulgaire par les souffrances vulgaires : 　　11
les soucis d'un trône perdu dégénèrent en tracasseries de ménage.
　　　　　CHATEAUBRIAND, Mémoires d'outre-tombe, t. VI,
　　　　　　　　　　　　　　　　　　　　p. 67.

Absolt. *Ils sont déjà en froid; il ne faudrait pas que cela dégénère.* → **Aggraver** (s').

Son équipage, d'abord méfiant, descendait plus volontiers 　　11.1
à terre, et se mêlait aux montagnards dans des jeux de cartes et de dés, et, le samedi soir, dans des beuveries, qui plusieurs fois dégénérèrent.
　　　　　Joseph JOUBERT, l'Homme de sable, p. 59.

Se changer en une maladie plus grave. *Son rhume dégénère en bronchite.*

♦ **DÉGÉNÉRÉ, ÉE** p. p. adj.

♦ **1** (1753, *in* D.D.L.). Vx. Qui a perdu les qualités de sa race, de son espèce. Qui est atteint de dégénérescence. *Animal dégénéré.* → **Abâtardi; bâtard.** — *Races dégénérées.* — *Mœurs dégénérées.*

♦ **2** Méd. Qui est atteint d'anomalies congénitales graves, notamment psychiques, intellectuelles. — Par ext. Fam. *Il est un peu dégénéré.* → **Taré** (fam.).

♦ **3** N. (1891). Vx ou péj. *Un, une dégénéré(e).* → **Débile, idiot, imbécile** (psychol. et cour.).

Au point de vue clinique, la classe des dégénérés com- 　　12
prend (...) les *idiots,* les *imbéciles,* les *débiles,* à lésions cérébrales bien marquées et dont les facultés intellectuelles et morales se sont développées d'une façon insuffisante; puis les *dégénérés à lésions cérébrales peu appréciables* (...)
Ces *dégénérés,* qu'on a appelés *supérieurs* (...) présentent des stigmates de deux ordres, physiques et psychiques (...)
　　　　　P. POIRÉ, Dict. des sciences, art. Dégénérescence.

CONTR. Améliorer, fortifier, régénérer. — Fleurir, progresser. ◊ **DÉR.** Dégénératif, dégénération, dégénérescence.

DÉGÉNÉRESCENCE [deʒeneʀesɑ̃s] n. f. — 1796; de *dégénérer,* d'après les mots en -ence, lat. *-entia,* avec infixe inchoatif *-esc-.* → Recrudescence.

♦ **1** Le fait de dégénérer (1.), de perdre les qualités de sa race. → **Abâtardissement.**

♦ **2** Fig. Perte des qualités, état de ce qui se dégrade. *La dégénérescence de la moralité publique.* → **Déclin, dégradation.**

Ces qualités se cachent généralement sous l'aspect de la dégénérescence. Cette dégénérescence vient de l'éducation, de l'oisiveté, du manque de responsabilité et de discipline morale.
　　　　　Alexis CARREL, l'Homme, cet inconnu, VIII, VI,
　　　　　　　　　　　　　　　　　　　　p. 360.

♦ 3 (1857). Méd. Modification pathologique (d'un tissu, d'un organe) avec perturbations de leurs fonctions. *Dégénérescence calcaire, colloïde, graisseuse, pigmentaire.*

♦ 4 Vx. *Dégénérescence mentale.* → **Idiotie, imbécillité.**
CONTR. Amélioration, progrès. ◊ **DÉR. Dégénérescent.**

DÉGÉNÉRESCENT, ENTE [deʒeneʀesɑ̃, ɑ̃t] adj.
— 1834; de *dégénérescence.*
Didact. Qui est atteint de dégénérescence. *Un tissu dégénérescent.* — Qui ressortit à la dégénérescence.

DÉGERMAGE [deʒɛʀmaʒ] n. m. — 1932; de *dégermer.*
Techn. Action de dégermer.

DÉGERMER [deʒɛʀme] v. tr. — 1874; de 1. *dé-*, et *germe.*
Techn. Enlever le germe de. *Dégermer des pommes de terre.* — Spécialt. Dans les brasseries, Enlever le germe de l'orge. *Dégermer de l'orge.* — Au p. p. *Malt dégermé.*
DÉR. Dégermage, dégermeur, dégermeuse.

DÉGERMEUR [deʒɛʀmœʀ] n. m. → **Dégermeuse.**

DÉGERMEUSE [deʒɛʀmøz] n. f. — 1934, *in* T. L. F.; de *dégermer.*
Techn. (brasserie). Machine à dégermer l'orge. — **REM.** La documentation atteste également *dégermeur*, n. m., dans ce sens.

DÉGINGANDAGE [deʒɛ̃gɑ̃daʒ] ou **DÉGINGANDEMENT** [deʒɛ̃gɑ̃dmɑ̃] n. m. — 1887, *dégingandage; dégingandement*, 1867, Goncourt; de *dégingander (se).*
Rare. Le fait de se dégingander; allure dégingandée.

DÉGINGANDÉ, ÉE [deʒɛ̃gɑ̃de] adj. — 1690; av. 1596, en parlant d'un chariot disloqué; de *déhingander* «disloquer», 1546; de 1. *dé-* et anc. franç. *hinguer* «se diriger», mot d'orig. germanique, cf. moy. néerl. *henge* «gond», par croisement avec *ginguer* «danser la gigue, gigoter».

♦ 1 Qui a quelque chose de disproportionné dans sa haute taille; quelque chose de disloqué dans la démarche, les mouvements. *Un grand diable, un grand escogriffe tout dégingandé.*

1   Il était maigre, dégingandé, la figure longue, salie de quelques rares poils de barbe, avec les cheveux jaunes et la pâleur anémique de toute la famille.
          ZOLA, Germinal, t. I, ɪ, ɪɪ, p. 15.
2   Je le revois si bien! un peu dégingandé, comme un enfant grandi trop vite, flexible, délicat (...)
          GIDE, Si le grain ne meurt I, VIII, p. 218.
Par ext. *Démarche dégingandée.*

♦ 2 Vieilli. Qui se laisse aller, manque de tenue ou a une allure très libre. — Par ext. *Un pas, une démarche dégingandée* (Proust, *in* T. L. F.). — Par métaphore. *Une vie dégingandée* (Constant, *in* T. L. F.).

♦ 3 Vx (langue class.). Décousu, désordonné.
CONTR. Râblé, tassé, trapu.

DÉGINGANDER (SE) [deʒɛ̃gɑ̃de] v. pron. — Fin XVIIIᵉ-déb. XIXᵉ; de *dégingandé.*
Vieilli. Prendre une allure dégingandée (Zola, *in* T. L. F.). — Par ext. Prendre une allure libre. *«Les couples s'échauffèrent (...) la danse se déginganda»* (Huysmans, *in* T. L. F.).
DÉR. Dégingandage ou dégingandement.

DÉGÎTER [deʒite] v. tr. — 1611; de 1. *dé-*, *gîte*, et suff. verbal.
Chasse. Faire sortir (un animal) de son gîte.

DÉGIVRAGE [deʒivʀaʒ] n. m. — 1949; de *dégivrer.*
Action de dégivrer. *Le dégivrage d'une vitre. Réfrigérateur à dégivrage automatique. Dégivrage électrique de la vitre arrière d'une voiture. Commande de dégivrage.*

DÉGIVRER [deʒivʀe] v. tr. — 1948; de 1. *dé-*, et *givre.*
Enlever le givre de... *Dégivrer un réfrigérateur. Dégivrer une glace d'automobile, les ailes d'un avion.*
DÉR. Dégivrage, dégivreur.

DÉGIVREUR [deʒivʀœʀ] n. m. — 1943, *in* D.D.L.; de *dégivrer.*
Appareil pour enlever le givre. *Dégivreur automatique d'un réfrigérateur.* — Aéron. *Dégivreur thermique, pneumatique.*

DÉGLAÇAGE [deglasaʒ] ou **DÉGLACEMENT** [deglasmɑ̃] n. m. — 1890, *déglaçage; déglacement*, 1870; de *déglacer.*
Techn. ou rare. Action de déglacer.

DÉGLACEMENT [deglasmɑ̃] n. m. → **Déglaçage.**

DÉGLACER [deglase] v. tr. [CONJUG.: *glacer* → Placer.] — 1442; de 1. *dé-*, et *glace.*
♦ 1 Rare. Faire fondre la glace, le verglas. *Déglacer une route.*
(1550). Fig. et fam. → **Réchauffer.** *Déglacer ses pieds, ses mains en les exposant au feu. Se déglacer.*
♦ 2 (1906). Techn. *Déglacer du papier*, en enlever le lustre.
♦ 3 Cuis. Mouiller et réchauffer la pellicule laissée au fond de (un récipient) par une cuisson au gras (pour préparer une sauce). *Déglacer une sauteuse, le fond d'une casserole.* — Absolt. *On déglace du bouillon.*
CONTR. Glacer. ◊ **DÉR. Déglaçage ou déglacement.**

DÉGLACIATION [deglasjasjɔ̃] n. f. — 1956; de *dé-*, et *glaciation.*
Géogr. Phase de récession d'un appareil glaciaire.
CONTR. Englacement.

DÉGLINGUAGE [deglɛ̃gaʒ] n. m. — 1944; de *déglinguer.*
Fam. Action de déglinguer, de se déglinguer. *Le déglinguage d'une montre, d'un mécanisme.* — On trouve l'orth. *déglingage.*

1   (...) je pense alors aux injections de benzine, à mes tentatives de déglingage, à ce que je disais à Rolande : «Si ça ne va pas comme je veux, je mets la patte en porte-à-faux, je me fais filer dessus un bon coup de tabouret (...)»
          A. SARRAZIN, l'Astragale, p. 94.
Var. morphologique : la *déglingue* [deglɛ̃g] n. f. «L'art de la déglingue : Le cas Charles Bukowski ne s'arrange pas. Le plus glorieux pochard vivant de la Californie continue de nous raconter sa longue dérive d'épave (...) Bukowski donne ses lettres de noblesse à la plus totale déglingue jamais recensée. Un exploit loufoque et triste, un exploit quand même» (l'Express, nᵒ 1699, 27 janv. 1984, p. 80.)
2   Ce n'était pas grave de risquer sa peau quand elle était intacte : on ne risquait que la foudre. C'est propre, la foudre ! Tandis que maintenant, pour nous tous, c'est plus ou moins la déglingue... Notre tour est passé.
          G. CESBRON, Don Juan en automne, p. 203.

DÉGLINGUER [deglɛ̃ge] v. tr. — 1842; altér. de *déclinquer*, de *clin*.

Fam. → **Démolir, désarticuler, disloquer.** *Tu as encore déglingué le réveil!*

♦ **SE DÉGLINGUER** v. pron.

0.1 Il faut bien reconnaître, d'ailleurs, que le livre n'est pas un objet particulièrement bien inventé : il attire la poussière, il se déglingue facilement, il est fragile et pas pratique, et ça en tient de la place une bibliothèque.
R. QUENEAU, Bâtons, chiffres et lettres, p. 92.

♦ **DÉGLINGUÉ, ÉE** p. p. adj. *Sa voiture est toute déglinguée. Il a laissé tomber sa montre; le mécanisme est tout déglingué.* → **Casser.**

1 (...) le chevron — le montant de la porte, comme d'ailleurs son châssis lui-même — décoloré par la pluie, grisâtre, et, pour ainsi dire feuilleté, comme de la cendre de cigare, le châssis, lui, à moitié déglingué (...)
Claude SIMON, la Route des Flandres, p. 212.

DÉR. Déglinguage.

DÉGLUEMENT [deglymɑ̃] n. m. — xixe; de *dégluer*.
Rare. Action de dégluer; son résultat.

DÉGLUER [deglye] v. tr. — 1538; *desgluer*, 1213; de 1. *dé-*, et *glu*.
Littér. ou techn. Enlever (qqch.) de la glu; ôter la glu de. *Dégluer un bâton. Les oisillons se dégluèrent.* — Par anal. *Se dégluer les yeux*, les débarrasser de la chassie qui colle les paupières.

♦ **SE DÉGLUER** v. pron.
(1960). Se tirer de (une situation embarrassante, accaparante). → **Dépêtrer (se)**, et, fam., **dépatouiller (se)**.

CONTR. Engluer. ◊ **DÉR. Dégluement.**

DÉGLUTINATION [deglytinasjɔ̃] n. f. — 1951; de 1. *dé-*, et (*ag*)*glutination*.
Ling. Séparation d'éléments d'une même forme (ex. : *la griotte* pour *l'agriotte*).

CONTR. Agglutination.

DÉGLUTINER [deglytine] v. tr. — 1834; lat. tardif *deglutinare*.
♦ 1 Techn. Dégluer (un oiseau). — Débarrasser (qqch.) de ce qui englue.
♦ 2 Rare. Déglutir (R. Rolland, *in* T. L. F.).

DÉGLUTIR [deglytiʀ] v. tr. et intr. — 1832; déb. xve «avaler»; bas lat. *deglutire* «avaler» de *glutire* (ou *gluttire*), de *glutus* ou *gluttus* «gosier».
Didact. Faire franchir l'isthme du gosier à (la salive, les aliments). → **Avaler.** *Déglutir qqch. avec difficulté. Action de déglutir.* → **Déglutition.**
Je vois très bien entre ses mandibules la petite baie qu'il vient de cueillir, brillante et noire comme son œil vif. Il renverse le cou, la déglutit avec effort; son gosier se gonfle au passage tandis que, la tête de côté, il continue de me regarder d'un seul œil, pareil à une baie de sureau.
M. GENEVOIX, Forêt voisine, I, p. 11.

DÉGLUTITION [deglytisjɔ̃] n. f. — 1561; Paré; du bas lat. *deglutire* «avaler». → Déglutir.
Didact. Action de déglutir; mouvement par lequel on déglutit. *Mouvement péristaltique de l'œsophage pendant la déglutition.*
À la fois machinal et volontaire, l'acte de la *déglutition* marque le deuxième temps de la digestion, c'est-à-dire le passage des aliments de la bouche dans l'estomac par le canal œsophagien... D'abord pressé entre le dos de la langue et la voûte du palais, le bol alimentaire glisse ensuite en arrière pour franchir l'isthme du gosier, où il échappe au contrôle de la volonté.
VALLERY-RADOT, Notre corps, p. 89.

DÉGOBILLAGE [degɔbijaʒ] n. m. — 1809; de *dégobiller*.
Fam. Action de dégobiller, de vomir. — Ensemble des matières vomies.
Fig. et péj. → **Verbiage.**

DÉGOBILLER [degɔbije] v. tr. et intr. — 1611; de 1. *dé-*, et *gober*, suffixe *-iller*.
Fam. → **Vomir**; vulg. **dégueuler.** *Dégobiller son repas. Il va tout dégobiller.* — Absolt. *Dégobiller.*
On dégobille l'un devant l'autre et le matin on se revoit 1
avec des figures de déterrés (...)
FLAUBERT, Correspondance, t. I, p. 224.
Sada Yacco dans *la Dame aux camélias* du Japon. 2
Du réalisme qui ne passerait pas à Paris. Les derniers hoquets d'une poitrinaire. Elle «dégobille» presque (...)
J. RENARD, Journal, 2 nov. 1901.
Figuré :
(...) remâchement de salopes facéties dégobillées par d'in- 3
nombrables générations de gueules identiques, parodies éculées depuis deux mille ans, on n'imagine rien de plus.
Léon BLOY, le Désespéré, p. 138.

DÉR. Dégobillage, dégobillis.

DÉGOBILLIS [degɔbiji] n. m. — 1634; de *dégobiller*.
Rare. Vomi. → **Dégueulis.**

DÉGOISADE [degwazad] n. f. — 1853, *in* D. D. L.; de *dégoiser*.
Vx. Discours dégoisé. «*Une dégoisade de maximes... pédantesques*» (Baudelaire).

DÉGOISEMENT [degwazmɑ̃] n. m. — 1842, «chant d'oiseau»; de *dégoiser*.
(1877, Goncourt). Fam. et péj. Rare. Action de dégoiser; phrases dégoisées. → **Dégoisade.**

DÉGOISER [degwaze] v. — xive; «chanter», fin xiiie; de 1. *dé-*, et *gosier*.
Familier et péjoratif.
♦ 1 V. intr. Parler. *Il n'a pas fini de dégoiser.*
Peste! Madame la Nourrice, comme vous dégoisez! Taisez- 1
vous, je vous prie (...)
MOLIÈRE, le Médecin malgré lui, II, 1.
♦ 2 V. tr. Débiter; réciter, chanter (péj.). *Dégoiser d'interminables discours* (→ Bonisseur, cit.). *Qu'est-ce qu'il dégoise?* → **Dire.**
Avec une précipitation forcenée, en quelques minutes, 2
elles dégoisèrent les injures qu'elles avaient mis deux heures à chanter.
M. BARRÈS, la Colline inspirée, XI, p. 183.
On donnait quelques tours à la clef et le charmant voca- 3
lisateur dégoisait un air aussi varié qu'il était triste.
J. GREEN, Vers l'invisible, 1958-1967, 4 mai 1959.
Raconter des bobards*.
(... *les clients*) se sont mis en colère, ils voulaient tout 4
casser. D'un comique. — Vous dites que vous avez fini par les servir. — Après les avoir calmés (...) après avoir insinué que par faveur insigne (...) parce que c'était eux (...) Enfin, vous voyez ce qu'on dégoise aux clients un peu benêts.
R. QUENEAU, les Fleurs bleues, p. 129.

DÉR. Dégoisade, dégoisement.

DÉGOMMAGE [degɔmaʒ] n. m. — 1767, techn.; de *dégommer*.
♦ 1 Techn. Action de dégommer.
♦ 2 (1842). Fam. et vieilli. Destitution.

DÉGOMMER [degɔme] v. tr. — 1653; de 1. *dé-*, et *gomme*.

◆**1** Techn. Débarrasser (une chose) de la gomme dont elle est enduite. *Dégommer un timbre. Dégommer une enveloppe.* — Spécialt. Ôter l'enduit gommeux des cocons de vers à soie.

◆**2** (1832, Jacquemont, *Correspondance*, t. II, p. 325). Fam. Destituer d'un emploi. → **Limoger.** Faire perdre une place. *Se faire dégommer.* → **Vider** (familier).

1 Mesnilgrand (...) qui devait mourir dans l'obscurité de la vie privée, après avoir manqué la grande gloire historique pour laquelle il était né (...) Mesnilgrand, le chef d'escadron «dégommé», comme disent les gens qui déshonorent tout, avec leur bas vocabulaire.
BARBEY D'AUREVILLY, les Diaboliques,
«À un dîner d'athées».

2 Là, viennent le Président du Tribunal, des juges, un sous-préfet dégommé, le commandant de gendarmerie (...)
Ed. et J. DE GONCOURT, Journal, t. VI, p. 26.

Surpasser, supplanter.

3 Aussi traversa-t-il brillamment les éliminatoires et challenger dégomma le champion.
R. QUENEAU, Loin de Rueil, p. 61.

◆**3** Pron. (vx.). Vieillir, perdre de sa fraîcheur.

4 Je me rouille, je me dégomme.
LABICHE, Deux Papas très bien, 1844, I, 1,
in D. D. L., II, 5.

DÉR. **Dégommage.**

DÉGONDER [degɔ̃de] v. tr. — 1606; *desgonter*, 1514; de 1. *dé-*, *gond* et suff. verbal.

Rare. Enlever les gonds de (une porte...).

1 Les autans de la mer qui dégondent les portes et écrasent les treilles. J. GIONO, Naissance de l'Odyssée, p. 127.

Pron. :

2 Alors Lucien prend ses cahiers en vrac, deux ou trois livres et il fiche le camp (...) À force de la claquer, la porte de l'appartement finira par se dégonder.
François NOURISSIER, Allemande, p. 228.

DÉGONFLAGE [degɔ̃flaʒ] n. m. — 1887; de *dégonfler*.

◆**1** Action de dégonfler. *Le dégonflage d'un pneu, d'un ballon.*

Fig. *«Les automobilistes n'ont évidemment aucune raison de déplorer ce dégonflage rapide des prix»* (*l'Auto-Journal*, mai 1967).

◆**2** (1929). Fam. Fait de se dégonfler (2.).

1 Il y en a qui font les malins, qui se donnent des airs de vouloir entrer, mais au dernier moment, c'est le dégonflage. M. AYMÉ, le Passe-muraille, p. 198.

2 (...) la conscience moderne dont la moindre ressource est de cautionner l'infidélité à soi-même et aux autres. Elle est sans rivale pour justifier toutes trahisons et dégonflages.
Jacques PERRET, Bâtons dans les roues, p. 235.

DÉGONFLARD, ARDE [degɔ̃flaʀ, aʀd] n. — 1932; de *dégonflé*.

Fam. Personne dégonflée, lâche.

1 «Impossible ici, affirma Cruc après un long silence. — Cruc, dit Mangemanche, vous êtes un dégonflard.»
Boris VIAN, l'Automne à Pékin, p. 64-65.

Var. : *dégonfleur, euse.*

2 Olivier avança dans sa direction en roulant des épaules comme un vrai boxeur : Mais approche, approche donc, dégonfleur!
R. SABATIER, les Allumettes suédoises, p. 200.

DÉGONFLE [degɔ̃fl] n. f. — 1940; déverbal de (*se*) *dégonfler*.

Fam. Le fait de se dérober, d'user de faux-fuyants.

DÉGONFLEMENT [degɔ̃fləmã] n. m. — 1790; de *dégonfler*.

Le fait de perdre l'air, de se dégonfler; son résultat. *Le dégonflement d'un pneu.*

Par ext. Le fait de perdre de son volume, de ses dimensions... *Le dégonflement d'une ville surpeuplée.*

Fig. Le fait de retrouver de justes proportions, de quitter toute prétention.

Que lisaient-ils en moi? Ma forfanterie leur semblait sans avenir. Il y avait quelque chose d'excessif en moi, qui leur annonçait le dégonflement.
DRIEU LA ROCHELLE, la Comédie de Charleroi,
p. 44.

DÉGONFLER [degɔ̃fle] v. — 1558, *se desconfler*; de 1. *dé-*, et *gonfler.*

I V. tr. Faire cesser d'être gonflé. *Dégonfler un ballon.* → Crever.

Fig. Dénoncer (des prétentions exagérées). *«Dégonfler le "bluff" officiel»* (*l'Humanité*, 18 sept. 1963). — Rabaisser, minimiser (la portée de qqch.). *« "Dégonfler" l'importance de la convention salariale»* (*la Croix*, 7 janv. 1970). — Spécialt. *Dégonfler les prix*, les faire baisser.

II V. intr. Cesser d'être gonflé. *Avec les compresses, sa paupière a dégonflé.*

Votre nez dérougira tout seul en cinq minutes, et vos yeux dégonfleront en même temps.
J. DUTOURD, Mémoires de Mary Watson, p. 184.   0.1

◆ **SE DÉGONFLER** v. pron.

◆**1** *Pneu qui se dégonfle. La tuméfaction se dégonfle.* — Fig. *Il avait besoin de se dégonfler le cœur.*

Le père alors posait ses coudes sur sa chaise,
Son cœur plein de sanglots se dégonflait à l'aise (...)
HUGO, les Chants du crépuscule, V, IV.   1

◆**2** Fam. Manquer de courage, d'énergie au moment d'agir. → **Flancher, mollir; peur** (avoir); **dégonflard, dégonfle.**

Je fis exprès de prendre mon temps. Je sais ce que je vaux à poil (...) je ne fis rien pour dissimuler quoi que ce soit. Je suppose qu'ils attendaient que je me dégonfle.
Boris VIAN, J'irai cracher sur vos tombes, p. 37.   2

◆ **DÉGONFLÉ, ÉE** p. p. adj.

◆**1** Pneu dégonflé. → **Plat** (à plat); **crevé...**

◆**2** (Personnes). Fam. Lâche, peureux. *Il est vraiment dégonflé, ce type!* — N. *C'est un dégonflé. Va donc, dégonflé, minable!*

Fais comme tu veux, avait répondu sèchement Frioulat. On est toujours libre de se dégonfler. Tu ne feras plus partie de la bande, voilà tout. Vaincu, Antoine était resté. Il n'avait pas envie de passer pour un dégonflé.
M. AYMÉ, le Passe-muraille, p. 188.   3

CONTR. **Gonfler, regonfler.** — **Enfler.** ◊ DÉR. **Dégonflage, dégonflard** (ou **dégonfleur**), **dégonfle, dégonflement.**

DÉGORGEAGE [degɔʀʒaʒ] n. m. — 1869; de *dégorger.*

Technique.

◆**1** Action de débarrasser (un tissu) des impuretés, avant de teindre. → **Dégorgement.**

◆**2** Œnologie. Action de dégorger (des bouteilles de vin mousseux).

DÉGORGEMENT [degɔʀʒəmã] n. m. — 1548; de *dégorger.*

Action de dégorger, fait de se dégorger ; résultat de cette action.

♦ **1** Écoulement d'un liquide, des humeurs qui engorgent (un organe, etc.). → **Écoulement, épanchement, évacuation.** *Dégorgement d'un organe par ponction. Dégorgement de la bile. Dégorgement de l'estomac.* → **Vomissement.**

♦ **2** Le fait de vider, de se vider. *Dégorgement d'une gouttière, d'un canal, d'un égout.*

1 En cinglant toujours à l'ouest, nous parvînmes à l'extrémité du dégorgement de cette immense écluse *(barre du Nil).*
     CHATEAUBRIAND, Itinéraire de Paris à Jérusalem, III, 61.

Fig. Écoulement, évacuation (comparée à un flot) ; sortie* en masse.

2 Le dégorgement de cette foule par un étroit passage devint presque impossible.
     Ph. P. SÉGUR, Hist. de Napoléon, XII, 3.

♦ **3** (1690). Techn. Traitement par lequel on débarrasse (certaines matières premières) des impuretés. *Dégorgement des laines, des cuirs.* — Opération consistant à ôter le dépôt des vins préparés suivant la méthode champenoise. → **Dégorgeage.**

CONTR. Engorgement.

DÉGORGEOIR [degɔrʒwar] n. m. — 1505, *desgorgeoirs* ; de *dégorger*.

♦ **1** Issue par laquelle un trop-plein se dégorge. *Le dégorgeoir d'un étang. Dégorgeoir d'une gouttière.* → **Gargouille.**

(1788). **Fig. et littéraire :**

Vous a-t-on ouvert ces portes de la mort, et en avez-vous vu les dégorgeoirs ténébreux ?
     BERNARDIN DE SAINT-PIERRE, Études de la nature, IV, «Livre de Job.»

♦ **2** Techn. Appareil servant à retirer les matières qui encombrent un conduit.
Instrument servant à dégager la lumière d'un canon. — Outil de forgeron servant à couper et à façonner les pièces à chaud. — Ciseau à bois servant à dégager les mortaises.

♦ **3** Pêche. Appareil destiné à retirer l'hameçon de la gorge d'un poisson.

♦ **4** Techn. Endroit où l'on met à dégorger qqch. — Spécialt. Bassin aménagé pour faire dégorger les huîtres, afin qu'elles ne contiennent ni sable ni vase.

♦ **5** Techn. Dispositif de lavage des étoffes.

DÉGORGER [degɔrʒe] v. [CONJUG.: *bouger.*] — 1501 ; pron., 1299 ; «dire, exprimer, chanter, parler» en anc. franç. ; de 1. *dé-, gorge,* et suff. verbal.

Ⅰ V. tr. ♦ **1** Faire sortir de soi (un liquide, etc.) en parlant d'un contenant, d'un espace. → **Déverser, évacuer.** *Égout qui dégorge de l'eau sale.*

1 (...) si tu n'as pas vu le four Martin dégorger son flot de métal en délire, ô mon ami, tu ne connais pas toutes les tristesses du monde, toutes les dimensions de l'homme.
     G. DUHAMEL, Scènes de la vie future, VIII, p. 135.

Par métaphore :

1.1 Quand tombe le soir, à cette heure du crépuscule, la terre harassée dégorge une vapeur tiède et grasse, une espèce de sueur qu'il faut toute la nuit pour dissoudre.
     BERNANOS, Monsieur Ouine, p. 211.

Fig. *Dégorger des injures.* → **Débagouler, lancer.** *La rue dégorge une foule dense.*

2 La place du Palais, encombrée de peuple, offrait aux curieux des fenêtres l'aspect d'une mer, dans laquelle cinq ou six rues (...) dégorgeaient à chaque instant de nouveaux flots de têtes. HUGO, Notre-Dame de Paris, I, 1.

♦ **2** (1611). Vider de son trop-plein ; déboucher pour permettre de se vider. *Dégorger un évier, un égout.* → **Purger.**

♦ **3** Techn. Débarrasser (qqch.) des matières étrangères. → **Laver, nettoyer, purifier.** *Dégorger du cuir.* — Cuis. Faire tremper (de la viande, des abats) pour débarrasser du sang, des impuretés. — Œnologie. Débarrasser (un vin mousseux) de ses impuretés. → **Dégorgement, dégorgeur.**

Ⅱ V. intr. (XVIᵉ). ♦ **1** Déborder, répandre son contenu de liquide. → **Déverser** (se). *L'égout dégorge dans ce collecteur.*

Fig. :

3 La fureur d'Hérodias dégorgea en un torrent d'injures populacières et sanglantes.
     FLAUBERT, Trois contes, «Hérodias».

♦ **2** Rendre un liquide. (Surtout en emploi factitif). *Faire dégorger des sangsues.* — (Dans une préparation culinaire). *Faire dégorger des concombres,* leur faire rendre l'eau qu'ils contiennent.

♦ **SE DÉGORGER** v. pron.

Épancher ses eaux. *Rivière qui se dégorge dans un fleuve. Réservoir qui se dégorge dans un bassin.* → **Vider** (se).

Par métaphore :

3.1 C'était un coup d'œil magnifique que le spectacle de cette foule impatiente qui se pressait autour de l'enceinte réservée, inondait la place entière, se dégorgeait dans les rues environnantes, et tapissait les maisons de la place du rez-de-chaussée aux pignons d'ardoises.
     J. VERNE, Un drame dans les airs, p. 178.

Méd. *Jambes qui commencent à se dégorger,* à cesser d'être enflées. → **Désenfler.**

Fig. → **Épancher** (s').

4 Tout à coup elle trembla de tout son corps, couvrit sa relique de baisers furieux, et se dégorgea en sanglots comme si son cœur venait de crever.
     HUGO, Notre-Dame de Paris, VI, III.

CONTR. Absorber, boucher, engorger, gorger, obstruer, remplir. ◊ DÉR. Dégorgeage, dégorgement, dégorgeoir, dégorgeur.

DÉGORGEUR, EUSE [degɔrʒœr, øz] n. — 1860, *in* D.D.L. ; un ex. au fig. en 1555 de *dégorger.*

Techn. (œnologie). Personne qui effectue le dégorgement des vins mousseux. — Appos. *Ouvrier dégorgeur.*

DÉGOSILLER [degozije] v. tr. — 1876 ; «vomir», fin XVIᵉ ; de 1. *dé-, gosier,* et suff. *-iller.* → Dégoiser, s'égosiller.

Fam. et vx. Émettre de son gosier ; dire, chanter (péj. ; Huysmans, Bruant, *in* T. L. F.).

DÉGOTER ou DÉGOTTER [degɔte] v. — Déb. XVIIᵉ ; «déplacer la pierre appelée *go*» ; celtique *gal* «caillou» ; → Galet.

Ⅰ V. tr. ♦ **1** Jeux. Vx. Déplacer l'objet qui sert de but à l'aide d'une balle, d'un palet. *Dégoter la bille de l'adversaire.*

♦ **2** (1579). Fam. et vx. Déposséder (qqn) du poste qu'il occupe. → **Chasser, renvoyer, supplanter ;** et fam., **dégommer, vider.** *Il a dégoté son chef de service. Être dégoté par quelqu'un.*

1 J'ai peur que M. le duc de Praslin n'aime pas mon impératrice de Russie ; j'ai peur qu'on ne la dégote (...)
     VOLTAIRE, Lettre à d'Argental, 13 août 1763.

Fam. et vieilli. Dépasser, surclasser. *Il a dégoté tous ses concurrents.*

♦ **3** Mod. et fam. → **Découvrir, trouver.** *Impossible de le dégoter nulle part. Où avez-vous dégoté ce bouquin ?*

2   — J'sais y tâter, déclarait-il, et c'est bien rare si je ne dégote
pas la combine.
                                        Francis CARCO, Jésus-la-Caille, II, VIII, p. 134.

II V. intr. Fam. ou pop. Avoir tel air, telle allure. *Elle
dégotte bien, mal.* → **Marquer.**

3   Ce ne sont pas des gens très chics, me dit Albertine en
ricanant d'un air de mépris. Le petit vieux, teint, qui a des
gants jaunes, il en a une touche, hein, il dégotte bien (...)
                                        PROUST, À l'ombre des jeunes filles en fleurs,
                                                        Folio, p. 547.

Absolt. Avoir bon air, faire impression.

4   Il dégote, Crouïa-Bey. Il a des yeux de braise, un front
de penseur, des mains de pianiste, une taille de guêpe,
une barbe de sapeur, des lèvres de corail, un thorax de
taureau, ah! qu'il est beau! ah! qu'il est beau!
Il a pas mal tapé dans l'œil à Léonie.
                                        R. QUENEAU, Pierrot mon ami, p. 31.

DÉGOUDRONNER [degudʀɔne] v. tr. — 1870; de
1. *dé-*, et *goudronner.*

Techn. Enlever le goudron de.

CONTR. Goudronner.

DÉGOULINADE [degulinad] n. f. — 1938; de *dégouliner.*

Fam. Liquide qui dégouline, coule lentement; sa
trace. *Il y a des dégoulinades sur les murs.*

(...) une femme sans âge, le torse nu, tondue, le visage
et le crâne barbouillés de peinture rouge. Des types la
retenaient par ses deux bras qu'ils tordaient en arrière,
l'offrant à la foule comme du gibier crevé, une dérisoire
statue de victoire, dont le mouvement, l'élan animal faisait saillir deux seins très blancs sous les dégoulinades de
minium.   François NOURISSIER, Allemande, p. 362.

DÉGOULINAGE [degulinaʒ] n. m. → **Dégoulinement.**

DÉGOULINANT, ANTE [degulinã, ãt] adj. et n. f.
— Attesté XXe, antérieur comme n. f.; du p. prés. de
dégouliner.

♦ **1** Adj. Qui dégouline. *Des vêtements dégoulinants.*

♦ **2** N. f. (1885, *in* D.D.L.). Pendule, montre.

(...) la pendule située face à l'aréopage, au-dessus du
public, indique 13 heures 55. Bien cette dégoulinante, ainsi
le Président n'a pas besoin de gesticuler vers sa montre
lorsque les avocats n'en finissent plus de parler.
                                        A. SARRAZIN, la Cavale, p. 373.

DÉGOULINEMENT [degulinmã] ou **DÉGOULI-
NAGE** [degulinaʒ] n. m. — 1884, *dégoulinement;
dégoulinage*, 1880; de *dégouliner.*

Le fait de dégouliner.

Sauf le lent dégoulinement des dalots, aucun bruit ne sortait du navire.   H. BOSCO, Un rameau de la nuit, p. 56.

Par métonymie. → **Dégoulinade.**

DÉGOULINER [deguline] v. intr. — 1737; mot dial. de
l'ouest; de 1. *dé-*, et *goule.* → **Gueule.**

Couler lentement, goutte à goutte (→ **Dégoutteler**)
ou en filet. *La pluie dégouline du toit. La sueur
dégouline de son visage.*

À la pluie qui frappe le visage, qui dégouline dans le cou,
qui traverse les vêtements à l'endroit des bras d'abord, et
au-dessus des genoux.   J. ROMAINS, les Hommes de bonne volonté, t. V,
                                                        XXVIII, p. 314.

Trans. (Le compl. désigne ce qui coule). «*Je dégoulinais
la sueur*» (Céline, *in* T.L.F.).

**DÉR. Dégoulinade, dégoulinage, dégoulinement, dégouli-
nant.**

DÉGOUPILLER [degupije] v. tr. — 1749; de 1. *dé-*, et
goupille.

Enlever la goupille de. — (1933). **Spécialt.** *Dégoupiller
une grenade. — Au p. p. Grenade dégoupillée.*

Il soupesa sa première grenade, dégoupillée.   1
                                        MALRAUX, la Condition humaine, p. 88.

Il y avait encore au P. C. quelques grenades défensives.   2
Un téléphoniste en tenait une, mais ne savait pas s'en
servir. Soubeyrive la dégoupilla, la lança (...) L'explosion
fut énorme (...)
                                        Armand LANOUX, le Commandant Watrin, p. 216.

CONTR. Goupiller.

DÉGOURDI [deguʀdi] n. m. — 1844; du p. p. de
dégourdir.

Techn. Cuisson légère pour enlever l'excès d'eau
dans une pâte de porcelaine. *Cuire en dégourdi.*

Par métonymie. Poterie soumise à cette cuisson.

DÉGOURDIR [deguʀdiʀ] v. tr. — XIIe; de 1. *dé*, et
gourd.

♦ **1** Faire sortir de l'engourdissement. (**Le compl.**
désigne une partie du corps). *Dégourdir ses jambes,*
en prenant de l'exercice. → **Dérouiller.** *Dégourdir
ses doigts, ses mains,* en les réchauffant.

Quand nos doigts engourdis de froid ne pouvaient plus   1
tenir la plume, la flamme de la lampe était le seul foyer
où nous pouvions les dégourdir.
                                        MARMONTEL, Mémoires, I.

(...) ne vous conviendrait-il point de descendre et de mettre   2
votre bras sur le mien pour faire quelques pas? Cela vous
réchauffera les pieds et dégourdira les jambes.
                                        Th. GAUTIER, Capitaine Fracasse, t. II, XV, p. 152.

Fig. *Dégourdir sa langue :* parler.

♦ **2** Par ext. (vx ou régional). *Dégourdir, faire dégourdir
de l'eau,* la chauffer légèrement.

Toutes les fois qu'Émile aura soif, je veux qu'on lui donne   3
à boire; je veux qu'on lui donne de l'eau pure et sans
aucune préparation, pas même de la faire dégourdir, fût-
il tout en nage, et fût-on dans le cœur de l'hiver.
                                        ROUSSEAU, Émile, II.

Techn. Faire cuire (une poterie) au dégourdi*.

♦ **3** Fig. Débarrasser (qqn) de sa timidité, de sa
gêne. *Dégourdir un collégien de sa gaucherie.*
→ **Dégauchir, délurer, déniaiser, dessaler.**

C'est un nigaud qui est frais émoulu de la province, vous   4
me le dégourdirez, cousin (...)
                                        DANCOURT, Vend. de Surène, 12, *in* LITTRÉ.

J'eus bientôt fait connaissance avec des jeunes gens qui   5
me dégourdirent, et m'aidèrent à manger mes ducats.
                                        A. R. LESAGE, Gil Blas, V, I, p. 279.

♦ **SE DÉGOURDIR** v. pron.

♦ **1** Éliminer l'engourdissement de (son propre
corps; faux pron. : une partie du corps). *Se dégourdir
(les jambes) en marchant.* → **Dérouiller** (se). *Il faut
vous dégourdir un peu.* → **Secouer** (se).

Te voilà sur tes pieds droit comme une statue.   6
Dégourdis-toi. Courage! allons, qu'on s'évertue.
                                        RACINE, les Plaideurs, III, 3.

En voyant Sigognac marcher à côté de la charrette, Isabelle   7
se plaignit d'être mal assise et voulut descendre pour se
dégourdir un peu les jambes (...)
                                        Th. GAUTIER, Capitaine Fracasse, t. I, II, p. 70.

♦ **2** Se déniaiser. *Ce garçon commence à se dégourdir
un peu.*

Justement, il allait avoir seize ans vers la fin d'août, il était   8
temps, pour lui, de se dégourdir un peu.
                                        Valery LARBAUD, Fermina Marquez, XVII, p. 205.

◆ **DÉGOURDI, IE** p. p. et adj.

◆**1** Libéré de son engourdissement. *Doigts dégourdis. — Eau dégourdie,* légèrement chauffée.
— Par métaphore :

9 (...) il y a pourtant sous l'eau à peine dégourdie du style d'intéressantes observations, de savoureuses gloses (...)
HUYSMANS, En route, p. 166.

◆**2** (Personnes). Qui n'est pas gêné pour agir ; qui est habile et actif. *Un gosse dégourdi. Il n'est pas très dégourdi.* → **Malin.**

10 Landry s'en aperçut très bien ; car depuis que la petite Fadette s'en mêlait, il était singulièrement dégourdi d'esprit.
G. SAND, la Petite Fadette, XXI, p. 151.

N. *C'est un dégourdi.* — Iron. *En voilà un dégourdi ! Quelle dégourdie !*

CONTR. Engourdir, geler. — Engourdi, gauche, lourd, maladroit, niais, timide. ◊ DÉR. Dégourdissement.

DÉGOURDISSEMENT [deguʀdismã] n. m. — 1552, Rabelais ; de *dégourdir.*

Action de dégourdir (1.) ; son résultat. *Le dégourdissement des doigts. — «Le dégourdissement du vin»* (Baudelaire), causé par le vin.

CONTR. Engourdissement.

DÉGOÛT [degu] n. m. — 1560 ; déverbal de *dégoûter.*

◆**1** Manque de goût, d'appétit, entraînant une réaction de répugnance. → **Anorexie, écœurement, inappétence.** *Le dégoût de qqn pour qqch., son dégoût pour... Avoir du dégoût pour qqch. Le cœur* (cit. 14) *bondit, se soulève de dégoût. Vaincre, surmonter son dégoût. Manger jusqu'au dégoût.* → **Indigestion, satiété** (à), **soûl** (tout son soûl). *Avoir des haut-le-cœur, des nausées de dégoût. Il a un véritable dégoût pour la viande.* → **Phobie.** *Grimace de dégoût. Moue de dégoût* (→ Berk, fi, pouah).

1 Le soir, elle eut un grand dégoût,
Et ne put au souper toucher à rien du tout.
MOLIÈRE, Tartuffe, I, 4.

2 Ce sont les mets les plus savoureux qui excitent le dégoût des mauvais estomacs.
Edmond JALOUX, le Dernier Jour de la création, V, p. 57.

3 Ivich porta la coupe à ses lèvres et fit une grimace de dégoût :
— Que c'est mauvais, dit-elle en reposant son verre.
SARTRE, les Chemins de la liberté, l'Âge de raison, XI, p. 185.

◆**2** (1636). Aversion morale, intellectuelle, éprouvée (pour quelque chose). → **Aversion, éloignement, exécration, horreur, répugnance, répulsion.** *Objet de dégoût.* → **Rebut.** *Avoir du dégoût pour qqch.* → **Abhorrer, exécrer.** *Faire un travail sans dégoût, sans déplaisir. Ce travail fastidieux lui inspire du dégoût. Le dégoût du travail, de travailler.*

4 C'est donc là le dégoût qu'apporte l'hyménée ?
Je te suis odieuse après m'être donnée !
CORNEILLE, Polyeucte, IV, 3.

5 (...) un goût suivi d'un prompt dégoût (...)
VOLTAIRE (→ Amour, cit. 12).

6 (...) l'assujettissement d'un emploi pour lequel je ne me sentais que du dégoût.
ROUSSEAU, les Confessions, VIII.

7 Cela fait frissonner d'horreur, ou soulever le cœur de dégoût à celui qui a le moindre sentiment de l'élégance, de la noblesse, et de la grâce. DIDEROT, Salon de 1767.

8 Les objets (...) qui se rapportent aux plus violents désirs dont se puissent émouvoir la chair et le sang ne sauraient être considérés avec indifférence, et, dès qu'ils n'inspirent pas la volupté, ils soulèvent le dégoût.
FRANCE, le Mannequin d'osier, p. 300.

8.1 Je ne réponds pas d'avoir du goût, mais j'ai le dégoût très sûr. J. RENARD, Journal, 19 mars 1901.

Le désir et le dégoût sont les deux colonnes du temple du Vivre. VALÉRY, Suite, p. 90.

9

Pour marquer le dégoût, la honte, on se sert de : *J'ai honte, il est honteux, c'est dégoûtant, ignoble, répugnant : C'est dégoûtant qu'une femme dans ces conditions ait une pension de veuve.*
BRUNOT, la Pensée et la Langue, III, XII, section IV, X, p. 556.

10

◆**3** Absence complète d'attrait pour qqch. ; fait de se désintéresser par lassitude. → **Désenchantement, écœurement, lassitude, spleen.** *Éprouver un immense, un insurmontable, un profond dégoût de tout, pour tout. — Loc. littér. Prendre sa vie en dégoût.*

Le démon de Stagyre, ou, ce qui revient au même, le mal de René, c'est le dégoût de la vie, l'inaction et l'abus du rêve, un sentiment orgueilleux d'isolement, de se croire méconnu, de mépriser le monde et les voies tracées, de les juger indignes de soi, de s'estimer le plus désolé des hommes, et à la fois d'aimer sa tristesse ; le dernier terme de ce mal serait le suicide.
SAINTE-BEUVE, Causeries du lundi, 1er oct. 1849, t. I, p. 18.

11

Un dégoût profond de la vie avait relâché la lèvre inférieure, qui tombait morose avec une sorte de moue boudeuse.
Th. GAUTIER, le Capitaine Fracasse, t. II, XI, p. 75.

12

— Ah ! Seigneur ! donnez-moi la force et le courage
De contempler mon cœur et mon corps sans dégoût !
BAUDELAIRE, les Fleurs du mal, «Un voyage à Cythère».

13

◆**4** Vx (langue class.). Cessation du goût, du plaisir que procure quelque chose.

Je m'étonne (...) que des modernes aient témoigné (...) tant de dégoût pour ce grand poète *(Euripide)* (...)
RACINE, Iphigénie, Préface.

14

Les amours meurent par le dégoût, et l'oubli les enterre.
LA BRUYÈRE, les Caractères, IV, 32.

15

◆**5** Aversion, répugnance (physique ou morale) pour qqn. → **Haine, horreur.** *Elle a un dégoût instinctif, physique pour cet homme.*

Les enfants n'aiment pas la vieillesse. L'aspect de la nature défaillante est hideux à leurs yeux. Leur répugnance que j'aperçois me navre ; et j'aime mieux m'abstenir de les caresser que de leur donner de la gêne ou du dégoût.
ROUSSEAU, Rêveries, 9e promenade.

16

Mais la compensation qu'il exigerait était facile à prévoir. Germaine y répugnait, moins par fierté pour Gurau, ou par dégoût physique pour Marquis, que par fierté, souci d'indépendance.
J. ROMAINS, les Hommes de bonne volonté, t. IV, XI, p. 117.

17

Le dégoût de soi. → **Mépris ; haine, honte.**

Je sentis, en m'éveillant le lendemain, un si profond dégoût de moi-même, je me trouvai si avili, si dégradé à mes propres yeux (...)
A. DE MUSSET, Confession d'un enfant du siècle, II, I.

18

Un dégoût, une haine atroce de moi-même (...)
GIDE, Journal, 20 sept. 1916.

19

◆**6** *(Un dégoût, les dégoûts).* Sentiment de répugnance ou de lassitude. *Être abreuvé de dégoût. Essuyer bien des dégoûts.* → **Humiliation** (→ Aridité, cit. 4). — Vx. *Le dégoût de* (et inf.) : le sentiment de lassitude, d'écœurement que l'on éprouve à...

(...) le dégoût de n'être pas assez admirés de ceux qui nous connaissent trop (...)
LA ROCHEFOUCAULD (→ Connaissance, cit. 29).

20

C'est dans l'absolue ignorance de notre raison d'être qu'est la racine de notre tristesse et de nos dégoûts.
FRANCE, Jardin d'Épicure, p. 51.

21

Ibsen a éprouvé le dégoût de n'être pas à son rang ; son orgueil a grandi dans l'humiliation.
André SUARÈS, Trois hommes, «Ibsen», II, p. 87.

22

CONTR. Goût. — Appétence, appétit, attrait, contentement, délectation, désir, engouement, envie, jouissance, plaisir, satisfaction, volupté. — Consolation, encouragement.

DÉGOÛTAMMENT [degutamã] adv. — 1790; de *dégoûtant*.

D'une manière dégoûtante (concret ou abstrait). *Il mange dégoûtamment.* → **Salement.**

> Elle m'a écouté pendant des jours et des jours, à m'étaler et me raconter dégoûtamment (...)
> CÉLINE, Voyage au bout de la nuit, p. 211.

DÉGOÛTANT, ANTE [degutã, ãt] adj. — 1642; de *dégoûter*.

♦ **1** Qui inspire du dégoût, de la répugnance par son aspect physique. → **Déplaisant, écœurant, fétide, ignoble, immonde, infect, innommable, laid, malpropre, nauséabond, puant, repoussant, répugnant, sale, sordide;** fam. **dégueulasse.** *Un plat dégoûtant, une nourriture dégoûtante.* → **Immangeable.** *Le logement est d'une saleté dégoûtante. Immondices dégoûtantes. Malpropreté dégoûtante. Des manières dégoûtantes. Plaie dégoûtante. C'est dégoûtant!* (→ Assez, cit. 49). — Fam. *Sale dégoûtant :* très sale.

1 Voilà une malade qui n'est pas tant dégoûtante, et je tiens qu'un homme bien sain s'en accommoderait assez.
MOLIÈRE, le Médecin malgré lui, II, 4.

2 Le duc de la Feuillade avait une physionomie si spirituelle qu'elle réparait sa laideur et les bourgeons dégoûtants de son visage. SAINT-SIMON, Mémoires, 99, 55.

3 Je suis vieux, malade, et dégoûtant, mais je ne suis point du tout dégoûté (...)
VOLTAIRE, Lettre à Mᵐᵉ de Saint-Julien, 30 sept. 1768.

4 Quoi! Monsieur Longuemare, vous mettez des grenouilles dans vos poches? Mais c'est dégoûtant!
FRANCE, Jocaste, p. 3.

5 Ovide, dit Lahrier, c'est dégoûtant ici; un coup de balai, s'il vous plaît, et videz-moi donc cette cuvette.
COURTELINE, Messieurs les ronds-de-cuir, IVᵉ tableau, I, p. 132.

♦ **2** Qui inspire un dégoût moral. → **Abject, affreux, honteux, horrible, ignoble, insupportable, laid, odieux, révoltant.** *Commettre une action dégoûtante.* — Spécialt. Qui choque par un contenu sexuel non toléré. → **Cochon, grossier, grivois, licencieux, obscène, sale.** REM. Cet emploi est souvent plus ou moins antiphrastique ou tout au moins ambigu. → Horreur.

6 Ne concevez-vous point ce que, dès qu'on l'entend, Un tel mot *(mariage)* à l'esprit offre de dégoûtant?
MOLIÈRE, les Femmes savantes, I, 1.

N. *Vous êtes un dégoûtant, un vieux dégoûtant.*

♦ **3** Fam. Ennuyeux, fastidieux; décourageant. → **Écœurant.** *Ce métier est dégoûtant.* — Très mauvais. *Quel temps dégoûtant!* → fam. **Dégueulasse.**

CONTR. Appétissant, désirable, propre, ragoûtant. — Louable. — Agréable. — Correct, propre (fig.), sérieux. ◊ DÉR. Dégoûtamment. ◄ HOM. Dégouttant.

DÉGOÛTATION [degutasjõ] n. f. — Av. 1850; de *dégoûter*.

Familier.

♦ **1** Dégoût, répugnance.

> C'est ainsi que M. de la Hourmerie l'entendit pousser l'un sur l'autre plusieurs «Pouah!» significatifs, et essuyer bruyamment, de sa botte, les crachats semés par le plancher en signe de dégoûtation (...)
> COURTELINE, Messieurs les ronds-de-cuir, IIIᵉ tableau, II, p. 104.

♦ **2** Chose qui dégoûte, par son extrême saleté. *Nettoyez votre chambre : c'est une dégoûtation.* Fig. Ce qui inspire du dégoût moral. → Poulette, cit. 2.

DÉGOÛTER [degute] v. tr. — 1538; de 1. *dé-, goût,* et suff. verbal.

♦ **1** Vx. Ôter l'appétit à (quelqu'un).

> Les mets les plus exquis le dégoûtent. 1
> FÉNELON, Télémaque, III.

Mod. Inspirer de la répugnance à (qqn). → **Affadir** (le cœur), **écœurer, répugner;** fam. **débecter.** *Le lait le dégoûte.*

♦ **2** Inspirer de la répugnance à... par son aspect. → **Rebuter.** *La saleté de cet homme dégoûte son entourage.*

> — J'ai quelques infirmités sur mon corps qui pourraient la 2 dégoûter. — (...) Une honnête femme ne se dégoûte jamais de son mari. MOLIÈRE, le Mariage forcé, 8.

Absolument :

> (...) il commence à avoir honte de se trouver assis, dans 3 une assemblée publique (...) auprès d'un homme mal habillé, sale, et qui dégoûte,
> LA BRUYÈRE, les Caractères de Théophraste, Des grands d'une république.

♦ **3** Inspirer de l'aversion à (qqn...) par sa laideur morale. → **Éloigner, répugner, révolter, soulever** (de dégoût). *Ses mensonges continuels et sa lâcheté ont dégoûté ses amis. Ce livre, ce film me dégoûte, il est abject, répugnant.*

> (...) gens que nous voulons fuir justement parce qu'ils nous 4 dégoûtent. G. DUHAMEL (→ Courbette, cit. 4).

♦ **4** Vx ou littér. Lasser, inspirer un ennui extrême à. *Tout le dégoûte. L'existence le dégoûte.* → **Déplaire, ennuyer, peser.** — Fatiguer, lasser. *Cette inaction me dégoûte.* — REM. Dans ce type de contexte, le mot est compris aujourd'hui dans un sens plus fort qu'en français classique. → ci-dessus, 3.

> Les princes et les rois jouent quelquefois. Ils ne sont pas 5 toujours sur leurs trônes; ils s'y ennuient : la grandeur a besoin d'être quittée pour être sentie. La continuité dégoûte en tout; le froid est agréable pour se chauffer.
> PASCAL, Pensées, VI, 355.

♦ **5** DÉGOÛTER DE ⓐ Vx. Priver de tout attrait, de toute estime pour (qqch.). → **Détourner** (de), **éloigner.**

> La plupart des amis dégoûtent de l'amitié et la plupart 6 des dévots dégoûtent de la dévotion.
> LA ROCHEFOUCAULD, Maximes, 427.

> Les grandes passions usées dégoûtent des autres; la paix 7 de l'âme qui leur succède est le seul sentiment qui s'accroît par la jouissance.
> ROUSSEAU, Julie ou la Nouvelle Héloïse, VI, Lettre VIII.

ⓑ Mod. Ôter l'envie de... *Elle a fini par me dégoûter du homard.* — (1756, *in* D.D.L.). Loc. Par plais. *Si vous n'aimez pas ça, n'en dégoûtez pas les autres!*

> — Auguste de Châtillon, dis-je, était l'auteur de *La Levrette* 7.1 *en pal'tot*...
> — Oui. Et l'amant d'Adèle Hugo, dit *Le Canard enchaîné* de l'époque. L'hymne sedang de Mayrena a été composé, sur des paroles de Mac Nab, chansonnier du *Chat Noir,* par Charles de Sivry, le beau-frère de Verlaine! Si ça ne vous plaît pas, n'en dégoûtez pas les autres!
> MALRAUX, Antimémoires, Folio, p. 406.

> Enfin c'était des travaux à dégoûter du travail, des chefs- 8 d'œuvre accumulés à faire prendre en haine les arts et à tuer l'enthousiasme.
> BALZAC, La peau de chagrin, Pl., t. IX, p. 28.

♦ **SE DÉGOÛTER** v. pron.

Prendre en dégoût. *Se dégoûter d'un mets.*

> — N'était-ce point satiété? dit Blazius, car d'ambroisie 9 même on se dégoûte (...)
> Th. GAUTIER, Capitaine Fracasse, t. I, VIII, p. 266.

Fig. *Se dégoûter de soi-même.* → **Honte** (avoir honte de soi).

> (...) dans la débauche, vous avez une âme qui se dégoûte 10 de son propre corps. MONTESQUIEU, Cahiers, p. 26.

Se dégoûter de quelqu'un ou de quelque chose.
➝ **Assez** (en avoir assez de...), **lasser** (se), **prendre** (en aversion, en grippe, etc.). *Se dégoûter de faire qqch.*

11   (...) comme les hommes ne se dégoûtent point du vice, il ne faut pas aussi se lasser de leur reprocher (...)
     LA BRUYÈRE, les Caractères, Introduction.

12   Je pèche souvent par orgueil, comme il arrive aux gens de petite origine qui se dégoûtent du milieu où ils sont nés.   COLETTE, la Naissance du jour, p. 181.

◆ **DÉGOÛTÉ, ÉE** p. p. et adj. (V. 1380).

◆1 *Dégoûté de,* qui n'a pas ou plus de goût pour.

13   C'est la viande, et je sais que vous vous en dites dégoûté, et que vous ne vivez plus que de mauvais herbages. Mais il n'importe, vous vous forcerez et, quand même vous y auriez de la répugnance, vous n'en ferez rien paraître.
     G. SAND, la Petite Fadette, XXXIX, p. 248.

Dégoûté des autres, de soi-même. Dégoûté de la vie, de tout. ➝ **Aigri, blasé, déçu** (par), **désenchanté, fatigué, las, lassé, rassasié, revenu** (de tout).

14   Me voilà tout à fait dégoûté de mon mariage (...)
     MOLIÈRE, le Mariage forcé, 7.

15   (...) ennuyé de moi, dégoûté des autres, abîmé de dettes et léger d'argent (...)
     BEAUMARCHAIS, le Barbier de Séville, I, 2.

16   J'étais au désespoir, ou pour mieux dire profondément dégoûté de la vie de Paris, de moi surtout.
     STENDHAL, Souvenirs d'égotisme, p. 63.

17   (...) un mort vaut mieux qu'un vivant dégoûté de vivre.
     A. DE MUSSET, Confession d'un enfant du siècle,
     II, V, p. 135.

18   Elle était aussi dégoûtée de lui qu'il était fatigué d'elle.
     FLAUBERT, Mᵐᵉ Bovary, III, VI, p. 185.

◆2 Qui éprouve du dégoût. ➝ **Écœuré.**

19   (...) l'horrible spectacle que peut donner à un homme dégoûté la foule humaine qui s'amuse.
     MAUPASSANT, La vie errante, I, p. 4.

◆3 Qui éprouve facilement du dégoût (spécialt, pour la nourriture). ➝ **Délicat, difficile.** — Iron. *Vous êtes bien dégoûté !* — Dans le même sens (antiphrase) : *Pas dégoûté !*
N. *Faire le dégoûté :* se montrer difficile (sans raison).

20   (...) et ceux qui autrefois firent les dégoûtés, ont bien changé d'avis.   P.-L. COURIER, I, 118.

Il n'est pas dégoûté : il se contente de n'importe quoi en fait de nourriture. — Fig. Il est sans scrupules, sans délicatesse.

CONTR. **Affriander, affrioler, appâter, attacher, attirer, charmer, encourager, plaire, tenter.** — **Envie** (avoir envie de), **supporter, tolérer, vouloir** (de). ◊ DÉR. **Dégoût, dégoûtant, dégoûtation.** — HOM. **Dégoutter.**

DÉGOUTTANT, ANTE adj. ➝ **Dégoutter**, p. prés.

DÉGOUTTELER [degutle] v. intr. — XIIIᵉ; dimin. de *dégoutter.*

Rare, littér. Couler goutte à goutte. ➝ **Dégouliner.**

1   Des linges, imbibés d'un parfum gras qui dégouttelait sur les dalles, enveloppaient ses mains (...)
     FLAUBERT, Salammbô, Pl., t. I, p. 846.

Au p. prés. :

2   Au pied de l'île, les varechs dégouttelants s'épandaient comme des chevelures de femmes antiques le long d'un grand tombeau.
     FLAUBERT, Par les champs et par les grèves, 1885,
     in T. L. F.

DÉGOUTTER [degute] v. intr. — V. 1120; de 2. *dé-,* et *goutter.*

◆1 Rare. Couler* goutte à goutte. *Liquide qui dégoutte. Dégoutter de... Son front dégouttait de pluie, de sueur. La sueur lui dégoutte du front.*

➝ **Dégouliner, suinter, tomber.** *La pluie dégoutte de ses cheveux.* ➝ **Ruisseler.** *Le sang dégoutte de la blessure.*

Ne vois-tu pas le sang, lequel dégoutte à force,   1
Des nymphes qui vivaient dessous la dure écorce ?
     RONSARD, Élégies, XXX (➝ Bûcheron, cit. 1).

(...) il manie les viandes, les remanie, démembre, déchire   2
(...) le jus et les sauces lui dégouttent du menton et de la barbe (...)   LA BRUYÈRE, les Caractères, XI, 121.

◆2 Laisser tomber goutte à goutte. *Cheveux qui dégouttent de pluie. Son front dégoutte de sueur.*

Voyez, voyez le sang dont ce poignard dégoutte (...)   3
     J. DE ROTROU, Venceslas, IV, 6.

Par métaphore :

Un seul arbre, un peuplier à jeunes feuilles vernissées,   4
recueillait la clarté lunaire et dégouttait d'autant de lueurs qu'une cascade.   COLETTE, la Chatte, p. 8.

◆3 Trans. (littér.). *Dégoutter le sang, la sueur.* ➝ **Suer.**
— Fig. :

(...) ils *(les favoris)* dégouttent l'orgueil, l'arrogance, la pré-   5
somption.   LA BRUYÈRE, les Caractères, VIII, 61.

À la gloire des armes il voulut ajouter celle de la civilisa-   6
tion. Car ce peuple assyrien, dont le nom seul dégoutte le sang, a laissé un art souvent magnifique, dont les fouilles ont retrouvé d'innombrables spécimens.
     DANIEL-ROPS, le Peuple de la Bible, III, 3, p. 249.

◆ **DÉGOUTTANT, ANTE** [degutɑ̃, ɑ̃t] p. prés. et adj.
Qui dégoutte. *Vêtement dégouttant de pluie.* ➝ **Ruisselant, trempé; dégoulinant.**

M. Ballanche, tout dégouttant de pluie, disait avec sa pla-   7
cidité inaltérable : «Je suis comme un poisson dans l'eau».
     CHATEAUBRIAND, Mémoires d'outre-tombe, t. II,
     p. 352.

Fig. :

Le fils tout dégouttant du meurtre de son père.   8
     CORNEILLE, Cinna, I, 3.

Absolt. ➝ **Mouillé.**

On jeta le matelas sur le carrelage mouillé. Puis, au com-   9
mandement d'Antoine, ils reprirent les quatre coins du drap, hissèrent péniblement le malade hors de la baignoire et le déposèrent tout dégouttant sur le matelas.
     MARTIN DU GARD, les Thibault, t. IV, p. 165.

CONTR. **Couler** (à flots). ◊ DÉR. **Dégoutteler.** ➝ HOM. **Dégoûter.** — (Du p. prés.) **Dégoûtant.**

DÉGRADABLE [degradabl] adj. — 1950; de *(se) dégrader.*

Qui est capable de se dégrader. — Spécialt. Susceptible de se destructurer sous l'action d'agents biologiques présents dans la nature (d'une substance). ➝ **Biodégradable.**

Cette usine qui envoie du gaz sulfureux dans l'atmosphère ou des produits nocifs non dégradables dans la rivière, cette voiture qui consomme de l'oxygène, le font en toute ingénuité et toute impunité.
     A. SAUVY, Croissance zéro?, 1973, p. 211.

COMP. **Biodégradable.**

DÉGRADANT, ANTE [degradɑ̃, ɑ̃t] adj.
➝ **Dégrader** (cit. 12, 13).

DÉGRADATEUR [degradatœʀ] n. m. — 1878; de 2. *dégrader.*

Photogr. Cache servant à obtenir des images dégradées.

1. DÉGRADATION [degradɑsjɔ̃] n. f. — 1486, «dégradation ecclésiastique»; bas lat. *degradatio,* du supin de *degradare.* ➝ 1. *dégrader.*

◆1 Destitution infamante d'un grade, d'une dignité. ➝ 4. **Casse, 1.** *Dégradation d'un membre de la Légion d'honneur. Dégradation civique* (➝ Arbitraire, cit. 9).

1 La dégradation civique consiste : 1° Dans la destitution et l'exclusion des condamnés de toutes fonctions, emplois ou offices publics ; 2° Dans la privation du droit de vote, d'élection, d'éligibilité, et en général de tous les droits civiques et politiques, et du droit de porter aucune décoration ; 3° Dans l'incapacité d'être juré-expert (...) etc.
     Code pénal, art. 34.

2 Rien n'attriste plus profondément qu'une dégradation imméritée et de laquelle il est impossible de se relever.
     BALZAC, Une ténébreuse affaire, Pl., t. VII, p. 457.

Dégradation militaire, sanction entraînant, outre les déchéances attachées à la dégradation civique, la privation du grade, ainsi que la déchéance personnelle (supprimée en France en 1965). *La capitulation en rase campagne entraîne la dégradation militaire* (→ Capitulation, cit. 2).

Dégradation ecclésiastique, qui dépose un clerc, le prive de son habit ecclésiastique et le rejette dans la vie séculière.

◆ 2 (1539). Rare. Le fait d'abaisser moralement, de se dégrader. → **Abaissement, avilissement, déchéance.**

3 La division du travail a produit la dégradation du travailleur.
     PROUDHON, *in* P. LAROUSSE.

◆ 3 (1680). Détérioration (d'un édifice, d'une propriété, d'un site). → **Dégât, délabrement, destruction, dommage, endommagement, mutilation, profanation.** *La dégradation d'un bâtiment. La dégradation des murs d'une propriété. Dégradation légère.* → **Égratignure** (fig.). *Dégradations causées par le temps, la vétusté.*

4 Je pensai pleurer en voyant la dégradation de cette terre (...)
     Mᵐᵉ DE SÉVIGNÉ, Lettres, 814, 27 mai 1680.

5 Rome (...) présente le triste aspect de la misère et de la dégradation.
     Mᵐᵉ DE STAEL, Corinne, IV, 4.

6 La vie, telle qu'elle est, telle qu'elle est, porte en elle comme une loi fatale de dégradation. De même qu'un marbre pur se ternit, qu'une eau se décompose, que le corps humain le plus beau se marque de rides et se voûte, tout ce qui est de la vie tend vers la destruction. C'est là cet irréversible dont parle Péguy, qui se marque dans le domaine des sentiments comme dans celui des organismes, et qui fait apparaître partout l'inéluctable présence de la mort.
     DANIEL-ROPS, Ce qui meurt... VI, p. 237.

Dr. *Dégradation de monuments :* délit correctionnel qui consiste à détériorer volontairement des édifices, des monuments publics, des statues... → **Destruction, mutilation.** *Locataire responsable des dégradations faites dans l'appartement qu'il occupe.*

Dégradation de l'environnement, son altération. → **Nuisance, pollution.**

Géogr. Processus naturel ou provoqué, destructeur de l'équilibre d'un sol entre profil, végétation et milieu. → **Appauvrissement, érosion.**

◆ 4 Détérioration graduelle (d'une situation politique, économique ou sociale). *La dégradation du climat international.*

◆ 5 Phys. *Dégradation de l'énergie :* transformation de l'énergie en formes de moins en moins utilisables (moins aptes à fournir du travail mécanique). *Dégradations énergétiques.* → Regradation, cit. *Dégradation de l'énergie mécanique en énergie calorifique.* → **Entropie.**

CONTR. Réhabilitation. — Amélioration, conversion, épanouissement, sanctification. — Réfection, réparation ; entretien. — Régénération. ◊ COMP. Biodégradation. ➤ HOM. 2. Dégradation.

2. **DÉGRADATION** [degʀadɑsjɔ̃] n. f. — 1660 ; de 2. *dégrader*, et ital. *digradazione*.

◆ 1 Affaiblissement graduel, continu (de la lumière, des couleurs). → **Diminution.** *Dégradation insensible de la lumière, des tons.*

Leur dégradation *(des objets représentés)* dans l'espace de l'air
Par les tons différents de l'obscur et du clair (...)
     MOLIÈRE, la Gloire du Val de Grâce, 165.

(...) les diverses dégradations de couleur fondue, qui changent sa teinte générale en un relief, et donnent aux yeux la sensation de son épaisseur.
     TAINE, Philosophie de l'art, t. I, II, VI, III, p. 270.

Il faut que Léonard découvre la dégradation insensible de la lumière, pour que le recul aérien fasse émerger leurs rondeurs fuyantes et enveloppe leurs contours dans la douceur du clair-obscur.
     TAINE, Philosophie de l'art, t. II, V, IV, V, p. 339.

Notre regard, le regard moderne, sait voir la gamme infinie des nuances. Il distingue toutes les unions de couleurs entre elles, toutes les dégradations qu'elles subissent, toutes leurs modifications sous l'influence des voisinages, de la lumière, des ombres, des heures du jour.
     MAUPASSANT, la Vie errante, «Vers Kairouan»,
     p. 240.

(...) la plaisance du modelé *(chez Raphaël)* vient surtout d'une horreur de la brusquerie, d'un besoin d'arrondir sans les dissimuler les contours ; la perfection est alors d'obtenir une insensible dégradation du clair au moins clair et à l'obscur.
     GIDE, Journal, Feuilles de route, 16 déc. 1895.

◆ 2 Fig. Passage progressif, continu.

Entre l'Europe continentale et l'Asie, le passage est moins net. L'Occident proprement dit, c'est l'Europe occidentale et centrale, après quoi, vers l'Est, il y a dégradation par paliers : les fuseaux horaires divisent assez exactement le continent en bandes de civilisation.
     André SIEGFRIED, l'Âme des peuples, Conclusion,
     II, p. 203.

HOM. 1. Dégradation.

DÉGRADÉ [degʀade] n. m. — XIVᵉ ; de 2. *dégrader*.

◆ 1 Affaiblissement ou modification progressive d'une couleur, d'un éclairage. *Des effets de dégradé.*

(Il) avait ménagé par des ampoules, sous la longue tonnelle qui menait à la terrasse sur le Mein, un tunnel coloré par lequel vous étiez conduit, avec de savants dégradés de lumière, jusqu'à la pleine lune. Ainsi la transition entre le jour et la nuit paraissait toute naturelle.
     GIRAUDOUX, les Aventures de J. Bardini, p. 58.

◆ 2 (XXᵉ). Cin. Procédé par lequel on fait varier l'intensité lumineuse de l'image.

HOM. 1., 2. Dégrader, (et p. p.).

1. **DÉGRADER** [degʀade] v. tr. — XIIᵉ ; bas lat. *degradare*, de *de-*, et *gradus* «degré».

◆ 1 Destituer (qqn) d'une manière infamante, de sa dignité, et mod., de son grade. *Dégrader civiquement quelqu'un. Dégrader un ecclésiastique.* → **Dégradation.** — Anciennt. *Dégrader publiquement un officier.*

(...) *(Rome)* vous dégraderait peut-être dès demain Du titre glorieux de citoyen romain.
     CORNEILLE, Nicomède, I, 2.

(Ils) le dégraderaient de sa qualité de docteur de la grâce.
     RACINE, Port-royal.

◆ 2 Fig. et littér. Faire perdre sa dignité, son honneur à (qqn). → **Abaisser, avilir, déchoir, déshonorer, rabaisser.** — Affaiblir, diminuer la valeur de (quelque chose).

(...) si dans la première école, à quelques écarts près, *Juliette* a servi la Nature, elle en oublie les loix dans la seconde ; elle y corrompt entièrement ses mœurs ; le triomphe qu'elle voit obtenir au vice dégrade totalement son âme ; elle sent que, née pour le crime, au moins doit-elle aller au grand et renoncer à languir dans un état subalterne, qui, en lui faisant faire les mêmes fautes, en l'avilissant également, ne lui rapporte pas, à beaucoup près, le même profit.
     SADE, Justine, t. I, p. 14.

Je dégradais mon intelligence en laissant s'atrophier en moi les qualités délicates de la vie affective.
     M. BARRÈS, Leurs figures, p. 341.

♦ 3 Rabaisser (qqch.), en diminuer les qualités réellement ou en esprit. → **Déformer, rabaisser, ridiculiser.**

4 (...) nos arlequins de toute espèce imitent le beau pour le dégrader (...)
ROUSSEAU, Émile, II (→ Arlequin, cit. 3).

♦ 4 Détériorer (un édifice, une propriété, un objet). → **Abîmer** (fig.), **défoncer, délabrer, détruire, ébrécher, endommager, mutiler, profaner, ruiner.** *Dégrader légèrement un meuble.* → **Égratigner** (fig.). *Dégrader un bâtiment. Le temps dégrade les plus solides constructions.*

5 Quiconque aura détruit, abattu, mutilé ou dégradé des monuments, statues et autres objets destinés à l'utilité ou à la décoration publique (...) sera puni d'un emprisonnement (...) et d'une amende (...) Code pénal, art. 257.

(Sujet n. de choses). *Eau courante qui dégrade un mur.* → **Dégravoyer.**

Géol. → **Affouiller, éroder, ronger, saper.** *Les eaux dégradent les pentes.*

6 Les eaux dégradent toujours les rochers et mettent chez vous un peu de terre meuble; j'en ai profité, car tout le long de la vallée ce qui est en dessous du chemin vous appartient. Le chemin sert de démarcation.
BALZAC, le Curé de village, Pl., t. VIII, p. 672.

♦ SE DÉGRADER v. pron.

♦ 1 (Personnes). Déchoir, s'avilir. *Il se dégrade en acceptant ce compromis.*

Perdre ses qualités physiques, intellectuelles ou morales. → **Baisser, tomber.**

7 (...) elle se dégradait à mes yeux en se partageant (...)
ROUSSEAU, les Confessions, V.

8 Les corps (parlements, académies, assemblées) ont beau se dégrader, ils se soutiennent par leur masse (...)
CHAMFORT (→ Corps, cit. 40).

9 Comme c'est triste de voir les êtres qu'on chérit se dégrader peu à peu! FLAUBERT, Correspondance, IV, p. 54.

10 (...) en acceptant tu t'abaisses et, tranchons le mot, tu te dégrades. FLAUBERT, Correspondance, III, p. 174.

♦ 2 (Choses). Perdre sa valeur, ses qualités.

11 La volupté partout s'insinue; mes plus belles vertus se dégradent et même l'expression de mon désespoir est émoussée. GIDE, Journal, 1ᵉʳ sept. 1905.

Phys. *L'énergie se dégrade selon le principe de Carnot.* → **1. Dégradation** (5.).

Chim., biol. Perdre les caractères d'une matière chimique, se déstructurer.

♦ 3 Cour. Devenir négatif, mauvais (d'une situation). → **Aggraver** (s'). *Les relations entre ces deux pays se dégradent rapidement.*

♦ DÉGRADANT, ANTE p. prés. et adj. (1792)

Qui abaisse moralement. *Action, conduite dégradante.*

12 (...) avec tout ce qu'une semblable déchéance comporte de dégradant (...) Paul BOURGET, Un divorce, V, p. 167.

13 Mais ce respect de l'homme n'entraînait pas la prosternation dégradante devant la médiocrité de l'individu, devant la bêtise ou l'ignorance (...)
SAINT-EXUPÉRY, Pilote de guerre, XXVI, p. 224.

♦ DÉGRADÉ, ÉE p. p. et adj.

Officier dégradé. — Mur dégradé. — Homme dégradé (→ Avili, cit. 27).

14 (...) elles (*les femmes*) se dévouent à des êtres souffrants, dégradés, criminels, qu'elles veulent consoler, relever, racheter (...) BALZAC, Séraphita, Pl., t. X, p. 480.

CONTR. Réhabiliter. — Améliorer, convertir, ennoblir, épanouir, sanctifier. — Refaire, relever, réparer; entretenir. ◊ HOM. Dégradé, 2. dégrader.

2. DÉGRADER [degʀade] v. tr. — 1651; ital. *digradare,* de *di-* (lat. *de-*) et *grado* «degré».

Affaiblir, diminuer progressivement (un ton, une couleur). → **Fondre.**

1 Ils emploient, avec un art qu'on ne se lasse point d'admirer, les teintes, les demi-teintes et toutes les diminutions de couleurs nécessaires pour dégrader la couleur des objets.
Charles ROLLIN, Œ., XI, 1, p. 13, *in* LITTRÉ.

♦ SE DÉGRADER v. pron.

«Le bleu profond du zénith se dégrade en rose...» (Barrès, *in* T. L. F.).

♦ DÉGRADÉ, ÉE p. p. et adj.

Tons dégradés.

1.1 La lumière dégradée sur les jambes du Christ depuis les genoux.
E. DELACROIX, Journal 1850-1854, 12 août 1850.

2 (...) Otto Venius, après sept ans passés en Italie, en rapporte les nobles et purs types antiques, le beau coloris vénitien, les tons fondus et doucement dégradés, les ombres pénétrées de lumière (...)
TAINE, Philosophie de l'art, t. II, III, II, II, p. 37.

DÉR. Dégradateur, 2. **dégradation.** ◊ **HOM. Dégradé,** 1. **dégrader.**

DÉGRAFÉ, ÉE [degʀafe] adj. et n. f. → **Dégrafer.**

DÉGRAFER [degʀafe] v. tr. — 1564; de 1. *dé-,* et *agrafer.*

Défaire, détacher (ce qui est agrafé). → **Déboutonner,** cit. 1. *Dégrafer une robe, une jupe, un corsage.* — Par métonymie. *Dégrafer quelqu'un.*

1 Il dégrafa son manteau, et l'abattit sur elles comme un filet.
FLAUBERT, Trois contes, «la Légende de Saint Julien l'Hospitalier».

2 (...) il entreprend de dégrafer son corsage.
J. ROMAINS, les Hommes de bonne volonté, t. IV, XII, p. 135.

♦ SE DÉGRAFER v. pron.

Se défaire. *Sa robe s'est dégrafée.* — Défaire soi-même les agrafes de ses vêtements. → **Déshabiller** (se).

♦ DÉGRAFÉ, ÉE p. p. et adj. *Corsage dégrafé.* — N. f. (1890, *in* D.D.L.). Vx. *Une dégrafée :* une femme galante.

3 (...) c'est une espèce d'évaporée comme vous dites, ce que vous appelez une dégrafée (...)
PROUST, À la recherche du temps perdu, t. VIII, p. 154.

CONTR. Agrafer, attacher. ◊ DÉR. Dégrafeur.

DÉGRAFEUR [degʀafœʀ] n. m. — V. 1980; de *dégrafer.*

Instrument de bureau destiné à enlever les agrafes posées (par une agrafeuse). *Dégrafeur à griffes, à pinces.* — Le mot est beaucoup moins usuel que *agrafeuse.*

1. DÉGRAINER [degʀɛne] v. — 1350; de 1. *dé-,* et *graine.*
Régional.

♦ 1 V. intr. Perdre ses grains, ses graines. *Épi, grappe qui dégraine.*

♦ 2 V. tr. (1768; le pron. au fig. fin XIIIᵉ). Égrener. — Pron. *Se dégrainer.*

HOM. 2. Dégrainer.

2. DÉGRAINER ou **DÉGRÈNER** [degrene] v. tr.
— 1649; altér. probable de *graignier* «grogner, grincer
des dents», préfixe 2. *dé-*.

Argot. Calomnier.

Cette concurrence déloyale rendit Dur-à-Cuire fou furieux.
«Il dégraine mes poulains!» braillait-il en rentrant dîner.
    Roland DORGELÈS, Tout est à vendre, p. 457.

HOM. 1. Dégrainer.

DÉGRAISSAGE [degʀɛsaʒ] n. m. — 1754; de
dégraisser.

♦ **1** Techn. Action de dégraisser; son résultat. *Le
dégraissage d'un vêtement.* → **Nettoyage.** — Spécialt.
Action d'enlever par le lavage la graisse de la laine
brute.

(...) les opérations préliminaires, qui eurent pour but de
débarrasser la laine de cette substance huileuse et grasse
dont elle est imprégnée et qu'on nomme le suint. Ce
dégraissage se fit dans des cuves (...)
    J. VERNE, l'Île mystérieuse, t. II, p. 450.

♦ **2** (1974). Fam. Allègement des frais (d'une entreprise...), notamment par le licenciement du personnel; licenciements importants. → **Dégraisser, 6.**
«*des firmes (...) seront contraintes, pour rester compétitives, d'alléger leurs effectifs et de pratiquer ce
qu'on désigne du mot horrible de "dégraissage"*» (*le
Nouvel Obs.*, 12 août 1978).

DÉGRAISSANT, ANTE [degʀɛsɑ̃, ɑ̃t] adj. et n. m.
— 1864, *Revue des cours sc.*, t. I, p. 611; de *dégraisser*.
Qui dégraisse. — Spécialt. Qui enlève les taches de
graisse ou la graisse. → **Détachant.**

DÉGRAISSEMENT [degʀɛsmɑ̃] n. m. — 1752; de
dégraisser.
Rare. Action, fait de dégraisser. → **Dégraissage.**
Fig. «Dégraissage» (2.). «*Le "dégraissement des
structures" — les licenciements, en jargon technocratique*» (*l'Express*, 6 août 1973, p. 12).

DÉGRAISSER [degʀese; degʀɛse] v. tr. — XIIIe; de
1. *dé-*, et *graisser*.

♦ **1** Ôter la graisse de (un animal de boucherie). *Dégraisser un bœuf, un mouton, un porc.*
→ **Délarder.**

♦ **2** Agric. (Sujet n. de chose). Dépouiller (une terre)
de ses principes fertiles, de l'humus. *Les ravines
ont dégraissé ce champ.* → **Délaver.**
Fam. et vx. *Dégraisser une province*, l'appauvrir, par
de lourds impôts, d'un excédent présumé de biens.

1 (...) tant cette province a été dégraissée.
    Mme DE SÉVIGNÉ, Lettres, 517, 22 mars 1676.

2 Vous savez (...) que le parlement aime un peu à dégraisser
tout fermier du roi.
    VOLTAIRE, Lettre à Tabareau, juil. 1770.

♦ **3** Techn. *Dégraisser une pièce de bois*, en amener
les faces aux cotes voulues. → **Démaigrir.**

♦ **4** Cour. Débarrasser (qqch.) de la couche de
graisse qui recouvre. *Dégraisser un bouillon, une
sauce.* — Par ext. *Dégraisser une marmite, le pot-au-
feu*, dans lesquels a cuit un aliment gras. — Par anal.
Dégraisser le vin, faire disparaître par quelque
produit le défaut qu'il contracte en tournant à la
graisse.

♦ **5** Nettoyer (ce qui est enduit de graisse, taché
par la graisse). → **Laver, nettoyer.** *Dégraisser
un vêtement. Donner un costume à dégraisser*
(→ Dégraissage, 1. — **Détacher.**) — Spécialt. *Dégraisser
une étoffe au moyen de la terre à foulon.* → **Terrer.**
— *Dégraisser ses cheveux*, en se lavant la tête.

Tous les ouvrages de bonneterie en laine seront foulés à   3
la main, dégraissés avec du savon vert (...)
    E. LITTRÉ, Dict., Fouler (Règlement, 8 mai 1734).

♦ **6** (1974). Absolt. Alléger les frais, effectuer des éco-
nomies (notamment en licenciant le personnel).
→ **Dégraissage, 2.** «*(...) il faut encore ajouter Pompey
(Meurthe-et-Moselle), qui va elle aussi dégraisser :
trois mille licenciements en perspective...*» (*le Nouvel
Obs.*, 11 déc. 1978).
Rare. Trans. *Dégraisser les effectifs.*

CONTR. Graisser; tacher. ◊ DÉR. Dégraissage, dégraisseur,
dégraissoir, dégras.

DÉGRAISSEUR, EUSE [degʀɛsœʀ, øz] n. — 1532;
de *dégraisser*.
Techn. Personne dont le métier est de dégraisser
les vêtements. → **Teinturier.**

DÉGRAISSOIR [degʀɛswaʀ] n. m. — 1752; de
dégraisser.
Technique.
♦ **1** Appareil servant à dégraisser la laine.
♦ **2** (1838). Appareil servant à dégraisser les
boyaux.

DÉGRAS [degʀɑ] n. m. — 1723; de *dégraisser*, avec
influence de *gras*.
Techn. Matière grasse extraite des peaux chamoi-
sées, mêlée aux débris de peau, et dont les corroyeurs se servent pour apprêter les cuirs.

DÉGRAVELER [degʀavle] ou **DÉGRAVER** [deg-
ʀave] v. tr. — Conjug. : *je dégravelle, nous dégravelons.*
— 1754; de 1. *dé-*, et *gravelle.*
Techn. Débarrasser (un tuyau, une conduite) des
sédiments calcaires déposés par l'eau sur les
parois.

DÉGRAVER [degʀave] v. tr. — Attesté xxe; de 1. *dé-*,
et *graver.*
Techn. Effacer (une gravure) par polissage de la
plaque. Absolt :
Là, c'est la malléabilité du métal qui joue le rôle prédominant. Cette propriété permet encore de dégraver, c'est-
à-dire d'effacer une gravure et de repolir la plaque pour
en recevoir une nouvelle.
    Gaston COHEN, le Cuivre et le Nickel, p. 29.

CONTR. Graver.

DÉGRAVOIEMENT [degʀavwamɑ̃] n. m. — 1694,
Corneille; de *dégravoyer.*
Techn., didact. Action de l'eau qui sape une cons-
truction ou enlève les graviers.

DÉGRAVOYER [degʀavwaje] v. tr. [CONJUG.: *noyer.*]
— 1694; de 1. *dé-*, et de l'anc. franç. *gravois.* → Gravat.
Technique, didactique.
♦ **1** Déchausser (un mur, une construction), en parlant de l'eau courante. → **Dégrader, saper.**
♦ **2** (1845). Débarrasser (le lit d'un cours d'eau) des
graviers qui l'encombrent.
DÉR. Dégravoiement.

DEGRÉ [dəgʀe] n. m. — Fin XIe, *degret*; probablt du lat.
pop. *degradus*, de *de-* et *gradus* «pas, marche, degré,
échelle»; cf. anc. franç. *gré, greis.*

I (XIIe; «escalier», XIe). Concret. ♦ **1** Littér. Marche d'un
escalier. → **Marche.** *Degré de pierre, de marbre, de
bois. Les degrés d'un escalier, d'un perron. Degrés
d'un édifice, d'un temple, d'un palais. Monter, gravir,
descendre les degrés d'une église.*

1 De l'auguste chapelle ils montent les degrés.
BOILEAU, le Lutrin, III.

2 Je gravis d'un pas lourd les degrés de mon escalier.
FRANCE, le Crime de S. Bonnard, p. 279.

Par ext. Vx. → Escalier, perron.

3 Il descend du Palais, et trouvant au bas du grand degré
un carrosse (...) LA BRUYÈRE, les Caractères, XI, 7.

♦2 Les degrés d'une échelle. **→ Échelon.** *Les
degrés d'un escabeau, d'un marchepied. Les degrés
d'un autel, d'un trône. Degrés d'un amphithéâtre.*
→ Gradin, rang, rangée. *Degrés d'une étagère.*
→ Étage, rayon.
Fig. et littér. *Monter, gravir les degrés du trône.*

Ⅱ (Abstrait). Chacun des états, dans une série d'états
réels ou possibles (dans un système organisé, et
sans idée de hiérarchie, de valeur). **♦1** (V. 1220).
Proximité relative dans la parenté. *Degrés de
parenté.* **→ Génération, parenté ; → Moins,** cit. 42. *Le
fils et le père sont parents au premier degré ; le
petit-fils et le grand-père, au second degré... Degré
de parenté proche, éloigné. Parent à un degré succes-
sible*. Degré prohibé :* degré de parenté empêchant
le mariage (**→ Empêchement**).

4 La proximité de parenté s'établit par le nombre de générations ; chaque génération s'appelle un degré.
Code civil, art. 735.

5 En ligne collatérale, les degrés se comptent par les générations, depuis l'un des parents jusques et non compris
l'auteur commun, et depuis celui-ci jusqu'à l'autre parent.
Ainsi, deux frères sont au deuxième degré ; l'oncle et le
neveu sont au troisième degré ; les cousins germains au
quatrième ; ainsi de suite. Code civil, art. 738.

6 (*L'Église*) a fini par déclarer empêchements *dirimants*
de mariage tous les degrés d'affinité correspondant aux
degrés de parenté où le mariage est défendu.
CHATEAUBRIAND, le Génie du christianisme, I, II,
10.

♦2 Vx. Grade, diplôme de l'enseignement. *Prendre,
avoir tous ses degrés.*

7 Mais quoi ! j'entends déjà plus d'un fier scolastique
Qui (...)
Curieux, me demande où j'ai pris mes degrés (...)
BOILEAU, Épîtres, XII.

Mod. (angl. *degree*).

7.1 À l'Université de Princeton pour recevoir le degré de Docteur honoris causa, encore un ! (...) Je reçois le degré en
même temps que le physicien Millikan.
CLAUDEL, Journal, 18 juin 1928.

♦3 Gramm. *Degré de comparaison ou de signification :* les trois formes de l'adjectif. **→ Positif ; comparatif, superlatif.**

♦4 Math. Exposant de la puissance à laquelle une
variable se trouve élevée, dans un monôme. *Le
degré d'un polynôme est le degré de son monôme
composant du plus haut degré. Équation du premier, du second degré,* dont l'inconnue est à la
première, à la seconde puissance. *Polynôme du
troisième degré en X.*

♦5 Techn. *Degré de fin d'une monnaie.* **→ Titre.**

♦6 (1834). **Méd.** *Brûlure du premier, second, troisième degré,* qui atteint l'épiderme, le derme. *Brûlé
au second degré.*

Ⅲ (Unité). **♦1** (1265). La 180ᵉ partie de l'angle plat,
ou la 360ᵉ partie de la circonférence. (Symb. : **∂**
ou **°**). *Angle de 360 degrés,* ou *angle plein. Angle
de 180 degrés,* ou *angle plat. Angle de 90 degrés,* ou
angle droit. Degré d'ampleur d'un arc. **→ Amplitude.**
Les sous-multiples du degré. **→ Minute, seconde.**
90 degrés équivalent à 100 grades*.

8 Si je veux mesurer un angle de soixante degrés, je décris
du sommet de cet angle, non pas un arc, mais un cercle

entier ; car avec les enfants il ne faut jamais rien sous-
entendre. ROUSSEAU, Émile, II.

Géogr. *La longitude et la latitude d'un point à la
surface de la terre s'évaluent en degrés.* **→ Latitude,
longitude.** *Un arc de méridien vaut un degré, quand
l'angle au centre vaut un degré* (**→ Coordonnées**).

9 (...) on ne voit rien de juste ou d'injuste qui ne change de
qualité en changeant de climat. Trois degrés d'élévation
du pôle renversent toute la jurisprudence ; un méridien
décide de la vérité (...) Plaisante justice qu'une rivière
borne ! Vérité au deçà des Pyrénées, erreur au delà.
PASCAL, Pensées, V, 294.

9.1 (...) il était midi à l'île Lincoln, quand il était déjà cinq
heures du soir à Washington. Or, le soleil, dans son mouvement apparent autour de la terre, parcourt un degré
par quatre minutes, soit 15° par heure. 15° multipliés par
cinq heures donnaient 75°.
J. VERNE, l'Île mystérieuse, t. I, p. 188.

♦2 (XVIIᵉ). **Mus.** Son de l'échelle diatonique par rapport aux autres (**→ Dominante, médiante, sensible,
tonique**). *Les degrés de la gamme*.* **→ Note.** *Degré
conjoint :* intervalle d'un seul degré entre deux
notes, sur la portée. *Degré disjoint :* intervalle de
plusieurs degrés entre deux notes. *Accroissement
progressif, de degré en degré.* **→ Gradation.**

10 (...) alors pour assurer la justesse de cette finale, on la
marque deux fois, en séparant cette répétition par une
troisième note, que l'on baisse d'un degré en manière de
note sensible (...) ROUSSEAU, Dict. de musique.

11 (...) le chant du cygne, un chant merveilleux tout trempé de
pleurs, montant jusqu'aux sommités les plus inaccessibles
de la gamme, et redescendant l'échelle des notes jusqu'au
dernier degré (...)
Th. GAUTIER, Fortunia, « Le nid de rossignols ».

♦3 (1685). **Sc.** Chacune des divisions d'une échelle
de mesure. *Diviser en degrés.* **→ Graduer.** *Degrés
d'un baromètre. —* **Cour.** Division d'une échelle de
température. *Degré Réaumur, degré Fahrenheit. —*
(En France, au Canada, 1975). **Absolt.** *Degré :* degré
centigrade, Celsius (symb. : *°C*), centième de la
différence entre la température de la glace fondante (0°) et celle de l'eau bouillante (100°). *La
température a baissé d'un degré. Le thermomètre
marque trente degrés à l'ombre. Les degrés Celsius
correspondent à (degrés Fahrenheit–32) 5/9. — Degré
absolu, degré Kelvin.* **→ Kelvin.**

12 (...) c'est ainsi qu'une demi-once de sel volatil d'urine et
trois onces de vinaigre, en fermentant, font baisser le thermomètre de neuf à dix degrés.
VOLTAIRE, Essai sur la nature du feu, II, III, 1.

13 De l'eau passe par une série de degrés quand de froide elle
devient tiède, puis brûlante. Le thermomètre les marque.
Le langage les exprime à sa façon et avec ses moyens.
BRUNOT, la Pensée et la Langue, IV, XVII, II, p. 682.

*Degré en alcool d'un liquide. Degré de concentra-
tion d'un alcool :* pourcentage d'alcool pur (nombre
de cm³ d'alcool pur par 100 cm³ de mélange).
→ Poids, titre. *Alcool à 90 degrés. Vin de 11, de
12 degrés. Degré alcoolique d'une liqueur. — Degré
acétique :* pourcentage d'acide acétique contenu
dans un vinaigre. — **Absolt.** *Vinaigre à sept degrés*
(7°). — *Degré hydrométrique*. — Degré Gay-Lussac :*
nombre de litres de chlore que peut dégager 1 litre
d'eau de Javel ou de chlorure de chaux. — *Degré
Baumé (°Bé) :* unité servant à évaluer la concentration des lessives de potasse, de soude. *Potasse
à 45 °Bé.*
Fig. « *Le degré zéro* de l'écriture* », titre d'un essai
de R. Barthes.

Ⅳ (Abstrait). Chacune des positions dans une hiérarchie, un système de valeurs. **♦1** (V. 1120). Niveau,
position dans un ensemble social hiérarchisé.
→ Échelon. *Les degrés de l'échelle sociale.* **→ Classe,**

niveau, position, rang. *Le plus bas degré, le plus haut degré de la hiérarchie sociale.*

14 Au plus bas degré, il y a les humbles, les *humiliores*, la plèbe des petites gens (...)
CARCOPINO (→ Classe, cit. 4).

Par ext. État intermédiaire. → **Gradation, nuance.**

15 Il est des degrés entre les pauvres comme entre les riches ; on peut aller depuis l'homme qui se couvre l'hiver avec son chien, jusqu'à celui qui grelotte dans ses haillons tailladés.
CHATEAUBRIAND, Mémoires d'outre-tombe, t. II, p. 85.

Les degrés, à l'intérieur d'une profession. → **Échelon, grade.** *Sa réclamation devra passer par tous les degrés hiérarchiques. Il a passé par tous les degrés* (→ Rang : sortir du rang.).

16 *(Maupertuis)* était arrivé par les degrés, de maréchal des logis des mousquetaires, jusqu'à les commander en chef (...) SAINT-SIMON, Mémoires, I, 23.

17 Tous ces artisans qui franchissent, s'ils valent, les trois degrés d'apprentis, de compagnons, de maîtres, s'affinent dans leurs états, se muent en de véritables artistes.
HUYSMANS, Là-bas, VIII, p. 120.

Degré de juridiction : place d'un tribunal dans la hiérarchie. → aussi ci-dessus II., 2. (grade, diplôme).

♦ **2** (Fig. de I., 1.). Chaque niveau par lequel on accède à ce qu'il y a de meilleur. Cf. *Les degrés de la gloire, de la fortune, des honneurs. Parvenir au plus haut degré de la célébrité, de son art ; à un degré éminent de gloire.* → **Cime, comble, culminant** (au point culminant), **faîte, sommet, summum ; éclat, épanouissement, maturité, plénitude.**

18 (...) à venir vous féliciter du haut degré de gloire où vous êtes monté.
MOLIÈRE, le Bourgeois gentilhomme, V, 3.

19 Mᵐᵉ de Lavardin met au premier degré de toutes ses louanges, la force héroïque que vous eûtes de partir (...)
Mᵐᵉ SÉVIGNÉ, Lettres, 1133, 4 févr. 1689.

20 Tout ce qui est mort et négation dans les philosophes, Dostoïevski l'a surpassé ; mais telle est sa grandeur, qu'il monte d'un degré encore. Il porte à la rédemption l'accablement des plus fatalités.
André SUARÈS, Trois hommes, «Dostoïevski», V, p. 265.

♦ **3** (XVIᵉ). État, dans une évolution. → **Stade.** *Le dernier degré de la perfection. Les trois degrés de l'humilité. Un extrême, un suprême degré de sagesse. Le dernier, le plus bas degré de l'abjection, de l'avilissement. À un si haut degré.* → **Point.** *Au même degré que...* → **Comme.** — *Cette ville avait passé* (cit. 33) *par tous les degrés de la barbarie.*

21 Deux choses vous vont faire voir l'éminent degré de sa vertu (...)
BOSSUET, Oraison funèbre de Marie-Thérèse d'Autriche, in LITTRÉ.

22 Ainsi que la vertu, le crime a ses degrés (...)
RACINE, Phèdre, IV, 2.

23 Les stoïques posent : Tous ceux qui ne sont point au haut degré de sagesse sont également fous et vicieux, comme ceux qui sont à deux doigts dans l'eau.
PASCAL, Pensées, VI, 360.

24 (...) je suis très bon enfant jusqu'à un certain degré, jusqu'à une frontière (celle de ma liberté).
FLAUBERT, Correspondance, II, p. 125.

25 Chaque souffrance n'est-elle pas fatalement un degré de plus vers la perfection ?
MARTIN DU GARD, les Thibault, t. II, p. 239.

Par anal. *Les degrés de la connaissance, du savoir.*

26 Dès qu'ils sont parvenus à un certain degré de culture et qu'ils ont le sentiment de leurs vertus, de leurs espoirs, les hommes supportent mal les restrictions qui leur sont imposées par le tyran national ou par la domination étrangère (...)
G. DUHAMEL, Scènes de la vie future, IV, p. 69.

→ **Transition.**

27 Mais dans l'art dangereux de rimer et d'écrire,
Il n'est point de degrés du médiocre au pire.
BOILEAU, l'Art poétique, IV.

Intensité relative d'un sentiment, d'une faculté de l'esprit. → **Point.** *Il est intelligent au plus haut degré. Un tel degré de passion est rare. Le dernier degré de l'insolence. Être heureux au suprême degré. Émotion qui atteint son plus haut degré, le degré le plus élevé.* → **Paroxysme.**

28 Le désespoir a des degrés remontants. De l'accablement on monte à l'abattement, de l'abattement à l'affliction, de l'affliction à la mélancolie.
HUGO, les Travailleurs de la mer, III, I, 1.

29 Au degré d'exaltation où il était parvenu, l'idée chez lui primait tout le reste, à un tel point que le corps ne comptait plus.
RENAN, Vie de Jésus, XVIII, in Œ. compl., t. IV, p. 275.

30 Un monde, où les sentiments sont portés au dernier degré de l'acuité et de l'ardeur, semble l'enfer de la souffrance et le paradis des fous.
André SUARÈS, Trois hommes, «Dostoïevski», III, p. 221.

31 D'ailleurs, pour juger une réaction comme celle-là, il faudrait commencer par pouvoir mesurer le degré de convoitise.
MARTIN DU GARD, les Thibault, t. IX, p. 85.

Loc. adv. PAR DEGRÉ OU **PAR DEGRÉS.** → **Graduellement, progressivement, successivement ; échelon** (par), **étape** (par), **fur** (au fur et à mesure), **palier** (par), **pied** (pied à pied), **proche** (de proche en proche). *S'avancer par degrés vers un but.* → **Acheminer** (s'). *Parvenir par degrés à tel état. Augmenter par degrés* (→ **Plus :** de plus en plus). *Diminuer par degrés* (→ **Moins :** de moins en moins).

32 (...) pour monter peu à peu comme par degrés jusques à la connaissance des plus composés (...)
DESCARTES, Discours de la méthode, II.

33 L'amour qui croît peu à peu et par degrés ressemble trop à l'amitié pour être une passion violente.
LA BRUYÈRE, les Caractères, IV, 13.

34 Lorsqu'un grand changement s'opère dans la condition humaine, il amène par degrés un changement correspondant dans les conceptions humaines.
TAINE, Philosophie de l'art, t. II, III, II, II, p. 22.

♦ **4** Niveau d'interprétation. *Au premier degré,* qui doit être compris à la lettre. *Au second degré,* qui présente deux niveaux d'interprétation, la deuxième incluant un commentaire (généralement sur le mode de la dérision) de la première.

35 De ma place, au café, de l'autre côté de la vitre, je vois Coluche qui est là, figé, laborieusement farfelu. Je le trouve idiot au second degré : idiot de jouer l'idiot (...) je ne ris d'aucun théâtre, fût-il décroché, je n'accepte aucun clin d'œil.
R. BARTHES, Fragments d'un discours amoureux, p. 106.

Loc. *Le deuxième degré :* l'appréciation d'une œuvre, d'un spectacle, etc. à un autre niveau — incluant distanciation, jugement sur le jugement social — que la relation directe et normale. → **Kitsch.**

36 C'est le produit d'un monde où les références ont envahi le réel au point que toute distance est impossible. Rien n'est connoté quand tout est connoté. Alors renaît la fraîcheur du regard. Bref, c'est la fin du deuxième degré, annoncée depuis quelque temps déjà par Coluche, prophète bleu en salopette, l'homme qui fit rire à la fois les racistes et les antiracistes, celui qui eut la suprême élégance d'assumer la vulgarité des autres (...)
«À bas le deuxième degré !» (badge édité par «Actuel»). *«Je suis un spectateur naïf. Surtout, je ne crois pas à l'existence de degrés... Toutes les images sont littérales et doivent être prises littéralement.»* C'est Gilles Deleuze qui parle du cinéma (...)
«Le concept de deuxième degré, c'est une manière de ne pas avouer qu'on aime le premier», dit Gilles Millet. *Il faut la*

crise des idéologies pour qu'on ose aimer le deuxième degré à cause du premier».
Alain SCHIFFRES, *in* le Nouvel Obs., 4 nov. 1983, p. 64.

DÉGRÉEMENT [degʁemɑ̃] n. m. — 1771; de *dégréer*.
Mar. Action de dégréer; son résultat.

DÉGRÉER [degʁee] v. tr. — 1672; *désagréer*, 1557; de 1. *dé-*, et *gréer*.
Mar. Dégarnir (un navire) de ses agrès (mâts supérieurs, vergues, manœuvres dormantes et courantes).
CONTR. Gréer. ◊ DÉR. Dégréement.

DÉGRÈNER [degʁene] v. tr. → 2. **Dégrainer.**

DÉGRESSIF, IVE [degʁesif, iv] adj. — 1903; du lat. *degressus*, de *degredi* «descendre», de *dé-* et *gradi* «marcher, avancer».
Qui va en diminuant. *Mouvement dégressif. Tarif, taux dégressif,* — Fisc. *Impôt dégressif,* dont le taux s'atténue à la base.

(...) souvent on fixe comme taux normal de l'impôt une proportion qui est appliquée aux grosses fortunes sans majoration ni atténuation, puis on taxe les revenus moyens à des taux inférieurs, décroissant jusqu'à ce qu'on arrive aux revenus minimes qui sont tout à fait exempts. C'est le système appelé impôt *dégressif*. Il ne diffère de l'impôt progressif que par le nom, si l'échelle des taux admis comporte des écarts étendus : dire qu'on taxe les petits revenus proportionnellement moins que les gros, au lieu de taxer les gros plus que les petits, est un simple jeu de mots.
C. COLSON, Cours d'économie politique, t. V, p. 253.
REM. À la différence de *dégression, dégressivité,* cet adj. est entré dans la langue banale, sinon courante.
CONTR. Progressif. ◊ DÉR. Dégression, dégressivité.

DÉGRESSION [degʁesjɔ̃, degʁɛsjɔ̃] n. f. — 1907; de *dégressif*.
Dr., admin. Diminution graduelle. — (1929). Spécialt. *Dégression de l'impôt :* caractère d'un impôt dont le taux diminue en même temps que les ressources des contribuables.

DÉGRESSIVITÉ [degʁesivite] n. f. — 1941; de *dégressif*.
Admin. Caractère de ce qui est dégressif. *La dégressivité d'un impôt.*

DÉGRÈVEMENT [degʁɛvmɑ̃] n. m. — 1733; de *dégrever*.
Action de dégrever. *Loi portant dégrèvement d'impôt. Accorder, prononcer un dégrèvement.* → **Décharge, réduction, remise.**
Mais quelle qu'en soit la base ou la forme, un dégrèvement qui soustrait à l'impôt, en totalité ou pour une fraction appréciable de leur montant, les très petits revenus entre lesquels se répartit la plus forte part du revenu national, entraîne une diminution considérable de la matière imposable.
C. COLSON, Cours d'économie politique, t. V, p. 250.

DÉGREVER [degʁəve] v. tr. [CONJUG.: *geler*.] — 1319, *degraver* «décharger»; repris 1792; de 1. *dé-*, et *grever*.
Décharger ce qui grève; alléger, atténuer la charge fiscale. *Dégrever un contribuable.* → **Décharger, exempter, exonérer.** *Dégrever les revenus modestes. Dégrever une industrie, un produit.*
1 Et le bien qu'il a fait ne tient pas seulement dans tant de lois excellentes qui ont dégrevé les pauvres de tant d'impôts sans faire courir aucun risque au budget (...)
PROUST, Jean Santeuil, Pl., p. 587.

Il n'y a pas de réformes sociales à faire; elles sont impossibles. Le paysan veut être dégrevé, l'ouvrier veut des retraites. Or, on ne pourrait pas établir les retraites sans grever le paysan. Alors? 2
J. RENARD, Journal, 14 août 1907.
CONTR. Alourdir, frapper, grever. ◊ DÉR. Dégrèvement.

DÉGRIFFER [degʁife] v. tr. — 1965; de 1. *dé-, griffe* et suff. verbal.
Enlever à (un vêtement, des chaussures, un accessoire...) la griffe* d'un couturier, et le commercialiser à un prix moins élevé.
◆ **DÉGRIFFÉ, ÉE** p. p. adj. Plus cour. *Articles dégriffés. Chaussures dégriffées. Robe dégriffée.* — N. m. (Collectif). *Du dégriffé. S'habiller en dégriffé. Boutique de dégriffé* (→ Dégriffeur).
DÉR. Dégriffeur.

DÉGRIFFEUR, EUSE [degʁifœʁ, øz] n. — 1950; de *dégriffer*.
Commerçant tenant une boutique spécialisée dans les articles dégriffés.

DÉGRIMER [degʁime] v. tr. — 1923, Radiguet, *in* T. L. F.; de 1. *dé-*, et *grimer*.
Enlever le grimage de. *Dégrimer un comédien.* → **Démaquiller.**

DÉGRINGOLADE [degʁɛ̃gɔlad] n. f. — 1804; de *dégringoler*.
Fam. **a** (Concret). Action de dégringoler; son résultat. → **Chute, culbute.** — Ensemble de choses tombant en cascade.
Et il y a, çà et là, des retombées de fleurs, comme des 1 dégringolades de bouquets ou de grappes roses, depuis le haut des arbres jusque par terre.
LOTI, l'Inde (sans les Anglais), III, X, p. 102.
b (Abstrait). *La dégringolade d'une entreprise.* → **Décadence, ruine.** *La dégringolade des cours en Bourse.* → **Chute.** — Déchéance (morale, etc.) rapide.
(...) une dégringolade française de quinze années (...) 2
Léon BLOY, le Désespéré, 1886 p. 20.

DÉGRINGOLANT, ANTE [degʁɛ̃gɔlɑ̃, ɑ̃t] adj. — xxᵉ; p. prés. de *dégringoler*.
Qui dégringole, menace de s'écrouler. → **Croulant.**
(...) un cimetière de machines, des gazomètres défoncés, des pyramides dégringolantes de tonneaux de goudron éventrés (...)
B. CENDRARS, Bourlinguer, p. 306.

DÉGRINGOLÉE [degʁɛ̃gɔle] n. f. — 1870, P. Larousse; de *dégringoler*.
Rare (un ex. de Taine, *in* G. L. L. F.). Ensemble de choses, d'êtres vivants qui dégringolent.

DÉGRINGOLER [degʁɛ̃gɔle] v. — 1662, *desgringueler*, 1595; de 1. *dé-*, et anc. franç. *gringoler* (1583), de *gringole* «colline», du moyen néerl. *crinc* «courbure».
I V. intr. **1** **a** (Concret). Descendre précipitamment. → **Rouler, tomber; débouler** (fam.), **dévaler.** *Dégringoler d'un toit, d'une pente. Il a dégringolé dans l'escalier.* → **Culbuter; cascade** (faire la cascade). — *Tomber* (choses). *Sa voiture a dégringolé dans le ravin. La toiture a dégringolé.* → **Affaisser** (s'), **ébouler** (s'), **écrouler** (s'). *L'eau dégringole en cascade.* — Fam. *Le baromètre dégringole,* baisse brutalement.
(...) nous examinons longuement des entonnoirs de 0.1 fourmis-lions, où nous faisons dégringoler de petites fourmis en pâture.
GIDE, Voyage au Congo, *in* Souvenir, Pl., p. 759.

b (Abstrait). *Entreprise qui dégringole.* → **Cabriole** (faire la cabriole), **culbute** (faire la culbute).

1 Les affaires sont dans le marasme, la Bourse dégringole (...)   SARTRE, le Sursis, p. 236.

(Personnes). → **Déchoir.**

2 Tous ceux qui se regardent comme au-dessus du niveau humain dégringolent au-dessous.
                    FLAUBERT, Correspondance, t. IV, p. 269.

Fam. et vx. Mourir.

♦ 2 (Choses). S'étendre en pente raide. → **Descendre, dévaler.**

3 Un joli bois de pins tout étincelant de lumière dégringole devant moi jusqu'au bas de la côte.
                    Alphonse DAUDET, Lettres de mon moulin, «Installation».

♦ 3 (D'un son). Tomber rapidement dans le grave.

II V. tr. (Personnes). Descendre très rapidement. *Dégringoler une pente.*

4 Il respira un grand coup, et, lestement, dégringola l'escalier.   MARTIN DU GARD, les Thibault, t. III, p. 212.

5 Heureusement, il arrive qu'un gamin dégringole les étages quatre à quatre, en faisant chanter la paume de sa main sur la rampe juste un peu grasse.
                    J. ROMAINS, les Hommes de bonne volonté, t. V, XIX, p. 143.

CONTR. Grimper, monter, remonter. ◊ **DÉR.** Dégringolade, dégringolant, dégringolée.

DÉGRIPPANT [degʀipɑ̃] n. m. — D. i.; p. prés. de *dégripper*, substantivé.

Substance capable de dégripper. *Une bombe de dégrippant pour serrure.* — Fig. : «*Enfin, le scrutin à la proportionnelle intégrale va jouer son rôle traditionnel de dégrippant électoral*» (*Libération*, 2 févr. 1984).

DÉGRIPPER [degʀipe] v. tr. — D. i. (mil. XXᵉ); de 1. *dé-*, et *gripper* (II., 2.).

Remédier aux effets du grippage; faire cesser le grippage de (un mécanisme).

1 Pierre-Edouard (...) repartit vers la faucheuse. Il lui consacra sa journée, la dégrippa au pétrole.
                    Claude MICHELET, Des grives aux loups, p. 220.

Par métaphore

2 Le levier avec lequel soulever le monde, le coin à enfoncer dans ce désordre nommé ordre, dans l'iniquité stupide, c'était dans ce mécanisme-là qu'il fallait l'enfoncer. Le communisme c'était cela, d'abord : dégripper la mécanique, le piège à mort, la misère qui engendre les fuyards de la misère, qui à leur tour engendrent l'aristocratie, qui à son tour engendre le mépris, qui accroît enfin la misère pour pouvoir «régner innocemment».
                    Claude ROY, Nous, p. 108.

DÉR. Dégrippant.

DÉGRISEMENT [degʀizmɑ̃] n. m. — 1823; de *dégriser*.

Action de dégriser; fait de se dégriser. — (Dégriser, 1.). *Un dégrisement pénible, difficile, suivi d'une gueule de bois* — (Dégriser, 2.). *Un dégrisement brusque, soudain, subit, total après de longues illusions.* — État d'une personne dégrisée.

DÉGRISER [degʀize] v. tr. — 1771; *se dégriser* «dissiper une illusion», 1580; de 1. *dé-*, et *griser*.

♦ 1 Tirer (qqn) de l'état d'ivresse. → **Désenivrer;** → pop. Dessouler. *L'air frais l'a dégrisé.*

1 Ah! ah! notre ami, cela vous contrarie et vous dégrise un peu!   BEAUMARCHAIS, le Barbier de Séville, II, 14.

2 Il était dégrisé, assurément; car il regardait profond et ses yeux étaient clairs.
                    LOTI, Mon frère Yves, LXVI, p. 156.

♦ 2 Fig. Détruire les illusions, les espérances, l'enthousiasme, l'exaltation (de qqn). → **Désillusionner.** *Le charme est rompu, le voilà tout dégrisé.*

3 Le jeune marchand drapier, en se réveillant, se trouve tout dégrisé de son courage de la veille.
                    NERVAL, la Bohème galante, «La main enchantée», p. 24.

♦ **SE DÉGRISER** v. pron.
Cesser d'être gris, ivre.

CONTR. Enivrer, griser. ◊ **DÉR.** Dégrisement.

DÉGROSSAGE [degʀosaʒ] n. m. — XVIIIᵉ; de *dégrosser*.

Techn. Action de dégrosser un lingot; résultat de cette action. → **Étirage.**

DÉGROSSER [degʀose] v. tr. — 1611; *desgrosser* «débrouiller le sens de», XIVᵉ; de 1. *dé-*, et *gros*.

♦ 1 Vx. Dégrossir.

♦ 2 (1680). Techn. *Dégrosser un lingot d'or, d'argent, le faire passer par la filière.* → **Amincir, étirer.**

DÉR. Dégrossage.

DÉGROSSIR [degʀosiʀ] v. tr. — 1611; de 1. *dé-*, et *gros*, d'après *grossir*.

♦ 1 Donner une première façon à (ce que l'on travaille par enlèvement de matière); enlever le plus gros de ce qui doit être soustrait à (l'objet que l'on façonne). → **Dégraisser, délarder, démaigrir.** *Dégrossir une poutre, une pièce de bois. Dégrossir une pièce de métal. Dégrossir un diamant.* → **Débrutir.** *Dégrossir le cuir.* → **Corroyer.** *Dégrossir un bloc de pierre, de marbre.*

1 Le peintre a couvert sa toile de figures, avant que le statuaire ait dégrossi son bloc de marbre.
                    DIDEROT, Observations sur la sculpture.

2 Le réalisable est un bloc qu'il faut dégrossir, et dont les rêveurs commencent le modèle.
                    HUGO, Notre-Dame de Paris, V, II.

♦ 2 Fig. Donner les éléments essentiels de... → **Ébaucher.** *Dégrossir un roman, un discours, en jeter les premiers éléments sur le papier. Dégrossir un travail, un ouvrage.* → **Débrouiller.**

3 Tout le faix des marches et des ordres de subsistances portait sur Puységur, qui même dégrossissait les projets.
                    SAINT-SIMON, Mémoires, 26, 42.

♦ 3 Fam. *Dégrossir quelqu'un,* lui donner des rudiments de formation, de savoir-vivre. → **Décrasser, dégauchir, désencroûter.** *Dégrossir un élève.* → **Débrouiller; commencer.**

♦ **SE DÉGROSSIR** v. pron.
Fig. Devenir moins grossier, plus raffiné... → **Civiliser** (se).

4 Quand une nation se dégrossit, elle est d'abord émerveillée de voir l'aurore ouvrir de ses doigts de rose les portes de l'Orient (...)   VOLTAIRE (→ Aurore, cit. 20).

♦ **DÉGROSSI, IE** p. p. adj.

♦ 1 *Pièce de bois dégrossie.* — Fig. *Travail déjà dégrossi.*

5 (...) la partie théorique, par quoi s'ouvre le livre, est pâteuse, pesante, mal dégrossie, sans presque aucun rapport avec le récit qui la suit.
                    GIDE, Journal, 10 sept. 1922.

♦ 2 Rare. Qui a reçu des rudiments. — Cour. (Loc.). **MAL DÉGROSSI** : grossier. *Individu mal dégrossi* (→ **Grossier, ignorant, rustre, sauvage**). — N. *Un mal dégrossi.*

6 (...) de petits rustres mal dégrossis, brutaux et canailles, aux voix rauques (...)
                    SARTRE, l'Âge de raison, IX, p. 134.

CONTR. (De *dégrossir*) **Fignoler, finir. — Abêtir. —** (Du p. p.) **Brut.** ◊ **DÉR. Dégrossissage** ou **dégrossissement.**

DÉGROSSISSAGE [degʀosisaʒ] ou DÉGROSSISSEMENT [degʀosismɑ̃] n. m. — 1799, *dégrossissage*; *dégrossissement*, 1578; de *dégrossir*.

Action de dégrossir; résultat de cette action. — Techn. Début de l'étirage au laminoir (→ **Dégrosser**).

DÉGROUILLER (SE) [degʀuje] v. pron. — 1900; de 2. *dé-*, et grouiller (se).

Fam. (lang. des écoliers). Se dépêcher. → **Grouiller** (2., et pron.). *Allons, dégrouille-toi*, et, absolt, *dégrouille! Par ici, dégrouille-toi!* — Maurice m'attrape par la manche et m'arrache à la cohue.
Joseph JOFFO, Un sac de billes, p. 43.

DÉGROUPEMENT [degʀupmɑ̃] n. m. — V. 1950, *Lexis*; de *dégrouper*.

Action de dégrouper; son résultat.

DÉGROUPER [degʀupe] v. tr. — 1935, techn.; de 1. *dé-*, groupe et suff. verbal, ou de *grouper*.

Didact. Diviser (des choses, des personnes groupées) en plusieurs ensembles.
Absolt (techn.). Répartir (ce qui était groupé).
Spécialt (ling.). Répartir (un ensemble d'emplois) en plusieurs entrées de dictionnaire.

DÉR. Dégroupement.

DÉGUENILLÉ, ÉE [deg(ə)nije] adj. — 1671, Mᵐᵉ de Sévigné; de 2. *dé-*, et guenille.

Qui est revêtu de vêtements en lambeaux, en guenilles. → **Dépenaillé, haillonneux, loqueteux.** *Un mendiant, un va-nu-pieds déguenillé.*
1 Les rois d'Espagne n'avaient jamais eu de gardes que quelques méchants lanciers déguenillés qui ne les suivaient pas. SAINT-SIMON, Mémoires, 126, 140.
2 L'un d'eux, très jeune, déguenillé comme un clochard, était attablé (...) MARTIN DU GARD, les Thibault, t. VI, p. 36.
N. *(Un déguenillé, une déguenillée). Une troupe de déguenillés.* → **clochard, misérable.**
3 (...) cette vénérable populace des déguenillés et des ignorants. HUGO, Shakespeare, II, IV, VI.

DÉGUERPIR [degɛʀpiʀ] v. — XIIᵉ; de 2. *dé-*, et anc. franç. *guerpir*, du francique **werpjan* «jeter».

A V. tr. (Anciennt). Dr. Abandonner la propriété, la possession de (un bien immeuble) pour se soustraire à une charge, à une servitude. → **Délaisser.** *Déguerpir un héritage.*

B V. intr. ♦ 1 Dr. (vx). Abandonner la propriété ou la possession de qqch., de ses biens. *Faire déguerpir un locataire. L'occupant a déguerpi.*
1 Il ne manquerait pas de me faire querelle;
Ce serait tous les jours procédure nouvelle,
Et je serais encor contraint de déguerpir.
J.-F. REGNARD, le Légataire universel, IV, 6.

♦ 2 Mod. et cour. Abandonner* précipitamment la place, s'en aller* en fuyant. → **Décamper, enfuir** (s), **filer, fuir, quitter** (la place), **retirer** (se), **sauver** (se); **camp** (ficher le camp; lever le camp), **escampette** (prendre la poudre d'escampette), **pied** (lever le pied). *Faire déguerpir quelqu'un.* → **Chasser.** *L'ennemi a déguerpi à la nuit tombante.* → **Échapper** (s'). *Recevoir l'ordre de déguerpir au plus vite.*
2 Les septembriseurs, ayant changé de nom et de quartier, s'étaient faits marchands de pommes cuites au coin des bornes; mais ils étaient souvent obligés de déguerpir,

parce que le peuple, qui les reconnaissait, renversait leur échoppe et les voulait assommer.
CHATEAUBRIAND, Mémoires d'outre-tombe, t. II, p. 175.
3 L'ordre a été reçu tout à coup, fort inopinément, de déguerpir; de partir sans rien emporter que le plus strict nécessaire (...) GIDE, Journal, 10 mai 1943.

CONTR. Demeurer, installer (s'), **rester.** ◊ **DÉR. Déguerpissement.**

DÉGUERPISSEMENT [degɛʀpismɑ̃] n. m. — 1308, *dégarpissement*; de *déguerpir*.

♦ 1 Dr. Abandon volontaire ou forcé d'une propriété, d'un héritage; sommation de déguerpir. → **Délaissement.**
♦ 2 Rare. Action de déguerpir.

DÉGUEULANDO [degœlɑ̃do] adv. et n. m. — D. i.; de *dégueuler*, sur le modèle des termes de musique empr. à l'ital. (ex. : *glissando*).

Fam. En détonnant vers le grave. — N. m. *Un dégueulando de trombone.* → **Glissando.**
1 Jacques a choisi *Dans vos yeux*, un tango à dégueulandos dont elle raffole. Roger IKOR, À travers nos déserts, p. 88.
2 Mais le vieux phono, sur un dégueulando, s'arrête.
Hervé BAZIN, les Bienheureux de la désolation, p. 33.

DÉGUEULASSE [degœlaʃ] adj. — 1867, *dégueulas*; de *dégueuler*.

♦ 1 Fam. **a** Sale, répugnant. → **Dégoûtant.** *Ces cabinets sont dégueulasses! Nettoie un peu ce peigne, il est dégueulasse!*
b Très mauvais. → **Infect.**
0.1 *Plan d'ensemble sur les hommes, leur gamelle à la main.*
ROLAND. Elle n'est pas mangeable.
GASPARD. En effet, ça m'a l'air ignoble.
MONSEIGNEUR. C'est simplement dégueulasse.
Roland jette sa soupe dans les tinettes.
J. BECKER et J. GIOVANNI, Dialogues du film Le Trou, in l'Avant-scène, nᵒ 13, p. 10, 1962.

♦ 2 Par ext. Fam. Très désagréable, contrariant (→ **Écœurant; dégoûtant**). *Un temps dégueulasse :* un très sale temps. *C'est un travail dégueulasse,* très mal fait, très mauvais. *Un plat dégueulasse,* très mauvais. *Un matériel dégueulasse.* → **Pourri.**
1 C'est dégueulasse. Le dernier cheval¹ a complètement bousillé ce rabot. Boris VIAN, l'Équarrissage pour tous, I, p. 225.
1. C'est l'équarrisseur qui parle.
2 Je ne prendrais plus leurs comprimés dégueulasses, c'était décidé! Quand la dame viendrait je ferais semblant d'avaler le comprimé mais je ne l'avalerais pas (...) Marie CARDINAL, les Mots pour le dire, p. 27.
Fam. *C'est pas dégueulasse :* c'est très bon, très réussi (→ C'est pas cochon*).

♦ 3 Inacceptable et infâme (moralement) → **Ignoble, infect, moche.** *C'est dégueulasse, ce qu'il a fait là. Un article, un livre dégueulasse* (ambigu avec le sens 2).
(Personnes).
2.1 — Quand t'étais jeune, t'étais sûrement pareil..., aussi dégueulasse que maintenant...
VALENTIN. Dégueulasse..., moi?... Dégueulasse!... Et pourquoi pas..., après tout?... Ça a ses avantages. *(Reprenant de l'assurance et visiblement heureux de voir souffrir l'autre.)* Toi, tu n'es pas dégueulasse..., tu es honnête..., tu es simple..., tu es confiant... *(Se retournant vers lui.)* C'est joli, la confiance!
J. PRÉVERT, Dialogues du film Le jour se lève, in l'Avant-scène, nᵒ 53, p. 38.
N. *C'est un, une dégueulasse.* → **Salaud, salope.**
3 Vous parlez, mademoiselle, d'un dégueulasse que ce mousquetaire-là. P. MAC ORLAN, la Bandera, p. 10.

Abrév. fam. (dans toutes les acceptions). *Dégueu* [degø]. *C'est pas dégueu!* «*Ce qui est "dégueu", c'est pas les tricheurs : "C'est les mecs qui se cachent pour pas qu'on copie sur eux*"» (*le Nouvel Obs.*, n° 866, 15-21 juin 1981, p. 55).

DÉR. Dégueulasser, dégueulasserie.

DÉGUEULASSER [degœlase] v. tr. — 1963, *in* D.D.L.; de *dégueulasse.*

Fam. Salir énormément. *Tu as dégueulassé tes chaussures, en marchant dans cette boue.*

Pron. :

1 C'est que si on tombe, on va se dégueulasser.
   Georges CONCHON, l'Amour en face, p. 224.

Figuré :

2 Notre amour, tu le salis, Marthe, tu le dégueulasses !
   René FALLET, Y a-t-il un docteur dans la salle ?, p. 164.

DÉGUEULASSERIE [degœlasʀi] n. f. — 1920; de *dégueulasse.*

Fam. Caractère de ce qui est dégueulasse; saleté physique ou ignominie morale. → **Saloperie.**

1 (...) dégoûtés de l'Europe, de la grande dégueulasserie dont vous n'avez pas choisi d'être les témoins.
   Aimé CÉSAIRE, Disc. sur le colonialisme, p. 69.

(Une, des dégueulasseries). Parole ou acte ignoble; chose répugnante.

2 (...) il aurait pu dresser la liste de toutes les veuleries, toutes les dégueulasseries, les malhonnêtetés dont Joël s'était glorifié.
   Gabriel BARRAULT, la Foire aux crabes, p. 170.

DÉGUEULATOIRE [degœlatwaʀ] adj. — 1920; de *dégueuler.*

Fam. et vulg. Qui fait dégueuler, donne envie de vomir. → **Vomitif.** *Cette mixture est passablement dégueulatoire!*

DÉGUEULEMENT [degœlmã] n. m. — 1863; de *dégueuler.*

♦ **1** Pop. et vx. Action de dégueuler. → **Dégobillage.**

♦ **2** Techn. (charpente). → Arêtier, cit.

DÉGUEULER [degœle] v. tr. — 1680; *desgueuller* «parler», 1482; de 1. *dé-*, *gueule*, et suff. verbal.

♦ **1** Fam. et vulg. → **Vomir; dégobiller.** *Dégueuler son repas.*

1 On m'a dit de prendre du chocolat le matin. Mais, sauf votre respect, je le dégueulais. Ça n'est pas propre d'abord. Et puis, dans ces conditions-là, ça ne profite pas.
   J. ROMAINS, les Copains, II, p. 91.

Absolument :

2 Tu vas encore rentrer rond comme une soucoupe. Tu vas dégueuler dans l'escalier comme avant-hier.
   M. AYMÉ, le Vin de Paris, «La bonne peinture», p. 205.

3 *(Le nain)* tituba jusqu'à la cuisine et, sur le carreau, dégueula. Après les premiers jets, Théo le guida jusqu'aux cabinets. Bien malade, le nabot. L'estomac vidé, il se jeta sur son lit (...) R. QUENEAU, le Chiendent, p. 404.

Fig. *C'est à dégueuler :* c'est très mauvais, infect, dégueulasse*. → **Chier** (à).

♦ **2** Fig. et vieilli. *Dégueuler des injures contre quelqu'un.* → **Débagouler, vomir.**

DÉR. Dégueulando, dégueulasse, dégueulatoire, dégueulement, dégueulis.

DÉGUEULIS [degœli] n. m. invar. — 1790, *in* D.D.L.; de *dégueuler* «vomir».

Vulg. Ce qui est vomi; vomissure. *Des dégueulis d'ivrogne.*

1 Je ne m'installe pas à côté de vous, expliqua-t-il, parce que je sens le dégueulis. J'en ai mis plein mes élégants souliers à boucles. Boris VIAN, l'Automne à Pékin, p. 146.

2 Sur les motifs fastidieux du tapis, la banane composait une tache ignoble; malgré mes coups de pied, elle existait encore (...) Elle ressemblait à un excrément pâle, à du dégueulis de pékinois.
   Jacques LAURENT, les Bêtises, p. 93.

Par comparaison :

3 Blackpool, un vrai dégueulis de lumières criardes (...) n'était plus à la mode depuis vingt ans.
   Michel DÉON, les Poneys sauvages, p. 27.

DÉGUISEMENT [degizmã] n. m. — Fin XIIᵉ; de *déguiser.*

♦ **1** Action de déguiser, fait de se déguiser. → **Travestissement.**

♦ **2** Ce qui sert à déguiser quelqu'un. Vêtements qui déguisent. *Un déguisement de carnaval*, de bal* masqué, de mascarade*. → **Accoutrement, costume, masque, travesti, travestissement.** *Il est méconnaissable sous un tel déguisement.*

1 Ne vois-tu pas à mon déguisement, que je veux être inconnu ?
   BEAUMARCHAIS, le Barbier de Séville, I, 2.

2 (...) il ne reconnaissait jamais les femmes; il disait que chaque robe nouvelle est un autre déguisement et qu'elles n'ont jamais fini de se travestir.
   F. MAURIAC, le Mal, VIII, p. 118.

♦ **3** Fig. (vx ou littér.). Action de cacher, de modifier pour tromper; ce qui cache ou modifie pour tromper. → **Artifice, camouflage, couverture, dissimulation, fard, feinte, feintise, masque, travestissement.** *Le déguisement de la pensée. Parler sans déguisement,* ouvertement, simplement, à visage découvert, franchement. *Déguisement de la vérité.*

3 Il n'est point de déguisement qui puisse longtemps cacher l'amour où il est, ni le feindre où il n'est pas.
   LA ROCHEFOUCAULD, Maximes, 70.

4 Au milieu des déguisements et des artifices qui règnent parmi les hommes, il n'y a que l'attention et la vigilance qui nous puissent sauver des surprises.
   BOSSUET, Politique tirée de l'Écriture, V, II, 2.

5 (...) il ne savait point discerner les hommes droits et simples qui agissent sans déguisement (...)
   FÉNELON, Télémaque, III.

6 Il n'y a pas de déguisement sous coquetterie et il faut autant de soins, autant de vigilance, pour s'enlaidir à toute heure que pour se parer.
   COLETTE, la Vagabonde, II, p. 122.

CONTR. Franchise, parler (franc-parler), **simplicité, sincérité, vérité.**

DÉGUISER [degize] v. tr. — 1155; de 1. *dé-*, *guise* «manière d'être», et suff. verbal.

♦ **1** Vêtir, recouvrir (qqn) de manière à rendre méconnaissable. → **Accoutrer, affubler.** *Déguiser un homme en femme.* → **Travestir.** *Déguiser des enfants, le jour du carnaval. Les oripeaux qui le déguisaient.*

1 Supposez un original qui s'habille aujourd'hui à la mode d'autrefois : notre attention est appelée alors sur le costume, nous le distinguons absolument de la personne, nous disons que la personne se déguise (comme si tout vêtement ne déguisait pas), et le côté risible de la mode passe de l'ombre à la lumière.
   H. BERGSON, le Rire, p. 30.

2 Dès que je vis que ma mère me laisserait y aller, dès que j'eus cette fête en perspective, l'idée de devoir me déguiser me mit la tête à l'envers.
   GIDE, Si le grain ne meurt, I, III, p. 88.

◆**2** Modifier pour tromper. → **Cacher, camoufler, changer, dissimuler, farder, habiller, maquiller.** *Déguiser son visage* (→ Cosmétique, cit. 1). *Déguiser sa voix.* → **Contrefaire, dénaturer.** *Déguiser son écriture.* — *Déguiser son embarras.* → **Change** (donner le change), **contenance** (se donner une contenance).

3 *(Elle veut)* (...) du voile pompeux d'une haute sagesse
De ses attraits usés déguiser la faiblesse.
                                    MOLIÈRE, Tartuffe, I, 1.

4 J'ai des secrets pour déguiser ton visage et ta voix.
                    MOLIÈRE, les Fourberies de Scapin, I, 5.

5 Seigneur, je ne vous puis déguiser ma surprise.
                                    RACINE, Mithridate, III, 1.

6 De toutes parts, des montagnes de schiste s'élèvent en amphithéâtre, elles déguisent leurs flancs rougeâtres sous des forêts de chênes (...)
                    BALZAC, les Chouans, I, Pl., t. VII, p. 772.

◆**3** (Abstrait). Littér. Cacher sous des apparences trompeuses ; taire ou modifier pour tromper*. *Déguiser la vérité.* → **Arranger, couvrir** (→ cit. 26), **enrober, farder, masquer, voiler.** *Déguiser ses sentiments, ses désirs.* → **Taire** (→ Cruel, cit. 1). *Déguiser sa pensée.* → Autoriser, cit. 5. *Déguiser ses défauts* (→ Confesser, cit. 10). *Déguiser ses erreurs, ses fautes* (→ **Pallier**). *Ne rien déguiser.* → **Cacher, celer** ; → Prétendre, cit. 18. — Vx. Dissimuler.

7 Je ne puis déguiser que j'ai peine à vous suivre.
                                    CORNEILLE, Polyeucte, II, 6.

8 Nos vertus ne sont le plus souvent que des vices déguisés.
                    LA ROCHEFOUCAULD, Réflexions morales, Exergue.

9 Ils ne se servent de la pensée que pour autoriser leurs injustices, et n'emploient les paroles que pour déguiser leurs pensées.
                    VOLTAIRE, Dial. du chapon et de la poularde.
N.B. La formule «La parole a été donnée à l'homme pour déguiser sa pensée» est attribuée à Talleyrand (cf. GUERLAC, p. 222, note 6).

10 Elle avait là-dessus une simplicité de cœur, une franchise plus éloquente que des ergoteries, et qui souvent embarrassait jusqu'à son confesseur, car elle ne lui déguisait rien.   ROUSSEAU, les Confessions, VI.

11 Et que lui voulez-vous ! répondit Germain sans chercher à déguiser sa colère.
                    G. SAND, la Mare au diable, XIV, p. 119.

12 (...) des paroles empreintes d'une feinte indifférence sous laquelle je tâchai de déguiser mon énervement. Mais elle l'avait dépisté.
                    PROUST, À la recherche du temps perdu, t. XI,
                                                        p. 111.

13 Elle souriait, conquise par cet air d'enfant avide qui ne sait déguiser ses désirs.
                    MARTIN DU GARD, les Thibault, t. II, p. 167.

Absolt (vieilli). *Parler sans déguiser.* → **Dissimuler.**

14 Le renard étant proche : «Or çà, lui dit le sire,
Que sens-tu ? dis-le moi.» Parle sans déguiser.»
                    LA FONTAINE, Fables, VII, 7.

15 *(On sait tout)* Et vouloir déguiser est un soin inutile.
                    MOLIÈRE, le Dépit amoureux, III, 9.

◆ **SE DÉGUISER** v. pron.

Cour. S'habiller de manière à être méconnaissable. → **Travestir** (se). *Se déguiser en mousquetaire, en gentleman-cambrioleur.*

16 (...) je m'étais déguisé en clochard, et on me voyait errer dans les galeries avec mes loques et ma musette.
                    J. ROMAINS, les Hommes de bonne volonté, t. II,
                                            XVIII, p. 206.

Loc. (Par plais.). *Se déguiser en cerf.* → **Enfuir** (s'). *Se déguiser en courant d'air*.*

Se déguiser à qqn (vieilli). → **Cacher, dissimuler** (se).

17 Nous sommes si accoutumés à nous déguiser aux autres, qu'enfin nous nous déguisons à nous-mêmes.
                    LA ROCHEFOUCAULD, Maximes, 119.

◆ **DÉGUISÉ, ÉE** p. p. et adj.

◆**1** Revêtu d'un déguisement. *Un homme déguisé en femme* (→ **Travesti**). *Déguisé de la sorte, personne ne le reconnaîtra* (→ Connaître, cit. 46).

◆**2** Fig. *Un orgueil déguisé. Une ambition déguisée.*

18 J'ai cru que notre mariage n'était qu'un adultère déguisé.
                                    MOLIÈRE, Dom Juan, I, 3.

19 Ce qui paraît générosité n'est souvent qu'une ambition déguisée (...)   LA ROCHEFOUCAULD, Maximes, 246.

20 *(La Rochefoucauld)* est comme un Philinte vieilli, retiré, ne se souciant plus d'aller dans le monde promener ses railleries déguisées en compliments (...)
                    Émile FAGUET, Études littéraires, XVIIe s.,
                                    La Rochefoucauld, III, p. 208.

◆**3** Dr. Qui trompe sur la nature d'une convention. *Donation déguisée,* faite sous la forme d'un contrat onéreux, ou sous le nom d'une personne interposée.

◆**4** **FRUITS DÉGUISÉS,** préparés au sucre, fourrés aux amandes (dattes, pruneaux, cerises, etc.). *Fruits déguisés servis comme petits fours.*

CONTR. (Du sens 3.) **Avouer, confesser, dire, montrer, reconnaître.** ◇ **DÉR. Déguisement.**

DÉGURGITER [degyʀʒite] v. tr. — 1839 ; de 1. *dé-*, et *(in)gurgiter.*

Rendre intacts (les aliments avalés). → **Vomir ; régurgiter.**

(...) je vis un avaleur de poissons rouges et de grenouilles. Spectacle on ne peut plus pénible (...) Le voici qui fait le tour de la piste, dégurgitant tour à tour grenouilles ou poissons, tout l'aquarium qu'il avait avalé.
                    GIDE, Ainsi soit-il, *in* Souvenirs, Pl., p. 1186.

Fig. *Il dégurgite tout ce qu'il a appris, à son oral d'examen.*

On rencontre le dérivé *dégurgitation* [degyʀʒitasjɔ̃] n. f.

CONTR. Ingurgiter.

DÉGUSTATEUR, TRICE [degystatœʀ, tʀis] n. — 1793 ; de *déguster.*

Personne qui déguste (qqch.). — Spécialt. Personne dont le métier est de déguster les vins, les tabacs.

Un dégustateur de bordeaux qui dit d'un vin *qu'il fait la queue de paon dans la bouche* s'égale à plus d'un poète (...)
                    VALÉRY, Regards sur le monde actuel, p. 261.

DÉGUSTATION [degystasjɔ̃] n. f. — 1519 ; lat. *degustatio,* du supin de *degustare.* → **Déguster.**

Action de déguster (qqch.). *Dégustation de coquillages, d'huîtres. La dégustation d'un foie gras par un gastronome.*

Certes, la langue joue un grand rôle dans le mécanisme de la dégustation.
                    BRILLAT-SAVARIN, Physiologie du goût, II, 7, t. I,
                                                        p. 50.

Dégustation aveugle, à l'aveugle : dégustation d'un produit sans que le consommateur soit informé de son origine. «*Chaque participant peut apporter une ou deux bouteilles (...) on entoure la bouteille d'une feuille de papier sur laquelle on marque un numéro. Chacun note les vins en les goûtant. On appelle ça une "dégustation à l'aveugle". Les trois ou quatre vins qui ont obtenu le plus de points sont regoûtés, à découvert, en tenant compte cette fois de leur prix*» (Cosmopolitan, n° 121, déc. 1983, p. 56).

Spécialt. Le fait de juger en goûtant (les vins, les tabacs...). → **Dégustateur.**

DÉGUSTER [degyste] v. tr. — 1802; lat. *degustare*, de *de-* et *gustare* «goûter», de *gustus*. → Goût.

◆ **1** Goûter (du vin, une liqueur, du tabac...) pour juger de la qualité. — Absolt. *Son métier est de déguster* (→ **Dégustateur**).

◆ **2** Apprécier (une boisson, un aliment). → **Savourer**. Boire ou manger avec grand plaisir. *Déguster un bon vin, un vieil alcool. Déguster des friandises.*

1 — Je viens déguster... — Des coquillages?...
PAGNOL, *Marius*, I, 4 (→ Coquillage, cit. 2).

Absolument :

2 Haverkamp dégusta, par gorgées espacées.
J. ROMAINS, les Hommes de bonne volonté, t. V, x, p. 81.

Par métaphore ou fig. → **Apprécier; délecter** (se), **régaler** (se).

3 Alors à bout de forces, il se laissait tomber dans un grand fauteuil, et, le corps abandonné, la paupière à demi-close, il dégustait son péché par petits coups (...)
Alphonse DAUDET, Lettres de mon moulin, «L'élixir du révérend père Gaucher».

4 — (...) Je me rappelle même une interview, plus tard, du ministre Thomson, que j'ai dégustée dans le train qui m'amenait de Saint-Étienne...
J. ROMAINS, les Hommes de bonne volonté, t. III, II, p. 36.

5 Pour le moment, il dégustait comme un plat fin cette liberté spécieuse qu'il venait de retrouver (...)
P. MAC ORLAN, la Bandera, XIX, p. 229.

◆ **3** (1916). Fam. *Déguster des coups, des injures...*
Intrans. Être accablé de coups, d'injures... *Qu'est-ce qu'on a dégusté!* → **Subir, supporter.** — Souffrir. *Qu'est-ce que j'ai dégusté, chez le dentiste!*

6 Ah pardon! dit le soldat, qu'est-ce qu'ils dégustent! Il était tout excité. C'était un match. Le plus fort gagnait, forcément.
Robert MERLE, Week-end à Zuydcoote, p. 149.

◆ **SE DÉGUSTER** v. pron.
(Sens passif). Être dégusté, apprécié. *Le vin se déguste mieux après le fromage.*

DÉR. **Dégustateur.**

DÉHALAGE [dealaʒ] n. m. — xxᵉ; de *déhaler*.
Techn. Action de déhaler, de se déhaler. *Le déhalage d'une embarcation, d'un canot.*

DÉHALER [deale] v. tr. — 1529; de 1. *dé-*, et 1. *haler*.
Techn. (navigation). Déplacer (un navire) au moyen de ses amarres. *Déhaler un navire hors d'une passe.*

1 Il y eut un raclement et l'étrave de l'embarcation se souleva avant de s'immobiliser. Les hommes sautèrent dans le déferlement et entreprirent de déhaler la chaloupe hors de portée de la marée montante.
M. TOURNIER, Vendredi ou les Limbes du Pacifique, p. 235.

◆ **SE DÉHALER** v. pron.

◆ **1** S'éloigner, se retirer d'une position dangereuse, en parlant d'un navire.

2 Après, ils amenèrent des embarcations pour mouiller des ancres, essayer de se déhaler, en réunissant toutes leurs forces sur des amarres — une rude manœuvre qui dura dix heures d'affilée (...)
LOTI, Pêcheur d'Islande, I, XII, p. 129.

◆ **2** (1883; Corbière, *in* D.D.L.). Fig. (argot mar.). Avancer, marcher (personnes).

DÉR. **Déhalage.**

DÉHÂLER [deale] v. tr. — 1690, deshaler; de 1. *dé-*, et *hâle* ou *hâler*.
Rare. Faire disparaître le hâle de (le teint, la peau, une partie du corps, qqn).

DÉHANCHEMENT [deɑ̃ʃmɑ̃] n. m. — 1693; de *déhancher (se)*.

◆ **1** Mouvement d'une personne qui se déhanche.
Le Primauguet filait très vite et se secouait dans sa course, avec ce déhanchement souple et vigoureux des grands coureurs.
LOTI, Mon frère Yves, XC, p. 216.

◆ **2** Position d'un corps qui se déhanche (2.). *Le déhanchement d'une statue.* → **Hanché.**

DÉHANCHER [deɑ̃ʃe] v. tr. — 1555; de 1. *dé-*, et *hanche*.

◆ **1** Rare. Disloquer, déboîter les hanches de (qqn).

◆ **2** Porter (qqch.) en l'appuyant sur la hanche.
Une petite bonne qui déhanche une bassine pleine de linge, s'enfuit en tournant la tête quand je lui demande où se trouve une trattoria.   0.1
Michel DÉON, Tout l'amour du monde, p. 259.

◆ **SE DÉHANCHER** v. pron.

◆ **1** Se déboîter* la hanche (le sujet désigne un cheval).

◆ **2** Cour. (Personnes). Se balancer sur ses hanches, en marchant. → **Dandiner** (se), **tortiller** (se). *Se déhancher avec affectation.*

C'est un diable d'homme assez bizarre, grand, sec, à nez crochu, sanglé, botté, coiffé haut, qui se déhanche en marchant avec des airs d'acrobate et une certaine mine de mauvais sujet.   1
E. FROMENTIN, Un été dans le Sahara, p. 92.

Fig. et vx. Se donner du mal avec affectation. → **Démener** (se).

◆ **3** Faire reposer le poids du corps sur une jambe (l'autre étant légèrement fléchie, et la saillie de la hanche étant accentuée).

◆ **DÉHANCHÉ, ÉE** p. p. adj.

◆ **1** *Cheval déhanché,* dont la hanche est déplacée, abaissée à la suite d'une fracture de l'os iliaque.

◆ **2** (Personnes). Qui ne semble pas d'aplomb sur ses hanches; qui se balance sur ses hanches avec affectation. — Fig. :
La raison va toujours et torte, et boiteuse, et déhanchée.   2
MONTAIGNE, les Essais, II, 12.

◆ **3** Qui se déhanche (3.). — Par ext. :
Son corps est légèrement déhanché, reposant davantage   3
sur la jambe droite, la gauche un peu fléchie et le genou ramené en avant par-dessus l'autre genou.
A. ROBBE-GRILLET, la Maison de rendez-vous, p. 139.

CONTR. (De *se déhancher*) **Raidir** (se). — (Du p. p.) **Raide.**
◊ DÉR. **Déhanchement.**

DÉHARNACHER [dearnaʃe] v. tr. — 1380, *desharnaquier; deshernechier* «ôter les cordes qui serraient les voiles sur les vergues», v. 1155; de 1. *dé-*, et *harnacher*.
Ôter le harnais de (un cheval).

◆ **SE DÉHARNACHER** v. pron.
(1845). Fig. et fam. Se débarrasser de vêtements ou d'accessoires encombrants ou gênants.

CONTR. **Harnacher.**

DÉHISCENCE [deisɑ̃s] n. f. — 1798; de *déhiscent*.

◆ **1** Bot. Ouverture d'organes déhiscents.
C'est l'époque de la déhiscence, comme dirait M. Bonnier :   1
le fruit s'ouvre et les graines sautent.
G. DUHAMEL, Chronique des Pasquier, t. III, p. 221.

◆ **2** Par métaphore. Littér. et rare. Séparation.
(...) l'âge où l'adolescent doit se détacher par une sorte de   2
déhiscence (...) de cette communauté caduque qui fut la forme infantile de ses rapports familiaux.
E. MOUNIER, Traité du caractère, p. 103.

CONTR. **Indéhiscence.**

DÉHISCENT, ENTE [deisɑ̃, ɑ̃t] adj. — 1798 ; lat. bot. *dehiscens*, de *dehiscere* «s'ouvrir», de *de-*, et *hiscere*, de *hiare* «se fendre» (→ Hiatus).

Bot. Se dit des organes clos (anthères, fruits) qui s'ouvrent d'eux-mêmes pour livrer passage à leur contenu. *Les valves, pièces du péricarpe des fruits déhiscents. Le colchique, l'iris, le pavot, le tabac ont des fruits déhiscents.*

CONTR. Indéhiscent. ◊ **DÉR. Déhiscence.**

DÉHONTÉ, ÉE [deɔ̃te] adj. — V. 1175 ; de 1. *dé-*, et *honte.*

Vx. Éhonté, impudent. → **Éhonté.**

Quoi, la fortune publique sera entre les mains de fripons déhontés qui n'ont pas plus d'ordre que les dissipateurs-escrocs ?
     MARAT, l'Ami du peuple, 2 déc. 1791,
     in D.D.L. II, 11.

DEHORS [dəɔʀ] prép., adv. et n. m. — XIIᵉ ; altér. de *defors*, Xᵉ, du bas lat. *deforis*, de *de-*, et *foris* (→ Fors), d'après *hors.*

I ♦ **1** Prép. de lieu. Vx. À l'extérieur de, hors de... *Dehors la maison.* — Mod. **En dehors de... :** à l'extérieur de... (*Dehors* est à la fois adverbe et préposition jusqu'au XVIIᵉ s. → Dedans, I., 1., REM.).

1   À proprement parler, Dieu n'est ni dedans, ni dehors le monde,
     FÉNELON, Traité de l'existence de Dieu, II, 5.

♦ **2** Adv. de lieu. Mod. À l'extérieur ; hors du lieu, de la chose dont il s'agit. → **Extérieurement ; ailleurs, delà, loin,** et les préf. **ex-, extra-.** *Aller dehors.* → **Sortir.** *Il fait meilleur chez soi que dehors. Rester, coucher dehors,* à l'extérieur, en plein air, à la belle étoile... *Je serai dehors toute la journée,* hors de chez moi (→ **Absent**). *Mettre quelqu'un dehors,* le faire sortir. — Loc. *Il fait un temps à ne pas mettre un chien dehors,* un temps exécrable. — *Qui conduit dehors.* → **Déférent.** *Qui sort, qui avance dehors.* → **Saillant.**

2   L'honneur ressemble une île escarpée et sans bords
   On n'y peut plus rentrer dès qu'on en est dehors.
     BOILEAU, Satires, X.

3   Ô Ciel ! que l'heure de manger
   Pour être mis dehors est une maudite heure !
     MOLIÈRE, Amphitryon, III, 6.

4   Dehors il pleut, ici il ne pleut pas ; dehors il fait froid, ici il n'y a pas une miette de vent ; dehors il y a des tas de monde, ici il n'y a personne ; dehors il n'y a même pas la lune, ici il y a ma chandelle (...)
     HUGO, les Misérables, IV, VI, II.

Fig. *Mettre, jeter, ficher, flanquer, foutre qqn dehors.* → **Chasser, congédier, renvoyer ; porte** (mettre à la porte). *On l'a mis dehors et il cherche un nouvel emploi. Mettre dehors un employé indélicat.*

5   Écoutez, Toinette, si vous fâchez jamais mon mari, je vous mettrai dehors.
     MOLIÈRE, le Malade imaginaire, I, 6.

Mar. Au large*, en pleine mer. *La mer est grosse dehors* (Académie). — Loc. *Toutes voiles* dehors.*

♦ **3** Loc. adv. **LÀ-DEHORS** (vx) : à l'extérieur de ce lieu.

6   (...) voulez-vous vous en aller là-dehors, petit fripon ?... là-dehors, en termes de personnes de qualité, veut dire l'antichambre.
     MOLIÈRE, la Comtesse Escarbagnas, 2.

DE DEHORS : de l'extérieur. *Il vient de dehors. La fenêtre s'ouvre de dehors en dedans. On l'appela de dehors.*

7   Mais on peut être vu de quelqu'un de dehors.
     MOLIÈRE, l'École des maris, III, 2.

PAR DEHORS : par l'extérieur. *Il est passé par dehors. Faire le tour par-dehors* (Académie), *par dehors* (Littré).

EN DEHORS : vers l'extérieur ; vers le côté extérieur. *Marcher les pieds en dehors. Ne pas se pencher en dehors !*

8   (...) il *(le poète)* se penche en dehors, pour voir au-dessous passer la foule.
     André SUARÈS, Trois hommes, «Ibsen», II, p. 83.

9   Il marchait en traînant un peu les semelles ; les jambes molles, les pieds en dehors.
     J. ROMAINS, les Hommes de bonne volonté, t. II,
     IV, p. 30.

Fig. (Vx). *Être en dehors, tout en dehors :* être d'un caractère ouvert, n'avoir rien de caché (→ **Franc, ouvert**).

10   Le comte Raimond mettait en dehors toute son âme.
     Mᵐᵉ DE STAËL, Corinne, XII, 1.

AU DEHORS : à l'extérieur. (REM. Le trait d'union n'est employé que par Académie, huitième éd. L'usage reste libre). → **Extérieurement, loin...** *Le récipient se brisa et le contenu se répandit au dehors. — Capitaux placés au dehors, à l'étranger.*

10.1   La maison du seigneur, seule un peu plus ornée,
   Se présente au dehors de murs environnée.
     BOILEAU, Épîtres, VI.

Fig. Dans l'apparence extérieure. *Il est grossier au dedans comme au dehors.*

10.2   Homme auguste au dedans, ferme au dehors, ayant
   En lui toute la gloire et toute la patrie.
     HUGO, la Légende des siècles, XVIII, I, p. 120.

♦ **4** Loc. prép. **AU DEHORS DE...** (rare) : à l'extérieur de. *Au dehors de ce pays.* **EN DEHORS DE :** hors de, à l'extérieur de. *En dehors de la ville. Tout ce qui se trouve en dehors de cette limite ne fait pas partie de la commune.* — Fig. :

11   (...) à l'époque où j'aimais Gilberte, je croyais encore que l'Amour existait réellement en dehors de nous (...)
     PROUST, À la recherche du temps perdu, t. II,
     p. 246.

Fig. *En dehors de cela, on peut encore dire que...* → **Outre** (en outre). — *Tout ceci est en dehors de la question, en dehors du sujet.* → **Côté** (à côté de). *Cela s'est fait en dehors de moi,* sans que j'en sois informé, sans que j'y participe. *Se tenir en dehors d'un débat.* → **Écart** (à l'écart). *Ceci est en dehors de notre compétence, de notre pouvoir, de notre action* (→ **Dépasser**).

II N. m. (XVIᵉ). ♦ **1** *Le dehors :* la partie extérieure, l'aspect extérieur d'une personne ou d'une chose. → **Extérieur.** *Le dehors de cette boîte, de ce récipient.*

12   (...) ce fond *(de verre)* astucieusement grossi pour le dehors, rétréci pour le dedans (...)
     J. ROMAINS, les Hommes de bonne volonté, t. IV,
     XVIII, p. 197.

Par anal. L'extérieur, par rapport à un lieu (ville, pays). *Les ennemis du dehors. Les affaires du dehors :* les affaires extérieures.

13   Les combats du dehors coûtaient moins aux Juifs que ceux du dedans (...)
     BOSSUET, Hist. universelle, II, 21.

Du dehors : de l'extérieur. *Il vient du dehors* (→ **Étranger**). *Idée du dehors* (→ **Adventice**).

Manège. *La jambe, la rêne du dehors :* la jambe, la rêne qui sont à l'extérieur par rapport au centre du manège. — **Patinage.** *Courbe décrite lorsque l'on patine sur la carre* extérieure d'une lame.*

♦ **2** Par ext. *Le dehors,* et, plus souvent, *Les dehors :* l'apparence extérieure. → **Air, apparence, aspect, figure, forme** (extérieure), **surface.** *Un dehors aimable, gracieux. Un édifice aux dehors agréables. Cacher quelque chose sous des dehors trompeurs. Ses dehors rugueux, bourrus, cachent une grande sensibilité. Sous un dehors de douceur...* → **Masque.** *Il ne faut pas juger quelqu'un sur ses dehors* (→ L'habit* ne fait pas le moine).

14   Et quoique le dehors soit sans émotion.
Le dedans n'est que trouble et que sédition.
            CORNEILLE, Polyeucte, II, 2.

15   Souvent ces dehors froids cachent des cœurs sensibles.
          COLLIN D'HARLEVILLE, Optimiste, II, 10.

16   Montcornet a les dehors d'un héros de l'antiquité. Ses bras sont gros et nerveux, sa poitrine est large et sonore (...)
         BALZAC, les Paysans, Pl., t. VIII, p. 24.

17   (...) assez pervers pour affecter les dehors d'une tendresse qu'il n'éprouvait pas.
         FRANCE, le Petit Pierre, XXXIV, p. 238.

18   Madame Brigitte «qui comme tous les êtres vraiment saints, dissimulait tant de bonté sous des dehors austères» (...)
        F. MAURIAC, la Pharisienne, p. 34.

19   (...) force est aux gens de nous juger, non point tant sur nos véritables pensées et nos sentiments qui ne se voient pas, que sur notre dehors et nos actes (...)
        J. PAULHAN, Entretien sur des faits divers, p. 68.

(Vx). *Garder, sauver les dehors :* sauver les apparences, en parlant d'une personne.

20   Ils n'y vont par nécessité, que par respect humain, que pour garder quelques dehors.
        BOURDALOUE, Dimanche oct. du Saint-Sacrement.

(Vx). *Avoir du dehors,* une apparence extérieure prometteuse. → **Vernis.**

21   (...) celui-là *(le peuple)* a un bon fond, et n'a point de dehors ; ceux-ci *(les grands)* n'ont que des dehors et qu'une simple superficie.
        LA BRUYÈRE, les Caractères, IX, 25.

◆ **3** Fortif. *Les dehors d'une place :* les fortifications extérieures.

◆ **4** Mouvement en dehors. — Patinage. Mouvement semi-circulaire vers l'extérieur.

CONTR. Dans, dedans, intérieurement. — Fond, intérieur.
◊ DÉR. et COMP. V. Bout-dehors, hors.

DÉHOTTER [dehɔte] v. intr. et tr. — 1906 ; de 1. *dé-*, *hotte* et suff. verbal.

◆ **1** V. intr. Partir précipitamment.

1   Mais au Thibet ! qu'on part, grand-père !... Mais au Thibet ! c'est entendu !... On l'a dit cent fois... ! Maintenant c'est la bonne !... aussitôt qu'on décroche la prime ! Pop ! On fout le camp ! On déhotte !
        CÉLINE, le Pont de Londres, p. 76.

◆ **2** V. tr. Chasser.

2   On se prélassait là jusqu'à la nuit... à moins qu'un orage, une ondée nous déhotte.
     A. BOUDARD, les Combattants du petit bonheur,
        p. 26, *in* Cellard et Rey.

DÉHOUILLEMENT [deujmɑ̃] n. m. — 1863 ; de *déhouiller.*

Techn. Action de déhouiller.

DÉHOUILLER [deuje] v. tr. — 1870 ; de 1. *dé-*, et *houille.*

Techn. Enlever la houille de. *Déhouiller une couche, un filon.*

DÉR. Déhouillement.

DÉHOUSSABLE [deusabl] adj. — Mil XXᵉ ; de 1. *dé-*, *housser*, suff. *-able.*

Dont on peut enlever la housse, les housses. *Canapé convertible* et déhoussable.*

DÉICIDE [deisid] n. et adj. — 1585 ; lat. chrét. *deicida*, de *deus* «dieu», d'après *homicida.* → Homicide.

Didactique.

◆ **1** N. m. Meurtre de Dieu. — Spécialt. Crucifixion du Christ.

1   C'était le plus grand de tous les crimes, crime jusqu'alors inouï, c'est-à-dire le déicide.
        BOSSUET, Hist. universelle, II, 21.

Par ext. Suppression, destruction d'un culte, d'une religion.

2   La plupart des révolutions prennent leur forme et leur originalité dans un meurtre. Toutes, ou presque, ont été homicides. Mais quelques-unes ont, de surcroît, pratiqué le régicide et le déicide.
        CAMUS, l'Homme révolté, III, p. 138.

◆ **2** N. et adj. Meurtrier de Dieu. *Être traité comme un déicide. Peuple déicide.*

3   Nous consentons à être traités, nous et toute notre postérité, comme des déicides.
        BOURDALOUE,
  Exhortation sur le jugement du peuple contre J.-C.

Par ext. Destructeur de la religion, de la foi.

DÉICOLE [deikɔl] adj. — Av. 1778 ; du lat. *deus* «dieu», et *colere* «honorer, adorer».

Littér. ou didact. Qui rend un culte à une divinité. *Peuple déicole.*

DÉICTIQUE [deiktik] adj. et n. m. — 1908 ; formation sav., du grec *deiktikos* «démonstratif», de *deixis*. → Deixis.

Log., ling. Qui sert à montrer, à désigner un objet singulier. *«Ceci» est un mot déictique.* — Par ext. Tout élément d'un énoncé qui renvoie à la situation (spatiale, temporelle, etc.) ou au sujet parlant. (Ex. : démonstratifs, pronoms personnels, adv. de lieu, de temps). — N. m. *Les déictiques dépendent de l'instance du discours, de l'énonciation ; ils «embrayent» l'énoncé sur la situation* (→ Embrayeur). *Situation de l'énonciation liée à un déictique.* → **Deixis.**

DÉIFICATION [deifikasjɔ̃] n. f. — 1375 ; lat. ecclés. *deificatio*, du supin de *deificare*. → Déifier.

◆ **1** Action de déifier (qqn, un animal) ; son résultat. *La déification des empereurs romains.*

◆ **2** Par ext. Action de vénérer (quelqu'un ou quelque chose).

   La déification d'un des hommes les plus couverts de sang que l'Histoire ait connus (...) c'est cela votre crime (...)
        F. MAURIAC, Bloc-notes 1952-1957, p. 253.

DÉIFIER [deifje] v. tr. — Déb. XIVᵉ, au p. p. ; forme active, 1593 ; lat. *deificare*, de *deus* (→ Dieu), et *facere* «faire».

◆ **1** Considérer (qqn) comme Dieu, comme un dieu. → **Diviniser.** *Les Romains déifièrent la plupart de leurs empereurs. Déifier un homme, une idole. Action de déifier.* → **Déification.**

◆ **2** Faire de (qqch., qqn) l'objet d'un culte. → **Adorer, élever, exalter, honorer, idolâtrer, vénérer.** *Déifier l'argent, la richesse ; le pouvoir, la gloire.*

1   Le poison abominable de la flatterie la plus insigne, qui le déifia *(Louis XIV)* au sein même du christianisme.
        SAINT-SIMON, Mémoires, XII, 22.

2   J'ai bien vu un philosophe déifier aussi la gloire et diviniser ce fléau de Dieu.
     CHATEAUBRIAND, Mémoires d'outre-tombe, t. III,
        p. 290.

3   Impossible d'aimer la créature sans la déifier. Elle devient l'unique nécessaire ; elle occupe la place de Dieu : le ciel de sa présence ; l'enfer de son absence.
        F. MAURIAC, Souffrances et bonheur du chrétien,
        p. 26.

DÉISME [deism] n. m. — 1662 ; du lat. *deus* (→ Dieu), d'après *déiste.*

Attitude philosophique de ceux qui admettent l'existence d'une divinité*, sans accepter de religion révélée ni de dogme.

(...) ils (*les hommes*) prennent lieu de blasphémer la religion chrétienne, parce qu'ils la connaissent mal. Ils s'imaginent qu'elle consiste simplement en l'adoration d'un Dieu considéré comme grand et puissant et éternel ; ce qui est proprement le déisme, presque aussi éloigné de la religion chrétienne que l'athéisme, qui y est tout à fait contraire.
PASCAL, Pensées, VIII, 556 (→ Athéisme, cit. 1).

CONTR. Athéisme. — Théisme ; dogme.

DÉISTE [deist] n. — 1564 ; dér. sav. du lat. *deus* (→ Dieu), suff. *-iste*.

Personne qui professe le déisme.

1 Le déiste seul peut faire tête à l'athée, le superstitieux n'est pas de sa force.
DIDEROT, Pensées philosophiques, 13.

Adj. *De nombreux philosophes français du XVIIIe siècle étaient déistes, et non pas athées.*

2 De ces premières vérités, je déduisais facilement les autres, et Rosalie déiste était bientôt chrétienne.
SADE, Justine, t. I, p. 122-123.

DÉITÉ [deite] n. f. — 1119, *deïtet ;* lat. chrét. *deitas,* de *deus.* → Dieu.

Littér. Divinité* mythique ; dieu ou déesse. *Les déités grecques. Les déités infernales.* — Par ext. *Faire de l'argent, de la gloire une déité.* → Idole.

1 Les Grecs, et les Latins ensuite, ont fait régner les fausses déités ; les poètes ont fait cent diverses théologies (...)
PASCAL, Pensées, IX, 613.

2 L'idée qu'il (*Goethe*) donne de soi est bien celle d'une puissance de revêtir une étonnante quantité d'aspects. L'inépuisable est dans sa nature, et c'est pourquoi, au lendemain de sa mort, aussitôt il se place parmi les déités et les héros de la Fable Intellectuelle, parmi ceux dont les noms sont devenus symboles.
VALÉRY, Variété IV, p. 99.

3 (...) rien de plus antispirituel que la loi érigée en déité.
DANIEL-ROPS, Ce qui meurt..., v, p. 196.

DEIXIS [deiksis] n. f. — Mil. XXe ; d'abord en all. ; mot grec «fait de montrer».

Ling., sémiot. Système de référence aux coordonnées spatio-temporelles, par le geste ou par le langage (→ Déictique). *L'expression de la source du discours et de sa cible* (1re *et* 2e *personnes : deixis personnelle), celle du temps, du lieu... font partie de la deixis.*

DÉJÀ [deʒa] adv. de temps. — 1265, *des ja ;* de *dès,* et anc. franç. *ja* «tout de suite» (→ Jà), du lat. *jam.* → Jadis, jamais.

◆ **1** Dès l'heure présente, dès maintenant (avant ce qui était prévu). *Il a déjà fini son travail. Il est déjà quatre heures : le temps passe vite. Vous êtes déjà là ? Je ne vous attendais pas si tôt. Il a déjà oublié sa leçon.*

Dès lors, dès ce temps (en parlant du passé ou de l'avenir). *Il était déjà marié à ce moment-là. Il est déjà venu hier. Quand il arriva, son ami était déjà parti ; il n'était déjà plus là. Quand vous lirez cette lettre, je serai déjà loin. Dans deux jours, il aura déjà reçu ma lettre. Il l'aurait déjà reçue, si... Déjà en 1900...*

1 Ses enfants étaient déjà forts.
LA FONTAINE, Fables, II, 7.

2 Le cheval s'aperçut qu'il avait fait folie ;
Mais il n'était plus temps : déjà son écurie
Était prête et toute bâtie.
LA FONTAINE, Fables, IV, 13.

3 Ce siècle avait deux ans. Rome remplaçait Sparte,
Déjà Napoléon perçait sous Bonaparte (...)
HUGO, les Feuilles d'automne, I.

4 Depuis longtemps déjà l'Empire romain agonisait.
J. BAINVILLE, Hist. de France, I, p. 19.

5 Il a déjà très bien conscience de sa supériorité d'homme.
MARTIN DU GARD, les Thibault, t. VIII, p. 246.

Loc. adv. *D'ores et déjà* [dɔʀzedeʒa]. → 2. **Or,** cit. 4 et supra.

Fam. *Déjà et d'une :* d'abord (→ D'abord et d'une).

◆ **2** → **Auparavant, avant.** *Je l'ai déjà rencontré ce matin. Je vous ai déjà dit cela, je ne le répéterai pas. Tout cela, c'est du déjà vu.* → **Déjà-vu.**

Je vous ai déjà dit que je le répudie.   6
RACINE, Britannicus, II, 3.

On vous a déjà reproché de dire (...) un cul d'artichaut (...)   7
VOLTAIRE, Disc. aux Velches.

◆ **3** Fam. Pour renforcer une constatation. *C'est déjà bien beau, c'est déjà beaucoup si..., ce n'est pas si mal. J'avais déjà trop de travail :* j'avais trop de travail comme cela.

Monsieur est assez fort, sans qu'à son aide on passe ;   8
Je n'ai déjà que trop d'un si rude assaillant (...)
MOLIÈRE, les Femmes savantes, IV, 3.

S'emploie familièrement, en fin de phrase, pour réitérer une question dont on a oublié la réponse. *Comment vous appelez-vous déjà ?*

Merde, et qu'est-ce qu'elle a mis à la fin, déjà ? Oh ! la la !...   9
Geneviève DORMANN, le Bateau du courrier, p. 154.

CONTR. Après, dorénavant, ensuite. — Pas encore (V. Encore). ◊ COMP. Déjà-vu.

DÉJANTER [deʒɑ̃te] v. tr. — 1611, «enlever la jante de» ; repris v. 1945 ; de 1. *dé-, jante,* et suff. verbal.

Techn. Faire sortir (un pneu) de la jante. — Pron. *Son pneu s'est déjanté.*

◆ **DÉJANTÉ, ÉE** p. p. et adj.

◆ **1** Sorti de la jante. *Pneu déjanté.*

◆ **2** (1983). Fig. Fam. Qui a un comportement bizarre, un peu fou. → **Cinglé.** *Il est complètement déjanté. Elle est plus que bizarre, un peu déjantée.*

DÉJAUGEAGE [deʒɔʒaʒ] n. m. — 1932 ; de *déjauger.*

Techn. Action de déjauger.

Avec une hélice bien adaptée, un bon centrage et une puissance d'à peu près 100 ch à la tonne, le déjaugeage est rapide et la vitesse peut atteindre 50 km/h.
J. GIORDAN, le Yachting, p. 92.

DÉJAUGER [deʒɔʒe] v. [CONJUG.: *jauger.* → **Bouger.**] — 1834 ; de 1. *dé-, jauge* et suff. verbal.

I V. intr. ◆ **1** Mar. S'élever sur l'eau au-dessus de la ligne de flottaison (navires).

◆ **2** Aviat. Lors du décollage, Diminuer le poids apparent de l'avion en vue de réduire les efforts qui s'exercent sur les roues. *Un hydravion déjauge progressivement au décollage.*

II V. tr. Soulever (un navire, la partie immergée d'un navire, un hydravion) hors de l'eau. *Le brise-glace déjauge sa proue, son avant d'un, de deux mètres en abordant la glace. — Déjauger la partie de la coque où il y a une avarie.*

Pron. *«Le navire se déjaugea d'une dizaine de centimètres par l'avant»* (Charcot, *in* T.L.F.).

Passif et p. p. *Le navire est déjaugé d'un mètre. «L'avant se trouvait déjaugé après le passage d'un rouleau de houle»* (Peisson, *in* T.L.F.).

DÉR. Déjaugeage.

DÉJAUNIR [deʒoniʀ] v. — XXe (*in* G.L.L.F., 1972) ; de 1. *dé-,* et *jaune* ou *jaunir.*

◆ **1** V. tr. Enlever la teinte jaune, brune de (un linge, un tissu). → **Blanchir.**

◆ **2** V. intr. Devenir moins jaune, plus blanc.

DÉJÀ-VU [deʒavy] n. m. invar. — 1894, *in* D.D.L.; de *déjà*, et *vu*, p. p. de *voir*.

◆ **1** Fam. Ce qui n'est pas nouveau; ce qui est banal. *Sentiment, impression de déjà-vu.*

Quand avais-je éprouvé à ce point le sentiment d'assister à un spectacle dont les convives allaient disparaître à l'aube? (...) je me répétais : quand ai-je éprouvé ce sentiment d'assister à un spectacle condamné, avec ce sentiment de «déjà» vu? C'était à l'hôtel de Beauharnais, devenu ministère de la Coopération, et dont les cariatides de Bonaparte soutiennent le fronton.
MALRAUX, Antimémoires, Folio, p. 217.

◆ **2** Psychol. *Impression, illusion de* (ou *du*) *déjà-vu* (ou *déjà vu*) : impression d'avoir déjà été spectateur de ce qui se passe actuellement devant soi. (Syn. : *fausse reconnaissance, paramnésie de certitude*). *L'illusion de déjà-vu est généralement associée à d'autres impressions psycho-sensorielles dans le sentiment global de revivre une situation* (dit parfois «impression de déjà-vécu»; *déjà-vu est aussi employé dans ce sens*). *Impression de déjà-vu fréquente ou prolongée, observée dans certains troubles mentaux* (psychasthénie...).

DÉJECTION [deʒɛksjɔ̃] n. f. — 1538; «abjection», fin XIIᵉ; lat. *dejectio* «action de jeter dehors», et fig. «dégradation», de *dejectum*, supin de *dejicere*, de *de-*, et *jacere* «jeter». → Jeter.

◆ **1** Didact. Rare. Évacuation des matières fécales par l'intestin. Plur. (plus cour.). Les matières évacuées. → **Excrément, fèces.**

1 (...) une bile noire et recuite était mêlée dans ses déjections.
LA BRUYÈRE, les Caractères de Théophraste,
«D'un homme incommode».

Par métaphore ou par analogie. Rebut, déchet.

◆ **2** Géol. Matières rejetées par les volcans. → **Projection** (volcanique); **volcan.**

2 Les déjections volcaniques à la surface des terres, sous forme de *coulées de laves*, de *bombes*, de *cendres*, représentent un apport de matériaux qui se chiffre annuellement par milliers de kilomètres cubes.
J. LEUBA, Introd. à la géologie, p. 46.

Géogr. *Cône de déjection, de déjections :* cône alluvionnaire déposé par un torrent.

3 Surell y distinguait *(dans le torrent)* trois parties (...) : le *bassin de réception*, le *canal d'écoulement* et le *cône de déjections* (...) Après un orage, on peut voir la masse des eaux déboucher dans la grande vallée voisine à la surface du cône de déjections, entraînant boues, pierrailles, parfois de gros blocs immenses, des troncs d'arbre (...) : c'est ce qu'on appelle une *lave* dans les Alpes françaises (*Mure* en pays germanique). La pente diminuant, l'élan impétueux du torrent se ralentit vite, et les matériaux charriés s'arrêtent sur place. Leur masse peut enterrer routes ou chemins de fer, parfois même des maisons. C'est leur accumulation qui forme le cône de déjections.
E. DE MARTONNE, Traité de géogr. physique, t. II,
p. 550.

DÉJETER [deʒ(ə)te] v. tr. [CONJUG.: *jeter*.] — V. 1050, «jeter à terre»; sens mod. 1553, pron.; de 2. *dé-*, et *jeter.*

Écarter de sa direction naturelle, de sa position normale. → **Contourner, courber, déformer, dévier, gauchir.** *Le vent a déjeté tous les arbres.* — Pron. *Sa colonne vertébrale, sa taille s'est déjetée.*

◆ **DÉJETÉ, ÉE** p. p. adj.

◆ **1** *Porte, marche déjetée, mur déjeté.* → **Fausser, gauchir, gondoler.** *«La maison, quoique déjetée, était encore habitable.»* → Disjoindre, cit. 0.1, J. Verne.

1 Ils montèrent deux étages par un large escalier à rampe de bois, dont les marches déjetées pendaient tout à fait du côté opposé au mur, et semblaient prêtes à tomber.
STENDHAL, le Rouge et le Noir, XXV, p. 168.

(...) le vent se lève, chassant des nuages de ténèbres, on l'entend siffler partout à travers la vieille maison de bois toute déjetée.
LOTI, Suprêmes visions d'Orient, p. 159.

Géol. *Pli déjeté :* pli dissymétrique dont les flancs ont un pendage opposé.

◆ **2** (Mil. XIXᵉ). Fig. (Personnes). Qui est déformé, abîmé, diminué physiquement (âge, maladie, travail, soucis, etc.). *Je l'ai trouvé bien déjeté.* → **Décati.**

3 Et surtout cet aspect de bête déjetée par les fatigues du métier, éclopée, écroulée, bonne uniquement pour l'abattoir.
ZOLA, Paris, t. I, p. 18.

◆ **3** Régional (Belgique). Fam. En désordre. *C'est déjeté, chez eux!*

CONTR. Redresser. — (Du p. p.) **Droit; forme (en), sémillant; ordonné, soigné.** ◊ **DÉR. Déjettement.**

DÉJETTEMENT [deʒɛtmɑ̃] n. m. — 1907, en géol., in *Rev. gén. des sc.*, n° 21, p. 892; de *déjeter.*

Action de se déjeter; résultat de cette action. — Géol. *Le déjettement d'un pli* (→ **Déjeté**).

1. DÉJEUNER [deʒøne; deʒœne] v. intr. — V. 1155, *sei desgeüner* «manger» (aussi *se desjeuner* de «se nourrir de (en rompant le jeûne)» et «prendre le repas du matin»); du lat. pop. *disjunare*, d'abord *disjejunare* (XIᵉ), de *dis-* (→ 1. Dé-), et bas lat. *jejunare* «jeûner», du lat. class. *jejunus* «à jeun»; → Dîner; jeun (à), jeûner.

◆ **1** Prendre le «petit-déjeuner» (→ 2. Déjeuner, 1; 1. petit-déjeuner (n.)), le déjeuner du matin. *Il est parti travailler sans déjeuner.* → **2. Petit-déjeuner** (v.).

1 Du reste, déjeunons, messieurs, et buvons frais.
BOILEAU, le Lutrin, IV.

2 Tenez! mon oncle, ou je me trompe, ou vous n'avez pas déjeuné. Vous êtes resté le cœur à jeun sur cette maudite lettre de change; avalons-la de compagnie : je vais demander le chocolat. *(Il sonne. On sert à déjeuner.)*
A. DE MUSSET, Il ne faut jurer de rien, I, 1.

◆ **2** (A remplacé *dîner*). Prendre le repas du milieu de la journée. *Nous avons déjeuné au restaurant. Inviter qqn à déjeuner. Les Espagnols déjeunent tard. Déjeuner sur le pouce*. Déjeuner avec un ami. — Déjeuner d'une omelette et d'une salade.*

3 Il filait comme un chien à la cuisine, friand des restes du garde-manger; déjeunait un jour d'une carcasse, d'une tranche de confit froid, ou encore d'une grappe de raisin et d'une croûte frottée d'ail; son seul bon repas de la journée!
F. MAURIAC, Thérèse Desqueyroux, VI, p. 100.

DÉR. 2. **Déjeuner.**

2. DÉJEUNER [deʒøne; deʒœne] n. m. — XIIᵉ; substantivation de 1. *déjeuner.*

◆ **1** Vieilli ou régional (Nord, Belgique, Canada). Repas du matin que l'on prend au lever (notamment dans un usage où *dîner* correspond à *déjeuner*, 2.).

1 Et qu'au retour tantôt un ample déjeuner
Longtemps nous tienne à table et s'unisse au dîner.
BOILEAU, le Lutrin, IV.

1.1 On nous donne à déjeuner, entre neuf et dix heures, toujours une volaille au riz, des fruits crus, ou des compotes, du thé, du café, ou du chocolat; à une heure on sert le dîner (...)
SADE, Justine, t. I, p. 166 (1791).

PETIT DÉJEUNER (pour distinguer du sens 2) : ce même repas, appelé *premier déjeuner* à la fin du XIXᵉ siècle (P. Larousse, 1870), par opposition à *second déjeuner*, ou *déjeuner à la fourchette* (1846). → ci-dessous, 2. → **1. Petit-déjeuner.**

◆ **2** Repas du milieu du jour (*déjeuner* a remplacé *dîner*, comme *dîner* a remplacé *souper*). → aussi **Lunch.** *Déjeuner d'affaires. Déjeuner sur* *l'herbe.* → **Pique-nique.** — (V. 1940). En composition. Déjeuner accompagné d'une manifestation. *Déjeuner-concert, déjeuner-spectacle. Déjeuner-débat, -conférence, -colloque.*

2 (...) les trois hommes sentaient régner entre eux une atmosphère d'ecthion mentale (...) Au lieu d'une séparation qui ne pouvait que la rompre, un déjeuner en commun, dans un salon particulier, y ajouterait encore. Clair-obscur aimable d'un salon d'entresol ; deux lampes allumées au mur ; la nappe, les couverts espacés ; l'odeur des plats (...)
J. ROMAINS, les Hommes de bonne volonté, t. V, p. 92.

3 On a critiqué longtemps l'usage, aujourd'hui triomphant, d'appeler *déjeuner* l'ancien *dîner* (servi au milieu de la journée). L'histoire des mœurs explique ce changement de la façon la plus simple : il n'y a pas eu substitution de nom, à Paris : c'est l'heure du dîner qui, du XVIᵉ au XIXᵉ siècle s'est déplacée peu à peu, de onze heures à midi (Louis XIV), à deux et trois heures (Louis XV), cinq heures (Napoléon Iᵉʳ, heure conservée dans les casernes), six heures (Louis-Philippe), sept heures (fin du XIXᵉ s.), suivant en cela le *souper* qui s'était avancé assez tard dans la nuit, à l'exemple de la *cena* romaine quelques siècles auparavant.
A. DAUZAT, Étude linguistique franç., p. 12.

♦ **3** Par métonymie. [a] Les mets du déjeuner (surtout au sens 2). *Un bon déjeuner, bien arrosé. Mon déjeuner ne passe* (cit. 23) *pas.*

4 Quel déjeuner ! Le diable m'emporte ! tu vis comme un prince.
Eh ! que voulez-vous ! quand on meurt de faim, il faut bien tâcher de se distraire.
A. DE MUSSET, Il ne faut jurer de rien, I, 1.

[b] Le moment du déjeuner. *Après le déjeuner.*

♦ **4** (1749). Ensemble formé par la tasse et la soucoupe assorti (pour le petit-déjeuner). *Acheter un déjeuner de porcelaine.*

♦ **5** Fig. *Déjeuner de soleil :* étoffe dont la couleur passe vite, et, par anal., ce qui ne dure pas longtemps (objet, sentiment, résolution, entreprise).

5 — Ce que je comprends mal,
C'est ce bonapartisme aigu d'un libéral.
— C'est vrai, républicain (...)
Mon rouge, que j'ai cru solidement vermeil,
A déteint...
— (Le duc, *ironique*). Ce fut un déjeuner de soleil.
Edmond ROSTAND, l'Aiglon, I, 10.

COMP. 1. **Petit-déjeuner.**

DÉJOINDRE [deʒwɛ̃dʀ] v. tr. [CONJUG.: *joindre*.] — XIIᵉ ; de 1. *dé-*, et *joindre.*

Vx. → **Disjoindre.**

DÉJOUER [deʒwe] v. tr. — 1121, *se dejuer* «se réjouir» ; de 1. *dé-*, et *jouer.*

Faire échouer (le jeu, les manœuvres de quelqu'un). → **Confondre, contrebattre, contrecarrer, dépister.** *Déjouer une intrigue, un complot.* — Par ext. *Déjouer la malveillance, les intrigues de qqn.* — *Déjouer la surveillance des ennemis.* → **Tromper.** *Déjouer les plans, les manœuvres, les combinaisons d'un adversaire. Déjouer les attaques d'un interlocuteur en le déconcertant.*

1 Félicité invariablement déjouait leurs astuces ; et ils s'en allaient pleins de considération pour elle.
FLAUBERT, Trois contes, «Un cœur simple», II.

2 Ce double calcul est doublement déjoué.
Ch. PÉGUY, la République..., p. 275.

3 Le hasard déjoua toute précaution.
MARTIN DU GARD, les Thibault, t. IV, p. 145.

4 J'étais à la fois honteux de me sentir joué et fier de sentir que je déjouais la ruse.
A. MAUROIS, Climats, I, IX, p. 76.

5 (...) tout leur montrer, cela vaut mieux, ils auront peut-être pitié, un peu honte de voir cela exhibé, ils détourneront

les yeux, ils essaieront eux-mêmes de masquer cela, de l'oublier (...) c'est le seul moyen de déjouer ce tour cruel que lui a joué un sort facétieux (...)
N. SARRAUTE, le Planétarium, p. 204.

CONTR. Appuyer, seconder, soutenir.

DÉJUCHER [deʒyʃe] v. — V. 1190, *desjochier* ; de 1. *dé-*, et *jucher.*
Techn. (agriculture).
♦ **1** V. intr. Quitter le juchoir (volailles).
♦ **2** V. tr. Faire quitter le juchoir à (une volaille).

DÉJUGER (SE) [deʒyʒe] v. pron. [CONJUG.: *juger*. → **Bouger.**] — 1845 ; *déjuger qqn* «condamner», 1120 ; de 1. *dé-*, et *juger.*
Revenir sur le jugement qu'on avait exprimé, sur le parti qu'on avait pris. → **Changer** (d'avis), **revenir** (sur). *Il s'est déjugé et a annulé sa décision pour en prendre une contraire. Il passe son temps à se déjuger, c'est une girouette*.*
C'est un coup perfidement monté, avec adresse. Les chefs ont été trompés. Ils ne veulent pas se déjuger.
Georges LECOMTE, Ma traversée, p. 345.

CONTR. Persévérer, persister.

DE JURE [deʒyʀe] loc. adj. et adv. — Fin XIXᵉ ; mots lat. signifiant «de droit».
Dr. *Présomption juris et de jure :* présomption légale à laquelle on ne peut rien opposer. → **Irréfragable.** — *Reconnaissance* de jure d'un gouvernement* (opposé à *de facto*).

CONTR. De facto.

DELÀ [d(ə)la] prép. et adv. — V. 1165 ; de *de*, et *là*.

[I] Prép. de lieu. ♦ **1** Vx (langue class.). Plus loin que.
Ce qui s'appelle delà les monts la furie française, a plus d'une fois réussi (...)   1
GUEZ DE BALZAC, 5ᵉ disc. sur la cour.
Porter delà les mers ses hautes destinées (...)   2
CORNEILLE, le Cid, II, 5.
De delà (vieilli).
Un (...) charlatan arrive ici de delà les monts (...)   3
LA BRUYÈRE, les Caractères, XII, 21.

♦ **2** Mod. **PAR DELÀ.** *Par delà les mers. Par delà son comportement social on devine un autre aspect de sa personnalité. Par delà le bien et le mal* (trad. de Nietzsche).
(...) être artiste ou romancier consiste à posséder la lampe   4
de mineur qui permet à l'homme d'aller par delà sa conscience claire chercher les trésors obscurs de sa mémoire et de ses possibilités.
A. THIBAUDET, Gustave Flaubert, p. 82.
Où tout est amour, tout est vie ! Par delà le néant de tous   5
les jours éphémères, c'est là-dessus enfin que notre foi ou notre espoir se fonde.
André SUARÈS, Trois hommes, «Dostoïevski», III, p. 272.
Il existe une sorte d'ethnographie spirituelle qui s'entre-   6
croise à travers les «races» les mieux définies, les familles d'esprit unies par des liens secrets et qui se retrouvent avec constance par delà les temps, par delà les lieux.
H. FOCILLON, la Vie des formes, p. 29.

[II] Adv. de lieu.
REM. 1. *Delà* ne s'emploie jamais seul, mais dans des locutions.
2. L'Académie écrit *au-delà*, et *par-delà* avec un trait d'union. La plupart des écrivains l'omettent et l'usage reste très libre. Cependant on maintient le trait d'union dans le nom *l'au-delà.*
♦ **1** Littér. et vieilli. **DEÇÀ, DELÀ :** ici et plus loin. → **Deçà.**
(...) les fils vous retournent le champ,   7
Deçà, delà, partout (...)   LA FONTAINE, Fables, V, 9.

De côté et d'autre. → **Deçà** (cit. 2 et 3). *Courir deçà et delà*, de-ci, de-là. → **Ci, ici, là.**

8 (...) ces peuples vagabonds qui erraient deçà et delà sur des chariots sans avoir de demeure fixe.
BOSSUET, Hist. universelle, II, 20.

♦ **2** Loc. adv. **PAR-DELÀ** ou **PAR DELÀ** : de l'autre côté. *Contournez le champ et attendez-nous par delà.*

EN DELÀ : un peu plus loin, à l'extérieur. → **Dehors.** *Restez sur la ligne de départ et ne vous mettez pas en delà* (contr. : *en deçà*).

♦ **3** Cour. **AU DELÀ** : plus loin. *Orléans est près de Paris ; Châteauroux est au delà.*

9 Plaisante justice qu'une rivière borne. Vérité au deçà des Pyrénées, erreur au delà. PASCAL, Pensées, V, 294.

10 Autant le toucher concentre ses opérations autour de l'homme, autant la vue étend les siennes au delà (...)
ROUSSEAU, Émile, II.

11 Au delà s'élève une double rangée de collines dorées (...)
E. FROMENTIN, Un été dans le Sahara, I, p. 5.

12 (...) on avait conscience (...) de la *courbure* de la terre, qui seule empêchait de voir au delà.
LOTI, Mon frère Yves, XI, p. 52.

Fig. Encore plus loin. *Il est médecin, mais sa compétence s'étend au delà.*

13 (...) c'est *(la chimie)* une science qui domine au moins tout le système solaire, et qui très probablement s'étend au delà. E. RENAN, Lettre à Berthelot, août 1863.

Encore plus, mieux. → **Davantage, plus.** *Nous pourrons vous prêter un million et au delà.*

14 Il y a dans l'art un point de perfection (...) celui qui ne le sent pas, et qui aime en deçà ou au delà, a le goût défectueux. LA BRUYÈRE, les Caractères, I, 10.

L'au-delà. → **Au-delà.** — Littér. *L'au-delà de...*

15 La pure lumière de l'au-delà des troupeaux humains et de leurs combats (...) R. ROLLAND, Beethoven, p. 59.

16 L'homme s'est plus souvent lié à l'au-delà qu'il croit connaître, qu'à celui qu'il sait ignorer.
MALRAUX, les Voix du silence, I, III, p. 193.

Loc. prép. **AU DELÀ DE.** *L'Islande est au delà de l'Écosse. S'en aller au delà des mers. Vous n'irez pas au delà de la frontière sans papiers.*

17 Se peut-il rien de plus plaisant, qu'un homme ait droit de me tuer parce qu'il demeure au delà de l'eau, et que son prince a querelle contre le mien, quoique je n'en aie aucune avec lui ?
PASCAL, Pensées, V, 294 (→ Assassin, cit. 7).

18 Il va recueillir au delà du Rhin les débris d'une armée défaite (...)
BOSSUET, Oraison funèbre du prince de Condé.

Fig. *Être au delà, aller au delà de...* → **Dépasser, exagérer, excéder, outrepasser, surpasser** ; et aussi préf. **trans-, tré-, ultra-.** *C'est aller au delà de mes désirs : je ne vous en demande pas tant. Ce que je vais vous dire est au delà de tout ce que vous pouvez imaginer, de toute imagination. C'est au delà de ma compétence.*

19 (...) sa paix, sa résignation (...) sont au delà de tout ce que l'on voit (...) Mᵐᵉ DE SÉVIGNÉ, 1089, 17 nov. 1688.

20 L'hyperbole exprime au delà de la vérité (...)
LA BRUYÈRE, les Caractères, I, 55.

21 (...) ils apercevaient les bus et motorbus (...) nombreux au delà de toute vraisemblance (...)
J. ROMAINS, les Hommes de bonne volonté, t. V, XXVI, p. 252.

→ **Dessus** (au-dessus de), **plus.** *Ne fumez pas au delà de dix cigarettes par jour. N'achetez pas au delà de telle somme.*

Au delà de telle quantité, quand on a dépassé cette quantité.

22 (...) charger son valet de fardeaux au delà de ce qu'il en peut porter (...)
LA BRUYÈRE, les Caractères de Théophraste, « De l'impudent... »

CONTR. Deçà. — Dans (à l'intérieur), près (plus près). — Selon. — Moins. ◊ **HOM.** De-là (de-ci, de-là). — De là.

DÉLABIALISATION [delabjalizasjɔ̃] n. f. — V. 1900 ; de *délabialiser.*

Phonét. Action de délabialiser, de se délabialiser.

DÉLABIALISER [delabjalize] v. tr. — V. 1900 ; de 1. *dé-*, et *labialiser.*

Phonét. Ôter le caractère labial à (un phonème). — Pron. *Se délabialiser* : devenir non labial.

CONTR. Labialiser. ◊ **DÉR.** Délabialisation.

DÉLABREMENT [delabrəmã] n. m. — 1689 ; de *délabrer.*

♦ **1** État de ce qui est délabré. → **Ruine ; dégradation, vétusté.** *Le délabrement d'un édifice. Le toit est dans un état de grand délabrement.*

1 (...) mais, aux Indes, la désuétude des villes, le délabrement des sanctuaires n'arrêtent point le cours des rites sacrés : les dieux continuent d'être servis, même au milieu des régions les plus délaissées (...)
LOTI, l'Inde (sans les Anglais), V, x, p. 325.

2 Le château restait, depuis cinq ans, dans un état de délabrement tel, qu'il avait fallu l'aménager à grands frais pour que le gouvernement consulaire y pût venir loger.
Louis MADELIN, Hist. du Consulat et de l'Empire, De Brum. à Marengo, XV, p. 199.

♦ **2** Fig. Mauvais état. *Le délabrement de la santé de qqn.* → **Affaiblissement, décrépitude, dépérissement, épuisement.** *Le délabrement progressif d'un sentiment.* → **Étiolement.**

3 Éprouveriez-vous enfin ce célèbre délabrement que donne aux hommes l'amour ?
GIRAUDOUX, Amphitryon 38, II, 3.

Le délabrement des affaires, d'une institution, d'un système. → **Effondrement.**

4 (...) des papiers me seront très utiles dans le délabrement des affaires de M. le duc de Virtemberg.
VOLTAIRE, Lettre à Damilaville, 2 nov. 1767.

CONTR. Affermissement, épanouissement, force, prospérité, robustesse, solidité.

DÉLABRER [delabre] v. tr. — 1561, p. p. ; provençal *deslabrar* « déchirer », pour *délabeler*, de 2. *dé-*, et anc. franç. *label*, du francique **labba* « chiffon, haillon ».

♦ **1** Mettre (une chose) en mauvais état par usure, vétusté ou défaut d'entretien. → **Abîmer, dégrader, détériorer.** *Le temps a délabré cet édifice. Délabrer une tapisserie. À force de la surmener, ils ont fini par délabrer complètement cette machine.* → **Démolir.** *Délabrer des vêtements.* → **Déchirer ; lambeau** (mettre en lambeaux).

♦ **2** Fig. → **Gâter, ruiner.** *Délabrer sa santé par des excès. Délabrer un sentiment.*

1 (...) j'en étais à ce point excédé que je ne sais plus trop si mon exaspération n'avait pas à la fin délabré tout l'amour que j'avais pour elle.
GIDE, Si le grain ne meurt, II, II, p. 363.

♦ **SE DÉLABRER** v. pron. Plus courant.

Devenir en mauvais état. → **Ruine** (menacer ruine ; tomber en ruine). *La maison se délabre. Son matériel se délabre tout doucement.* — Fig. *Santé qui se délabre.* → **Débiliter** (se). — Faux pron. *Se délabrer la santé en travaillant trop. Se délabrer l'estomac par une nourriture malsaine.*

2 (...) ma poitrine est en mauvais état, ma santé se délabre au point que, toute chose cessante, il faut que j'aille voir et consulter Tronchin. ROUSSEAU, les Confessions, IX.

♦ **DÉLABRÉ, ÉE** p. p. adj.

♦ **1** Qui est en ruine, en mauvais état. *Maison délabrée. Vêtements délabrés*, déchirés et usés.

3 Des deux côtés du canal on voit les palais de Vénitiens, grands et un peu délabrés comme la magnificence italienne (...)
Mᵐᵉ DE STAËL, Corinne, XV, 7.

4   (...) pauvre manoir délabré, effondré, tombant en ruine
au milieu du silence et de l'oubli, nid à rats, perchoir
de hiboux, hospice d'araignées, près de s'écrouler sur son
maître désastreux qui l'avait quitté au dernier moment,
pour ne pas être écrasé sous sa chute.
Th. GAUTIER, le Capitaine Fracasse, t. I, v, p. 123.

5   (...) une vieille femme dont les vêtements délabrés étaient
en parfaite harmonie avec la maison.
BALZAC, l'Initié, Pl., t. VII, p. 343.

Par ext. (Personnes). *Vieilli. Être tout délabré :* avoir
des vêtements en lambeaux.

6   Délabrés, s'il en est au monde,
Transis de froid, mourant de faim (...)
SCARRON, Virgile travesti, IV.

♦ **2** *Fig. Fortune délabrée. Santé délabrée.*

7   Sans moi vos affaires, (...) étaient fort délabrées (...)
MOLIÈRE, George Dandin, I, 4.

8   Oui, pour le moment, ils sont tous bien (...) Moi seul, mon
cher Félix, suis délabré comme une vieille tour qui va
tomber.
BALZAC, le Lys dans la vallée, t. VIII, p. 953.

9   Mais ses rares cheveux blancs, ses membres débiles et
surtout la pâleur extraordinaire de son visage accusaient
un tempérament délabré.
FLAUBERT, l'Éducation sentimentale, I, III, Pl.,
t. II, p. 51.

CONTR. Ferme, neuf, robuste, solide. ◊ **DÉR. Délabrement.**

DÉLABYRINTHER [delabiʀɛ̃te] v. tr. — 1897 ; de
1. dé-, *labyrinthe* et suff. verbal.

Littér. Débrouiller, éclaircir.

Ces personnages (*des «Tricheurs»* de Steve Passeur) à qui
nous avons affaire et qui nous délabyrinthent nos sentiments (...)
A. ARTAUD, Lettre à J. Paulhan, 29 janv. 1932,
t. III, p. 276.

DÉLACER [delase] v. tr. [CONJUG.: *lacer*. → **Placer**.]
— 1080 ; de 1. dé-, et *lacer*.

♦ **1** Desserrer ou retirer (une chose lacée). *Délacer
un corset qui serre trop. Délacer un vêtement pour
l'enlever. Délacer ses chaussures avant de les ôter.*
→ **Dénouer.**

1   Cependant les héros, assis dans les broussailles,
S'aident à délacer leurs capuchons de mailles (...)
HUGO, la Légende des siècles, X,
Mariage de Roland.

2   Humilité attendrie et attendrissante de pataud qui n'a oncques su délacer un corset sans en embrouiller les cordons,
toucher, sans s'y larder le pouce, à une boucle de jarretelle.   COURTELINE, Boubouroche, I, p. 30.

♦ **2** Desserrer le corset, le corsage de (qqn).
→ **Déboutonner, cit. 1. — Par ext.** *Délacer une femme*
(→ **Déshabiller**), et, pron., *se délacer.*

3   Voulez-vous que l'on vous délace ?
MOLIÈRE, la Critique de l'École des femmes, 3.

CONTR. Lacer.

DÉLAI [delɛ] n. m. — V. 1165 ; de l'anc. franç. *deslaier*
«différer», de *des-* (2. dé-) et *laier* «laisser».

♦ **1** Temps accordé pour faire quelque chose. *Travail exécuté dans un délai fixé.* → **Temps.**

1   Un de mes amis a un frère de soixante-douze ans. Ce frère
est triste parce qu'il lui paraît que, d'après le barème des
délais réglementaires, il devrait être grand-officier depuis
deux ans.
MONTHERLANT, Pitié pour les femmes, p. 253.

Inform. *Délai d'attente :* temps de réponse maximal
d'une unité.

Temps nécessaire à l'exécution de qqch. *Délai d'allumage de combustibles.*

♦ **2** Prolongation de temps accordée pour faire
quelque chose. → **Prolongation, répit, sursis.** *Se
donner un délai pour décider d'une chose ; s'accorder des délais par paresse, par lâcheté, pour ne
pas agir tout de suite.* → **Lanterner** (fam.), **reculer,
remettre, renvoyer, retarder, traîner** (faire traîner) ;
marge (se donner de la marge, laisser de la marge).

2   (...) tous ces longs délais avec lesquels j'ai reculé mon
mariage (...)
MOLIÈRE, les Amants magnifiques, IV, 4.

3   Mais l'indolence, la négligence, et les délais dans les petits
devoirs à remplir, m'ont plus fait de tort que de grands
vices.   ROUSSEAU, les Confessions, X.

SANS DÉLAI : sur le champ, tout de suite, sans
attendre ; sans retard. → **Immédiatement, incessamment.** *Immédiatement et sans délai.*

4   Il faut l'attaquer sans ambages, sans délai, délibérément (...)   GIDE, Journal, mars 1906.

♦ **3** **Dr. et cour.** Temps à l'expiration duquel une
personne sera tenue de faire une certaine chose.
→ **Atermoiement, crédit, moratorium, remise, retardement, surséance, sursis, suspension.** *Marchandises à
payer dans un délai de 30 jours ; à livrer dans un
délai de trois mois. Délai de livraison. Demander,
obtenir un délai pour payer. Donner, accorder, consentir, impartir un délai.* → **Proroger, reporter, surseoir, suspendre.** *Opération, sentence accordant un
délai.* → **Dilatoire, moratoire.** *Agir dans les délais,
en temps utile*. Délais supplémentaires. Reculer les
délais. Jours comptés dans les délais accordés par la
loi : jours* utiles. Expiration d'un délai.* → **Échéance,
terme ;** et aussi **préfixion.** *Dont le délai est expiré, a
perdu toute valeur ou tout pouvoir.* → **Forclos, forclusion ; périmé, suranné.** *Demander un délai supplémentaire, la prolongation d'un délai. Sans délai.*
— Cour. *À bref délai :* dans un avenir proche.
Dr. *Délai de grâce,* accordé par les juges pour le
paiement d'une dette, en considération de la position du débiteur et compte tenu de la situation
économique. — *Délai de préavis* ou *délai-congé :*
délai que doivent respecter employeur et employé
entre la dénonciation d'un contrat et sa cessation
effective. — *Délai franc,* qui ne comprend ni le jour
du point de départ ni le jour d'expiration. — *Délai
de viduité*. — Délai de garde* à vue.*

5   (...) demandèrent un délai, non comme une faveur, mais
comme un droit.
MÉRIMÉE, Hist. du règne de Pierre le Grand, p. 119.

6   Dans les cas qui requerront célérité, le président pourra
par ordonnance rendue sur requête, permettre d'assigner
à bref délai.   Code de procédure civile, anc. art. 72.

7   Le jour de la signification et celui de l'échéance ne sont
point comptés dans le délai fixé pour tous les actes faits
à personne ou à domicile.
Code de procédure civile, anc. art. 1033.

DÉLAINAGE [delɛnaʒ] n. m. — 1886 ; de *délainer.*
Techn. Opération consistant à enlever la laine des
peaux de moutons, de chèvres. *L'industrie maza-
métaine du délainage.*

DÉLAINER [delene] v. tr. — 1886 ; «retirer la laine
d'une greffe», 1863 ; *deslané* «privé de sa laine», 1226 ;
de 1. dé-, et *laine.*
Techn. Enlever la laine de (une peau de mouton,
de chèvre), de sorte qu'elle soit utilisable par l'industrie textile.
DÉR. Délainage, délaineur.

DÉLAINEUR, EUSE [delɛnœʀ, øz] n. — 1955 ; de
délainer.
Techn. Ouvrier, ouvrière qui enlève la laine des
peaux, avec un couteau à deux manches.

DÉLAISSEMENT [delɛsmɑ̃] n. m. — 1274; de *délaisser*.

◆1 Rare ou littér. Action de délaisser, fait d'être délaissé. → **Abandon, désertion.**

1 Jésus au milieu de ce délaissement universel et de ses amis choisis pour veiller avec lui, les trouvant dormant, s'en fâche à cause du péril où ils exposent, non lui, mais eux-mêmes (...)   PASCAL, Pensées, VII, 553.

Abstrait :

1.1 Le creux des joues avides, le pli douloureux des lèvres marque encore l'entêtement et la ruse, et dans le délaissement même de toute espérance (...) l'amour inflexible de la vie.   BERNANOS, Monsieur Ouine, *in* Œ. roman., Pl., p. 1479.

Dr. Abandon (d'un bien, d'un droit). → **Cession, déguerpissement, renonciation.** *Le délaissement d'un héritage. Le délaissement d'une terre hypothéquée.* — **Dr. mar.** Acte par lequel l'armateur abandonne à l'assureur un navire endommagé devenu impropre à la navigation.

◆2 État de ce qui est abandonné, délaissé, sans appui ni secours. **REM.** *Délaissement* s'applique plus spécialement aux personnes; *abandon* à la fois aux personnes et aux choses. → **Déréliction, isolement.** *Il est dans un état de délaissement complet, dans un grand délaissement.*

2 Lui dont la main invisible prépare la nourriture aux petits corbeaux mêmes qui l'invoquent dans leur délaissement.   MASSILLON, Petit Carême, «Aumône».

3 Tous les objets prennent une signification désolante, jettent à l'âme, au cœur, une impression horrible d'isolement, de délaissement.   MAUPASSANT, les Sœurs Rondoli, III, p. 60.

Relig. Mystique. État de l'âme qui se croit abandonnée, privée de la grâce de Dieu.

CONTR. Aide, appui, assistance, secours, soutien. — **Revendication.**

DÉLAISSER [delese] v. tr. — Déb. XIIᵉ; de 2. *dé-*, et *laisser*.

◆1 Laisser (qqn) dans l'isolement, sans secours ou sans affection. → **Abandonner.** *Délaisser quelqu'un en se séparant de lui, en partant.* → **Lâcher** (fam.), **laisser, quitter.** *Délaisser quelqu'un en ne s'en occupant pas.* → **Désintéresser** (se), **négliger.** *Ceux qu'on délaisse.*

1 Vous me délaissez, mon Dieu, mais je ne vous délaisserai point.   BOURDALOUE, Exhortation sur la prière de J.-C.

2 Il en avait bien assez de savoir qu'il y avait une personne pour laquelle Landry le délaissait et qui avait toutes ses pensées, au point qu'il les cachait à son besson, et que celui-ci n'en recevait point la confidence.   G. SAND, la Petite Fadette, XXVII, p. 180.

◆2 Abandonner (une activité). *Délaisser un travail ennuyeux. Délaisser les sciences pour les lettres.* → **Déserter.**

3 Vous allez délaisser ce qui est éphémère et fragile, pour aborder enfin le durable, l'éternel !   MARTIN DU GARD, les Thibault, t. IV, p. 138.

◆3 Dr. Renoncer à la possession de (une chose). → **Renoncer.** *Délaisser un héritage.* → **Déguerpir.** *Délaisser une marchandise* (→ **Délaissement**).

◆ DÉLAISSÉ, ÉE passif et p. p. adj.

◆1 (Personnes). Laissé sans secours, sans affection. *Enfant délaissé, épouse délaissée. Il est délaissé de tous ses amis. Mourir délaissé.* → **Abandonner** (p. p. et cit. 16). — N. (rare). *Délaisseur, cit.*

4 (...) les amants délaissés n'ont qu'à chercher qui les plaigne (...)   MARIVAUX, l'Heureux Stratagème, I, 4.

La jeune Norah s'en va, faisant claquer la porte de la 5 maison sur un mari ridicule et trois enfants délaissés.   André SUARÈS, Trois hommes, «Ibsen», VI, p. 154.

Fig. *Délaissé de (qqch.) :* abandonné par...

Et, délaissé de ma tristesse, je mourrai.   6   Francis JAMMES, le Poète et sa femme, «Ne me console pas»... p. 168.

Dont on ne s'occupe pas, qu'on néglige (→ Livré à soi-même).

Elle se souvenait d'avoir été une enfant malheureuse et 7 délaissée, et ses propres enfants furent stylés de bonne heure à être affables et compatissants pour ceux qui n'étaient ni riches ni choyés.   G. SAND, la Petite Fadette, XL, p. 253.

(...) au hasard ou sans doute à la Providence qui sait tou- 8 jours aplanir les voies au génie délaissé.   BALZAC, Louis Lambert, Pl., t. X, p. 354.

◆2 (Choses). Abandonné. *Une profession un peu délaissée. Vieilles coutumes délaissées par la jeunesse.*

CONTR. Conserver, garder. — Aider, assister, entourer, secourir, soutenir. ◊ **DÉR.** Délaissement, délaisseur.

DÉLAISSEUR, EUSE [delɛsœʀ, øz] adj. et n. — XVᵉ; de *délaisser*.

Rare. Littér. Qui délaisse, abandonne (quelqu'un). — N. :

(...) les demandes d'argent fréquentes d'une maîtresse quittée ne vous donnent pas plus une idée complète de sa vie que des feuilles de température élevée ne donneraient de sa maladie. Mais les secondes seraient tout de même un signe qu'elle est malade, et les premières fournissent une présomption (...) que la délaissée ou délaisseuse n'a pas dû trouver grand'chose comme très protecteur.   PROUST, Le côté de Guermantes, Pl., t. II, p. 349.

DÉLAITAGE [delɛtaʒ] ou **DÉLAITEMENT** [delɛtmɑ̃] n. m. — 1836, *délaitage; délaitement,* 1842; de *délaiter.*

Action de délaiter; son résultat. *Le délaitage du beurre.*

DÉLAITER [delete] v. tr. — 1826; de 1. *dé-, lait,* et suff. verbal.

Techn. Débarrasser (le beurre) du petit-lait.

DÉR. Délaitage ou délaitement, délaiteuse.

DÉLAITEUSE [delɛtøz] n. f. — 1890, P. Larousse, *Deuxième suppl.;* de *délaiter.*

Techn. Machine qui sert à délaiter le beurre.

DÉLANGER [delɑ̃ʒe] v. tr. — D. i.; de 1. *dé-,* et *lange.*

Enlever les langes de (un bébé). → **Démailloter.**

Philippe revint au berceau. — Ne le pourrait-on délanger que je le voie mieux? demanda-t-il.   Maurice DRUON, la Loi des mâles, p. 121.

DÉLARDEMENT [delaʀdəmɑ̃] n. m. — 1676; de *délarder.*

Techn. Action de délarder (1. et 2.); son résultat.

DÉLARDER [delaʀde] v. tr. — 1690; de 1. *dé-, lard,* et suff. verbal.

◆1 Enlever le lard de. — **Spécialt.** Enlever le lard de (un porc). → **Dégraisser.** — **Cuis.** Dégarnir (un morceau lardé, ou piqué) de ses lardons*.

◆2 Techn. Diminuer l'épaisseur de; enlever l'arête vive de (→ **Dégraisser,** 3.; 1. **démaigrir**). *Délarder une pierre,* l'amincir avec le marteau. *Délarder une pièce de bois, une marche d'escalier,* la tailler obliquement pour en abattre les arêtes.

CONTR. Larder. ◊ **DÉR.** Délardement.

DÉLASSANT, ANTE [delasã, ãt] adj. — V. 1860; du p. prés. de *délasser*.

Qui délasse le corps ou l'esprit. *Un exercice délassant, une promenade délassante.* → **Reposant.** *Une lecture délassante.* → **Amusant, distrayant, récréatif.**

DÉLASSEMENT [delasmã] n. m. — 1475; de *délasser*.

◆ **1** Le fait de se délasser (physiquement ou intellectuellement). → **Détente, loisir, pause, récréation, relâchement, repos.** *Avoir besoin de délassement. Le délassement du corps et de l'esprit. Les changements nous procurent du délassement. Accorder un instant de délassement à des travailleurs, à des écoliers.*

1 (...) j'achevai ce travail tout en en faisant d'autres, et trouvant toujours qu'un changement d'ouvrage est un véritable délassement.   ROUSSEAU, les Confessions, IX.

2 Il feignait de les accueillir *(ses rêveries)* comme un simple délassement de l'esprit.
     J. ROMAINS, les Hommes de bonne volonté, t. V, p. 83.

◆ **2** Ce qui délasse. → **Amusement, distraction, divertissement.** — *(Le délassement de qqn). Son grand délassement est de collectionner les timbres. — (Un, des délassements). La lecture, la musique sont des délassements.*

3 La comédie fut toujours le délassement des grands hommes, le divertissement des gens polis et l'amusement du peuple.
     SAINT-ÉVREMOND, De la comédie italienne.

CONTR. **Fatigue.** — **Travail.**

DÉLASSER [delase] v. tr. — XIVᵉ, rare jusqu'au XVIᵉ; de 1. *dé-, las,* et suff. verbal (→ Lasser).

Tirer de l'état de lassitude, de fatigue. → **Détendre, reposer.** *Délasser le corps, les membres, en s'étendant, en prenant un bain. Écouter de la musique délasse l'esprit. — Délasser qqn. Sa gaieté nous délasse.* → **Changer, distraire, divertir.**

1 (...) puissé-je (...) délasser Votre Majesté des fatigues de ses conquêtes (...)   MOLIÈRE, Tartuffe, 2ᵉ placet au Roi.

2 Mais que des sujets différents se succèdent, même sans interruption, l'un me délasse de l'autre, et sans avoir besoin de relâche, je les suis plus aisément.
     ROUSSEAU, les Confessions, VI.

3 (...) la rêverie me délasse et m'amuse, la réflexion me fatigue et m'attriste; penser fut toujours pour moi une occupation pénible et sans charme.
     ROUSSEAU, Rêveries, VIIᵉ promenade.

4 Lorsque je suis fatigué, la vue me délasse.
     BERNARDIN de SAINT-PIERRE, Paul et Virginie, p. 59.

5 — Il ne faut point détourner l'esprit ailleurs, sinon pour le délasser, mais dans le temps où cela est à propos, le délasser quand il le faut, et non autrement; car qui délasse hors de propos, il lasse (...)   PASCAL, Pensées, I, 24.

Absolt. *La lecture délasse.*

6 (...) et, quand on arrivait du dehors, la fraîcheur de l'escalier délassait.
     FLAUBERT, l'Éducation sentimentale, II, VI, Pl., t. II, p. 287.

◆ **SE DÉLASSER** v. pron.

(Personnes). Se reposer en se distrayant. *Partir en vacances pour se délasser.*

7 J'entends parler le monde; et des gens se délassent À venir débiter les choses qui se passent
     MOLIÈRE, l'École des femmes, I, 1.

8 Un pacha visite son harem. À tout le moins un marchand de Bagdad, des pierreries plein ses poches, vient se délasser dans un palais peuplé de femmes de divers climats.
     J. ROMAINS, les Hommes de bonne volonté, t. V, VII, p. 61.

◆ **DÉLASSÉ, ÉE** p. p. adj.

Qui n'a plus de lassitude. → **Dispos, reposé.** *Délassé par un long sommeil.*

Tout à coup, semblable au voyageur délassé par un bain,   9
Minna n'eut plus que la mémoire de ses vives douleurs (...)
     BALZAC, Séraphîta, Pl., t. X, p. 466.

CONTR. **Fatiguer, lasser.** ◊ DÉR. **Délassant, délassement.**

DÉLATEUR, TRICE [delatœR, tRis] n. et adj. — 1539; lat. *delator,* de *delatus,* p. p. de *deferre* «dénoncer».

Personne qui dénonce, fait une délation* pour des motifs méprisables. → **Accusateur, dénonciateur, espion, sycophante** (littér.), **traître; scol. cafeteur,** 1. **capon, rapporteur;** argot, puis fam. **donneur** (et donneuse), **mouchard, mouton.** *Les délateurs sont utilisés par les régimes tyranniques* (→ Abjection, cit. 1).

(...) on ne fait point déposer les témoins en secret, ce serait   1
en faire des délateurs (...)
     VOLTAIRE, Dialogues, XXIV, 15.

Cet attendrissement se changea bientôt en colère contre les   2
vils délateurs qui n'avaient vu que le mal d'un sentiment criminel, mais involontaire, sans croire, sans imaginer même la sincère honnêteté de cœur qui le rachetait.
     ROUSSEAU, les Confessions, IX.

Et voilà ce qu'il avait fait, lui, ministre, pour l'honneur et   2.1
pour le salut du pays, pendant que d'immondes délateurs essayaient vainement de salir son nom, en l'inscrivant sur une liste d'infamie, œuvre inventée des plus basses manœuvres politiques.   ZOLA, Paris, t. II, p. 39.

Adj. *Une attitude, une pratique délatrice.*

Son art de tronquer les textes de ses adversaires, sa manie   3
délatrice quand sa religion ou son général sont persiflés (...) ses ivresses de vengeance quand sa vanité d'homme de lettres est piquée (...) sa mesquinerie quand il est à court de raison, tout cela existe : mais tout cela coexiste avec une réalité profonde (...) : Mauriac est honnête, presque toujours sincère, et fort intelligent.
     Jean-François REVEL, in L'Express, 19-25 juin 1967.

DÉLATION [delasjɔ̃] n. f. — 1549; lat. *delatio,* de *delatus,* p. p. de *deferre.* → Délateur.

Dénonciation inspirée par des motifs méprisables. → **Calomnie, dénonciation, médisance; rapportage** (scol.) *Faire une délation.* → **Dénoncer, donner** (argot, puis fam.), **trahir, vendre.** *Se faire l'auteur d'une délation pour une somme d'argent.*

Celui-ci, après avoir été libelliste ordurier, est devenu   1
espion gagé, aussi infâme dans ses délations qu'il était méprisable avant ce joli métier.
     CHAMFORT, Lettre de Mirabeau à Chamfort, IX, p. 338.

Deux courtisanes, séduites par de l'argent et des promesses   2
se chargent de la délation (...)
     DIDEROT,
     Essai sur les règnes de Claude et de Néron, I, 25.

Ce que vous appelez, avec raison peut-être, notre dictature   3
hygiéniste et moralisatrice a développé, chez nous, comme font toutes les dictatures, un ignoble esprit de délation et de discorde.
     G. DUHAMEL, Scènes de la vie future, V, p. 83.

REM. Comme *délateur,* le mot, sans être du registre littéraire, appartient plutôt au style écrit et soutenu.

DÉLATTER [delate] v. tr. — 1412, *deslater;* de 2. *dé-* et *latter.*

Ôter les lattes de (un toit, un plafond). — Pron. *Se délatter :* perdre ses lattes.

DÉLAVAGE [delavaʒ] n. m. — 1818; de *délaver.*

Techn. Action de délaver; fait de devenir délavé. *Le délavage de ses chandails.* — Par métaphore :

La confession (...) est devenue, dans le coulage et le délavage actuel du christianisme, un vulnéraire si parfaitement incolore et neutre que sa force thérapeutique sur les âmes doit, en général, être à peu près nulle.
     Léon BLOY, le Désespéré, 1886, p. 152.

DÉLAVÉ, ÉE [delave] adj. — XVIe; p. p. de *délaver*.
→ Délaver.

◆ **1** Dont la couleur est ou semble trop étendue d'eau. → **Décoloré, fade, pâle.** *Le ciel est d'un bleu délavé. — Ciel délavé,* d'un bleu délavé.

1 (...) son vêtement de drap noir qui faisait ressortir la pâleur anormale de son visage et le bleu délavé de ses yeux froids.
Edmond JALOUX, les Visiteurs, XXXI, p. 237.

2 (...) une flamme d'amusement tremblait dans ses yeux délavés.
SARTRE, le Sursis, p. 81.

3 Du temps que ce vêtement était à la pointe de la mode, une firme américaine vantait le bleu délavé de ses jeans : it fades, fades and fades.
R. BARTHES, Fragments d'un discours amoureux, p. 129.

◆ **2** Techn. (joaill.). *Pierre délavée,* dont la couleur est pâle.

◆ **3** Par métaphore ou fig. Littér. Qui paraît amolli, affaibli.

4 (...) la théorie des Idées *(de Platon)* marque la victoire des mots plus généraux que les objets et plus près de la patrie idéale dont ce monde n'est qu'une copie délavée.
CAMUS, l'Homme révolté, *in* Essais, Pl., p. 1676.

◆ **4** Qui a été trempé, imbibé d'eau. *Viande délavée,* qui a cuit dans trop d'eau. *Foin délavé,* qui a été détrempé par la pluie. *Terre délavée.*

CONTR. Concentré, vif.

DÉLAVER [delave] v. tr. — V. 1585; «salir», XIIIe; «purifier», 1398; de 2. *dé-,* et *laver.*

◆ **1** Enlever ou éclaircir avec de l'eau (une couleur étendue sur du papier). → **Laver.**

◆ **2** (Sujet en général n. de chose). Imbiber d'eau. → **Détremper.** *La neige délave le sol. L'inondation a délavé les terres. — Pron. Se délaver.*

Les poulettes, au fond, il en avait sa claque (...) Et puis, cette peinture qu'elles se fourrent sur la bouche, les joues, les yeux, et qui se délave sous les baisers, laissant paraître une peau flasque, granuleuse, grise.
Roger IKOR, les Fils d'Avrom, «Les eaux mêlées», p. 481.

CONTR. Intensifier. ◊ **DÉR. Délavage, délavé, délavure.**

DÉLAVURE [delavyʀ] n. f. — XXe; de *délaver.*

Rare. Matière, couleur délavée.

J'aime ce paysage où les délavures de la terre coulent à travers l'herbe des tons ocreux.
GIDE, Journal, 30 janv. 1906, p. 197.

DÉLAYAGE [deleʒaʒ] n. m. — 1832; de *délayer.*

◆ **1** Action de délayer. — On a dit aussi *délayement* (1549). — *Délayage de la farine.*
État de ce qui est délayé; ce qui est délayé. *Un délayage léger.*

◆ **2** (1870). Fig. et fam. Le fait d'exposer trop longuement; exposé délayé. *Faire du délayage. Il n'y a que du délayage, dans ce devoir de littérature.* → **Longueurs, remplissage, verbiage.**

CONTR. Brièveté, concision, laconisme.

DÉLAYANT, ANTE [deleʒã, ãt] adj. — 1752, *in* Trévoux; p. prés. de *délayer.*

Méd. (vieilli). Qui rend le sang moins épais. *Médicament délayant,* et, n. m., *un délayant.*

DÉLAYER [deleje] v. tr. [CONJUG.: *payer.*] — XIIIe; du lat. pop. *delicare,* de *deliquare* «clarifier», «transvaser»; de *de-,* et *liquare* «liquéfier».

◆ **1** Détremper* (une substance) dans un liquide. → **Diluer, dissoudre, étendre, fondre.** *Délayer de la farine dans de l'eau, du lait, pour faire une pâte. Délayer du lait en poudre, du cacao. Ustensile à délayer.* → **Moussoir.** *Délayer une substance à chaud, à froid. Délayer en tournant, en versant le liquide peu à peu pour éviter la formation de grumeaux*.* — *Délayer de la chaux* (→ **Couler**), *du plâtre, du mortier* (→ **Gâcher**). *Délayer une substance dans un liquide qui la précipite.* → **Léviger.** — *Délayer de la peinture avec de l'eau, de l'huile, de l'essence.*

1 *(Les unaus)* passent ainsi plusieurs semaines sans pouvoir délayer par aucune boisson cette nourriture aride
BUFFON, Hist. nat. des animaux, L'unau et l'aï, t. III, p. 444.

2 Le godet dans lequel M. Sucre délaie son encre est en lui-même un vrai bijou.
LOTI, Mme Chrysanthème, XXXIII, p. 154.

◆ **2** (1766). Fig. *Délayer une pensée, une idée, un discours,* l'exposer trop longuement, de manière diffuse. → **Noyer, paraphraser** (cf. fam. Allonger la sauce, mettre de la sauce).

3 Descartes a délayé cette pensée *(l'incrédulité est la source de la sagesse)* (...)
VOLTAIRE, le Philosophe ignorant, V.

◆ **DÉLAYÉ, ÉE** p. p. adj.

◆ **1** *Cacao délayé (dans du lait).*

◆ **2** Fig. → **Diffus, prolixe.** *Pensée délayée. — N. m. C'est du délayé.*

CONTR. (De *délayer*) **Épaissir.** — (Du p. p.) **Concis, dense.** ◊ **DÉR. Délayage, délayant.**

DELCO [dɛlko] n. m. — V. 1950; marque déposée : initiales de la *Dayton Engineering Laboratories Company.*

Système d'allumage (→ **Allumeur**) d'un moteur à explosion, utilisant une bobine d'induction; cette bobine. — Abusivt. Allumeur (d'un moteur d'automobile).

Bon, quand on a réussi à transformer la peau du corps en carapace de métal, il faut transformer l'intérieur de son corps, et ça c'est vraiment le plus difficile de tout (...) Il y a des gens qui croient qu'il suffit de penser qu'on a un moteur à la place du cœur, des cylindres dans les poumons, un delco à la place du foie, des vilebrequins dans les entrailles et un carburateur dans l'estomac.
J.-M. G. LE CLEZIO, les Géants, 1973, p. 187.

DELEATUR [deleatyʀ] n. m. invar. — 1797; mot lat. «qu'il soit effacé», 3e pers. du subjonctif présent passif de *delere* «effacer».

Typogr. Signe ressemblant à un delta grec minuscule (δ) et servant à indiquer sur les épreuves d'imprimerie qu'il faut supprimer quelque chose. *Des deleatur. Mettre un deleatur dans la marge en face d'un mot à retrancher.* — Fig. :

Robespierre fut l'effrayant correcteur d'épreuves de la Révolution. Il y mit son *deleatur.* Cet immense exemplaire du progrès, revu par lui, garde encore la lueur de sa prunelle sinistre.
HUGO, Post-scriptum de ma vie, «Tas de pierres», V.

DÉR. Déléaturer.

DÉLÉATURER [deleatyʀe] v. tr. — 1914; de *deleatur,* p.-ê. d'après *raturer.*

Rare. Supprimer, annuler par un deleatur.

1 Mais je vais, si vous le permettez, profiter de ce délai pour vous donner connaissance de la préface que j'avais écrite pour les *Caves,* et que j'ai déléaturée sur épreuves.
GIDE, Journal, 12 juil. 1914.

2 *Déléaturer*, tiré de *deleatur* (signe d'imprimerie), paraît signifier *supprimer*, *tenir pour nul*. Il contient une métaphore, prétentieuse.
> A. THÉRIVE, *Querelles de langage*, III, p. 200.

DÉLÉBILE [delebil] adj. — 1819; lat. *delebilis* «destructible», de *delere* «détruire; effacer, biffer». → Deleatur.

Rare. Qui peut s'effacer. → **Effaçable.** *Encre délébile.*

Il ne reste que (...) deux accents délébiles que boit le plâtre (...) A. ARNOUX, *Suite variée*, p. 186.

CONTR. Indélébile (plus cour.), **ineffaçable.**

DÉLECTABLE [delɛktabl] adj. — 1170; lat. *delectabilis*, de *delectare* (→ Délecter); a remplacé l'anc. franç. *délitable.*

(Style soutenu). Qui délecte, qui est très agréable*. → **Délicieux, exquis.** *Mets délectable.* → **Délicat, friand, savoureux.** *Vin délectable* (cf. fam. C'est du velours. Un vrai velours!). *Séjour, lieu délectable.* — (Sentiments, émotions)

1 Chaque frémissement de l'airain portait à mon âme naïve la délectable mélancolie des souvenirs de ma première enfance. CHATEAUBRIAND, *René*, p. 171.

Délectable pour, à quelqu'un.

2 Nous avions souffert tout le jour du soleil, et la fraîcheur du soir nous était délectable.
> GIDE, *Journal*, 9 avr. 1896.

CONTR. Mauvais; dégoûtant. ◊ **DÉR. Délectablement.**

DÉLECTABLEMENT [delɛktabləmã] adv. — V. 1370; de *délectable.*

Littér. D'une manière délectable. → **Délicatement, exquisément.**

DÉLECTATION [delɛktasjɔ̃] n. f. — V. 1120; du lat. *delectatio*, du supin de *delectare*. → Délecter.

◆ **1** (Style soutenu). Plaisir (sensible ou intellectuel) que l'on savoure. → **Délice, jouissance, volupté.** *Déguster un mets, une boisson avec délectation. Éprouver de la délectation à souffrir* (masochisme), *à faire souffrir* (sadisme). *Délectation malsaine, triste, morbide...*

1 (...) une délectation infinie l'envahissait, plaisir tout mêlé d'amertume comme ces vins mal faits qui sentent la résine. FLAUBERT, Mᵐᵉ *Bovary*, III, XI, p. 219.

2 (...) je ne me suis moqué de personne aussi cruellement que de moi-même, ni avec autant de délectation.
> FRANCE, *la Vie en fleur*, XV, p. 190.

◆ **2** Théol. Plaisir qu'on prend à faire quelque chose. *Délectation de la grâce* (→ **Ravissement**). *Délectation de la nature.* — Loc. *Délectation morose* : sentiment agréable qu'éprouve celui qui se complaît dans une tentation. → **Complaisance.**

3 (...) l'empire de la raison et de la justice n'est non plus tyrannique que celui de la délectation.
> PASCAL, *Pensées*, V, 325.

4 La concupiscence dont l'humanité déchue est pétrie, ne peut être vaincue que par une délectation plus puissante (...) la délectation victorieuse de la grâce.
> F. MAURIAC, *Souffrances et Bonheur du chrétien*, p. 78.

5 Que Lamennais ait conseillé Sainte-Beuve pour la conduite de sa vie, qu'il l'ait encouragé à se débarrasser de cette délectation morose et de cette complaisance dans l'inquiétude amoureuse comme dans l'incertitude philosophique (...) A. BILLY, *Sainte-Beuve...*, 19, p. 137.

(Par contresens avec le sens 1). *Délectation morose*, triste. «*Cultivant le malheur, y trouvant une délectation morose*» (E. Triolet, *in* T. L. F.).

CONTR. Dégoût.

DÉLECTER [delɛkte] v. tr. et pron. — 1340; lat. *delectare* fréquentatif de *delicere*, de *de-*, et *lacere* «attirer», d'abord «faire tomber dans un piège» (→ Lacs); a remplacé l'anc. franç. *delitier, deliter*, v. 1120.

Vx. ou littér. Remplir d'un plaisir qu'on savoure avec délices. → **Charmer, flatter, régaler, réjouir.** *Cette musique délecte le cœur et les sens.* — *Délecter quelqu'un.*

1 Un théologien ne doit pas appliquer son étude à délecter les oreilles en jasant.
> CALVIN, *Institution de la religion chrétienne*, 105.

2 Confusément j'apercevais bien que ce qui délectait ainsi mon jeune précepteur, c'était le spectacle même du jeu de la vie (...) E. FROMENTIN, *Dominique*, III, p. 54.

Absolument :

2.1 On n'estime ici bas, mon enfant, que ce qui rapporte ou ce qui délecte; et de quel profit peut nous être la vertu des femmes ! SADE, *Justine...*, t. I, p. 22.

◆ **SE DÉLECTER** v. pron. (V. 1361).

Cour. *Se délecter (à qqch., de qqch.)* : prendre un très grand plaisir (à qqch.). → **Goûter, jouir** (de), **plaire** (se), **régaler** (se), **réjouir** (se), **savourer.** *Se délecter à la lecture d'un livre. Se délecter de qqch. Je me suis délecté à l'écouter parler.*

3 (...) et volontiers *(je)* me délecte à lire les beaux Dialogues de Platon (...) RABELAIS, *Pantagruel*, II, 8.

4 C'était pour lui l'heure vraiment douce de la journée, où se pouvaient gaver, délecter tout à l'aise, de belle prose administrative, ses instincts de rond-de-cuir endurci.
> COURTELINE, *Messieurs les ronds-de-cuir*, IIIᵉ tableau, I, p. 91.

5 Quand je rêve — je rêve peu — je me délecte assez souvent de ce dont ma veille sagement se prive.
> COLETTE, *l'Étoile Vesper*, p. 160.

CONTR. Dégoûter. — Détester, répugner.

DÉLÉGANT, ANTE [delegã, ãt] n. — 1846; lat. *delegans*, p. prés. de *delegare* «déléguer».

Dr. Personne qui délègue* (opposé à *délégataire*).

DÉLÉGATAIRE [delegatɛr] n. — 1831; attestation isolée, 1605; de *déléguer*, d'après *légataire.*

Dr. Personne à qui l'on délègue (une chose). — Opposé à *délégant, délégateur.*

DÉLÉGATEUR, TRICE [delegatœr, tris] n. — XIVᵉ; du bas lat. *delegator*, du supin de *delegare*. → Déléguer.

Dr. Personne qui fait une délégation. → **Délégant** (opposé à *délégataire*).

DÉLÉGATION [delegasjɔ̃] n. f. — XIIIᵉ; de *delegatio* «procuration», du supin de *delegare*. → Déléguer.

[1] ◆ **1** Commission qui donne à quelqu'un le droit d'agir au nom d'un autre. → **Mandat, procuration, représentation.** *Personne qui agit par délégation, en vertu d'une délégation.* → **Délégué.** *Délégation faite par un délégué* : subdélégation. — (Enseignement). *Emploi de maître auxiliaire, non titulaire.*

0.1 Quelques leçons particulières, une délégation au lycée Victor Duruy m'assuraient mon pain quotidien (...)
> S. DE BEAUVOIR, *la Force de l'âge*, p. 16.

◆ **2** Acte par lequel on délègue quelqu'un.

◆ **3** (1878). Plus cour. Ensemble des personnes déléguées. *Délégation d'étudiants au ministère. Délégation ouvrière d'un syndicat. Faire partie d'une délégation. Réunir, envoyer une délégation. Recevoir une délégation. Président d'une délégation.* — Fig. → **Envoyé; message.**

1 Il lui a semblé que, pendant ces quelques heures, toutes les questions de la vie, toutes les choses de l'univers, toutes

les probabilités de l'avenir lui envoyaient pêle-mêle des délégations.

> J. ROMAINS, les Hommes de bonne volonté, t. I, VI, p. 66.

Spécialt. Assemblée délibérante composée de délégués. — Hist. *Délégations financières de l'Algérie.* — *Délégation spéciale* (XXᵉ) : commission administrative chargée d'administrer temporairement une commune. — *Délégation (générale)* : organisme gaulliste en France occupée.

Organisme chargé de l'étude de questions scientifiques, techniques. *La Délégation à l'aménagement du territoire et à l'action régionale* (DATAR).

II *Délégation de* (et n. de chose). **♦ 1** Attribution, transmission pour un objet déterminé. *Délégation de pouvoir à quelqu'un.*

♦ 2 Dr. civ. Opération par laquelle une personne (→ **Délégué**) fait ou s'oblige à faire une prestation à une autre (→ **Délégataire**) qui l'accepte sur l'ordre d'une troisième (→ **Délégant**). *Délégation d'une créance.*

2 Il en jouissait *(de rentes)* avant le payement et délégation qu'il en a faite à mon grand-père.
> CORNEILLE, Lettre.

3 La délégation par laquelle un débiteur donne au créancier un autre débiteur qui s'oblige envers le créancier, n'opère point de novation, si le créancier n'a expressément déclaré qu'il entendait décharger son débiteur qui a fait la délégation. Code civil, art. 1275.

Par ext. Acte par lequel on transmet une créance ; titre de cette créance. *Délégation de cent mille francs.*

Par anal. Faculté qu'ont les militaires et marins de faire toucher une partie de leur solde par leur famille. *Délégation de solde.*

COMP. Subdélégation.

DÉLÉGUÉ, ÉE [delege] n. et adj. — XIVᵉ, adj.; v. 1534, n.; p. p. de *déléguer.* → Déléguer.

♦ 1 Personne qui a commission de représenter les intérêts d'une personne, d'un groupe, avec éventuellement pouvoir d'agir. → **Commissaire, émissaire, envoyé, mandataire, représentant.** *Nommer, désigner un délégué. Un délégué, une déléguée à un congrès international. Délégué du personnel. Délégué syndical. Recevoir les délégués d'un syndicat.* — Spécialt (hist. ou vx). Délégué du peuple à une assemblée. → **Député, parlementaire.**

1 (...) le député d'Orléans est exactement le délégué d'Orléans à soutenir les intérêts orléanais *contre* les *délégués* des autres circonscriptions, qui eux-mêmes en font autant.
> Ch. PÉGUY, Œ. compl., t. I, p. 387.

2 Les communistes sont disciplinés. Ils obéissaient aux secrétaires de cellule, ils obéissent aux délégués militaires.
> MALRAUX, l'Espoir, «Romano», p. 546.

3 Mais le sens du tête-à-tête se déformait en même temps que la personne mouvante de Victor. Le maître d'hôtel devenait délégué du personnel de l'office, puis le délégué du personnel ouvrier, le délégué du gouvernement, le délégué d'un syndicat, le délégué d'un groupe d'initiales qui dansaient sur les grands murs nus de la salle à manger. M. AYMÉ, Travelingue, p. 15.

♦ 2 Personne chargée d'exercer une fonction administrative à la place d'un titulaire. — (1966). *Délégué militaire départemental,* chargé de représenter le général commandant la division militaire, dans l'exercice de certaines fonctions (remplace l'ancien commandant de subdivision).

(Enseignement). *Délégué(e) cantonal(e),* chargé(e) de la surveillance des écoles du premier degré. *Délégués ministériels, rectoraux,* nommés à titre provisoire (par le ministre, un recteur) à un poste d'enseignement.

CONTR. Commettant ; mandant, titulaire. ◊ **COMP. Subdélégué.**

DÉLÉGUER [delege] v. tr. — 1330 ; lat. *delegare,* de *de-* intensif et *legare* «députer ; léguer». → Léguer.

I *Déléguer (qqn)* **♦ 1** Charger (qqn) d'une fonction, d'une mission en transmettant totalement ou partiellement son pouvoir. → **Commettre, députer, envoyer, mandater.** *Personne qui délègue* (→ **Délégant**). *Déléguer un représentant à une assemblée. Les ouvriers délèguent un des leurs pour présenter leurs revendications auprès du directeur de l'usine. Tribunal qui délègue un juge pour enquêter. Déléguer qqn lorsqu'on est soi-même délégué :* subdéléguer.

♦ 2 Charger (qqn) d'accomplir envers un autre une obligation qu'il avait envers vous. *Déléguer un débiteur.* → **Délégation** (cit. 2).

II *Déléguer (qqch.) :* transmettre, confier (une autorité, un pouvoir) pour un objet déterminé. *Déléguer son autorité, son pouvoir, sa compétence... à qqn. Déléguer sa solde.*

1 Quant à de l'argent, Yves n'en a pas ; il en oublie même l'usage et la valeur, comme il arrive souvent aux marins — car il *délègue* à sa femme, à Brest, *sa solde et ses chevrons,* tout ce qu'il gagne.
> LOTI, Mon frère Yves, LXXXIII, p. 197.

2 (...) la notion anglo-saxonne de l'État, expression de la communauté, de l'État agent et serviteur du citoyen, qui lui a délégué ses pouvoirs !
> André SIEGFRIED, l'Âme des peuples, II, II, p. 38.

CONTR. Représenter. ◊ **DÉR. Délégataire.** — V. aussi **Délégué.**

DÉLESTAGE [delɛstaʒ] n. m. — 1681 ; de *délester.*

♦ 1 Action de délester. — Mar. Action de décharger un bâtiment de son lest. — Par ext. Action d'alléger la charge (d'un véhicule...).

♦ 2 (XXᵉ). Techn. Suppression momentanée de la fourniture de courant électrique à un secteur du réseau. *Opérer un délestage pour pondérer la production d'une centrale. Délestages dus à un mouvement de grève.*

♦ 3 Fait de limiter momentanément l'accès à une voie routière, d'y limiter la circulation (en la détournant). *Adopter un itinéraire de délestage.*

DÉLESTER [delɛste] v. tr. — 1681 ; *delaster,* 1593 ; de 1. *dé-, lest* et suff. verbal.

♦ 1 Décharger de son lest. → **Alléger.** *Délester un navire, un aérostat, une fusée spatiale.* — Au p. p. :

1 Cependant, le ballon, délesté de lourds objets, tels que munitions, armes, provisions, s'était relevé dans les couches supérieures de l'atmosphère, à une hauteur de quatre mille cinq cents pieds.
> J. VERNE, l'Île mystérieuse, t. I, p. 4.

♦ 2 Rare. Débarrasser (qqn) d'un fardeau. → **Décharger.**

2 Elle portait un panier de bûches. Il s'empressa de la délester.
> MARTIN DU GARD, les Thibault, t. IV, p. 106.

Pron. (Fin XIXᵉ). Fam. *Se délester* (d'un fardeau matériel, d'une charge morale).

(1870). Fig. et iron. → **Voler.** *Son fils l'a délesté d'une partie de sa fortune. Il s'est fait délester de son portefeuille.*

♦ 3 (XXᵉ). Électr. Opérer une coupure de courant momentanée dans certains secteurs d'un réseau.

CONTR. Charger, lester. ◊ **DÉR. Délestage.**

DÉLÉTÈRE [deletɛʀ] adj. — 1370; du gr. *délétérios* «nuisible», de *dêlein* «détruire». → Délétion.

♦1 Qui met la santé, la vie en danger. *Action délétère d'une substance.* — Cour. *Gaz délétère.* → **Asphyxiant, irrespirable, nocif, nuisible, toxique.** *Miasmes délétères qui intoxiquent, empoisonnent.*

1 Un soir, nous fûmes surpris par une vague de gaz délétère que le vent du nord-est apportait des lignes allemandes.
    G. DUHAMEL, la Pesée des âmes, VIII, p. 210.

2 Il put s'enfuir, à travers des pluies de feu. Mais sa femme, s'étant retournée pour voir l'atroce spectacle, fut asphyxiée par les gaz délétères; les efflorescences salines la recouvrirent. DANIEL-ROPS, le Peuple de la Bible, I, I, p. 27.

Par métaphore :

2.1 C'est amusant d'observer comme il essaie de se soulever, de lever la tête le plus haut possible, hors de ce qui se dégage, sécrété par nous, de cette couche de gaz délétère qui émane de notre présence immobile, de notre silence.
    N. SARRAUTE, Vous les entendez? p. 139.

Par métonymie. (Vx). *Plantes délétères.*

♦2 (1863). Fig. et littér. Qui est capable de corrompre. → **Corrupteur, néfaste, nuisible.** *Action délétère d'un individu sur un autre. Doctrine, maxime délétère.*

3 Retenons seulement que cette indécence, réelle ou imaginaire, est une trace du passage de Vintras et de son action délétère sur la paix publique.
    M. BARRÈS, la Colline inspirée, X, p. 171.

CONTR. Salubre, sain, vivifiant.

DÉLÉTION [delesjɔ̃] n. f. — XXᵉ; angl. *deletion*, du lat. *deletio* «destruction», du supin de *delere*, d'orig. grecque. → Délétère.

Biol. Double rupture d'un chromosome avec perte d'un élément, constituant une cause de mutation; perte (de cet élément).

On a ainsi identifié diverses mutations comme dues à : 1. la substitution d'une seule paire de nucléotides à une autre; 2. La délétion ou l'addition d'une ou plusieurs paires de nucléotides (...)
    Jacques MONOD, le Hasard et la Nécessité (1970), p. 147.

DÉLIAGE [deljaʒ] n. m. — 1870, *Petit Larousse*; de *délier.*

Rare. Action de délier; son résultat. → **Déliement.**

DÉLIAISON [deljɛzɔ̃] n. f. — 1842; «action de délier», fin XVIᵉ; «d'analyser», v. 1570, Ronsard; de 1. *dé-* et *liaison.*

Mar. Jeu entre certaines pièces d'un navire (bordages, notamment).

DÉLIBÉRANT ANTE [deliberɑ̃, ɑ̃t] adj. → **Délibérer** (cit. 12 et *supra*).

DÉLIBÉRATIF, IVE [deliberatif, iv] adj. — V. 1327; du lat. *deliberativus*, du supin de *deliberare*. → Délibérer.

♦1 Qui a qualité pour voter, pour décider dans une délibération (opposé à *consultatif*, qui donne son avis). → **Décisif.** *Avoir voix délibérative dans une assemblée.*

Il s'éleva une dispute dans ce bureau entre le premier et le second ordre, qui y prétendait la voix délibérative, le premier ne lui voulut reconnaître que la consultative.
    SAINT-SIMON., 78, 7.

♦2 Qui a pour objet la délibération. — Rhét. *Genre délibératif :* genre d'éloquence qui expose le pour et le contre.

CONTR. Consultatif.

DÉLIBÉRATION [deliberasjɔ̃] n. f. — 1280; du lat. *deliberatio*, du supin de *deliberare*. → Délibérer.

♦1 Action de délibérer avec d'autres personnes. → **Conseil, débat, discussion, examen.** *Se réunir pour une délibération. Délibération entre amis. Délibération d'une assemblée, d'un jury... Délibération longue, difficile, orageuse. Délibération publique, secrète. L'ordre du jour appelle cette délibération. Salle des délibérations.* — *Donner son avis, partager l'avis des autres, opiner lors d'une délibération. Voter en fin de délibération. Avoir voix prépondérante dans une délibération. Délibération par laquelle une assemblée se refuse à examiner une question.* → **Question** (question préalable). *Clôture d'une délibération. Après délibération, il a été convenu, décidé que... Mettre une question en délibération.*

1 (...) après une longue délibération, nous sommes convenus qu'il achètera un petit vaisseau tout équipé (...)
    A. R. LESAGE, le Diable boiteux, XV, p. 162.

2 Après la délibération commune, que va-t-il sortir des urnes? GAMBETTA, Disc. de Belleville, 25 avr. 1876.

3 Les financiers français (...) mènent la banque, le commerce et l'industrie, créent le mythe de l'opinion publique et participent secrètement aux délibérations du Gouvernement qui a besoin d'eux pour maintenir la valeur de la monnaie et la confiance des capitalistes.
    A. MAUROIS, le Cercle de famille, II, IX, p. 117.

4 Quand tous ceux qu'on attendait furent là, deux valets fermèrent les portes assez ostensiblement. On sentit que le secret de la délibération serait gardé.
    J. ROMAINS, les Hommes de bonne volonté, t. V, XXII, p. 171.

♦2 Résultat de la délibération. → **Décision, résolution.** *Les délibérations prises par l'assemblée.*

♦3 Examen conscient et réfléchi avant de décider s'il faut accomplir ou non un acte conçu comme possible. → **Réflexion.** *Décision prise après mûre délibération* (→ **Décision**, 2). *Sans délibération :* à l'étourdie. → **Indélibéré.**

5 (...) par une pure délibération de notre raison, et non point par le mouvement d'une aveugle colère.
    MOLIÈRE, Dom Juan, III, 4.

6 Nous ne mettons jamais en délibération si nous voulons être heureux ou non (...)
    BOSSUET, Traité du libre arbitre, 2.

7 (...) comme tous les gens qui ne sont pas amoureux, il s'imaginait qu'on choisit la personne qu'on aime après mille délibérations et d'après des qualités et convenances diverses.
    PROUST, À la recherche du temps perdu, t. IX, p. 124.

DÉLIBÉRATOIRE [deliberatwaʀ] adj. — 1863; de *délibérer.*

Didact. Relatif à la délibération. *Examen délibératoire.*

DÉLIBÉRÉMENT [deliberemɑ̃] adv. — 1381; de *délibéré.*

♦1 Après avoir délibéré, réfléchi. → **Consciemment, intentionnellement, volontairement.** *C'est délibérément que nous acceptons cette responsabilité.*

1 J'ai donc renoncé délibérément à l'usage du style historique, et j'ai tenu à exposer toujours les faits dans une langue simple et familière (...)
    Ch. SEIGNOBOS, Hist. sincère de la nation franç., Introduction, p. 9.

♦2 De manière décidée, sans hésitation. → **Résolument.** *Répondre délibérément à une remontrance.*

2 (...) Il faut l'attaquer sans ambages, sans délai, délibérément (...) GIDE, Journal, mars 1906.

CONTR. Involontairement. — Timidement.

DÉLIBÉRER [delibeʀe] v. [CONJUG.: *céder*.] — XIIIᵉ ; du lat. *deliberare*, de *de-*, et *libra* «poids ; balance».

Peser le pour et le contre, étudier en vue d'une décision à prendre.

I (Avec d'autres personnes, à plusieurs). ♦ **1** V. intr. (Sujet n. de personne au plur. ou n. collectif). Discuter en vue d'une décision à prendre ; étudier, examiner (à plusieurs). → **Concerter** (se), **conseil** (tenir conseil), **consulter** (se), **débattre**. *Délibérer ensemble sur un sujet, une question. Délibérer secrètement, à l'écart.* → **Conciliabule** (tenir un). *Les membres du jury se retirent pour délibérer. Les juges délibèrent à huis clos. Assemblée qui délibère* (→ **Concile, congrès, conseil...**). *Séance pendant laquelle une assemblée délibère d'une question. L'assemblée, poursuivant ses travaux, a délibéré toute la journée.*

1   L'affaire est d'importance, et, bien considérée,
    Mérite en plein conseil d'être délibérée.
                              CORNEILLE, le Cid, II, 8.

2   Ne faut-il que délibérer,
    La cour en conseillers foisonne ;
    Est-il besoin d'exécuter,
    L'on ne rencontre plus personne.
                              LA FONTAINE, Fables, II, 2.

3   (...) ils délibèrent ensemble, ils se communiquent leurs pensées, ils se concilient (...)
                              MONTESQUIEU, l'Esprit des lois, VI, IV.

♦ **2** V. tr. ind. **DÉLIBÉRER DE, SUR (qqch.) :** décider ou tenter de décider par un débat, une délibération. → **Discuter, examiner.** *Délibérer d'une affaire. Délibérer ensemble sur un sujet, une question.*

4   Les chefs des familles délibéraient entre eux des affaires publiques.   ROUSSEAU, le Contrat social, III, 5.

5   J'ai délibéré avec eux sur les façons de vous encercler, de vous écraser, disons le mot.
                              J. ROMAINS, les Hommes de bonne volonté, t. II, XX, p. 217.

DÉLIBÉRER DE (et inf.), **SI** (et interrogation indirecte) : s'interroger en pesant le pour et le contre.

6   *(Le peuple)* s'est assemblé pour délibérer à qui des citoyens il donnera la commission de (...)
                              LA BRUYÈRE, les Caractères de Théophraste,
                              «Des grands d'une république».

6.1 Assis seul auprès de la porte de sa maison, il délibérait déjà s'il sacrifierait sa vie pour sauver celle de sa femme qu'il aimait beaucoup.
                              A. GALLAND, les Mille et une Nuits, t. I, p. 23.

7   (...) aux Tuileries, le gouvernement délibérait de fuir.
                              Louis MADELIN, Talleyrand, III, XXVI, p. 273.

II (Avec soi-même). ♦ **1** V. intr. Littér. → **Calculer, étudier, examiner, penser, réfléchir.** *Il a longuement délibéré avant d'accepter.*

8   (...) celui qui peut choisir, s'il ne voit pas tout d'abord, doit délibérer.   BOSSUET, Traité du libre arbitre, 2.

9   Je délibérais aux croisées des chemins.
                              ROUSSEAU, les Confessions, IV.

Le devoir vous commande d'agir et vous délibérez ! → **Hésiter, tergiverser.** *Sans délibérer* : sans hésiter, immédiatement, résolument.

10 Blanchet jura que si elle ne mettait pas ce champi à la porte sans délibérer, il se promettait de l'assommer et de le moudre comme grain.
                              G. SAND, François le Champi, IX, p. 79.

♦ **2** V. tr. Vx. Prendre la décision de... → **Décider, résoudre.**

11 (...) le hasard a fait ce que la prudence des pères avait délibéré.   MOLIÈRE, les Fourberies de Scapin, III, 8.

♦ **DÉLIBÉRANT, ANTE** p. prés. adj. (1960). Qui est chargé de délibérer (opposé à *consultatif*). *Assemblée délibérante.*

Une assemblée délibérante qui discute les dangers d'une nation, quand il faut la faire agir, ne vous semble-t-elle donc pas ridicule ?   12
                              BALZAC, le Médecin de campagne, Pl., t. VIII, p. 444.

♦ **DÉLIBÉRÉ, ÉE** p. p. adj. et n. m.

♦ **1** Adj. (Réalités psychiques). Qui a délibéré, qui a été délibéré. → **Conscient, intentionnel, pesé, réfléchi, volontaire, voulu.** *Volonté délibérée. De propos délibéré :* exprès, à dessein (→ Délibérément).

Il y a bien des nuances de l'action faite *sans le vouloir*   13
à l'action faite *de propos délibéré*, avec *préméditation*. La langue de la morale et celle du droit distinguent avec soin parmi les *desseins* et les *intentions*.
                              BRUNOT, la Pensée et la Langue, V, XXIII, IV, p. 851.

Ne sois jamais insolent que par volonté délibérée, et seu-   14
lement à l'égard d'un homme plus puissant que toi.
                              ALAIN, Propos sur le bonheur, p. 245.

(...) le lent et minutieux travail *(de recherche dans sa*   15
mémoire) s'accomplit. On aurait tort de croire qu'il est involontaire, automatique. Il est, au contraire, tout à fait délibéré.
                              G. DUHAMEL, Inventaire de l'abîme, V, p. 70.

♦ **2** (Personnes). Vieilli. Qui a de la décision, de la résolution. *Personne délibérée,* qui agit librement et sans hésitation. → **Décidé, déterminé, résolu.** *Il est très délibéré.*

Je trouve plaisant que Mᵐᵉ de Bagnols, qui a laissé ce   16
petit garçon enfant, le retrouve un homme de guerre, tout accoutumé, tout délibéré, tout hardi (...)
                              Mᵐᵉ DE SÉVIGNÉ, Lettres, 1182, 5 juin 1689.

Mod. *Avoir un air délibéré. Marcher d'un pas délibéré ; avoir des manières délibérées.* → **Aisé, assuré, libre.**

Giton a (...) la démarche ferme et délibérée.   17
                              LA BRUYÈRE, les Caractères, VI, p. 83.

(...) puis, faisant appel à tout mon courage, j'entrai dans   18
notre chambre d'un air délibéré.
                              Alphonse DAUDET, le Petit Chose, II, XV, p. 373.

♦ **3** N. m. (1655). Dr. Délibération d'un tribunal avant le prononcé de la décision. *Mettre une affaire en délibéré. Délibéré à huis clos.*

Le délibéré ne fut pas long ; mais notre impatience nous   19
fit entrer dans le parquet des huissiers.
                              SAINT-SIMON, Mémoires, 36, 162.

(1690). Le jugement lui-même.

CONTR. **Agir.** — (Du p. p.). **Automatique, impulsif, inconscient, indélibéré, involontaire, spontané ; contraint, emprunté, gauche, malaisé.** ◊ DÉR. **Délibératoire.** — (De délibéré) **Délibérément.**

DÉLICAT, ATE [delika, at] adj. — 1492 ; *deliquat* 1454 ; lat. *delicatus* (→ Délié), de *déliciae* (→ Délices) ; doublet savant de l'anc. franç. *delgié, dougié* «délicat, mince, svelte».

I (Choses). ♦ **1** Littér. Qui plaît par la qualité, la douceur, la finesse. — (Concret). *Peau douce, délicate* (→ Aréole, cit. 1). *Formes souples et délicates* (→ Beauté, cit. 13). *Cou* (cit. 4) *blanc, délicat. Parfums délicats. Repas délicat. Chère délicate.* → **Fin, friand, recherché, savoureux, succulent.** *Mets délicats. Nourriture délicate. Ils ne savent pas apprécier les morceaux délicats* (cf. Des perles aux pourceaux).

(...) une longe de veau (...) blanche, délicate, et qui sous   1
les dents leur a une vraie pâte d'amande (...)
                              MOLIÈRE, le Bourgeois gentilhomme, IV, 1.

(...) ce qui est *délicat* n'a rien de grossier, est fin. Il fallait à   2
Apicius des mets *exquis* et recherchés avec soin ; il faut à certains estomacs débiles des mets *délicats*, tendres, légers.
                              LAFAYE, Dict. des synonymes, Agréable... délicat.

Dessin délicat. Couleur délicate. → **Beau, harmonieux, joli.** — (Contenus psychiques). *Plaisir délicat.* → **Raffiné.**

3 Les hommes n'aiment point à vous admirer, ils veulent
plaire ; ils cherchent moins à être instruits, et même
réjouis, qu'à être goûtés et applaudis ; et le plaisir le plus
délicat est de faire celui d'autrui.
                LA BRUYÈRE, les Caractères, V, 16.

(À la fois dans ce sens et au sens 4).

4 On sentait qu'elle ne s'habillait pas seulement pour la commodité ou la parure de son corps ; elle était entourée de
sa toilette comme de l'appareil délicat et spiritualisé d'une
civilisation.
         PROUST, À la recherche du temps perdu, t. IV,
                                 p. 27.

◆ **2** (XVI⁰). Concret. Que sa finesse rend sensible
aux moindres influences extérieures. → **Fin, fragile, sensible, tendre.** *Peau délicate* (→ Bouton, cit. 6).
*Mains délicates. — Teint délicat. — Articulations,
attaches* (cit. 10) *délicates.* → **Fin, frêle, mince, ténu.**
Tissu délicat comme une toile d'araignée. → **Aérien,
arachnéen, éthéré, vaporeux.** *Plante, fleur délicate*
(→ Coton, cit. 5 ; carmin, cit.).

5 Devant *(avant)* que d'un hiver la tempête et l'orage
À leur teint délicat pussent faire aucune injure.
                MALHERBE, Larmes de St Pierre.

Spécialt. *Santé délicate* (→ Complexion, cit. 3). *Tempérament délicat.* → **Douillet.** — (Personnes). De santé
fragile. *Enfant délicat.* → **Chétif, débile, faible, fluet,
frêle, malingre.**

6 (...) Ma fille est délicate :
Vos griffes la pourront blesser
Quand vous voudrez la caresser.
                LA FONTAINE, Fables, IV, 1.

7 Je le revois si bien ! un peu dégingandé, comme un enfant
grandi trop vite, flexible, délicat (...)
              GIDE, Si le grain ne meurt, VIII, p. 218.

◆ **3** (1580). Abstrait. Dont la finesse, la subtilité, la
complexité... rend l'appréciation, la compréhension ou l'exécution difficile. → **Difficile, embarrassant, malaisé.** *Problème délicat, question délicate.*
→ **Complexe, compliqué, subtil.** *La nuance est si
délicate qu'elle risque de vous échapper. S'engager
dans une entreprise délicate.* → **Dangereux, périlleux, scabreux.** *Affaire délicate à traiter* (→ Arrêter,
cit. 63). *Être dans une situation délicate.* → **Embarrassant** (→ Sur un terrain* brûlant, glissant ; sur des
charbons* ardents ; dans ses petits souliers*). *Voilà le
point délicat. Je n'ose pas lui en parler : c'est bien
délicat. Toucher la corde* délicate. Opération chirurgicale délicate* (→ Clinique, cit. 2).

8 — Parlez-moi, je vous prie, avec sincérité,
— Monsieur, cette matière est toujours délicate (...)
              MOLIÈRE, le Misanthrope I, 2.

9 Il était délicat autrefois de se marier ; c'était un long établissement, une affaire sérieuse (...)
              LA BRUYÈRE, les Caractères, XIV, 34.

10 Le roi Louis-Philippe, malgré ses rares qualités, son admirable bon sens, sa haute et philosophique humanité, eut
constamment à lutter contre la position délicate que lui
créaient ses origines.
         RENAN, Questions contemporaines, *in* Œ. compl.,
                            t. I, p. 50.

11 Qu'il est délicat de toucher à ce sujet et qu'il faudrait ici
user de périphrases !
          F. MAURIAC, la Pharisienne, X, p. 148.

12 L'amitié entre homme et femme est délicate, c'est encore
une manière d'amour. La jalousie s'y déguise.
        COCTEAU, la Difficulté d'être, XII, p. 84.

◆ **4** (1580). Dont l'exécution, la réalisation par son
adresse, sa finesse, fait apprécier les moindres
nuances. → **Élégant, gracieux, joli, mignon, soigné.**
Travail, ouvrage délicat, fini avec soin. → **Fignolé.**
Tableau trop délicat. → **Léché** (fam.). *Gravure délicate* (→ Ciselure, cit. 2). *Bijou délicat. Miniature délicate. Dentelle délicate. —* Par ext. → **Élégant, léger.**
*Exécution délicate. Le toucher délicat d'un pianiste.
La touche délicate d'un peintre. Avoir le ciseau, le
pinceau délicat.* → **Adroit, habile.**

*Expression délicate. Tour délicat. Un style délicat.
Ironie délicate* (→ **Attique,** cit. 8).

13 D'un pinceau délicat l'artifice agréable
Du plus affreux objet fait un objet aimable.
                BOILEAU, l'Art poétique, III.

14 (...) Raton, avec sa patte,
D'une manière délicate,
Écarte un peu la cendre (...)
             LA FONTAINE, Fables, IX, 17.

15 À coup sûr, Honoré était content. Il disait, sur les poètes
de la Renaissance, des choses qu'il avait studieusement
préparées, et qu'il croyait délicates. Il citait des références,
dictait des notes bibliographiques.
      J. ROMAINS, les Hommes de bonne volonté, t. IV,
                             p. 146.

◆ **5** Par ext. Qui dénote de la délicatesse (morale).
→ **Gentil, prévenant** (→ ci-dessous, II, 3.). *C'est une
attention* (cit. 45), *une pensée délicate de sa part. Il
s'y est pris d'une manière très délicate.* → **Tact.** *Une
louange délicate.* → **Discret.** *Délicate bonté* (cit. 7).
Ce procédé n'est guère délicat.

16 La simplicité affectée est une imposture délicate.
           LA ROCHEFOUCAULD, Maximes, 289.

17 Les seuls portraits délicats de Juifs non conventionnels
sont le Swann de Proust et le Justin Weill de Duhamel.
       A. MAUROIS, Études littéraires, J. de Lacretelle,
                              p. 229.

II (Personnes). ◆ **1** Qui apprécie les moindres
nuances ; qui est doué d'une grande sensibilité. *Esprit délicat.* → **Délié, fin, pénétrant, raffiné,
sensible, subtil.** *Lecteur délicat* (→ Audience, cit. 6).
Goûts délicats. → **Raffiné.** *Des sens délicats. Une
oreille délicate.*

18 Tant plus le chemin est long dans l'amour, tant plus un
esprit délicat sent le plaisir.
       PASCAL, Disc. sur les passions de l'amour, p. 133.

19 (...) ceux dont la tête est ferme, le goût délicat et le sens
exquis (...)   BUFFON, Disc. sur le style, p. 13.

20 Les esprits délicats sont tous des esprits très sublimes,
mais qui n'ont pas pu prendre l'essor, parce que ou des
organes trop faibles, ou une santé trop variée, ou de trop
molles habitudes ont retenu leurs élans.
            Joseph JOUBERT, Pensées, IV, X.

21 Le peuple, qui a un instinct très délicat du comique, en
rira.
      RENAN, l'Avenir de la science, *in* Œ. compl., t. III,
                            p. 992.

22 Les *Souvenirs de Banville* furent une de mes plus grandes
déconvenues littéraires. J'aime jusqu'à l'excès cet esprit
délicat, perspicace et charmant, plein de poétique malice.
      GIDE, Feuillets, *in* Journal 1889-1939, Pl., p. 714.

◆ **2** Que sa grande sensibilité rend difficile à contenter. → **Exigeant.** *Il ne faut pas être si délicat.*
→ **Difficile.** *Elle est très délicate sur la nourriture. —
Un esprit délicat,* facile à offenser.

23 J'ai l'esprit délicat plus qu'on ne peut penser,
Et le moindre scrupule a de quoi m'offenser,
Quand il s'agit d'aimer.
            MOLIÈRE, le Dépit amoureux, II, 2.

◆ **3** Qui est doué d'une grande sensibilité morale.
*Il est peu délicat en affaires. Un ami délicat et
réservé. Il ne faut pas être trop délicat.* → **Chatouilleux, ombrageux, susceptible.** *Une conscience délicate.* → **Probe, scrupuleux.**

24 Saint Louis nous apparaît à tous les moments de sa vie
comme une de ces natures à la fois énergiques et délicates, chez qui la conscience domine l'intérêt, qui ne se
dirigent que par la loi morale, qui se font de bien faire
une habitude constante, à tel point que bien faire devient
pour eux un besoin.
      FUSTEL DE COULANGES, Leçons à l'impératrice...,
                             p. 170.

25 D'ailleurs ce temps n'a été perdu d'aucune façon. Sammécaud en a profité pour laisser Marie, après son émotion
de l'autre mois, reprendre haleine, pour lui montrer qu'il

savait être un soupirant délicat, soumis sans impatience au tendre jeu des délais.

J. ROMAINS, les Hommes de bonne volonté, t. IV, p. 125.

◆ **4 N.** *Un délicat, une délicate.* Personne difficile à contenter. (S'emploie souvent avec un sens iron. et péj.). *Un délicat qui ne se satisfait de rien* (→ **Blasé**). *Faire le délicat, la délicate.* → **Dégoûter; difficile** (→ Faire la petite, la fine bouche*).

26 Les délicats sont malheureux :
Rien ne saurait les satisfaire.

LA FONTAINE, Fables, II, 1.

27 Nous vivons dans un siècle où il nous faut faire, nous, les discrets et les délicats, contre fortune bon cœur.

SAINTE-BEUVE, Correspondance, I, p. 328.

CONTR. Grossier. — Mauvais; désagréable, exécrable; laid, insensible; dur, rugueux; fort, musculeux, résistant, robuste, vigoureux. — Aisé, facile, simple. — Ébauché, grossier, informe. — Lourd; inélégant, maladroit. — Épais, désagréable, dur, indélicat. — Balourd, banal, béotien, brutal, grossier, lourd, stupide. Facile (à contenter), simple. — Bas, matériel, vulgaire. — Fourbe, mauvais, méchant.
◊ **DÉR. Délicatement, délicatesse.** ◆ **COMP. Indélicat.**

DÉLICATEMENT [delikatmã] adv. — 1373; de *délicat.*

D'une manière délicate.

◆ **1** (Correspond à *délicat*, I., 1., 2.). D'une manière délicate. → **Agréablement, délicieusement, exquisement.** *Parfum qui chatouille délicatement l'odorat. Mets délicatement accommodés.* → **Savoureusement.**

1 On y mangeait délicatement.

Antoine HAMILTON, Mém. du comte de Grammont, 6.

◆ **2** (Correspond à *délicat*, I., 4.). Avec finesse et précision. *Bijou délicatement ciselé.* → **Élégamment, finement, gracieusement, joliment; adroitement, habilement.** *Pensée délicatement exprimée.* → **Ingénieusement, subtilement.** *Écrire délicatement.*

2 (...) il faut exprimer le vrai pour écrire naturellement, fortement, délicatement.

LA BRUYÈRE, les Caractères, I, 14.

D'une manière raffinée, recherchée. → **Élégamment, subtilement.**

3 (...) en fait d'amour, on fait très délicatement des choses fort grossières (...)

MARIVAUX, la Vie de Marianne, I, p. 34.

◆ **3** (Correspond à *délicat*, I., 5.). Littér. Avec délicatesse morale. *Il a délicatement refusé cette faveur.*

◆ **4** Avec douceur et légèreté, sans appuyer. → **Légèrement.** *Saisir délicatement un papillon par les ailes. Effleurer délicatement* (→ Chat, cit. 10). *Toucher délicatement. Saisir délicatement entre le pouce et l'index. — Effleurer délicatement un sujet, avec tact.*

4 Je touche délicatement à des matières délicates.

D'ALEMBERT, Lettre à Voltaire, 3 mars 1766.

CONTR. Grossièrement. — Lourdement, maladroitement. — Indélicatement.

DÉLICATESSE [delikatεs] n. f. — 1539; de *délicat,* p.-ê. d'après l'ital. *delicatezza,* de *delicato* «délicat».

I ◆ **1** Littér. Qualité de ce qui est agréable aux sens; finesse exquise. → **Délicat; agrément, douceur, finesse, recherche, suavité.** *La délicatesse d'un parfum. La délicatesse d'un mets.* → **Succulence.** *La délicatesse d'un repas* (→ Coteau, cit. 2). — (1668). Par ext. Au plur. Vx. *Les délicatesses =* les mets délicats (→ **Friandise**). Voir ci-dessous le sens III.

1 (...) ni table bien servie, ni consommés exquis, ni orges mondés perpétuels, ni les autres délicatesses qu'il faudrait pour une autre femme (...) MOLIÈRE, l'Avare, II, 5.

2 Son penchant pour les délicatesses de la table et du vêtement faisait la joie de M. Fellaire, qui était un connaisseur.

FRANCE, Jocaste, *in* Œ. compl., t. II, p. 23.

Beauté fine, élégance. *La délicatesse d'un coloris. Délicatesse des traits d'un visage.* → **Beauté, joliesse, mignardise.**

3 Elle croit voir (...) dans la délicatesse de ces traits la délicatesse de l'esprit.

BOSSUET, Sermon pour la profession de Mlle de la Vallière.

◆ **2** Caractère de ce qui est délicat (I., 2.), fin, ténu. → **Finesse, ténuité, transparence.** *La délicatesse et la blancheur de sa peau. Délicatesse d'un tissu, d'un voile, de la gaze. Délicatesse d'une toile d'araignée.*

4 Cette peau a toute la délicatesse qu'il faut pour être transparente.

FÉNELON, Traité de l'existence de Dieu, I, 2, *in* HATZFELD.

Par ext. → **Fragilité.** *Les instruments de précision sont d'une grande délicatesse. La délicatesse d'un organe. La délicatesse d'une plante. La délicatesse de sa santé requiert de constantes précautions. La délicatesse d'un enfant.* → **Débilité, faiblesse** (vx).

5 (...) j'approuve fort vos soupers et vos fêtes; mais ce petit dérèglement s'accommode-t-il avec votre délicatesse ?

Mme DE SÉVIGNÉ, Lettres, 840, 10 août 1680.

Vx. → **Mollesse.** *Élever un enfant avec trop de délicatesse* (cf. Dans du coton; comme un coq en pâte).

6 (...) si chacun, idolâtre de sa santé, ne veut avoir égard qu'à sa délicatesse ou, pour mieux dire, qu'à sa mollesse.

BOURDALOUE, 1er Sermon sur la purification de la Vierge.

◆ **3** Vieilli. (Correspond à *délicat*, I., 3.). Caractère de ce qui est difficile à apprécier, à comprendre, à exécuter. → **Complexité, difficulté, subtilité.** *Cette affaire est d'une délicatesse qui commande la plus grande prudence, la plus grande circonspection.*

7 (...) des personnes qui soient capables de sentir les délicatesses d'un art (...)

MOLIÈRE, le Bourgeois gentilhomme, I, 1.

8 Ce texte a des délicatesses bien difficiles à rendre, et notre maudit patois me fait donner au diable.

P.-L. COURIER, Lettre à M. de Sainte-Croix, 27 nov. 1807, *in* Œ. compl., Pl., p. 757.

◆ **4** Mod. (Correspond à *délicat*, I., 4.). Finesse et soin dans l'exécution. → **Adresse, dextérité, élégance, habileté, raffinement, soin.** *Travail remarquable par la délicatesse de l'exécution, de la touche. Manier le pinceau avec délicatesse. Tableau peint avec délicatesse.* → **Amour, attention, soin.**

9 On comptait (...) plus de quatorze mille cuirasses travaillées avec tout l'art et toute la délicatesse possible.

Charles ROLLIN, Hist. ancienne, *in* Œ., t. V, p. 187 (*in* LITTRÉ).

Légèreté et précision dans la prise, le toucher. *Saisir un objet fragile avec délicatesse.* → **Délicatement.**

10 Philippe la prit dans ses bras avec cette délicatesse qui révèle la force, et elle en ressentit une douceur étrange.

FRANCE, Les dieux ont soif, p. 260.

II ◆ **1** Aptitude à sentir, à juger finement. → **Sensibilité.** *Délicatesse de goût. Grande délicatesse d'oreille. Délicatesse d'esprit, de jugement.*

11 L'un n'avait en l'esprit nulle délicatesse (...)

LA FONTAINE, Fables, VII, 1.

12 La délicatesse cache sous le voile des paroles ce qu'il y a dans les choses de rebutant (...)

VAUVENARGUES, *in* LAFAYE.

13 (...) il reste vrai que le savant chez lui (*Littré*) ne tient pas toujours compte des délicatesses de l'homme de goût : il appuie trop (...)

SAINTE-BEUVE, Correspondance, II, p. 144.

Qualité de ce qui est senti, pensé, fait ou exprimé d'une manière délicate. → **Élégance, finesse.** *Délicatesse d'une pensée* (→ Contraster, cit. 1). *La délicatesse du goût attique*. *Délicatesse du langage, du style.*

14 (...) il est naturel aux hommes de ne point convenir de la beauté ou de la délicatesse d'un trait de morale qui les peint (...)   LA BRUYÈRE, Discours sur Théophraste.

15 Ce ne sont pas des saillies, et ce n'est pas même proprement de la finesse : mais c'est une délicatesse exquise, qui ne frappe jamais, et qui plaît toujours.
          ROUSSEAU, les Confessions, X.

♦ **2** (Correspond à *délicat*, II., 1., 3.). Sensibilité morale dans les relations avec autrui, juste appréciation de ce qui peut choquer, peiner. → **Discrétion, tact; scrupule.** *La délicatesse de qqn, sa délicatesse. Délicatesse dans les manières. Délicatesse de cœur, de manières... User de délicatesse et de ménagements. Agir, se taire par délicatesse.* → **Pudeur, tact.** *Manque de délicatesse. Fausse délicatesse. Heurter, choquer* (cit. 9) *la délicatesse de quelqu'un.*

16 — Sire, dit le renard, vous êtes trop bon roi;
    Vos scrupules font voir trop de délicatesse (...)
          LA FONTAINE, Fables, VII, 1.

17 Comme toutes les personnes généreuses, elle éprouvait de sublimes délicatesses de sentiment qu'elle prenait pour des remords.
          BALZAC, la Recherche de l'absolu, Pl., t. IX, p. 564.

18 (...) une espèce de délicatesse morale qui empêche d'exprimer les sentiments trop profonds et qu'on trouve tout naturels.
          PROUST, À la recherche du temps perdu, t. XIV, p. 63.

19 Tu ne cédais pas à un scrupule, tu n'obéissais pas à un sentiment de délicatesse envers moi (...)
          F. MAURIAC, le Nœud de vipères, I, I, p. 19.

20 Sa délicatesse de cœur, la justesse de son esprit et une gravité naturelle l'aidaient à ne pas baptiser trop longtemps amitiés les familiarités de hasard et à préserver son intimité des intrusions malapprises.
          Henri MONDOR, Pasteur, I, p. 21.

20.1 Je souffrirai donc avec l'autre, mais sans appuyer, sans me perdre. Cette conduite, à la fois très affective et très surveillée, très amoureuse et très policée, on peut lui donner un nom : c'est la délicatesse : elle est comme la forme «saine» (civilisée, artistique) de la compassion (Até est la déesse de l'égarement, mais Platon parle de la délicatesse d'Até : son pied est ailé, il touche légèrement).
          R. BARTHES, Fragments d'un discours amoureux, p. 70.

Par ext. (d'une action, d'une pensée qui témoigne de cette sensibilité morale). *La délicatesse de ses manières, de ses procédés.*

21 (...) la délicatesse raffinée de ses propres manières (...) par sa réserve et son exquise discrétion.
          GIDE, Journal, Fès, oct. 1943.

Ironiquement :

22 Faisne, qui a des délicatesses de buffle, entra dans la turne en grognant, s'ébroua, secoua sa capote trempée, fit voler ses sabots contre la muraille et me dit sans détour (...)
          G. DUHAMEL, Récits des temps de guerre, V, XLVI, p. 260.

(*Une, des délicatesses*). Attention délicate. → **Amabilité; gentillesse, prévenance.**

23 Elle avait des attentions, des petits soins, des délicatesses pour moi, et même une certaine tendresse brusque qui ne me déplaisait point.
          MAUPASSANT, les Sœurs Rondoli, III, p. 74.

♦ **3** Rare. Caractère d'une personne difficile à contenter, à cause de son extrême sensibilité. Facilité à s'offenser, à prendre ombrage. → **Susceptibilité.** *Délicatesse ridicule* (→ Aveugle, cit. 19).

24 (...) je ne vois rien de si ridicule que cette délicatesse d'honneur qui prend tout en mauvaise part (...)
          MOLIÈRE, la Critique de l'École des femmes, 3.

25 Cette délicatesse qui vous rend si facile à être blessé est une véritable imperfection.
          FÉNELON, Dialogue des morts, 17.

Loc. (Vx ou iron.). *Être en délicatesse avec quelqu'un,* avoir à se plaindre de lui. → **Froid** (être en froid).

III DÉLICATESSES n. f. pl. (calque de l'all. *Delikatessen*). Rare. (Seulement dans un contexte germanique, américain, etc.). Produits alimentaires de luxe (notamment, charcuteries).

25.1 Et, éclatant d'un gros rire, il montra la table immense couverte déjà de «délicatesses» les plus appréciées des palais teutons, et des pyramides de fruits, de gâteaux et de sucreries !
          G. LEROUX, Rouletabille chez Krupp, p. 195.

REM. Dans ce sens, on emploie plutôt le germanisme (employé aussi en angl., notamment aux États-Unis) : (des) *delikatessen.*

26 Les termes délicatessen et délicatesse(s), utilisés dans les raisons sociales pour désigner des restaurants, des commerces, ainsi que l'ensemble des produits vendus dans ces commerces, sont remplacés par les termes génériques français appropriés.
          Office de la Langue française, Avis de normalisation, 19 déc. 1980, *in* Gazette officielle du Québec, 24 janv. 1981, p. 593.

CONTR. Grossièreté. — Laideur. — Force, résistance, robustesse, vigueur. — Facilité, simplicité. — Lourdeur, maladresse. — Indélicatesse. — Balourdise, brutalité, grossièreté, vulgarité. — Bassesse, endurcissement, malhonnêteté, méchanceté.

DÉLICE [delis] n. — 1120; du lat. *delicium*, neutre sing. tiré de *deliciae*.

I N. m. (lat. *delicium*). Littér. Plaisir vif et délicat. → **Bonheur, félicité, joie, jouissance.** *Quel délice de vivre ici ! Jouir avec délice de qqch.* → **Savourer.**

1 Cette fois, ce fut un délice.
          COURTELINE, Messieurs les ronds-de-cuir, IIe tableau, III, p. 83.

2 Toute sensibilité très vive peut, suivant que l'organisme est robuste ou débile, devenir, le crois, cause de délice ou de gêne.   GIDE, la Symphonie pastorale, p. 54.

Par ext. Plus cour. Chose très agréable, pleine de charme. *Cette musique est un délice. Cette lecture est un vrai délice.* → aussi 1. Physique, cit. 2. — *Ce rôti est un délice, un vrai délice.* → **Régal.**

3 À cette heure-là, en été, manger des mûres est un délice.
          H. BOSCO, un Rameau de la nuit, I, p. 9.

4 Et ils se regagnaient avec une hâte impudique qui était pour Marie un délice tout nouveau.
          J. ROMAINS, les Hommes de bonne volonté, t. V, XXVI, p. 264.

II DÉLICES n. f. pl. (lat. *deliciæ*). Littér. ou style soutenu. Plaisir qui ravit, transporte. → **Blandice** (cit. 1), **charme, jouissance, plaisir.** *Délices de l'esprit, des sens. Les délices de l'amour, de la volupté. Goûter aux délices de la vie. Boire qqch. avec délices. Un instant de délices.* — Loc. (Vx.) *L'étude fait toutes ses délices. Mettre ses délices à voyager.* — *Les délices de la campagne. Les délices de l'été.* — Loc. mod. *Lieu de délices.* → **Eden, eldorado, élysée, paradis.** *Jardin de délices.*

5 Il (*Dieu*) mit devant le jardin de délices des Chérubins (...)
          BIBLE (→ Chérubin, cit. 1).

6 Viens, environs-nous d'amour jusqu'au matin,
    Livrons-nous aux délices de la volupté.
          BIBLE (CRAMPON), Proverbes, VII, 18.

7 Vous qui, pour peindre la volupté, n'imaginez jamais que d'heureux amants nageant dans le sein des délices (...)
          ROUSSEAU, Émile, V.

8 (...) après avoir fait les délices des sociétés les plus aimables, il mourut de douleur sur un vil grabat (...)
          ROUSSEAU, les Confessions, V.

9 O temps, suspends ton vol ! et vous, heures propices,
    Suspendez votre cours !
    Laissez-nous savourer les rapides délices
    Des plus beaux de nos jours !   LAMARTINE, «Le lac».

10 L'imagination m'apportait des délices infinies.
          G. DE NERVAL, Aurélia, I, 1.

11 (...) les délices de la famille, les plus vraies de toutes.
          BALZAC, le Médecin de campagne, Pl., t. VIII, p. 485.

12   (...) je regardais avec délices les étoiles enveloppées d'ouate, un peu pâlies dans le firmament sombre et blanchâtre.
MAUPASSANT, la Vie errante, p. 17.

13   (...) Thaïs était son péché, et il médita longtemps, selon les règles de l'ascétisme, sur la laideur épouvantable des délices charnelles (...)   FRANCE, Thaïs, I, p. 14.

Faire ses délices de qqch., y prendre un grand plaisir. *Faire les délices de qqn*, lui plaire beaucoup.

Loc. *Les délices de Capoue* : délices où l'on s'amollit (→ Amollir, cit. 5), par allus. aux quartiers d'hiver qu'Annibal prit à Capoue après la victoire de Cannes et qui amollirent son armée — *Les Délices du genre humain* : surnom de l'empereur Titus.

REM. Après certaines expressions *(un, de, un des, le plus grand des...)*, suivi du complément *délices*, l'adjectif ou le participe se rapportant à *délices* se met au masculin par euphonie : *«Un de mes plus grands délices»* (Rousseau, *Rêveries..., in* Grevisse, n° 255).

CONTR. **Douleur, horreur, malheur, supplice. — Calice, cruauté, poison.**

DÉLICIEUSEMENT [delisjøzmã] adv. — V. 1265; de *délicieux.*

♦ **1** Littér. D'une manière délicieuse (1.). *Il fait délicieusement bon. Être délicieusement ému.*

1   Ils rentrèrent par les rues propres et vides, et trouvèrent prêt le déjeuner que Jean avait commandé et qu'ils mangèrent délicieusement (...)
PROUST, Jean Santeuil, Pl., p. 857.

♦ **2** (1674). Plus cour. D'une manière charmante. *Jouer délicieusement du piano.*

2   ... cette petite porte (...) en bois sombre, en chêne massif, délicieusement arrondie, polie par le temps (...) C'est cet arrondi surtout qui l'avait fascinée, c'était intime, mystérieux (...)   N. SARRAUTE, le Planétarium, p. 9.

CONTR. **Affreusement, horriblement. — Désagréablement.**

DÉLICIEUX, EUSE [delisjø, øz] adj. — V. 1121, *delicius; deliciouse,* déb. XIIIe; lat. *deliciosus,* de *deliciae* «délices».

♦ **1** Qui est extrêmement agréable, procure des délices*. → **Agréable, exquis.** *Impression, sensation délicieuse.* → **Divin, merveilleux.** *Séjour délicieux. Respirer un air délicieux. Civilisation délicieuse et raffinée* (→ Civiliser, cit. 4). *Conversation délicieuse. Rêverie délicieuse* (→ Agitation, cit. 1).

1   Il y a de bons mariages, mais il n'y en a point de délicieux.
LA ROCHEFOUCAULD, Maximes, 113.

2   Hélas ! des chemins si délicieux ne pouvaient mener qu'aux abîmes.
GIDE, les Faux-monnayeurs, I, VIII, p. 90.

3   Il s'abandonnait à un bien-être délicieux et vide; il marchait auprès d'elle sans rien désirer d'autre.
MARTIN DU GARD, les Thibault, t. II, p. 259.

4   Comme il avait déclaré délicieux les premiers de ces chastes rendez-vous, il aurait eu mauvaise grâce de se dérober aux suivants.
J. ROMAINS, les Hommes de bonne volonté, t. V, p. 148.

(1695). Par ext. → **Charmant.** *Robe, toilette délicieuse. — Ce morceau de musique est délicieux.*

5   Quand ses doigts touchaient les cordes une délicieuse musique y passait, beaucoup plus douce que le bruit des sources, ou que les phrases du vent dans les arbres ou que les mouvements des avoines.
Pierre LOUŸS, Aphrodite, II, VII, p. 134.

6   Marie n'en finit pas de s'étonner du petit salon de la garçonnière. Elle trouve tout délicieux.
J. ROMAINS, les Hommes de bonne volonté, t. IV, p. 132.

(Personnes). Délicat et charmant. *Cette petite est délicieuse.*

♦ **2** Spécialt. Très agréable au goût, aux sens. → **Délectable, délicat, exquis.** *Mets, fruits délicieux. Un délicieux parfum.*

7   Les trois quarts de l'univers peuvent trouver délicieuse l'odeur d'une rose, sans que cela puisse servir de preuve, ni pour condamner le quart qui pourrait la trouver mauvaise, ni pour démontrer que cette odeur soit véritablement agréable.   SADE, Justine..., t. I, p. 189-190.

CONTR. **Affreux, exécrable, horrible, mauvais, médiocre. — Amer, fade, insipide. — Déplaisant.** ◊ DÉR. — **Délicieusement.**

DÉLICOTER [delikɔte] v. tr. — 1678; de 1. *dé-* et *licou,* altéré d'après des formes dialectales.

Vx. Débarrasser (un cheval, un âne) de son licou (surtout attesté comme pronominal).

DÉLICTUEUX, EUSE [deliktɥø, øz] adj. — 1863; de *délit,* sur le lat. *delictum.* → Délit.

Dr. et cour. Qui a le caractère d'un délit. → **Délit.** *Fait délictueux* (→ **Criminel,** cit. 12). *Intention délictueuse.*
REM. On dit aussi *délictuel, elle* [deliktɥel] (mil. XXe), plus technique.

Le terme *aberration* est assez souvent pris en mauvaise part. On l'entend d'un écart de la normale qui se dirige vers le pire, et qui est un symptôme d'altération et de désagrégation des facultés mentales qu'il se manifeste par des perversions du goût, des propos délirants, des pratiques étranges, parfois délictuelles.
VALÉRY, Monsieur Teste, p. 113.

1. **DÉLIÉ, ÉE** [delje] adj. et n. m. — 1181; adapt. du lat. *delicatus* avec infl. de *délier.* → Délicat.

♦ **1** Littér. Qui est d'une grande minceur, d'une grande finesse. → **Fin, grêle, menu, mince.** *Fil délié. Trait de plume délié. Écriture déliée. Un son délié. Formes déliées. Taille déliée.* → **Aérien** (cit. 1), **élancé, mince, souple, svelte.**

1   Les joueurs étaient de jeunes enfants de huit à douze ans, agréables de visage et déliés de tournure (...)
E. FROMENTIN, Une année dans le Sahel, p. 219.

N. m. :

1.1   Elle venait de lire dans un magazine que la beauté des femmes se mesure au délié de leurs genoux.
Michel DÉON, Tout l'amour du monde, p. 134.

Fig. (Vieilli). → **Impalpable, léger, ténu.** *Des idées déliées.*

2   Elle *(l'âme qui a oublié Dieu)* dit : je suis une vapeur, je suis un souffle, je suis un air délié ou un feu subtil.
BOSSUET, Sermon pour la profession de Mlle La Vallière.

3   (...) cette erreur est si déliée que, pour peu qu'on s'en éloigne, on se trouve dans la vérité.
PASCAL, les Provinciales, 3.

4   (...) ces idées légères, déliées, sans consistance (...) qui, comme la feuille du métal battu, ne prennent de l'éclat qu'en perdant de la solidité.
BUFFON, Disc. sur le style, p. 20.

N. m. (1706). Cour. *Un délié* : la partie fine et déliée d'une lettre (par oppos. aux *pleins*). — Fig. :

5   *(La plume de Voltaire...)* est trop fine; il ne réussit que les «déliés».   GIDE, Journal, 9 juil. 1923.

♦ **2** (1580). Fig. *Un esprit délié,* qui a beaucoup de pénétration. → **Fin, pénétrant, subtil.** *Analyse déliée.*

6   (...) peintre incomplet, il n'eût su tout rendre, mais plume habile, déliée et pénétrante, il trouvait moyen d'atteindre et de fixer les impressions intérieures les plus fugitives et les plus contradictoires.
B. CONSTANT, Adolphe, Introduction, p. 6.

Vx. (Personnes). ➙ **Habile, souple, subtil.**

7 (...) métaphysicien assez délié pour vouloir réconcilier la
théologie avec la métaphysique.
VOLTAIRE, le Siècle de Louis XIV, 34.

CONTR. Épais, gros, lourd, massif. ◊ **HOM.** Formes du v.
délier.

2. **DÉLIÉ, ÉE** [delje] adj. et n. m. — 1611; p. p. de
délier.

◆1 Qui n'est plus lié. *Cordons déliés.*

◆2 Fig. Qui a une grande agilité. *Ce pianiste a les
doigts déliés.* — N. m. *Avoir un bon délié.* — (1673).
Avoir la langue déliée : avoir une grande facilité
d'élocution, être bavard.

CONTR. Lié. — Embarrassé, malhabile. ◊ **HOM.** Délier.

DÉLIEMENT [delimɑ̃] n. m. — 1596; théol., 1190; de
délier.

◆1 Rare. Action de délier; son résultat. ➙ **Déliage.**

◆2 Fig. Détachement moral.

1 Il semblait que tout ce qu'elle y avait ressenti avait été un
ébranlement de sa sensibilité, une secousse physique, le
choc vibrant de la musique sur son tempérament musical,
et en même temps une espèce de dénouement, de déliement de sa nature comprimée.
Ed. et J. DE GONCOURT, Mⁿᵉ Gervaisais, p. 115.

2 Au-dessus de nous deux, qui avons voulu
Le nœud, le déliement, une énergie s'accumula entre deux
hauts flancs sombres
Yves BONNEFOY, Poèmes, «Les nuées», p. 290.

DÉLIER [delje] v. tr. — V. 1160; de 1. dé-, et lier.

◆1 Dégager (qqch., qqn) de ce qui lie; défaire (ce
qui est lié). ➙ **Défaire, détacher.** *Délier un fagot, une
gerbe. Délier les mains d'un prisonnier.* ➙ **Libérer.**
— Par ext. *Délier qqn; un animal. Délier un chien.*
➙ **Désenchaîner** (→ Chien, cit. 19). *Délier des bœufs.
Délier un prisonnier ligoté.* ➙ **Déligoter.**

0.1 M. de Corville répondit de la prisonnière, on la délia (...)
SADE, Justine..., t. I, p. 19.

1 C'était l'heure de délier les bœufs, parce qu'ils avaient
fait leur demi-journée; et Landry, en les reconduisant au
pacage, regardait toujours courir la petite Fadette, (...)
G. SAND, la Petite Fadette, XXI, p. 146.

Par ext. Pron. *Se délier d'une étreinte.* — Au p. p. *Âme
déliée du corps* (→ Attacher, cit. 18).

2 Déliées de toute adhérence humaine, deux âmes s'élèvent
sans effort jusqu'à la dernière cime de l'amour, s'étreignent
subtilement en Dieu.
MARTIN DU GARD, Jean Barois, V, p. 37.

◆2 Défaire le nœud de; défaire (un lien).
➙ **Dénouer.** *Délier une corde, des rubans.* — Fig.
N'être pas digne de délier le cordon des souliers de
qqn.*
Loc. (1690). *Sans bourse délier :* sans rien payer.
➙ **Gratis;** œil (à l'œil, pop.).

3 Je vois ce que c'est : le maraud voudrait me payer mes
cent écus sans bourse délier (...)
BEAUMARCHAIS, le Barbier de Séville, II, 7.

◆3 (1656). Loc. fig. *Délier la langue de qqn,* le faire
parler (→ Calomniateur, cit. 2). *Le vin, la promenade
lui a délié la langue* (→ Avouer, cit. 21). — Pron. *Les
langues se délient.*

4 Mais les langues se délient étrangement et racontent facilement une faute quand on n'a plus à craindre la rancune
de la coupable.
PROUST, À la recherche du temps perdu, t. XIII,
p. 94.

Fam. (Au p. p.). *Avoir la langue bien déliée,* la langue
bien pendue, la parole facile. — Par anal. :

5 La partie graduellement s'échauffe à mesure que les bras
et les jarrets se délient, dans une ivresse de mouvement
et de vitesse. LOTI, Ramuntcho, I, IV, p. 57.

Fig. et littér. Rendre plus fin, plus subtil. ➙ **Affiner,
aiguiser** (cit. 12). *Délier l'intelligence, l'esprit.*

◆4 Libérer (qqn) d'un engagement, d'une obligation. ➙ **Affranchir, dégager, délivrer, libérer,
relever.** *Délier qqn d'une promesse.* ➙ **Rendre** (sa
parole) → Abri, cit. 12. — Pron. *Se délier d'un contrat.*
➙ **Annuler, casser, renoncer, résoudre.** *Se délier d'un
serment.* ➙ **Reprendre** (sa parole). — *Se délier de qqn.*
➙ **Détacher** (se).

Mais, à mesure que se serrait davantage l'intimité de leur 6
vie, un détachement intérieur se faisait qui la déliait de
lui. FLAUBERT, Mᵐᵉ Bovary, I, VII, p. 31.
Théol. ➙ **Absoudre.** *Délier un fidèle d'un péché.* —
Absolt. *Le pouvoir de délier.* ➙ **Clef** (cit. 8 et *supra*).

Annuler (ce qui liait : engagement...). *Un engagement qu'on ne peut délier,* indissoluble.

◆ **SE DÉLIER** v. pron. Voir à l'article.

◆ **DÉLIÉ, ÉE** p. p. adj. Voir à l'article.

CONTR. Lier; attacher..., obliger. ◊ **DÉR.** Déliage, 2. délié,
déliement. ➙ **HOM.** 1. et 2. Délié.

DÉLIGNAGE [deliɲaʒ] n. m. — 1920, Larousse du XXᵉ s.;
de déligner.
Techn. Opération qui consiste à déligner (une
pièce, une planche).

DÉLIGNER [deliɲe] v. tr. — V. 1930 (); de 1. dé-, lat.
lignum «bois» et suff. verbal.
Techn. Scier (une pièce de bois) à plat, de manière
à éliminer les inégalités (flaches) et à obtenir des
faces parallèles. *Déligner une pièce brute.* — Au
p. p. *Planches délignées* (J.-C. Reggiani, *Industries
et Commerce du bois,* p. 91).

DÉR. Délignage, déligneuse, délignure.

DÉLIGNEUSE [deliɲøz] n. f. — Mil. XXᵉ; de déligner.
Techn. Machine à déligner (scie circulaire multiple).

DÉLIGNIFIANT, ANTE [deliɲifjɑ̃, ɑ̃t] adj. — XXᵉ;
de délignifier.
Techn. Qui délignifie. — N. m. *Un délignifiant.*

DÉLIGNIFICATION [deliɲifikasjɔ̃] n. f. — XXᵉ; de
délignifier.
Techn. Action de délignifier (le bois); son résultat.
Degré de délignification d'une pâte à papier (mesuré
par *l'indice de délignification*).

Les pâtes à la soude emploient comme agent de délignification la soude ou un mélange de soude et de sulfure de
sodium, celui-ci agissant comme réserve de soude.
Jean-Claude REGGIANI,
Industries et Commerce du bois, p. 117.

DÉLIGNIFIER [deliɲifje] v. tr. — 1960; de 1. dé-, et
lignifié.
Techn. Traiter (le bois, les fibres végétales lignifiées) en supprimant la lignine.

DÉR. Délignifiant, délignification.

DÉLIGNURE [deliɲyʀ] n. f. — Mil. XXᵉ; de déligner.
Techn. Déchet de bois résultant du délignage
(dosses, pièces avec flaches). — Par ext. Bois de
scierie de récupération. «*Les délignures de feuillus
sont récupérées surtout pour la fabrication des
panneaux agglomérés*» (la Recherche, nov. 1974,
p. 1001).

On a pu maintenir les importations (...) en utilisant en
papeterie des quantités de plus en plus grandes de délignures et de bois feuillus.
Jean-Claude REGGIANI,
Industries et Commerce du bois, p. 24.

DÉLIGOTER [deligɔte] v. tr. — 1883; de 1. dé-, et ligoter.

Rare. Délier ce qui était lié, ligoté. → **Délier.**

(...) le biffon pour Zizi et Roland est contenu dans un morceau de plastique ligoté de fil (...) Mes yeux suivent attentivement les débats; ma main déligote les lettres, tout au fond de ma poche (...)
A. SARRAZIN, la Cavale, p. 300.

DÉLIMITABLE [delimitabl] adj. — 1938; Gracq, in T.L.F.; de délimiter.

Que l'on peut délimiter (au propre et au figuré).

La science commence par contre sitôt que l'on convient de délimiter un problème de façon à subordonner sa solution à des constatations accessibles à tous et vérifiables par tous, en le dissociant des questions d'évaluations ou de convictions. Cela ne signifie pas que l'on sache d'avance ce que seront ces problèmes délimitables, car seule l'expérience montre si l'entreprise réussit. Mais cela signifie que l'on s'efforce de chercher une délimitation en vue d'un accord possible des esprits.
J. PIAGET, Épistémologie des sciences de l'homme, p. 40.

DÉLIMITATION [delimitasjɔ̃] n. f. — 1773; du lat. delimitatio, de delimitare. → Délimiter.

♦ **1** Action de délimiter. *Délimitation des frontières. Délimitation de champs.* → **Bornage.**

♦ **2** Ce qui délimite. → **Limite; frontière.** *Une délimitation mal tracée, imprécise.* — Fig. *Délimitation d'un sujet d'avec un autre.*

La délimitation de ce que les journaux doivent donner à leurs lecteurs et de ce qu'ils ne doivent pas leur donner, de ce qu'ils doivent même refuser, doit coïncider exactement avec la délimitation réelle, de ce qui est vrai d'avec ce qui est faux (...)
Ch. PÉGUY, Lettre du provincial, I, I, 5 janv. 1900, p. 13.

DÉLIMITER [delimite] v. tr. — 1773; du lat. delimitare, de de-, et limitare. → Limiter.

♦ **1** Déterminer en traçant les limites. → **Borner, limiter, marquer.** *Délimiter la frontière entre deux états.*

♦ **2** (Sujet n. de chose). Former la limite de. *Bornes, haies, clôtures qui délimitent une propriété.*

♦ **3** (1863). Abstrait. Caractériser en fixant les limites. → **Définir, fixer.** *Délimiter les attributions, les pouvoirs d'un envoyé. Délimiter son sujet.* → **Circonscrire, restreindre; borner** (se), **cantonner** (se).

Et Durtal se butait, mis au pied du mur, contre des théories confuses, des postulations incertaines, difficiles à se figurer, malaisées à délimiter, impossibles à clore. Il ne parvenait pas à se définir ce qu'il sentait (...)
HUYSMANS, Là-bas, t. I, p. 10, in T.L.F.

Par ext. → **Classer, distinguer.** *Délimiter des catégories pour effectuer un classement.*

◆ **DÉLIMITANT, ANTE** p. prés. adj.
Qui sert à délimiter.

◆ **DÉLIMITÉ, ÉE** p. p. adj. *«Un district mal délimité»* (J. Verne).

CONTR. Élargir; déborder. ◊ DÉR. Délimitable, délimiteur.

DÉLIMITEUR [delimitœR] n. m. — 1968; de délimiter.
Inform. Caractère (I.) qui limite une suite de caractères et qui n'en est pas membre.

DÉLINÉAMENT [delineamɑ̃] n. m. — 1560, attestation isolée; 1835, Lamartine; de délinéer, d'après linéament.

Didact. Contour, ligne, tracé.
Les délinéaments de notre main.
LAMARTINE, Voyage en Orient, t. I, p. 204.

DÉR. Délinéamenter.

DÉLINÉAMENTER [delineamɑ̃te] v. tr. — 1928; de délinéament. → Délinéer.

Didact. Tracer les contours, les linéaments de (qqch.). → **Dessiner.** — Au p. p. *Une figure nettement délinéamentée.*

(...) un hôtel inconnu, où quand on arrive, touriste sans protection et sans prestige, chaque habitué qui rentre dans sa chambre (...) chaque bonne qui passe dans les couloirs étrangement délinéamentés (...) jettent sur vous un regard où on ne lit rien de ce qu'on aurait voulu.
PROUST, Sodome et Gomorrhe, Pl., t. II, p. 764.

DÉLINÉARISÉ, ÉE [delineaRize] adj. — 1988; de dé-, linéaire, et suff. verbal.

Didact. Dans une écriture alphabétique linéaire, se dit d'une séquence graphique dont les lettres ne sont pas alignées. *Plusieurs abréviations (Mme, Mlle...) sont délinéarisées.*

DÉLINÉATION [delineasjɔ̃] n. f. — Fin XVᵉ, delineacion; lat. delineatio «tracé, esquisse» du supin de delineare. → Délinéer.

Didact. Action de délinéer; le tracé résultant de cette action (ex. de Proust, Huysmans par métaphore, in T.L.F.).

DÉLINÉER [delinee] v. tr. — 1846; lat. delineare «esquisser», de de-, et linea «ligne».

Didact. Tracer d'un trait le contour de (un objet).

(...) elle portait, sous les fourrures qu'il enleva (...) une robe d'étoffe épaisse et souple qui la délinéait, serrait ses bras, fuselait sa taille, accentuait le ressaut des hanches, tendait sur le corset bombé.
HUYSMANS, Là-bas, t. II, p. 41, in T.L.F.

DÉR. Délinéament.

DÉLINQUANCE [delɛ̃kɑ̃s] n. f. — 1926; de délinquant.

♦ **1** Conduite caractérisée par des délits répétés, considérée surtout sous son aspect social. → **Criminalité.** *Rapport de la délinquance et de l'alcoolisme. Délinquance juvénile.* — État de délinquant.

♦ **2** Rare. Acte d'un délinquant.

Mais ce bistrot, ces maigres délinquances, les échanges sournois et impunis (...) rien de tout cela ne pouvait le satisfaire une seconde, ni l'apaiser.
Michel DE SAINT-PIERRE, les Nouveaux Aristocrates, p. 109.

DÉLINQUANT, ANTE [delɛ̃kɑ̃, ɑ̃t] n. et adj. — 1375; p. prés. du v. délinquer (XIVᵉ, «commettre un délit»; vieilli dès le XVIIᵉ, encore employé par Chateaubriand et repris comme archaïsme par quelques auteurs); lat. delinquere «commettre une faute», de de-, et linquere «laisser, abandonner».

Dr. et cour. Personne contrevenant à une règle de droit pénal, qui s'expose, de ce fait, à des poursuites. → **Coupable.** *Délinquant primaire :* personne qui commet un premier délit (opposé à récidiviste). *Les jeunes délinquants* (→ **Mino,** argot fam.).

Elle (la classification des délinquants) divise les délinquants en cinq catégories. Elle distingue cinq types de malfaiteurs : 1° C'est (...) le criminel-né (...); 2° L'aliéné délinquant (...) 3° Le délinquant passionnel (...); 4° Le délinquant d'occasion (...); 5° Le délinquant d'habitude (...)
DONNEDIEU DE VABRES, Précis de droit criminel, n° 173.

Adj. *Ordonnance du 2 février 1945 relative à l'enfance délinquante.*

DÉR. Délinquance.

DÉLIQUESCENCE [delikesɑ̃s] n. f. — 1757; de *déli-quescent.*

♦ **1** Didact. Propriété qu'ont certaines substances solides de se liquéfier lentement par absorption progressive de l'humidité atmosphérique. → **Liqué-faction.** — État qui en résulte.

♦ **2** (1877). Fig. et cour. Décadence complète; perte de force, de la cohésion. → **Décomposition, décrépitude, ruine.** *Tomber en déliquescence. Régime, société en déliquescence.*

1   Sturel qui voyait se faire cette déliquescence, en prenait une arrogance sous laquelle pourtant il demeurait inquiet.
M. BARRÈS, Leurs figures, p. 213.

2   (...) à qui s'adresse ce journal? A une petite mafia d'intellectuels mondains? Je te répète que ce n'est pas sérieux. Que peuvent penser de ce journal les dirigeants chinois ou cubains? «Déliquescence de l'Occident bourgeois» (...) Et ils auront raison.
Jean-Louis CURTIS, le Roseau pensant, p. 299.

DÉLIQUESCENT, ENTE [delikesɑ̃, ɑ̃t] adj. — 1773; lat. *deliquescens,* de *deliquescere* «se liquéfier», de *de-,* et *liquescere,* de *liquere* «être liquide». → Liquide.

♦ **1** Didact. Qui peut fondre par déliquescence. *Sel déliquescent.*

♦ **2** a (1874). Fig. et cour. → **Décadent.** *Mœurs déliquescentes. Auteur déliquescent.*

Toutes ces chinoiseries de forme, toutes ces subtilités de mandarin déliquescent me semblent bien vaines.
PROUST, À la recherche du temps perdu, t. III, p. 60.

b Fam. Personnes. → **Décrépit, gâteux, ramolli.** *Il est bien déliquescent.*

DÉR. Déliquescence.

DÉLIQUIUM [delikɥijɔm] n. m. — 1764; mot lat., de *deliquere.* → Déliquescent.

Didact. Liquide provenant de la dissolution de certaines substances par l'action de l'humidité de l'air. → **Déliquescence.**

DÉLIRANT, ANTE [deliʀɑ̃, ɑ̃t] adj. — 1789; p. prés. de *délirer.*

♦ **1** Didact. Qui présente les caractères du délire. *Fièvre délirante. Conceptions, idées délirantes,* celles qu'ont les malades en délire. → **Désordonné, extravagant.** — Par ext. *Un malade délirant.* — N. *Un délirant, une délirante.*

♦ **2** Cour. Qui manque de mesure, très exubérant. *Cet écrivain a une imagination délirante.* → **Déréglé, effréné, extravagant, fou.** *Amour délirant* (→ Couver, cit. 4). *Joie délirante.*

1   (...) les explosions d'une joie presque délirante (...)
Louis MADELIN, Hist. du Consulat et de l'Empire, De Brumaire à Marengo.

Un public délirant, délirant d'enthousiasme.

2   Les Français s'étonnent de l'accueil délirant fait à leur grand homme partout dans le monde.
F. MAURIAC, le Nouveau Bloc-notes 1958-1960.

♦ **3** Totalement déraisonnable et excessif. *Exiger cela, c'est délirant!*

3   (...) sans recourir à cette hypothèse de notre mauvaise foi, dont vos astronomes se servent pour expliquer le mauvais temps et vos ménagères le prix délirant de la langouste.
GIRAUDOUX, Siegfried et le Limousin.

(1830, *in* D.D.L.). Fam. (intensif). Extrême. → **Fou, insensé** (en intensif). *Un truc délirant, fabuleux. Un film totalement délirant.*

4   — Comment trouvez-vous ma robe, Anatole?
— Délirante.
Henri MONNIER, Scènes populaires, la Grande Dame, sc. 4, éd. 1835, t. I, p. 210.

DÉLIRE [deliʀ] n. m. — 1537; *deslere,* 1478; lat. *delirium,* de *delirus,* adj. «fou, extravagant», dér. de *delirare.* → Délirer.

♦ **1** Méd. et cour. État d'une personne caractérisé par une perte du rapport normal au réel et un verbalisme qui en est le symptôme. — Cet état, en tant qu'il est entraîné par une cause pathologique : fièvre, intoxication, etc. (→ **Delirium**). *Le malade est en plein délire, en délire.* → **Délirer.** *Sortir du délire. Dans son délire, il a prononcé plusieurs fois ce nom. Délire accompagné d'hallucinations.*

1   La petite Fadette, en lui touchant le pouls, avait reconnu d'abord que la fièvre n'était pas forte, que s'il avait un peu de délire, c'est que son esprit était plus malade et plus affaibli que son corps.
G. SAND, la Petite Fadette, XXXIX, p. 247.

2   Lui, Jean, fut pris du tremblement de la grande fièvre; mais il continua de vivre, avec des alternatives de chaud délire et d'accablement extrême (...)
LOTI, Matelot, XLIX, p. 190.

3   (...) s'il eut cet éclair de lucidité, pouvait-il encore faire la distinction entre le réel et ces incohérentes visions qui peuplaient son délire?
MARTIN DU GARD, les Thibault, t. IV, p. 149.

État psychique d'une personne qui émet des idées fausses, en opposition avec la réalité ou l'évidence, généralement centrées sur un thème personnel. → **Confusion** (mentale), et (cour., sans contenu scientifique précis), **divagation, égarement.** *Avoir le délire, accès de délire.*

Méd. *Délire onirique. Délire alcoolique. Délire de persécution* (cit. 6), *de grandeur* (mégalomanie). *Délire hallucinatoire. Délire métabolique*. Délire collectif; délire inducteur, délire induit. Délire d'interprétation*.*

4   Il a diagnostiqué un état confusionnel, avec délire onirique, qui normalement doit se résorber en deux ou trois mois, peut-être moins.
A. MAUROIS, le Cercle de famille, II, p. 215.

Cour. Par ext. *C'est du délire :* c'est de la folie, c'est déraisonnable.

♦ **2** (Av. 1709). Littér. Agitation, exaltation causée par les émotions, les passions, les sensations violentes. → **Enthousiasme, ecthion, exultation, frénésie, surecthion, transport.** *Le délire de l'âme, de l'imagination, de l'esprit, des sens. Délire de l'ambition, de l'amour, de la colère, du désespoir. Porter la passion jusqu'au délire.*

5   Je sais fort bien distinguer en vous l'empire que le cœur a su prendre, du délire d'une imagination échauffée; et je vois cent fois plus de passion dans la contrainte où vous êtes que dans vos premiers emportements.
ROUSSEAU, Julie ou la Nouvelle Héloïse, Lettre XI, p. 27.

6   Ce refus de tutoiement, cette façon brusque de briser un lien si tendre, et sur lequel il comptait encore, portèrent jusqu'au délire le transport d'amour de Julien.
STENDHAL, le Rouge et le Noir, XXX, p. 216.

7   (...) cet amour paternel allait jusqu'au délire.
BALZAC, l'Initié, Pl., t. VII, p. 379.

8   Songez surtout que je vous adore avec un emportement, une frénésie, un délire qu'aucune femme ne m'a jamais inspirés.
Th. GAUTIER, le Capitaine Fracasse, t. II, XVI, p. 208.

9   Elle entrait dans quelque chose de merveilleux où tout serait passion, extase, délire (...)
FLAUBERT, Mᵐᵉ Bovary, II, IX, p. 106.

Vieilli. *Délire poétique.* → **Inspiration.**

♦ **3** Enthousiasme exubérant, qui passe la mesure. *Quand il apparut sur scène, ce fut du délire.* — Loc. *En délire.* → **Délirant.** *Une foule en délire.*

10   Si j'agite ma main vers des enfants, en traversant un des nombreux villages, c'est un délire, des trépignements frénétiques, une sorte d'enthousiasme joyeux.
GIDE, Voyage au Congo, *in* Souvenirs, Pl., p. 715.

Fam. Au sens de l'intensif *délirant. C'est le délire, la folie d'enfer!*

CONTR. Lucidité, sens (bon sens).

DÉLIRER [deliʀe] v. intr. — Déb. XVIᵉ; lat. *delirare*, proprt «sortir du sillon»; de *de* «hors de», et *lira* «sillon».

♦ **1** (1870). Avoir le délire, être en délire. → **Divaguer, extravaguer**; → Battre* la campagne. *Le malade délire. Délirer de fièvre.* — Par ext. Péj. et fam. *Il délire!* → **Dérailler, déraisonner.**

Figuré :

1 L'ancienne école savait délirer avec sobriété; elle portait dans l'absurde même les règles du bon sens.
RENAN, *Souvenirs d'enfance...*, V, 1.

♦ **2** (1772). Être en proie à une émotion qui trouble l'esprit. *Délirer de joie; de colère, de rage...*

2 Je demeurais haletant, si grisé de sensations, que le trouble de cette ivresse fit délirer mes sens. Je ne savais plus vraiment si je respirais de la musique, ou si j'entendais des parfums, ou si je dormais dans les étoiles.
MAUPASSANT, la Vie errante, II, p. 18.

DÉR. Délirant.

DELIRIUM [deliʀjɔm] ou **DELIRIUM TREMENS** [deliʀjɔmtʀemɛ̃s] n. m. — 1819; en angl., 1813; mots latins, «délire tremblant».

Méd. Délire aigu accompagné d'agitation et de tremblement et qui est particulier aux alcooliques.

Le médecin dit que (*G. Nouveau*) a eu un accès de delirium tremens causé par l'abus des liqueurs et surtout de l'absinthe (...) Vous ne savez pas combien il faut peu pour se procurer ces mauvaises liqueurs, qui sont d'autant plus pernicieuses qu'elles sont meilleur marché.
Mᵐᵉ DELANNOY, Lettre à Laurence Manuel,
30 juin 1891, in G. Nouveau, Pl., p. 883.

DÉLISSAGE [delisaʒ] n. m. — 1761; de *délisser.*

Techn. Tri et découpage des chiffons pour fabriquer la pâte à papier.

DÉLISSER [delise] v. tr. et intr. — 1765; de 1. *dé-*, et *lisser.*

♦ **1** Rare. Défaire (ce qui est lissé). *Délisser des cheveux.*

♦ **2** Techn. Trier les vieux papiers, les chiffons destinés à la fabrication du papier; en défaire les plis, les coutures.

DÉR. Délissage.

1. DÉLIT [deli] n. m. — 1330, *délict*; lat. *delictum*, supin de *delinquere.* → **Délinquant.**

I Cour. Action illicite. → **Faute, forfait.** *Commettre un délit. Grave, léger délit. Délit contre la société, contre la morale.* → **Manquement.** *Délit puni par la loi* (→ ci-dessous, II.). *Délit, faute causant un dommage à autrui* (→ ci-dessous, III.).

1 Le terme *délit* est communément usité comme synonyme d'infraction (...) Il comporte, aussi, une acception plus étroite; il désigne alors l'infraction de moyenne importance, celle qui est frappée par la loi de peines *correctionnelles* (...) Inversement, le terme *délit*, pris dans un sens plus large, s'applique au *délit* ou *quasi-délit* civil. Il vise alors l'acte (...) qui cause à autrui un *dommage.* Le délit, ou quasi-délit civil (...) entraîne des réparations (...) tandis que le délit, au sens pénal du mot, a pour sanction l'infliction d'une peine ou d'une mesure de sûreté.
DONNEDIEU DE VABRES, *Précis de droit criminel*,
nᵒ 62.

II Dr. pén. et cour. ♦ **1** (Sens large). *Délit* ou *délit pénal :* toute infraction à la loi, punie par elle. → **Contravention, crime, infraction.** *Être coupable de délit.*

→ **Délinquant.** *Acte constituant un délit.* → **Délictueux.** *Délit réitéré.* → **Récidive.** *Aider à commettre un délit* (→ **Complicité**). *Principe de la légalité des délits et des peines* (Code pénal, art. 4).

2 (...) la peine n'est pas toujours proportionnée au délit.
P.-L. COURIER, Pamphlets littéraires, in Œ. compl.,
Pl., p. 250.

3 (...) dans beaucoup de villes grecques, la loi punissait le célibat comme un délit.
FUSTEL DE COULANGES, la Cité antique,
I, II, III, p. 51.

Le délit est généralement constitué par un acte positif (ex. : vol, homicide); *on l'appelle dans ce cas délit de commission. Délit d'omission,* constitué par une simple abstention. *Le défaut de déclaration de naissance* (délit proprement dit, → 2.), *le défaut de dénonciation d'un acte d'espionnage* (crime) *constituent des délits d'omission. Délit de commission par omission :* délit dont la définition légale est celle d'un délit de commission et qui consiste exceptionnellement dans une abstention (cf. Obligation de secours).

4 (...) sera puni (...) quiconque, pouvant empêcher par son action immédiate, sans risque pour lui ou pour les tiers, soit un fait qualifié crime, soit un délit contre l'intégrité corporelle de la personne, s'abstient volontairement de le faire.   Code pénal, art. 63 (Ord. 25 juin 1945).

Délit intentionnel : infraction qui suppose l'intention délictueuse. *Délit d'imprudence :* infraction qui implique faute d'imprudence, de négligence, sans intention délictueuse. *Délit matériel :* infraction réputée consommée seulement en cas d'un résultat dommageable. *Le délit matériel est puni en dehors de l'intention délictueuse. Délit préterintentionnel* (ou *præter intentionnel*) *:* infraction où le résultat dépasse l'intention du coupable (ex. : coups et blessures entraînant la mort). *Délit formel,* consommé avant que le résultat visé soit atteint (empoisonnement non suivi d'effet...). *Délit manqué :* infraction menée jusqu'au bout (par oppos. à *tentative**) mais qui n'atteint pas son but (coup de fusil manqué...). *Délit manqué par le fait de l'agent. Délit impossible.*

Délit simple : infraction constituée par un seul fait matériel. *Délit complexe :* infraction formée d'actes matériels différents (ex. : escroquerie); aussi : infraction qui, par sa nature même, comporte une autre ou plusieurs autres infractions (ex. : meurtre d'un chef d'État, délit de droit commun qui porte en soi un délit politique). *Délit connexe :* infraction qui se rattache à une autre infraction par un lien matériel ou moral.

Délit instantané (meurtre, vol). *Délit continu* ou *successif* (séquestration arbitraire, recel). *Délit continué :* infraction formée d'une série de délits similaires (vols répétés). *Délit d'habitude, délit collectif,* formé de faits similaires, dont chacun ne constitue pas un délit. *Délit permanent :* infraction donnant naissance à un état de fait permanent et prohibé.

Délit de droit commun. Délit politique. Délit politique pur : infraction portant atteinte exclusivement à l'ordre politique. *Délit électoral :* acte destiné à fausser les résultats d'une élection. *Délit de presse.* — *Délit international :* infraction qui a lieu dans plusieurs états (ex. : traite des femmes), ou qui se commet dans des lieux ne relevant pas de la souveraineté d'un État (ex. : piraterie). — *Délit militaire :* infraction relevant de la justice militaire, et, spécialt, infraction au devoir, à la discipline militaire. *Délit mixte,* que les civils sont susceptibles de commettre. — *Délit maritime :* infraction relative à la police maritime. — *Délit de chasse, de pêche, forestier, rural.*

Délit d'audience : infraction commise à l'audience. (1835; lat. *corpus delicti*). **LE CORPS DU DÉLIT :** le fait matériel qui constitue le délit, indépendamment des circonstances, et, par ext., l'objet qui constitue le délit et sert à le constater. *Confiscation du corps du délit* (Code pénal, art. 11).

4.1 (...) on a affaire à des crimes parfaits ayant abouti à la destruction totale du «corps du délit» par le feu, la terre ou l'eau. Si l'on ajoute à cela que les assassinats les plus accomplis sont ceux qu'on a pu maquiller en décès normaux, on a une vision vague de la société effrayante où nous vivons.   M. TOURNIER, le Roi des Aulnes, p. 57.

FLAGRANT DÉLIT : *:* infraction qui est en train ou qui vient de se commettre. *Être pris en flagrant délit.* → Police, cit. 7. *Flagrant délit d'adultère* (→ Adultère, cit. 6). — *Fig.* et *cour. Prendre quelqu'un en flagrant délit,* prendre sur le fait, en parlant d'un acte blâmable ou regrettable.

5 (...) les gens qu'on honore ne sont que des fripons qui ont eu le bonheur de n'être pas pris en flagrant délit.
    STENDHAL, le Rouge et le Noir, II, XLIV, p. 498.

6 D'ailleurs, dans ses peintures Allory ne risquait guère d'être pris en flagrant délit d'inexactitude.
    J. ROMAINS, les Hommes de bonne volonté, t. III, XVIII, p. 242.

♦ **2** (Sens restreint). *Délit* ou *délit correctionnel :* «infraction que les lois punissent de peines correctionnelles» (Code pénal, art. 1), par oppos. à *contravention* ou à *crime.* → **Correctionnel** (cit.). — **REM.** La plupart des expressions citées ci-dessus (→ 1.) s'appliquent selon le contexte à toute infraction ou au *délit correctionnel* seulement. — *Transformation légale d'un crime en délit.* → **Correctionnaliser.** *Criminaliser* un délit,* en faire légalement un crime. — *La jurisprudence a eu parfois recours à la théorie des délits-contraventions* (infraction frappée de peines correctionnelles mais punie en dehors de toute recherche d'intention, comme les contraventions).

III *Dr. civ. Délit* ou *délit civil :* fait illicite, ayant le caractère de faute et d'où naît un dommage. *Tout délit entraîne réparation* (Code civil, art. 1382).

7 (...) un fait peut fort bien constituer un délit civil sans être un délit criminel. Il suffit pour cela que, étant dommageable et illicite, il ne soit *frappé d'aucune peine* par les lois répressives.   M. PLANIOL, Traité élémentaire de droit civil, t. II, n° 820, p. 288.

Spécialt. Délit civil ayant le caractère d'une faute intentionnelle (par oppos. à *quasi-délits*).

8 Le Code civil n'a défini nulle part ce qu'il entendait par «délits» (...) dans l'antiquité, le délit (...) était un fait illicite, générateur d'obligations, qui avait pour caractère distinctif d'être *prévu par une loi spéciale* (...) la conception fondamentale, qui est celle de faits *défendus par la loi,* n'a pas changé (...) (...) nous exigeons une condition, l'intention de nuire, que les Romains n'avaient pas connue (...) les dommages causés sans intention de nuire forment aujourd'hui la classe des *quasi-délits.*   M. PLANIOL, Traité élémentaire de droit civil, t. II, nᵐ 814-815, p. 285-286.

DÉR. V. Délictueux. ◊ COMP. Quasi-délit. ← HOM. 2. **Délit.**

2. **DÉLIT** [deli] n. m. — 1694; de *déliter.*

♦ **1** *Techn.* Position (d'une pierre) dans un sens différent de celui du lit.

♦ **2** (1754). *Géol.* Fente, joint, veine dans une pierre suivant le sens de ses couches de stratification. *Les délits d'un bloc d'ardoise.*

HOM. 1. **Délit.**

DÉLITAGE [delitaʒ] ou **DÉLITEMENT** [delitmã] n. m. — 1846; de *déliter.*

Technique.

♦ **1** Action de changer la litière des vers à soie.

♦ **2** (1818). Action de déliter les pierres. — On dit aussi *délitation* [delitasjɔ̃] n. f.

DÉLITER [delite] v. tr. — 1567, pron.; de 1. *dé-,* et *lit.*

Technique.

♦ **1** *Maçonnerie.* Poser (une pierre) en délit.

♦ **2** Diviser (une pierre) dans le sens des couches de stratification. → **Cliver.** *Déliter un bloc d'ardoise. La moye, couche tendre qui permet de déliter la pierre. L'érosion a délité ces roches.*

Fig. → **Déraciner, désagréger.**

1 Elle aurait vu des amis, peut-être même été parfois au théâtre. Il n'en faut pas plus pour déliter une idée fixe.
    G. DUHAMEL, Cri des profondeurs, VII, p. 140.

♦ **3** (1796). *Déliter les vers à soie :* changer les feuilles de mûrier qui servent de litière aux vers à soie.

♦ **SE DÉLITER** v. pron.

♦ **1** Se fendre dans le sens du lit de carrière.

1.1 C'est en effet un pays hérissé de grandes et larges pierres, qui pourraient être une sorte de produits (...) Mais *(ces)* carrières, si faciles à fouiller, ne font en se délitant, qu'augmenter chaque année l'aridité du sol.
    RESTIF DE LA BRETONNE, la Vie de mon père, p. 135.

♦ **2** *Didact.* Se désagréger en absorbant l'humidité. *La chaux se délite.* — *Fig.* et *littér.* → **Décomposer** (se), **déraciner** (se), **désagréger** (se).

2 Dans des sujets où les mots se délitent, où les expressions s'émiettent, elle parvient à se faire comprendre (...)
    HUYSMANS, En route, p. 89.

3 Et maintenant que le cénacle de ses fidèles s'est délité sous l'action du temps, de la misère et de la mort, maintenant qu'il est seul, démuni de tout et de tous, il construit encore : il bâtit avec ses rêves.   M. BARRÈS, la Colline inspirée, p. 258.

4 Cependant, la fortune privée s'amenuise, les fondations se délitent et ne peuvent plus tenir contre d'incessantes secousses.
    G. DUHAMEL, Manuel du protestataire, III, p. 104.

♦ **DÉLITÉ, ÉE** p. p. adj. *Rocher délité,* clivé. *Les roches délitées sont dangereuses à l'escalade.*

DÉR. 2. **Délit, délitage, délitescent.**

1. **DÉLITESCENCE** [delitesãs] n. f. — 1503; lat. *delitescere* «se cacher» de *de-,* et *latescere,* dér. de *latere* «se cacher».

Méd. Disparition rapide (d'une tumeur, d'une éruption...), sans qu'elle se reproduise sur un autre point du corps (comme dans la *métastase*).

2. **DÉLITESCENCE** [delitesãs] n. f. — 1846; de *délitescent;* → **Déliter.**

Didact. Processus par lequel une substance se délite. → **Désagrégation.** *Délitescence de la chaux.*

DÉLITESCENT, ENTE [delitesã, ãt] adj. — 1890; de *déliter.*

Didact. Qui a la propriété de se déliter.

DÉR. 2. **Délitescence.**

DÉLIVRANCE [delivrãs] n. f. — Déb. XIIᵉ, «accouchement»; sens I., 1., v. 1170; de *délivrer.*

I ♦ **1** Action de délivrer; résultat de cette action. → **Libération.** *La délivrance d'un prisonnier. Rançon pour la délivrance d'un captif.* → **Rachat.** *Délivrance d'une ville investie, d'un pays occupé.*

1 Daniel prie pour la délivrance du peuple de la captivité de leurs ennemis (...)   PASCAL, Pensées, X, 692.

2 Elle fait avec le duc de Lorraine une entreprise pour la délivrance du roi son seigneur (...)
BOSSUET,
Oraison funèbre d'Henriette-Anne d'Angleterre.

3 Ma mère allait tous les ans passer six semaines à Saint-Malo, au temps de Pâques ; elle attendait ce moment comme celui de sa délivrance, car elle détestait Combourg.
CHATEAUBRIAND, in P. LAROUSSE.

♦ 2 (Fin XIIᵉ). Fig. Fin (d'une gêne, d'un mal, d'un tourment) ; impression agréable qui en résulte. → Affranchissement, allégement, débarras. *La délivrance (de qqn) d'un mal, d'une peine.* → Soulagement. *La mort sera sa délivrance* (→ Appréhension, cit. 9).

4 À chaque attaque, il se tient prêt et il attend le moment de sa délivrance.
BOSSUET, Oraison funèbre de Michel Le Tellier.

5 Mon premier sentiment, une fois la résolution bien prise et mes réponses dépêchées, fut une expansion d'allégement infini et de délivrance.
SAINTE-BEUVE, Volupté, XXI, p. 218.

6 À quoi bon reprendre ce travail ? C'est qu'à mon insu, sans doute, j'y trouvais un soulagement, une délivrance.
F. MAURIAC, le Nœud de vipères, II, XII, p. 139.

7 Tu ne peux imaginer cette délivrance après l'aveu, après le pardon (...) Il suffisait à Thérèse d'avoir résolu de tout dire pour déjà connaître, en effet, une sorte de desserrement délicieux.
F. MAURIAC, Thérèse Desqueyroux, II, p. 30.

♦ 3 Méd. ou zootechn. Phase de l'accouchement correspondant à l'expulsion du placenta, après la sortie du fœtus. — (Concret). Le placenta et les membranes fœtales expulsés (→ Arrière-faix, délivre).

8 (...) la délivrance *(est ainsi appelée)* parce qu'étant hors la, femme est entièrement délivrée.
Ambroise PARÉ, XVIII, 18,
in LITTRÉ (→ Arrière-faix, cit. 1).

9 Je m'occupais de l'enfant, en attendant le moment de pratiquer la délivrance.
G. DUHAMEL, Biographie de mes fantômes, XII, p. 228.

Par ext. → Accouchement. *Une heureuse, une rapide délivrance.*

10 J'étais encore dans le salon voisin à attendre sa délivrance, lorsque ma belle-mère vint me dire : venez embrasser votre femme et la sauver du désespoir ; votre enfant est mort en naissant.
MARMONTEL, Mémoires, X.

11 Quand approcha le temps de sa délivrance, elle partit pour Paris avec son mari et s'installa dans un appartement meublé (...)
A. MAUROIS, Lélia, II, 1, p. 73.

II (Fin XIIIᵉ). Action de délivrer, de remettre (qqch. à qqn). → Livraison, remise. *La délivrance d'un certificat, d'un passeport à qqn. Délivrance de titres, de pièces, de fonds. Délivrance d'un legs* (cf. Code civil, art. 1004). *Délivrance de marchandises consignées. Délivrance à l'adjudicataire des coupes de bois vendues* (cf. Code forestier, art. 58).

12 La délivrance est le transport de la chose vendue en la puissance et possession de l'acheteur.
Code civil, art. 1604.

CONTR. (Du sens I, 1) **Arrestation, asservissement, captivité, détention, emprisonnement, esclavage, incarcération, réclusion, servitude, soumission.**

DÉLIVRE [delivʀ] n. m. — 1606, «arrière-faix»; autre sens, 1305; de *délivrer.*
Méd. (vieilli). Le placenta et les membranes fœtales expulsés après la sortie du fœtus. → Arrière-faix (cit. 2), **placenta ; délivrance.**

DÉLIVRER [delivʀe] v. tr. — XIᵉ ; bas lat. *deliberare,* de *de-* et lat. class. *liberare* «mettre en liberté» (→ Libérer), d'après *livrer.*

I ♦ 1 Rendre (qqn, une collectivité) libre. → **Libérer.** *Délivrer un prisonnier, un esclave. Délivrer un captif en payant une rançon.* → **Racheter.** — Par ext. *Délivrer un peuple, un pays.*

1 (...) il avait coutume de délivrer à la fête celui des prisonniers que le peuple lui demandait.
BIBLE (SACY), Évangile selon saint Marc, XV, 6.

2 C'est pour délivrer les peuples, pour leur donner la vraie paix, la Liberté, qu'elle *(la Révolution)* frappa les tyrans.
MICHELET, Hist. de la Révolution franç., Préf. de 1847, p. 2.

3 Mais qu'est-ce que délivrer ? Si je délivre, dans un désert, un homme qui n'éprouve rien, que signifie sa liberté ? Il n'est de liberté que de «quelqu'un» qui va quelque part. Délivrer cet homme serait lui enseigner la soif, et tracer une route vers un puits. Alors seulement se proposeraient à lui des démarches qui ne manqueraient plus de signification. Délivrer une pierre ne signifie rien s'il n'est point de pesanteur. Car la pierre, une fois libre, n'ira nulle part.
SAINT-EXUPÉRY, Pilote de guerre, XXVI, p. 221.

♦ 2 *Délivrer qqn de...,* le dégager de (pour le libérer). *Délivrer un captif de ses chaînes.* — Délivrer une nation de ses oppresseurs, d'un régime tyrannique, de l'occupation étrangère. → **Libérer** (plus cour.). — *Fig.* Rendre libre en écartant, en supprimant. → **Débarrasser, libérer.** *Délivrer qqn d'un importun, d'un rival. Délivrer qqn d'une maladie* (→ **Guérir**), *d'un péril ; d'une obligation ; d'une crainte.* — Relig. *Délivre (délivrez)-nous du mal* (prière du Notre Père).

4 Délivrez-moi, Monsieur, de la criaillerie (...)
MOLIÈRE, Tartuffe, V, 7.

5 Nous implorons la miséricorde de Dieu, non afin qu'il nous laisse en paix dans nos vices, mais afin qu'il nous en délivre.
PASCAL, Pensées, VII, 553.

6 *(La Restauration)* délivra la pensée comprimée par Bonaparte : l'esprit, comme une cariatide déchargée de l'architecture qui lui courbait le front, releva la tête.
CHATEAUBRIAND, Mémoires d'outre-tombe, t. IV, p. 98.

7 (...) la faiblesse me délivra de ma colère (...)
A. DE MUSSET, Confession d'un enfant du siècle.

8 (...) moi l'étrange humain qui, en attendant que la mort me délivre, vis les volets clos, ne sais rien du monde (...)
PROUST, À la recherche du temps perdu, t. X, p. 152.

♦ 3 Littér. (Compl. n. de chose). Mettre au jour, faire apparaître. → **Extérioriser.**

9 Léopold a trouvé le bonheur, son bonheur. Ce n'est plus de construire des châteaux, c'est de délivrer le chant qui sommeille dans son cœur.
M. BARRÈS, la Colline inspirée, XVI, p. 265.

10 Si cette religion, si cette culture, si cette échelle des valeurs, si cette forme d'activité et non telles autres favorisent dans l'homme cette plénitude, délivrent en lui un grand seigneur qui s'ignorait, c'est que cette échelle des valeurs, cette culture, cette forme d'activité, sont la vérité de l'homme.
SAINT-EXUPÉRY, in MAUROIS, Études littéraires, t. II, p. 278.

II (XIIIᵉ). Comm., admin. Remettre (qqch.) à qqn. → **Livrer, remettre.** *Délivrer un brevet, un certificat, un reçu à qqn. Délivrer des papiers, des titres, des fonds. Délivrer au porteur. Délivrer des marchandises consignées.*

11 Le vendeur n'est pas tenu de délivrer la chose, si l'acheteur n'en paye pas le prix, et que le vendeur ne lui ait pas accordé un délai pour le payement.
Code civil, art. 1612.

Fam. et vx. → **Appliquer, dispenser.** *Délivrer des coups de poing, de bâton.*

♦ **SE DÉLIVRER** v. pron.

♦ 1 (Au sens 1). → **Affranchir** (s'), **débarrasser** (se), **dégager** (se), **libérer** (se). *Se délivrer d'un joug insupportable. Se délivrer de ses liens. Se délivrer d'un ennemi. Se délivrer d'un fardeau. Se délivrer d'une situation délicate, embarrassante. Se délivrer d'une* *obsession, de préjugés, d'erreurs... Se délivrer d'un désir en l'assouvissant.*

12 Celui qui un beau jour sait renoncer fermement (...) à une grande autorité (...) à une grande fortune, se délivre en un moment de bien des peines, de bien des veilles, et quelquefois de bien des crimes.
                    LA BRUYÈRE, les Caractères, VIII, 98.

13 (...) le cri, enivré, presque douloureux de joie, de l'âme immortelle, qui se délivre de la dépouille du corps et tend les bras vers Dieu !
                    R. ROLLAND, Voyage musical au pays du passé, p. 74.

14 Et quel lecteur, s'il a le moindre souci d'exactitude, s'y délivrerait de la hantise – de l'influence – des mots et des phrases.   J. PAULHAN, les Fleurs de Tarbes, p. 116.

15 Il faut nous délivrer de la pitié, de la jalousie, enfin de toutes les passions artificielles, et nous abandonner à un égoïsme sain.
                    A. MAUROIS, le Cercle de famille, I, xv, p. 87.

16 Juliette pleure sans vraiment réussir à former des larmes. Elle suffoque, sans arriver à se délivrer par un sanglot. Une angoisse, qui est tout ensemble douleur, joie démesurée et désespoir, la tient serrée du haut au bas de son corps.
                    J. ROMAINS, les Hommes de bonne volonté, t. IV, XVII, p. 188.

♦ **2** (Au sens II). Comm., admin. (Passif). Être délivré. *Le bureau où se délivrent les passeports.*

◆ **DÉLIVRÉ, ÉE** p. p. adj. *Prisonnier délivré. Pays délivré.* – Libéré (d'un état psychique qui opprime). → Se délivrer, 1.). *Se sentir délivré.*

17 (...) de ces idées obsédantes dont je n'arrivais que rarement, et pour un temps très court, à me sentir délivré.
                    G. DUHAMEL, Cri des profondeurs, XI, p. 216.

CONTR. **Arrêter, asservir, détenir, écrouer, emprisonner, enchaîner, enfermer, incarcérer, lier, maîtriser, obséder, soumettre, subjuguer.** – **Conquérir, conserver, garder.**
◊ DÉR. **Délivrance, délivre, délivreur.**

DÉLIVREUR [delivʀœʀ] n. m. — 1734; «libérateur, défenseur», en anc. franç. de *délivrer.*

I Rare. Personne qui délivre (qqch.). → **Livreur.** — Manège. Domestique chargé de donner l'avoine aux chevaux.

REM. L'emploi ancien (avec un fém. *délivreuse*) est virtuel, à côté de *libérateur, trice.*

II Techn. Dans les machines à carder, Appareil distribuant la matière à travailler. *Délivreurs supérieur, inférieur* : cylindres qui se trouvent placés à la sortie de tout dispositif d'étirage. — Appos. *Cylindres délivreurs* ou *étireurs.*

DÉLOCALISATION [delɔkalizasjɔ̃] n. f. — 1863; de *délocaliser.*

♦ **1** Perte du caractère local, localisé. «*le télé-travail, ou travail à distance, qui pourrait constituer une véritable révolution sociale. Les outils télématiques sont déjà au point. On pense que la délocalisation des activités de bureau touchera un nombre croissant de salariés*» (Dossiers et Documents du Monde, Suppl., sept. 1983, La micro-informatique).

♦ **2** Phys. **a** État d'un électron qui, dans une molécule ou un ion, dépend de plus de deux atomes. — État d'une charge électrique qui peut se manifester sur deux ou plus de deux atomes.
b Le fait de mettre (un électron, une charge) dans cet état.

DÉLOCALISER [delɔkalize] v. tr. — 1863; de 1. *dé-* et *localiser.*

Didactique.

♦ **1** Faire perdre son caractère local, limité à (qqch.); étendre dans l'espace.
Un instrument a un certain angle de diffusion, une certaine force de diffusion par rapport à sa location géographique. Location au sens anglais du terme. Si l'on désincarne le son, il y a avantage et risque. Il est possible de délocaliser l'instrument, de le faire se promener dans l'espace et lui donner une dimension immatérielle.
                    Pierre BOULEZ, in Libération, 14 mars 1984.

♦ **2** Phys. Mettre (un électron) en état de délocalisation (2.).

◆ **DÉLOCALISÉ, ÉE** p. p. adj.
Qui a perdu son caractère localisé. *Électrons délocalisés.* «*L'intervention de formes d'énergie "délocalisées" (gradient de protons, énergie électrostatique) ne rend pas nécessairement un contact direct entre les transporteurs d'électrons et les enzymes responsables de la synthèse de ATP*» (la Recherche, avril 1978, p. 337). «*Dans le secteur des composants ou de l'électronique grand public, les tâches de soudure ou de câblage sont entre les "mains" de robots. Le montage est "délocalisé", renvoyé en Asie du Sud-Est ou au Mexique, systématiquement sous-traité*» (les Nouvelles, n° 2921, 8-14 mars 1984, p. 16).

DÉR. **Délocalisation.**

DÉLOCUTEUR, TRICE [delɔkytœʀ, tʀis] n. — V. 1970; de *locuteur*, d'après 2. *délocutif.*
Ling. Personne dont on parle, dont il est question dans le discours (correspond à la 3e pers. grammaticale). S'oppose à *locuteur* (1re pers.) et à *interlocuteur* (2e pers.).

DÉR. **Délocution.**

1. **DÉLOCUTIF, IVE** [delɔkytif, iv] adj. — V. 1930; du lat. *de-*, et *locut(ion)*, suff. *-if*, d'après *dénominatif.*
Ling. Se dit des verbes impliquant une activité de discours. — N. m. «*Le délocutif, selon les exemples qu'en donne Benveniste, est (...) pour nous un dérivé dont la base est un mot autonyme dans un syntagme qu'il forme avec un verbe métalinguistique (dire merci, dire tu, dire [crier] bis) et à laquelle s'adjoignent des affixes verbaux : remercier, tutoyer, bisser (...)*» (J. Rey-Debove, Benveniste et l'autonymie : les verbes délocutifs, p. 248).

2. **DÉLOCUTIF** [delɔkytif] n. m. — XXe; du lat. *de* «au sujet de», et thème *locut-* de *loqui* «parler». → Locution.
Ling. Troisième personne (du discours). → **Délocuteur.**

DÉLOCUTION [delɔkysjɔ̃] n. f. — V. 1970; de *délocuteur.*
Ling. Activité linguistique qui consiste à parler de (qqn).
La philologie active (celle des forces du langage) comprendrait donc deux linguistiques obligées : celle de l'interlocution (parler à un autre) et celle de la délocution (parler de quelqu'un).
                    R. BARTHES,
         Fragments d'un discours amoureux (1977), p. 218.

DÉLOGEMENT [delɔʒmɑ̃] n. m. — 1538; sens milit., fin XIVe; de *déloger.*

♦ **1** Vx. Action de déménager. → **Déménagement.**
Le jour de notre délogement, qui était donc il y a eu mardi huit jours, il n'a jamais pu porter que quatre chaises; encore il suait.
                    Ed. et J. DE GONCOURT, la Femme au XVIIIe siècle, t. II, p. 10.

♦ **2** Rare. Action de déloger (2.).

♦ **3** Techn. Déplacement latéral d'un pneu sans chambre sur la jante.

DÉLOGER [delɔʒe] v. [CONJUG.: *loger*. → **Bouger**.] — 1230; *deslogier*, fin XIIᵉ; de 1. *dé-*, et *loger*.

I V. intr. ♦ **1** Vx. Sortir de son logement.

1   Mon père, si matin qui vous fait déloger?
                  RACINE, les Plaideurs, I, 4.

♦ **2** Vieilli. Quitter brusquement son logement, sa place, pour aller s'établir ailleurs. → **Abandonner** (un lieu), **déguerpir, déménager, partir, sortir; bagage** (plier bagage). *Il lui faudra déloger à la fin du mois, de son bail. Délogez de là!* → **Décamper.**

2   Rien n'est si simple et si nécessaire, madame, que de déloger de votre maison, quand vous n'approuvez pas que j'y reste.   ROUSSEAU, les Confessions, IX.

3   — (...) Délogez à l'instant.
    — Délogez! Ah! fi! que c'est mal parler!
        BEAUMARCHAIS, le Barbier de Séville, II, 13.

♦ **3** Régional (Belgique). Découcher.

♦ **4** Fig. Partir; aller (s'en aller). *Mal qui ne veut pas déloger.*

4   (...) elle sent chaque jour
  Déloger quelques ris, quelques jeux, puis l'amour.
                LA FONTAINE, Fables, VII, 5.

5   Il attendit (...) que son âme délogeât de son corps pour passer dans un autre.
        DIDEROT, Opinions des anciens philosophes,
             Sarrasins (→ Attendre, cit. 53).

6   (...) les jugements se forment en moi et, une fois établis, après deux ou trois secousses ou épreuves, ils sont affermis et ne délogent plus.
        SAINTE-BEUVE, Correspondance, I, p. 353.

Fig. et fam. *Déloger sans trompette* (→ Bagage, cit. 10), *sans tambour* ni trompette* : se retirer secrètement, sans faire de bruit. → **Esquiver** (s').

7   Ô là, Madame la belette,
  Que l'on déloge sans trompette,
  Ou je vais avertir tous les rats du pays.
            LA FONTAINE, Fables, VII, 16.

II V. tr. (1657). ♦ **1** Mod. Faire sortir (qqn) du lieu qu'il occupe. → **Chasser, expulser, vider** (fam.). *Déloger quelqu'un de chez lui. Déloger un locataire.*

8   La veille de son arrivée, on me déloge de la chambre de faveur que j'occupais, contiguë à celle de Mᵐᵉ d'Épinay; on la prépare pour M. Grimm (...)
        ROUSSEAU, les Confessions, IX.

8.1 Il avait fait des pieds et des mains pour obtenir une bonne chambre et je le trouvai en train de donner de l'argent à un camarade qu'il délogeait.
      DRIEU LA ROCHELLE, la Comédie de Charleroi,
                  p. 137.

♦ **2** Faire sortir par la force. → **Chasser.** *Déloger l'ennemi de ses positions. Déloger un lièvre de son terrier.* → **Débusquer.** — Figuré :

9   C'est qu'ils se placent dans la discussion sur un autre terrain, plus exactement sur un autre plan, aucune argumentation ne les en délogera.
       SIEGFRIED, l'Âme des peuples, IV, II, p. 92.

♦ **3** T. de jeu. → **Déplacer.** *Déloger une boule, une bille...*

CONTR. Loger, établir, installer. — Demeurer, rester, séjourner. ◊ DÉR. Délogement.

DÉLOQUER [delɔke] v. tr. — XIXᵉ; de 1. *dé-*, et *loque(s)*.
Argot. Déshabiller (qqn). — Pron. (1941). *Se déloquer :* se déshabiller, se dévêtir.

  Je rampe à l'abri du parasol et je commence à me déloquer. Lorsque mes fringues sont en tas, elles ressemblent à un paquet de tripes à la mode de Caen.
      SAN-ANTONIO, Au suivant de ces messieurs, p. 97.

DÉLOQUETÉ, ÉE [delɔk(ə)te] adj. — 1455; de 2. *dé-*, et *loqueté*, de *loques*.

Vx. En loques. — Par métaphore, littéraire :

  Puis, tout d'un coup, cette brume se déchira et laissa voir de gros nuages bas, déchiquetés, déloquetés, véritables haillons de vapeur,
      J. VERNE, le Pays des fourrures, I, IX, p. 111.

DÉLOT [delo] n. m. — 1530; dimin. de 2. *dé*.
Techn. Doigtier de cuir de calfat ou de dentellière.

DÉLOVER [delɔve] v. tr. — 1845; de 1. *dé-*, et *lover*.
Mar. Défaire, dérouler (ce qui était lové). *Délover un câble, un cordage.* — Au p. p. *Câbles délovés.*

DÉLOYAL, ALE, AUX [delwajal, o] adj. — XVᵉ; *desleal, desloial*, v. 1175; de 1. *dé-*, et *loyal*.

♦ **1** (Personnes). Littér. ou style soutenu. Qui n'est pas loyal. → **Faux, félon, fourbe, hypocrite, malhonnête, perfide, traître, trompeur.** *Caractère, esprit déloyal, âme déloyale. Être déloyal dans ses promesses.* → **Parole** (manquer à sa parole, avoir deux paroles). *Contradicteur déloyal.* → **Captieux, chicaneur.** *Ami déloyal.* → **Infidèle.** *Être déloyal envers un parti.* → **Renégat, traître.**

1   Un ami déloyal peut trahir ton dessein (...)
                CORNEILLE, Cinna, I, 1.

Substantif :

2   Va, déloyal, va-t'en, je te le dis!
  Je suis bien sotte et bien de mon pays
  De te garder la foi de mariage!
      LA FONTAINE, Contes et Nouvelles, II, v. 146.

3   J'ai appris de vos nouvelles, déloyale! J'ai appris de vos nouvelles; on vient de me rendre compte de vos perfidies (...)   A. R. LESAGE, Turcaret, II, 3.

♦ **2** (Choses : actions...). Qui dénote un manque de loyauté, de bonne foi. *Conduite déloyale. Acte déloyal à l'égard d'un ami...* → **Indélicat.** *Procédé déloyal.* → **Oblique, tortueux.** *Concurrence déloyale. Argumentation déloyale.* → **Captieux, chicaneur; chicanerie.**

4   Ce Monsieur Loyal porte un air bien déloyal!
              MOLIÈRE, Tartuffe, V, 4.

(Boxe). *Coups déloyaux :* ceux qui atteignent l'adversaire au-dessous de la ceinture, et qui sont interdits par les règlements (coups bas).

CONTR. Loyal; chic, droit, fidèle, franc, honnête, probe, sincère. ◊ DÉR. Déloyalement.

DÉLOYALEMENT [delwajalmɑ̃] adv. — 1487; *desloiaument*, fin XIIᵉ; *desleialment*, 1170; de *déloyal*.
Rare. D'une manière déloyale. → **Perfidement.** *Agir déloyalement.*

CONTR. Loyalement.

DÉLOYAUTÉ [delwajote] n. f. — XIVᵉ; *desleauté*, XIIᵉ; de 1. *dé-*, et *loyauté*.
Style soutenu.

♦ **1** Manque de loyauté. → **Fausseté, félonie, foi** (mauvaise foi), **fourberie, hypocrisie, malhonnêteté, perfidie, traîtrise.** *Faire acte de déloyauté. La déloyauté de qqn. Il est d'une incroyable déloyauté, sa déloyauté est incroyable.*

1   Et sa mort va laisser à la postérité
  L'infâme souvenir de ta déloyauté.
              CORNEILLE, Cinna, IV, 6.

2   Et sa déloyauté va paraître trop noire (...)
              MOLIÈRE, Tartuffe, V, 5.

Par ext. *Déloyauté d'un procédé :* déloyauté dont un procédé est marqué.

♦ **2** *(Une, des déloyautés).* Action déloyale. *Faire d'horribles déloyautés.* → **Félonie, fourberie.** *C'est une déloyauté.* → **Trahison.**

3 *Et tes déloyautés ont survécu ta vie.*
ROTROU, Antigone, III, 2.

CONTR. Loyauté ; droiture, fidélité, foi (bonne foi), **franchise, honnêteté, probité, sincérité.**

-DELPHE Élément, du grec *delphos* «matrice», entrant dans la composition de quelques mots savants : *didelphe, monodelphe, ornithodelphe,* etc.

DELPHINIDÉS [dɛlfinide] n. m. pl. — 1846 ; dér. sav. du lat. *delphinus* «dauphin», suff. *-idés.*

Zool. Famille de Cétacés (groupe des *Denticètes* ou *Odontocètes**), munis de dents et dépourvus de fanons. *Genres principaux :* dauphin, delphinaptère *(Beluga),* delphinorhynque, globicéphale, marsouin, épaulard, inia. — Au sing. *Un delphinidé.*

DELPHINIUM [dɛlfinjɔm] n. m. — 1694 ; du grec *delphinion* «dauphinelle».

Bot. → **Dauphinelle, pied-d'alouette.**

DELTA [dɛlta] n. m. — XIIIᵉ, *delta du Nil ;* de *delta,* nom de la quatrième lettre grecque.

I ♦ **1** Quatrième lettre de l'alphabet grec, ainsi figurée : Δ (majuscule) ; δ (minuscule). *En forme de delta.* → **Deltoïde, triangulaire.** — *En delta :* en forme de delta majuscule. *Avion à ailes en delta* (→ ci-dessous, Aile delta).

♦ **2** Appos. ou adj. (Objets en forme de delta). **AILE DELTA.** **a** Aile (d'avion) en forme de delta majuscule. Syn. : *aile en delta.* «*La navette* (spatiale) *sera dotée d'ailes. Mais celles-ci seront du type delta (...) ce qui confère à l'engin une certaine ressemblance avec un avion supersonique*» (le Monde, 13 déc. 1972, p. 21). **b** Engin utilisé pour le vol libre. → **Aile** (libre), **deltaplane.**

♦ **3** Adj. invar. Phys. *Rayon delta.* — Méd. *Onde delta,* caractéristique du sommeil profond.

II ♦ **1** Vx. Objet en forme de delta.

1 Quant à la grande dame, elle est morte (...), avec la poudre, les mouches, les mules à talons, les corsets busqués ornés d'un delta de nœuds en rubans.
BALZAC, Autre étude de femme, in D.D.L., II, 16.

Spécialt. *Delta mystique :* triangle se détachant sur un fond de rayons et au milieu duquel figure l'œil de dieu ou son nom en caractères hébraïques. *Le delta, dans les églises catholiques, symbolise la Trinité.*

♦ **2** Géogr. et cour. Dépôt d'alluvions émergeant à l'embouchure d'un fleuve et le divisant en bras de plus en plus ramifiés. *Le delta a sa pointe en amont. Le delta du Nil, du Mississipi. La Camargue ou delta du Rhône. D'un delta.* → **Deltaïque.**

2 Un delta n'est en fait pas autre chose qu'un cône de déjection bâti dans l'eau (...) Un grand fleuve débouchant par un estuaire doit d'abord le combler avant de bâtir un delta (...) Le golfe une fois entièrement comblé, le fleuve se jette directement dans la mer. A partir de ce moment commence la formation du delta proprement dit.
DE MARTONNE, Traité de géographie physique, t. II, XV, p. 993.

DÉR. Deltacisme, deltaïque. — V. aussi **Deltoïde.** ◊ **COMP. Deltacortisone, deltaplane.**

DELTACISME [dɛltasism] n. m. — 1933 ; dér. sav. de *delta* (Δ), lettre grecque.

Méd. Vice de prononciation portant sur les lettres *d* et *t.*

DELTACORTISONE [dɛltakɔrtizɔn] n. f. — 1959 ; de *delta,* et *cortisone.*

Chim. et méd. Dérivé de la cortisone possédant une activité anti-inflammatoire plus puissante (appelé aussi *prednisone*).

DELTAÏQUE [dɛltaik] adj. — 1851 ; de *delta.*

Géogr. Qui a rapport à un delta. *Plaine deltaïque. Le riz, culture deltaïque.*

DELTAPLANE [dɛltaplan] n. m. — 1974 ; d'abord *aile delta,* marque déposée ; de *(aile) delta,* et *-plane.*

Engin utilisé pour le vol libre, formé d'une toile synthétique tendue sur une armature tubulaire triangulaire et pouvant supporter une personne. → **Aile** (libre), **delta** (aile delta). «*Les planeurs ultralégers, dont la forme "deltaplane" est la plus répandue en Europe*» (Sciences et Avenir, août 1978, p. 14). — On écrit aussi *delta-plane.*

Sport pratiqué avec un deltaplane. → **Vol** (vol libre).

Gaétane Chouilloux plongeait au Racing (...) et partageait ses étés au gré des invitations, entre la planche à voile et le deltaplane.
Geneviève DORMANN, Fleur de péché, p. 199-200.

DELTISTE [dɛltist] n. — 1989 ; de *(aile) delta.*

Sports. Personne qui pratique le deltaplane*, le vol libre. *Une deltiste confirmée.*

DELTOÏDE [dɛltɔid] adj. et n. — 1560, grec *deltoeidês* «en forme de delta» de *delta,* et → *-oïde.*

Anat. (et cour.). Se dit du muscle triangulaire de l'épaule, qui relie l'humérus à la clavicule et à l'omoplate, qui éloigne le bras du thorax, latéralement, en avant et en arrière. *Le muscle deltoïde* ou, n. m., *le deltoïde,* muscle élévateur du bras.

(...) la tête s'abandonne sur l'épaule droite et une large brûlure ronge l'autre épaule elle entame le deltoïde et met à nu la pointe de la clavicule (...)
Tony DUVERT, Paysage de fantaisie, p. 61.

DÉR. Deltoïdien.

DELTOÏDIEN, IENNE [dɛltɔidjɛ̃, jɛn] adj. — 1846 ; de *deltoïde.*

Anat. Qui se rapporte au muscle deltoïde. *Artère deltoïdienne. Ligament deltoïdien.*

DÉLUGE [delyʒ] n. m. — 1175 ; du lat. *diluvium* «inondation», dér. de *diluere* (→ Diluer), de *dis-,* et *luere* «baigner».

♦ **1** Cataclysme consistant en une précipitation continue de pluies submergeant tout ou partie de la surface d'une planète. *La Terre a connu plusieurs déluges. Du déluge.* → **Diluvien.**

Des êtres vivants sans nombre ont été victimes de ces catastrophes ; les uns, habitants de la terre sèche, se sont vus engloutis par des déluges, les autres, qui peuplaient le sein des eaux, ont été mis à sec avec le fond des mers subitement relevé.
Georges CUVIER, Disc. sur les révolutions de la surface du globe, in LITTRÉ.

Spécialt. *Déluges historiques,* ceux qui, suivant la Genèse ou certaines mythologies, auraient dévasté la Terre après l'apparition de l'homme. *Le déluge de Deucalion, d'Ogygès...*

Absolt. *Le déluge,* celui qui est rapporté par la Bible (→ ci-dessous, cit. 2). *Le déluge de Noé* (→ **Arche,** cit. **1**). *La colombe, l'arc-en-ciel du déluge. Le Déluge,* poème de Vigny. *Avant le déluge* (→ **Antédiluvien**).

2 Le déluge fut quarante jours sur la terre ; les eaux grossirent et soulevèrent l'arche, et elle s'éleva au-dessus de la terre. Les eaux crûrent et devinrent extrêmement grosses sur la terre, et l'arche flotta sur les eaux. Les eaux, ayant grossi de plus en plus, couvrirent toutes les hautes montagnes qui sont sous le ciel tout entier. Les eaux s'élevèrent de quinze coudées au-dessus des montagnes qu'elles recouvraient.
BIBLE (CRAMPON), Genèse, VII, 17 à 20.

3 Jupiter (...) fit tomber sur la Grèce un effroyable déluge d'eau. Un seul homme échappa au cataclysme, Deucalion, sage roi de Thessalie (...)
H. AUBERT, Légendes mythologiques, p. 151.

4 C'est au cours de ces trois périodes, d'Obeid, d'Ourouk et de Jemdet-Nasr, qu'on a situé le «Déluge» dont les religions et les légendes ont propagé le souvenir chez bien des peuples (...) les Mésopotamiens ont, eux aussi, gardé la mémoire d'un pareil cataclysme qui aurait dévasté toute la contrée ; un seul couple aurait échappé, à qui les dieux, par la suite, accordèrent l'immortalité (... *J. de Morgan)* voyait dans les récits multiples du déluge le souvenir des pluies torrentielles et des inondations qui, à la fin des temps quaternaires, suivirent la période glaciaire et détruisirent la vie sur des espaces considérables (...)
CONTENAU, Hist. de l'Orient ancien, L'Asie occidentale ancienne, p. 168-169.

5 Le déluge n'a pas réussi : il est resté un homme.
Henri BECQUE cité par Louis JOUVET, Réflexions du comédien, p. 88.

Loc. fig. *Remonter au déluge :* être d'avant le déluge, être très ancien. → **Désuet, suranné** (être) ; **antédiluvien.**

Passer au déluge : abréger (allusion au mot de Dandin à l'Intimé, dans *les Plaideurs,* de Racine).

6 Je finis. — Ah ! — Avant la naissance du monde...
Avocat, ah ! passons au déluge.
RACINE, les Plaideurs, III, 3.

Après moi (nous) *le déluge !* (parole attribuée par les uns à Mme de Pompadour, par d'autres à Mme du Barry devant les troubles politiques qui devaient aboutir à la Révolution), se dit d'une catastrophe postérieure à sa propre mort, dont on se moque ; par ext., se dit lorsqu'on profite du présent, sans souci du lendemain.

♦2 **Pluie très abondante, torrentielle.** → **Averse, cataracte, trombe ; diluvien.** *C'est un déluge, un vrai déluge.*

7 Ils filaient très vite dans une espèce de nuage d'eau dont les grosses gouttes salées leur fouettaient la figure. Ils se tenaient tête baissée sous ce déluge, serrés les uns contre les autres, comme font les moutons sous l'orage.
LOTI, Mon frère Yves, III, p. 17.

8 Au bout de six jours de déluge, la pluie diminua d'intensité et le ciel lentement souleva ses nuages au-dessus du plat pays.
H. BOSCO, Malicroix, p. 51.

Par anal. Littér. *Un déluge de larmes, de sang...* → **Flot, pluie, torrent.** *Déluge de fleurs, de feux, de flèches, d'envahisseurs,* en parlant de personnes, de choses qui semblent tomber de tous les côtés à la fois. → **Avalanche** (cit. 8). *Déluge de paroles, de louanges, de compliments.* → **Abondance, averse, déferlement, flux.** *Un déluge de maux, d'iniquités. Un déluge d'injures.* → **Bordée, débordement.** *Noyer quelqu'un sous, dans un déluge de... Faire pleuvoir sur quelqu'un un déluge de...*

9 Que le courroux du ciel allumé par mes vœux
Fasse pleuvoir sur elle un déluge de feux !
CORNEILLE, Horace, IV, 6.

10 (...) ce déluge de barbares qui ravageait la Grèce (...)
MOLIÈRE, les Amants magnifiques, I, 1.

11 (...) puisque j'ai eu la faiblesse de publier ces *Caractères,* quelle digue élèverai-je contre ce déluge d'explications qui inonde la ville (...)
LA BRUYÈRE, Disc. à l'Académie, Préface.

Un déluge de sang français qu'elle avait fait verser.   12
MASSILLON, Oraison funèbre de Louis XIV, *in* LITTRÉ.

(...) il y a depuis longtemps un déluge de pareils livres.   13
VOLTAIRE, Lettre à Mme du Deffand, 26 déc. 1768.

DÉLURÉ, ÉE [delyʀe] adj. — 1790 ; forme dialectale de *déleurré,* «qui ne se laisse plus prendre au leurre» ; de 1. *dé-,* et *leurre.*

Qui a l'esprit vif et avisé, qui est habile à se tirer d'embarras. → **Dégourdi, éveillé, malin.** *Un gamin vif et déluré. Il n'est pas très déluré. Des filles délurées.*

Une petite provinciale délurée, avec son air de bourgeoise   1
alerte, sa candeur trompeuse de pensionnaire, son sourire qui ne dit rien, et ses bonnes petites passions adroites, mais tenaces, doit montrer mille fois plus de ruse, de souplesse, d'invention féminine que toutes les Parisiennes réunies, pour arriver à satisfaire ses goûts, ou ses vices, sans éveiller aucun soupçon, aucun potin, aucun scandale dans la petite ville qui la regarde avec tous ses yeux et toutes ses fenêtres.
MAUPASSANT, Toine, «La chambre 11», p. 100.

Je ne sais quoi de positif dans leurs propos, de déluré dans   2
leur allure, me rencognait dans ma timidité, qui s'était entre-temps beaucoup accrue.
GIDE, Si le grain ne meurt, I, IV, p. 109.

Air déluré. → **Dégagé, éveillé, fripon, malin, vif.** *Mine, allure délurée. Voix délurée.*

N. m. (rare). «*L'aplomb, le déluré...*» (Huysmans, *in* T. L. F.).

REM. Selon les contextes, le mot peut entraîner une péjoration. → **Effronté.**

CONTR. Empoté, endormi, engourdi, gourde (fam.), niais, simple.

DÉLURER [delyʀe] v. tr. — 1787 ; dial. pour *déleurrer* «détromper» ; de 1. *dé-,* et *leurre.*

Rare. Rendre vif, éveillé, malin, débrouillard, et, péj., rendre effronté. → **Dégourdir, déniaiser, dévergonder, enhardir.** *Délurer un niais.* — Pron. *Elle s'est vite délurée.* — Passif et p. p. *Il a été déluré, bien déluré.* → **Déluré.**

CONTR. Abêtir, alourdir, engourdir, épaissir.

DÉLUSION [delyzjɔ̃] n. f. — 1946 ; angl. *delusion ;* le mot est attesté au XVIᵉ (1547, Budé), du lat. *delusio,* de *deludere* «tromper».

Psychol. Affirmation fausse faite pour tromper, mais à laquelle le sujet se laisse prendre. — Erreur fondée sur une perception. *Délusion assértive*.*

DÉLUSOIRE [delyzwaʀ] adj. — 1411, repris au XIXᵉ (V. Cousin, 1847) ; du lat. *delusus,* de *deludere* «tromper», suff. *-oire.*

Didact. Qui induit en erreur. «*Des certitudes aveugles et délusoires*» (Mounier, *in* T. L. F.).

DÉLUSTRAGE [delystʀaʒ] n. m. — XXᵉ ; de *délustrer.*
Techn. Opération consistant à délustrer un tissu, un vêtement.

DÉLUSTRER [delystʀe] v. tr. — 1680 ; de 1. *dé-,* et *lustre.*

Techn. Ôter le lustre, l'aspect lustré de (un tissu).

Il voyait en profil perdu, presque de trois quarts de dos, 1
la belle joue pâle et ronde, encastrée dans le bandeau noir que la promenade de l'après-midi avait délustré (...)
Ph. HÉRIAT, Famille Boussardel, p. 167.

(...) pourquoi ne fait-il pas porter plus souvent ses cos- 2
tumes au teinturier pour les faire détacher, nettoyer, délustrer, presser, repasser ?
N. SARRAUTE, le Planétarium, p. 170.

Au p. p. *Étoffes délustrées.*

DÉR. Délustrage.

DÉLUTAGE [delytaʒ] n. m. — 1835, *in* D.D.L.; de *déluter*.

Techn. Action de déluter.

DÉLUTER [delyte] v. tr. — 1666; de 1. *dé-*, et *luter*.

Techn. Ôter le lut de. *Déluter un vase.*

Les pêcheurs qui n'étaient pas partis rentraient les rames. Déjà, dans les sentines, on délutait de vieilles cruches.
J. GIONO, *Naissance de l'Odyssée*, Pl., t. I, p. 105.

Par ext. Ôter le coke de. *Déluter des cornues.*

DÉR. Délutage, déluteur.

DÉLUTEUR [delytœʀ] n. m. — 1877, Littré, *Suppl.*; de *déluter*.

Techn. Ouvrier chargé du délutage. — REM. Le fém. *déluteuse* est virtuel.

DÉMACLAGE [demaklaʒ] n. m. — 1870; de *démacler*.

Techn. Action de démacler.

DÉMACLER [demakle] v. tr. — 1791; de 2. *dé-*, et *macler*.

Techn. (vieilli). Remuer (le verre fondu) avec un outil de fer.

DÉR. Démaclage.

DÉMAGNÉTISATION [demaɲetizasjɔ̃] n. f. — 1870; de *démagnétiser*.

Sciences.

♦ **1** Action de démagnétiser.

♦ **2** (V. 1945). Dispositif de protection individuelle des navires contre les mines magnétiques.

CONTR. Aimantation.

DÉMAGNÉTISER [demaɲetize] v. tr. — 1870; de 1. *dé-*, et *magnétiser*.

Sc. Détruire l'aimantation de. — Fig. *«Mes compagnons actuels me démagnétisent»* (Amiel, *in* T.L.F.).

CONTR. Aimanter, magnétiser. ◊ DÉR. Démagnétisation.

DÉMAGO [demago] adj. et n. → Démagogue.

DÉMAGOGIE [demagɔʒi] n. f. — 1791; *démagogisme*, n. m., 1796; grec *dêmagôgia*, de *dêmagôgos*. → Démagogue.

♦ **1** Cour. Politique par laquelle on flatte, excite, exploite les passions de la multitude. — Par ext. Attitude démagogique en politique. *La démagogie de l'opposition, du gouvernement. Faire preuve de démagogie. C'est de la démagogie! C'est une mesure de pure démagogie.*

♦ **2** Didact. État politique dans lequel la multitude commande au pouvoir. → Ochlocratie.

1 Un des moyens qui réussissent le mieux parmi les innombrables moyens heureux de l'éternelle démagogie consiste à lancer le populaire, préalablement entraîné, sur une minorité habilement circonscrite (...)
Ch. PÉGUY, la République,... p. 101.

2 La démocratie n'a pas d'ennemie plus redoutable que la démagogie.
Alfred CROISET, Démocraties antiques, p. 335.

3 (...) la démagogie, comme aurait dit Aristote, cette forme «pervertie» de la démocratie.
Robert COHEN, Athènes, une démocratie, XII, p. 230.

4 La démagogie s'introduit quand, faute de commune mesure, le principe d'égalité s'abâtardit en principe d'identité. Alors le soldat refuse le salut au capitaine, car le soldat, en saluant le capitaine, honorerait un individu, et non la nation.
SAINT-EXUPÉRY, Pilote de guerre, XXVI, p. 223.

DÉMAGOGIQUE [demagɔʒik] adj. — 1790; grec *dêmagôgikos*, de *dêmagôgos*. → Démagogue.

Qui appartient à la démagogie, relève de la démagogie. *Politique, discours, mesure démagogique.*

Ils sont les bénéficiaires d'un suffrage; on comprend, à la rigueur, qu'ils succombent à la terreur électorale, à la psychose démagogique, au désir de conserver à tout prix leur mandat, car il n'y a rien de plus triste, de plus lamentable qu'un représentant congédié.
G. DUHAMEL, *Manuel du protestataire*, I, p. 24.

DÉMAGOGUE [demagɔg] n. et adj. — 1790, n. m.; 1361-1688, sens grec; grec *dêmagôgos* «meneur de peuple, chef d'un parti populaire», de *dêmos* «peuple» et *agôgos* (→ -agogue).

♦ **1** N. m. Hist. (dans l'ancienne Grèce). Chef d'un parti populaire.

(...) je voudrais qu'il me fût permis d'employer le terme de démagogues; c'était dans Athènes et dans les États populaires de la Grèce certains orateurs qui se rendaient tout-puissants sur la populace en la flattant (...)
BOSSUET, Hist. des variations, V, §18.

♦ **2** N. Politicien qui flatte la multitude pour gagner et exploiter sa faveur. *Politique, éloquence de démagogue. Le démagogue se plie aux caprices de la foule* (→ Caprice, cit. 6). *Le démagogue est le pire ennemi de la démocratie.*

Mais ce fut à la publication des *Lettres de la Montagne* que j'eus le premier signe de sa mauvaise volonté pour moi. On fit courir dans Genève une lettre à Mᵐᵉ Saladin, qui lui était attribuée, et dans laquelle il parlait de cet ouvrage comme des clameurs séditieuses d'un démagogue effréné.
ROUSSEAU, les Confessions, XII.

De temps en temps les partis remettent des semelles neuves à leurs vieilles injures. En 1832, le mot *bousingot* faisait l'intérim entre le mot *jacobin* qui était éculé, et le mot *démagogue* alors presque inusité et qui a fait depuis un si excellent service.
HUGO, les Misérables, V, III, II.

♦ **3** Adj. Qui fait preuve de démagogie. *Orateur, politicien démagogue. Il est trop démagogue.*

Abrév. fam. (sens 2 et 3). *Démago* (adj. et n.). *«Quel démago, il vient faire une heure de pub devant les grévistes»* (Actuel, déc. 1974, p. 25). *Un discours populiste et démago.*

DÉR. V. Démagogie, démagogique.

1. DÉMAIGRIR [demegʀiʀ] v. — 1680; de 2. *dé-*, et *maigrir*.

I V. tr. Techn. Rendre moins épais. → **Amincir, dégraisser, dégrossir.** *Démaigrir une poutre.*

II V. intr. Didact. Perdre de la matière. *«Suivant les circonstances, une plage peut perdre plus de sédiments qu'elle n'en reçoit et elle démaigrit, ou en recevoir plus qu'elle n'en perd et elle engraisse»* (la Recherche, janv. 1983, p. 20-21).

DÉR. Démaigrissement.

2. DÉMAIGRIR [demegʀiʀ] v. intr. — 1798; de 1. *dé-*, et *maigrir*.

Vx. Devenir moins maigre.

DÉMAIGRISSEMENT [demegʀismɑ̃] n. m. — 1676; de 1. *démaigrir*.

♦ **1** Techn. Action de démaigrir (I.); son résultat. → **Amincissement.** — Partie ainsi enlevée au bois, à la pierre.

♦ **2** Géogr. Perte de sable qu'une plage subit par l'action des courants marins. → 1. **Démaigrir**, II.

DÉMAILLAGE [demajaʒ] n. m. — 1907 ; de *démailler*.
Action de démailler ; fait de se démailler ; son résultat. *Le démaillage d'un bas.*

DÉMAILLER [demaje] v. tr. — 1080 ; de 1. *dé-*, et *maille*.

◆ **1** Défaire en rompant les mailles. — Pron. *Son bas s'est démaillé.* → **Filer.**

◆ **2** (1907). Mar. Défaire (une chaîne) en séparant les maillons.

> Il lui demanda de se préparer à prendre la remorque, de démailler sa chaîne, afin d'y mailler le câble d'acier qu'il lui enverrait sitôt qu'il serait sur lui.
>   Roger VERCEL, Remorques, p. 71.

◆ **3** Pêche. Dégager (le poisson) d'un filet.

DÉR. **Démaillage.**

DÉMAILLOTER [demajɔte] v. tr. — 1276 ; de 1. *dé-*, et *maillot.*

◆ **1** Débarrasser (un enfant) du maillot. — Pron. *Ce marmot se démaillote à force de gigoter.*

> Deschartres (*le médecin de la famille*) qui prit alors sa retraite, vint voir le nouveau-né. Raide et gourmé, il démaillota l'enfant et le regarda dans tous les sens «pour voir s'il n'y avait rien à critiquer».
>   A. MAUROIS, Lélia, II, I, p. 73.

◆ **2** Dégager (de ce qui est comparé à un maillot). *Démailloter une momie de ses bandelettes.* — Par métaphore. Dégager (de ce qui couvre, entoure).

CONTR. **Emmailloter.**

DEMAIN [d(ə)mɛ̃] adv. de t. et n. m. — XIIe ; du lat. *de mane* «à partir du matin». → aussi Lendemain ; après-demain.

I Le jour suivant immédiatement celui où l'on parle, ou celui où est censée parler la personne dont on rapporte les paroles. ◆ **1** Adv. *«Je dois le voir demain» m'a-t-il dit lundi dernier. Demain matin, demain après-midi, demain soir. Demain dans la matinée, dans l'après-midi, dans la soirée, à midi, à telle heure, à la première heure, à l'aube, de bonne heure.*

1 Ces blés sont mûrs, dit-il, allez chez nos amis
   Les prier que chacun, apportant sa faucille,
   Nous vienne aider demain dès la pointe du jour.
            LA FONTAINE, Fables, IV, 22.

2 S'il ne meurt aujourd'hui, je puis l'aimer demain.
            RACINE, Andromaque, IV, 3.

3 Différez-le (*votre hymen*) d'un jour ; demain vous serez maître.   RACINE, Andromaque, IV, 5.

4 Hâtons-nous aujourd'hui de jouir de la vie ;
   Qui sait si nous serons demain ?
            RACINE, Athalie, II, 9.

5 Demain, dès l'aube, à l'heure où blanchit la campagne,
   Je partirai (...)   HUGO, les Contemplations, IV, XIV.

5.1 Écoute. Qu'est-ce que tu fais demain ?
   Le lendemain, jeudi, les lycéens sont libres (...)
   Demain, dit Olivier, je vais à onze heures et demie à la gare Saint-Lazare, pour l'arrivée du train de Dieppe, à la rencontre de mon oncle Édouard, qui revient d'Angleterre. L'après-midi, à trois heures, j'irai retrouver Dhurmer au Louvre.
            GIDE, les Faux-monnayeurs, in Romans, Pl., p. 957.

Demain on rase gratis (inscription de l'enseigne d'un barbier), se dit pour souligner l'inanité d'un espoir, d'une promesse.

6 Le livre qui sera beau et qu'on louera est le livre qui n'est pas encore paru. Celui qui paraît est infailliblement détestable. Celui de demain sera superbe ; mais c'est toujours aujourd'hui. Il en est de cette critique comme de ce barbier qui avait pour enseigne ces mots écrits en gros caractères : ICI L'ON RASERA GRATIS DEMAIN.
            Th. GAUTIER, Mlle de Maupin, Préface, éd. critique MATORÉ, p. 44.

(1790, *in* D. D. L.). *Demain il fera jour :* rien ne presse d'agir aujourd'hui.

6.1 — Ne te reproche rien, ami, répondit Michel Strogoff, qui passa sa main sur ses yeux. Avec toi pour guide, je puis agir encore. Prends donc quelques heures de repos. Que Nadia se repose aussi. Demain, il fera jour !
            J. VERNE, Michel Strogoff, L. de Poche, p. 368.

7 Lillas, dit-elle sitôt qu'elle me vit, je ne fais plus rien de la journée. Demain il fera jour !
            MÉRIMÉE, Carmen, III.

Loc. fam. *Ce n'est pas, c'est pas demain la veille :* ce n'est pas pour bientôt.

7.1 Ce n'est pas demain la veille du jour où j'admettrai que les devoirs d'un père passent après ceux du citoyen.
            H. BAZIN, Cri de la chouette, p. 136.

◆ **2** Nominal (n. m.). *Demain est jour férié. Vous avez demain, tout demain, pour réfléchir.*

8 Qui a vécu un seul jour, a vécu un siècle (...) rien ne ressemble mieux à aujourd'hui que demain.
            LA BRUYÈRE, les Caractères, XVI, 32.

8.1 (...) à l'enfant on a beau avoir appris que Demain est un jour comme Aujourd'hui était un jour, comme Hier était un jour, il attend chaque demain comme quelque chose de tout nouveau qui n'est en rien de l'espèce d'aujourd'hui ou d'hier, comme un monde mystérieux où il trouvera sans doute le bonheur.
            PROUST, Jean Santeuil, Pl., p. 249.

Avec une préposition. — (Avec *à*). À DEMAIN, nous nous reverrons demain. *Au revoir, à demain, à demain soir !* — Loc. *«À demain les affaires sérieuses»* (allusion aux paroles d'Archias, tyran de Thèbes, écartant sans le lire, au cours d'un festin, le message qui l'avertissait du complot où il allait trouver la mort quelques instants plus tard).

Prov. *Ne remettons pas à demain ce que nous pouvons faire aujourd'hui.* — *Jusqu'à demain. Réfléchissez jusqu'à demain. Restez avec nous jusqu'à demain. D'ici à demain.* Ellipt. *D'ici demain. D'ici (à) demain le temps peut changer, la réponse peut venir...*

(Avec *pour*). POUR DEMAIN. *Ce sera fait, c'est pour demain. Laissons cela pour demain. Voilà votre programme pour demain.*

(Avec *de*). À DATER, À PARTIR DE DEMAIN. *Le programme change à partir de demain.*

DE DEMAIN EN HUIT, EN QUINZE, ou (plus cour.), *demain en huit, en quinze :* dans huit, dans quinze jours à dater de demain.

9 Je compte que ce ne sera que de demain en huit que je vous verrai (...)
            Mme DE MAINTENON, Lettre au cardinal de Noailles, 5 janv. 1706, in LITTRÉ.

DÈS DEMAIN. *Nous partirons dès demain.*

10 — Eh ! mon Dieu ! MM. les prédicateurs, que feriez-vous donc sans le vice ? — Vous seriez réduits, dès demain, à la mendicité, si l'on devenait vertueux aujourd'hui.
            Th. GAUTIER, Mlle de Maupin, Préface, éd. critique MATORÉ, p. 5.

Loc. Vx. *La veille de demain :* aujourd'hui (pour rappeler que le lendemain est un grand jour).

11 (*Rosette*), Adieu. — (*Arlequin, qui doit se marier avec elle le lendemain*) : Ma bonne amie, n'oubliez pas que c'est aujourd'hui la veille de demain !
            FLORIAN, Jumeaux de Bergame, 3, in LITTRÉ.

II Par ext. Dans un avenir plus ou moins proche (par oppos. à *aujourd'hui*, à *présent*). → **Futur.** ◆ **1** Adv. Plus tard.

12 Aujourd'hui dans le trône, et demain dans la boue (...)
            CORNEILLE, Polyeucte, IV, 3.

13 L'homme aujourd'hui sème la cause,
   Demain Dieu fait mûrir l'effet.
            HUGO, les Chants du crépuscule, V, II.

♦**2** Nominal. → **Avenir** (I). *Le monde de demain.*
→ **Futur. N. m.** Littér. *Un demain vengeur.* → ci-dessous cit. 18, 20.

14 Vivez, si m'en croyez, n'attendez à demain ;
Cueillez dès aujourd'hui les roses de la vie.
RONSARD, Sonnets pour Hélène, Livre II, XXIV.

15 Oh ! demain, c'est la grande chose !
De quoi demain sera-t-il fait ?
HUGO, les Chants du crépuscule, V, II.

16 Puisque je ne peux pas voir demain, j'aurais voulu voir hier.
FLAUBERT, Correspondance, II, p. 130.

17 (...) nous vivons dans l'attente de ce que Demain (...) apportera (...)
FRANCE, le Lys rouge (→ Attente, cit. 11).

18 Ce qui lui reste d'avenir, n'est plus qu'un demain fulgurant (...)
MARTIN DU GARD, les Thibault, t. VIII, p. 92.

19 Le mouvement syndicaliste est la plus grande force d'aujourd'hui, et de demain.
J. ROMAINS, les Hommes de bonne volonté, t. V, XIV, p. 236.

20 O joies ! O gloires ! O grandeurs jamais abolies d'une France qui regarde déjà vers les demains prestigieux !
M. AYMÉ, le Vin de Paris, p. 213.

CONTR. Aujourd'hui. — Présent. — Hier. — Passé. ◊ **COMP.**
Après-demain, lendemain.

DÉMANCHEMENT [demɑ̃ʃmɑ̃] n. m. — 1511 ; de
1. *démancher.*
Rare. Action de démancher (1. Démancher) ; son résultat.

1. DÉMANCHER [demɑ̃ʃe] v. — 1549 ; au p. p. *des-manglé,* XIIIᵉ ; de 1. *dé-,* et *manche.*

♦**1** V. tr. Séparer de son manche. *Démancher une hache.* — Au p. p. *Outil démanché.*

♦**2** (Av. 1559). Fam. → **Disloquer.** *Il a encore démanché ce meuble.* — Au p. p. *Ce fauteuil est tout démanché.*

♦**3** V. intr. (1798). Mus. En jouant d'un instrument à cordes pourvu d'un manche, retirer la main gauche du manche, pour en porter le pouce sur la touche, de manière à tirer les sons les plus aigus.
N. m. (du p. p.). *Le démanché* : le jeu dans lequel on démanche.

♦ **SE DÉMANCHER** v. pron.

♦**1** (Passif). *Balai qui se démanche.*

♦**2** (Réfléchi). Fam. *Se démancher le bras, l'épaule.*
→ **Casser, démettre** (se). — Fig. *Entreprise qui se démanche,* qui branle dans le manche. → **Désorganiser** (se).

♦**3** (1808). Se donner beaucoup de mal pour organiser quelque chose. → **Quatre** (se mettre en quatre), **remuer** (se). *Il se démanche pour nous faire plaisir.*

CONTR. (Du sens 1) Emmancher. ◊ **DÉR.** Démanchement.
→ **HOM.** 2. Démancher.

2. DÉMANCHER [demɑ̃ʃe] v. intr. — 1833, *in* D.D.L. ;
de 1. *dé-,* et *manche,* n. f.
Mar., rare. Sortir d'une *manche,* ou bras de mer.
→ **Déboucher** : *Voilier qui démanche.* — Spécialt, plus cour. en marine. Sortir de la Manche.

CONTR. Embouquer, emmancher. ◊ **HOM.** 1. Démancher.

DEMANDABLE [d(ə)mɑ̃dabl] adj. — 1870 ; de
demander.
Rare. Qui peut être demandé.

DEMANDANT, ANTE [d(ə)mɑ̃dɑ̃, ɑ̃t] adj.
→ **Demander,** p. prés.

DEMANDE [d(ə)mɑ̃d] n. f. — 1190 ; de *demander.*

I ♦**1** Action de demander, de faire connaître à quelqu'un ce qu'on désire obtenir de lui. → **Désir, souhait.**

1 Quand il s'agit de demandes, l'expression de la volonté varie extrêmement. D'abord suivant le rapport entre les individus (...) Un supérieur parle généralement (...) d'un tout autre ton qu'un égal ou un inférieur (...) Le milieu social, l'époque, changent le caractère des demandes (... *Mais*) en réalité, c'est l'état d'âme de celui qui parle qui détermine sa façon de demander. Sa nature, son éducation, dans une même situation et pour un même objet, lui font choisir ou les formes qui respectent sa dignité, ou celles qui trahissent sa platitude, celles qui montrent son adresse ou celles qui témoignent de sa résolution.
F. BRUNOT, la Pensée et la Langue, III, XII, VI, p. 568.

Humble demande. → **Imploration, prière, quête, requête, supplique.** *Demande impérative.* → **Commandement, exigence, mandement, ordre, sommation.** *Demande faite avec insistance.* → **Réclamation, revendication.** *Demande individuelle, collective. A la demande générale... — Demande d'argent de secours.*
→ **Appel** (de fonds). *Demande d'emploi.* → **Candidature.** *Les demandes et les offres d'emploi*. Demande de pension. Demande d'admission à un poste, à un rang. — Demande justifiée. Sa demande est inadmissible, irrecevable. — Faire demande* (vx). *Faire, adresser, exposer, exprimer, formuler, présenter une demande.* → **Demander.** *Démarche pour appuyer la demande de quelqu'un. Harceler, importuner, obséder quelqu'un par ses demandes.*

Accorder, exaucer, satisfaire une demande. Donner satisfaction, répondre favorablement à une demande. Repousser, rejeter une demande. Obtenir satisfaction après une demande. → **Obtention.** *Sa demande a été acceptée, honorée. — Faire quelque chose sur la demande, à la demande de quelqu'un. Être nommé, mis à la retraite sur sa demande. Renseignements sur demande.*

2 Sur le point de partir, Rome, Seigneur, me mande
Que je vous fasse encor pour elle une demande.
Elle a nourri vingt ans un prince votre fils ;
(...) Donnez ordre qu'il règne (...)
CORNEILLE, Nicomède, II, 3.

3 (...) importuner *(le Ciel)* par nos souhaits aveugles et nos demandes inconsidérées !
MOLIÈRE, Dom Juan, IV, 4.

4 Saint Jean de Damas a défini ainsi la prière (...) la demande qu'on a faite à Dieu des choses convenables.
BOSSUET, Études d'oraison funèbre, IV, 11.

5 Qu'ils signifient à tous les gouvernements que leur première volonté, leur première demande, avant le bien-être, presque avant le pain quotidien, c'est la paix ; la paix humaine et désarmée.
J. ROMAINS, les Hommes de bonne volonté, t. IV, XXIII, p. 257.

(1835). Par ext. Écrit exprimant une demande.
→ **Pétition, placet.** *Rédiger, adresser, poster une demande. Les demandes d'emploi seront envoyées à telle adresse. J'ai reçu sa demande au courrier d'hier. Dossier des demandes. Apostiller une demande.*

♦**2** (V. 1190). *Demande en mariage* : démarche par laquelle on demande une jeune fille en mariage à ses parents. *Son père, son oncle est venu faire la demande en mariage, et,* absolt, *la demande.*

♦**3** Comm. → **Commande.** *Livrer sur demande.*
L'ensemble des commandes : la quantité des produits ou services demandée par les acheteurs. *Il y a eu une grosse demande de charbon cet hiver.*
(1778). Écon. La quantité d'un produit ou d'un service que des acheteurs sont disposés à prendre à un prix donné. *La demande est l'expression des besoins des acheteurs. La loi de l'offre et de*

la demande. → **Offre.** *Relations entre la demande, l'offre et le prix. Courbe de la demande.*

6 L'offre et la demande constituent l'état du marché. On a dû entendre par demande la volonté jointe au pouvoir d'acheter.

MALTHUS, Trad. des principes d'économie politique, t. I, p. 62.

7 (...) qu'entendre par demande ? La quantité demandée est indéterminée ; puisqu'elle dépend (...) de la valeur d'échange, du prix de l'objet (...)

Charles GIDE, Cours d'économie politique, II, IV, p. 350.

♦ **4** Dr. Action par laquelle on s'adresse à un tribunal pour faire reconnaître l'existence d'un droit. *Qui concerne une demande.* → **Demandeur, rogatoire.** *Former une demande en divorce ; en dommages-intérêts... Demande en désaveu de paternité.* — *Demande en introduction d'instance,* donnant ouverture à un procès nouveau. — *Demande principale,* portant sur le fond du litige. *Demande accessoire,* conséquence de la demande principale. *Demande subsidiaire,* formée à titre éventuel au cas où la demande principale ne serait pas reçue. *Demande alternative,* tendant à deux fins dont l'une exclura l'autre. *Demande reconventionnelle,* introduite au cours du procès par le défendeur et tendant à faire reconnaître un droit atténuant ou annulant la demande principale. *Demande en garantie,* formée par le défendeur contre un tiers pour que celui-ci prenne ses lieu et place en raison d'une obligation de garantie. *Demande en intervention,* formée en cours d'instance par un tiers pour intervenir dans un débat. *Demande additionnelle,* introduite par le demandeur et modifiant sa demande primitive. *Demande provisoire* ou *provisionnelle,* formée en cours d'instance pour ordonner des mesures provisoires. *Demande incidente,* formée en cours d'instance à propos d'une question préalable ou de détail. *Demande préjudicielle,* demande incidente sur des questions de forme ou de procédure ; *aussi* : demande dont la solution doit intervenir avant que le tribunal statue sur une autre demande. — *Demande connexe* : demande dont la solution est de nature à influer sur la solution d'une autre soumise à un tribunal différent. — *Demande nouvelle,* distincte d'une autre demande pendante entre les mêmes parties. *Demande indéterminée,* dont l'objet n'est pas évaluable en argent. — *Demande en renvoi,* que le défendeur forme pour obtenir son renvoi devant un autre tribunal.

8 Aucune demande principale introductive d'instance entre parties capables de transiger (...) ne sera reçue dans les tribunaux de première instance, que le défendeur n'ait été préalablement appelé en conciliation devant le juge de paix ou que les parties n'y aient volontairement comparu.

Code de procédure civile, art. 48.

Par ext. Acte contenant la teneur de la demande en justice. *La demande se présente sous la forme d'une assignation* (→ **Ajournement,** 1., **assignation,** 2.) *ou d'une requête* (→ **Requête, réquisition**). → *aussi* **Conclusion.**

♦ **5** Ce qui fait l'objet d'une demande. *On lui a accordé sa demande.*

Dr. Prétention exprimée par l'action en justice (→ ci-dessus, 4.). *Statuer sur la demande.*

♦ **6** Cartes (bridge). Annonce par laquelle on s'engage à réaliser un contrat.

II (1673). Vieilli. Action de demander, de chercher à savoir. → **Interrogation, question.** *Livre, catéchisme par demandes et réponses. Une demande embarrassante, indiscrète. Ne savoir comment répondre à une demande.* — Prov. (vx). *A sotte demande, point*

de réponse. — Iron. *La belle demande !* : se dit d'une question sotte ou inutile (→ Quelle question ! cela va sans dire !).

(...) Croyez-vous que l'habit m'aille bien ? — Belle demande ! 9

MOLIÈRE, le Bourgeois gentilhomme, II, 5.

CONTR. Réponse, défense ; acceptation, refus. — Offre. — Opposition.

DEMANDER [d(ə)mɑ̃de] v. tr. — 1080 ; du lat. *demandare* «confier», de *de-* et *mandare* «mander, solliciter» en lat. pop. → Mander.

I ♦ **1** Faire connaître à quelqu'un (ce qu'on désire obtenir de lui) ; exprimer (un désir, un souhait) de manière à en provoquer la réalisation. *Demander qqch. à qqn ; demander qqch. Adresser (une demande...). Demander une chose que l'on désire, que l'on recherche, que l'on souhaite, que l'on veut. Demander une faveur..., avec humilité.* → **Implorer, prier, supplier ; quémander, quêter, solliciter.** *Demander son dû avec force, insistance.* → **Prétendre** (à), **réclamer, requérir, revendiquer.** *Demander qqch. à cor* et à cri. Demander qqch. impérativement.* → **Commander, enjoindre, exiger, imposer, ordonner, mander, prescrire, sommer.** *Demander oralement qqch. à qqn.* → **Dire** (de faire qqch.). *Demander quelque chose par écrit.* → **Adresser** (une pétition...), **pétitionner.** — *Demander à qqn son amitié, sa protection. Demander aide, assistance, secours. Demander de l'argent.* → **Appeler** (I., 6., b). *Demander une faveur.* → **Solliciter.** *Demander un emploi, un poste.* → **Briguer, postuler ; présenter** (sa candidature). *Demander à Dieu.* → **Prier.** — Loc. *Demander grâce ; vengeance.* → **Crier.** *Demander l'aumône*, la charité, du pain.* → **Mendier.** — Absolt. *Il demande de porte en porte* (Académie). — *Demander un délai, un sursis, du temps. Demander la permission* (→ cit. 1), *l'autorisation de faire quelque chose.* — Loc. *Demander conseil*. Demander pardon** (cit. 7). → **Excuser** (s'). — *Demander réparation. Demander raison*, demander compte* d'un affront* (cit. 4). *Demander la tête d'un coupable,* l'application de la peine de mort. *S'enfuir sans demander son reste*.* — *Demander un renseignement, une information.* → ci-dessous II., 1.

Je demande sa tête, et crains de l'obtenir (...) 1

CORNEILLE, le Cid, III, 3.

Toutes les dignités que tu m'as demandées, 2
Je te les ai sur l'heure et sans peine accordées (...)

CORNEILLE, Cinna, V, 1.

Vous avez entendu ce que je vous demande, 3
Madame : je le veux, et je vous le commande.

RACINE, Iphigénie, III, 1.

Pressez : demandez tout, pour ne rien obtenir. 4

RACINE, Andromaque, I, 1.

On demande à Dieu les choses ; on demande aux saints 5
des prières (...)

BOSSUET, Hist. des variations, XIII, 28.

— Monsieur, répondit le mendiant, je vous demande de 6
l'argent et non pas des conseils.

VOLTAIRE, Dict. philosophique,
Amour-propre (→ Aumône, cit. 7).

La société a le droit de demander compte à tout agent 7
public de son administration.

Déclaration des droits de l'homme, art. 15.

Mais je demande en vain quelques moments encore (...) 8

LAMARTINE, Premières méditations, «Le lac».

Et j'aurai jusqu'au bout fait mon temps sur la terre, 9
N'osant rien demander et n'ayant rien reçu (...)

ARVERS, Sonnet.

J'accepte de grand cœur pour jeudi votre bonne invitation 10
en vous demandant seulement la permission de ne venir
qu'après 5 heures.

SAINTE-BEUVE, Correspondance, 335,
27 nov. 1833, t. I, p. 403.

11 Gardez-vous de demander du temps; le malheur n'en
accorde jamais.   Louis BARTHOU, Mirabeau, p. 185.

12 (...) un service amusant à rendre ne saurait être ennuyeux
à demander.   GIDE, les Faux-monnayeurs, p. 11.

13 (...) il a une manière bien à lui pour demander et obtenir
toutes sortes de menus services (...)
G. DUHAMEL, Chronique des Pasquier, III, XIII,
p. 158.

Spécialt. Indiquer (ce que l'on veut gagner). *Il
demande tant de l'heure, tant par mois.*

Par ext. et fam. Avoir envie de. → **Désirer, rechercher,
souhaiter, vouloir.** *C'est tout ce que je demande. Il
ne demande que ça.*

14 Tant mieux, morbleu! tant mieux, c'est ce que je
demande (...)   MOLIÈRE, le Misanthrope, I, 1.

Absolt. *Il demande sans cesse, il n'est jamais satisfait. Demander sans espoir d'obtenir.*

15 Demandez, et l'on vous donnera; cherchez, et vous trou-
verez : frappez, et l'on vous ouvrira.
BIBLE (SEGOND), Évangile selon saint Matthieu,
VII, 7.

16 J'eus pourtant besoin de tout, mais réfractaire au «quiconque demande reçoit», je ne demandais pas.
COLETTE, l'Étoile Vesper, p. 195.

17 Qu'est le mal de demander en vain au prix de la douleur
de se refuser?   COLETTE, l'Étoile Vesper, p. 208.

Littér. ou style soutenu. DEMANDER À (et inf.). *Il
demande à s'en aller.*

REM. *Demander à...* s'emploie avec l'infinitif quand les
deux verbes ont le même sujet. *Demander à parler,
à sortir.*

18 Un domestique accourt, l'avertit qu'à la porte
Deux hommes demandaient à le voir promptement.
LA FONTAINE, Fables, I, 14.

19 (...) Philoclès demanda au roi à se retirer auprès de
Salente (...)   FÉNELON, Télémaque, XIV.

20 M. de Charlus demanda à s'asseoir sur un fauteuil (...)
PROUST, À la recherche du temps perdu, t. XIV,
p. 206.

Ne demander qu'à : désirer uniquement. *Il ne
demande qu'à s'amuser.*

21 M. le duc de Chaulnes a écrit au maréchal d'Estrées, qui
ne demande pas mieux qu'à nous faire plaisir (...)
Mme DE SÉVIGNÉ, Lettres, 1222, 5 oct. 1689.

22 M. Thibault ne demandait qu'à se laisser convaincre.
MARTIN DU GARD, les Thibault, t. III, p. 176.

Demander de... avec l'infinitif s'emploie la plupart du
temps lorsque *demander* a un objet indirect, même si
demander et l'infinitif complément ont le même sujet
(→ ci-dessus, Demander à). *Il me demanda de s'en aller*
s'emploie de préférence à *Il me demanda à s'en aller.*

23 (...) j'ai écrit à ma mère jeudi dernier, pour lui demander
de finir mes études à Paris.
ALAIN-FOURNIER, le Grand Meaulnes, II, X, p. 194.

Mais, dans le même sens (rare) :

24 (Il) m'a demandé à voir ce que j'écrivais.
GIDE, l'École des femmes, p. 75.

Lorsque *demander* et son complément ont deux sujets
distincts, la construction avec *de...* s'impose. *Je lui
demandais de s'en aller.* → **Commander, enjoindre,
ordonner, sommer.**

25 (...) ils me demandèrent comme une grâce de monter tous
deux ensemble au moulin, pour parler au grand-père (...)
Alphonse DAUDET, Lettres de mon moulin,
«le Secret de Mr Cornille».

26 Mais vous ne pouvez tout de même pas demander aux
gens de faire hara-kiri.
J. ROMAINS, les Hommes de bonne volonté, t. II,
XII, p. 119.

27 Cette fois je vous demande de me répondre (...)
MONTHERLANT, les Jeunes Filles, p. 11.

28 Je ne t'ai pas demandé de venir.
SARTRE, Huis clos, 5.

DEMANDER QUE... suivi du subj. *Je demande que vous
m'écoutiez.* (Faute fréquente : *demander à ce que...*).

Tel qu'il est, tous les Grecs demandent qu'il périsse.   29
Le fils d'Agamemnon vient hâter son supplice.
RACINE, Andromaque, I, 4.

Je leur demanderais volontiers *(aux prédicateurs)* qu'au   30
milieu de leur course impétueuse, ils voulussent plusieurs
fois reprendre haleine (...)
LA BRUYÈRE, les Caractères, XV, 5.

Loc. **NE PAS DEMANDER MIEUX QUE...,** consentir
volontiers; être content, ravi. *Il m'a dit de venir, je
ne demande pas mieux. Je ne demande pas mieux
que d'aller le voir.* On dit aussi, avec un seul que jouant
double rôle : *Je ne demande pas mieux qu'il vienne*
(construction logique : Que qu'il vienne).

Je puis avoir des illusions. Je ne demanderais pas mieux   31
qu'on m'en dépouille.
BERNANOS, le Dialogue des Carmélites, II, 1.

Fam. *Il ne demande que ça :* il ne demande pas
mieux.

♦ **2** (V. 1283). Dr. Faire une demande en justice.
→ **Requérir.** *Demander le divorce pour cause
d'adultère* (→ Adultère, cit. 2 et 3). *Demander des
dommages-intérêts. — Demander acte* d'une déclaration,* la faire constater légalement.

♦ **3** Prier de donner, d'apporter (qqch.). → **Réclamer,
vouloir.** *Demander un article à un commerçant*
(→ **Commander**). *Demander son chapeau et ses
gants. Demander sa voiture. Demander l'addition,
la note au restaurant, à l'hôtel. On demande beaucoup cet article* (→ ci-dessous, Demandé). *Le policier
lui demanda ses papiers.*

♦ **4** Faire venir, faire chercher (qqn). *Demander un
médecin, un prêtre.* → **Venir** (faire venir). *Le général
demande des renforts. — Demander un ouvrier,
un commis...,* faire savoir qu'on en a besoin. *On
demande un livreur.* → **Engager.**

Chercher (qqn) pour le voir, lui parler. *Descendez,
on vous demande. On vous demande au parloir. Qui
demandez-vous ?*

— Gardes, que me veut-on ? — Pauline vous demande.   32
CORNEILLE, Polyeucte, IV, 1.

Qu'est-ce que vous me voulez, mon papa? Ma belle-   33
maman m'a dit que vous me demandez.
MOLIÈRE, le Malade imaginaire, II, 8.

Demander après quelqu'un. → **Après** *(infra* cit. 54).

Spécialt. Vieilli. *Demander une jeune fille,* la
demander en mariage.

(Il) Rencontra bergère à son gré :   34
Il la demande en mariage.
LA FONTAINE, Fables, IV, 1.

Si le financier manque son coup, les courtisans disent de   35
lui : «C'est un bourgeois, un homme de rien, un malotru»;
s'il réussit, ils lui demandent sa fille.
LA BRUYÈRE, les Caractères, VI, 7.

Loc. mod. *Demander la main de* (une jeune fille) :
demander en mariage.

(...) elle avait formellement demandé la main de Made-   36
leine pour son fils, qui, avant six mois, serait de retour.
LOTI, Matelot, XLI, p. 160.

♦ **5** *Demander qqch. de qqn* (ou *à qqn*) : faire connaître (ce qu'on attend de quelqu'un). → **Attendre**
(de), **compter** (sur). *Demander beaucoup de quelqu'un. L'Église demande aux hommes, demande
des hommes l'observance de ses commandements.
Demander à quelqu'un plus qu'il n'en peut faire. —
Fam. Il ne faut pas lui en demander trop :* on ne peut
pas exiger beaucoup de lui. — *On ne lui demande
qu'un peu de patience.*

♦ **6** (Sujet et compl. n. de chose). Avoir pour condition de succès, de réalisation. → **Commander,**

exiger, imposer, nécessiter, réclamer, requérir, vouloir. *Faire ce que demande l'honneur, la vertu. Cette proposition demande réflexion. Son état demande des soins, du repos. Cette lecture demande un grand effort d'attention. Ce verbe demande une préposition.* → **Appeler** (→ Aimer, cit. 50). *Cette plante demande de l'eau, du soleil. Cette sonate demande une exécution impeccable. Le voyage demande trois heures.* → **Prendre.** — *Demander à* (et inf.).

37 Quelques dehors civils que l'usage demande.
MOLIÈRE, le Misanthrope, I, 1.

38 (...) il demande des hommes un plus grand et un plus rare succès que les louanges (...)
LA BRUYÈRE, les Caractères, I, 34.

39 Toutes les affaires qui demandent de la réputation de probité (...)
FÉNELON, Télémaque, XV.

40 Pour obtenir moins de l'humanité, il faut lui demander plus.
RENAN, Vie de Jésus, in Œ. compl., t. IV, XIX, p. 282.

41 La nouvelle, sans doute, demande à être confirmée.
FRANCE, le Mannequin d'osier, p. 325.

42 — Mais lentement on se résigne. On ne demandait pourtant pas beaucoup de la vie. On apprend à en demander moins encore... toujours moins.
GIDE, les Faux-monnayeurs, III, VI, p. 354.

43 Les femmes fidèles sont celles qui attendent du printemps, des lectures, des parfums, des tremblements de terre, les révélations que les autres demandent aux amants.
GIRAUDOUX, Amphitryon 38, I, 5.

44 L'architecture, c'est le monde qui demande à devenir une Cité !
CLAUDEL, Feuilles de saints, «L'architecte», p. 59.

45 (...) les couleurs même se taisent et demandent à être regardées plus attentivement qu'ailleurs (...)
Valery LARBAUD, Amants, heureux amants, I, p. 12.

Ⅱ Interroger. ♦ **1 Mod.** *Essayer de savoir, de connaître (en interrogeant qqn). Demander son chemin, sa route à un passant. Demander l'heure à qqn. Je vous demande comment vous vous appelez. Il lui a demandé si elle viendrait. Demander des nouvelles. Demander un avis, un conseil. Je ne vous demande pas votre avis. Demander le sens d'un texte, la réponse à un problème.*

46 Il appelle la Mort. Elle vient sans tarder,
Lui demande ce qu'il faut faire.
LA FONTAINE, Fables, I, 16.

47 Demande-lui s'il veut venir souper avec moi.
MOLIÈRE, Dom Juan, III, 5.

48 Pourquoi donc me donner un semblable conseil ?
Pourquoi m'en demander sur un sujet pareil ?
MOLIÈRE, Tartuffe, II, 4.

49 L'on demande s'il faut aimer. Cela ne se doit pas demander : on le doit sentir. L'on ne délibère point là-dessus, l'on y est porté, et l'on a le plaisir de se tromper quand on consulte.
PASCAL, Disc. sur les passions de l'amour, p. 122.

50 Si vous demandiez de Théodote s'il est auteur ou plagiaire (...) je vous donnerais ses ouvrages, et je vous dirais : «Lisez, et jugez».
LA BRUYÈRE, les Caractères, VIII, 61.

51 J'étais perdu et condamné selon toute apparence à chercher mon chemin toute la nuit. Quant à le demander, il m'eût fallu pour cela rencontrer un visage humain et je désespérais d'en voir un seul.
FRANCE, le Crime de S. Bonnard, p. 306.

52 (...) on entendait (...) sa voix qui commençait à être changée et haletante, demander à ce factionnaire *où était Jean Berny* (...)
LOTI, Matelot, LII, p. 208.

Fam. Je ne te demande pas l'heure qu'il est : mêle-toi de ce qui te regarde.

♦ **2** (1080). Vx. *Demander une question.* → **Poser.**

53 Si vous ne répondez à cette question, je la demanderai à la petite personne qui est avec nous.
Mᵐᵉ DE SÉVIGNÉ, Lettres, 487, 3 janv. 1676.

♦ **3 Loc.** (1812. *in* D.D.L.). **Fam.** *Je vous demande ; je vous le demande ; je vous demande un peu !*, marque l'étonnement, la réprobation. *Peut-on admettre un tel procédé ? Je vous le demande ?*, certainement pas. — *Demandez-moi pourquoi*, se dit ironiquement d'une chose dont on ne saurait rien dire.

♦ **SE DEMANDER** v. pron.

♦ **1** (Passif). Être l'objet d'une prière. *Un tel service ne se demande qu'à un ami.*

♦ **2** Être l'objet d'une question. — (Passif). *Cela ne se demande pas facilement.* (1754. *in* D.D.L.). *Est-ce que cela se demande ? Cela ne se demande pas :* c'est évident, cela va de soi.

(Récipr.). *Se faire réciproquement une question. Ils se demandèrent mutuellement leurs noms.*

(Réfl.). *Se poser une question à soi-même. Je me demande ce qu'il va faire. Je me demande quand et pourquoi il est parti, où il est.* → **Chercher.** *Il se demande si cela vaut la peine.* → **Délibérer, hésiter, réfléchir ; tâter** (se). *On se demande pourquoi il a agi ainsi.* → **Ignorer.** *On se demande comment cette explosion a pu se produire.*

54 Perplexe, il se demandait s'il allait les accompagner (...)
ALAIN-FOURNIER, le Grand Meaulnes, I, XV, p. 90.

55 On vit tant que l'on ne se demande pas si l'on vit (...)
Edmond JALOUX, le Dernier Jour de la création, VIII, p. 96.

♦ **DEMANDANT, ANTE** p. prés. adj.
Qui demande. — **Spécialt** (infl. de l'angl. *demanding*). Qui demande, requiert de l'affection, de l'amour. → aussi **Demandeur.**

56 Bien que je fusse consentante, tout ce qu'il y a de plus consentante, demandante, et cela pendant près de cinq ans, tout homme qui s'efforça de coucher avec moi ne put y parvenir (certains durent abandonner la partie) qu'en me violant.
Annie LECLERC, Parole de femme, p. 67.

57 Si c'était pas la passion, il serait beaucoup moins demandant.
É. AJAR (R. GARY), l'Angoisse du roi Salomon, p. 242.

♦ **DEMANDÉ, ÉE** p. p. adj. *Faveur demandée avec insistance.* — **Spécialt,** comm. Qui fait l'objet d'une forte demande. *Cet article est très demandé.* → **Mode** (à la mode), **vogue** (en vogue). — Par ext. *Cet artisan, ce décorateur est très demandé* (→ **Couru**).

CONTR. Obtenir, prendre, recevoir. — **Accepter, accorder, donner, satisfaire ; décliner, refuser.** — **Contremander, décommander.** — **Répondre.** ◊ **DÉR. et COMP. Demandable, demande,** 1. et 2. **demandeur. Redemander.**

1. DEMANDEUR, EUSE [d(ə)mãdœʀ, øz] n. et adj.
— V. 1254 ; de *demander.*

♦ **1 N.** ⓐ Vx. Personne qui demande (quelque chose), qui demande fréquemment. *Un demandeur exigeant, infatigable.* → **Quémandeur, solliciteur.** *Une demandeuse de conseils. Un demandeur d'argent. Venir en demandeur.* → **Solliciteur.**

1 (...) la vue d'un demandeur lui donne des convulsions.
MOLIÈRE, l'Avare, II, 4.

ⓑ Mod. *Les demandeurs d'emplois :* personnes (jeunes n'ayant jamais travaillé, chômeurs) à la recherche d'un emploi.

♦ **2 Adj.** Qui demande, requiert, sollicite. → **Demandant.** *Je ne suis pas demandeur, dans cette affaire.* — **Spécialt.** Qui demande (une gratification psychologique).

1.1 Observez bien telle réunion : vous y verrez ce sujet affolé (discrètement, mondainement) par cet autre, poussé à éta-

blir avec lui une relation plus chaleureuse, plus demandeuse, plus flatteuse (...)
    R. BARTHES, Fragments d'un discours amoureux,
    p. 35.

2. DEMANDEUR [d(ə)mãdœʀ], **DEMANDE-
RESSE** [d(ə)mãdʀɛs] n. — XIIIᵉ; de *demander*
Dr. Plaideur, plaideuse qui, ayant saisi un tribunal
de ses prétentions à l'encontre d'un adversaire, a
l'initiative du procès. → **Demande**, I., 4. *Demandeur,
demanderesse en appel.* → **Appelant.** *Les codeman-
deurs d'une demande collective. Demandeur principal. Défaut du demandeur.* → **Défaut**, I., 4. (défaut-
congé).

2   Le défendeur qui aura constitué avoué pourra (...) prendre
    défaut contre le demandeur qui ne comparaîtrait pas.
    Code de procédure civile, anc. art. 154.

CONTR. Défendeur, intimé. ◊ COMP. Codemandeur.

DÉMANGEAISON [demãʒɛzɔ̃] n. f. — 1492; de
démanger.

♦ **1** Sensation qu'on éprouve au niveau de l'épiderme, et qui incite à se gratter. → **Irritation, picotement, prurit.** *Démangeaison agréable.* → **Chatouillement, titillation.** *Affections cutanées, maladies de la
peau qui causent de vives démangeaisons* (→ **Pruri-
gineux**). *Animaux, végétaux dont le contact produit
une démangeaison.* → **Urticant.**

1   (...) il frappera aussi d'une gale et d'une démangeaison
    incurables la partie du corps par laquelle la nature rejette
    ce qui lui est resté de sa nourriture.
    BIBLE (SACY), Deutéronome, XXVIII, 27.
2   (...) mais se grattant soudain, parce qu'elle aurait une
    démangeaison (...)
    J. ROMAINS, les Hommes de bonne volonté, t. IV,
    xv, p. 149.

♦ **2** (1762). *Fig. et fam. Avoir une démangeaison de* (et
inf.). → **Envie** (avoir envie de). *Avoir une grande démangeaison d'écrire, de parler. Il avait des démangeaisons de l'interroger* (→ Attacher, cit. 107; chacun,
cit. 11). *La démangeaison du jeu.* → **Désir, fureur,
manie, passion.**

3   (*Je disais*) Qu'il faut qu'un galant homme ait toujours
    grand empire
    Sur les démangeaisons qui nous prennent d'écrire (...)
    MOLIÈRE, le Misanthrope, I, 2.
4   Quelquefois, se posant comme expérimentée, elle disait
    du mal de l'amour avec un rire sceptique qui donnait des
    démangeaisons de la gifler.
    FLAUBERT, l'Éducation sentimentale, II, II, Pl.,
    t. II, p. 179.
5   (...) cette démangeaison de parler qui vide parfois le cœur
    des gens solitaires (...)   ZOLA, la Terre, t. II, p. 5.

DÉMANGER [demãʒe] v. [CONJUG.: *bouger*.] — Fin XIIIᵉ;
«ronger» (vermine, corrosif, maladie), 1227; de 2. *dé-*, et
manger.
(Sujet n. de chose).

I V. intr. ♦ **1** Faire ressentir une démangeaison (à
qqn). → **Picoter, piquer.** *Gratter un bouton, une plaie
qui démange. Démanger à qqn. Sa plaie, sa main,
le bras, la jambe lui démange.*

1   Quand sous le corselet la crasse lui démange (...)
    Mathurin RÉGNIER, Satires, X.

♦ **2** *Par métaphore. Le poing, la main lui démange*, il
a grande envie de frapper, de se battre.

2   À cette audace étrange,
    J'ai peine à me tenir, et la main me démange.
    MOLIÈRE, Tartuffe, V, 4.
3   Celui-là, par exemple, quand elle (*la mule*) le sentait der-
    rière elle, son sabot lui démangeait (...)
    Alphonse DAUDET, Lettres de mon moulin,
    «La mule du pape».

La langue lui démange : il a grande envie de parler.

Ah! dit Ursule à qui la langue démangeait d'avoir à 4
répandre cette nouvelle (...)
    BALZAC, le Curé de village, Pl., t. VIII, p. 616.

Le dos lui démange : il fait ce qu'il faut pour qu'on
soit tenté de le frapper, il agit comme s'il désirait
être battu.

Lorsque le dos pourra te démanger (...)   5
    MOLIÈRE, Amphitryon, III, 6.

Causer une envie irrépressible. *Ça lui démange de
lui dire son fait.*

II V. tr. ♦ **1** Causer une, des démangeaisons à (qqn).
Sa plaie, sa main le démange. — Loc. *Gratter quelqu'un où ça le démange :* dire ou faire ce qui lui
est agréable.

♦ **2** *Fig. Donner à* (qqn) *une envie irrépressible de...*
L'envie de le gifler démangeait Jeanne. — Loc. *La
main, la langue... le démange* (mêmes sens que ci-
dessus : *lui démange*).

... elle devait croire que j'en mourrais d'envie au fond 5.1
de l'avoir cet appartement... que ça me démangeait, ce
besoin...   N. SARRAUTE, le Planétarium, p. 118.

♦ **SE DÉMANGER** v. pron.
Il le gratte par où il se démange.   6
    MOLIÈRE, le Bourgeois gentilhomme, III, 4.

DÉR. Démangeaison.

DÉMANTÈLEMENT [demãtɛlmã] n. m. — 1576, *des-
mantellement;* de *démanteler.*

Action de démanteler; son résultat.

(*Raufeisen*) fut surpris par l'importance de l'artillerie qui
prit les vieux murs à partie. Au lieu d'ouvrir une brèche
limitée, facile à encadrer, elle se livra à un démantèlement
en règle de la citadelle, faisant basculer les remparts par
pans entiers (...)   M. TOURNIER, le Roi des Aulnes, p. 386.

DÉMANTELER [demãtle] v. tr. [CONJUG.: *geler*.] — 1563;
de 1. *dé-*, et *manteler*, anc. franç. (→ Manteau).

♦ **1** Démolir les murailles, les fortifications de (une
ville, une place forte). → **Abattre, démolir, raser.**
Démanteler un fort.

Il permit aux habitants (...) de demeurer dans la ville après 1
l'avoir démantelée, et de cultiver les terres, à condition de
payer un tribut aux Carthaginois.
    Charles ROLLIN, Hist. ancienne, t. I, p. 256,
    in LITTRÉ.

Par ext. Le temps a démantelé ces murs. → **Ruiner.**

Des oves, des chicorées et des volutes surchargeaient la 2
corniche toute démantelée par l'infiltration des eaux pluviales...   Th. GAUTIER, Fortunio..., «Omphale».

♦ **2** (1846). *Fig. Abattre, détruire. Démanteler un
empire, une institution.* → **Abolir, désorganiser.**

Il voulut rétablir et réorganiser les grandes monarchies 3
qu'avaient démantelées les guerres de Napoléon (...)
    VILLEMAIN, in LITTRÉ.

♦ **DÉMANTELÉ, ÉE** p. p. adj. *Fortifications démantelées.* — *Un empire démantelé.*

**CONTR. Consolider, fortifier, reconstruire. ◊ DÉR. Démantè-
lement.**

DÉMANTIBULER [demãtibyle] v. tr. — 1611, *des-
mandibuler, démantibuler;* altér. de *démandibulé*,
1552; de 1. *dé-*, et *mandibule.*
Familier.

♦ **1** *Vx. Démettre* (la mâchoire). → **Décrocher.** — (Faux
pron.). *Crier à se démantibuler la mâchoire.*

♦ **2** (1640). *Mod. Mettre en pièces; démolir de
manière à rendre inutilisable.* → **Briser, casser,
déglinguer, démonter, détraquer, disloquer, rompre.**
Démantibuler un meuble, une machine.

♦ **DÉMANTIBULÉ, ÉE** p. p. adj.

(Plus cour. que l'actif). Démoli, mis en pièces. *Cette valise est toute démantibulée.* → **Déglingué, détraqué.**

1 Des charpentes abattues, des bancs boiteux, des stalles démantibulées, des tronçons de saints roulés et poussés contre les murs, servaient de gradins aux spectateurs crottés, poudreux, soûls, suants, en carmagnole percée, la pique sur l'épaule ou les bras nus croisés.
CHATEAUBRIAND, Mémoires d'outre-tombe, t. II, p. 16.

2 Ce bar-ci était plutôt d'aspect miteux, avec seulement de vieilles autos à moitié démantibulées en stationnement, et il avait d'autant plus envie d'y entrer.
G. SIMENON, Feux rouges, p. 27.

CONTR. **Arranger, consolider, remettre** (en place), **réparer.**

DÉMAQUILLAGE [demakijaʒ] n. m. — 1913, Colette ; de *démaquiller.*

Action de démaquiller (qqn), de se démaquiller. *Démaquillage du soir au lait démaquillant.*

DÉMAQUILLANT, ANTE [demakijɑ̃, ɑ̃t] adj. et n. m. — 1950 ; de *démaquiller.*

Qui sert à démaquiller. *Lait démaquillant, crème démaquillante.* — N. m. *Les démaquillants. Démaquillant pour les yeux.*

Toutes les odeurs s'y mêlaient : poudre de riz, parfums violents, démaquillants, sueur aussi.
Guy DES CARS, Une certaine dame, p. 123.

DÉMAQUILLER [demakije] v. tr. — 1837, argot «défaire» ; av. 1892, théâtre ; de 1. *dé-*, et *maquiller.*

Enlever le maquillage, le fard de (qqn, le visage, une partie du visage). *Démaquiller un acteur. Démaquiller ses yeux. Coton à démaquiller.* — Pron. (1890, *in* D.D.L.). *Se démaquiller chaque soir avant de se coucher.* — Faux pron. *Se démaquiller le visage.*

DÉR. **Démaquillage, démaquillant.**

DÉMARCAGE [demaʀkaʒ] n. m. → **Démarquage.**

DÉMARCATIF, IVE [demaʀkatif, iv] adj. — 1863 ; de *démarcation.*

Didact. Qui sert à limiter ; qui sert de démarcation. *Un chemin démarcatif.*

DÉMARCATION [demaʀkasjɔ̃] n. f. — 1700 ; p.-ê. espagnol *demarcación*, de *demarcar* «marquer». → Démarquer.

♦ **1** Action de marquer, de limiter ; résultat de cette action. → **Délimitation, frontière, limitation, marque, séparation.** *La démarcation de deux régions aux termes d'un accord, par un accord. Une nouvelle démarcation entre...* — *Ligne de démarcation :* frontière tracée sur une carte pour séparer deux territoires, deux propriétés.

1 Dans le premier plan de la plage, le peintre avait su habituer les yeux à ne pas reconnaître de frontière fixe, de démarcation absolue, entre la terre et l'océan.
PROUST, À la recherche du temps perdu, t. V, p. 89.

2 (...) elle assignait, comme ligne de démarcation entre les armées, l'ancienne frontière franco-hollandaise d'avant 1814, elle préjugeait par là des limites du futur État.
Louis MADELIN, Talleyrand, V, XXXVIII, p. 413.

La ligne de démarcation, qui, de 1940 à 1942, délimitait en France la zone occupée par les Allemands et la zone libre.

3 J'ai écrit à une grande école privée, dans l'intérieur, en deçà de la ligne de démarcation, naturellement. Ils ont dû se livrer à une enquête.
G. DUHAMEL, Cri des profondeurs, VII, p. 124.

(...) la ligne de démarcation avait toujours eu pour *(Gustin)* des charmes et (...) cette nuit-là, le personnel de l'échelon fournissait une patrouille qui devait effectuer une ronde dans le no man's land entre les postes français et allemands.   Jacques LAURENT, les Bêtises, p. 47.   3.1

♦ **2** Ce qui sépare nettement deux choses. → **Limite.** *Tracer une démarcation, une ligne de démarcation entre la philosophie et la psychologie. La démarcation des partis politiques. Cette ligne de démarcation entre l'être et le non-être* (→ Résistance, cit. 23).

On voit par tout ce qui précède, sans qu'il soit besoin d'y insister, qu'aucune ligne de démarcation précise, pour peu qu'on s'attache aux idées et non aux formes, ne sépare une proposition d'une phrase (...)   4
F. BRUNOT, la Pensée et la Langue, I, X, p. 28.

C'est une arête étroite, sur laquelle mon esprit se promène. Cette ligne de démarcation entre l'être et le non-être, je m'applique à la tracer partout.   5
GIDE, les Faux-monnayeurs, III, VII, p. 366.

DÉR. **Démarcatif.**

DÉMARCHAGE [demaʀʃaʒ] n. m. — 1934 ; de *démarcher* (postérieur) ou de *démarche.*

Recherche de clients à domicile. → **Démarcheur ; porte** (à porte).

Après avoir échoué à donner des leçons, les plus besogneux, dont je faisais partie, s'essayèrent aux expédients classiques du démarchage à domicile, le soir, dans les quartiers populaires : placement d'assurances sur la vie ou démonstration de tourne-disques (...)
R. ABELLIO, Ma dernière mémoire, t. I, p. 79.

DÉMARCHE [demaʀʃ] n. f. — XVᵉ ; de l'anc. v. *démarcher* «fouler aux pieds», v. 1120, de 2. *dé-* (intensif) et *marcher* (→ Marcher).

I ♦ **1** *(La démarche).* Manière de marcher. → **Air, allure, marche, pas, port.** *Démarche aérienne, aisée, assurée* (cit. 66), *athlétique, chancelante, compassée, dégagée, dégingandée, digne, embarrassée, fière, légère, lente, lourde, majestueuse, mesurée ; démarche modeste, noble, ondulante, timide* (→ Baisser, cit. 15 ; cadencer, cit. 5 ; claudicant, cit. 2 ; 1. samba, cit.). *Compasser sa démarche.* — *Théorie de la démarche,* ouvrage de Balzac.

Et, comparant sa démarche engourdie, son souffle hâtif, ses efforts pour être encore alerte, aux foulées élastiques de son fils, il quitta brusquement le bras de celui-ci, et ne put retenir ce cri d'envie (...)   1
MARTIN DU GARD, les Thibault, t. II, p. 278.

(...) la démarche féminine se distingue de celle de l'homme par des pas plus courts et des phases d'appui plus longues (...)   A. BINET, les Formes de la femme, p. 66.   2

Spécialt. Méd. *Démarche ataxique* (→ Ataxie). — *Démarche de canard.* → **Marcher** (en canard*). *Démarche de l'ivresse.* → **Titubation.**

♦ **2** (Abstrait). Manière d'agir. → **Attitude, comportement, conduite.**

(...) nous montrer l'allure, la démarche, les comportements, les frissons de cette humanité si constante dans sa nature et si variable dans ses apparences.   3
G. DUHAMEL, Inventaire de l'abîme, XV, p. 223.

Spécialt. Manière dont l'esprit développe son activité. *Les démarches de la pensée, du raisonnement, de l'intelligence.* → **Chemin, cheminement, pensée** (forme de pensée).

La dernière démarche de la raison est de reconnaître qu'il y a une infinité de choses qui la surpassent ; elle n'est que faible, si elle ne va jusqu'à connaître cela.   4
PASCAL, Pensées, IV, 267.

Le moi sait justifier toutes ses démarches, parce qu'au fond il n'en justifie aucune : aveugle et brutal, il ne s'en soucie point ; clairvoyant et dans la pleine possession de son génie, il en sait le ridicule (...)   5
André SUARÈS, Trois hommes, «Ibsen», VII, p. 163.

II (1671). *Une, des démarches.* Tentative auprès de qqn pour réussir une entreprise, pour mener à bien une affaire, un projet. → **Approche, demande, requête, sollicitation.** *Faire des démarches. Faire de nombreuses démarches.* → **Démener** (se). *Démarche gratuite, intéressée. Démarches occultes, sinueuses...* → **Agissement, bassesse, brigue, combinaison, complaisance** (acte de complaisance), **intrigue, tractation.** *Démarche comminatoire*. Démarche maladroite.* → **Clerc** (pas de clerc), **gaffe.** *Tenter une dernière démarche auprès de... Entreprendre les démarches nécessaires pour obtenir qqch.* (→ Convocation, cit. 12).

6   Des démarches par vous faites légèrement.
                 MOLIÈRE, Tartuffe, V, 1.

7   Le père, timide, emprunté dans la vie, effaré à l'idée des démarches à faire pour se procurer un permis (...)
         Alphonse DAUDET, Contes du Lundi, «Les Mères».

8   Quoique sa démarche auprès du vieux prêtre (...) ne fût en aucune façon compromettante, elle la hasardait pourtant à l'insu de tout son entourage, notamment de son mari.
         Paul BOURGET, Un divorce, I, p. 6.

9   La démarche que je tente auprès de vous est de mon initiative pure.
         J. ROMAINS, les Hommes de bonne volonté, t. II, XX, p. 215.

DÉR. Démarcher, démarcheur.

DÉMARCHER   [demaʀʃe] v. tr. — Mil. XXᵉ; de *démarche.*
Effectuer le démarchage pour un produit. *Démarcher qqch. chez qqn, démarcher un client.* Au passif : «*Les réseaux de ventes traditionnels n'ont pas résisté longtemps à la pugnacité de ces firmes. Les forces de ventes directes devenaient trop coûteuses. Elles ont donc été concentrées sur les clients les plus importants. Les autres? Ils seront désormais démarchés par des concessionnaires indépendants et par un bataillon impressionnant de revendeurs*» (l'Express, 16 sept. 1983, p. 138).
Ce hobereau décati recueillait pour *L'Opportun* la publicité mondaine. C'est lui qui démarchait les avocats, les actrices, les étoiles de cinéma, les chanteuses, les maisons de rendez-vous.
         André CAYATTE, *les Marchands d'ombre*, p. 151.

DÉMARCHEUR, EUSE   [demaʀʃœʀ, øz] n. — 1911; de *démarche* (*démarcher* est postérieur).
Personne chargée de faire des démarches. Employé d'une maison financière, chargé de placer des valeurs.
(1955). Vendeur qui sollicite la clientèle à domicile (→ **Démarchage**).
(...) tirant un sandwich d'une serviette de démarcheur ou de représentant (...)   Claude SIMON, *le Vent*, p. 44.

DÉMARIAGE   [demaʀjaʒ] n. m. — XVᵉ, *desmariage;* de *démarier.*

◆ **1** Vx. Action de (se) démarier. → **Divorce.**

◆ **2** (1800). Agric. Action d'éclaircir un semis afin d'obtenir un meilleur rendement. *Le démariage des betteraves.*

DÉMARIER   [demaʀje] v. tr. — V. 1220, *desmarier;* de 1. *dé-,* et *marier.*

◆ **1** Vx. Séparer juridiquement (deux époux). — Pron. *Se démarier.* → **Divorcer, séparer** (se).

1   (...) elle prend le parti de se démarier, plutôt que de passer le reste de sa vie avec un homme qu'elle hait autant qu'elle l'avait aimé (...)
         Mᵐᵉ DE SÉVIGNÉ, Lettres, 891, 23 janv. 1682.

Moderne (ironique) :
(Méphistophélès) — (...) les gens se convertissent, se pervertissent, retournent à confesse pour se marier, pour écrire un livre (...) Et ils se marient, se démarient, se remarient, tant que l'Église perd la tête entre les annulations, les unions mixtes; les vraies et les fausses mariées.
         VALÉRY, Mon Faust, p. 60-61.   2

◆ **2** (1873). Agric. Éclaircir (un semis) en arrachant une partie des plants. *Démarier des betteraves.*

CONTR. Marier, remarier. ◊ **DÉR. Démariage, démarieuse.**

DÉMARIEUSE   [demaʀjøz] n. f. — 1922; de *démarier.*
Agric. Machine agricole pour démarier* (2.) les betteraves.

DÉMARQUAGE ou **DÉMARCAGE**   [demaʀkaʒ] n. m. — 1877, *démarquage; démarcage,* 1870; de *démarquer.*

◆ **1** Action de démarquer (I., 2.); son résultat. *Le livre n'est qu'un démarquage servile.*
(...) dans une lettre à sa mère, Michel-Charles avait hasardé un poème en prose de son cru (...) ce morceau d'éloquence romantique n'était encore que démarquage d'écolier.
         M. YOURCENAR, *Archives du Nord*, p. 141.

◆ **2** → **Démarque.**

◆ **3** Sports. Action de démarquer (I., 4.), de se démarquer.

DÉMARQUE   [demaʀk] n. f. — 1732, jeu; de *démarquer.*

◆ **1** Jeux. Partie où l'un des joueurs diminue le nombre de ses points d'une quantité égale à celle des points marqués par l'adversaire.

◆ **2** (1898). Comm. Le fait de démarquer des marchandises, pour les vendre plus rapidement. → **Réduction.**
Démarque inconnue : dans un lieu de vente, Différence entre les stocks existants et le stock théorique, par suite d'erreurs, de vols...

DÉMARQUER   [demaʀke] v. — 1553; de 1. *dé-,* et *marque.*

I V. tr. ◆ **1** Priver (qqch.) de sa marque, de ses marques. *Démarquer du linge,* en découdre la marque. *Démarquer de l'argenterie,* en faire disparaître la marque gravée.

◆ **2** (1866). Fig. Reproduire (comme si l'on supprimait la marque d'origine). → **Copier, plagier.**
Busard se contente de démarquer le talent des autres ou,   1
plus simplement, de les dépouiller en bloc, sans discernement et sans choix, car il est incapable même d'apercevoir le talent.   Léon BLOY, Le Désespéré, p. 202.
Par ext. *Démarquer un auteur étranger.*

◆ **3** Comm. Baisser le prix de (un article); enlever la marque du fabricant, du créateur sur (un article) pour le vendre moins cher. → **Solder; dégriffer.** *Démarquer des articles pour les solder.*

◆ **4** (1909, in Petiot). Sports. Libérer (un joueur) du marquage adverse. — Au participe passé :
Enfin l'avant, démarqué pour un instant, change de pied   2
balancée par le genou comme au bout d'un levier, sa grosse chaussure jette brusquement sa force vive à la balle, qui file raide (...)
         Jean PRÉVOST, Plaisirs des sports, p. 140.
Pron. (1909). *Se démarquer :* se libérer du marquage adverse.

◆ **5** V. pron. (1963; du sens précédent). Cour. *Se démarquer de qqn,* prendre ses distances par rapport à lui, tenter de s'en distinguer avantageusement.

«Assurant ici la continuité, s'efforçant là de "se démarquer" de son prédécesseur» (*le Monde*, 9 nov. 1963).

3   Dès l'enfance, il voulait se singulariser, se démarquer de sa famille d'émigrés. Quand ses frères et ses sœurs travaillaient dans les champs, lui, debout devant un morceau de miroir, nouait une cravate ou une écharpe, joliment, autour de son cou.

       Michèle PERREIN, le Buveur de Garonne, p. 75.

4   On est plus féroce encore lorsqu'on se heurte à un copain, car on fait alors l'impossible pour s'en démarquer, pour le rejeter, pour nier tout lien avec lui.

       Philippe BERNERT, S. D. E. C. E. Service 7, p. 290.

II V. intr. Se dit d'un cheval dont les dents sont trop usées pour qu'on puisse connaître son âge. *Jument qui commence à démarquer.*

CONTR. Marquer. ◊ **DÉR. Démarquage, démarque, démarqueur.**

DÉMARQUEUR, EUSE [demaʀkœʀ, øz] n. — 1867 ; de *démarquer*, I., 2.

Copiste, plagiaire.

Son talent (...) est, surtout, une incontestable dextérité de copiste et de démarqueur.

       Léon BLOY, le Désespéré, IV, p. 193.

DÉMARRAGE [demaʀaʒ] n. m. — 1702 ; de *démarrer*.

◆ **1** Mar. Vx. Action de démarrer, d'enlever les amarres. *Démarrage d'un navire.*

◆ **2** Cour. Le fait de démarrer, de partir (**véhicule**). — (1904, *in* Petiot). *Le démarrage d'une voiture. Démarrage en trombe. Démarrage en côte.* — Sports (d'un coureur) : *Un démarrage foudroyant. Double démarrage* : nouvelle accélération suivant un démarrage.

◆ **3** (Mil. XXᵉ). Fig. → **Départ, réussite ; décollage.** *Le démarrage d'une entreprise, d'une campagne électorale.* «*Grâce au démarrage foudroyant du "miracle allemand"*» (*l'Express*, 3 oct. 1966).

CONTR. Amarrage ; arrêt.

DÉMARRER [demaʀe] v. — 1491, v. pron. ; «rompre ses amarres (d'un navire)» ; de 1. *dé-*, et anc. franç. *marrer*, ou de *amarrer** par substitution de préfixe.

I V. tr. ◆ **1** (1572). Mar. Larguer les amarres de (un navire) ; faire cesser d'être amarré. → **Désamarrer.** *Démarrer une embarcation.*

0.1   Alors enfin revint Hubert, couvert de feuilles et de vase. Nous démarrâmes le canot plat et, le poussant avec des gaules au travers des tiges froissées, dans l'horrible clarté d'avant l'aube, nous recueillîmes nos victuailles.

       GIDE, Paludes, *in* Romans, Pl., p. 135.

◆ **2** Rare. Faire démarrer (au sens II, 2 ci-dessous). *Démarrer le moteur d'une voiture. Il n'a pas réussi à démarrer sa voiture.* — Pron. (passif). *Cette moto se démarre au kick.*

◆ **3** Fam. → **Commencer, entreprendre.** *Démarrer un travail.*

II V. intr. ◆ **1** (1546). Mar. Vx. Rompre ses amarres. *Le navire a démarré sous la violence du vent.* — Par ext. Quitter le port (navire). → **Partir.** *Le bateau a démarré par beau temps.*

1   On nous fait coucher ce soir à bord, pour démarrer demain au lever du soleil.

       VOLTAIRE, Amabed, 1ʳᵉ lettre après sa captivité.

2   (...) les oscillations s'amplifièrent : il y eut partout un brusque silence : le paquebot venait de démarrer, le paquebot s'élançait dans la nuit !

       MARTIN DU GARD, les Thibault, t. IV, p. 262.

Par analogie :

C'était (*la cloche*) le signal pour la station d'aérocabs de la tour Saint-Jacques. Un de ces véhicules démarra et fut en une minute au sommet du restaurant.   2.1

       A. ROBIDA, le Vingtième Siècle, p. 95 (1883).

◆ **2** (Fin XIXᵉ). **Cour.** Commencer à fonctionner (**moteur ; véhicule à moteur**). *Ce moteur démarre mal, démarre au quart de tour. La voiture ne veut pas démarrer.* → 1. **Partir** (I., 2.). — Commencer à rouler (**véhicule**). *La voiture a démarré en trombe.* Des portières claquèrent brutalement. Le train démarra doucement avec ses six cents hommes.   3

       P. MAC ORLAN, la Bandera, VIII, p. 99.

(1905, *in* Petiot). Par métonymie (en parlant du conducteur). Faire fonctionner un moteur, faire partir un véhicule. *Allez, démarre !*

(1895, *in* Petiot). **Sports.** Accélérer brusquement pour distancer ses concurrents. → **Démarrage.**

◆ **3** (1933). Fig. Se mettre à marcher, réussir. *Son affaire commence à démarrer. Ça démarre lentement.* → **Partir.**

(Sujet n. de personne). *Il a vraiment démarré quand un héritage lui a permis de disposer de capitaux propres.* — (En tour factitif). *Faire démarrer qqn. C'est son père qui l'a fait démarrer en se portant caution pour un gros prêt.*

Ils me vêtirent et me donnèrent de l'argent. Je savais à quoi l'argent devait servir, il devait servir à me faire démarrer. Quand je l'aurais dépensé je devrais m'en procurer d'autre, si je voulais continuer.   3.1

       S. BECKETT, Nouvelles, p. 71.

◆ **4** (1622). Fig. (Personnes). *Ne démarrez pas d'ici* : ne quittez pas cette place, ne bougez pas.

Il n'y eut pas un ouvrier de la ville que je pusse faire démarrer de l'antichambre ou de l'escalier.   4

       P.-L. COURIER, Lettres, I, 108.

Ne pas vouloir démarrer d'une idée, d'un projet, s'entêter dans cette idée, ne pas vouloir en démordre. → **Démordre.**

CONTR. Amarrer. — Demeurer, rester ; arrêter (s'), mouiller, stopper. ◊ **DÉR. et COMP. Démarrage, démarreur. Redémarrer.**

DÉMARREUR [demaʀœʀ] n. m. — 1908 ; de *démarrer*.

Appareil servant à mettre en marche un moteur (à explosion ou à réaction). *Appuyer sur le démarreur. Démarreur pour appareil électrique, pour moteurs d'auto, de locomotive, d'avion.* — **Spécialt.** Démarreur d'une automobile.

J'ai laissé au bord du trottoir ma vieille Hotchkiss (...) Quand j'actionne la tirette du démarreur, rien ne bouge : les accus sont à plat, sans doute vidés par le brouillard.   1

       M. TOURNIER, le Roi des Aulnes, p. 71.

Tout dispositif actionnant un mécanisme.

(...) il appuya sur un autre bouton et les bobines (*du magnétophone*) s'arrêtèrent. Alors, il tourna à fond le bouton de la puissance ; il hésita : il appuya sur le démarreur.   2

       J.-M. G. LE CLÉZIO, le Déluge, I, p. 50.

DÉMASCLAGE [demasklaʒ] n. m. — 1870 ; de *démascler*.

Techn. Action de démascler ; son résultat.

DÉMASCLER [demaskle] v. tr. — 1876 ; provençal *desmascla*, proprt «émasculer».

Techn. Dépouiller (le chêne-liège) de la première écorce, ou liège mâle, qui est sans valeur.

DÉR. Démasclage, démascleur.

DÉMASCLEUR [demasklœʀ] n. m. — Fin XIXᵉ ; de *démascler*.

Régional (Sud-Ouest de la France) et techn. Ouvrier qui récolte le liège. → **Liégeur.** — **REM.** Le fém. *démascleuse* est virtuel.

DÉMASCULINISATION [demaskylinizasjɔ̃] n. f.
— Mil. xxᵉ; de *démasculiniser.*

Biol., méd. Dévirilisation.

DÉMASCULINISER [demaskylinize] v. tr. — Mil. xxᵉ;
de 1. *dé-, masculin,* et suff. verbal.

Biol., méd. Déviriliser.

DÉR. **Démasculinisation.**

DÉMASQUABLE [demaskabl] adj. — 1922, en chim.,
in T. L. F.; de *démasquer.*

♦ **1** Qui peut être démasqué.

♦ **2** Chim. *Corps gras démasquables,* invisibles, mais
faciles à faire apparaître.

DÉMASQUEMENT [demaskəmã] n. m. — 1888, Goncourt; de *démasquer.*

Rare. Action de démasquer, de se démasquer.

DÉMASQUER [demaske] v. tr. — 1554; de 1. *dé-,
masque,* et suff. verbal.

♦ **1** Rare. Enlever le masque* couvrant le visage de
(qqn).

♦ **2** (1680). Fig. et cour. Faire connaître (qqn) pour ce
qu'il est, sous ses apparences trompeuses. → **Arracher** (le masque), **confondre, découvrir, dévoiler, montrer; masque** (ôter, lever le masque). *Il a été démasqué.*
→ aussi **Brûler** (fam.). *Démasquer un hypocrite, un
imposteur, un malfaiteur.*

1 Si l'on ne démasque l'imposteur, la crédulité sera séduite.
     MASSILLON, Av. disp., *in* LITTRÉ.

2 J'ai le droit, moi, de démasquer les misérables qui me
 calomnient.
     Marcel PRÉVOST, les Demi-vierges, III, I, p. 59.

3 (...) on l'avait laissé libre, dans le désir de suivre «l'intrigue»
 et peut-être de démasquer Moreau.
     Louis MADELIN, Hist. du Consulat et de l'Empire,
     Avènement de l'Empire, III, p. 33.

4 Quelques mois lui semblaient encore nécessaires pour
 démasquer un terrible bandit et le livrer à la justice.
     P. MAC ORLAN, la Bandera, XVI, p. 199.

Littér. (Compl. n. abstrait). *Démasquer le mensonge, le
vice, l'hypocrisie.*

5 Nous pouvons aisément, malgré tant d'artifices,
 Dans ses fausses vertus démasquer tous ses vices.
     M.-J. DE CHÉNIER, Tibère, IV, 3, *in* LITTRÉ.

♦ **3** Milit. *Démasquer une batterie :* découvrir une
batterie et la mettre en état de tirer. — Fig. Cour.
Démasquer ses batteries * : dévoiler, mettre à nu
ses desseins, ses intentions secrètes. → Abattre ses
cartes*; dévoiler son jeu*.

♦ **SE DÉMASQUER** v. pron.

Ôter son masque.

5.1 Il sera assez bon enfant pour te payer même à souper,
 sans que tu te sois démasquée *(dans un bal masqué).*
     Ch. PAUL DE KOCK, la Grande Ville, t. I,
     p. 380 (éd. 1842).

Fig. Découvrir ses desseins.

6 (...) s'ils ne l'ont pas fait, c'est uniquement parce qu'ils ont
 trouvé plus habile, vis-à-vis des autres puissances, de ne
 se démasquer qu'au dernier moment (...)
     MARTIN DU GARD, les Thibault, t. V, p. 132.

♦ **DÉMASQUÉ, ÉE** p. p. adj.

*Hypocrite, menteur démasqué. — Fourberie démas-
quée.*

CONTR. **Masquer.** — **Cacher, couvrir, dissimuler, protéger,
voiler.** ◊ DÉR. **Démasquable, démasquement.**

DÉMASTIQUAGE ou **DÉMASTICAGE** [demas
tikaʒ] n. m. — 1863; de *démastiquer.*

Techn. Action de démastiquer. *Le démastiquage des
vitres.*

DÉMASTIQUER [demastike] v. tr. — 1699; de 1. *dé-,
mastic,* et suff. verbal.

Techn. Débarrasser (qqch.; spécialt, un châssis de
fenêtre) du mastic. *Couteau à démastiquer.*

DÉR. **Démastiquage.**

DÉMÂTAGE [demataʒ] n. m. — 1783; de *démâter.*

Mar. Action de démâter; fait d'être démâté.

DÉMÂTER [demate] v. — 1479, *desmaster*; de 1. *dé-,
mât,* et suff. verbal.

♦ **1** V. tr. Mar. Enlever les mâts de (un navire). —
Abattre, rompre les mâts. *Démâter un navire à
coups de canon.* — Au p. p. (plus cour.). *Navire démâté,
désemparé.*

À la hauteur du Maelström, 26 avril, le navire (...) aperçut
des signaux de détresse que lui faisait une goélette sous
le vent. Cette goélette, démâtée de son mât de misaine,
courait vers le gouffre, à sec de toile.
     J. VERNE, Un hivernage dans les glaces, p. 224.

♦ **2** V. intr. Perdre ses mâts. *Ce navire a démâté dans
la tempête.*

CONTR. **Mâter.** ◊ DÉR. **Démâtage.**

DÉMATÉRIALISATION [demateʀjalizasjɔ̃] n. f.
— 1869; «spiritualisation de qqn», Goncourt, 1862; de
dématérialiser.

♦ **1** Littér. Action de rendre immatériel, fait de
devenir immatériel.

♦ **2** Littér. Le fait de spiritualiser, de donner une
apparence immatérielle à...

♦ **3** (Av. 1927, G. Leroux). Phys. Disparition des particules matérielles (d'un corps) accompagnée d'apparition d'énergie.

Tandis que les autres peuples s'attardent encore à des travaux sur la découverte récente de la dématérialisation de
la matière, ici on travaille à la rematérialisation !
     G. LEROUX, Rouletabille chez Krupp, p. 171.

DÉMATÉRIALISER [demateʀjalize] v. tr. — 1808;
«séparer une essence des matières grossières», 1803;
«civiliser, rendre moins grossier», 1759; de 1. *dé-,* et *matériel,* ou de 1. *dé-,* et *matérialiser.*

♦ **1** Rendre immatériel. — Par ext. Donner un aspect
irréel à. *La brume dématérialisait le paysage.* Au
p. p.

Une seule fois un des palais de Gabriel me fit arrêter
longuement; c'est que, la nuit étant venue, ses colonnes
dématérialisées par le clair de lune avaient l'air découpées
dans du carton (...)
     PROUST, À l'ombre des jeunes filles en fleurs, Pl.,
     t. I, p. 489.

♦ **2** Littér. Rendre spirituel en éliminant les éléments
purement matériels. *Verlaine a «dématérialisé la
poésie»* (Thibaudet).

♦ **3** Phys. nucl. Détruire les particules matérielles de
(un corps). → **Dématérialisation.** — Au p. p. adj. *Ville
dématérialisée par une explosion atomique.* → **Atomiser** (p. p.).

♦ **DÉMATÉRIALISÉ** p. p. adj.

Qui n'a plus d'existence matérielle.

2 Il *(Hugo)* croyait à l'immortalité des âmes, à leurs migrations successives, à une échelle continue allant de la chose inanimée à Dieu, de la matière à l'idéal. Pourquoi ne pas admettre que flottaient dans l'espace des êtres dématérialisés, cherchant à s'exprimer ?
> A. MAUROIS, *Olympio*, VIII, III.

DÉR. Dématérialisation.

D'EMBLÉE [dãble] loc. adv. → Emblée.

DÈME [dɛm] n. m. — 1808; du grec *dêmos* «peuple».
Antiq. grecque. Division territoriale et unité administrative de la Grèce antique; ensemble des citoyens qui se rattachaient politiquement, militairement et religieusement à cette division, à cette unité. *Les dèmes ruraux coïncidaient avec le territoire de la cité, les dèmes des grandes villes (Athènes notamment) correspondaient à un quartier.*

Voyez à quoi se passe la vie d'un Athénien. Un jour il est appelé à l'assemblée de son dème (...)
> FUSTEL DE COULANGES, *la Cité antique*, p. 395 (→ Athénien, cit. 2).

DÉMÉCHAGE [demeʃaʒ] n. m. — Mil. xxᵉ; de 1. *dé-*, et 1. *mèche*.
Méd. Enlèvement d'une mèche (→ 1. Mèche, 2.). *Déméchage d'une plaie. Déméchage d'une dent infectée.*
REM. Le v. *démécher* semble plus rare.

DÉMÉDICALISER [demedikalize] v. tr. — 1974; de *dé-*, et *médicaliser.*
Admin. Enlever à (une activité, une prestation, un produit) son caractère médical. *Démédicaliser un produit pharmaceutique. — Au p. p. Un service démédicalisé.*
On emploie aussi le dér. *démédicalisation*, n. f. (1974).

DÉMÊLAGE [demɛlaʒ] n. m. — 1836; de *démêler.*
♦ **1** Action de démêler; son résultat. *Le démêlage d'un écheveau.*
♦ **2** *Techn.* Le fait d'orienter les fibres textiles.
♦ **3** *Techn.* Mélange d'eau chaude et de malt (brasserie).

DÉMÊLANT [demɛlã] n. m. — V. 1980; de *démêler.*
Produit que l'on applique sur les cheveux mouillés pour les empêcher d'être emmêlés.

DÉMÊLÉ [demele] n. m. — 1474; de *démêler.*
Vx ou littér. (au sing.). Affaire compliquée dans laquelle chacun veut avoir raison. → **Altercation, contestation, débat, discussion, dispute, litige, maille** (avoir maille à partir), **querelle;** → Coup, cit. 15. *Ils ont eu un démêlé à propos d'héritage.*

1 Nous n'aurons jamais aucun démêlé ensemble.
> MOLIÈRE, *le Mariage forcé*, 2.

Mod. et cour. *Au plur.* **DÉMÊLÉS :** difficultés dues à une opposition entre des personnes.

2 Elle a gardé une méfiance maladive de la justice, avec qui elle a eu, autrefois, des démêlés.
> F. MAURIAC, *le Nœud de vipères*, II, XII, p. 141.

CONTR. **Accord, entente.**

DÉMÊLEMENT [demɛlmã] n. m. — 1606, *demeslement;* de *démêler.*
♦ **1** *Vx.* Action de démêler; son résultat. *Le démêlement des cheveux.* → **Démêlage.**
♦ **2** *Fig.* et littér. Dénouement (d'une intrigue). — Action de débrouiller (ce qui est confus). *Le démêlement de notions absconses.*

DÉMÊLER [demele] v. tr. — xIIᵉ; de 1. *dé-*, et *mêler.*

♦ **1** Séparer (ce qui est mêlé, mélangé). → **Séparer, trier.** *Démêler le bon grain d'avec le mauvais.* → **Cribler.** *Démêler des cheveux.* → **Coiffer, peigner.** *Peigne à démêler.* → **Démêloir.** *Démêler les fils d'un écheveau.* → **Désentortiller, dévider.** *Démêler de la laine en la cardant. Démêler le fil d'une ligne de pêcheur.*

1 Me voyant au bord de l'eau, il arrivait à travers pré (...) m'aidait à démêler ma ligne quand elle se trouvait prise dans les ronces (...)
> G. DUHAMEL, *Inventaire de l'abîme*, XII, p. 177.

Spéciaℓt. Démêler les pieds d'un cheval, quand ils se trouvent pris dans les traits.

♦ **2** (Abstrait). Débrouiller, éclaircir (une chose compliquée); mettre de l'ordre dans... → **Comprendre, défricher, expliquer.** *Démêler une affaire délicate, un point d'histoire, une difficulté. Démêler un malentendu, une intrigue, les fils d'une intrigue. Démêler l'écheveau des mobiles qui ont fait agir quelqu'un* (→ Correction, cit. 3). *Démêler ses idées. Démêler le sens d'un message.* → **Déchiffrer** (→ Clef, cit. 19).

2 Vous avez bien d'autres affaires
A démêler que les débats
Du lapin et de la belette.
> LA FONTAINE, *Fables*, VIII, 4.

3 (...) mais les hommes appliqués veulent porter en ces matières quelque raison et démêler les confusions où s'embrouillent les esprits superficiels.
> RENAN, *Discours et Conférences*, in Œ. compl., t. I, p. 893.

4 Dans ma première enfance, les Français avaient un sentiment du ridicule qu'ils ont perdu depuis, sous l'empire de causes que je ne saurais démêler.
> FRANCE, *le Petit Pierre*, XI, p. 72.

Mettre en ordre. Démêler ses affaires avant de partir en voyage. → **Classer, ordonner.**

5 La Marbeuf (...) démêle ses affaires pour s'aller établir à Paris.
> Mᵐᵉ DE SÉVIGNÉ, *Lettres*, 467, 13 nov. 1675.

♦ **3** *Vx. Démêler qqch. de, d'avec qqch.* → **Discerner, distinguer, séparer...** *Démêler le vrai d'avec le faux, le vrai du faux, le tien du mien.*

6 Démêlez la vertu d'avec ses apparences (...)
> MOLIÈRE, *Tartuffe*, V, 1.

7 Comment démêler la vérité dans le chaos des plaidoiries ?
> MARMONTEL, *Œuvres*, t. V, p. 11
> (→ Avocat, cit. 8).

8 (...) j'ai été tellement agité, ballotté, tiraillé par les passions d'autrui, que (...) j'aurais peine à démêler ce qu'il y a du mien dans ma propre conduite (...)
> ROUSSEAU, *Rêveries...*, 10ᵉ promenade.

♦ **4** *Vx* (langue class.). Comprendre (qqch. d'obscur, d'embrouillé). → **Deviner, pénétrer; comprendre.** *Démêler le caractère de quelqu'un. Il n'est pas facile à démêler.*

9 Où puis-je rencontrer quelque clarté fidèle,
Pour démêler ce que je vois ?
> MOLIÈRE, *Amphitryon*, I, 2.

10 Sa voix avait pris de l'âpreté, et on y démêlait l'accent agité et impérieux des passions.
> CHATEAUBRIAND, *in* Pierre LAROUSSE.

Vén. Démêler les voies de la bête, discerner les traces récentes des anciennes.

♦ **5** *Littér.* **AVOIR À DÉMÊLER (avec),** à discuter, à débattre. → **Démêlé; contester; maille** (avoir maille à partir); **quereller.** *Il ne veut rien avoir à démêler avec lui. Avoir quelque chose à démêler avec la justice.*

11 Nous et nos adversaires n'avons rien à démêler sur cette matière.
> BOSSUET, *Réfutation du catéchisme de P. Ferry...*, in LITTRÉ.

12 (...) l'art n'a rien à démêler avec l'artiste, tant pis s'il n'aime pas le rouge, le vert ou le jaune, toutes les couleurs sont belles, il s'agit de les peindre.
> FLAUBERT, *Correspondance*, II, p. 128.

◆ **SE DÉMÊLER** v. pron.

♦ **1** (Passif). Être démêlé. *Laine qui se démêle bien.*
Être éclairci. *Les difficultés se démêlent peu à peu.*

♦ **2** (Réfléchi). Vieilli. Se tirer d'une difficulté.
→ **Débrouiller** (se), **dégager** (se), **dépêtrer** (se), **sortir**
(se), **tirer** (se). *Se démêler d'un mauvais pas. Un*
embarras dont on ne peut se démêler. → **Inextri-**
cable.

13   J'ai bien envie d'apprendre comme il *(le marquis de Gri-*
gnan) se démêlera de tous les devoirs de la cour et de
Paris (...)
Mᵐᵉ DE SÉVIGNÉ, Lettres, 1248, 1ᵉʳ janv. 1690.

14   *(...) et parmi mes confrères que je vois se mêler de beau-*
coup de petits commerces, je sais tirer adroitement mon
épingle du jeu, et me démêler prudemment de toutes les
galanteries qui sentent tant soit peu l'échelle (...)
MOLIÈRE, l'Avare, II, 1.

15   *(...) il fallait la maturité de César pour se démêler de tant*
d'intrigues (...)
VOLTAIRE, Remarques sur les Pensées de Pascal,
XLIX.

CONTR. **Brouiller, compliquer, confondre, embrouiller,**
emmêler, enchevêtrer, mélanger, mêler. — (Du p. p.) **Indé-**
mêlé. ◊ DÉR. **Démêlage, démêlant, démêlé, démêlement,**
démêleur, démêloir, démêlure.

DÉMÊLEUR, EUSE [demɛlœʀ, øz] n. — 1803 ; de
démêler.

♦ **1** Techn. Personne qui effectue le démêlage de la
laine.

♦ **2** Fig. (Rare). Celui, celle qui s'y entend à démêler
une affaire embrouillée.

DÉMÊLOIR [demɛlwaʀ] n. m. — 1711 ; de *démêler.*
Vx. Peigne à grosses dents servant à démêler les
cheveux. — (1802). Instrument servant à démêler.
Loc. fam. (vieilli ; de *démêler,* fig.). *Vous voulez un*
démêloir ? : exprimez-vous plus clairement (Courteline, *in* T. L. F.).

DÉMÊLURE n. f. ou **DÉMÊLURES** [demelyʀ] n. f.
pl. — V. 1900, *démêlure ; démêlures,* 1877 ; de *démêler.*
Petite touffe de cheveux enlevée par le peigne, le
démêloir.

(...) il arrêta et retint une seconde un petit nœud de démê-
lure d'un beau blond chaud qui avait dû tomber d'une
fenêtre (...)
G. DUHAMEL, le Voyage de Patrice Périot, III, p. 67.

DÉMEMBREMENT [demɑ̃bʀəmɑ̃] n. m. — V. 1260 ;
de *démembrer.*

♦ **1** Rare. Action de démembrer ; résultat de cette
action. → **Arrachement, écartèlement.** *Le démembre-*
ment d'un animal tué à la chasse.

♦ **2** Fig. et cour. → **Division, lotissement, morcellement,**
partage, séparation. *Le démembrement d'une pro-*
vince, d'une commune. — (Au moyen âge). *Démem-*
brement d'un fief. — *Le démembrement d'une pro-*
priété. Démembrement des grands domaines. — *Le*
démembrement de l'Empire romain.
Ils se réunirent pour prévenir le démembrement de la
monarchie.   VOLTAIRE, le Siècle de Louis XIV, XVII.

♦ **3** La portion démembrée. *Cette propriété est un*
démembrement de l'ancienne commune.

CONTR. **Rassemblement, remembrement, unification.**

DÉMEMBRER [demɑ̃bʀe] v. tr. — 1080, *desmembrer ;*
de 1. *dé-,* et *membre.*

♦ **1** Arracher les membres de (un corps humain
ou animal). → **Dépecer, disloquer, écarteler.** *Démem-*
brer un animal. Démembrer un supplicié.

On écorche, on taille, on démembre   1
Messire loup. Le monarque en soupa,
Et de sa peau s'enveloppa.
LA FONTAINE, Fables, VIII, 3.
Écorcher, démembrer un pauvre animal sans défense (...)   2
ROUSSEAU, Émile, II.

♦ **2** (Fin XIIᵉ). Fig. Diviser les parties de (un tout).
→ **Découper, diviser, morceler, partager, séparer.**
Démembrer un domaine, une grande propriété. —
Démembrer un royaume, un empire. — Pron. *Se*
démembrer.
La paix, qui fut le célèbre traité de Verdun, démembra   3
l'Empire (843). Étrange partage (...)
J. BAINVILLE, Hist. de France, III, p. 39.
(Abstrait). *Démembrer le pouvoir, l'autorité.*

◆ **DÉMEMBRÉ, ÉE** p. p. adj. *Corps démembré.* —
Domaine, pays démembré.

CONTR. **Rassembler, remembrer, unifier.** ◊ DÉR. **Démembre-**
ment.

DÉMÉNAGEABLE [demenaʒabl] adj. — 1876, Vallès ;
de *déménager.*
Qui peut être déménagé. *Une énorme armoire à*
peine déménageable. → **Transportable.**

DÉMÉNAGEMENT [demenaʒmɑ̃] n. m. — 1611 ; de
déménager.
Action de déménager ; résultat de cette action.
Faire son déménagement. Entreprise de déménage-
ment. Cadre, fourgon, voiture, camion de déména-
gement. Déménagement à la cloche de bois.
Les rues sont encombrées de camions de déménagement.   1
GIDE, Journal, 19 déc. 1949.
Elles avaient la passion des chambards domestiques et   2
des déménagements.
G. DUHAMEL, Biographie de mes fantômes, VII,
p. 114. (→ Chambard, cit.).
D'ailleurs une des poésies, un des mystères des enfances   3
parisiennes, ce sont ces déplacements, ces déménage-
ments d'un quartier à l'autre, avec les changements de
point de vue qui en résultent ; des subversions d'habitudes,
d'autres séries de hasards.
J. ROMAINS, les Hommes de bonne volonté, t. III,
IV, p. 55.
Prov. *Trois déménagements valent un incendie.*
Spécialt. *Le déménagement d'un meuble,* le fait de le
changer de place, de le transporter. → **Transport.**
Par métonymie. Le mobilier déménagé. *Votre démé-*
nagement est arrivé.

CONTR. **Emménagement, installation.**

DÉMÉNAGER [demenaʒe] v. [CONJUG.: *bouger.*] — 1611 ;
desmanagier «porter hors de la maison», 1262 ; de 1. *dé-,*
et *ménage.*

♦ **1** V. tr. Transporter (les meubles, un meuble) d'un
logement dans un autre. *Déménager tous ses meu-*
bles. Déménager ses livres, ses tableaux. — (1764).
Déménager toute la maison. → **Vider.**
(...) des huissiers déménagent la maison de monsieur et   1
de madame (...)   VOLTAIRE, Jeannot et Colin.
Changer de place (des objets) à l'intérieur d'un
logement. *J'ai déménagé la bibliothèque au (dans*
le) salon.

♦ **2** V. intr. (1668). Changer de logement. *Nous démé-*
nageons à la fin de l'année. Ils ont déménagé cet été.
→ **Partir.**
(...) il me la confiée (sa malle) pour une semaine en me   2
disant qu'il déménageait, et resterait sans domicile fixe,
en attendant d'avoir trouvé un gîte à sa convenance.
J. ROMAINS, les Hommes de bonne volonté, t. II,
II, p. 22.

Déménager à la cloche (ou, plus rare, *à la sonnette*) *de bois* : abandonner en cachette, furtivement, son logement (→ Mettre la clef* sous la porte).

♦ **3** Fam. *Faire déménager qqn,* le faire sortir du lieu où il est. → **Chasser.** *Il vous faut déménager.* → **Partir ; aller** (s'en aller), **déguerpir.**

3 Quoi ! tu continueras à me faire enrager ?
Aujourd'hui d'avec moi songe à déménager.
        HAUTEROCHE, Crispin musicien, I, II, *in* LITTRÉ.

♦ **4** Fam. (en emploi impersonnel). S'en aller rapidement (en parlant de choses). → **Ficher** (le camp), **filer.** *Ça déménage, ici, le whisky, avec tous ces soiffards !*

4 «Qu'est-ce qu'on prend comme platras sur la gueule¹ !
— Tiens ! Chez vous aussi ?
— Qu'est-ce que ça déménage !
— Je ne sais pas comment vous faites, mais moi, je trouve que c'est calme.»
        Boris VIAN, l'Équarrissage pour tous, *in* Théâtre,
                                              XVII, p. 257-258.
1. La scène se passe à Arromanches, pendant le débarquement allié.

♦ **5** (Abstrait ; d'abord trans. : *déménager la tête,* 1798). Déraisonner, devenir fou. *Non, mais, tu déménages !*

5 Je vois qu'ils croient que je déménage... Ils se font des signes. — Suivez-nous jeune homme !... Suivez-vous !... Montez tout doucement... doucement avec nous...
        CÉLINE, Guignol's band, p. 296.

CONTR. Demeurer, emménager, installer (s'), **rester.** ◊ **DÉR. Déménageable, déménagement, déménageur, déménageuse.**

DÉMÉNAGEUR [demenaʒœʀ] n. m. — 1852 ; de *déménager.*

Celui dont le métier est de faire des déménagements. *Il a une carrure de déménageur.* — REM. Le fém. *déménageuse* est virtuel (et, en l'état de la société, stylistique).

Ton argent ne suffisant pas, je m'arrangeais pour en gagner d'autre, en faisant n'importe quoi. Je me suis fait homme de peine. J'ai servi des marchands de grains et des déménageurs.
        Léon BLOY, le Désespéré, 1886, p. 259.

DÉMÉNAGEUSE [demenaʒøz] n. f. — 1881, de *déménager.*

Régional (Suisse). Fourgon, camion de déménagement.

(...) des hommes en cotte bleue déchargeaient une déménageuse.
        Guy DE POURTALÈS, la Pêche miraculeuse, p. 228.

DÉMENCE [demãs] n. f. — 1381 ; du lat. *dementia,* de *demens.* → **Dément.**

♦ **1** Dr. et cour. Ensemble des troubles mentaux graves. → **Aliénation, folie, maboulisme** (vieilli). *Sombrer dans la démence. Être en démence.*

1 Le majeur qui est dans un état habituel d'imbécillité, de démence ou de fureur, doit être interdit, même lorsque cet état présente des intervalles lucides.
        Code civil, ancien art. 489.
N. B. La terminologie de cet article est abandonnée ; le code actuel (décret de 1975) parle de trouble mental.

2 La vanité de l'auteur dramatique a quelque chose de la démence de ce fou de Corinthe, convaincu que le soleil était uniquement fait pour l'éclairer — lui seul.
        Ed. et J. DE GONCOURT, Journal, p. 266.

♦ **2** (1704). Cour. Conduite extravagante. → **Aberration, délire, égarement, folie.** *C'est de la démence, de la pure démence d'agir ainsi.*

3 (...) le siècle de Louis XV est une orgie de taverne, où la démence s'accouple au vice.
        HUGO, Littérature et Philosophies mêlées,
                              1823-1824, Idées au hasard, VII.

Par métonymie. *Une démence :* un acte dément.

♦ **3** Psychiatrie. Déchéance progressive et irréversible des activités psychiques, mentales, due à des causes neurologiques. *Démence sénile, traumatique.*

Démence précoce : ensemble de troubles mentaux très graves qui altèrent la structure mentale, entre la puberté et la maturité (hébéphrénie, *démence paranoïde,* schizophrénie).

CONTR. Équilibre, raison.

DÉMENER (SE) [demne] v. pron. [CONJUG.: *mener.* → **Lever.**] — V. 1130 ; *démener* «agiter», 1080 ; de 2. *dé-,* et *mener.*

♦ **1** S'agiter violemment. → **Agiter** (s'), **débattre** (se), **remuer** (se). *Se démener comme un possédé, comme un beau diable.* Loc. *Se démener comme un diable dans un bénitier.*

1 Tandis que le moine se démène pour se débarrasser du chien (...)
        DIDEROT, Salon de 1765, *in* LITTRÉ.

2 La petite Fadette dansait très bien ; il l'avait vue gambiller dans les champs ou sur le bord des chemins, avec des pâtours, et elle s'y démenait comme un petit diable, si vivement qu'on avait peine à la suivre en mesure.
        G. SAND, la Petite Fadette, XIV, p. 102.

♦ **2** (V. 1530). Fig. S'agiter, se donner beaucoup de peine pour parvenir à un résultat. → **Agiter** (s'), **dépenser** (se), **donner** (se donner de la peine, du mal). *Se démener pour réussir. Se démener pour achever un travail à la date promise.*

3 Ils se démenaient tous, changeant, chavirant l'arrimage.
        LOTI, Pêcheur d'Islande, XII, p. 128.

Se démener contre... → **Battre** (se), **colleter** (se), **lutter.** *Se démener contre la misère. Se démener contre mille difficultés* (→ Être aux prises* avec).

CONTR. Calmer (se), **immobiliser** (s') ; **tranquille** (rester, demeurer, se tenir tranquille). — **Désintéresser** (se).

DÉMENT, ENTE [demã, ãt] adj. et n. — XVᵉ ; rare jusqu'au XIXᵉ (1863) ; du lat. *demens,* de *de-,* et *mens* «esprit».

♦ **1** Dr. et cour. Qui est dans un état de démence. → **Aliéné, fou.** — N. *Un dément, une démente.*

1 Et on croit sentir pénétrer en son âme un souffle de déraison, une émanation contagieuse et terrifiante de ce dément malfaisant (*un homme devenu fou*).
        MAUPASSANT, la Vie errante, «Tunis».

2 D'un sensible, elle (*l'automobile*) fait un nerveux et d'un nerveux un dément.
        G. DUHAMEL, Scènes de la vie future, VI, p. 98.

Les déments sont juridiquement des incapables majeurs. — Qui est un signe de démence. *Tenir des propos déments.*

♦ **2** (Fin XVᵉ, attestation isolée ; rare av. XIXᵉ). Déraisonnable, extravagant, insensé.

3 L'idée qu'il pouvait s'assouplir, plier, changer dans une mesure quelconque, cette idée me paraissait démente.
        G. DUHAMEL, Chronique des Pasquier, VIII, IV,
                                                      p. 322.

Quel monde ! c'est dément. → **Fou.**

Par ext. (intensif). Excessif ou extrême. → **Dingue, formidable, terrible.** *Un film complètement dément, bizarre mais remarquable. Une soirée démente.* — REM. Emploi à la mode, très courant dans la langue parlée, souvent commenté avec ironie ; s'inscrit dans la série des termes désignant la folie et utilisés en intensifs (*fou, dingue...*).

♦ **3** (1863). Psychiatrie. Atteint de démence (3.). — N. *Un dément, une démente. Les déments.*

DÉR. Démentiel.

DÉMENTI [demãti] n. m. — XVᵉ; p. p. de *démentir*.

Action de démentir; ce qui dément qqch. *Donner, infliger un démenti formel à qqn.* → **Contradiction, dénégation, déni, désaveu.** *Recevoir, opposer un démenti. Son témoignage reste sans démenti* (→ **Infirmation**; → Croyance, cit. 14; contradictoire, cit. 2).

(1863). Ce qui va à l'encontre de, est en opposition avec (qqch.). *Sa conduite donne un démenti à ses déclarations.*

1　(...) on voit un livre (...) qui donne hautement un démenti à tous ces augustes témoignages.
　　　　　MOLIÈRE, Tartuffe, 1ᵉʳ placet au roi.
2　Aussi la nature donne-t-elle à chaque pas des démentis à toutes vos lois (...)
　　　　　BALZAC, Séraphîta, Pl., t. X, p. 551.
3　C'est ainsi qu'un athée qui tient à la vie se fait tuer pour ne pas donner un démenti à l'idée qu'on a de sa bravoure.
　　　　　PROUST, À la recherche du temps perdu, t. XII, p. 228.
4　(...) c'était un démenti donné à toute ma vie, un soufflet appliqué à mes convictions si ardemment républicaines !
　　　　　COURTELINE, Messieurs les ronds-de-cuir, IIᵉ tableau, II, p. 75.

Fig. (vx). *Avoir, recevoir le démenti de quelque chose :* subir l'affront d'un échec. → **Affront, désagrément, honte.**

5　Les choses étaient trop avancées pour qu'on voulût en avoir le démenti.　　　ROUSSEAU, les Confessions, II.

CONTR. Affirmation, appui, attestation, confession, confirmation, croyance, ratification, sanction, soutien.

DÉMENTIEL, ELLE [demãsjɛl] adj. — 1883; de *dément, démence.*

◆ **1** Admin. De la démence (1.).

◆ **2** Psychol. De la démence (3.); relatif aux déments (3.).

Par ext. (sens courant, non technique) :

Les scènes d'orgie démentielle se déroulaient à bord presque sans interruption. Les péchés les plus révoltants y furent consommés avec fureur, mais aussi avec une recherche attentive et savante dans la perversité.
　　　　　M. AYMÉ, le Vin de Paris, «La fosse aux péchés», p. 133.

◆ **3** (1966). Fam. Excessif jusqu'à l'absurdité. → **Fou.** *C'est un projet complètement démentiel. Un programme d'examen, un travail démentiel.*

DÉMENTIR [demãtiʀ] v. tr. [CONJUG.: *mentir.* → *Partir.*] — 1080; de 1. *dé-,* et *mentir.*

◆ **1** Contredire (qqn) en prétendant qu'il n'a pas dit la vérité. → **Contredire, dédire, désavouer.** *Ne pas oser démentir qqn. Démentir formellement un témoin.*

1　Comme le public est le juge absolu (...) il y aurait de l'impertinence à moi de le démentir (...)
　　　　　MOLIÈRE, les Précieuses ridicules, Préface.
2　N'allez pas nous démentir, Bazile, en disant qu'il n'est pas votre élève, vous gâteriez tout.
　　　　　BEAUMARCHAIS, le Barbier de Séville, III, 11.
3　Laissez-moi faire, ne démentez rien de ce que je dirai et signez tout ce que je vous présenterai.
　　　　　G. SAND, François le Champi, XX, p. 146.

◆ **2** Prétendre (un fait, une chose) contraire à la vérité. → **Infirmer, inscrire** (s'inscrire en faux), **nier, opposer** (s'opposer à). *Démentir un bruit, une nouvelle, un témoignage, un écrit. Démentir formellement une proposition. Démentir sa signature.*

4　C'est, lui répondis-je, l'Écriture sainte, les papes et les conciles, que vous ne pouvez démentir, et qui sont tous dans la voie unique de l'Évangile.
　　　　　PASCAL, les Provinciales, V.

Et bientôt, démentant le faux bruit de sa mort,
Mithridate lui-même arrive dans le port.　　　5
　　　　　RACINE, Mithridate, I, 4.

◆ **3** (1580). Contredire par sa conduite, par ses actes. → **Contradiction** (être en contradiction avec soi-même).

(...) la honte d'être si peu conséquent à moi-même, de　6
démentir si tôt et si haut mes propres maximes (...)
　　　　　ROUSSEAU, les Confessions, VIII (→ Conséquent, cit. 1).

(Choses). Aller à l'encontre de... → **Contredire, décevoir, infirmer.** *Cet argument le démentait. Cette découverte dément ses hypothèses, ses prétentions* (→ Chaton, cit. 3). — Littér. Décevoir, tromper.

L'événement n'a point démenti mon attente.　　　7
　　　　　RACINE, Mithridate, V, 1.

(...) il se fit apporter des vins de Rhodes et de Lesbos; il　8
goûta de tous les deux, dit qu'ils ne démentaient point leur terroir (...)　　　LA BRUYÈRE, Disc. sur Théophraste.

(...) cette fille avait des traits d'une excessive douceur et　9
que ne démentait pas la belle nuance grise de ses yeux.
　　　　　BALZAC, le Curé de village, Pl., t. VIII, p. 724.

Mais tout sembla d'abord démentir son espoir.　　　10
　　　　　J. M. DE HEREDIA, les Trophées,
　　　　　«Conquérants de l'or», II.

(...) il n'y a pas un de ces livres qui n'en démente un autre,　11
en sorte que, quand on les connaît tous, on ne sait que penser.　　　FRANCE, le Crime de S. Bonnard, p. 440.

◆ **SE DÉMENTIR** v. pron.

◆ **1** Personnes. (Réfl.). Se contredire soi-même. — N'être pas conséquent avec soi-même.

(Récipr.). Se contredire l'un l'autre.

Il était environ cinq heures du soir lorsque nous entrâmes　11.1
dans la forêt. Saint-Florent ne s'était pas encore un instant démenti, toujours même honnêteté, toujours même désir de me prouver ses sentiments.
　　　　　SADE, Justine..., t. I, p. 62.

Figuré :

Tout se soutient dans cet homme; rien encore ne se　12
dément dans cette grandeur qu'il a acquise (...)
　　　　　LA BRUYÈRE, les Caractères, VI, 21.

◆ **2** (V. 1175). Choses. Cesser. *Son courage ne s'est pas démenti un seul instant* (→ Inébranlable). *Patience qui ne se dément pas* (→ Constant).

Madame, dit-il à ma tante, qui l'accompagnait avec moi,　13
je vous remercie encore une fois d'un intérêt qui ne s'est pas démenti pendant quatre années.
　　　　　E. FROMENTIN, Dominique, IV, p. 63.

◆ **DÉMENTI, IE** p. p. adj. *Témoins démentis. Nouvelles complètement démenties* (par les faits).

CONTR. Affirmer, appuyer, attester, avérer, certifier, confirmer, corroborer, ratifier, sanctionner, soutenir. ◊ DÉR. Démenti, n. m. ← HOM. (Du p. p.) Démenti.

DÉMERDARD, ARDE [demɛʀdaʀ, aʀd] n. et adj. — 1916; de *se démerder.*

Fam. Personne qui se démerde, se tire habilement d'affaire. → **Débrouillard, malin.** *Il y arrivera bien, c'est un démerdard.* — Adj. → **Démerdeur.** *Il nous faut des gens démerdards et pas des empotés comme vous! Il est pas démerdard, ce grand godichon.*

Bah! dit-il. Bah! Bah! les démerdards s'en tireront tou-　1
jours.　　　SARTRE, la Mort dans l'âme, 1949, p. 72.
Je vais coucher chez une copine démerdarde qui dès le　2
lendemain me trouve une place.
　　　　　R. QUENEAU, Loin de Rueil, p. 217.

DÉMERDE [demɛʀd] n. f. et adj. — D. i.; déverbal de (se) *démerder.*

Familier.

◆ **1** Attitude de celui, de celle qui se démerde. *«Il a un sens de la démerde et du bricolage très poussé»* (*Magazine littéraire,* déc. 1974, p. 34). — Par appos. *Système démerde.* → Système D.

1   *Ils* n'avaient qu'à se débrouiller. *Moi* je me débrouille bien.
Tout ça, c'était démerde et compagnie (...)
> François NOURISSIER, *Une histoire française*,
> p. 100.

♦ **2** Adj. *Il, elle est démerde.*

2   Il y avait, entre autres : «Soit pour sa mise en liberté médicale, soit pour son transfert à Fresnes.»
Cette fois, un silence respectueux s'établit : larguer une
détenue, passe encore, mais l'envoyer à Fresnes! Bigre! Il
faut que je sois vachement bas... ou vachement démerde.
> A. SARRAZIN, *la Cavale*, p. 54.

DÉMERDER (SE) [demɛʀde] v. pron. — V. 1900; de 1. *dé-, merde* «embarras, ennuis, difficultés», et suff. verbal.

Fam. Se débrouiller, se tirer habilement d'embarras. *Laisse-le se démerder tout seul. Ça ne
me regarde pas, démerdez-vous !* — (Laudatif). *Il se
démerde bien :* il s'en tire, s'en sort bien, il réussit
facilement.

1   (...) il était temps qu'il se démerde pour gagner sa croûte,
car il ne lui restait pas grands fonds en poche (...)
> R. QUENEAU, *Pierrot mon ami*, p. 123.

2   Il tendit les deux pains à Alexandre (...)
— Tu es un mec, l'abbé.
— Oui, dit Pierson de sa voix suave et chuchotée, je dois
dire que je ne me suis pas mal démerdé.
> Robert MERLE, *Week-end à Zuydcoote*, 1949, p. 41.

DÉR. Démerdard, démerde, démerdeur.

DÉMERDEUR, EUSE [demɛʀdœʀ, øz] adj. — 1912; «avocat défenseur», in Esnault, 1899; de *se démerder.*

Fam. et vieilli. Habile, débrouillard. → **Démerdard.**

DÉMÉRITE [demeʀit] n. m. — XIIIe-XIVe; de *démériter,* ou de 1. *dé-,* et *mérite.*

Littér. Ce qui fait que l'on démérite, que l'on attire
sur soi la désapprobation, le blâme... *Où est son
démérite dans cette affaire ?* → **Faute, tort.** *Faire à
qqn un démérite* (de qqch.). *Il a le démérite d'avoir
agi ainsi.* → **Désavantage.**

1   Enfin, M. Guy Patin ne se donne pas pour dévot, et un air
de dévotion, qui n'était pas un démérite à ses yeux, devait
être bien sincère et même bien aimable.
> FONTENELLE, Dodart, *Éloge des Académies.*

2   Le critique, depuis Sainte-Beuve, constate dans l'écrivain,
à la naissance même de l'œuvre, un phénomène tel qu'il
entraîne inévitablement le mérite ou le démérite (...)
> J. PAULHAN, *les Fleurs de Tarbes*, p. 52.

Spécialt, théol. *Le mérite et le démérite :* le pouvoir que détient l'homme de mériter des sanctions
(châtiment ou récompense) pour les actes libres
qu'il accomplit.

Par ext. (Choses). Défaut.

3   (...) Marceline et Turandot discutent des mérites ou démé-
rites des machines à laver.
> R. QUENEAU, *Zazie dans le métro*, Folio, p. 41.

CONTR. Avantage, mérite, qualité.

DÉMÉRITER [demeʀite] v. intr. — XIIIe; de 1. *dé-,* et *mérite.*

♦ **1** (1636). Agir de manière à encourir le blâme,
la désapprobation (de qqn). **Vx.** *Démériter de qqn,*
perdre son estime, sa bienveillance. **Mod.** *Démériter auprès de qqn, aux yeux de qqn.* — **Absolt.** *Il
n'a jamais démérité. En quoi a-t-il démérité ?*

♦ **2** (1524). **Théol.** Agir de manière à encourir un châtiment divin, et, spécialt, la perte de la grâce. *Le
pouvoir de mériter et de démériter.*

1   Dieu a donné aux hommes le libre arbitre, pour pouvoir
démériter s'ils le veulent.
> FÉNELON, Œ., t. III, p. 333, *in* LITTRÉ.

(...) l'atome à qui Dieu aura donné la pensée peut mériter   2
ou démériter (...)
> VOLTAIRE, *le Philosophe ignorant*, XXIX.

CONTR. Mériter. ◊ **DÉR. Déméritoire. — V. Démérite.**

DÉMÉRITOIRE [demeʀitwaʀ] adj. — V. 1460; de *démériter.*

Vx. Qui suscite la désapprobation. *Un acte déméritoire.*

CONTR. Méritoire.

DÉMERSAL, ALE, AUX [demɛʀsal, o] adj. — 1954; angl. *demersal,* 1899; du lat. *demersus,* de *demergere* «plonger, enfoncer».

Didact. (zool.). Qui ne flotte pas mais tombe au fond
des eaux (opposé à *pélagique*). → aussi **Benthique.**

(Chez les sardines, les maquereaux, les thons...) Les œufs
sont toujours en nombre considérable; une fois fécondés,
ils sont abandonnés par les adultes et flottent au gré des
courants. Ce sont des œufs pélagiques.
On qualifie au contraire de démersaux les œufs qui, plus
denses que l'eau, tombent au fond : on les rencontre surtout parmi les poissons des eaux douces et les poissons
littoraux.
> R. et M.-L. BAUCHOT, *les Poissons*, p. 91.

Se dit des espèces qui vivent sur le fond de la mer
ou au voisinage du fond. *La plie est un poisson
démersal.*

DÉMESURE [dem(ə)zyʀ] n. f. — V. 1131; rare entre XVIIe (1606) et déb. XIXe (1826); de 1. *dé-,* et *mesure.*

Manque de mesure, exagération des sentiments
ou des attitudes. → **Excès; exagération, outrance.**

(...) quand une fortune sans précédent aura, chez lui
(Bonaparte), surexcité, avec le génie, l'orgueil et l'ambition,
et lui aura comme *imposé,* très précisément, cette *démesure* qui répugne tant à un Talleyrand.
> Louis MADELIN, *Talleyrand*, II, IX, p. 103.

CONTR. Mesure; modération, pondération.

DÉMESURÉ, ÉE [dem(ə)zyʀe] adj. — 1080; de 1. *dé-,* et *mesuré.*

♦ **1** Qui excède la mesure ordinaire. → **Immense,
incommensurable.** *Un homme d'une taille démesurée.* → **Énorme** (→ argot Maous). — *Un empire démesuré.* → **Colossal, gigantesque.** *Objet d'une grandeur
démesurée.*

Le Muphty revient, avec son turban de cérémonie, qui est   1
d'une grosseur démesurée (...)
> MOLIÈRE, *le Bourgeois gentilhomme*, IV,
> variante de la cérémonie turque.

Je vis deux yeux bleus, démesurés de grandeur, admira-   2
bles de forme (...)
> A. DE VIGNY, *Servitude et Grandeur militaires*, I,
> VI, p. 89.

L'Empire de Charles-Quint était démesuré.   3
> J. BAINVILLE, *Hist. de France*, VIII, p. 139.

♦ **2** (Abstrait). D'une très grande importance, intensité; très grand. → **Énorme, exagéré, excessif, exorbitant, extraordinaire, gigantesque, illimité, immense,
immodéré, infini, monumental.** *Un orgueil démesuré.
Une ambition démesurée. Des prétentions démesu-
rées.*

Notre appétit n'est démesuré que parce que nous voulons   4
lui donner d'autres règles que celles de la nature (...)
> ROUSSEAU, *Émile*, II.

Julien fut saisi d'une envie démesurée de purger la terre   5
d'un de ses plus lâches coquins (...)
> STENDHAL, *le Rouge et le Noir*, II, XXIII, p. 388.

Une religion praticable (...) à quoi tout un peuple se plie   6
sans sacrifice démesuré, qui n'exige pas l'impossible, n'assassine pas la nature, ne détourne pas le pauvre bétail de
ses abreuvoirs, ni du fumier qui tient chaud.
> F. MAURIAC, *Souffrances et Bonheur du chrétien,*
> p. 24.

CONTR. Contenu, limité, mesuré, modéré, moyen, ordinaire, petit, proportionné, raisonnable. ◊ **DÉR. Démesurément.** ⊸ **HOM. Démesurer.**

DÉMESURÉMENT [dem(ə)zyʀemɑ̃] adv. — 1080; de *démesuré.*

D'une manière démesurée. → **Énormément, immensément.**

1 (...) les bougies démesurément longues dont on se sert en Norvège. BALZAC, Séraphîta, Pl., t. X, p. 476.

2 Elle s'exagérait démesurément mes bonnes qualités (...) FRANCE, le Petit Pierre, I, p. 11.

DÉMESURER [dem(ə)zyʀe] v. tr. — XVe, *démesurer sa voix;* sens fig., XIIIe; de 1. *dé-,* et *mesurer.*

Rare et littér. Faire paraître plus important que nature.

1 Vous pourrez peut-être voir, assis auprès des roses trémières, un jeune homme très brun, maigre, avec un peu de barbe, ce qui démesure ses yeux déjà très larges et très rêveurs. J. GIONO, Un roi sans divertissement, p. 9.

2 Quand je ne suis pas là *(Manuelle)* met une *(de mes lettres)* sous son oreiller avant de s'endormir ou elle l'emmène dans son cartable, pour lui tenir chaud pendant ces interminables heures de classe qui démesurent sa journée. Benoîte et Flora GROULT, Il était deux fois..., p. 263-264.

HOM. Démesuré.

DÉMÉTHANISATION [demetanizasjɔ̃] n. f. — Mil. XXe, *in* G. L. L. F.; de *déméthaniser.*

Techn. Opération d'extraction du méthane des hydrocarbures liquides (raffinage) et gazeux (traitement du gaz naturel).

DÉMÉTHANISER [demetanize] v. tr. — Mil. XXe, *in* G. L. L. F.; de 1. *dé-,* et *méthane.*

Techn. Extraire le méthane de (un hydrocarbure).

DÉR. Déméthanisation.

1. **DÉMETTRE** [demɛtʀ] v. tr. [CONJUG.: *mettre.*] — 1538; «ôter, emporter», XIIIe; de 1. *dé-,* et *mettre.*

Déplacer (un os, une articulation). → **Disloquer, luxer.** *Démettre la mâchoire.* → **Démantibuler.** *Démettre un bras, un poignet, l'épaule.*

1 Il lui a démis le poignet. Mme DE SÉVIGNÉ, Lettres, 77, *in* LITTRÉ.

V. pron. (V. 1560). Plus courant :

2 *(Harcourt)* s'était démis une hanche d'une chute qu'il fit du rempart de Luxembourg en bas (...) SAINT-SIMON, Mémoires, t. II, IX.

3 L'amante éperdue sauta par la fenêtre et se démit le pied (...) VOLTAIRE, les Deux Consolés.

◆ **DÉMIS, ISE** p. p. adj. → **Démis.**

CONTR. Remettre, replacer. ◊ **DÉR. Démis.** ⊸ **HOM. 2. Démettre.**

2. **DÉMETTRE** [demɛtʀ] v. tr. — V. 1220, *demettre;* pron., 1155; du lat. *dimittere* «congédier, renvoyer de», de *di(s)-,* et *mittere* «mettre».

♦ **1** Littér. ou admin. Retirer (qqn) d'un emploi, d'un poste, d'une charge. → **Casser, chasser, déplacer, destituer, renvoyer; congé** (donner congé). *Démettre qqn de son emploi, de ses fonctions.*

4 Il fut démis *(de la royauté),* et l'on tomba d'accord
Qu'à peu de gens convient le diadème.
LA FONTAINE, Fables, VI, 6.

♦ **2** (1835). Dr. → **Débouter.** *Démettre qqn de son appel.*

◆ **SE DÉMETTRE** v. pron.

Cour. Quitter ses fonctions (volontairement ou sous la contrainte). → **Abandonner, abdiquer, défaire** (se), **démissionner, partir, quitter, retirer** (se); → Rendre son tablier*. *Se démettre de ses fonctions. Obliger, forcer qqn à se démettre de son emploi.*

5 (...) vous savez qu'il *(le cardinal de Retz)* a voulu se démettre de son chapeau de cardinal. Le pape ne l'a pas voulu (...) Mme DE SÉVIGNÉ, Lettres, 695, 27 juin 1678.

6 Il *(Sylla)* osa se démettre de la dictature pour vivre en simple particulier, et il termina ses jours dans son lit. Charles ROLLIN, Traité des études, 3e partie, 1.

7 J'accepterai tout ce que vous voudrez, sauf de me démettre de ce qui est ma fonction d'homme (...) MARTIN DU GARD, les Thibault, t. V, p. 230.

Se soumettre ou se démettre : céder ou abandonner.

8 Quand la France aura fait entendre sa voix souveraine, croyez-le bien, messieurs, il faudra se soumettre ou se démettre. GAMBETTA, Disc. à Lille, 15 août 1877.

9 (...) Gambetta, interprète de la majorité des Français, rugira son retentissant et fameux dilemme à l'adresse du héros de Malakoff, du vainqueur de Magenta : «Se soumettre ou se démettre». Georges LECOMTE, Ma traversée, p. 31.

Fig. *Se démettre de son droit.* → **Abandonner, renoncer** (à).

10 (...) s'il arrivait que l'un cédât son droit à l'autre, afin que la cession fût valable, celui qui se démettait de son droit ôtait son soulier, et le donnait à son parent (...) BIBLE (SACY), Ruth, IV, 7.

CONTR. Accepter, garder, maintenir; demeurer, rester. ◊ **DÉR.** V. **Démission.** ⊸ **HOM. 1. Démettre.**

DÉMEUBLEMENT [demœbləmɑ̃] n. m. — 1636; de *démeubler.*

Vx. Action de démeubler; son résultat.

DÉMEUBLER [demœble] v. tr. — 1515; *desmobler* «dépouiller de ses biens», XIIIe; de 1. *dé-,* et *meuble.*

Rare. Enlever les meubles de (une pièce, une maison). → **Déménager, vider.**

1 Il veut rentrer chez lui; il y trouve des huissiers qui démeublaient sa maison de la part de ses créanciers. VOLTAIRE, Memnon.

◆ **DÉMEUBLÉ, ÉE** p. p. adj. *Appartement démeublé. Cette pièce est démeublée.* → **Vide.**

Fam. et vieilli. *Bouche, mâchoire démeublée,* dégarnie de dents.

2 En regardant les joues creuses et les lèvres enfoncées de ce vieil homme, le nouveau venu comprit que, dégarnies de leurs dents, ses mâchoires démeublées nécessitaient ce broiement préalable d'une miche transformée en rond de cuir. Georges LECOMTE, Ma traversée, p. 120.

CONTR. Garnir, meubler, remeubler. ◊ **DÉR. Démeublement.**

DEMEURANT, ANTE [d(ə)mœʀɑ̃, ɑ̃t] adj. et n. m. — XIIe, *demorant;* de *demeurer.*

♦ **1** Adj. Dr. Qui demeure, qui réside à tel endroit.

♦ **2** N. m. Vieilli. Ce qui demeure, ce qui reste. → **Reste.**

Une fleur de tant de mérite
Aurait terni le demeurant.
MALHERBE, *Sonnet à Rabelais.*

(Personnes). *Les demeurants d'une autre génération :* les survivants.

DEMEURANT (AU) [od(ə)mœʀɑ̃] loc. adv. — V. 1464, → cit. 1; de *au,* et *demeurer,* au p. prés.

Littér. ou didact. Pour ce qui reste (à dire); en ce qui concerne le reste; tout bien considéré. → **Ailleurs** (d'ailleurs), **fond** (au fond), **reste** (au reste, pour le reste), **somme** (en somme), **tout** (après tout). *Au demeurant, c'est un homme aimable.*

1 Et du fait du roy d'Angleterre ne leur challoit, au demourant, comme il en allast (...)
COMMYNES, I, 2, *in* LITTRÉ.

2 J'avais un jour un valet de Gascogne,
Gourmand, ivrogne, et assuré menteur,
Pipeur, larron, jureur, blasphémateur,
Sentant la hart de cent pas à la ronde,
Au demeurant le meilleur fils du monde (...)
MAROT, Épître, I, 14.

3 (...) malfaisant, pipeur, buveur, batteur de pavés, ribleur s'il en était à Paris; au demeurant, le meilleur fils du monde (...)
RABELAIS, Pantagruel, 16.

4 Mᵐᵉ Clot, bonne femme au demeurant, était bien la vieille la plus grognon que je connus de ma vie.
ROUSSEAU, les Confessions, I.

5 Au demeurant rien de moins apprêté, de plus spontané, de plus naïf.
GIDE, Journal, 13 mai 1931.

DEMEURE [d(ə)mœʀ] n. f. — XIIᵉ; de *demeurer.*

I ♦ **1** Vx. Le fait de demeurer (I., 2.), de tarder à faire quelque chose. → **Délai, retard.** *Faire une chose sans demeure,* sans retard. *Sans plus longue demeure.*

1 Voyons donc ce que c'est, sans plus longue demeure.
CORNEILLE, Mélite, III, 4.

Loc. mod. *Il y a péril en la demeure :* le moindre retard peut entraîner de graves inconvénients..., il y a danger à attendre. *N'allez pas si vite, il n'y a pas péril en la demeure.*

1.1 L'auscultation met les nerfs à l'épreuve. Pendant tout le temps qu'elle dure, on scrute du regard la physionomie du médecin. Quand on le connaît, on apprend à interpréter ses airs soucieux qui ne signifient pas forcément qu'il y ait péril en la demeure.
Jacques LAURENT, les Bêtises, p. 559.

♦ **2** (XIIIᵉ). Dr. EN DEMEURE : responsable du retard dans l'exécution d'une obligation.

2 Le débiteur est constitué en demeure, soit par une sommation ou par autre acte équivalent, soit par l'effet de la convention, lorsqu'elle porte que, sans qu'il soit besoin d'acte et par la seule échéance du terme, le débiteur sera en demeure.
Code civil, art. 1139.

Par ext. Obligation faite à qqn de mettre fin à son retard. Loc. *Mise en demeure :* sommation, commandement. *Mettre (qqn) en demeure de...,* le sommer d'exécuter sans tarder son obligation.

3 C'est (...) le créancier qui, en principe, met le débiteur en demeure, et non l'arrivée du terme. De là le brocard : «Dies non interpellat pro homine». Tant que le créancier garde le silence, on peut croire que le retard qui se produit ne lui cause aucun préjudice et qu'il autorise tacitement le débiteur à attendre.
M. PLANIOL, Traité élémentaire de droit civil, t. II, n° 168.

Par ext. et cour. *Mettre qqn en demeure d'exécuter ses engagements.* → **Enjoindre, ordonner, signifier, sommer.** *C'est une véritable mise en demeure.* → **Exigence, ultimatum.**

4 (les Gens de lettres) s'alarmèrent ou plutôt cabalèrent en exigeant qu'on mît l'artiste en demeure de livrer son œuvre «fin courant».
Georges LECOMTE, Ma traversée, p. 220.

Se mettre en demeure de faire qqch., se placer dans les conditions nécessaires pour le faire. → **Arranger** (s'arranger à), **faire** (faire en sorte de), **préparer** (se préparer à).

5 S'accoutumer à écrire comme on parle et comme on pense, n'est-ce pas déjà se mettre en demeure de bien penser?
SAINTE-BEUVE, Causeries du lundi, 12 nov. 1849, t. I, p. 92.

II ♦ **1** (Mil. XVIᵉ). Vieilli ou littér. Lieu construit dans lequel on vit. → **Domicile, foyer, gîte, habitation, logement, logis, maison, résidence, séjour.** *Établir sa demeure en province.* Choisir (cit. 20) *une demeure. Il a fait ici sa demeure.*

Mod. Maison (généralement belle ou importante). *Une demeure seigneuriale.* → **Château.**

6 Le choix d'une demeure aux humains inconnue
Assurait leur félicité.
LA FONTAINE, Fables, XII, 15.

7 La Renommée enfin commença de se plaindre
Que l'on ne lui trouvait jamais
De demeure fixe et certaine.
LA FONTAINE, Fables, VI, 20.

8 Où fait-il sa demeure? — Au pied de cette roche.
CORNEILLE, Œdipe, III, 4.

9 Cet hôtel de Mouhy (...) cet hôtel de Lyon (...) les agréables demeures que voilà!
MOLIÈRE, la Comtesse d'Escarbagnas, 2.

10 Dans ces maisons éparses et champêtres je plaçais en idée notre commune demeure.
ROUSSEAU, *in* LAFAYE, Dict. des synonymes, Maison, demeure.

11 Il s'arrêta devant une demeure, d'un type londonien banal, rigoureusement semblable à ses voisines, avec double véranda et portique d'entrée (...)
J. ROMAINS, les Hommes de bonne volonté, t. V, XXVI, p. 255.

12 Des celliers aux mansardes, elle avait exploré, pièce par pièce, les profondeurs de la vieille demeure (...)
H. BOSCO, le Mas Théotime, II, p. 53.

Par anal. Abri, retraite d'un animal. *La demeure souterraine du blaireau. La demeure du cerf.* → **Chambre, reposée.**

♦ **2** Fig. et littér. *La dernière demeure.* → **Tombeau.** *Accompagner, conduire qqn jusqu'à sa dernière demeure.*

La céleste demeure; les demeures éternelles. → **Ciel, paradis.** — *La sombre demeure.* → **Enfer.** — *Demeure sacrée* (→ Bétyle).

III Loc. adv. (Fin XVIIᵉ). À DEMEURE : d'une manière fixe, stable. → **Permanence** (en permanence). *Être nommé à demeure, dans un poste. S'installer à demeure à la campagne.*

13 Quand je retrouvais dans la poussière des bibliothèques d'Italie les chefs-d'œuvre de l'antiquité grecque, je n'étais pas à demeure dans ces bibliothèques.
P.-L. COURIER, Œuvres, I, 250, *in* LITTRÉ.

14 Tant qu'on fut dans les alizés de l'hémisphère nord, il put se tenir à demeure sur le pont, assis à l'ombre, respirant la bonne brise, s'intéressant à la manœuvre et causant avec des amis.
LOTI, Matelot, XLVI, p. 172.

Dr. *À perpétuelle demeure.* → **Définitivement.**

15 Le propriétaire est censé avoir attaché à son fonds des effets mobiliers à perpétuelle demeure, quand ils y sont scellés en plâtre ou à chaux ou à ciment, ou lorsqu'ils ne peuvent être détachés sans être fracturés et détériorés, ou sans briser ou détériorer la partie du fonds à laquelle ils sont attachés.
Code civil, art. 525.

DEMEURÉ, ÉE [d(ə)mœʀe] adj. → **Demeurer** (cit. 40 à 42).

DEMEURER [d(ə)mœʀe] v. intr. — XIIᵉ, *demorar, demourer;* lat. *demorari* «tarder», d'où «séjourner, habiter», de *de-,* et *morari,* de *mora* «retard, délai». → Moratoire.

I (Avec l'auxiliaire *avoir*). ♦ **1** Vx ou littér. S'arrêter, rester en un lieu. → **Rester.**

DEMEURER, RESTER. L'idée commune à ces deux mots est de ne pas s'en aller; et la différence consiste en ce que demeurer ne présente que cette idée simple et générale de ne pas quitter le lieu où l'on est; et que rester a de plus l'idée accessoire de laisser aller les autres.
LITTRÉ, Dict., art. *Demeurer.*

Demeurer chez soi : ne pas sortir, se montrer casanier, et aussi, ne pas quitter son pays. — Mod. (Littéraire ou régional). *Il ne peut pas demeurer en place :* il bouge, il voyage continuellement ; il est toujours en mouvement — *Demeurer en repos ; demeurer dans sa chambre.* → **Tenir** (se). — Rare. *Demeurer avec soi-même.*

2 (...) j'ai découvert que tout le malheur des hommes vient d'une seule chose, qui est de ne savoir pas demeurer en repos dans une chambre.   PASCAL, Pensées, II, 139.

3 Demeurez au logis, ou changez de climat (...)
     LA FONTAINE, Fables, I, 8.

4 Il s'en allait, et moi je restais (...) rien ne distrait les personnes qui demeurent (...)
     MARIVAUX, la Vie de Marianne, V (→ Aller, cit. 103).

♦ 2 Vieilli ou littér. Mettre du temps (à faire qqch.). → **Rester, tarder.** *Demeurer longtemps à table, à sa toilette.* → **Attarder** (s'). *Demeurer une heure à écrire. Il n'a demeuré qu'une heure à faire cela.* On dit aussi dans ce sens : *Il n'est demeuré qu'une heure...*

5 (...) je n'ai demeuré qu'un quart d'heure à le faire.
     MOLIÈRE, le Misanthrope, I, 2.

Rester (longtemps). *Demeurer longtemps en voyage, en route.*

♦ 3 Habiter, faire sa demeure. → **Être, gîter, habiter, loger, nicher, percher** (fam.), **résider, séjourner, tenir** (se), **vivre.** *Nous avons demeuré à Paris pendant plusieurs années. Demeurer à la campagne. Il demeure dans la grand-rue. Il demeure dans une avenue, sur une avenue, avenue de Paris, boulevard de la République. Demeurer rue Molière, numéro 12, au numéro 12. Aller demeurer avec qqn, chez qqn.*

6 DEMEURER, LOGER. Ces deux mots sont synonymes dans le sens où ils signifient la résidence ; mais demeurer se dit par rapport au lieu topographique où l'on habite, et loger par rapport à l'édifice où l'on se retire. On demeure à Paris, on loge au Louvre, à l'hôtel, etc. (Guizot).
     LITTRÉ, Dict., art. *Demeurer.*

7 — Êtes-vous de ce village ? — Oui, Monsieur. — Et vous y demeurez ? (...) vous n'êtes pas née pour demeurer dans un village. Vous méritez (...) une meilleure fortune (...)
     MOLIÈRE, Dom Juan, II, 2.

8 Pourquoi me tuez-vous ? — Eh quoi ? ne demeurez-vous pas de l'autre côté de l'eau ?
     PASCAL, Pensées (→ Assassin, cit. 7).

9 (...) nous y avons demeuré paisiblement et agréablement pendant sept ans, jusqu'à mon délogement pour l'Ermitage.   ROUSSEAU, les Confessions, VIII.

10 Cette ville *(Milan)* où je croyais ne pouvoir demeurer sans mourir, je ne puis la quitter sans me sentir arracher l'âme.
     STENDHAL, Souvenirs d'égotisme, p. 6.

11 Elle a une parente très bonne, qui lui offre de venir demeurer avec elle, et qui la soignera bien (...)
     G. SAND, la Petite Fadette, XXIX, p. 194.

REM. Sans être forcément archaïque ou littéraire, cet emploi est marqué par rapport à *habiter, loger*, etc. Il peut être senti comme régional ou populaire.

II (Avec l'auxiliaire *être*). ♦ 1 Vieilli ou littér. S'arrêter, rester (en un lieu, en un certain endroit). → **Rester.** *Demeurer à son poste. Demeurez ici. Demeurer à la même place.* → **Stationner.** *On l'a retenu, il est demeuré plus longtemps qu'il ne pensait. Demeurez là jusqu'à ce soir.* → **Attendre.**

12 Si tu veux demeurer, je vais quitter ce lieu.
     MOLIÈRE, Mélicerte, I, 1.

13 Il était demeuré là jusqu'à la nuit noire, absorbé dans une contemplation que l'ivresse inondait son âme d'une joie presque surhumaine.
     BOURGET, Un divorce, III, p. 118.

Il est demeuré en arrière. — Fig. *Demeurer en arrière ; demeurer en reste :* rester débiteur de qqn. *Ne pas demeurer en reste avec qqn,* lui rendre la pareille.

Hélas ! nous y sentions surtout certain besoin de ne pas demeurer en reste, en arrière, à l'écart (...)   14
     GIDE, Journal, 10 févr. 1929.

Vx. *Demeurer sur la place :* être tué, terrassé par l'ennemi. Impers. *Il est demeuré dix mille hommes sur la place.*

Il y demeura quelque cinq cents hommes sur la place.   15
     D'ABLANCOURT, Arrien, I, 10.

Demeurer en chemin. → **Arrêter** (s'). Fig. *Demeurer en chemin :* ne pas faire de progrès, ne pas poursuivre ce qui avait été décidé. *Ne demeurez pas en si beau chemin.*

C'est une chose si délicate que la réputation de ces Messieurs *(les officiers)* qu'ils aiment mieux passer le but que de demeurer en chemin.   16
     Mme DE SÉVIGNÉ, Lettres, 634, 6 août 1677.

Fig., mod. **EN DEMEURER LÀ :** ne pas donner suite à une affaire (→ En rester là). *En demeurer là d'un projet,* ne pas le poursuivre davantage. *Reprendre sa lecture au point où l'on en était demeuré.* — (Choses). *L'affaire n'en demeurera pas là,* elle aura des suites, des conséquences. *Les choses en demeurèrent là,* n'allèrent pas plus loin.

Cette affaire, venue au point où la voilà,   17
N'est pas assurément pour en demeurer là (...)
     MOLIÈRE, le Dépit amoureux, IV, 1.

Je vis bien que le roi n'était pas persuadé, mais je crus   18
qu'il n'y avait qu'à en demeurer là.
     Mme DE MAINTENON,
     Lettre au cardinal de Noailles, 25 mai 1698.

Loc. (où *demeurer* tend à être remplacé par *rester*). *Demeurer sur la bonne bouche :* ne plus prendre de nourriture, après une chose qui laisse un goût agréable, et, au fig., rester sur une bonne impression.

Demeurer sur son appétit. → **Appétit** (supra cit. 18). *Demeurer sur sa soif*. *Demeurer sur sa crainte.*

♦ 2 (Choses). Continuer d'exister. → **Durer** (I., 3.), **maintenir** (se), **persévérer, persister, rester, subsister, survivre, tenir.** *Les paroles s'envolent, les écrits demeurent. La cicatrice de sa blessure demeure toujours.* — Impers. *Il lui en est demeuré une cicatrice au visage.* — *Ce bâtiment est provisoire, il n'est pas fait pour demeurer. Ce qui demeure d'un ancien monument.* → **Ruine, vestige.** *Rien ne demeure plus de ce qui est passé. Il n'y demeurera pas un épi* (→ Épi). *Image, impression qui demeure dans la mémoire.*

Tout passe. — L'art robuste   19
Seul a l'éternité :
Le buste
Survit à la cité (...)
(...) Les dieux eux-mêmes meurent
Mais les vers souverains
Demeurent
Plus fort que les airains.
     Th. GAUTIER, Émaux et Camées, «L'Art».

Quand je vous livre mon poème,   20
Mon cœur ne le reconnaît plus :
Le meilleur demeure en moi-même,
Mes vrais vers ne seront pas lus.
     SULLY-PRUDHOMME, Stances et Poèmes,
     «Au lecteur».

Ce sont de ces heures divines qui demeurent au fond de   21
notre mémoire comme un trésor pour nous enchanter.
     M. BARRÈS, Un jardin sur l'Oronte, p. 1.

Rien ne demeure plus des jours de grandes vacances   22
qu'empourpraient les agonies solaires de l'Automne.
     Francis JAMMES, Almaïde d'Étremont, I.

Pourquoi certaines images demeurent-elles pour nous   23
aussi nettes qu'au moment de la vision, alors que d'autres, en apparence plus importantes, s'estompent puis s'effacent si vite ?   A. MAUROIS, Climats, I, II, p. 19.

Pièce qui demeure au théâtre, qui continue à être jouée. *Ce film est demeuré un mois sur, à l'écran.* → **Tenir.** — Absolt (vx) :

24 (...) il est arrivé de cette pièce ce qui arrivera toujours des ouvrages qui auront quelque bonté. Les critiques se sont évanouies ; la pièce est demeurée.
RACINE, *Britannicus*, 2ᵉ préface.

(Personnes). *Demeurer dans...* → **Persister ; persévérer...** *Demeurer dans sa conviction, dans son erreur...* → **Continuer** (à croire...) ; **entretenir, garder...** *Demeurer dans un état de péché.*

25 (...) jusques à quand demeurerez-vous *dans votre impureté ?* BIBLE (SACY), Jérémie, XIII, 27.

26 Eh bien ! puisque vous ne voulez pas m'écouter, demeurez dans votre pensée, et faites ce qu'il vous plaira.
MOLIÈRE, le Bourgeois gentilhomme, III, 10.

Spécialt. *Demeurer éternellement.* → **Survivre.**

27 L'Écriture dit que le Christ demeure éternellement, et celui-ci dit qu'il mourra. PASCAL, Pensées, VIII, 573.

28 Vous qui passez, venez à lui demeure.
HUGO, les Contemplations, III, IV.

♦ **3** Continuer à être (dans un état, une situation). (Personnes). *Ils sont demeurés à l'état sauvage. Vous ne pouvez demeurer en cet état. Demeurer sans secours* (→ Abandonné, cit. 16). *Demeurer les bras croisés.*

(Avec un adjectif attribut). *Demeurer étranger à la politique. Il préfère demeurer inconnu, obscur. Chacun demeure libre d'agir à sa fantaisie. Demeurer attaché, fidèle à ses habitudes. Demeurer silencieux.* → **Garder** (le silence). *Demeurer confus, interdit, stupide, bouche bée, interloqué ; immobile, froid, impassible, neutre ; ferme, inébranlable. Il demeure garant de sa probité. Demeurer responsable de ses actes.*

29 Car qui pensera demeurer neutre sera pyrrhonien par excellence. PASCAL, Pensées, VII, 434.

30 (...) il demeura stupide comme le Cinna de Corneille.
P.-L. COURIER, Lettre à M. Chlewaski, 8 janv. 1799.

31 Les hommes naissent et demeurent libres et égaux en droits.   Déclaration des droits de l'homme, art. 1ᵉʳ.

32 (...) sa pensée semblait loin et sa figure calme demeurait impassible.
MAUPASSANT, Contes, «L'auberge», p. 106.

33 En tout cas, si j'étais resté en Bretagne, je serais toujours demeuré étranger à cette vanité que le monde a aimée, encouragée, je veux dire à une certaine habileté dans l'art d'amener le cliquetis des mots et des idées.
RENAN, Souvenirs d'enfance..., III, I, p. 117.

34 Même depuis sa maladie, qui l'avait à demi paralysé, l'ardeur et la confiance de Pasteur demeuraient proverbiales.
Henri MONDOR, Pasteur, VIII, p. 135.

Demeurer court. → **Court** (cit. 23). *Demeurer d'accord* avec (qqn).*

(Choses). *Après la pluie, le terrain demeura longtemps inondé. Ce remède est demeuré inefficace. Votre raisonnement demeure obscur. Le temps demeura mauvais toute la matinée. La question demeure indécise. Son appartement est demeuré vide durant son absence.*

35 Votre concierge, voyant que les chambres demeuraient vides, en a meublé quelqu'une et l'a louée.
RACINE, Lettre, 3 oct. 1692.

36 (...) les sciences, séparées des lettres, demeurent machinales et brutes (...)
FRANCE, la Vie en fleur, VI, p. 77.

37 Et l'Agora demeura vide, comme une plage après la marée.
Pierre LOUŸS, Aphrodite, IV, III, p. 203.

38 C'est que Poirier était pour des raisons qui me sont toujours demeurées obscures, le plus «chahuté» de tous les professeurs.
G. DUHAMEL, Biographie de mes fantômes, X, p. 204.

♦ **4** (Choses). **DEMEURER À** (qqn) : rester la propriété, l'acquisition de (qqn). *Cette maison lui est demeurée de ses parents. Ce titre seul lui demeure. La victoire demeura au camp ennemi.* — Impers. *Il ne lui est rien demeuré de sa fortune.* → **Conserver, garder.**

39 Ecbatane est du moins sous mon obéissance :
C'est tout ce qui demeure aux enfants de Cyrus (...)
VOLTAIRE, les Scythes, II, 4.

♦ **DEMEURÉ, ÉE** p. p. adj. et n.
Intellectuellement retardé. → **Arriéré, attardé ; innocent, simple** (d'esprit).

40 (...) c'est un cas pour un médecin, cela a quelque chose de pathologique, c'est une espèce d'«innocente», de crétine, de «demeurée» comme dans les mélodrames ou comme dans l'*Arlésienne*.
PROUST, À la recherche du temps perdu, t. VIII, p. 128.

41 Au bout de quelques jours, les élèves, voyant qu'il n'était pas méchant, se dégelèrent et consentirent à lui parler, comme on parle à un copain un peu demeuré.
Claude COURCHAY, La vie finira bien par commencer, p. 26.

Fam. Inintelligent.

42 Est-elle tout à fait sotte ? Ou un peu demeurée ? Ou paralysée de timidité ?
S. DE BEAUVOIR, les Mandarins, p. 276.

CONTR. Aller (s'en aller), **décamper, déguerpir, démarrer, filer, partir, retirer** (se), **sortir ; vite** (faire vite) ; **dépêcher** (se). — **Changer, quitter.** — **Disparaître.** ◊ **DÉR. Demeurant, demeure.**

DEMI, IE [d(ə)mi] adj., n. et adv. — Fin XIᵉ ; du lat. pop. *dimedius*, lat. class. *dimidius*, de *dis-*, et *medius*, refait sur *medius*.

I Adj. Qui est la moitié d'un tout. ♦ **1** Devant le nom qu'il qualifie, et auquel il se rattache par un trait d'union, *demi* est toujours invariable. → **Hémi-, mi-, semi- ; moitié.** *Faites un tout tous les demi-centimètres. Un demi-verre d'eau. Parler à demi-voix, à demi-mot. Demi-pomme, demi-tartine.* → **Demi.**

1 Que ferez-vous de moi ? je ne saurais fournir
Au plus qu'une demi-bouchée.
Laissez-moi carpe devenir (...)
LA FONTAINE, Fables, V, 3.

2 (...) une demi-douzaine de consommateurs commentaient les nouvelles du quartier (...)
MARTIN DU GARD, les Thibault, t. VI, p. 284.

Par ext. Qui est incomplet, imparfait.

3 Je n'aime ni les demi-vengeances, ni les demi-fripons.
VOLTAIRE, l'Écossaise, II, 3 (éd. 1760).

4 En certains cas judiciaires, les demi-certitudes ne suffisent pas aux magistrats.
BALZAC, le Curé de village, Pl., t. VIII, p. 585. (→ Demi-certitude, cit.).

5 (...) une sorte de demi-conscience rudimentaire et collective (...)
Edmond JALOUX, Fumées dans la campagne
(→ Conscience, cit. 10 ; et aussi demi-conscience, cit.).

6 Je préfère une certitude horrible, faite d'abîmes et de négations, à vos demi-vérités (...)
André SUARÈS, Trois hommes, «Pascal», II, p. 41.

♦ **2** ET DEMI. Après le nom, auquel il se rattache par *et*, *demi* ajoute la moitié de ce qu'exprime ce nom (qu'on ne répète pas) et s'accorde en genre. *Une douzaine et demie* (une douzaine et une demi-douzaine). *Trois douzaines et demie. Un centimètre et demi. Tous les centimètres et demi. Une tonne et demie. Un jour et demi. Attendre une heure et demie. Il est une heure et demie. Huit heures et demie. Minuit, midi et demi.*
— REM. Dans l'usage actuel on rencontre *midi, minuit* et *demie* bien que ces noms soient du masculin, par analogie avec les autres heures.

7   Nous levâmes le camp, et nous cheminâmes pendant une
     heure et demie avec une peine excessive dans une arène
     blanche et fine.
                          CHATEAUBRIAND, Mémoires d'outre-tombe, t. II,
                                                              p. 373.
8   Il est minuit et demi.
                          G. DUHAMEL, les Tribulations de l'espérance,
                                                              p. 407.
9   Viens déjeuner chez les parents, à midi et demie (...)
                          G. DUHAMEL, Chronique des Pasquier, VI, I, p. 268.
10   À minuit et demie je vis s'avancer en rampant une forme
     allongée.   GIDE, Paludes, p. 146.

     Fig. (vx). Plus grand encore. Prov. *À trompeur, trom-
     peur* et demi.*

10.1 A Tartufe, Tartufe et demi, il n'y a pas de crime en poli-
      tique, il n'y a que des sottises.
                          F. MAURIAC, le Nouveau Bloc-notes 1958-1960,
                                                              p. 39.

     Ⅱ **Adv.** (XIIIᵉ). Devant un adj., un p. p., ou un n. expri-
     mant une qualité, et auquel il est rattaché par un trait
     d'union, *demi* est toujours invariable. À moitié. → **Mi-** ;
     → ci-dessous, IV., À demi. *Boîte demi-pleine, demi-
     remplie. Enfants demi-nus. Un être demi-femme,
     demi-poisson.*

11   Un amateur de jardinage,
     Demi-bourgeois, demi-manant (...)
                          LA FONTAINE, Fables, IV, 4.
12   Le quai de la Mergellina, où les lazzaroni demi-nus se
     cuisent et donnent à leur peau une patine de bronze.
                          Th. GAUTIER, Avatar, I.

     Par ext. À peu de chose près. → **Presque.**

13   La volatile malheureuse (...)
     (...) Traînant l'aile et tirant le pié,
     Demi-morte et demi-boiteuse,
     Droit au logis s'en retourna.
                          LA FONTAINE, Fables, IX, 2.
14   Fussiez-vous demi-pourris dans le tombeau, il vous res-
     suscitera.   BOSSUET, II, Pénitence, 2.
15   (...) j'aperçus les réverbères agités, dont la lumière demi-
     éteinte vacillait comme la petite lampe de ma vie.
                          CHATEAUBRIAND, Mémoires d'outre-tombe, t. VI,
                                                              p. 258.

     Ⅲ **Nom.** ◆ **1** **N.** (V. 1190, n. f. ; n. m., 1690). La moitié
     d'une unité. → **Moitié.** *Un demi ou 0,5 ou 1/2. Trois
     demis. On ne peut additionner les tiers avec les
     demis.* — La moitié d'un objet. *Vous prenez un
     pain ? — Non, un demi seulement. Vous prenez une
     baguette, ou une demie ?*

     ◆ **2** **N. m.** (1900). Verre de bière (qui contenait à l'ori-
     gine un demi-litre) ; contenu de ce verre. *Prendre,
     boire un demi. Un demi panaché*. Des demis.*

15.1 Je boirais bien un autre demi, mais pas panaché, un vrai
      demi de vraie bière.
                          R. QUENEAU, Zazie dans le métro, Folio, p. 51.

     ◆ **3** **N. m.** (1900, in Petiot). Sports (jeux de ballon). Joueur
     placé en position intermédiaire (entre les avants et
     les arrières), et participant à la fois à l'attaque et à
     la défense. *Demi gauche, demi droite ; demi-aile* (ou
     demi aile ; → Sweater, cit. 1). *Demi central.* → **Demi-
     centre.** *Au football, la ligne des demis* (ou *milieu de
     terrain,* ou *entrejeu*) *se compose de deux ou trois
     joueurs selon le système de jeu.* — (Au rugby) *Demi
     d'ouverture*. Demi de mêlée,* placé entre la mêlée
     et le demi d'ouverture. *Le demi de mêlée introduit
     le ballon dans la mêlée.*

15.2 (...) le demi d'ouverture trouve un trou dans l'adversaire,
      s'y jette et passe la balle ; la ligne arrière file en échelle
      derrière lui (...)
                          Jean PRÉVOST, Plaisirs des sports, p. 128.

     ◆ **4** **N. f.** (Av. 1450). Une demi-heure (après une heure
     quelconque). *Nous partirons à la demie, à la demie
     passée.*

(...) la haute horloge flamande de l'escalier qui, régulière-   15.3
ment, carillonnait l'heure, la demie et les quarts (...)
                          MAUPASSANT, Fort comme la mort, II, VI, p. 317.

Il faut aussi que la demie de sept heures ait sonné au   15.4
clocher bulbeux (...)
                          COLETTE, la Naissance du jour, p. 196.

Ⅳ **Loc. adv.** (1534). **À DEMI** : à moitié. Devant un adj.
ou un p. p. → **Mi-, semi-** — REM. *À demi* n'est pas suivi
de trait d'union. (Ne pas confondre avec l'adjectif *demi* :
parler à demi-mot). *À demi nu. À demi couvert. Porte
à demi peinte. Maison à demi détruite.*

(...) une vieille embarcation de la douane, à demi   16
pontée (...)
                          Alphonse DAUDET, Lettres de mon moulin,
                                                    «Les douaniers».

Une lourde porte de bois, arrondie dans le haut et cloutée   17
comme une porte de presbytère, était à demi ouverte.
                          ALAIN-FOURNIER, le Grand Meaulnes, XIII, p. 76.

Par ext. → **Partiellement, presque.** *Être à demi sourd ;
à demi mort. Travail à demi terminé. — Êtes-vous
satisfait ? — À demi.*

Un terrain couvert ou plutôt à demi couvert de geniè-   18
vres (...)
                          BUFFON, Expériences sur les végétaux, 2ᵉ mémoire.

Il existe une classe à demi vertueuse, à demi vicieuse,   19
à demi savante, ignorante à demi, qui sera toujours le
désespoir des gouvernements.
                          BALZAC, le Médecin de campagne, Pl., t. VIII,
                                                              p. 369.

Brave qui n'est pas bon n'est brave qu'à demi.   20
                          HUGO, la Légende des siècles, XVII,
                                                    «L'aigle du casque».

Après un verbe. *Ouvrir un tiroir à demi. Tirer un
rideau à demi. Je ne l'estime qu'à demi.*

(...) on ne pouvait ni l'estimer, ni le craindre, ni l'aimer,   21
ni le haïr à demi (...)
                          BOSSUET, Oraison funèbre de Michel le Tellier
                                                    (→ Aimer, cit. 17).

Il fermait à demi les yeux (...)   22
                          GIDE, les Faux-monnayeurs, I, XV, p. 180.

La jeune femme (...) puis son époux, s'excusant en passant   22.1
devant vous (...) referment à demi la portière qui était
restée grande ouverte depuis tout à l'heure, puis se hâtent.
                          Michel BUTOR, la Modification, p. 20.

Par ext. *Faire quelque chose à demi.* → **Imparfaite-
ment.**

Ceux qui font les révolutions à demi ne font que creuser   23
leurs tombeaux.
                          SAINT-JUST, in MICHELET,
                          Hist. de la Révolution franç., t. II, p. 780.

Lorsqu'on sent que l'on ne sera pas tout entier à son   24
ouvrage, il vaut mieux s'absenter et marcher, agir, pour
ne pas s'y mettre à demi.
                          A. DE VIGNY, Journal d'un poète, p. 166.

CONTR. Un, une. — Complet, entier, parfait, total. — Complètement, entièrement, totalement ; parfaitement. — Entier
(n. m.), entièreté, totalité.

DEMI- Élément, de l'adjectif *demi,* qui désigne la
     division par deux *(demi-douzaine)* ou le carac-
     tère incomplet, imparfait *(une demi-conscience).*
     → **Semi-.**

N. B. *Demi-* est invariable. *Demi-* est un élément très productif qui sert à former de nombreuses unités de discours.

◆ **1** Servant à former des substantifs ; outre les citations ci-
dessous et les composés traités à l'ordre alphabétique, on
peut noter *demi-justice* (Babeuf, 1795, in D.D.L.), *demi-
liberté* (1792, *ibid.*), *demi-lueur* (1770, Mercier, *ibid.*),
demi-misère (Balzac, Daudet, *ibid.*), *demi-obscurité*
(Restif de La Bretonne, 1769, in D.D.L.), *demi-peinture*
(Balzac), *demi-sacrifice* (Balzac), *demi-sauvagerie,
demi-science, demi-ténèbres* (Balzac), *demi-unité, demi-
vertu* (1862, in D. D. L., vx «demi-mondaine»).

(...) j'aurais feint d'incliner dans le sens d'une demi-   1
approbation pour voir jusqu'où serait allée la dame.
                          F. MAURIAC, Bloc-notes 1952-1957, p. 13.

2   Je les ai vite acculés à des attitudes évasives, à des silences
    significatifs, à des demi-aveux.
                        MARTIN DU GARD, les Thibault, t. IX, XV,
                                            Épilogue, p. 145.

3   Le demi-brouillard des soirs d'automne baignait les rues
    et collait aux vitres de l'auto.
                        Ph. HÉRIAT, les Enfants gâtés, p. 61.

3.1 La nuit, très courte à cette époque, mais éclairée de cette
    demi-clarté de la lune qui se tamise à travers les nuages,
    rendait la route praticable.
                        J. VERNE, Michel Strogoff, p. 215.

4   C'est le moment des demi-confidences. Mais il faut se dépê-
    cher d'en profiter. Elle m'y préparait en m'interrogeant (...)
                        CÉLINE, Voyage au bout de la nuit, p. 199.

4.1 Leur demi-courbette *(aux garçons)* était également éloignée
    de la platitude et de la hauteur. Ils donnaient à leur visage
    des plis intermédiaires entre le sourire sottement épanoui
    et la froideur.
                        Paul GUTH, le Naïf sous les drapeaux, I, I, p. 11.

5   La supériorité intellectuelle de Costals sur Solange, son
    égoïsme, ses bizarreries, l'écart d'âge entre eux, leurs
    façons si différentes de comprendre la vie, la demi-
    frigidité de Solange : ces circonstances étaient un peu les
    mêmes qui avaient assombri son propre mariage.
                        MONTHERLANT, le Démon du bien, p. 80.

5.1 Au milieu de sa demi-friponnerie comme négociant, M.
    Casimir Périer (...) savait vouloir.
                        STENDHAL, Vie de Henry Brulard, II, 265,
                                            in D.D.L., II, 2.

5.2 Florent, qui avait une belle main, préparait des modèles,
    des bandes de papier, sur lesquelles il écrivait, en gros et
    en demi-gros, des mots très longs, tenant toute la ligne.
                        ZOLA, le Ventre de Paris, t. I, p. 208.

5.3 L'ensemble du dessin grêle que projette la mouche ne se
    situe pas dans la zone la plus vivement éclairée du pla-
    fond, mais dans une frange de demi-lumière, large d'un
    à deux centimètres, bordant toute la périphérie du cercle,
    à la limite de l'ombre.
                        A. ROBBE-GRILLET, Dans le labyrinthe, p. 79.

6   Ajoutez que nous vivons, dans une lutte perpétuelle, dans
    une perpétuelle angoisse, entre le demi-luxe éphémère des
    places et la détresse des lendemains de chômage (...)
                        Octave MIRBEAU,
                        le Journal d'une femme de chambre, p. 279.

7   (...) une petite maison de demi-luxe, à tarifs modérés (...)
                        J. ROMAINS, les Hommes de bonne volonté,
                                            t. XXIV, p. 227.

8   Nous verrons bien si la nation se dressera, folle de colère,
    ou si elle consentira à redevenir cette demi-morte en proie
    aux homoncules, et si elle cédera de nouveau à la torpeur
    du désespoir.
                        F. MAURIAC, Bloc-notes 1952-1957, p. 143.

8.1 (...) maison à galeries autour d'un petit jardin de bana-
    niers, portes à demi-persiennes battantes, ventilateurs de
    plafond.   MALRAUX, Antimémoires, Folio, p. 162.

9   (...) la grosse Voisin beige (...) suivait, et ses phares, en
    demi-puissance posaient sur les yeux des chiens d'étranges
    reflets d'or (...)
                        M. DRUON, la Chute des corps, I, III, p. 30.

10 La plus importante partie de la fortune de Jacqueline (...)
    avait été engloutie (...)
    Jacqueline avait craint que cette demi-ruine n'eût la
    répercussions pénibles sur son ménage.
                        M. DRUON, la Chute des corps, IV, VIII, p. 339.

11 Entendons-nous, ajoutai-je pour donner une demi-
    satisfaction à ses idées morales (...) je ne veux pas dire
    qu'une jeune fille puisse tout faire...
                        PROUST, À la recherche du temps perdu, Pl., t. I,
                                            p. 941.

12 La Chambre, détendue par ses hurlements de l'heure pré-
    cédente (...) avait fait une espèce de demi-silence (...)
                        M. DRUON, la Chute des corps, III, XV, p. 290.

12.1 Les gouvernements avaient voulu concilier les partisans
    d'Hitler et ses adversaires, les partisans des blindés et leurs
    adversaires. Alors, on a mis un demi-soldat dans un demi-
    char, pour livrer un demi-combat.
                        MALRAUX, Antimémoires, Folio, p. 140.

    Spécialt (avec un nom désignant des personnes). *Un
    demi-artiste, un demi-écrivain :* une personne qui
    n'est pas vraiment, pas complètement artiste,

écrivain... — *Demi-camarade* (Balzac), *demi-crétin*
(Topffer, *in* D.D.L.), *demi-docteur* (Mercier),
demi-fripon (→ Demi, cit. 3), *demi-garçon* (Balzac,
«*demi-célibataire*»), *demi-gens de qualité* (1691,
Regnard), *demi-militaire, demi-ministre, demi-
poète.*

12.2 Ces demi-artistes sont d'ailleurs charmants.
                        BALZAC, la Cousine Bette, XVII, p. 249, *in* D.D.L.,
                                            II, 2.

13 (...) un garçon d'une quinzaine d'années, un de ces demi-
    idiots de village qui louchent un peu (...)
                        J. CAU, la Pitié de Dieu, p. 206.

14 J'ai peut-être aussi (...) une certaine tendresse pour les
    demi-ratés.
                        J. ROMAINS, les Hommes de bonne volonté,
                                            t. XXIII, p. 246.

15 Même avec un nom, une femme sans homme, c'est une
    demi-ratée, une espèce d'épave (...)
                        S. DE BEAUVOIR, les Belles Images, p. 201.

    Sc., techn. *Demi-chromosome* (1897), *demi-fuseau*
    (biol., id.).

    REM. Dans les composés scientifiques, *demi-* a souvent été
    remplacé plus tard par *semi-*. Ex. : *demi-conducteur*, n. m.
    (1890, *Année sc. et industr.* 1891, p. 157).

    ◆ **2** Servant à former des adj. «*Pâte demi-feuilletée*»
    (1750, *in* D.D.L.). «*Filasses demi-rouies*» (J. Lourd, *le
    Lin*, p. 118).

16 La matière de choix pour la gibeleterie est le cristal dont
    la fusion se fait encore en creuset demi-fermé.
                        F. MEYER et P. GRIVET, le Verre, p. 72.

DEMIARD [dəmjaʀ] n. m. — D. i.; moy. franç. *demion*
«1/2 pinte»; dial. (Normandie) «1/4 de litre» (Eure),
«1/4 de chopine» (Bray, Caux, Havre), du lat. *dimidius*
«demi».

Mod. Régional (Canada). Mesure de capacité pour
les liquides, valant la moitié d'une chopine* ou le
quart d'une pinte* (soit 0,284 litre). *Un demiard de
crème.*

DEMI-BAS [d(ə)miba] n. m. invar. — Fin XVIᵉ; de *demi-*,
et *bas.*

Vieilli. Bas qui ne monte que jusqu'à mi-jambe;
chaussette montante. → **Chaussette, mi-bas.** *Porter
des demi-bas.*

DEMI-BASTION [d(ə)mibastjɔ̃] n. m. — 1669, *in*
D.D.L.; de *demi-*, et *bastion.*

Fortif. Ouvrage analogue au bastion, mais composé d'une seule face et d'un seul flanc. *Des demi-
bastions.*

DEMI-BERLINE [d(ə)mibɛʀlin] n. f. → **Berline.**

DEMI-BOSSE [d(ə)mibɔs] n. f. — 1505; de *demi-*, et
bosse.

Didact. (arts). Sculpture en bas-relief très saillante
mais qui n'est pas détachée du fond. *Des demi-
bosses.*

Avec un bas-relief consacré à Diane et peut-être deux
figures de naïades sculptées en demi-bosse, on obtiendrait
un admirable lieu de retraite.
                        NERVAL, *la Bohème galante*, Promenades et
                        souvenirs, «Le divan», p. 244-245, *in* D.D.L., II, 3.

1. DEMI-BOTTE [d(ə)mibɔt] n. f. — 1690; de *demi-*,
et *botte.*

Escrime. Botte non poussée à fond. *Des demi-bottes.*

2. DEMI-BOTTE [d(ə)mibɔt] n. f. — Fin XIXᵉ; de *demi-*,
et *botte.*

Botte qui ne monte que jusqu'à mi-jambe. → **Bottine.** *Demi-bottes de cuir, à revers.*

1 Des demi-bottes en cuir ouvragé, et assez fortes de semelles, comme si elles eussent été choisies en prévision d'un long voyage, chaussaient ses pieds, qui étaient petits.   J. VERNE, Michel Strogoff, p. 59.

2 La tête à l'abri sous une capuche de toile cirée, les pieds au sec dans des demi-bottes de caoutchouc, elle laisse bravement se mouiller le reste qui sent la vache et le caillé (...)
     Hervé BAZIN, Cri de la chouette, p. 152.

DEMI-BOUTEILLE   [d(ə)mibutɛj] n. f. — 1816; de *demi-*, et *bouteille.*

Petite bouteille contenant environ 37 cl. → **Fillette** (pop.). *Des demi-bouteilles de bourgogne, de bordeaux.* — (Souvent abrégé en *une demie* suivi du cru, de la marque). *Une demie Vichy, une demie Château-Margaux.*

DEMI-BRIGADE   [d(ə)mibʀigad] n. f. — 1793; de *demi-*, et *brigade.*

♦ 1 Hist. Régiment français des premières guerres de la Révolution.

♦ 2 Mod. Réunion de deux ou trois bataillons sous les ordres d'un colonel. *Demi-brigade de parachutistes. Des demi-brigades.*

DEMI-CANAPÉ [d(ə)mikanape] n. m. — 1763, voir cit.; de *demi-*, et *canapé.*

Hist., techn. Meuble de repos, sorte de canapé court. *Des demi-canapés.*

Avant 1763 est apparu le demi-canapé, qui bientôt s'appellera marquise. Dès ses origines, il offre un trait particulier : son dossier, garni ou foncé de canne, revient en avant rejoindre le massif de raccordement de la ceinture avec chacun des deux pieds corniers.
     Guillaume JANNEAU, le Mobilier Français, p. 67.

DEMI-CANON [d(ə)mikanɔ̃] n. m. — Mil. XVIᵉ, Monluc; de *demi-*, et *canon.*

Hist. Courte pièce d'artillerie. *Des demi-canons.*

1. DEMI-CASTOR [d(ə)mikastɔʀ] n. m. — 1690, Furetière, art. *Castor;* de *demi-*, et *castor.*

Hist., techn. Tissu feutré où le poil de castor n'était employé qu'en dorure. *Des demi-castors.* Chapeau de feutre en poil de castor, mélangé à d'autres poils ou à de la laine.

2. DEMI-CASTOR   [d(ə)mikastɔʀ] n. m. — 1784; Regnard, «fille de petite vertu», 1695; de *demi-*, et *castor* (dans la série *castor fin, castor* et *demi-castor,* d'orig. obscure).

Fam. et vx (encore employé au XIXᵉ et au début du XXᵉ). Fille galante. *Des demi-castors.*

1 La duchesse hésitait encore, par peur d'une scène de M. de Guermantes, devant Balthy et Mistinguett, qu'elle trouvait adorables, mais avait décidément Rachel pour amie. Les nouvelles générations en concluaient que la duchesse de Guermantes, malgré son nom, devait être quelque demi-castor qui n'avait jamais été tout à fait du gratin.
     PROUST, le Temps retrouvé, Pl., t. III, p. 993.

2 Je crois qu'une définition du mot est presque inutile, tant il s'est acclimaté dans l'argot de Paris.
Le demi-castor est une femme qui, souvent a été du monde, qui a toujours l'air d'en être et qui, en réalité, n'est plus qu'une industrielle ou une industrieuse de l'amour, comme il vous plaira.
     GORON, l'Amour à Paris, t. I, p. 446.

DEMI-CENT   [d(ə)misɑ̃] n. m. — 1648, Scarron; de *demi-*, et *cent.*

Vx. Moitié d'une centaine. *«Ce demi-cent de gamins»* (Frappié, *in* T. L. F.). *Des demi-cents.*

HOM. Demi-sang.

DEMI-CENTRE [d(ə)misɑ̃tʀ] n. m. — 1902, *in* Petiot; de *demi-*, et *centre.*

Sports (football). Joueur placé au milieu du terrain (→ **Demi**) et dans son axe, dont le rôle est d'organiser la défense et de fournir la balle aux avants. *Jouer demi-centre. Elle est demi-centre dans l'équipe du lycée.* — Ellipt. *C'est un excellent demi.*

DEMI-CERCLE [d(ə)misɛʀkl] n. m. — 1538; *demy cercle,* v. 1327; de *demi-*, et *cercle.*

♦ 1 Moitié d'un cercle limitée par un diamètre; surface limitée par cette courbe et le diamètre. *Le demi-cercle mesure 180 degrés. En forme de demi-cercle.* → **Demi-circulaire.** *Couper, tailler en demi-cercle. Espace en forme de demi-cercle.* → **Demi-lune.**

1 Tout le reste *(du disque de la lune)* était obscur et ténébreux, et un petit demi-cercle recevait seulement (...) un ravissant éclat par les rayons du soleil.
     BOSSUET, Traité de la concupiscence, 22.

2 Adoum, qui s'y connaît, nous montre sur une aire de sable des traces de lion, toutes fraîches; on voit que le fauve s'est couché là; ces demi-cercles ont été tracés par sa queue.
     GIDE, Voyage au Congo, *in* Souvenirs, Pl., p. 846.

♦ 2 Instrument en forme de demi-cercle servant à mesurer les angles. → **Graphomètre, rapporteur.**

DEMI-CERTITUDE [d(ə)misɛʀtityd] n. f. — 1841; de *demi-*, et *certitude.*

Certitude qui n'est pas absolue, sur laquelle on ne peut se fonder entièrement. *Il ne peut organiser ce programme avec des demi-certitudes. Se contenter de demi-certitudes. Ce n'est déjà plus un doute, mais une demi-certitude.*

Malgré les sondages de la police, l'Instruction s'était arrêtée sur le seuil de l'hypothèse sans oser pénétrer le mystère, elle y trouvait tant de dangers! En certains cas judiciaires, les demi-certitudes ne suffisent pas aux magistrats.
     BALZAC, le Curé de village, Pl., t. VIII, p. 585.

DEMI-CHAÎNE [d(ə)miʃɛn] n. f. — 1870, P. Larousse; de *demi-*, et *chaîne.*

Technique (textile). Torsion du fil inférieure à celle des fils de chaîne. *Des demi-chaînes.*

DEMI-CIRCULAIRE   [d(ə)misiʀkylɛʀ] adj. — 1690; de *demi-*, et *circulaire.*

En forme de demi-cercle. → **Arciforme, arqué, courbé, semi-circulaire.** *Allée demi-circulaire. Salle, amphithéâtre demi-circulaire.* — Spécialt, anat. *Canaux demi-circulaires :* les trois conduits de l'oreille interne. → **Semi-circulaire.**

DEMI-CLEF ou DEMI-CLÉ [d(ə)mikle] n. f. — 1694 (*demi-clé,* 1845); de *demi-*, et *clef.*

Mar. Nœud dans lequel le brin libre du cordage passe sous le brin tendu autour de l'objet amarré. *Des demi-clefs, des demi-clés. Demi-clef gansée. Un tour mort et deux demi-clefs. Deux demi-clefs à capeler (nœud de cabestan).*

(...) Pencroff montrait une corde qui amarrait le câble sur la bitte même, pour l'empêcher de déraper.
«Comment, ce n'est pas vous? demanda Gédéon Spilett.
— Non! j'en jurerais. Ceci est un nœud plat, et j'ai l'habitude de faire deux demi-clefs.»
     J. VERNE, l'Île mystérieuse, t. II, p. 674.

DEMI-CLOISON [d(ə)miklwazɔ̃] n. f. — 1805, en hist. nat.; de *demi-*, et *cloison.*

Cloison (séparation) incomplète. — Cloison à mi-hauteur. *Des demi-cloisons.*

DEMI-COLONNE [d(ə)mikɔlɔn] n. f. — 1690; de *demi-*, et *colonne*.

Archit. Colonne engagée de la moitié de son diamètre. *Façade ornée de demi-colonnes.* — Imprim. Moitié d'une colonne (en largeur).

DEMI-COMMODE [d(ə)mikɔmɔd] n. f. — XVIIIᵉ; de *demi-*, et *commode*.

Arts décoratifs (mobilier). Petite commode fabriquée et disposée avec une autre avec laquelle elle forme la paire. *Une paire de demi-commodes Louis XVI.*

DEMI-CONFIDENCE [d(ə)mikɔ̃fidɑ̃s] n. f. — 1812; de *demi-*, et *confidence*.

Confidence partielle (Stendhal, *in* T. L. F.). *Faire des demi-confidences à qqn.*

DEMI-CONSCIENCE [d(ə)mikɔ̃sjɑ̃s] n. f. — Attesté 1884; «*dans la demi-conscience du réveil...*» (*Année sc. et industr.*, 1885, p. 415); de *demi-*, et *conscience*.

Conscience partielle, imparfaite. → **Subconscience.** *Des demi-consciences.*

Au bout de quelques minutes, le cœur et la poitrine immobilisés, Fogar conservait encore une demi-conscience de rêve accompagnée d'une sorte d'activité presque machinale. Il essayait dès lors de se mettre debout, mais après quelques pas, faits à la manière des automates, il retombait sur le sol faute d'équilibre.
Raymond ROUSSEL, Impressions d'Afrique, p. 349.

DEMI-COURONNE [d(ə)mikuRɔn] n. f. — 1723, Savary; de *demi-*, et *couronne*, trad. de l'angl. *half crown*.

Pièce britannique valant la moitié d'une couronne. *Deux demi-couronnes en argent.*

DEMI-DEUIL [d(ə)midœj] n. m. — 1758; de *demi-*, et *deuil*.

◆ **1** Deuil moins sévère qui suit le grand deuil, ou que l'on prend lorsque le défunt est un parent éloigné. *Les couleurs de demi-deuil sont : noir, blanc, gris, violet, mauve.* «*Ce gris, d'un demi-deuil éternel*» (→ Gris, cit. 20.1, Rodenbach). *Des demi-deuils.* — Appos. *Robe demi-deuil.*

C'était un cimetière modèle (...) Il y avait justement quelques pies pour attrister le lieu; le deuil, le demi-deuil était confié à ces oiseaux. Aucun monument, aucune fleur.
GIRAUDOUX, les Aventures de J. Bardini, p. 99-100.

◆ **2** (1909; *côtelette de veau en demi-deuil*, 1758). Cuis. *Poularde demi-deuil,* servie avec une sauce blanche aux truffes.

DEMI-DIEU [d(ə)midjø] n. m. — XIIIᵉ; de *demi-*, et *dieu* (cf. lat. *semideus*).

◆ **1** Personnage mythologique issu d'une mortelle et d'un dieu, d'une déesse et d'un mortel, ou divinisé pour ses exploits. → **Héros.** *Hercule était un demi-dieu. Les demi-dieux et les héros.*

1 Sa louve reposait comme celle de marbre
Qu'adoraient les Romains, et dont les flancs velus
Couvaient les demi-dieux Rémus et Romulus.
A. DE VIGNY, «la Mort du loup», I.

◆ **2** Littér. Homme exceptionnel par sa valeur, ou par l'adoration dont il est l'objet.

2 Je voudrais m'en tenir à l'antique sagesse,
Qui du sobre Épicure a fait un demi-dieu.
A. DE MUSSET, Poésies nouvelles, «L'espoir en Dieu».

DEMI-DOUBLE [d(ə)midubl] adj. — 1903; n. m. chez Saint-Simon (1740), «dégagement au fond d'un corridor»; de *demi-*, et *double*.

◆ **1** Liturgie. *Rite demi-double,* intermédiaire entre le rite simple et le rite double (Huysmans, *in* T. L. F.).

◆ **2** (1930, *in* T. L. F.). Techn. Se dit d'un verre, d'une vitre d'épaisseur intermédiaire entre celle du verre simple et du verre double. *Des verres demi-doubles.*

DEMI-DOUZAINE [d(ə)miduzɛn] n. f. — 1456, *demye douzaine*, Villon; de *demi-*, et *douzaine*.

Moitié d'une douzaine ou six unités. *Trois demi-douzaines d'huîtres.* — Approximativement six éléments (personnes ou choses) de même nature. *Une demi-douzaine d'amis, de consommateurs* (→ Demi, cit. 2).

DEMI-DROITE [d(ə)midRwat] n. f. — 1922; de *demi-*, et *droite*.

Géom. Portion de droite limitée à un point appelé origine. *La demi-droite Ox. Des demi-droites.*

DEMI-DUR, DURE [d(ə)midyR] adj. — 1905; de *demi-*, et *dur*.

Techn. Intermédiaire entre doux et dur. *Aciers demi-durs.*

Littér. «*Flocons* (de neige) *demi-durs*» (J. Romains, *in* T. L. F.).

DEMIE [d(ə)mi] n. f. → **Demi.**

DEMI-ÉCHEC [d(ə)mieʃɛk] n. m. — 1950, *in* D.D.L.; de *demi-*, et *échec*.

Échec presque total, quasi-échec. *Leur propagande est un demi-échec. Des demi-échecs.*

Les difficultés financières, liées au demi-succès ou, si vous préférez, au demi-échec électoral, auraient été aisément dominées, pour peu que nos directeurs eussent consenti au régime de la liberté surveillée.
F. MAURIAC, Bloc-notes 1952-1957, p. 216.

REM. Le mot est un quasi-synonyme de *demi-réussite*, *demi-succès*, mais les connotations sont inverses.

DÉMIELLER [demjele] v. tr. — 1771; de 1. *dé-*, et *miel*.

◆ **1** Enlever le miel de (la cire).

◆ **2** V. pron. (1916). Fam. (par euphém.). *Se démieller.* → **Démerder** (se).

DEMI-ENTIER, IÈRE [d(ə)miɑ̃tje, jɛR] adj. — XXᵉ; de *demi-*, et *entier*.

Sc. Se dit d'un nombre d'une valeur égale à la somme d'un nombre entier et de la fraction un demi.

DEMI-ESPACE [d(ə)miɛspas] n. f. — XXᵉ; de *demi-*, et *espace*.

Géom. Région de l'espace déterminée par un plan. *Des demi-espaces.*

DEMI-FIN, FINE [d(ə)mifɛ̃, fin] adj. et n. m. — 1834; de *demi-*, et *fin*.

◆ **1** Adj. Intermédiaire entre gros et fin. → **Mi-fin.** *Petits pois demi-fins. Aiguilles demi-fines.* — Techn. Qui contient la moitié de son poids d'alliage. *Bijouterie demi-fine.*

◆ **2** N. m. (1870). Alliage d'or. *Bracelet en demi-fin.*

DEMI-FINALE [d(ə)mifinal] n. f. — 1898; de *demi-*, et *finale.*

Sports. Avant-dernière épreuve (d'une coupe, d'un match, d'une compétition). *Notre équipe a remporté les quarts de finale et la demi-finale. Des demi-finales.*

DÉR. **Demi-finaliste.**

DEMI-FINALISTE [d(ə)mifinalist] n. — 1907, *in* Petiot; de *demi-finale.*

Sports. Personne, équipe admise à participer à une demi-finale. *Les demi-finalistes d'un tournoi de tennis.*

DEMI-FINI, IE [d(ə)mifini] adj. — xxᵉ; de *demi-*, et *fini.*

Rare (écon.). → **Semi-fini.** — N. m. «*Exportation au stade du demi-fini*» (Vasseur *et al.*, *Industrie de l'alimentation*, p. 114).

DEMI-FOND [d(ə)mifɔ̃] n. m. — 1897; de *demi-*, et *fond.*

Sports. *Course de demi-fond :* course de moyenne distance (entre 800 et 3 000 m), par opposition aux courses de fond (5 000 m, 10 000 m, marathon, etc.) et aux courses de vitesse (100 m, 200 m, 400 m, etc.). → Fond, grand fond.

DEMI-FORTUNE [d(ə)mifɔrtyn] n. f. — 1750; de *demi-*, et *fortune*, par métaphore.

Vx. Calèche tirée par un seul cheval (*in* Balzac, Flaubert). *Des demi-fortunes.*

DEMI-FRANC [d(ə)mifrɑ̃] n. m. — xxᵉ; de *demi-*, et *franc.*

Valeur de la moitié d'un franc; pièce de cette valeur. *Des demi-francs.*

DEMI-FRÈRE [d(ə)mifrɛr] n. m. — 1350; de *demi-*, et *frère.*

Frère par le père ou la mère seulement. *Demi-frère de même père.* → **Consanguin** (frère consanguin). *Demi-frère de même mère.* → **Utérin** (frère utérin). — *Elle a deux demi-frères.*

Il m'a dit un jour doucement : «Si tu mourais je perdrais tant qu'il faudrait bien que je te ressuscite. Nous ne sommes que demi-frères. Chacun n'a qu'une moitié de l'âme que nous sommes.»
H. BOSCO, *Un rameau de la nuit*, p. 309.

DEMI-GROS [d(ə)migro] n. m. invar. — 1754; de *demi-*, et *gros.*

Commerce intermédiaire entre la vente en gros et la vente au détail. *Maison qui fait du demi-gros.*

DÉR. **Demi-grossiste.**

DEMI-GROSSISTE [d(ə)migrosist] n. — 1955; de *demi-gros.*

Comm. Commerçant qui fait le demi-gros. *Des demi-grossistes.*

DEMI-GUÊTRE [d(ə)migɛtr] n. f. — 1856; de *demi-*, et *guêtre.*

Vieilli. Guêtre qui s'arrête au-dessus de la cheville. *Porter des demi-guêtres sur des chaussures de ville.*

DEMI-HEURE [d(ə)mijœr; dəmjœr] n. f. — 1610, *in* D. D. L.; *demie hure*, v. 1120; de *demi-*, et *heure.*

Moitié d'une heure ou trente minutes. *Attendez une demi-heure. Il passe un autobus toutes les demi-heures. Horloge qui sonne les demi-heures.* → **Demi** (la demie). *De demi-heure en demi-heure. Une grande demi-heure d'attente.*

(...) le premier cri des hommes de quart marquant les demi-heures de la nuit.
LOTI, *Mon frère Yves*, VI, p. 31.

DEMI-INTELLECTUEL, ELLE [d(ə)miɛ̃telɛktɥɛl] n. — xxᵉ; de *demi-*, et *intellectuel.*

Littér. Personne qui a les goûts, des prétentions d'intellectuel sans en être un. *Des demi-intellectuels.*

Les vacances du salarié épris de belles choses en 1955, les vacances du demi-intellectuel pauvre, mais désireux quand même de s'enrichir l'âme (...)
Jean DUTOURD, *les Horreurs de l'amour*, p. 361.

DEMI-JOUR [d(ə)miʒur] n. m. — Avant 1704; de *demi-*, et *jour.*

Clarté faible comme celle de l'aube ou du crépuscule. → **Crépuscule, pénombre** (→ aussi Demi-obscurité). *Demi-jour d'un sous-bois, d'un intérieur. Des demi-jours* (on trouve aussi, invar., *des demi-jour*).

Les brumes qui traînaient sur les vagues se déchirèrent, tout l'obscur bouleversement des flots s'étala à perte de vue dans un demi-jour crépusculaire (...)   1
HUGO, *Quatre-vingt-treize*, I, II, VII.

Un demi-jour rougeâtre tombant de haut ne formait plus   2
qu'une sorte de brouillard lumineux, composé de la fine poussière odorante et des impalpables vapeurs du bal.
E. FROMENTIN, *Dominique*, p. 184.

Figuré :

(...) les vérités qu'il contient (*le cœur*) sont du nombre de   3
celles qui demandent le demi-jour et la perspective.
CHATEAUBRIAND, *le Génie du christianisme*, t. II, III, 1.

DEMI-JOURNÉE [d(ə)miʒurne] n. f. — 1395, *demy journee*; de *demi-*, et *journée.*

Moitié d'une journée, matinée ou après-midi. *Ce travail sera fait dans la demi-journée.* — (1859, *in* D. D. L.). *Avoir un emploi à demi-journée.* → **Mi-temps.** — *Faire des demi-journées de couture à domicile.*

(...) je ne suis pas allé ce matin à l'usine. Parfaitement. Ça me tarabustait. J'ai préféré perdre ma demi-journée.
J. ROMAINS, *les Hommes de bonne volonté*, t. IV, III, p. 20.

DEMI-LIEUE [d(ə)miljø] n. f. — Mil. xIIᵉ, *demie liue*; de *demi-*, et *lieue.*

Vx. Moitié d'une lieue. *À une demi-lieue, à demi-lieue de... Des demi-lieues.*

DÉMILITARISATION [demilitarizasjɔ̃] n. f. — Fin xIxᵉ; de *démilitariser.*

Action de démilitariser. *La démilitarisation d'un pays.* → **Désarmement.**

CONTR. **Armement, militarisation.**

DÉMILITARISER [demilitarize] v. tr. — 1871; de 1. *dé-*, et *militariser.*

Priver (une collectivité, un pays, une zone) de sa force militaire. → **Désarmer.** «*Le Traité de Versailles avait démilitarisé la rive gauche du Rhin*» (J. Bainville).

CONTR. **Militariser; armer.** ◊ DÉR. **Démilitarisation.**

DEMI-LITRE [d(ə)militʀ] n. m. — 1795; de *demi-*, et *litre*.

Moitié d'un litre. *Il boit des demi-litres d'eau.*

DEMI-LONG, -LONGUE [d(ə)milɔ̃, lɔ̃g] adj. — 1863; de *demi-*, et *long*.

Entre long et court (d'un vêtement). *Jupe demi-longue. Vêtements demi-longs.*

DEMI-LONGUEUR [d(ə)milɔ̃gœʀ] n. f. — 1829, *in* D.D.L.; de *demi-*, et *longueur*.

Sports. *(Gagner) d'une demi-longueur,* de la moitié de la longueur du cheval, du bateau, etc., dans une course. *Des demi-longueurs.*

DEMI-LUNE [d(ə)milyn] n. f. — 1553; de *demi-*, et *lune*.

♦ 1 Fortif. Ouvrage extérieur, autrefois demi-circulaire, aujourd'hui triangulaire, destiné à couvrir la contrescarpe et le fossé. → **Ravelin**. *Des demi-lunes.*

1 — Te souvient-il, vicomte, de cette demi-lune que nous emportâmes sur les ennemis au siège d'Arras?
— Que veux-tu dire avec ta demi-lune? C'était bien une lune tout entière.
MOLIÈRE, les Précieuses ridicules, 11.

♦ 2 Espace en forme de demi-cercle devant un bâti-ment, une entrée, au carrefour de plusieurs che-mins.

Dans un jardin, Espace de forme demi-circulaire, orné de statues, de jets d'eau, etc.

2 Toute cette demi-lune est pleine de pots d'orangers, dont plusieurs viennent de Provence : voilà ce que notre par-terre de houx n'avait jamais cru pouvoir devenir.
Mᵐᵉ DE SÉVIGNÉ, Lettre à Mᵐᵉ de Grignan,
29 mai 1689, *in* D.D.L., II, 14.

♦ 3 (En parlant de la lune elle-même).

3 La belle demi-lune, comme une coupe au-dessus du fleuve, verse sur les eaux sa clarté.
GIDE, Voyage au Congo, *in* Souvenirs, Pl., p. 713.

Par métaphore :

4 (...) cette robe à fleurs violettes et jaunes dont le fond noir n'était pas exactement noir mais de ce vert sombre que prennent ces sortes de tissus bon marché en se fanant, et sous chaque aisselle deux larges demi-lunes couleur d'encre (...)   Claude SIMON, le Vent, p. 76.

♦ 4 Adj. invar. Demi-circulaire (meubles). *Table, com-mode demi-lune.*

DEMI-MAL [d(ə)mimal] n. m. — 1773, *in* D.D.L.; de *demi-*, et *mal*.

Inconvénient moins grave que celui qu'on pré-voyait. — *Est-il blessé? — Non, il n'y a que demi-mal* (inusité au pluriel).

DEMI-MESURE [d(ə)mim(ə)zyʀ] n. f. — 1768; de *demi-*, et *mesure*.

♦ 1 Techn. Moitié d'une mesure. *Des demi-mesures de graines.*

♦ 2 (1800). Cour. Moyen insuffisant, provisoire, tran-sitoire. → **Compromis**. *La situation actuelle nous oblige à prendre des demi-mesures dépourvues d'ef-ficacité.*

1 (...) les ruses, les mensonges, les trahisons, les demi-mesures qui dans le danger de la patrie sont l'équivalent de la trahison.
JAURÈS, Hist. socialiste..., t. IV, p. 150.

♦ 3 Ce qui est incomplet, insuffisant. *C'est tout ou rien : il a horreur des demi-mesures.*

2 Mon âge n'est plus celui des demi-mesures et des demi-attachements, il me faut le bonheur à pleins bords ou le désespoir à pleins bords.
MONTHERLANT, les Jeunes Filles, p. 156.

♦ 4 (Mil. xxᵉ). Confection de costumes d'hommes d'après les mesures principales. *La demi-mesure et le sur-mesure. S'habiller en demi-mesure.*

DEMI-MÉTAL [d(ə)mimetal] n. m. — 1690; de *demi-*, et *métal*.

Chim. Substance qui possède les propriétés métal-liques à l'exception de la ductilité et de la fixité. *Des demi-métaux.*

DEMI-MONDAINE [d(ə)mimɔ̃dɛn] n. f. — 1866; de *demi-*, et *mondaine*.

Femme de mœurs légères, qui participe à la vie mondaine. → **Courtisane**; demi-castor (vx); fam. **biche, cocotte, poule.** — On emploie plus rarement *demi-mondain*, adj. «qui appartient au demi-monde», et *demi-mondain*, n. m. *«des comités de... mondains, de demi-mondains»* (R. Rolland).

— Est-ce que des hommes vous suivent?
— Très souvent. Il est facile de me prendre pour une demi-mondaine.   J. RENARD, Journal, 11 avr. 1900.

DEMI-MONDE [d(ə)mimɔ̃d] n. m. — 1789, *in* D.D.L.; de *demi-*, et *monde*.

Société de femmes légères, de mœurs équivoques, et de ceux qui les fréquentent. *Les demi-mondes.*

1 Lui *(Gavarni)* et Balzac, ils se mirent à peindre et sil-houetter dans tous les sens la société, à tous ses étages, le monde, le demi-monde et toutes les espèces de mondes (...)
SAINTE-BEUVE, Nouveaux lundis, t. VI, «Gavarni», I.

2 Il avait eu, chez les femmes du demi-monde, des aventures rapides dues à sa renommée, à son esprit amusant, à sa taille d'athlète élégant et à sa figure énergique et brune.
MAUPASSANT, Fort comme la mort, éd. 1889, p. 21.

DEMI-MORT, -MORTE [d(ə)mimɔʀ, mɔʀt] adj. — 1549; à demimort, 1538; de *demi-*, et *mort*.

Littér. À moitié mort, très mal en point. *Ils sont demi-morts de froid.* — REM. Ne pas confondre avec la loc. adv. *à demi* devant l'adj. *mort : ils sont à demi morts de froid.*

(...) Et, sur le couple pâle et déjà demi-mort,
Fait tomber à deux mains l'effroyable tonnerre.
BOILEAU, le Lutrin, V.

DEMI-MOT [d(ə)mimo] n. m. — 1654; de *demi-*, et *mot*.

♦ 1 Littér. (en gén. au plur.). Mot choisi dans le dessein d'atténuer une expression trop brutale (→ **Euphé-misme**) ou de dissimuler sa pensée à quelque partie de son auditoire.

1 Après avoir cherché des demi-mots pour mitiger l'annonce fatale, il finit cependant par lui tout dire.
STENDHAL, la Chartreuse de Parme, Pl., t. II, p. 358.

1.1 Il y a de bons et de mauvais chefs — qu'ils soient sortis du rang, ou qu'ils aient de l'éducation : je suis un bon chef, c'est-à-dire un fin démagogue. Comprenez mes demi-mots.
DRIEU LA ROCHELLE, la Comédie de Charleroi,
p. 167.

♦ 2 Loc. adv. (1538). Cour. À *demi-mot* [ad(ə)mimo] : sans qu'il soit nécessaire de tout exprimer. *Il a l'esprit vif et entend à demi-mot. Comprendre une lettre à demi-mot* (→ Lire entre les lignes*).

2 J'entends à demi-mot où va la raillerie.
MOLIÈRE, Sganarelle, 6.

DEMI-MUID [d(ə)mimɥi] n. m. — xvᵉ; de *demi-*, et *muid*.

Futaille dont la contenance est la moitié de celle du muid (→ Muid). *Des demi-muids.*

DEMI-MUR [d(ə)mimyʀ] n. m. — Av. 1973; de *demi-*, et *mur*.

Techn. Élément de construction préfabriquée correspondant à une section de mur dont l'une des faces seulement est finie. *Des demi-murs.*

DÉMINAGE [deminaʒ] n. m. — V. 1945; de *déminer*. Opération par laquelle on démine un terrain. *Le déminage des plages après la fin de la guerre.*

DÉMINER [demine] v. tr. — Mil. XXᵉ; de 1. *dé-*, et *miner*. Débarrasser (un terrain, une zone, une partie de la mer) des mines qui en interdisent l'accès.

DÉR. Déminage, démineur.

DÉMINÉRALISANT, ANTE [demineʀalizã, ãt] adj. — XXᵉ; p. prés. de *déminéraliser*. Qui déminéralise. *Les acides sont déminéralisants.* — N. m. *Un déminéralisant.*

DÉMINÉRALISATION [demineʀalizasjɔ̃] n. f. — 1890, in D.D.L.; dér. de 1. *dé-*, et *minéralisation*, ou de *déminéraliser*.

♦ **1** Méd. Élimination excessive des substances minérales nécessaires à l'organisme (chez les vieillards, certains malades). *Déminéralisation par élimination du calcium.* → **Décalcification.**
Retournez-vous sur votre oreiller et dormez, ce qui sera excellent contre la déminéralisation de vos cellules nerveuses.
PROUST, *le Côté de Guermantes*, I, 1920, p. 81, *in* T.L.F.

♦ **2** (1956). Techn. Élimination des sels minéraux contenus dans l'eau (au moyen d'échangeurs d'ions).

DÉMINÉRALISER [demineʀalize] v. tr. — Fin XIXᵉ; de 1. *dé-*, et *minéraliser*.

♦ **1** Méd. Faire perdre les sels minéraux à (l'organisme). Absolt. *Le citron déminéralise.* — Pron. *Son organisme se déminéralise; il se déminéralise.*

♦ **2** (1966). Éliminer de l'eau les sels minéraux.

♦ **DÉMINÉRALISÉ, ÉE** p. p. adj.
Qui a perdu les sels minéraux essentiels. — Qui a été soumis à un traitement de déminéralisation. *Eau déminéralisée pour les fers à repasser à vapeur.*

DÉR. Déminéralisant. — V. Déminéralisation.

DÉMINEUR [deminœʀ] n. m. — V. 1945; de *déminer*. Technicien du déminage. — REM. Le fém. *démineuse* est virtuel.
L'autre rive était en effet plate pendant vingt kilomètres, jusqu'aux montagnes d'où étaient arrivés le lendemain de l'accident les parents du démineur.
M. DURAS, *les Petits Chevaux de Tarquinia*, p. 10.

DE MINIMIS NON CURAT PRÆTOR [deminimi snɔnkyʀatpʀetɔʀ] Locution latine signifiant : «le préteur ne s'occupe pas des petites choses». On l'emploie, parfois ironiquement, pour faire entendre qu'un grand personnage n'a pas le temps de s'intéresser aux menus détails, qu'il doit en être déchargé par ses subordonnés.

DEMI-PÂTE [d(ə)mipat] n. f. — XVIIIᵉ; de *demi-*, et *pâte*.
→ **Pâte** (B., 1.; *supra* cit. 10). *Des demi-pâtes.*
Les hommes de Daniel : ils étaient préparés très heurtés (...) Pour les achever, jetez sur le premier un ton *vert à demi-pâte*, sur l'autre un ton *gris violet*.
E. DELACROIX, *Journal 1850-1854*, 5 mai 1851.

DEMI-PAUSE [d(ə)mipoz] n. f. — 1705; de *demi-*, et *pause*.

Mus. Silence équivalant à la moitié d'une pause (égal à une blanche) ou deux temps, représenté par un petit trait sur la troisième ligne de la portée. *La demi-pause a la durée de deux soupirs. Des demi-pauses.*

DEMI-PENSION [d(ə)mipãsjɔ̃] n. f. — 1690, Furetière; de *demi-*, et *pension*.

♦ **1** Pension partielle, dans laquelle on ne prend qu'un repas. *Prendre une demi-pension dans un restaurant.* — Par métonymie. Somme versée pour cet hébergement. Établissement qui pratique ce type d'hébergement. *Des demi-pensions.*

♦ **2** *Demi-pension dans un établissement scolaire :* pension qui ne comporte que le repas de midi (opposé à *externat, internat*). — Ce que paye un demi-pensionnaire. *Mille francs de demi-pension par semaine.*

DÉR. Demi-pensionnaire.

DEMI-PENSIONNAIRE [d(ə)mipãsjɔnɛʀ] n. — 1798; de *demi-pension*, d'après *pensionnaire*.
Élève qui prend le repas de midi dans un établissement scolaire. *Les demi-pensionnaires n'ont pas le droit de sortir entre le déjeuner et les cours de l'après-midi.*

CONTR. Externe, interne.

DEMI-PIÈCE [d(ə)mipjɛs] n. f. — 1723, in D.D.L.; de *demi-*, et *pièce*.

♦ **1** La moitié d'une pièce d'étoffe sortant de la fabrique. *Des demi-pièces.*

♦ **2** Fût de vin d'environ 110 litres.

DEMI-PIQUE [d(ə)mipik] n. f. — 1606; de *demi-*, et *pique*.
Hist. milit. Pique à manche court (utilisée dans l'infanterie au XVIIᵉ siècle). *Des demi-piques.*

DEMI-PIROUETTE [d(ə)mipiʀwɛt] n. f. — 1690, Furetière, art. *Pirouette*; de *demi-*, et *pirouette*.
Équit. Figure de haute école consistant en un demi-tour sur les hanches. *La demi-pirouette, comme la pirouette, appartient à l'équitation supérieure. Des demi-pirouettes.*
Dans la pirouette comme dans la demi-pirouette, les deux antérieurs et le postérieur extérieur tournent autour du postérieur intérieur qui forme pivot. Ce postérieur doit se poser dans sa trace chaque fois qu'il s'est élevé.
Henri AUBLET, *l'Équitation*, p. 96.

DEMI-PLACE [d(ə)miplas] n. f. — 1840, in D.D.L.; de *demi-*, et *place*.
Place que l'on paie moitié prix dans les transports, les spectacles... et dont bénéficient certaines catégories de personnes. → **Demi-tarif.** *Les enfants paient demi-place dans les trains. Prenez deux demi-places et une place entière.*
LEDINGER. — Il avait déchiré des papiers, m'a-t-on dit?
WALDORF. — Rien d'important. Sa carte d'entrée gratuite dans les musées allemands, ses permis de demi-place pour l'Opéra et pour le canotage sur les lacs bavarois.
GIRAUDOUX, *Siegfried et le Limousin*, IV, 2.

DEMI-PLAN [d(ə)miplã] n. m. — 1922; de *demi-*, et *plan*.
Géom. Portion de plan située d'un même côté d'une droite de ce plan. *Des demi-plans.*

DEMI-POINTE [d(ə)mipwɛ̃t] n. f. — 1935, Encycl. De Monzie; de *demi-*, et *pointe*.

Chorégr. Position du pied soulevé reposant sur les phalanges à plat, comme lorsqu'on marche sur la pointe des pieds (alors que dans les *pointes*, les phalanges sont verticales). *Faire des demi-pointes.*

DEMI-PORTE [d(ə)mipɔʀt] n. f. — 1882, *in* D.D.L.; de *demi-*, et *porte*.

L'une des deux parties d'une porte formée de deux panneaux verticaux autonomes. *Des demi-portes battantes.*

DEMI-PORTION [d(ə)mipɔʀsjɔ̃] n. f. — 1915; de *demi-*, et *portion*.

Fam. et péj. Personne petite, insignifiante (qui n'aurait droit qu'à la moitié d'une portion au repas). *Bande de demi-portions!*

(...) ils ont entouré brusquement le gamin qu'ils appelaient Lulu une demi-portion il a crié les autres cognaient dessus à toute volée (...)
Tony DUVERT, *Paysage de fantaisie*, p. 71.

DEMI-PRODUIT [d(ə)mipʀɔdɥi] n. m. — 1929, *in* D.D.L.; de *demi-*, et *produit*.

Écon. Produit qui doit subir un nouveau traitement avant d'être utilisé; produit semi-fini. *Les demi-produits et les produits finis.*

DEMI-QUART [d(ə)mikaʀ] n. m. — 1606, *demy-quart*; de *demi-*, et *quart*.

♦ **1** Moitié d'un quart, ou 62,5 g (demi-quart de la livre). *Des demi-quarts de beurre.*

♦ **2** Vx. Moitié d'un quart (d'heure). — Moitié d'un quart (de cercle).

Mar. Moitié d'un quart, d'un rhumb; soixante-quatrième partie d'un tour complet d'horizon (soit 5°37'15").

Je n'estime pas à moins de six à sept mille milles la distance parcourue par le ballon, et, pour peu que le vent ait varié d'un demi-quart, il a dû nous porter soit sur l'archipel de Mendana, soit sur les Pomotou (...)
J. VERNE, *l'Île mystérieuse*, t. I, p. 109.

DEMI-QUEUE [d(ə)mikø] n. f. — 1606; de *demi-*, et *queue*.

♦ **1** (1606). Tonneau dont la capacité est de la moitié d'une queue. *Des demi-queues.*

♦ **2** (1929). En appos. *Piano demi-queue*, de grandeur intermédiaire entre le piano à queue et le piano quart-de-queue.

N. m. *Jouer sur un demi-queue.*

Il tenait trop à ses instruments... Il en rachetait même encore d'autres... des pianos surtout... Le dernier un Pleyel, un parfait demi-queue au prix fort, un modèle galbé de chez Maxon, une fantaisie.
CÉLINE, *Guignol's band*, p. 184.

DEMI-RELIURE [d(ə)miʀəljyʀ] n. f. — 1829, Balzac; de *demi-*, et *reliure*.

Reliure où seul le dos du livre est en peau, les plats étant recouverts de papier ou de tissu (parfois à l'exception des coins). *Des demi-reliures.* — Opposé à *reliure pleine*.

Vous m'obligerez beaucoup de presser cette demi-reliure et j'espère que vous ne me ferez pas trop attendre mon Voltaire.
BALZAC, *Correspondance*, 1829, p. 386, *in* T.L.F.

DEMI-ROND [d(ə)miʀɔ̃] n. m. — 1846, Bescherelle; de *demi-*, et *rond* (adj.).

Couteau de corroyeur à lame en forme de demi-cercle. *Des demi-ronds.*

DEMI-ROND, -RONDE [d(ə)miʀɔ̃, ʀɔ̃d] adj. — 1771; de *demi-*, et *rond* (adj.).

Rare. Demi-circulaire.

DEMI-RONDE [d(ə)miʀɔ̃d] n. f. — 1764; de *demi-*, et *rond* (adj.).

Techn. Lime dont une face est plate et l'autre arrondie. *Des demi-rondes.*

DÉMIS, ISE [demi, iz] adj. — 1580, «détruit»; p. p. de *démettre*.

Déplacé, luxé (os, articulation). *Remettre en place un poignet démis.*

DEMI-SAISON [d(ə)misɛzɔ̃] n. f. — 1842; de *demi-*, et *saison*.

(Surtout dans la loc. : *de demi-saison*). Période tempérée entre le froid de l'hiver et la chaleur de l'été; automne, printemps. *Des demi-saisons. Vêtement de demi-saison*, ni trop léger, ni trop chaud.

Elle était vêtue d'une robe de velours bleu, sous un mantelet de demi-saison.   1
Louise MICHEL, la Misère, t. III, p. 674.

Son complet de demi-saison lui avait pesé soudain aux   2
épaules, et le tailleur était venu (...)
GIRAUDOUX, *Provinciales*, p. 158.

DEMI-SANG [d(ə)misɑ̃] n. m. — 1836; de *demi-*, et *sang*.

Cheval issu de reproducteurs dont un seul est de pur sang, ou de deux demi-sang (contr. : *pur-sang*). — En appos. ou précédé de *de* sans article. *Cheval demi-sang, de demi-sang. Des demi-sangs* ou, invar., *des demi-sang.*

Les chevaux dormaient, étendus sur leur paille tressée, calmes tous quatre, les deux pur-sang, le demi-sang, et le cob.
GIRAUDOUX, *Églantine*, p. 119.

HOM. Demi-cent.

DEMI-SAVANT [d(ə)misavɑ̃] n. m. — 1668; de *demi-*, et *savant*.

Homme qui se dit savant mais dont la culture scientifique n'est pas celle d'un savant. → aussi **Demi-intellectuel.** *Des demi-savants autodidactes.*

(...) je m'étonne qu'il y en ait d'assez hardis pour braver l'ignorance de la multitude et la censure dangereuse des demi-savants qui corrompent quelquefois le jugement du public.
A. R. LESAGE, *Gil Blas*, VII, VI.

DEMI-SAVOIR [d(ə)misavwaʀ] n. m. — 1762; de *demi-*, et *savoir*.

Savoir imparfait, insuffisant. *Des demi-savoirs.*

Il n'y a que le demi-savoir et la fausse sagesse qui, prolongeant nos vues jusqu'à la mort, et pas au-delà, en font pour nous le pire des maux.
ROUSSEAU, *Émile*, II, p. 65.

DEMI-SEC [d(ə)misɛk] adj. — XXᵉ; de *demi-*, et *sec*.

Se dit d'un vin plus sucré qu'un vin sec, mais moins qu'un vin doux. *Champagne demi-sec. Blanc demi-sec.* — N. m. *Une bouteille de demi-sec. Des demi-secs.*

DEMI-SEL [d(ə)misɛl] adj. et n. m. invar. — 1842, *porc au demi-sel*; comp. de *demi-*, et *sel*.

1 Adj. Qui n'est que légèrement salé. *Beurre demi-sel* (opposé à *beurre doux* et à *beurre salé*).

Jusqu'à ce couvert de campagne, ces verres propres, cette   1
fraîche assiettée de beurre demi-sel, cette cruche à cidre,
qui aidaient à l'intimité de cette table éclairée par une
lampe (...)
HUYSMANS, *Là-bas*, V, p. 57.

Fromage demi-sel et, subst. (1929), *un demi-sel* : fromage gras et frais légèrement salé.

II N. m. invar. (1894, «homme qui exerce un métier régulier mais vit aussi de proxénétisme»; de *(beurre) demi-sel*, proprt «ni salé, ni pas salé»). Argot. et péj. Homme, garçon qui affecte d'être du milieu sans se comporter comme le milieu l'exige; faux souteneur. *Des demi-sel.*

2 Robinson, je me disais encore... je l'ai pris longtemps pour un gars d'aventure, c'est rien qu'un demi-sel...
CÉLINE, Voyage au bout de la nuit, p. 355.

3 Et là-bas, eux, comment imagineraient-ils la Huchette, le poste de secours improvisé dans le cloître de Saint-Séverin, le curé avec ses allures d'aumônier baroudeur, les petits gars à tête de demi-sel qui font le tri des armes «prises à l'ennemi»?
François NOURISSIER, Allemande, p. 275.

DEMI-SIÈCLE [d(ə)misjɛkl] n. m. — 1616, *in* D.D.L.; de *demi-*, et *siècle*.

Moitié d'un siècle. *Trois demi-siècles ou un siècle et demi.*

DEMI-SŒUR [d(ə)misœʀ] n. f. — 1424, *demie-sœur;* de *demi-*, et *sœur*.

Sœur par le père ou la mère seulement (→ **Demi-frère**), opposé à *sœur* (sœur germaine). *Il a deux demi-sœurs.*

DEMI-SOLDE [d(ə)misɔld] n. — 1779, *in* D.D.L.; de *demi-*, et *solde*.

♦ **1** N. f. Solde réduite d'un militaire en non-activité. *Des demi-soldes.*

1 En 1830, il avait cru de son devoir de priver le gouvernement de sa vaillante lance et s'était retiré à la demi-solde.
Louise MICHEL, la Misère, t. I, p. 235.

♦ **2** N. m. invar. *Un demi-solde* : militaire qui touche une demi-solde. *Des demi-solde* : des militaires en demi-solde. — REM. Le plur. régulier serait plus normal. (1815, *in* D.D.L.). Spécialt. Soldat de l'Empire, mis en disponibilité sous la Restauration.

Par anal. Personne arbitrairement exclue d'un groupe, d'un mouvement.

2 Quand cette paix boiteuse eut été signée, quand M. de Pressensé fut devenu un demi-solde du dreyfusisme, il perdit complètement le nord.
Ch. PÉGUY, l'Argent, p. 1234, *in* T.L.F.

DEMI-SOMMEIL [d(ə)misɔmɛj] n. m. — 1697, Bossuet; de *demi-*, et *sommeil*.

État intermédiaire entre le sommeil et l'état de veille. → **Somnolence**. *Toute la matinée il a été dans un état de demi-sommeil.* → **Ensommeillé**. *Des demi-sommeils.*

Après cette résolution, la fatigue sembla un instant le dominer. Un demi-sommeil le gagna et il laissa tomber sur le plancher sa pipe éteinte. Le bruit qu'elle fit en tombant le réveilla tout à fait.
G. LEROUX, *Rouletabille chez Krupp*, p. 98.

DEMI-SOUPIR [d(ə)misupiʀ] n. m. — 1611; de *demi-*, et *soupir*.

Mus. Silence dont la durée est égale à la moitié d'un soupir (soit un demi-temps), et qui est représenté par un signe en forme de sept sur la troisième ligne de la portée. *Des demi-soupirs.*

DEMI-SOURIRE [d(ə)misuʀiʀ] n. m. — xxᵉ; de *demi-*, et *sourire*.

Sourire léger, petit sourire (→ Errant, cit. 10). *Des demi-sourires.*

DÉMISSION [demisjɔ̃] n. f. — 1338; lat. *demissio* «action d'abaisser», de *demissum*, supin de *demittere*, de *de-*, et *mitterre* «mettre», pour servir de dér. à *démettre*.

♦ **1** Acte par lequel on se démet d'une fonction, d'une charge, d'une dignité; rupture, par le salarié, de son contrat de travail. *Fonctionnaire qui donne sa démission. Donner sa démission d'un emploi. Je foutrai ma démission* (→ Polichinelle, cit. 6). *Accepter, recevoir la démission de qqn. Refuser une démission. Démission volontaire. Démission forcée. Démission individuelle. Démission collective d'une assemblée, d'un conseil... Démission d'un souverain.* → **Abdication**. — *Démission!*, cri hostile à l'adresse d'un homme politique, d'un responsable. — *Démission d'office*, euphémisme employé dans certains cas pour désigner la révocation d'agents du service public.

1 Après sa démission du protectorat, il *(Richard Cromwell)* voyagea en France (...)
VOLTAIRE, le Siècle de Louis XIV, VI.

Abrév. fam. : *dém* [dɛm]. *Filer sa dém à la direction.*

♦ **2** (1338). Fig. Acte par lequel on renonce à qqch. → **Abandon, abdication, renonciation, résignation.**

2 Lorsque les hommes renoncent à considérer leur destin personnel comme quelque chose dont ils sont comptables, les destins du siècle fléchissent et mènent le monde aux faillites. Car cette démission en annonce d'autres et les permet.
DANIEL-ROPS, Ce qui meurt..., I, p. 8.

Attitude de fuite devant les difficultés; soumission passive.

Donner sa démission : renoncer à...; s'avouer vaincu.

3 Mais le propre du Français n'est-il pas de ne jamais donner de démission absolue et de recommencer toujours?
SAINTE-BEUVE, Causeries du lundi, 2 janv. 1854, t. IX, p. 308.

4 Après ces années données à la douleur et à l'abattement, vous faites bien de vous reprendre : à votre âge, on ne donne pas ainsi sa démission de toute activité dans la vie.
SAINTE-BEUVE, Correspondance, 508, 18 déc. 1835, t. I, p. 558.

CONTR. **Adhésion, arrivée, engagement, entrée** (en fonctions), **exercice, maintien, résolution.** ◊ DÉR. **Démissionnaire, démissionner.**

DÉMISSIONNAIRE [demisjɔnɛʀ] n. et adj. — Av. 1752; de *démission*.

♦ **1** N. Cour. Personne qui vient de donner sa démission. — Adj. *Ministre démissionnaire.* — *Démissionnaire d'office*, qui a été révoqué, contraint de démissionner.

Fig. (Personne) qui fuit devant les difficultés.

♦ **2** Vx. (Personne) qui bénéficie d'une renonciation. *Héritier démissionnaire.*

DÉMISSIONNER [demisjɔne] v. intr. — 1793, Babeuf, *in* Littré, *Suppl.*; de *démission*.

♦ **1** Donner sa démission. → **Abandonner, résigner** (ses fonctions), **retirer** (se). *Il a démissionné de son poste.*

1 Elle *(l'Angleterre)* avait (...) favorisé, par haine du gouvernement français, les évêques qui avaient refusé de démissionner lors du Concordat.
Louis MADELIN, Hist. du Consulat et de l'Empire, le Consulat, XVII, p. 281.

Trans. Iron. *On l'a démissionné*, renvoyé.

2 En octobre, le jovial Khrouchtchev fut démissionné, les travaillistes prirent le pouvoir (...)
Claude COURCHAY,
La vie finira bien par commencer, p. 17.

◆ **2** Fig. et fam. Renoncer à qqch. → **Abandonner, abdiquer, renoncer, résigner** (se); → fam. Laisser tomber*. *Si je ne réussis pas du premier coup, je démissionne.*

3 Ce pays aurait démissionné, selon vous, s'en serait remis à un homme, lâchement, honteusement.
> F. MAURIAC, le Nouveau Bloc-notes 1958-1960, p. 203.

CONTR. Adhérer, arriver, engager (s'), entrer (en fonctions), exercer. — Continuer, poursuivre.

DEMI-SUCCÈS [d(ə)misyksɛ] n. m. invar. — 1767, *in* D.D.L.; de *demi-*, et *succès.*

Succès incertain, peu satisfaisant. *Demi-succès électoral* (→ Demi-échec, cit.).

(...) quel moyen aurait son œuvre d'arriver jusqu'au public et d'obtenir ce demi-succès de vente si nécessaire à la subsistance de l'auteur?
> Léon BLOY, le Désespéré, p. 224.

DEMI-TARIF [d(ə)mitaʀif] n. m. — 1890, *in* D.D.L.; de *demi-*, et *tarif.*

Tarif réduit de moitié. *Place* (→ Demi-place), *billet, abonnement à demi-tarif.* — Adj. *Billets demi-tarif.* — Adv. *Payer demi-tarif.*

Billet, place... à demi-tarif. *Des demi-tarifs.*

DEMI-TASSE [d(ə)mitas] n. f. — 1799, *in* D.D.L.; de *demi-*, et *tasse.*

Tasse à café de petite taille. Par ext. Son contenu. *Une demi-tasse de café turc. Des demi-tasses.*

DEMI-TEINTE [d(ə)mitɛ̃t] n. f. — 1651; de *demi-*, et *teinte.*

◆ **1** Teinte qui n'est ni claire ni foncée. *Peinture exécutée en demi-teintes.*

1 Ils employaient avec un art qu'on ne se lasse point d'admirer les teintes, les demi-teintes et toutes les diminutions de couleurs nécessaires pour dégrader la couleur des objets.
> Charles ROLLIN, Hist. ancienne, XI, p. 130.

Par métaphore :

2 Nier l'existence des sentiments tièdes parce qu'ils sont tièdes, c'est nier le soleil tant qu'il n'est pas à midi. La vérité est tout autant dans les demi-teintes que dans les tons tranchés.
> FLAUBERT, Correspondance, 1846, p. 417, *in* T.L.F.

◆ **2** Mus. Sonorité adoucie. *Chanter en demi-teinte.*

3 Le marchand d'habits qui donnait la mode et avait mis un chapeau de paille, effrayé de la résonance, chantait en demi-teinte.
> GIRAUDOUX, Simon le pathétique, p. 116.

◆ **3** Fig. Ton adouci, manière discrète (dans l'écriture, le style, les manières). *Un style feutré, tout en demi-teintes. Pratiquer la demi-teinte.*

DEMI-TIGE [d(ə)mitiʒ] n. f. — 1732; de *demi-*, et *tige.* Arbor. Arbre fruitier dont on a arrêté la croissance. *Des demi-tiges.*

DEMI-TON [d(ə)mitɔ̃] n. m. — 1627; de *demi-*, et *ton.*

◆ **1** Mus. Le plus petit intervalle entre deux degrés conjoints. *Des demi-tons. Il y a un demi-ton entre mi et fa, si et do. Demi-ton diatonique* (formé par deux notes portant des noms différents), *chromatique* (formé par deux notes portant le même nom). *Il y a un demi-ton diatonique* (4 comas) *entre ré dièse et mi, un demi-ton chromatique* (5 comas) *entre mi bémol et mi. Signe d'altération qui hausse une note d'un demi-ton* (→ **Dièse**), *qui abaisse une note d'un demi-ton* (→ **Bémol**).

L'appel commença en tons et demi-tons, comme une gamme chromatique (...)
> P. MAC ORLAN, la Bandera, XIII, p. 159.

◆ **2** Peint. → Demi-teinte.

DEMI-TOUR [d(ə)mituʀ] n. m. — 1536; de *demi-*, et *tour, n. m.*

◆ **1** Milit., cour. Moitié d'un tour que l'on fait sur soi-même. *Des demi-tours. Demi-tour à droite; demi-tour, droite! Exécuter un demi-tour.* → **Retourner** (se); → *Tourner les talons*, faire volte-face.*

1 Il salua, exécuta un demi-tour rapide et remonta vers Bou Jeloud dont il apercevait le drapeau.
> P. MAC ORLAN, la Bandera, XV, p. 184.

◆ **2** Par ext. *Faire demi-tour :* retourner sur ses pas, sur son chemin. *Arrivés à la frontière, ils durent faire demi-tour* (→ **Retourner, revenir**).

2 Il était encore temps de faire demi-tour. Il hésita. Finalement, il traversa la rue et pénétra sous la voûte.
> MARTIN DU GARD, les Thibault, t. V, p. 164.

DÉMIURGE [demjyʀʒ] n. m. — 1803, Boiste; *démiourgos*, 1791; *Demiourgon*, Rabelais, 1546; lat. *dimiurgus*, du grec *dêmiourgos* «qui travaille pour le public, artisan», en partic. «artisan de l'univers», de *dêmios* «commun, public», de *dêmos* «peuple», et *ergon* «création».

◆ **1** Philos. anc. Le dieu architecte de l'univers, pour les Platoniciens et leurs émules.

1 D'Acharamoth sortit le Démiurge, fabricateur des mondes, des cieux et du Diable. Il habite bien plus bas que Plérôme, sans même l'apercevoir, tellement qu'il se croit le vrai Dieu, et répète par la bouche de ses prophètes : «Il n'y a d'autre Dieu que moi!» Puis il fit l'homme, et lui jeta dans l'âme la semence immatérielle, qui était l'Église, reflet de la nature Église placée dans le Plérôme.
> FLAUBERT, la Tentation de saint Antoine, p. 99.

Pour les gnostiques, Être émanant de l'Être suprême, parfois considéré comme malfaisant.

◆ **2** Littér. Créateur (d'une œuvre), animateur (d'un monde). *Le démiurge de la Comédie Humaine.*

2 (...) le démiurge ne s'est pas occupé de la durée et de la résistance de ses œuvres tant que du plaisir de les faire. Le plus grand artiste ne peut sculpter que dans un marbre qui est destructible (...)
> VALÉRY, Suite, p. 140.

DÉR. Démiurgie, démiurgique.

DÉMIURGIE [demjyʀʒi] n. f. — 1951, Malraux; de *démiurge.*

Didact. Activité propre au démiurge. *Pouvoir créateur du démiurge* (2.).

Toute grande œuvre nous atteint en tant que démiurgie; un grand artiste n'est pas autonome parce qu'original, il est original parce qu'autonome : d'où sa part de solitude.
> MALRAUX, les Voix du silence, p. 459.

DÉMIURGIQUE [demjyʀʒik] adj. — 1831, Chateaubriand; de *démiurge.*

Didact. Du démiurge, propre au démiurge.

1 La Grèce ne savait du divin n'avait connu le portrait qu'épisodiquement; représenter un individu semblait travail d'artisan, comparé au pouvoir démiurgique de révéler les dieux de la cité.
> MALRAUX, la Métamorphose des Dieux, p. 102.

2 Aujourd'hui comme jadis, et parfois plus fermement, les couleurs «en un certain ordre assemblées» sont inséparables du pouvoir démiurgique — au sens précis de ce mot — de l'art. C'est à lui que les grands peintres soumettent leur vie, non au désir de rivaliser avec les décorateurs ou les grands couturiers.
> MALRAUX, les Voix du silence, p. 614.

N. m. *Le démiurgique :* la création par un démiurge.

3 C'est vrai que j'ai ma nostalgie du démiurgique, une raison d'aimer la vie d'une manière quasi mystique, de l'aimer envers et contre le fatras qui la transforme souvent en une somme nulle de jours nuls (...)
> Yanny HUREAUX, la Prof, p. 161.

DEMI-VIE [d(ə)mivi] n. f. — Av. 1970; de *demi-*, et *vie*.

Phys. Temps que met une grandeur qui suit une loi exponentielle décroissante pour arriver à la moitié de sa valeur initiale. *Demi-vie d'une substance radioactive.*

DEMI-VIERGE [d(ə)mivjɛRʒ] n. f. — 1894, M. Prévost; de *demi-*, et *vierge*.

Vx. Jeune fille de mœurs très libres qui n'est vierge qu'au sens strictement physiologique du mot. *Des demi-vierges.*

REM. Le mot est lié à un état ancien de l'idéologie et des mœurs. Il n'est plus en usage, sauf en emploi stylistique (ironique, etc.) ou par référence implicite au roman de Marcel Prévost : → cit. ci-dessous.

Les robes de tulle blanc, bleu, rose ou mauve tendre que vous allez voir tout à l'heure, au balcon des loges, revêtent si peu de corps tout à fait intacts ! Il y a tant de demi-vierges parmi ces vierges !
Marcel PRÉVOST, *les Demi-vierges,* I, III, p. 21.

DEMI-VIRGINITÉ [d(ə)miviRʒinite] n. f. — 1911, G. Rozet, *in* D.D.L.; de *demi* et *virginité*, sur *demi-vierge*.
Littér. (par allus. à M. Prévost). État de demi-vierge. *Des demi-virginités.*

DEMI-VOIX (À) [ad(ə)mivwa] loc. adv. — 1772, *in* D.D.L.; de *demi-*, et *voix*.

Vieilli (*à mi-voix* tend à s'y substituer à partir de 1900). À voix basse. → Mi-voix (à). *Parler à demi-voix. Elle lui raconta une histoire à demi-voix.*
Restez là, causez à demi-voix.
ZOLA, *Paris,* t. I, p. 139.

DEMI-VOLTE [d(ə)mivɔlt] n. f. — 1678; de *demi-*, et *volte*.

Équit. Mouvement dans lequel le cheval opère un demi-tour suivi d'une oblique. *Des demi-voltes. La demi-volte consiste à «décrire un demi-cercle d'un diamètre égal à celui de la volte et prendre une direction diagonale pour rentrer sur la piste en changeant de main»* (H. Aublet, *l'Équitation*). *Demi-volte renversée :* oblique suivie d'un demi-tour.

DEMI-WATT [d(ə)miwat] n. — xxᵉ; de *demi-*, et *watt*.

♦ 1 N. m. Moitié d'un watt. *Des demi-watts.*

♦ 2 N. f. Techn. Lampe électrique à atmosphère gazeuse, ne consommant en principe que 0,5 watt par bougie.

DÉMIXTION [demikstjɔ̃] n. f. — 1928; de 1. *dé-*, et *mixtion*.

Phys., chim. Séparation des phases (d'un mélange). *«(La) tendance* (du méthanol) *à la démixtion aux faibles teneurs* (<10 %), *ce qui signifie qu'à basse température et en présence d'eau, on observe une séparation en deux phases»* (*Sciences et Avenir,* sept. 1983, nᵒ 39).

DÉMO- Élément tiré du grec *dêmos* «peuple» (→ Démocrate, démocratie), avec le sens qu'il a dans *démographie*. — Ex. : *démo-économique* [demoekɔnɔmik] adj. (didact.) : qui concerne à la fois les phénomènes démographiques et économiques.
Dans l'ordre démo-économique, la composition de la population active par secteurs et branches (...) s'est modifiée.
J.-P. COURTHÉOUX, *Politique des revenus,* p. 56.

DÉMOBILISABLE [demɔbilizabl] adj. — Av. 1922; de *démobiliser*.

Qui doit être officiellement démobilisé. *Soldat démobilisable.*

Je regrette, *sir,* mais je suis démobilisable avec le troisième échelon et j'ai mon ordre de transport en poche : je dois me présenter demain à Montreuil-sur-Mer (...)
A. MAUROIS, *les Discours du Dʳ O'Grady,* XVII, p. 185.

CONTR. **Mobilisable.**

DÉMOBILISATEUR, TRICE [demɔbilizatœR, tRis] adj. — xxᵉ; de *démobiliser, démobilisation.*

♦ 1 Milit. Où l'on procède à la démobilisation.
De là, on l'avait dès juillet 40 envoyé au centre démobilisateur où Geoffroy avait produit un certificat de travail agricole (...)   ARAGON, Blanche..., I, VII, p. 119.

♦ 2 (V. 1963). Fig. Qui est propre à démobiliser. *Ce mot d'ordre a eu un effet démobilisateur sur les masses.*

J'ai été en effet atterré, en relisant quelques classiques du jeune âge, par la nocivité démobilisatrice des contes de Perrault, tels que certains parents rétrogrades les racontent encore aux enfants du siècle d'Edgar Faure, d'Alain Krivine et de Gérard Nicoud.
Robert BEAUVAIS, *le Français kiskose,* p. 30.

DÉMOBILISATION [demɔbilizasjɔ̃] n. f. — 1870; de *démobiliser.*

♦ 1 Action de démobiliser. *Procéder à la démobilisation générale.* Résultat de cette action. *Une démobilisation complète.*

♦ 2 (V. 1962). Fig. (polit.). Fait de démobiliser (les masses, l'opinion); effet qui en résulte. *Cette politique risque d'entraîner la démobilisation de nos militants.*

CONTR. **Mobilisation.**

DÉMOBILISER [demɔbilize] v. tr. — Av. 1870; en dr. «convertir en bien immeuble», 1826; de 1. *dé-*, et *mobiliser.*

♦ 1 (1870). Rendre à la vie civile (des troupes mobilisées). *Démobiliser une partie des troupes. Les soldats sont démobilisés à la cessation des hostilités.* — Au p. p. *Soldats démobilisés.* N. m. (le fém. est virtuel) *Un démobilisé.*

En Angleterre, votre faiblesse, c'est que, si l'on vous ordonne de démobiliser les hommes par classes, vous le ferez.
A. MAUROIS, *les Discours du Dʳ O'Grady,* XVII, p. 188.

Absolt. *La France démobilise.*

♦ 2 (1963, *in* D.D.L.). Fig. Polit. Priver (les militants, les masses) de toute combativité, cesser ou empêcher de mobiliser pour la défense d'une cause.

CONTR. **Appeler, mobiliser.** ◊ DÉR. **Démobilisable, démobilisateur, démobilisation.**

DÉMOCRATE [demɔkrat] n. et adj. — V. 1550, comme t. d'Antiq. (didact.), diffusé en 1789; attestation isolée, 1785; de *démocratie*, sur le modèle d'*aristocrate*.

♦ 1 Partisan de la démocratie, de ses principes et de ses institutions. *Un démocrate convaincu. Ce n'est pas un démocrate, mais un démagogue. Une grande démocrate.*

Vous êtes des démocrates et des hommes de la France moderne, mais vous ressemblez comme deux gouttes d'eau à la noblesse imprudente et généreuse qui se faisait battre à Poitiers et à Azincourt. Toujours le faux point d'honneur.
SAINTE-BEUVE, Correspondance, II, p. 306.

Figuré :

2 (...) c'est pour d'autres raisons que je me fâche parfois contre la mort; elle est égalitaire à un degré qui m'irrite; c'est une démocrate qui nous traite à coups de dynamite; elle devrait au moins attendre, prendre notre heure, se mettre à notre disposition.
RENAN, Souvenirs d'enfance..., VI, v, p. 266.

Adj. Partisan de la démocratie. *Un esprit démocrate* (→ **Égalitaire, républicain**).

3 Je n'ai pas (...) accueilli dans mon château J.-J. Rousseau, philosophe démocrate et libre penseur.
VILLEMAIN, Littérature franç., XVIIIᵉ s., II, 2, *in* LITTRÉ.

♦ 2 (1870). Aux États-Unis. *Le Parti démocrate* (déb. XIXᵉ), l'un des **deux** grands partis politiques américains (opposé à *parti républicain*). *Candidat, sénateur, électeur démocrate.* — N. (1825, *in* D.D.L.). Membre, électeur de ce parti. *Les démocrates et les républicains.* — Loc. adv. *Voter démocrate.*

CONTR. Aristocrate (cit. 4 et 5), **monarchiste; antidémocrate; fasciste. ◇ COMP. Antidémocrate, démocrate-chrétien, démocrate-socialiste, social-démocrate.**

DÉMOCRATE-CHRÉTIEN, IENNE [demɔkratkʀetjɛ̃, jɛn] n. et adj. — 1901; *le Démocrate chrétien*, titre d'une revue catholique de Gérando, 1848; de *démocrate*, et *chrétien*.

Membre, partisan de la démocratie chrétienne. *Un démocrate-chrétien. Les démocrates-chrétiens.*

Adj. De la démocratie chrétienne. *Idées démocrates-chrétiennes; principes démocrates-chrétiens. Parti démocrate-chrétien. Le parti démocrate-chrétien, en Belgique.* → **Social-chrétien.** *La CDU* (en français : Union chrétienne-démocrate), *parti démocrate-chrétien de l'Allemagne fédérale. Le parti démocrate-chrétien italien* (Partito della Democrazia cristiana, abrév. : *P. D. C.*). *Le M. R. P. était un parti démocrate-chrétien.*

1 Mais nous reparlerons de cet homme extraordinaire, de ce démocrate-chrétien *(le maire de Florence)* qui est démocrate et qui est chrétien à chaque instant de sa vie privée et publique et qui, si frêle, est le doux qui possède la terre.
F. MAURIAC, Bloc-notes 1952-1957, p. 187.

2 Une conversation de trois quarts d'heure avec ce jeune Milanais m'éclaire mieux la situation politique de l'Italie aujourd'hui, que n'eussent fait des volumes. Ses démocrates-chrétiens semblent valoir les nôtres bien qu'ils soient d'un autre style.
F. MAURIAC, Bloc-notes 1952-1957, p. 233.

Abrév. : *démo-chrétien*, adj. et n.

DÉMOCRATE-SOCIALISTE [demɔkratsɔsjalist] n. et adj. — 1848; de *démocrate*, et *socialiste*.

Vx (Hist.). Démocrate de tendance socialiste, de 1848 à 1870 (cf. cit. de Labiche, Vallès, etc., *in* D.D.L.). *Les démocrates-socialistes.* — **Abrév. :** *démo-soc* (1848, *in* D.D.L.) adj. et n.

DÉMOCRATIE [demɔkrasi] n. f. — 1370, en parlant de l'Antiquité; repris dans l'usage mod. en 1791 (mais *démocrate* est antérieur); du grec *dêmokratia*, de *dêmos* «peuple», et *kratein* «commander». → -crate, -cratie.

♦ 1 **ⓐ** Régime et doctrine politique de l'Antiquité (grecque; latine) où la souveraineté appartient aux citoyens (→ **Cité**). *La démocratie antique excluait les non-citoyens et notamment les esclaves et les femmes.*

ⓑ Doctrine politique d'après laquelle la souveraineté doit appartenir à l'ensemble des citoyens, au peuple; organisation politique (souvent la république, notamment la république parlementaire ou tout parlementarisme) dans laquelle les citoyens exercent cette souveraineté. *La démocratie*

place l'origine du pouvoir politique dans la volonté collective des citoyens. La démocratie repose sur le respect de la liberté et de l'égalité des citoyens. La démocratie peut dégénérer en démagogie. — *De la démocratie en Amérique*, ouvrage d'A. de Tocqueville (1840). *De la démocratie en France*, ouvrage de Guizot (1849). — *Démocratie directe*, où le peuple exerce directement sa souveraineté (ci-dessous, cit. 7). *Démocratie représentative*, où le peuple élit des représentants. → **Suffrage** (→ *infra*, cit. 4). *Démocratie parlementaire. Démocratie présidentielle. Démocratie libérale.* — *Démocratie populaire* : régime de parti unique, dans les pays communistes. — (1901). *Démocratie chrétienne* : dans une démocratie, régime ou parti d'inspiration chrétienne, généralement de tendance réformiste ou conservatrice (portant ce nom ou d'autres noms). → **Démocrate-chrétien.**

1 Lorsque, dans la république, le peuple en corps a la souveraine puissance, c'est une démocratie (...) Le peuple, dans la démocratie, est à certains égards le monarque; à certains autres, il est le sujet.
MONTESQUIEU, l'Esprit des lois, II, II.

2 Le grand vice de la démocratie n'est certainement pas la tyrannie et la cruauté (...) Le véritable vice d'une république civilisée est dans la fable turque du dragon à plusieurs têtes et du dragon à plusieurs queues. La multitude des têtes se nuit, et la multitude des queues obéit à une seule tête qui veut tout dévorer.
VOLTAIRE, Dict. philosophique, Démocratie.

3 Le souverain peut, en premier lieu, commettre le dépôt du gouvernement à tout le peuple ou à la grande partie du peuple, en sorte qu'il y ait plus de citoyens magistrats que de citoyens simples particuliers. On donne à cette forme de gouvernement le nom de *démocratie*.
ROUSSEAU, Du contrat social, III, III.

4 On entend par démocratie et par peuple la famille française *tout entière*, la nation dans sa généralité la plus complète (...) La démocratie est l'égalité, c'est-à-dire la participation à droit égal, à titre égal à la délibération des lois et au gouvernement de la nation. La démocratie a dit à tout Français en âge de raison, en condition d'intelligence et de moralité appréciables : tu participeras au droit, à l'exercice du droit social (...)
Par quel procédé les citoyens participent-ils tous à titre égal au gouvernement et aux lois? Par le suffrage universel (...) Le suffrage universel est donc la démocratie elle-même (...)
LAMARTINE, Le passé, le présent, l'avenir de la république, II, IV, *in* PRÉLOT, Précis de droit constitutionnel, n° 134.

5 Partout on a vu des divers incidents de la vie des peuples tourner au profit de la démocratie (...)
Le développement graduel de l'égalité des conditions est (...) un fait providentiel, (...) il est universel, il est durable (...)
A. DE TOCQUEVILLE, De la démocratie en Amérique, p. 9.

6 Législatrice, source des constitutions justes; Démocratie, toi dont le dogme fondamental est que tout bien vient du peuple, et que, partout où il n'y a pas de peuple pour nourrir et inspirer le génie, il n'y a rien, apprends-nous à extraire le diamant des foules impures.
RENAN, Souvenirs d'enfance..., II, I, p. 65.

7 Au-dessus même du Sénat il y avait *(à Athènes)* l'assemblée du peuple. C'était le vrai souverain. Mais de même que dans les monarchies bien constituées le monarque s'entoure de précautions contre ses propres caprices et ses erreurs, la démocratie avait aussi des règles invariables auxquelles elle se soumettait (...)
L'assemblée était convoquée par les prytanes ou les stratèges (...) Le peuple était assis sur des bancs de pierre (...) Les orateurs montaient à la tribune (...) Tout homme pouvait parler, sans distinction de fortune et de profession (...)
FUSTEL DE COULANGES, la Cité antique, IV, XI, p. 390.

8 On comprend donc que l'humanité ne soit venue à la démocratie que sur le tard (...) De toutes les conceptions politiques c'est en effet la plus éloignée de la nature, la seule qui transcende, en intention au moins, les conditions de la «société close». Elle attribue à l'homme des

droits inviolables. Ces droits, pour rester inviolés, exigent de la part de tous une fidélité inaltérable au devoir. Elle prend donc pour matière un homme idéal, respectueux des autres comme de lui-même, s'insérant dans des obligations qu'il tient pour absolues, coïncidant si bien avec cet absolu qu'on ne peut plus dire si c'est le devoir qui confère le droit ou le droit qui impose le devoir. Le citoyen ainsi défini est à la fois «législateur et sujet», pour parler comme Kant. L'ensemble des citoyens, c'est-à-dire le peuple, est donc souverain. Telle est la démocratie théorique.
  H. BERGSON, les Deux Sources de la morale et de la religion, p. 299.

8.1 À la Libération, le triomphe de la démocratie chrétienne, le naufrage définitif du nationalisme «intégral», tout parut annoncer la formation d'un grand parti travailliste français à la fois socialiste et chrétien.
  F. MAURIAC, Bloc-notes 1952-1957, p. 55.

8.2 Tout et n'importe quoi plutôt que le Front Populaire, amorce d'une démocratie populaire.
  F. MAURIAC, le Nouveau Bloc-notes 1958-1960, p. 298.

8.3 Une certaine démocratie (libérale) semble l'aboutissement et l'épanouissement de la société sur-répressive. Les contraintes se perçoivent pas et ne se vivent pas comme telles. Elles sont ou admises et justifiées, ou interprétées comme conditions de la liberté (intérieure). Cette démocratie garde en réserve la violence et ne laisse intervenir qu'en dernière instance et en suprême recours la force. Elle compte bien plutôt sur l'autorépression dans la quotidienneté organisée.
  H. LEFEBVRE, la Vie quotidienne dans le monde moderne, p. 273.

♦ 2 *(Une, des démocraties)*. État, pays pourvu d'institutions démocratiques; état organisé suivant les principes de la démocratie. *Les démocraties libérales. Démocratie autoritaire, représentative. — Les démocraties populaires d'Europe centrale.* Quasi syn. : *les pays de l'Est, les pays communistes* (dans le discours des autres pays). *Les démocraties populaires se réclament de la doctrine marxiste.*

9 — (...) vous ne croyez tout de même pas que vous serez aidés par les démocraties? (...) — J'ai vu les démocraties intervenir contre à peu près tout, sauf contre les fascismes.
  MALRAUX, l'Espoir, I, III, III.

10 À son retour de Prague, on l'avait convié à l'École de cadres du Parti pour donner un cycle de conférences sur «les problèmes actuels de la construction du socialisme dans les démocraties populaires».
  Régis DEBRAY, l'Indésirable, p. 72.

♦ 3 L'ensemble des démocrates. *La démocratie a triomphé aux dernières élections.*

CONTR. **Aristocratie, monarchie, oligarchie.** ◊ DÉR. V. **Démocrate, démocratiser.**

DÉMOCRATIQUE [demɔkratik] adj. — 1370, en parlant de l'Antiquité; appliqué à la politique moderne au XVIIIᵉ; du grec *dēmokratikos*. → Démocratie.

♦ 1 Qui appartient à la démocratie (doctrine ou organisation politique), qu'il s'agisse de la démocratie antique ou des formes modernes de la démocratie. *Principes, théories démocratiques.* → **Égalitaire.** *Gouvernement, régime démocratique* (→ Aristocratique, cit. 2). *Institutions démocratiques. République démocratique. Les pays démocratiques.*

1 Les grenouilles, se lassant
  De l'état démocratique,
  Par leurs clameurs firent tant
  Que Jupin les soumit au pouvoir monarchique.
  LA FONTAINE, Fables, III, 4.

2 J'aurais voulu naître dans un pays où le souverain et le peuple ne pussent avoir qu'un seul et même intérêt, afin que tous les mouvements de la machine ne tendissent jamais qu'au bonheur commun; ce qui ne pouvant se faire, à moins que le peuple et le souverain ne soient une même personne, il s'ensuit que j'aurais voulu naître sous un gouvernement démocratique, sagement tempéré.
  ROUSSEAU, Disc. sur l'inégalité.

La démocratie (...) a plus que tout autre système, besoin 3 d'élites. Dans un régime autoritaire, les rouages de l'État sont si parfaitement assemblés que l'insuffisance d'un seul éléments a peu d'importance. En régime démocratique, le lien est plus lâche. Pour que tout marche, il faut que chacun apporte son effort (...)
  DANIEL-ROPS, Ce qui meurt..., III, p. 101.

♦ 2 Conforme à la démocratie; aux intérêts du peuple. *Esprit démocratique. Loi démocratique. — La théorie du centralisme démocratique.*

♦ 3 Rare. Du peuple; qui n'est pas de l'aristocratie. → **Commun, plébéien, populaire.**

En somme, les poètes classiques usaient d'une langue 4 démocratique, celle de tout le monde.
  M. AYMÉ, le Confort intellectuel, II, p. 22.

♦ 4 (Au Canada). *Le Nouveau Parti démocratique* (1961; succédant au P.S.D., 1932, sigle de *Parti social démocratique*). Parti de tendance socialiste. — Abrév. : *N. P. D.*, n. m.

CONTR. **Aristocratique, monarchique, oligarchique; antidémocratique; fasciste.** ◊ DÉR. **Démocratiquement.** ◄ COMP. **Antidémocratique.**

DÉMOCRATIQUEMENT [demɔkratikmɑ̃] adv. — 1568; de *démocratique*.

D'une façon démocratique; selon les principes de la démocratie. *Un président démocratiquement élu au suffrage universel.*

DÉMOCRATISATION [demɔkratizasjɔ̃] n. f. — 1797; de *démocratiser*.

♦ 1 Action de démocratiser, de conduire à la démocratie; résultat de cette action. *La démocratisation des institutions d'un pays. Une démocratisation imparfaite, lente.*

La démocratisation et la fausse démocratisation n'ont conduit qu'à donner aux peuples souverains ou faussement souverains les vices des capitaines.
  Ch. PÉGUY, la République..., p. 30.

♦ 2 Action de mettre (qqch.) à la portée de tous; résultat de cette action. *La démocratisation de l'enseignement, d'un sport.*

DÉMOCRATISER [demɔkratize] v. tr. — Av. 1382, «être en démocratie»; au sens actuel, 1792; du rad. de *démocratie*, et -*iser*.

♦ 1 Introduire la démocratie dans; rendre démocratique, plus démocratique. *Après la mort du dictateur, le nouveau régime veut démocratiser le pays.* — V. pron. *Se démocratiser :* devenir démocratique. *Ce régime se démocratise.*

♦ 2 Rendre démocratique, populaire, accessible à tous. *Démocratiser l'enseignement.* → **Vulgariser** (vieilli). — Pron. *Se démocratiser :* devenir accessible à tous. *Ce sport s'est démocratisé.*

DÉR. **Démocratisation.**

DÉMODÉ, ÉE [demɔde] p. p. adj. — 1827; de *démoder*.

Qui n'est plus à la mode. *Vêtement, objet démodé.* → **Ancien, antédiluvien, antique, désuet, passé, suranné, vieillot, vieux** (→ Passé de mode*). *Une musique complètement démodée.*

(...) la forme des locomotives anglaises, impeccables et 1 démodées comme des vieilles filles de bonne maison (...)
  J. ROMAINS, les Hommes de bonne volonté, t. V, XX, p. 248.

Ce nom de Mélanie, que j'ai tout de suite amputé comme 2 je viens de dire, a je ne sais quoi de vieillot, de démodé qui devait faire distingué, «genre second empire» dans le milieu des Chantavoine.
  G. DUHAMEL, Cri des profondeurs, III, p. 48.

Théories, procédés démodés. → **Archaïque, arriéré, dépassé, obsolète, périmé, retard** (en retard), **usé.**

3 Le libéralisme fait désormais figure, auprès des gens avancés ou qualifiés tels, de doctrine démodée (...)
André SIEGFRIED, l'Âme des peuples, I, II, p. 12.

4 Il paraît que le cautère est tout à fait démodé. Pourquoi ? Il garde encore des vertus dans certains cas rares.
G. DUHAMEL, Biographie de mes fantômes, X, p. 185.

(Personnes). *Il est démodé dans son comportement, ses idées.* → **Jeu** (vieux jeu), **réactionnaire, traditionaliste.**

5 Le moyen d'avoir raison dans l'avenir est, à certaines heures, de savoir se résigner à être démodé.
RENAN, Disc. et conférences, p. 906.

6 Le sentiment amoureux est démodé, mais ce démodé ne peut même pas être récupéré comme spectacle : l'amour choit hors du temps intéressant ; aucun sens historique, polémique, ne peut lui être donné ; c'est en cela qu'il est obscène.
R. BARTHES, Fragments d'un discours amoureux, p. 210.

N. m. *Le démodé. La mode du démodé.* → **Rétro.**

CONTR. **Mode** (à la mode). — **Avancé, avant-garde** (d').

DÉMODÉCIE [demɔdesi] n. f. — XXᵉ ; de *démodex.*
Infestation par le démodex.

DÉMODER [demɔde] v. tr. — 1856, La Châtre ; de 1. *dé-, mode,* et suff. verbal.
Rare. Mettre hors de mode, rendre démodé.

1 Mais quel piètre coco que le sieur Musset ! Ce livre Lui, fait pour le réhabiliter, le démode encore plus que Elle et Lui ! Quant à moi j'en ressors blanc comme neige (...)
FLAUBERT, Correspondance, 1860, p. 344, *in* T. L. F.

◆ **SE DÉMODER** v. pron.
Cour. Passer de mode, n'être plus à la mode. *Les vêtements de ligne classique se démodent moins que les autres. Style, idée qui se démode.*

2 L'amour mis en lettres, pieusement noué d'un fil d'or, embaumé dans le bois de santal, n'est pas à l'abri du péril de se démoder (...) COLETTE, l'Étoile Vesper, p. 185.

DÉR. **Démodé.**

DÉMODEX [demɔdɛks] n. m. — 1865, Littré-Robin ; lat. sc. *demodex,* créé par le biologiste britannique R. Owen en 1843, à partir du grec *dêmos* «graisse», et du grec tardif *dêx* «ver du bois».
Petit acarien au corps mou d'une longueur de trois à quatre dixièmes de millimètres, qui vit dans l'orifice des follicules pilo-sébacés de la face.

DÉR. **Démodécie.**

DÉMODULATEUR [demɔdylatœʀ] n. m. — 1953 ; de 1. *dé-,* et *modulateur.*
Techn. (radio, électronique). Dispositif (discriminateur) qui permet de reconstituer le signal original d'une onde porteuse modulé par ce signal. *«Un démodulateur incorpore transforme ces ondes hertziennes en signaux de télévision»* (*Sciences et Avenir,* nᵒ 375, mai 1978, p. 34). *Modulateur démodulateur.*
→ **Modem.**

CONTR. **Modulateur.**

DÉMODULATION [demɔdylasjɔ̃] n. f. — V. 1930 ; de 1. *dé-,* et *modulation.*
Techn. (radio). Reconstitution d'un signal qui modulait une onde porteuse.

CONTR. **Modulation** (3.).

DÉMODULER [demɔdyle] v. tr. — Mil. XXᵉ (attesté, 1953) ; de 1. *dé-,* et *moduler.*
Radio, électronique. Reconstituer le signal original d'une onde porteuse modulée par ce signal.

CONTR. **Moduler** (3.). ◇ COMP. **Démodulomètre.**

DÉMODULOMÈTRE [demɔdylɔmɛtʀ] n. m. — Attesté 1973 ; de *démoduler,* d'après *modulomètre.*
Radio, électronique. Dispositif servant à mesurer les qualités de modulation de fréquence ou d'amplitude en partant d'un courant modulé (s'oppose à *modulomètre*).

DÉMOGRAPHE [demɔgʀaf] n. — 1861 ; de *démographie.*
Spécialiste de la démographie. *Elle est sociologue et démographe.*
En 1972, il n'a pas été encore possible de faire admettre, même à certains démographes, que le vieillissement n'a jusqu'ici résulté en rien de l'allongement de la vie, mais seulement de la baisse de la natalité.
A. SAUVY, Croissance zéro ?, p. 227.

DÉMOGRAPHIE [demɔgʀafi] n. f. — 1855, Guillard, ci-dessous, 1. ; du grec *dêmos* «peuple», et *-graphie.*

◆1 Étude statistique des collectivités humaines. *Éléments de statistique humaine, ou Démographie comparée,* ouvrage de Guillard (1855). *La démographie est une des bases de l'anthropologie, elle étudie l'état et les mouvements de la population.* → **Population.** *Tables de mortalité, natalité, nuptialité... ; tables de profession, de migration, de consommation... données par la démographie.*
Démographie pure, qui cherche à tirer des lois générales à partir des phénomènes observés — *Démographie quantitative* : étude des structures d'une population (âge, sexe, profession) et de ses mouvements (natalité, mortalité, migration), d'après des données numériques, statistiques. — *Démographie qualitative* : étude des caractéristiques d'une collectivité d'après ces mêmes données.

1 (...) ces phénomènes si captivants et si emmêlés de la démographie, et qui s'appellent : la natalité, la nuptialité, la mortalité, etc.
Jean BRUNHES, la Géographie humaine, t. I, p. 90.

◆2 Par métonymie. État (quantitatif) d'une population.

2 L'idée que l'on peut se faire de la démographie de ce Japon primitif est celle d'une population à laquelle les abondantes pêcheries de son littoral maritime valurent de bonne heure une densité relativement forte.
VIDAL DE LA BLACHE, Principes de géographie humaine, 1921, p. 67, *in* T. L. F.

◆3 Par ext. Étude (et état) d'une population animale, en éthologie.

DÉR. **Démographe, démographique.**

DÉMOGRAPHIQUE [demɔgʀafik] adj. — 1861 ; du rad. de *démographie.*

◆1 Qui appartient à la démographie ; qui est envisagé sous l'aspect de la démographie. *Phénomène démographique. Bilan démographique.*
La France a, par sa propre vitalité, regagné 1 273 000 Français (de 1946 à 1949)... (*Ce phénomène*) est une conséquence de ce que les démographes appellent la *récupération démographique,* caractéristique des périodes d'après-guerre.
Paul REBOUD et Henri GUITTON, Précis d'économie politique, t. I, nᵒ 135.

◆2 De la population (du point de vue du nombre). *Poussée démographique.*

DEMOISELLE [d(ə)mwazɛl] n. f. — V. 1100, *dami-sele*; *domnizele*, Eulalie, IXᵉ; du lat. pop. *domnicella*, de *domina* «dame».

I (Déb. XIIIᵉ). Anciennt. Jusqu'au XVIIIᵉ siècle, Jeune fille noble ou femme mariée de petite noblesse. → **Dame**.

1 (...) Philippe qui demeurait avec sa demoiselle de mère.
FROISSART, II, II, 101, *in* LITTRÉ.

2 Ah! qu'une femme Demoiselle est une étrange affaire (...)
MOLIÈRE, George Dandin, I, 1.

3 (...) dire de celui-ci qu'il n'est pas homme de qualité; de celle-là qu'elle n'est pas demoiselle (...)
LA BRUYÈRE, les Caractères, VIII, 20.

4 (...) toi qui as tant gémi d'être née demoiselle (...)
ROUSSEAU, Julie ou la Nouvelle Héloïse, IV, lettre 13.

(Déb. XIXᵉ). Jeune fille de la bourgeoisie, fille de famille.

5 Il avait fait à l'École une autre connaissance, celle de M. de Cisy, enfant de grande famille et qui semblait une demoiselle, à la gentillesse de ses manières.
FLAUBERT, l'Éducation sentimentale, I, III.

II (1690). Mod. ◆ **1** Femme célibataire. *Rester demoiselle*. → **Fille**. — REM. On emploie couramment *demoiselle* pour les femmes célibataires d'un certain âge afin d'éviter le terme désobligeant de *vieille fille* d'ailleurs de moins en moins employé. *La pension est dirigée par deux demoiselles* (→ **Vieille fille***).

6 (...) maintenant, ce qu'on me présentait, c'était une religion d'indienne et de calicot, une piété musquée enrubannée, une dévotion de petites bougies et de petits pots de fleurs, une théologie de demoiselle (...)
RENAN, Souvenirs d'enfance..., III, III, p. 133.

7 M. de Montech avait épousé, aux alentours de 1865, une demoiselle qui n'était pas très jolie, qui était roturière, et pour comble fille d'épicier.
J. ROMAINS, les Hommes de bonne volonté, t. III, XI, p. 143.

(Avec un démonstratif, pour former un appellatif). Courtois ou iron. Jeune fille (de la bourgeoisie). *Que boiront ces demoiselles? Quand ces demoiselles voudront bien m'écouter... Ces demoiselles se croient tout permis. — Et que veut la petite demoiselle? Un teint de demoiselle.*

Loc. Vieilli. *Nom de demoiselle*, de jeune fille. Suivi d'un nom propre, introduit le nom de jeune fille. *«Une dame Pons, née demoiselle Lempoumas»* (J. Romains, *Knock*, II, 5, p. 12, *in* T.L.F.).

Dr. Titre donné à une femme célibataire. *«J'ai l'honneur de vous informer que la demoiselle Heningham, garde-barrière à Hondezeele, se plaint des faits suivants»* (Maurois, *les Silences du colonel Bramble*, 1918, p. 178, *in* T.L.F.).

Régional. *Votre demoiselle*: votre fille. → **Mademoiselle**.

Spécialt (vieilli ou iron.). Jeune fille ayant des manières bourgeoises affectées. *Manières de demoiselle. Faire la demoiselle.*

◆ **2** (XIXᵉ). **DEMOISELLE D'HONNEUR**: jeune fille attachée à la personne d'une souveraine. Par anal. Jeune fille, petite fille qui accompagne la mariée. *Les demoiselles d'honneur et les garçons d'honneur ouvrent le cortège derrière les mariés.*

DEMOISELLE DE COMPAGNIE: jeune fille, femme célibataire attachée au service d'une dame.

8 Elle allait et venait, habituellement escortée par une bonne assez élégante, et dont le visage et la tournure accusaient plutôt la confidente et la demoiselle de compagnie que la domestique.
BAUDELAIRE, la Fanfarlo, *in* Essais et Nouvelles.

◆ **3** (1825). Dans des syntagmes. Personne (mariée ou non) attachée à un établissement (→ **Dame**). *Demoiselle de magasin. Demoiselle du comptoir.* — (1905,

in D.D.L.). *Les demoiselles du téléphone.* Première demoiselle: vendeuse responsable d'un rayon.

8.1 (...) Hortense, entrée comme demoiselle de comptoir, chez un confiseur de la rue des Martyrs (...)
ZOLA, Paris, t. I, p. 173.

8.2 Les Danaïdes de l'invisible qui sans cesse vident, remplissent, se transmettent les urnes des sons; les ironiques Furies qui, au moment que nous murmurions une confidence à une amie, avec l'espoir que personne ne nous entendait, nous crient cruellement: «J'écoute»; les servantes toujours irritées du Mystère, les ombrageuses prêtresses de l'Invisible, les Demoiselles du téléphone!
PROUST, le Côté de Guermantes, éd. Folio, p. 160.

III Fig. ◆ **1** (1665). Libellule (ou insecte analogue). Var.: *damoiselle*.

9 La verte demoiselle aux ailes bigarrées (...)
HUGO, Odes, IV, 17.

10 Les lézards t'intéressent, les demoiselles aussi qui, plantées sur le cou l'une de l'autre, volent de brindilles en brindilles et se posent, l'une toute droite et raide, l'autre en ligne brisée, le bout de sa queue dans l'eau.
J. RENARD, Journal, 31 juil. 1889.

◆ **2** *Demoiselle de Numidie.* → **Grue** (oiseau).

◆ **3** (1630). Techn. Outil de paveur. → **Dame, hie.**

◆ **4** Techn. Pièce de bois tourné qui sert à ouvrir les doigts des gants neufs.

◆ **5** (1870). Régional. Bouteille de vin. → **Fillette.**

◆ **6** Géol. Pilier formé par l'érosion. *Demoiselle coiffée*: pilier surmonté d'un bloc de pierre.

CONTR. Paysanne, roturière; dame. — Femme (mariée).

DÉMOLIR [demɔlir] v. tr. — 1458; lat. *demoliri* «mettre à bas, descendre», de *de-*, et *moliri* «construire», de *moles* «masse, construction».

I (Compl. n. de chose). ◆ **1** (1458). Défaire (une construction) en abattant élément par élément. → **Abattre, démanteler, détruire, raser, renverser**; → Mettre à bas*. *Démolir un mur, un bâtiment, un ouvrage fortifié. On a démoli l'édifice, il n'en reste que des décombres. Démolir un vieux quartier pour dégager un édifice historique, pour faire de nouvelles constructions. Démolir des maisons pour l'alignement d'une route. — Démolir un château de sable.*

1 On démolit ce temple, et ces autels chéris.
VOLTAIRE, Alzire, II, 4.

2 Je visite, dans tous les pays du monde, des villes qui ont été construites depuis une dizaine d'années et qu'il est grand temps de démolir parce qu'elles ne sont pas appropriées à la civilisation de l'heure.
G. DUHAMEL, Manuel du protestataire, IV, p. 108.

3 Il voudrait être (...) celui qui démolit les masures, met les rues à l'alignement, joint l'un à l'autre deux tronçons d'avenues qui, par-dessus un labyrinthe de plâtras, se faisaient vainement signe depuis un siècle.
J. ROMAINS, les Hommes de bonne volonté, t. V, XVIII, p. 137.

Détruire (une construction, un ensemble de constructions). *Les bombardements ont complètement démoli ce quartier.*

◆ **2** (Abstrait). Détruire entièrement. *Démolir une idée; une doctrine, un système, une argumentation. Démolir l'autorité, l'influence, le crédit de qqn.* → **Détruire, éreinter, saper, supprimer**. *Démolir les anciennes institutions.* → **Abolir**; table (faire table rase).

4 La science avait démoli sa foi; le dogme s'était évanoui en lui.
HUGO, Quatre-vingt-treize, II, I, II.

5 (...) c'était tout un système qui était plus qu'à réformer: — à démolir (...)
Louis MADELIN, Hist. du Consulat et de l'Empire, Ascension de Bonaparte, IV, p. 53.

6 Démolir ce qui a été si péniblement édifié par les hommes : la paix, les lois, cela me paraît absurde (...)
A. MAUROIS, le Cercle de famille, III, IV, p. 249.

◆3 Mettre (qqch.) en pièces ; rendre inutilisable. → **Abîmer, briser, casser, démonter, détériorer, détraquer ; fam. bigorner, bousiller, déglinguer.** *Démolir un meuble. Démolir une voiture, un appareil de radio, une installation électrique... Cet enfant démolit tous ses jouets. Objet qui se démolit.*

7 C'est impossible ; nous démolirions toute sa table.
A. MAUROIS, Bernard Quesnay, XIX, p. 121.

Mettre en mauvais état. → **Esquinter** (fam.).

8 Ils m'ont démoli l'estomac (...)
MARTIN DU GARD, les Thibault, t. III, p. 124.

II (Compl. n. de personne). ◆1 (En parlant d'une chose). Fatiguer, épuiser physiquement. *Ce traitement l'a démoli. Événement, épreuve, chagrin qui démolit.* → **Épuiser, tuer** (fig.) ; → fam. Mettre à plat*. — Pron. *Il s'est démoli.*

9 Figurez-vous, mes chéries, que je suis obligée de rentrer à Paris (...) Oui, Billy m'a téléphoné ce matin ; il n'est pas très bien ; la chaleur et le travail combinés l'ont démoli (...)
A. MAUROIS, Terre promise, XXI, p. 144.

(1801, *in* D.D.L.). Fam. Mettre hors de combat, en frappant. → **Terrasser ; battre ;** → fam. Abîmer* le portrait, arranger*, casser la gueule* à, rentrer dedans*. *Démolir qqn dans une rixe. Se faire démolir. «Je vais te démolir, numérote tes os»* (Zola, l'Assommoir, *in* T.L.F.).

◆2 Ruiner le crédit, la réputation, l'influence de (qqn). → **Perdre, ruiner.** *Démolir un concurrent par des moyens malhonnêtes. Démolir en critiquant, en calomniant, en tendant des pièges.*

10 Elle *(la Gironde)* avait l'air toute-puissante, et ne pouvait rien, et elle excitait l'envie, au moyen de laquelle Robespierre la démolissait chaque jour.
MICHELET, Hist. de la Révolution franç., I, p. 898.

◆ **DÉMOLI, IE** p. p. adj.

◆1 Détruit. *Ville entièrement démolie par la guerre. À moitié démoli.* → **Endommagé ; ruine** (en ruines).

◆2 Abîmé, hors d'usage. *Rien ne marche, tout est démoli dans cette maison.*

◆3 Fig. *Santé démolie par les excès.* → **Délabré.**

◆4 Fig. Ruiné. *Une réputation, une autorité démolie.*

CONTR. **Bâtir, construire, édifier, reconstruire, refaire ; créer, élaborer, fonder. — Arranger, réparer. — Aider, soutenir.** ◊ DÉR. **Démolissage, démolisseur.**

DÉMOLISSAGE [demɔlisaʒ] n. m. — 1882, Goncourt ; du rad. du p. prés. de *démolir*.

Action de démolir (surtout II.). *Le démolissage d'un écrivain dans un article.* — REM. La variante *démolissement* (→ Prospérer, cit. 2, au fig.). est rare.

DÉMOLISSEUR, EUSE [demɔlisœr, øz] n. — 1547, adj. ; rare jusqu'au XVIIIe ; de *démolir*.

◆1 Personne qui démolit un bâtiment. *Les démolisseurs abattent le mur à la pioche. Vieux immeubles qui tombent sous le pic des démolisseurs.*

1 Une équipe de démolisseurs, attendue huit jours plus tôt, avait fait faux bond.
J. ROMAINS, les Hommes de bonne volonté, t. V, XXVII, p. 272.

2 Toutes fenêtres béantes, elles *(les maisons)* montrent, avec impudeur et désespoir, l'intérieur des chambres vides où l'on voit la place des meubles, l'encoignure des lits, la tache à rebours des cadres. On entend, dans la substructure, besogner les démolisseurs.
G. DUHAMEL, Inventaire de l'abîme, I, p. 13.

Appos. *Ouvrier démolisseur.*

◆2 Abstrait. (Personne) qui démolit une idée, une doctrine... → **Destructeur, fossoyeur.** Péj. Personne qui se plaît à tout critiquer avec violence. → **Critique.** *Ce n'est qu'un démolisseur qui n'a aucun esprit de synthèse.*

3 Je suis grand démolisseur (...)
VOLTAIRE, Lettre à Mme du Deffand, 1er juin 1770.

4 (...) contrairement à ce qu'espéraient peut-être en effet les démolisseurs de l'ancien monde ou la plupart de ces démolisseurs et les promoteurs et les introducteurs du monde moderne, tout est allé aux seules puissances de force qui fussent demeurées, aux puissances d'argent.
Ch. PÉGUY, la République..., p. 207.

CONTR. **Constructeur, pionnier. — Animateur, bâtisseur, conservateur, créateur, promoteur.**

DÉMOLITION [demɔlisjɔ̃] n. f. — XIVe ; lat. *demolitio* «action de mettre à bas», du supin de *demoliri*. → Démolir.

◆1 (1367). Action de démolir (une construction, un ensemble de constructions). *La démolition d'un vieux quartier. Chantier de démolition. Entreprise de démolitions. Travaux de démolition. Maison en démolition* (→ Construction, cit. 2.1).

1 La maison de la vieille Mme Stumpf, située au Petit-Bâle, dans le misérable quartier de la Erlenstrasse (...) est une bicoque branlante, vouée à la démolition.
MARTIN DU GARD, les Thibault, t. VIII, p. 113.

Par métaphore. Destruction.

2 Pas de vide dans le cœur humain. De certaines démolitions se font, et il est bon qu'elles se fassent, mais à la condition d'être suivies de reconstructions.
HUGO, les Misérables, II, VI, XI.

3 Toute synthèse nouvelle sort d'une analyse critique préliminaire : une phase de démolition la précède et la prépare.
Ed. LE ROY, la Logique de l'invention, *in* Revue de métaphysique et de morale, mars 1905.

◆2 Plur. Matériaux des constructions démolies. → **Décombre(s), éboulis, gravats, ruine(s).** *Cadavres retrouvés sous les démolitions. Déblayer une place des démolitions, afin de reconstruire.*

4 (...) en abattant un vieux logis on en réserve ordinairement les démolitions pour servir à en bâtir un nouveau (...)
DESCARTES, Disc. de la méthode, IIIe partie.

◆3 Destruction physique ou morale (de qqn).

CONTR. **Construction, reconstruction. — Synthèse.**

DÉMON [demɔ̃] n. m. — 1546, *daemon ; demoygne*, déb. XIVe ; lat. impérial *dæmon* «esprit, génie», en lat. chrét. «esprit impur, diable», grec *daimôn* «esprit, génie» (→ ci-dessous, I., 1., b) ; la forme *demoygne* est issue du lat. *dæmonium*, grec *daimonion*.

I ◆1 **a** (Déb. XIVe). Être surnaturel, divinité, génie bon ou mauvais qui présidait à la destinée d'un homme, d'une collectivité, et l'inspirait. → **Dieu, esprit, génie ; mythologie** (djinn, lamie, lutin, monstre...).

1 Que l'honneur de mon prince est cher aux destinées ! Que le démon est grand qui lui sert de support !
MALHERBE, Sonnet à Mgr le Dauphin.

2 Ô ciel ! Quel bon démon devers moi vous envoie, Madame (...)
CORNEILLE, Héraclius, V, 2.

3 Un plus puissant démon veille sur vos années.
CORNEILLE, Cinna, II, 1.

4 (...) les trois Furies, les trois Parques, les mauvais démons, la roue d'Ixion, le vautour de Prométhée sont des chimères absurdes (...)
VOLTAIRE, Dialogues, XXIII.

5 Si le démon gardien de Raphaël lui avait expliqué (non pas montré) ce que devait tenter plus tard Van Gogh (...)
MALRAUX, les Voix du silence, I, V.

b (1552; grec *daimôn*). *Démon* ou, didact., *daimôn* : génie, voix qui, selon Socrate, lui dictait ses résolutions.

6 On ne convient pas de ce qu'était ce génie appelé ordinairement le démon de Socrate, d'un mot grec qui signifie quelque chose qui tient du divin, conçu comme une voix secrète. Charles ROLLIN, Hist. ancienne, IV, 359.

7 Socrate avait son Daïmôn. Descartes se donne un Diable pour les besoins de son raisonnement (...) Dans le récit qu'il nous a laissé de la fameuse Nuit du 10 novembre 1619, figure aussi un Génie «qui lui prédit ces songes avant qu'il ne se mette au lit» et un mauvais Génie auquel il attribue une douleur qui l'éveille et le dessein de le séduire. VALÉRY, Variété V, p. 236.

Par ext. *Le démon de qqn*, son génie protecteur. *Il a confiance en son démon familier.*

8 Houel et Jeanfin avaient un démon familier qui leur donnait toujours des as quand ils jouaient aux cartes. VOLTAIRE, Philosophie de l'histoire, III, 148, *in* LITTRÉ.

♦ **2** Vx ou littér. Puissance, force spirituelle, inspiration. *C'est son mauvais démon, son démon familier.*

9 Tous les jours de ses vers, qu'à grand bruit il récite,
Il met chez lui voisins, parents, amis, en fuite ;
Car, lorsque son démon commence à l'agiter,
Tout, jusqu'à sa servante, est prêt à déserter.
BOILEAU, Satires, VIII.

10 Celui qu'un vrai démon presse, enflamme, domine,
Ignore en tel supplice, il pense, il imagine (...)
A. CHÉNIER, Poèmes, «L'invention».

11 «Levez-vous vite, orages désirés, qui devez emporter René dans les espaces d'une autre vie». Ainsi disant, je marchais à grands pas, le visage enflammé, le vent sifflant dans ma chevelure, ne sentant ni pluie ni frimas, enchanté, tourmenté, et comme possédé par le démon de mon cœur. CHATEAUBRIAND, René.

II (XIIIᵉ). Dans la terminologie judaïque et chrétienne. ♦ **1** Ange déchu, révolté contre Dieu, et dans lequel repose l'esprit du mal. — REM. *Démon* a fait double emploi dès le XIIIᵉ s. avec *diable*. Mais peu à peu *démon* s'est spécialisé dans les emplois sérieux (théologiques, philosophiques...) au détriment de *diable* qui est resté vivant dans beaucoup d'expressions figurées et familières. → **Diable, génie** (du mal), **incube, succube**. *Évocation des démons par la magie, l'occultisme.* → **Magie, occultisme** (→ Apparition, cit. 11). *Troupe de démons. Démons hideux, grimaçants, gesticulants* (→ Aspect, cit. 2). *Conjurer* (cit. 4) *les démons.*

12 Alors on lui présenta un possédé aveugle et muet, et il le guérit, en sorte qu'il commença de parler et de voir (...) mais les pharisiens, entendant cela, dirent : Cet homme ne chasse les démons que par Béelzébub, prince des démons. Mais Jésus, connaissant leurs pensées, leur dit : Tout royaume divisé contre lui-même sera détruit (...) Et si Satan chasse Satan, il est divisé contre lui-même ; comment donc son royaume subsistera-t-il ? BIBLE (SACY), Évangile selon saint Matthieu, XII, 22-24-25-26.

13 (...) il y a des démons de plusieurs espèces ; et cette différence (...) vient des différentes espèces de péchés où ces esprits de ténèbres ont coutume de nous porter. BOURDALOUE, Sermon pour le dimanche, «Sur l'impureté».

14 (...) des démons, ayant pris des figures d'Éthiopiens ou d'animaux, erraient autour des solitaires, afin de les induire en tentation. FRANCE, Thaïs, p. 5.

15 Toi qui, forte comme un troupeau
De démons, vins, folle et parée (...)
BAUDELAIRE, les Fleurs du mal, Spleen et idéal, XXI.

16 (...) le démon Asmodée, amoureux terrible de Sara, est l'Aesma-Daeva des Perses, le diable de la luxure (...) DANIEL-ROPS, le Peuple de la Bible, IV, I, p. 277.

♦ **2** *Le démon* : Satan, prince des démons, chef des anges révoltés contre Dieu. *Le démon, appelé aussi Belzébuth, Lucifer. Désignations du démon* :

l'adversaire, l'esprit malin, le malin, l'esprit du mal, le maudit, le mauvais, le prince des ténèbres, le prince de ce monde, le roi des enfers, le séducteur, le tentateur, l'esprit immonde, l'esprit impur. *Le démon, inspirateur du péché. Les ruses, la malice, la fourberie du démon. Tentations, séductions que le démon fait subir aux hommes pour les inciter au mal. Le démon tenta Ève sous la forme du serpent. Saint Michel terrassant le démon. Craindre, redouter, fuir le démon. Évoquer le démon. Évocation du démon (Méphistophélès) par Faust. «Eh bien, pauvre démon ! Fais-moi voir tes merveilles !»* (Berlioz, la Damnation de Faust). *Signer un pacte* (cit. 5) *avec le démon. Être inspiré, obsédé par le démon. Être habité, possédé du démon.* → **Démoniaque, énergumène.** *Cérémonie par laquelle on chasse le démon d'un lieu, d'une personne.* → **Conjuration, exorcisme.** *L'exorciste, clerc des ordres mineurs, dont le rôle est de conjurer le démon. Culte du démon.* → **Magie** (magie noire), **messe** (messe noire).

17 Vil esclave toujours sous le joug du péché,
Au démon qu'il redoute il demeure attaché (...)
BOILEAU, Épître, XII.

18 Qu'il devait venir un libérateur qui écraserait la tête au démon, qui devait délivrer son peuple de ses péchés, *ex omnibus iniquitatibus.* PASCAL, Pensées, XI, 736.

19 Ce Démon, ce glorieux Lucifer, n'est-ce pas le même qui, avec tous les charmes de la séduction et sous un air de vague ennui, se glissant encore sous l'arbre d'Éden, a pris sa revanche en plus d'un endroit des scènes troublantes de Chateaubriand ? SAINTE-BEUVE, Causeries du lundi, 27 mai 1850, t. II, p. 157.

20 (...) j'espérais, à force de travail, arriver à reconstruire notre fortune ; mais le démon s'en mêle ! Alphonse DAUDET, le Petit Chose, I, IV, p. 42.

21 Je suis esclave de l'Époux infernal, celui qui a perdu les vierges folles. C'est bien ce démon-là. Ce n'est pas un spectre, ce n'est pas un fantôme. RIMBAUD, Une saison en enfer, «Délires I».

22 La culture positive de Vincent le retenait de croire au surnaturel ; ce qui donnait au démon de grands avantages. GIDE, les Faux-monnayeurs, I, XVI, p. 183.

Fig. *Un vacarme de démon* (La Fontaine, VI, 3). *Démons domestiques* (→ Attentif, cit. 15).

Loc. fig. *Avoir de l'esprit comme un démon* : avoir un esprit vif et malicieux, avoir beaucoup d'esprit. — *Faire le démon* : être actif, turbulent, bruyant, tapageur (vieilli).

23 Le maréchal de Créquy fait toujours le démon dans Trêves. Mᵐᵉ de SÉVIGNÉ, Lettres, 440, 4 sept. 1675.

24 Il a de l'esprit comme un démon.
MOLIÈRE, les Précieuses ridicules, 11.

Le démon de..., suscité par... (→ aussi **4.**, au fig.).

♦ **3** (1653). Personne qui a les attributs d'un démon : personne néfaste, méchante, dangereuse, rusée... ou simplement espiègle. *Cette femme est un vrai démon* (→ **Furie, harpie**). *Ce visage d'ange pourrait bien cacher un démon.* — Par ext. *Ce garçon est un petit démon*, il est très espiègle, très turbulent. → **Diable.**

♦ **4** (1694). **LE DÉMON DE,** personnification d'une mauvaise tentation, d'un défaut (le compl. désignant la cause qui pousse à mal faire). *Le démon de la chair* (→ Concupiscence). *Le démon du jeu. Le démon de la curiosité, de l'envie, de la jalousie, de la vengeance.* — *Le démon de midi* (Bible, *Psaumes*, XC) : tentation de nature affective et sexuelle qui s'empare des humains vers le milieu de leur vie. *Le Démon de midi,* roman de Paul Bourget (1914). — Fam. *Elle a pris un nouvel amant à cinquante ans : c'est le démon de midi.*

25 Dans cet être charmant et bon *(Charlotte Corday)*, il y eut cette sinistre puissance : *le démon de la solitude.*
    MICHELET, Hist. de la Révolution franç., II, p. 654.

26 Si vous vous êtes pris vivement aux choses de la société, si l'ambition vous a une fois mordu le cœur, si le démon littéraire vous a irrité et piqué, si les autres passions factices et secondaires se sont logées en vous et vous ont inoculé leur fièvre, vous êtes moins propre en effet à la solitude, au commerce avec la nature.
    SAINTE-BEUVE, Chateaubriand..., t. I, IV, p. 110.

27 (...) c'est qu'à certains moments de notre existence (en particulier au temps de l'adolescence et à celui du Démon de Midi) nous nous trouvons en état de réceptivité (...)
    A. MAUROIS, Études littéraires, t. I, Proust, IV, p. 131.

28 (...) les hommes valent moins que des chiens, quand le démon de la chair les tourmente.
    P. MAC ORLAN, la Bandera, XVI, p. 196.

29 Figurez-vous que la vérité, c'est qu'elle ne voulait plus de moi. Elle avait son démon de mal. Elle voulait un autre homme.
    L. PAUWELS, l'Amour monstre, p. 49.

30 Voilà encore un problème, un drame auquel l'homme échappe. Pour lui le vieillissement n'est pas un handicap et le démon de midi n'est qu'un bon diable auquel il peut obéir sans déchoir. Le beau-frère de Pasquale a cinquante-deux ans. Il fornique avec une starlette de vingt-deux ans qu'il se prépare à épouser.
    Benoîte et Flora GROULT, Journal à quatre mains, p. 88.

DÉR. Démone, démonerie, démonial, démonicole, démonique, démonisme, démoniste, démonographe, démonographie, démonolâtre, démonolâtrie, démonologie, démonologue, démonomane, démonomanie, démonopathie. — **REM.** *Démoniaque, démonialité,* etc. viennent directement de dérivés latins.

DÉMONE [demɔn] n. f. — Déb. XIXᵉ ; de *démon.*

Littér. Démon, génie femelle. → **Déesse, diablesse.**

1 Quoi qu'il en soit, la chaste image de Charlotte, en faisant pénétrer au fond de mon âme quelques rayons d'une lumière vraie, dissipa d'abord une nuée de fantômes : ma démone, comme un mauvais génie, se replongea dans l'abîme ; elle attendit l'effet du temps pour renouveler ses apparitions.
    CHATEAUBRIAND, Mémoires d'outre-tombe, t. II, p. 103.

2 (...) l'accent de ce mot, dans la bouche du naturaliste, raconte assez qu'Elle est la démone révérée de ce logis.
    COLETTE, la Paix chez les bêtes, «Le naturaliste et la chatte», p. 140.

REM. Cette forme est peu usitée. On dira plutôt : *cette fille est un véritable démon.*

Adjectif (rare) :

3 Et c'est la riposte immédiate ! Bafouages, brimades, férocités, tractations démones... pour que je crève hagard, englouti, sous les opprobres...
    CÉLINE, Guignol's band, p. 28.

DÉMONERIE [demɔnʀi] n. f. — 1588 ; de *démon,* et *-erie.*

Vx. Agissement de démon. → **Diablerie** (mod.).

DÉMONÉTISATION [demɔnetizasjɔ̃] n. f. — 1793 ; de *démonétiser.*

♦ **1** Action de démonétiser ; fait d'être démonétisé.

♦ **2** Fig. Discrédit.

1 (...) dans ces six cents jeunes gens, il existe des exceptions, des hommes forts qui résistent à leur démonétisation, et j'en connais (...)
    BALZAC, le Curé de village, Pl., t. IX, p. 698.

2 En politique, la démonétisation, si j'ose appliquer à des hommes ce terme barbare, désigne les vrais responsables.
    F. MAURIAC, Bloc-notes 1952-1957, p. 242.

DÉMONÉTISER [demɔnetize] v. tr. — 1793 ; dér. de 1. dé-, du rad. du lat. *moneta* «monnaie», et *-iser.*

♦ **1** Retirer (une monnaie) de la circulation. *Démonétiser les pièces d'or.*

♦ **2** Fig. *Démonétiser qqn.* → **Déprécier, discréditer.**

♦ **DÉMONÉTISÉ, ÉE** p. p. adj.

♦ **1** Se dit d'une monnaie (par ext., d'un timbre) qui n'a plus cours, qui est hors de circulation. *Le louis est démonétisé.*

♦ **2** Fig. Qui a perdu sa valeur, son pouvoir d'échange. *Une théorie complètement démonétisée.*

Toute la tradition chrétienne étant réputée tenir dans les tomes appareillés du sublime évêque (...) qu'avait-on besoin d'autre autorité et que pouvait tenter, après cela, l'esprit humain démonétisé.
    Léon BLOY, le Désespéré, p. 143.

CONTR. Mettre (en circulation). ◊ **DÉR.** Démonétisation.

DÉMONIAL, IALE, IAUX [demɔnjal, jo] adj. — 1279 ; de *démon,* et *-(i)al.*

Didact. (théol., etc.). Qui appartient au démon, aux démons. → **Diabolique.**

DÉMONIALITÉ [demɔnjalite] n. f. — 1876 ; lat. théol. *dæmonialitas* «commerce charnel avec le démon», de *daemon.* → Démon.

Didact. (théol.). Œuvre démoniaque ; relation avec le démon (en partic., relation charnelle).

En rendant à l'humaine malice ce que l'on attribuait au malin, la démonialité est une œuvre de chair qui consiste à s'exalter l'imagination, en fixant son désir sur un être mort, absent ou inexistant. Si une femme s'hypnotise la pensée sur Alcibiade, la sensation qui en résulte constitue ce que le Moyen Âge appelait commerce avec un démon incube (...)
    Joséphin PÉLADAN, le Vice suprême, 1884, p. 66, *in* T.L.F.

DÉMONIAQUE [demɔnjak] adj. et n. — V. 1230 ; *démoniacle,* XIIIᵉ, encore *in* d'Aubigné ; lat. ecclés. *dæmoniacus,* de *daemon.* → Démon.

♦ **1** Didact. (théol.). Du démon. → **Démonial.**

♦ **2** Digne du démon, d'un démon, qui évoque l'image traditionnelle du démon (méchanceté habile poussée à l'extrême, etc.). *Personne démoniaque. Sourire démoniaque.* → **Diabolique, méphistophélique, satanique.** *Fureur démoniaque. Danse démoniaque,* frénétique. → **Infernal.**

1 J'aime l'allure poétique, à sauts et à gambades ; c'est un art, comme dit Platon, léger, volage, démoniaque.
    MONTAIGNE, Essais, IV, 136, *in* LITTRÉ.

♦ **3** Adj. et n. (Didact.). Possédé du démon. → **Énergumène, possédé.** *Exorciser un démoniaque.*

2 (...) un roi qui s'entretient tout seul avec son capitaine des gardes parle un peu plus humainement, et ne prend guère ce ton de démoniaque.
    MOLIÈRE, l'Impromptu de Versailles, 1.

3 Ainsi j'appelle miraculeuse la guérison d'une maladie, faite par l'attouchement d'une sainte relique ; la guérison d'un démoniaque, faite par l'invocation du nom de Jésus, etc. (...)
    PASCAL, Pensées, XIII, Appendice, II.

CONTR. Angélique, céleste, divin. ◊ **DÉR.** Démoniaquement. — **COMP.** Antidémoniaque.

DÉMONIAQUEMENT [demɔnjakmã] adv. — 1943 ; de *démoniaque.*

Littér. D'une manière démoniaque.

(...) avec quelles paroles flatteuses, quel art de colorer l'horrible vérité, de rendre aimables les plus révoltantes situations, d'en nimber et transfigurer les acteurs, tout en nous amenant démoniaquement à nous faire oublier, sinon approuver (cela s'est vu) le caractère véritable de ces odieuses pratiques (...)
    M. AYMÉ, le Passe-muraille, p. 50.

DÉMONICOLE [demɔnikɔl] adj. et n. — 1846, Bescherelle ; de *démon*, et *-cole*.

Didact. et rare. (Personne) qui adore le démon.

DÉMONIQUE [demɔnik] adj. — 1422 ; de *démon*, et *-ique*.

Philos. Relatif à un démon ; dû à un démon. → **Démonial.**

DÉMONISME [demɔnism] n. m. — Av. 1784 ; de *démon*, et *-isme*.

Didact. Croyance aux démons (I.), aux génies.

DÉMONISTE [demɔnist] adj. et n. — 1745, *in* D.D.L. ; de *démon*, et *-iste*.

Didact. (Personne) qui croit à l'existence des démons.

DÉMONOGRAPHE [demɔnɔgʀaf] n. m. — 1625 ; de *démon*, et *-graphe*.

Didact. Auteur d'ouvrages sur les démons.

On distinguait parmi les auteurs une classe de démonographes. VOLTAIRE, *le Siècle de Louis XIV*, XXXI.

DÉMONOGRAPHIE [demɔnɔgʀafi] n. f. — 1829, *in* D.D.L. ; de *démon*, et *-graphie*.

Didact. Étude de la nature et de l'influence des démons. → **Démonologie.**

DÉMONOLÂTRE [demɔnɔlɑtʀ] adj. et n. — 1838 ; de *démon*, et *-lâtre*.

Didact. → **Démonicole.**

DÉMONOLÂTRIE [demɔnɔlɑtʀi] n. f. — 1838 ; de *démon*, et *-lâtrie*.

Vieilli, rare. Culte des démons.

DÉMONOLOGIE [demɔnɔlɔʒi] n. f. — 1600 ; de *démon*, et *-logie*.

Didact. Étude du démon, des démons (sciences occultes, mythologies et religions).

Une jeune dame instruite de démonologie, qui jouait aussi bien que feu monsieur François Villon en la diablerie St Maixant (...) D'AUBIGNÉ, *la Confession de Mᵐᵉ de Sancy*, I, 6, *in* LITTRÉ.

DÉMONOLOGUE [demɔnɔlɔg] n. — 1832 ; de *démon*, et *-logue*.

Théol. Spécialiste de démonologie.

DÉMONOMANE [demɔnɔman] n. — 1863, Littré ; de *démon*, et *-mane*.

Psychol. Personne qui se croit possédée du démon (→ Criminel, cit. 10).

DÉMONOMANIE [demɔnɔmani] n. f. — 1580, «recherche enragée du diable» ; sens moderne, 1625 ; de *démon*, et *-manie*.

Didact. (psychol.). Vieilli. Délire dans lequel le malade se croit possédé par les démons.

DÉMONOPATHIE [demɔnɔpati] n. f. — 1898, *Nouveau Larousse illustré* ; de *démon*, et *-pathie*.

Psychiatrie. Délire dans lequel le malade se croit possédé par le diable, ou croit avoir des contacts avec le diable. → **Démonomanie.**

DÉMONSTRATEUR, TRICE [demɔ̃stʀatœʀ, tʀis] n. — 1606 ; lat. *demonstrator*, du supin de *demonstrare*. → Démontrer.

♦ **1** Personne qui démontre, enseigne un procédé, le fonctionnement d'un mécanisme. — Figuré :

L'art n'est donc pas un démonstrateur invincible et le sentiment n'est pas toujours satisfait par la meilleure des définitions. G. SAND, *François le Champi*, Avant-propos, p. 11.

♦ **2** (XXᵉ). Comm. Vendeur, vendeuse ou démarcheur, démarcheuse qui montre comment fonctionne ce qu'il ou elle vend (aspirateurs, etc.), et, par ext., personne chargée de lancer une marque, un produit, dans les grands magasins.

(...) avec sa voix de phonographe et son sourire de démonstrateur qui s'excuse de vous déranger (...) Claude SIMON, *le Vent*, p. 22.

Techn. Dans l'industrie, Personne chargée d'appliquer à titre d'exemple les normes exigées des ouvriers.

Si les gestes de l'ouvrier étaient vicieux, trop lents, c'était au démonstrateur à lui faire sa leçon de choses. Le temps d'exécution du démonstrateur ou de l'ouvrier le plus habile, le mieux entraîné, servait de base. C'était l'application bien connue du système Taylor. Inhumain, absurde (...) Georges NAVEL, *Travaux*, p. 62.

♦ **3** Adj. Rare. *Un exemple démonstrateur.* → **Démonstratif.**

DÉMONSTRATIF, IVE [demɔ̃stʀatif, iv] adj. — V. 1327, *in* D.D.L. ; lat. *demonstrativus*, du supin de *demonstrare*. → Démontrer.

♦ **1** Qui démontre, qui sert à démontrer. → **Apodictique.** *Argument démonstratif. Preuve, raison démonstrative.* → **Convaincant.** *Expérience démonstrative* (→ Crucial, cit. 2). *Cela est démonstratif, irréfutable, probant.*

(...) par raisons démonstratives et convaincantes (...) MOLIÈRE, *le Mariage forcé*, 4.

Et ainsi, notre proposition est dans une force infinie, quand il y a le fini à hasarder à un jeu où il y a pareils hasards de gain que de perte, et l'infini à gagner. Cela est démonstratif ; et si les hommes sont capables de quelque vérité, celle-là l'est. PASCAL, *Pensées*, III, 233.

♦ **2** (1393). Qui sert à montrer. Rhét. *Genre démonstratif* : celui des trois genres d'éloquence qui a pour objet la louange ou le blâme.

Gramm. (Cour.). *Adjectif démonstratif*, qui sert à montrer la personne ou la chose désignée par le nom auquel il est joint. → 1. Ce.

Les démonstratifs montrent l'être ou l'objet, c'est là leur sens essentiel : **cette maison** me plaît ; j'aime **ce ciel** un peu gris ; — arrêtons-nous, asseyons-nous sur **ces roches**. F. BRUNOT, *la Pensée et la Langue*, I, v, v, p. 143.

Pronom démonstratif, qui désigne un être ou un objet, ou représente un nom, une idée. → 2. Ce ; **celui, celle, ceux, celles ; celui-ci, celle-ci ; ceci ; ceux-ci, celles-ci ; celui-là, celle-là, cela ; ça ; ceux-là, celles-là.** — N. m. *Les démonstratifs sont des déictiques*.*

♦ **3** (1789). Personnes. Qui manifeste vivement les sentiments qu'elle éprouve ou veut paraître éprouver. → **Communicatif, expansif, exubérant, franc, ouvert ; démonstration.** *Une personne démonstrative. Cet enfant est peu démonstratif.* Par ext. *Geste démonstratif.* → **Expressif.**

Il (Hamida) a la démarche ouverte, la parole expansive, le geste démonstratif, la voix goguenarde, et toujours comme un sourire irrésistible dans le regard. E. FROMENTIN, *Une année dans le Sahel*, p. 139.

CONTR. Fermé, froid, renfermé, réservé, taciturne. ◊ COMP. **Démonstrativement.**

DÉMONSTRATION [demɔ̃strasjɔ̃] n. f. — Déb. XIIIe ; auparavant *demostraison ;* lat. *demonstratio,* du supin de *demonstrare.* → Démontrer.

◆**1** (V. 1155). Opération mentale qui établit une vérité (preuve, induction), la vérité de (qqch.). *Démonstration claire, irréfutable.* → **Preuve.** *La démonstration de qqch. par qqn. La démonstration de qqn,* faite par qqn. *Sa démonstration était très convaincante.*

Log. (opposé à *preuve*). Raisonnement déductif destiné à établir la vérité d'une proposition à partir de prémisses considérées comme vraies. → **Déduction ; raisonnement ; conclusion, prémisse, syllogisme.** *La logique est l'instrument de la démonstration. Démonstration mathématique ou déduction constructive. Principes de la démonstration.* → **Axiome, définition, hypothèse, postulat, principe.** *Démonstration d'un théorème. Démonstration analytique directe ; analytique indirecte ou démonstration par l'absurde* (→ Conséquence, cit. 10). *Démonstration a priori, a posteriori. Démonstration synthétique. Les corollaires, les lemmes, les conclusions d'une démonstration. La démonstration, dans les sciences expérimentales, ou la vérification d'une hypothèse* (→ **Induction, investigation).** *Démonstration d'une loi.*

1   Ces longues chaînes de raisons toutes simples et faciles, dont les géomètres *(mathématiciens)* ont coutume de se servir pour parvenir à leurs plus difficiles démonstrations (...)   DESCARTES, Disc. de la méthode, II.

2   Car il ne faut pas se méconnaître : nous sommes automate autant qu'esprit ; et de là vient que l'instrument par lequel la persuasion se fait n'est pas la seule démonstration.
                                    PASCAL, Pensées, IV, 252.

3   (...) au lieu de nous faire trouver les démonstrations, on nous les dicte (...) au lieu de nous apprendre à raisonner, le maître raisonne pour nous et n'exerce que notre mémoire.
                                    ROUSSEAU, Émile, II.

4   Je n'y vois rien à répondre, en effet, sinon que l'art est une démonstration dont la nature est la preuve ; que le fait préexistant de cette preuve est toujours là pour justifier et contredire la démonstration et qu'on n'en peut pas faire de bonne si on n'examine pas la preuve avec amour et religion.
                                    G. SAND, François le Champi (→ Démonstrateur, cit. 1).

5   (...) je me suis moi-même à la longue convaincu que les plus graves arguments et les démonstrations les mieux conduites avaient bien peu d'effet, sans le secours de ces détails insignifiants en apparence ; et que, par contre, des raisons médiocres, convenablement suspendues à des paroles pleines de tact, ou dorées comme des couronnes, séduisent pour longtemps les oreilles.
                                    VALÉRY, Eupalinos, p. 20 (→ Convaincre, cit. 6).

6   (...) aucun savant digne de ce nom ne confond la vision d'une vérité avec la démonstration d'une vérité et n'accepte l'intuition sans qu'elle ait fait ses preuves.
                                    RIBOT, in Julien BENDA, Lettre à Mélisande, p. 67.

6.1   Ce procédé est la démonstration par récurrence. On établit d'abord un théorème pour n = 1, et l'on montre ensuite que s'il est vrai de n–1, il est vrai de n et on en conclut qu'il est vrai pour tous les nombres entiers.
                                    Henri POINCARÉ, la Science et l'Hypothèse, p. 19.

Par ext. Ce qui sert à démontrer. → **Preuve ; argument, justification.** *Les faits sont la meilleure démonstration de ce que j'avance.*

◆**2** Action de montrer, d'expliquer par des expériences faites sous les yeux de l'assistance les données d'une science. → **Expérience, exposition, leçon.** *Démonstration publique. Les démonstrations d'un professeur. Faire une démonstration. — La démonstration de qqch. Faire la démonstration d'un appareil, d'une machine.*

7   — De cette façon donc, un homme (...) est sûr de tuer son homme (...)

— Sans doute. N'en vîtes-vous pas la démonstration ?
                                    MOLIÈRE, le Bourgeois gentilhomme, II, 2.

8   Quand la Société d'agriculture de Melun sollicita de Pasteur une démonstration publique de sa vaccination anticharbonneuse, l'intention, chez quelques-uns, n'était peut-être pas sans malice ou perfidie.
                                    Henri MONDOR, Pasteur, VIII, p. 141.

Action de montrer au public en quoi consiste une activité, un sport. *Une démonstration d'aïkido.*

Spécialt. Démonstration faite par un vendeur pour montrer le fonctionnement d'un appareil, les qualités d'un produit. → **Démonstrateur,** 2. *Démonstration d'un camelot. Le vendeur m'a fait la démonstration d'un nouvel appareil électrique.*

◆**3** Marques, signes extérieurs volontaires qui manifestent très visiblement les dispositions, les intentions, les sentiments... → **Démonstratif ; étalage, manifestation, marque, protestation, témoignage,** et aussi **expression.** *Des démonstrations de joie, d'amitié. Les caresses, démonstration d'affection. Démonstrations d'intérêt, de fidélité, de zèle. Démonstrations hostiles. De fausses démonstrations.*

9   Je ne puis croire qu'il y ait du venin dans son cœur, avec toutes les démonstrations qu'il nous fait (...)
                                    Mme DE SÉVIGNÉ, Lettres, 117, 28 nov. 1670.

10   Nous le saluâmes avec toutes les démonstrations d'un profond respect (...)   A. R. LESAGE, Gil Blas, VII, XIV.

11   Tout cet étalage de fierté et de noblesse dans son procédé n'était donc qu'une vaine démonstration qui ne signifiait rien (...)
                                    MARIVAUX, la Vie de Marianne, VIII, p. 388.

12   La mère Liébard, en apercevant sa maîtresse, prodigua les démonstrations de joie.
                                    FLAUBERT, Trois contes, «Un cœur simple», II.

◆**4** Manœuvre de forces armées destinée à intimider l'ennemi ou à lui donner le change. *Démonstration terrestre, aérienne, navale.*

DÉMONSTRATIVEMENT [demɔ̃strativmã] adv. — 1282 ; de *démonstratif.*

D'une manière démonstrative et convaincante. *Prouver démonstrativement qqch.*

D'ailleurs, la fréquente don Alexo Segiar, don Antonio Centellés et don Fernand de Gamboa : cela seul prouve démonstrativement son libertinage.
                                    A. R. LESAGE, Gil Blas, IV, II.

DÉMONTABLE [demɔ̃tabl] adj. — 1870 ; de *démonter.*

◆**1** Qui peut être démonté ; qui est fabriqué de manière à pouvoir être démonté et remonté facilement. *Jouet démontable. Meuble démontable. Pièces anatomiques démontables.* → **Clastique.**

1   Il *(Talou)* avait distingué surtout certain chemin de fer qui le ravissait par son merveilleux roulement dû à un complexe réseau de rails facilement démontables. C'est de cette amusante invention qu'était issu en partie le projet dont Sirdah venait nous exposer le détail.
                                    Raymond ROUSSEL, Impressions d'Afrique, p. 421.

2   Un troisième administrateur reçoit un coffre-fort démontable (...)
                                    GIDE, Voyage au Congo, in Souvenirs, Pl., p. 854.

◆**2** Abstrait. Qui peut être décomposé analytiquement.

CONTR. Indémontable.

DÉMONTAGE [demɔ̃taʒ] n. m. — 1838 ; de *démonter* (II.).

◆**1** Action de démonter (II., 1.). *Le démontage d'une serrure, d'une arme, d'une montre, d'une roue de secours. Démontage facile, difficile.*

♦ **2** Abstrait. *Le démontage de l'énigme par l'astucieux détective, à la fin d'un roman policier.*

(...) les intéressants travaux de leurs astucieux démontages (*de Duranty et Stendhal*) s'exerçaient, pour tout dire, sur des cervelles agitées par des passions qui ne l'émouvaient plus (*des Esseintes*).
HUYSMANS, À rebours, 1884, p. 252, *in* T.L.F.

CONTR. Remontage.

DÉMONTANT, ANTE [demɔ̃tã, ãt] adj. — 1893; p. prés. de *démonter*, I., 2.

Fam. Qui décontenance, démonte (par son attitude, son langage, son caractère insolite...). *Vous êtes réellement démontant de cynisme!* → **Déconcertant, déroutant.**

(...) la Comptabilité, reléguée, celle-ci, en paria, à l'autre bout de la maison, sans qu'il fût possible de comprendre pourquoi, de trouver l'ombre d'un prétexte à un ostracisme démontant (...)
COURTELINE, *Messieurs les ronds-de-cuir*, V, III.

DÉMONTÉ, ÉE [demɔ̃te] adj. → **Démonter.**

DÉMONTE-PNEU [demɔ̃t(ə)pnø] n. m. — 1901, Jarry, *in* D.D.L.; comp. de *démonter*, et de *pneu*.
Levier destiné à retirer un pneumatique de sa jante. *Des démonte-pneus.*

DÉMONTER [demɔ̃te] v. tr. — Fin XIIᵉ, *desmonter*; de 1. *dé-*, et *monter*.

I ♦ **1 Équit.** Jeter (qqn) à bas de sa monture. → **Désarçonner, renverser, vider** (les étriers). *Le cheval démonta son cavalier.*

Absolt ou intrans. Vx :

1 Je ne démonte pas volontiers quand je suis à cheval, car c'est l'assiette en laquelle je me trouve le mieux (...)
MONTAIGNE, Essais, I, 48 (→ 1. Assiette, cit. 2).

Par ext. Priver de monture (un, des cavaliers). *Démonter un régiment de cavalerie.*

Chasse. *Démonter un oiseau*, lui casser une aile ou les ailes.

♦ **2** (1502). Étonner (qqn) au point de faire perdre l'assurance. → **Déconcerter, décontenancer, démoraliser, interloquer, renverser, troubler.** *Cette objection le démonta* (→ **Démontant**). *Il ne s'est pas laissé démonter.*

2 L'aplomb de ce petit me démontait.
GIDE, les Faux-monnayeurs, III, XV, p. 458.

II ♦ **1** Défaire (un tout, un assemblage) en séparant les éléments. → **Débâtir, défaire, désassembler, désunir, disjoindre; démontage.** *Démonter un échafaudage, une machine, un mécanisme, un moteur. Démonter un meuble. Démonter une pendule, une serrure, la culasse d'une arme à feu. Démonter une tente, un chapiteau.*

Séparer (qqch.) de son point d'attache. *Démonter une porte, la roue d'une voiture.* — **Techn.** Séparer de sa monture. *Démonter la pierre d'une bague.*

3 (...) j'ai besoin de quelques petits diamants qui en ornent la boîte; je l'ai prise pour les envoyer démonter à Paris (...)
MARIVAUX, la Surprise de l'amour, II, 7.

♦ **2 Par métaphore ou fig.** (abstrait) :

4 Douter, c'est examiner, c'est démonter et remonter les idées comme des rouages, sans prévention et sans précipitation (...)
ALAIN, Propos, p. 21.

5 (...) il avait eu, en route, non pas une panne, mais des «emmerdements de carburation» qui l'avaient amené à démonter plusieurs fois «son gicleur et le reste» (...)
J. ROMAINS, les Hommes de bonne volonté, t. V, XXVII, p. 283.

◆ **SE DÉMONTER** v. pron.

♦ **1** (Correspond au sens I, 2 du transitif). Personnes. Être décontenancé, perdre son sang-froid. → **Affoler** (s'), **perdre** (contenance, la tête...). *Il se démonte devant l'examinateur. Il ne se démonte pas pour si peu.*

♦ **2** (Sens II). *Cette mécanique se démonte.* → **Démontable** — Par ext. → **Déranger** (se), **détraquer** (se). — **Fig.** :

6 (...) les vieilles cervelles se démontent comme les jeunes.
MOLIÈRE, le Malade imaginaire, 1ᵉʳ intermède.

7 (...) il n'y avait point d'âme plus ferme, plus résolue, point de tête qui se démontât plus difficilement (...)
MARIVAUX, le Paysan parvenu, p. 96.

(**Faux pron.**). *Se démonter l'épaule. Bâiller à se démonter la mâchoire.* → **Décrocher.**

◆ **DÉMONTÉ, ÉE** passif et p. p. adj.

♦ **1** (Sens I, 1). Passif. *Être démonté.* — P. p. adj. *Cavalier démonté* : cavalier jeté à bas ou privé de sa monture.

8 (...) les chevaliers bien armés ne couraient guère d'autre risque que d'être démontés (...)
VOLTAIRE, Essai sur les mœurs, LI.

9 (...) la cavalerie du czar, presque toute démontée, ne pouvait plus être d'aucun secours, à moins qu'elle ne combattît à pied.
VOLTAIRE, Hist. de l'Empire de Russie sous Pierre le Grand, II, 1.

♦ **2** (Sens II, 1). Dont on a séparé, démonté les éléments, les pièces. *Machine démontée. Horloge démontée.*

10 (*Elle*) étale au grand jour, démontés, les rouages les plus intimes de son organisme mental, comme un horloger les pièces de la pendule qu'il nettoie.
GIDE, les Faux-monnayeurs, II, V, p. 262.

♦ **3** (Sens I, 2). Personnes. → **Déconcerté, décontenancé, troublé.** *Candidat démonté.*

11 L'imprévoyant, dit Valéry, est moins accablé et démonté par l'événement catastrophique, que le prévoyant.
GIDE, Journal, 16 juin 1932.

11.1 (...) il y a les grands hommes alors qu'on en est encore à chercher les enfants grands ou sublimes.
L'enfant toussa. M. Deane fut légèrement démonté. Il savait trop qu'une fluxion de poitrine chez un enfant balance largement le talent à l'aquarelle chez un homme.
GIRAUDOUX, les Aventures de J. Bardini, p. 177.

♦ **4** Se dit des flots, de la mer... *Mer démontée*, bouleversée par la tempête. → **Agité, houleux.**

12 (...) bientôt le vent s'éleva, et une bourrasque survenant força le chalutier à fuir. Il gagna les côtes d'Angleterre; mais la mer démontée battait les falaises, se ruait contre la terre, rendait impossible l'entrée des ports.
MAUPASSANT, les Contes de la bécasse, «En mer».

13 (...) les chocs rythmés, et de plus en plus durs et violents, de cette mer démontée contre la coque.
VALÉRY, Autres rhumbs, p. 24 (→ Choc, cit. 5).

CONTR. Monter; remonter. — Encourager, enhardir, raffermir, rassurer. — (Du p. p. adj.) Calme, impassible. ◊ **DÉR.** Démontable, démontage, démontant, démonteur. ◆ **COMP.** Démonte-pneu.

DÉMONTEUR, EUSE [demɔ̃tœr, øz] adj. — 1877, fém.; masc., 1907; de *démonter.*
Celui, celle qui démonte (qqch.). — **N. f. Techn.** Ouvrière des tréfileries.

DÉMONTRABILITÉ [demɔ̃trabilite] n. f. — 1863; de *démontrable.*
Didact. Caractère de ce qui est démontrable.

DÉMONTRABLE [demɔ̃trabl] adj. — V. 1273, *demonstrable*; de *démontrer*, et *-able*.
Qui peut être démontré. *Proposition démontrable.*
CONTR. Indémontrable. ◊ **DÉR.** Démontrabilité.

DÉMONTRER [demɔ̃tʀe] v. tr. — Au Xᵉ, *demonstrer; demustrer*, v. 1175 «montrer»; sens mod. au XVIᵉ; lat. *demonstrare* «montrer, démontrer», de *de-*, et *mons-trare*. → Montrer.

♦ **1** Vx. [a] Enseigner (qqch.) en montrant. *Démon-trer l'anatomie.* — Absolt. Faire un exposé.

[b] *Démontrer qqn,* l'enseigner.

♦ **2** Mod. Établir la vérité de (qqch., une proposi-tion) d'une manière évidente et rigoureuse, par une déduction logique. → **Établir, prouver; démons-tration.** *Démontrer une proposition, un théorème. Vouloir démontrer une vérité évidente* (→ Enfoncer une porte* ouverte). *Vérité qui n'a pas besoin d'être démontrée.* → **Axiome** (cit. 2). *Démontrer qqch. par l'analyse** (cit. 5), *par la synthèse*. Démontrer qqch. par des arguments convaincants, des preuves indis-cutables.* → **Convaincre**; cf. Faire toucher du doigt. *Démontrer une proposition mathématiquement, avec rigueur. Tout démontrer.* → Ordre, cit. 5. *Il nous l'a démontré par A + B, rigoureusement. Exposé qui démontre la fausseté d'une allégation.*

1   Le cœur sent qu'il y a trois dimensions dans l'espace, et que les nombres sont infinis, et la raison démontre ensuite qu'il n'y a point deux nombres carrés dont l'un soit double de l'autre.   PASCAL, Pensées, IV, 282.

Pron. (passif) *Se démontrer.*

2   Le Mathématicien vous dira que l'infini des Nombres existe et ne se démontre pas.   BALZAC, Séraphita, Pl., t. X, p. 547.

3   On prouve par des témoignages, par des actes, par des preuves, en un mot; on démontre par des arguments. Un fait se prouve, mais il ne se démontre pas. Une propo-sition se démontre; mais elle se prouve aussi, quand les arguments sont considérés comme des preuves.   É. LITTRÉ, Dict., art. *Démontrer.*

Log. Prouver par démonstration (déduction).

Loc. *Ce qu'il fallait démontrer* (abrév. : *C. Q. F. D.*), se dit à la fin d'une démonstration, après la propo-sition dont il s'agissait d'établir la vérité.

♦ **3** (V. 1175). Fournir une preuve de (qqch.), faire ressortir. → **Déceler, établir, indiquer, montrer, prouver, ressortir** (faire ressortir), **révéler, témoigner.** *Action qui démontre la bonté. Ces faits démontrent la nécessité d'une réforme.* → **Enseigner, justifier.**

4   Laurence tomba dans l'abattement intérieur qui doit mor-tifier l'âme de toutes les personnes d'action et de pensée, quand l'inutilité de l'action et de la pensée leur est démon-trée.   BALZAC, Une ténébreuse affaire, Pl., t. VII, p. 592.

♦ **4** Faire la démonstration de (qqch.) à une assis-tance. → **Démonstration** (2.).

4.1   Il démontrait à la ronde, le jeu des soupapes et des valves, du guide-rope, des baromètres, des lois du lest, des phéno-mènes.   CÉLINE, Mort à crédit, 1936, p. 458, *in* T.L.F.

♦ **DÉMONTRÉ, ÉE** p. p. adj.

Dont la vérité est établie d'une manière évidente et rigoureuse. *C'est un fait démontré,* établi, certain.

CONTR. (Du p. p.) Indémontré. ◊ DÉR. Démontrable, démon-treur.

DÉMONTREUR, EUSE [demɔ̃tʀœʀ, øz] n. — 1764, Voltaire; de *démontrer.*

Vx. Personne qui démontre.

DÉMORALISANT, ANTE [demɔʀalizɑ̃, ɑ̃t] adj. — 1863, *in* D.D.L.; p. prés. de *démoraliser.*

Qui démoralise.

♦ **1** Littér. Qui rend immoral. *Influence démoralisante et corruptrice*.*

1   Je me doutais bien que ces exploiteurs de la plus basse sensualité et de la lubricité ameuteraient contre moi, au

nom de la liberté de penser ou d'écrire, tous ceux qui se refusent à voir le péril de ses abus, qui veulent se donner l'élégance et s'en faire sans discernement les champions malgré les démoralisants excès qu'elle a parfois sous cer-taines plumes (...)   Georges LECOMTE, Ma traversée, p. 366.

2   Le roi se sépare du peuple de toute la hauteur de son opulence et de son orgueil. «Son cœur s'élève au-dessus de ses frères. L'abondance de l'or, l'augmentation de la puis-sance, entraînent leurs conséquences ordinaires, démora-lisantes.»   DANIEL-ROPS, le Peuple de la Bible, III, II, p. 207.

♦ **2** (XXᵉ). Cour. Qui est de nature à démoraliser (2.). *Un échec démoralisant.* → **Décourageant, déprimant.** *C'est un peu démoralisant, à la fin.*

CONTR. Moralisateur. — Encourageant, réconfortant.

DÉMORALISATEUR, TRICE [demɔʀalizatœʀ, tʀis] adj. et n. — 1797, *démoraliseur*, Brunot, H.L.F., t. IX, p. 835; de *démoraliser.*

♦ **1** (1796). Littér. Personne qui corrompt, rend immoral. *Influence démoralisatrice.* → **Corrupteur, subversif.**

♦ **2** (Choses). Qui fait perdre courage, qui tend à décourager. *Propos démoralisateurs. Propagande démoralisatrice.* → **Défaitiste.**

DÉMORALISATION [demɔʀalizasjɔ̃] n. f. — 1796, selon Bloch; de *démoraliser.*

♦ **1** Action de démoraliser*; résultat de cette action; perte de sens moral. *Démoralisation d'une société.* → **Corruption.**

1   Le charme de la vie la plus élégante, la plus raffinée, la plus exquise, c'est l'apparence, mais la réalité, c'est, au fond, la démoralisation de la conscience sacrifiée aux «droits» de l'esprit et aux appels du plaisir.   Louis MADELIN, Talleyrand, V, XL, p. 436.

2   (...) toutes ces pratiques odieuses, qui manifestent la démo-ralisation d'une société, n'étaient pas imaginables dans le monde où nous vivions.   G. DUHAMEL, le Temps de la recherche, XI, p. 147 (→ Appartement, cit. 6).

2.1   Chez l'homme de l'esprit peut se produire une sorte de démoralisation à l'égard des choses de l'esprit — une absence de piété, une brusquerie et une légèreté à leur égard.   VALÉRY, Cahiers, t. II, Pl., p. 1385.

♦ **2** (1831). Action de donner mauvais moral, d'en-lever le courage. *La démoralisation d'une armée.* → **Découragement;** → Défaitiste (cit. 1).

3   Certains historiens sont allés jusqu'à admettre que les Pro-phètes avaient été payés par l'ennemi pour tenir ce langage de démoralisation.   DANIEL-ROPS, le Peuple de la Bible, III, II, p. 226.

3.1   Participation à une entreprise de démoralisation de l'armée ayant pour objet de nuire à la défense nationale.   F. MAURIAC, le Nouveau Bloc-notes 1958-1960, p. 41.

CONTR. Moralisation; édification. — Exaltation, exhortation.

DÉMORALISER [demɔʀalize] v. tr. — 1795; de 1. *dé-, moral,* et *-iser.*

♦ **1** (1795). Vx ou littér. Ôter le sens moral; rendre immoral. → **Corrompre.** *Les mauvais exemples démoralisent les faibles.*

1   Celui qui démoralise un peuple peut être, est même certai-nement l'auteur direct et la cause épuisante des désastres qui peuvent arriver à ce peuple.   Ch. PÉGUY, la République..., p. 302.

2   (...) il avait la passion de l'influence et se flattait de démo-raliser avec méthode.   F. MAURIAC, le Désert de l'amour, I, p. 9.

♦ **2** (1829). Mod. Enlever la confiance, le courage, le moral à (qqn, un groupe). → **Abattre, déconcerter,** décourager, démonter, désorienter. *Les échecs l'ont démoralisé. Propagande défaitiste qui démoralise l'armée, la nation.*

3 En intervenant, presque à la dernière heure, avec des forces toutes fraîches, les États-Unis contribuaient à la chute de l'Allemagne. Ils la démoralisaient surtout en lui retirant l'espoir de vaincre.
J. BAINVILLE, Hist. de France, XXII, p. 560.

3.1 Alleg a été torturé ou il ne l'a pas été. S'il l'a été dans les conditions qu'il décrit, ne reprochez pas à la victime mais aux bourreaux, de démoraliser l'armée.
F. MAURIAC, le Nouveau Bloc-notes 1958-1960, p. 41.

Au participe passé :

4 Ressorti de là tout démoralisé de fatigue et de tristesse.
GIDE, Journal, 17 janv. 1907.

5 Or, Villeneuve, à cette heure, errait démoralisé, presque désespéré (...)
Louis MADELIN, Hist. du Consulat et de l'Empire, Avènement de l'Empire, XIX, p. 245 (→ Décontenancer, cit. 3).

V. pron. (1837). Se décourager.

5.1 (...) nous n'osons congédier déjà ceux-ci (*les porteurs*), qui cependant se démoralisent et s'encouragent à l'insoumission.
GIDE, Voyage au Congo, *in* Souvenirs, Pl., p. 755.

◆ **DÉMORALISÉ, ÉE** p. p. adj.

◆ 1 Vx. Qui n'a plus de sens moral.

◆ 2 Mod. Qui n'a plus de courage, de confiance.
→ **Abattu, découragé, déprimé** (→ ci-dessus, cit. 4, 5).

CONTR. Moraliser. – Édifier. – Exhorter, gonfler (fam.), remonter (le moral). ◊ DÉR. Démoralisant, démoralisateur, démoralisation.

DÉMORDRE [demɔʀdʀ] v. intr. et tr. ind. — 1559; de 1. *dé-*, et *mordre*.

◆ 1 V. intr. (1559). Vx. Lâcher prise après avoir mordu.

1 Au lieu de démordre, elle (*la belette*) suce le sang de l'endroit entamé (...)
BUFFON, Hist. nat. des animaux, «Du rat», *in* HATZFELD.

REM. Le verbe s'est employé au fig. comme transitif («lâcher»). *Démordre une opinion* (→ Opiniâtreté, cit. 1, Montaigne).

◆ 2 V. tr. ind. (1580). Mod. **DÉMORDRE DE** (surtout nég.) : se départir (d'une ligne de conduite), renoncer à (une opinion). → **Abandonner, dédire** (se), **démarrer, désister** (se), **renoncer.** *Ne pas démordre de son avis. Vous n'en ferez pas démordre. Ne pas vouloir en démordre. Démordre de ses principes.* → **Déroger** (à). *Il n'en démordra pas* : il est très entêté.

2 (...) je ne suis point homme à démordre jamais d'une partie de mes prétentions.
MOLIÈRE, George Dandin, I, 4.

3 (...) homme capable de faire une sottise plutôt que de démordre de son sentiment.
A.R. LESAGE, Gil Blas, XII, IV.

4 (...) toute mon éloquence fut inutile. Il baissa la tête sur son estomac, et, gardant un morne silence, quelque chose que je pusse faire et dire, il me fit juger qu'il n'en démordrait point.
A.R. LESAGE, Gil Blas, X, XI.

5 (...) il prit sur-le-champ la résolution de s'enfuir la nuit suivante, et rien ne put l'en faire démordre (...)
ROUSSEAU, les Confessions, III.

6 Eussiez-vous avancé par hasard la plus grande sottise du monde, n'en démordez pas pour un diable, et faites-vous plutôt assommer.
A. DE MUSSET, Barberine, I, 4.

7 Un rôle qui vous est échu par hasard, et qu'on joue jusqu'à la mort, par vanité, pour qu'il ne soit pas dit qu'on vous en a fait démordre.
J. ROMAINS, les Hommes de bonne volonté, t. III, p. 31.

8 Aussi un homme qui a pour profession de rechercher la vérité dans les écritures ou dans les intestins, est-il en

quelque sorte impitoyable. Les généraux, les juges peuvent venir avec leurs belles robes. Il leur parle de ce qu'il sait et vous pouvez être sûr qu'il ne démordra pas.
PROUST, Jean Santeuil, Pl., p. 650.

CONTR. Mordre. – Entêter (s').

DÉMORPHINISATION [demɔʀfinizasjɔ̃] n. f. — 1894, *in* D.D.L.; de 1. *dé-*, *morphine*, et *-isation*.
Méd. Désintoxication* des morphinomanes par réduction progressive des doses de morphine.

DÉMOSCOPIE [demɔskɔpi] n. f. — Mil. xxᵉ; du grec *dêmos* «population», et *-scopie.*
Didact. et rare. Sondage de l'opinion publique.

DÉMOSTHÈNE [demɔstɛn] n. m. — 1759; du nom de *Démosthène*, orateur athénien (385-322 av. J.-C.).
Vx. Orateur politique. *Un de nos démosthènes a déclaré...*
DÉR. Démosthénien ou démosthénique.

DÉMOSTHÉNIEN, IENNE [demɔstenjɛ̃, jɛn] ou (vx) **DÉMOSTHÉNIQUE** [demɔstenik] adj. — 1571, *démosthénien; démosthénique*, v. 1715; de *démosthène.*

◆ 1 Didact. Qui est propre, qui se rapporte à Démosthène, à son éloquence. *La rhétorique démosthénienne.*

◆ 2 Vx. Relatif à l'éloquence politique.

DÉMOTIQUE [demɔtik] adj. et n. — 1371, adj. «démocratique»; grec *dêmotikos* «populaire», de *dêmos* «peuple».
Didact. Ling. (rare). Commun, vulgaire, courant, en parlant d'une langue, d'un usage linguistique (opposé à *savant*, à *littéraire*, etc.). *Usage démotique et usage lettré.* – Spécialt :
[a] (Av. 1822). Se dit de la langue parlée et de l'écriture cursive vulgaire des anciens Égyptiens (simplification de l'écriture hiératique*). *Écriture démotique.* → **Phonétiquement,** cit., Champollion.
N. m. *Le démotique* : la langue de l'Égypte ancienne précédant le copte.
[b] Relatif au grec courant, parlé. – N. f. *La démotique* : le grec moderne dans son usage courant.
(...) je fis un voyage en Grèce. Sur le bateau, je me mis à étudier le grec moderne, à parler avec des Grecs de la lutte entre la catharevousa et la démotique, entre la langue qui s'efforce de ne différer que le moins possible du grec ancien et la langue réellement parlée. La question est d'ailleurs maintenant réglée : la démotique a triomphé.
R. QUENEAU, Bâtons, chiffres et lettres, p. 16.

REM. Noter la différence de genre selon qu'on parle de l'égyptien ancien (*le démotique*) ou du grec moderne (*la démotique*).

DÉMOTIVANT, ANTE [demɔtivɑ̃, ɑ̃t] adj. — 1984; de *démotiver.*
Qui enlève toute motivation. → **Décourageant.** «*Le commissionnement des vendeurs apparaît d'une "iniquité particulièrement démotivante"*» (*le Monde*, 14 août 1998, p. 13).

DÉMOTIVATION [demɔtivasjɔ̃] n. f. — Mil. xxᵉ; de *démotiver,* d'après *motivation.*
Action de démotiver (qqn); fait d'être démotivé. «(Hôpitaux publics) : *revenus insuffisants pour des horaires écrasants, tracasseries administratives, budgets de plus en plus serrés et démotivation à tous les niveaux*» (*le Point*, nᵒ 585, 5 déc. 1983). *Lutter contre la démotivation du personnel.*

DÉMOTIVÉ, ÉE [demɔtive] adj. — xxᵉ; de 1. *dé-*, et *motivé*.

Ling. Se dit d'un terme complexe (dérivé, composé) qui n'a plus de motivation* (dont les éléments et leur sens ne sont plus perçus : ex. : *courage*, de *cœur*), ou d'un mot qui devient homonyme d'un autre auquel il n'est plus raccroché par le sens.

DÉMOTIVER [demɔtive] v. tr. — Mil. xxᵉ; de 1. *dé-*, et *motiver*.

Faire perdre à (qqn) toute motivation, toute envie de continuer un travail, une action. *Ces refus réitérés ont fini par le démotiver.*

♦ **DÉMOTIVÉ, ÉE** p. p. adj.

Qui a perdu toute motivation. *Les élèves apparaissent démotivés en cette fin d'année.*

CONTR. Motiver. ◊ DÉR. Démotivant, démotivation.

DÉMOTORISATION [demɔtɔrizasjɔ̃] n. f. — 1971; de 1. *dé-*, et *motorisation*.

Didact. Le fait de renoncer volontairement à posséder une voiture particulière. «*Le taux de "démotorisation" — rapport entre ceux qui suppriment leur voiture et ceux qui sont ou ont été motorisés — est en moyenne de 12,3 % pour l'ensemble de la population (française)*» (*le Monde*, 19 juin 1971).

CONTR. Motorisation.

DÉMOUCHETER [demuʃte] v. tr. — 1838; de 1. *dé-*, et *moucheter*.

Escr. Dégarnir (un fleuret) de sa mouche. — Au p. p. *Fleuret démoucheté.* — Par métaphore :

Une fois la main faite, emporté par sa nature, Nachette poussa le jeu à outrance, démoucheta ses plaisanteries et tâta les épidermes avec des brutalités, comme s'il eût voulu toucher dans chacun le fond de sa patience et le point de sa sensibilité, reconnaître les forts et monter sur les faibles.
                    Ed. et J. DE GONCOURT, Charles Demailly, p. 12.

DÉMOULAGE [demulaʒ] n. m. — 1838; de *démouler*, et *-age*.

Action de démouler. *Le démoulage d'un gâteau.*

DÉMOULER [demule] v. tr. — 1765; *desmollé* «abîmer, déformer», XIIIᵉ; *demouller* «abîmer, disloquer», 1534, Rabelais; de 1. *dé-*, et *moule*.

(1765). Retirer (qqch.) du moule. *Démouler une statue en plâtre.* — *Démouler un gâteau.*

CONTR. Mouler. ◊ DÉR. Démoulage, démouleur.

DÉMOULEUR [demulœr] n. m. — 1973; de *démouler*.

Techn. Dispositif permettant de démouler. *Démouleur automatique de glaçons.*

DÉMOUSTICATION [demustikasjɔ̃] n. f. — 1963; de *démoustiquer*.

Didact., admin. Élimination des moustiques et de leurs larves. *La démoustication de la côte du Languedoc.*

DÉMOUSTIQUER [demustike] v. tr. — V. 1960; de 1. *dé-*, *moustique*, et suff. verbal.

Didact., admin. Débarrasser (un lieu) des moustiques. *Démoustiquer un littoral lagunaire.*

DÉR. Démoustication.

DÉMUCILAGINATION [demysilaʒinasjɔ̃] n. f. — 1949; de *démucilaginer*, et *-ation*.

Didact. Élimination des mucilages (de l'huile brute).

DÉMUCILAGINER [demysilaʒine] v. tr. — 1961, sans doute antérieur (→ Démucilagination); de 1. *dé-*, et *mucilage*.

Didact. Éliminer les mucilages de.

DÉR. Démucilagination.

DÉMULTIPLEXEUR [demyltiplɛksœr] n. m. — V. 1965; de 1. *dé-*, et *multiplexeur*.

Techn. Appareil capable de séparer des signaux distincts, transmis au préalable par un multiplexeur*, pour les répartir sur les voies auxquelles ils sont destinés.

On parle aussi de *démultiplexage* n. m.

DÉMULTIPLICATEUR, TRICE [demyltiplikatœr, tris] n. m. et adj. — 1896, in D.D.L.; de *démultiplier*, *démultiplication*.

♦ **1** N. m. (1896). Mécan. Système de transmission qui assure une réduction de vitesse avec une augmentation de force. *Moteur à démultiplicateur.* — Adj. (1905). *Organe démultiplicateur.*

♦ **2** Adj. Fig. Qui démultiplie. *Des actions démultiplicatrices.*

DÉMULTIPLICATION [demyltiplikasjɔ̃] n. f. — 1927; de *démultiplier*, d'après *multiplication*.

Action, fait de démultiplier.

♦ **1** Mécan. Rapport de réduction de vitesse, dans la transmission d'un mouvement (→ Braquet, cit. 1). *Démultiplication des pignons d'une boîte de vitesses.*

♦ **2** Fig. Fait de démultiplier (2.); son résultat. «*On compte aujourd'hui quatre pouvoirs en Corse, qui se neutralisent, se surveillent et se menacent. L'objectif de cette démultiplication, c'est de noyer le poisson*» (*le Nouvel Obs.*, nᵒ 988, 14 oct. 1983).

DÉMULTIPLIER [demyltiplije] v. tr. — 1901, in D.D.L.; de 1. *dé-*, et *multiplier*.

♦ **1** Mécan. Assurer une réduction de vitesse* dans la transmission de (un mouvement). *Boîte de vitesses démultipliant le mouvement de rotation.*

♦ **2** Fig. Appliquer de manière partielle à une pluralité d'objets (une action qu'on subdivise); multiplier les effets de.

Pour opérer, le ministre doit démultiplier son pouvoir [1] de décision en le confiant, par voie de délégation, à des responsables administratifs ou à des collaborateurs personnels dans lesquels il a confiance.
                    BELORGEY, Gouvernement et Administration
                                franç., 1967, p. 89, in T.L.F.

♦ **DÉMULTIPLIÉ, ÉE** p. p. adj. *Pignons démultipliés.* — Figuré :

Vous serez amenée à donner votre avis sur la pluie et le [2] beau temps. Le moindre de vos aveux sera repris en chaîne par des journaux et vous vous sentirez démultipliée à un nombre infini d'exemplaires.
                    Michel DÉON, Tout l'amour du monde, p. 113.

DÉR. Démultiplicateur, démultiplication.

DÉMUNI, IE [demyni] adj. — 1611; du p. p. de *démunir*.

♦ **1** Vx. Qui n'a plus de munitions, de troupes. *Place démunie.*

♦ **2** Mod. (Personnes). *Démuni d'argent.* → Court (à). Absolt et rare. *J'étais complètement démuni.* → (cour., fam.) Fauché.

♦ 3 (Personnes). Vulnérable, privé de force, de défenses.

Oui, il en a assez... Assez de se sentir glisser, s'accrochant à des points d'appui qui cèdent, assez de ces quêtes misérables qui le laissent plus inassouvi, plus démuni qu'avant. Quitter tout cela. Changer de peau. Changer de vie.
N. SARRAUTE, le Planétarium, p. 288.

DÉMUNIR [demyniʀ] v. tr. — 1564; de 1. dé-, et munir.

♦ 1 (1696). Vx. Enlever des munitions de (un lieu). *Démunir une place forte.* — **Par ext.** Priver (une place forte) de ses troupes, de ses effectifs. «*Ils démunissaient la cité*» (Barrès, *Cahiers*).

♦ 2 (1564). Mod. Dépouiller de (une chose essentielle ou nécessaire). → **Dégarnir, dénantir, dépouiller; dépourvoir, enlever, ôter.** *Démunir qqn de qqch., qqch. de qqch.*

La vie nous appauvrit (...) nous démunit de nos richesses les plus pures.
MAURIAC, Journal, I, 1934, p. 90, *in* T. L. F.
(Sans compl. ind.). *Démunir qqn. Se laisser démunir.* — **Fig.** Priver (qqn) de force. *Ses échecs l'ont démuni.*

♦ SE DÉMUNIR v. pron. → **Dessaisir** (se), **perdre, priver** (se). *Se démunir de son argent.* → **Appauvrir** (s'), **dénuer** (se). — (Sans compl. ind.). *Je ne veux pas me démunir.*

♦ DÉMUNI, IE p. p. adj. → **Démuni.**

CONTR. Munir. — **Acquérir, approvisionner.**

DÉMURER [demyʀe] v. tr. — XIIIᵉ; «sortir des murs», fin XIIᵉ; de 1. dé-, et murer, ou de 1. dé-, mur, et suff. verbal. Rare. Faire cesser d'être muré. *Démurer une ouverture, une fenêtre condamnée* (→ **Ouvrir**).

V. pron. *Se démurer.* — **Figuré** :
(...) il plaide, il se démure, il bouge, pour la première fois de sa vie.
Hervé BAZIN, Au nom du fils, p. 105.

DÉMUSELER [demyzle] v. tr. — Av. 1791; de 1. dé-, et museler.

♦ 1 (1821). Dégager, libérer (un animal) de sa muselière. *Démuseler un chien de garde après l'avoir attaché.*
Par anal. *Démuseler un canon,* enlever ce qui l'obstrue pour le rendre utilisable.
(Av. 1791). **Fig.** Rendre libre. → **Débâillonner.**

Nous (*les Jésuites*) détruirons progrès, lois, vertus, droits, talents,
Nous nous ferons un fort avec tous ces décombres,
Et pour nous y garder, comme les dogues sombres,
Nous démuselerons les préjugés hurlants.
HUGO, les Châtiments, p. 59.

♦ 2 Intrans. (1878). Pop. et vx. Se remettre à parler.

CONTR. Museler.

DÉMUTISATION [demytizasjɔ̃] n. f. — 1895; de démutiser.

Action de démutiser (qqn).

DÉMUTISER [demytize] v. tr. — 1895, *in* D. D. L.; de 1. dé-, du latin *mutus* «muet», et *-iser*.
Didact. Apprendre à (un sourd-muet) à être conscient de ses cordes vocales jusqu'à ce qu'il parvienne à la maîtrise de ses émissions sonores.

DÉR. Démutisation.

DÉMYÉLINISATION [demjelinizasjɔ̃] n. f. — 1920, l'Encéphale; de 1. dé-, et myéline.

Biol., méd. Destruction de la myéline qui enveloppe la fibre nerveuse.
On emploie aussi *démyéliniser* [demjelinize] v. tr., surtout au pron. et au p. p. *Fibres démyélinisées.*

DÉMYSTIFIANT, ANTE [demistifjɑ̃, ɑ̃t] adj. — V. 1960; du p. prés. de *démystifier.*
Qui démystifie. *Analyse démystifiante.*

CONTR. Mystifiant.

DÉMYSTIFICATEUR, TRICE [demistifikatœʀ, tʀis] n. et adj. — V. 1960; de *démystifier,* d'après *mystificateur.*
(Personne) qui démystifie.

J'ai élevé pour vous tout un troupeau de démystificateurs. Ils vous démystifieront.
IONESCO, *Tueur sans gages,* III (→ Démystifier, cit. 3).

Adj. *Une pensée démystificatrice. Un livre démystificateur.*

CONTR. Mystificateur.

DÉMYSTIFICATION [demistifikasjɔ̃] n. f. — 1948, *in* D. D. L.; de *démystifier.*
Opération par laquelle une mystification collective est dévoilée, et ses victimes détrompées. → Démythification.

La démystification, pour employer un mot qui commence à s'user (...)
R. BARTHES, *Mythologies,* Préface.

CONTR. Mystification.

DÉMYSTIFIER [demistifje] v. tr. — 1948; de 1. dé-, et mystifier.

♦ 1 (1957). Priver (qqch.) de son pouvoir mystificateur. → **Démythifier** (cit. 1). — Pronominal :

À mesure que dans les grands États la politique se démystifie et que le recours à la force paraît plus hasardeux et plus désastreux, la mentalité féminine plus matérialiste, moins sujette aux impulsions meurtrières (...) moins portée à s'enivrer d'idéologie, se montrerait plus adéquate aux formes nouvelles d'une action politique pacifique.
Gaston BOUTHOUL, Sociologie de la politique, p. 53. [1]

♦ 2 (1948). Détromper (qqn).

(...) comme l'écrivain s'adresse à la liberté de son lecteur et comme chaque conscience mystifiée (...) tend à persévérer dans son état, nous ne pourrons sauvegarder la littérature que si nous prenons à tâche de démystifier notre public.
SARTRE, Situations II, 1948, p. 306. [2]

Peuple, tu es mystifié. Tu seras démystifié... (*Voix de la foule*) À bas la mystification... — J'ai élevé pour vous tout un troupeau de démystificateurs. Ils vous démystifieront. Mais il faut mystifier pour démystifier. Il nous faut une mystification nouvelle... (*Voix de la foule*) Vive la mystification des démystificateurs... Vive la nouvelle mystification ! — Je vous promets de tout changer... Les anciennes mystifications n'ont pas résisté à l'analyse psychologique, à l'analyse sociologique. La nouvelle sera invulnérable.
IONESCO, Tueur sans gages, III. [3]

Pronominal :

Pour Ausonius, le grec et le latin sont des œillères confortables. Peut-on sans cesse se démystifier ? Il parcourt, dans ce cabinet où les mains pieuses de sa mère n'ont rien dérangé, des registres, des plans, des brochures diverses.
Alain BOSQUET, les Bonnes Intentions, p. 42. [4]

DÉR. Démystifiant, démystificateur, démystification.

DÉMYTHIFICATEUR, TRICE [demitifikatœʀ, tʀis] adj. — XXᵉ; de démythifier, et -ateur.
Qui démythifie. «*Le roman d'espionnage le plus cruellement démythificateur qu'on ait jamais lu*» (le Nouvel Obs., 31 oct. 1977, p. 25).

DÉMYTHIFICATION [demitifikasjɔ̃] n. f. — 1963; de démythifier.
Action de démythifier; résultat de cette action. → Démystification. «*Et si la démythification conduisait au pessimisme ?*» (l'Express, 19 févr. 1973).

DÉMYTHIFIER [demitifje] v. tr. — 1959, *in* D. D. L.; de 1. *dé-*, *mythe*, et *-ifier*.

Supprimer en tant que mythe. *Démythifier une notion, un personnage.* — S'emploie, par souci étymologique, au sens de *démystifier.*

1 En lisant tantôt «en direct», tantôt en filigrane (...) les significations cachées de ce qu'il entend ou de ce qu'il voit, l'analyste peut (...) démystifier ou démythifier, sans doute et le plus souvent les deux à la fois, *ce qui fait peur au patient dans l'actualité et qui précisément n'est plus justifié aujourd'hui.*
R. HELD, le Processus de guérison, *in* la Nef, n° 31, p. 22.

2 (...) la psychanalyse, la psychosomatique ont démythifié, d'une façon à mon avis bénéfique, le personnage du médecin.
C. KOUPERNIK, Un traitement d'exception, *in* la Nef, n° 31, p. 156.

3 (...) ils étaient assez cyniques pour trouver drôle de démythifier les vedettes dont ils avaient sans doute collectionné les photos quelques années plus tôt.
Gabriel BARRAULT, la Foire aux crabes, p. 345.

Au p. p. «*Démythifiée par sa diffusion de plus en plus large, la machine électronique...*» (*le Monde*, 3 oct. 1970).

DÉR. **Démythificateur, démythification.**

DÉNAIRE [denɛʀ] adj. et n. m. — 1505; lat. class. *denarius* «qui contient le nombre dix»; n. m. en lat. chrét. «le nombre dix», de *deni* «dix par dix».

Didactique et rare.

♦ **1** Adj. (1505). Qui a pour base le nombre dix. → **Décimal.**

♦ **2** N. m. (1611). Sc. occultes. *Le dénaire* : le nombre dix.

DÉNANTIR [denãtiʀ] v. tr. — 1528, *desnanti*; repris XIXᵉ; de 1. *dé-*, et *nantir.*

Dr. Enlever (à qqn) ce dont il est nanti. → **Démunir, dépouiller.** *Dénantir un créancier.*

Littér. Enlever à qqn une chose qu'il possède.

♦ **SE DÉNANTIR** v. pron.
Abandonner des nantissements, des gages. → **Démunir** (se). — Par ext. *Se dénantir de tout ce qu'on possède.*

CONTR. **Nantir.**

DÉNASALISATION [denazalizasjɔ̃] n. f. — 1906; de *dénasaliser*, et *-ation.*

Phonét. Perte pour un phonème de son caractère nasal; passage d'un phonème nasal à un phonème oral correspondant. Ex. : *plein* et *en plein air.*

CONTR. **Nasalisation.**

DÉNASALISER [denazalize] v. tr. — 1838; *dénasaler*, 1819, Boiste; de 1. *dé-*, *nasal*, et suff. *-iser.*

Phonét. Rendre (un phonème nasal) oral. — Pron. *Se dénasaliser* : perdre son caractère nasal. On, un *se dénasalisent en français du Sud devant une voyelle* (on a *est* prononcé [ɔna]; *un âne est* prononcé [ynan]).

CONTR. **Nasaliser.** ◊ DÉR. **Dénasalisation.**

DÉNATALITÉ [denatalite] n. f. — 1918; de 1. *dé-*, et *natalité.*

Didact. Diminution des naissances. → **Dépopulation.**

Si l'on veut enrayer la dénatalité, il est indispensable de donner aux jeunes le désir d'avoir des enfants.
M. HUBER, H. BUNLE et F. BOVERAT, la Population de la France, p. 231.

CONTR. **Natalité, repopulation.**

DÉNATIONALISATION [denasjɔnalizasjɔ̃] n. f. — 1854; de *dénationaliser.*

♦ **1** (1854). Littér. ou vieilli. Action de dépouiller du caractère national. *Acte de dénationalisation.*

J'ai souvent exprimé ma pensée au sujet du protectionnisme intellectuel. Je crois qu'il présente un grave danger; mais j'estime que toute prétention à la dénationalisation de l'intelligence en présente un non moins grand.
GIDE, Dostoïevski, p. 224.

♦ **2** (1923). Mod. Action de dénationaliser (une entreprise). → **Désétatisation.**

Il est fâcheux que la remise en ordre du secteur nationalisé ait pris en France, comme en Grande-Bretagne, un aspect politique. Cette circonstance risque, en effet, de conduire à des solutions hâtives et peu viables. La «dénationalisation» des transports routiers et de la production sidérurgique en Grande-Bretagne pourrait bien, à cet égard, constituer un premier pas vers une situation dans laquelle le statut d'un large secteur économique varierait au gré des oscillations de l'opinion.
G.-L. CAMPION, *in* J. ROMEUF, Dict. des sciences économiques, art. *Entreprise.*

CONTR. **Nationalisation.**

DÉNATIONALISER [denasjɔnalize] v. tr. — Fin XVIIIᵉ; de 1. *dé-*, et *nationaliser.*

♦ **1** (1808). Vieilli. Faire perdre le caractère national à (qqch.).

(...) leur mandat *(aux Italiens)* était d'empêcher les Slaves de descendre sur l'Adriatique; le fascisme s'en chargeait, privant Trieste d'arrière-pays, dénationalisant les villes, faute de pouvoir atteindre les campagnes, mettant des chemises noires aux Croates et des bottes aux Slovènes.
Paul MORAND, Venise, p. 154-155.

Pron. *Se dénationaliser* : perdre sa nationalité, son caractère national propre.

Je suis frappé combien le caractère du Français se dénationalise à l'étranger, et combien vite et naturellement le pays qu'il habite, déteint sur lui et jusqu'au fond de son être.
Ed. et J. DE GONCOURT, Journal, t. III, p. 93.

♦ **2** (1954). Restituer à la propriété privée (une entreprise nationalisée). → **Désétatiser.**

CONTR. **Nationaliser.** ◊ DÉR. **Dénationalisation.**

DÉNATTER [denate] v. tr. — 1771; *desnater*, 1606; de 1. *dé-*, *natte*, et suff. verbal.

Défaire les nattes de. *Dénatter ses cheveux.* — Défaire une natte de cheveux. — Pron. *Ses cheveux se sont dénattés.*

CONTR. **Natter.**

DÉNATURALISATION [denatyʀalizasjɔ̃] n. f. — 1834, Landais; du rad. de *dénaturaliser.*

Techn., didact. ou littér. Action de dénaturaliser.

DÉNATURALISER [denatyʀalize] v. tr. — 1578, «faire changer de naturel»; sens mod., 1743; de 1. *dé-*, et *naturaliser.*

♦ **1** Priver (qqn) des droits acquis par naturalisation.

♦ **2** Rare. Changer la vraie nature de (qqch.). → **Dénaturer.**

♦ **DÉNATURALISÉ, ÉE** p. p. adj.
Qui a perdu ses habitudes naturelles, les mœurs de ses origines.

CONTR. **Naturaliser.** ◊ DÉR. **Dénaturalisation.**

DÉNATURANT, ANTE [denatyʀɑ̃, ɑ̃t] p. prés. adj. et n. m. — 1873 ; p. prés. de *dénaturer*.

♦ **1** Adj. Qui dénature. *Produit dénaturant.*

(...) elle *(Albertine)* savait que je n'aimais proposer à mon attention que ce qui m'était encore obscur, et pouvoir, au cours de ces exécutions successives, rejoindre les unes aux autres, grâce à la lumière croissante, mais hélas ! dénaturante et étrangère de mon intelligence, les lignes fragmentaires et interrompues de la construction, d'abord presque ensevelie dans la brume.

PROUST, *la Prisonnière*, 1922, p. 371, *in* T. L. F.

♦ **2** N. m. *Un dénaturant* : substance qui a la propriété de dénaturer d'autres substances.

Spécialt, chim. et phys. nucl. Isotope non fissible ajouté à une matière fissible pour réduire les risques de réaction en chaîne incontrôlée.

DÉNATURATEUR [denatyʀatœʀ] n. m. — 1902, *in* D.D.L ; de *dénaturer*.

Techn. Employé chargé de la dénaturation des alcools pour le compte des contributions indirectes. — REM. Le fém. *dénaturatrice* est virtuel.

DÉNATURATION [denatyʀasjɔ̃] n. f. — 1847 ; de *dénaturer*.

♦ **1** Action de dénaturer (une substance), d'en changer les caractéristiques.

1 Ils *(les morts)* ne sont jamais utiles à la patrie, mais l'abolition de ta vie sert à ceux qui manœuvrent l'idole : c'est la dénaturation des hommes (même principe que pour le blé). J. GIONO, les Vraies Richesses, p. 219.

2 L'abondant été de l'homme
Que celui qui suivit l'établissement par ses soins des premières dénaturations
En faisant la part de l'aveuglement.
René CHAR, le Marteau sans maître, p. 85.

♦ **2** Techn. *La dénaturation de l'alcool, du sel, du sucre...*, opération par laquelle on ajoute à ces produits des substances qui les rendent impropres à l'alimentation afin de les réserver à des usages industriels.

♦ **3** Sc. Opération par laquelle on incorpore à un mélange fissible des isotopes non fissibles (dénaturants*) pour ralentir la fission. — Traitement thermique opéré sur des résidus de la fission, destiné à en réduire l'activité.

DÉNATURER [denatyʀe] v. tr. — Après 1174, *desnaturer* ; de 1. *dé-*, *nature*, et suff. verbal.

♦ **1** Changer, altérer la nature de (qqch.). → **Altérer, changer, corroder, corrompre, empoisonner, falsifier, gâter, transformer, vicier.** *Dénaturer du vin.* → **Frelater, sophistiquer.** *Dénaturer une substance chimique.*

1 Sous le nom de matières volcaniques, je n'entends pas comprendre toutes les matières rejetées par l'explosion des volcans, mais seulement celles qui ont été produites ou dénaturées par l'action de leurs feux (...)
BUFFON, Hist. nat. des minéraux, t. III, p. 66.

2 Ce qui sent comme ça c'est un fût plein, que le printemps moisi dénature et qui de vin tourne en vinaigre.
COLETTE, l'Étoile Vesper, p. 14.

Techn. Faire subir la dénaturation (2.) à (qqch.) ; rendre impropre à la consommation pour l'homme. *Dénaturer de l'alcool, du sel.* → **Dénaturation ;** → Betterave, cit. 1.

Par ext. *Dénaturer un objet volé*, pour qu'on ne puisse le reconnaître. → **Défigurer, déguiser, maquiller, transformer.**

♦ **2** (Abstrait). Changer la nature de ; donner une fausse apparence à. *Dénaturer un fait, un événement*, en dissimuler ou en changer certaines circonstances, certaines conditions essentielles à sa nature. → **Déformer, fausser.** *Dénaturer la pensée, les paroles, les écrits de qqn*, par une fausse interprétation. → **Calomnier, contorsionner, contrefaire, défigurer, déformer, détourner** (de son sens), **estropier, fausser, pervertir, travestir, tronquer.** *Dénaturer un texte*, en altérer le sens, lui donner une signification qu'il n'a pas. → **Forcer, torturer ; violence** (faire violence à un texte). — Faire perdre le caractère naturel (de qqn, de qqch.). *Dénaturer l'âme, le caractère de qqn.* → **Dépraver, pervertir.**

3 J'aurai dénaturé cet heureux naturel (...)
J.-F. DUCIS, le Roi Lear, II, 4, *in* LITTRÉ.

4 Qui n'a pas entendu, en se demandant s'il rêve, une parole glisser au fond de son être et tout y dénaturer, comme une fiole de poison versée dans la fontaine ?
M. BARRÈS, Un jardin sur l'Oronte, p. 218.

5 Une lueur trouble et malheureuse dénaturait son regard toujours si net.
G. DUHAMEL, Chronique des Pasquier, II, p. 286.

♦ **3** Sc. Traiter (un mélange fissible) par dénaturation.

◆ **SE DÉNATURER** v. pron.

Perdre sa nature, son caractère naturel. *Des faits qui se dénaturent en passant de bouche en bouche.* — (En parlant des personnes). Perdre, par des actions mauvaises, son caractère de personne humaine. → **Dépraver** (se).

6 Parmi ceux-là *(les soldats qui s'endurcirent aux excès)*, quelques vagabonds se vengèrent de leurs maux jusque sur les personnes ; au milieu de cette nature ingrate, ils se dénaturèrent.
Ph. P. SÉGUR, Hist. de Napoléon, IV, 4, *in* LITTRÉ.

◆ **DÉNATURÉ, ÉE** p. p. adj.

♦ **1** Qui a subi la dénaturation ? *Alcool, sel, sucre dénaturé.* — Profondément modifié par un mélange.

7 C'est à qui réalisera le mélange le plus baroque, les liquides les plus dénaturés.
COLETTE, Claudine à l'école, p. 250, *in* T. L. F.

♦ **2** Altéré jusqu'à perdre les caractères considérés comme naturels, chez l'homme. *Goûts dénaturés.* → **Dépravé, pervers.**

Mœurs dénaturées : dépravations (notamment sexuelles ; cf. Contre nature).

8 L'élégant historien du coucou a essayé de justifier les procédés singuliers et presque dénaturés de l'oiseau.
Charles BONNET, Contemplation de la nature, Vᵉ partie, 6.

♦ **3** (Personnes). *Parents dénaturés*, qui négligent de remplir leurs devoirs à l'égard de leurs enfants. → **Cruel.** *Mère dénaturée.* → **Marâtre.**

Enfant dénaturé. → **Ingrat, monstre.**

9 L'amour étouffe en vous la voix de la nature :
Et je pourrais aimer des fils dénaturés !
CORNEILLE, Rodogune, IV, 3.

10 Il y a des occasions où un fils qui manque de respect à son père, peut, en quelque sorte, être excusé ; mais si, dans quelque occasion que ce fût, un enfant était assez dénaturé pour manquer à sa mère, à celle qui l'a porté dans son sein, qui l'a nourri de son lait, qui durant des années, s'est oubliée pour ne s'occuper que de lui, on devrait se hâter d'étouffer ce misérable, comme un monstre indigne de voir le jour.
ROUSSEAU, *in* RICARD, l'Amour, les Femmes et le Mariage.

11 L'abandon de ses enfants la fit regarder comme une mère dénaturée, et les femmes d'une réputation irréprochable répétèrent avec satisfaction que l'oubli de la vertu la plus essentielle à leur sexe s'étendait bientôt sur toutes les autres. B. CONSTANT, Adolphe, V, p. 43.

♦ **4** Fig. *Vérité dénaturée. Fait dénaturé.* → **Faux.**

12   Qui ne sait d'ailleurs comment les alarmes se propagent,
comment la vérité même dénaturée par les craintes exagérées, par les échos d'une grande ville (...)
                MIRABEAU, Collect., t. I, p. 263, in LITTRÉ.

CONTR. Conserver. — Respecter. — (Du p. p. adj.) **Naturel.**
◊ **DÉR. Dénaturant, dénaturateur, dénaturation.**

DÉNAZIFICATION   [denazifikasjɔ̃] n. f. — V. 1945;
de *dénazifier*.

Action de dénazifier.

DÉNAZIFIER   [denazifje] v. tr. — V. 1945; de 1. *dé-*,
nazi, et suff. verbal.

Débarrasser des influences nazies; épurer des
éléments nazis (**spécialt**, l'administration, l'armée,
etc.), en Allemagne, après la Seconde Guerre mondiale. — Faire paraître non nazi; laver des soupçons d'activités nazies ou de sympathies pour le
nazisme, après la défaite du Troisième Reich.

1   — Je suis un simple soldat, et je vais te tuer parce que tu
n'as rien fait de mal, parce que je n'ai rien à te reprocher.
Tu comprends?
— Votre allemand est excellent.
— Dans six mois, on va vous dénazifier. Des dossiers, des
témoignages, des chiffons de papier (...)
                Alain BOSQUET, les Bonnes Intentions, p. 34.
2   Il a dénazifié, en échange de pots-de-vin généreux, quelques barons autrichiens et quelques gros propriétaires de
Hongrie. Il a pris sous sa protection magnanime des SS
qui n'ont jamais cru en Hitler.
                Alain BOSQUET, les Bonnes Intentions, p. 85.

DÉR. Dénazification.

DENCHÉ ou **DANCHÉ, ÉE**   [dɑ̃ʃe] adj. — V. 1234,
dancié; lat. vulg. *denticatus* «aigu, strident», lat. *denti-*
culatus «dentelé», dér. de *dens, dentis*. → Dent.

Blason. Qui a le bord dentelé*. *Croix denchée. Chef
denché.*

DÉR. Denchure.

DENCHURE   [dɑ̃ʃyʀ] n. f. — 1898, *Nouveau Larousse*
illustré; de *denché*.

Blason. Filet denché de l'écu.

DENDRIFUGE   [dɑ̃dʀifyʒ] adj. — D. i.; de 1. *dendri(te)*,
et *-fuge*.

Didact. Qui s'éloigne des dendrites.

1. **DENDRITE**   [dɑ̃dʀit] n. f. — 1578, *dendride*; *den-*
drite, 1732; grec *dendritês* «qui concerne les arbres»,
de *dendron* «arbre». → Dendro-.

♦ **1** (1732). Minér. Arborisation ramifiée formée sur
certaines roches calcaires, sur des métaux fondus,
par des particules de bioxyde de manganèse qui
ont pris l'empreinte de mousses, de fougères.
→ **Arborisation.**

♦ **2** (1897). Anat. Prolongement du cytoplasme de
la cellule nerveuse, en général plus court que
l'axone* (→ **Neurone**).

(...) la cellule nerveuse présente un noyau, mais sa haute
différenciation motive une structure assez spéciale. Elle
présente deux sortes de prolongements; l'un court, épais,
ramifié (prolongements protoplasmiques ou dendrites),
l'autre grêle forme une longue fibre appelée axone ou
cylindraxe.
                P. VALLERY-RADOT, *Notre corps...*, p. 115.

DÉR. Dendrifuge, dendritique. ◊ **HOM. 2. Dendrite.**

2. **DENDRITE**   [dɑ̃dʀit] n. m. — D. i. (attesté mil. xxᵉ);
du grec *dendritês*. → 1. Dendrite.

Didact. Ascète chrétien des premiers siècles
(Égypte, Palestine ou Syrie), qui choisissait de
vivre dans un arbre, pour se livrer à la méditation. → aussi **Stylite.** *«Pour la nouvelle version des*
Hommes ivres de Dieu, il est retourné dans le
désert (...) Il a suivi à la trace les athlètes de l'exil,
les hommes qui préféraient le désert au monde,
les anachorètes d'Égypte, de Palestine et de Syrie :
reclus, brouteurs, stationnaires, stylites et dendrites.
Volontaires en tout genre des ascèses suprêmes»
(*Libération*, 30 sept. 1983; à propos du livre de
Jacques Lacarrière, *les Hommes ivres de Dieu*).

HOM. 1. Dendrite.

DENDRITIQUE   [dɑ̃dʀitik] adj. — 1830, Beudant; de
1. *dendrite**.

♦ **1** Sc. (minér., anat.). Qui présente des dendrites.
Cellules dendritiques. Épines dendritiques du cortex.
— (En comp.). *Synapse axo-dendritique*, entre axone
et dendrite. *Synapse dendro-dendritique*, entre deux
dendrites.

♦ **2** Hydrol. Se dit d'un réseau fluvial régulièrement
ramifié et très dense.

DENDRO-   Élément tiré du grec *dendron* «arbre»,
entrant dans la composition de termes scientifiques. → **-dendron.**

DENDROBIE   [dɑ̃dʀɔbi] n. f. — 1842; de *dendro-*, et
-bie, du grec *bios* «vie».

Bot. Plante monocotylédone (*Orchidées*) herbacée,
épiphyte, originaire des Indes, cultivée en serre
chaude pour la valeur ornementale de ses fleurs.

DENDROCHRONOLOGIE   [dɑ̃dʀokʀɔnɔlɔʒi] n. f.
— Mil. xxᵉ (1959, *in* T. L. F.); de *dendro-*, et *chronologie*.

Didact. Méthode de datation par observation des
couches concentriques des troncs d'arbres. *«On*
sait aujourd'hui, par des études de stratigraphie
et de dendrochronologie que ces pieux (d'un village
néolithique) *ne sont pas tous contemporains, mais*
qu'ils appartiennent à des maisons successives cons-
truites en ce point» (*la Recherche*, nᵒ 113, juillet-août
1980, p. 780).

DENDROGRAPHE   [dɑ̃dʀɔgʀaf] n. — 1870, *in*
Larousse; de *dendro-*, et *-graphe*.

Didact. et vx. Personne qui écrit des études, des
traités sur les arbres.

DENDROGRAPHIE   [dɑ̃dʀɔgʀafi] n. f. — 1863, Littré;
de *dendro-*, et *-graphie*.

Didact. et vx. Traité, étude sur les arbres. → **Dendro-**
logie.

DENDROLITHE   [dɑ̃dʀɔlit] n. m. — D. i.; de *dendro-*,
et *-lithe*.

Didact. Arbre ou arbrisseau pétrifié.

DENDROLOGIE   [dɑ̃dʀɔlɔʒi] n. f. — 1641; de *dendro-*,
et *-logie*.

Partie de la botanique qui étudie les arbres, les
plantes lignifiées.

(...) la dendrologie, c'est-à-dire (...) l'examen des troncs d'arbres, dont les cercles concentriques annuels traduisent,
par la variation de leur épaisseur, la plus ou moins grande
vitalité de la plante, c'est-à-dire ses réactions aux influences
climatiques.
                Georges DUBY, Guerriers et Paysans, p. 16.

DÉR. Dendrologiste.

DENDROLOGISTE [dɑ̃dRɔlɔʒist] n. — 1899, *Année sc. et industr.* 1900, p. 131; de *dendrologie*.

Didact. Botaniste spécialiste des arbres. — Syn. (vx) : *dendrographe*.

On emploie aussi *dendrologue* [dɑ̃dRɔlɔg] n.

DENDROMÈTRE [dɑ̃dRɔmɛtR] n m. — 1776; de *dendro-*, et *-mètre*.

Didact. Instrument servant à mesurer la grosseur et la hauteur des troncs d'arbres.

Plusieurs fois, dans mes rêves, j'ai inventé le dendromètre, appareil à mesurer les arbres sur pied.
J. RENARD, Journal, 24 juin 1899.

DENDROMÉTRIE [dɑ̃dRɔmetri] n. f. — 1868, *in* Littré; de *dendro-*, et *-métrie*.

Didact. (techn.). Technique de la mesure des arbres sur pied ou en grumes, et de l'évaluation de leur cubage en bois utile.

DÉR. **Dendrométrique.**

DENDROMÉTRIQUE [dɑ̃dRɔmetrik] adj. — 1877, Littré, *Suppl.*; de *dendrométrie*.

Didact. Qui se rapporte à la dendrométrie; qui concerne le dendromètre.

-DENDRON Élément de mots scientifiques, tiré du grec *dendron* «arbre». → Dendro-. Ex. : *rhododendron, sidérodendron*.

DENDROPHAGE [dɑ̃dRɔfaʒ] adj. et n. m. — 1819, *in* D.D.L.; de *dendro-*, et *-phage*.

Zool. (Insecte) qui ronge les arbres.

DENDROPHILE [dɑ̃dRɔfil] n. m — D. i.; de *dendro-*, et *-phile*.

Zool. Insecte coléoptère (*Histéridés* ou *Escarbots*) qui vit surtout dans les excréments de pigeons, dans les nids de fourmis.

DENDROPHILIE [dɑ̃dRɔfili] n. f. — Mil. XXᵉ; de *dendro-*, et *-philie*.

Méd. Attirance morbide pour les arbres (interprétés en psychanalyse comme des symboles phalliques).

DÉNÉBULATEUR [denebylatœR] n. m. — 1973; de *dénébuler*, et *-ateur*.

Didact. Appareil utilisé pour dissiper le brouillard sur un aéroport.

DÉNÉBULATION [denebylasjɔ̃] n. f. — 1960; de *dénébuler*.

Didact. Action de dissiper le brouillard (sur un aéroport); résultat de cette action.

REM. On dit aussi *dénébulisation*, n. f. (1967).

DÉNÉBULER [denebyle] ou **DÉNÉBULISER** [denebylize] v. tr. — 1973, *dénébuler*; *dénébuliser*, 1959; de 1. *dé-*, lat. *nebula* «brouillard», et suff. verbal.

Techn. Dissiper artificiellement le brouillard de..., en particulier sur un aéroport. — Absolt. «*Même s'il y avait de la brume, l'utilisation d'une machine à dénébuliser doit permettre de suivre les courses de ski dans les meilleures conditions de visibilité*» (*Revue municipale de Grenoble*, juin 1966).

DÉR. **Dénébulateur, dénébulation.**

DÉNÉGATEUR, TRICE [denegatœR, tRis] adj. et n. — 1787; lat. *denegator*, du supin de *denegare*. → Dénier.

Didact. Qui dénie. *Une action dénégatrice*. → **Dénégatoire.** — N. Personne qui fait une dénégation.

DÉNÉGATION [denegasjɔ̃] n. f. — V. 1390; lat. *denegatio* «dénégation, reniement», du supin de *denegare*. → Dénier.

♦ **1** (1796). Cour. Action de dénier (qqch.); résultat de cette action; paroles de déni. → **Contestation, démenti, déni, désaveu, négation, refus** (de reconnaître). → Crédule, cit. 7. *Malgré ses dénégations, on le crut coupable. Signe, geste, parole de dénégation.*

(...) malgré ses dénégations, je sentais qu'elle avait l'impression d'être prisonnière (...)   1
PROUST, À la recherche du temps perdu, t. XII, p. 233.

Mr. Pitkin bat des paupières et remue la tête en signe de   2
dénégation.
G. DUHAMEL, Scènes de la vie future, IV, p. 69.

♦ **2** (V. 1390). Dr. Refus de reconnaître l'exactitude d'une affirmation de l'adversaire, au cours d'une instance. → **Déni, inscription** (de faux). *Dénégation formelle, nette, équivoque. Dénégation de responsabilité. — Dénégation d'écriture* : refus du défendeur de se reconnaître l'auteur d'une écriture, d'une signature d'un acte sous seing privé, que le demandeur lui attribue. *Persister dans ses dénégations.*

♦ **3** (1967). Psychan. Refus de reconnaître comme sien un désir, un sentiment jusque-là refoulé, mais que le sujet parvient à formuler. — (Au sens 1). Fait d'exprimer (qqch.) en le déniant; expression par le langage de ce qui est nié. *La dénégation freudienne.*

CONTR. **Attestation, aveu, confession, reconnaissance.**
◊ DÉR. **Dénégatoire.**

DÉNÉGATOIRE [denegatwaR] adj. — 1846; du rad. de *dénégation*.

Dr. Qui a le caractère de la dénégation. → **Dénégateur.**

CONTR. **Approbatif.**

DÉNEIGEMENT [denɛʒmɑ̃] n. m. — 1951; de *déneiger*.

♦ **1** Régional ou géogr. Fonte naturelle de la neige.

Dans les Alpes, l'économie pastorale repose tout entière   1
sur le déneigement périodique des alpages.
Charles-Pierre PÉGUY, la Neige, p. 111.

Occasionnellement, la pluie peut, en plein hiver, provo-   2
quer un déneigement tout à fait hors saison : ce sont les
«moulens» du Queyras.
Charles-Pierre PÉGUY, la Neige, p. 70.

♦ **2** Cour. Action de débarrasser (une piste, une route, une voie ferrée) de la neige; résultat de cette action. *Le déneigement d'une route au chasse-neige.*

DÉNEIGER [denɛʒe] v. [CONJUG.: *neiger* (→ Bouger).] — 1558; de 1. *dé-*, *neige*, et suff. verbal.

♦ **1** V. impers. (1558). Régional. Fondre (en parlant de la neige). *Il déneige tard en altitude.*

♦ **2** V. tr. (1930). Débarrasser (un lieu, en particulier une voie de communication) de la neige. *Déneiger une route, une piste avec le chasse-neige.*

◆ **DÉNEIGÉ, ÉE** p. p. adj.

Où la neige a fondu ; où la neige a été enlevée. *Pente déneigée par plaques, où l'on ne peut plus skier. Le chasse-neige est passé ce matin, la route est déneigée.*

On fera ça dès juin, dès que ce sera déneigé, car pour ce qui est du verglas, j'en ai soupé !
FRISON-ROCHE, *Premier de cordée*, p. 217.

CONTR. (Du p. p.) **Enneigé.** ◊ **DÉR.** Déneigement, déneigeuse.

DÉNEIGEUSE [denɛʒøz] n. f. — xxe (1975, in *la Clé des mots*) ; de *déneiger.*

Machine utilisée pour faire fondre la neige.

DÉNERVER [denɛrve] v. tr. — xxe ; au xve, «enlever les nerfs (tendons) de (qqn)» ; fig. «affaiblir, énerver» ; de 1. *dé-, nerf,* et suff. verbal.

Techn. Enlever les parties dures (tendons, nerfs), à l'exception des os (→ **Désosser**) de (une pièce de boucherie).

On emploie aussi le dér. *dénervation* n. f.

DENGUE [dɛ̃g] n. f. — 1829, in *D.D.L.* ; angl. *dengue*, du swahili *dinga, denga* «attaque subite semblable à une crampe».

Méd. Maladie infectieuse virale des régions tropicales, subtropicales et méditerranéennes, transmise par la piqûre des moustiques, caractérisée par un état fébrile soudain, des douleurs musculaires et articulaires donnant une démarche raide d'apparence affectée.

HOM. Dingue.

DÉNI [deni] n. m. — Mil. XIIIe ; déverbal de *dénier.*

◆**1** Vx ou littér. Action de dénier. → **Dénégation ; démenti, refus** (de reconnaître). → Assaut, cit. 21.

1 Le déni que fait le ministre d'avoir consenti au port des armes.   BOSSUET, *Hist. des variations*, v, 29.

2 (...) il exprime ses plus injustifiables dénis avec (...) une telle conviction, qu'il les rend presque supportables et obtient crédit.   GIDE, *Journal*, 2 oct. 1915.

◆**2 DÉNI DE JUSTICE** Ⓐ (1667). Dr. Refus de la part d'un juge de remplir un acte de sa fonction, malgré deux réquisitions successives des intéressés. *Voie de recours contre le déni de justice.* → **Prise** (prise à partie).

3 Le juge qui refusera de juger, sous prétexte du silence, de l'obscurité ou de l'insuffisance de la loi, pourra être poursuivi comme coupable de déni de justice.
Code civil, art. 4.

4 Les juges peuvent être pris à partie (...) s'il y a déni de justice (...)   Code de procédure civile, art. 505.

Ⓑ (1823). Cour. Refus de rendre justice à qqn, d'être juste, équitable envers lui. → **Injustice ; incompréhension.**

5 Évidemment je souffre du déni de certains. Oui, cette obstination dans le refus, la volontaire incompréhension, la haine, m'est parfois extrêmement douloureuse.
GIDE, *Journal*, 19 sept. 1934.

6 La mort l'obsède (*F. Mauriac*), il ne pense qu'à elle, lorsque ne l'agace pas tel déni, tel oubli des jeunes générations littéraires, préférant à tout Francis Ponge, dont il reconnaît que le travail de nettoyage du langage s'imposait.
Claude MAURIAC, *le Temps immobile*, p. 517.

◆**3** Psychan. (Laplanche et Pontalis, pour traduire *Verleugnung* chez Freud). *Déni (de la réalité)* : refus de reconnaître une réalité dont la perception est traumatisante pour le sujet. → **Scotomisation.**

CONTR. Acceptation, attestation, aveu, reconnaissance.

DÉNIAISEMENT [denjɛzmã] n. m. — 1636 ; de *déniaiser.*

Action de déniaiser ; fait d'être déniaisé.

DÉNIAISER [denjeze] v. tr. — 1549 ; de 1. *dé-, niais,* et suff. verbal.

◆**1** Rendre (qqn) moins niais, moins gauche. → **Débrouiller, dégourdir, dégrossir.** *Ce voyage l'a un peu déniaisé.* — Pron. *Il s'est bien déniaisé depuis qu'il travaille.* → **Apprendre.**

Afin de me déniaiser, je suis résolu de voir un peu le monde.   VOITURE, *Lettres*, 30.   1

Un oncle, que j'ai le plus grand intérêt à ménager, m'envoie, du fond de sa Bretagne, un petit campagnard à déniaiser et à former (...)   1.1
LABICHE, *Deux merles blancs*, II, 6.

◆**2** Fam. *Déniaiser un jeune homme, une jeune fille,* lui faire perdre son innocence. → **Délurer, dessaler.** — (1558). Vieilli. Faire perdre sa virginité à (un jeune homme, une jeune fille).

◆ **DÉNIAISÉ, ÉE** p. p. adj.

Devenu moins niais ; qui a acquis une expérience (notamment érotique).

La Merceret, plus jeune et moins déniaisée que la Giraud, ne m'a jamais fait de agaceries aussi vives ; mais elle imitait mes tons, mes accents, redisait mes mots, avait pour moi les attentions que j'aurais dû avoir pour elle (...)   2
ROUSSEAU, *les Confessions*, IV.

(...) je n'ai pas encore mis le pied dehors, je ne connais rien ; j'attends que je sois déniaisée, que ma mise et mon air soient en harmonie avec ce monde (...)   3
BALZAC, *Mémoires de deux jeunes mariées*, Pl., t. I, p. 142.

Elle découvrait les amusements de la ville, et les joies du ménage n'étaient plus qu'un souvenir : l'amour, la coquetterie, les restaurants des Halles, Montmartre, les facilités de la vie de château et d'hôtel pendant les vacances. Déniaisée ; plus de timidité ni de faiblesse de caractère.   4
Valery LARBAUD, *Amants, heureux amants*, p. 128.

Attends ! Laisse-moi te parler ! Pendant que tu te reposais ainsi dans la paresse de ton éternité, sur tes procédés de l'An II, l'esprit de l'homme, déniaisé par toi-même ! (...) a fini par s'attaquer aux dessous de la Création (...)   5
VALÉRY, *Mon Faust*, p. 54.

Je ne fus pas blessé de cette mise au point. À vingt-deux ans, peu déniaisé, retenu par des timidités ou des dégoûts, militaire depuis longtemps, ne connaissant guère que le bordel, j'avais le sentiment de mon infériorité comme amant, ce qui se paye.   6
DRIEU LA ROCHELLE, *la Comédie de Charleroi*, p. 180.

DÉR. Déniaisement, déniaiseur.

DÉNIAISEUR, EUSE [denjɛzœr, øz] n. — 1582 ; de *déniaiser.*

Rare. Personne qui déniaise.

Que les exigences de l'honnêteté et de l'intelligence aient été colonisées à des fins égoïstes par l'hypocrisie d'une société médiocre et cupide, c'est là un malheur que Marx, déniaiseur incomparable, a dénoncé avec une force inconnue avant lui.   CAMUS, *l'Homme révolté*, p. 605.   1

(...) les niaises disparues comme les déniaiseuses pour céder la place à ce que tous les garçons appellent «une fille» sans plus.   2
Hervé BAZIN, *Au nom du fils*, p. 175-176.

1. DÉNICHER [denife] v. tr. et intr. — V. 1131, *desnichier* ; de 1. *dé-,* et *nicher* «faire son nid».

Ⅰ V. tr. ◆**1** (Déb. XIIIe). Enlever d'un nid (les oiseaux, leurs œufs). *Dénicher des oiseaux. Dénicher une couvée. Dénicher des œufs.*

O quantes fois aux arbres grimpé j'ai,
Pour dénicher ou la pie ou le geai (...)   1
MAROT, *Églogue au Roi* (sous les noms de Pan et de Robin).

2 Oui-da, dit François, en riant; et puis tu monteras aussi sur le grand cormier pour dénicher les croquabeilles?
G. SAND, François le Champi, V, p. 58.

Par ext. (incorrect). *Aller dénicher des nids.*

(1775). Par métaphore, à propos d'une jeune fille sévèrement gardée. → **Enlever.**

3 Joli oiseau, ma foi! difficile à dénicher (...)
BEAUMARCHAIS, le Barbier de Séville, I, 4.

♦ **2** (Fin XVIIᵉ). Cour. Découvrir à force de recherches. → **Découvrir, trouver.** *Dénicher un ami dans la foule. Comment m'avez-vous déniché? Dénicher un objet rare. Dénicher un appartement, un bon restaurant, une situation. Dénicher un livre précieux chez un bouquiniste.*

4 Je dénichai et lus en cachette des articles de médecine beaucoup plus propres à m'égarer qu'à m'instruire.
G. DUHAMEL, Récits des temps de guerre, II, p. 186.

♦ **3** Fig. *Dénicher qqn de* (quelque part) : forcer qqn à sortir de... → **Chasser, débusquer.** *Dénicher l'ennemi d'un bois. Dénicher le voleur de sa cachette.*

II V. intr. ♦ **1** (1704). Rare. Abandonner son nid. → **Partir.** *Les hirondelles ont déniché dès les premiers froids.*

Par métaphore. *Les oiseaux ont déniché,* en parlant de personnes qui sont parties, qui ont quitté l'endroit où l'on s'attendait à les trouver. → **Envoler** (s'), **évader** (s').

♦ **2** Fig., vx. Se retirer avec précipitation de quelque lieu. → **Enfuir** (s'), **évader** (s'), **partir, retirer** (se), **sauver** (se). *Dès la première attaque, les ennemis ont déniché. Dénichons vite! Dénicher sans tambour ni trompette.*

5 (...) vous dénicherez à l'instant de la ville.
MOLIÈRE, l'École des femmes, V, 4.

CONTR. Nicher; demeurer, rester; cacher (se), **embusquer** (s'). ◊ **DÉR. Dénicheur.**

2. DÉNICHER [deniʃe] v. tr. — Av. 1692; de 1. *dé-*, 1. *niche*, et suff. verbal.

Vx. Enlever (une statue) de sa niche.

DÉNICHEUR, EUSE [deniʃœʀ, øz] n., fém. rare. — 1623; var. régionale *dénicheux*, 1604, in D.D.L.; de 1. *dénicher.*

♦ **1** (1628). Personne, enfant qui enlève les oiseaux de leur nid.

(...) bien avant que les feuilles trempées d'eau aient fait sous son pas cet affreux bruit de suçoirs, bien avant que la haute et fine silhouette – ah! si jeune – on dirait d'un de ces dénicheurs de nids barbouillés de mûres, un compagnon des anciens dimanches, des beaux dimanches! (...)
BERNANOS, Monsieur Ouine, p. 148.

♦ **2** (1690). Fig. *Dénicheur, dénicheuse de...* : personne qui sait découvrir (des objets rares). *Dénicheur d'antiquités, de bibelots, de livres rares.*

DÉNICKELER [denikle] v. tr. — Déb. XXᵉ; de 1. *dé-*, *nickel*, et suff. verbal.

Techn. Enlever le revêtement de nickel de... → REM. Le substantif correspondant est *dénickelage* [deniklaʒ] n. m.

DÉNICOTINISATION [denikɔtinizasjɔ̃] n. f. — 1905; de 1. *dé-*, *nicotiniser*, et suff. *-ation.*

Didact. Procédé permettant de réduire la teneur en nicotine du tabac.

DÉNICOTINISER [denikɔtinize] v. tr. — 1878; de 1. *dé-*, *nicotine*, et *-iser.*

Retirer en partie ou en totalité la nicotine* de.

♦ **DÉNICOTINISÉ, ÉE** p. p. adj. (1878). *Tabac dénicotinisé.*

1 (...) Albalat s'installait sur une banquette et roulait, en nous attendant, une cigarette, non de tabac même dénicotinisé, mais de feuilles d'aubépine (...)
Francis CARCO, Ombres vivantes, p. 231, Gallimard (1952).

2 — J'aurais tant voulu qu'elle *(la salle à manger)* ressemble à la vôtre, dis-je à Zézette.
— Ah oui? dit Basile. Doux et rêveur.
Il m'offrit, en guise de consolation, une Gauloise dénicotinisée.
Violette LEDUC, Folie en tête, p. 447.

Le dér. *dénicotiniseur* n. m. (v. 1960) désigne un filtre qui retient une partie de la nicotine du tabac d'une cigarette. — Appos. *Filtre dénicotiniseur.*

DÉR. Dénicotinisation.

DENIER [dənje] n. m. — V. 1175; *dener*, v. 1110; lat. *denarius*, de *deni* «dix par dix». → Dénaire.

♦ **1** Ancienne monnaie romaine, d'argent, valant dix as, puis seize. — *Le denier de César. Les trente deniers de Judas.*

1 Et ils lui présentèrent un denier. Et il leur dit : «De qui cette image et l'inscription? — De César», lui dirent-ils.
BIBLE (CRAMPON), Évangile selon saint Matthieu, XXII, 19-20 (→ Rendre, cit. 3).

2 (...) il *(Judas)* vend pour trente deniers celui qui devait être la rédemption du monde entier.
BOURDALOUE, Passion de J.-C., IIIᵉ sermon.

♦ **2** Ancienne monnaie française, valant la deux cent quarantième partie de la livre. → **Liard, livre, sou.**

3 (...) Douze sols huit deniers : le compte est juste.
MOLIÈRE, le Bourgeois gentilhomme, III, 4.

4 Le denier, qui était la deux-cent-quarantième partie d'une livre d'argent de douze onces (...)
VOLTAIRE, Essai sur les mœurs, XIX.

5 Pour vous résumer notre situation par des chiffres, plus significatifs que mes discours, la Commune possède aujourd'hui deux cents arpents de bois (...) Dans quinze ans d'ici, elle aura pour cent mille francs de bois à abattre, et pourra payer ses contributions sans qu'il en coûte un denier aux habitants (...)
BALZAC, le Médecin de campagne, Pl., t. VIII, p. 356.

Le denier tournois valait le tiers d'un liard et le douzième d'un sou. Quart de denier. → **Pite.** *Denier d'argent. Denier d'or.*

Fam., vx. *N'avoir pas un denier :* n'avoir pas d'argent. → **Rond, sou** (il n'a pas le rond, pas le sou).

(1349). Ancienn. (suivi d'un nombre). Intérêt* (d'une somme d'argent, d'un capital). *Argent placé au denier 20,* dont l'intérêt est égal au vingtième du capital, c'est-à-dire à 5 %.

6 (...) vingt pistoles rapportent par année dix-huit livres six sols huit deniers, à ne les placer qu'au denier douze.
MOLIÈRE, l'Avare, I, 4.

7 (...) les rentes, qui étaient au denier dix, tombèrent au denier vingt.
MONTESQUIEU, l'Esprit des lois, XXII, VI.

♦ **3** (XVᵉ; *denier à Dieu* «légère contribution pour des œuvres de charité»). Somme versée en tribut.

Hist. relig. *Denier de Saint-Pierre* : à Rome, tribut que l'on payait le jour de la fête de Saint-Pierre-aux-Liens. — Mod. Argent recueilli par l'Église catholique parmi les fidèles, pour subvenir aux besoins du pape.

7.1 Puisqu'il ne pouvait accepter la subvention du royaume d'Italie, l'idée vraiment touchante du denier de Saint-Pierre aurait dû sauver le Saint-Siège de tout souci matériel, à la condition que ce denier fût en réalité le sou du catholique.
ZOLA, Rome, p. 271.

(1906). *Denier du culte* : somme d'argent versée chaque année par les catholiques au curé de leur paroisse pour subvenir aux besoins du culte. *Chaque évêque collecte et répartit le denier du culte de son diocèse.*

Loc. (1689). **Vx.** *Le denier de la veuve* : l'aumône modeste que fait un pauvre.

Vx. *Denier de confession* : offrande que les pénitents versaient autrefois à leur confesseur.

(1648). **Vieilli.** *Denier à Dieu* : arrhes versées pour un marché, une location verbale. → **Arrhes.** **Vx.** Gratification donnée au concierge d'un immeuble par un nouveau locataire.

♦ **4** (1273). **Plur.** Somme d'argent indéterminée (souvent avec un possessif). → **Argent.** *Acheter une chose avec ses propres deniers, de ses propres deniers* (→ Attributaire, cit.), *avec son propre argent. Je l'ai payé de mes deniers.* — *Les deniers publics* : les revenus de l'État. → **Caisse.** *Malversation dans le maniement des deniers publics.* → **Concussion, péculat.**

8   Les Phocéens ouvrirent les yeux, et nommèrent des commissaires pour faire rendre compte à tous ceux qui avaient touché les deniers publics (...)
        ROLLIN, Hist. ancienne, t. VI, p. 43, *in* POUGENS.

♦ **5** (1870). Dans le commerce de la soie, Poids de 0,05 g; ancienne unité de mesure de la finesse du fil, de la fibre. *On classe les fils de soie d'après le nombre de deniers pour 450 mètres* (nombre de grammes par 9 000 m). *Bas de trente deniers. Le denier a été remplacé par le décitex.*

DÉNIER [denje] v. tr. — 1160; de 2. *dé-*, et *nier*, d'après le lat. *denegare*. → Dénégateur, dénégation.

♦ **1** (1160). **Vx.** Refuser de reconnaître comme vrai (un fait, une assertion). → **Contester, nier.** *Dénier les faits les plus évidents. Dénier un crime. Dénier une dette.*

Mod. Refuser de reconnaître comme sien (un acte critique). *Il dénie sa faute. Elle dénie sa responsabilité.*

1   Qu'il approuve sa mort, c'est ce que je dénie.
                        CORNEILLE, Cinna, II, 1.

2   Il mène avec lui des témoins (...) afin qu'il ne prenne pas un jour envie à ses débiteurs de lui dénier sa dette.
        LA BRUYÈRE, les Caractères de Théophraste, De la défiance.

3   Les faits (...) seront (...) déniés ou reconnus dans les trois jours; sinon ils pourront être tenus pour confessés ou avérés.   Code de procédure civile, art. 252.

♦ **2** (1160). Refuser d'accorder (ce que la justice, l'équité, l'honnêteté,... commande). → **Refuser.** *Dénier qqch. à qqn. Vous ne pouvez lui dénier le droit de...*

4   Puis-je, sans étouffer la voix de la nature,
     Dénier mon secours aux tourments qu'il endure?
                        CORNEILLE, la Place royale, 6.

5   (...) en Basse-Bretagne, à laquelle Dieu avait dénié les vignes.   VOLTAIRE, l'Ingénu, IV.

6   (...) nous ne voulons donc pas dénier aux artistes le droit de sonder les plaies de la société et de les mettre à nu sous nos yeux (...)   G. SAND, la Mare au diable, I, p. 13.

CONTR. Accorder, allouer, attester, attribuer, avouer, concéder, confesser, confirmer, donner. ◊ **COMP.** Indéniable. → **DÉR.** Déni.

DÉNIGRANT, ANTE [denigʀɑ̃, ɑ̃t] p. prés. adj. — 1747; p. prés. de *dénigrer*.

Qui dénigre (choses), est porté à dénigrer. → **Dénigreur.** *Ces dames sont bien dénigrantes* (Académie). — *Ton, langage dénigrant.*

(...) ne vous laissez pas atteindre par le scepticisme dénigrant et stérile (...)
        PASTEUR, Disc. du 27 déc. 1892 (jour de son jubilé).

N. Rare. *Un dénigrant, une dénigrante.*

CONTR. Apologétique, laudatif.

DÉNIGREMENT [denigʀəmɑ̃] n. m. — 1527; *denigracion*, 1399; *denigration*, 1314; de *dénigrer*.

Action de dénigrer; résultat de cette action. → **Attaque, critique, médisance.** *Esprit de dénigrement. Dénigrement systématique.*

1   (...) la malveillance et le dénigrement sont les deux caractères de l'esprit français; la moquerie et la calomnie, le résultat certain d'une confidence.
        CHATEAUBRIAND, Mémoires d'outre-tombe, t. II, p. 104.

2   Mais le dénigrement de ceux que nous aimons toujours nous en détache quelque peu. Il ne faut pas toucher aux idoles; la dorure en reste aux mains.
        FLAUBERT, Mᵐᵉ Bovary, III, VI, p. 180.

3   Combien n'est-il pas plus flatteur de voir un critique, par rancune ou dépit, se forcer au dénigrement, que, par camaraderie, à l'indulgence.
                        GIDE, Journal, 1ᵉʳ oct. 1927.

PAR DÉNIGREMENT. *Ce mot ne s'emploie plus aujourd'hui que par dénigrement*, péjorativement. → **Péjoration.**

Rare. *(Un, des dénigrements).* Parole de dénigrement.

4   De tels dénigrements, au lieu de m'accabler, m'exaltent et même plus profondément que des louanges.
                        GIDE, Journal, 23 nov. 1912.

CONTR. Admiration, apologie, approbation, éloge, exaltation, louange.

DÉNIGRER [denigʀe] v. tr. — 1358; lat. *denigrare* «noircir» au fig., de *de-*, et *nigrare* «rendre noir», de *niger* «noir».

S'efforcer de «noircir», de diminuer, de mépriser (qqn, qqch.), en disant du mal, en attaquant, en niant les qualités. → **Attaquer, calomnier, clabauder** (contre), **critiquer, débiner** (fam.), **déblatérer** (contre), **décrier, déprécier, dépriser, discréditer, médire** (de), **noircir, rabaisser.** *Dénigrer ses amis. Dénigrer les médecins, les avocats* (cit. 19). *Ils cherchent à discréditer le régime en dénigrant ses représentants. Dénigrer l'ouvrage, la conduite de qqn* (→ Apporter, cit. 19).

1   J'ai loué des sots, j'ai dénigré les talents (...)
                        VOLTAIRE, l'Écossaise, I, 1.

Absolt. *Il ne sait que dénigrer.*

2   Sur quelque sujet que se portât la conversation, l'esprit de Valéry et de Cocteau ne s'efforçait que de dénigrer; ils faisaient assaut d'incompréhension, de déni.
                        GIDE, Journal, 3 nov. 1920.

CONTR. Admirer, approuver, exalter, louer, préconiser, prôner, vanter. ◊ **DÉR.** Dénigrant, dénigrement, dénigreur.

DÉNIGREUR, EUSE [denigʀœʀ, øz] adj. et n. — 1781; de *dénigrer*, et *-eur*.

Rare. Personne qui dénigre. → **Contempteur, détracteur.**

1   Sur l'abbé Giraud, qui s'était fait dénigreur de son métier, et qui avait coutume de dire de tous les livres qu'il lisait : C'est absurde! Il va laissant tomber sa signature partout.
                        RIVAROL, Rivaroliana, II.

2   (...) je me mets en route pour les visites traditionnelles, pas du tout obligatoires contrairement à ce que prétendent certains dénigreurs, mais qu'il est poli et bien naturel de rendre (...)   Georges LECOMTE, Ma traversée, p. 522.

Adj. *Esprit dénigreur.*

CONTR. Admirateur, apologiste, approbateur, louangeur.

DENIM [dənim] n. m. — Av. 1973; mot angl. des États-Unis, du nom de la ville française de *Nîmes*.

Anglic. Toile servant à fabriquer les blue-jeans*.

Elle choisit un tee-shirt, une salopette de travail en denim bleu, puis des sandales de tennis et des chaussettes rouges.
J.-M. G. LE CLÉZIO, *Désert*, p. 311.

DÉNITRIFIANT, ANTE [denitrifjã, ãt] adj. — 1898, *Année sc. et industr.*, 1899, p. 228; p. prés. de *dénitrifier*.

Sc. Qui absorbe l'azote.

DÉNITRIFICATEUR, TRICE [denitrifikatœr, tris] adj. — 1865, *Rev. des cours sc.*, t. II, p. 711; de *dénitrifier*.

Sc. Qui cause la dénitrification.

DÉNITRIFICATION [denitrifikasjɔ̃] n. f. — 1897, *Année sc. et industr.*, 1898, p. 259; de 1. *dé-*, et *nitrification*.

Sc. Phénomène par lequel une substance se dénitrifie.

Décomposition des substances azotées dans le sol (par l'action bactérienne).

DÉNITRIFIER [denitrifje] v. tr. [CONJUG.: *prier*.] — 1908, sans doute antérieur (→ les dér.); de 1. *dé-*, et *nitrifier*.

Sc. Retirer l'azote de (une substance, un sol).
→ aussi **Dénitrification**.

DÉR. Dénitrifiant, dénitrificateur.

DÉNIVELÉE [denivle] n. f. ou **DÉNIVELÉ** [denivle] n. m. — 1950; de *déniveler*.

Techn. Différence de niveau, d'altitude entre deux points (spécialt, arme et objectif). → **Dénivellation** (2.). — Alpinisme, ski. «*Les remontées mécaniques partiraient de l'altitude 1 450 vers les sommets, soit 1 200 mètres de dénivelée*» (*le Monde*, 2 mars 1966). *Une progression de trois cents mètres de dénivelée dans l'heure.*

DÉNIVELER [denivle] v. tr. [CONJUG.: *appeler*.] — 1847; de 1. *dé-*, et *niveler*.

Faire cesser d'être de niveau. *Déniveler un terrain, un jardin.*

◆ **DÉNIVELÉ, ÉE** p. p. adj.

Qui n'est pas du même niveau.

(...) ses quatre roues *(du véhicule)*, écartées de huit à neuf pieds à l'extrémité de chaque essieu, lui assurent un certain équilibre sur des routes cahoteuses et trop souvent dénivelées.   J. VERNE, *Michel Strogoff*, 1876, p. 120.

CONTR. Niveler. ◊ **DÉR.** Dénivellation, dénivelée.

DÉNIVELLATION [denivel(l)asjɔ̃] n. f. ou **DÉNIVELLEMENT** [denivɛlmã] n. m. — 1845; de *déniveler*.

◆ **1** Rare. Action de déniveler; son résultat. *La dénivellation d'une route.*

◆ **2** Plus cour. (*Une, des dénivellations*). Différence de niveau (→ **Dénivelée**). *Les dénivellations (dénivellements*, rare) *d'une région montagneuse.* → **Inégalité**.

1   En ce moment, à cent pieds en arrière du canot, se leva une monstrueuse lame, couronnée nettement par une crête blanche. Au-devant d'elle, la dénivellation de la surface liquide formait comme une sorte de gouffre. Toutes les petites ondulations intermédiaires, écrasées par le vent, avaient disparu.
J. VERNE, le Pays des fourrures, t. I, p. 114.

2   Près des paupières et des cils, il y avait une zone curieuse, une sorte de dénivellation ombreuse, qui ne reposait pas sur de l'os.   J.-M. G. LE CLÉZIO, la Fièvre, p. 50.

Fig. *Des dénivellations sociales.*

DÉNOIRCIR [denwarsir] v. tr. — XIVᵉ; 1771, au pron.; de 1. *dé-*, et *noircir*.

Rare. Rendre moins noir.

CONTR. Noircir.

DÉNOISEUR [denwazœr] n. m. — 1955, *Dict. des métiers*; de 1. *dé-*, *noix*, et *-eur*.

Techn. Ouvrier qui dénoyaute les pruneaux.

DÉNOMBRABLE [denɔ̃brabl] adj. — XIIIᵉ, *desnombrable* «innombrable»; de *dénombrer*.

Qu'on peut dénombrer, compter. → **Nombrable**. — **Math., log.** *Ensemble dénombrable*, dont les éléments peuvent être mis en correspondance biunivoque* avec les éléments de l'ensemble des nombres entiers. *L'ensemble des points d'une droite n'est pas dénombrable.*

CONTR. Indénombrable, innombrable.

DÉNOMBREMENT [denɔ̃brəmã] n. m. — 1329; de *dénombrer*.

Action de dénombrer (des personnes, des choses); résultat de cette action. → **Compte, détail, énumération, inventaire, recensement, statistique.** *Faire un dénombrement exact. Le dénombrement des faits de la vie sociale.* → **Statistique.** *Dénombrement des citoyens, à Rome.* → **Cens** (→ Classe, cit. 2). *Dénombrement des habitants d'un pays, d'une population. Méthodes de dénombrement en statistiques.*

1   Et le dernier *(précepte était)*, de faire partout des dénombrements si entiers et des revues si générales, que je fusse assuré de ne rien omettre.
DESCARTES, Disc. de la méthode, II.

2   Le nom de ce panégyriste semble gémir sous le poids des titres dont il est accablé (...) Quand (...) on l'a un peu écouté, l'on reconnaît qu'il manque au dénombrement de ses qualités celle de mauvais prédicateur.
LA BRUYÈRE, les Caractères, XV, 18.

3   (...) il est prouvé qu'elle *(la France)* ne contient qu'environ vingt millions d'âmes tout au plus par le dénombrement des feux assez exactement donné en 1751.
VOLTAIRE, Dialogues, XXIV, 1ᵉʳ entretien.

Spécialt, log. Énonciation dans les prémisses de données dont dépend la conclusion. *Dénombrement imparfait* : raisonnement par lequel on suppose énoncer tous les cas possibles par une alternative, alors qu'un ou plusieurs cas sont omis.

DÉNOMBRER [denɔ̃bre] v. tr. — Av. 1150; lat. *dinumerare* «calculer, dénombrer».

Énoncer en les comptant chaque partie d'un tout, d'un ensemble (de personnes, de choses). → **Compte** (faire le); **compter, détailler, énumérer, inventorier, recenser.** *Dénombrer les habitants d'une ville, d'un pays. Dénombrer les causes d'un phénomène.*

1   (...) Démétrius (...) les dénombra comme dans un marché l'on compte les esclaves.
MONTESQUIEU, l'Esprit des lois, III, 3.

2   Le déterminisme auquel il semble que notre esprit, non plus que notre corps, ne puisse échapper est si subtil, répond à des causes si diverses, si multiples et si ténues, qu'il paraît enfantin de chercher à les dénombrer, et plus encore à les réduire.
GIDE, Feuillets, *in* Journal 1889-1939, Pl., p. 813.

2.1   (...) la quantité d'enfants est inimaginable. Je tâche de les dénombrer; à cent quatre-vingts je m'arrête, pris de vertige : ils sont trop!
GIDE, Voyage au Congo, *in* Souvenirs, Pl., p. 768.

3   L'idée qu'on puisse dénombrer les hommes, en faire un recensement leur paraîtra toujours *(à ces nomades)* attentatoire à la personne et à sa dignité. Ils ne veulent pas servir un maître.
DANIEL-ROPS, le Peuple de la Bible, I, II, p. 42.

DÉR. Dénombrable, dénombrement.

DÉNOMINATEUR [denɔminatœR] n. m. — 1484; lat. *denominator* «celui qui nomme», du supin de *denominare*. → Dénommer.

Arithm. Celui des deux termes d'une fraction* qui indique en combien de parties l'unité a été divisée (→ **Numérateur**). *Numérateur et dénominateur. Réduire des fractions au même dénominateur.*

1   Tout numérateur est un dividende, et tout *dénominateur* est un diviseur (...)
     CONDILLAC, la Langue des calculs, I, 7, *in* LITTRÉ.

2   L'écolier, qui sait qu'on va lui dicter une fraction, tire une barre, avant de savoir ce que seront le numérateur et le dénominateur (...)
     H. BERGSON, l'Évolution créatrice, p. 149.

DÉNOMINATEUR COMMUN, celui que l'on obtient en réduisant plusieurs fractions au même dénominateur, correspondant au plus petit commun multiple* des dénominateurs des fractions. *Chercher le plus petit dénominateur commun* (abrév. : *P. P. D. C.*) *à plusieurs fractions.*

(1964). **Fig.** Élément commun à des faits différents, des personnes différentes, conçu soit comme un utile réducteur de différences permettant un regroupement, soit comme le caractère de banalité commun à tous.

3   Je pense qu'il existe entre les hommes, bien plus souvent qu'on ne le croit, un dénominateur commun. C'est comme sur le tableau noir. Vous écrivez de gros nombres fractionnaires qui semblent inconciliables, et puis, par éliminations successives, on arrive à trouver ce dénominateur commun, petit chiffre bien simple que rien ne laissait prévoir sous ces complications touffues.
     L.-H. LYAUTEY, Paroles d'action, p. 179.

4   Il lui semblait maintenant l'avoir en quelque sorte dévoyé en le réduisant imprudemment à un triste et commun dénominateur humain.
     M. AYMÉ, Travelingue, p. 190.

5   Il se passe dans la société ce qui se passe dans une classe, à l'école : le commun dénominateur est toujours à l'indice du plus bête; dans une association, amicale ou autre, c'est toujours le plus riche qui est dépouillé, le plus généreux qui perd, le plus vivant qui s'étiole.
     Jean-Louis CURTIS, le Roseau pensant, p. 155.

CONTR. Numérateur.

DÉNOMINATIF, IVE [denɔminatif, iv] adj. et n. — 1464; bas lat. *denominativus* «dérivé», du supin de *denominare*. → Dénommer.

Grammaire.

◆ **1** Qui sert à nommer, à désigner. *Terme, mot dénominatif.* — N. m. *Un dénominatif.*

◆ **2** Qui est formé à partir d'un nom, en parlant d'un mot. *Verbe dénominatif.* — N. m. *Dénominatifs et déverbaux*.*

(*Le suffixe latin* -ātum), par ses origines, se rattache (...) aux suffixes dénominatifs latins en -*āre,* qui eux-mêmes remontent en grande partie aux substantifs féminins en -*a* (→ *plantāre* : planta, grec *tīmāō* : timā, etc.) (...)
     F. DE SAUSSURE, *Cours de linguistique générale*, p. 294.

DÉNOMINATION [denɔminasjɔ̃] n. f. — 1375, *denominacion;* lat. *denominatio* «désignation», du supin de *denominare.* → Dénommer.

Désignation d'une personne ou d'une chose par un nom. → Reconnaître, cit. 8.1. — Nom affecté à une chose. → **Appellation, désignation, nom** (→ Casbah, cit. 1.). *Comprendre plusieurs objets différents sous une même dénomination.*

1   Il faut donner une dénomination nouvelle aux départements; je ne pense pas qu'il puisse exister une opération plus grande, plus importante (...)
     MIRABEAU, Collection, t. III, p. 230, *in* LITTRÉ.

(...) pour les rivières, les golfes, les caps, les promontoires, que nous apercevons du haut de cette montagne, choisissons des dénominations qui rappellent plutôt leur configuration particulière.
     J. VERNE, l'Île mystérieuse, t. I, p. 142.   1.1

Qu'on les appelle de ce nom d'Ourals, qui est d'origine tartare, ou de celui de Poyas, suivant la dénomination russe, ils sont justement nommés, puisque ces deux noms signifient ceinture dans les deux langues.
     J. VERNE, Michel Strogoff, p. 132.   1.2

Les conférences *intra muros* devinrent ainsi des cours. Cependant, comme à Saint-Sulpice rien ne change, les anciennes dénominations restèrent. Le séminaire n'a pas de *professeurs;* tous les membres de la congrégation ont le titre uniforme de *directeur.*
     RENAN, Souvenirs d'enfance..., IV, p. 157.   2

Dénomination commune : désignation d'une préparation pharmaceutique par un nom adopté d'un commun accord par les autorités compétentes nationales et internationales (distincte de la *marque déposée*).

DÉNOMMER [denɔme] v. tr. — 1170; lat. *denominare,* de *de-,* et *nominare.* → Nommer.

◆ **1** Dr. Nommer (une personne) dans un acte. → **Nommer; indiquer.** *Témoin dénommé dans un acte d'accusation.*

Les actes de l'état civil énonceront l'année, le jour et l'heure où ils seront reçus, les prénoms et nom de l'officier de l'état civil, les prénoms, noms, professions et domiciles de tous ceux qui y seront dénommés.   Code civil, art. 34.   1

◆ **2** (MIl. XIIIᵉ). Donner un nom à (une personne, une chose, une classe d'individus). → **Appeler, désigner, étiqueter, nommer, qualifier.** *Dénommer qqn du nom de...*

Par ext. Renvoyer à (un objet, une classe d'objets) par le sens. → **Désigner.**

Les clartés ordinaires ne me suffisent plus quand le sens des mots n'est pas aussi clair que leur son, c'est-à-dire quand ils n'offrent pas à ma pensée des objets aussi transparents par eux-mêmes que les termes qui les dénomment.   2
     Joseph JOUBERT, Pensées, «L'auteur peint par lui-même».

DÉNONCER [denɔ̃se] v. tr. [CONJUG.: *placer.*] — 1174, *denuntier; denoncier,* 1260; lat. class. *denuntiare* «faire savoir», de *de-,* intensif, et *nuntiare* «apprendre».

◆ **1** Vx. Faire savoir officiellement (qqch.). → **Annoncer, notifier, proclamer, publier, signifier.** *Dénoncer la guerre.* → **Déclarer.**

(...) il *(Robert II de la Marck)* s'y raccommoda *(avec la France),* puis s'outrecuida jusqu'à dénoncer la guerre à l'Empereur (...)   SAINT-SIMON, Mémoires, t. II, XLIII.   1

Dénoncer à qqn que...

Lorsque le roi Henri VIII (...) commença d'ébranler l'autorité de l'Église, les sages lui dénoncèrent qu'en remuant ce seul point, il mettait tout en péril, et qu'il donnait, contre son dessein, une licence effrénée aux âges suivants.   2
     BOSSUET, Oraison funèbre d'Henriette-Anne d'Angleterre.

Mod. Dr. Donner avis de (un acte de procédure) à de tierces personnes qui n'y ont pas été parties. *Le désaveu sera dénoncé aux parties de l'instance principale* (Code de procédure civile, art. 356). *Le saisissant sera tenu de dénoncer la saisie-arrêt ou opposition au débiteur saisi* (Code de procédure civile, art. 563).

◆ **2** Cour. Annoncer la rupture de; la fin de (un accord). → **Annuler, rompre.** *Dénoncer la fin de l'armistice,* et, ellipt., *dénoncer l'armistice* : annoncer la reprise des hostilités — *Dénoncer un traité, un contrat, une convention.*

3 (...) je crois que j'aimerais encore mieux dénoncer le contrat et retourner dans le néant (...)
G. DUHAMEL, Cri des profondeurs, II, p. 35.

♦ **3** **a** (Compl. n. de personne). **Signaler (qqn) comme coupable.** → **Accuser, cafarder, nommer, trahir, vendre;** (fam. ou argot.) **balancer, balanstiquer, brûler, caponner, donner, fourguer, griller, moucharder;** et aussi **affaler** (s'), **allonger** (s'), **croquer** (en croquer); scol. **cafeter, rapporter;** → casser, manger le morceau*, se mettre à table*. *Dénoncer qqn à la police. Dénoncer ses complices. Dénoncer un suspect.*

4 (D'où vient que) vous ne songez à l'aller dénoncer
Que lorsque son honneur l'oblige à vous chasser?
MOLIÈRE, Tartuffe, v, 7.

5 Puzzini ameute sa clique, me dénonce au ministre, arme l'autorité pour me persécuter.
P.-L. COURIER, Lettres, II, 44.

6 — Vous demandez pourquoi je parle? je ne suis ni dénoncé, ni poursuivi, ni traqué, dites-vous. Si! je suis dénoncé! si! je suis poursuivi! si! je suis traqué! Par qui? par moi. C'est moi qui me barre à moi-même le passage, et je me traîne, et je me pousse, et je m'arrête, et je m'exécute, et quand on se tient soi-même, on est bien tenu.
HUGO, les Misérables, V^e partie, VII, I.

7 Il (le marquis de Mirabeau, père de Mirabeau) dénonce dans le rentier «un oisif qui jouit».
Louis BARTHOU, Mirabeau, p. 12.

b (1260). **Compl. n. de chose. Faire connaître publiquement une chose pour que l'opinion la condamne.** *Dénoncer un crime, les malversations, les méfaits de qqn. Dénoncer un scandale, des abus. Dénoncer le vice. Dénoncer une criante injustice.*

8 (...) c'est pour les avoir connus qu'il pouvait dénoncer avec tant de force les abus de l'organisation judiciaire et en préconiser les remèdes avec une si précise clairvoyance.
Louis BARTHOU, Mirabeau, p. 154.

9 L'homme peut s'autoriser à dénoncer l'injustice totale du monde et revendiquer alors une justice totale qu'il sera seul à créer. Mais il ne peut affirmer la laideur totale du monde. CAMUS, l'Homme révolté, IV, p. 319.

Dénoncer les défauts, les travers, les ridicules,...

10 J'ai dénoncé déjà cet enfantin besoin de mon esprit de combler un coin du mystère tout l'espace et le temps qui ne m'étaient pas familiers.
GIDE, Si le grain ne meurt, I, v, p. 125.

11 À la campagne, un homme cultivé sait qu'on le moque pour ce qu'il a de supérieur; mais rien ne l'avertit de ses vrais ridicules que nul ne lui dénonce.
F. MAURIAC, la Province, p. 28.

♦ **4** Littér. (Sujet et compl. n. de chose). **Faire connaître, révéler (qqch.).** → **Annoncer, connaître** (faire connaître), **dénoter, dévoiler, indiquer, montrer, révéler, trahir.** *Tout dans cette maison dénonce la richesse.* → **Sentir.** *Ce trait dénonce beaucoup d'à-propos.*

12 (...) tout chez Gabrielle Darras dénonçait une personne de la haute bourgeoisie française (...)
Paul BOURGET, Un divorce, I, p. 3.

13 Ses corrections (de Montaigne) le dénoncent comme sensible à la beauté du mot, à la physionomie de l'image et du son. Gustave LANSON, l'Art de la prose, p. 54.

14 Il est intéressant de noter, dans les conversations que nous avons avec nos proches, les mots qui reviennent le plus souvent sur leurs lèvres et qui, si nous les examinons avec soin, dénoncent toujours un tour d'esprit que nous avons avantage à connaître.
G. DUHAMEL, Discours aux nuages, p. 19.

♦ **SE DÉNONCER** v. pron.

Se reconnaître coupable. → **Livrer** (se), **rendre** (se).

15 Qu'est-ce qu'un pénitent? c'est un coupable qui se reconnaît coupable, qui se dénonce lui-même comme coupable, qui vient, en qualité de coupable, réclamer la miséricorde de son juge, et demander grâce.
BOURDALOUE, Pensées, «Sacrements de pénitence».

Se dénoncer les uns les autres. → **Trahir** (se).

16 (...) quand les partis en sont à se dénoncer et à se soupçonner ainsi, ils n'ont plus qu'à se décimer au plus vite et se tuer les uns les autres.
JAURÈS, Hist. socialiste..., t. VII, p. 354.

♦ **DÉNONCÉ, ÉE** p. p. adj.

♦ **1** Dr. **Rompu.** *Contrat dénoncé.*

♦ **2** **Signalé comme condamnable.** *Personne dénoncée à la police. Abus dénoncés et abus secrets.*

CONTR. Cacher, taire. — Observer; confirmer (un accord). — **Défendre.** ◊ **DÉR. Dénonciateur, dénonciation.**

DÉNONCIATEUR, TRICE [denɔ̃sjatœr, tris] n. et adj. — 1328; bas lat. *denuntiator* «celui qui annonce», du supin de *denuntiare.* → Dénoncer.

♦ **1** N. **Personne qui dénonce à la justice, qui accuse.** → **Accusateur, délateur, indicateur, sycophante** (littér.); fam. ou argot. **balance, cafard, cafardeur, capon, casserole** (4.), **donneur** (et **donneuse**), **mouchard, mouche, mouton, salope;** scol. **cafeteur, rapporteur.** *Ce dénonciateur n'est qu'un menteur.* → **Calomniateur.**

En tout état de cause, un dénonciateur qui se cache joue   1
un rôle odieux, bas, lâche (...)
ROUSSEAU, Dialogue, V.

«Je sais que vous avez rencontré Marthe qui sort d'ici»,   2
disait la duchesse en souriant comme si elle découvrait un complot. L'autre s'étonnait : Comment pouvait-on le savoir? Le dénonciateur riant, elle comprenait, et tout le monde s'amusait beaucoup de l'avoir intriguée.
PROUST, Jean Santeuil, Pl., p. 661.

Personne qui attaque en révélant. *Le dénonciateur des injustices.*

♦ **2** Adj. **Qui contient, qui constitue une dénonciation.** *Lettre dénonciatrice.*

DÉNONCIATION [denɔ̃sjasjɔ̃] n. f. — V. 1260, in D.D.L.; lat. *denuntiatio* «annonce, déclaration», du supin de *denuntiare.* → Dénoncer.

I ♦ **1** Vx. **Action de dénoncer (1), de faire savoir officiellement (qqch.).** → **Avis, notification, proclamation, publication, signification.**
Cérémonie de la «commination», ou de la dénonciation de   0.1
la colère céleste au commencement du carême.
CHATEAUBRIAND, le Génie du christianisme, t. II, p. 293, in T.L.F.

Dr. *Dénonciation de désaveu, de saisie, de protêt*.*
→ **Dénoncer.**

♦ **2** **Annonce de la fin (d'un accord), de la rupture de (un traité).** → **Annulation, rupture.** *Dénonciation d'un traité, d'un armistice.*

♦ **3** **Signification extrajudiciaire (d'un acte) à une personne qui y a intérêt.**

II **Action de dénoncer (une mauvaise action); par ext., action de dénoncer (qqn).** *La dénonciation de ses complices par l'accusé. La dénonciation, les dénonciations de l'accusé, faite(s) par lui. Il a été arrêté sur dénonciation de ses complices.* → **Accusation, cafardage, délation, trahison; balançage** (argot.), **mouchardage** (fam.), **rapportage** (scol.). *De fausses dénonciations. Dénonciations calomnieuses* (cit.).

On m'a parlé d'un homme de Nancy, qu'on dit fourré à   1
la Bastille, sur la dénonciation d'un jésuite (...)
VOLTAIRE, Lettre à Boisgelin, 3074, mars 1767.

Marat ne mentait pas, mais sa mémoire encombrée de   2
dénonciations, affaiblie par la maladie, avait des défaillances singulières.
JAURÈS, Hist. socialiste..., t. VIII, p. 166.

La dénonciation seule ne constitue pas une présomp-   3
tion suffisante pour décerner cette ordonnance (le mandat d'amener) contre un individu ayant domicile.
Code d'instruction criminelle, art. 40.

4   Ils multipliaient frénétiquement les dénonciations : «Il est un autre droit que nous revendiquons, écrivait Brasillach, c'est d'indiquer ceux qui trahissent».
S. DE BEAUVOIR, la Force de l'âge, p. 487.

Par métonymie. Document qui dénonce.

CONTR. Complicité ◊ COMP. Contre-dénonciation.

DÉNOTATIF, IVE [denɔtatif, iv] adj. — XXᵉ ; de dénotation, probablt d'après l'angl. denotative, de (to) denote, même orig. que dénoter*.

♦ **1** Ling. Relatif à la dénotation. *Fonction dénotative du langage.* → **Cognitif** (fonction cognitive).

♦ **2** Ethnol. *Terme dénotatif :* terme qui désigne une seule catégorie de parents formant une unité homogène sous le rapport de la génération, du sexe et des liens généalogiques. *Ex. : père, sœur.*

DÉNOTATION [denɔtasjɔ̃] n. f. — V. 1420, in D.D.L., Langlois ; lat. impérial denotatio «indication», du supin du lat. denotare. → Dénoter.

♦ **1** Le fait de dénoter ; ce qui dénote.

♦ **2** Log. Désignation en extension* ; classe des objets possédant les mêmes caractéristiques et auxquels peut renvoyer un concept (opposé à *connotation*). — REM. On oppose parfois la *dénotation* («cheval», «le cheval», «les chevaux») à la *désignation* spécifique dans le discours («ce cheval», «ces chevaux», «les chevaux qui...»).

♦ **3** (V. 1960). Ling. Élément invariant et non subjectif de signification et qu'on peut analyser hors du discours (s'oppose à *connotation*).

DÉR. Dénotatif.

DÉNOTER [denɔte] v. tr. — V. 1160 ; lat. denotare «désigner, faire connaître», de de-, et notare, de nota. → Note, noter.

♦ **1** (1350). Sujet n. de chose. Indiquer, désigner par quelque caractéristique. → **Annoncer, dénoncer, désigner, indiquer, marquer, montrer, signifier, supposer.** *Symptômes qui dénotent une maladie. Signes, gestes qui dénotent un grand trouble. Ce trait dénote un esprit faux. Visage qui dénote la force de caractère, l'énergie.*

1   (...) toutes les choses qui dénotent quelque imperfection (...)
DESCARTES, Méditations, 3.

2   (...) il parle avec cet accent qui dénote l'intégrité morale conservée tout entière.
SAINTE-BEUVE, Causeries du lundi, 8 avr. 1850, t. II, p. 41.

3   Toutes ces peintures, par le style du dessin, la hardiesse du trait, l'éclat de la couleur, dénotaient de la façon la plus évidente, pour un œil exercé, la plus belle période de l'art égyptien.
Th. GAUTIER, le Roman de la momie, Prologue, p. 37.

Compl. n. de personne. *Des paroles qui dénotent un intellectuel.*

Dénoter que (et l'indicatif) :

4   Ses cheveux courts, son chemisier bien coupé, sa large jupe à plis creux, son allure sportive, sa voix hardie dénotaient qu'elle avait grandi très loin de Saint-Thomas-d'Aquin.
S. DE BEAUVOIR, Mémoires d'une jeune fille rangée, p. 152.

♦ **2** (1375). Log. Désigner en extension*. → **Dénotation.**

♦ **3** V. tr. et intr. (V. 1960). Ling. Signifier par le renvoi à une réalité univoque (opposé à *connoter*). «Communiste» *dénote l'appartenance à un parti ou à des opinions bien définies ; le mot peut connoter selon les contextes des contenus opposés, positifs ou négatifs.*

♦ **SE DÉNOTER** v. pron.

Se révéler, se signaler. *Se dénoter par qqch. Se dénoter en qqn.*

DÉNOUABLE [denwabl] adj. — 1855, Bescherelle ; de dénouer.

Rare. Qui peut être dénoué. *Un ruban facilement dénouable.*

DÉNOUEMENT ou **DÉNOÛMENT** [denumã] n. m. — 1580, Montaigne, desnouement de la langue ; de dénouer.

♦ **1** Rare. Action de dénouer* ; résultat de cette action. *Le dénouement d'une corde.*

♦ **2** (1636). Littér. et cour. Ce qui termine, dénoue une intrigue, une action au théâtre (→ Le nœud* de l'action). → **Achèvement, conclusion, fin, solution, terme.** *Le dénouement résout les complications de l'action dramatique. Démêler le nœud de l'action par un dénouement imprévu. Péripétie* qui amène le dénouement.*

1   (...) ne trouveriez-vous pas qu'il fût aussi beau de dire, l'exposition du sujet, la protase, le nœud, que l'épitase, et le dénouement que la péripétie ?
MOLIÈRE, la Critique de l'École des femmes, 6.

2   De pareils dénouements sont toujours froids et vicieux, parce qu'ils n'ont point ce qu'on appelle la péripétie, ils n'excitent aucune surprise (...)
VOLTAIRE, Commentaires sur Corneille, Remarques sur le Menteur, V, 6.

3   Si Corneille a manqué à son art dans les détails, il a rempli le grand projet de tenir les esprits en suspens, et d'arranger tellement les événements, que personne ne peut deviner le dénouement de cette tragédie.
VOLTAIRE, Commentaires sur Corneille, Remarques sur Rodogune, IV, 5.

4   S'il est une chose évidente, c'est qu'un plan quelconque, digne du nom de plan, doit avoir été soigneusement élaboré en vue du dénoûment, avant que la plume attaque le papier.
BAUDELAIRE, Trad. E. POE, Hist. grotesques et sérieuses, «La genèse d'un poème», in Pl., t. II.

♦ **3** Cour. Ce qui dénoue une affaire difficile ; la manière dont elle se termine. *Un heureux dénouement.* → **Résultat.** *Brusquer le dénouement d'une intrigue. Dénouement catastrophique, inattendu.* → **Événement.** *Le dénouement d'une aventure, d'une destinée* (→ Cinquante, cit. 2). *Jusqu'au, avant le dénouement.*

5   (...) nous attendons le dénouement de nos destinées et de notre séparation, sur quoi je vous ai mandé mes sentiments.
Mᵐᵉ DE SÉVIGNÉ, Lettres, 911, 9 avr. 1683.

6   Enfin, il y a quelques jours, l'usine Bouchet semblait condamnée à suspendre ses paiements à la fin du mois. Dénouement assez tragique, sous son apparente banalité, si tu penses que M. Pascal a soixante-huit ans, qu'il a travaillé pendant toute sa vie (...)
A. MAUROIS, Bernard Quesnay, XXXIII, p. 228.

CONTR. Commencement, début, exposition, nœud.

DÉNOUER [denwe] v. tr. — V. 1170, desnoer ; de 1. dé-, et nouer.

♦ **1** (V. 1170). Défaire (un nœud, une chose nouée). → **Délier, détacher** (→ Déboutonner, cit. 1). *Dénouer une corde, une ficelle, un ruban* (→ Cordelière, cit.). *Dénouer les fils d'un écheveau.* → **Débrouiller, démêler.** *Dénouer sa ceinture.* → **Desserrer.** *Dénouer les lacets d'une chaussure. Ellipt. Dénouer qqch. Dénouer ses chaussures.* → **Délacer.**

1   Jean dit devant tout le monde : Pour moi, je vous baptise dans l'eau ; mais il en vient un autre qui est plus puissant que moi, et à qui je ne suis pas digne de dénouer les cordons de souliers. C'est celui-là qui vous baptisera dans le Saint-Esprit et dans le feu.
BIBLE (SACY), Évangile selon saint Luc, III, 16.

2   (...) il dénoua la longe qui pendait à l'arçon pour attacher François par les menottes à son cheval. Puis il se mit en selle.   M. BARRÈS, la Colline inspirée, XIII, p. 208.

Dénouer ses cheveux. → **Défaire.**

3   (...) elle dénouait le beau torrent de ses cheveux, au soir, dans sa chambre solitaire.
         M. BARRÈS, Leurs figures, p. 333.

♦ **2** Fig. et vx. Délier. Loc. *Dénouer la langue* (de qqn) : faire parler (qqn qui désirait se taire). → **Délier.** *Dénouer sa langue.* → **Parler.**

4   Enfin il dénoua sa langue
Et fit cette belle harangue (...)
         SCARRON, Virgile travesti, VI.

5   Non, pour louer un roi que tout l'univers loue,
Ma langue n'attend pas que l'argent la dénoue (...)
         BOILEAU, Satires, IX.

Fig. Rendre plus souple, développer les parties du corps par un exercice approprié. → **Assouplir, dégager, désengourdir, développer.** *La culture physique, l'exercice, la marche dénouent le corps. Dénouer ses membres.*

6   (...) cela (*l'exercice*) lui dénoue le corps (...)
         Mme DE SÉVIGNÉ, Lettres, 647, 4 sept. 1677.

Fig. et vieilli. *Dénouer le style.*

7   Il (*Ronsard*) n'avait pas tort, ce me semble, de tenter quelque nouvelle route pour enrichir notre langue, pour enhardir notre poésie, et pour dénouer notre versification naissante.
         FÉNELON, Lettre à l'Académie, 1716, V, Projet de poétique.

Dénouer l'atmosphère : détendre l'atmosphère.

Dénouer sa pensée, la développer, la laisser se dérouler spontanément.

♦ **3** (1549). Démêler, éclaircir (une difficulté, une intrigue). → **Démêler, éclaircir, résoudre.** *Dénouer la trame d'une situation compliquée.* Spécialt. Démêler en mettant fin à un récit. *Dénouer une intrigue. Dénouer une action dramatique.*

8   Une intrigue nette et facile à nouer à dénouer; des caractères simples; des incidents qui naissent d'eux-mêmes; des tableaux variés (...)
         MARMONTEL, Éléments de littérature, Œ. compl., t. IX, p. 50, *in* POUGENS.

Mettre fin à (une suite d'événements).

9   (...) mais elle joue un si grand rôle dans le drame qui dénoua cette double existence, qu'il convient de réserver son portrait au moment de son entrée dans cette Scène.
         BALZAC, le Cousin Pons, Pl., t. VI, p. 540.

10   Le ton qu'il avait pris ne pouvait être soutenu plus de quelques mois; il était temps que la mort vînt dénouer une situation tendue à l'excès, l'enlever aux impossibilités d'une voie sans issue (...)
         RENAN, Vie de Jésus, XIX, p. 285.

11   J'admirais l'impuissance de l'esprit, du raisonnement et du cœur à opérer la moindre conversion, à résoudre une seule de ces difficultés, qu'ensuite la vie, sans qu'on sache seulement comment elle s'y est prise, dénoue si aisément.
         PROUST, À la recherche du temps perdu, t. III, p. 103.

♦ **SE DÉNOUER** v. pron.

♦ **1** Être dénoué. *Lacet qui se dénoue. — Cheveux qui se dénouent.*

12   Les beaux cheveux se sont dénoués. Un ruban d'épaule de la chemise a glissé.
         J. ROMAINS, les Hommes de bonne volonté, t. IV, XII, p. 136.

♦ **2** Fig. *Devant cet argument irrésistible, sa langue se dénoua.*

13   (...) ses gens ont des mains;
Et bien que sur ce point elle les désavoue,
Avec un tel secret leur langue se dénoue (...)
         CORNEILLE, le Menteur, IV, 1.

Corps qui se dénoue, qui se développe. *Enfant qui se dénoue.* → **Grandir, transformer** (se).

14   Que leur corps se dénoue, et se désengourdisse (...)
         Mathurin RÉGNIER, Satires, I.

15   Il ne ressemblait pas aux autres enfants de campagne, qui sont trapus et comme tassés à cet âge-là et qui ne font mine de se dénouer et de devenir quelque chose que deux ou trois ans plus tard.
         G. SAND, François le Champi, VII, p. 70.

♦ **3** → **Séparer** (se). *Les couples se dénouent à la fin de la danse.*

16   Les danses s'interrompirent, les couples se dénouaient (...)
         Edmond JALOUX, le Jeune Homme au masque, I, p. 1.

♦ **4** S'éclaircir, se démêler. *Le nœud de l'intrigue se dénoue au cinquième acte.* → **Aboutir, finir.** *Les complications se dénouent.*

17   Il faut que ses acteurs (*de la comédie*) badinent noblement; Que son nœud bien formé se dénoue aisément (...)
         BOILEAU, l'Art poétique, III.

18   J'ai eu lieu d'admirer plus d'une fois comment se noue et se dénoue la trame de nos destinées, et de combien de fils déliés et fragiles le tissu en est composé (...)
         MARMONTEL, Mémoires, II, *in* LITTRÉ.

19   La passion, comme le drame, vit de combat et se dénoue par la mort.
         André SUARÈS, Trois hommes, «Dostoïevski», IV, p. 239.

CONTR. Nouer, renouer; attacher, lier. — Replier (se). — Enlacer (s'). ◊ DÉR. Dénouable, dénouement.

DÉNOYAGE [denwajaʒ] n. m. — XXe; de *dénoyer.*
Techn. Action de dénoyer.

DÉNOYAUTAGE [denwajotaʒ] n. m. — 1929; de *dénoyauter.*

Action de dénoyauter. *Le dénoyautage des cerises.* — REM. On dit aussi *énoyautage.*

DÉNOYAUTER [denwajote] v. tr. — 1922; de 1. *dé-, noyau,* et suff. verbal *-er* (*-t-* euphonique).

Séparer (un fruit) de son noyau. → **Énucléer.** *Dénoyauter des prunes pour en faire des confitures.* — Au p. p. *Fruits dénoyautés.*

DÉR. Dénoyautage, dénoyauteur.

DÉNOYAUTEUR, EUSE [denwajotœʀ, øz] n. — 1929; de *dénoyauter.*

♦ **1** N. m. et f. Appareil, machine à dénoyauter.

Voilà le dénoyauteur à cerises, c'est si bien fait que tu vois même pas le trou dans la cerise.
         CAVANNA, les Ritals, p. 170.

♦ **2** N. Ouvrier, ouvrière chargé(e) de dénoyauter les fruits.

DÉNOYER [denwaje] v. tr. — XXe; de 1. *dé-,* et *noyer.*
Techn. Dégager (une galerie, une mine noyée).

CONTR. Ennoyer, noyer. ◊ DÉR. Dénoyage.

DENRÉE [dãʀe] n. f. — V. 1260, *danree; denerée,* v. 1160; dér. anc. de *denier, dener* «marchandise de la valeur d'un denier», et *-ée.*

♦ **1** Vx. Marchandise. → **Article, marchandise, produit** (→ Argent, cit. 13).

0.1   Il (*Bottari*) quitte Gênes au milieu de l'hiver 1847. Son intention est de gagner Reggio d'Emilia où quelque chose se trame... Il colporte des livres défendus... C'est une denrée facile à placer.
         J. GIONO, Voyage en Italie, 1953, p. 73, *in* T.L.F.

♦ 2 (Surtout au plur.). Produit comestible servant à l'alimentation de l'homme ou du bétail. → **Aliment, comestible, subsistance, vivres.** *Cette épicerie vend les denrées de consommation courante. Le prix, la cherté des denrées. Le transport des denrées. Conservation des denrées périssables. Falsification des denrées. Fournir, fourniture en denrées.* → **Ravitailler, ravitaillement; annone** (antiq.). *Une denrée rare, chère.*

1 La hausse des denrées tenait peut-être pour une part à leur rareté, mais elle tenait surtout à la baisse énorme, au discrédit toujours croissant de l'assignat.
JAURÈS, Hist. socialiste..., t. VIII, p. 227.

Loc. *Denrées alimentaires :* les denrées destinées à l'alimentation de l'homme. → **Provision.**

Denrées coloniales (anciennt), *exotiques* (→ **Épice**). → Cité, cit. 10.

2 Les îles françaises fournissent à leur métropole des sucres, du café, du coton, de l'indigo, d'autres denrées, dont elle consomme une partie, et verse l'autre chez l'étranger.
G.-T. RAYNAL, Hist. philosophique, XIII, 55.

♦ 3 Fig., vieilli ou littér. (en gén. au sing.). *C'est chère denrée :* il en coûte beaucoup (cf. La Fontaine, VIII, 18 : *C'est chère denrée qu'un protecteur*). — Produit considéré quant à sa valeur. *Une denrée rare :* une chose, une qualité précieuse qui se rencontre rarement. *Une telle conscience est aujourd'hui denrée rare.*

DENSE [dãs] adj. — V. 1390; lat. *densus* «épais».

♦ 1 (V. 1390). Qui est compact, épais. *Brouillard dense.* → **Épais, fort, impénétrable.** *Le feuillage dense des arbres.* → **Abondant, feuillu, plein, serré, tassé, touffu.** *Cheveux très denses* (→ Brosse, cit. 3).

1 Grâce à cette allure si chaude, il s'échappe à l'avant-creuset, à l'époque des coulées, une fumée extrêmement dense.
GRUNER, in Comptes rendus de l'Académie des sciences, t. LXXXII, p. 560.

2 Le son de ce moteur lointain devenait de plus en plus dense. Il mûrissait.
SAINT-EXUPÉRY, Vol de nuit, III, p. 35.

Population dense (→ **Densité**). *La foule était très dense sur la place.* → **Compact, nombreux.** — *Un tir dense.* → **Nourri.**

♦ 2 (1671). Phys. Qui a une masse importante relativement au volume. → **Lourd; densité.** *L'eau est plus dense que l'air. La vapeur d'eau est moins dense que l'air. Le platine, métal très dense.*

3 L'on peut démontrer que l'or, qui est la matière la plus dense, contient beaucoup plus de vide que de plein.
BUFFON, Œ. compl., t. IV, p. 52.

4 En passant d'un milieu dense dans un autre, la lumière s'y réfracte, de manière que les sinus d'incidence et de réfraction soient en raison constante.
LAPLACE, Exposition du système du monde, IV, 17, in LITTRÉ.

♦ 3 (1855). Abstrait. Qui renferme beaucoup d'éléments en peu de place (paroles, écrits). *Discours dense. Un style dense.* → **Concis, condensé, dru, plein; ramassé, sobre.**

Une vie dense, riche en événements.

Littér. *Une joie dense,* très intense.

CONTR. Clair, clairsemé, dilaté, éclairci, léger, rare, raréfié.
◊ DÉR. et COMP. Densément, densifier, densiflore, densimètre. → HOM. Danse.

DENSÉMENT [dãsemã] adv. — 1872; de *dense,* et *-ment.*

Rare. D'une manière dense. *Un pays densément peuplé.*

DENSIFICATION [dãsifikasjɔ̃] n. f. — 1937; de *densifier.*

I Techn. Action de densifier (le bois). → Densifier, cit. 1.

La *densification* est basée sur un principe entièrement différent *(par rapport à la lamellation).* Il s'agit ici d'améliorer certaines qualités du bois en augmentant sa densité par compression latérale : on écrase le bois sous une presse-moule, c'est-à-dire en empêchant le fluage latéral des éléments (...)
Jean-Claude REGGIANI,
Industries et Commerce du bois, p. 111.

II (1973). Démogr., géogr. Augmentation de la densité (de la population, de l'habitat).

DENSIFIER [dãsifje] v. tr. — 1896; de *dense,* et *-ifier.*

I Techn. Augmenter la densité de (un bois) en le soumettant à de grandes pressions sur toute sa surface. — Au p. p. *Hêtre densifié.*

Cette technique de densification demande des presses de grande puissance; elle exige en effet des pressions de l'ordre de 100 à 200 kg/cm² réparties sur toute la surface du bloc à densifier.   1
Jean-Claude REGGIANI,
Industries et Commerce du bois, p. 112.

II V. intr. et tr. (1970). Démogr., géogr. Augmenter en densité. *«Le tissu urbain n'est pas encore densifié»* (*l'Express,* 13 avr. 1970).

♦ SE DENSIFIER v. pron.

Devenir plus dense. — Figuré et par plaisanterie :

Elle se densifiait dans ses chemisiers en vichy mauve ou   2
marron; on eût cru qu'elle allait éclater comme une prune
trop mûre.
Vladimir VOLKOFF, le Retournement, p. 137.

DÉR. Densification.

DENSIFLORE [dãsiflɔʀ] adj. — 1855, Bescherelle; de *dense,* et *-flore.*

Bot. Se dit d'une plante qui porte des fleurs nombreuses et rapprochées.

DENSIMÈTRE [dãsimɛtʀ] n. m. — 1865; de *dense,* et *-mètre.*

Phys. Instrument de mesure des densités des liquides. → **Aréomètre.**

Spécialt. *Densimètre nucléaire :* appareil utilisant une source de rayonnement ionisant pour déterminer la densité d'un milieu, en mesurant l'absorption ou la diffusion du rayonnement.

DÉR. Densimétrie. ◊ COMP. Lacto-densimètre.

DENSIMÉTRIE [dãsimetʀi] n. f. — 1877; de *densimètre.*

Didact. Technique des mesures de densité.

DÉR. Densimétrique.

DENSIMÉTRIQUE [dãsimetʀik] adj. — 1877; de *densimétrie.*

Didact. Qui se rapporte à la densimétrie.

DENSITÉ [dãsite] n. f. — V. 1390, *dempsité;* lat. *densitas* «épaisseur», de *densus.* → Dense.

♦ 1 Qualité de ce qui est dense, épais et serré. → **Compacité, concentration, épaisseur, force.** *La densité d'un brouillard, d'une fumée. La densité du feuillage d'un arbre.* — *La densité d'un bois, d'une forêt :* la distance relative entre les arbres.

(xxᵉ). *Densité de population* : nombre moyen d'habitants par unité de surface (par km²). *Une très forte, une faible densité... Densité rurale, urbaine.*

1 La moyenne étant 76 pour la France entière, les densités calculées pour les autres départements (celui de la Seine mis à part) s'échelonnent entre 360 (Rhône) et 12 (Basses-Alpes).
HUBER, BUNLE et BOVERAT,
la Population de la France, p. 25.

Nombre de moyens de communication par unité de surface ou de longueur. *La densité des rames de métro.*

Artill. *Densité d'un tir.*

♦ **2** (1703). Phys. *Densité absolue d'un corps* : rapport de la masse d'un certain volume de ce corps à son volume (on dit aussi *masse volumique*). — *Densité relative d'un corps,* rapport de la masse d'un certain volume de ce corps à la masse d'un même volume d'eau à 4 °C. *Densité moyenne d'un corps non homogène. Densité d'un métal, d'un liquide. Mesure de la densité d'un solide ou d'un liquide par la méthode du flacon. Flacon à densité.* — *Appareil servant à mesurer la densité d'un liquide.* → **Aréomètre, densimètre ; acidimètre, alcoomètre, hydromètre, pèse-acide, pèse-esprit, pèse-sel...** *Mesurer la densité de l'huile* (→ **Oléomètre**), *du lait* (→ **Lacto-densimètre**). — Par anal. *Densité gazeuse,* d'un gaz ou d'une vapeur (par rapport à l'air, à l'oxygène ou à l'hydrogène). *Appareil servant à mesurer la densité d'un gaz.* → **Aéromètre.**

2 L'air est compressible ; sa température étant supposée constante, sa densité est proportionnelle au poids qui le comprime et, par conséquent, à la hauteur du baromètre.
LAPLACE, Exposition du système du monde, I, 16.

3 La densité de l'or est telle qu'on l'a cru longtemps le corps le plus pesant de la nature ; on sait aujourd'hui qu'il ne tient que le second rang, et qu'il cède la première place au platine.
A. F. DE FOURCROY, Systèmes des connaissances chimiques..., t. VI, p. 351.

4 Le lac, vu de haut, a la densité du mercure, son éclat mort.
MARTIN DU GARD, les Thibault, t. VIII, p. 95.

♦ **3** Électr. *Densité de courant* : intensité de courant traversant une surface unitaire. — *Densité de choc* ou *densité neutronique* : nombre de neutrons qui frappent la matière par cm³ par seconde.
Densité électronique : nombre d'électrons libres par unité de volume.
Phys., photogr. *Densité optique,* caractérisant le noircissement de la plaque photographique.
Écon. *Densité de valeurs* : évaluation des risques de réassurance*, d'après les risques antérieurement couverts dans une zone ou un territoire déterminé.

♦ **4** Fig. et littér. Caractère de ce qui est riche par rapport à l'expression. *La densité d'un style, d'une œuvre, d'un récit.* → **Concision.** *Un film d'une rare densité d'émotions.* — *Densité d'une composition picturale.* — *Un personnage, un sentiment sans densité. Une vie, un instant d'une grande densité* (→ **Intensité**).

CONTR. Légèreté, rareté. ◊ COMP. Surdensité.

DENT [dɑ̃] n. f. — 1100, masc. ou fém. ; du lat. *dens, dentis.*

I ♦ **1** (Chez l'homme). Un des organes annexes de la bouche, de couleur blanchâtre, durs et calcaires, de consistance pierreuse, implantés sur le bord libre des deux maxillaires supérieur et inférieur, et servant à la mastication des aliments. → **fam. ou argot. Chaille, chocotte,** 2. **croc, crochet, domino, quenotte, ratiche ;** (molaire) **tabouret ;** et les éléments

-odonte, odont-. *Mâcher*, mastiquer, mordre*, mordiller, déchirer, déchiqueter avec les dents. Chez l'homme, le nombre des dents s'élève à 32, soit 16 pour chaque mâchoire* (→ **Mâchoire**). *Avoir toutes ses dents. Ensemble des dents.* → **Dentition, denture.** *Différentes sortes de dents.* → **Canine, incisive, molaire, perce, prémolaire.** *Dent molaire.* → **Mâchelière.** *Dents de l'œil ou œillères des mâchoires* : les canines du maxillaire supérieur. *Les dents, par le bulbe dentaire, s'implantent verticalement dans les alvéoles des maxillaires.* → **Alvéole ; gencive.** *Les dents du haut. Les dents du bas. Dents antagonistes. Position des dents lors de l'occlusion des maxillaires.* → **Articulé** (dentaire) ; **engrènement** (dentaire). *Parties d'une dent.* → **Collet, couronne, racine ; cément, émail, ivoire** (ou dentine**), pulpe** (dentaire). *Tissu de liaison entre la dent et le maxillaire.* → **Parodonte.** — *Développement des dents. Enfant qui fait, met, perce, pousse ses dents* (→ **Pousse ; pousser**). *Dent qui perce* (cit. 16), *qui pousse. Dents de lait ou dents temporaires* : les premières dents des enfants, destinées à tomber vers l'âge de sept ans. *Dents de remplacement, dents permanentes,* ou *seconde dentition. Dents de sagesse* : les quatre troisièmes molaires qui apparaissent généralement entre dix-neuf et trente ans. → 2. **Neuf,** cit. 3 ; rajeunir, cit. 6. — (Expression cour. chez les dentistes). *Dent de six ans* : la première molaire — *Usure et chute des dents. Faire ses dents,* se dit d'un enfant dont les dents commencent à pousser. *Perdre ses dents* (→ **Brèche-dent,** vx). *Bouche sans dents.* → **Anodonte** (didact.) ; **édenté.**

1 Par leurs caractères extérieurs, les dents ont beaucoup d'analogie avec les os et pendant longtemps elles ont été décrites avec le squelette. Mais (...) nous savons aujourd'hui, par leur développement, qu'elles dérivent de la muqueuse buccale et qu'elles constituent des productions épidermiques au même titre que les ongles et les poils.
L. TESTUT, Traité d'anatomie humaine, Anat. ; t. IV, p. 52.

Aspect des dents. Avoir des dents bien plantées (cit. 7), *bien rangées* (→ **Meubler** : bouche bien meublée). *Dents blanches, éclatantes* (→ poét. **Perle**). *Des petites dents ; des dents d'enfant.* → **Quenotte** (fam.). *Avoir de belles dents. Se laver les dents. Pâte servant à nettoyer les dents.* → **Dentifrice, opiat. Brosse à dents.** → **Brosse.** *Verre à dents.* → **Verre.** *Se nettoyer, se curer les dents.* → **Cure-dent.**

2 Je suis assez adroit ; j'ai bon air, bonne mine,
Les dents belles surtout, et la taille fort fine.
MOLIÈRE, le Misanthrope, III, 1.

3 Les dents courtes, mais éclatantes, brillaient aux lueurs flottantes de la torche comme des écailles de nacre aux bords de la mer sous la moire de l'eau frappée du soleil.
LAMARTINE, Graziella, Épisode XII, p. 38.

4 On voyait luire ses petits yeux devenus couleur de braise, et, sous ses mâchoires ouvertes tout à coup par ce large accès de gaieté, je vis briller des dents pareilles à des crocs de carnassiers.
E. FROMENTIN, Un été dans le Sahara, p. 175.

5 (...) et, quand elle parlait, l'éclair de ses dents avait une douceur ardente. FRANCE, le Lys rouge, XI, p. 109.

6 (...) ses lèvres un peu fortes, mais bien dessinées et laissant voir des dents plus blanches que des amandes sans leur peau. MÉRIMÉE, Carmen, II.

6.1 Dents dignes d'habiter le palais de sa bouche.
J. RENARD, Journal, 11 juin 1904.

Avoir de mauvaises dents, de vilaines dents (→ **Baguette,** cit. 4), *des dents jaunes recouvertes de tartre*. — Maladie des dents.* → **Odontologie ; carie, pyorrhée.** *Des dents gâtées, cariées, malades. Une dent creuse. Fragment de dent cariée, implanté dans la gencive.* → **Chicot.** *Dent qui branle, qui se déchausse.* → **Déchausser.** *Dents qui chevauchent.*

→ **Surdent.** *L'amorphisme* des dents, déformation d'origine syphilitique. Souffrir des dents. Le mal de dent.* → **Odontalgie.** *Un mal de dents, une rage de dents. Agacement des dents. — Soin des dents.* → **Dentiste, dentisterie.** *Se faire soigner les dents. Combler une dent avec un amalgame*, avec du métal coulé.* → **Obturation; incrustation, inlay,** et aussi **onlay** (cit.). *Obturation d'une dent cariée.* → **Aurification, plombage.** *Désinfectant des dents cariées.* → **Créosote.** *Se faire arracher*, extraire* une dent.* → **Extraction.** *Instrument chirurgical servant à extraire une dent.* → **Davier.** *Faire remplacer des dents absentes par des dents artificielles, des fausses dents.* → **Appareil** (II., 3.), **prothèse; bridge, couronne, dentier, jacket** (anglic.), **jaquette** (II., 2.). *Se faire mettre une fausse dent, et, absolt, se faire mettre une dent. Dent artificielle en ivoire.* → **Osanore** (vx). *Dent en or, en argent, en céramique, en résine. Dent sur pivot. Soin des anomalies de développement, des malformations des dents.* → **Orthodontie, orthopédie** (dento-faciale).

7 (...) *une grande créature maigre, jaune, qui (...) montrait de longues et vilaines dents (...)*
SAINT-SIMON (→ Baguette, cit. 4).

8 (...) *de cette lèvre calleuse, sur laquelle une de ces dents empiétait comme la défense d'un éléphant (...)*
HUGO, Notre-Dame de Paris, I, V.

8.1 — *Voyez-vous cela, Nab, riposta Pencroff. J'aurais sans m'en être aperçu, depuis tantôt cinq ou six mois, un grain de plomb dans la mâchoire! Mais où se serait-il caché? ajouta le marin, en ouvrant la bouche de façon à montrer les magnifiques trente-deux dents qui la garnissaient. Regarde bien, Nab, et si tu trouves une dent creuse dans ce râtelier-là, je te permets de lui en arracher une demi-douzaine!* J. VERNE, l'Île mystérieuse, t. I, p. 301.

♦ **2** (Autres mammifères). *Les dents d'un chien, du loup.* → **Croc, crochet; canine.** *Dents de sanglier.* → **Broche.** — *Dents d'éléphant, dents d'hippo* (cour. en franç. d'Afrique). → **Défense; ivoire.** *Mammifères munis de dents incisives et dépourvus de canines.* → **Rongeur.** *Dents incisives médianes du poulain.* → **Pince.** — *Dents carnassières, propres aux carnivores.* → **Carnassier** (infra cit. 1).

(Autres animaux). *Dent à venin d'un serpent.* → **Crochet** (à venin). *Mollusques privés de dents.* → **Anodonte.** *Dents des poissons sélaciens. Dent fossile de poisson.* → **Glossopètre.** *Pierre provenant de la pétrification des dents fossiles de poissons.* → **Crapaudine.** — Zool. *Tige calcaire de la mâchoire de l'oursin.*

Loc. fig. **DENT DE...** (et nom d'animal), pour désigner des plantes, des objets. *Dent de loup.* → **Dent-de-loup.** — *Dent de brebis* : la gesse; variété de maïs, plat et blanchâtre. — (1864). *Dent de cheval* : topaze d'un bleu verdâtre — *Dent de chien* : érythrine (plante). (1690). Techn. *Dent de chien* : ciseau de sculpteur à deux pointes — *Dent de lion.* → **Dent-de-lion.** — (1754). *Dent de rat* : galon de passementerie figurant de petites dentelures.

REM. Toutes ces expressions sont parfois traitées comme des mots comp., écrits avec des tirets (pluriel : *des dents-de-* subst. au sing.).

♦ **3** Loc. (Dents humaines). *Serrer les dents,* en pressant la mâchoire inférieure contre la mâchoire supérieure. → **Penduler,** cit. 1. *Serrer les dents de douleur, de rage, de colère* (→ Corde, cit. 7). *Résolu, il serra les dents et s'élança.*

9 *De rage contre lui-même, il tordit ses bras musculeux qui craquèrent; il se souleva à demi, serrant ses dents, qu'on entendit crisser, et puis retomba, la tête sur les planches dures.* LOTI, Mon frère Yves, VI, p. 29.

Ne pas desserrer les dents : se taire obstinément. *On ne peut lui faire desserrer les dents.* → **Desserrer.**

Grincer, crisser, craquer des dents. Cela fait grincer les dents. → **Frissonner, trembler.** *Grincements de dents, de peur, d'effroi, de rage.*

10 *Les anges viendront séparer les méchants d'avec les justes, et ils les jetteront dans la fournaise ardente, où il y aura des pleurs et des grincements de dents.*
BIBLE (SEGOND), Évangile selon saint Matthieu, XIII, 50.

11 *Riez et blasphémez dans vos heures oisives.*
Moi, je ferai passer vos bouches convulsives
Du rire au grincement de dents!
HUGO, Odes et Ballades, VIII.

12 *(Il) grince des dents aux instruments mal accordés, aux orgues fausses, aux voix qui crient.*
R. ROLLAND, Musiciens d'autrefois, p. 208.

Agacer les dents de qqn.

13 *Pourquoi dites-vous ce proverbe dans le pays d'Israël : les pères ont mangé des raisins verts, et les dents des enfants en ont été agacées?*
BIBLE (SEGOND), Ézéchiel, XVIII, 2.

Prov. *Œil pour œil, dent pour dent.* → Œil (cit. 49, 50).

Claquer des dents de froid, de peur, de fièvre, d'émotion. → **Claquer** (cit. 5).

14 *Ses dents claquent, tout son corps tremble. Oh! qu'il fait froid sous le gros édredon rouge!*
Jérôme et Jean THARAUD, l'Ombre de la croix, VIII, p. 195.

15 *Il était parvenu à une telle tension nerveuse qu'il claquait des dents.*
MARTIN DU GARD, les Thibault, t. IV, p. 180.

15.1 *Je claquais un peu des dents, mais il faisait froid.*
Maurice CLAVEL, le Tiers des étoiles, p. 38.

Faire tant, si bien (cit. 107) *des pieds et des dents que..., de tels efforts que...* → **Main, pied.**

16 *Il fit tant, de pieds et de dents,*
Qu'en peu de jours il eut au fond de l'hermitage
Le vivre et le couvert; que faut-il davantage?
LA FONTAINE, Fables, VII, 3.

Se casser les dents sur qqch. → **Casser.** — *C'est vouloir prendre la lune avec les dents,* vouloir tenter l'impossible.

(1843, in D.D.L.). *Avoir, garder une dent contre qqn,* de l'animosité, du ressentiment. → Orage, cit. 14. *Il a une dent de lait contre lui,* une vieille rancune.

17 *C'est que vous avez, mon frère, une dent de lait contre lui.* MOLIÈRE, le Malade imaginaire, III, 3.

18 (...) *un homme (le dentiste) contre lequel — c'est le cas de le dire — j'avais une dent.*
H. BERGSON, les Deux Sources de la morale et de la religion, p. 159.

Avoir la dent dure : être très sévère, dur dans la critique.

Vx. *Avoir la faim aux dents* : avoir très faim (→ ci-dessous, supra cit. 27.1 : avoir la dent).

19 *Les assiégés, la faim aux dents, allaient être obligés de leur demander grâce.*
MICHELET, Hist. de la Révolution franç., t. II, p. 761.

Avoir les dents longues, aiguisées, acérées : avoir très faim, et, au fig., être avide d'argent, d'honneur, avoir de grandes prétentions.

20 (...) *l'on a le temps d'avoir les dents longues, lorsqu'on attend, pour vivre, le trépas de quelqu'un.*
MOLIÈRE, le Médecin malgré lui, II, 1.

Vieilli. *Il n'y en a pas pour sa dent creuse* : il y en a très peu. — Mod. *Avoir une dent creuse* : avoir faim (→ ci-dessous, cit. 27.1 : avoir la dent).

À BELLES DENTS. *Mordre à belles dents, à pleines dents* (→ Beau, cit. 24). — Fig. *Déchirer qqn à belles dents.* → **Calomnier, critiquer, médire.**

Manger de toutes ses dents, avec appétit. *Rire de toutes ses dents,* en découvrant toutes ses dents.

DU BOUT DES DENTS : sans mordre franchement, sans plaisir. → **Bout** (cit. 6, 6.1 et supra).

COUP DE DENT. *Ne pas perdre un coup de dent :* manger avidement.

21 (...) le roussin d'Arcadie
Craignit qu'en perdant un moment
Il ne perdit un coup de dent.
LA FONTAINE, Fables, VIII, 17.

21.1 Une nuée de prêtres, de gentlemen, de dames, de paysans s'était abattue sur le buffet et dévorait toutes les provisions (...) Chapelets fabuleux et invraisemblables (...) pendus au cou de prêtres très affairés qui ne perdaient pas un coup de dent(...)
Claude MAURIAC, le Temps immobile, p. 121.

Donner un coup de dent. → **Coup** (cit. 17); **mordre.** Fig. *Donner un coup de dent à qqn.* → **Trait** (lancer un trait, une médisance*).

SOUS LA DENT. *Aliment qui croque sous la dent* (→ Croquer, cit. 2). *Il mange tout ce qui lui tombe sous la dent. N'avoir rien à se mettre sous la dent :* n'avoir rien à manger. Fig. → ci-dessous, cit. 21.2. — Fig. *Il lit tout ce qui lui tombe sous la dent.* → **Main.** — *Tomber sous la dent de qqn,* s'exposer à ses critiques.

21.2 Nous continuons à vivre sur les plus vieilles superstitions, les hypothèses les plus enfantines. Et comment pourrait-il en être autrement? Nous n'avons rien d'autre à nous mettre sous la dent, à moins de clore notre imagination — ce qui est impossible.
DRIEU LA ROCHELLE, la Comédie de Charleroi, p. 21.

ENTRE LES DENTS. *Tenir un cigare entre les dents.* Loc. *L'homme au couteau* entre les dents. — *Grommeler, murmurer, parler, répondre entre ses dents,* peu distinctement, sans ouvrir la bouche.

22 Et toutes deux, très mal contentes,
Disaient entre leurs dents : «Maudit coq, tu mourras».
LA FONTAINE, Fables, V, 6.

23 La nuit, il ne dormait pas; je l'entendais marmotter entre ses dents (...)
Alphonse DAUDET, le Petit Chose, 1ᵉ partie, IV, p. 38.

(V. 1550). **JUSQU'AUX DENTS.** *Être armé jusqu'aux dents* (→ Armer, cit. 18). → De pied en cap*. *Savant* jusqu'aux dents.

24 N'étant pas de ces rats qui, les livres rongeants (sic),
Se font savants jusques aux dents.
LA FONTAINE, Fables, VIII, 9.

SUR LES DENTS. *Être sur les dents :* être accablé, épuisé, harassé de fatigue. (P.-ê. du cheval fatigué, qui appuie ses dents sur le mors). → **Épuiser, harasser.** — Par ext. *Être sur les dents :* être très occupé, surmené.

25 Ils ont des pieds qui vont chercher de la boue dans tous les quartiers de la ville (...) et la pauvre Françoise est presque sur les dents, à frotter les planchers que vos biaux maîtres viennent crotter régulièrement tous les jours.
MOLIÈRE, le Bourgeois gentilhomme, III, 3.

25.1 Mais deux ou trois hommages, après les débauches de la veille, l'avaient mis sur les dents, je fus congédiée.
SADE, Justine..., I, 213.

26 Nous sommes tous sur les dents; car il n'y a guère de troupes fraîches pour chaque nouvelle bataille, et il faut toujours donner, comme dans cette campagne de 1814.
SAINTE-BEUVE, Correspondance, 114, 8 mars 1830, t. I, p. 182.

27 La chasse s'activait : les agents de Desmarets étaient sur les dents, mais on pensait bien que, sous l'effet des plus terribles menaces, toutes les portes se fermeraient devant l'homme pourchassé.
Louis MADELIN, Hist. du Consulat et de l'Empire, Avènement de l'Empire, V, p. 51.

Vx. *Être guéri du mal de dents :* être mort.

*Mentir comme un arracheur** (cit. 2) *de dents* (→ Mentir, cit. 7).

Fam. **AVOIR LA DENT :** avoir faim (→ ci-dessus cit. 19 : avoir la faim aux dents). → Avoir les crocs*, les crochets*.

Vous dînez ici? — Je veux, répondit Pierrot. J'ai une de ces 27.1 dents. R. QUENEAU, Pierrot mon ami, Folio, p. 141.

(**Dents animales**). *Prendre le mors** aux dents.* — *Montrer les dents* (comme pour mordre) : menacer. *Quand les poules** auront des dents :* jamais. *Il se décidera à faire son travail quand les poules auront des dents. Se faire les dents :* aiguiser ses dents, en parlant des rongeurs. — Fig. S'aguerrir.

Jean se sentait dissoudre dans ce milieu non acide. Rien 27.2 pour se faire les dents. Rien qui vous cogne au cœur.
Claude COURCHAY, La vie finira bien par commencer, p. 35.

II Objet pointu ou forme pointue. **♦1** Découpure pointue; saillant de cette découpure. → **Indentation; dentelé.**

Archit. Découpure saillante. → **Feston; denticule.**

Bot. *Les dents d'une feuille.* → **Cuspide.** *Feuille à trois dents* ou *tridentée.*

Broderie. *Dents d'une broderie.*

♦2 Techn. Gros clou* servant à fixer une charpente. Cour. Chacun des éléments allongés et pointus d'un instrument, d'une pièce de mécanisme. *Les dents d'une herse, d'un râteau, d'une griffe, d'un cultivateur. Dents à soc. Les dents d'une fourche.* → **Fourchon.** *Fourche à trois dents.* → **Trident.** *Les dents d'une fourchette. — Les dents d'une scie. Lame de couteau en dents de scie* (→ la loc. ci-dessous). *Les dents d'une lime. Dents d'une roue. Mettre des dents à une roue.* → **Endenter.** *Dents d'un engrenage, d'un pignon.* → **Alluchon;** 1. **came; cran; dentier** (3.), **denture.** *Dents d'une crémaillère, d'un cric, d'un croc.* → **Cran.** *Dents d'une clef. Fermoir à dents. — Les dents d'un peigne*, d'un démêloir.*

Loc. **EN DENTS DE SCIE** [ɑ̃dɑ̃(ə)si] : en présentant des pointes aiguës et des creux. *Un relief en dents de scie.* → ci-dessous, 3. — Fig. *Une évolution en dents de scie,* irrégulière. *Un caractère, une humeur en dents de scie.* — Électr. *Courant* ou *tension en dents de scie :* forme d'onde périodique* utilisée pour le balayage* (3.) horizontal des tubes de télévision.

Par anal. (zool., biol.). *Dent de l'œuf :* formation cornée de l'épiderme de certaines larves d'amphibiens, qui favorise leur éclosion, provoquant la déchirure des enveloppes de l'œuf.

Enfin dans l'éclosion mécanique il existe, à l'extrémité du 27.3 museau de la larve ayant achevé son développement, un petit denticule formé par la couche cornée de l'épiderme, la dent de l'œuf. Jean GUIBÉ, les Batraciens, p. 76.

Dents labiales : excroissances cornées des lèvres des têtards.

(...) lèvres charnues molles sur lesquelles apparaissent des 27.4 denticules cornés, les dents labiales dont la disposition est variable, selon les genres.
Jean GUIBÉ, les Batraciens, p. 79.

♦3 **a** (1786, *in* D.D.L.). Géogr. Sommet (d'une montagne) formant une découpure aiguë. → **Aiguille, crête, pic.** *Les dents d'une chaîne de montagnes. La Dent du Midi.*

On y note des aiguilles aussi hardies que la Dent Parachée 28 dressant ses calcaires à 3712 mètres (...)
VIDAL DE LA BLACHE, Géographie universelle, VI, p. 188.

b Cour. (Même emploi que la loc. ci-dessus). *En dents de scie,* qui forme une découpure aiguë. *Montagne en dents de scie. Côte découpée, en dents de scie* (→ **Indentation**).

(...) alors apparaissent les vraies crêtes alpines en dent 29 de scie, avec leurs brèches et leurs «gendarmes». Les pics alpins en forme de pyramide sont dus au recoupement de trois ou même quatre cirques affrontés.
DE MARTONNE, Traité de géographie physique, p. 904.

30   Les morsures éternelles de la vague non moins que ses
caresses ont cisaillé tout le bord, en dents de scie.
           André SUARÈS, *Trois hommes*, «Ibsen», I, p. 69.

DÉR. **Dental**, 1. et 2. **denté, dentée, dentelle, dentier, dentifié, dentiste, dentu, denture.** ◊ **COMP.** **Adenter, édenter, endenter, indentation,** 1. **indenté. Dentifère, dentiforme, dentimètre, dentine, dentome. Redent, surdent, trident. Brèche-dent, cure-dent, protège-dents, redresse-dents. Dent-de-lion, dent-de-loup.**

1. DENTAIRE [dɑ̃tɛʀ] adj. — 1541; lat. *dentarius* «qui concerne les dents», de *dens, dentis.* → Dent.

Qui est relatif aux dents. *Abcès, fluxion dentaire. Carie dentaire. Greffe dentaire. Arcade dentaire. Nerf dentaire.* → **Dental.** *Canal* dentaire. — Os dentaire* (ou *alvéolaire*) : partie du maxillaire qui se développe avec les dents (opposé à *os basal*). — (1844). *Formule dentaire* : formule schématisant la disposition des dents, selon les espèces. — *Syndrome dentaire* : ensemble des phénomènes qui accompagnent l'arthrite alvéolo-dentaire. *Follicules dentaires,* ou *sacs dentaires* : organes dont la fonction est de sécréter les dents. *Papille dentaire. Pulpe dentaire* : partie interne d'une dent (chambre pulpaire) contenant les vaisseaux et les nerfs assurant la sensibilité de la dent. *Bulbe dentaire* : renflement à la base du follicule. — *Plaque dentaire* : pellicule acide qui attaque l'émail des dents et est cause de carie dentaire. — *Chirurgie dentaire. L'art dentaire. Les soins dentaires. Appareils dentaires. Prothèse* dentaire. — École dentaire,* où l'on forme les dentistes. *Études dentaires.* **Ellipt.** *Faire dentaire.*

    COMP. **Radiculo-dentaire.**

2. DENTAIRE [dɑ̃tɛʀ] n. f. — 1572; lat. *dentaria* «jusquiame», de *dens, dentis,* la plante étant utilisée contre les maux de dents.

Plante herbacée, vivace, à tige souterraine, qui croît dans les bois des régions montagneuses *(Cruciféracées).*

DENTAL, ALE, AUX [dɑ̃tal, o] adj. — 1534; de *dent,* et *-al.*

♦ **1** (1534). Vx. Qui est relatif aux dents. → **Dentaire.** *Nerfs dentaux.*

♦ **2** (1690). *Consonnes dentales,* qui se prononcent en appliquant la langue sur les incisives supérieures. *D* [d], *T* [t], *N* [n] *sont des consonnes dentales,* ou, n. f., *des dentales.*

(...) un mélange de doux défi, de dignité, de désir décent, de tous ces noms un peu provocants qui débutent par des dentales...
         GIRAUDOUX, *les Aventures de Jérôme Bardini,*
             Première disparition, p. 21.

    COMP. **Labiodental.** ◊ **HOM.** **Dentale.**

DENTALE [dɑ̃tal] ou **DENTALIUM** [dɑ̃taljɔm] n. m. — 1744, *dentale; dentalium,* 1735; du lat. *dens, dentis* «dent», en raison de la forme pointue de la coquille de ce mollusque.

Didact. (zool.). Mollusque à coquille en forme de cornet vivant dans la vase ou le sable des bords de mer.

    HOM. **Dental.**

DENT-DE-LION [dɑ̃dəljɔ̃] n. f. — 1596; calque du lat. médiéval *dens leonis* «dent *(dens)* du lion *(leo, leonis)*». Cf. angl. *dandelion.*

Pissenlit (à cause des feuilles dentées). *Les dents-de-lion.*

DENT-DE-LOUP [dɑ̃d(ə)lu] n. f. — 1676, «sorte de clou»; de *dent, de,* et *loup.*

♦ **1** Techn. Pièce mécanique dentée, permettant d'accoupler deux axes par l'extrémité. *Des dents-de-loup.*

♦ **2** Crochet permettant de suspendre de la charcuterie ou des pièces de viande.

(...) tout en haut, tombant d'une barre à dents de loup, des colliers de saucisses, de saucissons, de cervelas, pendaient, symétriques, semblables à des cordons et à des glands de tentures riches.   ZOLA, *le Ventre de Paris,* t. I, p. 56.

♦ **3** Arts. Motif ornemental à découpures (→ Dents de scie*).

♦ **4** Culin. **[a]** Croûton de pain de mie frit, de forme pointue.
   [b] Biscuit léger, croquant, semé de cumin ou d'anis.

1. DENTÉ, ÉE [dɑ̃te] adj. — V. 1120; de *dent.*

♦ **1** (V. 1120). Sc. nat. Pourvu de dents (opposé à *édenté*). *Mâchoire dentée.*

♦ **2** (Mil. XIIIᵉ). Fig. Dont le bord présente des saillies pointues, aiguës. *Roue dentée. Feuille dentée.*

    HOM. 2. **Denté, dentée.**

2. DENTÉ [dɑ̃te] n. m. — 1808, Boiste; de *dent.*

Poisson osseux rappelant la daurade, et commun dans la Méditerranée. *Le denté est pourvu de dents qui en font un redoutable carnassier.*

    HOM. 1. **Denté, dentée.**

DENTÉE [dɑ̃te] n. f. — Fin XIIᵉ, «coup sur les dents»; de *dent,* et *-ée.*

(Av. 1560). Vén. Coup de dent donné par le chien au gibier. — Coup des défenses du sanglier (→ **Décousure.**)

Il s'agissait aussi de nous peindre le monstre, qui est un sanglier très redoutable; un de ces solitaires qui ne se fient qu'à leurs défenses, et dont la dure dentée décousu les chevaux et blesse les mâtins «au coffre du corps».
            VALÉRY, *Variété,* p. 87.

Par ext. Quantité de nourriture qu'un animal peut saisir d'un coup de dent.

    HOM. 1. **Denté,** 2. **denté.**

DENTELAIRE [dɑ̃tlɛʀ] n. f. — 1744; lat. sc. *dentelaria,* nom donné par Linné à la *Plumbago europea*; du lat. *dens, dentis.* → Dent.

Plante des rocailles, à fleurs violettes, bleues, roses ou blanches *(Plombaginacées),* dont la racine était utilisée contre le mal de dents.

DENTELÉ, ÉE [dɑ̃tle] adj. → **Denteler.**

DENTELER [dɑ̃tle] v. tr. [CONJUG.: *appeler.*] — 1584; adj., 1545; de *dentele* «petite dent» (→ Dentelle), et *-er.*

(1584). Découper le bord de (qqch.) en forme de petites dents. → **Découper; créneler.** *Machine à denteler.* — Pron. *Se denteler.*

(...) ici le roc s'est dentelé comme une scie, là ses tables trop droites ne souffrent ni le séjour de la neige, ni les sublimes aigrettes des sapins du nord (...)
         BALZAC, *Séraphîta,* Pl., t. X, p. 458.

Par ext. Découper.

Les chemins (...) décrivent nécessairement des courbes immenses autour des golfes qui dentellent la côte.
       G. SAND, Correspondance, t. IV, 1812-76, p. 241,
                  in T.L.F.

♦ **DENTELÉ, ÉE** p. p. adj. (1545).

♦ **1** Qui présente des dents, des indentations. *Chaîne* (cit. 26) *dentelée* (→ Crête, cit. 5). *Roc dentelé. Mur dentelé,* dont le sommet est garni de créneaux. → **Crénelé.** — *Lame au tranchant dentelé.* → **Brettelé.** *Médaille, pièce de monnaie dentelée.* — Bot. *Feuille dentelée* ou *dentée.*

Blason. *Pièces dentelées.* → **Denché.**

Par ext. Découpé. *Côte dentelée.*

♦ **2** Anat. *Muscle dentelé,* qui s'attache aux côtes. — N. m. *Le grand dentelé* : le muscle abaisseur de l'omoplate. *Le grand dentelé, le petit dentelé postérieur inférieur, le petit dentelé postérieur supérieur.*

2 Sous les flancs bien enveloppés et d'une mollesse toute féminine, on devine les dentelés et les côtes, comme aux flancs d'un jeune garçon (...)
Th. GAUTIER, Mlle de Maupin, IV, p. 66.

♦ **3** Orné de dentelles.

3 (...) désormais tout le monde devrait se contenter de deux services à chaque repas et (...) pour le costume, personne ne porterait plus d'étoffes dentelées, ni d'écarlate, ni de vair, ni de gris, ni de zibeline (...)
FARAL, la Vie quotidienne au temps de saint Louis, p. 180, in T. L. F.

CONTR. Lisse, régulier.

DENTELET [dɑ̃tlɛ] n. m. — 1611, «petite dent»; de *dentele* «petite dent». → Dentelle (étymologie).

(1690). Petit cube de pierre dans lequel on taille les denticules.

DENTELLE [dɑ̃tɛl] n. f. — V. 1380; au sens actuel, 1549; de *dent,* et -*elle.*

♦ **1** Tissu très ajouré sans trame ni chaîne, orné de dessins opaques variés, et qui présente généralement un bord en forme de dents. *Dentelle de lin, de coton, de soie, de nylon. Réseau, fond* ou *champ d'une dentelle,* la partie uniforme, par opposition aux ornements. *Dentelle sans fond à larges mailles.* → **Guipure.** *Dentelle au mètre. Entre-deux de dentelle. Dentelle étroite pour border. Col, jabot, robe de dentelle. Mantille en dentelle. Éventail de dentelle. Volant de dentelle. Parements* (cit. 2) *de dentelle. Empiècements, incrustations de dentelle dans la lingerie, le linge de maison. Poser, coudre, monter une dentelle.* → **Striquer.** *Dentelle froncée, plissée, tuyautée. Rangs, rangées de dentelle qui chevauchent. Ouvrages, tissus rappelant la dentelle.* → **Broderie, filet, macramé.**

Par ext. *Mouchoir de dentelle,* bordé de dentelle. *Porter des dentelles,* des garnitures en dentelle.

1 (...) des dentelles sur tout l'habit (...)
MOLIÈRE, Tartuffe, 2ᵉ Placet.

1.1 En effet, Madame de Boves, n'ayant guère dans son porte-monnaie que l'argent de sa voiture, faisait sortir des cartons toutes sortes de dentelles, pour le plaisir de les voir et de les toucher (...) Le comptoir débordait, elle plongeait les mains dans ce flot montant de guipures, de malines, de valenciennes, de chantilly, les doigts tremblant de désir, le visage peu à peu chauffé d'une joie sensuelle.
ZOLA, Au Bonheur des Dames, t. I, p. 132-133.

2 Un excès de dentelles peut-être aux draps et aux oreillers, un excès de bagues étincelantes aux mains délicates, abandonnées sur la couverture de satin (...)
LOTI, les Désenchantées, I, II, p. 13.

3 Elle est vêtue d'une robe de soie noire, assez décolletée, avec des manches mi-longues, des dentelles, des guipures, des diamants.
J. ROMAINS, les Hommes de bonne volonté, t. V, VIII, p. 65.

4 Mais soudain ce regard glissa jusqu'à la saillie de l'épaule, dont la chair nue, fraîche et grasse, palpitait sous les mailles de la dentelle comme un animal pris dans un filet (...) MARTIN DU GARD, les Thibault, t. I, p. 47.

Loc. *La guerre en dentelles,* telle qu'on la faisait au XVIIᵉ ou au XVIIIᵉ siècle, avec des officiers vêtus de dentelles et se rendant force politesses.

4.1 Nous avons à gagner une partie considérable. Il serait idiot de la perdre pour avoir sacrifié à des élégances dignes de la guerre en dentelles.
J. ROMAINS, les Hommes de bonne volonté, t. XXII, p. 93.

Fabrication de la dentelle.

Dentelle à la main. — Dentelle à l'aiguille ou *point. La dentelle à l'aiguille s'exécute comme une broderie, en laissant libre le tissu sous-jacent. Fil de trace, lacets, brides, jours; gaze, rempli, satiné, brode, picot, engrelure d'une dentelle à l'aiguille. Variétés de dentelle à l'aiguille :* point coupé, point russe, point de Venise, point Renaissance, point de France, d'Angleterre, d'Argentan,... point d'Alençon. → **Vélin.** *— Dentelle aux fuseaux. La dentelle aux fuseaux se fait avec un petit métier portatif* (→ **Carreau, tambour**), *des fuseaux, un carton troué selon le dessin à obtenir. Tricoter de la dentelle avec des fuseaux. Points de dentelle au fuseau :* point de grille, de toile; point filet, point réseau ou torchon; point d'esprit, point de mariage; point de Binche, de Dieppe, du Puy, de Tulle, de Malines, de Bruxelles, de Bruges, de Valenciennes, de Milan... *Variétés de dentelle au fuseau :* blonde, bisette, Chantilly, gueuse, lacis, Malines, mignonnette, torchon belge, Valenciennes. *Dentelle au crochet, au tricot. — Dentelle à la machine. Calais, centre industriel de la dentelle à la machine. — Dentelle à la mécanique. Application d'ornements sur du tulle pour obtenir la dentelle. — Dentelle fabriquée en une seule opération par la mécanique Jacquard à l'aide de machines ou dentellières.*

Par ext. *Dentelle chimique* (ou *broderie* chimique*) : textile brodé mécaniquement soumis à l'action d'un corps caustique qui libère la broderie pour en faire de la dentelle.

♦ **2** **ⓐ** Ce qui rappelle la dentelle par l'aspect ajouré, la finesse, la légèreté. *Dentelle de papier,* pour l'emballage de la confiserie. *Une petite spirale* (cit. 3) *en dentelle de papier. Dentelle de feuilles.* — (V. 1530). *Dentelle de pierre :* appareil de pierres taillées à jours. *La dentelle de pierre des flèches de clochers dans le gothique flamand, allemand.*

5 L'architecture élégante et raffinée fait de la pierre une dentelle, et festonne ses églises de pinacles, de trèfles, de meneaux entrelacés et contournés, en sorte que l'édifice évidé, fleuronné, doré, est une prodigieuse et romanesque orfèvrerie, œuvre de la fantaisie plutôt que de la foi, moins propre à exciter la piété que l'éblouissement.
TAINE, Philosophie de l'art, t. II, III, II, I, p. 5.

6 (...) ils ont traversé les bois, les futaies de chênes sous lesquelles s'étend à l'infini la dentelle rousse des fougères.
LOTI, Ramuntcho, I, VI, p. 78.

En appos. *Crêpes dentelle,* très fines; *bas dentelle :* bas dont le tissage rappelle la dentelle.

Spécialt. Vignette utilisée en typographie. — Partie d'une pierre précieuse taillée en rose autour d'une facette large. — *Dentelle de mer, de Vénus :* variétés de polypier*.

Relig. Dessin poussé sur or ou à froid, qui ressemble à de la dentelle. *Reliure à dentelle.*

Loc. fam. *Travailler, faire dans la dentelle :* travailler avec raffinement, délicatesse (le plus souvent en tournure négative : *ne pas faire dans la dentelle*). «*Colin Higgins n'œuvre pas dans la dentelle. Transposé à l'écran, ce gros succès de Broadway n'a rien perdu de sa lourdeur*» (*Télérama,* 11 janv. 1984, nº 1774).

b Surface subdivisée ou découpée (de manière involontaire, accidentelle). *La corrosion avait complètement rongé le dessous de la carrosserie : ce n'était plus de la tôle, c'était de la dentelle.*

DÉR. **Dentellerie, dentellier.**

DENTELLERIE [dɑ̃tɛlʀi] n. f. — Av. 1870; de *dentelle.*

♦ **1** Vx, rare. Fabrication, commerce de la dentelle.

♦ **2** Par ext. Ouvrage en dentelle. *Vendre de la dentellerie.*

DENTELLIER, IÈRE [dɑ̃tǝlje, jɛʀ; dɑ̃tɛlje, jɛʀ] n. et adj. — 1647, n. f.; de *dentelle.*

♦ **1** Personne qui fait de la dentelle (rare au masc.). *La Dentellière,* tableau de Vermeer.

♦ **2** N. f. (1700). Machine à confectionner la dentelle.

♦ **3** Adj. (1864). *Industrie dentellière,* de la dentelle.

DENTELURE [dɑ̃tlyʀ] n. f. — 1467; du rad. de *dentele* «petite dent», et -ure. REM. L'emploi au sing. est possible, mais rare.

♦ **1** Découpures en forme de dents. — (V. 1530). Archit. Ouvrage dentelé (→ **Crénelure**).

1 Le plein cintre rapprocha ses pointes, s'incurva en fer à cheval, l'arc brisé s'allongea, se rétrécit, se raccourcit ou s'évasa, se chargea de stalactites, d'alvéoles comme une ruche à miel, s'échancra plus ou moins de festons et de dentelures.
Élie FAURE, Hist. de l'art, p. 259, *in* T. L. F.

♦ **2** Découpures naturelles. *Les dentelures d'une côte.* Bot. Dents fines des bords d'une feuille.

♦ **3** Sommet en dents de scie. *Les dentelures d'une chaîne de montagnes.*

2 (...) les montagnes libyques découpaient sur le ciel pur leurs dentelures calcaires (...)
Th. GAUTIER, le Roman de la momie, II, p. 70.

DENTICULE [dɑ̃tikyl] n. m. — 1545; lat. impérial *denticulus* «petite dent», et terme d'architecture, dér. (dimin.) de *dens, dentis.* → Dent.

♦ **1** Bot. Dent très petite.
Par ext. (Zool., anat.). Petite formation cornée semblable à une dent (→ Dent, cit. 27.3).

♦ **2** (1545). Archit. Ornement en forme de dent. *Les denticules d'une corniche ionique, d'une corniche corinthienne.*

♦ **3** (1864). Méd. Petite dent surnuméraire, accolée à une dent normale ou située entre deux dents.

DÉR. **Denticulé.**

DENTICULÉ, ÉE [dɑ̃tikyle] adj. — 1690, blason; de *denticule.*

(1848). Archit. Qui est garni de denticules. *Galerie denticulée* (→ Château, cit. 1). *Pignon denticulé.*

(...) le pignon denticulé en marches d'escalier (...)
Th. GAUTIER, *la Toison d'or,* III.

DENTIER [dɑ̃tje] n. m. — 1574, «rangée de dents»; «mâchoire», av. 1589; sens actuel, 1624; de *dent,* et suff. -ier.

♦ **1** (1574). Vx. Rangée de dents.

♦ **2** (1624). Mod. Appareil amovible formé d'une série de dents artificielles destinées à suppléer aux dents naturelles et que l'on porte dans la bouche. → **Prothèse, râtelier.** *Porter un dentier. Mettre, enlever son dentier.*

♦ **3** (1857). Techn. Ensemble des dents (d'une machine); pièce mécanique qui supporte des dents. → **Denture** (3.).

(...) et l'on huile les engrenages du dentier, et l'on resserre par-ci par-là un écrou (...)
B. CENDRARS, Bourlinguer, p. 165.

DENTIFÈRE [dɑ̃tifɛʀ] adj. — 1846, Dict. d'hist. nat., art. *Mollusque;* de *dent,* et -*fère.*

Didact. Qui porte des dents. *Os dentifère.*

DENTIFIÉ, ÉE [dɑ̃tifje] adj. — Mil. XXᵉ; de *dent,* et -ifié (→ -fier).

Didact. Qui a ou prend l'aspect, la consistance d'une dent. *«Tumeur dentifiée de la région angulaire droite de la mandibule, chez une jeune fille de 21 ans»* (l'Information dentaire, nᵒ 13, 28 mars 1968, p. 1373).

DENTIFORME [dɑ̃tifɔʀm] adj. — 1564; repris déb. XXᵉ; de *dent,* et -*forme.*

Didact. Qui a la forme d'une dent. *Vertèbre dentiforme* (Rabelais, *in* T. L. F.).

DENTIFRICE [dɑ̃tifʀis] n. m. — 1575; *dentfrice,* 1495; lat. impérial *dentifricium;* de *dens, dentis* «dent», et *fricare* «frotter».

Préparation, le plus souvent pâteuse, propre à nettoyer et à blanchir les dents. *Tube de dentifrice. Dentifrice au fluor, à la chlorophylle. Dentifrice antipyorrhéique.* — Adj. (1834). *Pâte, poudre, savon, eau dentifrice.*

REM. Avant le XIXᵉ s., le mot relève du vocabulaire médical.

Dentifrice (...) Il y en a de secs dont quelques-uns sont en façon d'opiate ou de poudres sèches grossièrement pulvérisées, comme coraux, pierre ponce, du sel, de l'alun, coquilles d'œufs, d'escargots et d'escrevisses, corne de cerf, os de sèche, ou de racines cuittes avec alun (...) D'autres sont humides tirez par distillation d'herbes desséchantes et de médicaments astringents.
FURETIÈRE, Dictionnaire, art. *Dentifrice* (1690).

DENTIMÈTRE [dɑ̃timɛtʀ] n. m. — XXᵉ; de *dent,* et -*mètre.*

Chir. dent. Instrument pour mesurer le périmètre de la dent au niveau du collet.

DENTINAIRE [dɑ̃tinɛʀ] adj. — XXᵉ; de *dentine.*

Didact. (anat.). Qui concerne la dentine. *Canalicules dentinaires* ou *canalicules de Tomes* (de sir Jones Tomes, odontologiste anglais du XIXᵉ siècle).

La pénétration des fibres nerveuses dans la dentine est très controversée. Certains la nient; d'autres l'admettent, mais tous les dentistes savent que la cocaïne, qui agirait vraisemblablement sur les extrémités nerveuses de l'ivoire, s'il y en avait, n'agit nullement sur la sensibilité dentinaire.
P.-L. ROUSSEAU, les Dents, p. 23.

DENTINE [dɑ̃tin] n. f. — 1586; repris 1855, répandu déb. XXᵉ; de *dent,* et -*ine.*

Anat. Ivoire des dents. *«La structure de la dentine est semblable à celle de l'émail avec ses cloisons, gaine et espaces interprismatiques»* (P.-L. Rousseau, les Dents).

DÉR. **Dentinaire.**

DENTIROSTRES [dɑ̃tiʀɔstʀ] n. m. pl. — 1806; lat. *dens, dentis* «dent», et -*rostre,* du lat. *rostrum* «bec».

Zool. Sous-ordre de passereaux présentant une échancrure au niveau de la mandibule supérieure du bec. *Principaux dentirostres :* bergeronnette, corneille, corbeau, étourneau, fauvette, geai, grive, merle, mésange, pie, roitelet, rossignol. — Au sing. *Un dentirostre.*

DENTISTE [dãtist] n. — 1728, *le Chirurgien Dentiste, ou Traité des dents,* par Pierre Fauchard ; de *dent,* et *-iste.*

♦ 1 N. m. Ancienn. Praticien qui soigne les dents. → Dent, dentaire, prothèse. *Les barbiers-chirurgiens ont fait longtemps office de dentistes* (→ Arracheur* de dents).

♦ 2 N. m. et f. Mod. Praticien diplômé légalement autorisé à soigner les dents, à effectuer des interventions chirurgicales dentaires, et à traiter les maladies de la bouche et des mâchoires (→ Stomatologiste). → Odontalgiste, odontologiste, orthodontiste ; → péj. Arracheur* de dents. *Aller chez son, sa dentiste. C'est une excellente dentiste. Elle est dentiste, elle est chirurgien dentiste. Cabinet de dentiste. Équipement, appareils, instruments du dentiste. Cautère, crachoir, curette, davier, élévateur, fauteuil, fraise, pulvérisateur, réflecteur, roulette, tour de dentiste. Boîtier* portant les appareils du dentiste.*

Par appos. En Suisse : *médecin dentiste* ; en France : *chirurgien dentiste.*

Nul ne peut exercer la profession de dentiste s'il n'est muni d'un diplôme de docteur en médecine ou de chirurgien dentiste.   Loi du 30 nov. 1893, art. 2.

Admin. (en France). *Dentiste conseil* : chirurgien dentiste habilité à l'expertise dentaire par le conseil de l'ordre des chirurgiens dentistes. *Le dentiste conseil décide de la prise en charge, par la caisse de Sécurité sociale intéressée, des travaux de prothèse dentaire entrepris pour les assurés sociaux cotisant à cette caisse.*

DÉR. Dentisterie.

DENTISTERIE [dãtistəRi] n. f. — 1889 ; de *dentiste,* et *-erie.*

Didact. Étude et pratique médico-chirurgicale des soins dentaires. Syn. : *médecine dentaire, odontostomatologie.*

DENTITION [dãtisjɔ̃] n. f. — 1754 ; lat. *dentitio.*

♦ 1 (1754). Didact. Formation et éruption des dents, depuis la première enfance jusqu'à la fin de l'adolescence. *Dentition lactéale* ou *temporaire. Dentition définitive* ou *permanente.*

1 La deuxième dentition comprend trente-deux dents (...) La chronologie de l'éruption des dents permanentes est résumée dans le tableau synoptique suivant (...) Nous remarquons, dans ce tableau, l'apparition tardive de la dent de sagesse (...)
L. TESTUT, Traité d'anatomie, t. IV, p. 94.

♦ 2 (1864). Cour. Ensemble des dents. → Denture. — REM. Cet emploi a longtemps été considéré comme une «faute» (Littré). L'Académie, 8ᵉ éd., l'accepte.

2 La femme de l'apothicaire les croquait *(ces petits pains...)* héroïquement, malgré sa détestable dentition (...)
FLAUBERT, Mᵐᵉ Bovary, III, VII, p. 190.

DENTO- Premier élément de mots didactiques, tiré de *dent.* Ex. : *dento-cutané,* adj. (xxᵉ) : relatif à une dent et à la peau. *Douleur dento-cutanée.* — *Dento-dentaire,* adj. (xxᵉ) : relatif à l'effet d'une dent sur une autre dent. *Synalgie dento-dentaire.* — *Dento-facial,* adj. (xxᵉ) : de l'appareil dentaire et de la face. *Orthopédie dento-faciale.*

DENTOME [dãtom ; dãtɔm] n. m. — xxᵉ ; de *dent,* et *-ome.*

Pathol. Tumeur bénigne constituée par les tissus de la dent (ivoire, émail, cément).

DENTU, UE [dãty] adj. — V. 1179 ; de *dent.*

Vx. Pourvu de dents.

L'horrible Thémis, dentue et vorace.
HUGO, in G. L. L. F.

DENTURE [dãtyR] n. f. — 1276 ; de *dent,* et suff. *-ure.*

♦ 1 Littér. et didact. Ensemble des dents (d'une personne, d'un animal). → Dentition. — REM. *Dentition,* longtemps condamné par les puristes dans cette acception, est devenu plus courant que *denture.*

1 Sa bouche, grande et d'un rouge vif, laissait luire par éclairs blancs une denture qui eût fait honneur à un jeune loup.
Th. GAUTIER, le Capitaine Fracasse, t. I, II, p. 37.

2 L'un d'eux fait une fluxion et nous lui soignons sa denture.
G. DUHAMEL, Lieu d'asile, p. 105.

3 Pas un muscle ne tressaille sur son visage de chair brune. Les lèvres s'épanouissent, découvrent une denture puissante, aurifiée.
Pierre MOUSTIERS, la Mort du pantin, p. 59.

Spécialt, anat. Nombre et disposition des dents.

♦ 2 (xxᵉ). Chir. dent. Appareillage dentaire. *Denture faite de dents séparées.* → Dentier (2.).

♦ 3 (1752). Techn. Ensemble des dents d'une roue dentée.

DÉNUCLÉARISATION [denykleaRizasjɔ̃] n. f. — V. 1957 ; de *dénucléariser.*

Didact. Action de dénucléariser* ; son résultat. → Désatomisation. «*Un traité sur l'internationalisation et la dénucléarisation de l'espace et des corps célestes*» (le Figaro, 22 déc. 1966).

DÉNUCLÉARISER [denykleaRize] v. tr. — V. 1957 ; de 1. dé-, nucléaire, et suff. *-iser.*

Didact. Diminuer ou interdire la fabrication et le stockage des armes nucléaires (dans un pays, une région). → Désatomiser. «*Empêcher la prolifération des armes* (nucléaires) *et "dénucléariser" les grandes puissances elles-mêmes*» (le Monde, 21 janv. 1965). — P. p. adj. «*Une zone "dénucléarisée"*» (le Monde, 5 févr. 1963).

DÉR. Dénucléarisation.

DÉNUDATION [denydasjɔ̃] n. f. — 1374 ; bas lat. *denudatio.*

♦ 1 Action de dénuder (qqn, qqch.) ; résultat de cette action.

Méd. Action de mettre à nu un organe, un tissu, une dent, par incision ou par opération ; état qui en résulte. *La dénudation d'un vaisseau en vue d'un cathétérisme.*

État d'un arbre dépouillé de son écorce, de son feuillage.

♦ 2 Par métaphore ou fig. (en parlant d'une œuvre littéraire ou artistique). Action de dépouiller, de rendre plus nu (simple, pauvre) ; résultat de cette action (Hugo, Bourget, R. Rolland, in T. L. F.).

♦ 3 Espace, lieu dénudé.

Le sommet, très plat, d'une montagne, non, d'une colline, mais si sauvage, si sauvage, assez. Bourbe, bruyère à hauteur de genou, imperceptibles sentiers de brebis, dénudations profondes.
S. BECKETT, Textes pour rien, p. 115.

DÉNUDEMENT [denydmã] n. m. — 1916, Daudet ; de *dénuder.*

♦ 1 Littér. Action de dénuder ; résultat de cette action. → Dénudation.

♦ 2 → Dénudation, 2. — REM. Il semble que cette forme soit plus répandue dans la langue littéraire contemporaine (G. Bataille, Cassou, in T. L. F.).

DÉNUDER [denyde] v. tr. — Av. 1150; lat. class. *denu-dare* «dépouiller, priver de», de *de-*, et *nudare* «mettre à nu», dér. de *nudus*. → Nu.

♦ **1** (Sujet n. de personne). Mettre à nu; dépouiller (qqch.) de ce qui recouvre, revêt. → **Découvrir, dépouiller.**

Spécialt, chir. *Dénuder un os*, enlever la chair qui le recouvre. — *Dénuder un sol*, enlever ou faire mourir la végétation qui le recouvre.

Techn. *Dénuder un câble électrique*, enlever son ou ses enveloppe(s).

(Sujet n. de chose). *Le gel dénude le sol.*

Par analogie :

1   Le flux et le reflux, comme avec un rabot,
    Dénude à chaque coup l'étrave et l'étambot (...)
                    HUGO, la Légende des siècles, LVIII, I.

(1844). Mettre nu (qqn); déshabiller complètement. *Dénuder son corps.* → **Déshabiller, dévêtir.**

♦ **2** (Sujet n. de chose : vêtement, etc.). Ne plus couvrir le corps de (qqn); laisser apparente la chair de (une partie du corps). *Robe qui dénude le dos.*

Par métaphore :

2   Le bonheur qui prend élan sur la misère, je n'en veux pas. Une richesse qui prive un autre, je n'en veux pas. Si mon vêtement dénude autrui, j'irai nu.
                    GIDE, les Nouvelles Nourritures, p. 58.

♦ **3** Littér. Dévoiler, ne plus cacher. *Dénuder un aspect caché de sa personnalité.* → **Révéler.**

♦ **SE DÉNUDER** v. pron.

♦ **1** (Choses). Se dépouiller de ce qui recouvrait. *Sol qui se dénude. Cet arbre se dénude*, perd ses feuilles, ou son écorce.

♦ **2** (Personnes). Se déshabiller, se dévêtir complètement.

♦ **3** Fam. et vx. Perdre ses cheveux. *Il commence à se dénuder.* → **Dégarnir.**

♦ **DÉNUDÉ, ÉE** p. p. adj.

♦ **1** Mis à nu. — Chir. *Os dénudé.* → **Décharné.** — *Arbre dénudé*, dépouillé de son feuillage ou de son écorce. — *Sol dénudé, colline dénudée.* — Techn. *Câble électrique dénudé*, dépouillé de son enveloppe protectrice.

♦ **2** (Personnes). → **Nu.**

♦ **3** *Crâne dénudé.* → **Chauve, dégarni.**

3   Son crâne dénudé, ceint d'une couronne de cheveux blancs, se colorait de rose.
                    FRANCE, le Petit Pierre, XXII, p. 153.

CONTR. **Couvrir, recouvrir; garnir.**

DÉNUÉ, ÉE [denye] p. p. adj. — 1370; p. p. de *dénuer*.

♦ **1** DÉNUÉ DE. → **Démuni, dépouillé, dépourvu, nu, pauvre, privé** (de). *Être dénué de tout.* → **Manquer.** *Dénué de ressources. Dénué de tous ses biens.*

1   (...) il ne s'est jamais vu si dénué d'argent (...)
                    LA BRUYÈRE, les Caractères de Théophraste,
                    «De la dissimulation».

2   Ses jambes aussi dénuées de mollets que les pattes échas-sières d'un héron.
                    Th. GAUTIER, le Capitaine Fracasse, p. 114,
                    in T. L. F.

(Abstrait). *Dénué de bon sens, d'intelligence, d'es-prit, d'imagination, d'amour-propre,... Style dénué de recherche. Projet dénué de raison* (→ Amour-propre, cit. 9; assertion, cit. 1). *Ouvrage dénué d'intérêt.*

3   (...) tout en repoussant cette opinion, comme dénuée de fondement (...)
                    FRANCE, le Crime de S. Bonnard, p. 388.

Il ne savait pas qu'une grande âme n'est jamais seule,   4
que si dénuée qu'elle soit d'amis par la fortune, elle finit toujours par les créer, qu'elle rayonne autour d'elle l'amour dont elle est pleine (...)
                    R. ROLLAND, Jean-Christophe, V, p. 243.

(...) je me tiens là, devant mon Dieu, plus dénué et   5
plus dépouillé de mérites, plus désarmé que personne au monde.
                    F. MAURIAC, la Pharisienne, XIV, p. 230.

♦ **2** Absolt. Littér. (Personnes). Pauvre, misérable. → **Pauvre** (→ Bride, cit. 5).

Cet hospice, destiné aux vieillards indigents du canton,   6
à ses malades, aux femmes dénuées au moment de leurs couches et aux enfants trouvés, devait porter le nom d'hos-pice des Tascherons (...)
                    BALZAC, le Curé de village, Pl., t. VIII, p. 768.

♦ **3** Littér. *Dénué de :* dépouillé de (végétation). *Un paysage dénué d'arbres.* → **Dénudé.**

DÉNUEMENT ou (vx) **DÉNÛMENT** [denymã] n. m. — 1374, *desnuement*; de *dénuer*.

♦ **1** (Av. 1704). État d'une personne qui est dénuée du nécessaire. → **Besoin, disette, misère, pauvreté.** *Être dans un grand dénuement* (→ Crever, cit. 17; blottissement, cit.). — REM. L'orthographe *dénuement* était inusitée au XIXe s. (Littré écrit *dénûment*, qu'on trouve encore au XXe s.).

(Le serf) vit dans le dénûment, dans le silence, dans la   1
stagnation, dans la fièvre, dans la fétidité, dans l'abjection, dans le fumier (...)
                    HUGO, Post-scriptum de ma vie,
                    Promontorium somnii, III.

Mais ne plus posséder d'argent, ce n'est qu'une des étapes   2
du dénûment.
                    COLETTE, la Naissance du jour, p. 158.

Par ext. État de ce qui est dénudé. *Le dénuement d'une pièce, d'un logement :* l'état misérable de cette pièce, de ce logement.

♦ **2** (XVe). Fig. *Un grand dénuement moral.*

(...) la dureté de l'homme que je suis, le dénûment affreux   3
de son cœur, ce don qu'il détient d'inspirer la haine et de créer autour de soi le désert, rien de tout cela ne prévaut contre l'espérance.
                    F. MAURIAC, le Nœud de vipères, 1932, p. 162,
                    in T. L. F.

CONTR. **Abondance, profusion, richesse.**

DÉNUER [denye] v. tr. — Av. 1150; du lat. *denudare* (→ Dénuder); de *de-*, et *nudare*.

Priver, dépouiller (qqn) des choses nécessaires. → **Dépouiller, priver.** — REM. *Dénuer* est rare à la forme active.

♦ **SE DÉNUER** v. pron.

Littér. Se priver (de). *Il s'est dénué de tout au profit des pauvres. Se dénuer pour sa famille.* → **Appauvrir** (s'), **sacrifier** (se). — Figuré :

Partout où j'ai, comme un mouton,
Qui laisse sa laine au buisson,
Senti se dénuer mon âme (...)
                    A. DE MUSSET, Poésies nouvelles,
                    «Nuit de décembre».

CONTR. **Approvisionner, assortir, enrichir, fournir, garnir, munir, nantir, pourvoir.** ◊ DÉR. **Dénuement, dénué.**

DÉNUTRI, IE [denytri] adj. — 1961; de *dénutrition*.

Méd. Qui est atteint de dénutrition. *Un malade dénutri.* — N. *Un, une dénutri(e).*

DÉNUTRITION [denytrisjɔ̃] n. f. — 1859, *in* D. D. L.; de 1. *dé-*, et *nutrition*.

Didact. Ensemble de troubles caractérisant une insuffisance, une carence importante d'éléments nutritifs, avec excès de la désassimilation sur l'assimilation. → **Malnutrition.** *Les maladies de la dénutrition, dans les pays pauvres. Dénutrition des nouveau-nés.* → **Athrepsie.**

DÉR. Dénutri.

DÉODAR [deɔdaʀ] ou **DÉODORA** [deɔdɔʀa] n. m. — 1874; mot hindi *dē'odār, dēwdār,* du sanskrit *deva-dāra* «arbre divin» (*deodora,* en lat. sav.).

Cèdre de l'Himalaya à grandes feuilles piquantes.

Le jeune naturaliste reconnut plus particulièrement des «déodars», essences très nombreuses dans la zone himalayenne, et qui répandaient un agréable arôme.
      J. VERNE, *l'Île mystérieuse,* t. I, p. 43.

En appos. Cèdre déodora (Goncourt, *in* T. L. F.).

DÉODORANT [deɔdɔʀɑ̃] n. m. et adj. — 1955, *in* Höfler; angl. *deodorant.*

Anglic. Désodorisant* pour la toilette des personnes. *Les déodorants freinent la sécrétion de la sueur et atténuent son odeur caractéristique, due à des fermentations bactériennes. Déodorant corporel. Déodorant sans alcool. Déodorant en bâton, en vaporisateur.* — Adj. *Savon déodorant, stick déodorant.*

DÉODORISER [deɔdɔʀize] v. tr. — V. 1880, au p. p.; de 1. *dé-,* lat. *odor,* et *-iser.*

Vieilli. → **Désodoriser.**

DÉR. Déodorant.

DEO GRATIAS [deogʀasjas] (1458). Mots latins signifiant «Grâces (soient rendues) à Dieu». — (1870). En dehors des prières liturgiques, ils s'emploient (fam.) pour exprimer le contentement, le soulagement en certaines circonstances. *Le voilà enfin parti, Deo gratias!*

DE OLFACTU [deɔlfakty] loc. adv. — 1873, J. Verne; lat. *de,* et ablatif de *olfactus* «action de flairer», du supin de *olfacere* «flairer, sentir».

Par plais. Au moyen de l'odorat. → De auditu (cit.), de visu.

DE OMNI RE SCIBILI, ET QUIBUSDAM ALIIS [deɔmniʀesibili ɛt kɥibysdamaliis] Mots latins signifiant «De toute chose que l'on peut savoir, et de quelques autres». La première partie de cet adage était la devise de Pic de La Mirandole. — La locution est parfois appliquée, ironiquement, aux personnes qui se piquent de tout savoir.

DÉONTIQUE [deɔ̃tik] adj. — 1953; angl. *deontic,* du gr. *deon, deontos* «devoir». → Déontologie.

Didact. Qui constitue une obligation, une nécessité, un devoir. *Les signaux routiers d'interdiction et d'obligation sont déontiques.*

DÉONTOLOGIE [deɔ̃tɔlɔʒi] n. f. — 1823, *in* D.D.L.; angl. *deontology,* terme créé par J. Bentham, du grec *deon, deontos* «devoir» (→ Déontique), et *logos* «discours».

Didact. Théorie des devoirs, en morale.

0.1   Pour Aristote, il existe assurément une déontologie; il y a des choses qu'il «faut» faire, il ne faut les faire que parce qu'elles sont requises pour atteindre une certaine fin.
      GILSON, l'Esprit de la philosophie médiévale,
      p. 150.

Spécialt. Ensemble des règles et des devoirs régissant une profession. *Déontologie médicale :* ensemble des règles et des devoirs professionnels du médecin.

Cottard qui d'habitude, par *déontologie,* s'abstenait de critiquer ses confrères, ne put s'empêcher de s'écrier (...)   1
      PROUST, À la recherche du temps perdu, t. X,
      p. 144.

(...) les syndicats s'attribuent le privilège de réprimander   2
et même de flétrir ceux de leurs membres qui sont jugés coupables de fautes contre la déontologie, contre la probité professionnelle, contre l'honneur médical.
      G. DUHAMEL, Défense des lettres, VII, p. 172.

Pour quelques jours de survie, ma mère avait risqué d'af-   3
freuses souffrances. Sur quoi donc se fonde cette féroce déontologie qui exige la réanimation à tout prix? Sous prétexte de respecter la vie, les médecins s'arrogent le droit d'infliger à des êtres humains n'importe quelle torture et toutes les déchéances : c'est ce qu'ils appellent faire leur devoir.   S. DE BEAUVOIR, Tout compte fait, p. 111.

DÉR. Déontologique, déontologiste ou déontologue.

DÉONTOLOGIQUE [deɔ̃tɔlɔʒik] adj. — 1834, *in* D.D.L., trad. de J. Bentham; de *déontologie.*

Didact. Qui appartient à la déontologie (notamment médicale ou pharmaceutique). *Code déontologique des médecins, des pharmaciens.*

Les recherches sur l'homme aussi se heurtent à des limites scientifiques, auxquelles s'ajoutent nécessairement des scrupules déontologiques car, évidemment, l'expérimentation est exclue là où elle risquerait de blesser ou de mutiler des personnes humaines.
      Paul FRAISSE, la Psychologie expérimentale, p. 7.

DÉONTOLOGISTE [deɔ̃tɔlɔʒist] ou **DÉONTO-LOGUE** [deɔ̃tɔlɔg] n. — 1834, trad. de J. Bentham; de *déontologie.*

Didact. et vieilli. Spécialiste de déontologie.

DÉPAILLAGE [depajaʒ] n. m. — 1864; de *dépailler.*
Action de dépailler; son résultat.

DÉPAILLER [depaje] v. tr. — 1758, «épuiser les champs»; sens moderne, 1862; au p. p., 1834; de 1. *dé-, paille,* et suff. verbal *-er.*

Dégarnir de sa paille. — Pron. *Cette chaise se dépaille.* — P. p. (1834). *Siège dépaillé.*

Toi! dépaille la chaise! Sa fille ne comprenait point. Il empoigna la chaise et d'un coup de talon il en fit une chaise dépaillée. Sa jambe passa au travers.
      HUGO, les Misérables, t. I, p. 892, *in* T.L.F.

CONTR. Empailler, pailler, rempailler. ◊ **DÉR. Dépaillage.**

DÉPAISSANCE [depɛsɑ̃s] n. f. — 1790; du rad. du p. prés. de *paître,* d'après le lat. class. *depascere* «paître», et *-ance.*

Vx. Lieu où l'on fait paître le bétail. → **Pâture, pâtis.** — (1835). Action de faire paître le bétail.

(...) chaque année, donc, un tiers seulement de l'aire cultivée était abandonné à la jachère et livré, semble-t-il, à la dépaissance du bétail.
      Georges DUBY, Guerriers et Paysans, p. 36.

(1832). **Var. :** *dépaiscence.*

DÉPALISSAGE [depalisaʒ] n. m. — 1583; de *dépalisser.*

Techn. Action de dépalisser un arbre ou un arbuste.

DÉPALISSER [depalise] v. tr. — 1690; «effeuiller une haie vive», 1599; de 1. *dé-,* et *palisser.*

Techn. Détacher de leur support les branches de (un arbre, un arbuste en espalier).

DÉR. Dépalissage.

DÉPANNAGE [depanaʒ] n. m. — 1918; de *dépanner*.

♦ **1** (1918). Réparation de ce qui était en panne. *Le dépannage d'une voiture par le garagiste.* — Par ext. Déplacer (un véhicule en panne) pour réparer. *Dépannage par remorquage. Voiture de dépannage.* → **Dépanneuse.** *Équipe de dépannage.*

♦ **2** (1964). Action de tirer d'embarras (qqn) en rendant un service. → **Dépanner,** 2.

Spécialt (banque). *Retrait de dépannage :* retrait d'argent dans une succursale de banque autre que celle où l'on a un compte.

DÉPANNEAUTER [depanote] v. tr. — 1864; de 1. *dé-*, et *panneauter* (1845), de *panneau.*

Techn. (hortic.). Dégarnir (une couche) en enlevant les panneaux qui protègent.

DÉPANNER [depane] v. tr. — 1922; de 1. *dé-*, *panne*, et suff. verbal *-er.*

♦ **1** (1922). Réparer (un mécanisme en panne). *Dépanner un appareil de télévision. Faire dépanner sa voiture.*

1 Le conducteur s'arrête et lui propose de le mener jusqu'à un prochain téléphone pour qu'on vienne le dépanner.
J. GREEN, *Journal,* 16 juin 1978,
La terre est si belle, p. 304.

Cour. Remorquer (un véhicule en panne) pour le réparer. *Voiture équipée pour dépanner les véhicules.* → **Dépanneuse.**

♦ **2** (1941). Fig. et fam. Tirer (qqn) d'embarras. *Il a des ennuis, nous tâcherons de le dépanner.* — Aider (qqn) en lui prêtant de l'argent.

(Sujet n. de chose). *Voilà toujours cent francs, cela vous dépannera.*

2 Nous, nous en reviendrions aux rutabagas, toujours prêts à nous dépanner, ou mieux encore aux fèves qui pendant des siècles nous tinrent lieu de pommes de terre.
Jacques PERRET, *Bâtons dans les roues,* p. 70.

DÉR. **Dépannage, dépanneur, dépanneuse.**

DÉPANNEUR, EUSE [depanœR, øz] n. et adj. — 1916; de *dépanner.*

♦ **1** N. Professionnel (mécanicien, électricien, etc.) chargé de dépanner. — REM. Rare au fém. — Spécialt. *Dépanneur d'automobiles.*

♦ **2** Adj. Qui dépanne.

DÉPANNEUSE [depanøz] n. f. — 1929; de *dépanner.*

Voiture de dépannage qui peut remorquer, en les soulevant, ou en les chargeant, les automobiles en panne. — *Dépanneuse lourde :* véhicule lourd de dépannage.

Quand elle *(la voiture des pompiers)* eut disparu dans son coin, ce fut au tour de deux dépanneuses de se diriger vers l'endroit du sinistre.
J.-M. G. LE CLÉZIO, *le Déluge,* p. 178.

DÉPAPILLOTER [depapijɔte] v. tr. — 1868, Goncourt, «disperser»; de 1. *dé-*, et *papilloter.*

Débarrasser des papillotes, ou du papier (froissé, tortillé) qui en tient lieu. *Dépapilloter une mèche de cheveux. Dépapilloter une côtelette, un bonbon.* → **Dépiauter.**

Elle dépapillota une croquette de chocolat, la mit entre ses dents, et l'offrit ainsi à Antoine, qui, souriant, se prêta au jeu.
MARTIN DU GARD, *les Thibault,* t. III, III, XIII, p. 72.

DÉPAQUETAGE [depaktaʒ] n. m. — 1811; de *dépaqueter.*

Rare. Action de dépaqueter; résultat de cette action.

DÉPAQUETER [depakte] v. tr. [CONJUG.: *jeter.*] — 1487, *despacqueter;* de 1. *dé-*, *paquet,* et suff. verbal *-er.*

Défaire (un paquet). → **Défaire, déplier;** et aussi **ouvrir.** *Dépaqueter un colis.* — Retirer (ce qui est empaqueté). *Dépaqueter des marchandises.* → **Déballer.**

(...) Louise dépaquetait lentement, avec des ménagements infinis, un ustensile sans doute très fragile, qui apparut à nos yeux sous l'aspect de quelque plaque épaisse et massive, protégée par un couvercle de métal épousant exactement sa forme rectangulaire.
Raymond ROUSSEL, *Impressions d'Afrique,* p. 198.

CONTR. **Empaqueter.** ◊ DÉR. **Dépaquetage.**

DÉPARAFFINAGE [deparafinaʒ] n. m. — 1932, *in* D.D.L.; de *déparaffiner.*

Techn. Extraction de la paraffine du pétrole brut.

DÉPARAFFINER [deparafine] v. tr. — Mil. XXᵉ; de 1. *dé-*, *paraffine,* et suff. verbal *-er.*

Techn. Débarrasser (le pétrole brut) de sa paraffine.

DÉR. **Déparaffinage.**

DÉPARASITAGE [deparazitaʒ] n. m. — V. 1970; de *déparasiter.*

Techn. Opération par laquelle on déparasite.

DÉPARASITER [deparazite] v. tr. — Av. 1970; de 1. *dé-*, et *parasiter.*

Didact., techn. Débarrasser des parasites (un objet, un individu, un local).

DÉR. **Déparasitage.**

DÉPAREILLAGE [depaRɛjaʒ] n. m. — Fin XIXᵉ; de *dépareiller.*

Rare. Action de dépareiller; résultat de cette action.

En grelottant dans la cour, Sengle avait entrevu les malades, derrière des fenêtres, jouant aux dames et aux cartes et lisant des livres mêlés, dépareillages de romans ou approbations de Mgr l'Archevêque de Tours.
A. JARRY, *les Jours et les Nuits,* p. 777.

DÉPAREILLER [depaReje] v. tr. — V. 1200, *despareiller;* *désappareiller,* 1606; *depareiller,* 1680; de 1. *dé-*, *pareil,* et suff. verbal *-er.*

Rare. Rendre incomplet (un ensemble, une série de choses assorties ou semblables). → **Déparier; désassortir.** *Dépareiller un service de table* (→ Couper, cit. 25.3).

1 Cette dame, apparemment si sensible au plaisir de la propriété, venait de faire une scène abominable, pendant le dîner, à un domestique qui avait cassé un verre à pied et *dépareillé une de ses douzaines* (...)
STENDHAL, *le Rouge et le Noir,* I, XXII, p. 142.

2 Sa collection de vieux généraux, de vieux amiraux, de vieux ambassadeurs, était dépareillée par la mort. Beaucoup de beaux spécimens manquaient tout à fait, n'ayant pas été remplacés dans leurs cadres.
A. MAUROIS, *Climats,* II, XVII, p. 231.

♦ **DÉPAREILLÉ, ÉE** p. p. adj. (1718 avec sens mod.).

♦ **1** Qui n'est pas complet (en parlant d'une collection, d'une série); qui est composé d'éléments qui ne sont pas assortis. *Collection dépareillée.* → **Incomplet.** *Service de verres dépareillé.*

3 Ils couperaient en deux une tapisserie plutôt que d'en laisser le bénéfice à un seul. Ils aiment mieux que tout soit dépareillé mais qu'aucun lot ne l'emporte sur l'autre.
F. MAURIAC, *le Nœud de vipères,* II, XVIII, p. 216.

♦ **2** Qui n'est plus avec les autres objets qui formaient une paire, une collection. *Un gant dépareillé. Un chandelier dépareillé. Un volume dépareillé des œuvres complètes de Hugo.*

Régional (Centre de la France ; Canada). Exceptionnel, unique en son genre.

♦ **3** Par métaphore et fig. (littér.). Amputé, diminué.

4 J'étais un peu de ces natures-là, premièrement infirmes, implorantes et dépareillées au milieu d'une sorte de richesse qu'elles ont ; j'avais hâte de m'attacher et de m'appuyer.   SAINTE-BEUVE, Volupté, XXII, p. 234.

5 Nous avions toujours pensé que, sans lui, elle serait dépareillée, perdue, qu'elle ne saurait plus vivre.
       G. DUHAMEL, Chronique des Pasquier, X, VI,
       p. 386.

CONTR. 2. **Appareiller, apparier, assortir.** ◊ DÉR. Dépareillage.

DÉPARER [depaʀe] v. tr. — V. 1173, *desparer* ; de 1. *dé-*, et *parer.*

♦ **1** (V. 1050). Vx. Dépouiller de ce qui pare. *Déparer un autel.*

♦ **2** (Av. 1678). Sujet n. de chose. Mod. Rendre moins agréable ; nuire à la beauté, au bon effet de. → **Enlaidir.** *Cette construction dépare le quartier. Ces restaurations ont déparé la façade.* → **Déshonorer.** — *Cette robe la dépare.*

1 Vous lui reprochez de se mettre mal ; je le crois bien : toute parure lui nuit, tout ce qui la cache la dépare. C'est dans l'abandon du négligé qu'elle est vraiment ravissante.
       LACLOS, les Liaisons dangereuses, Lettre VI.

Fig. Rendre imparfait, mauvais. → **Gâter.** — (Surtout en emploi négatif). *Ses imperfections déparent son œuvre. Cette pièce ne déparerait pas sa collection. Défaut qui ne dépare pas un caractère.*

2 Hé bien ! ce neveu-là est bon à montrer ; il ne dépare point la famille.   MARIVAUX, les Fausses Confidences, I, 4.

3 (...) d'enfantines boutades qui ne déparent point ce bel ouvrage (...)   GIDE, Journal, 19 juin 1910.

CONTR. **Agrémenter, avantager, décorer, embellir, orner, parer. — Cadrer, convenir.**

DÉPARIER [depaʀje] v. tr. — 1393 ; *despairier*, v. 1370 ; de 1. *dé-*, et l'anc. v. *parier* «apparier», rac. *paire.*

Vieux ou littéraire.

♦ **1** (1609). Rare. Ôter l'une des deux choses qui forment une paire. → **Dépareiller.** *Déparier des gants, des souliers.*

♦ **2** (1694). Techn. Séparer un couple d'animaux. *Déparier des pigeons.* — On dit plutôt *désapparier* (Académie).

Au participe passé :

(...) il résout le problème de la gémellité dépariée — le sort du jumeau restant après la disparition ou la mort de son frère — qui est le sujet de tout le dernier tiers du roman — en posant que Thomas-le-Didyme (Thomas-le-Jumeau) est jumeau absolu, jumeau divin, n'ayant pour frère jumeau que Dieu lui-même dans la personne du Christ.   M. TOURNIER, le Vent Paraclet, p. 253-254.

CONTR. 2. **Appareiller, apparier, assortir.**

DÉPARLER [depaʀle] v. intr. — 1867 ; de 1. *dé-*, et *parler.* Le mot existe dès le XIIᵉ, aux sens de «médire de, blâmer», comme transitif.

♦ **1** Vieilli. (En gén. à la forme négative). S'arrêter de parler.

♦ **2** Vieilli ou régional. Parler à tort et à travers, sans discernement ; divaguer.

1 Le bon Dieu n'a rien à voir là-dedans.
— Ne déparle pas, mon fi. Ne mets pas de sacrilège dans ta bouche (...)

— Je ne déparle pas, maman. Il y a les affaires du ciel et les affaires de la terre. Ça fait deux (...)
       Jacques ROUMAIN, Gouverneurs de la rosée, II,
       p. 34.

REM. La scène se passe à Haïti.

Deux cas cliniques qui présentaient (...) de graves perturbations du langage. L'un des enfants «déparlait», et ne se faisait pas entendre.   2
       Françoise DOLTO, la Psychanalyse, 1956, I, 224,
       in D.D.L., II, 3.

DÉPARQUER [depaʀke] v. tr. — 1838 ; intr. «partir, décamper», v. 1470 (de *parc* «camp») ; de 1. *dé-*, et *parquer.*

Rare. Faire cesser d'être parqué. *Déparquer des bestiaux.*

1. **DÉPART** [depaʀ] n. m. — 1213 ; déverbal de *départir.*

♦ **1** (1213). Action, fait de partir*. *Départ en voyage. Fixer son départ, le jour, l'heure du départ. Avancer, hâter, retarder, ajourner son départ* (→ **Différer,** cit. 23). *Le départ approche. Préparatifs de départ. À son départ. Dès son départ... Avant, après notre départ. Brusque départ. Départ d'un avion* (→ **Décollage, envol**), *d'un bateau* (→ **Appareillage, démarrage, partance**). *Départ d'une fusée* (→ **Lancement**). *Horaire des départs. Tableau des départs et des arrivées* (dans une gare, un aéroport). *Départ d'oiseaux migrateurs. Départ du courrier, des marchandises* (→ **Envoi, expédition**). *Départ des volontaires pour le front. Le «Chant du Départ». Donner le signal du départ.*

Dans l'ombre de la nuit cache bien ton départ.   1
       CORNEILLE, le Cid, III, 4.

Je puis d'une heure encor retarder son départ (...)   2
       VOLTAIRE, Brutus, III, 6.

Il s'est apprivoisé pas à pas, jour à jour ;   3
Il boude à mon départ, il saute à mon retour (...)
       LAMARTINE, Jocelyn, IIIᵉ époque.

C'est au départ de la classe que le cafard geint, siffle,   4
grogne (...)
       P. MAC ORLAN, le Quai des brumes, IV, p. 59.

Loc. *Être sur le départ,* prêt à partir. — Loc. fam. *Départ en fanfare,* bruyant, spectaculaire.

Spécialt. Math. *Ensemble de départ* (ou *source*) *d'une application, d'une fonction.*

♦ **2** Spécialt (en sports). *Starter* qui donne le départ (→ **Course,** cit. 7). *Les coureurs s'alignent pour le départ.* — Loc. verb. *Prendre le départ.* Fig. → **Démarrer.** «*Prendre le départ pour une course à la puissance sidérurgique*» (Guillain, 1969). *Faire ou prendre un bon (mauvais) départ. «À peine lancée en librairie, Modesty Blaise a pris un départ foudroyant»* (l'Express, 23 août 1965). — *Avoir un bon départ, un départ rapide, en trombe. Manquer le départ.* — *Blocs de départ, cales de départ.* → **Starting-block** (anglic.). — *Ligne de départ. Signal de départ.*

(...) ils s'échauffent, prennent enfin place au départ. Eux   4.1
et le starter jouent à se narguer.
       Jean PRÉVOST, Plaisirs des sports, p. 105.

Faux départ (en sports et au fig.) : départ raté, l'un des concurrents ayant devancé le signal.

Balist. *Départ des coups :* sortie des projectiles. Absolt. *Les départs :* les détonations des coups qui partent (→ **Décharge**).

♦ **3** (1890). Le lieu d'où l'on part. *On se donne rendez-vous au départ ou à l'arrivée ? Le départ des grandes lignes, dans une gare*. → aussi **Embarquement.** — Spécialt. Sports. Ligne de départ (→ ci-dessus). *Les coureurs se présentent au départ. Où est le départ ?*

♦ **4** (1793). Le fait de quitter un lieu, une situation. *Son départ de la société est proche. Depuis le départ du directeur financier, les affaires vont mal. Exiger le départ d'un fonctionnaire, d'un employé.* → **Démission ; congédiement, exil, licenciement, limogeage, vidage** (fam.). *Départ à la retraite, en retraite.*

5   Demain elle entendra ce peuple furieux
       Me venir demander son départ à ses yeux.
                              RACINE, Bérénice, III, 1.

♦ **5** Fig. Commencement (d'une action, d'un processus, d'une série, d'un mouvement...). → **Commencement, début, origine** (→ Activité, cit. 2). *Budget de départ. L'entreprise a pris un bon départ.* — Loc. *Point de départ d'une intrigue, d'un complot. Point de départ d'un sujet à développer, d'une ligne de conduite.*

6   Les vrais hommes de progrès sont ceux qui ont pour point
       de départ un respect profond du passé.
                              RENAN, Souvenirs d'enfance..., Préface, p. 20.

7   La candeur, l'innocence, la grâce, le rire paraissaient à
       Fontranges des qualités d'aînés, l'aboutissant de la vie, et
       non son départ.   GIRAUDOUX, Bella, V, p. 107.

Loc. *Au départ :* au début. *Nous n'avions pas prévu cela au départ.* — *De départ :* initial. *L'idée de départ. Les conditions de départ.* Spécialt. Techn. *Signal de départ :* signal sonore ou visuel indiquant le commencement d'un enregistrement. → **Top** (top départ). — Comm. *Prix de départ d'une marchandise.* Archit. *Départ d'escalier.*

Comptab. *Départ d'un compte :* date d'ouverture de ce compte.

CONTR. **Arrivée, retour, venue. — Aboutissement, fin, issue, résultat, terme.**

2. **DÉPART** [depaʀ] n. m. — V. 1222 ; de *départir* «partager».

♦ **1** (V. 1222). Vx. Action de mettre à part (une chose). *Le départ du bon et du mauvais.* → **Tri, triage.**

Chim. anc. Opération par laquelle on isole les métaux d'un alliage.

♦ **2** (1819). Loc. mod. **FAIRE LE DÉPART ENTRE** (deux choses abstraites) : séparer*, distinguer* nettement. → aussi **Départager.** *Il faut faire le départ entre ces deux points de vue.*

DÉPARTAGEANT, ANTE [depaʀtaʒã, ãt] adj. — Mil. XXᵉ ; de *départager.*

Qui départage.

DÉPARTAGER [depaʀtaʒe] v. tr. [CONJUG. : *partager.* → Bouger.] — 1690 ; de 1. *dé-*, et *partager.*

♦ **1** (1690). Séparer (un groupe) en deux parties inégales ; répartir (les voix, les suffrages) de manière à dégager une majorité. *Départager les votes. La voix du président a départagé l'assemblée. Nommer un surarbitre pour départager les arbitres.*

♦ **2** Par ext. Choisir entre (deux opinions, deux méthodes, deux camps). → **Arbitrer.** *Venez nous départager.*

1   C'est en effet une question de savoir si le Congrès ainsi
       constitué avait le droit de départager les intérêts.
                              Ch. PÉGUY, la République..., p. 13.

1.1   (...) une alternative comme celle qui va, après-demain faire
       hésiter tant de Français, sera un pari : l'événement seul
       nous départagera au cours des semaines qui vont venir.
                              F. MAURIAC, le Nouveau Bloc-notes 1958-1960,
                                                           p. 107.

(V. 1793). Faire cesser d'être à égalité. *Question subsidiaire pour départager les gagnants d'un concours.*

♦ **3** Littéralt. Faire le départ entre, séparer. → **Départ** (faire le), **partager, séparer.**

2   (...) un *(jeu)* surtout, que nous jouons à quatre (...) avec un
       ballon de médiocre grosseur qu'il s'agit de ne point laisser
       retomber en deçà d'un filet haut tendu qui départage les
       deux camps.   GIDE, Journal, 3 janv. 1930.

3   Selon la tradition, d'un certain protestantisme, pareil «service» comprend le devoir, le goût d'évangéliser, le besoin
       de juger, de départager les bons et les méchants, de faire
       la leçon.
                              André SIEGFRIED, l'Âme des peuples, VII, IV, p. 180.

DÉR. **Départageant.**

DÉPARTEMENT [depaʀtəmã] n. m. — V. 1180 ; «action de partager» jusqu'au XVIᵉ ; de *départir,* et suff. 2. *-ment (-ement* sous l'influence de la première conjug.).

♦ **1** (1680). Chacune des parties de l'administration des affaires de l'État dont s'occupe un ministre. *Département ministériel.* → **Ministère.** *Département de l'Intérieur, de la Défense nationale, des Affaires étrangères...*

1   Il n'y avait pas, à proprement parler, de *Conseil des Ministres.* Chacun de ces ministres, responsables envers l'Empereur seul, était aux yeux de Napoléon, un commis très
       supérieur, soumis aux ordres du maître et enfermé dans
       l'administration d'un *département.*
                              Louis MADELIN, Hist. du Consulat et de l'Empire,
                                          Vers l'Empire d'Occident, III, p. 33.

(En Suisse). Subdivision du pouvoir exécutif, fédéral ou cantonal. — (Au Canada). Grand service de l'administration. — *Département d'État (Department of State) :* ministère des Affaires étrangères des États-Unis ; au Canada, Ministère provisoire créé pour un besoin particulier...

♦ **2** (1765). Sens le plus cour. en France. Division administrative du territoire français placée sous l'autorité du préfet* qu'assiste un conseil général. *Le département de la Seine, des Pyrénées-Atlantiques. Les quatre-vingt-quinze départements de la France métropolitaine. Les quatre départements de la Guadeloupe, de la Martinique, de la Réunion, de la Guyane (Départements d'Outre-Mer ou D. O. M.). Chef-lieu du département.* → **Préfecture.** *Subdivisions du département.* → **Arrondissement** (cit. 5), **canton, commune.** *Budget du département. Le préfet, organe du pouvoir central dans le département. Le préfet, le conseil général, la commission départementale, organes du département, personne morale. Commun à plusieurs départements.* → **Interdépartemental.**

2   Le département a actuellement encore, en France, un
       double aspect. C'est un compartiment pour la gestion des
       services généraux. C'est un centre pour la gestion des services départementaux. Il y existe donc des agents du pouvoir central pour la gestion des services généraux et des
       autorités pour la gestion des services propres du département (...) Le préfet est ainsi à la fois agent du pouvoir
       central et autorité départementale (...)
                              Louis ROLLAND, Précis de droit administratif,
                                                           n° 207.

3   On a reconnu, aujourd'hui que les communications sont
       faciles, que le cadre départemental est trop petit. On est
       donc amené à souhaiter, pour le traitement des faits économiques et sociaux, des cadres plus vastes que ceux des
       départements, qui parfois disjoignent ce que la géographie
       rapproche.
                              Albert DEMANGEON,
                              la France économique et humaine, p. 848.

Par ext. La province, par opposition à la capitale. *Le vote des départements.*

Mar. Chef-lieu de préfecture ou d'arrondissement maritime.

♦ **3** Par anal. (semble constituer un anglic., notamment dans l'Université). Unité administrative responsable d'un certain type de documents, dans une grande bibliothèque. *Département des imprimés, des cartes et plans, des estampes. Le département des manuscrits de la Bibliothèque nationale.* Division (d'une administration) placée sous l'autorité d'un haut fonctionnaire. *Le département des antiquités au musée du Louvre.* Section d'enseignement, dans une université. *Département de littérature française, de mathématiques. Les départements et les instituts d'une université.*

REM. Dans la plupart des cas, le mot peut être remplacé par *service, section, direction, bureau.*

Par ext. Part de compétence, de responsabilité. *Ceci est, n'est pas de votre département,* de votre domaine*.

♦ **4** Rare. Élément résultant d'une division, d'un partage. — «*Les divers départements de l'écorce grise* (du cerveau)» (Taine, *De l'intelligence, in* T. L. F.).

DÉR. **Départemental.**

DÉPARTEMENTAL, ALE, AUX [depaʀtəmɑtal, o] adj. — 1790; de *département.*

Qui appartient au département (2.). *Budget départemental. Commission départementale. Archives départementales.*

Route départementale. — N. f. *Une petite départementale.* «*Sa route, c'était "la 8", la départementale n° 8*» (Edmonde Charles-Roux, *Elle, Adrienne,* p. 305).

DÉR. **Départementaliser.**

DÉPARTEMENTALISATION [depaʀtəmɑtalizasjɔ̃] n. f. — 1930; de *départementaliser.*

Admin. Transformation en département d'un territoire (notamment d'un territoire d'outre-mer). — Action de départementaliser (2.).

DÉPARTEMENTALISER [depaʀtəmɑtalize] v. tr. — Mil. XXᵉ; de *départemental,* d'après *étatiser, nationaliser.*

♦ **1** Admin. Donner à (une ancienne colonie, un territoire) le statut de département* (2.).

♦ **2** (1972). Admin. Attribuer aux départements une compétence qui relevait antérieurement de l'État ou d'une autre collectivité publique.

DÉR. **Départementalisation.**

DÉPARTICULARISER [depaʀtikylaʀize] v. tr. — 1951, Malraux; de 1. *dé-,* et *particulariser.*

Rare. Ôter les particularités de.

Il *(Vermeer)* semble toujours désindividualiser ses modèles, comme départiculariser l'univers : pour obtenir, non des types, mais une abstraction sensible qui fait penser à celle de certaines Korés.
       MALRAUX, *les Voix du silence,* p. 474.

DÉPARTIE [depaʀti] n. f. — V. 1050; de *départir* (1100).

Vx ou régional. Action de se séparer. → **Départ.**

Inquiète de ce qui allait suivre, la sollicitude de la baronne avait sans doute fait à sa fille quelque signe de furtive départie, et elle avait disparu.
       BARBEY D'AUREVILLY, *les Diaboliques,* «Le dessous de cartes».

DÉPARTIR [depaʀtiʀ] v. tr. [CONJUG.: *partir.*] — V. 1050; de 2. *dé-,* et *partir,* au sens de «séparer; partager». → Avoir maille* à partir.

I ♦ **1** (V. 1100). Vx. Séparer (une chose d'une autre). → **Départ** (faire le départ).

♦ **2** (1177). Littér. (Vieilli, sauf au p. p. et aux temps comp.). Attribuer en partage (une tâche, une faveur). → **Accorder, distribuer, impartir.** *Dieu départ ses grâces avec équité* (Académie). *La tâche qui lui fut départie.* → **Confier.**

(Départir) se rapporte au point de départ, à la personne   1 qui distribue, et la représente comme supérieure, comme laissant tomber ses dons d'un lieu élevé. On ne le dit guère qu'en parlant des grâces et des faveurs de Dieu, du ciel, de la nature (...)
       LAFAYE, Dict. des synonymes, Départir, repartir.
Dieu, ne voulant pas départir la vérité aux Grecs, leur   2 donna la poésie.
       Joseph JOUBERT, Pensées, XVII, XXIV.
De tous les dons que le ciel leur avait départis, un cœur   3 sensible est le seul qu'ils me laissèrent (...)
       ROUSSEAU, les Confessions, I.
Je n'ai pas connu d'homme qui eût pu être plus aimé des   4 femmes. Il portait en lui un trésor infini d'amour. Il sentait le don supérieur qui lui avait été départi; puis, avec une sorte de fureur, il s'ingéniait à s'anéantir lui-même.
       RENAN, Souvenirs d'enfance..., IV, II, p. 172.
Qu'il est étrange, dans ces commencements de la vie où   5 un peu de bonheur nous est départi, qu'aucune voix ne nous avertisse : «Aussi vieux que tu vives, tu n'auras pas d'autre joie au monde que ces quelques heures.»
       F. MAURIAC, le Nœud de vipères, I, III, p. 39.
L'homme à qui fut départie la tâche surhumaine d'avertir   6 Israël en ce dernier instant fut Jérémie.
       DANIEL-ROPS, le Peuple de la Bible, III, III, p. 257.
Qui sait si chacun de nous n'aspire au privilège de tuer   6.1 tous ses semblables? Mais ce privilège est départi à très peu de gens et jamais entier : cette restriction explique à elle seule pourquoi la terre est encore peuplée. Assassins indirects, nous constituons une masse inerte, une multitude d'objets en face des véritables sujets du Temps, en face des grands criminels qui ont abouti.
       E. M. CIORAN, Précis de décomposition, p. 148.
Dr. *Départir des causes :* partager des procès et les documents qui s'y rapportent, entre des juges.

II SE DÉPARTIR v. pron. (Après 1350).

(Plus cour. que le tour transitif direct). Se séparer de, s'écarter de, abandonner (surtout une attitude). → **Abandonner, désister** (se), **détourner** (se), **dévier, écarter** (s'), **renoncer.** *Se départir d'un droit, d'une prétention, d'un devoir. Ne pas se départir d'une opinion. Se départir de son calme, de sa réserve, de son silence* → **Sortir** (de). *Pourquoi voulez-vous qu'il s'en départe ?* (Académie).

Ne vous départez point d'une si noble audace (...)   7
       CORNEILLE, Nicomède, I, 3.
Si quelques principes faux l'ont égarée, combien n'en avait-   8 elle pas d'admirables dont elle ne se départait jamais !
       ROUSSEAU, les Confessions, V.
(...) une sorte de bonhomie cordiale, dont elle ne se dépar-   9 tait point, décourageait l'ironie.
       GIDE, Si le grain ne meurt, I, X, p. 279.
Je m'étais dressé un emploi du temps, à quoi je me soumet-   10 tais strictement, car je trouvais la plus grande satisfaction dans sa rigueur même, et quelque fierté à ne m'en point départir.   GIDE, Si le grain ne meurt, I, VIII, p. 214.
Sans regarder Jacques, sans se départir de son impassibi-   11 lité, il accorda (...)
       MARTIN DU GARD, les Thibault, t. V, p. 144.
(La femme) se départant de son mutisme, posant le seau   12 disant (...)   Claude SIMON, le Vent, p. 50.

REM. *Départir* est parfois conjugué comme *finir.* Malgré de nombreuses citations littéraires (cf. Grevisse, *le Bon Usage,* n° 673), cet emploi, selon J. Hanse, n'est pas un exemple à suivre.

CONTR. **Conserver, garder.** ◊ DÉR. 1. **Départ,** 2. **départ, département, départie, départiteur.**

DÉPARTITEUR [depaʀtitœʀ] n. m. — 1870; de *départir*.

Celui qui départit. — REM. Le fém. *départitrice* est virtuel. — Dr. *Juriste chargé de compléter un tribunal lorsqu'il n'est pas possible d'avoir une majorité.* En appos. *Juge départiteur.*

DÉPASSANT, ANTE [depasã, ãt] p. prés., adj. et n. m. — 1886; p. prés. de *dépasser.*

♦ **1** Adj. Rare. Qui dépasse.

— Si j'étais réactionnaire (...) vous me verriez aussi ardent que vous-même, à toutes les passes d'armes et à tous les genres de tournois. C'est, au contraire, parce que je suis le plus *dépassant* des progressistes, le pionnier de l'extrême avenir, que je condamne ces pratiques surannées.
Léon BLOY, *le Désespéré*, p. 214.

♦ **2** N. m. Ce qui dépasse. — (1922). Cour. Ornement qui dépasse la partie du vêtement à laquelle il est adapté.

DÉPASSEMENT [depasmã] n. m. — 1856; de *dépasser.*

♦ **1** (1894). Admin. Action de dépasser. *Le dépassement des automobiles en marche est interdit dans cette agglomération.* — Absolt. Cour. *Dépassement dangereux. Dépassement interdit.*

♦ **2** (1865). Comptab. Excédent de dépenses sur un budget, un devis, un compte. *Dépassement de crédit.* — Fait de dépasser (un budget, une somme allouée) par les dépenses.

♦ **3** (1910). Action de se dépasser* (v. pron., 2.). → **Épanouissement, progrès.**

L'idée de dépassement, d'accomplissement, ou, pour les chrétiens, de rédemption, correspond, sur le plan de l'histoire (...) il (*l'homme*) sait qu'il existe des intérêts supérieurs auxquels son intérêt personnel doit céder le pas, des réalités supérieures auxquelles il peut participer et que, de cette participation, procède sa vraie grandeur.
DANIEL-ROPS, *Ce qui meurt...*, V, p. 165.

COMP. **Non-dépassement.**

DÉPASSER [depase] v. tr. — XII⁰; de 2. *dé-*, et *passer.*

⬛ Aller au delà de (qqn, qqch.). ♦ **1** Laisser en arrière, derrière soi en allant plus vite. → **Devancer, distancer, doubler, gagner** (de vitesse), **gratter** (fam.), **passer.** *Il nous dépassa à moitié chemin. Dépasser un véhicule.* — Absolt. *Il est interdit de dépasser sur ce pont.* — *Dépasser qqn à la course, en marchant vite. Il nous a dépassés sans nous voir.*

1 L'empereur s'était arrêté à Lyadi, à quatre lieues du champ de bataille; la nuit venue, il apprend que Mortier, qu'il croit derrière lui, l'a dépassé.
Ph. P. SÉGUR, Hist. de Napoléon, X, 6, *in* LITTRÉ.

2 L'équipage doucement en dépasse un autre, sans que s'altère l'harmonie du trot.
J. ROMAINS, les Hommes de bonne volonté, t. III, XII, p. 167.

♦ **2** (1691). Aller plus loin que (qqch., un lieu). *Dépasser la ligne d'arrivée, le but. Dépasser l'endroit où il fallait s'arrêter. Dépasser un cap* (cit. 6 et *supra*).

3 (...) celui qui dépasse le but en est aussi loin que celui dont le trait n'y arrive pas (...)
BALZAC, Massimilla Doni, Pl., t. X, p. 316.

♦ **3** (1385). Sujet n. de chose. Aller plus loin en quantité; être plus long, plus haut, plus grand que... *Sa jupe dépasse un peu sous son manteau,* ou, absolt, *elle dépasse,* elle est trop longue, plus longue. *Maison qui dépasse l'alignement.*
→ **Déborder, mordre** (sur), **saillir, sortir** (de). *Balcon*

qui *dépasse.* → **Surplomber.** *Objet qui dépasse d'une poche* (→ Chanteau, cit.).

La foule s'épaississait à tout moment, et, comme une eau   4
qui dépasse son niveau, commençait à monter le long des murs, à s'enfler autour des piliers, à déborder sur les entablements, sur les corniches (...)
HUGO, Notre-Dame de Paris, I, I.

La mortalité a dépassé les prévisions les plus pessimistes.   4.1
GIDE, Voyage au Congo, *in* Souvenirs, Pl., p. 819.

La renommée de cet orateur ne dépasse pas l'enceinte de cette assemblée.

Sa réputation viennoise ne dépasse pas un petit îlot de   5
dilettanti.
Éd. HERRIOT, la Vie de Beethoven, p. 189.

Dépasser tel prix, tel poids, telle vitesse, telle durée, tel âge... → **Plus.** *La facture ne dépassera pas mille francs.* → **Excéder.** *Un entretien qui dépasse dix minutes.*

La tradition orale s'efface vite, ne dépasse jamais le   6
siècle (...)   M. BARRÈS, la Colline inspirée, I, IV, p. 17.

En résumé, ses revenus industriels strictement calculés ne   7
tombaient guère au-dessous du million et le dépassaient le plus souvent.
J. ROMAINS, les Hommes de bonne volonté, t. III, XIII, p. 180.

(D'une personne). *Dépasser trente ans, la trentaine.* — Loc. (1825). *Dépasser qqn de la tête,* être plus grand que lui de la hauteur de la tête. — Fig. *Il le dépasse de cent coudées** (→ le sens 4).

♦ **4** (1803). Fig. Être plus, faire plus (qu'un autre) dans un domaine. → **Devancer, emporter** (l'emporter sur), **surpasser;** → Faire la pige* à... *Avantage qui permet de dépasser ses concurrents. Cet élève dépasse en intelligence tous ses camarades.* → **Supérieur.** *Dépasser qqn en violence, en cruauté...* → **Enchérir** (sur). *Dépasser qqn de beaucoup, de loin...*

Le don de faire des êtres humains manque à ce génie   8
(*Hugo*). S'il avait eu ce don-là, Hugo aurait dépassé Shakespeare.   FLAUBERT, Correspondance, IV, p. 185.

Être ainsi dépassé par soi-même et voir son œuvre grandir   9
plus haut que soi, c'est une des plus fortes émotions de la conscience humaine.
JAURÈS, Hist. socialiste..., t. IV, p. 378.

♦ **5** (Fin XVIII⁰). Aller au delà de (certaines limites). → **Excéder, outrepasser.** *Dépasser les instructions reçues. Dépasser son pouvoir, ses droits* (→ Abus, cit. 5). — (1803). *Dépasser ses attributions en empiétant sur celles d'autrui. Dépasser les bornes, les limites de la bienséance.* → **Franchir, passer, sortir; exagérer, oublier** (s'). *Cela dépasse la mesure.* → **Comble** (c'est un comble).

(...) l'un craignait que le droit ne l'entraînât trop loin,   10
l'autre que le devoir ne dépassât les bornes.
CHATEAUBRIAND, Mémoires d'outre-tombe, t. V, p. 248.

Il y a une mesure pour tout : dès qu'on en sort, on la   11
dépasse.   J. RENARD, Journal, 1ᵉʳ mars 1893.

(...) dans la plupart des pays d'Europe, le désordre a   12
dépassé le point de contrôle possible (...)
A. MAUROIS, le Cercle de famille, III, IV, p. 247.

Aller au delà de (ce qui était attendu, prévu, normal). *Les mots ont dépassé sa pensée. Le prix dépasse mes prévisions. Le succès a dépassé notre attente. La réalité dépasse les pronostics.* — Loc. *La réalité dépasse la fiction, est encore plus curieuse, invraisemblable, imprévisible.*

Le joug du «Grand-Singe-Noir» fut une chose vraiment ter-   13
rible, dépassant mes prévisions les plus pessimistes.
LOTI, Figures et Choses..., p. 32.

Aller au delà de (ce qui est possible, imaginable). *Cela dépasse mes forces, mes moyens, ma compétence, ma compréhension, mon intelligence, mon imagination. Incapacité de comprendre ce qui nous* *dépasse* (→ Comprendre, cit. 32). — Absolt. *Cela me dépasse* : c'est trop difficile pour moi ; ou bien, je ne peux l'imaginer, l'admettre. → **Dérouter, étonner** (→ N'être pas à la hauteur*).

14 Le désintéressement, l'incapacité pratique de ces braves gens, dépassaient toute imagination.
RENAN, Souvenirs d'enfance..., II, III, p. 81.

15 C'est presque toujours par vanité qu'on montre ses limites — en cherchant à les dépasser (...)
GIDE, Journal, 27 juil. 1922.

Aller au delà de (un cas individuel). → **Déborder.**

16 Ma vérité personnelle ne m'a jamais intéressé que dans la mesure où je sens qu'elle me surmonte et me dépasse.
G. DUHAMEL, Inventaire de l'abîme, II, p. 26.

♦ **6** (Passif). *Être dépassé par les événements* (→ **Dépassé**, 3.).

◆ **SE DÉPASSER** v. pron.

♦ **1** *Se dépasser l'un l'autre. Les coureurs cherchent à se dépasser.*

♦ **2** (1864). *Se surpasser. Cet élève s'est dépassé dans ses réponses.*

♦ **3** *Se dépasser soi-même* : faire effort pour sortir de soi-même, vers une transcendance.

17 Se dépasser ! Se dépasser ! La libre fièvre du jeu ! Se sentir augmenter comme un ballon qu'on gonfle. Battre son record ; avancer de dix centimètres le jalon vers la totale perfection humaine (...)
MONTHERLANT, la Relève du matin, p. 220.

18 Les plus grands efforts de l'homme pour se dépasser sont vains si, au-delà de soi-même, c'est encore soi qu'il recherche et non une réalité supérieure auprès de laquelle la plus haute réalisation humaine n'est que faiblesse.
DANIEL-ROPS, Ce qui meurt..., v, p. 191.

◆ **DÉPASSÉ, ÉE** p. p. adj.

I ♦ **1** Qu'un rival a dépassé, dont le but a été mieux atteint, mieux réalisé qu'un autre. *Vous êtes dépassé dans ce domaine.* → **Battu.**

19 Je me souviens des quolibets lancés avant la révolution (...) contre ce malheureux et virginal vicomte Sosthène de La Rochefoucauld qui allongea les robes des danseuses de l'Opéra, et appliqua de ses mains patriciennes un pudique emplâtre sur le milieu de toutes les statues. — M. le vicomte Sosthène de La Rochefoucauld est dépassé de bien loin.
Th. GAUTIER, Préface de Mˡˡᵉ de Maupin, p. 4.

♦ **2** Qu'on a abandonné, parce qu'on a trouvé mieux depuis. *Idée, théorie dépassée.* → **Démodé, périmé, vieilli.**

♦ **3** Fam. et cour. Qui ne peut plus maîtriser la situation. → **Débordé.** *Il est complètement dépassé. Être dépassé par les événements. Un chef dépassé par ses troupes. En temps de révolution, les chefs de partis sont promptement dépassés* (Académie).

II ♦ **1** (1690). Techn. Faire sortir (ce qui a été passé). *Dépasser un ruban, un lacet passé dans une coulisse.*

♦ **2** Mar. *Dépasser un câble,* le repasser en sens inverse. *Dépasser les mâts,* les amener sur le pont.

20 Le pilote prit ses précautions par avance. Il fit serrer toutes les voiles de la goélette et amener les vergues sur le pont. Les mâts de flèche furent dépassés.
J. VERNE, le Tour du monde en 80 jours, p. 178.

CONTR. V. **Atteindre, égaler ; inférieur** (être). — **Observer** (les règles). — **Correspondre, répondre. — Enfiler. — Passer.**
◊ **DÉR. Dépassant, dépassement.**

DÉPASSIONNER [depasjɔne] v. tr. — 1550 ; de 1. *dé-,* et *passionner.*

♦ **1** (1550). Vx. Éteindre la passion de (qqn). — Pron. (1804). Littér. *Se dépassionner :* ne plus avoir de passion, se détacher.

Là, un comble de passion sans cesse se dépassionne de tout et de soi, passionné d'une beauté unique, et d'une seule vérité, l'une ou l'autre étant la perfection.
André SUARÈS, Trois hommes, I, «Pascal», III, p. 52.

♦ **2** (1838). Mod. Ôter le caractère passionné de (une discussion, un débat, une question, etc.). *Il faut dépassionner et dépolitiser nos discussions. Dépassionner le débat. «Les efforts* (du Premier ministre turc) *pour "dépassionner" le problème de Chypre»* (le Monde, 14 oct. 1965). — Pron. *Ces questions se sont dépassionnées.* — Absolument :

Le ministre de l'Éducation nationale disait : «Avant tout, il faut dépassionner», mais c'était justement d'une passion croissante que se nourrissait la révolution en marche.
Jean-Louis CURTIS, l'Horizon dérobé, p. 300.

DÉPATOUILLER (SE) [depatuje] v. pron. — 1640, *se despatouiller ;* de 1. *dé-,* et *patouiller.*

Familier.

♦ **1** Rare. Se dépêtrer d'un bourbier.

♦ **2** (1936). Fig. Se débrouiller, se tirer d'une situation embarrassante.

Mon cher Jacques, vous ne vous dépatouillerez jamais dans ce pays. Vous êtes dans une impasse sociale.
J. DE LA VARENDE, la Dernière Fête, 1953, p. 321, in T. L. F.

DÉPATRIER [depatrije] v. tr. — 1855 ; régional, «expatrier» ; de 1. *dé-, patrie,* et suff. verbal *-er.*

Littér. Priver (qqn) de patrie, en faire un sans-patrie. — Pron. (1936) :

Non, non, poursuivit Jacques : L'homme peut s'expatrier, mais il ne peut pas se dépatrier.
MARTIN DU GARD, les Thibault, t. V, II, p. 24.

Au p. p. *Des exilés dépatriés.* — Nom :

(...) c'était un grand contentement pour ces deux dépatriés de trouver en ces pauvres ménages, si modestes, si gênés qu'ils fussent, un coin de tendresse et de vie familiale.
Alphonse DAUDET, Fromont jeune et Risler aîné, p. 27.

DÉPATTER (SE) [depate] v. pron. — 1655 ; mot dialectal du Centre de la France ; de 1. *dé-, patte,* et suff. verbal *-er.*

Régional. Enlever la terre de ses chaussures (Genevoix, in T. L. F.).

DÉPAVAGE [depavaʒ] n. m. — 1832, V. Jacquemont, Correspondance, t. II, p. 313 ; de *dépaver.*

Action de dépaver. *Dépavage d'une rue.*

CONTR. Pavage.

DÉPAVER [depave] v. tr. — 1355 ; de 1. *dé-,* et *paver.*

Dégarnir de pavés. *Dépaver une rue, un trottoir. Les soldats dépavaient la chaussée* (→ Épaulement, cit. 1).

À Paris, le bruit se répand qu'une armée arrive par l'égout Montmartre, que des dragons vont forcer les barrières. On recommande de dépaver les rues, de monter les pavés au cinquième étage, pour les jeter sur les satellites du tyran (...)
CHATEAUBRIAND, Mémoires d'outre-tombe, t. I, 1848, p. 213, in T. L. F.

CONTR. Paver. ◊ **DÉR. Dépavage, dépaveur.**

DÉPAVEUR [depavœr] n. m. — 1866 ; de *dépaver.*

Techn. Ouvrier chargé de dépaver. — REM. Le fém. *dépaveuse* est virtuel.

La rue Joubert elle-même ne serait pas des plus bruyantes. Mais la chaussée d'Antin est à trente mètres. Toutes les espèces de chahut s'y donnent rendez-vous dès le petit jour. Voilà que les autobus, les camions, les taxis ne suffisent pas. Depuis la veille les paveurs ou les dépaveurs s'y sont établis.
J. ROMAINS, les Hommes de bonne volonté, XXVII, p. 22.

DÉPAYSANT, ANTE [depeizɑ̃, ɑ̃t] adj. — D. I. (attesté xxᵉ); p. prés. de *dépayser*.

♦ **1** Qui dépayse, fait changer de lieu.

♦ **2** Plus cour. Qui met mal à l'aise par un changement de décor, d'habitudes.

D'abord le petit village de Chennevières, perdu autrefois en plein champ, inaccessible de Vémars autrement que par un chemin de vieux poiriers (ou un grand détour), lieu de promenade *dépaysante*, quasi exotique, aujourd'hui violé par l'autoroute qui en effleure les premières maisons et en écorne les jardins.
> Claude MAURIAC, *le Temps immobile*, p. 218-219.

DÉPAYSEMENT [depeizmɑ̃] n. m. — Après 1550; de *dépayser*.

♦ **1** Vx. Action d'exiler. → **Exil.**

1 Cette chaleur et ce soleil, qui persistaient toujours, malgré la saison d'automne, lui donnaient l'impression d'un *dépaysement* extrême.
> LOTI, Pêcheur d'Islande, II, IX, p. 111.

2 Ce *dépaysement* d'un genre nouveau, ce *dépaysement* sur terre et pour une durée relativement très longue, lui causait une oppressante mélancolie; il n'avait pas prévu cet exil, à si grande distance de sa mère, — et jamais ses impressions de solitude n'avaient été pareilles.
> LOTI, Matelot, XXX, p. 118.

♦ **2** Mod. État d'une personne dépaysée.

♦ **3** (1834). Changement agréable et volontaire de décor, de milieu, d'habitudes. *Rechercher le dépaysement.*

DÉPAYSER [depeize] v. tr. — V. 1200; de 1. *dé-*, *pays*, et suff. verbal *-er*.

♦ **1** Vx. Faire changer (qqn) de pays, de lieu, de milieu. → **Déraciner, exiler.**

1 (...) on ne les dépayserait pas impunément *(ces paysans)*, c'est qu'ils aiment ce sol arrosé de leurs sueurs, c'est que le vrai paysan meurt de nostalgie sous le harnais du soldat, loin du champ qui l'a vu naître.
> G. SAND, la Mare au diable, II, p. 24.

Par anal. *Dépayser qqn*, en changeant ses habitudes, ses relations. — Pron. *Se dépayser. Il se dépayse en voyageant.* — Par métaphore :

2 On cherche à se dépayser en lisant, et les ouvriers sont aussi curieux des princes que les princes des ouvriers.
> PROUST, À la recherche du temps perdu, t. XV, p. 34.

♦ **2** (1690). Mod. Mettre mal à l'aise par changement de décor, de milieu, d'habitudes. → **Déconcerter, dérouter, désorienter.**

3 Le quartier des gares le dépaysera encore plus que l'autre, surtout au-dessus de la gare de l'Est; malgré les trams et le métro.
> J. ROMAINS, les Hommes de bonne volonté, t. II, IX, p. 94.

♦ **DÉPAYSÉ, ÉE** p. p. adj.

Mal à l'aise, par changement de décor, de milieu, d'habitudes. → **Perdu.** *Étranger dépaysé dans une ville inconnue. Se sentir, se trouver dépaysé dans une société où l'on ne connaît personne, devant un sujet sur lequel on est incompétent. Avoir l'air dépaysé.*

4 Au milieu de ces hommes simples, nous ne nous trouvions pas dépaysés.
> LAMARTINE, Graziella, Épisode VI, p. 27.

5 Ici, maintenant, au milieu de ces réalités pauvres, je me trouvais, comme lui sans doute, dépaysé et mal à l'aise.
> LOTI, Mon frère Yves, LX, p. 143.

6 Je me sens toujours très dépaysé dans ce Paris où tout est nouveau pour moi.
> MARTIN DU GARD, Jean Barois, Iʳᵉ partie, p. 41.

CONTR. Rapatrier. — Conduire, guider, orienter. — Assuré, désinvolte, naturel. — Aise (à l'aise). ◊ DÉR. Dépaysant, dépaysement.

DÉPEÇAGE [depəsaʒ] ou **DÉPÈCEMENT** [depɛsmɑ̃] n. m. — 1842, *dépeçage*; *dépècement*, 1160; de *dépecer*, et *-age*, 2. *-ment*.

♦ **1** (1842). Action de dépecer, de découper (un animal). *Dépeçage d'un mouton.*

Le voici *(l'hippopotame)* enfin sur la rive et l'on procède au   1
dépeçage (...) Le lent morcelage, l'émiettement progressif de cette masse dure deux bonnes heures. Morceau par morceau, tout est enlevé.
> GIDE, le Retour du Tchad, *in* Souvenirs, Pl., p. 904.

♦ **2** Rare. Action de mettre en pièces (un objet).

♦ **3** (1844). Fig. Morcellement, division.

Après le dépeçage : à l'Angleterre la mer du Nord avec   2
toutes les installations portuaires s'il en reste, à la France la Rhénanie, à la Russie une moitié suffisante pour un État-tampon.
> Alain BOSQUET, les Bonnes Intentions, p. 32.

REM. Le mot *dépècement* est vieilli sauf dans l'expression *dépècement d'un pays, d'un État*. → Démembrement.

DÉPECER [depəse] v. tr. [CONJUG.: *placer* et : *je dépèce; nous dépeçons.*] — V. 1100; de 2. *dé-*, *pièce* (voyelle radicale atone dans le dérivé), et suff. verbal *-er*. → Dépiécer.

♦ **1** (1595). Mettre en pièces, couper en quartiers, en morceaux (un animal, et, par ext., une personne, un cadavre). → **Couper, débiter, découper, démembrer, diviser, morceler, partager, tailler** (en pièces). *Boucher qui dépèce un bœuf. Lion qui dépèce sa proie à coups de dents.* → **Déchirer.** *Dépecer un animal en quartiers.*

(...) Nous sommes quatre à partager la proie.   1
Puis en autant de parts le cerf il dépeça (...)
> LA FONTAINE, Fables, I, 6.

(...) couchés sur le ventre, ils tiraient à eux les morceaux   2
de viande, et se rassasiaient appuyés sur les coudes, dans la pose pacifique des lions lorsqu'ils dépècent leur proie.
> FLAUBERT, Salammbô, I, p. 3.

Dépecer un cadavre, le couper en morceaux. — Au p. p. :

L'enquête sur la femme dépecée à Bruxelles, dont les   2.1
débris avaient été retrouvés dans des valises abandonnées rue Bel-Air et rue Américaine, avait progressé (...) le journal commentait que «cette particularité *(un nævus)* devait permettre à toute personne qui aurait connu la disparue d'établir son identité même si la tête ne devait jamais être découverte (...)»
> Pierre MERTENS, les Bons Offices, p. 24.

♦ **2** (V. 1100). Par ext. Rare. Mettre en pièces (qqch.). → **Casser, démolir.** — Spécialt. *Dépecer un bateau.* → **Démembrer.** — (1606). Fig. Diviser, morceler. *Dépecer un territoire.* → **Démembrer.**

On avait à dépecer le colosse abattu; chacun entendant   3
en arracher un important morceau, ce serait évidemment là une cause de conflits qui, s'ajoutant aux vieilles compétitions, diviseraient les vainqueurs (...)
> Louis MADELIN, Talleyrand, IV, XXVIII, p. 299.

♦ **3** (Fin XVIIIᵉ). Par ext. Analyser minutieusement. → **Disséquer, éplucher** (fam.). *Les critiques ont dépecé son ouvrage.*

Graun avait envoyé à Telmann une longue lettre, où il   4
dépeçait les récitatifs de Castor et Pollux. Il en blâmait le manque de naturel, les intonations fausses.
> R. ROLLAND, Voyage musical au pays du passé, p. 132.

CONTR. Assembler, joindre, rassembler, réunir. ◊ DÉR. Dépeçage ou dépècement, dépeceur, dépeçoir.

DÉPECEUR, EUSE [depəsœr, øz] n. — XIIIᵉ; de *dépecer*.

♦ **1** Personne qui dépèce.

(1804). Personne qui découpe la viande dans un repas.

Fig. et littér. *Le dépeceur d'un pays.*

◆ **2** N. m. Techn. Ouvrier qui démolit de vieux bateaux afin de récupérer des pièces. — Par ext. *Dépeceur de voitures.*

DÉPÊCHE [depɛʃ] n. f. — 1464, «lettre patente»; de *dépêcher.*

◆ **1** (1671). Lettre concernant les affaires publiques. *Une dépêche diplomatique*. *La dépêche d'Ems.* — *Dépêche en clair, chiffrée.*

1 Il a bien des affaires, à cause des dépêches qu'il faut écrire partout, et à cause de la guerre.
Mᵐᵉ DE SÉVIGNÉ, Lettres, 123, *in* LITTRÉ.

2 (...) il m'emmène à son ambassade, et m'établit courrier de dépêches.
BEAUMARCHAIS, le Mariage de Figaro, I, 2.

◆ **2** (1690). Communication officielle ou privée transmise par voie rapide. → **Avis, correspondance, lettre, message, missive.** *Conseil* des dépêches. Service de dépêches. Sac de dépêches. Anciens porteurs de dépêches.* → **Courrier, estafette.** *Intercepter une dépêche. Distribution à domicile des dépêches.* → **Factage.** — (1800). *Dépêche télégraphique*, et, absolt, *dépêche.* → **Câble, câblogramme, pneumatique, télégramme, télex.**

2.1 — Mon Dieu! murmura la comtesse, pourvu que ce ne soit pas une mauvaise nouvelle!
Elle frissonnait encore de cette terreur que laisse si longtemps en nous la mort d'un être aimé trouvée dans une dépêche. Elle ne pouvait maintenant déchirer la bande collée pour ouvrir le petit papier bleu, sans sentir trembler ses doigts et s'émouvoir son âme, et croire que de ces plis si longs à défaire allait sortir un chagrin qui ferait de nouveau couler ses larmes.
MAUPASSANT, Fort comme la mort, p. 176.

3 (...) eh bien, encore aujourd'hui, quand je reçois une dépêche, je ne peux pas l'ouvrir sans un frisson de terreur.
Alphonse DAUDET, le Petit Chose, I, III, p. 35.

4 La dépêche de Clotilde, reçue à un moment où elle n'était pas vaillante, lui avait causé un premier choc (...)
MARTIN DU GARD, les Thibault, t. IV, p. 193.

Dépêche militaire.

5 Dix jours après l'arrivée du renfort, le planton au poste de T. S. F. apporta une dépêche chiffrée au commandant Luis Weller.
P. MAC ORLAN, la Bandera, XIII, p. 154.

Dépêche de presse, d'agence. Cette dépêche vient de tomber. Bureau, salle des dépêches (d'un journal).* — Par métonymie. L'information elle-même.

6 On lui a offert, ici, en 17, un modeste emploi de journaliste dans une feuille du cru. Son principal travail consiste à mettre en français les dépêches d'agence.
J. ROMAINS, les Hommes de bonne volonté, La douceur de vivre, 1939, p. 90.

DÉPÊCHEMENT [depɛʃmɑ̃] n. m. — 1848, Chateaubriand; de *dépêcher.*

Rare. Action de dépêcher (qqn, qqch.).

DÉPÊCHER [depeʃe] v. tr. — Déb. XIIIᵉ; *despescher*, v. 1462; de 1. *dé-*, et *empêcher.*

◆ **1** (Fin XVᵉ). Vx. Envoyer (qqn) en hâte pour porter un message. → **Envoyer, expédier.** *Dépêcher un courrier, un messager. Il m'a dépêché auprès de vous pour avoir votre réponse.*

1 Ajoutez à cela les courses de ce même laquais dont je vous ai parlé, que mon fils dépêche quatre fois par jour et avec qui, quand il revient, il a toujours de fort longs entretiens.
MARIVAUX, Vie de Marianne, IV.
Fig. Vieilli ou littér. Se débarrasser rapidement de qqn; en finir avec lui. → **Expédier** (fam.). «*Il a dépêché ses visiteurs*» (Académie). — Loc. fam. (V. 1462). *Dépêcher qqn dans l'autre monde.* → **Tuer.** Pron. (Rare). → ci-dessous, cit. 3.1.

(...) il n'est pas de ces médecins qui marchandent les maladies : c'est un homme expéditif, expéditif, qui aime à dépêcher ses malades (...)   2
MOLIÈRE, Monsieur de Pourceaugnac, I, 5.

(...) une vieille tante qu'un grand médecin dépêcha dans l'autre monde (...)   3
VOLTAIRE, l'Homme aux quarante écus, v.

(...) car, veux-tu me le dire, pourquoi serait-il revenu là sinon pour elle? Parce qu'il me semble que pour se dépêcher soi-même dans l'autre monde cela peut aussi bien se faire n'importe où, comme on dépose une ordure derrière le premier buisson venu, parce que je ne pense pas qu'il soit très nécessaire dans ces moments-là de disposer d'un confort spécial (...)   3.1
Claude SIMON, la Route des Flandres, p. 193.

◆ **2** (V. 1490). Littér. ou style soutenu. Faire promptement, hâter l'exécution de (une chose). → **Activer, bâcler, expédier, hâter, presser.** *Dépêcher son travail. Dépêcher son repas. — Dépêchez ce que vous avez à faire.* — Absolt (ou intrans.). *Dépêchez : hâtez-vous. Allons, dépêchons!* (syn. marqué de : *se dépêcher*).

— Dépêchez. — Faites tôt, et hâtez nos plaisirs.   4
MOLIÈRE, les Femmes savantes, III, 1.

Je dépêchais mes devoirs avec une sorte de verve endiablée, trouvant du talent dans le désarroi de mes nerfs trop vibrants.   5
Paul BOURGET, le Disciple, IV, II, p. 139.
Loc. fam. Vx. *À dépêche compagnon* : trop vite et avec négligence. *Travailler à dépêche compagnon.*

◆ **SE DÉPÊCHER** v. pron.
(V. 1490). Mod et cour. Se hâter, faire vite. → **Empresser** (s'), **hâter** (se), **presser** (se); **diligence** (faire), **vite** (faire vite); fam. **décarcasser** (se), **grouiller** (se), **manier** (se). *Se dépêcher de faire qqch. Il s'est dépêché d'en finir. Dépêchez-vous.* — REM. Le pronominal, seul usage courant du verbe en français contemporain, est relativement détaché du verbe transitif.

(...) en se dépêchant trop, on ne fait rien qui vaille.   6
VOLTAIRE, Lettre à d'Argental, 18 oct. 1776.

Et, leste comme un perdreau, elle trotte, elle se dépêche.   7
Alphonse DAUDET, Contes du lundi, «Les mères».

CONTR. Empêcher. — Arrêter, garder, retenir. — Ralentir, retarder. — Lambiner, traîner. ◊ DÉR. Dépêche, dépêchement.

DÉPEÇOIR [depəswaʀ] n. m. — 1753, «couteau utilisé dans la fabrication des chandelles»; de *dépecer*, et *-oir.*
(Av. 1870). Techn. Couteau à dépecer. — Instrument servant à l'étirage des peaux, en ganterie.

DÉPEIGNER [depeɲe] v. tr. — XIVᵉ, *despignier*; repris fin XIXᵉ; de 1. *dé-*, et *peigner.*
Décoiffer (2.), déranger l'arrangement des cheveux de (qqn). *Le vent la dépeignait.* — Pron. *Se dépeigner.*

◆ **DÉPEIGNÉ, ÉE** p. p. adj.
◆ **1** (En parlant des cheveux). Dont l'arrangement est dérangé.

(...) des saules laissant tomber leurs feuillages sur l'eau comme une femme aux cheveux dépeignés.   1
A. MAUROIS, Climats, I, v, p. 45.

Partout des tignasses dépeignées et des pantoufles.   2
J. ROMAINS, les Hommes de bonne volonté, t. III, p. 47.

◆ **2** (Personnes). Dont les cheveux sont en désordre. *Je suis toute dépeignée.*

CONTR. Peigner.

1. DÉPEINDRE [depɛ̃dʀ] v. tr. [CONJUG. : *peindre*.] — V. 1212, «peindre»; du lat. *depingere* «peindre», de *de-* intensif (→ 2. *Dé-*), et *pingere* «peindre», adapté d'après *peindre.*

◆ **1** (Av. 1216). Vx ou littér. Représenter par des couleurs.

1 En attendant cette peinture, où je prétends vous le dépeindre *(Trissotin)* de toutes ses couleurs (...)
MOLIÈRE, les Femmes savantes, IV, 4.

1.1 (...) à l'instar des premiers architectes et maîtres verriers de l'âge gothique, elle *(une lanterne)* substituait à l'opacité des murs d'impalpables irisations, de surnaturelles apparitions multicolores, où des légendes étaient dépeintes comme dans un vitrail vacillant et momentané.
PROUST, Du côté de chez Swann, Pl., t. I, p. 9.

♦ **2** (V. 1550). Cour. Décrire et représenter par le discours. → **Brosser, décrire, peindre, représenter.** *Dépeindre qqn tel qu'il est. Il est bien tel qu'on me l'a dépeint. Dépeindre un caractère, une passion. Dépeindre une scène.* → **Raconter.**

2 (...) dépeindre l'amour comme un aveugle (...)
PASCAL (→ Amour, cit. 44).

3 (...) on *dépeint* (...) avec une exactitude rigoureuse, trait pour trait; car ce verbe marque un rapport à quelque chose d'où part l'action et qui sert de modèle. On *dépeint* en faisant le portrait fidèle, en rassemblant tous les traits qui caractérisent de manière qu'il ne soit plus possible de confondre avec autre chose, et qu'on reconnaisse infailliblement.
LAFAYE, Dict. des synonymes, Peindre, dépeindre.

2. DÉPEINDRE [depɛ̃dʀ] v. tr. [CONJUG.: *peindre.*] — D. i.; de 1. *dé-,* et *peindre.*

Techn. Rare. Enlever la peinture de (qqch.). *Dépeindre et poncer qqch. avant de repeindre.*

DÉPELOTONNER [dep(ə)lɔtɔne] v. tr. — 1848; de 1. *dé-,* et *pelotonner.*

Rare. Défaire (un peloton, une pelote). *Dépelotonner de la laine, du fil.*

CONTR. Empeloter.

DÉPENAILLÉ, ÉE [dep(ə)naje] adj. — 1546; de 2. *dé-,* et du moy. franç. *penaille* «tas de loques», dér. anc. de *pane* «chiffon».

♦ **1** Fam. Qui est en lambeaux, en loques. → **Délabré, déloqueté** (→ Antique, cit. 4). *Livre dépenaillé. Vêtement dépenaillé.*

0.1 En ce moment, une pauvre mendiante, tenant un enfant à la main, pieds nus dans la boue, coiffée d'un chapeau dépenaillé auquel pendait une plume lamentable, un châle en loques sur ses haillons, s'approcha de Mr Fogg et lui demanda l'aumône.
J. VERNE, le Tour du monde en 80 jours, p. 27.

1 À la tristesse morne de la rue Vaneau, la Direction Générale des Dons et Legs ajoute la noire tristesse de sa façade sans un relief et de son drapeau dépenaillé, tourné à la loque déteinte.
COURTELINE, Messieurs les ronds-de-cuir, 1er tableau, II, p. 27.

(1611). Personnes. Qui est en haillons. → **Déguenillé.** — (1798). Dont la mise est tout à fait négligée, en désordre. → **Débraillé.** *Pâle et dépenaillé.*

2 Il était tout dépenaillé, pieds nus, jambes nues, la chemise en lambeaux, mais propre comme une chatte.
LOTI, Aziyadé, «Salonique», VII, p. 13.

3 Il lui arrivait d'attendre ici Robert quand il avait huit ou neuf ans. C'était alors son chemin au retour de l'école. Il surgissait encore dans une bande de gamins comme lui dépenaillés. C'est drôle, les gosses, ils ont toujours un bout de peau dénudé, les vêtements à la guenille.
François NOURISSIER, la Crève, p. 65.

♦ **2** Fig. En mauvais état. *Fortune dépenaillée.*

CONTR. Luxueux, neuf, soigné. ◊ DÉR. Dépenaillement.

DÉPENAILLEMENT [dep(ə)najmã] n. m. — 1734; de *dépenaillé,* et 2. *-ment.*

Vieilli. Fam. État d'une personne, d'une chose dépenaillée.

DÉPÉNALISATION [depenalizasjɔ] n. f. — 1975; de *dépénaliser.*

Action de dépénaliser (une infraction); son résultat. «*Grâce à la dépénalisation de la contraception et de l'avortement, la maternité a cessé d'être un destin, un devoir, une institution; c'est un choix*» (*le Monde,* 23 mars 1999).

DÉPÉNALISER [depenalize] v. tr. — Mil. XXe; de 1. *dé-, pénal,* et *-iser.*

Dr. Supprimer le caractère pénal de (une infraction, par ext., une activité, etc.). «*Je veux qu'on le* (le haschisch) *dépénalise : il est inadmissible que des gosses soient condamnés, voire enfermés, parce qu'ils fument*» (Cl. Olievenstein, *Il n'y a pas de drogués heureux,* p. 290).

DÉR. Dépénalisation.

DÉPENDAGE [depɑ̃daʒ] n. m. — 1898, *Nouveau Larousse illustré;* de 2. *dépendre,* et *-age.*

Rare ou techn. Action de dépendre.

Opération qui consiste à désolidariser les maillons dans lesquels passent les fils de chaîne des arcades qui les soutiennent (dans le tissage au métier Jacquard).

DÉPENDAMMENT [depɑ̃damɑ̃] adv. — 1671; de *dépendant,* et 1. *-ment.*

Rare. D'une manière dépendante. *Agir dépendamment de qqn.*

CONTR. (Plus cour.) Indépendamment.

DÉPENDANCE [depɑ̃dɑ̃s] n. f. — 1361, *in* D.D.L.; de 1. *dépendre.*

♦ **1** (1370). Rapport qui fait qu'une chose dépend* d'une autre. *Rapport de dépendance, la dépendance entre deux choses, d'une chose et d'une autre.* → **Causalité, conséquence, corrélation, enchaînement, interdépendance, liaison, rapport, solidarité.** *Dépendances réciproques dans un système, un réseau, une structure.*

1 (...) les événements y ont une telle dépendance l'un de l'autre, que la tragédie n'aurait pas été complète si je ne l'eusse poussée jusqu'au terme où je la fais finir.
CORNEILLE, Examen de Pompée.

2 Décomposer les idées, noter leurs dépendances, former leur chaîne de telle façon qu'aucun anneau ne manque (...)
TAINE (→ Chaîne, cit. 35).

3 Tout se tient et je sens, entre tous les faits que m'offre la vie, des dépendances si subtiles qu'il me semble toujours qu'on n'en saurait changer un seul sans modifier tout l'ensemble.
GIDE, les Faux-monnayeurs, I, XI, p. 116.

♦ **2** Accessoire* (d'une chose principale). *Les dépendances d'un empire,* les terres qui en relèvent, en dehors du territoire métropolitain. *Carthage et ses dépendances.*

4 Il lui demanda de lui rendre Tyr et Sidon, qui étaient des dépendances de la Syrie, dont il était roi (...)
Charles ROLLIN, Hist. ancienne, Œ., t. VII, p. 270,
in POUGENS.

(1474). Terre, bâtiment dépendant d'un domaine, d'un bien immeuble. *Maison vendue avec toutes ses circonstances* et dépendances. Une terre et ses dépendances.* → **Aboutissant, appartenance** (cit. 2), **attenances** (vx), **tenant.** *Ce bois est une dépendance du domaine.* → **Succursale.** *Dépendances d'un hôtel, d'un château.* → **Annexe, communs.**

5 (...) immeuble composé d'un vaste bâtiment, de nombreuses dépendances et de plusieurs hectares de terrain (...)
J. ROMAINS (→ Composer, cit. 29).

Féod. *Le fief* servant, *dépendance du fief* dominant.
→ **Fief, mouvance, tenure.**

Fig. → **Appendice, complément, conséquence, effet, épisode, suite.**

6 Nous pouvons connaître très certainement beaucoup de choses, dont toutefois nous n'entendons pas toutes les dépendances ni toutes les suites.
BOSSUET, Traité du libre arbitre, IV.

Par plaisanterie :

7 Je veux une nourrice très forte : mon enfant est énorme (...) Donnez-moi, s'il vous plaît, une grosse nourrice (...) avec toutes ses dépendances.
Et notre homme accompagne cette phrase d'un geste significatif, en arrondissant ses bras devant sa poitrine.
Ch. PAUL DE KOCK, la Grande Ville, t. I, p. 9 (éd. 1842).

♦ **3** Fait, pour une personne, d'être sous l'autorité, l'influence de qqn, de dépendre (de qqn ou de qqch.). → **Asservissement, assujettissement, attachement, captivité, chaîne, esclavage, obédience, obéissance, oppression, servage, servitude, soumission, subordination, sujétion, vassalité** (→ **Chose,** cit. 18). *Une étroite dépendance. Dépendance de droit, de fait. La dépendance du serf. Dépendance de l'employé, du subordonné. Dépendance des animaux.* → **Domesticité.** *Le tribut, signe de dépendance. S'affranchir de la dépendance.*

7.1 Il est faux que l'égalité soit une loi de la nature. La nature n'a rien fait d'égal. Sa loi souveraine est la subordination et la dépendance. VAUVENARGUES, Maximes, 227.

8 Il y a deux sortes de dépendance : celle des choses, qui est de la nature ; celle des hommes, qui est de la société.
ROUSSEAU, Émile, II.

8.1 (...) l'entraînement d'une âme soumise, la résignation de la faiblesse (...) la dépendance volontaire d'une créature sensible et timide vers celle qui lui impose de la confiance et du respect (...) Ch. NODIER, Jean Sbogar, VIII.

9 L'indépendance fut toujours mon désir et la médiocrité ma destinée. A. DE VIGNY, Journal d'un poète, p. 98.

10 Par la simple *dépendance*, on est en tutelle, on ne peut rien résoudre, rien entreprendre sans avoir le consentement d'une certaine personne (...)
LAFAYE, Dict. des synonymes, Subordination, dépendance.

Loc. DANS, SOUS LA DÉPENDANCE DE... *Mettre, tenir dans la dépendance.* → **Asservir** (cit. 1). *Être dans la dépendance, sous la dépendance de qqn.* → **Chose** (être la chose de qqn), **coupe, empire, joug, main** (entre les mains), **merci** (à la merci), **patte** (dans les pattes), **pouvoir** (au pouvoir de), **puissance** (sous la puissance), **tutelle.** *Enfant sous la dépendance de ses parents.*

♦ **4** Le fait pour une personne, de ne pas être autonome physiquement. *La dépendance totale des nouveau-nés. L'état de dépendance des handicapés, de certaines personnes âgées.*

♦ **5** Asservissement à un produit nocif dont la consommation répétée a créé le besoin impérieux. → **Pharmacodépendance, toxicodépendance ; addiction** (anglic.). — REM. L'O.M.S. préconise l'expression *dépendance* (à l'égard des drogues) comme substitut de *toxicomanie.* — *État de dépendance. Dépendance psychique, dans l'accoutumance*. Dépendance psychique et physique, dans l'assuétude*. Dépendance avec ou sans tolérance*. Dépendance à la morphine.* Didact. *Dépendance de type amphétaminique, morphinique...*

♦ **6** Le fait d'être tributaire (d'obligations, de charges, de besoins). *La dépendance énergétique de la France par rapport aux pays producteurs de pétrole. Dépendance économique, financière.*

CONTR. Autonomie, empire, indépendance, liberté, omnipotence, principal (n. m.), **souveraineté, tyrannie.** ◊ **COMP. Interdépendance, pharmacodépendance, toxicodépendance.**

DÉPENDANT, ANTE [depɑ̃dɑ̃, ɑ̃t] adj. — 1355 ; de 1. *dépendre.*

Qui dépend (de qqn, de qqch.).

♦ **1** (Personnes, entités personnifiées). *Être dépendant de qqn :* être sous l'autorité, l'influence de qqn. *Pays dépendants. Économie entièrement dépendante. Personne dépendante,* qui ne peut plus effectuer seule les actes de la vie quotidienne, qui a besoin d'une assistance constante. *Les personnes âgées dépendantes.*

Quelle différence entre un soldat et un chartreux, quant à l'obéissance ? car ils sont également obéissants et dépendants, et dans des exercices également pénibles.
PASCAL, Pensées, VII, 539. 1

L'homme est faible quand il est dépendant, et il est émancipé avant que d'être robuste.
ROUSSEAU, De l'inégalité parmi les hommes. 2

(...) la jeune fille, alors âgée de vingt ans, opprimée, assujettie à des soins domestiques inférieurs et dans une condition tout à fait dépendante.
SAINTE-BEUVE, Causeries du lundi, 20 mai 1850, t. II, p. 124. 3

Homme ! le plus complexe des êtres, et c'est pourquoi, le plus dépendant des êtres. De tout ce qui t'a formé, tu dépends. GIDE, Journal, Feuillets, 1893, Pl., p. 46. 4

N. m. Vx (langue class.) ou hist. Vassal, sujet.

♦ **2** (Choses). Qui dépend (2.) de qqch. → **Accessoire, soumis, subordonné** (à). *Ces deux choses sont dépendantes l'une de l'autre.* → **Interdépendant.** — Gramm. *Proposition dépendante de la principale,* ou *subordonnée.*

CONTR. Autonome, émancipé, indépendant, libre. — Dominant. ◊ **DÉR. Dépendamment.**

DÉPENDEUR, EUSE [depɑ̃dœʀ, øz] n. — 1260 ; de 2. *dépendre.*

Rare. Personne qui dépend ce qui est pendu. — **Loc. fam.** *Un dépendeur d'andouilles :* un homme très grand et un peu niais.

Il (*Judet*) exécrait Rochefort, lequel de son côté, le tenait pour « un grand abruti (...) un dépendeur d'andouilles et pas autre chose ».
Léon DAUDET, Salons et journaux, 1917, p. 86, in T. L. F.

---

1. DÉPENDRE [depɑ̃dʀ] v. tr. ind. — V. 1160 ; lat. *dependere,* propr. « pendre de », d'où sens fig. « se rattacher à », et, par ext., « être sous la puissance de qqn », de *de-,* et *pendere.* → **Pendre.**

♦ **1** (V. 1273). Sujet n. de chose. **DÉPENDRE DE** (**qqch., qqn**) : ne pouvoir se réaliser sans l'action ou l'intervention (d'une personne, d'une chose). → **Dépendance ; procéder** (de), **provenir, rattacher** (se), **résulter** ; (être) **attaché, lié...** *L'effet, la conséquence dépend de la cause.* → **Découler** (→ Comment, cit. 11). *Termes qui dépendent les uns des autres* (→ **Corrélatif**). *L'issue de la bataille dépend de cette manœuvre. Toute affaire en dépend. Répondez, votre vie en dépend.* → **Reposer** (sur), **rouler** (sur), **tenir** (à). *Dépendre du hasard* (→ Casuel, cit. 1). *Résultat qui dépend d'un rien* (→ Tenir* à un cheveu, à un fil). *Sa venue dépend de vous.*

Le bonheur et le malheur des hommes ne dépend pas moins de leur humeur que de la fortune.
LA ROCHEFOUCAULD, Maximes, 61. 1

De vous dépend ma peine ou ma béatitude.
MOLIÈRE, Tartuffe, III, 3. 2

Chez les Grecs, tout dépendait du peuple, et le peuple dépendait de la parole.
FÉNELON, Lettre à M. Dacier... sur les occupations de l'Académie, IV. 3

4 Sa vie *(de l'homme des premiers temps)* était dans les mains de la nature; il attendait le nuage bienfaisant d'où dépendait sa récolte; il redoutait l'orage qui pouvait détruire le travail et l'espoir de toute une année.
FUSTEL DE COULANGES, la Cité antique, III, II, p. 136.

5 Tout changement matériel produit un changement moral, puisque les mœurs dépendent du milieu.
FRANCE, Hist. comique, IX, p. 136.

6 L'évolution d'une nation dépend des conditions matérielles dans lesquelles elle a vécu.
Ch. SEIGNOBOS, Hist. sincère de la nation franç., I, p. 1.

7 Elles *(les étoiles)* se tiennent l'une à l'autre toutes attachées, par des liens qui sont des vertus et des forces, de sorte que l'une dépend de l'autre et que l'autre dépend de toutes.
GIDE, les Nourritures terrestres, p. 187.

8 Sa conduite dépendrait des circonstances (...)
J. ROMAINS, les Hommes de bonne volonté, t. V, XXVI, p. 265.

Impers. et cour. *Cela dépend ; ça dépend... Cela dépend des circonstances, des conditions* (→ Conditionnel). *Si cela ne dépendait que de moi, ce serait facile.* Ellipt. *Si cela ne dépendait que de moi ! :* je le ferais volontiers, si c'était en mon pouvoir. — Langue orale (sans de). *Cela, ça dépend qui, quoi. Ça dépend comment. Ça dépend si tu m'accompagnes ou non. Ça dépend où. Tu veux un bonbon ? Ça dépend lequel.* Ellipt. *Est-ce que tu viendras ? Ça dépend :* selon les circonstances; peut-être.

Impers. **IL DÉPEND DE (qqn)**, suivi de l'inf. ou de *que +* subj. *Il dépend de moi que vous soyez envoyé à Paris. Il dépend de vous de faire ceci.* → **Appartenir** (il vous appartient de...). *Il ne dépend que de moi de...* (→ Arracher, cit. 15).

9 (...) il ne dépendra pas de vous de me laisser ici : plutôt mourir que de vous voir partir sans moi.
FÉNELON, Télémaque, IV.

10 Son expérience fût-elle légère, c'est une expérience — il dépend de nous de l'assurer; son observation inexacte, c'est une observation — il dépend de nous de la recommencer.
J. PAULHAN, les Fleurs de Tarbes, p. 60.

10.1 (...) puisqu'il dépend de moi, puisqu'il dépend d'une note écrite (...) que ce secret soit ou non dérobé au néant.
MARTIN DU GARD. (→ Barre, cit. 13).

♦ **2** (1459). Sujet n. de chose concrète. Faire partie de quelque chose. → **Appartenir**. *Ce parc dépend de la propriété.* — (1459). Féod. *Terre qui dépend d'un fief.* → **Mouvoir** (vx). *Territoires qui dépendent de la France. Dépendre de telle juridiction, de telle administration.* → **Compétence; relever, ressortir** (à).

♦ **3** (1580). Sujet n. de personne ou de groupe. *Dépendre de (qqn, qqch.) :* être sous l'autorité, la domination, l'emprise de (qqn, qqch.). → **Dépendance** (3.); → Coopération, cit. 1. *Ne dépendre de personne; ne dépendre que de soi* (→ Être son maître*). *Pays qui dépend économiquement d'un autre.*

11 (...) je dépends d'un père, et (...) le nom de mon fils me soumet à ses volontés.
MOLIÈRE, l'Avare, I, 2.

12 (...) dépendre, c'est, selon la plus claire notion et la plus évidente, être tenu d'obéir (...)
BOURDALOUE, Exhortation sur l'obéissance relig., t. VIII, p. 242.

13 Un peuple de pêcheurs, de matelots et de petits fermiers, qui dépendent de quelques gros marchands.
André SUARÈS, Trois hommes, «Ibsen», I, p. 72.

14 Les femmes n'ont pas de morale, elles dépendent pour leurs mœurs de ceux qu'elles aiment.
A. MAUROIS, Climats, II, XXI, p. 269.

CONTR. Affranchir (s'), libérer (se). ◊ DÉR. **Dépendance, dépendant.**

2. DÉPENDRE [depɑ̃dʀ] v. tr. [CONJUG.: *pendre.*] — V. 1180, Marie de France; de 1. *dé-,* et *pendre.*

Détacher (ce qui est pendu, suspendu); faire cesser d'être pendu. → **Décrocher, détacher.** *Dépendre un tableau. — Dépendre une personne* (qui s'est pendue).

Le dépendre n'était pas une besogne aussi facile que vous pouvez le croire. Il était déjà fort raide, et j'avais une répugnance inexplicable à le faire brusquement tomber sur le sol. Il fallait le soutenir tout entier avec un bras, et, avec la main de l'autre bras, couper la corde.
BAUDELAIRE, le Spleen de Paris, «La corde».

Loc. fig. Fam. et vx. *Dépendre sa langue :* parler beaucoup (à se décrocher la langue).

CONTR. **Accrocher, pendre, reprendre, suspendre.** ◊ DÉR. **Dépendage, dépendeur.**

DÉPENS [depɑ̃] n. m. pl. — 1170; lat. *dispensum,* de *dispendere* «peser en distribuant», d'où «distribuer».

♦ **1** (1170). Vx. Ce qui est dépensé. → **Dépense.** Loc. *Gagner ses dépens.*

1 Gagner ses dépens (...) se dit d'une personne dont les services compensent les dépenses qu'elle occasionne.
LITTRÉ, Dict., art. Dépens.

♦ **2** (1306). Mod. *Aux dépens de (qqn), à ses dépens :* en faisant payer, supporter la dépense par (qqn). → **Compte** (sur le compte de), **frais** (aux frais de). *S'enrichir aux dépens de ses clients. Il mène joyeuse vie à nos dépens. Vivre aux dépens d'autrui* (→ **Parasite**). *Je l'ai hébergé et il vit à mes dépens.* → **Charge** (à la charge de), **crochet** (aux crochets de). — (Le compl. ne désignant pas une personne). *Aux dépens d'une entreprise, du Trésor public.*

2 (...) Mon bon Monsieur,
Apprenez que tout flatteur
Vit aux dépens de celui qui l'écoute.
LA FONTAINE, Fables, I, 2.

3 Il est dur d'être gueux, tandis qu'il y a tant de sots opulents aux dépens desquels on peut vivre.
DIDEROT, le Neveu de Rameau, Pl., p. 439.

(1580, Montaigne). Fig. En faisant subir un dommage (à qqn). → **Détriment** (au).

4 (...) le Roi lui donne une grande partie de son temps au(x) dépens de ses anciennes amies (...)
Mᵐᵉ DE SÉVIGNÉ, 797, 5 avr. 1680.

5 (...) nous pardonnions à l'électeur de Brandebourg d'avoir attisé la guerre en Europe pendant quarante ans pour s'arrondir aux dépens de tous ses voisins.
FUSTEL DE COULANGES, Questions contemporaines, p. 5.

6 (...) tout bonheur me paraît haïssable qui ne s'obtient qu'aux dépens d'autrui et par des possessions dont on le prive.
GIDE, les Nouvelles Nourritures, p. 60.

S'amuser, rire aux dépens de qqn, en faire un objet de dérision ou de blâme.

7 Vous apprendrez (...) à rire à nos dépens (...)
MOLIÈRE, Sganarelle, 17.

8 (...) nul ne rit de bon cœur à ses dépens.
ROUSSEAU, Lettre à M. d'Alembert, note.

(Le sujet du verbe correspondant au compl. de *aux dépens de...). Vous irez, mais à vos propres dépens.* — Fig. et cour. *Apprendre, savoir qqch. à ses dépens,* par une expérience cuisante.

9 Je suis devenu là-dessus savant à mes dépens (...)
MOLIÈRE, George Dandin, I, 1.

10 (...) tout ce que je sais, je l'ai appris à mes dépens (...)
LOTI, Aziyadé, XXIII, p. 103.

Aux dépens de qqch. : en sacrifiant qqch. → **Détriment** (au détriment de), **prix** (au prix de).

11 Je ne balance point, je vole à son secours :
Je défendrai sa vie aux dépens de mes jours.
RACINE, Andromaque, I, 4.

11.1 Les bourgeons terminaux se développent toujours aux dépens des autres.
GIDE, Journal, 8 janv. 1922.

12   Il y avait dans la nudité géométrique de l'ensemble cette évidence ou cette illusion de logique, que quelques-uns commençaient alors à priser aux dépens de tout le reste.
J. ROMAINS, les Hommes de bonne volonté, t. V,
XXVII, p. 285.

♦ **3 Dr.** Frais judiciaires à la charge de la partie qui succombe. *Les dépens comprennent les émoluments des officiers ministériels, les droits perçus par le Trésor dans les divers actes de l'instance, les droits de timbre et d'enregistrement. Être condamné aux dépens. Payer les dépens. — Compensation des dépens :* répartition par le tribunal des dépens entre parties succombant respectivement sur quelque chef.

13   (...) Je perds ma cause avec dépens.
RACINE, les Plaideurs, I, 7.

14   Toute partie qui succombera sera condamnée aux dépens.
Code de procédure civile, art. 130.

DÉPENSE [depɑ̃s] n. f. — 1176; lat. *dispensa*, p. p. fém. de *dispendere*. → Dépens.

I Action de dépenser. ♦ **1** (*Une, des dépenses, la dépense de...*). Emploi d'argent, spécialt, à des fins autres que le placement. → **Frais.** *Une dépense de mille francs. Faire, engager une dépense. Faire la dépense d'une somme pour qqch.,* et, ellipt (vieilli), *faire la dépense d'un meuble. — Dépense nécessaire, utile; dépense inutile, voluptuaire*. — Dépense ordinaire. Dépense imprévue.* → **Extra, frais** (faux frais). *— Dépense du ménage, de la table; dépense de bouche. Dépense pour un achat personnel, un cadeau, un don. Dépense légale pour les impôts, les taxes. Dépense légale spéciale.* → **Charge.** *Dépense à laquelle on contribue.* → **Contribution, cotisation, écot, participation, quote-part.** *Dépenses d'entretien d'un immeuble* (→ **Impense**). *Dépense qu'on doit renouveler sans cesse.* → **Rente** (fig.); → *C'est le tonneau des Danaïdes*. Argent de poche pour les petites dépenses. — Carnet de dépenses,* sur lequel on inscrit le montant de ses dépenses. *Faire face à une, à des dépenses.* → **Payer; paiement.** *Payer les dépenses de qqn.* → **Défrayer.** *Couvrir une dépense :* fournir une somme équivalente. *Régler sa dépense. Équilibrer dépenses et revenus* (→ fam. Joindre les deux bouts*). *Avoir l'initiative des dépenses.* → **Bourse** (tenir la bourse, les cordons de la bourse*). *— Faire de grosses, de folles dépenses; des dépenses ruineuses. Se lancer dans les dépenses.* → **Dépenser** (→ Faire des folies*, faire des sacrifices*, se saigner aux quatre veines*). *Être écrasé par les dépenses; être accablé, surchargé de dépenses. Cela nécessite de grandes dépenses. C'est une source de dépenses. Qui entraîne de grandes dépenses.* → **Coûteux, dispendieux, onéreux, somptueux.** *Occasionner* (cit. 2) *des dépenses. Des dépenses de nabab.* → Pactole, cit. *Goût des dépenses.* → **Dissipation, luxe, prodigalité.** *Surveiller, diminuer les dépenses. Lois pour restreindre les dépenses.* → **Somptuaire.**

1   N'as-tu point de honte (...) de te précipiter dans des dépenses effroyables?
MOLIÈRE, l'Avare, II, 2.

2   Eh bien! c'est commode une femme comme toi; ça ne fait pas de dépense, dit Germain en souriant.
G. SAND, la Mare au diable, VIII, p. 69.

3   L'État, les départements et les communes pourront engager les dépenses nécessaires pour l'entretien et la conservation des édifices (...)
Loi du 9 déc. 1905, art. 1, 2, 13.

4   Il n'était certes pas avare, mais strict dans ses dépenses.
G. DUHAMEL, Chronique des Pasquier, III, V, p. 49.

5   Il restait ainsi moins de vingt-cinq mille francs pour l'habillement de six personnes, les sorties, les voyages en chemin de fer, les contributions, les gratifications et charités, les honoraires de médecin, l'argent de poche du

marquis et des autres membres de la famille, et toutes les dépenses qu'on appelle imprévues (...)
J. ROMAINS, les Hommes de bonne volonté, t. III,
XI, p. 145.

Dépense implique usage ou emploi, indéterminé quant à   6 l'objet et à la personne, de son argent. *Frais* se dit d'une dépense précise et réglée, presque toujours obligée ou utile.   BAILLY, Dict. des synonymes, Dépense.

La dépense : l'ensemble des dépenses d'une personne; le fait de dépenser. *Faire face à la dépense de qqn, du ménage* (→ Faire bouillir la marmite*). *Pousser, entraîner, inviter qqn à la dépense. —* Loc. cour. *Regarder à la dépense :* être économe, regardant*. *Elle ne regarde pas à la dépense. —* Vieilli. *Faire de la dépense; se mettre en dépense.*

Comptab. (*Une, des dépenses*). Sortie d'argent (→ **Débours, décaissement, sortie**), et, par ext., compte sur lequel est portée la dépense. *Établissement des dépenses et des recettes.* → **Bilan, budget, comptabilité, compte, économie.** *Évaluer, calculer une dépense. Crédit alloué pour une dépense. Gain sur la dépense prévue.* → **Boni.** *Porter en dépense; imputer une dépense sur un chapitre du budget. Colonne des dépenses.* → **Débit.** *Chiffre de dépenses. Excédent des dépenses sur les recettes.* → **Déficit, perte.** *Personne qui s'occupe de régler la dépense.* → **Caissier, comptable, économe, intendant, payeur, trésorier.**

Il est juste que je mette ces frais-là à son débit. Les   7 dépenses déjà effectuées seulement.
J. ROMAINS, les Hommes de bonne volonté, t. II,
IX, p. 97.

(1791). **Fin.** *Dépenses publiques,* faites par les personnes publiques (État, départements, communes, établissements publics) dans un but d'utilité publique. → **Charge, finance; budget.** *Évaluation, vote, engagement, liquidation, ordonnancement, paiement, contrôle des dépenses.*

(...) un caractère essentiel des finances publiques, c'est en   8 effet qu'on *dépense d'abord* et qu'on se procure ensuite l'argent nécessaire pour payer cette dépense.
L. TROTABAS,
Précis de science et législation financières, p. 5.

Non seulement une telle mesure détruit des forêts, cette   8.1 richesse non comptable, ou du moins non comptée, non seulement elle accroît les dépenses publiques et privées, et dégrade la balance des comptes, mais elle contribue à accentuer encore la boursouflure démocratique.
A. SAUVY, Croissance zéro, p. 188.

Écon. *Dépense nationale :* ensemble des dépenses de consommation des particuliers et du secteur public, des investissements productifs et du solde du commerce extérieur pour l'ensemble d'un pays au cours d'une année.

♦ **2 Fig.** (Qualifié). Usage, emploi de qqch. *Dépense de temps. Dépense physique; dépense de forces; dépense nerveuse. Dépense énergétique. Dépense intellectuelle. Faire grande dépense d'ingéniosité pour obtenir ce que l'on veut. Il a fait une inutile dépense d'esprit et d'érudition pour nous éblouir.* → **Étalage, exhibition, montre. —** Loc. *Se mettre en dépense :* faire des efforts. → **Frais** (fig. Se mettre en frais).

Vous eûtes de la complaisance;   9
Mais vous en deviez moins avoir,
Et ne vous pas mettre en dépense
Pour ne me donner que l'espoir.
MOLIÈRE, le Misanthrope, I, 2.

(...) il fait une furieuse dépense en esprit.   10
MOLIÈRE, les Précieuses ridicules, 11.

(...) la plus forte dépense que l'on puisse faire est celle du   11 temps.
LA BRUYÈRE, Disc. sur Théophraste.

(...) grâce à la continuité d'un labeur sans distraction et   12 d'une dépense de forces éprouvées et soutenues, son sillon était aussi vite creusé que celui de son fils (...)
G. SAND, la Mare au diable, II, p. 19.

13 (...) cet endiablé charleston (...) qui (...) exigeait une telle dépense nerveuse qu'il y fallut bientôt renoncer et s'en reposer (...)
Francis DE MIOMANDRE, Danse,
Danses d'aujourd'hui, p. 61.

Techn. Quantité d'une matière consommée. → **Consommation.** *Dépense en combustible d'une machine à vapeur. La dépense d'essence d'une automobile.*

■ **II** (Fin XIIIᵉ; «cave», v. 1220). Vieilli ou hist. Dans un château, un établissement, une communauté, Lieu où l'on reçoit et où l'on distribue les objets en nature, où se fait le paiement des gens de service et des fournisseurs. → **Office.**

14 Au chief *(au chevet)* du cloître d'autre part étaient les cuisines, les bouteilleries, les panneteries et les dépenses (...)
JOINVILLE, 206, *in* LITTRÉ.

15 À l'office, qu'on nomme autrement la dépense (...)
LA FONTAINE, Appendice aux Fables,
«La ligue des rats».

Vx ou régional. Lieu où l'on range les provisions destinées à la table (dans une maison).

16 Ces pommes étaient au fond d'une dépense (...)
ROUSSEAU, les Confessions, 1.

CONTR. Économie, gain, revenu. — Crédit, recette, rentrée (d'argent). ◊ **DÉR.** Dépenser, dépensier.

DÉPENSER [depɑ̃se] v. tr. — Déb. XIIIᵉ; de *dépense.*

♦ **1** (Déb. XIIIᵉ). Donner, laisser à qqn (une somme d'argent) pour obtenir qqch. → **Payer.** *Dépenser une somme, cent francs, mille dollars. Il a dépensé tout ce qu'il avait, la moitié de ce qu'on lui a donné. Dépenser tant par mois. Avoir peu d'argent à dépenser. Ne pas dépenser un sou* (→ **Débourser**). *Sans rien dépenser :* gratuitement. → *Sans bourse* délier. *L'argent est fait pour être dépensé. Dépenser beaucoup, ne pas regarder à la dépense.* → **Dépense.** → Mener la vie à grandes guides*; vivre sur un grand pied*; vivre comme un prince*; faire le grand seigneur*; mener grand train*; mener grande vie*; vivre* bien, largement. *Dépenser trop; dépenser plus qu'on ne gagne.* → **Consumer, dévorer, dilapider, dissiper, écorner** (son avoir), **engloutir, gaspiller, jeter, prodiguer, ruiner** (se). → Manger* son bien, son blé en herbe; semer* son argent; verser* l'or à pleines mains; (fam.) brûler la chandelle par les deux bouts*. *Dépenser tous ses revenus en boisson.* → **Boire** (sa fortune, son héritage). — Absolt. *Dépenser sans compter. Dépenser à bon, à mauvais escient. Il dépense trop. Il ne sait que dépenser. Dépenser pour ses vêtements, son logement.* — *Dépenser pour qqn.* → **Défrayer, entretenir, soutenir, subvenir** (à). *Faire dépenser qqn pour soi* (→ Vivre aux crochets*, aux dépens* de qqn).

1 Il ne faut point de bourse à qui veut dépenser.
REGNARD, Vendanges, I, *in* LITTRÉ.

2 La République a bien affaire
De gens qui ne dépensent rien!
LA FONTAINE, Fables, VIII, 19.

3 Elle aime à dépenser, en habits, linges et nœuds (...)
MOLIÈRE, l'École des maris, I, 2.

4 L'avare dépense plus mort en un seul jour, qu'il ne faisait vivant en dix années (...)
LA BRUYÈRE, les Caractères, VI, 65.

5 (...) celui-là sera toujours riche qui ne dépense pas son revenu.   BALZAC, la Vieille Fille, Pl., t. IV, p. 229.

6 Ceux qui ne sont pas économes, ou font acheter leur temps à vouloir l'être : dès qu'une nouvelle occasion de dépenser se présente, ils y cèdent (...)
R. ROLLAND, Jean-Christophe, VI, p. 96.

6.1 Il s'émerveillait de comprendre du premier coup les inscriptions sur les boutiques, de pouvoir dépenser sans compter (avec le change).
A. BLONDIN, Monsieur Jadis, p. 110.

♦ **2** (1907). Consommer (une certaine quantité de carburant, d'électricité, d'énergie) pour un moteur, un appareil, un véhicule. → **Consommer, user.** *Une voiture qui dépense peu d'essence. Ce poêle dépense trop de mazout.* — Par ext. *Je dépense dix litres d'essence. Il dépense trop d'électricité.*

(...) il dépensait un stère de bois, et lésinait sur une allumette (...)   6.2
R. ROLLAND, Jean-Christophe, Antoinette, I, p. 847.

♦ **3** (1832). Fig. Employer (ce qui est assimilé à un capital). → **Dilapider, user.** *Dépenser sa jeunesse. Dépenser ses forces, son énergie, sa vie.* → **Consommer.** *Dépenser en vain son éloquence. Dépenser des trésors d'ingéniosité pour parvenir à ses fins.* → **Déployer, prodiguer.** — Loc. *Dépenser sa salive :* parler sans nécessité.

(...) on ne triomphe du temps qu'en créant des choses   7
immortelles; par des travaux sans avenir, par des distractions frivoles, on ne le tue pas : on le dépense.
CHATEAUBRIAND, Mémoires d'outre-tombe, t. VI,
p. 302.

Ce temps qu'en folie on dépense,   8
Comme il nous échappe et nous fuit!
A. DE MUSSET, Premières poésies, «À Juana».

La faute des hommes supérieurs est de dépenser leurs   9
jeunes années à se rendre dignes de la faveur.
BALZAC, la Peau de chagrin, Pl., t. IX, p. 88.

La discussion était finie; mais le boulanger, mis en train,   10
avait besoin de dépenser le restant de sa verve (...)
Alphonse DAUDET, Lettres de mon moulin,
«La diligence de Beaucaire».

♦ **SE DÉPENSER** v. pron.

♦ **1** (Passif). Être dépensé. *Une telle somme se dépense aisément. C'est fou ce qu'il se dépense dans cette maison.*

♦ **2** (Passif). Être utilisé, consommé.

(...) la contrainte perpétuelle qu'il s'imposait et ses robustes   11
forces accumulées, qui ne se dépensaient point, le rendaient enragé.
R. ROLLAND, Jean-Christophe, La révolte, III, p. 597.

♦ **3** (Réfl.). Faire des efforts. → **Démener** (se). *Se dépenser physiquement :* se donner beaucoup de mouvement. *Il se dépense trop.* → **Fatiguer** (se); **mal** (se donner du mal). *Se dépenser pour aider les autres.* → **Dévouer** (se). *Se dépenser en esprit, en érudition, en belles paroles,...*

(...) ils se dépensent en bravades grossières, par orgueil   12
désespéré (...)   F. MAURIAC, le Jeune Homme, p. 66.

CONTR. Accumuler, amasser, conserver, économiser, entasser, épargner, mettre (de côté). — Ménager, réserver.

DÉPENSIER, IÈRE [depɑ̃sje, jɛʀ] adj. et n. — V. 1130; de *dépense.*

A Adj. ♦ **1** (1559). Cour. Qui aime dépenser, qui dépense excessivement. *Jeune homme dépensier.* → **Dissipateur, prodigue.**

À père avare, dit-on, fils prodigue; à parents économes,   1
enfant dépensier.
A. DE MUSSET, les Deux Maîtresses, I.

♦ **2** Fig., littér. Dépensier de : qui dépense (3.).

(...) les hommes, qui sont si follement dépensiers de leur   2
sang, sont avares de leur intelligence et de leur effort, quand il s'agit d'aller contre leur égoïsme.
DANIEL-ROPS, Ce qui meurt et ce qui naît, IV,
p. 154.

♦ **3** Qui est propre à une personne qui aime dépenser. *Habitudes dépensières.*

♦ **4** Qui gère les dépenses publiques. «Les ministres "dépensiers"» (l'Express, 30 juil. 1973, p. 19).

B N. ♦ **1** Personne dépensière. *C'est un dépensier incorrigible.* → **Dissipateur, prodigue** (→ C'est un gouffre*, un panier* percé, un sac percé*, un mange-tout*). *C'est une dépensière, l'argent lui fond dans les mains.*

♦ **2** (V. 1330). Vx ou hist. Personne qui s'occupe des dépenses dans une communauté, etc. → **Comptable, économe.** *La dépensière d'un couvent, d'une grande maison.*

3   (...) ne croyez pas que je me mette en dépense pour vous donner ce divertissement. Je le trouve chez moi, et vous voyez que c'est mon esclave et ma cuisinière et dépensière en même temps qui me le donnent.
        A. GALLAND, les Mille et une Nuits, t. III, p. 304.

CONTR. Avare, chiche, économe, épargnant, parcimonieux, regardant.

DÉPERDITION [depɛʀdisjɔ̃] n. f. — 1314; du lat. *deperdere*, de *de-*, et *perdere* (→ Perdre), d'après *perdition.*

♦ **1** (1797). Chim. Destruction graduelle d'une partie des molécules d'un corps. *Opération chimique qui se fait sans déperdition de substance.*

♦ **2** Cour. Perte progressive. *Déperdition de chaleur, de lumière, d'électricité, de force.* → **Diminution, perte.** *Déperdition de gaz.* → **Fuite.**

1   Pour modérer notre ascension, le seul moyen est (...) la faculté de faire échapper du gaz par une soupape ; mais la perte du gaz impliquait une déperdition proportionnelle de la force d'ascension (...)
        BAUDELAIRE, Trad. POE, le Canard au ballon, p. 121.

1.1   D'ailleurs, la maison allait être bientôt recouverte d'une épaisse couche de neige qui empêcherait toute déperdition de chaleur interne.
        J. VERNE, le Pays des fourrures, t. I, p. 223.

Fig. → **Dégradation, perte.** *Déperdition de forces au cours d'une maladie.* → **Affaiblissement, dépérissement, épuisement.**

2   Au contraire dans les groupes politiques parlementaires toute parole subit une déperdition, une dépréciation propre, une falsification, une altération propre.
        Ch. PÉGUY, la République..., p. 78.

♦ **3** Par ext. Perte, gaspillage.

CONTR. Augmentation, enrichissement, gain, recrudescence.

DÉPÉRIR [depeʀiʀ] v. intr. — V. 1120; lat. class. *deperire*, de *de-*, et *perire*. → Périr.

♦ **1** (1687). En parlant d'organismes vivants. S'acheminer vers la mort, s'affaiblir par consomption graduelle. *Personne qui dépérit faute de grand air, de soins, d'affection.* → **Affaiblir** (s'), **anémier** (s'), **consumer** (se), **étioler** (s'), **languir.** *Il a beaucoup dépéri.*

1   (...) on en voit quelquefois (*des enfants*) qui sèchent et qui dépérissent d'une langueur secrète, parce que d'autres sont plus aimés et plus caressés qu'eux.
        FÉNELON, De l'éducation des filles, V, *in* LITTRÉ.

2   À vingt-deux ans, elle s'affaisse déjà sous le poids de son âme, et dépérit victime de ses fibres trop vibrantes, de son organisation trop forte ou trop délicate.
        BALZAC, le Médecin de campagne, Pl., t. VIII, p. 412.

Animal qui dépérit. Plante qui dépérit faute d'arrosage, de soleil..., qui perd sa vigueur, se dessèche. → **Atrophier** (s'), **étioler** (s'), **faner** (se), **sécher** (sécher sur pied).

Par ext. *Sa santé dépérit peu à peu.* → **Altérer** (s'), **délabrer** (se). *Sentir ses forces, son énergie dépérir.* → **Défaillir, diminuer.**

3   «Ce que tu dis là n'est pas faux, ma femme, répondit le père Barbeau en regardant sa femme, qui était encore fraîche et forte comme on en voit peu : mais si, pourtant, à mesure que ces enfants grossiront, ta santé venait à dépérir ?»
        G. SAND, la Petite Fadette, I, p. 12.

Mais ceci n'est rien en comparaison de la maladie qui me 4 mine ! Je sens s'accomplir en moi la plus terrible métamorphose ; je sens dépérir mes forces et mes facultés, qui, démesurément tendues, s'affaissent.
        BALZAC, le Curé de village, Pl., t. VIII, p. 696.

♦ **2** (V. 1120). Fig. S'acheminer vers la ruine, la destruction. → **Mourir.** *Société, civilisation qui dépérit. Affaire, entreprise en train de dépérir,* qui marche mal, qui va à la faillite. → **Péricliter.** *Bâtiments qui dépérissent.* → **Détériorer** (se). *Tout a dépéri.*

Je sens de jour en jour dépérir mon génie (...)   5
        BOILEAU, Épîtres, VIII.

(*Ce peuple*) dépérit tous les jours, et tend à son anéantis- 6 sement.   MONTESQUIEU, Lettres persanes, CXXII.

J'ai souvent considéré des objets qui dépérissaient. Leur 7 désagrégation est identique à la nôtre. Il est pour eux des caries, des ruptures, des tumeurs, des folies. Un meuble que rongent les vers, un fusil dont se casse le ressort, un tiroir qui a gonflé, ou l'âme soudain faussée d'un violon, voilà des maux dont je suis ému.
        Francis JAMMES, Des choses, I.

Si l'Europe doit voir périr ou dépérir sa culture (...)   8
        VALÉRY, Regards sur le monde actuel, p. 111.

(Au passif). Vieux :

Tout était dépéri, pendant les six mois d'absence ; les bêtes 9 de labour étaient en mauvais état ; les granges, les écuries en désordre.
        RESTIF DE LA BRETONNE, la Vie de mon père, p. 52.

CONTR. Croître, développer (se), **épanouir** (s'), **fortifier** (se), **ranimer.** ◊ **DÉR. Dépérissant, dépérissement.**

DÉPÉRISSANT, ANTE [depeʀisɑ̃, ɑ̃t] adj. — Av. 1832, Baudrillart (*in* P. Larousse, 1870); p. prés. de *dépérir.*

Qui dépérit. *Arbre dépérissant. Floraison dépérissante. «Exploitation d'un peuplement gravement dépérissant»* (Communication de l'Office national des forêts, 1967).

DÉPÉRISSEMENT [depeʀismɑ̃] n. m. — Déb. XVIᵉ; de *dépérir.*

♦ **1** Didact. État de ce qui dépérit. *État de dépérissement d'une personne.* → **Affaiblissement, amaigrissement, anémie, épuisement, langueur.** *Dépérissement de la santé* (→ **Délabrement, ruine**), *d'un organe* (→ **Atrophie**). *Dépérissement d'une plante.* → **Étiolement, marcescence.**

(...) je m'accoutumais à languir, à ne pas dormir, à penser 1 au lieu d'agir, et enfin à regarder le dépérissement successif et lent de ma machine comme un progrès inévitable que la mort seule pouvait arrêter.
        ROUSSEAU, les Confessions, VI.

Le dépérissement d'esprit et de corps qu'entraîne le cha- 2 grin joint à la vieillesse.
        CONDORCET, Bourdelin, *in* LITTRÉ.

Dépérissement d'un troupeau, diminution en nombre.

♦ **2** Fig. Le fait d'aller vers la destruction, la ruine. → **Asphyxie, décadence, déperdition, diminution, perte, ruine.**

Hiéroclès, aux yeux de la foule, paraissait encore tout- 3 puissant ; mais un œil exercé voyait en lui des signes de dépérissement et de décadence.
        CHATEAUBRIAND, les Martyrs, XX.

Il n'entre pas dans mon plan de rechercher jusqu'à quel 4 point le système d'instruction publique adopté en France est responsable du dépérissement de l'esprit scientifique.
        RENAN, l'Avenir de la science, Œ. compl., t. III, p. 816.

Spécialt. Dr. *Dépérissement des preuves,* diminution, altération de leur valeur par la perte de ce qui pouvait les constater. *Dépérissement des preuves par la longueur du temps.*

Dépérissement de l'État : selon la doctrine de Marx, Phénomène qui est la conséquence de la disparition des classes, et qui doit succéder au socialisme d'État.

5   (...) bien des affirmations de Lénine, amant passionné de la justice, peuvent encore être opposées au régime stalinien ; principalement, la notion de dépérissement. Même si l'on admet que l'État prolétarien ne puisse avant longtemps disparaître, il faut encore, selon la doctrine, pour qu'il puisse se dire prolétarien, qu'il tende à disparaître (...)
      CAMUS, l'Homme révolté, 1951, p. 286, *in* T. L. F.

6   Contre la pensée marxiste et souvent en se réclamant abusivement d'elle, ils ont rejeté la thèse fameuse entre toutes du «dépérissement de l'État».
      Hervé LEFEBVRE, la Vie quotidienne dans le monde moderne, p. 111.

CONTR. **Accroissement, croissance, développement, épanouissement, vigueur. — Essor, floraison.**

DÉPERLANCE [depɛʀlɑ̃s] n. f. — V. 1960 ; de 2. *dé-*, *perlant* (p. prés. de *perler*), et suff. *-ance*.

Techn. Qualité d'un tissu sur lequel l'eau glisse sans pénétrer les fils.

DÉPERSONNALISATION [depɛʀsɔnalizasjɔ̃] n. f. — 1898 ; de 1. *dé-*, *personnel*, et *-isation*.

♦ **1** Littér., didact. Action d'enlever la personnalité de, de rendre impersonnel ; état qui en résulte.

1   Cette abnégation, cette dépersonnalisation poétique, qui me fait ressentir les joies et les douleurs d'autrui beaucoup plus vivement que les miennes propres, nul n'en parle aussi bien que Keats (*Lettres*).
      GIDE, Journal, 29 mai 1923.

2   Rien n'innocente le nu comme la dépersonnalisation du visage, et la Renaissance le comprendra (...)
      MALRAUX, les Voix du silence, I, IV.

2.1 Et l'étrange est que dans cette dépersonnalisation systématique, dans ces jeux de physionomie purement musculaires, appliqués sur les visages comme des masques, tout porte, tout rend l'effet maximum.
      A. ARTAUD, le Théâtre et son double, Sur le théâtre balinais, Idées/Gallimard, p. 87.

♦ **2** (1898). Psychiatrie. Impression de ne plus être soi-même, un tant que personne physique et personnalité psychique, fréquente dans de nombreux états délirants (notamment dans la schizophrénie). → **Déréalisation.**

3   On a désigné par ce terme (*dépersonnalisation*) une illusion *sui generis*, distincte de ce qu'on nomme d'ordinaire *dédoublement de la personnalité*, et consistant surtout à percevoir ses propres paroles et ses propres actes comme on percevrait quelque chose d'anormal et d'étranger.
      A. LALANDE, Voc. de la philosophie, art. *Dépersonnalisation.*

4   Il ne s'agissait pas de ce sentiment de dépersonnalisation bien connu (et qui cause un tel désarroi lorsque, enfant, nous l'éprouvons pour la première fois), mais, en dehors et au-delà de toute identité, de la prise de conscience du phénomène incompréhensible de la vie.
      Claude MAURIAC, le Temps immobile, p. 269.

5   Depuis cent ans, la folie *(littéraire)* est réputée consister en ceci : *«Je est un autre»* : la folie est une expérience de dépersonnalisation.
      R. BARTHES, Fragments d'un discours amoureux, p. 142.

♦ **3** (Av. 1957). Action d'enlever une empreinte personnelle trop apparente (à qqch.).

CONTR. **Personnalisation.**

DÉPERSONNALISER [depɛʀsɔnalize] v. tr. — 1845, *dépersonnalisé* ; de 1. *dé-*, *personnel* (d'après le lat. *personalis*), et *-iser.* → Personnaliser.

Littér., didact. Enlever sa personnalité à... ; rendre impersonnel. — Passif et p. p. : «*Ce thème de la femme dépersonnalisée par la docilité à des normes commercialement inspirées*» (le Monde, 5 oct. 1966).

(V. 1960). Rendre banal, anonyme. «*Le système hollywoodien dépersonnalise toute intrigue, désactualise tout problème, aseptise tout conflit*» (*Nouveau Candide*, 17 oct. 1966). *Dépersonnaliser le commandement, le pouvoir, le conflit.*

L'histoire enseigne qu'un pays capable de dépersonnaliser ainsi les passions jusqu'à les faire objectives, devient lentement, sous le couvert de ce formalisme, le plus dissimulé et le plus redoutable de tous.
      Raymond ABELLIO, Ma dernière mémoire, t. I, p. 41.

♦ **SE DÉPERSONNALISER** v. pron.

Perdre, abandonner sa personnalité.

(V. 1967). Devenir banal, anonyme. «*C'était comme si ce logement qu'il avait fini par aimer, s'était tout à coup dépersonnalisé*» (J. L. Martin Vigil).

CONTR. **Affirmer (s'), personnaliser.**

DÉPÊTRER [depetʀe] v. tr. — Déb. XIVᵉ ; de 1. *dé-*, et rad. de *empêtrer.*

♦ **1** (Déb. XIVᵉ). Vx. Dégager les pieds de (un animal) d'une entrave. *Dépêtrer un cheval.*

♦ **2** Mod. Dégager (une personne, un animal) de sorte qu'il ou elle puisse se mouvoir. → **Débarrasser, tirer.** *Dépêtrer qqn des ronces qui l'immobilisent dans sa marche.*

♦ **3** Fig. Dégager d'un embarras, d'une difficulté. *Dépêtrer qqn d'une mauvaise affaire, d'un engagement irréfléchi.* → **Sortir, tirer.**

1   Nous faisons nos efforts (...) pour le dépêtrer d'un engagement si dangereux (...)
      Mᵐᵉ DE SÉVIGNÉ, 137, 1ᵉʳ avr. 1671.

1.1 Il vit les hommes noirs et comprit aussitôt, mais il se rendit très vite compte également qu'il ne fallait pas briser ou détruire cet état de rêve dont il n'était pas encore dépêtré, afin de mourir endormi.
      Jean GENET, Miracle de la rose, p. 364.

♦ **SE DÉPÊTRER** v. pron. (1538). Se tirer (d'une situation), se dégager (de qqn). → **Déprendre (se).** *Se dépêtrer d'un fourré.*

2   (...) il espérait que les plantes, les mousses enlaceraient ses jambes, qu'il ne pourrait se dépêtrer de cette eau bourbeuse et qu'enfin sa bouche, ses yeux seraient comblés de vase, que nul ne le verrait plus, et qu'il ne verrait plus les autres le voir.
      F. MAURIAC, le Désert de l'amour, III, p. 49.

Fig. *Se dépêtrer de difficultés. Se dépêtrer de souvenirs tenaces.* → **Délivrer (se).**

3   (...) la passion violente de Laurent ne parut être qu'une rouerie menée à bonne fin, et dont il était assez habile pour se dépêtrer quand il en serait las.
      G. SAND, Elle et Lui, V, p. 119.

4   (...) de pseudo-amitiés dont aujourd'hui je ne peux me dépêtrer sans peine.   GIDE, Journal, 25 nov. 1905.

Par ext. *Se dépêtrer de qqn,* s'en débarrasser. *Personne encombrante et sans gêne dont on ne peut se dépêtrer.*

Je ne me puis dépêtrer de cet homme.
5   LA FONTAINE, Contes, «Le cocu battu et content».

Je vous laisse avec tous vos nouveaux amis, dépêtrez-vous
6   en comme vous pourrez.
      Henri MONNIER, Scènes populaires, «Les bourgeois campagnards», sc. 10, éd. 1835, t. I, p. 361.

CONTR. **Empêtrer ; encombrer, entraver (s'). — Rechercher** (qqn).

DÉPEUPLEMENT [depœpləmɑ̃] n. m. — 1559, «dévastation» ; de *dépeupler.*

(1584). Action de dépeupler, de se dépeupler ; résultat de cette action. *Le dépeuplement d'un pays.* → **Dépopulation.** *Le dépeuplement des campagnes au profit des villes s'est accru avec le développement de l'industrie.*

1 Les imprécations, la désolation, la ruine, le dépeuplement (...)   SAINT-SIMON, *Mémoires*, XIX, 44.

2 Le dépeuplement des campagnes est encore mis en évidence par la répartition des habitants d'après l'importance des communes (...) Ce mouvement des campagnes vers les villes est le plus important que l'on ait constaté dans la population de la France.
HUBER, BUNLE et BOVERAT,
la Population de la France, I, III, p. 32.

Par anal. (Animaux). *Dépeuplement d'une forêt, d'un étang.* — Par ext. *Le dépeuplement d'une forêt* : la coupe des arbres. → **Déboisement.**

CONTR. Repeuplement.

DÉPEUPLER [depœple] v. tr. — 1343; lat. class. *depopulari* «ravager», de *de-*, et *populus* «peuple», avec réfect. d'après *peuple, peupler.*

♦ **1** (1431). Dégarnir d'habitants (une région, une agglomération). *La famine, les épidémies ont dépeuplé le pays. La grande industrie dépeuple les campagnes.*

1 Elle *(la guerre)* ravage et dépeuple tout un pays.
FÉNELON, Examen de la conscience d'un roi.

2 La découverte du nouveau monde qui a dépeuplé l'Europe (...)   DUCLOS, XI, Préface, *in* HATZFELD.

3 (...) Quoi! ces tyrans cruels,
Qui dépeuplent la terre (...)   VOLTAIRE, Alzire, II, 2.

Par plaisanterie :

4 (...) ce chat exterminateur,
Vrai Cerbère, était craint une lieue à la ronde;
Il voulait de souris dépeupler tout le monde.
LA FONTAINE, Fables, III, 18 (cf. aussi VII, 8).

Pron. (V. 1585). *Contrée qui se dépeuple.*

5 Les seigneurs de Carthage voyant que leur pays se dépeuplait peu à peu (...)   MONTAIGNE, Essais, I, 233.

6 (...) moins un pays produit d'hommes, moins il produit de denrées; c'est le défaut d'habitants qui l'empêche de nourrir le peu qu'il en a, et dans toute contrée qui se dépeuple on doit tôt ou tard mourir de faim.
ROUSSEAU, Julie ou la Nouvelle Héloïse, IV, x.

7 En beaucoup de régions qui se dépeuplent, on voit se multiplier le nombre des petites communes : ainsi dans les Alpes, le Jura, la Lorraine, la Picardie.
DEMANGEON, Géographie économique et
humaine de la France, t. I, II, p. 36.

7.1 On apprend que la morne ville se dépeuple lamentablement. Fièvre récurrente et émigration. Les indigènes, qu'on ne laisse plus libres (...) s'embêtent et fichent le camp.
GIDE, Voyage au Congo, *in* Souvenirs, Pl., p. 824.

♦ **2 Par anal.** Dégarnir (un lieu) d'animaux qui y vivent naturellement. *Dépeupler un étang, une chasse.* — Pron. *Garenne qui se dépeuple.* Dégarnir* de plants. *Dépeupler une forêt.* → **Éclaircir.**

Vx. Dégarnir (un lieu) d'objets.

8 Tous (...) lisent ces sortes d'ouvrages (...) ils en dépeuplent les boutiques (...)
LA BRUYÈRE, Disc. à l'Académie, Préface.

♦ **3 Par ext.** Vider provisoirement un endroit de ses occupants. → **Vider.** *L'entrée des troupes d'occupation dans la ville avait dépeuplé les rues.* — Pron. *Les rues se sont dépeuplées.*

9 L'entresol s'était entièrement dépeuplé pendant qu'il lisait : les joueurs avaient été dîner, l'orchestre s'était tu.
MARTIN DU GARD, les Thibault, t. IV, p. 35.

♦ **4 Littér.** (avec un compl. abstrait). Vider.

9.1 À mesure qu'on lève les voiles de l'inconnu, on dépeuple l'imagination des hommes.
MAUPASSANT, Contes et Nouvelles, t. II,
«La peur», 1884, p. 958, *in* T.L.F.

♦ **DÉPEUPLÉ, ÉE** p. p. adj.

Qui a perdu ses habitants. *Endroit, village dépeuplé.* → **Abandonné, désert, solitaire, vide.**

10 (...) l'empire énervé et dépeuplé n'eut plus assez d'hommes ni d'énergie pour repousser les Barbares.
TAINE, Philosophie de l'art, t. I, I, II, VI, p. 77.

Figuré :

11 Fleuves, rochers, forêts, solitudes si chères,
Un seul être vous manque, et tout est dépeuplé!
LAMARTINE, Premières méditations, «L'isolement».

CONTR. Peupler, repeupler, surpeupler. — Garnir, remplir. — Surpeuplé; encombré, plein. ◊ DÉR. Dépeuplement.

DÉPHASAGE [defazaʒ] n. m. — 1929; de *déphaser.*

♦ **1** (1929). Phys. Différence de phase entre deux phénomènes alternatifs de même fréquence.

♦ **2** (1950). Fam. Le fait d'être déphasé (2.).

Décalages et déphasages. À l'origine, sur une planète aux rares moyens de communication, civilisations et régimes politiques se développaient séparément, presque sans contact entre eux, comme des séries indépendantes d'événements ou de phénomènes sociaux.
Gaston BOUTHOUL, Sociologie de la politique,
Dynamique et contradictions des régimes
politiques, XI, p. 102.

DÉPHASER [defaze] v. tr. — 1948; de 1. *dé-, phase,* et suff. verbal *-er.*

♦ **1** (1948). Phys. Produire le déphasage (1.) de...

♦ **2 Fig.** Provoquer chez (qqn) un décalage par rapport à l'évolution d'un milieu, d'une situation. *Un long séjour à l'étranger risquerait de la déphaser* (→ **Dépayser**).

1 Pomme montre des photos d'elle, avec son père et sa mère adoptifs, dans la piscine d'un paquebot. Piscine, paquebot, ne m'épatent pas, ils me déphasent. Je ne pensais pas connaître jamais une fille ayant nagé dans la piscine d'un paquebot.
Michèle PERREIN, Entre chienne et louve, p. 218.

♦ **DÉPHASÉ, ÉE** p. p. adj.

♦ **1 Phys.** Qui présente une différence de phase avec une autre grandeur alternative de même fréquence.

♦ **2** (1957). Fig. Qui n'est pas en accord, en harmonie avec la réalité présente. *Ses projets n'ont plus de sens, il est déphasé. Être déphasé par rapport à qqn* : ne pas être sur la même longueur d'onde.

2 (...) disons que j'étais vachement déphasée, la déprime quoi.
Jean-Louis CURTIS, l'Horizon dérobé, t. II, p. 175.

DÉR. Déphasage, déphaseur.

DÉPHASEUR [defazœR] n. m. — 1959; de *déphaser.* Électr. Appareil qui produit un déphasage.

DÉPHLOGISTIQUER [deflɔʒistike] v. tr. — 1780; de 1. *dé-, phlogistique,* et suff. verbal.

Hist. des sc. (alchim., chim. anc.). Enlever le phlogistique* à (un corps).

DÉPHOSPHORATION [defɔsfɔRasjɔ̃] n. f. — 1875; de 1. *dé-, phosphore,* et *-ation.*

Techn. Opération métallurgique par laquelle on élimine le phosphore de la fonte et de l'acier. «*Le procédé de déphosphoration de la fonte qui est employé depuis quelques années (...)*» (Année sc. et industr. 1880, p. 151, 1879).

DÉPHOSPHORER [defɔsfɔRe] v. tr. — 1891, Année sc. 1892 p. 517 (1891); p. p., 1875; de 1. *dé-, phosphore,* et suff. verbal *-er.*

Techn. Dépouiller de son phosphore. *Déphosphorer la fonte.* — Au p. p. *Acier déphosphoré.*

DÉPHOSPHORYLATION [defɔsfɔʀilasjɔ̃] n. f. — 1938; de 1. dé-, et phosphorylation.

Biochim. Perte d'un résidu phosphoryle* sous l'action d'enzymes spécifiques.

DÉPIAUTAGE [depjotaʒ] ou **DÉPIAUTEMENT** [depjotmɑ̃] n. m. — 1867, dépiotage, Goncourt; de dépiauter.

Action de dépiauter. *Dépiautage d'un lapin.*

(...) la préparation culinaire des lapins et des lièvres, écorchement, dépiautage, éjection des viscères (...)
R. QUENEAU, *Loin de Rueil*, p. 167.

Fig. et fam. Examen minutieux. → **Épluchage** (3.). *«Le dépiautage de vingt-cinq films à la queue leu leu (...) un visionnage des versions intégrales distribuées en Inde»* (*le Nouvel Obs.*, 15 mai 1982, p. 109).

DÉPIAUTER [depjote] v. tr. — 1834, en picard; dépiotter, 1846, en argot «dépouiller» (fig.); de 1. dé-, piau (forme dial. de *peau*), et suff. verbal *-er* avec *-t-* euphonique.

◆ **1** Fam. Dépouiller (un animal) de sa peau. → **Écorcher.** *Dépiauter un lapin.*

1 Je conseille fortement à ceux qui pêchent un oiseau de mer de ne pas le plumer, mais de le dépiauter car sa peau est extrêmement riche en graisse.
Alain BOMBARD, Naufragé volontaire, p. 166.

2 Géronimus garda auprès de lui Rose-Mary qui s'habituait fort bien à la frugalité des repas, à la somnolence, à un Tarzan bien-aimé, à la chasse; elle connaissait plein de trucs pour piéger les bêtes les plus rares, imiter leur cri ou leur grondement, les dépiauter avec adresse.
Jean CAYROL, Histoire d'un désert, p. 68.

◆ **2** Débarrasser de ce qui recouvre comme d'une peau (papier, etc.). *Dépiauter des bonbons. Dépiauter un fruit.* → **Éplucher.**

Par ext. (abusivt). Ôter (ce qui enveloppe). → **Défaire.**

3 Rouge de plaisir, Simon prit la boîte, la tourna, la retourna et commença à dépiauter le papier.
Roger IKOR, les Fils d'Avrom, Les eaux mêlées, p. 379.

Spécialt (rare). Déshabiller (qqn).

◆ **3** Fig. Éplucher (un texte).

4 Je tremble de les voir «dépiauter» une fois de plus le discours de Constantine, sans vouloir reconnaître qu'il n'est que le moment d'une politique et d'une pensée.
F. MAURIAC, le Nouveau Bloc-notes 1958-1960, p. 111.

5 Il y a trois semaines, j'avais résolu de me saisir d'un discours qu'il venait de prononcer à Gannat (je crois) et de le dépiauter, de le découper phrase par phrase : je rêvais d'anatomiser le mensonge, en quelque sorte.
F. MAURIAC, Bloc-notes 1952-1957, p. 289.

◆ **SE DÉPIAUTER** v. pron.

(Passif). Pouvoir être dépiauté (aux sens 1 et 2). *Le lapin se dépiaute facilement. Bonbons qui collent au papier, se dépiautent mal.* — (Réfl.). Perdre sa peau (rare). — Par ext. *Se défaire, se désagréger en surface ou plus profondément.* → **Désagréger** (se). Figuré :

6 (...) le paysage tout entier inhabité vide sous le ciel immobile, le monde arrêté figé s'effritant se dépiautant s'écroulant peu à peu par morceaux comme une bâtisse abandonnée (...)
Claude SIMON, la Route des Flandres, p. 270.

7 Un lacis de rigoles emmêlées courait sur le sable blond du chemin le bord du talus s'effritait peu à peu se dépiautait glissait en de minuscules et successifs éboulements qui obstruaient un moment des bras du réseau puis disparaissaient attaqués rongés emportés le monde entier s'en allait avec un murmure continu de source de gouttes.
Claude SIMON, la Route des Flandres, p. 274.

Se déshabiller.

DÉR. Dépiautage ou dépiautement.

DÉPICAGE [depikaʒ] n. m. → 2. **Dépiquage.**

DÉPIÉÇAGE [depjesaʒ] ou **DÉPIÈCEMENT** [depjɛsmɑ̃] n. m. — 1845; «démembrement d'un fief», déb. XIVe; de dépiécer.

Rare. Action de dépiécer.

DÉPIÉCER [depjese] v. tr. [CONJUG.: *placer* et *céder*.] — 1155; réfection de *dépecer* d'après *pièce*.

Rare.

◆ **1** (1155). Mettre en pièces.

◆ **2** (V. 1175). Fig. Annuler, faire cesser.

◆ **DÉPIÉCÉ, ÉE** p. p. adj.

Ainsi, parfois, le malheur ou la joie tombent sur moi, sans qu'il s'ensuive aucun tumulte : plus aucun pathos : je suis dissous, non dépiécé; je tombe, je coule, je fonds.
R. BARTHES, *Fragments d'un discours amoureux*, p. 15.

DÉR. Dépiéçage ou dépiècement.

DÉPIERRER [depjere; depjɛʀe] v. tr. — XIIIe, depierer; despierrer «s'effondrer (d'un mur)», 1262; de 1. dé-, pierre, et suff. verbal *-er*.

Techn. Ôter les pierres de. *Dépierrer un chemin.*

Les paysans s'étaient mieux installés. Ils avaient l'air de dégourdir plus vite. Ils avaient d'ailleurs tous choisi des endroits extrêmement propices : chênes, plis de terrains où l'herbe était sèche mais longue, bosquets de pins. La plupart avaient déjà dépierré leurs emplacements.
J. GIONO, le Hussard sur le toit, p. 174.

DÉPIGEONNAGE [depiʒɔnaʒ] n. m. — 14-15 nov. 1964, in *Libération*; de 1. dé-, pigeon, et -age.

Opération destinée à débarrasser les grandes villes des pigeons. *Le dépigeonnage de Paris.* — On dit aussi *dépigeonnisation*, n. f., 1974. Les verbes *dépigeonner* (1962, au fig. «faire cesser d'être un "pigeon"») et *dépigeonniser* semblent peu usités.

DÉPIGMENTATION [depigmɑ̃tasjɔ̃] n. f. — 1873, in D.D.L.; de 1. dé-, et pigmentation.

Biol., méd. Perte ou suppression du pigment* (1.) d'un tissu, notamment de la peau. *Dépigmentation des animaux pélagiques. Dépigmentation qui se produit par taches dans certaines dermatoses.*

DÉPIGMENTER (SE) [depigmɑ̃te] v. pron. — 1920; de 1. dé-, et pigmenter.

Biol., méd. Perdre ses pigments*. — Au p. p. *Dépigmenté, ée.*

1. DÉPILAGE [depilaʒ] n. m. — 1842; de 1. dépiler.

Techn. Action de dépiler les peaux. → **Débourrage.**

2. DÉPILAGE [depilaʒ] n. m. — 1864; de 2. dépiler.

Techn. → **Dépilement.**

DÉPILATIF, IVE [depilatif, iv] adj. — 1732; de 1. dépiler, et -(a)tif.

Rare. Qui fait tomber le poil. → **Dépilatoire.**

DÉPILATION [depilasjɔ̃] n. f. — V. 1370; de 1. dépiler, et -ation.

Méd. Action de dépiler; chute des poils (→ **Épilation**).

La teigne (de)laisse souvent (...) une dépilation (...)
Ambroise PARÉ, XV, 2, in LITTRÉ.

Cour. Action d'éliminer les poils superflus.

DÉPILATOIRE [depilatwaʀ] adj. et n. m. — 1390; *dépilatif, ive,* 1721; *dépilant, ante,* 1870; de 1. *dépiler,* et *-atoire.*

Qui fait tomber, supprime les poils. → **Épilatoire.** *Crème dépilatoire,* et, n. m., *un dépilatoire :* mélange caustique qui détruit temporairement le poil (sans attaquer la racine). *Crème dépilatoire pour les jambes. Dépilatoire employé dans l'industrie des cuirs, à base de chaux vive.*

DÉPILEMENT [depilmɑ̃] n. m. — 1816, *in* D.D.L.; de 2. *dépiler,* et 2. *-ment.*

Techn. Action de dépiler (dans une mine). Syn. : *dépilage.*

1. **DÉPILER** [depile] v. tr. — 1538, *despiler;* lat. *depilare* «plumer, dépouiller» en lat. class.; «épiler» en bas lat., de *de-,* et *pilus* «poil».

♦ **1** Méd. Faire tomber le poil ou les cheveux de. *C'est la fièvre typhoïde qui l'a dépilé.*
Cour. Éliminer les poils superflus de... → **Épiler.**

♦ **2** Techn. *Dépiler les peaux,* enlever les poils en raclant avec un couteau rond, avant de les tanner. → **Débourrer.** *Cuve pour dépiler les peaux.* → **Plain.**
Puis, à l'aide d'un queursoir de fortune — un coquillage ligaturé sur un galet —, j'entrepris de dépiler la face extérieure et d'écharner la face intérieure de la peau.
M. TOURNIER, *Vendredi...,* p. 200.

DÉR. **Dépilage, dépilatif, dépilation, dépilatoire.**

2. **DÉPILER** [depile] v. tr. et intr. — 1306, «sortir des rangs»; sens actuel, 1816, *in* D.D.L.; de 1. *dé-, pile,* et suff. verbal *-er.*

Mines. Abattre les piliers de houille qu'on a laissés dans une couche épaisse pour soutenir le ciel de la couche pendant l'extraction.

DÉR. **Dépilement.**

1. **DÉPIQUAGE** [depikaʒ] n. m. — D. i.; de 1. *dépiquer.*
Agric. Opération par laquelle on dépique (1. Dépiquer, 2.) pour repiquer.
(...) elle dit à Suzanne qu'elle faisait bien d'aller voir leur plantation d'ananas, que c'était une belle plantation (...) Le caporal demanda à Suzanne s'il fallait commencer le travail chez eux, leurs semis, dans l'ensemble, étant prêts pour le dépiquage.
M. DURAS, *Un barrage contre le Pacifique,* p. 328-329.

2. **DÉPIQUAGE** ou **DÉPICAGE** [depikaʒ] n. m. — 1785; de 2. *dépiquer,* et *-age.*
Agric. Vieilli ou régional (Sud-Ouest). Action d'égrener (les épis des céréales) en foulant, roulant ou battant. *Le dépiquage du blé, du maïs. Le battage mécanique a remplacé le dépiquage.*

1. **DÉPIQUER** [depike] v. tr. — Av. 1648; de 1. *dé-,* et *piquer.*

♦ **1** (1835). Cout. Défaire les piqûres* de (une étoffe). → **Découdre.** *Dépiquer une jupe pour reprendre les coutures.*

♦ **2** Agric. Ôter (un plant) d'une couche pour le repiquer en pleine terre. *Dépiquer des plants de laitue.* — Par ext. Arracher.

1 Enfin, un matin, dans le parc où Michel dépiquait des pommes de terre, j'appris le secret connu de tous, que nos camarades pourtant ont eu l'élégance de taire jusqu'au bout, de sorte que Conrad ne l'a jamais su.
M. YOURCENAR, le Coup de grâce, p. 155.

♦ **3** Fig. et vx. (Compl. n. de personne). Mettre fin au mécontentement d'une personne piquée, vexée.

♦ **SE DÉPIQUER** v. pron.
Cesser d'être fâché.

C'est au milieu de ce quatrième acte, que sa belle maîtresse 2 vient à lui préférer un jeune Anglais (...) Lanfranc, pour se dépiquer une nuit qu'il est au désespoir, fait un pamphlet plein de verve et de feu sur les contrariétés et les ridicules qu'il a rencontrés depuis deux mois (...)
STENDHAL, Racine et Shakespeare, t. II, 1825, p. 83, *in* T.L.F.

DÉR. 1. **Dépiquage.**

2. **DÉPIQUER** [depike] v. tr. — 1785; du provençal mod. *depica,* altér. de *despiga,* de *espigo* «épi».
Agric. et régional. Égrener les épis des céréales (en les foulant, les roulant, ou les battant). → **Battre.** *Dépiquer le blé, le maïs.*

DÉR. 2. **Dépiquage** ou **dépicage.**

DÉPISTABLE [depistabl] adj. — 1928; de 1. *dépister.*
Qui peut être dépisté. *«Les maladies actuellement dépistables avant la naissance (...)» (Sciences et Avenir,* n° 407, janv. 1981, p. 82).

DÉPISTAGE [depistaʒ] n. m. — 1922, *in* D.D.L.; de 1. *dépister.*

♦ **1** Action de dépister (qqn, qqch.). *Le dépistage d'un malfaiteur.*
Écoutez, mon vieux, j'aime mieux un bon petit adultère à la française, avec ses cinq à sept essoufflés, ses dépistages en taxi, ses lettres poste restante, que toute cette morne légalité.
Maurice BEDEL, *Jérôme 60° latitude Nord,* XXII, p. 258.

♦ **2** (1922). Plus cour. Recherche (de certaines maladies). *On pratique la cuti pour le dépistage de la tuberculose.*

1. **DÉPISTER** [depiste] v. tr. — 1560; de 2. *dé-, piste,* et suff. verbal *-er.*

♦ **1** (1560). Découvrir (le gibier) en suivant sa piste. *Dépister un sanglier.*
(Compl. n. de personne). Retrouver qqn en suivant sa trace. → **Découvrir, rattraper, retrouver.** *Dépister un criminel.*

(...) vous serez bientôt reconnu, ma foi, bientôt dépisté. 1
BEAUMARCHAIS, le Barbier de Séville, I, 6.

On n'a pas encore importé en Turquie le commissaire de 2 police français, qui vous dépiste en trois heures; on est libre d'y vivre tranquille et inconnu.
LOTI, Aziyadé, XI, p. 191.

♦ **2** (1896). Rechercher systématiquement et découvrir (ce qui est peu apparent, ce qu'on dissimule). → **Déceler, découvrir.** *Dépister une maladie.*
Un temps va venir où les pédagogues établiront des 3 méthodes infaillibles pour dépister, chez les enfants, ce qui est dons, ce qui est manques.
G. DUHAMEL, Inventaire de l'abîme, IX, p. 142.
On les eût dit toujours attentifs à dépister quelque ruse 4 chez le partenaire.
G. DUHAMEL, la Pesée des âmes, IV, p. 89.

CONTR. **Perdre** (les traces). ◊ DÉR. **Dépistable, dépistage, dépisteur.**

2. **DÉPISTER** [depiste] v. tr. — 1828; de 1. *dé-, piste,* et suff. verbal *-er.*
Détourner (un animal, qqn) de la piste, mettre en défaut. *Il a dépisté ceux qui le recherchaient.* → **Dérouter, dévoyer, semer.** *Dépister les poursuites de la police.* → **Déjouer.**

D'autres fois, au moyen d'interversions légères de temps et 5 de lieu, j'ai dépisté toutes les identifications qu'on pourrait être tenté d'établir.
RENAN, Souvenirs d'enfance..., Préface, p. 10.

6   (...) une ruse destinée à dépister les soupçons.
        PROUST, À la recherche du temps perdu, t. IX,
                                                p. 321.

7   (...) on le voyait sur sa moto relancer les contribuables
    qui s'essayaient ingénument à dépister le fisc comme s'ils
    pouvaient y parvenir (...)
        Francis CARCO, Ombres vivantes, p. 258.

CONTR. Diriger, orienter.

DÉPISTEUR, EUSE   [depistœr, øz] n. — 1855; de
1. *dépister.*

Rare. Personne qui dépiste.

DÉPIT   [depi] n. m. — V. 1140, *despit* «mépris»; sens
actuel, v. 1170; lat. *despectus* «action de regarder de
haut en bas, mépris», de *despectum,* supin de *despi-
cere,* de *de-,* et *specere, spicere* «regarder». → Spectacle.

♦ **1** (V. 1170). Chagrin mêlé de colère, dû à une
déception personnelle, à un froissement d'amour-
propre. → **Aigreur, amertume, bouderie, contrariété,
ressentiment, vexation.** *Avoir, éprouver du dépit. Un
dépit pénible, douloureux.* → **Crève-cœur.** *Un léger
désappointement n'allant pas jusqu'au dépit. Une
pointe de dépit.* → **Pique.** *Cacher son dépit. Manifester du dépit.* → **Enrager, rager; bisquer, bouder,
râler** (fam.); → *Rire jaune*, faire une drôle de tête*,
faire un nez*... Le dépit de qqn,* qu'il ou elle éprouve.
*Son dépit était grand. Concevoir du dépit de qqch. La
réussite de son rival lui cause du dépit.* → **Jalousie,
rancœur.** *Pleurer de dépit. Se mordre les lèvres de
dépit; se ronger, mourir, crever de dépit. Faire qqch.
de dépit, par dépit. Mariage de dépit :* mariage contracté à la suite d'un dépit infligé par la personne
que l'on désirait épouser.

1   L'autre pensa mourir de dépit et de honte.
        LA FONTAINE, Fables, VIII, 13.
2   Un vif ressentiment, un dépit invincible (...)
        MOLIÈRE, Amphitryon, II, 6.
3   Oui, je ne pus souffrir d'abord de les voir si bien
    ensemble; le dépit alarma mes désirs (...)
        MOLIÈRE, Dom Juan, I, 2.
4   «Je vois bien, Marie, que je te déplais : c'est assez clair, dit
    Germain avec dépit.»
        G. SAND, la Mare au diable, X, p. 85.
5   Joseph *(Bonaparte)* sut dissimuler son amère déconvenue
    au public : ses intimes, seuls, connurent son vif dépit dont
    ils devaient nous faire parvenir les échos.
        Louis MADELIN, Hist. du Consulat et de l'Empire,
                            Le Consulat, XV, p. 243.

Dépit amoureux : bouderie provoquée par la
froideur qu'on croit découvrir chez la personne
aimée. *Le Dépit amoureux,* comédie de Molière.

♦ **2** Loc. prép. **(formée avec** *dépit* **au sens ancien de**
mépris).

EN DÉPIT DE : sans tenir compte de. → **Malgré,
nonobstant.** *Il a agi en dépit de mes conseils. Nous
l'apprécions en dépit de certains défauts. Poursuivre
un but en dépit de tout et de tous.*

6   Pour s'instruire d'exemple, en dépit de l'envie,
    Il lira seulement l'histoire de ma vie.
        CORNEILLE, le Cid, I, 3.
7   Il est certain qu'en France, en dépit de décrets et de cir-
    culaires absurdes, tout va plutôt mieux qu'ailleurs.
        A. MAUROIS, les Discours du Dr O'Grady, XVII,
                                            p. 187.
8   Cet ennemi des siens, ce cœur dévoré par la haine et par
    l'avarice, je veux qu'en dépit de sa bassesse vous le preniez
    en pitié (...)
        F. MAURIAC, le Nœud de vipères, Avant-propos.

En dépit du bon sens : très mal. *Cette affaire est
dirigée en dépit du bon sens.*

9   Tes écrits, il est vrai, sans art et languissants,
    Semblent être formés en dépit du bon sens (...)
        BOILEAU, Satires, II.

Faire qqch. en dépit que qqn en ait, sans tenir
compte de ce qu'il pourrait faire pour s'y opposer.
— REM. *En dépit qu'il en ait* provient d'une confusion de
quelque dépit qu'il en ait et *en dépit.*

Tu me forces à rire en dépit que j'en aie.   10
        CORNEILLE, la Place royale, I, 2.
En dépit qu'on en ait, elle se fait aimer (...)   11
        MOLIÈRE, le Misanthrope, I, 1.

CONTR. Joie, satisfaction. — Cause (à cause de), **conformément** (à), **grâce** (à), **selon.** ◊ **DÉR. Dépiter, dépiteux.**

DÉPITER   [depite] v. tr. — V. 1200, «mépriser»; sens
mod., v. 1450; de *dépit.*

Causer, donner du dépit (à qqn). → **Chagriner, contrarier, décevoir, désappointer, froisser, vexer.** *Son
récent échec au concours l'a dépité.*

(...) rien ne nous dépite davantage que de voir qu'elle   1
(l'imagination) remplit ses hôtes d'une satisfaction bien
autrement pleine et entière que la raison.
        PASCAL, Pensées, II, 82.
À présent que je recouvrais contenance, ce qui me dépitait 2
surtout c'est que, des six Espagnoles ou gitanes que cette
fête rassemblait, celle qui m'avait «jeté le mouchoir» était
de beaucoup la moins belle.
        GIDE, Journal, Elche 1910.

Vx. (Sujet n. de personne). *Dépiter un enfant en ne
tenant pas ses promesses.*

♦ **SE DÉPITER** v. pron. (V. 1450).

Éprouver, concevoir du dépit*.

(...) je me dépitai de telle sorte contre l'ingratitude du   3
siècle, que je résolus de ne plus rien faire.
        MOLIÈRE, les Fourberies de Scapin, I, 2.
Je sentais cette inconséquence dans toute sa force, je me   4
la reprochais, j'en rougissais, je m'en dépitais : mais tout
cela ne put suffire pour me ramener à la raison.
        ROUSSEAU, les Confessions, IX.
Chacun d'eux se dépitait à ne sortir de soi rien que de sec, 5
de contraint (...)
        GIDE, les Faux-monnayeurs, I, IX, p. 103.

Fam. *Se dépiter contre son ventre :* ne pas manger
pour montrer son dépit. → **Bouder.**

♦ **DÉPITÉ, ÉE** p. p. adj.

Qui éprouve du dépit. → **Contrarié, désappointé.**

(...) à l'offre des vœux d'un amant dépité   6
Trouvez-vous, je vous prie, entière sûreté?
        MOLIÈRE, les Femmes savantes, I, 1.
(...) elle se fit aider d'une ou deux jeunes fillettes de ses 7
amies, lesquelles, un peu dépitées aussi du mépris que
Landry paraissait faire d'elles en ne les priant plus jamais
à danser, se mirent à surveiller si bien la petite Fadette,
qu'il ne leur fallut pas grand temps pour s'assurer de son
amitié avec Landry.
        G. SAND, la Petite Fadette, XXVIII, p. 184.

Par ext. Qui montre du dépit. *Visage, air dépité.*
→ **Contrarié, désappointé.**

CONTR. Contenter, réjouir (dans les emplois transitifs et
pronominaux), **satisfaire. —** (Du p. p.) **Comblé, content, heureux, satisfait.**

DÉPITEUX, EUSE   [depitø, øz] adj. — 1212, «digne
d'être méprisé»; de *dépit.*

Vieux.

♦ **1** (En parlant d'une personne). Qui éprouve du dépit.
→ **Dépité.**

♦ **2** Faucon. *Oiseau dépiteux :* oiseau qui ne revient
pas quand il a manqué sa proie.

DÉPITONNER   [depitɔne] v. intr. — 1950; de 1. *dé-,* et
pitonner.

Alpin. Enlever les pitons (plantés par le premier de
cordée*).

CONTR. Pitonner.

DÉPLAÇABLE [deplasabl] adj. — 1907 ; de *déplacer.*
Qui peut être déplacé. *Meubles aisément déplaçables.*

DÉPLACÉ, ÉE [deplase] adj. → **Déplacer.**

DÉPLACEMENT [deplasmã] n. m. — XVIᵉ, *desplacement ; de déplacer.*
Action de déplacer, de se déplacer ; résultat de cette action.

♦ **1** (XVIᵉ). Action de déplacer (qqch.). *Le déplacement d'un meuble, d'une statue. Déplacement du vent, des cyclones.* → **Mouvement.** *Le déplacement de l'air, un déplacement d'air.* → **Courant** (d'air). *Mouvement de déplacement d'un liquide qui s'épanche.* → **Fluctuation.** *Déplacement d'eau par un corps immergé. Le préfixe* méta- *peut exprimer le déplacement.*
Méd. *Déplacement d'un organe* (qui a accidentellement quitté sa position normale). → **Descente, rétroversion...** *Déplacement d'un os.* → **Déboîtement.**
Chim. Réaction dans laquelle un corps se substitue à un autre. — **Absolt.** *Méthode de déplacement :* méthode qui consiste à faire passer sur un corps autant de fois qu'il est nécessaire un liquide dissolvant, pour le débarrasser de ses substances solubles.
Phys. Changement de position (d'éléments). *Déplacement électrique. Déplacements moléculaires.*
Par métaphore. Mutation.

1 (...) l'Histoire se constituait au moyen non de simples migrations mais d'une série de mutations internes, de déplacements moléculaires (comme on dit qu'à l'intérieur d'un métal martelé pour être façonné il se produit de véritables transhumances — ou plutôt quadrilles — de particules). Claude SIMON, le Palace, 10/18, p. 9.

Philologie. *Déplacement d'une lettre à l'intérieur d'un mot.* → **Métathèse.**

♦ **2** (1773). **Mar.** *Déplacement d'un navire :* le poids du volume d'eau dont un navire tient la place lorsqu'il flotte. *Croiseur de 10 000 tonnes de déplacement. Déplacement lège ; déplacement en charge.*

♦ **3** Action de déplacer (qqn), de faire changer de poste. *Le déplacement d'un fonctionnaire,* son changement de résidence ou de poste. → **Changement, mutation.** *Il y a eu de nombreux déplacements dans cette administration. — Déplacement d'office,* sanction disciplinaire. — Action de faire vivre ailleurs (un groupe humain).

♦ **4** (1761). Action de se déplacer (en parlant de personnes), d'aller d'un lieu à un autre. *Les déplacements sont pénibles aux gens âgés.* → **Mouvement.** *— Déplacement d'une région à une autre.* → **Migration.** *Moyen de déplacement.* → **Locomotion** (moyen de locomotion).

1.1 D'ailleurs une des poésies, un des mystères des enfances parisiennes, ce sont ces déplacements, ces déménagements d'un quartier à l'autre (...)
 J. ROMAINS, les Hommes de bonne volonté, t. III, IV, p. 55.

Cela, ça vaut le déplacement : cela mérite qu'on fasse le voyage pour voir.
Cour. Voyage auquel oblige un métier, une charge. *Son métier l'oblige à de constants déplacements. Frais de déplacement :* frais de voyage, d'hôtel, etc. → **Mission.** *— Être en déplacement.* → **Voyage** (en).

2 J'ai souvent pensé à vous durant votre voyage, je ne dis pas que j'aurais voulu être de la partie, car je commence à trouver tout déplacement pénible, et j'en suis pour le repos final. SAINTE-BEUVE, Correspondance, IV, p. 304.

♦ **5** **Fig.** Changement de position. *On observe un déplacement à gauche de l'opinion publique.*

♦ **6** **Géom.** Transformation (telle que la translation, la rotation) conservant l'égalité des figures.

♦ **7** (1914, *in* D.D.L.). **Psychan.** Transfert total ou partiel, par voies associatives, de l'énergie psychique investie dans une représentation sur une autre (objet phobique, substitut, formations de l'inconscient). *Libre déplacement :* mobilité de l'énergie investie, spécifique des processus inconscients.

CONTR. Fixité, immobilité, maintien.

DÉPLACER [deplase] v. tr. [CONJUG.: *placer.*] — 1404, *desplacer ; de 1.* dé-, place, *et suff.* verbal *-er.*
Ôter de sa place, changer de place. → **Changer.**

♦ **1** (1404). Changer (qqch.) de place. *Déplacer des objets.* → **Bouger, déménager.** *Déplacer une table, une lampe. Déplacer un pion* (cit. 4). *Déplacer avec précaution un colis fragile.* → **Manipuler.** *Déplacer qqch. en le transportant, en poussant, en tirant, en soulevant,... Objet qui peut être déplacé.* → **Amovible, roulant, volant.** — *Déplacer des objets préalablement rangés, ordonnés. Déplacer ce qui était en ordre.* → **Déclasser, déranger, intervertir.** *Déplacer un livre dans une bibliothèque. — Déplacer un cours d'eau dans une autre direction.* → **Dériver, détourner.** *Déplacer un axe.* → **Excentrer.** — **Méd.** *Déplacer un os.* → **Déboîter, démettre.**

1 Je hais le mouvement qui déplace les lignes (...)
 BAUDELAIRE, Spleen et Idéal, «La beauté».

2 Il fallait chaque jour porter des huches, déplacer des bahuts (...)
 G. DUHAMEL, Biographie de mes fantômes, VII, p. 114.

3 (...) elle modifia l'arrangement de sa chambre, déplaça de meubles (...)
 MARTIN DU GARD, les Thibault, t. II, p. 267.

4 C'était un peu comme une partie d'échecs : il poussait un pion, déplaçait un cavalier, une dame, un événement.
 P. MAC ORLAN, la Bandera, v, p. 64.

Spécialt. *Navire qui déplace 1 000 tonnes d'eau.* → **Déplacement** (2.).
Fig. *Déplacer la question :* changer le point sur lequel porte la difficulté d'une question.

5 Proposer cette définition du *péché :* tout ce qui comporte nuisance.
C'est déplacer la question, non la résoudre. Souvent un bien supérieur n'est obtenu qu'au prix d'une nuisance particulière. GIDE, Journal, 18 avr. 1918.

♦ **2** (1863). Faire changer (qqn) de poste. *Déplacer un fonctionnaire,* le faire changer de résidence, ou de poste. → **Muter.** — Faire changer (une personne, un groupe) de lieu, de pays. → ci-dessous cit. 15.

♦ **3** Entraîner (qqn) derrière soi. *Cette vedette, ce chanteur déplace les foules.*

♦ **SE DÉPLACER** v. pron.

♦ **1** (En parlant d'une chose). Changer de place. *L'air se déplace des régions de haute pression à celles de basse pression.*

♦ **2** (En parlant d'un être vivant). Quitter sa place. → **Bouger, circuler, déranger** (se). *Défense de se déplacer pendant les cours. Sans se déplacer :* en restant sur place.
Changer de place, de lieu. → **Avancer, marcher, mouvoir** (se). *Se déplacer d'un pas. Avoir de la difficulté à se déplacer. Les poissons se déplacent à l'aide de nageoires.*

6 Quand un bœuf remue son tablier de cuir, ou frappe du sabot la terre sèche, le nuage de mouches se déplace avec murmure. On dirait qu'elles fermentent.
 J. RENARD, Histoires naturelles, Les mouches d'eau.

7   Antoine remarqua de nouveau l'aisance rythmée de son pas, qui lui donnait l'air de danser dès qu'elle se déplaçait.
                          MARTIN DU GARD, les Thibault, t. II, p. 168.

Par ext. (Personnes). Aller dans un autre lieu (que celui où l'on est, où l'on habite, travaille...). → **Aller, venir.** *S'il peut nous recevoir, cela lui évitera de se déplacer.*

Spécialt. → **Voyager.** *Il aime beaucoup à se déplacer.*

8   *(L'homme d'affaires)* ne se déplace qu'en voiture, et tout le long du trajet compulse ses dossiers sans jeter un coup d'œil par la vitre.
                          J. ROMAINS, les Hommes de bonne volonté, t. V, XVIII, p. 133.

♦ **DÉPLACÉ, ÉE** p. p. adj.

♦ **1** Qui n'est pas à sa place, qui est dérangé. *Meuble, livre déplacé.*

Spécialt. Écon. *Effet* ou *papier déplacé*, et, n. m., *un déplacé* : effet de commerce dont le recouvrement est possible en dehors du lieu de sa négociation.

♦ **2** Fig. Qui n'est pas dans le lieu, dans la situation appropriée. → **Inopportun, malvenu, saison** (hors de). *Sa présence à la cérémonie était déplacée, complètement déplacée. Un enthousiasme assez déplacé.*

9   Il faut encore louer les enfants de tout ce que leur amitié leur fait faire, pourvu qu'elle ne soit pas déplacée ou trop ardente.   FÉNELON, De l'éducation des filles, v.

10 Buffon et Jean-Jacques ont une prose noble, juste, vigoureuse, souple et brillante, qui suffit à tous les emplois, qui triomphe dans plusieurs, qui ne paraît ni déplacée ni gênée dans aucun.
                          SAINTE-BEUVE, Chateaubriand..., t. I, x, p. 204.

11 De ma vie je ne m'étais senti plus gourd, plus déplacé, plus muet.   GIDE, Journal, 1ᵉʳ juil. 1910.

12 Je regrette cette décision. Tu compromets ta carrière pour un scrupule honorable, mais déplacé.
                          J. CHARDONNE, les Destinées sentimentales, I, III, p. 146.

(1752). Qui manque aux convenances, qui est de mauvais goût. → **Incongru, inconvenant, incorrect, insolent, malséant, scabreux.** *Tenir des propos déplacés. Démarche, intervention, question déplacée.*

13 Bernard l'écoutait avec surprise et méfiance : « Où veut-il en venir ? Vient-il avec cette assurance et cet air glorieux m'annoncer qu'il dépose son bilan ? En ce cas, cette superbe est bien déplacée (...) »
                          A. MAUROIS, Bernard Quesnay, XXIV, p. 156.

♦ **3** (V. 1945; angl. *displaced person*). *Personne déplacée,* qui a dû quitter son pays lors d'une guerre, d'un changement de régime politique — *Ouvriers, travailleurs déplacés.*

14 Il a replacé d'autres personnes déplacées : par exemple, dans une usine de textiles en Hollande, où on leur donne un salaire qui se monte au quart des gages payés aux ouvriers bataves, mais quoi ? se refaire une patrie est toujours coûteux.
                          Alain BOSQUET, les Bonnes Intentions, p. 86.

15 Les Baluba sont les prolétaires du Katanga ; ce sont des ouvriers déplacés, parqués par dizaines de milliers dans les camps de travail de l'Union minière.
                          Jean ZIEGLER, Main basse sur l'Afrique, p. 244.

REM. Le verbe, au sens 3, ne s'emploie guère qu'aux temps composés ou au passif.

16 (...) l'armée seule peut et doit avoir le dernier mot. À quel prix (sans compter le massacre quotidien, 900 000 personnes ont été déplacées...)
                          F. MAURIAC, le Nouveau Bloc-notes 1958-1960, p. 216.

CONTR. Laisser, maintenir, ramener, remettre, replacer, rétablir. — Rester (en place, immobile). — Adéquat, approprié ; bienvenu, opportun. — Convenable, correct, mesuré. ◊ **DÉR.** Déplaçable, déplacement.

DÉPLAFONNEMENT [deplafɔnmɑ̃] n. m. — 1967 ; de *déplafonner.*

Admin. Suppression du plafond (d'un crédit, d'une cotisation). — En partic. Suppression du plafond de Sécurité sociale en ce qui concerne les cotisations salariales et patronales. *Déplafonnement des bases de cotisations en vigueur (à la Sécurité sociale) à dater du 1ᵉʳ octobre 1967.*

CONTR. Plafonnement.

DÉPLAFONNER [deplafɔne] v. tr. — 1966 ; de 1. *dé-,* et *plafonner.*

Admin. Opérer le déplafonnement (en partic., des cotisations en matière de Sécurité sociale). *« Déplafonner le régime d'assurance vieillesse des artisans »* (*l'Express,* 23 déc. 1968).

CONTR. Plafonner. ◊ **DÉR.** Déplafonnement.

DÉPLAIRE [deplɛʀ] v. tr. ind. [CONJUG. : *plaire.*] — 1160 ; de 1. *dé-,* et *plaire,* d'après le lat. pop. *displacere* «déplaire».

♦ **1** Ne pas plaire ; causer du dégoût, de l'aversion (à qqn, un groupe...). → **Dégoûter.** *Cette odeur, cet aliment nous déplaît.* → **Répugner.** *Travail, œuvre, style qui déplaît aux lecteurs. Film qui déplaît au public.* → **Rebuter, ennuyer.** — (Sans compl. second). *Il y a des moments où tout déplaît. S'éloigner de ce qui déplaît.*

L'ambition déplaît quand elle est assouvie,   1
D'une contraire ardeur son ardeur est suivie (...)
                          CORNEILLE, Cinna, II, 1.

Je sais que tout déplaît aux yeux d'une captive (...)   2
                          RACINE, Iphigénie, II, 1.

De nos désirs errants rien n'arrête le cours ;   3
Ce qui plaît aujourd'hui déplaît en peu de jours (...)
                          SAINT-ÉVREMOND, *in* RICHELET.

La veuve Guérin était bien faite et ne manquait pas de   4
fraîcheur. Mais elle avait une expression de visage et une
toilette qui déplurent tout d'abord à Germain.
                          G. SAND, la Mare au diable, XII, p. 103.

Il s'appelle Maurice. Juliette a horreur de ce prénom, qui   5
a dû lui déplaire toujours — du moins elle le suppose —
mais dont elle ne sent la laideur que depuis qu'elle est
mariée.
                          J. ROMAINS, les Hommes de bonne volonté, t. II, I, p. 6.

(Emploi impers.). *Il me déplaît d'agir ainsi,* il m'est désagréable, pénible... → **Coûter, souffrir** (ne pouvoir souffrir de) ; **désagréable, pénible.**

Croyez qu'il me déplaît et très sensiblement,   6
De vous devoir dédire une fois seulement (...)
                          ROTROU, Antigone, II, 2, *in* LITTRÉ.

(...) combien mon livre s'est appauvri de tout ce qu'il me   7
déplaisait de redire.   GIDE, Journal, 4 août 1922.

(Sujet n. de personne). Être antipathique*. *Cet homme me déplaît souverainement* (→ Je ne peux pas le souffrir*, et, fam., le voir*, le sentir*. → **Détester**). — Par euphém. *Elle ne lui déplaît pas :* elle lui plaît.

Il vous aurait déplu, s'il pouvait vous déplaire.   8
                          RACINE, Andromaque, II, 1.

Mille gens déplaisent avec des qualités aimables ; mille   9
gens plaisent avec de moindres talents : c'est que les uns
veulent paraître ce qu'ils ne sont pas ; les autres sont ce
qu'ils paraissent (...)
                          LA ROCHEFOUCAULD, Réflexions diverses, 3, De l'air et des manières.

Je crus m'apercevoir, dès la première visite, que, malgré   10
mon air gauche et mes lourdes phrases, je ne lui déplaisais
pas.   ROUSSEAU, les Confessions, X.

♦ **2** Causer une irritation passagère. → **Blesser, choquer, contrarier, fâcher, froisser, gêner, importuner, indisposer, offenser, offusquer, peiner, vexer.** — (Sujet n. de chose). *Réflexion, attitude qui déplaît à qqn ;* absolt, *qui déplaît.*

Quelque mine qu'on fasse, on est toujours bien aise d'être   11
aimée : ces hommages à nos appas ne sont jamais pour
nous déplaire.   MOLIÈRE, le Sicilien, 6.

12 (...) ce papier n'est autre que la lettre de mon cousin, que vous m'avez rendue hier toute décachetée; et puisqu'il en est question, je vous dirai tout net que cette liberté me déplaît excessivement.
BEAUMARCHAIS, le Barbier de Séville, II, 15.

(Sujet n. de personne). *Personne qui déplaît à qqn par maladresse, insolence,...* (→ Encourir* l'antipathie, l'aversion, la haine, la défaveur, la disgrâce de qqn; être la bête noire*, ne pas être en odeur* de sainteté). *Il a tout fait pour nous déplaire. J'ai craint de lui déplaire en exprimant ma désapprobation.*

13 Et, si vous vous aimez, craignez de lui déplaire.
CORNEILLE, Nicomède, III, 2.

14 J'étais plus fâché de déplaire que d'être puni, et le signe du mécontentement m'était plus cruel que la peine afflictive.
ROUSSEAU, les Confessions, I.

15 Mon père, voilà Landry qui a tant de chagrin de vous avoir déplu qu'il ne peut rien dire. Donnez-lui son pardon et l'embrassez, car il va pleurer à nuitée, et il serait trop puni par votre mécontentement.
G. SAND, la Petite Fadette, XXIX, p. 192.

♦ **3** Loc. ellipt. *Ne vous déplaise, ne vous en déplaise, n'en déplaise à... :* que cela ne vous déplaise pas, ne vous fâche pas.

16 Nuit et jour, à tout venant
Je chantais, ne vous déplaise.
LA FONTAINE, Fables, I, 1.

Iron. *Ne vous en déplaise :* quoi que vous en pensiez, que cela vous plaise ou vous déplaise. *N'en déplaise à son mari, à son orgueil.* → **Dépit** (en dépit de), **malgré**.

17 (...) j'ai, ne vous en déplaise, un corps tout comme une âme (...)
MOLIÈRE, les Femmes savantes, IV, 2.

18 (...) n'en déplaise à sa qualité, c'est la plus sotte bête (...)
MOLIÈRE, la Critique de l'École des femmes, 2.

19 Moi, n'en déplaise à ces messieurs, je suis de ceux pour qui le superflu est le nécessaire; — et j'aime mieux les choses et les gens en raison inverse des services qu'ils me rendent.
Th. GAUTIER, Préface de Mlle de Maupin, p. 32 (éd. critique MATORÉ).

20 N'en déplaise à ceux qui pourraient nier l'influence du terroir, je sentais qu'il y avait en moi je ne sais quoi de local et de résistant (...)
E. FROMENTIN, Dominique, IX.

♦ **SE DÉPLAIRE** v. pron.

♦ **1** (Réfl.). *Ne pas se trouver à son propre goût. Il se déplaît en costume de sport.*

(1643). *Ne pas se trouver bien (là où l'on est).* → **Mal** (être mal). *Elle s'est déplu dans cette maison. Se déplaire à la ville, à la campagne.* — Par anal. *Plante qui se déplaît, s'étiole dans un endroit peu favorable à sa croissance.*

♦ **2** (Récipr.). *Ils se sont déplu dès leur première rencontre.*

CONTR. Charmer, enchanter, plaire, séduire, ravir. — Aimer (s'), complaire (se), plaire (se). ◊ DÉR. Déplaisance, déplaisant.

DÉPLAISAMMENT [deplɛzamã] adv. — 1458; de *déplaisant.*

Rare. D'une manière déplaisante.

CONTR. Plaisamment.

DÉPLAISANCE [deplɛzɑ̃s] n. f. — 1280; *desplaisance;* du rad. du p. prés. de *déplaire,* et *-ance.*

Vieux.

♦ **1** Propriété de ce qui déplaît. *La déplaisance de qqn, de qqch.*

♦ **2** (Par métonymie). Chose désagréable, qui déplaît. *«Les déplaisances de leur fils»* (Gide, *in* T. L. F.).

♦ **3** Sentiment de mécontentement, d'insatisfaction envers soi-même (Laclos, *in* G. L. L. F. et T. L. F.).

DÉPLAISANT, ANTE [deplɛzã, ãt] p. prés. et adj.
— 1190, signifie aussi «mécontent» en anc. franç; de *déplaire.*

♦ **1** Qui ne plaît pas. → **Désagréable, dégoûtant, répugnant.** *Une personne physiquement déplaisante.* → **Disgracieux, laid.** *Visage déplaisant* (→ Figure, tête à claques*). *Personne moralement déplaisante.* → **Antipathique.** → Mésavenant; c'est un vilain oiseau*.

1 Elle *(Cosette)* le trouva fade, niais, sot, inutile, fat, déplaisant, impertinent, et très laid.
HUGO, les Misérables, IV, IV, V.

2 Mais, Fadette, tu n'es pas si vilaine que tu le crois, ou que tu veux bien le dire. Il y en a de bien plus déplaisantes que toi à qui l'on n'en fait pas reproche.
G. SAND, la Petite Fadette, XIX, p. 130.

3 C'est un esprit des plus confus (...) et qui rend encore plus déplaisantes, par sa façon de les énoncer, les choses qu'il dit.
PROUST, À la recherche du temps perdu, t. III, p. 60.

4 Boileau, Voltaire ou La Harpe jugeaient d'un poème qu'il était aimable ou déplaisant, qu'il flattait ou froissait le goût, les règles, la nature.
J. PAULHAN, les Fleurs de Tarbes, I, 3, p. 52.

Par euphém. *Il n'est pas déplaisant :* il plaît.

♦ **2** (Choses). Qui contrarie, produit un effet désagréable. → **Agaçant, blessant, contrariant, désagréable, ennuyeux, fâcheux, gênant, irritant, pénible.** *Bruit déplaisant. Contretemps déplaisant. Réflexion déplaisante.* → **Désobligeant.** *Manières déplaisantes.*

5 Je ferme l'électricité. Je congédie les pensées déplaisantes et je sens que je m'enfonce.
G. DUHAMEL, Cri des profondeurs, IV, p. 77.

CONTR. Agréable, appétissant, attrayant, beau, charmant, plaisant, réjouissant. ◊ DÉR. Déplaisamment.

DÉPLAISIR [depleziʀ] n. m. — V. 1250; de 1. *dé-,* et *plaisir.*

♦ **1** Vx (langue class.). Souffrance morale. → **Chagrin, douleur, peine.**

1 — (...) je doute comment vous portez cette mort.
— Sire, avec déplaisir, mais avec patience.
CORNEILLE, Horace, V, 2.

2 Je vois, je vois, sous une apparente sérénité, les déplaisirs cachés qui t'assiègent; et ta tristesse, voilée d'un doux sourire, n'en est que plus amère à mon cœur.
ROUSSEAU, Julie ou la Nouvelle Héloïse, I, Lettre XXXI.

♦ **2** Mod. Impression désagréable. → **Amertume, blessure, contrariété, crève-cœur, déboire, dégoût, désagrément, mécontentement.** *Vif, grand déplaisir; léger déplaisir. Le déplaisir. Les plaisirs et les déplaisirs de la vie.* — *Le déplaisir de qqn,* qu'il éprouve. *«J'ai encouru le déplaisir de la princesse»* (Stendhal, *in* T. L. F.). *Le déplaisir de qqch.,* que qqch. cause. *«Le déplaisir et le dégoût de la vie»* (Vigny, *in* T. L. F.).

3 Ce fut Sylvinet qui la vit le premier, et il se détourna d'elle, tant il avait de déplaisir à la rencontrer.
G. SAND, la Petite Fadette, XXXIII, p. 214.

Plus cour. (compl. de manière). *À mon grand déplaisir, j'ai constaté que vous ne veniez pas. Je le dis avec déplaisir.* → **Regret** (à). *Il a fait ce travail sans enthousiasme, mais sans déplaisir.*

Psychol. État de tension opposé au plaisir. *La dialectique du plaisir-déplaisir.* — Psychan. État négatif du principe de plaisir* (dit parfois : *principe de plaisir-déplaisir*).

CONTR. Aise, contentement, plaisir, satisfaction.

DÉPLANIFICATION [deplanifikasjɔ̃] n. f. — 1966 ; de 1. dé-, et planification.

Écon. Suppression de la planification ou du dirigisme. «*Mesures d'allégement fiscal dans le cadre d'une politique de déplanification*» (O. R. T. F., janv. 1968).

CONTR. **Planification.**

DE PLANO [deplano] loc. adv. — Mots lat. signifiant «de plain-pied», c.-à-d. en dehors du tribunal (le tribunal siégeant sur une estrade).

Littér. Aisément, sans formalité.

1   Quinze ou vingt maisons où je suis reçu de plain-pied, de plano, sans interférence de rien.
        Ch. PÉGUY, Victor Marie, Comte Hugo, XII, I,
                                        23 oct. 1910.

Dr. De plein droit.

2   On peut encore supposer que la créance est munie d'un *titre exécutoire* permettant au créancier (...) de saisir *de plano* les biens du débiteur, sans intenter une action en justice.
        Henri CAPITANT, Cours de droit civil, 5ᵉ éd., t. II,
                                        p. 91.

DÉPLANTAGE [deplɑ̃taʒ] n. m. ou (rare) **DÉPLANTATION** [deplɑ̃tasjɔ̃] n. f. — 1892, déplantage ; déplantation, 1731 ; de déplanter.

Techn. (agric.). Action de déplanter.

DÉPLANTER [deplɑ̃te] v. tr. — 1306 ; de 1. dé-, et planter.

♦ **1** Enlever (une plante) de terre pour planter ailleurs. *Déplanter des arbres. Déplanter de jeunes plants pour les repiquer.* → 1. **Dépiquer.**
Par ext. Retirer (ce qui est enfoncé en terre). *Déplanter un piquet.* — Mar. *Déplanter une ancre.*

♦ **2** Dégarnir de ce qui est planté. *Déplanter un massif, une plate-bande.*

♦ **3** (1832). Retirer de son milieu naturel. → **Déraciner.**
Cet enfant si fort et si faible, déplanté par Corinne de ses belles campagnes pour entrer dans le moule d'un collège.
        BALZAC, Louis Lambert, 1832, p. 59, in T. L. F.

CONTR. **Planter, repiquer, replanter. — Enfoncer.** ◊ DÉR. **Déplantage** ou **déplantation, déplantoir.**

DÉPLANTOIR [deplɑ̃twar] n. m. — 1567, desplanthoir ; de déplanter.

Agric. Outil en forme de truelle avec lequel on déplante les végétaux de petite taille.
Une sorte de truelle cintrée, un déplantoir, qui permettait de s'emparer de la plante avec sa racine.
        GIDE, Si le grain ne meurt, 1924, p. 368, in T. L. F.

DÉPLÂTRAGE [deplɑtraʒ] n. m. — 1836, in D.D.L. ; de déplâtrer.

Techn. Action de déplâtrer.

DÉPLÂTRER [deplɑtre] v. tr. — 1601, pron. «se révéler» ; 1800, sens phys. ; de 1. dé-, et plâtrer.

Techn. Enlever le plâtre de. *Déplâtrer un mur.* — Chir. *Déplâtrer un membre*, le libérer du plâtre qui le soutenait.

DÉR. **Déplâtrage.**

DÉPLÉTIF, IVE [depletif, iv] adj. et n. m. — 1838 ; du rad. de déplétion, et -if.

Didact. (méd., biol.). Qui diminue le volume d'un liquide, spécialt. du sang, accumulé dans un organe. *Saignée déplétive.* — N. m. *Un déplétif* : une substance, un médicament présentant des propriétés déplétives.

DÉPLÉTION [deplesjɔ̃] n. f. — 1736 ; lat. depletio, du supin de deplere, de de- négatif, et plere «emplir».

♦ **1** Sc. Diminution de la quantité (de qqch.). «*Si le nombre de cétacés capturés annuellement reste très élevé, il tend néanmoins à diminuer par suite de la déplétion des stocks*» (J. Dorst).
Méd. Diminution ou disparition d'un liquide, spécialt. de sang, accumulé dans un organe ; état d'épuisement qui en résulte. *Déplétion plasmatique* : diminution du plasma sanguin. *Déplétion potassique* : baisse du potassium dans le sang ou le liquide cellulaire.

1   Ce terme a été employé par M. Quesnay (*1694-1774*) dans son *Art de guérir par la saignée* : il remarque que les effets de la saignée doivent être, 1° de désemplir les vaisseaux ; c'est ce qu'il appelle *déplétion* (...)
        Encyclopédie (DIDEROT), art. *Déplétion* (1754).

2   Nos observations cliniques et expérimentales nous amenaient à penser que la vaso-dilatation et la turgescence des vaisseaux étaient liées le plus souvent à des états d'ecthion ou de tension agressive, au contraire la déplétion de cette circulation cérébrale se retrouve plutôt dans les états d'engourdissement et d'inhibition.
        Henri BARUK, Psychoses et névroses, p. 103.

(1960). Géol. Dépréciation de la valeur d'un gisement de pétrole résultant de son exploitation.

♦ **2** (1973). Phys. Hétérogénéité d'un astre se traduisant par une diminution locale de son champ de gravitation.

CONTR. **Augmentation, réplétion.** ◊ DÉR. **Déplétif.**

DÉPLIABLE [deplijabl] adj. — 1907 ; de déplier.
Qui peut être déplié. *Une table dépliable.*

DÉPLIAGE [deplijaʒ] ou **DÉPLIEMENT** [deplimɑ̃] n. m. — 1836, in D.D.L. ; despliement, 1549 ; de déplier.
Action de déplier. *Le dépliage d'une étoffe, d'un journal.*
À midi quarante-sept, ce gentleman se leva et se dirigea vers le grand salon, somptueuse pièce, ornée de peintures richement encadrées. Là, un domestique lui remit le *Times* non coupé, dont Phileas Fogg opéra le laborieux dépliage avec une sûreté de main qui dénotait une grande habitude de cette difficile opération.
        J. VERNE, le Tour du monde en 80 jours, p. 15.

DÉPLIANT, ANTE [deplijɑ̃, ɑ̃t] p. prés. adj. et n. m. — 1876 ; p. prés. de déplier.

♦ **1** Adj. Qui se déplie. → **Pliant.** *Fauteuil dépliant formant canapé.*

♦ **2** N. m. (1876). Album d'images qui se déplient. Feuille, page d'un format plus grand que celui du livre où elle est insérée et qu'on déplie pour consulter. *Les dépliants chronologiques d'un livre d'histoire.*
(1946). Prospectus plié plusieurs fois. *Les volets d'un dépliant.*
La maison envoyait, chaque semaine avec le paquet de livres en dépôt, des feuilles illustrées et des dépliants à mettre en bonne place à l'étalage, sous le livre correspondant ou bien en vue.
        Boris VIAN, J'irai cracher sur vos tombes, p. 25.

DÉPLIER [deplije] v. tr. — 1538 ; réfection de déployer, de 1. dé-, et plier.

♦ **1** (1539). Étendre, défaire (ce qui était plié). *Déplier un mouchoir, une serviette, un coupon d'étoffe. Déplier un billet de banque, une lettre, une carte routière.*

1   (...) il fait déplier sa robe et la mettre à l'air (...)
        LA BRUYÈRE, les Caractères, X, 11.

2   (...) il avait imbibé la compresse et l'avait prestement dépliée sur le nez de l'enfant.
        MARTIN DU GARD, les Thibault, t. II, p. 141.

Déplier ses jambes. — Pron. (Par plais.). *Se déplier :* se lever.

(1675). *Déplier sa marchandise,* la sortir, l'étaler pour la montrer. → **Déballer.**

♦**2** Par métaphore. Rendre entièrement visible, manifester tous les aspects de... → **Étaler.**

3   Ce don d'exposer, de déplier délicatement une difficulté intellectuelle.
Léon DAUDET, Devant la douleur, 1931, p. 194,
in T. L. F.

♦ **SE DÉPLIER** v. pron.

Se défaire, s'étendre. *Feuille qui se déplie en sortant du bourgeon. Parachute qui se déplie pendant le saut.* → **Ouvrir** (s').

Fig. (en parlant d'une personne). S'épanouir.

4   (...) auprès de lui *(Jacques Thibault),* les natures les plus rétives, les plus fermées, finissaient par échapper à leur sortilège, par se déplier, par s'épanouir.
MARTIN DU GARD, les Thibault, Œ. compl., Pl.,
t. II, p. 399.

♦ **DÉPLIÉ, ÉE** p. p. adj. *Étoffes dépliées.*

N. m. (1834, *in* D.D.L.). **Comm.** *Faire le déplié :*

5   (...) au fur et à mesure que les clientes viennent, les marchandises sont sorties, dépliées, étalées de tous côtés. Alors, au milieu de ce désordre, quand un employé est libre, le chef de comptoir lui dit : « Faites le déplié », c'est-à-dire, rangez les étoffes dépliées. — Mais il arrive, les jours de grande foule, qu'on n'a pas le temps de faire le déplié, et tout s'encombre alors, c'est un écroulement de marchandises jusqu'au soir.
Enquête de ZOLA au Bon Marché, *in* les Rougon-
Macquart, Pl., t. III, p. 1717 (*in* D.D.L., II, 16).

CONTR. **Plier, replier.** ◊ DÉR. **Dépliable, dépliage** ou **dépliement, dépliant.**

DÉPLISSAGE [deplisaʒ] ou **DÉPLISSEMENT** [deplismã] n. m. — 1836, *déplissage, in* D.D.L.; *déplissement,* 1606; de *déplisser.*

Action de déplisser.

Le premier *(Gall)* distingua la substance grise et la substance blanche. Il rendit compte de la nature anatomique des circonvolutions, en réalisant leur « déplissement artificiel ». Il remarqua pour la première fois la *pébrinisation postnatale* du cerveau humain, affirma l'unité de l'espèce humaine, etc.
Pierre GRAPIN, *l'Anthropologie criminelle,* p. 21.

DÉPLISSER [deplise] v. tr. — 1606, *desplisser;* de 1. *dé-* et *plisser.* → Pli, plisser.

♦**1** Techn. Défaire les plis de (une étoffe, un vêtement). *Déplisser une jupe, un volant.*

♦**2** Défaire des faux plis à (une étoffe, un papier...). → **Déchiffonner, défriper, défroisser.** *Déplisser une écharpe en la repassant.* — Pron. *Ce tissu ne se déplisse pas facilement.*

♦**3** Effacer les plis de (ce qui était plissé, la peau, etc.). *Déplisser son front.* — Pron. *Son front se déplisse.*

CONTR. **Chiffonner, plisser.** ◊ DÉR. **Déplissage** ou **déplissement.**

DÉPLOIEMENT [deplwamã] n. m. — 1538, *desploiement;* de *déployer.*

♦**1** Action de déployer; état de ce qui est déployé. → **Extension, ouverture; dépliage, déroulement.** *Le déploiement des voiles* (→ **Déferlage**). *Déploiement d'ailes, d'étendards. Le déploiement d'une armée* (→ **Manœuvre**).

♦**2** Emploi extensif, mise en œuvre importante. *Un déploiement de courage, de force, d'énergie, d'adresse.* → **Démonstration, dépense.**

(Souvent péj.). Le fait de montrer sans retenue. → **Démonstration, étalage, exhibition.** — (Le compl. désigne des choses matérielles). *Un grand déploiement de bijoux, de richesses.* → **Ostentation.** — (Le compl. désigne une entité, un sentiment, etc.). *Un déploiement d'amabilité inaccoutumé. Un grand déploiement de forces militaires, de police.* → **Démonstration, exhibition.**

(...) un déploiement insolite d'appareil militaire qui donnait bien la note des nouvelles fêtes nationales.
Louis MADELIN, *Hist. du Consulat et de l'Empire,*
Le Consulat, II, p. 21.

Littér. Développement très visible. *Le déploiement d'une tendance, de l'âme...*

CONTR. **Ploiement, ployage.** — **Ferlage, pliage, pliement.** — **Repliement, reploiement.** — **Contraction.** — **Dissimulation.**

DÉPLOMBAGE [deplɔbaʒ] n. m. — 1842; de *déplomber.*

Techn. Action d'enlever un sceau de plomb. *Déplombage d'un compteur électrique, d'un ballot de marchandises.*

Action de déplomber une dent.

DÉPLOMBER [deplɔbe] v. tr. — 1838; de 1. *dé-,* et *plomber.*

Techn. Dégarnir du sceau de plomb. *Déplomber un colis.*

Ôter le plombage de. *Déplomber une dent.*

♦ **SE DÉPLOMBER** v. pron.

(Passif). Perdre le plomb qui scelle.

Ils firent le tour de la galerie. Ils passèrent près d'un vitrail dont quelques verres s'étaient déplombés. Ils purent voir au-dessous d'eux, dehors, un grand jardin maigre (...)
J. GIONO, *le Hussard sur le toit,* p. 314.

DÉR. **Déplombage.**

DÉPLONGER [deplɔ̃ʒe] v. intr. [CONJUG.: *plonger* → **Bouger.**] — xxe; de 1. *dé-,* et *plonger.*

Rare. Remonter à la surface après avoir plongé, s'être immergé.

Il plongea. Il aimait ouvrir les yeux sous l'eau, et, déplongeant, repiquer entre deux eaux, comme un dauphin.
ARAGON, *Aurélien,* I, p. 156 (v. 1943-1944).

DÉPLORABLE [deplɔrabl] adj. — Fin xve; de *déplorer,* et *-able.*

♦**1** Vx (langue class.). Qui est à plaindre. → **Malheureux, misérable, pauvre, pitoyable.**

Tout ce qu'elle peut obtenir de la justice de son roi, c'est un combat où la victoire de ce déplorable amant lui impose silence.   CORNEILLE, Disc. de la Tragédie. 1

(Fin xve). Mod. et littér. (Choses). Qui mérite d'être déploré. → **Attristant, navrant, pénible, triste.** *Situation, fin déplorable. On nous l'a ramené dans un état déplorable.* → **Lamentable, piteux.**

— Rodrigue, qu'as-tu fait ? où viens-tu, misérable ? 2
— Suivre le triste cours de mon sort déplorable.
CORNEILLE, le Cid, III, 1.

♦**2** Cour. Très regrettable. → **Désastreux, fâcheux, fatal, funeste, regrettable.** *Acte, incident, idée, initiative, rencontre, contretemps déplorable. Quelle affaire déplorable ! Il est déplorable que..., c'est tout à fait déplorable.*

(...) il est déplorable que la Révolution française ait eu de si maladroits accoucheurs (...) 3
HUGO, Littérature et Philosophie mêlées,
« Sur Mirabeau », VII.

Le monde accuse, soupçonne et calomnie avec une déplorable facilité. 4
MAUPASSANT, Fort comme la mort, II, III, p. 116.

◆ **3** (1803). Cour. Très mauvais. *Déplorable par son insuffisance, par sa mauvaise qualité.* → **Blâmable, dernier, détestable, exécrable, lamentable, mauvais, scandaleux, triste.** *Goût, style, exemple, raisonnement, tenue, conduite, gestion déplorable. Avoir une santé déplorable.*

5   Cette déplorable façon de gouverner (...)
         SAINT-SIMON, Mémoires, *in* HATZFELD.

(Personnes). *Élève, professeur, conseiller, juge déplorable* (→ Au-dessous* de tout).

CONTR. **Bienheureux, enviable, heureux, satisfait.** — **Béni, inespéré, opportun, réjouissant.** — **Excellent, parfait, remarquable.** ◊ DÉR. **Déplorablement.**

DÉPLORABLEMENT [deplɔʀabləmã] adv. — 1610; de *déplorable*.

D'une manière déplorable (surtout aux sens 2 et 3). *Cette société est déplorablement organisée.*

DÉPLORATION [deplɔʀasjɔ̃] n. f. — V. 1498, *in* D.D.L.; du lat. impérial *deploratio* «plainte lamentatoire», du supin de *deplorare*. → Déplorer.

Didactique ou littéraire.

◆ **1** Fait de manifester de la douleur, de la compassion, de pousser des lamentations.

◆ **2** Spécialt. Œuvre littéraire (→ **Thrène**), musicale (ou élément d'œuvre) qui manifeste la douleur.

DÉPLORER [deplɔʀe] v. tr. — Av. 1150; lat. class. *deplorare*, de *de-* intensif, et *plorare*. → Pleurer.

◆ **1** Vx. *Déplorer qqn :* regretter en s'affligeant une personne morte ou qui va mourir.

◆ **2** (Av. 1150). Littér. Pleurer sur, s'affliger à propos de (qqn ou qqch.). *Déplorer les malheurs de qqn.* → **Pitié** (avoir); **compatir** (à), **plaindre** (qqn). *Déplorer les malheurs des temps.* → **Lamenter** (se). *Déplorer amèrement la perte de qqn.* → **Pleurer.**

1   Mortellement atteint d'une flèche empennée,
   Un oiseau déplorait sa triste destinée (...)
         LA FONTAINE, Fables, II, 6.

◆ **3** Cour. Regretter beaucoup. *Déplorer un choix, un événement.* → **Regretter, trouver** (mauvais). *Déplorer une politique comme, en tant que dangereuse. Déplorer d'avoir, de n'avoir pas fait une chose. Déplorer que* (et subj.). *Il déplore que nous ayons échoué.*

2   Qu'on déplore ou qu'on glorifie les transformations sociales advenues, il faut prendre la nation telle qu'elle est, les faits tels qu'ils sont, entrer dans l'esprit de son temps, afin d'avoir action sur cet esprit.
         CHATEAUBRIAND, Mémoires d'outre-tombe, t. V, p. 312.

3   Combien je déplore, monsieur, d'avoir à vous gâter, aussi complètement que je vais avoir l'honneur de le faire, les illusions où vous vous complaisez !
         COURTELINE, Boubouroche, Nouvelle, II, p. 37.

4   Il déplorait que sa préoccupation de cicerone le gênât pour savourer la présence de Marie.
         J. ROMAINS, les Hommes de bonne volonté, t. V, XXVI, p. 253.

En incise, rare :

5   On est si mal servi aujourd'hui, déplora l'hôtelier.
         P.-J. TOULET, la Jeune Fille verte, 1918, p. 111, *in* T.L.F.

CONTR. **Féliciter** (se), **réjouir** (se). ◊ DÉR. **Déplorable.**

DÉPLOYER [deplwaje] v. tr. [CONJUG.: *ployer*.] — V. 1130; de 1. *dé-*, et *ployer*.

◆ **1** (V. 1130). Développer dans toute son extension (une chose qui était pliée). → **Déplier.** *Déployer les voiles d'un bateau.* → **Déferler, tendre.** *Oiseau qui*

déploie ses ailes. → **Étendre, ouvrir.** *Déployer ses drapeaux, ses enseignes.* → **Arborer.** — Pron. *Drapeau qui se déploie au vent. Déployer une carte, un papier, une étoffe.* → **Déplier, dérouler.**

1   Déjà dans les vaisseaux la voile se déploie (...)
         RACINE, Iphigénie, III, 3.

2   (Il) déploie un ample mouchoir, et se mouche à grand bruit (...)   LA BRUYÈRE, les Caractères, VI, 83.

3   Ils déployèrent, au milieu de ces pauvres cabanes, les plus riches étoffes de l'Inde (...) Ils déroulèrent de magnifiques étoffes de soie de la Chine (...)
         BERNARDIN DE SAINT-PIERRE, Paul et Virginie, p. 73.

4   Comme un cygne argenté qui se lève et déploie
   Ses blanches ailes sur les eaux (...)
         LAMARTINE, Harmonie..., I, «Poésie... dans le golfe de Gênes».

5   Camille acheta des cartes routières et ils jouèrent au voyage, à travers une France déployée par quartiers sur la table d'ébène poli, qui reflétait deux visages inverses et délayés.   COLETTE, la Chatte, p. 98.

Poétique (compar. et métaphorique) :

6   Ces nues, ployant et déployant leurs voiles (...)
         CHATEAUBRIAND, le Génie du christianisme, I, V, XII.

7   (...) la phrase prête à s'envoler ne déploya pas ses ailes sonores.   Th. GAUTIER, le Roman de la momie, II, p. 60.

Loc. *Déployer l'étendard de la guerre, de la révolte :* se mettre en état de guerre, de révolte.

8   On déploie aujourd'hui l'étendard de la guerre (...)
         VOLTAIRE, Alzire, III, 2.

◆ **2** (1538 : troupes). Disposer sur une plus grande étendue. *Déployer un assortiment d'outils, de bijoux,* les étaler sur la table. *Déployer en éventail. Fleur déployant sa corolle.* → **Épanouir.** — Pron. → **Allonger** (s'), **étirer** (s').

9   De grandes nuées, qui paraissaient consistantes comme des choses terrestres, se déployaient en forme d'arc, voilant le soleil, jetant une obscurité d'éclipse.
         LOTI, Ramuntcho, II, IV, p. 242.

Spécialt. *Déployer ses troupes, face à l'ennemi. Déployer sur les ailes...* → **Développer** (se). — Pron. *Troupes qui se déploient pour combattre.*

10   Il envisage aussitôt le mal et le remède : il s'arrête, fait volte-face, déploie ses divisions à droite du grand chemin, et contient dans la plaine les colonnes russes qui cherchaient à lui faire perdre cette route.
         Ph. P. SÉGUR, Hist. de Napoléon, IX, 10, *in* LITTRÉ.

11   (...) il doit y avoir pas mal de Turcs et de mitrailleuses, à en juger par les rafales qu'ils nous envoient de moment en moment.
   On nous criaille de derrière qu'il faut avancer et se déployer. Mais on reste ployé.
         DRIEU LA ROCHELLE, la Comédie de Charleroi, p. 214.

Par anal. *Manifestants qui se déploient sur la place. Cortège qui se déploie.*

12   Le cortège se déployait, cependant, à travers la ville. Une véritable petite armée ouvrait la marche (...)
         Louis MADELIN, Hist. du Consulat et de l'Empire, «Le Consulat», X, p. 163.

◆ **3** (XVIᵉ, XVIIᵉ). Fig. Montrer dans toute son étendue. *Déployer ses richesses, sa magnificence, ses atours.* → **Pavaner** (se). *Déployer tout un cérémonial.* → **Exhiber, montrer; étalage, parade** (faire).

13   Une des plus grandes preuves de sagesse de Salomon fut de déployer la force pour n'avoir pas à s'en servir.
         DANIEL-ROPS, le Peuple de la Bible, III, I, p. 186.

Déployer un grand courage, toute son énergie, son adresse, son éloquence. → **Manifester, prodiguer, user** (de). *Déployer toutes les ressources, tous les trésors de son imagination, sa puissance de séduction,...* → **Employer.**

14 (...) servez-vous de tout le pouvoir que vous donne sur elle cette amitié qu'elle a pour vous ; déployez sans réserve les grâces éloquentes, les charmes tout-puissants que le Ciel a placés dans vos yeux et dans votre bouche (...)
MOLIÈRE, l'Avare, IV, 1.

15 (...) perdu dans la foule obscure, il m'a fallu déployer plus de science et de calculs, pour subsister seulement, qu'on n'en a mis depuis cent ans à gouverner toutes les Espagnes (...)
BEAUMARCHAIS, le Mariage de Figaro, V, 3.

16 (...) les gens à émotions vives, et qui déploient dans un moment autant de passion que certains hommes en dépensent pendant toute leur vie.
BALZAC, Albert Savarus, Pl., t. I, p. 781.

17 (...) il avait été, dès la première minute, conquis par les allures cordiales de Napoléon, qui, à la vérité, déploya, en ces instants, toutes ses ressources de séduction.
Louis MADELIN, Hist. du Consulat et de l'Empire, «Avènement de l'Empire», XIII, p. 183.

18 Tu n'imagines pas ce que ce lyrique, tout enclin à la nonchalance, déploie d'ingéniosité, de ténacité pour faire vivre son recueil.
J. ROMAINS, les Hommes de bonne volonté, t. IV, XXII, p. 241.

♦ **DÉPLOYÉ, ÉE** p. p. adj.

Qui a pris toute son extension. *Journal déployé. Jupe déployée.*

Loc. (1548). *Rire à gorge déployée* : rire aux éclats, très fort.

19 (...) il se mit à rire à gorge déployée comme si nous avions été seuls dans un salon.
PROUST, À la recherche du temps perdu, t. XIV, p. 127.

Un régiment déployé.

CONTR. Ployer. — Ferler, plier, replier, rouler. — Cacher, dissimuler. — Mesurer, réserver. ◊ DÉR. Déploiement.

DÉPLUMER [deplyme] v. tr. — V. 1265; de 1. *dé-, plume,* et suff. verbal *-er.*

(V. 1265). Rare. Dépouiller de ses plumes (un oiseau vivant). → **Plumer.**

1 Quand les petits garçons et les petites filles déplument leurs moineaux, c'est purement par esprit de curiosité (...)
VOLTAIRE, Dialogues, XXIV, 4.

♦ **SE DÉPLUMER** v. pron. (Récipr.). *Oiseaux qui se déplument mutuellement à coups de bec.*

(Réfl.). Perdre ses plumes naturellement. *Les oiseaux se déplument au moment de la mue.*

(Personnes). Fam. Perdre ses cheveux. *Il commence à se déplumer.*

Fig. Perdre son argent, ses biens, s'appauvrir. *Il est joueur, et il s'est sérieusement déplumé au baccara avant-hier soir.*

♦ **DÉPLUMÉ, ÉE** p. p. adj.

♦ 1 Qui a perdu des plumes, ses plumes. *Oiseau déplumé.*

♦ 2 (Fin XIVᵉ). Fam. Qui perd ses cheveux. *Crâne déplumé.* → **Chauve.** *Avoir le caillou, le coco déplumé.* — (Personnes). *Il est un peu déplumé.* — N. m. *Ce vieux déplumé.*

2 Un homme entre deux âges; grisonnant et déplumé, sanglé, cosmétiqué, le regard trouble, les cils brûlés par les veilles (...)   DAUDET, cité par LITTRÉ, Suppl.

Qui a perdu son argent, ses biens.

DÉPOCHER [depɔʃe] v. tr. — 1534, Rabelais; de 1. *dé-, poche,* et suff. verbal *-er.*

Vx ou régional. Sortir (qqch., spécialt. de l'argent) de sa poche (au propre ou au fig.) (Cf. P. Hamp, P. Morand, *in* G. L. L. F.)

DÉPOÉTISATION [depɔetizasjɔ̃] n. f. — 1909; de *dépoétiser.*

Littér. Action de dépoétiser ; résultat de cette action. *La dépoétisation de la civilisation industrielle.*

Ce mac était tatoué et j'étais bouleversé à l'idée qu'il m'avait demandé de l'emmancher. Il est étrange que je ne l'en ai pas moins aimé, mais on verra là le résultat du lent travail de dépoétisation.
Jean GENET, *Miracle de la rose,* p. 200.

DÉPOÉTISER [depɔetize] v. tr. — 1695, *in* D. D. L., «faire cesser de jouer le rôle de poète»; sens actuel, v. 1810, Mᵐᵉ de Staël, *in* D. D. L., *dépoétiser l'âme*; de 1. *dé-,* et *poétiser.*

Littér. Priver de tout caractère poétique (le plus souvent sujet n. de chose). *Dépoétiser qqch., qqn.*

1 Nous lui reprocherons peut-être une technicité qui n'est pas sans dépoétiser le sujet.
Robert PINGET, *Graal Flibuste,* p. 67.

2 Ce psaume, du moins, était chanté en latin, les réformateurs n'avaient pas tout dépoétisé. La mélopée funèbre déferla sur Martial; et il éprouva comme un rappel atténué des sourdes terreurs de l'enfance.
Jean-Louis CURTIS, le Roseau pensant, p. 84.

DÉR. **Dépoétisation.**

1. **DÉPOINTAGE** [depwɛ̃taʒ] n. m. — 1836; de 1. *dépointer.*

Techn. Action de dépointer (une étoffe). — (XXᵉ). Dans certains métiers à filer, Période de mouvement qui suit la torsion du fil et qui précède le renvidage. *Le dépointage s'exécute soit à la main avec la mule-jenny, soit automatiquement en utilisant le métier self-acting.*

2. **DÉPOINTAGE** [depwɛ̃taʒ] n. m. — 1907; de 2. *dépointer.*

Techn. (artill.). Action de dépointer (une pièce, un canon).

CONTR. Pointage (II.).

1. **DÉPOINTER** [depwɛ̃te] v. tr. — 1723; 1226, *despointier* «altérer une règle; priver, maltraiter qqn»; de 1. *dé-,* et *point.*

Techn. Couper les points de (une pièce d'étoffe pliée). — (XXᵉ). Effectuer le dépointage, dans un métier à filer.

DÉR. 1. **Dépointage.**

2. **DÉPOINTER** [depwɛ̃te] v. tr. — 1864; de 1. *dé-,* et 1. *pointer.*

Techn. (artill.). Déplacer (une pièce) de sa position de pointage.

CONTR. 1. Pointer (II., 2.). ◊ DÉR. 2. **Dépointage.**

DÉPOITRAILLÉ, ÉE [depwatʀaje] adj. — 1876; de 2. *dé-, poitrail,* et *-é, -ée.*

Fam. Qui porte un vêtement largement ouvert sur la poitrine. → **Débraillé.**

À cette heure, dans Rakwomir, les plus coquettes des jeunes filles doivent errer encore dans les maisons, dépeignées, dépoitraillées.
Roger IKOR, les Fils d'Avrom, «La greffe de printemps», p. 93.

DÉPOITRAILLER [depwatʀaje] v. tr. — 1879, *in* D. D. L. (→ Dépoitraillé); de 2. *dé-, poitrail,* et suff. verbal *-er.*

(1879). Fam. et rare. Découvrir la poitrine de (qqn).

◆ **SE DÉPOITRAILLER** v. pron. (1879). Découvrir sa poitrine.

On laisse Pierrouni se dépoitrailler, quand il a chaud, et se dépeigner quand il en a envie.
J. VALLÈS, *l'Enfant*, p. 67 (1879).

DÉPOLARISANT, ANTE [depɔlaʀizɑ̃, ɑ̃t] p. prés. adj. et n. m. — 1815; p. prés. de *dépolariser*.

Électr., opt. Qui supprime la polarisation. *Substances dépolarisantes.*

N. m. Électr. Composant chimique capable d'abolir les polarisations des électrodes. — Opt. Dispositif transformant la lumière polarisée rectilignement en lumière polarisée circulairement.

DÉPOLARISATION [depɔlaʀizasjɔ̃] n. f. — 1842; de *dépolariser*.

◆ **1** Opt. Résolution de la lumière polarisée.

◆ **2** Électr. Processus inverse de la polarisation, tendant à annuler la force contre-électromotrice. *Les corps oxydants* (oxygène, bioxyde de manganèse) *permettent la dépolarisation d'une pile.*

Physiol. Diminution de la différence de potentiel (de la tension électrique) entre deux points de tissu vivant ou entre les deux faces (interne et externe) d'une membrane vivante.

◆ **3** Fig. Phénomène inverse de la polarisation. *La dépolarisation de l'opinion.*

CONTR. Polarisation.

DÉPOLARISER [depɔlaʀize] v. tr. — 1838; de 1. *dé-*, et *polariser*.

◆ **1** Opt., électr. Faire cesser la polarisation* (1. et 2.). *Dépolariser des électrodes. Faisceau de lumière dépolarisé.*

1   (...) la lumière polarisée par le premier système (...) paraissait dépolarisée par passage au travers du second tube.
Le Journal du radium, 1904-19, p. 114, in T. L. F.

◆ **2** Phys. Faire perdre l'état de polarité à... *Dépolariser un barreau aimanté* (Littré), *lui faire perdre ses propriétés magnétiques.*

◆ **3** Fig. Cesser de polariser* **(fig.)**, empêcher de se polariser.

2   Mais l'espace militaire traditionnel, lui-même, cet *ordre spatial*, hiérarchisé en un front et des arrières, doté d'un sens, est dépolarisé par la disparition de la ligne des combats, par l'inextricable imbrication des deux armées.
J. RICARDOU, *in* Claude SIMON, la Route des Flandres, p. 282.

CONTR. Polariser. ◇ DÉR. Dépolarisant, dépolarisation.

DÉPOLI, IE [depɔli] adj. et n. m. — 1706; p. p. de *dépolir*.

Qui a perdu son poli, son éclat. *Marbre, acier dépoli.*

Cour. *Verre dépoli :* verre qui laisse passer la lumière, mais non les images. *Le verre dépoli peut encore être qualifié de «translucide» mais plus de «transparent».*

N. m. *Le dépoli* (d'un verre, d'un objectif photographique). *«Ce dépoli ultra-lumineux traité au laser, qui s'offre à vous en huit verres aisément interchangeables»* (le Nouvel Obs., 25 nov. 1983, publicité, p. 34).

DÉPOLIR [depɔliʀ] v. tr. — 1613; de 1. *dé-*, et *polir*.

Enlever le poli, l'éclat de. *Dépolir l'or, l'argent...* → **Amatir.** — V. pron. *Cette glace se dépolit peu à peu.* → **Ternir** (se).

Il n'y a pas d'exemple que les jardiniers de l'île de Her aient laissé redescendre un jet d'eau sur le bassin, dont il dépolirait la surface.
A. JARRY, Dʳ Faustroll, Pl., p. 687.

DÉR. Dépoli, dépolissage, dépolisseur.

DÉPOLISSAGE [depɔlisaʒ] n. m. — 1809, in D.D.L.; de *dépolir*.

Techn. Action de dépolir; son résultat. *Le dépolissage du verre, du cristal, au jet de sable, à l'acide...* (On dit aussi *dépolissement* [depɔlis(ə)mɑ̃], 1838).

DÉPOLISSEUR, EUSE [depɔlisœʀ, øz] n. — 1898, *Nouveau Larousse illustré*; de *dépolir*, et *-eur*.

Techn. Personne qui dépolit.

DÉPOLITISATION [depɔlitizasjɔ̃] n. f. — 1950; de *dépolitiser*.

Action de dépolitiser; son résultat. *La dépolitisation des syndicats. Dépolitisation et technocratie.*

1   Notre erreur est, souvent, de limiter le «politique» aux modes de gouvernement, aux partis et aux idéologies connus dans les sociétés industrielles avancées. D'ailleurs, dès que ces mécanismes perdent de leur emprise, nous y voyons une manifestation de «dépolitisation». Or c'est simplement un changement, momentané ou permanent, des moyens d'expression du politique. De même, les sociétés traditionnelles ne sont pas, d'une manière apparente, politiques dans le sens que nous donnons à ce mot, mais elles comportent toutes leur charge politique propre.
G. BALANDIER, *in* le Monde, 10 janv. 1968.

2   *Dépolitisation actuelle des masses* (...) La première raison de cette dépolitisation semble un réflexe de satiété et de découragement (...) Les démocraties ont été affaiblies *(avant 1940)* par leurs polémiques finalement inefficaces en face du monolithisme des dictatures agressives (...) il en est résulté une désaffection pour l'émiettement des partis.
Gaston BOUTHOUL, Sociologie de la politique, p. 81.

CONTR. Politisation.

DÉPOLITISER [depɔlitize] v. tr. — 1956; cf. *dépolitiquer* chez Baudelaire, 1852, in D.D.L.; de 1. *dé-*, et *politiser*.

Ôter tout caractère politique à... *Dépolitiser le débat pour aboutir à un accord.* — Faire cesser de s'intéresser à la politique. *Dépolitiser un peuple, les masses.*

1   *Population* est chargé de dépolitiser la pluralité des groupes et des minorités, en repoussant les individus dans une collection neutre.
R. BARTHES, Mythologies, p. 140.

2   La notion de *rationalité* se transforme. Elle devient étatique et politique, tout en dépolitisant (apparemment) l'action des organisations étatiques.
Henri LEFEBVRE, la Vie quotidienne dans le monde moderne, p. 85.

◆ **SE DÉPOLITISER** v. pron.

Cesser de s'intéresser à la politique.

◆ **DÉPOLITISÉ, ÉE** p. p. adj.

Qui a perdu, ou à qui l'on a ôté tout caractère politique. *Des revendications dépolitisées. Des masses amorphes et dépolitisées.*

3   L'armée nouvelle, une armée régénérée et «dépolitisée» pourrait devenir, il me semble, la grande pensée d'une nouvelle gauche.
F. MAURIAC, le Nouveau Bloc-notes 1958-1960, p. 192.

DÉR. Dépolitisation.

DÉPOLLUER [depɔlɥe] v. tr. — Entre 1961 (→ Dépollution) et 1970; de 1. *dé-*, et *polluer*.
Diminuer ou supprimer la pollution de (un lieu, un site urbain, industriel, etc.). → **Épurer.** «*Les ingénieurs français ont (...) dépollué de petits plans d'eau saturés d'hydrocarbures*» (*Science et Vie*, p. 156, n° 98, Marine 1972).
Spéciait. Diminuer ou supprimer la pollution des eaux.

♦ **DÉPOLLUÉ, ÉE** p. p. adj.
Dont la pollution a été diminuée ou supprimée. *Lac dépollué.*

CONTR. Polluer. ◊ DÉR. Dépollueur.

DÉPOLLUEUR, EUSE [depɔlɥœR, øz] adj. — V. 1970; de *dépolluer*, et *-eur*.
Qui dépollue. «*Un navire dépollueur*» (*Science et Vie*, p. 156, n° 98, Marine 1972). — N. *Les dépollueurs et les pollueurs.* «*La marée noire de l'Amoco Cadiz, à défaut d'être combattue efficacement par des produits anti-pollution, aura au moins servi la cause des dépollueurs*» (*Sciences et Avenir*, n° 375, mai 1978, p. 48).

DÉPOLLUTION [depɔlysjɔ̃] n. f. — 1961, brevet déposé par E. Béchard; de 1. *dé-*, et *pollution*.
Action de dépolluer; son résultat. → **Épuration.** *La dépollution des eaux. La prévention et la lutte contre la pollution sont préférables à la dépollution.* «*Dans une économie de croissance exponentielle, c'est toujours la pollution qui a une longueur d'avance sur la dépollution*» (*le Nouvel Obs.*, 21 août 1972).

CONTR. Pollution.

DÉPOLYMÉRISABLE [depɔlimeRizabl] adj. — XXᵉ; de 1. *dé-*, et *polymérisable*.
Chim. Qui peut être dépolymérisé.

DÉPOLYMÉRISATION [depɔlimeRizasjɔ̃] n. f. — 1953; de *dépolymériser*.
Chim. Transformation (d'un polymère) en un composé chimique plus simple.

CONTR. Polymérisation.

DÉPOLYMÉRISER [depɔlimeRize] v. tr. — 1906, in *Rev. gén. des sc.*, n° 21, p. 946; de 1. *dé-*, et *polymériser*.
Didact. Transformer (un polymère) en un composé chimique plus simple.
On doit évidemment éviter que la cellulose soit dépolymérisée par la mise en solution et au cours des mesures, ce qui ne va pas sans difficultés avec les solvants alcalins, à cause de la possibilité de coupure de chaînes préalablement affaiblies par oxydation, des facilités d'oxydation de la cellulose et du solvant alcalin lui-même.
M. CHÊNE et N. DRISCH, *la Cellulose*, p. 47-48.

CONTR. Polymériser. ◊ DÉR. Dépolymérisation.

DÉPONENT, ENTE [depɔnɑ̃, ɑ̃t] adj. et n. m. — 1520; lat. *deponens*, p. prés. de *deponere* «quitter, déposer», le verbe ayant «déposé», perdu le sens passif.
Didact. Se dit d'une catégorie de verbes latins de forme passive et de sens actif. *Verbes semi-déponents*, qui ne sont déponents qu'à la série du supin, celle du présent ayant la forme active. *Conjugaison déponente.* → aussi **Médio-passif.**
1 L'appareil Schneitzoëffer (...) est appelé à devenir, pour ainsi dire, le *vade mecum* du collégien en vacances, qui en étudiera l'application, l'aimable mutin, entre celle de deux verbes pronominaux ou déponents.
VILLIERS DE L' ISLE-ADAM, Contes cruels, p. 167.
2 Tenez, nous allons nous régaler d'un joli petit verbe déponent... E. LABICHE, Deux merles blancs, III, 3.
N. *Un déponent.*

DÉPOPULARISATION [depɔpylaRizasjɔ̃] n. f. — 1886; de *dépopulariser*.
Littér. et rare. Perte de la popularité.
(...) le dépotoir final où seront transférés sans pavois — pour faire place à d'autres —, les carcasses de libérateurs et les résidus d'apôtres, au fur et à mesure de leur successive dépopularisation. Léon BLOY, *le Désespéré*, p. 93.

DÉPOPULARISER [depɔpylaRize] v. tr. — 1779, pron.; de 1. *dé-*, et *populariser*.
Littér. et rare. Faire perdre la popularité (à qqn). — Par ext. Rare. Faire perdre la popularité (à qqch.).

♦ **SE DÉPOPULARISER** v. pron. (réfl.).
Perdre sa popularité (en parlant d'une personne).

DÉR. Dépopularisation.

DÉPOPULATEUR, TRICE [depɔpylatœR, tris] adj. — 1795, in D. D. L.; de *dépopulation*.
Didact. et vx. Qui dépeuple. *Système dépopulateur.*

DÉPOPULATION [depɔpylasjɔ̃] n. f. — V. 1354, «dévastation»; lat. *depopulatio*; sens actuel, XVᵉ; de *dépeupler* d'après *population*.

♦**1** Action de se dépeupler (par excédent des décès sur les naissances); état d'un pays dépeuplé. → **Dépeuplement.**
Mais quelle perte pour la société que ce grand nombre d'hommes morts dès leur naissance! Quelle dépopulation ne doit-il pas s'ensuivre! 1
MONTESQUIEU, Lettres persanes, CXV.
(Cf. Espr. des lois, XXIII,
19 : Dépopulation de l'univers).
Ces idées n'eurent pas lieu d'être appliquées, la Grèce souffrant alors d'une dépopulation qui entraîna sa perte et provisoirement celle des doctrines philosophiques, du moins sur ce point. 2
A. SAUVY, Croissance zéro?, p. 16.
Après avoir été longtemps, du moins en France, sensible à l'angoisse du vide, de la dépopulation, l'opinion est maintenant saisie par le sentiment contraire (...) 3
A. SAUVY, Croissance zéro?, p. 84.

♦**2** Rare. Action de dépeupler; chute de population.
(...) aux ravages des hommes, s'étaient jointes les dépopulations des pestes. 4
Ed. et J. DE GONCOURT, Mᵐᵉ Gervaisais, p. 257.

CONTR. Repopulation.

1. DÉPORT [depɔR] n. m. — XIIᵉ; de *déporter*, I.; sans *déport* a signifié «sans délai», jusqu'au XVIIᵉ.
Dr. Démission qu'un arbitre donne de ses fonctions. → **Déporter** (se), I. (Cf. Code de procédure civile, art. 1012).

2. DÉPORT [depɔR] n. m. — 1852, in D. D. L.; de 1. *dé-*, d'après *report*.
♦**1** Bourse. Somme payée par les vendeurs à terme qui reportent (1. Reporter, II., 2.) leur position aux prêteurs de titres, dans le cas où le nombre des titres reportés est supérieur à celui des titres à faire reporter.
♦**2** (1852). Fin. Somme à déduire du prix des devises achetées à terme, lorsque le cours du comptant est supérieur à celui du terme.

CONTR. Report.

3. DÉPORT [depɔR] n. m. — Déb. XIIIᵉ; de *déporter*.
[I] (→ Déporter, I.). **Anciennt.** *Droit de déport* (1508) : privilège d'un seigneur qui lui permettait de jouir du revenu d'un fief pendant un certain temps après la mort de son possesseur.

(1405). *Droit qu'avait un évêque de recevoir, pendant un certain temps, le revenu des bénéfices vacants de son diocèse.*

II (→ Déporter, III.). ♦ **1** Techn. Distance entre un centre, un plan méridien et un point donné. → **Écuanteur.**

♦ **2** Techn. Fait d'être déporté ; léger écart par rapport à un axe (involontaire, ou volontaire et réglé).

♦ **3** (1973). Télécomm. Transmission d'informations provenant des radars.

Transport d'informations télévisées hors du réseau initial (par le câble). *«Le déport des stations étrangères et périphériques sur le réseau câblé français»* (le Nouvel Obs., 20 janv. 1984, p. 30). *«Un éventuel "déport" de chaînes périphériques»* (le Point, 1er déc. 1983, p. 120).

♦ **4** Fig. et littér. Fait d'être déporté, déplacé.

(...) la contradiction des termes cède à ses yeux par la découverte d'un troisième terme, qui n'est pas de synthèse, mais de déport : toute chose revient, mais elle revient comme Fiction, c'est-à-dire à un autre tour de la spirale.
　　　　　　R. BARTHES, *Roland Barthes*, p. 93.

DÉPORTANCE [depɔʀtɑ̃s] n. f. — 1974 ; de 1. *dé-*, et *portance.*

Techn. Portance aérodynamique négative (d'une voiture, d'un avion).

DÉPORTATION [depɔʀtasjɔ̃] n. f. — V. 1510, «bannissement» ; 1797, au sens mod. (déportation en Guyane) ; lat. *deportatio*, du supin de *deportare.* → Déporter.

♦ **1** Dr. franç. (ancient ; remplacé en 1960 par la détention criminelle). Peine politique afflictive et infamante (anc. art. 7 du Code pénal) qui consistait dans le transport définitif du condamné hors du territoire continental français. → **Exil.** *La déportation se distinguait d'autres peines qui entraînaient comme elle l'éloignement du condamné hors du territoire métropolitain.* → **Bannissement, détention, relégation, transportation.** *Déportation simple. Déportation dans une enceinte fortifiée* (Loi du 8 juin 1850). *Crime politique puni de déportation* (→ Attentat, cit. 9). *La Guyane était une colonie de déportation.*

1　La peine de la déportation consistera à être transporté et à demeurer à perpétuité dans un lieu déterminé par la loi, hors du territoire continental de la République.
　　　　　　Code pénal, art. 17.

♦ **2** (V. 1942). Cour. Internement, après déplacement forcé, dans un camp de concentration à l'étranger. *Les nazis organisèrent la déportation des Juifs, des Tziganes, des résistants, en Allemagne* (→ **Déporté**). *Médaille de la Déportation et de l'Internement.*

♦ **3** Fait de déporter, de transporter par la force (des personnes, des populations).

2　L'idée panafricaine, dont N'Krumah n'est pas le créateur, mais le prophète moderne, est une idée aussi vieille que la déportation massive outre-mer des Africains. Les hommes les plus divers, anonymes ou connus, ont — dès la première dispersion, à l'aube du XVIe siècle — combattu par les armes ou par le rêve, leur déportation, leur séparation d'avec la terre d'origine.
　　　　　　Jean ZIEGLER, *Main basse sur l'Afrique*, p. 78.

DÉPORTÉ, ÉE [depɔʀte] adj. et n. — 1796, *in* D. D. L. ; de *déporter.*

♦ **1** Ancient. Qui a subi la peine de la déportation (1). *Coupables déportés.* — N. (rare au fém.). *Les déportés de la Guyane, de la Nouvelle Calédonie* (au XIXe siècle).

1　Par une note de M. Wickham, ministre d'Angleterre en Suisse, adressée à l'état de Berne, le 22 juin 1796, la cour

de Londres déclare qu'elle n'accordera aucun passe-port aux émigrés et déportés français, chassés de Suisse, pour se retirer dans ses états.
　　　　　　BALESTRIER, *Mes tablettes*, n° 89-93, 29 messidor-4 thermidor, an IV, p. 356, *in* D. D. L., II, 21.

2　Je ne veux pas vous interroger, mais probablement vous n'avez pas plus d'argent qu'il ne vous en faut, et vous êtes joliment délicats tous deux pour bêcher et piocher comme font les déportés à Cayenne.
　　　　　　A. DE VIGNY, *Servitude et Grandeur militaires*, I, v, p. 72.

♦ **2** (V. 1942). Interné à l'étranger dans un camp de concentration. — N. m. *Camp de déportés.* → **Camp** (de concentration). *Déportés politiques en Allemagne, pendant la Seconde Guerre mondiale. La plupart des déportés furent exterminés par les Nazis. Ancien déporté et prisonnier de guerre. Des trains de déportés* (→ 1. Politique, cit. 10.1).

3　Les plaies, la neige, la faim, les poux, la soif ; puis la soif, la faim, les poux, la neige, les maladies et les plaies (...) L'hallucination qui fait prendre la schlague meurtrière des kapos pour un bâton de chocolat, le petit morceau de bois indéfiniment sucé, le corps qui n'est plus que faim (...) La faim a été la compagne quotidienne des déportés jusqu'à la limite de la mort.
　　　　　　MALRAUX, *Antimémoires*, Folio, p. 604.

DÉPORTEMENT [depɔʀtəmɑ̃] n. m. — V. 1260 ; de *déporter.*

♦ **1** (V. 1260). Vx. Conduite (bonne ou mauvaise).

1　(...) les mauvais déportements des jeunes gens viennent le plus souvent de la mauvaise éducation que leurs pères leur donnent.
　　　　　　MOLIÈRE, les *Fourberies de Scapin*, II, 1.

2　Elle doit avoir un déportement tranquille et modeste, une honnêteté qui mette toujours de la mesure dans ses actions (...)
　　　　　　TAINE, *Philosophie de l'art*, t. I, II, III, p. 141.

♦ **2** (1636). Mod. et littér. Au plur. Écart de conduite, excès. — En particulier. Mauvaise conduite, mœurs dissolues. → **Débauche.** *Déportements scandaleux, excessifs. Il faudra cesser vos déportements.*

3　À dire vrai, nous nous incommodons étrangement l'un et l'autre ; et si vous êtes las de me voir, je suis bien las aussi de vos déportements.　　MOLIÈRE, *Dom Juan*, IV, 4.

4　(...) ils *(les grands écrivains)* célèbrent indifféremment les femmes coupables et les femmes vertueuses. Ils choisissent même de préférence, pour héroïnes, des femmes que leurs passions et leurs déportements ont rendues illustres : Médée, Didon, Phèdre.
　　　　　　Valery LARBAUD, *Fermina Marquez*, IX, p. 75.

♦ **3** Fait d'être déporté (en parlant d'un véhicule). *Violent déportement.* → **Écart, embardée.**

DÉPORTER [depɔʀte] v. tr. — 1350 ; lat. class. *deportare* «emporter, déporter», de *de-*, et *portare* «porter».

I Vx. Exempter.

V. pron. Spécialt (dr.). *Se déporter.* → **Récuser** (se). *Juge qui se déporte.* → 1. **Déport.**

1　Les arbitres ne pourront se déporter, si leurs opérations sont commencées : ils ne pourront être récusés si ce n'est pour cause survenue depuis le compromis.
　　　　　　Code de procédure civile, art. 1014.

II ♦ **1** (1495, rare av. 1791 ; de *deportare* au sens d'«exiler»). Infliger la peine de déportation à. *Déporter les auteurs d'un attentat. Ils furent déportés dans une colonie.* → **Déporté,** adj. et nom.

♦ **2** (V. 1942). Envoyer à l'étranger dans un camp de concentration. *Les Juifs furent déportés par centaines de milliers en Allemagne.*

2　(L'ennemi) jetait en prison des milliers de patriotes pour les déporter ensuite.
　　　　　　Ch. DE GAULLE, *Mémoires de guerre*, t. I, p. 227 (1954).

1275

♦ 3 Transporter par la force hors de son pays natal (des hommes, des populations).

III (Déb. xxᵉ). Dévier de sa direction, entraîner hors de sa route, hors de sa trajectoire. → **Dévier**. *Le vent l'a déporté sur le bas-côté de la route.*

Pron. (Passif). *Se déporter :* s'écarter de sa route.

♦ DÉPORTÉ, ÉE p. p. adj.

(Au sens II). → **Déporté**, adj. et nom.

(Au sens III). Écarté, dévié de sa route. *Auto déportée, avion déporté par un vent violent. La voiture a été déportée sur, vers la droite.*

3 Déporté vers la droite, il se trouva bloqué contre les maisons (...)

MARTIN DU GARD, les Thibault, t. VII, p. 63.

Par ext. Techn. Écarté d'un point (normal, central). → 3. **Déport**. *Poulie à moyeu déporté. Pièce circulaire dont l'axe de rotation est déporté.* → **Excentrique**.

CONTR. (De II., 1.) Gracier, rapatrier. — (De III.) Centrer. — (Du p. p.) **Fixe, stable.** ◊ **DÉR.** 1. **Déport**, 3. **déport, déporté, déportement.**

DÉPOSANT, ANTE [depozã, ãt] n. — 1392 ; p. prés. de *déposer*.

♦ 1 Dr. Personne qui fait une déposition en justice.

1 C'était l'usage (...) de tenir secrets et les témoignages et les noms des témoins. En l'espèce, l'évêque de Beauvais pouvait alléguer l'intérêt des déposants (...)

FRANCE, la Vie de Jeanne d'Arc, t. II, 1908, p. 241, *in* T. L. F.

♦ 2 (1636). Personne qui fait un dépôt. *Le nombre des déposants à la Caisse d'épargne.*

2 Si le contrat de dépôt désigne le lieu dans lequel la restitution doit être faite, le dépositaire est tenu d'y porter la chose déposée. S'il y a des frais de transport, ils sont à la charge du déposant. Code civil, art. 1942.

CONTR. Dépositaire.

DÉPOSE [depoz] n. f. — 1836 ; *déposage,* n. m., 1750 ; de *déposer*.

♦ 1 (De 2. *déposer*). Techn. Action de déposer, de défaire ce qui a été fixé. *La dépose d'un châssis, d'une serrure. Facturer la dépose de l'ancien appareil et la pose du nouveau.*

♦ 2 (De 1. *déposer*). Fait de déposer (qqn). *Dépose en hélicoptère des skieurs sur les pistes* (Publicité, 1978). *«Le site choisi à Valgrisenche se prête particulièrement aux déposes : vallée très peu peuplée (...) sommets en cirque tous à proximité immédiate de l'auberge permettant des trajets en hélicoptère très courts (...)»* (Contact, revue mensuelle de la Fnac, nᵒ 220, janv. 1983, p. 2).

1. DÉPOSER [depoze] v. tr. — xiiᵉ ; lat. *deponere* «mettre à terre ; mettre en dépôt ; renoncer» ; adapté d'après *poser* (préfixe 2. *dé-*).

I ♦ 1 Poser (une chose que l'on portait). *Déposer un fardeau, une charge, des marchandises sur le quai* (→ **Décharger**). *Défense de déposer des ordures. Déposer sa carte chez qqn. Déposer une gerbe sur une tombe.* → **Mettre, placer.**

1 Moïse fit déposer auprès de l'Arche, l'original de la Loi (...)
BOSSUET (→ Authentique, cit. 6).

2 Les bouquinistes déposent leurs boîtes sur le parapet.
FRANCE (→ Bouquiniste, cit. 1.).

3 Aidé de Lucas, il souleva le corps pour le déposer dehors sur la neige (...)
P. MAC ORLAN, la Bandera, XVII, p. 204.

En partic. (En parlant des animaux). *Déposer ses œufs :* pondre.

Par ext. Mettre, laisser (qqn) quelque part. *Déposer qqn. Déposer un enfant à l'Assistance publique.* → **Abandonner, laisser** (→ Crèche, cit. 2). — *Ma voiture vous déposera à l'hôtel. Déposez-moi où vous voudrez.*

4 Mon père nous proposa de nous déposer ma grand-mère et moi au théâtre, en se rendant à sa Commission.
PROUST, À la recherche du temps perdu, t. III, p. 24.

Par métaphore. *Déposer ses hommages aux pieds d'une dame.* → **Présenter.**

Déposer un baiser sur..., poser délicatement (→ Crucifix, cit. 2).

4.1 (...) il déposa sur son front un de ces baisers sous lesquels il semble que devrait éclore une étoile (...)
HUGO, les Travailleurs de la mer, III, III, II.

♦ 2 Loc. métaphorique et fig. → **Abandonner**. *Déposer les armes* :* cesser le combat. *Déposer le masque :* cesser de dissimuler. *Déposer la couronne, le pouvoir.* → **Abdiquer, démettre** (se), **résigner**. *Déposer sa fierté, son orgueil, ses prétentions.* → **Perdre, renoncer** (à). *Déposer une fonction, une charge,* la quitter.

5 Celui qui se propose de trouver la vérité, déposera ses préjugés.
DIDEROT, Opinions des anciens philosophes, *in* LITTRÉ.

6 Je devais déposer mes fonctions de professeur.
H. F. AMIEL, Journal, 1866, p. 164, *in* T. L. F.

♦ 3 (Sujet n. de chose). *Le vent a déposé une couche de poussière sur la terrasse. Charpie* (cit. 1) *qui dépose des germes sur une plaie.*

(1798). Le sujet désigne un liquide. Laisser aller au fond (les parties solides en suspension). *Les crues déposent du limon* (→ Alluvion, cit. 3 ; couche, cit. 6 et 7). — Absolt. *Cette liqueur dépose.* → **Décanter** (se), **précipiter.** — Pron. *La poussière se dépose sur les meubles. Laisser reposer du vin pour que la lie se dépose.* — Figuré :

7 Ainsi se déposent peu à peu dans un cœur d'homme les éléments troubles dont se forme la trahison.
JAURÈS, Hist. socialiste..., t. VII, p. 110.

♦ 4 Mettre (qqch.) en lieu sûr, en dépôt. → **Confier, mettre, remettre**. *Déposer son manteau au vestiaire, ses bagages à la consigne. Déposer des marchandises à l'entrepôt, en consignation...* → **Consigner, emmagasiner, entreposer**. *Déposer un testament chez le notaire. Déposer de l'argent à la banque.* → **Verser**. — Sans compl. indir. *Il vient déposer de l'argent.*

8 L'oiseau qui porte Ganymède
Du monarque des dieux enfin implore l'aide,
Dépose en son giron ses œufs, et croit qu'en paix
Ils seront dans ce lieu (...)
LA FONTAINE, Fables, II, 8.

9 (...) le moment où je déposai cet argent dans ses mains me fut mille fois plus doux que celui où il entra dans les miennes. ROUSSEAU, les Confessions, VI.

Fig. *Déposer un secret dans le sein d'un ami* (→ Chagrin, cit. 9). *Déposer une pétition, un projet de loi. L'avoué a déposé ses conclusions. Déposer sa signature au greffe d'un tribunal, au secrétariat d'une mairie. Déposer des pièces justificatives.* → **Produire**. *Déposer une marque de fabrique, un brevet.* — Au p. p. *Marque* déposée. Déposer des pièces aux archives, des livres à la Bibliothèque nationale.* → **Dépôt** (légal).

10 (...) dans ces archives les faits étaient religieusement déposés à mesure qu'ils se produisaient.
FUSTEL DE COULANGES, la Cité antique, III, VIII, p. 200.

Dr. *Déposer une plainte en justice.* — Dr. comm. *Déposer son bilan** (cit. 1) : se déclarer en faillite, pour un commerçant, un industriel, et, par ext., une entreprise. Fig. → Bilan, cit. 3 et 4. — Au p. p. *Bilan déposé.*

♦ **5** Intrans. Déclarer ce que l'on sait d'une affaire. *Déposer en justice devant un magistrat.* → **Intervenir, témoigner.** *Déposer contre* (→ **Charger**), *en faveur de qqn. Déposer d'un fait* (Académie). *Il déposa que...* — Fig. *Votre trouble dépose contre vous.*

11　Pourquoi contre vous-même allez-vous déposer?
　　　　　　　　　　　　RACINE, Phèdre, III, 3.

12　(...) on ne fait point déposer les témoins en secret, ce serait en faire des délateurs (...)
　　　　　　　VOLTAIRE, Dialogues, XXIV, 15ᵉ entretien.

13　Le témoin déposera sans qu'il lui soit permis de lire aucun projet écrit. Sa déposition sera consignée sur le procès-verbal (...)　　　　Code de procédure civile, art. 271.

II Dépouiller (qqn) de l'autorité souveraine. → **Destituer.** *Déposer un roi, un empereur, un pape.* — Par anal. *Déposer un évêque.*

14　Je puis faire les rois, je puis les déposer (...)
　　　　　　　　　　RACINE, Bérénice, III, 1.

15　La crainte d'être déposé est un plus grand frein pour les empereurs turcs que les lois de l'Alcoran.
　　　　　　　VOLTAIRE, Essai sur les mœurs, XCIII.

CONTR. **Charger.** — **Retirer.** — **Nommer.** ◊ DÉR. **Déposant.** — V. **Dépositaire, déposition.** → COMP. **Électrodéposition.**

2. **DÉPOSER** [depoze] v. tr. — 1836; de 1. *dé-,* et *poser.*
Techn. Enlever (ce qui a été posé à une place déterminée). → **Enlever, ôter.** *Déposer un tableau, des rideaux. Déposer une serrure.*

DÉR. **Dépose.**

DÉPOSITAIRE [depozitɛʀ] n. — 1414; lat. jurid. *depositarius,* du supin de *deponere,* de *de-,* et *ponere* «poser».

♦ **1** (1414). Personne à qui l'on confie un dépôt. *Le dépositaire d'un trésor, d'une lettre, d'un bien meuble.*

1　Le dépositaire doit apporter, dans la garde de la chose déposée, les mêmes soins qu'il apporte dans la garde des choses qui lui appartiennent.　　Code civil, art 1927.

Vx. Économe d'une communauté religieuse.

Comm. et cour. Commerçant qui vend des marchandises qui lui ont été confiées par un déposant. → **Stockiste.** *Dépositaire commissionnaire.* → **Consignataire.** *Être le seul dépositaire d'une marque sur une place.* → **Concessionnaire.** *Liste des dépositaires.*

♦ **2** Fig. (Littér. ou style soutenu). Avec un compl. en *de.* Personne qui reçoit, possède (qqch.). → **Gardien.** *Faire de qqn le dépositaire d'un secret.* → **Confident.** *Dépositaire du vrai.* → **Possesseur.**

2　Quelle chimère est-ce donc que l'homme? (...) dépositaire du vrai, cloaque d'incertitude et d'erreur; gloire et rebut de l'univers.　　　　　PASCAL, Pensées, VII, 434.

3　Nous étions donc, ce secrétaire et moi, les deux confidents du premier ministre et les dépositaires des secrets (...)
　　　　　　　A. R. LESAGE, Gil Blas, XI, VIII.

4　(...) le joyeux défi de ceux pour qui tout est définitivement éclairci en ce monde comme en l'autre, et qui se sentent avec sérénité les seuls dépositaires du Vrai.
　　　　　　MARTIN DU GARD, Jean Barois, I, IV, p. 27.

(En parlant de choses.)

5　Souvent ce cabinet superbe et solitaire
　　Des secrets de Titus est le dépositaire.
　　　　　　　　　　RACINE, Bérénice, I, 1.

6　C'est avec raison que l'histoire a été appelée le témoin des temps, le flambeau de la vérité, l'école de la vertu, le dépositaire des événements et, s'il était permis de parler ainsi, la fidèle messagère de l'antiquité.
　　　　　　　ROLLIN, Hist. ancienne, XXV, 2.

Dr., admin. *Dépositaire de l'autorité publique :* agent qui détient et exerce des pouvoirs de puissance publique. *Dépositaire public :* fonctionnaire ou officier ministériel chargé de la gestion d'un dépôt public ou du maniement de deniers, de valeurs mobilières.

CONTR. **Commettant, déposant.**

DÉPOSITION [depozisjɔ̃] n. f. — V. 1192; lat. *depositio,* de *depositum,* supin de *deponere* «déposer», de *de-,* et *ponere.*

♦ **1** (V. 1192). Déclaration que fait sous la foi du serment la personne qui témoigne en justice. → **Témoignage.** *La déposition de qqn, d'un témoin à propos, au sujet de qqch. Faire, signer une déposition, sa déposition. Entendre, ouïr* (dr.), *recevoir, recueillir une déposition. Déposition favorable à l'accusé. Termes d'une déposition* (→ Compte, cit. 24). *Faire lecture au témoin de sa déposition* (→ **Récoler**).

1　Sa déposition *(du témoin)* sera consignée sur le procès-verbal; elle lui sera lue, et il lui sera demandé s'il y persiste : le tout à peine de nullité (...) Lors de la lecture de sa déposition, le témoin pourra faire tels changements et additions que bon lui semblera : ils seront écrits à la suite ou à la marge de sa déposition(...)
　　　　　　Code de procédure civile, art. 271-272.

2　Les lois qui font périr un homme sur la déposition d'un seul témoin sont fatales à la liberté.
　　　　　MONTESQUIEU, l'Esprit des lois, XII, III.

♦ **2** (1467). Action de déposer un souverain. → **Déchéance, destitution.** *Prononcer la déposition du prince.*

3　On préparait à Stamboul la déposition du sultan Mourad, et le sacre d'Abd-ul-Hamid.　　LOTI, Aziyadé, VI, p. 45.

Par anal. *Déposition d'un évêque.*

4　Pour une déposition dans les formes, il fallait une assemblée générale de tous les évêques de la Province.
　　　　FLÉCHIER, Hist. de Théodose, IV, 68, *in* LITTRÉ.

♦ **3** (1836). Arts. *Déposition de croix,* ou dé de représentations du corps de Jésus-Christ après la descente de croix. → **Descente.**

CONTR. **Investiture** (d'un souverain).

DÉPOSSÉDER [depɔsede] v. tr. — 1461; de 1. *dé-,* et *posséder.*

♦ **1** Priver (qqn) de la possession (d'une chose). → **Dépouiller, désapproprier, dessaisir, enlever, frustrer, ôter, priver, spolier.** *Déposséder qqn de ses biens, de sa charge. Déposséder un propriétaire d'un bien immeuble pour cause d'utilité publique.* → **Exproprier.** *Déposséder qqn de sa place* (→ **Évincer, supplanter**). — Au p. p. *Personne dépossédée de ses biens.* — Sans compl. en *de. Il s'est fait déposséder. Il a été dépossédé.* — P. p. adj. *Un propriétaire dépossédé.*

1　La grandeur de l'homme est grande en ce qu'il se connaît misérable (...) Toutes ces misères-là mêmes prouvent sa grandeur; ce sont misères de grand seigneur, misères d'un roi dépossédé.　　　PASCAL, Pensées, VI, 397-398.

2　Le gouvernement a sous la main un moyen expéditif et sûr de déposséder, quand il voudra, les détenteurs de bétaux.　　PROUDHON, *in* P. LAROUSSE.

♦ **2** Fig. et littér. *Déposséder qqn d'un bien moral, de sa liberté. Être dépossédé de toute espérance.* → **Démunir, privé.** — Au p. p. *«L'âme dépossédée»* (Claudel, *in* T. L. F.).

3　C'est en vain que l'on me ferait les plus riches promesses : possesseur de l'univers entier, il me manquerait l'espérance du seul bien désirable : je suis dépossédé de ce qui dure. Je triomphe et je désespère. Je me possède; je vous possède; je n'ai rien.
　　　　André SUARÈS, Trois hommes, Ibsen, IX, p. 187.

Pron. (Rare, surtout relig.). *Se déposséder* (soi-même).

♦ **DÉPOSSÉDÉ, ÉE** p. p. adj. Voir à l'article (cit. 1 et *supra*).

CONTR. Attribuer, donner. ◊ DÉR. Dépossession.

DÉPOSSESSION [depɔsesjɔ̃] n. f. — 1690, Furetière ; de 1. dé-, et *possession*.

Didactique.

♦ **1** Action de déposséder (qqn de qqch.); son résultat. *La dépossession de qqn.* «Aucune dépossession de la France à Madagascar» (De Gaulle, *in* T. L. F.). *La dépossession d'un privilège.*

♦ **2** Littér. Action de déposséder (qqn, une entité) d'un bien moral. *La dépossession de la liberté.* — Spécialt. *La dépossession de soi, de soi-même* : le fait de ne plus s'appartenir (surtout dans un contexte religieux). Absolt. (Surtout au fig.). «*La mort représente une totale dépossession*» (Sartre, *l'Être et le Néant*, 1943, p. 628, *in* T. L. F.).

Elle souffrait d'ailleurs de toutes les façons, ne se sentant plus chez elle dans sa maison. Ce froissement de dépossession qu'elle avait eu, un soir, quand tous les yeux regardaient Annette sous son portrait, continuait, s'accentuait, l'exaspérait parfois.

MAUPASSANT, *Fort comme la mort*, p. 264.

DÉPÔT [depo] n. m. — 1323, *depost*; du lat. class. *depositum*, p. p. neutre de *deponere* «déposer», de *de*-, et *ponere*.

I ♦ **1** Rare. Action de déposer (qqch. en un lieu). *Le dépôt d'un corps dans un caveau, d'une gerbe sur une tombe. — Mettre qqch. en dépôt,* déposer.

Spécialt. Comm. et cour. *Dépôt de bilan.* → **Bilan** (cit. 2). — Comm. *Dépôt de marques de fabrique,* qui entraîne la protection légale des marques dites déposées.

Spécialt. Action de confier à la garde de qqn, de placer dans un lieu sûr. → **Remise.** *Le dépôt d'un manteau au vestiaire, d'une valise à la consigne... Le dépôt d'un testament chez un notaire. Dépôt de pièces au greffe d'un tribunal* (→ Communication, cit. 4).

Cour. *Faire un dépôt en espèces. Dépôt de titres, de valeurs, de fonds à la banque.* → **Versement.** — *Banque* de dépôt.*

1   Maintenant, quant au dépôt que vous voulez faire entre mes mains, ce serait comme la loi (...) Je vous ferai savoir alors la manière de mettre en sûreté et en bon rapport l'héritage de votre mère (...)

G. SAND, *la Petite Fadette*, XXXIII, p. 220.

Le dépôt d'un enfant à l'Assistance publique. → **Abandon.**

Dr. Contrat «par lequel on reçoit la chose d'autrui, à la charge de la garder et de la restituer en nature» (Code civil, art. 1915). *Le dépôt est un contrat gratuit à la différence du louage de services. Dépôt volontaire,* formé par le consentement réciproque du déposant* et du dépositaire* (→ Dépositaire, cit. 1). *Dépôt nécessaire,* dû à quelque accident : incendie, pillage, naufrage,... *Dépôt irrégulier,* dans lequel le dépositaire peut disposer de ce qui lui a été remis sous réserve de restituer l'équivalent. *Dépôt judiciaire d'une chose contentieuse.* → **Séquestre.**

2   (...) le dépôt est un contrat *essentiellement gratuit.* Aucune rémunération ne peut être stipulée pour le dépositaire (art. 1917). Le dépositaire rend au déposant un service d'ami. C'est là une caractéristique *essentielle* du contrat. C'est pour cela que le *séquestre* n'est pas à proprement parler un dépôt. En effet, il peut comporter et comporte en général, en fait, une rémunération (art. 1957).

A. COLIN et H. CAPITANT, Cours élém. de droit civil franç., t. II, p. 650.

DÉPÔT LÉGAL : fait de remettre aux agents de l'État des exemplaires de toute production littéraire ou artistique destinés aux collections nationales. *Les travaux d'impression de ville et de commerce, les imprimés administratifs, les bulletins de vote, ... sont exclus du dépôt.*

3   Les imprimés de toute nature (livres, périodiques, brochures, estampes, gravures, cartes postales illustrées, cartes de géographie, etc.), les œuvres musicales, les œuvres photographiques (...) cinématographiques, phonographiques, et généralement toutes les productions des arts graphiques reproduites en nombre sont (...) l'objet d'un double dépôt effectué par l'imprimeur ou le producteur, d'une part, et l'éditeur, d'autre part.

Loi du 19 mai 1925, art. 1.

Comm. Fait de placer une marchandise dans un lieu de vente.

3.1   Jamais aucun de ses livres à lui n'a eu l'honneur de figurer aux bibliothèques des gares. On lui a bien parlé de telle démarche qu'il suffirait de faire pour en obtenir le dépôt ; mais il n'y tient pas. S'il se redit qu'il se soucie fort peu que ses livres soient exposés aux bibliothèques des gares, mais il a besoin de se redire en y voyant le titre de Passavant.

GIDE, *les Faux-monnayeurs*, Pl., p. 983.

(Dans l'expr. : *de dépôt*). Fait de laisser un véhicule. *Gare de dépôt* (→ ci-dessous, 3. : *le dépôt*).

♦ **2** Ce qui est confié au dépositaire pour être gardé et restitué ultérieurement. *Le dépôt consiste en un objet, une somme d'argent... Confier un dépôt à qqn. Recevoir un dépôt. Compte* de dépôt. Retirer un dépôt. S'approprier un dépôt. Restituer, rendre fidèlement un dépôt.*

4   (...) si le dépositaire s'est offert lui-même pour recevoir le dépôt (...) s'il a stipulé un salaire pour la garde du dépôt (...)

Code civil, art. 1928.

Dépôts bancaires : les fonds déposés en banque. *Augmentation des dépôts. Dépôts à préavis, à échéance fixe. — Dépôt à terme* : dépôt ne pouvant être remboursé au propriétaire avant un délai déterminé d'avance. S'oppose à *dépôt à vue* : dépôt remboursable à tout moment.

Spécialt. Ce qui sert de garantie. → **Cautionnement, consignation, couverture, gage, garantie, provision.** *Caisse* des dépôts et consignations.*

Fig. et littér. *Cette confidence est pour lui un dépôt sacré.*

5   Du droit de commander je ne suis point jaloux ;
Je ne l'ai qu'en dépôt, et je vous l'abandonne(...)

CORNEILLE, *Sertorius*, III, 1.

6   La confiance plaît toujours à celui qui la reçoit (...) c'est un dépôt que l'on commet à sa foi (...)

LA ROCHEFOUCAULD, *Réflexions diverses*, 5, De la confiance.

7   Je vous rends le dépôt que vous m'avez commis.

RACINE, *Athalie*, II, 7.

8   (...) ta personne est désormais pour moi le plus charmant, mais le plus sacré dépôt dont jamais mortel fut honoré.

ROUSSEAU, *Julie ou la Nouvelle Héloïse*, I, lettre V.

9   Nous oublions que la royauté est un dépôt qui doit être transmis, comme toute chose héréditaire, par le fait de la naissance (...)

RENAN, *Questions contemporaines*, Œ. compl., t. I, p. 49.

♦ **3** Lieu où l'on dépose certaines choses. *Le dépôt de bagages d'une gare.* → **Consigne.** *Dépôt d'archives.* → **Archives.** *Dépôt public,* institué pour recevoir les dépôts de pièces, papiers, actes officiels,... *Dépôts des jugements d'un tribunal.* → **Greffe.** — Comm. *Dépôt de marchandises.* → **Entrepôt, magasin, stock.** — *Dépôt-vente* : magasin dans lequel des particuliers déposent ce qu'ils veulent vendre.

10   Des dépôts de carburants avaient pris feu, répandant sur une immense étendue d'horizon, une épaisse fumée (...)

GIDE, *Journal*, 24 janv. 1943.

(Sans compl.). *Allez chercher la marchandise au dépôt. Maison qui a de nombreux dépôts en province.* → **Comptoir, succursale.** — *Dépôt de bois, de charbon* (→ **Charbonnerie**), *d'essence* (→ **Poste**).

Dépôt d'ordures, d'immondices, de détritus,... → **Décharge, dépotoir, voirie** (et aussi **charnier**).

Par métaphore. *La mémoire, dépôt des connaissances.*

11   Deux mondes inconnus étaient devant moi, la théologie, l'exposé raisonné du dogme chrétien, et la Bible, censée le dépôt et la source de ce dogme.
                    RENAN, Souvenirs d'enfance..., V, II, p. 203.

Lieu où l'on laisse les locomotives, les tramways, les autobus. → **Garage.** *Le dépôt des machines, le dépôt d'une gare* (appelée aussi *gare de dépôt*). *Chef de dépôt. Locomotive allant au dépôt.*

12   (...) avec son mécanicien et son chauffeur, noirs de la poussière du voyage, une lourde machine de train omnibus restait immobile, comme lasse et essoufflée (...) Elle attendait qu'on lui ouvrit la voie, pour retourner au dépôt des Batignolles.   ZOLA, la Bête humaine, I, p. 8.

Milit. *Le dépôt d'un régiment :* lieu de garnison d'un régiment, où l'on organise les cadres, où l'on exerce les recrues et d'où partent les renforts. *Rester au dépôt.* — Par ext. L'ensemble des soldats du dépôt.

13   (...) la guerre reprenant, il allait falloir demander à la conscription plus de rigueur et jeter les jeunes soldats, après un court séjour dans les *dépôts,* aux champs de bataille d'Allemagne et d'Italie.
                    Louis MADELIN, Hist. du Consulat et de l'Empire,
                              Avènement de l'Empire, XXI, p. 267.

14   Les nouvelles recrues furent tout de suite incorporées dans la bandera de dépôt.
                    P. MAC ORLAN, la Bandera, V, p. 53.

Dr. pén. et cour. Prison où sont gardés les prisonniers de passage. *Dépôt de la préfecture de police de Paris. Mandat de dépôt :* ordre d'incarcération. → **Mandat** (→ Arrêt, cit. 6). *Conduire un prévenu au dépôt. «Tout ce joli monde a été conduit au dépôt»* (automatisme d'écriture journalistique par lequel se terminaient très souvent, autrefois, les articles de la rubrique *faits divers* annonçant l'arrestation de malfaiteurs).

14.1   Le jour même, Ganimard, muni d'un mandat d'arrêt, conduisait au dépôt le sieur Harlington, citoyen américain, inculpé de recel et de complicité de vol.
                    M. LEBLANC, l'Aiguille creuse, p. 54.

Admin. Vx. *Dépôt de mendicité :* établissement public dans lequel les pauvres sont nourris et logés.

15   Toute personne qui aura été trouvée mendiant dans un lieu pour lequel il existera un établissement public organisé afin d'obvier à la mendicité (...) sera, après l'expiration de sa peine, conduite au dépôt de mendicité.
                    Code pénal, art. 274.

II ◆ 1 Particules solides qui se déposent au fond d'un liquide impur au repos. → **Boue, effondrilles, vase.** *Un dépôt se forme dans un liquide où se fait une précipitation chimique.* → **Précipité.** *Élimination du dépôt d'un liquide* (→ **Clarification, décantation, filtrage**). *Dépôt dans une chaudière.* → **Incrustation, tartre.** *Dépôt de marc de café. Dépôt des vins.* → **Croûte, lie, tartre.** *Il s'est formé un dépôt.* — *Il y a du dépôt.*

Par anal. *Dépôt de poussière, de boue. Dépôt de calamine sur une bougie.*

◆ 2 **a** Géol. et cour. Couche de matières minérales laissée à la surface du globe par les eaux, l'érosion... → Lit. *Dépôt sédimentaire.* → **Alluvion** (cit. 1), **sédiment.** *Dépôt laissé par le courant, la crue d'une rivière.* → **Agglomération, allaise, limon.** *La caillasse*, dépôt tertiaire. Dépôt marin utilisé comme engrais.* → **Falun.** *Colmater un bas-fond par un dépôt de limon.*

(La sédimentation marine) se traduit toujours par la formation d'un *dépôt* ou *sédiment,* qui vient tapisser le fond de la mer. De même, la sédimentation continentale (...) se manifeste par la formation de dépôts recouvrant les plaines, encombrant le lit des cours d'eau, encroûtant les pentes des montagnes, ou tapissant le fond des lacs.
                    Émile HAUG, Traité de géologie, t. I, p. 12.

b Phys. *Dépôt actif :* substance solide radioactive qui se dépose sur les corps soumis à un rayonnement radioactif.

c Techn. Couche mince déposée par électrolyse sur un métal pour le protéger. *Dépôt électrolytique de cuivre.*

d Méd. Amas qui se forme dans les tissus. → **Abcès, concrétion, tumeur.** *Dépôt purulent.* — *Dépôt calcaire dans l'organisme.* → **Calcification.**

CONTR. **Retrait.**

DÉPOTAGE   [depɔtaʒ]   ou   **DÉPOTEMENT** [depɔtmã] n. m. — *1836, dépotage; dépotement, 1838; de dépoter.*

Action de dépoter; résultat de cette action. *Le dépotage d'une plante.* — Fig. (argot de métier) :

Les croque-morts appellent d'une terrible expression, une exhumation : un dépotage.
                    Ed. et J. DE GONCOURT, Journal, 30 mars 1866.

Techn. *Dépotage d'un liquide.* — Action qui consiste à sortir les marchandises d'un conteneur.

DÉPOTER   [depɔte] v. tr. — *1690; de 1. dé-, pot, et suff. verbal.*

◆ 1 (1690). Ôter (une plante) d'un pot pour la replanter. → **Transplanter.** *Dépoter un géranium.*

◆ 2 (1765). Changer (un liquide) de vase. *Dépoter du vin.* → **Transvaser.**

Techn. Transférer la cargaison de (un camion, un wagon) dans une citerne. *Dépoter un camion-citerne.*

◆ 3 Argot fam. Déposer (qqn) en un lieu, après l'avoir emmené.

◆ 4 Fam. Intrans. Faire preuve d'une grande activité, être efficace. *Elle a drôlement dépoté, en une heure.* — Liquider un travail. *Ça dépote, aujourd'hui !*

CONTR. **Empoter.** ◊ DÉR. **Dépotage** ou **dépotement, dépoteyer, dépotoir.**

DÉPOTEYER   [depɔteje] v. tr. — *1842; de dépoter, et -eyer (-oyer).*

Régional (Normandie). Vendre (du cidre) au détail, en pot.

DÉPOTOIR   [depɔtwar] n. m. — *1836; proprt «vase destiné à dépoter les liquides»; de dépoter, et suff. -oir.*

◆ 1 (1849). Lieu destiné à recevoir les matières de vidange. → **Vidoir.** — Techn. Usine où l'on traite les matières excrémentielles provenant des vidanges. *Engrais, ammoniac extraits dans un dépotoir.*

◆ 2 Par ext. Lieu où l'on dépose des ordures. → **Voirie.** *Le dépotoir municipal.*

Lucas se souvenait d'un terrain vague que toute la rue utilisait comme dépotoir.
                    P. MAC ORLAN, la Bandera, XVIII, p. 220.

Fig. et fam. Endroit destiné aux objets de rebut. *Cette pièce sert de dépotoir. Vous prenez ma table pour un dépotoir.*

Fig. et péj. *Cette classe est un dépotoir,* recueille les plus mauvais éléments.

DÉPÔT-VENTE   [depovãt] n. m. → **Dépôt** (I., 3.).

DÉPOUDRER [depudʀe] v. tr. — 1740; «débarrasser de la poudre (poussière)», 1394; de 1. dé-, poudre, et suff. verbal.

Vieilli ou rare. Enlever la poudre (3.) de... (le compl. désigne les cheveux, la peau). *Dépoudrer une perruque.* — Par ext. *Dépoudrer qqn.* — Pron. *Se dépoudrer.* → **Démaquiller** (mod.).

DÉPOUILLE [depuj] n. f. — V. 1170, *despuille*; déverbal de *dépouiller*.

I ♦ **1** (1573). Peau enlevée à un animal. *La dépouille d'un lion. Se vêtir de la dépouille d'une bête.*

1 (...) son piano recouvert d'une toile cirée semblable à la dépouille écailleuse d'un pachyderme (...)
MARTIN DU GARD, les Thibault, t. III, p. 104.

Spécialt. Peau que les serpents et certains insectes perdent lors de leur mue.

Par anal. Centre de l'épi de maïs dont on a détaché les grains.

Vêtement qu'on porte ou qu'on vient de quitter. (Après 1970). Mod. (Pop.). Fait d'obliger qqn, sous la menace, à se défaire d'un vêtement qu'il porte. *«Tout ce qu'il y a ce sont des bagarres et des dépouilles»* (le Nouvel Obs., n° 727, 16 oct. 1978).

♦ **2** (1550). *Dépouille, dépouille mortelle :* le corps humain après la mort. → **Cadavre.** *La dépouille du défunt a été incinérée.*

2 (...) le cri, enivré, presque douloureux de joie, de l'âme immortelle, qui se délivre de la dépouille du corps et tend les bras vers Dieu !
R. ROLLAND, Voyage musical au pays du passé, p. 74.

3 (...) j'éprouvais devant ce qui restait de Marie tout ce que signifie le mot «dépouille». J'avais le sentiment irrésistible d'un départ, d'une absence.
F. MAURIAC, le Nœud de vipères, I, IX, p. 113.

♦ **3** Loc. (Techn.). *Forme de dépouille :* taille donnée à la dent qui doit recevoir la couronne.

II (En gén. au plur.). **DÉPOUILLES.** **a** Littér. ou vieilli. Ce qu'on enlève à l'ennemi sur le champ de bataille. → **Trophée.** *Les dépouilles d'un ennemi tué. Recueillir les dépouilles.* — Loc. *Dépouilles opimes** (cit.).

4 (...) ensuite venaient les étendards, les timbales, les drapeaux gagnés à ces deux batailles, portés par les officiers et par les soldats qui les avaient pris : toutes ces dépouilles étaient suivies des plus belles troupes du czar.
VOLTAIRE, Hist. de Charles XII, v.

4.1 Sous le nom de «Place des Trophées», il venait de fonder à Ejur une vaste esplanade quadrangulaire, afin d'accrocher, sur le tronc des sycomores plantés en bordure, maintes dépouilles provenant d'ennemis redoutables qui, pleins d'acharnement, s'étaient efforcés de lui barrer le chemin du pouvoir.
Raymond ROUSSEL, Impressions d'Afrique, p. 239.

(Av. 1350). → **Butin.** *Emporter de riches dépouilles* (→ Avare, cit. 8).

5 Ô apôtres de Jésus-Christ, c'est vous qui êtes les vainqueurs du monde; et voilà qu'on met à vos pieds les dépouilles du monde vaincu, ainsi qu'un trophée magnifique qu'on érige à votre victoire.
BOSSUET, 2ᵉ sermon pour la Pentecôte, I.

(Pour traduire l'anglais Spoil system). *Système des dépouilles :* aux États-Unis, Pratique qui consiste à se partager, après une victoire électorale, les principaux postes administratifs, aux dépens du parti vaincu.

b *La, les dépouilles de qqn,* ce dont on s'est emparé à son détriment.

6 Il est assez de geais à deux pieds comme lui
Qui se parent souvent des dépouilles d'autrui,
Et que l'on nomme plagiaires.
LA FONTAINE, Fables, IV, 9.

c Succession (d'une personne). *S'arracher les dépouilles d'un mourant,* se disputer les dignités, les fonctions, les biens qui lui appartiennent encore (→ Approprier, cit. 7).

7 Va, perds ces malheureux : leur dépouille est à toi.
RACINE, Esther, II, 1.

Par anal. :

8 Au milieu du salon, un laquais renfrogné achevait d'établir une grande table à manger, qu'il changea plus tard en table de travail, au moyen d'un immense tapis vert tout taché d'encre, dépouille de quelque ministère.
STENDHAL, le Rouge et le Noir, II, XXI, p. 372.

d Ce qui reste (d'une civilisation disparue). *«Profiter des dépouilles des peuples dégénérés»* (Delacroix, Journal, 1854, p. 274, in T. L. F.).

e Fig. Poét. Branches d'arbres coupées; feuilles mortes.

9 De la dépouille de nos bois
L'automne avait jonché la terre (...)
MILLEVOYE, Chute des feuilles.

10 (...) sept pouces de terre végétale que la dépouille annuelle des arbres, les engrais apportés par le pacage des bestiaux (...) devaient enrichir constamment.
BALZAC, le Curé de village, Pl., t. VIII, p. 730.

DÉPOUILLEMENT [depujmã] n. m. — Fin XIIᵉ; *despoillement,* de *dépouiller.*

♦ **1** Techn. (Vén., etc.). Action d'enlever la peau (d'un animal). → **Écorchement.** *Le dépouillement d'un cerf, d'un sanglier.* — Fait de perdre sa peau (pour un animal). *Le dépouillement d'un ver à soie.* → aussi **Mue.**

♦ **2** Par anal. Action d'enlever ou de perdre quelque chose.

(En parlant d'un arbre). Fait de perdre son feuillage. (Fin XIIᵉ). Vx. Fait d'enlever un vêtement.

♦ **3** Fig. **a** Action de priver qqn de ses biens (rare); état d'une personne dépouillée de ses biens. → **Privation.** *Être dans un dépouillement total.*

1 (...) un dépouillement entier de tous préjugés.
BUFFON, Hist. nat. des animaux, 9, in LITTRÉ.

Dépouillement volontaire par ascèse. → **Détachement, renoncement.** *Vivre dans le dépouillement* (→ Bassesse, cit. 6).

2 Elle (sainte Thérèse) porte (...) la pauvreté jusqu'à l'entier dépouillement des biens et du désir de les posséder (...)
FLÉCHIER, Panégyrique de sainte Thérèse, in LITTRÉ.

b Cour. Fait d'être débarrassé du superflu, des ornements → **Simplicité.** *Le dépouillement d'une œuvre, d'un style. Un style d'un grand dépouillement. Un dépouillement absolu, ascétique, sévère.*

♦ **4** (1723). Examen (de documents). → **Analyse, examen.** *Le dépouillement des textes, d'un ouvrage, d'une correspondance, d'un rapport. Le dépouillement des pièces d'un dossier, des articles d'un compte.* — *Dépouillement des votes d'un scrutin :* ensemble des opérations ayant pour but l'établissement des résultats du scrutin. *Procéder au dépouillement du scrutin.*

3 La première (source) est fournie par le dépouillement des auteurs classiques. En effet, quand on les lit la plume à la main et dans une intention lexicographique, on ne tarde pas à recueillir un certain nombre de mots qui ne sont pas dans le Dictionnaire de l'Académie.
LITTRÉ, Dict., Préface, p. VII.

DÉPOUILLER [depuje] v. tr. — V. 1135, *despoillier,* au sens I, 2; du lat. *despoliare,* de de- (→ 2. Dé-), et *spoliare* (→ Spolier).

I ♦ **1** (1611). Enlever la peau de (un animal). → **Dépiauter, écorcher.** *Dépouiller un lièvre, une anguille.*

0.1 Il commençait de dépouiller l'agneau, poussant très loin son poing entre la peau et la chair (...)
>> Pierre GASCAR, les Bêtes, p. 44.

(Sujet n. de chose). *Gangrène qui dépouille l'os* (des chairs). → **Dénuder.**

Par anal. *Dépouiller le maïs,* en détacher les grains.

♦ **2** Dégarnir (qqn, qqch.) de ce qui couvre. → **Dégager, dégarnir, dénuder ;** et aussi **enlever, retirer** (à). *Dépouiller quelqu'un de ses vêtements.* → **Déshabiller, dévêtir** (→ ci-dessous, pop.). *Dépouiller une peau de la bourre, du poil* (→ **Ébourrer, peler, raser**). *Dépouiller qqch. de ce qui couronne* (→ **Découronner**), *de ce qui enveloppe* (→ **Défaire, désenvelopper, développer**). — *Dépouiller un poisson de ses écailles* (→ **Écailler**), *une viande de ses os* (→ **Désosser**). *Dépouiller un arbre de ses branches* (→ **Ébrancher**), *de son écorce* (→ **Écorcer**), *de ses fruits* (→ **Défruiter**), *de ses fleurs* (→ **Défleurir**). *L'automne dépouille les arbres de leurs feuilles* (→ **Défeuiller**). — Relig. *Dépouiller les autels,* enlever les nappes qui les recouvrent.

1 Tantôt, comme une abeille ardente à son ouvrage,
Elle s'en va de fleurs dépouiller le rivage (...)
>> BOILEAU, l'Art poétique, II.

2 Graziella avait dépouillé ses vêtements de lourde laine, sa soubreveste galonnée (...)
>> LAMARTINE, Graziella, IV, XXX, p. 150.

3 Les petits bois ombreux frissonnent sous le vent qui les dépouille et répondent aux mouvements d'un grand ciel nuageux.
>> M. BARRÈS, la Colline inspirée, XIV, p. 220.

(Après 1970). Pop. Obliger (qqn), sous la menace, à se défaire d'un vêtement qu'il porte. → **Dépouille** (pop.). *«Quand tu te fais dépouiller alors hop, t'es bien obligé de rechercher les coupables»* (*le Nouvel Obs.,* n° 727, 16 oct. 1978). — REM. Cet emploi croise les sens 2 et 3.

♦ **3** (Déb. XIII⁰). Déposséder (qqn) en lui enlevant ce qu'il a. → **Démunir, dénantir, spolier.** *Des voleurs dépouillèrent le voyageur.* → **Dérober** (à), **dévaliser, gruger, voler ;** (fam.) **nettoyer, plumer, tondre** (→ 2. Caler, cit. 6). *Le fisc dépouille le contribuable. Dépouiller qqn du nécessaire.* → **Dénuer, dépourvoir, priver ; misère** (réduire à la misère) ; → Aumône, cit. 4. *Dépouiller qqn de son emploi* (→ **Évincer**), *de son grade* (→ **Dégrader**), *de ses droits.* → **Déposséder, déshériter, exproprier.** *Dépouiller qqn de son prestige, de sa gloire.*

4 Participe à ma gloire au lieu de la souiller.
Tâche à t'en revêtir, non à m'en dépouiller.
>> CORNEILLE, Horace, IV, 7.

5 (...) la mort change de nature pour les chrétiens, puisque, au lieu qu'elle semblait être faite pour nous dépouiller de tout, elle commence (...) à nous revêtir (...)
>> BOSSUET,
Oraison funèbre de la duchesse d'Orléans.

6 On le dépouilla de son riche bénéfice pour le faire évêque de Zamora, petit diocèse de quatre mille écus de rente ; c'était en quelque sorte devenir d'évêque meunier.
>> A. R. LESAGE, le Bachelier de Salamanque, p. 73.

Absolt. *Dépouiller qqn,* le priver de ses biens, de ses revenus. → **Priver, spolier.**

7 (...) Jacques ne voudrait pas dépouiller les enfants de sa sœur pour les siens, puisqu'il les aime quasi autant les uns que les autres.
>> G. SAND, la Mare au diable, IV, p. 36.

7.1 — Ah çà ! que voulez-vous dire ? demanda Fix.
— Je veux dire que c'est de la pure indélicatesse. Autant dépouiller Mr. Fogg, et lui prendre l'argent dans la poche !
>> J. VERNE, le Tour du monde en 80 jours, p. 156.

(Compl. n. de chose). *L'ennemi dépouilla la région.* → **Dévaster, piller.** *Dépouiller un magasin, une vitrine, un musée.* → **Vider.** *Dépouiller une église de ses richesses.*

(...) il fit dépouiller les églises du Kremlin de tout ce qui pouvait servir de trophée à la grande armée.
>> Ph.-P. SÉGUR, Hist. de Napoléon, VIII, 10, *in* LITTRÉ. **8**

Arts, littér. Ôter tout ornement pour rendre l'expression plus simple. → **Dépouillement** (3., b). *Dépouiller son style.* → ci-dessous, Dépouillé, 4.

Fig. Enlever à (qqch.) un de ses caractères, son contexte. *Dépouiller une démarche de tout artifice.* → **Dégager.** *Dépouiller une citation de son contexte.* → **Isoler.**

Je souffre toujours en vous voyant user de la science monstrueuse avec laquelle vous dépouillez toutes les choses humaines des propriétés que leur donnent le temps, l'espace (...)
>> BALZAC, Séraphîta, Pl., t. X, p. 481. **9**

(...) une intelligence qui dépouillait toujours les choses de leur valeur secrète, de tout ce qui était, en somme, le véritable sens, la beauté de l'univers !
>> MARTIN DU GARD, les Thibault, t. II, p. 69. **10**

♦ **4** (1690). Analyser, examiner (un document). *Dépouiller les pièces d'un dossier, un compte. Dépouiller une documentation. Dépouiller son courrier. Dépouiller un livre,* et, par ext., *un auteur,* le lire en prenant des notes.

Je dépouillai en moins de quinze jours, la plume à la main, deux cents pages de cette *Physiologie* de Beaunis emportée dans ma malle (...)
>> Paul BOURGET, le Disciple, p. 254. **11**

Dépouiller un scrutin : faire le compte des suffrages après le vote. *Les scrutateurs dépouillent les bulletins.*

Ⅲ (XII⁰, fig.). ♦ **1** Littér. (Avec un complément d'objet qui désigne la chose enlevée). Abandonner, ôter (ce qui couvre). → **Abandonner, arracher, enlever, ôter, perdre, quitter, retirer.** *Dépouiller ses vêtements.* — *Le ver à soie dépouille sa première enveloppe.*

(...) comme un insecte dépouille sa dernière enveloppe larvaire pour se montrer dans sa forme parfaite (...)
>> G. DUHAMEL, Chronique des Pasquier, III, XV, p. 187. **12**

♦ **2** Fig. et littér. → **Renoncer** (à). *Dépouiller l'orgueil, la suffisance* (→ Auréole, cit. 5).

Non, il faut à tes yeux dépouiller l'artifice.
>> RACINE, Esther, II, 1. **13**

(...) je me surprends encore tous les jours à dépouiller quelque ancienne idée, quelque prétendue impression de ma jeunesse, pour rentrer dans la vérité des choses et de moi-même.
>> GUIZOT, *in* HENRIOT, les Romantiques, p. 425. **14**

Dépouiller de plus en plus la matière, revêtir de plus en plus l'esprit, telle est la loi.
>> HUGO, Post-scriptum de ma vie,
De la vie et de la mort. **15**

(Sujet n. de chose).

L'Art y dépouilla *(dans les Flandres)* toute idéalité pour reproduire uniquement la Forme.
>> BALZAC, la Recherche de l'absolu, Pl., t. IX, p. 477. **16**

Loc. Relig. *Dépouiller le vieil homme :* se défaire des inclinations de la nature corrompue. — Par anal. et le plus souvent par plais. Renoncer à ses mauvaises habitudes. *Vous savez que j'ai dépouillé le vieil homme, je ne fume plus.*

N'usez point de mensonges les uns envers les autres ; dépouillez le vieil homme avec ses œuvres,
Revêtez-vous du nouveau (...)
>> BIBLE (SACY), Épître de saint Paul aux Colossiens, III, 9-10. **17**

Bielinski rencontre soudainement Hegel. Dans sa chambre, à minuit, sous le choc de la révélation, il fond en larmes comme Pascal, en dépouillant d'un seul coup le vieil homme.
>> CAMUS, l'Homme révolté, p. 558-559. **17**

♦ **SE DÉPOUILLER** v. pron.

♦ **1** Perdre sa dépouille. *Les serpents se dépouillent tous les ans.* → **Muer.**

♦ 2 Ôter, enlever (ce qui couvre). *Se dépouiller de ses vêtements.*

18 Les nations ne jettent pas à l'écart leurs antiques mœurs comme on se dépouille d'un vieil habit.
> CHATEAUBRIAND, le Génie du christianisme, III, I, VIII.

19 (...) tandis qu'autour d'eux les Cariens, les Lydiens, et en général tous leurs voisins barbares, avaient honte de paraître nus, ils *(les Grecs)* se dépouillaient sans difficulté de leurs habits pour lutter et courir.
> TAINE, Philosophie de l'art, t. I, II, V, p. 70.

Perdre. *Les arbres se dépouillent de leur feuillage.* — Absolt. *Les arbres se dépouillent feuille à feuille.* **Par anal.** *Tempes qui se dépouillent.* «*Mon front se dépouille*» (Chateaubriand, *in* T.L.F.). → **fam.** Déplumer (se).

20 Revenant le long des haies à peine tracées, la pluie m'a surpris ; je me suis réfugié sous un hêtre : ses dernières feuilles tombaient comme mes années ; sa cime se dépouillait comme ma tête (...)
> CHATEAUBRIAND, Mémoires d'outre-tombe, t. II, p. 295.

♦ 3 Se défaire (de), abandonner. *Se dépouiller de sa fortune, de ses biens. Se dépouiller en faveur de qqn.* → **Appauvrir** (s'), **priver** (se). *Se dépouiller de tout* (→ Donner jusqu'à sa chemise).

21 (...) amasser du bien avec de grands travaux, et élever une fille avec beaucoup de soin et de tendresse, pour se dépouiller de l'un et de l'autre entre les mains d'un homme qui ne nous touche de rien ?
> MOLIÈRE, l'Amour médecin, I, 5.

Fig. → **Abandonner, défaire** (se défaire de), **renoncer** (à). *Se dépouiller de tout sentiment de haine. Se dépouiller de ses erreurs, de ses préjugés. Ne jamais se dépouiller de sa réserve.* → **Départir** (se). *Se dépouiller d'un droit, du pouvoir* (→ **Abdiquer**).

22 César, se dépouillant du pouvoir souverain, Nous ôtait tout prétexte à lui percer le sein.
> CORNEILLE, Cinna, III, 4.

23 (...) me dépouiller au plus tôt de toutes sortes de vanités (...)
> MOLIÈRE, Dom Juan, V, 3.

24 Je cherche à me dépouiller de mes affections et à n'être qu'un froid philosophe.
> STENDHAL, De l'amour, p. 126.

25 (...) mon sentiment se dépouilla presque aussitôt de ce qu'il avait d'abord pu avoir de charnel, et, de lui-même, s'épura pour ainsi dire, de sorte qu'il ne restait plus en moi, comme il advient souvent dès lors, qu'une charité très ardente.
> GIDE, Journal, 2 août 1930.

Littér. «*Se dépouiller de soi-même*» (Proust).

25.1 (...) comme vous reconnaîtrez facilement, même dans une circonstance tragique, à certains gestes, à certains tics professionnels, que le forgeron n'a pas pu dépouiller le forgeron. Sans doute c'est bien de la vanité, et même absurde, à nous que de dire que nous aurions voulu pouvoir nous dépouiller de nous-même.
> PROUST, Jean Santeuil, Pl., p. 642.

♦ 4 Rare. (En parlant d'un liquide). Perdre sa force, sa couleur, ses impuretés.

26 Les gouvernements sont comme les vins qui se dépouillent et s'adoucissent avec le temps.
> FRANCE, les Opinions de Jérôme Coignard, Œ., t. VIII, p. 358.

♦ DÉPOUILLÉ, ÉE p. p. adj.

♦ 1 Dont on a enlevé la peau. *Bœuf tué et dépouillé.*

♦ 2 *Dépouillé de ses vêtements. Tête dépouillée.* → **Chauve.** *Arbre dépouillé de ses feuilles.* → **Chenu.**

27 Les arbres entièrement dépouillés, j'embrassais mieux l'étendue du parc.
> E. FROMENTIN, Dominique, III, p. 52.

28 Le bel arbre, maintenant dépouillé de ses feuilles, déployait, nue et noire sous le ciel, sa puissante et fine membrure.
> FRANCE, l'Anneau d'améthyste, Œ., t. XII, p. 268.

♦ 3 *Voyageur dépouillé par les brigands. Dépouillé de tout bien, de tout honneur, de tout pouvoir.*

29 La royauté fut donc conservée ; mais, dépouillée de sa puissance, elle ne fut plus qu'un sacerdoce.
> FUSTEL DE COULANGES, la Cité antique, IV, III, p. 284.

30 D'autres encore, et ce sont les plus nombreux, assurés qu'ils sont d'être finalement dépouillés par le fisc ou l'inflation, se bornent à gagner le strict nécessaire.
> G. DUHAMEL, Manuel du protestataire, II, p. 72.

31 Si je l'avais voulu, vous seriez aujourd'hui dépouillés de tout, sauf de la maison et des terres.
> F. MAURIAC, le Nœud de vipères, I, I, p. 12.

Fig. *Démarche dépouillée d'artifice. Esprit dépouillé de craintes, de préjugés.*

32 (...) je me tiens là, devant mon Dieu, plus dénué et plus dépouillé de mérites, plus désarmé que personne au monde.
> F. MAURIAC, la Pharisienne, XIV, p. 230.

33 (...) ce pauvre être si façonné, si maniéré, était devenu terriblement dépouillé et simple.
> F. MAURIAC, le Nœud de vipères, II, XIX, p. 230.

♦ 4 *Style dépouillé* : style sans aucun ornement. → **Sévère, sobre.**

34 C'était aussi dépouillé qu'un constat, aussi morne qu'un exposé de M. Couve (...)
> GIDE, Si le grain ne meurt, VIII, I, p. 213.

♦ 5 *Vin dépouillé*, débarrassé des particules solides en suspension, décanté. — Vin qui a perdu de sa richesse en alcool.

35 Voilà le style que je goûte comme je goûte les bordeaux très vieux ou qui, sans être vieux, sont très dépouillés (...)
> F. MAURIAC, Bloc-notes 1952-1957, p. 127.

CONTR. Couvrir, enfouir, vêtir. — Acquérir, donner, enrichir, prendre, remettre, rendre, réparer, restituer. ◊ **DÉR.** Dépouille, dépouillement, dépouilleur.

DÉPOUILLEUR, EUSE [depujœʀ, øz] n. — XIVᵉ, *despoulleur* ; de *dépouiller*.

♦ 1 Rare. Personne qui dépouille quelqu'un.

(...) les esclaves en fuite, les dépouilleurs de cadavres, les brigands de la voie Salaria, les éclopés du pont Sublicius, toute la vermine des galetas de Suburre n'avait pas de dévotion plus chère !
> FLAUBERT, la Tentation de saint Antoine, p. 171.

♦ 2 (1888, Goncourt). Personne qui dépouille (des documents).

DÉPOURVOIR [depuʀvwaʀ] v. tr. [CONJUG.: *pourvoir.*] — Fin XIIᵉ, *desporveüt*, adj. ; *despourvoir*, av. 1558 ; de 1. *dé-* et *pourvoir*.

Rare. Priver* du nécessaire. → **Démunir, dépouiller.** *Dépourvoir quelqu'un de son patrimoine, de ses titres, de sa charge.* — REM. *Dépourvoir ne s'emploie guère qu'à l'infinitif, et aux temps composés.* Pron. *Se dépourvoir* : se priver du nécessaire.

♦ DÉPOURVU, UE p. p. adj. (Courant).

♦ 1 *Dépourvu de* : qui n'a pas de. → **Manquer ; sans.** *Être dépourvu de...* → **Sans.** *Fleur dépourvue de corolle. Dépourvu d'ornement.* → **Nu.** *Dépourvu de sens.* → **Vide.** *Dépourvu de dons, de biens, d'affections.* → **Déshérité** (de la vie). *Acte dépourvu de méchanceté, d'arrière-pensées* (cit. 4). → **Exempt, pur.** *Dépourvu d'intelligence, de qualités.* → **Dénué.** *Dépourvu d'argent, de ressources,* ou, absolt. *Dépourvu.* → **Désargenté, impécunieux, pauvre, sou** (sans le). — *Être dépourvu de...* → **Manquer** (de). — Vx. *Être dépourvu* (sans compl.), dans le besoin.

La cigale, ayant chanté   1
Tout l'été,
Se trouva fort dépourvue
Quand la bise fut venue.
> LA FONTAINE, Fables, I, 1.

C'est tenir un propos de sens bien dépourvu.   2
> MOLIÈRE, Tartuffe, V, 3.

3   Leurs ouvrages (*des Anglais*), qu'on ne lit pas sans fruit, sont trop souvent dépourvus de charmes, et le lecteur y trouve toujours la peine que l'écrivain ne s'est pas donnée (...)
RIVAROL, Dict. universel de la langue franç., p. 19.

4   Les yeux du limaçon terrestre, connu sous le nom d'escargot, sont placés au sommet de ses grandes cornes ; les petites en sont dépourvues (...)
Charles BONNET, Contemplation de la nature, III, 21, note 5, *in* LITTRÉ.

5   L'éducation scolaire trace chez nous une distinction profonde, sous le rapport de la valeur personnelle, entre ceux qui l'ont reçue et ceux qui en sont dépourvus.
RENAN, Vie de Jésus, II, p. 9.

N'être pas dépourvu de : avoir, posséder (un certain caractère). *Personne non dépourvue d'orgueil.*

♦2 Loc. adv. (1559). **AU DÉPOURVU.** [a] Vx. Dans un moment où l'on est dépourvu des ressources nécessaires. *Prendre qqn au dépourvu.* → **Court** (à, de).

[b] Par ext. Sans que les gens soient préparés, avertis. → **Improviste** (à l'). *Votre question me prend tout à fait au dépourvu.*

6   Il (*l'enfant*) me fera peut-être, au dépourvu, des questions scabreuses.
ROUSSEAU, Émile, III.

7   Ce fut justement à propos de dictionnaire qu'il (*Th. Gautier*) ajouta «que l'écrivain qui ne savait pas tout dire, celui qu'une idée si étrange, si subtile qu'on la supposât, si imprévue, tombant comme une pierre de la lune, *prenait au dépourvu et sans matériel pour lui donner corps, n'était pas un écrivain.*»
BAUDELAIRE, Curiosités esthétiques, l'Art romantique, Théophile Gautier, III.

CONTR. **Pourvoir. — Doter, douer, enrichir, garnir, munir, nantir.** — (Du p. p.) **Abondant, assorti, riche.**

DÉPOUSSIÉRAGE [depusjeʀaʒ] n. m. — 1908 ; de *dépoussiérer.*

Opération par laquelle on dépoussière (un lieu, un objet). — Techn. *Dépoussiérage des fumées d'usine.*

DÉPOUSSIÉRER [depusjeʀe] v. tr. — 1908 ; de 1. *dé-, poussière,* et *-er.*

Débarrasser de sa poussière (un lieu, une pièce, une chose) par des moyens mécaniques. *Dépoussiérer un appartement, un tapis.*

1   Ils (...) commencèrent à garnir les chaises des Musiciens au moyen d'éléments décoratifs. Le Chuiche les dépliait, soufflait dessus pour les dépoussiérer (...)
Boris VIAN, l'Écume des jours, XVIII, p. 64.

Au participe passé :

2   (...) l'étroite bande de parquet brillant qui ramène depuis la commode vers la table, joignant les deux larges ronds dépoussiérés, s'incurve légèrement pour passer plus près de la cheminée.
A. ROBBE-GRILLET, Dans le labyrinthe, p. 18-19.

Fig. Renouveler, remettre à neuf. «*La réforme engagée est destinée à dépoussiérer la radio régionale*» (*le Monde,* 21 nov. 1969).

CONTR. **Empoussiérer.** ◊ DÉR. **Dépoussiérage, dépoussiéreur.**

DÉPOUSSIÉREUR [depusjeʀœʀ] n. m. — 1927 ; de *dépoussiérer,* et *-eur.*

Techn. Appareil ou dispositif qui absorbe les poussières, notamment à l'intérieur des machines. *Le dépoussiéreur de la bande magnétique d'un magnétophone. Dépoussiéreurs centrifuges (hydrauliques, mécaniques, électrostatiques) d'une centrale thermique.*

En appos. *Appareil dépoussiéreur.*

DÉPRAVANT, ANTE [depʀavã, ãt] adj. — Av. 1836, Armand Carrel, *in* Littré ; p. prés. de *dépraver.*

Littér. Qui déprave.

Les domestiques apprennent le vice chez leurs maîtres (...) Entrés purs et naïfs — il y en a — dans le métier, ils sont vite pourris, au contact des habitudes dépravantes.
O. MIRBEAU, *le Journal d'une femme de chambre,* p. 279.

DÉPRAVATEUR, TRICE [depʀavatœʀ, tʀis] adj. et n. — 1551 ; bas lat. *depravator,* du supin de *depravare.* → Dépraver.

Littér. Qui déprave, incite à la dépravation. *Esprit, genre dépravateur ; influences dépravatrices.* — N. *Un dépravateur* (Sainte-Beuve, *in* T. L. F. ; Barbey d'Aurevilly, *in* G. L. L. F.) REM. Le mot semble inusité au XXᵉ s.

DÉPRAVATION [depʀavasjɔ̃] n. f. — XVᵉ ; lat. class. *depravatio,* du supin de *depravare.* → Dépraver.

♦1 Attitude dénuée de sens moral et de sensibilité morale. État d'une personne dépravée, de ce qui est dépravé. → **Avilissement.** — REM. Le mot implique un jugement négatif concernant l'écart par rapport à une norme morale reçue. *Une dépravation précoce, profonde. Dépravation due à une influence mauvaise.* → **Contamination, corruption.** *Goût de la dépravation.* → **Perversité, vice.** — (1532). *Dépravation des mœurs* : abaissement de la moralité. → **Débauche, luxure.** — Spécialt. *Dépravations sexuelles.* → **Perversion ; bestialité, inversion, onanisme.** «*Les plus cruelles pratiques de la dépravation*» (Milosz).

Les vices partent d'une dépravation du cœur.   1
LA BRUYÈRE, les Caractères, XII, 47.

Une si étrange dépravation qui nous fait voir d'un côté   2 combien notre orgueil nous enfle, et de l'autre combien notre sensualité nous ravilit (...)
BOSSUET, Traité de la connaissance de Dieu, V, 6.

(...) un peu méchante, aucuns principes, ne voyant de mal   2.1 à rien, et cependant pas assez de dépravation dans le cœur pour en avoir éteint la sensibilité ; orgueilleuse, libertine ; telle était Madame de Lorsange.
SADE, Justine... I, p. 7.

Il n'y eut rien qu'il ne me dit, rien qu'il ne me tenta, rien que   2.2 la perfide imagination, la dureté de son caractère et la dépravation de ses mœurs ne lui fit entreprendre.
SADE, Justine..., p. 27.

Et ce qu'elle savait, ces dépravations du plaisir qu'on lui   3 avait inoculées, Jean les apprenait à son tour pour les passer à d'autres.
Alphonse DAUDET, Sapho, IV, p. 22.

Mallet du Pan est suspect quand, ennemi de la Révolution,   4 il parle de «Sodome et Gomorrhe» (...) Mais le commissaire Picquenard est une tout autre autorité, qui commente en dix pages cette affirmation : «Il est impossible de se faire une idée de la dépravation publique» (...) Les journaux — peu suspects de puritanisme — se plaignent que des livres obscènes, «lecture favorite de nos jeunes filles», répandent d'étranges vices. Un rapport de prairial an VII dit quels vices en des mœurs si brutaux qu'on ne les saurait même traduire. Tous concluent : «Il n'y a plus de mœurs !».
Louis MADELIN, la Révolution, XLIV, p. 494.

♦2 Vieilli. Déviation contraire à la nature, à la norme sociale (sans jugement moral). *Dépravation du jugement, du goût.* → **Altération.** *Une dépravation intellectuelle, esthétique.* → **Perversion.**

(...) si elle est entêtée de ce magot, franchement je ne puis   5 excuser cette dépravation de goût.
A. R. LESAGE, Gil Blas, IV, VIII.

Didact. *Dépravation sensorielle* : attirance vers ce qui normalement répugne. *Dépravation de l'odorat. Dépravation de l'appétit, du goût.* → **Malacie, pica.**

CONTR. **Amélioration, épuration, sublimation.**

DÉPRAVER [depʀave] v. tr. — 1212; lat. *depravare* «tordre, corrompre»; de *de-*, et *pravus* «difforme; mauvais».

◆ **1** (1580, Montaigne, *in* G. L. L. F.). Sujet n. de personne ou de chose. Amener (qqn) à désirer le mal, à s'y complaire. → **Pervertir; dépravation.** *Dépraver un adolescent, l'adolescence. Il essaie de dépraver ses camarades, ses disciples.* → **Corrompre.** *Les mauvais exemples l'ont dépravé.* → **Débaucher.** *Qui déprave.* → **Dépravateur.** *Selon J. J. Rousseau, la société déprave l'homme, qui est naturellement bon.* → **Avilir.** Pron. (réfl. → ci-dessous, cit. 1, 3; passif → cit. 4; récipr. → cit. 2).

1   (...) tant de gens parlent d'amour, et si peu savent aimer, que la plupart prennent pour ses pures et douces lois les viles maximes d'un commerce abject, qui, bientôt assouvi de lui-même, a recours aux monstres de l'imagination et se déprave pour se soutenir.
ROUSSEAU, Julie ou la Nouvelle Héloïse, I, lettre L.

2   (...) le maître et l'esclave se dépravent mutuellement.
ROUSSEAU, Émile, II.

3   (...) l'homme se déprave dès qu'il a dans le cœur une seule pensée qu'il est constamment forcé de dissimuler.
B. CONSTANT, Adolphe, IX, p. 85.

4   Nous avons, nous *(Français),* le privilège d'entrer dans le vice sans nous y perdre, sans que le sens se déprave, sans que le courage s'énerve, sans être entièrement dégradés.
MICHELET, Extraits historiques, p. 19.

Par ext. Rendre (une habitude, une pratique, une coutume) moralement mauvaise. *Dépraver les mœurs d'une classe sociale. Dépraver une institution.* → **Dégrader, profaner, ravaler.**

5   Plus voluptueuse que tendre, tu veux être et la femme et la maîtresse. Avec l'âme d'Héloïse et les sens de sainte Thérèse, tu te livres à des égarements sanctionnés par les lois; en un mot, tu dépraves l'institution du mariage.
BALZAC, Mémoires de deux jeunes mariées, Pl., t. I, p. 310.

◆ **2** Vx. ou littér. (Sujet n. de chose). Altérer, faire dévier de la norme. *Dépraver le jugement, le goût.* → **Altérer, corrompre, fausser, gâter, pervertir, vicier.** — *Dépraver le goût, l'odorat de qqn* (→ ci-dessous, *Dépravé,* 2.).

◆ **3** Par anal. Didact. et vx. (Sujet n. de personne). *Dépraver un texte,* le corrompre, le reproduire de manière défectueuse.

◆ **DÉPRAVÉ, ÉE** p. p. adj. (Semble plus cour. que le verbe).

◆ **1** Vieilli. Corrompu moralement. *Siècle dépravé. Mœurs dépravées. Avoir des goûts dépravés.* → **Pervers.** *Conscience dépravée.* → **Amoral, immoral, vénal.**

Homme dépravé, nature dépravée. → **Bas, vicieux, vil.**

6   Dans cette vie notre raison vacillante se met souvent du parti de notre cœur dépravé.
BOSSUET, Sermons, Jugement dernier, 2.

7   C'est dans les siècles les plus dépravés qu'on aime les leçons de la morale la plus parfaite. Cela dispense de les pratiquer; et l'on contente à peu de frais, par une lecture oisive, un reste de goût pour la vertu.
ROUSSEAU, Julie ou la Nouvelle Héloïse, t. I, XIX.

8   (...) l'homme, même le plus dépravé par les préjugés du monde aime à entendre parler du bonheur que donnent la nature et la vertu.
BERNARDIN DE SAINT-PIERRE, Paul et Virginie, p. 15.

9   (...) dans cette ignorance des goûts dépravés, je serais aussi heureux que l'homme primitif rêvé par Jean-Jacques.
G. SAND, François le Champi, Avant-propos, p. 13.

N. *(Un, une dépravée).* Vx. Personne dénuée de sens moral, de sensibilité éthique. — Mod. Personne qui a des goûts dépravés, notamment dans le domaine sensuel, érotique.

◆ **2** Anormal (en parlant d'un goût). → **Perverti.** *Avoir le goût, le jugement dépravé. Avoir les sens dépravés.* → **Dépravation** (sensorielle).

10   Le goût dépravé dans les aliments est de choisir ceux qui dégoûtent les autres hommes; c'est une espèce de maladie. Le goût dépravé dans les arts est de se plaire à des sujets qui révoltent les esprits bien faits, de préférer le burlesque au noble, le précieux et l'affecté au beau simple et naturel : c'est une maladie de l'esprit.
VOLTAIRE, Dict. philosophique, Goût.

REM. L'exemple suivant joue sur les deux valeurs : l'écart par rapport à la nature correspond à une corruption morale :

11   (...) j'ose presque assurer que l'état de réflexion est un état contre nature, et que l'homme qui médite est un animal dépravé.
ROUSSEAU, De l'inégalité, I.

CONTR. Améliorer, assainir, édifier, élever, épurer, purifier, sublimer. — (Du p. p.) Droit, honnête, intègre, juste, normal, probe, pur, sain, vertueux. ◊ DÉR. Dépravant.

DÉPRÉCATIF, IVE [depʀekatif, iv] adj. — 1370; bas lat. *deprecativus,* du supin de *deprecari.* → **Déprécation.**

Didact. Qui a le caractère d'une déprécation. — Syn. : *déprécatoire. Formule déprécative.*

DÉPRÉCATION [depʀekasjɔ̃] n. f. — Av. 1150, *deprecaciun;* lat. *deprecatio* «prière pour détourner un malheur», du supin de *deprecari,* de *de-,* et *precari* «prier, supplier», de *prex, precis* «prière».
Didactique.

◆ **1** Relig. Prière faite avec soumission pour obtenir le pardon d'une faute.

◆ **2** Rhét. Supplication adressée brusquement dans un discours à une puissance divine ou humaine dont on attend une faveur. → **Obsécration.**

REM. La paronymie avec *imprécation,* beaucoup plus courant, fait que le mot n'est guère compris.

DÉPRÉCATOIRE [depʀekatwaʀ] adj. — 1458; lat. *deprecatorius,* du supin de *deprecari.* → **Déprécation.**
Didact. Qui prie, supplie avec soumission. → **Déprécatif.**

L'ancien jardinier s'approcha de moi et me dit à l'oreille du ton bourru et déprécatoire d'un vieux serviteur intimidé, qui n'ignore pas qu'il se fera renvoyer pour avoir transmis un message pareil (...)
M. YOURCENAR, *le Coup de grâce,* p. 246.

DÉPRÉCIATEUR, TRICE [depʀesjatœʀ, tʀis] n. et adj. — 1705; de *déprécier,* et *-ateur.*
Personne qui déprécie (I., 2.). → **Contempteur, détracteur.**

Adj. *Sa critique est trop dépréciatrice.*

(...) un jugement et sentiment de dépréciation de la vie — (qui est à la base de toutes les mystiques) un jugement non moins dépréciateur des définitions, propositions, affirmations, démonstrations et traditions que donnent les religions (...)
VALÉRY, *Cahiers,* Pl., t. II, p. 556.

DÉPRÉCIATIF, IVE [depʀesjatif, iv] adj. — 1830; de *déprécier.*

◆ **1** (1830). Écon. Vieilli. Qui tend à faire perdre de sa valeur à qqch., qui tend à faire baisser le niveau de vie.

(...) des manufactures dépréciatives, qui réduisent le salaire de l'ouvrier et l'envoient mourir de faim quand il plaît au fabricant de ne plus l'employer.
Charles FOURIER, le Nouveau Monde industriel, p. 8, 1830, *in* T. L. F.

◆ **2** Ling. Qui déprécie ce qui est désigné. → **Péjoratif.** *Terme dépréciatif. Mot employé dans un sens* *dépréciatif*. *Valeur dépréciative du suffixe -ard.* (→ - ard, cit. 2 ; attabler, cit. 1).

2 (...) si le terme de mise en scène a pris avec l'usage ce sens dépréciatif, c'est affaire à notre conception européenne du théâtre qui donne le pas au langage articulé sur tous les autres moyens de représentation.

A. ARTAUD, le Théâtre et son double, Œ. compl., t. IV, p. 127.

DÉPRÉCIATION   [depresjasjɔ̃] n. f. — 1711 ; de *déprécier*.

Action de déprécier, de se déprécier ; état de ce qui est déprécié.

♦ **1** (Au sens de *déprécier*, I., 1.). *La dépréciation des marchandises, de l'or, de l'argent.* → **Avilissement, baisse.** — Comptab. Diminution de valeur d'un élément de l'actif. *Dépréciation des immeubles, des valeurs mobilières...* — Écon. *Dépréciation du signe monétaire*, lorsque son pouvoir d'achat diminue. → **Chute, dévalorisation.** *Dépréciation des assignats** (cit. 2). *L'inflation* entraîne la dépréciation de la monnaie et conduit à la dévaluation.*

1 La dépréciation continue de la monnaie métallique est un fait démontré par tous les documents historiques, tout au moins depuis un millier d'années. Cette dépréciation est même énorme. La valeur de l'argent était environ *neuf* fois plus grande au temps de Charlemagne qu'au début du XXᵉ siècle ; elle était encore *six* fois plus grande à la veille de la découverte de l'Amérique ; elle était environ *trois* fois plus grande à l'époque de la Révolution française.

Charles GIDE, Cours d'économie politique, t. I, p. 436.

2 (...) certains phénomènes considérés comme fâcheux et auxquels on attribue d'ordinaire une cause unique : la dépréciation du papier-monnaie. Ces phénomènes sont : *la hausse générale des prix* et parfois *le dédoublement des prix ; la prime de l'or ; la perte au change et la disparition de la monnaie métallique.*

REBOUD et GUITTON, Précis d'économie politique, t. I, p. 662.

♦ **2** Fig. Fait de déprécier (I., 2.), de se déprécier (2.), d'être déprécié. → **Affaiblissement, altération** (→ Déperdition, cit. 2). *Les discours de cet orateur subissent une dépréciation à la lecture.*

CONTR. Appréciation, augmentation, hausse, revalorisation.

DÉPRÉCIER   [depresje] v. tr. — 1762, Académie ; lat. *depretiare*, de *de-*, et *pretium* «prix».

♦ **1** Rare ou écon. Diminuer la valeur, le prix de... *Déprécier une marchandise.* → **Avilir.** *Déprécier en dégradant, en détériorant. Les facteurs qui contribuent à déprécier une monnaie.*

Fig. *Défauts qui déprécient un caractère, une institution, un ouvrage.* → **Abîmer, tort** (faire tort à). *Déprécier le mérite de qqn.* → **Ternir.** *Déprécier entièrement qqn.* → **Détruire.**

1 (...) il y a cent moyens pour un État, tous également sûrs, de déshonorer sûrement, de déprécier un enseignement de l'État, de l'avilir, de le diminuer, de l'affamer, de l'exténuer et ainsi et enfin de le tuer.

Ch. PÉGUY, la République..., p. 215.

2 Elle *(la science)* déprécie nos images naïves, et jusqu'à notre faculté d'imaginer, qui est dérivée de nos expériences et habitudes corporelles. VALÉRY, Rhumbs, p. 130.

♦ **2** Cour. Exprimer un jugement négatif sur la valeur de (qqch., qqn) ; chercher à déconsidérer (qqch., qqn). → **Critiquer, débiner** (fam.), **décréditer, décrier, dénigrer, dépriser, détracter** (vx), **diminuer, discréditer, méconnaître, méjuger, mépriser, mésestimer, péjorer, rabaisser, ravaler.** *Déprécier qqn par incompréhension, ignorance, jalousie, rivalité. Déprécier un produit, une réalisation, l'œuvre, les méthodes d'un confrère.*

Jusqu'ici, lorsqu'on avait voulu déprécier un ouvrage quel-conque, ou le déconsidérer aux yeux de l'abonné patriarcal et naïf, on avait fait des citations fausses ou perfidement isolées (...)

Th. GAUTIER, Préface de Mᴵˡᵉ de Maupin, p. 43, éd. critique MATORÉ.

Ah ! Dupont, qu'il est doux de tout déprécier !
Pour un esprit mort-né, convaincu d'impuissance,
Qu'il est doux d'être un sot et d'en tirer vengeance !

A. DE MUSSET, Poésies nouvelles, «Dupont et Durand».

Les enfants ont toujours une tendance soit à déprécier, soit à exalter leurs parents (...)

PROUST, À la recherche du temps perdu, t. V, p. 11.

(...) en l'écoutant *(il)* croyait voir l'envers de la vie. Les joies mondaines, la richesse, la gloire même, devenaient méprisables et insupportables. Elle remuait en lui tant de pensées, qu'il ne lui en voulait pas de déprécier les choses qu'il estimait le plus.

Valery LARBAUD, Fermina Marquez, XII, p. 130.

♦ **SE DÉPRÉCIER** v. pron. (1864, Littré).

♦ **1** Perdre de sa valeur. *Cet article se déprécie en ce moment.* → **Baisser, diminuer.** — Spécialt. (Opposé à *s'apprécier*). *Monnaie qui se déprécie*, dont le pouvoir d'achat baisse (→ **Dépréciation ; dévaloriser**).

(...) dire que dans un pays le papier-monnaie s'est déprécié par rapport : aux *marchandises* en général, au *métal-or*, aux *monnaies étrangères*, c'est simplement affirmer que dans ce pays : 1° le niveau général des prix s'est élevé ; 2° le métal-or fait prime ; 3° le papier-monnaie subit une perte au change avec les bonnes monnaies étrangères.

REBOUD et GUITTON, Précis d'économie politique, t. I, p. 664.

Figuré. «*Mes punitions à force d'être prodiguées, se déprécièrent*» (Alphonse Daudet).

♦ **2** Émettre sur soi-même (réfl.) ou émettre réciproquement (récipr.) des jugements défavorables. *Il a la manie de se déprécier. Ils se déprécient réciproquement.*

«Je suis son Félix, ma parole !» pensa Martial, vexé que l'on eût admis si promptement, et sans protestation, l'aveu de son inaptitude. Il se dit qu'avec des gens comme Hubert, il ne fallait jamais se déprécier, ni feindre de se déprécier ; ils vous croient sur parole.

Jean-Louis CURTIS, le Roseau pensant, p. 44.

CONTR. Augmenter, relever, revaloriser, valoriser ; apprécier. — Admirer, approuver, célébrer, estimer, exalter, louer, magnifier, prôner, rehausser, surestimer, vanter.
◊ DÉR. Dépréciateur, dépréciatif, dépréciation.

DÉPRÉDATEUR, TRICE   [depredatœʀ, tʀis] adj. et n. — XVᵉ (XIVᵉ, selon Hatzfeld) ; bas lat. *deprædator*, du supin de *deprædari*. → Déprédation.

Personne qui commet des déprédations. Déprédateurs des deniers publics.

Je sais bien qu'il y a de fameux déprédateurs qui redoutent la vertu éclairée ; je sais que des fripons murmurent contre le bonheur public (...)

VOLTAIRE, Lettre à M. Devaines, 4269, 11 janv. 1776.

Adj. *Ministre déprédateur.*

L'histoire, ainsi que les nations déprédatrices et conquérantes, semble avoir pris pour règle d'équité le mot de Brennus : *Væ victis (malheur aux vaincus).*

MARMONTEL, Éléments de littérature, t. IV, I, II, *in* LITTRÉ.

Par ext. (Personne, animal). Qui cause des dégâts. *Insecte déprédateur* (ne pas confondre avec *prédateur**). — *Tourisme déprédateur.*

CONTR. Bienfaiteur, conservateur, protecteur, rénovateur, restaurateur. — Honnête, intègre.

DÉPRÉDATIF, IVE   [depredatif, iv] adj. — 1270, rare av. XIXᵉ ; bas lat. **deprædativus* ou du thème du p. p. de *deprædari* «piller, dépouiller» (cf. anc. franç. *dépréder*, XIVᵉ) de *prædare* «piller», de *præda* «butin, proie». → Déprédateur, déprédation.

Didact. Qui constitue une déprédation (3.).

> Malgré le constant recours à l'exploitation déprédative de la nature sauvage, malgré l'appoint considérable des produits de l'élevage et des jardins, la productivité dérisoire du travail agricole explique la présence permanente de la disette.   Georges DUBY, *Guerriers et Paysans*, p. 39.

DÉPRÉDATION [depʀedasjɔ̃] n. f. — 1308 ; bas lat. *deprædatio*, du supin de *deprædari*, cf. l'anc. verbe *dépréder* (1361) ; de *dé-*, et *præda* «proie».

♦ **1** (1308). Vol ou pillage accompagné de dégât. *Déprédations commises par des émeutiers, des corsaires* (→ **Course**), *des armées d'invasion.* → **Dévastation, saccage.**

0.1   Ils s'y livrèrent donc à leur instinct de déprédation, saccageant, brûlant, faisant le mal pour le mal.
          J. VERNE, *l'Île mystérieuse*, t. II, p. 717.

(1950). Dommage matériel causé aux biens d'autrui, aux biens publics. → **Dégradation, destruction, détérioration ; vandalisme.** *Les déprédations causées par les touristes, les émeutiers, les délinquants.*

1   *Déprédations* pour désigner l'incendie d'autobus ou le bris de bancs municipaux *(par des émeutiers)* a dû subir l'influence de *dégradations*, mot purement administratif qui signifie *détériorations*, et qui à l'origine était du vocabulaire des maçons.
          A. THÉRIVE, *Querelles de langage*, t. III, p. 208.

1.1   La plaque bleue réglementaire, dont l'émail a sauté en larges éclats, comme si des gamins s'étaient acharnés à la prendre pour cible avec de gros cailloux ; seul le mot «Rue» est encore lisible, et, plus loin, les deux lettres «...na...» suivies d'un jambage interrompu par les franges concentriques du trou suivant. Le nom originel devait d'ailleurs être très court. Les déprédations sont assez anciennes, car le métal mis à nu est déjà profondément attaqué par la rouille.
          A. ROBBE-GRILLET, *Dans le labyrinthe*, p. 52-53.

Par ext. Dégât commis par un animal.

♦ **2** Exaction, acte malhonnête commis dans l'administration, la gestion de qqch. → **Détournement, dilapidation, gaspillage, malversation, prévarication.** *Déprédation des biens de l'État, d'un pupille.*

2   Les plus grandes déprédations des finances étaient son ouvrage *(à Mazarin)*. Il s'était approprié en souverain plusieurs branches des revenus de l'État. Il avait traité en son nom et à son profit des munitions des armées.
          VOLTAIRE, *le Siècle de Louis XIV*, xxv.

3   (...) *déprédations* suppose non seulement dégâts, mais pillage, enlèvement de butin : à preuve que le terme s'applique classiquement aux *malversations* de fonctionnaires, aux *prévarications* de ministres, etc.
          A. THÉRIVE, *Querelles de langage*, t. III, p. 208.

♦ **3** (XVIIIᵉ). *Didact.* Exploitation de la nature sans souci de pourvoir au renouvellement de ce qu'on détruit (plantes ou animaux). → aussi **Pollution ; nuisance.**

4   *La déprédation peut être imposée par le manque de civilisation... Les vrais sauvages, en effet, ceux qui ignorent l'agriculture et l'élevage, ne peuvent vivre que de la chasse et de la pêche et de la cueillette des fruits* (...) *La déprédation peut être imposée par la nature.* Elle est normale chez les peuples, quel que soit le degré de civilisation, qui habitent la forêt équatoriale où l'exploitation méthodique du sol suppose la disparition méthodique de cette forêt (...) C'est ainsi que, dans la forêt équatoriale de l'Amazonie, la déprédation est le fait même de la colonisation blanche qui «saigne» les plantes à caoutchouc sans aucune précaution et sans se soucier de conserver les espèces.
          E. BARON, *Géographie générale*, XXVI, p. 381-382.

CONTR. **Amélioration, apport, conservation, enrichissement, protection, rénovation, restauration.** ◊ DÉR. V. **Déprédateur.**

DÉPRENDRE (SE) [depʀɑ̃dʀ] v. — XIVᵉ ; 1170, *desprix* «dénué, misérable» ; *sol desprendre*, 1403, «s'écarter» ; de 1. *dé-* et *prendre.*

♦ **1** V. pron. *Littér.* (Abstrait). *Se déprendre :* se dégager (de ce qui retient ou immobilise). → **Dégager (se),**

détacher (se), *(fam.)* **dépêtrer** (se) vx en emploi concret. *Se déprendre d'une personne, d'une habitude, des liens d'un attachement. Fait de se déprendre de qqch.* → **Déprise.**

1   (...) cette concupiscence qui lie l'âme au corps par des liens si tendres et si violents, dont on a tant de peine à se déprendre (...)
          BOSSUET, *Traité de la concupiscence*, 4.

2   (...) le couple de Tristan et d'Iseut, rivé dès l'abord d'un lien mystérieusement indissoluble, battu par tous les orages et y résistant, essayant vainement de se déprendre et finalement emporté dans un dernier et éternel embrassement (...)
          Gaston PARIS, Préface, *in* J. BÉDIER, *Tristan et Iseut.*

3   (...) peut-être mieux que moi ma mère lui garda-t-elle un amour indulgent : car de ceux qu'elle avait élus, elle ne savait pas se déprendre.
          R. ROLLAND, *le Voyage intérieur*, *L'arbre*, p. 135.

4   (...) j'eus un rêve étrange, qui commençait par la reviviscence d'un souvenir. Une femme, ma seule vraie passion charnelle, dont j'avais mis quelques années à me déprendre et que je croyais oubliée.
          Maurice CLAVEL, *le Tiers des étoiles*, p. 207.

Rare. (Sujet n. de chose : *sentiment*, etc. ; compl. n. de *personne*).

5   (...) sans que je me sente changé, cet amour de la montagne se déprend de moi comme un flot reculant sur le sable.
          Claude LÉVI-STRAUSS, *Tristes tropiques*, p. 305.

♦ **2** V. tr. 🅰 (Rare). Séparer (des éléments pris ensemble, un élément d'un autre). *Déprendre qqch. de qqch.* → **Détacher.**

🅱 Régional (Canada). Concret. Défaire, dégager.

6   Mathieu a les mains toutes crevassées. Il faut souvent plonger le bras dans l'eau pour déprendre une chaîne enroulée dans l'herbe ou sur un corps mort.
          Jean-Yves SOUCY, *Un dieu chasseur*, p. 108.

CONTR. **Attacher** (s'). — **Éprendre** (s'), **prendre** (se). ◊ DÉR. **Déprise.**

DÉPRESSEUR [depʀesœʀ] n. m. — 1491, *in* Godefroy, «qui abaisse» (fig.), *dépresseur des orgueilleux* ; rare avant 1879, adj. ; du lat. *depressus* «abaissé», de *deprimere.* → **Déprimer.**

♦ **1** *Techn.* Produit utilisé dans le traitement des minerais par flottation, pour accroître leur aptitude à flotter. — REM. On dit aussi *déprimant.*

♦ **2** *Psychol., pharm.* Substance qui diminue une activité mentale ou psychique. → **Dépressif.** *Dépresseurs de vigilance* : les hypnotiques. *Dépresseurs de l'humeur* : les tranquillisants. *Dépresseurs neurocirculatoires* (cit.).

Dans le groupe des *psycholeptiques*, rentrent toutes les substances qui dépriment l'activité mentale sans préjuger si cette chute du tonus psychologique est due à une diminution de la vigilance (...) ou à une sédation de la tension émotionnelle. Ce vaste groupe se subdivise en sous-groupes dont les deux principaux sont les dépresseurs de la vigilance et les dépresseurs de l'humeur.
          Jean DELAY, *Introd. à la médecine psychosomatique*, Notes et observations, p. 65.

Adj. *Médicament dépresseur.*

♦ **3** *Anat., physiol.* Muscle ou nerf dont la fonction est de déprimer. *Dépresseur vésical.* — Appos. (1879). *Nerf dépresseur.*

♦ **4** *Chir.* Instrument servant à refouler ou à abaisser un organe au cours d'une intervention chirurgicale.

COMP. **Antidépresseur, immunodépresseur, neurodépresseur, psychodépresseur.**

DÉPRESSIF, IVE [depʀesif, iv] adj. — 1468, «qui anéantit»; rare av. 1856, La Châtre : «qui affaiblit»; du rad. de *dépression*, et *-if*.

♦ **1** Vx. Qui enfonce, déprime.

♦ **2** Fig. et didact. Qui abat. *Fièvre dépressive. Émotions dépressives ou asthéniques**. *Un climat dépressif*.

♦ **3** Psychol. et cour. Relatif à la dépression. *États dépressifs cycliques.* → **Cyclothymie.** *Psychose maniaque** *dépressive* (ou *maniaco-dépressive*). *Psychotrope soignant les états dépressifs.* → **Antidépresseur.**

(Personnes). Qui est sujet à des «dépressions nerveuses». *Il est un peu dépressif. Un maniaque dépressif.*

N. *Un dépressif, une dépressive.* → **Déprimé.**

(...) tous les dépressifs de la planète, minés par les épreuves morales et physiques de cette chienne de vie !
Catherine PAYSAN, *l'Empire du taureau*, p. 236.

♦ **4** (Anglic.). Écon. Relatif à la dépression (4.) économique. *«Toute une série d'effets dépressifs en cascade tels que : exportation d'aliments et de médicaments de qualité et importation d'ersatz de mauvaise qualité»* (*la Recherche*, sept. 1983, p. 1047).

CONTR. Exaltant, remontant, stimulant. ◊ COMP. **Maniaco-dépressif.**

DÉPRESSION [depʀesjɔ̃] n. f. — 1314; lat. *depressio* «enfoncement», de *depressus*, p. p. de *deprimere* «presser de haut en bas». → **Déprimer.**

♦ **1** (1314). Abaissement, enfoncement (produit par une pression de haut en bas ou par une autre cause). → **Affaissement.** *Dépression d'un plancher.* — Par ext. Enfoncement, concavité. → **Creux.** Anat. *Dépression du crâne, d'un os, d'un organe.*

Géogr. Partie effondrée de la surface du globe, située au-dessous du niveau de la mer et généralement occupée par elle. → **Bassin, cañon** (océanographie), **cuvette, fosse.** *Dépression sèche, fermée. Sédimentation d'une dépression océanique* (→ **Géosynclinal**).

1   Ces dépressions ont toujours été de profondeur inégale, ce qui a permis (...) de distinguer une *zone néritique* ou ensemble des eaux marines qui reposent sur des fonds de moins de 3 000 mètres, une *zone pélagique* qui va de 3 000 à 5 000 mètres de profondeur, et une *zone abyssale*, qui comprend les grandes fosses marines, dépassant 5 000 mètres de fond.
E. BARON, Géographie générale, IX, p. 136.

1.1   En effet, dit Cyrus Smith, c'est un véritable abîme que ce golfe; mais, en tenant compte de l'origine plutonienne de l'île, il n'est pas étonnant que le fond de la mer offre de pareilles dépressions.
J. VERNE, l'Île mystérieuse, t. II, p. 584.

Dépressions de terrain : parties creuses d'un sol inégal. → **Creux.** *Dépression creusée par un cours d'eau.* → **Vallée.** *Plis et dépressions d'un vallonnement.*

♦ **2 a** Météor. (1877, *Année sc. et industr.*, p. 63). *Dépression (barométrique)* : abaissement de la colonne de mercure dans le baromètre, par suite d'une diminution de la pression atmosphérique. *Dépression atmosphérique. Dépression mobile, dépression cyclonale.* → **Cyclone.** *Dépression fixe. Ligne des dépressions équatoriales. Dépressions des hautes latitudes.* Absolt. *Une dépression centrée sur le nord des îles Britanniques.* → **Dépressionnaire** (zone); → Redoux, cit.

2   Le long des fronts et notamment du front polaire, les masses d'air tiède et humide qui tourbillonnent en s'élevant au centre des *aires cyclonales*, sont moins pesantes que l'air ambiant et déterminent au-dessous d'elles une

zone de faible pression : de là l'habitude que l'on a prise de donner aux aires cyclonales le nom de «dépressions».
DEMANGEON et PERPILLOU, Géographie générale, XIX, p. 240.

b Mécan. Vide partiel dans un cylindre ou dans la tuyauterie d'un moteur. *Freins à dépression.*

♦ **3** Méd. et cour. État mental pathologique caractérisé par de la lassitude, du découragement, de la faiblesse, de l'anxiété, de l'angoisse. → **Breakdown** (anglic.); **mélancolie, neurasthénie; déprime** (fam.). *Affaiblissement qui accompagne l'état de dépression.* → **Abattement, adynamie, affaiblissement, alanguissement, anémie, apathie, asthénie, langueur, neurasthénie, tristesse.** — *Dépression endogène, réactionnelle. Formes extrêmes de dépression mentale.* → **Aliénation, coma, prostration, sidération, torpeur.**

2.1   (...) il était en proie presque chaque jour à des crises de dépression mentale, caractérisée non pas positivement par de la divagation, mais par la confession à haute voix, devant des tiers dont il oubliait la présence ou la sévérité, d'opinions qu'il avait l'habitude de cacher, sa germanophilie par exemple.
PROUST, le Temps retrouvé, Pl., t. III, p. 864.

Cour. *Dépression nerveuse* ou *dépression* : crise d'abattement. → **Déprime** (fam.). *Être sujet à des dépressions.* → **Dépressif.**

2.2   (...) il a ce ton inquiet et tendre, protecteur, qu'il prend quand elle a ses moments de dépression, ses crises de larmes (...)
N. SARRAUTE, le Planétarium, p. 81.

♦ **4** (Mil. XXᵉ; empr. angl.). Anglic. Crise* économique caractérisée par le fléchissement de la consommation, la chute des cours, la dépréciation* des marchandises, le ralentissement des affaires. → **Baisse, crise** (cit. 7). *La dépression des années 30.*

3   C'est le passage de l'état d'activité à l'état de dépression qui marque le moment de la crise (...)
Charles GIDE, Cours d'économie politique, t. I, p. 221.

4   Et la période de dépression commença (*en 1929*), marquée par les phénomènes ordinaires qui la caractérisent : la baisse des prix de gros, la diminution de la production, la réduction des profits, les faillites, le chômage.
REBOUD et GUITTON, Précis d'économie politique, t. II, p. 711.

CONTR. Élévation, éminence, soulèvement. — Anticyclone, maximum, pression (haute). — Épanouissement, euphorie, exaltation, ecthion, surecthion. — Hausse, prospérité. ◊ DÉR. Dépressif, dépressionnaire. — V. **Déprimer.**

DÉPRESSIONNAIRE [depʀesjɔnɛʀ] adj. — 1941, Demangeon; de *dépression*.

Météor. Qui est le siège d'une dépression atmosphérique. *Vaste zone dépressionnaire s'étendant de l'Islande à la Méditerranée orientale.* → **Cyclonal.**

CONTR. Anticyclonal.

DÉPRESSURISATION [depʀesyʀizasjɔ̃] n. f. — 1950; de *dépressuriser*.

Aviat., astronaut. Chute (volontaire ou accidentelle) de la pression normale (d'un avion, d'un véhicule spatial).

CONTR. Pressurisation.

DÉPRESSURISER [depʀesyʀize] v. tr. — V. 1966; de 1. *dé-*, et *pressuriser*.

Aviat., astronaut. Faire perdre la pression normale, obtenue par pressurisation, à (un avion, un véhicule spatial).

CONTR. Pressuriser. ◊ DÉR. Dépressurisation.

DÉPRIMANT, ANTE [depʀimɑ̃, ɑ̃t] adj. et n. m.
— 1787, *in* D.D.L.; du p. prés. de *déprimer*.

♦ **1** Qui déprime (2.). *Climat déprimant.* → **Affaiblissant, débilitant.** *Atmosphère morne et déprimante.*
→ **Cafardeux** (2.). *Cette ville est plutôt déprimante.*
Paroles déprimantes. → **Démoralisant.**

Il *(un homme)* est toujours à lui-même son plus grand
ennemi, par ses faux jugements, par ses vaines craintes,
par son désespoir, par les discours déprimants qu'il se
tient à lui-même.
       ALAIN, *Propos sur le bonheur*, p. 199.

♦ **2** N. m. Techn. → **Dépresseur** (1.).

DÉPRIME [depʀim] n. f. — 1973; déverbal de
déprimer.

Fam. État de dépression* psychologique. → **Asthénie, mélancolie, neurasthénie.** «*Si l'on se sent menacé
par la "déprime"...»* (*le Nouvel Obs.*, 21 avr. 1973).

1   C'était important de les persuader qu'on attendait leur
coup de téléphone. C'est important quand on fait une
déprime de sentir qu'il y a quelqu'un qui s'intéresse à vous
au bout du fil et attend anxieusement de vos nouvelles.
Ça vous donne de l'intérêt.
       E. AJAR (R. GARY), l'Angoisse du roi Salomon, p. 77.

2   Aucun rapport avec la déprime insidieuse et somme toute
civilisée des amours difficiles; aucun rapport avec le tran-
sissement du sujet abandonné : je ne flippe pas, même
dur. C'est net comme une catastrophe : «Je suis un type
foutu !».
       R. BARTHES, Fragments d'un discours amoureux,
       p. 59.

DÉPRIMER [depʀime] v. tr. — V. 1380, «abattre, affaiblir»; lat. *deprimere* «presser de haut en bas», de *de-*,
et *premere* «presser».

♦ **1** (1314). Abaisser ou incurver (par une pression
exercée de haut en bas ou par une cause quelconque). → **Affaisser, enfoncer.** *Le choc lui a déprimé
le crâne.*

0.1   (...) avec l'autre main, placée sur l'abdomen, on déprimera
avec douceur la paroi antérieure du bas-ventre, ce qui
permettra d'apprécier la position exacte de l'utérus, ses
dimensions, sa mobilité, sa résistance.
       Jean DALSACE, la Stérilité, p. 58.

Pron. Se creuser.

♦ **2** (V. 1380). Fig. Affaiblir physiquement ou moralement. → **Décourager; abattre.** *Ce climat déprime
la santé. La fièvre le déprime.* → **Abattre, affaiblir.**
*Déprimer le moral de qqn. Cette nouvelle inattendue
l'a brutalement déprimé.* → **Assommer.** — Pron. *Il se
déprime très facilement.* → **Décourager, démoraliser.**

1   La prison adoucit les esprits exaltés, déprime les plus énergiques.   M. BARRÈS, Leurs figures, p. 168.

2   Les questions d'argent qui m'exaltaient naguère me dépriment aujourd'hui (...)   GIDE, Journal, 18 oct. 1907.

♦ **3** Vx. Déprécier (quelqu'un).

♦ **DÉPRIMÉ, ÉE** p. p. adj. et nom.

♦ **1** Incurvé, enfoncé. *Sol déprimé. Front déprimé.*

♦ **2** (1883). Affaibli. *Santé déprimée. Personne
déprimée par la maladie.* — Abattu, découragé.
→ **Cafardeux, démoralisé; mélancolique, triste.** *Moral
déprimé. Être déprimé par les soucis.*
Spécialt. Atteint de dépression (3.). *Soigner une personne déprimée par des anti-dépresseurs.*

♦ **3** N. (1897). *Un, une déprimée.* Malade atteint de
dépression* (3.). → **Dépressif.**

CONTR. Enfler, exhausser, gonfler, soulever, tuméfier. —
Consoler, élever, exalter, relever, remonter, revigorer, vivifier. ◊ DÉR. Déprimant, déprime. — V. Dépressif, dépression.

DÉPRISE [depʀiz] n. f. — 1967; de *se déprendre*,
d'après *prise*.

Didact. Action de se déprendre **(figuré)**.

J'ai appelé dessaisissement ou déprise le mouvement
(*l'«aventure de la réflexion»* dans le *freudisme*) auquel me
contraint la systématique freudienne; c'est la nécessité de
ce dessaisissement qui justifie le naturalisme freudien.
       P. RICŒUR, Une interprétation philosophique de
       Freud, *in* la Nef, n° 31, p. 122.

DÉPRISER [depʀize] v. tr. — XIIᵉ-XIIIᵉ; XIIᵉ, *depreiser;
desprisier*, v. 1175; de 1. *dé-*, et *priser*.

(1370). Littér. Apprécier (qqn ou qqch.) au-dessous
de son prix, de sa valeur. → **Déprécier, mésés-
timer, sous-estimer.** *Dépriser l'œuvre de qqn, dépriser
un auteur.* «*L'envie s'efforce de dépriser les belles
actions. La grandeur d'âme méprise la vengeance»*
(Littré).

Je ne prétends pas dépriser Corneille : mon commentaire   1
n'est ni un panégyrique ni une censure (...)
       VOLTAIRE, Commentaires sur Corneille,
       Polyeucte, t. 48, p. 360.

Je ne dis pas que le «délice sans chemin» ne soit le principe   1.1
et le but même de l'art des poètes. Je ne déprise pas le don
éblouissant que fait notre vie à notre conscience, quand
elle jette brusquement dans le brasier mille souvenirs d'un
seul coup.   VALÉRY, Variété, p. 72.

(...) il *(Gœthe)* dit encore à Eckermann qu'il n'est pas de   2
discours qui vaille un dessin, même tracé au hasard par
la main. Ce poète déprise les mots.
       VALÉRY, Variété IV, p. 110.

CONTR. Priser, surestimer.

DE PROFUNDIS [depʀɔfɔ̃dis] n. m. — Fin XIIᵉ-déb.
XIIIᵉ; lat. ecclés. «des profondeurs».

Le sixième des sept psaumes de la Pénitence, qui
commence par ces mots, et que l'on dit dans les
prières pour les morts. *Chanter un* De profundis,
des De profundis.

(...) se donner dans l'église la comédie de son propre enter-   1
rement, se mettre dans un cercueil, et chanter son *De
profundis*, ce ne sont pas là des traits du cerveau bien
organisé.   VOLTAIRE, Essai sur les mœurs, CXXVI.

Grands bois, vous m'effrayez comme des cathédrales;   2
Vous hurlez comme l'orgue; et dans nos cœurs maudits,
Chambres d'éternel deuil où vibrent de vieux râles,
Répondent les échos de vos *De profundis*.
       BAUDELAIRE, Spleen et Idéal, «Obsession».

DÉPROGRAMMATION   [depʀɔgʀamasjɔ̃] n. f.
— 1984; de *déprogrammer*.

Suppression (d'une émission, d'un spectacle) du
programme prévu. *Il y a eu plusieurs déprogram-
mations à la télévision cette semaine en raison de
l'actualité. Déprogrammation pour des raisons politiques.*

DÉPROGRAMMER [depʀɔgʀame] v. tr. — Mil. XXᵉ;
de 1. *dé-*, et *programmer*, ou *programme* et suff. verbal.

♦ **1** Supprimer d'un programme (ce qui était
prévu). «*Les dirigeants de la télévision tiennent
l'abstention pour la meilleure prudence : ils ont
"déprogrammé" une émission sur le maréchal
Pétain»* (*le Nouvel Obs.*, 13 nov. 1975).

♦ **2** Enlever (un élément) d'un programme informatique.

DÉR. Déprogrammation.

DÉPROLÉTARISATION   [depʀɔletaʀizasjɔ̃] n. f.
— XXᵉ; de *déprolétariser*.

Action de déprolétariser.

DÉPROLÉTARISER [deprɔletaRize] v. tr. — XXᵉ; de 1. dé-, et prolétariser.

Didact. Faire perdre les caractères du prolétariat à (un milieu, un groupe social). «Il s'agit d'achever de déprolétariser Paris» (le Nouvel Obs., 4 déc. 1972).

CONTR. Prolétariser. ◊ DÉR. Déprolétarisation.

DÉPROTÉGER [deprɔteʒe] v. tr. [CONJUG.: protéger.] — Fin XXᵉ; de 1. dé-, et protéger.

Inform. Enlever la protection de. Déprotéger une disquette.

DÉPSYCHIATRISER [depsikjatRize] v. tr. → Psychiatriser.

DÉPUCELAGE [depyslaʒ] n. m. — 1580, Montaigne; de dépuceler.

Fam. ou par plais. Action de dépuceler (qqn); perte du pucelage.

Par métaphore :

Ce roman parle de guerre. C'est l'impression d'un combat, le dépucelage quant à la guerre d'un jeune homme.
    VALÉRY, Correspondance (avec Gide), 1896, p. 259, in T.L.F.

DÉPUCELER [depysle] v. tr. [CONJUG.: appeler.] — V. 1165; de 1. dé-, pucelle, et -er.

Fam. ou par plais. Faire perdre son pucelage, sa virginité à (qqn). → Déflorer.

— Mais tu as gagné une fortune à la roulette! (...) Et je l'ai dépensée avec une grande dame : une Hongroise avec trois titres, et qui a vraiment dépucelé un roi, jadis.
    Alain BOSQUET, les Bonnes Intentions, p. 219.

Fig. et par plais. Dépuceler une bouteille, l'ouvrir.

DÉR. Dépucelage.

DÉPUCELEUR [depyslœR] n. m. — XVIᵉ; de dépuceler.

Fam. ou par plais. Homme qui dépucelle (une, des filles). Le dépuceleur d'une jeune fille, son dépuceleur. — Loc. (vx, encore attesté au XIXᵉ : Zola, l'Assommoir). Dépuceleur de nourrices : homme vantard et naïf (la nourrice est une mère qui allaite).

Loc. fig. (Vx). Un dépuceleur de bouteilles : un grand buveur.

DEPUIS [d(ə)pɥi] prép. — V. 1135; de de, et puis. À partir de.

[I] Temporel. ◆ **1** (V. 1135). À partir d'une date, d'un moment passé. Depuis le 15 mars : à partir du quinze mars jusqu'à aujourd'hui ou jusqu'au moment dont on parle. Il est parti depuis midi, à partir de midi (jusqu'au moment où l'on parle). Depuis le matin jusqu'au soir. → De (du matin au soir). Depuis quand êtes-vous là? Depuis mardi. Depuis le jour où je vous ai rencontré. — Iron. Depuis quand est-il permis d'entrer sans frapper? — Depuis lors : depuis ce moment-là (dans le passé). — REM. Depuis ne s'emploie que pour le passé. On réserve à partir de, dès, dorénavant pour le futur.

1   Et depuis quand, Seigneur, entre-t-on dans ces lieux, Dont l'accès était même interdit à nos yeux?
    RACINE, Bajazet, I, 1.

2   Au retour de l'expédition, vous recevrez tout l'arriéré des coups de bâton qui vous sont dus depuis 1789.
    P.-L. COURIER, II, 274.

3   Depuis lors, quand il me parla, ce fut toujours du bout des lèvres, d'un air méprisant.
    Alphonse DAUDET, le Petit Chose, I, II, p. 26.

4   (...) dès continue à marquer le point de départ dans le futur ou le passé; depuis ne se dit que du passé : dès qu'il a paru, dès qu'il paraîtra, non : depuis qu'il paraîtra (...)
    BRUNOT, la Pensée et la Langue, III, XI, C, IV, p. 441.

Adv. Nous l'avons vu dimanche, mais pas depuis.

◆ **2** Pendant la durée passée qui sépare du moment dont on parle. Depuis vingt ans, depuis quelques jours. On vous cherche depuis dix minutes : il y a dix minutes qu'on vous cherche. → Avoir (il y a). Nous ne nous sommes pas vus depuis des siècles, depuis une éternité, depuis un temps infini... → Voilà. Depuis combien de temps êtes-vous là? Depuis une semaine. Depuis longtemps, depuis toujours. Depuis peu. → Dernièrement, récemment.

5   (...) depuis le temps que je suis en chemin (...)
    MOLIÈRE, Amphitryon, I, 2.

6   Il est merveilleux (...) combien vous êtes blanchi depuis deux jours que je ne vous ai pas vu.
    LA BRUYÈRE, les Caractères de Théophraste, «De la flatterie».

7   C'est une bonne et honnête fille, qui me sert depuis vingt ans avec l'attachement d'une fille à son père, plutôt que d'une domestique à son maître (...)
    ROUSSEAU, Lettres, 426.

8   Ce nom de Swann d'ailleurs, que je connaissais depuis si longtemps (...)
    PROUST, À la recherche du temps perdu, t. II, p. 262.

9   Il avait appris, depuis peu, à ne pas négliger ce surcroît d'aisance et de bonne humeur que confèrent une lingerie fine, un col ajusté, un vêtement de bonne coupe.
    MARTIN DU GARD, les Thibault, t. VI, p. 10.

Emphatique Depuis le temps que... : il y a si longtemps... Vous avez changé depuis le temps que je ne vous ai vu! Depuis le temps que je me fatigue à vous répéter que...

10   Depuis entre (...) dans une foule de locutions : depuis peu, depuis toujours ... depuis le temps ... Depuis que j'ai appris ce malheur, je n'ai pas fermé l'œil; — Depuis le temps que vous me promettez votre intervention !
    BRUNOT, la Pensée et la Langue, III, XI, C, IV, p. 443.

10.1   — Alors vous êtes venu dans le bateau? dit Sara. Ludi était très content. Depuis le temps qu'il louchait dessus.
    M. DURAS, les Petits Chevaux de Tarquinia, p. 82.

◆ **3** Par ext. (de 1.). À partir d'une époque déterminée, à partir d'un événement passé. Depuis le moyen âge, depuis la Révolution. Depuis sa maladie, sa mort... — Ellipt. Depuis Jésus-Christ. → Après. La conception de la peinture a beaucoup évolué depuis Delacroix, depuis Delacroix jusqu'à nos jours.

11   Le gouvernement provisoire formé depuis l'abdication de Bonaparte (...)
    CHATEAUBRIAND, Mémoires d'outre-tombe, t. IV, p. 43.

12   Les plus grands penseurs, depuis Aristote, se sont attaqués à ce petit problème... (le rire)   H. BERGSON, le Rire, I.

13   (...) une épouvante à la fois atroce et solennelle qu'il ne connaissait plus depuis son enfance (...)
    MALRAUX, la Condition humaine, in Romans, Pl., p. 168.

◆ **4** (Loc. conj.). **DEPUIS QUE...** (et indic.). Nous sommes sans nouvelles depuis qu'il est parti (moins cour. au passé). Depuis qu'il a été nommé, on ne le voit plus.

14   (...) votre fille n'est pas si difficile que cela, et elle s'est apprivoisée depuis qu'elle est chez lui.
    MOLIÈRE, George Dandin, I, 4.

15   (...) d'autres goûts avaient un peu attiédi l'affection paternelle depuis que je vivais loin de lui.
    ROUSSEAU, les Confessions, II.

◆ **5** Adv. Il est parti après la guerre et nous ne l'avons pas revu depuis. → Suite (par la suite). Depuis, nous sommes inquiets.

16   (...) j'ai connu que notre nature n'était qu'un continuel changement, et je n'ai plus changé depuis; et si je changeais, je confirmerais mon opinion.
    PASCAL, Pensées, VI, 375.

17   J'appelai de l'exil, je tirai de l'armée, Et ce même Sénèque, et ce même Burrhus,

Qui depuis ... Rome alors estimait leurs vertus.
RACINE, Britannicus, IV, 2.

18 Et son fils, jeune encore, ardent, impétueux,
Qui depuis ... mais alors il était vertueux (...)
VOLTAIRE, la Henriade, VIII.

19 Ces dignes prêtres ont été mes premiers précepteurs spirituels (...) J'ai eu depuis des maîtres autrement brillants et sagaces ; je n'en ai pas eu de plus vénérables (...)
RENAN, Souvenirs d'enfance..., I, I, p. 29.

II Spatial. ◆ **1** DEPUIS... JUSQU'À : de cet endroit à tel autre. → **De**. *La route est praticable depuis Paris jusqu'à... Les Pyrénées s'étendent depuis l'Atlantique jusqu'à la Méditerranée.*

20 L'Ariane qui s'étendait depuis le golfe Persique jusqu'à l'Indus (...) MONTESQUIEU, l'Esprit des lois, XXI, 8.

21 La pauvre et dure Bretagne, l'élément résistant de la France, étend ses champs de quartz et de schiste depuis les ardoisières de Châteaulin près Brest jusqu'aux ardoisières d'Angers.
MICHELET, Extraits historiques, p. 81.

22 (...) la courbe de ce corps flexible replié sur soi-même, depuis le moelleux arrondi des épaules jusqu'à la pointe de genou qui fait saillie sous le châle de soie.
MARTIN DU GARD, les Thibault, t. III, p. 166.

Depuis le haut jusqu'en bas, ou de haut en bas. *On l'a mis dans un plâtre depuis les pieds jusqu'à la ceinture.*

23 Il faut juger des femmes depuis la chaussure jusqu'à la coiffure exclusivement, et à peu près comme on mesure le poisson entre queue et tête.
LA BRUYÈRE, les Caractères, III, 5.

24 Imaginez-vous une grande salle tapissée de fusils et de sabres depuis le haut jusqu'en bas (...) : carabines, rifles, tromblons, couteaux (...)
Alphonse DAUDET, Tartarin de Tarascon, I.

◆ **2** (XXᵉ). **DEPUIS** (employé seul, marque la provenance avec une idée de continuité). → **De, dès**. (S'emploie en général après des verbes d'énonciation : *dire, crier...* ou de perception : *voir, entendre...*).

25 (...) j'étais d'abord gêné par les cartes postales de Suisse représentant «le mont Blanc *depuis* Genève»; j'ai presque cessé de l'être *depuis* que Barrès s'est permis couramment d'écrire : «*depuis la fenêtre*», ou «*depuis la chambre des Députés*»; et tant d'autre écrivains ensuite.
GIDE, Attendu que..., III, p. 45.

26 Nous avons fait le tour de la prairie. La famille, depuis le perron, nous observait.
F. MAURIAC, le Nœud de vipères, V, p. 67.

26.1 Et que les compétitions soient à l'échelle internationale, cela confère au jeu une dignité qui rejaillit même sur ceux qui n'y participent que depuis les gradins d'un stade (...)
F. MAURIAC, le Nouveau Bloc-notes 1958-1960, p. 177.

Abusivt (radio, télév.), souvent employé pour *de*. *Transmis depuis Marseille. Radiodiffusion de tel discours depuis tel poste* (Office de la langue franç., le Figaro, 25 juin 1938).

26.2 Les renseignements qui nous en arrivent par courriers, ceux, notamment, que nous fournit, depuis Paris, notre service du «noyautage des administrations publiques» (...)
Ch. DE GAULLE, Mémoires de guerre, 1956, p. 169.

III (Attestation isolée v. 1360). Par anal. DEPUIS... JUSQU'À... exprime une succession ininterrompue dans une série. *Depuis le premier jusqu'au dernier, depuis le début jusqu'à la fin. Depuis le plus riche jusqu'au plus pauvre. Il a écrit dans tous les genres, depuis la maxime jusqu'à l'épopée.*

27 (...) remontant depuis le dernier anneau de la chaîne des êtres jusqu'à l'homme (...)
CHATEAUBRIAND, le Génie du christianisme, t. I, 1, 9.

28 (...) la forêt varie depuis le vert de l'émeraude jusqu'à la pourpre de la cornaline (...)
Th. GAUTIER, Mˡˡᵉ de Maupin, VI, p. 114.

On voyait dans la salle d'armes, entre des étendards et 29 des mufles de bêtes fauves, des armes de tous les temps et de toutes les nations, depuis les frondes des Amalécites et les javelots des Garamantes jusqu'aux braquemarts des Sarrasins et aux cottes de mailles des Normands.
FLAUBERT, Trois contes, «La légende de saint Julien l'Hospitalier», I.

On ajoute souvent, pour indiquer qu'il n'en manque point : 30 *depuis ... jusqu'à* : **Depuis** *madame Rivals ...* **jusqu'à** *la vieille servante ...* **tout le monde** *... (A. DAUDET, Jack, 245).*
BRUNOT, la Pensée et la Langue, I, IV, X, p. 127.

Ellipt. Comm. Costumes depuis 1 000 francs (→ À partir de). *Costumes depuis 2 000 jusqu'à 5 000 francs.*

CONTR. À, avant, jusqu'à ; auparavant.

DÉPULPAGE [depylpaʒ] n. m. — Mil. XXᵉ; de *dépulper*.

◆ **1** Action de dépulper (2.).

◆ **2** Spécialt. *Dépulpage du café.*

DÉPULPER [depylpe] v. tr. — 1869; de 1. *dé-, pulpe*, et suff. verbal.
Technique.

◆ **1** Réduire en pulpe (des betteraves, etc.).

◆ **2** (1948). Ôter la pulpe de (un fruit, etc.).

◆ **DÉPULPÉ, ÉE** p. p. adj.

Dont on a ôté la pulpe. — Spécialt. (En parlant de la pulpe dentaire). *«Une carie (...) externe : celle des dents mortes et dépulpées»* (P.-L. Rousseau, *les Dents*, p. 34).

DÉR. Dépulpage.

DÉPURATEUR [depyʀatœʀ] n. m. — 1793; de *dépurer*.

Techn. Appareil servant à purifier (qqch.), à débarrasser des impuretés. *Un dépurateur d'air.*

Avant de s'introduire dans les cornues chauffées, l'air traversait un dépurateur, assez semblable à celui qui est employé dans les usines à gaz et qui consiste en un vase de fonte contenant de la chaux, destinée à absorber l'acide carbonique de l'air, dont la présence nuirait à la réaction.
L. FIGUIER, l'Année scientifique et industrielle 1869, p. 181 (1868).

DÉPURATIF, IVE [depyʀatif, iv] adj. et n. m. — 1792; de *dépurer*.

◆ **1** Qui purifie l'organisme, en favorisant l'élimination des toxines, des déchets organiques. → **Diaphorétique, diurétique, purgatif, sudorifique.** *Le sirop antiscorbutique est dépuratif. Plantes dépuratives : bourrache, cresson, douce-amère, fumeterre, marrube, salsepareille etc — Remède dépuratif.*

(...) la patronne, faisait bouillir tous les printemps, pour sa famille et celle de ses ouvriers, la tisane dépurative que l'on prenait en commun.
B. CENDRARS, l'Or, in Œ. compl., t. II, p. 139.

N. m. *Un dépuratif. La bourrache est un dépuratif. Prendre un dépuratif.*

◆ **2** Fig. Qui rend plus pur. *Une lecture dépurative.*

DÉPURATION [depyʀasjɔ̃] n. f. — V. 1275, *depuracien*; de *dépurer*.

Didact. Action de dépurer, son résultat.

DÉPURATOIRE [depyʀatwaʀ] adj. — 1731; de *dépurer*.

Qui sert à dépurer. *Machine dépuratoire.* — Méd. Vieilli. *Remède dépuratoire.* → **Dépuratif.**

DÉPURER [depyʀe] v. tr. — 1226, «s'égoutter»; lat. *depurare* soit «purifier» (de *de-*, et *purare* «purifier» de *purus* «pur»), soit «nettoyer par suppuration» (de *de-*, et *-purare* dans *suppurare*, de *pus, puris* «pus». → Suppurer).

(XIIIᵉ). Didact. Rendre plus pur, débarrasser (qqch.) des impuretés. → **Épurer, purifier.** *Dépurer l'organisme, le sang.*

Par métaphore :

Cet amusement n'est donc, au fond, qu'un fortifiant préventif, qui dépure, d'ores et déjà, de toute prédisposition aux émotions trop douloureuses, les tempéraments si tendres de nos Benjamins !

VILLIERS DE L'ISLE-ADAM, *Contes cruels*, p. 166.

Dépurer un liquide. — Dépurer un métal.

DÉR. Dépurateur, dépuratif, dépuration, dépuratoire.

DÉPUTATION [depytasjɔ̃] n. f. — 1433; de *députer**, d'après le bas lat. *deputatio* «délégation», de *deputare*.

♦ **1** (Av. 1650). Envoi d'une ou de plusieurs personnes chargées d'un message, d'une mission. → **Ambassade, délégation, mission.**

1 Un des plus grands inconvénients des grands États, celui de tous qui y rend la liberté le plus difficile à conserver, est que la puissance législative ne peut s'y montrer elle-même, et ne peut agir que par députation. Cela a son mal et son bien, mais le mal l'emporte. Le législateur en corps est impossible à corrompre, mais facile à tromper.

ROUSSEAU, *Considérations sur le gouvernement de Pologne*, VII.

2 (...) une députation au roi, pour invoquer sa clémence en faveur de ceux qui avaient forcé les portes des prisons.

MIRABEAU, *Collection*, t. I, p. 282, *in* LITTRÉ.

(1433). Par métonymie. Les personnes envoyées en députation. *Une députation de six personnes. La députation a été, n'a pas été reçue par le président. Députation solennelle envoyée par une ville grecque de l'Antiquité.* → **Théorie.**

♦ **2** (1789). Fonction de député* (spécialt en parlant du mandat parlementaire et représentatif). → **Mandat.** *Se présenter à la députation. Candidat à la députation. Aspirer à la députation.*

♦ **3** Rare. Lieu où sont installés les membres d'une députation.

DÉPUTÉ, ÉE [depyte] n. — XIVᵉ, *depputé*; du bas lat. *deputatus* «représentant de l'autorité»; sens mod. en 1789.

REM. Le mot se trouve souvent au masculin en parlant d'une femme; la tendance à employer le féminin semble toutefois se renforcer, notamment depuis les années 1995 et suivantes, avec l'adoption de *la ministre, la juge.* La forme proposée ci-dessous (analogie des féminins de subst. en *-e* : *ministre, Suisse...* et de *doctoresse*) est aberrante :

0.1 (...) ni les places de contre-maîtresse ni le saupoudrage infime de ministresses au gouvernement, de députesses à l'Assemblée nationale, de mairesses dans les villes, n'apparaissent primordiaux.

Michèle PERREIN, *Entre chienne et louve*, p. 227.

Voir également ci-dessous, cit 6 et REM. *supra.*

♦ **1** Personne qui est envoyée (par une nation, une assemblée, un souverain...) pour remplir une mission* particulière. → **Ambassadeur, délégué, envoyé, légat, mandataire, parlementaire, représentant.** *La mission d'un député.*

1 Le député vint donc, et fit cette harangue :
Romains, et vous, Sénat, assis pour m'écouter (...)

LA FONTAINE, *Fables*, XI, 7.

2 Puisque les actionnaires se sont réservé en commun le capital hypothéqué de leurs actions et qu'ils ont une caisse particulière et des députés pour veiller à leurs intérêts (...)

G. T. RAYNAL, *Hist. philosophique*, IV, 27, *in* LITTRÉ.

♦ **2** Celui, celle qui est nommé(e) généralement par élection, pour faire partie d'une assemblée délibérante. → **Représentant.** *Les députés du clergé, de la noblesse et du tiers état aux États généraux. Les députés européens.*

3 À la fin de la Législative déjà, les deux tiers des députés n'osaient plus venir siéger. La Convention, elle, comptait théoriquement 749 membres pourvus de 298 suppléants. Sur ces 749, il ne s'en présenta, le 20 septembre, que 371 dont 253 seulement répondirent à l'appel nominal pour l'élection du Président.

Pierre GAXOTTE, *Hist. des Français*, t. II, XXIII, p. 280.

(1789). En France. Personne élue pour faire partie de l'Assemblée nationale, chambre législative de la nation. → **Élu, mandataire, parlementaire, représentant** (du peuple). *L'élection des députés. La Chambre des députés ou Assemblée nationale.* → **Assemblée, chambre.** *Réunion des députés et des sénateurs.* → **Congrès, parlement.** *Chaque député a un mandat* parlementaire ou représentatif. Le député représente l'ensemble de la nation et non sa circonscription* (cit.). *Les députés siègent à la Chambre, au Palais-Bourbon* (→ Clameur, cit. 2). *L'irresponsabilité*, l'inviolabilité des députés.* → **Immunité** (parlementaire). *L'indemnité des députés. Suppléant d'un député. Madame la députée ou Madame le député. Elle est députée communiste. Député(e)-maire :* député(e) qui est aussi maire. *Député au Conseil de la République.* → **Sénateur; conseiller** (de la République).

4 Nos députés n'ont encore fait que détruire. Ils cèdent aujourd'hui à la tentation de placer une déclaration des droits de l'homme à la tête de la constitution (...)

RIVAROL, *Politique*, I, *in* Œ., II, p. 137.

5 Exercent seuls le mandat représentatif au sens d'un «pouvoir de vouloir» pour le peuple, les membres de l'Assemblée nationale par qui celui-ci «exerce sa souveraineté»; mais, en intégrant le Conseil de la République dans le Parlement, la Constitution a fait d'eux *(les conseillers de la République)* des parlementaires avec toutes les conséquences qui, pour les autres députés, découlent du mandat représentatif.

Marcel PRÉLOT, *Précis de droit constitutionnel*, nᵉ 308.

REM. Le fém. est attesté dans ce sens dès la fin du XIXᵉ s., mais il ne réfère pas alors à une réalité juridique : les femmes ne sont en France à cette époque ni électrices ni éligibles. Dans la cit. suivante, extraite d'un roman d'anticipation particulièrement misogyne, le mot est employé avec une intention ironique et polémique (l'auteur tient pour risible l'idée d'une femme députée).

6 Mᵐᵉ de C., députée de Saône-et-Loire, dans une sévère toilette de femme d'État (...)

A. ROBIDA, *le Vingtième Siècle*, p. 24 (v. 1890).

CONTR. Commettant, mandant; électeur.

DÉPUTER [depyte] v. tr. — V. 1265, *in* D.D.L.; lat. *deputare* «tailler», par ext. «assigner, estimer»; sens mod. dû à *député*.

♦ **1** (1328). Vx ou rare. Envoyer (qqn) en mission officielle comme député. → **Déléguer, envoyer, mandater.** *Députer un ambassadeur. Députer qqn auprès du roi. Députer qqn dans un département. Députer qqn pour obtenir quelque chose.*

1 C'est moi qu'Amphitryon députe vers Alcmène.

MOLIÈRE, *Amphitryon*, I, 2.

♦ **2** (1748). Mod. et rare (on emploie *élire*). Envoyer, élire (qqn) à une assemblée délibérante. *Députer des représentants à une assemblée. «Le Tiers députait des nobles...»* (Sieyès, *in* T.L.F.).

2 L'Assemblée nationale n'avait pas été députée pour faire une révolution, mais pour nous donner une constitution.

RIVAROL, *Politique*, I, *in* Œ., II, p. 137.

DÉR. Députation.

DÉQUALIFICATION [dekalifikasjɔ̃] n. f. — XXᵉ (attesté 1965; *in* Gilbert, 1971); de 1. *dé-*, et *qualification*.

Techn. admin. Baisse ou perte de la qualification professionnelle (de qqn). «*Pierre Joxe avait souligné la déqualification que le déluge d'amendements entraîne pour les hauts fonctionnaires de l'Assemblée actuellement réduits à des travaux de manutention*» (*Libération*, 27 janv. 1984). «*Les nouvelles technologies pourraient beaucoup. Mais, insérées dans les rapports sociaux actuels, elles contribuent à approfondir la déqualification des femmes ou à les exclure du marché du travail*» (*les Nouvelles*, nᵒ 2921, 8-14 mars 1984, p. 15).

DÉQUALIFIER [dekalifje] v. tr. — XXᵉ; de 1. *dé-*, et *qualifier*.

Techn. admin. Faire baisser la qualification de (un travailleur) ou la faire perdre. «*On tend à déqualifier les travailleurs*» (*le Nouvel Obs.*, nᵒ 681, 28 nov. 1977). — Au p. p. *Main-d'œuvre déqualifiée*.

DER [dɛʀ] n. — 1920; adj., 1835, *in* Esnault; abrév. de *dernier*.

Loc. fam. ou pop. *Der des ders* : le dernier des derniers. — Spécialt. *La der des ders* : la guerre après laquelle il n'y en aura plus.

Le Grand Comptoir ne désemplissait pas. À sa clientèle de la nuit, succédait celle du petit jour (...) celle du jour véritable, authentique. On vidait sur un zinc le «der des der» (*sic*), quitte à en absorber un autre un peu plus loin. Nous passions ainsi du «calva» au petit bordeaux, puis au jus «arrosé», puis au «crème» dans lequel nous plongions des croissants.
　　　　　　　Francis CARCO, Nostalgie de Paris, p. 58.

Dix de der : les dix points supplémentaires que donne la dernière levée (**belote**). *Belote, rebelote et dix* (cit. 4.1) *de der !*

DÉRACINABLE [deʀasinabl] adj. — 1842; de *déraciner*, et -*able*.

Qui peut être déraciné. — Fig. Qui peut être arraché de son pays d'origine, de son milieu naturel.

CONTR. **Indéracinable.**

DÉRACINEMENT [deʀasinmɑ̃] n. m. — Av. 1429; de *déraciner*.

♦ **1** Action de déraciner* (1.) qqch.; état de ce qui est déraciné. → **Arrachement.** *Le déracinement des arbres*, et, par ext., *d'un poteau*.

1　Dans les sapinières de la plaine, des déracinements laissaient des places vides; le sol avait été converti en prairies.
　　　　　　　CHATEAUBRIAND, Mémoires d'outre-tombe, t. VI, p. 17.

Fig. *Le déracinement des vices, des abus, des préjugés.* → **Extirpation.**

♦ **2** Fig. ou métaphorique. Action de déraciner (2.); état des gens déracinés. *Le déracinement d'hommes qu'on a arrachés à leur pays d'origine.* → **Déportation, exil, expatriation.**

2　Ces déracinements profonds ne vont pas sans d'innombrables meurtrissures, et il y a toujours quelque fibre du passé qui souffre dans les cœurs même les mieux renouvelés.　　　　　JAURÈS, Hist. socialiste..., t. VI, p. 374.

CONTR. **Enracinement.**

DÉRACINER [deʀasine] v. tr. — V. 1245, *desraciner*, *in* D.D.L.; par changement de préfixe, de 1. *dé-*, et (*en*)*raciner*.

♦ **1** (V. 1200). Arracher (ce qui tient au sol par des racines). → **Arracher, enlever, extirper.** *Déraciner un arbre, avant de l'abattre. Déraciner une souche.* → **Essoucher** (→ Creuser, cit. 11).

Et *(le vent)* fait si bien qu'il déracine (...)
　　　　　　　LA FONTAINE (→ Arbre, cit. 7).　1

L'hypocrisie, dit ingénieusement saint Augustin, est cette ivraie de l'Évangile que l'on ne peut arracher sans déraciner en même temps le bon grain.　2
　　　　　　　BOURDALOUE, Sermons, VIIᵉ dimanche après la Pentecôte.

C'était une grande coupure que la rivière avait faite dans les terres en déracinant deux ou trois vergnes qui étaient restés en travers de l'eau, les racines en l'air.　3
　　　　　　　G. SAND, la Petite Fadette, VIII, p. 53.

(1610, *in* D.D.L.). Par anal. *Déraciner une dent.* → **Extraire.** *Déraciner un cor.* → **Extirper.** — *Déraciner un poteau fiché en terre.* → **Retirer, sortir, tirer.**

(...) aux premiers temps elles (*les pierres tombales, en Turquie*) se tiennent debout, bien droites, mais les siècles, les tremblements de terre, les pluies viennent les déraciner (...)　4
　　　　　　　LOTI, les Désenchantées, II, v, p. 68.

Fig. ou par métaphore. *Déraciner un vice, un abus, une erreur... Déraciner de son cœur les passions, les convoitises, les cupidités* (cit. 4). → **Arracher, détruire.**

Pour produire un repentir sincère, il faut déraciner les inclinations avec violence, s'indigner implacablement contre les faiblesses, s'arracher de vive force à soi-même.　5
　　　　　　　BOSSUET, 2ᵉ sermon, Divin. de la relig., 3.

Aimer comme j'aimais d'un amour monstrueux, inavouable, et que pourtant l'on ne peut déraciner de son cœur (...)　6
　　　　　　　Th. GAUTIER, Mˡˡᵉ de Maupin, VI, p. 127.

♦ **2** (V. 1865). Fig. *Déraciner quelqu'un*, l'arracher de son pays d'origine, de son milieu habituel. → **Déporter, exiler, expatrier.** (Plus cour. au p. p., → ci-dessous, 2.).

♦ **DÉRACINÉ, ÉE** p. p. adj.

♦ **1** *Arbre déraciné.* — Fig. *Amour, passion, vices déracinés.*

Je sais que ton cœur, qui regorge　7
De vieux amours déracinés (...)
　　　　　　　BAUDELAIRE, les Fleurs du mal, «Madrigal triste».

♦ **2** Arraché de son pays, de son milieu. *Personne déracinée.* — N. Personne qui a été arrachée de son pays, de son milieu d'origine. *Les Déracinés*, roman de Maurice Barrès.

(...) avant que le contact avec les blancs et les épidémies subséquentes ne l'aient (*la tribu indienne*) réduite à une poignée de misérables déracinés.　7.1
　　　　　　　Claude LÉVI-STRAUSS, Tristes tropiques, p. 27.

(Choses) :

Même avant la guerre ils (*les Américains*) aimaient notre pays, notre art, ils payaient fort cher nos chefs-d'œuvre. Beaucoup sont chez eux maintenant. Mais précisément cet art déraciné comme dirait M. Barrès, est tout le contraire de ce qui faisait l'agrément délicieux de la France. Le château expliquait l'église, qui elle-même, parce qu'elle avait été un lieu de pèlerinage, expliquait la chanson de geste.　8
　　　　　　　PROUST, le Temps retrouvé, Pl., t. III, p. 795.

CONTR. **Enfoncer, enfouir, enraciner, planter. — Consolider.** — (Du p. p.) **Indéraciné.** ◇ DÉR. et COMP. **Déracinable, déracinement. — Indéracinable.**

DÉRADE [deʀad] n. f. — 1871; de *dérader*.

Mar. Vx et rare. (En parlant d'un navire). Action de dérader, de quitter une rade.

Des écumes de fleurs ont bercé mes dérades (...)
　　　　　　　RIMBAUD, Poésies, «Le bateau ivre».

DÉRADER [deʀade] v. intr. — 1529; de 1. *dé-*, et *rade*.

Mar. Quitter une rade (en parlant d'un navire). — Spécialt. *Quitter un mouillage dans une rade mal protégée du gros temps à l'approche d'un coup de vent, d'une tempête. Les coups de pampero obligeaient fréquemment les cap-horniers mouillés devant Valparaiso à dérader.*

DÉR. **Dérade.**

DÉRAGER [deʀaʒe] v. intr. [CONJUG.: *rager* (→ Bouger).]
— 1870; de 1. *dé-*, et *rage*.

Littér. Sortir de sa colère (surtout au négatif). → **Décolérer.**

(...) l'artiste mal placé qui ne dérageait pas et le poursuivait depuis le matin, quitta une table du fond où il se trouvait, accourut de nouveau se plaindre (...)
ZOLA, *l'Œuvre*, p. 405.

CONTR. **Enrager.**

DÉRAIDIR [deʀediʀ] v. tr. — 1559, réfl.; 1604, trans.; de 1. *dé-*, et *raidir*.

♦ **1** Littér. Faire cesser d'être raide. → **Assouplir.** *Déraidir ses membres engourdis par le froid.* → **Dégeler, dégourdir.**

1   Les objets ont perdu leurs angles et le sommeil a déraidi leurs poses. Ils se tassent paresseusement.
COCTEAU, la Difficulté d'être, note, p. 245.

♦ **2** (1798). Fig. Adoucir, rendre plus malléable. *S'efforcer de déraidir un caractère.* → **Adoucir.**

◆ **SE DÉRAIDIR** v. pron.
Cesser d'être raide (au sens propre ou figuré).

2   Dans le vestibule, il se déraidit, allant jusqu'à m'aider à mettre ma veste (...)
Hervé BAZIN, Qui j'ose aimer, 13, p. 122.

3   Gêné, compassé dans la première partie de son rôle, il (*M. Guitry*) s'est déraidi subitement au quatrième acte et a joué toute la scène du bal avec un superbe emportement de colère amoureuse.
Alphonse DAUDET, Pages inédites de critique dramatique, 1897, p. 134, in T.L.F.

CONTR. **Raidir; durcir, engourdir, geler.**

DÉRAILLEMENT [deʀajmɑ̃] n. m. — 1839; de *dérailler*, et 2. *-ment*.

♦ **1** (1839). Fait de dérailler; accident de chemin de fer causé par la sortie de voitures, wagons, locomotives... hors des rails de la voie. *Le déraillement a causé cinq morts, a fait quarante blessés.*

Les quatre roues en lamelles noires se trouvaient préservées de tout déraillement par une bordure intérieure qui dépassait un peu leur jante solidement maintenue sur la voie.
Raymond ROUSSEL, Impressions d'Afrique, p. 32.

♦ **2** (1863). Fig. Action ou fait de dérailler* (2.), de sortir du bon sens. «*Le déraillement presque immédiat des pensées et des sensations. Je déraille. Mes images déraillent*» (H.-F. Rey).

♦ **3** Mus. Fait de s'écarter de la ligne mélodique.

DÉRAILLER [deʀaje] v. intr. — 1842; *derayer*, 1838; 1856, sens fig., La Châtre; de 1. *dé-*, *rail*, et suff. verbal *-er*.

♦ **1** Sortir des rails (en parlant d'un wagon, d'un train). *Faire dérailler un train. Les wagons ont déraillé et se sont renversés sur le ballast.*
Par anal. Faire passer la chaîne d'une bicyclette sur un autre pignon, à l'aide du dérailleur*.

♦ **2** (1858). Fig. et fam. Aller de travers. → **Dévier.** *Geste qui déraille.*

1   Il avait essayé de boire. Son geste déraillait, cherchait la carafe ailleurs que sur la chaise (...)
COCTEAU, les Enfants terribles, p. 215.

Voix qui déraille. Instrument de musique qui déraille, qui s'écarte de la ligne mélodique.

2   Tous les danseurs s'arrêtent un instant, saluent d'une clameur généreuse le nom de Hoover ou celui de Smith, et se reprennent à gambiller pendant que le jazz déraille, rote, foire, insulte joyeusement la musique.
G. DUHAMEL, Scènes de la vie future, IX, p. 148.

Fam. S'écarter du bon sens. → **Déraisonner, divaguer.**

3   N'appelle pas le médecin, je ne déraille pas. Je dis ce que je pense, c'est tout.
S. DE BEAUVOIR, les Belles Images, p. 255.

(1890, Bourget). S'écarter de la norme, de la vie normale.

DÉR. **Déraillement, dérailleur.**

DÉRAILLEUR [deʀajœʀ] n. m. — 1911, *in* Petiot; de *dérailler.*

♦ **1** Techn. Dispositif permettant de faire passer la chaîne d'une bicyclette sur un autre pignon, en faisant sortir («dérailler») la chaîne du premier pignon (changement de vitesse). *Le levier d'un dérailleur. Dérailleur à trois, quatre vitesses* (→ Bicyclette, cit. 0.2). *Le dérailleur permet de changer de braquet* (cit. 1).

1   Lucien attaque en danseuse le grand virage sous la gare, ce qui lui rappelle ses douze ans, quand il avait exigé un modèle de course, avec dérailleur et porte-bidons parce que Vietto et Antonin Magne étaient ses grands hommes.
François NOURISSIER, Allemande, p. 75.

Ch. de fer. Dispositif permettant de faire passer un wagon d'une voie à l'autre.

♦ **2** Rare. Celui qui fait dérailler (un train). → **Saboteur.** — REM. Dans ce sens, le fém. *dérailleuse* est virtuel.

2   (...) le procès de Martuska, le dérailleur de trains qu'on jugeait à Budapest et qui rejetait la responsabilité de ses crimes sur un hypnotiseur.
S. DE BEAUVOIR, la Force de l'âge, p. 221.

DÉRAISON [deʀezɔ̃] n. f. — V. 1175; de 1. *dé-*, et *raison.* (V. 1177). Vx ou littér. Manque de raison dans les paroles ou la conduite. → **Démence, folie, inconséquence.** *C'est le comble de la déraison.*

1   Qu'est-ce que le péché, sinon une erreur et une déraison?
FÉNELON, III, p. 317, in LITTRÉ.

2   C'est donc qu'elle est trop jeune? S'attacher à une jeunesse est déraison pour vous.
G. SAND, la Mare au diable, XVI, p. 132.

3   Ce qu'ils attendaient de la métropole était souvent déraisonnable, mais lorsque je parcourus les quartiers pauvres de la ville — elle n'en a pas beaucoup d'autres — je constatai qu'ils avaient quelque droit à la déraison.
MALRAUX, Antimémoires, Folio, p. 163.

4   (...) ma folie, simple déraison, est plate, voire invisible; au reste, totalement récupérée par la culture; elle ne fait pas peur.
R. BARTHES, Fragments d'un discours amoureux, p. 142.

CONTR. **Raison, sagesse, sens** (bon sens).

DÉRAISONNABLE [deʀezɔnabl] adj. — V. 1371, *desraisonable; desrenable*, XIIIe; de 1. *dé-*, et *raisonnable.* Cour. Qui n'est pas raisonnable. → **Absurde, bête, exagéré, excessif, extravagant, fou, inconvenant, insensé, irraisonnable, irrationnel.** *Conduite déraisonnable.* → **Léger, mauvais.** *Idées, arguments déraisonnables.* → **Cornu.** *Décision déraisonnable.* → **Arbitraire, illégitime, injuste, irréfléchi.** *Propos déraisonnables.* → **Insanité.** *Rêver à des choses déraisonnables et vaines. Visionnaire aux idées déraisonnables, extravagantes.* — *Il est, il n'est pas déraisonnable de penser...*

1   Les choses du monde les plus déraisonnables deviennent les plus raisonnables à cause du dérèglement des hommes.
PASCAL, Pensées, V, 320 bis.

2   Et demeurant incapable d'être touché des intérêts d'autrui, il est non seulement rebelle à Dieu, mais encore insociable, intraitable, injuste, déraisonnable envers les autres (...)
BOSSUET, Traité de la concupiscence, XI.

3   (...) les femmes inspirent l'amour, bien qu'il soit déraisonnable de les aimer.
FRANCE, Thaïs, p. 67.

(Personnes). *Il, elle est déraisonnable.* — Vx (avec un compl. → ci-dessus, cit. 2).

CONTR. Raisonnable; bon, convenable, intelligent, juste, légitime, logique, modéré, normal, pondéré, rationnel, réfléchi, sensé. ◊ **DÉR. Déraisonnablement.**

DÉRAISONNABLEMENT [deʀɛzɔnabləmã] adv.
— 1353; *desraisonablement*, v. 1222; de *déraisonnable*, et 1. -*ment*.

Littér. D'une manière déraisonnable. *Se conduire déraisonnablement.* → **Irraisonnablement.**

CONTR. Raisonnablement.

DÉRAISONNEMENT [deʀɛzɔnmã] n. m. — Av. 1755;
de *déraisonner*, et suff. 2. -*ment*.

♦ **1** Vx. Action de déraisonner.

♦ **2** (1813, *in* D.D.L.). Rare. Faux raisonnement.

DÉRAISONNER [deʀɛzɔne] v. intr. — 1740, Académie; déb. XIIIᵉ, «s'éloigner de la raison», pron.; de *déraison*.

(1740). **Littér.** Tenir des propos dépourvus de raison, de bon sens. → **Battre** (la breloque, la campagne), **délirer, déménager** (fam.), **dérailler, divaguer, extravaguer, perdre** (l'esprit, la raison, le bon sens...), **radoter** (→ argot **Débloquer**...). *Malade qui déraisonne* (→ Ne plus avoir sa tête*). *Vous déraisonnez!* → fam. **Déconner.**

Le souci de se montrer intelligent le fait *(R. de Gourmont)* déraisonner sans cesse.   GIDE, *Journal*, 8 déc. 1907.

CONTR. Raisonner. ◊ **DÉR. Déraisonnement.**

DÉRALINGUAGE [deʀalɛ̃ɡaʒ] n. m. — 1832, Balzac; de *déralinguer*.

Mar. Action de déralinguer (un navire).

DÉRALINGUER [deʀalɛ̃ɡe] v. tr. — 1771; de 1. *dé-*, *ralingue*, et suff. verbal -*er*.

Mar. Dépouiller (un navire) de ses ralingues.

Au p. p. : *Navire déralingué.* — (1853, Gautier). **Fig. et vx ou régional.** Fatigué, éreinté.

DÉR. Déralinguage.

1. DÉRAMER [deʀame] v. intr. — XXᵉ; on disait *contreramer*; de 1. *dé-*, *rame*, et suff. verbal -*er*.

Régional. Manœuvrer les rames à contresens; propulser un canot en poussant sur les rames au lieu de tirer.

(...) la barque pique droit (...) file vivement sur son erre (...) *(il)* dérame à la perfection, accoste comme sur du feutre.
    Hervé BAZIN, *Qui j'ose aimer*, 3, p. 29.

2. DÉRAMER [deʀame] v. tr. — XXᵉ; de 1. *dé-*, *rame* (de papier), et suff. verbal.

Techn. Manipuler (des feuilles de papier en rames) de manière à diminuer leur adhérence, à les rendre séparables. — Au p. p. «*Bourrage* (dans un photocopieur) *dû à des feuilles mal déramées ou humides*» (*le Monde*, Publicité, 1ᵉʳ févr. 1977).

DÉRANGEANT, ANTE [deʀãʒã, ãt] adj. — 1884; du p. prés. de *déranger*.

Qui dérange, trouble, qui provoque une remise en question. «*Seuls les journalistes occidentaux ont soulevé les hypothèses dérangeantes*» (*le Monde*, 24 nov. 1999, p. 19).

DÉRANGEMENT [deʀãʒmã] n. m. — 1636; de *déranger*, et 2. -*ment*.

Action de déranger*; état de ce qui est dérangé.

♦ **1** (Correspond à *déranger*, 1.). Mise en désordre. → **Bouleversement, bousculade, chambardement** (fam.), **déplacement, désordre, désorganisation, interversion, perturbation, remue-ménage.** *Causer du dérangement dans les papiers, les affaires de qqn.*

On peut, sans exagération, affirmer que la moitié des cas   **1** où des navires ont coulé bas par de gros temps peut être attribuée à un dérangement dans la cargaison ou dans le lest.
    BAUDELAIRE, trad. POE,
    les Aventures d'Arthur Gordon Pym, VI, p. 565.

(...) le désordre *(du grand salon)* en est sérieux et le   **2** dérangement des meubles, bousculés par les promenades colères, n'est pas celui que font les causeries de tous les jours (...)
    Ed. DE GONCOURT, *Journal*, 1883, p. 225, *in* T.L.F.

♦ **2** (1835; correspond à *déranger*, 2.). Dérèglement (d'un mécanisme, d'une machine, d'une fonction). — Rare. *Le dérangement d'un mécanisme, d'une machine.* → **Dérèglement.**

Cour. EN DÉRANGEMENT. *Machine en dérangement. Ligne téléphonique en dérangement. La ligne est en dérangement.*

Vieilli. *Dérangement atmosphérique.* → **Changement** (de temps), **perturbation.**

(...) ce terme d'*inclémence* a son origine dans la colère du   **3** ciel qu'on suppose manifestée par l'intempérie, les dérangements, les rigueurs des saisons (...)
    VOLTAIRE, Dict. philosophique, Dictionnaire.

(1718). **En parlant de la santé, de l'équilibre physiologique.** *Dérangement du corps, de l'intestin.* → **Diarrhée, malaise.**

(1716, *in* D.D.L.). **Vieilli. (En parlant de l'équilibre mental).** *Dérangement d'esprit.* → **Déséquilibre, désordre, folie, névrose, trouble.**

Une soldatesque en proie à une forme collective de dérangement cérébral.   **3.1**
    Claude LÉVI-STRAUSS, Tristes tropiques, p. 15.

♦ **3** *(Un, des dérangements).* Ce qui dérange (3.) qqn, introduit un changement dans ses occupations, ses habitudes. → **Changement, gêne, interruption, trouble.** *Le moindre dérangement lui est insupportable.*

À la ville, le temps était moins réglé. La journée avait des   **4** allants et venants et des dérangements imprévus.
    E. LITTRÉ, Comment j'ai fait mon «Dictionnaire
    de la Langue française», p. 27.

Nous sommes lundi. Je tâcherai de l'achever *(ce livre)* pour   **5** après-demain matin. Et si vous me laissiez votre adresse, je le ferais déposer chez vous, ce qui vous épargnerait un nouveau dérangement.
    J. ROMAINS, les Hommes de bonne volonté, t. II,
    II, p. 11.

(Le dérangement). → **Ennui, gêne.** *Causer du dérangement à qqn.* — Fig. *Causer du dérangement dans une assemblée, une réunion.* → **Désordre, trouble.**

(...) je me tais, et voudrais au moins que pour prix de tout   **6** le dérangement qu'il *(mon fils)* me fait, il fût content de la place où il est.   Mᵐᵉ DE SÉVIGNÉ, 826, 3 juil. 1680.

♦ **4** (1694). Vx. État de ce qui est dérangé (2.). Désordre dans les affaires, dans l'état d'une fortune. → **Perturbation.** — (En parlant de la toilette). *Le dérangement de ses vêtements.* — *Dérangement des traits du visage.* → **Altération, décomposition.**

Son dessèchement *(de Mᵐᵉ de Monaco)* a été jusqu'à   **6.1** outrager la nature par le dérangement de tous les traits de son visage.   Mᵐᵉ DE SÉVIGNÉ, 693, 20 juin 1678.

♦ **5** Vx (correspond à *déranger*, 4.). *Dérangement de la conduite.* → **Débauche, déportement, dérèglement, perversion.** — Absolt :

7 (...) les habits et les équipages commencent le dérangement, la coquetterie l'augmente, le jeu l'achève.
MONTESQUIEU, Lettres persanes, LVI.

CONTR. Arrangement, classement, disposition, ordre,
organisation, placement, rangement. — Ajustement, assemblage ; règlement.

DÉRANGER [deʀãʒe] v. tr. [CONJUG.: *ranger* (→ Bouger).]
— 1100, «sortir des rangs»; de 1. *dé*- et *ranger.*

♦ **1** (1596). Déplacer (qqch., un ensemble de choses)
de son emplacement assigné ; mettre en désordre
(ce qui était rangé). → **Bouleverser, bousculer, chambarder** (fam.), **défaire, déplacer, désorganiser, intervertir, perturber.** *Déranger des papiers ; les livres
d'une bibliothèque.* → **Déclasser.** *Tout déranger en
fouillant, en farfouillant. Déranger les meubles d'un
appartement,* et, par ext., *Déranger une chambre,
un appartement.* → **Déménager.** *Déranger ce qui
était classé, assorti, ordonné.* → **Désassembler, désassortir...** *Ne dérangez pas mes affaires.* → **Bouger,
toucher** (à).

1 *(Il)* dérange les fauteuils, dépend lustre et tableaux, (...)
COLLIN D'HARLEVILLE, Malice pour malice, I, 8.

(Le compl. désigne les éléments de la toilette). *Déranger
sa coiffure.* → **Décoiffer, dépeigner.** *La bousculade a
dérangé ses vêtements.* → **Défaire, désajuster.**

♦ **2** Changer de manière à troubler le fonctionnement, l'action de (qqch.). *Déranger un mécanisme.*
→ **Dérégler, détraquer, troubler.** *Déranger un assemblage délicat.* → **Démolir, disloquer.**

(En parlant des intempéries). *Cet orage a dérangé le
temps.* Au p. p. *Le temps est dérangé.* → **Brouiller,
bouleverser, changer, détraquer, gâter, troubler.**

Cour. (En parlant de l'équilibre des facultés mentales). *Cet
accident lui a dérangé le cerveau.* → **Aliéner, déséquilibrer, détraquer, troubler.** *La violence de sa passion
lui a dérangé l'esprit.* → **Affoler.**

2 C'est bien dommage que son chagrin lui dérange quelquefois l'esprit. VOLTAIRE, la Princesse de Babylone, V.

(Compl. n. de personne). Troubler l'esprit de (quelqu'un).

2.1 La vieille dame que la mort violente de ses garçons avait
quelque peu «dérangée», m'intéressait guère.
Francis CARCO, Ombres vivantes, p. 195.

(Le compl. désigne la santé, un élément de l'équilibre
physiologique, un organe). *Ce repas lui a dérangé l'estomac. Les abus lui ont dérangé la santé.* → **Altérer,
détraquer.**

♦ **3** (Av. 1693). Obliger (qqn) à modifier son état,
sa situation, ses activités normales. *Déranger
quelqu'un, l'obliger à quitter sa place, son siège.*
→ **Déplacer.** *Ne la dérangez pas, je vous en prie.*
→ **Bouger.** — (1752). Fig., cour. Gêner (qqn) dans son
travail, ses occupations. → **Distraire, embarrasser,
ennuyer, gêner, importuner, troubler.** *Excusez-moi
de vous déranger ; si je vous dérange.* → **Couper,
interrompre.** *Ne les dérangez pas, je reviendrai
tantôt. Vous pouvez fumer ; ça ne me dérange pas.
Si cela ne vous dérange pas trop. — Ce contretemps a
dérangé ses plans, ses habitudes.* → **Bouleverser, contrarier, contrecarrer, perturber** (→ Arranger, cit. 15).
*La fumée de cigarette, la conversation des voisins
me dérangent.*

3 Et notre arrivée semble déranger je ne sais quel conciliabule (...). LOTI, Mme Chrysanthème, XLVI, p. 237.

4 Nous *(Léautaud et Gide)* convenons que «de notre temps»
(...) jamais nous n'aurions eu le «culot» de déranger nos
aînés pour leur faire lire de maladroits essais et solliciter
d'eux des conseils (...) GIDE, Journal, 23 août 1928.

5 J'ai chassé ainsi des canards, le soir, dont je me moquais
bien (...) Je les tirais en parlant d'autre chose : ça ne les
dérangeait guère (...)
SAINT-EXUPÉRY, Pilote de guerre, XX, p. 159.

Cet appui dérangeait la longue habitude que j'ai prise de 6
ne m'appuyer que sur moi-même.
COCTEAU, la Difficulté d'être, p. 42.

♦ **4** Vx. Détourner (qqn) de la bonne voie, du
droit chemin ; faire cesser d'être «rangé». → **Débaucher, dévoyer, pervertir.** *De mauvais camarades
l'ont dérangé.*

(...) et cette jeune fille qui vous dérange, qui fait que vous 7
manquez à votre parole (...) il se trouve que c'est moi (...)
MARIVAUX, la Vie de Marianne, IV, p. 173.

♦ **SE DÉRANGER** v. pron.

♦ **1** (En parlant d'un mécanisme). → **Détraquer** (se).

Le moindre atome qui viendrait à se déranger démonterait 8
toute la nature (...)
FÉNELON, Traité de l'existence de Dieu, 18.

Il en est du bonheur comme des montres : les moins com- 9
pliquées sont celles qui se dérangent le moins.
CHAMFORT, Maximes et Pensées,
«Sur la philosophie et la morale», III.

♦ **2** (Personnes). Quitter sa place. — Modifier ses
occupations, son travail... *Daigner* (cit. 9) *se
déranger. Ne vous dérangez pas pour moi.*

(...) si je ne me suis pas dérangée pour de l'argent, et si j'ai 10
pris la peine de venir vous soigner, ce n'est pas pour être
mal reçue et mal remerciée de vous.
G. SAND, la Petite Fadette, XXXVII, p. 239.

De temps à autre, elle se dérangeait pour recevoir celles 11
qui entraient(...)
FLAUBERT, l'Éducation sentimentale, II, II.

♦ **3** Vieilli. S'altérer (en parlant de la santé). — (Esprit,
facultés). Se troubler, perdre son équilibre mental.

On prétend que son esprit *(de Charles-Quint)* se dérangea 12
dans sa solitude de Saint-Just.
VOLTAIRE, Essai sur les mœurs, CXXVI.

♦ **4** (1704). Personnes. Vx. Se détourner de la bonne
voie, cesser d'être «rangé». *Sa conduite s'est
dérangée. Il s'est dérangé sous l'influence de mauvaises fréquentations.*

(...) un jeune gars qui peut se déranger, et, de bon sujet 13
qu'on le croyait, devenir un mauvais garnement.
G. SAND, la Mare au diable, XI, p. 93.

♦ **DÉRANGÉ, ÉE** p. p. adj.

♦ **1** En désordre (concret). *Papiers dérangés.* → **Désordre** (en). *Chevelure dérangée.*

♦ **2** Dont le fonctionnement est troublé. *Estomac
dérangé.* → **Embarrassé, malade.** — Spécialt. *Il est
dérangé :* il a la diarrhée.

(Facultés mentales). *Cerveau dérangé. Il a l'esprit un
peu dérangé.* → **Détraqué, déséquilibré, fou** (→ Avoir
une araignée* dans la plafond, au plafond ; yoyoter de
la touffe). — Fam. *Il est dérangé,* un peu fou.

♦ **3** (Personnes). *Être dérangé de ses habitudes, dans
ses habitudes.*

Entre les amis, les uns vont attendre le cercueil à l'église, 14
en grommelant d'être désheurés et dérangés de leurs habitudes ; les autres poussent le dévouement jusqu'à suivre
le convoi au cimetière ; la fosse comblée, tout souvenir est
effacé.
CHATEAUBRIAND, Mémoires d'outre-tombe, t. II,
p. 133.

♦ **4** (1694). Vx. *Conduite dérangée.* → **Débauché,
dévoyé.**

Jamais il ne fut une telle dissipation : on est quelquefois 15
dérangé ; mais de s'abîmer et de s'enfoncer à perte de vue,
c'est ce qui ne devrait point arriver.
Mme DE SÉVIGNÉ, 1260, 1er févr. 1690.

(...) comme (...) il devenait dérangé et n'aimait plus le tra- 16
vail (...) G. SAND, François le Champi, IV, p. 49.

CONTR. Arranger, classer, disposer, ordonner, organiser,
placer, ranger. — Ajuster, assembler, coiffer, peigner,
régler. — Aller (aller bien), marcher. — Rangé. ◊ **DÉR.**
Dérangeant, dérangement, dérangeur.

DÉRANGEUR, EUSE [deʀɑ̃ʒœʀ, øz] adj. et n. — 1861, Goncourt; de *déranger*.

Rare. Personne qui dérange. → **Importun.** — (En parlant de choses). «*La pluie dérangeuse de rendez-vous*» (Montherlant, *in* T. L. F.).

DÉRAPAGE [deʀapaʒ] n. m. — 1832, mar.; de *déraper*.

I ♦ **1** (1832). Mar. Action de déraper.

♦ **2** (1894, *in* Petiot). Cour. Fait de déraper; son résultat. *Dérapage d'un véhicule sur une route mouillée* (→ Aquaplanage). *Faire un dérapage contrôlé. Dérapage suivi d'un tête-à-queue.*

♦ **3** (1939, *in* Petiot). Ski. Glissement latéral volontaire du skieur. *Dérapage latéral*, le long de la plus grande pente. *Dérapage en biais. Dérapage arrondi* (l'arrière des skis glissant plus que les spatules). *Dérapage en feston.* → **Feston.** *Dérapage du christiania amont, du christiania arrêt.*

> Le dérapage est, à la fois, un mouvement utile en lui-même et le préalable nécessaire à l'étude du christiania.
> François GAZIER, les Sports de la montagne, p. 86.

♦ **4** (1922). Aviat. Virage exécuté avec l'inclinaison suffisante pour que l'avion dérape vers l'extérieur (opposé à *glissement, glissade sur l'aile*).

II (1926, en parlant d'un écart psychologique). Fig. Fait de déraper* (II.); changement imprévu et incontrôlé d'une situation. *Le dérapage des prix.*

DÉRAPER [deʀape] v. intr. — 1687, t. de marine; du provençal *derapa, derraba* «arracher, déraciner», de *rapar* «saisir».

I ♦ **1** Mar. (En parlant d'une ancre). Quitter prise sur le fond et laisser dériver le navire.

1 — L'ancre est à pic!... s'écria Pencroff.
— Oui, et elle dérape déjà.
> J. VERNE, l'Île mystérieuse, t. II, p. 636.

(1859). *Navire qui dérape* : navire qui chasse sur son ancre, lorsque celle-ci est arrachée du fond. Régional (Canada). S'enfuir.

♦ **2** (1886, *in* Petiot). Cour. Glisser latéralement sur le sol, en parlant des roues (d'une automobile, d'une bicyclette...). → **Chasser, glisser, patiner, riper.** *Déraper sur un sol glissant. Il a dérapé et fait un tête-à-queue. Ces pneus empêchent de déraper.* → **Antidérapant.**

Par extension :

2 Au violent piétinement de leurs sabots ferrés sur ces dalles de l'école a succédé, dehors, le bruit étouffé de leurs pas qui mâchent le sable de la cour et dérapent au virage de la petite grille ouverte sur la route.
> ALAIN-FOURNIER, le Grand Meaulnes, p. 29.

♦ **3** (1949, *in* Petiot). Ski. Pratiquer la technique du dérapage.

II ♦ **1** Par métaphore ou fig. Effectuer un mouvement imprévu, incontrôlé (dans le domaine intellectuel, psychique). *La conversation a dérapé.* — (Personnes). S'écarter brusquement de la norme, de l'habitude (*le Monde*, 1966, *in* P. Gilbert). *Il dérape complètement.* → **Dérailler.** — (Avec des compl.). *Déraper de... à..., vers...*

♦ **2** (V. 1965). Fig. Échapper au contrôle des dirigeants, surtout en économie, s'écarter des prévisions, des normes établies. *L'économie dérape. Personne qui dérape.*

CONTR. Accrocher (s'), ancrer, tenir. ◊ **DÉR.** Dérapage. — **COMP.** Antidérapant.

DÉRASEMENT [deʀɑzmɑ̃] n. m. — 1870; de *déraser.* Action de déraser; son résultat.

DÉRASER [deʀɑze] v. tr. — 1870; *desraser* «raser», 1527; de 2. *dé-*, et *raser.*

Techn. Abaisser le niveau, enlever le sommet de. *Déraser un mur.*

DÉR. Dérasement.

DÉRATÉ, ÉE [deʀate] adj. et n. — XVIe; p. p. de *dérater.*

♦ **1** *Chien dératé*, privé de sa rate (pour qu'il coure, croyait-on, plus vite).

♦ **2** (1735, *in* D. D. L.) Vx. Alerte, vif. — (1803). Rapide à la course.

♦ **3** N. (1750, *in* D. D. L.). Mod. *Courir comme un, une dératé(e)* : courir très vite. — Avec un autre verbe que *courir* :

> Je les regardais l'un et l'autre assis sur la même banquette, écrivant comme des dératés (...) Qui suis-je lorsque je m'en souviens? Une sentinelle aux portes de la littérature.
> Violette LEDUC, Folie en tête, p. 45.

DÉRATER [deʀate] v. tr. — 1535; de 1. *dé-*, *rate*, et *-er.*

♦ **1** Rare. Enlever la rate* à (une personne, un animal). *Dérater un chien*, pour le rendre, croyait-on, plus rapide à la course.

Fig. et par plais. Rendre plus rapide.

> Une... deux... trois, quinze courses!... et celle de mademoiselle... seize!... et douze ce matin... vingt-huit... C'est à dérater un facteur!
> E. LABICHE, les Petites Mains, II, 11.

♦ **2** Pron. (réfl.) *Se dérater* : courir le plus vite possible. — REM. Céline emploie *se dérater* et *dérater*, v. intr. : «se décarcasser».

DÉRATIONALISATION [deʀasjɔnalizasjɔ̃] n. f. — 1929; de *dérationaliser.*

Action de dérationaliser. *Essai sur la dérationalisation*, de R. Aron et A. Dandieu (1929).

DÉRATIONALISER [deʀasjɔnalize] v. tr. — 1926, H. Bremond; de 1. *dé-*, *rationnel*, et *-iser*, d'après *rationaliser.*

Didact. Rendre moins ou non rationnel.

DÉR. Dérationalisation.

DÉRATISATION [deʀatizasjɔ̃] n. f. — 1906; de *dératiser.*

Action de dératiser; son résultat. *La dératisation d'une ville.*

DÉRATISER [deʀatize] v. tr. — 1907; de 1. *dé-*, *rat*, et *-iser.*

Débarrasser (un lieu) des rats qui l'infestent. *Dératiser un navire.*

> Ainsi ma concierge m'apprit qu'on dératisait Paris. Si c'est une bonne chose, ce n'est pas un joli mot. Qu'en pense notre maître Abel Hermant? J'espère qu'il ne souffrira pas qu'on «dépanthérise» la jungle, ni qu'on «délionnise» l'Atlas. C'est laid, un mot mal bâti.
> COLETTE, De ma fenêtre, 24 avr. 1941, p. 107.

DÉR. Dératisation.

DÉRAYER [deʀeje] v. intr. et tr. [CONJUG.: *payer*.] — 1836, *in* D. D. L., probablt antérieur dans les langues régionales (→ Dérayure); de l'anc. franç. *rayer* «tracer un sillon, labourer» (→ 1. Enrayer), et préf. 2. *dé-* à sens intensif, ou indiquant la séparation. REM. Préfixe 1. *dé-* dans *desrayé* «sans culture», 1253.

Agriculture.

♦ 1 Tracer le dernier sillon de (un champ), le séparant du champ voisin.

♦ 2 Quitter le sillon (au cours d'un labour); s'arrêter de labourer. *«Jean enraya (...) à la place où il avait dérayé la veille»* (Zola, *in* T. L. F.).

DÉR. V. **Dérayure.**

DÉRAYURE [deʀejyʀ] n. f. — 1680, *deraïüre*; de 2. *dé-*, et *raie* «sillon», ou d'une var. ancienne de *dérayer*. → 1. **Enrayure.**

Agric. Sillon ou raie qui sépare deux champs labourés et qui sert aussi à l'écoulement des eaux superficielles. — Dernier sillon tracé au cours d'un labour.

DERBOUKA [deʀbuka] n. f. → **Darbouka.**

DERBY [deʀbi] n. m. — 1829; mot angl., du nom de lord *Derby* qui organisa cette course de chevaux en 1780.

♦ 1 (1829). Grande course de chevaux qui a lieu chaque année à Epsom, en Angleterre. *Le derby d'Epsom.*

Hier, toute la société était occupée de son fameux Derby. C'est une course de chevaux (...) dont l'institution remonte à plus d'un siècle; le Parlement même prend vacances pour y assister : un député a réclamé et demandé de continuer les séances; les votants ont rejeté la proposition, et les députés, comme les autres, sont venus sur le terrain donner le triste spectacle de paris scandaleux.
> Ernest MICHEL, *Le Tour du monde en deux cent quarante jours. Le Canada et les États-Unis,* p. 1314 (1881).

(1836). *Derby français :* course de chevaux qui a lieu en France, à Chantilly. — (1891). Par anal. *Derby de la route :* course cycliste Bordeaux-Paris.

♦ 2 (1899). Voiture hippomobile légère, à quatre roues, dont la caisse est à claire-voie.

♦ 3 (1894, *in* Petiot). Chaussure dont les quartiers (I., B., 2.) sont lacés. *Des derbys.*

♦ 4 (1914, en angl.). Football. *Derby local :* rencontre entre deux villes voisines.

DERCH, DERCHE [deʀʃ] ou **DERGE** [deʀʒ] n. m. — 1906, *in* Esnault; de *derr*, abrév. de *derrière*, parfois suffixe en *jo* (d'où *derjo, dergeot*).

♦ 1 Argot. Derrière. → 2. **Derrière** (3.), **cul.**

1 Les trucs américains je les ai là. Et il se frappe le derche.
> R. QUENEAU, Zazie dans le métro, 1959, p. 40, éd. Folio.

2 (...) Ils veulent tout le pognon !... Puis ils veulent plus rien ! Ils veulent tous partir ! La berlue ! Ils ont le feu au derge ! Ils ont le feu au pèze !
> CÉLINE, Guignol's band, p. 80.

Anus. → Rondelle, cit. 3.

♦ 2 (1910, *in* Esnault). Loc. fig. *Faux derche :* hypocrite, «faux cul».

3 Je n'en sais rien, me répond l'autre faux derche, visiblement agacé et indiscutablement mal à l'aise.
> Martin ROLLAND, la Rouquine, p. 207.

REM. On connaît, au sens de «derrière», les variantes *dargeot* et *dargif* : *«Le dargeot dans son fauteuil pivotant (...)»* (San-Antonio, *Au suivant de ces messieurs,* p. 54). *«plantant le dard acéré d'une astuce grammaticale dans le dargif d'un analphabète professionnel»* (San-Antonio, *J'ai essayé : on peut !,* p. 16).

DÉRÉALISANT, ANTE [deʀealizɑ̃, ɑ̃t] adj. — Mil. XXᵉ; p. prés. de *déréaliser.*

Didact. (psychol., psychiatrie, psychan.). Qui tend à rompre les rapports normaux avec le réel.

1 *Et le vierge papier que la blancheur défend* demeure la phrase clef de tout écrivain, de tout poète qui, comme Mallarmé, demeurant tout d'abord fasciné par l'appel du vide, du «blanc», du manque — de la castration — transpose dans la filiation mortuaire cette déréalisante fascination de la négativité pour *écrire.*
> J. GILLIBERT, la Création littéraire, *in* la Nef, nᵒ 31, p. 89.

2 Elle *(la consommation quotidienne)* est personnalisante (choix des objets, rangement, classement, liberté combinatoire) et déréalisante (se perdant au sein des choses, glissant sur la pente de l'accumulation des objets, sans désir et même sans besoin).
> Henri LEFEBVRE, la Vie quotidienne dans le monde moderne, p. 266, 1968.

DÉRÉALISATION [deʀealizasjɔ̃] n. f. — 1910, cit. 1; de *déréaliser.*

Psychiatrie. Impression d'irréalité produite sur un malade mental par le monde extérieur. *La déréalisation accompagne souvent la dépersonnalisation.*

1 Si je crains de vous offenser, et si je rêve de vous, je vous offense en rêve. La même idée se réalise, au lieu de provoquer (comme en veille) sa compression, sa déréalisation.
> VALÉRY, Cahiers, Pl., t. II, p. 66 (Cahiers IV, 1910).

REM. On trouve dans un sens voisin la forme *déréalité,* n. f. → aussi **Déréel.**

2 DÉRÉALITÉ. Sentiment d'absence, retrait de réalité éprouvé par le sujet amoureux, face au monde.
> R. BARTHES, Fragments d'un discours amoureux, p. 103.

DÉRÉALISER [deʀealize] v. tr. — 1587, attestation isolée; repris mil. XXᵉ (1957); de 1. *dé-, réel,* et suff. *-iser,* d'après *réaliser.*

Didact. Faire perdre le caractère réel, les rapports normaux avec le réel.

1 Le jeu, en déréalisant notre vie, achevait de nous convaincre qu'elle ne nous contenait pas.
> S. DE BEAUVOIR, la Force de l'âge, p. 24.

2 La double transposition (...) déréalisait radicalement le spectacle, supprimant le gênant décalage entre le monde imaginaire et celui-ci.
> S. DE BEAUVOIR, Tout compte fait, p. 217.

DÉR. Déréalisant, déréalisation.

DERECHEF [dəʀəʃɛf] adv. — 1138, *de rechief;* comp. de *de, re-,* et *chef* au sens de «bout, fin».

Vx ou **littér.** Une seconde fois; encore une fois. → **Nouveau** (de nouveau). → Arrondissement, cit. 6.

1 (...) notre étourdie
Aveuglément se va fourrer
Chez une autre belette aux oiseaux ennemie.
La voilà derechef en danger de sa vie.
> LA FONTAINE, Fables, II, 5.

2 Très abattu au lendemain même de Marengo, l'opposition de gauche, derechef, se reformait dans les Assemblées.
> Louis MADELIN, Hist. du Consulat et de l'Empire, le Consulat, III, p. 38.

3 Michel attira derechef mon attention sur les singularités du panneau (...)
> Émile HENRIOT, le Diable à l'hôtel, XX, p. 136.

4 Et derechef il marche dans la neige le long des rues désertes, au pied des hautes façades plates qui se succèdent, sans une variante, indéfiniment.
> A. ROBBE-GRILLET, Dans le labyrinthe, p. 22.

DÉRÉEL, ELLE [deʀeel] adj. — Av. 1939 (trad. de l'all. Bleuler, 1857-1939); de 1. *dé-,* et *réel.*

Psychopath., didact. Qui est détaché du réel (pensée), n'est plus en accord avec lui. *Pensée déréelle* ou *déréistique* (all. *dereistisch*). → **Autistique ; déréalisation, déréaliser.**

1 (...) perte du contact avec la réalité qui nous mène en pleine pathologie (...) Le délire, les hallucinations en sont les manifestations les plus fréquentes et les plus caractéristiques. La pensée est déréelle, c'est-à-dire qu'elle perd toute relation avec le monde tel que nous le connaissons. Cependant, il existe des exemples de pensée déréelle non pathologique (...) Le rêve (...) en relève. Le jeu s'y apparente. François CLOUTIER, la *Santé mentale*, p. 54.

2 Le monde n'est pas «irréel» (je pourrais alors le parler : il y a des arts de l'irréel, et des plus grands), mais *déréel* : le réel en a fui, nulle part, en sorte que je n'ai plus aucun sens (aucun paradigme) à ma disposition (...)
R. BARTHES, *Fragments d'un discours amoureux*, p. 106.

DÉRÉGLAGE [deʀeglaʒ] n. m. — 1905, in *Rev. gén. des sc.*, n° 11, p. 493 ; de *dérégler*.

(Appareil, machine...). Fait de dérégler, de se dérégler. — Fig. *Le déréglage de l'esprit, du raisonnement.*

DÉRÈGLEMENT [deʀɛɡləmã] n. m. — Fin XIIIᵉ, in D.D.L. ; *desriglement*, 1458 ; *desreiglement*, 1538 ; de *dérégler*, et 2. *-ment*.

État de ce qui est déréglé.

♦ **1** (1640). Désordre, dérangement du fonctionnement. → **Bouleversement, dérangement, détraquement.** *Le dérèglement d'une machine, d'un mécanisme, d'une horloge. — Le dérèglement du pouls, de l'estomac, de l'appétit.* → **Dérangement.**

1 (...) je suis chez notre abbé, qui a depuis deux jours un petit dérèglement qui lui donne de l'émotion. Je n'en suis pas encore en peine ; mais j'aimerais mieux qu'il se portât tout à fait bien. Mᵐᵉ DE SÉVIGNÉ, 253, 1ᵉʳ mars 1672.

Le dérèglement du temps, des saisons. — Le dérèglement de l'esprit. → **Déséquilibre, névrose.** *Dérèglement de l'imagination.* → **Écart, égarement, emballement, emportement, excès, extravagance.** *Dérèglement du jugement*.* → **Aberration, manque** (du jugement).

2 Le plus grand dérèglement de l'esprit, c'est de croire les choses parce qu'on veut qu'elles soient, et non parce qu'on a vu qu'elles sont en effet.
BOSSUET, *Traité de la connaissance de Dieu*, I, n° XVI.

3 L'amour est un dérèglement d'esprit qui nous entraîne vers un objet, et nous y attache malgré nous : c'est une maladie qui nous vient comme la rage aux animaux.
A. R. LESAGE, *Gil Blas*, II, VII.

4 Je me défends bien, d'ordinaire, contre les dérèglements de l'imagination.
G. DUHAMEL, *Cri des profondeurs*, VI, p. 103.

Allusion littéraire :

4.1 Le poète se fait voyant par un long, immense et raisonné dérèglement de tous les sens.
RIMBAUD, *Lettre à Paul Demeny*, 15 mai 1871.

♦ **2** (XVIᵉ). Vieilli. Le fait de s'écarter des règles de la morale, de l'équilibre et de la mesure (personnes, activités, contenus psychiques...). → **Abandon** (des mœurs), **débauche, désordre, dissolution, égarement, libertinage, licence, vice.** *Vivre dans le dérèglement. Le dérèglement des mœurs, de la conduite. Le dérèglement des passions* (→ ci-dessous, cit. 6 et 9). — Vieilli (*Un, des dérèglements*). Acte qui témoigne d'une vie déréglée. *Les dérèglements de la jeunesse.* → **Écart** (de conduite), **erreur** (de jeunesse). *Dérèglements du vice.* → **Perversion** (→ Apparent, cit. 5 ; → ci-dessous, cit. 5, 7 et 8).

5 (...) corriger désormais par une austère conduite tous les dérèglements criminels où m'a porté le feu d'une aveugle jeunesse. MOLIÈRE, *Dom Juan*, V, 3.

Ceux qui sont dans le dérèglement disent à ceux qui sont 6 dans l'ordre que ce sont eux qui s'éloignent de la nature (...)
PASCAL, *Pensées*, VI, 383.

Personne n'ignore les dérèglements de ce prince 7 *(Henri VIII)*, ni l'aveuglement où il tomba par ses malheureuses amours, ni combien il répandit de sang depuis qu'il s'y fut abandonné (...)
BOSSUET, *Hist. des Variations*, VII, 1.

(...) il y a bien des libertins qui, après avoir scandalisé le 8 monde par leurs dérèglements, s'enferment dans les cloîtres pour en faire une rigoureuse pénitence : je souhaite que nos deux moines soient de ces libertins-là.
A. R. LESAGE, *Gil Blas*, X, VI.

Les hommes très âgés, les jeunes femmes qui m'avaient 9 appris d'eux, me dirent que si ces vieilles dames n'étaient pas reçues, c'était à cause du dérèglement extraordinaire de leur conduite (...)
PROUST, *le Côté de Guermantes*, Pl., p. 197.

CONTR. Règle ; arrangement, mesure, ordre, organisation, rangement, réforme.

DÉRÉGLEMENTATION [deʀeɡləmãtasjɔ̃] n. f. — V. 1980 ; de 1. *dé-*, et *réglementation.*

Didact. Fait de laisser (un domaine, un secteur) sans réglementation (alors que le domaine ou celui dont il dépendait était réglementé). *«Dans les grands pays industrialisés, on constate déjà les effets de cette mutation* (dans la communication) *: des processus de déréglementation apparaissent et se manifestent avec vigueur, en particulier aux États-Unis et en Grande-Bretagne»* (*Sciences et Avenir*, oct. 1983, p. 16). *«Des secteurs très éprouvés par la déréglementation, comme l'aéronautique»* (le *Matin de Paris*, 31 janv. 1984).

DÉRÉGLEMENTER [deʀeɡləmãte] v. tr. — V. 1980 ; de 1. *dé-*, et *réglementer.*

Didact. Faire cesser d'être réglementé.

DÉRÉGLER [deʀegle] v. tr. [CONJUG. : *régler* (→ Céder).] — 1636 ; *desruiller*, 1342 ; *desreigler*, v. 1280 ; de 1. *dé-*, et *régler.*

♦ **1** (1636). Faire que (qqch.) ne soit plus réglé ; mettre en désordre. → **Bouleverser, déranger, détraquer, troubler.** *L'orage a déréglé le temps. Sa vie irrégulière lui a déréglé l'estomac. — Dérégler un mécanisme délicat, une montre, une horloge.*

Le mouvement le plus violent que pût avoir un vaisseau 1 ne la déréglait point *(une certaine clepsydre),* au lieu qu'il dérègle infailliblement les autres horloges.
FONTENELLE, *Amontons*, in LITTRÉ.

Figuré :

C'est vrai, les poisons de la fatigue ont vite fait de dérégler 2 la fragile mécanique de l'âme.
G. DUHAMEL, *Défense des lettres*, IV, p. 148.

♦ **2** (1690). Fig. Troubler l'ordre moral, la discipline de. — Relig. *Dérégler un monastère, un couvent,* faire que la règle n'y soit pas observée strictement. — Prov. *Il ne faut qu'un mauvais moine pour dérégler tout le couvent.* — Vieilli. *Dérégler sa vie, sa conduite, ses mœurs.* → **Débaucher** (se), **déranger** (se).

(...) dont les métiers ne serviraient qu'à dérégler les 3 mœurs (...) FÉNELON, *Télémaque*, XII.

♦ **SE DÉRÉGLER** v. pron.

♦ **1** N'être plus réglé. S'altérer. *La pendule s'est déréglée. Le temps s'est déréglé.*

La saison se dérègle ; on voit une espèce de déluge au 4 milieu de l'été (...)
FÉNELON, t. XXI, p. 132, in LITTRÉ.

♦ **2** Vx. Adopter une conduite déréglée (2.). *Les jeunes gens se dérèglent facilement.* → **Débaucher** (se), **égarer** (s').

Les victorieux se dérèglent pendant ce temps de confu- 5 sion (...) FÉNELON, *Télémaque*, V.

◆ **DÉRÉGLÉ, ÉE** p. p.

♦ **1** (1694). Dont l'ordre, le fonctionnement a été troublé. *Machine, mécanisme déréglé. Pendule déréglée. — Pouls déréglé.* → **Irrégulier.** — *Appétit, estomac déréglé.* → **Dérangé.**

6 Le gourmand trouve des bornes dans son appétit, quelque déréglé qu'il soit (...)
BOSSUET, Traité de la concupiscence, 9.

Figuré :

7 Elle disciplinait ma vie mal réglée, ou plutôt déréglée et portée sans mesure à tous les excès contraires du travail acharné ou de la pure inertie.
É. FROMENTIN, Dominique, XIII, p. 198.

♦ **2** Qui est hors de la règle, de l'équilibre (intellectuel, moral, etc.) tel que les références sociales du locuteur l'impliquent. *Vie déréglée* (→ Vie de bohème*). *Mœurs déréglées.* → **Débauché, désordonné, immoral, irrégulier, libertin, vicieux.** — (Des personnes). Qui a des mœurs déréglées.

8 La jeunesse romaine déjà presque généralement déréglée et corrompue par le luxe et la licence (...)
ROLLIN, Hist. ancienne, Œ., t. I, p. 568, *in* LITTRÉ.

Esprit déréglé. → **Déséquilibré, détraqué** (→ Agitation, cit. 6).

♦ **3** Excessif, démesuré. *Ambition, imagination déréglée.* — *Appétit déréglé.* → **Démesuré, excessif, immodéré.**

9 Saint Augustin enseigne que, quand l'Écriture nous exhorte à résister aux démons, elle entend que nous devons résister à nos passions et à nos appétits déréglés.
FRANCE, la Rôtisserie de la reine Pédauque, Œ., t. VIII, p. 213.

10 (...) cette exubérance fastueuse et déréglée de création musicale (...)
R. ROLLAND, Musiciens d'autrefois, p. 6.

CONTR. Régler. — **Arranger, disposer, ordonner, organiser, ranger.** — (Du p. p.) **Ordonné, raisonnable, réglé, sage.**
◊ DÉR. **Déréglage, dérèglement.** ◆ COMP. V. **Indéréglable.**

DÉRÉGULATION [deʀegylasjɔ̃] n. f. — Av. 1986; de 1. *dé-,* et *régulation.*

Admin. Suppression de certains règlements, dans un domaine d'activité précis. *La dérégulation du marché du travail, des prix agricoles.*

DÉRÉISTIQUE [deʀeistik] adj. — XXᵉ; de l'all. *dereistisch,* Bleuler, du lat. *de re* «en s'éloignant de la réalité», et suff. d'orig. grecque *-istisch.*

Psychiatrie. Se dit du mode de pensée dominé par l'imagination, la fantaisie, fréquent chez les schizophrènes. (Mode de pensée dit *déréisme* [deʀeism] n. m.). → **Déréel.**

Si jamais un certain idéal cartésien était atteint, c'est-à-dire si la nature entière se bornait à ce qui est explicable par des rapports mathématiques, nous contemplerions alors l'univers avec le terrible sentiment d'aliénation, le sentiment déréistique absolu qu'éprouve l'enfant voué à la schizophrénie lorsqu'il regarde sa mère.
F. MALLET-JORIS, *Jeanne Guyon,* p. 539-540.

DERELICT [deʀelikt] n. m. — 1909; mot angl., du lat. *derelicta* «chose abandonnée».

Dr. mar. Épave qui flotte sur l'eau, et qui appartient à son inventeur.

DÉRÉLICTION [deʀeliksjɔ̃] n. f. — Déb. XVIᵉ, «abandon»; lat. *derelictio,* du supin de *derelinquere,* de *de-,* et *relinquere* «laisser en arrière.»

(1606). Relig. ou littér. État de l'être humain qui se sent abandonné, isolé, privé de tout secours (divin ou non). → **Abandon, délaissement, solitude.**

1 Cette déréliction ressemble à celle que Notre-Seigneur ressentit à sa passion.
Saint François de SALES, Lettres, 506, *in* HUGUET.

2 Sur les routes du Croissant fertile, il marchait de nouveau, le peuple de la Promesse, comme aux jours d'Abraham, non plus dans la foi et l'espérance, mais dans la misère et la déréliction.
DANIEL-ROPS, le Peuple de la Bible, III, III, p. 262.

3 Ô fils de la femme humiliés dans votre sueur et dans votre âme
Voici l'instant dérisoire où l'extrême déréliction devient
Pour vous une oasis et c'est comme la main protégeant une flamme
Au creux du cachot vacillant à peine et sur soi-même qui revient.
ARAGON, le Fou d'Elsa, p. 223.

4 Un statut indécis, une trêve d'un quart de siècle qui n'est pas la paix, c'est Trieste, sorte de pendu oublié au haut de l'ogive adriatique, dans une déréliction poignante, dans un interminable hiver diplomatique.
Paul MORAND, Venises, p. 214.

5 J'ai vu un père de famille nombreuse entouré de sa femme et des amis de sa femme, de ses enfants et des amis de ses enfants, couler tout à coup entre la poire et le fromage dans des abîmes de déréliction : quelqu'un venait de s'éveiller en lui qui se demandait ce qu'il faisait là avec tous ces étrangers.
M. TOURNIER, le Vent Paraclet, p. 173.

CONTR. **Aide, consolation, secours, soutien.**

DÉRELIER [deʀəlje] v. tr. — 1870; de 1. *dé-,* et *relier.*

Défaire la reliure de (un livre), pour restaurer, relier autrement, etc.

DÉREMBOURSEMENT [deʀ̃ãbuʀsəmɑ̃] n. m. — 1990; de 1. *dé-,* et *remboursement.*

Admin. (En France). Arrêt du remboursement (de certains médicaments) par la Sécurité sociale. «*Ce processus de réévaluation devrait conduire au déremboursement d'un certain nombre de spécialités présentes depuis longtemps dans la pharmacopée française*» (le Monde, 24 déc. 1999, p. 18). — REM. Ce composé, formé avec un verbe en *re-,* est pour le moins maladroit.

On emploie aussi le verbe *dérembourser,* v. tr. (ne pas confondre avec *débourser*).

DÉRÉPRIMER [deʀepʀime] v. tr. — V. 1970; de 1. *dé-,* et *réprimer.*

Biol. Cesser de «réprimer», d'inhiber l'action de...; rendre actif. *Certains corps dits cancérigènes ne font que déréprimer les virus.*

DÉRESPONSABILISATION [deʀɛspɔ̃sabilizasjɔ̃] n. f. — 1977, *in l'Express*; de *déresponsabiliser.*

Action de déresponsabiliser.

DÉRESPONSABILISER [deʀɛspɔ̃sabilize] v. tr. — V. 1960; de 1. *dé-, responsable,* et suff. *-iser.*

Enlever à (qqn) ses responsabilités.

— (...) c'est épouvantable d'employer ce vocabulaire, mais je suis corrompue, moi aussi contaminée —, et que l'on puisse, d'autre part, vouloir tout transférer à l'État, toutes les initiatives, c'est-à-dire déresponsabiliser.
F. GIROUD, *Si je mens,* p. 195.

DÉR. **Déresponsabilisation.**

DERGE [deʀʒ], **DERGEOT** [deʀʒo] n. m. → **Derch.**

DÉRIDAGE [deʀidaʒ] n. m. — 1972; de *dérider.*

Chir. Traitement esthétique chirurgical qui consiste à retendre la peau du visage pour faire disparaître les rides et autres traces de vieillissement (peut remplacer l'anglicisme *lifting*).

DÉRIDER [deʁide] v. tr. — 1538; de 1. *dé-*, et *rider*.

♦ **1** (1538). Effacer, faire disparaître les rides de... *Crème, pommade pour dérider le visage.* Par métaphore. (Vieilli). *Dérider le front de qqn*, le rendre moins soucieux.

1   J'aime mieux Arioste et ses fables comiques,
Que les auteurs toujours froids et mélancoliques,
Qui dans leur sombre humeur se croiraient faire affront
Si les Grâces jamais leur déridaient le front.
            BOILEAU, l'Art poétique, III.

2   L'autorité absolue qu'exerce un homme le contraint à une perpétuelle réserve. Il ne peut dérider son front devant ses inférieurs, sans leur laisser prendre une familiarité qui porte atteinte à son pouvoir.
            A. DE VIGNY, Servitude et Grandeur militaires, I, III, p. 56.

♦ **2** (1572). Mod. (de *dérider le front*). Rendre moins soucieux, moins triste (comme si on enlevait les rides du front). → **Amuser, consoler, distraire, égayer, réjouir, sourire** (faire sourire). *Il est impossible de le dérider. Elle est difficile à dérider; rien ne la déride.*

2.1   Ils pensent forcément à ce qu'ils viennent de laisser jusqu'à demain, seulement jusqu'à demain, et aussi à ce qui les attend ce soir, qui les déride ou les rend encore plus soucieux.   A. BRETON, Nadja, p. 64.

♦ **SE DÉRIDER** v. pron.

♦ **1** Perdre ses rides. *La peau se déride.* — Par analogie :

2.2   Il fallait que la petite goélette se maintînt dans sa moyenne de neuf milles à l'heure, et le vent mollissait toujours! C'était une brise irrégulière, des bouffées capricieuses venant de la côte. Elles passaient, et la mer se déridait aussitôt après leur passage.
            J. VERNE, le Tour du monde en 80 jours, p. 183.

♦ **2** Fig. Cesser d'être triste, soucieux, tendu. — Spécialt. Commencer à sourire, à rire. *Il ne s'est pas déridé de la soirée.*

3   Alors il n'était point de lecteur si sauvage
Qui ne se déridât en lisant mon ouvrage (...)
            BOILEAU, Épîtres, X.

CONTR. Assombrir (s'), **attrister, chagriner, contrister, ennuyer.** ◊ **DÉR.** Déridage, dérideur.

DÉRIDEUR, EUSE [deʁidœʁ, øz] adj. — 1860; de *dérider*.

Littér., rare. Qui déride. «*Ce charme dérideur de fronts*» (Goncourt).

DÉRISION [deʁizjɔ̃] n. f. — 1262, «moquerie, raillerie»; bas lat. *derisio*, de *derisum*, supin de *deridere* «se moquer de». → Dérider.

♦ **1** Mépris qui incite à rire, à se moquer de (qqn, qqch.). → **Dédain, ironie, mépris, moquerie, persiflage, plaisanterie, raillerie, risée, sarcasme; satire.** *Dire qqch. par dérision. Rire, gestes de dérision. Objet de dérision.*

(1657). **TOURNER EN DÉRISION** : se moquer d'une manière méprisante de (qqn, qqch.). → **Moquer** (se), **railler.** *Tourner un livre en dérision par une contrefaçon ingénieuse.*

1   Et tout le peuple même avec dérision,
Observant la rougeur qui couvrait mon visage (...)
            RACINE, Esther, III, 1.

2   Voyez comment, pour multiplier ses plaisanteries, cet homme *(Molière)* trouble tout l'ordre de la société; avec quel scandale il renverse tous les rapports les plus sacrés sur lesquels elle est fondée, comment il tourne en dérision les respectables droits des pères sur leurs enfants, des maris sur leurs femmes, des maîtres sur leurs serviteurs!
            ROUSSEAU, Lettre à d'Alembert.

3   Le ton dominant de l'institution était la dérision de toute sensiblerie et l'exaltation des plus rudes vertus.
            Valery LARBAUD, Fermina Marquez, I, p. 10.

Je crois avoir déclaré que, pour les intellectuels, je n'ai que mépris et dérision.
            G. DUHAMEL, Cri des profondeurs, IV, p. 71.   4

♦ **2** (1806). Chose insignifiante, dérisoire. *Dix francs! c'est une dérision. C'est une dérision que de vous offrir un tel cadeau* (→ **Dérisoire**).

CONTR. Admiration, considération, déférence, estime, exaltation, respect, révérence. ◊ **COMP.** Autodérision.

DÉRISOIRE [deʁizwaʁ] adj. — V. 1327, *in* D.D.L.; bas lat. *derisorius*, du supin de *deridere* «se moquer de». → Dérision, dérider.

♦ **1** (Av. 1473). Vx. Qui est dit ou fait par dérision; → **Dédaigneux, ironique, méprisant, moqueur, railleur.** *Une proposition dérisoire. Ton dérisoire.*

♦ **2** (1791). Mod. Qui est si insuffisant que cela semble une moquerie. → **Insignifiant, minime, négligeable, pauvre, petit, piètre, ridicule, vain.** *Un salaire dérisoire. Ses vastes projets n'ont abouti qu'à des résultats dérisoires* (→ C'est une montagne* qui accouche d'une souris). *Vendre quelque chose à un prix dérisoire.*

1   Ce brusque rappel aux réalités dérisoires du lendemain écrasa ma douleur sous une sensation unique de petitesse, et m'atteignit en plein désespoir comme un coup de férule.
            E. FROMENTIN, Dominique, p. 119.

1.1   Nous étions en pleine savane; les quelques arbres rabougris qui la parsèment ne fournissent qu'une ombre dérisoire (...)   GIDE, Voyage au Congo, p. 774.

♦ **3** (Personnes). Qui paraît ridicule par son insignifiance, sa faiblesse.

2   Une pitié lui venait au cœur devant ce dérisoire ennemi, ce bout de fillette maigrichonne, mouillée de pluie sous ses guenilles.   M. GENEVOIX, Raboliot, V, p. 130.

3   Aucune objection, aucun adversaire ne lui semblait négligeable ou dérisoire.
            Henri MONDOR, Pasteur, Avant-propos, p. 9.

3.1   Conscient ne puis me séparer de mon temps, j'ai décidé de faire corps avec lui. C'est pourquoi je ne fais tant de cas de l'individu que parce qu'il m'apparaît dérisoire et humilié.   CAMUS, le Mythe de Sisyphe, Pl., p. 165.

CONTR. Admiratif, déférent, respectueux, révérencieux. — Capital, énorme, grand, important, précieux. ◊ **DÉR.** Dérisoirement.

DÉRISOIREMENT [deʁizwaʁmɑ̃] adv. — 1460; de *dérisoire*.

Littér. D'une manière dérisoire (2.).

DÉRIVABLE [deʁivabl] adj. — 1904; de 1. *dériver*, et *-able*.

Qui peut être dérivé. — Math. *Fonction dérivable en un point*, qui admet une dérivée en ce point. *Fonction dérivable sur un intervalle de son domaine de définition.*

DÉRIVANT, ANTE [deʁivɑ̃, ɑ̃t] adj. — 1765; du p. prés. de 4. *dériver*.

Pêche. *Filet dérivant* : filet maintenu par des flotteurs et qui dérive sans toucher le fond.

DÉRIVATIF, IVE [deʁivatif, iv] adj. et n. m. — XVᵉ; bas lat. *derivativus* «qui dérive, dérivé», du supin de *derivare*. → 1. Dériver.

♦ **1** Qui opère une dérivation*. Méd. anc. Révulsif. *Remède dérivatif. Saignée dérivative.* — Subst. *Le sinapisme, dérivatif efficace.* — Ling. Qui est formé par dérivation. *Verbe dérivatif.*

♦ **2** N. m. (1810). Cour. Ce qui permet de détourner l'esprit de ses préoccupations. → **Détente, distraction, divertissement.** *Un dérivatif à l'ennui. Chercher un dérivatif.*

1 Pourquoi avez-vous pris comme dérivatif à votre douleur la culture des muscles, qui tuera en vous ce qui seul peut vous sauver ?
   LOTI, Aziyadé, XL, p. 135.

2 Je suis une âme en peine, une femme de trente ans, nerveuse, malheureuse, qui n'a pas les dérivatifs des hommes : passades, voyages, affaires, vanité, ambition.
   MONTHERLANT, les Jeunes Filles, p. 156.

3 (...) les besoins religieux de l'homme nouveau trouveront un dérivatif : un dérivatif social.
   MARTIN DU GARD, les Thibault, t. V, p. 119.

1. DÉRIVATION [deʀivasjɔ̃] n. f. — 1314, *in* D.D.L.; lat. *derivatio* «action de détourner les eaux» en lat. class., et «dérivation (des mots)» en lat. impérial; de *derivatum*, supin de *derivare*. → 1. Dériver.

♦ **1** Ⓐ (1690). Action de dériver* (un cours d'eau). → **Détour, détournement.** *Barrage* pour la dérivation des eaux. Dérivation d'une rivière pour permettre le tracé d'une route, d'une voie ferrée. Dérivation d'un cours d'eau en vue de capter une partie de la force qu'il peut fournir.* → **Bief.** — (Sans compl.). *Canal de dérivation.* — Partie dérivée (d'un cours d'eau). → **Canal.**

1 Cette conquête de la terre par l'eau exige des efforts continus. Elle repose sur toute une organisation matérielle, sur l'entretien des dérivations, des rigoles et des canaux, sur un règlement délicat de distribution de l'eau (...)
   DEMANGEON, Géographie économique et humaine de la France, t. I, p. 100.

1.1 (...) quand je me suis engagé dans le boyau, je croyais que c'était le déversoir de la fabrique. Eh bien ! non ! C'était une dérivation du petit collecteur des Minimes.
   Pierre GASCAR, les Bêtes, p. 111.

Ⓑ Action de dériver (de son cours naturel) l'écoulement (d'un flux quelconque). — Spécialt. Action de dériver la circulation routière aux heures de pointe. *Dérivations prévues pour prévenir les embouteillages.* — Par ext. Voie de circulation secondaire vers laquelle sont dérivées les voitures aux heures de pointe ou pour cause de travaux. *Emprunter une dérivation pour éviter un bouchon.*

Ⓒ Psychol. (Abstrait). Détournement de forces psychiques de leur voie naturelle.

1.2 Quand une force primitivement destinée à être dépensée pour la production d'un certain phénomène reste inutilisée parce que ce phénomène est devenu impossible, il se produit des dérivations, c'est-à-dire que cette force se dépense en produisant d'autres phénomènes non prévus et inutiles.
   Pierre JANET, les Obsessions et la Psychasthénie, I, 555, *in* FOULQUIÉ, Dict. de la langue philosophique, art. *Dérivation*.

1.3 Le refoulement des mimiques expressives, possible sur les muscles qui sont soumis à l'action de la volonté, est impossible sur les organes viscéraux et tout se passe alors comme si le barrage opposé à la libération normale de la décharge émotionnelle vers le système neuro-musculaire de la vie de relation avait pour corollaire une dérivation d'autant plus puissante vers le système neuro-viscéral de la vie végétative.
   Jean DELAY, Introd. à la médecine psychosomatique, II, De l'émotion à la lésion, p. 26.

♦ **2** (1559). Gramm. Action de créer des termes nouveaux par divers moyens. → **Étymologie; formation** (des mots); → Parasynthétique, cit. — *Dérivation propre* : procédé de formation de mots nouveaux par modification (addition, suppression ou remplacement) d'un morphème (suffixe) par rapport à une base (radical). → **Radical, suffixe.** *Dérivation régressive*, par suppression de suffixe (ex. : *chant*, de *chanter*). → **Déverbal.** *Dérivation «populaire»* (spontanée dans le système de la langue). *Dérivation savante par l'addition de suffixes latins ou grecs.*

2 La partie détachable, qui s'attache ainsi à un nouveau mot, s'appelle *suffixe*; le procédé est la *dérivation*. La dérivation

repose, comme toute formation de mots en série, sur l'instinct analogique, qui pousse à reproduire un type existant pour avoir un mot semblable.
   F. BRUNOT, la Pensée et la Langue, I, II, V, p. 60.

(La langue française) a perdu, au cours des siècles, un grand nombre de mots; en compensation (...) elle a constamment enrichi son vocabulaire (...) par la création de termes nouveaux. Cette création s'est opérée selon deux procédés principaux : la *dérivation* et la *composition*.
   GREVISSE, le Bon Usage, grammaire franç., p. 74-75.

Dérivation impropre, qui se fait sans modification de forme, par changement de catégorie. *Le moi, formé par dérivation impropre du pronom* moi; *le* pourquoi, *de l'adverbe* pourquoi; *le* devoir, *du verbe* devoir.

Spécialt (en grammaire générative) :

Une grammaire permet d'assigner un indicateur syntagmatique aux phrases engendrées au moyen d'une dérivation. Une dérivation consiste en une séquence finie de suites de symboles dont la première est une suite initiale (...) et où chaque suite découle de la précédente par l'application d'une règle.
   Nicolas RUWET, Introd. à la grammaire générative, p. 122.

♦ **3** (1314). Méd. Déviation du sang ou d'un liquide organique hors de leur circuit habituel. *Abcès de dérivation* ou *de fixation*, créé artificiellement pour déplacer les microbes d'un foyer inflammatoire vers une région moins importante.

♦ **4** (1870). Sc., math. Recherche de la dérivée d'une fonction. — Électr. Communication entre deux points d'un circuit, au moyen d'un second conducteur (montage en parallèle*). → **Court-circuit, shunt.** *Monter une ligne en dérivation. Circuits en dérivation* : circuits électriques ou magnétiques bifurqués entre lesquels le courant ou le flux magnétique se partage. — Techn. Dédoublement d'un circuit de fluide. — Dispositif permettant d'envoyer un fluide dans une direction déterminée.

♦ **5** Fig. Action de découler (de qqch.). → **Émanation, manifestation.** *La politesse du cœur est une dérivation de la charité.*

2. DÉRIVATION [deʀivasjɔ̃] n. f. — 1690; de 4. *dériver,* 1.

♦ **1** (1690). Mar. Action de dériver* (4. Dériver), sous la poussée du vent ou d'un courant marin. → **Dérive, déviation.**

Par anal. Aviat. *Dérivation d'un avion,* dévié de sa direction par les courants atmosphériques.

♦ **2** (1870). Artill. (En parlant d'un projectile). Action de s'écarter de sa trajectoire sous l'influence de sa rotation ou de la résistance de l'air. *Correction de dérivation* (→ **Dérive,** 3.).

DÉRIVE [deʀiv] n. f. — 1628, *à la drive* «à la dérive»; subst. verb. de 4. *dériver.*

Ⓘ (Action, processus). ♦ **1** Mar., aviat. Déviation (d'un navire, d'un avion) par rapport à la route, sous l'effet des vents ou des courants. → **Dérivation, déviation.** *Angle de dérive. Dérive sur bâbord, sur tribord.* — *Navire en dérive* : navire ayant brisé ses amarres dans un port, ou se trouvant désemparé de ses machines en haute mer et emporté au gré des vents et des courants. *Aller, être en dérive :* être le jouet des flots.

Il avait pris la cape, dérivait obliquement, en crabe, puis, arrivé au bout de son parcours, il remontait sa dérive à petite allure, épaulait la lame à trois quarts du vent et son avant robuste lui frayait une route (...)
   Roger VERCEL, Remorques, p. 87.

Par ext. Fait de dériver (en parlant d'objets flottants).

0.2   Il était vraiment possible que le déplacement de la banquise ne fût qu'apparent, et qu'au contraire, l'île Victoria, entraînée par le champ de glace, dérivât vers le détroit. Mais cette dérive, si elle existait, on ne pouvait la constater, on ne pouvait l'estimer, on ne pouvait la relever ni en longitude, ni en latitude.

       J. VERNE, le Pays des fourrures, t. II, p. 239.

   REM. Cf. dans le même texte : «*(les blocs de glace)* communiquaient à l'île toute la force de dérive qu'elle puisait dans les profondeurs du courant...» (t. II, p. 254).

Cour. À LA DÉRIVE : en dérivant. *Des bois flottant à la dérive.* — Fig. *Entreprise qui va à la dérive.* → **Val** (à vau-l'eau). *Être, aller à la dérive* : être sans énergie, sans volonté, se laisser conduire par des événements extérieurs.

1   C'est l'aveu d'une volonté désemparée et à la dérive où ne subsiste plus d'autre force autonome que la force sournoise de la trahison (...)

       JAURÈS, Hist. socialiste..., t. III, p. 221.

2   Gise, qui se sentait aller à la dérive, se reprend aussitôt : il suffit qu'Antoine paraisse pour que se répande autour de lui un peu de son élan vital.

       MARTIN DU GARD, les Thibault, t. III, p. 165.

3   Il dirigeait enfin son propre journal. «Les temps troublés que nous traversions» lui avaient permis de réaliser ce rêve. Il profitait du désordre et de la nuit. Dans ce monde qui s'en allait à la dérive, il se sentait parfaitement à l'aise.

       Patrick MODIANO, les Boulevards de ceinture, p. 68.

♦ **2** (XXᵉ; trad. de l'all. *Drift*). Sc. *Dérive des continents, dérive continentale* : théorie de Wegener, selon laquelle les continents flotteraient à la surface d'une masse visqueuse.

Techn. Phénomènes d'élasticité transversale entraînant des déformations (pneumatiques, etc.).

♦ **3** Artill. Distance dont il faut déplacer la hausse d'un canon pour corriger la déviation. *Lecture de la dérive sur l'appareil de pointage.*

♦ **4** Sc. Variation lente et continue (d'une grandeur). — Électr. Variation dans le temps des caractéristiques électriques d'un montage. *Dérive des paramètres.*

4   Les méthodes de prévisions de fiabilité à partir des dérives des paramètres caractéristiques des composants ont été très développées pour l'étude des circuits électroniques.

       Pierre CHAPOUILLE, la Fiabilité, p. 57.

♦ **5** Mouvement incontrôlé et passif; fait d'être, de se laisser entraîner sans réagir (emploi à la mode chez les intellectuels depuis 1970).

5   Je crois toujours écrire pour des hommes qui me liront plus tard. Non par confiance dans ce livre, non par obsession de l'Histoire ou de la mort ou de l'humanité en tant que destin intelligible de l'humanité : par le sentiment violent d'une dérive arbitraire et irremplaçable comme celle des nuées.

       MALRAUX, Antimémoires, p. 17, Folio, 1972.

6   (...) mon père lui-même et parfois Marie-Claude me semblaient lointains, inaccessibles — je m'aperçois, en l'écrivant, que ce n'est pas vrai de Marie-Claude; mais elle est tellement mêlée à moi, tellement moi que je n'en reçois pas, dans ces heures de dérive, plus de secours que de moi-même.

       Cl. MAURIAC, le Temps immobile, p. 255.

II Par métonymie. (*Une, des dérives* : dispositif de dérive). Dispositif qui empêche un navire, un avion de dériver. — (1860, *in* Petiot). Aileron vertical mobile immergé d'un voilier (→ **Dériveur**). *Dérive centrale, dérives latérales. Dérive sabre**. *Semelle de dérive.* — Gouvernail de direction d'un avion. *Appareil à double, à triple dérive* (→ **Empennage**).

7   Jean aperçoit les dérives de deux Mig 17. C'est Pochentong, l'aéroport.

       Claude COURCHAY,
       La vie finira bien par commencer, p. 198, 1972.

---

1. DÉRIVÉ, ÉE [deʀive] adj. → **1. Dériver.**

2. DÉRIVÉ [deʀive] n. m. — Fin XVIIIᵉ, selon G.L.L.F.; du p. p. de 1. *dériver.*

♦ **1** Mot dérivé. *Les dérivés d'un verbe* (→ Bistrot, cit. 4). 2. *Dérivation est un dérivé de* 4. Dériver. *Les dérivés et les composés d'un verbe.*

♦ **2** Produit dérivé. *Les dérivés de la houille.* — Spécialt (chim.). Substance préparée en partant d'une autre substance et qui conserve en général la structure de la première.

♦ **3** Math. *Dérivé d'un ensemble* : ensemble de ses points d'accumulation.

HOM. **Dérivée,** 1., 2., 3. et 4. **dériver.**

DÉRIVÉE [deʀive] n. f. — 1870; de *fonction dérivée.* → 1. Dériver.

Math. *Dérivée d'une fonction d'une variable* : limite vers laquelle tend le rapport de l'accroissement de cette fonction à l'accroissement de la variable lorsque celui-ci tend vers zéro. → **Pente, tangente** (à une courbe), **taux** (d'accroissement). *Dérivées successives, partielles, logarithmiques, géométriques. Transformation d'une courbe en sa dérivée. La dérivée d'une fonction en un point est égale à la pente de la tangente au point correspondant de la courbe représentative de cette fonction.*

HOM. **Dérivé,** 1., 2., 3. et 4. **dériver.**

DÉRIVEMENT [deʀivmã] n. m. — XVIᵉ; de 1. *dériver,* 1.

Techn. Fait de couler hors du cours naturel, de franchir les rives (en parlant d'une eau courante).

1. DÉRIVER [deʀive] v. tr. — 1190; lat. *derivare* «détourner un cours d'eau, dériver», de *de-*, et *rivus* «petit cours d'eau».

I V. tr. dir. ♦ **1** Détourner (des eaux) de leur cours naturel, pour lui donner une nouvelle direction. → **Détourner, dévier.** *Dériver un cours d'eau* (→ **Dérivation**). *Dériver les eaux d'une source.* — Pron. *Cours d'eau qui se dérive.* → **Dérivement.**

Par anal. *Dériver sa mauvaise humeur sur (vers) quelqu'un* (qui n'en est pas l'objet).

0.1   C'est là une attitude de *bouc émissaire* dans laquelle les difficultés internes sont attribuées aux autres que l'on charge ainsi de la responsabilité et sur lesquels on dérive son mécontentement.

       H. BARUK, De Freud au néo-paganisme moderne, *in* la Nef, nᵒ 31, p. 143.

♦ **2** Gramm. Tirer (un mot d'un autre) par dérivation*. *Dériver un mot du grec, du latin. Dériver un adverbe d'un adjectif.*

♦ **3** Math. *Dériver une fonction,* en calculer la dérivée (→ **Dérivée**).

♦ **4** Méd. *Dériver un foyer inflammatoire.* → 1. **Dérivation,** 3.

II DÉRIVER v. intr.; DÉRIVER (de) v. tr. indirect. ♦ **1** (En parlant d'un cours d'eau). Être détourné de son lit, de son cours naturel. *Eaux d'un fleuve qui dérivent dans un canal.* → **Écouler** (s').

♦ **2** Gramm. Avoir son origine dans. Provenir au moyen d'une dérivation. → **Découler, émaner, origine** (tirer son origine de), **provenir, venir.** *Mot qui dérive de l'arabe, du grec, du latin...* (→ Cardinal, cit. 1). → 2. **Dérivé.**

♦ **3** Fig. Découler, provenir, venir (de). *Conséquences qui dérivent d'une hypothèse. Nos malheurs dérivent de la guerre.*

1 Les lois, dans la signification la plus étendue, sont les rapports nécessaires qui dérivent de la nature des choses (...)
MONTESQUIEU, l'Esprit des lois, I, 1.

2 (...) ces froides justices qui font dériver les conséquences des principes (...)
CHATEAUBRIAND, Mémoires d'outre-tombe, t. VI, p. 136.

3 (...) le meilleur des conseils ne vaut pas la moindre imprudence, et n'a jamais épargné une erreur à quelqu'un qu'il ne l'ait jeté dans une autre. Je vous jure qu'il faut se tromper, que rien d'excellent ne peut dériver de l'expérience d'autrui (...)
VALÉRY, Mon Faust, II, 1.

◆ **DÉRIVÉ, ÉE** p. p. adj.
Qui provient d'une dérivation. *Mot dérivé.*
→ 2. **Dérive.**

Chim. *Corps dérivé :* corps obtenu par la transformation d'un autre. → 2. **Dérivé,** 2. *Produit dérivé d'un autre.*

Math. *Fonction dérivée. Déduire une fonction dérivée d'une fonction primitive. Ensemble dérivé :* ensemble des points limites d'un ensemble.

Électr. *Courant dérivé :* courant électrique traversant une ou plusieurs dérivations. *Circuit dérivé :* conducteur formant une dérivation.

Dr. *Droit dérivé :* droit sur la cession de produits provenant indirectement de l'exploitation d'une marque. — *Produit dérivé,* utilisant une marque protégée. «*Ensuite, ce fut le succès* (des Shadoks), *à travers le monde et les générations, grâce à de multiples rediffusions, des vidéocassettes, un CD-ROM et divers produits dérivés*» (*le Monde,* 24 janv. 2000, p. 7).

DÉR. Dérivable, dérive, dérivé, dérivée, dérivement. ◊ **HOM.** Dérivé, dérivée, 2. dériver, 3. dériver, 4. dériver.

2. **DÉRIVER** [deʀive] v. tr. — V. 1223, *desriver; de* 1. *dé-,* et *river.*
Techn. (vx). Défaire ce qui est rivé. → **Dériveter.**
DÉR. Dérivoir. ◊ **HOM.** Dérivé, dérivée, 1. dériver, 3. dériver, 4. dériver.

3. **DÉRIVER** [deʀive] v. tr. — XIVᵉ; de 1. *dé-,* et *rive.*
Techn. Écarter (du bois flottant) des rives d'un cours d'eau pour éviter qu'il ne heurte les bords.
HOM. Dérivé, dérivée, 1. dériver, 2. dériver, 4. dériver.

4. **DÉRIVER** [deʀive] v. intr. — 1578; de l'angl. *to drive,* par croisement avec le précédent.

◆ **1** Mar. S'écarter de sa direction (en parlant d'un navire), notamment sous l'influence du courant. → **Dérive, dérivation.** → Ancre, cit. 1. — Aviat. (même sens). *Avion qui dérive.*

Par analogie (le sujet ne désigne ni un navire, ni un avion) :

0.1 Sa figure est maintenant sévère, on dirait qu'elle me découvre avec horreur, ou avec incrédulité, ou étonnement, ou comme un objet de scandale. Mais ses prunelles commencent à dériver insensiblement, pour aller de nouveau se fixer sur le plafond.
A. ROBBE-GRILLET, la Maison de rendez-vous, p. 187.

◆ **2** Fig. S'abandonner*, être sans volonté, sans énergie, aller à la dérive*.

1 Il faut se pourvoir d'ancres et de lest, c'est-à-dire d'opinions fixes et constantes, garder une sorte et rester sur ses ancres, sans dériver. Joseph JOUBERT, Pensées, IX, XLII.

2 Enfin, je suis détaché. Je ne sais quoi, je ne sais qui m'a détaché, Isa, des amarres sont rompues ; je dérive. Quelle force m'entraîne ?
F. MAURIAC, le Nœud de vipères, I, XI, p. 135 (→ Amarre, cit. 3).

CONTR. Suivre (sa route). ◊ **DÉR.** Dérivant, 2. dérivation, dérive, dériveur. ✦ **HOM.** Dérivé, dérivée, 1. dériver, 2. dériver, 3. dériver.

DÉRIVETER [deʀivte] v. tr. [CONJUG.: *jeter.*] — 1923 ; de 1. *dé-, rivet,* et suff. verbal.
Techn. Désassembler en enlevant les rivets ; défaire les rivets de.

DÉRIVEUR [deʀivœʀ] n. m. — 1864; de 4. *dériver.*

◆ **1** (1864). Mar. Voile de mauvais temps.

◆ **2** (1896). Mar. Voilier muni d'une dérive (opposé à *quillard*). *Dériveur monotype. Dériveur de compétition.*

◆ **3** Pêche. Bateau qui utilise des filets dérivants.
→ **Drifter.** *Les dériveurs actuels sont en acier; ils mesurent environ 40 mètres.*

◆ **4** Fig. Personne qui «dérive» (4. Dériver, 2.). «*Ces jeunes gens émigrent à Malaga, à Ibiza, ailleurs, un peu partout. (...) D'autres "dériveurs", erraient ainsi en Europe après l'autre guerre, comme Hemingway ou Miller mais c'étaient des individus...*» (Jean Duvignaud, *le Nouvel Obs.,* p. 37, nᵒ 404, 7 août 1972).

DÉRIVOIR [deʀivwaʀ] n. m. — 1771, Trévoux, «instrument d'horloger»; de 2. *dériver,* et *-oir.*
Techn. Outil servant à dériver, à dériveter.

DERM-, DERMO- ; DERMAT-, DERMATO- Élément du grec *derma, dermatos* «peau», servant à former de nombreux mots savants en particulier en médecine. → **Dermalgie, dermatite** et les mots ci-dessous; aussi **-derme.**

DERMALGIE [deʀmalʒi] ou **DERMATALGIE** [deʀmatalʒi] n. f. — 1841, *in* D.D.L. ; de *derm-, dermat-,* et *-algie.*
Méd. Douleur cutanée sans cause apparente.

DERMATITE [deʀmatit] ou **DERMITE** [deʀmit] n. f. — 1823, *dermatite; dermite,* 1838; lat. médical *dermatitis,* grec *derma* et *-itis.* → *-ite.*
Méd. Inflammation de la peau.

DERMATO → **Dermatologie; dermatologue.**

DERMATOGLYPHES [deʀmatɔglif] n. m. pl. — XXᵉ; de *dermato-,* et grec *gluphê* «entaille».
Didact. Sillons des doigts et de la paume des mains, qui donnent les empreintes digitales et palmaires. → **Dactyloscopie.**

Cette méthode, initialement très répandue et qui reçut le nom de *bertillonnage,* a progressivement cédé le pas à la méthode *dactyloscopique* (étude des empreintes digitales, ou dermatoglyphes digitaux) beaucoup plus sûre, que Bertillon utilisa quelque peu, mais dont il n'est pas l'inventeur.
Pierre GRAPIN, l'Anthropologie criminelle, 1973, p. 66.

REM. L'emploi au sing., *le dermatoglyphe* «ensemble des sillons des doigts, de la paume» est rare, mais attesté.

DERMATOGRAPHIE [deʀmatɔgrafi] n. f. — Av. 1924, attestation de *dermatographique; de dermato-,* et *-graphie.*
Méd. (anat.). Étude anatomique de la peau.

DERMATOLOGIE [deʀmatɔlɔʒi] n. f. — 1832; de *dermato-,* et *-logie.*
Méd. Partie de la médecine qui étudie et soigne les maladies de la peau. — Abrév. fam. : *dermato,* n. f. *Un service de dermato.*

DÉR. Dermatologique, dermatologiste ou dermatologue.

DERMATOLOGIQUE [dɛʀmatɔlɔʒik] adj. — 1845, Bescherelle; de *dermatologie*.

Méd. Qui concerne la dermatologie.

DERMATOLOGUE [dɛʀmatɔlɔg] ou **DERMATO-LOGISTE** [dɛʀmatɔlɔʒist] n. — 1838, *dermatologue*, in D.D.L.; 1839, *dermatologiste*, in D.D.L.; de *dermatologie*.

Méd. Spécialiste de la dermatologie. — Abrév. fam. : *un, une dermato,* n. «*Ce que nous baptisons peau, les dermatos, eux, l'appellent épiderme*» (*Cosmopolitan*, n° 119, oct. 1983, p. 122).

DERMATOMYCOSE [dɛʀmatomikoz] n. f. — xxᵉ; de *dermato-*, et *mycose*.

Méd. Infection de la peau causée par des dermatophytes (appelée aussi *dermatophytie*). → **Teigne.**

DERMATOPHYTE [dɛʀmatɔfit] n. m. — 1910; de *dermato-*, et *-phyte*.

Méd. Champignon microscopique parasite de la couche cornée de l'épiderme, des ongles ou des poils (appelé aussi *champignon des teignes*).

DERMATOPLASTIE [dɛʀmatoplasti] n. f. — xxᵉ; de *dermato-*, et *-plastie*.

Méd. Opération réparatrice de la peau (surtout par application de greffes cutanées).

DERMATOPTIQUE [dɛʀmatɔptik] adj. — 1968; de *dermat(o)-*, et *optique*.

Didact. (psychol. animale). Se dit d'une manifestation de sensibilité à la lumière chez des animaux dépourvus d'organe visuel.

DERMATOSE [dɛʀmatoz] n. f. — 1832, in D.D.L.; lat. médical *dermatosis*, du grec *derma, dermatos* «peau», et suff. 2. *-ose*.

Méd. (Assez cour.). Maladie de la peau. *Station thermale où l'on soigne les dermatoses. Dermatose inflammatoire, parasitaire, psychosomatique.*

COMP. **Photodermatose.**

DERMATOTROPE [dɛʀmatotʀɔp] ou **DERMO-TROPE** [dɛʀmotʀɔp] adj. — Mil. xxᵉ, *dermatotrope*; *dermotrope*, 1948; de *dermato-*, *dermo-*, et *-trope*.

Méd. Qui présente une affinité particulière pour la peau. *Médicament dermatotrope,* qui exerce son action spécifiquement sur la peau. *Virus, microbe dermotrope,* qui provoque des lésions cutanées.

On a cherché à opposer deux races différentes de tréponèmes, l'un dermotrope à affinités cutanées électives, l'autre neurotrope à affinités nerveuses électives.

Jean DELAY, Introd. à la médecine psychosomatique, Notes et observations, p. 45 (1961).

DERMATO-VÉNÉROLOGIE [dɛʀmatovenɛʀɔlɔʒi] n. f. → **Vénérologie.**

DERMATOZOAIRE [dɛʀmatɔzɔɛʀ] n. m. — xxᵉ; de *dermato-*, et *-zoaire*.

Méd. Parasite animal qui pénètre dans la peau et y provoque des lésions. *Le sarcopte de la gale est un dermatozoaire.*

DERME [dɛʀm] n. m. — 1611; grec *derma* «peau».

♦ **1** Anat. Couche profonde de la peau*, recouverte par l'épiderme et formée de tissu conjonctif. *Partie profonde du derme.* → **Hypoderme.** *Face superficielle du derme, hérissée de papilles. Derme cutané. Couche réticulaire du derme.*

Le derme est la partie fondamentale de la peau; c'est à lui qu'elle doit sa résistance, son élasticité et aussi sa qualité de membrane sensible, puisque c'est dans le derme que se disséminent les appareils terminaux du tact.

L. TESTUT, Traité d'anatomie humaine, t. III, p. 449. — 1

♦ **2** Cour. (et abusif). Peau, épiderme.

(...) je recommande (...) à tous les peintres qui n'ont jamais pu rendre le teint frelaté d'une Parisienne, le derme extraordinaire de celle-ci, un derme travaillé à la veloutine, mais sans fard.

HUYSMANS, l'Art moderne, 1883, p. 112, in T.L.F. — 2

Il avait gardé ses chaussettes. Nous les lui arrachâmes hier au fond d'un baquet d'eau tiède dans l'espoir de faciliter le décollage — hélas! facile à prévoir — du derme.

BERNANOS, Monsieur Ouine, in Œ. roman., Pl., p. 1367. — 2.1

DÉR. **Dermique.** — V. **Derm-; -derme.**

-DERME, -DERMIE Éléments, du grec *derma* «peau» et servant à tous les coins pour former des mots savants, dans lesquels ils désignent la peau. → **Blastoderme, dermeste, échinoderme, ectoderme, épiderme, hypoderme, malacoderme, mésoderme, mycoderme, pachyderme, taxidermie, xérodermie,** etc.; aussi **derm-** et les mots en **-dermique** (*intradermique, transdermique...*).

DERMESTE [dɛʀmɛst] n. m. — 1775; adapt. du lat. sc. *dermestes* «ver qui ronge la peau ou le cuir», grec *dermêstês*, de *derma* «peau» (→ Derme), et *-estês* «qui mange», de *edein* «manger».

Zool. Insecte coléoptère (*Dermestidés*) dont les larves vivent de matières animales desséchées. *La larve du dermeste se rencontre dans les fourrures, les laines... Le dermeste du lard.*

DÉR. **Dermestidés.**

DERMESTIDÉS [dɛʀmɛstide] n. m. pl. — 1846, Bescherelle; de *dermeste*, et *-idé(s)*.

Zool. Famille d'insectes coléoptères clavicornes, au corps velu et couvert d'écailles colorées. *Principaux types de dermestidés :* anthrène, attagène, dermeste. — Au sing. *Un dermestidé.*

DERMIQUE [dɛʀmik] adj. — 1837, in D.D.L.; de *derme*, et suff. *-ique*.

Anat. Du derme. *Tissu dermique.* — Qui agit sur le derme. *Pommade dermique.*

DERMITE [dɛʀmit] n. f. → **Dermatite.**

DERMO- → **Derm-.**

DERMOGRAMME [dɛʀmɔgʀam] n. m. — xxᵉ; de *dermo-*, et *-gramme*.

Didact. «Étude des empreintes cutanées sur lame» (B. Duperrat, *Précis de dermatologie*). *Pratiquer un dermogramme.*

DERMOGRAPHIE [dɛʀmɔgʀafi] n. f. — 1897, in D.D.L.; de *dermo-*, et *-graphie*.

Méd. Réaction de la peau qui rougit et se tuméfie à l'endroit où l'on exerce un léger frottement avec une pointe émoussée. — REM. On dit aussi *dermographisme*, 1928, in T.L.F.

DÉR. **Dermographique.**

DERMOGRAPHIQUE [dɛʀmɔɡʀafik] adj. — 1898, in *Année sc. et industr.* 1899, p. 44; de *dermographie.*

Méd. De la dermographie. *Crayon dermographique.*

DERMOPHARMACIE [dɛʀmofaʀmasi] n. f. — Mil. xxᵉ; de *dermo-,* et *pharmacie.*

Pharm. Ensemble des cosmétiques et des produits ayant trait à l'hygiène corporelle vendus en pharmacie ou en parapharmacie.

DERMOPUNCTURE ou **DERMOPONCTURE** [dɛʀmo pɔ̃ktyʀ] n. f. — 1974; de *dermo-,* et lat. *punctura* «piqûre». → Acupuncture.

Didact. Méthode thérapeutique dérivée de l'acupuncture*, consistant à utiliser des aiguilles très fines sur les nerfs à fleur de peau.

DERMOTROPE [dɛʀmotʀɔp] adj. → **Dermatotrope.**

DERNIER, IÈRE [dɛʀnje, jɛʀ] adj. et n. — V. 1215, *dernier;* de l'anc. franç. *derrain* refait sur *premier;* du lat. pop. *deretranus,* du lat. class. *deretro.* → 1. Derrière.

I ♦ **1** Adj. (V. 1215). (En épithète, avant le nom). Qui vient après tous les autres, après lequel il n'y en a pas d'autre. *Décembre est le douzième et dernier mois de l'année. Dernière semaine de représentation. Dernier train, dernière édition* (de la journée). *Le dernier en date. — Être à sa dernière heure*; rendre le dernier soupir. Ce sont ses dernières volontés. Conduisez-le à sa dernière demeure*. Les derniers jours de Pompéi. —* Loc. (Exceptionnellement, après le nom). *Le jugement* dernier. — Faire une chose pour la dernière fois. C'est son dernier chef-d'œuvre, son chant du cygne. Ce n'est pas la première fois et ce ne sera pas la dernière. — Lire un livre jusqu'à la dernière page. Les trois derniers chapitres. Mot accentué sur la dernière syllabe. Dernière partie d'un tout, d'une action.* → **Final.** *Dernière levée d'un jeu de cartes qui donne droit à 10 points* (→ **fam.** *Dix de der*). *— Dépenser jusqu'à son dernier sou. — Dernière ressource, dernier moyen, dernière extrémité.* → **Extrême, ultime.** *Dernière chance, dernière carte, dernier atout. Dernières conditions que propose un gouvernement avant d'ouvrir les hostilités.* → **Ultimatum.** *— Lancer un dernier appel. Faire un dernier effort.* → **Suprême.** *Mettre la dernière main* à un travail. — Avoir le dernier mot*. Frapper le dernier coup.* → **Décisif, définitif.** *— En dernière analyse, en dernier ressort; en dernier lieu.* → **Ultimo.** *À la dernière minute : juste avant la fin. Décision de dernière heure.*

1 La dernière chose qu'on trouve en faisant un ouvrage, est de savoir celle qu'il faut mettre la première.
   PASCAL, *Pensées,* I, 19.

2 Les derniers moments de la vie sont trop précieux pour qu'il soit permis d'en abuser.
   ROUSSEAU, *Julie ou la Nouvelle Héloïse,* VI, lettre XI.

3 Voltaire a enterré le poème épique, le conte, le petit vers, la tragédie. Diderot a inauguré le roman moderne, le drame et la critique d'art. L'un est le dernier esprit de l'ancienne France, l'autre est le premier génie de la France nouvelle.
   Ed. et J. DE GONCOURT, *Journal,* 11 avr. 1858.

4 Valéry s'indignant qu'on attachât plus d'importance aux derniers instants d'une vie qu'à tout le reste (...)
   GIDE, *Journal,* 3 sept. 1948.

5 Il montait dans sa chambre, la dernière bouchée avalée.
   F. MAURIAC, *le Nœud de vipères,* p. 93.

5.1 Tout partenaire d'une scène rêve d'avoir le dernier mot. Parler en dernier, «conclure», c'est donner un destin à tout ce qui s'est dit, c'est maîtriser, posséder, dispenser, asséner le sens; dans l'espace de la parole, celui qui vient en dernier occupe une place souveraine, tenue, selon un privilège

réglé, par les professeurs, les présidents, les juges, les confesseurs.
   R. BARTHES, *Fragments d'un discours amoureux,*
   p. 247.

Qu'est-ce qu'un héros? Celui qui a la dernière réplique.   5.2
   R. BARTHES, *Fragments d'un discours amoureux,*
   p. 248.

Dernière édition. — N. f. :

(...) le type brandissait des journaux en murmurant :   6
«*Paris-soir,* dernière. Il m'en reste deux, achetez-les.»
   SARTRE, *le Sursis,* p. 9.

(Attribut). *Il est dernier. Il est arrivé bon dernier; elle est arrivée bonne dernière. —* Spécialt. *Être dernier en classe.* → ci-dessous, *le dernier.*

Il y avait surtout le fils d'un entrepreneur forain (...) un   6.1
butor de formes athlétiques (...) qui mettait son orgueil à
rester dernier de la classe (...)
   GIDE, *Si le grain ne meurt,* I, IV, p. 113.

Abstrait. *C'est la dernière pensée qui me serait venue à l'esprit. C'est bien la dernière personne que j'aurais choisie.*

Votre Clitandre (...) est le dernier des hommes pour qui   6.2
j'aurais de l'amitié.   MOLIÈRE, *le Misanthrope,* V, 4.

♦ **2** Nominal. (Personnes). *Marcher le dernier* (→ Clore, fermer la marche*); *c'est le dernier de la file.* → **Bout** (au bout), **derrière, lambin, queue** (être à la queue), **traînard.** *Il est parmi les cinq derniers. Le dernier arrivé, venu. Les premiers seront les derniers* (allusion biblique). — Prov. *Aux derniers les bons :* ceux qui se servent après les autres sont les mieux servis. *— Le dernier des souverains absolus. Le dernier des classiques. Le Dernier des Mohicans,* roman de F. Cooper.

(...) Ainsi les derniers seront premiers, et les premiers der-   7
niers.
   BIBLE (CRAMPON), *Évangile selon saint Matthieu,*
   XX, 16.

Mais ce champ ne se peut tellement moissonner   8
Que les derniers venus n'y trouvent à glaner.
   LA FONTAINE, *Fables,* III, 1.

Qui de nous des clartés de la voûte azurée   9
Doit jouir le dernier?   LA FONTAINE, *Fables,* XX, 8.

Être le dernier de la classe, le dernier du classement : celui auquel on a décerné la dernière place, selon le mérite. → **Culot, lanterne** (fam. lanterne rouge), **queue.** — Absolt. *Il est toujours le dernier* (→ **Cancre**). *Place de dernier.*

Le proviseur avait un sourire ironique mais cordial et   10
inconsciemment respectueux pour ce gros garçon qui se
mouvait à travers l'année d'une place de dernier à l'autre,
sans perfectionnement, sans erreur, sans hésitation, avec
l'invariabilité brute d'une loi de la nature.
   PROUST, *Jean Santeuil,* Pl., p. 259-260.

(1615, in D. D. L.). Spécialt. *Le dernier, le petit dernier :* le dernier-né* des enfants. *C'est votre petit dernier?* — (Choses). *Le dernier des, la dernière des...*

Une guerre est toujours la dernière des guerres.   11
   GIRAUDOUX, *Amphitryon 38,* I, 3.

♦ **3** Loc. adv. **EN DERNIER** : à la fin, après tous les autres. *Nous nous occuperons de lui en dernier. Cela vient en dernier.*

II (1559). Par exagér. Extrême. ♦ **1** Le plus haut, le plus grand (dans des loc. plus ou moins archaïques ou littéraires). *Au dernier point, au dernier degré. C'est de la dernière impolitesse. Protester avec la dernière énergie. Derniers outrages*.* — Vx ou littér. *Être du dernier bien avec qqn,* très intime, très lié. Var. *Du dernier mieux* (→ ci-dessous, cit. 15.1). — REM. Le superlatif *dernier* a été très employé au XVIIᵉ s. par les Précieuses.

Ah ! mon Dieu ! voilà qui est poussé dans le dernier galant.   12
   MOLIÈRE, *les Précieuses ridicules,* 9.

On dit qu'avec Bélise il est du dernier bien.   13
   MOLIÈRE, *le Misanthrope,* II, 4.

14 Se permettre une réflexion pareille devant une femme «tout à fait du monde» était peut-être du dernier goujat.
J. ROMAINS, les Hommes de bonne volonté, t. V, XXVI, p. 270.

15 Partisans d'une autorité persuasive, ils préconisent leur façon de voir avec la dernière violence.
G. DUHAMEL, Récits des temps de guerre, t. II, VI, p. 27.

15.1 Au nord de la Perse, et chez les peuplades du Caboul, qui vivent dans de très anciens tombeaux, si, ayant reçu, dans quelque sépulcre confortable, un accueil hospitalier et cordial, vous n'êtes pas, au bout de vingt-quatre heures, du dernier mieux avec toute la progéniture de votre hôte, guèbre, parsi ou wahabite, il y a lieu d'espérer qu'on vous arrachera tout bonnement la tête.
VILLIERS DE L'ISLE-ADAM, Contes cruels, p. 10.

Nominal (avec un subst. dépréciatif). *C'est le dernier des imbéciles*, le plus grand des imbéciles (→ aussi ci-dessous, *le dernier des derniers*). → Roi (le roi des imbéciles).

♦ 2 Le plus bas, le pire. *Une marchandise de dernière qualité, de dernier choix, de dernier ordre. Dernier prix d'un objet qui en a plusieurs selon les qualités. C'est bien le dernier de mes soucis.*
→ Moindre.

Nominal. *Le dernier des hommes* : l'homme le plus méprisable. → Vil. — (1768, *in* D. D. L.). *Le dernier des derniers.*

15.2 Toutes, des femmes que je ne voudrais pas toucher du bout des doigts, de la canaille, de la saloperie! Cette Normande est la dernière des dernières (...)
ZOLA, le Ventre de Paris, t. I, p. 184.

16 (...) on la traite comme la dernière des dernières.
J. RENARD, Poil de Carotte, p. 17.

16.1 J'étais à peine sur la chaussée que, de la foule qui commençait à s'assembler, un homme sortit, se précipita sur moi, vint m'assurer que j'étais le dernier des derniers et qu'il ne me permettrait pas de frapper un homme qui avait une motocyclette entre les jambes et s'en trouvait, par conséquent, désavantagé.
CAMUS, la Chute, p. 62-63.

♦ 3 N. m. Régional (Belgique). Fam. *Le dernier de tout* : le comble, la fin de tout.

III (XVᵉ). Qui est le plus proche du moment présent (dans le temps). *Ces derniers temps. L'an dernier, l'année dernière, mercredi dernier.* → Passé. *Nouvelles de la dernière heure. Aux dernières nouvelles on apprenait que...* → Récent. *Le dernier cours de la bourse. La dernière guerre. S'habiller selon la dernière mode; c'est le dernier cri* (1892). — *C'est son dernier enfant.* — (Nominal). *Jean est son dernier; son petit dernier.* — *Oui, répondit ce dernier,* celui dont on vient de parler.

17 L'Attila, le fléau des rats,
Rendait ces derniers misérables.
LA FONTAINE, Fables, III, 18.

18 (...) toutes les dernières *créations* de vos grands couturiers (...)
LOTI, les Désenchantées, II, IV, p. 57.

19 Bien que son esprit n'ait pas des antennes très sensibles, elle a perçu, dans ces derniers mots, une intention à son adresse (...)
MARTIN DU GARD, les Thibault, t. III, p. 168.

20 Une journaliste m'a donné en exemple une femme de mon âge, toujours prête à inaugurer le bistrot, la boîte de nuit, la maison de couture dernier cri (...)
S. DE BEAUVOIR, Tout compte fait, p. 133.

CONTR. **Initial, premier.** — **Futur, prochain.** ◊ DÉR. **Dernièrement.** — COMP. **Avant-dernier. Dernier-né.**

DERNIÈREMENT [dɛrnjɛrmɑ̃] adv. — 1294; de *dernier*, III.

♦ 1 Vx. En dernier lieu. → Enfin. *Premièrement, deuxièmement..., dernièrement.*

♦ 2 Depuis peu de temps, ces derniers temps.
→ Récemment. *Il est venu nous voir tout dernièrement. Dernièrement, il s'est passé quelque chose d'important.*

DERNIER-NÉ [dɛrnjene], **DERNIÈRE-NÉE** [dɛrnjɛrne] n. — 1691; de *dernier,* et *né.*
Enfant qui, dans une famille, est né le dernier (opposé à *aîné*). → Benjamin, dernier. *Celui-ci est notre dernier-né. Les derniers-nés sont parfois plus choyés que leurs frères et sœurs.*

(...) Poil de Carotte, va fermer les poules!
Elle amène ce petit nom d'amour à son dernier-né, parce qu'il a les cheveux roux et la peau tachée.
J. RENARD, Poil de Carotte, Les poules.

(1694). Choses. Le plus récent; le dernier modèle. *La dernière-née des voitures de cette gamme. Le dernier-né des bars de la ville.*

DERNY [dɛrni] n. m. — 1938, *in* Petiot; du nom de l'inventeur.
Cyclomoteur qui entraîne les coureurs cyclistes, dans certaines courses. *Course derrière derny, dernys.*

DÉROBADE [derɔbad] n. f. — 1889, *in* D. D. L.; *à la dérobade*, 1549; de *dérober.*

♦ 1 (1880, *in* Petiot). Équit. Action de se dérober (en parlant d'un cheval).

♦ 2 (1905). Cour. Action, fait de s'échapper, de fuir, de reculer devant une obligation, un engagement.
→ Démission, échappatoire, faux-fuyant, pirouette (fam.), reculade.

Devant ces dérobades concertées, il dut se résigner à 1
choisir des parlementaires peu connus pour la plupart.
Georges LECOMTE, Ma traversée, p. 41.

(...) il voulait que j'intercède auprès de Flory, juge; heu- 2
reusement Marcel Drouin, que j'allai consulter, le matin
même, sur l'opportunité d'une telle démarche, m'en fit
sentir l'incorrection — et je la sentais bien de moi-même;
mais rien ne m'est plus difficile qu'un geste qui peut
paraître une dérobade; c'est pourquoi je me crus tenu
d'aller au Palais!
GIDE, Journal, 6 janv. 1911.

DÉROBÉ, ÉE [derɔbe] adj. → **Dérober,** p. p.

DÉROBÉE (À LA) [aladerɔbe] loc. adv. → **Dérober,** p. p. (cit. 30 à 32 et *supra*).

DÉROBEMENT [derɔbmɑ̃] n. m. — V. 1200, «larcin, pillage»; de *dérober.*

I ♦ 1 Méd. Action de se dérober. *Dérobement des jambes.* — Mar. *Dérobement d'un sous-marin,* son immersion par plongée.

♦ 2 → **Dérobade** (2.).
Ce dérobement perpétuel rend témoignage à Dieu, à peu près comme les détours de l'animal poursuivi révèlent la présence du chasseur qu'on ne voit point.
BERNANOS, l'Imposture, *in* Œ. Roman., Pl., p. 443.

II (Mil. XVIIᵉ). Techn. Taille de la pierre, faite en rapportant directement l'épure sur cette pierre.

DÉROBER [derɔbe] v. tr. — V. 1165, *desrober;* de 2. *dé-,* et de l'anc. franç. *rober,* francique *raubôn,* all. *rauben,* «dépouiller».

♦ 1 (V. 1365). Littér. S'emparer furtivement de (ce qui appartient à autrui). → Agripper (argot), attraper, barboter (fam.), chaparder, chiper, choper (fam.), dépouiller (vx), détourner, distraire, emparer (s'emparer de), emprunter (iron.), enlever, escamoter, escroquer, étouffer (fam.), faire (fam.), faucher (fam.), friponner (vx), **gripper** (vx), **marauder, picorer, piller, piquer** (fam.), **prendre** (furtivement), **rafler** (fam.), **refaire** (fam.), **soustraire, subtiliser, voler** ; **larcin** (faire un larcin). *Dérober un portefeuille, une montre, un bijou, un vêtement à qqn. On lui a dérobé un livre* (→ Adresse, cit. 13 ; côté, cit. 30). *Dérober subrepticement de l'argent à un naïf. Dérober une affaire, un marché à quelqu'un.* → **Souffler.**

1   On ne méprise pas un voleur qui dérobe pour satisfaire sa faim, quand il n'a rien à manger (...)
        BIBLE (CRAMPON), Proverbes, VI, 30.

2   Au voleur ! au voleur ! à l'assassin ! au meurtrier ! Justice, juste Ciel ! je suis perdu, je suis assassiné, on m'a coupé la gorge, on m'a dérobé mon argent.
        MOLIÈRE, L'Avare, IV, 7.

Absolument :

3   Elle donnait comme on dérobe,
     En se cachant aux yeux de tous.
        HUGO, les Contemplations, IV, VI.

♦ **2** Fig. Obtenir (qqch.) par des moyens peu honnêtes. → **Extorquer, prendre.** *Dérober un secret.* → **Surprendre.** *Dérober à qqn le mérite qui lui est dû.* → **Enlever.** *Dérober un baiser :* embrasser qqn par surprise. → **Prendre, voler.**

4   Chaque fois que je suis tenté de vous dérober la moindre caresse (...)
        ROUSSEAU, Julie ou la Nouvelle Héloïse, I, lettre X.

Dérober les idées, la pensée, les écrits d'un auteur. → **Approprier** (s'), **copier, emprunter, imiter, plagier.** — *Dérober quelques heures, quelques instants à ses affaires, à son travail, pour faire autre chose.* → **Distraire, prendre.**

5   Quoi ? pour vous confier la douleur qui m'accable,
     À peine je dérobe un moment favorable (...)
        RACINE, Britannicus, II, 6.

♦ **3** (Sujet n. de choses). Cacher, empêcher de voir, masquer à la vue (de qqn). → **Cacher** (cit. 20), **dissimuler, masquer, voiler.** *Un rideau d'arbres lui dérobait le paysage. Les nuages dérobent les sommets enneigés.*

6   (...) mais ensuite une noire tempête déroba le ciel à nos yeux, et nous fûmes enveloppés dans une profonde nuit.
        FÉNELON, Télémaque, I.

7   (...) il (le château) était situé au pied d'une montagne, au milieu d'un bois dont les arbres élevés le dérobaient à notre vue.   A. R. LESAGE, Gil Blas, XII, XIII.

8   Ce geste simple et naturel (de la Vénus de Syracuse), plein de pudeur et d'impudicité, qui cache et montre, voile et révèle, attire et dérobe, semble définir toute l'attitude de la femme sur la terre.
        MAUPASSANT, la Vie errante, p. 122.

Figuré :

9   C'est un peu simpliste. Encore faut-il reconnaître que le plus grand danger des idées c'est de nous dérober souvent le spectacle des réalités, de nous en retirer le sens.
        G. DUHAMEL, Défense des lettres, III, p. 252.

Milit. *Dérober sa marche* (en parlant d'une armée, d'une troupe) : progresser sans que l'ennemi s'en aperçoive. — **Fam.** (Sujet n. de personne). Partir dans une direction après avoir laissé croire qu'on allait en emprunter une autre. — **Fig.** Dissimuler les moyens que l'on utilise pour parvenir à ses fins (→ Donner le change*).

♦ **4** Littér. Cacher ou éloigner de qqn. → **Enlever, ôter, retirer, soustraire.** *Dérober un criminel à la justice* (→ Bras, cit. 31). — **Figuré :**

10   (...) l'avantage d'être rencontrée la première ne doit point dérober aux autres les justes prétentions qu'elles ont toutes sur nos cœurs.   MOLIÈRE, Dom Juan, I, 2.

11   Son regard rencontre rarement le mien, que je dérobe.
        COLETTE, la Vagabonde, II, p. 89.

12   Elle voulut m'embrasser, mais je dérobai mon front et allai m'asseoir à l'écart, loin de la lampe.
        F. MAURIAC, la Pharisienne, XII, p. 195.

◆ **SE DÉROBER** v. pron.

♦ **1** (XVIe). *Se dérober à :* éviter d'être vu, pris par (qqn). → **Échapper, soustraire** (se). *Se dérober à, devant un visiteur importun.* → **Éclipser** (s'), **esquiver** (s'), **fuir, sauver** (se). *Se dérober à ses créanciers. Se dérober aux regards.* → **Cacher** (se), **dissimuler** (se), **échapper** (à la vue), **réfugier** (se), **retirer** (se) ; **invisible** (être invisible). *Se dérober aux coups d'un adversaire.* → **Éviter.**

13   (...) pour me dérober à de semblables coups (...)
        MOLIÈRE, Mélicerte, I, 5.

14   Elle exige qu'au lieu de se dérober à la police, il aille à sa rencontre, qu'il aille «se jeter à sa tête».
        J. ROMAINS, les Hommes de bonne volonté, t. II, XII, p. 130.

Fig. *Se dérober à son devoir, à ses obligations, à son travail...* → **Manquer** (à). *Homme lâche qui se dérobe à ses engagements, à ses devoirs. Se dérober à la discussion.* → **Éluder, esquiver, éviter, fuir, reculer** (→ fam. Prendre la tangente*).

15   Je demandais à M (...) pourquoi, en se condamnant à l'obscurité, il se dérobait au bien qu'on pouvait lui faire. «Les hommes, me dit-il, ne peuvent rien faire pour moi qui vaille leur oubli».
        CHAMFORT, Caractères et Anecdotes, Oubli des hommes.

16   Mais je me dérobe au travail, commence à la fois six livres, ne sachant derrière quoi me cacher, pour ne répondre pas encore à l'exigence (...)   GIDE, Journal, mars 1916.

17   Elle avait compris la question et ne s'y dérobait pas ; elle semblait même prendre un sauvage plaisir à surmonter toute réticence.
        MARTIN DU GARD, les Thibault, t. I, p. 246.

Absolt. Éviter de répondre, de réagir, d'agir ; être insaisissable (personnes ou choses).

18   (...) plus le Conseil de la Commune se dérobe, plus les hommes d'action le pressent.
        JAURÈS, Hist. socialiste..., t. VII, p. 486.

19   Les plus grands penseurs, depuis Aristote, se sont attaqués à ce petit problème (le rire) qui toujours se dérobe sous l'effort, glisse, s'échappe, se redresse, impertinent défi jeté à la spéculation philosophique.
        H. BERGSON, le Rire, I, p. 1.

20   Elle ne se dérobait pas lorsque je faisais allusion aux événements passés (...)
        F. MAURIAC, la Pharisienne, XVI, p. 262.

♦ **2** Sans compl. → **ⓐ** S'éloigner, s'écarter de qqn. → **Dégager** (se), **refuser** (se), **retirer** (se). — Absolt. (Sujet n. de personnes).

21   Il souleva les plis de la cape, et lui prit le bras comme jadis. Elle ne se dérobait pas, ne marquait aucun refus, aucun recul, mais ne parvenait pas à s'abandonner.
        J. ROMAINS, les Hommes de bonne volonté, t. IV, XXI, p. 221.

(Sujet nom de chose).

22   (Il) lui prenait doucement la main qui ne se dérobait pas et se réchauffait vite.
        J. ROMAINS, les Hommes de bonne volonté, t. V, XXVI, p. 267.

ⓑ (1677). **SE DÉROBER SOUS...** : ne pas offrir un appui ferme à, faillir à résister à (une poussée, une force d'enfoncement). → **Manquer.** *Le sol se dérobe sous ses pas.*

23   Tantôt nous montions sur le dos des vagues enflées ; tantôt la mer semblait se dérober sous le navire et nous précipiter dans l'abîme.   FÉNELON, Télémaque, IV.

24   (Elle) croyait sentir les tapis, le parquet se dérober sous ses genoux (...)   LOTI, les Désenchantées, III, X, p. 88.

Ses genoux se dérobèrent sous elle, en parlant d'une personne en proie à une forte émotion. → **Faiblir.**

25   (...) je sentais que mes pieds ne pouvaient se mouvoir, que mes genoux se dérobaient sous moi (...)
        FÉNELON, Télémaque, IV.

26   Julien avait raison de s'applaudir de son courage : jamais il ne s'était imposé une contrainte plus pénible. En ouvrant

sa porte, il était tellement tremblant que ses genoux se dérobaient sous lui, et il fut forcé de s'appuyer contre le mur.　　STENDHAL, le Rouge et le Noir, I, XV, p. 85.

C (Le sujet désigne un cheval). **Manège.** Faire un écart pour éviter l'obstacle à franchir. *Se dérober, se dérober devant l'obstacle. — Se dérober sous, dessous son cavalier :* essayer de s'échapper de dessous le cavalier.

◆ **DÉROBÉ, ÉE** p. p. adj.

◆ **1** Pris, volé. *Receler des objets dérobés.* — Fig. *Secret dérobé.*

27　　(...) se parer (...) d'un titre dérobé, se vouloir donner pour ce qu'on n'est pas.
　　　　　　MOLIÈRE, le Bourgeois gentilhomme, III, 12.

28　　(...) une copie dérobée de ma pièce (...)
　　　　　　MOLIÈRE, les Précieuses ridicules, Préface.

◆ **2** (1603). *Escalier dérobé, porte dérobée,* qui permet de sortir d'une maison ou d'y entrer sans être vu. → **Secret.** *S'enfuir par une porte dérobée.*

29　　(...) simple grand seigneur, qui tous les jours se sauve
Par un escalier dérobé.　　LA FONTAINE, Fables, XII, 7.

◆ **3** (1864). **Agric.** *Culture dérobée :* culture de quelques semaines pratiquée dans l'intervalle des cultures principales.

◆ **4** N. f. *La dérobée,* danse populaire bretonne (Côtes-du-Nord).

◆ **5** Loc. adv. **À LA DÉROBÉE.** → **Cachette** (en), **catimini** (en), **furtivement, secrètement, sournoisement, subrepticement, tapinois** (en). (Cf. argot En douce). *Faire qqch. à la dérobée. Regarder qqn à la dérobée* (opposé à *en face*).

30　　Qu'ils étaient charmants, ces regards inquiets et curieux qui se portaient sur nous à la dérobée et se baissaient aussitôt pour éviter les miens !
　　　　　　ROUSSEAU, Julie ou la Nouvelle Héloïse, I, lettre XXXIV.

31　　Un soir, à table, je m'avisai de mettre à la dérobée une pincée de poivre sur la part de tarte à la crème réservée à la vieille Mélanie qui raffolait de sucreries.
　　　　　　FRANCE, le Petit Pierre, XVII, p. 107.

32　　D'ailleurs, Mionnet, loin de chercher l'occasion de regarder les gens à la dérobée, les considérait le plus souvent bien en face.
　　　　　　J. ROMAINS, les Hommes de bonne volonté, t. III, XI, p. 154.

CONTR. Rendre, respecter (le bien d'autrui), **restituer. — Montrer, voir** (faire voir, laisser voir). **— Livrer. — Affronter, faire.** ◊ **DÉR. Dérobade, dérobement, dérobeur.**

DÉROBEUR, EUSE [deʀɔbœʀ, øz] adj. — XXᵉ; nom, XIIIᵉ; de *dérober.*

Vieux ou rare.

◆ **1** Qui dérobe. → **Voleur.**

◆ **2** Qui se dérobe (2., c.). *Cheval dérobeur.*

1. DÉROCHAGE [deʀɔʃaʒ] n. m. — 1838; de 2. *dérocher.*

Techn. Action de dérocher un métal.

HOM. 2. Dérochage.

2. DÉROCHAGE [deʀɔʃaʒ] n. m. — 1934, *in* Petiot; de 1. *dérocher.*

Alpin. Fait de lâcher prise et de tomber (au cours de l'escalade d'une paroi rocheuse). → **Dévissage.**

HOM. 1. Dérochage.

DÉROCHEMENT [deʀɔʃmã] n. m. — 1890; *desrochement* «démolition», 1472; de 1. *dérocher.*

Techn. Action de dérocher le lit d'une rivière, un terrain; résultat de cette action.

1. DÉROCHER [deʀɔʃe] v. — XIIᵉ, *desrochier;* de *dé-,* indiquant l'éloignement, le mouvement de haut en bas (lat. *de-*), et *roche.*

I V. intr. (V. 1180; repris déb. XXᵉ). **Alpin.** et régional (Suisse). Lâcher prise et tomber d'une paroi rocheuse, tomber dans les rochers. → **Dévisser** (cit. 2, 3). Syn. : *se dérocher* (ci-dessous).

À toute vitesse, ils ont décampé, on a cru qu'ils allaient　1
dérocher dans les contours !
　　　　　　Corinna BILLE, le Sabot de Vénus, p. 59.

II V. tr. (1671; de 1. *dé-*). **Techn.** Dégager (un chenal, le lit d'une rivière, un terrain) des rochers qui encombrent. → **Dérochement, dérocheuse.**

◆ **SE DÉROCHER** v. pron. (même sens que dérocher, I.).

(...) il dégagerait la corde au risque de se dérocher, ensuite　2
il tâcherait de ramener le client.
　　　　　　R. FRISON-ROCHE, Premier de cordée, p. 65.

DÉR. 2. **Dérochage, dérochement, dérocheuse.** ◊ **HOM.** 2. **Dérocher.**

2. DÉROCHER [deʀɔʃe] v. tr. — 1671; de 2. *dé-,* et 2. *rocher.*

Techn. Nettoyer (la surface d'un métal) des corps gras, des oxydes. → **Décaper;** *dérochage. Dérocher un métal, un objet au moyen de borax, d'acide sulfurique.*

DÉR. 1. **Dérochage.** ◊ **HOM.** 1. **Dérocher.**

DÉROCHEUSE [deʀɔʃøz] n. f. — 1889, *in Année sc. et industr.* 1890, p. 152; de 1. *dérocher.*

Techn. Appareil servant à dérocher (1. Dérocher, II.) un chenal.

DÉROCTAGE [deʀɔktaʒ] n. m. — 1960; de 2. *dé-,* et rad. bas lat. *rocc-* «pierre», d'après le franç. régional *rocter* «dégrossir une pierre en en ébauchant la taille», de *roc.*

Techn. Action de briser de gros blocs de pierre (syn. : *préconcassement*). *Déroctage sous-marin.*

DÉRODER [deʀɔde] v. tr. — 1870; de 2. *dé-,* et du lat. *rodere* «ronger».

Arbor. Éclaircir (une forêt) en abattant les arbres qui dépérissent, et en retirant les souches. *Déroder une coupe.*

DÉROGATION [deʀɔɡasjɔ̃] n. f. — XIIᵉ-XIIIᵉ, *derogacion;* lat. *derogatio,* du supin de *derogare.* → **Déroger.**

Action de déroger (à une loi, à une convention, à une règle). *La dérogation à une loi. Par dérogation aux dispositions prises.* — Plus cour. *(Une, des dérogations).* → **Infraction, violation.** *La nouvelle loi constitue une dérogation à l'ancienne.* → **Modification;** et aussi **abrogation, suppression.** *Cet article renferme une dérogation au principe général.* → **Exception.** *Une grave dérogation aux lois, à la morale.* → **Crime, délit, faute.** *Dérogation aux conventions, aux usages.* → **Atteinte, entorse.**

Il arrive que le législateur formule une règle générale sans　1
prévoir les cas exceptionnels qui doivent rester en dehors de la règle. Alors quoique la loi tienne sa portée absolue, on pourra lui faire subir des dérogations.
　　　　　　M. PLANIOL, Traité élémentaire de droit civil, t. I, p. 96 (12ᵉ éd.).

On voit tout d'abord les graves conséquences que la déro-　2
gation aux lois d'hérédité commise par la Révolution de Juillet fit peser sur la dynastie qui sortit de cette révolution.
　　　　　　RENAN, Questions contemporaines, Œ., t. I, p. 50.

CONTR. Conformité, observance, observation.

DÉROGATOIRE [deʀɔgatwaʀ] adj. — 1341; lat. *dero-gatorius*, de *derogatum*, supin de *derogare*. → Déroger.

Dr. Qui contient, qui constitue une dérogation. → **Contraire**. *Acte dérogatoire, clause dérogatoire au droit commun.*

CONTR. Conforme.

DÉROGEANCE [deʀɔʒɑ̃s] n. f. — 1460, «action de déroger» (à une loi); de *déroger*.

(1666). Ancient. Action qui faisait perdre la qualité de noble; son résultat. → **Déroger**, 2.

REM. On rencontre aussi l'adj. *dérogeant, ante* (Chateaubriand, *in* T. L. F.).

DÉROGER [deʀɔʒe] v. tr. ind. [CONJUG.: *bouger*.] — 1370 *desroguer;* du lat. class. *derogare*, de *de-*, et *rogare*.

♦ **1** Dr. **DÉROGER À** : manquer à (l'observation d'une loi, l'application d'une règle, d'une convention). → **Contrevenir, écarter** (s'), **transgresser, violer.** *Déroger à la loi.* → **Enfreindre.** *Il a dérogé au contrat, à l'entente.* → **Rompre.** *Déroger aux droits de quelqu'un.*

1   (...) une loi de Solon, à laquelle on avait un peu dérogé (...)
    LA BRUYÈRE, les Caractères de Théophraste,
    «Du grand parleur», note.

2   On ne peut déroger, par des conventions particulières, aux
  lois qui intéressent l'ordre public et les bonnes mœurs.
    Code civil, art. 6.

Par ext. Vieilli. Porter atteinte, ne pas se conformer à... → **Attenter.** *Déroger aux usages.* → **Dérogation.**

3   (...) des actes conventionnels, qui sortent de l'état de nature
  et dérogent à la liberté.   ROUSSEAU, Émile, II.

♦ **2** Ancienn. *Déroger à noblesse*, et, absolt, *déroger* : perdre les privilèges de la noblesse par l'exercice d'une profession incompatible avec elle. → **Dérogeance.** *Le métier de verrier ne dérogeait point à noblesse.*

4   Se faire réhabiliter suppose qu'un homme devenu riche,
  originairement est noble, (...) qu'à la vérité son père a pu
  déroger ou par la charrue, ou par la houe, ou par la malle,
  ou par les livrées (...)
    LA BRUYÈRE, les Caractères, XIV, 3.

♦ **3** Faire une chose indigne de la position, du rang social que l'on occupe; s'écarter de ce à quoi oblige l'honneur, la dignité... *Déroger à son rang, à sa naissance, à ses convictions, à ses principes.* → **Manquer.** *Déroger à l'honneur par une bassesse.*

Vx. *Déroger de...*

4.1   Très aimée, pour mon malheur, sans jamais pour cela
  déroger de mes principes, je vous prie de le croire.
    Henri MONNIER, Scènes populaires,
    La victime du corridor, sc. 7, t. I, p. 269.

Absolt. → **Abaisser** (s'), **condescendre, déchoir.** *Il croirait déroger en faisant ce métier. Sans déroger.*

5   Il n'y avait plus entre nous d'égalité malgré la naissance;
  c'était déroger que de me fréquenter.
    ROUSSEAU, les Confessions, I.

6   (...) elle savait très bien voir les *petites gens* sans déroger.
    CHATEAUBRIAND, Mémoires d'outre-tombe, t. II,
    p. 337.

CONTR. Conformer (se conformer à), **obéir** (à), **observer, respecter, suivre. — Élever** (s'); **garder, tenir** (son rang). ◊ **DÉR. Dérogeance.**

DÉROMPRE [deʀɔ̃pʀ] v. tr. [CONJUG.: *rompre*.] — V. 1050; de 2. *dé-*, et *rompre*.

Vieux ou technique.

♦ **1** Vx et techn. (fauconn.). Attaquer en jetant à terre violemment (la proie), en parlant de l'oiseau chasseur.

♦ **2** Agric. Défoncer le sol de...

♦ **3** Techn. Traiter (une étoffe) en enlevant une partie de l'apprêt.

DÉROQUER [deʀɔke] v. tr. — 1873; forme normanno-picarde de *dérocher**.

Régional. Défricher (un terrain).

Autour de nous tout se pulvérisait (...) nous n'échapperions pas aux milliers de socs qui «déroquaient» l'espace où nous nous tenions (...)
    Paul VIALAR, La mort est un commencement,
    «Les morts vivants», 1947, p. 328, in T. L. F.

DÉROUGIR [deʀuʒiʀ] v. tr. et intr. [CONJUG.: *rougir*.] — Déb. XIIIᵉ, *desrougir*, intrans.; 1718, trans.; de 1. *dé-*, et *rougir*.

♦ **1** Faire perdre ou perdre la couleur rouge (sujet n. de personne ou de chose). — Au participe passé : (...) la salle qui leur est réservée, morne et nue, aux carreaux dérougis s'éclairant mal sur une étroite ruelle.
    Alphonse DAUDET, l'Immortel, p. 360.

♦ **2** Fig. et régional (Canada). *Ça ne dérougit pas !*, s'emploie au Canada au plus fort des périodes de pointe qui se prolongent au travail, dans le commerce, le tourisme, etc.

CONTR. Rougir.

DÉROUILLAGE [deʀujaʒ] ou **DÉROUILLE-MENT** [deʀuj mɑ̃] n. m. — 1875, *dérouillage; dérouillement*, XVIᵉ; de *dérouiller*.

♦ **1** (1636). Action de dérouiller.

♦ **2** Fig., fam. Action de se dégourdir physiquement ou intellectuellement.

♦ **3** Fam. Volée de coups. → **Dérouillée.**

CONTR. Rouillage.

DÉROUILLÉE [deʀuje] n. f. — 1926; de *dérouiller*, I., 3. et II.

Très fam. Action de «dérouiller», de battre ou d'être battu. Volée de coups. → **Coup, volée.** *Prendre, recevoir une dérouillée, la dérouillée.* — Fig. → **Défaite.** —

REM. On dit aussi *dérouille* (1934).

1   Tu le sais, toi, que l'armée française a pris la dérouillée ?
  demanda Pinette en bégayant de colère. Tes dans les confidences de Weygand ?
    SARTRE, la Mort dans l'âme, p. 48.

2   L'irascible personnage, exaspéré sans doute par la mauvaise volonté, devenue évidente, de son moteur, m'informa
  que si je désirais ce qu'il appelait une dérouillée, il me l'offrirait de grand cœur.   CAMUS, la Chute, p. 62.

3   Si tu trouves que ce Vierron ne mérite pas une dérouillée,
  après ce que Jean-Pierre nous a raconté l'autre jour !
    Jean-Louis CURTIS, le Roseau pensant, p. 315.

DÉROUILLEMENT [deʀujmɑ̃] n. m. → **Dérouillage.**

DÉROUILLER [deʀuje] v. — 1195, *desroïllier* «perdre sa rouille»; de 1. *dé-*, et *rouiller*.

Ⅰ V. tr. ♦ **1** Rare. Débarrasser (qqch.) de la rouille. *Dérouiller un canon de fusil. Dérouiller et polir une plaque de métal.*

♦ **2** (1616). Fig. et fam. Cour. Rendre plus actif, plus vif (le corps, l'esprit, une faculté physique ou intellectuelle). → **Dégourdir.** *Dérouiller sa mémoire.* → **Réveiller.** *L'exercice dérouille le corps.* — Vieilli. *Dérouiller quelqu'un.* → **Dégrossir, façonner, polir.** *L'usage du monde l'a vite dérouillé.*

♦ **3** (1924). Fam. → **Battre.** *Il s'est fait dérouiller. Il l'a drôlement dérouillé.* — Par extension :

1   Tu te fous de moi ? C'est bon. Profites-en. À ton arrivée au
  dépôt, je serai là pour te dérouiller la gueule.
    M. AYMÉ, Travelingue, p. 154.

II V. intr. ◆ **1** (1926, *in* Esnault). Pop. Attraper des coups. *Ils ont drôlement dérouillé !*

◆ **2** (1907). Argot. Faire son premier gain de la journée (en parlant d'une prostituée).

2 Quand je mets cette robe, ma pauvre, je dérouille pas.
  A. SARRAZIN, l'Astragale, p. 170.

◆ **SE DÉROUILLER** v. pron.

◆ **1** (Passif). *Le fer se dérouille par le frottement.*

◆ **2** (Réfl.). → **Dégourdir** (se). *Se dérouiller après une longue inaction, en faisant de la gymnastique. Il n'a pas fait de mathématiques depuis longtemps, il aurait besoin de se dérouiller.* — Par ext. → **Instruire** (s'), **polir** (se). *C'est un rustre, il doit se dérouiller.* — (Faux pron.). *Se dérouiller les jambes par une petite marche. Se dérouiller l'esprit, la mémoire.*

◆ **3** (Récipr.). Se battre.

2.1 Ah ! ma foi, moi, j'aime mieux rester rouillé, que d'me dérouiller à coups de boulets.
  E. CORBIÈRE, la Mer et les Marins, V, 3,
  in D.D.L., II, 13.

◆ **DÉROUILLÉ, ÉE** p. p. adj.

◆ **1** Débarrassé de sa rouille.

3 Et vois comme le fer, par le feu dérouillé,
  Prend une couleur vive au milieu de la flamme.
  CORNEILLE, Imitation de Jésus-Christ, II, 4.

◆ **2** Fig. *Esprit mal dérouillé.* → **Dégourdi.**

CONTR. **Rouiller. — Encrasser, endormir, engourdir. — Abêtir, abrutir.** ◊ DÉR. Dérouillage, dérouillement, **dérouillé.**

DÉROULAGE [deʀulaʒ] n. m. — 1870 ; de *dérouler.*

◆ **1** Déroulement.

◆ **2** Techn. Détachage mécanique d'une feuille de bois à la surface d'une pièce cylindrique. *L'industrie du sciage et du déroulage (placages et contreplaqués).*

DÉROULEMENT [deʀulmã] n. m. — 1704, *in* D.D.L. ; de *dérouler.*

◆ **1** (Concret). Action de dérouler ; résultat de cette action. *Déroulement d'un parchemin.* → **Développement.** *Déroulement d'un câble, d'une pelote de ficelle.* — Par ext. → **Déploiement.**

1 (...) les crosses des fougères (...) si vite épanouies que l'œil suivait leur déroulement (...)
  M. GENEVOIX, Raboliot, IV, II (→ Crosse, cit. 6).

(1704). Géom. Action de dérouler une section de cône, de cylindre... en surface plane.

◆ **2** (1805). Fait de se dérouler, de se déployer. *Déroulement des vagues sur la plage ; déroulement d'une fumée.*

2 La mer est ton miroir ; tu contemples ton âme
  Dans le déroulement infini de sa lame (...)
  BAUDELAIRE, les Fleurs du mal,
  « L'homme et la mer ».

(1904, *in* Petiot). Sport. Enchaînement des mouvements successifs de la jambe, du pied, dans la marche ou la course.

◆ **3** (1799). Abstrait. Fait de se succéder dans le temps. → **Développement, écoulement, enchaînement, succession, suite.** *Le déroulement des faits, de l'histoire. Le déroulement de l'action dans une pièce de théâtre, un film. Déroulement de la cérémonie. Le déroulement des conséquences.*

3 Il se hâte de tourner quelques feuillets. Il ne parvient pas à lire avec suite, et devine, tant bien que mal, le déroulement des faits.
  MARTIN DU GARD, les Thibault, t. IV, p. 18.

CONTR. **Enroulement, enveloppement, repliage, reploiement.**

DÉROULER [deʀule] v. tr. — V. 1389, *desroller* ; de 1. *dé-*, et *rouler.*

◆ **1** (Concret). Défaire, étendre (ce qui était roulé). → **Déployer, développer, étaler, étendre.** *Dérouler un manuscrit, une pièce d'étoffe. Dérouler une bobine de fil.* → **Dévider.** *Dérouler un store, une carte, un rouleau de papier.*

1 Là-dessus M. de Solre prend un grand rouleau, et se faisant aider à le dérouler, l'étend tout le long de la chambre, et lui fait voir qu'il remontait et finissait deux de ses branches par des têtes couronnées.
  Mᵐᵉ DE SÉVIGNÉ, 1120, 7 janv. 1689.

2 (...) il venait, malgré lui, de penser (...) au chemin de tapis rouge qu'en ce moment sans doute on déroulait sous le velum de l'Exposition des Fleurs (...)
  MARTIN DU GARD, les Thibault, t. III, p. 161.

Loc. (au propre et au fig.). *Dérouler le tapis rouge (à, pour qqn),* lui faire honneur.

2.1 En l'honneur de leur départ, nous sommes prêts à dérouler le tapis rouge (...)
  MALRAUX, Antimémoires, Folio, p. 441.

Techn. Opérer le déroulage de (un bois).

2.2 On déroule beaucoup de peupliers notamment pour les emballages légers, le contreplaqué, les boîtes à fromage, les allumettes.
  J.-C. REGGIANI, Industries et Commerce du bois,
  p. 45.

Géom. *Dérouler une courbe.*

◆ **2** (Concret ; spatial). Sujet n. de choses. Étaler sous le regard (un aspect, une partie de soi). *Fleuve qui déroule ses méandres, ses eaux. Fumée qui déroule sa spirale, ses volutes.*

3 L'incendie, attaquant la frégate amirale,
  Déroule autour des mâts son ardente spirale (...)
  HUGO, les Orientales, V, V.

(Temporel). Montrer, développer successivement (les différentes parties du tout). *Le film déroule son intrigue. La symphonie déroule ses thèmes, ses mélodies. L'histoire déroule les événements du passé. Dérouler ses souvenirs.* → **Revoir, revue** (passer en revue). *Dérouler dans sa mémoire.*

4 Je lis ce chœur suave et lumineux qui déroule sa belle mélopée au milieu d'une action violente, le chœur des vieillards Thébains.
  FRANCE, le Crime de S. Bonnard, Œ., t. II, p. 491.

5 Quant aux passions humaines, elles déroulent depuis l'origine du monde un tableau régulier et monotone.
  Edmond JALOUX, Alcyone, p. 62.

6 (...) je déroule toutes nos paroles, tous nos silences, nos regards, nos gestes, fidèlement enregistrés avec leurs valeurs picturales et musicales (...)
  COLETTE, la Vagabonde, III, p. 208.

◆ **3** Intrans. (1841). Régional. Rouler de haut en bas. *Pierres qui déroulent.* → **Débarouler.**

◆ **SE DÉROULER** v. pron.

◆ **1** *Rouleau de parchemin, manuscrit qui se déroule. Serpent qui se déroule.*

7 Le boa se déroule et siffle,
  Le tigre fait son hurlement (...)
  Th. GAUTIER, Poésies, « L'hippopotame ».

◆ **2** S'étaler, se montrer peu à peu devant les yeux. *Fumée qui se déroule dans l'air.* → **Onduler, serpenter.** *Le paysage, le panorama se déroulait devant nos yeux.*

8 Je promène au hasard mes regards sur la plaine,
  Dont le tableau changeant se déroule à mes pieds.
  LAMARTINE, Premières méditations poétiques,
  « L'isolement ».

9 Devant nous la Seine se déroulait, ondulante, semée d'îles (...)
  MAUPASSANT, Contes de la bécasse, p. 164.

♦ **3** (1798). *Temporel.* Prendre place dans le temps (en parlant d'une suite ininterrompue d'événements, de pensées). → **Écouler** (s'), **passer** (se), **succéder** (se), **suivre** (se); **lieu** (avoir lieu). *Ces événements se sont déroulés il y a longtemps. La cérémonie, la manifestation s'est déroulée sans incident. Sa vie s'est déroulée dans le bonheur. Sa pensée, son récit, se déroule avec ordre. Phrase musicale qui se déroule* (→ Arpège, cit.).

10 Plus ce récit se déroulait, plus il semblait attacher nos
   simples auditeurs.   LAMARTINE, Graziella, II, XIV.

11 La vie si courte, si longue, devient parfois insupportable.
   Elle se déroule, toujours pareille, avec la mort au bout.
   On ne peut ni l'arrêter, ni la changer, ni la comprendre.
                                   MAUPASSANT, Au soleil, p. 9.

12 Toute la cérémonie s'était déroulée sous la surveillance de
   ce terrorisme intérieur.
                      J. ROMAINS, les Hommes de bonne volonté, t. IV,
                                              VII, p. 58.

13 Sa pensée se déroulait comme un monologue (...)
                      P. MAC ORLAN, la Bandera, II, p. 19.

♦ **DÉROULANT, ANTE** p. prés adj.

♦ **1** Rare. Qui se déroule. *«La lame déroulante»* (Chateaubriand).

♦ **2** Qui peut se dérouler (concret). *Store déroulant.* — *Un générique déroulant;* n. m. *un déroulant.*

Inform. *Menu déroulant,* qui s'affiche quand on clique sur son titre (à la différence des menus toujours affichés).

♦ **DÉROULÉ, ÉE** p. p. adj.

Défait, qui a été étendu. *Tapis déroulé.* — N. m. Sports. → **Déroulement.**

CONTR. **Enrouler, rouler; envelopper, replier.** — **Arrêter** (s'), **interrompre** (s'). — (Du p. p.) **Enroulé, roulé.** ◊ DÉR. **Déroulage, déroulement, dérouleur, dérouleuse.**

DÉROULEUR [deʀulœʀ] n. m. — 1968; de *dérouler.*
Techn. Dispositif permettant l'enroulement et le déroulement d'une bande magnétique en vue de l'écriture ou de la lecture, dans un calculateur électronique. → **Enregistreur, magnétophone.**

DÉROULEUSE [deʀuløz] n. f. — 1911, *in* D.D.L.; de *dérouler.*
Technique.

♦ **1** Dispositif sur lequel on enroule et déroule un câble, du fil téléphonique.

♦ **2** Machine qui effectue le déroulage du bois. → **Raboteuse.**

DÉROUTAGE [deʀutaʒ] n. m. → **Déroutement.**

DÉROUTANT, ANTE [deʀutɑ̃, ɑ̃t] adj. — 1846; p. prés. de *dérouter.*
Qui déroute (4.). → **Déconcertant.** *Une question déroutante, inattendue. Un style déroutant, bizarre.*
CONTR. **Banal, prévisible.**

DÉROUTE [deʀut] n. f. — 1541, déverbal du vx franç. *desro(u)ter* «disperser» (1155), dér. de *ro(u)te* «bande d'hommes».

♦ **1** (1541). Fuite désordonnée de troupes qui ont été battues ou prises de panique. → **Débâcle, débandade, déconfiture, désarroi.** *Déroute complète, catastrophique, générale. Le recul, le repli s'est transformé en déroute.* — Loc. adv. *En déroute. Mettre l'ennemi en déroute.* → **Bousculer, ébranler, enfoncer.** *Troupes mises en déroute,* battues, écrasées. *Soldats en déroute, en pleine déroute.*

1 Restait cette redoutable infanterie de l'armée d'Espagne,
  dont les gros bataillons serrés (...) demeuraient inébran-
  lables au milieu de tout le reste en déroute (...)
                      BOSSUET, Oraison funèbre du prince de Condé.

Les Suédois *(à Poltava)* consternés s'ébranlèrent, et le   2
canon ennemi continuant à les écraser, la première ligne
se replia sur la seconde, et la seconde s'enfuit. Ce ne fut en
cette dernière action, qu'une ligne de dix mille hommes de
l'infanterie russe, qui mit en déroute l'armée suédoise (...)
                      VOLTAIRE, Hist. de Charles XII, IV.

C'était un Espagnol de l'armée en déroute (...)   3
                            HUGO (→ Armée, cit. 7).

La Déroute, géante à la face effarée (...)   4
                      HUGO, les Châtiments, XIII, II.

Sans le courage et l'énergie de Gordon, qui comman-   5
dait l'arrière-garde, cette laborieuse retraite aurait pu se
changer en déroute.
                      MÉRIMÉE, Hist. du règne de Pierre le Grand, p. 81.

Pendant plusieurs jours de suite des lambeaux d'armée   6
en déroute avaient traversé la ville. Ce n'était point de la
troupe, mais des hordes débandées.
                      MAUPASSANT, Boule de suif, p. 7.

Par anal. *«Une chambre en déroute»* (Valéry, *in* T. L. F.), en grand désordre.

♦ **2** (1643). *Abstrait.* Confusion, mise en désordre. *La déroute des idées, des sentiments.* → **Confusion, dérangement, désordre, faillite, fuite.** *Mettre la déroute dans les plans de quelqu'un.*

EN DÉROUTE. *Mettre qqn en déroute,* le déconcerter, le décontenancer. → **Dérouter.** *Il mit son contradicteur en déroute par des arguments irréfutables. Entreprise en déroute.* → **Banqueroute, débandade** (à la); **déconfiture, faillite, ruine, val** (à vau-l'eau).

Votre raisonnement met le mien en déroute (...)   7
                      J.-F. REGNARD, le Joueur, II, 9.

Il y a des déroutes d'idées comme il y a des déroutes d'ar- 8
mées (...)   HUGO, l'Homme qui rit, II, V, IV.

(...) mon cœur battait la retraite de mes arguments en   9
déroute.   GIDE, la Symphonie pastorale, p. 145.

En une seconde, raison, volonté, tout fut en déroute.   10
                      MARTIN DU GARD, les Thibault, t. IV, p. 218.

Ma belle sérénité du mois d'octobre est en déroute. Je vis   11
d'inquiétude et d'appréhension.
                      G. DUHAMEL, Chronique des Pasquier, t. VI, IX,
                                              p. 348.

CONTR. **Succès, triomphe, victoire.** — **Ordre; cohésion... —** **Prospérité.**

DÉROUTÉ, ÉE [deʀute] adj. → **Dérouter,** p. p.

DÉROUTEMENT [deʀutmɑ̃] n. m. ou **DÉROUTAGE** [deʀutaʒ] n. m. — 1870, *déroutement; déroutage,* 1965; de *dérouter,* et 2. -*ment* (-*age*).
Changement de la route (d'un navire, d'un avion). *Déroutement par suite d'une avarie. Le déroutage d'un avion sur Lyon. Déroutage d'un avion par des pirates de l'air.* → **Détournement.**

(...) pour centrale que fût cette image *(de Speranza)* elle était chez chacun *(Robinson et Vendredi)* marquée du signe du provisoire, de l'éphémère, condamnée à retourner à bref délai dans le néant d'où l'avait tirée le déroutage accidentel du Whitebird.
                      M. TOURNIER, Vendredi..., p. 238-239.

DÉROUTER [deʀute] v. — V. 1270, *soi desrouter;* de 1. *dé-, route,* et suff. verbal -*er.*

I V. tr. ♦ **1** Vx ou littér. Égarer (qqn) de sa route. *Dérouter un voyageur. Dérouter des poursuivants.* → **Dépister.** — *Dérouter les importuns.* → **Écarter, éloigner.**

(...) je lui proposai (...) de nous établir dans une solitude   1
agréable, dans quelque petite maison assez éloignée pour
dérouter les importuns.
                      ROUSSEAU, les Confessions, V.

Entourant le pays de la Magie, des îlots minuscules : ce   1.1
sont des bouées. Dans chaque bouée un mort. Cette ceinture de bouées protège le pays de la Magie, sert d'écoute
aux gens du pays, leur signale l'approche d'étrangers. Il
ne reste plus ensuite qu'à les dérouter et à les envoyer au
loin.   Henri MICHAUX, Ailleurs, p. 129.

Spécialt (chasse). *Le cerf, le lièvre a dérouté les chiens, leur a fait perdre la voie.*

♦ **2** Mod. *Dérouter un navire, un avion,* le faire changer d'itinéraire, de destination (→ **Déroutement**). *La compagnie a dérouté tel avion, tel convoi.*

♦ **3** Abstrait. Mettre hors de la bonne direction; empêcher d'aboutir. → **Dépister** (2.), **détourner**. *Dérouter les soupçons* (→ Mettre sur une fausse piste*). *Dérouter les recherches.* — Compl. n. de personne. *Cette indication l'a dérouté,* lui a fait perdre le fil, la trace qu'il suivait. → **Égarer.**

♦ **4** (1718). Rendre (qqn) incapable de réagir, de se conduire comme il le faudrait. → **Confondre, déconcerter, décontenancer.** *Dérouter un candidat par des questions inattendues. Ses revers l'ont complètement dérouté* (→ **Déroutant**).

Par ext. → **Dépayser.**

2   La musique déroute ceux qui ne la sentent point.
    R. ROLLAND, Musiciens d'autrefois, p. 3.

3   La fréquentation du monde, si elle ne nous déroute pas (elle nous déroute souvent, car nous nous y heurtons à des êtres masqués [...]) ne saurait que nous confirmer ce que nous savons déjà.   F. MAURIAC, la Province, p. 52.

♦ **5** Régional (Suisse). Débaucher, dévoyer (qqn).

4   Il paraît que les gendarmes ont arrêté Louis Morier. Il déroutait les enfants. Lui qui avait l'air si honnête, je n'en reviens pas!
    Roger-Louis JUNOD, Une ombre éblouissante,
    p. 126.

II V. intr. ♦ **1** Vx ou littér. Faire un détour.

♦ **2** Être en déroute. *L'armée déroute.*

♦ **SE DÉROUTER** v. pron.

♦ **1** Perdre sa route.

5   Au milieu de sa course il s'est arrêté, il s'est dérouté, il a quitté son chemin (...)
    BOURDALOUE, Pensées, t. II, p. 388, in LITTRÉ.

♦ **2** Prendre un itinéraire différent de la route normale. *Le cargo s'est dérouté pour porter secours à un yacht qui avait lancé un S.O.S.*

6   Daubourguet, envoyez un message au peloton d'alerte du quatrième escadron. Qu'il se déroute immédiatement sur Desaix.
    Cecil SAINT-LAURENT, les Passagers pour Alger,
    p. 350.

7   (...) pas question que je me déroute pour l'éviter, non, tout simplement pas question que moi je me déroute, tout en n'ayant été de ma vie en route pour quelque part, mais tout simplement en route.
    S. BECKETT, Têtes-mortes, p. 10.

♦ **3** Régional. Se débaucher.

♦ **DÉROUTÉ, ÉE** p. p. adj.

♦ **1** Égaré. *Voyageur dérouté de son chemin.* — Chasse. *Meute déroutée,* qui a perdu la voie du gibier.

♦ **2** Qui a dû changer d'itinéraire, de destination. *Navire, avion dérouté.*

♦ **3** Fig. (Personnes). Déconcerté. *Être dérouté par un événement imprévu,* déconcerté.

8   Et pour quoi faire? demanda M. Sainte-Lucie absolument dérouté, bien qu'il connût son homme.
    FRANCE, Jocaste, Œ., t. II, II, p. 158.

Vx. En déroute, en faillite. «*Les marchands de dessins et de gravures déroutés, en pleine crise, menacés de ruine*» (Goncourt, *Journal,* 1856, p. 294, in T.L.F.).

CONTR. Suivre (son chemin); **retrouver** (son chemin). ◊ **DÉR.** Déroutage, déroutant, déroutement.

DERRICK [dɛʀik] n. m. — 1861, in *Année sc. et industr.* 1862, p. 429; mot angl., de *Derrick,* nom du bourreau de la prison de Tyburn, à Londres, vers 1600, devenu synonyme de «gibet».

Anglicisme.

♦ **1** (1888, *in* Höfler). Appareil de levage* formé d'un bâti vertical généralement métallique. → **Chèvre, grue.**

♦ **2** Mar. Mât de charge sur un quai servant à la mise à l'eau des embarcations.

♦ **3** (1861). Bâti métallique supportant le train de tiges et le trépan servant à forer les puits de pétrole.

1   Bornéo surprend encore : Seria est une ville du pétrole, entourée de villages qui vivent à l'âge de pierre. Trois cents derricks dans la mer, mon cher, avec leur plate-forme à hélicoptères. Des bungalows, naturellement : toutes les villes du pétrole se ressemblent.
    MALRAUX, Antimémoires, Folio, p. 395.

2   Plantations de derricks, pompes à balanciers alignées en quinconce, stations collectrices flottantes, services de pompage, réservoirs sont regroupés en isolats, îlots défendus par l'éloignement, l'étendue d'eau d'un lac grand comme une mer intérieure ou celle, désertique, de plaines à cactus plates comme la main.
    Régis DEBRAY, l'Indésirable, p. 71.

REM. L'administration française recommande d'employer *tour de forage* ou *tour.*

1. **DERRIÈRE** [dɛʀjeʀ] prép. et adv. — 1080, *derere;* bas lat. *deretro,* par agglutination de *de retro,* de *de,* marquant le point de départ, et *retro* «en arrière»; *r* redoublé en première position sous l'infl. de *derrain.* → **Dernier.**

Du côté opposé au visage d'une personne, à la face ou au côté visible d'une chose.

I Prép. ♦ **1** En arrière, au dos de... → **Arrière** (en), **dos** (au), **revers** (au); préf. **rétro-**. *Derrière la maison, derrière le mur. Se cacher derrière qqn. Avoir les mains derrière le dos. Cacher qqch. derrière soi. Regarder derrière soi en se retournant; grâce à un miroir...* (→ **Rétroviseur**). — *Il disparut derrière une éminence; derrière le tournant* (→ **Après**). — *Ses yeux brillent derrière ses lunettes. Derrière la grille, la clôture. Derrière les barreaux d'une cage.*

1   Venez, derrière un voile écoutant leurs discours (...)
    RACINE, Esther, II, 7.

2   Le soir, derrière vous, j'écoute au piano
    Chanter sur le clavier vos mains harmonieuses,
    A. DE MUSSET, Poésies nouvelles, «À Ninon».

3   Je marche! j'ai peur de l'inconnu de derrière la porte, de derrière le rideau, de dans l'armoire (...)
    MAUPASSANT, les Sœurs Rondoli, p. 108.

4   (...) coiffé d'un foulard rouge noué derrière la nuque à la manière des pêcheurs du Sud.
    P. MAC ORLAN, Quai des brumes, I, p. 19.

Fuir sans regarder derrière soi; au fig. : à la hâte, précipitamment.

5   (...) partons et courons sans regarder derrière nous.
    VOLTAIRE, Candide, XIV.

Fig. *Derrière son apparente cordialité, on devine de la haine* (→ **Cordial**, cit. 6). *Derrière les apparences* (cit. 27)... → **Delà** (au delà), **sous** (→ **Cacher**, cit. 42). — En cachette de. *Faire qqch. derrière le dos de qqn.* — Sous la protection de. *Se protéger derrière des excuses.* — Loc. prép. **DE DERRIÈRE, PAR DERRIÈRE.** *Il sortit de derrière la haie. Il passa par derrière la maison.*

6   Mais Edmond sort brusquement de derrière le kiosque du funiculaire.
    J. ROMAINS, les Hommes de bonne volonté, t. IV,
    V, p. 38 (→ 2. Cor, cit.).

Bouteille de derrière les fagots, excellente. → **Fagot**.
— Fig. *Pensées, idées de derrière la tête*. → **Arrière-pensée**.

♦ 2 À la suite de. → **Suite**. *Marcher l'un derrière l'autre*. → **Après** (→ À la queue*leu leu; en file* indienne). *Les fuyards laissèrent les poursuivants derrière eux. Il resta seul derrière la colonne*. → **Serre-file; traîne** (à la traîne). — Fig. *Laisser (qqn, qqch.) loin derrière soi*. → **Dépasser, surpasser**.

7 Au XVᵉ siècle, l'Italie laissait bien loin derrière elle tout le reste de l'Europe (...)
G. T. RAYNAL, Hist. philosophique, I, Introduction.

Fig. *Il a tous ses partisans derrière lui*, ils le soutiennent, le suivent. *Nous sommes derrière vous* (→ À vos côtés*).

8 (...) la loi du 2 novembre 1789 allait tourner contre la Révolution l'immense majorité du Clergé doublement spolié et, derrière lui, toute une partie notable de la Nation (...)
Louis MADELIN, Talleyrand, I, III, p. 42.

Cette maladie laisse des traces derrière elle. → **Suite**; **séquelle** (→ Conter, cit. 4).

Loc. fam. *Être toujours derrière le dos de qqn, derrière qqn*, surveiller tout ce qu'il fait pour le reprendre, vérifier son travail ou pour l'espionner. *Il ne sait rien faire tout seul, il faut toujours être derrière lui*.

8.1 (...) on ne peut pas les laisser seuls un instant, il faut être constamment derrière eux, surveiller chaque geste qu'ils font (...) Seulement voilà on est toujours trop délicat, elle a si peur de les troubler (...) on se figure que ça les empêche de bien travailler, qu'on soit là pour les surveiller (...)
N. SARRAUTE, le Planétarium, p. 13.

Avec une nuance temporelle. *Après*. *Se lever derrière qqn*. — Rare. *À la fin de*...

8.2 L'inspecteur Colombin, en habit, avec le plastron qui bâillait sur son poil roux, se versait du champagne derrière un souper finissant.
ARAGON, les Beaux Quartiers, 1936, p. 440, in T. L. F.

II Adv. **♦ 1** (1080). Du côté opposé à la face, à l'endroit; en arrière. *Vêtement qui se boutonne derrière. Il est resté derrière, loin derrière*.

9 (...) nous demeurâmes un peu derrière (...)
FÉNELON, Télémaque, I.

Mettre, tourner un vêtement sens devant derrière, à l'envers*.

♦ 2 Loc. adv. (V. 1180). **PAR DERRIÈRE** : par l'arrière, par le côté opposé au visage, à la face... *Attaquer, poignarder quelqu'un par derrière*. → **Dos** (dans le dos). *Il a dit du mal d'elle par derrière*.

10 (...) j'ai mon haut-de-chausses tout troué par derrière (...)
MOLIÈRE, l'Avare, III, 1.

11 Par derrière, un beau jardin planté s'étendait jusqu'au passage des Piques, toujours désert, dont il était séparé par un mur.
MAUPASSANT, les Sœurs Rondoli, « Le mal d'André », p. 141.

*Derrière, à la suite**.

12 Et nous suivons par derrière, avec des airs détachés.
LOTI, Mᵐᵉ Chrysanthème, XII, p. 84.

Fig. *En cachette. Faire qqch. par derrière*.

REM. L'Académie (8ᵉ éd.) écrit *par-derrière*, avec un trait d'union, contrairement à l'usage enregistré par Littré et confirmé par les écrivains (→ Attaquer, cit. 10; cheveu, cit. 24; chauve, cit. 3...).

CONTR. Devant; avant (à l'avant), endroit (à l'endroit). — Milieu (au milieu). — Avant (en avant), premier (en premier), tête (en tête). ◊ DÉR. 2. Derrière.

2. DERRIÈRE [dɛʀjɛʀ] n. m. — V. 1230; de 1. *derrière*.

♦ 1 (V. 1230). Le côté opposé au *devant*, la partie postérieure. → **Arrière, dos, fond**. *Le derrière de la tête* :

---

la nuque. *Le derrière, les derrières d'une maison* : la partie opposée à la façade. *Le derrière d'une église* : l'abside. *Il est logé sur le derrière de l'immeuble*, sur la cour. — Plur. (Vieilli). *Passer par les derrières* (→ ci-dessous, cit. 14). *Le derrière d'une affiche*... → **Envers, revers, verso**. — *Les roues de derrière*. → **Arrière**. *Les pattes, le train de derrière. Chien dressé sur ses pattes de derrière* : chien qui fait le beau. — *Au derrière de* (vx) : derrière...

13 (...) là justement au derrière de la tête (...)
MOLIÈRE, Les Précieuses ridicules, 11.

14 Un lapin des plus agiles sort par les derrières du terrier.
FÉNELON, t. XIX, p. 52, in LITTRÉ.

Porte de derrière : porte pratiquée sur le derrière d'un bâtiment; et, fig. → **Échappatoire; faux-fuyant**.

15 Chacun parlant tout haut devant tant de témoins, il n'y avait plus de porte de derrière.
SAINT-SIMON, 49, 72, in LITTRÉ.

♦ 2 (1734). Vieilli. Au plur. *Les derrières d'une armée* : les derniers corps d'une armée en mouvement; le côté auquel l'armée tourne le dos. → **Arrière** (infra cit. 4). *Protéger, assurer, ménager ses derrières* : (au fig.) se protéger.

16 L'Empereur ne pourrait venir, avec la Grande Armée retirée d'Allemagne, porter au delà des Pyrénées un coup de massue que s'il s'était rassuré, pour six mois au moins, sur ses derrières (...)
Louis MADELIN, Talleyrand, III, XXI, p. 208.

♦ 3 (V. 1230). Mod. et cour. Partie du corps (de l'homme et de certains animaux) qui comprend les fesses* et le fondement. → **Arrière-train, croupe, cul** (fam.), **fessier, fondement, lune, postérieur, séant**; pop. **derch** (derche, derge, derjeot), **pot, popotin**. → aussi **Anus**. *S'asseoir* (cit. 19), *tomber sur le derrière. Donner à qqn des coups de pied dans le derrière, au derrière. Botter le derrière de, à qqn. Montrer son derrière*.

17 Après le joli compliment (...)
Elle lui tourna le derrière
D'une dédaigneuse manière.
SCARRON, Virgile travesti, IV.

18 (Mᵐᵉ de Castries) aurait passé dans un médiocre anneau : ni derrière, ni gorge, ni menton (...)
SAINT-SIMON, Mémoires, t. I, XXV.

19 M. le baron (...) chasse Candide du château à grands coups de pied dans le derrière (...)
VOLTAIRE, Candide, I.

20 Quand il voyait une jolie femme au teint animé par une course, embellie par une agitation quelconque, il ne manquait pas de se dire qu'en ce moment même elle devait avoir le derrière suant, et cela lui en dégoûtait tout de suite.
J. RENARD, Journal, 4 mars 1890.

Loc. *Montrer le derrière* : s'enfuir, se sauver; et aussi : avoir des vêtements en loques, en lambeaux. *Avoir le derrière au vent, le derrière à l'air. Avoir le feu* au derrière*. → **Courir**. *Avoir qqn au derrière* : être poursuivi par qqn. *(En) tomber sur le derrière* : être surpris. *Se taper le derrière par terre* : rire, se moquer de qqch.

Par ext. Anus.

21 Le docteur met son thermomètre dans le derrière de l'Esther qui le trouve bien familier.
M. AYMÉ, le Puits aux images, 1932, p. 46, in T. L. F.

Loc. *Péter* (cit. 1.1) *plus haut que son derrière*.

REM. Dans cet emploi, *derrière* est du même registre (légèrement familier) que *fesses*; il peut toujours être remplacé par *cul*, plus marqué en trivialité, mais plus courant, et fait ainsi fonction d'euphémisme.

CONTR. Avant, avers, dessus, devant, endroit, façade, face, front, recto.

DÉRURALISATION [deʀyʀalizasjɔ̃] n. f. — 1972; de 1. *dé-*, et *rural*.

Démogr. Dépeuplement progressif des milieux ruraux.

DERVICHE [dɛʀviʃ] n. m. — 1653, *deruiche; deruich,* 1622; *deruiz* 1542; mot persan *darwīš* «pauvre».

Religieux musulman appartenant à une confrérie. *Derviche persan, syrien. Derviche tourneur; derviche hurleur. En Afrique du Nord, le derviche est appelé fakir ou faqir.*

1 Crois qu'un bonze modeste, un dervis (sic) charitable,
Trouvent plutôt grâce à ses yeux *(de Dieu)*
Qu'un janséniste impitoyable,
Ou qu'un pontife ambitieux.
                    VOLTAIRE, Pour et contre.

1.1 Un derviche tourneur, les bras étendus, la tête penchée, et d'un style plus primitif encore que celui des bas-reliefs en pain d'épice, effleure des plis de sa jupe volante un lion chimérique.   Th. GAUTIER, Constantinople, p. 115.

2 (...) il était venu aussi des vieux derviches, avec leurs bonnets de mages, qui psalmodiaient en route, à voix haute et lugubre, comme ces cris de loups, les soirs d'hiver dans les bois.   LOTI, les Désenchantées, VI, XLIX, p. 235.

3 Nous étant dressés contre le mur, nous avons pu voir, au centre de la foule, deux derviches hurleurs commençant leur extase. Ils tournaient lentement au son d'une musique que faisaient quatre hommes accroupis, mais qu'on n'entendait pas, à cause des cris de la foule; et périodiquement, à la fin d'un couplet des instruments de musique, ils poussaient un hurlement guttural suraigu, auquel la foule répondait par un trépignement enthousiaste.
                    GIDE, le Voyage d'Urien, in Romans, Pl., p. 24.

4 (...) j'avoue que je ne fixerais pas mon regard sur une cuiller d'argent ni sur une mare d'encre, quand on me promettrait de me faire voir par ce moyen de grandes et importantes vérités. Je ne tournerais point non plus comme les derviches, quand quelque grand secret serait à ce prix. Je crois, en d'autre termes, que la raison passe avant la vérité.
                    ALAIN, Propos, «Raison», 15 oct. 1926.

Spécialt (hist.). *Les Derviches :* les Noirs musulmans qui conquièrent le Soudan égyptien entre 1881 et 1885.

DÉR. Dervicherie.

DERVICHERIE [dɛʀviʃʀi] n. f. — 1850, au sens 1, Flaubert, *in* D.D.L.; de *derviche.*

Vieux.

♦ **1** Rite, pratique des derviches.

1 Nous attendons le commencement des dervicheries et leur fin pour nous embarquer sur le Nil.
                    FLAUBERT, Correspondance, 1850, p. 76.

♦ **2** (1908). Communauté de derviches.

2 Ils ont table ouverte à la dervicherie, tous les derviches au moment des repas viennent manger là.
                    M. BARRÈS, Cahiers, t. II, 1914-18, p. 59, *in* T.L.F.

1. DES [de] art. — De *de,* prép., et *les,* art. déf. au pluriel.

Article défini pl. contracté : *de les. Revenir des États-Unis.* → 1. **De.**

2. DES [de] art. — De *de,* article, et *les.*

Article partitif exprimant une partie d'une chose désignée par un nom pluriel. *Manger des pâtes, des épinards.* → 2. **De.**

3. DES [de] art. indéf. — V. 1150; *des précédents,* a remplacé *uns, unes.*

Article indéfini, pluriel de *un, une.* → **Un.**

♦ **1** Devant un nom commun. *Un livre, des livres. Une personne aimable, des personnes aimables. Des hommes très beaux.*

1 (...) vous n'avez pas ici un repas fort savant, et vous y trouverez des incongruités de bonne chère, et des barbarismes de bon goût.
                    MOLIÈRE, le Bourgeois gentilhomme, IV, 1.

Il y en avait *(des chiens)* de toutes les formes, de toutes les 2 origines, des grands et des petits, des blancs et des noirs, des rouges, des fauves, des bleus, des gris.
                    Octave MIRBEAU, Dingo, III.

À l'extrémité de la route apparaissent des ambulanciers, 3 qui portent des blessés couchés sur des civières.
                    MALRAUX, les Conquérants, II, *in* Romans, Pl., p. 87.

REM. *Des* peut être en concurrence avec *de : des hommes très beaux / de très beaux hommes; Il y en avait des grands / de grands.*

♦ **2** Devant un nom propre (qui prend la valeur d'un genre). *Nos voisins sont des Harpagon(s).*

Quand un pays a eu des Jeanne d'Arc et des Napoléon, il 4 peut être considéré comme un sol miraculeux.
                    MAUPASSANT, Sur l'eau, p. 181.

Il a des Gauguin sur ses murs, des tableaux de Gauguin.

♦ **3** Fam. Devant un nom de nombre (même devant *un),* avec une valeur emphatique. *Il soulève des cinquante kilos comme un rien. Se coucher à des une heure du matin.*

(...) les premiers hommes (...) remplissaient des neuf cents 5 ans par leur vie (...)
                    BOSSUET, Oraison funèbre de Mᵐᵉ Yolande de Monterby, t. XII.

Il y a des endroits où vous avez jusqu'à des un mètre, un 6 mètre cinquante d'eau.
                    J. ROMAINS, les Hommes de bonne volonté, t. VII, p 164.

(L'article) exprime la surprise, l'envie, l'admiration, dans 7 des locutions comme : *Elle gagne **des dix francs** par jour et elle se plaint!* Au contraire : *elle s'absentait **des cinq et six jours** de suite* contient une désapprobation très nette. Le tour était déjà classique : *Comme ils voulaient y gagner, ils attendaient **des** quatre et cinq ans que la vente fût bonne* (SÉV., lett. 722).
                    BRUNOT, la Pensée et la Langue, IV, XIII, IV, p. 584 et note.

REM. 1. *De* remplace généralement *des* devant un adjectif. Il s'élide en *d'* devant une voyelle ou un *h* muet. *D'innombrables exemples.*

Au XVIIᵉ siècle, Malherbe et Maupas estimaient qu'on 8 devait dire *de,* quand le nom est précédé d'un adjectif, et Vaugelas considérait cette règle comme essentielle : *il y a **d'excellents hommes; il y a des** hommes excellents* (...) C'était là probablement une des règles de rigueur dans la bonne compagnie. Mais il s'en faut bien qu'elle fût appliquée par ceux qui écrivaient; on trouve souvent alors *de,* et non *des,* devant le substantif (...) Inversement *des* se rencontre devant un adjectif.
En langue moderne la règle a été maintenue, sauf quelques cas particuliers.
                    BRUNOT, la Pensée et la Langue, I, IV, VI, p. 112.

Un adolescent examinait comme des graines, de gros clous 9 à tête large (...)
                    MALRAUX, la Condition humaine, II, *in* Romans, Pl., p. 228.

Le Russe mangeait des petits bonbons au sucre (...) 10
                    MALRAUX, la Condition humaine, I, *in* Romans, Pl., p. 173.

2. On maintient *des* devant un adjectif faisant corps avec le mot. *Des grands-pères. Des fines herbes. Des petits esprits.*

3. Si l'adjectif est seul, et le nom représenté par *en,* on met facultativement *des* ou *de.*

Les terres de ce petit royaume n'étaient pas de même 11 nature : il y en avait d'arides et de montagneuses (...)
                    MONTESQUIEU, Lettres persanes, XI.

♦ **4** Fam. Par ellipse du nom. *Il y en a des qui...*

(...) vous savez, papa, il n'est pas tellement ce qu'il a l'air. 12 Il serait peut-être plus porté que bien des que je connais.
                    M. AYMÉ, la Vouivre, p. 102.

DÉR. Desquels, desquelles. ◇ **HOM.** D, dé.

DES-, DÉS- préf. → 1. **Dé-**; 2. **dé-.**

DÈS [dɛ] prép. — Fin Xᵉ, *des* (aussi *des que*); du lat. pop. *de ex*, renforcement de *ex* «hors de» par *de* (de même sens).

I Prép. de temps. **♦ 1** Immédiatement, à partir d'un moment donné. **→ Depuis ; dater** (à dater de), **partir** (à partir de). *Dès cette époque, dès ce moment...* **→ Déjà.** *Dès l'enfance, dès le berceau. Dès hier* [dezjɛʀ], *dès aujourd'hui. Dès l'origine, dès le commencement, dès le principe, dès le début. Se lever dès l'aube, dès six heures. Dès maintenant, dès à présent.* **→ Désormais.** *Dès son arrivée, il sera au courant, aussitôt qu'il sera arrivé. Vous viendrez me voir dès mon retour. Dès son réveil... Dès l'abord.* **→ Abord** (cit. 10), **immédiatement, incontinent.** *Dès avant :* avant* même que...; *dès après :* immédiatement après. *Dès Pâques, dès la Toussaint. Dès cinq heures. Dès cinq ans, il jouait du piano.*

1 Vivez, si m'en croyez, n'attendez à demain ;
Cueillez dès aujourd'hui les roses de la vie.
RONSARD, Sonnets pour Hélène, II, XXIV.

2 Peut-être dès demain, dès la nuit, dès ce soir,
J'en verrais des effets que je ne veux pas voir (...)
CORNEILLE, Polyeucte, V, 1.

3 Agathon remporta le prix dès sa première tragédie.
RACINE, Livres annotés.

4 Je vous en déferai, bon homme, sur ma vie.
— Et quand ? — Et dès demain, sans tarder plus longtemps.
LA FONTAINE, Fables, IV, 4.

5 C'est donc dès maintenant et sans différer que (...)
BOURDALOUE, Pensées, I, p. 103, *in* LITTRÉ.

(Suivi d'un nom propre correspondant à une époque). *Dès Charlemagne...*

Familier :

5.1 (...) les Museler y mettaient paître leurs vaches dès après les foins et il en résultait toujours quelque dommage pour les Mindeur. M. AYMÉ, la Vouivre, p. 8.

(XXᵉ). Dans un ordre, une hiérarchie. **→ Partir** (à partir de). *Dès l'assistanat, le professeur est considéré comme un membre du corps universitaire.*

Vx ou régional. *Dès en...* (et p. prés.). *Dès en arrivant,* dès son arrivée (ex. de Daudet et Lemaître *in* T. L. F., qui considère l'emploi comme «incorrect aujourd'hui»).

Cour. *Dès* suivi d'un nom et d'un participe passé le qualifiant. *Dès la nuit tombée. Dès le seuil franchi...*

♦ 2 Loc. adv. **DÈS LORS :** dès ce moment, aussitôt. *Dès lors, il décida de partir.*

6 Nous vous dûmes dès lors autant et plus qu'à lui.
CORNEILLE, Pompée, III, 2.

Fig. En conséquence. **→ Conséquemment, donc.** *Il a fourni un alibi : dès lors on peut reconnaître son innocence.* — Vx. ou littér. *Dès longtemps :* depuis longtemps.

6.1 (...) il heurta de l'épaule un vieux pauvre, debout dans l'encoignure d'une porte, et sans doute endormi. La surprise le tint immobile un moment, puis il dit : «Que voulez-vous ?» — avec colère, et d'un tel accent qu'il eut honte. Mais l'autre, dès longtemps rompu sans doute à ce genre d'escrime, répondit avec l'admirable à-propos des mendiants, sans se troubler :
«C'est le bon Dieu qui vous envoie, monsieur le curé. *Ave Maria ! Dominus !»*
BERNANOS, l'Imposture, *in* Œ. roman., Pl., p. 451.

Loc. conj. **DÈS LORS QUE** : dès l'instant où... ; et, fig., étant donné que..., du moment que... **→ Puisque.**

7 Les grands se font honneur dès lors qu'ils nous font grâce (...) LA FONTAINE, Fables, I, 14.

8 Je me passai fort bien de certitude dès lors que j'acquis celle-ci, que l'esprit de l'homme ne peut en avoir.
GIDE, les Nouvelles Nourritures, p. 93.

♦ 3 Loc. conj. **DÈS QUE : → Aussitôt** (que). *Dès que le commandement* (cit. 9) *devient énergique... Dès que l'appétit est satisfait. Dès qu'il paraît. Dès qu'il viendra. Dès que je fus parti.*

Dès que vous verrez que la terre
Sera couverte (...) LA FONTAINE, Fables, I, 8.   9

Seigneur, vous serez roi dès que vous voudrez l'être.
VOLTAIRE, Brutus, III, 7.

(...) seul, j'appartiens à la tristesse, dès que ne m'accapare plus le travail. GIDE, Journal, 5 août 1922.   11

II Prép. de lieu. À partir de..., depuis. *Dès l'entrée, dès la porte ; dès le seuil. Dès Orléans, nous dûmes ralentir. Dès dix mille mètres d'altitude...*

Vous savez qu'il tomba malade dès Amboise (...)   12
Mᵐᵉ DE MAINTENON, Lettres, 27 oct. 1675,
in LITTRÉ.

Dès le seuil, on entendait battre l'horloge.   13
Marcel ARLAND, Les plus beaux de nos jours,
p. 58, *in* GREVISSE, p. 803.

CONTR. Avant, après. ◊ HOM. Dais, dey.

DÉSABONNEMENT [dezabɔnmɑ̃] n. m. — 1856; de *désabonner*.

Action de désabonner, de se désabonner.

CONTR. Abonnement.

DÉSABONNER [dezabɔne] v. tr. — 1840, Balzac ; de *dés-* (→ 1. Dé-), et *abonner.*

Faire cesser d'être abonné. *Veuillez me désabonner.* — Pron. *Se désabonner.*

Roosevelt s'était désabonné après avoir lu dans cette publication un conte du pasteur Burke.
GIRAUDOUX, *Juliette au pays des hommes*, p. 57.

DÉR. Désabonnement.

DÉSABUSÉ, ÉE [dezabyze] adj. **→ Désabuser** p. p.

DÉSABUSEMENT [dezabyzmɑ̃] n. m. — 1674; de *désabuser.*

Littér. Action de désabuser, de se désabuser. **→ Désillusionnement, dégoût, éloignement.**

Cette Nation, qui s'était, au point que l'on sait, enthousiasmée en 1789 et 1790 pour la «Révolution de la liberté» et pour la conquête des droits politiques, était, sur ce point, arrivée à un désabusement voisin du mépris.   1
Louis MADELIN, Hist. du Consulat et de l'Empire,
L'ascension de Bonaparte, I, p. 12.

(...) quand les hommes de notre génération sursautaient devant l'injustice, on les persuadait que cela leur passerait. Ainsi de proche en proche la morale de la facilité et du désabusement s'est propagée.   2
CAMUS, Actuelles, t. I, Pl., p. 278.

Expert en désabusements, criblant de toutes les flèches d'une sagesse dissolue les ferveurs nouvelles... — auprès des courtisanes, dans les lupanars sceptiques ou dans des cirques aux cruautés fastueuses, j'aurais chargé mes raisonnements de vice et de sang, pour dilater la logique jusqu'à des dimensions dont elle n'a jamais rêvé, jusqu'aux dimensions des mondes qui meurent.   3
E. M. CIORAN, Précis de décomposition, p. 28.

C'est un garçon de vingt-neuf ans. Il porte barbiche. Il a les lèvres sévères, les rides du désabusement précoce, une nuque et des épaules d'adolescent.   4
L. PAUWELS, l'Amour monstre, p. 34.

DÉSABUSER [dezabyze] v. tr. — XVIᵉ; de *dés-* (→ 1. Dé-), et *abuser.*

♦ 1 Tirer (qqn) de l'erreur, de l'illusion qui l'abuse. **→ Détromper ; dessiller, ouvrir** (les yeux); **ôter** (l'idée); **tirer** (d'erreur); → Ballon, cit. 3.

«Élie était un homme comme nous, et sujet aux mêmes passions que nous», dit saint Pierre, pour désabuser les Chrétiens de cette fausse idée qui nous fait rejeter l'exemple des saints, comme disproportionné à notre état. C'étaient des saints, disons-nous, ce n'est pas comme nous.   1
PASCAL, Pensées, XIV, 868.

Je m'aveuglai tellement sur le peu que m'offrait son cœur, que j'eus quelquefois la faiblesse de croire qu'il ne lui étais pas indifférente. Mais combien l'excès de ses désordres me désabusait promptement.   1
SADE, Justine..., t. I, p. 75, 1791.

(Sujet n. de chose) :

2 Il faut que le monde vous désabuse du monde ; ses appas ont assez d'illusions, ses faveurs assez d'inconstance, ses rebuts assez d'amertume.

BOSSUET,
Sermon pour la profession de Mᴵˡᵉ La Vallière.

♦ **2** Rendre désabusé (2.), détourner (qqn) de qqch. en faisant perdre les illusions. → **Dégoûter, détourner ; désillusionner.** *Ses échecs l'ont désabusé.*

◆ **SE DÉSABUSER** v. pron.

Vieux. Cesser d'être abusé.

3 Surtout, mortels, désabusez-vous de la pensée dont vous vous flattez, qu'après une longue vie la mort vous sera plus douce et plus facile.

BOSSUET, Oraison funèbre de Michel Le Tellier.

Mod. Devenir désabusé.

◆ **DÉSABUSÉ, ÉE** p. p. adj.

♦ **1** (1641). Vx ou littér. Détrompé. *Désabusé d'une erreur, d'une illusion. Esprit désabusé de tout.* → **Revenir** (revenu de tout).

4 Je vois, je sais, je crois, je suis désabusée (...)

CORNEILLE, Polyeucte, V, 5.

5 De ton espoir frivole es-tu désabusé ?

RACINE, Athalie, V, 5.

6 Désabusé des choses d'ici-bas par un spectacle qui lui en met sous les yeux le néant, et qui lui annonce incessamment la même destinée.

MASSILLON, Petit Carême, «Mort».

7 (...) on n'est jamais trompé si l'on n'est jamais désabusé.

FRANCE, l'Anneau d'améthyste, Œ., t. XII, p. 138.

7.1 Elle *(la terre)* ne sait pas faire pousser le blé sur le granit ni sur le sable. Sa capacité de propagation est prodigieuse, non pas infinie. On le croyait ; Spinoza dit : Dieu ou la Nature. Et Gœthe sent comme Spinoza doctrine. Nous sommes désabusés ; nous savons désormais que nous n'extrairons pas de la terre tous les minerais que nous voudrions.

Emmanuel BERL, le Virage, p. 65.

♦ **2** (1800). Mod. Qui a perdu ses illusions. → **Averti, désillusionné.** *Un philosophe désabusé. — Attitude, expression, moue désabusée. Sourire désabusé.* → **Blasé, découragé, déçu, dégoûté, désenchanté, maussade, mélancolique, triste.**

8 (...) le coup d'œil exact et désabusé du connaisseur à qui on montre un bijou faux (...)

PROUST, À la recherche du temps perdu, t. IX, p. 96.

9 Son sourire prenait parfois une expression désabusée, pensive qui prêtait un instant à sa figure poupine la mélancolie de certains bouddhas.

MARTIN DU GARD, les Thibault, t. I, p. 163.

10 Tel est Duhamel, construisant courageusement une morale sur une connaissance désabusée des hommes, de leurs faiblesses et de leur ignorance.

A. MAUROIS, Études littéraires, t. II, II, p. 90.

N. *C'est un désabusé qui est revenu de tout.* → **Blasé.**

CONTR. **Abuser, illusionner. — Tromper. — Confirmer** (qqn dans son erreur). — (Du p. p.) **Enthousiaste, ignorant, naïf.**
◈ DÉR. **Désabusement.**

DÉSACCENTUER [dezaksɑ̃tɥe] v. tr. — Mil. XXᵉ s. ; de *dés-* (→ 1. Dé-), et *accentuer.*

Électron. Traiter (un signal) en rétablissant ses composantes spectrales. — Au p. p. *Signal désaccentué.*

On emploie aussi le dér. *désaccentuation*, n. f.

DÉSACCLIMATER [dezaklimate] v. tr. — 1876 ; de *dés-* (→ 1. Dé-), et *acclimater.*

Faire cesser d'être acclimaté. Priver (qqn ou qqch.) des conditions climatiques (et, fig., sociales, morales) auxquelles il est habitué.

Pourquoi les catholiques, spécialement les laïcs, ont-ils si peu de charité envers le prochain ? — D'abord parce que placés dans un état de lutte continuelle, entre les 2 mondes, et ne possédant ni l'un ni l'autre, ils sont dans un état de souffrance et, par conséquent, d'énervement. Ils

sont déjà désacclimatés de celui-ci et par conséquent on ne peut pas leur demander d'y être heureux «comme un poisson dans l'eau».

CLAUDEL, Journal, oct. 1923.

REM. On trouve aussi les termes *désacclimatiser* (1794), *déclimater* (1803).

CONTR. **Acclimater.**

DÉSACCORD [dezakɔr] n. m. — V. 1170, *desacort* ; repris XVIIIᵉ ; de *dés-* (→ 1. Dé-), et *accord.* → **Accorder.**

Manque d'accord.

♦ **1** (V. 1170). En parlant des personnes. Fait de n'être pas d'accord ; état de personnes qui s'opposent. → **Brouille, contestation, désunion, différend, discord, discorde, discussion, dispute, dissension, dissentiment, fâcherie, inimitié, malentendu, mésintelligence, mésentente, opposition, querelle, zizanie.** *Un léger désaccord ; un sérieux, un grave désaccord. Brusque désaccord.* → **Fêlure, rupture. — En désaccord.** *Être, se trouver en désaccord avec qqn sur qqch. Ils sont constamment en désaccord.* → **Incompatibilité** (d'humeur...). *— Leur désaccord les a amenés à se séparer, à divorcer. Désaccord entre deux partis.* → **Division, scission, tiraillement** (fig.). *Les membres du jury, de l'assemblée sont en désaccord. Faire cesser un désaccord par un compromis, une convention...*

1 Entre eux deux, un grand orage venait de passer, un long et cruel désaccord, — le seul, il est vrai, depuis leurs mauvais jours lointains. LOTI, Matelot, XXVII, p. 103.

2 Quand ses yeux rencontraient le regard fiévreux de Gise, il sentait entre elle et lui un désaccord si intolérable qu'il simulait aussitôt une excessive froideur (...)
MARTIN DU GARD, les Thibault, t. IV, p. 219.

3 Les lettres du général *(Hugo)* font apparaître l'irrémédiable désaccord, et ses griefs à lui : ce ne sont pas ceux d'un mauvais homme, mais d'un bon vivant excédé par les récriminations, les jérémiades et, s'il faut l'en croire, les injures et même les menaces d'une épouse d'humeur difficile (...)
Émile HENRIOT, les Romantiques, p. 27.

♦ **2** (V. 1585). En parlant de choses, concrètes ou abstraites. Fait de ne pas s'accorder, de ne pas aller ensemble. → **Contradiction, contrariété, contraste, différence, discordance, disparate, dissonance, divorce** (fig.), **incohérence, incompatibilité, opposition.** *Il y a désaccord entre ses opinions et sa conduite.* → **Inconséquence.** *Désaccord choquant, flagrant entre une théorie et les faits. Leurs vues sont en désaccord sur ce point.* → **Divergence.** *Désaccord entre les idées... Être en désaccord avec son époque, son milieu.*

4 Le jour où l'homme se méprise, le jour où il se voit méprisé, le moment où la réalité de la vie est en désaccord avec ses espérances, il se tue et rend ainsi hommage à la société devant laquelle il ne veut pas rester déshabillé de ses vertus ou de sa splendeur.
BALZAC, Illusions perdues, Pl., t. IV, p. 1013.

5 Il y avait en moi de telles disparates, ma condition d'écolier formait avec mes dispositions morales des désaccords si ridicules que j'évitais comme une humiliation nouvelle toute circonstance de nature à nous rappeler à tous deux ces désaccords.
E. FROMENTIN, Dominique, VIII, p. 123.

6 En désaccord avec son temps — c'est là ce qui donne à l'artiste sa raison d'être.
GIDE, Journal, 6 juil. 1937, Pl., p. 1266.

♦ **3** Spécialt (mus.). Rare. État d'instruments qui ne sont pas accordés. *Piano en désaccord.* → **Désaccordé, discord.**

REM. On trouve un emploi adj. fig. dans Stendhal. *«J'ai tant lorgné que j'en ai les yeux désaccords»* (Œ. *intimes*, Pl., p. 589).

CONTR. **Accord.**

DÉSACCORDER [dezakɔʀde] v. tr. — V. 1333; 1262, p. p. substantivé; de dés- (→ 1. Dé-), et accorder.

♦ 1 Rare. Mettre en désaccord*. → **Brouiller, désunir, fâcher, opposer.** *Ce sont des questions d'intérêt matériel qui ont désaccordé ces familles.* — Pron. *Se désaccorder.* → **Disputer** (se), **quereller** (se), **rompre.**

♦ 2 (1471). Détruire l'accord de (un instrument de musique). *La chaleur, l'humidité désaccordent les pianos.* — Pron. Perdre son accord. *Ce violon s'est désaccordé.*

♦ 3 (V. 1333). Rompre l'accord, l'harmonie de (un ensemble de sons, de couleurs...), entre des éléments.

1 Cette draperie rouge (...) blessait l'art et désaccordait le tableau. DIDEROT, Salon de 1765.

Pronominal :

2 Sur une route sonore s'accorde, puis se désaccorde pour s'accorder encore, le trot de deux chevaux attelés en paire. COLETTE, l'Étoile Vesper, p. 218.

♦ DÉSACCORDÉ, ÉE p. p. adj.

♦ 1 Littér. Dont l'harmonie est rompue. → **Désuni.** *Des cœurs désaccordés* (Littré).

3 Tout est désaccordé. Plus d'ensemble, plus d'unité, plus de beauté. DIDEROT, Regrets sur ma vieille robe de chambre.

Fig. Sans harmonie.

4 Comme Paris était morne et déprimant, dans ces semaines désaccordées de la rentrée (...) Valery LARBAUD, Mon plus secret conseil, IX.

♦ 2 Qui n'est plus accordé (en parlant d'un instrument de musique). *Piano désaccordé.* → **Faux.** — Par métaphore :

5 Je voudrais retrouver le rythme double et unique qui, de mes journées, se prolonge dans mon Journal. Tout ce que j'ai écrit ici (*sur ce carnet-ci*) me paraît désaccordé. Et je ne sais ce qui sonne le plus faux, de ma vie ou de ce Journal. Claude MAURIAC, le Temps immobile, p. 138.

CONTR. Accorder, réunir, unir; réconcilier (se). — (Du p. p.) **Accordé, harmonieux. — Juste.**

DÉSACCOUPLEMENT [dezakupləmã] n. m. — 1636; de désaccoupler.

Rare. Action de désaccoupler. — (1951). Mécan. *Le désaccouplement d'un moteur d'avec la transmission.*

DÉSACCOUPLER [dezakuple] v. tr. — Déb. XIIIᵉ; de dés- (→ 1. Dé-), et accoupler.

♦ 1 Séparer des choses qui étaient par couples, par paires. *Désaccoupler les chevaux.* → **Dételer.** *Désaccoupler des chiens de chasse.* → **Découpler.**

♦ 2 (1857). Techn. Supprimer la liaison mécanique, électrique de...

♦ SE DÉSACCOUPLER v. pron.

Cesser d'être accouplés (en parlant d'animaux).

CONTR. Accoupler, unir. ◊ DÉR. Désaccouplement.

DÉSACCOUTUMANCE [dezakutymãs] n. f. — V. 1260, desacoustumance; de désaccoutumer.

Littér. Action de se désaccoutumer; perte d'une accoutumance*. *La désaccoutumance à une drogue, au tabac, du tabac.*

Mon latin s'abâtardit incontinent, duquel depuis par désaccoutumance j'ai perdu tout usage. MONTAIGNE, Essais, I, XXVI.

CONTR. Accoutumance.

DÉSACCOUTUMER [dezakutyme] v. tr. — V. 1200; de dés- (→ 1. Dé-), et accoutumer.

Faire perdre une coutume, une habitude à (qqn). → **Déshabituer.** *Il faut le désaccoutumer de mentir, de voler.*

1 (...) le bruit de la rue, dont vous êtes désaccoutumée, et qui vous empêche de dormir. Mᵐᵉ DE SÉVIGNÉ, 334, 11 oct. 1673.

Pron. *Se désaccoutumer de fumer.* → **Cesser, renoncer** (à). (→ Chaîne, cit. 21).

2 Comme la raison s'accoutume à examiner, elle se désaccoutume de croire (...) MASSILLON, Panégyrique de saint Thomas.

3 (...) Mademoiselle s'était désaccoutumée de songer à eux. Antoine seul comptait, et les bonnes. MARTIN DU GARD, les Thibault, t. IV, p. 200.

4 (...) qu'un sort clément nous dispense de notre raison! Point d'issue tant que l'intellect demeure attentif aux mouvements du cœur, tant qu'il ne s'en désaccoutume pas! J'aspire aux nuits de l'idiot, à ses souffrances minérales, au bonheur de gémir avec indifférence comme si c'étaient les gémissements d'un autre, à un calvaire où l'on est étranger à soi. E. M. CIORAN, Précis de décomposition, p. 231.

CONTR. Accoutumer, habituer. — Continuer (à). ◊ **DÉR. Désaccoutumance.**

DÉSACHALANDAGE [dezaʃalãdaʒ] n. m. — 1846, Bescherelle; de désachalander.

Rare. Perte de la clientèle.

DÉSACHALANDER [dezaʃalãde] v. tr. — 1690; de dés- (→ 1. Dé-), et achalander. → 2. Chaland.

Rare. Faire perdre les chalands, la clientèle à...

DÉR. Désachalandage.

DÉSACIDIFIER [dezasidifje] v. tr. — 1870; de dés- (→ 1. Dé-), et acidifier.

Techn. Supprimer l'acidité de (une substance). *Désacidifier un papier ancien pour garantir sa conservation.* — Au p. p. *Vin désacidifié.*

On emploie aussi le dér. *désacidification,* n. f.

CONTR. Acidifier.

DÉSACIÉRER [dezasjere] v. tr. — 1842, in D.D.L.; de dés- (→ 1. Dé-), et aciérer.

Techn. Enlever l'aciérage* (2.) de (un produit métallique).

CONTR. Aciérer.

DÉSACRALISATION [desakʀalizasjɔ̃] n. f. — 1934, cit. 1; de désacraliser.

Didact. Action de désacraliser; son résultat. «*Le mouvement de la désacralisation de la nature s'est accompagné de la recherche d'un nouveau sacré*» (J. Duquesne).

1 La tradition des *rois Cloche-pied* s'est conservée au Siam et au Cambodge jusqu'au XIXᵉ siècle. Après avoir tracé un sillon (désacralisation du sol par le chef au début d'une campagne agricole), ils devaient aller s'appuyer contre un arbre et se tenir debout sur un seul pied. Marcel GRANET, la Pensée chinoise, p. 73 (1934).

2 Les premiers comprennent les rites de *consécration,* qui introduisent dans le monde du sacré un être ou une chose, et les rites de *désacralisation,* ou d'*expiation,* qui, à l'inverse, rendent une personne ou un objet pur ou impur au monde profane. Roger CAILLOIS, l'Homme et le Sacré, p. 23.

CONTR. Sacralisation.

DÉSACRALISER [desakʀalize] v. tr. — 1949, *in* D.D.L.; de 1. *dé-*, *sacral*, et *-iser*

Didact. Dépouiller du caractère sacral, ne plus considérer (qqch., qqn) comme sacré.

1 Il possède seul une sainteté suffisante pour commettre le sacrilège nécessaire qui consiste à désacraliser la récolte, afin que le libre usage en soit permis à ses sujets.
Roger CAILLOIS, l'Homme et le Sacré, p. 113.

Au participe passé :

2 L'actualité du problème de la révolte tient seulement au fait que des sociétés entières ont voulu prendre aujourd'hui leur distance par rapport au sacré. Nous vivons une histoire désacralisée.
CAMUS, l'Homme révolté, *in* Essais, Pl., p. 431.

Par ext. Dépouiller (qqn, qqch.) du caractère respectable, quasi sacré qu'on lui reconnaissait jusqu'alors. *Désacraliser une profession.*

3 J'ai déchiffré avec curiosité, on le pense bien, le passage de la lettre à maman concernant la villa d'Hadrien, beau lieu aujourd'hui désacralisé par des restaurations indiscrètes ou par de vagues statues de jardin trouvées çà et là et arbitrairement groupées sous des portiques retapés, sans parler d'une buvette et d'un parking à deux pas du grand mur qu'a dessiné Piranèse.
M. YOURCENAR, Archives du Nord, p. 134-135.

4 L'alliance spectaculaire de tant de noblesse et de tant de futilité signifie que l'on croit encore à la contradiction : totalement miraculeuse, chacun de ses termes l'est aussi : elle perdrait évidemment tout son intérêt dans un monde où le travail de l'écrivain serait désacralisé au point de paraître aussi naturel que ses fonctions vestimentaires ou gustatives. R. BARTHES, Mythologies, p. 33 (1957).

CONTR. Sacraliser. ◊ DÉR. Désacralisation.

DÉSACTIVATION [dezaktivasjɔ̃] n. f. — 1904, in *Rev. gén. des sc.*, n° 2, p. 61; de *dés-* (→ 1. Dé-), et *activation*.

♦ 1 Chim. Baisse de l'activité (d'un catalyseur).

♦ 2 Phys. Diminution de l'activité (d'une substance radioactive).

CONTR. Activation.

DÉSACTIVER [dezaktive] v. tr. — 1905, in *Rev. gén. des sc.*, n° 6, p. 291; de *dés-* (→ 1. Dé-), et *activer*.

♦ 1 Chim. Produire la désactivation* de (un corps).

♦ 2 Phys. Débarrasser (un corps, un lieu) des éléments radioactifs qu'il renferme.

CONTR. Activer.

DÉSADAPTATION [dezadaptasjɔ̃] n. f. — 1894, *in* D.D.L.; de *dés-* (→ 1. Dé-), et *adaptation*.

Didact. Perte de l'adaptation. → Désadapter. *Désadaptation sociale, sexuelle.* → **Désaccoutumance.**

1 L'émotion n'intervient-elle pas précisément, pour James, au moment d'une désadaptation brusque et ne consiste-t-elle pas essentiellement dans l'ensemble de désordres que cette désadaptation amène dans l'organisme.
SARTRE, Esquisse d'une théorie des émotions, 1939, p. 18, *in* T.L.F.

2 (...) des enfants, à l'âge où ils généralisent à outrance, ont plus de peine à dégager les ressemblances entre deux objets (comme une mouche et une abeille) que leurs différences, la prise de conscience renversant ainsi l'ordre du travail effectif et procédant de la périphérie (désadaptations de l'action) au centre (mécanisme intime) et non pas l'inverse.
J. PIAGET, Épistémologie des sciences de l'homme, p. 139.

3 Mon père nous quitta à une heure (nous voici arrivés au 21 mai). Nous restâmes encore quelques instants à la Coupole : moments pénibles où Frédéric fut sujet à l'une de ces désadaptations, de ces baisses soudaines de tension qui lui sont habituelles.
Claude MAURIAC, le Temps immobile, p. 313-314.

CONTR. Adaptation.

DÉSADAPTER [dezadapte] v. tr. — 1929; de *dés-* (→ 1. Dé-), et *adapter*.

Didact. Faire cesser l'adaptation de. — Pron. *Se désadapter d'un milieu.*

0.1 L'évolution des objets techniques manifeste des phénomènes d'hypertélie qui donnent à chaque objet technique une spécialisation exagérée et le désadaptent par rapport à un changement même léger survenant dans les conditions d'utilisation ou de fabrication.
Gilbert SIMONDON, Du mode d'existence des objets techniques, p. 50.

◆ **DÉSADAPTÉ, ÉE** p. p. adj. et nom (1933). Didact. (psychol.). Personnes. Qui n'est plus adapté à son milieu, par suite d'une évolution psychologique. → **Inadapté.** — Adjectif :

1 C'était un garçon solitaire, désadapté, paresseux et vaniteux. SARTRE, le Sursis, p. 118.

N. *Un désadapté, une désadaptée.*

2 (*La résistance au milieu*) est utile (...) Les novateurs sont souvent des désadaptés, au meilleur sens du terme.
François CLOUTIER, la Santé mentale, p. 60.

CONTR. Adapter; adapté. ◊ DÉR. Désadaptation.

DÉSADOPTER [dezadɔpte] v. tr. — XXᵉ; de *dés-* (→ 1. Dé-), et *adopter*.

Rare. Résilier l'adoption de..., renier (un enfant adoptif). *Désadopter un enfant.*

(...) être assistée comme une petite reine parmi la pauvreté matérielle et mentale la plus complète, être reçue maternellement par la femme qui vous a désadoptée, ça oui; mais se faire engraisser par un mec qui a trimé toute sa vie (...) ça non, ou alors à charge de revanche.
A. SARRAZIN, *la Traversière*, p. 248 (1966).

DÉSAÉRATION [dezaeʀasjɔ̃] n. f. — 1858, *in* D.D.L.; de *désaérer*.

Techn. Action de désaérer (un produit, un matériau). *Opération de désaération. Désaération et déshydratation des aliments.*

La désaération permet d'éliminer l'air que le mélange est susceptible de renfermer du fait de sa haute viscosité. La désaération est d'autant plus importante que l'oxygène de l'air inclus peut entraîner des phénomènes d'oxydation pouvant détruire certains principes nutritifs et certaines vitamines.
Guérir, *Les aliments de sécurité*, oct. 1967.

DÉSAÉRER [dezaeʀe] v. tr. — 1948; de *dés-* (→ 1. Dé-), et *aérer*.

Techn. Éliminer l'air de (une substance). *Désaérer du béton.*

◆ **DÉSAÉRÉ, ÉE** p. p. adj. (Cf. anc. franç. *desairié* «égaré», XIVᵉ).

Techn. D'où l'air a été retiré. *Béton désaéré.*

DÉR. Désaération.

DÉSAFFECTATION [dezafektasjɔ̃] n. f. — 1876; de *désaffecter*.

Dr., admin. Action de désaffecter (un immeuble). *La désaffectation d'une gare, d'un immeuble domanial.*

L'acte d'affectation est essentiellement révocable et peut être rapporté en vertu d'un acte de désaffectation émané de la même autorité.
DALLOZ, *Nouveau répertoire*, «Domaine de l'État», n° 19.

CONTR. Affectation.

DÉSAFFECTÉ, ÉE [dezafekte] adj. → **Désaffecter,** p. p.

DÉSAFFECTER [dezafɛkte] v. tr. — 1876, *in* Littré, *Suppl.*; de *dés-* (→ 1. Dé-), et *affecter*.

Dr. admin. Faire cesser, changer l'affectation de (un immeuble). *Désaffecter une école, une caserne; une église, un temple, ...*

◆ **DÉSAFFECTÉ, ÉE** p. p. adj.

Courant.

◆ **1** Qui n'est plus affecté (à un service public). *Église, école désaffectée.* — Qui a perdu sa destination première. *Salle à manger désaffectée. Baptiser* (cit. 7) *laboratoire une cuisine désaffectée.*

1   (...) tout avait pris un aspect différent : cette table dépliée, au centre de la pièce ; ce service à thé, qui trônait sur le bureau désaffecté, entre la corbeille à pain et le compotier de fruits.
MARTIN DU GARD, les Thibault, t. III, p. 164.

◆ **2** Démis de sa charge. «*Un chef d'orchestre désaffecté*» (Schaeffer, *Recherches sur la musique concrète*, 1952, p. 71, *in* T. L. F.).

◆ **3** Qui a perdu sa signification originelle, sa valeur première.

2   (...) beaucoup d'ennemis du christianisme se dévouaient au progrès de la justice sociale en altérant par les erreurs d'un matérialisme désastreux leur idée de celle-ci, et en se laissant égarer par le mythe de la Révolution, sans voir que ce qu'il y avait de juste et de fécond dans leur action dérivait à vrai dire de vérités chrétiennes (mais «affolées») et de sentiments chrétiens (mais désaffectés).
F. MAURIAC, le Nouveau Bloc-notes 1958-1960, p. 318.

CONTR. Affecter, consacrer (une église). ◊ DÉR. Désaffectation.

DÉSAFFECTION [dezafɛksjɔ̃] n. f. — 1787, Féraud ; de *dés-* (→ 1. Dé-), et *affection*.

Perte de l'affection, de l'attachement (pour qqn, ou plus souvent, pour qqch.). → **Détachement.** *La désaffection du peuple pour un régime, d'une personne pour une autre. Une désaffection progressive, rapide.*

1   (...) si les hommes souffrent parfois de la désaffection féminine, ce sont surtout les femmes qui courent bien plus le risque de se voir, à un moment de leur vie, abandonnées et sacrifiées (...)
Georges LECOMTE, Ma traversée, p. 105.

2   Ça te va ? demanda-t-elle, renonçant à comprendre la désaffection d'Antoine pour un cadre qu'il avait entièrement fait à sa convenance.
MARTIN DU GARD, les Thibault, t. VIII, p. 228.

3   Il s'étonna d'être si jaloux, alors qu'il avait cessé d'aimer Delphine depuis tant d'années déjà, de l'aimer d'amour, en tout cas. La jalousie pouvait-elle survivre ainsi à la désaffection ?
Jean-Louis CURTIS, le Roseau pensant, p. 314.

4   À l'égard de mon père, non pas de la désaffection, mais un infranchissable mur d'indifférence, non, ce n'est pas le mot : je le voyais en transparence, et je l'aimais, mais ce mur était insonorisé, nous ne pouvions communiquer.
Claude MAURIAC, le Temps immobile, p. 255.

CONTR. Affection, amitié, amour. ◊ DÉR. Désaffectionner (se).

DÉSAFFECTIONNER [dezafɛksjɔne] v. tr. — XVIIIᵉ ; de *dés-* (→ 1. Dé-), et *affectionner*.

Vieux ou littéraire. *Désaffectionner qqn de* (qqn, qqch.) : faire perdre à (qqn) l'affection portée (à qqn ou qqch.).

1   La morgue de la noblesse de cour désaffectionna du trône la noblesse de province, autant que celle-ci désaffectionnait la bourgeoisie, en en froissant toutes les vanités.
BALZAC, Illusions perdues, 1843, p. 39, *in* T. L. F.

◆ **SE DÉSAFFECTIONNER** v. pron. (1824). Cesser d'avoir de l'attachement pour. *Se désaffectionner de qqn, de qqch.* → **Détacher** (se).

Oh ! ne croyez pas qu'il soit amer de se désaffectionner. Au contraire, vous ne savez pas comme c'est bon, de sentir qu'on n'aime plus. Je ne sais ce qui est meilleur : se détacher, ou qu'on se détache de vous.
MONTHERLANT, la Reine morte, II, 1, 3.   2

CONTR. Attacher (et s'attacher).

DÉSAFFÉRENTATION [dezafeRɑ̃tasjɔ̃] n. f. — XXᵉ ; de *dés-* (→ 1. Dé-), *afférent*, et suff. *-ation*.

Didact. (psychophysiologie). Rupture du processus afférent ou d'«afférentation» (celui qui se dirige vers les centres nerveux). — REM. On dit aussi *déafférentation* (attesté 1951. → Sommeil, cit. 6.1).

Un malade timide, angoissé s'allonge sur le divan. Il ne voit pas l'analyste, il le sent derrière lui. Il vit au fond une expérience de désafférentation sensorielle, accentuée par la position couchée et le relâchement musculaire (...)
C. KOUPERNIK, Un traitement d'exception, in la Nef, nº 31, p. 160.

DÉSAFFILIATION [dezafiljasjɔ̃] n. f. — D. i. (XXᵉ) ; de *désaffilier*.

Action de se désaffilier.

DÉSAFFILIER [dezafilje] v. tr. — 1872 ; de *dés-* (→ 1. Dé-), et *affilier*.

Didact. Faire cesser l'affiliation de. *Désaffilier qqn d'un parti, d'une organisation.* — Pron. Se retirer d'une affiliation. *Plusieurs membres se sont désaffiliés, ont démissionné*.

CONTR. Affilier. ◊ DÉR. Désaffiliation.

DÉSAFFLEURER [dezaflœRe] v. tr. — 1732 ; de *dés-* (→ 1. Dé-), et *affleurer*.

Techn. Vx. Faire cesser l'affleurement de...

DÉSAFFUBLER [dezafyble] v. tr. — V. 1170 ; de *dés-* (→ 1. Dé-), et *affubler*.

Rare. Enlever à (qqn) ce qui affuble. → **Défubler** (vx). *Désaffubler qqn de ses oripeaux, d'un déguisement.* — Pron. Se désaffubler. «*Le Petit Chose* (...) *était en train de se désaffubler*» (A. Daudet, *in* T. L. F.).

DÉSAGRAFER [dezagRafe] v. tr. — XVIIᵉ, Scarron ; de *dés-* (→ 1. Dé-), et *agrafer*.

Enlever les agrafes de (un vêtement). Ouvrir en défaisant les agrafes. *Désagrafer une robe.* → **Dégrafer.**

◆ **SE DÉSAGRAFER** v. pron.

Ouvrir, ôter un vêtement en le désagrafant.

◆ **DÉSAGRAFÉ, ÉE** p. p. adj :

(...) le ventre à l'aise, la ceinture désagrafée d'un cran, la serviette au menton (...)
B. CENDRARS, Bourlinguer, p. 262.

DÉSAGRÉABLE [dezagReabl] adj. — V. 1275. *desagraable* ; de *dés-* (→ 1. Dé-), et *agréable*.

◆ **1** Sens actif. (En parlant des personnes). Qui se conduit de manière à choquer, blesser, irriter les autres. *Personne désagréable. Il est très désagréable.* → Acariâtre, acerbe, agaçant, atrabilaire, bourru, brusque, désobligeant, fatigant, hargneux, impoli, insolent, insupportable, intraitable, maussade, mauvais, méchant, mésavenant, odieux, offensant, réfrigérant, rude ; et aussi maudit, sale, vilain... employés avec un substantif (sale gosse,... vilain moineau, etc.). C'est un homme très désagréable (cf. Aimable comme une porte de prison).

(Plus cour.). Avec un compl. introduit par *envers, avec.* *Il est assez désagréable avec, envers ses inférieurs.* *Elle a été très désagréable avec moi.*

REM. 1. Construit avec *à, désagréable* a la même valeur passive que le sens 2. *Il est désagréable à tout le monde.* → Antipathique (cf. aussi Personne ne peut le sentir*, le souffrir*). *Être désagréable à soi et aux autres.*

2. Le sens «qui n'est pas agréé» est signalé comme vieilli par le T. L. F. avec un ex. de Chateaubriand ; ce sens très archaïque serait aujourd'hui senti comme un anglicisme.

(Actes, attitudes..., au sens actif). Des paroles désagréables, désagréables pour, à l'égard de qqn. → **Blessant, vexant.** — *D'une manière désagréable.*

1 (...) si le choc de l'objet aperçu la frappe *(l'imagination)* d'une manière agréable, elle l'aime, elle le préfère, bien que cet objet n'ait en lui aucun agrément réel ; et si cet objet, quoique d'un prix certain aux yeux d'un autre, n'a frappé l'imagination dont il s'agit que d'une manière désagréable, elle s'en éloignera, parce qu'aucun de nos sentiments ne se forme, ne se réalise qu'en raison du produit des différens objets sur l'imagination (...)

                    SADE, *Justine...*, t. I, p. 189.

♦ **2** (En parlant des choses). Qui déplaît, donne du déplaisir. → **Déplaisant, malplaisant, mauvais, pénible ;** *(fam.)* **moche, sale ;** iron. **beau, charmant, joli.** *Sensation violemment désagréable.* → **Blessant, douloureux, insupportable, intolérable, irritant.** *Mener une vie triste et désagréable.* → **Affreux** (par exagér.), **détestable, ennuyeux, fastidieux.** *Impression, vision désagréable. Visage désagréable.* → **Disgracieux, ingrat, laid.** *Apparence, allure désagréable.* → **Choquant, rebutant, répugnant.** *Goût désagréable.* → **Mauvais ; acide, âcre, aigre, âpre, saumâtre ; dégoûtant, écœurant, fade, insipide.** *Médecine, potion au goût désagréable.* — *Par litote. Ce n'est pas désagréable :* c'est assez bon. *Odeur* désagréable.* → **Fétide, incommodant, nauséabond, putride.** *Son désagréable, qui écorche les oreilles.* → **Agaçant, criard, discordant.** *Événement, nouvelle désagréable.* → **Contrariant, ennuyeux, fâcheux, gênant, importun, malencontreux, malheureux.** *Ceci aura des conséquences désagréables.* → **Regrettable.** *Il est désagréable d'avoir à travailler pour ce beau temps. Cela est désagréable à s'entendre dire. Cette corvée lui a été bien désagréable. Il se trouvait dans une situation désagréable.*

2 J'eus une sorte de frisson désagréable, un de ces effleurements pénibles qui nous touchent le cœur, comme l'approche d'un lourd chagrin.   MAUPASSANT, *Un fils.*

3 Cette eau-ci lui parut d'une saveur point trop désagréable (...)
             J. ROMAINS, les *Hommes de bonne volonté,* t. V, p. 81.

Impers. Il est, il n'est pas désagréable de... Ce n'est pas désagréable.

Avoir pour désagréable ; (vx) *avoir désagréable que...*

4 (...) même quand on possède une longue expérience de la malice et de la perfidie humaine, il est toujours désagréable de recevoir des lettres anonymes.
        G. DUHAMEL, *Chronique des Pasquier,* X, IX, p. 434.

N. m. L'agréable et le désagréable.

CONTR. Agréable. ◊ **DÉR. Désagréablement.**

DÉSAGRÉABLEMENT [dezagreablǝmɑ̃] adv. — Fin XIVᵉ ; de *désagréable,* et 1. *-ment.*

D'une manière désagréable ; par une impression désagréable. Être désagréablement surpris. Il nous a répondu désagréablement. «*Le ton désagréablement superficiel*» (J. Gracq, *in* T. L. F.).

CONTR. Agréablement.

DÉSAGRÉER [dezagree] v. tr. ind. — V. 1165 ; de *dés-* (→ 1. Dé-), et *agréer.*

Vieux.

♦ **1** Ne pas agréer ; être désagréable à... → **Déplaire.** *Désagréer à quelqu'un.*

Retenez la plus petite parole qui puisse désagréer à Jésus-Christ.
                 BOSSUET,
       Seconde exhortation aux Ursulines de Meaux.

♦ **2** (Langue class.). Désapprouver (qqch.). *Désagréer que...*

DÉSAGRÉGATION [dezagregasjɔ̃] n. f. — 1798 ; de *désagréger,* et *-ation.*

♦ **1** Destruction par séparation des parties agrégées. → **Dissociation, dissolution, morcellement, pulvérisation.** *Désagrégation d'une pierre tendre, friable.* — *Par ext. Désagrégation d'objets qui tombent en ruines* (→ Dépérir, cit. 7).

♦ **2** Abstrait. → **Décomposition, désintégration, destruction, dislocation, écroulement, rupture, séparation.** *Désagrégation d'une union, d'une association. La désagrégation de l'empire romain* (→ Christianisme, cit. 12 ; chute, cit. 11). *La désagrégation d'une résistance, d'une force armée.*

1 Il *(Louis-Philippe)* sentait sous ses pieds une désagrégation redoutable, qui n'était pourtant pas une mise en poussière, la France étant plus France que jamais.
           HUGO, les *Misérables,* IV, I, IV.

2 De sorte que la modification de mon état sentimental, préparée sans doute obscurément jour par jour par les désagrégations continues de l'oubli, mais réalisée brusquement dans son ensemble (...)
       PROUST, À *la recherche du temps perdu,* t. XIII, p. 217.

Spécialt. *Désagrégation mentale, psychique :* trouble de la synthèse mentale ; schizophrénie. → **Dissociation** (mentale). — *Désagrégation de la personnalité, du moi.*

CONTR. Agglomération, assemblage, réunion, union. — **Renforcement, solidité.**

DÉSAGRÉGEABLE [dezagreʒabl] adj. — 1868, *in* Littré ; de *désagréger.*

Didact. Qui peut être désagrégé.

DÉSAGRÉGEANT, ANTE [dezagreʒɑ̃, ɑ̃t] adj. — D. i. ; p. prés. de *désagréger.*

Didact. ou techn. Qui disjoint des choses agrégées (propre ou fig.). *Substance désagrégeante.* — N. m. *Un désagrégeant.*

DÉSAGRÉGEMENT [dezagreʒmɑ̃] n. m — 1846 ; de *désagréger.*

Didact. ou techn. Action de désagréger ; fait de se désagréger.

DÉSAGRÉGER [dezagreʒe] v. tr. [CONJUG.: *céder* et *bouger.*] — 1798 ; de *dés-* (→ 1. Dé-), et *agréger.*

♦ **1** (1798). Décomposer (qqch.) en séparant les parties liées, agrégées. → **Dissocier, dissoudre, diviser, pulvériser.** *La pluie désagrège les pierres tendres.*

L'action des pluies n'a pu que très lentement désagréger ces sortes de châteaux forts ou de cathédrales aux murs quasi verticaux et durs comme de la brique (...)   0.1
     GIDE, *Voyage au Congo, in Souvenirs,* Pl., p. 720.

Pron. Roche qui se désagrège. Le sucre se désagrège dans l'eau. → **Fondre.**

Rare. *Se désagréger de qqch.* : se séparer par désagrégation de...

♦ **2** (1860). Fig. Décomposer (qqch.) en détruisant la cohésion, l'unité. → **Décomposer, désunir, disloquer, morceler, séparer** (→ Apparition, cit. 4). *Désagréger les résistances.* → **Détruire, pulvériser, supprimer.**

1   En Angleterre, une démolition insensible pulvérise et désagrège perpétuellement les lois et les coutumes.
                    HUGO, l'Homme qui rit, II, IV, VI.

2   Ainsi la force interne de la Révolution désagrégeait les résistances.   JAURÈS, Hist. socialiste..., t. I, p. 340.

(1861). Pron. *Tout le système de défense se désagrège.* → **Écrouler** (s').

Se désagréger en : dégénérer en.

♦ **3** Détruire (qqn, qqch.) en le dégradant. *«Des fêtes malsaines désagrègent le peuple et le font populace»* (Hugo, *in* T.L.F.).

♦ **DÉSAGRÉGÉ, ÉE** p. p. adj.

♦ **1** Décomposé ; dont les parties liées sont séparées. *Roche désagrégée.*

♦ **2** Fig. Dont la cohésion, l'unité est détruite. *Résistances désagrégées.*

CONTR. Agréger ; agglomérer, cimenter, joindre, réunir. — Renforcer. ◊ DÉR. Désagrégation, désagrégeable, désagrégeant, désagrégement.

DÉSAGRÉMENT [dezaɡʁemɑ̃] n. m. — 1642, *desagreement* ; de dés- (→ 1.Dé-), et *agrément.*

Chose désagréable ; sujet de contrariété. → **Chagrin, contrariété, déboire, difficulté, ennui, souci.** — *(Le désagrément). Cela peut lui attirer, lui occasionner du désagrément. Il n'en a retiré que du désagrément* (cf. Il s'en est mal trouvé). — *(Un, des désagréments). Je prévois pour vous bien des désagréments* (→ Je vous en souhaite* !). *Quel désagrément ! Un vif désagrément.*

1   Des plaisirs qu'il a fallu acheter bien cher et dont il n'a presque jamais eu que le désagrément et l'amertume.
         MASSILLON, Avent, Mort du péch., *in* LITTRÉ.

2   (...) j'eus le désagrément (...) de voir horriblement mutiler mon ouvrage (...)   ROUSSEAU, les Confessions, X.

3   (...) je n'ai jamais songé à moi-même, et si je me reproche quelque chose, c'est de vous avoir causé du désagrément contre mon gré.
        G. SAND, la Petite Fadette, XVIII, p. 123.

4   Les concessions qu'il fallait faire à la cour, à la société, au clergé étaient pires que les petits désagréments que peut nous infliger la démocratie.
        RENAN, Souvenirs d'enfance..., Préface, p. 14.

DÉSAILER [dezele] v. tr. — 1877; «dépouiller (une graine) de ses ailes», 1873; de dés- (→ 1.Dé-), et *aile.*

Techn. Rogner ou blesser les ailes de (un oiseau). — Chasse. Toucher (un oiseau) aux ailes de manière telle qu'il ne peut plus voler. *Le perdreau n'avait pas été tué, mais quelques plombs l'avaient désailé* (→ Avoir du plomb* dans l'aile).

DÉSAIMANTATION [dezemɑ̃tasjɔ̃] n. f. — 1858, *Année sc. et industr.*, t. I, p. 81; de *désaimanter.*

Didact., techn. Action de désaimanter (un corps); son résultat.

CONTR. Aimantation.

DÉSAIMANTER [dezemɑ̃te] v. tr. — 1864; de dés- (→ 1.Dé-), et *aimanter.*

Didact., techn. Supprimer l'aimantation, le champ magnétique de. — Au p. p. *Une barre de fer désaimantée.*

La communication était-elle établie entre les deux pôles, le courant, partant du pôle positif, traversait le fil, passait dans l'électro-aimant, qui s'aimantait temporairement, et revenait par le sol au pôle négatif. Le courant était-il interrompu, l'électro-aimant se désaimantait aussitôt. Il suffisait donc de placer une plaque de fer doux devant l'électro-aimant, qui, attirée pendant le passage du courant, retombait, quand le courant était interrompu.
      J. VERNE, l'Île mystérieuse, t. II, p. 561.

CONTR. Aimanter. ◊ DÉR. Désaimantation.

DÉSAIMER [dezeme] v. tr. — Mil. XIIIᵉ; de dés- (→ 1.Dé-), et *aimer.*

Rare. Cesser d'aimer (qqn). → **Désamour.** (Ex. de Amiel, J. Bousquet, L. de Vilmorin, *in* T.L.F.; de Theuriet, *in* G.L.L.F.).

J'envisage la lune et je sais maintenant qu'elle ne viendra pas (...) et que je vais rester céans, seul et nu, et désaimé de tous.   Robert MERLE, En nos vertes années, p. 201.

DÉSAISONNALISER [dezɛzɔnalize] v. tr. — 1972; calque de l'angl. *to deseasonalize*, de de- (→ 1.Dé-), *season* (→ Saison), et suff. verbal.

Didact. Corriger (des éléments statistiques) de manière à éliminer les distorsions résultant des variations saisonnières. *Des statistiques désaisonnalisées.*

On emploie aussi le dér. *désaisonnalisation*, n. f.

DÉSAJUSTEMENT [dezaʒystəmɑ̃] n. m. — 1671, «confusion»; de *désajuster*, et 2. -ment.

(1845). Techn. Action de désajuster, de se désajuster; état de ce qui est désajusté. *Le désajustement d'une roue* (*in* G.L.L.F.).

Fig. *Le désajustement de l'économie.*

DÉSAJUSTER [dezaʒyste] v. tr. — 1611; de dés- (→ 1.Dé-), et *ajuster.*

Déranger, mettre en désordre*(ce qui était ajusté). → **Déranger.** *Désajuster sa coiffure.* → **Défaire.** *Désajuster un habillement, une parure. Désajuster une machine.* → **Dérégler.** *Désajuster deux pièces.* → **Démonter.** *Sa coiffure est toute désajustée.*

Pron. (passif). *Sa toilette s'est désajustée.*

CONTR. Ajuster. ◊ DÉR. Désajustement.

DÉSALIÉNATION [dezaljenasjɔ̃] n. f. — 1960; de *désaliéner*, d'après *aliénation.*

Didact. Fin, cessation de l'aliénation* (mentale ou sociale).

1   L'émergence d'individus désaliénés, de formes de relation conduisant à la désaliénation, fût-ce dans des circonstances privilégiées, qui sont des sortes d'îlots culturels, est un événement de premier plan.
      M. PAGÈS, *in* C. ROGERS,
   le Développement de la personne, Préface, p. 14.

2   Ce que je comprends mal, pour ma part, c'est que l'on puisse, d'une part, demander cette prise de responsabilité à tous les niveaux, la croire bonne et nécessaire à la «désaliénation» (...)
      Françoise GIROUD, Si je mens, p. 195.

CONTR. Aliénation.

DÉSALIÉNER [dezaljene] v. tr. [CONJUG.: *céder.*] — 1947, *in* D.D.L.; de dés- (→ 1.Dé-), et *aliéner.*

Didact. Faire cesser l'aliénation de, libérer. *Désaliéner l'homme. Désaliéner le système économique.* — Pron. *Se désaliéner.*

1   Tout mouvement de libération (...) doit d'abord désaliéner l'homme dominé, détruire le système de significations que la rationalité capitaliste instaure dans la conscience du peuple.
      Jean ZIEGLER, Main basse sur l'Afrique, p. 196.

◆ **DÉSALIÉNÉ, ÉE** p. p. adj.

2 (...) le scandale rogérien, c'est le scandale d'un homme désaliéné qui s'engage pleinement et qui parle en son nom propre, refusant d'utiliser la protection de son rôle social et de ses connaissances scientifiques.

M. PAGÈS, *in* C. ROGERS,
le Développement de la personne, Préface, p. 11.

CONTR. Aliéner. ◊ DÉR. Désaliénation.

DÉSALIGNEMENT [dezaliɲ(ə)mã] n. m. — 1842; de *désaligner.*

Action de désaligner; perte ou absence d'alignement. *Désalignement des maisons d'une rue.*

(...) le cristal métallique présente des défauts qu'on appelle dislocations. On peut simplifier et considérer la dislocation comme un brusque désalignement des atomes qui se propage à travers toutes les mailles du cristal.

Science et Vie, n° 588, Les monocristaux, p. 83.

(Mil. xxe). **Polit.** Fait de ne plus se conformer à un système, à une orientation politique donnée (**opposé à** *alignement*).

(1873). **Astronaut.** *Désalignement de la poussée :* «défaut d'alignement du centre de gravité d'un véhicule spatial et de la résultante des forces de poussée, provoqué par des déplacements de l'un ou de l'autre» *(Journal officiel).*

CONTR. Alignement.

DÉSALIGNER [dezaliɲe] v. tr. — 1842; de *dés-* (→ 1. Dé-), et *aligner.*

Détruire l'alignement de.

◆ **DÉSALIGNÉ, ÉE** p. p. adj.

Qui n'est pas à l'alignement; qui a perdu l'alignement. *Maisons désalignées d'une rue ancienne. Balustres désalignés par une restauration maladroite.*

CONTR. Aligner. ◊ DÉR. Désalignement.

DÉSALINISATION [desalinizasjɔ̃] n. f. — xxe; de 1. *dé-, salin,* et *-isation,* ou d'un verbe *désaliniser.*

Techn. Action d'éliminer le sel (de l'eau de mer). *Une usine de désalinisation.*

DÉSALPE [dezalp] n. f. — 1897; déverbal de *désalper.* **Régional (Suisse).** Descente de l'alpage à la fin de l'estivage. → **Désalper.**

Je te donnerai un fromage à la désalpe.

Jean FOLLONIER, *les Greniers vides,* p. 79.

DÉSALPER [dezalpe] v. intr. — 1640; de *dés-* (→ 1. Dé-), et *alper* «conduire le troupeau à l'alpage». **Régional (Suisse).** Descendre de l'alpage à la fin de l'estivage.

CONTR. Alper. ◊ DÉR. Désalpe.

DÉSALTÉRANT, ANTE [dezalterɑ̃, ɑ̃t] adj. — 1762, Rousseau; p. prés. de *désaltérer.*

Qui désaltère. *Boisson désaltérante* (→ Désaltérer, cit. 8). *Ce n'est pas très désaltérant.*
Fig. *Une fraîcheur désaltérante.* «*Un vent désaltérant*» (Daudet, Colette, in T. L. F.).

DÉSALTÉRER [dezaltere] v. tr. [CONJUG.: *céder.*] — 1549; de *dés-* (→ 1. Dé-), et *altérer.*

Apaiser, satisfaire la soif de (qqn). → **Abreuver; apaiser, calmer, étancher** (la soif de...). *Désaltérer un malade, un blessé,* le faire boire. *Ce verre d'eau m'a désaltéré.* **Absolt.** *Une boisson chaude désaltère souvent mieux qu'une boisson glacée.*

1 (...) que fera(-t-)il si on le presse de la subtilité sophistique de quelque syllogisme : le jambon fait boire, le boire désaltère, par quoi le jambon désaltère?

MONTAIGNE, Essais, I, xxvi.

Par anal. *La pluie désaltère les plantes.* → **Arroser.**

Par métaphore. Satisfaire (les désirs, les aspirations de qqn). → **Combler, soulager.** *Rien ne désaltère sa soif de science,* il est insatiable*.

D'illusoires agitations, des joies médiocres, une soif de 2 bonheur qui se renouvelle en vain et ne peut jamais être désaltérée!

MARTIN DU GARD, les Thibault, t. IV, p. 137.

◆ **SE DÉSALTÉRER** v. pron. (1668). → **Boire.** *Se désaltérer à une source.*

Un agneau se désaltérait 3
Dans le courant d'une onde pure.

LA FONTAINE, Fables, I, 10.

Ne sais-tu pas que mon armée ne pouvait en un repas se 4 désaltérer sans faire tarir des rivières?

FÉNELON, Dialogue des morts anciens (Xerxès, Léonidas), *in* LITTRÉ.

(...) mes moyens me permettent de manger à ma faim, de 5 me désaltérer à ma soif, de fumer à ma suffisance et de prêter cent sous (...)

COURTELINE, Boubouroche, Comédie, I, 2.

Par métaphore. Satisfaire ses désirs, ses aspirations.

(...) cette âme pleine de dons précieux, ces yeux où l'âme 6 se désaltère comme à une vive source d'amour (...)

BALZAC, Mémoires de deux jeunes mariées, Pl., t. I, p. 169.

Voilà trois mois que je lis exclusivement de la métaphy- 7 sique! Après tant d'abstractions, vous pouvez penser s'il m'a été doux de me désaltérer dans le réel.

FLAUBERT, Correspondance, IV, p. 237.

◆ **DÉSALTÉRANT, ANTE** p. prés. Voir à l'ordre alphabétique.

(...) son vin noir et grossier, mais désaltérant et sain, est 8 du cru de sa vigne.   ROUSSEAU, Émile, III.

◆ **DÉSALTÉRÉ, ÉE** p. p. adj.

Dont la soif est apaisée. — **Poétique :**

Dans son sang inhumain les chiens désaltérés. 9

RACINE, Athalie, I, 1.

Fig. Dont les aspirations, les désirs sont satisfaits.

CONTR. Altérer, assoiffer.

DÉSAMARRAGE [dezamaraʒ] n. m. — xxe; de *désamarrer.*

Mar. Action de désamarrer un navire.

DÉSAMARRER [dezamare] v. tr. — xive; de *dés-* (→ 1. Dé-), et *amarrer.*

Mar. Détacher (un navire) en larguant ses amarres. → **Démarrer** (I., 1.).

CONTR. Amarrer. ◊ DÉR. Désamarrage.

DÉSAMBIGUÏSATION [dezãbigɥizasjɔ̃] n. f. — Mil. xxe; de *désambiguïser,* et *-ation.*

Ling. et log. Action de désambiguïser. *La désambiguïsation d'une phrase.*

DÉSAMBIGUÏSER [dezãbigɥize] v. tr. — Mil. xxe; de *dés-* (→ 1. Dé-), *ambigu,* et *-iser.*

Ling. et log. Faire cesser l'ambiguïté de (un énoncé, un mot) en ne retenant qu'un seul sens. *Contexte qui désambiguïse une phrase, un mot.*

DÉR. Désambiguïsation.

DÉSAMIANTAGE [dezamjãtaʒ] n. m. — 1996; de *désamianter.*

Opération par laquelle on élimine l'amiante d'un bâtiment. *Des locaux en cours de désamiantage. Désamiantage par déflocage*.*

DÉSAMIANTER [dezamjɑ̃te] v. tr. — 1996; de dés-
(→ 1. Dé-), et amiante.

Débarrasser (un bâtiment) de l'amiante qu'il contient.

DÉR. Désamiantage.

DÉSAMIDONNAGE [dezamidɔnaʒ] n. m. — XXᵉ; de
désamidonner.

Action de désamidonner.

CONTR. Amidonnage.

DÉSAMIDONNER [dezamidɔne] v. tr. — XXᵉ; de dés-
(→ 1. Dé-), amidon, et suff. verbal.

Techn. Enlever l'amidon de (un tissu de coton, certains articles de lingerie).

CONTR. Amidonner. ◊ DÉR. Désamidonnage.

DÉSAMINASE [dezaminaz] n. f. — 1960; de désaminer, et -ase.

Chim., biol. Enzyme qui catalyse une réaction de
désamination.

DÉSAMINATION [dezaminasjɔ̃] n. f. — 1960; de désaminer, et suff. -ation.

Chim., biol. Décomposition d'une amine sous
l'influence d'enzymes (désaminases). La désamination intervient dans le métabolisme des acides
aminés. — REM. On rencontre la var. déamination :
«Une déamination oxydative» (la Recherche, mars 1981,
p. 314).

DÉSAMINER [dezamine] v. tr. — 1960; de dés-
(→ 1. Dé-), (acide) aminé, et suff. verbal -er.

Chim., biol. Ôter la fonction amine de (un acide
aminé).

Les acides aminés sont intéressants pour les levures, soit
qu'elles puissent les assimiler tels quels, soit qu'elles se
contentent de les désaminer, et de les utiliser ainsi uniquement comme source d'azote.
Jules CARLES, la Chimie du vin, p. 102.

DÉR. Désaminase, désamination.

DÉSAMORÇAGE [dezamɔʀsaʒ] n. m. — 1863; de
désamorcer.

Action de désamorcer; fait de se désamorcer. Le
désamorçage de la pompe a entraîné une panne
d'alimentation. — Arrêt du courant dans une
dynamo.

CONTR. Amorçage.

DÉSAMORCER [dezamɔʀse] v. tr. [CONJUG.: placer.]
— 1863; de dés (→ 1. Dé-), et amorcer.

♦ **1** Enlever l'amorce de. Désamorcer un pistolet, une
mine.

♦ **2** Interrompre le fonctionnement de (ce qui
devait être amorcé). La pompe est désamorcée.
Désamorcer un siphon.

♦ **3** (XXᵉ). Abstrait. Enlever tout caractère menaçant,
neutraliser. Désamorcer une menace de conflit, un
conflit.

1 (...) donner à une comédie de Goldoni un style purement «italien» (arlequinades, mimes, couleurs vives, demi-
masques, ronds de jambe et rhétorique de la prestesse),
c'est se tenir quitte à bon marché du contenu social ou historique de l'œuvre, c'est désamorcer la subversion aiguë
des rapports civiques, en un mot c'est mystifier.
R. BARTHES, Mythologies, p. 110.

2 La sagesse serait sans doute de désamorcer la polémique
en posant par principe que l'homme se déduit à 100 %
de son hérédité et à 100 % de son milieu. L'homme passe
l'homme, a écrit Pascal.
M. TOURNIER, le Vent Paraclet, p. 240.

CONTR. Amorcer. ◊ DÉR. Désamorçage.

DÉSAMOUR [dezamuʀ] n. m. — 1846, Bescherelle; de
dés- (→ 1. Dé-), et amour.

Littér. Cessation de l'amour.

Que l'on appelle cela comme on voudra, la grâce, la   1
baraka, l'aura, l'actuelle majorité l'a perdue. Vis-à-vis de
ses représentants, le pays est en état de désamour.
F. GIROUD, in l'Express, nº 1119, 18 déc. 1972, p. 49.

S'il n'est pas sûr, malgré le dicton, que l'esprit vienne aux   2
filles avec l'amour, il semble s'aiguiser dans le désamour.
Hervé BAZIN, Madame Ex, p. 152.

DÉSANCRER [dezɑ̃kʀe] v. tr. — 1160, desäancrer; de
dés- (→ 1. Dé-), et ancrer.

Vx. Lever l'ancre*. Désancrer une barque.

Par métaphore. Libérer (qqn) de ce qui retient.

(...) je sens tressaillir en moi quelque chose qui se déplace,
voudrait s'élever, quelque chose qu'on aurait désancré à
une grande profondeur; je ne sais ce que c'est, mais cela
monte lentement; j'éprouve la résistance et j'entends la
rumeur des distances traversées.
PROUST, Du côté de chez Swann, 1913, p. 46,
in T. L. F.

CONTR. Ancrer.

DÉSANGLER [desɑ̃gle] v. tr. — XXᵉ; de 1. dé-, et sangler, ou sangle, et suff. verbal.

Techn. Ôter les sangles qui attachent (qqch.).

Deux enfants s'occupent à désangler les patins du blessé,
tandis que j'adapte des bonnettes de deux dioptries au
viseur et à l'objectif de mon rollei.
M. TOURNIER, le Roi des Aulnes, p. 117.

CONTR. Sangler.

DÉSANGOISSER [dezɑ̃gwase] v. tr. — 1973, in D. D. L.;
de dés- (→ 1. Dé-), et angoisser.

Supprimer l'angoisse de (qqn).

Mon propos est de déconstruire la dissertation, de désangoisser le lecteur et de renforcer la partie critique de
l'écriture en faisant vaciller la notion même du «sujet»
d'un livre.
R. BARTHES, in le Monde, 27 sept. 1973, p. 24,
in D. D. L.

DÉSANIMATION [dezanimasjɔ̃] n. f. — Mil. XXᵉ; de
dés- (→ 1. Dé-), et lat. animus «âme».

Psychiatrie. Sentiment de ne plus être soi-même.
→ Dépersonnalisation.

DÉSANKYLOSER [dezɑ̃kiloze] v. tr. — 1958, Arnoux,
in T. L. F.; de dés- (→ 1. Dé-), et ankyloser.

Supprimer l'ankylose de... Les mouvements désan-
kylosent les articulations.

CONTR. Ankyloser.

DÉSANNEXER [dezanɛkse] v. tr. — 1476; repris 1861;
de dés- (→ 1. Dé-), et annexer.

Séparer (un territoire) de l'État auquel il avait été
annexé.

(Mil. XXᵉ). Dr. internat. Restituer à un État (un territoire dont il avait été dépouillé par annexion).

♦ **DÉSANNEXÉ, ÉE** p. p. adj. Territoire désannexé.

CONTR. Annexer. ◊ DÉR. Désannexion.

DÉSANNEXION [dezanɛksjɔ̃] n. f. — 1918, in D. D. L.;
de désannexer.

Dr. internat. Restitution d'un territoire à l'État auquel
il était rattaché avant d'être annexé. La désannexion de l'Alsace-Lorraine.

CONTR. Annexion.

DÉSANNONCE [dezanɔ̃s] n. f. — D. i. (v. 1980 ?); de *désannoncer*, sur *annonce*.

Fait de désannoncer; annonce qui annule les effets d'une annonce antérieure, qui informe de la suppression ou du report de ce qui était prévu. *Un brouillard très épais régnant actuellement sur l'aéroport, les désannonces de vols se succèdent à intervalles rapprochés.*

DÉSANNONCER [dezanɔ̃se] v. tr. — D. i. (v. 1980 ?); de *dés-* (→ 1. Dé-), et *annoncer*.

Porter à la connaissance du public l'annulation de (ce qui avait été annoncé); notifier l'infirmation de l'annonce de. *Le soliste étant souffrant, les organisateurs du festival ont dû désannoncer le concert.*

DÉR. Désannonce.

DÉSAPER [desape] v. tr. — V. 1940; de 1. *dé-*, et 3. *saper*.

Fam. Déshabiller. — Pron. *Ils se sont désapés sur la plage.*

REM. 1. On rencontre quelquefois la graphie *dessaper*.
2. Les substantifs d'action sont *désapage* et *désapement*.

DÉSAPEURER [dezapœʀe] v. tr. — 1879, Huysmans; de *dés-* (→ 1. Dé-), et *apeurer*.

Rare. Délivrer (qqn) de la peur. — Passif et p. p. *Elle commençait à être désapeurée.*

DÉSAPPAREILLER [dezapaʀeje] v. tr. — D. i.; fin XIIᵉ, *despareiller* (→ Dépareiller); de *dés-* (→ 1. Dé-), et *appareiller*.

Faire cesser d'être appareillé, assorti. → **Dépareiller.**

DÉSAPPARIER [dezapaʀje] v. tr. — 1808; de *dés-* (→ 1. Dé-), et *apparier*.

Séparer (des animaux appariés, les deux éléments d'une paire). → **Déparier** (2.). Phys. *Désapparier les deux électrons d'une paire.*

CONTR. Apparier.

DÉSAPPOINTANT, ANTE [dezapwɛ̃tɑ̃, ɑ̃t] adj. — D. i. (cit. ci-dessous, 1936); p. prés. de *désappointer*.

Qui désappointe, déçoit. → **Décevant.**

La liturgie de Citeaux bien désappointante. Tout diminué et simplifié. *Samedi-Saint.* 3 Proph(*éties*) au lieu de 12. En revanche le soir un beau *Salve Regina*.
CLAUDEL, *Journal*, t. II, Pl., p. 139.

DÉSAPPOINTEMENT [dezapwɛ̃tmɑ̃] n. m. — Av. 1473, «destitution»; de 1. *désappointer*.

(1783). État d'une personne désappointée. *Cacher son désappointement.* — Sensation éprouvée par une personne désappointée. → **Déception.** *Cet échec fut pour lui un grand désappointement.* → **Douche** (fam.).

1 Mon désappointement politique me donna sans doute l'humeur qui me fit écrire la note satirique contre les quakers.
CHATEAUBRIAND, *Voyage en Amérique*, 314, *in* LITTRÉ.

2 Mon premier mouvement en apercevant ces formes blanchâtres vêtues de loques, sans bijoux, et qui ont l'air d'être tout habillées de poussière, a été du désappointement.
E. FROMENTIN, *Un été dans le Sahara*, p. 145.

2.1 Tout le personnel de la colonie fut réuni alors, et la proposition de revenir en arrière lui fut faite.
La première impression produite par la communication du lieutenant Hobson fut mauvaise. Ces pauvres gens comptaient si bien sur ce rapatriement immédiat à travers l'icefield, que leur désappointement fut presque du désespoir. Mais ils réagirent promptement et se déclarèrent prêts à obéir.
J. VERNE, *le Pays des fourrures*, t. II, p. 194.

Je n'en sentis pas moins, le rideau tombé, un désappointement que ce plaisir que j'avais tant désiré n'eût pas été plus grand (...)   3
PROUST, À *la recherche du temps perdu*, t. III, p. 31.

(...) de tous les désappointements que peut nous causer une femme le désappointement par le rival est le pire.   4
A. MAUROIS, *Climats*, I, IX, p. 72.

CONTR. Contentement, enchantement, satisfaction. — Consolation.

1. DÉSAPPOINTER [dezapwɛ̃te] v. tr. — 1395, «destituer»; de *dés-* (→ 1. Dé-), et 1. *appointer*; sens mod. déjà au déb. XVIIᵉ selon Bloch, et repris en 1786 à l'angl. *disappointed*, Académie, 1835.

♦ **1** (1395). Vx. Destituer (qqn) de sa charge (Hugo, *Notre-Dame de Paris*, in T. L. F.).

♦ **2** (1611). Tromper (qqn) dans son attente, dans ses espérances. → **Décevoir, défriser, frustrer.** *J'ai craint de le désappointer.*

♦ **DÉSAPPOINTÉ, ÉE** p. p. adj.
Qui n'a pas obtenu ce qu'il attendait; dont les espérances sont trompées et qui en est déçu. → **Camus, déçu; chocolat** (fam.), **chose** (tout chose). *Il s'en retourna tout désappointé.*
Qui montre de la déception. *Mine désappointée.* → **Allongé.**

Une ou deux fois, pourtant, le chanvreur fit la grimace, fronça le sourcil et se retourna d'un air désappointé vers les matrones attentives.   1
G. SAND, *la Mare au diable*, Appendice II, p. 163.

M. de Coantré fut, sinon tout à fait désappointé, du moins décontenancé.   2
MONTHERLANT, *les Célibataires*, Pl., p. 892.

CONTR. Contenter, enchanter, satisfaire. — Combler, remplir (l'attente). — **Répondre** (à l'attente). ◊ **DÉR. Désappointement.**

2. DÉSAPPOINTER [dezapwɛ̃te] v. tr. — 1798; de *dés-* (→ 1. Dé-), et 2. *appointer*.
Technique.

♦ **1** Émousser la pointe de (une aiguille, etc.). → **Épointer.**

♦ **2** (1798). *Désappointer une pièce de tissu*, couper les points de fil qui la tiennent en place.

DÉSAPPRENDRE [dezapʀɑ̃dʀ] v. tr. [CONJUG.: *apprendre*.] — Déb. XIIIᵉ; de *dés-* (→ 1. Dé-), et *apprendre*.

Littér. Oublier (ce qu'on a appris). → **Oublier.** *Il a désappris tout ce qu'il savait.* Absolt. *On désapprend quand on cesse d'apprendre.*

Je n'obtiens rien, et j'ai désappris d'exiger.   1
GIDE, *Journal*, 10 avr. 1931.

Par anal. *Désapprendre le mal*, en perdre l'habitude.

Antisthène disait que la science la plus difficile était de désapprendre le mal.   2
FÉNELON, *Antisthène*.

Désapprendre de (et infinitif) :

Sa bouche était finement dessinée, mais il semblait qu'elle eût, depuis longtemps, désappris de sourire.   3
J. VERNE, *Michel Strogoff*, p. 58 (1876).

La vie humaine — et à commencer par la leur — ne semblait avoir pour eux aucune espèce d'importance, soit qu'ils aient désappris de l'aimer, soit qu'ils n'aient jamais eu l'occasion de l'apprendre (...)   4
Claude SIMON, *le Palace*, p. 27.

CONTR. Apprendre.

DÉSAPPROBATEUR, TRICE [dezapʀɔbatœʀ, tʀis] n. et adj. — 1748; de *désapprouver*, d'après *approbateur*.

♦ **1** N. Rare. Personne qui désapprouve*.

♦ 2 Adj. (1748). Qui marque la désapprobation.
→ **Improbateur, improbatif, objurgateur.** *Air, murmure, ton désapprobateur. Elle lui lança un regard désapprobateur. Remarques désapprobatrices.*

1 Je n'ai point naturellement l'esprit désapprobateur.
MONTESQUIEU, l'Esprit des lois, Préface.

2 Là, au milieu des chefs rassemblés, entouré de leurs regards inquiets et qu'il suppose désapprobateurs, il semble vouloir les repousser, de son attitude sévère et d'une voix brusque, cassante et concentrée (...)
Ph.-P. SÉGUR, Hist. de Napoléon, VIII, 11.

CONTR. Approbateur, apologétique.

DÉSAPPROBATION [dezaprɔbasjɔ̃] n. f. — 1787; de *dés-* (→ 1.Dé-), et *approbation.*

Action de désapprouver*; résultat de cette action.
→ **Improbation, opposition, réprobation.** *Entraîner la désapprobation.* → **Déplaire.** *Jugement de désapprobation.* → **Blâme, objurgation, reproche.** *Murmure de désapprobation. L'assistance manifesta sa désapprobation par des protestations, un bourdonnement général, des huées, des sifflets...*

1 La langue dispose d'une gamme étonnamment riche pour exprimer l'idée d'une vive désapprobation : en haut de l'échelle, des mots savants à foison : *tancer, admonester, semoncer;* puis, un peu moins prétentieux : *gourmander, chapitrer;* ensuite, dans la langue de bonne compagnie : *réprimander* ou *reprendre;* plus bas dans le parler de tous les jours : *blâmer;* chez le petit bourgeois : *gronder;* dans la langue «petite fille bien élevée» : *attraper;* puis, chose étrange, rien dans ce qui est vraiment la langue commune, et c'est sans transition qu'on tombe tout à coup jusqu'au vulgaire *engueuler* (pallié parfois par l'arrangement jugé plaisant *enguirlander*).
MAROUZEAU, Aspects du français, p. 33.

2 (...) quand (...) nous restions silencieux pour lui marquer une désapprobation qui ne pouvait être (...) qu'indirecte et muette, elle nous regardait avec un sourire où je devinais de l'amusement et du défi.
A. MAUROIS, Climats, I, VII, p. 61.

3 La désapprobation, et même la souffrance de sa mère, loin de toucher Jenny, l'aiguillonnaient (...)
MARTIN DU GARD, les Thibault, t. VIII, p. 58.

4 Je voudrais un autre verre de vin, réclama Anne Desbaresdes. On le lui servit dans la désapprobation.
M. DURAS, Moderato cantabile, p. 70.

CONTR. Approbation; applaudissement.

DÉSAPPROPRIATION [dezaprɔprijasjɔ̃] n. f.
— 1615, *in* D.D.L.; *désappropriement,* 1580; de *dés-* (→ 1.Dé-), et *appropriation.*

Littéraire ou didactique.

♦ 1 Fait de renoncer à la propriété (d'un bien); fait d'être privé d'un bien.

♦ 2 (Abstrait). Abandon de la propriété de soi.
→ **Dépersonnalisation.**

Si l'Église trouve qu'on ne s'exprime pas correctement, on est tout prêt à se corriger (...) Une âme qui aime dans le véritable esprit de désappropriation ne veut s'approprier ni son langage, ni ses lumières. On ne saurait rien ôter à quiconque ne veut rien avoir en propre.
FÉNELON, *cité par* F. MALLET-JORIS,
Jeanne Guyon, Préface, p. 13.

CONTR. Appropriation.

DÉSAPPROPRIER [dezaprɔprije] v. tr. — 1644, *in* D.D.L.; de *dés-* (→ 1.Dé-), et *approprier.*

Rare. Priver (qqn) de la propriété de qqch. → **Déposséder, exproprier.**

Il n'y a que la perte, et la perte que Dieu opère lui-même, qui nous désapproprie véritablement.
FÉNELON, *Instructions sur divers points de morale,*
33.

Par ext. Priver (qqch.) de son usage.
Pron. Renoncer à la propriété de quelque chose.

CONTR. Approprier.

DÉSAPPROUVER [dezapruve] v. tr. — 1535; de *dés-* (→ 1.Dé-), et *approuver.*

Ne pas approuver; juger d'une manière défavorable; trouver mauvais. → **I. Blâmer, censurer, condamner, critiquer, désavouer, épiloguer, improuver, juger, réprouver, trouver** (trouver mauvais, trouver à redire...), **vitupérer; désapprobation** (cit. 1). *Désapprouver un projet, une entreprise, une démarche. La foule désapprouva bruyamment.* → **Huer, protester, siffler.** *Désapprouver la conduite de qqn. Il ne désapprouve pas que vous veniez, il l'admet. Désapprouver qqn, sa façon de faire.* Rare. *Il le désapprouve de boire.* — Pron. *Je me désapprouve moi-même de...*

1 (...) nous désapprouvons dans un temps ce que nous approuvions dans un autre.
LA ROCHEFOUCAULD, Maximes,
51 (éd. I). (→ Approuver, cit. 11).

2 L'on se donne à Paris, sans se parler, comme un rendez-vous public, mais fort exact, tous les soirs au Cours et aux Tuileries, pour se regarder au visage et se désapprouver les uns les autres.
LA BRUYÈRE, les Caractères, VII, 1.

3 Sa marche *(de la conversation),* plus rapide que celle de mes idées, me forçant presque toujours de parler avant de penser, m'a souvent suggéré des sottises et des inepties que ma raison désapprouvait et que mon cœur désavouait à mesure qu'elles échappaient de ma bouche, mais qui, précédant mon propre jugement, ne pouvaient plus être réformées par sa censure.
ROUSSEAU, Rêveries..., 4e promenade.

4 Désapprouver, c'est ne pas approuver. Improuver, c'est être contre l'approbation; il exprime donc quelque chose de plus que la désapprobation. Réprouver enchérit sur improuver, et exprime une condamnation profonde, absolue. On désapprouve ce qui ne paraît pas bien; on improuve ce qui paraît mauvais; on réprouve ce qui paraît odieux, criminel, détestable.
LITTRÉ, Dict., art. *Désapprouver.*

CONTR. Approuver. ◊ **DÉR. V. Désapprobateur.**

DÉSAPPROVISIONNEMENT [dezaprɔvizjɔnmɑ̃] n. m. — 1873; de *désapprovisionner.*

Rare. Action de désapprovisionner. — Comm. Action d'enlever en fin de marché les marchandises invendues.

CONTR. Approvisionnement.

DÉSAPPROVISIONNER [dezaprɔvizjɔne] v. tr. — 1796, *in* D.D.L.; de *dés-* (→ 1.Dé-), et *approvisionner.*

♦ 1 Priver de son approvisionnement.

♦ 2 *Désapprovisionner une arme à feu,* vider le magasin de ses cartouches.

♦ DÉSAPPROVISIONNÉ, ÉE p. p. adj.

Qui n'est pas approvisionné. — Fin. *Compte désapprovisionné.*

CONTR. Approvisionner. ◊ **DÉR. Désapprovisionnement.**

DÉSARÇONNANT, ANTE [dezarsɔnɑ̃, ɑ̃t] adj.
— 1870, *in* P. Larousse, cit. Féval; p. prés. de *désarçonner.*

Qui désarçonne (fig.). → **Déconcertant, démontant.** *Vous êtes désarçonnant. Elle est d'une inconscience désarçonnante.*

Ingénieux, ça !... Pas bête du tout ! Regardez-moi cette jolie petite femme qui vous trouve de ces répliques désarçonnantes ! ...
J. ROMAINS, les Hommes de bonne volonté, t. XII,
p. 107.

DÉSARÇONNEMENT [dezarsɔnmɑ̃] n. m. — D.I.; de *désarçonner.*

Action de désarçonner.

DÉSARÇONNER [dezaʀsɔne] v. tr. — V. 1210; de *dés-* (→ 1. Dé-), *arçon*, et suff. verbal.

♦ **1** Mettre (qqn, un cavalier) hors des arçons, jeter à bas de la selle. → **Démonter, renverser, vider.**

1 Le premier chevalier qui courut contre lui le désarçonna (...) VOLTAIRE, Zadig, XIX.

Par métaphore :

2 L'éloquence est un mors; si le mors casse, l'auditoire s'emporte, et rue jusqu'à ce qu'il ait désarçonné l'orateur. HUGO, l'Homme qui rit, II, VIII, VII.

♦ **2** (1668). Fig. Confondre (qqn) dans une discussion, mettre à bout d'arguments. → **Confondre, déconcerter, démonter, troubler.** *Ces objections l'ont désarçonné.*

3 Ce dernier trait désarçonna le philosophe (...) LA FONTAINE, Vie d'Ésope.

4 La Briffe tombait dans mille panneaux que Halay lui tendait tous les jours, et dont il le relevait avec un air de supériorité qui désarçonna l'autre. SAINT-SIMON, 17, 202, *in* LITTRÉ.

♦ **DÉSARÇONNÉ, ÉE** p. p. adj.

♦ **1** Jeté à bas de la selle.

♦ **2** Fig. et cour. Qui est à bout d'arguments, ne sait que dire. → **Déconcerté, décontenancé.** *Il est resté désarçonné, tout désarçonné.*

DÉR. Désarçonnant, désarçonnement.

DÉSARGENTAGE [dezaʀʒɑ̃taʒ] n. m. — 1898, in *Nouveau Larousse illustré*; de *désargenter*.

Techn. Action de désargenter. — REM. On trouve aussi *désargentation*, n. f., 1877, Littré, *Suppl.*, *au sens de* «extraction de l'argent de (un minerai)».

DÉSARGENTEMENT [dezaʀʒɑ̃tmɑ̃] n. m. — 1856; de *désargenter*.

Fam. et vieilli. Fait d'être désargenté, de se trouver sans argent.

Un dîner à 35 sous, un dîner bourgeois dont le fond est la soupe et le bouilli, et qui est le dîner de la littérature dans les moments de désargentement et de *panne*. Ed. et J. DE GONCOURT, *Journal*, t. I, p. 99 (1856).

DÉSARGENTER [dezaʀʒɑ̃te] v. tr. — 1611, au p. p.; de *dés-* (→ 1. Dé-), et *argenter*.

♦ **1** (1680). Priver (un objet argenté) de sa couche d'argent. — Surtout au pron. *Les couverts se désargentent à la longue.*

Techn. Retirer l'argent de (un alliage, un minerai).

♦ **2** Fam., rare. Priver (qqn) de son argent. *Ces dépenses m'ont désargenté.* — Pron. *Il s'est désargenté aux courses.*

♦ **DÉSARGENTÉ, ÉE** p. p. adj. (1611).

♦ **1** Qui n'a plus d'argenture. *Des couverts désargentés.*

♦ **2** (1640). Fam. Qui n'a plus d'argent, est démuni d'argent. → **Démuni, dépourvu; raide.** *Je suis un peu désargenté en ce moment. Il est complètement désargenté.*

1 (...) Gérard de Nerval revenant d'Italie, absolument désargenté, rapportait pour quatre mille francs de marbres de cheminées (...) Ed. et J. DE GONCOURT, *Journal*, t. I, p. 50.

2 Les petits bourgeois désargentés que nous appelions M. et Mᵐᵉ M. Organatique, ce n'était pas vraiment nous : jouant à nous mettre dans leur peau, nous nous distinguions d'eux. S. DE BEAUVOIR, la Force de l'âge, p. 24.

CONTR. (Du p. p.) **Argenté.** ◊ DÉR. Désargentage, désargentement, désargenture.

DÉSARGENTURE [dezaʀʒɑ̃tyʀ] n. f. — 1870; de *désargenter*, et suff. *-ure.*

Techn. Action d'enlever la couche d'argent qui recouvre un objet; résultat de cette action, état d'un objet désargenté. — REM. On dit aussi *désargentation* (1877).

DÉSARMANT, ANTE [dezaʀmɑ̃, ɑ̃t] adj. — Déb. XXᵉ ? (1910, cit.); p. prés. de *désarmer*, II., 2.

Qui enlève toute sévérité, qui pousse à l'indulgence par sa naïveté, sa simplicité. *Une naïveté désarmante. Candeur, franchise désarmante. Des paroles désarmantes.* → **Déconcertant, touchant.**

Il y a quelque chose de désarmant, de vraiment touchant à voir l'opiniâtreté forcenée *(de Corneille).* Ch. PÉGUY, *Victor-Marie*, comte Hugo, Pl., p. 773 (*in* T. L. F.).

DÉSARMEMENT [dezaʀməmɑ̃] n. m. — 1594; de *désarmer.*

♦ **1** (1616). Action de désarmer. *Le désarmement d'une garnison qui capitule. Désarmement d'une forteresse, d'un blockhaus.*

Escrime. *Coup de désarmement*, qui fait sauter l'arme des mains de l'adversaire.

♦ **2** (1690). Plus cour. Réduction ou suppression des armements. *Désarmement progressif des grandes puissances. Conférences du désarmement, pour le désarmement. Désarmement atomique, nucléaire. Le désarmement d'un pays vaincu.*

1 La garantie qu'il (*le Pacte de Versailles*) se vante d'offrir, c'est le désarmement. Les auteurs de la paix ont raisonné ainsi : la possession d'une force militaire excessive a poussé l'Allemagne à la guerre et à la conquête. Une Allemagne qui n'aura plus le droit de conserver sous les drapeaux qu'une centaine de mille hommes, juste ce qu'il lui faudra pour maintenir l'ordre à l'intérieur, sera pacifique et inoffensive. J. BAINVILLE, les Conséquences politiques de la paix, p. 39.

2 (...) quand on a décidé que la guerre est un délit, il est logique d'interdire aux États de préparer ce délit en développant leurs armements. Le désarmement est ainsi lié à l'évolution du droit des gens et à la disparition du droit de guerre. Louis DELBEZ, Manuel de droit international public, p. 255.

3 Le jour où les armes nucléaires seront interdites, où les nations auront l'assurance de pouvoir de nouveau se battre sans courir le risque d'une destruction totale, la troisième guerre mondiale sera aux portes. Nous avons tout à craindre de ce désarmement-là. F. MAURIAC, le Nouveau Bloc-notes 1958-1960, p. 330.

♦ **3** Mar. *Désarmement d'un navire* : mise en réserve d'un navire auquel on enlève les appareils de navigation et les approvisionnements. *Désarmement d'un paquebot, d'une escadre. Bassin de désarmement.*

CONTR. **Armement.**

DÉSARMER [dezaʀme] v. tr. — 1080; aussi «dépouiller, déshabiller», en anc. franç.; de *dés-* (→ 1. Dé-), et *armer.*

Enlever, supprimer l'armement de... → **Désarmement.**

I ♦ **1** Enlever ses armes à (qqn). — Pron. *L'écuyer aidait le seigneur à se désarmer*, à se débarrasser de son armure.

Contraindre (qqn) à rendre ses armes, enlever par la force ses armes à (qqn). *Désarmer un malfaiteur. Désarmer des soldats* (→ Arme, *supra* cit. 11).

Spécialt. Escrime. *Désarmer son adversaire,* lui faire sauter l'arme des mains.

1 Le petit secrétaire, qui avait deux ou trois ans de salle, me désarma comme un enfant (...)
    A. R. LESAGE, Gil Blas, IV, IX.

Enlever l'armement de (un ouvrage fortifié). *Désarmer une forteresse.*

♦ 2 Limiter ou supprimer les armements, les effectifs militaires de... *Désarmer un pays.* → **Démilitariser.** «*Pour désarmer l'Allemagne*» (Bainville, 12 mars 1919, *l'Allemagne,* t. II, p. 20).
Absolt. *Aucun État ne veut désarmer le premier. Convention des grandes puissances pour désarmer.*

♦ 3 (1674). Mar. *Désarmer un navire,* le garder en réserve, amarré dans un port, après avoir débarqué le personnel, le matériel. → **Déséquiper.**
Absolt. *On désarme dans tous les ports.*
Désarmer les avirons, les rentrer après s'en être servi.

♦ 4 Faire cesser d'être à la position de l'armement. *Désarmer un fusil, un revolver,* soit en le déchargeant, soit en plaçant le cran de sûreté. *Désarmer une mine,* la rendre inoffensive en ôtant le percuteur. → **Désamorcer.** — *Désarmer un déclenchement.*

II (XVIIᵉ). Fig. ♦ 1 Vx ou littér. Supprimer, rendre inefficace (un sentiment hostile). *Désarmer la haine, le ressentiment, la colère, la critique, l'envie, la jalousie* (→ Combattre, cit. 15 ; concilier, cit. 2). *Plaisanterie qui désarme la colère.*

2 Ce mot et ce regard désarment ma colère (...)
    MOLIÈRE, l'École des femmes, V, 4.

3 Allez fléchir son cœur, désarmer son courroux ;
Suppliez, gémissez, implorez sa clémence (...)
    André CHÉNIER, Élégies, II, V, «Allez, mes vers, allez...», p. 107.

4 (...) il n'y a point de haine qu'on ne désarme à force de douceur et de bons procédés.
    ROUSSEAU, les Confessions, IX.

5 J'en sais *(des hommes),* des plus perspicaces, au regard le plus aigu et le plus sévère, que toute femme plaisante aisément désarme : la sévérité ne tient pas devant un joli visage, et l'œil le moins dupe veut être dupé par le charme rieur de la tendre jeunesse.
    André SUARÈS, Trois hommes, «Ibsen», III, p. 108.

6 La paix était signée, ils revenaient la main tendue. Leur candeur désarma la rancune de Bernard.
    A. MAUROIS, Bernard Quesnay, XVIII, p. 118.

♦ 2 (1664). Mod. Rendre (qqn) moins sévère, pousser (qqn) à l'indulgence. → **Adoucir, calmer, fléchir, toucher ; désarmant.** *Pleurs, repentirs qui désarment qqn. Sa candeur, son rire me désarment.* → **Arme** (*supra* cit. 37 : faire tomber les armes des mains). — Absolt. → ci-dessous, cit. 6.1.

6.1 Point d'injures, beaucoup d'ironie et de gaieté. Les injures révoltent, l'ironie fait rentrer les gens en eux-mêmes, la gaieté désarme.
    VOLTAIRE, Lettre à M. d'Argental, 18 mai 1772.

6.2 (...) elle n'a pas la force de se dominer, et puis elle sent qu'il est préférable au contraire de forcer encore davantage les traits de cette caricature d'elle-même qu'elle voit en eux pour les amadouer, les désarmer...
    N. SARRAUTE, le Planétarium, p. 14.

♦ 3 Intrans. Céder, cesser (en parlant d'un sentiment hostile, violent). *Une rancune qui ne désarme pas.* → **Abdiquer, céder.**

7 (...) que ma soif de vengeance désarme devant la peur de te faire du mal (...)
    COURTELINE, Boubouroche, Comédie, II, 4.

8 Il vit que le bonheur et l'amour étaient une duperie d'un moment, pour amener le cœur à désarmer et à abdiquer.
    R. ROLLAND, Jean-Christophe, «Le matin», III, p. 221.

L'esprit de parti ne pouvait si vite désarmer : les habitudes de lutte, d'excommunication, d'ostracisme étaient trop fortes, la langue même trop faite aux outrages et aux anathèmes.
    Louis MADELIN, Hist. du Consulat et de l'Empire, «De Brumaire à Marengo», I, p. 19.   9

(...) il avait éveillé dans cette femme une haine qui ne désarmerait jamais.
    F. MAURIAC, la Pharisienne, p. 201.   10

♦ **DÉSARMÉ, ÉE** p. p. adj.

I ♦ 1 À qui on a enlevé ses armes. *Des soldats désarmés* (→ Débris, cit. 13). — *Les manifestants désarmés.*

♦ 2 Dont les effectifs militaires, les armements ont été supprimés ou limités. *Pays désarmé* (→ Arme, cit. 30).

L'Allemagne vaincue, humiliée, désarmée, amputée, condamnée à payer à la France pendant une génération au moins le tribut des réparations, semblait avoir tout perdu. Elle gardait l'essentiel, la puissance politique, génératrice de toutes les autres.
    Pierre GAXOTTE, Hist. des Français, t. II, p. 553.   11

Qu'ils signifient à tous les gouvernements que leur première volonté, leur première demande, avant le bien-être, presque avant le pain quotidien, c'est la paix ; la paix humaine et désarmée.
    J. ROMAINS, les Hommes de bonne volonté, t. IV, p. 257.   12

♦ 3 Mar. *Navire désarmé. Flotte désarmée,* à l'ancre dans un port.

Nous arrivâmes à Hambourg sous un ciel plombé. Des centaines de bateaux désarmés encombraient les bras de l'Elbe.
    Raymond ABELLIO, Ma dernière mémoire, t. II, p. 119-120.   12.1

II Fig. ♦ 1 Décontenancé, désemparé.

J'ai ri, me voilà désarmé.
    Alexis PIRON, la Métromanie, III, 7.   13

(...) nous allons voir les oppositions, un instant désarmées, se réveiller en un dernier sursaut (...)
    Louis MADELIN, Hist. du Consulat et de l'Empire, «Le Consulat», I, p. 6.   14

♦ 2 Sans défense. → **Faible ; dénué** (cit. 5).

Qu'une tyrannie insidieuse ait eu prise pour le corrompre, c'est qu'il était *(le peuple)* corruptible. Elle l'a trouvé faible, désarmé, tout prêt pour la tentation (...)
    MICHELET, Hist. de la révolution franç., Préface de 1847.   15

La vie l'épouvantait à présent ; il se sentait faible et désarmé devant elle, et il pleurait, pleurait (...)
    Alphonse DAUDET, le Petit Chose, I, V.   16

CONTR. V. **Armer.** ◊ DÉR. **Désarmant, désarmement.**

DÉSARRIMAGE [dezaʀimaʒ] n. m. — 1836 ; de *désarrimer.*

Technique.

♦ 1 Déplacement ou glissement (du chargement d'un navire, d'un véhicule de transport). → **Ripage.** *Le désarrimage de la cargaison. Le désarrimage peut provoquer le chavirement du navire.*

♦ 2 Action de désarrimer. *Désarrimage d'un bateau à quai.* — *Désarrimage de deux engins spatiaux.*

DÉSARRIMER [dezaʀime] v. tr. — 1736 ; de *dés-* (→ 1. Dé-), et *arrimer.*

Technique.

♦ 1 Déranger (les marchandises arrimées). *La tempête risque de désarrimer la cargaison.*

♦ 2 Faire que (qqch.) ne soit plus arrimé. *Désarrimer une barque.*

CONTR. **Arrimer.** ◊ DÉR. **Désarrimage.**

DÉSARROI [dezaʀwa] n. m. — Mil. xvᵉ (av. 1475) «dés-ordre»; déverbal (→ aussi Arroi) de *desarreier* (1355), de *des-* (→ 1. Dé-), et *areer* «disposer»; a remplacé *desrei, desroi*, déverbal de *desreer*, de *des-*, et élément final de *conreer*. → Corroyer.

♦ **1** Vx. Désorganisation complète. → **Confusion, désordre.** *Ses affaires sont en plein désarroi.*

1   Je trouvai les chemins et les postes en grand désarroi.
           SAINT-SIMON, Mémoires, XIV, 153, *in* LITTRÉ.

2   (...) puis, ayant dit bonjour à François, il ne perdit temps pour aller avertir le restant des pratiques que le désarroi du moulin était raccommodé, et qu'il y avait un beau meunier à la meule.
           G. SAND, François le Champi, XIX, p. 140.

3   Et ces très anciens cimetières où André passait avaient le morne désarroi des champs de bataille au lendemain de la défaite.
           LOTI, les Désenchantées, II, v, p. 68.

♦ **2** (Av. 1558). Mod. Trouble moral. → **Désordre, trouble.** *Le désarroi d'un candidat malheureux.* → **Angoisse, détresse, égarement.** *Désarroi des opinions, des doctrines. Désarroi de la conscience, de la volonté. Il essayait de cacher son profond désarroi. Jeter le désarroi dans les esprits. Semer le désarroi. Un état de profond désarroi. — Un, des désarrois. Les Désarrois de l'élève Törless,* roman de Robert Musil (le titre franç. traduit l'allemand *Verwirrung*).

4   Il passa et repassa plusieurs fois devant la maison avec un battement de son cœur et un désarroi de sa volonté dont il eut soudain honte.
           Paul BOURGET, Un divorce, III, p. 132.

5   Ces dernières années de guerre, les réflexions qu'il avait été amené à faire pendant les longues insomnies de la clinique, avaient mis un grand désarroi dans la plupart de ses jugements antérieurs.
           MARTIN DU GARD, les Thibault, t. VIII, p. 252.

6   Il entendait, nous le savons, «tomber comme la foudre» et plus le projet paraissait invraisemblable, plus, s'il réussissait, la surprise serait grande chez l'ennemi — partant, le désarroi.
           Louis MADELIN, Hist. du Consulat et Empire, «De Brumaire à Marengo», XVIII, p. 240.

7   Un admirable poème de Coventry Patmore exprime le désarroi de l'homme qui, après une longue vie de bonheur, se trouve soudain devant le corps inanimé de la femme qui a été pour lui tout l'univers.
           A. MAUROIS, Un art de vivre, II, 6, p. 87.

Être en plein désarroi, en grand désarroi. L'ennemi battu est en plein désarroi. → **Déroute, sauve-qui-peut.** — *Cœur* (cit. 43) *en désarroi.*

CONTR. Ordre. — Aplomb, assurance, fermeté, sang-froid.

DÉSARTICULATION [dezaʀtikylasjɔ̃] n. f. — 1813; *dearticulation*, 1645; de *désarticuler*.

♦ **1** Action de désarticuler; résultat de cette action. *La désarticulation d'un membre. — Amputation dans l'articulation.*

1   Cette opération *(la désarticulation)* est plus rapide que l'amputation de l'os (...) La désarticulation doit être préférée, parce qu'avec elle, l'os n'étant pas scié, il y a moins de chance d'ostéomyélite.
           P. POIRÉ, Dict. des sciences, art. *Désarticulation.*

♦ **2** Abstrait. Littér. Action de séparer des éléments. *La désarticulation du réel* (Bergson, *les Deux Sources...*, p. 182, *in* T. L. F.).
Par ext. Perte de la cohésion (de qqch.).

2   Ainsi non seulement en général Jaurès compte sur la désarticulation budgétaire pour introduire ce qu'il croit être un commencement de réalisation socialiste, mais en particulier il compte sur un coup de bouderie comique (...)
           Ch. PÉGUY, la République..., p. 61.

DÉSARTICULER [dezaʀtikyle] v. tr. — 1778; de *dés-* (→ 1. Dé-), et *articuler*.

A ♦ **1** Faire sortir (un os) de son articulation. → **Déboîter, démettre, disloquer.** *Le choc a désarticulé son bras.*

♦ **2** Chir. Amputer dans l'articulation. *Désarticuler la cuisse.*

B Abstrait. ♦ **1** Par métaphore ou fig. Détruire (un assemblage, une articulation d'éléments). *Désarticuler sa phrase, son raisonnement.*

♦ **2** (Av. 1890). Fig. et littér. Défaire (une construction artificielle) notamment en brisant la cohésion, l'unité. → **Démonter, disloquer.** *Désarticuler un groupement, un syndicat.*

♦ **3** Détacher (un élément) d'un ensemble.

♦ **SE DÉSARTICULER** v. pron.

♦ **1** *L'os de l'épaule s'est désarticulé. — Sa phrase se désarticule à mesure qu'il évolue. — Ce groupement s'est désarticulé en quelques mois.*

♦ **2** Spécialt (personnes). Plier ses membres en assouplissant ses articulations. *Cet acrobate parvient à se désarticuler complètement.*

♦ **DÉSARTICULÉ, ÉE** p. p. adj.

♦ **1** Déboîté, démis. *Os désarticulé. Épaule désarticulée.*

♦ **2** Dont le corps se désarticule. *«Il marche (...) par saccades, comme un pantin désarticulé»* (Martin du Gard).

♦ **3** Démonté, disloqué (groupes; choses abstraites). *Un parti désarticulé. «Cette malheureuse gauche désarticulée, divisée»* (Mauriac, *Nouveau Bloc-notes*, in T. L. F.). *Une économie désarticulée. — Des idées désarticulées.*

♦ **4** Qui procède irrégulièrement. *«Les tirs désarticulés des mitrailleuses...»* (Cendrars, *in* T. L. F.). → **Saccadé.**

DÉR. Désarticulation.

DÉSASSEMBLAGE [dezasɑ̃blaʒ] n. m. — 1846; de *désassembler.*
Techn. Action de désassembler ou de se désassembler.

CONTR. Assemblage.

DÉSASSEMBLER [dezasɑ̃ble] v. tr. — V. 1168, *desasanbler* «séparer, détacher»; de *dés-* (→ 1. Dé-), et *assembler.*

♦ **1** Techn. Défaire (des pièces de charpente ou de menuiserie jointes par un assemblage). → **Désunir, disjoindre.** *Désassembler les montants d'un meuble.* → **Démonter. — Pron.** *Les planches du parquet se désassemblent.* → **Écarter** (s').

♦ **2** Fig., littér. *«Le sort capricieux qui nous désassembla»* (Verlaine, *Jadis et Naguère*, «Les uns et les autres», 9).

CONTR. Assembler, monter. ◊ DÉR. Désassemblage.

DÉSASSIMILATEUR, TRICE [dezasimilatœʀ, tʀis] adj. — 1845, Bescherelle; de *désassimiler.*
Didact. Qui produit un effet de désassimilation.

DÉSASSIMILATION [dezasimilasjɔ̃] n. f. — 1836; de *désassimiler.*

♦ **1** Physiol. Phénomène par lequel les substances organiques complexes assimilées par les cellules d'un organisme vivant se transforment en produits plus simples qui en sont éliminés. *Désassimilation plus rapide que l'assimilation.* → **Dénutrition.**

Tant de besoins supposent nécessairement un travail de désassimilation considérable. Chaque jour, nous perdons par les urines, par la transpiration et par les poumons, 2.500 gr. d'eau, 25 gr. de sels minéraux, 18 gr. d'azote, et près de 300 gr. de carbone.

P. VALLERY-RADOT, *Notre corps...,* p. 84.

♦ **2** Didact. Cessation d'une assimilation.

CONTR. Assimilation.

DÉSASSIMILER [dezasimile] v. tr. — 1836; de *dés-* (→ 1. Dé-), et *assimiler.*

Didactique.

♦ **1** Produire la désassimilation de. — Figuré :

On tend bien à désassimiler le complet donné, mais par la tendance à en faire un autre.
— Toute assimilation tend à augmenter nos moyens d'assimilation. VALÉRY, *Cahiers,* t. II, Pl., p. 101.

♦ **2** Priver de ses parties assimilables. *La digestion désassimile les aliments* (P. Larousse).

CONTR. Assimiler. ◊ **DÉR. Désassimilateur, désassimilation.**

DÉSASSORTIMENT [dezasɔRtimɑ̃] n. m. — 1689, Mᵐᵉ de Sévigné; de *désassortir.*

Rare. État de ce qui est désassorti.

Desassortiment, s. m. Mot forgé par Mᵐᵉ *de Sévigné...* On dit *Assortiment.* Ainsi, à employer son contraire, il faudrait dire désassortiment. Les dictionnaires ne mettent ni l'un ni l'autre.
FÉRAUD, *Dict. critique de la langue françoise,* 1787, *in* D.D.L., II, 10.

CONTR. Assortiment.

DÉSASSORTIR [dezasɔRtiR] v. tr. — 1629; de *dés-* (→ 1. Dé-), et *assortir.*

♦ **1** Priver (un ensemble de choses assorties) d'une partie de ses éléments. → **Dépareiller.**

♦ **2** Enlever à (qqn, un établissement) son assortiment de marchandises. *Désassortir un marchand, un magasin.* → **Dégarnir.**

♦ **DÉSASSORTI, IE** p. p. adj.

(En parlant de choses, d'éléments). Qui ne vont pas ensemble. *Chaussettes désassorties.* — (D'un ensemble). Incomplet. *Service de table désassorti.*

N. m. Littér. *Un désassorti :* un ensemble d'éléments désassortis.

Un assortiment, un désassorti de femmes de tous âges et de toutes vêtures est aggluttiné autour de tables en similimarbre portant deux, trois ou quatre assiettes.
A. SARRAZIN, *la Traversière,* p. 80.

CONTR. Assortir. ◊ **DÉR. Désassortiment.**

DÉSASTRE [dezastR] n. m. — 1537; ital. *disastro,* préf. péj. *dis-* (adapté en *dés-* en français), et *astro* «astre», tiré de *disastrato* (t. d'astrologie) «né sous une mauvaise étoile».

♦ **1** (1537). Événement funeste, malheur très grave, et, par ext., dégât, ruine* qui en résulte. → **Calamité, cataclysme, catastrophe, fléau, malheur.** *Grand, affreux désastre. Mesurer l'étendue d'un désastre. Conjurer* (cit. 5) *un désastre. Un désastre irréparable. Désastre qui frappe une famille, un pays. Cette défaite fut un désastre. Le désastre de Sedan.* — *Poème sur le désastre de Lisbonne* (un terrible tremblement de terre), de Voltaire.

1 D'où vient que les mêmes hommes qui ont un flegme tout prêt pour recevoir indifféremment les plus grands désastres (...) ont une bile intarissable pour les plus petits inconvénients? LA BRUYÈRE, les Caractères, XI, 148.

Le désastre est l'influence d'un astre qui cesse d'être favorable, c'est un revers, un malheur infligé par la fortune. 2
É. LITTRÉ, *Dict.,* art. *Désastre.*

La guerre, si par malheur elle éclate, sera un événement 3 entièrement nouveau dans le monde par la profondeur et l'étendue du désastre (...)
J. ROMAINS, les Hommes de bonne volonté, t. IV, XXIII, p. 256.

Hitler, alors qu'il eût pu arrêter la guerre avant le désastre 4 total, a voulu le suicide général, la destruction matérielle et politique de la nation allemande.
CAMUS, l'Homme révolté, III, p. 231.

♦ **2** Échec complet, entraînant de graves conséquences. → **Catastrophe.** *Désastre financier, commercial.* → **Banqueroute, déconfiture, faillite.** *Sa prodigalité le conduira au désastre.* → **Précipice.** *Nous courons au désastre. — Cette année, la campagne des fruits est un désastre. La représentation de cette pièce fut un désastre.* → **Four.**

Par exagér. *Sa nouvelle coupe de cheveux est un désastre.*

Du premier coup il voyait, réparait dans les toilettes de la 5 jeune fille les désastres causés par le goût triste et voyant de Mᵐᵉ Montessuy. FRANCE, le Lys rouge, I, p. 20.

Tout Paris répéterait demain que tu ne sais plus que faire 6 de l'argent; que tu prêtes à guichet ouvert (...) Un désastre pour moi.
J. ROMAINS, les Hommes de bonne volonté, t. IV, XI, p. 121.

CONTR. Aubaine, bénédiction, bonheur, fortune, réussite, succès.

DÉSASTREUSEMENT [dezastRøzmɑ̃] adv. — V. 1585, Brantôme; de *désastreux.*

Rare. D'une manière désastreuse.

Désastreusement conseillé par des traîtres, il avait voulu tenter la ridicule et funeste aventure de se mettre à la tête des protestants mécontents du régime.
J. GREEN, *Journal,* 18 avr. 1978, La terre est si belle, p. 254.

DÉSASTREUX, EUSE [dezastRø, øz] adj. — 1557; ital. *disastroso,* de *disastro.* → **Désastre.**

♦ **1** (1571). Vx. Qui cause un désastre. → **Catastrophique, funeste.**

Ô nuit désastreuse! ô nuit effroyable! où retentit tout à 1 coup, comme un éclat de tonnerre, cette étonnante nouvelle : Madame se meurt, Madame est morte!
BOSSUET, Oraison funèbre d'Henriette-Anne d'Angleterre.

♦ **2** Mod. Qui constitue un désastre; par ext. très fâcheux. → **Funeste, malheureux, mauvais.** — Au sens fort de *désastre.* Littér. *Une mort désastreuse. Événement désastreux.* — Au sens atténué de *désastre* (2.). *Résultat désastreux* (→ Balourdise, cit. 3). *C'est désastreux pour l'avenir.*

Cyrus Smith et ses compagnons étaient partis depuis le 2 11 novembre, et l'on était au 29. Il y avait donc dix-neuf jours que Nab n'avait eu d'autres nouvelles que celles que Top lui avait apportées, nouvelles désastreuses : Ayrton disparu, Harbert grièvement blessé, l'ingénieur, le reporter, le marin, pour ainsi dire, emprisonnés dans le corral! J. VERNE, l'Île mystérieuse, t. II, p. 715-716.

CONTR. Avantageux, béni, favorable, heureux, propice, salutaire. ◊ **DÉR. Désastreusement.**

DÉSATELLISATION [desatelizasjɔ̃] n. f. — V. 1955; de 1. dé-, et *satellisation.*

Polit. Libération de l'état de satellite* (3.). «*Des pays européens et sud-américains en cours de "désatellisation"*» (le Monde, 28 nov. 1964).

CONTR. Satellisation.

DÉSATOMISATION [dezatɔmizasjɔ̃] n. f. — 1968 ; de *désatomiser*.

Didact. Action de désatomiser* ; son résultat. → **Dénucléarisation**.

DÉSATOMISER [dezatɔmize] v. tr. — V. 1957 ; de *dés*- (→ 1. Dé-), *atome*, et suff. verbal *-iser*.

Didact. Priver (un pays, une région...) de tout armement atomique. → **Dénucléariser**.

♦ **DÉSATOMISÉ, ÉE** p. p. adj. (1962, *in* D.D.L.). «*Créer une zone démilitarisée ou, au moins, désatomisée*» (*le Monde*, 20 mai 1966).

Je ne nie point que l'état d'une Allemagne coupée en deux ne comporte des périls pour le reste du monde. Quant à moi, je n'hésite pas à les préférer. Le jour où les deux tronçons, même «désatomisés», se seront rejoints, ce jour-là, nous aurons raison de trembler.
  F. MAURIAC, *le Nouveau Bloc-notes 1958-1960*, p. 15.

DÉR. Désatomisation.

DÉSATTRISTER [dezatriste] v. tr. — 1655, Molière ; de *dés*- (→ 1. Dé-), et *attrister*.

Littér. Faire cesser la tristesse de (qqn). *Son succès l'a désattristé.*

CONTR. Attrister.

DÉSAVANTAGE [dezavɑ̃taʒ] n. m. — 1290 ; de *dés*- (→ 1. Dé-), et *avantage*.

♦ **1** Condition d'infériorité (en quelque genre que ce soit). → **Handicap, inconvénient**. *Le désavantage d'une position.* — Élément négatif. *Cette situation présente quelques désavantages.* → **Désagrément**.

1 Les nouveautés ont ce désavantage qu'on y va moins en spectateur qu'en critique.
  MARMONTEL, Éléments de littérature, Œ., t. X, p. 42.

(Après à...). *Voir (qqn) à son désavantage*, le voir sous un jour défavorable. *Se montrer à son désavantage.*

2 J'aimerais la société comme un autre, si je n'étais sûr de m'y montrer non seulement à mon désavantage, mais tout autre que je ne suis. ROUSSEAU, les Confessions, III.

Tourner au désavantage de qqn : désavantager qqn. → **Détriment, préjudice**. *Le combat tourna à son désavantage ; il eut le dessous*.

3 Le régime de l'École Alsacienne amendait celui du lycée ; mais ces améliorations, pour sages qu'elles fussent, tournaient à mon désavantage.
  GIDE, Si le grain ne meurt, I, IV, p. 110.

♦ **2 Sports**. Pénalisation consistant en une suppression de points.

CONTR. Avantage. ◊ DÉR. Désavantager.

DÉSAVANTAGER [dezavɑ̃taʒe] v. tr. — 1507 ; de *dés-avantage*.

Faire subir un désavantage à, mettre en désavantage, en état d'infériorité. → **Handicaper, nuire**. *La position désavantageait nos troupes.*

(1669). Dr. *Désavantager un héritier au profit d'un autre*, le priver d'une partie de son héritage au profit d'un autre. → **Frustrer, léser**.

DÉSAVANTAGEUSEMENT [dezavɑ̃taʒøzmɑ̃] adv. — 1558 ; de *désavantageux*.

D'une manière désavantageuse. *Traiter désavantageusement qqn.* — Vieilli. *Parler désavantageusement de qqn.* → **Défavorablement**.

CONTR. Avantageusement.

DÉSAVANTAGEUX, EUSE [dezavɑ̃taʒø, øz] adj. — V. 1496 ; de *dés*- (→ 1. Dé-), et *avantageux*.

Qui cause ou peut causer du désavantage*. → **Défavorable**. *Position désavantageuse. Clause de contrat désavantageuse pour qqn. Affaire désavantageuse. L'affaire est désavantageuse à..., pour...* — Vieilli ou littér. (à propos de paroles ; → ci-dessous, cit. 1). *Porter sur qqn un jugement désavantageux.*

1 Je ne sais qui vous a fait passer dans son esprit pour un libertin ; mais il est constant que quelqu'un lui a fait de vous un portrait désavantageux (...)
  A. R. LESAGE, Gil Blas, IV, VI.

2 Je sentais plus que jamais, et par une constante expérience, que toute association inégale est toujours désavantageuse au parti faible. ROUSSEAU, les Confessions, X.

DÉR. Désavantageusement.

DÉSAVEU [dezavø] n. m. — 1283, «refus de se reconnaître dépendant d'un seigneur» ; déverbal de *désavouer*, d'après *aveu*.

♦ **1** (1637). Parole ou acte par lequel qqn désavoue* ce qu'il a dit ou fait. → **Dénégation, palinodie, rétractation**. *Désaveu formel. Le désaveu public d'une opinion, d'une doctrine.* → **Apostasie, reniement**. *Le désaveu d'une opinion par qqn, son désaveu d'une opinion. Le désaveu de qqn* (qu'il fait).

1 Ma foi, il ne faut point rougir d'un si beau feu,
Ni chercher les moyens d'en faire un désaveu.
  CORNEILLE, le Cid, V, 6.

2 Je n'ai que des ennemis dans «la presse», et les journalistes trouveraient le moyen de tourner cette protestation en désaveu de paroles que je ne puis nier d'avoir dites.
  GIDE, Journal, 15 mars 1931.

♦ **2** Le fait de désavouer (qqn, qqch.). *Sa conduite est le désaveu de ses principes. Encourir le désaveu de ses chefs, de l'opinion.* → **Condamnation**.

L'éclatant désaveu d'une telle action.

3   CORNEILLE, Horace, III, 6.

4 C'était, par la plus importante Société d'écrivains, le désaveu formel d'une littérature putride qui nous valait, hors de nos frontières tant de propos calomnieux sur les mœurs de notre Pays.

  Georges LECOMTE, Ma traversée, p. 366.

♦ **3 Spécialt**. Dr. *Désaveu de paternité* : acte par lequel un mari dénie la paternité de l'enfant né de sa femme. *Action en désaveu* (→ **Désavouer**).

5 L'action en désaveu n'est pas admise s'il y a eu réunion de fait entre les époux. Code civil, anc. art. 313.

(1607). *Désaveu d'un mandataire, d'un officier ministériel* : acte par lequel un mandant déclare que le mandataire n'a pas agi conformément à son mandat. *Demande en désaveu contre un avoué.*

6 Aucunes offres, aucun aveu ou consentement, ne pourront être faits, donnés ou acceptés sans un pouvoir spécial, à peine de désaveu.

  Code de procédure civile, anc. art. 352.

CONTR. Aveu. — Acceptation, approbation, confirmation, consentement, reconnaissance.

DÉSAVOUABLE [dezavwabl] adj. — XVIᵉ, Marot ; de *désavouer*.

Rare. Qui peut ou doit être désavoué.

DÉSAVOUÉ, ÉE [dezavwe] n. — 1846, Bescherelle ; de *désavouer*.

Dr. Personne contre laquelle est dirigée une action en désaveu*.

Si le désaveu est déclaré valable (...) le désavoué sera condamné, envers le demandeur et les autres parties, en tous dommages-intérêts, même puni d'interdiction, ou poursuivi extraordinairement, suivant la gravité du cas et la nature des circonstances.

  Code de procédure civile, anc. art. 360.

DÉSAVOUER [dezavwe] v. tr. — 1176; de *dés-*
(→ 1.Dé-), et *avouer.*

◆ **1** Ne pas vouloir reconnaître pour sien. → **Nier,
renier; désaveu.** *Désavouer un ouvrage.* Dr. *Désavouer son écriture, sa signature.*

1 — Le désavouerez-vous, pour n'avoir pas de seing?
— Pourquoi désavouer un billet de ma main?
MOLIÈRE, le Misanthrope, IV, 3.

2 (...) les paroles qui m'échappent sont celles dont je ne suis
plus maître et que je voudrais ressaisir aussitôt; plus je
suis près de les désavouer, plus cassant, net et péremptoire
est le ton de ma voix pour les dire, et plus insupportable
me devient la moindre contradiction.
GIDE, Journal, 18 avr. 1916.

(1176). *Désavouer qqn.* → **Méconnaître, renier,
renoncer.** *Désavouer un enfant. Désavouer qqn
pour son parent.* Dr. *Désavouer la paternité d'un
enfant,* déclarer qu'on n'en est pas le père.

3 Je le désavouerais pour frère ou pour époux.
CORNEILLE, Horace, II, 6.

4 L'enfant conçu pendant le mariage a pour père le mari.
Néanmoins, celui-ci pourra désavouer l'enfant, s'il prouve
que, pendant le temps qui a couru depuis les trois centième
jusqu'au cent quatre-vingtième jour avant la naissance de
cet enfant, il était, soit par cause d'éloignement, soit par
l'effet de quelque accident, dans l'impossibilité physique
de cohabiter avec sa femme.
Code civil, anc. art. 312.

◆ **2** Dénoncer après avoir soutenu (une opinion).
→ **Rétracter.** *Désavouer une opinion qu'on avait professée, soutenue. Désavouer les propos qu'on avait
tenus. — Désavouer une promesse.* → **Dédire** (se).

◆ **3** Déclarer qu'on n'a point autorisé (qqn) à agir
comme il l'a fait. *Désavouer un mandataire, un
ambassadeur.*

◆ **4** Refuser son approbation à (ce que qqn dit ou
fait). → **Contredire, désapprouver.** *Désavouer un ami
duquel on tient à se désolidariser.*

5 La Reine, qui m'entend, peut me désavouer (...)
RACINE, Bérénice, V, 7.

6 Désavoué maintenant par les siens, réprouvé, repoussé,
et désespérant, d'autre part, de devenir immédiatement
ministre du roi, il s'engageait de plus en plus dans la voie
nouvelle où il cherchait, à plus ou moins longue échéance,
une tout autre et plus grande fortune.
Louis MADELIN, Talleyrand, I, III, p. 43.

Désavouer la conduite de qqn. → **Blâmer, condamner, réprouver.** *Désavouer une doctrine. Désavouer un procédé déloyal. Principes que la morale
désavoue.*

7 Va faire chez tes Grecs admirer ta fureur :
Va, je te désavoue, et tu me fais horreur.
RACINE, Andromaque, V, 3.

8 C'est vrai, dit Mr. Pitkin, je suis bon citoyen, je répugne
à désavouer les lois de mon pays, surtout devant un
étranger.
G. DUHAMEL, Scènes de la vie future, V, p. 82.

Pron. *Se désavouer soi-même.* → **Désapprouver** (cit. 3),
renier (se).

9 Durant les crises de dépression, que je n'ai que trop connues, pareilles à celles que je traversais alors, je prends
honte de moi, me désavoue, me renie, et, comme un chien
blessé, longe les murs et vais me cachant.
GIDE, Si le grain ne meurt, III, II, p. 330.

CONTR. V. **Approuver.** ◊ DÉR. **Désaveu, désavouable, désavoué.**

DÉSAXAGE [dezaksaʒ] n. m. — Mil. XXᵉ; de *désaxer.*
Techn. Action de désaxer (sens propre); le fait d'être
désaxé. *Désaxage d'un mécanisme faussé par une
chute. Désaxage du corps dans les mouvements
d'équilibre.*

Si la descente est trop raide, on prend la pente en biais
(*descente en traversée*). Le poids du corps porte alors, sans
désaxage du tronc, sur le ski aval, légèrement en retrait.
Jean DAUVEN, *Technique du sport*, Le ski, p. 118.

DÉSAXEMENT [dezaksəmã] n. m. — 1907; de *désaxer.*
Rare. Action de désaxer; résultat de cette action.

DÉSAXER [dezakse] v. tr. — Fin XIXᵉ; de *dés*- (→ 1.Dé-),
axe, et suff. verbal.

◆ **1** Techn. Écarter, faire sortir de l'axe. *Désaxer un
cylindre.*

◆ **2** Fig. Cour. Faire sortir de l'état normal, habituel.
→ **Déranger, déséquilibrer, diminuer, égarer, perdre.**

Au fond, ce qui a désaxé ce gentil Hervé, c'est peut-être   1
une de ces avitaminoses mystérieuses dont nous ne savons
presque rien.
G. DUHAMEL, le Voyage de P. Périot, VIII, p. 143.

(...) le paysan tenait à sa terre, un peu comme l'arbre tient   2
au sol, et vous ne l'eussiez pas déplacé sans le désaxer
totalement (...)
André SIEGFRIED, l'Âme des peuples, I, I, p. 8.

◆ **DÉSAXÉ, ÉE** p. p. adj.

◆ **1** Techn. Qui est sorti de l'axe. *Roue désaxée.*

◆ **2** (1924). Cour. (Personnes). Qui n'est pas dans son
état normal. *Elle est un peu désaxée. Il est tout
désaxé devant cette situation imprévue. Vie désaxée.*
N. *Un désaxé, une désaxée. C'est un désaxé.* → **Déséquilibré.**

CONTR. **Axer.** — **Adapter, affermir, équilibrer, stabiliser.** —
(Du p. p. adj.) **Équilibré.** ◊ DÉR. **Désaxage, désaxement.**

DESCELLEMENT [desɛlmã] n. m. — 1768; de *desceller.*

Action de desceller. *Descellement d'un cachet, d'une
pierre.*

Il a été fort providentiel que vous ne soyez pas venu hier
chercher des chevelures de fourneau : (*Mon cher Vallette*)
vous avez évité une émotion désagréable qui est échue à
Mme Hanotaux : en rentrant à cinq heures elle a trouvé
sa porte forcée de fort ingénieux essais de descellement
de volets.
A. JARRY, *Correspondance, in Œ. compl.*, Pl.,
p. 1070.

HOM. **Décèlement.**

DESCELLER [desele] v. tr. — Déb. XIIIᵉ; de 1.*dé-,* et
sceller.

◆ **1** Défaire (ce qui est scellé), en brisant* le sceau,
le cachet. → **Ouvrir.** *Desceller un acte.*

◆ **2** (1660). Techn. Arracher, détacher (ce qui est fixé
dans un mur, dans de la pierre). → **Enlever.** *Desceller une grille.*

L'encadrement de pavés qui la maintenait (*la grille*) avait   1
été arraché, et elle était comme descellée.
HUGO, les Misérables, V, I, XXIV.

Je commençai par faire desceller l'écriteau que l'on voyait   2
de loin, sur le boulevard Pereire.
G. DUHAMEL, Cri des profondeurs, VIII, p. 145.

CONTR. **Sceller.** ◊ DÉR. **Descellement.** ➛ HOM. **Desseller.**

DESCENDANCE [desãdãs] n. f. — 1283; de *descendre,* et *-ance.*

◆ **1** Vx. Le fait de descendre (de qqn, d'une famille).
→ **Extraction, filiation, généalogie, lignage, maison,
origine, parenté, race, souche.** *Une descendance
illustre. Ils sont de la même descendance.*

◆ **2** (1283). Ensemble des descendants* de qqn.
→ **Génération, lignée, postérité, progéniture, semence**
(en style bibl.). *Une nombreuse descendance.*

Vivants de l'heure présente, ils perdaient un peu de leur   1
personnalité éphémère pour se rattacher mieux aux morts
couchés sous les dalles et les continuer plus exactement, ne
former, avec eux et leur descendance encore à venir, qu'un
de ces ensembles résistants et de durée presque indéfinie

qu'on appelle une *race*.
LOTI, Ramuntcho, I, III, p. 34.

2   (...) les modifications acquises par l'individu ne sont pas
transmissibles à la descendance.
Jean ROSTAND,
Esquisse d'une histoire de la biologie, p. 109.

CONTR. Ascendance.

DESCENDANT, ANTE [desãdã, ãt] adj. et n. — V. 1260; du p. prés. de *descendre*.

I ♦ **1** Adj. Qui descend, est issu d'un ancêtre. — **Dr. et généalogie.** *Ligne descendante :* succession de ceux qui sont issus d'un même ancêtre, par opposition à la *ligne ascendante**.

♦ **2** N. Cour. Personne qui est issue d'un ancêtre.
→ **Descendance ; arrière-petit-cousin, arrière-petit-fils, arrière-petite-fille, arrière-petits-enfants, enfant, fils, fille, petits-enfants, petit-cousin, petit-fils, petite-fille, petit-neveu, petite-nièce ; épigone, rejeton.** *Les descendants d'Abraham* (→ Bédouin, cit.). *Descendants d'un homme illustre. Le mariage est prohibé entre les ascendants et descendants en ligne directe* (→ Allié, cit. 1). *Succession dévolue aux descendants.*

1   Les enfants ou leurs descendants succèdent à leur père et mère, aïeux, aïeules, ou autres ascendants, sans distinction de sexe ni de primogéniture, et encore qu'ils soient issus de différents mariages.
Code civil, art. 745 (→ Chef, cit. 7).

2   Telles sont les mœurs conjugales de ces deux descendants d'Ève et d'Adam, ces œuvres de vos mains, ô mon Dieu !
BAUDELAIRE, le Spleen de Paris, XI.

N. m. pl. Par ext. Les générations futures. *Travailler pour ses descendants.* → **Postérité.**

(Dans le domaine intellectuel). Personne considérée par rapport à une autre en ce qui concerne ses idées, ses écrits.

3   Certes Dostoïewski ne manque pas aujourd'hui de descendants essoufflés et cyniques, plus intelligents que leur ancêtre.
SARTRE, Situations I, 1947, p. 61, in T. L. F.

II Adj. ♦ **1** (XVIe). Dans des expressions. Qui descend. *Marée* descendante,* qui découvre le rivage (opposé à *marée montante*). — Milit. *Garde descendante,* celle qui est relevée (par la garde *montante*). — Anat. *Aorte descendante. Côlon* descendant* (→ Cæcum, cit.). — Ch. de fer. *Voie descendante :* voie où les trains circulent dans le sens inverse du kilométrage de la ligne. *Train descendant :* train qui se rapproche de la ligne de tête.

4   (...) Misard, après avoir fermé la voie montante derrière le train, allait rouvrir la voie descendante, en abattant le levier pour effacer le signal rouge (...)
ZOLA, la Bête humaine, 1890, p. 33, in T. L. F.

♦ **2** Abstrait. Mus. *Gamme descendante :* suite des tons de la gamme du plus élevé au plus bas. — Math. *Progression descendante,* celle dont les termes vont en décroissant. — Astron. *Signes descendants :* signes du zodiaque que le Soleil parcourt du solstice d'été au solstice d'hiver.

CONTR. Ascendant. — Montant.

DESCENDERIE [desãdRi] n. f. — 1758; de *descendre*, et -*erie*.

Techn. (mines). Galerie en pente; plan incliné où l'on remonte des matériaux. *«les représentations humaines ne s'introduisent (...) que peu à peu dans les pyramides à textes : au début, on les voit seulement dans la descenderie»* (*Sciences et Avenir*, mai 1980, p. 21).

DESCENDEUR, EUSE [desãdœR, øz] n. — 1913; de *descendre*, et -*eur*.

♦ **1** (1932, *in* Petiot). Sports. Cycliste ou skieur qui participe à une course de descente ; spécialiste de la descente. *C'est une descendeuse. Descendeurs et slalomeurs.*

Cet exercice *(descente et remontée)* est la véritable manière d'apprendre à descendre vite et bien (...) Ceux qui le dédaignent (...) risquent fort de demeurer d'assez piètres descendeurs.
François GAZIER, les Sports de la montagne,
«Technique moderne du ski», p. 96.

♦ **2** N. m. Alpin. Ustensile métallique en alliage léger, qui, dans les descentes en rappel, évite le frottement de la corde contre le corps ; appareil permettant de se freiner.

DESCENDRE [desãdR] v. [CONJUG.: *rendre*.] — 1080; lat. *descendere*, de *de-* indiquant le mouvement de haut en bas, et *scandere* «monter». → Scander.

I V. intr. Auxiliaire *être* ou (vx) *avoir*. **A** Sujet n. d'être animé. ♦ **1** (V. 1100). Aller du haut vers le bas. *Action de descendre.* → **Descente.** *Descendre lentement, en marchant. Descendre avec rapidité, en courant, en glissant, en tombant.* → **Dégringoler, dévaler, jeter** (se jeter à bas), **tomber.** *Descendre d'un arbre, d'un toit. — Descendre d'une montagne, d'une colline* (→ Asile, cit. 22). *Descendre en ramasse*, en rappel. — Descendre* (d'un étage) *par l'ascenseur, par l'escalier. Descendre de sa chambre. Il n'est pas descendu ; faites-le descendre. — Descendre à la cave, dans un puits, dans une mine. — Descendre au fond de la mer.* → **Couler** (cit. 23), **plonger.** *Descendre avec une échelle. — Descendre au fil de l'eau :* suivre le courant. *— Descendre en parachute. Descendre en vol plané, en piqué.*

Aussitôt un autour planant sur les sillons   1
Descend des airs, fond et se jette
Sur celle qui chantait, quoique près du tombeau.
LA FONTAINE, Fables, VI, 15.

Proverbe de l'Enfer : Descends au fond du puits si tu veux   2
voir les étoiles.
GIDE, Journal, juil. 1933.

(...) une rue où le double flot des hommes monte et des-   3
cend ?
André SUARÈS, Trois hommes, «Ibsen», VII, p. 166.

Il se voit descendant des gradins supérieurs, traversant   4
l'hémicycle, sans que les centaines d'yeux se détachent de
lui.
J. ROMAINS, les Hommes de bonne volonté, t. V,
XXIV, p. 231.

Fig. *Descendre du trône :* abdiquer, cesser d'être souverain.

Le Saint-Esprit est descendu sur lui (→ Confirmation, cit. 5). *Jésus-Christ descendit aux Enfers.*

Chaque jour vers l'Enfer nous descendons d'un pas (...)   5
BAUDELAIRE, les Fleurs du mal, «Au lecteur».

♦ **2** (1823). Par anal. Aller vers le sud. *Descendre vers le sud. Un Écossais «"descend" à Londres et ouvre un snack-bar»* (*Paris-Match,* 23 mars 1968). *Descendre en ville :* aller vers la ville, en ville.

Nous partons demain de Nogent, et nous descendons rapi-   6
dement jusqu'à Arles et Marseille.
FLAUBERT, Correspondance, 91, 2 avr. 1845.

Descendre en latitude : se rapprocher de l'équateur
— *Le vent descend,* il change de direction et tourne au sud.

♦ **3** Cesser d'être monté. — (1080). *Descendre de cheval :* mettre pied* à terre. — Cesser d'être dans (un véhicule) ; en sortir (souvent en allant vers le bas). *Descendre de voiture. Descendre du train en marche.* → **Sauter.** *Terminus ; tous les voyageurs* *descendent de voiture! Descendre à la station prochaine, dans une ville. Vous descendez à la prochaine?*

7 Les légionnaires descendirent des camions, par grappes, les jambes molles, le corps lourd.
P. MAC ORLAN, la Bandera, X, p. 113.

8 C'était la première fois aussi qu'il avait à la voir descendre d'un train, s'avancer vers lui parmi d'autres voyageurs, dans le décor d'une gare.
J. ROMAINS, les Hommes de bonne volonté, t. V, XXIII, p. 195.

Descendre à terre : débarquer d'un navire.
→ **Aborder, débarquer**; → Attendre, cit. 2.

♦ **4** Par ext. S'arrêter pour loger. *Descendre chez des parents, des amis.* → **Loger.** *À quel hôtel descendez-vous?*

9 À Tarbes, j'aurais voulu héberger à l'hôtel de l'Étoile où Froissart descendit avec messire Espaing de Lyon (...)
CHATEAUBRIAND, Mémoires d'outre-tombe, t. V, p. 157.

♦ **5** (1559). Spécialt. Faire irruption. → **Débarquement, descente.** *Les Lombards descendirent en Italie.* → **Envahir, ruer** (se). — *La police est descendue dans cet hôtel,* pour perquisitionner*, faire une rafle. → **Descente.**

(1901, in Petiot). Sports. *L'équipe adverse descend vers nos buts.*

Loc. *Descendre dans l'arène*. — Descendre dans la rue :* aller manifester. *Descendre sur la place publique,* pour faire triompher ses idées.

10 (...) le clerc ne me paraît manquer à sa fonction en descendant sur la place publique que s'il y descend, comme ceux que j'ai nommés, pour y faire triompher une passion réaliste de classe, de race ou de nation.
Julien BENDA, la Trahison des clercs, III, 1, p. 131.

♦ **6** Loc. métaphorique (au sens 1). *Descendre au tombeau, dans la tombe, au cercueil.* → **Mourir.**

11 Sire, ainsi ces cheveux blanchis sous le harnais (...) Descendaient au tombeau tout chargés d'infamie (...)
CORNEILLE, le Cid, II, 8.

12 Tyrans, descendez au cercueil.
M.-J. CHÉNIER, «Chant du départ».

♦ **7** Fig. *Descendre dans le détail, jusqu'aux détails :* examiner successivement des choses de moins en moins importantes, générales. *Descendre dans le détail d'une affaire.* → **Détailler.** — *Descendre dans une question,* l'examiner à fond. → **Approfondir.**

13 Sa facile bonté, sur son front répandue, Jusqu'aux moindres secrets est d'abord descendue.
RACINE, Britannicus, V, 3.

14 (...) je cherchai surtout à l'accoutumer de bonne heure aux travaux de l'intelligence, à lui donner ce coup d'œil rapide et sûr qui généralise, et cette patience qui descend jusque dans le moindre détail des spécialités (...)
BALZAC, le Médecin de campagne, Pl., t. VIII, p. 487.

♦ **8** Fig. Aller vers ce qui est considéré comme le plus bas, le plus profond. *Descendre en soi-même, dans sa conscience.* → **Entrer, examiner** (en soi-même), **interroger** (s'), **sonder** (se); **introspection, retraite.**

15 Apprends à te connaître et descends en toi-même.
CORNEILLE, Cinna, V, 1.

16 Ce temps de province fut le temps de vie cachée sans lequel il n'existe pas de grand destin : une retraite avant l'action. Un jeune Provincial, rien ne le détourne de descendre en soi-même.
F. MAURIAC, la Province, p. 34.

Descendre jusqu'à la familiarité. → **Condescendre, consentir** (à).

17 À répondre à cela je ne daigne descendre (...)
MOLIÈRE, les Femmes savantes, I, 2.

18 Ne serait-il pas à désirer que nos sublimes auteurs daignassent descendre un peu de leur continuelle élévation, et

nous attendrir quelquefois pour la simple humanité souffrante, de peur que, n'ayant de la pitié que pour des héros malheureux, nous n'en ayons jamais pour personne?
ROUSSEAU, Lettre à M. d'Alembert.

S'abaisser. *Descendre jusqu'au mensonge* (→ Calomniateur, cit. 3). *Je ne l'aurais pas cru capable de descendre à une telle bassesse.* → **Abaisser** (s'), **avilir** (s'), **ravaler** (se).

19 La haine de Michaud le portait à surveiller le régisseur, espionnage auquel il ne serait pas descendu, si le général le lui avait demandé.
BALZAC, les Paysans, Pl., t. VIII, p. 138.

(1665). Quitter un rang, un poste élevé. *Descendre de haut.* → **Déchoir, dégrader** (se); → Décrire, cit. 2. *Descendre du premier au dernier rang.* → **Rétrograder.**

20 Et monté sur le faîte, il aspire à descendre.
CORNEILLE (→ Aspirer, cit. 3 et 4).

21 Un homme comme lui, Bonaparte, soldat, chef d'armée, le premier capitaine du monde, vouloir qu'on l'appelle Majesté! Être Bonaparte et se faire roi! Il aspire à descendre!
P.-L. COURIER, Lettre à M. N., mai 1804.

22 (...) Lamartine, pendant ses trois mois de dictature oratoire et tribunitienne, n'a fait que descendre du faîte où les circonstances l'avaient élevé.
Émile HENRIOT, les Romantiques, p. 105.

REM. Les emplois métaphoriques et figurés de *descendre* entraînent souvent des connotations négatives.

23 Le mot descendre est, dans le sentiment populaire comme dans la langue poétique et le patois des savants, à jamais compromis avec les idées d'avilissement, de défaite et de trépas.
G. DUHAMEL, Chronique des Pasquier, IV, VII, p. 311.

B Sujet n. de chose. ♦ **1** (V. 1100). Aller de haut en bas. *Les impuretés d'un liquide descendent au fond du vase.* → **Déposer** (se). *Les cours d'eau descendent des hauteurs vers l'aval*, vers la mer.* → **Couler**; → Cascade, cit. 3. *Astre qui descend sur l'horizon.* → **Baisser, coucher** (se); → Brillant, cit. 4; couleur, cit. 4. *L'avion commence à descendre. Faire descendre un bateau sur une rivière.* → **Avaler.** — *Faire descendre un cordage, une voile.* → **Affaler, amener.** — *Faire descendre une corde vers soi.* → **Avaler** I, 1. — Fam. *Mon repas ne descend pas.* → **Passer.**

24 Sa pomme d'Adam montait et descendait comme un piston dans un cylindre.
P. MAC ORLAN, la Bandera, XVIII, p. 224.

25 (...) son épaule enrichie de muscles montait et descendait comme un sein qui respire.
COLETTE, la Naissance du jour, p. 63.

Le soir, la nuit descend, elle s'établit en paraissant venir du haut (l'horizon restant clair au couchant). → **Tomber.**

Fig. → **Émaner, provenir, venir.**

26 Ce fut une journée excellente, une de ces journées de production facile, où l'idée semble descendre dans les mains et se fixer d'elle-même sur la toile.
MAUPASSANT, Fort comme la mort, p. 114.

27 (...) le ciel un peu vert est limpide comme de l'émeraude pâle et une paix plus grande encore descend avec le crépuscule.
LOTI, Suprêmes visions d'Orient, p. 39.

♦ **2** (1671, Boileau). S'étendre de haut en bas. *Une robe qui descend à la cheville. Ses cheveux lui descendent jusqu'à la ceinture.* → **Pendre**; → Cascade, cit. 5.

28 Son menton sur son sein descend à double étage (...)
BOILEAU, le Lutrin, I.

29 (...) un vaste pardessus raglan (...) qui lui descendait presque jusqu'aux pieds (...)
J. ROMAINS, les Hommes de bonne volonté, t. V, XXVII, p. 283.

Par anal. Aller vers le sud. «Nul ne sait très bien dans la capitale (Alger) jusqu'où "descendent" les nouvelles routes goudronnées dans le Sud» (le Figaro, 8 févr. 1967).

♦ **3** Aller en pente. → **Incliner, pencher.** *Colline qui descend en pente douce. La rue descend en cet endroit* (→ Cœur, cit. 141). *Jardin qui descend jusqu'au chemin de halage* (→ Contrebas, cit. 1 ; adosser, cit. 2).

30 Le palais épiscopal de Limoges est assis sur une colline qui borde la Vienne, et ses jardins (...) descendent par étages, en obéissant aux chutes naturelles du terrain.
BALZAC, le Curé de village, Pl., t. VIII, p. 594.

♦ **4** (1796). Diminuer de niveau. → **Baisser.** *L'eau commence à descendre.* → **Décroître.** *La marée, la mer descend.* → **Retirer** (se). *Le mercure du baromètre, et, ellipt., le baromètre descend. Le thermomètre est descendu de quatre degrés depuis hier.* (1838). Par anal. *Les prix descendent.* → **Diminuer.** *Taux qui va en descendant.* → **Dégressif.**
Mus. *Son, gamme qui descend de l'aigu au grave. Descendre d'un ton, d'une quinte. Ma voix ne peut descendre plus bas.* Absolt. *Je ne puis descendre.*

G Fig. (Sujet n. de personne). Tenir son origine, être issu de. → **Venir** (de); **descendance.** *Il descend des Uns tels par sa mère.*

31 Le sang de ces héros dont tu me fais descendre (...)
RACINE, Iphigénie, V, 6.

32 Les Montesquiou descendent d'une ancienne famille, qu'est-ce que ça prouverait, même si c'était prouvé ? Ils descendent tellement qu'ils sont dans le quatorzième dessous.
PROUST, À la recherche du temps perdu, t. XII, p. 39.

33 On dit souvent que l'homme descend du Singe. Cette assertion n'a pas de sens précis, car l'Homme ne descend évidemment pas des animaux vivants que nous appelons Singes (...)
Jean ROSTAND, l'Homme, VIII, p. 113.

II V. tr. Auxiliaire *avoir.* ♦ **1** Aller en bas, vers le bas de. → **Descente.** *Descendre un escalier, une rue, une montagne. Descendre le cours de la rivière.* → **Suivre**; → Chrétien, cit. 11. *Descendre une rivière en bateau.* → **Avaler,** I., 2.

34 Ménalque descend son escalier, ouvre sa porte.
LA BRUYÈRE (→ Bonnet, cit. 1).

35 La mort fait ou défait un grand homme ; elle l'arrête au pas qu'il allait descendre, ou au degré qu'il allait monter (...)
CHATEAUBRIAND, Mémoires d'outre-tombe, t. II, p. 292.

36 (...) j'ai remonté, descendu et remonté le grand canal, vu et revu la place Saint-Marc.
CHATEAUBRIAND, Mémoires d'outre-tombe, t. VI, p. 168.

37 (...) suivi de Morel, il descendit quatre à quatre l'escalier de granit.
LOTI, Matelot, XXIX, p. 115.

Figuré :

38 De tous côtés, les stocks sortaient comme des rats devant l'inondation. Vinrent les ventes d'Anvers. Là, les prix descendirent la pente à toute allure.
A. MAUROIS, Bernard Quesnay, XXI, p. 141.

Mus. *Descendre la gamme,* la parcourir en allant de l'aigu au grave.

Spécialt, autom. *Descendre les vitesses :* rétrograder.

♦ **2** Porter de haut en bas. *Descendre un tableau,* le décrocher. *Descendre des meubles d'un camion. Palans qui descendent des marchandises à fond de cale. Schlitte* qui descend le bois abattu en montagne.* → **Transporter.**

39 Il écoute les camionneurs raconter pour la cinquième fois l'histoire du tonneau qu'ils ont refusé de descendre (...)
J. ROMAINS, les Hommes de bonne volonté, t. IV, I, p. 11.

♦ **3** (1735). Par ext., fam. Faire descendre (qqn). *Je vous descendrai en ville, à votre porte.* → **Déposer.**

♦ **4** Fam. Faire descendre (qqch.) dans le tube digestif. → **Descente** (III., 4., fig. et fam.); **avaler.** *Qu'est-ce qu'il descend comme bière !*

Quand tout est terminé, elle descend son demi-panaché d'un seul élan (...)   39.1
R. QUENEAU, Zazie dans le métro, éd. Folio, p. 51.

Le repas dura longtemps. Personne ne parlait plus. Régnier fumait cigarette sur cigarette et descendait méthodiquement une bouteille de gros vin épais.   39.2
Henri-François REY, les Pianos mécaniques, p. 241.

♦ **5** (1832). Faire tomber ; abattre. *Descendre une perdrix en plein vol. La D.C.A. a descendu un avion.* Fam. *Descendre un flic, un truand d'un coup de revolver.* → **Tuer.** *Il s'est fait descendre.*

(...) dans un caprice d'artiste, son premier amant l'avait représentée en gamin (...) regardant par dessus une barricade, avec un regard effronté et homicide, le regard d'un moutard de quinze ans, enragé et froid, qui cherche un officier pour le *descendre.*   39.3
Éd. et J. DE GONCOURT, Manette Salomon, p. 206.

(...) je l'ai connu, le pauvre diable ! C'était un brave homme, il a été *descendu* par un boulet à Waterloo.   40
A. DE VIGNY, Servitude et Grandeur militaires, I, VI, p. 94.

En octobre, deux officiers allemands ayant été descendus l'un à Nantes, l'autre à Bordeaux, quatre-vingt-dix-huit Français furent collés au mur.   41
S. DE BEAUVOIR, la Force de l'âge, p. 512.

(...) la mort tranquille de ce communiste de vingt ans, descendu sur les barricades du 19 août 1944, par la balle d'un milicien charmant, orné de sa grâce et de son âge, fait honte à ma vie.   42
Jean GENET, Pompes funèbres, p. 13.

Fig., fam. *Descendre (qqn, qqch.) en flamme(s), descendre (qqn, qqch.),* l'attaquer, le critiquer violemment. *Ce film a été descendu par la critique.*

Rousset, dans le *Nouveau Candide* a essayé de le descendre en flammes, prétendant que son récit n'était pas un document mais un roman.   43
S. DE BEAUVOIR, Tout compte fait, p. 147.

CONTR. Grimper, monter. — Dresser (se), **élever** (s'), **lever, relever. — Exhausser, hausser, rehausser. — Embarquer. — Augmenter.** ◊ **DÉR. Descendance, descendant, descendeur, descenseur, descente. — COMP. Redescendre.**

DESCENSEUR [desɑ̃sœʀ] n. m. — 1876 ; formation savante, de *descensum,* supin de *descendere* → Descendre, d'après *ascenseur.*

Rare (sauf dans *ascenseur-descenseur*). Ascenseur pouvant être utilisé à la descente. → Alunir, cit. 1.

DESCENSION [desɑ̃sjɔ̃] n. f. — 1857, *Année sc. et industr.* 1858 ; lat. *descensio,* du supin de *descendere.* → Descendre.

Didact., techn. Action de faire descendre.

DÉR. Descensionnel.

DESCENSIONNEL, ELLE [desɑ̃sjɔnɛl] adj. — 1874 ; de *descension.*

Didact. Qui produit un mouvement de haut en bas ; qui tend à descendre.

Il fallait donc, à tout prix, arrêter le mouvement descensionnel, pour empêcher que l'aérostat ne vînt s'engloutir au milieu des flots. Et c'était évidemment à cette urgente opération que s'employaient les passagers de la nacelle. Mais, malgré leurs efforts le ballon s'abaissait toujours (...)
J. VERNE, l'Île mystérieuse, t. I, p. 6.

CONTR. Ascensionnel.

DESCENTE [desɑ̃t] n. f. — 1304 ; de *descendre,* sur le modèle de *pente, rente, vente,* correspondant à *pendre, rendre, vendre.*

I (De *descendre,* I.). **A** En parlant des personnes. ♦ **1** (V. 1376). Action de descendre*, d'aller d'un lieu élevé dans un autre plus bas. *Descente rapide.* → **Chute, dégringolade.** *Descente lente, prudente.* — (1799, in Petiot). *Descente d'une montagne. Descente dans un* *puits, une mine, un gouffre. Descente en ascenseur, en parachute. Descente en skis.*

1 On lira avec un plaisir mêlé d'horreur le récit de leur descente dans la grotte d'Antiparos (...)
FONTENELLE, Tournefort, *in* LITTRÉ.

2 La descente de ces rapides *(de l'Ohio)* n'est ni dangereuse, ni difficile, la chute moyenne n'étant guère que de quatre à cinq pieds dans l'espace d'un tiers de lieue (...)
CHATEAUBRIAND, Voyage en Amérique, *in* LITTRÉ.

3 (...) la croyance absolue que j'avais à la descente par le tuyau de la cheminée du petit père Noël.
G. SAND, Histoire de ma vie, t. II, p. 155, *in* T. L. F.

4 Finis tout à coup, les sentiers de montagne, les scabreuses descentes, les glissades, sous la nuit plus oppressante des bois.
LOTI, Ramuntcho, II, IX, p. 268.

(1928). Spécialt. Course de ski contre la montre. *Il est meilleur en descente* (en parlant d'un cycliste, d'un skieur). → **Descendeur.**

Piste de descente. Portes de descente (délimitant une *piste de descente*). *Descente en ligne droite.* → **Schuss.**
La descente d'Orphée aux Enfers (→ Centaure, cit. 1). *Descente du Saint-Esprit* (→ Commémoration, cit. 1).
À la descente : au moment de descendre, en descendant. *Les autorités l'accueillirent à sa descente d'avion.*

4.1 L'escalier, il n'y fallait pas songer : ça se monte encore ces choses-là, mais à la descente, il y aurait de quoi se rompre cent fois les jambes (...)
Alphonse DAUDET, Lettres de mon moulin, «La mule du pape».

5 Oui, c'est ça. J'irai les prendre à leur descente d'omnibus, ou à une sortie de métro.
J. ROMAINS, les Hommes de bonne volonté, t. IV, XXI, p. 225.

♦ **2** (1559). Spécialt. Attaque brusque de troupes débarquées en territoire ennemi. → **Attaque, coup** (de main), **débarquement, incursion, irruption, raid.** *Descente sur une côte. Le projet de descente en Angleterre de Napoléon.*

6 *(Napoléon)* était tout aux grands préparatifs de la descente (...) le plan de descente comportait le concours des flottes et de vastes combinaisons maritimes avec lesquelles Napoléon n'était pas familier.
Louis MADELIN, Hist. du Consulat et de l'Empire, Avènement de l'Empire, XI, p. 151.

(1900, *in* Petiot). Sports. *Descente (individuelle ou collective) dans le camp adverse.* — Dr. *Descente de justice, de police :* recherche, perquisition, rafle exécutée par les services de police. → **Transport, visite.** Loc. *Faire une descente.* (1779). *Descente sur les lieux :* mesure d'instruction destinée à faire des constatations matérielles.

7 Sur la requête de la partie la plus diligente, le juge-commissaire rendra une ordonnance qui fixera les lieu, jour et heure de la descente (...)
Code de procédure civile, art. 297.

Par ext. Fam. *Faire une descente à la cave,* la vider. *Faire une descente dans une boîte de nuit.*

Action brutale, violente (par anal. avec la *descente* de police).

7.1 — Pourquoi ne faites-vous pas une descente ?
— Ça !... on y a pensé, seulement les coups de fusil en l'air, ça fait partir le gibier. Si on rafle dans trois ou quatre boîtes sans mettre la main sur l'augel tout de suite, ou il nous verra, ou on le préviendra.
J.-P. MELVILLE, le Doulos, 1963, *in* l'Avant-scène, n° 24, p. 24.

B En parlant de choses. ♦ **1** Le fait de descendre, d'aller plus bas. *Descente de la mer qui se retire. Descente d'un ascenseur. Avion qui commence sa descente pour se poser. Descente en vol plané, en piqué. Descente d'un bateau sur une rivière.* → **Avalage.** *Descente des poissons d'amont en aval.* → **Avalaison.**

♦ **2** Méd. Déplacement de haut en bas d'un organe. → **Chute, prolapsus, ptose.** *Descente de l'utérus, de la vessie.* Pop. *Descente d'organe* (même sens). — Cour. Hernie*.

8 *(Mme de la Vallière)* mourut enfin d'une descente *(d'une hernie)* dans de grandes douleurs (...)
SAINT-SIMON, Mémoires, III, XXVIII.

9 C'est moins en laissant pleurer les enfants qu'en s'empressant pour les apaiser, qu'on leur fait gagner des descentes (...)
ROUSSEAU, Émile, I.

II (1690; de *descendre,* II.). Action de déposer (une chose), de porter en bas. *Descente d'un tableau. La descente d'une statue enlevée de son socle. Descente d'une pièce de vin à la cave* (→ **Avalage**), *des marchandises dans la cale.*
Descente de croix : représentation de Jésus-Christ qu'on détache de la croix. → **Déposition.** *La Descente de croix,* de Rubens.

III Ce qui descend, va vers le bas. ♦ **1** (1594). Chemin, pente par laquelle on descend. *Une descente rapide, dangereuse, vertigineuse. Descente douce, insensible. On arrive par une longue descente. Freiner dans les descentes.* → **Pente.** *Au bas de la descente.* — Figuré :

10 Il semble que les heures du soir et de la nuit vous attendent au bas de la descente comme un navire illuminé.
J. ROMAINS, les Hommes de bonne volonté, t. II, XV, p. 179.

Spécialt, mine. Galerie en pente. → **Descenderie.**

♦ **2** (1676). Mar. Passage muni d'échelle qui permet d'aller d'un pont à un autre, au-dessous du pont principal. — Archit. Rampe d'escalier ; voûte sous laquelle est logé l'escalier. — (1676). Tuyau d'écoulement des eaux. *La descente reçoit l'eau du chéneau*.* Dans le même sens : *tuyau de descente.* — *Descente d'antenne*.*

♦ **3** (1837). *Descente de lit :* petit tapis* sur lequel on pose les pieds en descendant du lit. → **Carpette ;** → Asseoir, cit. 23.

♦ **4** Fig., pop. *Avoir une bonne descente* (de gosier) : ingurgiter, boire beaucoup. → **Descendre** (II., 4., fam.).

CONTR. Ascension, montée. — Côte. ◊ HOM. Décente (fém. de *décent*).

DÉSCHISTEUR [deʃistœʀ] n. m. — XXe ; de 1. *dé-, schiste,* et *-eur.*

Techn. Appareil automatique, à air soufflé ou à eau, qui débarrasse le charbon du schiste et des impuretés, en utilisant les différences de densité.

DESCRIPTEUR [dɛskʀiptœʀ] n. m. — 1464; repris 1779; bas lat. *descriptor* «qui décrit», du supin de *describere.* → Décrire.

♦ **1** (1464). Didact. Celui qui décrit. *Cet écrivain a de grandes qualités de descripteur.* — En appos. *Poètes descripteurs.*

♦ **2** (1964). Sc., inform. Ensemble de signes, de format* codifié, servant à décrire de manière optimale un fichier, un lexique (→ **Mot**). *Descripteurs qui servent à l'analyse* d'un document.* (→ Indexation, cit. 2).

DESCRIPTIBLE [dɛskʀiptibl] adj. — 1845; du rad. de *description*,* et *-ible.*

Qui peut être décrit. *Aventure qui n'est guère descriptible.*

CONTR. Indescriptible.

DESCRIPTIF, IVE [dɛskʁiptif, iv] adj. et n. m.
— 1464; du lat. *descriptivus* «qui sert à la description»,
du supin de *describere*. → Décrire.

♦ **1** (1464). En parlant de choses. Qui décrit, qui évoque
concrètement des objets réels. *Style descriptif.*
Poésie descriptive. Peinture, musique descriptive.
— (1802). En parlant de personnes. *Peintre, musicien,*
romancier descriptif.

1   Descriptif : «C'est un roc !... c'est un pic... c'est un cap !
Que dis-je, c'est un cap ?... c'est une péninsule !»
    Edmond ROSTAND, Cyrano de Bergerac, I, 4.

2   Style descriptif : style scientifique. Le contraire même de
la poésie.
    Max JACOB, Conseils à un jeune poète, p. 21.

3   D'autres symphonies encore ont un caractère plus descriptif : elles veulent représenter, par exemple, le mugissement de la terre, ou le sifflement des airs (...)
    R. ROLLAND, Musiciens d'autrefois, p. 185.

3.1   *(L'action des gestes dans le spectacle de Jean-Louis Barrault)*
est sans prolongements parce qu'elle est seulement descriptive, parce qu'elle raconte des faits extérieurs où les
âmes n'interviennent pas ; parce qu'elle ne touche pas au
vif des pensées ni des âmes (...)
    A. ARTAUD, le Théâtre et son double, Idées/Gall.,
p. 215.

♦ **2** (1799). Spécialt. *Géométrie descriptive :* technique
de représentation plane des figures de l'espace,
inventée par Monge.

4   La géométrie descriptive est l'art de représenter sur une
feuille de dessin qui n'a que deux dimensions, les corps
de l'espace qui en ont trois et qui sont susceptibles d'une
définition rigoureuse.
    MONGE, Journal de l'école polytechnique,
in TATON, la Méthode scientifique de Monge, p. 51.

♦ **3** Qui s'attache à décrire son objet sur la base de
faits observables. — (1801). *Anatomie descriptive.* —
Linguistique descriptive, qui se borne à la description structurale d'un état de langue (→ **Synchronie**),
sans référence à son évolution, sans hypothèses
intuitives, sans intentions normatives. → Distributionnel (analyse). — Anthrop. *Terme descriptif :* terme
combinant plusieurs termes élémentaires pour
décrire un lien de parenté, comme, en français,
«frère de la mère de X...» pour «oncle de X».

♦ **4** N. m. Techn. Document qui décrit précisément
au moyen de plans, schémas et légendes. → **Plan.**

5   (...) le propriétaire recevra le descriptif, recueil donnant
tous les détails techniques de la construction.
    Robert BEAUVAIS, le Français kiskose, p. 134.

DÉR. V. Descriptivisme, descriptiviste.

DESCRIPTION [dɛskʁipsjɔ̃] n. f. — V. 1165 ; lat. *des-*
criptio, de *descriptum,* supin de *describere*. → Décrire.

♦ **1** (V. 1165). Action de décrire, énumération des
caractères de qqch. ; résultat de cette action. *Des-*
cription orale, écrite. Faire, donner une description
de qqch., de qqn. Description exacte, fidèle, précise,
détaillée. Description servant à définir (→ **Définir,**
cit. 1), *à représenter un objet. Description vague,*
sommaire, approximative. Description d'un objet,
d'un animal, d'une plante, d'un paysage... → **Cro-**
quis, esquisse, hypotypose, image, peinture, tableau.
Description d'un organe ; description anatomique.
Description d'une personne. → **Portrait, signale-**
ment. *Description d'un événement.* → **Aperçu, conte,**
exposé, histoire, récit. *Description d'un sentiment,*
d'une pensée, d'une œuvre. → **Analyse.**

1   *(La description)* donne quelque connaissance d'une chose
par les accidents qui lui sont propres, et qui la déterminent
assez pour en donner quelque idée qui la discerne des
autres.
    ARNAUD et NICOLE, la Logique de Port-Royal, II,
XVI, p. 215.

Dans la description d'un tableau, j'indique d'abord le sujet,   2
je passe au principal personnage (...)
    DIDEROT, Pensées sur la peinture, Œ., t. XV,
p. 202, *in* POUGENS.

Tu sais que les belles choses ne souffrent pas de descrip-   3
tion.
    FLAUBERT, Correspondance, t. I, p. 90.

Spécialt. Inventaire sommaire.

Description documentaire, scientifique. → État,
graphique, rapport, statistique, tableau ; et les suff.
-**graphie, -logie** (géographie, géologie, monographie, topographie, etc.). *Notice, formulaire, prospectus, recette...*
donnant la description d'un objet, d'un produit et
de son utilisation.

♦ **2** Dans une œuvre littéraire, Passage qui évoque
la réalité, à un moment déterminé du temps.
Alternance de descriptions et de narrations*. Des-
cription vivante, vigoureuse, pittoresque, imagée,
colorée, riche, humoristique... Description artificielle,
monotone, languissante, pauvre, banale, incolore.
Détails, mouvement d'une description.

Les poètes d'à présent (...) demeurent bien aussi court à   4
imiter les riches descriptions de l'un *(Ronsard)* et les délicates inventions de l'autre *(Du Bellay).*
    MONTAIGNE, Essais, I, 190.

Soyez riche et pompeux dans vos descriptions.   5
    BOILEAU, l'Art poétique, III.

(Théophile) sans choix, sans exactitude, d'une plume libre   6
et inégale (...) charge ses descriptions, s'appesantit sur les
détails : il fait une anatomie.
    LA BRUYÈRE, les Caractères, I, 39.

Nous avons défini la description : *Un tableau qui rend*   7
visibles les choses matérielles. D'autres termes, la description est la peinture animée des objets.
    Antoine ALBALAT, la Formation du style, V, p. 89.

♦ **3** (1690). Dr. État de biens saisis ou inventoriés.
Description d'un mobilier.

Le procès-verbal d'apposition contiendra (...) 8° Une des-   8
cription sommaire des effets qui ne sont pas mis sous les
scellés (...)   Code de procédure civile, art. 914.

♦ **4** (Mil. XXe). Ling. Représentation structurelle des
constituants de la phrase, des morphèmes et des
phonèmes.

Gramm. générative. *Description structurale (d'une*
phrase).

DESCRIPTIVISME [dɛskʁiptivism] n. m. — Mil. XXe ;
de *descriptif,* d'après l'angl. *descriptivism* (1926, Bloomfield).

Ling. Linguistique descriptive*. → **Distributionnel.**

DESCRIPTIVISTE [dɛskʁiptivist] adj. — Mil. XXe ; de
descriptif, et -*iste,* d'après l'angl. *descriptivist.*

Ling. Qui est propre au descriptivisme.

Dans une perspective descriptiviste, on peut, également,
ajouter à la recherche des commutations et des types de
combinaisons le rapprochement de structures, apparemment semblables, avec d'autres qui révèlent, dans un autre
contexte, des différences.
    Claude HAGÈGE, la Grammaire générative,
Réflexions critiques, p. 115.

DESDITS [dedi] → **Ledit.**

HOM. Dédit.

DÉSÉCHOUAGE [dezeʃwaʒ] n. m. — 1870 ; de *dés-*
échouer.

Mar. Action de déséchouer. → **Renflouage.** — On dit
aussi *déséchouement* [dezeʃumɑ̃], n. m. (XXe).

CONTR. Échouage.

DÉSÉCHOUER [deseʃwe] v. tr. — 1835, Académie; de *dés-* (→ 1. Dé-), et *échouer*.

Mar. Remettre à flot (un navire échoué). → **Renflouer.**

CONTR. Couler. ◊ DÉR. Déséchouage, déséchouement.

DÉSECTORISATION [desɛktɔrizazjɔ̃] n. f. — V. 1970; de *désectoriser*.

Didact., admin. Fait de ne plus diviser en secteurs géographiques. «*La "désectorisation" des universités parisiennes*» (*l'Express*, 31 oct. 1977, p. 128).

CONTR. Sectorisation.

DÉSECTORISER [desɛktɔrize] v. tr. — V. 1970; de 1. *dé-*, et *sectoriser*.

Didact., admin. Cesser de diviser, de répartir en secteurs géographiques. «*L'arrêté pris par le recteur (...) "désectorisant" les études de droit à Nanterre*» (*le Monde*, 11 févr. 1977).

CONTR. Sectoriser. ◊ DÉR. Désectorisation.

DÉSÉDUQUER [dezedyke] v. tr. — D. i. (mil. xxᵉ); de *dés-* (→ 1. Dé-), et *éduquer*.

Didact. Faire perdre son éducation à. — Absolument :
Il ne peut y avoir de système éducatif (...) quand l'éducation ne débouche sur aucune activité socialement reconnue. Quand tout, en somme, déséduque.
      M. BOSQUET, *in le Nouvel Observateur*, p. 52, nᵒ 414, 16 oct. 1972.

CONTR. Éduquer.

DÉSÉGRÉGATION [desegregasjɔ̃] n. f. — Av. 1964; de 1. *dé-*, et *ségrégation*.

Didact. Suppression de la ségrégation raciale, de ses effets.
Le Noir est-il vraiment intéressé par la déségrégation? Certains répondent qu'elle aboutit à isoler davantage l'individu, désormais perdu dans une communauté qu'il ne reconnaît pas pour la sienne et à le rendre plus malheureux encore qu'auparavant. Pour d'autres, cette déségrégation relève d'un certain romantisme, qui n'est plus de mise.
      Claude FOHLEN, *les Noirs aux États-Unis*, p. 97.

CONTR. Ségrégation. ◊ DÉR. Déségrégationner.

DÉSÉGRÉGATIONNER [desegregasjɔne] v. tr. — Av. 1972; de *déségrégation*.

Didact. Supprimer la ségrégation de.

DÉSÉLECTRISER [dezelɛktrize] v. tr. — xxᵉ; de *dés-* (→ 1. Dé-), et *électriser*.

Techn., sc. Faire cesser l'électrisation de.

CONTR. Électriser.

DÉSEMBALLAGE [dezãbalaʒ] n. m. — 1752, Trévoux; de *désemballer*.

Action de désemballer. → **Dépaquetage.**

CONTR. Emballage.

DÉSEMBALLER [dezãbale] v. tr. — Déb. xviiᵉ; de *dés-* (→ 1. Dé-), et *emballer*.

Enlever (une marchandise, un objet) d'un colis. → **Dépaqueter.**

CONTR. Emballer. ◊ DÉR. Désemballage.

DÉSEMBOBINER [dezãbɔbine] v. tr. — xxᵉ; de *dés-* (→ 1. Dé-), et *embobiner*.

Dérouler (une bobine); défaire (ce qui était enroulé sur une bobine). *Désembobiner du fil.*
Un touilleur (*toueur**), ces sortes de remorqueurs qui circulent en embobinant ou en désembobinant sur leur roue à aubes (...) une chaîne sans fin coulée au fond du lit de la Seine (...)   B. CENDRARS, *Bourlinguer*, p. 314.

CONTR. Embobiner.

DÉSEMBOURBER [dezãburbe] v. tr. — 1690, Furetière; de *dés-* (→ 1. Dé-), et *embourber*.

Faire sortir de la boue. *La charrette «est bien lourde à désembourber»* (Flaubert).

Par métaphore (en gén. pron. réfl.). Se tirer d'embarras.

CONTR. Embourber.

DÉSEMBOURGEOISEMENT [dezãburʒwazmã] n. m. — xxᵉ; de *désembourgeoiser*.

Fait de se désembourgeoiser.

CONTR. Embourgeoisement.

DÉSEMBOURGEOISER [dezãburʒwaze] v. tr. — 1876, *in* D. D. L.; de *dés-* (→ 1. Dé-), et *embourgeoiser*.

Enlever le caractère bourgeois à (qqn, un groupe humain). *La vie militaire va le désembourgeoiser.* — (1903). Pron. réfl. *Il s'est un peu désembourgeoisé.*

CONTR. Embourgeoiser. ◊ DÉR. Désembourgeoisement.

DÉSEMBOUTEILLER [dezãbuteje] v. tr. — 1965; de *dés-* (→ 1. Dé-), et *embouteiller*.

Faire cesser d'être embouteillé (une route, une ligne téléphonique).

CONTR. Embouteiller (3.).

DÉSEMBRAYAGE [dezãbrɛjaʒ] n. m. — 1848, *in* D. D. L.

Vx. → **Débrayage.**

DÉSEMBRAYER [dezãbreje] v. tr. — 1838, *in* D. D. L.

Vx. → **Débrayer.**

DÉSEMBROUILLER [dezãbruje] v. tr. — Av. 1613; de *dés-* (→ 1. Dé-), et *embrouiller*.

Rendre clair, démêler (ce qui est confus, embrouillé). → **Débrouiller, démêler.** *Désembrouiller ses idées.*

(1897). Pron. réfl. *Se désembrouiller. La situation se désembrouille.*

CONTR. Embrouiller.

DÉSEMBROUSSAILLER [dezãbrusaje] v. tr. — Attesté 1924; de *dés-* (→ 1. Dé-), et *embroussailler*.

→ **Débroussailler.**

Je tins un carnet de route. Quelques pages de ce journal ont paru dans la *Wallonie*; considérablement remaniées, car j'éprouvais déjà le plus grand mal à désembroussailler ma pensée.   GIDE, *Si le grain ne meurt*, I, ix, p. 242.

DÉSEMBRUNIR (SE) [dezãbrynir] v. pron. — Fin xixᵉ; de *dés-* (→ 1. Dé-), et *embrunir* (xiiᵉ), vx, de *em-*, *brun*, et suff. verbal, d'après *se rembrunir*.

Rare. Abandonner une expression triste, sombre. «*Son front se désembrunit*» (M. Prévost, *in* G. L. L. F.).

CONTR. Rembrunir (se).

DÉSEMBUAGE [dezãbɥaʒ] n. m. — 1970; de *désembuer*.

Action d'éliminer la buée qui recouvre une vitre. *Le désembuage de la vitre arrière d'une automobile.*

DÉSEMBUER [dezãbɥe] v. tr. — D. i. (mil. xxᵉ); de *dés-* (→ 1. Dé-), et *embuer*.

Débarrasser (une vitre, etc.) de la buée.

CONTR. Embuer. ◊ DÉR. Désembuage.

DÉSEMMAILLOTER [dezãmajɔte] v. tr. — 1919; de *dés-* (→ 1. Dé-), et *emmailloter*.

Débarrasser de ce qui emmaillote (qqn). → **Démailloter**.

(...) tandis que Françoise (...) détachait les étoffes, tirait les rideaux, le jour d'été qu'elle découvrait semblait aussi mort (...) qu'une somptueuse et millénaire momie que notre vieille servante n'eût fait que précautionneusement désemmailloter de tous ses linges (...)
PROUST, À l'ombre des jeunes filles en fleurs, Pl., t. I, p. 955.

CONTR. **Emmailloter.**

DÉSEMMANCHER [dezãmãʃe] v. tr. — 1752, Trévoux; de *dés-* (→ 1. Dé-), et *emmancher*.

Enlever le manche (d'un outil). *Désemmancher une pelle.* → aussi **Démancher.**

CONTR. **Emmancher.**

DÉSEMMÊLER [dezãmele] v. tr. — Fin XIXᵉ; de *dés-* (→ 1. Dé-), et *emmêler*.

→ **Démêler.**

Les mauvais jours, elles se pressent ensemble, s'enchevêtrent, et j'ai le plus grand mal à les désemmêler.
GIDE, Journal, 5 févr. 1902.

DÉSEMPALER [dezãpale] v. tr. — XXᵉ; de *dés-* (→ 1. Dé-), et *empaler*.

Ôter du pal ou de tout autre objet ayant servi à empaler.

Alex désempale le cadavre (...)
J. CAU, la Pitié de Dieu, p. 91.

CONTR. **Empaler.**

DÉSEMPARER [dezãpare] v. tr. — 1364, «démolir»; de *dés-* (→ 1. Dé-), et l'anc. v. *emparer* «fortifier». → Emparer (s').

♦ **1** Vx. *Désemparer une forteresse.* → **Démanteler.**

♦ **2** (1497). Mar. Mettre (un navire) hors d'état de servir. *Désemparer un bâtiment ennemi.*

♦ **3** Littér. et rare. Mettre (qqch.) hors d'état de servir.

0.1 Au commencement, c'était toujours entre les repas que la fringale m'assaillait. Brusquement en plein atelier ou dans mon bureau, une sensation de vide me creusait le ventre, un tremblement me désemparait les mains et les genoux, une poussée de sueur me mouillait les tempes, la salive me giclait sous la langue.
M. TOURNIER, le Roi des Aulnes, p. 75.

Désemparer qqn, le mettre moralement dans l'impossibilité de se défendre, lui faire perdre ses moyens. *Vos remarques ironiques l'ont désemparé.* → **Déconcerter.**

♦ **4** (1418). Vx. Abandonner (un endroit).

1 Ils désemparèrent la place et s'enfuirent.
COMMYNES, III, 3, in LITTRÉ.

2 Leur opiniâtreté à ne pas désemparer les lieux qui leur conviennent (...)
BUFFON, Hist. nat. des oiseaux, Moineau.

♦ **5** (1792). Mod. SANS DÉSEMPARER : sans quitter la place où l'on est; sans s'interrompre (→ D'arrache*-pied; fam. sans débander*). *Ils ont attendu la nuit entière sans désemparer. Le projet fut discuté sans désemparer.* → **Tenant** (séance tenante).

3 *(Le juge de paix)* pourra juger sur le lieu même, sans désemparer.
Code de procédure civile, art. 42.

♦ **DÉSEMPARÉ, ÉE** p. p. adj.

♦ **1** Mar. *Navire désemparé,* qui a subi des avaries l'empêchant de manœuvrer.

Désemparé de : privé de.

(...) le 11 avril 1933, j'ai intercepté, à 22 h 18, un radio du vapeur grec *Alexandros,* m'informant qu'il se trouvait désemparé de son gouvernail, par une latitude de 46° 44 nord et une longitude de 6° 50 ouest.   3.1
Roger VERCEL, Remorques, p. 155.

REM. Le mot est employé métaphoriquement par Hugo, mais le sens véritablement figuré (2.) est plus récent.

Nous sommes un pays désemparé qui flotte,   4
Sans boussole, sans mâts, sans ancre, sans pilote,
Sans guide, à la dérive, au gré du vent hautain,
Dans l'ondulation obscure du destin (...)
HUGO, la Légende des siècles, L, «Élégie des fléaux».

♦ **2** (XXᵉ). Qui ne sait plus où il en est, qui ne sait plus que dire, que faire. → **Confondu, déconcerté, décontenancé, dérouté.** *Il est tout désemparé depuis que sa femme est partie.*

Un gouvernement désemparé, qui ne sait répondre aux questions et aux objurgations qu'en levant les bras au ciel.   5
J. ROMAINS, les Hommes de bonne volonté, t. V, XXIV, p. 231.

DÉSEMPESER [dezãpəze] v. tr. — 1564, *in* D. D. L.; de *dés-* (→ 1. Dé-), et *empeser*.

Enlever l'empois de (une étoffe, etc.). → **Désamidonner.** *Désempeser un col.*

Au participe passé :

Un A. B. des meilleurs jours, souple et comme désempesé, pour qui mon amitié reverdit aussitôt; il reparle de voyage et m'invite à le rejoindre au Maroc en juin (...)
GIDE, Journal, 22 févr. 1912.

CONTR. **Empeser.**

DÉSEMPÊTRER [dezãpetre] v. tr. — 1846, Bescherelle; de *dés-* (→ 1. Dé-), et *empêtrer*.

Enlever les entraves, dégager des liens qui retiennent ou embarrassent.

CONTR. **Empêtrer.**

DÉSEMPIERRER [dezãpjere] v. tr. — D. i. (XXᵉ); de *dés-* (→ 1. Dé-), et *empierrer*.

Rare. Faire cesser d'être empierré; enlever les pierres de (ce qui était empierré).

Par métaphore :

Donne-moi ta main sans retour, eau incertaine
Que j'ai désempierrée jour après jour
Des rêves qui s'attardent dans la lumière.
Yves BONNEFOY, Poèmes, Dans le leurre du seuil, «Deux barques», p. 264.

CONTR. **Empierrer.**

DÉSEMPILER [dezãpile] v. tr. — 1929; de *dés-* (→ 1. Dé-), et *empiler*.

Techn. Démonter une pile de (qqch. qui avait été empilé). *Désempiler du bois pour en contrôler le séchage.* — REM. On dit aussi *dépiler* (de 1. dé-, pile, et suff. verbal).

CONTR. **Empiler.**

DÉSEMPLIR [dezãpliʀ] v. — V. 1180; de *dés-* (→ 1. Dé-), et *emplir*.

♦ **1** V. tr. Rare. Vider* en partie. *Désemplir une bouteille trop pleine.*

(...) c'est encore une de mes raisons d'y aller *(à Paris),* pour désemplir un peu ma tête de moi et de mes maux passés; les Rochers sont tout propres à les conserver dans la mémoire (...)   1
Mᵐᵉ DE SÉVIGNÉ, 516, 18 mars 1676.

Pron. (passif). *La salle se désemplit peu à peu.*

Femmes et grands Parleurs — Plus une tête est vide, plus   2
elle cherche à se désemplir.
MONTESQUIEU, Cahiers, p. 55.

♦ **2** V. intr. (employé à la forme négative). *Ne pas désemplir* : être constamment plein. — Cour. *Ce magasin ne désemplit pas.*

3 Le couvent que j'ai bâti pour vivre en solitaire ne désemplit pas d'étrangers (...)
VOLTAIRE, Lettre à M. d'Argental, 2952, 3 nov. 1766.

4 Sa boutique ne désemplissait pas. Outre la fillette en jaune qui triomphait dans la vitrine et continuait à attirer sur le trottoir une foule considérable (...)
M. AYMÉ, le Vin de Paris, «La bonne peinture», p. 226.

CONTR. Remplir ; emplir.

DÉSEMPLUMER [dezɑ̃plyme] v. tr. — XVIᵉ ; de *dés-* (→ 1. Dé-), et *emplumer.*

Vx. Dépouiller de ses plumes (un chapeau). — Fig. Faire éprouver des pertes d'argent à (qqn). → **Plumer.**

♦ **SE DÉSEMPLUMER** v. pron.

(D'une chose garnie de plumes). Perdre ses plumes. — Fig. (Sujet n. de personne). Faire des pertes de fortune. → **Déplumer** (se).

CONTR. Emplumer.

DÉSEMPOISONNER [dezɑ̃pwazɔne] v. tr. — 1846, Bescherelle ; de *dés-* (→ 1. Dé-), et *empoisonner.*

Rare. Guérir (qqn) d'un empoisonnement.

CONTR. Empoisonner.

DÉSEMPOISSONNER [dezɑ̃pwasɔne] v. tr. — 1838, Académie ; de *dés-* (→ 1. Dé-), et *empoissonner.*

Enlever, détruire le poisson de (un lieu, une étendue d'eau). *Désempoissonner une rivière.*

CONTR. Empoissonner.

DÉSEMPOUSSIÉRER [dezɑ̃pusjere] v. tr. — Attesté 1957 ; de *dés-* (→ 1. Dé-), et *empoussiérer.*

Enlever, nettoyer la poussière de. → **Dépoussiérer** (au propre et au fig.).

Au participe passé, figuré :

Mais ce que j'attendais surtout de cette Carmen «désempoussiérée» [sic], c'était un Don José qui fût enfin le Navarrais de vingt ans dont Mérimée nous raconte l'histoire.
F. MAURIAC, Bloc-notes 1952-1957, p. 343.

CONTR. Empoussiérer.

DÉSEMPRISONNER [dezɑ̃prizɔne] v. tr. — V. 1360 ; de *dés-* (→ 1. Dé-), et *emprisonner.*

Rare. Faire sortir de prison (au propre et au fig.). → **Libérer.**

CONTR. Emprisonner.

DÉSÉNAMOURER [dezenamure] ou **DÉSENAMOURER** [dezɑ̃namure] v. tr. — 1656, Molière ; de *dés-* (→ 1. Dé-), et *enamourer.*

Vx. Faire cesser l'amour (de qqn).

DÉSENCADREMENT [dezɑ̃kadrəmɑ̃] n. m. — V. 1970 ; de *dés-* (→ 1. Dé-), et *encadrement.*

Écon. Fait de cesser de limiter les crédits accordés aux entreprises par les banques. *«Le récent désencadrement du crédit est un premier pas logique vers un renouveau de l'expansion»* (*Paris-Match,* 23 janv. 1971).

CONTR. Encadrement.

DÉSENCADRER [dezɑ̃kadre] v. tr. — 1870, Goncourt ; de *dés-* (→ 1. Dé-), et *encadrer.*

♦ **1** Enlever le cadre de. *Désencadrer un tableau, une glace.* → **Décadrer.**

1 La triste vie dans ce déménagement (...) où tout ce qui était suspendu aux murs a été décroché, à cause des ébranlements du canon, où les dessins désencadrés sont dans les cartons (...)
Ed. et J. DE GONCOURT, Journal, t. IV, p. 136.

2 Vous désencadrerez la glace de l'armoire (...)
GIRAUDOUX, la Folle de Chaillot, I, p. 92.

Au p. p. *Tableau désencadré.*

♦ **2** Fig. Littér. Priver de son cadre habituel, désorienter.

Au participe passé :

3 (...) elle avait besoin, pour prendre appui, des convenances, et se sentait sans force depuis qu'elle était désencadrée (...)
GIDE, les Faux-monnayeurs, II, 3, in Romans, Pl., p. 1076.

4 Ma mère se laisse persuader par la famille d'aller passer à Rouen les premiers temps de son deuil. Elle n'eut pas le cœur de me laisser chez M. Vedel ; et c'est ainsi que commença pour moi cette vie irrégulière et désencadrée, cette éducation rompue à laquelle je ne devais que trop prendre goût.
GIDE, Si le grain ne meurt, IV, 1, p. 97.

♦ **3** Écon. Procéder au désencadrement de (un prêt, le crédit). — Au p. p. *Prêts désencadrés.*

CONTR. Encadrer.

DÉSENCANAILLER [dezɑ̃kanaje] v. tr. — 1867 ; de *dés-* (→ 1. Dé-), et *encanailler.*

Vx. Faire perdre les habitudes de la canaille (à qqn), le caractère canaille (à qqch.).

CONTR. Encanailler.

DÉSENCARTER [dezɑ̃karte] v. tr. — 1870 ; de *dés-* (→ 1. Dé-), et *encarter.*

Séparer (ce qui était encarté*).

CONTR. Encarter.

DÉSENCHAÎNEMENT [dezɑ̃ʃɛnmɑ̃] n. m. — 1928, Breton ; de *dés-* (→ 1. Dé-), et *enchaînement,* ou de *désenchaîner.*

Rare.

♦ **1** Action de désenchaîner ; son résultat.

♦ **2** (Abstrait). Rupture de l'enchaînement logique (d'éléments).

Le secret du théâtre dans l'espace c'est la dissonance, le décalage des timbres, et le désenchaînement dialectique de l'expression.
A. ARTAUD, le Théâtre et son double, Lettre sur le langage [1932], p. 171, Idées/Gall. 1974 (1938).

CONTR. Enchaînement.

DÉSENCHAÎNER [dezɑ̃ʃene] v. tr. — Av. 1588 ; *déchaîner,* 1558 ; de *dés-* (→ 1. Dé-), et *enchaîner.*

Propre et fig. Débarrasser, délivrer de ses chaînes (*déchaîner* ne se dit plus, dans ce sens).

CONTR. Enchaîner. ◊ DÉR. V. Désenchaînement.

DÉSENCHANTÉ, ÉE [dezɑ̃ʃɑ̃te] adj. → **Désenchanter.**

DÉSENCHANTEMENT [dezɑ̃ʃɑ̃tmɑ̃] n. m. — 1554, Huguet ; de *désenchanter.*

♦ **1** (1554). Action de désenchanter, de faire cesser le charme de. *Le désenchantement d'un palais enchanté.*

♦ **2** (1799). Mod. État d'une personne qui a perdu ses illusions, qui a été déçue. → **Déception, dégoût, désespérance** (cit. 1), **désillusion**. *Désenchantement des gens éprouvés par la vie.*

1 Byron est mort en 1824, à l'heure où les désenchantements et les dégoûts allaient commencer.
CHATEAUBRIAND, *in* LITTRÉ.

2 *(Certaines perfidies du sort)* nous laissent à l'âme comme une traînée de tristesse, un goût d'amertume, une sensation de désenchantement (...)
MAUPASSANT, Contes de la bécasse, «Menuet».

3 Et si jadis il semblait que c'était dans le pli d'un regret qu'elle faisait passer devant eux la douceur de leur amour, maintenant le désenchantement dernier, le désespoir irrémédiable, le néant final où elle l'entraînait, il lui semblait que c'était avec la grâce d'un sourire.
PROUST, Jean Santeuil, Pl., p. 817.

CONTR. Charme, enchantement. — Enthousiasme, ferveur, joie.

DÉSENCHANTER [dezɑ̃ʃɑ̃te] v. tr. — V. 1261; de *dés-* (→ 1. Dé-), et *enchanter.*

♦ **1** (V. 1261). Vx ou littér. Rompre l'enchantement, faire cesser le charme de. *Magicien qui a le pouvoir d'enchanter et de désenchanter un lieu.*

0.1 (...) les pleurs et les gémissements de ton mari, que tu traites tous les jours avec tant d'indignité et de barbarie, m'empêchent de dormir nuit et jour. Il y a longtemps que je serais guéri, et que j'aurais recouvré l'usage de la parole, si tu l'avais désenchanté.
A. GALLAND, les Mille et une Nuits, p. 86.

Par extension :

0.2 Il y a ceci à dire sur le péché, c'est qu'il désenchante le monde spirituel.
J. GREEN, Journal, 15 août 1960, Vers l'invisible, p. 218.

♦ **2** (1800, Chateaubriand). Mod. *Désenchanter qqn,* le faire revenir de ses illusions. → **Décevoir, dégoûter, désappointer, désillusionner.**

1 (...) avec elle point de déception, point de satiété! elle ne désenchante pas par des phrases vulgaires ou ridicules (...)
Th. GAUTIER, la Toison d'or, IV.

Désenchanter qqch., lui faire perdre le charme, l'attrait, la poésie...

2 Ne croyons pas toutefois qu'en nous découvrant les bases sur lesquelles reposent les passions, le christianisme ait désenchanté la vie.
CHATEAUBRIAND, Génie du christianisme, t. II, III, I.

3 (...) nous avons tous dans le passé un jour de bonheur qui nous désenchante l'avenir.
Aloysius BERTRAND, Gaspard de la nuit, p. 9.

♦ **SE DÉSENCHANTER** v. pron. réfl.

Perdre son pouvoir d'enchantement.

3.1 Mort n'est pas le mot. Vivant au contraire, obsédant, et que je n'ai pu tuer qu'en utilisant et publiant ces notes. Aujourd'hui le bien est mort — au point que ce roman *Toutes les femmes sont fatales* qui a tant compté pour moi s'est entièrement désenchanté à mes yeux — quant au fond.
Claude MAURIAC, le Temps immobile, p. 94.

Faire cesser l'effet d'un charme.

3.2 Nietzsche se désenchantait des philtres wagnériens en écoutant le rire de Carmen.
G. BAUËR, les Billets de Guermantes, nov. 1938, p. 304.

Perdre son enthousiasme. *Le public s'est désenchanté de cette actrice.*

♦ **DÉSENCHANTÉ, ÉE** p. p. adj.

Plus cour. Dont on a fait cesser l'enchantement. — N. *Les Désenchantées,* roman de Loti.

4 On vit, dans les romans (...) des palais enchantés et désenchantés.
MONTESQUIEU, l'Esprit des lois, XXVIII, 22.

(1804). En parlant des personnes. Qui a perdu son enthousiasme, ses illusions. → **Blasé, déçu, dégoûté, désespéré, désillusionné, las.** *Il est désenchanté de tout. C'est une âme désenchantée.* — N. *Un désenchanté.*

5 Vous m'avez délaissé, doux rêves de la vie,
Plaisirs, gloire, bonheur, patrie et liberté
Vous fuyez loin d'un cœur vide et désenchanté.
M.-J. CHÉNIER, «La promenade».

6 Alexis (...) avait voulu contempler le visage d'un mourant à jamais détaché des réalités vulgaires et où ne pouvait plus flotter qu'un sourire héroïquement contraint, tristement tendre, céleste et désenchanté.
PROUST, les Plaisirs et les Jours, I.

CONTR. Charmer, émerveiller, enchanter, enthousiasmer; embellir. — (Du p. p. adj.) Enthousiaste, joyeux. ◊ **DÉR.** Désenchantement, désenchanteur.

DÉSENCHANTEUR, ERESSE [dezɑ̃ʃɑ̃tœr, rɛs] adj. et n. — 1807, adj.; n. 1845, Bescherelle; de *désenchanter.*

♦ **1** Qui rompt l'enchantement, le charme de. *Un sorcier désenchanteur.*

♦ **2** Personnes. Qui fait revenir de ses illusions, qui fait perdre son enthousiasme.

Il eut une rapide et désenchanteresse vision de «Baṭ d'Af», de silos, de cailloux cassés sur une route peu ombragée.
A. ALLAIS, Contes et chroniques, p. 67.

CONTR. Enchanteur.

DÉSENCLAVEMENT [dezɑ̃klavmɑ̃] n. m. — xxᵉ; de *désenclaver.*

Action de désenclaver; son résultat. — Fig. *Le désenclavement économique d'une région* (par l'ouverture de voies de communication, etc., d'une région mal desservie). *«Paris réagit enfin. En lançant un vaste programme de désenclavement routier»* (l'Express, 14 févr. 1981, p. 63).

CONTR. Enclavement.

DÉSENCLAVER [dezɑ̃klave] v. tr. — 1870; de *dés-* (→ 1. Dé-), et *enclaver.*

Faire cesser d'être enclavé, d'être une enclave. — (V. 1960). Rompre l'isolement de (une région, une ville) par l'amélioration des communications maritimes, aériennes, routières, téléphoniques, etc. — Pron. *«En luttant pour l'énergie bon marché, la Bavière s'est "désenclavée"»* (le Monde, 30 juin 1969).

Les maires des plus petites communes nous réclamaient de partout de nouveaux chemins, des adductions d'eau, des dessertes électriques. On se mit à désenclaver à gros frais des hameaux perdus.
Raymond ABELLIO, Ma dernière mémoire, t. II, p. 194.

CONTR. Enclaver. ◊ **DÉR.** Désenclavement.

DÉSENCLOUER [dezɑ̃klue] v. tr. — V. 1580, D'Aubigné; de *dés-* (→ 1. Dé-), et *enclouer.*

♦ **1** (V. 1580). Vx. *Désenclouer une pièce :* enlever le clou qui avait été enfoncé dans la lumière d'un canon pour le mettre hors de service.

♦ **2** Techn. Ôter un clou du sabot d'un cheval.

CONTR. Enclouer.

DÉSENCOMBREMENT [dezɑ̃kɔ̃brəmɑ̃] n. m. — 1845; de *désencombrer.*

Action de désencombrer; son résultat. *«Le désencombrement du logis»* (Flaubert). *Le désencombrement des centraux téléphoniques.*

CONTR. Encombrement.

DÉSENCOMBRER [dezãkɔ̃bʀe] v. tr. — Fin XIIᵉ; de *dés-* (→ 1. Dé-), et *encombrer*.

Faire cesser d'être encombré. *Désencombrer (un lieu) de...*

1 (...) la nécessité de désencombrer la voie publique des immondices (...) Léon BLOY, le Désespéré, p. 168.

Figuré :

2 La photographie put désencombrer la peinture de certaines valeurs adventices.
GIDE, Journal, 10 avr. 1943.

(Compl. n. de personne). *Pouvez-vous me désencombrer de ces papiers, de ces livres ?* — Pron. *Se désencombrer (de qqch.).*

3 Il s'efforça de se tarir, de se désencombrer, de s'évider.
R. QUENEAU, Loin de Rueil, p. 160.

◆ **DÉSENCOMBRÉ, ÉE** p. p. adj.

4 (...) la table de sapin désencombrée de la vaisselle, nette de taches de couleur. ZOLA, l'Œuvre, p. 124.

5 Les rues et les avenues de Tunis sont désencombrées et silencieuses (...) GIDE, Journal, Tunis, 3 avr. 1943.

CONTR. Encombrer. ◊ DÉR. Désencombrement.

DÉSENCRAGE [dezãkʀaʒ] n. m. — 1976; de *désencrer* «enlever l'encre», de *dés-*, et *encrer*.

Techn. Action d'enlever l'encre d'imprimerie extraite du papier recyclé.

CONTR. Encrage.

DÉSENCRASSER [dezãkʀase] v. tr. — XXᵉ; de *dés-* (→ 1. Dé-), et *encrasser*.

Faire cesser d'être encrassé. → **Décrasser.** *Désencrasser un conduit.* — Absolt :

1 (...) il y a des eaux qui désencrassent, mais qui en même temps débilitent. La nôtre aurait des aptitudes à désencrasser tout en tonifiant.
J. ROMAINS, les Hommes de bonne volonté, t. V, XXII, p. 178.

◆ **DÉSENCRASSÉ, ÉE** p. p. adj.

2 Oui, mon cerveau, comme désencrassé par ce jeûne, fonctionne avec une alacrité singulière.
GIDE, Journal, 2 nov. 1929.

CONTR. Encrasser.

DÉSENCROÛTER [dezãkʀute] v. tr. — 1845; de *dés-* (→ 1. Dé-), et *encroûter*.

◆ 1 Techn. Débarrasser (un tuyau, une conduite, un récipient, etc.) de ses incrustations. *Désencroûter le radiateur d'une voiture.* → **Détartrer ; désincruster.**

◆ 2 Fig. et rare. Débarrasser (qqn) de ses préjugés, de ses habitudes.

CONTR. Encroûter.

DÉSENDETTEMENT [dezãdɛtmã] n. m. — 1985; de *dés-* (→ 1. Dé-), et *endettement*.

Écon. Le fait de désendetter, de se désendetter. «*Les entreprises privilégient le désendettement, c'est-à-dire le règlement de la charge du passé*» (le Point, 22 juin 1987, p. 85). *Le désendettement de l'État.* — Somme qui cesse de figurer dans la dette. *Un désendettement de plusieurs millions d'euros.*

DÉSENDETTER (SE) [dezãdete] v. pron. — XXᵉ; de *dés-* (→ 1. Dé-), et *endetter*.

Réduire la charge de sa dette. — REM. Le transitif est virtuel.

CONTR. Endetter (s').

DÉSÉNERVER [dezenɛʀve] v. tr. — 1907; de *dés-* (→ 1. Dé-), et *énerver*.

Faire cesser (qqn) d'être énervé. → **Calmer.** *L'écoute de la musique me désénerve.* — Pron. *Se désénerver :* cesser d'être énervé.

CONTR. Énerver (II.).

DÉSENFILER [dezãfile] v. tr. — 1694; de *dés-* (→ 1. Dé-), et *enfiler*.

Techn. Retirer le fil passé dans (une aiguille, la lisse d'un métier à tisser).

CONTR. Enfiler.

DÉSENFLAMMER [dezãflame] v. tr. — Fin XVIᵉ; de *dés-* (→ 1. Dé-), et *enflammer*.

◆ 1 Éteindre la flamme de. *Désenflammer un tison.* — Fig. et littér. Éteindre l'amour, la passion de (qqn).

◆ 2 (Fin XIXᵉ). Méd. Faire cesser l'inflammation de. *Désenflammer une plaie.*

CONTR. Enflammer.

DÉSENFLER [dezãfle] v. — 1138; de *dés-* (→ 1. Dé-), et *enfler*.

I V. tr. ◆ 1 Faire diminuer ou disparaître l'enflure, et, par ext., le volume de (qqch.). *Désenfler un ballon. Les soins ont permis de désenfler l'abcès.* — Pron. *Sa joue s'est désenflée.*

Nul ne sait mieux que lui soigner un cheval, désenfler d'un coup de trocart la bête bourrée de trèfle frais (...)
BERNANOS, Monsieur Ouine, in Œ. roman., Pl., p. 1376.

◆ 2 Fig. Réduire l'importance de (un événement, une nouvelle, etc.).

II V. intr. Cesser d'être enflé. *Sa joue commence à désenfler.*

REM. *Désenfler* s'emploie avec l'auxiliaire *avoir* pour exprimer l'action, *être* pour exprimer le résultat de l'action.

CONTR. Enfler.

DÉSENFOURNER [dezãfuʀne] v. tr. — XVIᵉ; de *dés-* (→ 1. Dé-), et *enfourner*.

Rare. Ôter (qqch.) du four. — Absolt. Vider le four. *Il fallut désenfourner à la hâte* (Littré).

CONTR. Enfourner.

DÉSENFUMAGE [dezãfymaʒ] n. m. — XIXᵉ; de *dés-enfumer*.

Techn. Élimination de la fumée. *Dispositif de désenfumage.*

CONTR. Enfumage.

DÉSENFUMER [dezãfyme] v. tr. — 1845; de *dés-* (→ 1. Dé-), et *enfumer*.

Chasser la fumée de. *Désenfumer une pièce.* — Au p. p. *Pièce à demi désenfumée.*

CONTR. Enfumer. ◊ DÉR. Désenfumage.

DÉSENGAGEMENT [dezãgaʒmã] n. m. — 1465, dr.; de *désengager*.

Action de désengager, de se désengager. *Politique de désengagement* (d'une alliance...). — *Désengagement de capitaux.*

CONTR. Engagement.

DÉSENGAGER [dezãgaʒe] v. tr. — 1462, au p. p.; de *dés-* (→ 1. Dé-), et *engager*.

♦ **1** Faire cesser d'être engagé; retirer (qqn, un groupe humain...) d'un engagement.

1 Se trouver désengagé de la nécessité qui bride les autres.
MONTAIGNE, Essais, II, 232, *in* LITTRÉ.

Pron. Se libérer de ses engagements (diplomatiques, économiques, politiques, etc.). *Se désengager d'une obligation.*

2 Camus s'est tué en voiture en janvier 60, je crois. Depuis qu'il s'était désengagé, qu'il avait choisi d'être moralement infirmier de la Croix-Rouge plutôt que combattant, il m'avait écrit mais je ne l'avais pas revu.
F. GIROUD, Si je mens..., p. 227.

♦ **2** Vx. Dégager (matériellement). *«Je ne puis désengager mon bras des rênes»* (Chateaubriand, *in* T. L. F.).

CONTR. Engager. ◊ **DÉR. Désengagement.**

DÉSENGLUER [dezãglye] v. tr. — 1627; de *dés-* (→ 1. Dé-), et *engluer*.

Rare. Faire cesser d'être englué. *Désengluer un oiseau.*

Fig. Dégager (d'une contrainte, de ce qui retient). *Désengluer qqn de ses habitudes.* — **Pron.** *Se désengluer.*

L'homme, l'homme éternel, celui qui avait mis des millions d'années à se désengluer des marais du chaos, à se tenir debout, à prononcer des mots d'amour, l'Homme pensant pouvait regarder son destin en face.
G. CESBRON, *Voici le temps des imposteurs*, p. 228.

CONTR. Engluer.

DÉSENGORGER [dezãgɔRʒe] v. tr. — 1872; de *dés-* (→ 1. Dé-), et *engorger*.

Techn. Faire cesser d'être engorgé. *Désengorger un tuyau.*

CONTR. Engorger.

DÉSENGOUER (SE) [dezãgwe] v. pron. — 1857, *in* D. D. L.; de *dés-* (→ 1. Dé-), et *engouer*.

Perdre l'engouement que l'on a (pour qqn ou qqch.). *Il s'est désengoué du théâtre moderne.*

Bref, les gens du monde s'étaient désengoués de M. de Charlus, non pas pour avoir trop pénétré mais sans avoir pénétré jamais sa rare valeur intellectuelle.
PROUST, *le Temps retrouvé*, Pl., t. III, p. 766.

CONTR. Engouer (s').

DÉSENGOURDIR [dezãguRdiR] v. tr. — 1553; de *dés-* (→ 1. Dé-), et *engourdir*.

Faire cesser l'engourdissement de (un membre, le corps; qqn). → **Dégourdir.** *Il se frotta les mains pour les désengourdir.* — **Pron.** *Il marchait vite pour se désengourdir.*

Il parlait avec netteté. Son esprit se désengourdissait. Lentement, la machine à raisonner s'était mise en branle et elle ne s'arrêtait plus.
F. MAURIAC, *le Nœud de vipères*, II, XIV, p. 169.

♦ **DÉSENGOURDI, IE** p. p. adj. *Un membre désengourdi.*

CONTR. Engourdir, paralyser. ◊ **DÉR. Désengourdissement.**

DÉSENGOURDISSEMENT [dezãguRdismã] n. m. — 1923, Mauriac, *in* T. L. F.; de *désengourdir*.

Fait de désengourdir; cessation de l'engourdissement (de qqn, d'une partie du corps).

CONTR. Engourdissement.

DÉSENGRENER [dezãgRəne] v. tr. — 1699, v. pron. «se disloquer, sortir des jointures»; de *dés-* (→ 1. Dé-), et 2. *engrener*.

Techn. Faire cesser d'être engrené. *Désengrener un mécanisme.*

CONTR. 2. Engrener.

DÉSENIVRER [dezãnivRe] v. — 1170; de *dés-* (→ 1. Dé-), et *enivrer*.
Rare ou littéraire.

I ♦ **1** V. tr. Faire passer l'ivresse de (qqn). *L'air pur le désenivra.* → **Dégriser, dessouler** (cour.).

♦ **2** Fig. Tirer d'un état d'exaltation. *Son enthousiasme est tombé, le voilà désenivré.*

(...) se faisant le chauffeur d'une visiteuse du soir, d'un voyageur désenivré qui court après un train fantôme.
Jean CAYROL, *Histoire d'un désert*, p. 39.

Pron. *Il lui fallut une longue marche pour se désenivrer.*

II ♦ V. intr. (à la forme négative). Cesser d'être ivre. *Il ne désenivre pas.* → **Dessouler.**

CONTR. Enivrer.

DÉSENLACER [dezãlase] v. tr. — 1579; de *dés-* (→ 1. Dé-), et *enlacer*.

♦ **1** Vx. Débarrasser des lacs, des liens. *Désenlacer un oiseau.*

♦ **2** Littér. Faire cesser l'enlacement de.

(...) comme Hercule dut prendre le grand Antée, fils de la Terre, avec des bras enveloppeurs que l'écroulement des cieux n'aurait pu désenlacer.
Léon BLOY, *le Désespéré*, p. 49.

Pron. *Leurs mains se désenlacèrent.*

CONTR. (Du pron.) Enlacer (s').

DÉSENLAIDIR [dezãlediR] v. tr. et intr. — 1826; de *dés-* (→ 1. Dé-), et *enlaidir*.

Rendre, devenir moins laid. *Désenlaidir des maisons anciennes.*

CONTR. Enlaidir.

DÉSENNEIGER [dezãneʒe] v. tr. — 1966, *in* P. Gilbert; de *dés-* (→ 1. Dé-), et *enneiger*.

Techn. Débarrasser (un objet) de la neige qui l'empêche de fonctionner (*déneiger** s'applique aux lieux, aux surfaces). *Désenneiger une porte, une roue bloquée.*

CONTR. Enneiger.

DÉSENNUI [dezãnɥi] n. m. — V. 1500, repris XIXe; déverbal de *désennuyer*, d'après *ennui*.

Littér. Action de (se) désennuyer. → **Distraction, divertissement.**

À quel désennui vont-elles? Les unes cherchent ce qu'elles ont déjà aimé, les autres ce qu'elles n'aiment pas encore.
CHATEAUBRIAND, *Mémoires d'outre-tombe*, III, 13, t. V, p. 130.

CONTR. Ennui.

DÉSENNUYER [dezãnɥije] v. tr. — Se conjugue comme *ennuyer*. — Déb. XVe, *se désennuyer*; de *dés-* (→ 1. Dé-), et *ennuyer*.

(Sujet n. de personne ou de chose). Faire cesser l'ennui. → **Amuser, changer, délasser, distraire, divertir.** — REM. *Désennuyer* est très faible et garde surtout un aspect négatif. *Désennuyer quelqu'un. Une promenade vous désennuiera de la lecture. Désennuyer qqn de* (et inf.). *Nous ne savons que faire pour le désennuyer.* — **Absolt.** *Le cinéma désennuie.*

1 Je vous dirai, si vous voulez, pour vous désennuyer, le conte de *Peau d'âne* (...)
MOLIÈRE, le Malade imaginaire, II, 8.

2 Ce qui n'empêchait point Douce et Grâce d'avoir toujours un peu l'œil sur elle, par cet instinct de guet qui se mêle à la domesticité ; — espionner désennuie de servir.
HUGO, les Travailleurs de la mer, III, I, I.

3 Le roi même aurait été jaloux de la dame de la place Royale *(Marion de Lorme),* chez qui le favori *(Cinq-Mars)* allait se désennuyer trop souvent des exigences de sa charge.
Émile HENRIOT, Portraits de femmes, Marion de Lorme, p. 44.

◆ **SE DÉSENNUYER** v. pron.
Dissiper son ennui. → **Distraire** (se), **divertir** (se). *Faire une partie de cartes pour se désennuyer. Se désennuyer d'une occupation en faisant autre chose.*

4 Afin de se désennuyer, Frédéric changeait de place (...)
FLAUBERT, l'Éducation sentimentale, II, I.

5 (...) cet homme qui touchait au déclin, qui avait parcouru vingt-cinq ans la terre entière sans se désennuyer (...)
FRANCE, Jocaste, Œuvres, t. II, p. 20.

6 Menacé par l'ennui qui est le pire ennemi des gens bien depuis la fin du XVIIe, il s'engage pour se désennuyer.
Jacques LAURENT, les Bêtises, p. 65.

Vx. *Se désennuyer de quelqu'un :* dissiper l'ennui provoqué par l'absence de quelqu'un.

CONTR. Ennuyer. ◊ DÉR. Désennui.

DÉSENORGUEILLIR [dezɑ̃nɔʀgœjiʀ] v. tr. — XIXe, *in* Littré ; de *dés-* (→ 1. Dé-), et *enorgueillir.*
Rare. Rabattre l'orgueil de (qqn). *Les difficultés qu'il a connues l'ont désenorgueilli.*
CONTR. Enorgueillir.

DÉSENRAYAGE [dezɑ̃ʀɛjaʒ] n. m. — Déb. XXe ; de *désenrayer.*
Action de désenrayer (une arme, un mécanisme).
CONTR. Enrayage.

DÉSENRAYER [dezɑ̃ʀeje] v. tr. — 1694, «ôter la chaîne qui empêche la roue de tourner»; de *dés-* (→ 1. Dé-), et *enrayer.*
Techn. Réparer (une arme enrayée). *Désenrayer un pistolet.*
CONTR. Enrayer. ◊ DÉR. Désenrayage.

DÉSENRHUMER [dezɑ̃ʀyme] v. tr. — 1680; de *dés-* (→ 1. Dé-), et *enrhumer.*
Faire cesser le rhume de (qqn). *Ces gouttes m'ont désenrhumé.* — Pron. *Il s'est désenrhumé :* il a cessé d'être enrhumé. — Intrans. (en emploi négatif). *«Je ne désenrhumais pas»* (Goncourt, *Manette Salomon,* p. 51) : j'étais constamment enrhumé.
CONTR. Enrhumer (s').

DÉSENROUER [dezɑ̃ʀwe] v. tr. — 1580; de *dés-* (→ 1. Dé-), et *enrouer.*
Faire cesser l'enrouement de (qqn). — Pron. *Il s'est désenroué en buvant de l'eau* (Académie).
CONTR. Enrouer (s').

DÉSENSABLEMENT [dezɑ̃sabləmɑ̃] n. m. — Av. 1870; de *désensabler.*
Action de désensabler; son résultat.
CONTR. Ensablement.

DÉSENSABLER [dezɑ̃sable] v. tr. — 1694; de *dés-* (→ 1. Dé-), et *ensabler.*
◆ **1** Dégager (ce qui était ensablé). *Désensabler une route, un chalet sur une plage.*
◆ **2** Débarrasser (un chenal, un port...) du sable qui l'obstrue. *Désensabler un canal.*
CONTR. Ensabler. ◊ DÉR. Désensablement.

DÉSENSEVELIR [dezɑ̃səvliʀ] v. tr. — XVe; de *dés-* (→ 1. Dé-), et *ensevelir.*
Littér. Enlever (un corps) de la sépulture.
CONTR. Ensevelir.

DÉSENSIBILISANT [desɑ̃sibilizɑ̃] n. m. — 1933; p. prés. de *désensibiliser.*
Méd. Médicament utilisé pour atténuer ou faire disparaître l'intolérance de l'organisme vis-à-vis de certaines substances. *Des désensibilisants généraux.*

DÉSENSIBILISATEUR [desɑ̃sibilizatœʀ] n. m. — XXe; de *désensibiliser.*
Didact. Produit qui diminue la sensibilité d'une émulsion photographique.

DÉSENSIBILISATION [desɑ̃sibilizasjɔ̃] n. f. — 1925; de *désensibiliser.*
Didact. Action de désensibiliser*; son résultat.
◆ **1** Photogr. Diminution de la sensibilité (d'une émulsion). *Désensibilisation après exposition.*
◆ **2** Méd. Suppression de la sensibilisation aux substances qui peuvent provoquer un choc anaphylactique ou une allergie. → **Accoutumance.** *«Méthode de désensibilisation, c'est-à-dire de tolérance progressivement induite du receveur* (de cœur) *envers les antigènes»* (le Monde, 1er juil. 1967).
◆ **3** Fig. Action de rendre (qqn) moins sensible à (qqch.). *La désensibilisation de qqn par qqn, par qqch.*

Ce que je crains, c'est un processus de désensibilisation, pour dépasser la sensibilité par l'endurcissement, ou en la tuant, par le dépassement, comme les Brigades rouges. Le fascisme a toujours été une entreprise de désensibilisation.
É. AJAR (R. GARY), l'Angoisse du roi Salomon, p. 22.

CONTR. Sensibilisation.

DÉSENSIBILISER [desɑ̃sibilize] v. tr. — 1898, en parlant d'un récepteur radiophonique ; de *dés-* (→ 1. Dé-), *sensible,* et suff. verbal.
◆ **1** Photogr. Diminuer la sensibilité de (un appareil sensible, une émulsion photographique).
◆ **2** (1926). Méd. Pratiquer une désensibilisation* (2.) sur (un organe, un organisme). — Spécialt. Faire perdre sa sensibilité à (une dent). → **Dévitaliser.**
Psychiatrie. Faire devenir insensible à l'agression (au moyen d'un agent thérapeutique ou d'une cure psychothérapique).

1 (...) les méthodes de psychanalyse chimique sont devenues à l'ordre du jour et se sont systématisées notamment à la suite de la guerre. Les Américains ont employé la narcose au penthotal dans l'armée dans le but de désensibiliser des sujets troublés par des complexes de frayeur.
Henri BARUK, Psychoses et névroses, p. 115.

◆ **3** Fig. Rendre (qqn) moins sensible à (qqch.). *Désensibiliser l'opinion publique à un problème.*

2 — Tu sais ce que ça veut dire élégiaque ?
— Oui.

— Qui est mélancolique et tendre. J'ai un ami qui explique que les étudiants des Brigades rouges ont tué Moro pour se désensibiliser. Tu comprends?
  É. AJAR (R. GARY), l'Angoisse du roi Salomon, p. 251.
Pron. *Se désensibiliser à :* devenir insensible à.
CONTR. Sensibiliser. ◊ **DÉR.** Désensibilisant, désensibilisateur, désensibilisation.

DÉSENSORCELER [dezɑ̃sɔʀsəle] v. tr. [CONJUG.: *appeler.*] — 1538; de *dés-* (→ 1. Dé-), et *ensorceler.*

♦ **1** Faire cesser (qqn) d'être ensorcelé. *Il prétendit qu'on avait jeté un sort sur elle et entreprit de la désensorceler* (Académie). → Désenvoûter.

♦ **2** Fig. Soustraire (qqn, qqch.) à une forte emprise.
CONTR. Ensorceler, envoûter. ◊ **DÉR.** Désensorcellement.

DÉSENSORCELLEMENT [dezɑ̃sɔʀsɛlmɑ̃] n. m. — 1740, Trévoux; de *désensorceler.*
Rare. Action de désensorceler; son résultat. *Croire aux ensorcellements et aux désensorcellements.* → Désenvoûtement.
CONTR. Ensorcellement.

DÉSENTASSER [dezɑ̃tase] v. tr. — XVIe; de *dés-* (→ 1. Dé-), et *entasser.*
Rare. Défaire ce qui est en tas; enlever (qqch.) d'un tas. *Désentasser des vieux journaux.*
CONTR. Entasser.

DÉSENTHOUSIASMER [dezɑ̃tuzjasme] v. tr. — Attesté XXe; de *dés-* (→ 1. Dé-), et *enthousiasmer.*
Rare. Faire revenir (qqn) de son enthousiasme. — **Pron.** Perdre son enthousiasme. *«Le plaisir de se désenthousiasmer»* (J. Renard, *Journal*, p. 236).
CONTR. Enthousiasmer.

DÉSENTOILAGE [dezɑ̃twalaʒ] n. m. — 1870; de *désentoiler.*
Techn. Action de désentoiler; son résultat. *Le désentoilage d'un tableau.*
CONTR. Entoilage.

DÉSENTOILER [dezɑ̃twale] v. tr. — 1864; de *dés-* (→ 1. Dé-), et *entoiler.*
Techn. Enlever la toile, l'entoilage de. *Désentoiler un tableau et le rentoiler avant de le restaurer.*
CONTR. Entoiler. ◊ **DÉR.** Désentoilage.

DÉSENTORTILLER [dezɑ̃tɔʀtije] v. tr. — 1611, au p. p.; de *dés-* (→ 1. Dé-), et *entortiller.*
Détortiller. — **Fig.** Démêler (une situation confuse).
CONTR. Entortiller.

DÉSENTRAVER [dezɑ̃tʀave] v. tr. — 1615; de *dés-* (→ 1. Dé-), et *entraver.*
Libérer de ses entraves. *Désentraver un animal.* — **Fig.** Libérer de contraintes. — **Au p. p. :**
Désentravé, libre du moindre interdit extérieur, c'est de moi que vient l'empêchement, comme s'il fallait qu'il y eût obstacle, en toute circonstance et chez qui que ce fût, lorsque le sexe est en cause.
  Claude MAURIAC, le Dîner en ville, p. 231.
CONTR. Entraver.

DÉSENTRELACER [dezɑ̃tʀəlase] v. tr. [CONJUG.: *entrelacer.* → Placer.] — XVIe; de *dés-* (→ 1. Dé-), et *entrelacer.*
Ôter d'un entrelacement; faire cesser l'entrelacement de (plusieurs choses).
CONTR. Entrelacer.

DÉSENVASER [dezɑ̃vaze] v. tr. — 1870; de *dés-* (→ 1. Dé-), et *envaser.*
Technique.
♦ **1** Débarrasser (qqch.) de la vase. *Désenvaser un bassin.*
♦ **2** Sortir (qqch., qqn) de la vase. *Désenvaser un bateau.*
CONTR. Envaser.

DÉSENVELOPPER [dezɑ̃vlɔpe] v. tr. — 1870; de *dés-* (→ 1. Dé-), et *envelopper.*
Défaire (qqch.) de ce qui (l') enveloppe.
CONTR. Envelopper.

DÉSENVENIMER [dezɑ̃vnime] v. tr. — 1553; de *dés-* (→ 1. Dé-), et *envenimer.*
♦ **1** Vx. Faire disparaître le venin de.
♦ **2** Fig. Rendre moins virulent, moins pénible. *Désenvenimer une querelle.*
CONTR. Envenimer.

DÉSENVERGUER [dezɑ̃vɛʀge] v. tr. → Déverguer.

DÉSENVOÛTEMENT [dezɑ̃vutmɑ̃] n. m. — XXe; *desvoultement*, 1370; de *désenvoûter*, ou de *dés-* (→ 1. Dé-), et *envoûtement.*
Opération magique visant à désenvoûter. *Au désenvoûtement peut répondre le «contre-envoûtement».* → Désensorcellement.
Fig. Le fait d'être désenvoûté (fig.).
CONTR. Envoûtement.

DÉSENVOÛTER [dezɑ̃vute] v. tr. — XXe; *desvoulter*, 1370; de *dés-* (→ 1. Dé-), et *envoûter.*
Délivrer de l'envoûtement. *Les moyens de désenvoûter différaient selon les moyens qui avaient servi à envoûter les victimes.* — **Fig.** (surtout passif et pron.). *Être désenvoûté :* cesser d'être envoûté par qqn, cesser de subir sa domination morale.
D'évidence il cherchait à se désenvoûter.
  Edmonde CHARLES-ROUX, Elle, Adrienne, p. 73.
CONTR. Envoûter. ◊ **DÉR.** Désenvoûteur. V. Désenvoûtement.

DÉSENVOÛTEUR, EUSE [dezɑ̃vutœʀ, øz] n. — XXe; de *désenvoûter.*
Personne qui délivre d'un envoûtement. *«On peut considérer le rôle du désenvoûteur comme capital, dans la mesure où il parvient à convaincre la victime d'un envoûtement que nul ne saurait lui nuire par le simple fait de l'esprit»* (l'Express, p. 146, 16 sept. 1974).

DÉSÉPAISSIR [dezepesiʀ] v. tr. — 1572; *despaissir*, XIVe; de *dés-* (→ 1. Dé-), et *épaissir.*
Rendre moins épais. → Éclaircir. *Désépaissir une sauce. Désépaissir les cheveux.*
CONTR. Épaissir.

DÉSÉPARGNE [dezepaʀɲ] n. f. — V. 1980; de *dés-* (→ 1. Dé-), et *épargne.*
Écon. Transformation d'une épargne en consommation.

DÉSÉPAULER [dezepole] v. tr. — 1886; de *dés-* (→ 1. Dé-), et *épauler.*
Techn. Cesser d'épauler (un fusil). — **Absolt :**
Il faut (...) que, sans désépauler, le tireur puisse faire, à jet continu, emploi de toutes les cartouches enfermées dans le magasin.
  L. FIGUIER, l'Année scientifique et industrielle, 1887, p. 167 (1886).
CONTR. Épauler.

DÉSÉPINGLER [dezepɛ̃gle] v. tr. — V. 1900; de *dés-* (→ 1. Dé-), et *épingler*.

Faire cesser d'être épinglé en ôtant l'épingle qui retient (qqch.). *Désépingler une liasse de feuilles.* — Au p. p. *Liasse désépinglée.*

CONTR. Épingler.

DÉSÉQUILIBRAGE [dezekilibraʒ] n. m. — 1927, *in* T. L. F.; de *déséquilibrer*.

Techn. Défaut d'équilibrage. *Le déséquilibrage des roues d'une voiture.*

CONTR. Équilibrage.

DÉSÉQUILIBRANT, ANTE [dezekilibrã, ãt] adj. — xxᵉ; du p. prés. de *déséquilibrer*.

Qui déséquilibre (au propre et au fig.). *Effet déséquilibrant d'un mouvement brusque. Facteur déséquilibrant dans la vie d'une personne.*

CONTR. Équilibrant.

DÉSÉQUILIBRATION [dezekilibrasjɔ̃] n. f. — 1898; de *déséquilibrer*.

Psychol., physiol. Fait de perdre l'équilibre, un équilibre.

DÉSÉQUILIBRE [dezekilibr] n. m. — 1883; de *dés-* (→ 1. Dé-), et *équilibre* ou déverbal de *déséquilibrer*.

◆ **1** Absence d'équilibre. → **Instabilité.** *Déséquilibre d'une pièce mécanique, d'un ensemble tournant.* → 2. **Balourd** (n. m.). — Manque d'harmonie, de proportion. *Déséquilibre de forces, de valeurs.* → **Disparité.** *Il y a déséquilibre entre l'offre et la demande.* → **Disproportion, inégalité.** *Déséquilibre économique et crise* (cit. 8).

1 S'il (*ce pays, l'Amérique*) accepte, en temps de crise, d'abandonner le fruit de son effort aux pays ruinés, pourra-t-il, voudra-t-il le faire longtemps sans créer un nouveau déséquilibre?
G. DUHAMEL, Manuel du protestataire, I, p. 30.

2 Ce qui m'a le plus frappé, à Paris comme ailleurs, c'est l'espèce d'instabilité, de déséquilibre dont sont atteintes toutes les valeurs, matérielles et morales.
G. DUHAMEL, Récits des temps de guerre, IV, XXVIII, p. 106.

Méd. Trouble de l'équilibre, pendant la marche ou dans la station debout.

◆ **2** État psychique qui se manifeste par l'impossibilité de mener une vie harmonieuse, par des difficultés d'adaptation, des changements d'attitude immotivés, des réactions asociales. *Déséquilibre de la personnalité. État de déséquilibre. Déséquilibre mental, psychique.* → **Folie, névrose, psychopathie.** *Déséquilibre émotif.*

3 Je suis partagé entre des tendances qui se contredisent. Un déséquilibre atroce, d'autant plus douloureux que j'ai connu le calme, la foi sereine, le bon feu intérieur (...)
MARTIN DU GARD, Jean Barois, I, II, p. 50.

Déséquilibre physiologique, alimentaire. → aussi **Déséquilibration.**

4 Il est *naturel* que toute grande réforme morale, ce que Nietzsche appellerait toute transmutation de valeurs, soit due à un *déséquilibre* physiologique.
GIDE, Journal, 1889-1939, Feuillets, Pl., p. 665.

CONTR. Équilibre.

DÉSÉQUILIBREMENT [dezekilibrǝmã] n. m. — 1886, Zola, *in* D. D. L.; de *déséquilibrer*.

Littér. et vieilli. Fait de rendre déséquilibré; état d'une personne déséquilibrée (mot employé par les Goncourt).

Ce fut alors l'entrée de la papauté dans deux siècles de paix et d'effacement, car les solides monarchies absolues qui s'étaient partagé l'Europe pouvaient se passer d'elle (...) Un déséquilibrement s'était produit dans la possession du peuple.
ZOLA, Rome, p. 25.

DÉSÉQUILIBRER [dezekilibre] v. tr. — 1860; de *dés-* (→ 1. Dé-), et *équilibrer*.

◆ **1** Faire cesser l'équilibre de (qqch., qqn). *Il le poussa violemment pour le déséquilibrer.*

1 Il courait à travers la chambre d'hôtel en donnant dans le vide des coups énormes qui le déséquilibraient.
SARTRE, le Sursis, p. 84.

1.1 D'un coup de pied imprévu, il poussa sa petite auto dans les jambes du gros menaçant. Il espérait ainsi le déséquilibrer; ensuite de quoi, il prendrait la fuite. Il avait adopté cette solution rationnelle du fameux problème des deux adversaires de forces disproportionnées.
R. QUENEAU, Pierrot mon ami, p. 26.

◆ **2** Causer le déséquilibre psychique de (qqn). *Cette dernière épreuve l'a complètement déséquilibré.*

◆ **DÉSÉQUILIBRÉ, ÉE** p. p. adj.

Qui n'a pas ou n'a plus son équilibre mental, psychique. *Il est un peu déséquilibré.* → 1. **Fou** (II., 1., cour.) — N. *C'est un déséquilibré, une déséquilibrée.* → **Névrosé, psychopathe.**

2 (...) les déséquilibrés d'une même espèce sont portés par une secrète attraction à se rechercher les uns les autres.
H. BERGSON, le Rire, p. 168.

3 (...) le nombre est fort grand des déséquilibrés, des mélancoliques, des anxieux.
G. DUHAMEL, Manuel du protestataire, III, p. 99.

Un style déséquilibré.

CONTR. Équilibrer. ◊ DÉR. Déséquilibrage, déséquilibrant, déséquilibration, déséquilibre, déséquilibrement.

DÉSÉQUIPER [dezekipe] v. tr. — 1669; de *dés-* (→ 1. Dé-), et *équiper*.

◆ **1** Mar. (vx). Désarmer (un navire).

◆ **2** (1873). Enlever l'équipement de (qqn). *Déséquiper un soldat.*

◆ **SE DÉSÉQUIPER** v. pron. :

1 Gilieth ayant posé son fusil au râtelier d'armes, après avoir placé un homme de faction devant la porte, fit un bond, sans se déséquiper, jusqu'à la maison de Kadidja.
P. MAC ORLAN, la Bandera, p. 153.

2 (...) le cheval de Blum encore sellé, même pas attaché, et lui simplement appuyé au mur comme s'il avait eu peur de tomber, avec son mousqueton toujours en bandoulière, sans même avoir le courage de se déséquiper (...)
Claude SIMON, la Route des Flandres, p. 40.

CONTR. Équiper.

1. DÉSERT, ERTE [dezɛr, ɛrt] adj. — 1080, sens mod., et «abandonné»; jusqu'au XVIIᵉ, en parlant aussi des personnes; lat. *desertus* «abandonné», p. p. de *deserere* «faire cesser d'être uni», de *de-*, et *serere* «joindre, unir».

◆ **1** Sans habitants. *Île, région déserte.* → **Inhabité.** *Campagne déserte.* → **Désertique, désolé, sauvage** (→ Anachorète, cit. 2). — REM. Sauf dans quelques syntagmes (*île déserte*, notamment), cet emploi est archaïque ou littéraire.

1 Cette île (...) est déserte d'hommes.
RACINE, Remarques sur l'Odyssée.

2 C'est un instinct commun à tous les êtres sensibles et souffrants de se réfugier dans les lieux les plus sauvages et les plus déserts (...)
BERNARDIN DE SAINT-PIERRE, *Paul et Virginie*, p. 16.

3 (...) une roche écartée, un étang désert où le jonc flétri murmurait ! CHATEAUBRIAND, *René*, p. 193.

4 Tantôt sur les sommets de ces rochers antiques,
Tantôt aux bords déserts de ces mélancoliques (...)
LAMARTINE, *Premières méditations*,
«L'immortalité».

5 À mesure qu'on approche de Port-Royal, le pays se fait plus désert. SUARÈS, *Trois hommes*, Pascal, I, p. 15.

Par ext. Peu fréquenté. *Quartier retiré, désert et tranquille.* → **Vide.** *Rue déserte* (→ *Il n'y a pas un chat**).

6 Et de même qu'un coin désert de Reuilly ne pouvait plus leur donner la détresse de la solitude, de même la foule de la rue Saint-Lazare ou celle de la rue Lafayette, à deux pas de leur maison, gardaient à leurs yeux quelque chose d'invinciblement anonyme.
J. ROMAINS, *les Hommes de bonne volonté*, t. III, p. 319.

♦ 2 Privé provisoirement de ses occupants. → **Abandonné, dépeuplé, déserté, dévasté.** *Maison déserte.*
→ **Vide.** *Désert de...* *Une rue déserte de voitures.*

7 Je ne vois que des tours que la cendre a couvertes,
Un fleuve teint de sang, des campagnes désertes.
RACINE, *Andromaque*, I, 2.

8 (...) Notre-Dame est aujourd'hui déserte, inanimée, morte. On sent qu'il y a quelque chose de disparu. Le corps immense est vide ; c'est un squelette ; l'esprit l'a quitté, on en voit la place, et voilà tout.
HUGO, *Notre-Dame de Paris*, IV, III.

9 Il (*le château*) était désert, mais non abandonné et nul symptôme de ruine ne s'y faisait remarquer. Le corps était intact, l'âme seule y manquait.
Th. GAUTIER, *le Capitaine Fracasse*, t. II, XV, p. 169.

10 (...) nous passons aux chambres froides, salles immenses, désertes, mortelles, que nous traversons au pas de course, entre deux haies de bœufs écorchés (...)
G. DUHAMEL, *Scènes de la vie future*, VIII.

11 La rue est déserte : ni voitures sur la chaussée, ni piétons sur les trottoirs.
A. ROBBE-GRILLET, *Dans le labyrinthe*, p. 23.

Littér. (par métonymie). *Un petit matin désert.*

♦ 3 Fig. et littér. **a** Terne. *Une journée déserte.*
b Sans expression. *Des yeux déserts.*
c *Un cœur désert.* → **Vide.**

12 Il y eut un silence dont Mathieu profita pour ensevelir ses souvenirs de la nuit. Quand il sentit que son cœur était désert, il releva la tête (...)
SARTRE, *l'Âge de raison*,
in les Chemins de la liberté, t. I, p. 205.

CONTR. Habité, peuplé ; fréquenté, passant, populeux. — Bondé, comble, occupé, plein. ◊ **DÉR.** Déserter.

2. **DÉSERT** [dezɛʀ] n. m. — V. 1170 ; bas lat. *desertum*, lat. class. *deserta*, de *desertus*. → 1. Désert.

Lieu sans habitant.

♦ 1 Géogr. et cour. Zone très sèche, aride et inhabitée. — Ce sens du mot est ancien, et inclus dans le sens 3. *Déserts froids. Déserts chauds. Désert du Sahara, du Kalahari, de Gobi... Sécheresse, brusques variations de température du désert. Infertilité, inhabitabilité, immensité, désolation, silence qui caractérisent le désert. Désert de sable.* → **Erg.** *Dunes du désert. Désert de pierres, d'escarpements rocheux.*
→ **Hamada.** *Vents du désert.* → **Simoun, sirocco.** *Points d'eau, végétation dans le désert.* → **Oasis.** *Traverser, passer, franchir un désert. Nomades, bédouins, caravanes de chameaux qui traversent le désert. Vision qui abuse le voyageur franchissant un désert.* → **Mirage.** *Mourir de soif et d'épuisement dans le désert.* — *Zones inhabitées rappelant*

le désert. → **Steppe, toundra.** *Saint Jean-Baptiste prêchant dans le désert.*

En ce temps-là parut Jean-Baptiste, prêchant dans le désert de Judée. 1
BIBLE (SECOND), *Évangile selon saint Matthieu*,
III, 1.

Le spectacle de la mort, partout si auguste et si solennel, 2 semble emprunter au désert une majesté nouvelle. En présence de la seule nature, l'homme comprend mieux que c'est là le terme inévitable.
J. VERNE, *l'Étoile du Sud*, XIII.

Les sables, les déserts qu'un ciel d'airain calcine (...) 3
HUGO, *les Châtiments*, V, XI.

(...) un pays plus grand encore et plat, baigné d'une éter- 4 nelle lumière ; assez vide, assez désolé pour donner l'idée de cette chose surprenante qu'on appelle le désert (...)
E. FROMENTIN, *Un été dans le Sahara*, II, p. 183.

Le désert était, dans les croyances populaires, la demeure 5 des démons. Il existe au monde peu de régions plus désolées, plus abandonnées de Dieu, plus fermées à la vie que la pente rocailleuse qui forme le bord occidental de la mer Morte. RENAN, *Vie de Jésus*, VI, Œ., t. IV, p. 156.

«La morne tristesse du désert règne sur cette terre aride...» 6
FRANCE (V. Aride, cit. 3).

Le Sud ! Le désert, les nomades, les terres inexplorées et 7 puis les nègres, tout un monde nouveau, quelque chose comme le commencement d'un univers ! le Sud ! comme cela devient énergique sur la frontière du Sahara.
MAUPASSANT, *la Vie errante*, p. 95.

Tiens, tu me rappelles Fromentin ou ce pauvre Maupas- 8 sant, qui a parlé du désert parce qu'il était allé jusqu'à Djelfa, à deux jours de la rue Bab-Azoun et de la place du Gouvernement, à quatre jours de l'avenue de l'Opéra ; — et qui, pour avoir vu près de Bou-Saâda un malheureux chameau en train de crever, s'est cru en plein Sahara, sur l'antique voie des caravanes (...) Le Tidi-Kelt, le désert !
Pierre BENOIT, *l'Atlantide*, II, p. 43.

Tu sais ce que c'est que le Tanezrouft, le «plateau par 9 excellence», le pays abandonné, inhabitable, la contrée de la soif et de la faim. Nous étions en cet instant engagés dans la partie de ce désert que Duveyrier appelle Tassili du Sud (...) Pierre BENOIT, *l'Atlantide*, XIX, p. 294.

♦ 2 (Abstrait). Néant, solitude. → **Vide.** — REM. Cet emploi procède du sens général «lieu sans habitants», mais dans la langue actuelle, il évoque le sens 1, plus courant. *Le désert du monde, de l'âme... Le Désert de l'amour,* roman de F. Mauriac. *Le Désert de Bièvres,* roman de Duhamel.

Je ne me plais qu'avec le monde, et tout sans lui m'est un 10 désert et m'ennuie.
BOURDALOUE, *Pensées*, II, 393, *in* LITTRÉ.

J'entre avec une secrète horreur dans ce vaste désert du 11 monde. Ce chaos ne m'offre qu'une solitude affreuse où règne un morne silence.
ROUSSEAU, *Julie ou la Nouvelle Héloïse*, II,
Lettre XIV.

La femme belle et vertueuse est le mirage qui peuple de 12 lacs et d'allées de saules notre grand désert moral.
RENAN, *Souvenirs d'enfance...*, Préface, p. 12.

Étranger parmi des étrangers, dans une vie étrangère à 13 toute espérance, voilà ce que le solitaire rumine d'être et l'image qu'il s'en forme de la destinée humaine, quand il s'assied dans l'auberge de la plus noire solitude, qui est le désert des hommes.
André SUARÈS, *Trois hommes*, Ibsen, VII, p. 167.

(...) à sa solitude intérieure, il avait ajouté ce désert que 14 crée la soutane autour de l'homme qui la revêt.
F. MAURIAC, *Thérèse Desqueyroux*, VIII, p. 139.

♦ 3 Vx. Tout lieu inhabité. — Par ext. Vieilli. Lieu peu habité, peu fréquenté.

Et parfois il me prend des mouvements soudains 14.1
De fuir dans un désert l'approche des humains.
MOLIÈRE, *le Misanthrope*, I, 1.

Il n'y a rien ici, c'est un désert. 15
Mme DE SÉVIGNÉ, *Lettres*, 161, *in* LITTRÉ.

(...) je ne ferai point un désert de ma maison, parce qu'il 16 s'y passe des choses qui me déplaisent comme à vous.
DIDEROT, *le Père de famille*, III, 7.

17 L'astre de la nuit, ce globe que l'on suppose un monde fini, promenait ses pâles déserts au-dessus des déserts de Rome (...)
CHATEAUBRIAND, Mémoires d'outre-tombe, t. II, p. 251.

Mod. Endroit vide. *Ce pays, ce faubourg est un vrai désert. Paris est un désert pendant les mois d'été.*

18 Paris est une solitude peuplée ; une ville de province est un désert sans solitude.
F. MAURIAC, la Province, p. 7.

Le désert de... : fait d'être désert ; qualité de ce qui est désert.

19 Dans le désert des rues vides ou dans le désert des rues pleines de monde, une femme élégante, femme du monde ou du demi-monde désœuvrée, parfois aussi une ouvrière avait senti qu'il la suivait et avait à demi tourné la tête.
PROUST, Jean Santeuil, Pl., p. 846.

Lieu éloigné de tout. → **Bled, trou** (→ Un endroit perdu, un coin retiré).

♦ 4 **Loc. (au sens 1 ou 3).** *Prêcher (crier, parler) dans le désert :* parler sans être plus écouté que si l'on était dans un désert (→ ci-dessus, cit. 1).

20 Armando ne se résignait pas à prêcher dans le désert. Les autres n'osaient trop le bousculer, encore moins l'expulser ; sept ans de prison et de travaux forcés, la torture, trente kilos perdus dans l'enfer du camp amazonien le rendaient presque intouchable.
Régis DEBRAY, l'Indésirable, p. 64.

Traversée du désert. (Par allusion à la Bible). Longue période d'isolement du pouvoir (pour un homme politique, un parti). «*De Gaulle n'a pas oublié les conditions dans lesquelles il a quitté les affaires de l'État en 1946, pour entamer une "traversée du désert" qui allait durer douze ans*» (*le Monde*, 30 mars 1969).

21 Je devais le (*de Gaulle*) revoir à Marly, à Colombey, rue de Solférino au temps du R.P.F., puis pendant ce que nous avons appelé «la traversée du désert». On dit qu'il a toujours su qu'il reprendrait le pouvoir.
MALRAUX, Antimémoires, éd. Folio, p. 144.

CONTR. Oasis. — Foule, monde. — Luxuriance, plénitude, richesse. ◊ DÉR. Désertification, désertifier (se), désertique.

DÉSERTER [dezɛʀte] v. — XIᵉ ; «rendre un lieu inhabité», v. 1050 ; de 1. *désert.*

♦ 1 **V. tr. Abandonner** (un lieu où l'on devrait rester). → **Abandonner, délaisser, quitter.** *Les paysans désertent les campagnes pour s'installer à la ville.* — Par ext. Ne pas s'acquitter d'une tâche, d'une fonction (rattachée au lieu abandonné). *Déserter son foyer, son poste.* — Absolt et vieilli. *Il lui faudra déserter.* → **Enfuir** (s'), **partir.**

1 (*Les Romains*) Désertent leur pays pour inonder le nôtre.
RACINE, Mithridate, III, 1.

2 Tout, jusqu'à la servante, est prêt à déserter.
BOILEAU, Satires, VIII.

3 (...) il désertait de plus en plus, pour ce métier, l'atelier en plein vent du charpentier, où elle l'avait mis en apprentissage (...)
LOTI, Ramuntcho, I, 1.

4 Devant une tâche si lourde, comment se défendre d'un mouvement de rancune envers ce frère fugitif, qui, en un pareil moment, désertait son poste ?
MARTIN DU GARD, les Thibault, t. III, p. 273.

Pron. (passif). **Devenir désert.** *À la tombée de la nuit, toutes les rues se désertaient.*

♦ 2 **V. intr.** (XVIIᵉ ; repris ital.). **Milit. et cour. Abandonner l'armée sans permission.** → **Désertion.** *Déserter avec ses effets militaires. Une bonne partie de l'armée a déserté. Déserter à l'intérieur. Il a déserté.* → **Passer** (à l'ennemi), **trahir.**

5 Théodose, averti le matin qu'un bataillon de barbares avait déserté, fut bien aise d'être défait de ces soldats infidèles.
FLÉCHIER, Hist. de Théodose, III, 92.

(*Le prince d'Auvergne*) déserta aux ennemis comme un cavalier.   6
SAINT-SIMON, Mémoires, t. II, VI.

(...) réfractaires qui, aussitôt un «mauvais numéro» tiré,   7
gagnent les bois, jeunes soldats qui, à peine enrôlés, désertent et rejoignent ces réfractaires (...)
Louis MADELIN, Hist. du Consulat et de l'Empire, Avènement de l'Empire, XXI, p. 267.

♦ 3 **V. tr. Renier, trahir.** *Déserter une cause, une religion, un parti...* → **Renier, trahir.**

Les esprits ont déserté cet aride sol voltairien, sur lequel   8
le soc de l'art s'ébréchait depuis si longtemps pour de maigres moissons.
HUGO, Littérature et philosophie mêlées, But de cette publication.

Je comprends qu'on déserte une cause pour savoir ce qu'on   9
éprouvera à en servir une autre.
BAUDELAIRE, Journaux intimes, Mon cœur mis à nu, III, Œ., p. 1198.

Il était un esprit libre qui entendait, à la fois, ne pas aliéner   10
ses franchises et ne pas déserter la cause du grand peuple laborieux et souffrant (...)
G. DUHAMEL, le Voyage de P. Périot, VII, p. 120.

♦ 4 **V. tr.** (Sujet n. de chose). **Abandonner.** *Les capitaux désertent l'épargne.* — (Sujet n. de personne). Littér. *Déserter qqn.* → **Négliger, oublier** (→ fam. **Lâcher**). — Absolt. *Ses amis ont déserté.*

Il leur est dur de voir déserter les galants.   11
MOLIÈRE, Tartuffe, I, 1.

Durant des semaines et des mois m'habita l'angoisse de la   12
solitude. J'imaginais, l'appel désespéré, puis le retombement, de cette âme aimante que tout, sauf Dieu, désertait (...)   GIDE, Si le grain ne meurt, I, IX, p. 225.

Certains savants aussi se sont jetés dans la bataille politique, mais seulement lorsqu'ils ont senti que le génie de   13
l'invention commençait de les déserter.
G. DUHAMEL, Inventaire de l'abîme, XII, p. 170.

♦ **DÉSERTÉ, ÉE** p. p. et adj.

Abandonné, vidé de ses habitants. *Village déserté par ses habitants. Des lieux désertés, sinistres.*

(...) je vis en moins de rien   14
Tout mon camp déserté pour repeupler le sien (...)
CORNEILLE, Sertorius, I, 1.

Ses honneurs abolis, son palais déserté (...)   15
RACINE, Britannicus, II, 3.

J'errais le long d'une maison en vétusté,   16
M'efforçant de saisir au couloir déserté
L'écho des pas de mon père, qui se prolonge.
Francis JAMMES, «Sonnet».

CONTR. Rester, revenir. — Rallier, rejoindre. — Défendre, fidèle (être fidèle) ; **habiter. ◊ DÉR. Déserteur.**

DÉSERTEUR [dezɛʀtœʀ] n. m. — 1243, «celui qui abandonne» ; de *déserter.*

♦ 1 **Vx.** Personne qui déserte un endroit, qui abandonne qqn.

♦ 2 (1680). **Mod. Soldat qui déserte ou qui a déserté.** → **Insoumis.** *Déserteur qui passe à l'ennemi.* → **Transfuge.** *Lois contre les déserteurs. Faire fusiller un déserteur.*

Je croirais commettre un crime et mériter la peine de   1
déserteur (...) si j'allais chercher loin de ma patrie dans le malheur une position matérielle meilleure que celle qu'elle peut m'offrir.
PASTEUR, in H. MONDOR, Pasteur, VI, p. 99.

Désordre dans l'Armée, en train, écrit-on en frimaire   2
an VIII, «de tomber en dissolution», cette armée que déchirent les mutineries, qu'en masse les réfractaires refusent de rejoindre, qu'abandonnent des milliers de déserteurs (...)
Louis MADELIN, Hist. du Consulat et de l'Empire, «De Brumaire à Marengo», III, p. 36.

♦ 3 Personne qui abandonne (une foi, une cause...). *Les déserteurs de leur cause.* → **Apostat, renégat, traître** (à).

3   *(Si nous nous donnons la mort)* comme déserteurs de notre charge, nous sommes punis et en celui-ci et en l'autre monde.   MONTAIGNE, Essais, II, 26.

4   (...) je veux le faire saisir où je le trouverai, comme déserteur de la médecine (...)
                 MOLIÈRE, Monsieur de Pourceaugnac, II, 1.

5   Mathan, de nos autels infâme déserteur (...)
                                    RACINE, Athalie, I, 1.

6   Combien trouve-t-on de déserteurs de la sévère vertu et combien en trouverez-vous peu de l'amour?
                 Abbé PRÉVOST, Manon Lescaut, I, p. 98.

REM. Les formes fém. *déserteuse* [dezɛʀtøz] (déb. xxᵉ) et *désertrice* [dezɛʀtʀis] (v. 1920) sont inusitées; on dit en général d'une femme qu'elle est le *déserteur* d'une cause.

CONTR. **Défenseur, fidèle.**

DÉSERTIFICATION [dezɛʀtifikasjɔ̃] n. f. — 1960; de 2. *désert.*

♦ 1 Géogr. Transformation d'une région en désert, sous l'action de facteurs climatiques ou humains. *«Au point où nous sommes arrivés, on peut redouter que la dégradation du cadre de vie ne s'accélère sur toute la surface de la terre, jusqu'à la désertification totale»* (*Science et Vie,* nᵒ 106, p. 141, 1974).

♦ 2 Disparition de toute activité humaine dans une région peu à peu désertée. *«Dans certains secteurs (du Massif Central) la désertification est telle qu'elle rend inutile la charge d'entretenir les infrastructures et les équipements de la vie économique et sociale : un seuil est franchi, qui fait le pays mort»* (*le Monde,* 22 mai 1966).

REM. Le synonyme *désertisation* [dezɛʀtizasjɔ̃] est attesté dans les dictionnaires depuis 1973.

DÉSERTIFIER (SE) [dezɛʀtifje] v. pron. — 1975; de 2. *désert.*

♦ 1 Géogr. Devenir un désert. *Région qui se désertifie.*

♦ 2 Se dépeupler et perdre une partie des activités socioéconomiques. *«Pas vraiment de quoi rassurer élus et salariés (...) qui craignent de voir se "désertifier" leur région»* (*Libération,* 9 mai 1985, p. 9).

DÉSERTION [dezɛʀsjɔ̃] n. f. — 1361, «abandon»; lat. *desertio,* du supin de *deserere.* → 1. Désert.

♦ 1 Vx. Action de déserter, d'abandonner (qqn, qqch.). *La désertion d'un héritage.* → **Délaissement.**

♦ 2 Le fait de déserter, d'abandonner (un lieu). *La désertion des campagnes par les populations.* → **Abandon.**

♦ 3 (XVIIᵉ). Action de déserter (2.), de quitter l'armée sans autorisation. → **Insoumission.** *La désertion d'un soldat* (→ **Déserteur**). *Désertion en temps de paix, en temps de guerre. Désertion à l'intérieur* (sans passer à l'ennemi); *désertion à l'étranger* (en quittant le pays); *désertion en présence de l'ennemi; désertion à l'ennemi* (en passant dans l'armée ennemie). → **Trahison.**

1   Une désertion effroyable se mit dans ses troupes (...)
                     SAINT-SIMON, Mémoires, IX, 328.

2   Est puni de mort, avec dégradation militaire, tout militaire coupable de désertion à l'ennemi.
                 Décret du 9 juin 1857, art. 328.

♦ 4 Action de déserter (une cause, un parti...). → **Reniement.** *On compte de nombreuses désertions au parti.* → **Défection.**

3   Dieux! me dit le garde du corps, qui paraissait aussi éperdu que moi de cette infâme désertion, qu'allons-nous faire? Nous ne sommes que deux.
                 Abbé PRÉVOST, Manon Lescaut, II, p. 200.

DÉSERTIQUE [dezɛʀtik] adj. — Fin XIXᵉ; de 2. *désert.*

♦ 1 Qui appartient au désert (2. Désert, 1.). *Climat désertique. Plante désertique.*

(...) le climat désertique nous est apparu comme une sorte   1
de notion limite, vers laquelle tend la dégradation aride de tous les climats (...)
                 DE MARTONNE, Géographie physique, t. II, p. 938.

♦ 2 Qui a les caractères du désert. *C'est une région désertique et peu accueillante. Espace désertique.* → **Aride, inculte, infertile, stérile.**

♦ 3 Vide. *Une salle désertique. Un quartier désertique.* → **Inhabité.**

Elle plongea ses mains dans ses cheveux dénudant ses   2
tempes désertiques.
                 S. DE BEAUVOIR, l'Invitée, p. 338.

CONTR. **Fertile, riant.** ◊ COMP. **Subdésertique.**

DÉSERTISATION [dezɛʀtizasjɔ̃] n. f. → **Désertification.**

DÉSESCALADE [dezeskalad] n. f. — V. 1960; de *dés-* (→ 1. Dé-), et *escalade.*

Opération inverse de l'opération dite escalade*, dans le domaine militaire, diplomatique, social, etc. *«La "désescalade" pourra se définir comme un relâchement progressif des mesures militaires draconiennes précédemment prises. Elle est une forme particulière de "désengagement"»* (*la Croix,* 3 mai 1970).

CONTR. **Escalade.**

DÉSESPÉRAMMENT [dezesperamã] adv. — XVIIIᵉ, Saint-Simon; de *désespérant.*

Rare. De manière désespérante, qui fait désespérer. *Elle est désespéramment crédule* (→ Désespérément). — Par plais. *Il est désespéramment chanceux, doué, etc.* : sa chance, ses dons, etc. font désespérer de soi-même, suscitent l'envie.

DÉSESPÉRANCE [dezɛsperãs] n. f. — V. 1160; inusité aux XVIIᵉ et XVIIIᵉ; repris en 1801 par Mercier; de *dés-* (→ 1. Dé-), et *espérance.*

Littér. État d'une personne qui n'a aucune espérance, qui a perdu foi, confiance. → **Découragement, dégoût, désenchantement, désespoir, lassitude, résignation.** *Attitude de désespérance en face de la vie.* — REM. *Désespérance* est plus abstrait et plus négatif que *désespoir.*

Ce fut comme une dénégation de toutes choses du ciel et   1
de la terre, qu'on peut nommer désenchantement, ou, si l'on veut désespérance; comme si l'humanité en léthargie avait été crue morte par ceux qui lui tâtaient le pouls.
                 A. DE MUSSET,
                 la Confession d'un enfant du siècle, I, II.

Oh! l'inoubliable regard de tristesse sans recours, d'infinie   2
résignation à l'infinie désespérance (...)
                 LOTI, Suprêmes visions d'Orient, p. 45.

(...) elle le regarda avec une pénétrante expression de   3
découragement et de désespérance.
                 FRANCE, Jocaste, XI, Œ., t. II, p. 110.

Il n'a aucun motif de désespérance et il sait qu'il retrouvera   4
la vie normale. Mais la fréquentation de la mort, qui rend si précieuse la vie, finit aussi, quelquefois, par en donner le dégoût et, plus souvent, la lassitude.
                 G. DUHAMEL, Récits des temps de guerre, I, IX,
                 p. 134.

Une fois dehors, il sentit à certains signes qu'il allait être   5
envahi par une forme insidieuse de désespérance, dont il savait la puissance d'amertume, pour l'avoir éprouvée à quelques dates remarquables de sa vie.
                 J. ROMAINS, les Hommes de bonne volonté, t. II,
                 XV, p. 180.

CONTR. **Confiance, espérance, espoir, foi.**

DÉSESPÉRANT, ANTE [dezɛsperã, ãt] adj. — Fin XVIIᵉ ; p. prés. de *désespérer*.

◆ **1** Cour. Qui fait perdre espoir, qui lasse. → **Décourageant**. *Il n'y a rien à faire, il est d'une obstination désespérante. Cet enfant est désespérant, nous n'en ferons jamais rien.* — Par ext. Qui défie la concurrence. *Il a une chance désespérante.*

◆ **2** Littér. Qui jette dans le désespoir, qui désole. → **Désolant, navrant.** *Une nouvelle désespérante.*

1   Que d'images effrayantes et désespérantes !
BOURDALOUE,
Exhortation à la charité envers les prisonniers, 2.

Qui apporte la tristesse. *Un paysage, un spectacle désespérant.*

◆ **3** Par ext. Désagréable, fâcheux. *Il fait un temps désespérant,* très mauvais et qui semble ne pas pouvoir changer. *Une lenteur désespérante.*

2   La route était profondément détrempée et l'auto n'avançait qu'avec une désespérante lenteur.
GIDE, Voyage au Congo, *in* Souvenirs, Pl., p. 738.

CONTR. Consolant, encourageant, réconfortant, réjouissant. — Agréable. ◊ **DÉR. Désespéramment.**

DÉSESPÉRÉ, ÉE [dezɛspere] adj. → **Désespérer.**

DÉSESPÉRÉMENT [dezɛsperemã] adv. — Av. 1549 ; *desespeerement*, v. 1180 ; de *désespéré.*

◆ **1** Littér. De manière désespérée, avec désespoir. *Il pleurait désespérément. Il se jeta désespérément à genou.* → **Prier**, cit. 3.

1   On ne pouvait aussi être plus gratuitement, plus continuellement, plus désespérément méchante *(que Mᵐᵉ d'Heudicourt)*
SAINT-SIMON, Mémoires, III, I.

2   (...) il regrettait désespérément chaque soir les tendresses, les petits soins et les baisers.
MAUPASSANT, les Contes de la Bécasse,
«L'aventure de W. Schnaffs».

Par ext. Cour. *La salle restait désespérément vide,* il n'y avait plus d'espoir qu'elle se remplisse.

◆ **2** Avec acharnement. → **Follement.** *Il cherchait désespérément à comprendre ce qui se passait. Il lutte désespérément contre la mort.* → **Farouchement.**

3   Dans le pays nous luttons d'arrache-pied, nous luttons désespérément contre les progrès, contre le maintien de cet empoisonnement *(l'alcoolisme)*
Ch. PÉGUY, la République..., p. 55.

◆ **3** Exagérément, invariablement. *Le temps restait désespérément pluvieux.*

DÉSESPÉRER [dezɛspere] v. [CONJUG.: *espérer*. → **Céder**.] — V. 1155 ; var. *desperer ;* de *dés-* (→ 1. Dé-), et *espérer.*

I ◆ **1** V. tr. ind. **DÉSESPÉRER DE** : perdre l'espoir qu'on avait. *Désespérer de quelque chose. Désespérer de sa réussite. Désespérer des efforts de qqn. Le pessimiste désespère de tout. — Désespérer de faire quelque chose. Il désespère d'accomplir tout en temps voulu. Nous désespérons de pouvoir jamais y aller.*

1   J'espérais toujours de *(en)* votre salut ; mais c'est maintenant que j'en désespère (...)
MOLIÈRE, Dom Juan, V, 4.

2   Dans la plus grande fureur des guerres civiles, jamais on n'a douté de sa parole ni désespéré de sa clémence (...)
BOSSUET,
Oraison funèbre d'Henriette-Anne d'Angleterre.

Il ne désespère pas du résultat ; de réussir un jour, il est certain de.

3   (...) je ne désespère pas de lui voir faire en peu de temps (...) un chemin digne de son mérite.
ROUSSEAU, Julie ou la Nouvelle Héloïse, II, Lettre IX.

◆ **2** V. tr. Littér. **DÉSESPÉRER que...** suivi du subjonctif. *Nous commençons à désespérer qu'il aille mieux. Je ne désespère pas qu'il réussisse, qu'il ne réussisse.*

4   Quelque ardeur qu'un chrétien fasse paraître pour la cause de son Dieu, je me défierai toujours, ou plutôt je désespérerai toujours que de la délicatesse des repas, des habits, de l'équipage et du train, il accepte de passer à la rigueur des prisons, des roues et des chevalets (...)
BOURDALOUE, Petit Carême, I, p. 232, *in* LITTRÉ.

◆ **3** V. intr. Cesser d'espérer. *Il ne faut pas désespérer, tout s'arrangera.* → **Décourager** (se) ; **patience** (perdre patience).

5   Que de sujets de craindre et de désespérer (...)
CORNEILLE, Cinna, IV, 4.

6   Belle Philis, on désespère,
Alors qu'on espère toujours.
MOLIÈRE, le Misanthrope, I, 2.

7   Ainsi, à l'heure où tout semblait perdu, un homme s'était trouvé qui avait dit à Israël de ne pas désespérer.
DANIEL-ROPS, le Peuple de la Bible, IV, I, p. 272.

C'est à désespérer : il n'y a rien à faire, c'est décourageant. *Il est bête à désespérer.*

◆ **4** V. tr. ind. *Désespérer de qqn,* abandonner l'espoir de le voir être ou agir comme on le voudrait.

8   Corrigez votre enfant, et n'en désespérez pas ; et ne prenez pas une résolution qui aille à sa mort.
BIBLE (SACY), Proverbes, XIX, 18.

II V. tr. Vieilli. (Sujet n. de chose ou de personne). Réduire (qqn) au désespoir, affliger cruellement. → **Affliger, chagriner, décourager, tourmenter.** *La mort de ses parents l'a désespéré.* — Mod. Affliger, désoler. *Nous l'avons désespéré en lui apprenant que nous ne viendrions plus.* → **Décevoir, décourager ;** → **Assommer,** cit. 18.3. *Désespérer qqn par son attitude.* → **Lasser, rebuter.** — Absolt. *Une telle épreuve a de quoi désespérer.*

9   Ô devoir qui me perd et qui me désespère !
CORNEILLE, Polyeucte, II, 2.

10   (...) elle *(la religion chrétienne)* abaisse infiniment plus que la seule raison ne peut faire, mais sans désespérer (...)
PASCAL, Pensées, VII, 435.

11   (...) elle est d'une adresse à désespérer un diplomate (...)
BALZAC, la Peau de chagrin, Pl., t. IX, p. 101.

12   Les gens qui m'aiment par intérêt me désespèrent et les gens qui m'aiment de façon désintéressée me déconcertent ou m'assomment.
G. DUHAMEL, le Voyage de Patrice Périot, III, p. 67.

◆ **SE DÉSESPÉRER** v. pron.
(V. 1175). S'abandonner au désespoir, à un chagrin sans remède. → **Désoler** (se), **morfondre** (se), **tourmenter** (se) ; → Donner de la tête* contre les murs, se ronger les sangs*. *Rien n'est perdu, ne vous désespérez pas.*

13   Il acheva de se désespérer
Lorsque la neige, en lui donnant aux joues,
Vint à flocons (...)
LA FONTAINE, Contes, L'oraison de Saint Julien.

14   Toutefois j'aurais tort de me désespérer (...)
MOLIÈRE, l'Étourdi, I, 2.

15   Landry ne voulut pas écouter cette proposition-là ; il ne fit que se désespérer, et s'en retourna à la Priche dans un état qui aurait fait pitié au plus mauvais cœur.
G. SAND, la Petite Fadette, p. 195.

◆ **DÉSESPÉRÉ, ÉE** p. p. adj.
◆ **1** Qui est livré, réduit au désespoir. *Il est complètement désespéré de cet échec, après cet échec.*

16   (...) elle était désespérée, et des chirurgiens, et de mourir si jeune.
Mᵐᵉ DE SÉVIGNÉ, Lettres, 818, 12 juin 1680.

17   Le Roi, la Reine, Monsieur, toute la cour, tout le peuple, tout est abattu, tout est désespéré.
BOSSUET,
Oraison funèbre d'Henriette-Anne d'Angleterre.

18   Il faut te dire que j'étais désespéré, oui, dégoûté de tout. Ce qu'on peut être coco, mon vieux, à cet âge-là.
> G. DUHAMEL, Chronique des Pasquier, III, XI, p. 138.

19   Un amant, s'il a l'esprit métaphysique, est toujours un amant désespéré ; mais il s'attache d'autant plus à cette chair qu'il se sent entraîné avec elle vers l'abîme inéluctable.
> F. MAURIAC, Souffrances et Bonheur du chrétien, p. 32.

N. *Un désespéré, une désespérée :* celui, celle qui n'a plus d'espoir. *Le Désespéré,* roman de Léon Bloy. — **Spécialt.** → **Suicidé.** *On repêcha le corps du désespéré, de la désespérée.*

20   (...) il *(le comte d'Estrées)* est du nombre des désespérés de n'avoir point le bâton.
> Mᵐᵉ DE SÉVIGNÉ, Lettres, 422, 2 août 1675.

21   (...) un petit nombre de désespérés qui ne cherchent qu'à périr.   RACINE, Alexandre le Grand, 1ʳᵉ Préface.

22   La naissance est tout, dit-il ; ceux qui viennent au monde pauvres et nus sont toujours des désespérés.
> A. DE VIGNY, Servitude et Grandeur militaires, III, V, p. 210.

22.1   Ce qu'il est vilain, d'ailleurs. Mais peu importe, car il est mort. Découvrez-vous ! Le cadavre baigne dans le sang, dans beaucoup de sang, dans des tonneaux de sang. Serait-ce un suicide ? Quelque jeune désespéré ?
> R. QUENEAU, le Chiendent, p. 208.

REM. On emploie parfois ce mot pour rendre le sens de l'hispanisme *desperado* (cit. 4).

♦ **2** Désolé, fâché, navré. *Je suis désespéré de vous avoir fait attendre si longtemps.*

♦ **3** (1572). Qui exprime le désespoir. → **Triste.** *Regard, appel désespéré. Chant désespéré.*

23   Les plus désespérés sont les chants les plus beaux, Et j'en sais d'immortels qui sont de purs sanglots.
> A. DE MUSSET, Poésies nouvelles, «La nuit de mai».

24   Un sanglot désespéré me jaillit du fond des entrailles.
> Alphonse DAUDET, le Petit Chose, II, XV, p. 372.

♦ **4** Extrême ; dicté par le danger, par le désespoir. → **Fou ; forcené, suprême.** *C'est un parti désespéré. Une tentative désespérée.*

25   Entreprendre de l'arracher avec violence des mains de G... M..., c'était un parti désespéré, qui n'était propre qu'à me perdre et qui n'avait pas la moindre apparence de succès.
> Abbé PRÉVOST, Manon Lescaut, II, p. 154.

26   (...) aussi chaque État épouvanté se tenait-il constamment prêt à ces mesures désespérées, et la défense était aussi atroce que l'attaque.
> A. DE VIGNY, Servitude et Grandeur militaires, I, I, p. 40 (→ aussi Bravade, cit. 4 ; carnage, cit. 5).

♦ **5** Qui ne laisse aucune espérance. *La situation des armées est désespérée.*

27   (...) on croit que (...) les choses sont désespérées et qu'il n'y a plus rien à faire.   BOSSUET (→ Athéisme, cit. 3).

28   (...) de me mêler des affaires d'autrui pour de l'argent, de faire souvent réussir les plus désespérées.
> CHAMFORT, le Marchand de Smyrne, 10, in LITTRÉ.

Spécialt, en parlant de la santé. *État désespéré d'un malade. C'est un cas désespéré. Malade désespéré.* → **Condamné, perdu ;** fam. **fichu, foutu.**

29   (...) abandonné des médecins, désespéré, à l'agonie (...)
> MOLIÈRE, le Malade imaginaire, III, 10.

30   J'ai forcé la dose, sciemment. Le cas était désespéré (...)
> MARTIN DU GARD, les Thibault, t. III, p. 214.

CONTR. Confiance (avoir confiance), **espérer, foi** (avoir foi), **persévérer. — Aise** (être bien aise), **content** (être content de). **— Combler, consoler, encourager, réconforter, réjouir, satisfaire. — Faire** (ne pas se faire). ◇ **DÉR.** (De *désespéré*) **Désespérément.**

DÉSESPOIR [dezɛspwaʀ] n. m. — V. 1160 ; de *dés-* (→ 1. Dé-), et *espoir.*

♦ **1** Perte d'un espoir ou de tout espoir ; état d'une personne sans espoir. → **Angoisse, découragement,**

---

dégoût, désespérance, détresse. *Philosophie du désespoir. Lutter contre le désespoir.*

Le désespoir est la plus grande de nos erreurs.   1
> VAUVENARGUES, Maximes et réflexions, 523.

La vérité sur la vie, c'est le désespoir.   2
> A. DE VIGNY, Journal d'un poète, p. 93.

Il faut travailler, sinon par goût, au moins par désespoir,   3 puisque, tout bien vérifié, travailler est moins ennuyeux que s'amuser.
> BAUDELAIRE, Journaux intimes, Mon cœur mis à nu, XVIII.

Le désespoir est un crime.   4
> J. LEMAITRE, les Rois, p. 256.

(...) le savant, persuadé que tout autour de nous n'est   5 qu'apparence et duperie, s'enivre de cette mélancolie philosophique et s'oublie dans les délices d'un calme rêve.
> FRANCE, le Jardin d'Épicure, p. 105.

(...) le désespoir n'est pas seulement péché contre l'ado-   6 rable bonté divine : les incroyants même conviendront avec moi que c'est un attentat de l'homme contre lui-même et, si je puis dire, un suicide moral.
> SARTRE, la Mort dans l'âme, II, p. 237.

(...) l'habitude du désespoir est pire que le désespoir lui-   7 même.
> CAMUS, la Peste, III, p. 200 (→ aussi Abdiquer, cit. 6).

♦ **2** Loc. *Faire le désespoir de qqn,* le contrarier en lui montrant une impossibilité. — *Le désespoir de (qqn) :* ce que qqn ne peut arriver à faire, à imiter, à réussir. *Ce genre de paysage est le désespoir des peintres.*

Si l'on avait exhumé ce morceau, on en ferait le désespoir   8 des modernes.
> DIDEROT, le Salon de 1765, Œ, t. XIII, p. 340.

(...) Phryné, désespoir du pinceau d'Appelles *(Apelle)* et du   9 ciseau de Praxitèle (...)
> CHATEAUBRIAND, Mémoires d'outre-tombe, t. VI, p. 294.

Quant à la propreté, le poli de ses casseroles faisait le   10 désespoir des autres servantes.
> FLAUBERT, Trois contes, «Un cœur simple», I.

Loc. **DÉSESPOIR DES PEINTRES** : saxifrage* ombreuse, plante à fleurs très délicates.

Une petite fleur blanche tellement imperceptible qu'on l'ap-   10.1 pelle «Désespoir du peintre».
> CLAUDEL, Journal, 8 juil. 1930.

♦ **3** Loc. adv. (1835). Dr. (vx). **EN DÉSESPOIR DE CAUSE*** : en étant à bout d'arguments, de raisons. — Cour. *Faire qqch. en désespoir de cause,* comme une dernière tentative et sans espoir de succès.

♦ **4** (Mil. XVIᵉ). Affliction extrême et sans remède ; état de celui qui n'a pas d'espoir. → **Affliction, chagrin, désolation, détresse** (→ Abattement, cit. 2). *Désespoir extrême. Sombre désespoir. Désespoir calme et froid. Coup, accès de désespoir.* Littér. *Un ouragan* (cit. 3) *de désespoir. La frénésie du désespoir* (→ Pierre, cit. 4.1). *Un paroxysme de désespoir* (→ ci-dessous, cit. 19.1). *Démonstrations de désespoir ; cris, lamentations de désespoir. Se tordre les mains, s'arracher* (cit. 50) *les cheveux de désespoir. Être en proie au désespoir. Plein de remords et de désespoir. Se plonger, se jeter, sombrer dans le désespoir. S'abandonner au désespoir. Pousser, porter, livrer qqn au désespoir ; mettre* (→ Persister, cit. 1), *réduire qqn au désespoir. Se suicider par désespoir d'amour.*

Ô rage, ô désespoir, ô vieillesse ennemie !   11
> CORNEILLE, le Cid, I, 1.

— Que vouliez-vous qu'il fît contre trois ? — Qu'il mourût,   12 Ou qu'un beau désespoir alors le secourût.
> CORNEILLE, Horace, III, 6.

(...) si vous me réduisez au désespoir, je vous avertis   13 qu'une femme en cet état est capable de tout (...)
> MOLIÈRE, George Dandin, III, 6.

Ôtez-la moi, cette vie odieuse et insupportable, car, dans le   14 désespoir où vous me jetez, la mort sera une faveur pour moi.
> Abbé PRÉVOST, Manon Lescaut, II, p. 195.

15   Mais, mon enfant, dans aucune circonstance de la vie, il
      ne faut s'abandonner au désespoir.
                                    MÉRIMÉE, Arsène Guillot, I.

16   J'étais en proie à un sombre désespoir.
                                    FRANCE, le Petit Pierre, VI, p. 29.

17   (...) elle sent des cris de désespoir et de révolte la traverser
      tout entière comme ceux qu'on entend sur les vaisseaux
      qui vont sombrer.
                                    PROUST, les Plaisirs et les Jours, p. 134.

17.1 Deux régimes de désespoir : le désespoir doux, la résigna-
      tion active («Je vous aime comme il faut aimer, dans le
      désespoir»), et le désespoir violent : un jour, à la suite de
      je ne sais quel incident, je m'enferme dans ma chambre
      et j'éclate en sanglots : je suis emporté par une vague puis-
      sante, asphyxié de douleur ; tout mon corps se raidit et se
      révulse (...)
                                    R. BARTHES, Fragments d'un discours amoureux,
                                                                      p. 59.

      Un, des désespoirs : moment, accès de désespoir.
      → **Déception, désillusion.**

18   De mille désespoirs mon cœur est assailli.
                                    CORNEILLE, la Place royale, II, 3.

19   La Vallière eut des jalousies et des désespoirs inconceva-
      bles.
                                    Mᵐᵉ DE LA FAYETTE,
                                    Hist. d'Henriette-Anne d'Angleterre, III.

19.1 Elle se croyait même au début d'une période heureuse
      et tranquille quand la mort de sa mère vint la frapper
      en plein cœur. Ce fut, pendant les premiers jours, un
      de ces désespoirs profonds qui ne laissent place à nulle
      autre pensée. Elle restait du matin au soir abîmée dans
      la désolation, cherchant à se rappeler mille choses de la
      morte, des paroles familières, sa figure d'autrefois, des
      robes qu'elle avait portées jadis, comme si elle eût amassé
      au fond de sa mémoire des reliques, et recueilli dans le
      passé disparu tous les intimes et menus souvenirs dont
      elle alimenterait ses cruelles rêveries (...) Puis quand elle
      fut arrivée ainsi à un tel paroxysme de désespoir, qu'elle
      avait à tout instant des crises de nerfs et des syncopes,
      toute cette peine accumulée jaillit en larmes, et, jour et
      nuit, coula de ses yeux.
                                    MAUPASSANT, Fort comme la mort, p. 180.

◆ **5** Ce qui cause une grande contrariété. *Cet enfant
est le désespoir, fait le désespoir de ses parents.
Être au désespoir* : regretter vivement. → **Contrarié**
(être contrarié), **désespéré** (→ Dégoûté, cit. 16). *Je suis
au désespoir de n'avoir pu vous rendre service.*

20   Monsieur, j'en suis au désespoir.
                                    MOLIÈRE, le Malade imaginaire, II, 2.

21   Je vois que toutes ces femmes de bien sont au désespoir
      de ce qu'on m'a honorée de cette qualité.
                                    FONTENELLE, le Jugement de Pluton, in LITTRÉ.

**CONTR. Confiance, espérance, espoir, foi. — Consolation,
contentement, joie, ravissement.**

DÉSÉTATISATION [dezetatizasjɔ̃] n. f. — V. 1964 ;
de *désétatiser.*
Écon., polit. Action de désétatiser ; son résultat
(→ Dénationalisation).
CONTR. Étatisation.

DÉSÉTATISER [dezetatize] v. tr. — V. 1966 ; de *dés-*
(→ 1. Dé-), et *étatiser.*
Écon., polit. Réduire la part de gestion et de financement de l'État dans (une entreprise, une industrie...). → **Dénationaliser.**
CONTR. Étatiser, nationaliser. ◊ DÉR. Désétatisation.

DÉSEUROPÉANISATION [dezœʀɔpeanizasjɔ̃] n. f.
— XXᵉ ; de *dés-* (→ 1. Dé-), et *européanisation.*
Disparition du caractère européen, suppression de
l'hégémonie européenne.
      (...) il est symptomatique encore que le siège de la nou-
velle Société des Nations soit désormais aux États-Unis,
symptomatique aussi que la Russie ait déplacé son foyer
industriel à l'Est de l'Oural. Il y a là la déseuropéanisation
d'un monde qui s'asiatise ou s'américanise.
                                    André SIEGFRIED, l'Âme des peuples, II, p. 18.

REM. Le verbe *déseuropéaniser* est virtuel.
CONTR. Européanisation.

DÉSEXCITATION [dezɛksitasjɔ̃] n. f. — Mil. XXᵉ ; de
désexciter.
Phys. Processus par lequel un noyau atomique
cesse d'être excité. «*Les raies spectrales de désecthion nucléaire*» (*la Recherche*, janv. 1975, p. 34).
«*La désecthion d'un noyau, consécutive à son ecthion
par choc avec une particule de haute énergie, produit des raies à une énergie de l'ordre du million
d'électrons-volts* (MeV)» (*la Recherche*, mai 1981,
p. 536).

DÉSEXCITER [dezɛksite] v. tr. — Mil. XXᵉ ; de *dés-*
(→ 1. Dé-), et *exciter*, II.
Phys. Provoquer la désecthion* de (un noyau atomique).

◆ **SE DÉSEXCITER** v. pron.
Subir la désexcitation. «*L'état excité se désexcite
ensuite par émission d'une particule*» (*la Recherche*,
déc. 1979, p. 1195).
DÉR. Désecthion.

DÉSEXUALISATION [desɛksɥalizasjɔ̃] n. f. — 1955,
ling., *in* D.D.L. ; de *désexualiser.*
Fig. Didact. (psychol., psychan.). Action de désexualiser, de se désexualiser. *Désexualisation et sublimation.*
CONTR. Sexualisation.

DÉSEXUALISER [desɛksɥalize] v. tr. — 1921 ;
désexualisé (Roucher) «qui a changé de sexe», fin
XVIIIᵉ ; de 1. *dé-*, et *sexualiser.*
Psychol., psychan. Ôter le caractère sexuel à (un
comportement, un sentiment, une interprétation).

1   Il (*Jung*) renonce à parler des questions trop intimes avec
      ses patients. Il désexualise la notion de *libido* et réduit les
      fantasmes d'inceste et de castration à une simple expres-
      sion symbolique inférieure utilisée pour s'exprimer par les
      tendances supérieures.
                                    D. ANZIEU, le Moment de l'apocalypse, *in* La Nef,
                                                                nᵒ 31, p. 129.

2   Le strip-tease — du moins le strip-tease parisien — est fondé
      sur une contradiction : désexualiser la femme dans le
      moment même où on la dénude.
                                    R. BARTHES, Mythologies, 1957, p. 146.

      Pron. *Se désexualiser* : perdre son caractère sexuel.

3   Il en est de même de toutes les activités (*fonction du réel,
      art, etc.*) dans la genèse desquelles intervient un fort con-
      tingent de sexualité, mais qui se sont ensuite, comme l'a
      montré Jung, élargies et désexualisées dans l'essentiel.
                                    E. MOUNIER, Vue d'ensemble,
                                    tiré du «Traité du Caractère» (1948), *in* Dʳ WILLY,
                                                        la Sexualité, t. I, p. 24.

CONTR. Sexualiser. ◊ DÉR. Désexualisation.

DÉSHABILLAGE [dezabijaʒ] n. m. — 1877 ; de *déshabiller.*

◆ **1** Action de déshabiller, de se déshabiller. *Le déshabillage des mannequins. Un déshabillage rapide,
progressif, savant. Déshabillage spectacle.* → **Effeuillage, strip-tease.**

◆ **2** Fig. Manière crue de faire apparaître la vérité.
Un déshabillage littéraire impudique. → **Strip-tease**
(fig.).
      (...) cette nudité, ce déshabillage de tout ce que lui avait
apporté sa vie, sa joie heureuse, elle l'acceptait.
                                    GIRAUDOUX, les Aventures de Jérôme Bardini,
                                                                      p. 64.

CONTR. Habillage.

DÉSHABILLÉ [dezabije] n. m. → **Déshabiller, p. p. adj., B.**

DÉSHABILLER [dezabije] v. tr. — Fin XIVᵉ ; de *dés-* (→ 1. Dé-), et *habiller*.

♦ **1** Dépouiller (qqn) de ses vêtements. → **Dévêtir ;** fam. **désaper.** *Détacher, déboutonner les vêtements de qqn pour le déshabiller.* → **Défaire.** *Déshabiller un enfant pour le mettre au lit.*

1 Deux demoiselles masquées et un nain masqué (...) le vinrent déshabiller sans savoir de lui s'il avait envie de se coucher (...) le nain le déchaussa ou débotta et puis le déshabilla.
SCARRON, le Roman comique, I, IX, p. 35.

1.1 Pendant ce temps on me déshabille, et je deviens la proie des attouchements les plus impudiques.
SADE, Justine..., t. I, p. 131.

Absolument :

1.2 Cependant la modeste *Octavie* peu faite à de pareils outrages, répand des larmes et se défend. — Déshabillons, déshabillons, dit *Antonin,* on ne peut rien voir comme cela ; il aide à *Séverino* et dans l'instant les attraits de la jeune fille paraissent à nos yeux sans voile.
SADE, Justine..., t. I, p. 209.

Déshabiller qqn du regard, le déshabiller par la pensée.

2 (...) Ivich n'était qu'une proie, il la déshabillait d'un regard connaisseur et sensuel (...)
SARTRE, l'Âge de raison, XV, p. 259.

Loc. *Déshabiller (saint) Pierre pour habiller (saint) Paul :* contracter une dette pour s'acquitter d'une autre.

♦ **2** Techn. Enlever le revêtement, les accessoires de (qqch.). *Déshabiller un fauteuil. Déshabiller un mur, une chambre,* en ôter la décoration, les meubles. → **Dégarnir.**

Dépouiller un animal de sa peau. → **Écorcher.** *Déshabiller un lapin, un mouton.*

♦ **3** Fig. Mettre à nu. → **Découvrir, démasquer, étaler, exhiber, montrer.**

3 Où est l'utilité, pour une femme, de déshabiller sa conduite et de la mettre toute nue devant le monde ?
COURTELINE, Boubouroche, I, 2, p. 122.

4 Quelle est l'essentielle fonction du poète comique à l'égard de l'homme ? C'est de le déshabiller.
Émile FAGUET, Études littéraires, XVIIᴱ s., Molière, III, p. 282.

5 (...) cette sorte de désintéressement artistique qui fait que l'écrivain, n'ayant peur ni de terrifier le cerveau moyen ni de contrister tels amis ou tels maîtres, déshabille sa pensée selon le calme impudeur de l'innocence extrême du vice parfait, — ou de la passion.
R. DE GOURMONT, le Livre des masques, p. 129.

♦ **SE DÉSHABILLER** v. pron.

Enlever, retirer ses habits. → **Dévêtir** (se) ; et aussi **déboutonner** (se), **déculotter** (se), **dégrafer** (se), **délacer** (se). *Se déchausser et se déshabiller pour se coucher. Se déshabiller dans une cabine de bain. Déshabillez-vous jusqu'à la ceinture. Déshabillez-vous entièrement, complètement. Se déshabiller pour changer de vêtements.*

6 Un de mes amis me mena l'autre jour dans la loge où se déshabillait une des principales actrices.
MONTESQUIEU, Lettres persanes, XXVIII.

7 Que pour te déshabiller
Tes bras se fassent prier.
BAUDELAIRE, les Fleurs du mal, «Tableaux parisiens», LXXXVIII.

8 Haverkamp se déshabille avec une certaine méthode, vérifiant l'emplacement du portefeuille, des clefs, de la montre (...)
J. ROMAINS, les Hommes de bonne volonté, t. V, VIII, p. 66.

J'ai cinq ans, j'ai mes gants blancs, elle s'habille, se déshabille, se rhabille, nous sortirons, j'aurai pour mère la femme la plus chic de la ville.   8.1
Violette LEDUC, la Folie en tête, p. 540.

Enlever les vêtements destinés à être portés au dehors (manteau, gants, etc.). → **Aise** (se mettre à l'aise), **découvrir** (se), **défaire** (se). *Déshabillez-vous dans le vestibule. Se déshabiller au vestiaire avant de pénétrer dans une salle de théâtre.*

♦ **DÉSHABILLÉ, ÉE** p. p. adj. et n. m. **A** Adj. ♦ **1** Dépouillé de ses vêtements. → **Chemise** (en), **court-vêtu, décolleté, dévêtu, nu.** *Il était déjà déshabillé et prêt à se mettre au lit.* — *Porter une robe très déshabillée,* légère, qui laisse nue une partie du corps. — Dépouillé de ses accessoires. *Une pièce déshabillée.*

♦ **2** Littér. Sans défense.

N'avez-vous donc pas compris quelle immense amitié il   8.2
fallait que j'eusse pour vous pour me permettre de vous dire tout cela, pour me montrer à vous si nu, si déshabillé, si faible, vous qui m'accusez d'orgueil ?
FLAUBERT, Correspondance, p. 335 (1851).

B N. m. (1627). UN DÉSHABILLÉ. ♦ **1** Tenue légère portée par une femme dans l'intimité (surtout dans : *en déshabillé). Être en déshabillé, recevoir qqn en déshabillé.* → **Négligé ;** cf. En tenue légère, en petite tenue.

Elle paraît ordinairement avec une coiffure plate et   9
négligée, en simple déshabillé (...)
LA BRUYÈRE, les Caractères, III, 73.

(...) il est entré dans l'appartement de la dame qu'il a   10
surprise endormie sur un lit de repos dans un galant déshabillé.   A. R. LESAGE, le Diable boiteux, IX, p. 98.

Je ne crains rien tant dans le monde qu'une jolie personne   11
en déshabillé ; je la redouterais cent fois moins parée.
ROUSSEAU, les Confessions, V.

Arrivée dans ce temple de l'Amour, je choisis le déshabillé   12
le plus galant. Celui-ci est délicieux, il est de mon invention : il ne laisse rien voir, et pourtant fait tout deviner.
LACLOS, les Liaisons dangereuses, lettre X.

Fig. Vieilli. Absence d'apprêt. → **Naturel.** *En déshabillé :* sans apprêt, sans protocole.

Je l'ai reçu carrément et dans tout le déshabillé franc de   13
ma pensée.
FLAUBERT, Correspondance, t. II, p. 172.

♦ **2** Mod. Vêtement féminin d'étoffe légère plus luxueux que le peignoir* ou la robe* de chambre. → **Saut** (de lit). *Un déshabillé de soie, de dentelle.*

Un déshabillé de Chantilly noir, arachnéen, évoquait de   14
scandaleuses nudités.
A. MAUROIS, Terre promise, VIII, p. 49.

CONTR. Couvrir, habiller, vêtir. — Garnir, recouvrir. — Dissimuler. ◊ DÉR. Déshabillage, déshabilleur, déshabilloir.

DÉSHABILLEUR, EUSE [dezabijœʀ, øz] adj. — 1891 ; de *déshabiller.*

Rare. Qui déshabille. «*Un regard déshabilleur*» (Mirbeau, in T. L. F.). *Des gestes déshabilleurs.*

N. (→ Habilleur) :

L'habilleuse entra : Vous avez besoin de moi, mademoiselle ? — Non merci. J'ai mon déshabilleur. À demain, Mauricette.
Michel DÉON, les Vingt Ans du jeune homme vert, p. 315.

CONTR. Habilleur.

DÉSHABILLOIR [dezabijwaʀ] n. m. — 1966, in P. Gilbert ; de *(se) déshabiller.*

Rare. Cabine où l'on peut se déshabiller, se changer (dans un magasin, une piscine, sur une plage).

DÉSHABITÉ, ÉE [dezabite] adj. — V. 1160; repris au XIXᵉ, Chateaubriand; de *dés-* (→ 1. Dé-), et *habité*, p. p. de *habiter*.

Littér. Qui a cessé d'être habité (au fig.) :

1 Un jour vient où l'être vrai reparaît, que le temps lentement déshabille de tous ses vêtements d'emprunt; et, si c'est de ces ornements que l'autre est épris, il ne presse plus contre son cœur qu'une parure déshabitée, qu'un souvenir (...)
GIDE, les Faux-monnayeurs, I, VIII, *in* Romans, Pl., p. 987.

2 (...) le Rhin déshabité par le courant, ralenti par ce surcroît de chaleur (...) Pierre GASCAR, les Bêtes, p. 159.
Fig. *Une tête déshabitée* (Goncourt), vide de pensées.

DÉSHABITER [dezabite] v. tr. — 1547; «rendre inhabitable», 1395; de *dés-* (→ 1. Dé-), et *habiter*.
Rare.
♦ **1** Cesser d'habiter (un lieu).
♦ **2** Fig., littér. Quitter, déserter (une idée, une situation...).

♦ **DÉSHABITÉ, ÉE** p. p. → Déshabité, adj.
CONTR. **Habiter.**

DÉSHABITUER [dezabitɥe] v. tr. — V. 1420, au p. p.; de *dés-* (→ 1. Dé-), et *habituer*.
Faire perdre une habitude (à qqn). → **Désaccoutumer.** *Déshabituer qqn de l'alcool. Déshabituer un enfant de manger avec ses doigts.*

♦ **SE DÉSHABITUER** v. pron.
Se défaire d'une habitude. *Se déshabituer des cigarettes, de fumer. N'essayez pas! Vous ne pourrez plus vous en déshabituer.*

1 L'action violente et hâtive est un alcool. L'intelligence qui y a goûté a bien de la peine ensuite à s'en déshabituer; et sa croissance normale risque d'en rester forcée et faussée pour toujours.
R. ROLLAND, Jean-Christophe, X, p. 47.

2 Jacques aurait voulu garder quelque chose, mais sa vie solitaire, les camaraderies politiques, l'avaient déshabitué des épanchements.
MARTIN DU GARD, les Thibault, t. V, p. 295.

3 Les méfaits du théâtre psychologique venu de Racine nous ont déshabitués de cette action immédiate et violente que le théâtre doit posséder.
A. ARTAUD, le Théâtre et son double, Le théâtre et la cruauté, p. 29, Idées/Gallimard.

CONTR. **Accoutumer, habituer.**

DÉSHARMONIE [dezaʀmɔni] n. f. — 1790; de *dés-* (→ 1. Dé-), et *harmonie*.
Didact. ou littér. État de ce qui manque d'harmonie.
Pour qu'une chose soit comique, disait-il, il faut qu'entre l'effet et la cause il y ait désharmonie.
H. BERGSON, le Rire, p. 155.

CONTR. **Harmonie.**

DÉSHÉMOGLOBINISER [dezemɔglɔbinize] v. tr. — 1922; de *dés-* (→ 1. Dé-), *hémoglobine* et suff. *-iser*.
Didact. (méd.). Supprimer l'hémoglobine de.
(...) au lieu de déposer la sérosité *(provenant du chancre)* sur une lame avec du sérum, on fait une série de touches avec la lame, recueillant, à chaque touche, une gouttelette de cette sérosité. Cette lame est ensuite séchée à l'air libre, déshémoglobinisée avec le liquide de Ruge, puis traitée par le tanin et le nitrate d'argent ammoniacal.
J. PAYENNEVILLE, le Péril vénérien, La syphilis, p. 44.

DÉSHERBAGE [dezɛʀbaʒ] n. m. — 1907; de *désherber*.

Action de désherber; son résultat.

1 On les *(enfants)* a renvoyés dans leurs foyers tout simplement parce qu'ils avaient achevé leur travail, un très léger travail de désherbage.
GIDE, Voyage au Congo, *in* Souvenirs, Pl., p. 809.

REM. On rencontre plus rarement le mot *désherbement* :

2 Chaque année, après que les eaux se sont retirées, les indigènes doivent procéder aux remblais et aux désherbements.
GIDE, le Retour du Tchad, I, *in* Souvenirs, Pl., p. 888.

DÉSHERBANT, ANTE [dezɛʀbɑ̃, ɑ̃t] adj. et n. m. — XXᵉ; p. prés. de *désherber*.
Qui désherbe, fait mourir la mauvaise herbe. *Poudre désherbante.*
N. m. Produit désherbant. → **Herbicide.**
(...) une maison qui avait une cour pavée, qu'envahissaient herbes, mousses et plantes diverses. Les désherbants ne permettaient pas de s'en débarrasser, en raison des chevelus de racines qui couraient sous les pavés (...)
ARAGON, Blanche..., III, I, p. 375.

DÉSHERBER [dezɛʀbe] v. tr. — 1837; de *dés-* (→ 1. Dé-), *herbe*, et suff. verbal.
Enlever les mauvaises herbes de (un lieu). → **Sarcler.** *Désherber les allées d'un parc, un champ cultivé.* Absolt. *Jardinier en train de désherber.*

1 Lorsqu'un officier y venait en visite chacun de nous se penchait le plus possible sur une tombe, la désherbant avec application, avec un air d'urgence (...)
Pierre GASCAR, le Temps des morts, p. 255.

2 (...) penchés, courbés, pliés, *en deux* comme le disait ma grand-mère (....) pour tailler, sarcler, biner, choyer, désherber (...)
Ch. PÉGUY, la République..., p. 268.

CONTR. **Enherber.** ◊ DÉR. **Désherbage, désherbant.**

DÉSHÉRENCE [dezeʀɑ̃s] n. f. — 1285; de *dés-* (→ 1. Dé-), anc. franç. *heir*, *hoir* «héritier», et suff. *-ence*.
Dr. Absence d'héritiers pour recueillir une succession qui est en conséquence dévolue à l'État. *Succession en déshérence, qui tombe en déshérence.*
M. Santeuil dont la robuste insouciance s'épuisait avec l'âge, la santé devenant moins bonne et, par suite d'une retraite qui commençait à sonner, ses occupations moins nombreuses, restait aussi songeur le soir, pendant que son fils était au bal et se demandait parfois si après sa mort, sa fortune, l'honneur réputé de son nom bourgeois, loin d'être accrus par son fils ne tomberaient pas en déshérence.
PROUST, Jean Santeuil, Pl., p. 676.
Fig. *En déshérence* : à l'abandon. «*Ces terres étaient tombées depuis longtemps en déshérence*» (Raymond Abellio, *Ma dernière mémoire*, t. II, p. 67).

DÉSHÉRITEMENT [dezeʀitmɑ̃] n. m. — V. 1160, *deseritement*; de *déshériter*.
Rare. Action de déshériter (1.) qqn; son résultat. → **Exhérédation.**

DÉSHÉRITER [dezeʀite] v. tr. — V. 1140; de *dés-* (→ 1. Dé-), et *hériter*.
♦ **1** Priver (qqn) de la succession sur laquelle il pouvait compter. → **Exhéréder.** *Père qui déshérite son fils. Menacer un parent de le déshériter.*

1 — Je te renonce pour mon fils. — Soit. — Je te déshérite.
MOLIÈRE, l'Avare, IV, 5.

2 *Fauste* est un dissolu, un prodigue, un libertin, un ingrat, un emporté, qu'*Aurèle*, son oncle, n'a pu haïr ni déshériter.
LA BRUYÈRE, les Caractères, XI, 107.
Par ext. Priver (qqn) d'un héritage, d'une succession.

3 Vous qui déshéritant le fils de Claudius,
Avez nommé César l'heureux Domitius?
RACINE, Britannicus, I, 1.

Par métaphore. *Déshériter qqn de* (un bien normalement transmis, reçu), l'en priver.

♦ **2** (Av. 1203). Fig. (Sujet n. de chose : puissance abstraite, etc.). Priver (qqn) des avantages naturels. → **Désavantager.** *La nature l'a bien déshérité.*

◆ **DÉSHÉRITÉ, ÉE** p. p. adj.

♦ **1** Privé d'héritage. *Un enfant déshérité.*

♦ **2** Fig. Désavantagé. *Pays stérile, déshérité par la nature. Il se sent tout à fait déshérité.* → **Misérable.**

4   Race dégradée et déshéritée par la loi suprême de Dieu.
    BOSSUET, Élévations sur les mystères, 7ᵉ semaine, 2.

5   (...) il se croit déshérité, trahi, abandonné de tous.
    G. DUHAMEL, Chronique des Pasquier, VI, XII,
    p. 399.

Déshérité de qqch. → **Frustré, privé.**

6   Déjà déshérité de toute affection, je ne pouvais rien aimer et la nature m'avait fait aimant !
    BALZAC, le Lys dans la vallée, Pl., t. VIII, p. 772.

7   Le peuple est chez nous déshérité de la vie intellectuelle.
    RENAN, l'Avenir de la science, Œuvres, t. III, p. 986.

♦ **3** N. **ⓐ** Celui, celle qui est privée d'un héritage. *La déshéritée veut faire un procès à son frère.*
ⓑ Fig. Personne désavantagée par la nature, le sort. *Venir en aide aux déshérités.*

8   La vie nous apprend à tous qu'en amour la modestie est facile. Les plus déshérités plaisent quelquefois ; les plus séduisants échouent.
    A. MAUROIS, Climats, I, III, p. 24.

9   Peu à peu, je me suis dit que pour vivre, pour m'accepter, pour justifier le train-train sans histoire qu'est le mien, il fallait que je mette mon énergie au service des déshérités. Je ne vais pas vite en besogne : il m'a fallu des années.
    Alain BOSQUET, les Bonnes Intentions, p. 175.

DÉR. Déshéritement.

DÉSHEURER [dezœʀe] v. tr. — Mil. XVIIᵉ, Retz, pron. ; de *dés-* (→ 1. Dé-), et *heure.*

♦ **1** Vx. Déranger (qqn) de ses heures régulières ; troubler le rythme des occupations de. *En grommelant d'être désheurés et dérangés* (cit. 14) *de leurs habitudes.*

♦ **2** (Déb. XXᵉ). Techn. Retarder (un train) par rapport à son horaire habituel.

♦ **3** Pron. Vx ou littér. Modifier ses heures habituelles.

(...) j'ai observé qu'à Paris, dans les émotions populaires, les plus échauffés ne veulent pas ce qu'ils appellent se désheurer.   RETZ, Mémoires, t. II, Pl., p. 93.

◆ **DÉSHEURÉ, ÉE** p. p. adj. (XIXᵉ). Spécialt. *Horloge désheurée,* déréglée, qui ne marque ou ne sonne plus correctement les heures. *Train désheuré,* qui n'arrive pas à l'heure.
Fig. et littér. Déréglé. *Une vie désheurée.*

DÉSHONNÊTE [dezɔnɛt] adj. — Mil. XIIIᵉ ; de *dés-* (→ 1. Dé-), et *honnête.*
Qui est contraire à la pudeur, aux bienséances (dans le domaine de la sexualité). → **Inconvenant, indécent, obscène.** *Gestes, paroles, pensées déshonnêtes.* → **Malhonnête, mauvais, vilain** (fam.). *Mot déshonnête* (→ Cul, cit. 15). *Histoire, livre déshonnête.* → **Grivois, licencieux.** — Vieilli. *Entraîner qqn dans un lieu déshonnête, un endroit mal famé.*

1   Elle peut, tombant sur la tête,
    Montrer quelque endroit déshonnête.
    SCARRON, Virgile travesti, 4.

2   (...) enfin, elle crut savoir qu'il avait conduit son fils dans des lieux déshonnêtes.
    FLAUBERT, l'Éducation sentimentale, I, II, p. 46.

N. *L'honnête et le déshonnête.*

CONTR. Convenable, décent, honnête. ◊ DÉR. Déshonnêtement, déshonnêteté.

DÉSHONNÊTEMENT [dezɔnɛtmã] adv. — V. 1230 ; de *déshonnête.*
Rare. De manière déshonnête.

CONTR. Décemment.

DÉSHONNÊTETÉ [dezɔnɛtte] n. f. — XIVᵉ ; de *déshonnête.*
Vx. Caractère de ce qui est déshonnête. Par ext. Ce qui est déshonnête.

CONTR. Décence.

DÉSHONNEUR [dezɔnœʀ] n. m. — 1080 ; de *dés-* (→ 1. Dé-), et *honneur.*

♦ **1** *(Le déshonneur).* Perte de l'honneur* ; état d'une personne déshonorée. → **Honte, ignominie, indignité, infamie, opprobre** (→ Attirer, cit. 39). *Ne pas survivre au déshonneur* (→ Brûler, cit. 51). *Tomber, vivre dans le déshonneur.* → **Boire** (cit. 35 : avoir toute honte bue) ; **turpitude.** *Il n'y a pas de déshonneur à avouer sa condition.*

1   Mourant sans déshonneur, je mourrai sans regret.
    CORNEILLE, le Cid, II, 8.

2   Le déshonneur est dans l'opinion des hommes, l'innocence est en nous (...)
    DIDEROT, Règne de Claude et de Néron, I, 75,
    in LITTRÉ.

3   Je me tue pour échapper au déshonneur.
    J. ROMAINS, les Hommes de bonne volonté, t. II,
    XVII, p. 201.

Loc. Vx. *Prier, presser qqn de son déshonneur,* lui faire commettre des actes déshonorants pour lui.

♦ **2** *(Un, des déshonneurs* ; plur. rare). Ce qui cause le déshonneur. *Souffrir un déshonneur. Obtenir réparation d'un déshonneur.* → **Affront, insulte.** *Il considère que le travail manuel est un déshonneur.*
Loc. Vx. *Faire déshonneur à qqn. Il ne lui fait pas déshonneur :* il l'honore.

CONTR. Gloire, honneur.

DÉSHONORABLE [dezɔnɔʀabl] adj. — 1265 ; de *déshonorer.*
Vx, rare. Qui n'est pas honorable. → **Déshonorant.** *Une action déshonorable.*

DÉSHONORANT, ANTE [dezɔnɔʀã, ãt] adj. — 1748 ; p. prés. de *déshonorer.*
Qui déshonore autrui. *Une remarque, une allusion déshonorante.* → **Désobligeant, infamant.** — *Qui se déshonore. Une conduite déshonorante.* → **Avilissant, honteux, ignoble, vilain.**

Ignores-tu qu'il est des tentations déshonorantes qui n'approchèrent jamais d'une âme honnête, qu'il est même honteux de les vaincre, et que se précautionner contre elles est moins s'humilier que s'avilir ?
    ROUSSEAU, Julie ou la Nouvelle Héloïse, IV,
    lettre XIII.

N'avoir rien de déshonorant : être permis, admis dans les usages. *J'aime le confort, cela n'a rien de déshonorant, non ?*

CONTR. Digne, édifiant, flatteur, glorieux, honorable.

DÉSHONORER [dezɔnɔʀe] v. tr. — XIIᵉ ; de *dés-* (→ 1. Dé-), et *honorer.*

♦ **1** Priver (qqn) de l'honneur, porter atteinte à l'honneur de (qqn). → **Avilir, déconsidérer, déprécier, discréditer, flétrir, salir, souiller.** *Déshonorer qqn par des médisances, des calomnies... Don Gormas déshonora Don Diègue en lui donnant un soufflet.* — Par ext. *Déshonorer la mémoire, le nom de qqn. Déshonorer par sa conduite un groupe dont* on fait partie. *Il a déshonoré sa famille.* — (Sujet n. d'action). *Cette action l'a déshonoré. Ne tenez pas des discours qui vous déshonorent* (cf. Qui ne sont pas à votre honneur).

1   De la main de ton père un coup irréparable
    Déshonorait du mien la vieillesse honorable (...)
                        CORNEILLE, le Cid, III, 4 (variations).

2   (...) je voudrais bien me défaire d'une femme qui me dés-
    honore.   MOLIÈRE, George Dandin, II, 7.

    Absolt. *La trahison déshonore.*

3   Le ridicule déshonore plus que le déshonneur.
                        LA ROCHEFOUCAULD, Maximes, 326.

4   (...) ce qui déshonore est funeste : un soufflet ne vous fait
    physiquement aucun mal, et cependant il nous déshonore.
                        CHATEAUBRIAND, Mémoires d'outre-tombe, t. IV,
                                                        p. 43.

5   Les honneurs déshonorent.
                        FLAUBERT, Correspondance, IV, p. 315.

6   La vanité les persuade qu'un échec déshonore (...)
                        F. MAURIAC, le Jeune Homme, p. 29.

    Déshonorer un groupe, un pays, une nation. Cette intervention militaire, cette répression déshonore ce pays : ce pays s'est déshonoré par...

    ◆ 2 (Par référence à la morale sexuelle féminine tradition-
    nelle. → Honneur). *Déshonorer une femme, une jeune
    fille,* la séduire, abuser d'elle (→ ci-dessous Désho-
    noré, cit. 21).

7   (...) une vieille tante, qui veut à toute force que la seule
    approche d'un homme déshonore une fille (...)
                        MOLIÈRE, le Bourgeois gentilhomme, III, 10.

8   Vous avez froidement, sous vos baisers infâmes,
    Terni, flétri, souillé, déshonoré, brisé
    Diane de Poitiers, comtesse de Brézé !
                        HUGO, Le roi s'amuse, I, 5.

    ◆ 3 Littér. Faire tort à (qqch.). *Ces théories désho-
    norent la science.* → **Défigurer, dégrader, déprécier**
    (cit. 1), **nuire** (à). *Il déshonore son œuvre par des plai-
    santeries aussi vulgaires.*

9   Chaque chose est ici vraie en partie, fausse en partie. La
    vérité essentielle n'est pas ainsi : elle est toute pure et toute
    vraie ; ce mélange la déshonore et l'anéantit.
                        PASCAL, Pensées, VI, 385.

10 (...) ces imaginations déshonorent la physique (...)
                        VOLTAIRE, Essai sur les mœurs, Introduction, I.

11 Plus un mot ! Sortez, vous dis-je ; allons, oust ! hors d'ici !
    quittez ce lieu que vous déshonorez de votre ignoble pré-
    sence !
                        COURTELINE, Messieurs les ronds-de-cuir,
                                            5ᵉ tableau, I, p. 172.

    *Déshonorer un édifice en altérant sa construction ;
    déshonorer une peinture,* etc. → **Abîmer, déparer,
    gâter, mutiler.**

12 (...) quelques gouttes de pluie avaient même déshonoré
    cette journée d'août.
                        Ch. MAURRAS, Anthinéa, p. 140.

13 Au bout du jardin sautelait une étroite rivière, si vive
    qu'elle emportait, d'un bond, tout ce qui l'eût pu désho-
    norer (...)   COLETTE, la Naissance du jour, p. 55.

    ◆ 4 Arbor. *Déshonorer un arbre,* en couper la cime,
    la tête. → **Écimer, étêter.**

14 Les vertus les plus légères, s'il en est de telles, sont atta-
    chées comme la feuille au rameau qu'on déshonore en l'en
    dépouillant.
                        DIDEROT, Règne de Claude et de Néron, II, 6,
                                                    in LITTRÉ.

    ◆ **SE DÉSHONORER** v. pron.

    Perdre l'honneur, se couvrir d'opprobre. *Vous vous
    déshonorez en agissant ainsi.* → aussi **Prostituer** (se).

15 (...) ceux qui avaient cru se déshonorer de rire à Paris,
    furent peut-être obligés de rire à Versailles pour se faire
    honneur.   RACINE, les Plaideurs, Au lecteur.

16 (*Je ne puis consentir*) à me déshonorer en prisant ses
    ouvrages.   MOLIÈRE, les Femmes savantes, I, 3.

(...) les petites gens qui ont de l'honneur valent mieux que   17
les grandes gens qui se déshonorent.
                BALZAC, le Cabinet des antiques, Pl., t. IV, p. 422.

◆ **DÉSHONORÉ, ÉE** p. p. adj.

◆ 1 Qui a perdu l'honneur. *Être déshonoré par une
faillite.* — Péj. *Se croire déshonoré de faire qqch.* :
répugner à un acte que l'on croit abaissant et qui
ne l'est pas.

J'ai suivi tes conseils, je meurs déshonorée.   18
                                        RACINE, Phèdre, III, 3.

On a le courage de ses opinions ; de ses mœurs, point. On   19
accepte bien de souffrir ; mais pas d'être déshonoré.
                                        GIDE, Corydon, p. 22.

Quand Smith fait faillite, il n'est pas déshonoré.   20
                G. DUHAMEL, Scènes de la vie future, XIV, p. 215.

Spécialt. (par euphém.). *Mari déshonoré.* → **Cocu,
trompé.**

Spécialt. *Jeune fille déshonorée.*

— (...) j'aimerais mieux me voir morte, que de me voir   21
déshonorée (...) — Je serais assez lâche pour vous déshonorer ?   MOLIÈRE, Dom Juan, II, 2.

Oh ! Madame, je ne sais plus ni ce que dit, ni ce que   21.1
fit cet homme ; mais l'état dans lequel je me retrouvai,
ne me laissa que trop connaître à quel point j'avais été
sa victime. Il était entièrement nuit quand je repris mes
sens ; j'étais au pied d'un arbre, hors de toutes les routes,
froissée, ensanglantée... déshonorée, Madame.
                                SADE, Justine..., t. I, p. 63.

◆ 2 Avili, déprécié.

Le bon sens est aujourd'hui clairement déshonoré. Il n'y   22
a pas de quoi se vanter s'il est si bien partagé.
                A. MAUROIS, Études littéraires, Valéry, IV, II, t. I,
                                                        p. 40.

Cette Conciergerie que je vois tous les jours — restaurée, 22.1
déshonorée par des constructions annexes, mais massivement présente, avec ces cachots mêmes où... La seule
pensée de ce qu'a souffert la reine m'étreint parfois d'une
angoisse presque intolérable...
                Claude MAURIAC, le Temps immobile, p. 156.

Concret. Abîmé, souillé.

À l'intérieur, l'escalier de pierre, bordé d'une magnifique   23
grille de fer forgé, était déshonoré de poussière, de crachats et de feuilles de salade.
                FRANCE, Jocaste, Œuvres, t. II, p. 11.

CONTR. Exalter, glorifier, honorer. — Distinguer (se). ◊ DÉR.
Déshonorable, déshonorant.

DÉSHUILAGE [dezɥilaʒ] n. m. — V. 1960 ; de *déshuiler.*

Techn. Élimination des hydrocarbures ou des
huiles contenus dans un milieu donné.

DÉSHUILER [dezɥile] v. tr. — 1838 ; de *dés-* (→ 1. Dé-),
et *huiler.*

Enlever l'huile de. *Déshuiler la laine.* → **Dégraisser,
dessuinter.** — Au p. p. *Soja déshuilé.*

CONTR. Huiler. ◊ DÉR. Déshuilage, déshuileur.

DÉSHUILEUR [dezɥilœr] n. m. — XXᵉ ; de *déshuiler.*
Techn. Dans les machines à vapeur, Appareil destiné à séparer l'huile d'avec la vapeur qui l'entraîne.

DÉSHUMANISANT, ANTE [dezymanizã, ãt] adj.
— V. 1944 ; p. prés. de *déshumaniser.*

Qui déshumanise, enlève le caractère humain (à).
Les effets déshumanisants de l'automatisation.

Émigré aux États-Unis, Marcuse y découvre un totalitarisme de type nouveau, imposé moins par la terreur que
par une certaine rationalité technocratique dont il décrit
les effets déshumanisants dans *L'Homme unidimensionnel.*
            Roger GARAUDY, *Herbert Marcuse*, philosophe de
                la «répression», *in* le Monde, 8 mars 1969.

DÉSHUMANISATION [dezymanizasjɔ̃] n. f. — 1936, Martin du Gard (1870, *in* Dauzat, sans référence); de *déshumaniser*.

Action de déshumaniser; son résultat. *Les phénomènes de déshumanisation. La déshumanisation de la justice.*

1 À cette déshumanisation capitaliste, Marcuse n'oppose pas le communisme. Dans son essai, *le Marxisme soviétique*, il voit dans les partis communistes, ramenés par le stalinisme à un nouveau scientisme positiviste, *les héritiers historiques des partis sociaux-démocrates d'avant-guerre.*
　　　Roger GARAUDY, Herbert Marcuse, philosophe de la «répression», *in* le Monde, 8 mars 1969.

2 Derrière moi, le groupe de mes malheureux compagnons s'enfonçait dans la nuit. Leurs voix s'étaient tues depuis longtemps, quand la mienne commençait seulement à se fatiguer de son soliloque. Dès lors je suis avec une horrible fascination le processus de *déshumanisation* dont je sens en moi l'inexorable travail.
　　　M. TOURNIER, Vendredi..., p. 52-53.

CONTR. Humanisation.

DÉSHUMANISER [dezymanize] v. tr. — 1647; repris déb. xxᵉ; de *dés-* (→ 1. Dé-), et *humaniser*.

◆ **1** Faire perdre le caractère humain, la condition d'homme (à).

1 Son silence même ajoutait à l'exception de son cas, le déshumanisait.　　　Jean GENET, Pompes funèbres, p. 120.

2 La réussite du spectacle venait de la parfaite homogénéité du texte (...) avec le jeu des acteurs que leurs mimiques et leurs voix déshumanisaient.
　　　S. DE BEAUVOIR, Tout compte fait, p. 215.

◆ **2** Détruire en (qqch.) ce qui convient à l'homme. *Déshumaniser la médecine.*

Au p. p. *«Je crois que je mourrai non de vieillesse, mais étouffé par ce monde déshumanisé»* (Mauriac, in le Figaro littéraire.

3 Il acheva son geste en lissant sa chevelure vers l'arrière, jusqu'à la nuque, et par lui je retrouve l'impression étrange : quand, chez un personnage déshumanisé par la gloire, on discerne un geste familier, un trait vulgaire (...)
　　　Jean GENET, Notre-Dame-des-Fleurs, p. 325.

CONTR. Humaniser (2. et 3.). ◊ **DÉR. Déshumanisant, déshumanisation.**

DÉSHUMIDIFICATEUR [dezymidifikatœʀ] n. m. — Mil. xxᵉ; de *déshumidifier*.

Techn. Appareil à déshumidifier.

Nous avons passé deux jours et deux nuits à 130 m de fond (...) La première nuit, quand nous grelottions de froid, nous aurions accepté la remontée sans discussion. Maintenant que le déshumidificateur fonctionne, nous nous sentons de taille à passer ici le restant de la semaine.
　　　Science et Vie, nᵒ 594, p. 90.

CONTR. Humidificateur.

DÉSHUMIDIFIER [dezymidifje] v. tr. — Mil. xxᵉ; de *dés-* (→ 1. Dé-), et *humidifier*.

Techn. Rendre moins humide (un gaz). *Déshumidifier l'air d'une pièce.*

CONTR. Humidifier. ◊ **DÉR. Déshumidificateur.**

DÉSHYDRASE [dezidʀaz] n. f. — Mil. xxᵉ; de *dés-* (→ 1. Dé-), *hydro(gène)*, et *-ase*, suff. d'enzyme.

Chim. Enzyme qui transporte de l'hydrogène d'une molécule sur l'autre.

(...) la vitamine P. P. intervient dans la formation de déshydrases (diastases capables d'enlever de l'hydrogène à certains corps chimiques).
　　　Suzanne GALLOT, les Vitamines, p. 77.

DÉSHYDRATANT, ANTE [dezidʀatɑ̃, ɑ̃t] adj. et n. m. — V. 1930; p. prés. de *déshydrater*.

Technique, sciences.

◆ **1** Adj. Qui déshydrate. *Un agent déshydratant.*

(...) la mer de juillet qui sent la crème déshydratante et la gaufre, qui rejette tant d'emballages, de jambes de poupées (...)　　　Jean CAYROL, Histoire de la mer, p. 180.

◆ **2** N. m. Milieu, substance qui déshydrate. *Un déshydratant solide.*

DÉSHYDRATATION [dezidʀatasjɔ̃] n. f. — 1844; de *déshydrater*.

◆ **1** Chim., techn. Opération par laquelle on déshydrate; élimination de l'eau. → **Dessiccation.** *La déshydratation de l'alcali. La déshydratation de produits alimentaires.*

◆ **2** Fait de perdre une partie de son eau (se dit d'un organisme, d'un tissu organique); état d'un organisme à la suite d'une perte d'eau importante par certains tissus.

Or c'est le sort (...) des naufragés dans les trois ou quatre jours qui suivent la catastrophe. Si l'on ne boit pas, la mort par déshydratation survient en une dizaine de jours suivant une courbe régulière.
　　　Alain BOMBARD, Naufragé volontaire, p. 26.

CONTR. Hydratation.

DÉSHYDRATER [dezidʀate] v. tr. — 1864; p. p. dès 1850; de *dés-* (→ 1. Dé-), et *hydrater*.

Didact. Enlever l'eau qui entre dans la composition de (un corps). → **Dessécher, sécher.** *Déshydrater partiellement du gypse pour obtenir du plâtre. Déshydrater des aliments (légumes, fruits) pour en assurer la conservation. Déshydrater du lait pour faire du lait condensé, en poudre. — La vieillesse déshydrate les tissus.*

◆ **SE DÉSHYDRATER** v. pron.

Méd. Perdre l'eau nécessaire à l'organisme. *Il s'est déshydraté lors de sa dernière maladie. — Cour. Se déshydrater :* ressentir les effets d'un début de déshydratation (notamment la soif).

◆ **DÉSHYDRATÉ, ÉE** p. p. adj.

◆ **1** Privé de son eau ou d'une partie de son eau. *Légumes déshydratés (pour la conservation). — Organisme déshydraté; peau déshydratée.*

Une odeur de poussière ferrugineuse et déshydratée montait doucement de l'abîme interdit.
　　　R. QUENEAU, Zazie dans le métro, p. 44.

◆ **2** Fam. Desséché, assoiffé. *Je suis complètement déshydraté.*

CONTR. Hydrater. ◊ **DÉR. Déshydratant, déshydratation.**

DÉSHYDROCYCLISATION [dezidʀɔsiklizasjɔ̃] n. f. — V. 1973; de *dés-* (→ 1. Dé-), *hydro-*, *cycle*, et suff. *-isation*.

Chim. Formation d'un cycle dans une molécule par départ d'hydrogène sans modification du nombre initial des atomes de carbone.

DÉSHYDROGÉNATION [dezidʀɔʒenasjɔ̃] n. f. — 1839; de *déshydrogéner*.

◆ **1** Chim. Action de déshydrogéner; son résultat.

◆ **2** Biochim. Oxydation d'une molécule organique par départ de l'hydrogène, sous l'effet d'enzymes (*déshydrogénases*).

CONTR. Hydrogénation.

DÉSHYDROGÉNER [dezidʀɔʒene] v. tr. — 1845; de dés- (→ 1. Dé-), et hydrogéner.

Chim. Enlever partiellement ou totalement l'hydrogène qui entre dans la composition de (une substance). *Déshydrogéner un corps.*

Le charbon de cornue, c'est-à-dire ce dur graphite qui se trouve dans les cornues des usines à gaz, après que la houille a été déshydrogénée, on eût pu le produire (...)
　　　　J. VERNE, L'Île mystérieuse, t. II, p. 559.

CONTR. Hydrogéner. ◊ **DÉR.** Déshydrogénation.

DÉSHYPOTHÉQUER [dezipɔteke] v. tr. — 1846; de dés- (→ 1. Dé-), et hypothéquer.

Dr. Faire cesser d'être hypothéqué. *Déshypothéquer une maison.*

CONTR. Hypothéquer.

DÉSIDÉRABILITÉ [dezideʀabilite] n. f. — Fin XIXᵉ; désirabilité, 1883; du lat. desiderabilis «désirable», de desiderare. → Désirer.

Écon. Utilité économique. *«Le mot désidérabilité (conviendrait mieux) parce qu'il se rattache au latin desiderium qui n'exprime rien d'autre que le désir»* (Ch. Gide).

DESIDERATA [dezideʀata] n. m. pl. — 1783; plur. du mot lat. neutre desideratum «besoin, désir», du supin de desiderare. → Désirer.

♦ **1** Didact. Lacune que présente une science, une institution, un livre, etc. *La neurologie a ses desiderata.*

♦ **2** Plus cour. (mais littér. ou style soutenu). Choses souhaitées. → **Désir, souhait.**

Tous les desiderata des âmes les plus sublimes accouraient à cette âme, comme une invasion de fleuves, et sa prière intérieure mugissait comme l'impatience des cataractes.　　　　Léon BLOY, le Désespéré, p. 228.

Par ext. *Veuillez nous faire connaître vos desiderata,* ce dont vous regrettez le défaut, l'absence. → **Besoin; revendication.**

REM. Le singulier *desideratum* se rencontre dans la langue didactique (1857, in Année sc. et industr. 1858, p. 47). Cf. Piaget, Logique et Connaissance sc., Encycl. Pl., p. 7.

DÉSIDÉRATIF, IVE [dezideʀatif, iv] adj. et n. m. — 1838; du bas lat. desiderativus «qui exprime un désir», de desideratus, supin de desiderare. → Désirer.

Ling. (Forme) qui exprime l'idée de désir. *Verbe désidératif.*

DESIGN [dizajn] n. m. — 1959, in Höfler; mot angl. «dessin, plan, esquisse», d'abord «plan d'ouvrage d'art» (XVIIᵉ), du français dessin.

Anglic. Esthétique industrielle appliquée à la recherche de formes nouvelles et adaptées à leur fonction (pour les objets utilitaires, les meubles, l'habitat en général). → **Stylisme; designer,** n. *«Le nouvel artisanat est l'expression d'une protestation contre l'Establishment. Virtuoses de l'inutile, farouchement opposés au "design", — cet uniforme de la société technologique — les artisans américains sont les hippies de la culture moderne»* (l'Express, 16 oct. 1972, p. 113).

La poule *scrupuleuse¹* ayant à envelopper le jaune et le blanc de l'œuf — ce qu'il y a au monde de plus fluant, flasque et glaireux — a inventé cette forme d'une pureté impeccable, ce chef-d'œuvre insurpassable de *design,* la coquille de l'œuf.
　　　　M. TOURNIER, le Vent Paraclet, p. 185-186.
1. Du latin *scrupulus, i* «petit caillou pointu».

Adj. invar. (1971). D'un esthétisme moderne et fonctionnel. *Des meubles design.*

COMP. Biodesign.

DÉSIGNABLE [dezinabl] adj. — XXᵉ (1957, Jankélévitch, in T.L.F.); de désigner.

Rare. Qui peut être désigné; dénommable.

DÉSIGNATEUR, TRICE [dezinatœʀ, tʀis] adj. — 1922, Proust; de désigner. **REM.** Attesté XIXᵉ, comme n. m., «fonctionnaire romain, dans l'Antiquité, etc.»; du lat. designator ou dissignator, du supin de designare. → Désigner.

Didact. ou littér. Qui désigne. *Un regard, un doigt désignateur.*

DÉSIGNATIF, IVE [dezinatif, iv] adj. — 1611; bas lat. designativus, de supin de designare. → Désigner.

Qui désigne, sert à désigner.

(...) le nᵒ désignatif du corps *(d'armée)* qui lui est opposé, n'a pas moins de signification.
　　　　PROUST, le Côté de Guermantes, Pl., t. II, p. 110.

DÉSIGNATION [dezinasjɔ̃] n. f. — 1355, repris au XVIIᵉ; lat. designatio «forme, indication», du supin de designare. → Désigner.

♦ **1** Action de désigner*. *La désignation d'un lieu. Désignation d'une personne par des renseignements précis; par son nom, son titre. — Désignation des marchandises sur leur étiquette, sur un connaissement.*

♦ **2** Action de désigner (une chose, un concept) dans le langage. *Tel mot n'est pas une désignation courante de la chose.* → **Appellation, dénomination.**

La langue populaire abonde en transpositions (...) A priori pourrait-on dire, telle appellation est destinée à être supplantée, ainsi les *chemins de fer à voie étroite : tacauds, tortillards,* remplacent la lourde désignation administrative.　　　　F. BRUNOT, la Pensée et la Langue, I, II, VIII, p. 78 et note.　　1

(...) j'étais intimidé par la facilité avec laquelle Albertine disait le «tram», le «tacot». Je sentais sa maîtrise dans un mode de désignations où j'avais peur qu'elle ne constatât et ne méprisât mon infériorité.
　　　　PROUST, À l'ombre des jeunes filles en fleurs, Pl., p. 877.　　1.1

Absolt, didact. *Une sémantique de la désignation* (→ aussi **Extension, référence**) *et une sémantique de la signification*.

Par ext. Le fait de désigner (une chose) à l'aide de signes autres que linguistiques. *Une désignation de la main, de la tête.*

♦ **3** Action de choisir, d'élire qqn (pour un emploi, une mission, etc.). → **Choix, élection, nomination.** *La désignation d'un délégué. La désignation du successeur par les membres d'une assemblée.* → **Cooptation.** *Désignation d'un héritier.* → **Institution.** *Désignation de qqn pour telle ou telle mission.* → **Délégation.**

On a demandé cette désignation par urgence et, si je ne me trompe, vous partirez avec le détachement de demain pour Toulon (...)　　　LOTI, Matelot, XXXVII, p. 144.　　2

Alors, n'ayant ni le désir d'investir ses frères, ni la possibilité de se créer une descendance — fût-elle à demi fictive, — à quoi lui servirait le droit de désignation?　　3
　　　　Louis MADELIN, Hist. du Consulat et de l'Empire, Le Consulat, XV, p. 243.

CONTR. Révocation.

DESIGNER [dizajnœʀ; dizajnɶʀ] n. m. — 1952, in Höfler; angl. des États-Unis designer, de design.

Anglic. Spécialiste du design*. → **Dessinateur, styliste.** *«Il y a deux sortes de personnes : les stylistes et les designers, ou plutôt les créateurs. Les premiers habillent une mécanique, font œuvre de carrossiers; les seconds créent une forme et lui adaptent une mécanique»* (Son Magazine, févr. 1971).

Par ext. Décorateur moderne, qui adopte le style design.

REM. On rencontre aussi un verbe *designer* ou *désigner* au sens de «dessiner dans le style du "design"». *«Il touche à tout, "designant" meubles, sièges, couverts, moquettes, stylos»* (*Son Magazine*, févr. 1971, p. 20). À moins de le franciser, ce qui crée une homonymie avec *désigner*, ce verbe est mal intégré au système du français.

DÉSIGNER [deziɲe] v. tr. — XIVᵉ, *dessiner*; rare jusqu'au XVIᵉ; du lat. *designare*, de *de-*, *signum* «signe», et suff. verbal.

I ♦ **1** Indiquer (qqn, qqch.) de manière à faire distinguer de tous les autres, par un geste, une marque, un signe. → **Indiquer, marquer, montrer, signaler.** *Désigner un objet, un endroit en le montrant. Désigner du doigt. Ceci, cela, pronoms servant à désigner une chose concrète ou abstraite. Désigner une suite d'objets.* → **Énumérer.** *Désigner une personne à une autre par un signe de tête, par des allusions explicites. Désigner qqn, qqch. par un nom, un terme, un mot.* → **Appeler, dénommer, nommer.**

1   (...) je pris soin de lui désigner *(au public)* cette seconde augmentation par une marque particulière (...)
       LA BRUYÈRE, les Caractères, t. I, p. 105.

2   (...) il ne s'exprimait jamais sur mon compte qu'en termes outrageants, méprisants, sans me désigner autrement que par *ce petit cuistre*, et sans pouvoir cependant articuler aucun tort d'aucune espèce (...)
       ROUSSEAU, les Confessions, VIII.

3   Du petit doigt, elle désignait un endroit sur la carte.
       J. ROMAINS, les Hommes de bonne volonté, t. V, XXIII, p. 200.

4   Plus majestueux qu'un Suisse d'église, le portier du Pennsylvania désigne, de la paupière, mes bagages à l'un des garçons.
       G. DUHAMEL, Scènes de la vie future, XIV, p. 203.

4.1   Lorsqu'il a de nouveau jeté un coup d'œil, furtif, vers les fenêtres du deuxième étage, les faces blêmes s'étaient sensiblement rapprochées des vitres nues. Un des personnages le désignait du doigt sans se gêner, main pointant en avant.
       A. ROBBE-GRILLET, Dans le labyrinthe, p. 124.

Désigner (qqn) comme arbitre, pour arbitre, pour faire quelque chose.

(Le sujet est le signe). *Cette périphrase, cette allusion semble me désigner.*

♦ **2** **DÉSIGNER (qqn) À** (*l'attention, l'admiration*, etc.) : faire connaître, appeler l'attention sur. → **Signaler.** *Désigner qqn à l'admiration publique. Ses mérites le désignent à l'admiration de tous. Son habit le désigne à la curiosité.*

5   (...) des traits de satire qui le désignent aux autres où il ne se reconnaît pas lui-même (...)
       LA BRUYÈRE, les Caractères, XI, 14.

6   (...) je me butai au *veto* inexorable de M. le Garde des Sceaux, arguant contre notre collège que les titres mêmes qui le désignent à la faveur du Haut Personnel Administratif.
       COURTELINE, Messieurs les ronds-de-cuir, 6ᵉ tableau, II, p. 239.

♦ **3** *Désigner un entretien, un rendez-vous*, en fixer le moment, le lieu. → **Assigner, déterminer.**

7   (...) j'ai fait mettre dans le journal qu'on paierait deux fois tous les impôts et trois fois ceux qui pourront être désignés ultérieurement.   A. JARRY, Ubu roi, III, 4.

8   On pourrait presque désigner le point où un souci vient de se poser sur l'homme comme une mouche.
       J. ROMAINS, les Hommes de bonne volonté, t. III, XVII, p. 227.

♦ **4** Être le signe linguistique de. *En anglais*, «duck» *désigne le canard.* → **Dénommer, représenter.** *«La chose que le mot désigne»* (→ Chat, cit. 15.2). *Cette expression désigne les gens qui...* → **Appliquer** (s'appliquer à), **qualifier, symboliser.**

REM. En sémantique, *désigner* se distingue de *signifier**, et même s'y oppose.

9   Dans les problèmes difficiles que l'histoire offre souvent, il est bon de demander aux termes de la langue tous les enseignements qu'ils peuvent donner. Une institution est quelquefois expliquée par le mot qui la désigne.
       FUSTEL DE COULANGES, la Cité antique, II, x, p. 118.

10   L'amour, commença Phrasilas, est un mot qui n'a pas de sens ou qui les a tous à la fois, car il désigne tour à tour deux sentiments inconciliables : la Volupté et la Passion.
       Pierre LOUŸS, Aphrodite, III, II, p. 147.

II ♦ **1** (1690). Choisir (qqn) pour une activité, un rôle, une dignité... → **Appeler, choisir, nommer.** *Il a été désigné pour entreprendre les recherches. L'assemblée l'a désigné pour assumer les fonctions de président. Désigner par un vote.* → **Élire.** *Désigner pour représenter.* → **Déléguer.** *Désigner chacun pour un travail précis.* → **Spécialiser.**

11   (...) il jugeait absurde qu'un homme fût désigné au commandement par des aptitudes scolaires.
       M. AYMÉ, le Confort intellectuel, VIII, p. 112.

♦ **2** (Sujet n. de chose). Qualifier (qqn) pour un emploi, une mission, etc. → **Destiner** (à), **qualifier.** *Ses qualités le désignent pour ce rôle.*

♦ **DÉSIGNÉ, ÉE** p. p. adj.

Montré, indiqué, fixé. *La personne désignée. Soyez là à l'heure désignée.* → **Dire** (dit). — Nommé, représenté. *Objet désigné par une image, une périphrase.* — Choisi. *Le président désigné a été investi.* — Par ext. *Il est tout désigné pour remplir ce rôle* : nul n'est plus qualifié que lui. *C'est un endroit tout désigné pour camper.* → **Trouvé.**

DÉR. Désignable.

DÉSIGNIFIER [desiɲifje] v. tr. — XXᵉ; de 1. *dé-*, et *signifier.*

Didact. Ôter toute signification à (qqch.). — Absolt :

CE FAIT, cette réalité, n'a que la signification que je lui donne, que je veux ou peux lui donner...
Mais je voudrais ne plus donner de signification à rien. Désignifier... Je n'aime pas tyranniser, et n'aime pas que me tyrannise.   IONESCO, *Journal en miettes*, p. 238.

DÉSILAGE [desilaʒ] n. m. — V. 1968; de 1. *dé-*, et *silo*, d'après *ensilage.*

Techn. Opération qui consiste à décharger un silo de son contenu.

CONTR. Ensilage.

DÉSILICIAGE [desilisjaʒ] n. m. — 1959; de 1. *dé-*, *silicium*, et suff. *-age.*

Techn. Élimination de la silice des eaux industrielles.

DÉSILLUSION [dezi(l)lyzjɔ̃] n. f. — 1834; de *dés-* (→ 1. Dé-), et *illusion.*

Perte d'une illusion; manque d'espérance. → **Déboire, déception, désappointement, désenchantement, mécompte, rancœur.** *L'amertume de ses désillusions* (→ Amertume, cit. 12). *Éprouver une désillusion.* → **Désillusionner** (se); → Être Gros-Jean comme devant, tomber de haut. *Il a eu bien des désillusions depuis son mariage. Quelle désillusion! Grave, dure, sévère; légère désillusion.*

(...) j'ai rarement éprouvé des désillusions, ayant eu peu d'illusions.
       FLAUBERT, Correspondance, 91, 2 avr. 1845.

Par métonymie. Objet d'une désillusion. *Quelle désillusion, ce film!*

La désillusion : la perte des illusions (en général). *Sombrer dans la désillusion.*

CONTR. Illusion ; émerveillement, enchantement, ravissement.

DÉSILLUSIONNANT, ANTE [dezi(l)lyzjɔnɑ̃, ɑ̃t] adj. — 1842 ; du p. prés. de *désillusionner*.
Littér. Qui cause une désillusion.

DÉSILLUSIONNEMENT [dezi(l)lyzjɔnmɑ̃] n. m. — 1828 ; de *désillusionner*.
Littér. Action de faire perdre ses illusions à qqn. — Fait d'être désillusionné, d'éprouver une désillusion.

Combien j'étais encore loin du terme que je croyais avoir atteint ! (...) Mon désillusionnement s'opéra quand il fallut enfin donner de la copie (...) à l'imprimerie.
É. LITTRÉ, *Comment j'ai fait mon dictionnaire*, in Études et Glanures.

DÉSILLUSIONNER [dezi(l)lyzjɔne] v. tr. — 1790 ; de *dés-* (→ 1. Dé-), et *illusionner*.
Faire perdre une illusion à (qqn). → **Décevoir, dégriser, désappointer ; désillusion.**

◆ SE DÉSILLUSIONNER v. pron.
Perdre ses illusions. *Il s'est vite désillusionné.*

Si j'avais pu descendre parler à la fille que nous croisions, peut-être eussé-je été désillusionné par quelque défaut de sa peau que de la voiture je n'avais pas distingué.
PROUST, *À la recherche du temps perdu*, t. IV, p. 140.

◆ **DÉSILLUSIONNÉ, ÉE** p. p. adj.
Qui a perdu l'illusion qu'il avait à propos de qqch. *Désillusionné par son échec, il décida de tout abandonner.* — Qui a perdu ses illusions. → **Blasé, dégoûté, désenchanté.** *Il est complètement désillusionné.*

CONTR. Illusionner ; émerveiller, enchanter, ravir. ◇ DÉR. Désillusionnant, désillusionnement.

DÉSINCARCÉRATION [dezɛ̃kaʁseʁasjɔ̃] n. f. — 1980 ; de *dés-* (→ 1. Dé-), et *incarcération*.
Opération qui consiste à dégager des personnes enfermées dans un véhicule accidenté. *Matériel de désincarcération.*
On emploie aussi le verbe *désincarcérer*, v. tr.

DÉSINCARNATION [dezɛ̃kaʁnasjɔ̃] n. f. — 1913 ; de *désincarner*.

◆1 Relig. Fait d'être dépouillé du corps (par la mort). *La désincarnation des morts.*

1 (...) ils ne sont ni secs ni morts ils dorment empalés sur des couteaux de boucherie désincarnation extase ils rient silencieusement comme des idiots mystiques (...)
Tony DUVERT, *Paysage de fantaisie*, p. 182.

◆2 Didact. ou littér. Action de se détacher de la condition humaine, de la réalité par un effort intellectuel, le pouvoir de l'imagination.

2 On se rappelle ce portrait du philosophe que Platon trace dans le *Phédon* (...) comment le philosophe désincarné (...) perd tous ses traits singuliers pour devenir regard universel. C'est exactement cette désincarnation que recherchent certains Israélites.
SARTRE, *Réflexions sur la question juive*, p. 145.

DÉSINCARNÉ, ÉE [dezɛ̃kaʁne] adj. — 1891 ; de *dés-* (→ 1. Dé-), et *incarné*, p. p. de *incarner*.

◆1 Privé de son corps, de son enveloppe charnelle.

◆2 Qui néglige ou méprise son corps ; qui a perdu tout caractère charnel (souvent iron.). *Une beauté vaporeuse et désincarnée.* → Abstrait, moral. *Une pureté désincarnée. Amour désincarné.* → **Platonique.**

◆3 Qui évoque une créature immatérielle. *Une lumière désincarnée.*

◆4 Qui est détaché de l'aspect matériel des choses. *Cette philosophie s'appuie sur un sujet désincarné, hors de l'histoire. Idées, théories désincarnées. Un spiritualisme désincarné* (→ Angélisme).

DÉR. Désincarner.

DÉSINCARNER [dezɛ̃kaʁne] v. tr. — V. 1922 ; de *désincarné*.

◆1 Littér. Rare. Faire cesser d'être incarné.

1 La princesse d'Épinay, comme elle mettait (...) la qualité mondaine à l'intérieur des êtres, fut obligée de désincarner Mᵐᵉ Swann et de la réincarner en une femme élégante.
PROUST, *À la recherche du temps perdu*, Pl., t. II, p. 745.

◆2 Diminuer le volume des chairs, donner à (...) une apparence qui évoque une créature immatérielle. *Un style pictural qui désincarne les personnages.*

◆3 Rare. Détacher de la condition humaine, de la réalité. — *Se désincarner*, pron. (plus cour.) —

2 (...) quand il veut être grivois, il cite du Pétrone : c'est une manière d'échapper à notre temps ; tout son effort tend à se désincarner (...) Il échappe aux déterminations concrètes, il n'est plus qu'un homme, l'homme éternel.
Roger VAILLAND, *Drôle de jeu*, p. 161.

CONTR. Incarner, réincarner. ◇ DÉR. Désincarnation.

DÉSINCRUSTANT [dezɛ̃kʁystɑ̃] n. m. — 1877 ; p. prés. de *désincruster*.
Techn. Se dit des mélanges chimiques (soude, chlorure de baryum, chaux...) destinés à empêcher la formation des incrustations dans les chaudières à vapeur.

DÉSINCRUSTATION [dezɛ̃kʁystasjɔ̃] n. f. — 1878 ; de *désincruster*.
Technique.

◆1 Action de désincruster une chaudière, un radiateur. → **Détartrage.**

◆2 Par anal. Technique de nettoyage en profondeur de la peau du visage.

DÉSINCRUSTER [dezɛ̃kʁyste] v. tr. — 1871 ; de *dés-* (→ 1. Dé-), et *incruster*.

◆1 Techn. Nettoyer en débarrassant des incrustations, des dépôts. → **Détartrer.** *Désincruster une chaudière.*
Cour. Nettoyer les pores de la peau.

◆2 Ôter un objet du support où il est incrusté. → **Dessertir.**

CONTR. Entartrer ; encrasser. ◇ DÉR. Désincrustant, désincrustation.

DÉSINDEXER [dezɛ̃dɛkse] v. tr. — 1985 ; de *dés-* (→ 1. Dé-), et *indexer*.
Écon. Supprimer la relation de (une valeur) avec un indice déterminé. *Désindexer un prix, une taxe.* — *Désindexer sur*, par rapport à. «(...) le moyen pour l'État de désindexer les traitements sur la hausse des prix» (*le Point*, 12 oct. 1987, p. 72).
On emploie aussi le dér. *désindexation*, n. f. (1985).

CONTR. Indexer.

DÉSINDIVIDUALISATION   [dezɛ̃dividɥalizasjɔ̃]
n. f. — 1936; de *désindividualiser.*

Didact. Action de désindividualiser; son résultat.

1   Cette désindividualisation systématique à quoi travaillait le hitlérisme, préparait admirablement l'Allemagne à la guerre. Et c'est par là surtout, me semble-t-il, que le hitlérisme s'oppose au christianisme, cette incomparable école d'individualisme, où chacun est plus précieux que tous. Nier la valeur individuelle, de sorte que chacun, fondu dans la masse et faisant nombre, soit indéfiniment remplaçable.   GIDE, Journal, 25 mai 1940.

2   Cette idée que la ressemblance est un moyen privilégié de l'art, si longtemps évidente en Europe occidentale, eût surpris un Byzantin pour qui l'art impliquait précisément une désindividualisation, une délivrance de la condition humaine au bénéfice de l'éternel; pour qui un portrait tendait plus au symbole qu'à l'illusion.
          MALRAUX, les Voix du silence, p. 293.

CONTR. **Individualisation.**

DÉSINDIVIDUALISER   [dezɛ̃dividɥalize] v. tr.
— 1924; de *dés-* (→ 1. Dé-), et *individuel,* d'après *individualiser.* → Dépersonnaliser.

Littér. Priver (qqn) de son individualité.

1   Le bonheur de tous ne s'obtient qu'en désindividualisant chacun (...) Pour être heureux, soyez conformes.
          GIDE, Retour de l'U. R. S. S., II, p. 48.

2   Comme le sacré, le divin dédaignait l'individuel; et, s'il devait le connaître, le désindividualisait. L'effigie hellénistique est ressemblante et caractérisée. Mais nos caricatures, ressemblantes aussi, n'appartiennent pas à la réalité pour autant : chacune ressemble à son modèle, aucune ne ressemble à un homme. Et le but du sculpteur hellénistique n'était pas d'imiter son modèle, mais de le faire accéder au vaste théâtre où il rencontrait Homère et Démosthène. Toute autre réalité était étrangère à son art.   MALRAUX, la Métamorphose des dieux, p. 102.

Pronominal :

3   En s'éloignant vers le ciel, l'oiseau se désindividualise; il devient un vol, le vol en soi.
          G. BACHELARD, Lautréamont, p. 63.

CONTR. **Individualiser.** ◊ DÉR. **Désindividualisation.**

DÉSINDUSTRIALISER   [dezɛ̃dystrijalize] v. tr.
— 1923 au p. p.; de *dés-* (→ 1. Dé-), et *industrialiser.*

Écon. Supprimer les activités industrielles de (un secteur économique, une région). — Pron. *Pays qui s'est désindustrialisé.* — Au p. p. *Des régions désindustrialisées.*

On emploie aussi le dér. (bien formé, mais très lourd) *désindustrialisation,* n. f. (1954).

DÉSINENCE   [dezinãs] n. f. — XIVᵉ; lat. médiéval *desinentia,* du p. prés. *desinens* de *desinere* «finir, se terminer».

♦ 1 Ling. Élément variable qui s'ajoute au radical, au thème pour produire les formes d'un paradigme. → Flexion, inflexion, terminaison. *En latin, les cas des mots se distinguent par leur désinence.* → Cas; déclinaison. — *Désinences verbales* (→ Adverbe, cit. 2). *Désinence féminine,* qui marque le genre féminin ou comporte un «e muet».

1   La désinence est l'élément qui termine la forme verbale; elle est essentiellement variable et marque les flexions de personne, de nombre, de temps, de mode et parfois de genre.   GREVISSE, le Bon Usage, n° 622, p. 462.

2   (...) grâce à l'intervention des pronoms et de divers autres petits mots adroitement placés, la phrase française, malgré l'absence des désinences et des déclinaisons, peut retrouver toute la souplesse, toute la variété des constructions latines.
          G. DUHAMEL, Discours aux nuages, p. 60.

♦ 2 Bot. Manière dont certains organes se terminent.

CONTR. **Commencement, radical.** ◊ DÉR. **Désinentiel.**

DÉSINENTIEL, ELLE   [dezinãsjɛl] adj. — 1803; de *désinence.*

Ling. Qui est relatif aux désinences. *Le latin est une langue désinentielle,* elle présente des désinences.

DÉSINFATUER   [dezɛ̃fatɥe] v. tr. — 1690; de *dés-* (→ 1. Dé-), et de *infatuer.*

Vx. Faire perdre à qqn son infatuation.

DÉSINFECTANT, ANTE   [dezɛ̃fɛktã, ãt] adj. et n. m. — 1812; p. prés. de *désinfecter.*

♦ 1 Adj. Qui sert à désinfecter*. *Produit désinfectant. Substance désinfectante.*

♦ 2 N. m. (1820). *Un désinfectant. Désinfectants servant à chasser les mauvaises odeurs* (absorbants, chlorure de chaux, gommes-résines, ozone, sulfate de fer). → **Désodorisant.** — *Désinfectants utilisés en horticulture* (formol, toluène, sulfure de carbone).

Je détestais mon hôtel, son odeur de désinfectant et de dollars (...)   S. DE BEAUVOIR, *les Mandarins,* p. 302.

Méd. Substance ayant des propriétés antiseptiques, utilisée pour détruire des micro-organismes pathogènes (biiodure de mercure, bichlorure de mercure ou sublimé, coaltar, formol, eau oxygénée, iode, soufre, naphtol, phénol...).

DÉSINFECTER   [dezɛ̃fɛkte] v. tr. — 1556; de *dés-* (→ 1. Dé-), et *infecter.*

Procéder à la désinfection* de (un lieu, un objet). → Assainir, purifier. *Désinfecter la chambre d'un malade contagieux. Désinfecter une salle d'hôpital. Désinfecter une plaie, une blessure.* → Aseptiser. *Désinfecter des instruments de chirurgie.* → Stériliser. *Désinfecter l'eau potable en période d'épidémie.* → Verduniser. *Désinfecter l'air par une fumigation* (→ Charnier, cit. 5).

CONTR. **Envenimer, infecter, salir, souiller.** ◊ DÉR. **Désinfectant, désinfecteur.**

DÉSINFECTEUR   [dezɛ̃fɛktœr] adj. et n. m. — 1834; au fig.; de *désinfecter.*

Techn. Qui sert à désinfecter. *Appareil désinfecteur :* cuve de trempage, étuve à vapeur à basse pression, étuve à vapeur sous pression.

N. m. *Un désinfecteur.*

DÉSINFECTION   [dezɛ̃fɛksjɔ̃] n. f. — 1630; de *dés-* (→ 1. Dé-), et *infection.*

Destruction, par des procédés chimiques ou physiques, de germes infectieux se trouvant hors de l'organisme, à la surface du corps. → Désinfecter; antisepsie (cit.), asepsie, aseptisation, assainissement, purification, stérilisation; hygiène. *Désinfection d'une plaie, d'un champ opératoire, d'une cavité organique. Désinfection d'une salle d'hôpital. Désinfection de vêtements. Moyens physiques de désinfection :* aération, chaleur, électricité... *Moyens chimiques de désinfection* (→ Désinfectant).

(...) l'obstacle opposé à l'arrivée des microbes et des germes par la désinfection complète, la propreté absolue des instruments et des mains (...) en un mot l'asepsie (...)
          P. VALLERY-RADOT (→ Antisepsie, cit.).

Service d'hygiène chargé de cette opération.

CONTR. **Infection; saleté, souillure.**

DÉSINFESTATION   [dezɛ̃fɛstasjɔ̃] n. f. — XXᵉ; de *dés-* (→ 1. Dé-), et *infestation.*

Didact. Extermination de petits animaux nuisibles (surtout arthropodes et petits rongeurs) qui infestent les habitations, les vêtements, ou les individus. → aussi **Désinsectisation.**

DÉSINFLATION [dezɛ̃flasjɔ̃] n. f. — V. 1970; de *dés-* (→ 1. Dé-), et *inflation*.

Écon. Réduction de l'inflation. → **Déflation.** *Mener une politique rigoureuse de désinflation.*

CONTR. **Inflation.**

DÉSINFORMATION [dezɛ̃fɔʀmasjɔ̃] n. f. — 1954, *la Clé des mots*; de *dés-* (→ 1. Dé-), et *information*.

Utilisation des techniques de l'information, notamment de l'information de masse, pour induire en erreur, cacher ou travestir les faits. — REM. Le mot est mal formé, dans la mesure où *dés-* (*dé-*) n'implique que la diminution ou l'annulation (d'une information). *Désinformation et sous-information*.* — *Pratiquer la désinformation.* → **Désinformer.**

1   En sa séance du 22 mai 1980, elle (*l'Académie française*) définissait la *désinformation* comme «l'action particulière ou continue qui consiste, en usant de tout moyen, à induire un adversaire en erreur ou à favoriser chez lui la subversion dans le dessein de l'affaiblir». Et les Immortels d'imaginer, dans le premier cas, «un gouvernement, un état-major, une opinion publique égarés par la désinformation», et dans le second, «la transmission de faux renseignements, procédé classique».
      le Quotidien de Paris, 24 sept. 1982.

2   Lundi 21, démentant la rumeur selon laquelle Walesa (...) Jerzy Urban, «révélait» aux correspondants étrangers que le président de Solidarité «se trouvait à Varsovie en bonne condition (...) et qu'il négociait avec les autorités» (...) Habile manipulation : Jerzy Urban espérait sans doute que les radios occidentales allaient répercuter sur la Pologne son exercice de désinformation.
      l'Express, 24-31 déc. 1981, p. 37.

DÉSINFORMER [dezɛ̃fɔʀme] v. tr. — 1959, *in* D.D.L.; de *dés-* (→ 1. Dé-), et *informer*.

Informer de manière à cacher certains faits ou à les falsifier. → **Désinformation.** — Au p. p. *Un peuple désinformé par la propagande, par les médias.*

DÉSINHIBER [dezinibe] v. tr. — V. 1980; de *dés-* (→ 1. Dé-), et *inhiber*.

Lever l'inhibition de (qqn). → fam. **Décoincer, décomplexer.**

On rencontre aussi les dérivés *désinhibition* [dezinibisjɔ̃] n. f. et *désinhibiteur, trice* [dezinibitœʀ, tʀis] adj.

DÉSINSECTISATION [dezɛ̃sɛktizasjɔ̃] n. f. — 1932, *in* D.D.L.; de *dés-* (→ 1. Dé-), *insecte*, et suff. *-isation*.

Didact. Destruction des insectes (mouches, moustiques, punaises, cafards...) porteurs de germes pathogènes; son résultat. *Agents de désinsectisation* (tels que gaz sulfureux, pétrole, et D.D.T.*). *La désinsectisation d'une surface d'eau, d'une zone géographique, d'un animal.* → aussi **Désinfestation.**

DÉSINSECTISER [dezɛ̃sɛktize] v. tr. — 1932; de *dés-* (→ 1. Dé-), *insecte*, et suff. verbal.

Supprimer les insectes de (→ **Désinsectisation**). *Désinsectiser des grains.*

DÉSINSERTION [dezɛ̃sɛʀsjɔ̃] n. f. — 1953, Quillet; de *dés-* (→ 1. Dé-), et *insertion*.

◆ **1** Chir. Arrachement de son point d'attache (d'un muscle, d'un tendon, d'une membrane).

◆ **2** Didact. Le fait de cesser d'être inséré.

On retrouvera le problème de l'insertion de l'homme, entre ciel et terre, des symboles de la société, mais il est intéressant de noter que, pour le sage, la désinsertion cosmique débute au niveau du tube digestif, dans un processus de purification initiale (...)
      A. LEROI-GOURHAN, le Geste et la Parole, t. II, p. 101-102.

DÉSINSTALLER [dezɛ̃stale] v. tr. — 1987; de *dés-*, et *installer*.

Inform. Supprimer (un logiciel) du disque dur d'un ordinateur. «*Il faut néanmoins s'armer de patience pour installer programmes et données, et malheureusement trop souvent aussi pour les désinstaller et éviter ainsi de saturer son disque dur*» (le Monde, 21 sept. 1998, p. 32).

On emploie aussi le substantif *désinstallation* [dezɛ̃stalasjɔ̃] n. f.

DÉSINTÉGRATION [dezɛ̃tegʀasjɔ̃] n. f. — 1871; de *désintégrer*.

◆ **1** Action de désintégrer; son résultat. → **Désagrégation, destruction.**

(1907, *Rev. gén. des sc.*). Phys. Transformation d'un atome (d'un élément) par transformation de la structure de son noyau. → **Fission, radioactivité, transmutation.** *Désintégration de la matière, spontanée ou provoquée. La désintégration de l'uranium.* Géol. Décomposition (des roches) sous l'influence d'agents atmosphériques.

◆ **2** Fig. Destruction complète (de qqch., d'une personnalité...).

La propagande, la torture sont des moyens directs de désintégration.   CAMUS, l'Homme révolté, p. 229.

DÉSINTÉGRER [dezɛ̃tegʀe] v. tr. — 1878, P. Larousse, Premier Suppl.; de *dés-* (→ 1. Dé-), et *intégrer*.

◆ **1** Didact. Défaire l'intégrité de (un tout). → **Désagréger, détruire, miner, saper.**

◆ **2** Phys. et cour. Transformer (la matière) en énergie, partiellement ou totalement (→ **Annihilation**). — Pron. *Les corps radioactifs donnent naissance à de nouveaux éléments en se désintégrant* (→ **Radioactivité**).

◆ **3** Fig. Détruire complètement. *Désintégrer des préjugés.* Pron. *Perdre sa cohésion. La société se désintégrait.*

(... dans sa tête l'impression de quelque chose qui allait exploser, se désintégrer)...
      Claude SIMON, le Vent, p. 170.

◆ **DÉSINTÉGRÉ, ÉE** p. p. adj. *Corps radioactif désintégré.* — *Classe sociale désintégrée.*

DÉR. **Désintégration.**

DÉSINTELLECTUALISER [dezɛ̃telɛktɥalize] v. tr. — 1927, Gide; de *dés-* (→ 1. Dé-), *intellectuel*, et suff. *-iser*.

Didact. Rendre moins intellectuel; supprimer les éléments intellectuels de (qqch.).

Et tandis que l'abbé Brémond désintellectualise pieusement le poème, la musique (...) tend à s'alourdir de (...) signification (...)
      GIDE, le Retour du Tchad, VIII, in Souvenirs, Pl., p. 1005.

CONTR. **Intellectualiser.**

DÉSINTÉRESSÉ, ÉE [dezɛ̃teʀese] adj. — XVIᵉ; p. p. adj. de *désintéresser*.

◆ **1** Vx. Qui n'a, qui ne porte aucun intérêt matériel ou moral à qqch. → **Indifférent.** *Être désintéressé dans une affaire.* — (Suivi d'un compl. en *de*). *Être désintéressé du monde.* → **Détaché; sceptique.**

Les femmes ne peuvent comprendre qu'il y ait des   1
hommes désintéressés à leur égard.
      VAUVENARGUES, Maximes, 361.

♦ 2 (1665). Mod. Qui n'agit pas par intérêt personnel.
→ **Altruiste, bon, détaché, généreux, prodigue.** *C'est un homme parfaitement désintéressé.*

2 (...) *ces imbéciles qui se persuadent qu'il existe d'une part les amoureuses désintéressées, et de l'autre les rouées qui ne cherchent que l'argent.*
F. MAURIAC, le Nœud de vipères, I, VII, p. 80.

3 *Ne t'y trompe pas, le mot désintéressé ne comporte pas la moindre nuance d'ironie. Ce noble mot signifie que ces bons serviteurs n'ont pas l'intention de tirer un parti personnel de ce que nous leur faisons faire : ils servent, ils accomplissent leur devoir.*
G. DUHAMEL, Chronique des Pasquier, VIII, IV, p. 320.

N. Personne qui ne se soucie pas de son intérêt. *C'est un désintéressé.*

3.1 *L'intérêt parle toutes les langues, et joue toutes sortes de personnages, même celui de désintéressé.*
LA ROCHEFOUCAULD, Maximes, 39.

♦ 3 (Choses). Qui s'accomplit, se manifeste sans être inspiré par l'intérêt personnel. *Action, attitude, conduite désintéressée.* → **Bénévole, gratuit.** *Agir d'une façon désintéressée* (→ Œil : pour les beaux yeux de qqn). *Aimer qqn de manière désintéressée* (→ Assommer, cit. 18.2). *Donner un avis, un conseil désintéressé. Sentiments désintéressés. Une pensée, une culture* (cit. 11) *désintéressée. Des travaux désintéressés. — Recherches désintéressées de science pure* (recherche fondamentale*). *Un savoir désintéressé. Un amour désintéressé de la science.*

4 *L'homme voué aux travaux désintéressés est un mineur dans les affaires du monde; il faut qu'il ait un tuteur.*
RENAN, Souvenirs d'enfance..., VI, IV, p. 251.

5 *Je ne nie pas qu'il y ait, de par le monde, des actions nobles, généreuses, et même désintéressées; je dis seulement que derrière le plus beau motif, souvent se cache un diable habile et qui sait tirer gain de ce qu'on croyait lui ravir.*
GIDE, les Faux-monnayeurs, II, VII, p. 281.

6 (...) *qu'on n'oublie pas qu'un geste de théâtre est violent, mais qu'il est désintéressé; et que le théâtre enseigne justement l'inutilité de l'action qui une fois faite n'est plus à faire, et l'utilité supérieure de l'état inutilisé par l'action mais qui, retourné, produit la sublimation.*
A. ARTAUD, le Théâtre et son double, En finir avec les chefs-d'œuvre, Idées/Gallimard, p. 127.

7 (...) *une vie donnée à la science, au culte désintéressé de la science.*
BERNANOS, la Joie, p. 581, *in* T. L. F.

N. (au sing.). Caractère de ce qui est fait sans recherche d'un intérêt.

8 *Je reconnais le bourgeois non point à son costume et à son niveau social, mais au niveau de ses pensées* (...) *le bourgeois a la haine du gratuit, du désintéressé* (...) *il* (...) *hait tout ce qu'il ne peut s'élever à comprendre.*
GIDE, Journal, 22 août 1937 (→ Bourgeois, cit. 12).

Théol. *Amour désintéressé de Dieu :* amour de Dieu pour lui-même et non par intérêt d'une récompense future. → **Charité; parfait, pur** (→ Amour, cit. 1).

♦ 4 Objectif, impartial. *Conseiller désintéressé. Esprit désintéressé. Juge, jugement désintéressé.*

9 *Le scepticisme ne convient pas à tout le monde, il suppose un examen profond et désintéressé.*
DIDEROT, Pensées philosophiques, nº 24.

CONTR. Attaché, avare, avide, cupide, égoïste, intéressé, sordide. ◊ **DÉR. Désintéressement.**

DÉSINTÉRESSEMENT [dezε̃teʀesmɑ̃] n. m. — 1649, Retz, *in* D. D. L.; de *désintéresser.*

♦ 1 Détachement de tout intérêt personnel. → **Abandon** (de soi-même), **altruisme, bonté, générosité, oubli** (de soi), **prodigalité, sacrifice.** *Un entier, un parfait désintéressement. Faire preuve de désintéressement.* → **Abnégation, détachement.** *Agir avec désintéressement.*

(...) *que l'étude assidue de deux langues mortes est, dans un siècle sordide, preuve de désintéressement et que le désintéressement est le principal ressort de la civilisation véritable.*   1
G. DUHAMEL, Inventaire de l'abîme, XI, p. 157.

Un homme n'est pleinement affirmé que dans un certain désintéressement. Ce mot s'entend de façons diverses : mais il ne s'agit pas de démissionner du monde et de s'abriter dans la trop célèbre tour d'ivoire. De celui qui tend trop avidement vers les biens de ce monde des doigts crochus, la langue populaire dit qu'il est intéressé : c'est le désintéressement, le contraire de cet intérêt, qui est vraiment une haute valeur de l'homme.   2
DANIEL-ROPS, Ce qui meurt..., V, p. 183.

Spécialt, vieilli. Manque d'intérêt pour (qqch., qqn). *Vivre dans le désintéressement de toutes choses.* → **Indifférence, scepticisme.**

♦ 2 (XXᵉ). Action de désintéresser (qqn). → **Compensation, dédommagement, indemnisation, réparation.** *Le désintéressement des créanciers.*

CONTR. Attachement, avarice, avidité, cupidité, égoïsme, intérêt, sordidité.

DÉSINTÉRESSÉMENT [dezε̃teʀesemɑ̃] adv. — Fin XVIIIᵉ; de *désintéressé.*

Vx. D'une manière désintéressée.

Je parle ici désintéressément, et je m'oublie autant qu'il est possible, pour ne songer qu'à la vérité.
RESTIF DE LA BRETONNE, la Vie de mon père, p. 246.

DÉSINTÉRESSER [dezε̃teʀese] v. tr. — 1552, Rabelais; de *dés-* (→ 1. Dé-), et *intéresser.*

♦ 1 Rendre (qqn) étranger à une affaire en l'indemnisant ou en lui payant ce qui lui est dû. → **Contenter, dédommager, indemniser, payer.** *Désintéresser ses créanciers.*

♦ 2 Détourner (qqn) de l'intérêt qu'il manifestait à une chose, une idée, une personne. *Désintéresser qqn d'un parti, d'une cause.*

♦ SE DÉSINTÉRESSER v. pron. (1690). *Se désintéresser de (qqn, qqch.) :* ne plus porter intérêt (à qqn ou à qqch.). *Se désintéresser de ses affaires, de son travail.* → **Négliger.** *Se désintéresser de ses préoccupations personnelles.* → **Oublier.** *Se désintéresser des conséquences d'une affaire* (→ Laver : se laver les mains de...). *Il s'est complètement désintéressé de ses amis. Se désintéresser des honneurs, de la gloire.* → **Mépriser, moquer** (se).

Un honnête homme se paye par ses mains de l'application qu'il a à son devoir par le plaisir qu'il sent à le faire, et se désintéresse sur les éloges, l'estime et la reconnaissance qui lui manquent quelquefois.   1
LA BRUYÈRE, les Caractères, II, 15.

Il se réconforta encore en récapitulant dans sa mémoire tous les crimes impunis qu'il connaissait et dont l'opinion publique avait fini par se désintéresser.   2
P. MAC ORLAN, la Bandera, IV, p. 51.

(...) *débrouillez-vous. Moi je ne m'en occupe plus. Je m'en désintéresse complètement. Je voulais vous donner quelque chose d'utile, de très solide, mais des pièces de collection, surtout en ce moment-ci, ça non.*   3
N. SARRAUTE, le Planétarium, p. 55.

Vx. *Se désintéresser sur (pour) qqch. :* se montrer indifférent (au sujet de qqch.).

CONTR. Intéresser. — Penser (à), **préoccuper** (se préoccuper de), **soucier** (se soucier de). ◊ **DÉR. Désintéressé, désintéressement, désintérêt.**

DÉSINTÉRÊT [dezε̃teʀε] n. m. — 1830; de *se désintéresser,* d'après *intérêt.*

Littér. État de l'esprit qui se désintéresse de qqch., perd l'intérêt qu'il y prenait. → **Indifférence.** *Le désintérêt de qqch., de qqn,* le fait de s'en désintéresser. — **Psychol.** *Désintérêt affectif* : indifférence au monde extérieur, se manifestant par de faibles réactions émotionnelles, de l'incuriosité, l'absence d'initiative (le sujet pouvant néanmoins être profondément affecté pour ses propres idées).

(...) ce paysage d'indifférence, qui est clarté de la vie. Je m'avance parmi les choses avec ma vision noire, et leur désintérêt, leur désaffection me saisit.
ARAGON, *Blanche...*, III, II, p. 398.

CONTR. Intérêt.

DÉSINTOXICATION [dezɛ̃tɔksikasjɔ̃] n. f. — 1862, «action de faire disparaître la toxicité de (qqch.)»; de *dés-* (→ 1. Dé-), et *intoxication.*

♦ **1 Méd.** Traitement qui a pour but de guérir une intoxication, et **(cour.)** d'obtenir d'un alcoolique ou d'un toxicomane qu'il se désaccoutume progressivement de l'alcool ou des stupéfiants. *Suivre une cure de désintoxication.* → **Désintoxiquer.** — (V. 1972, *in* D.D.L.). Abrév. fam. : *désintox(e).*

1 Une désintoxication sérieuse ne s'obtient pas en privant le malade du poison qu'il a coutume d'absorber, mais en le déshabituant progressivement d'en prendre.
H. TROYAT, le Vivier, p. 167.

2 Et, ayant atteint le point abstrait et illusoire de la désintoxication, c'est-à-dire n'absorbant plus du tout de drogue, il avait achevé de prendre conscience de ce que c'était que l'intoxication. Tandis qu'il semblait physiquement séparé de la drogue, tous les effets en demeuraient dans son être.
DRIEU LA ROCHELLE, le Feu follet, p. 45.

3 Ma mère connaissait déjà un colonel en retraite, un ancien administrateur des colonies rayé des cadres, et un vice-consul de France en Chine opiomane, venu à Nice faire une cure de désintoxication.
R. GARY, la Promesse de l'aube, Folio, p. 183.

♦ **2** Action de désintoxiquer (2.).

♦ **3 Fig.** Mettre fin à une intoxication.

4 Ce fut elle qui, de temps en temps, proposait une sortie en voiture, le cinéma, le cabaret, ou les Bouffes-Parisiens, voire les Folies-Bergère. Elle espérait qu'une désintoxication progressive serait plus efficace qu'un traitement trop brutal.
Roger IKOR, les Fils d'Avrom, les Eaux mêlées, p. 569.

CONTR. Intoxication.

DÉSINTOXIQUANT, ANTE [dezɛ̃tɔksikã, ãt] adj. — 1921; p. prés. de *désintoxiquer.*

Qui désintoxique. *Un produit désintoxiquant.*

Les intoxications, périlleuse innovation de la médecine, servant à renouveler les étiquettes des pharmaciens dont tout produit est déclaré nullement toxique (...) et même désintoxiquant.
PROUST, Sodome et Gomorrhe, Pl., t. II, p. 796.

DÉSINTOXIQUER [dezɛ̃tɔksike] v. tr. — 1862; de *dés-* (→ 1. Dé-), et *intoxiquer.*

♦ **1 Méd.** Guérir (qqn) d'une intoxication. → **Désintoxication.** — **Spécialt.** Faire subir (à qqn) une cure de désintoxication. *Désintoxiquer un alcoolique, un toxicomane.*

♦ **2 Cour.** Débarrasser de ses toxines (→ **Détoxication**). *La campagne désintoxique le citadin.* **Absolt.** *Le bon air désintoxique.*

◆ **SE DÉSINTOXIQUER** v. pron.

Suivre une cure de désintoxication. *Grâce aux remèdes, il se désintoxique peu à peu.*

Fam. Se débarrasser de ses toxines. *Partir en forêt se désintoxiquer.*

Cesser d'être intoxiqué **(fig.)**, chasser une habitude, une obsession. *Il faut se désintoxiquer de littérature.*

DÉR. Désintoxiquant.

DÉSINTRICATION [dezɛ̃tʀikasjɔ̃] n. f. — Mil. XXᵉ; de *dés-* (→ 1. Dé-), et *intrication.*

Didact. Cessation d'une intrication, d'une situation intriquée.

(...) ce serait trop dire que nous allions reporter ces remarques sur le champ de la psychanalyse puisqu'elles y sont déjà, et que la désintrication qu'elles y produisent entre la technique de déchiffrage de l'inconscient et la théorie des instincts, voire des pulsions, va de soi.
Jacques LACAN, Écrits, p. 261.

CONTR. Intrication.

DÉSINVESTIR [dezɛ̃vɛstiʀ] v. — 1846, Bescherelle; «cesser d'investir (d'un pouvoir)», 1829; v. pron. «se débarrasser», fin XVIᵉ; de *dés-* (→ 1. Dé-), et *investir.*

♦ **1 V. tr. Milit.** Cesser d'investir* (II.). *Désinvestir une place.* — **Au p. p.** *Place désinvestie.*

♦ **2 Intrans.** Ⓐ **Psychan.** Cesser d'investir*.

Ⓑ **Écon.** Réduire ou supprimer les investissements dans un secteur.

CONTR. Investir. ◊ **DÉR. Désinvestissement.**

DÉSINVESTISSEMENT [dezɛ̃vɛstismã] n. m. — 1846, Bescherelle; de *désinvestir.*

♦ **1** Action de désinvestir (1.). *Désinvestissement d'une place forte.*

♦ **2** Ⓐ **Psychan.** Action, fait de désinvestir (2.).

Langage de la force : ainsi tout le vocabulaire désignant la dynamique des conflits, dont le terme de refoulement est le plus connu et le mieux étudié dans ses mécanismes, mais aussi tout le vocabulaire économique, investissement, désinvestissement, surinvestissement, etc.
P. RICŒUR, Une interprétation philosophique de Freud, in La Nef, nº 31, p. 117.

Ⓑ **Écon.** Fait de réduire ou de supprimer les investissements dans un secteur.

CONTR. Investissement.

DÉSINVITER [dezɛ̃vite] v. tr. — 1688; de *dés-* (→ 1. Dé-), et *inviter.*

Supprimer l'invitation de (qqn).

Je fis la supposition que M. de Charlus lui avait demandé de me désinviter, comme il m'avait fait prier par Robert de ne pas aller chez elle.
PROUST, le Côté de Guermantes, Pl., t. II, p. 506.

CONTR. Inviter.

DÉSINVOLTE [dezɛ̃vɔlt] adj. — Fin XVIIᵉ; adapt. de l'ital. *disinvolto*; de *dis-*, et *involvere* «envelopper»; cf. l'esp. *desenvuelto* «développé».

♦ **1** Qui est à l'aise, dégagé dans ses attitudes, ses mouvements. → **Aisé, dégagé, leste.** *Un promeneur désinvolte.* — (Actions). *Marche désinvolte. Allure désinvolte.*

Les derniers arrivés de la mer, on les reconnaissait à leur teint plus bronzé, à leurs allures plus désinvoltes (...)
LOTI, Mon frère Yves, IV, p. 24.

♦ **2** (XXᵉ). Personnes. Qui fait montre d'une liberté un peu insolente, d'une légèreté excessive. *Se montrer désinvolte avec qqn.* → **Abandonné, franc, libre, sans-gêne.**

(Comportement, état d'esprit). Qui manifeste de la désinvolture. *Morale désinvolte. Langage désinvolte.* → **Détaché, familier, léger.** *Une tournure désinvolte. Style désinvolte. Réponse désinvolte* (→ **Impertinent, inconvenant).**

2   La façon désinvolte dont vous parlez de la mort de votre père dans votre lettre, m'a outré, encore que je la comprenne ; exactement : je la comprends et j'en suis outré.
                  MONTHERLANT, Pitié pour les femmes, p. 274.

N. m. Manière d'être, procédé libre et parfois inconvenant. → **Désinvolture.** *Le désinvolte de son attitude choque son entourage. Passer du désinvolte au grave.*

3   (*Le cardinal de Rohan avait*) une facilité de parler admirable et un désinvolte merveilleux pour conserver tous les avantages qu'il pouvait tirer de sa princerie et de sa pourpre (...)   SAINT-SIMON, Mémoires, IV, X.

CONTR. Embarrassé, empêtré, gêné, lourd, maladroit ; appliqué, cérémonieux, précieux, rigoureux, sérieux.

DÉSINVOLTURE [dezɛ̃vɔltyʀ] n. f. — 1794, *in* D.D.L. ; ital. *disinvoltura*, de *disinvolto*. → Désinvolte.

Attitude, tenue, tournure désinvolte. → **Abandon, aisance, laisser-aller, légèreté.** *Répondre avec désinvolture* (→ **Familiarité, impertinence, inconvenance).** *La désinvolture du style. La désinvolture de son comportement.* → **Liberté** (→ Balourdise, cit. 3). *Agir avec désinvolture.* → **Sans-gêne.**

1   Pour des êtres de sa trempe, notre enseignement est, somme toute, inoffensif : ils savent choisir, d'instinct ; ils ont, — comment dirai-je ? — une désinvolture de bonne race, qui ne se laisse pas mettre en lisières.
                  MARTIN DU GARD, les Thibault, t. III, p. 281.

2   Les intellectuels qui fréquentent et patronnent le cinéma lui demandent de lâches récréations, mais le regardent s'embourber dans la pire sottise avec une admirable désinvolture.
                  G. DUHAMEL, Scènes de la vie future, III, p. 63.

CONTR. Embarras, gêne, lourdeur ; application, cérémonie, maintien, préciosité, retenue, rigueur, sérieux.

DÉSIR [deziʀ] n. m. — Fin XIIᵉ ; déverbal de *désirer.*

♦ 1 Prise de conscience d'une tendance particulière qui porte à vouloir obtenir un objet connu ou imaginé. → **Ambition, appétence, appétit** (cit. 2), **aspiration** (cit. 5), **attente, attirance, attrait, besoin, but, convoitise** (cit. 6), **démangeaison, dessein, envie, espérance, espoir, exigence, faim, force, goût, impatience** (→ Attente, cit. 20), **inclination, intention, intérêt, passion, penchant, prétention, rêve, soif, souhait, tendance, tentation, velléité, visée, vœu ; volonté.** *Désir réfléchi, raisonnable, conscient, intelligent.* → **Volonté.** *Avoir le ferme désir.* → **Vouloir.**

1   *Vouloir* désigne un mouvement libre de la personnalité, auquel on se détermine d'une manière réfléchie ; *désirer* indique un entraînement fatal et passionné qu'on subit. On dit de la *volonté* qu'elle est plus ou moins éclairée ; du *désir* qu'il est plus ou moins violent.
                  LAFAYE, Dict. des synonymes, Vouloir,... désirer.

Désir fugitif, inconstant, momentané. → **Caprice, curiosité, fantaisie.** *Désir apaisé* (cit. 3), *ardent* (→ Auprès, cit. 12), *aveugle, avide, avivé, bas, brûlant, criminel, cuisant* (→ Cuisson, cit. 2), *cupide, déréglé, dominant, exaspéré, exclusif, extrême, ferme, fiévreux, fou, immodéré, impatient, impérieux, inassouvi, insatiable, insatisfait, instinctif, intense, irraisonné, naturel, passionné, physique, pressant, refoulé, satisfait, trouble, véhément, vif, violent. Des yeux brillants de désir* (→ Azuré, cit. 3). *L'ardeur, la force, l'impétuosité, l'intensité, la violence d'un désir. Éprouver un désir irrésistible.* → **Séduction.** *Être dévoré, éperdu, miné de désirs. Ivre, bouillant de désirs. Être affamé, rempli, assailli* (cit. 7) *de désirs. Un cri de désir* (→ Accorder,

cit. 33). *Crier* (cit. 2) *de désir. Brûler du désir de partir* (cf. Griller d'impatience). *Exprimer, former, formuler, manifester, montrer un désir.* → **Appel, demande, souhait, vœu ; plaire** (plaise à Dieu). *Prendre ses désirs pour la réalité :* s'imaginer que la réalité est conforme à ce qu'on souhaite. *Il y a loin du désir à la réalité* (→ Il y a loin de la coupe* aux lèvres). *Allumer* (cit. 9), *attiser* (cit. 4), *aviver, cingler, exciter, faire naître* (→ Choc, cit. 16), *fouetter, inspirer un désir.* → **Affriander, affrioler, allécher, attirer, tenter ;** → Faire venir l'eau à la bouche* ; mettre en goût*. *Contenter, apaiser* (cit. 7), *réaliser, remplir, satisfaire, assouvir* (→ Assouvissement, cit. 4) *les désirs de qqn. Borner, contenir* (cit. 10), *éteindre, limiter, modérer, refréner ses désirs. Résister à ses désirs. Acquiescer* (cit. 11), *céder, correspondre, répondre aux désirs de qqn. Prévenir, exaucer, combler les désirs de qqn. Le désir naît, se déclenche, croît* (cit. 10), *grandit, monte, s'exaspère, s'éteint, s'attiédit* (cit. 11). *Le désir de l'argent, du gain, des richesses.* → **Cupidité** (cit. 1). *Le désir du confort. Le désir de la gloire, des honneurs, de l'immortalité.* → **Ambition ; vanité.** *Un désir de paix, de retraite, de silence* (→ Cloître, cit. 3). *N'avoir aucun désir* (→ **Désintérêt, détachement).** *Être sans désir.* → **Indifférent** (→ Apaisement, cit. 2 et 5).

2   Vous me connaissez mal : la même ardeur me brûle,
    Et le désir s'accroît quand l'effet se recule (...)
                  CORNEILLE, Polyeucte, I, 1.

3   Il est certain que la possession d'une chose en donne des idées plus justes que le désir (...) L'homme a plus d'ardeur pour acquérir que pour conserver.
                  RIVAROL, Fragments et Pensées philosophiques,
                                                        Des animaux.

4   Ayez soin qu'il vous manque toujours dans votre maison quelque chose dont la privation ne vous soit pas trop pénible, et dont le désir vous soit agréable. Il faut se maintenir en tel état qu'on ne puisse être jamais ni rassasié ni insatiable.
                  Joseph JOUBERT, Pensées, VIII, XXVII.

5   N'avons-nous pas tous, plus ou moins, pris nos désirs pour des réalités ?
                  BALZAC, la Peau de chagrin, t. IX, p. 85.

6   Le pauvre sans désirs possède le plus grand des trésors ; il se possède lui-même. Le riche qui convoite n'est qu'un esclave misérable.
                  FRANCE, le Crime de S. Bonnard, Œ., t. II, p. 285.

7   (...) Chaque désir m'a plus enrichi que la possession toujours fausse de l'objet même de mon désir.
                  GIDE, les Nourritures terrestres, I, I, p. 21.

8   Même l'intelligence ne fonctionne pleinement que sous l'impulsion du désir.
                  CLAUDEL, Positions et Propositions, p. 97.

9   Ses désirs étaient toujours si impérieux qu'il ne doutait jamais de leur exécution ; et, en fait, il avait jusqu'à présent mené à bout tout ce qu'il avait ainsi voulu avec opiniâtreté.
                  MARTIN DU GARD, les Thibault, t. I, p. 206.

9.1 Qu'est le désir ? Les psychologues et psychanalystes et autres qui posent cette question (*qui posent ainsi la question*) manquent de connaissances philosophiques. Le désir n'est pas. Les philosophes le savent depuis longtemps. Il «veut». Que veut-il ? Dans la mesure où ce terme qui désigne de l'«être» a un sens, le désir se veut. Et veut sa fin : sa disparition dans un éclair de jouissance.
                  Henri LEFEBVRE, la Vie quotidienne dans le
                                        monde moderne, p. 222.

Vieilli et fam. *À ton (votre) désir :* comme tu (vous) le désires (désirez).

DÉSIR DE..., suivi de l'inf. *Le désir de vivre, de mourir. Désir de briller, de plaire.* → **Coquetterie** (cit. 8). *Le désir de réussir, de commander.* → **Ambition.** *Désir de paraître* (cit. 29). *Désir de posséder.* → **Convoitise** (→ Convoiter, cit. 6), *cupidité* (cit. 1), *envie. Désir de savoir.* → **Curiosité** (cit. 2). *Désir de croire* (→ Croyance, cit. 4). *Désir de jouir* (→ **Sensualité).** *Le désir de voyager. Le désir de bien faire.* → **Volonté** (bonne volonté).

10 Quand l'infinitif précédé de *de* est complément d'objet d'un nom, le sens peut être général, ainsi : *le désir de paraître pousse à toutes sortes de sottises.* Au contraire, si *le désir* est attribué à une personne en particulier, l'idée exprimée par l'infinitif se rapporte également à cette personne : son *désir de paraître lui a fait faire des dépenses excessives.* De sorte que pour attribuer l'action exprimée par l'infinitif à un sujet différent de la personne qui exprime le désir, on a recours à une périphrase faite avec le verbe *voir* : *le désir de voir réussir son fils.* Cf. *la crainte de la voir se compromettre.* On arrive ainsi à l'équivalent de véritables propositions compléments d'objet qu'on peut d'ailleurs employer : *le désir que son fils réussît, la crainte qu'elle se compromît.*
F. BRUNOT, la Pensée et la Langue, VIII, II, p. 230.

11 Voici l'homme qui meurt du désir de vous voir.
MOLIÈRE, les Femmes savantes, III, 3.

12 Voilà qu'au bout de mes dépêches je suis saisi du désir de me vanter (...)
CHATEAUBRIAND, Mémoires d'outre-tombe, t. V, p. 136.

13 Je ressentis devant elle ce désir de vivre qui renaît en nous chaque fois que nous prenons de nouveau conscience de la beauté et du bonheur.
PROUST, À l'ombre des jeunes filles en fleurs.

Psychan. «Dans la conception dynamique freudienne, un des pôles du conflit défensif : le désir inconscient tend à s'accomplir en rétablissant, selon les lois du processus primaire, les signes liés aux premières expériences de satisfaction» (Laplanche et Pontalis).

♦ 2 Tendance consciente aux plaisirs charnels. — (Qualifié). *Le désir charnel. Un, des désirs, les désirs charnels* (→ Chair, cit. 45 et 58), *sensuels, sexuels, voluptueux* (→ Convoitise, cit. 6). *Le désir physique* (→ Aiguillonner, cit. 3). *Excitant des désirs vénériens.* → **Aphrodisiaque.** *Exagération des désirs sexuels.* → **Aphrodisie, nymphomanie, satyriasis; érotomanie.** — (Non qualifié). *Le désir ; un, des désirs.* → **Amour** (*infra* cit. 15), **appétit** (3.), **concupiscence, instinct** (sexuel), **libido; aiguillon** (de la chair). *Languir de désir. Le désir de qqn, qu'on ou elle éprouve. La fièvre, l'ardeur* (cit. 33)*, la fougue, la rage, la violence de son désir. Le coup de fouet du désir. Jouer la comédie* (cit. 14) *du désir. La bassesse* (cit. 18) *du désir. Désir insatisfait; assouvi. Absence de désir.* → **Anaphrodisie,** et aussi **frigidité** (3., par ext.). — *Les désirs amoureux.* → **Ardeur** (→ *infra* cit. 10)*, feu, flamme, passion. Poursuivre une femme de ses désirs.*

14 Que vous connaissez mal les violents désirs
D'un amour qui vers vous porte tous mes soupirs !
RACINE, Alexandre, III, 6.

15 Le pouvoir immédiat des sens est faible et borné : c'est par l'entremise de l'imagination qu'ils font leurs plus grands ravages; c'est elle qui prend soin d'irriter les désirs, en prêtant à leurs objets encore plus d'attraits que ne leur en donna la nature (...)   ROUSSEAU, Lettre à d'Alembert.

16 Elle chantait : la nuit s'emplissait d'harmonies;
Les grands lions errants rugissaient de plaisir;
Les hommes accouraient sous le fouet du désir,
Tels que des meurtriers devant les Érinnyes (...)
LECONTE DE LISLE, Poèmes barbares, «Ekhidna».

16.1 L'aimait-il ? Certes, il la désirait à peine, n'ayant pas réfléchi à la possibilité d'une possession. Jusqu'ici, dès qu'une femme lui avait plu, le désir l'avait aussitôt envahi, lui faisant tendre les mains vers elle, comme pour cueillir un fruit, sans que sa pensée intime eût été jamais profondément troublée par son absence ou par sa présence.
MAUPASSANT, Fort comme la mort, p. 31.

17 (...) l'ondée fiévreuse du désir courait dans mes veines, et il me fallait détourner mes yeux qui lui auraient fait peur.
Paul BOURGET, le Disciple, IV, IV, p. 221.

18 (...) chacune recèle quelque chose qui n'est pas dans une autre et qui empêchera que nous puissions contenter avec ses pareilles le désir qu'elle a fait naître en nous (...)
PROUST, À la recherche du temps perdu, t. IV, p. 138.

Qu'est-ce que le désir, la volupté, les histoires de possession physique, à côté de ça, à côté de ces tendres et vertigineux abîmes? (...)   19
J. ROMAINS, les Hommes de bonne volonté, t. IV, p. 222.

Le miracle de l'amour humain, c'est que, sur un instinct très simple, le désir, il construit les édifices de sentiments les plus complexes et les plus délicats.   20
A. MAUROIS, Un art de vivre, I, p. 49.

Gilieth se leva. Le désir de cette femme commençait à l'obséder.   P. MAC ORLAN, la Bandera, XI, p. 129.   21

♦ 3 *Désir conforme à la volonté de Dieu.* — *Les désirs de l'âme. Un saint désir. Le désir du Ciel.* → **Espérance.**

Les saints désirs de la mort le pressent tellement, qu'il en a précipité tous les sacrements.   22
Mᵐᵉ DE SÉVIGNÉ, Lettres, 1089, 17 nov. 1688.

Il est recommandé aux chrétiens de désirer le Ciel, et ce désir, comme tout autre, doit intéresser non pas la raison seulement, mais l'être tout entier qui est de l'âme avec un corps.   CLAUDEL, Positions et Propositions, p. 172.   23

♦ 4 *Objet du désir. Quel est votre désir? L'épouser est son seul désir. Mon désir est de partir sur l'heure.*

Léon seul est ma joie, il est mon seul désir.   24
CORNEILLE, Pulchérie, III, 2.

Tous vos désirs, Esther, vous seront accordés (...)   25
RACINE, Esther, III, 4.

CONTR. Apathie, appréhension, aversion (cit. 5), **crainte, dédain, dégoût** (cit. 9), **effroi, frayeur, inappétence, indifférence, inquiétude, mépris, peur, regret, répugnance, répulsion, satiété.**

DÉSIRABILITÉ [deziʀabilite] n. f. — 1883; de *désirable.*

Didact. Caractère désirable. — **Écon.** → **Désidérabilité.**

(...) un mécanisme opératoire comporte à coup sûr une dynamique et qu'il faut encore distinguer la structure des transformations comme telles et ce qui les rend possibles en leur désirabilité, intérêt, vitesse, etc. (...)
J. PIAGET, Épistémologie des sciences de l'homme, p. 316.

DÉSIRABLE [deziʀabl] adj. — V. 1050; de *désirer.*

♦ 1 (1361). Qui mérite d'être désiré; qui excite le désir*. → **Appétissant, attrayant, beau, convoitable, enviable, intéressant, joli, séduisant, souhaitable, tentant.** → *C'est un morceau* * *de roi. Une situation, un sort désirable* (→ **Réjouissant**)*. Peu désirable. La santé est de tous les biens le plus désirable* (→ Affermissement, cit.; compensation, cit. 8)*. Il faut prendre toutes les précautions désirables. Cette décision nous paraît désirable.*

Ô désirable fin de leurs peines passées.   1
MALHERBE, Larmes de Sᵗ Pierre.

(...) il me manquerait l'espérance du seul bien désirable (...)   André SUARÈS → Déposséder, cit. 3).   2

♦ 2 (Personnes). Que l'on souhaite connaître, fréquenter. *Vous n'êtes pas désirable ici.*

♦ 3 (XVIᵉ). Personnes. Spécialt. Qui inspire un désir charnel. *Homme, femme désirable.*

(...) car je n'ai jamais rencontré dans la vie de filles aussi désirables que les jours où j'étais avec quelque grave personne que, malgré les mille prétextes que j'inventais, je ne pouvais quitter (...)   3
PROUST, À la recherche du temps perdu, t. IV, p. 141.

Il y a beaucoup de femmes et nombre d'entre elles sont jeunes. D'autres ont une maturité qui ne les empêche pas d'être désirables. Différemment désirables, mais désirables.   4
J. ROMAINS, les Hommes de bonne volonté, t. IV, p. 150.

5 Bref, objectivement, c'était encore un homme tout à fait désirable. Il émanait de lui un grand charme (...)
Jean DUTOURD, les Horreurs de l'amour, p. 261.

CONTR. **Indésirable ; dédaignable, dégoûtant, effrayant, indifférent, méprisable, regrettable, repoussant, répugnant.** ◊ DÉR. **Désirabilité.** ➙ COMP. **Indésirable.**

DÉSIRANT, ANTE [deziʀɑ̃, ɑ̃t] adj. — D. i. (fin XIXᵉ) ; p. prés. de *désirer*.

Littér. Qui manifeste, implique un désir. — N. :
(...) l'instinct de résignation mendicitaire particulier à l'amour sensuel, qui fait convoiter aux désirants les plus superbes, jusqu'aux moindres miettes de la ripaille dont ils sont frustrés.
Léon BLOY, le Désespéré, p. 153.

DÉSIRER [deziʀe] v. tr. — Fin XIᵉ ; du lat. *desiderare* «regretter l'absence de...», d'où «désirer».

♦ **1** Tendre consciemment vers (ce que l'on aimerait posséder) ; éprouver le désir* de... ➙ **Désir ; aimer, ambitionner, appéter** (VX), **aspirer** (à), **attendre ; briguer, chercher ; convoiter, demander, envier, espérer, exiger, incliner, intéresser** (être intéressé par), **languir** (après), **prétendre** (à), **rechercher, rêver, souhaiter, soupirer** (après), **tendre** (à, vers), **tenir** (à), **tenter** (être tenté par), **viser** (à) ; **vouloir** ; ➙ Avoir, ressentir le besoin* de..., avoir à cœur* de..., jeter son dévolu* sur... ; avoir du goût* pour ; jeter les yeux* sur... ; avoir des vues* sur... *Désirer ardemment* (cit. 6). ➙ **Brûler.** *Désirer qqch. de tout son être. Il ne désire pas le rencontrer.* ➙ **Soucier** (se soucier de). *Désirer la richesse, la fortune, la santé. Que désirez-vous ? :* que voulezvous ? Fam. *Monsieur désire ? Si vous le désirez* (→ Dire : si le cœur vous en dit). — Prov. *Cœur qui soupire* n'a pas ce qu'il désire.

1 Nous ne désirerions guère de choses avec ardeur, si nous connaissions parfaitement ce que nous désirons.
LA ROCHEFOUCAULD, Maximes, 439.

2 Et chacun croit fort aisément
Ce qu'il craint et ce qu'il désire.
LA FONTAINE, Fables, XI, 6.

3 Malheur à qui n'a plus rien à désirer ! il perd pour ainsi dire tout ce qu'il possède. On jouit moins de ce qu'on obtient que de ce qu'on espère et l'on n'est heureux qu'avant d'être heureux.
ROUSSEAU, Julie ou la Nouvelle Héloïse, VI, lettre VIII.

4 Il était dans cet état d'étonnement et de trouble inquiet où tombe l'âme qui vient d'obtenir ce qu'elle a longtemps désiré. Elle est habituée à désirer, ne trouve plus quoi désirer, et cependant n'a pas encore de souvenirs.
STENDHAL, le Rouge et le Noir, I, XV, p. 87.

5 J'aime cette demeure comme on aime ce qu'on désire ardemment posséder. J'y reviens tous les ans, à l'automne, avec un plaisir infini ; je la quitte avec regret.
MAUPASSANT, Clair de lune, «Nos lettres».

6 Il ne faudrait *vouloir qu'une chose* (...) Mais moi, je désire tout ; alors je n'obtiens rien.
GIDE, Journal, 10 juin 1891.

Il ne désire rien de plus. — Loc. *N'avoir plus rien à désirer :* être comblé.

7 Quelques heures après, quand Julien sortit de la chambre de Mᵐᵉ de Rênal, on eût pu dire, en style de roman, qu'il n'avait plus rien à désirer.
STENDHAL, le Rouge et le Noir, I, XV, p. 86.

Désirer qqch. de qqn. ➙ **Attendre, espérer.**

8 Que désire Madame la comtesse d'Escarbagnas de son très humble serviteur Bobinet ?
MOLIÈRE, la Comtesse d'Escarbagnas, 6.

DÉSIRER QUE..., suivi du subj. *Elle désire qu'il vienne la voir* (→ Complaisant, cit. 2).

9 (...) elle trouva qu'il n'avait pas assez d'esprit, et désira qu'il en eût davantage.
LA BRUYÈRE, les Caractères, III, 81.

Vx ou littér. **DÉSIRER DE...,** suivi d'un inf. *Désirer de partir.* — Mod. (sans de). *Désirer partir. Désirer réussir. Désirer s'entretenir avec qqn.* ➙ **Vouloir.** *Il désirait sortir, se reposer. Ils désirent avoir un enfant.*

(...) si vous désirez de vous mettre en ménage (...) 10
MOLIÈRE, Poésies diverses,
Intermèdes nouveaux du Mariage forcé.

(...) elles désirent de plaire (...) 11
LA BRUYÈRE, les Caractères, III, 6.

(...) trop de colères qui auraient pu avoir pour effet de lui 12
faire désirer me quitter.
PROUST, À la recherche du temps perdu, t. XII, p. 238.

Jamais elle n'avait désiré si ardemment de vivre (...) 13
F. MAURIAC, Thérèse Desqueyroux, VIII, p. 135.

Absolt. *L'homme ne cesse jamais de désirer.*

Lorsqu'on désire, on se rend à discrétion à celui de qui 14
l'on espère (...) LA BRUYÈRE, les Caractères, XI, 20.

Désirer avec force, c'est presque posséder. 15
FRANCE, le Petit Pierre, XXXIV, p. 243.

♦ **2** Loc. **LAISSER (un peu, beaucoup) À DÉSIRER :** être incomplet, défectueux, inachevé, imparfait. *Ce travail laisse à désirer. Ses manières laissent à désirer. Cet ouvrage ne laisse rien à désirer,* il n'y a manque rien, il est irréprochable.

ÊTRE (encore) À DÉSIRER : ne pas être réalisé.

♦ **3** SE FAIRE DÉSIRER : se montrer peu pressé de satisfaire le désir que les autres ont de nous voir... ➙ **Attendre** (se faire attendre).

— Au revoir, ma Vovonne, dit Mᵐᵉ Pradonet, et ne te fais 15.1
pas trop désirer.
R. QUENEAU, Pierrot mon ami, p. 84.

♦ **4** Spécialt. Éprouver des désirs amoureux ou sensuels. ➙ **Convoiter, vouloir.** *Désirer une femme, un homme* (→ Croire, cit. 44). *Elle l'aime bien, mais elle ne le désire pas. Il la désirait à peine.* → Désir, cit. 16.1. *Désirer et posséder* (cit. 30) *qqn.*

(...) c'est un vilain amant qu'un homme qui vous désire 16
plus qu'il ne vous aime (...)
MARIVAUX, la Vie de Marianne, I, p. 34.

Ce qui fait qu'on désire et qu'on aime, c'est une force douce 17
et terrible, plus puissante que la beauté.
FRANCE, le Lys rouge, XXVII, p. 201.

On a tout ce qu'on veut, mais aussi on n'a rien que si on le 17.1
veut. Je ne peux pas vouloir, je ne peux pas même désirer.
Par exemple, toutes les femmes qui sont ici, je ne peux
pas les désirer, elles me font peur, peur. J'ai aussi peur
devant les femmes qu'au front pendant la guerre.
DRIEU LA ROCHELLE, le Feu follet, p. 150.

♦ **5** Vx. *Désirer qqch. à qqn,* le lui souhaiter. ➙ **Souhaiter, vouloir.** *Je lui désire beaucoup de bien.*

Vivez heureux ensemble, et mourez comme moi, 18
C'est le bien qu'à tous deux Polyeucte désire.
CORNEILLE, Polyeucte, IV, 4.

♦ **DÉSIRÉ, ÉE** p. p. adj.

♦ **1** (Choses). «*Levez* (1. Lever, cit. 35) -*vous vite, orages désirés...*» (Chateaubriand).

♦ **2** (Personnes). *Une femme très désirée. Désiré,* comédie de Sacha Guitry (jeu de mots sur le prénom, qui signifie «enfant désiré», et qui est pris au sens érotique).

CONTR. **Appréhender, combler, craindre, dédaigner, dégoûter, effrayer, inquiéter, mépriser, obtenir, regretter, réprouver.** — (Du p. p.). **Indésiré.** ◊ DÉR. **Désir, désirable, désirant, désireux.**

DÉSIREUX, EUSE [deziʀø, øz] adj. — XIᵉ, desiros ; de *désirer*.

Qui désire*.

♦ 1 (Avec un compl.). Vx. *Désireux de gloire, d'honneurs, de richesses.* → **Ambitieux, impatient.** *Désireux des biens d'autrui.* → **Envieux, jaloux.**

1 (...) désireux *(le savant)* de certitude, il se défend de deviner. GIDE, le Retour de l'enfant prodigue, p. 23.

Mod. *Désireux de* (et l'inf.) : qui veut, a envie de. *Elle est désireuse de bien faire. Désireux de plaire. Il est désireux d'en savoir davantage.* → **Curieux.** *Il est visiblement désireux de réussir, de se faire accepter.*

2 Il se montre extraordinairement anxieux et désireux d'acquérir certaines qualités qui sont à l'opposé de sa nature : mystère, ombre, étrangeté (...)
GIDE, Journal, 3 janv. 1922.

Désireux, suivi d'une complétive. *Je suis désireux que vous acceptiez l'invitation.*

♦ 2 (Sans compl.). Qui manifeste ou exprime un désir. «*Cette inquiétude désireuse et cuisante...*» (G. Sand).

Qui manifeste ou éprouve le désir charnel. *Un «œil désireux»* (Sainte-Beuve, *in* T. L. F.).

Subst. (Rare). *Un désireux.*

CONTR. Dédaigneux, dégoûté, rassasié. — Indifférent, méprisant.

DÉSISTEMENT [dezistəmɑ̃] n. m. — Av. 1547; de *désister.*

♦ 1 Dr. Abandon volontaire (d'un droit, d'un avantage...). → **Abandon, renoncement.** *Désistement d'un droit d'option, d'une action en justice. Désistement verbal, écrit.* — *Désistement d'action :* acte par lequel le demandeur ou le défendeur qui a formé une demande reconventionnelle signifie qu'il abandonne ses prétentions à l'égard de son adversaire. — *Désistement d'instance :* acte par lequel le demandeur abandonne l'instance qu'il avait engagée. — *Le désistement de la partie civile.*

1 Le désistement, lorsqu'il aura été accepté, emportera de plein droit consentement que les choses soient remises de part et d'autre au même état qu'elles étaient avant la demande (...) Code de procédure civile, art. 403.

♦ 2 Polit. et cour. Retrait de candidature à une élection, en faveur ou non d'un autre candidat. *Le désistement du candidat républicain.*

♦ 3 Renoncement à qqch.

2 Le commissaire s'était retiré, mais après avoir pris les noms et les adresses des combattants. Malgré le désistement des mousquetaires, l'aventure pouvait avoir des suites fâcheuses pour de pauvres diables comme Nicolas et Loiseau (...)
NERVAL, les Illuminés,
Les confidences de Nicolas, *in* Œ., Pl., p. 1061.

CONTR. Continuation, maintien, persévérance.

DÉSISTER (SE) [deziste] v. pron. — 1358; lat. *desistere,* de *de-,* et *sistere* «s'arrêter».

♦ 1 (1420). Dr. Renoncer à (une poursuite, une action en justice). → **Abandonner, dédire** (se), **départir** (se), **renoncer, retirer** (se); **partie** (abandonner, quitter la partie). *Se désister d'une demande, d'une action.*

♦ 2 Polit. et cour. Renoncer à briguer (un mandat) lorsqu'on n'a pas été élu au premier tour. *Se désister d'une candidature.* Absolt. *Se désister. Il s'est désisté en faveur d'un candidat mieux placé que lui.*

♦ 3 Littér. ou vieilli. Renoncer à (un bien, un avantage moral, etc.). *Se désister d'un engagement, d'une promesse.* → **Céder, dédire** (se), **départir** (se), **renoncer.**

(...) la vanité (...) supplée à la raison, qui cède et qui se désiste. LA BRUYÈRE, les Caractères, XI, 103.

CONTR. Continuer, maintenir, persévérer, tenir.

DESK [dɛsk] n. m. — 1866, emploi concret et isolé «pupitre»; repris mil. xxᵉ; mot angl. «bureau, pupitre», pris dans ce sens en 1927; du lat. médiéval *desca,* du lat. class. *discus.* → Disque.

Anglic. Secrétariat de rédaction (d'une agence de presse); service qui réunit les informations et les transmet à la rédaction (syn. : *salle, bureau* des dépêches*). «*À travers la baie vitrée, dans la grande salle des desks, les journalistes chargés de recevoir la copie des correspondants du monde entier sont rivés à leurs "consoles de visualisation", comme des O. S. à leur chaîne»* (l'Express, 13 oct. 1979).

1 Schématiquement, une agence mondiale dispose d'autant de desks ou de secrétariats de rédaction qu'elle diffuse de services, chaque service étant caractérisé par le secteur géographique qui le concerne et par la langue utilisée.
Philippe GAILLARD, Technique du journalisme,
p. 43.

REM. On rencontre le mot dans d'autres contextes (ici «bureau de réception d'un hôtel»).

2 Elle est tellement bouleversée, qu'elle a bien du mal à comprendre si Kayl l'attend dans le hall de l'hôtel au pied des ascenseurs, ou si c'est elle qui doit l'attendre dans le hall des ascenseurs au pied du desk.
Jeanne CORDELIER, la Passagère, p. 131.

DESMAN [dɛsmɑ̃] n. m. — 1763; du suédois *desmanratta* «rat musqué».

Zool. Mammifère de l'ordre des Insectivores au pelage soyeux et dont les mœurs sont semblables à celles de la loutre. *Le desman vit le long des rivières. Desman des Pyrénées. Desman de Moscovie.*

DESMIDIALES [dɛsmidjal] ou **DESMIDIÉES** [dɛsmidje] n. f. pl. — xxᵉ, *desmidiale; desmidiée,* 1870, P. Larousse; du rad. du grec *desmidion* «petite gerbe».

Algues vertes, constituant un des trois ordres de la famille des *Conjuguées*,* habitant les eaux douces stagnantes, en particulier les tourbières. — Au sing. *Une desmidiale; une desmidiée.*

DESMODIE [dɛsmɔdi] n. f. — 1870, P. Larousse; *desmodium,* v. 1825, in Cottez; *desmodion,* fin xixᵉ; du grec *desmos* «lien».

Bot. Plante dicotylédone *(Légumineuses-Papilionacées)* herbacée, exotique. — N. sc. : *Desmodium.*

DESMODONTE [dɛsmɔdɔ̃t] n. m. — D. i. (v. 1960); du grec *desmos* «lien», et *-odonte.*

Anat. Ligament alvéolo-dentaire. → **Périodonte.** *Le desmodonte fixe la dent dans son alvéole.*

DÉR. Desmodontite.

DESMODONTITE [dɛsmɔdɔ̃tit] n. f. — V. 1960; de *desmodonte,* et suff. *-ite.*

Méd. (chir. dentaire). Inflammation du desmodonte. → **Périodontite.**

DESMODROMIQUE [dɛsmɔdʁɔmik] adj. — V. 1960; du grec *desmos* «lien», et *-drome.*

Techn. Se dit d'une liaison mécanique telle que les vitesses des pièces reliées restent dans un rapport constant entre elles. *Soupape à commande desmodromique.*

DESMOGRAPHIE [dɛsmɔgʁafi] n. f. — V. 1960; du grec *desmos* «lien», et suff. *-graphie.*

Anat., méd. Étude et description des ligaments. → **Desmologie.**

DESMOLASE [dɛsmɔlaz] n. f. — V. 1960 (*in* Manuila) ; du rad. du lat. sc. *desmolysis* (→ Desmolyse), et suff. *-ase*.

Biochim. Enzyme qui catalyse la réaction de rupture d'une chaîne carbonée (→ Desmolyse).

DESMOLOGIE [dɛsmɔlɔʒi] n. f. — V. 1960 (*in* Manuila) ; du grec *desmos* «lien», et suff. *-logie*.

Anat., méd. Étude des ligaments. → **Desmographie, syndesmologie.**

DESMOLYSE [dɛsmɔliz] n. f. — V. 1960 (*in* Manuila) ; lat. sc. *desmolysis*, du grec *desmos* «lien», et *lusis* (→ -lyse).

Chim. Réaction chimique qui entraîne la rupture d'une chaîne carbonée.

DESMOSOME [desmozom] n. m. — V. 1960 (*in* Manuila) ; du grec *desmos* «lien», et suff. *-some*.

Biol. Zone différenciée de la paroi des cellules épithéliales, à travers laquelle se font les échanges entre cellules voisines. *Les desmosomes constituent une zone d'attache à la surface de contact entre deux cellules épithéliales.* → **Pont** (d'union).

DESMOTOMIE [desmɔtɔmi] n. f. — V. 1960 ; du grec *desmos* «lien», et suff. *-tomie*.

Chir. Section chirurgicale d'un ligament. → **Syndesmotomie.**

DÉSOBÉIR [dezɔbeiʀ] v. tr. ind. — V. 1265 ; de *dés-* (→ 1. Dé-), et *obéir*.

DÉSOBÉIR À.

♦ **1** Ne pas obéir (à qqn), en refusant de faire ce qu'il commande ou en faisant ce qu'il défend. → **Opposer** (s'opposer à), **rebeller** (se), **résister, révolter** (se) ; **insoumis** (être insoumis). *Désobéir à ses parents, à ses supérieurs, à ses chefs.*

1   Quoi ? vous craignez si peu de me désobéir ?
                RACINE, Bérénice, III, 3.

2   La raison nous commande bien plus impérieusement qu'un maître ; car en désobéissant à l'un on est malheureux, et en désobéissant à l'autre on est un sot.
                PASCAL, Pensées, VI, 345.

♦ **2** Par ext. (Compl. n. de chose : ordre, loi...). *Désobéir à un ordre, à un commandement. Désobéir à la loi, à une règle, à une prescription.* → **Contrevenir, enfreindre, opposer** (s'opposer à), **transgresser, violer** ; **outre** (passer outre).

3   Nous ferons voir (...) que l'Église peut prendre parti dans les choses que l'Évangile laisse indifférentes et que, lorsqu'elle l'a pris, on ne peut s'y opposer ni lui désobéir sans se rendre coupable de schisme.
           BOSSUET, Communion, Avertissement, 2.

4   L'immoralité consiste à désobéir au jugement de la raison.
        V. COUSIN, cité par Janet (→ Conformité, cit. 6).

♦ **3** Absolt. *Ces enfants ont désobéi. Si tu désobéis, tu auras une claque.*

5   (...) se sentant maître de troupes disciplinées, il (*Pierre I*ᵉʳ) cassa les strélitz, qui n'osèrent désobéir.
           VOLTAIRE, Hist. de Charles XII, I.

REM. *Désobéir* s'employait à l'époque classique comme transitif direct ; il s'emploie encore (littér.) au passif sans complément. *Il n'accepte pas d'être désobéi.*

6   On ne saurait imaginer à combien de pareils caprices le petit tyran avait asservi son malheureux gouverneur ; car l'éducation se faisait sous les yeux de la mère, qui ne souffrait pas que l'héritier fût désobéi en rien.
             ROUSSEAU, Émile, II.

7   Elle aurait pu exiger de moi de ne pas la quitter ; je savais au fond de mon âme que ses larmes n'auraient pas été désobéies.   B. CONSTANT, Adolphe, V, p. 47.

CONTR. Obéir ; observer, plier (se), soumettre (se), suivre ; respecter. ◊ DÉR. Désobéissance, désobéissant.

DÉSOBÉISSANCE [dezɔbeisɑ̃s] n. f. — 1283 ; de *désobéir*.

♦ **1** Action de désobéir à qqn. → **Indiscipline, insoumission, insubordination, mutinerie, opposition, rébellion, résistance, révolte.** *Désobéissance active, passive. Désobéissance civile.*
Action de désobéir à une loi, à un ordre... → **Contravention, opposition, transgression, violation.**

1   (...) nos révoltes contre Dieu, nos désobéissances à la loi de Dieu (...)
            BOURDALOUE,
       Sermon sur la nativité de Jésus-Christ.

♦ **2** Habitude de désobéir. → **Indocilité.**

2   Je retrouvais ces quinquagénaires avec toutes les marques qui dénoncent sur un enfant laissé seul la désobéissance et la dissipation, une bosse au front du physicien, une déchirure à la culotte de l'ancien ministre.
         GIRAUDOUX, Bella, VII, p. 164.

CONTR. Obéissance ; docilité, soumission ; observation, respect.

DÉSOBÉISSANT, ANTE [dezɔbeisɑ̃, ɑ̃t] adj. — 1283 ; du p. prés. de *désobéir*.

Qui désobéit* (ne se dit guère aujourd'hui que des enfants). → **Diable, endêvé, endiablé, entêté, indiscipliné, indocile, insoumis, insubordonné, intraitable, mutin, rebelle, récalcitrant, réfractaire, résistant, révolté.** *Enfant désobéissant.*

1   Le corps cessa d'être soumis dès que l'esprit fut désobéissant ; la révolte des sens fit connaître à l'homme sa nudité.
         BOSSUET, Traité de la concupiscence, 7.

2   (...) une sentence par laquelle il les déclarait désobéissantes.   RACINE, Port-Royal.

REM. Cet adj. est très rarement substantivé (*un désobéissant, une désobéissante*) ; la forme *désobéisseur, euse* «personne qui désobéit» se rencontre aussi :

3   Il (*de Gaulle*) agissait le 18 juin de la même manière quand, de Londres, désobéisseur génial justifié par le succès, il appelait à la continuation de la guerre.
     É. HENRIOT, *in* le Monde, 8 janv. 1959 (*in* D. D. L.,
                         II, 2).

CONTR. Obéissant ; discipliné, docile, respectueux, sage, soumis, subordonné.

DÉSOBLIGEAMMENT [dezɔbliʒamɑ̃] adv. — 1628 ; de *désobligeant*.

Littér. D'une manière désobligeante.

CONTR. Obligeamment.

DÉSOBLIGEANCE [dezɔbliʒɑ̃s] n. f. — 1798, Académie ; de *désobliger*.

Littér. Disposition à désobliger (qqn). → **Malveillance.** *Son extrême désobligeance empêche toute relation avec lui.*

CONTR. Bienveillance, condescendance, obligeance.

DÉSOBLIGEANT, ANTE [dezɔbliʒɑ̃, ɑ̃t] adj. — 1658 ; du p. prés. de *désobliger*.

♦ **1** Qui est porté à désobliger*, à indisposer les autres ; peu aimable. → **Désagréable.** *Propos désobligeants.* → **Déplaisant.** *Remarque désobligeante.* → **Malveillant.** *Faire une réponse désobligeante.* → **Sec ; sèchement** (répondre sèchement). *Apostrophe désobligeante.* → **Vexant.**

1   (...) je n'ai jamais su dire un mot désobligeant à qui que ce fût.   ROUSSEAU, les Confessions, VIII.

2   (...) Monsieur, continuellement engourdi dans une somnolence boudeuse dont il ne se réveillait que pour lui dire des choses désobligeantes, restait à fumer au coin du feu, en crachant dans les cendres.
       FLAUBERT, Mᵐᵉ Bovary, I, I, p. 9.

(Personnes). *Il a été très désobligeant pour son ami.*

♦ **2** N. f. Vx (à la mode vers 1820-1830). *Une désobligeante :* une voiture à deux places très étroite.

CONTR. **Agréable, aimable, bienveillant, complaisant, obligeant.** ◊ DÉR. **Désobligeamment.**

DÉSOBLIGER [dezɔbliʒe] v. tr. [CONJUG.: *obliger.*
→ Bouger.] — 1636; «délier d'une obligation», 1307; de *dés-* (→ 1. Dé-), et *obliger.*

Indisposer (qqn) par des actions ou des paroles désagréables. → **Déplaire, desservir, ennuyer, froisser, indisposer, peiner.** *Il m'a extrêmement désobligé par son attitude. Vous me désobligeriez beaucoup en refusant.* → **Fâcher, vexer.**

1 (...) on ne l'apaise pas aisément quand elle se croit désobligée.
SCARRON, le Roman comique, I, XXII, p. 142.

2 Il est fort rare qu'on ne désoblige pas ceux qu'on raconte (...) COCTEAU, la Difficulté d'être, p. 166.

CONTR. **Obliger; complaire, plaire, servir.** ◊ DÉR. **Désobligeance, désobligeant.**

DÉSOBLITÉRATION [dezɔbliteʀasjɔ̃] n. f. — D. i. (mil. xxᵉ); de *dés-* (→ 1. Dé-), et *oblitération.*
Rare. Désobstruction.

DÉSOBSTRUANT, ANTE [dezɔpstʀyɑ̃, ɑ̃t] ou
DÉSOBSTRUCTIF, IVE [dezɔpstʀyktif, iv] adj.
— 1798; de *désobstruer* (p. prés.), et du rad. de *désobstruction.*
Méd. Se dit d'un remède propre à désobstruer l'intestin. N. *Un désobstructif. Ce remède est un bon désobstruant.*

DÉSOBSTRUCTION [dezɔpstʀyksjɔ̃] n. f. — 1832; de *désobstruer*, d'après *obstruction.*
Rare. Action de désobstruer; son résultat. *La désobstruction d'un canal.*
Chir. Opération qui consiste à enlever d'une cavité ou d'un conduit les matières qui les bouchent. *Désobstruction d'un vaisseau.* Syn. (rare) : *désoblitération.*

DÉSOBSTRUER [dezɔpstʀye] v. tr. — 1734; de *dés-* (→ 1. Dé-), et *obstruer.*
Techn. Débarrasser de ce qui obstrue, de ce qui bouche. → **Débarrasser, déboucher, dégager, désencombrer, désengorger, vider.** *Désobstruer un passage, une conduite, un canal, un chenal.* — Au p. p. *Fenêtres désobstruées.* — Méd. Faire cesser une obstruction. → **Désopiler** (vx). *Désobstruer l'intestin en purgeant.*

CONTR. **Obstruer; boucher, embarrasser, emplir, encombrer, engorger.** ◊ DÉR. **Désobstruant, désobstruction.**

DÉSOCCLUSION [dezɔklyzjɔ̃] n. f. — xxᵉ; de *dés-* (→ 1. Dé-), et *occlusion.*
Phonét. Relâchement d'une occlusion.

DÉSOCCUPATION [dezɔkypasjɔ̃] n. f. — 1651; de *dés-* (→ 1. Dé-), et *occupation.*
Littér. Situation, état d'une personne qui n'a pas d'occupation, de travail, ou qui n'est plus retenue par un intérêt (sentimental, intellectuel). *La désoccupation pénible d'un retraité.* — Fig. *Une «désoccupation de la pensée»* (Gide). → aussi **Désœuvrement.**
Comme un jeune chat, dont la pelote a disparu dans un endroit inaccessible, reste court et indécis, l'enfant le plus vif et le plus enjoué, lui aussi, a ses moments de désoccupation soudaine.
Henri WALLON,
l'Évolution psychologique de l'enfant, p. 161.

DÉSOCCUPÉ, ÉE [dezɔkype] adj. — 1579, repris xxᵉ; ital. *disoccupato* (de *dis-* et *occupato*, p. p. de *occupare* «occuper»), puis de *dés-* (→ 1. Dé-), et *occupé.*
Rare. Qui n'a plus d'occupation, de travail. → **Chômeur, oisif.**

CONTR. **Occupé.**

DÉSOCCUPER [dezɔkype] v. tr. — xivᵉ; de *dés-* (→ 1. Dé-), et *occuper.*

♦ **1** Vieilli. Cesser de soumettre à une préoccupation. *Désoccuper son esprit.*

1 Inutilement madame Alberti cherchait à désoccuper sa pensée du sentiment qui paraissait la remplir *(Antonia).*
Ch. NODIER, Jean Sbogar, III.

2 Le manque fait imaginer jusqu'à la folie l'objet qui manque et sous les couleurs les plus chaudes.
La présence dispense l'esprit d'y songer et le désoccupe.
VALÉRY, Cahiers, t. II, Pl., p. 953.

♦ **2** (Rare; en général au p. p.). Cesser de soumettre à une activité d'exploitation. *La terre restait désoccupée.*

DÉR. **Désoccupé, désoccupation.**

DÉSOCIALISER [desɔsjalise] v. tr. — 1919; de 1. *dé-*, et *socialiser.*

♦ **1** Supprimer la socialisation de. *Désocialiser un type de relations.* — Pron. *Se désocialiser.* — Au p. p. *Des activités désocialisées.*

♦ **2** Réduire ou supprimer les relations sociales, l'appartenance de (qqn) à un groupe social. — Au p. p. «*Par la pauvreté, il a été un enfant désocialisé, mais non déclassé. Il n'appartenait à aucun milieu*» (Barthes).
On emploie aussi *désocialisation*, n. f. : «*la désocialisation croissante de l'individu*» (le Nouvel Obs., 1984).

DÉSODORISANT, ANTE [dezɔdɔʀizɑ̃, ɑ̃t] adj.
— 1889; du p. prés. de *désodoriser.*
Qui désodorise. *Propriété désodorisante d'une substance. Une bombe désodorisante.* — N. m. *Un désodorisant. Désodorisant pour la toilette.* → **Déodorant.** *Utiliser un désodorisant contre les odeurs domestiques.*
(...) «ils» pourraient poser des désodorisants; ça ne devrait pas être permis; il n'est pas admissible qu'une maison soit condamnée au chou à perpétuité parce que l'un de ses locataires aime ça, etc.
Pierre DANINOS, Un certain Monsieur Blot, p. 46.

DÉSODORISATION [dezɔdɔʀizasjɔ̃] n. f. — 1889; de *désodoriser.*
Action de désodoriser (un lieu, une substance). *La désodorisation des toilettes. La désodorisation d'une huile raffinée* (à l'aide d'un désodoriseur).

DÉSODORISER [dezɔdɔʀize] v. tr. — 1890; *déodoriser*, 1886; de *dés-* (→ 1. Dé-), lat. *odor* (→ Odeur), et suff. *-iser.*
Dépouiller (un produit pétrolier, par ex.) de son odeur au moyen d'un traitement approprié. *Désodoriser une huile.*
Spécialt. Enlever les mauvaises odeurs au moyen d'une substance chimique, d'un produit parfumé. *Désodoriser une cuisine.*

DÉR. **Désodorisant, désodorisation, désodoriseur.**

DÉSODORISEUR [dezɔdɔʀizœʀ] n. m. — xxᵉ; de *désodoriser.*
Appareil servant à désodoriser.

DÉSŒUVRE [dezœvR] n. f. — xxᵉ; déverbal de *désœuvrer*, ou de *dés-* (→ 1. Dé-), *œuvre*, et suff. verbal. Littér. et rare. Temps pendant lequel on ne fait rien d'important. — REM. *Désœuvre* exprime une idée plus forte que *désœuvrement*.

Je me renfrogne à l'extrême bord du lit, je fais semblant de dormir, en l'espérant ... Ai-je donc tellement envie de cet homme? Il meuble ma désœuvre et ma douleur, il est ma joie, oui, mais...
A. SARRAZIN, l'Astragale, p. 105.

DÉSŒUVRÉ, ÉE [dezœvRe] adj. — 1692; de *dés-* (→ 1. Dé-), et *œuvre*.

♦ **1** (Personnes). Qui n'exerce pas d'activité précise, soit par absence de travail à effectuer, soit par impossibilité psychologique. → **Inactif, inoccupé** (→ Actif, cit. 1). *Il est constamment désœuvré par paresse.* → **Fainéant, paresseux.** *Elle déteste être désœuvrée. Un retraité, un vieillard désœuvré.* — *Être désœuvré à cause de qqch.,* (rare) *être désœuvré de qqch.* (Daudet, *in* T. L. F.).

1 Les condamnés rendus à la liberté ne savaient à quoi employer leur vie, les Jacobins désœuvrés à quoi amuser leurs jours (...)
CHATEAUBRIAND, Mémoires d'outre-tombe, t. III, p. 79.

Qui s'ennuie, est incapable d'avoir un centre d'intérêt.

2 J'étais tourmenté, agité, désœuvré surtout, même en plein travail.
E. FROMENTIN, Dominique, p. 73.

Par ext. *Un visage, un air désœuvré.* «*Je suivais d'un œil désœuvré les jeux de lumière de la lune*» (J. Gracq, *in* T. L. F.).

(D'un groupe). *Une foule désœuvrée de badauds. Une population désœuvrée.* → **Inactif, inoccupé.**

N. (XVIIIᵉ). Personne sans activité, qui ne cherche pas à s'occuper, reste sans agir. *Des désœuvrés, des blasés qui s'ennuient.* → **Oisif.** *Un passe-temps de désœuvrés.* — REM. Le mot entraîne des connotations en général péjoratives et ne s'appliquerait pas à des personnes dont l'inactivité est forcée (chômeurs, «désoccupés», etc.).

3 La distance où j'étais de Paris n'empêchait pas qu'il ne me vînt journellement des tas de désœuvrés qui, ne sachant que faire de leur temps, prodiguaient le mien sans aucun scrupule.
ROUSSEAU, les Confessions, IX.

♦ **2** Littér. (Personnes; facultés : esprit, etc.). Qui n'a plus son activité normale; qui éprouve le malaise du désœuvrement* (2). *Raison désœuvrée; âme désœuvrée* (Valéry). *Cœur désœuvré* (Gide). *Esprit, cerveau désœuvré* (Barrès, Gide, *in* T. L. F.).

♦ **3** Littér. (par métonymie : d'un lieu, d'un moment). Où aucune activité ne s'exerce. *Une maison, une ruelle désœuvrée.* — (Plus cour. : temps). *Un après-midi de dimanche complètement désœuvré et morne, triste.* → **Ennuyeux.**

4 Le 4 octobre dernier, à la fin d'un de ces après-midi tout à fait désœuvrés et très mornes, comme j'ai le secret d'en passer, je me trouvais rue Lafayette (...)
A. BRETON, Nadja, L. de Poche, p. 68.

CONTR. Actif, affairé, occupé. ◊ DÉR. Désœuvrement, désœuvrer.

DÉSŒUVREMENT [dezœvRəmã] n. m. — 1748; de *désœuvré.*

♦ **1** État d'une personne désœuvrée. → **Désoccupation, inaction, inoccupation, oisiveté, paresse.** *Vivre dans un complet désœuvrement.* Faire *qqch. par désœuvrement* (→ Boire, cit. 10; bravade, cit. 3). le *désœuvrement amène l'ennui. Le désœuvrement de qqn. Son désœuvrement était complet. Le désœuvrement des stations balnéaires, qui règne*

dans les stations balnéaires. Le désœuvrement de la retraite.

1 Seul je n'ai jamais connu l'ennui, même dans le plus parfait désœuvrement : mon imagination, remplissant tous les vides, suffit seule pour m'occuper.
ROUSSEAU, les Confessions, XII.

2 Notre désœuvrement nous faisait paraître les heures longues (...)
NERVAL, Bohème galante, Nuits d'octobre, p. 115.

3 Alors commencèrent trois mois d'ennui. Comme il n'avait aucun travail, son désœuvrement renforçait sa tristesse.
FLAUBERT, l'Éducation sentimentale, I, v, p. 96.

♦ **2** Littér. Sentiment de malaise ou d'abattement qui accompagne l'absence d'activité ou le fait de ne pas être requis par quelque chose; période, moment où l'on est en proie à ce sentiment. «*Les désœuvrements de son veuvage*» (Flaubert). *Désœuvrement et incuriosité. Promener son désœuvrement.* — *Le désœuvrement du cœur, de l'esprit.*

DÉSŒUVRER [dezœvRe] v. tr. — 1693; de *désœuvré.* Vieilli et rare. Priver (qqn) de son activité. *Désœuvrer la jeunesse.* — Pron. Se laisser aller à l'oisiveté.

Figuré et poétique :

Lisse-moi, farde-moi. Colore mon absence.
Désœuvre ce regard qui méconnaît la nuit.
Yves BONNEFOY, Poèmes, «Cassandre...», p. 79.

DÉSOLANT, ANTE [dezɔlã, ãt] adj. — 1718; p. prés. de *désoler.*

♦ **1** Littér. Qui désole*, qui cause une grande affliction. → **Affligeant, déplorable, funeste, lamentable, navrant.** *Événement désolant. Nouvelle désolante* (→ Délaissement, cit. 3). — Qui fait du mal. *Une sécheresse désolante pour les récoltes.*

1 Si de tous les hommes les uns mouraient, les autres non, ce serait une désolante affliction que de mourir.
LA BRUYÈRE, les Caractères, XI, 43.

2 Une perfection d'homme haïssable et désolante *(Pitt).* L'austérité sans la vertu.
MICHELET, Hist. de la révolution franç., t. II, p. 369.

3 C'était un spectacle désolant en effet. Toute la partie boisée de l'île était maintenant dénudée. Un seul bouquet d'arbres verts se dressait à l'extrémité de la presqu'île Serpentine. Çà et là grimaçaient quelques souches ébranchées et noircies.
J. VERNE, l'Île mystérieuse, t. II, p. 854.

♦ **2** Cour. Qui contrarie. → **Contrariant, ennuyeux.** *Il fait bien mauvais temps, c'est désolant!* — En parlant des personnes. → **Ennuyeux, fatigant, importun, insupportable.** *Cet enfant est désolant avec ses caprices, son entêtement.*

CONTR. Consolant, désopilant, exhilarant, favorable, heureux, hilarant, ravissant, réjouissant.

DÉSOLATEUR, TRICE [dezɔlatœR, tRis] n. m. et adj. — 1512; bas lat. *desolator,* du supin de *desolare.* → Désoler.

♦ **1** N. m. Vx. Celui qui désole*, ravage. → **Dévastateur.** *Attila, désolateur des Gaules.*

♦ **2** Adj. *Guerres désolatrices. Aspect désolateur.*

DÉSOLATION [dezɔlasjɔ̃] n. f. — XIIᵉ; bas lat. *desolatio,* du supin de *desolare.* → Désoler.

♦ **1** Vieilli ou littér. Action de désoler, de ravager un pays; résultat de cette action. → **Destruction, dévastation, ravage, ruine** (→ Blafard, cit. 4). *La désolation d'un pays. Plonger un pays dans la désolation.*

1 En regardant de loin fumer leurs villes et leurs maisons réduites en cendre, ils pleuraient la mort de leurs proches et la désolation de leur pays.
FLÉCHIER, Hist. de Théodose, I, 32.

2   Les tombées des nuits devenaient sinistres. C'étaient les
parages du cap Horn : désolation sur les seules terres un
peu voisines, désolation sur la mer, désert partout.
                              LOTI, Mon frère Yves, XIII, p. 56.

Une, des désolations. → **Calamité.**

3   Ces guerres de province à province et de clocher à clocher
étaient une des désolations de l'anarchie féodale.
                    J. BAINVILLE, Hist. de France, IV, p. 49.

Expr. bibl. (par allusion aux anges qui, dans l'*Apocalypse,*
ravagent la terre qu'habitent les méchants). *L'abomination de la désolation.* → **Abomination.**

4   (...) il existait des gens qui, devant la fresque du jugement
dernier de Michel-Ange, n'y avaient rien vu autre chose
que l'épisode des prélats libertins, et s'étaient voilé la face
en criant à l'abomination de la désolation !
              Th. GAUTIER, Préface de M*lle* de Maupin,
                        p. 4 (éd. critique MATORÉ).

Par ext. *C'est un spectacle de désolation.* — **Fam.** *C'est
la désolation des désolations,* la pire des calamités.
Lieu frappé de désolation.

4.1 Ces troncs que l'on voit parmi la désolation d'alentour.
                GIDE, le Retour du Tchad, *in* Souvenirs, Pl., p. 975.

♦**2** Extrême affliction. → **Affliction, amertume, chagrin, consternation, détresse, douleur, mal, peine,
souffrance, tourment.** *La désolation de qqn. Sa désolation était complète. Cette nouvelle l'a plongé dans
la désolation.*

5   (...) de là naissent les mélancolies et les tristesses, de là
les désolations et les désespoirs (...)
                                        BOURDALOUE,
              Sermon sur la nativité de Jésus-Christ, II.

6   Dans sa désolation, un sourire inconscient était monté à
sa face.   ZOLA, Nana, II, p. 23.

7   Aux premiers accords plaqués sur l'orgue, Durtal reconnut
le «Dies iræ», l'hymne désespérée du moyen âge (...) le cri
de la désolation absolue et de l'effroi.
                              HUYSMANS, En route, p. 10.

Par métonymie. Cause de désolation. *Cet enfant est
notre désolation!*

♦**3** Vive contrariété. → **Contrariété, ennui.** «*Vous me
voyez dans la désolation, je n'ai pu obtenir ce que
vous désiriez*» (Académie).

**CONTR. Consolation. — Aise, contentement, joie; satisfac-
tion.**

DÉSOLER [dezɔle] v. tr. — Fin XIIᵉ; lat. *desolare,* proprt
«laisser seul», d'où «ravager»; de *de-,* et *solare* «dépeupler», de *solus* «seul».

♦**1** Vx ou littér., le p. p. (→ ci-dessous) étant plus cour.
Ruiner (un pays), transformer en solitude par des
ravages. → **Détruire, dévaster, ravager, ruiner, saccager.** *Pillards qui désolent la campagne. Une épidémie a désolé la ville, l'armée* (→ Combattre, cit. 16).
Les maux qui désolent la société (→ Argent, cit. 47).

1   Le Jourdain ne voit plus l'Arabe vagabond,
Ni l'altier Philistin, par d'éternels ravages,
Comme au temps de vos rois, désoler ses rivages (...)
                              RACINE, Athalie, II, 5.

2   Après l'enchaînement de tant de calamités, après que
les éléments et les fureurs des hommes ont ainsi cons-
piré pour désoler la terre, on s'étonne que l'Europe soit
aujourd'hui si florissante.
                    VOLTAIRE, Essai sur les mœurs, LXXV.

3   Mon père avait vu venir la guerre sans illusion. C'est à
lui également que l'on doit, dans la *Grande Encyclopédie,* les
notices sur les fléaux qui ont désolé l'humanité et sur les
dates fatidiques, sur l'an mil, la peste, les Huns.
                              GIRAUDOUX, Bella, I, p. 9.

♦**2** Causer une affliction extrême à (qqn).
→ **Affliger, attrister, chagriner, consterner, navrer.**
La mort de cet ami le désole. Cet échec me désole.

4   (...) si elle s'en va en se déchirant le cœur, c'est par l'espérance qu'elle a de revenir digne de lui dans l'esprit de
tout le monde, et de pouvoir être sa femme, sans désoler

et sans humilier sa famille.
                    G. SAND, la Petite Fadette, XXIX, p. 199.

5   Il (*l'oncle*) était horloger, et m'envisageait comme devant
être le continuateur de son état. Mes succès le désolaient;
car il sentait bien que tout ce latin contreminait sourdement ses projets (...)
              RENAN, Souvenirs d'enfance..., III, I, p. 122.

6   (...) deux traits particuliers du caractère d'Albertine qui me
revenaient maintenant à l'esprit, l'un pour me consoler,
l'autre pour me désoler (...)
              PROUST, À la recherche du temps perdu, t. XII,
                                        p. 235.

♦**3** (Le sujet désigne une contrariété, un désagrément).
Contrarier. → **Ennuyer, fâcher, importuner.** *Ce contretemps, ce retard me désole. Vos reproches me
désolent* (→ Attention, cit. 8). → **Navrer; chiffonner**
(fam.).

◆ **SE DÉSOLER** v. pron. (1692).
Se lamenter. → **Plaindre** (se). *Il se désole nuit et jour.
Ne vous désolez pas comme cela.*

7   (...) tandis qu'une épouse à leurs yeux se désole (...)
                              BOILEAU, Satires, X.

Être fortement contrarié. *Elle se désole de ne pouvoir vous aider.*

◆ **DÉSOLÉ, ÉE** p. p. adj. (V. 1355).
♦**1** Qui est vide, désert. *Ville désolée par la peste.
Pays désolé.* → **Désert** (cit. 5). — **Par ext.** Morne, triste.

8   Mon palais près (*auprès*)du vôtre est un lieu désolé.
                              CORNEILLE, Agésilas, III, 1.

9   Il fallait du temps pour fermer les plaies de la Livonie,
pays abondant, mais désolé depuis quinze ans de guerre, par
le fer, par le feu, et par la contagion (...)
                    VOLTAIRE, Hist. de Charles XII, VIII.

10 (...) un endroit désolé, consumé de soleil, calciné même
en plein hiver (...)
                    E. FROMENTIN, Une année dans le Sahel,
                              p. 37 (→ Calciner, cit. 3).

♦**2** Littér. Qui éprouve une grande douleur.
→ **Affligé, éploré.** *Une mère désolée. Avoir l'air
désolé.*

10.1 Le désolé Bedreddin ne cessa de se lamenter
              A. GALLAND, les Mille et une Nuits, t. I, p. 337.

Par ext. Qui exprime une grande tristesse. *Une
chanson désolée.*

♦**3** Par exagér. Cour. Être désolé : regretter. *Je vous
assure que je suis désolé. Je suis désolé de vous
avoir fait attendre. Je suis désolé que vous n'ayiez
pu assister au spectacle.* → **Contrarié; embêté** (fam.).
— **Ellipt.** *Désolé! Navré, désolé, mais vous vous
trompez!*

11 Désolé, messieurs. Que de regrets !
              COURTELINE, Messieurs les ronds-de-cuir,
                        Vᵉ tableau, III, p. 201.

♦**4** N. Littér. Personne qui éprouve une grande affliction.

12 Quand la belle désolée fut au lit, je me mis à la consoler de
bonne foi. Je la rassurai d'abord sur la crainte du couvent.
              CHODERLOS DE LACLOS, les Liaisons dangereuses,
                                        lettre LXIII.

13 Nous ne refusons pas de vous suivre, mais nous sommes
des désolés, des centaines de millions de désolés dans les
ténèbres.   Léon BLOY, *in* Choix de textes, p. 119.

CONTR. Épargner. — Consoler; réjouir. — (Du p. p.) Aise
(être bien), **gai, joyeux, satisfait.** ◊ **DÉR. Désolant.**

DÉSOLIDARISER [desɔlidaʀize] v. tr. — V. 1879; de
1. *dé-,* et *solidariser.*

♦**1** Rare (personnes; groupes). Rompre les liens de
solidarité avec, entre... → **Désunir, diviser.** *Conflits
qui désolidarisent des héritiers, les membres d'un
parti.* — *Désolidariser qqn, un groupe (de qqn, d'un
groupe).*

♦ 2 (Compl. n. de chose). Faire cesser d'être solidaire (à propos de deux pièces d'un mécanisme). → **Disjoindre, dissocier.** *Désolidariser le moteur de la transmission, d'avec la transmission. Désolidariser deux pièces d'un mécanisme.*

◆ SE DÉSOLIDARISER v. pron. (Déb. xxᵉ).

Cesser d'être solidaire. *Se désolidariser de ce qu'on désapprouve.* → **Désavouer, renier.** *Plusieurs ministres se sont désolidarisés des déclarations de leur collègue. Se désolidariser de, d'avec ses collègues.* → **Abandonner, séparer** (se). *Je m'en désolidarise complètement.*

1   Ainsi je ne me désolidariserai pas d'une défaite qui, souvent, m'humiliera (...) La défaite divise (...) je ne contribuerai pas à ces divisions, en rejetant la responsabilité du désastre sur ceux des miens qui pensent autrement que moi.
SAINT-EXUPÉRY, Pilote de guerre, XXIV, p. 209-210.

2   On peut sans doute forcer la nature pendant un certain temps, changer même son rythme. Le peut-on toujours ? Le résultat final est encore inconnu : pour emprunter une expression de Paul Valéry, il y a là «une grande aventure». Le problème que pose cette aventure, c'est de savoir si l'homme peut se désolidariser de la nature.
André SIEGFRIED, l'Âme des peuples, VII, 1, p. 163.

CONTR. Solidariser (se), **unir.**

DÉSOPERCULER [dezɔpɛRkyle] v. tr. — 1878 ; de *dés-* (→ 1. Dé-), *opercule*, et suff. verbal.

Apic. Ouvrir les alvéoles de..., en enlevant l'opercule avec le couteau spécial dit *désoperculateur,* n. m.

(...) j'avais laissé sur la table un rayon de miel désoperculé (c'est-à-dire dont les cellules étaient ouvertes...)
MAETERLINCK, la Vie des abeilles, III, IX, p. 128.

DÉSOPILANT, ANTE [dezɔpilɑ̃, ɑ̃t] adj. — 1842 ; en méd., n. m., 1658 ; p. prés. de *désopiler.*

Qui fait rire de bon cœur ; très amusant, très drôle*. *Histoire, farce désopilante.* → **Hilarant.** — *Cet acteur est désopilant.* → **Comique.**

Au milieu d'indicibles tripotages, ce grotesque filou n'abdiquait aucune de ses anciennes prétentions, et on retrouvait toujours en lui le désopilant roublard qui fit offrir, un jour, au comte de Chambord, de se convertir publiquement au catholicisme, si on le faisait marquis.
Léon BLOY, le Désespéré, p. 127.

DÉSOPILER [dezɔpile] v. tr. — 1542, «désobstruer» (un organe) ; *dépoiler*, 1495 ; de *dés-* (→ 1. Dé-), et anc. franç. *opiler*, lat. *oppilare* «boucher».

♦ 1 Méd. Vx. Déboucher, désobstruer. *Désopiler la rate.*

1   (...) le purger, désopiler, et évacuer par purgatifs (...)
MOLIÈRE, Monsieur de Pourceaugnac, I, 8.

Loc. (1690). **DÉSOPILER LA RATE** (de la bile noire) : réjouir (la rate étant regardée par l'ancienne médecine comme le siège de la mélancolie). → Se dilater la rate*. *Cela lui désopile la rate.*

♦ 2 Mod. *Désopiler qqn* : exciter la gaieté de, faire rire, réjouir (qqn). — Pron. *Se désopiler* : rire beaucoup.

2   Il dépend de l'Académie que nous nous foulions la rate le jeudi, et que nos savants confrères dissèquent des RATTES, lesquelles ne pourront plus être confondues avec l'organe qui était en train de se désopiler, tandis que nous écoutions ces propos.
F. MAURIAC, le Nouveau Bloc-notes 1958-1960, p. 33.

DÉR. Désopilant.

DÉSORBITATION [dezɔrbitasjɔ̃] n. f. — V. 1925 ; de *désorbiter.*

Didact. Le fait de sortir de son orbite (en parlant d'un corps céleste) ; résultat de cette action.

(...) n'attendez pas de moi des récits de désorbitations de planètes ; contentez-vous de fables familières (...)
A. ARNOUX, Suite variée, p. 117.

DÉSORBITER [dezɔrbite] v. tr. — V. 1830, intr., Fourier ; *se désorbiter*, 1853 ; de *dés-* (→ 1. Dé-), *orbite*, et suff. verbal.

♦ 1 Faire sortir de son orbite. — Pron. Sortir de son orbite.

(...) ils étaient là une vingtaine, peut-être davantage, pirouettant (...) sans se heurter jamais, sans se désorbiter de leur tourbillon (...)   1
Th. GAUTIER, Constantinople, XI, «Les derviches tourneurs».

Par métaphore. *Désorbiter la pensée.*

♦ 2 (1881). Faire sortir de son milieu, de ses habitudes.

Tout ce qu'il pouvait était de donner le change à Leverdier,   2 en laissant croire à cet ignorant de l'amour que son œuvre seule le désorbitait de la vie normale.
Léon BLOY, le Désespéré, p. 230.

◆ DÉSORBITÉ, ÉE p. p. adj.

Rare. *Satellite désorbité.* — Cour. *Yeux désorbités.*

On se représente les acteurs, les témoins d'un drame avec   3 des yeux désorbités, qui s'ouvrent plus grands parce qu'ils voient tout, dans leur affolement, à travers une sorte de nuage.   Henri FAUCONNIER, Malaisie, p. 282.

Fig. Sorti de ses habitudes, qui ne sait plus ce qu'il fait, où il en est. → **Désorienté, troublé ; déboussolé** (fam.).

DÉR. Désorbitation.

DÉSORDONNÉ, ÉE [dezɔrdɔne] adj. — V. 1220 ; de *dés-* (→ 1. Dé-), et *ordonné.*

♦ 1 (1538). Qui est en désordre ; où il y a du désordre*. *Maison, chambre désordonnée.* → **Bouleversé, dérangé, désorganisé, sale, saccagé.** *Coiffure désordonnée.* → **Ébouriffé, échevelé, embrouillé, embroussaillé.** — *Combat désordonné.* → **Confus, indistinct.** *Fuite, débandade désordonnée. Marche désordonnée.* → **Irrégulier.** *Gestes, mouvements désordonnés d'un épileptique,* qui manquent de coordination. *Agir d'une manière désordonnée.* → **Capricieux, incohérent.** *Il y a quelque chose de désordonné dans son style, dans son plan.* → **Brouillé, confus, décousu.**

Restes des passions par le temps effacées,   1
Combat désordonné de vœux et de pensées (...)
LAMARTINE, Premières méditations, «La foi».

Et plus les faits désordonnés lui font obstacle, plus il   2 souffre amèrement de sentir en soi la force qui les ordonne.
André SUARÈS, Trois hommes, «Pascal», I, p. 14.

♦ 2 (XIVᵉ, attestation isolée ; fin XIXᵉ). Cour. Qui manque d'ordre, ne range pas ses affaires. *Maîtresse de maison négligente et désordonnée.* → **Brouillon.** *Cet écolier désordonné égare toujours ses cahiers.*

N. *C'est un désordonné, une désordonnée.*

♦ 3 Littér. Qui n'est pas conforme à la règle, à la morale, au bon ordre (tel qu'il est défini par le groupe social à un moment donné). *Conduite*, vie désordonnée. Mœurs désordonnées.* → **Agité, déréglé, dissolu, inconvenant, licencieux, vicieux ; frein** (sans frein).

En parlant des personnes. Qui ne se conforme pas à la règle, à la morale. → **Débauché.**

3 (...) femme désordonnée,
Sans mesure et sans règle au vice abandonnée (...)
BOILEAU, Satires, X.

4 Ces âmes désordonnées que le monde et les passions entraînent.   MASSILLON, Petit Carême, Lazare.

Par ext. Qui est excessif, démesuré. → **Déchaîné, échevelé, effréné.** *Dépenses désordonnées. Un luxe désordonné. Appétit désordonné. Imagination désordonnée.* → **Débridé, fou, vagabond.** *Conceptions désordonnées.* → **Délirant.**

CONTR. Ordonné; méthodique, minutieux, soigneux. — Moral, sage, vertueux; modéré, tempéré. ◊ DÉR. Désordonnément.

DÉSORDONNÉMENT [dezɔrdɔnemɑ̃] adv. — 1330; de *désordonné.*

Rare. D'une manière désordonnée; en désordre (cf. Pêle-mêle, en pagaïe, n'importe comment...).

(...) jusqu'au ronflement formidable des vagues en coup de bélier qui entrent tout à coup dans une grotte demi-sous-marine et s'y heurtent désordonnément (...)
Henri MICHAUX, Ailleurs, p. 254.

DÉSORDONNER [dezɔrdɔne] v. tr. — Déb. XIIIᵉ; *desordener* «détrôner» (un roi), 1080; de *dés-* (→ 1. Dé-), et *ordonner.*

Vx ou littér. Troubler l'ordre de (qqch.). → **Désorganiser.** *Désordonner sa pensée.*

Pron. Rompre l'ordre de marche. → **Débander** (se). *Les troupes se sont désordonnées.*

HOM. Désordonné.

DÉSORDRE [dezɔrdr] n. m. — 1377, «querelle»; de *dés-* (→ 1. Dé-), et *ordre.*

◆ **1** (1530). Absence d'ordre dans la disposition d'une pluralité d'objets, entraînant en général une difficulté à retrouver les éléments et souvent un sentiment déplaisant d'irrégularité* sur le plan esthétique. → **Chaos, confusion, mélange, pagaïe.** *Le désordre d'un lieu, d'une pièce; d'une armoire, d'une bibliothèque.* — (Le compl. désigne les objets). *Le désordre de livres et de papiers jetés en tas. Un désordre complet, indescriptible. Quel désordre, ici! Un beau, un joli désordre* (iron.). → **Barnum** (argot fam.), **bazar** (fam.), **bordel** (fam.), **chabanais** (fam.), **chenil** (régional), **fatras, fouillis, fourbi, foutoir, gâchis, médrano** (argot fam.), **merdier, pagaïe, pastis** (fam.), **remue-ménage, salade** (fam.), **souk.** — Spécialt et vieilli (en parlant de l'apparence physique d'une personne : habillement, coiffure). *Le désordre d'une tenue.* → **Débraillé.** *Réparer le désordre de sa toilette :* se rajuster. *Le désordre d'une coiffure* (→ Coiffeuse, cit. 1). — **EN DÉSORDRE.** *Lieu, pièce, ensemble de choses en désordre.* → **Désordonné.** *Mettre en désordre.* → **Bouleverser, chambarder, chambouler, déranger, désajuster, désorganiser, disperser, embrouiller, emmêler, enchevêtrer, éparpiller, farfouiller, mélanger, mêler, renverser, troubler** (cf. fam. Foutre la merde, le bordel...). *Un brouillon* qui laisse tout en désordre.* → **Débandade** (à la débandade), **épars.** *Tout est en désordre.* → **Pêle-mêle, sens** (dessus dessous), **traîne** (à la traîne). *Chambre en désordre.* → **Bric-à-brac, capharnaüm;** (fam.) **bazar, chantier** (cf. Un chat n'y trouverait pas ses petits, une vache son veau...). *Ces papiers sont tout en désordre. Objets expédiés en désordre dans un contenant.* → **Vrac** (en). *Vergues en désordre.* → **Pantenne** (en). — *Tenue en désordre. Cheveux en désordre,* décoiffés, dépeignés, ébouriffés, échevelés... (→ Broussailleux, fig.; → En broussailles).

Ses cheveux en désordre épars sur son visage (...)
A. CHÉNIER, Élégies, XVII.
1

(...) réparer le désordre qu'apporte toujours dans une toilette un voyage rapide (...)
Th. GAUTIER, le Capitaine Fracasse, t. II, XVI, p. 195.
2

Chez deux ou trois notables, où j'accepte de m'asseoir un instant, les aspects sont pareils : délabrement, désordre et pouillerie, dans une demi-obscurité et une senteur de tanière (...)
LOTI, L'Inde (sans les Anglais), III, XII, p. 12.
3

Quand j'entre dans une chambre et que je la juge «en désordre», qu'est-ce que j'entends par là? La position de chaque objet s'explique par les mouvements automatiques de la personne qui couche dans la chambre, ou par les causes efficientes, quelles qu'elles soient, qui ont mis chaque meuble, chaque vêtement, etc., à la place où ils sont (...)
H. BERGSON, l'Évolution créatrice, III, p. 233.
4

Le désordre de ma pensée reflète le désordre de ma maison où chaque pièce reste «en souffrance».
GIDE, Journal, janv. 1907, p. 228.
5

Loc. fam. (en attribut). *C'est désordre, ici. Ça fait désordre :* cela a une apparence désordonnée.

Adj. *Être désordre,* désordonné. *Ce que vous pouvez être désordre!*

L'Indien est par nature insouciant et désordre, mais cependant il prend grand soin de ses harnais.
R. FRISON-ROCHE, Peuples chasseurs de l'Arctique, p. 106.
5.1

(Sans péjoration). *Un savant désordre, un désordre voulu :* un désordre d'objets destiné à rompre la monotonie du décor, à donner du naturel. — *Désordre pittoresque d'un bohème*. Un aimable désordre.*

Quel désordre aimable : non un désordre d'abandon, mais le désordre intelligent qui marque une présence. Il garde encore l'empreinte du mouvement.
SAINT-EXUPÉRY, Courrier sud, III, IV, p. 189.
6

(En parlant de personnes qui doivent respecter un ordre matériel). *Semer le désordre dans les rangs d'une armée.* → **Désarroi, panique, trouble.** — *Troupes qui se retirent, refluent en désordre,* en débandade. → **Déroute** (→ Commandement, cit. 9).

La honte de mourir sans avoir combattu
Arrête leur désordre, et leur rend leur vertu.
CORNEILLE, le Cid, IV, 3.
7

Spécialt (d'un ordre d'éléments). **Loc. (critiquée).** *Rapport du tiercé dans le désordre,* dans un ordre différent (de celui qui rapporte le plus, et correspond à l'ordre d'arrivée des chevaux).

Inobservation d'un certain ordre, de certaines règles (dans les ouvrages de l'esprit). *Désordre dans le plan d'un discours, d'un traité.* — En bonne part. *Désordre voulu; désordre lyrique.*

Son style impétueux *(de l'ode)* souvent marche au hasard. Chez elle un beau désordre est un effet de l'art.
BOILEAU, l'Art poétique, II.
8

Défaut d'organisation; mauvais fonctionnement d'un ensemble en principe bien organisé. *Désordre dans les affaires publiques ou privées.* → **Désorganisation, gabegie, pagaïe** (fam.); (fam.) **binz, chienlit, chierie.** *Désordre dans une administration. Désordre des finances. Ses affaires sont dans un désordre épouvantable. Le désordre universel.*

Colbert trouva d'un côté l'administration des finances dans tout le désordre où les guerres civiles et trente ans de rapines l'avaient plongée.
VOLTAIRE, Dial., IV, in LITTRÉ.
9

Autour de nous je ne vois que désordre, désorganisation, négligence et gaspillage des vertus les plus radieuses, que mensonge, que politique, qu'absurdité.
GIDE, Journal, 2 juin 1918.
10

À mesure que le désordre universel, qui est comme la grande œuvre du monde moderne, désordre aussi sensible et aussi actif dans les idées que dans les mœurs et
11

dans les choses, se prononce, se propage, et développe ses dangers, ses promesses, sa puissance de contradictions, accumule les tentatives, les nouveautés, les destructions et les entreprises, les esprits, même les plus fermes, se sentent déconcertés et entraînés par la quantité des événements, l'excès de découvertes, la précipitation des changements qui en résultent.

VALÉRY, Regards sur le monde actuel, p. 300.

12 Parce que, dans la plupart des pays d'Europe, le désordre a dépassé le point de contrôle possible.

A. MAUROIS, le Cercle de famille, III, IV, p. 247.

13 (...) liberté ne signifie pas nécessairement désordre, ni autorité tyrannie.

André SIEGFRIED (→ Autorité, cit. 20).

♦ **2** Spécialt. **Trouble dans un fonctionnement.** *Désordre dans la vie organique.* → **Altération, perturbation, trouble.** — *Un, des désordres. L'intempérance provoque des désordres dans l'organisme.* → **Ravage.** *Désordre nerveux. Désordres fonctionnels.*

14 La raison, alors dans sa force, devrait produire, mais elle est refroidie et ralentie par les années, par la maladie et la douleur, déconcertée ensuite par le désordre de la machine, qui est dans son déclin (...)

LA BRUYÈRE, les Caractères, XI, 49.

♦ **3** **État (de l'esprit, des idées...) qui n'est pas conforme à l'ordre habituel.** → **Confusion** (cit. 4), **égarement, trouble.** *Le désordre de ma pensée...* → ci-dessus, cit. 5. *Jeter le désordre dans les esprits.* → **Brouiller, égarer.** — *Désordre des idées :* défaut de suite, de logique. → **Brouillamini, brouillement, déraillement, divagation, embrouillement, imbroglio, incohérence.**

15 J'ai couru. Le désordre était dans ses discours.

RACINE, Esther, II, 1.

16 Combien de fois, hélas ! puisqu'il faut vous le dire, Mon cœur de son désordre allait-il vous instruire !

RACINE, Britannicus, III, 7.

17 À quoi cette poésie peut-elle servir, sinon à égarer notre bon sens, à jeter le désordre dans nos pensées, à troubler notre cerveau, à pervertir nos instincts, à fêler nos imaginations, à corrompre notre goût, et à nous remplir la tête de vanité, de confusion, de tintamarre et de galimatias ?

HUGO, W. Shakespeare, II, I, I.

18 Des bribes de phrases incohérentes où se marquait le désordre de sa pensée.

G. DUHAMEL, Chronique des Pasquier, V, XX, p. 256.

Littér. **Trouble (affectif, psychique).** *Le désordre du cœur, des sentiments.*

♦ **4** (1535). **Absence de règle ; fait de ne pas respecter les règles, la morale.** → **Dérèglement, dissipation, licence.** *Tomber, se plonger, vivre dans le désordre.* → **Coup** (faire les cent, les quatre cents coups). — Conduite déréglée, débauche. → **Abandon, bacchanale, dissolution.** *Le désordre de sa conduite.* → **Conduite** (→ *infra* cit. 19). — Action qui témoigne d'un mépris des règles morales. *Se déshonorer par ses désordres* (→ Avilir, cit. 12). *Désordres de jeunesse.*

19 Les désordres secrets qui souillent notre vie.

CORNEILLE, Imitation de J.-C., I, 8.

20 (...) les désordres criminels de la vie que j'ai menée.

MOLIÈRE, Dom Juan, V, 1.

21 N'en doutez pas, lui disais-je, c'est la Providence qui m'a mené à vous. Si je ne vous avais pas connue, peut-être, à l'heure qu'il est, serais-je retombé dans mes désordres.

A. DE MUSSET, Confessions d'un enfant du siècle, III, IX, p. 180.

22 (...) les grands désordres jettent aux grandes dévotions.

ZOLA, Nana, II, p. 184.

22.1 (...) de quel profit peut nous être la vertu des femmes ! Ce sont leurs désordres qui nous servent et qui nous amusent ; mais leur chasteté nous intéresse on ne saurait moins.

SADE, Justine..., I, 22.

♦ **5** **Absence d'ordre ou rupture de l'ordre, de la discipline dans un groupe, une communauté.**

→ **Chahut, chambard, scandale, tapage, tumulte, vacarme** ; (fam.) 2. **boucan.** *Causer du désordre dans une réunion, sur la place publique. Les permissionnaires ont fait beaucoup de désordre en ville. Assemblée où règne le désordre.* → **Cour** (cour du roi Pétaud), **enfer, pandémonium, pétaudière, tohu-bohu...**

23 La cour est en désordre, et le peuple en alarmes (...)

CORNEILLE, le Cid, III, 6.

24 Un prédicateur disait : «Quand le père Bourdaloue prêchait à Rouen, il y causait bien du désordre : les artisans quittaient leurs boutiques, les médecins leurs malades, etc. J'y prêchai l'année d'après, j'y remis tout dans l'ordre.»

CHAMFORT, Caractères et anecdotes, «Bourdaloue à Rouen».

25 (...) comme tout le monde a son billet pris d'avance, l'entrée s'effectue sans le moindre désordre. Chacun grimpe à sa place et s'assoit suivant son numéro.

Th. GAUTIER, Voyage en Espagne, p. 51.

♦ **6** **Trouble** *(un, des désordres),* **ou ensemble des troubles** *(le désordre)* **qui interrompent gravement la tranquillité publique et l'ordre social.** → **Agitation, anarchie, bagarre, bouleversement, discussion, dissension, embrasement, émeute, trouble** (→ Anniversaire, cit. 1). *Faction qui provoque, fomente le désordre. Fauteur* de désordre. — *Actions violentes qui portent atteinte à l'ordre social. De graves désordres, des désordres sanglants ont éclaté en province. Faire cesser, apaiser, réprimer le désordre.*

26 (...) les ouvriers ne sont pas les principaux coupables. Ils se laissent conduire comme des enfants par les professionnels du désordre. Pour ceux-ci, M. de Lommérie n'éprouve aucune pitié. Il acclame d'avance le gouvernement énergique qui les balaiera.

J. ROMAINS, les Hommes de bonne volonté, t. V, XXVIII, p. 298.

CONTR. Ordre ; disposition, méthode, organisation, rangement, symétrie. — Cohérence, clarté, logique, santé. — Austérité, chasteté, décence, pureté, retenue, vertu. — Calme, paix, sagesse, tranquillité.

DÉSORGANISATEUR, TRICE [dezɔrganizatœr, tris] adj. et n. — 1792 ; de *désorganiser.*

Qui désorganise.

♦ **1** Qui désorganise (un organisme). *Principe désorganisateur. Une lésion désorganisatrice.* Qui ébranle la personnalité.

Ceux qui en sont atteints *(des troubles névrotiques)* souffrent de leur imagination, même s'ils en souffrent jusque dans leur corps. Pour agir sur cette imagination désorganisatrice, la psychanalyse invite le sujet à se remettre en question lui-même.

D. ANZIEU, le Moment de l'Apocalypse, *in* la Nef, n° 31, p. 128.

♦ **2** Qui tend à remettre en cause l'ordre établi.

N. **Personne qui sème le désordre.** → **Perturbateur.**

DÉSORGANISATION [dezɔrganizasjɔ̃] n. f. — 1764 ; de *désorganiser.*

Le fait de désorganiser ; son résultat.

♦ **1** Didact. **Altération grave de la structure** (d'un tissu, d'un organe...) **pouvant entraîner la perte des fonctions.** *La désorganisation des tissus.*

♦ **2** (Abstrait). **Action de désorganiser ; son résultat.** → **Désordre, trouble.** *Nation en complète désorganisation.* → **Décomposition.** *Désorganisation d'une administration, d'une armée. Désorganisation du marché* (→ Crise, cit. 8). → **Désagrégation, effondrement.** — Psychol. *Désorganisation de la personnalité.*

Quand l'effet produit n'est plus en rapport avec sa cause, il y a désorganisation.

BALZAC, Louis Lambert, Œ., t. X, p. 413.

CONTR. Organisation.

DÉSORGANISER [dezɔʀganize] v. tr. — 1764; p. p., v. 1570; de *dés-* (→ 1.Dé-), et *organiser*.

♦ **1** Détruire l'organisation* de. → **Destructurer**. *Le cancer désorganise les tissus qu'il envahit.* → **Décomposer, perturber.** — (1766). Pron. :

1 Tout le poids de son corps *(celui du chameau)* porte pendant plusieurs heures de suite, chaque jour, sur sa poitrine et ses genoux; et la peau de ces parties pressée, frottée contre la terre se dépile, se froisse, se durcit et se désorganise.   BUFFON, Œ. philosophiques, p. 398 (1766).

♦ **2** Fig. Détruire l'unité et l'ordre de (un ensemble). → **Déranger, troubler.** *Désorganiser les plans de qqn. La défaite a désorganisé l'armée. Désorganiser un service, une administration. Les résultats des élections ont désorganisé ce parti.*

Pron. Se désagréger (sous l'effet de troubles). *Débris* d'une société qui se désorganise.* → **Craquer, désagréger** (se).

2 Ils *(les XIVᵉ et XVᵉ siècles)* forment une période de transition, en ce sens que le régime féodal se désorganise, tandis que le régime monarchique n'est pas encore constitué.
           Ch. SEIGNOBOS, Hist. sincère de la nation franç., XI, p. 199.

♦ **DÉSORGANISÉ, ÉE** p. p. adj.

Tissus désorganisés. — Administration complètement désorganisée. Pays désorganisé.

CONTR. Arranger, organiser. ◊ **DÉR. Désorganisateur, désorganisation.**

DÉSORIENTANT, ANTE [dezɔʀjãtã, ãt] adj.
— 1928; p. prés. de *désorienter*.

♦ **1** Qui fait cesser une orientation. *Action désorientante du champ électrique.*

Qui fait perdre la bonne direction.

1 (...) d'autres sirènes (...) lui répondaient sur des tons allant du grave à l'aigu et avec des voix toutes également désorientantes, trompeuses.
                    B. CENDRARS, Bourlinguer, IV, p. 48.

♦ **2** Fig. Qui surprend l'esprit, le déroute. → **Déconcertant, déroutant.**

2 (...) cette polyphonie par élargissement et écrasement du son est si désorientante pour nos oreilles septentrionales, que je doute qu'on la puisse noter (...)
           GIDE, le Retour du Tchad, II, *in* Souvenirs, Pl., p. 893.

DÉSORIENTATION [dezɔʀjãtasjɔ̃] n. f. — 1876; de *désorienter*.

Action de désorienter; son résultat. *La désorientation des aimants.* — Fig. *La désorientation morale.*

Pathol. *Désorientation spatio-temporelle :* perte du sens de l'orientation dans l'espace et dans le temps.

CONTR. Orientation.

DÉSORIENTER [dezɔʀjãte] v. tr. — 1617; de *dés-* (→ 1.Dé-), et *orienter*.

♦ **1** (1690). Faire cesser d'être orienté, et, par ext., faire perdre la direction à (qqn). → **Dépayser, égarer, perdre.** *La brume nous a désorientés.* — Pron. S'égarer.

1 Il remonta le chemin jusqu'à la Croix-au-Lièvre, et il en fit le tour les yeux fermés pour se désorienter; et quand il eut bien remarqué les arbres et les buissons autour de lui, il se trouva dans le bon chemin (...)
               G. SAND, la Petite Fadette, XII, p. 91.

Par anal. *Désorienter un compas, une lunette astronomique,* les changer de direction. *Désorienter une carte.*

♦ **2** (Abstrait). Changer la direction, l'orientation de.

Et cependant tout porte à croire que Charles-Maurice eût été voué, ainsi qu'il le dira, à la carrière des armes sans l'accident qui, de très bonne heure, orienta, ou plutôt *désorienta* sa vie.
           Louis MADELIN, Talleyrand, I, I, p. 15.

Rendre (qqn) hésitant sur ce qu'il faut faire, sur le comportement à avoir. → **Déconcerter, embarrasser, emberlificoter, embrouiller, troubler.**

3 (...) une certaine coquetterie maligne et railleuse désoriente encore plus les soupirants que le silence ou le mépris.
           ROUSSEAU, Julie ou la Nouvelle Héloïse, VI, lettre V.

♦ **DÉSORIENTÉ, ÉE** p. p. adj. (1636).

Qui ne sait plus où il en est, ce qu'il doit faire.
→ **Déconcerté, démoralisé, dépaysé, embarrassé, étonné, hésitant, indécis, perdu, surpris** (cf. Être comme un corps sans âme; perdre le nord, la tramontane). *Être tout désorienté. Errer désorienté* (cf. Comme une âme en peine).

4 (...) et jusqu'au soir s'en aller traîner par les rues, désorienté, hébété, amputé de ses habitudes.
           COURTELINE, Messieurs les ronds-de-cuir, II, I, p. 57.

5 Il était tout désorienté d'avoir gain de cause sans lutte.
               MARTIN DU GARD, les Thibault, t. II, p. 16.

CONTR. Orienter; encourager, enhardir, raffermir, rassurer. ◊ **DÉR. Désorientant, désorientation.**

DÉSORMAIS [dezɔʀmɛ] adv. — XIIᵉ; de *dès, or* «maintenant», et *mais* «plus».

♦ **1** À partir du moment actuel (s'emploie pour qualifier un comportement ou avec un attribut). → **Avenir** (à l'avenir), **dès** (dès maintenant), **dorénavant.** *Désormais, je ne l'écouterai plus. Soyons désormais plus prudents.*

Ne songez désormais qu'à vos erreurs passées (...)
                    LA FONTAINE, Fables, XI, 8.   1

(...) c'est un mauvais métier. Désormais, j'y renonce (...)
                    MOLIÈRE, l'Avare, III, 2.   2

Je ne vais désormais penser qu'à nous venger.
                    RACINE, Mithridate, III, 3.   3

♦ **2** Dans la suite, à partir de ce moment-là (s'emploie en relation avec un moment passé). → **Dès** (lors).

Félicité lui en fut reconnaissante comme d'un bienfait, et   4
désormais la chérit avec un dévouement bestial et une vénération religieuse.
           FLAUBERT, Trois contes, «Un cœur simple», III.

Désormais a une origine analogue *(à dès lors),* que révèle   5
la forme archaïque *dès ores mais* (dès maintenant plus) :
Sa vie est des or mes honteuse (Chrestien de Troyes, le Chevalier à la charrette). Les éléments sont soudés depuis longtemps : *On portera le joug* désormais *sans se plaindre* (Corneille, Cinna, 1578).
           F. BRUNOT, la Pensée et la Langue, III, XI.

CONTR. Jusqu'à. — Jamais (plus).

DÉSORPTION [dezɔʀpsjɔ̃] n. f. — 1949, Demolon et Marquis, *le Phosphore et la vie;* de 1. *dé-,* et *(ab)sorption.*
Didact. Sc. Phénomène inverse de l'absorption et de l'adsorption.

La cellophane possède une excellente transparence et un éclat particulier. Elle est transparente également aux ultraviolets. Elle possède une faible porosité aux gaz, mais laisse passer la vapeur d'eau. En effet, les molécules d'eau diffusent d'une face à l'autre de la feuille par absorption et désorption successive dans la masse de la pellicule.
           M. CHÊNE et N. DRISCH, la Cellulose, p. 97.

DÉSOSSÉ, ÉE [dezɔse] adj. → **Désosser.**

DÉSOSSEMENT [dezɔsmã] n. m. — 1798, Académie; de *désosser.*

Action de désosser, de se désosser. *Le désossement d'une viande, d'un poisson.* — Fig. (Rare). Analyse. *Le désossement d'une phrase.*

DÉSOSSER [dezɔse] v. tr. — V. 1350; de *dés-* (→ 1. Dé-), *os*, et suff. verbal.

♦ **1** Dépouiller de ses os. *Désosser une épaule de mouton, une volaille.*

Par anal. *Désosser un poisson,* en ôter les arêtes. **Syn.** : *désarêter.*

Pron. Être désossé. *Cette volaille se désosse facilement.*

♦ **2** Fig. Décomposer, analyser en détail. → **Analyser, décortiquer, disséquer, éplucher.** *Désosser un article, un ouvrage.*

♦ **3** V. pron. Faire des mouvements souples. → **Désarticuler** (se). *Cet acrobate se désosse.*

♦ **DÉSOSSÉ, ÉE** p. p. adj.

♦ **1** Dont on a ôté les os (ou les arêtes). *Dinde désossée et farcie. Poisson désossé.*

♦ **2** (1815). Dont les membres sont flasques, mous, sans vigueur; très souples. *Clown désossé* (→ **Désarticulé, disloqué**). *Elle avait des doigts minces, comme désossés.*

0.1 (...) tous tournent en formant une vaste ronde, les uns derrière les autres, avec une extrême lenteur et un trémoussement rythmique de tout le corps, comme désossé (...)
GIDE, Voyage au Congo, *in* Souvenirs, Pl., p. 787.

Subst. *Les désossés du cirque. Valentin le désossé,* personnage de danseur, représenté par Toulouse-Lautrec.

♦ **3** Fig. Sans charpente, sans rigidité. → **Lâche, mou.**

1 Sans le devoir, la vie est molle et désossée, elle ne peut plus se tenir. Joseph JOUBERT, Pensées, IX, LXXV.

2 (...) un christianisme désossé en quelque sorte, sans charpente, privé de ce qui est son essence (...)
RENAN, Souvenirs d'enfance..., IV, I, p. 162.

CONTR. (Du p. p.) **Ferme, rigide, solide.** ◊ **DÉR. Désossement.**

DÉSOXY- Élément (de *dés-*, → 1. Dé-, et *oxy-* pour *oxygène*) de mots de chimie, désignant des substances définies par rapport au radical par l'élimination d'oxygène (voir à l'ordre alphabétique).

DÉSOXYCORTONE [dezɔksikɔrtɔn] ou **DÉSOXYCORTICOSTÉRONE** [dezɔksikɔrtikosterɔn] n. f. — Mil. XXᵉ; de *dés-* (→ 1. Dé-), *oxy-*, et rad. de *cortex.*

Chim., biol. Hormone sécrétée par la partie corticale de la glande surrénale, qui agit sur le métabolisme du sodium et du potassium (rétention du sodium et excrétion du potassium).

DÉSOXYDANT, ANTE [dezɔksidɑ̃, ɑ̃t] adj. et n. m. — 1870; p. prés. de *désoxyder.*

Qui désoxyde. *Un désoxydant.* → **Réducteur.**

CONTR. Oxydant.

DÉSOXYDATION [dezɔksidasjɔ̃] n. f. — 1805; *désoxidation,* 1794; de *désoxyder.*

Chim., métall. Action de désoxyder. → **Désoxygénation, réduction.** *Procéder à la désoxydation de l'acier.*

CONTR. Oxydation.

DÉSOXYDER [dezɔkside] v. tr. — 1797; de *dé-* (→ 1. Dé-), et *oxyder.*

Chim., métall. Ôter l'oxyde (et, par ext., la rouille) de. → **Réduire.** *Désoxyder un métal.*

CONTR. Oxyder. ◊ **DÉR. Désoxydant, désoxydation.**

DÉSOXYGÉNATION [dezɔksiʒenasjɔ̃] n. f. — 1789; de *désoxygéner.*

Didactique.

♦ **1** Action de désoxygéner; son résultat. → **Désoxydation, réduction.**

♦ **2** Élimination artificielle ou accidentelle de l'oxygène dissous dans l'eau.

CONTR. Oxygénation.

DÉSOXYGÉNER [dezɔksiʒene] v. tr. [CONJUG.: *oxygéner.* → **Céder.**] — 1789; de *dés-* (→ 1. Dé-), *oxygène,* et suff. verbal.

Didact. Priver (une substance) de tout ou partie de l'oxygène contenu. → **Désoxyder, réduire.** *Désoxygéner le sang.*

♦ **DÉSOXYGÉNÉ, ÉE** p. p. adj.

Didact. Qui a perdu son oxygène (en totalité ou en partie). *Le sang de la partie droite du cœur est désoxygéné.*

CONTR. Oxygéner. — (Du p. p.) **Oxygéné.**

DÉSOXYRIBONUCLÉASE [dezɔksiribonykleaz] n. f. — 1967; de *désoxyribo(se),* et *nucléase.*

Biol. Enzyme qui catalyse l'hydrolyse des acides désoxyribonucléiques (→ **Ribonucléase**).

(...) les constituants cellulaires dont ceux où se trouvent localisés les acides nucléiques (...) Pour les distinguer l'un de l'autre, on fait agir soit l'enzyme qui détruit l'ADN, désoxyribonucléase, soit celui qui détruit l'ARN, ribonucléase. La réaction nucléale de Feulgen permet de caractériser l'ADN.
J. VERNE et S. HÉBERT, la Culture de tissus, p. 83.

DÉSOXYRIBONUCLÉIQUE [dezɔksiribonykleik] adj. — 1960; de *dés-* (→ 1. Dé-), *oxy-*, et *ribonucléique.*

Biol. Se dit d'acides présents sous forme de nucléoprotéines dans les noyaux cellulaires et porteurs de caractères génétiques. (Abrév. cour. : A. D. N.*). → **Ribonucléique.**

Dans l'acide désoxyribonucléique les quatre bases sont : 1 l'*Adénine* et la *Guanine* comme bases puriques et la *Thymine* et la *Cytosine* comme bases pyrimidiques. Le sucre est la désoxyribose.
Andrée GOUDOT-PERROT, Cybernétique et biologie, p. 12-13.

Un problème important est celui de la synthèse de l'acide 2 désoxyribonucléique, synthèse qui caractérise la division cellulaire au cours de laquelle la masse de cet acide se trouve doublée, comme le nombre des chromosomes qui vont se répartir entre les deux cellules filles.
J. VERNE et S. HÉBERT, la Culture de tissus, p. 88.

DÉSOXYRIBOSE [dezɔksiriboz] n. m. — V. 1960; de *dés-* (→ 1. Dé-), *oxy-*, et *ribose.*

Biochim. Ose de formule $C_5H_{10}O_4$, de structure analogue au ribose mais comportant, au niveau du deuxième atome de carbone, un atome d'hydrogène au lieu d'un groupement hydroxyle.

DÉSPÉCIALISATION [despesjalizasjɔ̃] n. f. — 1943, in Petiot; de 1. *dé-*, et *spécialisation.*

♦ **1** Comm. Mise en vente dans un magasin spécialisé d'articles étrangers à la spécialisation du magasin. *Déspécialisation des commerces d'alimentation, pharmacies, drogueries. La déspécialisation favorise la vente en assurant au consommateur une économie de temps.*

♦ **2** Techn. Suppression de la spécialisation. — Spécialt (sports). Le fait de s'entraîner, de passer une épreuve, sans esprit de spécialisation.

CONTR. Spécialisation.

DÉSPÉCIALISER [despesjalize] v. tr. — V. 1968; de 1. *dé-*, et *spécialiser*.

♦ **1** Comm. Opérer la déspécialisation de... *Déspécialiser une succursale.* (Surtout au p. p.). *Commerce de détail déspécialisé. Magasins déspécialisés et magasins à rayons multiples.* → **Magasin** (grand magasin), **monoprix, prisunic, uniprix.**

♦ **2** Techn. Supprimer la spécialisation de (qqch., qqn).

◆ **SE DÉSPÉCIALISER** v. pron.
Cesser d'être spécialisé.

Grâce à l'ordinateur, l'homme pourra se déspécialiser et consacrer son énergie inventive, son imagination, son intuition, à l'étude de nouvelles relations entre des ensembles de données fournies par la machine.
la Dynamique de la mutation, *in* Planète, n° 4, févr. 1969, p. 43.

CONTR. Spécialiser. ◊ **DÉR.** Déspécialisation.

DESPERADO [dɛspeʀado] n. m. — 1881, *in* Rey-Debove et Gagnon; de l'angl. *desperado*, 1647, empr. à l'esp. *desperado*, adj., «désespéré».

Hors-la-loi qui est prêt à tout, n'ayant plus rien à perdre (se dit surtout dans un contexte américain).

1 Le pays est infesté de voleurs et de brigands. Les desesperados *(sic)* et les outlaws y font la loi, leur loi.
B. CENDRARS, l'Or, p. 155.

2 Notre héros l'atteint d'un plomb agile et le desperado faisant une grimace s'écroule, supprimé.
R. QUENEAU, Loin de Rueil, p. 41.
N. B. Il s'agit du scénario d'un western.

3 Être. Être un homme. Et découvrir la solitude. Voilà ce que je dois à la Légion et aux vieux lascars d'Afrique, soldats, sous-offs, officiers, qui vinrent nous encadrer et se mêler à nous en camarades, des *desperados*, les survivants de Dieu sait quelles épopées coloniales, mais qui étaient des hommes, tous.
B. CENDRARS, la Main coupée, p. 105, *in* Œ. compl., t. X.

REM. On traduit souvent par «*désespéré*».

4 Si (ce dont je doute beaucoup) la droite française manœuvrée par le fascisme algérien, ne barrait pas la route au leader M. R. P., il mesurerait ce qu'a d'irréductible la résolution de ces «désespérés» qui ont pris les armes pour n'être plus jamais les ratons et les bougnoules de personne.
F. MAURIAC, le Nouveau Bloc-notes 1958-1960, p. 54.

DESPOTAT [dɛspɔta] n. m. — 1864; de *despote*.
Didact. Dignité de despote. — Hist. État byzantin gouverné par un despote.

DESPOTE [dɛspɔt] n. m. — XIIIᵉ; grec *despotês* «maître».

♦ **1** (1748). Souverain qui gouverne avec une autorité arbitraire et absolue. → **Chef, dictateur, dominateur, souverain, tyran; despotide** (cit. 4). *Les satrapes de Perse, les proconsuls de Rome gouvernaient en despotes. Secouer le joug du despote.*

1 Ce n'est point l'honneur qui est le principe des États despotiques (...) Comment serait-il souffert chez le despote? Il fait gloire de mépriser la vie, et le despote n'a de force que parce qu'il peut l'ôter. Comment pourrait-il souffrir le despote? Il a des règles suivies et des caprices soutenus; le despote n'a aucune règle, et ses caprices détruisent tous les autres. MONTESQUIEU, l'Esprit des lois, III, VIII.

2 (...) le despote n'est le maître qu'aussi longtemps qu'il est le plus fort (...) sitôt qu'on peut l'expulser, il n'a point à réclamer contre la violence.
ROUSSEAU, De l'inégalité parmi les hommes, II.

3 Pour donner différents noms à différentes choses, j'appelle *tyran* l'usurpateur de l'autorité royale et *despote* l'usurpateur du pouvoir souverain. Le tyran est celui qui s'ingère

contre les lois à gouverner selon les lois; le despote est celui qui se met au-dessus des lois mêmes. Ainsi le tyran peut n'être pas despote, mais le despote est toujours tyran.
ROUSSEAU, le Contrat social, III, X.

4 C'était pourtant *(Frédéric II)* un despote, un souverain absolu et plus autoritaire que tous les autres. Sa méthode, c'était le militarisme, le caporalisme, le dressage prussien, le contraire du gouvernement libéral.
J. BAINVILLE, Hist. de France, XIV, p. 289.

5 (...) l'essentiel pour le psychologue Mérimée était moins de peindre le règne entier de Pierre le Grand que de spécifier le caractère de ce despote qui, dit-il, «ne chercha pas à se faire aimer, mais sut se faire craindre».
Émile HENRIOT, les Romantiques, p. 375.

♦ **2** (1305). Hist. Nom porté (dans l'Empire byzantin) par l'empereur, les membres de sa famille. *Les despotes byzantins.* → **Despotat.**

DESPOTE ÉCLAIRÉ : type de monarque absolu que préconisait au XVIIIᵉ siècle la philosophie rationaliste. *Le despote, éclairé par les principes de la raison humaine, devait gouverner dans l'intérêt du peuple.* → **Despotisme.**

♦ **3** (1831). Fig. Personne qui exerce une autorité tyrannique. *C'est un despote qui tyrannise son entourage, mène la vie dure aux siens. Cet enfant est un* (vrai) *despote. Caprice* (cit. 9) *de despote.*

6 La vie familiale autour du génial despote *(Hugo)* ne devait pas être légère tous les jours, malgré les protestations de tendresse à ses fils, de vénération et de gratitude à sa femme (...)
Émile HENRIOT, les Romantiques, p. 91.

REM. 1. On conserve généralement la forme masc. quand le mot est employé pour parler d'une femme. *Cette femme est un despote.*

♦ **2** Le mot s'emploie littérairement pour parler de choses abstraites. → **Tyran.** «*La clarté, ce despote des langues modernes*» (Stendhal, *in* T. L. F.).

Adj. *Un prince despote.* — *Mari despote.*

CONTR. Démocrate. — Bienfaiteur, protecteur. — Bénin, faible. ◊ **DÉR.** Despotiser, despotisme. — V. Despotique.

DESPOTIQUE [dɛspɔtik] adj. — V. 1361; grec *despotikos*, de *despotês*. → Despote.

♦ **1** Qui est propre au despote*. *Gouvernement despotique.* → **Absolu, arbitraire, tyrannique** (→ Arbre, cit. 37). *Souverain despotique,* qui gouverne en despote. *État despotique,* gouverné par un despote.

1 Il y a trois espèces de gouvernements : le RÉPUBLICAIN, le MONARCHIQUE, et le DESPOTIQUE (...) dans le despotique, un seul, sans loi et sans règle, entraîne tout par sa volonté et par ses caprices.
MONTESQUIEU, l'Esprit des lois, II, I.

2 Définition d'un gouvernement despotique : Un ordre de choses où le supérieur est vil, et l'inférieur avili.
CHAMFORT, Caractères et anecdotes, «Despotisme».

3 (...) l'autorité despotique ne peut manquer de rendre mauvais nos faibles cœurs (...)
VIGNY, Servitude et Grandeur militaires, III, VI, p. 215.

4 Despote (...) signifie originairement le maître d'un esclave; si bien que le pouvoir ou que le gouvernement *despotique* suppose qu'on commande à des esclaves, à des hommes qui ne possèdent rien en propre, qui sont aveuglément soumis et dont on dispose comme d'un troupeau.
LAFAYE, Dict. des synonymes (suppl.), Absolu... despotique.

(Choses). Digne d'un despote. → **Autocratique, tyrannique.** *L'attitude despotique de ce ministre, de ce gouvernement.*

♦ **2** Littér. Qui est le fait d'une personne autoritaire; qui révèle un caractère tyrannique. *Un ton despotique. Des manières despotiques. Caractère despotique.*

Fig. *Un amour despotique*, absolu.

5 Vous avez sur ses vers un pouvoir despotique.
BOILEAU, l'Art poétique, I.

CONTR. Libéral ; accommodant, conciliant. ◊ **DÉR.** Despotiquement.

DESPOTIQUEMENT [dɛspɔtikmɑ̃] adv. — XIVᵉ ; de *despotique*.

D'une manière despotique. *Gouverner despotiquement.* — Fig. *Agir despotiquement.*

Toutes ces passions qui gouvernent si despotiquement les autres hommes étaient de trop faibles mobiles pour un génie aussi ferme et aussi vaste.
Ph.-P. SÉGUR, Histoire de Napoléon, I, 1.

DESPOTISER [dɛspɔtize] v. tr. — 1770 ; de *despote*.

Rare. Donner un gouvernement despotique à (un État). — Assujettir au despotisme.

Il restait cela à faire à ce gouvernement-ci, imposer aux enfants un catéchisme historique, former à l'empire tout ce qui naît, prendre et surprendre les opinions politiques avant qu'elles ne soient ; chez les générations, précéder le journal par le professeur ; jeter dans les cervelles qui se forment l'idée que rien n'a été bien que ceci ; despotiser des cervelles non encore formées.
Ed. et J. DE GONCOURT, Journal, p. 1335 (1863).

DESPOTISME [dɛspɔtism] n. m. — V. 1678 ; de *despote*.

♦ **1 Hist.** Pouvoir absolu, arbitraire et oppressif d'un despote*. *Despotisme oriental.* — Par ext. Tyrannie, pouvoir autocratique. *Despotisme de Napoléon* (→ Abhorrer, cit. 3). Par anal. *Despotisme d'une assemblée* (→ Autocratie, cit.).

1 Le despotisme tyrannique des souverains est un attentat sur les droits de la fraternité humaine.
FÉNELON, Direction pour la conscience d'un roi.

2 (...) les monarchies se corrompent lorsqu'on ôte peu à peu les prérogatives des corps ou les privilèges des villes. Dans le premier cas, on va au despotisme de tous ; dans l'autre, au despotisme d'un seul.
MONTESQUIEU, l'Esprit des lois, VIII, VI.

Vieilli. Forme de gouvernement dans lequel tous les pouvoirs sont réunis dans les mains d'un seul. → **Absolutisme, dictature, tyrannie.** *Sceptre* de fer du despotisme. Combattre le despotisme* (→ Affranchissement, cit. 3).

3 La plupart des gouvernements d'Europe sont monarchiques (...) C'est un état violent qui dégénère toujours en despotisme ou en république (...) il faut que le pouvoir diminue d'un côté pendant qu'il augmente de l'autre ; mais l'avantage est ordinairement du côté du prince, qui est à la tête des armées.
MONTESQUIEU, Lettres persanes, CIII.

4 C'est du sein de ces désordres et de ces révolutions que le despotisme, élevant par degrés sa tête hideuse, et dévorant tout ce qu'il aurait aperçu de bon et de sain dans toutes les parties de l'État, parviendrait enfin à fouler aux pieds les lois et le peuple, et à s'établir sur les ruines de la république.
ROUSSEAU, De l'inégalité parmi les hommes, II.

5 (...) le pire de tous les despotismes, c'est le gouvernement militaire.
ROBESPIERRE, in JAURÈS,
Hist. socialiste de la révolution franç., t. IV, p. 22.

6 On veut avant tout fonder un État juste, et l'on ne s'aperçoit pas que l'on brise la liberté, que l'on fait une révolution sociale et non une révolution politique, que l'on pose la base d'un despotisme semblable à celui des Césars de l'ancienne Rome.
RENAN, Questions contemporaines, Œ., t. I, p. 39.

Hist. **DESPOTISME ÉCLAIRÉ** : doctrine politique des philosophes du XVIIIᵉ siècle, selon laquelle le souverain doit gouverner selon les lumières de la raison. → Despote* éclairé.

♦ **2** Fig. Autorité tyrannique. *Le despotisme d'un père, d'un mari, d'une mère de famille.* → **Autoritarisme.**

7 Depuis que tous les sentiments de la nature sont étouffés par l'extrême inégalité, c'est de l'unique despotisme des pères que viennent les vices et les malheurs des enfants (...)
ROUSSEAU, Julie ou la Nouvelle Héloïse,
Entretien sur les romans,
entre l'éditeur et un homme de lettres.

8 Mon père, seul artisan de sa fortune, est un homme dur, inflexible ; il traite d'ailleurs sa femme et ses enfants comme il se traite lui-même. Je n'ai jamais surpris sur ses lèvres le moindre sourire. Sa main de fer, son visage de bronze, son activité sombre et brusque à la fois, nous comprimaient tous, femme, enfants, commis et domestiques, sous son despotisme sauvage.
BALZAC, le Curé de village, Pl., t. VIII, p. 625.

9 (...) elle sert son vieux maître avec le plus vigilant despotisme.
FRANCE, le Crime de S. Bonnard, Œ., t. II, p. 378.

10 Il a continué de me demander, avec le despotisme de ceux qui se savent aimés uniquement, ma gaîté, ma force, ma vigilance de bergère.
COLETTE, la Paix chez les bêtes,
«La chienne jalouse», p. 12.

Fig. (Choses). *Le despotisme d'une mode*, son pouvoir absolu.

11 Laissons même ce mot de vérité qui ferait croire trop aisément que le despotisme de certaines idées est légitime.
GIDE, Journal, 1896, Littérature et morale, Pl., p. 91.

CONTR. Anarchie (cit. 4) ; démocratie, libéralisme, république. — Clémence, faiblesse, tolérance.

DESQUAMANT [dɛskwamɑ̃] n. m. — V. 1965 ; du p. prés. de *desquamer*.

Techn. Produit, traitement propre à desquamer l'épiderme pour le renouveler. *Desquamant utilisé dans l'opération du peeling ou du déridage.*

L'esthéticienne applique un desquamant épidermique à base de granulé d'avoine qui ne traumatise pas la peau. Le desquamant pénètre dans la peau grâce à un massage qui dure 20 minutes.
Guérir, oct. 1967, Un visage neuf.

DESQUAMATIF, IVE [dɛskwamatif, iv] adj. — 1904, in *Rev. gén. des sc.* ; de *desquamer*.

Méd. Qui produit, qui perd des squames. *Dermatose desquamative.*

DESQUAMATION [dɛskwamasjɔ̃] n. f. — 1732 ; dér. sav. du lat. *desquamatum*, supin de *desquamare* «ôter l'écaille», de *squama* «écaille». → Desquamer.

♦ **1 Méd.** Élimination des couches superficielles de l'épiderme sous forme de petites lamelles (*squames*). → **Exfoliation, pellicule.** *Desquamation consécutive à la rougeole, à l'eczéma, au pityriasis. Desquamation épidermique.*

♦ **2 Géol.** Enlèvement, chute de pellicules ou de minces écailles rocheuses.

DESQUAMER [dɛskwame] v. — 1836 ; lat. *desquamare*, de de-, et *squama* «écaille».

♦ **1 V. intr. Méd.** En parlant de la peau, se détacher par squames, par écailles. → **Peler.** *Des lambeaux de peau desquament.*

♦ **2 V. tr.** Débarrasser (l'épiderme) des cellules mortes. *Desquamer la peau du visage.*

Pron. *La peau se desquame après la scarlatine.*

DÉR. Desquamant, desquamatif. V. Desquamation.

DESQUELS, DESQUELLES [dekɛl] pron. rel. et interrog. Forme plurielle de *duquel, de laquelle.* → Lequel.

D. E. S. S. [deøɛsɛs] n. m. — 1974; sigle de *Diplôme d'É-tudes Supérieures Spécialisées.*

En France, Diplôme de troisième cycle de l'enseignement supérieur, préparant directement à la vie professionnelle. *Elle prépare, elle fait un D. E. S. S. de droit des affaires.*

DESSABLEMENT [desabləmã] n. m. — xxᵉ; de *dessabler.*

Technique.

♦ **1** Action de dessabler; son résultat. — REM. On dit aussi *dessablage* [desabla ʒ].

♦ **2** Traitement des eaux usées consistant à en éliminer les matières minérales en suspension.

CONTR. Ensablement.

DESSABLER [desable] v. tr. — 1765; de *dés-* (→ 1. Dé-), et *sable.*

Ôter le sable de. → **Désensabler.** *Dessabler une allée.*

CONTR. Ensabler. ◊ DÉR. Dessablement.

DESSAISIR [deseziʀ] v. tr. — V. 1155; de *dés-* (→ 1. Dé-), et *saisir.*

♦ **1** Dr. Priver (qqn, une juridiction) de ce dont il (elle) est saisi(e). *Dessaisir un tribunal d'une affaire.*

♦ **2** Admin. et cour. Enlever à (qqn, un groupe) son bien, ses responsabilités. → **Démunir, déposséder.** *Dessaisir une société de ses propriétés.* — Par ext. (littér.). Déposséder.

♦ **SE DESSAISIR** v. pron. (V. 1160).

Se déposséder volontairement. *Se dessaisir d'une lettre, d'un gage, d'un titre.* → **Abandonner, céder, délaisser, démunir** (se), **déposséder** (se), **donner, remettre, renoncer** (à).

1   (...) pour la validité de la consignation (...) il suffit (...) que le débiteur se soit dessaisi de la chose offerte, en la remettant dans le dépôt indiqué par la loi pour recevoir les consignations (...)   Code civil, art. 1259.

2   Je n'aime point à me dessaisir; il faut toujours avoir de quoi vivre.
CHAMFORT, Caractères et anecdotes, La cassette de Louis XV et Lebel.

Par extension :

3   Honneur, générosité, bonne foi, c'est déjà s'en dessaisir un peu que de s'en targuer.
GIDE, Pages de journal, 2 juil. 1941.

4   Ai-je le pouvoir Monsieur? Jusqu'à quel point puis-je m'avancer librement dans la mort (...)? Même là où je décide d'aller à elle, par une résolution virile et idéale, n'est-ce pas elle encore qui vient à moi, et quand je crois la saisir, elle qui me saisit, me dessaisit, me livre à l'insaisissable?   M. BLANCHOT, l'Espace littéraire, p. 118.

CONTR. Saisir; acquérir. ◊ DÉR. Dessaisissement.

DESSAISISSEMENT [desezismã] n. m. — 1609; de *dessaisir.*

♦ **1** Dr. Action de dessaisir, de se dessaisir. *Ordonnance de dessaisissement qui ôte à une juridiction l'affaire dont elle avait été saisie.* — *Dessaisissement du créancier gagiste. Jugement de dessaisissement à l'égard d'un failli.*

1   Le jugement déclaratif de la faillite emporte de plein droit, à partir de sa date, dessaisissement pour le failli de l'administration de tous ses biens, même de ceux qui peuvent lui échoir tant qu'il est en état de faillite.
Code de commerce, art. 443.

♦ **2** Littér. Action de se dessaisir (d'un état de conscience). → **Déprise.**

2   La cause de ce brutal dessaisissement fut simple, presque comique (...) «Me voilà libre!» s'était-il écrié un moment plus tôt (...)
BERNANOS, l'Imposture, in Œ. roman., Pl., p. 369.

DESSAISONALISATION [desɛzɔnalizasj5] n. f. — V. 1972; de *dessaisonaliser.*

Écon., admin., statist. Action de dessaisonaliser; son résultat (indice corrigé des variations saisonnières).

DESSAISONALISER [desɛzɔnalize] v. tr. — 1972; de 1. *dé-, saison,* et suff. verbal, d'après l'angl. *deseasonalize.*

Écon., admin., statist. Corriger (des éléments statistiques) pour éliminer les distorsions résultant des variations saisonnières.

DÉR. Dessaisonalisation.

DESSAISONNER [desɛzɔne] v. tr. — 1502; «rendre impropre pour un certain temps», 1226, *in* F. E. W.; de *dés-* (→ 1. Dé-), *saison,* et suff. verbal.

Vieux.

♦ **1** Modifier l'ordre des cultures de (une terre). → 2. **Dessoler.** *Dessaisonner des terres.*

♦ **2** (xvıᵉ). Faire apparaître, mûrir hors saison. → **Forcer.** *Dessaisonner une plante, un fruit.*

♦ **DESSAISONNÉ, ÉE** p. p. adj.

Fruit, plante dessaisonnée. — Par métaphore :

1   Voilà le fruit, — à une saison de la vie où je n'accepte que la fleur de tout plaisir et le meilleur de ce qu'il y a de mieux (...) — le fruit dessaisonné que mûrissent ma prompte familiarité (...) et une renommée qui rend des sons fort divers (...)
COLETTE, la Naissance du jour, p. 108.

Fig. Hors de saison.

2   Il n'y a point de pitié dessaisonnée, il n'y a guère de pitié exclusive.
COLETTE, De ma fenêtre, 30 janv. 1941, p. 68.

DESSALÉ, ÉE [desale] adj. → **Dessaler.**

DESSALEMENT [desalmã] ou **DESSALAGE** [desala ʒ] n. m. — 1764, *dessalement; dessalage,* 1877; cf. Dessalaison, 1845; de *dessaler.*

♦ **1** Action de dessaler; son résultat. — Géol. *Le dessalement du pétrole brut. Le dessalement des eaux saumâtres ou salées* (→ Dessalure). — Agric. *Le dessalage des terres propres aux cultures par submersion et drainage.*

♦ **2** Mar. *Dessalage :* action de renverser son bateau; fait de se renverser (pour un bateau).

DESSALER [desale] v. — 1393; *dessalé,* 1200; de *dés-* (→ 1. Dé-), et *saler.*

I V. tr. ♦ **1** Rendre moins salé ou faire cesser d'être salé. *Dessaler une soupe en y ajoutant de l'eau* (→ Apport, cit. 1). *Dessaler ou faire dessaler du jambon en le faisant tremper. Dessaler de la morue.* — Pron. *L'eau de mer se dessale par distillation.*

♦ **2** (1880). Fam. (Compl. n. de personne). Rendre moins niais, plus déluré. → **Dégourdir, déniaiser.** *Son séjour à la ville l'a dessalé.* — Pron. *Il commence à se dessaler.*

II V. intr. ♦ **1** (1680). *Mettre des harengs à dessaler.*

♦ **2** (1935, argot des plaisanciers; de l'argot parisien «boire», v. 1830; «noyer», 1878; → Boire la tasse). Se renverser (en parlant d'un bateau); renverser son bateau (→ Faire capot*, faire chapeau*).

◆ **DESSALÉ, ÉE**, p. p. adj.

◆ **1** (1585). Débarrassé de son sel. *Morue dessalée.*

◆ **2** (Personnes). Qui a perdu sa naïveté. → **Dégourdi, déluré, déniaisé, égrillard, gaillard.** *Un gamin dessalé. Elle est bien dessalée.*

1   Moi qui suis dessalé, je ne risque rien.
> J. ROMAINS, les Hommes de bonne volonté, t. III, p. 9.

N. *C'est un dessalé!* — Spécialt (au fém.; vieilli). Femme de mœurs légères.

2   Vous faites la sournoise; mais je vous connais il y a longtemps, et vous êtes une dessalée.
> MOLIÈRE, George Dandin, I, 6.

CONTR. Saler. — Empoté, naïf, niais; maladroit. ◊ DÉR. Dessalement.

DESSALURE [desalyʀ] n. f. — 1906, in *Rev. gén. des sc.;* de dés- (→ 1.Dé-), et *salure.*

Géol. Dilution de l'eau de mer par un apport naturel d'eau douce. → Dessalement.

DESSANGLER [desɑ̃gle] v. tr. — 1530; *descengler,* v. 1165; de dés- (→ 1.Dé-), *sangle,* et suff. verbal.
Enlever ou détendre les sangles de. *Dessangler un cheval.* — Pron. *Le cheval s'est dessanglé.*

CONTR. Sangler.

DESSAOULER [desule] v. → **Dessouler.**

DESSAPER [desape] v. tr. → **Désaper.**

DESSÉCHANT, ANTE [deseʃɑ̃, ɑ̃t] adj. — 1555; du p. prés. de *dessécher.*

◆ **1** Qui dessèche. *Vent desséchant.* → **Sec, torride.**

◆ **2** (1870). Fig. Qui rend insensible. *Des études desséchantes. Une doctrine desséchante.*

Je suis déjà trop porté, monsieur, à aimer le monde. Je compte y renoncer bientôt. La carrière que vous dites m'en ferait une obligation et me dispenserait là-dessus de tout scrupule. Je ne peux pas beaucoup travailler. Si le peu que je travaille est donné à des choses si extérieures — pardon, mais vous, ce n'est pas la même chose — ce sera très desséchant pour moi.
> PROUST, Jean Santeuil, Pl., p. 440.

DESSÈCHEMENT ou **DESSÉCHEMENT** [desɛʃmɑ̃] n. m. — 1478; de *dessécher.*

◆ **1** Action de dessécher; état d'une chose desséchée. *Le dessèchement* (ou *desséchement*) *des feuilles d'arbres. Le dessèchement des végétaux, provoqué par la gelée, la sécheresse.* → **Brûlure.**

1   Le degré de dessèchement du bois fait beaucoup à sa résistance; le bois vert casse bien plus difficilement que le bois sec.   BUFFON, Hist. nat. des végétaux, t. XII, p. 8.

Dessèchement d'un étang, d'un marais. → **Assainissement, assèchement, drainage, tarissement.** *Travaux de dessèchement des polders flamands par wateringues.*

2   S'il s'agit (...) de tourbières et de véritables marais, les canaux de dessèchement creusés assez profondément pour abaisser le niveau de l'eau dans le sol sont nécessaires; leur réseau doit être calculé de manière à entraîner les eaux dans un canal collecteur qui leur donne un écoulement naturel.
> Omnium agricole, Assainissement, p. 66.

◆ **2** Par ext. Vieilli. Maigreur d'une personne desséchée. → **Amaigrissement, consomption, déshydratation.**

3   (...) le pauvre Saint-Aubin qui est dans un dessèchement dont il ne reviendra pas.
> Mᵐᵉ DE SÉVIGNÉ, Lettres, 1088, 15 nov. 1688.

◆ **3** Fig. Perte de la faculté de s'émouvoir, de s'attendrir; des facultés de création. *Dessèchement de l'esprit, de l'imagination. Dessèchement de l'âme, du cœur.* → **Endurcissement.**

Un dessèchement affreux du cœur — fruit de la disgrâce infantile — a entraîné l'oblitération de la conscience.   4
> Louis MADELIN, Talleyrand, V, XL, p. 434.

REM. La graphie avec accent grave est admise par l'Académie, depuis 1878.

CONTR. Verdoiement. — Inondation. — Embonpoint. — Fraîcheur; délicatesse, sensibilité.

DESSÉCHER [deseʃe] v. tr. [CONJUG.: *sécher.* → Céder.] — V. 1170, *deschier,* v. intr.; de des- (→ 2.Dé-), et *sécher.*

A (Concret). ◆ **1** Rendre sec, plus sec (ce qui contient naturellement de l'eau). → **sécher.** *Chaleur, vent qui dessèche la végétation.* → **Brouir, brûler, calciner, détruire, griller, hâler, rôtir.** *Cet arbre se dessèche.* → **Couronner** (se). *Dessécher des plantes médicinales, des champignons, des châtaignes.* → **Déshydrater; dessiccation.** *Le soleil a desséché cette barrique.* → **Ébarouir.** *Dessécher du bois à l'étuve. Le cuir se dessèche et se racornit. La plaie se dessèche et se ferme.* → **Cicatriser** (se). *Le froid dessèche la peau.*

La neige ne tombait plus; mais le froid desséchait la peau   1 des visages et gerçait les lèvres.
> P. MAC ORLAN, la Bandera, XVIII, p. 215.

Pron. *La peau se dessèche au soleil. Sa bouche se desséchait d'émotion.*

◆ **2** Rendre maigre, sec. → **Amaigrir, consumer, décharner, exténuer.** *Veille, jeûne, maladie qui dessèche le corps.* — Pron. Maigrir. *Le corps se dessèche* (Académie). Fig. et fam. *Se dessécher de chagrin, d'ennui, de langueur.*

Elle n'était pas fille à se dessécher de chagrin, non plus   2 qu'à se fondre dans les larmes (...)
> G. SAND, François le Champi, XXII, p. 158.

Quant au Grec, le vent de feu du désert l'avait desséché   3 depuis longtemps, et il ne transpirait non plus qu'une momie.
> Th. GAUTIER, le Roman de la momie, Prologue, p. 20.

◆ **3** Mettre à sec, vider de son eau. → **Assécher, sécher.** *Dessécher un terrain marécageux.* → **Assainir, drainer.** *L'été dessèche les étangs, les torrents. Dessécher une citerne en pompant, en faisant écouler l'eau.* → **Épuiser, tarir, vider.**

Je diminuai le nombre des labours, crainte de trop dessé-   4 cher la terre.
> BUFFON, Hist. nat. des minéraux, Introduction, t. VIII, p. 403.

B (Abstrait). Rendre insensible, faire perdre (à qqn) la fraîcheur, la faculté de s'émouvoir. → **Appauvrir, racornir, scléroser.** *Dessécher le cœur* * de qqn. → **Endurcir.** *Dessécher l'esprit, l'imagination,* en tarir les sources, la fécondité. *Études qui dessèchent l'âme.* — Pron. Devenir insensible. *Son cœur se dessèche. Il s'est desséché.*

L'égoïsme dessèche le germe de toutes les vertus, l'indivi-   5 dualisme ne tarit d'abord que la source des vertus publiques; mais, à la longue, il attaque et détruit toutes les autres, et va enfin s'absorber dans l'égoïsme.
> TOCQUEVILLE, la Démocratie en Amérique, III, II, II.

J'ai peur de me dessécher à force de science et pourtant,   6 d'un autre côté, je suis si ignorant que j'en rougis vis-à-vis de moi-même.
> FLAUBERT, Correspondance, t. I, p. 101.

(...) privilège de cœurs restés simples qui ne se retrouve   7 pas quand on s'est desséché l'âme à force de raisonnements, de théories abstraites et de lectures.
> Paul BOURGET, le Disciple, p. 184.

8   Pas d'ironie! Elle vous dessèche et dessèche la victime;
    l'humour est bien différent (...)
                            Max JACOB, Conseils à un jeune poète, p. 81.

9   (...) cette intelligence a été un des éléments de sa perver-
    sion morale; elle a, dès les premières années de sa vie,
    supprimé l'âme et desséché la conscience; il a été presque
    trop intelligent en ce sens qu'il n'a conçu la vie que sous
    l'angle de l'esprit et n'a d'ailleurs jamais jugé le monde
    qu'au nom de l'intelligence.
                            Louis MADELIN, Talleyrand, V, LX, p. 448.

10 La réussite, loin de dessécher Louis Pasteur, remuait pro-
    fondément sa sensibilité.
                            Henri MONDOR, Pasteur, II, p. 35.

10.1 (...) j'ai pas un caractère à me dessécher sur place.
                            R. QUENEAU, Pierrot mon ami, p. 22.

◆ **DESSÉCHÉ, ÉE** p. p. adj.

♦ **1** Dont on a supprimé l'humidité. Très amaigri.
Étang desséché. Arbre desséché. Corps desséché.
→ **Décharné, étique, maigre; momifié.**

11 Quand je vous verrai comme vous devez être (...) non pas
    usée, consumée, dépérie, échauffée, épuisée, desséchée (...)
                            Mᵐᵉ DE SÉVIGNÉ, Lettres, 630, 28 juil. 1677.

12 La terre se fendait de toutes parts : l'herbe était brûlée; des
    exhalaisons chaudes sortaient du flanc des montagnes, et
    la plupart de leurs ruisseaux étaient desséchés.
                            BERNARDIN DE SAINT-PIERRE, Paul et Virginie,
                                                              p. 61.

13 Cérizet, petit homme, moins sec que desséché (...)
                            BALZAC, les Petits Bourgeois, t. VII, p. 126.

14 Desséchées par les cigarettes et la fièvre, ses lèvres étaient
    brûlantes.
                            MARTIN DU GARD, les Thibault, t. I, p. 90.

♦ **2** Dépourvu de sensibilité. → **Dur, froid, insensible,
sec. Cœur desséché. Âme desséchée. Un homme d'affaires insensible et desséché.**

15 Sa sensibilité lui échappait. Nouée la plupart du temps,
    durcie et desséchée elle crevait de loin en loin et l'aban-
    donnait à des émotions dont il n'avait plus la maîtrise.
                            CAMUS, la Peste, p. 212.

CONTR. Verdir, verdoyer. — Mouiller; arroser, humidifier,
inonder. — Attendrir, émouvoir. — (Du p. p.) Frais, vert;
gras; délicat, sensible, tendre. ◊ DÉR. Desséchant, dessèchement.

DESSEIN [desɛ̃] n. m. — V. 1265; de *desseigner* (→ Dessiner), d'après l'ital. *disegno;* employé pour «dessin» jusqu'au XVIIIᵉ. → Dessin, cit. 9, La Bruyère.

♦ **1** Littér. (ou style soutenu). Idée que l'on forme d'exécuter qqch.; mode déterminé suivant lequel on
se propose de la réaliser. → **But, conseil** (I., 3.,
vx), **désir, détermination, disposition, idée, intention,
objet, pensée, prétention, propos, proposition, résolution, visée, volonté, vue; entreprise, plan, programme,
projet.** *Avoir des desseins secrets. Concevoir, élaborer, former, nourrir un dessein, le dessein de
qqch., de faire qqch. Réaliser un dessein point par
point. Le dessein de qqn. Exécuter, accomplir, mener
à bien son dessein, ses desseins. Il a de la constance dans ses desseins. Affermir qqn dans ses
desseins. Changer de dessein. Cacher ses desseins.*
→ Cacher son jeu*. *Cela sert mes desseins. Il est
l'instrument des desseins de son chef. Arrêter, contrecarrer, prévenir, renverser, ruiner, traverser les
desseins d'un ennemi. Découvrir, pénétrer, percer à
jour les desseins les plus secrets. — Grand dessein :*
projet important, susceptible d'entraîner des conséquences importantes dans un secteur de l'activité humaine (surtout au plur.). *Desseins diaboliques,
machiavéliques.* → **Machination.** *Fomenter, méditer,
préparer de noirs desseins. Coupables desseins. Dessein de commettre un crime.* → **Préméditation.**

1   Il doit y avoir une certaine proportion entre les actions
    et les desseins, si on en veut tirer tous les effets qu'elles
    peuvent produire.
                            LA ROCHEFOUCAULD, Maximes, 161.

Qui peut de vos desseins révéler le mystère,   2
Sinon quelques amis engagés à se taire?
                            RACINE, Bajazet, IV, 7.

Je suis venu à bout, Dieu merci, de mon dessein (...)   3
                            VOLTAIRE, Lettres, 42.

(...) les plus machiavéliques desseins se briseront vite   4
contre la volonté pacifique des peuples!
                            MARTIN DU GARD, les Thibault, t. VI, p. 33.

J'ai formé le dessein de vous proposer quelques remarques   5
sur l'usage de la langue française. C'est un objet presque
sans limite.   G. DUHAMEL, Disc. aux nuages, p. 14.

Dans ce dessein, dans le dessein de...

Dans ce dessein, vous-même, il faut me soutenir (...)   6
                            RACINE, Mithridate, II, 6.

(...) il en propose le problème *(de la cycloïde)* à toute l'Eu-   7
rope, dans le dessein qu'on ne peut nier, d'humilier tout
le monde.
                            André SUARÈS, Trois hommes, «Pascal», III, p. 56.

Les desseins de Dieu, de la Providence. → **Arrêt, voie,
vue; prédestination.**

Souvent, dans ses desseins, Dieu suit d'étranges voies,   8
Lui qui livre Satan aux infernales joies,
Et Marie aux saintes douleurs.
                            HUGO, Odes et ballades, Odes, I, II, III.

(...) il fallait toujours espérer, les desseins de la Providence   9
étant impénétrables.   CAMUS, la Peste, p. 165.

Dessein sur... Intention quant à l'avenir de qqn ou
de qqch. *Les desseins de Dieu sur ses créatures.*

Il faut que vous soyez instruit, même avant tous,   10
Des grands desseins de Dieu sur son peuple et sur vous.
                            RACINE, Athalie, IV, 2.

Avoir dessein de : projeter de réaliser (une chose).
Avoir dessein d'écrire un roman.

Avoir des desseins sur (qqn ou qqch.) : voir des
projets concernant qqn ou qqch. Spécialt. *Il a des
desseins sur cette jeune fille.* → **Vue.**

Les Grecs ont craint que nous n'eussions des desseins sur   11
leur liberté.   FÉNELON, Télémaque, X.

(...) avant qu'elle eût aucun dessein sur le cœur du roi.   12
                            VOLTAIRE, le Siècle de Louis XIV, XXV.

Ne poursuivrait-il pas quelque dessein? Un dessein? Quel   13
dessein? (...) Que Drot eût un dessein sur moi, n'était-ce
pas étrange?
                            H. BOSCO, Un rameau de la nuit, p. 166.

Spécialt (vx). *Dessein contre...* → **Cabale, complot,
intrigue.**

Peut-elle contre vous former quelques desseins?   14
                            RACINE, Phèdre, I, 1.

♦ **2** Absolt. Intention arrêtée, but délibéré, déterminé. *Ce n'est pas le hasard, mais un dessein qui
a présidé au déroulement de l'affaire.*

Plus les historiens font vue de desseins dans les conquêtes   15
de Rome, plus ils y montrent d'injustice.
                            BOSSUET, Disc. sur l'hist. universelle, III, 6.

Rien, en vérité, dans l'examen objectif de la nature, ne   16
nous oblige à croire qu'une volonté, une intention, un dessein aient présidé à la confection des machines vivantes.
                            J. ROSTAND, l'Homme, VIII, p. 126.

Personne n'est plus dépourvu de desseins, d'arrière-   17
pensées (...) que moi.
                            COLETTE, la Naissance du jour, p. 177.

Loc. (vx). *Il y a* (*avait*, etc.) *du dessein :* la chose est
(était) préméditée.

Sans dessein : sans intention, par hasard*; au
hasard (cf. aussi Sans songer à mal; sans le faire
exprès; à l'aventure).

J'écrirai ici mes pensées sans ordre, et non pas peut-être   18
dans une confusion sans dessein : c'est le véritable ordre, et
qui marquera toujours mon objet par le désordre même.
                            PASCAL, Pensées, VI, 373.

Loc. adv. À **DESSEIN** : avec intention; de propos*
délibéré. → **Exprès.** *Il l'a fait à dessein.*

J'ai longtemps (...) tenu ma plaie à l'état vif et presque à   19
dessein.
                            SAINTE-BEUVE, Correspondance, 21 août 1833
                                              (cf. Cicatriser, cit. 3).

Loc. prép. *À dessein de...* : dans l'intention de, en vue de...

20 C'est peut-être à dessein de vous entretenir (...)
RACINE, *Britannicus*, IV, 1.

Loc. conj. Vx. *À dessein que...*, suivi du subjonctif :

21 Tu mangeras mon fils ? L'ai-je fait à dessein
Qu'il assouvisse un jour ta faim ?
LA FONTAINE, *Fables*, IV, 16.

REM. Littré recommandait la loc. *à ce dessein* pour remplacer la loc. *dans ce but*, qu'il jugeait mauvaise. *L'usage ne l'a pas suivi* (→ **But**, *supra* cit. 16).

CONTR. Exécution, réalisation. ◊ HOM. Dessin.

DESSELLAGE [desɛlaʒ] n. m. — Attesté XXᵉ ; de *desseller*.

Rare. Action de desseller.

Dans l'obscurité qui tombait, on entendait les craquements de cuir du dessellage.
Joseph PEYRÉ, *Sang et Lumières* (1935),
L. de Poche, p. 192.

DESSELLER [desele] v. tr. — XIIᵉ, *desseler* ; de *dés-* (→ 1. Dé-), et *seller*.

Ôter la selle à (un animal). *Desseller un cheval, un âne.* Absolt. :

(...) les bêtes n'ayant pu être dessellées ni déharnachées depuis six jours et présentant probablement de ce fait de larges blessures à la selle provoquées par le frottement et le manque d'aération.
Claude SIMON, *la Route des Flandres*, p. 259.

CONTR. Seller. ◊ DÉR. Dessellage. ⬩ HOM. Desceller.

DESSEMELER [desəm(ə)le] v. tr. [CONJUG. : *appeler*] — 1939, Boiste ; de *dés-* (→ 1. Dé-), et *semelle*.

Enlever la semelle de (une chaussure).

CONTR. Ressemeler.

DESSERRAGE [deseraʒ] n. m. — 1794 ; de *desserrer*.

Le fait, l'action de desserrer. *Le desserrage d'une vis.* — *Coin de desserrage.*

CONTR. Resserrage, serrage.

DESSERRE [desɛʀ] n. f. — XVᵉ, «détente d'une arbalète» ; déverbal de *desserrer*.

Vx. Desserrage. — Loc. (vx). *Arbalète dure à la desserre*, à la détente. Fig. et vieilli. *Il est dur à la desserre* : il n'aime pas donner, prêter. → (mod.) **Détente** (dur à la).

HOM. Dessert.

DESSERREMENT [desɛʀmã] n. m. — Déb. XXᵉ ; de *desserrer*.

♦ **1** Action de desserrer (→ **Desserrage**). État de ce qui est desserré. — Le fait de se desserrer.

La première réaction de Haverkamp est malgré tout de la joie : battements du cœur ; épanouissement de la poitrine ; desserrement des tempes.
J. ROMAINS, *les Hommes de bonne volonté*, t. V, XIII, p. 95.

♦ **2** (V. 1965, in Gilbert). Fig. Le fait de rendre moins serré, moins concentré (des activités économiques). → **Déconcentration**. *Le desserrement des entreprises, des activités autour d'une métropole.*

DESSERRER [deseʀe] v. tr. — XIIᵉ ; de *dés-* (→ 1. Dé-), et *serrer*.

♦ **1** Rendre moins serré. → **Relâcher ; défaire, ouvrir.** *Desserrer sa ceinture d'un cran. Desserrer une vis, un écrou* (en commençant à dévisser*). *Desserrer un étau. Desserrer un nœud coulant. Desserrer sa prise, son étreinte. Desserrer les rangs.*

(...) l'infortuné n'avait pas eu le courage de desserrer sa 1 ceinture algérienne, ni de se défubler de son arsenal.
Alphonse DAUDET, *Tartarin de Tarascon*, II, I.

Alors, Jenny, desserrant son étreinte, s'enfuit, sans un 2 mot (...) MARTIN DU GARD, *les Thibault*, t. II, p. 285.

Typogr. *Desserrer une forme.*

Par métaphore. *Desserrer un blocus. L'angoisse desserra son étau. Le soulagement desserra son cœur.*

(...) la douleur physique et les pénibles soins du traitement 3 étaient les seules diversions (...) à la vraie souffrance. Peu à peu, l'étau s'est desserré (...) Usure de la sensibilité (...)
MARTIN DU GARD, *les Thibault*, t. IX, p. 147.

♦ **2** (XIIIᵉ ; repris 1656). Loc. *Desserrer les dents* : ouvrir la bouche. *Desserrer les dents d'un homme sans connaissance pour lui faire boire de l'alcool.* → **Écarter.**

Car, lâchant le bâton en desserrant les dents, 4
Elle *(la tortue)* tombe, elle crève aux pieds des regardants.
LA FONTAINE, *Fables*, X, 2.

Fig. *Desserrer les dents de qqn*, le faire parler.

(...) quel intérêt assez pressant (...) desserre les dents d'un 5 tel homme ?
BEAUMARCHAIS, *la Mère coupable*, II, 7.

Ne pas desserrer les dents : ne rien dire. → **Taire** (se). — REM. Dans ce sens, l'expression a pu comporter d'autres compl. : *desserrer la bouche, le gosier, les lèvres, les mâchoires.*

(...) je le chanterai *(un couplet)* sur la Loire, si je puis des- 6 serrer mon gosier, qui n'est pas en état de chanter (...)
Mᵐᵉ DE SÉVIGNÉ, 805, 6 mai 1680.

Si quelqu'un desserre les dents, 7
C'est un sot. J'en conviens. Mais que faut-il donc faire ?
Parler de loin, ou bien se taire.
LA FONTAINE, *Fables*, X, 1.

Il *(Henri II)* ne desserra pas les dents ; enveloppé d'obsti- 8 nation sauvage, lié de sa parole (...)
MICHELET, *Extraits historiques*, p. 188.

Chaque fois qu'il desserre les dents, il a l'air de vous faire 9 une grâce. LOTI, *les Désenchantés*, III, VIII, p. 82.

♦ **3** Fig. *Desserrer les cordons de la bourse*, (vieilli) *desserrer les bourses* : (faire) débourser.

♦ **4** Fig. et vieilli. *Desserrer un coup de pied, un soufflet*, etc., le donner avec violence. → **Lâcher.**

♦ **SE DESSERRER** v. pron.

Devenir moins serré. *Étau, écrou qui se desserre.* — Fig. *Son cœur se desserre.*

CONTR. Serrer. ◊ DÉR. Desserrage, desserre, desserrement. ⬩ HOM. Formes du v. desservir.

DESSERT [desɛʀ] n. m. — 1539, aussi «action de desservir la table» ; *desserte*, 1393 ; de 2. *desservir*, à l'indic. présent.

♦ **1** Vx. Dernier service d'un repas, comportant fromages, pâtisserie, fruit. *Servir un entremets entre le rôti et le dessert.* — *À dessert* : servant pour le dessert. *Assiette, couteau à dessert. Service à dessert.*

Mod. Mets sucré, fruits, pâtisserie servis de nos jours après le fromage (notamment en France). *Prendre du café après le dessert. Je prendrais de la glace comme dessert, au dessert. Ce restaurant a d'excellents desserts.*

Un dessert sans fromage est une belle à qui il manque un 1 œil.
BRILLAT-SAVARIN, *Physiologie du goût*, t. I, Aphor., XIV.

(...) il l'embrassait à de certaines heures. C'était une 2 habitude comme les autres, et comme un dessert prévu d'avance, après la monotonie du dîner.
FLAUBERT, *Mᵐᵉ Bovary*, I, VII.

Le dessert était servi. Au milieu, il y avait un gâteau de 3 Savoie, en forme de temple (...) Puis, à gauche, un morceau de fromage blanc nageait dans un plat creux tandis que, dans un autre plat, à droite, s'entassaient de grosses fraises meurtries dont le jus coulait.

ZOLA, l'Assommoir, t. I, VII, p. 284.

Loc. *Enfant privé de dessert* (par punition). — *Vin de dessert.*

♦ **2** Le moment où l'on mange le dessert. *On en était au dessert quand il est arrivé. Boire du champagne au dessert. Il n'a cessé de parler depuis les hors-d'œuvre jusqu'au dessert.*

♦ **3** Par métaphore (→ aussi la cit. 2, par compar.) ou fig. Morceau de choix, complément agréable. → **Régal.** *Nous eûmes pour dessert un magnifique duo. —* Achèvement (déplaisant). *On le réprimanda et, pour dessert, on lui annonça la nouvelle de son renvoi.* → **Couronnement, fin.**

CONTR. Hors-d'œuvre, commencement. — Début, prélude.
◊ COMP. Crème-dessert. ⌣ HOM. Desserre. — Formes des v. desserrer et desservir.

1. **DESSERTE** [desɛʀt] n. f. — XIIᵉ ; de 1. *desservir.*
Action de desservir, de faire le service de.

♦ **1** Vx. Service assuré par un prêtre ; fonctions attachées au service d'une cure, d'une chapelle, etc. (→ **Desservant**).

♦ **2** (1838). En parlant d'une voie, d'un moyen de transport. Le fait de desservir une localité. → **Service.** *Voie, chemin de desserte. Desserte d'un port par voie ferrée. Des trains supplémentaires assureront la desserte des villes d'eaux.*

2. **DESSERTE** [desɛʀt] n. f. — XIVᵉ ; de 2. *desservir.*

♦ **1** Vx. Plats qui ont été desservis.

♦ **2** (Fin XIXᵉ). Meuble, buffet, sorte de table où l'on met les plats, les couverts destinés aux différents services, ou qui ont été desservis, ainsi que certains plats prêts à être servis. → **Crédence, dressoir.** *Une desserte rustique. La desserte est dans l'office.*

(Léon) découpait gravement un melon sur le marbre de la desserte (...) Autour d'eux, la nouvelle salle à manger, avec ses boiseries nues, ses glaces, la longue desserte qui occupait le panneau opposé aux fenêtres, formait un espace désert, lugubre, majestueux.

MARTIN DU GARD, les Thibault, t. V, p. 205.

DESSERTIR [desɛʀtiʀ] v. tr. — XIIᵉ, *dessartir* «défaire» ; sens actuel, 1751 ; de *dés-* (→ 1. Dé-), et *sertir.*

Enlever (une pierre précieuse, etc.) de sa monture. *Dessertir les perles d'une bague. Dessertir un brillant de son chaton, un médaillon de sa monture. —* Au p. p. *Pierre dessertie.*

Dans un mouchoir dénoué, un lot de diamants dessertis.
Paul MORAND, Bouddha vivant, p. 86.

CONTR. Sertir ; enchâsser. ◊ DÉR. Dessertissage.

DESSERTISSAGE [desɛʀtisaʒ] n. m. — 1870 ; de *dessertir.*

Techn. Action de dessertir (une pierre).

CONTR. Sertissage.

DESSERVANT [desɛʀvã] n. m. — 1322 ; rare jusqu'au XVIIIᵉ ; p. prés. de 1. *desservir.*

Ecclésiastique qui dessert une cure, une chapelle, une paroisse (→ **Curé**, cit. 3 et 4).

1   (...) on appelait de ce nom *(ministres)* les desservants des églises protestantes.
VOLTAIRE, Essai sur les mœurs, CXXXVIII.

2   Voici cinq ans (...) que je suis desservant sans casuel ni supplément de traitement (...)
BALZAC, les Paysans, XI, Pl., t. VIII, p. 184.

1. **DESSERVIR** [desɛʀviʀ] v. tr. [CONJUG.: *servir.* → Partir.]
— XIᵉ ; lat. *deservire* «servir avec zèle», de *de-* intensif, et *servire.* → Servir.

♦ **1** Faire le service de (une cure, une chapelle, un sanctuaire...), de l'église, du sanctuaire de (un lieu). *Desservir une, plusieurs paroisses. Desservir une église de campagne. C'est le vicaire qui dessert les hameaux les plus éloignés. Le pasteur dessert cette paroisse depuis longtemps.*

♦ **2** (1859). Le sujet désigne une voie de communication, un moyen de transport. Faire le service de (un lieu, une localité). *Le chemin de fer ne dessert pas encore ce village.* → **Passer** (par). *Un omnibus dessert toutes les gares de la ligne.* → **Arrêter** (s'arrêter à). *Cet autobus dessert la Porte d'Italie.* → **Aboutir** (à), **aller** (à). *Une ligne aérienne dessert ces deux pays.* → **Relier, réunir,** unir. *Ce cargo dessert les petits ports de la côte.* → **Mouiller** (à) ; **escale** (faire escale). *Un chemin, une route ont été tracés pour desservir le chantier. Couloir qui dessert plusieurs pièces.* → **Commander.**

Par ext. Assurer un service de distribution dans (un lieu). *Ce bureau de poste dessert plusieurs agglomérations. —* Au p. p. *Région desservie par une compagnie d'électricité, de distribution d'eau.*

La petite vallée du Sausseron, modeste affluent de l'Oise,   1
était, depuis de longues années, desservie par une voie ferrée.
G. DUHAMEL, Manuel du protestataire, IV, p. 136.

♦ **3** (1890). Par ext. Donner dans, faire communiquer.
Une petite rue privée, desservant des villas, s'enfonçait à   2
droite, séparée de la rue Nansouty par une grille.
J. ROMAINS, les Hommes de bonne volonté, t. IV,
p. 170.

À droite de l'entrée, une petite porte desservait la cuisine   3
et ses dépendances.
J. ROMAINS, les Hommes de bonne volonté, t. II,
VI, p. 63.

DÉR. 1. **Desserte, desservant.** ◊ HOM. Formes du v. **desserrer** ; 2. **desservir.**

2. **DESSERVIR** [desɛʀviʀ] v. tr. — 1393 ; de *dés-* (→ 1. Dé-), et *servir.*

♦ **1** Débarrasser (une table) des plats, des couverts, qui ont été servis. → **Débarrasser ; enlever** (les plats, les couverts) ; 2. **desserte.** *Desservir la table. —* Absolt. *Desservir à la fin du repas. Vous pouvez desservir.*

Aussitôt qu'on eut desservi, les dames se retirèrent dans   1
leurs chambres (...)
SCARRON, le Roman comique, II, VIII.

Et le crépuscule de printemps limpide et rose, éclairait   2
leur table familiale, que servait et desservait, depuis des
années, la même bonne appelée Miette.
LOTI, Matelot, II, p. 7.

♦ **2** (Fin XVᵉ). Rendre un mauvais service, un mauvais office à (qqn). → **Désobliger, nuire ;** → Travailler* contre les intérêts de qqn ; jouer un sale tour* à qqn. *Desservir qqn auprès de ses amis. Il l'a desservi par son indiscrétion, par ses bavardages. —* Pron. *Il s'est desservi par sa mauvaise tenue. Ils se sont desservis les uns les autres. —* (Sujet n. de chose). Faire obstacle à l'exécution de (qqch.). *Cela desservirait mes intérêts, mes projets.* → **Contrecarrer, gêner.**

C'est ainsi que le zèle indiscret du peuple a, dans les   3
temps, desservi le mérite et perdu l'innocence (...)
DIDEROT, Règnes de Claude et de Néron, I, §85,
in LITTRÉ.

(...) Lépine a cru que je le desservais auprès de vous (...)   4
MARIVAUX, le Legs, 23.

Mon ami, la jeunesse est toujours encline à je ne sais quelle   5
promptitude de jugement qui lui fait honneur, mais qui
la dessert (...)
BALZAC, le Lys dans la vallée, Pl., t. VIII, p. 892.

CONTR. **Servir; mettre** (la table). — **Aider, appuyer, assister, seconder, servir.** ◊ DÉR. **Dessert,** 2. **desserte.** ◆ HOM. Formes du v. **desserrer;** 1. **desservir.**

DESSICCANT [desikɑ̃] n. m. — Mil. XXᵉ; de *dessiccation.*

Techn. Substance servant à dessécher les parties aériennes des plantes, en vue de faciliter la récolte.

DESSICCATEUR [desikatœr] n. m. — 1878, *Année sc. et industr.* 1879, p. 137; «bâtiment où l'on fait sécher les draps», 1817; de *dessiccation.*

Techn. Appareil servant à déshydrater une substance, ou à tenir divers produits à l'abri de l'humidité. *«Le dessiccateur à air chaud (...) voilà le régulateur et le bienfaiteur de la culture fruitière commerciale aux États-Unis»* (*Année sc. et industr.* 1894, p. 416 [1893]).

DESSICCATIF, IVE [desikatif, iv] adj. et n. m. — 1314; lat. *desiccativus,* de *desiccatum,* supin de *desiccare* «dessécher», de *de-,* et *siccus* «sec». → Dessiccation.

Techn. Qui a la propriété de dessécher. *Produit dessiccatif; opération dessiccative.* (On dit aussi **siccatif, ive**). — N. m. (1754). Méd. Se dit d'un médicament qui, appliqué sur une plaie, en absorbe le pus ou les sérosités. → **Siccatif.** *Un dessiccatif. L'acide sulfurique est dessiccatif.*

DESSICCATION [desikasjɔ̃] n. f. — XVIᵉ; attestation isolée, XIVᵉ; lat. *desiccatio,* du supin de *desiccare* «dessécher», de *de-,* et *siccus* «sec».
Didactique.

◆ **1** Action de dessécher (les gaz, les solides); opération par laquelle on les prive de l'humidité qu'ils renferment. → **Déshydratation, lyophilisation.** *La dessiccation des gaz par l'acide sulfurique, le chlorure de calcium, la potasse caustique, en vase clos. Dessiccation des solides par étuvage, séchage* au four... Dessiccation du ciment. Dessiccation des textiles.* → **Conditionnement.** *Le dessiccateur, l'évaporateur, appareils servant à la dessiccation.* — *La dessiccation d'un cadavre.* → **Momification.**
Spécialt. *Dessiccation des fruits et légumes pour l'industrie des conserves* (→ **Conservation**). *Dessiccation des fruits par séchage au soleil, évaporateurs à claies. Dessiccation du lait* (lait en poudre).

Hélas! dans la fleur la plus fraîche on peut distinguer les points imperceptibles qui pour l'esprit averti dessinent déjà ce qui sera, par la dessiccation ou la fructification des chairs aujourd'hui en fleur, la forme immuable et déjà prédestinée de la graine.
　　　　　PROUST, À l'ombre des jeunes filles en fleurs, Folio, p. 557.

◆ **2** (1870). Agric. Perte de l'eau (du sol). *La dessiccation des terres argileuses.*

CONTR. **Hydratation, imbibition.** ◊ DÉR. **Dessiccant, dessiccateur.**

DESSILLEMENT [desijmɑ̃] n. m. — 1636; de *dessiller.* Action de se dessiller, en parlant des yeux. — Par ext., fig. → **Révélation.**

Elle nous sourit à tous de son sourire d'autrefois. Ses yeux humides de larmes annonçaient un dessillement suprême, elle apercevait déjà les joies célestes de la terre promise.
　　　　　BALZAC, le Lys dans la vallée, Pl., t. VIII, p. 1011.

DESSILLER [desije] v. tr. — XIIIᵉ, *déciller*; de 1. *dé-,* et *ciller,* anc. franç. «coudre les paupières d'un oiseau de proie pour le dresser». REM. On rencontre aussi la graphie *déciller* (→ ci-dessous, cit. 4).

◆ **1** Vx. Découdre les paupières de (un oiseau de proie), après le dressage.

Par ext. Séparer les paupières qui étaient jointes. *Dessiller les yeux,* les ouvrir.

◆ **2** Fig. *Dessiller les yeux de qqn,* à *qqn,* l'amener à voir, à connaître ce qu'il ignorait ou voulait ignorer. → **Débrider** (les yeux), **œil** (ouvrir les yeux); **désabuser, détromper, éclairer.** *Son aveuglement* (cit. 6) *est tel qu'on ne peut lui dessiller les yeux. Ses yeux furent dessillés par son ami* (→ Les écailles* lui tombèrent des yeux).

L'on commence à dessiller les yeux du peuple sur les　1 superstitions (...)
　　　　　VOLTAIRE, le Siècle de Louis XIV, 25.
Rare. *Dessiller qqn sur,* à *propos de qqch.,* lui dessiller les yeux.

Je n'ai pas oublié le visage qu'il eut quand je le dessillai　1.1 sur la fin de son frère.
　　　　　M. DRUON, la Loi des Mâles, p. 215.
Pron. *Ses yeux se dessillent.*

(...) ce ne fut qu'après mon départ que, voulant penser　2 à Julie, je fus frappé de ne pouvoir plus penser qu'à Mᵐᵉ d'Houdetot. Alors mes yeux se dessillèrent; je sentis mon malheur, j'en gémis, mais je n'en prévis pas les suites.
　　　　　ROUSSEAU, les Confessions, IX.

◆ **DESSILLANT, ANTE** p. prés. et adj. Rare.
(...) les excès dans le ridicule doivent être utilisés pour leur　3 valeur dessillante, car, pour ouvrir les yeux sur l'absurdité d'une théorie, ils ramèneront sur des dangers qui n'ont rien de théorique.
　　　　　J. LACAN, Écrits, p. 263.

◆ **DESSILLÉ, ÉE** p. p. adj. *Yeux dessillés* (propre et fig.).
Penses-tu que rien désormais puisse revêtir, à mes yeux　4 décillés, sa première innocente apparence?
　　　　　GIDE, Œdipe, III, p. 20.

DÉR. **Dessillement.**

DESSIN [desɛ̃] n. m. — XVᵉ; de *dessigner* (→ Dessiner), d'après l'ital. *disegno,* var. de *dessein* qui s'est employé pour *dessin* jusqu'au XVIIIᵉ; → ci-dessous, cit. 8 et 9.

◆ **1** Représentation* ou suggestion des objets, du monde visible ou imaginaire, sur une surface, à l'aide de moyens graphiques; par ext., œuvre d'art formée d'un ensemble de signes graphiques organisant une surface. → suff. **-graphie, -graphique; contour, délinéation, figure, image, ligne, linéaire, tracé, trait.** *Dessin d'imitation; dessin abstrait, non-figuratif. Composition, proportions, rythme d'un dessin. Lignes de force d'un dessin. Vie, mouvement, rendu d'un dessin. Les masses, les volumes, les plans, le modelé, le relief d'un dessin. Les dessins de Léonard de Vinci; de Degas. Exposition de dessins de l'école flamande, italienne. Dessins d'enfants.* — *Dessin linéaire, géométral,* reproduisant en projection les objets tels qu'ils sont (→ ci-dessous, 5.), par oppos. au *dessin d'imitation,* qui en représente l'apparence. — *Dessin en perspective*. Dessin en raccourci.* — *Dessin en relief* (→ **Anaglyphe**).
Dessin au trait, dessin ombré. Traits, coups de crayon, hachures d'un dessin. Dessin grené, pointillé, poncé (→ **Poncif**). *Dessin à un crayon.* → **Craie, crayon, fusain, plomb** (mine de plomb), **sanguine, sauce.** *Dessin à deux, trois crayons. Dessin aux deux crayons,* au crayon noir et à la sanguine sur papier blanc, ou au crayon noir sur papier teinté avec rehaut de crayon blanc. *Dessin au pinceau, à la plume; à l'encre de Chine. Dessin lavé.* → **Lavis; aquarelle, bistre, gouache, sépia.** *Dessin coloré. Dessin estompé.* → **Estompe.** — *Dessin griffonné sur un mur.* → **Graffite** (plur. graffiti). *Dessin gravé.* → **Gravure, pointe-sèche.** *Dessin imprimé. Tissu à dessins.* → **Motif.** *Reproduction* d'un dessin. Dessin piqué, découpé* (→ **Pochoir**). *Dessin d'après le modèle* (→ **Copie**), *d'après la bosse* (plâtre ou figure en ronde bosse), *d'après nature. Dessin à*

main levée, exécuté sans l'aide de la règle, du compas... *Dessin à vue*, exécuté sans prendre de mesures. *Dessin rapide, esquissé.* → **Croquis, ébauche, esquisse, schéma.** *Dessin lâché, à grands traits. Dessin soigné, fignolé, léché. — Dessin servant d'ébauche à une tapisserie, une fresque.* → **Canevas, carton, étude, patron, plan, projet.** *Repérage* de dessins. — Genres de dessins.* → **Illustration; paysage; vue; nu, portrait, silhouette; nature** (morte). *Dessin d'animaux. — Dessin comique, humoristique, satirique.* → **Caricature, charge;** → ci-dessous 2., b. *Les dessins d'une bande* dessinée. Un dessin pour enfants. Dessin accompagné d'une légende, sans légende* (→ Histoire* sans paroles). *Des dessins publicitaires, des dessins d'affiches. — Dessin d'ornement.* → **Motif, ornement;** arabesque, grecque, méandre. *Dessin d'encadrement.* → **Cartouche, vignette.** — *Copier, imiter, démarquer un dessin. Copier un dessin à la chambre* claire* (→ **Diagraphe**), *en le décalquant, au pantographe*. Calque, décalque d'un dessin. Transmission d'un dessin par bélinographe, par télécopie. — Transport d'un dessin sur un nouveau support.* → **Report.** *Mettre un dessin en carreaux pour le réduire* (→ **Graticuler**), *le reproduire, l'agrandir.* → **Carreau** (II.), **treillis; carreler, quadriller.** — *Gommer, effacer un dessin. Fixer un dessin* (→ **Fixateur, fixatif**). — *Album de dessins. Dessin encadré.*

1 J'ai fini par mêler à mes dessins du crayon, du fusain, de la sépia, du charbon, de la suie et toutes sortes de mixtures bizarres qui arrivent à rendre à peu près ce que j'ai dans l'œil et dans l'esprit.
                HUGO, Lettre à Baudelaire, 29 avr. 1860.

2 Les beaux dessins sont complets sans être achevés (...) Le grain du papier, sa consistance, sa couleur et presque sa sonorité prêtent à ce support la qualité d'un milieu. Les instruments qui l'attaquent et qui s'en emparent, la plume, le pinceau, le crayon, le bâton de craie ou de sanguine y tracent des écritures dont l'extrême et charmante diversité nous parle mieux encore que la touche du peintre. La tache, le coup de griffe, le trait, avec sa mélodie de pleins et de déliés, l'accent, la virgule d'ombre ou de clarté (...) éveillent en nous l'émulation d'une fièvre créatrice (...)
                H. FOCILLON, Journal : *Beaux-arts, in* CLARAC, Apprendre à écrire, p. 206.

(1916). **DESSIN ANIMÉ** OU **DESSINS ANIMÉS :** film cinématographique réalisé en partant d'une suite de dessins représentant les phases successives du mouvement d'un corps (→ anglic. **Cartoon**). — Branche de l'art, de l'industrie cinématographique relative à ce genre de films. *Histoire du dessin animé.* → **Animation** (3.).

(1951). Loc. fam. *Faire un dessin à qqn :* expliquer davantage. *Tu veux que je te fasse un dessin?* (→ Mettre les points sur les i*). — *Avoir besoin d'un dessin,* d'explications.

2.1 Tu vois pas ça, toi, dans ta tête?... Le cafard?... Tentends?... Le cafard? Faut te faire un dessin?
                CÉLINE, Guignol's band, p. 64.

♦ **2** *Le dessin.* **ⓐ** L'art qui enseigne et utilise la technique, les procédés propres à organiser une surface par des moyens graphiques. *Le dessin est opposé à la peinture* en ce qu'il néglige la couleur ou qu'il la subordonne à la forme. — Papier* à dessin* (→ **Bristol, torchon**). — *Carton* à dessin.* — (Domaine scolaire). *Cet art en tant que matière enseignée dans les écoles. Apprendre, savoir le dessin. École, académie de dessin. Professeur, leçon de dessin. Il est doué pour le dessin.*

3 Voici donc comment je désirerais qu'une école de dessin fût conduite. Lorsque l'élève sait dessiner facilement d'après l'estampe et la brosse, je le tiens pendant deux ans devant le modèle académique de l'homme et de la femme. Puis je lui expose des enfants, des adultes (...) des sujets (...) pris dans toutes les conditions de la société (...)

Après la séance de dessin, un habile anatomiste expliquera à mon élève l'écorché (...)
                DIDEROT, Essai sur la peinture, I, Œ., p. 1148-1149.

4 Le dessin est une lutte entre la nature et l'artiste (...) Il ne s'agit pas pour lui de copier, mais d'interpréter.
                BAUDELAIRE, Curiosités esthétiques, Salon de 1846, VII, 13.

5 Je lui disais *(à Degas) :* «Mais enfin, qu'est-ce donc que vous entendez par *le Dessin?*»
Il répondait par son célèbre axiome : «Le Dessin n'est pas la forme, il est la manière de voir la forme». (...) Il opposait ce qu'il appelait la «mise en place», c'est-à-dire la représentation conforme des objets, à ce qu'il appelait le «dessin», c'est-à-dire l'altération particulière que la manière de voir et d'exécuter d'un artiste fait subir à cette représentation exacte (...)
                VALÉRY, Degas, Danse, Dessin, p. 128.

ⓑ Ensemble d'œuvres dessinées. *Histoire du dessin français. Étude sur le dessin expressionniste.* — (Genre). *Le dessin d'humour :* le genre du dessin comique ou satirique, légendé ou non. *Dessin d'humour et bande dessinée sont des genres voisins. Pratiquer le dessin pour enfants, le dessin publicitaire, le dessin d'illustration.*

Les arts du dessin : les arts plastiques (peinture, etc.) quand l'un de leurs éléments est le dessin.

♦ **3** Les éléments graphiques d'un tableau, d'une tapisserie. *Le dessin et la couleur* (cit. 22). *La pureté du dessin d'Ingres. Le dessin de cette fresque n'en vaut pas la couleur.*

6 Certes on connaissait les Flamands du moyen âge. Mais si l'on admirait leur couleur, on regrettait qu'elle n'eût pas été servie par un dessin digne d'elle.
                MALRAUX, les Voix du silence, I, 5, p. 103.

♦ **4** La façon de dessiner; le style d'un dessin. *Un dessin habile, mais froid. Le dessin de Michel-Ange.*

7 (...) il y a plusieurs dessins, comme plusieurs couleurs : — exacts ou bêtes, physionomiques et imaginés.
Le premier est négatif, incorrect à force de réalité, naturel, mais saugrenu; le second est un dessin naturaliste, mais idéalisé, dessin d'un génie qui sait choisir, arranger, corriger, deviner, gourmander la nature; enfin le troisième, qui est le plus noble et le plus étrange, peut négliger la nature (...)
Le dessin physionomique appartient généralement aux passionnés, comme M. Ingres; le dessin de création est le privilège du génie. La grande qualité du dessin des artistes suprêmes est la vérité du mouvement, et Delacroix ne viole jamais cette loi naturelle.
                BAUDELAIRE, Curiosités esthétiques, Salon de 1846, Eugène Delacroix.

♦ **5** (*Un, des dessins; le dessin;* souvent qualifié). Représentation linéaire, exacte et précise, de la forme des objets, dans le domaine scientifique, technique, industriel. *Dessin graphique. Dessin géométrique. Dessin par projection* (→ **Projection, stéréographie**). *Dessin d'une carte géographique* (→ **Cartographie, topographie**). — *Dessin industriel :* description graphique complète et précise d'une pièce industrielle. → **Épure; coupe, élévation, plan, section; levé, relevé** (de plan). *Dessin de face, de profil, en élévation. Dessin coté.* → **Croquis.** *Dessin assisté par ordinateur* (D. A. O.) : dessin industriel automatisé par la conception assistée* par ordinateur. *Échelle d'un dessin. Dessin de machine, d'outil,* etc. — *Bureau de dessin :* annexe du bureau des études, dans une industrie. — *Instruments utilisés pour le dessin industriel ou d'architecture :* crayons, compas, équerre, gomme, pistolet, plume, règle, té, tire-lignes... *Planche, table à dessin. — Dessin d'architecture* :* représentation linéaire du plan, de la coupe, de l'élévation d'un bâtiment, d'une partie de bâtiment, etc. (→ **Élévation, plan; orthographie, sciographie**). Par ext. → **Projet.** *Dessin de maquette; de jardin.*

8 (...) ce parterre, qui est tout fait sur le dessein *(dessin)* de M. Le Nôtre.
                Mme DE SÉVIGNÉ, 1225, 12 oct. 1689.

♦ **6** Grands traits (d'un ouvrage). → **Canevas, conception, plan, projet**; et aussi **dessein**. *Le dessin général d'un ouvrage littéraire, musical. Le dessin de l'intrigue.*

9   (...) le jeu de rapport qui se trouve pour le dessein *(dessin)* entre un si grand nombre de poèmes qu'il *(Corneille)* a composés.   LA BRUYÈRE, les Caractères, I, 54.

10   Cet ouvrage (...) est un monument qui éternisera sa honte *(de l'architecte);* car l'ouvrage fait voir que l'ouvrier n'a pas su penser avec assez d'étendue pour concevoir le dessein *(dessin)* général de tout son ouvrage.
    FÉNELON, Télémaque, XVII.

Mus. *Dessin mélodique :* la disposition générale d'une phrase musicale.

Danse. Figures créées par le jeu des jambes.

♦ **7** 🅰 Disposition des ornements (sur certains objets fabriqués). *Les dessins d'une étoffe.* → **Arabesque** (cit. 8), **brochure, chinure.** *Dessin de fleurs sur un tapis, un papier à tapisser.* → **Fleurage, ramage.** *Lisage* d'un dessin pour tissu. Dessin de racines sur la couverture d'un livre.* → **Racinage.**

🅱 Aspect linéaire et décoratif des formes naturelles : contour, figure, forme, ligne. *Le dessin d'un profil. Dessin d'un visage.* → **Coupe.** *Dessins formés par un dépôt cristallin.* → **Arborisation, ramification, végétation.** *Dessins géométriques du givre. Le dessin des veines du bois.* → **Veinure.** *Le dessin sinueux de la ligne d'horizon.*

11   La chaîne dentelée et toujours bleue des montagnes kabyles ferme par un dessin sévère, ce magnifique horizon de quarante lieues.
    E. FROMENTIN, Une année dans le Sahel, p. 10.

12   Il continue à regarder la petite main sombre ; il s'applique à suivre le dessin des veines jusqu'au poignet mince et musclé (...)
    MARTIN DU GARD, les Thibault, t. III, p. 166.

13   À terre, un coin du tapis est relevé, le milieu du tapis forme un pli disgracieux et le dessin usé cache à peine la corde.
    J. ROMAINS, les Hommes de bonne volonté, t. V, XXI, p. 165.

14   (...) un nez au dessin généreux (...)
    J. ROMAINS, les Hommes de bonne volonté, t. I, x, p. 101.

HOM. Dessein.

DESSINANDIER [desinãdje] n. m. — 1870; de *dessiner,* sur les noms de métiers en *-andier (tissandier, taillandier).*

Techn. Ouvrier dessinateur sur toile. — REM. Le fém. ne semble pas attesté.

DESSINATEUR, TRICE [desinatœr, tRis] n. — 1664; de *dessiner,* d'après l'ital. *disegnatore,* de *disegnare.* → Dessiner.

♦ **1** Personne qui pratique habituellement l'art du dessin* ; ou qui y excelle. *Un bon dessinateur; une dessinatrice expérimentée; un dessinateur médiocre. Dessinateur humoristique.* → **Caricaturiste.** *Dessinateur de bandes dessinées* (→ anglic. Cartoonist). *Dessinateur-scénariste. Dessinateur coloriste. Dessinateur calqueur*. Dessinateur illustrateur* de livres. Dessinateur de paysages, de portraits...* (→ **Paysagiste, portraitiste**). *Dessinateur animalier. Dessinateur de mode.* → **Modéliste.** *Dessinateur de publicité* (→ **Affichiste**). *Dessinateur et graphiste*.*

♦ **2** (V. 1778). Spécialt. Peintre chez qui la couleur est subordonnée à la forme, au graphisme, par oppos. à *coloriste. Ce peintre est plutôt dessinateur que coloriste.*

Les purs dessinateurs sont des naturalistes doués d'un sens excellent : mais ils dessinent par raison, tandis

que (...) les grands coloristes dessinent par tempérament presque à leur insu (...)
(...) les purs dessinateurs, s'ils voulaient être logiques et fidèles à leur profession de foi, se contenteraient du crayon noir. Néanmoins ils s'appliquent à la couleur avec une ardeur inconcevable, et ne s'aperçoivent point de leurs contradictions (...) Un dessinateur est un coloriste manqué.
    BAUDELAIRE, Curiosités esthétiques, Salon de 1846, De quelques dessinateurs.

♦ **3** (1690). Personne qui fait des dessins industriels ou d'architecture (→ **Dessin, 4.**); des dessins décoratifs pour tissus, papiers, etc. (→ **Dessin, 6.**; **décorateur, ornemaniste**). *Dessinateur industriel :* technicien intermédiaire entre le créateur (ingénieur, architecte) et le réalisateur. *Dessinateur de fabrique. Dessinateur de jardins.* → **Jardiniste.** *Dessinateur en tissu, en bijouterie. Dessinateur de meubles, d'objets utilitaires.* → anglic. Designer, n.

(XXᵉ). **DESSINATEUR, DESSINATRICE-CARTOGRAPHE :** spécialiste du dessin en cartographie. *Des dessinateurs-cartographes, des dessinatrices-cartographes.*

♦ **4** Fig. (littér.). Écrivain qui compose habilement le plan d'ensemble d'une œuvre, qui campe avec adresse des personnages.

DESSINER [desine] v. tr. — 1664; *desseigner, dessigner,* 1459; de *dessiner,* altér. d'après le lat. *designare,* de *desseigner,* de l'ital. *disegnare,* lui-même du lat. *designare.* → Désigner.

♦ **1** (1664). Représenter ou suggérer par le dessin. → **Représenter, reproduire, tracer.** *Dessiner qqch. sur le vif, rapidement.* → **Crayonner, croquer, délinéer, ébaucher, esquisser.** *Dessiner un nu, un portrait, un paysage... Dessiner une figure d'après la bosse* (cit. 8), *d'après nature. Enfant qui dessine des bonshommes sur ses cahiers. Dessiner des modèles, des projets décoratifs, publicitaires.*

Absolt. *Dessiner au crayon, à la plume, au pinceau; à main levée, de mémoire. L'art de dessiner.* → **Dessin** (2.). *Mal dessiner.* → **Charbonner** (vx), **gribouiller, griffonner.**

(...) il dessine correctement et attrape la ressemblance (...)   1
    A. R. LESAGE, le Diable boiteux, XI.

Je veux parler de la méthode de dessiner de M. G. *(Constantin Guys).* Il dessine de mémoire, et non d'après le modèle, sauf dans les cas (...) où il y a nécessité urgente de prendre des notes immédiates (...) En fait, tous les bons et vrais dessinateurs dessinent d'après l'image décrite dans leur cerveau, et non d'après la nature.   2
    BAUDELAIRE, Curiosités esthétiques, XVI, v.

Philippe de Champagne dessine et suit les traits de ses modèles avec une fidélité rare ; il y met de la conscience ; et, d'un janséniste comme lui, on peut dire que l'exactitude dans le dessin est la pratique d'une vertu.   3
    André SUARÈS, Trois hommes, «Pascal», II, p. 23.

Il y a une immense différence entre voir une chose sans le crayon dans la main, et la voir *en la dessinant.*   4
(...) Même l'objet le plus familier à nos yeux devient tout autre si l'on s'applique à le dessiner : on s'aperçoit qu'on (...) ne l'avait jamais véritablement *vu.*
    VALÉRY, Degas, Danse, Dessin, p. 57.

Spécialt. Traiter les formes d'un tableau, par oppos. à la couleur. → **Dessin** (3.). *Ce peintre dessine soigneusement, hardiment.*

Techn., archit. Faire du dessin graphique (→ **Dessin, 4.**). *Ingénieur qui dessine à sa table. L'architecte qui a dessiné ce plan, ce jardin... Dessiner un plan.* → **Dresser, lever.**

♦ **2** (V. 1800). Fig. Imiter, créer autrement que par des moyens graphiques (une image, une figure sensible à l'œil, à l'oreille, concevable par l'esprit). **Littér.** Esquisser les grandes lignes de (une œuvre).

Cet écrivain dessine habilement ses intrigues. Dessiner un caractère, un personnage. — Dessiner une scène. **Mus.** Construire une forme musicale. **Danse.** Construire les figures de la danse, en suivant les contours rythmiques de la musique.

Par ext. Esquisser, réaliser par un geste la forme de (qqch.).

4.1 Par terre, un congre à la vie dure achevait de mourir, dessinant des spasmes en S.
　　　　　　　　　　　　　　Pierre HAMP, Marée, p. 24.

Donner une idée précise de (qqch. d'observable ou de prévisible).

4.2 Je dessine seulement, sans les apprécier, les traits généraux du débat.
　　　　　　　　　　J. PAULHAN, les Fleurs de Tarbes, p. 196.

Rendre accessible le contenu de (une notion, un sentiment).

◆ **3** (1823). **Sujet n. de chose.** **ⓐ** Rendre apparents les contours, le dessin (6.) de (qqch.). → **Accuser, dévoiler, indiquer, montrer, ressortir** (faire ressortir). *Vêtement qui dessine les formes du corps.* → **Mouler** (→ Croupe, cit. 5).

ⓑ Présenter une forme (assimilable à un dessin). → **Former, offrir, présenter, tracer.** *La côte dessine une suite de courbes* (→ Arabesque, cit. 7; configuration, cit. 1; crête, cit. 5).

5 Sur les corniches des monuments, deux ou trois ibis (...) dessinaient leur silhouette grêle sur le bleu calciné et blanchissant qui leur servait de fond.
　　　　　Th. GAUTIER, le Roman de la momie, I, p. 49.

6 (...) on voyait les vergues, les hunes, les grandes voiles blanches dessiner dans l'eau des commencements d'images renversées qui ondulaient.
　　　　　　　　LOTI, Mon frère Yves, XI, p. 50.

7 Ces milliers d'arbres vigoureux qui dessinent une magnificence abondante et légère comme un tissu brodé de l'Inde.
　　　　　　　　M. BARRÈS, Leurs figures, p. 364.

ⓒ **Abstrait.** Faire apparaître en traits marqués (le caractère, la personnalité). *Ce trait de caractère le dessine tout entier.* → **Dépeindre, peindre.**

8 (...) souvent, un premier geste, que l'on fait sans presque y songer, dessine irrémédiablement notre figure et commence à tracer un trait que, par la suite, tous nos efforts ne pourront jamais effacer.
　　　　　GIDE, les Faux-monnayeurs, III, XV, p. 461.

◆ **SE DESSINER** v. pron.

◆ **1** Dessiner son propre portrait.

Fig. Se montrer, se faire voir à son avantage. → **Composer** (cit. 14).

◆ **2** Paraître avec un contour net. → **Paraître, ressortir; détacher** (se), **dévoiler** (se), **former** (se), **montrer** (se), **profiler** (se), **révéler** (se). *Ombre qui se dessine sur un mur, sur un écran. Arbre, branche qui se dessine sur le ciel. Une ville se dessinait à l'horizon. Un sourire se dessina sur ses lèvres.* → **Apparaître, paraître** (→ Architecture, cit. 9; caravane, cit. 2).

9 Le sous-chef eut un sursaut et étouffa mal une exclamation; mais sous la moustache de M. Nègre, un demi-sourire se dessina d'une bienveillance rassurante.
　　　COURTELINE, Messieurs les ronds-de-cuir, VI, II, p. 236.

10 Sous le voile de ces phrases coupées de tragiques silences, toute la vie intérieure du musicien se dessine.
　　　　　　Éd. HERRIOT, la Vie de Beethoven, p. 91.

11 Derrière le décor une pièce n'est plus peinte; elle se dessine. Elle me montre ses fautes de dessin.
　　　　　　COCTEAU, la Difficulté d'être, p. 61.

◆ **3** Acquérir, prendre des contours plus accusés. → **Développer** (se), **préciser** (se); **forme, tournure** (prendre forme, tournure). *Projets, plans qui commencent à se dessiner. Le péril se dessine.* → **Approcher; annoncer** (s').

◆ **DESSINÉ, ÉE** p. p. adj.

◆ **1** Représenté par des traits exécutés à la main, tracé. *Figure, arabesque bien dessinée. Œuvres dessinées.* → **Dessin.**

12 (...) une ancienne et admirable broderie d'or, dessinée par un célèbre calligraphe du temps passé (...)
　　　　LOTI, les Désenchantées, I, III, p. 46.

C'est dessiné, bien dessiné.

Par ext. Orné de dessins. *Étoffe dessinée.*

◆ **2** **Loc.** **BANDE DESSINÉE.** → **Bande.**

◆ **3** **ⓐ** Construit de façon à donner l'impression d'une figure composée (plus ou moins bien); dont la structure est (plus ou moins) régulière. *Intrigue théâtrale, phrase musicale mal dessinée*, dont le dessin est incorrect (→ **Dessin**, 6.).

ⓑ Naturellement délimité, formé. *Des collines dessinées. Visage bien dessiné*, d'une jolie forme, bien nette. *Des yeux dessinés en amande.*

13 Adieu, bouche de Suzanne, mieux dessinée que la bouche irréelle d'un ange dans un tableau du Pérugin!
　　　G. DUHAMEL, Chronique des Pasquier, IX, IV, p. 47.

CONTR. Cacher, enfouir. — Disparaître, évanouir (s'). — Estomper. ◇ **DÉR.** V. **Dessin.**

DESSOLEMENT [desɔlmɑ̃] n. m. — 1700; de 2. *dessoler.*

Agric. Action de dessoler (un champ).

1. DESSOLER [desɔle] v. tr. — XIIᵉ; de *dés-* (→ 1. Dé-), et 1. *sole.*

Techn. Débarrasser de la sole*, de la partie inférieure du sabot. *Dessoler un cheval.*

◆ **DESSOLÉ, ÉE** p. p. adj. Mulet dessolé.

(En parlant d'un chien de chasse). Qui a le dessous des pattes endommagé. *Des chiens dessolés.*

DÉR. Dessolure. ◇ **HOM.** 2. Dessoler.

2. DESSOLER [desɔle] v. tr. — 1357; de *dés-* (→ 1. Dé-), et rad. de *assoler.*

Agric. Changer l'ordre des cultures, l'assolement de (une terre).

CONTR. Assoler. ◇ **DÉR.** Dessolement. — **HOM.** 1. Dessoler.

DESSOLURE [desɔlyʀ] n. f. — XIVᵉ; de 1. *dessoler.*
Techn. Action de dessoler un animal.

DESSOUCHEMENT [desuʃmɑ̃] ou **DESSOUCHAGE** [desuʃaʒ] n. m. — 1795, *dessouchement; dessouchage,* 1905, in Rev. gén. des sc., nº 9, p. 425; de *dessoucher.*

Action de dessoucher. — On dit aussi *essouchement* ou *essouchage.*

DESSOUCHER [desuʃe] v. tr. — 1700; de *dés-* (→ 1. Dé-), *souche,* et suff. verbal.

Débarrasser des souches. *Dessoucher un champ, une clairière, le sol, la terre.* On dit aussi *essoucher.*

DÉR. Dessouchement ou dessouchage.

DESSOUDAGE [desudaʒ] n. m. — D. i.; de *dessouder.*
Action de dessouder.

DESSOUDER [desude] v. tr. — V. 1165; de *dés-* (→ 1. Dé-), et *souder.*

◆ **1** Ôter la soudure de. *Dessouder des tuyaux.* — **Pron.** **SE DESSOUDER :** se défaire, en parlant de ce qui était soudé.

♦ **2** Argot. Tuer. → **Buter, descendre.** «... *elle s'est fait dessouder dans une rue merdeuse de Paris.*» (San-Antonio, *Fleur de nave vinaigrette*, p. 127).
Le souffle ténu qui filtrait des lèvres du Rital les rassura. Le gonze, on ne l'avait pas dessoudé.
　　　　A. LE BRETON, *Du rififi chez les hommes*, p. 94, 1953.

DÉR. Dessoudage.

DESSOULER, DESSOÛLER ou (vx) **DESSAOULER** [desule] v. — V. 1557; de *dés-* (→ 1. Dé-), et *soûler, saouler.*
Familier.
♦ **1** V. tr. Tirer (qqn) de l'ivresse. *On l'a dessoulé (dessoûlé) en lui jetant de l'eau à la figure. La peur l'a dessoulé.*
♦ **2** V. intr. (souvent dans un contexte négatif). Cesser d'être ivre. *Il ne dessoûle pas :* il est toujours ivre. *On a fait une de ces bringues, on n'a pas dessoûlé pendant trois jours.* → **Débourrer** (pop.).

◆ **SE DESSOULER** v. pron. Cesser d'être ivre.
(...) Rabe, la démarche incertaine et la tête malade pour s'être dessoulé trop vite, reprenait son chemin le long des rues (...)　　P. MAC ORLAN, *Quai des brumes*, I, p. 15.

CONTR. Soûler.

1. DESSOUS [d(ə)su] prép., adv. — 1080; *desoz*, v. 980; comp. de *de*, prép., et *sous.* — Mot indiquant la position d'une chose sous une autre (opposé à *dessus*).

Ⅰ Prép. de lieu. ♦ **1** Vx (employé seul). → **Sous.** — REM. Cet emploi se perpétue de nos jours, avec un sens uniquement concret correspondant à *en dessous de*. «*Chercher dessous la table*» (Académie, Huitième éd.).
1　Me trouvant enfin dessous un toit rustique.
　　　　　CORNEILLE, *Clitandre*, III, 1.
Fig. (marquant la soumission à une autorité).
2　Je sais qu'il est rangé dessous les lois d'un autre (...)
　　　　MOLIÈRE, le *Dépit amoureux*, II, 3.
♦ **2** Loc. prép. Mod. **DE DESSOUS :** d'un endroit situé dans une position inférieure par rapport à qqch. *Tirer un objet de dessous un meuble. Sortir de dessous une tente.*
3　(...) Jacques tira de dessous sa veste un énorme cahier rouge (...)　　Alphonse DAUDET, le *Petit Chose*, I, IV.
4　Jean Tournier était occupé, avec une équipe de jeunes gens, ces derniers matins, à extraire les cadavres et les blessés de dessous les décombres d'un pâté de maisons (...)　　GIDE, *Journal*, 1er janv. 1943.
PAR-DESSOUS : sous qqch. *Passer par-dessous la clôture.*
5　(...) les Derviches le soutiennent par-dessous les bras.
　　　　MOLIÈRE, *Jeu de scène, Cérémonie turque.*
Fig. et fam. *Faire qqch. par-dessous la jambe*,* avec désinvolture.

Ⅱ Adv. de lieu. À la face inférieure, dans la partie inférieure. *Le prix du vase est marqué dessous. Cherchons un abri, et mettons nous dessous.*
6　Approchons cette table, et vous mettez dessous.
　　　　　MOLIÈRE, *Tartuffe*, IV, 4.
7　L'F en appuyant les dents du haut sur la lèvre de dessous : FA.
　　　　MOLIÈRE, le *Bourgeois gentilhomme*, II, 4.
8　Oh! ne touche pas au feu! s'exclama le «boss». Il faut réunir le bois en pyramide et laisser un peu d'air dessous.
　　　　P. MAC ORLAN, *Quai des brumes*, III, p. 37.
Mar. *Mettre la barre dessous,* la mettre sous le vent (ellipt, dans un commandement : *Dessous !*).
8.1　Coup de vent d'E. N. E. au petit jour... Il faut amener toute la voilure et prendre la cape, à sec de toile et barre dessous pour dériver le moins possible.
　　　　Bernard MOITESSIER, *Cap-Horn à la voile*, p. 271.

Loc. adv. *Bras dessus bras dessous.* → **Bras,** cit. 28. *Sens dessus dessous.* → **Sens.**
PAR-DESSOUS : par la partie inférieure. *Baissez-vous et passez par-dessous. Reprendre un mur par-dessous.* → **Œuvre** (en sous-œuvre). *Saper un édifice par-dessous.*
EN DESSOUS : sur la face inférieure, dessous et tout contre. *Soulevez ce livre, le billet est en dessous. Qui est placé en dessous.* → **Sous-jacent.**
9　Une espèce de petit balcon vers le haut, en saillie et soutenu en dessous par deux chevrons et deux poutres debout.
　　　　DIDEROT, *Salon de 1767, in* LITTRÉ, *Saillie.*
Fam. *L'appartement d'en dessous.* Syn. : *du dessous* (→ 2. Dessous).
Fig. *Rire en dessous,* en dissimulant son rire. → **Cape** (sous cape). *Regarder en dessous, par en dessous,* sans lever franchement les yeux. → **Sournois.** *Agir en dessous,* furtivement, subrepticement, hypocritement. — (1808). En valeur d'adj. *Air en dessous,* hypocrite.
10　Son regard en dessous observait tout avec une ombrageuse attention.　　MARMONTEL, *Mémoires*, IV.
11　Jean-Paul baissa le front, sans répondre. Il décocha vers Antoine un coup d'œil en dessous, suivi d'un regard hésitant Daniel qui s'en allait (...)
　　　　MARTIN DU GARD, les *Thibault*, t. IX, p. 82.
12　Pinette, le front bas, regardait Longin par en dessous en soufflant et en frappant du pied.
　　　　SARTRE, la *Mort dans l'âme*, p. 48.
En valeur d'adj. *La taille en dessous.* Syn. : *au-dessous* (→ 2. Dessous, 8).
Loc. prép. Inférieur à. *Il a fait un mariage bien en dessous de sa condition* (ou *au-dessous de...*).
CI-DESSOUS : sous ce qu'on vient d'écrire, plus loin, plus bas. → **Infra.** *Vous trouverez ci-dessous les indications nécessaires. Se reporter au graphique ci-dessous.*
LÀ-DESSOUS : sous cet objet, cette chose. *Le chat s'est caché là-dessous. Venez là-dessous vous abriter de la pluie. Ôtez ce tricot : vous devez avoir trop chaud là-dessous.* — Fig. *Il a offert de m'aider : il y a quelque chose là-dessous,* cela cache, cela dissimule quelque chose.
13　Qu'est-ce que cela veut dire? (...) Je vous prie de me dire ce qu'il y a là-dessous.
　　　　MOLIÈRE, *Monsieur de Pourceaugnac*, II, 4.

CONTR. Sur; dessus, haut (en).

2. DESSOUS [d(ə)su] n. m. — Fin XIVe; de 1. *dessous.*
♦ **1** Face inférieure (de qqch.); ce qui est plus bas (que qqch.). *Le dessous de la langue, des pieds, du genou. Le dessous des yeux, du nez. Le dessous des bras.* → **Aisselle.** — *Le dessous d'une affiche, d'une étoffe, d'une assiette.* → **Envers.** *Le dessous d'une fenêtre, d'un appartement. L'étage du dessous.*
14　Puis le dessous du genou a gonflé, la rotule s'est empâtée; le jarret aussi s'est trouvé pris.
　　　　RIMBAUD, *Correspondance, À Isabelle,* 15 juil. 1891.
15　On sentait qu'une multitude de cœurs pensaient à vous, une multitude de cœurs inconnus, chauds comme le dessous d'un édredon.
　　　　G. DUHAMEL, *Récits des temps de guerre*, IV, IV, p. 21.
Spécialt. L'étage immédiatement inférieur. *Les gens du dessous, de dessous sont bruyants.* Syn. fam. : *d'en dessous* (→ 1. Dessous, II.), *d'au-dessous* (→ ci-dessous, 8.). → **Bas** (d'en bas). — *Vêtements de dessous,* qui se portent sous ceux que l'on voit. → **Sous-vêtement** et ci-dessous, 3.
♦ **2 DESSOUS DE...** (Objets qui se placent sous qqch. pour isoler, protéger). *Un dessous de plat, de verre, de*

carafe, de bouteille... Voir aussi à l'ordre alphabétique.
— REM. Les composés sont traditionnellement considérés comme invariables.

(Nom donné à des choses cachées). *Le dessous des cartes, le dessous du jeu.* → **Carte** (cit. 10 et 11); fig. : la face cachée des choses. *On ne connaît pas souvent le dessous des cartes.* — Par anal. *Les dessous de la politique.* → **Secret.**

♦ **3** (Fin XIXᵉ). Absolt. Plur. **LES DESSOUS** : vêtements de dessous féminins (soutien-gorge, culotte, porte-jarretelles, chemise, combinaison, etc.). → **Linge, lingerie.** *Porter des dessous en dentelle.*

16 Les êtres ne sont jamais si simples qu'on les croit. Même parmi les plus futiles, ce n'est pas seulement en lingerie que les femmes ont de curieux dessous.
　　　　Émile HENRIOT, Portraits de femmes, «La jeune captive», p. 218.

16.1 Elle portait d'amples et orageux jupons, volants et autres dessous que je ne saurais nommer. Tout cela se soulevait en moutonnant et froufroutant (...)
　　　　S. BECKETT, Molloy, p. 76.

♦ **4** Hist. mus. **Basse harmonique.**

16.2 L'utilisation de la Clarinette à l'orchestre est, comme celle de la Flûte, diverse. D'abord, mélodique, cela va de soi : et rien ne remplace la noble expression du second registre. Mais elle sert aussi bien à des accompagnements, à des dessous de caractère neutre soit avec les Flûtes, soit avec les Hautbois, soit (très souvent) avec un ou deux Bassons, auxquels elle se marie le plus heureusement du monde.
　　　　Charles KOECHLIN, les Instruments à vent, p. 48.

♦ **5** Peint. *Le dessous :* la première couche de peinture d'une toile.

16.3 Ses places bien assurées, il fuma beaucoup de cigarettes devant sa toile, avec une sorte de recueillement, tourna autour de sa boîte à couleurs, l'ouvrit, la ferma, et à la fin se mit à jeter précipitamment les premiers dessous sur la toile.
　　　　Ed. et J. DE GONCOURT, Manette Salomon, p. 93.

♦ **6** *Les dessous du théâtre :* étages à plancher mobile disposés sous la scène, servant à entreposer les accessoires. — Loc. fig. *Être, tomber dans le, au troisième, trente-sixième dessous,* aussi bas que possible; dans une très mauvaise situation. Var. (rare).

17 Les Montesquiou descendent d'une ancienne famille, qu'est-ce que ça prouverait, même si c'était prouvé? Ils descendent tellement qu'ils sont dans le quatorzième dessous.
　　　　PROUST, À la recherche du temps perdu, t. XII, p. 39.

♦ **7** Fig. *Avoir le dessous :* être dans un état d'infériorité dans une lutte, une discussion... → **Désavantage.** *Il finira bien par avoir le dessous.* → **Céder, perdre.**

♦ **8** Loc. adv. **AU-DESSOUS** : plus bas. *La colline domine une plaine qui s'étend au-dessous. Il n'y a personne au-dessous.* Fam. *L'appartement d'au-dessous.* Syn. : *du dessous* (→ ci-dessus, 1.).

18 L'écho des petits scandales d'au-dessous, d'à-côté, en suinte à travers les murs, ni plus ni moins qu'à travers de simples gilets de flanelle.
　　　　COURTELINE, Boubouroche, Nouvelle, II, p. 39.

Spécialt, pour indiquer une infériorité nombrable. → **Moins.** *Vous en trouverez à mille francs et au-dessous. Les enfants de dix ans et au-dessous paient demi-place.* — En valeur d'adj. *La taille, la dimension au-dessous.* Syn. : *en dessous* (→ 1. Dessous, II.).

Fig. (en attribut). → **Inférieur.**

19 (...) jamais il *(Racine)* n'ira plus loin qu'*Alexandre* et qu'*Andromaque. Bajazet* est au-dessous, au sentiment de bien des gens, et au mien, si j'ose me citer.
　　　　Mᵐᵉ DE SÉVIGNÉ, Lettres, 257, 16 mars 1672.

Loc. prép. **AU-DESSOUS DE** : plus bas que, en bas de (→ préf. **Infra-, sous-, sub-**). *La foule se rassemble au-dessous de la fenêtre. Nous sommes logés au-dessous des X. Jupe au-dessous du genou. Cinq degrés au-dessous de zéro.* — *Orléans est au-dessous de Paris.* → **Sud** (au sud de). *L'Oise se jette dans la Seine au-dessous de Paris.* → **Aval** (en aval de).

20 (...) Mais plutôt qu'elle considère
　　Que je me vas désaltérant
　　Dans le courant,Plus de vingt pas au-dessous d'elle;
　　Et que, par conséquent, en aucune façon,
　　Je ne puis troubler sa boisson.
　　　　LA FONTAINE, Fables, I, 10.

21 (...) comme au-dessous des océans, pourvu qu'on jette assez la sonde, c'est toujours la solidité immuable de la terre; et toutes les mers ne sont qu'une robe de rosée sur l'écorce.
　　　　André SUARÈS, Trois hommes, «Dostoïevski», V, p. 245.

22 (...) la mer déchaînée, dans les roches, au-dessous de moi, presque à pic (...)
　　　　MARTIN DU GARD, les Thibault, t. II, p. 258.

Spécialt. → **Moins** (à moins de, de moins de, pour moins de...). *Les femmes ne peuvent se marier au-dessous de quinze ans. On n'a pas racheté les candidats au-dessous de 148 points. Vendre, acheter un objet au-dessous de sa valeur, au-dessous du cours.*

Fig. → **Inférieur** (inférieur à). *Le sous-lieutenant est au-dessous du lieutenant* (en grade). *Notre condition est au-dessous de la leur.* — *Être au-dessous de sa tâche, de son rôle :* n'être pas capable, pas digne de l'assumer. → **Ne pas être à la hauteur*.**

Mettre une chose, une personne au-dessous d'une autre, la déclarer inférieure à cette autre. *Il met, il trouve ce roman bien au-dessous du précédent. Ce film est bien au-dessous de ce qu'en dit la critique.*

23 (...) à cause de votre noblesse vous me tenez fort au-dessous de vous (...) MOLIÈRE, George Dandin, II, 2.

24 Cela est au-dessous de ma condition (...)
　　　　MOLIÈRE, les Précieuses ridicules, 9.

25 Le H. G. *(Hermès Galant* ou *Mercure Galant)* est immédiatement au-dessous de rien.
　　　　LA BRUYÈRE, les Caractères, I, 46.

26 Un esprit au-dessous du médiocre (...)
　　　　SAINT-SIMON, Mémoires, XII.

ÊTRE AU-DESSOUS DE TOUT : n'être capable de rien, n'avoir aucune valeur. → **Minable.**

CONTR. Plus, supérieur; avantage, supériorité. ◊ COMP. **Dessous-de-bouteille, dessous-de-bras, dessous-de-plat, dessous-de-table.**

DESSOUS-DE-BOUTEILLE [d(ə)sud(ə)butɛj] n. m. invar. — Déb. XXᵉ; de 2. *dessous, de,* et *bouteille.*
Pièce de vaisselle (soucoupe, petit disque...) sur laquelle on pose une bouteille pour éviter de tacher la nappe, la table. *Des dessous-de-bouteille.*

DESSOUS-DE-BRAS [d(ə)sud(ə)bʀɑ] n. m. invar. — 1929; de *dessous, de,* et *bras.*
Cercle de tissu imperméable destiné à protéger les vêtements de la transpiration aux aisselles.

DESSOUS-DE-PLAT [d(ə)sudpla] n. m. invar. — 1898; de *dessous, de,* et *plat.*
Support, plateau sur lequel on pose les plats pour éviter de brûler ou de tacher la nappe.

DESSOUS-DE-TABLE [d(ə)sudtabl] n. m. invar. — XXᵉ; de *dessous, de,* et *table.*
Somme d'argent versée secrètement lors d'une transaction. → **Gratification.** *Ils ont reçu des dessous-de-table.*

DESSUINTAGE [desɥɛ̃taʒ] n. m. — 1803; de *dessuinter*.

Techn. Action de dessuinter. *Le dessuintage de la laine brute.*

DESSUINTER [desɥɛ̃te] v. tr. — 1826; de *dés-* (→ 1. Dé-), et *suint*.

Techn. Débarrasser du suint. → **Dégraisser, déshuiler.** *Dessuinter de la laine avant de la filer, de la teindre.*

DÉR. Dessuintage, dessuinteuse.

DESSUINTEUSE [desɥɛ̃tøz] n. f. — XXᵉ; de *dessuinter*.

Techn. Machine servant au dessuintage. *Dessuinteuse rectiligne.*

La dessuinteuse est une machine utilisant la propriété du suint d'être soluble dans l'eau douce (...)
Charles MARTIN, la Laine, p. 30.

1. **DESSUS** [d(ə)sy] prép. et adv. — XIᵉ, *desur, desuz;* comp. de *de*, prép., et *sur* ou *sus*.

Mot indiquant la position d'une chose sur une autre (opposé à *dessous*).

Ⅰ Prép. de lieu. ◆ **1** Vx (employé seul). → **Sur.**

1 Chaque jour, chaque instant entasse pour ma gloire
Laurier dessus laurier, victoire sur victoire.
CORNEILLE, le Cid, I, 3, variante.

◆ **2** Loc. prép. Mod. **DE DESSUS** : de la face supérieure (de qqch.). *Ôtez-moi cela de dessus la table. Retirez-vous de dessus ce lit. Il ne lève pas les yeux de dessus son ouvrage.*

2 On en a vu (*des maux*) qui ont sapé par les fondements de grands empires, et qui les ont fait évanouir de dessus la terre (...) LA BRUYÈRE, les Caractères, X, 7.

3 La nuit vint. Il observa, avec une joie qui lui ôta un poids immense de dessus la poitrine, qu'elle serait fort obscure.
STENDHAL, le Rouge et le Noir, I, IX.

PAR-DESSUS : par le dessus, par le haut de qqch. *Porter un manteau par-dessus son costume.* → **Par-dessus.** *Placer des objets les uns par-dessus les autres.* → **Superposer.** *Regarder par-dessus une clôture. Lire par-dessus l'épaule de qqn. Sauter par-dessus un obstacle. Passer par-dessus le mur. Tomber cul par-dessus tête,* en avant, en culbutant. *Jeter qqn par-dessus bord,* du navire dans la mer.

4 Tout en déchirant le pointillé de sa feuille de timbres, le patron jetait des regards du côté de Quinette par-dessus l'épaule du client.
J. ROMAINS, les Hommes de bonne volonté, t. IV, p. 168.

5 Mais il y a entre eux un cri spécial; un certain «o-hau» connu d'eux seuls, qu'ils savent entendre par-dessus les pâtés de maisons. Ils se rejoignent quand ils veulent.
J. ROMAINS, les Hommes de bonne volonté, t. IV, p. 144.

Fig. *Par-dessus tout* : spécialement, principalement. → **Surtout.** *Je vous recommande par-dessus tout d'être prudent.*

Fig. *Il faut passer par-dessus ces inconvénients,* ne pas s'y arrêter.

Fam. *Avoir par-dessus la tête de qqch.,* en avoir assez, trop, en être excédé. *J'en ai par-dessus la tête de toutes ces comédies. — En avoir par-dessus les yeux* (même sens).

5.1 Il ne faudrait pas qu'elle m'embête, après tout (...) J'en ai assez (...) j'en ai par-dessus la tête, de Madame (...)
O. MIRBEAU, le Journal d'une femme de chambre, p. 89.

Par-dessus le marché : en plus. — Emphatiquement. *Il est stupide, et par-dessus le marché il l'ignore.*

Ⅱ Adv. de lieu. À la face supérieure (contr. : *dessous*), à la face extérieure (contr. : *dedans*). *Prenez l'enveloppe, l'adresse est marquée dessus. Ce siège est solide, vous pouvez vous asseoir dessus. Couvrez la casserole, placez un couvercle dessus. —* Mar. *Tout dessus* : toutes voiles dehors.

REM. *Dessus* a une acception plus large et plus vague que *dessous*. Ainsi, dans *relevez votre robe pour ne pas marcher dessus*, il y a simple idée de contact, d'écrasement.

6 Lui-même écrit une longue lettre, met de la poudre dessus (...) LA BRUYÈRE, les Caractères, XI, 7.

7 Il l'aida à fermer une valise trop pleine et dut s'agenouiller dessus de tout son poids, tandis qu'elle s'accroupissait sur le tapis pour tourner la clef.
MARTIN DU GARD, les Thibault, t. III, p. 99.

8 Les belles pommes rouges que les nègres astiquent en crachant dessus et en frottant ferme avec une loque de laine (...)
G. DUHAMEL, Scènes de la vie future, VI, p. 88.

Fam. *Il m'a marché dessus* (sur les pieds). *Sauter, taper, tirer, tomber dessus* (sur qqn).

9 Ce tour est très commun aujourd'hui : *il m'a sauté* dessus; — *Et sinon, quand nous essayons, avec quatre hommes et un caporal, de désarmer cent cinquante partisans (...) ceux-ci nous refusent leurs fusils et nous tirent* dessus.
F. BRUNOT, la Pensée et la Langue, XI, II, p. 412.

10 (...) *paraît que la division de cavalerie a ordre de se faire bousiller derrière nous pour les empêcher de nous tomber dessus !*
MARTIN DU GARD, les Thibault, t. VIII, p. 166.

Fig. *Avoir le nez dessus, mettre le nez dessus,* tout près, tout contre. *Vous cherchez votre stylo et vous avez le nez dessus. Il ne s'aperçoit jamais de rien si on ne lui met le nez dessus. — Mettre le doigt dessus* : deviner. *Mettre la main dessus* : saisir (→ **Attraper, empoigner, prendre**), et, par ext., trouver. *Impossible de mettre la main dessus, il est introuvable !*

11 C'est mon coquin de fils qui aura mis la main dessus.
DANCOURT, les Bourgeoises à la mode, III, 3.

Fam. *Être dessus* : suivre une affaire. *Vous ne réussirez pas à emporter ce marché, il est déjà dessus.*

Loc. adv. *Bras dessus bras dessous.* → **Bras** (cit. 28).

Sens dessus dessous. → **Sens.**

PAR-DESSUS : par le haut. *La barrière n'est pas haute, vous pouvez sauter par-dessus. Enfilez un manteau par-dessus.*

EN DESSUS. **ⓐ** Sur le dessus. *Tissu écossais en dessus et uni en dessous.* — Fam. *Les voisins d'en dessus,* de l'étage supérieur. Syn. : *du dessus* (→ 2. Dessus).

ⓑ Plus grand, dans une évaluation nombrable et hiérarchique. *Est-ce que vous auriez ce modèle dans une ou deux tailles en dessus ?* Syn. : *au-dessus* (→ 2. Dessus, 6.).

CI-DESSUS : au-dessus de ce qu'on vient d'écrire, plus haut. → **Supra.** *L'exemple ci-dessus prouve que...* → **Susdit.** *Voyez ci-dessus ce qui a été dit sur le même sujet.*

LÀ-DESSUS : sur cela. *Écrivez là-dessus. Montez là-dessus.* — Fig. À ce sujet, sur ce sujet. *Il connaît beaucoup de choses là-dessus. Rien à redire là-dessus. Comptez* là-dessus !*

12 (...) j'ai fait là-dessus quelques vers (...)
MOLIÈRE, la Comtesse d'Escarbagnas, 1.

13 Les grimaces d'amour ressemblent fort à la vérité; et j'ai vu de grands comédiens là-dessus.
MOLIÈRE, le Malade imaginaire, I, 4.

Là-dessus, il nous quitta brusquement, alors, sur ce.

14   (...) et là-dessus vient un berger joyeux, avec un bécarre admirable, qui se moque de leur faiblesse.

> MOLIÈRE, le Sicilien, 2.

CONTR. Sous; dessous; bas (en).

2. DESSUS [d(ə)sy] n. m. — 1155; de 1. *dessus.*

♦ **1** Face, partie supérieure (de qqch.). *Le dessus de la main, du pied, de la tête. Le dessus d'une table, d'une armoire. Ranger une valise sur le dessus d'un meuble. Dessus d'un tissu.* → **Endroit.** *L'étage du dessus.*

Spécialt. L'étage immédiatement supérieur. *Les voisins du dessus, de dessus.* Syn. fam. : *d'en dessus* (→ 1. Dessus, II.), *d'au-dessous* (→ ci-dessous, 6.). → **Haut** (d'en haut).

15   Le dessus *(de la viande)* grillé à grand feu, et qui enveloppe la pulpe comme la croûte d'un gâteau.

> J. ROMAINS, les Hommes de bonne volonté, t. IV, p. 44.

Loc. *Le dessus du panier :* ce qu'il y a de meilleur et qui est placé en dessus pour faire valoir le reste (→ La crème, la fleur, le gratin, etc.). → **Panier** (cit. 6.1).

16   Je vous donne avec plaisir le dessus de tous les paniers, c'est-à-dire la fleur de mon esprit, de ma tête, de mes yeux, de ma plume, de mon écritoire; et puis le reste va comme il peut. Mᵐᵉ DE SÉVIGNÉ, Lettres, 473, 1ᵉʳ déc. 1675.

♦ **2 DESSUS DE...** Ce qui se place sur (qqch.) pour protéger, garnir. *Dessus de plateau, de buffet, de cheminée en tissu.* → **Napperon;** et **dessus-de-lit, dessus-de-plat.**

♦ **3** Par ext. *Dessus d'un théâtre :* étages au-dessus de la scène et dans lesquels peuvent remonter les décors.

♦ **4** Hist. de la mus. Le registre le plus haut (opposé à *basse*). → 2. **Dessous** (4.). Par métonymie. Personne qui chante le dessus. → **Soprano, ténor.** — nstrument le plus aigu dans un groupe d'instruments.

17   (...) les pinsons chantaient le dessus avec les bergères (...)

> VOLTAIRE, la Princesse de Babylone, 4.

♦ **5** Fig. *Avoir le dessus dans un combat, dans une discussion,* l'emporter. → **Gagner, triompher, vaincre.** *Prendre le dessus, l'avantage.* → **Prééminence, supériorité.**

18   (...) la reine de Pologne vient à Bourbon; je crois qu'elle joindra fort agréablement au plaisir de chercher sa santé celui d'avoir le dessus sur la reine de France (...)

> Mᵐᵉ DE SÉVIGNÉ, Lettres, 561, 24 juil. 1676.

19   Avec plus de raison nous aurions le dessus,
Si mes confrères savaient peindre.

> LA FONTAINE, Fables, III, 10.

20   Votre frère l'emporte, et Phèdre a le dessus.

> RACINE, Phèdre, II, 6.

Spécialt. *Prendre, reprendre le dessus* (sur une douleur physique ou morale), surmonter sa défaillance. → **Relever** (se), **remettre** (se). *Ce malade reprend peu à peu le dessus. Il a du mal à reprendre le dessus après une telle déception.*

20.1   Quand elle faisait son marché, avec un port de tête qui éloignait les hommages familiers, elle passait pour une veuve qui était en train de reprendre le dessus.

> M. AYMÉ, Maison basse, p. 149.

♦ **6 Loc. adv. AU-DESSUS :** plus haut. *Les chambres sont au-dessus.* Fam. *L'appartement d'au-dessus* (→ 2. Dessous, cit. 18). Syn. : *du dessus* (→ ci-dessus, 1.).

Pour indiquer une supériorité nombrable. → **Plus.** *La température atteint dans ces régions 50° et au-dessus. Délit passible de 20 jours de prison et au-dessus. Deux tailles au-dessus.* — En valeur d'adj. *La taille, la dimension au-dessus.* Syn. : en dessus (→ 1. Dessus, II.).

Fig. → **Meilleur, mieux.** *Il n'y a rien au-dessus.*

Loc. prép. AU-DESSUS DE : plus haut que, en haut de. → préf. **Super-, sur-, sus-.** *Il y a de gros nuages au-dessus de la ville. L'avion est au-dessus de la mer. Un dais est placé au-dessus du lit.* → **Surmonter.** *Montagne qui s'élève au-dessus de la mer.* → **Dominer, surplomber.** *Accrocher un tableau au-dessus son lit. Coucher au-dessus du salon. Jupe qui remonte au-dessus du genou. Cinq degrés au-dessus de zéro.* — *L'Ain se jette dans le Rhône au-dessus de Lyon.* → **Amont** (en amont de). *Paris est au-dessus d'Orléans.* → **Nord** (au nord de).

21   Il est vrai, nous sommes sur les hauts plateaux de Judée, à huit cents mètres environ au-dessus du niveau des mers, déjà dans la région des vents et des nuages.

> LOTI, Jérusalem, XII, p. 137.

Au-delà de (un chiffre). → **Plus** (à plus de, de plus de, pour plus de). *Les enfants au-dessus de quinze ans sont admis. N'achetez pas au-dessus de telle somme. Vendre au-dessus du cours.*

Fig. → **Supérieur** (à). *Le colonel est au-dessus du capitaine* (en grade). *Personne, chose qui est au-dessus de tout, de tous en autorité, en efficacité, en qualité.* → **Souverain, suprême; surpasser.** *Faire un mariage au-dessus de sa condition. Ce travail est au-dessus de notre compétence. Mettre, placer une personne, une œuvre au-dessus d'une autre dans son estime, dans ses jugements.*

22   (...) vous savez bien ce que vous êtes au-dessus des autres; vous avez de la tête, du jugement (...)

> Mᵐᵉ DE SÉVIGNÉ, Lettres, 817, 9 juin 1680.

23   Il se met au-dessus de tous les autres gens;
Aux conversations même il trouve à reprendre :
Ce sont propos trop bas pour y daigner descendre;
Et les deux bras croisés, du haut de son esprit
Il regarde en pitié tout ce que chacun dit.

> MOLIÈRE, le Misanthrope, II, 4.

Fam. *Être au-dessus de ses affaires :* avoir un actif supérieur à son passif, des recettes supérieures aux dépenses.

24   C'est pourtant fort simple, mon cher. Ma situation n'a rien d'inquiétant et je suis fort au-dessus de mes affaires, à la condition d'inventorier mes marchandises et mes valeurs au cours d'achat. D'ailleurs, voici mon bilan (...)

> A. MAUROIS, Bernard Quesnay, XXIV, p. 156.

Être au-dessus de (qqch.) : dominer une situation, être supérieur à; mépriser. *Cette personne est au-dessus de l'intérêt, au-dessus d'une telle mesquinerie. Il est au-dessus de tout soupçon. Nous sommes au-dessus des injures, au-dessus de ces considérations. Ces critiques ne le gênent pas, il est de cent coudées au-dessus de tout cela.* → *Cela ne l'atteint* pas, ne l'effleure* pas.*

25   Elle *(la piété)* nous moralise délicieusement et nous élève au-dessus des misérables soucis de l'utile; or là où finit l'utile commence le beau, Dieu, l'infini, et l'air pur qui vient de là est la vie.

> RENAN, Souvenirs d'enfance..., Appendice, p. 274.

26   Dostoïevski était né pour la douleur, et pour s'élever dans la douleur, au-dessus de tout l'égoïsme et de toute la misère morale, où la douleur enferme généralement les natures médiocres.

> André SUARÈS, Trois hommes, «Dostoïevski», V, p. 259.

27   Nos boys sont d'une obligeance, d'une prévenance, d'un zèle au-dessus de tout éloge (...)

> GIDE, Voyage au Congo, in Souvenirs, Pl., p. 763.

CONTR. Dessous. — Moins, inférieur. — Désavantage, infériorité. ◊ **COMP. Dessus-de-lit, dessus-de-plat, dessus-de-porte.**

DESSUS-DE-LIT [d(ə)sydli] n. m. invar. — 1870; de 2. *dessus, de,* et *lit.*

Grand morceau d'étoffe, généralement adapté à la forme d'un lit, pour en recouvrir entièrement la literie. → **Couvre-lit, courtepointe**. *Des dessus-de-lit en toile, en velours, en satin, en tissu molletonné, piqué, broché. Dessus-de-lit en filet. Ôter le dessus-de-lit pour se coucher. Faire le lit et remettre le dessus-de-lit.*

DESSUS-DE-PLAT [d(ə)sydpla] n. m. invar. — xxᵉ; de 2. *dessus*, *de*, et *plat*.

Couvercle dont on recouvre un plat. → **Couvre-plat**. *Des dessus-de-plat.*

DESSUS-DE-PORTE [d(ə)sydpɔʀt] n. m. invar. — 1653; de 2. *dessus*, *de*, et *porte*.

Techn. (décor.). Décoration sculptée ou peinte, au-dessus du chambranle d'une porte.

DÉSTABILISANT, ANTE [destabilizã, ãt] adj. — 1959; de *déstabiliser*.

Qui déstabilise. → **Déstabilisateur**. *Une situation déstabilisante pour l'économie d'un pays. — Ses relations avec son mari sont déstabilisantes pour tous les deux.*

DÉSTABILISATEUR, TRICE [destabilizatœʀ, tʀis] adj. — V. 1970; de *déstabiliser*.

Qui déstabilise. → **Déstabilisant**. «(Des) *agissements politiques (et non pas économiques) qui sont à dessein perturbateurs et déstabilisateurs»* (*l'Express*, 14 juil. 1979, p. 65).

DÉSTABILISATION [destabilizasjɔ̃] n. f. — V. 1970; de *déstabiliser*.

Modification d'un équilibre politique, économique, qui compromet l'équilibre acquis. *«Rivalités ethniques, crise économique, attentat; le scénario de la déstabilisation»* (*le Nouvel Obs.*, 26 déc. 1977, p. 34). *La déstabilisation de la situation internationale. Déstabilisation d'une région, d'une zone, d'un pays.* — Dans le domaine psychologique, *Le fait de déstabiliser qqn ou d'être déstabilisé.*

DÉSTABILISER [destabilize] v. tr. — V. 1970; de 1. *dé-*, et *stabiliser*.

Enlever à (un pays, une politique, une économie, etc.) sa stabilité; rendre (une situation politique, économique) moins stable ou instable. *L'augmentation du prix des matières premières déstabilise l'économie des pays peu développés.* «*Côté Otan, on murmure que le rapt serait le résultat d'un complot international pour déstabiliser l'Alliance atlantique durant la crise polonaise»* (*l'Express*, 24 déc. 1981, p. 50). — Dans le domaine psychologique, Faire perdre à (qqn) sa stabilité morale. *On essaie de la déstabiliser et de la culpabiliser.* — Passif et p. p. (*Être*) *déstabilisé.*

DÉR. Déstabilisant, déstabilisateur, déstabilisation.

DÉSTALINISATION [destalinizasjɔ̃] n. f. — V. 1956; de *déstaliniser*, ou de 1. *dé-*, *Staline*, et suff. *-isation*.

Opération de politique intérieure du parti communiste d'U. R. S. S. qui rejette les méthodes autoritaires propres à Staline et le culte de la personnalité. *Les premières mesures de déstalinisation ont suivi le vingtième Congrès du parti communiste* (févr. 1956) *et se sont étendues à d'autres pays communistes.*

1 La déstalinisation ne change donc rien pour le chrétien à l'objection fondamentale qu'il oppose au communisme.
F. MAURIAC, Bloc-notes 1952-1957, p. 244.

Ce pouvoir unique, dont il était (...) question, pendant les 2
années cinquante, s'est plutôt éloigné, en dépit de la déstalinisation. A. SAUVY, Croissance zéro?, p. 116.

DÉSTALINISER [destalinize] v. — 1956; de 1. *dé-*, *Staline*, et suff. *-iser*.

♦ **1** V. tr. Pratiquer la déstalinisation de. *Déstaliniser un régime, un pays; un parti communiste.*
Pron. *Pays qui se déstalinise.*

♦ **2** V. intr. Cesser d'être stalinien.
Le baromètre est au beau fixe avec l'U. R. S. S. qui déstalinise et envoie ses poètes gesticuler dans nos music-halls.
Michel DÉON, les Poneys sauvages, p. 133.

DÉR. — V. **Déstalinisation**.

DESTIN [dɛstɛ̃] n. m. — 1160, «projet»; déverbal de *destiner*.

♦ **1** Puissance qui, selon certaines croyances, fixerait de façon irrévocable le cours des événements. → **Destinée** (1.), **fatalité**, **fatum** (littér.), **nécessité**, **prédestination**. *La mythologie grecque faisait du destin une puissance supérieure aux dieux. L'ordre du destin, la loi du destin. Les arrêts du destin. La sibylle*, la pythie* dévoilaient les arrêts du destin. L'oiseau du destin* (→ **Fatidique**). *Croyance au destin* (→ **Déterminisme, fatalisme**). *Pour les chrétiens, la notion de providence* a remplacé celle de destin* (→ **Ciel, dieu, providence**). *Destin aveugle, cruel, impitoyable, irrévocable, rigoureux, sévère, sourd.* — Au plur. *Les destins favorables.*

REM. Lorsqu'il s'agit de la personnification mythologique, on écrit parfois *Destin* avec un D majuscule. *Les filles du Destin* : les Parques.

Des arrêts du destin l'ordre est invariable (...) 1
CORNEILLE, la Conquête de la toison d'or, V, 7.

Et l'ordre du destin qui gêne nos pensées 2
N'est pas toujours écrit dans les choses passées :
Quelquefois l'un se brise où l'autre s'est sauvé,
Et par où l'un périt un autre est conservé.
CORNEILLE, Cinna, II, 1.

Qu'au livre du Destin les mortels peuvent lire. 3
LA FONTAINE, Fables, II, 13.

Le bien nous le faisons; le mal, c'est la Fortune; 4
On a toujours raison, le Destin toujours tort.
LA FONTAINE, Fables, VII, 14.

Les Destins sont contents : Oronte est malheureux. 5
LA FONTAINE, Pièces diverses, II,
«Élégie pour M.F.».

(...) ne trouves-tu pas, comme moi, quelque chose du Ciel, 6
quelque effet du destin, dans l'aventure inopinée de notre connaissance? MOLIÈRE, le Malade imaginaire, I, 4.

Hélas! qui peut savoir le destin qui m'amène? 7
L'amour me fait ici chercher une inhumaine.
Mais qui sait ce qu'il doit ordonner de mon sort,
Et si je viens chercher ou la vie ou la mort?
RACINE, Andromaque, I, 1.

Je me livre en aveugle au destin qui m'entraîne. 8
RACINE, Andromaque, I, 1.

(...) c'est là *(dans Homère)* que parmi les rêveries et les 9
inconséquences, on trouve (...) l'idée du destin qui est maître des dieux, comme les dieux sont les maîtres du monde. VOLTAIRE, Dict. philosophique, Destin.

Que l'ombre des Destins, Seigneur, n'oppose plus 10
À nos belles ardeurs une immuable entrave,
À nos efforts sans fin des coups inattendus!
A. DE VIGNY, les Destinées, I.

Les hommes ont inventé le destin, afin de lui attribuer les 11
désordres de l'univers, qu'ils ont pour devoir de gouverner.
R. ROLLAND, Au-dessus de la mêlée, p. 26.

Nolentem trahunt (...) disaient (...) les Latins, les destins 12
traînent de force ceux qui leur résistent : à quoi bon aller contre eux? Mot d'une sagesse humaine, trop humaine, dont l'autre nom est abdication.
DANIEL-ROPS, Ce qui meurt..., p. 7.

Par anal. Vieilli. (En parlant d'une personne dont dépend
une évolution).

12.1 Bonaparte a été véritablement le destin pendant seize
années.
CHATEAUBRIAND, Mémoires d'outre-tombe,
III, I, VII, 5.

♦2 Ensemble des événements contingents
(→ **Hasard**) ou non (→ **Fatalité**) qui composent la
vie d'un être humain considérés comme résultant
de causes distinctes de sa volonté. → **Destinée** (2.),
étoile, sort. *On n'échappe pas à son destin. Suivre
son destin. Croire en son destin. C'était son destin!*
(→ *C'était écrit*,* c'était fatal. Cf. **arabe** Mektoub). *Il eut
un destin tragique,* une fin (ou une vie) tragique.
→ **Existence.** *C'est un tournant du destin. C'est le
destin des grands hommes. Prédire, lire le destin
de qqn.* → **Avenir, futur; aventure** (1.), **horoscope,
oracle, prédiction.** *C'est le destin qui nous a réunis.*
→ **Chance, hasard.**

13 Mais elle était du monde, où les plus belles choses
Ont le pire destin,
Et rose elle a vécu ce que vivent les roses,
L'espace d'un matin.
MALHERBE, Consolation à Du Périer.

14 Il faut en revenir toujours à son destin,
C'est-à-dire à la loi par le Ciel établie (...)
LA FONTAINE, Fables, IX, 7.

15 On aura beau chanter les restes magnifiques
De tous ces destins héroïques
Qu'un bel art prit plaisir d'élever jusqu'aux cieux (...)
MOLIÈRE, Appendice à George Dandin, I.

16 J'avais, dès le début, pris la résolution de ne rien
demander, de suivre mon destin (...)
G. DUHAMEL, la Pesée des âmes, VII, p. 169.

17 Où est le commencement de nos actes? Notre destin,
quand nous voulons l'isoler, ressemble à ces plantes qu'il
est impossible d'arracher avec toutes leurs racines.
F. MAURIAC, Thérèse Desqueyroux, p. 35.

Par ext. Ce qu'il adviendra de quelque chose. → **Fortune, sort.** *Le destin d'un ouvrage littéraire. Le destin
d'un empire, d'une civilisation. Le destin du monde,
de l'univers.* — Poét. *Le destin du combat.* → **Issue.**

18 Un grand destin commence, un grand destin s'achève,
L'Empire est prêt à choir et la France s'élève.
CORNEILLE, Attila, I, 2.

19 Je songe quelle était autrefois cette ville,
Si superbe en remparts, en héros si fertile,
Maîtresse de l'Asie; et je regarde enfin
Quel fut le sort de Troie, et quel est son destin.
RACINE, Andromaque, I, 2.

20 J'ignore du combat quel sera le destin (...)
VOLTAIRE, les Scythes, IV, 7.

21 Pas exactement du fatalisme, non : le sentiment de participer, même par la maladie et la mort, au destin de
l'univers.
MARTIN DU GARD, les Thibault, t. IX, p. 225.

21.1 L'univers entier s'évanouira, ayant accompli son destin,
comme ici et maintenant s'accomplit le destin des
hommes.   R. QUENEAU, les Derniers Jours, p. 233.

Condition heureuse ou malheureuse. → **Condition,
état.**

22 (...) je ne souhaite
Ni climats ni destins meilleurs.
LA FONTAINE, Fables, VII, 12.

23 Je n'aimais qu'elle au monde, et vivre un jour sans elle
Me semblait un destin plus affreux que la mort.
A. DE MUSSET, Poésies nouvelles, «Nuit d'octobre».

♦3 Le cours de l'existence considéré comme pouvant être modifié par celui qui la vit. → **Existence,
vie.** *Être le maître de son destin. Influencer, modifier son destin. Être responsable de son destin;
décider de son destin. Agir librement sur son destin*
(→ **Liberté**). *Changer* son destin.*

24 (...) elle avait conscience que sa volonté n'avait pas cessé
d'agir sur son destin, et que sa réussite était bien son
œuvre.   MARTIN DU GARD, les Thibault, t. V, p. 159.

(...) nous tissons notre destin, nous le tirons de nous
comme l'araignée sa toile (...)   **25**
F. MAURIAC, la Vie de J. Racine, XIV.

Jerphanion s'interroge, moins sur ce qu'il va décider que   **26**
sur le retentissement intérieur de la décision, sur l'indice
dont elle marquera son destin.
J. ROMAINS, les Hommes de bonne volonté, t. IV,
XV, p. 157.

Ce dont chacun de nous est responsable, ce n'est pas d'un   **27**
destin anonyme, c'est de son propre destin, reflet temporel
de son éternité. Lorsque les hommes renoncent à considérer leur destin personnel comme quelque chose dont ils
sont comptables, les destins du siècle fléchissent et mènent
le monde aux faillites. Car cette démission en annonce
d'autres et les permet.
DANIEL-ROPS, Ce qui meurt..., p. 8.

DÉR. Destinal. ◊ COMP. Antidestin.

DESTINAL, ALE, AUX [dɛstinal, o] adj. — 1867,
Baudelaire ; de *destin.*

Philos. Rare. Du destin. *Le jeu, «abrégé destinal»* (Jankélévitch, *in* T. L. F.).

DESTINATAIRE [dɛstinatɛʀ] n. — 1829 ; dér. sav. de
destiner.

♦1 Personne à qui s'adresse un envoi. *Le destinataire d'un envoi postal, d'un message, d'un télégramme, d'un colis, d'une lettre. L'adresse du destinataire. Destinataire inconnu, parti sans laisser
d'adresse. Délivrer, remettre au destinataire.*

(...) des paperasses, que le concierge, dès qu'il eut appris   **1**
le retour de M. de Fontanin à Maisons-Laffitte, chargea
Daniel de remettre, en mains propres, à leur destinataire.
MARTIN DU GARD, les Thibault, t. III, p. 49.

À cette époque, la poste restante admettait que le nom du   **2**
destinataire fût remplacé par des initiales ou des chiffres.
J. ROMAINS, les Hommes de bonne volonté, t. II,
VI, p. 68.

Par ext. *Le destinataire d'un cadeau, d'une attention,
d'une remarque* (iron.), *d'une gifle.*

♦2 (Mil. xxᵉ). Celui à qui s'adresse un message (au
sens sémiotique) et notamment un message linguistique. → **Allocutaire, auditeur, interlocuteur.**

CONTR. Envoyeur, expéditeur; destinateur.

DESTINATEUR [dɛstinatœʀ] n. m. — Mil. xxᵉ ; dér.
sav. de *destiner, destinataire.*

Ling. L'auteur d'un message (au sens sémiotique) et
notamment d'un message linguistique adressé à
un destinataire. → **Émetteur, locuteur.**

CONTR. Destinataire.

DESTINATION [dɛstinasjɔ̃] n. f. — XIIᵉ ; lat. *destinatio,*
du supin de *destinare.* → **Destiner.**

♦1 Ce pour quoi une personne ou une chose est
faite. → **Fin, finalité.** *La destination de l'homme sur
la terre,* la fonction attribuée à l'homme (par une
entité supérieure, divinité, etc.). → **Destinée,
mission, vocation; raison** (d'être). — (1690). *La destination d'un édifice.* → **Affectation.** *Cet appareil n'a
pas d'autre destination.* → **Emploi, usage, utilisation.**
*Cet appareil n'a pas été employé suivant la destina-
tion prévue. Remplir sa destination. Détourner de
sa destination un édifice* (→ **Désaffecter**). *Destination primitive, destination d'origine.*

Les autres constructions avaient subsisté, en se transfor-   **1**
mant plus ou moins; la ferme et sa basse-cour gardaient
leur destination d'origine.
J. ROMAINS, les Hommes de bonne volonté, t. V,
IX, p. 75.

Avec quel argent? Avec une somme que ces messieurs lui   **2**
avanceraient sous la forme d'un prêt ordinaire, sans que
la destination en fût spécifiée dans le reçu.
J. ROMAINS, les Hommes de bonne volonté, t. V,
XII, p. 86.

♦ 2 Dr. Rapport entre deux choses affectées l'une à l'autre par leur propriétaire. — *Destination du père de famille* : rapport d'utilisation qu'une personne a établi entre deux fonds dont elle est propriétaire, et qui donne naissance à une servitude lorsque les deux fonds viennent à passer aux mains de deux propriétaires différents. *Établissement des servitudes par destination du père de famille* (Code civil, art. 692 à 694). — *Immeuble* par destination* (Code civil, art. 524).

♦ 3 (1770). Lieu où l'on doit se rendre, lieu où une chose est adressée. → **But, direction.** *Partir pour une destination lointaine; inconnue. Se diriger vers telle destination. Répartir, classer les lettres, les imprimés, suivant leur destination.* → **Router.** *Lieu de destination.* → **Arrivée.**

3 Chacun, irrité par la fatigue et la faim, était impatient d'arriver à sa destination.
Ph.-P. SÉGUR, Hist. de Napoléon, IV, 7.

4 (...) il allait, d'un pas circonflexe, vers une destination peu certaine, à la façon d'un somnambule que menacerait le mal de mer.
Léon BLOY, la Femme pauvre, I, p. 9.

À **DESTINATION.** *Arriver, parvenir à destination. Être rendu à destination. Adresser, expédier, envoyer, transmettre une lettre à sa destination. Navire, train en partance à destination de Marseille. Voyage à destination de l'Italie.*

CONTR. Départ, origine.

DESTINATOIRE [dɛstinatwaʀ] adj. — 1870; dér. sav. de *destiner*.

Dr. Qui règle la destination. *Clause destinatoire.* → **Destination.**

DESTINÉE [dɛstine] n. f. — V. 1131; p. p. subst. de *destiner*.

♦ 1 → **Destin** (1.), **fatalité.** *Se soumettre à la destinée. Accuser la destinée. La main de la destinée. Destinée cruelle, irrévocable. C'est la destinée.* — «Les Destinées», poèmes de Vigny.

1 Mon cœur est à vous, mais la destinée n'est à personne; elle se moque de nous tous.
VOLTAIRE, au duc de Richelieu, 8 nov. 1769.

2 (...) quand les infortunés ne savent à qui s'en prendre de leurs malheurs, ils s'en prennent à la destinée, qu'ils personnifient, et à laquelle ils prêtent des yeux et une intelligence pour les tourmenter à dessein.
ROUSSEAU, Rêveries..., 8ᵉ promenade.

3 (...) la destinée est derrière nous qui nous écoute et se joue de nos calculs.
B. CONSTANT, Journal intime, p. 175.

4 (...) il sentait qu'une mystérieuse destinée l'enchaînait ici cette année, et que, partout ailleurs, il traînerait une détresse pire.
MARTIN DU GARD, les Thibault, t. II, p. 190.

♦ 2 Destin particulier d'un être → **Destin** (2.), **sort;** ce à quoi il est destiné (→ **Destination, finalité, vocation**). *Il eut une heureuse, une malheureuse destinée. Suivre sa destinée, s'abandonner, se laisser aller à sa destinée. Accomplir ses destinées. On ne peut échapper, se dérober à sa destinée. Sa destinée a été déterminée par ce geste. Tenir entre ses mains la destinée de qqn. Sa destinée était de devenir...* (→ Avocat, cit. 17). *La trame* des destinées.* — *Astre (étoile) de la destinée,* censé(e) influencer la destinée de tel individu. — *La destinée de l'homme, la destinée humaine. La destinée d'un royaume, d'une civilisation, d'un continent* (→ Crise, cit. 12). *Les destinées de l'empire.*

5 (...) les poètes feignent que les destinées ont bien à la vérité été faites et ordonnées par Jupiter, mais que depuis qu'elles ont une fois par lui été établies, il s'est lui-même obligé de les garder (...)
DESCARTES, Méditations, Réponses aux 5ᵉˢ objections.

6 Une méchante destinée conduit quelquefois les personnes.
MOLIÈRE, les Fourberies de Scapin, II, 7.

7 On rencontre sa destinée
Souvent par des chemins qu'on prend pour l'éviter.
LA FONTAINE, Fables, VIII, 16.

8 C'est sa destinée d'être toujours parfaitement aimé.
Mᵐᵉ DE SÉVIGNÉ, Lettres, 496, in LITTRÉ.

9 L'essentiel, pour être le moins mal possible, est de se soumettre à sa destinée.
D'ALEMBERT, Lettre au roi de Prusse, 15 déc. 1780.

10 La providence s'écrit souvent en toutes lettres dans la destinée des grands hommes.
HUGO, Post-scriptum de ma vie, IV.

11 Quelle bizarrerie dans la destinée humaine! et que le hasard est un grand railleur!
Th. GAUTIER, Mˡˡᵉ de Maupin, VII, p. 161.

12 (...) les destinées des nations sont dans la paix et dans la liberté.
FUSTEL DE COULANGES, Questions contemporaines, p. 58.

13 Mon père se faisait de l'âme humaine et de sa destinée une idée sublime; il la croyait faite pour les cieux; cette foi le rendait optimiste.
FRANCE, le Petit Pierre, I.

14 (...) il était décidé à suivre passivement sa destinée, un peu par fatalisme (...)
LOTI, les Désenchantées, V, XXXVI, p. 207.

15 Avez-vous songé que voici des siècles, des milliers de siècles, que notre pauvre humanité accomplit sa destinée sur la terre?
MARTIN DU GARD, les Thibault, t. IV, p. 132.

Par ext. Condition, sort. *La destinée qui était réservée à cette œuvre.*

16 La destinée ordinaire de ceux qui refusent de prêter l'oreille à la vérité est d'être entraînés à leur perte par des prophètes menteurs.
BOSSUET, Disc. sur l'hist. universelle, II, 8, in LITTRÉ.

♦ 3 (1640). Vie, existence (→ **Destin**, 3.). *Finir sa destinée* : mourir. *Trancher la destinée de qqn,* lui ôter la vie. — *Unir sa destinée à qqn,* s'unir à lui, l'épouser. *Ils ont associé leurs destinées. Enchaîner sa destinée à qqn. Leurs destinées se sont croisées, rencontrées.*

17 Sache donc que je touche à l'heureuse journée
Qui doit avec Clarice unir ma destinée (...)
CORNEILLE, le Menteur, IV, 2.

18 Vous pouvez d'un seul mot trancher ma destinée (...)
CORNEILLE, Horace, V, I.

Faire, former, modeler sa destinée. Décider de sa destinée. Changer (cit. 23) sa destinée, la destinée de quelqu'un.

19 Vous êtes à l'âge où l'on se décide; plus tard, on subit le joug de la destinée qu'on s'est faite, on gémit dans le tombeau sans pouvoir en soulever la pierre.
LAMENNAIS, Lettre à Sainte-Beuve, in BILLY, Sainte-Beuve, p. 187.

20 Elle eut subitement la révélation que Jacques, avec une froide cruauté d'homme, choisissait sa destinée, tandis que, elle, elle ... Ah, elle ne pouvait rien pour choisir la sienne, pas même pour l'orienter, si peu que ce fût!
MARTIN DU GARD, les Thibault, t. IV, p. 261.

21 (...) pour ce qui ne dépend pas de nous, notre manière d'y réagir est l'expression de notre caractère même; et là encore, nous modelons la destinée.
F. MAURIAC, la Vie de J. Racine, XIV.

DESTINER [dɛstine] v. tr. — 1160; «annoncer», 1155; lat. *destinare* «fixer, affecter».

DESTINER (qqch., qqn) À...

♦ 1 Vieilli (le sujet désigne une entité supérieure : divinité, «destin»). Fixer la destinée de (qqn). → **Prédestiner, promettre.** *Le ciel l'a destiné à la gloire.* — *Destiner un jeune homme à une jeune fille,* projeter de l'unir par les liens du mariage à cette jeune fille.

Vx. DESTINER (qqch., qqn) POUR...

1 C'est à ce grand héros que le sort t'a donnée,
C'est pour lui que le ciel te destine aujourd'hui.
      CORNEILLE, Andromède, III, 3.

2 Cette persuasion que nous avons trouvé l'être que la nature
avait destiné pour nous, ce jour subit répandu sur la vie,
et qui nous semble en expliquer le mystère (...)
      B. CONSTANT, Adolphe, IV, p. 33.

♦ **2** Cour. Fixer d'avance (pour être donné en partage à qqn). → **Assigner, garder, réserver.** *Je vous
destine ce poste, cet emploi. J'avais destiné ce cadeau,
ce don à mon fils. Je ne sais quel accueil il me destine.* → **Préparer.** — Par ext. *Cette remarque vous était
destinée, était pour vous, vous concernait. Le coup
vous était destiné. Le jury destine ce prix au lauréat
de mathématiques.* → **Attribuer.**

3 Hé bien ! filles d'enfer, vos mains sont-elles prêtes ? (...)
(...) À qui destinez-vous l'appareil que vous suit ?
      RACINE, Andromaque, V, 5.

4 Je sais à son retour l'accueil qu'il me destine.
      RACINE, Bajazet, I, 1.

5 Ce roman *(Télémaque)*, que Fénelon avait uniquement destiné pour le duc de Bourgogne (...)
      D'ALEMBERT, Éloges, Fénelon (→ Copie, cit. 1).

♦ **3** (Mil. XVIᵉ). Désigner, fixer d'avance (qqch.) pour
être employé à un usage. → **Affecter, appliquer,
réserver.** *Je destine cette somme à l'achat d'un costume. L'auteur a destiné ces notes à la publication.*
— Plus cour. au passif. *Cette poulie est destinée au
levage.*

♦ **4** (1580). Affecter (qqn) à un emploi, à une occupation, à un état. *Son père le destine à la magistrature.* — Par ext. *Son talent, son énergie le destinent à
une carrière brillante.*

6 (...) bien que leur naissance au trône les destine (...)
      CORNEILLE, Nicomède, II, 1.

Plus cour. au passif (voir ci-dessous le participe passé).

7 J'étais donc encore destiné à rendre ce devoir funèbre (...)
      BOSSUET,
      Oraison funèbre d'Henriette-Anne d'Angleterre.

♦ **SE DESTINER** v. pron.

Choisir une carrière. *Se destiner au professorat, à
la magistrature. Il se destine à la politique, à la
carrière des armes.*

8 (...) il continue toujours à s'instruire et paraît se destiner
à la diplomatie (...)
      SAINTE-BEUVE, Correspondance, 17, 28 juin 1824,
      t. I, p. 53.

9 Se destiner à la politique, c'est se sentir une vocation non
seulement de critiquer, mais de gouverner.
      J. ROMAINS, les Hommes de bonne volonté, t. II,
      XV, p. 183.

♦ **DESTINÉ, ÉE** p. p. et adj. *Un homme destiné à la
gloire, à la fortune.* → **Appelé.** *Le sort qui nous est
destiné,* qui nous attend.

10 Ce Jésus était destiné pour une plus haute mission (....)
      BOURDALOUE, Avent, Nativité de J.-C., 713,
      in LITTRÉ.

11 L'homme et la femme sont destinés l'un pour l'autre, la
fin de la nature est qu'ils soient unis par le mariage.
      ROUSSEAU, Julie ou la Nouvelle Héloïse, IV,
      Lettre X.

*Réception destinée à un visiteur de marque. Poste
destiné au protégé du ministre.*

*Édifice destiné au culte. Marchandises destinées à
l'exportation.*

Fig. Une impression qui n'est pas destinée à durer.

Enfant destiné par son père à la carrière des armes.

DÉR. **Destin, destinataire, destinatoire, destinée.**

DESTITUABLE [dɛstitɥabl] adj. — 1560; de *destituer.*
Admin. Qu'on peut destituer. *Des fonctionnaires des-
tituables.*

CONTR. **Inamovible.**

DESTITUER [dɛstitɥe] v. tr. — 1482; «écarter»,
1322; lat. *destituere* «priver de...», de *de-* priv., *statuere* «placer, établir». → Statuer.

♦ **1** Vx. Priver (qqn) de la jouissance d'un droit, d'un
bien. → **Dépouiller, dépourvoir, priver.**

1 Après avoir clairement désigné une chose, on lui donne
un nom que l'on destitue de tout autre sens.
      PASCAL, De l'esprit géométrique, I.

2 Brillat-Savarin (...) offrait une des rares exceptions à la
règle qui destitue de toute haute faculté intellectuelle les
gens de haute taille (...)
      BALZAC, *in* CHATEAUBRIAND,
      Mémoires d'outre-tombe, t. IV, p. 286.

♦ **2** Mod. Priver (qqn) d'une charge, d'une fonction, d'un emploi. → **Casser, congédier, démettre,
déplacer, déposer, disgracier, licencier, limoger, renvoyer, révoquer;** cf. Relever de ses fonctions, mettre à
pied, mettre à la retraite. *Destituer un officier de son
commandement.* → **Dégrader.** *Destituer un souverain.* → **Détrôner.** *Destituer un employé pour le rem-
placer*. Destituer un fonctionnaire. Destituer provisoirement qqn.* → **Suspendre.** *Destituer le tuteur d'un
enfant* (→ **Destitution**).

3 Il l'avait destitué de tout emploi dans le diocèse (...)
      RACINE, Port-Royal, 1.

4 (...) le père de notre voisin avait été destitué en 1878 de
son capitanat de louveterie (...)
      GIRAUDOUX, Bella, V, p. 104.

♦ **DESTITUÉ, ÉE** p. p. et adj.

Vx. Dénué, dépourvu, privé. *«Une crainte destituée
de fondement»* (Académie, huitième édition).
Magistrat destitué de ses fonctions.

CONTR. **Nommer, réintégrer.** ◊ DÉR. **Destituable.**

DESTITUTION [dɛstitysjɔ̃] n. f. — 1316; lat. *destitutio*;
du supin de *destituere.* → Destituer.

Action de destituer; le fait d'être destitué. → **Déposition, disgrâce, licenciement, renvoi, révocation.** *La
dégradation civique entraîne la destitution de toutes
fonctions* (Code pénal, art. 34; → Dégradation,
cit. 1). — Dr. admin. Révocation disciplinaire de
certains agents à statut spécial (officiers ministériels...). — Dr. civ. *Destitution de la tutelle,* par
laquelle le conseil de famille décide de priver le
tuteur de ses fonctions (Code civil, art. 444, et suivants.).

Plus cour. *Destitution d'un officier.* → **Cassation** (2.),
dégradation. *Capitulation* (cit. 2) *en rase campagne,
punie de destitution.* — *La destitution d'un confrère,
d'un académicien. Annoncer à qqn sa destitution,
qu'il a été destitué.*

Même dans les confréries qui sont formées par pure élection, le pouvoir de retrancher les confrères n'appartient
qu'aux magistrats, parce qu'il y a de l'honneur dans l'admission et de la note *(du déshonneur)* dans la destitution.
      FURETIÈRE, Factums, t. I, p. 202, *in* LITTRÉ.

CONTR. **Nomination. — Avancement, promotion.**

DÉSTOCKAGE [destɔkaʒ] n. m. — V. 1966; de *déstocker.*
Écon. Mise en vente de produits gardés en stock.
*«Cette année, 1 375 000 automobiles auront été pro-
duites, en léger retrait par rapport à l'année précédente, en raison du substantiel mouvement de
déstockage intervenu au premier semestre 1965»* (le
Monde, 1ᵉʳ janv. 1966).

DÉSTOCKER [destɔke] v. tr. — 1947; in D.D.L.; de 1. dé-, et stocker.

Écon. Faire diminuer les stocks par leur mise en vente. *Déstocker des marchandises.* — Absolt :
(Des organismes) freinent la baisse des cours en stockant et modèrent la hausse en déstockant.
  Jean-Paul COURTHÉOUX, la Politique des revenus,
               p. 121.

CONTR. Stocker. ◊ **DÉR. Déstockage.**

DESTRIER [dɛstRije] n. m. — 1080; de l'anc. franç. *destre*, main droite (→ Dextre), le destrier étant conduit de la main droite par l'écuyer, quand le chevalier ne le montait pas.

Didact. (dans un contexte médiéval). Cheval de bataille (par oppos. au *palefroi*).

1 Çà, qu'on selle,
 Écuyer,
 Mon fidèle
 Destrier.
 Mon cœur ploie
 Sous la joie,
 Quand je broie
 L'étrier.   HUGO, Odes et ballades, Ballade XII.
2 L'Empereur étonné, se jetant en arrière,
 Suspend du destrier la marche aventurière.
     A. DE VIGNY, Poèmes antiques et modernes,
                «Le cor».
3 Ils ont laissé mulets et palefrois, ils montent sur les destriers et chevauchent en rangs serrés.
    BÉDIER, la Chanson de Roland, LXXIX, p. 79.

DESTROY [destRɔj] adj. invar. — 1982; de l'angl. *to destroy* «détruire».

Anglic. Fam. Relatif à une attitude exprimant une symbolique de destruction. *Un look destroy*, à base de vêtements abîmés, déchirés, troués... — (Personnes). *Des punks complètement destroy.*

DESTROYER [dɛstRwaje] n. m. — 1893; mot angl., de *to destroy* «détruire».

Anglicisme.

♦ **1** Vieilli. Contre-torpilleur. *Destroyer d'escadre, d'escorte.*

L'escadre, renforcée à Dakar par le croiseur Primauguet, venait d'appareiller et se dirigeait à toute vitesse vers le sud. Un destroyer anglais, détaché en surveillance, en gardait, de loin, le contact.
    Ch. DE GAULLE, Mémoires de guerre, p. 102.

♦ **2** (1941). Vx. Avion de combat à long rayon d'action.

DESTRUCTEUR, TRICE [dɛstRyktœR, tRis] n. et adj. — 1420; a remplacé l'anc. franç. *détruiseur*; lat. *destructor*, du supin de *destruere*. → Détruire.

♦ **1** N. Personne qui détruit. → **Briseur, démolisseur, dévastateur.** *Un destructeur impitoyable, sanguinaire. Les barbares furent de grands destructeurs.* → **Vandale.** — *Le destructeur de... Les Romains, destructeurs de Carthage.*

1 Ils avaient fait en chaire le panégyrique des destructeurs nommés conquérants (...)
    VOLTAIRE, Dialogues, XXVIII, 1, in LITTRÉ.
Fig. *Le destructeur des abus, des préjugés*, le réformateur de. *La destructrice de...*

♦ **2** Adj. Qui détruit (→ **Destructif**; littér. annihilateur). *Fléau destructeur, guerre destructrice.* → **Meurtrier.** *Système, régime destructeur. Folie destructrice.* → **Néfaste, nuisible.** — Fig. *Idée, philosophie destructrice, destructrice de la morale.* → **Subversif; agressif** (cit. 3), **critique** (cit. 41).

2 La religion mahométane, qui ne parle que de glaive, agit encore sur les hommes avec cet esprit destructeur qui l'a fondée.   MONTESQUIEU, l'Esprit des lois, XXIV, IV.

(...) mais cet amour est devenu quelque chose d'irrésistible, de destructeur, de plus fort que la mort. Je suis à lui comme une maison qui brûle est au feu.   3
    MAUPASSANT, Fort comme la mort, p. 343.
(Pasteur) n'admirait pas les esprits dégagés qui s'arrogent   4
avec des saillies et d'arbitraires plaidoyers, l'avantage des affirmations destructrices.
    Henri MONDOR, Pasteur, VII, p. 126.

REM. *Destructeur* se dit de ce qui détruit effectivement; *destructif* de ce qui a le pouvoir de détruire, que ce pouvoir s'exerce ou non.

CONTR. Constructeur, créateur, édificateur, producteur.

DESTRUCTIBILITÉ [dɛstRyktibilite] n. f. — 1739; lat. sav. *destructibilitas*, de *destructibilis*. → Destructible.

Rare. Propriété de ce qui peut être détruit.

CONTR. Indestructibilité.

DESTRUCTIBLE [dɛstRyktibl] adj. — 1764; lat. sav. *destructibilis*, du supin de *destruere*. → Détruire.

Littér. ou style soutenu. Qui peut être détruit. *Matière destructible.*

CONTR. Indestructible. ◊ **DÉR. et COMP. Photodestructible.**
V. **Destructibilité, indestructible.**

DESTRUCTIF, IVE [dɛstRyktif, iv] adj. — 1372; rare jusqu'au XVIIe; bas lat. *destructivus*, du supin de *destruere*. → Détruire.

Qui a la vertu, le pouvoir de détruire (→ **Destructeur,** rem.; littér. **annihilant**). *Le pouvoir destructif d'un explosif. Germe destructif.* → **Dévastateur.** *Idée, doctrine destructive de la liberté, de toute liberté.*

1 Cette idée seule est destructive de toute administration.
    VOLTAIRE, Philosophie, II, 303, in LITTRÉ.
2 (...) je ne sais quel ordre apparent, destructif en effet de tout ordre, et qui ne fait qu'ajouter la sanction de l'autorité publique à l'oppression du faible et à l'iniquité du fort.
    ROUSSEAU, les Confessions, VII.
3 Il confondit la répression des actes séditieux (...) avec les lois destructives de la liberté, lois toujours funestes et injustes (...)
    RENAN, Questions contemporaines, Œ. Compl.,
               t. I, p. 43.

CONTR. Constructif, créateur. ◊ **DÉR. et COMP. Destructivité. Autodestructif.**

DESTRUCTION [dɛstRyksjɔ̃] n. f. — 1119; lat. *destructio*, du supin de *destruere*. → Détruire.

Action de détruire; son résultat.

♦ **1** Action de jeter bas, de faire disparaître (une construction). *La destruction d'une ville par un incendie, par les bombardements, par l'armée ennemie. Destruction par le fer, par le feu. Destruction par le feu d'un objet que l'on condamne* (→ Autodafé). *Les hommes ont perfectionné les moyens de destruction, les engins de destruction. Destruction complète.* → **Annihilation.**

1 (...) la prise d'une ville emportait son entière destruction (...) MONTESQUIEU, l'Esprit des lois, XXIX, XIV.
Résultat, effet de cette action. *(Une, des destructions). Le pays a subi de terribles destructions.* → **Dégât, désolation, désorganisation, dévastation.** *Les destructions de la guerre.* → **Dommage, ruine.**

♦ **2** Action d'altérer profondément (une substance). *La destruction des tissus organiques.* → **Décomposition, gangrène, pourriture, putréfaction.** *La destruction du métal par un acide, par la rouille.* → **Attaque.** *Destruction de la matière.* → **Désintégration.**

♦ **3** Action de faire mourir (des êtres vivants). *La destruction d'une armée, d'un groupe d'hommes.* → **Anéantissement.** *La tentative de destruction des Juifs par les nazis.* → **Extermination, génocide, massacre, tuerie.**

1.1 À l'égard du crime de la destruction de son semblable, sois-en certaine, chère fille, il est purement chimérique ; le pouvoir de détruire n'est pas accordé à l'homme ; il a tout au plus celui de varier les formes.

          SADE, Justine..., t. I, 84.

Spécialt. Action de faire mourir (des animaux, des plantes nuisibles). *La destruction des cafards, des rats.*

♦ **4** Action de faire disparaître (en démolissant, en mettant au rebut, en déchirant, etc.). — *Destruction de papiers compromettants.* → **Suppression.** — *Destruction d'un contrat.* → **Résolution, rupture.** — *Destruction des préjugés, des routines. Destruction de la liberté.* → **Étouffement.** *Destruction lente d'une organisation.* → **Sape** (fig.).

♦ **5** Le fait de causer la disparition. *La destruction d'une civilisation, d'un empire.* → **Écroulement, effondrement.** *Une destruction lente, progressive.* → **Cessation, dégradation** (cit. 6), **désagrégation, disparition.** *Destruction brusque, violente.* → **Brisement, rupture.** *La destruction de la vie par la mort*.* → **Fin.**

2 Ainsi s'accomplit (...) la grande loi de la destruction des êtres vivants.

          J. DE MAISTRE (→ Consommation, cit. 3).

3 (...) la stabilité des habitudes n'a pour limite que la fin même des choses, la ruine et la destruction par le temps.

          E. FROMENTIN, Une année dans le Sahel, p. 45.

Absolt. *Instinct de destruction.*

4 Dostoïevski connaît son peuple par soi-même. Toute révolte de la race déchaîne son instinct d'aveugle destruction et d'anéantissement.

          André SUARÈS, Trois hommes, «Dostoïevski», VI, p. 264.

5 Les crimes hitlériens, et parmi eux le massacre des Juifs, sont sans équivalent dans l'histoire parce que l'histoire ne rapporte aucun exemple qu'une doctrine de destruction aussi totale ait jamais pu s'emparer des leviers de commande d'une nation civilisée.

          CAMUS, l'Homme révolté, III, p. 229.

♦ **6** Altération morale (d'une personne, de l'esprit). *La destruction de l'esprit.* → **Corruption, déchéance.**

CONTR. Construction, création, édification, fondation, production. ◊ **COMP.** Autodestruction.

DESTRUCTIVITÉ [dɛstʀyktivite] n. f. — 1842 ; de *destructif.*

Didactique.

♦ **1** Propriété de ce qui a le pouvoir de détruire. *La destructivité d'une propagande.*

♦ **2** Psychiatrie. Disposition psychopathologique consistant dans un besoin incoercible de destruction. *Destructivité à caractère collectif* (dans les révolutions, les guerres).

DÉSTRUCTURATION [dɛstʀyktyʀasjɔ̃] n. f. — V. 1960 ; de *déstructurer.*

Didact. Action de déstructurer ; fait de se déstructurer ; état qui en résulte. — Psychol., psychiatrie. Processus de désagrégation des structures mentales et des diverses fonctions psychiques, observé dans de nombreux états psychotiques. *Déstructuration de la perception. Déstructuration de la personnalité.*

CONTR. Structuration.

DÉSTRUCTURER [dɛstʀyktyʀe] v. tr. — V. 1960 ; de 1. *dé-,* et *structurer.*

Didact. Faire disparaître la structure de (qqch.). *Déstructurer la personnalité de quelqu'un.*

♦ **SE DÉSTRUCTURER** v. pron.

Perdre sa structure.

♦ **DÉSTRUCTURÉ, ÉE** p. p. adj.

Qui a perdu sa structure. — Fig. (langue commerciale). Qui n'a pas de structure rigide (meuble). «*Des formes déstructurées et simples, des tissus moelleux, des couleurs gaies de votre temps : les canapés de l'Espace Demain ne peuvent qu'attirer votre sympathie*» (*l'Express,* n° 1687, 4-10 nov. 1983, publicité).

CONTR. Structurer. ◊ **DÉR.** Déstructuration.

DÉSUBJECTIVISER [desybʒɛktivize] v. tr. — 1951 ; de 1. *dé-, subjectif,* et suff. verbal -*iser.*

Rare. Faire sortir (qqn) de sa subjectivité, faire accéder à l'objectivité.

Oui, l'effort de l'éducation première devrait tendre à *désubjectiviser* l'enfant, à lui apprendre à voir et sentir les choses telles qu'elles sont en réalité, à les juger indépendamment de ses réactions personnelles.

          GIDE, Ainsi soit-il, *in* Souvenirs, Pl., p. 1207.

DÉSUET, ÈTE [dezɥɛ, ɛt] adj. — Fin XIXe ; lat. *desuetus,* p. p. de *desuescere* «se déshabituer de», de *de-* priv., et *suescere* «s'accoutumer».

♦ **1** Vieilli. Tombé en désuétude ; qui n'est plus en usage. *Coutume, loi désuète.*

♦ **2** Mod. Archaïque, sorti des habitudes, du goût moderne. — (Choses). *Un costume désuet.* → **Démodé, passé** (de mode), **rétro, vieillot.** *Des meubles vétustes, aux formes désuètes.* → **Archaïque, suranné.** *Une coutume désuète. Des opinions désuètes.* → **Attardé, retardataire.** *Expression désuète.* → **Périmé, vieilli, vieux.** *Le mot zazou est désuet.* → **Archaïque, obsolète.** *Tout à fait désuet.* → **Anachronique, antédiluvien.** — (Personnes). *Un personnage désuet,* qui a des manières d'être passées de mode.

Il était sensible à la poésie de la Bourse, au charme romantique et désuet des gravures qui ornaient les titres (...)   1

          A. MAUROIS, À la recherche de M. Proust, V, II, p. 138.

(...) deux poèmes médiocres du symbolisme le plus   2 désuet (...)

          J. ROMAINS, les Hommes de bonne volonté, t. IV, XXII, p. 248.

Par ext. *Charme, aspect désuet.* → **Ancien, vieillot.**

CONTR. Actualité (d'), courant, cri (dernier), mode (à la), moderne, usuel, vogue (en).

DÉSUÉTUDE [dezɥetyd] n. f. — 1596 ; rare jusqu'au XVIIIe ; lat. *desuetudo,* de *desuetus.* → Désuet.

Abandon où est tombée une chose dont on a cessé depuis longtemps de faire usage (s'emploie surtout dans le syntagme : *tomber en désuétude*). *Produits, équipements qui tombent en désuétude* (→ **Obsolescence, vieillissement**). — Écon. *Désuétude calculée,* prévue et volontairement déterminée dès la production des objets fabriqués, afin d'accélérer leur renouvellement. — Spécialt, dr. *Loi tombée en désuétude,* qui n'a pas été abrogée officiellement mais qu'en fait on n'applique plus depuis longtemps.

Au reste, il ne faut jamais souffrir qu'aucune loi tombe en   1 désuétude. Fût-elle indifférente, fût-elle mauvaise, il faut l'abroger formellement, ou la maintenir en vigueur.

          ROUSSEAU, Considérations sur le gouvernement de Pologne, X.

(...) couvre-feu, loi tombée en désuétude, mais dont l'ob-   2 servance subsistait dans les provinces où tout s'abolit lentement.   BALZAC, Maître Cornélius, Pl., t. IX, p. 917.

Le cimetière Vaugirard était ce qu'on pourrait appeler un   3 cimetière fané. Il tombait en désuétude. La moisissure l'envahissait, les fleurs le quittaient.

          HUGO, les Misérables, II, VIII, V.

4 Des mots tombent en désuétude; mais, dans plus d'un cas, il est difficile de dire si tel mot doit définitivement être rayé de la langue vivante, et rangé parmi les termes vieillis dont l'usage est entièrement abandonné et qu'on ne comprend même plus. LITTRÉ, Dict., Préface, p. VI.

CONTR. Actualité, habitude, usage, vigueur (en). ◊ **DÉR.** V. Désuet.

DÉSULFITAGE [desylfitaʒ] n. m. ou **DÉSULFITA-TION** [desylfitasjɔ̃] n. f. — 1910; de *désulfiter*, suff. *-age* et *-ation*.

Agric. Action de désulfiter; son résultat.

DÉSULFITER [desylfite] v. tr. — 1910; de 1. *dé-*, et *sulfite*.

Agric. Débarrasser (les moûts, les vins) d'une partie de l'anhydride sulfureux provenant du sulfitage.

DÉR. Désulfitage, désulfitation.

DÉSULFURATION [desylfyrasjɔ̃] n. f. — 1836; de *désulfurer*.

Chim. et techn. Action de désulfurer.

CONTR. Sulfuration.

DÉSULFURER [desylfyre] v. tr. — 1836; de 1. *dé-*, et *sulfure*.

Chim. et techn. Débarrasser (une substance) du soufre qu'elle contient. *Désulfurer la fonte, les produits pétroliers.* — Au p. p. *Produits désulfurés.*

DÉR. Désulfuration.

DÉSUNION [dezynjɔ̃] n. f. — 1479; de *désunir*, d'après *union*.

♦ **1** Action de désunir*; résultat de cette action. → **Désagrégation, disjonction, dislocation, séparation.**

♦ **2** Fig. Désaccord, mauvaises relations (entre personnes, groupes, etc. qui devraient être unis). *La désunion de deux personnes, entre plusieurs personnes. La désunion d'un couple.* → **Divorce, rupture.** — *La désunion des esprits, des cœurs.* → **Désaccord, divergence.** *La désunion au sein d'une Église aboutit au schisme*, dans un parti aux dissidences, aux scissions*. Mettre, semer, souffler la désunion.* → **Brouiller** (les cartes). *Désunion dans une famille, entre les membres d'une famille.*

1 De ceux qu'unit le sang plus douces sont les chaînes,
Plus leur désunion met d'aigreur dans leurs haines (...)
CORNEILLE, Tite et Bérénice, IV, 4.

2 Personne ne sent mieux que moi les désunions de l'absence (...)
Mᵐᵉ DE SÉVIGNÉ, Lettres, 845, 25 août 1680.

3 Cette union *(de l'âme et du corps)* se fait sans que nous nous en apercevions; la désunion doit s'en faire de même (...)
BUFFON, De la vieillesse et de la mort, *in* LITTRÉ.

CONTR. Union; accord, cohésion.

DÉSUNIR [dezynir] v. tr. — 1418; de *dés-* (→ 1. Dé-), et *unir*.

♦ **1** Rare (concret). Faire cesser l'union, la jonction de... → **Désassembler, détacher, séparer.** *Désunir les ais d'une cloison.* → **Disjoindre, disloquer.** *Le froid désunit les pierres gélives.* → **Désagréger.**

1 Pour désunir deux corps contigus (...)
PASCAL, Traité... de la pesanteur de l'air, 2.

Séparer (des personnes unies).

2 S'il *(Polyeucte)* vous a désunis, sa mort va vous rejoindre.
CORNEILLE, Polyeucte, IV, 4.

3 Par cette multitude d'empereurs et de césars (...) le corps de l'empire est désuni.
BOSSUET, Disc. sur l'hist. universelle, III, 7.

(Abstrait). Présenter séparément, isoler par l'analyse. → **Dissocier, scinder.** *Désunir des problèmes.*

♦ **2** (V. 1560). Cour. Faire cesser l'union morale de..., jeter le désaccord entre. → **Diviser, désaccorder, désolidariser, dissocier.** *Désunir les esprits et les cœurs, les membres d'une famille.* → **Brouiller.** — (Avec un compl. au sing.) *Désunir un couple, une famille, un ménage. Désunir un parti, une assemblée.*

4 Unissant nos maisons, il désunit nos rois (...)
CORNEILLE, Horace, I, 2.

5 Desunir *(sic)*, signifie aussi, Mettre en dissention. Ce mari et cette femme étoient autrefois fort bien unis, une petite jalousie les a *desunis.* Il y avoit alliance entre ces Princes, mais on les a *desunis.*
FURETIÈRE, Dictionnaire, art. *Desunir.*

6 Le sort pourra bien nous séparer, mais non pas nous désunir (...)
ROUSSEAU, Julie ou la Nouvelle Héloïse, I, Lettre XI.

7 Tandis que vous serez désunis, et que chacun ne songera qu'à soi, vous n'avez rien à espérer que souffrance, et malheur, et oppression.
LAMENNAIS, Paroles d'un croyant, VII, p. 36.

Absolt. *L'absence* (cit. 10) *désunit.*

◆ **SE DÉSUNIR** v. pron.

♦ **1** Cesser d'être uni. *Leurs mains se désunissent.*

♦ **2** (1678). Équit. Perdre la coordination des mouvements (pendant le galop). *Le cheval s'est désuni du devant au galop.*

(Sports; 1859, *in* Petiot). Se dit d'un athlète dont les mouvements perdent leur coordination.

7.1 À moi aussi, mon style se désunira un jour *(dit le sauteur de haies).*
A. ARNOUX, Suite variée, p. 42.

◆ **DÉSUNI, IE** p. p. et adj. (1594).

♦ **1** Séparé par un désaccord. *Famille désunie. Couple désuni.*

Par plais. (remplaçant *unis*) :

7.2 Les frères désunis sont tous d'avis contraires
L'un veut s'accommoder, l'autre n'en veut rien faire (...)
LA FONTAINE, Fables, IV, 18.

♦ **2** Équit. *Cheval désuni,* dont les membres de devant ne vont pas d'ensemble, dans le galop, avec ceux de derrière.

8 C'est un beau cheval dont le pas est presque toujours désuni (...)
VOLTAIRE, Lettres en vers et en prose, 63, *in* LITTRÉ.

Sports. Dont les mouvements ne sont plus coordonnés. *Coureur désuni après le saut d'une haie.*

9 La vaste machine d'André triomphait des premières secondes, mais dans l'allure désunie de la fin on reconnaissait qu'elle commence à se défaire.
Jean PRÉVOST, Plaisir des sports, p. 191.

CONTR. Unir, réunir. — Accorder, allier, assembler, associer, attacher, cimenter, coaliser, concilier, conjuguer, réconcilier. ◊ **DÉR.** Désunion.

DÉSURBANISATION [dezyrbanizasjɔ̃] n. f. — 1931, Le Corbusier, *in* D.D.L.; de *désurbaniser.*

Techn. Action de désurbaniser; son résultat.

DÉSURBANISER [dezyrbanize] v. tr. — 1931, Le Corbusier, *in* D.D.L.; de *dés-* (→ 1. Dé-), et *urbaniser.*

Techn. Supprimer ou diminuer l'urbanisation de, diminuer la proportion des villes.

DÉR. Désurbanisation.

DÉSURGELÉ, ÉE [desyrʒəle] adj. — V. 1965; de 1. *dé-*, et *surgelé.*

Se dit d'un produit surgelé* que l'on a fait dégeler. *Un aliment désurgelé.*

CONTR. Surgelé.

DÉSUTILITÉ [dezytilite] n. f. — V. 1970; de *dés-* (→ 1. Dé-), et *utilité*.

Écon. Perte de la valeur économique. *«La désutilité créée par la pollution»* (*le Monde*, in *la Clé des mots*, 1973).

DÉSYNCHRONISATION [desɛ̃kʀɔnizasjɔ̃] n. f. — Mil. xxᵉ; de *désynchroniser*.

Techn. Action de désynchroniser; son résultat. *«Lors de l'arrêt du somnifère, particulièrement si cet arrêt est brutal et plus encore si le malade en ingérait d'importantes doses, ces phénomènes dits de rebonds vont donc s'observer avec de multiples désynchronisations qui vont entraîner des insomnies complètes pendant deux à trois jours et des hyposomnies notables qui oscillent entre six semaines et trois mois»* (*la Recherche*, févr. 1974, p. 124).

DÉSYNCHRONISER [desɛ̃kʀɔnize] v. tr. — Mil. xxᵉ; de 1. *dé-*, et *synchroniser*.

Techn. Faire cesser le synchronisme de...; faire que plusieurs éléments synchroniques ne le soient plus.

Quand le cerveau est au repos, toutes les cellules ont des pulsations qui se produisent en même temps et la somme de toutes ces pulsations constitue les ondes que nous recueillons. Les influx centripètes ont pour conséquence de désynchroniser ces ondes cellulaires : certaines seront à leur maximum, quand les autres seront au minimum, si bien que par addition de toutes ces pulsations, on n'aura plus d'ondes régulières à basse fréquence.
            Paul CHAUCHARD,
            le Système nerveux et ses inconnues, p. 89.

CONTR. Synchroniser. ◊ DÉR. Désynchronisation.

DÉSYNDICALISER [desɛ̃dikalize] v. tr. — 1978; de 1. *dé-*, et *syndicaliser*.

Faire baisser le nombre de syndiqués, le taux de syndicalisation de (une entreprise, un groupe). — Surtout pron. et p. p. *Les cadres ont tendance à se désyndicaliser. Un prolétariat désyndicalisé.*

On emploie aussi le dér. *désyndicalisation*, n. f. (1978).

DÉTACHABLE [detaʃabl] adj. — 1845; de 1. *détacher*.

Qu'on peut détacher (1. Détacher), isoler d'un ensemble. → **Isolable, séparable.** *Coupons détachables. Des manchettes détachables.* — (Abstrait). *Cet argument, ce point n'est pas détachable du contexte.*

CONTR. Indétachable.

1. DÉTACHAGE [detaʃaʒ] n. m. — xxᵉ; de 1. *détacher*.

Techn. Action de détacher (1. Détacher), de séparer (ce qui était attaché). *Le détachage d'un élément de l'ensemble, de l'assemblage où il se trouvait.*

2. DÉTACHAGE [detaʃaʒ] n. m. — 1870; de 2. *détacher*.

Action d'enlever les taches. → **Nettoyant.** *Le détachage d'un vêtement.*

DÉTACHANT, ANTE [detaʃɑ̃, ɑ̃t] adj. et n. m. — 1876; de 2. *détacher*.

♦ **1** Adj. Qui enlève les taches. *Des produits détachants. L'action détachante de la benzine.*

♦ **2** N. m. (xxᵉ). Produit qui enlève les taches. *Ne pas laisser ce flacon de détachant à la portée des enfants.*

Lui aussi ne pouvait avoir la moindre tache sur son veston sans qu'immédiatement sa femme arrivât avec une bouteille de détachant, un linge fin et une brosse (...)
            Pierre DANINOS, Un certain Monsieur Blot, p. 59.

DÉTACHÉ, ÉE [detaʃe] p. p. adj. → **Détacher.**

DÉTACHEMENT [detaʃmɑ̃] n. m. — 1606; de 1. *détacher*.

I ♦ **1** Action de se détacher (de qqch.); état d'une personne qui s'est détachée ou qui n'est pas attachée.

Vx ou littér. (avec un compl. en *de*). *Pratiquer le détachement volontaire de ce qu'on a aimé.* → **Abandon, renoncement.** *Détachement de soi, de ses intérêts.* → **Désintéressement, oubli** (de soi). — *Détachement du monde, du siècle, des biens de la terre, des plaisirs.*

La mortification lui rend la mort familière; le détachement des plaisirs le désaccoutume du corps, il n'a point de peine à s'en séparer; il a déjà depuis fort longtemps, ou dénoué ou rompu les liens les plus délicats qui nous y attachent.   1
            BOSSUET, Oraison funèbre du R. P. Bourgoing.

Mod. (emploi absolu). *À son enthousiasme, à sa passion a succédé un grand détachement.* → **Désaffection.** *Détachement par manque d'intérêt.* → **Désintérêt, indifférence, insensibilité.** *Répondre, parler avec détachement, en affectant le détachement.* → **Désinvolture, insouciance** (→ Cause, cit. 52). *Détachement total.* → **Ataraxie.** *Une impression d'indifférence, de sécheresse et de détachement.* → Salamalec, cit. 1.

(...) j'ai, ne vous déplaise, un corps tout comme une âme;   2
Je sens qu'il y tient trop, pour le laisser à part;
De ces détachements je ne connais point l'art (...)
            MOLIÈRE, les Femmes savantes, IV, 2.

Mais, à mesure que se serrait davantage l'intimité de leur vie, un détachement intérieur se faisait qui la déliait de lui.   3
            FLAUBERT, Mᵐᵉ Bovary, I, VII, p. 31.

Bien que dans l'âge du détachement, je tiens encore par mille liens au monde dans lequel j'ai vécu.   4
            FRANCE, le Crime de S. Bonnard, Œ., t. II, p. 432.

Le détachement suprême, dont ils ont déjà déposé le germe dans mon âme, le renoncement à tout ce qui est terrestre et transitoire, je ne connais pas sur terre un lieu capable en même temps d'y conduire plus vite et d'en éloigner davantage que cette Bénarès (...)   5
            LOTI, l'Inde (sans les Anglais), VI, XIII, p. 451.

(...) rien ne peut arriver de pire que cette indifférence, que ce détachement total qui la sépare du monde et de son être même.   6
            F. MAURIAC, Thérèse Desqueyroux, IX, p. 156.

♦ **2** (xxᵉ). Admin. Situation d'un fonctionnaire, d'un militaire provisoirement affecté à d'autres fonctions. *Être en détachement, en position de détachement. Mettre un fonctionnaire en détachement.* — *Obtenir un détachement.*

♦ **3** Gramm. Action de détacher un terme de son support par l'intonation, la ponctuation. *On marque le détachement d'un complément par une pause s'il est en début ou en fin de phrase.*

♦ **4** Log. *Règle de détachement.* → **Modus ponens.**

II (1671). Par métonymie. Petit groupe de soldats détachés du gros de la troupe pour un service spécial. *Un, des détachements. Détachement chargé de la surveillance* (→ **Patrouille**), *d'un convoi* (→ **Escorte**), *d'un coup de main* (→ **Commando**), *de couvrir l'armée à l'avant* (→ **Avant-garde**), *sur les côtés* (→ **Flanc-garde**), *à l'arrière* (→ **Arrière-garde**). *Prendre la tête d'un petit détachement.*

Mélac, lieutenant général de jour, fit l'arrière-garde de tout à la gauche, avec un gros détachement (...)   7
            SAINT-SIMON, Mémoires, I, XVI.

Son corps d'armée s'avançait vers la Normandie et il fut un jour envoyé en reconnaissance avec un faible détachement qui devait simplement explorer une partie du pays et se replier ensuite.   8
            MAUPASSANT, Contes de la bécasse,
            l'Aventure de W. Schnaffs.

CONTR. Attachement, rattachement; affection, avidité, concupiscence, cupidité, enthousiasme, passion. — Gros (d'une troupe).

1. **DÉTACHER** [detaʃe] v. tr. — V. 1160, *destachier;* par changement de préfixe, de 1. *dé-,* et *attacher* (de l'anc. franç. *tache* «agrafe»).

DÉTACHER (qqch., qqn) DE...

✦ **1** Dégager (qqn, qqch.) de ce qui attachait, de ce à quoi (qqn, qqch.) était attaché. → **Défaire, dégager, libérer.** *Détacher un chien de sa chaîne, de sa niche* (→ **Déchaîner, désenchaîner**), *d'un autre chien* (→ **Découpler**). *Détacher le cheval des brancards* (→ **Dételer**), *une barque de son amarre, du quai* (→ **Désamarrer**).

DÉTACHER (qqch.) DE (qqch.), l'en séparer (en arrachant, en déchirant, en découpant, etc.). → **Enlever.**

1   (...) affiches que le vent détache d'un mur.
                              J. ROMAINS (→ Décoller, cit. 1).

(Sans compl. second en *de*...). *Détacher ce qui était pendu* (dépendre), *fixé par un lien* (déficeler, délacer, délier), *maintenu par une couture* (découdre), *une piqûre* (dépiquer), *une boucle* (déboucler), *des boutons* (déboutonner), *un crochet* (décrocher), *une agrafe* (dégrafer), *un boulon* (déboulonner), *une vis* (dévisser). *Détacher ce qui était assemblé* (désassembler), *collé* (décoller).

Par ext. Défaire (ce qui tient plusieurs choses attachées). *Détacher une épingle, une pression, une chaîne. Serrer les nœuds d'un lien pour qu'il ne se détache pas.*

Mar. *Détacher une corde.* → **Défrapper.**

✦ **2** Séparer et enlever* (ce qui adhérait naturellement de ce à quoi la chose adhérait). *Détacher la laine des peaux* (→ **Abattre**), *les pétales d'une fleur* (→ **Effeuiller**), *les feuilles d'un arbre* (→ **Défeuiller, exfolier**). *Détacher de l'arbre un fruit, une fleur.* → **Cueillir.** *Détacher les grains d'une grappe.* → **Égrener.**

2   D'un chêne grand et fort (...)
    (...) Je viens de détacher une branche admirable (...)
                              MOLIÈRE, l'Étourdi, IV, 5.

✦ **3** Éloigner (qqn, qqch.) de ce avec quoi (qqn, qqch.) était en contact. *Détacher les mains des hanches.* → **Enlever.** *Détacher les bras du corps.* → **Écarter.**

(Sans compl. second; vieilli). Donner (un coup). *Détacher un coup* de poing, un coup de pied à qqn. → **Décocher.**

3   Puis elle pensait à cet infâme Tistet Védène et au joli coup de sabot qu'elle allait lui détacher le lendemain matin.
                              Alphonse DAUDET, Lettres de mon moulin,
                              La mule du pape.

✦ **4** Enlever (un élément d'un ensemble dans lequel il était intégré). *Détacher un maillon, un chaînon* (cit. 1) *d'une chaîne. Détacher un rouage d'une machine. Détacher les parties d'un assemblage.* → **Disjoindre.** *Détacher un wagon d'un convoi* (→ **Dételer**), *une part d'un gâteau* (→ **Prélever**), *un dessin d'un papier* (→ **Découper**), *un coupon* *d'un titre.*

(Sans compl. second). *Détacher suivant le pointillé* (s'oppose à *découper,* qui requiert un instrument).

4   (...) des couples de petits rentiers ou de retraités, assis à des tables étroites, détachaient des coupons.
                              J. ROMAINS, les Hommes de bonne volonté, t. II,
                              VIII, p. 89.

(Abstrait). *Détacher un pays, un domaine d'un autre* (→ **Séparer**). *Détacher qqn d'une alliance, d'un parti, d'une équipe.* → **Enlever** (à).

(Le compl. direct désigne un sens, l'esprit, l'attention...). Détourner (de qqn, de qqch.). *Ne pouvoir détacher ses yeux, ses regards, ses pensées, son attention de...* → **Détourner, distraire** (→ Chair, cit. 30).

Amener (qqn) à se séparer (d'un groupe). *Le mariage détache une fille de sa famille* (→ Attacher, cit. 7). — *Détacher une personne de* (une autre personne à qui elle était liée). — *Détacher qqn de* (une chose abstraite). *Détacher qqn d'une promesse.* → **Dégager, délier, relever.** *Détacher qqn d'une erreur.* → **Désabuser, détromper.** *Détacher qqn d'une habitude, d'une passion.* → **Arracher** (à).

5   Il m'enseigne à n'avoir d'affection pour rien,
    De toutes amitiés il détache mon âme;
    Et je verrais mourir frère, enfants, mère et femme,
    Que je m'en soucierais autant que de cela.
                              MOLIÈRE, Tartuffe, I, 5.

(Le compl. direct n'étant pas exprimé).

6   Des principes de la secte il n'embrassa que ceux qui détachent de la vie, de la fortune, de la gloire, de tous ces biens au milieu desquels on peut être malheureux.
                              DIDEROT, les Règnes de Claude et de Néron, 13,
                              in LITTRÉ.

Loc. *Détacher ses yeux, ses regards de* (qqn, qqch.).

7   Elle revint sur ses pas, je ne pouvais détacher mes yeux de son visage (...)
                              PROUST, À la recherche du temps perdu, t. IV,
                              p. 72.

✦ **5** (Compl. n. de personne; sans compl. second). Faire partir (qqn) loin d'autres personnes pour faire qqch. *Détacher qqn au-devant d'un hôte, le détacher en ambassade.* → **Déléguer, dépêcher, députer, envoyer.** *Détacher une estafette.*

8   Après avoir détaché un cavalier de sa garde vers eux (...)
                              Antoine HAMILTON, Mémoires du comte de
                              Grammont, 77, in HATZFELD.

REM. Dans cet ex., l'élément *de sa garde* semble être un compl. du n. *cavalier.*

Détacher qqn, à (qqn), le lui envoyer.

9   Diderot, qui ne voulait pas se montrer sitôt lui-même, commença par me détacher Deleyre (...)
                              ROUSSEAU, les Confessions, IX.

Affecter provisoirement (un fonctionnaire, un militaire) à une autre service. *Détacher un soldat, un fonctionnaire, pour le charger d'une mission, d'une tâche spéciale, pour lui donner une nouvelle affectation.* → **Désaffecter.** *Se faire détacher à la direction, à l'état-major.*

(Avec le compl. en *de* exprimé). *Détacher un soldat de son unité.*

10 (...) mon ami, ne donnez pas votre démission, faites-vous seulement détacher de votre corps en expliquant à votre Administration que vous allez étudier des questions de votre ressort, en dehors des travaux de l'État.
                              BALZAC, le Curé de village, Pl., t. VIII, p. 704.

✦ **6** (Compl. n. de chose). Séparer d'un ensemble. *Détacher une pièce d'une collection* (→ **Enlever**), *un chapitre d'un ouvrage* (→ **Extraire**). *Détacher un exemple, une citation, une maxime d'un texte.*

✦ **7** (Sujet n. de chose). Faire apparaître nettement sur un fond. *Les montagnes détachent leurs crêtes sur l'horizon.* → **Découper.**

11 La fierté de l'obscur sur la douceur du clair (...)
    (...) Les détache (les figures) du fond, et les amène à nous.
                              MOLIÈRE, la Gloire du Val-de-Grâce, 182.

12 La lumière de la lune devint plus éclatante et détacha sur le ciel qui semblait noir le profil plus noir des branches (...)
                              L. PERGAUD, De Goupil à Margot, II, p. 14.

Faire ressortir (un bruit) parmi d'autres.

12.1 C'était le grelot qui, distinctement, détachait ses notes grêles et saccadées sur les rumeurs bourdonnantes du silence mariées aux crépitements d'insectes.
                              L. PERGAUD, De Goupil à Margot, p. 36.

Spécialt. Faire ressortir (qqn) par ses qualités. *Son ardeur au travail le détache du reste de la classe.*

♦ 8 Typogr. Distinguer par des caractères spéciaux. *Mettre une citation, une locution en italique pour la détacher du texte, pour la détacher.*

♦ 9 (Sans compl. second). Ne pas lier. *Détacher ses lettres en écrivant.* → **Écarter, isoler.** *Détacher ses mots en parlant. Détacher nettement les syllabes.* → **Articuler, marteler.**

13   (...) cette façon tendre, respectueuse, qu'il avait toujours eue de prononcer : «Ma-man», en détachant les syllabes (...)
MARTIN DU GARD, les Thibault, t. V, p. 292.

Mus. *Détacher les notes,* les exécuter sans les lier. → **Piquer.**

♦ 10 Gramm. Séparer un terme de son support par l'intonation, la ponctuation. *Dans l'écriture, on détache un terme (du contexte) par une virgule, ou deux, ou en usant du tiret, de la parenthèse.*

♦ SE DÉTACHER v. pron. (XIIIᵉ). **A** Concret. **♦ 1** Cesser d'être attaché. *Le chien s'est détaché.* — Par ext. *Se détachée d'une étreinte, d'un embrassement.*

♦ 2 (Sujet n. de chose). Se séparer. *Fruits qui se détachent de l'arbre.* → **Tomber.** *Parties mortes qui se détachent d'un tissu organique* (→ **Exfoliation**). *Dans certaines maladies, la peau se détache par parcelles.* → **Desquamer** (se).

♦ 3 (1858, in Petiot). Sports. *Un coureur se détache du peloton* (en allant plus vite).

13.1   Deux hommes tout juste devant toi, que tu suis à une foulée ; mais deux autres là-bas se sont détachés. Que faire ? leur courir après.
Jean PREVOST, Plaisirs des sports, p. 115.

♦ 4 Se séparer, s'écarter de qqch. *Oiseau qui se détache de la branche.* → **Échapper** (s'), **lâcher.** *Voir un parachutiste se détacher d'un avion. Avion qui se détache du sol.* → **Décoller.**

14   (...) au-dessus de sa tête l'humidité filtrait à travers les pierres moisies de la voûte, et à intervalles égaux une goutte d'eau s'en détachait.
HUGO, Notre-Dame de Paris, VIII, IV.

♦ 5 Être perçu distinctement. *Une branche s'est détachée du tronc. Gargouille qui se détache du toit.* → **Écarter** (s'), **saillir, sortir.**

15   Deux longues mèches (...) se détachaient capricieusement des crépelures (...)
Th. GAUTIER, le Capitaine Fracasse, t. I, II, p. 35.

♦ 6 (Sujet n. de personne). Se séparer d'un ensemble, d'un groupe. *Se détacher d'un groupe pour parlementer, observer.* → **Écarter** (s'), **éloigner** (s').

B Abstrait. **♦ 1** (Sujet n. de personne). Ne plus être attaché par le sentiment, l'intelligence, à. *Se détacher d'un engagement.* → **Dédire** (se), **reprendre** (sa parole), **résilier, revenir** (sur). *Se détacher de ses devoirs.* → **Abandonner.** *Se détacher par l'absence.* → **Oublier** (s'). *Se détacher de tout par apathie.* → **Désintéresser** (se). *Se détacher des biens de la terre.* → **Renoncer** (à). *Se détacher de ses intérêts, de soi-même.* → **Oublier** (s'), **sacrifier** (se).

16   Quand l'Angleterre, qui s'était liée avec lui, se détache tout à coup de ses intérêts (...)
RACINE, les Campagnes de Louis XIV.

17   J'ai remarqué que d'excellents esprits, qui s'étaient mis trop tard à cette étude, se sont pris à la glu et n'ont pu s'en détacher.
RENAN, Souvenirs d'enfance..., III, 1.

18   Je tâcherai, quand je sentirai mon cœur se détacher d'elle, de le retenir si doucement qu'elle ne le sentira même pas.
PROUST, les Plaisirs et les Jours, Fin de la jalousie, I.

(Sans compl. second) :

19   Elle n'eut pas à se détacher, n'ayant point connu d'attachement.
F. MAURIAC, Génitrix, IV, p. 53.

♦ 2 (Sujet n. de chose). Apparaître nettement par rapport à un fond. *Motif qui se détache en violet sur fond jaune. Cimes de montagnes se détachant nettement sur le ciel.* → **Découper** (se), **profiler** (se), **ressortir, trancher.** *Titre qui se détache en grosses lettres.*

20   Sur ces fonds si sombres se détachent en très clair les premiers plans de ce pays désolé (...)
LOTI, Jérusalem, XIV, p. 169.

21   (...) une figure de Benozzo Gozzoli se détachant sur un fond verdâtre (...)
PROUST, À la recherche du temps perdu, t. XI, p. 83.

22   En face de lui, le visage de son grand-père, d'un rose vif sous les cheveux blancs, se détachait sur la tenture sombre avec l'éclat net, le contour d'un Holbein.
A. MAUROIS, Bernard Quesnay, I, p. 6.

C Pron. récipr. *Ils se sont détachés.*

♦ DÉTACHÉ, ÉE p. p.
♦ 1 Qui n'est plus attaché ; qui n'attache plus. *Lien, ruban détaché, dénoué. Jarretelle détachée.*

23   Laissez-moi relever ces voiles détachés (...)
RACINE, Bérénice, IV, 2.

Feuilles, branches détachées de l'arbre.

24   Comme un fruit par son poids détaché du rameau (...)
LAMARTINE, Nouvelles Méditations, «Le crucifix».

♦ 2 Séparé d'un tout. — Loc. **PIÈCES DÉTACHÉES,** servant au remplacement des pièces usagées d'un mécanisme. *Marchand d'accessoires et de pièces détachées.* — *Envoyer une machine en pièces détachées.*

Forts détachés, séparés du corps de la place. *Pavillon détaché du corps de logis.*

25   Il y avait dans notre jardin une salle basse, peinte et fort enjolivée, où l'on mangeait en été et qui était détachée du reste de la maison.
SCARRON, le Roman comique, I, XV, p. 92.

♦ 3 (1640). Qui a ou exprime du détachement (I., 1.).

26   (...) un amour détaché de tout, qui n'agit point pour soi, et ne se met en peine que de votre intérêt.
MOLIÈRE, Dom Juan, IV, 6.

27   Quand je les croyais parfaitement détachés l'un de l'autre, ils s'étaient rapprochés (...)
ROUSSEAU, les Confessions, XII.

(Sans compl. second). *Il semble assez détaché.* — *Ton détaché. Il répondit d'un petit air détaché. Examiner d'un œil, d'un esprit détaché.* → **Désinvolte, indifférent, insensible, objectif.** — N. *Il fait le détaché.*

28   Peux-tu voir tant de pleurs d'un œil si détaché ?
CORNEILLE, Polyeucte, V, 3.

29   Il est un ton, à quoi reconnaître à distance la passion partisane. Ce n'est pas nécessairement (comme on le suppose) un ton chaud et persuasif. Non. Mais plutôt un ton froid, détaché, extérieur (...)
J. PAULHAN, Entretien sur des faits divers, III, p. 114.

♦ 4 Spécialt. (Personnes). Qui est séparé d'un ensemble, pour remplir une autre fonction. *Fonctionnaire détaché,* affecté provisoirement à d'autres fonctions que les siennes. *Être détaché à tel poste, vers qqn, pour telle mission.* → **Affecté, désigné, envoyé.**

30   Je reçois une lettre de mon fils qui est détaché avec plusieurs autres troupes pour aller en Allemagne (...)
Mᵐᵉ DE SÉVIGNÉ, Lettres, 553, 1ᵉʳ juil. 1676.

Sports. *Un coureur détaché du peloton,* qui a distancé le peloton.

♦ 5 Spécialt. (Choses). Qui est isolé d'un ensemble et forme parfois un tout autonome. *Recueil de morceaux détachés,* sans rapport entre eux.

31   (Les auteurs) qui écrivent en différents temps des morceaux détachés, ne les réunissent jamais sans transitions forcées (...)
BUFFON, Disc. sur le style, p. 16.

Mus. *Notes détachées,* non liées. — **N. m.** *Faire un détaché.* → **Piqué, staccato.**

Gramm. Se dit d'un terme séparé de son support par l'intonation ou la ponctuation. *Un complément détaché peut être éloigné du mot auquel il se rapporte grammaticalement.*

CONTR. Attacher, rattacher; adapter, adhérer, adjoindre, affecter, affectionner, agglomérer, annexer, assembler, cimenter, couler (mus.), **dégrader** (peint.), **éprendre** (s'), **fixer, fondre** (se), **incorporer, intégrer, joindre, lier, réunir, unir. — Ému, passionné.** ◊ **DÉR. Détachable,** 1. **détachage, détachement.**

2. **DÉTACHER** [detaʃe] v. tr. — 1501; de 1. *dé-, tache,* et suff. verbal.

Débarrasser d'une, de plusieurs taches. → **Décrasser, dégraisser, nettoyer.** *Détacher un tissu au savon, à la benzine. Donner au teinturier un costume à détacher.* → **Détacheur.** — Au p. p. *Un costume mal détaché.*

CONTR. Tacher. ◊ **DÉR.** 2. **Détachage, détachant, détacheur.**

DÉTACHEUR, EUSE [detaʃœʀ, øz] n. — 1672; de 2. *détacher.*

♦ **1** N. Personne qui détache, nettoie les vêtements. → **Dégraisseur, teinturier.**

(...) ils devaient être lavés *(ses vêtements)* ou envoyés chez le détacheur (...)   Claude SIMON, le Vent, p. 74.

♦ **2** N. m. Produit qui détache. → **Détachant.** — Appos. *Flacon détacheur,* contenant un produit détachant.

DÉTAIL [detaj] n. m. — XIIᵉ, *vendre à détail;* déverbal de *détailler.*

♦ **1** Action de livrer, de vendre ou d'acheter par petites quantités (ce qui a été acheté en gros). *Le détail et le gros.* — Plus cour. Avec *de, au, en* (vx). *Commerce, magasin, boutique de détail. Marchand qui fait le gros et le détail. Le marchand au détail, en détail* (vx), fait le débit d'une marchandise (→ **Débit,** cit. 2). *Vente au détail. Acheter en gros et vendre au détail. Prix de détail,* de la marchandise vendue au détail. *Acheter qqch. au détail.*

1 Ils *(les commerçants)* prennent les marchandises *en gros* chez les producteurs et, en les débitant *au détail,* ils épargnent par là les embarras qui résulteraient nécessairement de l'absence de coïncidence entre la quantité offerte par le producteur et la quantité réclamée par le consommateur (...) Ce sont là, sans doute, des services réels, mais ils font voir aussi ce qu'ils coûtent. En effet (...) il s'est trouvé augmenter le nombre de ces intermédiaires, surtout des commerçants au détail, des boutiquiers, est devenu tout à fait disproportionné avec les besoins.
       Charles GIDE, Cours d'économie politique, t. I, p. 372.

Par métonymie. *Le détail :* ensemble des commerçants qui pratiquent la vente au détail.

Loc. fig. et fam. *Ne pas faire le (de) détail :* ne pas prendre en compte chaque élément pris individuellement; exécuter qqch. sans avoir à s'attarder aux détails. — **Sports.** Marquer un net avantage.

1.1 Après tout, c'était un coup de génie de nous dire : Vous n'êtes pas reluisants, bon, c'est un fait. Eh bien, on ne va pas faire le détail ! On va liquider ça d'un seul coup (...)
       CAMUS, la Chute, *in* Récits et nouvelles, Pl., p. 1532.

Loc. (vx). *Guerre de détail :* guerre de partisans, de petits combats. → **Guérilla.**

♦ **2** Fig. Action de considérer (un ensemble) dans ses éléments, (un événement) dans ses circonstances, ses particularités. → **Énumération.** *Le détail d'un inventaire, d'un compte, d'un budget, d'un bilan* (→ **Relevé**). — **DANS LE DÉTAIL,** relation d'un fait avec le détail des circonstances. *Faire le détail de*

ce qui est arrivé. → **Exposé.** *Raconter une histoire en descendant, en entrant dans le détail. Se remémorer une aventure jusque dans le détail. Conter tout le détail* (→ **Conter,** cit. 1).

Je lui contai tout le détail de nos misères (...)   2
       Mᵐᵉ DE SÉVIGNÉ, Lettres, 464, *in* LITTRÉ.

Pour bien savoir les choses, il faut en savoir le détail (...)   3
       LA ROCHEFOUCAULD, Maximes, 106.

(...) je lui fis rendre compte de (...) tout le détail de la   4
bataille de Marignan (...)
       LA BRUYÈRE, Lettre XII, À Condé.

Je n'ai jamais cru que la grandeur d'un ensemble, l'am-   5
pleur d'une synthèse pussent dispenser de la vue aiguë et
infiniment particulière du détail.
       J. ROMAINS, les Hommes de bonne volonté, t. I,
                                                  Préface, p. 18.

Par ext. Considération exclusive ou excessive des petits éléments d'un ensemble. → **Minutie.** *Se perdre dans le détail.* → **Accessoire, à-côté** (→ *Se noyer dans un verre d'eau). — Avoir l'esprit de détail :* être minutieux, tatillon. — En bonne part, *esprit de détail,* s'est dit pour esprit d'analyse.

Un esprit de détail s'applique avec de l'ordre et de la règle   6
à toutes les particularités du sujet (...)
       LA ROCHEFOUCAULD, Différence des esprits,
                                                  in HATZFELD.

Idoménée (...) s'applique trop au détail (...)   7
       FÉNELON, Télémaque, XVII.

De détail, qui est propre à un ou plusieurs éléments d'un ensemble, détachés pour être caractérisés. *Il a accepté des modifications de détail. Une question de détail.*

♦ **3** Milit. (dans l'expr. *de détail* ou *des détails*). Service destiné à assurer la vie administrative (habillement, matériel, solde) d'une unité. *Officier de détail, des détails. Revue de détail :* inspection du matériel, de l'habillement, de l'administration d'une unité.

Mar. Service intérieur d'un bâtiment, placé sous la direction du commandant en second.

♦ **4** Cour. (*Un, des détails*). Élément, partie d'un ensemble; circonstance particulière. → **Circonstance, élément, morceau, particularité, partie.** *Petit, menu détail; détail sans importance, insignifiant, négligeable.* → **Bagatelle, béatilles, bêtise, broutille, vétille.** *Détails inutiles, oiseux. Détails pittoresques, savoureux. Négliger les détails, ne pas s'occuper des détails* (cf. le prov. latin : *de minimis non curat prætor*). *Ne vous attardez pas aux détails. Connaître les détails, les moindres détails, tous les détails de qqch. Pas un détail ne lui échappe. Entrer dans les détails, après avoir examiné l'ensemble. Exposer, donner les détails.* → **Développer.** *S'appesantir sur les détails. Se noyer dans les détails. Tous les détails sur l'affaire. Une grande abondance* (cit. 6) *de détails. Précision des détails. Son récit est exact dans l'ensemble, mais il invente, il ajoute des détails* (→ **Amplifier, broder, corser**). *C'est vrai en gros, c'est faux dans les détails. — Les détails d'une œuvre artistique. Ce peintre néglige les détails au profit de la composition, de l'ensemble. Cet édifice est sans grand style, mais présente quelques beaux détails. Détails d'un décor; détail décoratif* (→ **Ornement**). *Travailler, soigner les détails* (→ **Ciseler, fignoler, lécher**). *Il y a quelques détails amusants, poétiques, réussis, dans cette pièce, ce film.* — (Collectif) *«Unité dans l'aspect et variété infinie dans le détail»* (Th. Gautier). *Perler* (cit. 1) *le détail.*

Et ne vous chargez point d'un détail inutile.   8
Tout ce qu'on dit de trop est fade et rebutant (...)
       BOILEAU, l'Art poétique, I.

La science des détails, ou une diligente attention aux moin-   9
dres besoins de la république, est une partie essentielle au

bon gouvernement (...)
     LA BRUYÈRE, les Caractères, X, 24.

10   (...) quelques beautés qu'il (*l'auteur*) sème dans les détails, comme l'ensemble choquera ou ne se fera pas assez sentir, l'ouvrage ne sera point construit (...)
     BUFFON, Disc. sur le style, p. 15.

11   Néanmoins (...) lorsque, pour la première fois, l'Empereur développa l'ensemble de cet événement, ses détails, ses accessoires (...) je dois confesser que l'affaire me semblait prendre à mesure une face nouvelle.
     LAS CASES, Mémorial de Ste-Hélène, t. IV, XI, p. 261.

12   S'imaginer que les menus détails sur sa propre vie valent la peine d'être fixés, c'est donner la preuve d'une bien mesquine vanité.
     RENAN, Souvenirs d'enfance..., Préface, p. 10.

13   Il dut lui donner mille détails de toute sorte, ces détails minutieux où se complait la curiosité jalouse et subtile des femmes (...)
     MAUPASSANT, Fort comme la mort, I, I, p. 12.

14   Il y avait du Napoléon en lui par sa faculté de pénétrer dans tous les détails sans perdre de vue l'ensemble.
     FRANCE, la Vie en fleur, XXV, p. 283.

15   Quand les œuvres sont très courtes, le plus mince détail est de l'ordre de grandeur de l'ensemble.
     VALÉRY, Autres rhumbs, p. 167.

(1859, *in* D.D.L). *C'est un détail. Ce n'est qu'un détail : c'est une chose sans importance. Je me suis seulement éraflé, n'y faites pas attention : c'est un détail.*

♦ **5 EN DÉTAIL** loc. adv. : par parties successives. *Vendre en gros et en détail* (→ ci-dessus, 1.). — **Fig.** *Dans toutes ses parties, toutes ses particularités. Raconter en détail* (→ Par le menu*). *Voici l'affaire, l'histoire, la question en détail. Je n'ai pas considéré cela en détail* (→ De près*).

16   Nous y lûmes une relation en détail du siège de Maestricht (...)
     Mᵐᵉ DE SÉVIGNÉ, Lettres, 577, 16 sept. 1676.

17   Les hommes, fripons en détail, sont en gros de très honnêtes gens ; ils aiment la morale (...)
     MONTESQUIEU, l'Esprit des lois, XXV, II.

CONTR. Ensemble. — Gros (en gros). — **Important** (chose importante).

DÉTAILLANT, ANTE [detajɑ̃, ɑ̃t] n. — 1649 ; p. prés. de *détailler*, a remplacé *détailleur* (XIIIᵉ) et *détailliste* (1792).

Vendeur au détail (→ **Commerçant, débitant, marchand**). *Le grossiste ou le demi-grossiste approvisionne le détaillant. — Par appos. Marchand détaillant.*

1   (...) les (...) avanies faites par la police au marchand détaillant (...)
     P.-L. COURIER, II, 283 (*in* LITTRÉ).

2   Depuis la guerre de 1914-1918, l'accroissement du nombre des détaillants s'est encore accentué, et la crise de 1929-1930 ne l'a nullement arrêté. Il n'est pas rare de rencontrer quatre ou cinq petits épiciers dans des localités qui ne comptent que quelques centaines d'habitants.
     Gaëtan PIROU et Maurice BYÉ,
     Traité d'économie politique, t. I, II, p. 271.

DÉTAILLER [detaje] v. tr. — XIIᵉ, «couper en morceaux» ; puis «vendre par petites quantités» ; de 2. *dé-*, et *tailler*.

♦ **1** Couper par morceaux. *Détailler une pièce de viande.* → **Débiter.**

Pron. Fig. Se diviser en parties.

0.1   La vie, ça ne se détaille pas, il faut la prendre en bloc, c'est tout ou rien.
     S. DE BEAUVOIR, les Mandarins, p. 143.

♦ **2** (1270). Vendre (une marchandise) par petites quantités, au détail. → **Détail** (1.). *Détailler une denrée, une marchandise achetée en gros. Détailler le vin, le riz.* «*En détaillant très cher aux paysans les biens nationaux*» (P. Arène, *in* T.L.F.).

Un restaurateur est celui dont le commerce consiste à offrir au public un festin toujours prêt, et dont les mets se détaillent en portions à prix fixe, sur la demande des consommateurs.   1
     BRILLAT-SAVARIN, Physiologie du goût, t. II,
     XXVIII, p. 113.

♦ **3 Par anal.** Dire (un texte) en détachant les sons, en faisant ressortir toutes les nuances de la pensée.

♦ **4** (1690). **Littér.** Considérer, exposer (qqch.) avec toutes les particularités. → **Décrire, exposer.** *Détailler un point qui n'avait été envisagé que sommairement.* → **Préciser.** *Il serait trop long de détailler cette histoire.* → **Raconter.** *Détailler les beautés d'un ouvrage littéraire, artistique* (→ **Énumérer**).

Mais en lui détaillant avec simplicité tout ce qui m'est arrivé, tout ce que j'ai fait, tout ce que j'ai pensé, tout ce que j'ai senti, je ne puis l'induire en erreur, à moins que je ne le veuille.   ROUSSEAU, les Confessions, IV.   2

Après avoir détaillé les raisons d'espérance que je ne nourrissais guère, mais que je cherchais à grossir pour consoler la princesse, je continue (...)   3
     CHATEAUBRIAND, Mémoires d'outre-tombe, t. V,
     p. 325.

♦ **5 Fig.** Analyser dans les moindres détails ; examiner (une personne) dans les détails. *Il s'arrêta pour la détailler.*

◆ **DÉTAILLÉ, ÉE** p. p. adj.

Qui contient beaucoup de détails. *Récit détaillé.* → **Circonstancié.** *Exposé détaillé et complet sur une question* (→ **Analytique, minutieux, précis**). *Signalement détaillé.*

(...) j'écris à Jore une longue lettre bien détaillée, bien circonstanciée, bien regorgeante de vérité (...)   4
     VOLTAIRE, Lettre à Cideville, 375, 30 mai 1736.

Qui s'attache aux détails. *Une analyse détaillée.*

CONTR. Effleurer (un sujet), **passer. — Schématique, sommaire.** ◊ **DÉR. Détail, détaillant.**

DÉTALER [detale] v. intr. — 1583 ; «retirer de l'étal, de l'étalage», 1553 ; de 1. *dé-*, et *étal*. → **Étaler.**

S'en aller au plus vite. → **Décamper, enfuir** (s'), **fuir, partir ; courir** (cit. 23). *Détaler à toutes jambes, au plus vite. Ils détalèrent au triple galop.*

À la porte de la salle
Ils entendirent du bruit
Le rat de ville détale ;
Son camarade le suit.   LA FONTAINE, Fables, I, 9.   1

(...) et tous ces petits derrières blancs (*de lapins*) qui détalent, la queue en l'air, dans le fourré.   2
     Alphonse DAUDET, Lettres de mon moulin,
     Installation.

(*Il*) détalait d'une telle vitesse que ses sandales lui donnaient la fessée (...)   3
     FRANCE, la Rôtisserie de la Reine Pédauque, Œ.,
     t. VIII, p. 122.

Après le déjeuner, les Ribeyrol remontèrent en auto sans perdre une minute et détalèrent (...)   4
     G. DUHAMEL, le Voyage de P. Périot, V, p. 92.

CONTR. Immobiliser (s'), **rester.**

DÉTARTRAGE [detaʁtʁaʒ] n. m. — 1870 ; de *détartrer*.

Élimination du tartre (d'un radiateur, d'un conduit, etc.). — Action de détartrer les dents.

DÉTARTRANT, ANTE [detaʁtʁɑ̃, ɑ̃t] adj. et n. m. — 1929 ; p. prés. de *détartrer*.

Techn. Qui empêche ou diminue la formation de tartre dans les conduits, les chaudières, les radiateurs d'automobiles. → **Désincrustant.** *Substance détartrante.* — **N. m.** *Un détartrant :* produit détartrant.

DÉTARTRER [detaʀtʀe] v. tr. — 1870; de 1. *dé-*, *tartre*, et suff. verbal.

Techn. Débarrasser du tartre. → **Désincruster.** *Détartrer une chaudière, le radiateur d'un moteur. — Se faire détartrer les dents par un dentiste,* ôter le tartre déposé sur les dents.

CONTR. **Entartrer.** ◊ DÉR. **Détartrage, détartrant, détartreur.**

DÉTARTREUR [detaʀtʀœʀ] n. m. — 1908; de *détartrer.*

Techn. Appareil servant à détartrer des tonneaux ou des chaudières à vapeur.

DÉTAXATION [detaksasjɔ̃] n. f. — 1960; de *détaxer.*
Action de détaxer; son résultat (diminution ou suppression d'une taxe). *Demander une détaxation. Obtenir une détaxation fiscale.*

CONTR. **Taxation.**

DÉTAXE [detaks] n. f. — 1864; déverbal de *détaxer.*

◆ **1** Vx. Détaxation.

◆ **2** Dr. fisc. Aménagement des tarifs d'impôts indirects. *La détaxe du carburant.*

◆ **3** Remboursement d'une taxe perçue à tort. *Détaxe postale.*

DÉTAXER [detakse] v. tr. — 1845; de 1. *dé-*, et *taxer.*
Réduire ou supprimer la taxe sur (qqch.). *Détaxer une denrée, un produit.* — P. p. *Acheter des produits détaxés dans un aérodrome, hors taxe.*

CONTR. **Taxer.** ◊ DÉR. **Détaxation, détaxe.**

DÉTECTAGE [detɛktaʒ] n. m. — Mil. XXᵉ; de *détecter.*
Rare. → **Détection.**

On employait maintenant à Appenweier des chiens au détectage des mines terrestres. Les résultats étaient très satisfaisants.   Pierre GASCAR, les Bêtes, p. 194.

DÉTECTER [detɛkte] v. tr. — 1923, cit.; de l'angl. *to detect* «découvrir». → Détecteur, détection.

Déceler l'existence de (un corps, un phénomène caché). *Des phénomènes difficiles à détecter. Mine que l'on ne peut pas détecter* (→ **Indétectable**). *Détecter des ondes.*

Sans vouloir suivre les perfectionnements et les applications multiples de ces lampes *(triodes)*, mentionnons qu'on a pu les utiliser : pour amplifier les courants; pour déceler («détecter») les ondes hertziennes utilisées en télégraphie sans fil (...)
    A. BOUTARIC, la Vie des atomes (1923), p. 93.
Par ext. Découvrir par intuition; mettre au jour (ce qui était caché). → **Déceler, découvrir, révéler.** *Détecter les faiblesses d'un adversaire.*

DÉR. **Détectage.**

DÉTECTEUR, TRICE [detɛktœʀ, tʀis] n. et adj. — 1866, P. Larousse, «pièce d'une serrure de sûreté»; angl. *detector*, lat. *detector*, de *detegere* «découvrir».

◆ **1** N. m. Appareil servant à déceler, à révéler la présence d'un corps, d'un phénomène caché (gaz, radiation, phénomène électrique, vibration, etc.). → **Capteur.** — Appareil servant à révéler la présence du grisou dans une mine.
Détecteur d'ondes : appareil révélant le passage d'ondes électriques. *Détecteur de Branly ou cohéreur. Les détecteurs permettent de produire et d'interrompre à distance un courant électrique* (→ **Télégraphie**). *Détecteurs (magnétiques) d'amplitude.* → **Démodulateur.** — Phys. *Détecteur d'énergie :* appareil permettant de déceler le passage des

particules à travers un matériau pour mesurer l'énergie qu'elles y ont perdue (→ **Chambre**, III., 5., **compteur, scintillateur**). — Adj. *Lampe détectrice.*
Détecteur d'incendie : appareil de signalisation et d'avertissement des fumées et des incendies à bord des navires, dans les édifices publics, les magasins.
Détecteur sous-marin (→ **Hydrophone**).
Milit. *Détecteur de mines :* appareil fonctionnant par résonance magnétique, et que l'on utilise pour déceler les mines enfouies dans le sol.
Techn. *Détecteur d'approche :* appareil servant à détecter l'approche de l'objet surveillé en provoquant une variation du champ électrique et à déclencher une alarme.
Détecteur de mensonge : appareil servant à déceler les mensonges par la mesure des réactions émotionnelles provoquées par certaines questions.

◆ **2** N. m. Techn. Celui qui décèle, qui détecte. *Matelot, officier breveté détecteur.*

◆ **3** N. Littér. Personne qui détecte, décèle, découvre.
J'ai fréquenté, par la suite, un grand nombre de médecins et des plus illustres. Certains d'entre eux sont des détecteurs, ils ne songent qu'au diagnostic.
    G. DUHAMEL, Inventaire de l'abîme, IV, p. 56.

DÉTECTION [detɛksjɔ̃] n. f. — 1933; angl. *detection*, de *to detect* (→ **Détecter**); cf. anc. franç. *detection*, du bas lat. *detectio*, du supin de *detegere.*

Action de détecter. (Syn. rare : *détectage*). *Détection des gaz toxiques. Détection d'un avion, d'un sous-marin* (→ **Anti-sous-marin**); *détection des mines de guerre, des nappes de pétrole. Détection aérienne* (→ **Senseur**). *Détection maritime. Détection sous-marine. Détection par ultra-sons* (→ **Asdic, sonar**). *Détection électromagnétique* (→ **Radar**). — *Détection à distance.* → **Télédétection.**
Par ext. Le fait de découvrir par intuition. *La détection d'un mensonge.*

COMP. **Radiodétection, télédétection.**

DÉTECTIVE [detɛktiv] n. — 1871, J. Verne; *détectif*, 1867, Gaboriau; angl. *detective*, de *to detect* «découvrir».

◆ **1** N. m. Au Royaume-Uni, Policier chargé des enquêtes, des investigations. *Les détectives de Scotland Yard* (→ **Inspecteur*** de police, en France).

◆ **2** N. Vieilli (sauf dans *détective privé* (→ **Privé**, n. m.); 1903, *in* Höfler). Personne chargée d'enquêtes policières privées. → **Enquêteur.** *Détective chargé d'une filature. Agence de détectives privés.*

Le vol bien et dûment reconnu, des agents, des «détectives», choisis parmi les plus habiles, furent envoyés dans les principaux ports, à Liverpool, à Glasgow, au Havre, à Suez, à Brindisi, à New York, etc., avec promesse, en cas de succès, d'une prime de deux mille livres (50 000 F) et cinq pour cent de la somme qui serait retrouvée. En attendant les renseignements que devait fournir l'enquête immédiatement commencée, ces inspecteurs avaient pour mission d'observer scrupuleusement tous les voyageurs en arrivée ou en partance.
    J. VERNE, le Tour du monde en 80 jours (1873), p. 17. 1

(...) la séparation commune entre le signe et la chose, le mot et l'idée, relève de la méthode de connaissance la plus simple, mais aussi la plus savante, qui soit à notre portée : celle dont use le détective aussi bien que le philosophe (...) Elle consiste, devant chaque difficulté (...) à réduire l'événement obscur à ses éléments clairs et distincts : à distinguer (...) dans le meurtre, la blessure, le revolver, l'empreinte de l'assassin (...)
    J. PAULHAN, les Fleurs de Tarbes, p. 72. 2

Histoire de détectives (angl. *detective story*) : roman policier.

♦ **3** N. m. (1892, n. m.; 1891, n. f.). Petit appareil photographique, ayant la forme d'une boîte. → **Box** (3.).

DÉTEINDRE [detɛ̃dʀ] v. [CONJUG.: *teindre*. → **Peindre**.]
— 1220, *desteindre*; de 1. *dé-*, et *teindre*; cf. le lat. pop.
*distingere, de *dis-*, et *tingere*. → **Teindre**.

A V. tr. Faire perdre sa couleur, sa teinture à (qqch.). *Déteindre une étoffe au chlore. Le soleil déteint les tissus.*

B V. intr. ♦ **1** (1636). Perdre sa couleur en parlant de ce qui est teint. → **Décolorer** (se). *Cette étoffe déteint facilement. Ce rideau a déteint au soleil. Déteindre au lavage.* — (Factitif). *Faire déteindre des tissus.*

1   Vous avez des vêtements éternels. Je suis sûr qu'ils sont imperméables, qu'ils ne déteignent pas, et que si une goutte d'huile tombe sur eux de la lampe, elle ne fera aucune tache.   GIRAUDOUX, Amphitryon 38, I, 5.

♦ **2** *Déteindre sur* : communiquer une partie de sa couleur, de sa teinture à. *Cette étoffe a déteint sur le linge. Cette gravure a déteint sur la page suivante.* → **Baver**.

♦ **3** (1845). Fig. *Déteindre sur* : avoir de l'influence sur. → **Influencer, influer; imprégner, marquer.**

2   Les époques déteignent sur les hommes qui les traversent.
                 BALZAC, la Vieille Fille, Pl., t. IV, p. 228.
3   L'idée que cet homme allait mourir déteignait sur mes pensées jusqu'à leur retirer toute stabilité, tout courage, toute efficacité.
          G. DUHAMEL, Récits des temps de guerre, t. I, II, p. 183.

♦ **DÉTEINT, EINTE** p. p. adj. (emploi A). *Étoffe déteinte.*
DÉR. **Déteinte**.

DÉTEINTE [detɛ̃t] n. f. — 1867; du p. p. de *déteindre*.
Techn. Fait de déteindre ou d'avoir déteint; perte de la teinte. *La déteinte d'un tissu.* — Fig. :

(...) il essayait d'indiquer la grandeur et l'antique sainteté avec l'austère simplicité des poses, avec la rondeur d'une ligne rudimentaire, l'espèce de style fruste d'une humanité primitive, faisant de la femme de labour, de la femme de labour, courbée sur la glèbe, de ce corps où le labeur du champ a tué une femme, la silhouette plate et rigide habillée comme de la déteinte des deux éléments où elle vit : — du brun de la terre, du bleu du ciel.
       Ed. et J. DE GONCOURT, Manette Salomon, p. 269.

DÉTELAGE [detlaʒ] n. m. — 1836; de *dételer*.
Rare. Action de dételer.
CONTR. **Attelage**.

DÉTELER [detle] v. [CONJUG.: *appeler*.] — V. 1175, *desteler* «se détacher» (d'un fruit); de 1. *dé-*, et *atteler*.

A V. tr. ♦ **1** (Fin XIIe). Détacher (une bête de trait) de la voiture, de la charrue à laquelle elle était attelée. *Cocher qui dételle son cheval. Dételer des bœufs.* Absolt. *Faire deux étapes sans dételer. Les bêtes sont fatiguées, il faut dételer.*

1   Lorsque les jeunes filles furent proche du fleuve, vers l'endroit où étaient les lavoirs publics, elles dételèrent les mulets.   FÉNELON, t. XXI, p. 350, *in* LITTRÉ.

♦ **2** *Dételer une voiture, une charrue,* dételer les bêtes qui la tiraient. — (Ch. de fer). *Dételer un wagon,* le détacher d'un autre wagon, de la locomotive.

B V. intr. ♦ **1** (1845). Fig. et fam. Cesser de faire quelque chose. → **Arrêter** (s'), **relâcher** (se). *Il a travaillé toute la journée sans dételer.* → fam. **Débander** (sans).

Sans dételer, il entreprit la rédaction de la seconde carte postale (...)
                 R. QUENEAU, le Dimanche de la vie, p. 85.

♦ **2** Se ranger*, adopter un mode de vie plus calme. → **Renoncer**.

(...) le baron Hulot d'Ervy passait pour s'être rangé, pour avoir dételé, selon l'expression du premier chirurgien de Louis XV (...)
                 BALZAC, la Cousine Bette, Pl., t. VI, p. 266.
(...) mon oncle (...) qui a eu autant de femmes que don Juan, et qui à son âge ne dételle pas.
          PROUST, À la recherche du temps perdu, t. IX, p. 120.

CONTR. **Atteler**. ◊ DÉR. **Dételage**.

DÉTENDEUR [detɑ̃dœʀ] n. m. — 1888; de *détendre*.
Techn. Appareil permettant de réduire un fluide (liquide ou gaz) à une pression moins forte. — Spécialt. Second cylindre d'une machine compound, permettant la détente de la vapeur. Appareil qui détend les gaz conservés sous pression, avant leur sortie. *Détendeur d'une bouteille d'air comprimé.* — Réfrigérateur utilisant l'abaissement de température résultant de la détente d'un gaz. Appareil détendant le gaz carbonique liquide, dans la fabrication des boissons gazeuses.

DÉTENDRE [detɑ̃dʀ] v. tr. [CONJUG.: *tendre*.] — Déb. XIIe; de 1. *dé-*, et *tendre*.

I ♦ **1** Relâcher (ce qui était tendu). *Détendre un arc, un ressort* (→ **Débander**). *Détendre une corde en la détachant. Détendre ses muscles après un effort.* → **Décontracter, relâcher.** *Détendre sa jambe après l'avoir pliée,* l'allonger (→ **Étendre**). — *Détendre ses muscles,* ses traits, les relâcher.

1   Je savais que le petit cheval (...) détendait sans cesse une jambe de devant, avec un geste ataxique.
          COLETTE, la Paix chez les bêtes, «Lola», p. 74.
2   (...) l'effort mental détendait les muscles de la mâchoire, soulevait les sourcils (...)
          MARTIN DU GARD, les Thibault, t. III, p. 124.
3   Écartelé sur la table, sous l'impitoyable réflecteur, il contractait et détendait les jambes comme une grenouille de dissection.
          MARTIN DU GARD, les Thibault, t. III, p. 160.

♦ **2** Fig. Faire cesser l'état de tension de... (→ ci-dessous, Se détendre). *Détendre son esprit.* → **Relâcher.** *Détendre son auditoire par une boutade.*

4   La souffrance a tout détendu dans leur âme, même les liens qui nous attachent.
          BALZAC, le Lys dans la vallée, Pl., t. VIII, p. 943.
5   Un prince qui a de pareils ministres (...) peut détendre la contention de son esprit, sans que ses affaires en pâtissent (...)   GUEZ DE BALZAC, Avis écrit, *in* LITTRÉ.

♦ **3** (1907). Phys. *Détendre un gaz,* en diminuer la pression (→ **Détente**, 4.). *Détendre la vapeur dans un piston.*

♦ **4** Chim. Étendre ou diluer (une solution). «*On détend progressivement la solution*» (*la Découverte,* 1972, *in la Clé des mots*).

II (1501). Vieilli. Défaire, détacher (ce qui forme tenture). *Détendre un baldaquin, une tenture, une toile de tente.* — Par ext. *Détendre une chambre, un mur,* détendre les tapisseries, rideaux, etc. qui y étaient tendus.

6   Plusieurs pièces qui tapissent un appartement s'appellent une *tenture.* On les tend, on les détend, on les cloue, on les décloue.   VOLTAIRE, Dict. philosophique, Tapissier.
7   Partout les salles étaient détendues, et l'araignée filait sa toile dans les couches abandonnées.
                 CHATEAUBRIAND, René.

◆ SE DÉTENDRE v. pron.

♦1 Relâcher sa tension. *Arc, corde, ressort qui se détend. Se détendre brusquement, en se cassant* (**→ Lâcher**).

8 N'y a-t-il pas là des ressorts secrets qui se détendent ou qui prennent de l'élasticité?
> VOLTAIRE, Dialogues, VII, II.

Se relâcher dans une position de repos ; s'allonger. **→ Assouplir** (s'), **dénouer** (se), **reposer** (se). *Ses muscles se détendirent. Ses traits durs se détendirent dans un sourire. Ses membres se tendent et se détendent en des convulsions.*

9 (...) ses mains se détendirent, se séparèrent et retombèrent ouvertes sur ses genoux.
> G. SAND, la Mare au diable, IX, p. 79.

10 (...) il lui arrivait parfois de se lever brusquement pour se détendre, — à la manière d'un chat qui s'étire, disait-elle (...)
> LOTI, Ramuntcho, I, XXIII, p. 183.

11 (...) l'infirmière et la femme de chambre, courbées sur le lit, maintenaient à grand-peine le petit corps qui se tendait et se détendait comme un poisson sur l'herbe.
> MARTIN DU GARD, les Thibault, t. I, p. 56.

♦2 Fig. Se laisser aller, se décontracter. *L'esprit se détend après un effort. Son attention se détendait.* **→ Relâcher** (se). *Sa colère, sa fureur se détend.* **→ Calmer** (se). *Leurs rapports se détendent ; la situation se détend,* devient plus sereine.

12 Christophe qui, depuis plusieurs mois, se raidissait dans un état de qui-vive perpétuel, sentait se détendre peu à peu la fixité de son regard.
> R. ROLLAND, Jean-Christophe, p. 816.

13 Notre appareil à penser en état de chargement (...) fournit par éclairs, secousses, une masse disjointe d'idées, images, souvenirs, notions, concepts, puis se détend avant que l'esprit se réalise à l'état de conscience dans un nouvel acte.
> CLAUDEL, Positions et propositions, p. 9.

Absolt. *Ces enfants ont besoin de se détendre.* **→ Délasser** (se), **distraire** (se), **reposer** (se). *Détendez-vous !* **→ Décontracter** (se). *Se détendre dans une atmosphère de confiance.* **→ Abandonner** (s'), **aller** (se laisser aller).

14 Mais lui se détendait, s'abandonnait à cette atmosphère tiède et douce (...)
> F. MAURIAC, la Pharisienne, XI, p. 162.

♦3 Phys. Diminuer sa pression en augmentant son volume. *Gaz, vapeur qui se détend.*

14.1 La recongélation du glaçon se refaisait pour deux motifs : d'abord, parce que sous la pression de l'air, l'eau, en se volatilisant à la surface du glaçon, produisait un froid rigoureux ; et ensuite, parce que cet air comprimé emprun- tait pour se détendre, sa chaleur à la surface déglacée. Partout où une fracture se produisait, le froid, provoqué par la détente de l'air, en cimentait les bords, et, grâce à ce moyen suprême, le glaçon reprenait peu à peu sa solidi- té première.
> J. VERNE, le Pays des fourrures, t. II, p. 324-325.

◆ DÉTENDU, UE p. p. adj.

Qui n'est plus tendu. *Ressort détendu.* — Dont la tension (corporelle, intellectuelle) est relâchée. *Corps, muscle détendu.* — *Esprit détendu.* **→ Calme, euphorique.** *Une atmosphère détendue.* **→ Serein.** *Être, se sentir détendu.* **→ Décontracté.** *Le malade est détendu.* **→ Apaisé.**

15 Ces visages détendus, abandonnés dans le sommeil.
> Alphonse DAUDET, Contes du lundi, « Partie de billard ».

16 (...) mon esprit détendu s'est laissé flotter au hasard.
> GIDE, Journal, 10 mai 1906.

17 Mais enfin l'important est que M. Lacoste soit satisfait, s'il l'est, et que le général Salan le soit plus encore, et que les Français d'Algérie se sentent un peu détendus.
> F. MAURIAC, le Nouveau Bloc-notes 1958-1960, p. 24.

CONTR. **Bander, distendre, tendre.** — **Contracter.** — **Com- primer.** — **Déployer, dresser, monter** (une tente). — **Énerver** (s'), **fatiguer** (se), **raidir** (se). ◊ DÉR. **Détendeur, détente.**

DÉTENIR [detnir] v. tr. [CONJUG.: *tenir.* → Venir.] — 1176 ; v. pron. « se retenir de », v. 1138 ; du lat. *detinere* (de *de*-, et *tenere.* → Tenir), d'après *tenir.*

♦1 Garder, tenir en sa possession, entre ses mains (**→ Garder, posséder, retenir, tenir**). *Détenir des objets en gage. Détenir illégalement qqch. ; détenir un objet volé* (**→ Receler**). *La personne qui détient qqch.* **→ Détenteur.**

Même à l'état sédentaire, il (*l'Arabe*) ne se croit tranquille 1 possesseur que de ce qu'il détient (...)
> E. FROMENTIN, Un été dans le Sahara, I, p. 13.

(Abstrait). **→ Avoir, disposer** (de), **posséder.** *Détenir la preuve de qqch. Détenir un secret. Détenir le pouvoir. Détenir le moyen de... Détenir un grade, une position éminente dans une hiérarchie* (**→ Occuper**). *Détenir le record du monde.*

Il était (...) agaçant comme un renseigné qui tire vanité 2 des secrets qu'il détient (...)
> PROUST, À la recherche du temps perdu, t. XII, p. 127.

(...) mon père lui assura qu'il avait barre sur les Vignotte 3 et qu'il détenait les moyens de leur fermer la bouche.
> F. MAURIAC, la Pharisienne, IX, p. 130.

D'ailleurs, peu importe. Ce qu'il y a de grave, c'est que 4 cette femme détient — sans le savoir, soit, mais détient — la preuve formelle de votre culpabilité (...)
> J. ROMAINS, les Hommes de bonne volonté, t. II, v, p. 50.

♦2 Garder, retenir (qqn) en captivité (**→ Déten- tion**). *Détenir qqn en prison après l'avoir arrêté, emprisonné, enfermé. On l'a détenu arbitrairement, injustement, pendant un mois. Détenir illégalement qqn après l'avoir enlevé.* **→ Séquestrer.** « *Être détenu prisonnier* » (Académie). *Détenir un coupable, un délinquant, un criminel.*

Nul homme ne peut être accusé, arrêté ni détenu que dans 5 les cas déterminés par la Loi, et selon les formes qu'elle a prescrites.
> Déclaration des droits de l'homme, art. 7.

Figuré :

Tant que nous sommes détenus dans cette demeure mor- 6 telle, nous vivons assujettis aux changements, parce que (...) c'est la loi du pays que nous habitons (...)
> BOSSUET, Oraison funèbre d'Henriette-Anne d'Angleterre.

◆ DÉTENU, UE p. p. adj. (1529, *in* D.D.L.). Qui est maintenu en captivité. *Coupable, criminel détenu en prison. Inculpé arbitrairement détenu* (**→ Arrêter,** cit. 36).

(...) ce qui plut bien plus encore que toutes ces fêtes écla- 7 tantes, ce fut une rémission entière pour tous les coupables détenus dans les prisons (...)
> VOLTAIRE, Hist. de l'empire de Russie..., II, XV.

N. *Un détenu, une détenue.* **→ Prisonnier ; bagnard, forçat.** *Le régime des détenus. Détenu politique ; détenu de droit commun. Prison de jeunes détenus.*

CONTR. **Abandonner, donner, laisser, livrer ; perdre.** — **Déli- vrer, libérer, relâcher.** ◊ DÉR. et COMP. **Codétenu.**

DÉTENTE [detãt] n. f. — XIVᵉ ; de *détendre.*

Action de détendre.

♦1 Relâchement (de ce qui est tendu). *La détente d'un arc, d'un ressort. Brusque détente. Détente du bras, de la jambe.* **→ Décontraction, extension.**

(les) jambes et (les) pieds dont la détente énergique lancera 1 tout l'homme en avant pour la course et pour le saut.
> TAINE, Philosophie de l'art, t. II, IV, II, III, p. 162.

(...) la soudaine détente d'un train de derrière de grenouille 2 mis en communication avec la bouteille de Leyde.
> COURTELINE, Messieurs les ronds-de-cuir, 6ᵉ tableau, I, p. 215.

(...) les six champions ruisselaient de sueur ; dans la 3 détente de leurs bras, dans le jeu encore puissant de

leurs muscles, dans leurs sauts encore agiles, on sentait la fatigue et la hâte d'arriver à la fin.
> LOTI, Figures et choses..., «Danse des épées», p. 117.

(1909, *in* Petiot). Sports. Capacité d'effectuer un mouvement rapide, instantané (se dit d'un athlète au moment d'un saut, d'un lancer, etc.). *Il a une belle détente.* — *Travailler en détente ou en force.*

♦ **2** Pièce (d'une arme à feu) qui sert à faire partir le coup. *La détente du fusil est un levier coudé, qui sert à abaisser la tête de gâchette, libérant ainsi le chien et le percuteur. La queue de détente est protégée par le pontet*. Presser la détente, appuyer, agir sur la détente* (on dit abusivt *gâchette**). *Lâcher la détente. Détente d'un pistolet. Double détente* : mécanisme qui fait partir le coup en deux temps. — *Détente douce, dure.*

Loc. **DUR, DURE À LA DÉTENTE,** dont la détente est dure (arme). (1826). Fig. et fam. *Se dit d'une personne avare, qui laisse difficilement partir l'argent* (→ **Desserre**), *d'une personne dont il est difficile d'obtenir qqch., ou d'une personne qui a la compréhension lente. Je lui ai demandé d'intervenir pour moi, mais il se fait prier : il est dur à la détente. Il est un peu obtus, dur à la détente.* — N. Avare. → ci-dessous, cit. 3.2.

3.1 Aussi, voyant qu'il ne pouvait rien apprendre de relatif à l'invasion tartare, écrivit-il sur son carnet : «Voyageurs d'une discrétion absolue. En matière politique, très durs à la détente».
> J. VERNE, Michel Strogoff, p. 51.

3.2 — J'ai pas l'rond que je vous dis! glapit Taupe qui s'exaspérait.
— À l'enfer les durs à la détente, à l'enfer les fesse-mathieu! — Houhou, pas l'rond! pas l'rond!
> R. QUENEAU, le Chiendent, Folio, p. 338.

Par anal. Manette qui commande l'ouverture et la fermeture du pistolet d'un distributeur d'essence (recomm. off. au Québec).

♦ **3** Techn. Pièce (d'une pendule, d'une horloge) qui déclenche la sonnerie. → **Déclic.**

♦ **4** Phys. Mécan. Expansion* d'un gaz précédemment soumis à une pression. *La détente d'un gaz fournit un travail mécanique et produit un refroidissement du gaz. Utilisation de la détente des gaz dans l'industrie du froid. Le froid provoqué par la détente de l'air.* → Détendre, cit. 14.1.

Période pendant laquelle le gaz augmente de volume, diminuant de pression; troisième temps du cycle des moteurs à explosion. *Détente de la vapeur. Machine à détente. Détente fractionnée d'une machine compound** (→ **Détendeur**).

♦ **5** (Abstrait). Relâchement d'une tension intellectuelle, morale; état qui en résulte. *Détente après une crise.* → **Amélioration, délassement, relâche, relâchement, relaxation, rémission, répit, repos.** *La détente des esprits.* — Spécialt. État où l'on se détend (après un effort, par rapport à une occupation absorbante). *Ces enfants ont besoin d'une détente* (→ **Distraction, récréation**). *Éprouver une détente, une impression de détente.* → **Allègement, soulagement.**

4 Puis il éprouva une détente, comme s'il avait eu en deux secondes le temps de faire le tour de la situation, d'envisager le pire, de toucher l'extrémité de ses risques personnels, et de revenir de cette exploration un peu soulagé.
> J. ROMAINS, les Hommes de bonne volonté, t. V, XXVIII, p. 307.

Permission* de détente (dans l'armée).

♦ **6** (XXᵉ). Absolt. Diminution de la tension internationale. → **Apaisement.** *Politique de détente et de coexistence pacifique. La détente est menacée.*

CONTR. Contraction, distension, tension. — Compression; crise, fatigue. — (Du sens 6) Guerre (froide), tension.

DÉTENTEUR, TRICE [detɑ̃tœʀ, tʀis] n. — 1320; lat. jurid. *detentor,* du supin de *detinere.* → Détenir.

Personne qui détient qqch. *Détenteur illégal de. Le détenteur d'un objet volé.* → **Receleur.** *Détenteur d'armes, de munitions. Il est le propriétaire et le détenteur de ces titres, de ces valeurs* (→ **Propriétaire; possesseur**). — Fig. *Le détenteur d'un secret. La détentrice d'un prix, d'un record.*

Un secret, bien gardé par ses détenteurs, couvé hermétiquement, se conserve sans dommage, et sans fruit (...)   1
> COLETTE, la Naissance du jour, p. 144.

Dr. *Détenteur précaire* : celui qui a l'usage d'une chose sans prétendre à la possession de cette chose.

Tiers détenteur : l'acquéreur d'un immeuble hypothéqué ou grevé d'un privilège, lorsqu'il n'est pas tenu à la dette. *Purge* des hypothèques par le tiers détenteur.*

Les contrats translatifs de la propriété d'immeubles ou   2
droits réels immobiliers, que les tiers détenteurs voudront purger de privilèges et hypothèques, seront transcrits en entier par le conservateur des hypothèques dans l'arrondissement duquel les biens sont situés.
> Code civil, art. 2181.

COMP. Codétenteur.

DÉTENTION [detɑ̃sjɔ̃] n. f. — 1287, repris XVIᵉ; lat. *detentio,* du supin de *detinere.* → Détenir.

♦ **1** Le fait de détenir (qqch.), d'avoir (qqch.) à sa disposition matérielle. *Détention d'armes. Détention de titres. La détention d'une somme par son propriétaire* (→ **Propriété; possession**).

Dr. Fait d'avoir l'usage (d'une chose) sans en être ni s'en prétendre le possesseur. *Détention ou possession* précaire d'un bien par un locataire, un créancier gagiste.*

♦ **2** Action de détenir (qqn) en prison; état d'une personne détenue. → **Captivité, écrou, emprisonnement, enfermement, incarcération, internement.** *Arrestation et détention d'un criminel, d'un délinquant.*

Antigone, ayant appris la détention de son père, fut pénétrée de la plus vive douleur, et écrivit à tous les rois et à Séleucus lui-même, pour le prier de relâcher Démétrius, s'offrant en otage pour lui (...)   1
> ROLLIN, Hist. anc., Œ., t. VII, p. 294, *in* LITTRÉ.

Dr. pén. Peine politique, afflictive (→ **Afflictif,** cit. 2) et infamante, privative de liberté. *La détention dont le régime est, en principe, l'internement dans une forteresse du territoire continental de la République* (Code pénal, art. 20), *est subie en pratique dans une maison centrale.*

Détention arbitraire : crime ou délit consistant à emprisonner ou à retenir en prison un individu dans des conditions illégales. → **Arrestation** (cit. 1; → Arrêter, cit. 35 et 36); **séquestration.**

Ancient. *Détention préventive*; mod. (1970) *détention provisoire* : incarcération d'un individu inculpé de crime, de délit, pendant l'instruction préparatoire. *Détention provisoire dans une maison d'arrêt, de dépôt. Détention provisoire en vertu d'un mandat d'arrêt, de dépôt ou d'une prise de corps.*

Quand il y a eu détention provisoire (...), cette détention   2
est intégralement déduite de la durée de la peine qu'a prononcée le jugement ou l'arrêt de condamnation (...)
> Code pénal, art. 24.

CONTR. Abandon, don; perte. — Délivrance, libération.

DÉTENU, UE [detny] adj. et n. → Détenir.

DÉTERGENCE [detɛRʒɑ̃s] n. f. — xxᵉ; de *déterger*. Techn. ou didactique.

♦**1** Action de déterger. *Détergence de l'épiderme.* — Qualité de ce qui nettoie. *La détergence d'un solvant.*

♦**2** Ensemble des produits détergents. Industrie qui fabrique ces produits (→ Détergent, cit.).

DÉTERGENT, ENTE [detɛRʒɑ̃, ɑ̃t] adj. et n. m. — 1611; anc. méd. «qui nettoie (une plaie)», lat. *detergens*, p. prés. de *detergere* «nettoyer». → Déterger.

♦**1** Vx. *Remède détergent.* → **Abstergent** (ou **abstersif**), **détersif**.

♦**2** Qui nettoie en entraînant par dissolution les impuretés.

Le premier Congrès mondial de la Détergence (Paris, septembre 1954) a autorisé le monde à se laisser aller à l'euphorie d'Omo : non seulement les produits détergents n'ont aucune action nocive sur la peau, mais même ils peuvent peut-être sauver les mineurs de la silicose.
R. BARTHES, Mythologies, p. 38.

N. m. (xxᵉ). *Un détergent :* un produit de lessive, de nettoyage. → **Détersif**.

DÉTERGER [detɛRʒe] v. tr. [CONJUG.: *bouger.*] — 1538; lat. *detergere* «nettoyer», de *de-* intensif, et *tergere* «essuyer».

♦**1** Méd. Nettoyer (une plaie). *Déterger une plaie en enlevant le pus, le sang qui empêcherait la cicatrisation. Déterger un ulcère.*

Par ext. Vx. → **Nettoyer, purifier.** *Déterger les intestins.*

1 (...) un petit clystère (...) pour déterger (...)
MOLIÈRE, Monsieur de Pourceaugnac, I, 11.

2 Si votre altesse a mangé goulûment, je puis déterger ses entrailles avec de la casse, de la manne, et des follicules de séné (...)
VOLTAIRE, Dict. philosophique, Maladie.

♦**2** (xxᵉ). Techn. Enlever (les souillures, les salissures) d'une surface en les dissolvant, par modification de leurs propriétés d'étalement, de mouillage, etc. (détergence). → **Détersif.**

DÉR. Détergence.

DÉTÉRIORATION [deteRjɔRɑsjɔ̃] n. f. — xvᵉ; bas lat. *deterioratio*, du supin de *deteriorare*. → Détériorer; rare jusqu'au XVIIIᵉ.

♦**1** Action de détériorer (qqch.), de mettre en mauvais état, de se détériorer; résultat de cette action. → **Avarie, dégât, dégradation, dommage, ruine, vétusté.** *La détérioration d'un appareil, d'une machine par des utilisateurs sans soin. Détérioration de marchandises. Vous êtes responsables de toute détérioration dans ce local.*

(...) il faut aussi prévoir la détérioration de l'outillage, afin de l'entretenir et de le renouveler en l'amortissant (...)
André SIEGFRIED, l'Âme des peuples, Conclusion, p. 212.

♦**2** Abstrait. Le fait de se détériorer, de devenir moins bon. *Une détérioration de la qualité.* → **Abaissement, baisse.** *La détérioration des conditions de vie, de l'environnement.* → **Dégradation.** *La détérioration de la vie politique, des relations diplomatiques. La détérioration des mœurs. La détérioration de l'art.* → **Décadence.**

♦**3** Psychiatrie. *Détérioration mentale :* affaiblissement des facultés mentales (d'une personne). *Tests de mesure de la détérioration mentale, pathologique.*

CONTR. Entretien, réparation.

DÉTÉRIORER [deteRjɔRe] v. tr. — 1411; bas lat. *deteriorare*, du lat. class. *deterior* «pire, inférieur».

♦**1** Mettre (qqch.) en mauvais état, rendre inutilisable. → **Abîmer, casser, dégrader, démolir, endommager, gâter**; (fam.) **amocher, bousiller, déglinguer, esquinter.** *Détériorer un appareil, une machine.* → **Détraquer.** *Détériorer volontairement le matériel.* → **Saboter** (fam.). *Détériorer un objet fragile en l'ébréchant, en le fêlant. Détériorer des meubles. Le temps a détérioré cette maison, cet édifice. L'humidité détériore les tentures. Les acides détériorent l'émail des dents* (→ **Attaquer, corroder**).

Au p. p. *Du vieux matériel détérioré.* → **Usé.** *Un livre détérioré.* → **Abîmé.**

♦**2** Fig. Rendre moins bon. *Détériorer sa santé par des excès.* → **Délabrer.** — Littér. *Détériorer un être, une âme.* → **Altérer, corrompre, dépraver, pervertir.** — *Détériorer la situation politique, l'économie.*

Il n'est jamais permis de détériorer une âme humaine pour l'avantage des autres, ni de faire un scélérat pour le service des honnêtes gens.
ROUSSEAU, Julie ou la Nouvelle Héloïse, V, lettre II.

Il savait que ces ignominies sont toujours exercées sur des hommes vivants, et que, si elles semblent justifier certaines formules non vivantes, elles risquent de détériorer sans remède l'humanité même.
Ch. PÉGUY, la République..., p. 21.

♦ **SE DÉTÉRIORER** v. pron.

♦**1** S'altérer, subir des dégradations. *Ces denrées se sont détériorées.* → **Avarier** (s'). *On a laissé se détériorer tout le mobilier.* → **Tomber** (en ruine). *Se détériorer par un usage excessif.* → **User** (s').

♦**2** Fig. Devenir plus mauvais; perdre son équilibre. *La monnaie se détériore.* → **Dégénérer, dégrader** (se), **dépérir.**

Ses grandes qualités restèrent les mêmes; mais ses bonnes inclinations s'altérèrent et ne soutinrent plus ses grandes qualités; par la corruption de cette tache originelle sa nature se détériora.
CHATEAUBRIAND, Mémoires d'outre-tombe, t. II, p. 330.

Il avait maintenant quarante-cinq ans, pas mal de cheveux blancs, un peu de ventre, et cette mélancolie des gens qui ont été beaux, recherchés, aimés et qui se détériorent tous les jours.
MAUPASSANT, les Sœurs Rondoli, Rencontre, p. 244.

CONTR. Améliorer, amender, perfectionner, réformer, régénérer. — Raccommoder, réparer.

DÉTERMINABLE [detɛRminabl] adj. — Fin XVIIIᵉ; «déterminé», fin XIIᵉ; de *déterminer*.

Qui peut être déterminé. *Grandeur déterminable.*

CONTR. Indéterminable.

DÉTERMINANT, ANTE [detɛRminɑ̃, ɑ̃t] adj. et n. m. — Av. 1662; p. prés. de *déterminer.*

I Adj. Qui détermine; qui permet de déterminer. *Motif déterminant. Raison déterminante. Cause déterminante. Facteur déterminant* (→ Canadien, cit. 1). *Mot déterminant dans une expression. Se reporter au mot déterminant.*

J'expose celles de mes raisons que je pouvais dire sans compromettre Mᵐᵉ Levasseur sa famille; car les plus déterminantes venaient de là, et je les tus.
ROUSSEAU, les Confessions, VIII.

Le besoin actuel de nourriture est une cause plus déterminante, plus analogue à l'instinct borné de ces petits animaux, et suppose en eux moins de cette prévoyance que les philosophes accordent trop libéralement aux bêtes.
BUFFON, Hist. nat. des oiseaux, t. IV, p. 246.

II N. m. ♦**1** (1877). Vx. Gramm. Élément ajouté à un radical. → **Morphème.**

Mod. Mot qui en détermine un autre ; complément d'un déterminé. *Les déterminants sont les adjectifs déterminatifs* et les adverbes.*

(XXᵉ). Ling. Constituant du syntagme nominal dépendant du nom (article, adjectif et complément du nom) ; spécialt, se dit de la classe de morphèmes grammaticaux portant les marques du genre et du nombre du nom qu'ils actualisent (articles, adjectifs possessifs, démonstratifs, indéfinis, numéraux, interrogatifs...).

♦ 2 Math. Nombre défini par un algorithme sur une matrice carrée d'ordre n, introduit en vue de résoudre un système d'équations linéaires.

♦ 3 Biol. *Théorie des déterminants* (Weismann), selon laquelle l'hérédité devait être regardée comme la somme d'un certain nombre de facteurs déterminants.

♦ 4 Log. *Déterminants d'un phénomène,* ses causes physiques déterminantes.

3   Le but que se proposent les savants est double : trouver les déterminants des phénomènes, trouver les lois invariables de succession.
RABIER, Logique, p. 119, in LALANDE,
Voc. de la philosophie, Déterminant.

♦ 5 Philos., psychol. *Déterminants de la conduite, du comportement :* causes psychologiques déterminantes.

4   On peut mettre en évidence des déterminants psychologiques de certaines psychoses, on peut voir des faits physiologiques à l'œuvre dans les névroses.
Guy PALMADE, la Psychothérapie, p. 11.

COMP. Surdéterminant.

DÉTERMINATIF, IVE [detɛʀminatif, iv] adj. — V. 1460 «qui détermine» ; fin XIVᵉ, «déterminant, critique» ; admis par l'Académie, 1762 ; dér. sav. de *déterminer.*

♦ 1 (Fin XVIIᵉ). Gramm. Qui détermine, précise le sens d'un mot. *Adjectif déterminatif,* qui introduit dans un discours sous un aspect particulier le nom qu'il précède. *On appelle adjectifs déterminatifs les adjectifs numéraux, possessifs, démonstratifs et indéfinis.*

REM. 1. On oppose adjectif qualificatif à adjectif déterminatif ou non-qualificatif.

2. L'article a une valeur d'adjectif déterminatif bien qu'il n'en porte pas le nom.

Complément déterminatif (d'un nom, d'un adjectif, d'un adverbe...) : complément se subordonnant au nom, à l'adjectif... le plus souvent par une préposition, pour en limiter l'extension. Ex. : *Un manteau* d'hiver. *Il est incapable* de cela. — *Proposition relative déterminative :* proposition qui précise ou restreint le sens de l'antécédent, et qu'on ne peut supprimer sans nuire à la signification de la phrase. Ex. : *L'homme* qui vient d'entrer *est mon père.*

REM. 1. On oppose relative explicative* à relative déterminative.

2. La proposition déterminative est un complément déterminatif.

N. *Un déterminatif.*

♦ 2 Log. *Proposition déterminative :* proposition incidente qui restreint le terme auquel elle se rapporte (opposé à *explicative*).

DÉTERMINATION [detɛʀminasjɔ̃] n. f. — V. 1361 ; lat. *determinatio,* du supin de *determinare.* → Déterminer.

♦ 1 Action de déterminer*, de délimiter avec précision ; état de ce qui est déterminé. → Caracté-

risation, définition, délimitation, estimation, évaluation, fixation, limitation, précision. *La détermination de la longitude, de la latitude d'un lieu* (→ Carte, cit. 16). *Détermination des circonstances d'un événement. La détermination d'une espèce en zoologie. La détermination des objets, des événements par le langage* (→ ci-dessous, cit. 3, et le sens spécial, ling.). *Bien meuble par la détermination de la loi. Détermination d'un point de dogme.*

Dieu conduit l'Église dans la détermination des points de la foi, par l'assistance de son esprit qui ne peut errer ; au lieu que, dans les choses de fait, il a laissé agir par les sens et par la raison, qui en sont naturellement les juges.   1
PASCAL, les Provinciales, XVII.

Je ne sais rien de tel pour l'explication des idées et des doctrines que la réalité des faits et la détermination précise des circonstances au sein desquelles elles ont été conçues (...)   2
SAINTE-BEUVE, Proudhon, p. 81.

Il y a indétermination quand on parle d'êtres ou d'objets quelconques, sans indiquer quels sont les êtres et les objets particuliers dont on parle : *un soldat ; des fleurs.* Il y a détermination en cas contraire : *le soldat en faction à la porte du ministère des Finances ; les fleurs que j'ai rapportées* hier.   3
Il peut y avoir détermination d'individu, ou détermination d'espèce : *la route de Paris à Antibes,* c'est *une* route déterminée ; *les routes nationales,* c'est *une espèce* de routes déterminées.
BRUNOT, la Pensée et la Langue, V, I, p. 135.

Math. Action de déterminer les inconnues d'un problème ; caractère d'un problème déterminable. *La détermination du mouvement d'un corps :* ce qui règle, ce qui détermine la direction d'un corps en mouvement.

C'est Dieu qui imprime à la matière son mouvement et qui règle sa détermination.   4
MALEBRANCHE, De la recherche de la vérité, I, I, 2.

(1789). Ling. Le fait de déterminer (un terme). Spécialt. Individualisation du substantif (précédé alors par un *déterminatif*).

♦ 2 Biol. Ensemble des facteurs génétiques qui permettent de caractériser la différenciation entre mâle et femelle.

♦ 3 Philos. Relation entre deux éléments de connaissance, de telle façon que de la connaissance du premier il est possible de déterminer le second (opposé à *indétermination*). — *La détermination d'un phénomène :* le fait, pour ce phénomène, d'être soumis au déterminisme (→ **Déterminisme**). *La détermination d'un acte humain,* par le milieu psychologique, sociologique.

Théol. *La détermination de la destinée humaine.* → **Prédétermination ; prédestination.**

Voici quels sont leurs principes *(de certains théologiens) :* Nulle créature libre n'est déterminée par elle-même au bien ou au mal ; car une telle détermination détruirait la notion de liberté.   5
BOSSUET, Traité du libre arbitre, VI.

♦ 4 (1541). Au cours de l'acte volontaire, Résultat psychologique de la décision ; fait de se déterminer (2.). → **Décision ; intention** (d'agir), **parti, résolution, solution.** *Prendre rapidement une détermination. Sa détermination était bien arrêtée. Une détermination immédiate, spontanée, volontaire, soudaine, aveugle* (→ Ainsi, cit. 15).

(...) ou liberté, c'est choix, autrement une détermination volontaire au bien ou au mal (...)   6
LA BRUYÈRE, les Caractères, XVI, 47.

(...) en aucun cas je n'agis librement : aucune de mes déterminations ne pourrait être différente de ce qu'elle est.   7
MARTIN DU GARD, Jean Barois, II, III, p. 360.

Je pris et rejetai mille déterminations, fis et défis mille plans qui eussent été ridicules ou même comiques si le parfum de la mort ne les eût imprégnés, sanctifiés.   8
G. DUHAMEL, Récits des temps de guerre, II, 5,
p. 186.

Caractère d'une personne qui agit sans hésitation, selon les déterminations qu'elle a prises. → **Décision, énergie, fermeté, opiniâtreté, résolution, volonté.** *La détermination de qqn. Faire preuve de détermination. Cette action montre sa détermination. Agir avec détermination.*

9   Napoléon envisage toute sa position tout lui semble perdu s'il recule aux yeux de l'Europe surprise, et tout sauvé s'il peut encore vaincre Alexandre en détermination.
> Ph.-P. SÉGUR, Hist. de Napoléon, VIII, II.

CONTR. Indétermination; imprécision, vague. — Liberté. — Hésitation, indécision, irrésolution; faiblesse, mollesse, velléité. ◊ COMP. Autodétermination, surdétermination.

DÉTERMINÉ, ÉE [detɛʀmine] adj. → Déterminer.

DÉTERMINÉMENT [detɛʀmine] adv. — V. 1361, *determineement;* du p. p. de *déterminer.*

Vieux (langue classique).

♦ **1** Avec exactitude, précision. → **Exactement, expressément.**

♦ **2** Avec la résolution d'une personne déterminée. *«De certaines gens qui veulent si ardemment et si déterminément de certaines choses»* (La Bruyère).

DÉTERMINER [detɛʀmine] v. tr. — 1119; lat. *determinare* «marquer les limites», de *de-,* et *terminare* (→ Terminer).

♦ **1** Indiquer, délimiter avec précision. → **Caractériser, définir, délimiter, dire, donner, estimer, établir, évaluer, fixer, indiquer, limiter, marquer, préciser, spécifier.** *Déterminer le sens d'un mot. Déterminer les détails d'une entreprise, d'une expédition.* → **Régler.** *Déterminer les formalités à remplir.*

Définir et classer les caractères distinctifs de (une chose). → **Caractériser.** *Déterminer le genre et l'espèce d'un être vivant. Déterminer la classe à laquelle appartient un objet.* → **Classer.** *— Cette distance est difficile à déterminer.* → **Apprécier, assigner (vx), calculer, estimer, évaluer, mesurer.** *Déterminer l'auteur d'un texte.* → **Identifier, rechercher.** *Déterminer la cause d'un phénomène.* → **Assigner.** *Déterminer la qualité (de qqch.).* → **Qualifier.** *Déterminer l'époque, la date d'un événement. Déterminer l'endroit, le lieu.* → **Localiser.** *Déterminer la nature d'une maladie.* → **Diagnostiquer.** *Déterminer le centre, l'axe d'une roue.* → **Centrer.** *Déterminer la vitesse d'un véhicule. Déterminer les modalités d'application d'une loi.*

1   Il est presque impossible de déterminer par l'expérience l'intensité de la force attractive des molécules des corps (...)
> LAPLACE, Exposition du système du monde, IV, 17.

2   (...) de quel droit un pouvoir, quel qu'il fût, oserait-il déterminer où est la vérité, où se trouve l'erreur (...)
> CONDORCET, in JAURÈS, Hist. socialiste..., t. III, p. 436.

3   (...) nous ne pouvons déterminer l'instant précis où le *moi,* sous une autre forme, continue l'œuvre de l'existence *(pendant le sommeil).*
> NERVAL, la Bohème galante, «Le rêve et la vie».

4   Ces bornes ne peuvent être déterminées que par la Loi.
> Déclaration des droits de l'homme, art. 4 (→ Liberté).

Philos. Spécifier les caractères compréhensifs d'un concept. → **Caractériser, définir.**

Math. *Déterminer l'inconnue d'un problème. Déterminer les racines d'une équation.* → **Calculer.**

Ling., log. (Sujet n. de chose). Rapporter (un terme, un concept) à une situation précise. *Terme qui en détermine un autre* (déterminant*, déterminatif*); *terme déterminé* (le déterminé : → ci-dessous).

♦ **2** (1665). Avec un compl. second en *à.* Entraîner la décision volontaire de (qqn). → **Décider; amener, conduire, conseiller, diriger, encourager, engager, entraîner, inciter, inspirer, persuader, porter, pousser, solliciter.** *Déterminer qqn à l'action, à agir, à faire qqch. Ses amis l'ont déterminé à partir. La raison me détermine à agir ainsi. Il est déterminé à agir par sa raison. —* (Sans compl. second). *L'occasion le détermine.*

5   La gloire et les prospérités que le ciel promettra ou à l'un ou à l'autre choix ne seront-elles pas suffisantes pour le déterminer (...)
> MOLIÈRE, les Amants magnifiques, III, 1.

6   (...) vous ne les connaissez guère *(les femmes),* si vous croyez que le mérite les détermine à faire un choix.
> A. R. LESAGE, Gil Blas, II, VIII.

7   (...) il aperçoit à la fois un grand nombre d'idées; et comme il ne les a ni comparées ni subordonnées, rien ne le détermine à préférer les unes aux autres; il demeure donc dans la perplexité (...)
> BUFFON, Disc. sur le style.

8   J'ai bien une autre inquiétude : c'est de la déterminer à quitter sur-le-champ la maison du tuteur.
> BEAUMARCHAIS, le Barbier de Séville, IV, 6.

(1381). Vieilli ou littér. Décider. → **Choisir, fixer.** *Que faut-il déterminer ?*

Vx. *Déterminer qqch.* (un élément, une caractéristique) *à qqch.*

9   Mais de quel côté pencherons-nous ? La raison n'y peut rien déterminer : il y a un chaos infini qui nous sépare. Il se joue un jeu, à l'extrémité de cette distance infinie, où il arrivera croix ou pile. Que gagnerez-vous ? Par raison, vous ne pouvez faire ni l'un ni l'autre; par raison, vous ne pouvez défendre nul des deux.
> PASCAL, Pensées, III, 233.

Philos. *Système dans lequel les motifs déterminent invinciblement la volonté.* → **Déterminisme.**

Théol. *Dieu détermine la volonté, les cœurs.* → **Prédestiner, prédéterminer.**

10   Dieu leur donne une grâce efficace qui détermine réellement leur volonté à l'action.
> PASCAL, les Provinciales, II.

♦ **3** Causer, déclencher (un phénomène, des événements...). → **Causer; conditionner, déclencher, engendrer, former, occasionner, produire** (être à l'origine de). *Cet incident a déterminé sa colère. Déterminer un cataclysme, une crise.* → **Entraîner.** *Causes qui déterminent une révolution, une insurrection. — Le redoux a déterminé les avalanches.* → **Provoquer.** *Tous ces motifs ont déterminé son renvoi.* → **Amener.** *Agent chimique qui détermine une réaction.*

11   Le guerrier et le politique, non plus que le joueur habile, ne font pas le hasard, mais le préparent, ils l'attirent, et semblent presque le déterminer.
> LA BRUYÈRE, les Caractères, XII, 74.

12   *(Je crois)* que les progrès de l'industrie déterminent à la longue quelque adoucissement dans les mœurs (...)
> FRANCE, M. Bergeret..., XVII.

13   (...) les conditions sociales déterminent la production littéraire. Elle n'est pas moins modifiée par les conditions politiques.
> Gustave LANSON, l'Art de la prose, p. 143.

14   Il leur administre une foule de remèdes fantaisistes qui finiront bien par faire effet, c'est-à-dire par déterminer quelque maladie véritable.
> G. DUHAMEL, Chronique des Pasquier, t. III, VII, p. 272.

(Passif et p. p.). *Être déterminé par... L'émotion déterminée par cette nouvelle est considérable.*

15   Chez ces Anglais, l'action est si bien déterminée par une éducation rigide, que (...)
> A. MAUROIS, les Discours du Dr O'Grady, XIII, p. 140.

16   Notre destinée est déterminée par un geste (...)
> A. MAUROIS, les Discours du Dr O'Grady, XIII, p. 140 (→ Arrêter, cit. 25).

◆ **SE DÉTERMINER** v. pron.

♦ **1** (Passif). Être déterminé ; recevoir une détermination précise. *Cette distance ne se détermine pas facilement.*

♦ **2** (Réfl.). Se décider à agir. SE DÉTERMINER À **(qqch., à faire qqch.).** *Il se détermine à quitter son pays.* → **Arrêter** (s'arrêter à), **choix** (fixer son choix), **décider** (se), **engager** (s'), **prononcer** (se), **résoudre** (se), **vouloir** — Absolt :

17   Ils ont peine à se déterminer sur ce sujet.
                                    PASCAL, les Provinciales, XV.

18   La liberté vraie consiste donc à se déterminer quand on est parfaitement éclairé par l'entendement.
                        Émile FAGUET, Études littéraires, XVIIᵉ s.,
                                                         Descartes, III.

Vx. Se déterminer de faire quelque chose.

Philos. *Système selon lequel l'homme peut se déterminer sans motifs.* → **Liberté ; arbitre** (libre arbitre).

◆ **DÉTERMINÉ, ÉE** p. p. adj.

♦ **1** Qui a été précisé, défini. → **Arrêté, certain, défini, fixe, fixé, précis, précisé, réglé, spécifique.** *Se diriger vers un point déterminé, vers un lieu déterminé. À une époque déterminée* (→ Bassin, cit. 8). *Mot qui offre un sens déterminé* (→ Autopsie, cit. 1). *Dans certains cas* (cit. 12) *déterminés. Question déterminée, problème déterminé. Quantité déterminée. Pour une durée déterminée* (→ An, cit. 21). *Acheter des produits à un prix déterminé. Accomplir un travail dans un temps déterminé.*

19   Je veux même avancer l'heure déterminée (...)
                                    RACINE, Athalie, III, 7.

20   Nul homme ne peut être accusé, arrêté ni détenu que dans les cas déterminés par la Loi, et selon les formes quelle a prescrites.
                        Déclaration des droits de l'homme, art. 7.

21   En effet, il faut une quantité déterminée de force pour soulever un poids déterminé, cette force peut être distribuée sur un plus ou moins grand nombre de leviers ; mais, en définitive, la force doit être proportionnelle au poids (...)
                        BALZAC, le Médecin de campagne, Pl., t. VIII,
                                                           p. 443.

Ling. *Substantif déterminé, terme déterminé,* qui est précisé par le terme déterminant. — N. *Le déterminé et le déterminant.*

Math. *Système déterminé,* qui a une et seulement une solution.

♦ **2** (Personnes). Qui se détermine, se décide. → **Décidé, résolu.** — *Déterminé à... Il est déterminé à travailler sérieusement.* — Absolt. *C'est un homme déterminé.* → **Hardi, intrépide, opiniâtre, téméraire.** *Un caractère déterminé.* → **Courageux, direct.** *Il est déterminé dans sa résolution.* → **Ferme, inébranlable.** *Il est ferme sur ses positions, déterminé à ne pas céder.* — N. (Rare). *C'est un déterminé.*

22   C'est une chose où je suis déterminée.
                                    MOLIÈRE, le Médecin malgré lui, III, 6.

23   (...) un tracassier (...) pour être déterminé à me prendre en faute, à quelque prix que ce fût.
                                    ROUSSEAU, les Confessions, XII.

24   Un homme d'imagination forcenée comme Flaubert, déterminé à tout cristalliser en littérature (...)
                        A. THIBAUDET, Gustave Flaubert, p. 40.

Qui est abandonné sans réserve (à...). C'est un joueur, un buveur déterminé. → **Invétéré.**

(Attitudes). *Qui marque la détermination. Un air déterminé.*

♦ **3** Philos. *Qui est soumis au déterminisme* (→ **Déterminisme**). *Certains phénomènes physiques, chimiques, biologiques sont déterminés.*

(...) chez les êtres vivants aussi bien que dans les corps   25
bruts les conditions d'existence de tout phénomène sont
déterminées d'une manière absolue.
                        Cl. BERNARD, Introd. à l'étude de la médecine
                                              expérimentale, II, I, 5.

Automatisme, c'est, pour moi, un développement entière-   26
ment déterminé par un événement initial quelconque.
                                    VALÉRY, l'Idée fixe, p. 129.

Acte humain déterminé, qui ne peut être autre que ce qu'il est, étant données ses conditions d'existence antérieures. *L'homme est à la fois libre et déterminé (par les facteurs sociologiques, psychologiques).* → **Conduit, entraîné, poussé.**

Théol. *L'homme est déterminé au bien, au mal* (→ Détermination, cit. 5).

CONTR. (De *se déterminer*) Craindre, hésiter, reculer. — (De *déterminé*) Imprécis, incertain, indéfini, indéterminé. — Craintif, hésitant, peureux ; instable, irrésolu. ◊ **DÉR.** Déterminable, déterminant, déterminatif, déterminisme. — (Du p. p.) Déterminément. — **COMP.** Indéterminé, surdéterminé.

DÉTERMINISME [detɛʀminism] n. m. — 1827, *in* D.D.L. ; de *déterminer,* pour traduire l'all. *determinismus,* formé à la fin du XVIIIᵉ.

Didactique (philosophie).

♦ **1** Ordre des faits suivant lequel les conditions d'existence d'un phénomène sont déterminées, fixées absolument de telle façon que ces conditions étant posées, le phénomène ne peut pas ne pas se produire. *Le déterminisme des phénomènes. Principe du déterminisme. Croire au déterminisme des phénomènes et être convaincu que la nature obéit à des lois. Le déterminisme, fondement de l'induction**.

(...) il y a un déterminisme absolu dans toutes les sciences,   1
parce que, chaque phénomène étant enchaîné d'une
manière nécessaire à des conditions physico-chimiques,
le savant peut les modifier pour maîtriser le phénomène,
c'est-à-dire pour empêcher ou favoriser sa manifestation.
                        Cl. BERNARD, Introd. à l'étude de la médecine
                                              expérimentale, II, I, 1.

(...) l'induction suppose un double principe : 1° L'ordre de   2
la nature est constant, et les lois ne souffrent pas d'exception. En effet, dès qu'une hypothèse rencontre une seule
exception, nous jugeons aussitôt qu'elle n'est pas une loi.
2° L'ordre de la nature est universel, et il n'y a pas de faits
ni de détails des faits qui ne soient réglés par des lois (...)
Ce double principe, c'est le *déterminisme.* Toute induction
repose sur la confiance que nous avons dans le déterminisme. Il n'y a donc dans la nature ni *contingence,* ni
caprice, ni *miracle,* ni *libre-arbitre.*
                        Edmond GOBLOT, Traité de logique, p. 313.

REM. *Déterminisme* s'oppose à *fatalisme* en ce sens que suivant le *déterminisme,* un phénomène ne se produit nécessairement que si ses antécédents sont donnés, alors que suivant le *fatalisme,* l'événement est toujours nécessaire, quels que soient ses antécédents.

Déterminisme psychologique, suivant lequel l'homme est déterminé par un certain nombre de relations causales. — *Déterminisme historique,* suivant lequel il est possible de systématiser, d'ordonner le passé. *Déterminisme sociologique,* suivant lequel il est possible d'induire des lois sociologiques de la répétition des faits sociaux.

En somme, je voudrais montrer que liberté et détermi-   3
nisme sont vrais en même temps, ne sont pas contradictoires. Tu comprends ?
                        A. MAUROIS, Bernard Quesnay, IX, p. 61.

L'homme est la proie du déterminisme (...) lorsque son   4
comportement retombe à l'automatisme (...) lorsque la
maladie l'empêche d'être pleinement lui-même (...)
L'homme normal, s'il est capable de se déterminer lui-
même et en même temps déterminé (...) Si la liberté et
une signification autre que métaphysique, et si elle peut
être attestée par la psychologie, ce n'est pas en récusant
ces relations causales, c'est en montrant qu'à l'action de

ces causes l'homme peut opposer sa propre causalité (...)
                        MOUY, Logique, p. 166-167.

4.1 Supposer que Versailles succède à Notre-Dame de Chartres, satisfait les déterminismes — et leur permet d'oublier
que du XIIIᵉ au XVIIIᵉ siècle, le chrétien a subi une mutation totale, son lien avec l'imaginaire ayant totalement
changé.
                        MALRAUX, l'Homme précaire et la Littérature, p. 23.

♦ **2** « Doctrine philosophique suivant laquelle tous
les événements de l'univers, et en particulier les
actions humaines, sont liés d'une façon telle que
les choses étant ce qu'elles sont à un moment
quelconque du temps, il n'y ait pour chacun des
moments antérieurs ou ultérieurs, qu'un état et
un seul qui soit compatible avec le premier »
(Lalande).

5 (...) selon le canon du matérialisme intégral, l'accomplissement de l'homme tient dans sa soumission aussi complète
que possible aux déterminismes (...) la personne trouve sa
fin dans ce qui la détruit (...) le monde lui-même n'est régi
que par un déterminisme aveugle.
                        DANIEL-ROPS, Ce qui meurt..., p. 84.

CONTR. Indéterminisme ; caprice, fatalité, hasard. — Liberté.
◊ **DÉR. et COMP. Indéterminisme. V. Déterministe.**

DÉTERMINISTE [detɛʀminist] adj. et n. — 1811 ; all.
determinist (1788).

♦ **1** Adj. Qui est relatif au déterminisme. *Hypothèse déterministe. Philosophie déterministe* (→ **Cau-
saliste**.)

♦ **2** N. Partisan du déterminisme.

1 M. Stuart Mill, qui appartient à l'école déterministe ou
nécessitariste, proclame la supériorité pratique de la doctrine du libre arbitre (...) les indéterministes sont obligés
de le reconnaître, et les déterministes ne peuvent, de leur
côté, méconnaître l'idée de liberté (...)
                        A. MANGIN, Journal officiel, 10 avr. 1873,
                        in LITTRÉ, Suppl., art. Indéterministe.

2 (...) ils demeurent des positivistes convaincus, des évolu-
tionnistes, des déterministes, qui ont mis leur foi dans
l'observation et dans l'expérience, pour la conquête définitive du monde.   ZOLA, Paris, t. I, p. 197.

CONTR. Indéterministe.

DÉTERRAGE [detɛʀaʒ] n. m. — 1890 ; « action de
retirer de terre », 1874 ; de *déterrer*.

Technique.

♦ **1** Agric. Action de soulever de terre le soc d'une
charrue.

♦ **2** (1911). Action de chasser certaines bêtes (blaireau, renard) dans leur terrier.

DÉTERREMENT [detɛʀmã] n. m. — 1596 ; de
déterrer.

Action de déterrer un objet, un cadavre. *Déterrement d'un mort.* → **Exhumation.**

CONTR. Enterrement, inhumation.

DÉTERRER [detɛʀe] v. tr. — V. 1160 ; de 1. *dé-*, *terre*,
et suff. verbal.

♦ **1** Retirer de terre (ce qui s'y trouvait enfoui).
*Déterrer des pommes de terre, des betteraves.
Déterrer un pieu.* → **Arracher.** *Déterrer une mine,
une caisse, un trésor. Faire des fouilles pour déterrer
des objets d'art.* — Loc. *Déterrer la hache de guerre :*
ouvrir les hostilités (allusion aux coutumes des Indiens
d'Amérique.)

1 Là-bas, des congrégations de corbeaux déterrent du bec
des semences d'automne.
                        J. RENARD, Hist. naturelles,
                        « la Fermeture de la chasse ».

2 Les hommes qui se faisaient tuer en déterrant des obus
n'étaient plus des héros pour personne.
                        G. DUHAMEL, la Pesée des âmes, XIII, p. 318.

Spécialt. Enlever de sa sépulture. *Déterrer un mort.*
→ **Exhumer.**

La populace, toujours extrême, toujours barbare, quand   3
on lui lâche la bride, va déterrer le corps de Concini,
inhumé à Saint-Germain-l'Auxerrois (...)
                        VOLTAIRE, Essai sur les mœurs, CLXXV.

Ils *(les Lapons)* les enterrent sur le lieu où ils sont morts,   3.1
dans quelque caverne ou sous quelques pierres, pour les
déterrer l'hiver, lorsque la neige leur donne la commodité
de les porter à l'église.
                        J.-F. REGNARD, Voyage en Laponie, p. 120.

Fig. Tirer de l'oubli. → **Ressortir, ressusciter.** *Déterrer
des souvenirs, une vieille histoire. Pourquoi est-ce
qu'il est allé déterrer ces vieilles querelles ?*

Elle enfouissait ses griefs et les déterrait des semaines   4
après, alors que personne ne se souvenait plus de ce qui
en avait été le prétexte.
                        F. MAURIAC, la Pharisienne, VI, p. 88.

♦ **2** Découvrir (ce qui était caché). → **Découvrir,
dénicher, trouver.** *Déterrer un document en fouillant
dans des archives* (cit. 4). *Déterrer un secret.*

(...) je ne sais où tu as été déterrer cet attirail ridicule.   5
                        MOLIÈRE, Dom Juan, III, 1.

Déterrer une personne qui se cache, qui veut s'isoler.

L'homme aux ressources, Peltier, me déterra, ou plutôt me   6
dénicha dans mon aire.
                        CHATEAUBRIAND, Mémoires d'outre-tombe, t. II,
                        p. 87.

♦ **DÉTERRÉ, ÉE** p. p. adj.

Qu'on a sorti de terre. *Cadavre déterré.*

N. Fig. *Avoir un air, un visage, une mine, une gueule
(fam.) de déterré, de déterrée,* un visage pâle et
défait, comme celui d'un cadavre. — Var. : *avoir
l'air, la mine, la gueule d'un déterré.*

En sortant de ma chambre, j'avais l'air d'un déterré (...)   7
                        ROUSSEAU, les Confessions, V.

(...) et le matin on se revoit avec des figures de déterrés (...) 8
                        FLAUBERT, Correspondance, t. I, p. 224.

Quant à moi, dès que je me sentirai un peu mieux, dès   9
que je n'aurai plus cette figure de déterrée qui me fait
peur à moi-même, je retournerai près de vous.
                        MAUPASSANT, Fort comme la mort, p. 167.

**CONTR. Enfouir, ensevelir, enterrer, inhumer, terrer. —
Cacher, dissimuler.** ◊ **DÉR. Déterrage, déterrement, déterreur.**

DÉTERREUR, EUSE [detɛʀœʀ, øz] n. — Av. 1962 ;
de *déterrer.*

Personne qui déterre. *Un déterreur de cadavres.*

Personne qui pratique le déterrage (2.).

Personne qui découvre. *Un déterreur d'éditions
rares.*

DÉTERSIF, IVE [detɛʀsif, iv] adj. et n. m. — 1538 ;
du lat. *detersus*, p. p. de *detergere*. → Déterger.

♦ **1** Méd. Vx. Qui nettoie une plaie et en favorise
la cicatrisation. → **Abstergent, détergent.** *Le nitrate
d'argent est un remède détersif.* — Par plaisanterie :

(...) un bon clystère détersif (...) pour balayer, laver, et   1
nettoyer le bas-ventre de Monsieur (...)
                        MOLIÈRE, le Malade imaginaire, I, 1.

N. m. *Un détersif* : un produit détersif. — Par métaphore :

Si encore la douleur était un antiseptique des délits   2
futurs ou un détersif des fautes passées, on comprendrait
encore (...)   HUYSMANS, En route, p. 297.

♦ **2** Mod. Qui nettoie, en dissolvant les impuretés.
*L'eau de Javel, la lessive, les cristaux de soude sont
des produits détersifs.*

N. m. *Un puissant détersif.* → **Détergent.**

DÉTERSION [detɛrsjɔ̃] n. f. — 1560; lat. médical *detersio*, du supin de *detergere*. → Déterger.

♦ 1 Méd. Action de déterger*, d'arrêter l'infection. → Désinfection. *La détersion d'une plaie.*

♦ 2 Techn. Action d'un détersif (2.).

CONTR. **Infection.**

DÉTESTABLE [detɛstabl] adj. — 1308; lat. *detestabilis*, de *detestari* → Détester.

♦ 1 Vx. Qu'on doit détester, qui mérite d'être détesté. → **Abominable, exécrable, haïssable, méprisable, odieux.** *La calomnie est détestable. Il est d'une prétention détestable. Procédé, attitude détestable.* → **Dégoûtant, écœurant, répugnant.** *Un travail détestable.* → **Antipathique, désagréable.**

REM. Jusqu'au XVIIe s. inclus, le sens du mot est très fort et implique généralement l'idée de malédiction. → Détester (étymologie).

1 Les détestables feux de son ambition.
CORNEILLE, Cinna, III, 1.

2 On verra de David l'héritier détestable
Abolir tes honneurs, profaner ton autel,
Et venger Athalie, Achab et Jézabel (...)
RACINE, Athalie, V, 6.

3 (...) les plus détestables mensonges sont ceux qui se rapprochent le plus de la vérité.
GIDE, Si le grain ne meurt, II, II, p. 340.

♦ 2 (1663). Mod. Très désagréable. *Quel pays, quel temps détestable!* → **Affreux, vilain.** → *Quel temps de chien*! Défaites-vous de cette détestable habitude* (→ Défaire, cit. 20). *Un repas détestable. Être d'une humeur détestable.* → **Exécrable, mauvais.** *Il a été détestable pendant tout le repas.* → **Désagréable; poison** (c'est un vrai poison). *Nous avons passé une nuit détestable, sans pouvoir dormir.*

♦ 3 Qui est très mauvais* dans son genre. *Le style de cet ouvrage est détestable* (→ Boursouflé, cit. 3). *Musique détestable. Ce musicien est détestable.*

4 Il est vrai, je la trouve détestable (*l'École des femmes*); morbleu! détestable du dernier détestable; ce qu'on appelle détestable.
MOLIÈRE, la Critique de l'École des femmes, 5.

5 Qui dit froid écrivain dit détestable auteur.
BOILEAU, l'Art poétique, IV.

CONTR. **Admirable, enviable, louable, magnifique. — Adorable, agréable, aimable, exquis; bon, excellent.** ◊ DÉR. **Détestablement.**

DÉTESTABLEMENT [detɛstabləmɑ̃] adv. — 1393; de *détestable*.

D'une manière détestable (2. ou 3.), très mal. *Il joue détestablement.*

CONTR. **Admirablement, agréablement, bien, magnifiquement.**

DÉTESTATION [detɛstasjɔ̃] n. f. — XIVe; lat. *detestatio*, du supin de *detestare*. → Détester.

♦ 1 Vx ou littér. Action de détester. *Avoir de la détestation pour qqn, qqch.* → **Horreur.**

1 Si vous voyiez l'horreur, la détestation, la haine qu'on a ailleurs pour le gouverneur (...)
Mme DE SÉVIGNÉ, Lettres, 465, 6 nov. 1675.

1.1 J'ai d'abord eu une réaction violente, une détestation passionnée (...)
R. QUENEAU, Bâtons, chiffres et lettres, p. 37.

Loc. *En détestation de* : en horreur de.

1.2 À l'école, Armand a haï ses condisciples. Il avait le travail facile, mais sous la table, en détestation de la laïque, il disait son chapelet.
ARAGON, les Beaux Quartiers, I, IX, p. 52.

♦ 2 Relig. Horreur que l'homme, le chrétien, doit avoir (pour qqch.). *La détestation du péché.* → **Exécration;** → Contrition, cit. 1.

2 Quand nous en reconnaîtrons le mal (*d'une proposition*), nous l'aurons en détestation (...)
PASCAL, les Provinciales, lettre III.

3 (...) il commença à l'arracher à la grandeur, à la noble spiritualité de ses conceptions religieuses (...) lui prêchant avec l'*Imitation* la détestation chrétienne de la connaissance et de l'étude.
Ed. et J. DE GONCOURT, Mme Gervaisais, p. 266.

CONTR. **Amour.**

DÉTESTER [detɛste] v. tr. — Fin XIIIe; lat. *detestari* «maudire» proprt «détourner en prenant les dieux à témoin», de *de*- marquant l'éloignement et *testari* «prendre à témoin», de *testis* «témoin».

♦ 1 (Jusqu'au XVIIe). Vx. Maudire. → **Jurer, pester** (→ Contre, cit. 17).

1 Tous accusent leurs chefs, tous détestent leur choix (...)
CORNEILLE, Horace, III, 1.

2 (...) je suis venu, détestant la lumière (...)
RACINE, Phèdre, V, 7.

♦ 2 (Mil. XVIe). Mod. Avoir de l'aversion pour (ce qu'on réprouve, ce qu'on n'aime pas). → **Abhorrer, exécrer, horreur** (avoir en horreur), **réprouver.** *Détester le mensonge, la calomnie. Je déteste la manière dont il est parvenu à ses fins.*

3 J'abhorre les faux dieux. — Et moi, je les déteste.
CORNEILLE, Polyeucte, II, 6.

4 (...) il y a des âmes justes qui détestent la fourberie et les traîtres.
ROUSSEAU, Rêveries..., 8e promenade.

5 Je déteste le faux en tout comme un ennemi du bonheur (...)
STENDHAL, Journal, p. 391.

6 Pour détester ce qui vous flatte, quelle force de caractère ne faut-il pas?
GIDE, les Faux-monnayeurs, I, XII, p. 146.

Détester qqn. → **Haïr; abominer.** — *Ne pas pouvoir souffrir*, voir*, sentir* qqn;* (fam.) *avoir qqn dans le nez*, ne pas pouvoir le blairer*. Vouloir du mal à celui qu'on déteste. Se faire détester de tous.*

7 Tel on déteste avant, que l'on adore après.
VOLTAIRE, Catilina, I, 1.

8 Allons, Marie, ne me déteste pas, je ne suis pas un méchant homme (...)
G. SAND, la Mare au diable, XI, p. 94.

9 Chacun de nous déteste tous les autres, c'est entendu. Mais s'il les déteste comme individus, il ne peut se défendre d'un goût dépravé pour la sottise quand elle est l'œuvre du troupeau tout entier.
A. MAUROIS, les Discours du Dr O'Grady, IV, p. 46.

♦ 3 (1580). Ne pas pouvoir endurer, supporter (→ fam. Ne pas encaisser*). *Détester la campagne. Détester la pluie. Détester un aliment, un habillement, une occupation.* Par euphém. *Ne pas détester qqch. :* aimer assez, trouver agréable, avoir un faible, de la complaisance pour. *Je ne déteste pas le foie gras. — Il déteste les enfants mal élevés, les gens bavards.*

10 Il est distant; il est poli jusqu'à la minutie; et à cause de l'extrême politesse, il n'est pas familier. Il déteste le laisser aller, le bruit, la poussière et les coups de coude.
André SUARÈS, Trois hommes, «Ibsen», III, p. 109.

11 En outre, il ne déteste pas l'excitation que donne au milieu de la matinée un verre de vin blanc, ou même un quinquina.
J. ROMAINS, les Hommes de bonne volonté, t. IV, I, p. 8.

Détester faire qqch. : avoir horreur de... *Il déteste attendre. Il déteste être considéré comme un enfant. — Détester de faire* (littér.). *Nous détestons d'avoir à attendre.*

12 Elle se console d'avoir oublié ses cigarettes, détestant de fumer dans le noir.
F. MAURIAC, Thérèse Desqueyroux, II, p. 25.

◆ **DÉTESTÉ, ÉE** p. p. adj.

Qui est objet d'aversion, de dégoût. *Personne détestée de tous; ce nom est partout détesté.* → **Odieux.**

13 Accablez-moi de noms encor plus détestés :
Je n'y contredis point, je les ai mérités (...)
MOLIÈRE, Tartuffe, III, 6.

14 Chassé, battu, détesté pour ses crimes,
Honni, berné, conspué pour ses rimes (...)
VOLTAIRE, Poésies mêlées, 84.

15 Tantôt j'étais un homme noir, et tantôt un ange de lumière.
Je me suis vu dans la même année vanté, fêté, recherché,
même à la cour, puis insulté, menacé, détesté, maudit.
ROUSSEAU, Lettre à M⁹ʳ de Beaumont.

CONTR. Admirer, adorer (cit. 9), **affectionner, aimer, bénir, chérir.**

DÉTHÉINÉ, ÉE [deteine] adj. — XXᵉ; de 1. *dé-*, *théine* et suff. *-é*, d'après *décaféiné.*

Dont on a enlevé la théine. *Thé déthéiné.*

DÉTIMBRÉ, ÉE [detɛ̃bʀe] adj. — 1952; de 1. *dé-*, et *timbre.*

Rare. Qui a perdu son timbre.

1 Lassalle dit : «Bonsoir», d'une voix un peu détimbrée (...)
CAMUS, l'Exil et le Royaume, p. 85.

2 Les signes se distinguent dans leurs différences et leurs différences sont entièrement données dans les significations. Une voix ou des voix ? C'est une voix blanche, détimbrée. Voix blanche, écriture exacte et pure.
Henri LEFEBVRE, la Vie quotidienne dans le monde moderne, p. 25.

CONTR. Timbré (bien).

DÉTIMBRER [detɛ̃bʀe] v. — Mil. XXᵉ; de 1. *dé-*, *timbre*, et suff. verbal.

◆ **1** V. tr. Faire perdre son timbre à... — **Pron.** «Cette voix qui se détimbre, qui se dépersonnalise» (Georges-Emmanuel Clancier, l'Éternité plus un jour, p. 273).

◆ **2** V. intr. Perdre son timbre, devenir détimbré. «La joie de pouvoir détimbrer, traîner sur les sons. J'adore ça» (Opéra de Paris, 1ᵉʳ nov. 1983).

DÉTIRÉ [detiʀe] n. m. — 1935; p. p. substantivé de *détirer.*

Chorégr. «Mouvement d'assouplissement de la jambe effectué avec l'aide du bras» (M. Bourgat, Technique de la danse). *Le détiré ou le pied dans la main.*

Dans le mouvement nommé *détiré*, le moment caractéristique est un dégagé où la main tient le talon de la jambe soulevée.
M. BRILLANT, la Danse, in Encycl. franç. (de MONZIE), t. XVI, 16⁴⁴-12 (1935).

DÉTIRER [detiʀe] v. tr. — Mil. XIIᵉ; de 2. *dé-*, et *tirer.*

Techn. Tirer pour étendre*. → **Étirer.** *Détirer un drap avant de le plier. Détirer un tissu en le repassant, détirer du feutre.* — Par ext. Littér. → **Détendre.**

1 En voiture, tout le temps, il m'envoyait des coups de pied dans les jambes (...) ses nerfs, disait-il.
Alphonse DAUDET, l'Immortel, p. 123.

◆ **SE DÉTIRER** v. pron.

(1808). Étendre ses membres pour se délasser. *Se détirer en bâillant.* → **Étirer** (s').

2 Et voici que les beaux cygnes, l'un après l'autre, troublés par ce bruit, au profond de leurs sommeils, se détiraient onduleusement la tête de dessous leurs pâles ailes d'argent (...)
VILLIERS DE L'ISLE-ADAM, Tribulat Bonhomet, p. 16.

CONTR. Plier. — Recroqueviller (se). ◊ **DÉR. Détiré, détireuse.**

DÉTIREUSE [detiʀøz] n. f. — 1890; de *détirer.*

Techn. Machine qui sert à élargir les tissus.

DÉTISSER [detise] v. tr. — XVIᵉ; de 1. *dé-*, et *tisser.*

Défaire un objet tissé. *Détisser une toile.*

Figuré :

(...) Il y a d'ici là beaucoup de douleur encore, beaucoup de gens et de choses à pulvériser : fibre à fibre, je détisse, je sabote; je me déteste de faire à Julien «un travail», mais je sens autour de lui trop d'attaches fausses et gluantes, je voudrais scier au moins celles-là.
A. SARRAZIN, l'Astragale, p. 147.

DÉTONANT, ANTE [detɔnɑ̃, ɑ̃t] adj. — 1729; de *détoner.*

Qui est susceptible de détoner. *Explosif détonant,* dont la vitesse de décomposition est supérieure au km/s. — (1860, *in* D.D.L.). *Mélange détonant :* mélange de gaz susceptible de s'enflammer et de détoner. → **Carburation.** — N. m. Produit qui peut détoner. *Le fulminate d'argent est un détonant.*

COMP. Antidétonant.

DÉTONATEUR [detɔnatœʀ] n. m. — 1874; de *détoner.*

◆ **1** Amorce (capsule ou autre) qui fait détoner un explosif.

◆ **2** (V. 1966). Fig. Fait, événement qui déclenche une action (politique, militaire, etc.). «La victoire électorale des partis du Front populaire avait servi de "détonateur" à une formidable explosion sociale» (Gilles Martinet).

DÉTONATION [detɔnasjɔ̃] n. f. — 1676; de *détoner.*

◆ **1** Cour. Bruit soudain et violent de ce qui détone. → **Déflagration, explosion, fulmination.** *Détonation de certains explosifs*, dits primaires (dynamite, nitro-glycérine...). La détonation d'une bombe, d'un obus* (→ **Éclatement**), d'un tir, d'un feu d'artifice* (→ **Pétarade**). — Par ext. Détonation d'une arme à feu. → **Coup, décharge.** Roches, bâtiments qui sautent avec une grande détonation.

1 La chimie curieuse a des transmutations, des précipitations, des détonations, des explosions (...) et mille autres merveilles à faire signer mille fois le peuple qui les verrait.
ROUSSEAU, Lettres écrites de la montagne, 3.

2 Avant-hier, explosion dans le port; c'est un cargo chargé de munitions qui saute. La plus forte détonation que j'aie entendue.
GIDE, Journal, 17 juil. 1943, p. 190.

Sc. Mécanisme par lequel se propagent à de très grandes vitesses certaines explosions (syn. : onde explosive); propagation d'une flamme, d'une décomposition brutale par cette onde explosive. *Détonation du fulminate de mercure.* → **Détoner.** *Théorie hydrodynamique de la détonation. Front de détonation. Célérité d'une détonation. Vitesse de détonation. Plus la vitesse de détonation d'un explosif est élevée, moins sa brisance* est grande. Détonation et déflagration*.

Techn. Inflammation non homogène du mélange air-carburant, dans un moteur à explosion; bruit produit par ce phénomène. *Additif destiné à éviter la détonation.* → **Antidétonant.**

2.1 (...) l'essence technique du moteur à combustion interne a pu devenir celle du moteur Diesel, par une concrétisation supplémentaire du fonctionnement : dans le moteur à carburation préalable, l'échauffement du mélange carburé dans le cylindre au moment de la compression est inessentiel ou même nuisible, puisqu'il risque de produire la détonation au lieu de produire la déflagration (combustion à onde explosive progressive), ce qui limite le taux de compression admissible pour un type donné de carburant (...)

> Gilbert SIMONDON, Du mode d'existence des
> objets techniques, p. 43-44.

♦ **2** Bruit violent, analogue à celui d'une explosion.

3   Puis il se fit un grand remue-ménage ; un grand mouvement de pieds et de têtes, une grande détonation générale de toux et de mouchoirs (...)

> HUGO, Notre-Dame de Paris, I, 1.

DÉTONER [detɔne] v. intr. — 1680 ; lat *detonare*, de *de-* intensif, et *tonare* «tonner».

Exploser avec bruit (par combustion rapide, réaction chimique violente, détente d'un gaz, etc.) et avec une grande vitesse de décomposition (de l'ordre du km/s au moins). *Faire détoner un mélange gazeux.*

1   En le faisant détoner *(le salpêtre)*, on le voit souffler son propre feu, comme le ferait un soufflet étranger.

> BUFFON, Introd. à l'hist. nat. des minéraux, I,
> *in* LITTRÉ.

2   Cyrus Smith aurait certainement pu fabriquer une amorce. À défaut de fulminate, il pouvait facilement obtenir une substance analogue au coton-poudre, puisqu'il avait de l'acide azotique à sa disposition. Cette substance, pressée dans une cartouche, et introduite dans la nitro-glycérine, aurait éclaté au moyen d'une mèche et déterminé l'explosion.
Mais Cyrus Smith savait que la nitro-glycérine a la propriété de détoner au choc.

> J. VERNE, l'Île mystérieuse, t. I, p. 229.

DÉR. Détonant, détonateur, détonation, détonique. ◊ **HOM.** Détonner.

DÉTONIQUE [detɔnik] n. f. — V. 1973 ; de *détoner*, d'après l'angl. *detonics*.

Chim., phys. Science qui a pour objet l'étude des composés explosifs. *Les recherches en détonique permettent d'améliorer les techniques d'utilisation des explosifs.*

DÉTONNER [detɔne] v. intr. — 1611 ; de 1. *dé-*, *ton*, au sens musical, et suff. verbal.

♦ **1** Sortir du ton. *Détonner en chantant :* chanter faux. *Tous les chanteurs ont détonné d'un demi-ton, quand l'accompagnement s'est arrêté.*

1   Tous mes sots à la fois ravis de l'écouter,
Détonnant de concert, se mettent à chanter.

> BOILEAU, Satires, III.

♦ **2** (1752). Fig. Ne pas être dans le ton, ne pas être en harmonie avec le reste. *Intellectuel qui détonne dans un milieu paysan.* → **Contraste** (faire contraste), **trancher.** *Ce fauteuil Empire détonne dans un salon moderne. Couleurs qui détonnent.* → **Jurer.**

2   (...) il y a dans ses meilleurs endroits *(de Littré)* des termes ou dictions qui détonnent, qui heurtent (...)

> SAINTE-BEUVE, Correspondance, t. II, p. 144.

3   Il y a, dans toute œuvre immense, des chapitres qui détonnent.

> A. MAUROIS, Études littéraires, J. Romains, t. II,
> IV, p. 155.

CONTR. (Du sens II) Accorder (s'), appareiller (s'), harmoniser (s'). ◊ **HOM.** Détoner.

DÉTORDRE [detɔrdr] v. tr. [CONJUG.: *tordre*.] — 1130 ; de 1. *dé-*, et *tordre*.

Remettre dans son premier état (une chose tordue). *Détordre du linge.* — **Pron.** Perdre sa torsion. *Câble qui se détord.*

L'art de faire cette tresse de 2 êtres qui finit par haleter et se tordre comme le feu — que parcourent les frissons immenses — qui se détord dans un calme suprême.

> VALÉRY, Cahiers, Pl., t. II, p. 396.

◆ **DÉTORDU, UE** p. p. adj.

Dont on a supprimé la torsion ; rendu droit. *«Un trombone (attache de bureau) détordu»* (B. Vian, *Vercoquin*, p. 130).

CONTR. Tordre. ◊ **DÉR.** Détors, détorsion.

DÉTORS, ORSE [detɔr, ɔrs] adj. — V. 1560 ; repris 1790 ; du rad. du présent de l'indic. de *détordre*.

Techn. Qui n'est plus tors. *Fil détors.*

DÉTORSION [detɔrsjɔ̃] n. f. — 1468 ; du p. p. de *détordre*, d'après *torsion*.

Didactique. Action de détordre ; résultat de cette action. *Un appareil à détorsion.*

CONTR. Torsion.

DÉTORTILLER [detɔrtije] v. tr. — XIIᵉ, *destortiller* ; de 1. *dé-*, et *tortiller*.

Défaire (ce qui était tortillé). *Détortiller une ficelle, des fils emmêlés.* — **Fig.** *Se détortiller de qqn,* s'en débarrasser. → **Dépêtrer** (se).

(...) André ressaisit les papiers et il essaya de défaire le nœud qui les liait (...) Berthe se déganta et, un peu rouge, détortilla le fil. HUYSMANS, En ménage, XV.

DÉTOTALISÉ, ÉE [detɔtalize] adj. — 1943 ; de 1. *dé-*, et *totalisé*.

Didact. Qui n'est pas considéré comme un tout, en parlant d'un ensemble.

(...) la multiplicité des «autrui» ne saurait être une *collection* mais une *totalité* puisque chaque autrui trouve son être en l'autre ; mais (...) cette Totalité est telle qu'il est par principe impossible de se placer «au point de vue du tout» (...) En outre cette totalité — comme celle du Pour-soi — est totalité détotalisée, car l'existence-pour-autrui étant refus radical d'autrui, aucune synthèse totalitaire et unificatrice des «autrui» n'est possible.

> SARTRE, l'Être et le Néant, p. 309 (1943).

DÉTOUR [detur] n. m. — 1165, *destor* «lieu écarté» ; déverbal de *détourner*.

♦ **1** Tracé qui s'écarte du chemin direct (en parlant d'une voie, d'un cours d'eau). → **Angle, boucle, coude, courbe, tournant.** *La rivière fait un large détour. Les tours et détours d'une rivière.* → **Contour, méandre, sinuosité.** *Le chemin fait plusieurs détours avant d'arriver au village.* — *Les détours d'une rue, d'une galerie,* et, par ext., *d'une ville, d'un palais,* les voies compliquées, les accès où l'on se perd. → **Circonvolution, dédale, labyrinthe, lacet, zigzag.**

1   Nourri dans le Serrail *(sérail),* j'en connais les détours (...)

> RACINE, Bajazet, IV, 7.

2   (...) les petites rues descendaient, montaient, s'enlaçaient comme pour égarer le passant attardé (...) mais André en savait par cœur les détours.

> LOTI, les Désenchantées, VII, p. 130.

Fig. et **littér.** *Les détours du cœur, de l'âme,* ses replis* secrets.

Par ext. Endroit où une voie tourne. → **Coude, tournant, virage.** *Le détour du chemin, du sentier.* — **Loc.** *Au détour de...*

3   Tous deux sont embusqués au détour du chemin.

> HUGO, la Légende des siècles, VI, II.

4   Ils disparurent bientôt tous les trois au premier détour du chemin.

> MAUPASSANT, Contes, «L'auberge», Pl., t. II, p. 786.

Figuré :

5   Il trouva même que leur liaison (...) se parait de l'imprévu, de l'absurdité apparente que les artistes savent mettre à chaque détour de leur vie.

> J. ROMAINS, les Hommes de bonne volonté, t. V,
> IV, p. 27.

Attendre qqn au détour, être prêt à profiter des difficultés qu'il peut rencontrer (→ Attendre au tournant*, au coin* de la rue, du bois).

♦ **2** Action de parcourir un chemin plus long que le chemin direct qui mène au même point ; résultat de cette action. *Faire un long détour, un détour inutile pour se rendre à un endroit* (→ Allonger). *Coupez par ici, cela vous évitera un détour de plus d'un kilomètre. Faire de nombreux détours par ignorance du bon chemin*. → Dévier, égarer (s'). *Faire un détour pour éviter un obstacle*. → Contourner. *J'ai fait un détour pour vous dire bonjour*. → Crochet. *Détour obligatoire, dans la circulation, pour cause de travaux*. → Déviation.

6 Voilà les ennemis qui ont fait un grand détour pour éviter les passages gardés ! FÉNELON, Télémaque, IX.

7 En faisant tant de détours, en m'égarant par de tels méandres, je n'arriverai jamais (...) FRANCE, le Petit Pierre, VIII, p. 38.

Fig. Revenir de ses erreurs après de longs détours. → Égarement, errement.

♦ **3** (Abstrait). Moyen indirect de dire, de faire ou d'éluder qqch. → Biais, faux-fuyant, manigance, obliquité (voie oblique), ruse, subterfuge. *User de détours pour parvenir à ses fins*. → Louvoyer, tournoyer. *Prendre, chercher des détours pour dire qqch*. (par politesse, par politique, etc.). → Tergiverser, tourner (tourner autour du pot) ; tortiller (sa pensée). *Détours dans le langage*. → Circonlocution, circonvolution, périphrase. *Langage plein de détours*. → Alambiqué, amphigourique, compliqué, confus, contourné, tortillonné, tortueux. *Pas tant de détours, au fait !* → Complication, histoire, mystère, phrase. — *Sans détour, sans détours*. → Droit (aller droit au but). *Il lui a tout raconté, sans détour. Expliquez-vous sans détour, tout bonnement, clairement, crûment, franchement, nettement, simplement, sincèrement*. → Ambages (sans).

8 Soyez amant, vous serez inventif ;
Tour ni détour, ruse ni stratagème,
Ne vous faudront *(manqueront)* (...)
LA FONTAINE, Contes, XIII.

9 Vous vous expliquez clairement (...) vous n'allez point chercher de détours (...) MOLIÈRE, Dom Juan, IV, 1.

10 Une autre chose contribue beaucoup aux longs discours des femmes, c'est qu'elles sont nées artificieuses et qu'elles usent de longs détours pour venir à leur but (...) FÉNELON, De l'éducation des filles, IX.

11 Avant de répondre, Michels tâta du regard l'assemblée. Puis il se lança dans un long développement, avec toutes sortes de distinguos et de détours, et une grande abondance de gestes. J. ROMAINS, les Hommes de bonne volonté, t. IV, XVI, p. 180.

12 (...) je commençai, non sans détours, non sans réticences et allusions mystérieuses, je commençai d'expliquer notre famille, nos secrets (...) G. DUHAMEL, Chronique des Pasquier, II, III, p. 245.

Personne sans détour : personne simple, franche et directe. → Malice (sans malice) ; **nature** (fam.).

CONTR. Raccourci. — Franchise, simplicité.

DÉTOURAGE [detuʀaʒ] n. m. — V. 1940 ; de *détourer*.

♦ **1** Techn. Opération par laquelle on donne à une pièce en cours d'usinage le contour exact imposé par le dessin.

♦ **2** Gravure, photogr. Délimitation du contour du sujet sur un cliché.

DÉTOURER [detuʀe] v. tr. — V. 1940 ; de 1. *dé-, tour*, et suff. verbal.

Techn. Effectuer le détourage de (qqch.).

(...) le dessinateur trace l'image avec ses instruments habituels, plume, crayon ou pinceau. C'est ce dessin qu'il s'agit alors de détourer (...) Jean LARAN, les Estampes, p. 11.

DÉR. Détourage.

DÉTOURNÉ [detuʀne] n. m. — Mil XXᵉ ; p. p. subst. de *détourner*.

Chorégr. Changement de position obtenu par un pivotement en direction de la jambe située derrière l'autre jambe. *Le détourné ou tour de rein*.

Le détourné est un changement d'orientation, obtenu par un pivotement ayant pour centres le talon de la jambe de position d'une part et la pointe de l'autre jambe qui est plantée en arrière d'autre part. Marcelle BOURGAT, Technique de la danse, p. 65.

DÉTOURNEMENT [detuʀnəmã] n. m. — Attestation isolée, XIIIᵉ, *destournement* «endroit écarté» ; de *détourner*.

Action de détourner.

♦ **1** (1538). Action de changer le cours, la direction. *Le détournement d'un cours d'eau*. → Dérivation. (V. 1967). Action de contraindre l'équipage d'un avion de ligne à changer de destination. → Déroutage. *«Le droit international ignore la "piraterie" aérienne. Les organisations internationales parlent de "détournement illicite d'aéronef"»* (le Monde, 12 sept. 1970). *Détournement d'un avion suivi d'une prise d'otages*.

♦ **2** (1549). Dr. Action de détourner des objets confiés en vertu d'un contrat. — *Détournement de fonds, de valeurs, de titres...*, fait de disposer indûment de ce que l'on détient à titre précaire. → Abus (de confiance), dissipation, divertissement, malversation, pillage, vol. *Le détournement constitue un abus de confiance* (→ Détourner, cit. 22). *Détournement commis par un dépositaire public* (art. 169 à 173 du Code pénal). → Soustraction.

Mᵐᵉ Aubain étudia ses comptes *(du comptable)*, et ne tarda pas à connaître la kyrielle de ses noirceurs : détournements d'arrérages, ventes de bois dissimulées, fausses quittances, etc. FLAUBERT, Trois contes, «Un cœur simple», IV.

Détournement d'actif : action de soustraire une partie de ses biens aux poursuites de ses créanciers. *Le détournement d'actif constitue, de la part du commerçant failli, un cas de banqueroute frauduleuse* (art. 591 du Code de commerce). *Dr. admin. Détournement de pouvoir :* utilisation d'un pouvoir dans un but non conforme à la loi du service.

♦ **3** (1836). Dr. *Détournement de mineur :* enlèvement d'une personne mineure du lieu où l'avaient placée ceux qui avaient autorité sur elle. → Enlèvement, rapt. — Dr., cour. Séduction d'un mineur, d'une mineure par une personne majeure. *Détournement sans fraude ni violence d'un mineur de dix-sept ans*. → Séduction (rapt par séduction).

DÉTOURNER [detuʀne] v. tr. — 1080, fig. ; de 1. *dé-*, et *tourner*.

I ♦ **1** (XIVᵉ). Changer la direction de (qqch.). *Détourner un cours d'eau*, changer son tracé initial. → Dériver. *Détourner un convoi de son itinéraire*. → Dérouter. — *Détourner un coup*, l'empêcher d'atteindre son but. → Dévier, esquiver, éviter, parer (→ Atteinte, cit. 6).

Tel qu'un ruisseau docile
Obéit à la main qui détourne son cours (...) RACINE, Esther, II, 8.

2   Mais un caprice du vent détourna le son des instruments
     à résonance aiguë (...)   COLETTE, la Chatte, p. 161.

     Pron. *Rivière qui se détourne de son cours.* — **Figuré :**

3   Il y a des moments où notre destinée (...) se détourne
     soudain de sa ligne première, telle qu'un fleuve qui change
     son cours par une subite inflexion.
                    CHATEAUBRIAND, Mémoires d'outre-tombe, t. II,
                                                         p. 107.

     (V. 1970). **Par anal.** *Détourner un avion :* obliger le
     pilote d'un avion de ligne à modifier la destination
     de l'appareil. → **Détournement.**

     ♦ **2** Fig. Changer* le cours de. *Détourner la con-*
     versation (→ Rompre les chiens*). *Détourner une*
     question pour se dispenser d'y répondre. → **Éluder,**
     esquiver. *Détourner l'attention de qqn.* → **Distraire.** —
     Détourner la colère de qqn. Détourner sa colère sur
     qqn. Détourner les soupçons. → **Éloigner; dérouter.**
     Détourner une malédiction. → **Conjurer.** *Détourner*
     un malheur. → **Prévenir.**

4   (...) un fâcheux embarras que vous essayez en vain
     d'éluder en détournant la question (...)
                         PASCAL, les Provinciales, lettre XII.

5   (...) dévorez vos chagrins ; il faut céder à l'orage qu'on ne
     peut détourner.   A. R. LESAGE, Gil Blas, XII, x.

6   Rendre un jeune homme amoureux de soi, uniquement
     pour détourner sur lui les soupçons tombés sur un
     autre (...)
                         A. DE MUSSET, Comédies et proverbes,
                                        « le Chandelier », III, 2.

7   (...) il eut l'air de ne pas comprendre et détourna la con-
     versation.   FLAUBERT, Mᵐᵉ Bovary, II, XII, p. 121.

     Spécialt. *Détourner un texte, détourner le sens d'un*
     texte, lui donner une signification éloignée du sens
     véritable. → **Dénaturer.**

8   C'est ainsi qu'il détournait l'Écriture sainte.
                     BOSSUET, Disc. sur l'hist. universelle, II, 23.

     Détourner un objet de son usage. → Pervertir, cit. 5.

     ♦ **3** Écarter (qqn du chemin à suivre). *Détourner*
     qqn de sa route. → **Dérouter.**

     Pron. *Se détourner de sa route par erreur.* → **Dévier,**
     égarer (s'), **fourvoyer** (se). *Se détourner de son chemin*
     pour aller quelque part. → **Crochet** (faire un crochet),
     rabattre (se).

9   Il se détourna de son chemin pour aller voir sur le mail
     un orme qu'il aimait entre tous.
                   FRANCE, l'Anneau d'améthyste, Œ., t. XII, p. 268.

     Fig. *Détourner quelqu'un d'une occupation, de*
     son travail. → **Arracher** (à), **déranger, distraire,**
     divertir, écarter, éloigner. *Rien ne le détourne de*
     son travail ; il arrive à s'abstraire complètement
     (→ Assiduité, cit. 3). *Détourner qqn de ses soucis,*
     de sa tristesse. → **Distraire.** *Détourner qqn du*
     droit chemin, du devoir. → **Corrompre, débaucher,**
     dévoyer. *Détourner qqn d'une inclination, d'un goût.*
     → **Dégoûter.** *Détourner qqn d'un projet, d'un des-*
     sein, d'un but, d'une résolution..., l'y faire renoncer.
     → **Déconseiller, dissuader, empêcher** (de faire quelque
     chose).

10   Je lui tins bien d'autres discours encore pour la détourner
     de son dessein ; mais je la haranguai fort inutilement ; elle
     avait pris son parti.   A. R. LESAGE, Gil Blas, V, I.

11   M. Thiers, dans la plénitude de son talent d'écrivain, ne se
     laisse point détourner du but, et trouve moyen de pour-
     suivre régulièrement son œuvre.
                    SAINTE-BEUVE, Causeries du lundi, 3 déc. 1849,
                                               t. I, p. 158.

12   La vraie philosophie détourne des religions et pousse à la
     religion.   HUGO, Post-scriptum de ma vie,
                                          « Rêveries sur Dieu ».

13   Le monde sert à cela surtout : il nous surveille : il nous
     oblige à nous tenir sur nos gardes. Il nous détourne de
     nous-mêmes, nous divertit.
                          F. MAURIAC, la Province, p. 29.

Pron. *Se détourner de son travail, de son devoir.*
→ **Négliger.** *Se détourner d'un sentiment, d'une opi-*
nion. → **Abandonner, renoncer** (à). *Se détourner de*
Dieu (→ Apostat, cit. 1). *Elle s'est détournée de ses*
anciennes amies.

II ♦ **1** (1538). Tourner d'un autre côté (la tête, les
regards...) pour éviter* qqch. *Détourner les yeux,*
la tête, ses regards, son visage pour ne pas voir (ce
qui est répugnant, gênant, effrayant, horrifique...),
pour ne pas être vu (par pudeur, pour cacher son
émotion ; pour éviter qqn...). — Pron. *Son visage, ses*
yeux se détournaient avec horreur de ce spectacle. —
(Sujet n. de personne). *Se détourner de qqn, de qqch.,*
cesser de regarder, de voir. → Champ, cit. 10.

Fais l'aumône de ton bien, et ne détourne point ton visage   14
d'aucun pauvre ; car il arrivera ainsi que le visage de Dieu
ne se détournera point de toi.
              BIBLE (CRAMPON) → Aumône, cit. 1.

Détourne de moi tes yeux, car ils me troublent.   15
     BIBLE (SEGOND), le Cantique des cantiques, VI, 5.

(...) pour détourner ses yeux de sa misère (...)   16
                        RACINE, Britannicus, I, 2.

Une femme qui n'a jamais les yeux que sur une même   17
personne, ou qui les en détourne toujours, fait penser d'elle
la même chose.   LA BRUYÈRE, les Caractères, III, 65.

Quand je les regardais, elles détournaient la tête (...)   18
                        FRANCE (→ Agacerie, cit. 3).

(...) elle se détourna, et d'un air indifférent et dédaigneux, 19
se plaça de côté pour épargner à son visage d'être dans
leur champ visuel (...)
              PROUST, À la recherche du temps perdu, t. I, p. 192.

Je hais l'idéalisme couard, qui détourne les yeux des   20
misères de la vie et des faiblesses de l'âme. Il faut le dire
à un peuple trop sensible aux illusions décevantes des
paroles sonores : le mensonge héroïque est une lâcheté. Il
n'y a qu'un héroïsme au monde : c'est de voir le monde
tel qu'il est, — et de l'aimer.
              R. ROLLAND, Vie de Michel-Ange, p. 10.

♦ **2** Fig. Cesser, refuser de considérer. *Se détourner*
des mauvaises pensées, les chasser*.

(...) quand cette pensée m'effleure, je m'en détourne   21
comme d'une tentation.
              G. DUHAMEL, la Pesée des âmes, III, p. 80.

III ♦ **1** (1383). **Dr.** Soustraire (qqch.) à son profit.
→ **Détournement,** 2. *Détourner des fonds, des*
valeurs... → **Dilapider, distraire, piller, soustraire,**
voler. *Abuser de la confiance d'un supérieur en*
détournant de l'argent.

Thérèse, la première vertu de ma maison c'est la probité ; si   21.1
jamais vous détourniez d'ici la dixième partie d'un denier,
je vous ferais pendre, voyez-vous, mon enfant.
              SADE, Justine..., I, 28.

Quiconque aura détourné ou dissipé, au préjudice des pro-   22
priétaires, possesseurs ou détenteurs, des effets, deniers,
marchandises, billets, quittances ou tous autres écrits contenant ou opérant obligation ou décharge, qui ne lui
auraient été remis qu'à titre de louage, de dépôt, de
mandat, de nantissement, de prêt à usage, ou pour un
travail salarié ou non salarié, à la charge de les rendre ou
représenter, ou d'en faire un usage ou emploi déterminé,
sera puni des peines portées en l'article 406.
                        Code pénal, art. 408.

Commerçant, failli qui détourne une partie de son
actif (→ Banqueroutier, cit. 2).

♦ **2** *Détourner un(e) mineur(e) :* soustraire une personne mineure à l'autorité de ceux qui en ont
la garde. — Cour. Séduire une personne mineure.
→ **Enlever, séduire.**

♦ **DÉTOURNÉ, ÉE** p. p. adj.

♦ **1** Qui n'est pas direct, qui fait un détour. *Sentier,*
chemin détourné (contr. : *raccourci*). — Figuré :

(...) ceux (...) qui suivent des sentiers détournés, et qui   23
prennent des routes tortueuses (...)
              BIBLE (SEGOND). → Chemin, cit. 26.

Par ext. *Lieu détourné*, à l'écart. → **Écarté, éloigné, perdu, retiré.**

24 (...) qu'il *(l'homme)* se regarde comme égaré dans ce canton détourné de la nature ; et que de ce petit cachot où il se trouve logé, j'entends l'univers, il apprenne à estimer la terre, les royaumes, les villes et soi-même son juste prix.
PASCAL, Pensées, II, 72.

♦ **2** (V. 1660). Indirect. *Prendre des moyens détournés pour parvenir à ses fins.* → **Biais, détour.**

25 Ce n'est que par faiblesse et faute de connaître le droit chemin qu'on prend des chemins détournés et qu'on a recours à la ruse (...)
FÉNELON, Dialogue des morts, 74, *in* HATZFELD.

♦ **3** (1718). Qui n'est pas exprimé directement. *Expression détournée.* → **Contourné.** *Reproche détourné,* qui ne s'adresse pas directement à qqn, mais qui le concerne. *Allusion détournée.* → **Délicat, fin, indirect.** *Sens détourné* (d'un texte, d'un mot) : sens inhabituel introduit sous le sens littéral.

26 Pauvre ignorant, s'écria Fabrice, tu ne sais pas que tout prosateur qui aspire aujourd'hui à la réputation d'une plume délicate, affecte cette singularité de style, ces expressions détournées qui te choquent.
A. R. LESAGE, Gil Blas, VII, 3.

CONTR. Attirer ; respecter. — Encourager, engager, exciter, exhorter, inciter, pousser. — Direct. ◊ **DÉR.** Détour, détourné (n. m.), détournement.

DÉTOXICATION [detɔksikasjɔ̃] n. f. — 1945, Garnier et Delamare, *in* D. D. L. ; de 1. *dé-, toxique*, et suff. *-ation*, d'après *intoxication*.

Physiol. Action de détoxiquer ; son résultat. — Élimination des toxines par un organisme.

REM. On trouve aussi la forme *détoxification* (mil. XXᵉ).

DÉTOXIFICATION [detɔksifikasjɔ̃] n. f. → **Détoxication.**

DÉTOXIQUER [detɔksike] v. tr. — Av. 1954 ; de 1. *dé-, toxique*, et suff. verbal.

Physiol. Supprimer les effets toxiques, nocifs de (une substance). *Détoxiquer le venin d'un serpent pour s'en servir comme vaccin.* — Au p. p. *Venin détoxiqué.*

DÉTRACTER [detʀakte] v. tr. — 1372 ; de *détracteur* ou *détraction* ; a remplacé *détraire*, du lat. *detrahere*.

Littér. Chercher à rabaisser la valeur de (qqn), les qualités de (qqch.). → **Démolir (fam.), dénigrer, déprécier.** *Détracter les mérites de qqn.* — Absolt. *Il aime à détracter.*

CONTR. Louer, vanter.

DÉTRACTEUR, TRICE [detʀaktœʀ, tʀis] n. — XIVᵉ ; lat. *detractor*, du supin de *detrahere* «tirer en bas», et, fig., «diminuer», de *de-*, et *trahere* «tirer».

Personne qui cherche à rabaisser le mérite de qqn, la valeur de qqch. → **Accusateur, critique, dépréciateur, médisant.** *Les détracteurs d'un homme politique, d'une doctrine politique.* → **Adversaire, ennemi.** *Un détracteur envieux, injuste, méchant, partial...* → **Zoïle.**

1 La langue du détracteur est un feu dévorant, qui sait plaire et briller quelquefois avant que de nuire.
MASSILLON, Carême, Médisance.

2 Ne pourrait-on pas dire avec justice à ces détracteurs d'un homme supérieur, si avides de chercher ses défauts : Quel droit avez-vous de lui reprocher des fautes qui ne l'ont pas empêché de valoir encore mieux que vous ?
CONDORCET, Margraaf, *in* LITTRÉ.

3 (...) il doit aussitôt entrer en lutte contre certains détracteurs échauffés, qui proclament à grands cris l'inefficacité et même la malfaisance de ces inoculations.
Georges LECOMTE, Ma traversée, p. 166.

Adj. *Un esprit détracteur.* → **Dénigrant.** *Livre détracteur d'une théorie.*

4 Il *(Sénèque)* n'eut pour ennemis (...) parmi les modernes que des têtes rétrécies par un fanatisme détracteur des vertus païennes.
DIDEROT, les Règnes de Claude et de Néron, II, 106.

CONTR. Adepte, admirateur, disciple, partisan, prôneur. — Admiratif, apologétique. ◊ **DÉR.** Détracter.

DÉTRACTION [detʀaksjɔ̃] n. f. — XIIᵉ ; lat. *detractio* «dénigrement», du supin de *detrahere*. → **Détracteur.**

♦ **1** Littér. Action de rabaisser le mérite de (qqn), la valeur de (qqch.). → **Critique, dénigrement, médisance.** *Détraction d'une personne, d'une doctrine.* — *Être enclin à la détraction.*

Penses-tu, m'amusant avecque des sottises,
Par tes détractions rompre mes entreprises ?
CORNEILLE, Mélite, variante, I.

♦ **2** (1752). Hist. (Dr.). *Droit de détraction,* en vertu duquel le roi retranchait à son profit une part des successions des étrangers qui résidaient dans le pays.

CONTR. Apologie. ◊ **DÉR.** Détracter.

DÉTRAQUAGE [detʀakaʒ] n. m. — 1870, Goncourt ; de *détraquer*.

Fait de détraquer, de se détraquer. **Syn.** : *détraquement. Climat de violence, de détraquage des nerfs.*

Chacun de ces derniers avait écourté et espacé ses visites, mal à l'aise devant cette peinture troublante, de plus en plus bousculé par le détraquage de cette admiration de jeunesse.
ZOLA, l'Œuvre, p. 342.

DÉTRAQUEMENT [detʀakmɑ̃] n. m. — Fin XVIᵉ ; de *détraquer*.

♦ **1** Action de détraquer ; fait de se détraquer ; résultat de cette action (syn. rare : *détraquage*). → **Dérangement, dérèglement.** *Le détraquement d'un mécanisme, d'une machine.* — *Le détraquement d'un organe* (→ **Perturbation**), *du goût* (→ **Dépravation, perversion**). *Détraquement cérébral.*

1 J'ai des étourdissements et un affaiblissement de tête qui m'annoncent le détraquement de la machine (...)
D'ALEMBERT, Lettre à Voltaire, 25 janv. 1770.

1.1 (...) peu à peu, une inquiétude sourde le désespéra ; il était mécontent, s'accusait de fautes qu'il ne précisait pas, se révoltait contre ces vides qui lui semblaient se creuser de plus en plus dans sa tête et dans sa poitrine. Puis, des souffles puants, des haleines de marée gâtée, passèrent sur lui avec de grandes nausées. Ce fut un détraquement lent, un ennui vague qui tourna à une vive surexcitation nerveuse.
ZOLA, le Ventre de Paris, t. I, p. 195.

♦ **2** Fig. État de ce qui est troublé dans son fonctionnement. → **Désordre, désorganisation.**

2 Mais à défaut de plus d'union, et dans ce détraquement presque universel de la société, il reste au moins des liens individuels, des admirations et des affections qui ne périssent pas (...)
SAINTE-BEUVE, Correspondance, 364, 19 avr. 1834, t. I, p. 430.

3 Le chômage donne à croire à un excédent de marchandises, contradiction affligeante, mais la logique n'a que faire, dans ce détraquement général.
A. SAUVY, Croissance zéro ?, p. 58.

DÉTRAQUER [detʀake] v. tr. — 1464 ; de 1. *dé-, trac* «trace», et suff. verbal ; littéralt «détourner de la piste». → **Traquer.**

♦ **1** Vx. Déranger dans sa marche. — (1719, Richelet). **Spécialt.** T. de manège. *Détraquer un cheval,* lui faire perdre ses bonnes allures.

♦ 2 (V. 1625). Mod. Déranger dans son mécanisme, dans son fonctionnement. **→ Déglinguer, démonter, déranger, dérégler, détériorer, disloquer.** *Détraquer un moteur. Détraquer une horloge en voulant la réparer. —* Pron. *Ma montre se détraque. Machine qui se détraque.*

1　Pour m'achever, ayant fait entrer un peu de physiologie dans mes lectures, je m'étais mis à étudier l'anatomie, et passant en revue la multitude et le jeu des pièces qui composaient ma machine, je m'attendais à sentir détraquer tout cela vingt fois le jour.
　　　　　　　　　　ROUSSEAU, les Confessions, II.

1.1　Mais, hommes et bêtes, pris debout par les rafales, ne faisaient guère trois pas sans en perdre un et quelquefois deux. Ils glissaient, ils tombaient, ils se relevaient. À ce jeu, le véhicule risquait fort de se détraquer.
　　　　　　　　　　J. VERNE, Michel Strogoff, p. 142.

♦ 3 Par anal. Déranger. *Se détraquer les nerfs, en commettant des abus. —* Fig. et fam. Troubler les facultés mentales. *Cela lui a détraqué le cerveau.* **→ Brouiller, pervertir, troubler.**

Pron. Fig. *Le temps se détraque.*

♦ DÉTRAQUÉ, ÉE p. p. adj.

♦ 1 Dérangé dans son fonctionnement. *Machine détraquée.* **→ Panne** (en).

2　Malheureusement notre poste de radio est détraqué et c'est chez notre aimable voisin, M. Amphoux, que je dois aller quêter les nouvelles.　　GIDE, Journal, 20 févr. 1943.

Fig. *Le temps est détraqué.*

3　Il fait un temps entièrement détraqué (...)
　　　　　　　　　　Mᵐᵉ DE SÉVIGNÉ, Lettres, 802, 26 avr. 1680.

Fam. *Santé détraquée. Avoir les nerfs détraqués. Intestins détraqués.*

♦ 2 Spécialt. Atteint de troubles mentaux. *Avoir le cerveau détraqué.* **→ Dérangé, troublé. —** (Personnes). *Il est détraqué.*

N. *C'est un détraqué.* **→ Cinglé** (fam.)**, déséquilibré, fou, malade.**

4　(...) sa raison sommeillait, et depuis longtemps elle ne suivait plus que les feux follets de son imagination détraquée.
　　　　　　　　　　RENAN, Souvenirs d'enfance..., I, IV, p. 50.

5　Il était presque fou de peur; et, de l'affaire, sa cervelle en est restée détraquée.
　　　　　　　　　　Alphonse DAUDET, Lettres de mon moulin, «l'Agonie de la Sémillante».

6　Et Mme de Réveillon devait aussi avoir forcément sur des choses qui ne se rapportaient pas à la poésie des idées qui, nées de ce brillant tempérament intellectuel, devaient être si différentes de celles de son milieu qu'elle devait forcément le choquer énormément, de sorte qu'elle y passait pour très mal élevée, un peu détraquée dans ses idées et exerçant une influence déplorable sur son mari.
　　　　　　　　　　PROUST, Jean Santeuil, Pl., p. 524.

CONTR. Arranger, dépanner, réparer. — Guérir. — (Du p. p.) **Normal, sain.** ◊ **DÉR. Détraquage, détraquement.**

1. DÉTREMPE　[detʀɑ̃p] n. f. — 1304; «breuvage obtenu après délayage», 1231; de 1. *détremper.*

♦ 1 Techn. (peint.). Couleur délayée dans de l'eau additionnée d'un agglutinant (gomme, colle, œuf). *Peindre en, à la détrempe.* — Ouvrage fait avec cette couleur. *Les détrempes,* peintures dites «a tempera». *Détrempes de Raphaël.*

1　La peinture à la détrempe, qu'on appelle aussi peinture à la colle, a été détrônée à partir du XVᵉ siècle, bien qu'elle ait l'avantage de ne pas s'altérer, par la peinture à l'huile. Elle ne s'emploie plus guère que dans la décoration et la peinture en bâtiments.
　　　　　　　　　　Louis RÉAU, Dict. d'art et d'archéologie, art *Détrempe.*

2　La détrempe prête admirablement à cette simplicité d'effets, les teintes ne se mêlant pas comme dans l'huile.
　　　　　　　　　　E. DELACROIX, Journal 1850-1854, 30 juil. 1854.

♦ 2 Techn. Phénomène qui se produit quand certains films de peinture sont étendus sur des couches encore humides. *Détrempe d'une couleur sur une autre.*

♦ 3 Vx et fam. (du sens 1). *Peindre en, à la détrempe,* sans vigueur, de façon médiocre.

Spécialt. (Vx et fam.). *Mariage en, à la détrempe :* union non légale. **→ Concubinage.**

♦ 4 (Cuis.). Mélange de farine et d'eau pour préparer une pâte.

2. DÉTREMPE　[detʀɑ̃p] n. f. — 1722; de 2. *détremper.* Techn. Opération par laquelle on enlève la trempe de l'acier. *Désaciérer le fer par détrempe.*

1. DÉTREMPER　[detʀɑ̃pe] v. tr. — V. 1155; du bas lat. *distemperare* «délayer», de *dis-,* et *temperare* «allier, mêler». **→ Tempérer,** d'après *tremper.*

♦ 1 Amollir ou délayer en mélangeant avec un liquide. **→ Délayer, tremper.** *Détremper des couleurs,* les broyer avec de l'eau et les délayer avec un agglutinant pour en augmenter l'adhérence. **→ 1. Détrempe.** *Détremper de la chaux, du mortier.* — Au p. p. *Chaux détrempée à l'eau.* — (Sujet n. de chose). *La pluie a détrempé les terres.* **→ Délaver, imbiber.** — Au p. p. *Chemins détrempés,* très mouillés, amollis.

1　La terre des allées, détrempée par la pluie, empêchait les chevaux d'avancer; la voiture versa.
　　　　　　　　　　CHATEAUBRIAND, Mémoires d'outre-tombe, t. III, p. 4.

Spécialt (cuis.). Délayer de la farine avec un liquide (eau, lait) pour obtenir une pâte. — Diluer (un liquide). — Pronominal :

2　Une liqueur d'hysope qui se détrempe si on veut, mais que les hommes boivent pure.
　　　　　　　　　　GIONO, Regain, in Œ. roman., Pl., t. I, p. 387.

♦ 2 Par ext. Imprégner (qqn) d'humidité. **→ Tremper.** *La pluie nous avait détrempés.* **—** Par métaphore :

3　La grosse Mᵐᵉ Kratzmann s'était mise à pleurer, mais personne n'y prêtait attention, elle était comme ça (...) Tout événement heureux ou malheureux, qui coupait le train-train de la vie, déclenchait pareillement ses larmes, des ruisseaux de grosses larmes qui coulaient sans effort, inondaient ses grosses joues, détrempaient ses grosses lèvres.
　　　　　　　　　　Roger IKOR, les Fils d'Avrom, «La greffe de printemps», p. 201.

CONTR. Sécher. ◊ **DÉR. 1. Détrempe.**

2. DÉTREMPER　[detʀɑ̃pe] v. tr. — Av. 1468; de 1. *dé-,* et *tremper.*

♦ 1 Techn. Faire perdre la trempe à (l'acier). *Détremper des couteaux. —* Pron. *Acier rougi qui se détrempe en refroidissant.*
Au p. p. *Acier détrempé.*

♦ 2 Fig. et littér. Rendre plus faible. **→ Affaiblir.** *Détremper les caractères* (→ Aveulissement, cit.).

Ces deux années vécues dans une quiétude confortable l'avaient évidemment détrempé et ne sentait plus en lui cette puissante indifférence de jadis aux hasards de l'existence.　　　M. AYMÉ, Travelingue, p. 108.

CONTR. Tremper. ◊ **DÉR. 2. Détrempe.**

DÉTRESSE　[detʀɛs] n. f. — 1160, *destrece;* du lat. pop. **districtia* «étroitesse», de *districtus* «serré», de *distringere,* de *dis-,* et *stringere* (→ Étreindre); signifiait en anc. franç. «passage étroit». **→ Étreindre.**

♦ 1 Sentiment de délaissement, de solitude, d'impuissance que l'on éprouve dans une situation difficile et angoissante (besoin, danger, souffrance...). **→ Affliction, angoisse, chagrin, désarroi, désespoir,**

douleur, peine, trouble. *Sentiment de détresse. Amère* (cit. 6) *détresse. La détresse de l'agonie* (cit. 2). *Gémissements, cris de détresse.*

1　(...) ne découvrant plus aucuns traits de la bonté de son Père, il *(Jésus)* n'ose plus aussi lui donner ce nom ; et pressé d'une détresse incroyable, il ne l'appelle plus que son Dieu : «Mon Dieu, mon Dieu, pourquoi m'avez-vous abandonné ?»
　　　　　BOSSUET, 2ᵉ Sermon pour le vendredi saint, 3.

2　Un pauvre bûcheron, dans l'extrême vieillesse,
　Marchait en haletant de peine et de détresse.
　　　　　BOILEAU, Poésies diverses, XXVIII.

3　Il y a des gens qui ne savent être émus que par des cris et des pleurs ; les longs et sourds gémissements d'un cœur serré de détresse ne leur ont jamais arraché des soupirs.
　　　　　ROUSSEAU, Émile, IV.

4　La faim jetait une détresse dans son âme confuse et lourde.
　　　　　MAUPASSANT, Contes, «Le gueux», Pl., t. I, p. 1227.

5　La détresse de son âme était sans recours, et son effroi, sa rébellion allaient croissant.
　　　　　LOTI, les Désenchantées, III, p. 28.

6　Au sentiment de détresse sans bornes qui étreint à cette heure mon âme, je vois toute l'étendue du vide qui s'est produit.
　　　　　COURTELINE, Messieurs les ronds-de-cuir, VI, II, p. 231.

7　(...) des régions secrètes et douloureuses, une plaie à vif, une détresse intime, persistante, inguérissable, analogue à celle d'un infirme.
　　　　　A. MAUROIS, Études littéraires, J. de Lacretelle, t. II, p. 223.

8　(...) une détresse accablante l'envahit, une sensation affreuse de solitude et d'impuissance.
　　　　　M. GENEVOIX, Raboliot, II, I, p. 143.

♦ **2** Situation difficile et angoissante, **spécialt,** manque dramatique de moyens matériels. → **Adversité, danger, dénuement, disgrâce, indigence, infortune, malheur, misère, nécessité.** *Être dans la détresse. La détresse des déshérités. Se plaindre de sa détresse* (→ Crier famine*). *Avoir pitié d'une famille dans la détresse. Soulager la détresse d'un ami* (→ Apporter, cit. 36).

9　(...) oubliant sa propre détresse pour ne songer qu'à la misère commune, le petit Chose prit une grande et belle résolution (...)
　　　　　Alphonse DAUDET, le Petit Chose, I, V, p. 61.

10　Je n'avais aucune raison sérieuse de penser qu'Hélène, chez elle, souffrît de privations. La détresse n'y était pas arrivée à ce point.
　　　　　J. ROMAINS, les Hommes de bonne volonté, t. III, XXIII, p. 316.

♦ **3** Mar. Situation périlleuse d'un navire. → **Perdition** (surtout dans : *de, en détresse*). *Signal de détresse. Pavillon hissé en signe de détresse.* → **Berne.** *Appel radiotélégraphique de détresse.* → **S.O.S.** — *En détresse :* en perdition. *Navire en détresse* (→ Avarie, cit. 3). — Par anal. *Avion, train en détresse. Feux de détresse,* constitués par les quatre feux indicateurs de direction (→ **Clignotant**) fonctionnant simultanément, prévus pour signaler la situation d'arrêt forcé d'un véhicule. → **Warning** (anglic.).

♦ **4** Spécialt. Méd. *Détresse cardiaque, respiratoire,* insuffisance fonctionnelle aiguë du cœur, de l'appareil respiratoire.

Psychol., psychan. *État de détresse,* caractérisé par l'impuissance à maîtriser le besoin, pour l'appareil psychique, et par l'accroissement des tensions qui en résulte. *Chez le jeune enfant, l'état de détresse est lié à la dépendance totale à l'égard de la mère.* — *Sentiment de détresse* (chez l'adulte). → **Angoisse.**

Psychiatrie. *Détresse verbale :* agrammatisme caractérisé par la perte des mots de relation, réalisant un langage enfantin ou un style télégraphique.

CONTR. Douceur, paix, quiétude, tranquillité. — Abondance, bien-être, prospérité, sécurité, sûreté.

DÉTRESSER [detʀese] v. tr. — XIIIᵉ; p. p., 1165; de 1. dé-, et tresser.

Défaire (ce qui était tressé). *Détresser des cordes, des cheveux.*

DÉTRIBALISATION [detʀibalizasjɔ̃] n. f. — Av. 1972; de *détribaliser.*

Ethnol. Action de détribaliser ; son résultat.

(...) l'influence européenne a plutôt nui au statut féminin *(au Congo, au Rwanda...),* les phénomènes d'acculturation ayant consacré une autorité maritale plus grande qu'avant, tandis que la prolétarisation et la détribalisation des travailleurs a rendu l'épouse totalement dépendante du salaire du mari.
　　　　　A. DORSINFANG-SMETS, Les Peuples de la république démocratique du Congo, du Rwanda et du Burundi, *in* Ethnologie régionale, t. I, Encycl. Pl., p. 617-618.

DÉTRIBALISER [detʀibalize] v. tr. — D. i. (XXᵉ); de 1. dé-, tribal, et suff. verbal -iser.

Ethnol. Détruire les structures tribales de (un groupe humain, une société).

Monsieur Waloumba dit que la France a été complètement détribalisée et que c'est pour ça qu'il y a des bandes armées qui se serrent les coudes et essaient de faire quelque chose.
　　　　　É. AJAR (R. GARY), la Vie devant soi, p. 167.

DÉR. Détribalisation.

DÉTRICOTER [detʀikɔte] v. tr. — V. 1900; p. p. *détricoté,* 1900, *in* D.D.L.; de 1. dé-, et *tricoter.*

Action de défaire (un ouvrage de tricot). *Détricoter un chandail. «Le chandail qu'on détricote une fois par an, lave et retricote, pour le faire durer»* (le Nouvel Obs., nᵒ 865, 8 juin 1981, p. 75).

1　Marina avait dû détricoter une douzaine de chaussettes dépareillées.
　　　　　Philippe DAUDY, la Force du destin, p. 47.

♦ **SE DÉTRICOTER** v. pron.

Se défaire (d'un ouvrage de tricot). — Par métaphore :

2　Je n'ai pas répliqué, trop occupée que j'étais à ficher mon cœur d'affiquets, pour qu'il ne puisse pas se détricoter là, sous vos yeux, laisser couler ses mailles sur vos souliers encastiqués.
　　　　　Jeanne CORDELIER, la Passagère, p. 297.

DÉTRIMENT [detʀimɑ̃] n. m. — 1236; lat. *detrimentum,* de *deterere* «user en frottant». → Détritus.

♦ **1** Vx. Dommage, préjudice, tort.

♦ **2** Mod. À (mon, son...) DÉTRIMENT. *Cet arrangement s'est conclu à mon détriment. Cela tourne à son détriment. Favoriser une classe au détriment des autres* (→ Arbitre, cit. 7).

1　(...) beaucoup d'hommes marquants de ces deux partis sont choisis au détriment des modérés du Centre.
　　　　　Georges LECOMTE, Ma traversée, p. 26.

Loc. prép. (XVᵉ). AU DÉTRIMENT DE : au désavantage de, au préjudice de. → **Dépens** (aux dépens de).

2　(...) comme Antipas jurait qu'il ferait tout pour l'Empereur, Vitellius ajouta : — «Même au détriment des autres ?»
　　　　　FLAUBERT, Trois contes, «Hérodias», II.

♦ **3** Au plur. Vx. Fragments d'une matière qui s'est désagrégée. *Des détriments de coquilles.* → **Débris,** reste (restes); détritus (1.).

CONTR. Avantage.

DÉTRIPLER [detʀiple] v. tr. — Attesté XXᵉ; de 1. dé-, et triple, d'après dédoubler.

Didact., rare. Partager en trois. — Pron. :

Le matin, par exemple, en procédant à sa toilette, elle se dédoublait ou se détriplait pour la commodité d'examiner son visage, son corps et ses attitudes.
　　　　　M. AYMÉ, le Passe-muraille, p. 23.

DÉTRITAGE [detʀitaʒ] n. m. — Mil. xixᵉ ; de *détriter*.
Techn. Action de détriter ; son résultat.

DÉTRITER [detʀite] v. tr. — 1785 ; du lat. *detritum*, supin de *deterere* (→ Détritus).
Techn. Écraser (des graines, des olives) sous la meule.
DÉR. Détritage, détrition.

DÉTRITION [detʀisjɔ̃] n. f. — Déb. xixᵉ ; de *détriter*.
Techn. Usure par frottement.

DÉTRITIQUE [detʀitik] adj. — 1838 ; dér. sav. de *détritus*.
Didact. (géol.). Se dit des sédiments d'origine secondaire provenant du remaniement (désagrégation mécanique) de roches primaires. *Roches détritiques.* → **Clastique.** *Dépôts détritiques.*
(...) nous classerons les sédiments d'après leur mode de formation en sédiments d'origine primaire ou *protogènes*, formés directement au sein des eaux, et sédiments d'origine secondaire ou *deutogènes*, aussi appelés *détritiques*, ou *clastiques*, résultant du remaniement de ceux de la première catégorie (...)
          Émile HAUG, Traité de géologie, t. I, p. 96.

DÉTRITUS [detʀitys] n. m. — 1753 ; a remplacé *détriment* ; lat. *detritus* «broyé, usé», p. p. de *deterere* «user en frottant», de *de-*, et *terere* «frotter».

♦ **1** Géol. (vx), océanographie. Amas de débris d'une substance, d'un corps décomposé, désagrégé. → **Débris, résidu, reste.** *Détritus de roches laissés par l'érosion* (→ **Détritique**). *Des détritus végétaux.*

1 Dans tout organisme vivant et bien constitué, il existe des appareils dont le rôle est d'expulser les détritus, les déchets de la vie (...)
          G. DUHAMEL, Manuel du protestataire, I, p. 38.

Méd. Déchet provenant de la nécrose d'un tissu.

♦ **2** (Mil. xixᵉ ; d'abord didact.). Cour. Matériaux réduits à l'état de débris inutilisables. → **Rebut.** — Cour. Ordures. *Dépôt de détritus. Détritus jonchant le sol* (→ Air, cit. 16). *Balayer les détritus.*

2 (...) Lalla voit tous les détritus comme rejetés par la mer, boîtes de conserve rouillées, vieux papiers, morceaux d'os, oranges flétries, légumes, chiffons, bouteilles cassées, anneaux de caoutchouc, capsules, oiseaux morts aux ailes arrachées, cafards écrasés, poussières, poudres, pourritures. Ce sont les marques de la solitude, de l'abandon, comme si les hommes avaient déjà fui cette ville, ce monde, qu'ils les avaient laissés en proie à la maladie, à la mort, à l'oubli.
          J.-M. G. LE CLÉZIO, Désert, p. 288.

♦ **3** Fig. et péj. Reste inutilisable. → **Déchet.** (Personne). *Espèce de détritus ! Vieux détritus.* → **Débris.**

3 Catherine chuchotait toujours, remuait mille détritus de lectures, de ragots et de rêves, tout ce terreau sentimental où prospèrent d'inquiétantes fleurs de serre.
          Hervé BAZIN, Lève-toi et marche, p. 82.

DÉR. Détritique.

DÉTROIT [detʀwa] n. m. — 1080, *destreit* «défilé» (jusqu'au xviiiᵉ) ; du lat. *districtus*, p. p. de *distringere*, de *dis-*, et *stringere*. → Détresse.
Espace resserré.

♦ **1** (1534). Vx. Passage resserré entre deux montagnes. → **Col**, *défilé.* — Mod. Bras de mer entre deux terres rapprochées et qui fait communiquer deux mers. → **Bouque, bras, manche, pertuis** ; et aussi *chenal. Le Pas de Calais, détroit entre la France et la Grande-Bretagne* (absolt *le détroit*). *Détroit de Magellan ; des Dardanelles, de Gibraltar* (→ Colonnes* d'Hercule). *Détroit du Bosphore* (→ aussi Bosphore, n. m., vx). *Détroits créés par le percement d'isthmes.*

1 Je suis venu jusqu'à la pointe de Gibraltar, d'où, aussitôt que l'on aura équipé une frégate, j'espère passer le détroit (...)
          VOITURE, Lettres, 39.

2 Ce fameux détroit de Sicile
Est gardé par Charybde et Scylle,
Et ces deux suisses du détroit
Sont l'un à gauche, et l'autre à droit.
          SCARRON, Virgile travesti, III.

3 (...) les eaux du détroit qui se pressaient au large en petites vagues courtes et sournoises.
          P. MAC ORLAN, la Bandera, IV, p. 41.

♦ **2** Vx. Passage difficile, moment critique. *Les détroits de la vie.*

♦ **3** (1833). Anat. Chacun des rétrécissements anatomiques du bassin osseux. *Détroit supérieur*, qui sépare le grand bassin du pelvis. *Détroit inférieur :* orifice inférieur du petit bassin. *Dystocie* liée à un rétrécissement du détroit supérieur. — Détroit moyen :* rétrécissement de la partie moyenne du petit bassin, au niveau des épines sciatiques.
CONTR. Isthme.

DÉTROMPER [detʀɔ̃pe] v. tr. — 1611 ; de 1. *dé-*, et *tromper*.
Tirer (qqn) d'erreur. → **Désabuser, dessiller** (les yeux de). *Il s'entête et je ne parviens pas à le détromper. Vous avez une opinion dont je veux vous détromper* (Académie). *Les événements l'ont détrompé. Être détrompé de qqn* (vx), revenir sur l'opinion qu'on en avait.

1 On est quelquefois moins malheureux d'être trompé de ce qu'on aime, que d'en être détrompé.
          LA ROCHEFOUCAULD, Maximes, 395.

2 Détromper un homme préoccupé de son mérite est lui rendre un aussi mauvais office que celui que l'on rendit à ce fou d'Athènes qui croyait que tous les vaisseaux qui arrivaient dans le port étaient à lui.
          LA ROCHEFOUCAULD, Maximes, 92.

3 (...) détromper mon père, et lui mettre en plein jour
L'âme d'un scélérat (...)   MOLIÈRE, Tartuffe, III, 4.

4 (...) les événements détrompent souvent mes prévisions (...)
          G. DUHAMEL, le Voyage de P. Périot, III, p. 61.

♦ **SE DÉTROMPER** v. pron.
Revenir de son erreur. *Détrompez-vous : l'entreprise est plus difficile que vous ne le croyez.*
Vx. *Détrompez-vous de votre erreur.*

5 J'ai cru (...) que ces endroits étaient clairs et intelligibles pour les acteurs, pour le parterre et l'amphithéâtre, que leurs auteurs s'entendaient eux-mêmes (...) je me suis détrompé.   LA BRUYÈRE, les Caractères, I, 8.

CONTR. Tromper. — Persévérer (dans l'erreur). ◊ **DÉR. Détrompeur.**

DÉTROMPEUR [detʀɔ̃pœʀ] n. m. — V. 1970 ; de *détromper*.
Techn. Appareil permettant d'éviter une fausse manœuvre (inversion des pôles positif et négatif, etc.).

DÉTRONCATION [detʀɔ̃kasjɔ̃] n. f. — 1812 ; bas lat. *detruncatio* «amputation», de *detruncatum*, supin de *detruncare* «détacher du tronc», de *de-*, et *troncare* «amputer». → Tronquer.
Chir. Séparation de la tête d'un fœtus mort d'avec le tronc, pour en faciliter l'extraction.

DÉTRONCHER (SE) [detʀɔ̃ʃe] v. pron. — 1926 ; «baisser la tête pour cacher son visage», 1901 ; de 1. *dé-*, et *tronche*, populaire.
Argot. Tourner la tête, se détacher (d'un groupe).

DÉTRÔNEMENT [detʀonmɑ̃] n. m. — 1731; de *détrôner*.

Rare. Action de détrôner. *Le détrônement du souverain par les insurgés.* — Le fait d'être détrôné.

DÉTRÔNER [detʀone] v. tr. — 1584; de 1. *dé-*, *trône*, et suff. verbal.

♦ **1** Déposséder (qqn) de la souveraineté, du trône. → **Chasser, déposer, destituer.** *La Convention détrôna Louis XVI.*

1 Warwick chassa enfin d'Angleterre le roi qu'il avait fait, et alla à la tour de Londres, tirer de prison ce même Henri VI qu'il avait détrôné, et le replaça sur le trône. On le nommait *le feseur* (faiseur) *de rois* (...)
VOLTAIRE, Essai sur les mœurs, CXVI.

2 Si l'homme est créé libre, il doit se gouverner;
Si l'homme a des tyrans, il les doit détrôner.
VOLTAIRE, Disc. en vers sur l'homme, III, Envie.

♦ **2** (1775). Fig. Déposséder (qqn) de la prééminence; de son crédit. → **Discréditer, éclipser, effacer.** *Racine vint détrôner Corneille.* — **Compl. n. de chose.** *Détrôner une mode, un usage. Les matières synthétiques ont détrôné le coton.*

3 La valse d'un coup d'aile a détrôné la danse.
A. DE MUSSET, Poésies nouvelles,
«À la mi-carême», X.

CONTR. Couronner, proclamer. — Accréditer. — Propager, répandre. ◊ **DÉR. Détrônement.**

DÉTROQUAGE [detʀɔkaʒ] n. m. — 1877, Littré, *Suppl.*; de *détroquer*.

Techn. Opération qui consiste à séparer (les huîtres) les unes des autres et de l'endroit où elles sont fixées.

DÉTROQUER [detʀɔke] v. tr. — 1875, *Journal. off.* (in Littré, *Suppl.*, 1877); mot régional (Saintonge), de 1. *dé-* et *troque*, 1842; *troche*, 1776; du grec *trokhos* «coquille ronde».

Techn. Séparer (les jeunes huîtres) les unes des autres en les décollant au couteau. *Les huîtres sont détroquées puis étalées dans des parcs.*

Le naissain recueilli, il y a avantage, pour éviter la déformation des jeunes huîtres trop serrées sur les collecteurs, à les détroquer assez tôt.
Louis LAMBERT, les Coquillages comestibles, p. 26.

DÉR. Détroquage.

DÉTROUSSEMENT [detʀusmɑ̃] n. m. ou **DÉTROUSSAGE** [detʀusaʒ] n. m. — 1538, *détroussement;* de *détrousser*.

Rare. Action de détrousser; état d'une personne détroussée. *Le détroussement d'une diligence.*

Y a encore par là-haut, en lisière des maraîchers, des coins retirés, hantés par des malfrats d'un autre âge, et qui restent voués au détroussage du passant (...)
Albert SIMONIN, Touchez pas au grisbi, p. 90.

DÉTROUSSER [detʀuse] v. tr. — 1119, *destrosser* «défaire ce qui est troussé, empaqueté», d'où «dépouiller de ses bagages»; de 1. *dé-*, et *trousser*.

♦ **1** Vx ou par plais. Dépouiller (qqn) en ayant recours à la violence. → **Voler.** *Détrousser un passant, un voyageur.* → **Dévaliser.** — Absolt. *On détroussait beaucoup dans ce bois.*

1 (...) Voilà peut-être de ces gens
Qui vont par les forêts détrousser les passants (...)
J.-F. REGNARD, Démocrite, I, 6.

♦ **2** Littér. Dépouiller (qqn) de ses biens par fourberie. → **Escroquer.** — Fig. Voler (qqn ou qqch.). *Détrousser un peintre, un écrivain.* → **Plagier.**

C'était une famille de bandits à l'affût, prêts à détrousser 2 les événements.
ZOLA, la Fortune des Rougon, p. 72.

DÉR. Détroussement ou **détroussage, détrousseur.**

DÉTROUSSEUR, EUSE [detʀusœʀ, øz] n. — 1489; de *détrousser*.

Vx ou par plais. Personne qui détrousse. → **Voleur.** *Détrousseur de cadavres, sur un champ de bataille. Détrousseur de grand chemin.* → **Brigand.** *Un détrousseur de touristes.*

Par un étrange scrupule, Talou, ne voulant pas se poser en détrousseur, nous laissait l'entière possession de notre argent de poche. Au reste, le numéraire prélevé en nous dépouillant sur place n'eût ajouté qu'un faible appoint à l'immense produit global des rançons projetées.
Raymond ROUSSEL, Impressions d'Afrique, p. 291.

Personne qui vole (fig.), plagie. → **Plagiaire.**

DÉTRUIRE [detʀɥiʀ] v. tr. [CONJUG.: *conduire.*] — 1050; du lat. pop. *destrugere*, refait sur le supin *destructum*, de *destruere* ou, *de-*, et *struere* «disposer, bâtir». → Structure, traire.

Altérer profondément et violemment (quelque chose d'organisé) de manière à faire perdre l'aspect, les caractères essentiels. → **Altérer, défaire** (cit. 2). — REM. Dans tous les sens, le sujet peut désigner un être humain, une collectivité ou une chose (force concrète ou abstraite); le compl. ne désigne un être vivant qu'en 3. et 6.

♦ **1** Défaire entièrement, jeter bas (une construction). → **Abattre, démolir, raser, renverser, ruiner.** Action de détruire → **Destruction.** Qui détruit. → **Destructeur.** *Détruire un bâtiment, un édifice, un monument, une statue* (→ Dégrader, cit. 5). *Détruire un mur, une cloison, des clôtures* (cit. 2). *Détruire les fondements d'un édifice.* → **Miner, saper.** *Détruire les fortifications d'une place.* → **Démanteler.** *Détruire une ville par bombardement terrestre, aérien.* → **Battre** (en brèche), **canonner** (vieilli); **bombarder.** *Détruire par des armes atomiques.* → **Atomiser.** *Le temps détruit peu à peu les édifices les plus solides. Les eaux détruisirent la jetée. Détruire de fond en comble** (cf. Ne pas laisser pierre sur pierre).

Pendant qu'il la détruit *(la maison)* et qu'il la renverse pour 1
la refaire toute neuve (...) BOSSUET, Sur la mort, 2.

Le Seigneur a détruit la reine des cités. 2
RACINE, Athalie, III, 7.

Le roi fit détruire jusqu'aux pierres et aux fondements 3
matériels de Port-Royal (...) SAINT-SIMON, III, 415.

Le temps, qui détruit si rapidement les monuments 4
des empires, semble respecter dans ces déserts ceux de l'amitié, pour perpétuer mes regrets jusqu'à la fin de ma vie.
BERNARDIN DE SAINT-PIERRE, Paul et Virginie,
p. 20.

Les Romains détruisirent Carthage (→ Cité, cit. 3). *Il faut détruire Carthage* (Delenda Carthago ou delenda est Carthago), mots par lesquels Caton l'Ancien terminait tous ses discours. (L'expression s'emploie parfois pour exprimer une volonté tenace d'abattre un obstacle, une institution, etc.).

♦ **2** (Sujet n. de personne ou de chose). Altérer jusqu'à faire disparaître, jusqu'à mettre fin* à... → **Anéantir, annihiler, supprimer; réduire** (à néant...). *Détruire partiellement qqch.* → **Détériorer.** *Détruire des papiers par le feu.* → **Brûler, incendier** (→ Réduire en cendres*). *La flamme, le feu a tout détruit.* → **Consumer, dévorer.** *Détruire qqch. en brisant, en écrasant.* → **Briser, broyer, casser, défoncer, démolir, dépecer, disloquer, écraser, enfoncer, fracasser, pulvériser, rompre** (→ Mettre en pièces*). *La grêle, le froid* *a détruit toutes les récoltes.* → **Dévaster, ravager, saccager.** *Le raz de marée, le tremblement de terre a détruit deux villes.* → **Abîmer, engloutir ; ensevelir.** *Détruire une lettre, un document.* — *Les substances caustiques, les acides détruisent les tissus organiques.* → **Désorganiser, pourrir.** *La rouille détruit peu à peu le fer.* → **Attaquer, atteindre, corroder, entamer, mordre, ronger.** — *La lumière, le soleil détruit les couleurs.* → **Éteindre, passer** (faire). — *Détruire un stock de marchandises. Détruire un bien en le consommant.* → **Absorber, consommer, user** (de). *Des dépenses exagérées détruisirent sa fortune.* → **Absorber, consumer, dévorer, dilapider, dissiper, engloutir, épuiser.** *Détruire l'édition d'un livre en le mettant au pilon*. Les iconoclastes détruisaient les images saintes.* — *Détruire tout sur son passage, détruire par le fer et par le feu.* → **Désoler.** — *Dieu qui a créé le monde, peut le détruire.* — « *Le temps, qui détruit tout* » (→ Appui, cit. 31, La Fontaine). — *Les abus détruisent sa santé.* → **Ruiner.** — Faux pron. *Se détruire la santé.*

5   La création et le déluge étant passés, et Dieu ne devant plus détruire le monde (...)
           PASCAL, Pensées, IX, 621.

6   Les jours, les mois, les années s'enfoncent et se perdent sans retour dans l'abîme des temps ; le temps même sera détruit (...)
           LA BRUYÈRE, les Caractères, XIII, 31.

7   Les Russes (...) décampèrent et se retirèrent vers le Borysthène, gâtant tous les chemins, et détruisant tout sur leur route pour retarder au moins les Suédois.
           VOLTAIRE, Hist. de Charles XII, IV.

8   Quant à nos misérables meubles (...) j'espère que le temps en aurait assez pitié pour en détruire jusqu'au moindre vestige.
           Th. GAUTIER, Préface de Mᴸˡᵉ de Maupin
           (éd. critique MATORÉ, p. 39).

9   Dans sa pleine liberté, l'esprit est pareil à cet insecte stupide qui passe la moitié de son existence à filer un cocon, et l'autre moitié à le détruire.
           André SUARÈS, Trois hommes, « Ibsen », IV, p. 113.

♦ **3** (1135). Supprimer (un ou plusieurs êtres vivants) en ôtant la vie. → **Périr** (faire), **tuer.** *Un fléau, une épidémie qui détruit la population d'un village.* → **Exterminer.** *Une fusillade détruisit la moitié de la section.* → **Décimer, foudroyer ; fusiller, massacrer.** *La guerre a détruit l'élite du pays.* → **Faucher, moissonner** (fig.). — *Détruire les animaux nuisibles, les parasites. Détruire les microbes par la désinfection, la stérilisation.* — REM. Dans ce sens, lorsque le complément désigne des êtres humains, *détruire* ne s'emploie guère qu'avec un sujet impersonnel.

10 (...) le mémorable hiver de 1709, plus terrible encore sur ces frontières de l'Europe, détruisit une partie de son armée.
           VOLTAIRE, Hist. de Charles XII, IV.

♦ **4** Absolt. (Opposé à *construire, créer, faire*). *Il est plus facile de détruire que de construire. Les hommes ont perfectionné les moyens de détruire.* → **Destruction.**

11 (...) il conclut qu'il est plus aisé de détruire que de bâtir.
           VOLTAIRE, l'Ingénu, 10.

12 Pour vivre il faut détruire.
           BUFFON, Hist. nat. des animaux, Bœuf.

13 (...) en Gaule *(après la conquête des Romains)* l'agriculture remplaça la guerre ; le travail qui produit remplaça le travail qui détruit.
           FUSTEL DE COULANGES, Leçons à l'impératrice
           sur les origines civiles de la France, p. 102.

14 Dans la lutte éternelle entre le mal et le bien, la partie n'est pas égale : il faut un siècle pour construire ce qu'un jour suffit à détruire.
           R. ROLLAND, Au-dessus de la mêlée, p. 59.

15 Le besoin de détruire est encore plus puissant que l'espoir de construire (...)
           MARTIN DU GARD, les Thibault, t. V, p. 101.

16 Les longs raisonnements où les héros de Sade démontrent que la nature a besoin du crime, qu'il lui faut détruire

pour créer, qu'on l'aide donc à créer dès l'instant où l'on détruit soi-même (...)
           CAMUS, l'Homme révolté, II, p. 57.

♦ **5** (V. 1172). Fig. Défaire entièrement (ce qui est établi, organisé), jusqu'à faire disparaître. → **Anéantir, supprimer.** *Détruire un régime politique, social.* → **Abattre, renverser.** *Détruire la dictature, la tyrannie. Les factions menacent de détruire le régime.* → **Ébranler, grignoter, miner, ronger, saper.** *Les Barbares détruisirent l'Empire romain. Détruire un complot, une société secrète. Détruire la rébellion.* → **Étouffer, étrangler, juguler.** *Détruire une institution.* → **Abolir.** *Détruire le commerce d'un pays par le blocus. Détruire un culte, une religion, une secte. Détruire la famille, la société. Détruire la loi, la justice. Détruire les clauses d'un traité, d'un contrat.* → **Biffer, effacer, enlever, rayer, retrancher, supprimer.** *Détruire un accord, un pacte.* → **Dissoudre, rompre.** — *Détruire une œuvre, un ouvrage.* — *Détruire un usage.* → **Abolir, annuler, infirmer, invalider.** *Détruire les abus.* → **Déraciner, extirper.** — *Détruire un préjugé, une légende.* → **Démolir** (fam. et fig.). *Détruire un argument, une hypothèse, une théorie.* → **Bouleverser, culbuter, éliminer, repousser.** *Cela détruit votre thèse.* → **Réfuter, renverser.**

17 Ne pensez pas que je sois venu pour détruire la loi ou les prophètes, je ne suis pas venu les détruire, mais je accomplir.
           BIBLE (SACY), Évangile selon Sᵗ Matthieu, V, 17.

18 Ceux qui s'offraient à détruire la tyrannie par un seul coup (...)
           BOSSUET,
           Oraison funèbre d'Henriette-Anne d'Angleterre.

19 (...) il y a bien de la différence entre détruire le principal fondement d'une fable, et en altérer quelques incidents (...)
           RACINE, Andromaque, 2ᵉ Préface.

20 Une mode a à peine détruit une autre mode, qu'elle est abolie par une plus nouvelle, qui cède elle-même à celle qui la suit (...)
           LA BRUYÈRE, les Caractères, XIII, 15.

21 Rome fut détruite parce que toutes les nations l'attaquèrent à la fois (...)
           MONTESQUIEU, Rome, 19.

22 C'est précisément parce que la force des choses tend toujours à détruire l'égalité, que la force de la législation doit toujours tendre à la maintenir.
           ROUSSEAU, le Contrat social, II, XI.

23 Avant de songer à détruire un usage établi, on doit avoir bien pesé ceux qui s'introduiront à sa place.
           ROUSSEAU, Lettre à d'Alembert.

24 Toute doctrine sociale qui cherche à détruire la famille est mauvaise, et, qui plus est, inapplicable.
           HUGO, Littérature et philosophie mêlées,
           Journal révolutionnaire, 1830, Oct.

25 Beaucoup d'hommes avaient intérêt à détruire une organisation sociale qui n'avait pour eux aucun bienfait.
           FUSTEL DE COULANGES, la Cité antique, p. 282.

(Domaine psychique). *Détruire une illusion.* → **Dissiper, enlever.** *Cette mésaventure détruisit tous ses espoirs.* → **Décevoir, dégriser, désillusionner, revenir** (faire). *Détruire l'orgueil, les prétentions de qqn.* → **Abattre, jeter** (bas). *Une telle attitude devait détruire ma confiance.* → **Ébranler, effacer.** *Cette mauvaise nouvelle détruisit toute sa joie.* → **Corrompre, gâter, troubler.** Dans un sens atténué. → **Affaiblir, atrophier, dégrader, diminuer, émousser, éteindre, étioler.** *L'égoïsme détruit toutes les vertus.* → **Dessécher** (cit. 5). *Détruire le naturel.* → **Chasser.** *Détruire les forces, l'âme.* → **Accabler** (cit. 15). — *Détruire les mauvais instincts. Détruire la piété, la foi.*

26 Soutenir la piété jusqu'à la superstition, c'est la détruire.
           PASCAL, Pensées, IV, 255.

27 Il y aura toujours des pauvres, parce que l'homme ne détruira jamais le péché en soi.
           LAMENNAIS, Paroles d'un croyant, IX.

28   (...) s'il fallait détruire tous les rêves et toutes les visions des hommes, la terre perdrait ses formes et ses couleurs et nous nous endormirions tous dans une morne stupidité.
FRANCE, Thaïs, I, p. 46.

29   La muraille de l'escalier où je vis monter le reflet de sa bougie n'existe plus longtemps. En moi aussi bien des choses ont été détruites que je croyais devoir durer toujours (...)
PROUST, À la recherche du temps perdu, t. I, p. 55.

30   Les soupçons posés dans un esprit éclatent comme des mines en chapelet et ne détruisent un amour que par explosions successives.
A. MAUROIS, Climats, I, XVII, p. 116.

31   Mais c'était détruire, par un caprice, tout un avenir laborieusement échafaudé.
MARTIN DU GARD, les Thibault, t. III, p. 57.

♦ **6** (XIIIe). *Détruire qqn*, l'abattre. → **Perdre; nuire** (à). *Détruire une personne, une réputation dans l'esprit de tous.* → **Décréditer, discréditer.**

32   Quel mal vous ai-je fait? et quelle est mon offense?
Pour armer contre moi toute votre éloquence?
Pour me vouloir détruire, et prendre tant de soin
De me rendre odieux aux gens dont j'ai besoin?
MOLIÈRE, les Femmes savantes, IV, 2.

♦ **SE DÉTRUIRE** v. pron.

♦ **1** Passif. Tomber en ruine; être détruit. → **Craquer, crouler, écrouler** (s'), **effondrer** (s'). *Cet édifice se détruit peu à peu.* — Par ext. → **Disparaître, éteindre, passer, périr.** *Le chagrin* (cit. 14) *se détruit sous l'effet du temps.*

33   Marbre, perle, rose, colombe,
Tout se dissout, tout se détruit;
La perle fond, le marbre tombe,
La fleur se fane et l'oiseau fuit.
Th. GAUTIER, Émaux et camées, «Affinités secrètes».

♦ **2** (1648). Récipr. Avoir une action contraire; s'anéantir réciproquement. → **Combattre** (se), **contrarier** (se), **nuire** (se).

34   Mille agitations, que mes troubles produisent,
Dans mon cœur ébranlé tout à jour se détruisent (...)
CORNEILLE, Polyeucte, III, 1.

35   La troisième preuve est que leurs discours sont contraires et se détruisent, de sorte que (...) il y a contradiction manifeste et grossière.
PASCAL, Pensées, X, 659.

36   Le propre de tout ce qui est vraiment beau est de subsister en soi sans se détruire réciproquement et sans se nuire.
SAINTE-BEUVE, Chateaubriand, t. I, 8e leçon, p. 179.

En parlant des personnes. → **Tuer** (se), **massacrer** (se).

37   (...) et ils (*les hommes*) ont depuis enchéri de siècle en siècle sur la manière de se détruire réciproquement.
LA BRUYÈRE, les Caractères, X, 9.

Par ext. Se nuire l'un l'autre, se discréditer réciproquement.

38   Messieurs les courtisans, cessez de vous détruire :
Faites, si vous pouvez, votre cour sans vous nuire.
LA FONTAINE, Fables, VIII, 3.

♦ **3** (1784). Réfl. Se détruire soi-même, physiquement ou moralement. → **Autodétruire** (s'); **autodestruction.** *Il a tenté de se détruire.* → **Suicider** (se), **supprimer** (se).

39   On l'avait vu à midi du côté de la rivière, et finalement la mère Barbeau craignait qu'il ne s'y fût jeté pour finir ses jours.
Cette idée, que Sylvinet pourrait avoir eu envie de se détruire, passa de la tête de la mère dans celle de Landry (...) et il se mit vivement à la recherche de son frère.
G. SAND, la Petite Fadette, p. 52-53.

Par ext. → **Nuire** (se), **ruiner** (se).

40   Une vie puissante, qui est réduite à soi, se détruit.
André SUARÈS, Trois hommes, «Ibsen», IV, p. 125.

41   On ne peut pas demander au capitalisme de se détruire lui-même, en scapant ses propres assises !
MARTIN DU GARD, les Thibault, t. V, p. 225.

♦ **DÉTRUIT, ITE** p. p. adj.

Dont la structure est défaite. *Édifice détruit.* → **Ruine** (en ruine). *Les vestiges, les débris* (cit. 18), *les décombres d'un bâtiment détruit. Ville détruite.* Cette admirable ruine avait toute la majesté des grandes choses détruites.   42
BALZAC, le Cabinet des antiques, Pl., t. IV, p. 343.

Totalement supprimé. *Un ouvrage détruit.* — Fig. *Un bonheur, un rêve détruit. Des espoirs détruits.* — *Régime détruit par l'envahisseur.* — Par exagér. *Organisme détruit peu à peu par la maladie.* → **Miné, rongé.**

(...) un corps miné et lentement détruit à la fois par la durée et par le désir, par les années et par une passion qui ne s'assouvit plus.   43
F. MAURIAC, la Pharisienne, VIII, p. 116.

CONTR. **Bâtir, construire, édifier, élever, ériger, reconstruire, réparer, rétablir.** — **Créer, faire.** — **Établir, fonder, organiser, susciter; conserver, entretenir, régénérer, renforcer.** — **Accréditer, aider, soutenir.** — **Demeurer, prospérer.** — **Entraider** (s'). ◊ COMP. **Autodétruire** (s'), **entredétruire** (s').

DETTE   [dɛt] n. f. — 1160; du lat. *debita*, de *debere* «devoir».

Ce qu'une personne doit à une autre. → Devoir.

♦ **1** Obligation pour une personne (→ **Débiteur**) à l'égard d'une autre (→ **Créancier**), de faire ou de ne pas faire qqch., et spécialt, de payer une somme d'argent (contr. : *créance*). — REM. On opposait autrefois la *dette passive* (dette proprement dite) à la *dette active* (créance). → Bilan, cit. 2.

Capital d'une dette : somme constituant la dette (→ **Principal**) par oppos. aux *intérêts.* — *Contracter, faire des dettes.* → **Devoir, endetter** (s'). *Avoir des dettes* (→ fam. Ardoise 3., b.). *Être abîmé, accablé, criblé* (cit. 11), *perdu de dettes.* → **Obéré.** *Avoir des dettes par-dessus la tête. N'avoir pas un sou de dette. Payer** (→ Pensionner, cit.), *acquitter, régler, rembourser une dette. Liquider ses dettes. Se libérer de ses dettes. Être hors d'état de payer ses dettes.* → **Banqueroute, carence, déconfiture, faillite, insolvabilité.** Ancienn. *Prison pour dettes.* — *Éteindre graduellement une dette.* → **Amortir; amortissement; extinction.** *Annuités** d'une dette. Échéance d'une dette.* → **Échéance, terme; calendes.** *Exigibilité d'une dette. Dette non payée après l'échéance.* → **Arriéré.** — *Remise d'une chose pour la sûreté d'une dette.* → **Gage; antichrèse, nantissement.** *Personne qui fournit la garantie d'une dette.* → **Caution.** — *Mise en demeure de payer une dette.* → **Commandement, sommation; saisie.** *Accorder un délai pour le paiement d'une dette.* → **Atermoiement, délai.** *Remise d'une partie de sa dette à un failli.* → **Concordat** (1.). *Balance des dettes réciproques.* → **Compensation** (cit. 12). *Billet fictif couvrant une dette. Reconnaissance** de dette. Dettes inscrites dans un compte.* → **Droit, dû, débet, découvert, passif, solde** (débiteur).

Les dettes aujourd'hui, quelque soin qu'on emploie,   1
Sont comme les enfants que l'on conçoit en joie,
Et dont avecque peine on fait l'accouchement.
L'argent dans une bourse entre agréablement;
Mais le terme venu que nous devons le rendre,
C'est lors que les douleurs commencent à nous prendre.
MOLIÈRE, l'Étourdi, I, 5.

Il mène avec lui des témoins quand il va demander ses   2
arrérages, afin qu'il ne prenne pas un jour envie à ses débiteurs de lui dénier sa dette.
LA BRUYÈRE, les Caractères de Théophraste, «Défiance».

(...) abîmé de dettes et léger d'argent (...)   3
BEAUMARCHAIS, le Barbier de Séville, I, 2.

(...) qu'elle avait plus de dettes qu'il n'y a de trous dans un   4
crible et qu'au premier beau matin ses créanciers allaient

faire saisie sur toutes ses créances comme sur tout son avoir.   G. SAND, François le Champi, XIX, p. 140.

5   (...) j'espérais à force de travail arriver à reconstituer notre fortune ; mais le démon s'en mêle ! je n'ai réussi qu'à nous enfoncer jusqu'au cou dans les dettes et dans la misère (...) À présent, c'est fini, nous sommes embourbés (...)
                    Alphonse DAUDET, le Petit Chose, I, IV, p. 42.

5.1 Flore affichait maintenant librement sa liaison avec Velbar ; mais, depuis l'abandon de Lécurou, la pauvre fille contractait sans cesse de nombreuses dettes.
                    Raymond ROUSSEL, Impressions d'Afrique, p. 276.

Loc. *Être en dette* (avec quelqu'un).

6   Il s'inquiète d'être toujours en retard avec ses éditeurs ; mais il n'a pas honte d'être toujours en dette avec ses amis.
                    André SUARÈS, Trois hommes, «Dostoïevski», V, p. 251.

Loc. *Être cousu* de dettes,* en avoir beaucoup.

7   Je vis de croûtes, comme un romanichel. Je suis cousu de dettes.   MARTIN DU GARD, les Thibault, t. V, p. 287.

Dr. *Dette commerciale,* qui résulte d'une opération de commerce. *Dette certaine.* → **Certain** (2.). *Dette exigible,* dont le créancier peut exiger actuellement le paiement. *Dette hypothécaire ; dette privilégiée. Dette liquide,* dont l'existence est certaine. *Dette personnelle,* qui permet au créancier une action personnelle contre le débiteur (opposé à *dette de communauté,* entre deux époux). — *Dette réelle. — Dette criarde.* → **Criard** (cit. 5). *Dette d'honneur,* qu'on ne peut faire valoir en justice, que l'on s'engage à rembourser sur l'honneur. — *Dette de jeu, dette d'honneur.*

8   Mes dettes de Venise, dettes d'honneur si jamais il en fût, me pesaient sur le cœur.
                    ROUSSEAU, les Confessions, VII.

Prov. *Qui paye ses dettes s'enrichit. Cent ans de chagrin ne payent pas un sou de dettes :* se chagriner d'une dette n'en avance point le paiement. *Qui épouse la veuve épouse les dettes.*

♦ **2** Fin. *Dette publique* ou *dette de l'État.* — (1772). Vx. *Dette nationale :* l'ensemble des dettes qui doivent être soldées par les deniers publics (comprenant les dettes grevant les finances locales, les traitements publics, pensions, dépôts dans les caisses de l'État...). Spécialt. *Dette publique,* se dit de l'ensemble des obligations résultant d'engagements financiers contractés par l'État (→ **Emprunt**). *La dette publique réalise immédiatement une recette*, les autres dettes de l'État apparaissent dans les comptes publics comme dépenses.* Ellipt. *La dette.* — REM. Du point de vue juridique on réserve l'expression *dette publique* aux engagements financiers contractés par l'État, à l'exclusion des emprunts des établissements publics, des entreprises nationalisées... — *Dette intérieure,* émise sur le marché national. *Dette extérieure,* contractée par emprunts dans les pays étrangers. *La dette extérieure comprend une dette commerciale* (emprunts souscrits sur des marchés étrangers, engagements envers des banques étrangères) *et la dette politique* (avances consenties par un gouvernement étranger). — *Dettes d'État,* devant être prises en charge par tout nouveau gouvernement, par oppos. aux *dettes de régime,* qui n'engagent pas les gouvernements futurs.

Dette perpétuelle, dont le remboursement peut être indéfiniment différé sous réserve du paiement des intérêts. *Dette remboursable,* dont l'échéance est déterminée : *dette remboursable à terme ; dette amortissable,* remboursable par annuités, tirage au sort, etc. (→ **Amortissement,** 4.). *La dette remboursable comprend la dette à court terme ou dette flottante, la dette à long terme, et la dette viagère. Dette flottante :* dette à court terme, constituée par les bons du Trésor et les certificats de trésorerie.

La dette flottante est sujette à une variation perpétuelle, selon le nombre d'émissions et de remboursements (d'où son nom). *La dette à long terme forme, avec la dette perpétuelle, la dette consolidée* (→ **Consolidation**). *Dette inscrite :* dette qui fait l'objet d'une inscription au *Grand Livre de la Dette publique ;* elle comprend la dette consolidée et la dette viagère.

9   Les divers emprunts émis par l'État, que ce soit d'ailleurs pour des fins monétaires, de trésorerie, ou pour des fins financières, c'est-à-dire budgétaires, constituent ce que l'on appelle *la dette publique.*
                    L. TROTABAS, Précis de science et de législation financière, n° 468, p. 356.

10   Les États, comme les particuliers, vivent normalement de leurs revenus. Mais, moins sages que les particuliers, il leur arrive souvent de dépenser plus que leurs revenus : alors ils empruntent, et il n'en est pas un seul, du moins parmi ceux qualifiés de civilisés, qui n'ait aujourd'hui sa dette publique, petite ou grande. Dès qu'un pays barbare fait son entrée dans «le concert des peuples européens», comme un dit élégamment, c'est d'ordinaire à ce signe qu'on le reconnaît. L'accroissement des dettes publiques a subi une progression effrayante (...)
                    Charles GIDE, Cours d'économie politique, I, p. 516.

♦ **3** Par métaphore ou fig. Devoir qu'impose une obligation ; ce qui est dû, ce qui doit être rempli, réglé (dans une opération). → **Engagement, obligation.** *Acquitter une dette de reconnaissance envers qqn. Dettes envers ses parents, envers la société. Dette de la civilisation moderne envers la Grèce. Dette de la science envers Archimède, Newton... Dette sacrée.*

11   Le monde doit apprendre que mes bienfaits ne sont pas une offrande, mais une dette.
                    BALZAC, le Curé de village, Pl., t. VIII, p. 757.

12   C'est une dette de justice et d'amitié que je serai bien heureux de payer.
                    SAINTE-BEUVE, Correspondance, 337, déc. 1833, t. I, p. 404.

13   J'ajouterai que cette caisse, si convenablement remplie de tout ce qui nous manquait, c'est lui qui l'a conduite et échouée à la pointe de l'Épave ; que ce feu placé sur les hauteurs de l'île et qui vous a permis d'y atterrir, c'est lui qui l'a allumé (...) Donc, quel qu'il soit, naufragé ou exilé sur cette île, nous serions ingrats, si nous nous croyions dégagés de toute reconnaissance envers lui. Nous avons contracté une dette, et j'ai l'espoir que nous la payerons un jour.   J. VERNE, l'Île mystérieuse, t. II, p. 658-659.

14   L'Anthologie des Poètes de Léautaud et Van Bever était son livre de chevet, comme aussi le mien : nous y avons découvert tous deux la poésie moderne. Ne jamais oublier cette dette à l'égard de Léautaud.
                    F. MAURIAC, Bloc-notes 1952-1957, p. 140.

Dans un contexte scientifique :

15   Ainsi, tandis que la structure extrêmement complexe que représente la cellule bactérienne a été non seulement conservée mais multipliée plusieurs milliards de fois, la dette thermodynamique qui correspond à l'opération a été dûment réglée.
                    Jacques MONOD, le Hasard et la Nécessité, p. 36.

Loc. *Payer sa dette à la nature :* mourir — *Payer sa dette à la société, à la justice :* purger sa peine, et, spécialt, être exécuté. — *Payer sa dette à la patrie :* accomplir son service militaire.

CONTR. Créance (3.), crédit (II., 4.). ◊ actif, avoir. ◊ DÉR. Detteur. ← COMP. Endetter, endettement.

DETTEUR, EUSE [dɛtœʀ, øz] n. Vx. → **Débiteur.**

DÉTUMESCENCE [detymesɑ̃s] n. f. — 1792 ; 1749, en parlant du reflux : de 1. *dé-,* et *tumescence.*
Physiol. Diminution de volume (d'un organe, d'une tumeur) ; fin de la tumescence.

CONTR. Tumescence.

DÉTUMESCENT, ENTE [detymesã, ãt] adj. — 1839 ; de 1. dé-, et tumescent.

Physiol. Qui cesse d'être tumescent. *Pénis détumescent.*

CONTR. Tumescent.

D. E. U. G. [døg ; dœg] n. m. — 1973 ; sigle.

Diplôme d'études universitaires générales, couronnant le premier cycle de l'enseignement supérieur. *«45 000 étudiants sont descendus dans la rue pour protester justement contre ce "D. E. U. G." (diplôme d'études universitaires générales), dont la création a été annoncée le 3 mars au "Journal officiel"»* (le Nouvel Obs., 16 avr. 1973, p. 54).

DEUIL [dœj] n. m. — XVᵉ, dueil, doeil, sur le modèle de œil ; dol au Xᵉ ; dœl, duel au XIIᵉ ; du bas lat. dolus, subst. verbal de dolere «souffrir». → Dol.

♦ **1** Douleur, affliction que l'on éprouve de la mort de quelqu'un. → **Affliction, douleur, malheur, souffrance.** *Sa mort fut un deuil cruel* (→ Cœur, cit. 33). *Deuil déchirant, poignant. Pays plongé dans le deuil. Jour de deuil. Deuil anniversaire d'une calamité nationale.*

1   Il se plaint *(le hibou),* et les dieux sont par lui suppliés
De punir le brigand qui de son deuil est cause.
              LA FONTAINE, Fables, V, 18.

2   Le deuil, un deuil poignant, était dans cette chambre. La servante se lamentait dans un coin, le curé priait, et on l'entendait sangloter, le médecin s'essuyait les yeux ; le cadavre lui-même pleurait.
        HUGO, les Misérables, III, III, IV.

Psychan. *Le travail du deuil :* processus psychique par lequel le sujet parvient à se détacher d'un objet d'attachement disparu.

♦ **2** (XVᵉ). Mort d'un être cher ou proche. → **Perte.** *En raison d'un deuil récent, il ne peut aller au spectacle. Recevoir des condoléances à l'occasion d'un deuil.* — **EN DEUIL.** *Être en deuil.* → **Perdre** (qqn). *Être en deuil de son frère.*

♦ **3** Fig. et littér. Sentiment de profonde tristesse. → **Affliction, tristesse.** *La nouvelle de cette catastrophe nous mit le cœur en deuil.*

Poét. *Le deuil de la nature. La nature est en deuil, son aspect est désolé, lugubre, triste.*

3   Salut, derniers beaux jours ! le deuil de la nature
Convient à la douleur et plaît à mes regards.
      LAMARTINE, Premières méditations, «L'automne».

4   Innocentes blessées, une déception précoce, un deuil secret du cœur, leur a gâté l'univers.
        FRANCE, le Jardin d'Épicure, p. 121.

Vx ou régional. *Faire deuil à qqn,* l'attrister profondément.

4.1   (...) Cavalier paraissait atterré.
— C'est une mauvaise nature, dit-il. Et pendant tout le dîner, il répétait :
— Oh ! Ça me fait deuil, monsieur, vous ne savez pas comme ça me fait deuil.
J'essayais de le consoler, mais en vain.
      MAUPASSANT, Yvette, «Le garde», p. 284.

4.2   Moi, les gendarmes je les respecte. Seulement, ils me font deuil, j'aime pas les voir, c'est comme les notaires et les curés.
      BERNANOS, Un crime, Pl., p. 754.

♦ **4** Signes extérieurs du deuil, consacrés par l'usage. *Vêtement de deuil. Couleurs qui indiquent le deuil* (selon les cultures) : *noir, gris, violet, mauve, blanc.* — *En deuil :* habillé pour un deuil. *Être, se mettre en deuil. Être en grand deuil, en demi-deuil* (→ **Demi-deuil**). — *Vêtu de deuil. S'habiller de deuil* (→ Burlesquement, cit.). *Porter le deuil de son père. Quitter le deuil. Mettre un brassard, un crêpe en signe de deuil. Drapeau en berne, pour marquer le deuil d'un régiment, d'un pays. Larges*

manchettes que l'on mettait autrefois en signe de deuil. → **Pleureuse** (→ Cheveu, cit. 21). *Voile de deuil.*

5   Il vous faut faire habiller de deuil.   RACINE, Lettres.

6   Dans ses vêtements comme dans son cœur, elle prit le grand deuil, et ne le quitta jamais (...)
    Alphonse DAUDET, le Petit Chose, I, IV, p. 36.

6.1   Il y a dans le deuil le plus austère des détails matériels qui déshonorent la douleur mais que veut le monde, commandes de livrées, draperies d'équipages, l'écœurant contact du fournisseur aux façons hypocrites et dolentes (...)
    Alphonse DAUDET, l'Immortel, p. 41.

6.2   Si j'admettais la tenue de grand deuil des veuves, sa réduction à l'échelle d'insigne, les brassards noirs, le lé de crêpe au revers du veston, et chez les ouvriers une cocarde noire à la casquette, dans le coin de la visière, autrefois me paraissaient ridicules.
    Jean GENET, Pompes funèbres, p. 29.

Tentures de deuil. Église tendue de deuil. — *Papier de deuil.* — *Arbre symbolisant le deuil.* → **Cyprès.**

Fig. *Il porte le deuil de ses illusions :* ses illusions sont mortes.

Fam. *Avoir les ongles en deuil,* noirs, sales. — *Porter le deuil de sa blanchisseuse* :* porter du linge sale.

6.3   Ces sept personnes (...) luttaient entre elles à qui aurait l'ongle le plus en deuil.
    MONTHERLANT, le Démon du bien, p. 135.

♦ **5** (1559). Temps durant lequel on porte le deuil. *Une année de deuil. On a abrégé les deuils.*

7   Votre deuil est fini, rien n'arrête vos pas (...)
    RACINE, Bérénice, II, 4.

8   (...) le deuil n'est ni un usage ni une loi ; c'est bien mieux, c'est une institution qui tient à toutes les lois dont l'observation dépend d'un même principe, la morale.
    BALZAC, le Médecin de campagne, Pl., t. VIII, p. 377.

9   Ils la choisirent noire, Gaud n'ayant pas fini le deuil de son père.   LOTI, Pêcheur d'Islande, IV, III, p. 229.

En franç. d'Afrique. Période pendant laquelle on pleure un mort, selon la tradition. *Fin, levée, sortie de deuil* (in I. F. A).

♦ **6** (1606). Vieilli. Cortège funèbre des parents et amis qui assistent aux obsèques de qqn. → **Enterrement.** *Mener, conduire le deuil.*

♦ **7** Fig. *Couleur de deuil :* sombre, noir.

10   On cause du passé, couleur de deuil, de l'avenir, couleur de rose.
    Alphonse DAUDET, le Petit Chose, I, IV, p. 50.

♦ **8** (1823). Loc. fam. *Faire son deuil d'une chose :* se résigner à en être privé.

11   Et tout de même il avait bien fallu qu'il s'inclinât, qu'il fît son deuil de ses projets (...)
    COURTELINE, Messieurs les ronds-de-cuir, I, I, p. 25.

CONTR. Allégresse, bonheur, joie. ◊ **DÉR. et COMP. Deuiller. Demi-deuil. Endeuiller.**

DEUILLEUR, EUSE [dœjœr, øz] n. — 1936 ; de deuil.

♦ **1** N. m. Homme chargé de chanter et de pleurer aux funérailles, dans certaines cultures.

♦ **2** N. f. Techn. Ouvrière qui fait à la main les bordures de deuil (bordures noires) du papier à lettres et des enveloppes.

DEUS EX MACHINA [deysɛksmakina ; deusɛksmakina] n. m. invar. — 1845 ; mots latins signifiant «un dieu (descendu) au moyen d'une machine», et qui désignaient, au théâtre, un dieu descendu sur la scène au moyen d'une machine.

Au théâtre (et fig. dans la vie courante). Personnage, événement dont l'intervention peu vraisemblable apporte un dénouement inespéré à une situation sans issue ou tragique. *Des deus ex machina.*

Une plaque fut clouée à l'entrée, avec les mots «Maison Nouvelle, Haute Couture de Paris», gravés en français, en lettres d'or. Ma mère ne faisait jamais les choses à demi. À ce début de réussite, il manquait un élément de transcendance, de merveilleux, un deus ex machina qui viendrait transformer notre premier succès en une victoire définitive et écrasante sur l'adversité.

R. GARY, la Promesse de l'aube, p. 61.

DEUSIO [døzjo] adv. → **Deuzio.**

DEUTÉR-, DEUTÉRO- Élément de mots savants, tiré du grec *deuteros* «deuxième». Voir à l'ordre alphabétique.

DEUTÉRAGONISTE [døteʀagɔnist] n. m. — 1870, in P. Larousse; grec *deuteragônistês*, de *deuteros* (→ Deutér-), et *agônistês* «champion».

Didact. Acteur jouant les seconds rôles, dans le théâtre grec (opposé à *protagoniste*).

DEUTÉRANOPE [døteʀanɔp] adj. et n. — 1897; de *deutéranopie*.

Méd. (Malade) atteint de deutéranopie.

DEUTÉRANOPIE [døteʀanɔpi] n. f. — Fin XIXᵉ; de *deutér-, an-* (→ 2. a-), et *-opie*.

Méd. Incapacité de voir le vert, seconde couleur fondamentale.

DÉR. **Deutéranope.**

DEUTÉRÉ, ÉE [døteʀe] ou **DEUTÉRIÉ, ÉE** [døteʀje] adj. — Mil. XXᵉ; de *deutérium.*

Chim. Se dit d'un composé chimique où le deutérium s'est substitué à un ou plusieurs atomes d'hydrogène.

DEUTÉRIUM [døteʀjɔm] n. m. — 1934; de *deutér-,* et *-ium.*

Chim. Atome d'hydrogène dont le noyau est composé d'un proton et d'un neutron (le *tritium* comporte deux neutrons). *Oxyde de deutérium* (eau lourde). → **Deutéron.**

DÉR. et COMP. **Deutéré, deutériure, deutéron.**

DEUTÉRIURE [døteʀjyʀ] ou **DEUTÉRURE** [døteʀyʀ] n. m. — V. 1936; de *deutérium.*

Chim. Combinaison du deutérium avec un corps simple.

DEUTÉROCANONIQUE [døteʀokanɔnik] adj. — 1732, Trévoux, de *deutéro-,* et *canonique,* de 2. *canon.*

Théol. Se dit de certains livres saints qui n'ont été considérés comme canoniques qu'après les autres. *Livres deutérocanoniques* : Tobit, Judith, la Sagesse, l'Ecclésiastique, Maccabées (I, II), Daniel et Esther (fragments).

DEUTÉROGAME [døteʀɔgam] n. — 1839, Boiste; de *deutéro-,* et *-game,* grec *gamos* «mariage».

Didact. et vx. Personne qui se marie en secondes noces.

DEUTÉRON [døteʀɔ̃] ou **DEUTON** [døtɔ̃] n. m. — 1940; de *deutérium,* et *-on,* d'après *neutron.*

Sc. Noyau de l'atome de deutérium (un proton et un neutron).

En plus du modèle standard de l'atome d'hydrogène — 1 proton et 1 électron satellite — il existe donc un autre modèle, moins courant, dont le noyau est formé d'un proton et d'un neutron. Vous en concluez que ce noyau est toujours porteur d'une unique charge d'électricité positive, mais qu'il a une masse double de celle du noyau habituel. Cet *hydrogène lourd* est appelé le *deutérium* et son noyau le *deuton.*

Pierre ROUSSEAU, De l'atome à l'étoile, p. 44.

DEUTÉRONOME [døteʀɔnɔm] n. m. — XIIIᵉ, *deutronome;* lat. ecclés. *deuteronomium,* du grec (Septantes) *deuteronomion,* de *deuteros* (→ Deutér-), et *nomos* «loi». → *-nome.*

Didact. (relig.). Nom donné au cinquième livre du Pentateuque et dans lequel sont notées les secondes et dernières lois édictées par Moïse.

DEUTÉROPATHIE [døteʀɔpati] n. f. — 1792, Encyclopédie; de *deutéro-,* et *-pathie.*

Didact. et vx. Affection secondaire, se développant sous l'influence d'une autre maladie.

DEUTÉROSCOPIE [døteʀɔskɔpi] n. f. — 1853, Lachâtre; de *deutéro-,* et *-scopie.*

Didact. Trouble hallucinatoire de la perception visuelle qui présente au sujet l'image de son double. Syn. : *seconde vue.*

DEUTOPLASME [døtɔplasm] n. m. — 1899, Encycl. Berthelot, art. *Œuf;* de *deuto-* «deuxième», d'après *protoplasme.*

Biol. Vitellus, ou enclaves vitellines dans le cytoplasme de l'œuf.

DEUTSCHE MARK [døtʃmaʀk] n. m. — 1948; mot allemand.

Unité monétaire allemande (DM), divisée en 100 pfennigs. → **Mark** (mark allemand).

DEUTZIA [døtsja] n. m. — 1841, *deutzie, deutzia;* lat. bot., créé par le botaniste Thumberg en Suède (1798), de *Deutz,* syndic d'Amsterdam qui organisa des voyages d'exploration.

Bot. Arbrisseau ornemental à fleurs étoilées en grappes (famille des *Saxifragacées*). Ex. de Colette, in T. L. F.

DEUX [dø] adj. et n. m. — XIIᵉ, *dous, deus; duos,* Xᵉ; du lat. *duo,* à l'accusatif *duos.*

I Adj. numéral cardinal invariable. ◆ **1** Un plus un. *Les deux yeux* [døzjø], *les deux pôles, les deux infinis. Les deux extrémités d'un segment; les deux bouts d'un objet. Les deux côtés de la rue. Pièce de deux francs. Un fusil à deux coups. Porte ouverte à deux battants. Deux points**. *Deux cents. Deux cinquièmes.* — *L'un** *des deux. Tous les deux.* → **Autre** (l'un et l'autre). *Ils sont venus tous deux. À deux.* → **Duo**. *Compter pour deux.*

Deux mulets cheminaient : l'un d'avoine chargé,
L'autre portant l'argent de la gabelle.
LA FONTAINE, Fables, I, 4.   1

J'ai lu Malherbe et Théophile. Ils ont tous deux connu la nature (...)   LA BRUYÈRE, les Caractères, I, 39.   2

Deux choses semblables ou assemblées. → **Accouplement, couple, double, géminé, jumeau, paire.** *Qui comporte deux éléments.* → préf. **Ambi-, ambo-, bi-, bis-, di-, dupli-.** *Caractère de ce qui comporte deux éléments.* → **Dualité.** *Deux fois.* → **Double, doubler, redoubler,** et préf. **re-.** *Faire deux parties d'un tout.* → **Dédoubler, demi, moitié.**

Choisir entre deux choses. Hésiter entre deux possibilités. → **Alternative.** *Être pris entre deux obligations. Être entre deux feux** (→ Être entre l'enclume* et le marteau). — *De deux choses l'une* : il n'y a que deux possibilités. — Fam. *Il n'y a pas deux voix là-dessus* : tout le monde est d'accord là-dessus.

En parlant de deux personnes liées affectivement, spécialt d'un homme et d'une femme. → **Couple.** *Le bonheur, la difficulté de vivre à deux. La solitude à deux.*

3   Mieux vaut vivre à deux que solitaire ; il y a pour les deux un bon salaire dans leur travail ; car s'ils tombent, l'un peut relever son compagnon. Mais malheur à celui qui est seul, et qui tombe sans avoir un second pour le relever !
       BIBLE (CRAMPON), l'Ecclésiaste, IV, 9-10.

4   Aimer, c'est se donner corps et âme, ou, pour mieux dire, c'est faire un seul être de deux (...)
       A. DE MUSSET,
       la Confession d'un enfant du siècle, I, V, p. 54.

5   Même dans l'amour, même en étant deux, on ne veut pas être deux, on veut rester seul.
       MONTHERLANT, les Jeunes Filles, p. 56.

Loc. (Fam.). *Comme pas deux* : comme lui seul peut l'être. *Il est menteur comme pas deux.*

EN DEUX. *Casser, plier, diviser qqch. en deux.* → **Dicho-.** *Être plié en deux,* courbé, voûté.

♦ **2** (Emplois stylistiques).

Pour indiquer une multiplicité (opposé à *un seul*). → **Plusieurs.** Loc. *Il n'y a pas deux poids* et deux mesures. Tirer d'un sac deux moutures*. Un tiens vaut mieux que deux tu l'auras* (→ **Tenir**). *Deux sûretés* valent mieux qu'une.* — Pour indiquer la différence, la distance (opposé à *le même*). → **Différent.** *Vouloir et réussir sont deux choses.* — (1792, in D.D.L.). Fam. *Ça fait deux* : ce sont des différents, des choses distinctes. *L'amour et l'amitié, cela fait deux.*

Pour indiquer un petit nombre (opposé à *beaucoup*). → **Quelque.** *Écrivez-nous deux lignes. «À moi, comte, deux mots*»* (Corneille). *C'est à deux pas d'ici, vous y serez en deux secondes. Faire qqch. en deux temps*, trois mouvements. Être à deux doigts* de... Un objet de deux sous.*

♦ **3** Employé comme adjectif numéral ordinal invariable. → **Deuxième, second.** *Numéro deux. Acte deux. Tome deux. Frédéric II. Rendez-vous à deux heures.* — Ellipt. *Le deux décembre, tous les deux du mois. Il est arrivé deux ou troisième* (fam.). — Math. *Nombre à la puissance deux.* → **Carré** (au carré).

Employé comme adv. (dans une énumération). *Un, il est idiot ; deux, il est méchant.* → **Deuxièmement, deuzio, secundo.**

II N. m. **A** ♦ **1** Nombre premier. *Le nombre deux. Deux et deux* [døedø] *font quatre. Cent cinquante-deux. Un virgule deux* (deux dixièmes d'unité). *Nombre divisible par deux.* → **Pair.** *Compter de deux en deux. Deux à deux. Deux par deux.* — *Nous sommes le deux. Habiter au deux,* au numéro deux (d'une voie).

♦ **2** Spécialt. **a** Carte à jouer marquée de deux points. *Le deux de trèfle.* Côté d'un dé, d'un domino, etc. marqué de deux points. *Le double deux.*

b Danse class. *Pas de deux,* exécuté par deux danseurs.

c Équit. *Piquer des deux,* des deux éperons sur les flancs de son cheval. Fig. Aller très vite.

d Sport (aviron). Bateau à deux rameurs. *Deux barré, deux sans barreur. Deux de couple* (sans barreur), *deux de pointe* (avec ou sans barreur). → **Double-scull.**

5.1   C'est un «deux» qui glisse dans la nonchalance ensoleillée de la rivière Tamise — et les quatre pelles n'égratignent

pas plus le silence que des plumes sur l'eau.
       André HARDELLET, Lourdes, lentes..., p. 159-160.

♦ **3** Loc. *C'est clair comme deux et deux font quatre* : c'est simple et évident. *Aussi vrai que deux et deux font quatre* : entièrement digne de foi, indiscutable — *Deux et deux font cinq,* une chose invraisemblable.

6   Quand ce qui est incroyable sera regardé comme une vérité de l'ordre de «2 et 2 font 4».
       Henri MICHAUX, Époque des illuminés,
       Choix de poèmes, p. 87.

En moins de deux (fam.) : très vite. *Faire un travail en moins de deux.*

7   Et en moins de deux, il nous a flanqué la fessée.
       SARTRE, la Mort dans l'âme, II, p. 275.

Ne faire ni une ni deux (fam.) : se décider rapidement, sans tergiverser.

Entre les deux : ni ceci ni cela, à moitié. *Fait-il chaud ou froid ? Entre les deux. Est-ce qu'il est instruit ? Entre les deux. — À nous deux* : faisons ce que nous avons à faire ensemble ; (spécialt) Menace proférée à l'intention d'un rival, d'un ennemi, de celui qu'on prétend vaincre par la parole ou par les coups.

8   (...) les bras croisés, l'œil enflammé, la face colère, le front menaçant, il vint se planter carrément devant le lieutenant Hobson. «À nous deux ! s'écria-t-il, à nous deux, monsieur l'agent de la Compagnie de la baie d'Hudson».
       J. VERNE, le Pays des fourrures, t. II, p. 7-8.

Loc. adj. (Vulg.). *De mes deux* (testicules), s'emploie avec un nom par insulte, mépris, dérision. *Va donc, flic de mes deux !*

9   Alors, qu'il demande, sacré bavard de mes deux, vous voulez savoir quèque chose ou rien ?
       R. QUENEAU, Zazie dans le métro, Folio, p. 42.

10   C'est dur, la culture ? Autre chose que d'marcher au pas et d'faire le zouave à ta caserne, hein ? Crache dans tes paumes (...) Mets-y d'l'huile de coude. C'est ton pain qu'tes en train d'gagner, poilu d'mes deux !
       Yves GIBEAU, Allons z'enfants, p. 244.

Prov. *Jamais deux sans trois* : ce qui arrive deux fois a toute chance d'arriver une troisième fois.

B Chiffre qui représente ce nombre. *Le deux romain* (II) ; *le deux arabe* (2). *Page marquée d'un deux. Effacez ce deux.*

DÉR. Deuxième, deuzio. ◊ **COMP.** Avant-deux. — Deux-chevaux, deux-coups, deux-deux (à), deux-huit (à), deux-mâts, deux-pièces, deux-points, deux-ponts, deux-quatre (à), deux-roues, deux-seize (à), deux-temps. — Une-deux.

DEUX-CHEVAUX [døʃvo] n. f. invar. — Mil. XXᵉ ; de *deux,* et *cheval.*

Automobile dont le moteur est d'une puissance de deux chevaux fiscaux (en France). Se dit très couramment du modèle populaire lancé par Citroën en 1949. On dit aussi (fam.) : *une deux-pattes* et *une deuch'.* — On écrit aussi *2 CV.*

C'est une deux-chevaux qu'il a achetée il y a sept ou huit ans d'occasion et qui doit bien avoir parcouru, en kilométrage, cinq fois le tour de la terre. Cette malheureuse ferraille fourbue et frémissante parvient encore à rouler (...) Cette voiture, à l'en croire, est la plus réussie qui soit jamais sortie des ateliers Citroën, elle a un moteur infatigable, un confort inouï (...)
       J. DUTOURD, Pluche, XIV, p. 247.

DEUX-COUPS [døku] n. m. invar. — D. i. (XXᵉ) ; de *fusil à deux coups.*

Fusil à deux coups.

Ah ! oui, reconnut le propriétaire en retirant le deux-coups de son épaule. Il le présenta, le retourna, puis bascula les canons.
       Claude MICHELET, Des grives aux loups, p. 30.

DEUX-DEUX (À) [adødø] loc. adj. — XIXᵉ; de *deux*.
Mus. *Mesure à deux-deux* (2/2) : esure à deux temps, ayant une blanche par temps. — N. m. (invar.). Cette mesure.

DEUX-HUIT (À) [adøɥit] loc. adj. — XIXᵉ; de *deux*, et *huit*.
Mus. *Mesure à deux-huit* (2/8) : esure à deux temps, ayant une croche par temps. — N. m. (invar.). Cette mesure.

DEUXIÈME [døzjɛm] adj. et n. — XIVᵉ; de *deux*.
Qui succède au premier. → **Second**, et préf. **deutéro-**.
REM. 1. On emploie souvent *deuxième* là où *second* pourrait être employé (énumération à deux termes), à cause de sa formation française.
2. Seul *deuxième* entre dans les nombres composés.

♦ **1** Adj. numéral ordinal. *Le deuxième acte d'une comédie. Le deuxième chapitre d'un livre.* → **Deux**. *Le deuxième étage*, et, ellipt, *habiter au deuxième. Voyager en deuxième classe**, et, ellipt., *en deuxième. Soldat de deuxième classe**. → **Deuxième-classe**. *Le deuxième bureau*. La Deuxième République. Deuxième jour de la décade républicaine.* → **Duodi**. *Croire en une deuxième vie.* → **Autre**.

S'il y a plusieurs ventes successives dont le prix soit dû en tout ou en partie, le premier vendeur est préféré au second, le deuxième au troisième, et ainsi de suite (...)
Code civil, art. 2103.

♦ **2** N. m. et f. *Arriver le deuxième. Elle est née la deuxième.*

♦ **3** (Dans les nombres composés). *Vingt-deuxième.*

DÉR. Deuxièmement. ◊ COMP. Deuxième-classe.

DEUXIÈME-CLASSE [døzjɛmklas] n. m. — V. 1950; de *soldat de deuxième-classe*.
Simple soldat, homme de troupe sans galon (on n'emploie guère *un première-classe*). *Il est toujours resté deuxième-classe. Les deuxième-classes et les caporaux.*

(...) malgré les inconvénients attachés à l'état d'homme de troupe, je suis resté deuxième-classe. J'ajoute que cet état, sans responsabilité d'aucune sorte, sans autre obligation que celle du service (...) me plaisait bien davantage que celui de meneur d'hommes (...)
J. DUTOURD, Pluche, XIII, p. 237.

DEUXIÈMEMENT [døzjɛmmã] adv. — 1740; de *deuxième*.
En deuxième lieu. → **Deuzio**, **secundo**.

DEUX-MÂTS [døma] n. m. invar. — 1864; de *deux*, et *mât*.
Navire à voile à deux mâts (→ **Voilier**). *Un beau deux-mâts.*

DEUX-PIÈCES [døpjɛs] n. m. invar. — 1925; de *deux*, et *pièce*.

♦ **1** Ensemble féminin comprenant une jupe et une veste du même tissu, porté comme une robe. *Se faire faire un deux-pièces en soie imprimée.* — (1928). Vieilli. Ensemble de plage, formé d'un «jumper» et d'une culotte.

♦ **2** (1947). Maillot de bain formé d'un slip et d'un soutien-gorge. → aussi **Bikini**.

♦ **3** (1952, in D. D. L.). Appartement de deux pièces. *Un deux-pièces cuisine. «Tu te voyais vivant un grand amour dans ton deux-pièces-terrasse»* (Ed. Charles-Roux, *Elle, Adrienne*, p. 332).

Après mon mariage, on s'est installé dans un deux-pièces, rue Ganneron à Montmartre.
J. DUTOURD, les Horreurs de l'amour, p. 320.

DEUX-POINTS [døpwɛ̃] n. m. invar. — 1572; de *deux*, et *point*.
Signe de ponctuation, formé de deux points superposés (:), placé avant une explication, une énumération, une citation.

DEUX-PONTS [døpɔ̃] adj. et n. m. invar. — 1864, mar.; de *deux*, et *pont*.
À deux ponts. *Un (avion) Bréguet deux-ponts.* — N. m. *Un deux-ponts.*

DEUX-QUATRE (À) [adøkatʀ] loc. adj. — 1736; de *deux*, et *quatre*.
Mus. *Mesure à deux-quatre :* mesure à deux temps, ayant une noire par temps (2/4).
N. m. (invar.). Mesure à deux-quatre. Morceau de musique joué sur une mesure à deux-quatre.

Le passage adorable :
Le danger presse
Et le temps vole...
devient un de ces rapides *deux-quatre* qui ont fait la renommée d'Offenbach, lorsqu'il fait danser des conjurés quelconques.
J. VERNE, le Docteur Ox, p. 56.

DEUX-ROUES [døʀu] n. m. invar. — V. 1960; de *deux*, et *roue*.
Véhicule à deux roues. → Motocycle, cit. *Les deux-roues :* les bicyclettes, cyclomoteurs, vélomoteurs, motos, scooters.

Les deux roues motorisées accrurent la décibélité de leur vacarme et ne s'arrêtèrent point.
R. QUENEAU, Zazie dans le métro, Folio, p. 108, 1972 (1959).

DEUX-SEIZE (À) [adøsɛz] loc. adj. — XIXᵉ; de *deux*, et *seize*.
Mus. *Mesure à deux seize* (2/16) : mesure à deux temps, avec une double croche par temps.
N. m. (invar.). Cette mesure.

DEUX-TEMPS [døtã] adj. et n. m. — 1872, Littré (art. *Temps*); de *deux*, et *temps*.

♦ **1** Mus. Mesure qui se bat à deux temps mais s'écrit comme une mesure à quatre temps.

♦ **2** (1908). À deux temps* (moteur). *Moteur deux-temps.* — N. m. *Carburant pour les deux-temps.*

DEUZIO [døzjo] adv. — Mil. XXᵉ; de *deux*, d'après *primo, secundo, tertio*, etc.
Fam. Deuxièmement, secundo.
— D'abord, dit paisiblement Gabriel, c'est pas vrai et, deuzio, i comprendront pas.
R. QUENEAU, Zazie dans le métro, Folio, p. 98, 1972 (1959).
REM. On trouve aussi la graphie *deusio* (1926, Montherlant). *Deuxio* est attesté en 1862 (*in* D. D. L.).

DÉVALANT, ANTE [devalã, ãt] adj. — Attesté XIXᵉ; p. prés. de *dévaler*.

♦ **1** Qui dévale, tombe.

♦ **2** Littér. Qui descend, s'affaisse. *«Figure dévalante»* (Chateaubriand).

DÉVALÉE [devale] n. f. — 1846, Bescherelle; de *dévaler*.
Vx ou régional. Descente. — Pente. *«La dévalée des prés»* (Henri Pourrat, *Gaspard*, p. 242 *in* T.L.F.).
→ **Dévalement**.

À la dévalée : en descendant.

Je compris enfin que c'était un vrai guide et n'eus pas honte de lui offrir vingt sous qu'il accepta avec l'indifférence d'un qui a vieilli sous le harnois. Il ne nous reconduisit pas à la dévalée car il apercevait, à l'endroit où nous l'avions rencontré, des personnes indécises ; et il redescendit leur faire le coup du paysan qui se trouve là par hasard.
J. RENARD, Journal, 15 août 1898, p. 341.

DÉVALEMENT [devalmɑ̃] n. m. — Déb. XIVᵉ ; de *dévaler*.

Vieux ou littéraire.

♦ 1 Action de dévaler ; état de ce qui est dévalé. *Un dévalement de terres.*

♦ 2 Pente qui dévale. → **Dévalée.**

(...) au pied d'un petit dévalement et dans l'ombre d'un bouquet d'arbres énormes (...)
GIDE, le Retour du Tchad, in Souvenirs, Pl., p. 967.

DÉVALER [devale] v. — 1135 ; de *dé-* indiquant le mouvement de haut en bas (lat. *de-*), *val*, et suff. verbal.

♦ 1 V. intr. Aller vers le bas brutalement ou très rapidement ; descendre une pente. → **Descendre, rouler, tomber.** *Rochers, laves qui dévalent de la montagne.*

1 Pauvres enfants *(auvergnats)* qui dévalent bien tristes de leurs montagnes (...)
CHATEAUBRIAND, Clermont, 122, in LITTRÉ.

2 (...) des ribambelles de petits ânes chargés de sacs montant et dévalant le long des chemins (...)
Alphonse DAUDET,
Lettres de mon moulin «Le secret de Mᵉ Cornille».

(1690). Être en pente raide. → **Descendre** (→ Bleu, cit. 12).

3 Le terrain dévale, en cet endroit, par une pente abrupte.
FLAUBERT, l'Éducation sentimentale, III, IV.

4 (...) et ce bois de cyprès géants qui dévale du sommet de la colline jusqu'à la mer, avec les tombes dont il est peuplé (...)
LOTI, Suprêmes Visions d'Orient, p. 16.

5 Le sol dévalait vers un hameau dont on apercevait les maisons et les vergers.
G. DUHAMEL, Chronique des Pasquier, III, VII,
p. 80.

Par ext. Descendre très rapidement. → **Dégringoler, précipiter (se).** *La foule dévalait le long de la rue.*

6 (...) dévalait en torrent d'un escalier (...)
FRANCE, l'Anneau d'améthyste, Œ., t. XII, p. 155.

Spécialt. Aller très rapidement. → **Rouler.**

7 Des taxis découverts dévalaient en trombe vers l'Opéra.
MARTIN DU GARD, les Thibault, t. V, p. 250.

♦ 2 V. tr. (Déb. XIIIᵉ). Vx. Transporter (qqch.) en bas. → **Descendre.** *Dévaler du charbon à la cave.*

8 (...) et souvent des Bernois qui me venaient voir m'ont trouvé juché sur de grands arbres, ceint d'un sac que je remplissais de fruits, et que je dévalais ensuite à terre avec une corde.
ROUSSEAU, Rêveries, Vᵉ promenade.

(1592). Régional (notamment Suisse). *Dévaler des billes de bois*, les faire descendre par des glissoirs dans une forêt en pente.

♦ 3 V. tr. Descendre rapidement (qqch.). → **Dégringoler.** *Il dévalait l'escalier quatre à quatre. La voiture dévalait la pente à tombeau ouvert.*

CONTR. Escalader, grimper, monter, remonter. ◊ DÉR. Dévalant, dévalée, dévalement, dévaloir.

DÉVALISER [devalize] v. tr. — 1546 ; de 1. *dé-*, *valise*, et suff. verbal.

♦ 1 Voler, prendre à (qqn) tout ce qu'il a sur lui, avec lui, en particulier son argent. → **Voler ; attraper, délester, prendre, soulager.** *Se faire dévaliser.*

Une escorte de 50 hommes armés qui souvent dévalisent ceux qu'ils accompagnent (...)
P.-L. COURIER, Lettres, I, 66.

(1870). Vider (un lieu) des biens qui s'y trouvent. *Des cambrioleurs ont entièrement dévalisé son appartement.* → **Cambrioler, piller.**

Par hyperbole. *Les invités ont dévalisé le buffet.* — *Dévaliser une boutique*, y faire des achats variés et importants.

♦ 2 Fig. *Dévaliser un auteur*, lui emprunter des thèmes, des expressions. → **Plagier.**

DÉR. Dévaliseur.

DÉVALISEUR, EUSE [devalizœr, øz] n. — 1636 ; de *dévaliser.*

Vx. Celui, celle qui dévalise. → **Cambrioleur, voleur.**

(...) il a crié le premier au voleur, comme Arlequin dévaliseur de maisons ?
VOLTAIRE, Lettres à d'Argental, 2 nov. 1764.

DÉVALOIR [devalwaʀ] n. m. — 1869 ; de *dévaler.*

♦ 1 Techn. (surtout régional, notamment Suisse). Passage ménagé en montagne pour descendre le bois.

Peu à peu, le tronc venait à eux. Ils l'amenèrent ainsi jusqu'à l'entrée du dévaloir.
C.-F. RAMUZ, Guerre dans le Haut-Pays, t. VI,
p. 133.
1

Puis elle rejoignit les deux garçons qui se disputaient encore, faisant rouler dans les dévaloirs des masses de pommes de pin, ronds comme des billes.
Corina BILLE, Juliette éternelle, p. 74.
2

♦ 2 Régional (Suisse). Vide-ordures d'un immeuble.

DÉVALORISANT, ANTE [devalɔʀizɑ̃, ɑ̃t] adj. — 1982 ; du p. prés. de *dévaloriser.*

Qui dévalorise, donne une mauvaise image de (qqn, qqch.). *«L'appellation de "stagiaires" a été jugée dévalorisante par les intéressés, aussi baptisera-t-on leurs successeurs "chargés de mission"»* (le Monde, 11 mai 1999, p. 8).

DÉVALORISATION [devalɔʀizasjɔ̃] n. f. — 1925 ; de *dévaloriser.*

♦ 1 Diminution de valeur. → **Dépréciation.** *L'inflation entraîne la dévalorisation et conduit à la dévaluation.*

♦ 2 (V. 1945). Fig. Perte de valeur, d'efficacité. *La dévalorisation de soi-même. La dévalorisation d'une politique.*

Après trente ans de petites misères, les femmes finissent par s'y habituer. La ménopause ou retour d'âge les soumet à des sentiments de dévalorisation de soi-même, de crainte et de mélancolie.
R. GÉRAUD, la Pilule antiféconde, in Dʳ WILLY,
la Sexualité, t. II, p. 110.

CONTR. Valorisation, revalorisation.

DÉVALORISER [devalɔʀize] v. tr. — 1922 ; de 1. *dé-*, et *valoriser.* → **Valeur.**

♦ 1 Diminuer la valeur de (qqch. ; particulièrement la valeur de la monnaie fiduciaire). → **Déprécier, dévaluer.** *Dévaloriser un produit.* Au p. p. *Marchandise dévalorisée*, qui a perdu de sa valeur.

♦ 2 Fig. Déprécier (qqn, qqch.). *Dévaloriser le talent. Il dévalorise ses collaborateurs auprès de la direction.*

J'ai toujours pensé, en ce qui me concerne, que la religion vécue dévalorise le théâtre.
F. MAURIAC, le Nouveau Bloc-notes 1958-1960,
p. 207.
1

◆ **SE DÉVALORISER** v. pron.

◆ **1** (Passif). Perdre de sa valeur. *Monnaie qui se dévalorise.*

2 Tout ce qu'il *(le juif)* touche, tout ce qu'il acquiert se dévalorise entre ses mains.

> SARTRE, *Réflexions sur la question juive*, p. 108.

◆ **2** Fig. **a** (Réfl.; récipr.). Se déprécier soi-même; se déprécier mutuellement. *Il se dévalorise par sa prétention.*

b (Passif). Perdre de son crédit. *Politique, réputation qui se dévalorise.*

CONTR. Valoriser, revaloriser. ◊ **DÉR.** Dévalorisant, dévalorisation.

DÉVALUATION [devalɥasjɔ̃] n. f. — 1928, diffusé lors de la dévaluation du franc de 1928; angl. *devaluation* (1914), de *to devaluate*, d'après *dé-*, et *évaluation*.

◆ **1** Abaissement de la valeur légale d'une monnaie par une nouvelle définition du rapport de l'unité monétaire avec l'or, l'argent ou une monnaie étrangère (→ Alignement* monétaire). *La dévaluation, conséquence de l'inflation, enregistre officiellement la dépréciation*, la dévalorisation* de la monnaie. Stabilisation de la monnaie par dévaluation. Dévaluations du franc* (1928, 1936, 1938...). *Après une série de dévaluations, la valeur or du franc est passée de 322 mg* (avant la loi du 25 juin 1928) *à 2 mg 5* (en 1949). *La dévaluation de la livre en 1931, du dollar en 1933...*

1 *(Le père de Ninon de Lenclos)* lui avait, grâce à Dieu, laissé en mourant sept à huit mille livres de rente, ce qui en ferait, à travers nos dévaluations, plusieurs millions aujourd'hui (...)

> Émile HENRIOT, *Portraits de femmes*, «Ninon de Lenclos», p. 49.

2 *L'inflation,* obtenue en augmentant la quantité de papier-monnaie ou la *dévaluation* imposée par l'État en diminuant la proportion de l'or contenu dans la monnaie, diminuaient les charges de l'État et des débiteurs au détriment des créanciers. La dévaluation a fini par l'emporter (...) Elle a entraîné presque tous les États à abandonner l'étalon or (...)

> Ch. SEIGNOBOS, *Essai sur une hist. comparée des peuples de l'Europe*, p. 456.

3 *(En 1926, en France)* Il fallait dissocier la notion de retour à la stabilité de celle de retour à l'ancien pair. Autrement dit, il fallait envisager, non pas une abrogation pure et simple du cours forcé, mais *une stabilisation accompagnée d'une dévaluation suffisante pour neutraliser la hausse des prix intérieurs.*

> Bertrand NOGARO, *Économie contemporaine*, p. 73.

4 La stabilisation s'offre comme un moyen terme entre la solution royale, la revalorisation, et la solution catastrophique, la démonétisation (...) On se résigne par réalisme et par modestie, à une dévaluation de la monnaie. Une nouvelle définition légale est solennellement donnée.

> P. REBOUD et H. GUITTON, *Précis d'économie politique*, t. I, p. 669.

◆ **2** Fig. Perte de valeur, de crédit. → **Dévalorisation.**

5 Si on ne recherche que le bonheur, on aboutit à la facilité. Si on ne cultive que le malheur, on débouche dans la complaisance. Dans les deux cas, une dévaluation.

> CAMUS, *Actuelles*, t. I, p. 223.

CONTR. Réévaluation.

DÉVALUER [devalɥe] v. tr. — 1935; p. p. adj., 1903; angl. *to devaluate* (v. 1900, de *value* «valeur»), d'après *évaluer*.

◆ **1** Effectuer la dévaluation de. *Dévaluer le franc. Dévaluer une monnaie dépréciée, dévalorisée.* — Au p. p. *Monnaie dévaluée. Des billets de banque dévalués.*

◆ **2** Fig. Faire perdre de son crédit à (qqn), de sa valeur à (qqch.). → **Dévaloriser.** *Ses théories, ses idées sont un peu dévaluées.* — Pron. *Ces idées à la mode se dévalueront rapidement.*

En tout cela c'est l'homme-sujet que la littérature dévalue.

> Pierre-Henri SIMON, *in* le Monde, 28 janv. 1972, p. 11.

CONTR. Réévaluer, revaloriser.

DEVANÂGARÎ [devanagaʀi] ou **NÂGARÎ** [nagaʀi] n. f. (anciennt masc.) et adj. — 1846; *nagrou*, 1763; hindi et sanscrit *devanāgarī*, littéral «(écriture) de la cité des dieux», de *deva-* «dieu», et *nāgarī* «de la ville».

Forme d'écriture du sanscrit demeurée usuelle (type *brâhmî*), aussi employée pour certaines langues modernes de l'Inde (hindi...). *La devanâgari est littérale et syllabique, et se lit de gauche à droite.*

DEVANCEMENT [d(ə)vɑ̃smɑ̃] n. m. — XIVᵉ, repris XVIIIᵉ; *devancement* «action de venir au devant de», fin XIIᵉ; de *devancer*.

Action de devancer; résultat de cette action. — Milit. *Devancement d'appel* : engagement volontaire avant l'appel de sa classe (désigné ainsi depuis 1923). *Engagé volontaire par devancement d'appel.*

DEVANCER [d(ə)vɑ̃se] v. tr. [CONJUG.: *placer*.] — V. 1160, intr. «aller quelque part»; de *devant*, d'après *avancer*.

◆ **1** (V. 1288). Être devant (d'autres qui avancent), laisser derrière soi. → **Dépasser, distancer, semer** (fam.). *Devancer un concurrent dans une course.* → **Dépasser, distancer** (fam.). → Prendre de l'avance*, prendre l'avantage*; et aussi gagner* de vitesse. *Devancer tous les autres* : être le premier*. *Nous les avons devancés sur la route; il faut les attendre.*

1 La Reine, dont ma course a devancé les pas (...)

> RACINE, *Iphigénie*, I, 4.

2 Et lorsque je sortais, il me devançait vite,
Pour m'aller à la porte offrir de l'eau bénite.

> MOLIÈRE, *Tartuffe*, I, 5.

3 (...) mes chevaux, mieux ménagés que les siens, étaient en état de le devancer (...)

> FÉNELON, *Télémaque*, 5.

◆ **2** (V. 1265). Être avant, quant au rang, au mérite, à la supériorité, dans la recherche commune du même but. → **Dépasser, emporter** (l'emporter sur), **primer, surpasser.** *Cet élève a devancé ses concurrents de plusieurs points au concours. Aux dernières élections, il a devancé son adversaire de mille voix. Devancer tous ses rivaux.*

◆ **3** Rare. Aller au devant de. *Devancer la date d'un paiement.*

(1870). Spécialt. *Devancer l'appel* : s'engager dans l'armée avant d'avoir l'âge d'y être appelé. → **Devancement.**

4 (...) ils avaient décidé qu'il demanderait à «devancer l'appel», qu'il irait s'engager dans l'infanterie de marine, le seul corps où l'on ait la faculté de ne servir que trois ans.

> LOTI, *Ramuntcho*, I, XXII, p. 179.

(Abstrait). Aller au devant de. *Devancer une objection. Devancer les désirs de qqn.* → **Devant** (aller au-devant de, prendre les devants), **prévenir.**

◆ **4** Être en avance* sur (le temps, une époque, un événement). *Cet écrivain a devancé son siècle. Son mérite a devancé son âge.* → **Anticiper** (sur).

5 (...) Par son esprit et ses autres brillants
Il rompt l'ordre commun et devance le temps (...)

> MOLIÈRE, *Mélicerte*, I, 4.

6 En lui l'amour et la raison
Devancèrent le temps, dont les ailes légères
N'amènent que trop tôt, hélas ! chaque saison.

> LA FONTAINE, *Fables*, XI, 2.

7 Celui qui devance son siècle, celui qui s'élève au-dessus du plan général des mœurs communes, doit s'attendre à peu de suffrages (...)
DIDEROT, Salon de 1767, Œ., t. XV, p. 13, *in* LITTRÉ.

♦ **5** Arriver avant (qqn, qqch.) dans le temps. → **Précéder.** *Nous avons été devancés au rendez-vous.* → **Précéder.** *Ceux qui nous ont devancés dans la carrière. Devancer un groupe pour annoncer son arrivée.* → **Avant, avant-coureur, avant-garde.** *L'aurore, avant-courrière du soleil, devance le jour.* Littér. *Devancer l'aurore* (cit. 3), *le jour : se lever avant le jour.*

Précéder (qqn) dans l'accomplissement d'une chose. *Se faire devancer par manque de diligence ; il arrive trop tard, qqn l'a devancé.* → **Couper*** l'herbe sous le pied de qqn. *J'allais dire la même chose, mais vous m'avez devancé. — Devancer qqn dans une étude, une recherche. Ils nous ont devancés dans cette voie* (→ **Devancier**).

8 Le vrai critique devance le public, le dirige et le guide ; et si le public s'égare et se fourvoie (...) le critique tient bon dans l'orage et s'écrie à haute voix : *Ils y reviendront.*
SAINTE-BEUVE, Chateaubriand..., t. II, 21ᵉ leçon, p. 95.

9 (...) une rencontre si parfaite m'est singulièrement glorieuse, puisque j'ai devancé le chantre immortel (*Byron*) au rivage où nous avons eu les mêmes souvenirs, et où nous avons commémoré les mêmes ruines.
CHATEAUBRIAND, Mémoires d'outre-tombe, t. II, p. 148.

CONTR. **Après** (arriver après). — **Succéder, suivre.** ◇ DÉR. **Devancement, devancier.**

DEVANCIER, IÈRE [d(ə)vãsje, jɛʀ] n. — 1257 ; adj. 1243 ; de *devancer.*

Personne qui en a précédé une autre dans ce qu'elle fait. → **Prédécesseur.** *Marcher sur les traces de ses devanciers. Profiter des découvertes de ses devanciers ; perfectionner l'œuvre de ses devanciers. Galilée fut le devancier de Newton.*

1 (...) c'est Mathurin Régnier,
De l'immortel Molière, immortel devancier (...)
A. DE MUSSET, Poésies nouvelles, « Sur la paresse ».

Par ext. (toujours au pluriel). → **Aïeux, ancêtres.** *Nos devanciers pensaient tout autrement.*

2 Peut-être que nos neveux regretteront la félicité de nos jours avec la même erreur qui nous fait regretter le temps de nos devanciers.
BOSSUET, 4ᵉ sermon, Fête de tous les saints.

Adj. (Littér.) *«La phrase de l'Exode, devancière des temps»* (Huysmans, l'Oblat, in T.L.F.).

CONTR. **Successeur.**

1. **DEVANT** [d(ə)vã] prép. et adv. — Fin Xᵉ, *davant* ; comp. anc. de *de* et *avant.*

I Prép. **A** Prép. de lieu. ♦ **1** (V. 1050). Du même côté que le visage d'une personne, que la face, le côté visible ou accessible d'une chose. En face de. → **Avant** (en), **face** (en), **vis-à-vis** ; aussi les préfixes anté-, antéro-, pré-. *Devant la maison. Devant la table. Se mettre devant qqn pour l'empêcher de passer. Se planter, se dresser devant qqn. Attendre devant la porte. Se chauffer devant le feu. Être assis devant un bon repas. Avoir son travail devant soi, devant les yeux. Regardez droit devant vous. Passer devant un magasin. L'article se place devant le nom. Mettre la charrue devant les bœufs*.*

1 Devant nous s'ouvrait une vaste étendue sablonneuse (...)
E. FROMENTIN, Un été dans le Sahara, I, p. 108.

2 Imaginez-vous pour un moment (...) que vous êtes assis devant un pot de vin tout parfumé (...)
Alphonse DAUDET, Lettres de mon moulin, Le secret de Mᵉ Cornille.

(...) la nuit tombante ramena le sentiment de l'hiver et ils 3 rentrèrent dîner devant le feu, qui était une flambée de branchages.
LOTI, Pêcheur d'Islande, V, I, p. 269.

La rue n'était guère animée. Quelques autos stationnaient 4 devant la grande porte de l'hôtel.
P. MAC ORLAN, la Bandera, IX, p. 108.

♦ **2** (Déb. XIIᵉ). En présence de (qqn). *Comparaître devant ses juges. Parler devant (des) témoins. Pleurer devant tout le monde. Il tremble, il ricane devant ses supérieurs. S'incliner devant qqn. Ne dites pas cela devant lui. Jurer devant Dieu et devant les hommes.*

J'ai même défendu, par une expresse loi, 5
Qu'on osât prononcer votre nom devant moi.
RACINE, Phèdre, II, 5.

Sur mon honneur et ma conscience, devant Dieu et devant 6 les hommes (...)
Code d'instruction criminelle, art. 348.

Ce que je constate surtout, devant un homme, devant un 7 corps vivant d'homme, c'est qu'il change à chaque seconde, qu'incessamment il vieillit.
GIRAUDOUX, Amphitryon 38, I, 5.

En présence, en face de (qqch.). *Tous les hommes sont égaux devant la loi.* → **Égard** (à l'égard de), **vis-à-vis** (de). — *Reculer devant le danger.* → **Face** (en). *Devant cet état de choses...* → **Présence** (en présence de). *S'incliner devant tels arguments. Il fut ému devant ce spectacle,* à la vue* de...

Devant la menace d'une invasion étrangère, tout mouve- 8 ment d'insurrection avorterait.
MARTIN DU GARD, les Thibault, t. VII, p. 78.

(...) ma pitié, ou du moins cette sorte de malaise devant 9 la misère d'autrui, que nous avons accoutumé d'appeler ainsi.
F. MAURIAC, la Pharisienne, XI.

♦ **3** Dans la direction qui est en face d'une personne, d'une chose ; à l'avant de. *Marcher devant qqn. Courir devant qqn pour l'annoncer* (→ **Avant-coureur**). *Fuir devant celui qui nous poursuit. Aller droit devant soi. Ne pouvoir mettre un pied devant l'autre. Laisser passer qqn devant soi, devant les autres,* le premier.

L'âne, se prélassant, marche seul devant eux. 10
LA FONTAINE, Fables, III, 1.

Des peuples qui dix ans ont fui devant Hector (...) 11
RACINE, Andromaque, III, 3.

Un peu étourdi par le va-et-vient bruyant de la rue, j'allais 12 devant moi (...)
Alphonse DAUDET, le Petit Chose, II, 4.

Loc. *Avoir du temps, de l'argent devant soi :* ne pas être au bout du temps, des ressources dont on dispose. *D'ici sa majorité, il a du temps devant lui ! C'est un homme qui a de l'argent devant lui,* qui a un actif important, des économies (→ Avoir les reins* solides).

(Il) gardait toujours devant lui deux années de solde et ne 13 dépensait jamais ses appointements.
BALZAC, le Médecin de campagne, Pl., t. VIII, p. 320.

Ils passent leur temps à ruminer leur jeunesse, ils ne font 14 que des projets à court terme, comme s'ils n'avaient devant eux que cinq ou six ans.
SARTRE, l'Âge de raison, XII, p. 224.

Nous n'avons que très peu de temps devant nous, conti- 14.1 nuez.
M. DURAS, Moderato cantabile, p. 113.

Loc. prép. **DE DEVANT.** *Poussez-vous de devant le buffet. Ôtez-vous de devant ma vue.*

Ôtez-vous de devant mes yeux. 15
MOLIÈRE, la Comtesse d'Escarbagnas, 2.

PAR-DEVANT. *Passez par-devant la maison. Pardevant notaire, par-devant le notaire, le tribunal,* en sa présence.

(...) on fera une bonne et exacte obligation par-devant un 16 notaire (...)
MOLIÈRE, l'Avare, II, 1.

B Prép. de temps (vx). ♦ **1** → **Avant**; aussi les préfixes **anté-, anti-, pré-, prot(o)-**. — Prov. *La poule ne doit point chanter devant le coq* (Molière). → Coq, cit. 6.

♦ **2** Loc. conj. (V. 1181). **DEVANT QUE** (et subj.). Vx ou littér. **Avant que**.

17   (...) devant que les chandelles soient allumées.
               MOLIÈRE, les Précieuses ridicules, 9.

♦ **3** (1580). **DEVANT QUE DE** (et inf.). Vx ou littér. **Avant de**.

17.1   Donc, devant que de quitter la pension Keller pour rentrer à l'École alsacienne, je cherchai quelque moyen subtil de marquer à M. Jacob le souvenir ému que je gardais de ses bons soins.
               GIDE, Si le grain ne meurt, 1924, p. 496, *in* T.L.F.

II Adv. **A** Adv. de lieu. (V. 1050). Du côté du visage d'une personne, de la face d'une chose, en avant. *Il est là devant, il marche devant.* → **Tête** (en tête). *Vêtement qui se ferme devant. Prenez des places devant. Passez devant puisque vous êtes pressé : passez le premier.* Loc. fam. *Partir les pieds* devant :* mourir. — Mar. *Être vent devant :* présenter la proue du bâtiment au vent (→ Vent debout).

18   *(Le messager)* a couru devant pour gagner les bonnes grâces de Déjanire par cette bonne nouvelle (...)
               RACINE, Livres annotés, VI, 249.

Loc. adv. *Sens devant derrière :* ce qui doit être devant étant derrière et inversement. → 2.**Sens**. — REM. *Mettre une jupe sens devant derrière, ou devant derrière.*

PAR-DEVANT : du côté qui est devant. *Blouse qui se boutonne par-devant. Voiture endommagée par-devant. Passez par-devant, nous suivrons. La porte de derrière est fermée, passez par-devant.*

B Adv. de temps (vx). V. 1176; *deavant*, Xᵉ. → **Auparavant**. Mod. et littér. *Comme devant :* comme avant.

19   Depuis longtemps personne, au village, ne lui portait plus de blé, et pourtant les ailes de son moulin allaient toujours leur train comme devant (...)
               Alphonse DAUDET, Lettres de mon moulin,
               «Le secret de Mᵉ Cornille».

19.1   Le marchand venait de mourir sur le front et Thérèse, qui l'avait attendu à peu près sagement dans l'espoir de se faire épouser (...) se trouvait comme devant.
               Suzanne PROU, la Terrasse des Bernardini, p. 131.

Prov. (1678). *Être Gros-Jean comme devant* (La Fontaine) : se retrouver tel qu'on était auparavant, avoir été dupé (→ argot Refait), par allus. à Gros-Jean, personnage populaire lourdaud et niais.

20   (...) après le rêve, ils ne sauraient souffrir d'être Gros-Jean comme devant.
               P.-L. COURIER, Correspondance, p. 715.

Loc. adv. *Ci-devant*, et subst., *un ci-devant*. → **Ci**.

HOM. 2.**Devant**, **devant** (p. prés. de **devoir**).

2. DEVANT   [d(ə)vɑ̃] n. m. — Fin XIᵉ; *debant* «giron».

♦ **1** La partie qui est placée devant. *Rangée, place de devant. Chambres sur le devant, de devant. Pattes de devant* (d'un animal). → **Antérieur**. *Jambe de devant* (d'un cheval). *Roues de devant d'une voiture, ou roues avant*. Dents de devant.* — Cout. *Point de devant :* point le plus simple qui consiste à piquer dessus et dessous en avançant l'aiguille. — *Le devant d'une maison* (→ **Façade**), *d'un bateau* (→ **Avant, proue**). *Le devant d'un bataillon.* → **Front**. *Devant de cheminée.* → **Écran**. *Le devant d'une chemise* (→ **Plastron**).

21   Sur le devant du son tableau, un arbre bien touffu.
               BERNARDIN DE SAINT-PIERRE, les Harmonies...,
               p. 117, *in* T.L.F.

22   De toutes parts, on tendait le devant des maisons pour la procession.
               STENDHAL, le Rouge et le Noir, I, XXVIII, p. 190.

La chèvre prit séance sur son derrière, et se mit à bêler   23
en agitant ses pattes de devant (...)
               HUGO, Notre-Dame de Paris, II, III.

Spécialt, vén. *Prendre le devant, les devants :* rechercher la voie de la bête en avant de l'endroit où le défaut a lieu. — Fig. **Devancer*** qqn ou qqch. pour agir avant ou l'empêcher d'agir.

M. Damis (...) vient d'arriver de Chartres : il marche sur   24
mes pas; j'ai pris les devants pour vous avertir.
               A. R. LESAGE, Crispin, rival de son maître, 6.

(...) quand l'imagination prend les devants, la raison ne   25
se hâte pas comme elle, et souvent la laisse aller seule.
               ROUSSEAU, Julie ou la Nouvelle Héloïse, I, Lettre XX.

♦ **2** Loc. prép. **AU-DEVANT DE** [odvɑ̃] : à la rencontre* de. *Vous prendrez la rue en face de la gare et nous irons au-devant de vous.*

Prends cette lettre, cours au-devant de la Reine.   26
               RACINE, Iphigénie, I, 1.

Fig. *Aller au-devant du danger :* s'exposer témérairement. *Aller au-devant des désirs, des souhaits de qqn*, les combler avant qu'il les exprime. → **Prévenir**.

(...) on va pour vous au-devant de la sollicitation (...)   27
               LA BRUYÈRE, les Caractères, IX, 37.

(...) il faisait son unique étude d'aller au-devant de tout ce   28
que je paraissais souhaiter.
               A. R. LESAGE, le Diable boiteux, XIII, p. 119.

Loc. adv. **AU-DEVANT :** à la rencontre. *Le voilà qui arrive, je vais au-devant.*

♦ **3** Objet qui se met devant un autre, sur le devant de qqch. *Un devant de radiateur. — Un devant-de-feu :* un écran de cheminée. Spécialt. *Les devants d'un veston*, les deux parties du devant.

Vous savez bien, Monsieur, qu'un des devants de mon   29
pourpoint est couvert d'une grande tache de l'huile de la lampe.
               MOLIÈRE, l'Avare, III, 1.

CONTR. Derrière; après, arrière (à l'arrière), dernier (en dernier), queue (à la queue), suite (à la suite). — Arrière, derrière, dos. ◊ DÉR. Devancer, devantier ou devanteau, devantière, devanture. — HOM. 1.**Devant**, **devant** (p. prés. de **devoir**).

DEVANTIER   [d(ə)vɑ̃tje] ou **DEVANTEAU**
[d(ə)vɑ̃to] n. m. — Fin XIVᵉ, *devantier; devanteau*, 1508; *devantel*, v. 1330; aussi *devantière; de devant* (du corps humain).

♦ **1** Régional. Tablier (de femme).

(...) elle porte un devantier de moire bleue, et, débordant   1
sur ses épaules, une collerette blanche à mille plis qui se tient rigide comme une fraise du XVIᵉ siècle.
               LOTI, Mon frère Yves, XLVII, p. 117.

Elle montra les œufs dans le creux de son devantier.   2
               M. AYMÉ, la Vouivre, p. 95.

Puis ce sont des buffleteries, des fourragères, des épaulettes, des devantiers, des cuirasses qu'il se pend et qu'il   3
se plaque partout.
               J. GIONO, Un roi sans divertissement, p. 36.

Var. dial. : *devantiau*.

(...) elle courait jusque chez Marin dans sa jupe légère,   4
son devantiau noir, et son corselet étranglé.
               Edmonde CHARLES-ROUX, l'Irrégulière..., p. 53.

♦ **2** Vx. Tablier, panneau de cuir protégeant les jambes du cocher d'une voiture.

DEVANTIÈRE   [d(ə)vɑ̃tjɛʀ] n. f. — v. 1610; → Devantier.

Ancienn. Longue jupe de femme fendue devant et derrière, pour monter à cheval.

DEVANTURE [d(ə)vãtyʀ] n. f. — XIIIᵉ, «façade d'une maison»; de *devant*.

♦ **1** (1811). Façade*, revêtement spécial du devant d'une boutique. *Une devanture en bois, en marbre, en glaces, en céramique. Faire repeindre, refaire la devanture d'un magasin. Défense d'appuyer des bicyclettes contre la devanture. Une devanture de perruquier* (cit. 3).

(1859). Par ext. Étalage des marchandises, soit à la vitrine, soit dehors. → **Étalage, vitrine.** *Cet objet est exposé à la devanture. Devanture éclairée par une rampe. Regarder les devantures des magasins. Marchandises en devanture.* → **Montre** (en).

1 Aux devantures, sont pendus des burnous et des robes, des harnais et des têtières de perles pour chameaux (...)
LOTI, Jérusalem, III, p. 23.

2 On n'est pas un gamin qui quête aux devantures des librairies des cartes postales libertines.
J. ROMAINS, les Hommes de bonne volonté, t. V,
VII, p. 62.

Par métaphore (fam. et vieilli). Apparence extérieure, visage.

♦ **2** Techn. → **2. Devant** (3.). *Une devanture de cheminée, de puits.*

(1694). Au plur. Raccord de plâtre qui fait la liaison entre le pied d'une cheminée et le revêtement du toit.

♦ **3** En franç. d'Afrique. Partie (d'un bâtiment) s'ouvrant sur la rue. → **Façade, seuil.**

DÉVASTATEUR, TRICE [devastatœʀ, tʀis] n. et adj. — 1502; rare jusqu'au XVIIIᵉ; lat. *devastator*, du supin de *devastare*. → **Dévaster.**

♦ **1** Rare. Personne qui dévaste*. → **Destructeur.**

1 Et, courbant ses drapeaux devant l'arche de Dieu, Dévastateur du monde *(Cyrus)* enrichit le saint lieu.
Alexandre GUIRAUD, les Macchabées, II, 6.

♦ **2** Adj. (Littér.). Qui dévaste, détruit tout sur son passage. *Torrent dévastateur. La dent dévastatrice des bestiaux. Force dévastatrice. Maladie dévastatrice. Guerre, entreprise dévastatrice.* — Fig. *Colère, passion dévastatrice.*

2 J'imaginais l'amour comme quelque chose de volcanique; du moins plus que j'étais né pour éprouver. Oui, vraiment, je croyais ne pouvoir aimer que d'une manière sauvage, dévastatrice, à la Byron.
GIDE, les Faux-monnayeurs, II, IV, p. 252.

DÉVASTATION [devastasjɔ̃] n. f. — XIVᵉ, rare av. 1690; lat. *devastatio*, du supin de *devastare*. → **Dévaster.**

♦ **1** Action de dévaster* (→ **Destruction, massacre, pillage, ravage**); son résultat (→ **Dégât, désolation, ruine**). *La dévastation d'un pays par ses occupants. Dévastations causées par les inondations* (→ Abattre, cit. 22; carnage, cit. 6). *Les dévastations de la guerre. Scène, spectacle de dévastation. Commettre, subir, entraîner des dévastations. De terribles, d'irréparables dévastations.*

1 Depuis la dévastation de l'Amérique, les Espagnols, qui ont pris la place de ses anciens habitants, n'ont pu la repeupler; au contraire (...) les destructeurs se détruisent eux-mêmes, et se consument tous les jours.
MONTESQUIEU, Lettres persanes, 122.

2 Comment la lave (...) se répand comme un déluge de feu, portant partout la dévastation et la mort.
BUFFON, Hist. nat. des minéraux, t. III, p. 69.

3 Quand vint l'aurore, Sigognac fut plus frappé qu'il ne l'avait été la veille de l'état de dévastation où se trouvait son manoir. Le jour n'a pas de compassion pour les ruines et les vieilleries; il en montre cruellement les pauvretés, les rides, les taches, les décolorations, les poussières, les moisissures (...)
Th. GAUTIER, le Capitaine Fracasse, t. II, XIX,
p. 289.

♦ **2** Fig. et littér. *La dévastation d'un visage, des traits; d'un être, d'une conscience.*

DÉVASTER [devaste] v. tr. — 1499; *devastar*, Xᵉ; rare jusqu'au XVIIIᵉ; lat. *devastare* «piller, ravager», de *de-*, et *vastare* «rendre désert, ruiner», de *vastus* «vide» et «ravagé».

♦ **1** Ruiner en détruisant systématiquement. → **Dépouiller, désoler, détruire, piller, raser, ravager.** *Les barbares dévastaient les pays qu'ils envahissaient. Dévaster les campagnes, les églises. Les cultures ont été dévastées par la grêle, par les eaux.* → **Emporter, inonder** (→ Déluge, cit. 4). *Les guerres ont dévasté cette région.*

1 Les Normands ravageaient le royaume : ils venaient sur des espèces de radeaux ou de petits bâtiments, entraient par l'embouchure des rivières, les remontaient, et dévastaient le pays des deux côtés.
MONTESQUIEU, l'Esprit des lois, XXXI, 32.

♦ **2** (1802). Fig. → **Affaiblir** (cit. 3), **ruiner.**

2 (...) l'amour passionné dévaste les âmes où il règne.
CHATEAUBRIAND, le Génie du christianisme, II,
32, *in* LITTRÉ.

3 L'esprit peut subir des invasions. L'âme a ses vandales, les mauvaises pensées, qui viennent dévaster notre vertu.
HUGO, l'Homme qui rit, II, IV, 1.

♦ **DÉVASTÉ, ÉE** p. p. adj. → **Désert, nu.** *Pays en ruine, dévasté par la guerre. Terres dévastées par la lave.*

4 On vit une terre toute piétinée *(le champ de bataille de la Moskova)*, nue, dévastée, tous les arbres coupés à quelques pieds du sol, et plus loin des mamelons écrêtés.
Ph. P. SÉGUR, Hist. de Napoléon, IX, 17.

4.1 (...) Pencroff (...) ne voulait pas voir sous son aspect nouveau l'île si profondément dévastée.
J. VERNE, l'Île mystérieuse, t. II, p. 855.

Fig. et littér. *Vieillard dévasté par l'âge.* → **Usé.** *Traits dévastés. Tempes dévastées, dégarnies de cheveux.*

5 Un gentilhomme français, vieilli plutôt que vieux, usé, dévasté, ruiné, triste épave du monde parisien (...)
Alphonse DAUDET, *in* LITTRÉ, Suppl.

Âme dévastée par les épreuves, le malheur. Âme dévastée par le vice. → **Ravagé, ruiné.**

CONTR. Protéger, respecter. — Florissant. Affermi.

DÉVEINARD [devɛnaʀ] n. m. — 1874; de *déveine*. → Veinard.

Fam. et vx. Celui qui a de la déveine, qui joue de malchance. *Quel déveinard !*

Il rencontrait toujours sur le boulevard un vieux camarade, un déveinard comme lui (...)
Alphonse DAUDET, Fromont jeune et Risler aîné,
p. 25.

CONTR. Chanceux, veinard.

DÉVEINE [devɛn] n. f. — 1854; de 1. *dé-*, et *veine*.

♦ **1** Suite de coups défavorables au jeu. *Subir la déveine. Être en déveine. Jour de déveine.*

♦ **2** Fam. Malchance. → **Guigne, poisse.** *Être dans la déveine, en déveine. Quelle déveine ! Il a eu la déveine d'arriver un peu trop tard. Avoir la déveine, de la déveine.*

1 (...) lorsque l'affreuse soif des nuits de déveine colle la langue des joueurs (...)
Laurent TAILHADE, le Paillasson, III, p. 35.

2 Sapristi ! s'écria le malheureux inventeur, ma barricade est fermée !... et voilà les séides de la tyrannie qui arrivent... pas moyen d'entrer ! Sapristi de sapristi ! (...) quelle déveine, gémissait le pauvre Barbirot, on va me retirer ma médaille !
A. ROBIDA, le Vingtième Siècle, p. 292.

DÉR. Déveinard.

DÉVELOPPABLE [devlɔpabl] adj. — 1799 ; de *déve-lopper*.

Qui peut être développé.

(...) on veut des énigmes claires, j'entends développables, c'est-à-dire mathématiciennes, enfin difficiles seulement par notre paresse.   ALAIN, *Propos*, Pl., p. 742.

Géom. *Surface développable*, qui peut être projetée sur un plan.

CONTR. Indéveloppable.

DÉVELOPPANTE [devlɔpɑ̃t] n. f. — 1675, Huyghens ; p. prés. fém. de *développer*.

Géom. *Développante d'une courbe* : courbe qui admet cette courbe comme développée. *La déve-loppante d'un cercle.*

DÉVELOPPATEUR [devlɔpatœr] n. m. — 1889, *in* D.D.L. ; de *développer*.

Photogr. Produit utilisé pour le développement pho-tographique. *L'hydroquinone est un développateur pour clichés durs* (→ aussi **Révélateur**).

J'ai pu résoudre ce problème en opérant avec les sub-stances sensibles, les développateurs et les fixatifs courants en photographie (...).
     L. FIGUIER, l'Année scientifique et industrielle, 1892, p. 81 (1891).

DÉVELOPPÉ [devlɔpe] n. m. — Fin XIXᵉ ; p. p. substan-tivé de *développer*.

♦ 1 Chorégr. «Mouvement d'une jambe repliée qui se développe dans diverses élévations et direc-tions» (M. Bourgat, *Technique de la danse*).

♦ 2 (1894, *in* Petiot). **Sports.** Mouvement par lequel l'athlète soulève, après l'épaulé*, l'haltère qu'il doit tenir à bout de bras.

Les mouvements les plus courants sont : (...) *Le développé à deux bras* (porter le poids à hauteur des épaules puis le lever lentement à bout de bras).
     Jean DAUVEN, Technique du sport, Les poids et haltères, p. 70.

HOM. Développée, développer.

DÉVELOPPÉE [devlɔpe] n. f. — 1675, Huyghens ; de *développer*.

Math. Enveloppe des normales à une courbe.

HOM. Développé, développer.

DÉVELOPPEMENT [devlɔpmɑ̃] n. m. — Fin XIVᵉ, *des-velopemens*, répandu XVIIᵉ-XVIIIᵉ ; de *développer*.

A (Spatial). **♦ 1 Rare ou sc.** Action de donner toute son étendue à (qqch.). → **Déployer, dérouler.** *Le développement d'une pièce d'étoffe, d'un écheveau.* → **Déroulement.**

Spécialt. *Le développement d'une armée.* → **Déploie-ment.**

(1694). **Géom.** Extension, sur un plan, de la surface d'un corps solide. → **Projection.** *Le développement d'un cube.* — *Développement d'une courbe.* — **Math.** *Développement d'une expression algébrique. Déve-loppement d'une fonction en série.*

♦ 2 (1886, *in* Petiot). **Cour.** Distance développée par un tour complet des pédales d'une bicyclette. *Bra-quet* donnant un développement de 7 m.* — (1859, *in* Petiot). **Escr.** Forme courante de l'attaque, constituée du déploiement du bras, suivi de la fente*.

♦ 3 (1890). Action de développer une pellicule pho-tographique. *Développement et tirage. Révélateur utilisé pour le développement. Développement d'un cliché, d'une pellicule.*

B (Temporel). **♦ 1** (1755). Action de se développer (organisme ; organe) ; évolution de ce qui se déve-loppe. *Le développement d'un organisme, d'un organe.* → **Croissance.** *Le développement d'un germe, d'une graine.* → **Germination, naissance.** *Dévelop-pement des pousses, des bourgeons, d'une tige.* → **Pousse.** *L'embryologie étudie le développement des embryons. Développement physique. Les phases, les stades du développement. Troubles du dévelop-pement. Arrêt du développement. Développement précoce, tardif. Qui a terminé son développement.* → **Adulte.** *État de développement complet.* → **Épa-nouissement, maturité.**

Le développement des espèces. → **Évolution, transfor-mation.**

Par anal. *Le développement des facultés mentales.* → **Enrichissement, épanouissement** (→ Accroissement, cit. 2). *Le développement de l'intelligence, de l'esprit par la culture, l'éducation.* → **Formation.**

♦ 2 Fait de prendre de l'extension, de progresser. → **Progression ; extension.** *Le développement d'une maladie.* → **Cours, évolution.** *Le développement des sciences.* → **Progrès.** *Le développement d'une ville.* → **Agrandissement.** *Le développement d'un champ de recherches.* → **Élargissement.** — *Le développement du commerce, de l'industrie.* → **Accroissement, augmen-tation.** *Le développement d'une affaire, d'une entre-prise.* → **Essor, extension.** *Affaire prospère, en plein développement. Le développement d'une civilisation.* → **Évolution.** — *Le développement du corps, des mus-cles. Arriver à son plein, à son entier développement, à tout son développement.* «*Les premiers développe-ments de l'enfance*» → ci-dessous, cit. 2.

L'idée darwinienne d'une adaptation s'effectuant par l'éli-mination automatique des inadaptés (...) a déjà bien de la peine à rendre compte du développement progressif et rectiligne d'appareils complexes (...)
     H. BERGSON, l'Évolution créatrice, p. 56.   1

Les premiers développements de l'enfance se font presque tous à la fois. L'enfant apprend à parler, à manger, à mar-cher à peu près dans le même temps. C'est ici proprement la première époque de sa vie.   ROUSSEAU, Émile, I.   2

Je ne veux plus comprendre une morale qui ne permette et n'enseigne pas le plus grand, le plus beau, le plus libre emploi et développement de nos forces.
     GIDE, Journal, Neuchâtel, oct. 1894.   3

Elle (*la Vénus de Cnide*) résume la forme de toutes les Vénus antiques dont elle a fixé le type qui résulte d'une harmonieuse répartition de la graisse combinée avec un beau développement des muscles.   4
     Paul RICHER, Nouvelle Anatomie artistique du corps humain, t. V, p. 271.

L'un des traits caractéristiques du développement de l'Homme, c'est la lenteur.   5
     Jean ROSTAND, l'Homme, II, p. 36.

Elle n'a pas quarante-huit heures à vivre (...) En mon absence, le mal est arrivé à tout son développement (...)   6
     BALZAC, le Curé de village, Pl., t. VIII, p. 753.

Le but du monde est le développement de l'esprit, et la première condition du développement de l'esprit, c'est sa liberté.   7
     RENAN, Souvenirs d'enfance..., Préface, p. 15.

C'est que la sensualité est la condition mystérieuse, mais nécessaire et créatrice, du développement intellectuel.   8
     Pierre LOUŸS, Aphrodite, Préface, p. 9.

(...) le développement de l'humanité ressemble à celui de l'individu, qui a une enfance, une jeunesse, une virilité, une vieillesse.   9
     RENAN, Dialogues et fragments philosophiques, p. 64.

Loc. *Pays, région en voie de développement, en déve-loppement* (forme utilisée par l'O.N.U.), dont l'éco-nomie n'a pas atteint le niveau de l'Amérique du Nord, de l'Europe occidentale, etc. (euphémisme créé pour remplacer *sous-développé**). → 1. Pays, cit. 6.1.

9.1 ... (ce qui n'empêche en rien le recours aux pays «en voie de développement» comme sources de main-d'œuvre et de matières premières, comme lieux d'investissement, mais ce n'est plus la préoccupation dominante).
Henri LEFEBVRE, la Vie quotidienne dans le monde moderne, p. 113-114.

Le développement d'un parti politique, d'une religion, d'un mouvement. → **Extension, propagation, rayonnement.**
Le développement d'un système, d'une doctrine. Développement logique d'un raisonnement. → **Déduction.**
Façon dont qqch. est développé. Développement exagéré, excessif. → **Gigantisme, hypergénèse, hypertrophie.** *Développement insuffisant* (hypotonie, nanisme...). — *Il veut donner à son entreprise un développement considérable.* → **Ampleur, extension.**

♦**3** *Façon dont se déroule* (qqch.). *Le développement d'un procès. Le développement d'un projet* (→ Exécution : projet en voie d'exécution). *Le développement d'une situation, d'une intrigue, d'une action dramatique.* → **Action, déroulement, enchaînement, marche.** *Au plur.* → **Prolongement, suite.** *Les développements d'une affaire.*

♦**4** (Av. 1842). *Exposition détaillée* (d'un sujet). → **Exposé; détail.** *Un long développement.* → **Tirade.** *Ajouter quelques développements superflus.* → **Amplification, longueur.** *Développements rhétoriques.* → **Broderie, embellissement, ornement.**

10 (...) j'ai découvert cette vérité que je crois capitale : que la tragédie est le développement d'une action et la comédie d'un caractère. STENDHAL, Journal, p. 50.

11 Avant de répondre, Michels tâta du regard l'assemblée puis il se lança dans un long développement avec toutes sortes de distinguos et de détours, et une grande abondance de gestes.
J. ROMAINS, les Hommes de bonne volonté, t. IV, XVI, p. 180.

Développement d'un thème musical. Exposition et développement.

♦**5** (De l'angl. des États-Unis *development* «mise au point»). Anglic. **a** Phase de la fabrication (d'un produit, d'un matériel) qui suit sa conception et qui se termine à la réalisation des têtes de série. *Étude et développement d'un matériel d'armement.*

b Spécialt. Inform. *Développement de logiciels :* activité consistant à créer des programmes informatiques (→ **Développeur**). *Le développement d'un logiciel comporte une phase d'analyse du problème à résoudre, une phase de définition, une phase d'implémentation et une phase de test.*

CONTR. Enveloppement; enroulement, entassement, groupement, regroupement, repliement. — Amaigrissement, appauvrissement, chute, déclin, décrépitude, décroissance, diminution, maigreur, nanisme, raccourcissement, ralentissement, régression, restriction, rétrécissement, sclérose, stagnation. ◊ **COMP. Sous-développement, surdéveloppement.**

DÉVELOPPER [devlɔpe] v. tr. — V. 1170, *desvoleper;* de *des-* (→ **1.** Dé-) et anc. franç. *voloper,* du bas lat. *faluppa* «balle de blé», avec infl. de *volvere* «tourner», et de *envelopper.*

A (Spatial). ♦**1** Rare. Enlever ce qui enveloppe (qqch.). → **Défaire, dégager, désenvelopper.** *Développer un paquet.* — Figuré :

1 Mon âme, en toute occasion,
Développe le vrai caché sous l'apparence.
LA FONTAINE, Fables, VII, 18.

♦**2** (Fin XIIᵉ, desvoleper). Rare. Étendre, défaire (ce qui est plié, enroulé). → **Déplier, déployer, dérouler, étaler.** *Développer un coupon de tissu. Développer un écheveau de laine.*

Donner toute son étendue à. *Armée qui développe ses ailes sur le champ de bataille.* → **Déployer, étendre.**

2 Il voit deux légions nouvelles
Qui, pour l'environner, développent leurs ailes.
SAURIN, Spartacus, V, 9, *in* LITTRÉ.

Par métaphore. Développer le fil d'un complot.

3 (Il) Sut de leur noir complot développer le fil (...)
RACINE, Esther, II, 3.

Spécialt **a** (1694). Géom. Représenter sur un plan les diverses faces de (un solide). → **Projeter.** — (1754). Math.; alg. *Développer une fonction, une série :* trouver les différents termes qu'elle renferme. *Développer une expression algébrique :* effectuer les opérations indiquées. — Chim. *Développer une formule.* → **Moléculaire, cit. 1.**

b (1892). *Vélo qui développe 7 mètres,* qui parcourt une distance de 7 mètres lorsque les pédales font un tour complet (→ **Braquet, développement**).

c (1865, *faire développer l'image*). Photogr. et cour. *Développer un cliché, une pellicule :* faire apparaître les images fixées sur la pellicule, au moyen de procédés chimiques. *Donner une pellicule à développer. Développer à l'aide d'un révélateur. Développer et tirer un cliché.*

B (Temporel). ♦**1** Cour. Faire croître; donner de l'ampleur à (qqch.). → **Accroître, agrandir, allonger, amplifier, augmenter, élargir, étendre, grossir.** *Développer le corps par des exercices physiques.* → **Exercer.**

4 Une nourriture saine et abondante développait rapidement les corps de ces deux jeunes gens (...)
BERNARDIN DE SAINT-PIERRE, Paul et Virginie, p. 27.

♦**2** Faire prendre de l'extension à. *Développer l'intelligence d'un enfant. Développer la finesse de l'esprit par l'éducation.* → **Aiguiser, cultiver, éduquer, former.** *Développer sa culture, son savoir, ses connaissances.* → **Enrichir.** *Développer ses qualités, ses dispositions naturelles, sa personnalité.*

5 (...) qui veut être heureux et développer son génie, doit, avant tout, bien choisir l'atmosphère dont il s'entoure immédiatement. Mᵐᵉ DE STAËL, Corinne, XIV, 1.

6 Chaque art développe en nous quelques qualités nouvelles.
MICHELET, la Femme, p. 143.

7 La vie des groupes, abandonnée à elle-même, développait peut-être, en effet, cette tendance oligarchique.
J. ROMAINS, les Hommes de bonne volonté, t. IV, XVI, p. 177.

Développer ses affaires, leur donner de l'extension. → **Agrandir.** *Développer l'économie d'un pays, ses ressources en énergie* (→ **Développement,** et ci-dessous, le participe passé).

Littér. → **Répandre.** *Développer un parfum.*

8 Elle tient un peignoir très fleuri, et très échancré. C'est elle, ce soir, qui développe des parfums.
J. ROMAINS, les Hommes de bonne volonté, t. II, X, p. 103.

♦**3** (XIVᵉ, desvoluper). Exposer en détail, étendre en donnant plus de détails. → **Éclaircir, expliquer, exposer, traiter; développement (4).** *Développer son sujet. Développer un argument, un plan, un chapitre. Développer sa pensée. Développer plus au long, tout au long. Développer les caractères dans une pièce de théâtre. Développer une anecdote.* → **Amplifier, broder, embellir, enrichir, exagérer, outrer.** *Développer un thème musical.*

9 Ils (les anciens) nous laissent beaucoup d'obscurités dans leurs poèmes, qu'il n'y a que les maîtres de l'art qui puissent développer. CORNEILLE, Disc. des trois unités.

10 Notre ami, savez-vous un thème que vous devriez développer, et qui donnerait bien la page la plus «harem» de

tout le livre?

LOTI, les Désenchantées, IV, XXVI, p. 162.

11 Rarement Pascal développe le tableau. Il suggère plus qu'il ne peint, et jamais il ne le décrit.

Gustave LANSON, l'Art de la prose, p. 84.

12 Plus tard, il constata que des romanciers avaient développé cette fable, en la rendant encore plus séduisante.

P. MAC ORLAN, la Bandera, VII, p. 83.

♦ **4** Faire preuve de (une possibilité); faire usage de (une aptitude). → **Déployer, manifester, montrer, produire.** *Développer toute son adresse, toutes les ressources de son talent pour convaincre qqn.*

13 (...) son dédain pour la philosophie perçait à chaque mot; c'était un perpétuel sarcasme, où il développait une sorte de talent âpre.

RENAN, Souvenirs d'enfance..., IV, II, p. 173.

♦ **5** Anglic. *Développer un produit; un logiciel.* → **Développement,** B, 5.

♦ **SE DÉVELOPPER** v. pron. **🅰** (Spatial). ♦ **1** Se déployer. *Armée qui se développe en ordre de bataille.*

14 Les jeunes filles, enfermées dans le logis, s'étaient ménagé aux fenêtres de petites fentes, par lesquelles elles les virent arriver et se développer en ordre de bataille.

G. SAND, la Mare au diable, Appendice II, p. 153.

15 Alors les ailes carthaginoises se développèrent pour les saisir; les éléphants les suivaient.

FLAUBERT, Salammbô, VIII, p. 172.

Fig. Se manifester complètement.

16 (...) digérez cet ouvrage : c'est la peinture de son esprit; son âme tout(e) entière s'y développe.

LA BRUYÈRE, Disc. de réception à l'Académie.

♦ **2** Se dérouler dans toute son étendue. *Les méandres du fleuve se développent dans la plaine.*

🅱 (Temporel). ♦ **1** Suivre son cours dans le temps en s'amplifiant. *Les conséquences de votre attitude se développent naturellement. Intrigue qui se développe. Raisonnement qui se développe logiquement.* → **Découler,** suite (se).

17 (...) quand l'expérimentateur déduira de rapports simples de phénomènes précis et d'après des principes connus et établis, le raisonnement se développera d'une façon certaine et nécessaire (...)

Cl. BERNARD, Introduction à la médecine expérimentale, I, II, p. 87.

♦ **2** (Êtres vivants; à la fois temporel et spatial). Croître, s'épanouir. → **Accroître** (s'), **augmenter** (de), **fleurir, fructifier, grandir, multiplier** (se), **progresser, prospérer; chemin** (*infra* cit. 37 : faire du chemin). *Commencer à se développer.* → **Germer, naître.** *Se développer à l'excès.* → **Hypertrophier** (s'). *Plante qui se développe* (→ Atrophier, cit. 3; bouton, cit. 1).

18 (...) je ne pus m'empêcher d'admirer la vigueur magnifique de la nature et l'irrésistible force qui pousse tout germe à se développer dans la vie.

FRANCE, le Crime de S. Bonnard, Œ., t. II, p. 348.

Le corps se développe jusqu'à la fin de l'adolescence. Jeune fille qui s'est développée de bonne heure. → **Former** (se).

19 (...) madame de la Tour, voyant sa fille se développer avec tant de charmes, sentait augmenter son inquiétude avec sa tendresse.

BERNARDIN DE SAINT-PIERRE, Paul et Virginie, p. 28.

20 (...) un coup d'œil sur Gise le rassura : c'était une plante saine qui se développerait n'importe où, échapperait à toutes les tutelles.

MARTIN DU GARD, les Thibault, t. I, p. 255.

21 Mais cette enfant muette, farouche, qui se protégeait instinctivement sans son épaule, se développa d'un coup, comme le rosier des fakirs.

COCTEAU, Thomas l'imposteur, p. 14.

♦ **3** S'amplifier dans le temps. *Son esprit s'est rapidement développé. L'intelligence se développe par la culture de l'esprit. Facultés, talents qui se développent* (→ Contrepoids, cit. 5; dégénérer, cit. 12). *Émotion amoureuse qui se développe en passion.* → **Devenir; changer.**

22 Une certaine tempérance morale est nécessaire pour que certains talents se développent; si elle manque, ils avortent.

TAINE, Philosophie de l'art, t. I, I, II, II, p. 55.

23 Cette sérénité sublime que demande l'œuvre d'art pour germer, pour se développer et s'épanouir (...)

G. DUHAMEL, Scènes de la vie future, VII, p. 113.

24 Depuis six jours, sans qu'il en eût fait l'objet d'une rêverie organisée, se développait en lui une représentation de plus en plus animée et hallucinante de la police.

J. ROMAINS, les Hommes de bonne volonté, t. II, XII, p. 129.

Prendre de l'extension, de l'importance. *L'affaire s'est développée grâce à une augmentation de capital.*

Argots qui se développent dans certains milieux. → **Diffuser, irradier, propager** (se), **rayonner, répandre** (se).

♦ **DÉVELOPPÉ, ÉE** p. p. adj. *Fonction développée.* → **Développée.** *Cliché développé. — Intelligence, qualité développée. — Économie développée, plus ou moins développée* (→ Sous-développé).

Spécialt. *Corps (bien) développé.* → **Ample, découplé, épanoui, formé, fort, grand, mûr.** *Cet enfant est très développé pour son âge. Poitrine très développée.* → **Gros.**

CONTR. Envelopper; enrouler, mêler, plier, replier; grouper, regrouper; cacher, dissimuler, taire; abréger, diminuer, écourter, élaguer, raccourcir, rapetisser, restreindre, rétrécir; amaigrir, appauvrir, scléroser. — Résumer, schématiser, simplifier. ◊ DÉR. Développable, développante, développateur, développé (n. m.), développée, développeur. - COMP. Sous-développé, surdéveloppé.

DÉVELOPPEUR, EUSE [dev(ə)lɔpœr, øz] n. — 1947; de *développer.*

♦ **1** Photogr. Personne qui développe les films. *Le développeur a un peu sous-développé ces clichés.*

♦ **2** Inform. Personne, informaticien, informaticienne qui conçoit et développe des logiciels. *Un développeur de jeux vidéo.* → **Concepteur.** *Elle est développeuse dans une boîte d'informatique.*

N. m. Société qui assure le développement* et la commercialisation de logiciels.

DÉVELOUTER [devəlute] v. tr. — 1884; 1876, p. p.; de 1. *dé-,* et *velouter.*

Rare. Ôter son aspect velouté à. — Pron. *Ses joues perdaient leur rondeur et se déveloutaient* (J. Green, *le Malfaiteur, in* T. L. F.). (Surtout au p. p.). *Une peau déveloutée.*

Figuré

Si différents qu'ils soient les uns des autres, presque tous ceux qui ont subi cette formation de Normale ont un je ne sais quoi de sec, de brillant, de «dévelouté».

F. MAURIAC, Bloc-notes 1952-1957, p. 24.

1. DEVENIR [dəvnir; d(ə)vənir] v. intr. [CONJUG.: *venir.*] — Fin Xᵉ; lat. *devenire* «arriver», bas lat. «devenir», de *de-,* et *venire* «venir».

🅰 Verbe d'état s'employant avec un attribut. ♦ **1** Passer d'un état à (un autre), commencer à être (ce que le sujet n'était pas). → **Changer, évoluer, se transformer.** *Devenir important, plus grand* (→ Augmenter), *plus petit* (→ Diminuer). *Faire devenir...* → **Rendre.** — (Sujet n. de personne). *Devenir grand, plus grand,* plus gros (grandir, grossir). *Devenir petit, plus petit* (rapetisser). *Devenir vieux* (→ **Vieillir**). *Devenir riche, pauvre. Il est devenu sage, honnête, bon. Il est devenu fou. Vous allez me faire devenir fou! Devenir socialiste, communiste. Devenir catholique :* se convertir* au catholicisme. *Il deviendra difficilement, fatalement célèbre. Devenir plus malade, le devenir davantage.* → ci-dessous, cit. 5. — (Sujet n. de chose). *L'entreprise devient prospère. La situation devenait difficile, précaire. Le temps devient froid.* → **Tourner** (au froid). — (Impersonnel). *Il devient très bien porté, très à la mode de... Il devient difficile d'y croire. Il devenait évident, patent qu'il mentait. Il devient de plus en plus certain, évident que...* — Spécialt. *Devenir général, ministre, professeur, médecin, plombier. On ne naît pas poète, on le devient. Il a l'impression d'être devenu un autre. Elle est devenue sa femme. Il est devenu mon ami.* — Se changer, se transformer. *Le têtard deviendra une grenouille. Les media deviennent un instrument de propagande. La citrouille devint un carrosse. Devenir une source de désagrément, un sujet de dérision.*

1 Petit poisson deviendra grand,
Pourvu que Dieu lui prête vie (...)
LA FONTAINE, Fables, V, 3.

2 L'union de deux choses sans changement ne fait point qu'on puisse dire que l'une devient l'autre : ainsi l'âme étant unie au corps, le feu au bois, sans changement; mais il faut changement qui fasse que la forme de l'une devienne la forme de l'autre, ainsi l'union du Verbe à l'homme. PASCAL, Pensées, VII, 512.

3 (...) je me croyais Grec ou Romain; je devenais le personnage dont je lisais la vie (...)
ROUSSEAU, les Confessions, I.

4 Je changeais à mon gré de nature : j'étais capable de revêtir les figures les plus étranges et les plus extraordinaires, de devenir, par enchantement, roi, dragon, diable, fée (...)
FRANCE, le Petit Pierre, VIII, p. 45.

5 Elle le croyait malade et craignait qu'il le devînt davantage.
FRANCE, le Crime de S. Bonnard, Œ., t. II, p. 385.

6 (...) un sourire qui pour un rien devenait du rire vraiment (...) GIDE, Si le grain ne meurt, I, I, p. 31.

7 Ainsi, dans les rêves,
On voit une personne en devenir une autre,
Sans le moindre étonnement.
COCTEAU, Disc. du grand sommeil,
«Délivrance des âmes».

Fam. *C'est devenu un beau gars, un beau brin de fille.*

Loc. fam. Vx. *Devenir à rien :* se réduire considérablement. Fig. *Cet enfant devient à rien.* → **Maigrir.**

8 — (...) Sous ses heureuses mains le cuivre devient or.
— Et l'or devient à rien.
J.-F. REGNARD, le Joueur, III, 6.

REM. 1. Lorsque le sujet désigne une chose, dans quelques syntagmes usuels, le déterminant du compl. nominal est un nom exprimé. *Devenir un objet, l'objet, un sujet, le sujet, devenir objet, sujet de...* «Ce devoir devient principe d'action, source d'énergie» (Amiel, in T. L. F.).
2. Comme le verbe *être, devenir* peut introduire des substantifs en valeur adjectivale, alors même que le sujet et le complément n'appartiennent pas à la même catégorie sémantique (comme dans : *le bébé est devenu homme; elle est devenue avocat* ou *avocate,* etc.) : «Un grès clair devenu couleur d'ambre» (T'Serstevens). «M. Lechevallier est devenu tout miel» (Gide, Ex., in T. L. F.).

♦ **2** Être dans un état, avoir un sort, un résultat particulier (dans les phrases interrogatives ou dubitatives). *Qu'allons-nous devenir? J'ignore ce que tout ceci deviendra.* → **Donner, être.** *Que deviendra sa fortune après sa mort? Que sont devenues vos belles résolutions? — Que voulez-vous devenir?,* quelle carrière voulez-vous suivre?

Dites-nous donc quelle résolution vous prenez, me 9
répondit le ministre; que voulez-vous devenir?
MARIVAUX, la Vie de Marianne, VIIᵉ partie.

Si l'on pouvait recouvrer l'intransigeance de la jeunesse, ce 10
dont on s'indignerait le plus, c'est de ce qu'on est devenu.
GIDE, les Faux-monnayeurs, 1ʳᵉ partie, XVIII, p. 213.

Que deviendrais-je sans le rire? Il me purge de mes 11
dégoûts. Il m'aère.
COCTEAU, la Difficulté d'être, p. 186.

Qu'est devenue cette personne?, où est-elle? que fait-elle? *Qu'est devenu votre ami depuis qu'il a quitté la France? Qu'étiez-vous donc devenu? Nous vous cherchions depuis une heure. Qu'est devenu mon chapeau?,* où est-il passé? — Fam. *Que devenez-vous? Qu'est-ce que vous devenez?,* se dit pour demander des nouvelles d'une personne qu'on n'a pas vue depuis quelque temps.

Qu'est-ce que vous êtes donc devenu depuis l'autre jour? 12
MARTIN DU GARD, Jean Barois, II, La tourmente,
IV, p. 298.

Alain Guimiez... Voyons... il y a bien longtemps que je l'ai 12.1
perdu de vue. Qu'est-il devenu, au fait?
N. SARRAUTE, le Planétarium, p. 166.

(Exprimant l'inquiétude). *Qu'est-ce que nous allons devenir?*

Ne savoir que devenir : ne savoir que faire, et, par ext., ne pas être à son aise.

(...) j'ai oublié ma tabatière; il y a une demi-heure que je 13
ne sais que devenir.
MARIVAUX, le Paysan parvenu, IV, p. 203.

♦ **3** Se devenir. Pron. Rare. Devenir soi-même.

L'artiste au même titre que le penseur s'engage et se 13.1
devient dans son œuvre.
CAMUS, le Mythe de Sisyphe, in Essais, Pl., p. 175.

B V. intr. (1864). Didact. ou littér. Changer, évoluer.

À la conception antique qui opposait l'être et le devenir, le 14
christianisme a substitué celle qui les unit. Nous sommes et nous devenons. Nous sommes parce que nous devenons. En un certain sens, on peut dire qu'on ne devient que ce qu'on est (parce que sur le plan de la terre, on ne peut jamais que révéler lentement une image éternelle); mais, bien plus profondément, on n'est que ce qu'on devient.
DANIEL-ROPS, Ce qui meurt..., VI, p. 243.

C (V. 1282). Régional (Centre, Ouest, Canada). Venir, revenir.

«Comment expliquez-vous que personne ne fasse la gelée 14.1
aussi bien que vous?» (...) «Je ne sais pas d'où que ça devient», répondit Françoise (qui n'établissait pas une démarcation bien nette entre le verbe venir, au moins pris dans certaines acceptions, et le verbe devenir).
PROUST, À l'ombre des jeunes filles en fleurs, Pl.,
t. I, p. 485.

CONTR. Demeurer, rester, subsister. — Être.

2. **DEVENIR** [dəvniʀ; d(ə)v(ə)niʀ] n. m. — 1839, Michelet in T. L. F.; infinitif substantivé, du verbe 1. *devenir.*
Passage d'un état à un autre; suite des changements. → **Changement.** *Philosophie du devenir.* → **Dynamisme.** *Le devenir du monde.* → **Futur.** *Processus du devenir. Avoir un devenir.* — En devenir. *La conscience est en devenir.* → **Évolution, mouvement.**

L'intuition du devenir, dans l'histoire comme dans la 15
nature, était dès lors l'essence de ma philosophie.
RENAN, Souvenirs d'enfance..., V, II, p. 207.

Le devenir est infiniment varié. Celui qui va du jaune au 16
vert ne ressemble pas à celui qui va du vert au bleu : ce sont des mouvements qualitativement différents. Celui qui va de la fleur au fruit ne ressemble pas à celui qui va de la larve à la nymphe et de la nymphe à l'insecte parfait : ce sont des mouvements évolutifs différents. L'action de manger ou de boire ne ressemble pas à l'action de se battre : ce sont des mouvements extensifs différents (...) L'artifice de notre perception, comme celui de notre intelligence, comme celui de notre langage, consiste à extraire

de ces devenirs très variés la représentation unique du devenir en général, devenir indéterminé, simple abstraction (...)
H. BERGSON, l'Évolution créatrice, IV, p. 303.

17 La guerre, disait-il, n'échappe pas aux lois de notre vieil Hegel. Elle est en état de perpétuel devenir.
PROUST, À la recherche du temps perdu, t. XIV, p. 71.

(Qualifié). *Un devenir incessant, perpétuel. Le devenir continuel* (cit. 4) *du monde, de l'homme. Avoir un devenir imprévisible. Le devenir historique est révolutionnaire* (cit. 2).

CONTR. État, immobilité, permanence, stabilité.

DÉVENTEMENT [devãt(ə)mã] n. m. — D. i. (attesté XXᵉ) ; de *déventer.*

Mar. Le fait de déventer (2.) une voile, un bateau à voile. → Déventer, cit.

DÉVENTER [devãte] v. tr. — 1694 ; de 1. *dé-, vent,* et suff. verbal.

Marine.

♦ **1** Vx. Brasser (une voile) en ralingue de façon qu'elle fasèye. *Déventer ses huniers pour ralentir sa marche.* — P. p. adj. *Une voile déventée.*

♦ **2** Empêcher (une voile ; un bateau à voile) de recevoir le vent. *Grand-voile qui déverse dans l'artimon et qui le dévente. La falaise a déventé la goélette. Le yawl nous a déventés. Il s'est fait déventer par un concurrent au passage de la bouée.* — Au p. p. *Voilier déventé* (→ Sous-venté).

Nous avons adopté l'allure du «grand largue presque vent arrière», avec l'artimon filé jusqu'aux haubans, la grand-voile légèrement bordée mais raidie à bloc par un halebas, et le petit génois à la limite du déventement. La trinquette est amenée car elle serait neutralisée par la grand-voile et déventerait le petit génois.
Bernard MOITESSIER, Cap Horn à la voile, p. 74.

DÉR. Déventement.

DÉVERBAL, AUX [devɛrbal, o] n. m. — 1933 ; de *dé-* indiquant le point de départ, *verbe,* et suff. *-al.*

Ling. Nom formé à partir du radical d'un verbe (comme *portage* de *porter*). Spécialt. Nom dérivé qui est formé sans suffixe (comme *bouffe* de *bouffer*). → **Déverbatif.** *Déverbaux et dénominatifs*.* — REM. C'est ce second sens qui est utilisé dans le présent ouvrage.

DÉVERBATIF [devɛrbatif] n. m. — 1958 ; de *verbe,* d'après *dénominatif.*

Ling. Forme dérivée d'un verbe (comme *portage* fait sur *porter*) et, plus spécialt, verbe dérivé d'un verbe. → **Déverbal.**

DÉVERGLACER [devɛrglase] v. tr. [CONJUG.: *glacer.* → Placer.] — Av. 1975, in *la Clé des mots* ; de 1. *dé-,* et *verglas* ou *verglacé.*

Techn. Faire disparaître le verglas sur, de... *Déverglacer une piste d'aérodrome.*

DÉVERGONDAGE [devɛrgɔ̃daʒ] n. m. — 1792 ; de se *dévergonder.*

♦ **1** Littér. Conduite dévergondée*, relâchée. → **Débauche, dépravation, immoralité, impudicité, libertinage, licence.** *Le dévergondage de la décadence romaine.* — **Relâchement** (des mœurs). — *Le dévergondage d'une personne,* sa conduite dévergondée. — (*Un, des dévergondages*). Action dévergondée ; spécialt, comportement sexuel réprouvé.

0.1 (...) elles étaient lasses d'histoires à dormir debout sur les dévergondages de Lisa avec le cousin (...)
ZOLA, le Ventre de Paris, t. I, p. 188.

0.2 Quand il s'éveilla, l'édredon au menton, vautré au milieu du lit, il vit Lisa, assise devant le secrétaire, qui mettait des papiers en ordre ; elle s'était levée, sans qu'il s'en aperçût, dans le gros sommeil de son dévergondage de la veille.
ZOLA, le Ventre de Paris, t. I, p. 237.

1 (...) sous cette exubérance fastueuse et déréglée de création musicale, une suite de génies profonds et concentrés (...) attestent l'austère grandeur d'âme et la pureté de cœur qui pouvaient se conserver parmi la frivolité et le dévergondage des cours italiennes.
R. ROLLAND, Musiciens d'autrefois, p. 6.

2 Il la regarda, mais ne répondit rien. Il réfléchissait avec une affliction sincère au dévergondage de la jeunesse, au relâchement des mœurs, puis à cette maison, à cette créature livrée au mal (...)
MARTIN DU GARD, les Thibault, t. III, p. 58.

Rare. Action de dévergonder (qqn). *Le dévergondage de quelqu'un par quelqu'un.*

♦ **2** (1825). Fig. Excès, excentricité, écart fantaisiste (de la pensée). *Un dévergondage d'esprit, d'imagination. Le dévergondage de l'imagination.*

3 Voilà où mènent l'oubli des saines doctrines et le dévergondage romantique (...)
Th. GAUTIER, Préface de Mˡˡᵉ de Maupin, p. 8 (éd. critique MATORÉ).

4 «Je rappelle à l'orateur qu'il n'a qu'un seul droit, celui de répondre strictement sur la question en discussion à l'orateur précédemment inscrit». Cette fine allusion au dévergondage de l'imagination de Couzon qui savait jamais «se renfermer dans la question», fit rire toute la majorité (...)
PROUST, Jean Santeuil, Pl., p. 603.

♦ **3** Littér. et rare. Grande abondance désordonnée. → **Débauche, profusion.** «*Un dévergondage de dentelles et de clochetons*» (Reybaud, *Jérôme Paturot,* in T. L. F.).

CONTR. Ascétisme, austérité, modestie, pudeur, retenue, sagesse. — **Mesure, modération.**

DÉVERGONDÉ, ÉE [devɛrgɔ̃de] adj. — V. 1170, *desvergondé* ; de 1. *dé-,* anc. franç. *vergonde,* var. de *vergogne*,* et suff. *-é, -ée.*

A ♦ **1** (Personnes). Qui mène une vie privée, a une conduite morale, sexuelle, jugée scandaleuse. → **Débauché, impudique, libertin, licencieux.**

(D'une femme). Cour. Qui n'a pas de pudeur et ne respecte pas les règles de la morale sexuelle admise (le jugement négatif est à la fois éthique et social). «*Menteuses, hypocrites, dévergondées et sans éducation aucune*» (Tharaud, in doc. T. L. F.).

1 Je ne voudrais pas qualifier de dévergondée une femme dont j'aurais à me plaindre.
G. SAND, in P. LAROUSSE.

N. f. (Vieilli). **UNE DÉVERGONDÉE** : fille ou femme qui mène ouvertement une vie sexuelle scandaleuse. *C'est une petite, une grande dévergondée.* — Spécialt. Femme, fille de mauvaise vie. — (Au XIXᵉ). Femme, fille du peuple (dont les mœurs, les vêtements, etc. n'étaient pas conformes aux règles bourgeoises concernant notamment la morale sexuelle).

1.1 Sa mauvaise intention la faisant rougir (car elles rougissent aussi les dévergondées)...
SCARRON, le Roman comique, II, x.

Rare. (D'un homme). Dont la liberté de mœurs est affichée. *Un vieux garçon dévergondé.* Spécialt. Qui contrevient à la morale sexuelle monogame. «*Je ramenais les maris dévergondés... à leurs épouses*» (A. Arnoux, in T. L. F.).

♦ **2** (1832). Choses abstraites. Qui indique une conduite sexuelle scandaleuse ; qui indique, exprime ou incite au dévergondage. *Vie dévergondée. Littérature dévergondée. Propos dévergondés.* — *Époque, civilisation dévergondée.*

2 J'entendais le cliquetis des clefs et des chaînes, le bruit des sergents de ville et des espions, le pas des soldats,

le mouvement des armes, les cris, les rires, les chansons dévergondées des prisonniers mes voisins (...)
CHATEAUBRIAND, Mémoires d'outre-tombe, IV, II.

3 La conversation dura encore quelque temps, la plus folle et la plus dévergondée du monde ; mais, à travers toutes les exagérations bouffonnes, les plaisanteries souvent ordurières, perçait un sentiment vrai et profond de parfait mépris pour la femme (...)
Th. GAUTIER, Mlle de Maupin, V, p. 90.

♦ **3** Par anal. (D'une femelle d'animal, par anthropomorphisme). *Chatte, chienne dévergondée.*

B ♦ **1** Caractérisé par le dévoiement, l'excès, l'extravagance, l'exubérance (en parlant d'activités humaines, de leur résultat).

Vieilli et littér. Excessif et regrettable. *« Le prosaïsme le plus dévergondé »* (A. Arnoux, *in* T. L. F.).

♦ **2** Littér. Excessif, baroque (en parlant de choses naturelles). → **Délirant, fou.** *Temps dévergondé ; fleurs dévergondées (in* T. L. F.).

CONTR. Ascétique, austère, contenu, mesuré, modéré, modeste, pudique, réglé, réservé, retenu, sage. ◊ DÉR. Dévergonder.

DÉVERGONDER [devɛʀɡ5de] v. tr. — Av. 1475, *desvergonder* «pousser à la débauche»; de *dévergondé.*

Faire mener à (qqn) une vie scandaleuse, sur le plan de la morale sexuelle ; pousser au dévergondage. *Il, elle s'est fait dévergonder par ses amis.* → **Débaucher.** *Être dévergondé par...* (→ ci-dessous, cit. 2).

Par ext. *Dévergonder les pensées, les idées...*

1 Une énorme réserve d'amour me gonflait ; parfois elle affluait du fond de ma chair et dévergondait mes pensées.   GIDE, l'Immoraliste, *in* Romans, Pl., p. 458.

♦ **SE DÉVERGONDER** v. pron.

Devenir (plus) dévergondé(e) ; mener une vie, avoir une conduite scandaleuse, quant à la morale sexuelle. *« Elle pratique l'adultère et elle se dévergonde »* (Huysmans, *in* T. L. F.).

2 Le dévergondage ne marque pas les hommes. Il est chez eux de l'ordre de l'accident, de la manie, de la maladie (...) Alors que pour les femmes, il s'agit de bien autre chose (...) Autrement dit, si les hommes se dévergondent c'est qu'ils sont dévergondés par des dévergondées. Nous voici dans le classement bien connu : jeune fille-épouse-mère / fille-putain, etc.
Simone DELESALLE, Christian BUZON, Chantal GIRARDIN, « Dévergondé, dévergondage (...) », *in* Langue française, nᵒ 43, p. 48.

Par ext. Vx. S'écarter de la morale reçue.

Fig. et littér. Devenir dévergondé (fig.).

DÉR. Dévergondage.

DÉVERGUER [devɛʀɡe] ou **DÉSENVERGUER** [dezɑ̃vɛʀɡe] v. tr. — 1654, *déverguer ; désenverguer,* 1783; de 1. *dé-, vergue,* et suff. verbal; de *dés-,* et *enverguer.*

Mar. Ôter de sa vergue (une voile).

Pendant deux heures, Cyrus Smith et ses compagnons furent uniquement occupés à haler les espars sur le sable et à déverguer, puis à mettre au sec les voiles, qui étaient parfaitement intactes.
J. VERNE, l'Île mystérieuse, t. II, p. 645.

CONTR. Enverguer.

DÉVERNIR [devɛʀniʀ] v. tr. — 1653, *desvernir ;* de 1. *dé-,* et *vernir.*

Techn. Enlever le vernis de. *Dévernir une table. Dévernir un tableau.* — Au p. p. *Une chaise dévernie.*

Il s'assit sur un banc de chêne qui avait été peint autrefois, mais aujourd'hui tout déverni.
Charles-François LANDRY, Petit Bar Mistral, p. 267.

CONTR. Vernir.

DÉVERNISSAGE [devɛʀnisaʒ] n. m. — 1849; de *dévernir.*

Techn. Action de dévernir (un tableau).

1 Il faudrait seulement trouver un moyen de rendre le vernis de dessous inattaquable dans les opérations subséquentes de dévernissage.
E. DELACROIX, Journal 1823-1850, 5 févr. 1849.

2 Pour un tableau la première opération, le nettoyage, signifie dévernissage. C'est une question controversée liée à la restauration. Les risques d'un dévernissage varient beaucoup suivant l'état d'un tableau et la compétence de l'opérateur. Ils dépendent aussi de l'utilisation d'ingrédients propres à provoquer des dégâts dans la couche peinte par la dissolution de cette couche sous l'effet des dissolvants sur l'agglutinant.
Luc BENOIST, Musées et Muséologie, p. 84.

CONTR. Vernissage.

DÉVERROUILLAGE [devɛʀujaʒ] n. m. — 1929; de *déverrouiller.*

♦ **1** Action de déverrouiller (une porte).

♦ **2** Ouverture de la culasse (d'une arme à feu).

♦ **3** Fig. **ⓐ** Action de déverrouiller (une position).

1 Mais en réalité, lorsqu'on songe à tous les avantages que la révolution mondiale retirerait du premier drapeau miparti rouge et vert hissé sur n'importe quel minaret du Moyen ou du Proche-Orient, on s'aperçoit que le déverrouillage des détroits serait le moindre d'entre eux.
Vladimir VOLKOFF, le Retournement, p. 87.

ⓑ Didact.

2 Le dernier épisode vraiment spectaculaire de l'évolution des Anthropiens, est, on l'a vu, le déverrouillage préfrontal.
A. LEROI-GOURHAN, le Geste et la Parole, t. I, p. 184.

DÉVERROUILLER [devɛʀuje] v. tr. — XVIᵉ; *desveroillier,* v. 1170; de 1. *dé-,* et *verrouiller.*

♦ **1** Ouvrir en tirant le verrou. *Déverrouiller une porte.*

♦ **2** (1948). *Déverrouiller une arme,* procéder au déverrouillage.

♦ **3** Fig. *Déverrouiller une position militaire.* — Écon. → **Désenclaver.**

CONTR. Verrouiller. ◊ DÉR. Déverrouillage.

DEVERS [dəvɛʀ] prép. — 1080; de *de-,* et *vers.*

♦ **1** Vx. Du côté de. → **Vers.** *Il est devers Toulouse.*

1 Tourne un peu ton visage devers moi.
MOLIÈRE, George Dandin, II, 1.

♦ **2** Loc. prép. Dr. **PAR DEVERS :** par-devant. *Se pourvoir par devers le juge.* — Littér. En la possession de. *Avoir, garder des documents par devers soi.*

1.1 (...) le garde de première classe (...) a gardé par devers lui la nourriture qu'il eût dû distribuer aux prestataires et aux porteurs.
GIDE, Voyage au Congo, *in* Souvenirs, Pl., p. 811.

Par devers soi : de son côté, dans son for intérieur.

1.2 Je suis, par devers moi, tout triste, en songeant que je vais passer encore un bon mois et demi sans la voir.
FLAUBERT, Correspondance, *in* T. L. F.

Vx. Devant (soi).

2 Suivez le précepte d'Horace : Ayez toujours une année de blé par devers vous (...)
VOLTAIRE, Dict. philosophique, Blé.

REM. L'Académie (1932) écrit *par-devers,* avec un trait d'union.

DÉVERS, ERSE [devɛʀ, ɛʀs] adj. et n. m. — 1676 ; lat. *deversus*, tourné vers le bas, p. p. de *devertere*, de *de-*, et *vertere*.

♦ **1** Adj. Vx. Qui n'est pas d'aplomb. *Mur dévers.*

♦ **2** N. m. Inclinaison, pente (de qqch.). *Dévers d'une pièce de bois.* — (1890). Spécialt. Ch. de fer. Ponts et chaussées. Inclinaison transversale d'une voie, d'une chaussée dans les courbes pour combattre la force centrifuge. — (1875). Mar. Inclinaison des parois de l'étrave d'un navire pour éviter l'embarquement des paquets de mer.

1   Et comme le dévers de la courbe les inclinait vers la plaine, les regards des hommes crurent plonger un court instant dans l'âme inclinée de la cheminée (...) L'inclinaison du wagon lui donnait l'air de s'effondrer vers le nord.
        J.-R. BLOCH, Et Compagnie, I, 4, p. 47.

2   Je dis *mât*, et je méprise les autres enfants qui emploient le mot *disque.* Je dis *rampe* et j'évite *pente*, je parle du *dévers* des courbes.   J.-R. BLOCH, Mon pays natal, oct. 1929.

DÉR. 1. Déverser.

DÉVERSAGE [devɛʀsaʒ] n. m. — Mil. XXᵉ ; de 2. *déverser.*

Rare. Action de déverser. → 2. **Déversement.**

    Et c'est la riposte immédiate ! bafouages, brimades, férocités, tractations démones, déversages de torrents de fiente pour que je crève hagard, englouti, sous les opprobres (...)
        CÉLINE, Guignol's band, p. 28.

DÉVERSÉ, ÉE [devɛʀse] adj. — XXᵉ ; de 1. *déverser.*
Sport (alpin.). Qui présente un surplomb. → **Surplombant.** *Passage déversé. Paroi déversée.*

1. DÉVERSEMENT [devɛʀsəmɑ̃] n. m. — 1838 ; de 1. *déverser.*
Techn. Fait de s'incliner, d'avoir du dévers. *Déversement d'un mur.* — (1905). Ch. de fer. → **Dévers.**

2. DÉVERSEMENT [devɛʀsəmɑ̃] n. m. — 1797, métaphore ; de 2. *déverser.*
Action de verser un liquide ; de se déverser.
Fig. Un déversement de mépris, de haine, de douleur.

1. DÉVERSER [devɛʀse] v. — 1676 ; de *dévers.*

♦ **1** V. tr. Techn. Donner de l'inclinaison, du dévers à. → **Incliner.** *Déverser une pièce de bois.*

♦ **2** V. intr. Techn. Devenir dévers. → **Pencher.** *Mur qui déverse.*

CONTR. Redresser. ◊ DÉR. Déversé, 1. déversement.

2. DÉVERSER [devɛʀse] v. tr. — 1755 ; de 2. *dé-*, et *verser.*

♦ **1** Faire couler* (un liquide d'un lieu dans un autre). → **Répandre, verser.** (Rare à l'actif). *Déverser l'eau d'une écluse dans un bassin. Déverser du métal en fusion dans un moule.*
Pron. Cour. *L'eau du réservoir se déverse dans une conduite.* → **Écouler** (s'), **vider** (se). *La Seine se déverse dans la Manche.* → **Affluer, jeter** (se).

♦ **2** (1797). Déposer, laisser tomber en versant. *Déverser du sable sur un chantier.* → **Décharger.** *Les avions ont déversé des tonnes de bombes sur l'objectif.*

♦ **3** (1794). Fig. Laisser sortir, répandre en grandes quantités, à flots. *Chaque train déverse des flots de voyageurs.*
Produits déversés sur le marché.

1   Je voudrais bien trouver des chefs-d'œuvre, parmi les innombrables romans que la librairie française déverse chaque jour sur le marché des deux mondes.
        GIDE, Journal, 7 oct. 1905.

Fig. Déverser sa bile, sa rancune, son mépris.
→ **Épancher, répandre.** *Déverser des injures. Déverser sa douleur dans le sein d'un ami.*
→ **Décharger, soulager son cœur*.**

2   Que j'en ai déversé de mes chagrins, dans cette âme avide de les boire, afin de m'en décharger !
        R. ROLLAND, Voyage intérieur, p. 135.

3   Des lettres où je déversais tous mes enthousiasmes de la journée, toutes mes haines, surtout !
        MARTIN DU GARD, les Thibault, t. II, p. 262.

Pronominal :

4   *(Il)* cède au besoin de se raconter qui tourmente le cœur de l'homme, et sans s'inquiéter beaucoup si l'oreille où il se déverse a vraiment qualité pour l'entendre.
        GIDE, Si le grain ne meurt, I, VII, p. 205.

CONTR. Capter, garder, recevoir, retenir. — Charger. ◊ DÉR.
Déversage, 2. déversement, déverseur, déversoir.

DÉVERSEUR, EUSE [devɛʀsœʀ, øz] adj. et n.
— 1880 ; de 2. *déverser.*

♦ **1** Adj. Qui déverse. Techn. *Un bec déverseur.* → **Verseur.**

♦ **2** N. m. Techn. Détendeur, appareil réglant la pression du fluide en amont d'un point.

♦ **3** N. (1886). Fig. et littér. *Un déverseur, une déverseuse d'idées, de lieux communs.*

DÉVERSOIR [devɛʀswaʀ] n. m. — 1673 ; de 2. *déverser.*

♦ **1** Orifice par lequel s'écoule le trop-plein (d'un canal, d'un réservoir...). → **Débouché, évacuation, vanne.** *Le déversoir d'un barrage. Le déversoir d'un étang.* → **Daraise.** — *Un déversoir d'orage.*

0.1   Les colons, arrivés au plateau de Grande-Vue, se dirigèrent immédiatement vers la pointe du lac, près de laquelle s'ouvrait l'orifice de l'ancien déversoir, qui, maintenant, devait être à découvert. Ce déversoir serait donc devenu praticable, puisque les eaux ne s'y précipiteraient plus, et il serait facile sans doute d'en reconnaître la disposition intérieure.   J. VERNE, l'Île mystérieuse, t. I, p. 232.

0.2   La passe ouvrait devant lui un large torrent d'écume qui accourait contre son étrave. Il régnait, dans ce détroit, une effervescence chaotique de déversoir, et un immense bruit d'eau bouillante l'emplissait.
        Roger VERCEL, Remorques, p. 26.

(1862). Par ext. Réservoir destiné à recevoir le trop-plein d'un autre. — Par analogie :

1   (...) la contrée est un déversoir de grandes eaux qui, en y arrivant, deviennent lentes ou demeurent stagnantes, faute de pentes.
        TAINE, Philosophie de l'art, III, I, II, p. 244.

♦ **2** (1840). Fig. → **Épanchement, exutoire, issue.**

2   Vous êtes heureux, vous autres, les poètes, vous avez un déversoir dans vos vers.
        FLAUBERT, Correspondance, II, p. 344.

DÉVERTÉBRÉ, ÉE [devɛʀtebʀe] adj. — Déb. XXᵉ, selon G. L. L. F. ; de 1. *dé-*, et *vertébré.*
Littér. Qui a perdu sa structure. *Des phrases dévertébrées.*

DÉVÊTEMENT [devɛtmɑ̃] n. m. — 1375, repris 1845 ; *devestement* «action de se dessaisir», v. 1300 ; de *dévêtir.*
Rare. Action de se dévêtir. → **Déshabillage.**

    (...) ses contorsions *(de Salomé)* n'avaient rien d'excitant ; en fait de dévêtement en progression savante, sa danse des sept voiles était une escroquerie.
        M. LEIRIS, l'Âge d'homme, p. 108.

DÉVÊTIR [devetiʀ] v. tr. [CONJUG.: *vêtir.*] — V. 1130, *desvestir* (1170, *in* T. L. F.) ; de 1. *dé-*, et *vêtir.*

Dépouiller (qqn) de tout ou partie de ses vêtements. → **Déshabiller ; dénuder.** *Dévêtir un enfant, un malade, un blessé.*

Par métaphore :

(...) le soleil qui se couche et dévêt sur l'horizon ses lumineux habits, ses nuages répandus pêle-mêle.
    J. RENARD, Hist. naturelles, «Chasseur d'images».

Fig. et littér. *Dévêtir son âme.* → **Dévoiler, révéler.**

◆ **SE DÉVÊTIR** v. pron.

(V. 1170). Enlever ses vêtements. — **Spécialt.** Ôter une partie de ses vêtements. *Se dévêtir quand il fait chaud.* → **Découvrir** (se). *Se dévêtir pour se mettre à l'aise.*

◆ **DÉVÊTU, UE** p. p. adj. *Une personne assez dévêtue, à demi dévêtue.* → **Nu.** *Il couche dévêtu, entièrement dévêtu.*

CONTR. Habiller, vêtir ; couvrir (se). ◊ **DÉR. Dévêtissement.**

DÉVÊTISSEMENT [devetismã] n. m. — 1314 ; de *dévêtir.*

◆ **1** Vx. Dr. Action de se dessaisir d'un bien.

◆ **2** (1845). Rare. Action de se dévêtir. → **Dévêtement.**

DÉVIANCE [devjãs] n. f. — Av. 1968 ; de *déviant.*

Didact. Caractère de ce qui dévie (**fig.**), de ce qui s'écarte d'une norme.

REM. *Déviation* s'emploie surtout au sens concret et désigne *l'écart* lui-même.

Psychol. Comportement qui échappe aux règles admises par la société.

(...) le fou, entendu non pas comme malade, mais comme déviance constituée et entretenue (...)
    Michel FOUCAULT, les Mots et les Choses, p. 63.

DÉVIANT, ANTE [devjã, ãt] adj. — XXᵉ (1923, cit. 2) ; p. prés. de *dévier.*

◆ **1** Qui dévie. *Position déviante du corps.* — **Fig.** *Opinion déviante* (par rapport à l'opinion communément reçue, ou orthodoxe). *Conduite déviante.*

Ainsi, dans un groupe de discussion, un compère pourra exprimer une opinion extrême ou déviante et cette prise de position permettra de voir comment les sujets réagiront.
    Paul FRAISSE, la Psychologie expérimentale,
    Les relations interpersonnelles, VIII, p. 117.

N. (rare au fém.). **Psychol.** Personne dont le comportement s'écarte de la norme sociale admise.

◆ **2** Sc. Qui fait dévier, a le pouvoir de faire dévier (qqch., un mouvement). → **Déviateur, 2.** *Force déviante.* → Déviation, cit. 2.1.

À la sortie du tube, les rayons passent dans les champs électrique et magnétique déviants.
    A. BOUTARIC, la Vie des atomes, p. 113 (1923).

DÉVIATEUR, TRICE [devjatœR, tRis] adj. et n. m. — 1861 ; «personne qui détourne du bon chemin», 1542 ; de *dévier*, d'après le bas lat. *deviator*, du supin de *deviare.* → Dévier.

◆ **1** Didact. Qui produit une déviation. *Forces déviatrices s'exerçant sur un projectile.* → **Déviant.**

◆ **2** N. m. (1904). Techn. Dispositif permettant le freinage à l'atterrissage des avions à réaction.

Instrument, appareil permettant de dévier (une force, la direction d'un travail, etc.).

DÉVIATION [devjasjɔ̃] n. f. — V. 1300, *deviacion ;* bas lat. *deviatio*, du supin de *deviare.* → Dévier.

Ⅰ ◆ **1** Action de dévier (un projectile, un véhicule). *Déviation des véhicules pour cause de travaux.*

◆ **2** (1874). Chemin que doivent prendre les véhicules déviés. *Emprunter, suivre une, la déviation.*

Il faut (...) ménager des lieux de stationnement, détourner les voitures de certaines voies mal praticables, tracer des déviations (...)
    G. DUHAMEL, Manuel du protestataire, IV, p. 130.

Ⅱ Action de dévier (A., 1.). ◆ **1** (1752). Action de sortir de la direction normale ; son résultat. *La déviation d'un projectile, son écart du plan de tir.* → **2. Dérivation.** *Déviation d'un navire, d'un avion par rapport à la route qu'il doit suivre.* → **Dérive.** *Déviation de l'aiguille aimantée, du compas, sur un navire, un avion* (→ **Magnétisme**). *La variation* d'un compas est la somme algébrique de la déviation et de la déclinaison.* — **Astron.** *Déviation d'une lunette méridienne. Déviation apparente d'un astre.* → **Aberration.** — **Opt.** *Déviation d'un rayon lumineux* (→ **Inflexion**) *quand il effleure un corps opaque* (→ **Diffraction**), *ou quand il change de milieu* (→ **Réfraction**). — *Déviation d'une particule.*

Je vis (...) que les cristaux hémièdres à droite déviaient à droite, que les cristaux hémièdres à gauche déviaient à gauche le plan de polarisation et quand je prenais de chacune de ces sortes de cristaux un poids égal, la solution mixte était neutre pour la lumière polarisée, par centralisation des deux déviations individuelles égales et de sens opposés.
    PASTEUR, Henri MONDOR, Pasteur, p. 30.

Si donc les électrons sont lancés horizontalement dans un champ électrique vertical d'intensité Ⅱ, avec une vitesse v, ils subissent une déviation verticale qui dépend ; 1° du quotient He/m de la force déviante par leur masse ; 2° de leur vitesse v.
    A. BOUTARIC, la Vie des atomes, p. 77.

◆ **2** (1829). Changement anormal de position dans le corps. *Déviation d'un organe, de l'utérus.* → **Inversion ; antéversion, rétroversion.** *Déviation conjuguée des yeux. Déviation d'une articulation, des os. Déviation de la colonne vertébrale.* → **Déformation ; cyphose, lordose, scoliose.**

◆ **3** (1461). Fig. Changement (considéré comme néfaste, mauvais) dans une ligne de conduite, une doctrine. → **Aberration, écart, variation** (→ Déformation, cit. 3).

Non ; je ne crois pas, comme Rousseau, que l'homme naturel soit toujours bon, ni que tout le mal soit le résultat de déformations et déviations ultérieurement apportées par la civilisation, la société (...)
    GIDE, Journal, 4 nov. 1929.

Spécialt. Changement non conforme à la doctrine d'un parti politique. → **Déviationnisme.**

DÉR. Déviationnisme, déviationniste.

DÉVIATIONNISME [devjasjɔnism] n. m. — 1952 ; de *déviation.*

Attitude qui s'écarte de la doctrine, chez les membres d'un parti politique. *Déviationnisme de droite, de gauche.*

Marx, Engels, le matérialisme dialectique, le parti bolchevik, la haine de Trotski et des possibles déviationnismes, le déterminisme patriotique, etc., tout cela entrait en lui par bataillons serrés.
    J. DUTOURD, Au bon beurre, p. 243.

CONTR. Orthodoxie.

DÉVIATIONNISTE [devjasjɔnist] adj. — 1957 ; de *déviation.*

Qui s'écarte de la doctrine du parti. — **N.** *Les déviationnistes de droite, de gauche.*

CONTR. Orthodoxe.

DÉVIDAGE [devidaʒ] n. m. — 1700; de *dévider*.

♦1 Action de dévider. *Bobines pour le dévidage des fils d'argent.* → **Roquetin.** *Dévidage de la soie.* → **Tirage.** *Le dévidage d'un écheveau.*

1   Attentif à maintenir l'écheveau bien tendu entre ses poignets crispés, et à guider le dévidage en se penchant avec régularité de droite et de gauche, il n'osait pas quitter des yeux le brin de laine ensorcelé.
MARTIN DU GARD, les Thibault, t. IX, p. 101.

(1870). Atelier où l'on pratique le dévidage.

♦2 (1836). **Fig.** Action de dévider, de débiter de façon ininterrompue (des paroles).

2   À cause de la pauvreté des images, la rêverie est inconsistante, le dévidage des souvenirs s'épuise vite.
S. DE BEAUVOIR, Tout compte fait, p. 158.

CONTR. Enroulement.

DÉVIDEMENT [devidmã] n. m. — 1866, J. S. Mill, traduit par L. Peisse, *in* D.D.L.; de *dévider*, suff. 2. -*ment*; le mot traduit l'angl. *thread*.

Rare. Fait de se dévider, de se dérouler (abstrait). «*Le dévidement de l'idée dans le cerveau d'un homme équilibré*» (P. Bourget, *in* T.L.F.).

DÉVIDER [devide] v. tr. — Fin XIᵉ, *desvuidier*; de 1. *dé-*, et *vider*.

♦1 Techn. (ou vx). Mettre en écheveau (le fil qui est sur le fuseau ou sur les bobines d'un métier à filer). *Dévider du fil, de la soie* (→ Cocon, cit. 1). — Absolt. *Machine à dévider.* → **Dévidoir; rouet.**

1   Quand vous serez bien vieille, au soir, à la chandelle,
Assise auprès du feu, dévidant et filant (...)
RONSARD, Second livre, sonnets pour Hélène, XLIII.

Mettre en pelote (un écheveau).

Par ext. Dérouler. *Dévider une pelote de laine, une bobine de fil* (→ **Débobiner**). *Dévider un cordage.* → **Filer.**

1.1   Je courus au pin le plus proche, et j'y grimpai, épouvanté. Je m'assis à califourchon sur une grosse branche, craignant l'apparition subite d'un sanglier blessé, celui-là même qui avait dévidé sur dix mètres les entrailles du braconnier manchot.
M. PAGNOL, la Gloire de mon père, t. I, p. 242.

Par métaphore. *Dévider le fil* * de ses pensées.*

2   Les Parques d'une même soie
Ne dévident pas tous nos jours.
MALHERBE, Poésies, I, I, «À la Reine...»

3   (...) il est bien difficile de dire ce qu'il y a au fond d'un homme; la sonde serait attachée à une corde de cent mille toises de longueur, et on la déviderait jusqu'au bout qu'elle filerait toujours sans rien rencontrer qui l'arrêtât.
Th. GAUTIER, Mˡˡᵉ de Maupin, I, p. 16.

4   Tant l'écheveau du temps lentement se dévide!
BAUDELAIRE, les Fleurs du mal, Spleen et idéal, XXX.

5   Il gagne le Luxembourg avec son livre, et s'assied sur un banc. Sa pensée soyeusement se dévide; mais fragile; s'il tire dessus, le fil rompt.
GIDE, les Faux-monnayeurs, III, IX, p. 390.

Pron. *Le fil qui se dévide.* — Au p. p. *Fil dévidé.*

♦2 (Mil. XVᵉ). **Fam.** Raconter, débiter* (de nombreuses phrases, un long discours). *Il dévida toute son affaire.*

Argot ancien. *Dévider le jar* : parler argot.

♦3 (1830). Faire passer entre ses doigts. *Dévider son chapelet.*

6   Une des femmes, l'irlandaise, dévidait éperdument son rosaire.
HUGO, l'Homme qui rit, I, II, XII.

Loc. fig. *Dévider son chapelet, un chapelet de reproches; dévider son écheveau.* → Vider son sac.

CONTR. Enrouler, lover, renvider, rouler. ◊ **DÉR. Dévidage, dévideur, dévidoir.**

DÉVIDEUR, EUSE [devidœR, øz] n. — 1577; *desvoldeur* «dévidoir», v. 1380; de *dévider*.

Techn. Personne qui dévide le fil, la laine.

DÉVIDOIR [devidwaR] n. m. — 1549; *desvidoir*, XIIIᵉ; de *dévider*.

♦1 Instrument dont on se sert pour dévider. → **Aspe, travouil.** *Dévidoir mécanique qui roule en écheveaux le fil des bobines, sur un métier à filer. Le tracanoir, la tavelle, dévidoirs pour la soie. Dévidoir des cordiers.* → **Caret, ficelier, touret.**

1   Sous la table de tilleul où l'on découpait, il y avait un grand dévidoir, dont les deux tourettes d'osier, mobiles, tendaient un écheveau de laine rouge.
ZOLA, le Rêve, III.

Par métaphore (poétique) :

2   Ils laissent se mêler aux fils d'or éclatants
Les fils sombres qui sont au dévidoir du temps.
G. NOUVEAU, la Doctrine de l'amour, Idylle, Pl., p. 530.

♦2 Chariot à tambour pour enrouler des tuyaux d'arrosage. *Dévidoir de jardinier, de pompier. Dévidoir à passage d'eau,* où l'eau peut passer lorsque le tuyau est enroulé.

Treuil pour enrouler un câble (→ **Cabestan**). — **Pêche.** Grand moulinet à manivelle. — **Plioir*** à lignes.

DÉVIER [devje] v. — 1361, rare av. fin XVIIIᵉ; lat. impérial *deviare*, du lat. class. *devius* «écarté, hors de la voie», de *de-*, et *via* «voie».

A V. intr. **♦1** Se détourner, être détourné de sa direction, de sa voie. *Avancer en ligne droite sans dévier. La tempête fit dévier le navire.* → **Déporter, dériver, dérouter.** *Le canon* (cit. 9) *du fusil a dévié. La balle avait dévié* (→ Déchirure, cit. 2). *Il n'a pas dévié d'un pouce, d'un poil* (fam.). *Sa main a dévié, il a frappé à côté.*

♦2 Ne pas être droit. *Colonne vertébrale qui dévie.*

♦3 V. tr. ind. **DÉVIER DE** (qqch.) **:** s'écarter de, ne plus suivre. *Dévier de son chemin.*

♦4 Fig. *La doctrine a dévié.* → **Déviationnisme;** et aussi **changer.** *La conversation déviait peu à peu.*

(Sujet n. de personne). *Dévier de sa ligne de conduite, de ses principes.* → **Écarter** (s'), **sortir** (de). *Dévier de la bonne voie. Il ne dévie pas de son opinion.* → **Départir** (se).

1   Il avait trop enquêté et trop réfléchi avant de s'aboucher avec Rome, pour que des criailleries le fissent dévier de son projet.
Louis MADELIN, Hist. du Consulat et de l'Empire, Le Consulat, IX, p. 146.

2   Que pourrait-il m'arriver qui me fit dévier de ma route?
G. DUHAMEL, Chronique des Pasquier, VIII, I, p. 267.

B V. tr. (av. 1798). **♦1** Écarter de la direction normale. *Milieu réfringent, prisme qui dévie les rayons lumineux* (→ Déviation, cit. 2). *Dévier la circulation pendant des travaux.*

♦2 Rendre tordu, mal formé. *Dévier la colonne vertébrale.* → **Déformer, déjeter, infléchir; déviation.**

♦3 Fig. *Dévier les tendances de quelqu'un.*

◆ **DÉVIÉ, ÉE** p. p. adj. *Lumière, voie déviée.* — *Colonne vertébrale, taille déviée.* → **Travers** (de). — *Moyens déviés.* → **Détourné.**

CONTR. Redresser, remettre (dans la voie). ◊ **DÉR. Déviant, déviateur.**

DEVIN, DEVINERESSE [dəvɛ̃, dəvinʀɛs] n.
— V. 1160; *devineresse*, 1155, fém. de *devineur**, a
supplanté *devine;* v. 1119, *divin* «théologien»; du lat.
pop. *devinus*, lat. class. *divinus* au sens de «devin»,
littéralt «divin», adjectif.

♦ **1** Personne qui prétend découvrir ce qui est
caché, prédire l'avenir par des moyens qui ne
relèvent pas d'une connaissance naturelle ou ordinaire. → **Divination; aruspice, astrologue, 1. augure,
1. auspice, diseur** (de bonne aventure), **mage, magicien, œdipe, oracle, prophète, pythie, pythonisse,
sibylle, sorcier, vaticinateur, visionnaire, voyant;** suff.
-mancie. *Consulter un devin, une devineresse. L'ins-
piration* du devin. Devin, devineresse qui annonce,
conjecture, devine, dévoile, prédit, révèle l'avenir*.
Devin qui résout une énigme. — Le Devin de village*,
œuvre musicale de J.-J. Rousseau.

1 (...) ne consultez point les devins, de peur de vous souiller
en vous adressant à eux.
BIBLE (SACY), le Lévitique, XIX, 31.

2 Le prophète prédit ce qui doit arriver, grâce à des communications surnaturelles qu'il a avec la divinité. Le devin,
qui non seulement prédit l'avenir, mais encore découvre ce
qui est caché, doit sa prétendue connaissance aux sciences
occultes et à tous les procédés divinatoires qu'a imaginés
la superstition ou la supercherie.
LITTRÉ, Dict., Devin.

En Afrique. N. m. Personne qui pratique la divination
à partir de supports matériels (I. F. A.). Syn. : *sorcier,
voyant.*

Loc. fam. N. m. *Je ne suis pas devin :* je ne peux pas
savoir, deviner, prévoir cela.

♦ **2** (1803). N. m. Vx. *Boa** constrictor. — Adj. *Serpent
devin.*

DEVINABLE [d(ə)vinabl] adj. — 1846; de *deviner.*
Qui peut être deviné. → **Prévisible.** *C'était facilement
devinable.*

CONTR. **Imprévisible, indevinable.**

DEVINAILLE [d(ə)vinaj] n. f. — XIIᵉ, «énigme, prédiction»; de *deviner*, et suff. *-aille.*
Régional.

♦ **1** Divination (Goncourt, *in* T. L. F.).

♦ **2** (1870). Ce qui est à deviner; devinette.

DEVINER [d(ə)vine] v. tr. — 1155, sens 2 ; lat. pop. **devi-
nare*, class. *divinare*, de *divinus.* → Devin.

♦ **1** (V. 1160). Rare. Révéler, comme fait un devin,
par des moyens qui ne relèvent pas d'une connaissance naturelle ou ordinaire. *Deviner l'avenir.*
→ **Prédire, prophétiser; devin.** — Absolt. *L'art de
deviner.* → **Divination;** → Chiromancie, cit.

1 N'avez-vous pas la coupe dans laquelle boit mon seigneur,
et dont il se sert pour deviner?
BIBLE (SEGOND), la Genèse, XLIV, 5.

♦ **2** Cour. Parvenir à connaître par conjecture, supposition, intuition. → **Découvrir, discerner, entrevoir, flairer, imaginer, pénétrer, pressentir, sentir,
soupçonner, subodorer, trouver.** *Deviner un secret,
un danger, une menace. Deviner la vérité derrière
l'apparence* (→ Apparent, cit. 9). *Deviner quelque
chose de louche.* → **Douter** (se douter de). *Deviner ce
qui est caché, sous-entendu dans un écrit.* → **Comprendre, interpréter;** → Lire entre les lignes. *Je ne puis
deviner le sens de ce passage* (→ **Déchiffrer**). *Deviner
qqch. par un pressentiment* (→ **Pressentir**), *par l'intuition. Vêtement qui laisse deviner les formes du
corps.* → **Montrer, révéler** (→ Déshabiller, cit. 12). *On
devinait à peine une écriture sur la lettre détrempée.
Deviner la pensée*, les intentions, les sentiments de*

qqn, lire dans sa pensée (→ Assez, cit. 48). *Je devine
où il veut en venir.* → **Voir** (voir venir). *Deviner si
quelque chose plaira. J'ai deviné que vous n'en aviez
pas réellement envie. Je ne devine pas qui, quoi...*

(1657). Compl. n. de personne. *Deviner qqn.* → **Déchiffrer, démasquer, pénétrer, reconnaître.** *Il sentit qu'on
allait le deviner. On le devinait mal à l'aise. — Au* p. p.
Secrets devinés, choses devinées (ci-dessous, cit. 5).

On aime à deviner les autres, mais l'on n'aime pas à être   2
deviné.
LA ROCHEFOUCAULD, Maximes supprimées, 632.

Je m'épuisais en conjectures pour deviner quelle pouvait   3
être cette occupation, et il aurait fallu deviner en effet pour
rencontrer juste.   ROUSSEAU, les Confessions, IV.

La cause fait deviner un effet, comme chaque effet permet   4
de remonter à une cause.
BALZAC, la Recherche de l'absolu, Pl., t. IX, p. 475.

(...) certaines rencontres, certaines choses entr'aperçues,   5
devinées, certains chagrins secrets, certaines perfidies du
sort, qui remuent en nous tout un monde douloureux
de pensées, qui entr'ouvrent devant nous brusquement la
porte mystérieuse des souffrances (...)
MAUPASSANT, Contes de la bécasse, «Menuet».

Si, un instant, vous pouviez deviner ce qui se passe en   6
moi (...)
COURTELINE, Boubouroche, Comédie, II, 3, p. 163.

(...) Marie n'est pas infiniment perspicace. Dans la mesure   7
où elle s'avise de deviner la pensée d'autrui, elle prend les
hypothèses qui sont à portée de main.
J. ROMAINS, Psyché, I, p. 210.

Je ne sais comment j'en vins à dire que je pouvais deviner   8
les secrets et faire des prédictions en lisant dans les cartes.
J. ROMAINS, les Hommes de bonne volonté, t. III,
IV, p. 62.

Deviner qqn, qqch. (suivi d'un attribut du compl.). *Je le
devine malade.* — Pron. *«Gilbert se devinait envié»*
(Arland, *in* T. L. F.).

Absolt. *Il ne pourra pas deviner. Elle devine souvent.*
→ Elle a du flair*, elle a le nez* creux. *Deviner bien,
deviner juste.*

Je me suis rappelé certaines choses qui m'avaient étonnée   9
déjà ; et, en un instant, j'ai deviné, j'ai vu clair (...)
MARTIN DU GARD, les Thibault, t. III, p. 75.

(En emploi rhétorique, servant à présenter une chose
vraisemblable, prévisible). *Vous devinez, vous devinez
bien pourquoi il n'est pas venu. On devine aisément
ce qu'a répondu le ministre :* ce qu'a répondu le
ministre est évident.

♦ **3** Spécialt. Trouver le mot, la solution de (une
énigme). → **Devinette.** *Deviner une charade, une
devinette, un rébus. Œdipe devina l'énigme du
Sphinx.* → **Résoudre.** — Absolt. *Je ne puis deviner.*
→ Donner, jeter sa langue au chat*, au chien.

J'eus beau imaginer, je ne devinai point, il me dit chari-   10
tablement sur le voies.
VOLTAIRE, Hist. des voyages de Scarmentado.

♦ **4** Loc. *Je vous le donne à deviner en cent*, en mille.*
Cf. Je vous le donne en mille. *Il n'y a là rien à deviner,
c'est très clair. Vous devinez le reste :* vous imaginez la suite. *Tu devines pourquoi, comment. Je
vous le laisse à deviner,* vous n'aurez aucune peine
à savoir ce dont il s'agit.

Les femmes sachant toujours bien expliquer leurs gran-   11
deurs, c'est leurs petitesses qu'elles nous laissent à deviner.
BALZAC, Petites Misères de la vie conjugale, Œ.,
t. X, p. 920.

Allus. littér. *Devine si tu peux, et choisis si tu l'oses!*
(Corneille, *Héraclius*, IV, 5).

DÉR. **Devinable, devinaille, devinette, devineur.**

DEVINERESSE [devin(ə)ʀɛs] n. f. → **Devin.**

DEVINETTE [d(ə)vinɛt] n. f. — 1864; de *deviner*.

♦ **1** Question dont il faut deviner (3.) la réponse. → **Charade, énigme, logographe, rébus.** *Poser, proposer une devinette.* — Plur. Jeu où l'on pose des questions. *Jouer aux devinettes.*

♦ **2** Dessin où une silhouette cachée peut être devinée.

Vous connaissez ces devinettes enfantines où une silhouette se dissimule dans les branches d'un arbre, les fissures d'un rocher, qu'on cherche à découvrir.
　　　　　J. GRACQ, Un beau ténébreux, p. 63, *in* T.L.F.

♦ **3** Fig. Propos énigmatiques, obscurs; signe (du langage ou non) difficile à interpréter. → **Rébus** (figuré).

DEVINEUR, EUSE [d(ə)vinœr, øz] n. — XIIᵉ, *devineour*; v. 1165, *devinere* «devin»; 1678, *devineuse*; de *deviner*.

Rare. Personne habile à résoudre des énigmes, à faire des conjectures qui se révèlent justes. *C'est un grand devineur, une devineuse de charades.*

DÉVIRAGE [deviraʒ] n. m. — 1836, *in* D.D.L.; de *dévirer.*

Mar. Action de dévirer un cabestan.

DÉVIRER [devire] v. tr. — 1594, *se dévirer* «se détourner»; de 1. *dé-*, et *virer.*

♦ **1** Régional. Faire aller en sens inverse, faire changer de direction.

1　Ils *(les oiseaux)* poussèrent en tombant un gémissement qui fit dévirer tout le vol derrière le pignon d'un toit (...)
　　　　　J. GIONO, le Hussard sur le toit, p. 120.

♦ **2** Mar. Tourner en sens contraire. *Dévirer le cabestan.*

Au p. p. *Cabestan déviré.* — Régional :

2　Le capitaine se dressa en écrasant le fauteuil. Il venait. Sans bouger la tête, du plein de son œil déviré, le prisonnier regarda Jolivet et, dans le pauvre regard, dans ce trou d'eau bleu sale, tout se vit soudain.
　　　　　J. GIONO, le Grand Troupeau, Pl., t. I, p. 688.

DÉR. **Dévirage.**

DÉVIRGINER [devirʒine], **DÉVIRGINISER** [devirʒinize] v. tr. — V. 1170, *dévirginer*, lat. *devirginare* de *de-*, et thème *virgin-*, de *virgo*. → **Vierge;** *dévirginiser*, 1829, de 1. *dé-*, *virgin-* d'après *virginité*, et suff. verbal *-iser*.

Littér. ou par plais. Faire perdre sa virginité à... → **Déflorer, dépuceler.**

1　Un modèle qu'il fait poser *(Manet)*, lui a confié qu'à treize ans, elle avait perdu sa grand'mère, qu'on l'avait fait monter dans l'unique voiture de deuil, avec un vieux parent, et que ce vieux parent l'avait dévirginisée, dans le trajet au cimetière.
　　　　　Ed. et J. DE GONCOURT, Journal, t. VI, p. 103.

2　(...) vous avez longtemps courtisé la Muse, vous avez essayé de la dévirginer; mais vous n'avez pas assez de vigueur pour cela (...)
　　　　　Th. GAUTIER, Préface à Mademoiselle Maupin, p. 158.

DÉVIRILISATION [devirilizasjɔ̃] n. f. — 1842; de *déviriliser.*

♦ **1** Psychol. Action de déviriliser; perte de la virilité du caractère. → **Effémination.**

1　Une fille commandant des garçons, comme dans les bandes de gangsters du cinéma, n'est-ce pas un signe de notre dévirilisation et de *la promotion de la femme*?
　　　　　P. GUTH, Lettre ouverte aux idoles, «Sheila», p. 91.

(...) je me laissai aller à ma peine, mais les larmes, qui　　2
me furent souvent si clémentes, ne m'apportèrent cette fois aucune consolation. Un intolérable sentiment de privation, de dévirilisation, presque d'infirmité, s'empara de moi (...)
　　　　　R. GARY, la Promesse de l'aube, p. 21.

♦ **2** Méd. Atténuation ou disparition des caractères sexuels secondaires chez l'homme. → aussi **Castration, émasculation.**

CONTR. **Masculinisation, virilisation.**

DÉVIRILISER [devirilize] v. tr. — 1808, Boiste; 1585, «châtrer» *in* F.E.W.; de 1. *dé-*, *viril*, et suff. verbal *-iser*.

Psychol. Ôter au caractère et au comportement (de l'homme) sa virilité. → **Efféminer.**

Cette femme qui semble adorer son mari parce qu'elle le gâte et qu'elle le gave, désire secrètement le déviriliser par cet esclavage domestique.
　　　　　E. MOUNIER, la Relation sexuelle (vue d'ensemble), tiré du Traité du caractère, *in* Dʳ WILLY, la Sexualité, t. I, p. 39.

Pron. *Se déviriliser :* perdre la virilité du caractère.

CONTR. **Masculiniser, viriliser.** ◊ DÉR. **Dévirilisation.**

DÉVIROLAGE [devirɔlaʒ] n. m. — 1842; de *déviroler.*

Techn. Action de déviroler (une pièce).

DÉVIROLER [devirɔle] v. tr. — 1842, Académie, Compl.; de 1. *dé-*, et *virole.*

Techn. Ôter de la virole* (la pièce qui vient d'être frappée).

DÉR. **Dévirolage.**

1. DEVIS [d(ə)vi] n. m. — V. 1450; «description», v. 1210; de *deviser*, au sens ancien. → **Deviser** (étymologie).

État détaillé des travaux à exécuter avec estimation des prix. Cf. Cahier des charges. *Plan et devis. Devis descriptif,* indiquant le détail des travaux, la nature des matériaux, les délais d'exécution. *Devis estimatif,* contenant l'évaluation des prix. *Devis préliminaire, devis quantitatif. Demander, faire, donner, établir un devis. Commission* (cit. 4) *chargée de l'examen d'un devis. Devis d'architecte, d'entrepreneur, d'imprimeur. Marché sur devis. Travaux conformes au devis. Dépense supérieure au devis. Le devis d'une réparation.*

(...) Gérard prépara trois canaux dans les trois principaux　　1
vallons, et aucun de ces ouvrages n'atteignit au chiffre de ses devis.
　　　　　BALZAC, le Curé de village, Pl., t. VIII, p. 729.
Les devis établis indiquent que ce film demanderait　　2
100 000 francs pour être réalisé.
　　　　　A. ARTAUD, À propos du cinéma, *in* Œ. compl., t. III, p. 82.

HOM. **2. Devis.**

2. DEVIS [d(ə)vi] n. m. — 1406; v. 1150, «souhait»; de *deviser* «bavarder, causer».

Archaïsme littér. Propos, conversation. «*De joyeux devis*» (Flaubert, *in* T.L.F.).

HOM. **1. Devis.**

DÉVISAGER [devizaʒe] v. tr. — 1539, *desvisager;* de 1. et 2. *dé-*, *visage*, et suff. verbal.

Ⅰ (De 1. *dé-*). Vx. Endommager le visage de (qqn). → **Défigurer.** Figuré :

(Je) ne suis point du tout pour ces prudes sauvages　　1
Dont l'honneur est armé de griffes et de dents,
Et veut au moindre mot dévisager les gens (...)
　　　　　MOLIÈRE, Tartuffe, IV, 3.

REM. Proust (*le Temps retrouvé*, Pl., p. 849) atteste la survivance régionale et populaire de cet emploi.

II (De 2. dé-; 1803, Boiste). Regarder (qqn) avec attention, avec insistance. → **Examiner, fixer, observer.** *Dévisager qqn d'une manière impertinente, indiscrète. Il resta longtemps à la dévisager. Dévisager un nouveau venu en silence, avec curiosité.*

2 Toutes ces figures nouvelles, ces yeux écarquillés qui vous dévisagent, cela m'étourdit à un point!
A. DE MUSSET, Comédies et proverbes, Barberine, II, 1.

3 Il était à peine connu d'elles; aussi l'eurent-elles bientôt dévisagé des pieds à la tête.
A. DE MUSSET, Mimi Pinson, II.

4 Lui aussi la voit mieux à présent, sous la lueur nouvelle de cette lampe, tandis qu'elle le dévisage et l'admire avec amour.
LOTI, Ramuntcho, II, II, p. 226.

5 Comme les jeunes filles passaient le long de la grande cour ovale, où les élèves de toutes les classes étaient réunis, chacun de nous les dévisagea à son aise.
Valery LARBAUD, Fermina Marquez, I, p. 10.

6 (...) l'homme la dévorait toujours des yeux. Devrait-elle, toute sa vie, être ainsi dévisagée?
F. MAURIAC, Thérèse Desqueyroux, I, p. 18.

6.1 Julia dévisagea sa sœur, puis la dépoitrina, puis la déjamba.
R. QUENEAU, le Dimanche de la vie, p. 14.
N. B. Les deux autres verbes constituent un exercice morphologique plaisant.

Par ext. *Dévisager une chose*, la regarder attentivement. → **Contempler.**

7 L'œil fixe comme un corbeau, je dévisage la campagne déployée sous mon perchoir, je suis du regard cette route (...)
CLAUDEL, Connaissance de l'Est, p. 117, *in* BOTTEQUIN.

♦ **SE DÉVISAGER** v. pron.

Se regarder l'un l'autre avec attention. *Ils se dévisagèrent longtemps sans pouvoir se reconnaître* (Académie).

8 Cécile s'assied en face de lui; les yeux brillants, elle le regarde croquer sa tartine. Ils se dévisagent en riant; pour rien, par plaisir.
MARTIN DU GARD, Jean Barois, V, p. 35.

DEVISANT, ANTE [d(ə)vizɑ̃, ɑ̃t] adj. — 1860; attestation isolée, 1536; p. prés. de *deviser*.

Littér. Qui devise, bavarde.

Ainsi sortirent convaincues ces clientes bien devisantes, accompagnées jusqu'au seuil de la pâtisserie aux «Petits Oiseaux» par tous les sourires du magasin.
CÉLINE, Voyage au bout de la nuit, p. 347.

1. DEVISE [d(ə)viz] n. f. — Av. 1560; v. 1160, «marque distinctive»; v. 1150, «division»; de *deviser*, au sens ancien de «diviser».

♦ **1** Blason. Formule qui accompagne l'écu dans les armoiries. *Devise inscrite dans un cartouche.* → **Légende.** *Devise des chevaliers. Devise de ralliement.* → **Cri.**

(1610). Figure emblématique expliquée par une sentence, une légende. *Le corps de la devise* : la figure. *L'âme* de la devise* : la sentence.

1 Un antiquaire (...) imagina dès lors pour Louis XIV l'emblème d'un soleil dardant ses rayons sur un globe, avec ces mots, *Nec pluribus impar* (...) Cette devise eut un succès prodigieux. Les armoiries du roi, les meubles de la couronne, les tapisseries, les sculptures, en furent ornées.
VOLTAIRE, le Siècle de Louis XIV, XXV.

♦ **2** Cour. Maxime, petite phrase, mot qui est gravé sur un cachet, une médaille. *«Honni soit qui mal y pense», devise de l'ordre de la Jarretière.*

Dans la salle à manger aux murs couverts d'assiettes toutes 1.1 modernes avec des devises, comme celles dont on se servait à table, et dont chacun s'amusait à comparer les devises, son oncle, ses cousins, sa mère étaient souvent déjà installés.
PROUST, Jean Santeuil, Pl., p. 312.

(1668). Paroles exprimant une pensée, un sentiment, un mot d'ordre. *«Liberté, Égalité, Fraternité», devise de la République française. Devise d'une ville. La devise d'une maison de commerce* (→ **Slogan**).

Et sur ce point, tant qu'il vécut, 2
Diversité fut sa devise. LA FONTAINE, Contes, XI.

Par ext. Règle de vie, d'action. *Ne pas s'en faire, c'est ma devise.*

Le trépas vient tout guérir; 3
Mais ne bougeons d'où nous sommes.
Plutôt souffrir que mourir,
C'est la devise des hommes.
LA FONTAINE, Fables, I, 16.

La devise de tout Français c'est : Vivre libre, l'égal de tous 4
et membre du souverain.
ISNARD, Disc. à l'Assemblée législative, *in* GUERLAC.

HOM. 2. Devise.

2. DEVISE [d(ə)viz] n. f. — 1842; emprunt probable à l'all. *Devise*, v. 1830, du franç.; on imprimait des *devises* (1.) sur les billets de change.

Fin. Moyen de paiement à l'étranger négociable dans un pays. → **Change.** *Acheter des devises étrangères.*

Spécialt. Valeur commerciale sur l'étranger, servant de moyen de transfert des capitaux d'un pays dans un autre. → **Papier** (papier sur Londres, sur New-York, etc.). *Devise forte*, faible. Prix des devises étrangères.* → **Change.** *L'offre, la demande des devises étrangères. Importer, exporter des devises. Demande de la devise anglaise en France. Cours officiel des devises; cours des devises sur le marché clandestin, parallèle. Marché libre des devises. L'euro, devise européenne. Devises déposées dans des banques extérieures au pays de la devise.* → **Eurodevise, xénodevise.** — *Devise clef*, ayant un pouvoir de paiement libératoire international.

Les moyens de transfert de capitaux d'un pays dans un 5
autre (...) sont : la *lettre de change*, le *chèque* et le *transfert* ou *versement télégraphique*. On les désigne spécialement sous le nom de *devises étrangères*.
Paul REBOUD, Précis d'économie politique, t. II, p. 229.

COMP. Eurodevise, xénodevise. ◊ HOM. 1. Devise.

DEVISER [d(ə)vize] v. intr. — V. 1168; 1155, v. tr. «raconter»; 1155, «organiser», d'où *devis**; 1119, «diviser»; lat. pop. **devisare*, de *dividere*. → Diviser.

Littér., régional ou par plais. S'entretenir familièrement. → **2. Causer, converser, parler.** *Se promener en devisant. Deviser de choses et d'autres. Nous devisions gaiement. Deviser à perdre haleine avec quelqu'un.*

Quatre ou cinq bons vieux et bonnes vieilles, de ceux qui 1
regardent s'élever la jeunesse avec indulgence (...) devisaient quelquefois entre eux sous les noyers de la Cosse (...)
G. SAND, la Petite Fadette, XXIV, p. 165.

Deux prêtres devisaient, ils ne disputaient point. 2
Ch. MAURRAS, Anthinéa, p. 112.

Nous devisions en déambulant au long des trottoirs de 3
cette ville étrange (....)
G. DUHAMEL, la Pesée des âmes, IX, p. 217.

DÉR. 2. Devis, devisant, devise.

DÉVISSABLE [devisabl] adj. — XXᵉ; de *dévisser*.
Qu'on peut dévisser.

CONTR. Indévissable.

DÉVISSAGE [devisaʒ] n. m. — 1870; de *dévisser.*

♦ **1** Action de dévisser. *Le dévissage d'une planchette; d'un bocal.*

♦ **2** Alpin. Le fait de dévisser (II., 1.), de tomber.

DÉVISSÉ [devise] n. m. — 1899, *in* Petiot; p. p. substantivé de *dévisser.*

Sports. Mouvement exécuté avec un poids amené à l'épaule et élevé à la verticale, en inclinant le corps du côté opposé au poids.

«Pas comme ça, monsieur Saulnier, il faut avoir la manière!» dit Yankel avec un bon sourire; il lui donna quelques leçons d'arraché, de développé et de dévissé suivant les bons principes. Quand ils rentrèrent, ils étaient de nouveau très chauds.
                    Roger IKOR, les Fils d'Avrom, «Les eaux mêlées»,
                                                                p. 554.

DÉVISSER [devise] v. tr. et intr. — 1768; de 1. *dé-*, et *visser.*

I V. tr. ♦ **1** Faire que (qqch.) ne soit plus vissé. *Dévisser une planche avec un tournevis. Dévisser le bouchon d'un tube, le couvercle d'un bocal.*

1   Pourquoi? Parce qu'il y a des besognes qui reviennent aux hommes, d'autres à la femme; parce qu'une femme ne tourne pas la molette d'une clé à mâchoire, ne dévisse pas une bougie (...)
                    M. BEDEL, Jérôme 60° latitude Nord, X, p. 105.

Par ext. Ouvrir (un récipient vissé). *Dévisser un tube, un bocal.*

(1862). Loc. fam. *Dévisser son billard** : mourir.

♦ **2** Loc. fig. et fam. Tordre. *Dévisser le coco, la poire à qqn,* lui tordre le cou. *Se dévisser la tête, le cou :* tourner anormalement la tête, etc., en forçant — «*Se dévisser le trou de balle*» (Bruant) : se décarcasser*.

♦ **3** Par métaphore, fig. *Dévisser qqn de son siège, de sa place,* l'en sortir. — *Dévisser qqn,* le renvoyer (→ ci-dessous, II., 2.).

II V. intr. ♦ **1** Alpin. Lâcher prise et tomber, en montagne. → **Dérocher.**

2   Le premier de cordée avance alors seul et la corde est maintenue légèrement tendue par le second qui la laisse filer. Si le premier tombe — «dévisse» ou «déroche» — sa chute est enrayée par le second qui, grâce à sa position stable due au piton ou au bec rocheux solide, peut le retenir au moyen de la corde.
                    Paul BESSIÈRE, l'Alpinisme, p. 30.

3   (...) avec de l'entraînement je vais acquérir une force extraordinaire dans le bout des doigts; quand ma main croche, rappelle-toi que je ne suis pas près de dévisser.
                    FRISON-ROCHE, Premier de cordée, p. 252.

♦ **2** Fam. S'en aller, partir. *Il ne veut rien savoir pour dévisser. Il n'a pas dévissé de toute l'après-midi.*

4   Voulez-vous m'envoyer Levadoux.
    — Il vient de sortir de son bureau, monsieur, répondit Vidal (qui savait pertinemment que Levadoux avait dévissé depuis plus d'une heure).
                    Boris VIAN, Vercoquin et le plancton, p. 82.

CONTR. (Du sens I.) **Visser; revisser; fermer.** ◊ **DÉR. Dévissable, dévissage, dévissé, dévissoir.**

DÉVISSOIR [deviswar] n. m. — 1933, cit. *infra;* de *dévisser.*

Techn. Dispositif permettant de dévisser un objet.

(...) des fusils à deux balles, des baïonnettes à dévissoirs (...)   MALRAUX, la Condition humaine, p. 138.

DE VISU [devizy] loc. adv. — 1721; loc. jur., 1241, *de visu et auditu,* lat.; mots latins.

Après l'avoir vu, pour l'avoir vu. *Parler d'une chose* de visu. *Se rendre compte* de visu. *De visu, de auditu* (cit.). *et de olfactu.*

À Rome, un nouvel ordre religieux, les Socconi, a été établi dans un but de police religieuse : ils entrent dans les maisons les jours d'abstinence, découvrent les pots et les marmites, et s'assurent de visu que la loi du maigre est fidèlement observée.   PROUDHON, *in* P. LAROUSSE.

CONTR. Ouï-dire (par).

DÉVITALISATION [devitalizasjɔ̃] n. f. — 1922; de *dévitaliser.*

Action de dévitaliser. — Spécialt. *Dévitalisation d'une dent à couronner.*

DÉVITALISER [devitalize] v. tr. — 1842; de 1. *dé-*, *vital,* et suff. verbal *-iser.*

♦ **1** Rare. Priver (qqn) de sa vitalité, de son dynamisme, de son énergie.

Les médiocres ont en eux un vaste pouvoir d'amoindrissement, une faculté inépuisable de réduire, appauvrir, dévitaliser.   1
                    Jean-Louis CURTIS, le Roseau pensant, p. 155.

♦ **2** (1922). Priver (une dent) de son tissu vital, de la pulpe dentaire. — Au p. p. :

(...) c'était dans la mâchoire, au fond de la bouche, probablement sous la dent de sagesse ou sous la molaire   2
dévitalisée, à gauche. Rien de bien grave pour l'instant. Juste une petite douleur, sèche et définie, peut-être un bouton sur la gencive, ou bien une névralgie éphémère.
                    J.-M. G. LE CLÉZIO, la Fièvre, p. 65.

DÉR. Dévitalisation.

DÉVITAMINÉ, ÉE [devitamine] adj. — xxᵉ; p. p. de *dévitaminer,* 1948, Larousse, «faire perdre les vitamines»; de 1. *dé-*, *vitamine,* et suff. verbal. (Comparer à *dévitaminiser*).

Didact. Dont on a enlevé les vitamines. *Substance dévitaminée. Qui a perdu ses vitamines. Légumes dévitaminés par la cuisson.*

CONTR. Vitaminé.

DÉVITAMINISER [devitaminize] v. tr. — 1939; de 1. *dé-*, *vitamine,* et suff. verbal *-iser.*

Rare. Priver (un aliment) de ses vitamines. — Au p. p. *Dévitaminisé.* → **Dévitaminé.**

DÉVITRÉ, ÉE [devitre] adj. — 1910; de 1. *dé-*, *vitre,* et suff. *-é.*

Rare. Qui n'a plus de vitres (baie, fenêtre, etc.).

Nous ne retrouvâmes au second étage, près de la fenêtre dévitrée d'un corridor par laquelle on avait ramené vers l'intérieur une corde tombant du dehors; c'était la corde d'une cloche (...)
                    GIDE, Isabelle *in* Romans, Pl., p. 602.

CONTR. Vitré.

DÉVITRIFIABLE [devitrifjabl] adj. — 1845; de *dévitrifier.*

Techn. Qui peut être dévitrifié. «*Des mélanges de matières premières aussi peu dévitrifiables que possible...*» (Meyer et Grivet, le Verre, p. 19).

DÉVITRIFICATION [devitrifikasjɔ̃] n. f. — 1803; de *dévitrifier.*

Techn. Action de dévitrifier.

CONTR. Vitrification.

DÉVITRIFIER [devitʀifje] v. tr. — 1803; de 1. *dé-*, et *vitrifier*.

Techn. Faire perdre à (une substance, un verre) sa transparence (notamment par l'action prolongée de la chaleur).

DÉR. Dévitrifiable, dévitrification.

DÉVOCALISATION [devɔkalizasjɔ̃] n. f. — D. i. (XXᵉ); de 1. *dé-*, et *vocalisation*.

Phonét. Transformation (d'un phonème) de sonore en sourd. → **Assourdissement, dévoisement.**

DÉVOIEMENT [devwamɑ̃] n. m. — 1268, «égarement moral»; mil. XIIᵉ, «chemin impraticable»; de *dévoyer*.

♦ **1** (1802). **Archit.** Déviation, inclinaison d'un tuyau de cheminée, de descente (→ **Dévers**).

♦ **2** (1538). Vx ou littér. Diarrhée.

1 Il était incommodé d'un dévoiement (...)
    Mᵐᵉ DE SÉVIGNÉ, Lettres, 118, *in* LITTRÉ.

2 La cyanose semblait avoir pris repos en haut des cuisses. Angélo frictionna énergiquement les plis de l'aine. Les dévoiements s'étaient arrêtés. La jeune femme respirait faiblement, avec des hoquets, puis par aspirations profondes, comme après un combat qui a fait perdre le souffle. Son ventre tressaillait encore de souvenirs.
    J. GIONO, le Hussard sur le toit, p. 392.

DÉVOILAGE [devwalaʒ] n. m. — 1981; de 1. *dévoiler*.

Techn. Redressement d'une roue voilée.

DÉVOILEMENT [devwalmɑ̃] n. m. — 1606; de 2. *dévoiler*.

Action de dévoiler, de se dévoiler. *Le dévoilement d'une statue.* Fig. (1660). *Le dévoilement des mystères.*
→ **Révélation.**

1 On verra (...) combien cette digression est nécessaire pour l'éclaircissement et le dévoilement de ce qui se présentera à raconter.
    SAINT-SIMON, Mémoires, 177, 113, *in* LITTRÉ.

2 Dans les motifs que représentent les quelques tableaux que j'ai pu sauver, on reconnaît une propension pour des scènes dont la violence est due à un savant dévoilement — non au dévoilé, non à la nudité, mais à l'instant en soi le moins pictural : l'œil aime à se reposer sur un motif sans histoire, et notre artiste au contraire semble contrarier ce repos du regard en suggérant à l'esprit ce que la peinture dérobe.
    P. KLOSSOWSKI, la Révocation de l'Édit de Nantes, p. 11.

1. DÉVOILER [devwale] v. tr. — 1907; de 1. *dé-*, et 2. *voiler*.

Techn. Redresser (une roue voilée).

DÉR. Dévoilage. ◊ HOM. 2. Dévoiler.

2. DÉVOILER [devwale] v. tr. — 1440, fig.; de 1. *dé-*, et 1. *voiler*.

♦ **1** (1556). Enlever le voile de (qqn); enlever ce qui cache (qqch.). → **Découvrir.** *Dévoiler le visage d'une femme. Dévoiler une statue, une plaque que l'on inaugure.*

Spécialt (*se dévoiler*, 1554). *Dévoiler une religieuse*, la relever de ses vœux.

Par ext. Faire enlever le voile qui couvre habituellement (des personnes). *Réformateur qui propose de dévoiler les femmes, dans un pays islamique.*

♦ **2** Fig. Découvrir (ce qui était secret). → **Découvrir, révéler.** *Une éclaircie dévoila un coin du ciel.*

1 Vial dévoila ses yeux qu'il tenait baissés, ouvrit en grand son visage surpris, où toute sa bonne foi d'homme apparut (...) COLETTE, la Naissance du jour, p. 160.

(Abstrait). *Dévoiler ses intentions.* → **Déclarer, dire, expliquer, livrer, voir** (laisser voir). *Devin qui dévoile l'avenir* (→ **Prédire**). *Dévoiler un mystère, un secret, une intrigue, un complot* (→ Découvrir, éventer la mèche*). *Dévoiler la fausseté, la perfidie de qqn.*
→ **Démasquer;** → Arracher, lever, ôter le masque*, mettre à nu*; déchirer, lever le voile*. *Dévoiler qqn*, percer le secret de son identité, de ses intentions.
→ **Deviner.** *Dévoiler qqch., qqn à qqn*, révéler à qqn la nature de (qqch., qqn). — Loc. *Dévoiler ses batteries* : faire connaître ses plans secrets.

2 Ils ne sauraient me pardonner de dévoiler leurs impostures aux yeux de tout le monde.
    MOLIÈRE, Tartuffe, 2ᵉ placet.

3 Les mystères que je vous dévoilerai sont sublimes, à la vérité, mais aimables.
    FRANCE, la Rôtisserie de la Reine Pédauque, Œ., t. VIII, p. 105.

4 Il eut le sourire malicieux d'un prestidigitateur bon enfant qui va dévoiler un de ses tours (...)
    MARTIN DU GARD, les Thibault, t. IV, p. 251.

♦ **SE DÉVOILER** v. pron.

Enlever, relever son voile. *Traditionnellement, les femmes musulmanes ne se dévoilaient pas au dehors.* — Fig. Se montrer, se manifester, devenir connu. → **Apparaître, paraître.** *Le mystère se dévoile peu à peu.*

Tout se dévoile; tout se révèle. 5
    Ch. PÉGUY, la République..., p. 264.

♦ **DÉVOILÉ, ÉE** p. p. et adj.

Sans voile. *Femme dévoilée.* — Fig. *Caractère dévoilé.*

— Mon voile un instant s'est ouvert. 6
— Un homme alors passait? un homme en caftan vert?
— Oui (...) peut-être (...) mais son audace
N'a point vu mes traits dévoilés (...)
    HUGO, les Orientales, XI.

CONTR. Cacher, couvrir, recouvrir, voiler. — **Taire. ◊ DÉR. Dévoilement.** ← **HOM. 1. Dévoiler.**

1. DEVOIR [d(ə)vwaʀ] v. tr. [CONJUG.: *je dois, tu dois, il doit, nous devons, vous devez, ils doivent; je devais; je dus, nous dûmes; je devrai; je devrais; que je doive; que je dusse; devant; dû, due, dus, dues.*] — 842, diff. «il doit»; *deveir*, XIᵉ; du lat. *debere* «être redevable de quelque chose à quelqu'un». → **Débit.**

Ⅰ DEVOIR (quelque chose) À (quelqu'un). ♦ **1** Avoir à payer (une somme d'argent), à fournir (une chose en nature) à (qqn). *Devoir une grosse somme d'argent à un ami. Il me doit dix mille francs. L'argent que je vous dois. Ne plus rien devoir à personne. Devoir encore qqch. à qqn.* → **Reste** (être en reste). *Celui qui doit de l'argent à qqn* (→ **Débiteur**), *à qui l'on doit* (→ **Créancier**). (Au passif). *Je ne réclame que ce qui m'est dû.*

La fumée est ta part; je ne te dois plus rien. 1
    LA FONTAINE, Fables, IX, 13.

Doutez-vous de ma probité, monsieur? Vos cent écus! j'aimerais mieux vous les devoir toute ma vie, que de les nier un seul instant. 2
    BEAUMARCHAIS, le Barbier de Séville, III, 5.

Un pauvre journal d'opinion, qui tire péniblement à trente, trente-cinq mille, et qui doit je ne sais combien à l'imprimeur, au fabricant de papier, aux courtiers de publicité. 3
    J. ROMAINS, les Hommes de bonne volonté, t. II, XI, p. 118.

(Sans compl. second). *Devoir de l'argent.* Acquitter, payer ce que l'on doit (→ **Dette**). — *Ce qui est dû.* → **Dû** (n. m.).

Loc. Vieilli. *Il doit plus d'argent qu'il n'est gros* : il est très endetté.

Absolt. *Il doit à tout le monde.* — **Loc.** *Devoir à Dieu et à diable; à Dieu et au monde; au tiers et au quart; de tous côtés* : avoir beaucoup de dettes.

Qui a terme ne doit rien : on n'est pas obligé de payer avant le terme échu.

Par métonymie. *Devoir son loyer. — Devoir deux mois* (de loyer, etc.).

Loc. *Je lui (te, vous...) dois bien ça* : il mérite bien ça en retour.

♦ **2** Être redevable (à qqn ou à qqch.) de (ce que l'on possède). → **Tenir** (de). *Il lui doit tout. Il lui doit sa situation. Il ne veut rien devoir à personne; il veut ne rien devoir à personne. Devoir son surnom à un trait de caractère. Nous devons notre réussite au travail de nos prédécesseurs. Devoir la vie à qqn :* a) être son enfant; b) *avoir été sauvé par lui. Ceux à qui il doit le jour,* ses parents. *Je vous dois mon salut, la fortune, mon bonheur. Les romantiques doivent beaucoup à J.-J. Rousseau.* **Absolt et par métaphore du sens** 1. → cit. 5 ci-dessous.

4 Je ne dois qu'à moi seul toute ma renommée.
CORNEILLE, Poésies diverses, Excuse à Ariste.

5 L'orgueil ne veut pas devoir, et l'amour-propre ne veut pas payer. LA ROCHEFOUCAULD, Maximes, 228.

6 Ne sais-je pas bien ce que je vous dois?
MOLIÈRE, Dom Juan, IV, 3.

7 L'un tient de moi la vie, à l'autre je la dois!
VOLTAIRE, Alzire, III, 5.

8 (...) nous n'avons dû notre salut qu'à notre habileté comme cavalier (...) A. JARRY, Ubu Roi, IV, 4.

Passif. *Être dû à :* avoir pour cause. *Le succès de cette pièce est dû au talent des acteurs. Sa réussite est due au hasard* (→ Débridement, cit. 2).

9 (...) au cas où le silence d'Hélène eût été dû à une violente réprimande de sa mère (...)
J. ROMAINS, les Hommes de bonne volonté, t. III, XXIII, p. 325.

Fam. *Devoir une fière chandelle*, un cierge à quelqu'un.

(Sujet n. de chose). *Cette viande doit son goût aux épices* (→ Aromatique, cit. 1). «*Une teinte rougeâtre qu'elle* (une soupe) *doit au safran*» (Gautier, *in* T. L. F.).

DEVOIR À (qqn) DE (et inf.). *Je lui dois d'être en vie :* c'est grâce à lui que je suis en vie.

10 (...) c'est à la pluie que j'ai dû de connaître, une première fois, il y a cinq ans, le pays du perpétuel Été (...)
E. FROMENTIN, Un été dans le Sahara, I, p. 3.

♦ **3** Être tenu à (qqch.) par la loi, les convenances, l'honneur, l'équité, la morale. *Il devait ce sacrifice à sa cause. Devoir de la reconnaissance à ses bienfaiteurs. Un fils doit le respect à son père. Vous lui devez des égards, des ménagements. Je vous dois une explication, des excuses. La loi doit une égale protection à tous les citoyens.*

(Sans compl. direct). *Devoir à quelqu'un.*

11 Je dois à ma maîtresse aussi bien qu'à mon père (...)
CORNEILLE, le Cid, I, 6.

(Au passif). *Accorder, rendre à qqn l'admiration qui lui est due, les honneurs (qui sont) dus à son rang.*

12 (...) la vertu et le crime rencontrent si rarement ce qui leur est dû (...) LA BRUYÈRE, les Caractères, XVI, 47.

(Le compl. est sans déterminant). *Devoir obéissance, protection, réparation à qqn. Devoir compte* de... *Il ne doit compte de ses actions à personne.*

♦ **4** V. pron. (Voir ci-dessous).

II Auxiliaire de mode. (Suivi d'un infinitif). ♦ **1** **a** Être dans l'obligation de (faire qqch.). → **Avoir** (à); → Être tenu*, obligé* de; il faut (falloir*). *Il doit terminer ce travail ce soir. Il doit rendre compte de son administration. Un homme d'honneur doit tenir sa parole. On doit respecter les vieillards. Que devons-nous faire? C'est vous qui devez agir.* → **Appartenir** (c'est à vous qu'il appartient d'agir).

(...) *Que pouviez-vous? hélas! — J'ai fait ce que j'ai dû.* 13
VOLTAIRE, l'Orphelin de la Chine, V, 1.

— *Va, je ne te hais point. — Tu le dois. — Je ne puis.* 14
CORNEILLE, le Cid, III, 4.

L'on demande s'il faut aimer. Cela ne se doit point 15
demander : on le doit sentir.
PASCAL, Disc. sur les passions de l'amour.

(...) *celui-là (Corneille) peint les hommes comme ils* 16
devraient être, celui-ci (Racine) les peint tels qu'ils sont.
LA BRUYÈRE, les Caractères, I, 54.

Faisons ce qu'on doit faire et non pas ce qu'on fait. 17
NIVELLE DE LA CHAUSSÉE, Préjugé à la mode, II, 1.

Le magistrat doit veiller à ce que l'esclave ait sa nourriture 18
et son vêtement : cela doit être réglé par la loi.
Les lois doivent avoir attention qu'ils soient soignés dans
leurs maladies et dans leur vieillesse.
MONTESQUIEU, l'Esprit des lois, XV, 17.

«Je ne suis bien avec moi-même que quand je fais ce que 19
je dois.» (DIDEROT, *Lettres à S. V.,* 8 oct. 1760.) C'est fort
bien dit; mais l'embêtant c'est qu'on ne sait pas toujours
ce qu'on doit faire. GIDE, Journal, 25 juin 1944.

Être dans la nécessité, le besoin de... *Il a cru devoir refuser. Elle ne sait si elle doit rire ou pleurer. Les choses qu'on doit savoir, qu'il faut savoir. Les choses ne doivent pas en rester là.*

Fix crut devoir sourire en entendant cette observation. 19.1
J. VERNE, le Tour du monde en 80 jours, p. 218.

Prov. *Fais ce que dois, advienne que pourra.*

(Au conditionnel) *Tu devrais aller la voir à l'hôpital, ce serait bien* si... *Tu ne l'as pas fait? Tu aurais dû. Il n'aurait jamais dû faire ça.*

(Au conditionnel, marquant la convenance). *Il devrait être au lit, à cette heure-là.*

b En être réduit à... «*Il m'a tellement importuné que j'ai dû le mettre à la porte*» (Hanse).

c (En emploi négatif). *Devoir ne pas...,* ne pas avoir le droit, la permission de... (exprime la défense, l'interdiction). *Vous ne devez pas sortir. Vous ne devez en aucun cas en parler.*

d (Marquant une affirmation atténuée, avec des verbes «de parole»). *Je dois dire, je dois avouer que... Il a bien dû reconnaître que...*

♦ **2** Par ext. Avoir l'intention de. → **Penser.** *Je dois partir demain. Nous devions l'emmener avec nous mais il est tombé malade. Je devais venir, mais j'ai été empêché.*

♦ **3** (Marquant la vraisemblance, la probabilité, l'hypothèse).

Au présent. (Dans le présent). *On doit avoir froid dans un tel pays,* je pense, je suppose, je présume, j'imagine qu'on y a froid; *il y fait peut-être* froid. *Il doit être grand maintenant. Il doit être bien riche pour mener si grande vie. Je dois le connaître. Je dois avoir entendu parler de lui* (→ Je ne suis* pas sans avoir...)

— *Hélas! que j'ai de peine à rompre mon silence!* 20
— *Ouais! Ceci doit donc être un important secret.*
MOLIÈRE, le Dépit amoureux, II, 1.

Ce bruit de ferraille doit être assourdissant, et vous devez 21
être là comme dans une prison.
A. DE MUSSET, Comédies et proverbes, Barberine, III, 5.

Jamais, vois-tu? mes petits-enfants ne pensent à m'em- 22
brasser. Ils ne doivent pas trouver les gens de notre âge très appétissants.
G. DUHAMEL, le Voyage de P. Périot, I, p. 22.

À un temps passé. (Dans le passé). *Il ne devait pas être bien tard quand il est parti. Il a dû partir ce matin ou il doit être parti ce matin* (→ Il y a des chances* qu'il soit parti). *Il a dû se tromper ou il doit s'être trompé. Vous deviez normalement gagner.*

(...) *ce fils* (...) *est le chagrin* (...) *de cette vie* (...) *dont je* 23
croyais qu'il devait être la joie (...)
MOLIÈRE, Dom Juan, IV, 4.

24 (...) vous avez perdu absolument votre procès que vous deviez gagner.
MOLIÈRE, les Femmes savantes, V, 4.

24.1 (...) une injuste prévention fait croire que celui qui a dû commettre le crime, l'a commis (...)
SADE, Justine, I, p. 33.

25 (...) de petites flaques noires, en de certains endroits, devaient être du sang.
FLAUBERT, l'Éducation sentimentale, II, 162,
in BRUNOT.

Au présent. (Dans le futur). → Aller (il va arriver). *Il doit arriver dans un instant. Il doit vous l'annoncer demain. On ne sait pas ce qu'il doit faire.*

26 Je dois faire aujourd'hui bonne chère, ou jamais.
LA FONTAINE, Fables, VIII, 9.

27 Hélas! qui peut savoir le destin qui m'amène?
L'amour me fait ici chercher une inhumaine.
Mais qui sait ce qu'il doit ordonner de mon sort,
Et si je viens chercher ou la vie ou la mort?
RACINE, Andromaque, I, 1.

28 (...) il avance d'un bon vent et qui a toutes les apparences de devoir durer (...)
LA BRUYÈRE, les Caractères, XIII, 9.

29 (...) la guerre poétique ne paraît pas devoir être moins acharnée que la guerre sociale n'est furieuse.
HUGO, Odes et ballades, Préface de 1824.

30 La langue utilise souvent le verbe *devoir* suivi de l'infinitif. L'expression a encore un sens modal, mais ce sens modal est de moins en moins senti. La forme s'achemine ainsi vers une valeur purement temporelle : *Elle* **doit** *venir; ça* **doit** *réussir.* On sent combien ici la valeur de *devoir* est différente de celle que montre l'exemple suivant : *Puisque Angélique aime réellement Valère, elle* **doit** *l'épouser malgré son défaut.* (SAINTE-BEUVE, *Lundis,* VII, 11). Ce sens s'affaiblit surtout dans les propositions subordonnées (...)
BRUNOT, la Pensée et la Langue, III, XI, C, 9, p. 464.

Au futur antérieur. *Il aura dû tomber en panne :* il est probablement tombé en panne. → Être (il sera tombé en panne).

Au conditionnel. *Il devrait réussir, en principe.*

(Après *si* — et l'indicatif —, *quand, quand (bien) même* — et le conditionnel). *Si cela doit par malheur arriver... S'il devait partir, je ne le retiendrais pas. S'il avait dû partir, ce serait déjà fait. Quand (bien) même il devrait réussir, je ne suivrais pas ses conseils.* → aussi 5., ci-dessous (*supra* cit. 34).

31 *S'il* **doit revenir** *seulement à cinq heures, ce n'est pas la peine que nous l'attendions.*
BRUNOT, la Pensée et la Langue, V, XXV, IX, p. 889.

(Par politesse). *Vous devez vous tromper :* vous vous trompez, selon* moi, d'après* moi. *Vous avez dû faire erreur.*

♦ 4 Être conduit nécessairement, infailliblement à... → **Falloir.** *Cela devait être ainsi :* c'était inéluctable, inévitable (→ **Nécessaire; nécessité**). *Il n'arrive que ce qui doit arriver. Il a dû s'arrêter tellement il était fatigué.* (Futur). *Il devra s'en aller :* il faudra que... (Conditionnel). *Il devrait partir, si son contrat n'était pas renouvelé.*

(Futur du passé). *Cela devait arriver,* je l'avais prédit. *Ça devait bien finir comme ça. Il devait mourir deux ans plus tard.* — **Avec un présent de narration.** *En 1789, Louis XVI ignore qu'il doit mourir décapité.*

32 Jésus paraît être resté étranger à ces raffinements de théologie, qui devaient bientôt remplir le monde de disputes stériles.
RENAN, la Vie de Jésus, Œ., t. IV, XV, p. 239.

33 Il arrive souvent qu'un historien, un conteur annonce un événement futur, avec cette nuance spéciale que l'événement était préparé, convenu (...) Puis comme le sens spécial, attaché à *devoir,* s'efface, le sens s'approche de celui d'un futur dans le passé (...)
BRUNOT, la Pensée et la Langue, V, XX, V, p. 757.

♦ 5 (À l'imparfait du subjonctif). Littér. *Dussé-je; dût-il,* etc., quand bien même je devrais, il devrait. *Dussé-je y périr. Dussé-je y consacrer ma fortune. Dussent mille dangers me menacer.*

Tous les Grecs m'ont déjà menacé de leurs armes ; 34
Mais dussent-ils encore, en repassant les eaux,
Demander votre fils avec mille vaisseaux ;
Coûtât-il tout le sang qu'Hélène a fait répandre ;
Dussé-je après dix ans voir mon palais en cendre,
Je ne balance point, je vole à son secours :
Je défendrai sa vie aux dépens de mes jours.
RACINE, Andromaque, I, 4.

Je ne me chargerais pas d'un enfant maladif et cacochyme, 35
dût-il vivre quatre-vingts ans.
ROUSSEAU, Émile, I, p. 29.

♦ SE DEVOIR v. pron.

♦ 1 (Réfl. ou récipr.). Être obligé de se consacrer à... *Se devoir à sa patrie, à ses enfants.*

Sa mort vous laisse un fils à qui vous vous devez (...) 36
RACINE, Phèdre, I, 5.

Se devoir mutuellement quelque chose.

Les époux se doivent mutuellement fidélité, secours, assis- 37
tance.
Code civil, art. 212.

Se devoir à soi-même. Je manquerais à ce que je me dois. — **SE DEVOIR DE** (et inf.). *Je me devais de lui parler ouvertement. Vous vous devez à vous-même de réussir.*

Je sais ce que je suis et ce que je me dois. 38
CORNEILLE, Dom Sanche, 68.

♦ 2 (Passif impers.). *Comme il se doit,* comme il le faut, ou, fam., comme c'était prévu. — Littér. *Cela se doit :* c'est convenable, obligatoire.

Dans le grand salon, Lady Ava est très entourée comme 38.1
il se doit, par les invités qui, dès leur entrée, se dirigent
d'abord vers elle pour la saluer (...)
A. ROBBE-GRILLET, la Maison de rendez-vous, p. 58.

♦ DÛ, DUE p. p. adj.

♦ 1 *Argent dû par un débiteur; somme due. En port* dû.* — Loc. *Chose promise, chose due.*

Dû à : qui est redevable à... ; causé par... — *Punition due à sa mauvaise conduite.*

Il m'a dit qu'il n'était pas impossible que cette eau pré- 39
sentât des propriétés dues à ce qu'on appelle les «radiations».
J. ROMAINS, les Hommes de bonne volonté, t. V,
XXII, p. 177.

Dr. *Jusqu'à due concurrence :* jusqu'à concurrence de la somme dont un débiteur est tenu.

Loc. *Ainsi que dû :* comme cela se doit.

N. m. → **Dû.**

♦ 2 Que l'on doit rendre. *Les égards dus à qqn, à son rang.*

♦ 3 Dont est responsable (qqn, qqch.). *La fatigue due au travail. Tableau dû à un maître anonyme.*

♦ 4 Conforme aux règles. → **Convenable.** *Acte en due forme, en bonne et due forme,* rédigé conformément à la loi et revêtu de toutes les formalités nécessaires.

CONTR. Acquitter, libérer (se), **payer;** libre (être libre). — (Du p. p.) Indu. ◊ DÉR. et COMP. 2. Devoir, doit, dû. Redevoir.

2. DEVOIR [d(ə)vwar] n. m. — Fin XIIe ; de 1. *devoir.*

[I] ♦ 1 (Le devoir). L'obligation morale considérée en elle-même, et indépendamment de son application particulière. → **Loi** (morale), **obligation.** *La conscience, le sentiment du devoir. Lutte du devoir et de la passion* (→ Pavillon, cit. 8). *Le respect du devoir. Le caractère impératif du devoir moral.* → **Impératif** (catégorique). *L'amour du devoir. La pratique du devoir.* → **Vertu.** — *Par devoir :* au nom du devoir moral. *Agir par devoir.* — *Se maintenir dans le devoir.* — *Un homme de devoir,* qui respecte l'obligation morale. *C'est une femme de devoir.*

1 Nul ne possède d'autre droit que celui de toujours faire son devoir.
A. COMTE, Philosophie positive, t. I, p. 361, in GUERLAC.

2 Il (Socrate) dégageait la morale de la religion; avant lui, on ne concevait le devoir que comme un arrêt des anciens dieux; il montra que le principe du devoir est dans l'âme de l'homme.
FUSTEL DE COULANGES, la Cité antique, V, I, p. 420.

3 (...) la liberté, sans laquelle le devoir ne serait qu'un mot vide de sens.
BERTHELOT, cité par RENAN, Dialogues et fragments philosophiques, p. 209.

3.1 J'ai tenté lâchement de me débarrasser de ma dette, mais je ne l'ai pas acquittée. Dans les cauchemars de mes nuits, je me réveille en sueur, m'agenouille, crie à voix haute : «Seigneur! Seigneur! à qui devais-je? — Seigneur! à qui devais-je?» Je n'en sais rien, mais je devais. — Le devoir, Messieurs, c'est une chose horrible; moi, j'ai pris le parti d'en mourir.
GIDE, le Prométhée mal enchaîné, in Romans, Pl., p. 332.

4 Le sentiment du devoir apporte une sorte de bénédiction sur chaque acte accompli; on se sent un être moral; on échappe à la pesanteur (...)
GIDE, Journal, 18 déc. 1946.

5 Fidèle par tendresse, par devoir, par fierté (...)
COLETTE, la Naissance du jour, p. 45.

6 L'oisiveté engendre le plaisir et le plaisir détourne petit à petit du devoir.
Max JACOB, Conseils à un jeune poète, p. 92.

7 Nulle trace, en cet homme admirable, de morgue vertueuse. Nul ne s'est moins juché sur les échasses du devoir et de la morale.
André SUARÈS, Trois hommes, «Dostoïevski», p. 262.

♦ 2 (Le devoir de qqn; un, des devoirs). Ce que l'on doit faire; obligation morale particulière, définie par le système moral que l'on accepte, par la loi, les convenances, les circonstances... → Charge, fonction, obligation, office, responsabilité, tâche, travail. Accomplir, faire, remplir, suivre son devoir (→ Cour, cit. 17). Faire bien son devoir. S'acquitter de son devoir, de ses devoirs. Observer, remplir ses devoirs. Se dévouer à un devoir (→ Bonheur, cit. 24). Assumer (cit. 3) tous les devoirs d'un rôle, d'une charge. Connaître, bien comprendre son devoir. Devoir facile à remplir. Devoir assujettissant (cit. 1), pénible. → Corvée. S'imposer, se prescrire des devoirs. C'est un devoir pour moi (que de faire cela, de faire cela). Avoir pour devoir de... Se faire un devoir de... (→ Attaquer, cit. 32; avancer, cit. 38). Mon devoir exige que... Mon devoir me réclame là-bas. Là est mon devoir. Son devoir lui commande (cit. 7) d'agir ainsi. Dans ce cas, la résistance est un devoir (→ Arbitraire, cit. 7). C'est contraire au devoir, cela s'oppose au devoir. Devoirs opposés. Un conflit (cit. 4) de devoirs. Être chargé (cit. 20) de devoirs. Être tenu à des devoirs. C'est non seulement un devoir, mais une nécessité. Ce n'est pas un droit, c'est un devoir. — Loc. Il est de mon (ton, son...) devoir de...

8 Faites votre devoir, et laissez faire aux dieux.
CORNEILLE, Horace, II, 8.

9 Il est de mon devoir de (...)
MOLIÈRE, l'École des maris, II, 3.

10 (...) au lieu qu'en l'état où je suis, ignorant ce que je suis et ce que je dois faire, je ne connais ni ma condition, ni mon devoir.
PASCAL, Pensées, III, 229.

11 Laissez dire, laissez-vous blâmer, condamner, emprisonner, laissez-vous pendre, mais publiez votre pensée. Ce n'est pas un droit, c'est un devoir, étroite obligation de quiconque a une pensée, de la produire et mettre au jour pour le bien commun. La vérité est toute à tous.
P.-L. COURIER, Œ. compl., p. 214.

12 En 1792, la fidélité au serment passait encore pour un devoir; aujourd'hui, elle est devenue si rare qu'elle est regardée comme une vertu.
CHATEAUBRIAND, Mémoires d'outre-tombe, t. II, p. 38.

À l'austère devoir pieusement fidèle, 13
Elle dira, lisant ces vers tout remplis d'elle :
Quelle est donc cette femme? et ne comprendra pas.
ARVERS, «Sonnet».

Nous ne vous demandons rien, mon ami, dit-il. C'est votre 13.
droit de vous taire.
— C'est mon devoir de parler.
J. VERNE, l'Île mystérieuse, t. II, p. 543.

Mais cependant, prier pour les morts leur restait un devoir 14
auquel elles n'osaient point faillir, et d'ailleurs un devoir très doux (...)
LOTI, les Désenchantées, I, III, p. 47.

L'art est un jeu. Tant pis pour celui qui s'en fait un devoir. 15
Max JACOB, Conseils à un jeune poète, p. 24.

(...) les Prophètes osent dire que l'élection divine impose 16
plus de devoirs qu'elle ne confère de droits.
DANIEL-ROPS, le Peuple de la Bible, III, II, p. 223.

Trahir son devoir, ses devoirs. Faillir, forfaire, manquer à son devoir (→ Berner, cit. 5). *S'écarter de son devoir. Transiger avec son devoir. Négliger, oublier son devoir.*

Manquer à son devoir était l'impiété la plus grave qu'on 17
pût commettre (...)
FUSTEL DE COULANGES, la Cité antique, p. 33.

Spécialt. *Les devoirs envers soi-même. Il place l'honneur au premier rang de ses devoirs. Devoir d'état**. *Les devoirs de son état, de sa charge.* → **Service ; rôle** (→ Cahier, cit. 3). *Devoir professionnel. Les devoirs du médecin* (→ **Déontologie**).

Un prince dans un livre apprend mal son devoir. 18
CORNEILLE, le Cid, I, 3.

Le devoir des juges est de rendre la justice; leur métier, de 19
la différer. Quelques-uns savent leur devoir, et font leur métier.
LA BRUYÈRE, les Caractères, XIV, 43.

Nos premiers devoirs sont envers nous; nos sentiments 20
primitifs se concentrent en nous-mêmes; tous nos mouvements naturels se rapportent d'abord à notre conservation et à notre bien-être.
ROUSSEAU, Émile, II.

C'est pour le romancier observateur aussi bien que pour 21
le médecin, un devoir professionnel que de cultiver une certaine insensibilité naturelle (...)
A. THIBAUDET, Gustave Flaubert, p. 12.

Les devoirs envers les autres. Devoirs de justice, de charité. Observation rigoureuse des devoirs de justice. → **Probité.** *Devoir envers le prochain. Devoir de fidélité, de loyauté. Les devoirs de l'amitié. Devoir de reconnaissance* (→ Acquitter, cit. 7). *Devoirs des parents envers les enfants. Devoir paternel, maternel, filial.*

Il est des devoirs simples et sublimes qu'il n'appartient 22
qu'à peu de gens d'aimer et de remplir : tels sont ceux du père de famille, pour lesquels l'air et le bruit du monde n'inspirent que du dégoût, et dont on s'acquitte mal encore quand on n'y est porté que par des raisons d'avarice et d'intérêt.
ROUSSEAU, Julie ou la Nouvelle Héloïse, lettre, X.

Loc. *Devoir conjugal** (cit. 2).

Les devoirs de la société envers l'individu (→ Charge, cit. 20). *Les droits et les devoirs de chacun. Devoir civique, social. Les devoirs du citoyen. Faire son devoir de citoyen : voter. Devoirs envers la patrie. Devoir national, patriotique. Le devoir militaire. Faire son devoir.*

Les devoirs dont il a été question jusqu'à présent sont ceux 23
que nous impose la vie sociale; ils nous obligent vis-à-vis de la cité plutôt que de l'humanité.
H. BERGSON, les Deux sources de la morale et de la religion, p. 31.

Les devoirs religieux. Devoirs envers Dieu (→ Adorer, cit. 3; charité, cit. 3). *Le devoir pascal**.

Les devoirs imposés par les convenances (cit. 4), *les bienséances* (cit. 13). *Un devoir de convenance. Les devoirs mondains.* → **Obligation.**

(...) je suis tellement accablée de visites et de devoirs, que 24
de bonne foi je n'en puis plus.
Mme DE SÉVIGNÉ, Lettres, 1180, 25 mai 1689.

25 De grasses matinées. Une toilette soigneuse et lente. Des devoirs mondains de l'après-midi et du soir.
      J. ROMAINS, les Hommes de bonne volonté, t. III, XVIII, p. 238.

♦ **3** Au plur. Vieilli, solennel ou par plais. → **Civilité, hommage, respect.** *Présenter ses devoirs à qqn. Aller rendre ses devoirs à qqn.*

26 Où est son Altesse Turque? Nous voudrions (...) lui rendre nos devoirs.
      MOLIÈRE, le Bourgeois gentilhomme, V, 3.

Loc. *Rendre à qqn les derniers devoirs,* l'accompagner jusqu'à sa dernière demeure. → **Funèbre** (honneurs funèbres); **funérailles.**

27 Tu veux à ce héros rendre un devoir suprême (...)
      CORNEILLE, Pompée, V, 4.

27.1 (...) il transporta ce cadavre sur le talus de la route. Il aurait voulu lui donner une sépulture décente, l'enterrer profondément, afin que les carnassiers de la steppe ne pussent s'acharner sur ses misérables restes (...) D'ailleurs, si Nicolas eût voulu rendre les derniers devoirs à tous les morts qu'il allait maintenant rencontrer sur la grande route sibérienne, il n'aurait pu y suffire!
      J. VERNE, Michel Strogoff, p. 389-390.

♦ **4 EN DEVOIR DE...** → **Disposition** (en disposition de...), **prêt** (à). *Se mettre en devoir d'affronter une épreuve. Se mettre en devoir de partir.* → **Disposer** (se), **préparer** (se).

28 (...) les garçons cantonnés dans la maison, même le vieux chanvreur et les vieilles commères, se mirent en devoir de garder le foyer.
      G. SAND, la Mare au diable, Appendice, III, p. 167.

♦ **5** *Être à son devoir,* à son poste. *Retenir qqn dans le devoir,* dans la discipline, l'obéissance, l'ordre, la soumission, la subordination. *Ramener qqn à son devoir. Rentrer dans le devoir.*

29 (...) je suis ravi de vous voir (...) revenue dans votre devoir (...)
      MOLIÈRE, le Bourgeois gentilhomme, V, 5.

II Exercice scolaire écrit qu'un professeur fait faire à des élèves. → **Composition, épreuve, interrogation** (écrite). *Enfant qui fait ses devoirs avec application. Annoter, corriger des devoirs.* → **Copie.** *Rendre un devoir corrigé. Devoir surveillé. Devoirs du soir. Devoirs de vacances,* prévus pendant les vacances.

30 Ce fût sans émotion, et comme mettant la dernière ligne à un ennuyeux devoir de classe, que je traçai sur l'enveloppe le nom de (...)
      PROUST, À la recherche du temps perdu, t. IX, p. 178.

Par anal. Œuvre littéraire ou artistique d'un caractère didactique, ennuyeux, laborieux.

III (1804; certainement antérieur; cf. *deverium,* XIIIᵉ, en lat. médiéval). **Hist.** Association d'ouvriers, de compagnons (généralement écrit : *Devoir). Compagnon** (cit. 8) *du devoir. Membre d'un Devoir* (devoirant). *Le Devoir, le Saint Devoir de Dieu. Le Devoir de Liberté* (1804). → 2. Gavot.

REM. Le dér. *devoirant* a été déformé au XIXᵉ s. en *dévorant.*

DÉVOISÉ, ÉE [devwaze] adj. — XXᵉ (Marouzeau, 1951); de 1. *dé-,* et *voisé.*

Phonét. Se dit d'une consonne ayant perdu sa sonorité.

CONTR. Voisé. ◊ **DÉR. Dévoisement.**

DÉVOISEMENT [devwazmã] n. m. — Mil. XXᵉ; de *dévoisé.*

Phonét. Fait (pour un phonème) de perdre sa sonorité. → **Assourdissement, dévocalisation.** *Le dévoisement du* [b] *dans absurde* [apsyʀd].

DÉVOLE [devɔl] n. f. — 1690; de 1. *dé-,* et *vole.*

Jeux (cartes). Fait de manquer, de perdre la vole*. *Être en dévole.*

DÉR. Dévoler.

DÉVOLER [devɔle] v. intr. — 1845, Bescherelle; de *dévole.*

Jeux (cartes). Manquer, perdre la vole. **Syn.** : *être en dévole.*

DÉVOLTAGE [devɔltaʒ] n. m. — 1908; de *dévolter.*

Techn. Action de dévolter. *Le dévoltage d'un circuit électrique.*

CONTR. Survoltage.

DÉVOLTER [devɔlte] v. tr. — 1908; de 1. *dé-, volt,* et suff. verbal.

Techn. Diminuer le voltage de. *Dévolter un circuit.* **Fig.** (au p. p.). Détendu.

Dévoltés par cette décharge, les nerfs du jeune homme supportèrent mieux d'autres sujets de mécontentement.
      Hervé BAZIN, la Tête contre les murs, p. 60.

CONTR. Survolter. ◊ **DÉR. Dévoltage, dévolteur.**

DÉVOLTEUR [devɔltœʀ] n. m. — 1908, *Larousse mensuel,* août, p. 41; de *dévolter.*

Techn. Appareil destiné à diminuer le voltage d'un circuit.

COMP. Survolteur-dévolteur.

DÉVOLU, UE [devɔly] adj. et n. m. — XIVᵉ; lat. *devolutus,* p. p. de *devolvere* «dérouter, faire passer à...», de *de-,* et *volvere* «faire rouler, rouler».

♦ **1** Acquis, échu par droit. *Succession dévolue à l'État, faute d'héritiers. Droits héréditaires dévolus au degré subséquent.* → **Dévolution.**

1 La part du renonçant accroît à ses cohéritiers; s'il est seul, elle est dévolue au degré subséquent.
      Code civil, art. 786.

Par ext. → **Acquis, destiné, réservé.**

2 Dès qu'un des nôtres commet une lourde faute, l'Administration, qui ne doit jamais avoir tort, le retire du service actif en le faisant inspecteur. Voilà comment la récompense due au talent est dévolue à la nullité.
      BALZAC, le Curé de village, Œ., t. VIII, p. 695.

♦ **2 DÉVOLU** n. m. (1549). **Dr. canon** (vx). *Bénéfice vacant par dévolu :* bénéfice dont la nomination était dévolue au Pape, par suite de l'incapacité, de l'indignité du possesseur. *Avoir un bénéfice par dévolu.*

(Av. 1654). Loc. **JETER UN DÉVOLU SUR** (un bénéfice) : former une prétention sur (un bénéfice) en proposant de le considérer comme vacant par dévolu.

(1698). Mod. Loc. fig. *Jeter son dévolu sur une personne, sur une chose,* fixer son choix sur elle, manifester la prétention de l'obtenir, décider de la conquérir. → **Prétendre** (à).

3 N'était-ce pas elle qui, dès sa première rencontre avec Antoine, avait jeté son dévolu sur lui, vaincu ses résistances, fait patiemment sa conquête?
      MARTIN DU GARD, les Thibault, t. V, p. 160.

DÉR. Dévolutaire. — V. **Dévolutif.**

DÉVOLUTAIRE [devɔlytɛʀ] n. m. — 1564; dér. sav. de *dévolu.*

Anciennt. Personne qui a obtenu un bénéfice ecclésiastique vacant par dévolu*.

DÉVOLUTIF, IVE [devɔlytif, iv] adj. — XVIᵉ; dér. sav. du lat. *devolutus*. → Dévolu.

Dr. Qui fait qu'une chose est dévolue à qqn, passe d'une personne à une autre.

DÉVOLUTION [devɔlysjɔ̃] n. f. — 1385, dr. canon.; lat. médiéval *devolutio*, du supin de *devolvere*. → Dévolu. Transmission d'un droit.

♦ **1** Dr. Passage de droits héréditaires au degré subséquent par renonciation du degré précédent (→ Dévolu, cit. 1), ou à une ligne par extinction de l'autre (art. 733 du Code civil). *Dévolution successorale.*

1 Il ne se fait aucune dévolution d'une ligne à l'autre, que lorsqu'il ne se trouve aucun ascendant ni collatéral de l'une des deux lignes. *Code civil, art. 733.*

1.1 (...) l'héritier présomptif ne pardonnait pas au monarque régnant d'avoir dilapidé une fortune. Pour qui considère les dévolutions d'héritage comme une espèce d'investiture, les deux attitudes n'en sont qu'une.
M. YOURCENAR, Archives du Nord, p. 298.

La guerre de dévolution (1667-1668), entreprise par Louis XIV au nom des droits de Marie-Thérèse sur les Pays-Bas.

Hist. du dr. *Droit de dévolution :* droit pour le pape d'attribuer un bénéfice ecclésiastique vacant.

2 Le pape (...) a le droit légitime de contrôler et parfois d'accélérer les nominations faites par les électeurs ou les collateurs ordinaires. Il y parvient, sans discussion, par le droit de *dévolution* qui lui permet de nommer si le collateur a laissé passer le délai légal ou a désigné un indigne (...)
OLIVIER-MARTIN, Précis d'hist. du droit français, n° 793.

♦ **2** Par ext. Transmission (d'un bien, d'un pouvoir) d'une personne à une autre. *Dévolution des biens en cas de confiscation. La «dévolution politique du pouvoir»* (Belorgey, *in* T. L. F.).

3 Je ne sais pas, continua-t-il, quelle peut être la place du cataclysme dans le plan divin (...) mais il m'arrive parfois de me poser une question terrifiante : s'il y avait dévolution du volcan à l'homme ? Si toute la puissance destructrice de la nature lui était maintenant remise ?
Roger VERCEL, l'Île des revenants, p. 116.

DEVON [devɔn] n. m. — 1907; mot angl., nom du comté (*Devonshire*) où se pratiquait cette pêche.

Pêche. Appât articulé ayant l'aspect d'un poisson, d'un insecte, etc., et qui est muni de plusieurs hameçons.

DÉVONIEN, IENNE [devɔnjɛ̃, jɛn] adj. et n. — 1848, trad. de Lyell; angl. *devonian* (Sedgwick et Murchinson, 1837) «du Devon», comté anglais où l'on commença à étudier ces terrains.

Géol. Qui appartient à la période géologique de l'ère primaire allant du silurien au carbonifère (–330 à –280 millions d'années). *Terrain dévonien, formation dévonienne.*

N. m. *Le dévonien,* cette période. *Développement des faunes et des flores terrestres au dévonien. On divise le dévonien en dévonien supérieur ou néodévonien, dévonien moyen ou mésodévonien et dévonien inférieur ou éodévonien. La faune du dévonien comprend surtout des brachiopodes, des cœlentérés, des coralliaires, des trilobites et des poissons.*

DÉVORANT, ANTE [devɔRɑ̃, ɑ̃t] adj. — V. 1340; p. prés. de *dévorer.*

♦ **1** Vx. Qui dévore (une proie). → Vorace. *Monstres dévorants* (→ Creux, cit. 19). *Bêtes dévorantes.*

1 Des lambeaux pleins de sang, et des membres affreux Que des chiens dévorants se disputaient entre eux.
RACINE, Athalie, II, 5.

Mod. (v. 1765). *Un appétit* dévorant, une faim dévorante,* qui pousse à manger beaucoup.

Par métaphore. → **Avide, insatiable.**

2 La curiosité des jeunes âmes est dévorante et réclame sans cesse de nouveaux aliments.
G. DUHAMEL, Défense des lettres, II, I, p. 112.

♦ **2** (1690). Littér. Qui consume, détruit (→ **Dévorer,** B., 1.; **destructeur).** *Un feu dévorant.*

3 Portant partout le glaive et les feux dévorants.
VOLTAIRE, l'Orphelin de la Chine, I, 2.

3.1 La consommation ne crée rien, même pas des rapports entre les consommateurs. Elle n'est que dévorante.
Henri LEFEBVRE, la Vie quotidienne dans le monde moderne, p. 217.

Cour. *Chaleur dévorante. Fièvre dévorante. Soif dévorante* (→ Ardeur, cit. 5).

4 Jacques Collin, dont le cerveau fut comme incendié par la folie, ressentit une soif si dévorante, qu'il épuisa, sans s'en apercevoir, toute la provision d'eau (...)
BALZAC, Splendeurs et Misères des courtisanes, Pl., t. V, p. 1031.

5 Oph (c'est le nom égyptien de la ville que l'antiquité appelait Thèbes aux cent portes ou Diospolis Magna) semblait endormie sous l'action dévorante d'un soleil de plomb.
Th. GAUTIER, le Roman de la momie, I, p. 48.

(1685). Par métaphore ou fig. *Passion dévorante.* → **Ardent, brûlant.** *L'amour est un feu dévorant* (→ Ardeur, cit. 24). *Ardeur, zèle dévorant. Mal dévorant. Soucis dévorants.*

6 Tout à coup, par un de ces mouvements impossibles à prévoir et qui fut suggéré par les dévorantes douleurs de la jalousie (...)
BALZAC, Une fille d'Ève, Pl., t. II, p. 161.

7 Je continue, moi, en cette ville de bruit et d'activité dévorante mon existence assez vigilante de spectateur (...)
SAINTE-BEUVE, Correspondance, I, p. 334.

8 Ils (*les eunuques*) ressemblent à de vieilles femmes méchantes. Cela vous irrite les nerfs et vous tourmente l'esprit. On se sent pris de curiosités dévorantes (...)
FLAUBERT, Lettres à Louis Bouilhet, 19 déc. 1850, Pl., t. I, p. 728.

9 Beauvivier se précipita. — Mon cher monsieur Marchenoir, dit-il, vous étiez attendu avec la plus dévorante impatience. Messieurs, voici notre nouveau legat.
Léon BLOY, le Désespéré, p. 191.

CONTR. Faible. — Doux, inoffensif. — Calme, modéré.

DÉVORATEUR, TRICE [devɔRatœR, tRis] adj. et n. — Fin XVᵉ; *dévorator,* 1308; de *dévorer.* Littéraire.

♦ **1** Adj. Qui dévore. *Passion dévoratrice.* → **Dévorant.**

1 «Moloch, tu me brûles !» et les baisers du soldat, plus dévorateurs que des flammes, la parcouraient (...)
FLAUBERT, Salammbô, XI, p. 225.

2 Les besognes, études, curiosités dévoratrices des heures me laissaient bien peu de temps pour mes essais littéraires (...)
Georges LECOMTE, Ma traversée, p. 166.

♦ **2** N. Personne, chose qui dévore, détruit.

3 Ce Dévorateur des âmes (...)
Léon BLOY, le Désespéré, p. 26.

DÉVORATION [devɔRasjɔ̃] n. f. — 1393; de *dévorer.* Littér. Action de dévorer. → **Dévorement.**

1 La dévoration du canard commence.
M. DURAS, Moderato cantabile, p. 136.

2 Il s'identifie avec le lion. À travers sa faiblesse, il est possédé d'une joie tellement forte, plein de plaisir de dévoration si exorbitant, qu'un adolescent qu'on avait retiré de la gueule du lion se mit à pleurer.
Henri MICHAUX, Ailleurs, p. 155.

Figuré :

3 Il faut peut-être se défendre contre une dévoration du sublime par le quotidien.
J. ROMAINS, les Hommes de bonne volonté, t. XXII, p. 193.

DÉVOREMENT [devɔrmã] n. m. — 1859; de *dévorer*.
Littér., rare. Action de dévorer. → **Dévoration.**

Il y avait là un dessous que je ne comprenais pas. Leur délire, leur dévorement d'eux-mêmes étaient-ils donc si grands qu'ils ne voyaient plus rien des prudences et des précautions de la vie?...
> BARBEY D'AUREVILLY, les Diaboliques,
> «Le bonheur dans le crime».

DÉVORER [devɔre] v. tr. — V. 1120, *devurer*; lat. *devorare*, de *de-* intensif, et *vorare* «manger». → **Vorace.**

A (Manger). ♦ **1** (Animaux, surtout). Manger en déchirant avec les dents. → **Engloutir, repaître** (se). *Qui dévore sa proie.* → **Dévorant, vorace**; suff. *-vore. Le lion, le tigre dévore sa proie* (→ Chien, cit. 5). *Les hyènes dévorent les charognes. Saturne dévora ses enfants.*

1 Pour moi, satisfaisant mes appétits gloutons,
J'ai dévoré force moutons.
> LA FONTAINE, Fables, VII, 1.

2 Parmi les loups cruels prêts à me dévorer (...)
> RACINE, Athalie, II, 7.

3 *(L'homme)* anéantit plus d'animaux que tous les animaux carnassiers n'en dévorent (...)
> BUFFON, Hist. nat. des animaux,
> Animaux carnassiers.

Par anal. Manger entièrement. *Les chenilles ont dévoré les feuilles du rosier.*

4 Hélas! ils dormaient hier;
Et notre cœur doute encore,
Que le ver déjà dévore
Cette chair de notre chair!
> LAMARTINE, Harmonies..., II, 1.

Par exagér. *La vermine les dévorait.* — (Passif et p. p.). *Être dévoré par les moustiques, par les poux.*

4.1 À Coquillatville, nous avions été dévorés par les moustiques.
> GIDE, Voyage au Congo, *in* Souvenirs, Pl., p. 705.

♦ **2** (Personnes). Manger avidement, gloutonnement. → **Avaler, empiffrer** (s'), **engloutir, engouffrer.** *Il a dévoré un poulet entier à son repas.*

5 Il a dévoré une savoureuse portion de veau, généreusement lardée, fricassée dans la poêle et garnie de carottes.
> MARTIN DU GARD, les Thibault, t. VIII, p. 105.

Absolt. *Cet enfant ne mange pas, il dévore. Dévorer comme un goinfre, un glouton, un ogre.*

6 (...) il me parut vraisemblable qu'il n'avait pas mangé depuis quarante-huit heures au moins. Il dévorait comme un loup affamé.
> MÉRIMÉE, Carmen, I.

♦ **3** (1662). Fig. *Dévorer un livre,* le lire avec avidité. → **Bibliophage (fig.)**; → Affamé, cit. 5. *Dévorer les classiques. Dévorer une lettre.*

7 Je le trouvai dans la ferveur des hautes connaissances. Rien n'était au-dessus de sa portée; il dévorait et digérait tout avec une prodigieuse rapidité.
> ROUSSEAU, les Confessions, VII.

8 (...) il lit beaucoup, dévore livre après livre, avec une avidité juvénile (...)
> GIDE, Journal, 6 avr. 1943.

8.1 Je dévore le numéro d'hommage à Alain que publie la N. R. F.
> MAURIAC, Bloc-notes 1952-1957, p. 5.

Dévorer les paroles de qqn, les écouter avec un intérêt passionné.

9 (...) Aziyadé attentive au moindre signe de sa vieille amie, et dévorant ses paroles comme les arrêts divins d'un oracle.
> LOTI, Aziyadé, Eyoub à deux, XXVIII, p. 113.

♦ **4** Par métaphore ou fig. → **Manger.** *Dévorer qqn de baisers.* — *Dévorer (qqn, qqch.) des yeux :* regarder avec avidité ce que l'on désire ardemment, ce qui intéresse passionnément. → **Convoiter** (cit. 5), **couver (fig.), dévisager** (cit. 6).

10 Tourmenté longtemps sans savoir de quoi, je dévorais d'un œil ardent les belles personnes (...)
> ROUSSEAU, les Confessions, I.

11 Faut-il qu'incessamment mes yeux dévorent des charmes dont jamais ma bouche n'ose approcher?
> ROUSSEAU, Julie ou la Nouvelle Héloïse, I,
> lettre VIII.

12 (...) des madones que le mage nègre dévore de toute la convoitise de ses yeux (...)
> TAINE, Philosophie de l'art, t. II, III, II, III, p. 45.

13 (...) la duchesse se tenait à gauche de l'escalier (...) dévorée des yeux par des femmes, des hommes, qui cherchaient à surprendre le secret de son élégance et de sa beauté.
> PROUST, À la recherche du temps perdu, t. IX,
> p. 154.

B (Détruire; consumer...). ♦ **1** (Sujet n. de chose). Faire disparaître rapidement. → **Anéantir, consumer, détruire.** *L'incendie a dévoré tout un quartier.* → **Brûler.** *Le temps, la mort dévore tout.*

14 La gloire des méchants en un moment s'éteint.
L'affreux tombeau pour jamais les dévore (...)
> RACINE, Esther, II, 8.

15 Vous êtes comme un feu qui dévore les blés (...)
> HUGO, l'Année terrible, Avril, IV.

16 Nous crûmes l'un et l'autre que les flammes dévoraient l'édifice.
> FRANCE, la Rôtisserie de la reine Pédauque, Œ.,
> t. VIII, p. 86.

♦ **2** (Sujet n. de personnes). Dépenser rapidement. *Dévorer un bien, une somme d'argent.* → **Dépenser, dilapider, dissiper, épuiser, gaspiller.** *Il a dévoré tout l'héritage, toute sa fortune.*

17 L'héritier prodigue paye de superbes funérailles, et dévore le reste.
> LA BRUYÈRE, les Caractères, VI, 64.

18 (...) il dévora en quelques années les champs, les prés (...) Ayant mis la pauvre amoureuse sur la paille (...)
> FRANCE, le Petit Pierre, XXII, p. 159.

Vx (ou par métaphore d'un sens concret). Prendre avidement les richesses de. *Dévorer un pays.* → **Piller, ravager, ruiner, saccager.** *Le fisc dévore le contribuable.* → **Ronger; rapacité.**

19 On dévore la substance du pauvre, on ruine la veuve et l'orphelin.
> BOURDALOUE, Sermon sur le carême,
> Sur les richesses, t. III.

20 *(Voltaire)* a profité de la circonstance (...) pour demander que le pays de Gex où il habite ne soit plus dévoré par les financiers.
> D'ALEMBERT, Lettre au roi de Prusse, 23 févr. 1776.

21 Elle *(la Révolution)* a livré la France aux hommes d'argent, qui depuis cent ans la dévorent. Ils y sont maîtres et seigneurs.
> FRANCE, le Lys rouge, VII, p. 80.

♦ **3** (Personnes, véhicules...). Parcourir très rapidement. *Dévorer l'espace en courant, en roulant vite. Dévorer des kilomètres* (→ fam. 2. Bouffer, *supra* cit. 7).

♦ **4** Envahir de manière à cacher, à faire disparaître. *Les mauvaises herbes ont dévoré les allées. Un visage dévoré par la barbe* (cit. 14), *par les taches de rousseur* (→ Manger, 6.).

22 (...) une très petite commune perdue loin de tout grand centre, enfermée de marais, acculée contre la mer qui rongeait ses côtes et lui dévorait chaque année quelques pouces de territoire (...)
> E. FROMENTIN, Dominique, II, p. 28.

♦ **5** Fig. *Dévorer le temps.* → **Remplir, ronger.** *Les menues occupations qui dévorent la journée. Matinée dévorée par les importuns. Cela dévore tout mon temps.* → **Absorber,** 2. **bouffer (fam.), prendre.**

23 Le Tribunal dévorait toutes ses journées, prenait toute son âme (...)
> FRANCE, Les dieux ont soif, p. 192.

24 (...) et toute ma matinée ainsi a été dévorée par la correspondance comme il advient souvent.
> GIDE, Journal, 12 juin 1914.

C Littér. Ne pas laisser paraître de..., cacher en soi-même. *Dévorer ses larmes.* → **Rentrer, retenir.** *Dévorer son chagrin.* → **Renfermer;** et aussi **ruminer,**

taire. *Dévorer un affront**, *une injure,* cacher la colère, le ressentiment que l'on en éprouve (→ **Supporter).**

25 Rongée de soucis, je suis obligée de paraître gaie et contente ; il faut que je dévore mes larmes (...)
Mme DE MAINTENON, Lettre à Mme de St-Géran, 1er avr. 1679, *in* LITTRÉ.

26 Les uns croyaient que, malgré mon courage, le rang de l'offenseur me tenait en respect et m'obligeait à dévorer l'offense (...)   A. R. LESAGE, Gil Blas, III, VII.

27 (...) je me cachai pour demeurer seul à dévorer mes pensées.
BALZAC, le Lys dans la vallée, Pl., t. VIII, p. 1006.

▣ ♦1 Faire éprouver une sensation pénible à (qqn) ; détruire, dessécher. → **Brûler, consumer, dessécher, ronger, tourmenter.** *Le mal, la fièvre le dévore. La faim, la soif le dévore.*

28 (...) un lion (...) que la cruelle faim dévore (...)
FÉNELON, Télémaque, I.

♦2 Dessécher. *Le soleil qui dévore le désert.* — Au p. p. *Pays dévoré de soleil.*

29 (...) il *(le fleuve)* traverse sans l'arroser cette vallée misérable et dévorée de soif.
E. FROMENTIN, Un été dans le Sahara, p. 40.

30 (...) par des chemins poudreux qui montent à travers une campagne aride et dévorée de soleil.
LOTI, Suprêmes visions d'Orient, p. 70.

♦3 (Le sujet désigne une passion, un sentiment). Attaquer dans sa personnalité. *L'ambition, l'amour, la colère (cit. 8), la haine, l'orgueil, l'inquiétude le dévore. Un feu secret, une ardeur cachée le dévore.* → **Brûler, enflammer.** — Au p. p. *Être dévoré de jalousie, de chagrin, de douleur, de remords, de convoitise* (→ Croître, cit. 10).

31 Du zèle qui pour toi l'enflamme et le dévore.
RACINE, Esther, Prologue.

32 (...) un homme n'est pas malheureux parce qu'il a de l'ambition ; mais parce qu'il en est dévoré.
MONTESQUIEU, Cahiers, p. 19.

33 (...) les hommes sont dévorés de soins, d'envie, de soins, et d'inquiétudes, qu'une ville assiégée n'éprouve de fléaux.
VOLTAIRE, Candide, XX.

34 L'imagination, le besoin, la vanité, la curiosité, se réunissaient pour me dévorer de l'ardent désir d'être homme et de le paraître.   ROUSSEAU, les Confessions, V, p. 262.

35 L'impatience me dévorait : à tous les instants je consultais ma montre.   B. CONSTANT, Adolphe, II, p. 21.

36 Je ne puis faire passer en vous une étincelle du feu qui me dévore !   A. DE MUSSET, le Chandelier, II, 4.

37 Maintenant, voici qu'il était là, devant elle, et dévoré, déchiré par ce chagrin.
Paul BOURGET, Un divorce, IV, p. 142.

38 La jalousie, c'était ces flambées soudaines qui la dévoraient, au cours des premières années de ménage (...)
MARTIN DU GARD, les Thibault, t. II, p. 226.

♦ SE DÉVORER v. pron. *Fauves se dévorant entre eux, s'entre-dévorant.*

39 Les agneaux paissent en paix, tandis que les loups se dévorent entre eux.
FRANCE, la Rôtisserie de la reine Pédauque, Œ., t. VIII, p. 21.

Se dévorer soi-même.

40 Il est juste qu'une espèce si perverse se dévore elle-même (...)   VOLTAIRE, Dialogues, XIV, *in* LITTRÉ.
Fig. *Se dévorer de chagrin, d'inquiétude, d'ennui, de colère, de passion.*

41 (...) j'ai une extraordinaire envie de savoir de vos nouvelles (...) je me dévore (...) j'ai une impatience qui trouble mon repos.   Mme DE SÉVIGNÉ, 137, 20 févr. 1671.

♦ DÉVORÉ, ÉE p. p. adj. Voir ci-dessus à l'article.

DÉR. **Dévorant, dévorateur, dévoration, dévorement, dévoreur.**

DÉVOREUR, EUSE [devɔʀœʀ, øz] n. et adj. — V. 1280, *devoureur ; de dévorer.*

♦1 Personne qui dévore* (A., 2.) qqch. *Un dévoreur de viande.* — Par métaphore ou fig. *Cette dévoreuse de livres* (→ Avaler, cit. 11).

Lola est une grande dévoreuse d'histoires. Il lui en faut pour la faire manger, pour la faire dormir, pour qu'elle se tienne tranquille.
Geneviève DORMANN, le Bateau du courrier, p. 141-142.

♦2 Fig. (1690). Qui dévore, utilise en grand nombre ou en grande quantité. *Dévoreur de pellicule. Dévoreuse de crédits.* — Adj. *Progrès dévoreur.*

DÉVOT, OTE [devo, ɔt] adj. et n. — 1190 ; lat. ecclés. *devotus* «dévoué à Dieu», p. p. de *devovere,* de *de-,* et *vovere* «vouer». → Vœu.

♦1 Vieilli ou péj. Qui est sincèrement attaché à la religion et à ses pratiques. → **Dévotieux, fervent, pieux, religieux.** *Les personnes dévotes. Une âme dévote. Être dévot à la Vierge. Dévot jusqu'au fanatisme* (→ Chattemite, cit. 1).

1 C'est dans le calme et le silence
Que l'âme dévote s'avance.
CORNEILLE, l'Imitation de Jésus-Christ, I, 1564.

2 Ah ! pour être dévot, je n'en suis pas moins homme (...)
MOLIÈRE, Tartuffe, III, 3.

3 Dévote jusqu'au fanatisme, elle passait dans les églises le plus clair de son temps.
Edmond JALOUX, Fumées dans la campagne, V, p. 39.

N. *Un dévot, une dévote* (souvent péj.). → **Béguine, bigot, bondieusard.** *Les vrais dévots. Maison habitée par des dévots.* → **Capucinière.** *Un dévot à l'esprit étroit, d'une dévotion outrée. Le rigorisme de certains dévots. Une vieille dévote.*

4 La plupart des amis dégoûtent de l'amitié, et la plupart des dévots dégoûtent de la dévotion.
LA ROCHEFOUCAULD, Maximes, 427.

5 (...) j'ai mis tout l'art et tous les soins qu'il m'a été possible pour bien distinguer le personnage de l'Hypocrite d'avec celui du vrai Dévot.   MOLIÈRE, Tartuffe, Préface.

6 Car d'un dévot souvent au chrétien véritable
La distance est deux fois plus longue, à mon avis,
Que du pôle antarctique au détroit de Davis.
BOILEAU, Satires, XI.

7 Mais ce qui m'a donné le plus d'éloignement pour les dévots de profession, c'est cette âpreté de mœurs qui les rend insensibles à l'humanité, c'est cet orgueil excessif qui leur fait regarder en pitié le reste du monde.
ROUSSEAU, Julie ou la Nouvelle Héloïse, VI, lettre VIII.

8 Conséquent à ces principes, il dédaignait tout ce qui n'était pas la religion du cœur. Les vaines pratiques des dévots, le rigorisme extérieur, qui se fie pour le salut à des simagrées, l'avaient pour mortel ennemi.
RENAN, Vie de Jésus, Œ., t. IV, XIV, p. 224.

Faire le dévot. La cabale des dévots : au XVIIe siècle, nom donné à la Compagnie du Saint-Sacrement qui attaqua Molière, railleur des faux dévots. — Vx. *Les faux dévots :* les dévots qui affectent hypocritement une dévotion outrée. → **Béat, bigot, cafard, cagot** (cit. 2), **calotin, hypocrite, papelard, pharisien, rat** (d'église), **tartufe.**

9 Il est de faux dévots ainsi que de faux braves (...)
Les bons et vrais dévots, qu'on doit suivre à la trace,
Ne sont pas ceux aussi qui font tant de grimace.
MOLIÈRE, Tartuffe, I, 5.

♦2 Adj. (choses). Qui a le caractère de la dévotion*. *Avoir l'air dévot. Gestes, extérieur, maintien dévots.* → **Onctueux.** *Un ton dévot.* → **Papelard.** *Une ardeur dévote. Livre dévot.* → **Pieux.** *Introduction à la vie dévote,* œuvre de saint François de Sales.

10   Le pasteur était à côté,
     Et récitait, à l'ordinaire,
     Maintes dévotes oraisons (...)
                    LA FONTAINE, Fables, VII, 11.
11   Il avait pris, à leur école, un certain jargon dévot dont il
     usait sans cesse (...)   ROUSSEAU, les Confessions, II.

♦ **3** (Personnes). Qui est attaché avec passion ou ferveur à qqn ou qqch. → **Fanatique, passionné.** —
(Actes, comportements). *Une admiration dévote. Des
admirateurs dévots.*

12   (...) tout son entourage, Dorothée y veillant, lui montrait
     un dévouement presque dévot ; les plus grands égoïstes
     ont ce ces privilèges.
                    Louis MADELIN, Talleyrand, V, XXIV, p. 378.
N. *Les dévots de la science. Les dévots du pouvoir.*

CONTR. **Athée, incroyant, indévot, indifférent, libertin.**
◊ DÉR. **Dévotement.** — V. **Dévotieux.**

DÉVOTEMENT [devɔtmã] adv. — V. 1138 (v. 1180, *in*
T.L.F.) ; *de* dévot.

Vieilli. D'une manière dévote. *Prier dévotement.*
(...) cette fille qui priait si dévotement dans la chapelle (...)
                    G. SAND, la Petite Fadette, XXII, p. 154.

CONTR. **Indévotement.**

DÉVOTIEUSEMENT [devosjøzmã] adv. — XIVᵉ-XVᵉ ;
de dévotieux.

Vx ou littér. D'une manière dévotieuse, avec dévotion. → **Pieusement.** *Aimer dévotieusement quelqu'un.*
1   (...) l'art et la religion en moi dévotieusement s'épousaient,
     et je goûtais ma plus parfaite extase au plus fondu de leur
     accord.   GIDE, Si le grain ne meurt, I, VIII, p. 213.
2   Jamais garçon ne fut plus *fondu* avec une famille dévo-
     tieusement aimée.
                    A. MAUROIS, À la recherche de Marcel Proust, II,
                                                         p. 21.

DÉVOTIEUX, EUSE [devosjø, øz] adj. — V. 1327, J.
de Vignay, *in* D.D.L. ; *du lat. ecclés.* devotus «dévot».
→ **Dévot.**

Vx ou littér. Qui manifeste une grande dévotion religieuse. → **Dévot, fervent.** *Un cœur dévotieux.* — Par
ext. *Pratique dévotieuse. Respect dévotieux.*
1   (...) des groupes de catéchumènes en redingotes, chacun le
     bras sur l'épaule d'un frère, immobiles ; changeant seule-
     ment de pied de cinq en cinq minutes, le geste dévotieux,
     la parole basse, et tout perdus dans l'extatisme d'une vision
     d'apôtres crétins (...)
                    Ed. et J. DE GONCOURT, Manette Salomon, p. 156.
2   Elle demeurait là longtemps, oubliant l'heure et sa mère
     qui s'inquiétait, jetant par-dessus les toits des maisons son
     amour dévotieux vers celui qui était si loin d'elle.
                    Suzanne PROU, la Terrasse des Bernardini, p. 29.

DÉR. **Dévotieusement.**

DÉVOTION [devosjɔ̃] n. f. — V. 1130 ; *lat. ecclés.*
devotio, *de* devotum, *supin de* devovere. → **Dévot.**

♦ **1** Attachement sincère et fervent à la religion et
à ses pratiques. → **Ferveur, mysticisme, piété, religion, zèle.** *La vraie dévotion. Être plein, rempli de
dévotion. Être dans la dévotion, dans une grande
dévotion. La ferveur de sa dévotion. État de haute
dévotion mystique.* → **Unitif** (vie unitive). *La dévotion
nous dévoue à Dieu.* → Piété, cit. 2. *Lieu de dévotion.* → **Pèlerinage.** *Visiter les églises par dévotion.
Solide dévotion* (→ Chrétien, cit. 8). «*La dévotion cause
une ophtalmie* (cit. 3) *morale*». «*La dévotion est un
opium* (cit. 5) *pour l'âme*». — *Pratiques de dévotion.* → **Adoration, culte, exercice** (spirituel), **prière.**
La dévotion dans l'hindouisme. → **Bhakti.** *Objets de
dévotion.* → **Chapelet, croix, image** (pieuse), **médaille,
scapulaire.** *Livre de dévotion,* de prières. — *Tableau
de dévotion,* représentant un sujet religieux.

Ils ont une demi-piété, des sentiments imparfaits de dévo-   1
tion, parce que cela règle du moins l'extérieur (...) mais le
sceau de la piété, c'est-à-dire les bonnes œuvres et la conversion du cœur ne s'y trouvent pas (...)
                    BOSSUET, Pensées détachées, V.
(...) il faut distinguer l'esprit de la dévotion et la pratique   2
de la dévotion (...)
                    BOURDALOUE, De la vraie et de la fausse dévotion.
Je ne doute point que la vraie dévotion ne soit la source   3
du repos ; elle fait supporter la vie et rend la mort douce :
on n'en tire pas tant de l'hypocrisie.
                    LA BRUYÈRE, les Caractères, XIII, 30.
La primauté reconnue *(sous Louis XV)* à la raison sur la   4
foi détourna les esprits de la religion et les porta vers la
science ; elle devint à la mode, même parmi les dames, et
prit la place de la dévotion.
                    Ch. SEIGNOBOS, Hist. sincère de la nation franç.,
                                                         p. 230.
(...) les gens qui s'adonnent aux pratiques de la dévotion   4.1
contractent un caractère de physionomie uniforme (...)
                    BALZAC, Une double famille, Pl., t. I, p. 972.
Péj. (depuis le XVIIᵉ). *Fausse dévotion : dévotion
simulée. Afficher sa dévotion* (→ Attendre, cit. 38).
Être confit (cit. 3) *en dévotion. Tomber dans la dévotion. Dévotion apparente* (cit. 5). → **Dévot** (cit. 10) ;
béat (cit. 5) ; **bigoterie, bondieuserie** (1.), **cafardise,
cagoterie, capucinade, hypocrisie, papelardise, pha-
risaïsme, tartuferie.**
De quoi nous nous plaignons, c'est que le libertin exagère   5
tant les devoirs de la dévotion, et qu'il affecte de les porter
au degré de perfection le plus éminent (...) Nous imiterons
notre divin maître, qui n'usa de nul ménagement à l'égard
des scribes et des pharisiens, et qui tant de fois publia
leurs hypocrisies et leurs vices les plus secrets (...)
                    BOURDALOUE, Pensées, I,
                    Défauts à éviter dans la dévotion.

Loc. *Être en dévotion :* être en prière.
(...) la princesse *(de Tarente)* est en dévotion.   6
                    Mᵐᵉ DE SÉVIGNÉ, 937, 1ᵉʳ oct. 1684.
Fig. Respect fervent, passionné. *Il l'écoutait avec
dévotion.*

♦ **2** Plur. Pratiques de dévotion. → **Culte, exercice** (spirituel), **prière.** *Faire ses, des dévotions :* remplir ses
devoirs religieux, se confesser, communier, prier.
Certes, il n'avait manqué à aucune de ses dévotions quo-   7
tidiennes   BERNANOS, M. Ouine, Pl., p. 1513.

♦ **3** Culte particulier que l'on rend (à un saint, à un
lieu saint). *La dévotion à la Sainte Vierge, à saint
Joseph. Avoir une grande dévotion à telle sainte.*
Par anal. *Dévotion à une église, à un lieu de pèlerinage.*
Fig. Attachement, dévouement. *Ma dévotion pour
vous est sans bornes. Il a une véritable dévotion
pour sa fiancée.* → **Adoration, vénération.** *Avoir une
grande dévotion pour Racine, pour Rimbaud.* —
Littér. *Une dévotion à qqn, à quelque chose.*
J'aurai toujours pour vous, ô suave merveille,   8
Une dévotion à nulle autre pareille.
                    MOLIÈRE, Tartuffe, III, 3.
(...) comme ce n'est qu'une fièvre intermittente et fort   9
légère, il s'en tirera aisément par le quinquina, auquel
il a, comme vous savez, grande dévotion.
                    RACINE, Lettres, 31 août 1698, à J.-B. Racine.

♦ **4** Loc. *Être à la dévotion de quelqu'un,* lui être
entièrement dévoué (→ Être aux genoux* de qqn). *Les
critiques à sa dévotion.*
On lui manda que la ville était à sa dévotion (...)   10
                    D'ABLANCOURT, Arrien, I, 6, *in* LITTRÉ.

CONTR. **Athéisme, incroyance, indévotion, indifférence,
impiété, irréligion.** ◊ DÉR. **Dévotionnel.** — COMP. V. **Indévotion.**

DÉVOTIONNEL, ELLE [devosjɔnɛl] adj. — 1956 ;
de dévotion.

Qui tient de la dévotion. *Ferveur dévotionnelle.*
— Qui se rapporte aux actes de dévotion. «*Sur le plan musical, l'école carnatique se caractérise d'abord par l'inspiration religieuse et dévotion- nelle qui anime ses compositions. Les vibratos de ses œuvres vocales et le rythme si particulier de ses percussions évoquent immanquablement l'uni- vers transcendantal du temple hindou*» (*Libération,* 4 nov. 1983).

DÉVOUEMENT [devumɑ̃] n. m. — 1338, «vœu»; de *dévouer.*

♦ **1** Vx (déb. XVI⁵). Action de dévouer, de sacrifier (qqn, qqch.) à une puissance surnaturelle. → **Con- sécration, sacrifice.** *Le dévouement de la fille de Jephté.*

1 Que le plus coupable de nous
Se sacrifie aux traits du céleste courroux :
Peut-être il obtiendra la guérison commune.
L'histoire nous apprend qu'en de tels accidents
On fait de pareils dévouements.
LA FONTAINE, Fables, VII, 1.

♦ **2** (1690). Mod. Action de sacrifier sa vie, ses inté- rêts (à une personne, à une communauté, à une cause). → **Abnégation, don** (de soi), **héroïsme, sacri- fice.** *Le dévouement des Spartiates aux Thermopyles. Être victime de son dévouement* (→ Aigrir, cit. 17). *Le dévouement à la patrie, au bien public.* → **Civisme.** *Dévouement d'un artiste, d'un savant à son œuvre* (→ Art, cit. 2).

2 La vie n'a de prix que par le dévouement à la vérité et au bien. RENAN, Souvenirs d'enfance..., III, I, p. 111.
3 Dévouement, don de soi, esprit de sacrifice, charité, tels sont les mots que nous prononçons quand nous pensons à eux *(ces devoirs).*
H. BERGSON, les Deux Sources de la morale et de la religion, p. 31.
4 Leur courage, comme leur dévouement, pouvaient se com- parer au courage et au dévouement des légionnaires sous le feu, au milieu d'une nature hostile jusqu'à la cruauté.
P. MAC ORLAN, la Bandera, VI, p. 74.

♦ **3** (1690). Disposition à servir, à se dévouer avec abnégation. → **Conscience** (cit. 19), **zélé; bienveil- lance, bonté...** *Soigner qqn avec beaucoup de dévoue- ment.* → **Affection, amour, cœur.** *Besoin de dévoue- ment* (→ Déborder, cit. 4). *Dévouement pour une personne aimée.* → **Culte** (cit. 10), **dévotion, vénéra- tion.** *Un dévouement sans bornes, absolu* (cit. 12), *aveugle, spontané. Dévouement à un parti.* → **Loya- lisme.** *Dévouement à ses amis.* → **Fidélité.** *Vous pouvez compter sur mon entier dévouement.* → **Atta- chement.** *Des protestations de dévouement.*

5 Je n'emploierai point pour vous rassurer les grandes phrases d'honneur et de dévouement dont on abuse à la journée; je n'ai qu'un mot : mon intérêt vous répond de moi (...) BEAUMARCHAIS, le Barbier de Séville, I, 4.
6 Félicité lui en fut reconnaissante comme d'un bienfait, et désormais la chérit avec un dévouement bestial et une vénération religieuse.
FLAUBERT, Trois contes, «Un cœur simple».
7 Tout son entourage, Dorothée y veillant, lui montrait un dévouement presque dévot (...)
Louis MADELIN, Talleyrand, V, XXIV, p. 378.

CONTR. Égoïsme, indifférence.

DÉVOUER [devwe] v. tr. — 1559, *se dévouer;* de 2. *dé-* et *vouer,* d'après le lat. *devovere* (cf. anc. franç. *devoer,* v. 1200).

♦ **1** Vx. Vouer (à la divinité, à une puissance surna- turelle). → **Consacrer, offrir, sacrifier.** *Dévouer aux dieux une victime expiatoire.*

1 Sénatus-consulte par lequel on dévouait aux Dieux infer- naux quiconque passerait le Rubicon (...)
MONTESQUIEU, Grandeur et Décadence des Romains, 11, in LITTRÉ.

Absolt :
Un loup quelque peu clerc prouva par sa harangue
Qu'il fallait dévouer ce maudit animal (...) 2
LA FONTAINE, Fables, VII, 1.
Envoyer à la mort, sacrifier. *Dévouer des hommes, des soldats à la mort.*
(...) par ce retard de quelques jours, il dévouait à la mort 3
les cent mille hommes qui lui restaient.
CHATEAUBRIAND, Mémoires d'outre-tombe, t. III, p. 222.

♦ **2** Relig. Consacrer par un vœu. → **Vouer.** *Dévouer un enfant à la Sainte Vierge.*

♦ **3** (1624). Vouer, livrer sans réserve, consacrer à... → **Dédier, donner, livrer, offrir, sacrifier.** *Dévouer ses enfants à la patrie. Dévouer sa personne au service de Dieu, d'une noble cause. Dévouer sa vie, son exis- tence à la science.*

Vous lui dévouez vos personnes, et lui, il se livre tout entier 4
à vous.
BOURDALOUE, Exhortation au renouvellement des vœux, in LITTRÉ.

♦ **SE DÉVOUER** v. pron.

♦ **1** Relig. *Se dévouer à Dieu :* se sacrifier, s'offrir comme victime expiatoire. *Jésus-Christ s'est dévoué au salut de tous les hommes.*

Prince, je me dévoue à ces dieux immortels (...) 5
RACINE, Britannicus, V, 8.

♦ **2** Cour. *Se dévouer à* (vieilli) : se consacrer entière- ment à. *Se dévouer corps et âme à une noble cause. Se dévouer à ses amis.* → **Oublier** (s'oublier soi-même); → **Aimer,** cit. 38. *Se dévouer au service de qqn.* → **Atta- cher (s'), servir.** *Se dévouer à la science, à la vérité.*

Un anachorète qui se dévoue au service de l'humanité, un 6
Saint qui veut méditer les grandeurs de Dieu en silence, peuvent trouver la paix et la joie sur des roches désertes.
CHATEAUBRIAND, Mémoires d'outre-tombe, t. II, p. 345.
(...) elles *(les femmes)* se dévouent à des êtres souffrants, 7
dégradés, criminels, qu'elles veulent consoler, relever, racheter (...) BALZAC, Séraphita, t. X, p. 480.
Il *(Condorcet)* avait rêvé le progrès; aujourd'hui, il allait le 8
faire, ou du moins s'y dévouer.
MICHELET, Hist. de la Révolution franç., I, p. 656.

Absolt. Faire une chose pénible (effort, privation) au profit d'une personne, d'une cause. → **Sacrifier** (se). *Le besoin** (cit. 29) *de se dévouer. Il est toujours prêt à se dévouer. C'est un terre-neuve* toujours prêt à se dévouer pour sauver les autres. La joie de se dévouer. Elle s'est dévouée pour le soigner.*

Partout même habitude de se donner corps et âme, même 9
besoin de se dévouer, même désir de porter et d'exercer quelque part l'art de bien souffrir et de bien mourir.
A. DE VIGNY, Servitude et Grandeur militaires, III, I, p. 175.
Toute sa vie n'était qu'amour. Elle *(la tante de Tolstoï)* se 10
dévouait sans cesse (...)
R. ROLLAND, Vie de Tolstoï, p. 9.

Fam. *Personne ne veut aller chercher le pain ? Allons, dévoue-toi !*

♦ **DÉVOUÉ, ÉE** p. p. adj.

♦ **1** P. p. *Dévoué à... Victime dévouée à Dieu. Âme dévouée à Dieu. Homme dévoué à sa patrie. Per- sonne dévouée aux bonnes œuvres. Savant dévoué à la vérité.*

Au long d'une vie tout entière dévouée à la connaissance, 11
au travail de l'esprit, à
la recherche, à la découverte, il avait accoutumé de tout prendre avec méthode, même le chagrin, même le plaisir.
G. DUHAMEL, le Voyage de P. Périot, I, p. 9.

Être dévoué à qqn, être prêt à le servir, lui être acquis, lui appartenir. *Il lui est entièrement dévoué, tout dévoué,* il est à sa dévotion. → **Créature; damner** (âme damnée); **féal, lige** (homme lige).

♦ 2 Adj. (mil. XVIIe). Qui consacre tout ses efforts à servir qqn, à lui être agréable. *C'est l'ami le plus dévoué.* → **Fidèle, loyal, serviable, sûr.** *Serviteur dévoué.* → **Empressé, zélé.** *Un partisan dévoué.* — Loc. *Dévoué comme un caniche, comme un chien fidèle,* très dévoué.

12 (...) il avait des devoirs, dont le premier était de conserver à l'État un serviteur dévoué et assidu (...)
COURTELINE, Messieurs les ronds-de-cuir,
4e tableau, III, p. 156.

13 Que cette noblesse française était étrange ! Tantôt fidèle, dévouée, prête à verser son sang, décimée à Crécy, décimée à Poitiers, décimée à Azincourt ; tantôt insoumise et dressée contre l'État.
J. BAINVILLE, Hist. de France, VII, p. 121.

14 Les gens de cette sorte se soignent bien, ils rencontrent presque toujours une femme dévouée qui leur fait tiédir leur flanelle (...)
G. DUHAMEL, Inventaire de l'abîme, VI.

(Formules de politesse). *Votre dévoué, votre tout dévoué* (→ Affectionné). *Veuillez croire à mes sentiments dévoués,* formules par lesquelles on termine une lettre.

CONTR. Abandonner, déserter. — Égoïste, indifférent. ◊ DÉR. Dévouement.

DÉVOYER [devwaje] v. tr. — V. 1150, *desveier* ; de 1. *dé-, voie,* et suff. verbal.

♦ 1 Vieilli ou littér. Détourner du chemin, de la voie. → **Dépister, dérouter, écarter.** — Figuré :

1 (...) les premiers pas, si fréquemment, dévoient si irrémédiablement quand ils semblent orienter !
Louis MADELIN, Talleyrand, I, I, p. 18.

Techn. *Dévoyer un tuyau de cheminée, de descente,* le détourner de la verticale (→ **Dévoiement,** 1.). → **Dévier.**

♦ 2 Fig. Cour. Détourner du droit chemin, de la morale, entraîner dans l'erreur. → **Pervertir.**

2 (...) tu pleures (...) sur les enfants du prophète que le détestable Omar a dévoyés (...)
MONTESQUIEU, Lettres persanes, CXXIV.

3 (Ils accusaient sa liaison) d'avoir développé chez lui cet esprit de dénigrement, ce mauvais esprit, de l'avoir « dévoyé », en attendant qu'il se « déclassât » complètement.
PROUST, À la recherche du temps perdu, t. V, p. 22.

3.1 Raphaël s'est énervé et a répondu que les luttes étudiantes étaient dévoyées de leur vrai but par une propagande irresponsable (...)
Raymond JEAN, les Deux Printemps, p. 125.

♦ SE DÉVOYER v. pron.

Fig. Littér. → **Écarter** (s'écarter du droit chemin), **égarer** (s'), **perdre** (se). *Il se dévoie de plus en plus, malgré les remontrances.*

♦ DÉVOYÉ, ÉE p. p. adj.

♦ 1 Rare. Mis hors du bon chemin ; qui change de direction. Spécialt, mar. *Couples dévoyés* (→ **Couple,** II., 2.).

♦ 2 Fig. *Jeune homme dévoyé.*

4 En ces lieux où l'Église appelle ses enfants dévoyés (...)
BOSSUET, Égl., 3, *in* LITTRÉ.

5 Sa curiosité est jusqu'à présent dévoyée ; ou plutôt, elle est demeurée à l'état embryonnaire, au stade de l'indiscrétion.
GIDE, les Faux-monnayeurs, III, XV, p. 461.

N. *Un jeune dévoyé* : jeune homme, jeune fille qui a commis des actes répréhensibles (→ **Délinquant**).

CONTR. Remettre (dans le bon, le droit chemin). ◊ DÉR. Dévoiement.

DÉVRILLAGE [devrijaʒ] n. m. — Mil. XIXe ; de *dévriller.*
Techn. Opération par laquelle on dévrille les fils.

DÉVRILLER [devrije] v. tr. — 1827 ; de 1. *dé-, vrille,* et suff. verbal.

Techn. Détordre (ce qui s'est mis en vrille). *Dévriller la laine. Dévriller une ligne de pêche.*

La chaleur humide, dévrillant la fibre (...) et augmentant son élasticité, est utilisée industriellement en filature.
Raymond THIÉBAUT, la Filature, p. 56.

CONTR. Vriller. ◊ DÉR. Dévrillage.

DÉWATTÉ, ÉE [dewate] adj. — 1929 ; de 1. *dé-, watt,* et suff. *-é.*
Électr. *Courant déwatté,* courant alternatif déphasé, en quadrature avec la tension, dont la puissance ne fournit pas de watts. → **Réactif.** *Composante déwattée.*

DEXAMÉTHASONE [dɛgzametazɔn] n. f. — D. i. (v. 1960) ; angl. *dexamethasone* (1958, Arth et Sarett) ; de *deca-, hexa* (d'où *dexa-*), *methyl-,* et *cortisone.*
Chim. Corps synthétique analogue à la cortisone* (corticostéroïde), à forte activité anti-inflammatoire. *Phosphate de dexaméthasone.* «*Des animaux dont les taux de corticostéroïdes ont été augmentés par (...) l'apport d'un corticoïde exogène, la dexaméthasone (DX)*» (la Recherche, mars 1981, p. 287).

DEXTÉRITÉ [dɛksteRite] n. f. — 1504 ; 1549, *in* T.L.F. ; lat. *dexteritas,* de *dexter.* → **Dextre.**

♦ 1 Adresse, habileté manuelle ; délicatesse, aisance dans l'exécution d'une suite de gestes, d'une opération manuelle. → **Adresse, agilité, légèreté.** *Une dextérité de jongleur, de prestidigitateur. La dextérité du manipulateur. Opérer avec dextérité. Manier le pinceau avec dextérité.*

1 L'idée propre de la *dextérité,* c'est la prestesse, l'aisance et la délicatesse avec lesquelles on agit (...) sans *dextérité,* on agit gauchement, sans grâce (...) l'*adresse* est plus générale que la *dextérité :* elle regarde tous les mouvements de toutes les parties du corps (...) la *dextérité* se borne strictement à la main.
LAFAYE, Dict. des synonymes, Habileté...

2 L'homme (...) a des mains dont la dextérité surpasse (...) tout ce que la nature a donné aux bêtes.
FÉNELON, Existence de Dieu, I, 2.

3 (Il) saisit la bourse avec une dextérité d'escamoteur et la fit disparaître comme par enchantement dans la profondeur de sa poche (...)
Th. GAUTIER, le Capitaine Fracasse, t. II, XIV, p. 142.

♦ 2 Fig. Adresse pour mener une affaire à bien. → **Art, astuce, entregent, habileté, savoir-faire.** *Conduire une négociation avec dextérité. Mener les débats avec dextérité.*

4 On ne pouvait assez louer son incroyable dextérité à traiter les affaires les plus délicates, à terminer tous les différends d'une manière qui conciliait les intérêts les plus opposés (...)
BOSSUET,
Oraison funèbre de Henriette-Anne d'Angleterre.

5 (...) voilà la dextérité, la précision, l'agilité natives avec lesquelles il circule à travers les idées, pour les distinguer et les relier.
TAINE, Philosophie de l'art, t. II, IV, I, II, p. 104.

CONTR. Gaucherie, lourdeur, maladresse.

DEXTRALITÉ [dɛkstralite] n. f. — 1959 ; angl. *dextrality,* 1646, de *dextral,* du lat. *dextra.* → **Dextre.**
Didact. Le fait d'être droitier (→ Droiterie).

DEXTRAN [dɛkstrɑ̃] n. m. — D. i. (mil XXe) ; all. *Dextran,* 1874, C. Scheibler, de *dextr(o)-* «dextrogyre» et *-an* suffixe de noms d'anhydrides obtenus à partir d'hydrates de carbone (noms souvent à suff. *-ose*). → Dextrose.

Chim., biol. Polysaccharide de poids moléculaire très élevé (dextrane obtenue par l'action d'une bactérie sur le saccharose ou synthétique). *Le dextran est utilisé comme substitut du plasma sanguin. Perfusion intraveineuse de dextran.*

DEXTRANE [dɛkstʀan] n. f. — Mil. xxᵉ (*in* Quillet 1953); de *dextr(o)-* «*dextrogyre*», et *-ane.*

Chim. Polyholoside obtenu par action de microorganismes sur un glucose (l'α-D-glucose). *Le dextran* est une dextrane. «Les micro-organismes vont former un dépôt de plus en plus épais de grosses molécules de sucres insolubles (les dextranes)...»* (*la Recherche,* nᵒ 124, p. 801).

DEXTRE [dɛkstʀ] adj. et n. f. — V. 1370; du lat. *dextera,* fém. de *dexter* «qui est à droite»; cf. anc. franç. *destre.*

Ⅰ Adj. ♦ **1** Blason. *Le côté dextre de l'écu,* le côté droit, par rapport au personnage qui est supposé le porter (côté gauche par rapport au spectateur).

♦ **2** Zool. *Coquillage dextre :* qui s'enroule de gauche à droite.

♦ **3** Vx. Adroit. *Un mouvement dextre.*

Ⅱ N. f. (Vx ou par plais.). ♦ **1** Main droite.

1 Si j'y manquais, grands Dieux! je vous conjure tous
D'armer contre Alcidon vos dextres vengeresses.
CORNEILLE, la Veuve, III, 1.

2 Il tira du manteau sa dextre vengeresse (...)
BOILEAU, le Lutrin, V.

2.1 Pradonet et lui se serrent cordialement la dextre.
R. QUENEAU, Pierrot mon ami, p. 31.

♦ **2** Côté droit. → **Droite.** *Tourner à dextre.*

3 (...) Est assis à la dextre de Dieu, le Père tout-puissant.
CORNEILLE, Office de la Vierge.

CONTR. Sénestre; gauche. ◊ DÉR. et COMP. Adextré, ambidextre. — Dextrement. — Dextro-.

DEXTREMENT [dɛkstʀəmã] adv. — 1534; de *dextre.*
Vx ou par plais. Avec adresse, dextérité. → **Adroitement, habilement.** Fig. *Mener dextrement une affaire.*

1 Il *(Rosen)* alla trouver le roi, s'excusa (...) et s'en tira si dextrement que le roi ne put lui savoir mauvais gré.
SAINT-SIMON, Mémoires, II, IV.

2 Et voilà maintenant, séparés de nous par trois cents générations tout au plus (...) les artisans accomplissant dextrement des gestes que l'homme a faits et refaits jusqu'à la génération qui précède la nôtre (...)
M. YOURCENAR, Archives du Nord, p. 21-22.

DEXTRINE [dɛkstʀin] n. f. — 1833; de *dextr(o)-* «*dextrogyre*»; cette substance en solution étant *dextrogyre*.*
Nom donné à des polyholosides [hydrates de carbone $(C_6H_{10}O_5)_n$] provenant de la dégradation de l'amidon par chauffage ou par hydrolyse. *La dextrine commerciale, substance gommeuse, amorphe, transparente, très soluble dans l'eau, sert d'apprêt en teinturerie.*

DÉR. Dextriné.

DEXTRINÉ, ÉE [dɛkstʀine] adj. — 1858; de *dextrine.*
Méd. Enduit de dextrine. *Bandage dextriné.*

DEXTRINISATION [dɛkstʀinizasjɔ̃] n. f. — xxᵉ; de *dextriniser.*
Chim., techn. Transformation en dextrine.
Le roux (...) s'obtient par cuisson plus ou moins poussée de la farine dans la matière grasse (...) Ce liquide permet le gonflement des grains d'amidon et assure la «liaison». La saveur est fonction de la dextrinisation partielle de l'amidon et du liquide d'appoint.
François LÉRY, Technique de la cuisine, p. 86.

DEXTRINISER [dɛkstʀinize] v. tr. — xxᵉ; de *dextrine.*
Chim., techn. Transformer en dextrine.
Cuire une minute pour la fécule qui se dextrinise rapidement et 10 mn pour la farine.
François LÉRY, Technique de la cuisine, p. 85.

DÉR. Dextrinisation.

DEXTRO- Élément, du lat. *dexter,* servant à former certains mots savants, et signifiant «à droite, vers la droite» ou représentant *dextrogyre* (noms de composés chimiques). Voir à l'ordre alphabétique.

DEXTROCARDIE [dɛkstʀokaʀdi] n. f. — 1901, Garnier et Delamare; de *dextro-,* et *-cardie.*
Méd. Déplacement du cœur vers la droite. *Dextrocardie acquise, congénitale.*

DEXTROCHÈRE [dɛkstʀoʃɛʀ] n. m. — 1558; de *dextro-,* et grec *kheir* «main»; cf. bas lat. dextrocherium «bracelet».
Blason. Bras droit représenté sur un écu.

CONTR. Sénestrochère.

DEXTROGASTRE [dɛkstʀogastʀ] n. f. — 1970; de *dextro-,* et *-gastre.*
Méd. Déplacement de l'estomac vers le côté droit.

DEXTROGYRE [dɛkstʀoʒiʀ] adj. — 1864; de *dextro-,* et *-gyre.*

♦ **1** Chim. Qui dévie à droite le plan de la lumière polarisée. *La dextrine est dextrogyre. Cristal dextrogyre.*

♦ **2** Didact. Qui se dirige vers la droite. *Rotation dextrogyre.* → **Rétrograde.**

CONTR. Lévogyre.

DEXTRORSUM [dɛkstʀɔʀsɔm] adj. invar. et adv. — 1858; adv. latin, abrégement de *dextroversum.*
Sc. Qui va dans le sens des aiguilles d'une montre (de gauche à droite). → **Sens.** *Fil enroulé dextrorsum.*

Le poing droit s'ouvrant lentement lâche l'accoudoir entraînant tout l'avant-bras y compris le coude et lentement s'élève s'ouvrant toujours davantage et tournant dextrorsum jusqu'à ce qu'à mi-chemin de la tête il hésite mi-ouvert tremblant en suspens dans l'air.
S. BECKETT, Pour finir encore, «Immobile», p. 45.

CONTR. Senestrorsum.

DEXTROSE [dɛkstʀoz] n. m. — 1898; de *dextro-,* et *-ose.*
Vx. Glucose.

DEY [dɛ] n. m. — 1613; *day,* 1628; turc *dâi* «oncle», titre honorifique.

Ancienn. Chef du gouvernement d'Alger (1671-1830). *Le dey Hussein fut détrôné en 1830.*

1 Le Père de la Rédemption s'embarque à Marseille (...) il aborde le dey d'Alger (...)
CHATEAUBRIAND, le Génie du christianisme, IV, III, 6 (→ Barbare, cit. 6).

2 Le dey, choisi par la milice, avait un pouvoir absolu en principe; il recevait tous les deux ou trois ans un caftan d'honneur du sultan de Constantinople et ce don traditionnel était tout ce qui attestait sa vassalité vis-à-vis de la Porte. Il gouvernait avec son divan, sorte de conseil privé qui s'était substitué à la bruyante assemblée des premiers temps (...)
Augustin BERNARD, l'Algérie, p. 161.

HOM. Dais, dès.

DHARMA [daʀma] n. m. — 1929, *Larousse du XXe*; mot sanscrit.

Didact. Ordre, disposition générale des choses, cosmiques, sociales et religieuses.

La «Loi» qu'enseigne le Buddha est celle de la Disposition générale des choses (*dharma*, en pāli *dhamma*) qui sont elles-mêmes des dispositions naturelles desquelles naît la douleur et qu'il faut connaître en leur essence et leurs modes de production pour pouvoir échapper à leur emprise. L'ordre des choses comprend une cosmologie concevant l'univers comme infini, mais cette cosmologie relève d'idées courantes déjà en dehors du bouddhisme et n'est pas entièrement et spécifiquement bouddhique.
Jean FILLIOZAT, les Philosophies de l'Inde, p. 36-37.

DHEA [deaʃøa] n. f. — 1995; sigle de *déshydroépiandrostérone* (ou *déhydroépiandrostérone*).

Méd., pharm. Hormone naturelle synthétisée par les glandes surrénales, précurseur des hormones sexuelles et du cortisol. *Après 25 ans, le taux de DHEA dans le sang décroît lentement. — Pré-paration pharmaceutique réalisée à partir de cette molécule, destinée à lutter contre certains effets du vieillissement (ostéoporose, baisse de la libido...).*

1 Dans un communiqué de presse daté du 10 avril, le Conseil national des médecins met en garde contre la prescription de la DHEA (déhydroépiandrostérone), une substance réputée avoir des effets antivieillissement. La prise de position de l'instance ordinale fait suite à la multiplication du nombre de pharmacies proposant cette hormone à la vente : aucun médicament à base de DHEA n'est encore commercialisé en France, mais certains pharmaciens la délivrent, sur prescription médicale, sous la forme d'une «préparation magistrale». (...)
Déjà accessible via Internet, où certains sites proposent, pour la somme de 22 dollars, des flacons de 100 comprimés à 50 mg, la DHEA suscite un énorme engouement chez des personnes, souvent seulement quinquagénaires, persuadées de tenir là le secret de la jouvence. Le professeur Étienne-Émile Beaulieu avait en effet démontré que la synthèse de cette hormone par les glandes surrénales s'effondrait au cours du vieillissement, ce qui lui avait fait employer le terme de «surrénalopause».
Le Monde, 12 avr. 2001, p. 34.

REM. Ce mot se rencontre parfois au masculin.

DHOTÎ [doti] n. m. — 1870, cit. 1 ci-dessous, *dhouti*; hindi *dhōtī*.

Vêtement traditionnel masculin porté par les Hindous, fait d'une bande de tissu drapée autour des reins dont un pan est passé entre les jambes, remonté en arrière et rentré dans la ceinture. *Brâhmane en dhoti. Le dhotî se porte plus ou moins long selon les régions.* — REM. Exceptionnel, l'emploi au féminin (cit. 2) constitue un réemprunt didactique.

1 Il porte un *dhouti* (sic) à bande rouge qu'il drape autour de ses jambes et une longue tunique de calicot serrée sur la poitrine. le Tour du monde, p. 211 (1870-1871).

2 Ces statues ne portent pas de ceinture de hanches (...) la façon de porter la *dhoti* à hauteur des genoux, maintenue par un nœud à la taille, et les plis latéraux indiqués par des lignes incisées (...) permettraient de dater ce torse du VIe siècle.
Trad. de Piriya KRAIRIKSH, *in* Musée du Petit Palais de la ville de Paris, 16 oct. 1980, l'Image sacrée en Thaïlande.

DI- Élément du grec *di-*, signifiant *deux fois.* → **Bi-, bis-**; et aussi **dicho-**. — REM. L'élément *bi-*, de même sens, est resté plus productif que *di-*, sauf en chimie où ce dernier sert à former de nombreux composés.

DIA [dja] interj. — 1548, *-diai*; anc. forme de *da.* → **Da.**

Cri que poussent les charretiers pour faire aller leurs chevaux à gauche (opposé à *hue*, pour les faire aller à droite). Loc. fig., fam. Vx. *N'entendre ni à hue ni à dia.* — Mod. *Aller, tirer à hue et à dia.* → **Hue.**

1 Les uns tiraient à hue, les autres à dia, quand une solution mit tout le monde d'accord.
COURTELINE, Messieurs les ronds-de-cuir, 6e tableau, II, p. 228.

2 Je ne parle pas du bon sens de nos mères
Qui tirent à hue et à dia le fil de la conversation.
ÉLUARD, «Ordre du jour», Pl., t. I, p. 280.

CONTR. Hue.

DIA- Élément, du grec *dia*, signifiant «séparation, distinction» (ex. : *diacritique*) ou «à travers» (ex. : *dialyse*). — REM. Devant une voyelle, l'élément *dia-* se réduit en *di-* (ex. : *diélectrique*).

DIABASE [djabaz] n. f. — Av. 1816, mot créé par Brongniart (*in* Littré); de *dia-* (pour *di-*), et *base* «roche à deux bases».

Minér. Roche éruptive, granitoïde, sans quartz.

DIABÈTE [djabɛt] n. m. — XVe, *dizabete*; lat. médiéval *diabetes*, grec *diabêtês* «qui traverse», à cause de l'émission surabondante d'urine.

Médecine.

♦ **1** État pathologique s'accompagnant d'une élimination excessive d'urine, avec soif intense. *Diabète insipide,* en rapport avec une perturbation hormonale de l'hypophyse.

♦ **2** *Diabète sucré,* (cour.) *diabète* : maladie liée à un trouble de l'assimilation des glucides, avec présence de sucre dans le sang (hyperglycémie) et dans les urines (glycosurie). *Avoir du diabète.* → **Diabétique** (cit.). *Traitement du diabète par l'insuline.*

(...) une main enflée par le diabète, mais qui serre tout de suite sans tâtonner, dure, impérieuse.
BERNANOS, Journal d'un curé de campagne, I, p. 21.

DÉR. Diabétique, diabétogène, diabétologue, diabétomètre.

DIABÉTIQUE [djabetik] adj. — XIVe, rare av. XVIIIe; de *diabète*.

Qui se rapporte au diabète. *Coma diabétique.* → **Insulinique.** — *Qui est atteint du diabète. Des enfants diabétiques.* — N. (*Un, une diabétique*). *Régime pour diabétiques.*

(...) son diabète s'aggravait, et les doses d'insuline, de plus en plus fortes, provoquaient des crises d'hypoglycémie. À plusieurs reprises, en revenant du marché, il lui était arrivé de tomber dans un état de coma insulinique en pleine rue. Elle avait cependant trouvé un moyen fort simple de pallier cette menace, car un évanouissement hypoglycémique, s'il n'était pas immédiatement diagnostiqué et traité, menait presque toujours à la mort. Elle prenait donc la précaution de ne jamais quitter la maison sans une inscription épinglée en évidence sous son manteau : «Je suis diabétique. Si on me trouve évanouie, prière de me faire absorber les sachets de sucre qui sont dans mon sac. Merci».
R. GARY, la Promesse de l'aube, p. 184.

DIABÉTOGÈNE [djabetɔʒɛn] adj. — 1938, *in* D.D.L.; de *diabète*, et *-gène*.

Méd. Susceptible de provoquer un diabète. *Facteur diabétogène.*

DIABÉTOLOGIE [djabetɔlɔʒi] n. f. — 1963, *in* T.L.F.; de *diabète*, et *-logie*.

Didact. Étude médicale du diabète.

DIABÉTOLOGUE [djabetɔlɔg] n. — 1963; de *dia-bète*, et *-logue*.

Didact. Médecin spécialiste du diabète.

DIABÉTOMÈTRE [djabetɔmɛtʀ] n. m. — XXᵉ; de *dia-bète*, et *-mètre*.

Techn. Instrument servant à doser le glucose contenu dans les urines.

DIABLE [djabl] n. m. — Fin Xᵉ; *diaule*, 881; du lat. ecclés. *diabolus*, du grec *diabolos*, proprt «calomniateur», de *diaballein* «attaquer, accuser».

❙ ♦ 1 Démon*, personnage représentant le mal dans la tradition populaire chrétienne. *Les diables sont des anges déchus, révoltés contre Dieu.*

REM. *Diable* est peu utilisé dans les vocabulaires philosophique et théologique qui emploient *démon*.

Les diables dans l'iconographie populaire ont des oreilles pointues, des cornes, des ailes, des pieds fourchus, une longue queue. L'expression féroce ou sarcastique, le visage repoussant des diables. Les diables des mystères* médiévaux (→ **Diablerie**). *Gesticulations, grimaces, ricanements, cris des diables. Les diables, symboles des vices, de la méchanceté, de la malice, de la ruse, d'un pouvoir néfaste et surnaturel. Petit diable.* → **Diableteau, diablotin.** *Le Diable boiteux,* roman de Lesage. *Le Diable à l'hôtel,* roman d'É. Henriot.

1   La faim, l'occasion, l'herbe tendre, et je pense,
     Quelque diable aussi me poussant,
     Je tondis de ce pré la largeur de ma langue.
                    LA FONTAINE, Fables, VII, 1.

Loc. *Crier comme un diable,* très fort. *Malin, rusé, méchant comme un diable. Noir comme le diable.*

♦ 2 *Le diable :* le prince des démons ou des diables. → argot (vx) Le boulanger. *Du diable.* → **Diabolique.** *Le diable tenta Adam et Ève sous la forme d'un serpent. Être possédé* du diable. Chasser le diable* (→ **Exorciser**). *Qui rappelle le diable.* → **Diabolique, endiablé.** *Le Diable et le Bon Dieu,* pièce de J.-P. Sartre. *Croire au diable. Pactiser* (cit. 1) *avec le diable. Le culte du diable. Adorateur du diable.*

2   Soyez sobres, veillez. Votre adversaire, le diable, rôde comme un lion rugissant, cherchant qui il dévorera.
            BIBLE (SEGOND), 1ʳᵉ Épître de Pierre, V, 8.

3   C'est le Diable qui tient les fils qui nous remuent!
     Aux objets répugnants nous trouvons des appas;
     Chaque jour vers l'Enfer nous descendons d'un pas (...)
           BAUDELAIRE, les Fleurs du mal, «Au lecteur».

4   (...) le mal est indispensable au bien et le diable nécessaire à la beauté morale du monde.
                FRANCE, le Jardin d'Épicure, p. 71.

5   Nous nous efforçons de croire que tout ce qu'il y a de mauvais sur la terre vient du diable; mais c'est parce qu'autrement nous ne trouverions pas en nous la force de pardonner à Dieu.
                GIDE, les Faux-monnayeurs, III, 18, p. 499.

Loc. *Ne connaître, ne craindre* ni Dieu ni diable. Ne croire** (cit. 60) *ni à Dieu ni à diable.* → **Mécréant.** *Signer un pacte* avec le diable. Sorcier* qui tient son pouvoir d'un pacte avec le diable. Donner, vendre son âme* au diable. Faust vendit son âme au diable.*

5.1   Bien qu'il fût devenu le bras droit de mon camarade, Petr, en dehors de ses heures de travail, refusait de se passionner pour les rouages de la société de consommation contrairement à mon ami qui, comme un homme qui aurait vendu son âme au diable, ne pouvait s'empêcher de revenir constamment sur l'utilisation criminelle que cette société était parvenue à faire de lui.
                Jacques LAURENT, les Bêtises, p. 512.

Se donner au diable. Se faire l'avocat* du diable.

(Mil. XIIIᵉ). *Avoir le diable au corps :* faire le mal avec assurance, et, fig., déployer une activité passionnée, une énergie, une vivacité surhumaines. → **Enragé** (être enragé). *Le Diable au corps,* roman de Radiguet; film de Cl. Autant-Lara. — Vx. *Avoir le diable dans le ventre* (même sens).

6   (...) point enivré de sa jeunesse, comme le sont tous les jeunes gens, qui semblent avoir le diable au corps (...)
            Mᵐᵉ DE SÉVIGNÉ, 1451, 29 mars 1696.

7   Je n'ai jamais rien vu de si méchant que ce maudit vieillard, et je pense, sauf correction, qu'il a le diable au corps.
                MOLIÈRE, l'Avare, I, 3.

(1596, *in* D. D. L). *Faire le diable à quatre* (par allus. aux diableries* à quatre personnages) : faire beaucoup de bruit, de remue-ménage, et, fig., se démener pour obtenir ou empêcher quelque chose. *Se démener, s'agiter comme un diable dans un bénitier** (cit. 2 et 3), *comme un beau diable.*

8   La petite Fadette dansait très bien; il l'avait vue gambiller dans les champs ou sur le bord des chemins, avec les pâtours, et elle s'y démenait comme un petit diable, si vivement qu'on avait peine à la suivre en mesure.
         G. SAND, la Petite Fadette, XIV, p. 102.

9   Je me vois encore dans ma chaire, me débattant comme un beau diable, au milieu des cris, des pleurs, des grognements, des sifflements (...)
         Alphonse DAUDET, le Petit Chose, I, IX, p. 111.

La beauté* du diable. La Beauté du diable, film de R. Clair inspiré par la légende de Faust.

Vieilli. *Ne pas valoir le diable :* ne rien valoir.

10   (...) Les femmes enfin ne valent pas le diable.
           MOLIÈRE, le Dépit amoureux, IV, 2.

Prov. *Quand le diable devient vieux il se fait ermite :* celui qui a mené une vie dissipée rentre dans la bonne voie lorsqu'il a passé l'âge des plaisirs.

11   (...) devenir quelqu'un de posé dans son hameau, dans sa paroisse — marguillier après avoir été rouleur de mer; vieux diable, se faire bon ermite, bien tranquille (...)
          LOTI, Mon frère Yves, LXVIII, p. 162.

Prov. *Le diable n'est pas toujours à la porte d'un pauvre homme :* on ne reste pas continuellement dans le malheur.

Loc. *Du diable, de tous les diables, comme tous les diables :* extrême, excessif, terrible. *Il fait un froid, un vent de tous les diables. Se donner un mal du diable. Avoir une peur, une faim du diable. Un bruit, un vacarme de tous les diables.*

12   — Voilà une justice bien injuste. — Elle est sévère comme tous les diables (...)
         MOLIÈRE, Monsieur de Pourceaugnac, III, 2.

13   Il fait un froid de tous les diables.
         A. DE MUSSET, Lorenzaccio, I, 1.

13.1   Madame Astiné devait avoir un tempérament de tous les diables (...)
         Jean-Louis CURTIS, le Roseau pensant, p. 86.

DU DIABLE, DU DIABLE (dans des désignations de choses naturelles). *Herbe, pomme du diable :* datura. — *La dent du Diable* (nom de rocher, de montagne).
Aller le diable : aller vite (→ **Aller,** cit. 61).

(1665). **EN DIABLE :** très, terriblement. → **Diablement.** *Il est paresseux en diable. Avoir de l'esprit en diable.*

14   La justice en ce pays-ci est rigoureuse en diable contre cette sorte de crime.
         MOLIÈRE, Monsieur de Pourceaugnac, II, 10.

14.1   Il imagina la lettre, affectueuse, point trop familière, et spirituelle en diable.   M. AYMÉ, Maison basse, p. 15.

(1735). **À LA DIABLE :** sans soin, de façon désordonnée; à la va-vite. *Travail fait à la diable,* bâclé, négligé. *Chronique écrite à la diable* (→ **Outrance,** cit. 2).

15   Sur mes seize ans je passai, à la diable, un affreux petit examen nommé baccalauréat (...)
         FRANCE, la Vie en fleur, XII.

16   (...) la dissolution même de la famille faisait que les enfants, élevés à la diable, avaient désappris le chemin des études (...)
> Louis MADELIN, Hist. du Consulat et de l'Empire, Le Consulat, XI, p. 175.

16.1   (...) elle avait, après s'être beaucoup défendue, fait l'amour avec lui, mais si vite, à la diable, dans l'affolement de la séparation, les yeux sur la pendule, qu'elle ne savait pas, troublés comme ils étaient, si elle avait ou non perdu sa virginité.   Jacques LAURENT, les Bêtises, p. 36.

Volaille à la diable, grillée, servie avec une sauce épicée à base de vin blanc et de vinaigre.

C'est le diable qui bat sa femme et marie sa fille, se dit lorsqu'il pleut et fait soleil en même temps.
Cf. la variante d'auteur :

16.2   *(les) cieux qui pleuvent*
Quand la femme du diable a battu son amant.
> APOLLINAIRE, Alcools, p. 101.

Avoir l'air de porter le diable en terre : avoir l'air triste et désolé. Dans le même sens : *Faire une mine du diable.*

17   (...) elle avait eu un air de porter le diable en terre, toute droite, figée, avec une voix triste dans les plus simples choses, lente en ses mouvements, ne souriant plus jamais.
> PROUST, À la recherche du temps perdu, t. XIII, p. 17.

(1607, in D.D.L.). Tirer le diable par la queue : avoir peine à vivre avec de maigres ressources.
→ **Pauvre ;** → ne pas pouvoir joindre les deux bouts.

18   (...) si je faisais des vers aussi bons la moitié que ceux que vous me venez de lire, je ne serais pas réduit à tirer le diable par la queue et je vivrais de mes rentes (...)
> SCARRON, le Roman comique, I, XI, p. 48.

19   L'idéal, ce serait que les gens qui vous approchent aient l'impression que vous tirez le diable par la queue.
> J. ROMAINS, les Hommes de bonne volonté, t. II, V, p. 52.

Loger le diable dans sa bourse* (cit. 6).

Vx. *Il mangerait* le diable et ses cornes.*

Vx. *Diables bleus* : idées noires, découragement passager. «*Assiégé par mes diables bleus*» (Amiel, in T.L.F.).

Quand le diable s'en mêle..., se dit lorsqu'il apparaît des difficultés dans une entreprise, un dessein...
Quand le diable y serait..., quand bien même on y rencontrerait le diable en personne, malgré tout.
Fig. *Nous irons dans cet endroit, quand le diable y serait*, en dépit des difficultés, de l'impossibilité.
Quand le diable y serait, j'en viendrai à bout.

C'est, ce serait bien le diable si : ce serait bien étonnant, surprenant, extraordinaire. *C'est bien le diable si nous ne le trouvons pas.*

20   C'est bien le diable si je ne trouve pas dans ce village un bistrot où je pourrai casser la croûte.
> J. ROMAINS, les Hommes de bonne volonté, t. V, X, p. 77.

20.1   — Nous irons tenter notre chance ensemble. Ce serait bien le diable...
— D'autant que le maître d'hôtel me connaît.
> Michel BUTOR, la Modification, p. 177.

C'est le diable à confesser* : c'est une chose impossible.

C'est le diable, voilà le diable ! : voilà l'ennui, la difficulté. *C'est le diable pour vous retrouver*, c'est toute une affaire*.

21   Eh bien, c'est le diable pour y arriver (...)
> Alphonse DAUDET, Lettres de mon moulin, «Portefeuille de Bixiou».

22   — C'est tout ce que je voulais savoir, dit Antoine froidement. Le diable est d'en parler à grand-père. — Je vais le préparer...
> A. MAUROIS, Bernard Quesnay, XXXII, p. 221.

Ce n'est pas le diable : ce n'est pas difficile. → Ce n'est pas terrible*. *Réussir à cet examen, ce n'est pas le diable. Ne dramatisez pas, ce n'est pas le diable !*

Vx ou par plais. Que le diable l'emporte, se dit de qqn dont on veut se débarrasser. — *Je veux que le diable m'emporte, le diable m'emporte si...* (sorte de serment qui renforce l'idée exprimée). → Que le (grand) crique* me croque si... *Le diable m'emporte si j'y comprends un mot* : je n'y comprends rien.

(...) — Que le diable m'emporte   23
Si je fais raillerie, et s'il n'est de la sorte !
— Et qu'il m'entraîne, moi, si (...) !
> MOLIÈRE, le Dépit amoureux, III, 7.

23.1   (...) il était beau, et le Diable m'emporte ! peut-être trop pour un soldat.
> BARBEY D'AUREVILLY, les Diaboliques, «À un dîner d'athées».

Dans le même sens : *Du diable si je le sais !*

Fig. *Au diable* : très loin. → À dache* (fam.). *Habiter au diable*, dans un endroit éloigné, retiré. *Nous le voyons rarement, il demeure au diable.* — Dans le même sens : *Demeurer, être situé au diable vauvert* (allus. au château de Vauvert qui passait pour être hanté par le diable), ou (vx) *au diable au vert* (Académie), et (mod.) *au diable vert.*

24   J'ai voyagé en Bohème, en Allemagne, en Suisse, en Hollande, en Flandre, au diable au vert.
> DIDEROT, le Neveu de Rameau, Œ., p. 497.

25   On ne sait où, au diable vauvert, quelques abois jaillissent par intervalles, qui s'émiettent et défaillent aussitôt.
> M. GENEVOIX, Forêt voisine, XII, p. 157.

26   C'est dans le territoire de Reillanne, au diable vert... C'est d'autant plus loin qu'il n'y a pas de chemin pour y aller.
> J. GIONO, Colline, p. 46.

27   On dit aussi *à distance*. Les expressions figurées : *au diable au vert* (vauvert), *aux 36.000 diables*, indiquent un grand éloignement.
> F. BRUNOT, la Pensée et la Langue, XI, B, II, p. 427.

27.1   Dans quelques jours, ce sera définitivement réglé, signé, je serai libre, nous allons partir au diable vauvert...
— Où c'est le diable Vauvert ?
— Très loin... Je ne sais pas encore où. On va prendre la Jaguar et rouler droit devant nous... La Turquie, peut-être l'Iran...
> R. GARY, Au-delà de cette limite votre ticket n'est plus valable, p. 222.

Fig. *Envoyer qqn au diable, à tous les diables* (→ Billevesée, cit. 2), *aux cinq cents diables*, le renvoyer*, le repousser avec colère ou impatience, dureté.
→ **Expédier, maudire, rabrouer, rebuter, rembarrer** (fam.). *Allez au diable ! Je n'ai pas le temps de m'occuper de vous ! Qu'il aille au diable avec ses histoires !* — Littér. *Au diable soient les importuns !* et, ellipt, *au diable les importuns !*

Au diable soient tous les laquais !   28
> MOLIÈRE, les Précieuses ridicules, 9.

J'y renonce à jamais, à ce sexe trompeur,   29
Et je le donne tout au diable de bon cœur.
> MOLIÈRE, l'École des maris, III, 9.

30   La patience me manqua ; je commençai à envoyer le douanier à tous les diables.
> CHATEAUBRIAND, Mémoires d'outre-tombe, t. VI, p. 29.

30.1   (...) Bernard est bien persuadé que son ami n'a jamais senti que l'affection et non le dédain — mais enfin, installé dans le fauteuil trop frêle (...) il envoie Robert à tous les diables.
> F. MALLET-JORIS, Jeu du souterrain, p. 125.

♦ **3** (Mil. XIIe). Interj. Vx ou littér. (exprimant la surprise, l'étonnement admiratif ou indigné). → **Diantre ; boufre,** 2. **foutre.** *Diable ! Cela est inquiétant. Diable ! C'est un peu cher. Ah, diable ! J'oubliais le principal ! Où diable est-il caché ? Que diable allait-il faire ?* (→ Mais aussi*...). *Décidez-vous, que diable ! Comment diable... Pourquoi diable...*

Que diable allait-il faire dans cette galère ?   31
> MOLIÈRE, les Fourberies de Scapin, II, 7.

Comment, diable ! Laissez-moi aller (...)   32
> MOLIÈRE, l'Amour médecin, V, 8.

33 Qui diable est-ce donc qu'on trompe ici? Tout le monde est dans le secret!
BEAUMARCHAIS, le Barbier de Séville, III, 11.

34 (...) je ne veux pas que tu viennes! ... Eh! je n'en mourrai pas, que diable!   COLETTE, la Vagabonde, III, p. 202.

Vieilli. *De par le diable, de par tous les diables!* Juron exprimant l'étonnement, la colère, la décision.

II (1080). Fig. Personne, chose que l'on compare à un diable (→ **Diablesse**). ♦ **1** Personne méchante, dangereuse comme un diable. *Un méchant diable. C'est le diable incarné. Un diable déchaîné.* → **Déchaîner**, cit. 11 et 12.

35 Une femme d'esprit est un diable en intrigue (...)
MOLIÈRE, l'École des femmes, III, 4.

36 Une autre fois, quelque diable fit une satire cruelle sur Madame, le comte de Guiche, etc. (...)
SAINT-SIMON, Mémoires, I, LX.

♦ **2** Mod. Enfant vif, emporté, turbulent, insupportable. *Cet enfant est un vrai diable.* → **Diablotin**. *Un bon petit diable*, récit de la comtesse de Ségur. *Cette petite est un vrai diable.*

Adj. *Il, elle est diable, un peu diable.* → **Espiègle**; **coquin**.

37 Je ne laisse pas, tout diables qu'ils sont *(vos enfants)*, de leur enseigner quelquefois des polissonneries de mon temps.   P.-L. COURIER, Lettres, II, 77.

♦ **3** (1611). En bonne part. **PAUVRE DIABLE**. *Un pauvre diable* : homme malheureux, pauvre, pitoyable.
→ **Malheureux, misérable**. *Un pauvre diable de poète.*

38 Cancres, hères, et pauvres diables,
Dont la condition est de mourir de faim.
LA FONTAINE, Fables, I, 5.

39 (...) toute une bande de pauvres diables en train de piocher dans les thurnes.
J. ROMAINS, les Hommes de bonne volonté, t. III, I, p. 12.

BON DIABLE : brave homme, de commerce facile.
→ **Bon** (cit. 53), **bougre** (bon bougre).

GRAND DIABLE : homme très grand, dégingandé.
Un grand diable d'Anglais.

40 (...) une maison de pacha, où un grand diable à moustaches, vêtu de rouge et d'or, pistolets à la ceinture, sans souffler mot, leur ouvrit le portail (...)
LOTI, les Désenchantées, II, p. 22.

Argot milit. Vx. *Diable bleu* : chasseur alpin.

♦ **4** **DIABLE DE** (valeur d'adj.) : bizarre, singulier ou mauvais. → **Drôle**. *Un diable d'homme* (→ Argument, cit. 15). *Une diable d'affaire. Un diable de temps.*
REM. Devant un nom féminin, *diable* qui est en apposition peut rester au masculin. → **Diablesse**.

41 Quel diable d'homme m'avez-vous là amené?
MOLIÈRE, le Médecin malgré lui, II, 2.

42 (...) quelle diable de fantaisie t'es-tu allé mettre dans la cervelle?
MOLIÈRE, le Malade imaginaire, 1ᵉʳ intermède.

43 (...) je n'en voyais pas une seule qui valût cette diable de fille-là.   MÉRIMÉE, Carmen, II.

43.1 Et me me surprenois quelquefois à dire tout seul : Pourquoi la Fée aux miettes ne s'est-elle pas fait arracher ces deux diables de dents? (...)
Charles NODIER, Contes, p. 149.

43.2 (...) je vivais la plus grande partie de mon temps chez moi, couché sur un grand diable de canapé de maroquin bleu sombre (...)
BARBEY D'AUREVILLY, les Diaboliques, «le Rideau cramoisi».

III **A** (Nom d'objets). ♦ **1** (1764). Petit chariot à deux roues qui sert à transporter des caisses, des sacs, etc. (→ **Brouette, chariot**).

44 Ça va, dit le type, c'est pas malin de pousser votre histoire. Des diables à la gare de Dunkerque, des wagonnets à Lens, des chariots à Anzin, j'ai fait que ça toute ma vie.
SARTRE, le Sursis, p. 173.

♦ **2** Filet pour pêcher le hareng d'hiver.

♦ **3** Jouet en forme de boîte, de laquelle surgit, grâce à un ressort, un petit diable. — Fig. *Comme un diable de sa boîte* : à l'improviste.

45 Lucas l'a posté ici (...) pour épauler les copains le moment venu. Lorsqu'ils resurgiront par en bas comme des diables de leur boîte, dans le dos des assaillants.
Régis DEBRAY, l'Indésirable, p. 37.

Ludion représente un petit démon.

♦ **4** (Allus. au feu infernal). Casserole double servant à la cuisson à l'étouffée. — Tuyau de tôle pour augmenter le tirage d'un fourneau.

♦ **5** (1835). Vx. → **Diabolo**.

B (1552). *Diable de mer.* → **Baudroie, scorpène**. — REM. De nombreux autres animaux portent ou ont porté régionalement le nom de *diable*.

DÉR. Diablement, diablerie, diablesse, diableteau, diablotin; diantre. ◊ COMP. Endiablé.

DIABLEMENT [djabləmɑ̃] adv. — XVIᵉ, *deablement*; de *diable*.

Fam. Très, en diable*, extrêmement. → **Bougrement, diantrement, drôlement, rudement, terriblement**. *Il fait diablement beau. Ce travail est diablement difficile. Il est diablement fort sur ce sujet.*

1 (...) je suis diablement fort sur les impromptus.
MOLIÈRE, les Précieuses ridicules, 9.

2 La flotte est arrivée avec les galions,
Cela va diablement hausser nos actions.
J.-F. REGNARD, le Joueur, III, 6.

3 Pourtant il se trouva que le champi entrait dans ses dix-sept ans et que madame Sévère trouva qu'il était diablement beau garçon.
G. SAND, François le Champi, VII, p. 70.

DIABLERIE [djabləʀi] n. f. — 1230, *diablerie*; de *diable*.

♦ **1** Sorcellerie* qui fait intervenir le diable. → **Maléfice, sortilège**.

1 Quoi? te mêlerais-tu d'un peu de diablerie?
MOLIÈRE, l'Étourdi, I, 4.

♦ **2** Vx. Intrigue mystérieuse et dangereuse. *Il y a quelque diablerie là-dessous.* → **Machination, manigance**.

♦ **3** Vx. Caractère de ce qui est digne d'un diable.

2 Et cependant, avec toute sa diablerie,
Il faut que je l'appelle et «mon cœur» et «ma mie».
MOLIÈRE, les Femmes savantes, II, 9.

♦ **4** Mod. (*Une, des diableries*). Parole, action pleine de vivacité, de malice, de turbulence. *Ces enfants ne cessent d'inventer mille diableries pour se distraire.* → **Espièglerie**.

3 Et c'étaient des tendresses!... et puis des rires!... et elle dansait et elle déchirait ses falbalas : jamais singe ne fit plus de gambades, de grimaces, de diableries.
MÉRIMÉE, Carmen, III, *in* Romans et nouvelles, p. 681.

♦ **5** (1534). Hist. littér. Mystère* dans lequel des diables sont en scène. *Diablerie à quatre personnages. Montre* d'une diablerie.*

4 Adoncques fit (*donc*) fit la montre de la diablerie parmi la ville et le marché. Ses diables étaient tout caparaçonnés de peaux de loup (...) ceints de grosses courroies, desquelles pendaient grosses cymbales de vaches et sonnettes de mulets à bruit horrifique. Tenaient en main (*d*')aucuns bâtons noirs pleins de fusées; (*d*')autres portaient longs tisons allumés, sur lesquels à chaque carrefour jetaient pleines poignées de parafine (*poix*) en poudre dont sortait feu et fumée terrible.
RABELAIS, le Quart livre, XIII, Pl., p. 598.

Par extension :

5　Son *Albertus (de Gautier),* jovial, fracasseur et démoniaque, demeure la plus amusante diablerie que nous ait laissée le romantisme, avec cet avantage d'être une diablerie qui ne se prend pas au sérieux.
　　　　　　Émile HENRIOT, les Romantiques, p. 447.

♦ **6** Représentation d'une scène comportant des diables. *Les «diableries peintes sur les parois des tombeaux étrusques»* (A. France, *in* T. L. F.).

DIABLESSE　[djablɛs] n. f. — V. 1245, *diablaise ;* de *diable.*

♦ **1** Rare. Diable femelle. → **Démone, succube.**

♦ **2** Fig., vx. Femme acariâtre, ou méchante et rusée.

1　Tu perds le repos (...) pour une dragonne (...) une diablesse qui te rembarre, et se moque de tout ce que tu peux lui dire.　　MOLIÈRE, le Malade imaginaire, 1ᵉʳ intermède.

1.1　Le comte est riche. Il peut vivre grandement partout. Pourquoi ne pas filer avec cette belle diablesse (en fait de diablesse, je croyais à celle-là) qui, pour le mieux crocheter a préféré vivre avec son amant (...)
　　　　　　BARBEY D'AUREVILLY, les Diaboliques,
　　　　　　　　　　　　«Le bonheur dans le crime».

Une diablesse de... (suivi d'un nom fém.). → **Diable.**

1.2　Je ne sais et ne veux rien savoir, pas même la formule de cette diablesse de poudre.　　ZOLA, Paris, t. I, p. 143.

(XXᵉ). Par ext. Femme très active, remuante, pétulante. *Une petite diablesse.*

♦ **3** *Une pauvre diablesse :* une pauvre femme. *Une grande diablesse.* → **Diable.**

2　Nous avons été voir à la foire une grande diablesse de femme, plus grande que Riberpré de toute la tête (...)
　　　　　　Mᵐᵉ DE SÉVIGNÉ, 144, 13 mars 1671.

3　Vous avez donc eu peur de ces pauvres petites diablesses de chouettes noires (...)
　　　　　　Mᵐᵉ DE SÉVIGNÉ, 1131, 2 févr. 1689.

DIABLETEAU　[djabləto] ou **DIABLOTEAU** [dja blɔto] n. m. — 1474 ; de *diable.*

Vieilli. Petit diable*. → **Diablotin.**

La mi-juillet venue, le diable se représenta au lieu, accompagné d'un escadron de petits diableteaux (...)
　　　　　　RABELAIS, le Quart livre, XLVI, Pl., p. 684.

DIABLOTIN　[djablɔtɛ̃] n. m. — 1534 ; de *diable.*

A ♦ **1** Petit diable* (→ **Diableteau**). *Le diable escorté de diablotins.*

♦ **2** Fig. Jeune enfant très espiègle. → **Diable,** II., 2. *Qu'est-ce que ces diablotins ont encore manigancé ?*

B (Choses ; animaux). ♦ **1** (1877). Petit pétard* enroulé dans une papillote avec un bonbon et une devise.

♦ **2** (1751). Petit beignet à base de crème aux œufs.

♦ **3** Vx. Pastille aphrodisiaque originaire d'Italie.

♦ **4** Mar. Voile d'étai du mât de perroquet de fougue.

♦ **5** Larve de l'empuse, insecte voisin de la mante.

DIABOLICISME　[djabɔlisism] n. m. — 1823, Stendhal, *infra ;* de *diabolique.*

Rare. Qualité d'une chose, d'une personne diabolique.

Aucun soupçon d'intérêt personnel ne venait attaquer la pureté de son diabolicisme.
　　　　　　STENDHAL, Armance, VI, 61, Lemerre,
　　　　　　　　　　　　in D. D. L., II, 1.

DIABOLIQUE　[djabɔlik] adj. — XIIIᵉ ; «inspiré par le diable», v. 1180 ; lat. ecclés. *diabolicus,* grec *diabolikos,* de *diabolos.* → Diable.

♦ **1** Qui tient du diable, se rapporte au diable. *Pouvoir diabolique.* → **Démoniaque.** *Tentation diabolique.* — *Culte diabolique.* — N. *Les Diaboliques,* nouvelles de Barbey d'Aurevilly.

Je vais, par mon pouvoir diabolique, enlever les toits des　1 maisons, et je veux que malgré les ténèbres de la nuit, le dedans se découvre sans voile à vos yeux.
　　　　　　A. R. LESAGE, le Diable boiteux, III.

N. m. *Le macabre* (cit. 6), *le diabolique* (en littérature).

♦ **2** Qui rappelle les attributs physiques ou moraux du diable. *Un sourire, un visage diabolique.* → **Méchant, sarcastique.** *Une apparition diabolique. Invention, machination diabolique,* pleine de ruse et de méchanceté. → **Infernal, méphistophélique, pernicieux, pervers, satanique.** *Méchanceté, imagination, idée diabolique.*

Il fallut que la force même cédât au diabolique entêtement　2 d'un enfant, car on n'appela pas autrement ma constance.
　　　　　　ROUSSEAU, les Confessions, I.

Elles gardaient pour elles les mille ressources diaboliques　3 et les inventions quelquefois de leur enfantine méchanceté.　　P. MAC ORLAN, la Bandera, XI, p. 126.

♦ **3** Très difficile, désagréable. *Travail diabolique.* → **Infernal.** *Un problème diabolique. C'est diabolique : on n'y comprend rien.*

CONTR. Angélique, divin. ◊ **DÉR. Diaboliquement, diabolicisme.**

DIABOLIQUEMENT　[djabɔlikmã] adv. — Fin XIVᵉ ; de *diabolique.*

D'une manière diabolique. *Il a agi diaboliquement. Sourire diaboliquement.*

DIABOLISER　[djabɔlize] v. tr. — XVIᵉ, *diabolisé ;* du rad. de *diable, diabolique.*

Littér. Transformer en diable. — Faire passer pour diabolique, présenter sous un jour défavorable. *Diaboliser un parti politique, un pays dans un conflit.*

Ces forcenés *(les médecins aliénistes)* me déroutent, m'angoissent, me diabolisent et surtout me dégoûtent.
　　　　　　CÉLINE, Voyage au bout de la nuit, p. 382.

On rencontre aussi *diabolisation,* n. f. *La diabolisation d'un homme politique.*

DIABOLISME　[djabɔlism] n. m. — 1886 ; angl. *diabolism,* XVIIᵉ ; d'après *diabolique.*

Didact. Caractère diabolique.

Son âme religieuse, aux trois quarts submergée par le dia-　1 bolisme de la passion, prenait pied, quelques instants, sur ces formes saintes, au-delà desquelles il pressentait la gloire des pitiés divines.
　　　　　　Léon BLOY, le Désespéré, p. 226.

Culte du diable.

Le mot «diabolisme» lui a échappé. Et quand je me suis　2 souvenu de quelle façon désinvolte il accueillait en 1910 le vieux reproche de diabolisme fait à la Maçonnerie (...)
　　　　　　J. ROMAINS, les Hommes de bonne volonté,
　　　　　　　　　　　　t. XXII, p. 211.

DIABOLO　[djabɔlo] n. m. — 1906 ; *jeu du diable,* 1835 ; du rad. de *diable*, d'après l'ital. *diavolo.*

I ♦ **1** Jouet comprenant une bobine formée de deux cônes opposés par le sommet, et deux baguettes reliées par une ficelle que l'on tend plus ou moins sous la bobine pour la faire sauter et la rattraper. — Bobine utilisée dans ce jeu. *Rattraper le diabolo.*

1 Albertine, que j'avais aperçue, élevant au bout d'un cordonnet un attribut bizarre qui la faisait ressembler à l'«Idolâtrie» de Giotto; il s'appelle d'ailleurs un «diabolo» et est tellement tombé en désuétude (...)
> PROUST, À la Recherche du temps perdu, Pl., t. I, p. 887.

♦ **2** Techn. Dispositif en forme de diabolo (troncs de cône opposés par le sommet). *«Les bourrelets* (d'un filet) *sont équipés de "diabolos", qui évitent une usure trop rapide»* (A. Boyer, *les Pêches maritimes*, p. 55).

II Boisson rafraîchissante, mélange de limonade et d'un sirop. *Boire un diabolo, des diabolos menthe.*

2 Au coin du boulevard Magnanime, on est allé prendre à la terrasse un petit cassis et un diabolo.
> CÉLINE, Voyage au bout de la nuit, p. 271.

III Techn. (→ Diable III., A., 1.). Avant-train amovible permettant de déplacer les semi-remorques séparées de leur tracteur.

DIACÉTYLE [diasetil] n. m. — Fin XIXe; de *di-*, et *acétyle.*

Chim. Premier terme de la série des α-dicétones. *Le diacétyle se rencontre dans le beurre, auquel il donne son odeur.*

DIACÉTYLMORPHINE [diasetilmɔrfin] n. f. — 1929, *Larousse du XXe siècle*; de *di-*, *acétyl(e)*, et *morphine.*

Chim. Dérivé de la morphine, plus actif que celle-ci et susceptible de provoquer une toxicomanie. Syn. : *diamorphine*, (cour.) *héroïne.*

DIACHAINE [diakɛn] adj. et n. m. Vx. → **Diakène.**

DIACHROMIE [djakrɔmi] n. f. — 1910; de *dia-*, et *chromie.*

Photogr. Procédé de virage (3.) par teinture sur mordançage.

DIACHRONIE [djakrɔni] n. f. — 1908, Saussure (attesté par les cahiers d'étudiants, notamment Riedlinger, cf. Godel, *Sources manuscrites du cours de ling. générale*), probablt un peu antérieur. → Dia-chronique; de *dia-*, et *-chronie.*

Ling., didact. Évolution des faits linguistiques dans le temps (opposé à *synchronie*).

Les termes d'*évolution* et de *linguistique évolutive* sont plus précis *(que «histoire», «historique»),* et nous les emploierons souvent; par opposition on peut parler de la science des *états de langue* ou *linguistique statique.*
Mais pour mieux marquer cette opposition et ce croisement de deux ordres de phénomènes relatifs au même objet, nous préférons parler de linguistique *synchronique* et de linguistique *diachronique.* Est (...) diachronique tout ce qui a trait aux évolutions. De même *synchronie* et *diachronie* désigneront respectivement un état de langue et une phase d'évolution.
> F. DE SAUSSURE, Cours de linguistique générale, I, III, §1, p. 117.

Description évolutive (d'un fait ou d'un ensemble de faits linguistiques). *Diachronie des synchronies.* → **Métachronie.**

Par anal. (dans les sciences humaines). Évolution temporelle (opposée à un état théorique instantané, manifestant les structures fonctionnelles). *Diachronie et histoire*.

DIACHRONIQUE [djakrɔnik] adj. — 1907-1908, *Cahiers de cours de Riedlinger, notes sur le cours de Saussure*; de *diachronie.*

Ling., didact. De la diachronie. → **Historique.** *Étude diachronique d'un mot, d'une forme, d'un fait syntactique. La linguistique diachronique a dominé le XIXe siècle.*

(...) tout ce qui est diachronique dans la langue n'est que par la parole.
> F. DE SAUSSURE, Cours de linguistique générale, I, III, §9, p. 138.

Qui se fait à travers le temps. *Évolution diachronique.*

N. m. *Le diachronique.* → **Diachronie.**

Cette référence à la biologie, qui souligne le caractère très général du problème des relations entre le diachronique structural et le synchronique fonctionnel, conduit également à s'interroger sur le statut particulier des notions de fonctions, utilités ou valeurs par rapport au développement structural (...)
> J. PIAGET, Épistémologie des sciences de l'homme, p. 338.

DÉR. Diachroniquement.

DIACHRONIQUEMENT [djakrɔnikmã] adv. — Mil. XXe (1958, Lévi-Strauss); de *diachronique.*

Ling., didact. Du point de vue ou d'une manière diachronique. *Considérer, analyser les faits diachroniquement.*

(...) toute science humaine s'occupe de production, de régulations et d'échanges et que chacune emploie dans cette étude des notions de structures, d'utilités fonctionnelles et de signification envisagées tour à tour diachroniquement et synchroniquement (...)
> J. PIAGET, Épistémologie des sciences de l'homme, p. 273.

DIACHYLON [djakilɔ̃] ou **DIACHYLUM** [djakilɔm] n. m. — 1314, *emplastre dyachilon*; *diachylum*, 1835; lat. médical; du grec *dia khulôn* «au moyen *(dia)* de sucs».

Pharm. Emplâtre agglutinatif employé comme résolutif*. *La litharge, l'axonge, la cire, la térébenthine, la poix, l'huile d'olive, la gomme ammoniaque... entrent dans la composition du diachylon.* — *Toile de diachylon*, et, absolt, *diachylon* : toile enduite de cet emplâtre (→ **Sparadrap**).

Par métaphore :
Le temps est le diachylon du cœur.
> Album Richepin, *in* Germain Nouveau, Pl., p. 805.

DIACIDE [diasid] adj. et n. m. — 1948; de *di-*, et *acide.* Chim. Corps ayant deux fonctions acide. → **Biacide.** *L'acide oxalique est le plus simple des diacides.*

DIACLASE [djaklaz] n. f. — 1879, Daubrée; 1870 en minér., Larousse; grec *diaklasis* «brisure en deux» (→ Clase), de *diaklan* «briser en deux».

♦ **1** Géol. Fissure à travers une couche sédimentaire.

(...) terrains stratifiés plus ou moins compacts, présentant à la fois des points de stratification, séparant les couches, et des diaclases, c'est-à-dire des cassures plus ou moins perpendiculaires ou obliques par rapport aux points de stratification : tel est le cas général des terrains gréseux et surtout des régions calcaires.
> L. LUTAUD, l'Action géologique des eaux courantes, *in* Encycl. Pl., la Terre, p. 1201.

♦ **2** Chir. Fracture provoquée dans le but de corriger une difformité.

DÉR. Diaclasé.

DIACLASÉ, ÉE [djaklaze] adj. — XXe; de *diaclase.*

Géol. *Roche diaclasée,* qui présente des fissures, des cassures.

Défonçage périglaciaire. Avant l'arrivée du glacier, ou sur ses bords, ou au-dessus, les roches sont fracturées par le gel, d'autant mieux qu'elles sont plus gélives (schistes, mollasse), plus diaclasées (fjords de Norvège), plus imprégnées d'eau (fond des grandes vallées) : (...)
V. ROMANOVSKY et André CAILLEUX,
la Glace et les glaciers, p. 99.

DIACODE [djakɔd] n. m. — 1721, Trévoux ; 1256, *dyacodion ;* du lat. médical *diacodion,* du grec *dia kôdeion* «au moyen (*dia*) de têtes de pavots (*kôdia*)». → Codéine.

Méd. Sirop à base d'opium, extrait de têtes de pavot blanc. — Adj. *Sirop diacode.*

DIACONAL, ALE, AUX [djakɔnal, o] adj. et n. f. — 1495, *diachonal ;* lat. ecclés. *diaconalis,* de *diaconus* → Diacre.

Religion chrétienne.

♦ **1** Adj. Qui a rapport aux diacres, au diaconat. *Ornements diaconaux.*

♦ **2** N. f. pl. *Diaconales :* ensemble de cours où l'on enseigne aux diacres la casuistique en vue de les préparer au ministère de la pénitence.

DIACONAT [djakɔna] n. m. — 1495 ; du lat. ecclés. *diaconatus,* de *diaconus.* → Diacre.

Relig. chrét. Le second des ordres* majeurs dans la liturgie catholique, le premier dans celle des orthodoxes. *Élever qqn au diaconat. Le diaconat et la prêtrise* (→ **Prêtre**).

Parvenus au diaconat, et munis de l'étole et de la dalmatique, ils *(les clercs)* auront des pouvoirs plus étendus : porter le Saint-Sacrement solennellement, baptiser, prêcher, distribuer même la communion.
Mgr GRENTE, les Sept Sacrements, VI, p. 112.

Fonction d'un diacre ; durée de cette fonction. *«Pendant les derniers jours de mon diaconat»* (Balzac, *le Curé de village,* in T. L. F.).

COMP. Archidiaconat, sous-diaconat.

DIACONESSE [djakɔnɛs] n. f. — 1610 ; XIVe, *dya- conisse ;* lat. ecclés. *diaconissa,* fém. de *diaconus.* → Diacre.

Religion chrétienne.

♦ **1** Fille ou veuve qui, dans l'Église primitive, recevait l'imposition des mains et était chargée de certaines fonctions ecclésiastiques.

♦ **2** (1842). Femme protestante vivant en communauté et se consacrant à des œuvres de charité.

DIACONIE [djakɔni] n. f. — 1611 ; lat. ecclés. *diaconia,* de *diaconus.* → Diacre.

Religion chrétienne.

♦ **1** Hist. relig. Charge de diacre, dans l'Église primitive.

♦ **2** À Rome, Chapelle dont le titulaire est un cardinal-diacre*.

DIACOUSTIQUE [djakustik] n. f. — 1732 ; de *dia-,* et *acoustique.*

Didact. Partie de l'acoustique qui concerne la réfraction des sons.

DIACRE [djakʀ] n. m. — 1216, *deiacre ;* v. 1170, *diacne* «serviteur dans une synagogue» ; du lat. ecclés. *dia- conus,* du grec *diakonos* «serviteur».

Religion.

♦ **1** (1561). Hist. relig. Dans l'Église primitive, Titre donné aux fidèles chargés de la distribution des aumônes. *Les diacres, élus par les fidèles, étaient consacrés par les apôtres. État, statut de diacre.* → **Diaconat, diaconie.** *St Étienne, l'un des premiers diacres. Chef du collège des diacres.* → **Archidiacre.**

(Il faut que) les diacres pareillement *(soient des hommes)* honorables, point doubles dans leurs paroles, point adonnés au vin, point cupides, gardant le mystère de la foi dans une conscience pure (...)
BIBLE (CRAMPON), Saint Paul,
1re épître à Timothée, III, 8-9.

♦ **2** Clerc* qui a reçu le diaconat mais n'a pas encore été admis à la prêtrise. *Ordination de dia- cres* (→ Célibat, cit. 8). *Étole, dalmatique de diacre.*

Derrière, viennent ensuite des groupes de diacres en surplis de mousseline, portant au bout de hampes les croix d'argent et de vermeil (...)
LOTI, Figures et Choses..., Passage de procession,
p. 110.

Anciennt. Clerc assistant le célébrant dans une messe solennelle.

♦ **3** *Cardinal-diacre.* → **Cardinal.**

♦ **4** (1877). Dans les églises protestantes, Laïc qui a la charge des aumônes.

COMP. Archidiacre, sous-diacre.

DIACRITIQUE [djakʀitik] adj. — 1635, Saumaize ; du grec *diakritikos* «qui distingue» (→ Critique), de *diakrinein* «diviser, distinguer».

Didact. Qui sert à distinguer, à caractériser.

♦ **1** Gramm. *Signes diacritiques :* signes graphiques (points, accents...) destinés à empêcher la confusion entre des mots homographes. *Les accents des mots* à, dû, où, *sont des signes diacritiques. Les signes diacritiques de l'arabe, de l'hébreu.*

♦ **2** Méd. Qui caractérise une maladie. → **Pathogno- monique.** *Symptôme diacritique.*

DIADELPHE [diadɛlf] adj. — 1816 ; de *di-,* et grec *adelphos* «frère» (→ -adelphe).

Bot. Se dit des étamines réunies par la base en deux faisceaux.

DIADELPHIE [diadɛlfi] n. f. — 1783 ; lat. bot. *diadel- phia,* 1735, Linné, grec *di-, adelphos* (→ -adelphe), et suff. *-ia.*

Hist. de la bot. Ensemble des végétaux à étamines groupées en deux faisceaux et réunies par la base (système linnéen).

DÉR. Diadelphique.

DIADELPHIQUE [diadɛlfik] adj. — 1845 ; de *diadel- phie.*

Bot. Vx. Diadelphe.

DIADÈME [djadɛm] n. m. — 1180 ; v. 1320, *dyademe, in* T. L. F. ; du lat. *diadema,* grec *diadêma.*

♦ **1** Bandeau richement orné, insigne du pouvoir monarchique dans l'Antiquité. *Ceindre, porter le diadème :* devenir, être roi ou empereur (→ Accord, cit. 6). *Un diadème de reine.* → Pierreries, cit.

(...) le riche diadème
Que sur son front sacré David porta lui-même.
RACINE, Athalie, III, 7.

Fig. Dignité royale ou impériale.

2 En vain l'orgueil du diadème
Veut qu'on soit insensible à ces cruels revers (...)
MOLIÈRE, Psyché, II, 1.

◆ **2** (1830). Bijou* féminin en forme de couronne, de cercle, que l'on pose sur les cheveux (→ Ceindre, cit. 7; coiffé, cit. 1; couronner, cit. 8). — Par compar. *Coiffer ses cheveux en diadème*, les torsader ou les tresser, puis les ramener sur le sommet de la tête.

3 Les reflets laissent voir, à l'intérieur des voitures, à peine un profil de femme, un diadème, une torsade de fourrure blanche.
J. ROMAINS, les Hommes de bonne volonté, t. III, XII, p. 170.

(XVᵉ). Disposition (des cheveux) en diadème.

4 Elle avait au-dessus de son front, bien modelé mais presque impérieux, un magnifique diadème de cheveux volumineux, abondants et devenus châtains.
BALZAC, le Curé de village, Pl., t. VIII, p. 547.

Par anal. *Un diadème de fleurs.*

◆ **3** (1864). Appos. *Épeire diadème* : espèce courante d'épeire* qui porte une triple croix blanche sur l'abdomen.

DÉR. Diadémé.

DIADÉMÉ, ÉE [djademe] adj. — 1863; t. de blason, 1521; de *diadème*. Cf. lat. impérial *diadematus*.
Paré d'un diadème.
(...) des danseuses blanches, nuageuses, diadémées de clinquant, leur jupe relevée en nimbe derrière elles (...)
Éd. et J. DE GONCOURT, Journal, 22 mai 1863.

DIADERMIQUE [djadɛrmik] adj. — 1970; de dia-, et *dermique*.
Méd. Qui se fait à travers la peau.

DIADOQUE [djadɔk] n. m. — 1900; du grec *diadokhos* «successeur», de *diadekhesthai* «obtenir par succession».
Didactique.
◆ **1** Hist. Nom donné aux généraux qui se disputèrent l'empire d'Alexandre.
◆ **2** Mod. Titre porté par le prince héritier de Grèce.

DIADSORBÉ, ÉE [diatsɔrbe] adj. — Av. 1973, in *la Clé des mots*; de *di-*, et *adsorbé*.
Chim. Adsorbé en deux sites d'une même molécule.

DIAGÉNÈSE [djaʒenɛz] n. f. — 1929, *Larousse du XXᵉ siècle*; de *dia-*, et -*génèse*.
Géol. Ensemble des phénomènes de consolidation ou de durcissement d'un dépôt sédimentaire. *Diagénèse régressive.* — REM. On trouve aussi *diagenèse*.

DIAGLYPHE [djaglif; djaglif] ou **DIAGLYPTE** [djaglipt; djaglipt] n. m. — 1870, *diaglyphe; diaglypte*, 1890; du grec *diagluphê* «incision», de *diagluphein* (→ -glyphe), et grec *diagluptos* «taillé en incision», du même verbe.
Didact. et vieilli. Ouvrage gravé, taillé en creux.

DIAGNOSE [djagnoz] n. f. — 1669, cit. *infra*; du grec *diagnosis* «discernement», de *diagignôskein* «discerner». → Diagnostique.
◆ **1** Méd. Connaissance d'une maladie, qui s'acquiert par l'observation des signes diagnostiques*, des symptômes.

1 (...) ce que vous avez prononcé au sujet de ce mal, soit pour la diagnose ou la prognose (...)
MOLIÈRE, M. de Pourceaugnac, I, 8.

(...) j'en suis venu, moi, le docteur Bonhomet, professeur 2 de diagnôse *(sic)*, à douter de ma propre existence (...)
VILLIERS DE L'ISLE-ADAM, Tribulat Bonhomet, p. 49.

◆ **2** (1858). Biol. Détermination des caractéristiques d'une espèce animale ou végétale. — Par ext. Texte de description d'une espèce botanique (en latin).
Linné est avant tout un nomenclateur, un faiseur de 3 diagnoses. Ayant le goût inné de la classification méthodique (...)
Jean ROSTAND,
Esquisse d'une histoire de la biologie, p. 37.

DIAGNOSTIC [djagnɔstik] n. m. — 1732, «art de diagnostiquer»; de *diagnostique*.
◆ **1** Méd. et cour. Détermination de (une maladie, un état) d'après les symptômes (→ Symptôme; sémiologie). *Erreur de diagnostic. Diagnostic inquiétant. Réserver son diagnostic. Les analyses ont confirmé le diagnostic. Se tromper dans son diagnostic. Avoir un diagnostic sûr* (→ Aggravation, cit.; confirmation, cit. 1; détecteur, cit.). *Diagnostic après auscultation, après passage aux rayons X* (radiodiagnostic), *après examen de la formule leucocytaire* (cytodiagnostic), *après examen des zymases* (zymodiagnostic). *Diagnostic du cancer. Diagnostic de grossesse.*

1 Sa pratique était douce, son système expectant et son diagnostic sûr.
BRILLAT-SAVARIN, Physiologie du goût, t. I, Biographie, p. 29.

2 Toutefois, la jeunesse avait repris le dessus; et, chose qui arrive souvent, nonobstant pronostics et diagnostics, la nature s'était amusée à sauver le malade à la barbe du médecin. HUGO, Notre-Dame de Paris, VIII, VI.

3 «Je l'ai toujours dit», ajouta-t-il, souriant à part lui : «pas de diagnostic définitif avant l'autopsie!»
MARTIN DU GARD, les Thibault, t. IV, p. 268.

4 C'était le temps où les examens de laboratoire tendaient à supplanter la grande tradition française fondée sur l'observation minutieuse des cas, le diagnostic différentiel, le dépistage méthodique et beaucoup d'intuition.
Étienne WOLFF, Discours de réception à l'Académie française, 19 oct. 1972, *in* le Monde, 19 oct. 1972.

◆ **2** Didact. Prévision, hypothèse tirée de l'analyse de signes. *Faire un diagnostic politique de la situation.*
Inform. Méthode de recherche et de correction des erreurs, dans un programme d'ordinateur.

DÉR. Diagnosticien. ◊ COMP. Cytodiagnostic, électrodiagnostic, hémodiagnostic, histodiagnostic, lipio-diagnostic, narcodiagnostic, précipito-diagnostic, psychodiagnostic, radiodiagnostic, sérodiagnostic, zymodiagnostic (V. ci-dessus à l'article). ← HOM. Diagnostique.

DIAGNOSTICIEN, IENNE [djagnɔstisjɛ̃, jɛn] n. — 1886, au masc.; de *diagnostic*.
Médecin en tant qu'il fait un diagnostic. — REM. *Diagnosticien* s'emploie surtout accompagné d'une épithète. *Être un bon, un mauvais diagnosticien. Il ne soigne pas très bien, mais c'est un excellent diagnosticien.* — *Elle est plutôt thérapeute que diagnosticienne.*

Il va dans la petite ville voisine consulter un médecin. Cet homme de l'art était pour la franchise à tout prix, préférable certes aux bienfaisants mensonges, mais fâcheux quand celui qui la pratique n'est pas bon diagnosticien.
M. YOURCENAR, Archives du Nord, p. 275.

DIAGNOSTIQUE [djagnɔstik] adj. — 1584; n. m., «symptôme», 1669; aussi *diagnostic*, 1735; du grec *diagnôstikos* «apte à reconnaître», de *diagignôskein* «discerner».
Didact. (méd.). Qui permet de déterminer une maladie. *La sémiologie étudie les signes diagnostiques. Signes diagnostiques du cancer.*

Relatif à un diagnostic. *Erreur diagnostique.*

Les indications de la cure type doivent être pesées dans nos balances cliniques, donc diagnostiques, *avant le départ*, avec la plus extrême rigueur (...) on ne devrait jamais parler d'échecs de la psychanalyse, mais, le plus souvent, de mauvaises indications (...)
R.-R. HELD, le Processus de guérison, *in* la Nef, n° 31, p. 29.

DÉR. Diagnostic, diagnostiquer. ◊ HOM. Diagnostic.

DIAGNOSTIQUER [djagnɔstike] v. tr. — 1832; de *diagnostique.*

◆ **1** Reconnaître (un mal, une maladie) en faisant le diagnostic. *Diagnostiquer une typhoïde* (→ Délire, cit. 4).
Par ext. *Diagnostiquer chez qqn une tendance masochiste.* ➙ **Discerner.**

◆ **2** Déceler (qqch.) d'après des indices, des signes. *Les experts hésitent à diagnostiquer une crise économique.*

DÉR. Diagnostiqueur.

DIAGNOSTIQUEUR, EUSE [djagnɔstikœʀ, øz] n. — 1878; de *diagnostiquer.*
Méd. Médecin qui effectue des diagnostics.
À ce grand savant, à ce diagnostiqueur infaillible parlant de sa mort avec cette assurance tranquille, il n'y avait rien à répondre que d'inutiles banalités.
Alphonse DAUDET, Numa Roumestan, XII, p. 238.
Personne qui diagnostique (qqch.).

DIAGONAL, ALE, AUX [djagɔnal, o] adj. — XIIIe; bas lat. *diagonalis;* de *diagonus,* grec *diagônios* «ligne tracée d'un angle à l'autre», de *dia-,* et *gônia* «angle». → 1.-gone.

◆ **1** **Géom.** Se dit de ce qui joint les sommets opposés d'un parallélépipède. *Arcs diagonaux. Ligne diagonale. Plans diagonaux.*
Par ext. *Matrice diagonale,* dont tous les éléments sont nuls sauf ceux qui appartiennent à une diagonale.

◆ **2** **Cour.** De biais, oblique. *Un éclairage, un escalier* (Gautier) *diagonal; une route diagonale* (Daudet, *in* T. L. F.).
Abstrait (didact.) :
Il ne s'agit donc pas d'une attaque frontale, mais d'une séduction diagonale qui passe comme un trait (quoi de plus séduisant que le trait d'esprit?), qui en a la vivacité et l'économie (...)
J. BAUDRILLARD, De la séduction, p. 139-140.

HOM. Diagonale.

DIAGONALE [djagɔnal] n. f. — 1546; fém. substantivé de l'adj. *diagonal.*

◆ **1** Ligne diagonale. *Les diagonales d'un polygone, d'un rectangle, d'un carré. Tracer, mener les diagonales. Point d'intersection des diagonales. — La diagonale d'un tissu.* ➙ **Biais.**
1   Nous plierons par le diamètre les deux demi-cercles; par la diagonale les deux moitiés du carré (...)
ROUSSEAU, Émile, II.
2   Un mobile parcourt une diagonale lorsqu'il est mû par deux forces dont les directions font un angle (...)
CONDILLAC, l'Art de raisonner, III, 2, *in* LITTRÉ.
2.1   (...) ses avenues parallèles traversées de diagonales coupant obliquement les pâtés de maison réguliers en forme de carré (...)
Claude SIMON, le Palace, Coll. 10/18, p. 13.

◆ **2** **EN DIAGONALE :** en biais, obliquement. *Traverser une rue en diagonale.*
3   (...) il écouta comme du fond d'un rêve les pas qui traversaient la cour en diagonale (...)
J. GREEN, Léviathan, XIII, p. 123.

Fig. et fam. *Lire qqch. en diagonale :* lire très rapidement, parcourir. *J'ai regardé son article en diagonale.* ➙ **Parcourir.**

DÉR. Diagonalement. ◊ HOM. Diagonal.

DIAGONALEMENT [djagɔnalmã] adv. — 1567; *dyagonellement,* 1503; de *diagonale.*
Didact. En diagonale, selon une diagonale.

DIAGRAMME [djagʀam] n. m. — 1584; lat. *diagramma* «échelle des tons», puis «tracé, dessin», grec *diagramma,* de *diagraphein* «dessiner, décrire en détail», de *dia-,* et *graphein* «écrire».

◆ **1** Tracé géométrique sommaire des parties d'un ensemble et de leur disposition les unes par rapport aux autres. ➙ **Croquis, plan, schéma.** *Le diagramme d'une fleur.*

◆ **2** Tracé destiné à présenter sous une forme graphique le déroulement et les variations d'un ou de plusieurs phénomènes (→ **Courbe, graphique**) ou la structure, le fonctionnement d'un ensemble (→ **Schéma**). *Diagramme de la fièvre; de la marche des trains, de la natalité, du chiffre des importations, exportations. Diagramme thermodynamique. Diagramme énergétique. Représenter par un diagramme une loi de probabilité. Exprimer par un diagramme les résultats d'une statistique*. Diagramme en bâtons,* qui représente une loi de probabilité ou des effectifs statistiques par des segments de longueur proportionnelle à la probabilité ou à l'effectif. *Diagramme en secteurs,* qui utilise des secteurs angulaires d'aire proportionnelle à la probabilité ou à l'effectif. ➙ **fam. Camembert.** — **Ling.** *Diagramme d'une phrase,* représentation graphique de son analyse en constituants. ➙ **Arbre** (III., 5.). — **Log., math.** *Diagramme de Venn :* représentation graphique d'ensembles* par des courbes planes fermées dont les points intérieurs sont les éléments de l'ensemble. ➙ **Patate** (fam.). *Le diagramme de Venn permet de visualiser certaines opérations (intersection, réunion...) effectuées sur des ensembles.*
(...) il me fallait tendre toute mon attention pour percevoir très haut ou très loin en moi, puisque je les distinguais à peine, les dessins, le diagramme qu'y inscrivaient les vibrations suscitées par les gestes humains, par les actes sur terre d'Harcamone.
Jean GENET, Miracle de la rose, p. 269.

◆ **3** **Hist. de la mus.** Tableau représentant la série complète des sons (d'un système musical modal).

COMP. Bloc-diagramme, orthodiagramme.

DIAGRAPHE [djagʀaf] n. m. — 1831; de *dia-,* et *-graphe,* d'après *diagramme.*
Sc. Instrument grâce auquel on peut reproduire l'image d'un objet, par le principe de la chambre claire. *Curseur de diagraphe.*

DÉR. Diagraphique.

DIAGRAPHIE [djagʀafi] n. f. — 1845, Bescherelle; de *dia-,* et *-graphie.*

◆ **1** Technique de dessin au diagraphe.

◆ **2** (1961). **Géol.** Ensemble d'enregistrements électriques, acoustiques, etc. effectués au cours des forages.

DIAGRAPHIQUE [djagʀafik] adj. — 1845, Bescherelle; de *diagraphe.*
Techn. Relatif au diagraphe.

DIAKÈNE [djakɛn] n. m. — 1845, *diachaine*; de *di-*, et *akène*.

Bot. Fruit sec indéhiscent formé de deux akènes opposés. *Les ombellifères ont des diakènes.* Var. : *diachaine* (vx). — Adj. Formé de deux akènes. *Fruit diakène.*

DIALCOOL [dialkɔl] ou **DIOL** [dijɔl] n. m. — 1948; de *di-*, et *alcool.*

Chim. Composé possédant deux fonctions alcool. → **Glycol.**

DIALECTAL, ALE, AUX [djalɛktal, o] adj. — 1870; de *dialecte.*

D'un dialecte. *Variantes dialectales d'un mot. Forme dialectale.* → **Dialectalisme.** *Arabe littéral et arabe dialectal. Littératures dialectales. Aires, zones dialectales.*

Je me voyais, retrouvant Françoise en France, la ramenant ici, dans ce séjour de luxe végétal, l'écoutant, lui disant en employant l'une des tournures dialectales qu'elle aimait : «Qu'est-ce que tu chabrottes?»
Jacques LAURENT, les Bêtises, p. 316.

Enquête dialectale. → **Dialectologie.**

DÉR. **Dialectalement, dialectaliser, dialectalisme.**

DIALECTALEMENT [djalɛktalmã] adv. — 1908; de *dialectal.*

Didact. Par un dialecte; dans un dialecte.

DIALECTALISER [djalɛktalize] v. tr. — Mil. XXᵉ; de *dialectal.*

Didact. Rendre dialectal. — Pron. *Parler régional qui se dialectalise.* — Au p. p. *Formes dialectalisées.*

DIALECTALISME [djalɛktalism] n. m. — Mil. XXᵉ; de *dialectal,* et suff. *-isme.*

Ling. Particularité appartenant à un dialecte, par rapport à la langue centrale ou «standard». *Dialectalisme de phonétique, de grammaire, de vocabulaire* (→ aussi **Régionalisme**).

DIALECTE [djalɛkt] n. m. — 1550; lat. *dialectus,* grec *dialektos* «discussion, conversation; langage», de *dialegein* «parler», de *dia-,* et *legein* (→ *-logie*).

◆ 1 Variété régionale d'une langue possédant assez de caractères spécifiques pour être considérée comme un système linguistique en soi (une langue fonctionnelle) — ce qui distingue le dialecte de l'usage d'une langue (le français québécois n'est pas un dialecte). → **Parler.** — REM. Selon les auteurs, la notion de dialecte inclut ou non celle de patois. → **Patois.** *Les dialectes de la Grèce antique :* attique, dorien, éolien, ionien. *Dialectes celtiques :* cornique, erse, kymrique. *Le yiddish, dialecte allemand des Juifs d'Europe orientale. Le ladin, groupe des dialectes romans des régions rhétiques. Dialectes du français* (→ **Français,** cit. 15). *Le wallon, dialecte français de Belgique. Les dialectes angevin, bourguignon, normand, picard :* l'angevin, le bourguignon, etc. *Le dialecte de l'Île-de-France, devenu la langue française.* → **Francien** (→ **Français,** cit. 12). *Dialectes d'oïl, d'oc* (en France), *franco-provençaux* (en France et en Suisse). *La prédominance de cette province a fait de son dialecte une langue nationale. Importance des dialectes italiens, allemands, dans la vie linguistique italophone, germanophone.*

1 Avant le XIVᵉ siècle il n'y avait point en France de parler prédominant; il y avait des dialectes; et aucun de ces dialectes ne se subordonnait à l'autre. Après le XIVᵉ siècle, il se forma une langue littéraire et écrite, et les dialectes devinrent des patois. LITTRÉ, Dict., art. *Dialecte.*

Un dialecte se définit par un ensemble de particularités telles que leur groupement donne l'impression d'un parler distinct des parlers voisins, en dépit de la parenté qui les unit.
J. MAROUZEAU,
Lexique de la terminologie linguistique, Dialecte.

Par anal. (emploi proscrit en linguistique). Langue de spécialité. *«Les divers dialectes scientifiques»* (A. Cournot, *in* T. L. F.). → **Terminologie.**

◆ 2 Langue. ⓐ Vx ou par plaisanterie :
(...) il est très instruit il parle vingt-trois langues, y compris le gaélique et l'afrikaans.
— Mais pas l'anglais?
— Non. Ce n'est pas un dialecte indispensable pour un révolutionnaire américain.
A. ROBBE-GRILLET,
Projet pour une révolution à New-York, p. 103.

ⓑ (Abusif en linguistique). Langue n'ayant pas de statut officiel ou ayant peu de locuteurs. — REM. Pour l'Afrique, l'I. F. A.; qui décrit cet emploi, note que «le sens véritable de dialecte (...) n'est véritablement usité que par les spécialistes».

DÉR. **Dialectal, dialectologie, dialectologue.**

DIALECTICIEN, IENNE [djalɛktisjɛ̃, jɛn] n. et adj. — XIIᵉ-XIIIᵉ; de *dialectique,* d'après le lat. *dialecticus.*

◆ 1 N. Personne qui emploie les procédés de la dialectique* (I., 1.) dans ses raisonnements. → **Logicien.**

Le sophiste se contente des apparences, le dialecticien de la preuve; le philosophe veut connaître par inspection et par évidence. Joseph JOUBERT, Pensées, XII, LII.

Mais, en outre, il *(Jaurès)* apparaissait comme un dialecticien merveilleux, comme un impeccable logicien, d'une méthode incomparablement sûre.
Ch. PÉGUY, la République..., p. 24.

Entre Voltaire et Rousseau, Parain n'avait pas à décider : mais il savait les opposer l'un à l'autre dans les formes, les réconcilier ou les renvoyer dos à dos. Il est demeuré un dialecticien redoutable. Il a l'art de répondre vite et durement, de sauter de côté, de rompre, d'arrêter par un mot la discussion lorsqu'elle l'embarrasse.
SARTRE, Situations, I, p. 196.

(...) le dialecticien ne doit pas seulement avoir de la rigueur, il lui faut aussi de la vigueur; il est rhéteur autant que logicien. Il est surtout rhéteur quand la logique véritable fait défaut et que la dialectique n'est que l'art de tromper : il doit s'évertuer alors à donner à ce qu'il sait être faux une apparence de vérité, se maintenir lui-même tendu dans l'attitude de celui qui est certain, susciter dans son esprit un dynamisme contagieux.
FOULQUIÉ, la Dialectique, p. 124. (→ Dialectique, cit. 4).

(Rare). Spécialiste de la dialectique (I., 3.). *Un dialecticien marxiste.*

◆ 2 Adj. (1580, Montaigne). Qui utilise les procédés de la dialectique (I., 3.); qui est digne d'un dialecticien. *Esprit dialecticien. «L'éloquence de Robespierre, d'abord sèche, verbeuse et dialecticienne, s'éleva et s'éclaircit»* (Lamartine, *in* G. L. L. F.).

Il faut apercevoir ici, pour vaincre cette dernière apparence d'évidence, que ces deux auteurs sont encore trop dialecticiens.
ALAIN, les Passions et la Sagesse, Pl., p. 744.

DIALECTIQUE [djalɛktik] n. f. et adj. — XIIᵉ; du lat. *dialectica,* grec *dialektikê* «art de discuter», de *dialektikos* «qui concerne la discussion», de *dialegesthai* «discourir» et «raisonner».
Didactique.

I N. f. ◆ 1 Ensemble des moyens mis en œuvre dans la discussion en vue de démontrer, réfuter, emporter la conviction (→ **Argumentation, logique, raisonnement**). *Une dialectique rigoureuse, serrée, subtile, spécieuse.*

1 Ils sont sophistes autant que philosophes (...) Une subtile distinction, une longue analyse raffinée, un argument captieux et difficile à débrouiller, les attire et les retient. Ils s'amusent et s'attardent dans la dialectique, les arguties et le paradoxe.
TAINE, Philosophie de l'art, t. II, IV, I, IV, p. 126.

2 Vous me démontriez à la fois avec une dialectique irrésistible que toute hypothèse sur la cause première est un non-sens (...)
Paul BOURGET, le Disciple, IV, II, p. 141.

3 À force de vivre loin des villes, au milieu des paysans, il s'était fait un peu la façon de penser du peuple. Il en avait la dialectique lente, le bon sens raisonneur qui se traîne pas à pas, avec des brusques saccades qui déconcertent, la manie de répéter une idée dont on est convaincu, de la répéter dans les mêmes termes, sans se lasser, indéfiniment. R. ROLLAND, Vie de Tolstoï, p. 131.

4 (...) ce mot nous suggère encore, comme au temps où la dialectique s'identifiait à la logique, «argumentation rigoureuse et vigoureuse»; mais il nous insinue en même temps «procédés abscons, artifices tortueux qui déroutent l'esprit en quête de la vérité», comme lorsque la dialectique était devenue sophistique. «Dialectique» ne rend pas un son clair; c'est un mot ambigu.
Il nous semble cependant que nous pouvons relever dans toutes les formes de la dialectique un caractère commun : le dynamisme. La pensée est statique : une argumentation logique satisfait l'esprit; elle ne l'entraîne pas. Pour être entraînés, il nous faut une pensée en mouvement et qui nous sort nous-même de notre inertie : c'est ce caractère dynamique que marque le mot «dialectique» (...)
FOULQUIÉ, la Dialectique, p. 124. (→ Dialecticien, cit. 4).

♦ 2 Philos. Chez Platon, Art de discuter par demandes et réponses. → Dialogue, maïeutique. — Logique formelle au moyen âge (opposé à rhétorique).

4.1 (...) c'est Platon qui a nommé dialectique cet autre art, sérieux et profond entre tous, qui permet de remonter aux pures idées et peut-être d'en redescendre.
ALAIN, les Passions et la Sagesse, Pl., p. 865.

Chez Kant, Logique de l'apparence, portant sur des raisonnements illusoires. — Spécialt. Dialectique transcendantale*.

♦ 3 Mod. [a] (Depuis les interprétations abusives de Hegel). Marche de la pensée reconnaissant l'inséparabilité des contradictoires (thèse et antithèse), que l'on peut unir dans une catégorie supérieure (synthèse*).

[b] (Chez Hegel). «Mouvement rationnel supérieur, à la faveur duquel (des) termes en apparence séparés passent les uns dans les autres, spontanément, en vertu même de ce qu'ils sont, l'hypothèse de leur séparation se trouvant ainsi éliminée» (in Logique de l'Être). «La dialectique est donc précisément l'unité négative et du mouvement de (se) dissoudre et du mouvement de (se) produire au jour : "aller au gouffre" c'est se poser au fond des choses» (Denis Rosenfield, Politique et liberté, Structure logique de la philosophie du droit chez Hegel, Aubier, 1984).

[c] Dynamisme de la matière, qui évolue sans cesse de la même manière que la pensée chez Hegel (concept marxiste).

♦ 4 Toute suite logique de pensées qui entraînent l'esprit à construire le monde de la science, de la philosophie, de la religion. → Logique. — REM. Logique et dialectique sont synonymes dans la mesure où ils se traduisent une suite de raisonnements corrects; mais dialectique s'oppose à logique en tant que la dialectique dépasse le plan formel de la pensée pour envisager une mise en œuvre historique, économique, sociologique.

5 (...) la dialectique (chez Marx) est considérée sous l'angle de la production et du travail, au lieu de l'être sous l'angle de l'esprit... (Marx) dit en même temps que la réalité est

dialectique et qu'elle est économique. La réalité est un perpétuel devenir, scandé par le choc fécond d'antagonismes résolus chaque fois dans une synthèse supérieure qui, elle-même, suscite son contraire et fait de nouveau avancer l'histoire. Ce que Hegel affirmait de la réalité en marche vers l'esprit, Marx l'affirme de l'économie en marche vers la société sans classes; toute chose est à la fois elle-même et son contraire, et cette contradiction la force à devenir autre chose. CAMUS, l'Homme révolté, p. 245.

[II] Adj. (1802). ♦ 1 Vieilli. Qui opère par la dialectique. Raisonnement dialectique.

♦ 2 (Depuis Hegel). Philosophie dialectique. Méthode dialectique. Argument dialectique. Marche dialectique de la pensée. Le spiritualisme dialectique de Hegel. Le matérialisme* historique et dialectique de Marx. Critique de la raison dialectique, œuvre de Sartre.

Seule l'analyse dialectique, qui tient compte et du travail social, et du contexte dans lequel s'insère la forme, seule cette analyse atteint le concret, à savoir le mouvement et les conflits qu'il enveloppe et qu'il développe. Par exemple, si j'étudie in abstracto le monde de la marchandise comme richesse, son extension comme croissance, j'oublie les bornes que l'existence d'autres «mondes», la Cité d'autrefois, la Ville possible, le monde qui précède et celui qui suit le règne souverain de la valeur d'échange et de la marchandise, imposent à celui-ci.
Henri LEFEBVRE, la Vie quotidienne dans le monde moderne, p. 242-243.

♦ 3 (Qualifiant le réel, la matière). Qui procède dialectiquement. «La réalité est dialectique» (Camus, cit. 5, supra).

DÉR. Dialecticien, dialectiquement, dialectiser. ◊ COMP. Adialectique, métadialectique.

DIALECTIQUEMENT [djalɛktikmã] adv. — 1549; de dialectique.

♦ 1 Didact. D'une manière dialectique; en employant les procédés de la dialectique. Raisonner dialectiquement.

Les spectacles qui paraîtraient à d'autres les moins compliqués (...) me semblent encore de beaucoup trop difficiles et chargés de significations inédites (à découvrir puis à relier dialectiquement)...
Francis PONGE, le Parti pris des choses, p. 175.

♦ 2 Selon les catégories hégéliennes et marxiennes de la thèse, de l'antithèse et de la synthèse.

DIALECTISATION [djalɛktizasjɔ̃] n. f. — 1967; dialectication (sic), 1962; de dialectiser.

Didact. Le fait de dialectiser, de se dialectiser. — REM. On rencontre l'homonyme dialectisation pour dialectalisation.

DIALECTISER [djalɛktize] v. tr. — 1949; de dialectique.

Didact. Présenter sous une forme dialectique (II., 2.).

(...) le sujet amoureux va accomplir à travers la même exclamation une longue course, dialectisant peu à peu la demande originelle (...)
R. BARTHES, Roland Barthes, p. 118.

Pron. Se dialectiser : prendre une forme dialectique (d'un processus).

DÉR. Dialectisation.

DIALECTOLOGIE [djalɛktɔlɔʒi] n. f. — 1881; de dialecte, et -logie.

Didact. Étude linguistique des dialectes et des patois. Spécialiste de dialectologie. → Dialectologue. La dialectologie permet d'établir des atlas* linguistiques. La dialectologie française. Dialectologie et *linguistique régionale* (étudiant les variantes régionales de la langue centrale). *La dialectologie relève en partie de la sociolinguistique.*

DÉR. Dialectologique.

DIALECTOLOGIQUE [djalɛktɔlɔʒik] adj. — 1882, *in* D.D.L.; de *dialectologie.*

Didact. Qui concerne la dialectologie. *Étude dialectologique. Atlas dialectologique.* → **Dialectal.**

DIALECTOLOGUE [djalɛktɔlɔg] n. — Av. 1898; de *dialecte,* et *-logue.*

Didact. Spécialiste de la dialectologie*. *Une dialectologue auteur d'enquêtes, collaboratrice d'un atlas linguistique.*

DIALLÈLE [djalɛl; dial(l)ɛl] n. m. — 1754, *dialéle,* → cit. ci-dessous; grec *diallêlos (logos).*

Didact. Cercle* vicieux.

Dialéle (...) argument des Sceptiques ou Pyrrhoniens, et le plus formidable de tous ceux qu'ils emploient contre les Dogmatiques (...) Il consistait à faire voir que la plupart des raisonnements reçus dans les Sciences, sont des cercles vicieux qui prouvent une chose obscure et incertaine par une autre également obscure et incertaine, et ensuite cette seconde par la première.
M. FORMEY, *in* Encyclopédie (DIDEROT) 1754.

DIALOGIQUE [djalɔʒik] adj. — 1512; lat. *dialogicus,* grec *dialogikos,* de *dialogos.* → Dialogue.

Didactique.

♦ 1 Du dialogue. *Structures dialogiques.* — Qui est en forme de dialogue. *Les écrits dialogiques de Platon.*

♦ 2 Littér. Du dialogisme (2.).

DIALOGISME [djalɔʒism] n. m. — 1557; grec *dialogismos,* de *dialogos.* → Dialogue.

♦ 1 Rhét. Rare. Présentation, sous forme de dialogue, d'idées ou de sentiments que l'on prête à ses personnages.

♦ 2 Littér. (Concept dû à M. Bakhtine). Organisation des «voix» multiples selon lesquelles un récit se structure. *Le dialogisme concerne autant les dialogues intérieurs que les dialogues extérieurs.*

DIALOGUANT, ANTE [djalɔgã, ãt] adj. — Mil. XXᵉ; du p. prés. de *dialoguer.*

Rare. Qui admet le dialogue, se prête au dialogue, à la concertation. *«Les cadres ont encore trop, et à tous les niveaux, cette attitude autoritaire, peu dialoguante, peu collégiale, qui caractérise en France l'ensemble des hiérarques»* (Interview de F. Bloch-Lainé, in *l'Express,* 8-14 juil. 1968).

DIALOGUE [djalɔg] n. m. — V. 1200, *dialoge,* repris 1580; lat. *dialogus,* grec *dialogos,* de *dialegein,* de *legein* «parler». → Logos.

♦ 1 Cour. *(Un dialogue, des dialogues).* Entretien entre deux personnes. → **Colloque, conversation, interview, tête-à-tête.** *Dialogue vif, animé. Les deux interlocuteurs* ont eu un long dialogue. Entamer, poursuivre un dialogue. Avoir un dialogue avec qqn sur qqch. Par ext. Dialogue intérieur, avec soi-même.*

1   Voilà vos craintes bien dissipées, et voilà le dialogue de la crainte et de l'espérance bien heureusement fini.
Mᵐᵉ DE SÉVIGNÉ, 1236, 20 nov. 1689.

2   La ritournelle d'une contredanse interrompit notre dialogue (...)   Ch. DE BERNARD, Un acte de vertu, 4.

Le dialogue qui venait de se terminer se reprenait en moi.   3
Il se transformait dans un échange intérieur d'hypothèses de plus en plus risquées. L'esprit mis en mouvement et livré à soi seul ne se refuse rien. Il produit mécaniquement des idées vives qui s'enhardissent l'une l'autre.
VALÉRY, Variété IV, p. 44.

Loc. fam. *Dialogue de sourds.* → **Sourd.**

Par ext. *Dialogue à trois, à plusieurs* (polylogue).

Spécialt. *(Le dialogue).* Contact et discussion entre deux groupes, deux partis d'intérêts divergents, dans la perspective d'un accord ou d'un compromis. → **Concertation, négociation.** *Établir, rompre le dialogue. Nous ne refusons pas le dialogue. Dialogue et participation.*

Le dialogue, puisque le mot est à la mode, dans un climat   3.1
de confiance, doit marquer le rajeunissement des institutions universitaires.
J. CAPELLE, *in* le Figaro littéraire, 9-15 sept. 1968.

Par anal. *Dialogue du soliste et de l'orchestre dans un concerto.*

♦ 2 (XVIIIᵉ; *in* Encycl., 1754). Ensemble des paroles qu'échangent les personnages (d'une pièce de théâtre, d'un film, d'un récit); manière dont l'auteur fait parler ses personnages. *Ce dialogue manque de vérité. Art du dialogue.* → **Dialectique** (chez Platon), dialogisme. *Soignez le dialogue. Le dialogue cornélien. Les dialogues d'un film. Auteur de dialogues.* → **Dialoguiste.**

(...) une comédie *dell'arte,* c'est-à-dire où chaque person-   4
nage invente le dialogue à mesure qu'il le dit, le plan seul de la comédie est affiché dans la coulisse (...)
STENDHAL, la Chartreuse de Parme, t. II, p. 414.

C'est qu'il y a deux sortes de dialogues : l'un, littéraire,   5
phrasé, construit, livresque; l'autre, qui est la reproduction photographique de la parole parlée, dans son raccourci imprévu, sautillant, fiévreux, primesautier, elliptique (...) En général, le dialogue ne peut avoir la vivacité, la vie, l'illusion du vrai, s'il est écrit dans le style même de la narration ou du récit. Il y faut d'autres phrases que les phrases d'un livre ou d'un morceau littéraire; des phrases conçues autrement, plus courtes, plus haletantes, plus coupées (...)
Antoine ALBALAT, l'Art d'écrire, XIX, p. 302.

Platon, sans doute, mêle une poésie très délicate à ses   6
argumentations socratiques; mais Platon n'écrit pas en vers et joue de la plus souple des formes d'expression, qui est le dialogue.   VALÉRY, Variété V, p. 169.

Le dialogue — chose écrite et parlée — n'appartient pas spé-   7
cifiquement à la scène, il appartient au livre; et la preuve, c'est que l'on réserve dans les manuels d'histoire littéraire une place au théâtre considéré comme une branche accessoire de l'histoire du langage articulé.
A. ARTAUD, le Théâtre et son double, la Mise en scène et la Métaphysique, Idées/Gall., p. 53.

C'est si facile à faire, un dialogue   8
Madame— Non !
Monsieur— Si !
Et voilà quatre lignes.
J. RENARD, Journal, 1ᵉʳ avr. 1903.

♦ 3 Ouvrage littéraire en forme de conversation (→ **Dialogique**). *Les Dialogues des morts écrits par Lucien, par Fénelon, par Fontenelle. Dialogue médiéval où les interlocuteurs se disputaient.* → **Tenson.** *Dialogues de Platon* : entretiens par lesquels Platon enseigna sa philosophie.

(...) un dialogue préfabriqué entre trois personnages   9
chargés tour à tour de questions ou de réponses et qui échangent leur rôle par une permutation circulaire à chaque articulation du texte, c'est-à-dire toutes les minutes environ.
A. ROBBE-GRILLET, Projet pour une révolution à New York, p. 37.

♦ 4 Loc. adj. (Inform.). *De dialogue,* qui permet un dialogue entre l'ordinateur et l'utilisateur, en parlant d'un mode de traitement de l'information (cf. l'anglicisme *conversationnel*).

CONTR. Monologue, soliloque. ◊ DÉR. Dialoguer, dialoguiste.

DIALOGUER [djalɔge] v. — 1717, au p. p.; de *dia-logue.*

♦ **1** V. intr. Avoir un dialogue* (avec qqn). → **Converser, entretenir** (s'), **parler.** *Il ne veut pas dialoguer avec ses adversaires. Nous avons longuement dialogué.* — Compl. n. de chose. *Dialoguer avec un ordinateur, l'*exploiter en mode conversationnel. — REM. Le sujet peut être un n. de chose :

1 Un écho dialogue avec l'écho voisin (...)
HUGO, la Légende des siècles, XXXVI, VIII.

2 Vêtue de noir, énorme, le dos rond, on eût dit qu'elle dialoguait avec le feu dont le murmure répondait au sien ; de temps en temps, sa tête se penchait en faisant ce signe négatif des vieillards qui semblent répondre non à la tombe.   J. GREEN, Léviathan, XIII, p. 239.

Parler dans un dialogue. *Les personnages de cet écrivain dialoguent avec beaucoup de naturel.*

♦ **2** V. tr. Rare ou techn. Mettre en dialogue. *Dialoguer un roman pour le porter à l'écran.* — Absolt. *L'art de dialoguer.*

Au p. p. Plus cour. *Scène bien, mal dialoguée. Les parties dialoguées d'un récit.*

3 (...) ces pièces (*Électre et Rhadamiste*) étant mal dialoguées et mal écrites, à quelques beaux endroits près, ne seront jamais mises au rang des ouvrages classiques (...)
VOLTAIRE, Dialogues en vers, Œ., t. XLVI.

Par ext. *Passage dialogué entre deux instruments.*

DÉR. **Dialogueur.**

DIALOGUEUR, EUSE [djalɔgœʀ, øz] n. — 1783; de *dialoguer.*

Rare ou vx.

♦ **1** Personne qui prend part à un dialogue.

♦ **2** (1824). Vx. Personne qui écrit les dialogues d'une pièce de théâtre (→ **Dialoguiste**).

DIALOGUISTE [djalɔgist] n. — 1934; 1898, «auteur des dialogues d'une pièce de théâtre»; *dialogiste,* XVIᵉ; de *dialogue.*

Auteur du dialogue (d'un film, d'une émission télévisée). *Le scénariste et le dialoguiste. Une remarquable dialoguiste.*

DIALYPÉTALE [djalipetal] adj. et n. f. — 1845; du grec *dialuein* «séparer», et *pétale.*

Botanique.

♦ **1** Se dit des fleurs et des plantes dont la corolle est faite de pétales séparés (opposé à *gamopétale*).

♦ **2** N. f. pl. **DIALYPÉTALES** : sous-classe de végétaux angiospermes, dicotylédones comprenant les plantes dont les fleurs ont une corolle formée de pétales séparés jusqu'à la base (ex. : cruciféracées, rosacées). — Au sing. *Une dialypétale.*

Principales familles de dialypétales : acérinées, anacardiacées, anonacées, ampélidées, aranacées, aurantiacées, balsaminées, bégoniacées, berbéridées, bixinées ou bixacées, cactées, calycanthées, capparidées, caryophyllées, célastrinées, césalpiniées, chailletiacées, cistinées, clusiacées, combrétacées, coriariées, cornéacées ou cornées, crassulacées, crucifères, dilléniacées, diosmées, diptérocarpées, droséracées, élatinées, euphorbiacées, flacourtiacées, ficoïdées, frankéniacées, fumariacées, géraniées, granatées, grossulariées, guttifères, hippuridées, hamamelidées, hippocastanées, humiriacées, hypéricinées ou hypéricacées, illicinées, lardizabalées, laurinées, légumineuses, linées, lythrariées, magnoliacées, malpighiacées, malvacées, mélastomacées, méliacées, ménispermacées, moringées, mimosées,

myriophyllées, myristicées, myrtacées, nymphéacées, olacacées, ombellifères, onagrariées ou œnothéracées, oxalidées, papavéracées, papayacées, papilionacées (césalpiniées, légumineuses, mimosées), paronychiées ou illécébrées, passiflorées, philadelphées, polygalées, portulacées, pyrolacées, réaumuriacées, renonculacées, résédacées, rhamnées, rhysophoracées, rosacées, rutacées, sapindacées, sarracéniées, saxifragées, staphyléacées, tamariscinées, térébinthacées, ternstrœmiacées, tiliacées, turnéracées, violariées, zygophyllées.

DIALYSAT [djaliza] n. m. — Mil. XXᵉ; de *dialyse.*
Chim. Filtrat recueilli après une dialyse.

DIALYSE [djaliz] n. f. — 1750, en grammaire; 1823, en chirurgie «solution de continuité»; du grec *dialusis* «séparation», de *dialuein* «disjoindre». → -lyse; par l'angl. au sens 1.

♦ **1** (1863; angl. *dialysis,* 1861; → cit.). Chim. Séparation, par diffusion à travers une paroi poreuse, de substances mélangées en phase liquide. *Soumettre une substance à la dialyse.*

Nous n'avons jamais prononcé encore le nom de la dyalise (*sic*), bien que cette méthode nouvelle créée par le chimiste anglais Graham, ait déjà rendu à la science d'assez importants services (...) M. Graham, directeur des essais de la monnaie de Londres, désigne, sous le nom de dyalise, un nouveau procédé d'analyse chimique basé sur une propriété remarquable des membranes, à laquelle il a donné le nom d'*endosmotique.*
L. FIGUIER, l'Année scientifique et industrielle, 1864, p. 163 (1863).

♦ **2** (XXᵉ; en 1811, «épuisement»). Méd. *Dialyse (péritonéale) :* méthode consistant à débarrasser le sang des produits toxiques accumulés à la suite d'une perturbation grave de la fonction rénale, par irrigation massive de solutions entraînant avec elle ces produits. → **Hémodialyse, rein** (artificiel). *Séance de dialyse. Méthode de dialyse.*

DÉR. **Dialysat, dialyser.** — V. **Dialytique.** ◊ COMP. **Électrodialyse, hémodialyse.**

DIALYSER [djalize] v. tr. — 1864; de *dialyse.*

♦ **1** Sc. Opérer la dialyse de (une substance). — Au p. p. *Solution dialysée.*

Par ext. (abusif). *Dialyser un malade.* — Au p. p. *Malade dialysé.*

N. *Un dialysé, une dialysée. «L'arthérosclérose (...) accélérée observée chez certains dialysés»* (Sciences et Avenir, «Les organes artificiels», nᵒ spécial 1979).

♦ **2** Fig. et didact. Filtrer, clarifier.

DÉR. **Dialyseur.**

DIALYSEUR [djalizœʀ] n. m. — 1864; de *dialyser.*
Sc. Dispositif pour effectuer la dialyse.
Adj. *Appareil dialyseur.*

COMP. **Électrodialyseur.**

DIALYTIQUE [djalitik] adj. — 1855, «qui dépend d'une solution de continuité», Littré et Robin; du grec *dialutikos* «propre à dissoudre», de *dialuein* «dissoudre».
Sciences.

♦ **1** (1864). Relatif à la dialyse*.

♦ **2** (1870). Propre à dissoudre, à désagréger.

COMP. **Électrodialytique.**

DIAM [djam] n. m. — 1901, *in* Esnault; forme abrégée de *diamant*.

Fam. Diamant.

1 Un prince hindou? demanda des Cigales.
— Pourquoi pas? C'est les plus riches, avec leurs éléphants blancs et leurs diams gros comme une pomme.
R. QUENEAU, Loin de Rueil, p. 17.

Par métaphore :

2 Dragueuse maniérée, je balance mon petit sac avec mes faux diams dedans (...)
Violette LEDUC, Folie en tête, p. 343.

DIAMAGNÉTIQUE [djamaɲetik] adj. — 1858; de *dia-*, et *magnétique*.

Sc. Se dit d'une substance qui, dans un champ magnétique, prend une aimantation proportionnelle au champ et dirigée en sens inverse (magnétisme dû à un changement dans le mouvement des électrons).

DIAMAGNÉTISME [djamaɲetism] n. m. — 1858, de *dia-*, et *magnétisme*.

Sc. Ensemble de phénomènes produits par les corps diamagnétiques.

DIAMANT [djamã] n. m. — XIIᵉ; bas lat. *diamas, atis*, altér. d'après le grec *dia-*, du lat. class *adamas, -antis* à l'accusatif, du grec *adamas, antos*, d'abord «fer, acier». → Aimant.

♦ **1** Pierre précieuse, la plus brillante et la plus dure de toutes, le plus souvent incolore. — Chim. Forme naturelle, cristalline et allotropique du carbone, à indice de réfraction et pouvoir de dispersion très élevés. *Le diamant* (densité 3,52) *est du carbone pur cristallisé, insoluble, brûlant dans l'oxygène sans laisser de cendres, plus réfringent et plus réfractaire qu'aucun autre métal. Le diamant raye tous les corps sans être rayé; il ne peut être taillé et poli qu'à l'aide de sa propre poussière. Variétés de diamant.* → **Bort, carbonado.** *Poudre de diamant.* → **Égrisée.** *Le diamant jaune* (→ **Jargon**), *de moindre valeur que le blanc. Diamant synthétique. Qui rappelle le diamant.* → **Adamantin, diamantaire, diamantin.** — *Extraction du diamant des mines, des gîtes diamantifères*. Polissage du diamant. Limpidité, transparence du diamant. Diamant industriel, utilisé à des fins autres qu'ornementales. Diamant recouvert*, enrobé d'une couche métallique.

Morceau de cette pierre, utilisé en joaillerie. *Débarrasser un diamant brut de sa gangue*. Polir un diamant. Diamantaire, lapidaire qui taille les diamants* (→ **Brillanter, cliver, ébruter, facetter, tailler**). *Facettes, feuilletis, table d'un diamant. Contour d'un diamant.* → **Rondis.** *Diamant taillé en baguette, en brillant*, en émeraude, en marquise* (ou *navette*), *en poire* (→ **Briolette**), *en rose*... Éclats que jette un diamant.* → **Bluette, feu, scintillement.** *Un diamant d'une belle eau.* → **Pureté.** *Évaluation d'un diamant suivant son poids en carats*, sa couleur, son eau, sa taille. Diamant sans défaut.* → **Parangon.** *Défauts d'un diamant.* → **Crapaud, gendarme, jardinage.** *Emploi des diamants en joaillerie. Monter un diamant* (→ **Enchâsser, sertir**) *sur une bague* (→ **Chaton**), *en bague; sur les boucles d'oreille* (→ **Girandole**). *Diamants sertis dans de vieilles montures* (cit. 3). *Diamant monté seul.* → **Solitaire.** *Femme couverte de diamants* (→ **Endiamanté**). *Une croqueuse* de diamants. Bijou, parure, broche, rivière de diamants.* → Pierreries, cit. *Les diamants de la Couronne*. Le Cullinan, le Koh-i-noor, le Régent..., diamants célèbres.* — Abrév. fam. : → **Diam.**

Après l'esprit de discernement, ce qu'il y a au monde de plus rare, ce sont les diamants et les perles.
LA BRUYÈRE, les Caractères, XII, 57.   1

Il y a de certains hommes dont la vertu brille davantage dans la condition privée qu'elle ne le ferait dans une fonction publique. Le cadre les déparerait. Plus un diamant est beau, plus il faut que la monture soit légère. Plus le chaton est riche, moins le diamant est en évidence.
CHAMFORT, Maximes et pensées, XIV.   2

Définition aussi limpide qu'un diamant de la plus belle eau.
Aloysius BERTRAND, Gaspard de la nuit, p. 28.   3

Enfin le bourg, obliquement traversé par les lueurs du soleil, étincelait comme un diamant en réfléchissant par toutes ses vitres de rouges lumières qui semblaient ruisseler.
BALZAC, le Médecin de campagne, Pl., t. IV, p. 413.   4

(...) les blanches scintillations des diamants, qui tremblaient en aigrettes dans les chevelures (...)
FLAUBERT, l'Éducation sentimentale, II, II.   5

Diamant. — Sa beauté résulte, me dit-on, de la petitesse de l'angle de réflexion totale (...) Le tailleur de diamant en façonne les facettes de manière que le rayon qui pénètre dans la gemme par l'une d'elles ne puisse en sortir que par la même. — D'où le feu et l'éclat.
VALÉRY, Mélange, p. 30.   6

Le cours des petites rivières, dans le sable desquelles on ramasse le diamant, est contrôlé par les premiers occupants.
Claude LÉVI-STRAUSS, Tristes Tropiques, p. 178.   6.1

Spécialt. Bague qui a un diamant. *Passer un diamant au doigt de sa fiancée.*

(...) je me trompe fort, ou la beauté de ce diamant fera pour vous sur son esprit un effet admirable.
MOLIÈRE, le Bourgeois gentilhomme, III, 6.   7

La bague que lui avait donnée Albert Larraque était un diamant d'une extraordinaire pureté, taillé en émeraude, elle s'étonnait du plaisir qu'elle trouvait à le regarder.
A. MAUROIS, Terre promise, III, p. 156.   8

Loc. *Noces de diamant* : anniversaire de la soixantième année de mariage.

♦ **2** (1549, *pointe de diamant*). Techn. Instrument au bout duquel est enchâssée une pointe de diamant et qui sert à couper le verre, les glaces... *Diamant de vitrier, de miroitier.*

Elle imagina une face sournoise, aplatie contre la vitre qu'une main rompait d'un diamant silencieux.
F. MAURIAC, Genitrix, VIII, p. 93.   9

Pointe de diamant garnissant l'extrême pointe d'une fusée.

♦ **3** *Faux diamant.* → **Strass.**

Cour. Pointe de lecture d'un électrophone. *Changer le diamant. Saphirs et diamants.*

♦ **4** Fig. et poét. Ce qui brille, étincelle.

La lune se dégagea aussi ses vapeurs qui la couvraient et commença à semer des diamants sur la mousse humide.
G. SAND, La Mare au diable, X, p. 87.   10

Le gel cède à regret ses derniers diamants (...)
VALÉRY, «La jeune Parque.»   11

Fam., vx. *Une voix de diamant*, superbe.

Par métaphore. Objet, œuvre d'une exécution parfaite.

(...) c'est un pur diamant taillé par le premier lapidaire du monde : car Nodier était essentiellement lapidaire en littérature.
G. SAND, François le Champi, Avant propos, p. 19.   12

(Par allusion à la dureté du diamant) :

Ils sont (*les beaux ouvrages*) pour vous d'airain, d'acier, de diamant.
LA FONTAINE, Fables, V, 16.   13

Abstrait.

Des signaux étranges sont installés qui dès l'approche de certaines idées, comme mus par leur simple mise en mouvement — encore soient-elles cachées, font développer le trouble et obscurcissent l'eau du diamant mental.
VALÉRY, Cahiers, Pl., t. II, p. 339.   14

♦ **5** (Par anal. de forme). **Archit.** Pierre d'un parement, taillée à facettes comme un diamant. *Bossage à pointes de diamant* (→ Cordon, cit. 10).

Typogr. Ancien nom du caractère n° 3. — *Édition diamant* : édition élégante d'un très petit format.

Mar. *Le diamant d'une ancre,* la croisée de la vergue et des pattes.

Dr. Somme ou souvenir légué par reconnaissance à un exécuteur testamentaire.

DÉR. et COMP. Diamantaire, diamanté, diamantin. Diamantifère.

DIAMANTAIRE [djamɑ̃tɛR] n. et adj. — 1680, n. m. ; de *diamant.*

Ⅰ **N.** **ⓐ** Personne qui taille les diamants, les pierres précieuses. → **Lapidaire.**
ⓑ Personne qui fait commerce de diamants, de pierres précieuses. → **Joaillier.** *Les diamantaires d'Anvers.*

Ⅱ **Adj.** (1830). **Didact.** Qui a l'éclat du diamant. *Pierre diamantaire.* → **Adamantin.**

(...) ces choses diamantaires qui émettent d'un trait mille fines flèches de feu. Hélène CIXOUS, Souffles, p. 169.

DIAMANTÉ, ÉE [djamɑ̃te] adj. — 1782 ; de *diamant.*

♦ **1** Couvert, garni de diamants. *Femme diamantée.*

1 (...) le fakir plongea de nouveau sur une main tendue, qu'il remarqua copieusement diamantée. Il faillit même s'écorcher le nez, qu'il avait long, sur un dix-carats agressif.
R. QUENEAU, Pierrot mon ami, p. 39.

Qui a des reflets de diamant.

2 Je m'y rendais le plus souvent à pied, pour le plaisir de marcher au soleil, de boire la lumière diamantée, la glace du vent. Joseph PEYRÉ, Sang et Lumières, p. 107.

Pur, cristallin*.

3 Sensation délicieuse, en me couchant fort tard, de la fraîcheur du soir, les fenêtres ouvertes, et du chant *diamanté* du rossignol.
E. DELACROIX, Journal 1850-1854, 27 avr. 1854.

♦ **2** Garni d'une pointe de diamant.

♦ **3** **Techn.** *Verre diamanté,* pulvérisé, très brillant. *Meule diamantée,* couverte d'une poudre de diamant.

DÉR. Diamanter. ◊ HOM. Diamanter.

DIAMANTER [djamɑ̃te] v. tr. — 1800, Boiste ; de *diamanté,* adj.

Orner, couvrir de diamants. — Faire briller comme un diamant.

REM. On trouve chez Proust la variante *diamantiser.* Pronominal :

(...) ces petites vagues de la mer qui, en passant dans les rayons du couchant, se diamantisent (...)
PROUST, Jean Santeuil, Pl., p. 321.

DIAMANTIFÈRE [djamɑ̃tifɛR] adj. — 1856, La Châtre ; de *diamant,* et *-fère.*

Didact. Qui contient du diamant. *Sable, gîte, terrain diamantifère.*

Ainsi la zone diamantifère formait-elle un État dans l'État, le premier parfois en guerre ouverte avec le second.
Claude LÉVI-STRAUSS, Tristes tropiques, p. 179.

DIAMANTIN, INE [djamɑ̃tɛ̃, in] adj. et n. f. — V. 1540 ; de *diamant.*

♦ **1** Adj. **Littér.** Qui a l'éclat ou la dureté du diamant. → **Adamantin.**

(...) le vieux maître pose les quatre mesures de son sujet, courte et déchirante mélodie dont la simplicité diamantine va mystérieusement s'épanouir en corne d'abondance.
M. TOURNIER, le Vent Paraclet, p. 125.

♦ **2** N. f. **DIAMANTINE.** **Techn.** Oxyde d'aluminium cristallisé et pulvérisé, servant au polissage.

DIAMÉTRAL, ALE, AUX [djametRal, o] adj. — V. 1282 ; *dyametral,* de *diamètre.*

Didactique.

♦ **1** Qui appartient au diamètre ; du diamètre. *Ligne diamétrale. Plans diamétraux.*

Par ext. «*Deux rues principales, diamétrales*» (Hugo, in T. L. F.).

♦ **2** (1846). *Opposition diamétrale,* absolue, totale (→ **Diamétralement**).

DÉR. Diamétralement.

DIAMÉTRALEMENT [djametRalmɑ̃] adv. — 1380 ; de *diamétral.*

♦ **1** **Didact.** Selon le diamètre. *Les deux pôles sont diamétralement opposés.*

♦ **2** (1585). **Cour.** *Diamétralement opposés.* → **Absolument, entièrement, radicalement.** *Opinions, intérêts diamétralement opposés.*

(...) toutes choses diamétralement opposées au bon 1
esprit (...) LA BRUYÈRE, les Caractères, III, 42.
La vérité est diamétralement opposée au ton de la bonne 2
compagnie. P.-L. COURIER, II, 393, in LITTRÉ.

DIAMÈTRE [djametR] n. m. — XIIIᵉ ; lat. *diametrus,* grec *diametros,* de *dia* (→ Dia-), et *metron* «mesure». → **Mètre.**

♦ **1** Ligne droite qui passe par le centre d'un cercle, d'une courbe fermée, d'une sphère, d'un sphéroïde, et se termine de part et d'autre à la périphérie. *Rapport de la circonférence au diamètre.* → **Pi.** *Demi-diamètre.* → **Rayon.**

Nous plierons par le diamètre les deux demi-cercles (...)
ROUSSEAU, Émile, II.

Didact. *Diamètres conjugués,* se dit de diamètres tels que chacun divise en deux parties égales les cordes parallèles à l'autre. — *Diamètre d'une courbe* : lieu rectiligne des milieux des cordes menées parallèlement à un diamètre donné.

♦ **2** **Cour.** La plus grande largeur ou grosseur (d'un objet cylindrique ou arrondi). *Le diamètre d'un arbre. Le diamètre d'une roue. Le diamètre d'un tube.* → **Calibre.** *Le diamètre d'une médaille, d'une monnaie.* → **Module.**

♦ **3** **Astron.** *Diamètre apparent d'un astre,* angle sous lequel on le voit.

DÉR. Diamétral.

DIAMIDE [diamid ; djamid] n. m. — 1898 ; de *di-,* et *amide.*

Chim. Corps possédant deux fonctions amide*.

DIAMIDOPHÉNOL [diamidofenɔl ; djamidofenɔl] (vx) ou DIAMINOPHÉNOL [diaminofenɔl ; djaminofenɔl] n. m. — 1857, *diamido-,* attesté 1933, *diamino-* ; de *di-,* *amine,* et *phénol.*

Chim. Corps cristallisé incolore dérivé du pyrogallol et dont le chlorhydrate est utilisé en photographie comme révélateur, sous le nom d'*amidol.*

DIAMINE [diamin ; djamin] n. f. — 1877 ; de *di-,* et *amine.*

Chim. Corps possédant deux fonctions amine*.

DIAMORPHINE [djamɔRfin] n. f. — 1953, Quillet ; (article héroïne) ; de *dia-,* et *morphine.*

Chim. Diacétylmorphine*. — **Syn.** (cour.) : *héroïne.*

DIANDRIE [diɑ̃dʀi] n. f. — 1798; lat. bot. *diandria* (1744, Linné), du grec *dis-*, et *anêr, andros* «mâle».

Hist. bot. Classe des plantes à deux étamines libres (système linnéen).

1. DIANE [djan] n. f. — 1555; ital. *diana* (attesté seulement en 1585; l'esp. *diana* est encore postérieur); rac. *dia* «jour».

Vx ou littér. Batterie de tambour, sonnerie de clairon ou de trompette qui se fait à la pointe du jour pour réveiller les soldats, les marins. → **Réveil.** *Battre, sonner la diane.*

1 La diane chantait dans les cours des casernes.
        BAUDELAIRE, les Fleurs du mal,
        Tableaux parisiens, CIII.

2 La diane des clairons turcs dans le voisinage me tire d'un inquiet sommeil matinal.
        LOTI, Jérusalem, XIX, p. 215.

3 Enfin, perlée, cristalline, égrenée note à note, la diane m'arrivait du fort des Hautes-Perches.
        G. DUHAMEL, Biographie de mes fantômes, VIII,
        p. 123.

2. DIANE [djan] n. f. — Attesté XIXᵉ (1865, Hugo, *in* T. L. F.); du nom de la déesse.

Littér. et rare. Fille vierge. *Une jeune diane.*

3. DIANE [djan] n. f. — 1830; orig. obscure, la métaphore du nom de la déesse *Diane* convenant mal.

Zool. Grand singe d'Afrique. — Au masc. (invar.) :

(...) on peut citer encore les jolis DIANE (...) à la face blanche, prolongée chez le mâle par une barbiche pointue de Méphisto, et dont le pelage montre de riches couleurs gris ardoise, blanc, jaune sur les cuisses, rouge pourpre intense sur le dos.
        René THÉVENIN, les Fourrures, p. 75.

DIANTRE [djɑ̃tʀ] n. et interj. — 1524; altér. euphémique de *diable*.

Vx, littéraire ou régional.

♦ **1** N. m. Rare. Diable. — *Diantre de* (valeur d'adj.).
→ **Diable** (de). — *Le diantre, c'est que...*

1 Qu'on est aisément amadoué par ces diantres d'animaux-là!
        MOLIÈRE, le Bourgeois gentilhomme, III, 10.

1.1 Le diantre, c'est que les bénéfices ne se montraient jamais, tandis que les billets souscrits (...) revenaient au logis avec une ponctualité désespérante (...)
        Alphonse DAUDET, Fromont jeune et Risler aîné,
        p. 283.

♦ **2** (1534). Interj. Juron qui marque l'affirmation, l'imprécation. Exclamation marquant l'admiration, l'étonnement. → **Diable.** *Diantre que c'est cher! Que diantre désirez-vous? Dépêchez-vous, que diantre!*

2 Avec cette rage d'aventures, ce besoin d'émotions fortes, cette folie de voyages, de courses, de diables au vert, comment diantre se trouvait-il que Tartarin de Tarascon n'eût jamais quitté Tarascon?
        A. DAUDET, Tartarin de Tarascon, I, VI.

DÉR. **Diantrement.**

DIANTREMENT [djɑ̃tʀəmɑ̃] adv. — Av. 1700; de *diantre*.

Vx, littér. ou régional. Extrêmement, terriblement.
→ **Bougrement, diablement.**

— Ah! par exemple! s'écria le docteur, on l'aurait cru diantrement plus grand que cela!
        Jean RAY, les Derniers Contes de Canterbury,
        p. 199.

DIAPASON [djapazɔ̃] n. m. — V. 1150, *dijapason*; rare avant le XVIIᵉ; lat. *diapason* «octave», grec *diapasôn*, de *dia pasôn* (*khordôn*), littéral «par toutes (les cordes)», qui désignait l'octave.

♦ **1** Mus. **ⓐ** Étendue des sons que parcourt une voix ou un instrument, du ton le plus grave au plus élevé. → **Registre.** *Le diapason de la clarinette a cinq ou six notes de plus que celui de la flûte.*
ⓑ Son de référence, utilisé pour l'accord des voix et des instruments (en Occident, le *la* de l'octave moyenne : *la* 3); fréquence de ce son. *Mettre au diapason.* → **Diapasonner.** *La montée progressive du diapason depuis le XVIIᵉ siècle. Le diapason baroque* (utilisé de nos jours pour jouer la musique baroque); *le diapason classique. Fixation du diapason à 435 Hz (1859), 440 Hz (1939).*

Fig. Fam. et vieilli. → **Ton.** *«Un diapason bas et sourd»* (Sand, *in* T. L. F.). *Un diapason de dispute* (→ Commerce, cit. 3). Loc. *Hausser, baisser le diapason :* augmenter, diminuer ses prétentions.

♦ **2** (1819). Mus. et cour. Petit instrument d'acier, en forme de fourche, qui donne le *la* lorsqu'on le fait vibrer (→ ci-dessus, 1., b.).

(...) mon oreille exercée, comme le diapason d'un accordeur.
        PROUST, À la recherche du temps perdu, t. IX, p. 85. 1

Petit instrument à vent du type de l'harmonica, qui sert au même usage.

Techn. Module qui permet aux fondeurs de déterminer les dimensions et le poids qu'ils doivent donner aux cloches.

♦ **3** (1705). Fig. Degré auquel se trouvent, à un moment donné, les dispositions d'une personne, d'un groupe. → **Niveau, ton.** *Prendre le diapason d'un groupe.* → (Surtout : *au, à un diapason*). *Il n'est plus au diapason* (de la situation). *Être, se mettre au diapason de qqn,* se conformer, s'adapter à sa manière de voir, de sentir (→ **Accord**).

Il faut que je prenne d'abord le diapason de ceux que je veux forcer personnellement à se mettre au mien.
        MIRABEAU, in BARTHOU, Mirabeau, p. 257. 2

Comme il arrive souvent entre deux êtres dont les destinées complices ont élevé l'âme à un égal diapason, — engageant la conversation assez brusquement, — il eut néanmoins le bonheur bizarre de trouver une personne disposée à l'écouter et à lui répondre.
        BAUDELAIRE, la Fanfarlo. 2.1

Le mode de publication en feuilletons, qui obligeait, à chaque nouveau chapitre, de frapper un grand coup sur le lecteur, avait poussé les effets et les tons du roman à un diapason extrême, désespérant, et plus longtemps insoutenable.
        SAINTE-BEUVE, Causeries du lundi, 2 sept. 1850,
        M. de Balzac. 3

C'étaient des croyants absolus; le monde, qui n'était plus à leur diapason leur semblait vide et enfantin.
        RENAN, Souvenirs d'enfance..., II, V. 4

(...) il se sentait au diapason avec ce jeune, et préoccupé uniquement des mêmes questions, tout le reste ne comptant plus.
        LOTI, les Désenchantées, VI, XL, p. 218. 5

La vérité était que les deux enfants avaient, depuis huit jours, en l'absence l'un de l'autre, monté leurs sentiments à un diapason tel qu'il leur était impossible de les y maintenir dans la réalité, et qu'en se retrouvant, leur première impression devait être une déception : il en fallait rabattre. Mais ils ne pouvaient se résoudre à en convenir.
        R. ROLLAND, Jean-Christophe, «Le matin», II. 6

DÉR. **Diapasonner.**

DIAPASONNER [djapazɔne] v. tr. — Av. 1872 (cf. P. Larousse); de *diapason*.

Mus. (rare). Mettre au diapason.

DIAPAUSE [djapoz] n. f. — 1942; de *dia-*, et *pause*.
Zool. Arrêt temporaire d'un développement.

Quelques jours seulement après la naissance de ce premier embryon, la femelle *(du kangourou)* connaît une seconde ovulation et s'accouple de nouveau. Elle doit dès lors assurer le développement du petit agrippé dans la poche et celui de l'œuf nouvellement formé. En fait, la mère n'accomplit pas les deux processus simultanément. Le cycle œstrien s'interrompt à cause de l'allaitement en cours. La croissance intra-utérine de l'œuf est par conséquent stoppée. À ce stade, cet œuf n'est qu'un petit blastocyste, c'est-à-dire une petite sphère d'une centaine de cellules. Il va «sommeiller» dans l'utérus en attendant que son «grand frère» ait quitté la poche. Ce phénomène dit de diapause embryonnaire est une véritable stratégie adaptative des kangourous face à l'environnement.
Sciences et Avenir, n° 310, avr. 1981, p. 61.

DIAPÉDÈSE [djapedɛz] n. f. — 1560; grec *diapêdêsis*, de *diapêdân* «jaillir à travers», de *dia* (→ Dia-), et *pêdân* «jaillir».

♦ **1** Vx. Sueur de sang. → **Hématidrose**.

♦ **2** Méd. Migration des leucocytes à travers la paroi des capillaires. *Globules blancs qui affluent par diapédèse autour des microbes, autour d'un corps étranger à neutraliser* (→ **Inflammation**).

DIAPHANE [djafan] adj. — 1377, *dyaphane*; grec *diaphanês* «transparent», de *diaphainein*, de *dia-* (→ Dia-), et *phainein* (→ -phane).

♦ **1** Qui laisse passer à travers soi les rayons lumineux sans laisser distinguer la forme des objets.
→ **Translucide**. *Le verre dépoli* est diaphane, mais non transparent. Papier diaphane. «La brume sèche des oliviers diaphanes»* (Larbaud, *in* T.L.F.).

1 *Diaphane*, de *dia*, à travers, et de *phainein*, briller, se dit du corps à travers lequel la lumière brille. *Transparent*, de *trans*, à travers, et *parens*, paraissant, apparent, qui se montre, qualifie le corps à travers lequel les objets paraissent (...)
Une feuille de papier ou de parchemin est *diaphane*; le verre d'une montre ou d'une estampe est *transparent*.
LAFAYE, Dict. des synonymes, art. *Diaphane*...

Par ext. Transparent. *Eau diaphane. Le cristal est diaphane* (Académie).

♦ **2** Fig., littér. Très pâle, et qui donne une impression de fragilité. *Teint, peau diaphane.* — Très mince, délicat. *Mains diaphanes. Corps diaphane.*

2 (...) elles *(les mains de Séraphîta)* paraissent avoir une force égale à celle que le Créateur a mise dans les diaphanes attaches du crabe.
BALZAC, Séraphîta, Pl., t. XI, p. 470.

CONTR. Obscur, opaque, sombre, ténébreux. ◊ DÉR. Diaphanéiser, diaphanéité.

DIAPHANÉISER [djafaneize] ou **DIAPHANISER** [djafanize] v. tr. — 1885, *diaphanéiser; diaphaniser*; 1857; de *diaphane*.
Littér. Rendre diaphane. *«La phtisie l'a diaphanéisé [Banville]»* (Goncourt, *Journal*, t. II, p. 204, 1865). — Pron. :
Personne ne comprenait rien à cette brûlée d'amour qui se diaphanéisait en montant dans la lumière.
Léon BLOY, le Désespéré, p. 151.

DIAPHANÉITÉ [djafaneite] n. f. — 1552; *diaphanité*, v. 1510; de *diaphane*.
Littér. Caractère de ce qui est diaphane, translucide.
(...) Elstir avait fait plusieurs études de ces mains. Et dans l'une où on voyait Andrée les chauffer devant le feu, elles avaient sous l'éclairage la diaphanéité dorée de deux feuilles d'automne.
PROUST, À l'ombre des jeunes filles en fleur, Folio, p. 590.

Caractère de ce qui est pâle, d'aspect délicat. *«La diaphanéité de Babet contrastait avec la viande de Gueulemer»* (Hugo, *in* T.L.F.).

REM. On rencontre encore (Sartre, *in* T.L.F.) la var. anc. *diaphanité* [djafanite].

CONTR. Opacité.

DIAPHANOSCOPE [djafanɔskɔp] n. m. — 1908; de *diaphanoscopie*, d'après les comp. en *-scope*.
Méd. Appareil utilisé en diaphanoscopie.

DIAPHANOSCOPIE [djafanɔskɔpi] n. f. — 1908; de *dia-*, grec *phainein* «briller» (→ Diaphane), et *-scopie*.
Méd. Procédé qui consiste à éclairer certaines parties du corps (spécialt les sinus de la face) pour les examiner par transparence. Syn. : *diascopie*, 2.

DÉR. Diaphanoscope.

DIAPHONIE [djafɔni] n. f. — 1768; lat. méd. *diaphonia*, IXe-Xe, Hucbald de Saint-Amand; du grec *diaphônia* «discordance». → -phone, -phonie.

♦ **1** Mus. Procédé d'écriture musicale du moyen âge, consistant à doubler une mélodie à la quarte ou à la quinte.

♦ **2** (1953). Techn. Défaut de transmission des signaux dans un appareil, une ligne téléphonique, un enregistrement, dû à un transfert d'énergie à un autre circuit. *Mesure de la diaphonie en décibels.* — Spécialt. Apparition de signaux parasites d'une spire voisine lors du passage de la tête de lecture sur une spire de disque.

Lorsque le courant passe dans B, le burin monte ou descend mais n'a pas de déplacement latéral, lorsqu'il passe dans A et C, c'est l'inverse qui se produit. En pratique, il y a toujours une petite réaction entre les deux mouvements et on l'appelle diaphonie. Cette diaphonie s'évalue en décibels, elle est de l'ordre de 25 à 30 dB, elle indique la fraction de signal indésirable qui va dans la voie interdite par rapport au signal dans la voie normale.
Pierre GILOTAUX, l'Industrie du disque, p. 102.

Télécommunications. Mélange de conversations de deux circuits téléphoniques.

DIAPHORÈSE [djafɔRɛz] n. f. — 1741; attestation isolée, 1551; grec *diaphorêsis*, de *diaphorein* «transpirer».
Méd. (vx). Transpiration abondante.

DIAPHORÉTIQUE [djafɔRetik] adj. — 1575; *diaforétique*, 1372; grec *diaphoretikos* de *diaphorêsis*. → Diaphorèse.
Méd. (vx). Qui active la transpiration. → **Sudorifique**. *Médicament diaphorétique.* — N. m. *Un diaphorétique.*

DIAPHRAGMATION [djafRagmasjɔ̃] n. f. — Mil. XXe (1960); de *diaphragmer*.
Phys., physiol. Le fait de diaphragmer un appareil ou de changer son diaphragme. — Variation, réglage de l'ouverture d'un diaphragme.

DIAPHRAGMATIQUE [djafRagmatik] adj. — 1560; de *diaphragme*.
Anat. Qui a rapport au diaphragme. → **Phrénique**. *Spasmes diaphragmatiques.*

COMP. Sous-diaphragmatique.

DIAPHRAGME [djafʀagm] n. m. — 1314; lat. médical, *diaphragma*, grec *diaphragma* «séparation, cloison», de *diaphrattein* «séparer par une cloison».

♦ **1** Muscle très large et très mince qui sépare la poitrine de l'abdomen. *Hoquet provoqué par de brusques contractions du diaphragme. Nerf du diaphragme* (→ **Phrénique**).

1 Un muscle volumineux, le diaphragme, disposé comme une cloison transversale en forme de coupole, établit une séparation complète entre les deux étages du tronc. En haut c'est la cavité thoracique (...) Au-dessous, la cavité abdominale (...)
　　　　　　VALLERY-RADOT, Notre corps..., III, p. 32.

2 Il éprouvait comme un léger spasme du diaphragme. Sa gorge se serrait un peu.
　　　　　J. ROMAINS, les Hommes de bonne volonté, t. V,
　　　　　　　　　　　　　　　　　　XXVII, p. 275.

Plan musculaire et aponévrotique représentant une séparation transversale au niveau d'une région déterminée. *Diaphragme pelvien.*

Sc. nat. Lame droite qui partage la cavité de certaines coquilles. Bot. Cloison transversale qui sépare les graines dans les fruits capsulaires.

♦ **2** Méd. et cour. Contraceptif mécanique (pour la femme), formé d'un capuchon souple destiné à recouvrir la partie du col de l'utérus qui fait saillie au fond du vagin. → **Pessaire**; → Pilule, cit. 1.2.

2.1 J'ai couru dans la salle de bains où j'ai mis mon diaphragme.　　　Cécil SAINT-LAURENT, la Mutante, p. 235.

♦ **3** Adj. Archit. *Mur diaphragme* : mur transversal de soutien, entre deux travées (dans certaines églises romanes).

♦ **4** (1690 en opt.; photogr. : 1857, in *Année sc. et industr.,* 1858). Disque opaque percé d'une ouverture réglable, pour faire rentrer plus ou moins de lumière. *Le diaphragme d'un appareil photographique. L'ouverture du diaphragme. Régler le diaphragme.* → **Diaphragmer.** *Diaphragme iris,* formé de lamelles.

♦ **5** Membrane souple (de certains appareils). *Diaphragme d'une pompe.* — (1878). Spécialt. Membrane vibrante (d'appareils acoustiques). *Diaphragme de haut-parleur de microphone, de phonographe.*

3 L'orifice de cette embouchure *(du phonographe)* renferme un diaphragme métallique, semblable à celui du téléphone (...)
　　　L. FIGUIER, l'Année scientifique et industrielle,
　　　　　　　　　　　　　　　　1879, p. 118 (1878).

Électr. Cloison perméable dans certaines piles ou bobines d'induction.

DÉR. Diaphragmatique, diaphragmer.

DIAPHRAGMER [djafʀagme] v. tr. — 1877, in Littré, *Suppl,* opt.; de *diaphragme,* 4.

Phys. Munir (un appareil d'optique) d'un diaphragme. — Intrans. Régler l'ouverture du diaphragme (spécialt, en le fermant).

DÉR. Diaphragmation.

DIAPHYSAIRE [djafizɛʀ] adj. — 1870; de *diaphyse.*
Méd. Relatif à la diaphyse d'un os.

DIAPHYSE [djafiz] n. f. — 1823; autre sens, 1561; du grec *diaphusis* «séparation naturelle, interstice» de *diaphuein* «pousser *(phuein)* en séparant».

Anat. Tronçon moyen (dans un os long). *Diaphyse du fémur.*

La partie moyenne des os longs, la diaphyse, formée d'une épaisse couche de tissu compact, est percée, au centre, d'un canal pour la moelle, et terminée à ses extrémités par un renflement de tissu spongieux, l'épiphyse.
　　　　　　VALLERY-RADOT, Notre corps..., III, p. 22.

DÉR. Diaphysaire, diaphysite.

DIAPHYSITE [djafizit] n. f. — Mil. XXᵉ; de *diaphyse,* suff. *-ite.*
Méd. Inflammation de la diaphyse d'un os.

DIAPO [djapo] n. f. → Diapositive.

DIAPORAMA [djapɔʀama] n. m. — V. 1965; de *diapo(sitive),* et suff. *-(o)rama.*

Spectacle de projection de diapositives. *«La grande attraction du festival est, sans contredit, la présentation des "Diaporamas" (...) les opérateurs, très habiles, plaçaient les diapositives l'une après l'autre dans les passe-vues avec une grande dextérité (...) Texte et musique se fondent en un ensemble harmonieux (...) Le "Diaporama" est vraiment une nouvelle forme d'Art et d'Expression encore peu connue»* (Revue du Son, nᵒ 158-159, p. 304).

DIAPOSITIF, IVE [djapozitif, iv] adj. — 1900; de *dia-,* et *positif.*

Techn. *Épreuve diapositive, cliché diapositif,* exécutés sur un support transparent, et destinés à être projetés. — N. m. (vx). *Un diapositif.* → **Diapositive.**

DÉR. Diapositive.

DIAPOSITIVE [djapozitiv] n. f. — 1945; n. m., *diapositif,* substantivation de l'adj. *diapositif.*

Cour. (répandu v. 1950). Tirage photographique positif destiné à la projection. *Film pour diapositives couleur. Passer, projeter des diapositives en couleur. Classeur, projecteur* (→ **Diascope,** 3.), *panier* (→ **Passe-vues**) *pour diapositives. Diapositives montées sur cartons. Un montage de diapositives.* → **Diaporama.** *Collection de diapositives.* → **Diathèque** (ou **diapothèque**).

1 Gerry étalait ses photos sur le tapis du bureau, projetait ses diapositives.
　　　　　F. MALLET-JORIS, le Jeu du souterrain, p. 57.

Abrév. fam. : **diapo** (n. f.). *«Le soir, conférences avec projection de diapos fondues-enchaînées sur les ressources de l'île»* (Charlie-Hebdo, 17 janv. 1978).

2 Un étudiant en histoire de la faculté de Reims (...) a évoqué avec beaucoup d'enthousiasme et de diapositives son voyage en Grèce.
　　　　　　Yanny HUREAUX, la Prof, p. 212.

DÉR. Diaporama, diapothèque.

DIAPOTHÈQUE [djapɔtɛk] n. f. → Diathèque.

DIAPRER [djapʀe] v. tr. — 1274, *dyasprer*; de l'anc. franç. *diaspre* «drap à fleurs»; du lat. médiéval *diasprum,* altér. de *jaspis* «jaspe».

Littér. Nuancer, parer de couleurs variées. *Le printemps diapre les prés.*

1 L'écorce variée des pastèques diaprait agréablement la campagne.
　　　CHATEAUBRIAND, Itinéraire de Paris à Jérusalem,
　　　　　　　　　　　　　　　II, 31, *in* LITTRÉ.

Par plais. (vieux) :

2 (...) quand tu m'auras diapré tout le corps de meurtrissures (...)
　　　　　BEAUMARCHAIS, le Mariage de Figaro, V, 8.

Fig. Orner de façon brillante. → **Consteller.** *Diaprer sa conversation d'adages et de proverbes.*

3 J'ai porté hardiment ma main sur chaque chose et me suis cru des droits sur chaque objet de mes désirs (...) Devant moi, ah ! que toute chose s'irise ; que toute beauté se revête et se diapre de mon amour.
　　　　　GIDE, les Nourritures terrestres, I, III.

◆ **DIAPRÉ, ÉE** p. p. adj. (plus courant).

De couleur variée et changeante. *Lumière diaprée. Étoffe diaprée.* → **Bariolé, chatoyant, irisé.** *Papillon diapré. Prairie diaprée de fleurs.* → **Émaillé.**

4 Ils arrivèrent dans un pré
Tout bordé de ruisseaux, de fleurs tout diapré (...)
LA FONTAINE, Fables, IV, 12.

5 Nous devions coucher à Zaghouan, et tout le jour nous vîmes devant nous se rapprocher lentement la montagne, d'heure en heure plus rose. Et lentement nous nous épre- nions de ce grand pays monotone, de son vide diapré, de son silence. GIDE, Si le grain ne meurt, II, I, p. 295.

6 Les massifs diaprés rayonnent près des majestueux arbres en fleurs. Georges LECOMTE, Ma traversée, p. 116.

CONTR. Monochrome, uni. ◊ DÉR. Diaprure.

DIAPRUN [djapʀœ̃] n. m. — 1771; *diaprum,* en 1666; *diaprunis,* xive; de *dia-* employé en méd., et du lat. *prunum* «prune».

Anc. Pharm. Purgatif préparé avec la pulpe de pru- neaux.

DIAPRURE [djapʀyʀ] n. f. — 1360, *diapreure;* de *dia- prer.*

Littér. État de ce qui est diapré; couleurs variées.

Par métaphore :

1 Encore la formule «vocation de l'échec» était-elle bien trop pathétique, trop teintée de diaprures sulfureuses.
Jean-Louis CURTIS, le Roseau pensant, p. 157.

2 (...) cette prise infaillible, qui n'offense pas le patient, le laisse intact et pourtant à notre entière merci, prisonnier mais gardant ses nuances les plus délicates, toutes les iri- sations, toutes les diaprures de la vie.
BERNANOS, Monsieur Ouine, Pl., p. 1559.

DIAPSIDES [djapsid] n. m. pl. — Mil. xxe; de *di-* et grec *apsis, apsidos* «voûte». → Abside.

Zool. Groupe de reptiles possédant deux paires de fosses temporales, et réunissant les Lépido- sauriens (dont la majorité des reptiles vivants : Squamates) et les Archosauriens*. — Au sing. *Un diapside.*

DIARISTE [djaʀist] n. — 1954; angl. *diarist,* 1818, de *diary* «journal».

Anglic. Écrivain qui tient un journal intime. «*Claude Mauriac appartient à la race des authen- tiques "diaristes"*» (*l'Express,* 1-7 avr. 1974, p. 99). «*Ces creux de l'âme que caressent les "diaristes"*» (François Nourissier, in *le Point,* 13-19 févr. 1984, p. 115).

DIARRHÉE [djaʀe] n. f. — 1568; *diarrie* en 1372; lat. médical *diarrhoea,* grec *diarrhoia* «écoulement» de *diarrhein* «s'écouler *(rhein)* de divers côtés». → -rrhée.

Évacuation fréquente de selles liquides. → **Débâcle, dévoiement** (vx); et fam. **chiasse, colique** (2.), **courante, foire ;** → Selle, cit. 0.1, Beckett. *Avoir la diarrhée. Dou- leur accompagnant la diarrhée.* → **Colique** (1.). *Diar- rhée liée à l'inflammation de la muqueuse intesti- nale.* → **Entérite.** *Diarrhée dans laquelle le malade expulse des aliments non digérés.* → **Lientérie.** *Fruits verts qui donnent la diarrhée. Diarrhées infantiles jaunes, vertes, biliaires et non biliaires, aiguës et chroniques. Diarrhée causée par la dysenterie, le choléra. Acide lactique, sous-nitrate de bismuth, con- soude, remèdes utilisés contre la diarrhée.*

Par anal. Écoulement (déplaisant, répugnant).

Fig. *Une diarrhée verbale.* «*Diarrhée morale et intel- lectuelle*» (Larbaud, *in* T. L. F.).

CONTR. Constipation. ◊ DÉR. Diarrhéique.

DIARRHÉIQUE [djaʀeik] adj. — 1835; *diarroïque,* 1827; attestation isolée, 1568; de *diarrhée.*

Médecine.

◆ **1** Qui a rapport à la diarrhée. *Selles diarrhéiques.*

◆ **2** Qui est atteint de diarrhée. *Malade diarrhéique.* — N. *Un, une diarrhéique.*

◆ **3** Qui donne la diarrhée. *Eau diarrhéique.*

DIARTHROSE [djaʀtʀoz] n. f. — 1561; grec *diarthrôsis,* de *diarthroûn* «articuler», de *arthron* «articulation».

Anat. Articulation* mobile qui permet aux os des mouvements étendus. *Capsule fibreuse, cartilages, synovie d'une diarthrose* (ex. : *genou*). → Abarticu- laire.

DIASCOPE [djaskɔp] n. m. — 1940; de *dia-,* et *-scope.*

◆ **1** Techn. Instrument d'optique utilisé dans les engins blindés. → **Périscope.**

◆ **2** Méd. Appareil comportant une plaque de verre, utilisé pour l'examen des lésions superficielles de la peau.

◆ **3** (1961). Techn. Appareil de projection pour les diapositives et les documents transparents.

DIASCOPIE [djaskɔpi] n. f. — 1961; de *dia-,* et *-scopie.*

◆ **1** Didact. Projection de documents transparents.

◆ **2** Méd. → **Diaphanoscopie.**

DIASCORDIUM [djaskɔʀdjɔm] n. m. — 1701; lat. médical *diascordium,* de *dia,* et *scordium.*

Pharm. Électuaire à base de scordium, d'aromates, d'opium et qui a des propriétés astringentes et sédatives. *Combattre une diarrhée avec du diascor- dium.*

DIASPORA [djaspɔʀa] n. f. — 1909; du mot grec «dis- persion», de *diasperein* «disséminer». → Diaspore.

◆ **1** Hist. relig. Dispersion à travers le monde antique des Juifs exilés de leur pays. — (Mil. xxe; attesté 1968). Par ext. Dispersion (d'une ethnie). *La diaspora tchèque, arabe, basque, chinoise.*

◆ **2** Ensemble des membres dispersés d'une ethnie. *La diaspora juive. La diaspora arménienne, chi- noise, tzigane.* «*Quand ils n'ont pas adopté le mode de vie britannique, les Indiens, hindous ou musulmans, comme les juifs de la Diaspora, cul- tivent jalousement leurs traditions familiales et religieuses*» (*le Nouvel Obs.,* 4 sept. 1972, p. 27).

DIASPORAMÈTRE [djaspɔʀametʀ] ou **DIASPO- ROMÈTRE** [djaspɔʀɔmetʀ] n. m. — 1803, *diaspora- mètre; diasporomètre,* 1813; du grec *diaspora* «disper- sion» (→ Diaspora, diaspore), et *-mètre.*

Techn. Diastimomètre à angle variable.

DIASPORE [djaspɔʀ] n. f. — D. i. (xxe); 1801 Haüy, «hydrate d'aluminium (se dispersant par chauffage)»; grec *diaspora.* → Diaspora.

Bot. Partie (graine, fruit...) d'un végétal qui, entraînée loin de la plante, produit d'autres indi- vidus. *Les diaspores assurent la dispersion de l'espèce.*

DIASTASE [djastaz] n. f. — 1814; «luxation», 1752; du grec *diastasis* «séparation», de *diistanai* «séparer». → Diastasis.

♦ **1** Chim. *La diastase* : ensemble des systèmes d'origine naturelle jouant dans les milieux animaux et végétaux le rôle de catalyseur dans des réactions très diverses (décomposition par hydrolyse, par oxydation, coagulation, etc.).

♦ **2** Méd., biol. (vx en emploi sc.). Catalyseur biologique protéinique (syn. mod. → **Enzyme**); enzyme provoquant l'hydrolyse de l'amidon (→ **Amylase**). *La trypsine, diastase du pancréas, favorise la digestion des matières amylacées. La maltase, diastase de l'orge, employée dans la fabrication de la bière.*

1 À part quelques diastases qui ont gardé des noms particuliers (trypsine, pepsine...) on utilise, pour nommer un ferment, le nom du substrat sur lequel il agit spécifiquement et on lui ajoute le suffixe «ase».
J. STOLKOWSKI, les Diastases, p. 10.

2 (...) les aliments se trouvent prêts à subir les phénomènes chimiques de la digestion qui les rendent assimilables. Pour y parvenir, les glandes sécrètent un ferment soluble appelé **diastase**, doué d'un pouvoir spécial vis-à-vis de telle ou telle catégorie d'aliments. C'est ainsi que la salive qui sert à humecter les aliments contient une substance, la ptyaline, agissant sur l'amidon cuit qu'elle transforme en sucre.
P. VALLERY-RADOT, Notre corps..., VII, p. 92.

3 Et c'est compter sans tous ces tiques, moustiques et sangsues ailées qui viennent se déposer sous l'épiderme leurs larves, leurs excréments, leurs bactéries, leurs diastases.
Régis DEBRAY, l'Indésirable, p. 262.

DÉR. et COMP. Diastasique. Antidiastase, prodiastase.

DIASTASIQUE [djastazik] adj. — 1859, Cl. Bernard, in D.D.L.; de *diastase*.

♦ **1** Chim. Relatif à la diastase. *Action diastasique de la ptyaline.* → **Enzymatique.**

♦ **2** Biol. (vx). Enzymatique. — (1897). Syn. (vx) : *diastatique*.

DIASTASIS [djastazis] n. m. — Mil. XXᵉ; *diastase*, 1752; mot grec «séparation». → Diastase.

Méd. Écartement permanent de deux surfaces articulaires, le plus souvent à la suite d'un traumatisme avec élongation des ligaments ostéoarticulaires.

DIASTÈME [djastɛm] n. m. — 1578; mus. «intervalle simple»; du grec *diastêma* «intervalle».

Zool. Écartement normal entre certaines dents (chez de nombreux mammifères). → **Barre.**

Illiger a donné ce nom (*diastème*) à l'intervalle qui, chez le plus grand nombre des mammifères existe entre les canines et les molaires; cette expression est synonyme de *Barre.*   Ch. D'ORBIGNY, Dict. d'hist. nat., 1844.

Anat. Écartement anormal entre deux dents.

DIASTIMOMÈTRE [djastimɔmɛtʀ] n. m. — D. i. (XXᵉ); du grec *diastêma* «intervalle», et -*mètre*.

Techn. Appareil permettant de mesurer automatiquement les distances courtes. *Diastimomètre à angle variable.* → **Diasporamètre.**

DIASTOLE [djastɔl] n. f. — 1541; en grammaire, «diérèse», v. 1370; du grec *diastolê* «séparation», de *diastellein* «séparer en deux».

Physiol. Mouvement de dilatation du cœur et des artères qui alterne avec le mouvement de contraction (*systole*). *Le sang pénètre dans le cœur par la diastole.*

1 (...) il verra le cœur animé de mouvements rythmiques. C'est à cette double période de contraction et de relâchement qu'on donne le nom de systole et diastole.
P. VALLERY-RADOT, Notre corps..., IV, p. 43.

2 (...) on vérifie d'abord la vie aux battements du cœur. Il est très important que ce soient des battements; mais que la diastole soit un repos de la systole, et que ces petites morts entretiennent la vie, explication qui n'est qu'une constatation, Sengle s'en foutait comme du savantasse, son quelconque auteur.
A. JARRY, les Jours et les Nuits, in Œ., Pl., t. I, p. 794.

DÉR. Diastolique.

DIASTOLIQUE [djastɔlik] adj. — 1546; de *diastole*.

Physiol. Relatif à la diastole. *Souffle diastolique. Bruit diastolique du cœur* : second bruit du cœur qui correspond à la fin de la systole et au début de la diastole.

DIATHÈQUE [djatɛk] ou **DIAPOTHÈQUE** [djapɔtɛk] n. f. — 1971; de *dia(positive)*, et *-thèque*.

Techn. Collection de diapositives. — Meuble ou pièce où sont conservées des diapositives.

DIATHERMANE [djatɛʀman], **DIATHERME** [djatɛʀm] ou **DIATHERMIQUE** [djatɛʀmik] adj. — 1833, *diathermane*; *diatherme*, 1929; *diathermique*, 1855; du grec *dia*, et *thermos* «chaud».

Phys. Qui transmet les radiations calorifiques. *Le mica est diathermane. Métal diatherme, diathermique.*

DIATHERMANÉITÉ [djatɛʀmaneite] ou **DIATHERMANSIE** [djatɛʀmɑ̃si] n. f. — 1833; de *diathermane*.

Phys. Propriété des corps diathermanes.

DIATHERMIE [djatɛʀmi] n. f. — 1912; all. *Diathermie*; → Dia-, et -thermie.

Méd. Méthode thérapeutique qui utilise des courants électriques alternatifs de haute fréquence pour échauffer les tissus (*diathermie médicale*) ou pour les détruire (*diathermie chirurgicale*). → **Électrocautère, électrocoagulation.**

DÉR. et COMP. Diathermique. Infradiathermie.

DIATHERMIQUE [djatɛʀmik] adj. — 1932; de *diathermie*.

Méd. Relatif à la diathermie.

DIATHÈSE [djatɛz] n. f. — Fin XVIᵉ; du grec *diathesis* «disposition» et aussi «état, condition».

♦ **1** Méd. Disposition générale d'une personne à être atteinte simultanément ou successivement par des affections présumées de même origine, mais comportant des manifestations différentes. *Idiosyncrasies et diathèses.*

Lorsqu'une maladie résulte, non pas d'un accident, mais de cette disposition générale qui constitue une diathèse, ses accidents se manifestent, non pas sur un point de l'organisme, mais sur plusieurs.
Paul BOURGET, Un divorce, II, p. 43.

En homéopathie, Prédisposition individuelle à une maladie ou à un ensemble d'affections caractérisé.

♦ **2** Ling. Vx (Tesnière, Guillaume). Voix (verbale).

DÉR. Diathésique.

DIATHÉSIQUE [djatezik] adj. — 1855; de *diathèse*.

Méd. Qui appartient à une diathèse. *Affection diathésique.*

DIATOMÉES [djatɔme] n. f. pl. — 1834; du grec *diatomos* «coupé en deux».

Bot. Algues brunes *(Phéophycées)* unicellulaires microscopiques, qui croissent dans les eaux douces ou salées, et dont la membrane est entourée d'une coque siliceuse. *Les diatomées contribuent à former le plancton végétal.* (**Syn.** : *bacillariophycées*). — Au sing. *Une diatomée.*

DÉR. Diatomite.

DIATOMIQUE [diatɔmik] adj. — 1834; de *di-*, et *atomique.*

Chim. Dont la molécule est formée de deux atomes. (**Syn** : *biatomique*). *Corps diatomique.*

DIATOMITE [djatɔmit] n. f. — 1948; de *diatomée,* et suff. *-ite.*

Minér. Roche constituée par les débris de diatomées, employée industriellement pour ses propriétés absorbantes et abrasives. *«De la silice, exportée des sols latéritiques méridionaux, vient s'accumuler dans les bassins du Tchad et du moyen Niger où nous la retrouvons, captée par des algues, sous la forme de diatomites»* (la Recherche, févr. 1974).

DIATONIQUE [djatɔnik] adj. — Fin XIVᵉ, *dyatonique;* lat. *diatonicus,* grec *diatonikos,* de *dia* «par», et *tonos* «ton».

Didact. (mus.). Qui procède par tons et demi-tons (opposé à *chromatique*). *Échelle, gamme diatonique.* L'ensemble des équipages sonores, rangés côte à côte sur un rayon de la piste circulaire, donnait la gamme diatonique de *do*, depuis la tonique grave jusqu'au *sol* aigu.
Raymond ROUSSEL, Impressions d'Afrique, p. 297.
Par ext. *Harpe, accordéon, harmonica diatonique.*
N. m. Système diatonique. *«Les ressources du diatonique»* (Koechlin, *in* T. L. F.).

CONTR. Disjoint. ◊ **DÉR. Diatoniquement, diatonisme.**

DIATONIQUEMENT [djatɔnikmã] adv. — 1587; de *diatonique.*

Mus. Par degrés diatoniques.

DIATONISME [djatɔnism] n. m. — 1907, *in* T. L. F.; de *diatonique.*

Mus. Système, structure diatonique.

DIATRIBE [djatʀib] n. f. — 1558; lat. *diatriba,* grec *diatribê* «discussion d'école», de *diatribein,* d'abord «passer le temps».

♦ **1 Didact. (rhétorique).** Dissertation critique.
Vx. Exposé critique (sur un ouvrage, un point théorique).

♦ **2** (1764). **Mod.** Critique amère, violente, souvent faite sur un ton injurieux. → **Attaque, factum, libelle, pamphlet, satire.** *Se lancer dans une longue diatribe contre qqn. Échanger diatribes et insultes.*

1 L'Anti-Caton de César était un libelle; mais César fit plus de mal à Caton par la bataille de Pharsale et par celle de Tapsa que par ses diatribes.
VOLTAIRE, Dict. philosophique, Libelle.

2 Il mêle à la violence de ses diatribes une pitié indulgente bien naturelle envers un inférieur qui fait ressortir sa gloire. PROUST, les Plaisirs et les Jours, p. 95.

Écrit ou discours contenant une diatribe. *Lire une diatribe.*

CONTR. Apologie, éloge.

1. **DIAULE** [djol] n. f. — 1611; *diaulos,* 1547; mot grec, de *dis* «deux», et *aulos* «flûte».
Didact. Flûte double (des Grecs de l'Antiquité). **Adj.** *Flûte diaule.*
Musique, air pour la diaule.
HOM. 2. Diaule.

2. **DIAULE** [djol] n. m. — 1864, Littré; grec *diaulos,* de *dis,* et *aulos* «espace allongé (pour la course)».
Antiq. Course dans laquelle l'athlète parcourait le stade dans les deux sens (Grèce antique).
HOM. 1. Diaule.

DIAZOÏQUE [diazɔik] adj. et n. m. — 1870; de *di-* «deux», et du rad. de *azote.*
Chim. Se dit de composés doublement azotés (formule RN=NR' : *diazonium*) utilisés dans la fabrication des colorants. *Colorants diazoïques. «Les sels de diazonium (...) non exposés, peuvent s'associer avec un composé approprié nommé coupleur, pour donner une molécule colorée, le colorant diazoïque»* (Sciences et Avenir, oct. 1980).

DIBASIQUE [dibazik] adj. — 1960; de *di-*, et *basique.*
Chim. → **Bibasique.**

DIBROM-, DIBROMO- Élément, de *di-*, et *brome,* utilisé en chimie pour indiquer la présence, dans une molécule, de deux atomes de brome* (2.).

DICASTÈRE [dikastɛʀ] n. m. — 1791; du grec *dikasterion* «cour de justice».
Didactique.
♦ **1 Antiq.** Section du tribunal des héliastes*, à Athènes, dont les décisions étaient sans appel.
♦ **2 Relig.** Organisme de la curie romaine.

DICÉPHALE [disefal] adj. et n. — 1870, *Larousse;* de *di-*, et *-céphale.*
Didact. (biol.). Se dit d'un individu monstrueux présentant deux têtes, deux extrémités céphaliques (→ **Bicéphale).**

DICÉPHALIE [disefali] n. f. — 1953, *Quillet;* de *di-*, et *-céphalie.*
Didact. (biol.). Monstruosité caractérisée par l'existence de deux têtes.

DICÉTO- Élément, de *di-* et *acétone,* utilisé en chimie pour indiquer la présence, dans une molécule, de deux fonctions cétone. **Ex.** : *acide dicétosuccinique.*

DICHLOR-, DICHLORO- Élément, de *di-* et *chlore,* utilisé en chimie pour indiquer la présence, dans une molécule, de deux atomes de chlore. **Ex.** : *dichlorétane,* n. m.

DICHO- Élément, du grec *dikho-,* de *dikha* «en deux», de *dis* «deux fois» (→ l'élément di-). **Ex.** : *dichogame, dichogamie;* → aussi les emprunts au grec *dichotome* et *dichotomie.*

DICHOGAME [dikɔgam] adj. — 1845, Bescherelle; de *dicho-*, et *-game.*
Bot. Dont les étamines et les pistils ne parviennent pas à maturité en même temps. *Fleurs dichogames.*

DICHOGAMIE [dikɔgami] n. f. — 1845, Bescherelle ; de *dicho-*, et *-gamie*.

Bot. Fécondation croisée de deux plantes hermaphrodites, dont les fleurs sont dichogames.

DICHOTOME [dikɔtɔm] adj. — 1752 ; grec *dikhotomos*, de *dikha* «en deux parties», et *temnein* «couper». → Dicho- et -tome.

Didactique.

♦ **1** Astron. *Lune dichotome*, à moitié éclairée par le soleil. → **Demi-lune.**

— J'ai dit «la lune dichotome» pour ne pas dire «la demi-lune», ce qui est une image dégoûtante.
J. RENARD, journal, 18 mai 1892.

♦ **2** (1787). Bot. Se dit d'un organe (d'une plante) divisé en deux par bifurcation. *Tige dichotome du gui.* → **Bifurqué.**

DICHOTOMIE [dikɔtɔmi] n. f. — 1750 ; du grec *dikhotomia*, de *dikhotomos*. → Dichotome.

♦ **1** Astron. Phase de la Lune pendant laquelle une seule moitié de son disque est visible.

♦ **2** (1803). Bot. Mode de division par deux des rameaux et des pédoncules sur la tige.

♦ **3** (1898, in *Année sc. et industr.* 1899, p. 365). Méd. Partage illicite d'honoraires entre un médecin et son confrère appelé en consultation.

♦ **4** (1870). Littér. et cour. Division, subdivision binaire (entre deux éléments qu'on sépare nettement et qu'on oppose). — Par ext. Opposition binaire d'éléments abstraits complémentaires. *Tri par dichotomie*, où les éléments sont rangés par couple*.

1   On s'aperçoit bientôt qu'elle y recouvre ou y épouse d'autres partages, d'autres dichotomies : celles de groupes ou de principes également complémentaires et antithétiques dont l'opposition et la collaboration (la concordia discors) permet le fonctionnement même du groupe social.
Roger CAILLOIS, l'Homme et le Sacré, p. 74.

2   (...) on a vu récemment renaître (...) une sorte de dichotomie entre la pathologie émotionnelle et la pathologie intentionnelle. C'est ainsi qu'Alexander oppose le domaine des névroses végétatives (...) au domaine de l'hystérie de conversion (...)
Jean DELAY,
Introd. à la médecine psychosomatique, p. 31.

DÉR. Dichotomique, dichotomiser.

DICHOTOMIQUE [dikɔtɔmik] adj. — 1833 ; de *dichotomie*.

Didact. Caractérisé par une dichotomie. → **Bifurqué, dichotome.**

♦ **1** Bot. Qui se divise par bifurcation.

♦ **2** Qui procède par divisions et subdivisions binaires*. *Méthode, classification dichotomique.* — (1968). Psychol. *Test dichotomique*, qui ne permet que les réponses *oui*, *non*.

DÉR. Dichotomiquement.

DICHOTOMIQUEMENT [dikɔtɔmikmɑ̃] adv. — 1878 ; de *dichotomique*.

Didact. En procédant par subdivision ou par opposition binaire.

DICHOTOMISATION [dikɔtɔmizasjɔ̃] n. f. — 1958, Lévi-Strauss, in T.L.F. ; de *dichotomiser*.

Didact. Action de dichotomiser ; son résultat.

DICHOTOMISER [dikɔtɔmize] v. tr. — 1837, *se dichotomiser* ; de *dichotomie*.

Didact. Diviser de façon binaire.

♦ **SE DICHOTOMISER** v. pron. *Éléments d'un classement qui se dichotomisent.*

Au p. p. *Raisonnement dichotomisé.*

DÉR. Dichotomisation.

DICHROÏQUE [dikRɔik] adj. — 1870 ; de *dichroïsme*.

Didactique.

♦ **1** Phys. Qui présente des phénomènes de dichroïsme. *Miroir dichroïque.*

♦ **2** Bot. Se dit de plantes dont les fleurs sont de deux couleurs.

DICHROÏSME [dikRɔism] n. m. — 1824 ; angl. *dichroism*, 1819 ; du grec *dikhroos* «de deux couleurs».

Phys. Propriété, due à une absorption inégale des rayons lumineux, qu'ont certaines substances de paraître de couleurs différentes suivant leur épaisseur, l'inclinaison des rayons.

DÉR. Dichroïque.

DICHROMASIE [dikRɔmazi] n. f. → **Dichromatisme.**

DICHROMATE [dikRɔmat] n. m. — Mil. XXᵉ ; du grec *di* «deux», et *khrôma* «couleur», suff. *-ate*.

Méd. Personne affligée de dichromatisme. → **Daltonien.**

DICHROMATIQUE [dikRɔmatik] adj. — 1853 ; du grec *di* «deux», et *khrôma, atos* «couleur».

Phys. Qui présente deux couleurs à la fois.

DÉR. Dichromatisme.

DICHROMATISME [dikRɔmatism] n. m. ou **DICHROMASIE** [dikRɔmazi] n. f. — 1945, *dichromatisme ; dichromasie*, 1928 ; de *dichromatique*.

Méd. Anomalie de la vision caractérisée par la perception de deux seulement des trois couleurs fondamentales. → **Daltonisme, dyschromatopsie.** *Personne atteinte de dichromatisme.* → **Dichromate ; daltonien.**

DICHROME [dikRom] adj. — Av. 1888, Moréas ; de *di-*, et *-chrome*, d'après le grec *dichromos*.

Littér. De deux couleurs. → **Bicolore.** — (1907). Phys. (vx). Dichroïque.

DICIBLE [disibl] adj. — Déb. XVIᵉ ; repris XIXᵉ, d'après *indicible*, plus cour. ; du lat. chrét. *dicibilis* «que l'on peut dire», de *dicere*. → Dire.

Littér. Qui peut être dit, exprimé.

1   Il n'y a rien d'autre à dire que cela qui n'est pas dicible.
Claude MAURIAC, le Temps immobile, p. 263.

2   (...) rien de dicible rien que le jour mourant jusqu'au noir total (...)
S. BECKETT, Pour finir encore..., «Immobile», p. 45.

3   Ici, dans le lieu clair. Ce n'est plus l'aube,
C'est déjà la journée aux dicibles désirs.
Yves BONNEFOY, Poèmes, Hier régnant désert,
«Ici, toujours ici», p. 150.

4   (...) tout obscène dicible comme tel ne peut plus être le dernier degré de l'obscène : moi-même ne le disant, fût-ce à travers le clignotement d'une figure, je suis *déjà* récupéré.
R. BARTHES, Fragments d'un discours amoureux,
p. 211.

CONTR. Indicible.

DICLINE [diklin] adj. — 1798 ; du grec *di* «deux», et *klinê* «lit».

Bot. Dont les fleurs sont unisexuées. *Plante dicline.*

DICO [diko] n. m. — 1885; de l'élément initial de *dictionnaire*.

Fam. Dictionnaire. *Faire une version à coups de dico. Un gros dico. Des vieux dicos.*

Quant à sa mère, pour parler avec elle, Oscar, il lui faudrait un dictionnaire. Et la série des dicos historiques, consacrés aux langages qu'on parlait en France depuis le Moyen Âge, par période de dix années, n'est pas encore assez avancée pour ça.
ARAGON, Blanche..., II, III, p. 217.

DICOTYLÉDONE [dikɔtiledɔn] adj. et n. f. pl. — 1783; du grec *di*, et *kotulêdôn*. → Cotylédon.

Botanique. Adj. Qui a deux lobes ou cotylédons. *Plante dicotylédone. Embryon dicotylédone.*

N. f. pl. *Les dicotylédones* : classe des végétaux phanérogames angiospermes comprenant les plantes à ovaire renfermant deux cotylédons dans la plantule (embryon) de leur graine. *Les feuilles des dicotylédones sont à nervures ramifiées, pennées ou palmées, mais non parallèles; les fleurs portent habituellement quatre ou cinq pétales. Les dicotylédones se divisent en trois sous-classes.* → **Apétale, dialypétale, gamopétale.** — Au sing. *Une dicotylédone.*

DÉR. Dicotylédoné.

DICOTYLÉDONÉ, ÉE [dikɔtiledɔne] adj. et n. m. pl. — 1862; de *dicotylédone*.

Bot. Vx. Dicotylédone. — **N. m. pl.** *Les dicotylédonés.*

DICOUMARINE [dikumaʀin] n. f. ou **DICOUMAROL** [dikumaʀɔl] n. m. — Mil. XXe; de *di-*, et *coumarine* (et suff. *-ol*).

Méd. Substance employée comme anticoagulant.

1 Lorsque la plante *(le mélilot)* pourrit, une transformation chimique de la coumarine a lieu sous l'action de certaines bactéries. Deux molécules se couplent pour former la *dicoumarine*. Cette substance possède une action *antivitamine K* telle que son administration provoque des hémorragies graves à la moindre blessure.
A. GALLI et R. LELUC,
les Thérapeutiques modernes, p. 12.

2 Souhaitons cependant qu'il ne se soit pas empoisonné au dicoumarol. Guy DES CARS, la Vipère, p. 39-40.

DICROTE [dikʀɔt] adj. m. — 1752; grec *dikrotos*; de *di-*, et *krotos* «bruit».

Méd. *Pouls dicrote,* marqué par deux impulsions pour chaque battement.

DÉR. Dicrotisme.

DICROTISME [dikʀɔtism] n. m. — 1892; de *dicrote*.

Méd. Caractère d'un pouls dicrote.

DICTAME [diktam] n. m. — 1548; *ditan*, XIIe; *dictam*, au moyen âge et jusqu'au XVIe; lat. *dictamnus*, grec *diktamnon*.

♦ **1 Bot. [a]** Plante aromatique, variété d'origan* *(Labiées). Le dictame était considéré autrefois comme un puissant vulnéraire.*
[b] Fraxinelle (employée dans la fabrication du baume de Fioravanti). Syn. : *dictamne.*

♦ **2** (1629). **Fig., littér.** Adoucissement. → **Baume.**

1 La parole de la femme, c'est le dictame universel, la vertu pacificatrice, qui partout adoucit, guérit.
MICHELET, la Femme, p. 381.

2 Tous les dictames saints qui calment la souffrance (...)
HUGO, les Contemplations, V, XXI.

3 Sa lettre lui fut donc un dictame, un électuaire, un rafraîchissement céleste (...)
Léon BLOY, le Désespéré, p. 51.

Pour l'en faire sortir, il ne fallut rien moins que l'eau glacée 4 d'une bouteille que le reporter alla chercher dans la caisse et surtout que cet imprévu dictame glissé dans l'oreille : «Elle n'est peut-être pas morte ! ...»
G. LEROUX, Rouletabille chez Krupp, p. 221.

Il y a dans cette gesticulation animée, dans ce déroulement 5 discontinu de figures, une sorte d'appel direct et physique; quelque chose de convaincant comme un dictame, et que la mémoire n'oubliera pas.
A. ARTAUD, le Théâtre et son double, p. 214,
Idées/Gallimard.

DICTAMEN [diktamɛn] n. m. — V. 1282 (1444, manuscrit); du lat. scolast. *dictamen*, de *dictare* «suggérer».

Didact. et rare. Ce qui est dicté par la raison, la conscience. *Le dictamen de la conscience*.

Dans toutes les questions de morale difficiles comme celle-ci, je me suis toujours bien trouvé de les résoudre par le dictamen de ma conscience, plutôt que par les lumières de ma raison. ROUSSEAU, Rêveries..., 4e promenade.

Deux charretiers à l'abreuvoir. 2
Parvenus au cul-de-sac du tarissement, où l'esprit excédé se dérobe pour réussir l'artifice de dictamen, leur séparation se produit sous le signe reliquat de l'abrégé poétique.
René CHAR, le Marteau sans maître, p. 136.

DICTAMNE [diktamn] n. m. — 1845, Bescherelle; du lat. *dictamnus*; → Dictame.

Bot. Fraxinelle* *(Rutacées). Les feuilles du dictamne sont semblables à celles du frêne; les fleurs sont blanches ou roses, à odeur de citron. Le dictamne est cultivé comme ornemental.* **Var.** : *dictame.*

DICTAPHONE [diktafɔn] n. m. — V. 1930 (le *Larousse du XXe siècle*, 1929, ne comporte pas cette entrée; le T. L. F. qui donne cette référence cite un autre texte de 1931); répandu vers 1940; de *dicter*, et suff. *-phone*; marque déposée.

Magnétophone, servant à la dictée du courrier.

(Il) collectionnait les vieux rouleaux du dictaphone (...) Et 1 c'est ainsi que mon avoué m'a fait entendre le vieux M. Michelin (des pneus) dictant son courrier ou le vieux M. Duval (des bouillons) ses menus (...)
B. CENDRARS, Bourlinguer, p. 393.

Au printemps avant-dernier, je me suis offert un dicta- 2 phone (...) Devant cette caisse enregistreuse, il ne me vient à l'esprit que des niaiseries (...) Ce que je souhaiterais confier au dictaphone, ce sont des dialogues.
GIDE, Ainsi soit-il, Pl., p. 1218.

DICTATEUR, TRICE [diktatœʀ, tʀis] n. — Av. 1380; *dictator*, 1213; du lat. *dictator*, du supin de *dictare*. → Dicter.

♦ **1 N. m. Didact. Antiq. rom.** Magistrat* extraordinaire que l'on nommait dans les circonstances critiques, avec un pouvoir illimité, pour six mois (en principe). → Avancer, cit. 41. *Le maître de cavalerie, lieutenant du dictateur. Les dictateurs des guerres civiles* : les généraux qui, aux derniers temps de la République, se firent conférer ce titre après avoir pris le pouvoir et en exercèrent despotiquement les prérogatives. *César, dictateur à vie.*

Quand les dieux ont souffert que le soit impunément 1 fait dictateur dans Rome, ils y ont proscrit la liberté pour jamais.
MONTESQUIEU, Dialogue de Sylla et d'Eucrate.

Le dictateur (...) n'était pas choisi au hasard ni désigné par 2 le suffrage, mais investi par les Consuls qu'il devait remplacer. Le Sénat cependant pouvait présenter un candidat et l'usage de ce droit passa bientôt à l'état de coutume. L'autorité du dictateur provisoire était absolue; il jouissait dans leur plénitude de tous les pouvoirs, législatif, militaire, administratif, exécutif, avec une seule restriction, de nature financière : l'argent dont il avait besoin devait être demandé au Sénat.
J. BAINVILLE, les Dictateurs, p. 38.

3   Dictateur, César commande à toutes les légions et à tous
    les magistrats et promagistrats qui n'agissent plus que
    sous ses auspices et comme ses délégués. Il commande
    aux tribuns de la plèbe, affranchi de leur *intercessio*, par-
    ticipant à leur inviolabilité, comme à leurs initiatives, et
    les forçant à se lever sur son passage (...) Il commande
    aux sénateurs (...)
                    J. CARCOPINO, César, *in* GLOTZ, Hist. générale, III,
                                                  t. II, II, p. 1041.

♦ **2** (1790). Cour. Personne qui, après s'être emparée
du pouvoir, l'exerce sans contrôle. → **Autocrate, des-**
pote, tyran. *Dictateur fasciste.* → **Duce, führer.** *Dic-*
tateur militaire. Un apprenti dictateur.

4   En vérité, ce doit être une jouissance extraordinaire
    (comme c'est pour l'observateur un spectacle prodigieu-
    sement captivant), que de joindre la puissance avec la
    pensée, de faire exécuter par un peuple ce que l'on a
    conçu à l'écart ; et parfois de modifier à soi seul, et pour
    une longue durée, le caractère d'une nation — comme
    le fit jadis le plus profond des dictateurs — CROMWELL,
    monstre et merveille aux yeux de Pascal et de Bossuet,
    qui transforma l'âme énergique de l'Angleterre.
    Le dictateur demeure enfin seul possesseur de la plénitude
    de l'action. Il absorbe toutes les valeurs dans la sienne,
    réduit aux siennes toutes les vues. Il fait des autres indi-
    vidus des instruments de sa pensée, qu'il entend qu'on
    croie la plus juste et la plus perspicace, puisqu'elle s'est
    montrée la plus audacieuse et la plus heureuse dans le
    moment du trouble et de l'égarement public. Il a bousculé
    le régime impuissant ou décomposé, chassé les hommes
    indignes ou incapables ; avec eux les lois ou les coutumes
    qui produisaient l'incohérence, les lenteurs, les problèmes
    inutiles, énervaient les ressorts de l'État. Parmi ces choses
    dissipées, la liberté.
                    VALÉRY, Regards sur le monde actuel, p. 91-92.

    Rare au fém. :

4.1 Il fit part à l'Académie, avec preuves à l'appui, de quelques
    découvertes aussi intéressantes qu'inattendues, à savoir
    que Jeanne d'Arc était un jeune homme (...) que Louise
    Michel, qui fut dictatrice pendant six semaines en 1889
    et rêva de se faire reine de France, fut transportée en
    Nouvelle-Calédonie (...)
                    A. ROBIDA, le Vingtième Siècle, p. 206.

♦ **3** (1599, Marnix, alors fig. du 1. ; senti aujourd'hui comme
fig. du 2.). Fig. *Faire le dictateur, la dictatrice.* → **Des-**
pote, tyran. *Ton, allure de dictateur.* → **Impérieux,**
souverain. — Fig. *Être dictateur dans sa famille, dans*
son milieu, y commander sans appel.

5   (...) M. de Meaux, le dictateur alors de l'épiscopat et de la
    doctrine (...)
                    SAINT-SIMON, Mémoires, t. I, XVII, p. 260.

6   Il se lavait toujours les mains et passait la cuvette de Ponce
    Pilate à la dictatrice.
                    Hervé BAZIN, Vipère au poing, p. 70.

Spécialt. *Le dictateur, la dictatrice de la mode :* la
personne qui «dicte» la mode.

DÉR. Dictatorial.

DICTATORIAL, IALE, IAUX [diktatↄrjal, jo] adj.
— 1777 ; de *dictateur*, d'après *sénatorial*.

♦ **1** Didact. Qui appartient à un dictateur (1.)
antique.

♦ **2** Relatif à un dictateur (2.) ou à la dictature. *Des*
pouvoirs dictatoriaux.

Quoi qu'il en soit, l'état dictatorial installé se résume en
une division simple de l'organisation d'un peuple : un
homme, d'une part, assume toutes les fonctions supérieures de l'esprit : il se charge du «bonheur», de l'«ordre»,
de l'«avenir», de la «puissance», du «prestige» du corps
national ; toutes choses en vue desquelles l'unité, l'autorité,
la continuité du pouvoir sont, sans doute, nécessaires. Il
se réserve d'agir directement dans tous les domaines, et
de décider souverainement en toute matière. D'autre part,
le reste des individus seront réduits à la condition d'instruments ou de matière de cette action, quelle que soit
leur valeur et leur compétence personnelle. Ce matériel
humain, convenablement différencié, sera chargé de l'ensemble des «automatismes»
                    VALÉRY, Regards sur le monde actuel, p. 93.

♦ **3** Fig. Autocratique, absolu. *Autorité dictatoriale*
d'un directeur. Un ton dictatorial. → **Impérieux, tran-**
chant.

DÉR. Dictatorialement.

DICTATORIALEMENT   [diktatↄrjalmã]   adv.
— 1869 ; de *dictatorial.*

À la manière d'un dictateur. *Une loi «que* (le pouvoir) *a seul dictatorialement rédigée»* (Gambetta).
— (Surtout au fig.). *Diriger dictatorialement une entre-*
prise.

DICTATURE [diktatyʀ] n. f. — V. 1290 ; du lat. *dicta-*
tura, de *dictator* (→ Dictateur) ; var. *dictaure,* mil. XIVᵉ.

♦ **1** Didact. Hist. Dans l'antiquité romaine, Magistrature* extraordinaire, la plus élevée de toutes.
Exercer la dictature. Sénatus-consulte conférant la
dictature. S'emparer par force de la dictature. Les
proscriptions* sous les dictatures de Marius, de
Sylla. La dictature perpétuelle de César. Élever qqn
à la dictature.

Au contraire de la tyrannie grecque qui fut toujours extra-   1
légale et ne s'exerça que contre une catégorie de citoyens, la
dictature romaine était prévue par la loi au nom du salut
public. Elle était proclamée lorsqu'un grave péril, invasion, guerre civile ou sédition militaire, mettait en danger
la «chose publique». D'une durée limitée à six mois, elle ne
visait qu'à permettre au pouvoir de prendre les mesures
nécessaires au salut public, sans souci de ceux qu'elle pouvait gêner. D'où la fameuse devise : «Que le salut public
soit la loi suprême.»
                    J. BAINVILLE, les Dictateurs, p. 37.

En 49, il *(César)* avait tout de suite renoncé à la dictature   2
strictement légale qui lui avait été décernée. En 47, en
revanche, il se garda bien de se démettre de la dictature
anormale qui lui avait été déférée à la fin de 48 pour
l'année 47 tout entière, et satisfait d'avoir transgressé la
constitution, il jugea prématuré de la renverser (...)
                    J. CARCOPINO, César, *in* GLOTZ, Hist. générale, III,
                                                  t. II, II, p. 1038.

♦ **2** (1789). Cour. Concentration de tous les pouvoirs
entre les mains d'un individu, d'une assemblée,
d'un parti ; organisation politique caractérisée par
cette concentration de pouvoirs. → **Absolutisme,**
totalitarisme. *La dictature de Cromwell, de la Con-*
vention. Caractère d'une dictature militaire. → **Capo-**
ralisme, césarisme. *Monarchie à caractère de dicta-*
ture. → **Autocratie.**

Les Jacobins avaient eu plus d'un an de dictature illimitée :   3
non seulement toutes les places, mais l'absolue disposition
du capital de la France.
                    MICHELET, Hist. du XIXᵉ siècle,
                              Extraits historiques, p. 336.

Les dictatures du XXᵉ siècle. → **Fascisme, nazisme.**
Dictature fasciste. Une dictature militaire issue d'un
putsch.

Nous avons vu, en quelques années, sept monarchies (je   4
crois) disparaître ; un nombre presque égal de dictatures
s'instituer (...) Il est remarquable que la dictature soit à
présent contagieuse, comme le fut jadis la liberté.
                    VALÉRY, Regards sur le monde actuel, p. 94.

Dictature du prolétariat* : prise et exercice du pouvoir total par les représentants, organisés en parti,
de la classe prolétarienne. *La doctrine de la dicta-*
ture du prolétariat est abandonnée par plusieurs
partis communistes.

(Selon le marxisme-léninisme) La dictature du prolétariat   5
est nécessaire : 1° pour opprimer ou supprimer ce qui reste
de la classe bourgeoise ; 2° pour réaliser la socialisation des
moyens de production. Ces deux tâches accomplies, elle
commence aussitôt à dépérir.
                    CAMUS, l'Homme révolté, p. 283.

♦ **3** (Av. 1654). Fig. Pouvoir absolu (dans un domaine
non politique). *Dictature littéraire.* → **Tyrannie ; autoritarisme.** *La*
dictature dans sa famille. → **Tyrannie ; autoritarisme.** *La*
dictature d'une coterie, d'une féodalité, des trusts.

6 Toute la philosophie de cette dictature industrielle et commerciale aboutit à ce dessein impie : imposer à l'humanité
des besoins, des appétits.
G. DUHAMEL, Scènes de la vie future, XV, p. 230.

CONTR. Anarchie, démocratie, libéralisme.

DICTÉE [dikte] n. f. — 1680; p. p. du v. *dicter*, substantivé au fém.

◆ **1** Action de dicter. *La dictée du courrier. — Sous
la dictée. Écrire, prendre qqch. sous la dictée de qqn.
Sténographier sous la dictée.*

1 Je passais avec lui une bonne partie de la matinée (...)
pour écrire sous sa dictée et pour copier (...)
ROUSSEAU, les Confessions, III.

Fig. Littér. *La dictée de la raison, de la passion. —* Plus
cour. *Agir, parler sous la dictée des circonstances,
des événements.*

2 Leurs leçons de bonté et de moralité *(de ces maîtres du
séminaire),* qui me semblaient la dictée même du cœur
et de la vertu, étaient pour moi inséparables du dogme
qu'ils enseignaient.
RENAN, Souvenirs d'enfance..., III, I, p. 107.

3 Ainsi Pausole connaissait l'art d'échapper à tous les regrets
en changeant la définition du bonheur sous la dictée des
circonstances.
Pierre LOUŸS, les Aventures du roi Pausole, II, II.

◆ **2 Spécialt. Cour.** Exercice (notamment scolaire)
consistant en un texte lu par le maître qui doit
être transcrit par les élèves avec l'orthographe correcte. **— Par ext.** Le texte lui-même, sa transcription.
*Dictée d'écolier. Faire faire une dictée à la classe.
Relire, corriger, recopier la dictée. Avoir trois fautes
dans sa dictée. La dictée de Mérimée à la cour de
Napoléon III* (dictée extrêmement difficile, réunissant des exceptions, des cas litigieux, etc.). *Exercice
analogue à la dictée, consistant à écrire un texte
mémorisé* (appelé *autodictée*).

4 (...) tandis que M. Seurel *(l'instituteur),* tournant le dos,
continuait la dictée en marchant du bureau à la fenêtre (...)
ALAIN-FOURNIER, le Grand Meaulnes, II, III, p. 128.

5 Quand le rideau se lève, M. Topaze fait faire une dictée à
un élève (...) Topaze dicte et, de temps à autre, il se penche
sur l'épaule du petit garçon, pour lire ce qu'il écrit.
PAGNOL, Topaze, I, 1.

Dictée musicale : exercice consistant à noter des
phrases musicales au fur et à mesure qu'on les
entend.

DICTER [dikte] v. tr. — 1483, au p. p.; *ditier,* v. 1200;
du lat. *dictare,* fréquentatif de *dicere* «dire».

◆ **1** Dire (qqch.) à haute voix en détachant les mots
ou les membres de phrases (à qqn), pour qu'il les
écrive au fur et à mesure. *Dicter qqch.
à haute et intelligible voix. Dicter aux élèves le sujet
d'une dissertation, le texte d'un exercice, l'énoncé
d'un problème. Dicter une lettre à son secrétaire,
son testament, ses dernières volontés au notaire.
Dicter ses instructions. — Système permettant de
noter rapidement ce qui est dicté.* → **Sténographie,
sténotypie.**

1 (...) tantôt je rêve, tantôt j'enregistre et dicte, en me promenant, mes songes que voici.
MONTAIGNE, Essais, III, III, p. 44.

2 L'enfant (...) se mit à réciter sa prière, d'abord avec attention et ferveur, car il savait très bien le commencement;
puis avec plus de lenteur et d'hésitation, et enfin répétant
mot à mot ce que lui dictait la petite Marie (...)
G. SAND, la Mare au diable, IX, p. 78.

3 Encore le Consul prenait-il l'habitude de dicter lui-même,
mot pour mot, à son ministre les dépêches importantes, à
ce titre que certaines lettres signées de Talleyrand seront,
en toute justice, insérées au recueil de la *Correspondance
de Napoléon.*
Louis MADELIN, Talleyrand, II, XII, p. 132.

(...) il *(Napoléon)* avait dicté, dans sa salle de bains même, 4
les trente lettres et dépêches où tenait tout le projet de
l'opération dans ses moindres détails.
Louis MADELIN, Hist. du Consulat et de l'Empire,
Avènement de l'Empire, I, p. 9.

Que ferait M. Achille s'il se savait condamné à mourir 5
demain ? Sans doute il dicterait son courrier et préparerait
son échéance (...)
A. MAUROIS, Bernard Quesnay, I, p. 7.

◆ **2** (1580). Indiquer en secret, à l'avance, à qqn (ce
qu'il doit dire ou faire). *Dicter à qqn la conduite
qu'il doit tenir. Son attitude, ses réponses ont été
dictées.* → **Suggérer**; → On lui a fait la leçon*.

César ne me voit plus, Albine, sans témoins. 6
En public, à mon heure, on me donne audience.
Sa réponse est dictée, et même son silence.
RACINE, Britannicus, I, 1.

(Sujet n. de chose abstraite). → **Inspirer, provoquer.**
L'attitude (cit. 22) *de nos adversaires dictera la
nôtre.* → **Commander, conditionner, décider** (de),
régler. — Passif. *Son acte, ses gestes (lui) ont été
dictés par les circonstances, par un sentiment.*

7 — (...) mais quel discours faut-il que je lui tienne ?
— Ah! daignez sur ce choix ne me point consulter.
L'occasion, le ciel pourra vous le dicter.
RACINE, Bajazet, II, 5.

C'était une rupture, mais dans des termes tels que la plus 8
infernale haine les peut dicter (...)
ROUSSEAU, les Confessions, IX.

Quel chagrin t'a dicté cette parole amère (...) 9
A. DE MUSSET, Poésies nouvelles, «Souvenir».

(...) ses mouvements me semblent dictés un peu plus peut- 10
être par son intelligence que par son cœur (...)
GIDE, Journal, 3 oct. 1916.

(Pasteur) méprisait certainement moins ceux que l'étour- 11
derie dressait contre lui que ceux qui, informés de la
vérité, manquaient du courage et de la loyauté qui eussent dû dicter leur intervention.
Henri MONDOR, Pasteur, IX, p. 155.

◆ **3** Stipuler et imposer. *Dicter la loi.* → **Faire.** *Dicter
la paix,* en décider les conditions sans admettre
l'adversaire à les discuter. *Dicter ses conditions.
Couturier qui dicte la mode. Dicter les détails d'une
toilette, l'ordre d'une cérémonie.* → **Ordonner, prescrire, régler.**

Vous-même avez dicté tout ce triste appareil. 12
RACINE, Esther, III, 1.

C'est de là *(Milan)* qu'en proconsul il dicterait des lois au 13
milieu des fêtes et des réceptions, donnant des constitutions aux républiques, jetant bas des États et en créant
d'autres, et, d'un geste, raffermissant sur leur trône ou
faisant trembler les princes et les rois.
Louis MADELIN, Hist. du Consulat et de l'Empire,
l'Ascension de Bonaparte, IX, p. 132.

(...) des plénipotentiaires qui (...) *imposeraient* des 14
volontés, *dicteraient* les clauses.
Louis MADELIN, Talleyrand, III, XXVI, p. 264.

Heureusement, les mannequins des devantures vous 15
disent ce qu'il faut faire. Quels vêtements choisir. Comment les porter. Et comment l'on se tient. Ils dictent
l'étoffe, le sourire, l'ondulation des cheveux, le geste du
bras, l'inclinaison de la tête.
J. ROMAINS, les Hommes de bonne volonté, t. III,
XXIII, p. 303.

◆ **DICTÉ, ÉE** p. p. adj. *Sujet dicté ou remis par écrit.
Instructions dictées. — Conduite dictée et imposée.*
→ ci-dessus, cit. 6. *Attitude dictée par les circonstances. — Conditions dictées* (→ Diktat).

CONTR. Exécuter, obéir (à), **suivre. ◊ DÉR. Dictée, dicteur.**

DICTEUR [diktœʀ] n. m. — 1899; de *dicter.*
Rare. Personne qui dicte (3.), qui impose. — **REM.** Le
fém. *dicteuse* n'est pas attesté.

De cette terre d'Île-de-France qui était aussi humaine que
n'importe quelle autre, tu as fait sortir tes palais barbares,

dicteurs de lois, rois des arts, silos à phosphore où dort, inutile, la cristallisation des intelligences mortes.
J. GIONO, les Vraies Richesses, p. 196.

DICTION [diksjɔ̃] n. f. — V. 1180; du lat. *dictio*, de *dictum*, supin de *dicere*.

♦ **1** Vx. Manière de dire, quant au choix et à l'agencement des mots. Les mots eux-mêmes. → **Vocable.**

1 Les synonymes sont plusieurs dictions ou plusieurs phrases différentes qui signifient une même chose.
LA BRUYÈRE, les Caractères, I, 55.

2 (...) une diction naïve, franche, populaire et riche, comme celle de La Fontaine.
P.-L. COURIER, Fragments d'une traduction nouvelle d'Hérodote, *in* Œ. compl., Pl., p. 496.

♦ **2** (1549). Mod. Manière de dire, de réciter (un texte). → **Débit, élocution.** *La diction d'un texte. Bonne, mauvaise diction (d'un texte).* — Absolt. *L'art de la diction. Professeur de diction. Prendre des leçons de diction.* — *La diction (de qqn). La diction d'un acteur tragique.* → **Déclamation.** *La diction d'un orateur. Une diction nette, claire, intelligible, intelligente; une diction monotone, inintelligible, emphatique. La diction claire de qqn. C'est un bon chanteur, mais sa diction en allemand est défectueuse.*

3 Quant à la diction, mère de la Poésie, j'observe que le français, bien parlé, ne chante presque pas. Notre discours est de registre peu étendu (...)
VALÉRY, Regards sur le monde actuel, p. 278.

4 Il avait une diction très nette et chantante, d'une modulation très diverse, avec des finesses, des éclats, des détachements et accentuations de syllabes, une façon de parler constamment comme pour un public qu'il faudrait atteindre jusque dans les recoins d'une salle et tenir hors de somnolence (...)
J. ROMAINS, les Hommes de bonne volonté, t. II, XV, p. 165.

DICTIONNAIRE [diksjɔnɛʀ] n. m. — V. 1501, «dictionnaire bilingue»; on disait *thésaurus* pour les dictionnaires en une seule langue; lat. médiéval *dictionarium*, de *dictio* «action de dire; mot, expression».

♦ **1** Ouvrage didactique contenant un certain nombre d'éléments signifiants d'une ou de plusieurs langues, disposés selon un ordre convenu et donnant des informations sur eux. → fam. **Dico.** *Du dictionnaire.* → **Lexicographique.** *Dictionnaires à ordre formel (alphabétiques; par clés : dictionnaires à ordre sémantique* (ex. : *dictionnaire conceptuel,* mots rangés par idées qu'ils expriment). *Chercher un mot dans un dictionnaire. Consulter un dictionnaire. Liste des mots d'un dictionnaire.* → **Nomenclature.** *Organisation structurale d'un dictionnaire* (→ **Macrostructure, microstructure**). *Dictionnaire ne donnant que certains mots* (→ **Lexique, vocabulaire**), *donnant des mots difficiles ou peu connus* (→ **Glossaire**). *Entrées, adresses, mots-vedettes, articles d'un dictionnaire. Lettres placées en haut de chaque colonne dans un dictionnaire alphabétique.* → **Lettrine.** *Dictionnaire illustré. Dictionnaire de poche. Gros dictionnaire en plusieurs volumes.*

1 Lisez-vous les dictionnaires? Baudelaire répondit qu'il en lisait volontiers. Bien lui en prit, car Gautier, qui avait dévoré les vocabulaires sans nombre des arts et des métiers, estimait indigne de vivre tout poète ou prosateur qui ne prend pas plaisir à lire les lexiques et les glossaires. Il aimait les mots et il en savait beaucoup.
FRANCE, la Vie littéraire, Lexique, p. 583.

2 À bien prendre les choses, le dictionnaire est le livre par excellence. Tous les autres livres sont dedans : il ne s'agit plus que de les en tirer. Aussi, quelle fut la première occupation d'Adam quand il sortit des mains de Dieu? La Genèse nous dit qu'il nomma d'abord les animaux par leur nom. Avant tout, il fit un dictionnaire d'histoire naturelle.
FRANCE, la Vie littéraire, Lexique, p. 583.

(...) mais lui, l'étudiant, ne l'écoutant pas, pouvant voir ou plutôt pouvant lire, lui semblait-il, comme s'il l'avait sous les yeux (le lourd dictionnaire à couverture verte ouvert sur ses genoux), les colonnes de minuscules caractères entrecoupées de figurines (poissons, planches de botanique, machines, portraits de grands hommes, serpents, couples de paysans en costumes nationaux), l'interchangeable notice : «Ville maritime de la province du même nom. Tout autour un cirque de montagnes arides entoure la cité où la chaleur est très forte».
Claude SIMON, le Palace, p. 72.

Dictionnaires de langue. Dictionnaire de la langue, décrivant le lexique d'une langue naturelle et analysant les emplois, les valeurs, les sens des unités (mots, syntagmes, morphèmes). *Technique de la confection des dictionnaires.* → **Lexicographie.** *Analyse critique des dictionnaires. Indications, illustrations diverses des mots dans certains dictionnaires* (étymologie, citations, antonymes, etc.). *L'Onomasticon,* de Julius Pollux, *le plus ancien dictionnaire connu* (IIᵉ *siècle après J.-C.), donne les principaux mots grecs par ordre de matière. Dictionnaires du français : «Thresor» de Nicot* (→ **Trésor**), *premier dictionnaire de l'Académie** (1694), dictionnaires de Richelet (1680), de Furetière (1690), dictionnaires des jésuites de Trévoux (1704, puis 1771); dictionnaire de Littré (1863-1872), de P. Larousse (1866-1876). Dictionnaire général de Hatzfeld, Darmesteter et Thomas (1890-1900). Dictionnaire de l'ancienne langue française de Godefroy. Le dictionnaire anglais d'Oxford (New English dictionary on historical principles); le dictionnaire allemand de Grimm.*

3 On réduisait le dictionnaire *(de l'Académie)* aux termes de la conversation, et la plupart des arts étaient négligés. Il me semble aussi qu'on s'était fait une loi de ne point citer; mais un dictionnaire sans citation est un squelette.
VOLTAIRE, Correspondance, 1768, 11 août 1760.

4 J'aurais voulu rapporter l'étymologie naturelle et incontestable de chaque mot, comparer l'emploi, les diverses significations, l'énergie de ce mot avec l'emploi, les acceptions diverses, la force ou la faiblesse du terme qui répond à ce mot dans les langues étrangères; enfin citer les meilleurs auteurs qui ont fait usage de ce mot, faire voir le plus ou moins d'étendue qu'ils lui ont donné, remarquer s'il est plus propre à la poésie qu'à la prose.
VOLTAIRE, Extrait des réflexions d'un académicien sur le Dict. de l'Académie.

5 Dans le dictionnaire de l'Académie, on ne trouve pas ce qu'on ne sait point; mais on n'y trouve pas ce qu'on sait.
RIVAROL, Littérature,
Fragments et pensées littéraires, notes.

6 (...) je dirai, définissant ce dictionnaire *(le dictionnaire de la langue française de Littré),* qu'il embrasse et combine l'usage présent de la langue et son usage passé, afin de donner à l'usage présent toute la plénitude et la sûreté qu'il comporte (...)
L'usage contemporain est le premier et principal objet d'un dictionnaire. C'est en effet pour apprendre comment aujourd'hui l'on parle et l'on écrit, qu'un dictionnaire est consulté par chacun.
LITTRÉ, Dict., Préface, II et III.

7 L'honneur d'avoir introduit *l'historique* dans un dictionnaire français restera toujours à Littré, comme l'honneur d'avoir fondu cet historique avec le lexique moderne restera aux auteurs du *Dictionnaire général* (Hatzfeld et Darmesteter).
Gaston PARIS, Journal des Savants, oct.-nov. 1890.

8 L'Académie est restée fidèle à son principe qui est de faire, non pas un dictionnaire étymologique et historique de la langue, mais un dictionnaire de l'usage (...) L'objet précis du Dictionnaire *(de l'Académie)* est de présenter l'état actuel de la meilleure langue française et de fixer un moment de son histoire.
Dict. de l'Acad. (1932), Préface, IV.

9 1694. — Dictionnaire de l'Académie française (...) Les mots y sont classés par famille (...) En 1718, paraîtra une nouvelle édition (...) en ordre alphabétique.
F. BRUNOT et Ch. BRUNEAU, Précis de grammaire hist. de la langue franç., p. 23.

10   (...) fondement de tout savoir à venir, pierre d'angle de tous les monuments futurs, le dictionnaire de Littré.

> G. DUHAMEL, Biographie de mes fantômes, VIII, p. 145.

11   Le plus beau présent que l'on puisse faire à un enfant quand il sait lire, c'est de lui offrir un dictionnaire. Si vous voulez devenir des hommes raisonnables, ouvrez cent fois dans la journée les dictionnaires qui sont à votre disposition, et faites un effort en tenant compte du sens, des emplois. *Dictionnaire français-latin de Robert ce que l'on vous dit ou ce que vous lisez, mais encore et surtout pour bien comprendre ce que vous dites vous-mêmes, pour bien employer les mots qui doivent traduire votre pensée.

> G. DUHAMEL, le Voyage de l'espérance, p. 10.

Dictionnaire encyclopédique, contenant des renseignements sur les notions et les choses (et non sur la langue), et traitant les noms propres. → **Encyclopédie** (alphabétique). *Dictionnaire terminologique* (unilingue ; plurilingue).

Dictionnaire en plusieurs langues. Dictionnaire bilingue, qui donne la traduction d'un mot d'une langue dans une autre en tenant compte du sens, des emplois. *Dictionnaire français-latin de Robert Estienne* (1538). *Dictionnaire français-anglais, anglais-français. Dictionnaire chinois-japonais, russe-allemand, arabe-anglais. Faire un thème, une version à l'aide d'un dictionnaire. Traduire un texte à coups de dictionnaire. Épreuve de langues passée sans dictionnaire.* — *Dictionnaire multilingue, polyglotte. Les dictionnaires multilingues de Calepino* (→ **Calepin**, étym.).

Dictionnaires spéciaux, spécialisés. — (Aspects de la langue commune). *Dictionnaire de synonymes, d'antonymes ; dictionnaire analogique. Dictionnaire étymologique, orthographique. Dictionnaire de locutions, de proverbes. Dictionnaire des rimes. Dictionnaire inverse.*

12   L'objet principal du nouveau dictionnaire est de (...) fournir, pour la première fois, un moyen commode de trouver les mots quand on a seulement l'idée des choses.

> BOISSIÈRE, Dictionnaire analogique de la langue franç., Préface, II.

(Langues spéciales). *Dictionnaire de la philosophie, de la médecine, du droit, de la marine, de la radio.* → **Vocabulaire.** *Le Dictionnaire de musique,* de J.-J. Rousseau. *Dictionnaire des conventions, des signaux.* → **Code, répertoire.** — *Dictionnaire d'un auteur.* → **Lexique.** *Dictionnaire des mots employés dans la Bible.* → **Concordance.** — (Recueils de noms propres, de faits). *Dictionnaire historique, géographique. Le dictionnaire critique de Bayle. Le dictionnaire philosophique de Voltaire. Dictionnaire des auteurs, des œuvres.* — *Le Dictionnaire des idées reçues* (suivi du «Catalogue des idées chic») de Flaubert.

13   Qui ne se voit humilié, parcourant le *Dictionnaire des idées reçues* ou tout autre recueil de clichés, d'y retrouver telle «pensée» (et le mot déjà en dit long) qu'il croyait avoir inventée ; telle phrase qu'il disait jusque-là fort innocemment ?   J. PAULHAN, les Fleurs de Tarbes, p. 93.

Dictionnaire électronique (édité sur CD-Rom ou sur DVD), comprenant des fonctions hypertextes destinées à faciliter la navigation et la recherche. — *Dictionnaire en ligne**.

Inform. Ensemble de fichiers qui, associés à un programme de traitement de texte, permettent la recherche de synonymes, la vérification de l'orthographe ou de la grammaire, l'aide à la traduction, etc. *Charger un dictionnaire de synonymes sur son ordinateur.* Loc. fam. *Passer le dictionnaire (sur un document),* lancer le vérificateur d'orthographe.

Par métaphore. Répertoire systématique.

(...) ce misérable dictionnaire de mélancolie et de   13.1 crime (...)

> BAUDELAIRE, Première version de la dédicace des Fleurs du mal, Œ., Pl., p. 187.

(...) les rues, les magasins, les bars, les cinémas, les trains   13.2 déplient l'immense dictionnaire des visages et des silhouettes, où chaque corps (chaque mot) ne veut dire que lui-même, et renvoie cependant à une classe.

> R. BARTHES, l'Empire des signes, p. 130.

♦ **2** Ensemble des mots employés (par qqn, par un groupe). *Le dictionnaire d'une personne, d'une époque.* → **Vocabulaire.**

Je crois qu'une des raisons pourquoi les paysans ont géné-   14 ralement l'esprit plus juste que les gens de la ville, est que leur dictionnaire est moins étendu. Ils ont peu d'idées, mais ils les comparent très bien.

> ROUSSEAU, Émile, I, p. 58.

Je mis un bonnet rouge au vieux dictionnaire.   15

> HUGO, les Contemplations, I, VII.

Je vois dans la Bible un prophète à qui Dieu ordonne de   16 manger un livre. J'ignore dans quel monde Victor Hugo a mangé préalablement le dictionnaire de la langue qu'il était appelé à parler ; mais je vois que le lexique français, en sortant de sa bouche, est devenu un monde, un univers coloré, mélodieux et mouvant.

> BAUDELAIRE, l'Art romantique, XXII, Victor Hugo, II.

♦ **3** (1762). Fig. (D'une personne qui sait tout). *C'est un vrai dictionnaire, un dictionnaire vivant !* → **Bibliothèque, encyclopédie.**

DÉR. Dictionnairique, dictionnariste.

DICTIONNAIRIQUE   [diksjɔneʀik] adj. — 1843, repris après 1960 (B. Quemada) à propos de l'élaboration éditoriale des dictionnaires, et alors distinct de *lexicographique ;* de *dictionnaire.*

Didact. Relatif au dictionnaire.

DICTIONNARISTE   [diksjɔnaʀist] n. — 1694, *Valesiana,* de *dictionnaire.*

Rare. Auteur de dictionnaire. → **Lexicographe.** — **REM.** Certains font revivre ce mot afin de distinguer le technicien qui rédige un dictionnaire du linguiste qui l'analyse (*lexicographe*) ; d'autres désignent ces deux notions par les mots *lexicographe* et *métalexicographe.*

Je place au premier rang des plus honorables ouvriers de la littérature les grammairiens, les lexicographes, les dictionnaristes.

> Charles NODIER, Examen critique des dictionnaires de la langue franç., 14.

On trouve aussi la variante *dictionnairiste.*

DICTON   [diktɔ̃] n. m. — 1541 ; «sentence juridique», 1488 ; var. *dictum,* XVIᵉ-XVIIᵉ ; du lat. *dictum* «sentence», p. p. neutre de *dicere.* → 1. Dire.

Phrase exprimant une pensée générale, une maxime sous une forme proverbiale. → **Adage, aphorisme, maxime.** *Dicton juridique.* → **Brocard** (vx). *Vieux dicton populaire.*

(...) il y a là dedans (*dans le Dialogue en musique*) de petits   1 dictons assez jolis.

> MOLIÈRE, le Bourgeois gentilhomme, I, 2.

De tous les jolis dictons, proverbes ou adages, dont nos   2 paysans de Provence passementent leurs discours, je n'en sais pas un plus pittoresque ni plus singulier que celui-ci (...) : «Cet homme-là ! méfiez-vous !... il est comme la mule du Pape, qui garde sept ans son coup de pied.»

> Alphonse DAUDET, Lettres de mon moulin, «La mule du pape».

DICTYOPTÈRES   [diktjɔptɛʀ] n. m. pl. — D. i. (xxᵉ) ; du grec *diktuon* «filet, réseau», et *-ptère.*

Zool. Ordre d'insectes comprenant les blattes* et les mantes. — Au sing. *Un dictyoptère.*

DICTYOSOME [diktjozom] n. m. — Av. 1961, *Larousse ; du grec diktuon «filet, réseau», et -some*.

Biol. Corpuscule appartenant au réseau de l'appareil de Golgi.

-DIDACTE Élément, du grec *didaskein* «enseigner» (ex. : *autodidacte*).

DIDACTICIEL [didaktisjɛl] n. m. — 1979, colloque «Informatique et Société» ; de *didactique*, et *logiciel*.

Inform. Logiciel à fonction pédagogique (utilisé dans l'enseignement assisté par ordinateur). *«Il faut favoriser les échanges de didacticiels en France (par la création d'une banque de didacticiels) et avec l'étranger (le Québec notamment)»* (*la Recherche*, n° 120, mars 1981, p. 384). *«Ces programmes éducatifs – les "didacticiels", comme disent les spécialistes – pour micro-ordinateurs (...)»* (*le Nouvel Obs.*, 2-8 déc. 1983, p. 96).

DIDACTICIEN, IENNE [didaktisjɛ̃, jɛn] n. — 1870, *in* P. Larousse, «enseignant» ; de *didactique*.

♦ **1** Spécialiste de la didactique.

♦ **2** (XXᵉ). **Psychan.** Psychanalyste spécialisé dans les analyses didactiques.

(...) l'analyste (...) a toujours subi une analyse didactique. Cette profession d'éboueur d'âmes impose qu'on soit d'abord entré dans son propre inconscient (...) Pratiquée auprès d'un didacticien, habilité par l'Institut de psychanalyse a former des discours professionnels, cette analyse, qui dure de trois à sept ans, n'est jamais considérée comme définitivement achevée.
Planète, n° 4, févr. 1969, Psychanalyste : un homme face à lui-même, p. 75.

DIDACTIQUE [didaktik] adj. et n. — 1554 ; grec *didaktikos, de didaskein* «enseigner».

♦ **1 Adj.** et n. m. Qui vise à instruire, qui a rapport à l'enseignement. *Traité, ouvrage didactique* (→ Appétence, cit. 1). *Les ouvrages de référence, les manuels*, etc. *sont didactiques. Procédé didactique. Volonté, souci didactique* (→ **Pédagogique**). — *Le discours didactique* : type de discours qui transmet des structures de connaissance (opposé au *discours scientifique*, qui les *élabore*) d'une manière neutre (opposé par ex. à *discours polémique*).

Hist. *Le genre didactique* : genre littéraire où l'auteur s'efforce d'instruire sous une forme agréable et poétique. *Poème didactique*.

1 Loin ces rimeurs craintifs dont l'esprit flegmatique
  Garde dans ses fureurs un ordre didactique (...)
  BOILEAU, l'Art poétique, II.

2 (...) le style didactique, c'est-à-dire le style propre et particulier aux sciences, est par sa nature le plus simple et le plus humble de tous, n'ayant jamais d'autre but que d'offrir à l'esprit un sens clair, ni de mérite plus grand que de n'être point remarqué.
  P.-L. COURIER, Éloge de Buffon, *in* Œ. compl., Pl., p. 565.

3 Ce serait plutôt, aujourd'hui, une sorte d'exposé idéologique présenté sous la forme habituelle, dont l'efficacité didactique sur les militants de toutes origines a été reconnue.
  A. ROBBE-GRILLET, Projet pour une révolution à New-York, p. 37.

N. m. (Vieilli). *Le didactique* : le genre didactique.

♦ **2 Adj. Mod. [a]** Qui appartient à la langue des sciences et des techniques. *Terme didactique, inusité dans la langue courante* (abrév. : didact., dans cet ouvrage). *Avoir une façon didactique de s'exprimer*.

[b] Psychan. *Analyse didactique, psychanalyse didactique* : analyse d'une personne qui se destine à être psychanalyste. *Psychanalyste qui fait des analyses didactiques*. → **Didacticien**, 2. — N. f. *Une didactique*.

Seul l'intouché du seuil maintenu à habiliter le psychanalyste à faire des didactiques (où le recours à l'ancienneté est dérisoire), nous rappelle que c'est le sujet en question dans la psychanalyse didactique qui fait problème et y reste sujet intact. 4
  J. LACAN, Écrits, p. 231.

♦ **3 N. f.** Théorie et méthode de l'enseignement. → **Pédagogie**. *Spécialiste de didactique des langues*.

DÉR. Didactitien, didactiquement, didactisme. ◊ **COMP.** Didacticiel.

DIDACTIQUEMENT [didaktikmɑ̃] adv. — 1754 ; de *didactique*.

Didact. D'une manière didactique.

DIDACTISME [didaktism] n. m. — V. 1860, Baudelaire ; Boiste, «genre didactique», 1823 ; de *didactique*.

Didact. (souvent péj.). Caractère didactique. *Le didactisme de ses œuvres*.

Ah ! Pourquoi suis-je né dans un siècle de prose ! Catalogue 1 de produits. Carte de restaurant. Magister. Didactisme en poésie et en peinture.
  BAUDELAIRE, Curiosités esthétiques, Notes, III, Pl., p. 926.

Ce providentialisme va paraître non seulement artificiel et 2 forcé, mais pesant ; il ne peut pas se passer d'un affreux didactisme.
  R. ABELLIO, Ma dernière mémoire, p. 25.

DIDACTYLE [didaktil] adj. — 1775 ; de *di-*, et *dactyle*.

Zool. Qui a deux doigts (à chaque membre). — Qui se termine par deux appendices.

DIDASCALE [didaskal] n. m. — Mil. XVIIIᵉ, Fleury ; du grec *didaskalos* «maître», de *didaskein* «enseigner». → **Didactique**.

Hist. relig. Docteur de l'Église chargé d'éduquer les catéchumènes.

DIDASCALIE [didaskali] n. f. — 1771 ; du grec *didaskalia* «enseignement», de *didaskalos*. → **Didascale**.

♦ **1 Antiq.** Chez les Grecs, Instructions du poète dramatique à ses interprètes, et aussi Document sur les pièces jouées, l'époque de leur représentation. — *Chez les Latins*, courte notice placée en tête des pièces de théâtre.

♦ **2 Mod.** et didact. Indication scénique n'appartenant pas au texte même, dans une œuvre théâtrale.

(...) la didascalie est (...) un ordre donné au praticien de bien vouloir fournir les prestations indiquées. L'énoncé «une table et trois chaises» est en effet un ordre disant «Mettez sur scène une table et trois chaises». La didascalie : «Il s'assied» est une injonction au comédien de s'asseoir à ce moment du déroulement de la représentation.
  Anne UBERSFELD, *in* Alain REY et Daniel COUTY, le Théâtre, p. 103

DIDELPHE [didɛlf] n. et adj. — 1771 ; lat. sc. *didelphis* (1754, Linné), du grec *di-* «deux fois», et *delphus* «matrice».
Didactique.

[I] N. m. **Zool.** Mammifère marsupial d'Amérique (n. sc. : *Didelphis* ; famille des *Didelphidés*), tel que l'opossum*. *Les didelphes forment une famille*.

[II] Adj. **Méd.** *Utérus didelphe* : utérus double* dans lequel les deux moitiés de corps utérin sont complètement séparées l'une de l'autre.

DIDERMIQUE [didɛʀmik] adj. — Mil. xxᵉ; de *di-*, et *derme*.

♦ **1** Embryol. Dont la structure comporte deux feuillets.

♦ **2** Zool. Se dit d'un métazoaire qui conserve à l'état adulte une structure à deux feuillets semblable à celle de la gastrula d'un embryon. *Les Cœlentérés sont des métazoaires didermiques.*

DIDRACHME [didʀakm] n. m. — 1838; *didragmes*, 1474; du grec *didrakmos*, adj. «de deux drachmes». → Drachme.

Didactique.

♦ **1** Monnaie grecque de l'Antiquité, valant deux drachmes.

♦ **2** Impôt romain sur les Juifs, destiné au culte de Jérusalem (entretien du temple, etc.).

DIDUCTEUR, TRICE [didyktœʀ, tʀis] adj. — 1845; du rad. de *diduction.*

Physiol. Relatif à la diduction. *Muscles diducteurs*, qui permettent la diduction.

DIDUCTION [didyksjɔ̃] n. f. — 1843; «longueur», 1556; du lat. *diductio*, de *diducere* «mener en diverses directions», de *dis-*, et *ducere* «conduire».

Physiol. Mouvement latéral de la mâchoire inférieure. *Rôle de la diduction dans la physiologie des ruminants.*

(...) des cuspides *(des dents)* se croisant ou se heurtant dans les mouvements de diduction ou de propulsion (...)
P.-L. ROUSSEAU, les Dents, p. 119.

DÉR. **Diducteur.**

DIDYME [didim] adj. et n. m. — 1538; *dindime*, en anat., 1478; *didimmo*, 1520; grec *didumos* «jumeau».

♦ **1** Bot. Qui est formé de deux parties plus ou moins arrondies et accouplées. *Racine didyme.*

♦ **2** N. m. Chim. Terre rare, mélange de néodyme et de praséodyme (on le considérait à tort comme un élément, symb. *Di*).

COMP. **Néodyme.** V. **Praséodyme.**

DIÈDRE [djɛdʀ] adj. et n. m. — 1783; de *di-*, et *-èdre*, grec *hedra* «base; plan».

♦ **1** Adj. Géom. Qui est déterminé par la rencontre de deux plans. *Angle dièdre.*

♦ **2** N. m. Figure formée par deux demi-plans issus d'une droite (l'arête du dièdre).

1 (...) il pouvait voir (...) une herbe sauvage, d'un vert délicat, poussant irrégulièrement tout contre la base du mur (comme pour dissimuler la ligne de jonction, la charnière, l'arête du dièdre formé par le mur et le sol) [...]
Claude SIMON, la Route des Flandres, p. 247.

Par ext. Alpin. et régional (Savoie, Suisse). Partie rentrante d'une paroi formée par l'intersection de deux dalles et en forme de livre ouvert.

2 Comme une somnambule, elle gravit le dernier dièdre, largement ouvert, très lisse, sans prises, incliné à soixante-dix degrés.
R. FRISON-ROCHE, la Grande Crevasse, p. 59.

DIÉLECTRIQUE [dielɛktʀik] adj. et n. m. — 1862, in *Année sc. et industr.*, 1863, p. 67-68; de *di-*, pour *dia-*, et *électrique.*

Phys. Qui ne conduit pas le courant électrique. *Le vide, l'air, le mica sont diélectriques.* → **Isolant.** *Lame diélectrique.* — N. m. *Condensateur* (cit. 0.1) *à diélectrique sec.*

(1903, in *Rev. gén. des sc.*, nᵒ 23, p. 1181). Par ext. Relatif aux diélectriques. *Constante, polarisation diélectrique.*

DIÉLECTROLYSE [dielɛktʀɔliz] n. f. — Mil. xxᵉ; de *di-* pour *dia-*, et *électrolyse.*

Physiol. Ensemble des modifications électrolytiques (transferts d'ions) produites au sein d'un tissu vivant lors du passage d'un courant galvanique. *Diélectrolyse thérapeutique.* → **Ionisation.**

DIÉLYTRE [dielitʀ] ou **DIELYTRA** [dielitʀa] n. f. — 1842, *diélytre; dielytra*, 1878; du grec *di* «deux», et *elutron* «étui».

Bot. Plante dicotylédone *(Fumariacées)*, herbacée, vivace, exotique, cultivée pour ses grappes de fleurs roses, appelée aussi *dicentra, diclytra*, et cour. *cœur de Marie* ou *cœur de Jeannette.*

DIENCÉPHALE [diɑ̃sefal] n. m. — 1953; de *di-*, et *encéphale.*

♦ **1** Anat. Partie de l'encéphale située entre les hémisphères cérébraux, comprenant le thalamus, l'épithalamus (dont l'épiphyse) et l'hypothalamus (appelé aussi *cerveau intermédiaire*).

♦ **2** Embryol. L'une des cinq vésicules cérébrales dont dérivent les ébauches oculaires, le thalamus, l'épithalamus, l'hypothalamus, l'épiphyse et le lobe nerveux de l'hypophyse.

DÉR. **Diencéphalique.**

DIENCÉPHALIQUE [diɑ̃sefalik] adj. — 1953; de *diencéphale.*

Anat. Relatif au diencéphale. *Centres diencéphaliques.*

(...) le réflexe conditionnel n'est pas purement cortical, mais intéresse aussi la formation réticulaire et comporte donc une intégration diencéphalique (...)
J. PIAGET, Épistémologie des sciences de l'homme, p. 157.

DIÉRÈSE [djeʀɛz] n. f. — 1529; lat. gramm. *diœresis*, grec *diairesis* «division», de *diairein* «séparer».

♦ **1** Phonét. Prononciation en deux syllabes de deux voyelles consécutives (ex. : pli-er). *Division d'une diphtongue par diérèse. Diérèse indiquée par un tréma (*maïs, Saül...). *Diérèse existant seulement en poésie (*di-amant). *Faire la diérèse en déclamant des vers.*

♦ **2** (1721, *in* D. D. L.). Méd. Séparation accidentelle ou chirurgicale de tissus sans perte de substance.

CONTR. (Du sens 1) **Contraction, crase, synérèse.** — (Du sens 2) **Synthèse.**

DIERGOL [diɛʀgɔl] ou **BIERGOL** [biɛʀgɔl] n. m. — 1968; de *di-* ou *bi-*, et *ergol*; → *-ergie.*

Astronaut. *Propergol** composé de deux ergols. — REM. La forme *biergol* est hybride.

DIÈSE [djɛz] n. m. — 1556; var. *diésis*, fém. jusqu'au xviiᵉ; lat. *diesis*, mot grec, proprt «intervalle; action de séparer».

Mus. Signe altératif accidentel* élevant d'un demi-ton chromatique la note devant laquelle il est placé. *Le dièse est formé de deux doubles barres croisées* (♯). *— Dièse, dièses à la clef* déterminant la tonalité du morceau en altérant toutes les notes situées sur la ligne ou dans l'intervalle qu'ils désignent (→ **Armature**). *Il y a deux dièses à la clef* (fa et do) *en ré majeur. L'ordre des dièses est inverse de celui des bémols* (dièses : fa, do, sol, ré, la, mi, si). *Moduler, changer la tonalité d'un morceau en introduisant des dièses, des bémols* (cit. 2). *Supprimer un*

dièse par un bécarre. — *Double dièse* : signe correspondant à l'élévation d'un demi-ton chromatique
d'une note déjà diésée. Note diésée. *Il a joué un
dièse là où il y avait un bécarre.*

REM. L'orth. *dièze* est archaïque.

Adj. *Fa dièse. Jouer un do dièse au lieu d'un do
naturel.*

CONTR. **Bécarre, naturel** (do... naturel). ◊ DÉR. **Diéser.**

DIÉSÉ, ÉE [djeze] adj. → **Diéser.**

DIESEL [djezɛl] n. m. — 1913, *moteur diesel;* du nom
de l'inventeur, l'ingénieur allemand Diesel (1858-1913).

♦ **1** Moteur à combustion interne, dans lequel l'allumage est obtenu par compression (→ Moteur à
huile* lourde, à injection*). *L'injection progressive de
combustible dans la chambre de compression du
diesel permet une combustion moins brutale que
dans le moteur à explosion. Diesel deux temps,
quatre temps. Des diesels. — En appos. Moteur diesel;
camion diesel. Combustible pour moteurs diesels. —
Semi-diesel,* où la compression moins élevée nécessite un allumage électrique :

Restait la question du moteur : Henry le trouve à la casse,
et l'installe sans délai. C'est un diésel de camion ou de
tracteur auquel il manque un injecteur.
         Bernard MOITESSIER, Cap Horn à la voile, p. 87.

♦ **2** (1943). *Un diesel :* un véhicule à moteur diesel. —
N. m. (1961). *Diesel-électrique :* locomotive électrique
dont la puissance est donnée par un moteur diesel
qui entraîne une génératrice électrique alimentant
les moteurs.

DÉR. **Diéseliser, diéséliste.**

DIÉSELISER [djezelize] v. tr. — Mil. XXᵉ; de *diesel,* et
suff. *-iser,* pour former une équivalence à *électrifier.*

Techn. Équiper de moteurs diesel (une ligne, un
réseau de chemin de fer, leur exploitation). *«La
politique de la S N C F a donc consisté à électrifier
les grandes artères et à "diéseliser" le service des
manœuvres et la desserte des petites lignes»* (in *le
Monde,* 5 déc. 1967).

DIÉSÉLISTE [djezelist] n. m. — 1966; de *diesel.*

Techn. Mécanicien spécialisé dans l'étude, l'entretien, etc., des moteurs diesels.

DIÉSER [djeze] v. tr. [CONJUG.: *céder.*] — 1732; *diésé,*
1704; de *dièse.*

Mus. Placer un dièse devant (une note) pour la
hausser. *En sol majeur, il faut diéser les fa. —* Au
p. p. *Note diésée. Un fa diésé.*

DIES IRAE [dijɛsiʀe; djɛsiʀe] n. m. — 1803; mots latins
signifiant «Jour de colère», par lesquels commence l'une
des cinq proses du missel romain, chantée à l'office des
morts.

Relig. chrét. Séquence de la messe des morts, qui
commence par ces mots. — Air sur lequel se
chante le *Dies iræ. Berlioz a utilisé le thème du
Dies iræ dans la Symphonie fantastique.*

Oh ! tu n'oublieras pas la nuit du moyen-âge,
Où, dans l'affolement du Glas du «Dies iræ»,
La Famine pilait les vieux os déterrés
Pour la Peste gorgeant les charniers avec rage.
         J. LAFORGUE, Poésies, «Marche funèbre»,
                    in Œ. compl., t. I, p. 26.

---

1. DIÈTE [djɛt] n. f. — XIIIᵉ, «régime d'alimentation»;
du lat. méd. *diæta,* grec *diaita* «genre de vie». → aussi
Diététique.

♦ **1** Méd. Régime alimentaire particulier, prescrit
par le médecin, soit limitant ou excluant, soit comprenant un apport enrichi de certains aliments.
→ **Diététique, régime.** *Diète lactée; diète végétale.
Diète hydrique*.*

(...) il a même assez bon visage, quoique la diète très exacte   1
qu'il observe depuis cinq mois l'ait assez maigri.
         RACINE, Lettre, 174, 14 avr. 1698, à J.-B. Racine.

♦ **2** (XVIᵉ). Cour. Abstention momentanée et plus ou
moins complète d'aliments, sur prescription médicale. → **Abstinence.** *Une diète sévère, absolue. — Être
à la diète. Mettre un malade à la diète.*

La solitude est à l'esprit ce que la diète est au corps, mor-   2
telle lorsqu'elle est trop longue, quoique nécessaire.
         VAUVENARGUES, Réflexions et maximes, 598.

Comme médecins à demi que nous sommes, je vous dirai   3
encore de participer le moins possible à ces festins bretons
dont vous me parlez. A votre âge comme au mien, et
comme plus tard, il faut se faire une loi de diète et ne
l'enfreindre jamais ou que rarement.
         SAINTE-BEUVE, Correspondance, 415, 19 oct. 1834,
                                                t. I, p. 470.

Par ext. Privation de nourriture. → **Jeûne.** *Faire
diète :* se priver de nourriture.

J'ai vécu près de trois ans ainsi, répondit Raphaël (...) Trois   4
sous de pain, deux sous de lait, trois sous de charcuterie
m'empêchaient de mourir de faim et tenaient mon esprit
dans un état de lucidité singulier. J'ai observé (...) de merveilleux effets produits par la diète sur l'imagination.
         BALZAC, la Peau de chagrin, Pl., t. X, p. 88.

La petite Marie avait mangé par complaisance d'abord;   5
puis, peu à peu, la faim était venue, car, à seize ans, on
ne peut pas faire longtemps diète, et l'air des campagnes
est impérieux.
         G. SAND, la Mare au diable, VII, p. 59.

COMP. **Diétotoxique.**

---

2. DIÈTE [djɛt] n. f. — 1512; *diette,* 1509; lat. médiéval
dieta «jour assigné», de *dies* «jour», pour traduire l'all.
Tag «jour», et par ext. «session». Cf. *Landtag, Reichstag.*

Hist. Assemblée politique, dans certains pays d'Europe (Allemagne, Suède, Pologne, Suisse, Hongrie). *Les diètes de la confédération germanique
furent dissoutes en 1866. Luther comparut devant
la diète de Worms (1521).*

Assemblée qui se tient entre deux chapitres généraux, dans certains ordres religieux.

DÉR. **Diétine.**

DIÉTÉTICIEN, IENNE [djetetisjɛ̃, jɛn] n. — 1891;
répandu XXᵉ; de *diététique.*

Spécialiste de la diététique (→ **Diététiste**).

Mais un grand problème se posait alors, en fait, pour les
diététiciens. «Le» grand problème : les glucides, les sucres.
(...) Où dans la mer aurais-je trouvé des sucres?
         Alain BOMBARD, Naufragé volontaire, p. 29.

DIÉTÉTIQUE [djetetik] adj. et n. f. — 1549; du lat.
diæteticus, grec *diaithêtikos,* de *daitan* «soumettre à un
régime», de *diaita.* → 1. Diète.

♦ **1** Adj. Relatif à un régime alimentaire, surtout
restrictif. → **Diète.** *Aliment diététique. Facteurs diététiques et facteurs hygiéniques.*

♦ **2** N. f. (1575, lat. *diæteticus,* grec *diaithêtike,* subst.
fém. de l'adj.). Ensemble des règles à suivre pour
une alimentation bien équilibrée (rations alimentaires, apport calorique).

Méd. Ensemble des principes et des méthodes de
réalisation des régimes alimentaires conçus pour
les malades.

DÉR. **Diététicien, diététiste.**

DIÉTÉTISTE [djetetist] n. — 1966; de *diététique*.

Didact. Médecin qui préconise de traiter les malades uniquement par des moyens diététiques.

Par ext. Diététicien.

(Au Québec, t. normalisé). Spécialiste de la nutrition, de l'alimentation et de la diététique titulaire d'un diplôme universitaire en sciences de la santé.

DIÉTHYL- Premier élément de mots de chimie, de *di-*, et *éthyl-*. Ex. : *diéthylamine* et dér., *diéthylaniline*, *diéthylbenzène*.

DIÉTINE [djetin] n. f. — Av. 1669; de 2. *diète*.

Hist. Diète (→ 2. **Diète**) particulière à une province, en Pologne.

DIÉTOTOXIQUE [djetotɔksik] adj. — Mil. XXᵉ; de 1. *diète*, et *toxique*.

Méd. Se dit d'une substance alimentaire qui peut devenir toxique dans certains troubles du métabolisme.

DIEU [djø] n. m. — IXᵉ-Xᵉ, *deo; deu, dieu*, XIᵉ-XIIᵉ; du lat. *deus*.

I Principe d'explication de l'existence du monde, conçu comme un être personnel, selon des modalités particulières aux croyances, aux religions. → **Divinité, esprit, être** (être suprême). *Étude de l'existence et de la nature de Dieu.* → **Métaphysique, théodicée, théologie.** *Preuves cosmologique, ontologique, téléologique, morale de l'existence de Dieu. Dieu considéré comme principe d'existence, d'intelligibilité, fondement de la connaissance certaine. Les attributs (cit. 1) de Dieu. Dieu est conçu comme absolu, acte pur, beau (cit. 102), bon, créateur, éternel, immuable, incréé, infaillible, infini, intelligent, juste, omnipotent, omniprésent, omniscient, parfait, personnel, sage, spirituel, un, vrai. Dieu créateur* (→ **Création**). *Dieu conçu comme l'architecte, l'organisateur du monde.* → **Démiurge.** *Dieu, origine des idées platoniciennes.* → **Logos.** *Dieu conduit, gouverne le monde en vue du bien.* → **Providence.** *Dieu, fondement de la loi morale.* → **Bien** (souverain bien). *Dieu, considéré comme un principe transcendant au monde* (→ **Théisme**), *comme une substance immanente* (→ **Panthéisme; tout**). *Attribution à Dieu d'une forme humaine.* → **Anthropomorphisme.** *Croyance en Dieu.* → **Foi, mysticisme** (→ Intuitionnisme). *Dieu sensible au cœur* (cit. 161). *Doctrine admettant l'existence d'un dieu, sans préjuger de sa nature.* → **Déisme.** *Croyance en un seul dieu.* → **Monothéisme.** *Croyance en deux ou plusieurs dieux.* → **Dualisme, manichéisme, polythéisme.** *Culte rendu à Dieu.* → **Religion.**

1 L'insensé a dit dans son cœur : il n'y a point de Dieu.
    BIBLE (CRAMPON), Psaumes, XIV, I.

2 Par le nom de Dieu j'entends une substance infinie, éternelle, immuable, indépendante, toute connaissante, toute-puissante, et par laquelle moi-même et toutes les autres choses qui sont (...) ont été créées et produites. Or ces avantages sont si grands et si éminents, que plus attentivement je les considère, et moins je me persuade que l'idée que j'en ai puisse tirer son origine de moi seul. Et par conséquent, il faut nécessairement conclure de tout ce que j'ai dit auparavant, que Dieu existe; car encore que l'idée de la substance soit en moi de cela même que je suis une substance, je n'aurais pas néanmoins l'idée d'une substance infinie, moi qui suis un être fini, si elle n'avait été mise en moi par quelque substance qui fût véritablement infinie.   DESCARTES, IIIᵉ méditation métaphysique.

3 L'Ecclésiaste montre que l'homme sans Dieu est dans l'ignorance de tout, et dans un malheur inévitable; car

c'est être malheureux que de vouloir et ne pouvoir. Or il veut être heureux, et assuré de quelque vérité; et cependant il ne peut ni savoir, ni ne désirer point de savoir. Il ne peut même douter.   PASCAL, Pensées, VI, 389.

Si l'homme n'est fait pour Dieu, pourquoi n'est-il heureux   4
qu'en Dieu? si l'homme est fait pour Dieu, pourquoi est-il contraire à Dieu?   PASCAL, Pensées, VII, 438.

Si Dieu nous a faits à son image, nous le lui avons bien   5
rendu.   VOLTAIRE, le Sottisier, XXXII.

Si Dieu n'existait pas, il faudrait l'inventer.   6
        VOLTAIRE, Épîtres,
        À l'auteur du livre des trois imposteurs.

Cet être qui veut et qui peut, cet être actif par lui-même,   7
cet être enfin, quel qu'il soit, qui meut l'univers et ordonne toutes choses, je l'appelle Dieu.
        ROUSSEAU, Émile, IV, p. 335.

Si Dieu avait voulu que nous eussions une religion quel-   7.1
conque, et qu'il fût réellement puissant; ou, pour mieux dire, s'il y avait réellement une religion, serait-ce par des moyens aussi absurdes qu'il nous eût fait part de ses ordres? Serait-ce par l'organe d'un bandit méprisable, qu'il nous eût montré comment il fallait le servir? S'il est suprême, s'il est puissant, s'il est juste, s'il est bon, ce Dieu dont vous me parlez, sera-ce par des énigmes et des farces qu'il voudra m'apprendre à le servir et à le connaître? Souverain moteur des astres et du cœur de l'homme, ne peut-il nous instruire en se servant des uns, ou nous parler du fond du cœur en se gravant dans l'autre?   SADE, Justine..., I, p. 81.

Quiconque dit : conscience, vertu, bonté, amour, raison,   8
lumière, justice, vérité, aperçoit, qu'il le sache ou non, un des mystérieux profils de cette face sublime : Dieu (...) L'athée est identique à l'aveugle. — Mais, dit l'athée, je vois le soleil et je ne vois pas Dieu. C'est que vous ouvrez l'œil de chair et que vous n'ouvrez pas l'œil d'esprit.
        HUGO, Post-Scriptum de ma vie, L'Âme,
        Rêver sur Dieu.

Le cœur n'apprend que par la souffrance, et je crois,   9
comme Kant, que Dieu ne s'apprend que par le cœur.
        RENAN, Souvenirs d'enfance..., Appendice, p. 272.

Mais le mot Dieu, comme presque tous les mots essentiels,   9.1
superpose des significations : Créateur, Juge, Amour (...)
        MALRAUX, Antimémoires, Folio, p. 474.

Négation de l'existence de Dieu, d'un dieu. → **Athéisme.**

(...) On comprend aussi que par vérité je veux seulement   9.2
consacrer une poésie plus haute : la flamme noire que de Cimabué à Francesca les peintres italiens ont élevée parmi les paysages toscans comme la protestation lucide de l'homme jeté sur une terre dont la splendeur et la lumière lui parlent sans relâche d'un Dieu qui n'existe pas.
        CAMUS, Noces, in Essais, Pl., p. 80.

La vague figure de Dieu qui, chez Hegel, se reflète encore   10
dans l'esprit du monde ne sera pas définitive à s'effacer. De la formule ambiguë de Hegel «Dieu sans l'homme n'est pas plus que l'homme sans Dieu», ses successeurs vont tirer des conséquences décisives (...) À la fin Feuerbach (...) remplacera toute théologie par une religion de l'homme et de l'espèce, qui a converti une grande partie de l'intelligence contemporaine.   CAMUS, l'Homme révolté, p. 182.

Meurtre de Dieu. → **Déicide.**

II (XIIᵉ; dans le *polythéisme*). *Un dieu, des dieux.* Être supérieur, doué d'un pouvoir sur l'homme et d'attributs particuliers.

Il *(l'homme)* admit ce souverain être, il lui érigea des   10.1
cultes : de ce moment chaque Nation s'en composa d'analogues à ses mœurs, à ses connaissances et à son climat; il y eut bientôt sur la terre autant de religions que de peuples, bientôt autant de Dieux que de familles; sous toutes ces idoles néanmoins, il était facile de reconnaître ce fantôme absurde, premier fruit de l'aveuglement humain. On l'habillait différemment, mais c'était toujours la même chose.   SADE, Justine..., I, 56.

♦ **1** *(Forces impersonnelles).* → **Animisme, fétichisme, totémisme.** *Le grand dieu tribal :* individualisation de la notion unique et universelle du *mana*.

De cela seul qu'on mettrait Dieu à la tête de chaque société   11
politique, il s'ensuivit qu'il y eut autant de dieux que de peuples (...) Ainsi des divisions nationales résulta le polythéisme, et de là l'intolérance théologique et civile (...)
        ROUSSEAU, le Contrat social, IV, VIII.

12   Le primitif n'a pas vu dans ses dieux des étrangers, des
      ennemis, des êtres foncièrement et nécessairement mal-
      faisants dont il était obligé de se concilier à tout prix les
      faveurs ; tout au contraire, ce sont plutôt pour lui des amis,
      des parents, des protecteurs naturels. Ne sont-ce pas là les
      noms qu'il donne aux êtres de l'espèce totémique ? La puis-
      sance à laquelle s'adresse le culte, il ne se la représente
      pas planant très haut au-dessus de lui et l'écrasant de sa
      supériorité ; elle est, au contraire, tout près de lui et elle lui
      confère des pouvoirs utiles qu'il ne tient pas de sa nature.
                     DURKHEIM, les Formes élémentaires de la vie
                                            religieuse, p. 320.

13   (...) dire que le *mana* social qui fait l'essence et la cohésion
      du clan, ne peut être représenté que sous l'aspect d'un
      principe sacré, d'une force religieuse (...) c'est aboutir à
      l'apothéose, à la divinisation de la société, c'est poser que
      le clan est dieu et que seul le clan est dieu.
                     Georges DAVY, Des clans aux empires,
                                            p. 61-62 (1923).

♦ **2** Image d'un dieu ou d'une force divinisée.
→ **Idole**.

14   Ils tirent l'or de leur bourse,
      et pèsent l'argent à la balance ;
      ils engagent un fondeur afin qu'il en fasse un dieu,
      et ils se prosternent et adorent.
                            BIBLE (CRAMPON), Isaïe, XLVI, 6.

15   La base en est gardée par des séries d'éléphants taillés
      dans le granit, par des dieux dont la forme se perd sous
      l'usure des siècles (...)
                            LOTI, l'Inde (sans les Anglais), p. 13.

♦ **3** Dans les religions antiques. → **Divinité** ; **déesse,
démon, esprit, être, génie, principe**. *Généalogie et
filiation des dieux.* → **Théogonie**. *Histoire des dieux.*
→ **Mythologie**. *Ensemble des dieux d'une religion.*
→ **Panthéon**. *Oracle* des dieux.*

16   Les dieux de la civilisation païenne se distinguent en effet
      des entités plus anciennes, elfes, gnomes, esprits, dont ne
      se détacha jamais la foi populaire. Celles-ci étaient issues
      presque immédiatement de la faculté fabulatrice, qui nous
      est naturelle ; et elles étaient adoptées comme elles avaient
      été produites, naturellement. Elles dessinaient le contour
      exact du dieu dont d'où elles étaient sorties. Mais la mytho-
      logie, qui est une extension du travail primitif, dépasse de
      tous côtés ce besoin (...) chaque dieu déterminé est contin-
      gent, alors que la totalité des dieux, ou plutôt le dieu en
      général, est nécessaire. En creusant ce point, en poussant
      aussi la logique plus loin que ne l'ont fait les anciens, on
      trouverait qu'il n'y a jamais eu de pluralisme définitif que
      dans la croyance aux esprits, et que le polythéisme propre-
      ment dit, avec sa mythologie, implique un monothéisme
      latent, où les divinités multiples n'existent que secondai-
      rement, comme représentatives du divin.
                            H. BERGSON,
                     les Deux sources de la morale et de la religion, II,
                            « En quel sens les dieux existaient », p. 210.

Les dieux-pharaons, gouverneurs de l'Égypte aux
époques légendaires. *Dieux du panthéon égyptien :* Amon-Râ, le soleil, le créateur ; Osiris, *dieu
cosmique, des morts et des cultures ;* Sha, *dieu
de l'air ;* Seth, *dieu de la guerre ;* Anubis, Mout,
Horus. — *Dieux assyro-babyloniens,* représentants
des forces de la nature. Shamash, *le dieu-soleil.*
Marduk, *le protecteur de Babylone ;* Bel, *dieu de
Nippour ;* Asshour, *dieu d'Assur.* — Ormuz, *dieu
du Bien chez les Perses,* opposé à Ahriman, *dieu
du Mal.* Ahoura-Mazda, *dieu unique prêché par
Zarathoustra,* au détriment de Mithra.

Teutatès (ou Toutatis), *dieu de certaines tribus
celtes.* Bah, Bur, Wotan, *dieux nordiques.* Odin,
*dieu du combat et des morts chez les anciens Scan-
dinaves, père des Walkyries.*

Antiquité gréco-romaine. *Les dieux de la fable* (→ **Déité,
divinité, immortel**) ; *les dieux des gentils. Les douze
dieux de l'Olympe** (six déesses, → **Déesse**, cit. 1, 2
— et six dieux) : Apollon (Phoïbos en grec), *dieu
du Parnasse, des Arts, le soleil ;* Jupiter (Zeus), *le
père des hommes et des dieux ;* Mars (Arès), *dieu*

de la guerre ; Mercure (Hermès), *dieu des marchands et des voleurs ;* Neptune (Poséidon), *dieu
des mers ;* Vulcain (Héphaïstos), *dieu du feu et du
métal.* — Bacchus* (Dionysos), *dieu des vendanges
et de l'ivresse, du délire poétique.* Morphée, *dieu
du sommeil ;* Pan, *dieu des bergers et divinité de
la fécondité ;* Ploutus (Ploutos), *dieu de la richesse ;*
Pluton (Hadès), *dieu des enfers ;* Saturne (Kronos),
père de Jupiter, le Temps. Les dieux tutélaires ;
indigètes*. Les dieux de la famille, protecteurs du
foyer domestique.* → **Lare, mânes, pénates** (→ **Autel**,
cit. 8). *Fils d'une mortelle et d'un dieu.* → **Demi-dieu,
héros**. *Le séjour des dieux.* → **Olympe**. *Temple consacré aux dieux.* → **Panthéon**. *Nourriture des dieux
de l'Olympe.* → **Ambroisie** (cit. 2), **nectar**. *Être digne
de la table des dieux. Réception au rang des dieux.*
→ Apothéose, cit. 1.

17   Chaque cité avait des dieux qui n'appartenaient qu'à elle.
      Ces dieux étaient ordinairement de même nature que ceux
      de la religion primitive des familles. Comme eux, on les
      appelait Lares, Pénates, Génies, Démons, Héros ; sous tous
      ces noms, c'étaient des âmes humaines divinisées par la
      mort.
                     FUSTEL DE COULANGES, la Cité antique, III, VI,
                                            p. 168.

18   Ô abîme, tu es le Dieu unique (...) Tout n'est ici-bas
      que symbole et que songe. Les dieux passent comme les
      hommes, et il ne serait pas bon qu'ils fussent éternels.
      La foi qu'on a eue elle ne doit jamais être une chaîne. On est
      quitte envers elle quand on l'a soigneusement roulée dans
      le linceul de pourpre où dorment les dieux morts.
                     RENAN, Souvenirs d'enfance..., II, I, p. 68.

19   Des esprits aux dieux la transition peut être insensible, la
      différence n'en est pas moins frappante. Le dieu est une
      personne. Il a ses qualités, ses défauts, son caractère. Il
      porte un nom. Il entretient des relations définies avec d'au-
      tres dieux. Il exerce des fonctions importantes, et surtout
      il est seul à les exercer.
                     H. BERGSON, les Deux Sources de la morale et de
                            la religion, II, Croyance aux dieux, p. 197.

20   Ce n'est pas seulement à la brise (...) qu'il s'est senti uni
      (...) C'est toutes les fois où son âme débordée animait divi-
      nement toutes choses et, sentant à côté d'elle comme des
      dieux plus humbles et fraternels, le dieu du feu secouer
      allègrement sa chevelure de lumière et de chaleur et faire
      régner la gaieté dans la chambre, le dieu immobile de la
      porte (...)
                            PROUST, Jean Santeuil, Pl., p. 638.

Au dieu inconnu (lat. *Deo ignoto*).

21   Paul, debout au milieu de l'Aréopage, dit : « Athéniens,
      en tout je vous vois éminemment religieux. Car, passant
      et regardant ce qui est de votre culte, j'ai trouvé même
      un autel avec cette inscription : "Au dieu inconnu". Ce
      que vous adorez sans le connaître, c'est ce que je vous
      annonce ».
                     BIBLE (CRAMPON), Actes des Apôtres, XVII, 22-23.

♦ **4** Loc. fig. *Un dieu tutélaire :* un protecteur.

21   Ah ! Figaro, mon ami, tu seras mon ange, mon libérateur,
      mon dieu tutélaire.
                     BEAUMARCHAIS, le Barbier de Séville, I, 4.

C'est un homme aimé des dieux, en parlant de qqn
doué de talents, et que la chance favorise.

22   (...) on doubla le salaire
      Que méritaient les vers d'un homme aimé des dieux (...)
                            LA FONTAINE, Fables, IV, 14.

Mettre, placer (qqn, qqch.) *au rang des dieux.*
→ **Déifier, diviniser**. *Rendre à qqn les honneurs
comme à un dieu.*

Les dieux de la terre : les rois, les souverains, les
puissants de la terre.

23   Ce qui flatte les ambitieux, c'est une image de la toute-
      puissance qui semble en faire des dieux sur la terre.
                     BOSSUET, Politique tirée de l'hist. sainte, X, 2, 5.

24   Viens ! tu seras un Dieu ! Sur ta mâle beauté
      Je poserai le sceau de l'immortalité ;
      Je te couronnerai de jeunesse et de gloire (...)
                     LECONTE DE LISLE, Poèmes antiques, Glaucé, III.

Par compar. *Regarder qqn comme un dieu,* le considérer avec enthousiasme, admiration, vénération. → **Idole.** — *Il est beau, fort comme un dieu.* — Fig. *Être un dieu pour...,* un objet de culte, d'admiration. *C'est le dieu des amateurs de rock. C'est un dieu, un vrai dieu pour elle.*

25 Il (Nicomède) est l'astre naissant qu'adorent mes États ;
Il est le dieu du peuple et celui des soldats.
CORNEILLE, *Nicomède,* II, 1.

26 Pour tout le XVIIᵉ siècle Descartes a été vraiment un dieu, un héros de l'intelligence humaine.
Émile FAGUET, *Études littéraires,* XVIIᵉ s., Descartes, p. 65.

Faire de qqch. son dieu, en faire l'objet d'un culte. *Faire de l'argent son dieu.*

27 Car il en est plusieurs qui marchent en ennemis de la croix du Christ (...) Leur fin, c'est la perdition, eux qui font leur Dieu de leur ventre (...) n'ayant de goût que pour les choses de la terre.
BIBLE (CRAMPON), Épître aux Philippiens, III, 18-19.

28 Le Dieu du monde,
C'est le Plaisir.
NERVAL, *Lyrisme et vers d'Opéra,* Chanson gothique.

Promettre, jurer ses grands dieux que... : promettre avec de grands serments. — (Interj.). *Grand Dieu !* (vieilli). *Grands dieux ! Grands dieux, non !*

Par anal. Divinisation d'une idée, d'une valeur. *Le dieu machine. Le Dieu des corps,* roman de J. Romains.

29 Il m'apparut que l'homme est plein de dieux comme une éponge immergée en plein ciel. Ces dieux vivent, atteignent à l'apogée de leur force, puis meurent, laissant à d'autres dieux leurs autels parfumés (...) Je me mis à concevoir une mythologie en marche. Elle méritait proprement le nom de mythologie moderne.
ARAGON, *le Paysan de Paris,* p. 143.

30 Quelles que soient les apparences qu'elles affectent, ces crises sont toutes des crises religieuses ou, pour mieux dire, des crises métaphysiques. La nature humaine est ainsi faite qu'elle réclame impérieusement l'existence d'un absolu. Si elle ne le place pas en un Dieu, elle la glorifiera en elle-même, soit dans l'individu, soit dans des concepts qui en sont issus : par exemple, la race, la nation. Tout se présente exactement comme si cette acceptation de l'absolu était aussi nécessaire à l'homme que le pain et l'eau. Dès qu'il disparaît sous une forme, il est remplacé par une autre : les esprits antireligieux substituent à Dieu des données qui n'en sont pas moins religieuses : culte du progrès, amour de l'humanité.
DANIEL-ROPS, *le Monde sans âme,* p. 53.

III (Dans le *monothéisme*). **DIEU** (avec ou sans article).
♦ 1 Dieu personnel unique de la civilisation judaïque (biblique et chrétienne). *Noms donnés à Dieu (Bible) :* Yahweh (Jéhovah), le Roi, le Roi des rois, le Roi des siècles, l'Éternel, le Saint, le Saint des saints, le Très-Haut ; le dieu d'Abraham, d'Isaac, de Jacob, de David ; de Jérusalem, des Hébreux, d'Israël ; le dieu vivant, jaloux, juste, fort ; le dieu des armées* (cit. 1), le dieu de toute la terre. *La gloire de Dieu :* la manifestation mystérieuse de Dieu à certains élus de son peuple. *Dieu est bon, compatissant, immuable, intelligent, miséricordieux, sage, saint, tout-puissant, vrai. L'alliance* (cit. 1, 5) *de Dieu avec le peuple juif. Yahweh est un Dieu national ; il est le juge de son peuple, le législateur, le protecteur, le refuge, le sauveur. Messie promis par Dieu.* → Christ (cit. 1). → **Messie.**

31 Au commencement Dieu créa le ciel et la terre (...)
BIBLE (CRAMPON), Genèse (→ Créer, cit. 1).

32 Écoutez la parole de Yahweh, vous tous, hommes de Juda, qui entrez par ces portes pour adorer Yahweh. Ainsi parle Yahweh des armées, le Dieu d'Israël (...)
BIBLE (CRAMPON), Jérémie, VII, 2-3.

33 (...) nous hésitons à classer les prophètes juifs parmi les mystiques de l'antiquité : Jahveh était un juge trop sévère, entre Israël et son Dieu il n'y avait pas assez d'intimité (...)
H. BERGSON, *les Deux Sources de la morale et de la religion,* III, Les prophètes d'Israël, p. 254.

Dieu est Père, Fils* et Esprit (ou Saint-Esprit).* → **Trinité.** *Le Verbe de Dieu.* → **Logos, verbe.** *Le fils unique de Dieu.* → Christ (cit. 1). → **Médiateur.** *L'Homme-Dieu.* — Théol. cathol. *La mère de Dieu.* → **Vierge** ; dame (Notre-Dame). — *Dieu se révèle aux hommes.* → **Bible** ; révélation ; épiphanie.

34 Nous ne connaissons Dieu que par Jésus-Christ. Sans ce Médiateur, est ôtée toute communication avec Dieu ; par Jésus-Christ, nous connaissons Dieu. Tous ceux qui ont prétendu connaître Dieu et le prouver sans Jésus-Christ n'avaient que des preuves impuissantes. Mais pour prouver Jésus-Christ, nous avons les prophéties, qui sont des preuves solides et palpables. Et ces prophéties étant accomplies, et prouvées véritables par l'événement, marquent la certitude de ces vérités, et partant, la preuve de la divinité de Jésus-Christ. En lui et par lui, nous connaissons donc Dieu.
PASCAL, *Pensées,* VII, 547.

35 Le Dieu des chrétiens est un Dieu qui fait sentir à l'âme qu'il est son unique bien ; que tout son repos est en lui, qu'elle n'aura de joie qu'à l'aimer ; et qui lui fait en même temps abhorrer les obstacles qui la retiennent, et l'empêchent d'aimer Dieu de toutes ses forces. L'amour-propre et la concupiscence, qui l'arrêtent, lui sont insupportables. Ce Dieu lui fait sentir qu'elle a ce fonds d'amour-propre qui la perd, et que lui seul la peut guérir.
PASCAL, *Pensées,* VII, 544.

36 Si maintenant nous venons à considérer quelle idée cette religion dont nous révérons l'antiquité nous donne de son objet, c'est-à-dire du premier Être, nous avouerons qu'elle est au-dessus de toutes les pensées humaines, et digne d'être regardée comme venue de Dieu même.
Le Dieu qu'ont toujours servi les Hébreux et les chrétiens n'a rien de commun avec les divinités pleines d'imperfection, et même de vice, que le reste du monde adorait. Notre Dieu est un, infini, parfait, seul digne de venger les crimes et de couronner la vertu, parce qu'il est seul la sainteté même.
Il est infiniment au-dessus de cette cause première, et de ce premier moteur que les philosophes ont connu, sans toutefois l'adorer.
BOSSUET, *Disc. sur l'hist. universelle,* II, I.

37 Les fidèles apprennent que le vrai Dieu, le Dieu d'Israël, le Dieu un et indivisible auquel ils sont consacrés par le baptême, est tout ensemble Père, Fils et Saint-Esprit.
BOSSUET, *Disc. sur l'hist. universelle,* II, VI.

38 (...) Dieu a pris le moyen le plus convenable de réparer sa propre gloire et d'opérer le salut des hommes. Il avait été offensé, ce Dieu de majesté ; il lui fallait une satisfaction digne de lui, et nul autre qu'un Dieu ne pouvait dignement satisfaire à un Dieu. L'homme s'était perdu : Dieu voulait le sauver en le délivrant de la mort éternelle ; et comme il n'y avait qu'un Dieu, qui, par ses mérites infinis, pût le délivrer de cette mort, il n'y avait conséquemment qu'un Dieu qui pût le sauver. Il fallait que ce Sauveur fût tout ensemble vrai Dieu et vrai homme.
BOURDALOUE, Instruction pour le temps de l'avent, III.

39 Oui, si la vie et la mort de Socrate sont d'un sage, la vie et la mort de Jésus sont d'un Dieu.
ROUSSEAU, *Émile,* IV.

Allusion biblique et littéraire :

40 Et Dieu dit à Moïse : «Je suis celui qui suis».
BIBLE (CRAMPON), Exode, III, 14.

41 Dieu se délecte particulièrement dans le nom de Saint. Il s'appelle très souvent «le Saint d'Israël» ; il veut que sa sainteté soit le motif, soit le principe de la nôtre : «Soyez saints, parce que je suis saint», dit le Seigneur.
BOSSUET, Xᵉ élévation, VII, 19.

Dieu est amour (cit. 2). *Dieu bénit, protège, console les hommes. Dieu, le Consolateur* (cit. 2) *des affligés. Dieu sonde, touche les cœurs. Les interventions providentielles de Dieu. La voix de Dieu.* → **Voix** (cf. lat. *Vox populi, vox Dei*). *Les dix commandements* de la loi de Dieu. Le doigt*, le bras*, la main de Dieu. Les arrêts, les jugements, les voies de Dieu.*

La colère de Dieu (→ Attirer, cit. 30 ; colère, cit. 18).
La justice de Dieu. La bonté (cit. 5), *la miséricorde, la grâce*, le pardon de Dieu. Le royaume de Dieu.*
→ **Ciel, paradis, royaume, vie** (vie éternelle).

42   Des dieux que nous servons connais la différence :
Les tiens t'ont commandé le meurtre et la vengeance,
Et le mien, quand ton bras vient de m'assassiner,
M'ordonne de te plaindre et de te pardonner.
         VOLTAIRE, *Alzire*, V, 7.

43   Croyez-moi, la prière est un cri d'espérance !
Pour que Dieu nous réponde, adressons-nous à lui.
Il est juste, il est bon ; sans doute il nous pardonne.
      A. DE MUSSET, *Poésies nouvelles*,
         « L'espoir en Dieu ».

44   Si vous croyez que Dieu ait à vous juger, l'Église vous dit par ma voix que tout peut se racheter par les bonnes œuvres du repentir. Les grandes mains de Dieu pèsent à la fois le mal qui fut fait, et la valeur des bienfaits accomplis.
    BALZAC, *le Curé de village*, Pl., t. IX, p. 652.

Croire (cit. 59, 60) *en Dieu, à Dieu.* → **Foi.** *Je crois en Dieu.* → **Credo ;** → Confesser, cit. 17. *Chercher* (cit. 7, 8), *découvrir Dieu. Mettre, placer sa confiance, son espérance en Dieu.* → **Abandonner** (s'abandonner à Dieu). *Se tourner vers Dieu.* → **Convertir** (se). *Revenir à Dieu. Craindre** (cit. 21, 22) *Dieu. Offenser Dieu.* → **Pécher.** *C'est vouloir tenter* Dieu que de... Blasphémer** (cit. 1) *le nom de Dieu. Sentiment de notre indignité devant Dieu.* → **Componction.** *S'accuser devant Dieu* (→ **Confesser**). *Demander pardon à Dieu.* → **Repentir** (se). *Chercher, accepter la volonté de Dieu* (→ Attrait, cit. 1 et 2). *Obéir à Dieu :* suivre les commandements de Dieu. *Se soumettre, se résigner à la volonté de Dieu. Recommander son âme à Dieu :* se préparer à mourir. *Paraître devant Dieu :* mourir. *Invoquer le nom de Dieu. Prier, supplier, implorer Dieu. Adorer* (cit. 2 et 3), *aimer* (cit. 1), *bénir* (cit. 14), *glorifier, honorer, louer, remercier Dieu.* → **Culte** (cit. 1 et 2), *messe, sacrifice. Culte de latrie* que l'on doit à Dieu seul. Prière à la gloire de Dieu.* → **Doxologie ; cantique.** *Jour consacré à Dieu.* → **Dimanche.** *Intercéder auprès de Dieu. Promesse faite à Dieu.* → **Vœu.** *Se consacrer à Dieu.* → **Religion** (entrer en religion). *Consacrer* (cit. 2, 3) *sa vie à Dieu. Servir Dieu. Dieu premier servi. Vertus théologales ayant Dieu pour objet.* → **Charité, espérance, foi.** *S'unir à Dieu par la prière, la méditation. Mouvement de l'âme* (cit. 13, 16) *vers Dieu. La vue de Dieu.* → **Béatifique** (vision béatifique). *Connaissance* (cit. 4) *mystique de Dieu. Être abîmé en Dieu.* → **Extase** (en).

45   « Maître, que dois-je faire pour posséder la vie éternelle ? » Il lui dit : « Qu'y a-t-il d'écrit dans la Loi ? Qu'y lis-tu ? » Il répondit : « *Tu aimeras le Seigneur ton Dieu de tout ton cœur, de toute ton âme, de toute ta force et de tout ton esprit, et ton proche comme toi-même.* »
    BIBLE (CRAMPON), Évangile selon saint Luc, X,
         25-27.

46   Nul ne peut servir deux maîtres : car ou il haïra l'un et aimera l'autre, ou il s'attachera à l'un et méprisera l'autre. Vous ne pouvez servir Dieu et la Richesse.
    BIBLE (CRAMPON), Évangile selon saint Matthieu,
         VI, 24.

47   Rien n'accuse davantage une extrême faiblesse d'esprit que de ne pas connaître quel est le malheur d'un homme sans Dieu ; rien ne marque davantage une mauvaise disposition du cœur que de ne pas souhaiter la vérité des promesses éternelles ; rien n'est plus lâche que de faire le brave contre Dieu. Qu'ils laissent donc ces impiétés à ceux qui sont assez mal nés pour en être véritablement capables ; qu'ils soient au moins honnêtes gens s'ils ne peuvent être chrétiens, et qu'ils reconnaissent enfin qu'il n'y a que deux sortes de personnes qu'on puisse appeler raisonnables : ou ceux qui servent Dieu de tout leur cœur, parce qu'ils le connaissent, ou ceux qui le cherchent de tout leur cœur, parce qu'ils ne le connaissent pas.
      PASCAL, *Pensées*, III, 194.

Homme qui parle au nom de Dieu. → **Prophète, inspiration.** *Annoncer* (cit. 7, 9) *la parole de Dieu.* → **Prêcher.** *Un homme de Dieu :* une personne consacrée à Dieu, un saint homme pieux, dévot.
Le roi, représentant de Dieu sur la terre dans les monarchies de droit divin (→ Attribut, cit. 5).

48   La transcendance divine, jusqu'en 1789, servait à justifier l'arbitraire royal (...) Cette transcendance était donc un masque qu'il faut arracher. Dieu est mort (...) il faut tuer la morale des principes où se retrouve encore le souvenir de Dieu.
    CAMUS, l'Homme révolté, p. 171.

LE BON DIEU (style familier). *Prier le bon Dieu. Le bon Dieu vous récompensera. — Recevoir le bon Dieu.*
→ **Communier ; eucharistie.** — Fig. *On lui donnerait le bon Dieu sans confession,* c'est une personne hypocrite ou malicieuse, mais dont le visage inspire confiance, et qui semble n'avoir aucun péché à confesser (qui pourrait donc communier sans confession).

49   Le reste est entre les mains du bon Dieu.
      RACINE, *Lettres*, VII, 75.

50   (...) le bon Dieu n'y connaît plus goutte.
      G. SAND (→ Avaler, cit. 12).

◆ **2** Loc. **DIEU SAIT...** (Pour appuyer une affirmation ou une négation). *Dieu sait si je dis la vérité. Dieu sait si je suis coupable.* — Pour exprimer l'incertitude. *Dieu sait ce que nous ferons demain. Cela va Dieu sait comme, mal. Dieu sait quelle aventure !* → Je ne sais* quelle...

50.1   Il était ivre, mais dans son ivresse, il y avait la sérénité amère et souriante d'un être qui aurait atteint Dieu sait quelle sagesse supérieure.
    G. SIMENON, *Feux rouges*, p. 31.

50.2   (...) Iglésia en train de faire cuire sur un feu quelque chose qu'ils avaient volé (...) à un noir (...) qui lui-même l'avait raflé Dieu sait où (comme avait été raflé Dieu sait où et apporté jusque dans le camp Dieu sait pourquoi — dans quel but ?... tout ce qu'on pouvait y trouver à vendre, à acheter ou à échanger).
    Claude SIMON, *la Route des Flandres*, p. 170.

Dieu m'est témoin que... — Devant Dieu et devant les hommes, formule de serment. — *Au nom de Dieu.*

51   N'en dites rien surtout, car vous me feriez battre.
Mon mari vient de pondre un œuf gros comme quatre.
Au nom de Dieu, gardez-vous bien
D'aller publier ce mystère.
      LA FONTAINE, *Fables*, VIII, 6.

Expressions diverses par lesquelles la personne qui parle fait intervenir Dieu ou souhaite qu'il intervienne. *À la grâce de Dieu. Avec l'aide de Dieu. Dieu aidant.*
→ **Aider.** *Dieu vous aide ! Dieu vous bénisse ! Dieu vous entende ! Dieu vous assiste ! Que Dieu vous le rende ! Dieu le veuille* ! Que Dieu ait son âme ! Dieu y pourvoira. Dieu m'en préserve ! Dieu m'en garde ! Dieu me pardonne* ! Dieu me damne !* → Damner, cit. 1, 2. *Dieu merci ! Dieu soit loué ! :* heureusement. *Plût à Dieu, au ciel ! S'il plaît* à Dieu. À Dieu ne plaise* (→ **Plaire**). *Si Dieu le veut.* — Pour saluer une personne qui éternue. *Dieu vous assiste !* (→ Assister, cit. 13) ; *Dieu vous bénisse !* (→ Bénir, cit. 7).

52   — Comment se porte Madame Dimanche, votre épouse ?
— Fort bien, Monsieur, Dieu merci.
      MOLIÈRE, *Dom Juan*, IV, 3.

52.1   Il s'était fait faire un splendide verre en cristal de Bohême, qui jaugeait, Dieu me damne ! une bouteille de bordeaux tout entière, et il le buvait d'une haleine !
    BARBEY D'AUREVILLY, *les Diaboliques*,
        « Le Rideau cramoisi ».

Pop. *C'est pas Dieu possible ! :* ce n'est vraiment pas possible (pas vraisemblable ; pas admissible).

52.2   Enfin voilà des employés... tous en lustrine et binocles, à faux-col celluloïd... (...) C'est les premiers que je vois à Londres !... (...) C'est pas Dieu possible ? Ils en ont tous une et la même ! comme mon pauvre père !... toujours des cravates à « système »... rayées à chevrons comme la sienne !
    CÉLINE, *Guignol's Band*, p. 295-296.

À-Dieu-vat. → **Adieu va.** — REM. On écrit aussi *à Dieu vat*, *à-Dieu-va.*

53 À-Dieu-vat! Mouillez, virez vent devant, virez vent arrière.
A. JARRY, Ubu Roi, V, 4.

♦ **3** Interjections servant à marquer un sentiment, une émotion (colère, joie, admiration...). *Dieu! Mon Dieu! Ah, mon Dieu! Bon Dieu!* (→ régional Boudi!). *Grand Dieu! Juste Dieu! Dieu du ciel!*

54 Dieu! qu'aperçois-je ici?   MOLIÈRE, Sganarelle, 9.
54.1 (...) ils s'arrêtaient un instant de travailler pour écouter le rossignol qui chantait dans l'arbre en face de la fenêtre, pour regarder le lilas immobile qui étageait mollement dans l'air lumineux les molles et fines pyramides de ses fleurs mauves comme un autel parfumé. Dieu, que leur couleur est tendre! Comme elles doivent sentir bon!
PROUST, Jean Santeuil, Pl., p. 621.

(Jurons). *Nom de Dieu! Bon Dieu! Bon Dieu de bon Dieu! Dieu(x) de Dieu(x)! Vingt dieux!* (aussi *vain dieu!*). — Vx. *Corps(-)Dieu!* (→ aussi **Corbleu, tudieu, ventrebleu.** → Cap [1. Cap] de Dious, juron gascon), *mort(-)Dieu... Tonnerre de Dieu!* Vulg. *Bordel de Dieu!* — Par euphém. ... *de Dieu!*

55 Pour Dieu, ne prenez point de vilaine figure (...)
MOLIÈRE, l'Étourdi, II, 4.
55.1 Vous êtes Vénus qui se lève
Au firmament; mais... est-ce un rêve?
Ou?... Je Vous vois... rougir... un peu,
Comme si je disais des choses...
Ou si j'allais sans fins ni causes
Répéter : Sacré nom de Dieu!
GERMAIN NOUVEAU, Valentines, «La Déesse», Pl., p. 590.
55.2 *(On)* nous conduisit à une fondrière où l'on jeta devant nous un milicien (...) Ignorant tout à fait tortionnaires et spectateurs, il ne s'en prenait qu'à la matière; quand ses efforts laborieux et adroits aboutissaient à l'enfoncer plus profondément dans la glaise, il ne pestait que contre la malice des choses. «Nom de Dieu de merde, c'est quand même trop con!».
Jacques LAURENT, les Bêtises, p. 230.

(En qualifiant, à valeur d'adj.). *Un, ce bon Dieu de...* → **Sacré, foutu.**
55.3 (...) ce Bon Dieu de vent, les sarabandes affolées de papier, de feuilles et de détritus tourbillonnant, houspillés par les bourrasques de Mars (...)
Claude SIMON, le Vent, p. 41.

♦ **4** Prov. *L'homme propose, Dieu dispose. — Ce que femme veut, Dieu le veut. — Qui donne* aux pauvres, prête à Dieu. — Chacun* pour soi et Dieu pour tous. — Il y a un Dieu pour les ivrognes*.*

56 Le proverbe : «Ce que femme veut, Dieu le veut», n'est pas plus vrai que tout autre proverbe, ce qui veut dire qu'il ne l'est guère.   Th. GAUTIER, Mᴵˡᵉ de Maupin, X, p. 212.
57 Ce qui tendrait à prouver qu'il n'y a que les choses les plus notoirement folles qui viennent à bonne fin, qu'il y a une chance pour les fous, un Dieu pour les téméraires.
LOTI, Aziyadé, III, L, p. 149.

DÉR. (De *bon Dieu*) V. **Bondieusard, bondieuser, bondieuserie.** ◊ **COMP. Adieu va** (ou à-Dieu-vat).

DIFFA [difa] n. f. — 1846; *difa*, 1845; arabe maghrébin *ḍîffa* «hospitalité» (arabe classique *ḍîyâfăh*).

Réception des hôtes de marque, accompagnée d'un repas, au Maghreb.

Je n'ai pas à t'apprendre que la *diffa* est le repas d'hospitalité. La composition en est consacrée par l'usage et devient une chose d'étiquette (...) voici le menu fondamental d'une *diffa* (...) D'abord un ou deux moutons rôtis entiers (...) Le mouton rôti est accompagné de galettes au beurre (...) puis viennent les ragoûts, moitié mouton et moitié fruits secs, avec une sauce abondante (...) Enfin arrive le couscoussou *(couscous)*...
E. FROMENTIN, Un été dans le Sahara, p. 19-20.

DIFFAMANT, ANTE [difamã, ãt] adj. — 1690; p. prés. de *diffamer.*
Rare. Qui diffame. → **Infamant; diffamatoire** (cit. 2). *Des paroles diffamantes. Libelles diffamants.*

DIFFAMATEUR, TRICE [difamatœʀ, tʀis] n. et adj. — Mil. XVᵉ, adj.; de *diffamer.*
♦ **1** N. (1495). Personne qui diffame. → **Calomniateur.** *Punir les diffamateurs. Une terrible diffamatrice.*
♦ **2** Adj. Qui diffame. *Pamphlet diffamateur.*

DIFFAMATION [difamasjɔ̃] n. f. — 1320; *difame*, XIIIᵉ; du bas latin *diffamatio*, du supin de *diffamare*. → Diffamer.

Action de diffamer. → **Accusation, attaque, calomnie, médisance.** *Cruelle, lâche, noire diffamation. La diffamation d'un adversaire, d'un ennemi. Extorsion sous menace de diffamation* (→ **Chantage**). — *Écrit, parole diffamatoire. Les diffamations des journaux.*

(...) il n'y a que votre seule société *(la compagnie de Jésus)* qui recevrait véritablement quelque plaisir de la diffamation d'un auteur *(Jansénius)* qui vous a fait quelque tort.   1
PASCAL, les Provinciales, XVIII.
La diffamation, la dépression, la dérision, l'opprobre dont ils m'ont couvert (...)   2
ROUSSEAU, Rêveries..., 1ʳᵉ promenade.

Dr. *Délit de diffamation* (→ **Injure**).
Toute allégation ou imputation d'un fait qui porte atteinte   3
à l'honneur ou à la considération de la personne ou du corps auquel le fait est imputé est une diffamation.
Loi du 29 juil. 1881, art. 29.

CONTR. Apologétique (cit. 3), **apologie, louange.**

DIFFAMATOIRE [difamatwaʀ] adj. — 1380; du rad. de *diffamatio* ou dér. sav. de *diffamer.*

Qui a pour but la diffamation; qui tend à porter atteinte à la réputation, à l'honneur (de qqn). *Allégation, imputation diffamatoire. Libelles, pamphlets diffamatoires.*

Qu'un libelle injurieux et diffamatoire se débite dans le   1
public, et que nous nous y trouvions notés, nous remuerons tout pour en savoir l'auteur (...)
BOURDALOUE, Dominic.,
Serm. dim. oct. Ascension, II, *in* LITTRÉ.
Diffamatoire se dit des paroles ou des écrits qui ont pour   2
but de diffamer quelqu'un; il a toujours un sens objectif. Diffamant est plus général et se dit de tout ce qui attaque la réputation, soit au sens actif, quand on attaque la réputation : des discours diffamants; soit au sens passif, quand ce qui est diffamant agit sur celui qui a fait ce qui diffame : une action diffamante.
LITTRÉ, Dict., art. *Diffamatoire.*

DIFFAMER [difame] v. tr. — V. 1160; lat. *diffamare*, de *dis-* marquant la dispersion, et *fama* «renommée».

Chercher à porter atteinte à la réputation, à l'honneur de (qqn). → **Attaquer, calomnier, déchirer** (fig.), **décrier** (cit. 4), **discréditer, médire** (de); **flétrir, salir, ternir** (la réputation, l'honneur de); **nuire** (à). *Diffamer un adversaire. Diffamer injustement un honnête homme. Diffamer qqn hypocritement, perfidement.* → Adresse, cit. 11.

Le mépris qu'on doit à quiconque se cache d'un homme pour le diffamer (...)
ROUSSEAU, Correspondance, t. II, p. 125, *in* LITTRÉ.

Dr. Commettre une diffamation* en imputant à qqn un fait vrai ou faux.

♦ **DIFFAMÉ, ÉE** p. p. adj.

♦ **1** *Personne, réputation diffamée.*

♦ **2** (1690). Blason. Se dit des armes auxquelles certaines pièces honorables ont été enlevées, ou auxquelles on a ajouté quelque pièce déshonorante. Il se dit aussi des animaux héraldiques privés de leur queue. *Lion diffamé* (→ Morné).

CONTR. Encenser, exalter, honorer, louer, prôner, vanter.
◊ DÉR. Diffamant, diffamateur, diffamatoire.

DIFFÉRANCE [diferɑ̃s] n. f. → **Différence**, rem.

DIFFÉRÉ, ÉE [difere] adj. — XIVᵉ; → Différer.

Fait ou remis, renvoyé à un moment ultérieur. *Crédit différé. — Émission différée de télévision,* donnée après avoir été faite et non en même temps. — N. m. (V. 1945). *Émission en différé* (opposé à *en direct*).

1 Mais ces émissions différées ont cet inconvénient que le metteur en scène intervient quand vous n'êtes plus là (...)
F. MAURIAC, le Nouveau Bloc-notes 1958-1960, p. 158.

2 Quant à la Télévision, elle transmet chaque dimanche, le soir en différé, la course principale de la journée, et les grandes réunions annuelles au moment même où elles ont lieu.
Pierre ARNOULT, les Courses de chevaux, p. 99.

Figuré :

3 Ici encore, la menace me parvenait en différé, à travers des récits et des images vécues par d'autres (...)
A. SARRAZIN, l'Astragale, p. 63.

Inform. *Traitement* différé (par oppos. à *traitement en temps réel*).

DIFFÉREMMENT [diferamɑ̃] adv. — XIVᵉ, differemment; de différent.

♦ **1** D'une manière différente. → **Autrement.** *Il n'est pas de votre avis, il pense différemment. Apprécier* (cit. 4) *qqch. différemment. Son influence agit différemment sur eux.* → **Diversement** (→ Agir, cit. 28). *Les princes agissent différemment des particuliers* (Littré), *autrement que...*

1 La religion juive doit être regardée différemment dans la tradition des livres saints et dans la tradition du peuple.
PASCAL, Pensées, IX, 601.

2 Je me contredis, il est vrai : accusez-en les hommes, dont je ne fais que rapporter les jugements; je ne dis pas de différents hommes, je dis les mêmes, qui jugent si différemment.
LA BRUYÈRE, les Caractères, XII, 93.

3 Mon père, dit Landry, nous jugeons la chose différemment vous et moi (...) Nous parlerons de Fanchon plus tard, ainsi que vous me l'avez promis.
G. SAND, la Petite Fadette, XXX, p. 203.

♦ **2** Régional (Sud-Est) et vx. (En tête de phrase). Par ailleurs. Cf. A. Daudet, *Tartarin sur les Alpes.*

CONTR. Identiquement, indifféremment, indistinctement.

DIFFÉRENCE [diferɑ̃s] n. f. — 1160; lat. *differentia.*

♦ **1** Caractère* *(une différence)* ou ensemble des caractères *(la différence)* qui distingue une chose d'une autre*, un être d'un autre être; relation d'altérité entre ces choses, entre ces êtres. → **Dissemblance, dissimilitude, distance, distinction, divergence, écart, inégalité, particularité.** *Préfixes marquant la différence.* → **Dis-, hétéro-.** *Différence légère, ténue, imperceptible.* → **Nuance.** *La différence n'est pas très marquée. Différence considérable, importante, notable, sensible; différence essentielle, totale; différence du tout* au tout. → **Abîme.** → *C'est le jour* et la nuit. *Différences empêchant plusieurs choses de s'accorder, d'aller ensemble.* → **Antinomie, antithèse**

(cit. 3), **contradiction, contrariété, contraste, incompatibilité, opposition; désaccord, discordance, incohérence.** *Différences dans un ensemble* (→ **Bigarrure, complexité, complication, disparité, diversité, hétérogénéité, mélange, variété).** *Différence entre deux états successifs.* → **Changement, modification, variation.** *Une différence profonde sépare ces deux théories.* → **Cloison, démarcation, séparation.** *Différence d'importance entre la cause et l'effet.* → **Disproportion.** *Différence entre un article de loi et un principe général.* → **Dérogation, exception.** *Différence entre deux versions d'un texte.* → **Variante.** — *Différence d'interprétation. Différence d'opinions.* → **Différend, dissidence, divergence, division.** *Tolérer les différences d'opinions* (→ **Tolérance**). *Recherche des différences et des ressemblances entre deux choses.* → **Comparaison** (cit. 2). *Différence de degré. Différence de valeur* (→ **Infériorité, supériorité**). *Différence d'âge, de rang, d'origine, de caractère, de classe* (cit. 12) *entre deux personnes. Différence de condition.* → **Inégalité, intervalle.** «*De la différence des esprits*» (paragraphe 16 des *Réflexions diverses* de La Rochefoucauld). *La différence qui est, qui existe entre eux. Ils se ressemblent avec cette différence que... Il y a une grande différence de vous à lui. — La différence consiste dans... La différence entre A et B, de A à B, de A et de B. Cela ne fait pas de différence* (→ C'est tout un*). *Il y a bien de la différence.* → C'est autre* chose; il s'en faut de beaucoup. (→ **Beaucoup,** *supra* cit. 17); il y a loin*...; c'est à cent lieues* de...

1 Et *(il)* se trouve autant de différence de nous à nous-mêmes, que de nous à autrui.
MONTAIGNE, Essais, II, I.

2 Un monarque entre nous met quelque différence.
CORNEILLE, le Cid, I, 3.

3 (...) je ne veux point qu'on mette de différence entre nous deux.
MOLIÈRE, Dom Juan, IV, 3.

4 Quelque différence qui paraisse entre les fortunes, il y a néanmoins une certaine compensation de biens et de maux qui les rend égales.
LA ROCHEFOUCAULD, Maximes, 52.

5 Entre la veuve d'une année
Et la veuve d'une journée
La différence est grande : on ne croirait jamais
Que ce fût la même personne.
LA FONTAINE, Fables, VI, 21.

6 Ils *(Malherbe et Théophile)* ont tous deux connu la nature, avec cette différence que le premier (...) en fait la peinture ou l'histoire. L'autre (...) en fait le roman.
LA BRUYÈRE, les Caractères, I, 39.

7 Les mortels sont égaux : ce n'est pas leur naissance,
C'est la seule vertu qui fait leur différence.
VOLTAIRE, Ériphile, II, 1.

8 Il y a une grande différence entre le prix que l'opinion donne aux choses et celui qu'elles ont réellement.
ROUSSEAU, Julie ou la Nouvelle Héloïse, V, lettre II.

9 Or, dans le monde, c'est cette différence d'homme à homme, cette nuance, ce rien qu'on appelle *génie, imagination, esprit et talent,* qui est compté pour beaucoup; car je ne parle pas ici des différences extérieures, telles que la force et la beauté; ni des différences sociales, telles que la richesse, la naissance et les dignités; différences qui jouent d'ailleurs un si grand rôle.
RIVAROL, Littérature, Lettre sur l'ouvrage de Mᵐᵉ de Staël, Œuvres, p. 105.

10 Ma présomption s'est si souvent applaudie de ce que j'étais différent des autres jeunes paysans! Eh bien, j'ai assez vécu pour voir que *différence engendre haine* (...)
STENDHAL, le Rouge et le Noir, I, XXVII, p. 186.

11 La différence entre Descartes et Malebranche, c'est que Descartes voit tout *par Dieu,* et que Malebranche voit tout en Dieu (...)
Émile FAGUET, Études littéraires, XVIIᵉ s., Malebranche, II, p. 81.

Faire la différence entre deux choses, la percevoir; la sentir. → **Départ, distinction, partage; distinguer.** *Voir, sentir la différence. Il ne fait pas de différence entre eux. Ne faire aucune différence* (→ Ami, cit. 23).

12   *(il)* répondit (...) qu'une femme était assez savante quand elle savait mettre différence entre la chemise et le pourpoint de son mari.   MONTAIGNE, *Essais,* I, XXV.

13   À mesure qu'on a plus d'esprit, on trouve qu'il y a plus d'hommes originaux; les gens du commun ne trouvent pas de différence entre les hommes.
             PASCAL, *Pensées,* I, 7.

14   Du faux avec le vrai faire la différence.
             MOLIÈRE, *Tartuffe,* I, 5.

15   La princesse prétendait se connaître en musique; elle l'aimait fort, sans avoir jamais su faire de différence entre la bonne et la mauvaise.
             R. ROLLAND, *Jean-Christophe,* II, p. 54.

Loc. prép. *À la différence de...,* se dit pour opposer des personnes, des choses différentes.

16   (...) à la différence de ces philosophes qui disent qu'on ne jouit que du présent, il ne jouit, au contraire, que du passé (...)   MONTESQUIEU, *Lettres persanes,* XLVIII.
Loc. conj. *À la différence que :* avec cette différence que...

Spécialt. Ce qui distingue une personne, une communauté, un groupe, dans une société; spécificité culturelle. *Le droit à la différence. — La différence de qqn. Affirmer, vivre sa différence.*

◆ **2** Log. *Différence* ou *différence spécifique :* caractère qui distingue une espèce des autres espèces du même genre. *La définition* caractéristique se fait par genre prochain et différence spécifique.*

◆ **3** Quantité qui, ajoutée à une quantité, donne une somme égale à une autre. *Différence en plus* (→ **Excédent, excès, supplément**), *en moins* (→ **Défaut, manque**). *Différence entre deux grandeurs. Mesure des très petites différences de longueur, à l'aide du comparateur*. Différence de hauteur, de niveau.* → **Dénivellation.** — Spécialt. *Différence d'une fonction :* variation d'une fonction pour une variation donnée d'une variable* (→ **Différentiel**).
Différence entre deux sommes d'argent. Voilà déjà mille francs, vous paierez la différence. → **Complément; appoint, reste, solde.** *Différence entre le débit et le crédit d'un compte.* → **Balance, compte; bénéfice, boni, excédent; déficit, perte.**
Bourse. Dans les opérations à terme, écart positif ou négatif entre le cours de la négociation et celui de l'exécution du marché. *Payer, toucher la différence. Faire de grosses différences.*

◆ **4** Log., math. *Différence entre deux ensembles A et B,* ensemble (A–B), constitué par les éléments de A qui n'appartiennent pas à B.
Différence symétrique de deux ensembles A et B, ensemble (A△B), formé par les éléments de A n'appartenant pas à B et les éléments de B n'appartenant pas à A.

◆ **5** REM. Le philosophe J. Derrida écrit et propose d'écrire *différance* pour désigner le dynamisme, l'action séparatrice qui crée l'écart, la «différence» produite.

17   (...) étant et mettre, ontique et ontologique (...) seraient, en un style original, *dérivés* au regard de la différence; et par rapport à ce que nous appellerons (...) la *différance,* concept économique désignant la production du différer, au double sens de ce mot (...)
             J. DERRIDA, *De la grammatologie,* p. 38.

CONTR. Accord (II.), **analogie, conformité, égalité, identité, parité, ressemblance, similitude.** ◊ **DÉR.** V. **Différentiel.**

DIFFÉRENCIATEUR, TRICE [diferãsjatœr, tʀis] adj. — 1922; de *différencier.*

Didact. ou littér. Qui différencie, détermine une différenciation.

Comment se fait-il que des différences existent entre les plasmas germinatifs des différents individus, dès lors que l'on doit refuser aux influences externes toute action différenciatrice ?
             Jean ROSTAND,
     Esquisse d'une histoire de la biologie, p. 182.

DIFFÉRENCIATIF, IVE [diferãsjatif, iv] adj. — Mil. XXᵉ; de *différencier.*

Didact. Qui correspond à une différence, qui différencie. → **Différenciateur.** — Spécialt. Qui marque un trait différentiel.

DIFFÉRENCIATION [diferãsjasjɔ̃] n. f. — 1808; de *différencier.*

Didactique ou usage soutenu.

◆ **1** Action, fait de se différencier (en parlant d'éléments semblables qui deviennent différents, ou d'éléments dissemblables dont les différences s'accentuent). → **Transformation.** *La différenciation fonctionnelle des cellules, des organes. Différenciation des individus, des groupes dans la société. La différenciation des fonctions économiques.* → **Spécialisation.** *Différenciations linguistiques, dialectales.* → **Variation.** *Différenciation sociale.*

1   (...) le progrès de la matière vivante consiste dans une différenciation des fonctions qui amène la formation d'abord, puis la complication graduelle d'un système nerveux capable de canaliser des excitations et d'organiser des actions (...)
       H. BERGSON, *Matière et Mémoire,* p. 278.
Biol. Acquisition de propriétés fonctionnelles différentes par les cellules semblables issues de la segmentation de l'œuf. *Différenciation cellulaire.* → **Spécialisation.**
Phonét. Modification d'un son sous l'influence d'un autre qui a pour but d'accentuer les différences. *Différenciation à distance.* → **Dissimilation.**

◆ **2** Action de différencier* (2.). → **Distinction, séparation.**

2   Quand un expérimentateur est en face de phénomènes complexes dus aux propriétés réunies de divers corps, il procède par différenciation, c'est-à-dire qu'il sépare successivement chacun de ces corps un à un, et voit par différence ce qui appartient à chacun d'eux dans le phénomène total.
       Cl. BERNARD, *Introd. à l'étude de la médecine expérimentale,* II, II, p. 180.
Écon. Mise en évidence de la spécificité d'un produit (pour améliorer sa diffusion, sa perception par le public, etc.).
Chim. Mise en évidence des détails d'une préparation (par décoloration, etc.).

CONTR. Dédifférenciation; indifférenciation; assimilation, confusion, identification, rapprochement, réunion. ◊ **HOM. Différentiation.**

DIFFÉRENCIER [diferãsje] v. tr. — 1395; du lat. scolast. *differentiare,* de *differens, -entis.* → **Différent.**

◆ **1** (Sujet n. de chose). Rendre différent*; établir (qqch., qqn) dans sa spécificité par un ou plusieurs traits. *Ce qui différencie l'homme des autres mammifères.*

1   Je jure, comme vous, quand le jeu me transporte;
Et ce qui peut deux nous différencier,
Vous jurez dans la chambre, et moi sur l'escalier.
       J.-F. REGNARD, *les Ménechmes,* I, 2.

2   Leurs yeux, leurs oreilles, leurs nez, les différencient *(les Lapons)* encore de tous les peuples (...)
       VOLTAIRE, *Essai sur les mœurs,* CXIX.

◆ **2** (Sujet n. de personne). Apercevoir, établir une différence, opérer la différenciation* entre. *Différencier deux espèces auparavant confondues.* → **Distinguer, séparer.**

3 Pendant ces trois mois de tempête,
Que faire sans calendrier ?
Comment placer les jours de fête ?
Comment les différencier ?
J.-B. L. GRESSET, Carême impromptu, *in* LITTRÉ.

4 Lorsqu'on sait que tout est nuancé dans la nature, on n'est point surpris des difficultés qu'on éprouve lorsqu'il s'agit de différencier les êtres (...)
BONNET, Contempl. nat., X, 29, *in* LITTRÉ.

Didact. et rare. **N. m.** *Le différencier :* le fait de différencier. → Différence, cit. 17.

◆ **3** Math. Calculer la différentielle de (var. : *différentier*).

◆ **SE DIFFÉRENCIER** v. pron.

◆ **1** Être caractérisé par telle ou telle différence. → **Distinguer** (se) ; **différer.**

5 (...) Fontenelle se différencie profondément des écrivains frivoles qui traitent des sujets graves et qui ne prennent point la vérité en elle-même.
SAINTE-BEUVE, Causeries du lundi, 27 janv. 1851, t. III, p. 328.

6 Fontenelle se différencie des écrivains de son temps par une connaissance profonde des sciences positives jointe à l'esprit le plus fin et le plus discret.
LITTRÉ, Dict., art. *Différencier.*

◆ **2** (Choses). Devenir différent ou de plus en plus différent. → **Distinguer** (se). *Les cellules se différencient de façon à donner les divers tissus de l'organisme.*

(Personnes). Se rendre différent. *Les joueurs de l'équipe A ont revêtu un maillot rouge pour se différencier de leurs adversaires. Il cherche à se différencier, à se faire remarquer.*

◆ **DIFFÉRENCIÉ, ÉE** p. p. adj. (1611). Marqué, séparé par quelque différence ; qui a subi une différenciation. *Tissu, organe différencié.*

7 Si loin qu'on remonte vers les origines *(de la vie),* toujours on la rencontre déjà très différenciée, donc très ancienne.
Ed. LE ROY, l'Exigence idéaliste et le fait de l'évolution, p. 92.

8 Par suite de la confusion courante entre l'idée spencérienne d'«évolution» et celle de progrès, «différencié» est pris aussi quelquefois pour supérieur, plus perfectionné, dans des cas où il n'y a dans ce perfectionnement aucun accroissement de spécialisation. C'est (...) un faux sens à éviter.
LALANDE, Vocabulaire de la philosophie.

CONTR. Assimiler, confondre, homogénéiser, identifier, rapprocher. — (Du p. p.) Indifférencier. ◊ DÉR. et COMP. Différenciateur, différenciation. Dédifférencier (se). V. Différentiel, différentier. ◆ HOM. Différentier.

DIFFÉREND [diferã] n. m. — 1360, écrit *-ent* ; *différens,* 1640 ; *diférend,* 1680 ; var. graphique de *différent.*

Désaccord résultant d'une différence d'opinions, d'une opposition d'intérêts entre deux ou plusieurs personnes. → **Conflit, contestation, démêlé, désaccord, discussion, dispute, querelle.** *Avoir un différend, des différends avec qqn. Ils ont eu un différend ensemble. Être en différend. Faire naître, susciter un différend. Porter un différend en justice.* → **Procès.** *Apaiser, aplanir, arranger, calmer le différend. Régler, terminer un différend. Arbitrer, juger un différend* (→ Arbitrage, cit. 1 ; arbitre, cit. 2) *en transigeant*. *Différend réglé à l'amiable par un compromis. Partager le différend.*

1 Et noyons de l'oubli ces petits différends
Qui de si bons guerriers font de mauvais parents.
CORNEILLE, Horace, I, 3.

L'Université eut un grand démêlé avec quelques docteurs   2
à l'occasion de la lettre Q qu'elle voulait qu'on prononçât comme un K. Il fallut que le parlement terminât le différend.
VOLTAIRE, *in* LAFAYE, Dict. des synonymes, Contestation...

(...) elle s'informe de leurs affaires ; leurs intérêts les   3
siens ; elle se charge de mille soins pour eux ; elle leur donne des conseils ; elle accommode leurs différends (...)
ROUSSEAU, Julie ou la Nouvelle Héloïse, IV, lettre x.

(...) il faut toujours songer, dans une famille, à ne pas   4
laisser des mineurs sans un chef pour les bien conseiller et régler leurs différends.
G. SAND, la Mare au diable, IV, p. 36.

CONTR. Accommodement, accord, réconciliation. ◊ HOM. Différent, différant (p. prés. de *différer*).

DIFFÉRENT, ENTE [diferã, ãt] adj. — V. 1360 ; lat. *differens,* p. prés. de *differe.* → Différer.

◆ **1** Qui diffère, présente une différence* (par rapport à une autre personne, une autre chose). → **Autre, dissemblable, distinct.** *Ce verre est différent de cet autre verre ; il n'appartient pas à la même série. Choses différentes à tous égards, totalement, essentiellement différentes.* → **Contraire, opposé ; contradictoire** (cit. 3). *Différent comme le jour et la nuit. Avis* (cit. 26) *différents, opinions différentes.* → **Divergent.** *Ses idées sont bien différentes des vôtres.* → **Éloigné.** *Caractères* (cit. 34) *différents. Aspects différents* (→ Contraste, cit. 5). *Couleurs nettement différentes.* → **Tranché.** *Nombres différents.* → **Inégal ; inférieur, moindre, supérieur.** *Cela est bien différent de ce que l'on voit d'habitude.* → **Étrange, exceptionnel, singulier ; part** (à part). *D'un pays différent.* → **Étranger.** *Choses différentes mises ensemble.* → **Discordant, disparate, divers, hétéroclite, hétérogène.** *Séparer, trier des choses différentes* (→ Séparer le bon grain de l'ivraie*). *Choses semblables d'aspect et de valeurs différentes* (→ Il y a fagot* et fagot). *Devenu différent.* → **Changé, méconnaissable, modifié, transformé.** *Il a mis un costume différent.* → **Nouveau.** *Le temps est différent aujourd'hui* (→ Les jours* se suivent et ne se ressemblent pas). *Sens différents d'un mot* (→ Attacher, cit. 39). *Le calembour* (cit. 3, 4) *utilise les mêmes mots avec des acceptions différentes.*

Qui a un caractère, un comportement différent.

On est quelquefois aussi différent de soi-même que des   1
autres.   LA ROCHEFOUCAULD, Maximes, 135.

Il n'y a point d'homme plus différent d'un autre que de   2
soi-même, dans les divers temps.
PASCAL, De l'esprit géométrique (→ Différence, cit. 1).

L'Aigle, reine des airs, avec Margot la pie,   3
Différente d'humeur, de langage et d'esprit,
Et d'habit,
Traversaient un bout de prairie.
LA FONTAINE, Fables, XII, 11.

Tous les hommes sont semblables par les paroles ; et ce   4
n'est que les actions qui les découvrent différents.
MOLIÈRE, l'Avare, I, 1.

Qu'est-ce que le talent du comédien ? L'art de (...) paraître   5
différent de ce qu'on est (...)
ROUSSEAU, Lettre à M. d'Alembert (→ Comédien, cit. 2).

Si les effets matériels de quelques actions sont pareils à   6
diverses époques, les causes qui les ont produits sont différentes.
CHATEAUBRIAND, Mémoires d'outre-tombe, t. VI, p. 88.

Toute créature humaine est un être différent en chacun   7
de ceux qui la regardent.
FRANCE, le Lys rouge, XXVII, p. 202.

(...) si nous n'étions si différents, nous n'aurions pas si   8
grand plaisir à nous entendre.   GIDE, Œdipe, II.

9 Dès le soir de l'arrivée, ils contractaient de nouvelles habitudes, différentes de celles qu'ils avaient pu avoir déjà dans leur vie (...) GIRAUDOUX, Bella, I, p. 16.

10 (...) à chaque minute les appels se renouvelaient sur un ton différent, passant de la gaieté à la surprise, et de l'irritation à l'inquiétude.
J. GREEN, Adrienne Mesurat, III, VII, p. 260.

11 Il arrive qu'une route offre des aspects tellement différents à l'aller et au retour que le promeneur qui rentre croit se perdre. COCTEAU, le Grand Écart, V, p. 90.

Spécialt. Remarquable, original.

Cela est différent, bien différent, tout différent, exprime une opposition entre ce qui était attendu et ce qui se produit ou entre deux données. → C'est une autre chanson*, une autre histoire*, une autre paire de manches*.

♦ 2 Plur. (avant le n.). Distincts. → **Divers, plusieurs.** *Différentes personnes me l'ont dit. Par différents moyens. Ce mot a différents sens, je ne sais plus combien.*

12 (...) vous savez si bien tous les différents caractères, toutes les différentes perfections qui me rendaient précieuse et chère cette personne incomparable *(ma mère).*
Mme DE GRIGNAN, *in* Mme DE SÉVIGNÉ, 1468, 13 août 1696.

13 Sur différentes fleurs l'abeille s'y repose,
Et fait du miel de toute chose.
LA FONTAINE, IX, Disc. à Mme de La Sablière.

14 Le Ciel, dont nous voyons que l'ordre est tout-puissant,
Pour différents emplois nous fabrique en naissant (...)
MOLIÈRE, les Femmes savantes, I, 1.

CONTR. Analogue, commun, égal, identique, même, pareil, ressemblant, semblable, similaire, voisin. — Un; seul. ◇ DÉR. et COMP. Différemment, différend. Équidifférent. → HOM. Différant (p. prés. de *différer*), **différend.**

DIFFÉRENTIATION [diferãsjasjɔ̃] n. f. — 1839; de *différentier.*

Math. Opération destinée à obtenir la différentielle d'une fonction. *Pour les fonctions explicites, la différentiation mène au calcul de la dérivée.*

HOM. Différenciation.

DIFFÉRENTIEL, ELLE [diferãsjɛl] adj. et n. — XVIe; de *différence,* d'après le bas latin *differentialis.*

Didact. Relatif aux différences ou aux variations.

♦ 1 (1732). **Math.** *Calcul différentiel :* partie des mathématiques qui a pour objet l'étude des variations infiniment petites des fonctions. *Le calcul différentiel s'occupe des infiniment petits, de leurs rapports; il constitue avec le calcul intégral le calcul infinitésimal* (analyse mathématique). *Le calcul différentiel est issu des recherches de Descartes, Fermat, Pascal et Leibniz sur les tangentes* aux courbes. — Équation différentielle :* relation entre une fonction, la variable dont elle dépend et les dérivées de la fonction. *Système d'équations différentielles. — Analyseur* différentiel.*

N. f. *Une, la différentielle :* partie principale de l'accroissement d'une fonction pour un accroissement infiniment petit de la variable.

1 Mais revenons à nos séries. Souligner leur importance, c'est dire que la notion de différentielle, si elle a une évidente origine géométrique, doit aussi beaucoup à l'arithmétique (...)
Michel SERRES, Hermès I, la Communication, p. 148.

♦ 2 Mécan. *Mouvement différentiel :* mouvement qui résulte de la combinaison (somme ou différence) de deux mouvements produits par la même force. *Le palan différentiel, la vis différentielle, le tendeur à vis fournissent un mouvement différentiel.*

Engrenage différentiel : combinaison d'engrenages par lesquels on transmet à un arbre rotatif un mouvement composé, équivalent à la somme ou à la différence de deux mouvements.
N. m. (1895, *in Année sc. et industr.* 1896, p. 286). **LE DIFFÉRENTIEL :** engrenage différentiel réunissant les deux moitiés d'essieu d'un véhicule automobile. *L'arbre de transmission, par son pignon d'attaque, transmet le mouvement à la couronne du différentiel, qui entraîne un arbre transversal et les pignons satellites et planétaires enfermés dans la boîte du différentiel. Le cardan* transmet le mouvement au différentiel.*

♦ 3 Didact. Qui concerne les différences. *Psychologie différentielle :* étude comparative des différences psychologiques entre les individus humains. *Stimulus* différentiel. — Seuil* différentiel.*
Méd. *Diagnostic différentiel,* qui établit les spécificités d'affections ayant des symptômes communs.
Didact. Basé sur les différences spécifiques. *Étude différentielle de deux concepts.*

♦ 4 Qui établit des différences. **Comm.** *Droit différentiel :* taxe douanière variable selon la provenance des marchandises. *Tarif différentiel* (de transport) : tarif qui n'est pas proportionnel aux distances.
Écon. *Salaires différentiels.* → **Salaire. — N. m. (abusif)** *Différentiel d'inflation :* différence de taux d'inflation.

2 Depuis un certain temps on parle de «*différentiel d'inflation*», ce qui fait savant, mais n'est pas approprié. Lorsqu'il s'agit de calcul ou d'engrenage, le mot a un sens, mais non lorsqu'il est accolé à celui d'inflation.
Pierre DROUIN, *in* le Monde, 14 sept. 1982, p. 1.

♦ 5 Didact. Qui manifeste en lui une ou des différences pertinentes. → **Singulier, spécifique.**

3 Tout cela introduit à la même idée d'un écrivain surhomme, d'une sorte d'être différentiel que la société met en vitrine pour mieux jouer de la singularité factice qu'elle lui concède. R. BARTHES, Mythologies, p. 32.

DIFFÉRENTIER [diferãsje] v. tr. — 1754; var. de *différencier* d'après le latin.

Math. Prendre la différentielle d'une fonction (→ **Différencier,** 3.).

DÉR. Différentiation. ◇ HOM. Différencier.

DIFFÉRER [difere] v. — 1314; lat. *differre* «disperser; remettre (à plus tard); être différent», de *dis-* (→ Dis-), et *ferre* «porter».

[I] V. tr. ♦ 1 (V. 1350). Remettre à un autre temps; éloigner l'accomplissement, la réalisation de (qqch.). → **Remettre, renvoyer, repousser, retarder, surseoir** (à). *Différer une affaire, une démarche. Différer un paiement, une échéance. Le contrat est signé, mais on en diffère l'exécution. Différer le jugement d'un procès par des procédés dilatoires*. — (Avec un adv. ou un compl. de temps). Cela ne doit pas être différé plus longtemps. Différer son départ de jour en jour, de délai en délai. Différer cela jusqu'à demain* (cit. 3). *Différer qqch. de...* (tel temps). → ci-dessous cit. 2, 3. — Au passif et au p. p. (plus cour.). *Le paiement a été différé. Échéance différée, différée indéfiniment, pendant longtemps.*

1 (...) son mariage, différé par sa maladie (...)
MOLIÈRE, le Médecin malgré lui, I, 4.

2 Ah! si du fils d'Hector la perte était jurée,
Pourquoi d'un an entier l'avons-nous différée?
RACINE, Andromaque, I, 2.

3 Si mon cœur, de tout temps facile à tes désirs,
N'a jamais d'un moment différé tes plaisirs (...)
BOILEAU, le Lutrin, II.

4 Les bonnes résolutions ne gagnent pas à être différées.
            J. ROMAINS, M. Le Trouhadec...

4.1 Cette aventure que j'ai trouvée au centre de ma mémoire et dont je ne peux différer plus longtemps le récit (...)
            CAMUS, la Chute, p. 80.

REM. Sans être archaïque, cet emploi est d'un style littéraire ou assez soutenu, de nos jours.

Prov. Vx. *Ce qui est différé n'est pas perdu.*

♦ **2** V. tr. ind. Littér. *Différer de..., à...* (et inf.). *Différer de faire... Différer à faire...* → **Tarder.** *Ne différez point d'y aller* (Académie). *J'ai différé à le dire* (Littré).

5 (...) j'ai toujours différé à vous faire réponse jusqu'à présent (...)
            Mᵐᵉ DE SÉVIGNÉ, Lettres, 71, 20 mai 1667.

6 (...) si l'on diffère un moment à se rendre au lieu dont l'on est convenu avec lui, il se retire.
            LA BRUYÈRE, les Caractères de Théophraste, «De la brutalité».

7 En quelque endroit de sa maison qu'il ait aperçu un serpent, il ne diffère pas d'y élever un autel.
            LA BRUYÈRE, les Caractères de Théophraste, «De la superstition».

♦ **3** Absolt. → **Atermoyer, attendre** (cit. 32), **temporiser.** *Partez sans différer, sans plus différer.*

8 Mais ne différez point : chaque moment vous tue.
            RACINE, Phèdre, I, 3.

II V. intr. Être différent, dissemblable. → **Différencier** (se), **distinguer** (se), **opposer** (s'). — (Sujet au sing.). *Différer de... Mon opinion diffère légèrement, sensiblement de la vôtre. — Différer d'avec. Différer d'avec qqn par un caractère.* — (Sujet au plur.). *Ils diffèrent en un point, sur tous les points. C'est en cela qu'ils diffèrent* (→ Céder, cit. 15). *Ils diffèrent l'un de l'autre en ce que... Ils ne diffèrent que par ce trait. Leurs opinions diffèrent.* → **Diverger.** — Absolt. *Varier, avoir des aspects dissemblables* (→ ci-dessous cit. 11). *Dans le même sens, construit avec de* (→ ci-dessous cit. 13).

9 Tous les hommes sont fous, et, malgré tous leurs soins,
Ne diffèrent entre eux que du plus ou du moins.
            BOILEAU, Satires, IV.

10 (...) nous tâcherons de marquer, non en quoi les «nouveaux venus» se ressemblent, mais en quoi ils diffèrent, c'est-à-dire en quoi ils existent, car être existant, c'est être différent.
            R. DE GOURMONT, le Livre des masques, p. 14.

11 Combien la notion de l'honneur diffère suivant les pays et les âges !
            GIDE, Journal, 21 juin 1931.

12 C'est parce que tu diffères de moi que je t'aime ; je n'aime en toi que ce qui diffère de moi.
            GIDE, les Nourritures terrestres, p. 189.

• 13 Lorsque nous considérons les individus humains, nous sommes tout d'abord frappés de leur diversité, de leur inégalité. À tous égards, l'Homme diffère de l'Homme : par le visage, par la force physique, par la vigueur intellectuelle, par les aptitudes morales, par le caractère, etc.
            Jean ROSTAND, l'Homme, V, p. 67.

14 (...) le microbe différait légèrement du bacille de la peste, tel qu'il était classiquement défini.
            CAMUS, la Peste, p. 150.

15 Mon amie, nous sommes bien étranges. J'éprouvais pour la première fois un plaisir de perversité à différer des autres ; il est difficile de ne pas se croire supérieur, lorsqu'on souffre davantage, et la vue des gens heureux donne la nausée du bonheur.
            M. YOURCENAR, Alexis, p. 68.

(Personnes). *Avoir des attitudes, des opinions différentes. Ils diffèrent complètement sur ce point, en politique.* → *Ils ne sont pas de la même paroisse*. Différer à propos de qqch.* → **Opposer** (s').

CONTR. — (Du sens I) **Avancer, hâter, précipiter ; réaliser.** — (Du sens II) **Ressembler** (se), **confondre** (se).

DIFFICILE [difisil] adj. — 1330 ; lat. *difficilis,* de *dis-,* et *facilis.* → Facile.

♦ **1** Qui n'est pas facile ; qui ne se fait qu'avec effort, avec peine. → **Ardu, délicat, dur, laborieux,**

malaisé, pénible, terrible, et, par exagér. **impossible, infaisable ;** (fam.) **coton, duraille, vache ;** → *C'est le diable*,* la *mer à boire*. Affaire, entreprise, opération, travail difficile. Manœuvre longue et difficile. — Difficile à...* (et inf.). *Cela est difficile à faire, à exécuter, à réussir. Ce n'est pas si difficile.* → *Il ne faut pas s'en faire une montagne*. Un temps difficile à passer* (Académie). *Quel âge peut-il avoir ? C'est difficile à dire. — Vieilli. Difficile à qqn,* difficile pour lui. → ci-dessous cit. 1. *C'est plus difficile à telle catégorie de personnes. — Mod.* (avec un pronom). *Il lui est, il m'est difficile de... Cela te sera difficile. Il m'est difficile d'accepter. Il m'est difficile de ne pas y aller,* j'y suis obligé, contraint, forcé.

1 Rien ne pèse tant qu'un secret ;
Le porter loin est difficile aux dames (...)
            LA FONTAINE, Fables, VIII, 6.

2 Les fautes des sots sont quelquefois si lourdes et si difficiles à prévoir, qu'elles mettent les sages en défaut (...)
            LA BRUYÈRE, les Caractères, XI, 62.

3 Sans être belle, elle avait une figure difficile à oublier, et que je me rappelle encore, souvent beaucoup trop pour un vieux fou.
            ROUSSEAU, les Confessions, I.

4 (...) il est aussi difficile et aussi rare de bien observer que de bien penser et de bien écrire.
            GIDE, Corydon, p. 132.

5 Que tout me paraît difficile ! J'avance pas à pas, peinant, à court de souffle, de joie, de ferveur.
            GIDE, Journal, 13 août 1927.

6 Il n'est pas difficile d'être malheureux ! ce qui est difficile c'est d'avoir une raison pour ne pas essayer ; au contraire ; le proverbe dit que toutes les belles choses sont difficiles.
            ALAIN, Propos sur le bonheur, p. 162.

7 Il mesure donc son cœur aux tâches les plus difficiles ; et sa grandeur d'âme ne les estimait peut-être qu'en raison de la difficulté.
            André SUARÈS, Trois hommes, «Pascal», II, p. 33.

8 Ce monde à lui tout seul tel qu'il est, c'est difficile de nous persuader qu'il est complet et suffisant.
            CLAUDEL, Feuilles de saints, p. 169.

Par ext. Délicat. *Il est difficile d'en parler devant les enfants.* → **Épineux, scabreux.**

♦ **2** Qui demande un effort intellectuel, des capacités (pour être compris, résolu). *Passage, texte difficile.* → **Compliqué, confus, embrouillé, ésotérique, impénétrable, inextricable, mystérieux, obscur.** *Le russe est plus difficile que l'espagnol, pour un Français. Auteur difficile,* dont les écrits sont difficiles à comprendre. *Morceau de musique difficile,* difficile à exécuter. *Rôle difficile,* difficile à jouer. *Problème difficile.* → fam. **Coton, trapu.**

9 *(La femme est)* Un certain animal difficile à connaître (...)
            MOLIÈRE, le Dépit amoureux, IV, 2.

10 La critique est aisée, et l'art est difficile.
            Ph. DESTOUCHES, le Glorieux, II, 5 (→ Auteur, cit. 38).

11 (...) ce qui n'est que difficile ne plaît point à la longue.
            VOLTAIRE, Candide, XXV.

12 Il est des hommes pour qui une méditation profonde est un besoin ; tout ce qui est difficile leur paraît grand.
            CONDORCET, Duhamel.

13 (...) rien n'est plus difficile dans cette grave histoire que de garder respect à l'ordre chronologique.
            STENDHAL, Souvenirs d'égotisme, p. 15.

14 (...) la solution du grand problème d'un amoureux parfait, problème un peu plus difficile à résoudre que celui de la pierre philosophale.
            Th. GAUTIER, Mᶫᶫᵉ de Maupin, X, p. 210.

15 La langue française est difficile. Elle répugne à certaines douceurs (...)
            COCTEAU, la Difficulté d'être, p. 201.

16 Les revues difficiles paraissent sur papier de luxe ; ce qui se lit sur papier chandelle est toujours sage et très clair.
            J. PAULHAN, les Fleurs de Tarbes, p. 18.

♦ 3 Qui présente un danger, une incommodité (accès, passage). *Lieu d'abord, d'accès difficile. Chemin, route, voie difficile.* → **Escarpé, impraticable, inabordable, inaccessible, raide; casse-cou, dangereux, périlleux.** *Prendre à la corde* (cit. 7) *un tournant difficile.*

17 Ainsi vous élargirez un peu les voies du ciel et rétablirez le chemin que sa hauteur et son âpreté rendront toujours assez difficile.
BOSSUET,
Oraison funèbre d'Henriette-Anne d'Angleterre.

18 Le Pérou est un pays très difficile, où il faut continuellement gravir des montagnes, marcher sans cesse dans des gorges et des défilés.
G. T. RAYNAL, Hist. philosophique, VII, 5, *in* LITTRÉ.

♦ 4 N. m. *Le difficile :* les choses difficiles (au sens 1 ou 2). *Le difficile, c'est de...*

19 (...) dans tous les temps, l'homme ne désire vivement que le difficile.   MICHELET, la Femme, p. 245.

20 Pour tous les hommes le bien est difficile, pour les héros de Corneille, c'est le difficile qui est le bien.
Émile FAGUET, Études littéraires, XVII° s.,
Corneille, III, p. 157.

21 Le difficile dans la vie, c'est de prendre au sérieux longtemps de suite la même chose.
GIDE, les Faux-monnayeurs, I, VI, p. 76.

♦ 5 Qui donne du tourment. → **Douloureux, pénible, triste.** *Position, situation difficile.* → **Délicat, embarrassant.** *Circonstances, temps difficiles :* temps de calamités, de troubles. *Ce fut une époque, une période difficile pour tous. Il y eut un moment difficile dans sa vie.* → *Un mauvais* moment. Mener une vie difficile.* → **Âpre, rude.** *Avoir des débuts difficiles.*

22 (...) j'ai lieu de soupçonner qu'elle est dans une situation difficile (...)   MARIVAUX, Marianne, XI.

Vx. Personne d'une fréquentation, d'un commerce difficile (→ ci-dessous 6.)

Qui connaît les difficultés d'ordre social. *Un quartier, une banlieue difficile.* → **Sensible.**

♦ 6 (Personnes). Qui n'est pas aisé, agréable à fréquenter. *Personne difficile.* → **Acariâtre, contrariant, difficultueux, exigeant, intraitable, irascible, querelleur, rude;** → Mauvais coucheur*; colère, cit. 19. *Enfant difficile* (à élever). — *Humeur, caractère* difficile.* → **Coriace** (fig.)**, dur, mauvais, ombrageux.** — *Difficile à vivre.*

23 (...) votre fille n'est pas si difficile que cela, et elle s'est apprivoisée depuis qu'elle est chez moi.
MOLIÈRE, George Dandin, I, 4.

24 Il fut quelque temps après obligé de répudier Azora, qui était devenue trop difficile à vivre (...)
VOLTAIRE, Zadig, III.

25 Elle n'est point de ces maîtresses emportées et difficiles qui trouvent à redire à tout, qui crient sans cesse, tourmentent leurs domestiques, et dont le service, en un mot, est un enfer.   A. R. LESAGE, Gil Blas, IV, VII.

(Animaux). *Cheval difficile.* → **Ombrageux, rétif.**

♦ 7 (Personnes). Qui n'est pas facilement satisfait; de goûts exigeants. → **Exigeant; délicat, raffiné.** *Il ne faut pas être trop difficile. Critique difficile.* → **Sévère.** — *Goût difficile.* — (Avec un compl.). *Être difficile, plus ou moins difficile sur qqch.* (→ ci-dessous, cit. 29 et 31).

26 Rien ne touche son goût, tant il est difficile (...)
MOLIÈRE, le Misanthrope, II, 4.

27 Ne soyons pas si difficiles :
Les plus accommodants, ce sont les plus habiles (...)
LA FONTAINE, Fables, VII, 5.

28 Le roi est content de vous; mais cela ne suffit pas; il faut que Dieu le soit aussi, et il n'est pas plus difficile que les hommes (...)
Mme DE MAINTENON, Lettre à d'Aubigné,
10 oct. 1685, *in* LITTRÉ.

(...) en amour, le cœur n'est pas difficile sur les productions 29 de l'esprit (...)
BEAUMARCHAIS, le Barbier de Séville, I, 6.

N'ayez pas l'esprit plus difficile que le goût, et le jugement 30 plus sévère que la conscience.
Joseph JOUBERT, Pensées, V, LXXII.

Il ne faut pas être difficile sur les repas, lorsqu'on est si 31 près de Sparte (...)
CHATEAUBRIAND, Itinéraire de Paris à
Jérusalem, 30.

Spécialt. *Femme difficile,* difficile à séduire, exigeante dans le choix de ses prétendants.

(...) les femmes un peu difficiles, qu'on ne possède pas 32 tout de suite, dont on ne sait même pas tout de suite qu'on pourra jamais les posséder, sont les seules intéressantes.
PROUST, À la recherche du temps perdu, t. VII,
p. 230.

N. *Faire le difficile, la difficile.* → **Faire la petite bouche*; faire le dégoûté*, le renchéri*; faire comme le héron* de la fable, faire sa Sophie*.**

Une dame plaît plus qui fait un peu de la difficile et résiste, 33 que quand elle se laisse sitôt porter par terre.
BRANTÔME, Vie des dames galantes, Disc. I, p. 24.

(...) les Luthériens font encore ici les difficiles et ne veulent 34 pas se laisser persuader aux sentiments de Calixte (...)
BOSSUET, Hist. des variations, XV, 169.

CONTR. Facile; agréable, aisé, commode, réalisable, simple. — Accommodant, aimable, conciliant. ◊ DÉR. Difficilement.

DIFFICILEMENT [difisilmᾱ] adv. — V. 1455; de *difficile.*

♦ 1 D'une manière difficile; non sans peine. → **Malaisément.** *Il y est parvenu difficilement.*

♦ 2 Rare. *Apprendre, travailler difficilement,* avec difficulté. → **Laborieusement, péniblement.**

Ceux qui apprennent difficilement et avec peine retiennent 1 mieux ce qu'ils ont une fois appris.
J. AMYOT, Caton d'Utique.

De toutes les facultés de l'homme, la raison (...) est celle 2 qui se développe le plus difficilement et le plus tard (...)
ROUSSEAU, Émile, II.

Ici (...) l'écriture de Tarrou donnait des signes bizarres 3 de fléchissement. Les lignes qui suivaient étaient difficilement lisibles (...)   CAMUS, la Peste, p. 298.

CONTR. Facilement.

DIFFICULTÉ [difikylte] n. f. — 1239; lat. *difficultas,* de *difficilis.* → Difficile.

♦ 1 Caractère de ce qui est difficile*; ce qui rend qqch. difficile. *Difficulté d'une affaire, d'une entreprise, d'un travail. Difficulté d'un texte, d'une langue étrangère. Difficulté d'un poème.* → **Obscurité.** *Difficulté d'une question, d'un problème, d'un sujet.* → **Complexité, complication, confusion, subtilité.** *Difficulté d'une recherche.* — *Difficulté d'un chemin, d'un passage, d'une ascension.* → **Danger, péril.** — *Ce travail est pour lui sans difficulté. Ce problème ne présente aucune difficulté* (→ Pont aux ânes*).

(...) je sens plus que jamais la difficulté de mon entre- 1 prise (...)
BOSSUET,
Oraison funèbre d'Henriette-Anne d'Angleterre.

Pendant deux longs jours, Bernard explora Paris, étonné 2 de sa propre ardeur à poursuivre des acheteurs qui se dérobaient enfin. Comme il arrive aux amants, la difficulté du métier commençait à lui en donner le goût.
A. MAUROIS, Bernard Quesnay, XXI, p. 144.

Absolt. *Aimer la difficulté. L'attrait de la difficulté. Craindre la difficulté. Répugnance pour la difficulté.*

♦ 2 *Difficulté à* (et inf.). → **Embarras, gêne, mal, peine.** *Difficulté à s'exprimer* (→ Découdre, cit. 6.) *Il a de la difficulté à comprendre cela. Avoir, éprouver de* *la difficulté à...* — Vx. *Difficulté de...* Allus. littér. *La difficulté d'être.* → ci-dessous, cit. 3. — *La difficulté de faire qqch.*

3 «Je sens une difficulté d'être». C'est ce que répond Fontenelle, centenaire, lorsqu'il va mourir et que son médecin lui demande : «M. Fontenelle, que sentez-vous?» Seulement la sienne est de la dernière heure. La mienne date de toujours.

> COCTEAU, la Difficulté d'être,
> p. 193 (→ aussi Arranger, cit. 22).

♦ **3** *(Une, des difficultés).* Ce qu'il y a de difficile en quelque chose; chose difficile. → **Accroche** (vx), **contrariété, embarras, empêchement, ennui, obstacle, opposition, résistance, souci, tracas, traverse**; **involution**; fam. **accroc**, 1. **aria, bec, cactus, cahot, cheveu, chiendent, épine, os, pépin.** *Légère, grande, grave difficulté. Difficulté infranchissable, insurmontable.* → **Barrière** (fig.), **écueil** (fig.). *Difficultés matérielles, financières* (→ Constant, cit. 3). *Difficultés intellectuelles, morales, sentimentales. Affaire hérissée de difficultés.* → Semé de ronces* et d'épines. *Toute entreprise présente des difficultés.* → Il n'y a pas de rose* sans épines. *Les difficultés que comporte ce sujet. Les difficultés que soulève cette question* (→ **Problème**). *Une difficulté d'algèbre. Des difficultés d'orthographe, de grammaire. Dictionnaire des difficultés de la langue française. Aplanir; éclaircir une difficulté. Le nœud de la difficulté* (→ **Tu autem**, vx). — *S'achopper, se cogner, se heurter à des difficultés. Se débattre* (cit. 12), *patauger* (fam.) *au milieu des difficultés. Les difficultés qui le menacent, qui l'assaillent* (cit. 8). *Avoir peur des difficultés. S'en faire une montagne*. Hésiter, reculer devant les difficultés. Se noyer dans les difficultés. Affronter une difficulté. Faire face aux difficultés.* → Prendre le taureau* par les cornes, le loup* par les oreilles. *Lever, renverser, surmonter, vaincre les difficultés. Passer par-dessus les difficultés; éluder, tourner la difficulté. Aplanir, résoudre, trancher une difficulté. Élever, susciter des difficultés à qqn.* → Tailler des croupières* à... *Nous aurons de grandes difficultés à le décider.* → Ce sera la croix et la bannière*. Voilà la difficulté.* → **Diable, hic** (le). *Des difficultés imprévues ont surgi; elles l'ont contraint à abandonner.*

4 (...) diviser chacune des difficultés que j'examinais en autant de parcelles qu'il se pourrait et qu'il serait requis pour les mieux résoudre.
> DESCARTES, Disc. de la méthode, II.

5 La difficulté fut d'attacher le grelot.
> LA FONTAINE, Fables, II, 2.

6 — Que voulez-vous? — Vous consulter sur une petite difficulté. — Sur une difficulté de philosophie, sans doute?
> MOLIÈRE, le Mariage forcé, 4.

7 L'éclaircissement d'une difficulté dépend souvent de la solution d'une autre et celle-ci d'une précédente (...)
> BERNARDIN DE SAINT-PIERRE,
> la Chaumière indienne, in LITTRÉ.

8 (...) avec l'imagination allemande qui tenait de son père, les difficultés, loin d'être une raison pour la détourner d'une entreprise, la lui rendaient encore plus attrayante.
> STENDHAL, Mina de Wanghel, Œ., t. II, p. 1143.

9 Je ne prendrais pas sur moi de trancher cette difficulté.
> Paul BOURGET, Un divorce, I, p. 35.

10 Un suicide. Solution de toutes les difficultés (...)
> J. ROMAINS, les Hommes de bonne volonté, t. II,
> XVII, p. 198.

11 Les difficultés d'un sujet, il est bon de ne les reconnaître qu'au fur et à mesure que l'on travaille; on perdrait cœur à les voir toutes d'un coup.
> GIDE, Si le grain ne meurt, II, I, p. 291.

12 Ainsi, nous nous rendant pas compte de la nature des difficultés que présentent les tâches mal connues de nous, nous sommes portés à considérer ces difficultés comme nulles.
> J. PAULHAN, Entretien sur des faits divers, p. 31.

Peut-être avaient-ils des difficultés, ce qu'on appelle des difficultés de cœur alors? 12.1
> M. DURAS, Moderato cantabile, p. 37.

Cela peut souffrir des difficultés. Cela ne souffrira aucune difficulté : cela sera facile. — *Cela ne fait aucune difficulté. Je n'y vois pas de difficulté :* cela est possible.

Spécialt. Passage difficile, obscur, dans un texte. *Les difficultés de Tacite.* — Passage difficile d'exécution, dans un morceau de musique. *Les difficultés des Études de Liszt.*

(...) vous n'êtes arrêté dans la lecture que par les difficultés 13 (...) où les commentateurs et les scoliastes eux-mêmes demeurent court (...)
> LA BRUYÈRE, les Caractères, XIV, 72.

(...) elle raclait sa guitare et chantait, en roulant les yeux 14 d'une manière féroce comme un virtuose exécutant des difficultés.
> LOTI, Mᵐᵉ Chrysanthème, XXXII, p. 111.

♦ **4** Raison alléguée, opposition soulevée contre qqch. → **Objection; chicane, contestation, opposition.** *Faire des difficultés. Soulever sans cesse des difficultés* (→ Donner du fil* à retordre). *Soulever une difficulté* (→ Lancer un lièvre*). *Se décider après bien des difficultés.* → **Embarras.** *Il n'a pas fait difficulté de venir* (vx); *il n'a pas fait de difficultés pour venir; il est venu sans difficulté.*

(...) s'ils faisaient quelque difficulté à cause de l'heure, ne 15 manque pas de les presser (...)
> MOLIÈRE, George Dandin, III, 5.

Peut-être fera-t-elle quelque difficulté à prendre ce 16 remède (...) MOLIÈRE, le Médecin malgré lui, III, 6.

♦ **5** *En difficulté :* dans une situation difficile. *Être en difficulté. Mettre qqn en difficulté.*

(...) le roi de France était en difficulté avec l'Église à cause 17 d'un second mariage irrégulier.
> J. BAINVILLE, Hist. de France, V, p. 54.

CONTR. Aisance, facilité, simplicité. — Accord. ◊ DÉR. Difficultueux.

DIFFICULTUEUSEMENT [difikyltɥøzmã] adv.
— 1823; de *difficultueux.*

Rare. D'une manière difficultueuse (2.); avec de grandes difficultés (Barbusse, Jankélévitch, *in* T. L. F.). → **Laborieusement.**

REM. Cet adverbe est en fait un intensif stylistique de *difficilement.*

Les gros officiers se hissèrent un peu plus difficultueusement au haut de leurs bêtes respectives. 1
> Th. GAUTIER, Constantinople, p. 185.

Mon père n'insiste pas. Aussi bien, Martin du Gard est-il 2 déjà en train de quitter difficultueusement son fauteuil : — Une crise de goutte (...)
> Claude MAURIAC, le Temps immobile, p. 348.

DIFFICULTUEUX, EUSE [difikyltɥø, øz] adj.
— 1584; de *difficulté*, d'après *majestueux, voluptueux*, de *majesté, volupté.*

♦ **1** Vx ou littér. (Personnes). Qui est enclin à soulever des difficultés. → **Chicaneur, pointilleux.** *Homme, esprit difficultueux.*

Des difficultés! Oh! ma comtesse n'est point difficultueuse (...) A. R. LESAGE, Turcaret, IV, 2. 1

♦ **2** Abusiv. (Choses). Difficile. — REM. Cet emploi constitue un faux sens, motivé par l'adéquation de la forme (dérivé plus complexe, plus «difficile» que le mot *difficile*) au contenu. On le rencontre néanmoins dans quelques textes (A. France, Duhamel, *in* T. L. F. et G. L. L. F.).

Étant donnée sa forme de cylindre arrondi aux extrémités, 2 le lingot se serait fort bien prêté à l'expérience difficultueuse conçue par Fogar.
> Raymond ROUSSEL, Impressions d'Afrique, p. 363.

CONTR. Accommodant, facile. ◊ DÉR. Difficultueusement.

DIFFLUENCE [diflyɑ̃s] n. f. — 1838 ; de *diffluent*.

♦ **1** Didact. Caractère de ce qui est diffluent.

♦ **2** Géogr. Division d'un cours d'eau en plusieurs branches. — *Diffluence d'un glacier,* qui, poussé par la pression des glaces d'amont, remonte une vallée affluente et rejoint un autre glacier après avoir passé un col. — **Météor.** Élargissement progressif des lignes de courant (dans le sens de l'écoulement).

♦ **3** Fig. et rare. État de ce qui se développe en se diffusant. → **Diffusion.**

DIFFLUENT, ENTE [diflyɑ̃, ɑ̃t] adj. — XVIe, Amyot, *humeur... diffluente ;* du lat. *diffluens,* p. prés. de *diffluere* «s'écouler en divers sens». → **Affluent.**

Didact. Qui s'écoule, se répand. — **Biol.** *Tissus diffluents :* tissus ramollis, à consistance quasi liquide. — **Géogr.** Dont les ramifications s'écartent et se développent (cours d'eau, glacier). — **N. m.** *Les diffluents d'un glacier.*

(Abstrait). Qui se développe dans plusieurs directions. *Imagination diffluente.*

CONTR. Ferme, solide. ◊ DÉR. Diffluence.

DIFFLUER [diflye] v. intr. — 1530 ; du lat. *diffluere,* de *dis-,* et *fluere* «s'écouler».

Didact. Se répandre en s'épanchant de divers côtés. — **REM.** On rencontre aussi la forme pron. anormale *se diffluer* (in T. L. F.).

DIFFORME [difɔʀm] adj. — XIIIe ; du lat. médiéval *difformis,* altér. de *deformis,* de *de-,* et *forma* «forme».

♦ **1** Qui n'a pas la forme et les proportions naturelles (se dit du corps, notamment du corps humain et de ses parties). → **Contrefait, déformé, estropié, infirme, monstrueux.** → Mal fait*, mal bâti*. *Homme difforme.* → **Avorton, géant, nabot, nain ; boiteux, bossu, bot** (pied bot), **cagneux, cul-de-jatte, déjeté, disgracié, éclopé, estropié, obèse, rachitique, tordu ;** (VX) **godenot, polichinelle, ragotin.** *Bête, monstre difforme* (→ Chimère, cit. 2). *Un grand escogriffe dégingandé, presque difforme.* → *Figure, tête difforme. Membres difformes et tordus.* — Par exagér. Très laid. → **Affreux, hideux, horrible, repoussant.**

1   On ne saurait dire s'il *(Ésope)* eut sujet de remercier la nature, ou bien de se plaindre d'elle : car, en le douant d'un très bel esprit, elle le fit naître difforme et laid de visage (...)   LA FONTAINE, la Vie d'Ésope.

2   Il est si prodigieusement flatté dans toutes ses peintures que l'on fait de lui, qu'il paraît difforme près de ses portraits (...)   LA BRUYÈRE, les Caractères, VIII, 32.

3   Quand il *(Claude Frollo)* tira cet enfant du sac, il le trouva bien difforme... Le pauvre petit diable avait une verrue sur l'œil gauche, la tête dans les épaules, la colonne vertébrale arquée, le sternum proéminent, les jambes torses (...) Il baptisa son enfant adoptif et le nomma *Quasimodo...* En effet, Quasimodo, borgne, bossu, cagneux, n'était guère qu'un *à peu près.*
      HUGO, Notre-Dame de Paris, IV, II.

Littér. (Choses). *Un arbre difforme.* → **Rabougri, tordu.** *Bâtiment difforme,* disproportionné.

♦ **2** Fig. et littér. → **Anormal, monstrueux, repoussant.** *Le monde difforme de la Cour* (cit. 5) *des Miracles. Des idées difformes.*

N. m.

4   Le laid, c'est la grimace du diable derrière le beau. Le difforme est l'envers du sublime. C'est l'autre côté.
      HUGO, l'Homme qui rit, II, VII, IV.

CONTR. Beau, normal, parfait, régulier, symétrique... ◊ DÉR. Difformer.

DIFFORMER [difɔʀme] v. tr. — Déb. XIVe, *Ovide moralisé ;* de *difforme,* d'après *former.*

Didact. et vx. Déformer (encore chez Du Camp, 1859, in T. L. F.).

Spécialt. Dénaturer (une monnaie).

DIFFORMITÉ [difɔʀmite] n. f. — XIVe ; lat. médiéval *difformitas,* altér. de *deformitas,* de *deformis.* → **Difforme.**

♦ **1** Défaut marqué de la forme physique, en général congénital, anomalie dans les proportions. → **Déformation, infirmité, malformation, monstruosité, vice** (de conformation) ; → Contrefait, cit. 2. *Les becs de lièvre ; la claudication, le déjettement sont des difformités. La palmature, la syndactylie, difformités de la main. Difformités du pied* (pied plat, pied bot...), *de la colonne vertébrale* (bosse, gibbosité). *Difformité de la vue, des yeux* (myopie, strabisme...). *Corriger une difformité. Les difformités d'une caricature, d'une charge.*

1   (...) toute sa personne était une grimace. Une grosse tête hérissée de cheveux roux ; entre les deux épaules une bosse énorme (...) un système de cuisses et de jambes si étrangement fourvoyées qu'elles ne pouvaient se toucher que par les genoux (...) de larges pieds, des mains monstrueuses ; et, avec toute cette difformité, je ne sais quelle allure redoutable de vigueur, d'agilité et de courage (...)
      HUGO, Notre-Dame de Paris, I, V.

2   Rembrandt, le plus grand peintre de cette race, n'a reculé devant aucune des laideurs et des difformités physiques (...)
      TAINE, Philosophie de l'art, t. II, V, III, V, p. 305.

Fig. et littér. Anomalie ; imperfection morale, intellectuelle.

3   C'est une grande difformité dans la nature qu'un vieillard amoureux.   LA BRUYÈRE, les Caractères, XI, 111.

4   Une furie vengeresse leur présentait un miroir qui leur montrait toute la difformité de leurs vices (...)
      FÉNELON, Télémaque, XVIII.

♦ **2** Rare. Caractère de ce qui est difforme. *La difformité de son visage.*

CONTR. Beauté, norme, perfection, régularité, symétrie.

DIFFRACTER [difʀakte] v. tr. — 1838 ; de *diffraction.* Phys. Produire la diffraction de. *Écran qui diffracte les rayons lumineux.*

♦ **DIFFRACTÉ, ÉE** p. p. adj.

On peut remplacer la plaque sensible *(photographique)* par une chambre d'ionisation recevant le faisceau diffracté au travers d'une fente étroite (...)
      Augustin BOUTARIC, les Rayons X, p. 37.

DIFFRACTIF, IVE [difʀaktif, iv] adj. — 1846 ; de *diffraction.*

Vx. Qui produit la diffraction.

DIFFRACTION [difʀaksjɔ̃] n. f. — 1666 ; du lat. *diffractus,* p. p. de *diffringere* «mettre en morceaux», de *dis-,* et *frangere* «rompre». → **Fraction.**

Phys. Phénomène optique de déviation des rayons lumineux, au voisinage de corps opaques. → **Déflexion, dispersion.** *Qui opère la diffraction.* → **Diffractif, diffringent.**

Par ext. Phénomène analogue pour d'autres rayonnements. *Diffraction des rayons X sur un réseau cristallin.*

DÉR. Diffracter, diffractif. ◊ COMP. Diffractomètre.

DIFFRACTOMÈTRE [difʀaktɔmɛtʀ] n. m. — D. i. (mil. XXe) ; de *diffract(ion), -o,* et *-mètre.*

Didact. Appareil de mesure de la diffraction. «*Le diffractomètre mis au point par Varian*» (la Recherche, nov. 1973, p. 990).

DIFFRINGENT, ENTE [difʀɛ̃ʒɑ̃, ɑ̃t] adj. — 1738; du lat. *diffringens*, p. prés. de *diffringere*. → Diffraction.

Phys. Qui opère la diffraction*. *Surface diffringente.*

(...) l'expérience de Laue *(physicien allemand)* a permis d'établir, d'une manière définitive, la présence d'éléments diffringents situés aux nœuds d'un système réticulaire.
Augustin BOUTARIC, les Rayons X, p. 35.

DIFFUS, USE [dify, yz] adj. — 1314; du lat. *diffusus*, p. p. de *diffundere* «répandre», de *dis-*, et *fundere* «répandre».

♦ **1** Qui est répandu dans toutes les directions.

1   La force par laquelle nous agissons, nous sentons, nous pensons, est diffuse dans toute la matière.
DIDEROT, Opinion des philosophes, «Épicuréisme».

2   N'y a-t-il pas telle douleur physique diffuse, s'étendant par irradiation dans des régions extérieures à la partie malade, mais qu'elle abandonne pour se dissiper entièrement si un praticien touche le point précis d'où elle vient?
PROUST, À la recherche du temps perdu, t. VI, p. 146.

3   La terre de France produit une race d'êtres incomparables, si évolués, si complets, que la moindre éducation, immédiatement assimilée, les rend aptes aux premiers rôles. La véritable élite de la France est diffuse dans son peuple.
J. CHARDONNE, l'Amour du prochain, VII, p. 168.

4   La faculté d'indignation persiste, mais comme une douleur exaspérée qui n'a plus de siège précis. Elle se disperse et elle est diffuse, confuse, elle menace d'être incohérente dans ses réactions (...)
G. DUHAMEL, Récits des temps de guerre, IV, XXV, p. 95.

5   Mais, pendant plusieurs minutes, sa pensée diffuse erra, comme ses regards, sans qu'il pût la fixer.
MARTIN DU GARD, les Thibault, t. IV, p. 35.

Par ext. Dont les contours sont flous. *Visages diffus.*

Phys. *Lumière diffuse :* lumière due à une réflexion irrégulière. *Chaleur diffuse.*

6   La lune avait disparu derrière le chevet de l'église mais sa lueur diffuse pâlissait le ciel et n'y laissait palpiter que de rares étoiles.
F. MAURIAC, la Pharisienne, VIII, p. 114.

Phonét. Se dit des voyelles dont les deux formants principaux ont des fréquences éloignées (opposé à compact).

(Abstrait). *Des souvenirs diffus.*

♦ **2** (Abstrait). **Littér.** Qui délaie sa pensée. → **Abondant, prolixe, verbeux.** — *Un style diffus.*

7   (...) si on les laisse *(les idées)* se succéder lentement, et ne se joindre qu'à la faveur de mots, quelque élégants qu'ils soient, le style sera diffus, lâche et traînant.
BUFFON, Disc. sur le style, p. 14.

8   Le *diffus* pèche par des écarts, et le *prolixe* par des longueurs. Le *diffus* n'est pas précis; le *prolixe* n'est pas court. Le *diffus* tourne sans cesse autour de la même idée, et ne l'exprime jamais que d'une manière vague (...) Un écrit de quelques pages sera néanmoins *diffus*, mais non pas *prolixe*, si, quoique bref, il contient des choses étrangères à ce dont il s'agit. LAFAYE, Dict. des synonymes, Diffus.

(Personnes). *Écrivain, orateur diffus.*

9   Quelque soin qu'on apporte à être serré et concis, et quelque réputation qu'on ait d'être tel, ils *(certains esprits vifs)* vous trouvent diffus.
LA BRUYÈRE, les Caractères, I, 29.

CONTR. Bref, concis, court, laconique, limité, précis. ◊ **DÉR.** Diffusément, diffuser.

DIFFUSANT, ANTE [difyzɑ̃, ɑ̃t] adj. — D. i.; p. prés. de *diffuser.*

Méd. Qui diffuse, qui s'étend de proche en proche. *Douleur diffusante.*

DIFFUSÉMENT [difyzemɑ̃] adv. — 1371; de *diffus.*

Rare. D'une manière diffuse. *Parler, écrire diffusément.*

DIFFUSER [difyze] v. — XVᵉ, rare jusqu'au XIXᵉ; de *diffus.*

I V. tr. ♦ **1** Répandre dans toutes les directions. → **Disperser, propager, répandre.** *Action de diffuser.* → **Diffusion.** *Diffuser la chaleur, la lumière.* — Pron. :

1   (...) par les fenêtres grandes ouvertes, l'or de ce soleil au déclin se diffusait partout, jetant sur la nudité des murs (...) une chaude splendeur (...)
LOTI, Matelot, III, p. 12.

(1861). **Sc.** Provoquer la diffusion de.

♦ **2** Plus cour. Émettre, transmettre par ondes hertziennes (→ **Radiodiffusion**). *Diffuser une émission.* — Au p. p. *Ondes sonores diffusées par radio. Discours, concert diffusé en direct, en différé.*

♦ **3** (XXᵉ). Fig. Répandre dans le public. *Diffuser une nouvelle. Diffuser des idées, des façons d'agir, des comportements.*

♦ **4** Distribuer (un ouvrage de librairie). *Éditeur qui diffuse des livres, des textes. Cet ouvrage est édité à Lille, mais c'est un éditeur parisien qui le diffuse chez les libraires* (→ **Distribuer**).

2   Des imprimeurs de la ville virent très vite le parti qu'ils pouvaient tirer de cet engouement et diffusèrent à de nombreux exemplaires les textes qui circulaient.
CAMUS, la Peste, p. 241.

Au p. p. *Un livre, un titre très, mal diffusé.*

II V. intr. **Chim.** Se répandre en tous sens (dans un milieu).

3   Quant à la vitamine A et au carotène, leur taux ne se modifie guère; ils sont d'ailleurs liposolubles et ne peuvent en aucune façon diffuser dans l'eau.
Suzanne GALLOT, les Vitamines, p. 110.

CONTR. Concentrer. ◊ **DÉR.** Diffusant, diffuseur, diffusible, diffusif.

DIFFUSEUR [difyzœʀ] n. m. — 1890; de *diffuser.*

♦ **1** Techn. Appareil qui sert à diffuser qqch. — Spécialt. *Appareil servant à l'extraction du jus sucré des betteraves.*

(1921). Partie du carburateur (d'un moteur à explosion) où se produit la pulvérisation de l'essence. → **Venturi.**

Appareil d'éclairage qui ne laisse passer qu'une lumière diffuse. «*L'éclairage par fluorescence a été adopté avec tubes (...) disposés dans une rampe longitudinale à la partie supérieure du pavillon des compartiments sous des diffuseurs en matière plastique translucide.*» (la Vie du rail, nº 892, 14 avr. 1963, p. 22).

Vx. Haut-parleur* diffusant les sons.

♦ **2** Organe qui diffuse (l'information, les connaissances).

La déchéance du livre, comme grand diffuseur de la connaissance, peut se trouver retardée quelque temps encore.
G. DUHAMEL, Défense des lettres, Préface, p. 7.

Dans le commerce de la librairie, Entreprise chargée de la diffusion*. *Cet éditeur passe par un, par plusieurs diffuseurs. Diffuseur spécialisé. Éditeur* diffuseur. Il, elle est le diffuseur de cet éditeur.*

Par ext. *Le diffuseur d'une doctrine, d'une théorie.* → **Vulgarisateur.**

DIFFUSIBILITÉ [difyzibilite] n. f. — 1787; de *diffusible.*

Didact. Caractère de ce qui peut être diffusé.

DIFFUSIBLE [difyzibl] adj. — 1834; de *diffuser*.
Didactique.

♦ **1** Qui peut se répandre en tous sens. *Odeur diffusible.*

1 Les hormones (...) substances diffusibles.
Jean ROSTAND,
Esquisse d'une histoire de la biologie, p. 230.

♦ **2** Fig. Qui peut être propagé, se répandre dans le public.

2 Mais l'Esprit européen — ou du moins ce qu'il contient de plus précieux — est-il totalement diffusible?
VALÉRY, Variété, la Crise de l'Esprit, *in* Œ., Pl.,
t. I, p. 999.

DÉR. **Diffusibilité.**

DIFFUSIF, IVE [difyzif, iv] adj. — Fin xvᵉ; de *diffuser*.
Didact. Qui a la propriété de diffuser (de la chaleur, de la lumière). *Pouvoir diffusif d'un corps.*
«Un pouvoir lumineux diffusif excessivement faible»
(*Année sc. et industr.*, 1900, p. 6).

DÉR. **Diffusivité.**

DIFFUSION [difyzjɔ̃] n. f. — 1587; lat. *diffusio*, du supin de *diffundere*. → Diffus.

A ♦ **1** Action de se répandre, de se diffuser (**en parlant de la matière, d'ondes**). *Diffusion de la lumière par réflexion sur une surface dépolie. Diffusion de la chaleur, du son.*
Phys. Phénomène par lequel les diverses parties d'un fluide deviennent homogènes (en composition, température, etc.) en se répartissant également dans une enceinte. *Diffusion des gaz. Diffusion à travers une paroi poreuse* (osmose), *par des orifices capillaires* (effusion). *Diffusion des solutions. Diffusion thermique.* — Dissémination des rayons lumineux produits par transmission à travers un milieu trouble (par diffraction), un milieu gazeux ou condensé (à densité irrégulière).

♦ **2** Phys. Changement de direction ou d'énergie (d'une particule incidente), provoqué par une collision (avec une autre particule ou un système de particules). *Diffusion accélératrice d'un neutron,* par laquelle il gagne de l'énergie.

♦ **3** Physiol. Dissémination (d'une substance) dans l'organisme.

♦ **4** (1953). Cour. Diffusion d'ondes sonores. *Émetteur de radio qui assure la diffusion d'un programme, d'un bulletin d'informations.* → **Émission, transmission, radiodiffusion.**

♦ **5** Fig. Le fait de répandre, de se répandre.
→ **Expansion, invasion, propagation.** *Diffusion des richesses.* → **Distribution.** *Diffusion des connaissances humaines, de l'instruction.* → **Vulgarisation.** *Diffusion de la pensée, de la langue, d'une culture. La diffusion d'une nouvelle. Les médias, supports d'une diffusion massive de l'information. Diffusion à grande échelle* (→ Arrosage, C., 3.).

1 (...) le sens primitif s'affaiblit par la diffusion de l'expression, et (...) il a besoin d'être affirmé.
F. BRUNOT, la Pensée et la Langue, IV, XVII, II,
p. 683.

2 L'influence essentielle d'un écrivain, ce n'est donc pas celle qu'il exerce immédiatement sur le public par la première diffusion de ses écrits, c'est celle qu'il exerce, et souvent à son insu, par l'intermédiaire des maîtres, des professeurs, sur les enfants des générations nouvelles.
G. DUHAMEL, Défense des lettres, IV, v, p. 304.

♦ **6** *Diffusion des ouvrages de librairie,* distribution à l'ensemble des détaillants (libraires, grandes surfaces, etc.). → **Diffuser; diffuseur.**

B Fig. et péj. Vx. Défaut de concision et de clarté (dans le style); caractère diffus. → **Délayage.**
La diffusion nuit sans doute à la clarté, quand on parle à des hommes accoutumés à une attention soutenue, qui savent saisir des nuances fines, qui peuvent recevoir à la fois un grand nombre d'idées et suppléer aux idées intermédiaires que l'on a supprimées.
CONDORCET, Duhamel, *in* LITTRÉ.

C (1956). Techn. (admin.). *Diffusion de l'impôt :* incidence fiscale de la prise en charge partielle par le contribuable de l'impôt qui pourrait être répercuté sur les consommateurs.

CONTR. **Agglomération, centralisation, concentration, convergence.** — **Effacement, étouffement.** — **Concision, précision.** ◊ DÉR. **Diffusionnisme.** ← COMP. **Radiodiffusion.**

DIFFUSIONNISME [difyzjɔnism] n. m. — 1977; de *diffusion*, et *-isme*.
Sociol. Théorie selon laquelle les civilisations, les cultures se propagent par diffusion.
On emploie aussi *diffusionniste* adj. les positions *diffusionnistes d'un historien*) et n. *un, une diffusionniste*.

DIFFUSIVITÉ [difyzivite] n. f. — Mil. xxᵉ; de *diffusif*.
Phys. Propriété de diffuser; pouvoir diffusif. *Diffusivité thermique d'un isolant. «Pour estimer les transferts thermiques au niveau d'un échangeur de centrale nucléaire, calculer la traînée d'un avion ou évaluer les flux de matière à l'intérieur d'une étoile, l'ingénieur ou le chercheur essaieront de déterminer des coefficients de transport moyen appelés coefficients de diffusivité turbulente.»* (*la Recherche*, nᵒ 139, déc. 1982, p. 1418).

DIG [dig] interj. et n. — D. i. (absent des dict.); onomatopée.
Onomatopée évoquant le son d'une cloche (associé à *ding, dong*). Syn. : *ding.* — N. m. *Un dig auquel font écho un ding et un dong.*

1 Une quatrième fois les mots : «Frère Jacques» se firent entendre, prononcés maintenant par l'extrémité droite, qui venait de rompre son inaction pour compléter le quatuor; la première voix terminait alors le canon par les syllabes : «Dig, ding, dong», servant de base à «Sonnez les matines» et à «Dormez-vous», nuancés par les deux voix intermédiaires.
Raymond ROUSSEL, Impressions d'Afrique, p. 88.

2 Dig ding dong, dig ding dong, drelin, drelin... L'entrée des caravanes!... Le carillon, qui est ici la musique habituelle de l'aube, me réveille encore à moitié cette fois (...)
LOTI, Vers Ispahan, p. 92.

DIGAMMA [digama] n. m. — 1752; mot grec «double gamma», de *dis-*, et *gamma*.
Didact. Lettre de l'alphabet grec archaïque, qui correspond au son [w].

DIGASTRIQUE [digastrik] adj. — 1611; grec *di-* «deux», et *gastêr, gastros* «ventre».
Anat. Se dit d'un muscle de la mâchoire inférieure qui a deux faisceaux de fibres charnues réunis par un tendon intermédiaire. — N. m. *Le digastrique, abaisseur de la mâchoire inférieure et élévateur de l'os hyoïde.*

DIGÉRABILITÉ [diʒerabilite] n. f. — xxᵉ; de *digérable*.
Didact. Digestibilité*.

DIGÉRABLE [diʒerabl] adj. — 1843; attestation isolée, 1516; de *digérer*, et suff. *-able*.

Qu'on peut digérer. — REM. Cet adj., de formation française, remplacerait avantageusement le néologisme contesté *digeste*. — Aliment difficilement, facilement (→ **Digestible**) *digérable*.

1 (...) j'avais perdu ce privilège, comme après la première jeunesse on perd le pouvoir qu'ont les enfants de dissocier en fractions digérables le lait qu'ils ingèrent, ce qui force les adultes à prendre, pour plus de prudence, le lait par petites quantités, tandis que les enfants peuvent le téter indéfiniment sans reprendre haleine.
PROUST, le Temps retrouvé, Pl., p. 858.

Par métaphore :

2 (...) ces immenses phrases (...) si ingénieusement nommées des *tartines* dans l'argot du journalisme qui tous les matins en taille à ses abonnés de fort peu digérables, et que néanmoins ils avalent.
BALZAC, Illusions perdues, Pl., t. IV, p. 497 (→ Tartine, cit. 1).

3 (...) il faudra, c'est fort à craindre, d'étranges flambées et l'assaisonnement de pas mal de sang pour rendre digérables, en ce jour, ces rebutants chrétiens de boucherie.
Léon BLOY, le Désespéré, p. 149.

DÉR. Digérabilité.

DIGÉRER [diʒeʀe] v. tr. [CONJUG.: *céder*.] — Av. 1288; «calmer», 1361; «mettre en ordre», jusqu'au XVIIe; lat. *digerere* «porter çà et là, distribuer», de *dis-*, et *gerere*.

♦ **1** Vx. Mettre en ordre, classer (→ 1. **Digeste**).

1 Le sénat devait digérer toutes les affaires.
BOSSUET, Disc. sur l'hist. universelle, III, 7.

♦ **2** Faire la digestion de. → **Digestion**; assimiler (cit. 5). *Aliment qui se digère facilement* (→ **Passer**). Cour. Assimiler facilement, normalement (les aliments). *Estomac débile qui ne digère que les légumes. Digérer mal, péniblement un repas. Boire un digestif, pour mieux digérer* (→ Chocolat, cit. 1). — Fam. *Il a un estomac d'autruche, il digérerait des pierres.*

2 J'ai l'estomac débilité,
Si bien qu'à grand-peine il digère.
O. BASSELIN, XVe s., les Vaux-de-Vire, *in* LITTRÉ.

3 Il devait ronfloter, en digérant du chou, son grand nez sur la salamandre !
MARTIN DU GARD, les Thibault, t. IV, p. 95.

Pron. *Cela se digère bien.*

♦ **3** (XVIIe). Par métaphore ou fig. Mûrir par la réflexion, par un travail intellectuel comparé à la digestion. → **Assimiler**. *Digérer une pensée, une lecture.* — Absolt. *Il ne suffit pas d'absorber, il faut digérer* (→ ci-dessous, cit. 7).

4 Ceux qui ont le raisonnement le plus fort et qui digèrent le mieux leurs pensées afin de les rendre claires et intelligibles, peuvent toujours le mieux persuader ce qu'ils proposent (...) DESCARTES, Disc. de la méthode, I.

5 Je vous laisse digérer ces réflexions (...)
Mme DE SÉVIGNÉ, Lettres, 789, 13 mars 1680.

6 Peu lire, et penser beaucoup à nos lectures, ou, ce qui est la même chose, en causer beaucoup entre nous, est le moyen de les bien digérer (...)
ROUSSEAU, Julie ou la Nouvelle Héloïse, I, Lettre XII.

7 Il ne faut pas travailler tout le temps. Il faut prendre du temps, prendre son temps. Il faut digérer. Oui. C'est dans la digestion des connaissances que réside le talent.
Max JACOB, Conseils à un jeune poète, p. 34.

8 Plagiaire est celui qui a mal digéré la substance des autres : il en rend les morceaux reconnaissables.
VALÉRY, Rhumbs, p. 148.

Au p. p. *Connaissances bien, mal digérées.*

9 (...) et c'est la combinaison de ces éléments *digérés* qui développe l'originalité personnelle.
Antoine ALBALAT, la Formation du style, II (→ Assimiler, cit. 6).

10 (...) Les pays s'inondent réciproquement de «Digests» c'est-à-dire, comme le nom l'indique, de littérature déjà digérée, de chyle littéraire. SARTRE, Situations II, p. 267.

♦ **4** (XVIIe). Fam. Supporter patiemment (qqch. de fâcheux). → **Endurer, souffrir.** *Digérer un affront, un outrage, une injure.* → **Avaler.** *Digérer sa disgrâce. C'est bien dur à digérer :* c'est difficile à accepter, à supporter ou à oublier.

11 Il ne peut digérer les cinq cents écus que je lui arrache (...)
MOLIÈRE, les Fourberies de Scapin, II, 7.

12 (...) ces coups de bâton me reviennent au cœur, je ne les saurais digérer (...)
MOLIÈRE, le Médecin malgré lui, I, 4.

13 Je lui aurais tout pardonné, parce que, enfin, c'est une malade; mais son indifférence pour Marie, je ne peux pas la digérer.
F. MAURIAC, Thérèse Desqueyroux, XII, p. 213.

♦ **5** Chim. Pratiquer la digestion* de. → **Dissoudre, macérer; digesteur.**

♦ **DIGÉRÉ, ÉE** p. p. adj. *Bol alimentaire à demi digéré.* — *Lecture bien digérée.* — *Injure mal digérée.*

CONTR. Rejeter, rendre. — (Du p. p.) Indigéré. ◊ DÉR. V. **Digeste, digestible, digestif, digestion. — Digérable.** — COMP. (Du p. p.) **Prédigérer.**

DIGEST [diʒɛst; dajʒɛst] n. m. — 1930; mot angl. des États-Unis «résumé».

Anglicisme. «Résumé, condensé d'un livre; publication formée de tels condensés. «*Les pays s'inondent réciproquement de "Digests"*» (→ Digérer, cit. 10). *Des digests.*

HOM. 1. **Digeste,** 2. **digeste.**

1. DIGESTE [diʒɛst] n. m. — V. 1230; lat. *digesta,* de *digerere.* → Digérer.

Dr. rom. Recueil des décisions des jurisconsultes, composé par ordre de l'empereur Justinien. → **Code, répertoire.**

Le *Digeste* ou Pandectes est de beaucoup, au point de vue historique, la plus importante des compilations de Justinien. C'est, d'après son titre, une encyclopédie réduite du Droit classique romain (...) Le *Digeste* est divisé en 50 *livres,* les livres en *titres,* chaque titre est subdivisé en *fragments;* lesquels fragments sont aussi appelés des lois, parce que Justinien a reconnu le caractère législatif à tous les fragments consacrés et retenus.
A.-E. GIFFARD, Précis de droit romain, t. I.

HOM. **Digest,** 2. **digeste.**

2. DIGESTE [diʒɛst] adj. — 1880; cf. anc. franç. *digest* «qui a digéré», XIIIe; *digeste* «digéré», XVIe; d'après *indigeste.*

Comm. (mot critiqué). Qui se digère facilement. → **Digérable, digestible.**

HOM. **Digest,** 1. **digeste.**

DIGESTÉ [diʒɛste] n. m. — D. i.; de *digestion.*
Pharm. Produit obtenu par digestion* (2.).

DIGESTEUR [diʒɛstœʀ] n. m. — 1752; dér. sav. du lat. *digestum,* supin de *digerere.* → Digérer.

Techn. Autoclave servant à cuire, dissoudre certaines substances à haute température.

Digesteur-cuiseur. → **Autocuiseur.**

La pâte (...) est envoyée dans des digesteurs-cuiseurs où elle subit une cuisson rapide aux environs de 82 °C.
Guérir, oct. 1967, «Les aliments de sécurité».

DIGESTIBILITÉ [diʒɛstibilite] n. f. — 1805; de *digestible.*
Didact. Qualité d'un aliment digestible, facilement digérable. Syn. : *digérabilité.*

DIGESTIBLE [diʒɛstibl] adj. — 1314, rare jusqu'au XVIIIe; lat. *digestibilis*, même sens, du supin de *digerere*. → Digérer.

Qui peut être facilement digéré. → 2. **Digeste**. *Aliment très digestible.* → **Léger**.

CONTR. **Indigeste, indigestible, lourd, pesant.** ◊ DÉR. **Digestibilité.**

DIGESTIF, IVE [diʒɛstif, iv] adj. — V. 1260; lat. méd. *digestivus*, du supin de *digerere*. → Digérer.

♦ **1** Qui contribue à la digestion*. *Appareil digestif* (bouche, gosier, œsophage, estomac, intestin. → Assimilable, cit. 1). *Tube digestif. Ferments digestifs.* → **Diastase, suc.**

1 Notre appareil digestif est constitué par un tube ouvert à ses deux bouts; l'un des orifices, la *bouche*, sert à l'introduction des substances alimentaires; l'autre, l'*anus*, sert à l'expulsion des résidus de la digestion.
(...) il existe en dehors du tube digestif, et à son voisinage immédiat, trois autres organes qui en sont des *annexes* parce qu'ils sécrètent des liquides qui se déversent dans ce tube digestif, où ils exercent eux-mêmes une action importante dans la digestion de certaines catégories d'aliments. Ce sont : les *glandes salivaires* (...) le *foie* (...) le *pancréas*.
A. PIZON, Anatomie et physiologie humaine, p. 264.

♦ **2** Relatif à la digestion; de la digestion. *Trouble digestif.*

♦ **3** Qui facilite la digestion. *Liqueur, tisane digestive.*

N. m. (XVIe). *Boire un digestif,* un alcool, une liqueur. *Prendre un café et un digestif.* → **Pousse-café.**

♦ **4** Fig. et fam. Qui produit un effet lénifiant, euphorique (spectacle, lecture). *Une lecture digestive.* — REM. Cet emploi implique en général une péjoration (caractère banal, conformiste).

2 Si, dans le théâtre digestif d'aujourd'hui, les nerfs, c'est-à-dire une certaine sensibilité physiologique, sont laissés délibérément de côté, livrés à l'anarchie individuelle du spectateur, le Théâtre de la Cruauté compte en revenir à tous les vieux moyens éprouvés et magiques de gagner la sensibilité.
A. ARTAUD, le Théâtre et son double, Idées/Gallimard, p. 189-190.

DIGESTION [diʒɛstjɔ̃] n. f. — 1265; lat. *digestio*, du supin de *digerere*. → Digérer.

♦ **1** Physiol. et cour. Ensemble des transformations que subissent les aliments dans le tube digestif avant d'être assimilés (→ **Assimilation, nutrition**). *Phénomènes mécaniques de la digestion.* → **Préhension; mastication; déglutition** (cit. 2), **ingestion; péristaltique** (mouvement péristaltique). *Transformations des aliments lors de la digestion,* dissolution et désintégration sous l'effet d'enzymes (salive; suc gastrique et pancréatique), émulsion des graisses par la bile, résorption sous forme de chyle.

1 Spécialement adapté à ses fonctions, grâce à ses muscles et à ses glandes, l'appareil digestif exerce sur les aliments des actions à la fois mécaniques et chimiques destinées à les rendre assimilables. Entre le moment où ils sont ingérés et celui où ils passent dans le sang, s'écoule le temps compris entre la digestion et l'absorption.
P. VALLERY-RADOT, Notre corps..., p. 88.

Faire la digestion d'un aliment. → **Digérer; digestible.** *Digestion pénible, laborieuse, difficile, lente.* → **Bradypepsie, dyspepsie.** *Aliments de digestion difficile* (→ **Indigeste**). *Troubles de la digestion.* → **Apepsie, indigestion.** *Avoir la langue saburrale à la suite d'une mauvaise digestion* (→ **Saburre**). *Bonne digestion.* → **Eupepsie.**

Cour. Moment où l'on digère; état d'une personne qui a absorbé de la nourriture et digère.

2 Cliton n'a jamais eu en toute sa vie que deux affaires, qui est de dîner le matin et de souper le soir; il ne semble né que pour la digestion.
LA BRUYÈRE, les Caractères, XI, 122.

3 Tout en fumant il se laissait aller au bienfaisant engourdissement de la digestion.
P. MAC ORLAN, la Bandera, I, p. 13.

4 Il but ensuite une tasse de camomille, afin de faciliter sa digestion, que pouvait compromettre un coucher prématuré.
J. ROMAINS, les Copains, II, p. 67.

Fam. *Visite de digestion :* visite qu'il était d'usage de faire à qqn après avoir été reçu à sa table.

5 Le comte l'avait félicitée sur sa cuisine, sur sa maison, sur sa bonne grâce, et il l'avait laissée enflammée d'enthousiasme.
Il était revenu faire sa visite de digestion, s'était laissé inviter de nouveau, et il entrait maintenant sans cesse chez Mme Honorat (...) MAUPASSANT, Mont-Oriol, p. 316.

♦ **2** Chim., pharm. Dissolution (d'une substance) dans un liquide à haute température ou extraction de certains éléments (de cette substance). → **Décoction, macération.** *La digestion peut se faire à l'autoclave* (→ **Digesteur**). *Produit obtenu par digestion, en pharmacie.* → **Digesté.** *Produit mis en digestion avec...* — *La digestion des boues dans les égouts,* leur fermentation.

DÉR. **Digesté.**

DIGICODE [diʒikɔd] n. m. — V. 1980; empr. à l'angl. *digit* «nombre», et *code.*

Petit appareil, dispositif sur le clavier duquel on tape un code qui commande l'ouverture d'une porte. *L'accès de l'immeuble est protégé par un digicode à l'entrée.*

DIGIT [diʒit] n. m. — 1968; mot angl. «nombre» (1381), du lat. *digitus* «doigt», d'abord «nombre inférieur à dix, que l'on peut compter sur les doigts». → 2. Digital.

Anglicisme. Didact. (informatique).

♦ **1** Symbole graphique représentant un nombre entier. → **Chiffre; bit** (dans un système binaire). *Des digits.*

♦ **2** Élément d'un ensemble conventionnel de symboles graphiques (lettres, chiffres ou autres signes et symboles discrets) qu'on utilise pour constituer, représenter des données et pour transmettre les ordres d'exécution d'opérations. → **Caractère**, I., 1.

DIGIT-, DIGITI-, DIGITO- Élément, du lat. *digitus,* signifiant «doigt» et entrant dans la composition de mots savants. Voir les comp. à l'ordre alphabétique.

1. **DIGITAL, ALE, AUX** [diʒital, o] adj. et n. m. — 1732; lat. *digitalis,* de *digitus* «doigt» (→ Doigt).

♦ **1** Adj. Qui appartient aux doigts. *Artères, veines digitales. Nerfs digitaux.* — *Empreintes* digitales. *La carte d'identité française portait l'empreinte digitale de l'index.*

Impressions digitales : dépressions superficielles que présente la face interne des os du crâne et qui correspondent aux circonvolutions cérébrales.

♦ **2** N. m. (au plur.). Par plais. *Les digitaux :* les doigts.

Il disparaissait comme ça lentement, dans un petit bol d'eau, pas propre même, car un type s'en était servi, de lui, pour se décrasser les digitaux.
R. QUENEAU, Loin de Rueil, p. 142.

HOM. 2. **Digital, digitale.**

2. **DIGITAL, ALE, AUX** [diʒital, o] adj. — 1961; de l'angl. *digit* «nombre» (→ Digit), du lat. *digitus* «doigt» (→ Doigt).

Anglicisme. Didactique (math., inform.).

♦ **1** *Calcul, code digital,* dans lequel on utilise la numération binaire. → **Binaire**.

♦ **2** Relatif aux digits, aux quantités mesurées sous forme discrète*. *Affichage digital. Horloge, montre digitale* (opposé à *analogique*). *«Pression artificielle et fréquence cardiaque avec affichage digital instantané»* (*le Nouvel Obs.*, 2 mars 1981, p. 51). *Enregistrement digital* (des disques compacts). — REM. On recommande officiellement l'adj. *numérique* pour remplacer cet anglicisme, qui crée en français des confusions avec 1. *digital (touches digitales,* etc.).

CONTR. **Analogique.** ◊ DÉR. **Digitalement, digitaliser.** → HOM. **Digitale.**

DIGITALE [diʒital] n. f. — 1545; lat. *digitalia,* de *digitalis;* → 1. Digital.

Bot. et cour. Plante herbacée vénéneuse (*Scrofulariacées*) à tige en général simple, portant une longue grappe de fleurs pendantes à corolle en forme de doigtier. *Digitale pourprée,* dite *pourpre,* dite *gant de Notre-Dame, doigt de la Vierge,* et qui fournit la digitaline*. *Traitement médical par les dérivés de digitale* → 1. **Digitalisation.**

1   Les digitales en fleurs s'élancent partout comme de longues fusées roses au-dessus de l'amas léger et infini des fougères.   LOTI, Ramuntcho, I, p. 139.

2   *(Jean)* admirait, au fond de la gracieuse vallée, sur une tige élancée une digitale violette, habitante silencieuse et brillante de ce lieu (...)
PROUST, Jean Santeuil, Pl., p. 470.

DÉR. **Digitaline,** 1. **digitalisation.** ◊ COMP. V. **Digitoxine.** → HOM. 1. **Digital,** 2. **digital.**

DIGITALEMENT [diʒitalmɑ̃] adv. — D. i. (mil. XXᵉ); de 2. *digital.*

Anglic. Didact. Par un calcul digital; selon un code digital.

REM. Un adv. homonyme, dérivé de 1. *digital,* est virtuel.

CONTR. **Analogiquement.**

DIGITALINE [diʒitalin] n. f. — 1827; de *digitale.*

Glucoside extrait des feuilles de la digitale pourprée. *La digitaline est un poison violent. Usage médical de la digitaline, comme cardiotonique* (→ 1. **Digitalisation; digitoxine**).

COMP. **Digitoxine.**

1. **DIGITALISATION** [diʒitalizasjɔ̃] n. f. — XXᵉ; de *digitale.*

Méd. Traitement d'un malade cardiaque par les dérivés de digitale, habituellement par doses répétées à des intervalles réguliers.

HOM. 2. **Digitalisation.**

2. **DIGITALISATION** [diʒitalizasjɔ̃] n. f. — V. 1970; de *digitaliser.*

Anglic. Math., inform. Action de digitaliser (opération ou processus).

HOM. 1. **Digitalisation.**

DIGITALISER [diʒitalize] v. tr. — 1970; de 2. *digital.*

Anglic. Math., inform. Codifier ou convertir en numérique (des informations données sous forme de grandeurs continues : photos, dessins...). → **Numériser**. *«Un calculateur électronique qui travaille sur les signaux après qu'ils ont été "digitalisés", c'est-à-dire traduits en chiffres»* (*le Monde,* 14 nov. 1973, p. 20). — Au p. p. *Données, signaux digitalisés.*

DÉR. 2. **Digitalisation.**

DIGITATION [diʒitasjɔ̃] n. f. — 1754; dér. sav. du lat. *digitus* «doigt».

Didact. Découpure, trace dont la forme ou la disposition évoque des doigts, tenus écartés. → **Digité**.

Puis vient le vaste Marais de Carentan qui pousse des digitations jusqu'au voisinage de la Côte W du Cotentin.
R. MUSSET, la Normandie, 1960, *in* D.D.L., II, 9.

Anat. Faisceau de fibres musculaires partant d'un même point. *Les digitations du grand dentelé.*

DIGITÉ, ÉE [diʒite] adj. — 1771; du lat. *digitus* «doigt».

Hist. nat. Qui est découpé en forme de doigt (→ **Digitation**), qui présente des prolongements. *Feuilles digitées* (→ **Digitipenné**). *Nageoires pelviennes digitées des blennies.*

(...) sur les troncs ensoleillés, la découpure digitée des feuilles dessine en tremblant des fleurs de lis d'ombre.
Ed. et J. DE GONCOURT, Manette Salomon, p. 442.

Spécialt. *Les mammifères digités,* qui ont les doigts libres aux quatre membres. — N. m. *Les digités. Un digité.*

DIGITIFORME [diʒitifɔʀm] adj. — 1842; de *digiti-* (→ Digit-), et *forme.*

Didact. Qui a la forme d'un doigt.

DIGITIGRADE [diʒitigʀad] adj. — 1805; de *digiti-* (→ Digit-), et *-grade.*

Zool. Qui marche sur les doigts. *Carnassiers digitigrades,* qui marchent sur l'ensemble des doigts en tenant la plante relevée (chat, chien, civette, hyène, martre...). — N. m. *Un digitigrade. Les digitigrades, opposés aux plantigrades.*

CONTR. **Plantigrade.**

DIGITIPENNÉ, ÉE [diʒitipene; diʒitipɛnne] adj. — XXᵉ; de *digiti-* (→ Digit-) et *pennatus* «qui a des pointes».

Bot. Se dit de feuilles digitées, dont chaque segment est aussi divisé en digitations.

DIGITOXINE [diʒitɔksin] n. f. — XXᵉ; de *digitale,* et *toxine.*

Pharm. Glucoside extrait des feuilles de digitale pourprée, à propriétés cardiotoniques puissantes.

DIGLOSSIE [diglɔsi] n. f. — 1928, J. Psichari, à propos de la Grèce, «Un pays qui ne veut pas sa langue», *Mercure de France,* 1ᵉʳ sept. 1928, p. 63-120, *in* Jardel (→ cit.); repris v. 1960 de l'angl. *diglossia,* Ferguson, 1959; de *di-,* et grec *glôssa* «langue».

Didact. Situation linguistique d'un groupe humain qui pratique au moins deux langues (→ **Bilinguisme**) en leur accordant des statuts hiérarchiquement différents, notamment lorsque ces langues ou variétés linguistiques sont apparentées et partiellement intercompréhensibles. *La diglossie français-créole aux Antilles. La diglossie franco-occitane.*

Il est certain que l'appréhension d'une situation de diglossie avec ses implications sur l'analyse des systèmes culturels dominant et dominé débouche sur la critique du pouvoir. La remise en question du statut des langues en contact participe beaucoup plus de la sociologie politique que de la sociologie linguistique.

J. P. JARDEL, Bilinguisme et diglossie, *in* G. MANESSY et P. WALD, Plurilinguisme.

DIGNE [diɲ] adj. — 1050; lat. *dignus* «qui convient à, digne de, qui mérite», de *decet* «il convient» (→ Décent).

Ⅰ (Avec un compl.). **DIGNE DE...** ◆ **1** Qui mérite* (qqch.). *Personne digne d'admiration. Coupable digne d'un châtiment. Conduite digne de louanges, de blâme. Être digne de l'amour de quelqu'un. Ne pas être digne de vivre*, en être *indigne. Se rendre digne d'une faveur. Tout homme digne de ce nom... Être digne de sa réputation.* → Soutenir (sa réputation). *Objet digne d'intérêt, d'attention.* → **Remarquable.** *Témoin digne de foi.* → **Croyable.** *Un sort digne d'envie* (→ Beau, cit. 54). — *Il est, il n'est pas digne de faire...*

1 (...) il en vient un autre qui est plus puissant que moi, et à qui je ne suis pas digne de dénouer les cordons de ses souliers.
    BIBLE (SACY), Évangile selon saint Luc, III, 16.

2 Jamais femme ne fut plus digne de pitié,
    Et moins digne, Seigneur, de votre inimitié.
    RACINE, Phèdre, II, 5.

3 (...) la femme d'un charbonnier est plus digne de respect que la maîtresse d'un prince.
    ROUSSEAU, les Confessions, X.

4 Aux vertus qu'on exige dans un domestique, Votre Excellence connaît-elle beaucoup de maîtres qui fussent dignes d'être valets ?
    BEAUMARCHAIS, le Barbier de Séville, I, 2.

Être digne que... → **Valoir** (que). *Il est digne qu'on s'occupe de lui. Cela n'est pas digne que vous vous y arrêtiez.*

5 C'est une rare pièce, et digne, sur ma foi,
    Qu'on en fasse présent au cabinet d'un roi !
    MOLIÈRE, l'Étourdi, III, 4.

6 Il est faux que nous soyons dignes que les autres nous aiment, il est injuste que nous le voulions.
    PASCAL, Pensées, VII, 477.

7 Mon père ! mon père, j'ai gravement péché contre le ciel et contre toi ; je ne suis plus digne que tu m'appelles (...)
    GIDE, le Retour de l'enfant prodigue, 1ᵉʳ tableau.

◆ **2** Qui est en accord, en conformité (avec qqn ou qqch.). → **Approprié, convenable.** *Cette action est digne de son courage.* → **Conforme** (à). *Sa célébrité est digne de sa valeur.* → **Mérité.** *Roman digne d'un grand écrivain. Avoir un adversaire digne de soi.* → **Approprié, convenable.** *Voilà un garçon qui est bien digne de son père*, et (avec inversion), *c'est le digne fils de son père* : il est comme son père (souvent péj.). *Son avarice est digne d'Harpagon.* — *C'est un Harpagon*. Une telle réponse est digne de lui.* → **Bien** (c'est bien de lui); → Cela lui ressemble*.

8 — Bon ! voilà l'autre encor, digne maître
    D'un semblable valet ! (...)
    MOLIÈRE, le Dépit amoureux, III, 8.

9 Seigneur, voilà des soins dignes du fils d'Achille.
    RACINE, Andromaque, I, 4.

10 Créer, en définitive, est la seule joie digne de l'homme et cette joie coûte beaucoup de peine.
    G. DUHAMEL, Chronique des Pasquier, III, VIII, p. 88.

(Avec un compl. défavorable). *Être digne de la réprobation, d'un châtiment.*

REM. *Digne* au sens 1 ne peut être employé en tournure négative avec un complément défavorable, car il prend alors le sens 2. Ainsi *il n'est pas digne de vos réprimandes* ne signifie pas qu'il est innocent, mais au contraire qu'il n'est même pas à la hauteur de ces réprimandes, qu'elles lui font trop d'honneur.

Ⅱ Absolt. ◆ **1** Vieilli ou littér. (av. le n.). Qui mérite l'estime. *Un digne homme* : un brave homme. → **Honnête, méritant.** *Il fut le digne représentant de la France... Nous ne pouvions trouver de plus digne conseiller.* → **Honorable, parfait.** — *Faire un digne usage de son argent.* → **Beau, louable, méritoire, noble.** *Un digne sort* (→ Briguer, cit. 4). — (Dans une exclam.). *Ah, le digne homme !*

11 Digne ressentiment à ma douleur bien doux !
    Je reconnais mon sang à ce noble courroux (...)
    CORNEILLE, le Cid, I, 5.

12 Jamais plus digne main ne fit plus digne ouvrage (...)
    CORNEILLE, Don Sanche, V, 5.

13 Votre digne moitié, couchée entre des fleurs,
    Tout près d'ici m'est apparue (...)
    LA FONTAINE, Fables, VIII, 14.

◆ **2** (Déb. XIXᵉ, Mᵐᵉ de Staël). Après le nom ou en attribut. Qui a de la dignité. → **Dignité,** II., 2. *Personne digne*, qui a le respect de soi-même, ou qui affecte de l'avoir dans ses manières (→ Culminer, cit. 2). *Il sut rester digne en cette circonstance.* Iron. et cour. *Il était très digne, il avait l'air très digne dans ce costume.* — *Un maintien digne. Un ton, des manières dignes. Avoir un air digne*, plein de gravité, de retenue. → **Grave, respectable** (souvent iron.).

14 C'était une personne froide, digne, silencieuse (...)
    Mᵐᵉ DE STAËL, Corinne, XIV, 1.

15 (...) néanmoins il se conduisit avec une aménité digne, où se trahissait l'indépendance souveraine que l'Église accorde aux curés dans leurs paroisses.
    BALZAC, le Curé de village, Pl., t. IX, p. 261.

CONTR. Indigne. — Avilissant. — Familier. ◊ DÉR. Dignement, dignifier.

DIGNEMENT [diɲmɑ̃] adv. — 1185; de *digne*.
D'une manière digne.

◆ **1** Vieilli. Selon ce qu'on mérite. *Vous serez dignement récompensé de cette action.* → **Justement.**
Puisse le juste ciel dignement te payer !
    RACINE, Phèdre, IV, 6.   1

◆ **2** Littér. ou style soutenu. Comme il faut, avec dignité. → **Bien** (très bien), **convenablement, honnêtement, honorablement, noblement...** *Il s'est dignement comporté. Il a dignement refusé cette faveur.* → **Fièrement.**

2 Autrefois, par exemple, on disait tout bêtement : Voilà une idée raisonnable ; maintenant on dit plus dignement : Voilà une déduction rationnelle.
    A. DE MUSSET, Lettre de Dupuis et Cotonet, 1836.

3 (...) la mère n'en conserva pas moins la garde de ses fils, et continua, dans le deuil de son cœur, à s'occuper d'eux dignement.   Émile HENRIOT, les Romantiques, p. 24.

CONTR. Indignement. — Mal, lâchement.

DIGNIFIANT, ANTE [diɲifjɑ̃, ɑ̃t] adj. — 1921; de *dignifier*.
Rare. Qui dignifie.

DIGNIFICATION [diɲifikasjɔ̃] n. f. — 1930; Breton, *in* T. L. F.; de *dignifier*.
Rare. Le fait de rendre, de se rendre digne.

DIGNIFIER [diɲifje] v. tr. — Fin XIIIᵉ; de *digne*.
Rare. Donner de la dignité à. «*Dignifier, exalter, transfigurer en Dieu le devoir d'état, la recherche de la vérité (...)*» (Teilhard de Chardin, *in* T. L. F.).
DÉR. Dignifiant, dignification.

DIGNITAIRE [diɲitɛʀ] n. m. — 1718; *dignitère*, 1525; du rad. de *dignité*, suff. -aire.

Personne revêtue d'une dignité*. → **Autorité**. *Un dignitaire de l'Église. Le primicier, premier dignitaire de certains chapitres. Les hauts dignitaires de l'État. L'apocrisiaire, dignitaire du palais sous les Carolingiens. Les six grands dignitaires de l'Empire* (→ Archichancelier, cit.).

Par l'avenue sablée, que les troupes bordent d'une double haie et maintiennent libre, commencent à arriver des dignitaires de toute sorte qui se rendent à la prière, des officiers surtout, des généraux, des maréchaux, tous les chefs de la vaillante armée turque ; — mais on les regarde peu, dans l'attente de voir bientôt passer le Sultan (...)
LOTI, Figures et choses..., p. 148.

N. f. pl. Hist. relig. Religieuses chargées des offices principaux, dans une communauté de femmes.

DIGNITÉ [diɲite] n. f. — 1155 ; lat. *dignitas*, de *dignus*. → Digne.

I (Qualifié ou avec un art. indéfini : *une, des dignités*). Fonction, titre ou charge qui donne à qqn un rang éminent. *Les plus hautes, les plus grandes dignités. Dignité prééminente.* → **Prééminence**. *La dignité souveraine* (→ **Pourpre**). *La dignité de comte, d'évêque. Armoiries, insignes qui caractérisent une dignité. Prérogatives attachées à une dignité. Être investi d'une nouvelle dignité. Être élevé à la dignité de... Être constitué en dignité. «Tous les citoyens (...) sont également admissibles à toutes dignités, places et emplois publics...»* (→ Capacité, cit. 8). *Conférer une dignité à qqn, installer qqn dans une dignité* (→ **Investiture, promotion**). *Se défaire* (cit. 22) *d'une dignité. Personne revêtue d'une dignité.* → **Dignitaire**. *Nom de dignités* (le plus souvent historiques) : bâtonnat, bénéfice (cit. 8), burgraviat, caïdat, califat, camerlingat, cancellariat, canonicat, capitoulat, cardinalat, chapellenie, chérifat, coadjutorerie, commandement, consulat, couronne, décanat, doctorat (honoris causa), dogat, doyenné, duumvirat, éméritat, éphorat (ou éphorie), épiscopat, évêché, exarchat, gouvernorat, grandesse, grandeur, honorariat, imanat, khédivat, magistère, magistrature, mandarinat, maréchalat, margraviat, marquisat, nababie, nomarchie, pachalik, pairie, papauté, patriarcat, pénitencerie, pontificat, prélature, présidence, préture, primature, principat, procuratie, propréture, royauté, sacerdoce, stathoudérat, sultanat, tétrarchat, vicariat, vice-présidence, vice-royauté, vidamé, vizirat, voïvodat.

Relig. Bénéfice auquel est ou était attachée une fonction, une juridiction.

1   Comment oser vous adresser à moi pour vous servir dans votre amour, et vouloir ravaler la dignité de médecin à des emplois de cette nature ?
MOLIÈRE, le Médecin malgré lui, II, 5.

2   (...) un de ces moines dont on parle quelquefois, qui vivent dans un couvent obscur, sans être revêtus d'aucune dignité officielle, mais que le pape fait consulter avant de lancer une encyclique.
J. ROMAINS, les Hommes de bonne volonté, t. IV, X, p. 112.

II (*La dignité*). **♦ 1** Respect que mérite (une catégorie d'êtres, de personnes). *La dignité de l'homme comparé aux autres êtres.* → **Grandeur, noblesse**. *Dignité de la personne humaine, dignité humaine :* principe selon lequel un être humain ne doit jamais être traité comme un moyen, mais comme une fin en soi. *Sermon sur l'éminente dignité des pauvres,* de Bossuet.

3   Toute la dignité de l'homme est en la pensée.
PASCAL, Pensées, VI, 365.

4   C'est (la justice) le respect, spontanément éprouvé et réciproquement garanti, de la dignité humaine, en quelque

personne et dans quelque circonstance qu'elle se trouve compromise et à quelque risque que nous expose sa défense (...)
PROUDHON,
De la justice dans la révolution et dans l'Église.

5   Durant des siècles ma civilisation a contemplé Dieu à travers les hommes. L'homme était créé à l'image de Dieu. On respectait Dieu en l'homme. Les hommes étaient frères en Dieu. Ce reflet de Dieu conférait une dignité inaliénable à chaque homme.
SAINT-EXUPÉRY, Pilote de guerre, XXVI, p. 222.

6   (...) la seule dignité de l'homme : la révolte tenace contre sa condition, la persévérance dans un effort tenu pour stérile.
CAMUS, le Mythe de Sisyphe, p. 156.

Par ext. *La dignité de qqch.,* sa valeur en soi, son intérêt. *Dignité d'une pensée, d'une action. Dignité d'une fonction* (→ Déconsidération, cit. 2). *Rendre la dignité à qqch.* → **Relever**.

7   Pour donner plus de dignité à l'action, j'ai fait Félix gouverneur d'Arménie, et j'ai pratiqué un sacrifice public afin de rendre l'occasion plus illustre (...)
CORNEILLE, Polyeucte, Examen.

8   (...) il est occupé (le boulevard) presque en entier par deux ou trois bâtiments administratifs. Mais une grâce du site et de la lumière leur prête une dignité qu'ils n'auraient pas ailleurs.
J. ROMAINS, les Hommes de bonne volonté, t. IV, XX, p. 220.

♦ 2 Respect de soi. → **Amour-propre** (cit. 9), **fierté, honneur**. *Avoir de la dignité. Avoir le sentiment de sa dignité. Manquer de dignité. Il a trop de dignité pour demander une faveur à ses ennemis, pour se désavouer. — Allure, comportement qui traduit ce sentiment. La dignité du vieillard* (→ Affabilité, cit. 3). *Avoir une attitude* (→ Attitude, cit. 11), *une conduite pleine de dignité. Avoir de la dignité dans ses manières,* une gravité qui inspire le respect. → **Noblesse, réserve, retenue**. *Faire une entrée pleine de dignité. Un port, un ton plein de dignité. — Un air de dignité hautaine ; se draper dans sa dignité :* avoir des manières orgueilleuses et affectées. → **Crânerie** (cit. 1). *Offenser qqn dans sa dignité.* → **Avilir, déshonorer, diffamer. —** *Personne qui prend des airs de dignité offensée.* → **Bégueule, prude ; majesté.** *Compromettre, perdre sa dignité par un acte contraire à sa classe* (→ Déroger), *par de mauvaises fréquentations.* → **Commettre** (se). *Il a perdu toute dignité. Sauver, perdre sa dignité.* → **Face** (sauver, perdre la face). *Quel manque de dignité ! Gardez votre calme et votre dignité en cette circonstance.*

9   Ah ! dignité, fille de l'orgueil et mère de l'ennui (...)
ROUSSEAU, Lettre à d'Alembert, note.

10   (...) Zénon enseigne à l'homme qu'il a une dignité, non de citoyen, mais d'homme ; qu'outre ses devoirs envers la loi, il en a envers lui-même, et que le suprême mérite n'est pas de vivre ou de mourir pour l'État, mais d'être vertueux et de plaire à la divinité.
FUSTEL DE COULANGES, la Cité antique, V, I, p. 423.

11   (...) elle eut une dignité de reine offensée.
ZOLA, Nana, II, p. 13.

12   Sa dignité hautaine qui là-bas, dans cette ville, l'avait maintenue honnête et solitaire, se cabrait vraiment à l'idée qu'il faudrait reparaître en sollicitense devant son amant d'autrefois.
LOTI, Ramuntcho, I, I, p. 18.

13   Elle avait d'ailleurs tant de réserve et de dignité dans l'allure, la bayadère, que je l'ai saluée comme j'aurais fait pour une femme du monde.
LOTI, l'Inde (sans les Anglais), IV, VI, p. 188.

CONTR. Abjection, bassesse, indignité, veulerie. — Familiarité, laisser-aller, trivialité, vulgarité. ◊ DÉR. Dignitaire.

DIGNUS EST INTRARE [diɲysɛstɛ̃tʀaʀe] Formule latine employée par Molière dans *le Malade imaginaire* pour «*Dignus est qui intret*» : «Il est digne d'entrer» et dont on se sert par plaisanterie pour admettre quelqu'un dans une société, une corporation...

DIGON [digɔ̃] n. m. — 1678; de 2. *diguer* «piquer».

♦ **1** Mar. Hampe portant une flamme, un pavillon.

♦ **2** (1765). Fer barbelé ajusté à une perche, servant à harponner les poissons plats à basse mer. → **Harpon; angon, foène.**

DIGRAMME [digʀam] n. m. — 1864; de *di-*, et *gramme*.

Ling. Groupe de deux lettres pour représenter un seul son, comme *in* [ɛ̄] dans *matin* ou *ch* [ʃ] dans *chat*. — Syn. (plus récent) : *digraphe*.

DIGRAPHIE [digʀafi] n. f. — V. 1900; de *di-*, et *-graphie*.

Comptab. Comptabilité en partie double.

DIGRESSER [digʀese] v. intr. — 1838; de *digression*, et suff. verbal.

Rare. Faire des digressions. *Digresser à l'infini sur qqch.*

DIGRESSIF, IVE [digʀesif, iv] adj. — 1838; de *digression*.

Rare. Qui fait des digressions. *«De Quincey est essentiellement digressif»* (Baudelaire, *in* T. L. F.).

Qui consiste en digressions. *Une histoire digressive, un récit digressif.*

DIGRESSION [digʀesjɔ̃] n. f. — V. 1175; lat. *digressio*, du supin de *digredi* «s'éloigner», de *dis-*, et *gradi* «s'avancer».

♦ **1** Développement oral ou écrit, qui s'écarte du sujet. → **Parenthèse.** *Faire une digression.* → **Digresser** (rare). *Se laisser entraîner à de continuelles digressions. Récit coupé de nombreuses digressions.* → **Digressif.** *Se lancer, tomber, se perdre dans les digressions. S'égarer, perdre le fil de son sujet à force de digressions. Revenons à notre sujet après cette digression.* → *Revenons à nos moutons**. — *Digression des comédies grecques où l'auteur parle en son nom.* → **Parabase.**

1 Les digressions trop longues ou trop fréquentes rompent l'unité du sujet, et lassent les lecteurs sensés, qui ne veulent pas qu'on les détourne de l'objet principal, et qui d'ailleurs ne peuvent suivre, sans beaucoup de peine, une longue chaîne de faits et de preuves. On ne saurait trop rapprocher les choses ni trop tôt conclure. Il faut saisir d'un coup d'œil la véritable preuve de son discours, et courir à la conclusion.
VAUVENARGUES, Réflexions et Maximes, 213.

2 Il faut également s'interdire les digressions et les parenthèses. Par digressions, j'entends les sentiers de côté, les déviations que peut prendre une idée principale, en passant trop brusquement d'un objet à un autre (...)
Antoine ALBALAT, l'Art d'écrire, VIII, p. 151.

♦ **2** (1752). Astron. Éloignement apparent, écart angulaire (d'un astre) par rapport à un système ou un point de référence (soleil, etc.).

3 L'étendue des plus grandes digressions ou de ses plus grands écarts de chaque côté du soleil varie depuis dix-huit jusqu'à trente-deux degrés.
LAPLACE, Exposition du système du monde, I, 5, *in* LITTRÉ.

DÉR. **Digresser, digressif.**

DIGUE [dig] n. f. — 1530; *dike*, 1373; du moyen néerl. *dijc.*

♦ **1** Longue construction destinée à contenir les eaux (→ **Endiguer**). *Digue en maçonnerie, en béton, en charpente, en terre, en fascine. Fondations, enrochement d'une digue. — Digues fluviales. Digue de retenue d'eau dans le voisinage d'une écluse.* → **Chaussée, levée.** *Construire une digue le long des rives d'un fleuve pour l'empêcher de déborder. Digue provisoire pour assécher un cours d'eau en aval.* → **Batardeau, barrage.** *Colmatage** *au moyen de digues. — Digue en mer. Digue reliée à la terre, faisant une avancée en mer.* → **Jetée, môle.** *Digue à claire-voie.* → **Estacade.** *Pointe d'une digue.* → **Musoir.** *Phare** *situé à l'extrémité d'une digue. Digue d'où l'on embarque.* → **Embarcadère.** *Se promener sur la digue. Vagues qui passent par-dessus la digue. Digue coupée par la tempête. Digue en pleine mer, servant de rempart, d'abri contre les vagues du large, les grandes marées, les raz de marée.* → **Brise-lames.** *La digue de Cherbourg. — Digue établie le long d'une côte pour la protéger de l'érosion marine.* → **Endigage, endiguement.** *Digues des polders en Hollande. La mer a rompu, brisé, crevé les digues.*

1 Ils (*les Hollandais*) firent percer les digues qui retiennent les eaux de la mer. Les maisons de campagne, qui sont innombrables autour d'Amsterdam, les villages, les villes voisines, Leyde, Delft, furent inondés (...) Amsterdam fut comme une vaste forteresse au milieu des eaux (...)
VOLTAIRE, le Siècle de Louis XIV, X.

Construction analogue faite par des animaux (castors).

1.1 (...) les castors avaient construit une digue, un peu arquée en amont : cette digue était un solide assemblage de pieux plantés verticalement, entrelacés de branches flexibles et d'arbres ébranchés, qui s'y appuyaient transversalement, le tout lié, maçonné, cimenté avec de la terre argileuse (...) Cette digue, madame, dit Jasper Hobson, a eu pour but de donner à la rivière un niveau constant, et elle a permis aux ingénieurs de la tribu (*des castors*) d'établir en amont des cabanes de forme ronde dont vous apercevez le sommet.
J. VERNE, le Pays des fourrures, t. I, p. 208.

♦ **2** Par métaphore ou fig. Ce qui contient, retient, arrête une force, un mouvement. → **Barrière, frein,** obstacle. *Opposer une digue aux passions, aux désordres. Élever des digues contre...* (→ **Déluge,** cit. 11). *Briser, crever* (cit. 30), *renverser, rompre les digues* (→ **Déborder**).

2 Les passions rompirent les digues de la justice (...)
FLÉCHIER, Oraison funèbre de Michel Le Tellier, *in* LITTRÉ.

3 (...) à la première occasion, le flot accumulé déborde, renversant toutes les digues du devoir et de la loi.
TAINE, Philosophie de l'art, I, I, I, t. I, p. 237.

4 À tous les torrents de l'âme, les mœurs opposent une digue rigide.
André SUARÈS, Trois hommes, «Ibsen», I, p. 74.

CONTR. Ouverture, passage. ◊ DÉR. 1. **Diguer, diguette.**
← COMP. **Endiguer.** ← HOM. **Dig.**

1. DIGUER [dige] v. tr. — V. 1470; *dikier*, 1285; de *digue*. Rare ou régional. Munir de digues. → **Endiguer.**

HOM. 2. **Diguer.**

2. DIGUER [dige] v. tr. — 1665; orig. obscure; on évoque un rad. onomatopéique **dig-*; p.-ê. à rattacher à un rad. germanique (→ 1. Digue), cf. angl. *(to) dig* «creuser; percer».

♦ **1** Vx ou régional (Normandie). Piquer.

♦ **2** Éperonner (un cheval).

DÉR. **Digon.** ◊ HOM. 1. **Diguer.**

DIGUETTE [digɛt] n. f. — D. i. (absent des dict.; attesté XXᵉ); de *digue*.

Petite digue.

1 (...) l'ordonnance des rizières qui s'ajustaient l'une dans l'autre comme une marqueterie. Le lacis géométrique de diguettes de terre noire semblait cloisonner les couleurs : des verts très denses qui étaient ceux de l'herbe de paddy.
Jean LARTÉGUY, les Centurions, p. 13.

2 Et c'est la chaussée-digue, au-dessus du paysage liquide, coupé de diguettes, semé de palmiers à sucre en ordre clairsemé.
Claude COURCHAY,
La vie finira bien par commencer, p. 215.

DIHOLOSIDE [diolɔzid] n. f. — 1953; de *di-*, et *holo-side*.

Chim. Disaccharide.

DIHYDR-, DIHYDRO- Élément utilisé en chimie, de *di-*, et *hydr-*, *hydro-*, indiquant l'addition, dans une molécule, de deux atomes d'hydrogène (ex. : *dihydrocholestérol*, n. m.; *dihydroergotamine*, n. f.; *dihydrostreptomycine*, n. f.).

DIHYDROXY- ou **DIOXY-** Élément utilisé en chimie, de *di-*, *hydr-*, *hydro-* et *oxy(le)*, indiquant la présence, dans une molécule, de deux substitutions par un radical hydroxyle*.

DIKTAT [diktat] n. m. — 1932; mot all., «chose dictée».

♦ **1** Chose imposée, en politique internationale. *Le diktat de Versailles* (le traité de paix de 1919, selon les Allemands). — REM. On écrit parfois *dictat*.

♦ **2** Fam. Ce qui est imposé. *Les «dictats métaphysiques de la nature et de l'histoire»* (Jacques Maritain, *in* T. L. F.).

DILACÉRATION [dilaseʀasjɔ̃] n. f. — 1419; lat. *dilaceratio*, du supin de *dilacerare*. → Dilacérer.

Didact. Action de dilacérer. → Lacération.

(1575). Méd. Déchirement fait avec violence.

Tous les médecins ont pu remarquer l'atroce succès remporté, en si peu de temps, par le perfectionnement des engins de dilacération.
G. DUHAMEL, Récits des temps de guerre, I, p. 77.

DILACÉRER [dilaseʀe] v. tr. [CONJUG.: *céder*.] — 1539; *delacherez* «déchirer», v. 1121; lat. *dilacerare*, de *dis-*, et *lacerare*. → Lacérer.

Didact. Mettre en pièces. *Dilacérer un acte.*

Fig. Déchirer, détruire avec violence.

DILAPIDATEUR, TRICE [dilapidatœr, tʀis] adj. et n. — 1433, rare av. fin XVIIIᵉ; de *dilapider*.

Littér. Qui dilapide. → **Dépensier, dissipateur, prodigue.** *Fouquet, dilapidateur des finances publiques.*

CONTR. **Amasseur, économe.**

DILAPIDATION [dilapidasjɔ̃] n. f. — 1465, rare av. 1762; lat. *dilapidatio*, du supin de *dilapidare*. → Dilapider.

Action de dilapider. *La dilapidation d'un héritage.* → **Dissipation.** *Se rendre coupable de dilapidation.* — *Dilapidation des richesses naturelles.* → **Gaspillage.**

Il (*l'âge de la machine*) coïncide avec une politique de dilapidation forcenée des richesses naturelles du monde, sans aucun souci de ménager l'avenir, et c'est en partie ce qui explique l'impression d'enrichissement subit et démesuré que donne cette civilisation qui dépense son capital.
André SIEGFRIED, l'Âme des peuples, Conclusion, I, p. 198.

CONTR. **Accumulation, conservation, économie, épargne.**

DILAPIDER [dilapide] v. tr. — 1220; lat. *dilapidare*, de *dis-*, et *lapidare*. → Lapider.

♦ **1** Dépenser* (des biens) de manière excessive et désordonnée. *Dilapider ses propres biens. Dilapider sa fortune, son patrimoine.* → **Croquer** (fam.), **dissiper, gaspiller, manger** (son blé en herbe). → 2. Bien, cit. 55.

J'étais pareil au fils prodigue, qui va dilapidant de grands biens.
GIDE, Journal 1889-1939, Feuillets, III, Pl., p. 778.

(...) avoir dilapidé, en moins d'un an, un patrimoine que plusieurs générations avaient sagement constitué.
MARTIN DU GARD, les Thibault, t. IX, p. 16.

Dilapider les biens d'autrui. → **Détourner.** *Dilapider les finances publiques.*

♦ **2** Par métaphore et fig. → **Gaspiller.**

Les peuples qui jouissent de la vie en dilapident la joie; c'est un or qu'ils prodiguent.
André SUARÈS, Trois hommes, «Ibsen», I, p. 74.

CONTR. **Accumuler, amasser, économiser, épargner; conserver, ménager, thésauriser.** ◊ DÉR. **Dilapidateur.**

DILATABILITÉ [dilatabilite] n. f. — 1731; de *dilatable*.

Propriété que possèdent les corps de pouvoir se dilater. *La dilatabilité des gaz.*

CONTR. **Coercibilité, compressibilité, contractilité.**

DILATABLE [dilatabl] adj. — XVIᵉ; de *dilater*.

Qui peut se dilater. → **Expansible.** *Corps dilatable.*

CONTR. **Coercible, compressible, condensable, contractile, inextensible.** ◊ DÉR. **Dilatabilité.**

DILATANCE [dilatɑ̃s] n. f. — D. i. (v. 1970); du rad. de *dilater*, suff. *-ance*.

Didact. (sismologie). Capacité (de l'écorce terrestre) de se dilater. «*L'idée de faire intervenir le mécanisme de dilatance a fait faire un bond considérable à la prévision des tremblements de terre*» (la Recherche, janv. 1974, p. 77).

DILATANT, ANTE [dilatɑ̃, ɑ̃t] adj. — XVIᵉ; p. prés. de *dilater*.

Qui dilate. *Action dilatante.*

N. m. Chir. Corps, instrument servant à dilater, à tenir béantes certaines ouvertures naturelles ou accidentelles. *La sonde, le séton sont des dilatants.* → **Dilatateur, 2.**

DILATATEUR, TRICE [dilatatœr, tʀis] adj. et n. m. — 1611; de *dilater*.

♦ **1** Adj. Anat. Qui a pour fonction de dilater. *Muscles dilatateurs.*

♦ **2** N. m. Chir. Instrument servant à maintenir béants les bords d'une incision, d'une plaie, ou à élargir un canal ou un orifice. → **Dilatant.** «*De simples dilatateurs s'ouvrant par deux branches articulées*» (Cl. d'Allaines, la Chirurgie du cœur, p. 59).

COMP. **Vasodilatateur.**

DILATATION [dilatasjɔ̃] n. f. — 1314; lat. *dilatatio*, du supin de *dilatare*. → Dilater.

♦ **1** Cour. Fait de dilater; action de se dilater. → **Extension, gonflement, grossissement.** *La dilatation d'un ballon, d'un pneu qu'on gonfle. Mouvement de dilatation* (→ **Diastole**) *et de contraction du cœur. Dilatation d'un vaisseau* (vasodilatation). *Dilatation de la pupille.*

♦ 2 Méd. Augmentation pathologique du volume (d'un organe creux). *Dilatation cardiaque, gastrique. Dilatation des bronches* (bronchectasie). — Chir. Élargissement, au moyen d'un instrument (→ **Dilatateur**) ou des doigts, du calibre de (un conduit).

♦ 3 Phys. Augmentation de volume (d'un corps) sous l'action de la chaleur, sans changement de nature (de ce corps). *La dilatation d'un solide. Dilatation linéaire* (en longueur), *superficielle* (en surface), *cubique* (dans les trois dimensions). *Coefficient de dilatation cubique :* augmentation de volume de l'unité de volume pour une élévation de température de 1 °C. *Dilatation d'un liquide. Dilatation des gaz.* → **Expansion.**

1   Cette dilatation n'est-elle pas l'indice d'un commencement de séparation, qu'on augmente avec le degré de chaleur jusqu'à la fusion, et qu'avec une chaleur plus grande encore on augmenterait jusqu'à la volatilisation ?
     BUFFON, Hist. nat. des minéraux, Introduction, VI, p. 59.

♦ 4 Par métaphore ou fig. *Une impression de dilatation du temps. La dilatation de l'âme, du cœur.*

2   Les grandes douleurs sont une dilatation gigantesque de l'âme.   HUGO, Quatre-vingt-treize, III, V, I.

CONTR. **Compression, condensation, contraction, dépression, étrécissement, resserrement, rétrécissement.** ◊ COMP. **Vasodilatation.**

DILATEMENT [dilatmɑ̃] n. m. — Fin XIXᵉ, Huysmans ; de *dilater.*

Rare. Dilatation.

DILATER [dilate] v. tr. — 1361 ; lat. *dilatare* «élargir», de *dis-*, et *latus* «large».

♦ 1 Augmenter* le volume de (qqch.). *La chaleur dilate les corps. Chauffer le goulot d'une bouteille pour le dilater.* → **Élargir.** *Dilater les narines.* → **Enfler, ouvrir.** *L'atropine dilate la pupille.* → **Agrandir.** *La joie dilate la poitrine, le cœur.* → **Gonfler.**

1   La joie de pouvoir enfin se gorger à l'aise dilatait tous les yeux (...)   FLAUBERT, Salammbô, I.
2   Leurs regards se heurtèrent ; une même stupeur, une même angoisse, dilataient leurs prunelles.
     MARTIN DU GARD, les Thibault, t. V, p. 234.
3   (...) son parfum flotta jusqu'à leur nez. Gomez l'aspira largement en dilatant ses narines.
     SARTRE, le Sursis, p. 213.

Chir. *Dilater le canal de l'urètre, le col de l'utérus.* → **Dilatation ; dilatateur.**

♦ 2 Fig. *Espérance, joie qui dilate le cœur.* → **Épanouir.**

4   (...) l'espérance qui nous dilate présentement le cœur (...)
     Mᵐᵉ DE SÉVIGNÉ, Lettres, 854, 18 sept. 1680.

♦ SE DILATER v. pron.

Augmenter de volume. → **Gonfler, grossir.** *Les gaz se sont dilatés. L'écorce terrestre se dilate.* → **Dilatance.** *Rails qui se dilatent sous l'action de la chaleur. Le cœur* se dilate et se contracte. *La pupille se dilate.*

5   La pupille se dilate dans la nuit et finit par y trouver du jour, de même que l'âme se dilate dans le malheur et finit par y trouver Dieu.   HUGO, les Misérables, V, III, I.

Fig. *Son cœur se dilate de joie.*

6   Il respirait avec effort : une tendresse, surgie des profondeurs, se dilatait soudain dans sa poitrine, l'étouffait.
     MARTIN DU GARD, les Thibault, t. IV, p. 46.

Par plais. *J'ai la rate qui s'dilate...* → **Rate.**

♦ DILATÉ, ÉE p. p. adj. *Corps dilaté par la chaleur. Air dilaté* (→ Comprimé, cit. 9). — *Narines, pupilles dilatées.*

7   (...) ses yeux noirs, aux pupilles excessivement dilatées par l'horreur (...)
     L. PERGAUD, De Goupil à Margot, p. 175.

CONTR. **Comprimer, condenser, contracter, étrécir, resserrer, rétrécir.** ◊ DÉR. **Dilatable, dilatance, dilatant, dilatateur, dilatement.** → COMP. **Dilatomètre.**

DILATION [dilasjɔ̃] n. f. — V. 1930 ; «retard, remise» en anc. franç. et encore au XVIIᵉ, Pascal ; lat. *dilatio*, de *dilatus* «retardé». → Dilatoire.

Phonét. Assimilation à distance. *L'harmonisation vocalique est une dilation.*

CONTR. **Dissimilation.**

DILATOIRE [dilatwaʀ] adj. — 1283 ; lat. jurid. *dilatorius*, de *dilatus*, p. p. de *differre.* → Différer.

♦ 1 Dr. Qui tend à retarder par des délais, à prolonger un procès. *Se servir de moyens dilatoires.* — *Exception dilatoire :* exception par laquelle on réclame devant le tribunal la suspension des poursuites.

1   Les exceptions dilatoires seront proposées conjointement et avant toutes défenses au fond.
     Code de procédure civile, art. 186.

♦ 2 Cour. Qui vise à différer, à gagner du temps. *Moyen, réponse dilatoire* (→ **Dérobade, fuite, temporisation**).

2   Les formes dilatoires de la prudence (...)
     NODIER, *in* LITTRÉ.
3   L'Empereur tenait cependant à ne rien brusquer ; Pie VII s'étant longtemps contenté d'*insinuer* doucement, il avait fait la sourde oreille, puis, à des demandes plus nettement formulées, opposé des réponses dilatoires.
     Louis MADELIN, Hist. du Consulat et de l'Empire, Avènement de l'Empire, XVII, p. 218.

DILATOMÈTRE [dilatɔmɛtʀ] n. m. — 1850 ; de *dilater*, et -*mètre.*

Sc. Appareil mesurant les changements de volume.

DILECTION [dilɛksjɔ̃] n. f. — 1160 ; lat. *dilectio*, du supin de *diligere* «chérir».

Relig. Amour* tendre et spirituel. *La dilection du prochain. La dilection de Dieu pour ses créatures.*

1   (...) rien ne lui est cher (*à Dieu*) que ces enfants de sa dilection éternelle, que ces membres inséparables de son Fils bien-aimé (...)
     BOSSUET,
     Oraison funèbre de Henriette-Anne d'Angleterre.

Littér. Amour, préférence tendre. «*Une profonde dilection pour la poésie*» (Valéry, *in* T. L. F.).

2   Clotilde répondait (...) avec une telle sollicitude d'amour, un accent de dilection si pénétrant et si pur que le pauvre pirate en tremblait.
     Léon BLOY, la Femme pauvre, p. 198.

COMP. **Prédilection.**

DILEMMATIQUE [dilɛmatik] adj. — 1842 ; de *dilemme.*

Didact. Qui a le caractère d'un dilemme. «*Le sens dilemmatique de cette crise*» (Balzac, les Petits Bourgeois, *in* D. D. L.) — N. B. Le T. L. F. cite cet exemple avec la graphie fautive *dilemnatique.*

DILEMME [dilɛm] n. m. — 1555, *in* T.L.F.; bas lat. *dilemma*, grec *dilêmma*, de *dis-*, et *lêmma* «prémisse d'un syllogisme». → Lemme.

♦ **1** Philos. Raisonnement dont la majeure* contient une alternative à deux ou plusieurs termes (différents ou contradictoires) et dont les mineures montrent que chaque cas de l'alternative implique la même conclusion. → **Disjonctif** (syllogisme disjonctif). *Les termes d'un dilemme. Poser un dilemme. Argument posé sous forme de dilemme.*

1 Soit le dilemme d'Omar, cousin de Mahomet, à propos de l'incendie de la bibliothèque d'Alexandrie : Ou ces livres sont conformes au Coran, ou ils lui sont contraires. S'ils lui sont conformes, ils sont inutiles et encombrants. S'ils lui sont contraires, ils sont dangereux. Donc, dans les deux cas, il faut les brûler.
A. BOTTEQUIN,
Subtilités et délicatesses de langage, p. 111.

♦ **2** (1948). Alternative* contenant deux propositions contraires ou contradictoires et entre lesquelles on est mis en demeure de choisir. *Être devant un dilemme difficile à résoudre. Enfermer quelqu'un dans un dilemme. Comment sortir de ce dilemme ?*

2 (...) la culpabilité de Dreyfus, ou bien l'infamie de l'état-major : voilà dans quel dilemme imbécile on a enfermé ces officiers.   MARTIN DU GARD, Jean Barois, p. 316.

3 Il semble aujourd'hui que nous soyons enfermés dans un dilemme. Le gigantesque accroissement de perfection technique, de richesses matérielles, de moyens d'exploiter la terre, paraît devoir être fatalement équilibré par une diminution de la valeur de la personne. Ce dilemme est inacceptable.   DANIEL-ROPS, Ce qui meurt..., I, p. 17.

REM. La forme fautive (barbarisme) *dilemne* est attestée (Proudhon, *in* T.L.F.).

DÉR. **Dilemmatique.**

DILETTANTE [dilɛtãt] n. — 1740; mot ital. «celui qui s'adonne à un art par plaisir»; p. prés. de *dilettare* «délecter». → Délecter, dilection.

♦ **1** Amateur passionné de musique. → **Mélomane.** *Des dilettanti* (vx) *ou des dilettantes.*

1 Sa réputation viennoise *(de Beethoven)* ne dépasse pas *(alors)* un petit îlot de dilettanti.
Éd. HERRIOT, Vie de Beethoven, p. 189.

Par ext. Amateur d'art, de littérature.

2 — Ce qui me frappe encore dans le monde soi-disant littéraire de ce temps, c'est la qualité de son hypocrisie et de sa bassesse; ce que par exemple, ce mot de dilettante aura servi à couvrir de turpitudes! — Certes (...) Le dilettante n'a pas de tempérament personnel, puisqu'il n'exècre rien et qu'il aime tout (...) — Donc (...) tout auteur qui se vante d'être un dilettante, avoue par cela même qu'il est un écrivain nul!   HUYSMANS, Là-bas, p. 227.

(Avec un compl.). Vieilli. *Un dilettante de littérature.* — Adj. :

2.1 Qui me délivrera des hommes du monde dilettantes d'art et de littérature, acheteurs au rabais des tableaux cotés à l'hôtel Drouot, et leveurs de volumes, dont on parle.
Ed. et J. DE GONCOURT, Journal, t. VI, p. 100.

♦ **2** Cour. Personne qui s'occupe d'une chose en amateur. → **Amateur.** *Occupations, vie de dilettante. Faire son travail en dilettante* (→ Arriviste, cit. 2). *Une jeune dilettante.* — Adj. :

3 Je ne suis pas assez dilettante pour accepter de gâcher mon temps.
J. ROMAINS, les Hommes de bonne volonté, t. III, I, p. 24.

(Avec un compl.). *Les dilettantes de la politique, de la religion.*

Péj. Personne qui manifeste un certain scepticisme à l'égard des choses dont elle s'occupe. → **Esthète, sceptique.**

Et que peut-il en advenir, si ce n'est l'amour ? (...) mais en elle, pas en lui, qui n'est qu'un dilettante et ne voit là-dedans qu'une aventure (...)
LOTI, les Désenchantées, V, XXX, p. 177.   4

CONTR. Professionnel, spécialiste, technicien. ◊ DÉR. Dilettantisme.

DILETTANTISME [dilɛtãtism] n. m. — 1821; de *dilettante.*

Caractère du dilettante (2.). *Faire qqch. par dilettantisme, avec dilettantisme.* → **Amateurisme.** *Dilettantisme en art, en musique.* — Par ext. *Un certain dilettantisme en politique.*

Ce grand catholique (*C. Franck*) avait parfois une âme amoureuse païenne, il savait jouir sans remords du dilettantisme harmonieux de Renan et du néant sonore de Leconte de Lisle.
R. ROLLAND, Musiciens d'aujourd'hui, p. 106.

DÉR. **Dilettantiste.**

DILETTANTISTE [dilɛtãtist] adj. et n. — 1860; de *dilettantisme.*

Vx. Du dilettantisme. — N. → **Dilettante** (mot employé par Baudelaire).

DILIGEMMENT [diliʒamã] adv. — V. 1250, *diligemment; diligentement,* v. 1200; de *diligent.*

D'une manière diligente; avec soin et célérité.

(...) qu'il fasse les choses le plus diligemment qu'il pourra.
RACINE, Lettres, 166, 22 févr. 1698.

1. **DILIGENCE** [diliʒãs] n. f. — Fin XIIe; lat. *diligentia* «soin, attention», de *diligens, diligentis.* → Diligent.

♦ **1** Vx. Soin attentif, appliqué. → **Application, attention, soin.** *Avoir de la diligence.*

(...) ces grappes de raisin qu'on trouve encore après la vendange et qui ont échappé à la diligence du vendangeur.   1
MASSILLON, Petit Carême,
«Le petit nombre des élus».

Dr. *À la diligence d'un tel :* sur la demande, sur l'initiative, à la requête d'un tel.

Le scellé sera apposé, soit à la diligence du ministère   2
public, soit sur la déclaration du maire (...)
Code de procédure civile, art. 911.

♦ **2** Vx ou littér. Activité empressée, dans l'exécution d'une chose. → **Célérité, empressement, hâte, promptitude, rapidité, vitesse, zèle.** *Faire preuve, faire montre d'une grande diligence. Mettre peu de diligence dans l'exécution d'une commande. User de diligence. Faire acte de diligence.*

Nous ne pouvons nous lasser d'admirer la diligence et la   3
fidélité de la poste (...)
Mme DE SÉVIGNÉ, Lettres, 459, 20 oct. 1675.

En effet, quelle diligence! en neuf heures l'ouvrage est   4
accompli (...)
BOSSUET,
Oraison funèbre de Henriette-Anne d'Angleterre.

Loc. (plus cour.). *Faire diligence, faire grande diligence.* → **Dépêcher** (se), **hâter** (se).

Adraste avait fait une incroyable diligence pour faire le   5
tour d'une montagne presque inaccessible.
FÉNELON, Télémaque, XVI.

Vx. *En diligence, en grande, en toute diligence* (→ Armer, cit. 27) : *vite.*

Prince, que tardez-vous? Partez en diligence. (...)   6
RACINE, Britannicus, V, 2.

(Déb. XVIIe). Vx. *Carrosse, voiture de diligence.* → 2. **Diligence.**

CONTR. Distraction, fainéantise, négligence. — Lenteur. ◊ HOM. 2. **Diligence.**

2. **DILIGENCE** [diliʒãs] n. f. — 1680; de *carrosse de diligence*, déb. XVIIᵉ. → 1. Diligence.

♦ **1** Voiture tirée par des chevaux, qui servait à transporter des voyageurs. → **Coche** (4.), **omnibus, patache**. *Les chemins de fer ont supprimé les diligences* (→ Cheval, cit. 2). *Les différentes parties d'une diligence*. → **Coupé, impériale, intérieur, rotonde.** *Conducteur d'une diligence*. → **Postillon.** *L'attaque de la diligence* (dans les westerns).

7   (...) les deux conducteurs de cette voiture, moitié diligence, moitié coucou, trouvaient toujours des défenseurs parmi leurs habitués (...) Cette voiture, de construction bizarre, appelée *la voiture à quatre roues*, admettait dix-sept voyageurs, et n'en devait contenir que quatorze (...) Elle était divisée en deux lobes, dont le premier, nommé *l'intérieur*, contenait six voyageurs sur deux banquettes, et le second, espèce de cabriolet ménagé sur le devant, s'appelait un coupé. Ce coupé fermait par un vitrage incommode et bizarre (...) La voiture à quatre roues était surmontée d'une impériale à capote sous laquelle Pierrotin fourrait six voyageurs, et dont la clôture s'opérait par des rideaux de cuir.
      BALZAC, Un début dans la vie, Pl., t. I, p. 603-606.

8   J'avais pris la diligence de Beaucaire, une bonne vieille patache qui n'a pas grand chemin à faire avant d'être rendue chez elle, mais qui flâne tout le long de la route, pour avoir l'air, le soir, d'arriver de très loin.
      Alphonse DAUDET, Lettres de mon moulin,
      «la Diligence de Beaucaire».

9   C'était une vieille diligence d'autrefois, capitonnée à l'ancienne mode de drap gros bleu tout fané, avec ces énormes pompons de laine rêche qui, après quelques heures de route, finissent par vous faire des moxas dans le dos (...) Tartarin de Tarascon avait un coin de la rotonde (...) Il y avait de tout un peu dans cette rotonde. Un trappiste, des marchands juifs, deux cocottes qui rejoignaient leur corps — le 3ᵉ hussards —, un photographe d'Orléansville (...)
      Alphonse DAUDET, Tartarin de Tarascon, III, I,
      p. 188.

♦ **2** (1830, *in* D. D. L.). **Hist.** Ancienne voiture* de voyageurs, sur les chemins de fer (vers 1850-1870). → Voiture, cit. 5.

HOM. 1. Diligence.

DILIGENT, ENTE [diliʒã, ãt] adj. — Fin XIIᵉ; lat. *diligens* «attentif, zélé», de *diligere* «prendre parmi d'autres; choisir, aimer» (le supin *dilectum* a donné *délit*, → Dilection), de *dis-*, et *legere* «ramasser, recueillir».

♦ **1** Vx. Qui s'applique avec soin à ce qu'il fait. → **Appliqué, assidu, attentif, soigneux, zélé.** *Être diligent dans ses affaires. Employé diligent.*

1   Celle-ci est adroite, soigneuse, diligente et surtout fidèle (...)
      MOLIÈRE, le Malade imaginaire, I, 6.

Qui montre de la diligence, de l'empressement. *Soins diligents.* → **Attentif.**

2   Le Berger plut au roi par ses soins diligents.
      Tu mérites, dit-il, d'être pasteur de gens (...)
      LA FONTAINE, Fables, X, 10.

3   La science des détails, ou une diligente attention aux moindres besoins de la république, est une partie essentielle au bon gouvernement (...)
      LA BRUYÈRE, les Caractères, X, 24.

♦ **2** Vieilli ou littér. Qui montre une activité empressée, de la célérité dans l'exécution d'une chose. → **Actif, empressé, expéditif, prompt, rapide.** *Secrétaire diligente* (→ Correspondance, cit. 8). *Employé diligent. Ce fournisseur n'est pas très diligent.*

4   DILIGENT, PROMPT. Ce qui différencie ces deux mots, c'est que diligent implique toujours une idée d'application, d'intention qui n'est pas prompt.
      LITTRÉ, Dict., art. *Diligent*.

Dr. *La partie la plus diligente,* celle qui agit la première dans une poursuite.

CONTR. Indolent, lent, négligent, nonchalant, paresseux.
◊ **DÉR.** Diligemment, diligenter.

DILIGENTER [diliʒãte] v. tr. — Déb. XVᵉ, *diligenter de...* «se hâter»; de *diligent*.

Vieux.

♦ **1** Presser (qqn) de faire qqch. — *Il faut vous diligenter* (Académie, 1878).

♦ **2** Hâter (qqch.). *Diligenter une affaire.* — **Spécialt.** Dr. «*Selon l'expression du palais, il* (David Séchard) *"diligenta"...*» (Balzac, Illusions perdues).

DILOBÉ, ÉE [dilɔbe] adj. — 1864; de *di-, lobe,* et suff. *-é.*

Bot. Qui a deux lobes. — **Syn.** : *bilobé.*

DILUANT, ANTE [dilɥã, ãt] adj. — D. i.; p. prés. de *diluer.*

Qui dilue, sert à diluer.
N. m. (1924, *in* T. L. F.). Liquide qui diminue la viscosité d'une peinture (pour en faciliter l'application).

DILUER [dilɥe] v. tr. — XVᵉ, attestation isolée; repris 1824; lat. *diluere* «laver, détremper», de *dis-,* et *luere* «laver, baigner».

♦ **1** Délayer, étendre (une substance) dans un liquide. → **Délayer, étendre, mouiller, noyer.**

1   (...) un apport constant d'eau douce dilue le sel et, pour ainsi dire, dessale la mer (...)
      GIDE, les Faux-monnayeurs, I, XVII, p. 195.

Par métaphore. *La lumière dilue les formes.* — **Pron.** *Silhouettes qui se diluent dans la brume.* → **Perdre** (se).

♦ **2** Fig. Affaiblir, atténuer.

2   Ces torrents de musique indiscrète pénètrent dans les dernières retraites de l'âme; diluent sa force, détruisent la sainte solitude et le trésor des secrètes pensées.
      R. ROLLAND, Musiciens d'aujourd'hui, p. 196.

♦ **DILUÉ, ÉE** p. p. adj. *Médicament dilué dans de l'eau. Alcool dilué.* Par métaphore. → ci-dessous, cit. 4. — Par ext. Affaibli, faible.

3   L'été venait d'être extrêmement pluvieux, et, au 8 septembre, c'était déjà un grand ciel froid d'extrême automne, où le plus faible soleil mettait une teinte dorée, diluée dans la pluie suspendue.
      M. BARRÈS, la Colline inspirée, p. 99.

4   La vérité à l'état pur est un poison pour certains esprits; et Mary ne la supportait que très diluée.
      A. MAUROIS, Ariel ou la Vie de Shelley, p. 282.

CONTR. Condenser (cit. 3), **décanter.** ◊ **DÉR.** Diluant.

DILUTION [dilysjɔ̃] n. f. — 1833, en méd. homéopathique; sens général, 1836; lat. *dilutio,* du supin de *diluere.* → Diluer.

Action de diluer. *La dilution d'un sel dans l'eau.* — *La dilution des formes par la lumière du crépuscule.* — Proportion d'une substance diluée. *La faible dilution de sel dans l'eau.*

Méd. homéopathique. Mode de préparation des remèdes homéopathiques propre à en multiplier les effets. *Dilution et trituration* (cit. 2), *les deux modes de la préparation homéopathique. Haute dilution :* haut numérotage de dilution. → **Dynamisation.** *Dilution décimale, centésimale. Dilution infinitésimale.* → **Infinitésimalité.**

1   Si l'on prend une partie en poids d'un remède, par exemple un extrait de plantes appelé «Teinture Mère» et qu'on le mélange à 99 parties d'un solvant, on obtient la première dilution centésimale hahnemannienne.
      Si l'on prend une partie de cette première dilution et qu'on la mélange à 99 parties de solvant, on obtient la deuxième dilution centésimale hahnemannienne, et ainsi de suite.
      D. LEBOSCOT, *in* Guérir, oct. 1967,
      «Qu'est-ce que l'homéopathie?».

2 Nous avons à notre disposition depuis la codification ministérielle de 1948, des préparations homéopathiques officinales qui permettent d'entreprendre des expérimentations rationnelles, sur la mesure des dilutions — sur l'activité biologique des dilutions : seuil, limite et intensité — et sur la variabilité de cette activité biologique. D'autres travaux sont à entreprendre sur l'activité physiologique des dilutions (...)
Pierre VANNIER, l'Homéopathie, p. 132.

DILUVIAL, ALE, AUX [dilyvjal, o] adj. — 1826 ; dér. sav. du lat. *diluvium.* → Diluvien, diluvium.

♦ **1** Géol. Qui appartient au diluvium.

♦ **2** Très abondant **(en parlant de la pluie)**, semblable à un déluge. → **Diluvien.** *Débordement, cataracte diluviale.*

DILUVIEN, IENNE [dilyvjɛ̃, jɛn] adj. — 1764 ; du lat. *diluvium* «inondation», de *diluere* (→ Déluge, diluer), et suff. *-ien.*

♦ **1** Didact. Qui a rapport au déluge*. *Époques diluvienne et antédiluvienne. Eaux diluviennes.*

1 Les maisons nouvelles s'avancent toujours, comme la mer diluvienne qui a baigné les flancs de l'antique montagne, gagnant peu à peu les retraites où s'étaient réfugiés les monstres informes reconstruits depuis par Cuvier.
NERVAL, Promenades et souvenirs, «La Butte Montmartre», Pl., t. I, p. 142.

Vieilli. Qui a rapport au diluvium. *Dépôts, terrains diluviens.* → **Diluvial.** *Roches diluviennes.*

♦ **2** Cour. *Pluie diluvienne* : pluie très abondante, semblable à un déluge. → **Torrentiel.**

2 Des pluies diluviennes et brèves s'abattirent sur la ville ; une chaleur orageuse suivait ces brusques ondées.
CAMUS, la Peste, p. 43.

♦ **3** Littér. *Temps, passé diluvien,* très ancien (comme le déluge biblique). → **Antédiluvien.**

3 (...) il s'est passé quelque chose : partout plane la menace d'un passé diluvien, le souvenir qui prend à la gorge.
J.-M. G. LE CLÉZIO, le Déluge, p. 25.

COMP. Antédiluvien.

DILUVIUM [dilyvjɔm] n. m. — 1834 ; *diluvion,* 1846 ; angl. *diluvium,* 1819 ; mot lat., «déluge». → Diluvien.
Géol. Ensemble des dépôts (alluvions de fleuves...) formés à l'époque quaternaire.

DIMANCHE [dimɑ̃ʃ] n. m. — 1119, *diemenche* ; du lat. ecclés. *dies dominicus* «jour du Seigneur», devenu en bas lat. **didominicus,* d'où **diominicus.*
Jour «sanctifié par le christianisme» (T. L. F.), généralement considéré comme le premier de la semaine* — encore que l'Académie définisse le samedi aussi bien que le dimanche «septième jour de la semaine» — mais faisant partie, dans la conscience collective moderne, de la «fin de semaine», son début étant identifié au début du travail (le lundi). *Dimanche prochain, dimanche dernier. Venez nous voir dimanche. — Dans les civilisations chrétiennes, le dimanche est traditionnellement un jour de repos, consacré au service de Dieu.* → **Dominical** (repos). *L'assistance à la messe du dimanche. Communier tous les dimanches. Aller aux vêpres, au salut, le dimanche. Observer, fêter, sanctifier le dimanche, le repos du dimanche. Le repos du samedi et du dimanche.* → **Week-end** ; → Fin de semaine*. — *Le premier dimanche du mois. Les dimanches de l'Avent. Dimanches de Carême.* → **Oculi, passion, quadragésime, quinquagésime, rameaux, septuagésime, sexagésime ;** (vx) **brandon.** *Le dimanche de Pâques, de Quasimodo, de la Pentecôte, de la Trinité. Le dimanche gras,* qui précède le mercredi des Cendres.

Le dimanche, considéré comme opposé à la semaine, aux jours ouvrables. *Le repos du dimanche.*

Elle allait à la messe le dimanche, d'ordinaire à la messe basse.   1
J. ROMAINS, les Hommes de bonne volonté, t. V, II, p. 13.

Le dimanche n'est pas un jour normal, physiologique, c'est un hiatus, une solution de continuité dans la trame des jours vivants.   2
G. DUHAMEL, Chronique des Pasquier, II, x, p. 317.

Oui, l'heure est venue de réfléchir. Vous avez cru qu'il vous suffirait de visiter Dieu le dimanche pour être libres de vos journées. Vous avez pensé que quelques génuflexions le paieraient bien assez de votre insouciance criminelle. Mais Dieu n'est pas tiède.   CAMUS, la Peste, p. 112.   3

Les distractions du samedi et du dimanche. Bon dimanche ! Les beaux dimanches d'été. La promenade du dimanche. Passer le dimanche en famille. Les habits, le costume du dimanche (→ Abîmer, cit. 8 ; aise, cit. 8). *S'habiller en dimanche.* → **Endimancher.**

L'homme, un vieil ouvrier aux mains durcies par le travail, qui a mis pour voyager ses habits du dimanche, enlève sa veste, sa cravate, s'éponge le front, et allume un cigare.   4
MARTIN DU GARD, les Thibault, t. VIII, p. 94.

Ce dimanche, comme chaque dimanche, sur la promenade traditionnelle, les soldats étaient aussi nombreux que les civils (...)   P. MAC ORLAN, la Bandera, VI, p. 73.   5

(...) et un complet bleu à raies, costume qui a dû être dans le temps celui des dimanches parce que les pauvres ne peuvent jamais s'acheter lorsqu'ils ont un peu d'argent que des vêtements de fête qu'ils sont condamnés ensuite à porter sans fin comme de dérisoires témoins d'impossibles ambitions.   Claude SIMON, le Palace, 10/18, p. 35.   5.1

Régional (Belgique) :

— Au lit ! Pas de sortie ! Pas de dimanche ! En Belgique, le «dimanche» est la petite somme d'argent qui est donnée aux enfants pour passer agréablement ce jour.   5.2
Henri CALET, la Belle Lurette, p. 114.

Par ext. Jour de repos, de vacances. — REM. Cet emploi n'est pas lexicalisé ; la comparaison implicite ou explicite avec le dimanche effectif y est toujours présente. *Aujourd'hui, c'est dimanche pour moi ; c'est mon dimanche, je me repose.* — Loc. fam. (1753, in D. D. L.). *C'est tous les jours dimanche, c'est la fête.* — Fig. *Les dimanches de la vie. Un air de dimanche,* de fête, de gaieté.

Prov. *Tel qui rit vendredi, dimanche pleurera.*

Ma foi, sur l'avenir bien fou qui se fiera :   6
Tel qui rit vendredi, dimanche pleurera.
RACINE, les Plaideurs, I, 1.

Jamais le dimanche (allus. au film de J. Dassin où une prostituée grecque ne reçoit jamais de clients le dimanche).

Fam. **DU DIMANCHE,** se dit de personnes qui agissent en amateurs, sans habileté. *Un chauffeur du dimanche. Assassin* du dimanche. Un peintre du dimanche.* → **Amateur** (→ Barbouiller, cit. 6).

Certes, un peintre du dimanche copierait mal la Joconde (...)   7
MALRAUX, les Voix du silence, II, II, p. 287.

COMP. Endimancher.

DÎME [dim] n. f. — V. 1135, *disme* ; du lat. *decimus* «dixième», *decima* au féminin.

♦ **1** Hist. antiq. Chez les Juifs, Le dixième de la récolte qui était offert à Dieu ou donné aux lévites.

Considérez combien est grand celui auquel le patriarche Abraham donna la dîme du butin. Ceux des fils de Lévi qui exercent le sacerdoce ont, d'après la loi, l'ordre de lever la dîme sur le peuple (...)   1
BIBLE (SEGOND), les Hébreux, VII, 5.

♦ 2 Hist. Impôt, fraction variable de la récolte prélevée par l'Église. *Payer la dîme. Lever la dîme, les dîmes des blés, du vin.* — Spécialt. *Dîmes inféodées,* usurpées par les seigneurs. — *L'abolition des dîmes par la Révolution de 1789.*

2 L'Ancien Testament obligeait les Juifs à remettre à leurs lévites une certaine portion de leurs revenus, la dîme. Elle se maintint sans difficulté en Orient sous la nouvelle loi, mais ne fut d'abord considérée en Occident que comme une louable pratique. À partir de la fin du VIᵉ siècle, les conciles cherchent à l'imposer en frappant les récalcitrants de peines disciplinaires. Sous Pépin le Bref, le pouvoir civil y contraignit par la force, pour remédier à l'extrême détresse de l'Église franque qu'il avait lui-même provoquée. La dîme devint dès lors une coutume générale ; elle est en principe, comme son nom (*decima pars*) l'indique, du dixième des revenus et doit être payée au curé.

OLIVIER-MARTIN, Précis d'hist. du droit français, 69.

3 (...) dans une sorte de vertige (au cours de la nuit du 4 août 1789), ce fut à qui proposerait d'immoler un privilège. Après les droits seigneuriaux, la dîme, qui avait cependant pour contre-partie les charges de l'assistance publique (...)
J. BAINVILLE, Hist. de France, XV, p. 328.

♦ 3 Fig. et littér. *Lever, prélever la, une dîme sur qqch.,* en prélever, en détourner une partie de la valeur. → **Exaction.** *C'est une dîme injuste.*

4 La voilà, l'iniquité maîtresse : cette dîme prélevée sur la chair et la sueur par le plus hypocrite, le plus immoral des artifices !
MARTIN DU GARD, les Thibault, t. V, p. 219.

DÉR. Dîmer.

DIMENSION [dimãsjɔ̃] n. f. — 1372 ; lat. *dimensio,* de *dimensum,* supin de *dimetiri,* de *dis-,* et *metiri* «mesurer».

Ⅰ ♦ 1 Grandeur réelle, mesurable, qui détermine la portion d'espace occupée (par un corps). → **Étendue, grandeur, grosseur, taille.** *La dimension d'un objet. Corps de même dimension.* → **Grandeur.** *Corps de dimension ordinaire, de petite dimension.* → **Minuscule, petit, de poche*.** *Corps de grande dimension.* → **Colossal, énorme, épais, grand, gros, haut, large, long, profond, vaste ; immense.** *Changer la dimension d'un corps.* → **Agrandir, augmenter, diminuer.** *Des objets de toutes les dimensions.* → **Taille.**

1 Notre âme est jetée dans le corps, où elle trouve nombre, temps, dimensions, elle raisonne là-dessus, et appelle cela nature, nécessité, et ne peut croire autre chose.
PASCAL, Pensées, III, 233.

♦ 2 Grandeur mesurable (d'un objet), selon une direction ou par rapport aux autres grandeurs significatives. → **Épaisseur, hauteur, largeur, longueur, profondeur.** *Les dimensions d'un objet, du corps.* → **Mensuration, mesure.** *Mesurez ce tissu dans la plus grande dimension (dans la longueur). Noter, prendre, relever les dimensions de qqch. Amener, mettre, tailler qqch. aux dimensions choisies. Objet qui a les dimensions voulues. Instrument servant à prendre les dimensions de qqch.* → **Compas ; -mètre.** *Évaluer une dimension par l'épaisseur d'un doigt. Vérifier les dimensions d'un wagon avec un gabarit*. De dimensions égales.* → **Isométrique.** *Les dimensions de ces deux corps coïncident.* — *Les dimensions du corps* (cit. 15) *humain* (→ **Anthropométrie ;** → Anthropologie, cit. 2 ; 2. canon, cit. 3). — *Les dimensions d'une propriété, d'un domaine.* → **Surface** (→ Culture, cit. 4). — *Dimension d'un livre* (→ **Format**), *d'un récipient* (→ **Capacité, contenance**), *d'un tube* (→ **Calibre**), *d'une chaussure* (→ **Pointure**).
Spécialt. *Timbre* de dimension.*
Par ext. *La dimension, les dimensions d'une entreprise, d'un organisme, d'un État, d'un groupe.* → **Importance.**

(V. 1968). Écon. Taille requise pour qu'une entreprise soit viable.

♦ 3 Géom. Grandeur réelle qui, seule ou avec d'autres, détermine la position d'un point (→ **Dimensionnel**). *Les dimensions d'un espace. Espace à une dimension :* la ligne droite ; *à deux dimensions* (→ **Plan** [géométrie plane]) ; *à trois dimensions* (→ **Espace** [géométrie de l'espace, dans l'espace]). *Solide à trois dimensions. Les dimensions d'un parallélépipède :* longueur des trois arêtes qui aboutissent au même sommet. — *Espace à quatre, à n dimensions. La quatrième dimension,* d'après la théorie de la relativité. → **Temps ; espace-temps.**

2 Ce que l'on peut appeler l'*espace visuel complet* n'est donc pas un espace isotrope. Il a, il est vrai, précisément trois dimensions ; cela veut dire que les éléments de nos sensations visuelles (...) seront complètement définis quand on connaîtra trois d'entre eux ; pour employer le langage mathématique, ce seront des fonctions de trois variables indépendantes (...) La troisième dimension nous est révélée de deux manières différentes : par l'effort d'accommodation et par la convergence des yeux.
Henri POINCARÉ, la Science et l'Hypothèse, IV, p. 71.

Cour. *La troisième dimension :* l'effet de profondeur, de perspective, qu'offre un tableau.

3 (...) une peinture à laquelle la conquête de la troisième dimension avait été essentielle et pour laquelle l'union entre l'illusion et l'expression plastique allait de soi. Union qui voulait exprimer non seulement la forme des objets, mais encore leur manière et leur volume (...) c'est-à-dire atteindre à la fois la vue et le toucher.
MALRAUX, les Voix du silence, p. 102.

♦ 4 Phys. *Formule de dimensions :* rapport de deux grandeurs dont dépend une autre grandeur (ex. : $V = L/T$).

Ⅱ Fig. **♦ 1** (XXᵉ ; de I., 1. ; au XVIIIᵉ, *prendre les dimensions de quelqu'un,* le juger d'après les attitudes, son comportement). Importance. *Comment a-t-il pu commettre une sottise, une faute de cette dimension ?* → **Grosseur, taille.**

4 La main vigilante et pressante de l'Empereur nous préserva de tout, mais qui est-ce qui lui succédera ? La nature ne produit pas deux hommes de sa dimension.
TALLEYRAND, *in* Louis MADELIN, Talleyrand, XIX, p. 200.

5 (...) si tu n'as pas vu le four Martin dégorger son flot de métal en délire, ô mon ami, tu ne connais pas toutes les tristesses du monde, toutes les dimensions de l'homme.
G. DUHAMEL, Scènes de la vie future, VIII, p. 135.

(V. 1966). *Prendre la dimension de qqch., les dimensions de qqch.,* savoir discerner son importance.
Loc. adj. *À la dimension de, aux dimensions de :* approprié à, à la mesure* de. *La télévision a fait un effort qui n'est «peut-être pas à la dimension de notre époque»* (l'Express, 12 sept. 1966). — *Prendre la dimension, les dimensions de :* devenir. «*La première greffe* (d'un cœur humain) *a pris les dimensions d'une aventure nationale*» (l'Express, 6 mai 1968).

♦ 2 (1951 ; de I., 2. et 3.). Aspect significatif (d'une chose) ; point de vue significatif. «*La révolte est une des dimensions essentielles de l'homme*» (Camus).
Axe de signification. «*L'auteur fait coïncider les dimensions du concret et du symbolique, de la sensualité et du mythe*» (le Nouvel Obs., 23 nov. 1966).
Sociol. Composante (d'un fait social). *La dimension économique, politique d'un problème.*

DÉR. Dimensionnel, dimensionner. ◊ COMP. Surdimensionné, surdimensionner.

DIMENSIONNALITÉ [dimãsjɔnalite] n. f. — V. 1960 ; de *dimensionnel.*

Sc. Caractère d'un espace quant à ses dimensions* (I., 3.). *La dimensionnalité du système de référence intuitif est 3.* → **Tridimensionnel.**

DIMENSIONNEL, ELLE [dimãsjɔnɛl] adj. — 1875; de *dimension*.

Didact. Relatif aux dimensions (I., 1. ou 3.). Techn. *Caractéristiques dimensionnelles d'un objet. Normes dimensionnelles d'une pièce.*

DÉR. et COMP. Dimensionnalité. Bidimensionnel, multidimensionnel, quadridimensionnel, tridimensionnel, unidimensionnel.

DIMENSIONNEMENT [dimãsjɔnmã] n. m. — 1948; de *dimensionner*.

Techn. Établissement de l'ensemble des dimensions (d'un objet, d'un appareil). *«Les recherches actuelles se poursuivent dans trois directions principales. La première vise (...) le dimensionnement optimal du réacteur compte tenu de la puissance de l'installation solaire utilisée»* (in *la Recherche*, n° 134, juin 1982, p. 788).

DIMENSIONNER [dimãsjɔne] v. tr. — 1927; de *dimension*.

Techn. Déterminer les dimensions (I.) de (qqch.) en fonction d'un usage. — Passif. *«Les accès à l'autoroute ont été bien dimensionnés»* (*Guide Dunlop*, 1966).

P. p. adj. *«Un très lourd volant, largement dimensionné»* (*Revue du son*, n° 158-159, p. 314).

REM. Le mot est critiqué; selon une recommandation officielle, il doit être remplacé par *proportionner*.

DÉR. Dimensionnement.

DÎMER [dime] v. — xɪɪᵉ, *dismer*; de *dîme*.
Vieux.

I V. intr. Lever une dîme (propre ou fig.; Chateaubriand, in T. L. F.).

II V. tr. Soumettre à une dîme, à un prélèvement. — Fig. *«Un pain noir (...) dont chaque mendiant vient dîmer une tranche»* (Lamartine, *Jocelyn*). → **Prélever.**

DIMÈRE [dimɛR] adj. et n. m. — 1817; grec *dimerês*, de *dis-*, et *meros* «partie». → Di-, et -mère.
Didactique.

I Biol. Formé de deux parties.

II Chim. Se dit d'un corps de poids moléculaire double (par rapport à un corps monomère), dont la formule brute est la même que celle du monomère. — N. m. Corps dimère.

DIMÉTHYL- Préfixe, utilisé en chimie, de *di-*, et *méthyle*, indiquant la présence, dans une molécule, de deux substitutions par un radical méthyle* (ex.: *diméthylbenzène*).

DIMIDIÉ, ÉE [dimidje] adj. — 1821; du lat. *dimidius* «demi», et suff. -*é*.

Didact. Bot. Dont un seul côté est développé. — Physiol. Qui ne concerne qu'un côté (des deux côtés d'un organisme symétrique).

(...) chez le droitier, dans les lésions droites, les troubles seront dimidiés, portant sur la connaissance de l'hémicorps controlatéral (...)
A. POROT, Manuel alphabétique de psychiatrie, p. 577, b.

DIMINUANT, ANTE [diminɥã, ãt] adj. — Attesté xxᵉ; du p. prés. de *diminuer*.
Littéraire et rare.

◆**1** Qui sert à diminuer qqch. *Un verre grossissant et un verre diminuant.*

◆**2** Qui diminue, va en diminuant. *Une lumière diminuante.*

◆**3** Fig. Qui rabaisse, diminue qqn dans l'estime.

(...) dans le monde des Guermantes (...) où la pauvreté était considérée comme aussi désagréable, mais nullement plus diminuante et n'affectant pas plus la situation sociale qu'une maladie d'estomac.
PROUST, À la recherche du temps perdu, Albertine disparue, p. 134, in T. L. F.

DIMINUENDO [diminɥendo] adv. et n. m. — 1821, in D. D. L.; mot ital. *diminuendo* «en diminuant»; gérondif de *diminuire*, du lat. *diminuere* «diminuer».

Mus. En diminuant progressivement l'intensité des sons de la voix, des instruments. → Decrescendo.
N. m. *Un diminuendo. Des diminuendo(s).*

CONTR. Crescendo.

DIMINUER [diminɥe] v. — V. 1265; lat. *diminuere* «mettre en morceaux, briser», de *de-* ou *dis-*, et *minuere* «rapetisser», de *minus* «petit».

I V. tr. ◆**1** Rendre plus petit (une grandeur). → **Amoindrir, réduire; moins.** *Diminuer les dimensions d'un objet. Diminuer la longueur d'une robe.* → **Accourcir, raccourcir.** *Diminuer la largeur de qqch.* → **Étrécir, étriquer, rétrécir.** *Diminuer la hauteur de qqch.* → **Abaisser, affaisser, écimer, écrêter.** *Diminuer l'épaisseur de qqch.* → **Amaigrir, amenuiser, amincir, chantourner, dégrossir, élégir, évider, rogner, ronger, user.** *Diminuer qqch. en enlevant*, *en ôtant* la matière (→ **Retrancher, soustraire**). *Diminuer l'épaisseur, la concentration d'une sauce.* → **Diluer, éclaircir.** *Diminuer le volume de...* → **Alléger, apetisser, comprimer, concentrer, condenser, contracter, dégonfler, désenfler, rapetisser, réduire, resserrer, restreindre.** *Diminuer la part, la portion de qqn.* → **Réduire.** *Diminuer un poids, une charge.* → **Alléger, amortir, décharger, soulager.** — *Diminuer la durée de...* → **Abréger, écourter.** *Diminuer la vitesse d'un véhicule.* → **Freiner, modérer, ralentir.** *Diminuer la quantité, le nombre de...* → **Déduire, diviser, soustraire.** *Diminuer le rendement d'un travail.* → **Abaisser.**

Sur tous les chantiers, dans toutes les usines, dites-vous bien qu'il règne un mot d'ordre : diminuer le rendement. On le leur répète dans tous les meetings.   1
J. ROMAINS, les Hommes de bonne volonté, t. V, XXVIII, p. 296.

Diminuer une intensité. → **Adoucir, atténuer, modérer.** *Diminuer l'intensité d'un son.* → **Assourdir, baisser; descendre.** *Diminuer les prix.* → **Abaisser, alléger, baisser, ramener (à), réduire, remise** (faire une remise). *Diminuer les salaires* (→ Chômer, cit. 3). *Diminuer la valeur d'une monnaie.* → **Déprécier, dévaluer; dévaloriser.** *Diminuer les dépenses.* → **Comprimer, réduire, restreindre.** *Diminuer les importations* (→ Banquier, cit. 3). *État qui diminue les impôts.* → **Alléger, baisser; dégrever** (un contribuable). *Diminuer ses ressources, son capital.* → **Écorner; appauvrir** (s').

Il disposerait ainsi d'une certaine fraction de capital, sans   2
diminuer ses revenus.
J. ROMAINS, les Hommes de bonne volonté, t. V, XVII, p. 120.

D'un commun accord, ils avaient diminué les escomptes,   3
supprimé les crédits, refusé les échantillons gratuits.
A. MAUROIS, Bernard Quesnay, XXX, p. 200.

4 La crise sera longue, c'est évident. Jean est obligé de diminuer la rente. Il faut que tu quittes ton appartement.
J. CHARDONNE, les Destinées sentimentales, III, v, p. 473.

Spécialt. Réduire le nombre de mailles de (un tricot).
Par anal. Diminuer la longueur d'un texte, d'un récit. → **Abréger, écourter, résumer ; amputer, mutiler, tronquer.**

◆ **2** (De ce qui n'est pas mesurable). Rendre moins grand, moins fort. Diminuer la qualité de qqch., son intérêt. Diminuer les risques, les dangers d'une entreprise. Diminuer la violence d'une expression, la gravité d'une révélation. → **Affaiblir ; adoucir, atténuer, édulcorer, estomper, mitiger, tempérer.**

5 Il augmente, il diminue, il rectifie toutes vos pensées (...)
Mᵐᵉ DE SÉVIGNÉ, Lettres, 248, 12 févr. 1672.

6 Ou les mots dépassent la pensée ou ils la diminuent.
J. RENARD, Journal, 30 janv. 1908.

Diminuer l'ardeur, l'enthousiasme, le courage de qqn. → **Abattre, attiédir, calmer, décourager, émousser, modérer, rabattre, ralentir, refroidir, relâcher, tomber** (faire) ; **aplatir** (fam.). La maladie a diminué ses forces. → **Affaiblir ; affaisser, alanguir, amoindrir, consumer ; épuiser, exténuer, fatiguer.** Diminuer les qualités de la race. → **Abâtardir.** Mes paroles ont diminué sa colère. → **Apaiser, calmer, modérer, tomber** (faire). L'absence (cit. 6) a diminué la force de sa passion, sa passion. → **Attiédir, éteindre.** Son départ a diminué notre plaisir. → **Gâcher, gâter.** Diminuer l'assurance de qqn. → **Ébranler.** Diminuer les prétentions de qqn. → **Ravaler, tempérer.** L'appréhension diminue les chances de succès (→ Caser, cit. 1). Remède qui diminue la souffrance, le mal. → **Adoucir, alléger, endormir, pallier, soulager.** Votre présence diminuera son chagrin. → **Consoler.** — Diminuer l'autorité de qqn. → **Compromettre, infirmer, miner, saper.**

7 Ce cardinal (Mazarin) avait l'artifice de trouver toujours quelque défaut aux plus belles actions des généraux (...) pour diminuer leurs services et délivrer le Roi de la nécessité de les récompenser.
RACINE, Notes historiques, v, 92.

8 Les yeux des amants grossissent les beautés de leurs maîtresses et diminuent leurs défauts.
HELVÉTIUS, Notes, maximes et pensées, Œ., p. 270.

◆ **3** Réduire les mérites, la valeur de (qqn). Diminuer qqn. Prendre plaisir à diminuer les autres. → **Abaisser, avilir, dégrader, dénigrer, déprécier, discréditer, humilier, rabaisser, ternir.** Rien ne pourra le diminuer auprès de ses admirateurs.

II V. intr. Devenir moins grand, moins considérable. → **Baisser, décroître, perdre.** Diminuer rapidement, soudain. Diminuer progressivement, lentement. → **Decrescendo, diminuendo ; dégressif.** Aller* en diminuant. Cela va en diminuant : il y en a de moins* en moins. — **REM.** Le verbe se construit avec l'auxiliaire avoir, quand on veut marquer que l'action se passe (s'est passée) au moment dont il est question. La chaleur a diminué aujourd'hui. — Diminuer de longueur, de largeur, de hauteur, d'épaisseur, de volume (→ Décroissement, cit.), de grosseur. Diminuer en quantité (→ Achat, cit. 2), en qualité, en nombre. La pluie a diminué d'intensité (→ Déluge, cit. 8). Le niveau des eaux a diminué. → **Descendre.** La brume a diminué depuis ce matin. → **Disparaître, éclaircir** (s'), **évanouir** (s').

9 Je m'en vais, je suis emporté par une force inévitable ; tout diminue, tout fuit, tout disparaît à mes yeux (...)
BOSSUET, Oraison funèbre d'Anne de Gonzague.

Ses ressources ont diminué. Les prix* diminuent. → **Baisser, tomber.** Cet article a diminué de prix. Le coût de la vie a diminué depuis deux ans. → **Baisser.** (Forces humaines). Son appétit diminue. Ses forces ont diminué. → **Décliner, faiblir.** Avec l'âge, son intelligence a bien diminué (→ Chaque, cit. 2). — (Sujet n. de personne). Le malade diminue tous les jours. → **Dépérir.** — (Sentiments). Le chagrin diminue avec le temps. Sa colère diminue. → **Calmer** (se), **céder, cesser, décliner, mollir, tomber.** Son amour a bien diminué (→ Augmenter, cit. 11, 15 ; attachement, cit. 13 ; croître, cit. 11). — Son crédit commence à diminuer. → **Déchoir, décroître, pâlir.** — (Choses concrètes). Les provisions diminuent à vue d'œil.

10 Le vin blanc était frais ; le pain, la viande froide, le beurre, diminuaient à vue d'œil.
MARTIN DU GARD, les Thibault, t. IV, p. 191.

11 C'est ainsi qu'on vit la circulation diminuer progressivement jusqu'à devenir à peu près nulle, des magasins de luxe fermer du jour au lendemain (...)
CAMUS, la Peste, p. 94.

Littér. (avec être, quand on veut marquer l'état qui résulte de l'action accomplie). La chaleur est bien diminuée par rapport au mois d'août.

12 Son royaume (de Roboam) est diminué de dix tribus (...)
BOSSUET, Disc. sur l'hist. universelle, II, IV.

13 Pourquoi craindre que la gloire d'un si grand homme soit diminuée par cet aveu ?
BOSSUET, Oraison funèbre du prince de Condé.

14 Par la durée, les plaisirs du corps sont diminués et les peines augmentées.
STENDHAL, De l'amour, p. 292.

◆ **SE DIMINUER** v. pron.

◆ **1** (Choses ; personnes). Devenir moins grand, moins considérable.

15 (...) il son amitié pour Lucien s'était diminuée d'un peu d'estime.
BALZAC, Illusions perdues, Pl., t. IV, p. 996.

15.1 Pauvre bougre... un pauvre homme qui s'est rétréci, qui s'est diminué, qui n'a pas exploité à fond ses possibilités...
N. SARRAUTE, le Planétarium, p. 252.

◆ **2** (Personnes). Se diminuer par une conduite dégradante, malhonnête. → **Abaisser** (s'), **commettre** (se), **déchoir, déclasser** (se), **dégrader** (se). Par de tels propos, il se diminue aux yeux de tous ses amis.

16 Qui se défend se diminue.
JAURÈS, Hist. socialiste..., t. IV, p. 11.

◆ **DIMINUÉ, ÉE** p. p. adj.

◆ **1** Rendu moins grand. — **Archit.** Colonne diminuée, qui va en se rétrécissant de bas en haut. — **Mus.** Intervalles diminués, rendus plus petits au point de n'être plus consonants. Ut dièse-si bémol est une septième diminuée.
Réduit (→ Déconcerter, cit. 2).

17 (...) il donna au bureau des signes de distraction qui furent jugés regrettables à un moment où la mairie devait faire face, avec un personnel diminué, à des obligations écrasantes.
CAMUS, la Peste, p. 153.

Spécialt. Tricot diminué, dont la forme résulte des diminutions* (2.) et non d'un assemblage de parties.

◆ **2** (Personnes). Amoindri, affaibli, bas (→ fig. **Appauvrir,** p. q.).

18 (...) elle est considérablement diminuée depuis que vous êtes partie (...)
Mᵐᵉ DE SÉVIGNÉ, 623, 9 juil. 1677.

19 Ce que j'écris aujourd'hui, quand j'aurai dépassé la quarantaine, en pleine force et en plein équilibre intellectuel doit, de toute évidence, prévaloir contre ce que je pourrai penser ou écrire à la fin de mon existence, lorsque je serai physiquement et moralement diminué par l'âge ou par la maladie.
MARTIN DU GARD, Jean Barois, p. 359.

20 La vieille châtelaine, depuis son attaque, semblait fort diminuée.
A. MAUROIS, Lélia ou la Vie de G. Sand, I, v, p. 50.

Dévalorisé, humilié à ses propres yeux. *Il se sent diminué d'être entretenu par sa femme.*

21   (...) Alain est humilié, diminué, et pour une fois qu'il a l'occasion devant mes parents de se rehausser un peu, d'apporter quelque chose de son côté, vous ne voulez pas bouger... vous n'avez jamais levé le petit doigt... vous vous en êtes lavé les mains depuis le début...
N. SARRAUTE, le Planétarium, p. 141.

CONTR. **Augmenter; accroître, agrandir, ajouter, amplifier, croître, gonfler, grandir, grossir, monter.** ◊ DÉR. **Diminuant, diminutif, diminution.**

DIMINUTIF, IVE [diminytif, iv] adj. et n. m. — XIVᵉ; bas lat. (grammatical) *diminutivus,* du supin de *diminuere.* → Diminuer.

♦ **1** Ling. Qui donne, qui ajoute une idée de petitesse, souvent avec une nuance affective (hypocoristique ou péj.). *Suffixe diminutif qu'on ajoute au radical. Dérivation de tablette, petite table, par addition du suffixe diminutif -ette à table. Principaux suffixes diminutifs :* suffixes de noms et d'adjectifs (→ -eau, -elet, -elle, -elot, -ereau, -erole, -eron, -et, -eteau, -eton, -iche, -ichon, -icule, -iculet, -ille, -illon, -in, -iole, -iquet, -oche, -ole, -on, -onnet, -ot, -ule), suffixes de verbes (→ -eter, -iller, -iner, -oter, -onner, -ouiller).
N. m. *Un diminutif :* mot formé d'une racine et d'un suffixe diminutif. *Tablette est le diminutif de table, jupon de jupe, pâlot de pâle, voleter de voler. Les diminutifs furent très en faveur chez les poètes du XVIᵉ siècle.* → **-et** (cit. 3).

♦ **2** Nom propre formé de la même manière, indiquant initialement la familiarité, l'affection chez la personne qui l'emploie. *Pierrot, Louison sont les diminutifs de Pierre et de Louise.*
Par ext. Nom propre (en général prénom) tiré d'un nom propre, par abrègement (*Fred* de *Alfred*), substitution de suffixe (*Margot* pour *Marguerite*), redoublement d'un élément (*Jojo* pour *Georges*), suffixation d'un élément (*Riton* pour *Henri*), etc., avec une valeur affective. → **Hypocoristique.**

♦ **3** N. m. (1637). Vieilli. Chose qui ressemble à une autre en plus petit. → **Miniature.** *Ce parc est le diminutif de celui du château de Versailles.*

CONTR. **Augmentatif.**

DIMINUTION [diminysjɔ̃] n. f. — V. 1260; lat. *diminutio,* du supin de *diminuere.* → Diminuer.

♦ **1** Action de diminuer*; résultat de cette action. → **Amoindrissement, baisse, décroissance, décroissement, réduction, retranchement, soustraction; moins.** *La diminution de qqch., sa diminution; une diminution rapide. Diminution graduelle, progressive, successive.* → **Dégradation.** *Diminution considérable. Diminution de la surface d'un terrain par l'envahissement des eaux. Diminution de volume.* → **Compression, concentration, contraction, dégonflement, réduction.** *Diminution de longueur, de durée.* → **Abrégement, raccourcissement.** *Diminution de largeur.* → **Rétrécissement.** *Diminution de hauteur.* → **Abaissement, affaissement, baisse.** *Diminution de niveau. Diminution de l'épaisseur, diminution d'épaisseur de qqch.* → **Amaigrissement, amenuisement, amincissement, aplatissement.** *Diminution de poids.* → **Allégement, soulagement.** *Diminution de vitesse, de mouvement, d'activité.* → **Modération, ralentissement.** *Diminution d'intensité.* → **Dégradation** (→ Dégrader, cit. 1). *Diminution de nombre, de quantité.* → **Division; soustraction.** *Diminution de prix.* → **Baisse; bonification, rabais, réduction, remise.** *Diminution de valeur.* → **Dépréciation, dévalorisation, moins-value.** *La diminution de la valeur*

de la monnaie. → **Dévaluation.** *Diminution de l'inflation.* → **Déflation.** *Diminution des charges, des impôts.* → **Abattement, décharge, dégrèvement** (cit.), **exemption, exonération, réduction.** *La diminution des revenus, de la fortune de qqn. La diminution d'un salaire.* → **Baisse.** *Demander une diminution de loyer. — Demander, obtenir une diminution de charges, de taxes.*

(De ce qui n'est pas mesurable). *Diminution d'un mal. Diminution des forces, de l'énergie.* → **Affaiblissement, déperdition, réduction, restriction.** *Diminution d'activité.*

Absolt. *On n'a observé aucune diminution.*

Rhét. Figure par laquelle on dit moins pour faire entendre plus. → **Exténuation, litote.**

♦ **2** Spécialt. *Une, des diminutions :* action de diminuer le nombre de mailles, notamment en en travaillant deux à la fois (crochet, tricot).

♦ **3** Vx (en parlant des personnes). Action d'être diminué, de se diminuer. → **Abaissement, avilissement, humiliation.**

L'homme du meilleur esprit est inégal; il souffre des accroissements et des diminutions; il entre en verve, mais il en sort (...)   LA BRUYÈRE, les Caractères, II, 66.

CONTR. **Augmentation; accroissement, agrandissement, amplification, croissance, crue, élévation, enchérissement, gonflement, montée; plus.**

DIMISSOIRE [dimiswaʀ] n. m. — 1501; lat. ecclés. *dimissorius* «qui renvoie», du supin du lat. class. *dimittere* «renvoyer», de *dis-,* et *mittere* «envoyer».

Relig. Lettre par laquelle un évêque autorise un clerc de son diocèse à recevoir des ordinations dans un autre diocèse. *Donner, obtenir un dimissoire.* (On a dit aussi *démissoire*).

DÉR. **Dimissorial.**

DIMISSORIAL, ALE, AUX [dimisɔʀjal, o] adj. — 1690; dér. sav. de *dimissoire.*

Relig. (rare). Qui est relatif à un dimissoire. *Lettres dimissoriales.*

DIMORPHE [dimɔʀf] adj. — 1826; de *di-,* et *-morphe.*

♦ **1** Didact. Qui peut prendre deux formes différentes (→ vx Biforme). — Bot. *Organes, feuilles dimorphes.* — Zool. *Les fourmis femelles sont dimorphes.*

♦ **2** (1844; → Dimorphisme, cit.). Chim. Qui peut cristalliser dans deux structures cristallines. *Le soufre, corps dimorphe.*

L'auteur (*Pasteur, dans sa thèse de physique et un mémoire pour l'Académie des Sciences*) appliquait le qualificatif de *dimorphe* à des substances susceptibles de cristalliser dans deux systèmes différents et trouvait là, pour la vie entière, l'une des idées cruciales de sa méditation.
Henri MONDOR, Pasteur, II, p. 27.

DÉR. **Dimorphisme.**

DIMORPHISME [dimɔʀfism] n. m. — 1838; de *dimorphe.*

♦ **1** Didact. Caractère des organes, des corps des animaux dimorphes. *Dimorphisme saisonnier* (pelage d'été et pelage d'hiver). *Dimorphisme sexuel :* aspect différent du mâle et de la femelle d'une même espèce (par ex. du lion qui porte une crinière et de la lionne qui n'en porte pas). *Le dimorphisme sexuel peut être extrême chez les insectes.*

Bot. *Dimorphisme foliaire, dimorphisme des feuilles,* en fonction de l'habitat de la plante.

♦ **2** (1844, cit.). **Chim.** Propriété d'une substance dimorphe.

Dans cette hypothèse, le soufre qui a cristallisé (...) en octaèdres droits, et celui qui a cristallisé (...) en prismes obliques rhomboïdaux serait un seul et même corps *dimorphe,* une seule et même substance douée de *dimorphisme.*
DELAFOSSE, *in* C. D'ORBIGNY,
Dict. universel d'hist. nat., v, 19 (1844).

DIN [din] n. m. invar. — XXᵉ ; sigle de l'all. *Deutsche Industrie Norm,* «normalisation industrielle allemande», correspondant à ISO pour les normes internationales, à AFNOR pour les normes françaises.

Photogr. *Échelle DIN :* échelle de sensibilité des émulsions photographiques.

HOM. Formes du v. 1. **dîner, dyne.**

DINAMITERO [dinamiteʀo] n. m. — XXᵉ ; mot esp., «dynamiteur», de *dinamita* «dynamite».

Anarchiste, poseur de bombes. — **REM.** Le mot connote une action violente dans un contexte révolutionnaire.

Contre les chars d'assaut de Franco, les dinamiteros lançaient des grenades et des bouteilles enflammées.
S. DE BEAUVOIR, la Force de l'âge, p. 283.

DINANDERIE [dinɑ̃dʀi] n. f. — 1387 ; de *dinandier.*

Didact. ou **comm.** Ensemble des ustensiles de cuivre jaune (vaisselle, pots, chandeliers). *Pièces de dinanderie.* → **Chaudronnerie** (d'art).

DINANDIER [dinɑ̃dje] n. m. — Fin XIIIᵉ ; de *Dinant,* ville de Belgique célèbre par ses cuivres.

Didact. (hist., etc.). Fabricant, marchand de dinanderie.

DÉR. Dinanderie.

DINAR [dinaʀ] n. m. — 1697 ; arabe *dīnār.*

♦ **1** Anciennt. Monnaie d'or arabe.

♦ **2** (XXᵉ). Mod. Unité monétaire de l'Algérie, de l'Irak, de la Jordanie, du Koweit, de la Libye, de la Tunisie et de la Yougoslavie. *Un dinar algérien. Deux dinars.*

DÎNATOIRE [dinatwaʀ] adj. — XVIᵉ ; dér. sav. de 1. *dîner.*

Déjeuner dînatoire : déjeuner abondant qui équivaut à un dîner*. *Goûter dînatoire :* goûter abondant et tardif, qui sert de dîner.

DINDE [dɛ̃d] n. f. — 1600 ; de *coq d'Inde, poule d'Inde,* nom donné aux XIVᵉ-XVᵉ à la pintade, originaire d'Abyssinie, et appliqué (1532) au dindon, que les Espagnols découvrirent au Mexique en 1519.

♦ **1** Femelle du dindon*. *Dinde rôtie, truffée, farcie, bourrée de marrons. Dinde de Noël.*

1 Premiers parents du genre humain, dont la gourmandise est historique, qui vous perdîtes pour une pomme, que n'auriez-vous pas fait pour une dinde aux truffes ? Mais il n'était dans le paradis terrestre ni cuisiniers, ni confiseurs. Que je vous plains !
A. BRILLAT-SAVARIN, Physiologie du goût, t. II,
p. 245.

2 — Deux dindes truffées, Garrigou ? (...)
— Oui, mon révérend, deux dindes magnifiques bourrées de truffes. J'en sais quelque chose, puisque c'est moi qui ai aidé à les remplir. On aurait dit que leur peau allait craquer en rôtissant, tellement elle était tendue (...)
Alphonse DAUDET, Lettres de mon moulin,
«Les trois messes basses», I.

3 — Noble dinde, lui dis-je, si vous étiez une oie, j'écrirais votre éloge, comme le fit Buffon, avec une de vos plumes. Mais vous n'êtes qu'une dinde.
J'ai dû la vexer, car le sang monte à sa tête. Des grappes de colère lui pendent au bec. Elle a une crise de rouge. Elle fait claquer d'un coup sec l'éventail de sa queue et cette vieille chipie me tourne le dos.
J. RENARD, Histoires naturelles, «Dindes», I.

♦ **2** Fig. Femme stupide et prétentieuse. *C'est une dinde, cette fille-là ! Petite dinde !*

4 — N'est-ce pas une petite dinde rougissante, assez dodue, ma foi ! qui chante moins faux que les autres bécasses de la confrérie ? G. CHEVALLIER, Clochemerle, p. 239.

Adj. fém. *Elle est un peu dinde.*

5 (...) il les trouvait toujours soit trop dindes, soit trop tartes.
R. QUENEAU, Zazie dans le métro, Folio, p. 13.

DÉR. Dindon.

DINDON [dɛ̃dɔ̃] n. m. — 1600, «dindonneau» ; de *dinde ;* d'abord «petit de la dinde», puis (attesté 1668, La Fontaine, ci-dessous) «mâle de l'espèce».

♦ **1** Grand oiseau de basse-cour (*Gallinacés*), originaire d'Amérique centrale, scientifiquement appelé *meleagris*), noir, bronzé, doré ou blanc, dont la tête et le cou, dépourvus de plumes, sont recouverts d'une membrane granuleuse, rouge violacé, avec caroncules rouges à la base des mandibules (→ **Fanon, fraise**). *Dindon sauvage. Dindon domestique. Dindon qui fait entendre son glouglou, qui glouglou*te, *glouglote. Dindon femelle.* → **Dinde**. *Dindon mâle faisant la roue. — Se rengorger comme un dindon. — Troupeau de dindons* (mâles et femelles).

1 (...) certaines Philis qui gardent les dindons
Avec les gardeurs de cochons.
LA FONTAINE, Fables, VII, 2.

Spécialt. Le mâle de l'espèce (opposé à *dinde*).

2 La guerre que les coqs d'Inde se font entre eux est beaucoup moins violente *(que celle des coqs proprement dits) ;* le vaincu ne cède pas toujours le champ de bataille, quelquefois même il est préféré par les femelles : on a remarqué qu'un dindon blanc ayant été battu par un dindon noir, presque tous les dindonneaux de la couvée furent blancs.
BUFFON, Hist. nat. des oiseaux, Œ., t. V, p. 316.

Gardeur de dindons. → **Dindonnier**. — Loc. *Nous n'avons pas gardé les dindons ensemble.* → **Garder**. — *Le dindon de la fable :* une personne qui imagine voir (entendre, savoir) ce qu'elle n'est pas en mesure de voir (allus. à la fable de Florian où le singe a oublié d'allumer sa lanterne magique). → **Lanterne** (cit. 11).

♦ **2** Loc. fig. *Le dindon de la farce :* la personne qui est la victime moquée d'une plaisanterie. → **Dupe.** *Faire de qqn le dindon* (d'une affaire). → **Dindonner.** *C'est lui le dindon* (dans cette affaire). *Le Dindon,* pièce de Feydeau (1896).

DÉR. Dindonneau, dindonner, dindonnier.

DINDONNEAU [dɛ̃dɔno] n. m. — 1651 ; de *dindon.* Petit de la dinde. *Manger un rôti de dindonneau. Des dindonneaux.*

DINDONNER [dɛ̃dɔne] v. tr. — 1828 ; de *dindon,* 2.

Fam. et vieilli. Abuser, duper avec facilité. *Il s'est fait dindonner.* → **Duper.** — Au p. p. *Mari, amant dindonné,* trompé.

1 (...) je suis vengé, votre mari l'a su ! Je lui ai catégoriquement démontré qu'il était dindonné, ce que nous appelons *refait au même...* Madame Marneffe est *ma* maîtresse (...)
BALZAC, la Cousine Bette, Pl., t. VI, p. 401.

2 «Retors mais naïf», notais-je l'autre jour à propos du M. R. P. On ne saurait être plus dindonné qu'il ne l'est.
F. MAURIAC, Bloc-notes 1952-1957, p. 130.

DINDONNIER, IÈRE [dɛ̃dɔnje, jɛʀ] n. — Av. 1660 ; de *dindon*.

Rare. Personne qui garde les dindons.

Ah ! si, une fois j'en ai rencontré une dans la taille à Trochu... la petite Bûchette, la dindonnière.
E. LABICHE, Deux merles blancs, I, 5.

DINE [din] n. f. → **Daine.**

DÎNE [din] n. f. — 1905, Esnault (cf. *dînée*, 1844) ; déverbal de 1. *dîner*.

Pop. Repas. *À la dîne !*

Je me disais : Tant pis c'est joué, arrivera ce qui pourra... en attendant on a le pageot, la dîne et le chauffage...
CÉLINE, le Pont de Londres, p. 366.

DÎNÉE [dine] n. f. — XIIᵉ, «dîner, temps du dîner» ; p. p. fém. de 1. *dîner*.

Vieux (langue classique).

♦ **1** (Mil. XVIIᵉ). Frais de nourriture des personnes et des chevaux, dans un voyage.

♦ **2** (1689, Mᵐᵉ de Sévigné). Auberge où l'on s'arrête pour manger.

HOM. Dîner.

1. DÎNER [dine] v. intr. — Fin XIᵉ, «prendre le repas du matin» ; du lat. pop. *disjunare* «rompre le jeûne», de *disjejunare* (→ Déjeuner), de *dis-*, et *jejunare*. → Jeûner.

♦ **1** Vx ou régional (France, exceptionnellement ; Belgique, Canada). Prendre le repas de midi. → 2. **Déjeuner.** — REM. Lorsque ce sens est en usage, on dit *déjeuner* (1. Déjeuner) pour «prendre son petit déjeuner». — Prov. et loc. Vx. *«Lever à six, dîner à neuf, Souper à six, coucher à neuf, Fait vivre d'ans nonante-neuf.»*

♦ **2** Cour., mod. Prendre le repas du soir. *Qu'allons-nous manger pour dîner ? Se mettre à table pour dîner. Inviter, prier, retenir, garder, avoir quelqu'un à dîner. Dîner en ville, dîner au restaurant. Dîner chez soi, en tête à tête, avec des amis, en compagnie. Dîner légèrement, copieusement, de bon appétit, avec appétit. Dîner à huit heures. Avoir bien dîné. Dîner avec un potage et un dessert, d'un potage et d'un dessert.* — Celui qui donne à dîner. → **Amphitryon.** — Mod. *Qui dort dîne :* le sommeil fait oublier la faim — *Dîner sur le pouce,* hâtivement. — Fam. *Dîner avec les chevaux de bois :* se passer de dîner (→ Dîner par cœur*). — Plais. *Dîner d'une olive et d'un poulet :* dîner plantureusement alors qu'on prétend dîner de peu — *Il me semble que j'ai dîné quand je le vois :* sa présence m'est désagréable.

1 Il vient peut-être encore vous faire quelque emprunt ; et il me semble que j'ai dîné quand je le vois.
MOLIÈRE, le Bourgeois gentilhomme, III, 3.

2 Compère le renard se mit un jour en frais, Et retint à dîner commère la cigogne.
LA FONTAINE, Fables, I, 18.

3 Il est déjà un peu tard pour aller dîner en ville, encore un peu tôt pour se rendre au spectacle.
J. ROMAINS, les Hommes de bonne volonté, t. III, XII, p. 162.

DÉR. Dînatoire, dîne, dînée, 2. dîner, dîneur. ◇ HOM. Dînée.

2. DÎNER [dine] n. m. — 1ʳᵉ moitié XIIᵉ, *deigner* «premier repas de la journée» ; de 1. *dîner*.

♦ **1** Vx ou régional (notamment Belgique, Canada). Repas du milieu de la journée. *«À une heure on sert le dîner»* (Sade, *Justine...*, t. I, p. 166 [1791]).

1 Du goujon ! c'est bien là le héron !
J'ouvrirais pour si peu le bec ! aux Dieux ne plaise !
LA FONTAINE, Fables, VII, 4.

Le dîner se refroidit ; voilà M. Fréret qui arrive, mettons-nous à table (...)   2
VOLTAIRE, Dialogues, XXVI, 1ᵉʳ entretien.

La société est composée de deux grandes classes : ceux   3
qui ont plus de dîners que d'appétit, et ceux qui ont plus d'appétit que de dîners.
CHAMFORT, Maximes, L'homme et la société, VII.

À onze heures et demie, on sonnait le dîner que l'on servait   4
à midi. La grand'salle était à la fois salle à manger et salon : on dînait et soupait à l'une de ses extrémités (...)
CHATEAUBRIAND, Mémoires d'outre-tombe, t. I, p. 112.

♦ **2** (1814). Repas du soir (opposé au *déjeuner* de la mi-journée). *L'heure du dîner. Dîner de famille, de fiançailles, d'affaires.* — *Partager le dîner de quelqu'un,* dîner à sa table.

À sept heures, on servit le dîner.   5
FLAUBERT, Mᵐᵉ Bovary, I, VIII.

Le chancelier d'Aguesseau m'avait appris à ne pas dédai- 6
gner des moments qui paraissent sans emploi, lui que sa femme inexacte faisait toujours attendre pour le dîner, et qui, lui présentant un livre, lui dit : «Voilà l'œuvre des avant-dîners».
LITTRÉ, Comment j'ai fait mon dictionnaire de la langue française, p. 26.

(V. 1965). En composition. Dîner accompagné d'une activité ou d'une manifestation. *Dîner-débat, dîner-concert, dîner-spectacle. «Pour 850 F, offrez-vous le grand frisson du Japonais coquin en virée dans le Gay Paris : dîner-spectacle au Moulin-Rouge et soirée avec demi-bouteille de champ' au Lido»* (le Nouvel Obs., 15 mai 1982).

♦ **3** Par métonymie. **a** Les plats, les mets du dîner. *Un dîner fin, copieux. Le dîner nous attend, est prêt, est sur la table, va refroidir. Mon dîner ne passe pas, m'est resté sur l'estomac.*
b Le moment du dîner. *Après le dîner.*

DÉR. Dînette. ◇ COMP. Après-dîner, avant-dîner. - HOM. Dînée.

DÎNETTE [dinɛt] n. f. — XVIᵉ ; de 2. *dîner*.

♦ **1** Petit repas, parfois simulé, que les enfants s'amusent à faire entre eux. — Par ext. Petit repas intime. *Faire la dînette.*

Et c'est tout leur grand événement du jour, cette dînette qu'elles s'amusent à faire là comme les femmes du peuple, mais sous le voile, et en voiture fermée.
LOTI, les Désenchantées, IV, XXVIII, p. 171.

♦ **2** (1852). Service de table servant de jouet aux enfants. *On lui a acheté une dînette pour Noël.*

DÎNEUR, EUSE [dinœʀ, øz] n. — 1609 ; de 1. *dîner*.

Personne qui prend part à un dîner, et, spécialt, à un dîner de fête, au restaurant. *Les dîneurs des grands restaurants. Une élégante dîneuse.*

Les dîneurs entraient lentement dans la grande salle de l'hôtel et s'asseyaient à leurs places.
MAUPASSANT, Toine, «Le tic», p. 239.

DING [diŋ] interj. — XVIᵉ, *din, dint* ; onomatopée.

Onomatopée évoquant un tintement, un coup de sonnette.

À 60, nouveau «Ding !» d'Eugène et Alex recommence à boxer des ombres (...)
J. CAU, la Pitié de Dieu, p. 15.

Ding, ding, dong ! [diŋ dɛ̃g d5(g)], onomatopée évoquant la sonnerie d'un carillon. — Var. : *dig, ding, dong.* → **Dig.**

DINGHY ou **DINGHIE** [diŋgi] n. m. — 1929, *dinghy* ; *dinghie,* 1934 ; *dinghi,* 1870 ; *dingui,* 1836, en parlant de barques sur le Gange ; mot angl., du hindi.

Anglicisme.

♦ 1 (1950, *in* Höfler). Canot pneumatique de sauvetage. *Des dinghys* ou *dinghies.*

1   Ce canot de caoutchouc était un petit dingy *(sic)* individuel, fait pour repêcher les gens qui tombent à la mer tout près des côtes ; je ne crois pas qu'il m'aurait permis de traverser l'Atlantique.

     A. BOMBARD, Naufragé volontaire, p. 175.

♦ 2 Petit bateau de plaisance à moteur hors-bord, avec un volant de direction, un pare-brise et des sièges, dont la coque est généralement en matière plastique ou en métal léger.

2   Le grand succès de ces dernières années a été le *glisseur* hors-bord sous la forme du *dinghie* dit utilitaire qui, pour un poids lui permettant d'être facilement remorqué derrière une voiture offre de deux à quatre places et peut entraîner un skieur à bonne allure.

     J. GIORDAN, le Yachting, p. 24.

1. DINGO [dɛ̃go] n. m. — 1789, dans une trad. de W. Tench, puis 1834-1835, Dumont d'Urville ; angl. *dingo* (1789), empr. à une langue d'Australie.

Mammifère carnivore *(Canidés)* australien, scientifiquement appelé *Canis familiaris dingo,* qui a l'aspect d'un grand renard.

Les indigènes emploient, pour la chasse du casoar, des *dingos* bien dressés qui ne redoutent ni les jeunes à l'état de développement, ni ceux complètement formés.

     Carol ULMOLTZ, Chez les cannibales, *in* le Tour du monde, 1888, t. II, p. 174.

2. DINGO [dɛ̃go] adj. et n. — Fin XIXᵉ, *dingot ; de dingue.*

Fam. Fou, folle. → **Cinglé, dingue, sonné.** *Elle est complètement dingo ! Tu n'es pas un peu dingo ? Ils sont à moitié dingos.* — REM. *Dingo paraît vieilli par rapport à dingue.*

1   Et comme le démon du pastiche, et de ne pas paraître vieux jeu, altéra la forme la plus naturelle et la plus sûre de soi, Françoise, empruntant cette expression au vocabulaire de sa fille, disait que j'étais dingo.

     PROUST, le Côté de Guermantes, Pl., t. II, p. 69, note.

N. Fou, folle, aliéné mental.

Il n'y a pas de dingos dans ta famille, dans la mienne non plus.   R. QUENEAU, Loin de Rueil, p. 37.

Par ext. *Il a accepté ? Quel dingo !*

2   À poil comme elle était donc, cette dingo, v'là qu'elle entre tout droit dans l'église (...)

     G. CHEVALLIER, Clochemerle, p. 398.

DINGUE [dɛ̃g] adj. et n. — 1915 ; orig. incert. ; p.-ê. de *dengue** (cf. argot *la dingue* «le paludisme», 1890), ou de *dinguer.*

Familier.

♦ 1 Fou, dingo. → 2. **Dingo.** *Il est un peu dingue, complètement dingue. On devrait t'envoyer chez les dingues* (cf. À Charenton). *De doux dingues.* — N. *Un, une dingue.*

1   Si elle continue, je deviendrai dingue je me demande comment il s'y prendrait Guitare avec celle-là.

     J. CAU, la Pitié de Dieu, p. 135.

2   C'est pas avec des coups de sonnette que t'empêcheras un cheval de trottiner ça fait que le rendre encore plus dingue (...)

     Claude SIMON, la Route des Flandres, p. 57.

(Choses). Absurde, extravagant. *Mais c'est dingue, son affaire.*

♦ 2 (Comme intensif ; très à la mode v. 1970-1980). Extraordinaire. *Un spectacle fabuleux*, complètement dingue. Une soirée dingue.* → **Super.** *Il y avait un monde dingue.* → **Fou.** *Un mec dingue, pas possible.*

3   (...) une petite Parisienne fort peu vêtue, son gros derrière pris dans une sorte de bref caleçon collant, s'écriait en se

dandinant et avec le plus pur accent du faubourg : «Ah ! la la ! c'est dingue, c'est tout à fait dingue ici.»

     J. GREEN, Journal, La terre est si belle, 12 oct. 1977, p. 184.

DÉR. 2. **Dingo, dinguerie.** ◊ COMP. **Foldingue.** ⇒ HOM. **Dengue.**

DINGUER [dɛ̃ge] v. intr. — 1833 ; d'un rad. onomat. *din-, ding-,* exprimant le balancement (des cloches, etc.).

♦ 1 Fam. *Envoyer dinguer qqn,* repousser violemment.

0.1   Le justicier retint par le collet celui qu'il supposait être le chef et lui cogna plusieurs fois la tête contre un tronc d'arbre, pour lui apprendre. Puis il l'envoya dinguer ; le gosse s'écorcha les genoux sur l'asphalte, ensuite détala.

     R. QUENEAU, Pierrot mon ami, p. 85.

Abstrait. Éconduire sans ménagement.

0.2   Alors il *(Gautier)* esquisse un Jésus, fils d'une parfumeuse et d'un charpentier, un mauvais sujet qui quitte ses parents et envoie dinguer sa mère (...)

     Ed. et J. DE GONCOURT, Journal, t. II, p. 106.

1   Si c'était moi qui avais voulu les lui présenter, ce qu'il m'aurait envoyé dinguer.

     PROUST, À la recherche du temps perdu, t. IX, p. 127.

♦ 2 Fam. (Surtout inf., après des v. comme *aller, venir, faillir*). Tomber.

2   J'eus un éblouissement et m'en allai dinguer au pied d'un marronnier, dans cet espace creux réservé pour l'arrosement des arbres (...)

     GIDE, Si le grain ne meurt, I, III, p. 92.

COMP. **Valdinguer.**

DINGUERIE [dɛ̃gʀi] n. f. — 1964, *in* D.D.L. ; de *dingue.*

Familier.

♦ 1 Caractère d'une personne, d'un comportement dingue. *Sa dinguerie nous amuse. Il est d'une dinguerie pas possible.*

Je sens qu'il me faut m'élancer, mouiller un peu mes yeux, ôter ces lunettes de soleil de starlette, quitte à dévoiler l'émouvante cicatrice qui est, je l'enlève ma gourmette en toc de suicidée ratée, la seule séquelle visible de ce temps de dinguerie dont on ne parlera plus jamais, bien sûr.

     A. SARRAZIN, la Traversière, p. 128 (1966).

♦ 2 (Une, des dingueries). Action de dingue. *Encore une de ces dingueries !*

DINOFLAGELLÉS [dinoflaʒele ; dinoflaʒɛlle] n. m. pl. — 1948, Larousse ; angl., 1901, *in* Webster ; lat. sc. *dinoflagellata,* 1885, Bütschli ; du grec *dinos* «tournoiement, tourbillon», et lat. *flagellum* «fouet». → Flagelle.

Zool. Syn. de *Péridiniens.* — Au sing. *Un dinoflagellé.*

DINOPHYSIS [dinofizis] n. — XXᵉ ; du grec *dinos* «tournoiement» (→ Dinoflagellés), et *physis, phusis* «nature».

Bot. Algue microscopique qui sécrète une toxine pouvant provoquer des troubles digestifs chez l'être humain.

DINORNIS [dinɔʀnis] n. m. invar. — 1843 ; lat. sc. *dinornis,* 1843, Owen, du grec *deinos* «terrible», et *ornis* «oiseau».

Paléont. Oiseau fossile de la fin du tertiaire, coureur de très grande taille qui vivait en Australie.

DINOSAURE [dinozɔʀ] n. m. — 1845 ; lat. sc. *dinausaurus* forgé en angl., 1841, Owen, du grec *deinos* «terrible», et *sauros.* → Sauriens.

♦ 1 Cour. Énorme saurien de l'ère secondaire. — REM. Le mot, comme le nom de l'ordre *(Dinosauriens),* ne désigne aucune famille zoologique déterminée ; il ne s'applique guère qu'aux plus grands spécimens (bronto-saure, diplodocus), qui ont frappé l'imagination.

♦ 2 Fig. et fam. Personne, institution, etc. ancienne, archaïque, plus ou moins redoutable, que son importance passée empêche de disparaître. *Les dinosaures de la politique. Un vieux dinosaure de la finance.* → **Crocodile** (fig.).

DINOSAURIENS [dinosɔʀjɛ̃] n. m. pl. — 1841; angl. *dinosaurian,* de *dinosaurus.* → Dinosaure.

Paléont. Vx. Ordre de reptiles* fossiles dont certaines familles avaient une taille gigantesque, caractéristique de la période secondaire (ex. : atlantosaure, brontosaure, camptosaure, diplodocus, mégalosaure, stégosaure).

Tous les Dinosauriens sont intéressants par les affinités qu'ils ont, du point de vue squelettique, d'une part avec les Crocodiliens et les Rhynchocéphales, d'autre part avec les Oiseaux.
　　　　　　　　LEUBA, Introduction à la géologie, p. 163.

Au sing. *Un dinosaurien.* → **Dinosaure.**

DINOTHÉRIUM [dinɔteʀjɔm] n. m. — 1837; lat. sc., 1829, Kamp, du grec *deinos* «terrible», et *thérion* «animal».

Paléont. Genre de mammifères fossiles de l'ordre des *Proboscidiens,* animaux à grandes défenses voisins des éléphants, localisés dans le miocène, en Europe et en Asie. *Des dinothériums.*

DIOCÉSAIN, AINE [djɔsezɛ̃, ɛn] adj. et n. — 1265; de *diocèse.*

Qui est relatif à un diocèse; qui appartient à un diocèse. *Clergé diocésain. L'évêque diocésain* (→ **Ordinaire**). *Œuvres diocésaines. L'administration, l'autorité diocésaine.*

N. (V. 1534). Personne qui fait partie d'un diocèse. *Mandement de l'évêque à ses diocésains.* — N. m. *Le diocésain des fidèles,* leur évêque.

(...) se faire (...) respecter du noble de sa province, ou de son diocésain.　　　　LA BRUYÈRE, les Caractères, VIII, 11.

COMP. Archidiocésain.

DIOCÈSE [djɔsɛz] n. m. — V. 1233, *dyocheze;* fém. jusqu'au XVIᵉ; grec *dioikêsis* «administration», de *dioikein* «administrer».

♦ 1 (Repris lat. *diœcesis*). Antiq. rom. Circonscription administrée par un vicaire de l'empereur.

1　La Gaule relevait de deux préfectures du prétoire de l'Empire d'Occident, la préfecture de Trèves, et était divisée en deux diocèses, dirigés par un *vicarius.* Chaque diocèse comprenait un certain nombre de provinces (...)
　　　　　　OLIVIER-MARTIN, Précis d'hist. du droit franç.

♦ 2 Circonscription ecclésiastique placée sous la juridiction d'un évêque ou d'un archevêque. *Les 87 diocèses de France. Le nom d'un diocèse,* généralement le nom de la ville où siège l'évêque. *Le diocèse de Paris, de Sées. Diocèse suffragant d'un archevêché. L'église d'un diocèse.* → **Cathédrale.** *Tribunal d'un diocèse.* → **Officialité.** *Un évêque, en visite dans son diocèse.* → Prière, cit. 1. *Prêtres qui exercent une juridiction sur les curés d'un diocèse.* → **Archidiacre, vicaire** (général). *Les curés doyens d'un diocèse. Assemblée d'ecclésiastiques chargés des affaires d'un diocèse.* → **Synode.** *Le diocèse d'un évêque, dans l'empire byzantin.* → **Éparchie.**

2　Il fallait maintenant réduire le nombre des évêchés. Le Pape y était d'avance résigné. Bernier n'eut pas sur ces articles à batailler. Soixante-dix villes perdaient leur titre de siège de diocèse; le nombre de diocèses était réduit à soixante.
　　　　　　Louis MADELIN, Hist. du Consulat et de l'Empire,
　　　　　　　　　　　Le Consulat, VIII, p. 115.

DÉR. Diocésain. ◊ COMP. Archidiocèse.

DIODE [djɔd] n. f. — 1932; mot angl., du grec *di-,* et *hodos* «chemin» (→ Cathode).

Techn. Composant* électronique à deux électrodes (cathode et anode) redresseur* de courant alternatif. → **Valve.** *Diode à filament* : tube à vide à deux électrodes. *Diode à cristal,* constituée par la jonction de deux semi-conducteurs de type différent. → **Transistor.**

DIODON [djɔdɔ̃] n. m. — 1787; du grec *di-* «deux», et *odous, odontos* «dent».

Zool. Poisson plectognathe (*Gymnodontes* ou *Diodontiformes*) au corps armé d'épines érectiles, et dont le bec à bords tranchants est revêtu d'une plaque d'ivoire très dur. Syn. cour. : *hérisson de mer.*

Le diodon, redouté pour sa mâchoire puissante et dentelée et pour les dards urticants qui hérissent son corps en cas d'alerte, a la curieuse faculté de se gonfler à volonté d'air et d'eau jusqu'à devenir rond comme une boule.
　　　　　　　　　　　M. TOURNIER,
　　　　　Vendredi ou les Limbes du Pacifique, p. 44.

DIŒSTRUS [diɛstʀys] n. m. invar. — V. 1960; de *dia-,* et *œstrus.*

Biol. Phase de repos entre deux périodes de rut chez les femelles de certains mammifères.

DIOGÈNE [djɔʒɛn] n. m. — 1826, Balzac, *Un nouveau Diogène,* in T. L. F.; nom d'un célèbre philosophe cynique grec de l'Antiquité.

Littér. et rare. Personne comparable à Diogène (par la simplicité absolue, la sincérité cynique). *De modernes diogènes.*

DÉR. V. Diogénique, diogéniser.

DIOGÉNIQUE [djɔʒenik] adj. — 1829, Balzac; de *Diogène,* nom du philosophe cynique.

Littér. et vieilli. De Diogène, de ses théories cyniques. *Le «tonneau diogénique»* (Alain, *in* T. L. F.).

DIOGÉNISER [djɔʒenize] v. — Mil. XVIᵉ; de *Diogène,* nom propre. → Diogène.

Littéraire et vieilli.

♦ 1 V. intr. Vivre dans un dénuement matériel absolu, professer le cynisme (comme Diogène).

♦ 2 V. tr. Rendre (qqn) comparable à Diogène.

DIOGGOT ou **DIOGOT** [djɔgo] n. m. — 1796; *deuggit,* 1766; russe *diëgot.*

Didact., techn. Huile obtenue en brûlant de l'écorce de bouleau, et qui donne au cuir de Russie son odeur particulière.

DIOÏQUE [djɔik] adj. et n. f. — 1778; *dioïke,* 1768; lat. bot. *diœcia,* du grec *di-* «deux», et *oikia* «maison».

Bot. Se dit des plantes à fleurs unisexuées chez lesquelles les fleurs mâles et les fleurs femelles sont sur deux pieds distincts. *Une plante dioïque,* et, n. f., *une dioïque* (opposé à *monoïque*). — REM. Le mot s'est appliqué aux espèces animales hermaphrodites (Cuvier).

DIOL [djɔl] n. m. → **Dialcool.**

DIOLÉFINE [dijɔlefin; djɔlefin] n. f. — V. 1900; de *di-,* et *oléfine.*

Chim. Hydrocarbure diéthylénique. Syn. : *diène.*

DIONÉE [djɔne] n. f. — 1786; lat. bot. *dionœa* «(plante) de Dioné», mère de Vénus (Aphrodite).

Bot. Plante carnivore d'Amérique *(Droséracées)* herbacée, vivace, exotique, dont la feuille, bordée de longs cils raides, est tapissée de poils sécrétant un liquide visqueux. *Une variété de dionée (dionée attrape-mouches ou gobe-mouches) est considérée comme une plante carnivore parce qu'au moindre contact, ses limbes se replient en emprisonnant l'insecte qui s'y était posé.*

DIONYSIAQUE [djɔnizjak] adj. — 1762; grec *dionusiakos*, de *Dionusos* «Dionysos», dieu appelé en latin Bacchus.

Didactique.

♦ **1** Antiq. grecque. Qui est relatif à Dionysos. *Le culte dionysiaque. Fêtes dionysiaques*, et, n. f. pl., *les dionysiaques* : fêtes en l'honneur de Bacchus célébrées au printemps et en automne. → **Bacchanale, dionysies.** *Les fêtes dionysiaques, origine de la comédie. Les grandes dionysiaques. Les dionysiaques rurales. Artistes dionysiaques* : nom des comédiens, chez les Grecs.

♦ **2** Littér. (opposé à *apollinien*). Propre à l'inspiration, à l'enthousiasme. *«Si la poésie est dionysiaque par ses origines, elle est apollinienne dès qu'elle est poésie»* (H. Delacroix). *L'ivresse dionysiaque, l'élan dionysiaque* (d'une œuvre, d'une création...).

REM. Cet emploi s'est surtout répandu sous l'infl. de Nietzsche (*Naissance de la tragédie*, 1872).

(Personnes). Qui présente, incarne les caractères (enthousiasme, force, etc.) attribués à Dionysos.

Andrée (que) j'avais crue le premier jour une créature si dionysiaque et qui était au contraire frêle, intellectuelle et (...) fort souffrante.
PROUST, À l'ombre des jeunes filles en fleurs, Pl., t. I, p. 893.

1. DIONYSIEN, IENNE [djɔnizjɛ̃, jɛn] adj. et n. — 1842; dér. sav. du grec *Dionusios* (lat. *Dionysius*) «Denys».

Didact. Relatif à Denis (nom de plusieurs personnes, notamment en hist. relig.). *Les écrits dionysiens*, de Denys l'Aréopagite.

2. DIONYSIEN, IENNE [djɔnizjɛ̃, jɛn] adj. et n. — D. i. (XXᵉ); de *Dionysos*, pour traduire *Denis* dans *Saint-Denis*. De Saint-Denis, ville située au nord de Paris. *«L'histoire dionysienne»* (*l'Express*, 12 juil. 1981).

DIONYSIES [djɔnizi] n. f. pl. — 1732; grec *dionusia*, de *Dionusios* «Dionysos».

Hist. Dans l'Antiquité grecque, Fêtes en l'honneur de Dionysos, caractérisées par des représentations rituelles, des processions de bacchantes*, des phallophories et par une poésie spécifique, le dithyrambe*. → aussi **Bacchanale(s)**.

DIOPSIDE [djɔpsid] n. m. — 1807, Brongniart; du grec *diopsis* «action de voir à travers».

Minér. Silicate naturel de calcium, de magnésium et de fer.

DIOPTRE [djɔptR] n. m. — 1547; un sens méd., «spéculum», est attesté en 1541; grec *dioptra*, var. de *dioptron* «instrument servant à examiner (à distance)», de *dia*, et *opsesthai*, inf. futur de *orân* «voir».

I ♦ **1** N. m. Vx. Niveau (instrument de maçon).

♦ **2** N. f. Mod. Hist. sc. Instrument formé d'un quart de cercle muni de pinnules, servant à l'observation.

II N. m. (1921). Phys. Surface optique séparant deux milieux de réfringence inégale.

DIOPTRIE [djɔptRi] n. f. — 1887, *Année sc. et industr.* 1888, p. 127; du rad. de *dioptrique*.

Phys. Unité de vergence des systèmes optiques (symb. δ), équivalant à la vergence d'un système optique dont la distance focale est de 1 mètre, dans un milieu dont l'indice de réfraction est 1. *Lentille, verre de n dioptries.*

DIOPTRIQUE [djɔptRik] n. f. et adj. — 1634, Descartes, *in* T. L. F.; grec *dioptrikê*, de *dioran* «voir à travers».

Physique.

♦ **1** N. f. Partie de l'optique* qui traite des phénomènes de réfraction de la lumière. *La Dioptrique*, œuvre de Descartes (1637).

(...) ouvrez la Dioptrique de Descartes, et vous y verrez les phénomènes de la vue rapportés à ceux du toucher (...)
DIDEROT, Lettre sur les aveugles, Pl., p. 844.

♦ **2** Adj. Relatif à la réfraction. *Instrument dioptrique. Le système dioptrique de l'œil.*

DÉR. et COMP. **Catadioptrique.** V. **Dioptrie.**

DIORAMA [djɔRama] n. m. — 1822; de *dia-*, préf. du grec *dia* «à travers», d'après *panorama*.

Tableau sur toile tendue verticalement où sont peints en couleurs transparentes des figures, des paysages, etc., de telle manière que des spectateurs placés dans l'obscurité voient ces représentations de différentes façons suivant que le système d'éclairage frappe la toile sur sa face antérieure ou sur sa face postérieure. → Panorama, cit. 1. *Les dioramas étaient à la mode au XIXᵉ siècle.*

(...) les fenêtres de son salon donnaient sur des dioramas exécutés d'une façon merveilleuse et de l'illusion la plus complète.
Th. GAUTIER, Fortunio, XXIV.   1

Aspects incessamment variés par les obliques rayons de soleil, ou perdus dans les brumes grises au milieu des ouragans de neige. Puis, de toutes parts des détonations, des éboulements, de grandes culbutes d'icebergs, qui changeaient le décor comme le paysage d'un diorama.
J. VERNE, Vingt mille lieues sous les mers, p. 475.   2

DIORITE [djɔRit] n. f. — 1817 (ou 1819, Brongniart); du rad. du grec *diorizein* «distinguer».

Géol. Roche éruptive de structure granitoïde, basique, formée par l'union de cristaux de feldspath (couleur blanche) et d'amphibole (couleur verte).

De magnifiques rois en diorite noire (...)
J. GREEN, La Terre est si belle, 26 août 1976, p. 58.

DIOSCORÉACÉES [djɔskɔRease] n. f. pl. — XXᵉ; *dioscorées*, 1816; lat. mod. *dioscoreacea*, de *dioscorea*, p.-ê. du nom de *Dioscoride*, botaniste grec.

Bot. Famille de plantes phanérogames angiospermes, classe des monocotylédones, herbacées ou ligneuses, vivaces, à racine tuberculeuse, à tige volubile, à feuilles simples, croissant généralement dans les régions tropicales. *Types principaux* : dioscorée, igname, rajania, tamier. — Au sing. *Une dioscoréacée.*

DIOSCURES [djɔskyR] n. m. pl. — 1732; du grec *Dioskoroi*.

Didact. (myth.). Couple d'enfants (notamment de jumeaux*) divins (comme nom propre : Castor et Pollux). — Étoiles de la constellation des Gémeaux.

DIOXINE [djɔksin] n. f. — Répandu 1976, à propos de l'accident survenu à Seveso (Italie); de *dibenzodioxinne*, lui-même de *di-, benzo-, di-*, et *oxinne*, nom d'un corps (C_5H_5O) non isolé (syn. : *pyranne*); n. déposé.

Sous-produit de la fabrication d'un dérivé chloré du phénol (le trichloro-2,4,5 phénol), très toxique (syn : *tétrachlorodibenzodioxinne*; dérivé de la dibenzodioxinne).

DIOXY- Élément de mots de chimie, formé de *di*- «deux», et *oxy*-. → **Oxy-**. Ex. : *dioxymaléique, dioxynaphtalène.*

DIOXYDE [diɔksid] n. m. — 1869; de *di*-, et *oxyde.*
Chim. Oxyde contenant deux atomes d'oxygène. → **Bioxyde.**

DIPEPTIDE [dipɛptid] n. m. — 1905, in *Rev. gén. des sc.,* n° 11, p. 540; de *di*-, et *peptide.*
Chim., biol. Substance composée de deux acides aminés. *Les dipeptides se forment au cours de la dégradation métabolique des protéines.*

DIPÉTALE [dipetal] adj. — 1779; de *di*-, et *pétale.*
Bot. Qui a deux pétales.

DIPHASÉ, ÉE [difaze] adj. — Fin XIXe; de *di*-, *phase,* suff. *-é.*
Électr. Se dit de deux courants alternatifs, qui présentent une différence de phase d'un quart de période, leur fréquence et leur amplitude étant égales.

DIPHASIQUE [difazik] adj. — 1903, in *Rev. gén. des sc.,* n° 5, p. 285; de *di*-, *phase,* et suff. *-ique.*
Didact. Qui présente deux phases. *Domaine diphasique.* — Biol. Qui présente deux périodes alternantes au cours de son évolution. «*Capteurs en milieu diphasique*» (*Sciences et Avenir,* mars 1981).

DIPHÉNOL [difenɔl] n. m. — 1905, in *Rev. gén. des sc.,* n° 19, p. 849; de *di*-, et *phénol.*
Chim. Corps possédant deux fois la fonction phénol*.

DIPHÉNYL- Élément de formation de mots de chimie, de *di*- «deux», et *phényl*-. → **Phényle.** (Ex. : *diphénylamine, diphénylméthane, diphénylpropane,* etc.).

DIPHÉNYLE [difenil] n. m. — 1870; de *di*-, et *phényle.*
Chim. Corps possédant deux fois la fonction phényle. *Le diphényle est utilisé pour la conservation des agrumes.*

DIPHIODONTE [difiɔdɔ̃t; difjɔdɔ̃t] adj. → **Diphyodonte.**

DIPHTÉRIE [difteri] n. f. — 1855; *diphtérite,* 1817; du grec *diphthera* «membrane», et suff. *-ite*; refait en *diphtérie* (suff. *-ie*).
Maladie microbienne (bacille de Lœffler), contagieuse, caractérisée par la formation de pseudomembranes sur certaines muqueuses (larynx, pharynx) et par des phénomènes d'intoxication. → **Angine** (angine diphtérique). *Diphtérie laryngienne.* → **Croup.**
Vétér. *Diphtérie des volailles, avienne.*
REM. L'anc. forme *diphtérite* s'est employée au XIXe s. et a produit le dér. (aujourd'hui archaïque) *diphtéritique* (remplacé par *diphtérique*).
DÉR. **Diphtérique.**

DIPHTÉRIQUE [difterik] adj. et n. — 1837, adj.; n., 1835; de *diphtérie.*
Relatif à la diphtérie. *Angine diphtérique* (ou *angine couenneuse*).
N. Malade atteint de diphtérie. *Un, une diphtérique.* — Adj. *Des enfants diphtériques.*

— Voulez-vous m'aider à soigner une diphtérique; je suis seul, et il faudrait la tenir pendant que j'enlèverai les fausses membranes de la gorge.
— Je viens avec vous, lui dis-je (...)
L'angine, l'affreuse angine qui étrangle les misérables hommes avait pénétré dans la ferme des Martinet (...) *(Une voisine avait pris la fuite, laissant)* les deux malades abandonnées sur
leurs grabats de paille, sans rien à boire, seules, seules, râlant, suffoquant, agonisant (...)
MAUPASSANT, Misère humaine, Contes, Pl., t. II, p. 754.

COMP. **Antidiphtérique.**

DIPHTONGAISON [diftɔ̃gɛzɔ̃] n. f. — 1864; de *diphtonguer.*
Le fait de se diphtonguer; transformation en diphtongue. *Diphtongaison du* [e] *de pedem en* [je] *(pied).*

DIPHTONGUE [diftɔ̃g] n. f. — V. 1223, *ditongue*; lat. gramm. *diphtongus,* grec *diphthoggos* «double son».

♦ 1 Phonét. Voyelle dont la tenue comporte une variation de timbre. → Phone, cit. *La diphtongue est produite par un changement d'articulation en cours d'émission de la voyelle. La diphtongue peut être considérée comme formée d'une voyelle et d'une semi-consonne. Diphtongue ascendante, croissante ou fausse diphtongue,* où la semi-consonne est le premier élément (ex. : *pied, lui,* où le *i* [j], le *u* [ɥ] sont des semi-consonnes). *Diphtongue descendante, décroissante,* où la semi-consonne est le second élément (ex. : l'angl. *take* où le *a* est une diphtongue; le franç. *travail*). *Réduction d'une diphtongue* (→ **Monophtongaison**). *Diphtongues et triphtongues.*

♦ 2 Cour. (Abusivt). Hiatus formé de deux voyelles (ex. : *chaos, paysan*).
Exactement *paisan,* en appuyant sur *païs,* en écrasant *païs* d'une seule émission de voix très ouverte, large ouverte, nullement une diphtongue mouillée.
Ch. PÉGUY, la République..., p. 268.

DÉR. **Diphtonguer.**

DIPHTONGUER [diftɔ̃ge] v. tr. — 1550; de *diphtongue.*
Faire devenir diphtongue; donner la valeur d'une diphtongue à (un son de la langue). — Pron. *Se diphtonguer :* prendre la valeur d'une diphtongue. — Au p. p. *Voyelle diphtonguée.*

DÉR. **Diphtongaison.**

DIPHYLÉTIQUE [difiletik] adj. — 1907, in *Rev. gén. des sc.,* n° 3, p. 124; de *di*-, et *phylétique.*
Didact. (biol.). Qui est issu de deux souches, qui appartient à deux séries généalogiques. → **Phylum**; **phylétique.**

DIPHYODONTE [difiɔdɔ̃t; difjɔdɔ̃t] adj. et n. — 1890; de *diphy(o)*-, grec *diphuès* «double», et *-odonte.*
Didact. Dont le développement comporte deux dentitions successives. *L'homme est diphyodonte, comme la plupart des mammifères.* — N. m. pl. *Les diphyodontes.* — Var. graphique (XXe) : *diphiodonte.*
CONTR. **Monophyodonte.**

DIPL-, DIPLO- Élément de formation de mots savants, du grec *diploos* «double». Voir à l'ordre alphabétique.

DIPLÉGIE [dipleʒi] n. f. — xxᵉ; de *di-*, et *-plégie*.
Méd. Paralysie bilatérale touchant des parties symétriques (opposé à *hémiplégie*).

DIPLOBACILLE [diplobasil] n. m. — 1904, in *Rev. gén. des sc.*, n° 22, p. 1054; de *diplo-* (→ Dipl-), et *bacille*.
Bactér. Micro-organisme constitué de deux bâtonnets accolés.

DIPLOBLASTIQUE [diploblastik] adj. — D. i. (mil. xxᵉ); de *diplo-* (→ Dipl-), du grec *blastos* «germe» (→ Blasto-), et suff. *-ique*.
Embryol. Qui a deux (et non pas trois) feuillets embryonnaires (en parlant d'un organisme animal). *Les méduses sont diploblastiques. Les métazoaires diploblastiques sont acéphales.*

DIPLOCÉPHALIE [diplosefali] n. f. — Av. 1870; de *diplo-* (→ Dipl-), et *-céphalie*.
Didact. Monstruosité consistant dans la présence de deux têtes (deux extrémités céphaliques) pour un même organisme.

DIPLOCOQUE [diplɔkɔk] n. m. — 1890; de *diplo-* (→ Dipl-), et *-coque*, du grec *kokkos* «graine».
Biol. Bactérie sphérique formée de deux éléments groupés. → **Gonocoque, méningocoque, pneumocoque.** «*Le diplocoque, appelé également microbe en huit de chiffre est constitué par un point double*» (*la Science illustrée*, 1890, t. I, p. 259).

DIPLODOCUS [diplɔdɔkys] n. m. — 1890; lat. sc.; de *diplo-* (→ Dipl-), et grec *dokos* «poutre», à cause des os doubles de ses vertèbres.

♦ **1** Grand saurien fossile (dinosaurien), dont on a trouvé les ossements notamment dans le Jurassique supérieur des montagnes Rocheuses. *Le diplodocus atteignait parfois 25 mètres de longueur.* **Fig. et fam.** Personne ou chose archaïque et énorme. → **Dinosaure.**

♦ **2** En appos. **Techn.** *Tapis diplodocus* (→ **Tapis,** A., 2., c).

DIPLOÉ [diplɔe] n. m. — 1539; grec *diploê* «chose double».
Anat. Tissu spongieux compris entre les deux lames dures des os plats de la boîte crânienne. *Canaux veineux du diploé.*

1 Au crâne sont deux tables, entre lesquelles est le diploé, qui est une substance spongieuse où s'internent plusieurs veines et artères (...)
Ambroise PARÉ, III, 4, *in* LITTRÉ.

2 Pour les os plats de la boîte crânienne, les deux lames de tissu compact ont reçu le nom de *tables* (...) À son tour, le tissu spongieux compris entre les deux lames prend le nom de *diploé*.
L. TESTUT, Traité d'anatomie humaine, t. I, p. 18.

DIPLOGENÈSE [diploʒənɛz] n. f. — 1842; de *diplo-* (→ Dipl-), et *genèse*.
Didact. Monstruosité double.

DIPLOÏDE [diplɔid] adj. — 1931; «manteau double ou doublé», 1586; de *diplo-* (→ Dipl-), et *-oïde*.
Biol. Se dit d'un noyau cellulaire, d'une cellule d'un organisme qui possède normalement un double assortiment de chromosomes semblables (2n), opposé à *haploïde* et à *polyploïde*. — Par ext. *Structure diploïde.*

DÉR. Diploïdie, diploïdisation.

DIPLOÏDIE [diplɔidi] n. f. — 1936 (probablt antérieur → Diploïdisation); de *diploïde*.
Biol. État d'une cellule diploïde* (opposé à *haploïdie* et *polyploïdie*).

DIPLOÏDISATION [diplɔidizasjɔ̃] n. f. — 1930, Buller; de *diploïde*.
Biol. Processus de transformation d'une cellule haploïde en cellule diploïde.

DIPLÔMANT, ANTE [diplomã, ãt] adj. — 1989; du p. prés. de *diplômer*.
Qui permet d'obtenir un diplôme. *Formation diplômante. Un stage diplômant.*

DIPLOMATE [diplɔmat] n. — 1792; adj., 1789; de *diplomatique*, sur le modèle d'*aristocrate*.

I ♦ **1** N. Personne chargée par un gouvernement de fonctions diplomatiques, de négociations avec un gouvernement étranger. → **Ambassadeur, attaché, chargé** (d'affaires), **consul, légat, ministre, nonce, résident, secrétaire; émissaire, envoyé, négociateur, parlementaire, plénipotentiaire.** *Adroit, fin, habile diplomate. Métier, carrière de diplomate.* → **Diplomatie.** *Diplomate de carrière. Le diplomate représente son gouvernement auprès de l'étranger, négocie avec l'étranger, renseigne son pays, en protège les ressortissants. Les calculs, les prévisions des diplomates ont été déjoués. Conférence de diplomates. Une femme diplomate; une diplomate.*

1 Je ne connais pas de métier plus divers que celui du diplomate. Il n'en est point où il y ait moins de règles précises et plus de traditions, point où il faille plus de persévérance pour réussir et où le succès dépende davantage du hasard des circonstances, point où une discipline exacte soit aussi nécessaire et qui exige de celui qui l'exerce un caractère plus ferme et un esprit plus indépendant.
J. CAMBON, le Diplomate, p. 9.

2 (*Metternich et Talleyrand*) étaient faits pour se comprendre (...) tous deux diplomates nés et faits pour tous les tours du métier — le mensonge élégant et les appétits parés de grâce — tous deux dissimulant sous le masque de la politesse raffinée une féroce soif des affaires (...) ils sont faits pour s'accorder — puisque, élèves des diplomates de l'âge précédent (...) ils en sont encore au «système» qui (...) a uni France et Autriche.
Louis MADELIN, Talleyrand, XXI, p. 209.

♦ **2** N. et adj. (1789). Personne qui sait mener une affaire avec tact; habile, subtil dans les relations sociales. → **Circonspect, habile, rusé, subtil.** *Elle n'est pas assez diplomate pour les réconcilier. C'est une vraie diplomate.*

3 Ce fut encore madame Édouard, la forte tête, la diplomate, qui tira le parti le plus ingénieux de cette divergence (...)
ZOLA, Vérité, p. 75, *in* T. L. F.

II N. m. (1922, Proust, *Sodome et Gomorrhe*). Gâteau fait de biscuits à la cuiller, de fruits confits et d'une crème parfumée au rhum, au kirsch.

DIPLOMATIE [diplɔmasi] n. f. — 1790; de *diplomatique*, sur le modèle d'*aristocratie*.

♦ **1** Branche de la politique* qui concerne les relations entre les États; représentation des intérêts d'un gouvernement à l'étranger, administration des affaires internationales, direction et exécution des négociations entre États (→ **Ambassade, chancellerie, mission;** et aussi **consulat**). *Avoir une longue expérience de la diplomatie. C'est à la diplomatie de résoudre ce différend.*

1 Tant que les Gouvernements des divers pays auront des rapports entre eux, il leur faudra des agents pour les représenter et les renseigner, et, qu'on leur donne le nom qu'on voudra, ces agents feront de la diplomatie.
J. CAMBON, le Diplomate, p. 68.

2   (...) il lui faut *(à l'U.R.S.S.)* temporiser (...) s'assurer des alliés, des vassaux, des positions.
La tactique révolutionnaire se change en diplomatie : il faut avoir l'Europe dans son jeu.
SARTRE, *Situations II*, p. 279.

Carrière diplomatique. → **Carrière** (absolt). *Entrer dans la diplomatie. Se destiner à la diplomatie. Personnel de la diplomatie.* → **Agent** (diplomatique), **diplomate; diplomatique** (rem.). *La diplomatie française dépend du ministère des Affaires étrangères. Ensemble des diplomates. La diplomatie soviétique est recrutée de telle et telle façon.*

♦ **2** (1790). Fig. Habileté, tact qu'on apporte dans la conduite d'une affaire. → **Adresse, circonspection, doigté, finesse, habileté, tact.** *Conduire une affaire avec beaucoup de diplomatie. Déployer toutes les ressources de la diplomatie. User de diplomatie. Il s'est engagé avec diplomatie.* → **Précaution.**

3   Commerçant subtil et habile, prudent, économe et fruste, il *(le Latin)* réussit au mieux dans les petites entreprises, encore qu'il soit capable de réussir aussi dans les grandes : partout où il faut de la souplesse, de la diplomatie, de l'intrigue même, il est à son affaire (...)
André SIEGFRIED, *l'Âme des peuples*, II, 3, p. 42.

DIPLOMATIQUE [diplɔmatik] adj. et n. f. — 1721; adj.; n. f., 1708; du lat. mod. *diplomaticus*, du lat. class. *diploma.* → **Diplôme.**

I Didact. ♦ **1** Adj. Relatif aux diplômes, aux chartes (→ **Diplôme,** 1.). *Écritures diplomatiques,* en usage dans les diplômes. *Critique diplomatique.*

♦ **2** N. f. LA DIPLOMATIQUE : science qui a pour objet les diplômes, l'étude de leur âge, de leur authenticité, de leur valeur. *La diplomatique étudie le fond, la valeur des documents, la paléographie*, leur forme.*

Ensemble de documents.

0.1   (...) le texte de la charte-partie qui nous envoie au Sénégal. *La diplomatique de ces instruments remonte à la meilleur époque; les siècles ont ébranlé trônes et cerveaux, ils ont laissé intacte l'architecture de cette grande phraséologie commerciale.*   J.-R. BLOCH, *Sur un cargo*, p. 226.

II Cour. (1726; «relatif aux diplômes, aux documents internationaux»). ♦ **1** Relatif à la diplomatie*. *Histoire diplomatique. Relations diplomatiques* (Cf. Relations internationales, affaires étrangères, extérieures...). *Pourparlers, négociations diplomatiques. Complications, incidents diplomatiques. Rupture des relations diplomatiques entre deux pays. Correspondance, courrier, dépêche, valise* diplomatique. Note diplomatique. Intervenir par la voie diplomatique. Être chargé d'une mission diplomatique. Réunion, congrès diplomatique. Agent diplomatique :* diplomate*. *Vie diplomatique. Manières diplomatiques. Correction* (cit. 12) *diplomatique. Cérémonial diplomatique.* → **Protocole.**
Spécialt. *Caractère diplomatique :* caractère des personnages qui représentent leur pays, qui incarnent la souveraineté de l'État qui les envoie. On parle dans ce sens d'*agent diplomatique,* de *Corps diplomatique,* de *cadres diplomatiques.* — REM. Les consuls, qui font partie du personnel de la diplomatie, peuvent être considérés comme des *agents diplomatiques* lato sensu. Dans la théorie, on distingue *Corps diplomatique, agent diplomatique de Corps consulaire, consul.*

1   *(Les consuls)* devinrent des agents commerciaux et (...) en vinrent même par suite de leur séjour continu, à jouer un certain rôle diplomatique auprès des souverains étrangers (...) il a été question de leur attacher un véritable caractère diplomatique (...) Si cette assimilation n'a pas été réalisée théoriquement, elle existe de fait puisque les deux cadres diplomatique et consulaire se pénètrent et que l'on passe couramment de l'un à l'autre.
Carlo LAROCHE, *la Diplomatie française*, p. 57-59.

♦ **2** (1807). Fig. (Des actions, des manières). → **Adroit, habile.**

(...) j'ai fait une grande folie; je lui ai demandé l'autre bourse. — Aïe ! ce n'est pas diplomatique. — Non, Ernestine, et il m'a refusé (...)   A. DE MUSSET, *Un caprice*, 6.   2

CONTR. Maladroit; grossier... ◊ **DÉR. Diplomate, diplomatie, diplomatiquement.**

DIPLOMATIQUEMENT   [diplɔmatikmã] adv.
— 1788; de *diplomatique.*

♦ **1** Par, selon la diplomatie. — Comme un diplomate.

Je te nomme, ou, pour parler diplomatiquement, nous te nommons notre résident à Milan.   1
P.-L. COURIER, *Lettres*, I, 236, *in* LITTRÉ.

Toujours est-il que le rapprochement progressif de la France, de l'Angleterre, de la Russie, leurs nouveaux accords militaires, tout ce qui se trame diplomatiquement depuis deux ans, tout ça, à tort ou à raison, commence à inquiéter sérieusement Berlin.   2
MARTIN DU GARD, *les Thibault*, t. III, p. 157.

♦ **2** (1837). D'une manière habile, avec diplomatie (2.). *Il a parlé à son patron assez peu diplomatiquement.*

DIPLÔME [diplom] n. m. — 1721; *diplomat* «décret», 1617; lat. *diploma,* mot grec, proprt «plié en deux».

♦ **1** Didact. (hist.). Pièce officielle établissant un droit, un privilège. → **Acte, charte, patente.** *Diplôme impérial, royal, pontifical* (→ **Bulle**). *Diplôme sur papyrus, sur parchemin. Déchiffrer de vieux diplômes, établir leur authenticité* (→ **Diplomatique,** I., 2.; **paléographie**).

(...) presque tous ces seigneurs avaient à la fois des diplômes de *vicaires du saint-siège,* et de *vicaires de l'empire* (...)   VOLTAIRE, *Essai sur les mœurs*, LXV.   1

♦ **2** (1810). Cour. Acte qui confère et atteste un titre*, un grade*. *Diplôme d'enseignement; diplôme de bachelier, de licencié.* → **Baccalauréat, brevet, certificat, doctorat, licence;** fam. **parchemin, peau** (d'âne). *Examen*, concours* pour l'obtention d'un diplôme. Candidat à un diplôme. Conférer, décerner un diplôme. Obtenir un diplôme* (→ **Diplômé, impétrant, récipiendaire**). *Diplômes exigés pour l'obtention d'un poste, d'une place. Quels diplômes avez-vous ? Être pourvu de nombreux diplômes, être bardé de diplômes. Il n'a aucun diplôme.*

(...) des hommes (...) qui possédaient d'indiscutables connaissances (...) sans compter des diplômes solides et une bonne volonté évidente.   CAMUS, *la Peste*, p. 121.   2
Spécialt. *Diplôme de fin d'études. Diplôme de l'École des langues orientales, de l'Institut d'études politiques. Diplôme d'infirmière; d'interprète.*
Diplôme attestant, constatant un acte d'héroïsme. Diplôme accompagnant une décoration*. Diplôme d'honneur, décerné à un exposant (→ **Médaille, prix, récompense**).

♦ **3** Examen, concours que l'on passe avant d'obtenir le diplôme. *Se présenter à un diplôme. Passer un diplôme.* — Spécialt. *Diplôme d'études supérieures* (D.E.S.), et, absolt, *diplôme* : diplôme décerné, après examen d'un mémoire, à des licenciés qui se destinent à l'agrégation. *Diplôme d'études supérieures d'histoire; diplôme de philosophie. Diplôme d'études universitaires générales* : D.E.U.G. *Diplômes de deuxième cycle* (licence, maîtrise), *de troisième cycle* (D.E.S.S., D.E.A., doctorat). — Ancinnt. *Diplôme universitaire d'études littéraires* (D.U.E.L.), *scientifiques* (D.U.E.S.). *Diplôme d'État* (de docteur ès lettres, etc.).

Et mon diplôme ! pensa-t-il tout à coup. Car il y aurait, par-dessus le marché, cette mauvaise plaisanterie : le diplôme   3 d'études supérieures. Son père exigerait sûrement qu'il s'y présentât et Boris serait obligé de remettre un mémoire sur l'Imagination chez Renouvier ou sur l'Habitude chez Maine de Biran. SARTRE, le Sursis, p. 270.

♦ **4** Écrit attestant un diplôme. *Diplôme imprimé, manuscrit. Copie conforme d'un diplôme. Diplôme encadré.*

4 Des rideaux de velours, assortis au grenat du canapé, modéraient le jour, qui n'éclairait bien qu'un diplôme encadré de noir.
H. BOSCO, Un rameau de la nuit, p. 98.

DÉR. Diplômé, diplômer.

DIPLÔMÉ, ÉE [diplome] adj. et n. — 1841; de *diplôme.*

Qui a obtenu un diplôme. *Infirmière diplômée.* — **Spécialt.** Qui a obtenu son diplôme d'études supérieures.

N. *Un diplômé, une diplômée. Les diplômés d'une grande école :* les élèves et anciens élèves.

1 Le pétitionnaire demande que les nouveaux diplômés soient soumis à un stage de trois ans (...)
REVEIL, Rapport au Sénat, le Moniteur, 23 mai 1867, *in* LITTRÉ, Suppl.

2 Ils *(les grands marchands)* dédaignent les gens diplômés, les fonctionnaires, créés pour les servir (...)
J. CHARDONNE, l'Amour du prochain, VII, p. 181.

DIPLÔMER [diplome] v. tr. — 1878; de *diplôme.*
Décerner un diplôme à (qqn). *Diplômer un candidat sur deux. Le jury les a tous diplômés, ils ont été diplômés.* → **Diplômé.**

DÉR. Diplômant.

DIPLOPIE [diplɔpi] n. f. — 1792; du grec *diplous* «double», et *-opie,* du grec *ops, opos* «œil».
Méd. Trouble du sens de la vue, consistant dans la perception de deux images pour un seul objet. *Diplopie binoculaire :* défaut de fusion des deux images fournies par chacun des deux yeux. *Diplopie monoculaire.*

1 Il ajoutait que le rêve de Vigny n'était qu'une illusion d'optique connue en astronomie comme phénomène de diplopie monoculaire.
B. CENDRARS, Moravagine, *in* Œ. compl., t. IV, p. 148.

2 (...) il voyait deux images nettement décalées dans le sens de la hauteur. Comme la jointure floue du Cinérama, mais en plaçant un écran plus bas. Diplopie.
Claude COURCHAY, La vie finira bien par commencer, p. 83.

DIPLOPODES [diplɔpɔd] n. m. pl. — 1843; de *diplo-* (→ Dipl-), et *pode.*
Zool. Ordre d'arthropodes myriapodes (millepattes) dont les individus portent deux paires de pattes à chaque segment (ex. : les iules). — Au sing. *Un diplopode.*

DIPLOPTÈRE [diplɔptɛʀ] adj. et n. — 1842, Académie, *Compl.;* de *diplo-* (→ Dipl-), et *-ptère.*
Didact., zool. (vx). Qui a les ailes doubles. — **N. m. pl.** Famille d'insectes hyménoptères à ailes doubles. — Au sing. *Un diploptère.*

DIPNEUMONE [dipnømɔn] ou **DIPNEUMONÉ, ÉE** [dipnømɔne] adj. — 1846; de *di-,* et grec *pneumôn* «poumon».
Zool. Qui possède deux poumons ou sacs pulmonaires. *Poisson, araignée dipneumone.*

DIPNEUSTES [dipnøst] n. m. pl. — 1890, adj. et n. m.; lat. mod. *dipneusta,* du grec *di-,* et *pneuein* «respirer».
Zool. Ordre de poissons d'eau douce, à branchies et poumons, qui forme une sous-classe des *Ostéichtyens*.*

On divise les Choanichthyens en Crossoptérygiens, dont on n'a longtemps connu que des exemplaires fossiles, et en Dipneustes, ou poissons à double respiration. (...) Les dipneustes ont les écailles cycloïdes et les opercules des Actinoptérygiens. Ils peuvent, quand l'eau devient impropre à la respiration, ou manque totalement, respirer l'air en nature (...)
R. et M.-L. BAUCHOT, les Poissons, p. 64.

Sur le terrain biologique, en effet, un organe peut changer de fonction et cela sans que ce changement résulte de l'histoire antérieure de la structure en jeu : si la vessie natatoire des Dipneustes, pour reprendre un exemple classique, leur sert actuellement de poumon, ce n'est pas en raison des facteurs historiques généraux qui ont assuré le passage des Invertébrés aux Poissons, mais c'est à la suite de changements imprévisibles de milieu.
J. PIAGET, Épistémologie des sciences de l'homme, p. 338.

Au sing. *Un dipneuste.*

DIPODE [dipɔd] n. m. et adj. — 1812, adj.; 1819, n., *in* D.D.L.; de *di-,* et *-pode.*
Zool. Qui a deux membres, deux organes comparés à des pieds.

DIPOLAIRE [dipɔlɛʀ] adj. — Mil. XXᵉ; de *di-,* et *polaire.*
→ **Dipôle.**
♦ **1 Didact.** Qui comporte, possède deux pôles.
♦ **2** Qui concerne (ou ressemble à) un dipôle. *Moment dipolaire.*

DIPÔLE [dipol] n. m. — 1953; de *di-,* et *pôle.*
Phys. Ensemble formé par deux charges électriques ou magnétiques ponctuelles, égales et de signes opposés, situées à faible distance.

Comment, par exemple, la beauté d'un relais hertzien placé sur une montagne, et orienté vers une autre montagne où est placé un autre relais, apparaîtrait-elle à celui qui ne verrait qu'une tour de médiocre hauteur, avec une grille parabolique au foyer de laquelle est placé un très petit dipôle?
Gilbert SIMONDON, Du mode d'existence des objets techniques, p. 186 (1969).

Par anal. *Un dipôle acoustique.*

DIPSACACÉES [dipsakase] ou **(vx) DIPSACÉES** [dipsase] n. f. pl. — 1721; lat. *dipsacus* «cardère».
Bot. Famille de plantes phanérogames angiospermes, classe des dicotylédones gamopétales. *Types principaux de dipsacacées.* → **Cardère, scabieuse.** — Au sing. *Une dipsacée, une dipsacacée.*

DIPSOMANE [dipsɔman] adj. et n. — 1870; de *dipsomanie.*
Méd. Atteint de dipsomanie. — On dit aussi *dipsomaniaque* [dipsɔmanjak], mil. XXᵉ.
(...) sans être dipsomane comme le héros du *Chat noir,* j'ai toujours envie de faire ce que j'ai conscience de ne pas devoir faire.
A. BILLY, Sur les bords de la Veule, p. 226.

DIPSOMANIE [dipsɔmani] n. f. — 1824; grec *dipsa* «soif», et *-manie* «folie».
Méd. Impulsion morbide à boire des liquides alcooliques avec excès, et par accès. Syn. : *potomanie. La dipsomanie est une impulsion morbide qui affecte certains dégénérés, à époques indéterminées, sous forme de crises.*

DÉR. Dipsomane.

DIPSOPHOBIE [dipsɔfɔbi] n. f. — xxᵉ; du grec *dipsa* «soif», et -*phobie*.

Méd. Aversion pathologique pour toute boisson. *La dipsophobie est en général due à un excès d'hydratation de l'organisme.*

1. **DIPTÈRE** [diptɛʀ] n. m. et adj. — 1765; lat. sc. *diptera*, mot grec, de *dis*- «deux fois», et *pteron* «aile» (→ -*ptère*).

♦ **1** N. m. pl. Zool. LES DIPTÈRES : ordre d'insectes *ptérygogènes* (munis ou ayant été munis d'ailes) dont la tête est munie de pièces buccales en forme de trompe servant à piquer, à sucer. *Les diptères ont deux ailes; leurs ailes postérieures sont avortées et remplacées par deux petites tiges que terminent deux boules* (balanciers). *Les métamorphoses des diptères sont complètes* (œufs, larves ou asticots, nymphes ou pupes, insectes parfaits). *On divise les diptères en trois sous-ordres : diptères à longues antennes* (Nématocères : → **Moustique; anophèle, cousin, maringouin, sciara, stégomyie, tipule...**); *diptères à courtes antennes* (Brachycères : → **Mouche; bibion, éristale, glossine, hypoderme, idie, mélophage, œstre, sarge** (ou sargus), **stratiome, syrphe, taon, volucelle...**); *diptères sans ailes* (Pupipares : → **Puce; aphaniptère, chique**). — Au sing. *Un diptère.*

♦ **2** Adj. Qui a deux ailes (insecte). — REM. Ne s'emploie pas en parlant des oiseaux, l'adjectif ayant une valeur classificatrice. L'emploi général *(un animal, un dragon diptère)* serait stylistique.

Michel Strogoff (...) courait toujours sans s'arrêter, sautant les crevasses qui s'ouvraient entre les madriers pourris; mais, si vite qu'ils allassent, le cheval et le cavalier ne purent échapper aux piqûres de ces insectes diptères, qui infestent ce pays marécageux.
J. VERNE, Michel Strogoff, p. 218.

HOM. 2. **Diptère.**

2. **DIPTÈRE** [diptɛʀ] adj. — 1567; *diptérique*, n. m., 1547; grec *dipteros*, de *dis*-, et *pteron* «aile» au figuré.

Didact. Se dit d'un édifice antique présentant des ailes doubles, une double rangée de colonnes autour du naos. *Temple diptère.*

HOM. 1. **Diptère.**

DIPTYQUE [diptik] n. m. — Fin xviiᵉ; lat. *diptycha*, grec *diptukha* «tablettes pliées en deux», de *dis*-, et *ptussein* «replier».

A Didactique ou littéraire. Réunion de deux volets joints par des charnières et se repliant l'un sur l'autre. ♦ **1** Tablettes doubles enduites d'une couche de cire, sur lesquelles on écrivait avec un stylet, dans l'Antiquité. *Diptyques consulaires :* tablettes d'ivoire où l'on inscrivait le nom des nouveaux consuls à Rome.

♦ **2** (1838). Tableau pliant formé de deux volets pouvant se rabattre l'un sur l'autre. *Diptyque byzantin. Diptyque florentin de la Renaissance.*

B Fig. Œuvre (littéraire, artistique) en deux parties. *Ce volume forme la première moitié d'un diptyque.*

Telle est la première partie de mon aventure qui sera, si vous le permettez, un diptyque.
Léon BLOY, la Femme pauvre, p. 85.

DIRAMATION [diʀamasjɔ̃] n. f. — 1869; de *di*-, lat. *ramus*, et suff. -*ation*.

Géogr. Partage (d'un cours d'eau) en plusieurs bras.

1. **DIRE** [diʀ] v. tr. [CONJUG.: *je dis, nous disons, vous dites, ils disent; je disais; je dis; je dirai; je dirais; dis, disons, dites; que je dise, que vous disiez; que je disse* (inus.); *disant; dit.*] — xᵉ; du lat. *dicere.*

I (Le compl. désigne le signe). Émettre (les sons, les éléments signifiants d'une langue). *Dire un mot, quelques paroles.* → **Articuler, émettre, proférer, prononcer.** *Dire un mot entre ses dents, à voix basse. Dire à l'oreille, dire tout bas quelques mots.* → **Chuchoter, souffler.** *Dire une phrase tout haut, très fort...* (→ **Crier**).

Comme l'ours en un jour ne disait pas deux mots,
L'homme pouvait sans bruit vaquer à son ouvrage.   1
LA FONTAINE, Fables, VIII, 10.

— Dis un peu, U, pour voir ?   2
— Hé bien, U.
MOLIÈRE, le Bourgeois gentilhomme, III, 3.

— Par ma foi! il y a plus de quarante ans que je dis de 2.1
la prose sans que j'en susse rien (...)
MOLIÈRE, le Bourgeois gentilhomme, II, 4.

Mais pour passer maintenant à un sujet plus gai, le nom 2.2
de la femme avec qui je m'unis, à peu de temps de là, le
petit nom, était Lulu (...) N'étant pas française elle disait
Loulou. Moi aussi, n'étant pas français non plus, je disais
Loulou comme elle. Tous les deux, nous disions Loulou.
S. BECKETT, Premier amour, p. 17.

REM. Avec des compléments comme *mot, expression*, etc. et les indéfinis, de même qu'en emploi absolu, il est impossible de distinguer le sens I du sens II; il semble néanmoins que ce soit ce dernier qui l'emporte, en l'absence de précision.

Les médecins prononcent certains mots techniques qui les 3
étonnent eux-mêmes, après lesquels ils n'osent plus rien
dire.   J. RENARD, Journal, 12 juin 1897.

Loc. *Ne pas (plus) dire un mot* : ne plus parler, rester sans parler. *Il est resté une heure sans dire un mot.* → Sans ouvrir la bouche*. — *Sans mot dire* : sans parler, en silence.

Un domino noir, au voile baissé (...) l'attendait derrière la 4
porte entrouverte, le fit monter sans mot dire, et le laissa
seul (...)   LOTI, les Désenchantées, V, XXX, p. 175.

Je n'ouvrirai plus la bouche. Je ne dirai plus un mot.   5
G. DUHAMEL, Chronique des Pasquier, II, XXII,
p. 428.

En emploi absolu :

Dire; redire; contredire; prédire; médire... Tous ces 6
verbes ensemble me résumaient le bourdonnement du
paradis et de la parole.   VALÉRY, M. Teste, p. 82.

(Introduisant un énoncé rapporté en style direct, un mot autonyme).

Il a dit : «Je n'en sais rien». → **Écrire** (s'). *«Je n'en sais rien», dit-il.* → **Faire** (*infra* cit. 41). *César a dit : «Alea jacta est». Elle a dit : «Jamais». Dire oui, dire non. Dis-moi tu. Dis bonjour à la dame. Sans avoir le temps de dire ouf*. — Emphatique, avec *je. Et moi, je vous dis merde!*

Amour, amour, quand tu nous tiens,   7
On peut bien dire : «Adieu prudence».
LA FONTAINE, Fables, IV, 1.

Mᵐᵉ Cottard prononçait rarement un nom propre et se 7.1
contentait de dire «des amis à nous», «une de mes amies».
PROUST, À la recherche du temps perdu, t. I, p. 256.

À mesure qu'il dit «Allemagne lève-toi», je vois des armées 7.2
de morts qui se couchent.
ALAIN, Propos, 10 avr. 1936, Un grand patriote.

II (Le compl. désigne le signifié). Exprimer, communiquer (la pensée, les sentiments, les intentions) par la parole (à un interlocuteur). ♦ **1** → **Exprimer; communiquer.** — *Dire* (et proposition infinitive). *Il dit être malade, avoir besoin d'argent.* — *Dire que...* et discours rapporté en style indirect. *Il dit qu'il est malade, qu'il a besoin d'argent. Il dit qu'il serait venu s'il avait pu. Elle dit qu'elle viendra; elle a dit qu'elle* *viendrait. Je ne dis pas qu'il l'ait fait, j'hésite à l'affirmer. Je ne dis pas qu'il l'a fait. Dites-moi qui vous êtes. Dire à qqn comment, si... Dites-moi comment vous vous appelez, où vous allez, etc.* — (Compl. indéterminé). *Dites-moi quelque chose. J'ai quelque chose à vous dire. C'est tout ce que j'ai à dire. Je n'ai pas grand chose à dire. Je voudrais vous dire un mot à ce sujet; vous en dire un mot* (→ **Toucher**). *Vous ne m'en avez jamais rien dit. Il n'en a rien dit, mais il n'en pense pas moins. Sans le dire, il le laisse croire, le laisse entendre* (→ **Sous-entendre**). — *Il n'a dit cela à personne; il ne l'a dit qu'à moi.* → **Confier**. *Il l'a dit à tout le monde, en public.* → **Publier**. *Il l'a dit et répété*.* → **Redire**. *Il l'a dit exprès. Il l'a dit malgré lui.* → *Cela lui a échappé*. J'irai jusqu'à dire que... Il ne sait plus que dire, plus quoi dire.* → **Rester court.** — *Dire des choses sensées, intelligentes. Dire des balivernes, des bêtises* (cit. 13), *des idioties, des inepties, des insanités.* → **Débiter; bêtiser** (vx), **déconner** (fam.). *Dire des blasphèmes.* → **Blasphémer.** *Dire des injures, des grossièretés.* → **Injurier;** (fam.) **cracher, dégoiser, lâcher, lancer, sortir.** *Dire de bons mots, une plaisanterie...* → **Plaisanter.** *Dire des blagues* (→ **Blaguer**), *des craques, des conneries.*

Loc. *En dire de belles* : dire des choses peu qualifiables. *En dire de dures, des plaisanteries grivoises, osées, etc.* — On employait aussi : *en dire de sèches* (Littré). — *Dire des choses à quelqu'un,* lui faire des civilités. *Dites-lui bien des choses de ma part.*

8 — *Eh fi! ne dites pas cela.* — *Comment, que je ne dise pas cela? — Hé non! — Et pourquoi ne le dirai-je pas? — On dira que vous ne songez pas à ce que vous dites.* — *On dira ce qu'on voudra; mais je vous dis que je veux qu'elle exécute la parole que j'ai donnée.*
MOLIÈRE, le Malade imaginaire, I, 5.

9 *J'ai, Madame, à vous dire*
Que je ne connais point ces gens-là.
MOLIÈRE, les Femmes savantes, II, 6.

10 *Le voici. Vers mon cœur tout mon sang se retire.*
J'oublie, en le voyant, ce que je viens lui dire.
RACINE, Phèdre, II, 5.

11 *Voilà ce que j'avais à dire sur cet article. Qu'il me soit permis de n'en reparler jamais.*
ROUSSEAU, les Confessions, II.

12 *(...) tandis qu'elle envoyait chercher, chez un orfèvre du voisinage, les outils dont j'avais dit avoir besoin.*
ROUSSEAU, les Confessions, II.

13 *Quiconque veut trouver quelques bons mots n'a qu'à dire beaucoup de sottises.* ROUSSEAU, Émile, II.

Littér. *Que dites-vous? Comment dites-vous? Vous dites?* → Comment? Plaît-il? — Cour. *Qu'est-ce que tu dis?* (Dans un contexte d'insistance). *Je te dis, je vous dis qu'il est parti.* → **Affirmer, assurer.** *Je te dis que oui, que non.* — Loc. *Puisque je vous le dis! :* c'est vrai.

Dire ce que l'on pense. Il ne dit pas tout ce qu'il pense. Dire le contraire de ce que l'on pense (→ Comédien, cit. 2). *Il pense tout ce qu'il dit. Pensez à ce que l'on dit* (→ Conversation, cit. 2). *Vous rendez-vous compte de ce que vous venez de dire? Ce n'est pas quelque chose* (fam. *un truc*) *à dire, il ne convient pas d'en parler.* — *Croire ce que quelqu'un dit. On ne peut croire à ce qu'il dit. Il dit cela, mais je n'en crois rien* (→ **Prétendre**). *Ils le disent, mais il n'en est rien.*

14 — *Je disais vérité.* — *Quand un menteur la dit,*
En passant par sa bouche elle perd son crédit.
CORNEILLE, le Menteur, III, 6.

15 *On dit qu'on est inconsolable;*
On le dit, mais il n'en est rien (...)
LA FONTAINE, Fables, VI, 21.

16 *(...) je suis pour les gens qui disent leur pensée.*
MOLIÈRE, le Misanthrope, V, 3.

17 *(...) je le crois, Seigneur, puisque vous me le dites.*
RACINE, Bajazet, II, 1.

Ce que la bouche s'accoutume à dire, le cœur s'accoutume 18 *à le croire.*
BAUDELAIRE, l'Art romantique, X, L'école païenne.

Dans mes écrits, j'ai été d'une sincérité absolue. Non seule- 19 *ment je n'ai rien dit que ce que je pense; chose bien plus rare et plus difficile, j'ai dit tout ce que je pense.*
RENAN, Souvenirs d'enfance..., III, I, p. 120.

Un homme qui dit tout ce qu'il pense et comme il le pense 20 *est aussi inconcevable dans une ville qu'un homme allant tout nu.*
FRANCE, le Mannequin d'osier, Œ., t. XI, p. 369.

Parler en public. Il n'est pas nécessaire de penser ce qu'on 21 *dit, mais il faut penser à ce qu'on dit : c'est plus difficile.*
J. RENARD, Journal, 22 nov. 1906.

(...) les mots boivent notre pensée avant que nous ayons 22 *eu le temps de la reconnaître; nous avions une vague intention, nous la précisons par des mots et nous voilà en train de dire tout autre chose que ce que nous voulions dire.* SARTRE, Situations I, p. 201.

Loc. *Parler* (cit. 12.1) *pour ne rien dire* : dire des choses insignifiantes.

Dire la vérité, dire le vrai. Dire des vérités, des mensonges. — Prov. *Toute vérité* n'est pas bonne à dire* (→ Bon, cit. 93). — *À ce qu'il dit* : selon ses paroles (s'emploie pour indiquer que l'on ne garantit pas la chose dont il est question). *À ce qu'il dit* (vieilli), *d'après ce qu'il dit, il sera reçu du premier coup.* → **Prétendre.**

23 *Deux compagnons, pressés d'argent,*
À leur voisin fourreur vendirent
La peau d'un ours encor vivant,
Mais qu'ils tueraient bientôt, du moins à ce qu'ils dirent.
LA FONTAINE, Fables, V, 20.

24 *Il m'a rendu compte de l'état de Marceline, qui même n'est pas trop bien, à ce qu'il dit.*
BEAUMARCHAIS, le Barbier de Séville, II, 11.

Il sait ce qu'il dit : il parle à bon escient, en connaissance de cause. *Il ne sait pas ce qu'il dit* : il dit n'importe quoi.

(Sujet n. de personne). **VOULOIR DIRE** : avoir l'intention d'exprimer. *Qu'est-ce qu'il veut dire, qu'est-ce qu'il a voulu dire?* : que signifient les paroles qu'il prononce, qu'il a prononcées? (→ ci-dessous, III., 4.). *Je crois qu'il a voulu dire autre chose. Précisez donc ce que vous avez voulu dire!* → **Insinuer.**

25 *Que voulez-vous donc dire, mes pères?*
PASCAL, les Provinciales, XIII.

Dire la même chose; dire le contraire. — Loc. *Dire blanc, puis noir.* → **Dédire** (se). *L'un dit blanc* (cit. 14) *et l'autre noir.* → **Contredire, démentir, nier.** — Vx. *Dire d'un, dire d'autre* : tenir un langage qui varie. On employait aussi : *dire d'un, puis d'autre.*

Dire ses projets, ses intentions. → **Dévoiler; prévenir.** *Il est arrivé sans rien nous dire.* → **Crier** (crier gare). *Il ne m'a pas bien dit ce qu'il compte faire.* → **Expliquer.** *Dites-moi ce que vous ferez demain. Madame fait dire qu'elle va descendre. Je vais vous dire toutes les raisons de mon départ.* → **Énumérer.**

26 *Princes, quelques raisons que vous me puissiez dire (...)*
RACINE, Mithridate, II, 2.

♦ **2** (Dans des expressions). Décider, convenir de (qqch.). *Venez un de ces jours, disons, on peut dire lundi.* → **Décider.**

Au p. p. *À l'heure dite* : à l'heure fixée, prévue (→ Attente, cit. 20).

27 *À l'heure dite il court au logis*
De la cigogne son hôtesse (...)
LA FONTAINE, Fables, I, 18.

Voilà qui est dit, c'est dit : c'est convenu, entendu. *Ce qui est dit est dit* : ce qui est convenu, décidé, aura lieu.

28 *Va, tranquillise-toi,*
Ce qu'a dit est dit : repose-toi sur moi.
J.-F. REGNARD, le Légataire universel, I, 2.

Se tenir pour dit que... : être assuré de..., et aussi, ne plus oser insister. *Tenez-vous le pour dit !* (→ N'y revenez pas ; inutile d'insister*).

29 Je me tiens pour dit qu'ils ne m'imiteront pas (...)
                              ROUSSEAU, *Émile*, IV.

Dire (décider) et *faire. Aussitôt dit que fait ; aussitôt fait que dit ; aussitôt dit, aussitôt fait :* la chose a été réalisée sans délai. → Aussitôt, cit. 12.

♦ **3** Loc. *C'est tout dire ; c'est tout dit :* il n'y a rien à ajouter.

30 Sur l'argent, c'est tout dire, on est déjà d'accord :
    Ton beau-père futur vide son coffre-fort (...)
                              BOILEAU, *Satires*, X.

Fig. *Tout est dit :* il n'y a plus rien à faire, la chose est réglée, terminée (→ C'en est fait* ; les jeux* sont faits). *Tout n'est pas dit. Il a gagné la première manche, mais tout n'est pas dit.*

À vrai dire : véritablement. — *C'est beaucoup dire :* c'est exagéré. — *Pour tout dire :* en somme, en résumé.

Vx. *Cela est, c'est bientôt dit :* c'est plus facile à exprimer qu'à faire. — Mod. *C'est plus facile à dire qu'à faire.*

Disons-le : osons le dire, n'ayons pas peur de l'affirmer.

Disons, en tête de phrase, en incise, parfois en fin de phrase, constitue une ponctuation de discours, très fréquente dans la langue parlée (comme : *tu vois* et, plus ancient, *n'est-ce pas*). *Il est, disons, déconcerté.* — *Disons que...,* s'emploie aussi comme alternatif ou présentateur.

Cela va sans dire : la chose est évidente ; il est inutile d'en parler (→ Cela va de soi* ; c'est tout naturel*...).

31 M. de Hardenberg (...) proférait des paroles entrecoupées : « Non, Monsieur, le droit public ? C'est inutile. Pourquoi dire que nous agirons selon le droit public ? Cela va sans dire ! » Je lui répondis que cela allait bien sans le dire, cela irait bien mieux en le disant.
                              TALLEYRAND, cité par Louis MADELIN,
                              Talleyrand, IV, XXXI, p. 335.

(1791, *in* D.D.L.). Fam. *Ce n'est pas, c'est pas pour dire,* s'emploie pour indiquer qu'on préférerait taire la chose qui va être dite. *Ce n'est pas pour dire, mais le coup est réussi* (→ Sans me vanter*...).

Littér. *Cela vous plaît à dire,* exprime que l'on n'est pas d'accord sur ce qui vient d'être dit. *La solution est satisfaisante ? Cela vous plaît à dire.* — Cour. *C'est vous qui le dites.* — Fam. *Que vous dites ! Que tu dis ! :* j'en doute !

31.1 — Quand il a reçu la lettre de Piquemal, il a compris que c'était la plus belle opportunité de sa carrière et qu'il avait toutes les chances, s'il jouait bien sa carte, de tenir à sa merci une bonne partie du personnel politique.
      — Que vous dites.
      — Que je dis !
                              G. SIMENON, *Maigret chez le ministre*, p. 179.

Ce disant : en disant cela. *Ceci dit :* ayant dit ces mots. *Ceci dit, il s'en alla* (→ Sur ce). *(Cela) soit dit en passant,* à propos d'autre chose (→ Entre parenthèses*, par parenthèse).

32 Que cela vous soit dit en passant (...)
                              MOLIÈRE, *Tartuffe*, I, 5.

Soit dit entre nous ; entre nous soit dit. → **Confidentiellement.**

Ce n'est pas à dire pour cela que... : cela n'équivaut pas à... *Je n'irai pas jusqu'à dire que...*

33 Ce n'est pas à dire qu'ils aient effectivement parlé pour la dernière fois.
                              FONTENELLE, *Hist. des oracles*, III, 2, *in* LITTRÉ.

Admettons, mettons que je n'ai rien dit, s'emploie pour rétracter ce que l'on vient de dire.

Avoir l'air de dire... Il eut un sourire entendu, de l'air de dire : je vous comprends.

34 (...) il secouait tristement la tête de l'air de dire : « Hélas ! je voudrais bien te croire... »
                              Alphonse DAUDET, *le Petit Chose*, II, XIV, p. 363.

Fam. *C'est moi qui vous le dis,* s'emploie pour renforcer une affirmation. *Nous allons bien rire, c'est moi qui vous le dis.*

35 Et laisse le venir demain ; tu verras comme il sera fait : c'est moi qui te le dis.
                              MARIVAUX, *la Vie de Marianne*, II.

35.1 Mais pas du tout, il n'a pas bougé de Paris, il fait quelque chose d'à peu près aussi dangereux que de promener un ministre, c'est moi qui vous le dis, je vous en réponds, je le sais par quelqu'un qui l'a vu (...)
                              PROUST, *le Temps retrouvé*, Pl.,
                              p. 768. — C'est Mme Verdurin qui parle.

Je vous l'avais dit, je l'avais bien dit : je l'avais prédit, prévu, je vous avais prévenu. *Ne vous plaignez pas de ce qui vous arrive, je vous l'avais bien dit ! — On me l'avait bien dit, mais je n'y croyais pas.*

36 Quelquefois il lui disait : *Je vous l'avais bien dit.* Singulière manière de consoler ; satisfaction que la vanité se donne aux dépens de la douleur !
                              Mme DE STAËL, *Corinne*, XVIII, 1.

37 Talleyrand eût eu le droit de dire : «*Je l'avais bien dit !*» mais c'est là, on le sait, aux yeux de ceux qui se sont trompés, le pire des torts : avoir eu raison contre eux.
                              Louis MADELIN, *Talleyrand*, I, VIII, p. 92.

Fam. (oral). *Je dirais ; je veux dire,* en incise, servant de ponctuation. → Tu vois, et ci-dessus *Disons.* — *Je vais te dire* [ʒvɛtdiʀ], le plus souvent (et paradoxalement) en fin de proposition, avec une valeur assertive. *Il est taré, j'vais t'dire !* (→ ci-dessous, *Je te dis pas*).

Il faut vous dire que..., introduit une explication, un éclaircissement. « *Faut vous dire, monsieur, Que chez ces gens-là [...]* » (Jacques Brel, *Ces gens-là*).

38 Il faut vous dire qu'en Provence, c'est l'usage, quand viennent les chaleurs, d'envoyer le bétail dans les Alpes.
                              Alphonse DAUDET, *Lettres de mon moulin*,
                              « Installation », p. 9.

Je ne puis vous dire combien..., à quel point... : c'est inexprimable (→ Attendre, cit. 74).

Je ne dis pas cela, formule de protestation ou d'atténuation.

39 — Est-ce qu'à mon sonnet vous trouvez à redire ?
    — Je ne dis pas cela (...)
    — Est-ce que j'écris mal ? et leur ressemblerais-je ?
    — Je ne dis pas cela ; mais enfin, lui disais-je (...)
                              MOLIÈRE, *le Misanthrope*, I, 2.

Fam. *Je ne dis pas :* je ne dis pas le contraire, je l'admets.

39.1 C'est un inconvénient, je ne dis pas, reprit l'Américain, mais il est largement compensé par (...)
                              A. ROBIDA, *le Vingtième Siècle*, p. 287.

Fam. (oral). *Je vous dis pas ; je te dis pas :* formule assertive par laquelle on sous-entend ce qu'on prétend ne pas souhaiter révéler. *Il est pénible, et comme radinerie, je te dis pas ! Les conneries dans ce bouquin, je vous dis pas* (→ ci-dessus, *Je vais te dire*).

Fam. *Je ne vous (te) dis que cela, que ça :* il est inutile d'en dire plus (cette locution, suivant le ton, peut exprimer l'admiration, l'étonnement, la menace...). *Il s'est mis dans une colère, je ne vous dis que cela. Il a donné une réception, je ne vous dis que ça !*

39.2 En ce moment, il venait de partir brusquement sur un opéra qu'il avait vu la veille au soir : « C'est fait, c'est fait, je ne vous dis que ça, il y a une orchestration fouillée de main d'ouvrier, avec une certaine flûte, je ne vous dis que ça. »
                              PROUST, *Jean Santeuil*, Pl., p. 275.

39.3 Cela a jeté un froid, je ne vous dis que ça.
                              PROUST, *Jean Santeuil*, Pl., p. 597.

Je ne vous le fais pas dire : vous en parlez spontanément. S'emploie dans une discussion, pour souligner que qqn vient d'apporter, volontairement ou non, un argument en faveur de la thèse que l'on soutient.

Fam. *Ne pas l'envoyer dire à qqn,* lui dire en termes non équivoques une chose en face.

À qui le dites-vous! Exprime que celui qui parle connaît, a éprouvé ce dont il s'agit aussi bien que son interlocuteur. *Cette opération est douloureuse... À qui le dites-vous!*

(1780, *in* D. D. L.). *Vous m'en direz tant!* Exclamation que l'on prononce lorsqu'un fait surprenant, inattendu, vient expliquer ce qui était obscur. *C'était donc ça! Vous m'en direz tant!* → Je comprends maintenant! Ah, voilà!...

Fam. *Tu l'as dit,* marque l'approbation. Par plaisanterie. *Tu l'as dit, bouffi!*

Vx. *Si cela se produit, je l'irai dire à Rome,* exprime qu'on regarde la chose comme impossible.

40 (...) Créqui de ce rang *(ambassadeur)* connaît bien la splendeur;
Si quelqu'un l'entend mieux, je l'irai dire à Rome (...)
RACINE, *Épigramme contre Créqui, in* LITTRÉ.

♦ **4** En incise (avec inversion normale). *Oui, dit-il. Allons nous-en, dirent les invités. Je suis décidé, vous dis-je.*

41 Voici, dis-je, comment raisonne cet auteur.
LA FONTAINE, Fables, IX, Disc. à Mme de la Sablière.

42 Qu'en fera, dit-il, mon ciseau?
Sera-t-il *(ce bloc de marbre)* dieu, table, ou cuvette?
LA FONTAINE, Fables, IX, 6.

42.1 C'était, dis-je, à trois heures et demie, quatre heures du matin environ.
Henri MONNIER, Scènes populaires,
la Cour d'Assises, t. I, p. 82.

(Sans inversion). Fam. *«Vas-y!», je lui dis. «C'est bien», elle lui dit, «tu peux continuer»!*

(Avec le *que* du style indirect). Pop. *Alors, qu'i(l) me dit...*

42.2 — Moi, triste! que j'dis.
— Oui, dit-il, qui dit, t'as quet'chose.
Henri MONNIER, Scènes populaires,
La victime du corridor, 1, t. I, p. 253.

Poét. (langue class.). *Il dit, j'ai dit,* signale la fin d'un récit, etc.

43 Elle dit : et du vent de sa bouche profane,
Lui souffle avec ces mots l'ardeur de la chicane.
BOILEAU, le Lutrin, I, *in* LITTRÉ.

♦ **5** (Exprimant l'opinion). **DIRE (qqch.) DE, AU SUJET DE, SUR (qqn)** : exprimer (une opinion). *Dire son avis, son idée, son opinion, sa pensée sur qqch.* → **Donner, émettre, énoncer, professer; opiner.** *Vous n'avez rien dit de ce projet. Je n'ai rien à en dire. Il n'a rien dit de la date, au sujet de la date.* → **Préciser.** *Dire du bien* (cit. 33 à 38), *du mal de qqn, de qqch.* *Il en pense plus de bien qu'il n'en dit.* — Loc. *Dire pis que pendre* de quelqu'un,* en dire beaucoup de mal.

44 Vous dîtes trop de bien de mes lettres : je ne trouve à dire que cela dans les vôtres (...)
Mme DE SÉVIGNÉ, 374, 22 janv. 1674.

45 Sur vingt personnes qui parlent de nous, dix-neuf en disent du mal, et le vingtième, qui en dit du bien, le dit mal.
RIVAROL, Rivaroliana, I, Œ., p. 352.

Dire à quelqu'un ce que l'on pense de lui. — Loc. *Il lui a dit ses vérités, ses quatre vérités, son fait* : il lui a dit sans ménagement ce qu'il pensait de lui, de ses défauts. Il lui a dit tout ce qu'il avait à lui dire.* → Il a vidé son sac*.

46 Vous ne lui voulez mal et ne le rebutez
Qu'à cause qu'il vous dit à tous vos défauts.
MOLIÈRE, Tartuffe, I, 1.

47 Il me donna un soufflet, mais je lui dis bien son fait.
MOLIÈRE, Monsieur de Pourceaugnac, I, 4.

Dites-le avec des fleurs : exprimez-le avec douceur, avec des compliments (cf. Malraux, *Antimémoires,* p. 181); repris comme slogan par le commerce des fleuristes.

Absolt. → **Blâmer, critiquer.** *Trouver à dire à quelque chose.* → **Redire.** *Il y a, il y aurait bien à dire. Il y a beaucoup à dire là-dessus,* beaucoup d'objections, de remarques à faire (→ **Reprendre**). *Il n'y a rien à dire à cela* : cela est parfait, correct. *On ne peut rien dire sur sa conduite. Je n'ai rien à dire contre lui.*

48 Quelques-uns ont trouvé à dire qu'on ne parle point d'elle *(de la nourrice)* au cinquième *(acte).*
CORNEILLE, Examen de la Veuve.

49 On trouve à dire à la frugalité de vos repas (...)
Mme DE SÉVIGNÉ, *in* LITTRÉ.

Loc. *Bien faire et laisser dire* : ne pas s'attarder aux critiques... *Laissez-les dire.*

♦ **6** (Exprimant le jugement). *Dire (qqch.) de..., en dire* : être tenté de croire... → **Juger, penser.** *Qu'en dites-vous? Que diriez-vous d'une promenade? Que vont en dire les gens? Je ne sais pas qu'en dire. Que va-t-on en dire, qu'en dira-t-on?*

50 Qu'en dites-vous, Seigneur? Que faut-il que j'en pense?
RACINE, Iphigénie, IV, 6.

51 Allons, Rome en dira ce qu'elle en voudra dire.
RACINE, Bérénice, IV, 6.

52 Si je vous le disais pourtant, que je vous aime,
Qui sait, brune aux yeux bleus, ce que vous en diriez?
A. DE MUSSET, Poésies nouvelles, «À Ninon».

52.1 Après tout, ce que j'en dis, moi j'm'en fous.
R. QUENEAU, Zazie dans le métro, p. 43.

N. m. Le **QU'EN-DIRA-T-ON.** → **Qu'en-dira-t-on.**

53 (...) elle n'hésiterait pas à y loger sa sœur ou sa nièce : elle a même ajouté que pour Lausanne ce serait plus convenable que chez ma mère et qu'il ne saurait y avoir lieu à aucun qu'en-dira-t-on.
SAINTE-BEUVE, Correspondance, IV, p. 172

54 Cependant son affection pour Mariolle et sa vive prédilection, elle les lui témoignait presque ouvertement, sans souci du qu'en-dira-t-on (...)
MAUPASSANT, Notre cœur, II, V, p. 169.

DIRE QUE... (en tête de phrase) exprime l'étonnement, l'indignation, la surprise... *Dire qu'il n'a pas encore vingt ans!* → **Quand on pense* que...**

55 Et dire que pendant que nous sommes là parqués comme un bétail (...) tous ces beaux fils de la Commune à écharpes d'or (...) tous ces lâches qui nous poussaient en avant, sont bien tranquilles dans des cafés, dans des théâtres (...) tout près de France.
Alphonse DAUDET, Contes du lundi,
Monologue à bord.

55.1 Dire qu'un roi prend quand il veut
La plus belle fille du monde
Dont les yeux sont du plus beau bleu (...)
Charles CROS, Œuvres choisies, p. 105.

Littér. *Qui l'eût dit?* : qui aurait pu le penser, le croire, l'imaginer?

56 — Rodrigue, qui l'eût cru? — Chimène, qui l'eût dit?
CORNEILLE, le Cid, III, 4.

57 Qui l'eût dit, qu'un rivage à mes vœux si funeste
Présenterait d'abord Pylade à mes yeux d'Oreste?
RACINE, Andromaque, I, 1.

Cour. **ON DIRAIT QUE...** (avec l'indic.) : on penserait, on croirait. → **Croire.** *On dirait qu'il vient chez nous.* → **Sembler** (il semble).

58 (...) ne dirait-on pas (...)
Qu'elle est ici captive, et que vous y régnez?
RACINE, Andromaque, I, 4.

59 On dirait que le ciel est soumis à sa loi (...)
BOILEAU, Satires, V.

ON DIRAIT QUE... (avec le subj.).

60 On dirait que le ciel, qui se fond tout en eau,
Veuille inonder ces lieux d'un déluge nouveau.
BOILEAU, Satires, VI.

Littér. **Vous diriez, on dirait d'un fou :** il se conduit, il parle comme s'il était fou.

61   On dirait d'une main qui se pose sur mon épaule (...)
                    F. MAURIAC, le Nœud de vipères, I, p. 17.

62   Le petit monde resserré autour de la cheminée s'agite, des ombres bougent sur le mur, des exclamations fusent. On dirait d'un poulailler paisible après le coucher du soleil, dans lequel vient de s'introduire une fouine, provoquant un émoi caquetant dans un bruit de plumes froissées.
                    Suzanne PROU, la Terrasse des Bernardini, p. 89.

Cour. ON DIRAIT (suivi d'un compl. sans préposition). *On dirait un fou. Ce poisson ressemble à de la viande, on dirait de la viande. Le climat est doux, on dirait la France. On dirait son frère.* → **Prendre** (pour).

62.1 Voyez même, comme les traits du même homme varient (...) vous diriez plusieurs êtres différents.
                    BERNARDIN DE SAINT-PIERRE,
                    Harmonies de la nature, V, *in* LITTRÉ.

(En fin de phrase, sans compl.). *Il va se fâcher, on dirait,* semble-t-il.

♦ **7** Faire savoir (un fait, une nouvelle) par la parole. → **Conter, narrer, raconter.** *Je vais vous dire la nouvelle.* → **Informer, renseigner** ; annoncer. *Dites-nous son sort. Dire un secret à tout le monde.* → **Crier** (sur tous les toits), **dévoiler, divulguer, publier, répandre, révéler** ; **bavarder, jaser.** *Dire les crimes qu'on a commis. Il lui a dit son amour.* → **Avouer.**
— REM. Le compl., de nos jours, est rarement un substantif désignant un contenu spécifié, mais plutôt un nom de sens général *(nouvelle...),* un indéterminé. — *Qui vous l'a dit ? D'où tenez-vous cela ? Qui vous dit qu'il est mort ? Je vais le dire à ma mère !* → **Rapporter.**

63   Dis-moi de mon époux le véritable sort (...)
                    CORNEILLE, Pertharite, I, 3.

64   (...) quiconque ne voit guère
      N'a guère à dire aussi (...)
                    LA FONTAINE, Fables, IX, 2.

65   — Vous me devez une histoire, dit enfin la Fosseuse, d'un son de voix câlin. — Je vais vous la dire, répondit Genestas.
                    BALZAC, le Médecin de campagne, Pl., t. VIII,
                    p. 523.

J'ai entendu dire que... : j'ai appris que... *Il s'est entendu** (cit. 43.1) *dire que. Je me suis laissé dire que...* : j'ai entendu dire, mais sans y ajouter entièrement foi, que... *Je me suis laissé dire qu'il allait venir.*

Poét. Muse, dis la colère d'Achille (Littré). → **Chanter** (II., 2.).

Dire l'avenir ; dire la bonne aventure. → **Prédire** ; **aventure** (cit. 3).

Mon petit doigt me l'a dit, locution que l'on emploie pour parler aux enfants de ce qu'on a appris à leur insu.

66   Prenez-y bien garde au moins, car voilà un petit doigt qui sait tout, qui me dira si vous mentez.
                    MOLIÈRE, le Malade imaginaire, II, 8.

On dit que : le bruit court que. *On dit que la paix est signée. On dit qu'il est mort. La bataille, dit-on, s'est terminée à leur avantage. Ce dit-on.*

67   C'est du séjour des dieux que les abeilles viennent.
      Les premières, dit-on, s'en allèrent loger
      Au mont Hymette (...)   LA FONTAINE, Fables, IX, 12.

68   (...) vous ne m'épargnez guère,
      Vous, vos bergers et vos chiens.
      On me l'a dit : il faut que je me venge.
                    LA FONTAINE, Fables, I, 10.

69   On dit, et sans horreur je ne puis le redire,
      Qu'aujourd'hui par votre ordre Iphigénie expire (...)
                    RACINE, Iphigénie, IV, 6.

N. m. *Un on-dit.* → **On-dit.**

70   Michelet a à peine effleuré le sujet ; quant à Büchner, son étude est assez complète, mais, à lire les affirmations hasardeuses, les traits légendaires, les on-dit dès longtemps rejetés qu'il rapporte, je le soupçonne de n'être pas sorti de sa bibliothèque pour interroger ses héroïnes (...)
                    MAETERLINCK, la Vie des abeilles, I, I, p. 12.

♦ **8** *Dire à qqn de...* (inf.), *que...* (subj.). Exprimer sa volonté. → **Commander, intimer** (un ordre), **ordonner.** *Allez lui dire de venir, qu'il vienne* (→ **Avertir, demander).** *Je vous ai dit de partir. Je vous avais dit d'agir autrement.* → **Conseiller, recommander.** *Qui vous a dit de faire cela ? Il avait dit qu'on le réveillât, de le réveiller à six heures.*

71   Ah ! mon papa, je vous demande pardon. C'est que ma sœur m'avait dit de ne pas vous le dire ; mais je m'en vais vous dire tout.
                    MOLIÈRE, le Malade imaginaire, II, 8.

72   — Pourquoi l'assassiner ? Qu'a-t-il fait ? À quel titre ?
      — Qui te l'a dit ?   RACINE, Andromaque, V, 3.

72.1 — Dis donc à Dominique qu'il fasse attention ; moucharder le monde, ça peut amener des ennuis ; on sait jamais où on va ; dis-y.   R. QUENEAU, le Chiendent, p. 65.

À l'impératif, *dis, dites* s'emploient comme interjection, ou pour renforcer une question, etc. (→ Croûton, cit. 2). *Dites-donc, vous, là-bas. Eh, dis donc ! —* Fam. *Non, mais, dis !* Syn. : *non mais, sans blague*. — *nmta>On* l'emploie aussi pour demander une confirmation, pour faire avouer. *Tu viens, dis ? Tu m'aimes, dis ? Dis, c'est toi qui l'a tué ?*

72.2 Dis, ça te fait rigoler (...) Hein ? Ça te fait marrer ? Dis ?
                    Jean GENET, Querelle de Brest, p. 184.

Absolt. Littér. *Vous n'avez qu'à dire* (→ **Parler**). — *J'ai dit !* : obéissez.

73   — Monsieur, vous n'avez rien qu'à dire,
      Je mentirai, si vous voulez.
                    MOLIÈRE, Amphitryon, II, 1.

Fig. Ne pas se le faire dire deux fois : faire quelque chose avec empressement. → Ne pas se faire prier*.

74   J'allai même jusqu'à lui ouvrir ma bourse et à le conjurer d'y prendre tout l'argent qu'il voudrait. Mais il n'était pas de ces gens qui ne se le font pas dire deux fois dans une pareille occasion.   A. R. LESAGE, Gil Blas, VII, XII.

♦ **9** (Dans des tours particuliers). Énoncer une objection. → **Objecter.** *Pourquoi pas, direz-vous ? Si je lui demande de venir, il me dira qu'il est malade. Je pourrais vous dire que... Qu'avez-vous à dire à cela ?* → **Répondre, rétorquer.**

75   Je vous arrête à cette rime,
      Dira mon censeur à l'instant,
      Je ne la tiens pas légitime (...)
                    LA FONTAINE, Fables, II, 1.

76   On me dira : «Ne pouviez-vous exprimer les mêmes vérités en les annonçant avec moins de crudité?»
                    CHATEAUBRIAND, Mémoires d'outre-tombe, t. VI,
                    p. 145.

Vous avez beau dire et beau faire. → **Beau** (*supra* cit. 79 et 81). *Vous avez beau dire, c'est lui qui a raison.* → **Protester.**

77   Autrefois carpillon fretin
      Eut beau prêcher, il eut beau dire :
      On le mit dans la poêle à frire.
                    LA FONTAINE, Fables, IX, 10.

Quoi qu'on dise, et, *vx, quoi qu'on die :* malgré tout ce qu'on peut dire, en dépit des critiques, des remarques. Allus. littér. :

78   — Faites la sortir, quoi qu'on die.
      — Ah ! que ce *quoi qu'on die* est d'un goût admirable (...)
      — Ce *quoi qu'on die* en dit beaucoup plus qu'il ne semble (...)
      — Mais quand vous avez fait ce charmant *quoi qu'on die* (...)
      Songiez-vous bien vous-même à tout ce qu'il nous dit (...)
                    MOLIÈRE, les Femmes savantes, III, 2.

79   Oui, femmes, quoi qu'on puisse dire
      Vous avez le fatal pouvoir
      De nous jeter par un sourire
      Dans l'ivresse ou le désespoir.
                    A. DE MUSSET, Poésies nouvelles,
                    «À Mademoiselle...».

(1756, *in* D. D. L.). *Il n'y a pas à dire* : il n'y a aucune objection à faire, on doit reconnaître le fait. Fam. (parlé). *Y a pas à dire, c'est réussi.*

80 Il n'y a pas à dire, c'est bien compris, c'est moderne (...)
FRANCE, le Mannequin d'osier, Œ., t. XI, p. 349.

Prov. *Qui ne dit mot consent.* → **Consentir** (*infra* cit. 5).

◆ **10** Lire, réciter. *Cet acteur a très bien dit cette réplique. Dire un poème, des vers.* → **Déclamer.** *Il a dit son texte avec précipitation.* → **Bouler.** — Absolt. *Cet acteur dit bien, dit juste.*

81 Je vous dirai, si vous voulez, pour vous désennuyer, le conte de *Peau d'âne* ou bien la fable du *Corbeau et du Renard*, qu'on m'a apprise depuis peu.
MOLIÈRE, le Malade imaginaire, II, 8.

82 (...) la démangeaison de dire ses ouvrages est un vice attaché à la qualité de poète.
MOLIÈRE, la Comtesse d'Escarbagnas, 1.

Spécialt. *Dire la messe. Dire son bréviaire, ses prières. Dire son chapelet.*

◆ **11** Absolt (aux cartes). Parler, annoncer. *C'est à vous de dire.*

III Exprimer par un signe (langage, écriture, manifestation quelconque). ◆ **1** (Sujet n. de personne). Exprimer par écrit; écrire. *Je vous ai dit dans ma lettre que... Écrire pour dire que...* → **Annoncer, apprendre.** *«Dans mes écrits (...) je n'ai rien dit que ce que je pense»* (→ Penser, cit. 57, Renan).

83 Ne blâmer personne que de ce qu'il a dit par écrit.
RACINE, Livres annotés, VI, 313.

84 Je ne vous écris qu'un mot, pour vous dire que (...)
RACINE, Lettres, 144.

Exprimer par le livre, par la publication. → **Écrire.** *Platon dit, dans le Phédon, que... Je ne sais ce que dit Taine à ce sujet. Qu'en dit Littré? On fait dire à ce philosophe tout autre chose que ce qu'il a dit* (→ **Interpréter**). *Il le dit en toutes lettres.*

85 (...) presque tous les historiens ont dit ce que je fais dire à Mithridate. RACINE, Préface de Mithridate.

86 Mais malheur à l'auteur qui veut toujours instruire! Le secret d'ennuyer est celui de tout dire.
VOLTAIRE, Ép., 6ᵉ disc. sur la nature de l'homme.

Poét. Célébrer en vers. *Le poète dira ses exploits.* → **Chanter, soupirer** (fig.).

87 Je dirai les exploits de ton règne paisible (...)
BOILEAU, Épîtres, I.

Par ext. (le sujet désigne l'écrit lui-même). *Que dit ce texte? La loi, le code dit que...* → **Porter, stipuler.**

◆ **2** (Sujet n. de chose). Faire connaître, exprimer par un signe, une manifestation signifiante. → **Dénoter, exprimer, manifester, marquer, montrer, signifier.** *Ces deux phrases disent la même chose.* → **Synonyme.** *«Furieux» dit plus que «mécontent», a un sens plus fort. Son silence dit beaucoup, en dit long. Sa mine en dit long sur son désappointement. Son attitude dit bien ce qu'elle veut dire. L'horloge nous dit l'heure qu'il est.*

87.1 — Tant de choses en deux mots?
— Oui, la langue turque est comme cela, elle dit beaucoup en peu de paroles.
MOLIÈRE, le Bourgeois gentilhomme, IV, 4.

88 Qu'ai-je fait? Que veut-il? Et que dit ce silence?
RACINE, Bérénice, II, 5.

89 Ma pensée au grand jour partout s'offre et s'expose;
Et mon vers, bien ou mal, dit toujours quelque chose.
BOILEAU, Épîtres, IX.

90 (...) il est bon, même s'il est injuste : ses lèvres le disent, excellentes, épaisses, obstinées et généreuses.
André SUARÈS, Trois hommes, «Dostoïevski», II, p. 211.

Loc. *Qu'est-ce à dire?* : que signifient vos paroles, vos actes? *Vous m'avez annoncé votre départ... Qu'est-ce à dire?* → C'est-à-dire.

Par ext. Avoir tel aspect.

Sans soins et sans repos nocturne, que disait mon visage? 91
COLETTE, la Naissance du jour, p. 186.

Quelque chose me dit que... : j'ai lieu de croire, de soupçonner que... *Mon cœur me le disait :* j'en avais le pressentiment.

Maintenant je me le figurais là-bas, couché, malade (Oh! 92
bien malade; quelque chose me le disait...)
Alphonse DAUDET, le Petit Chose, I, III, p. 31.

Qu'est-ce que ça dit? : quelle allure, quelle valeur cela a-t-il? *Cela, ça ne dit rien,* n'a l'air de rien, ne fait aucun effet. → Ça ne ressemble* à rien.

◆ **3** *Dire quelque chose* (à qqn). → **Plaire, tenter.** *Est-ce que cela vous dit?* : est-ce que cela vous plaît, vous plairait? *Si cela vous disait, nous irions nous promener. Cela ne me dit rien. Cela vous dirait? Ça ne me dit pas grand-chose.*

C'étaient de ces femmes qui n'auraient pas regardées des 93
hommes qui de leur côté auraient fait des folies pour d'autres qui «ne me disaient rien».
PROUST, À la recherche du temps perdu, t. XIII, p. 107.

Cette année, je ne sais pas pourquoi, le Liban m'aurait bien 93.1
dit. Mais mon mari m'a fait remarquer que ça n'était pas le moment.
Pierre DANINOS, Un certain Monsieur Blot, p. 212.

Cela ne me dit rien qui vaille : cela me paraît louche, dangereux.

Ce bloc enfariné ne me dit rien qui vaille (...) 94
LA FONTAINE, Fables, III, 18.

Si le cœur vous en dit. → **Cœur** (cit. 54 et *supra* cit. 53).

◆ **4** VOULOIR DIRE (avec un sujet de signe, indice, symptôme, etc.). → **Signifier.** *Que veut dire cette phrase latine? «Dog» veut dire «chien». Cette phrase est mal construite et ne veut rien dire. Que veut dire ce vacarme, cette agitation? Le baromètre a baissé; cela veut dire qu'il va pleuvoir.*

— Mahameta per Iordina. 95
— Qu'est-ce que cela veut dire?
MOLIÈRE, le Bourgeois gentilhomme, V, 1.

Cacaracamouchen veut dire «Ma chère âme»? 96
MOLIÈRE, le Bourgeois gentilhomme, IV, 3.

Achevez, seigneur : ce mais, que veut-il dire? 97
CORNEILLE, Nicomède, III, 7.

Si (...) un écrivain a choisi de se taire sur un aspect quel- 98
conque du monde, ou selon une locution qui dit bien ce qu'elle veut dire : de le *passer sous silence* (...)
SARTRE, Situations II, p. 75.

(...) elle a vu le sang qui tachait largement le côté de la 99
capote; mais le docteur l'a rassurée, affirmant que cela ne voulait rien dire quant à la gravité de la blessure (...)
A. ROBBE-GRILLET, Dans le labyrinthe, p. 200.

Loc. *On sait ce que parler veut dire* : la chose se comprend, bien que les paroles ne l'expriment pas clairement.

◆ **5** (Avec un adv. ou une expression adverbiale). Rendre plus ou moins bien la pensée; faire entendre plus ou moins clairement quelque chose (par la parole ou par l'écrit). → **Exprimer.** *Dire quelque chose en peu de mots; dire carrément, crûment, nûment qqch. Dire tout bonnement* (cit. 3)... *Il a très bien dit ce qu'il avait à dire. Il l'a mal dit et n'a pas été compris. Que cela est bien dit!* — Absolt. S'exprimer. *Dire bien, dire d'or** : s'exprimer à la perfection.

On n'a plus guère à dire quand on vient après quelqu'un 100
qui a si bien dit.
Mᵐᵉ DE SÉVIGNÉ, 1065, 22 sept. 1688.

(...) il dit ridiculement des choses vraies, et follement des 101
choses sensées et raisonnables (...)
LA BRUYÈRE, les Caractères, XII, 56.

Ce que l'on conçoit bien s'énonce clairement, 102
Et les mots pour le dire arrivent aisément.
BOILEAU, l'Art poétique, I.

103   On dit bien quand le cœur conduit l'esprit.
Mme DE TENCIN, Correspondance avec Richelieu,
p. 384.

N. m. → **Bien-dire.**

Il ne croit pas si bien dire : il ne sait pas que ce qu'il dit correspond tout à fait à la réalité.

104   (...) ce ne sera pas, je pense, la première fois que vous aurez couché sur la paille. Elle ne croyait pas si bien dire qu'elle disait.   A. R. LESAGE, Gil Blas, I, XIII.

Pour ainsi* dire : approximativement, à peu près.
— Fam. *Comme qui dirait* (même sens).

104.1   (...) des centaines de Français nous secourent (...) les officiers de la base aéronavale, en premier lieu (...) L'idée ne me viendrait pas de les berner. Certains sont d'anciens camarades de promotion : c'est comme qui dirait sacré !
Alain BOSQUET, les Bonnes Intentions, p. 157.

Autrement dit : en d'autres termes.

Pour mieux dire, s'emploie comme correctif, pour introduire une expression nouvelle, plus exacte. *Il est pauvre, ou pour mieux dire, misérable; ou disons mieux, misérable. — Que dis-je ?,* s'emploie dans le même sens.

105   J'aimais un fils plus que ma vie ;
Je n'ai que lui ; que dis-je ? hélas ! je ne l'ai plus.
LA FONTAINE, Fables, IX, 1.

Pour ne pas dire plus* (suggère un contenu non exprimé, qu'on ne veut pas préciser).

105.1   Il passait son temps à boire, à jouer avec le patron de l'établissement (...) car leurs maîtresses étaient amies intimes, pour ne pas dire plus, disait-on.
PROUST, Jean Santeuil, Pl., p. 881.

♦ **6** Employer certaines formes linguistiques pour exprimer (qqch.). *Il ne faut pas dire... On dit en anglais... Comment dites-vous cela en espagnol ? Il dit «infractus» pour «infarctus».*

106   (...) vous voulez, Acis, me dire qu'il fait froid ; que ne disiez-vous : «Il fait froid ?» (...) ayez, si vous pouvez, un langage simple, et tel que l'ont ceux en qui vous ne trouvez aucun esprit : peut-être alors croira-t-on que vous en avez.
LA BRUYÈRE, les Caractères, V, 7.

Comme on dit, s'emploie pour mettre en valeur une expression, une locution à laquelle l'usage a donné un sens particulier. *Il est, comme on dit, fauché comme les blés.* On emploie de même : *Comme dit le proverbe, comme dit la chanson,* et, fam., *Comme dit l'autre* (→ **Autre,** cit. 73-74).

106.1   Et de nouveau les «Meussieu», les «Meussieu je vous dis», les «Mais, Meussieu», voltigèrent d'un bout à l'autre du compartiment (...) Et ça s'envenimait, comme on dit (...)
R. QUENEAU, le Chiendent, p. 18.

Loc. *Qui dit... dit... :* les deux expressions correspondent à des contenus équivalents (*Qui dit A dit B* équivaut à : *A est B*). *Qui dit fils à papa dit jeune homme gâté, paresseux* (les deux expressions s'équivalent, l'expression *fils à papa* signifie «jeune homme gâté, paresseux»). — S'emploie aussi avec une valeur de cause à conséquence, d'implication. *Qui dit vacances dit soleil.*

106.2   Qui dit froid écrivain dit détestable auteur.
BOILEAU, l'Art poétique, IV.

Si j'ose dire, s'emploie pour s'excuser de la bizarrerie, de l'audace... d'une expression qu'on va employer. (→ *Sauf votre respect*). — Il est, disons le mot, ruiné* (→ Délibérer, cit. 5).

♦ **7** (Le sujet désigne un penseur, un écrivain). Exprimer, révéler (qqch. de nouveau, de personnel). *Il n'a publié qu'un livre et il n'a déjà plus rien à dire. Quand on n'a rien à dire, on n'écrit pas. Parler* pour ne rien dire* (→ Discours, cit. 3).

107   Comme c'est le caractère des grands esprits de faire entendre en peu de paroles beaucoup de choses, les petits esprits, au contraire, ont le don de beaucoup parler, et de ne rien dire.   LA ROCHEFOUCAULD, Maximes, 142.

Pour moi, je ne sais pas si j'ai réussi, mais quand je fais   **108**
des vers, je songe toujours à dire ce qui ne s'est point
encore dit dans notre langue.
RACINE, Lettres, À Maucroix, 29 avr. 1695.

On parle toujours mal quand on n'a rien à dire.   **109**
VOLTAIRE, Commentaires sur Corneille,
Remarques sur Œdipe, III, 3.

Les choses les plus importantes à dire sont celles que   **110**
souvent je n'ai pas cru devoir dire — parce qu'elles me
paraissaient trop évidentes.
GIDE, Journal, 23 août 1926.

N'a-t-on pas coutume de poser à tous les jeunes gens qui   **111**
se proposent d'écrire cette question de principe : «Avez-
vous quelque chose à dire ?» Par quoi il faut entendre :
quelque chose qui vaille la peine d'être communiqué.
SARTRE, Situations II, p. 72.

Allus. littér. *Tout est dit... :*

Tout est dit, et l'on vient trop tard depuis plus de sept   **112**
mille ans qu'il y a des hommes, et qui pensent.
LA BRUYÈRE, les Caractères, I, 1.

Rien n'est dit. L'on vient trop tôt depuis plus de sept mille   **113**
ans qu'il y a des hommes. Sur ce qui concerne les mœurs,
comme sur tout le reste, le moins bon est enlevé.
LAUTRÉAMONT, Poésies, Œuvres, p. 307.

(...) l'écrivain *(au XVIIe s.)* fait son métier avec une bonne   **114**
conscience, convaincu qu'il vient trop tard, que tout est
dit et qu'il convient seulement de redire agréablement.
SARTRE, Situations II, p. 141.

(...) nous, qui trouvons aujourd'hui toutes les voies libres,   **115**
qui pensons que tout est à dire et sommes pris de vertige,
parfois, devant ces espaces vides qui s'étendent devant
nous.   SARTRE, Situations I, p. 301.

♦ **SE DIRE** v. pron.

♦ **1** Se dire quelque chose à soi-même. *Je me disais que... :* je me faisais telle réflexion, telle remarque (→ Chose, cit. 35).

Fig. *On se dirait en France :* on a l'impression d'être en France (→ *supra,* II., 6.).

♦ **2** Se dire l'un à l'autre. *Ils se sont dit qu'ils s'aimaient.*

♦ **3** Se faire passer pour... *Il se dit votre ami.* → **Prétendre** (se); **soi-disant.**

Et de quel droit se diraient-ils héros (...) ?   **116**
BOILEAU, les Héros de roman.

♦ **4** (Passif). **a** Être dit.

Michel Strogoff prêtait une oreille attentive à tout ce qui   **116**
se disait, mais il ne se mêlait point aux conversations.
J. VERNE, Michel Strogoff, p. 208.

b Être employé, en parlant d'une expression, d'une tournure. *Ce mot ne se dit plus. Cette expression ne se dit aussi pour... Cela ne s'est jamais dit.*

(...) au lieu de numéroter les différentes acceptions des   **117**
mots, elle *(l'Académie)* a conservé les formules en usage
au XVIIe siècle, *il signifie aussi.., il se dit par extension, il
se dit par analogie, il se dit figurément,* etc. qui gardent au
livre le caractère d'un entretien avec son lecteur.
Dict. de l'Académie, 8e éd., Préface, p. 4.

♦ **DIT, DITE** p. p. adj. Voir ci-dessus à l'article.

Spécialement.

♦ **1** Surnommé. *Louis XV, dit le Bien-Aimé. — Lieu* dit.* → **Appelé.**

Je possédais une petite cheminée de fonte émaillée, dite,   **118**
je ne sais pourquoi, cheminée prussienne.
G. DUHAMEL, le Temps de la recherche, VIII, p. 117.

♦ **2** Dr. Joint à l'article défini ou à certains adverbes, il sert à désigner ce dont on vient de parler. *Ledit acheteur. Ladite maison. Lesdits plaignants. Le susdit*. Au dit lieu.*

♦ **3** N. m. → **Dit.**

CONTR. Cacher, dissimuler, omettre, taire. ◊ **DÉR.** et **COMP.** Diseur; dédire, dédit, médire, médisance, redire, redite. — V. Adirer, contredire, maudire, prédire. — Bien-disant, c'est-à-dire, on-dit, qu'en-dira-t-on, soi-disant, susdit.

2. DIRE [diʀ] n. m. — V. 1223; infinitif substantivé du verbe. → 1. Dire.

◆ **1** (Dans certains emplois). Ce qu'une personne dit, avance, déclare, rapporte... → **Affirmation, déclaration, parole, rapport...** *Leurs dires ne sont pas concordants. Au dire, selon le dire de... :* d'après, selon.

1 (...) suivant le dire d'un ancien (...)
MOLIÈRE, l'Avare, III, 1.

Dr. *Le dire des témoins. Au dire de l'expert. Prix réglé à dire d'expert,* après estimation par un expert. **Rare.** La parole. *Le dire et l'acte.*

2 Mais qu'était donc cet appel du sujet au-delà du vide de son dire? J. LACAN, Écrits, p. 248.

◆ **2 Dr.** Mémoire remis par une partie à des experts. *Dire de formalités,* contenant le détail des formalités légales remplies avant une adjudication. — Observations consignées sur le cahier des charges d'une vente aux enchères, etc. *Dire de contestation. Consigner un dire.*

DIRECT, ECTE [diʀɛkt] adj. et n. m. — XIIIᵉ; rare av. XVIᵉ; lat. *directus,* p. p. de *dirigere* «diriger».

Ⅰ Adj. ◆ **1** Qui est en ligne droite, sans détour. → **Droit, rectiligne.** *Mouvement direct. Route, voie directe. C'est le chemin le plus direct pour arriver à la ville. Chemin plus direct que la route.* → **Traverse** (chemin de traverse). *En ligne directe. Artère collatérale* (cit. 1) *directe. — Succession généalogique en ligne directe.* **Figuré :**

0.1 Souvent les nobles sentiments (ou ceux que la société tient pour tels) descendent en directe filiation des sentiments dits mauvais.
A. MAUROIS, Études littéraires, J. de Lacretelle, II, t. II, p. 234.

◆ **2 Fig.** Sans détour. *Attaque, accusation* (cit. 7) *directe. Des propos, des reproches directs. Faire une allusion directe à... Un regard direct.* → **Droit, franc.**

1 (...) ils ne parlaient qu'à peine, et détournaient tout propos trop direct et prêt à toucher le point saignant de leur cœur.
A. DE VIGNY, Servitude et Grandeur militaires, III, II, p. 182.

2 L'huissière, très roublarde, ne se risquait pas à des injures directes. Elle interpellait les passants, les interrogeait, les consultait, les excitait à l'insolence par des allusions ou insinuations vociférées.
Léon BLOY, la Femme pauvre, II, XVI, p. 252.

◆ **3** Qui est immédiat, sans intermédiaire. → **Immédiat.** *Contact direct. Connaissance directe des choses.* → **Intuitif** (→ Concept, cit. 1). *Prendre une part directe dans une affaire. Une responsabilité directe. Avoir des rapports directs avec quelqu'un. Ses chefs directs. La cause directe d'un phénomène.* → **Prochain.**

3 Les hommes de révolution n'auraient pas plus de responsabilité, directe ou indirecte, dans une guerre européenne que dans un tremblement de terre. L'évènement déclenché, ils seraient bien libres d'en tirer parti.
J. ROMAINS, les Hommes de bonne volonté, t. IV, XVI, p. 180.

4 Quand ils partaient, je me disais que malgré tout Odile leur était supérieure par un contact plus direct avec la vie, avec la nature. A. MAUROIS, Climats, I, VII, p. 59.

5 Le Français (...) est à peu près le seul être sur terre pour qui le prochain existe sous la forme d'une personne réelle. Il a cultivé des rapports directs avec son semblable (...)
J. CHARDONNE, l'Amour du prochain, p. 202.

(Concret). **Techn.** *Prise* directe.*

Dr. *Action directe :* «action qu'une personne exerce en son nom personnel contre un ayant cause de son propre cocontractant en passant par-dessus la tête de ce dernier» (Capitant). — «Action du tiers bénéficiaire d'une stipulation pour autrui ou d'une assurance contre le promettant» (Capitant). — (1790). *Contributions* directes.*

Action directe (nom d'un groupe terroriste d'action violente).

Complément direct, construit sans préposition. — *Discours direct,* rapporté dans sa forme originale, sans termes de liaison, après un verbe de parole (et, dans la langue écrite, placé entre guillemets). Ex. : *il a dit : «Je l'ai vu hier...»,* par opposition au *discours indirect** comportant des transpositions. Dans le même sens, *style direct* (opposé à *indirect*).

◆ **4** Qui se fait dans un sens déterminé (opposé à *rétrograde*). *Mouvement direct des planètes.* **Log.** (opposé à *inverse*). *Proposition directe. Raison* directe.*

◆ **5** Qui ne s'arrête pas (ou peu). *Train direct,* et, n. m., *un direct. Voiture directe pour Londres.*

◆ **6** Adverbialement. **Fam.** Directement. *Là, je ne repasse pas par le bureau, je rentre direct chez moi.* — Fig. Sans circonlocutions, sans détours.

6 Quand j'ai dit une chose, elle est dite. Moi, je parle direct et j'agis franchement. Je prends toutes mes responsabilités.
M. AYMÉ, Travelingue, p. 82.

Ⅱ N. m. ◆ **1** (1904, in Petiot). **Boxe.** Coup droit. *Un direct du gauche, du droit.*

◆ **2** (1938, in D.D.L.). **EN DIRECT** (radio, télév.) : transmis sans enregistrement, au moment même de sa production (opposé à *différé*). *Interview en direct. Programme diffusé en direct de Cannes, du studio de Cannes.* — *Préférer le direct au différé.*

7 Ce soir, pour la première fois, je me suis vu moi-même à la télévision. Je ne passais pas «en direct» (j'ignore quelle est l'expression technique).
F. MAURIAC, le Nouveau Bloc-notes 1958-1960, p. 157.

CONTR. Indirect; courbe, détourné, dévié, gauche, oblique, sinueux, tors, tortueux. — Contraire. — Allusif; médiat; discursif. — Éloigné, lointain; réfléchi, rétrograde. — Collatéral; inverse. ◊ **DÉR.** Directement.

DIRECTEMENT [diʀɛktəmã] adv. — XIVᵉ; de *direct.*

◆ **1** D'une manière directe; en droite ligne, sans détour. → **Droit** (tout droit). *Le train va directement à... Aller directement au but.* → Ne pas aller par quatre chemins*; aller droit au but; couper au plus court. *Vous rentrez directement chez vous, ou vous faites des courses ?*

Fig. *Cela ne vous regarde pas directement. Combattre directement une injustice* (→ Athéisme, cit. 2).

1 (...) de ne commettre aucun désordre, et de ne faire aucune action qui tende directement ou indirectement à violer cette paix et amitié.
VOLTAIRE, Hist. de Charles XII, VI.

◆ **2** Entièrement (opposé). → **Diamétralement.** *Deux pôles directement opposés. La maison qui est directement en face de la vôtre,* juste en face, tout à fait, vis-à-vis...

2 (...) les grands (...) paraissent debout, le dos tourné directement au prêtre (...) et les faces élevées vers leur roi (...)
LA BRUYÈRE, les Caractères, VIII, 74.

Fig. *Deux caractères qui s'opposent directement. Des opinions directement contraires. — Témoignages directement contradictoires.*

◆ **3** Sans intermédiaire. → **Immédiatement.** *Ces deux pièces communiquent directement. Être directement en rapport avec quelqu'un* (→ Altération, cit. 2 ; comportement, cit. 4). *Ce qui se rapporte directement à la question* (→ Concret, cit. 2). *Témoigner directement de quelque chose.* → Tenir de première main*. *Être directement mis en cause* (cit. 53). *Produire directement* (→ Commerce, cit. 1 ; convertir, cit. 12). *Agir directement* (→ Antitoxine, cit. 1 ; conflit, cit. 7 ; curare, cit.). *Exercer directement son action sur... S'adresser directement à quelqu'un. Communiquer directement avec... Directement du producteur au consommateur. «Le comportement de chacun (...) est directement affecté par le climat»* (André Siegfried). *«La personnalité du lecteur est alors directement mise en cause»* (Valéry).

CONTR. **Indirectement; obliquement; biais** (de biais, en biais). — **Intermédiaire** (par l'intermédiaire de...).

DIRECTEUR, TRICE [diʀɛktœʀ, tʀis] n. et adj.
— 1444; bas lat. *director,* de *directum,* supin de *dirigere.*
→ Diriger.

I N. ♦ **1** Personne qui dirige*, est à la tête (spécialt, d'une entreprise). → **Administrateur, chef, patron, président.** *Le directeur d'une entreprise. Le directeur, la directrice d'une usine. Directeur d'une compagnie d'assurances. Le directeur d'une équipe d'ouvriers.* → **Contremaître.** *Le directeur d'un groupe, d'un mouvement.* → **Animateur, instigateur, meneur, moteur.** — (1925, *in* D. D. L.). *Cin. Directeur de production*.* — *Directeur général (d'une société). Président-directeur général.* → **P.-D. G.** *Administrateur-directeur général. Directeur commercial, administratif, technique. Directeur du personnel. Les directeurs et sousdirecteurs, les cadres* supérieurs d'une société. Directeur en exercice. Directeur d'un théâtre. Le Directeur de théâtre, de Mozart. Le directeur d'un hôpital. Directeur de journal, de revue. — Avoir le titre, la fonction de directeur. Le bureau, le cabinet du directeur. La signature du directeur* (→ Approbation, cit. 1).

1   On l'avait entendu rugir, comme un lion noir, dans des cabinets de directeurs de journaux qu'il accusait, avec justice, de donner le pain de gens de talent à d'imbéciles voyous de lettres (...)
                    Léon BLOY, le Désespéré, p. 70.

Membre d'un directoire*.

Admin. (dans des syntagmes). *Personne responsable d'une direction (I., 3.). Le directeur de cabinet du ministre. Les directeurs généraux des ministères, les directeurs de bureaux. Directeur général des Postes et Télécommunications. Directeur des douanes, des contributions, des domaines. Directeur de l'enseignement secondaire, primaire, technique. Directeur départemental de l'enseignement.* → **Inspecteur** (d'Académie). *Directeur d'un lycée* (→ **Proviseur**; argot scol. *protal*), *d'un collège* (→ **Principal**), *d'une école dirigée par des religieux* (→ **Supérieur**). *Directeur d'école, d'une école primaire. La Directrice d'un lycée de jeunes filles.*

Abrév. fam. (suffixé) : *dirlo,* n. (1926). *Il est convoqué chez le, la dirlo.*

Spécialt. *Dans certaines compagnies, Personne chargée de la présidence des séances. Le directeur de l'Académie française.*

REM. Le fém. *directrice* est surtout employé en parlant des fonctions traditionnellement occupées par les femmes (*directrice d'école, de lycée...*) mais non exclusivement («*la directrice des postes*», Zola, *in* T. L. F.); on emploie souvent le masc. pour désigner la fonction occupée par une femme dans les autres cas (*elle est directeur* ou *directrice des ventes dans telle société*); dans les syntagmes figés, le fém. est plus rare (*elle est directeur de cabinet, directeur général de...*).

Loc. Techn. *Directeur de travaux.* → **Conducteur.**

♦ **2** Hist. Chacun des cinq membres du Directoire. → **Directoire** (II.).

2   Pour rehausser le prestige de ces Directeurs désarmés, on les habille fort bien : ils porteront, même chez eux, un costume magnifique, «protestation, a dit Boissy d'Anglas,

contre le sans-culottisme».
                    Louis MADELIN, la Révolution, XXXVII, p. 418.

♦ **3** N. m. *Directeur de conscience, directeur spirituel, directeur :* prêtre qui dirige certaines personnes, en matière de morale et de religion, par ses avis, ses conseils. → **Confesseur, père** (→ Capital, cit. 1). *Prendre un directeur de conscience. Consulter son directeur.*

3   Si le confesseur et le directeur ne conviennent point sur une règle de conduite (...)
                    LA BRUYÈRE, les Caractères, III, 37.

4   (...) il (*un vieux praticien jésuite*) lui déclara son insuffisance pour le guider utilement sur n'importe quels sommets et l'engagea à chercher un directeur.
                    Léon BLOY, le Désespéré, p. 151.

II Adj. ♦ **1** Qui dirige. → **Dirigeant.** *Comité directeur. Les instances directrices.*

♦ **2** Fig. *L'idée directrice d'un ouvrage. Avoir un principe directeur.*

Artill. *Plan* directeur.* — Géom. *Plan directeur d'un conoïde,* auquel la génératrice droite doit demeurer constamment parallèle. *Ligne directrice* et, n. f., *une directrice :* ligne fixe sur laquelle s'appuie la génératrice d'une certaine surface. *Cercle directeur d'une ellipse, d'une hyperbole. Cône directeur d'une surface du second degré.* — Techn. *Roue directrice d'une bicyclette.* — *Levier directeur de l'aiguillage d'une voie ferrée. Bielle directrice.*

CONTR. **Agent, commis, employé, manœuvre, subordonné.** ◊ DÉR. **Directoire, directorat, directorial, directrice.** — COMP. **Autodirecteur, sous-directeur.** — HOM. (Du fém.) **Directrice.**

DIRECTIF, IVE [diʀɛktif, iv] adj. — 1282, adj. et n. m., «règle» (→ Directive); du lat. sav. *directum,* supin de *dirigere.* → Diriger.

I ♦ **1** Didact. *Qui dirige, imprime une direction, une orientation, mais sans l'imposer* (→ Directeur, II.).

♦ **2** (V. 1968; angl. des États-Unis *directive,* Lewin et Lippitt, 1938). *Qui prend toutes les décisions relatives à la conception et à l'exécution du programme d'action d'un groupe.* → **Autocratique.** *Elle est très directive. — Attitude, méthode directive.* → **Autoritaire.**

Psychol., psychan. *Questionnaire, entretien directif,* conduit de manière prédéterminée.

II (1961). Techn. *Se dit d'un dispositif (antenne, haut-parleur, microphone) dont l'efficacité est beaucoup plus grande dans une ou plusieurs directions privilégiées.* → **Directionnel.** *Effet directif.* → **Directivité.**

CONTR. (Du sens I). **Démocratique; actif** (1.). ◊ DÉR. et COMP. **Directive, directivisme, directivité. Non-directif.**

DIRECTION [diʀɛksjɔ̃] n. f. — V. 1327; lat. *directio,* du supin de *dirigere.* → Diriger.

I ♦ **1** Action de diriger (I.), de guider, de conduire. → **Conduite.** *Assumer la direction des travaux.* → **Organisation;** → Artisan, cit. 7. *Assurer la direction d'une entreprise, d'une société.* → **Administration, gestion;** → Conseil, cit. 27. *Cadres* de direction. La haute direction d'une entreprise. — La direction d'un ballon, d'un avion* (→ **Pilotage**), *d'une voiture* (→ **Conduite**), *d'une machine* (→ **Maniement**). — *Être chargé de la direction d'un groupe, d'une équipe.* → **Animation, conduite, marche, organisation.** *Direction et contrôle** (→ Commun, cit. 6). *Travailler sous la direction de...* → **Autorité, surveillance, tutelle;** poét. 2. **auspice.** *La direction des affaires de l'État. Être responsable de la direction de...* → Tenir la barre*, le gouvernail*, avoir la haute main* sur, présider à, être à la tête* de... *Sous la direction de...*

1 Quatre ou cinq mois d'un travail assidu, reprit-elle (...) sous la direction d'un professeur avisé, laborieux (...)
J. GREEN, Léviathan, I, v, p. 42.

Direction d'acteurs : l'une des fonctions du metteur en scène (théâtre), du réalisateur (cinéma) par laquelle il dirige le jeu des acteurs.
Didact. *Direction de l'intention* ou *direction d'intention.* → **Intention.**

♦ **2** (1771). Fonction qui consiste à diriger, à administrer ; spécialt, poste de directeur* (→ **Présidence**). *Obtenir la direction d'une entreprise* (→ Connaissance, cit. 10). *Donner une direction à quelqu'un,* un poste de directeur. → **Directorat.** *Solliciter, obtenir une direction. Être nommé à la direction du personnel. La direction d'un parti politique, d'un syndicat* (ne correspond pas à un emploi du mot *directeur*).

2 (...) je refusais la direction de l'infirmerie (...)
MARTIN DU GARD, les Thibault, IX, p. 244 (→ Convaincre, cit. 13).

Autorité de la personne qui dirige (→ **Commandement**). *L'entreprise est placée sous la direction d'Un tel* (→ Contemporain, cit. 3).

Ensemble des personnes qui dirigent, mènent, administrent. *Demander à parler à la direction. S'adresser à la direction du journal. La direction générale, commerciale. La haute direction :* le ou les dirigeants qui exercent le pouvoir de décision, au plus haut niveau. → aussi **Directoire.** — *La direction du parti,* les dirigeants*. → Comité central ; bureau politique.

Bâtiments, bureaux du ou des directeurs. *Aller à la direction.*

Attribution, étendue, territoire d'un directeur. *Cela ne relève pas de ma direction.*

Durée des fonctions de directeur. *Pendant sa direction...*

♦ **3** Ensemble de services confiés à un directeur. → **Service.** *Direction de l'Enseignement primaire, secondaire... La direction générale des bureaux d'un ministère. Direction des services administratifs, comptables d'une administration.* → **Intendance.** *La direction des forêts. Direction des douanes. La direction du livre.* — Direction militaire d'un État grec. → **Hégémonie.**

2.1 Le ministère du Ravitaillement commença par réquisitionner (...) pour (...) installer les services (...) Il y avait entre autres la direction artistique, le service des transports (...) le service technique, la direction du matériel, la direction du personnel.
M. AYMÉ, le Vin de Paris, «La bonne peinture», p. 235.

♦ **4** Vx. Fonction d'un directeur spirituel. *Direction de conscience, direction spirituelle,* et, absolt, *direction.*

3 Ce ne fut point manque de zèle si cette aimable femme ne se livra pas aux menues pratiques de dévotion qui semblaient convenir à une nouvelle convertie vivant sous la direction d'un prélat. ROUSSEAU, les Confessions, II.

3.1 Et voulez-vous la mesure précise du dépérissement (...) de la dévotion de la femme dans l'air du dix-huitième siècle ? Il vous suffira de jeter les yeux sur le gouvernement de la femme par l'Église, sur la direction.
Ed. et J. DE GONCOURT, la Femme au XVIIIᵉ siècle, p. 183.

II (1690, en astrologie et mécanique ; répandu XVIIIᵉ).
♦ **1** Astrol. Calcul par lequel on détermine la date d'un événement futur (la direction [I.] des événements) par le rapport de points du ciel.

♦ **2** (1690, «verticale»). Sc. Ligne suivant laquelle un corps se meut, une force s'exerce. *Mouvement*

(cit. 3) *et direction. La direction, le sens, l'intensité d'une force.*

Ce qui fait une force, ce n'est pas seulement l'intensité, c'est encore la direction. 3.2
M. BARRÈS, Leurs figures, p. 143.

Spécialt. Caractère commun à toutes les droites, à tous les plans parallèles, qui caractérise la façon dont un point de ce plan, de cette droite peut tendre vers l'infini. *Chaque direction comprend deux sens** opposés. *Direction orientée* (dans un des deux sens). → **Axe.**

♦ **3** (Fin XVIIIᵉ). Cour. Orientation ; voie à suivre pour aller à un endroit. → **Azimut, ligne, orientation.** *Quelle direction a-t-il prise ? Il est parti dans la direction opposée, dans une autre direction. Des directions convergentes, divergentes, obliques, verticales, horizontales... L'aiguille aimantée d'une boussole indique la direction nord-sud. Montagnes qui s'étendent dans la direction est-ouest. Monter, remonter, descendre, tourner, retourner dans la direction de... Suivant la direction sud-ouest.* → **Axe.** *Chercher sa direction.* → **Orienter** (s'). *Changer de direction.* → Tourner bride* ; changer de cap* ; faire demi-tour ; virer* de bord. *Changement de direction.* → **Détour, déviation, inflexion** ; **courbe** ; **bifurcation, croisement.** *Perdre la bonne direction* (→ Boussole, cit. 3). *Qui a perdu sa direction.* → **Désorienté.** *Regardez dans cette direction, dans la même direction. Fenêtres orientées dans la direction de...* → **Donner** (sur...) ; **vue** (avoir vue sur...). *Guider quelqu'un dans la bonne direction. Remettre quelqu'un sur la bonne direction.* → **Route, voie.** *Fausse direction prise par les chiens qui poursuivent la bête.* → **Contre-pied.** *Partir, s'ébranler dans telle direction* (→ Bête, cit. 9), *dans la direction de la ville. Répandre dans toutes les directions.* → **Diffuser.**

REM. Dans cette acception, *direction* signifie soit *direction* et *sens,* soit *sens* (*la direction nord-sud*) ; dans la langue scientifique, cet emploi est abusif.

Il retourne sur ses pas. Il reprend la direction de la rive gauche. 4
J. ROMAINS, les Hommes de bonne volonté, t. IV, XVIII, p. 202.

Ils passèrent et à travers les terre-pleins couverts de tonneaux (...) ils prirent la direction de la jetée. 5
CAMUS, la Peste, p. 277.

Dans la signalisation routière canadienne : sens unique.
Loc. prép. *Dans la direction de... En direction de...* → **Vers** (→ Courbe, cit. 6). *Se pencher dans la direction de... Dans la direction du soleil levant* (→ **Orient**), *du soleil couchant* (→ **Occident**). *Mouvement de troupes en direction de... Vous êtes juste dans la direction de...* → **Vis-à-vis** (de).

Train en direction de Liège. → **Destination** (à destination de...).

La direction. — On interrogue par *où* : *Où allez-vous ?* **Vers** 6 *quel endroit ?* **Pour** *quelle direction ?* **Sur** *quoi tirez-vous ?* (...) il y a (...) des locutions prépositives : *dans la direction de, en direction de,* par abréviation : *direction Paris.*
F. BRUNOT, la Pensée et la Langue, III, XI, sect. B, II, p. 432-434.

(...) ils se pressent, s'entre-choquent, se poussent en silence, et bientôt, comme un vol d'oiseaux migrateurs, ils s'ébranlent lentement dans la direction du Sud, derrière le peloton des officiers supérieurs. 7
MARTIN DU GARD, les Thibault, t. VIII, p. 183.

♦ **4** Fig. Façon dont qqch. se développe, ligne directrice. *Donner une bonne direction à une affaire.* → **Orientation.** *Imprimer une direction nouvelle à l'opinion. Une force de direction constante* (→ Cohésion, cit. 3). *Vous vous aventurez dans une mauvaise direction.* → **Contresens.** *La direction que prennent les choses.* → **Allure, tour, tournure, train.**

8 Quand l'opinion force le gouvernement à agir dans le sens qu'elle désire, elle commet une injustice, car elle force le pouvoir (...) à favoriser une direction au détriment de toutes les autres.
RENAN, Philosophie de l'hist. contemporaine (→ Arbitre, cit. 7).

Ligne de conduite morale. *Détourner quelqu'un de la bonne direction.* → **Voie ; débaucher, dévoyer.** *S'engager dans une mauvaise direction.*

Orientation donnée à des recherches, à des travaux. *Faire des expériences dans une direction nouvelle.*

♦ **5** Ensemble des mécanismes qui permettent de guider les roues d'une voiture, d'une automobile (volant, vis sans fin, levier de commande, barre d'accouplement. → **Timonerie**). *Il y a du jeu dans la direction. Direction à vis, à crémaillère. Direction douce, dure, démultipliée.* — (Sur un aéronef). *Gouvernes, commandes de direction* (opposé à *profondeur*).

DÉR. Directionnel.

DIRECTIONNEL, ELLE [dirɛksjɔnɛl] adj. — 1951 ; de *direction* (II.).

Techn. Qui émet ou reçoit dans une seule direction (syn. : *unidirectionnel*). *Antenne directionnelle. Micro directionnel.* — Recomm. off. : *directif** (II.).

Fig. (écon.). *Centre directionnel.*

COMP. Unidirectionnel.

DIRECTISSIME [dirɛktisim] n. f. — 1965, *in* Petiot ; *direttissima*, 1936 ; adapt. ital. *direttissima* «la plus directe».

Alpin. Ascension par la voie la plus directe. *L'escalade artificielle a permis le développement des directissimes. Grimpeur de directissime. «Une "directissime" de grande envergure vient d'être réalisée pour la première fois dans la face nord des Grandes Jorasses, à l'éperon Whymper (4 184 m)»* (le Monde, 29 janv. 1974, in *la Clé des mots*).

DIRECTIVE [dirɛktiv] n. f. — 1890 ; de l'adj. *directif, ive* «qui a pour objet de diriger», XIIIe.

Indication, ligne de conduite donnée par une autorité (politique, militaire, religieuse). → **Instruction, ordre.** — REM. L'Académie (8e éd.) admet *directives*, seulement au pluriel. Comme le mot *instruction, directive* est plus courant au pluriel dans le sens de : «ensemble des indications...», mais rien ne s'oppose à l'emploi du singulier. *Donner des directives, une directive. Demander, recevoir des directives de ses chefs* (→ Aveugle, cit. 24). *Les directives politiques d'un groupe, d'un parti. Des directives générales, particulières. Sa dernière directive précise les choses.*

0.1 Si j'ai abusé de votre patience en vous faisant cette longue citation, c'est parce que j'y retrouve, sous l'inspiration de Gallieni, la plupart des directives dont je n'ai cessé depuis de m'inspirer (...)
L. H. LYAUTEY, Paroles d'action, p. 438.

1 Pas de doute que le prince ait fourni les fonds, et, de haut, par sa nièce, donné des *directives.*
Louis MADELIN, Talleyrand, V, 36, p. 393.

2 (...) il y avait lieu aussi de le juger, d'influer sur lui, de lui donner ses directives.
Émile HENRIOT, les Romantiques, p. 328.

Directive (européenne) : texte du Conseil ou de la Commission des Communautés européennes fixant à un État membre de l'Union un résultat à atteindre, dans un domaine. *«Pour se mettre en conformité avec une directive européenne, la France va autoriser le travail de nuit des femmes, qui sera désormais réglementé»* (le Monde, 12 déc. 2000, p. 7).

(V. 1974). Plur. Techn. Marche à suivre comportant souvent des indications chiffrées.

DIRECTIVISME [dirɛktivism] n. m. — XXe ; de *directif* (I.).

Didact. (péj.). Direction* (I., 1.) autoritaire, doctrinale (imposée par un mouvement, un organisme d'expression collective, sociale...). *Tomber dans le directivisme. Le dirigisme est un directivisme économique.*

On entend accuser la psychanalyse d'être un directivisme, faisant fi de l'autonomie du patient (...)
J. MYNARD, Freud et la thérapeutique, *in* la Nef, n° 31, p. 61.

DIRECTIVITÉ [dirɛktivite] n. f. — 1953 ; de *directif* (II.).

Phys. Direction préférentielle dans laquelle se développe un phénomène d'émission ou de réception d'une onde sonore ou électrique. *Directivité d'un haut-parleur.*

DIRECTO [dirɛkto] adv. — 1878, J. Vallès ; de *direct.*

Pop. Directement. *On y va directo.*

DIRECTOIRE [dirɛktwar] n. m. — XVe ; lat. *directorium,* de *directus.* → Direct.

I Vx. Ce qui permet de diriger*. — (Fin XVIIe). Liturgie. Livret où sont indiqués les offices de chaque jour de l'année liturgique. → **Ordo.**

II (1762). ♦ **1** Anciennt. Conseil (ou tribunal) élu, chargé d'une direction administrative.

1 À la tête de chaque département fut placée (*en 1789*) une *Administration de Département,* formée d'un Conseil de département et d'un Directoire.
F. BRUNOT, Hist. de la langue franç., t. IX, p. 1018.

♦ **2** (1795). Hist. Dans la Constitution de l'an III, Conseil de cinq membres (→ **Directeur,** cit. 2), chargé du pouvoir exécutif de 1795 à 1799. — REM. Cet emploi a été précédé par plusieurs expressions, en usage à partir de 1789 : *directoire de département, de district,* etc.

2 Le Directoire exécutif, composé de cinq membres, est à l'élection du Corps Législatif : les Cinq Cents ayant proposé cinquante noms, les anciens y prendront les cinq magistrats. Ce Directoire sera renouvelable, tous les ans, par cinquième.
Louis MADELIN, la Révolution, XXXVII, p. 418.

Par ext. Le régime politique en France, durant cette période ; la période. *Les coups d'État du Directoire* (→ Banqueroute, cit. 6). *Sous le Directoire. Les mœurs du Directoire. Les merveilleux, les merveilleuses, les incroyables du Directoire.* — Par appos. *Le style Directoire* (ou *style Messidor*), le style de cette époque (arts décoratifs). — Ce style. *Le Directoire privilégie les formes carrées.* — Par appos. *Une commode Directoire.*

♦ **3** (1966). Dr. comm. Organe collégial chargé de la gestion d'une société anonyme. *Membre d'un directoire.* → **Directeur.** *Directoire et conseil de surveillance.*

DIRECTORAT [dirɛktɔra] n. m. — XVIIe ; de *directeur.* → Rectorat.

Rare. Fonction de directeur ; durée de cette fonction. → **Direction.**

DIRECTORIAL, ALE, AUX [diʀɛktɔʀjal, o] adj.
— 1832; *directoral*, 1685; du rad. de *directeur*.

I (1796; correspond à *directoire*, II.). **Hist.** Du Directoire. «*Le régime directorial achevait de se dissoudre*» (Madelin).

II (1832; de *directeur*). **Cour.** D'un directeur. *Les bureaux directoriaux.*

Nous subissions généralement quelques admonestations du tenancier ou des employés usurpant un pouvoir directorial (...)
PROUST, À l'ombre des jeunes filles en fleurs, Folio, p. 559.

DIRECTRICE [diʀɛktʀis] n. f. — 1846; de *ligne directrice*.

Géom. Courbe sur laquelle s'appuient les génératrices du cylindre, du cône. *La directrice d'une surface de révolution.* — Droite perpendiculaire à l'axe d'une conique et associée à un point de cet axe (foyer).

HOM. Directrice (fém. de *directeur*).

DIRHAM [diʀam] ou **DIRHEM** [diʀɛm] n. m. — 1959; arabe *dîrhâm*, désignant une ancienne mesure (VIIᵉ au XIIIᵉ s.) de poids arabe, perse et turque; du grec *drakhmê*. → Drachme.

Unité monétaire du Maroc.

Ton destin, ton destin, répétait la vieille. Trois dirhams. Très important. Roger BORNICHE, le Gringo, p. 36.

DIRIGEABLE [diʀiʒabl] adj. et n. m. — 1789; de *diriger*.

♦ **1** Adj. Qui peut être dirigé*. *Ballon dirigeable* (opposé à *libre*).

Rare (dans un autre contexte que les ballons) :
Ces rondes ne sont pas facilement dirigeables (...) nous dérivons, nous irons où le flot voudra bien nous mener.
A. ROBIDA, le Vingtième Siècle, p. 404.

♦ **2** N. m. Aérostat, plus léger que l'air, naviguant grâce à un système de propulsion et d'orientation. *L'enveloppe (ou carène), la nacelle, le moteur, l'empennage, les gouvernails d'un dirigeable. La sustentation des dirigeables est assurée par des ballonnets* d'hydrogène ou d'hélium placés à l'intérieur de la carène. Les grands dirigeables allemands des années 30.* → Zeppelin.

CONTR. et COMP. (De l'adj.) **Indirigeable.**

DIRIGEANT, ANTE [diʀiʒɑ̃, ɑ̃t] adj. et n. — 1835; p. prés. de *diriger*.

♦ **1** Qui dirige. *Les classes dirigeantes* : les classes sociales qui exercent le pouvoir ou qui influencent le gouvernement.

(...) lorsqu'aux droits de l'homme se substituèrent les droits du bourgeois, se trouva substituée, à une caste qui avait jadis assumé les plus hautes valeurs profanes de l'Occident, une classe dirigeante et efficace, mais sans valeurs.
MALRAUX, les Voix du silence, IV, p. 482.

♦ **2** N. (V. 1900). Personne qui dirige (souvent au plur.). *Les dirigeants d'une entreprise.* → **Administrateur, directeur, gérant.** *Les dirigeants d'un mouvement, d'un parti, d'un club sportif.* → **Animateur, chef, meneur, responsable.** *Seuls, les dirigeants seront responsables. Un dirigeant compétent.* — Le fém. *dirigeante* semble rare.

Spécialt. *Les dirigeants politiques.* → **Gouvernement.** *Nos dirigeants.*

DIRIGER [diʀiʒe] v. tr. [CONJUG.: *bouger*.] — 1491; fig., 1381; lat. *dirigere* «aligner, ordonner».

Conduire, faire aller selon une manière, un ordre pour obtenir un résultat.

I ♦ **1** Conduire (une entreprise, une opération, des affaires) comme maître ou chef responsable.
→ **Gouverner; administrer, conduire, gérer, guider, mener, organiser, présider** (à), **régir ;** → Tenir le gouvernail*; avoir en main, avoir la haute main* sur; tenir les rênes*; être à la tête* de... *Action de diriger.* → **Direction.** *Diriger les affaires publiques. Diriger une entreprise, une usine, une société, être à sa tête* (→ **Directeur**). *Diriger des travaux* (→ Architecte, cit. 6). *Diriger soi-même ses affaires* (→ Autonomie, cit. 2). *Diriger un théâtre, une école* (→ Classe, cit. 16). — *Diriger une action collective.* → **Mener.** *Diriger une opération délicate.* → **Ordonner, régler.** *Diriger une attaque.* → **Lancer.** — *Diriger le feu, le tir.* → **Commander.** *Diriger des hommes* (→ Commander, cit. 11). — *Diriger un débat, une discussion.*

(...) ceux-là seuls peuvent aspirer à diriger les hommes qui, échappant aux pressions de la masse et de l'époque, veulent être pleinement hommes, tendent à réaliser l'image de l'éternité dans le présent.   1
DANIEL-ROPS, Ce qui meurt et ce qui naît, I, p. 36.

Péj. *Chercher à tout diriger.* → **Régenter.** *C'est elle qui dirige tout dans son foyer.* → Elle porte la culotte*; elle fait la pluie* et le beau temps.

Spécialt. *Diriger les acteurs, le jeu des acteurs* : faire la direction d'acteurs.

♦ **2** Conduire l'activité de (qqn). *Diriger des ouvriers. Diriger un groupe, une équipe.* → **Mener.**

Péj. *Il cherche à diriger tout le monde.*

Absolt. *Apprendre à diriger, savoir diriger. C'est lui qui dirige.* → **Commander.**

Manuel avait appris de Ximénès comment on commande, il apprenait maintenant comment on dirige.   2
MALRAUX, l'Espoir, p. 160.

♦ **3** Exercer une action, une influence sur (qqn, qqch.). *Diriger l'opinion* (cit. 38). — *Diriger ses mouvements, ses instincts,* les contrôler par la volonté. *Diriger ses passions,* les soumettre à sa volonté. *Diriger sa volonté* (→ Commander, cit. 34). *Incapable de diriger sa pensée* (→ Parvenir, cit. 9).

À partir de ce moment, il lui devient tout à fait difficile de diriger, de modifier, même de modérer le rythme de ses actions.   3
J. ROMAINS, les Hommes de bonne volonté, t. V, VIII, p. 67.

(Sujet n. de choses). Entraîner dans un certain sens. *Les instincts, les tendances, les impulsions, les passions dirigent l'homme dépourvu de volonté.* → **Entraîner, mener, pousser.** *Son intérêt seul le dirige.* → **Guider, inspirer** (→ Accablement, cit. 7).

(...) je ne puis voir ni la main qui le dirige, ni les moyens qu'elle met en œuvre.   4
ROUSSEAU, les Confessions, XII (→ Coup, cit. 41).

Diriger un élève. → **Suivre.** *Diriger le travail, les études de qqn.*

Spécialt. *Diriger la conscience de quelqu'un.* → **Directeur** (de conscience).

Qu'est-ce qu'une femme que l'on dirige?... c'est une femme qui a un directeur.   5
LA BRUYÈRE, les Caractères, III, 36.

II (XVIIᵉ, «faire observer un point directement opposé»). Faire aller dans une direction (II.). Guider (qqch.) dans une certaine direction (avec une idée de déplacement, de mouvement). → **Conduire, guider, manœuvrer, piloter.** *Diriger un cheval, une bête de somme. Diriger un véhicule, une voiture, un avion. Diriger un navire.* → **Naviguer.**

6   Petit-Pierre s'était endormi, et, se laissant aller comme un sac, il embarrassait tellement les bras de son père que celui-ci ne pouvait plus ni soutenir ni diriger le cheval.
G. SAND, la Mare au diable, VII, p. 61.

Fig. *Diriger sa barque.* → **Mener ; conduire** (→ Barque, *infra* cit. 5).

Diriger contre, sur, vers... Diriger vers le bas (→ **Baisser**), *vers le haut* (→ **Élever, monter, pointer**). *Diriger un colis sur Paris.* → **Envoyer, expédier.** *Diriger un convoi vers telle ville.* → **Acheminer, amener.** **Littér.** *Diriger ses pas, sa course, son vol vers...* → **Aller.**

Envoyer dans une direction ; orienter de manière à envoyer. *Diriger une lumière, et, par ext., une lampe de poche sur qqn, qqch.* → **Braquer.** *Ils «dirigent sur les pages notées la mince lumière de leurs lanternes»* (Barrès).

Diriger qqn, indiquer* la voie, le chemin à... *On l'a mal dirigé.* → **Fourvoyer.**

Diriger ses yeux, son regard vers. → **Porter, tourner.** *Diriger son attention sur.* → **Regarder.**

7   Quand il marche dans la rue, il est constamment préoccupé, et abstrait. Surtout dans ce quartier qu'il croit connaître. Ses yeux perçants ne fournissent un regard efficace que lorsqu'il les dirige délibérément sur quelque chose.
J. ROMAINS, les Hommes de bonne volonté, t. II, II, p. 16.

♦ **SE DIRIGER** v. pron.

Se diriger vers... → **Acheminer** (s'), **aller, avancer** (s'), **gagner, marcher, rendre** (se rendre à...), **tourner** (se tourner vers) ; → Mettre le cap* sur, prendre le chemin* de ; se mettre en branle*, en mouvement* (vers) ; porter ses pas* vers. *Se diriger vers la porte. L'aiguille aimantée se dirige vers le nord.* → **Orienter** (s'). *Le bateau se dirigeait vers le port, vers le rivage, vers la haute mer.* → **Cingler, voguer ; faire** (route, voile). *Se diriger vers quelqu'un. Se diriger seul, sans guide. Se diriger dans une direction opposée à celle précédemment suivie.* → **Changer** (de direction), **tourner, virer** (de bord).

8   Mais le bedeau, avant d'atteindre le lieu où ils étaient, se dirigea vers la grande nef, traversa l'allée centrale en esquissant une génuflexion, et alla s'occuper d'un porte-cierges.
J. ROMAINS, les Hommes de bonne volonté, t. II, IV, p. 41.

Fig. *Savoir se diriger avec énergie, en accord avec la loi morale.*

♦ **DIRIGÉ, ÉE** p. p. adj.

♦ **1** Qui est mené, conduit par un chef, une autorité. *Entreprise dirigée par un ingénieur. Territoire dirigé par un administrateur* (→ Commune, cit. 1). *C'est une affaire bien dirigée.*

Efforts mal dirigés. Sentiment dirigé par la raison (→ Amour, cit. 50).

♦ **2** *Mouvement, segment dirigé,* qui possède une direction définie. *Antenne dirigée. — Regards dirigés sur quelqu'un.*

9   (...) gênée par les regards dirigés sur elle, mais sans rien perdre de son aisance.
MARTIN DU GARD, les Thibault, t. I, p. 36.

♦ **3 Adj.** (1932). *Économie dirigée* (opposé à *libéral*). → **Dirigisme.**

Spécialt. *Activité dirigée,* conduite selon une direction ou un plan donnés. *Consacrer quelques heures à des travaux dirigés.*

CONTR. Obéir, suivre (quelqu'un). — **Égarer, fourvoyer.** — Abandonner, laisser (laisser aller). ◊ **DÉR. Dirigeable, dirigeant, dirigisme.** — **COMP.** (Du p. p. adj.) **Autodirigé, sur-dirigé.**

DIRIGISME [diriʒism] n. m. — 1930 ; de *diriger.*

Système économique dans lequel l'État assume la direction des mécanismes économiques, d'une manière provisoire et en conservant les cadres de la société capitaliste (à la différence du *socialisme**). *Interventionnisme** et dirigisme.* → aussi **Étatisme.** *Le dirigisme considéré comme un ensemble de mesures empiriques, considéré comme une doctrine scientifique. Dirigisme matérialisé par un plan* économique, par des nationalisations*.*

1   C'est surtout à partir de 1930 qu'on va parler d'*économie dirigée.* Depuis la deuxième guerre mondiale un néologisme sera même adopté : on dirait que le *dirigisme* est devenu le régime des années contemporaines (...)
(...) on pourrait dire du *dirigisme* qu'il est un *attentisme* (...) les libéraux, qui ont accepté le dirigisme à regret, se réjouissent à la pensée qu'il deviendra inutile une fois la convalescence du malade achevée (...) les socialistes ont vu au contraire dans le dirigisme un moyen de commencer l'apprentissage d'un régime définitivement dirigé.
REBOUD et GUITTON, Précis d'économie politique, I, p. 237-238 (éd. Dalloz).

2   Le dirigisme est — et doit être — une doctrine scientifique et non un ensemble de mesures hâtives et non coordonnées.
A. MARCHAL, Revue économique, juil. 1950, p. 254.

3   (...) il *(le fascisme)* a remplacé les trusts par le dirigisme, puis il a disparu et le dirigisme est resté : les bourgeois n'y ont rien gagné.
SARTRE, Situations II, p. 273.

CONTR. Libéralisme. ◊ **DÉR. V. Dirigiste.**

DIRIGISTE [diriʒist] adj. et n. — V. 1930. → Dirigisme.

Partisan du dirigisme. *Les pays dirigistes.*

La persistance de l'économie dirigée est (...) la preuve que les nations dirigistes n'ont pas encore choisi et qu'elles restent à un carrefour.
REBOUD et GUITTON, Précis d'économie politique, I, p. 239 (éd. Dalloz).

Du dirigisme. *Méthodes dirigistes.*

DIRIMANT, ANTE [dirimɑ̃, ɑ̃t] adj. — 1701 ; dér. du lat. sav. *dirimere* «annuler». → Dirimer.

Dr. *Empêchement dirimant,* qui met obstacle à la célébration d'un mariage (→ **Prohibitif**) ou qui, si le mariage a déjà été célébré, l'annule.

(L'Église) a fini par déclarer empêchements *dirimants* de mariage tous les degrés d'affinité correspondant(s) aux degrés de parenté où le mariage est défendu.
CHATEAUBRIAND, le Génie du christianisme, I, I, X.

Didact. *Objection dirimante,* qui détruit un raisonnement.

DIRIMER [dirime] v. tr. — 1542 ; lat. *dirimere* ; de *dis-*, et *emere* «prendre, recevoir, acheter».

Vx ou didact. Théol. Trancher, décider (une question controversée).

Littér. (latinisme). Supprimer, réduire considérablement.

DÉR. V. Dirimant.

DIRT-TRACK [dœrttrak] n. m. — 1928 ; mot angl. formé en Australie, de *dirt* «saleté», et *track* «piste».

Anglic. Motocyclisme. (Vieilli). Course motocycliste sur piste en cendrée. → **Speedway.** *Des dirt-tracks.* — **REM.** On disait aussi *course sur cendrée.*

DIS- Élément, du lat. *dis,* indiquant la séparation, la différence, le défaut..., qui entre dans la composition de nombreux mots tels que : *discontinu, disconvenir, disjoindre, disqualifier...*

DISACCHARIDE [disakarid] n. m. — 1949 ; de *di-,* et *saccharide.*

Chim. Sucre formé par condensation de deux monosaccharides avec élimination d'une molécule d'eau (syn. : *diholoside*).

DISAMARE [disamaʀ] n. f. — D. i. (xxᵉ); de *di-*, et *samare*.

Bot. Fruit constitué de deux samares* accolées. *La disamare de l'érable.*

DISANT [dizɑ̃] p. prés. de *dire*. → **Bien-disant, soi-disant**; et aussi **dire**.

DISCAL, ALE, AUX [diskal, o] adj. — 1950, *in* D.D.L.; dér. sav. du lat. *discus*.

Méd. Relatif à un disque, et, spécialt, à un disque intervertébral. *Hernie discale.*

HOM. Discale.

DISCALE [diskal] n. f. — 1754; ital. *discalo* «déchet».

Comm. Déchet dans le poids d'une marchandise transportée ou emmagasinée en vrac, sans emballage (→ **Freinte**). *Le don, le surdon*, réductions accordées sur la facture, en raison de la discale.*

HOM. Discal.

DISCARTHROSE [diskaʀtʀoz] n. f. — 1959; de *disque*, et *arthrose*.

Pathol. Lésion dégénérative d'un ou de plusieurs disques intervertébraux. *Affaissement des vertèbres par discarthrose.*

DISCERNABLE [disɛʀnabl] adj. — xvıᵉ, rare av. 1729; de *discerner*.

Qui peut être discerné, perçu, senti. *Des détails à peine discernables.*

1 Et déjà je pouvais dire que si c'était chez moi, par l'importance exclusive qu'il prenait, un trait qui m'était personnel, cependant j'étais rassuré en découvrant qu'il s'apparentait à des traits moins marqués, mais discernables, et au fond assez analogues, chez certains écrivains.
PROUST, *le Temps retrouvé*, Pl., t. III, p. 919.

2 (...) il parlait un français impeccable, avec toutefois un accent qui n'était pas provincial, ni toujours nettement discernable et localisable.
G. DUHAMEL, *Cri des profondeurs*, VI, p. 113.

3 Malheureusement toutes les places ont l'air occupées. Les tables, rondes, carrées, ou rectangulaires, sont mises dans tous les sens, sans ordonnance discernable.
A. ROBBE-GRILLET, *Dans le labyrinthe*, p. 170.

CONTR. et COMP. Indiscernable.

DISCERNANT, ANTE [disɛʀnɑ̃, ɑ̃t] adj. — xıxᵉ; p. prés. de *discerner*.

Rare. Qui discerne.

(...) l'instinct obsidional de la haine avait été aussi discernant que la plus jalouse sollicitude.
Léon BLOY, *le Désespéré*, p. 85.

DISCERNEMENT [disɛʀnəmɑ̃] n. m. — 1532; de *discerner*.

♦ **1** Vx. Action de séparer, de mettre à part; résultat de cette action. *Le discernement des boucs* (cit. 5) *et des brebis.* Fig. Distinction.

♦ **2** Littér. Opération de l'esprit par laquelle on distingue deux ou plusieurs objets de pensée. → **Discrimination, distinction.** *Le discernement de la vérité d'avec l'erreur. Discernement des nuances.* → **Appréciation.** *Le discernement d'une cause.* → **Découverte, identification.**

1 Il a voulu que chaque particulier fit discernement de la vérité (...)
BOSSUET, *Église*, 2, *in* LITTRÉ.

♦ **3** Absolt. Cour. Disposition de l'esprit à juger clairement et sainement des choses. → **Jugement, sens** (bon sens). *Avoir beaucoup de discernement. Manquer de discernement. Agir avec discernement.* → **Circonspection, escient** (à bon escient), **prudence, réflexion.** *Manifester un esprit de discernement.* → *Avoir une claire vue* des choses; un coup d'œil* juste, exact...

Spécialt. *L'âge de discernement*, celui où l'on devient capable de juger du bien et du mal.

2 Celui qui discerne use de la vue et distingue ce qui est confondu ou caché; celui qui juge use de la raison et apprécie les conditions. Aussi jugement dit-il plus que discernement. L'homme de jugement se conduit avec raison et sagesse; l'homme de discernement n'a pas nécessairement ces deux qualités, mais il a la netteté d'esprit, qui, semblable à la netteté de la vue, aperçoit les choses fines, délicates, difficiles à voir.
LITTRÉ, *Dict.*, art. *Discernement.*

3 Lorsque le prévenu ou l'accusé aura plus de treize ans et moins de dix-huit ans, s'il est décidé qu'il a agi sans discernement, il sera acquitté (...)
Code pénal, art. 66.

4 (...) son argent redresse les jugements de son esprit; il a du discernement dans sa bourse (...)
MOLIÈRE, *le Bourgeois gentilhomme*, I, 1.

5 Après l'esprit de discernement, ce qu'il y a au monde de plus rare, ce sont les diamants et les perles.
LA BRUYÈRE, *les Caractères*, XII, 57.

6 (...) son cœur trop généreux, trop humain, trop compatissant, trop sensible, qu'elle ne gouverna pas toujours avec assez de discernement.
ROUSSEAU, *les Confessions*, V, p. 267.

7 L'activité de l'esprit (*au xvıɪᵉ s.*) ne consistera donc plus à rapprocher les choses entre elles (...) mais au contraire à discerner : c'est-à-dire établir les identités, puis la nécessité de passage à tous les degrés qui s'en éloignent. En ce sens, le discernement impose à la comparaison la recherche première et fondamentale de la différence.
Michel FOUCAULT, *les Mots et les Choses*, p. 69.

DISCERNER [disɛʀne] v. tr. — xıɪɪᵉ, «séparer»; lat. *cernere* «séparer, distinguer», de *dis-*, et *cernere* «reconnaître avec précision». → Cerner.

♦ **1** Vx. Séparer (ce qui est confondu avec autre chose).

♦ **2** Percevoir (un objet) de manière à éviter l'ambiguïté, la confusion. → **Distinguer, identifier, percevoir, reconnaître, voir.** *Discerner la présence de quelqu'un dans l'ombre. Mal discerner les couleurs.* → **Voir.** *Discerner une route dans la plaine. Discerner un bruit lointain.* → **Entendre, percevoir** (→ Cloche, cit. 4). *Discerner une douleur vague.* → **Ressentir, sentir** (→ Bien-être, cit. 6). *Discerner vaguement.* → **Apercevoir, deviner.**

1 (...) comment reconnaître le cerf à ses fumées, le renard à ses empreintes, le loup à ses déchaussures, le bon moyen de discerner leurs voies, de quelle manière on les lance (...)
FLAUBERT, *Trois contes*, «La légende de saint Julien l'Hospitalier», I.

♦ **3** *Discerner qqch. de qqch., discerner qqch. dans, entre...* : se rendre compte précisément de la nature, de la valeur de (qqch.), faire la distinction entre (deux choses mêlées, confondues). → **Démêler, différencier, discriminer, distinguer, séparer.** *Discerner le bon du mauvais, le bien du mal, le vrai du faux, le vrai d'avec le faux.* → **Connaître** (vx), **reconnaître** (→ Avec, cit. 91 et 93). *Signe qui permet de discerner la vérité de l'erreur.* → **Critère.**

2 Si Dieu n'eût permis qu'une religion, elle eût été trop reconnaissable; mais qu'on y regarde de près, on discerne bien la vérité dans cette confusion.
PASCAL, *Pensées*, VIII, 578.

3 Discernez-vous si mal le crime et l'innocence ?
RACINE, *Phèdre*, V, 3.

4 Il savait discerner le mal qui se cache sous un tel semblant de bien.   Ch. PÉGUY, la République..., p. 21.

5 (...) Descartes avait discerné, avec une profondeur de génie qui ne saurait être égalée, le point où s'établit la liaison de la mathématique et de la physique : c'est la notion de *dimension* (...)   Léon BRUNSCHVICG, Descartes, p. 41.

6 L'important, c'eût été de pouvoir bien discerner ce qui était vérité d'avec ce qui était imagination romanesque.
    MARTIN DU GARD, les Thibault, t. IV, p. 36.

Absolument.

7 Aimer aide à discerner, à différencier. Sans amour, nous ne cherchons guère à comprendre les autres.
    A. MAUROIS, À la recherche de Marcel Proust, VII, VII, p. 235.

Discerner nettement la cause d'un phénomène. → **Identifier, isoler, reconnaître.** *Discerner la sincérité dans les paroles de son interlocuteur* (→ Déguisement, cit. 5). *Son but est facile à discerner.* → **Découvrir.** *Discerner une nuance subtile dans un texte.* → **Apprécier, saisir, sentir.** *Discerner une lueur ironique dans le regard de quelqu'un.* → **Deviner, lire.**

8 Au moindre bruit dont je ne puis discerner la cause, l'intérêt de ma conversation me fait d'abord supposer tout ce qui doit le plus m'engager à me tenir sur mes gardes, et par conséquent tout ce qui est le plus propre à m'effrayer.   ROUSSEAU, Émile, II, p. 141.

9 Julien n'avait rien compris à tout ce qui s'était passé, depuis huit jours, dans le cœur de Mathilde, mais il discerna le mépris.
    STENDHAL, le Rouge et le Noir, II, XVIII, p. 352.

10 (...) comme les hommes primitifs dont les sens étaient plus puissants que les nôtres, discernait immédiatement, à des signes insaisissables pour nous, toute vérité que nous voulions lui cacher (...)
    PROUST, À la recherche du temps perdu, t. I, p. 45.

CONTR. Confondre, mêler. ◊ DÉR. Discernable, discernant, discernement.

DISCIPLE   [disipl] n. — 1175; *deciple*, v. 1130; lat. ecclés. *discipulus* «disciple du Christ»; lat. class. «élève».

♦ **1** Personne qui reçoit l'enseignement d'un maître. → **Écolier, élève.** *Aristote, disciple de Platon.*

1 Si j'eusse vécu du temps de Jean-Jacques, j'aurais voulu devenir son disciple.
    CHATEAUBRIAND, *in* P. LAROUSSE.

N. m. Spécialt. *Les disciples de Jésus-Christ,* qui l'ont accompagné durant sa vie publique (→ **Apôtre,** cit. 1; → Arracher, cit. 53). *Jean, le disciple bien-aimé.*

2 Il *(le Christ)* leur annonçait ainsi la parole sous diverses paraboles, selon qu'ils étaient capables de l'entendre, et il ne leur parlait point sans paraboles; mais lorsqu'il était en particulier avec ses disciples, il leur expliquait tout.
    BIBLE (SACY), Évangile selon saint Marc, IV, 33-34.

♦ **2** Personne qui adhère aux doctrines d'un maître, dans le domaine philosophique, moral ou religieux. → **Adepte, partisan, tenant.** *Un, une disciple d'Épicure, de Rabelais, de Hegel. Le Disciple,* roman de P. Bourget. *C'est une fervente disciple de... Elle est sa disciple préférée, l'une de ses disciples.*

3 Ces messieurs passaient pour être des nouveaux disciples de saint Augustin, qui n'étaient pas fâchés de procurer quelque humiliation salutaire aux disciples de saint Ignace.
    VOLTAIRE, Essai sur probab. en fait de just., Hist. veuve Genep.

4 Dans l'art de parler et d'écrire, après avoir été les disciples des Grecs, les Romains en devinrent les rivaux.
    MARMONTEL, *in* LAFAYE, Dict. des synonymes.

4.1 (...) les louanges prodiguées par le metteur en scène de *La Fin du monde* à sa disciple (dont il supervise d'ailleurs gentiment les pochades d'écolière...)
    J.-L. GODARD, Jean-Luc Godard, *in* Coll. des Cahiers du cinéma, n° 67, p. 56

Mod. *Les disciples de Jésus-Christ :* ceux qui, aujourd'hui, sont fidèles à la doctrine chrétienne. — **Littér. et vieilli, ou par plais.** *Les disciples d'Esculape :* les médecins. *Les disciples d'Apollon :* les poètes.

N'oser se déclarer son disciple *(de Jésus-Christ),* c'est être 5 son persécuteur.
    MASSILLON, Panégyrique de saint Étienne, *in* LITTRÉ.

Ces deux rivaux d'Horace, héritiers de sa lyre,   6
Disciples d'Apollon, nos maîtres, pour mieux dire (...)
    LA FONTAINE, Fables, III, 1.

CONTR. Maître, pédagogue, professeur. ◊ COMP. Condisciple.

DISCIPLINABLE   [disiplinabl] adj. — Fin XIIIᵉ; de *discipliner.*

Littér. Qui peut être discipliné. *Cet enfant est peu disciplinable.*

L'enfant léger, joueur et rebelle, change, est disciplinable et doux.   MICHELET, la Femme, p. 141.

CONTR. Indisciplinable.

DISCIPLINAIRE   [disiplinɛʀ] adj. et n. m. — 1611, attestation isolée; 1803; de *discipline.*

Qui se rapporte à la discipline, **et, spécialt,** aux sanctions. *Mesures disciplinaires. Pouvoirs disciplinaires,* d'un conseil de discipline. *Peine, sanction disciplinaire,* qui regarde une faute contre la discipline. → **Avertissement, blâme, censure, suspension.**

Milit. *Locaux disciplinaires d'une caserne* (→ Cuver, cit. 2). *Bataillon disciplinaire.* → **Biribi, compagnie** (de discipline). — **N. m. Par ext.** Soldat de ce bataillon. *Une compagnie de disciplinaires.*

Ce garçon qui a passé par Tataouine et les bataillons disciplinaires. Il raconte les tentatives d'évasion de ceux que la malheur rend fou. Mais on ne s'évade pas dans le désert.
    F. MAURIAC, Bloc-notes 1952-1957, p. 158.

DÉR. Disciplinairement.

DISCIPLINAIREMENT   [disiplinɛʀmɑ̃] adv. — 1842; de *disciplinaire.*

Didact. ou littér. Suivant les règles de la discipline.

Un pied de neige couvrait le sol. Le sergent, s'enfonçant jusqu'aux genoux dans cette masse blanche, aveuglé par la rafale, piqué jusqu'au sang par ce froid terrible, traversa la cour en biais et se dirigea vers la poterne. «Qui diable peut venir par un temps pareil!» se disait le sergent Long, en ôtant méthodiquement, on pourrait dire «disciplinairement», les lourds barreaux de la porte.
    J. VERNE, le Pays des fourrures, t. I, p. 26.

DISCIPLINE   [disiplin] n. f. — 1080; «punition, ravage, douleur», en anc. franç.; lat. *disciplina,* de *discipulus.* → Disciple.

♦ **1 Vx.** Châtiment qu'impose le maintien de la règle.

(XIVᵉ). **Par ext.** Fouet fait de cordelettes ou de petites chaînes, utilisé pour se flageller, se mortifier. *Des coups de discipline.*

Laurent, serrez ma haire avec ma discipline (...)   1
    MOLIÈRE, Tartuffe, III, 2.

Se donner la discipline, une sévère discipline : se donner des coups avec la discipline.

♦ **2** (XVIᵉ). **Vx.** Instruction, direction morale, influence. *Être sous une bonne discipline.*

Sous la discipline du prince d'Orange, son oncle maternel, 2 il *(Turenne)* apprit l'art de la guerre en qualité de simple soldat.   FLÉCHIER, Turenne, *in* LITTRÉ.

Démocrite, après avoir demeuré longtemps sous la discipline de Leucippe, résolut d'aller dans les pays étrangers (...)   FÉNELON, Démocrite, *in* LITTRÉ.

♦ **3** (1409). Mod. Se dit des diverses branches de la connaissance. → **Art, étude, matière, science.** *Quelles disciplines enseignez-vous ? Exceller dans telle discipline.*

4 Allez, vous êtes un impertinent, mon ami, un homme ignore de toute bonne discipline, bannissable de la république des lettres (...) MOLIÈRE, le Mariage forcé, 6.

5 Le retour *(des humanistes du XVIe s.)* assez théâtral, aux disciplines antiques, s'accompagnait d'un éloignement des disciplines antérieures. On se persuadait qu'un monde naissait à nouveau.
DANIEL-ROPS, Ce qui meurt et ce qui naît, II.

6 Si nous considérons, par exemple, les sciences médicales, nous voyons d'abord, au fondement de l'édifice, un ensemble de spécialités qui participent de disciplines scientifiques fort nombreuses, orientées toutes, dès le principe, naturellement, vers la connaissance de l'homme et de ses maux : la physique, la chimie, la zoologie, la botanique, l'anatomie, l'histologie, etc., sont nécessaires à l'édification d'une médecine complète, et ces diverses sciences sont enseignées dans les écoles par des spécialistes.
G. DUHAMEL, Manuel du protestataire, IV, p. 111.

♦ **4** Cour. **Règle*** de conduite commune aux membres d'un corps, d'une collectivité et destinée à y faire régner le bon ordre, la régularité ; *par ext.* Obéissance à cette règle (→ **Loi, règle, règlement**). *Discipline sévère, rigoureuse. Une discipline de fer. Maintien de l'ordre et de la discipline. La discipline s'est relâchée, adoucie* (→ Atténuation, cit.). *Absence de discipline. Enfreindre la discipline. Manquement à la discipline. Rétablir la discipline. Observer la discipline. Se conformer, se plier, obéir à la discipline. Discipline collective acceptée, librement consentie.* → **Autodiscipline.** — *La discipline d'un groupe, d'une institution, d'une prison, d'un camp.*

7 La discipline ne se borne pas à empêcher, elle apprend à faire ce qu'on doit et la manière de le faire ; elle laisse moins de liberté ; elle s'occupe de tous les détails de la conduite ; elle ne vous permet pas même de faire le bien, que vous n'en ayez reçu l'ordre.
LAFAYE, Dict. des synonymes, Discipline.

8 Songez que la soumission n'engage à rien pour l'avenir, et que la discipline imposée n'est rien non plus quand on a le bon esprit de se l'imposer soi-même.
E. FROMENTIN, Dominique, III, p. 58.

Discipline ecclésiastique. Discipline claustrale*. — *Discipline scolaire. Ce professeur fait régner la discipline dans sa classe. Censeur* des études, conseiller d'éducation chargé de la discipline dans un lycée.* — *Discipline judiciaire,* qui veille à l'exercice des devoirs professionnels imposés aux membres de la magistrature, du barreau, aux officiers ministériels. — *Discipline militaire :* règle d'obéissance dans l'armée fondée sur la subordination (→ Chef, cit. 12). *Bataillon*, compagnie* de discipline,* où sont incorporés des punis (→ **Disciplinaire**). — *Discipline à bord d'un navire. «Honneur et Patrie; Valeur et Discipline»,* devise de la Marine nationale.

9 La discipline du bord, c'était là le grand frein qui avait conduit seul sa vie matérielle, la maintenant dans cette austérité rude et saine qui fait les matelots forts.
LOTI, Mon frère Yves, LVIII, p. 141.

10 Quand le ministre de la guerre lui ordonnait de mettre ses casernes à la disposition d'un colonel anglais, la discipline lui commandait d'obéir, mais des souvenirs hostiles lui inspiraient de farouches résistances.
A. MAUROIS, les Discours du Dr O'Grady, VI, p. 66.

11 (...) le beau préambule au *Service Intérieur,* que j'admirais à l'égal de certains morceaux de Bossuet : «La discipline faisant la force principale des armées, il importe que tout supérieur obtienne de ses subordonnés une obéissance entière et une soumission de tous les instants (...)»
A. MAUROIS, Mémoires, I, p. 74.

Loc. *Conseil* de discipline.*

♦ **5** Règle de conduite que s'impose une personne. *S'astreindre à une discipline sévère. Arriver à un* résultat en adoptant, en s'imposant une discipline, à force de discipline (→ Châtier, cit. 7). *Discipline morale* (→ Dégénérescence, cit.). *Discipline de l'esprit, du cœur.*

12 (...) cela exige une forte discipline de l'esprit et l'habitude des expériences scientifiques.
RENAN, Questions contemporaines, Œ., t. I, p. 164.

13 Ce que je dois aux bibliothèques, c'est avant tout une discipline de l'esprit et une méthode de travail, non la matière même de mes livres qui ne vient que de mon expérience.
G. DUHAMEL, Biographie de mes fantômes, VII, p. 142.

14 Dans cet effort quotidien où l'intelligence et la passion se mêlent et se transportent, l'homme absurde découvre une discipline qui fera l'essentiel de ses forces.
CAMUS, le Mythe de Sisyphe, p. 158.

CONTR. Anarchie, désordre, désorganisation, indiscipline, pagaïe. ◊ **DÉR. Disciplinaire, discipliner. – COMP. Autodiscipline. – V. Indiscipline.**

DISCIPLINER [disipline] v. tr. — 1174, «châtier»; de *discipline.*

♦ **1** (XIVe). Accoutumer à la discipline ; donner le sens de l'ordre, du devoir, de l'obéissance à (qqn ; un groupe). → **Assujettir, soumettre.** *Discipliner une classe. Discipliner une armée.*

♦ **2** Plier à une discipline intellectuelle ou morale. → **Éduquer.** *Discipliner le cœur, l'esprit, la volonté, les instincts* (→ Civilisation, cit. 11).

1 Mais la religion et les beaux-arts disciplinent les instincts rebelles.
A. MAUROIS, les Discours du D^r O'Grady, IX, p. 95.

♦ **3** (Compl. n. de chose). → **Maîtriser.** *Discipliner les forces de la nature, la vapeur. Discipliner un cours d'eau.*
Discipliner les cheveux, les maintenir bien coiffés (surtout en parlant d'un produit).

♦ **DISCIPLINÉ, ÉE** p. p. adj. Qui observe la discipline. *Soldats disciplinés.* → **Obéissant, soumis** (→ Aligner, cit. 5 ; déléguer, cit. 4). *Troupe bien disciplinée. Écoliers disciplinés et dociles*.*

2 C'était une ingouvernable pétaudière de cinq ou six cents États dont chacun représentait un grouillis de caboches obscures, imperméables à la lumière, dont les descendants ne peuvent être orientés ou disciplinés qu'à coups de trique. Léon BLOY, la Femme pauvre, p. 120.

3 Manuel n'était discipliné ni par goût de l'obéissance ni par goût du commandement, mais par nature et par sens de l'efficacité. MALRAUX, l'Espoir, p. 121.

CONTR. Déchaîner, démoraliser, révolter ; désorganiser. — (Du p. p.) Indiscipliné, rebelle, rétif, turbulent. ◊ **DÉR. Disciplinable.**

DISC-JOCKEY [diskʒɔkɛ] n. m. — 1954, *in* Höfler ; mot angl. des États-Unis.

Anglic. Animateur qui présente à la radio les disques de variétés, de jazz, etc. *Des disc-jockeys.* Abrév. : → **D.J.** (1.). — Personne qui choisit et présente le programme musical d'un établissement où l'on danse. → **D.J.** (2.).

On a écrit parfois *disque-jockey* (1968); on trouve aussi *disco jockey* (1977). — Recomm. off. : *animateur.*

DISCO [disko] n. m. et adj. — 1976; mot angl. des États-Unis, lui-même de *disco(thèque),* empr. au français. → Discothèque.

Style de musique américaine inspirée du jazz et du rock, simple et directe, appréciée pour la danse. *Aimer le rock et le disco.* «Le disco gagne (...) ses galons de phénomène de société» (*l'Express,* 30 janv. 1978, p. 26). — Adj. (1976, *in* D.D.L.). *Style, musique disco.* Semble invar. : «*pochettes disco*» (*l'Express,* 30 janv. 1978, p. 26).

DISCO- Élément, tiré de *disque* (de phonographe). → Disque, *supra* cit. 2.

DISCOBOLE [diskɔbɔl] n. m. — 1555; grec *diskobolos* «lanceur de disque», de *diskos* «disque», et *ballein* «jeter».

♦ **1** Antiq. Athlète qui pratiquait le lancer du disque ou du palet. *Le Discobole,* œuvre du sculpteur grec Myron.

♦ **2** Mod. et littér. Lanceur de disque. → **Disque.**

Mais lui, après un balancement lent de son disque, qui semblait un pendule rythmant une méditation, lia soudainement l'un à l'autre tous les gestes du discobole, et fit exploser toutes ses forces dans le tournoiement et dans le jet. Jean PRÉVOST, Plaisirs des sports, p. 206.

DISCOGLOSSIDÉS [diskoglɔside] n. m. pl. — 1878, *discoglosses;* de *disco-,* et *-glossidés,* du grec *glôssa* «langue».

Zool. Famille d'amphibiens *(Anoures)* caractérisés par leur langue circulaire. *La famille des Discoglossidés se subdivise en quatre genres : Alytes, Bombina, Discoglossus et Barbourula.* — Au sing. *Un discoglossidé.*

1. DISCOGRAPHIE [diskɔgRafi] n. f. — 1963; de *disco-,* et *-graphie,* d'après *bibliographie;* p.-ê. par l'angl. *discography* (1935).

Technique du catalogage des enregistrements sur disques* (4.). — Répertoire de disques (4.). *La discographie de Beethoven. Une discographie du jazz Nouvelle-Orléans. Publier une discographie critique.*

HOM. 2. Discographie.

2. DISCOGRAPHIE [diskɔgRafi] n. f. — D. i. (mil. XXᵉ); de *disque* (intervertébral), et *(radio)graphie.*

Méd. Radiographie des disques intervertébraux rendus visibles aux rayons X par l'injection d'un produit de contraste (substance opaque ou gaz).

HOM. 1. Discographie.

DISCOGRAPHIQUE [diskɔgRafik] adj. — 1957; de *disco-* et *-graphique.*

Relatif à la discographie (1.Discographie). *La rubrique discographique est tenue par un critique de disques.* — Par ext. Relatif aux enregistrements sur disques* (4.), à la musique enregistrée sur disques. *«Les productions scéniques et discographiques»* (l'*Express,* 15 janv. 1968). *L'actualité discographique.*

DISCOÏDE [diskɔid] ou **DISCOÏDAL, ALE, AUX** [diskɔidal, o] adj. — 1764, *discoïde; discoïdal,* 1834; du grec *diskos* «disque», et *-oïde.*

Sc. Qui a la forme d'un disque. *Corpuscule discoïde. «La segmentation est partielle et discoïdale et constitue un blastoderme»* (M. Caullery, l'*Embryologie,* p. 39).

DISCOMYCÈTES [diskomisɛt] n. m. pl. — 1884; du grec *diskos* «disque», et *-mycètes.*

Bot. Groupe de champignons *(Ascomycètes)* au mycélium généralement cloisonné, à périthèce ayant l'aspect d'un disque ou d'une coupe (ex. : morille, truffe, pézize). — Syn. : *discales,* n. f. pl. Au sing. *Un discomycète.* — En appos. *Un champignon discomycète.*

DISCONTACTEUR [diskɔ̃taktœR] n. m. — 1974; de *dis(joncteur),* et *contacteur.*

Techn. (électr.). Appareil remplissant la double fonction de disjoncteur* et de contacteur*.

DISCONTINU, UE [diskɔ̃tiny] adj. et n. m. — 1361, repris XIXᵉ; lat. médiéval *discontinuus,* de *dis-,* et *continuus.* → Continu.

♦ **1** Qui n'est pas continu, qui offre des solutions de continuité. → **Coupé, divisé, interrompu.** — (1867). Spécialt, math. *Fonction discontinue. Quantité* discontinue* (→ **Dénombrable, discret).**

N. M. *Le discontinu. Continu et discontinu en physique* (ondes et particules*. → **Quantum).** *La physique du discontinu.*

L'intervention des quanta a conduit à introduire partout le discontinu dans la Physique atomique.
L. DE BROGLIE, Matière et Lumière, p. 34.

Sc., techn. *En discontinu :* par une série de processus discontinus. *Cette machine «travaille en discontinu»* (J. Lourd, le Lin et l'Industrie linière, p. 53). (V. 1960). Ling. *Morphème** (2.) *discontinu, constituant discontinu,* réparti sur deux ou plusieurs points non contigus de l'énoncé, comme en franç. *ne* et *pas* constituant la négation (ex. : ils *ne* veulent *pas*).

♦ **2** Qui n'est pas continuel. → **Alternatif, intermittent, irrégulier, momentané, temporaire.** *Effort, mouvement, bruit discontinu.* — Dr. *Servitudes* discontinues.*

CONTR. Continu; indiscontinu. ◊ DÉR. Discontinuité.

DISCONTINUATION [diskɔ̃tinyasjɔ̃] n. f. — V. 1355; lat. médiéval *discontinuatio,* de *dis-,* et *continuatio.* → Continuation.

Rare. Action de discontinuer; état de ce qui est discontinu. → **Cessation, interruption, suspension.** — Dr. *Discontinuation des poursuites.*

CONTR. Continuation, continuité.

DISCONTINUER [diskɔ̃tinye] v. — V. 1393; *descontinuer,* 1314; lat. médiéval *discontinuare,* de *dis-,* et *continuare.* → Continuer.

♦ **1** V. tr. Littér. Ne pas continuer (une chose commencée). → **Cesser, finir, interrompre, suspendre.** *Fait de discontinuer.* → **Discontinuation.**

(...) il me fit entendre que Mᵐᵉ Dupin trouvait mes visites trop fréquentes et me priait de les discontinuer.
ROUSSEAU, les Confessions, VII.   1

Dans toutes ces tourmentes, et depuis longtemps déjà, il avait discontinué son travail, et rien n'est plus dangereux que le travail discontinué; c'est une habitude qui s'en va. Habitude facile à quitter, difficile à reprendre.
HUGO, les Misérables, IV, II, I.   2

Trans. ind. *Discontinuer de* (et inf.). *«L'Église n'a pas discontinué de proclamer (...)»* (J. Maritain, *in* T. L. F.).

(Le sujet désigne la chose qui s'interrompt). *Le courant, la source ne discontinue pas (de couler).*

♦ **2** V. intr. (Choses). Cesser pour un temps (inus. en emploi positif). *Fièvre qui ne discontinue pas.* — Cour. SANS DISCONTINUER : sans arrêt. *Il pleut sans discontinuer depuis hier. Il a parlé deux heures sans discontinuer.*

Notre canon tirait sans discontinuer.
RACINE, Lettres, VII, 16.   3

Je pleure aussi, sans discontinuer. C'est un flot ininterrompu, de mots et de larmes.
S. BECKETT, Textes pour rien, p. 167.   4

CONTR. Continuer.

DISCONTINUITÉ [diskɔ̃tinyite] n. f. — 1775; de *discontinu,* d'après *continuité.*

Défaut, absence de continuité (rare en emploi positif : *la discontinuité de qqch.*). *Travailler sans discontinuité.*

> (...) parmi les philosophes qu'il *(Proust)* porte en lui, il y a aussi un philosophe idéaliste, un métaphysicien malgré lui, qui n'accepte pas cette idée de la mort totale de ses personnalités successives, de la discontinuité du *moi*, parce qu'il a eu, en certains instants privilégiés, «l'intuition de lui-même comme être absolu».
> A. MAUROIS, À la recherche de Marcel Proust, VI, I, p. 170.

Math. Valeur de la variable pour laquelle une fonction n'est pas continue.

Par ext. *Une, des discontinuités.* → **Interruption.**

CONTR. Continuité.

DISCONVENANCE [diskɔ̃vnãs] n. f. — 1488 ; de *disconvenir.*

Littér. Défaut de convenance*, de rapport, de proportion. → **Désaccord, disproportion, incompatibilité, opposition.** *La disconvenance entre deux personnages, entre une chose et une autre. Disconvenances d'âge, de condition. Il existe quelques disconvenances entre...*

> Pour moi, qui ne voyais point entre elle et moi de disconvenance, je pris la chose au sérieux ; je me livrai de tout mon cœur (...) ROUSSEAU, les Confessions, I.

CONTR. Accord, analogie, compatibilité, convenance.

DISCONVENIR [diskɔ̃vniʀ] v. tr. ind. [CONJUG.: *venir.*] — 1521 ; lat. *disconvenire*, de *dis-*, et *convenire.* → Convenir.

Littéraire ou didactique.

♦ **1 Rare.** (Sujet n. de chose ; construit avec *à*). Ne pas convenir. → **Déplaire.** *Disconvenir à qqn, à qqch. Ce genre de vie lui disconvient. Ce poste ne lui disconvient pas.*

♦ **2** (Sujet n. de personne). **DISCONVENIR DE :** ne pas convenir d'une chose. → **Nier.** — **REM.** *Disconvenir* s'emploie en ce sens avec l'auxiliaire *être* et le plus souvent avec la négation. *Disconvenez-vous que cela soit vrai ? Je ne disconviens pas que cela ne soit vrai, que cela soit vrai. — Il n'en est pas disconvenu. Je ne saurais disconvenir de cela,* je l'admets. — (Plus cour.). *Je n'en disconviens pas.*

> 1 On en tombe d'accord, je n'en disconviens pas (...)
> MOLIÈRE, Psyché, I, 1.

> 2 Madame Victorine de Châtenay disait de moi que j'avais l'air d'une âme qui a rencontré par hasard un corps, et qui s'en tire comme elle peut. Je ne puis disconvenir que ce mot ne soit juste.
> Joseph JOUBERT, Pensées, L'auteur peint par lui-même.

> 3 Je lui pardonne donc un peu de fierté et d'injustice à mon endroit ; car nous ne pouvons pas disconvenir que ma première petite jeunesse a été folle, et toi-même me l'as reproché le jour où tu as commencé à m'aimer.
> G. SAND, la Petite Fadette, XXIX, p. 193.

♦ **3 V. intr. Rare.** Ne pas s'accorder. *Ce sont des idées qui disconviennent. «Le lieu et la dame disconvenaient»* (Barrès, *in* T. L. F.).

CONTR. Convenir (de) ; **avouer, confesser, reconnaître.**
◊ **DÉR. Disconvenance.**

DISCOPATHIE [diskopati] n. f. — 1959 ; de *disque,* et *-pathie.*

Méd. Affection (surtout dégénérative) d'un disque intervertébral.

DISCOPHILE [diskɔfil] adj. et n. — 1929, *in* D.D.L. ; de *disco-*, et *-phile.*

Amateur de musique enregistrée ; collectionneur de disques. → **Disque** (4.). *Un club de discophiles. Une discophile avertie.*

DÉR. Discophilie.

DISCOPHILIE [diskɔfili] n. f. — Mil. XXᵉ ; de *discophile.*

Goûts du discophile, de l'amateur, du collectionneur de disques (4.).

1. DISCORD [diskɔʀ] n. m. — 1314, *discort* ; de *discorder,* réfection de l'anc. franç. *descord,* de *descorder* «se disputer», du lat. *discordare.*

Vx (ou archaïsme). Désaccord*, différend, mésintelligence.

> Et l'amitié passant sur de petits discords (...) 1
> MOLIÈRE, le Misanthrope, V, 4.

> Nos discords n'étaient jamais envenimés et la colère elle-même, entre nous deux, gardait quelque chose de véniel et de tendre. 2
> G. DUHAMEL, Chronique des Pasquier, V, IV, p. 54.

Discordance, en musique.

CONTR. Accord.

2. DISCORD [diskɔʀ] adj. m. — 1304 ; lat. *discors, discordis,* de *dis-*, et *cor, cordis* «cœur, esprit».

♦ **1 Littér. et techn.** (mus.). Qui manque d'accord. — Se dit d'un instrument de musique non accordé. *Piano discord.* — **Figuré :**

> Cette fois, il n'y a pas à se le dissimuler, se dit-il, voici une vraie fausse note, un grand éclat discord, au milieu de ces trois amitiés sœurs, dont je m'obstinais à croire la pure harmonie tellement inaltérable (...)
> LOTI, les Désenchantées, V, XXXVI, p. 204.

♦ **2 Vx.** *Caractère, esprit discord,* qui n'est pas d'accord avec lui-même. → **Inconséquent.**

DISCORDANCE [diskɔʀdãs] n. f. — 1165, «dissension» ; anc. franç. *descordance* (→ Discordant) ; de *descorder* «se disputer». → 1. Discord, discorder.

♦ **1** (Mil. XVIᵉ). Défaut d'accord, d'harmonie. *Discordance des caractères, des esprits, des opinions, des sentiments.* → **Mésintelligence.** *Discordance des lignes d'un édifice, des parties d'une statue.* → **Dissymétrie.** — *Discordance de couleurs.*

> Un accord parfait continu ; oui, c'est cela : un accord parfait continu... Mais tout notre univers est en proie à la discordance, a-t-il ajouté tristement.
> GIDE, les Faux-monnayeurs, I, XVIII, p. 213.

♦ **2 Mus.** Caractère de ce qui est discord (sons, instrument). → **Dissonance.** *La discordance de deux instruments mal accordés. Cacophonie* résultant de discordances. — Être en discordance.*

♦ **3** (1864). **Géol.** *Discordance de stratifications :* défaut de parallélisme des couches sédimentaires, discontinuité dans la structure des strates.

CONTR. Accord, concordance, entente ; harmonie, justesse, proportion.

DISCORDANT, ANTE [diskɔʀdã, ãt] adj. — XIIᵉ ; réfection de l'anc. franç. *descordant,* de *descorder,* d'après le lat. *discordare* «être en désaccord». → 1. Discord, discorder.

♦ **1** Qui manque d'harmonie, qui ne s'accorde pas. *Opinions, humeurs discordantes.* → **Incompatible, opposé.** *Caractères discordants.* — *Lignes discordantes qui déparent un édifice.* → **Disparate.** — *Couleurs discordantes.* → **Criard ; hurler, jurer.**

♦ **2 Mus.** *Instruments de musique discordants.* → **Dissonant, faux.** *Voix discordantes. Sons discordants.*

> (...) l'art de faire jurer une discordante guitare (...) 1
> MONTESQUIEU, Lettres persanes, LXXVIII.

2   Et elle ne cesse de jeter un cri discordant qui perce l'air comme une pointe.
J. RENARD, Histoires naturelles, La pintade.

♦ **3** Géol. *Stratifications discordantes*, dont les irrégularités, l'absence de parallélisme *(discordance)* révèlent une lacune de sédimentation ou des mouvements tectoniques.

CONTR. **Concordant.**

DISCORDE [diskɔʀd] n. f. — 1155; lat. *discordia*, de *discors, discordis*. → 2. Discord.

Littér. Dissentiment violent et durable qui oppose des personnes, dresse des personnes les unes contre les autres. → **Désaccord, désunion, dissension, mésintelligence, querelle, zizanie.** *La discorde se mit, éclata parmi eux. La discorde règne entre les époux.* → (fam.) *Le torchon* brûle. Semer, fomenter, entretenir, nourrir, envenimer la discorde. Un semeur de discorde.* → **Boutefeu** (vx). *Sujet, ferment, brandon*, tison de discorde. Discorde civile* (→ Attendre, cit. 83). — *Apaiser, éteindre les discordes.*

1   Mieux vaut un morceau de pain sec avec la paix, qu'une maison pleine de viande avec la discorde.
BIBLE (CRAMPON), Proverbes, XVII, I.

2   (...) lorsqu'on voyait de toutes parts tant de haines éclater, tant de ligues se former, et cet esprit de discorde et de défiance qui soufflait la guerre aux quatre coins de l'Europe; qui l'eût dit, qu'avant la fin du printemps tout serait calme?
RACINE, Disc. à l'Académie, Réception de Corneille et Bergeret.

3   La *discorde*, selon la force du mot latin *cor*, est une diversité de passion, une opposition ardente, pleine d'animosité, qui met les armes à la main, qui fait qu'on ne respire que guerre et destruction.
LAFAYE, Dict. des synonymes, Discorde.

4   La France est un pays où le bon cœur éclate par accès, dans les plus violentes discordes.
MICHELET, Hist. de la Révolution franç., I, p. 938.

Myth. Personnage symbolisant la discorde, la haine. «*La Discorde aux crins de couleuvre*» (Malherbe).

5   Mais la Discorde, aux crins de couleuvre, n'avait pas encore fait dans cette maison-là tout ce qu'elle avait envie dy faire.
SCARRON, le Roman comique, II, VII, p. 194.

6   La déesse Discorde ayant brouillé les dieux,
Et fait un grand procès là-haut pour une pomme,
On la fit déloger des cieux;
Chez l'animal qu'on appelle homme,
On la reçut à bras ouverts (...)
LA FONTAINE, Fables, VI, 20.

7   Tu verras de loin dans les villes
Mugir la Discorde aux cent voix.   HUGO, Odes, IV, 2.

Loc. fig. *Pomme de discorde* : sujet de discussion et de division (allusion à la pomme jetée par la Discorde aux noces de Thétis et de Pélée et que Pâris remit à Vénus, suscitant ainsi la haine de Junon et de Minerve).

Brandon, flambeau(x) de (la) discorde : sujet de dissension (allusion au flambeau que la Discorde porte à la main).

Vx. *La discorde est au camp d'Agramant*, se dit de discussions graves entre les hommes d'un même parti (allusion à un passage du *Roland furieux* de l'Arioste).

CONTR. **Accord, concorde; concert, entente, harmonie, sympathie, unanimité, union.**

DISCORDER [diskɔʀde] v. intr. — XIIe; réfection de l'anc. franç. *descorder*, d'après le lat. *discordare* «être en désaccord», de *discors, -ordis*. → 2. Discord.

♦ **1** Vx ou rare. Être en désaccord; jurer. *Ces caractères discordent.*

♦ **2** (1740). Mus. Être discordant. *Piano qui discorde.*

CONTR. **Concorder.**

DISCOTHÉCAIRE [diskɔtekɛʀ] n. — 1951, cit.; de *discothèque* (1.), d'après *bibliothécaire.*

Rare. Personne chargée du fonctionnement d'une discothèque de prêt. *Elle est discothécaire.*

L'industrie du disque a mis au monde un bien beau mot : le «discothécaire» qui désigne la personne préposée au classement des trésors de la discothèque.
«Le Français malmené», *in* la Gazette de Lausanne, 12 févr. 1951.

DISCOTHÈQUE [diskɔtɛk] n. f. — 1928; de *disco-*, et *-thèque.*

♦ **1** Collection de disques* (4.). Meuble, édifice destiné à contenir des disques.

(V. 1960). Organisme de prêt de disques. *La Discothèque de France. Discothèque universitaire.*

Par métaphore :

Son érudition, servie par une prodigieuse mémoire, ouvrait au hasard ce que Frédie appellera plus tard «la discothèque du vieux». Certains disques revenaient souvent.   Hervé BAZIN, Vipère au poing, p. 104.

♦ **2** (V. 1960). Lieu de réunion (→ **Club**) où l'on peut danser au son d'une musique enregistrée (généralement de la musique moderne). *Ils vont danser dans une discothèque de Saint-Germain-des-Prés. Musique de discothèque* (→ spécialt **Disco**).

DÉR. **Discothécaire.**

DISCOUNT [diskawnt] n. m. — 1960; angl. *discount* «remise, escompte» (XVIIe), du moy. franç. *descompte* «décompte».

Anglicisme.

♦ **1** Rabais sur un prix, abattement. → **Déduction** (III., 2.), **remise** (I., 4.). *Supermarché qui fait du discount, pratique le discount.* → Casser* les prix.

♦ **2** Magasin où l'on pratique une formule de réduction maximale des services, des frais d'exploitation et des prix. *Acheter un appareil de photo dans un discount* (→ aussi **Discounter**).

Appos. *Magasin discount.*

DISCOUNTER [diskawntœʀ] n. m. — 1960; angl. *discounter*, de *to discount* «faire une remise».

Anglicisme. Commerçant ou magasin (→ **Discount**, 2.) pour lequel une formule de remise est habituelle. «*Le discounter est une boutique dans le non-alimentaire qui fait de gros rabais*» (l'Express, 4 juin 1973, p. 83). *Des discounters d'essence.*

REM. On écrit aussi *discounteur.*

DISCOUREUR, EUSE [diskuʀœʀ, øz] n. — Av. 1549; d'abord non péj. «brillant causeur»; de *discourir.*

Péj. Personne qui aime à discourir. → **Bavard, parleur, péroreur, phraseur.**

1   Ne soyez point de ces discoureurs qui ont la bouche pleine de belles maximes dont ils ne savent pas faire l'application.   BOSSUET, *in* P. LAROUSSE.

Adj. *Une critique discoureuse.*

2   Dans ce petit cercle discoureur et français j'étais aussi en sûreté contre mon amour que contre un sentiment hindou, un goût chinois.
GIRAUDOUX, Simon le Pathétique, p. 129.

DISCOURIR [diskuʀiʀ] v. intr. [CONJUG.: *courir*.] — 1539; *discurre*, XIIᵉ; lat. *discurrere*, proprt «courir çà et là», de *dis-*, et *currere*. → Courir.

◆ **1** Vx. S'entretenir. → **Bavarder, palabrer, parler** (→ Amuser, cit. 11; corde, cit. 22). *Discourir d'une affaire, sur une affaire. Passer son temps à discourir.*

1 Eux discourant, pour tromper le chemin,
De chose et d'autre (...)   LA FONTAINE, Contes, II, 5.

2 (...) ne parlons plus de querelle, c'est fait;
Discourons d'autre affaire.
MOLIÈRE, les Femmes savantes, II, 8.

◆ **2** Mod. Parler sur un sujet en le développant longuement. → **Disserter, haranguer, pérorer**; → fam. Baratiner, laïusser; amuser* le tapis; battre* la campagne, tenir le crachoir*. *Discourir des vertus et des vices.*

3 On a dit de Nicole qu'il excellait à discourir sur des sujets de morale qui n'auraient pas tout à fait fourni la matière d'un sermon.
SAINTE-BEUVE, Chateaubriand..., t. II, p. 117.

Absolt et péj. *Ne faire que discourir :* ne dire que des choses frivoles et inutiles. → **Palabrer**; (vx) **lantiponner**; (fam.) **déconner**. *Il est capable de discourir pendant des heures* (sur ce sujet). *Vous avez assez discouru.*

4 La sotte envie de discourir vient d'une habitude qu'on a contractée de parler beaucoup et sans réflexion.
LA BRUYÈRE, les Caractères de Théophraste, De l'impert.

5 Le palabreur recommençait de discourir, les yeux au plafond.
G. DUHAMEL, Chronique des Pasquier, VIII, VII, p. 349.

6 (...) l'indignation d'entendre discourir trop souvent «ceux qui essaient de faire de la science avec ce qu'ils ne comprennent pas».   Henri MONDOR, Pasteur, VII, p. 120.

DÉR. Discoureur.

DISCOURS [diskuʀ] n. m. — 1503; lat. *discursus*, du supin de *discurrere* (→ Discourir), d'après *cours.*

◆ **1** Vieilli. Ensemble d'énoncés produits par une personne ou un ensemble de personnes. → **Conversation, dialogue, entretien, interlocution, parole; propos, monologue, soliloque; discoureur.** *Le discours qu'il m'a tenu. Discours sensé. Discours audacieux, déplacé, blessant, injurieux, blasphématoire. Discours futiles, frivoles.* → **Babil, badinage** (cit. 1), **palabre, sornette, sottise, tartine** (fam.). *Un discours trompeur, flatteur* (→ Baisser, cit. 18). → **Baratin, boniment.** *Discours ironique, moqueur.* → **Persiflage.** *Discours dépourvu de sens, d'intérêt.* → **Logomachie, verbiage.** *Discours en l'air.* → **Conte, faribole.** *De grands discours prétentieux.* → **Laïus.** — Mod. (Opposé à *action, fait, preuve*). *Faire des discours à perte de vue. Pas de discours superflus! Trève de discours! Couper un discours* (→ Apophtegme, cit. 2). *Cela aura plus d'effet sur lui que tous les discours* (→ Accès, cit. 5). *Faire des discours, de longs discours* (→ Détour, périphrase). *Il nous paye en beaux discours :* il nous abreuve de vaines paroles. — *Les Discours du Docteur O'Grady*, roman de Maurois.

1 Et pour trancher enfin ces discours superflus (...)
CORNEILLE, Horace, II, 3.

2 C'est à vous, s'il vous plaît, que ce discours s'adresse.
MOLIÈRE, le Misanthrope, I, 2.

3 C'est un parleur étrange, et qui trouve toujours
L'art de ne vous rien dire avec de grands discours (...)
MOLIÈRE, le Misanthrope, II, 4.

4 Tous les discours sont des sottises,
Partant d'un homme sans éclat;
Ce seraient paroles exquises
Si c'était un grand qui parlât.
MOLIÈRE, Amphitryon, II, 1.

Oui, vos moindres discours ont des grâces secrètes (...)   5
RACINE, Esther, III, 4.

À tous ces beaux discours j'étais comme une pierre.   6
BOILEAU, Satires, III.

Les réflexions naissent en foule quand on veut s'occuper   7
de la formation du langage et des premiers discours des enfants.   ROUSSEAU, Émile, I.

(...) le discours intérieur qu'elle se tenait à elle-même, au   8
sortir de cet entretien.
Paul BOURGET, Un divorce, II, p. 45.

Il avala sa salive et s'apprêta à poursuivre son discours.   9
P. MAC ORLAN, la Bandera, XV, p. 184.

◆ **2** Spécialt et cour. Développement oratoire fait devant une réunion de personnes. → **Adresse, allocution, briefing** (anglic.), **causerie, conférence, déclaration, exhortation, exposé, harangue, improvisation, jus** (fam.), **laïus** (fam.), **parénèse, proclamation, speech, topo** (fam.). *Discours religieux.* → **Homélie, instruction, oraison, prêche, prédication, prône, sermon.** *Discours à la louange, pour la défense, la justification de quelqu'un.* → **Apologie, compliment, éloge, louange, panégyrique, plaidoyer.** *Discours qui accuse.* → **Catilinaire, philippique, réprimande, réquisitoire.** *Discours politiques. Discours démagogique. Discours descriptif. Discours convaincant, éloquent, incisif, pathétique, persuasif, sentencieux. Discours amphibologique, ambigu* (→ **Antilogie**), *long, prolixe, pompeux* (→ **Phraséologie**), *confus* (→ **Cacologie, galimatias**), *soporifique... Un discours trop orné* (cit. 17). *Discours succinct.*

Discours est le terme le plus général; il se dit de tout ce qui   10
est prononcé avec une certaine méthode et une certaine longueur : discours dans les assemblées législatives; discours académiques, les discours de distribution des prix. La harangue est un discours qui a de la solennité, et qui s'adresse à un corps, à un roi, à un personnage constitué en dignité, à une armée (...) Oraison se dit ou plutôt s'est dit des discours des orateurs anciens : les oraisons de Démosthène, de Cicéron.
LITTRÉ, Dict., art. *Discours.*

Faire, débiter, dire, lire, improviser, prononcer un discours, des discours. → **Déclamation, éloquence; orateur.** *Développer outre mesure, amplifier, gonfler son discours. Commencer son discours.* → **Prendre** (la parole). *Perdre, reprendre le fil de son discours; rentamer son discours. Discours prononcé du haut de la chaire* (→ Ex* cathedra), *d'une tribune, devant un microphone. Discours radiodiffusé. Discours haché d'applaudissements. Ce discours fit une vive impression sur l'assemblée* (→ Auditoire, cit. 7). *On trouvera un compte rendu, de larges extraits, un abrégé du discours, le discours in extenso, dans la presse.*

On avait copié le discours au château, en supprimant quel-   11
ques passages et en interpolant quelques autres.
CHATEAUBRIAND, Mémoires d'outre-tombe, t. III, p. 24.

Le lendemain, à l'échoppe, il relisait dans son journal le   12
résumé des discours; il le relisait tout haut (...)
R. ROLLAND, Jean-Christophe, p. 1294.

(...) l'homme monte à la tribune. Tumulte, — cris d'ani-   13
maux, l'opposition «hargneuse», etc.
Il commence... Est-ce un discours? — Mais peu à peu le travail de la pensée se montre, s'impose. C'est la pensée en travail qui se manifeste.   VALÉRY, Rhumbs, p. 106.

Suivant son habitude, il se remémorait jusque dans le   14
détail ce discours qu'il avait improvisé. Il retrouvait même des pauses, ou des changements de timbre, qu'il avait eus.
J. ROMAINS, les Hommes de bonne volonté, t. V, XXIV, p. 215.

Discours d'ouverture (cit. 5), *d'inauguration. Discours inaugural,* qui ouvre une session, un cours. → **Leçon,** 2.**mercuriale.** *Discours de clôture. Averse, pluie de discours. Adresse* qui répond au discours de la couronne*. Discours du trône*. — (Dis-

cours politiques). *Discours d'une campagne électorale. Réunir les discours d'un ministre en recueil. Les discours du candidat, du président. — Discours de bienvenue, de remerciement. Discours d'apparat. Discours académique. Discours de réception, prononcé par un nouvel académicien. Réponse au discours de réception.*

15 Ceux qui, interrogés sur le discours que je fis à l'Académie française le jour que j'eus l'honneur d'y être reçu, ont dit sèchement que j'avais fait des caractères, croyant me blâmer, en ont donné l'idée la plus avantageuse que je pouvais moi-même désirer (...)
  LA BRUYÈRE, Disc. de réception à l'Académie,
  Préface.

16 Le discours, dit-on d'avance, est étourdissant, est éblouissant, est resplendissant : ce sont les seules variantes. Salvandy dit qu'il est écarlate, et quel écarlate que celui qui semble tel à Salvandy ! C'est ce dernier qui répond à Hugo. Le discours de Hugo durera six quarts d'heure et même sept, en comptant un quart d'heure pour les applaudissements. Il y est moins question de Lemercier que de l'Empereur, *lui! toujours lui ?*
  SAINTE-BEUVE, Correspondance, IV, p. 100.

17 Un discours politique en France est une espèce de monologue (...) impersonnel (...)
  GIRAUDOUX, Bella, IV, p. 89.

18 Je me croyais puissant. Un homme qui par un discours peut renverser un ministère, donc modifier considérablement les destinées de son pays.
  J. ROMAINS, les Hommes de bonne volonté, t. II,
  XV, p. 181.

Discours-programme. «Le colloque de janvier (...) servira à la préparation de la loi de programmation sur la recherche et l'innovation technologique (...) ainsi que l'a confirmé le Premier ministre Pierre Mauroy, dans son discours-programme à l'Assemblée nationale, le 8 juillet.» (Sciences et Avenir, n° 415, p. 102).

Art de composer les discours. → **Rhétorique.** *Plan, division, points* (1. Point, cit. 81) *d'un discours. Les six parties d'un discours, du discours :* exorde, proposition, narration, preuve (ou confirmation), réfutation, péroraison. *Entrée en matière du discours.* → **Exposition, introduction, préambule, prologue, seuil** (cf. *Captatio benevolentiæ ;* → précautions) oratoires). *Développement d'un discours. Conclusion d'un discours. Périodes* du discours. Lien entre les parties du discours.* → **Transition.** *Réquisitoire qui achève un discours* (→ Bref, cit. 5). — *Corps de discours, du discours.* → Autre, cit. 6.1. *Prosopopée* qui donne de la vie au discours. Sujet, thème du discours. Discours qui traite à fond le sujet, qui va au fond des choses.*

19 Le véritable orateur n'orne son discours que de vérités lumineuses, que de sentiments nobles, que d'expressions fortes et proportionnées à ce qu'il tâche d'inspirer. Il pense, il sent, et la parole suit.
  FÉNELON, Lettre à M. Dacier..., IV.

20 Il y a aussi des discours si brefs, et dont quelques-uns n'ont qu'un mot ; mais si pleins, et qui dans leur nette énergie, répondent à tout si profondément, qu'ils paraissent concentrer des années de discussions internes et d'éliminations secrètes ; ils sont indivisibles et décisifs comme des actes souverains. Les hommes vivront longtemps de ces quelques paroles. VALÉRY, Eupalinos, p. 100.

21 Le réel d'un discours, c'est après tout cette chanson, et cette couleur d'une voix, que nous traitons à tort comme détails et accidents.
  VALÉRY, Eupalinos, p. 21.

22 Logiquement, ce qui suivit ne semblait pas se raccorder à cet exorde pathétique. C'est la suite du discours qui fit seulement comprendre (...) que, par un procédé oratoire habile, le Père avait donné en une seule fois, comme on assène un coup, le thème de son prêche entier.
  CAMUS, la Peste, p. 110.

♦ **3** Écrit littéraire didactique qui traite d'un sujet en le développant méthodiquement. → **Exposé,**

traité. *Le Discours de la méthode,* de Descartes. *Discours sur les passions de l'amour,* attribué à Pascal. *Discours sur l'histoire universelle,* de Bossuet. *Discours sur le style,* de Buffon. *Discours préliminaire de l'Encyclopédie,* de d'Alembert. *Discours sur l'universalité de la langue française,* de Rivarol. — *Discours en vers :* sorte de dissertation sur un sujet moral. — *Discours préliminaire en tête d'un livre.* → **Préface.**

♦ **4** (V. 1613). Expression verbale de la pensée. → **Parole ; langage.**

23 Ils attifent leurs mots, enjolivent leur phrase,
  Affectent leur discours (...)
  Mathurin RÉGNIER, Satires, IX.

24 Voulez-vous du public mériter les amours,
  Sans cesse en écrivant variez vos discours.
  BOILEAU, l'Art poétique, I.

(1637). Gramm., ling. **PARTIES DU DISCOURS.** *Les neuf parties* (cit. 13) *du discours :* les neuf catégories grammaticales traditionnelles (nom, article, adjectif, pronom, verbe, adverbe, préposition, conjonction, interjection).

(Déb. XXe). Ling. Exercice de la faculté du langage. → **Parole** (II., 2.). *Opposer la langue, l'usage* (géographique, social) *et le discours. Stratégies de discours.* → **Discursif.** *Discours sur le discours, discours sur la langue.* → **Métadiscours,** et aussi **métalangage.** — Tout énoncé* (3.) linguistique observable (phrase et suite de phrases énoncées ; texte écrit), par opposition au système abstrait que constitue la langue* (cit. 43.2 et *supra*). — *Discours rapporté, discours direct*, discours indirect*, cité après un verbe de parole* (ex. : dire).

Analyse de (du) discours, prenant pour unité d'observation la phrase ou une unité plus étendue.

♦ **5** Philos., log. Pensée discursive*, raisonnement (opposé à *intuition*). — *L'univers du discours :* l'ensemble du contexte.

COMP. Métadiscours.

DISCOURTOIS, OISE [diskuʀtwa, waz] adj. — 1554 ; réfection de *descourtois* (1416), de *des-* (*dis-*), et *courtois,* sous l'infl. de l'ital. *discortese.* → Courtois.

Littér. ou style soutenu. Qui n'est pas courtois. *Personne discourtoise.* → **Disgracieux, grossier, impoli, incivil, rustre.** *Paroles, manières discourtoises* (→ Discourtoisie).

1 Quant à M. Hector Pessard, habitué aux coups de trique du guignol parlementaire, il m'en assena quelques-uns de la manière la plus discourtoise.
  Georges LECOMTE, Ma traversée, p. 242.

2 La situation politique de l'Espagne rendait les policiers méfiants, discourtois et prétentieux.
  P. MAC ORLAN, la Bandera, XIX, p. 233.

CONTR. Civil, courtois, poli. ◊ **DÉR. Discourtoisement.**

DISCOURTOISEMENT [diskuʀtwazmɑ̃] adv. — XVIe ; de *discourtois.*

Rare. De façon discourtoise.

CONTR. Courtoisement.

DISCOURTOISIE [diskuʀtwazi] n. f. — 1555, *discourtoysie ;* réfection de *descourtoisie* (1414), de *des-* (*dis-*), et *courtoisie,* sous l'infl. de l'ital. *discortesia.* → Courtoisie.

Vx ou littér. Manque de courtoisie. → **Incivilité.** *Remarque pleine de discourtoisie.* — Rare. Acte discourtois, parole discourtoise.

CONTR. Courtoisie.

DISCRÉDIT [diskʀedi] n. m. — 1719; de *crédit*, sous l'infl. probable de l'ital. *discredito*, de *credito* «crédit».

♦ **1** Diminution, perte du crédit dont jouissait une valeur. *Le discrédit d'une monnaie.* → **Baisse** (cit. 2). — *Valeurs, actions tombées dans le discrédit, en discrédit. Par ext. Affaire en discrédit.*

♦ **2** Diminution de la confiance, de l'estime dont jouissait une personne, une idée. → **Déconsidération, défaveur.** *Le discrédit de qqn, que subit qqn. Jeter le discrédit sur qqn. Discrédit moral.* — (Surtout dans : *en discrédit, dans le discrédit*). *Théorie, système, gouvernement en discrédit. Il, elle est en discrédit auprès de ses supérieurs. Être en discrédit dans l'esprit de qqn. Faire tomber qqn dans le discrédit.*

1 L'impopularité et le discrédit de ces Directeurs et de leur séquelle devenaient si graves, qu'ils donnaient à réfléchir à nombre de ceux qui, en Fructidor, avaient soutenu les triumvirs (...)
Louis MADELIN, Hist. du Consulat et de l'Empire,
Ascension de Bonaparte, XIII, p. 182.

2 (...) Victor Noir dont les émouvantes funérailles, restées fameuses, contribuèrent au discrédit et à la chute du Second Empire (...)
Georges LECOMTE, Ma traversée, p. 507.

CONTR. Crédit; autorité, considération, faveur, vogue.

DISCRÉDITER [diskʀedite] v. tr. — 1572; de *dis-*, et *crédit*.

♦ **1** Faire tomber la valeur, le crédit de (qqch.). *Discréditer un papier-monnaie, une signature. Discréditer une affaire par des procédés malhonnêtes.* → **Tuer.**

♦ **2** (1672). *Discréditer qqn*, en portant atteinte à sa réputation, en le calomniant, etc. → **Déconsidérer, décréditer, décrier, dénigrer, déprécier, nuire** (à). *Discréditer un rival. Discréditer les idées, l'autorité de qqn. Cette théorie a été complètement discréditée par les découvertes récentes.*

1 Pour le discréditer, et faire avorter toutes ses entreprises (...)   SAINT-SIMON, Mémoires, III, 62.

2 (...) le *groupe adverse*, tout au souci de discréditer ses mérites et de compromettre ainsi ses chances à la distinction flatteuse qu'il convoitait.
COURTELINE, Messieurs les ronds-de-cuir,
2ᵉ tableau, III, p. 79.

3 Je tiens tout effort prématuré vers la conciliation, pour pire que vain, pour nuisible, et crois que celui qui parle présentement dans ce sens perd sa voix; qui pis est : il la discrédite.   GIDE, Journal, 17 oct. 1916.

♦ **SE DISCRÉDITER** v. pron. (1750). Perdre de sa valeur, de son crédit. *Il s'est discrédité dans l'esprit de son chef. Idée qui se discrédite, qui perd son influence, sa vogue.*

4 (...) pour s'accréditer auprès de ceux qui ont plus de piété que de lumières, il se discrédite auprès de ceux qui ont plus de lumières que de piété.
MONTESQUIEU, Défense de l'Esprit des lois, III.

♦ **DISCRÉDITÉ, ÉE** p. p. adj.

Qui a perdu tout crédit. Vx. *Monnaie discréditée.* → **Déprécié.** — Mod. *Une philosophie discréditée. Un argument complètement discrédité.*

CONTR. Accréditer, prôner, vanter. — (Du p. p.) **Apprécié, prisé, vogue** (en vogue).

1. DISCRET, ÈTE [diskʀɛ, ɛt] adj. — 1160, au sens du lat. médiéval *discretus*, en lat. class. «capable de discerner» et «séparé» (→ 2. Discret), p. p. de *discernere*. → Discerner.

♦ **1** (XVIᵉ). **a** (Personnes). Qui témoigne de retenue, n'intervient pas ou intervient peu dans les affaires d'autrui, en agissant selon les règles du bon goût, de la correction (selon le code social en usage). → **Circonspect, réservé, retenu.** *C'est une personne discrète : elle ne se mêlera pas de vos affaires et ne vous posera guère de questions. Il est trop discret pour abuser de vos bontés.* → **Délicat.** *Soyez discrets sur le chapitre de vos mérites personnels, de votre bonheur* (→ Confesser, cit. 15). Péj. *Vous êtes bien discret, vos avis nous seraient pourtant précieux.* → **Réticent, silencieux.** — Par ext. *Un caractère discret, une nature discrète et bien élevée**.

1 Adieu : je me retire en confident discret.
CORNEILLE, Cinna, III, 2.

2 (...) l'homme dont on cite les amours n'est jamais un homme bien discret.
MAUPASSANT, Toine, «La chambre 11», p. 102.

b (Choses concrètes; actes, attitudes). Qui, dans un certain code social (bienséance, bonnes manières...), ne s'écarte pas de ce qui est défini comme convenable; qui ne se fait pas remarquer de manière trop insistante. *Avoir une attitude discrète.* → **Réservé.** *Offrir qqch. de façon discrète.* → **Modeste.** *Faire une cour discrète à une femme, que les témoins ne peuvent remarquer.* — *Un soupir, un sourire discret.* — *Un vêtement discret, d'une élégance discrète. Sa dernière voiture est belle, mais pas très discrète. Un luxe discret et de bon ton**. *Bijoux discrets.* — *Sentiment, amour discret, qui ne s'exprime pas plus que les bienséances ne l'impliquent.*

3 (...) L'amour le plus discret
Laisse par quelque marque échapper son secret.
RACINE, Bajazet, III, 8.

4 Ce fut un regard discret, d'œil à œil (...)
BALZAC, le Cabinet des antiques, Pl., t. IV, p. 383.

5 Quant à vos allusions discrètes à la façon dont vos mérites auraient été récompensés, je vous ferai humblement remarquer que vous avez huit mille francs d'appointements et la croix de la Légion d'honneur.
COURTELINE, Messieurs les ronds-de-cuir,
4ᵉ tableau, III, p. 152.

6 Ils sont peints avec un scepticisme élégant et si discret qu'il se dissimule (...)   GIDE, Journal, 28 sept. 1929.

7 Une salle de bains, fort petite, mais discrète, pleine de pudeur, s'ouvrant tout de suite à côté de la chambre.
J. ROMAINS, les Hommes de bonne volonté, t. IV,
XII, p. 124.

REM. Dans quelques emplois stylistiques, *discret* peut marquer une revendication d'appartenance sociale au milieu qui établit et respecte les convenances, et perdre sa valeur initiale.

7.1 Wilfred remarqua l'élégance un peu trop évidente du costume noir que portait son cousin. On ne pouvait être discret de façon plus voyante.
J. GREEN, Chaque homme dans sa nuit, in T. L. F.

c (Paroles, écrits). Qui n'exprime que ce qui est considéré comme convenable, bienséant. *Reproches discrets. Remarque discrète. Compliments discrets.*

♦ **2** (Personnes). Qui cherche à passer inaperçu, à ne pas être reconnu, repéré. *Quelques policiers en civil, très discrets, étaient présents dans l'assistance.* — (Comportements). *Des pas discrets. Un geste discret.* — (Actions; parfois péj.). *Les activités discrètes d'une police parallèle. Des mesures de police discrètes.* — Par métonymie. *Un endroit, un lieu discret.* → **Retiré, secret.** *Un pied-à-terre discret.*

♦ **3** (Phénomènes matériels). Dont l'intensité est faible; qui se manifeste sans attirer vivement l'attention. *Un bruit discret.* — *Des tons discrets.* → **Sobre.** *Une palette discrète. L'éclat discret du cristal* (cit. 4).

Spécialt. *Des coups discrets frappés à la porte :* des coups qui n'éveillent pas l'attention des tiers et manifestent la discrétion de la personne qui frappe.

♦ 4 (Personnes). Qui sait garder les secrets qu'on lui confie. *Personne discrète. Vous pouvez avoir confiance en lui, il est très discret.* → Tenir une chose secrète ; c'est le tombeau* des secrets ; il est muet comme un tombeau, une tombe* (→ aussi cit. 2).

8 (...) veuillez être discret,
Et n'allez pas, de grâce, éventer mon secret.
                    MOLIÈRE, l'École des femmes, I, 4.

9 (...) tu es une fille discrète, nous avons des secrets ensemble, je puis te dire ce qui me chiffonne l'esprit (...)
                    BALZAC, Albert Savarus, Pl., t. I, p. 825.

10 Quand on commet une indiscrétion, l'on se croit quitte en recommandant à la personne d'être... plus discrète qu'on ne l'a été soi-même.
                    J. RENARD, Journal, 21 avr. 1890.

CONTR. Collant, curieux, encombrant, envahissant, indélicat, indiscret, sans-gêne ; communicatif, expansif. — Clinquant, criard, goût (de mauvais goût), **voyant. — Babillard, bavard, indiscret, jaseur, rapporteur. ◊ DÉR. Discrètement, discrétoire. ◆ COMP. Indiscret.**

---

2. **DISCRET, ÈTE** [diskRɛ, ɛt] adj. — 1484 ; «différent» en moy. franç. ; lat. class. *discretus* «séparé», de *discernere.* → 1. Discret ; discerner.
Didactique.

♦ 1 Math. Se dit d'une grandeur, d'une quantité ne pouvant prendre qu'un nombre fini ou dénombrable de valeurs (opposé à *continu*). → **Discontinu.** *Caractère quantitatif discret. Variable aléatoire discrète.*

Inform. → 2. **Digital, numérique** (opposé à *analogique*). (Déb. XXᵉ). Ling., sémiol. *Unité discrète :* unité isolable par l'analyse et indécomposable à son niveau hiérarchique.

♦ 2 Méd. Se dit d'une éruption dont les éléments sont espacés (opposé à *confluent*). *Variole discrète.*

CONTR. Continu. — Analogique. ◊ DÉR. Discrétiser.

DISCRÈTEMENT [diskRɛtmã] adv. — 1160 ; de 1. *discret.*

♦ 1 D'une manière discrète, qui n'attire pas l'attention à l'excès, évite de choquer, de gêner. *Faire qqch. discrètement.* → **Cachette** (en cachette), **catimini** (en catimini), **doux** (en douce, fam.). *Regarder discrètement qqn.* → **Dérobée** (à la dérobée). *Offrir discrètement son aide. Faire discrètement allusion à...*

1 Mettons-nous là, proposa-t-il, et comme Antoine, discrètement, semblait rester à l'écart, il se retourna pour l'appeler.
                    MARTIN DU GARD, les Thibault, t. IV, p. 72.

♦ 2 Sans attirer l'attention (notamment des tiers) ; en évitant de se faire remarquer. *S'habiller discrètement.* → **Sobrement.** *Une décoration discrètement orientale.*

Spécialt. En évitant de se faire remarquer. *Filer discrètement, à l'anglaise*. La police s'est discrètement renseignée.*

♦ 3 (Phénomènes matériels). Sans excès de force.

♦ 4 Vieilli. Sans dire ce qui doit être tu. *Garder discrètement une confidence.*

2 (...) Sylvain, qui avait bien discrètement gardé le secret de son frère, eut le chagrin de voir que tout le monde le savait.   G. SAND, la Petite Fadette, XXVIII, p. 185.

CONTR. Ostensiblement ; indiscrètement.

DISCRÉTION [diskResjɔ̃] n. f. — 1667 ; «discernement», 1160 ; lat. *discretio* «discernement» et aussi «triage, séparation», du supin de *discernere.* → Discerner.

I ♦ 1 Vx. Discernement, pouvoir de décider. *S'en remettre à la discrétion de qqn,* s'en rapporter à sa sagesse, à sa compétence.

Je t'apprendrai, dit en soi-même le Phrygien, à spécifier   1
ce que tu souhaites, sans t'en remettre à la discrétion d'un
esclave.   LA FONTAINE, Fables, La vie d'Ésope.

♦ 2 Mod. À LA DISCRÉTION DE... → **Disposition** (à la disposition), **merci** (à la merci). *Être à la discrétion de qqn,* dépendre entièrement de lui, être en son pouvoir. → **Discrétionnaire.** *Se mettre à la discrétion de qqn. Mettre sa fortune, ses serviteurs à la discrétion d'un ami.*

Lorsqu'un mari se met à notre discrétion, nous ne prenons   2
de liberté que ce qu'il nous en faut (...)
                    MOLIÈRE, George Dandin, II, 1.

Remarquez bien, monsieur, que vous êtes en notre pou-   3
voir, à notre discrétion, qu'aucune puissance humaine ne
peut vous tirer d'ici, et que nous serions vraiment désolés
d'être contraints d'en venir à des extrémités désagréables.
                    HUGO, les Misérables, III, VIII, XX.

Spécialt (en t. de jeu). Enjeu non déterminé au début du jeu, et dont le vainqueur décide. *Gagner une discrétion.*

(...) Le bal, les collations,   4
Les présents, les discrétions
N'ont point avancé mon affaire.
                    CORNEILLE, Poésies diverses, 51.

Loc. adv. Cour. À DISCRÉTION : comme on le veut, autant qu'on le veut. → **Gogo** (à gogo), **gré** (à son gré), **volonté** (à volonté). → Bride, cit. 7. *Manger, boire à discrétion. Repas à cinq cents francs, pain et vin à discrétion. Servez-vous à discrétion.*

Dans une île presque déserte dont le terrain était à discré-   5
tion, elle ne choisit que les cantons les plus fertiles et les
plus favorables au commerce ; mais, cherchant quelque
gorge de montagne (...)
                    BERNARDIN DE SAINT-PIERRE, Paul et Virginie,
                                                            p. 16.

Spécialt. *Se rendre à discrétion :* se mettre à la merci du vainqueur, se rendre sans conditions. — Figuré :

Lorsqu'on désire, on se rend à discrétion à celui de qui   6
l'on espère (...)   LA BRUYÈRE, les Caractères, XI, 20.

II (XVIᵉ). **♦ 1** Retenue dans les relations sociales ; qualité d'une personne qui évite ce qui est de nature à choquer, scandaliser, gêner ou peiner autrui. → **Décence** (cit. 5), **délicatesse** (cit. 21), **réserve, retenue, tact.** *Il a trop de discrétion pour vous rendre visite sans prévenir. Se retirer d'une conversation, s'effacer, se détourner par discrétion.* — (Sens 1 de 1. discret). *Interroger qqn avec discrétion. User d'une faveur avec discrétion.* → **Circonspection, modération.** — *S'habiller avec discrétion,* de manière à ne pas être remarqué. → **Décence, sobriété.** — Péj. *Vous êtes bien timide ! Pas tant de discrétion.* → **Mystère.**

Les convives étaient pour la plupart des marchands et des   7
voituriers, tous d'une politesse extrême, qui firent quelques
questions à Cacambo avec la discrétion la plus circonspecte (...)   VOLTAIRE, Candide, XVII.

La franchise se perd par le silence, par les ménagements,   8
par la discrétion dont les amis usent entre eux.
                    Joseph JOUBERT, Pensées, V, XLI.

(...) une discrétion, une peur de s'imposer, de gêner, une   9
pudeur de sentiment, une réserve perpétuelle.
                    R. ROLLAND, Jean-Christophe, p. 983.

(...) il s'efface, par discrétion, pudeur et crainte de me   10
gêner.   GIDE, Journal, janvier 1944.

Il n'y aurait pas lieu de s'attarder à ces curiosités extra-   11
littéraires si George Sand, par sa désinvolture et son indifférence totale à la plus élémentaire discrétion, n'avait étalé
ses amours et fait de la littérature avec elles.
                    Émile HENRIOT, les Romantiques, p. 193.

♦ 2 Caractère d'une personne, d'un acte discret (1. Discret, 2.), qui cherche à passer inaperçu.

♦ 3 Caractère d'un phénomène matériel discret (1. Discret, 3.).

♦ 4 Qualité consistant à savoir garder les secrets d'autrui. *Vous pouvez vous fier à sa discrétion, il* *sait se taire*, il sera muet comme une tombe*. Il m'a confié cette histoire en me recommandant la plus grande discrétion.* → **Secret** (sous le sceau du secret). *Discrétion du confesseur, du médecin... — Discrétion assurée.*

12 Il le conte au docteur. Discrétion française
Est chose outre nature et de trop grand effort.
LA FONTAINE, Contes,
Le Roi Candaule et le maître en droit.

13 Mais ma discrétion se veut faire paraître.
Je ne redirai point l'affaire à mon époux (...)
MOLIÈRE, Tartuffe, III, 3.

13.1 (...) il est bon que tu saches que la première qualité que j'exige de toi, Thérèse, est une discrétion à toute épreuve. Il se passe beaucoup de choses ici, beaucoup qui contrarieront tes principes de vertu, il faut tout voir, mon enfant, tout entendre, et ne jamais rien dire (...)
SADE, Justine..., t. I, p. 115.

14 (...) nous sommes obligés au secret comme les confesseurs et les médecins ; la discrétion la plus absolue est indispensable en ces affaires occultes (...)
Th. GAUTIER, le Capitaine Fracasse, t. II, XV, p. 166.

15 Je ne puis charger de ce soin un subalterne ou un homme d'affaires, car il me faut une impénétrable discrétion et un silence absolu.
MAUPASSANT, Clair de lune, «Apparition», p. 196.

16 La qualité qu'elle apprécie le plus, chez ceux qui la servent, est la *discrétion.* Nul ne doit raconter ce qui se passe à Nohant. A. MAUROIS, Lélia, VIII, I, p. 421.

CONTR. Impudence, sans-gêne. — Bavardage, indélicatesse, indiscrétion. ◊ DÉR. Discrétionnaire.

DISCRÉTIONNAIRE [diskʀesjɔnɛʀ] adj. — 1794; de *discrétion* (I.).

◆**1** Dr. Qui est laissé à la discrétion, qui confère à qqn le pouvoir de décider. *Pouvoir discrétionnaire du président des assises,* pouvoir de décider dans des cas non prévus par la loi. *Décision discrétionnaire. «Des instructions discrétionnaires»* (Mérimée, *in* T. L. F.).

1 (...) l'une était Claire Marcel, sous le nom de Marthe, la sœur de Philippe ; l'autre, Angèle Brodard, que Nicolas, en vertu de son pouvoir discrétionnaire, avait fait arrêter.
Louise MICHEL, la Misère, t. III, p. 566.

◆**2** Cour. → **Arbitraire, illimité (surtout dans :** *pouvoir discrétionnaire*).

2 Et comme le poète a des pouvoirs discrétionnaires, j'ai décidé, bien des années plus tard, de donner à l'ombre de mon ami cette vie qu'il n'avait point vécue, de la faire durer, jouir et souffrir une ample et riche existence (...)
G. DUHAMEL, Inventaire de l'abîme, X, p. 155.

CONTR. Limité. ◊ DÉR. Discrétionnairement.

DISCRÉTIONNAIREMENT [diskʀesjɔnɛʀmã] adv. — 1794; de *discrétionnaire.*
Rare. De manière discrétionnaire.

DISCRÉTISATION [diskʀetizasjɔ̃] n. f. — V. 1980; de *discrétiser.*

Didact. Math. Opération consistant à substituer à des relations portant sur des fonctions des relations algébriques portant sur les valeurs prises par ces fonctions en un nombre fini de points de leur ensemble de définition. *La discrétisation permet la résolution numérique de systèmes d'équations aux dérivées partielles.*

Inform. Codage en un code binaire. → 2. **Digitalisation (anglic.), numérisation.**

DISCRÉTISER [diskʀetize] v. tr. — V. 1980; de 2. *discret.*

Didact. Math. Formuler (un ensemble de données) en effectuant une discrétisation*. *La méthode des différences finies permet de discrétiser un domaine sous la forme d'un réseau maillé de points discrets.* — Au p. p. *«L'identité d'un caractère est donc déterminée par une série de mesures à effectuer sur la matrice qui le représente sous forme discrétisée, en l'occurrence le compte des points noirs dans certaines sous-matrices»* (la Recherche, nᵒ 126, oct. 1981, p. 1098).

Inform. *Discrétiser un code analogique.* → **Digitaliser (anglic.), numériser.**

DÉR. Discrétisation.

DISCRÉTOIRE [diskʀetwaʀ] n. m. — 1620; de 1. *discret,* d'après des mots en *-oire* comme *consistoire.*

Relig. Assemblée de religieux ou de religieuses composant le conseil du supérieur ou de la supérieure d'un couvent.
Par ext. Lieu où se tient le conseil.

DISCRIMINANT, ANTE [diskʀiminã, ãt] adj. et n. m. — 1877, *in* Littré, *Suppl.* ; lat. *discriminans,* p. prés. de *discriminare,* de *discrimen* «point de séparation». → Discriminer.

◆**1** Didact. Qui établit une séparation, une discrimination.

1 Nous n'avons plus aujourd'hui la barricade discriminante. Nous avons le guichet discriminant.
Ch. PÉGUY, la République..., p. 203.

◆**2** N. m. Alg. Fonction des coefficients* d'une équation algébrique qui sert à la résolution d'une équation entière. *Le discriminant d'une équation du 2ᵉ degré* (b²–4ac) *indique si elle a deux racines, une racine double ou pas de racine réelle.*

◆**3** N. m. Facteur de discrimination.

2 *Victor ou les Enfants au Pouvoir,* drame bourgeois en trois actes de Roger Vitrac. Ce drame tantôt lyrique, tantôt ironique, tantôt direct, était dirigé contre la famille bourgeoise, avec comme discriminants : l'adultère, l'inceste, la scatologie, la colère, la poésie surréaliste, le patriotisme, la folie, la honte et la mort.
A. ARTAUD, le Théâtre Alfred Jarry en 1930, t. II, p. 39.

DISCRIMINATEUR, TRICE [diskʀiminatœʀ, tʀis] adj. et n. — V. 1980; de *discriminer*

◆**1** Adj. Qui établit une discrimination. → **Discriminatif, discriminatoire.**

◆**2** N. m. Électron. Circuit fournissant une tension de sortie proportionnelle à l'amplitude de la variation d'une grandeur associée. *Discriminateur de phase. Le démodulateur est un discriminateur.*

DISCRIMINATIF, IVE [diskʀiminatif, iv] adj. — Av. 1945, Piéron; du rad. de *discrimination,* d'après l'angl. *discriminative* (1638).

Anglic. Didact. Relatif à la discrimination (1.). *Pouvoir discriminatif. Capacité discriminative.*

Toutes ces performances téléonomiques des protéines reposent en dernière analyse sur leurs propriétés dites «stéréospécifiques», c'est-à-dire leur capacité de «reconnaître» d'autres molécules (y compris d'autres protéines) d'après leur forme, qui est déterminée par leur structure moléculaire. Il s'agit, littéralement, d'une propriété discriminative (sinon «cognitive») microscopique.
Jacques MONOD, le Hasard et la Nécessité, p. 68.

DISCRIMINATION [diskʀiminasjɔ̃] n. f. — 1870; lat. *discriminatio* «séparation», du supin de *discriminare*. → Discriminer.

♦ **1** Didact. Action de distinguer l'un de l'autre deux objets de pensée concrets. → **Distinction.**

1 Ce changement d'état (*par lequel la conscience passe d'une modification à une autre*), c'est la discrimination, et c'est le fondement de notre intelligence (...)
Th. RIBOT, Psychologie anglaise contemporaine, p. 258.

Littér. Action de discerner, de distinguer (les choses les unes des autres) avec précision, selon des critères ou des caractères distinctifs, pertinents. *La discrimination de deux, entre deux choses, d'une chose et d'une autre. Faire la discrimination entre le vrai et le faux dans une chronique.* → **Départ, séparation.** *Discrimination à opérer entre les idées personnelles d'un auteur et celles qu'il a empruntées...*

2 De pareilles vétilles surchargent inutilement l'appareil de notes nécessaires à l'explication d'un texte, et le premier devoir d'un éditeur est d'en épargner la lecture au curieux qui n'en a que faire, et de déblayer le terrain devant lui, non d'accroître sa tâche en l'obligeant à une discrimination surérogatoire entre l'essentiel et le superflu.
Émile HENRIOT, les Romantiques, p. 233.

3 C'est de la structure, de la forme d'une protéine donnée que dépend la discrimination stéréospécifique particulière qui constitue sa fonction.
Jacques MONOD, le Hasard et la Nécessité, p. 69.

Écon. *Interdire la discrimination dans les ventes, les tarifs, les prix,* de pratiquer des prix, etc., différents (dans des conditions où ils devraient être identiques).

♦ **2** Cour. Le fait de séparer un groupe social des autres en le traitant plus mal. *Cette loi s'applique à tous sans discrimination,* de façon égalitaire. → **Distinction.** *Discrimination raciale, ethnique.* → **Ségrégation; apartheid.** *Traiter les diverses communautés sans discrimination.*

CONTR. Confusion, mélange. — Égalité. ◊ **DÉR.** (Du même rad.) Discriminatif.

DISCRIMINATOIRE   [diskʀiminatwaʀ] adj.
— V. 1950; de *discriminer*
Qui tend à distinguer une personne, un groupe humain des autres, à son détriment. *Mesures discriminatoires. Sélection discriminatoire.*

DISCRIMINER [diskʀimine] v. tr. — 1897; lat. *discriminare,* de *discrimen* «ligne de partage, limite», de *discernere.* → Discerner.
Littér. Faire la discrimination (1.) entre... → **Discerner, distinguer, séparer; discrimination** (1.); discriminant.

(*Jules Bertaut*) a bien mis en place les hommes et les œuvres, spécifié l'esprit nouveau du romantisme et son apport; judicieusement discriminé les créatures et les écrivains du second et du troisième rayon (...)
Émile HENRIOT, les Romantiques, p. 78.

DÉR. Discriminateur, discriminatoire. V. **Discriminant, discrimination.**

DISCULPATION [diskylpasjɔ̃] n. f. — 1798; *disculpe,* n. f., xvie; de *disculper.*
Rare. Action de disculper, de se disculper.
Je suis ravi que ce soit à M. Puget que je doive ma disculpation.
BOILEAU, Lettre à Brossette, 37, *in* LITTRÉ, Suppl.

CONTR. Accusation, inculpation.

DISCULPER [diskylpe] v. — xiie, *descoulper; discoulper,* v. 1535; de *coulpe;* refait au xviie (1615) d'après *culpa.*

♦ **1** V. tr. Prouver l'innocence de (qqn). *Disculper qqn à qui on impute une faute à tort.* → **Blanchir; cause** (mettre hors de cause); **innocenter, justifier, laver.** *Disculper un ami des accusations dirigées contre lui, de méfaits dont il n'est pas coupable. Document, détail qui disculpe un accusé. Disculper qqn dont on ne trouve pas la faute condamnable.* → **Absoudre, excuser.**

1 Ce qui disculpe le fat ambitieux de son ambition est le soin que l'on prend, s'il a fait une grande fortune, de lui trouver un mérite qu'il n'a jamais eu, et aussi grand qu'il croit l'avoir (...)   LA BRUYÈRE, les Caractères, VI, 3.
2 Hommes de France, votre naïve grandeur d'âme disculpe toute l'humanité de son plus grand crime et la relève de sa plus profonde déchéance.
G. DUHAMEL, Récits des temps de guerre, t. I, I, p. 135.

Au p. p. *Accusé disculpé.*

♦ **2** V. pron. SE DISCULPER : se justifier, s'excuser. *Se disculper auprès de qqn, aux yeux de qqn. Chercher à se disculper en accusant les autres.*

3 (...) je me suis disculpé de l'avoir fait (*le discours de réception à l'Académie française*) trop long de quelques minutes (...)
LA BRUYÈRE, Disc. de réception à l'Acad., Préface.
4 — En quoi suis-je responsable? demanda-t-elle d'une voix entrecoupée. — Taisez-vous! fit Mme Legras. Je ne suis pas juge d'instruction pour que vous essayiez de vous disculper.   J. GREEN, Adrienne Mesurat, III, II, p. 216.

CONTR. Accuser, incriminer, inculper. ◊ **DÉR.** Disculpation.

DISCURSIF, IVE [diskyʀsif, iv] adj. — xvie; lat. scolast. *discursivus,* de *discursus.* → Discours.
Didactique.

♦ **1** Log. Qui tire une proposition d'une autre par une série de raisonnements successifs (opposé à *intuitif*). *Méthode discursive. Connaissance discursive. Pensée discursive.* → **Entendement.** *Intelligence discursive.*

1 Or il arrive que l'intelligence discursive, c'est-à-dire celle qui s'exprime par discours et mots, prenne le contre-pied de ces vérités d'instinct et que, par d'habiles jongleries verbales, elle croie prouver que tout est matière et nos actions rigoureusement déterminées.
A. MAUROIS, Études littéraires, H. Bergson, t. I, I, p. 154.

♦ **2** Qui ne s'astreint pas à une continuité rigoureuse, qui procède par digressions.

2 (...) ce récit tout linéaire (je veux dire : sans épaisseur), uniquement discursif (...)
GIDE, Journal, 6 avr. 1943.
3 Voici un mot qui a pris en français moderne un sens amphibologique... *discursif* a subi vaguement l'analogie de *cursif* et commence à signifier *négligé, vagabond, hâtif...* Serait-ce une destinée des mots de tourner peu à peu au sens contraire de leur origine?
A. THÉRIVE, Querelles de langage, t. III, p. 133.

♦ **3** Didact. Du discours; relatif au discours, aux énoncés.

4 Je commence par l'art de représentation que je préférerais d'ailleurs qu'on appelât art discursif, parce qu'il exprime avec les images, qui sont nécessairement des signes, ce que le discours dit avec le vocabulaire, lequel ne renvoie pas moins aux images qu'aux êtres, aux choses et aux événements.
Roger CAILLOIS, Esthétique généralisée, III, p. 30.

CONTR. Intuitif. — Rigoureux. ◊ **DÉR.** Discursivité.

DISCURSIVITÉ [diskyʀsivite] n. f. — 1966; de *discursif.*

Didact. Caractère de ce qui est discursif (1.) ou de ce qui a les caractères du discours, au sens linguistique.

Seule demeure *(au XVIᵉ s.)* la représentation se déroulant dans les signes verbaux qui la manifestent, et devenant par là *discours*. À l'énigme d'une parole qu'un second langage doit interpréter s'est substituée la discursivité essentielle de la représentation : possibilité ouverte (...) que le discours aura pour tâche d'accomplir et de fixer.
Michel FOUCAULT, les Mots et les Choses, p. 93.

DISCUSSIF, IVE [diskysif, iv] adj. — 1549 ; du rad. du lat. *discussum*, de *discutere*. → Discussion, discuter.
Didactique.

♦ **1** **Méd.** (vx). Qui dissipe un engagement. *Un topique discussif.*

♦ **2** (1877). **Rare.** Relatif à la discussion.

DISCUSSION [diskysjɔ̃] n. f. — 1120 ; lat. *discussio*. → Discuter.

♦ **1** Action de discuter, d'examiner (qqch.) seul ou avec d'autres, en confrontant les opinions. → **Examen**. *Discussion d'un point de doctrine. Argumentation d'une discussion.* → **Dialectique**. *L'authenticité* (cit. 6) *de ce texte est sujette à discussion, donc matière à discussion. Relatif à la discussion.* → **Discussif** (rare).

1   Il faudrait vous faire, Madame, une longue discussion des principes de l'astrologie pour vous faire comprendre cela.
MOLIÈRE, les Amants magnifiques, III, 1.

2   Les sciences exactes ou mixtes souffrent peu de ces discussions.
P.-L. COURIER, Éloge de Buffon, *in* Œ. compl., p. 557.

Spécialt. ⓐ *Discussion d'un projet de loi, du budget à l'Assemblée :* procédure par laquelle les amendements sont proposés.

ⓑ **Math.** Détermination de la réalité des racines d'une équation algébrique selon les valeurs qu'on donne à ses coefficients. *Discussion d'une équation.*

ⓒ **Dr.** *Discussion de biens :* recherche des biens d'un débiteur dans l'intention de les faire vendre par voie de justice. — *Bénéfice de discussion :* droit pour la caution mise en demeure de payer d'exiger la discussion préalable des biens du débiteur principal.

♦ **2** Le fait de discuter (une décision), de s'y opposer par des arguments (surtout au plur., ou dans une négation). *Allons, obéissez et pas de discussion ! Ordres à exécuter sans discussion.*

♦ **3** Action de discuter (4.). Échange d'arguments, de vues contradictoires. → **Conversation, débat, délibération, échange** (de vues). *Discussion entre deux, plusieurs personnes, sur, au sujet de... Loc. Des discussions de café* du Commerce. Discussion en réunion.* → **Colloque, conférence.** *Discussion par écrit.* → **Polémique.** *Discussion théologique.* → **Disputation.** *Intervenir dans la discussion. Discussion portant sur des détails, des mots.* → **Argutie, ergotage, logomachie, pilpoul.** *Discussion byzantine*.* — *Provoquer, ouvrir, entamer, déclencher une discussion. Discussion qui s'élève entre deux personnes. Prendre part à la discussion. Éviter une discussion, se dérober à la discussion. Discussion qui porte, qui roule sur tel sujet. Chapitre, sujet d'une discussion. Base d'une discussion. Arguments, raisonnements, explications, objections, réfutations, passe d'armes, joutes dans une discussion.* → **Argumentateur** (cit. 2). *Soulever une discussion ; soutenir un point de vue lors d'une discussion. Ne pas être de l'avis de qqn, être son adversaire dans une discussion. Se ranger à l'avis de qqn, prendre fait et cause* pour lui au*

cours d'une discussion. Mener, diriger la discussion, être l'arbitre dans une discussion. Résumer la discussion. Se placer sur un mauvais terrain* dans une discussion. Avoir le dessus, le dessous dans la discussion. Se mettre sur un bon terrain, tenir bon, soutenir une discussion.* → **Lance** (rompre une lance). *Avoir le dernier mot* dans une discussion. Clore, trancher* une discussion. Clôture de la discussion. Envenimer une discussion par des propos maladroits. Toute discussion avec lui est impossible : il est têtu, partial et de mauvaise foi.*

3   Quand la discussion, comme il arrivait souvent, avait été longue, diffuse, obstinée, le premier consul savait la résumer, la trancher d'un seul mot.
THIERS, Hist. du Consulat et de l'Empire, XIII.

4   Nos discussions étaient sans fin, nos conversations toujours renaissantes. Nous passions une partie des nuits à chercher, à travailler ensemble.
RENAN, Souvenirs d'enfance..., VI, II, p. 241.

5   (...) ma charmante interlocutrice n'ayant point paru convaincue et s'étant lancée tête basse dans des considérations variées, je pris le parti d'arrêter les frais et de couper court à la discussion.
COURTELINE, Boubouroche, Petit historique de Boubouroche, p. 9.

6   La discussion est impossible, avec qui prétend non pas chercher, mais posséder la vérité.
R. ROLLAND, Au-dessus de la mêlée, p. 57.

Loc. prov. *De la discussion jaillit la lumière :* c'est par un échange de points de vue, une confrontation des idées, des opinions, qu'on peut approcher de la vérité.

6.1   Si d'une discussion pouvait sortir la moindre vérité, on discuterait moins. Rien d'assommant comme de s'entendre : on n'a plus rien à se dire.
J. RENARD, Journal, 24 oct. 1887.

♦ **4** (1704). **Par ext.** Vive contestation. → **Altercation, contestation, controverse, différend, dispute, explication, querelle.** *Ils ont eu ensemble une violente discussion. Discussion de jeu, d'intérêts. Discussion de ménage.* → **Scène** (de ménage) ; → Contenance (cit. 3). *S'agiter, s'échauffer, parler fort, crier, en venir aux mains lors d'une discussion* (→ **Empoignade**).

7   (...) ils épargnaient les discussions avec les cochers — corporation encline à l'insolence ; et abusant volontiers de la crainte du scandale chez une femme bien élevée.
J. ROMAINS, les Hommes de bonne volonté, t. III, XI, p. 150.

8   (...) Antoine, qui avait à cette époque seize ou dix-sept ans, se souvenait de la discussion orageuse qu'il avait eue avec M. Thibault.
MARTIN DU GARD, les Thibault, t. III, p. 216.

CONTR. Acceptation. — Accord, entente.

DISCUTABLE [diskytabl] adj. — 1791 ; de *discuter*.

♦ **1** Qui peut être discuté, attaqué, mis en question. → **Attaquable, contestable, controversable.** *Méthode, opinion, théorie discutable. Il le dit, mais c'est fort discutable.* → **Voir** (c'est à voir). *Affirmation discutable. Une impression, une intuition très discutable.* → **Douteux.** — *Des faits discutables, dont l'exactitude n'est pas assurée.*

♦ **2** (Euphém.). Critiquable, plutôt mauvais. → **Douteux.** *C'est d'un goût discutable. «Le panache des plumes, d'une esthétique discutable»* (E. de Vogüé, 1899, *in* T. L. F.).

CONTR. Évident. — Incontestable ; indiscutable.

DISCUTAILLANT, ANTE [diskytajɑ̃, ɑ̃t] adj. — 1881 ; p. prés. de *discutailler*.
Péj. Qui discutaille.

Du Fernand tout craché, cette réplique ! Fernand souffrait de manie discutaillante. La plus banale, la plus insignifiante des remarques vous était retournée par lui de telle manière (...) que vous ne manquiez pas de vous sentir idiot (...)

Roger IKOR, les Fils d'Avrom, Les eaux mêlées, p. 650.

DISCUTAILLER [diskytaje] v. intr. — 1881; de *discuter.*

Péj. Discuter de façon oiseuse.

(...) le matin, elle se rendait au travail, elle faisait la queue dans les charcuteries, elle discutaillait devant les portes.

J.-M. G. LE CLÉZIO, le Déluge, p. 91.

DÉR. Discutaillant, discutaillerie, discutailleur.

DISCUTAILLERIE [diskytajRi] n. f. — Déb. XXᵉ; de *discutailler.*

Péj. Discussion oiseuse.

Pas de discutailleries, monsieur Lubert. Je renonce. Je vais me retirer sur les bords de la Riviera.

R. QUENEAU, le Vol d'Icare, p. 195, 1968.

DISCUTAILLEUR, EUSE [diskytajœr, øz] adj. et n. — V. 1850, Balzac ; de *discutailler.*

Péj. (Personne) qui discutaille.

Mon Larpion ressemblait fort à Papaduc, dadais rieur, bonne face de comique troupier, soiffard honnête, assez bon discutailleur pour tenir tête à Ramos qui lui témoignait beaucoup d'affection.

Jacques PERRET, Bande à part, p. 213.

DISCUTER [diskyte] v. — XIIIᵉ; lat. *discutere* «agiter», d'abord «fendre, casser en frappant», de *dis-*, et *quatere* «frapper, ébranler».

♦ **1** V. tr. Examiner (qqch.) par un débat, en étudiant le pour et le contre. → **Agiter, argumenter, controverser, critiquer, débattre.** *Discuter un fait, un point litigieux, une question, une opinion. Discuter un projet de loi* (→ Discussion, 1., spécialt). — V. pron. *Cette affaire se discute en Conseil des ministres.* → **Traiter** (se). — *Tout discuter.* → **Arguer** (sur tout). — *Discuter une équation.* → **Discussion.**

1   Fausseté des philosophes qui ne discutaient pas l'immortalité de l'âme ; fausseté de leur dilemme dans Montaigne.

PASCAL, Pensées, III, 220.

2   Une fois que la réflexion eût été ainsi éveillée, l'homme ne voulut plus croire sans se rendre compte de ses croyances, ni se laisser gouverner sans discuter ses institutions.

FUSTEL DE COULANGES, la Cité antique, V, I, p. 419.

♦ **2** Mettre en question, considérer comme peu certain, peu fondé. *Discuter l'existence, la vérité de qqch.* → **Contester, douter.** *Discuter l'autorité de qqn,* la mettre en cause.

3   Il ne quittait plus ses gants, donnait des ordres, manifestait une autorité que nul ne songeait d'ailleurs à discuter ni surtout à mettre en échec.

G. DUHAMEL, le Voyage de P. Périot, X, p. 182.

4   Sur le moment, la jeune femme n'essaya pas de discuter en elle-même la vraisemblance du propos.

J. ROMAINS, les Hommes de bonne volonté, t. II, XI, p. 115.

♦ **3** Spécialt. Opposer des arguments à (une décision), refuser d'exécuter. *Vous n'avez pas à discuter mes ordres.*

Absolt. *Ne discutez pas* (→ Pas de discussion*).

♦ **4** V. intr. ou tr. ind. (1829). Construit avec *de*. *Discuter d'un point avec qqn. Discuter sur qqch. avec qqn. Discuter en réunion.* → **Colloquer, conférer, conseil** (tenir conseil). *Discuter avec l'ennemi.* → **Négocier, parlementer, traiter.** *Discuter de politique,* et, ellipt., *discuter politique. Discuter de sujets généraux.* → **Philosopher.** *Discuter sur des détails.* → **Discutailler, disputailler, épiloguer, ergoter.** *Discuter d'un prix.* → **Marchander.** *Ils discutent avec animation,*

avec passion. *On ne peut discuter avec lui, il est de mauvaise foi. Discuter en défendant bien ses opinions.* → **Terrain** (disputer le terrain). *Discuter âprement.* → **Chicaner** (se), **démêler** (avoir à démêler), **disputer** (se), **quereller** (se). *Discutons calmement sans nous disputer.* — Fam. et trans. *Discuter le coup, le bout* de gras. → **Bavarder ;** → Tailler une bavette*.

5   J'aurais voulu qu'on se fasse tuer pendant que les généraux discutaient le bout de gras avec les Fritz dans un château historique ?

SARTRE, la Mort dans l'âme, II, p. 210.

6   (...) il n'avait surtout aucune envie de discuter métaphysique avec ce brave Paterson.

MARTIN DU GARD, les Thibault, t. V, p. 16.

7   À la suite de cette conversation, le grand Gilieth avait rejoint ses hommes qui discutaient avec animation sur le prix des oignons et des pommes de terre dont ils emplissaient leur araba.

P. MAC ORLAN, la Bandera, XIII, p. 150.

♦ **DISCUTÉ, ÉE** p. p. adj.

♦ **1** Qui a été débattu, examiné. *Projet de loi discuté par l'assemblée.*

♦ **2** Qui soulève des discussions, qu'on met en question, en doute. → **Discutable.** *L'existence de Pythagore est très discutée.* — *Opinion discutée.*

8   Et ne voulez-vous pas admettre que nous nous piquons à nos opinions avec d'autant plus de violence que nous les sentons plus discutées ou plus douteuses, les tenant ainsi pour certaines à proportion qu'elles ne le sont pas.

J. PAULHAN, Entretien sur les faits divers, III, p. 110.

♦ **3** *Un homme très discuté,* dont la valeur est mise en cause, les actes critiqués (→ Discuté, cit. 9).

CONTR. Accepter, admettre, croire, reconnaître. — (Du p. p.) Évident, indiscutable, indiscuté. ◊ **DÉR.** Discutable, discutailler, discuteur.

DISCUTEUR, EUSE [diskytœr, øz] n. et adj. — XIVᵉ; de *discuter.*

Rare. Qui aime la discussion. → **Raisonneur.** *C'est un discuteur acharné, il veut toujours avoir le dernier mot.* → **Discutailleur.**

1   N'êtes-vous pas capable d'aimer l'eau froide pour l'eau froide et croyez-vous qu'on fait tant son discuteur quand on vient de traverser après vingt jours la poussière dressée de toute la terre provençale ?

J. GIONO, le Serpent d'étoiles, p. 105.

Adj. *Un caractère, un tempérament discuteur.*

2   D'un geste discuteur et brutal il tenait le malheureux par le milieu de sa jaquette, à poignée pleine, et le secouait tout en parlant.

Alphonse DAUDET, Numa Roumestan, XIV, p. 270.

DISÉPALE [disepal] adj. — D.i.; de *di-*, et *sépale.*

Bot. Qui a deux sépales. *Des plantes disépales.*

DISERT, ERTE [dizɛr, ɛrt] adj. — 1321; lat. *disertus,* de *dissertum,* supin de *disserere* «enchaîner des raisonnements», de *dis-,* et *serere* «joindre, unir».

Littér. Qui parle avec facilité et élégance. → **Éloquent ; parole** (avoir la parole facile). *Une personne diserte. Orateur disert. Il a été assez disert sur ce sujet.*

1   Veut-on de diserts orateurs, qui aient semé dans la chaire toutes les fleurs de l'éloquence (...)

LA BRUYÈRE, Disc. de réception à l'Acad.

2   (...) des gens diserts, c'est-à-dire qui parlaient avec agrément et d'une manière élégante (...)

FÉNELON, Dialogues sur l'éloquence, Second dialogue.

3   (...) ses articles ne lui coûtaient pas plus de peine, tant il était disert et savant, que ses causeries (...)

PROUST, À la recherche du temps perdu, t. XIV, p. 116.

CONTR. Taciturne ; bredouilleur. ◊ **DÉR.** Disertement.

DISERTEMENT [dizɛʀtəmɑ̃] adv. — V. 1282; de *disert*.

Rare. De façon diserte. → **Éloquemment.**

Je ne raisonnerai peut-être pas là-dessus si disertement qu'un chirurgien, mais à coup sûr je serai de meilleure foi, et mon zèle me trompera moins que son avarice.
ROUSSEAU, Émile, I, p. 33.

DISETTE [dizɛt] n. f. — V. 1200, *disiète, disete*; orig. incert., p.-ê. grec *disektos* «année bissextile, malheureuse». On a aussi évoqué une formation à partir de *dire* «demander», d'où *disette* «demande (de qqch. qui manque)».

♦ 1 Manque (de choses nécessaires). → **Besoin, défaut, manque, pénurie, rareté.** *Disette d'eau* (→ Avare, cit. 27), *de vivres* (→ *infra*, 2.). *Disette d'argent.* → **Dénuement, pauvreté.**

1 On sent en mille rencontres (...) la disette d'argent (...)
Mᵐᵉ DE SÉVIGNÉ, Lettres, 1248, 1ᵉʳ janv. 1690.

2 (...) dans l'espérance que les Parisiens seraient forcés, par la disette des vivres, à se rendre (...)
VOLTAIRE, Essai sur les guerres civiles de France, Œ., t. X, p. 356.

Fig. Une disette de bonnes pièces de théâtre. Il y a disette d'idées nouvelles... → **Indigence.**

3 Il y a de certaines gens dont l'esprit n'est en mouvement que par pure disette d'idées (...)
MARIVAUX, la Vie de Marianne, p. 227.

4 Il peut s'il le veut, dans la disette où l'on est, et agréé comme il l'est, devenir le premier écrivain de la *Revue*, l'un des plus fréquents.
SAINTE-BEUVE, Correspondance, IV, p. 289.

♦ 2 Spécialt. Manque de vivres. → **Famine** (plus fort). *Année de disette. Les sept années de disette prédites par Joseph.* → **Vache** (les sept vaches maigres). *Pays qui souffre de la disette. Disette d'une ville assiégée. Privations subies lors d'une disette. La crainte de manquer accroît la disette.* → Pourvoir, cit. 10.

5 (...) la disette dégénéra en famine universelle.
VOLTAIRE, Essai sur les guerres civiles de France, Œ., t. X, p. 357.

6 La récolte du miel a été très insuffisante; on pressent une grande disette.
GIDE, Voyage au Congo, *in* Souvenirs, Pl., p. 827.

CONTR. Abondance; approvisionnement, ravitaillement.
◊ **DÉR. Disetteux.**

DISETTEUX, EUSE [dizetø, øz] adj. et n. — 1213; de *disette*.

Vx. Qui manque du nécessaire. → **Indigent, nécessiteux, pauvre.**

CONTR. Aisé, fortuné, nanti, riche.

DISEUR, EUSE [dizœʀ, øz] n. — 1233; *maldisseor*, v. 1200; de *dire*, sur le radical *dis-*.

♦ 1 DISEUR DE : personne qui dit habituellement (des choses d'un genre particulier). — Il ne s'emploie que dans quelques locutions :

Diseur, diseuse de bonne aventure* (cit. 3 à 5) : personne qui prédit l'avenir* (→ **Chiromancien, devin; voyante**). *Diseur d'horoscopes* (→ Crédule, cit. 2).

0.1 À la tête des baladins des gratte-ciel et des diseuses de bonne aventure, elle va conduire la marche funèbre de l'esthétisme européen.
MALRAUX, l'Homme précaire et la Littérature, p. 253.

Péj. Diseur de bons mots : celui qui affecte de dire des bons mots, en toute occasion.

1 Dieu ne créa que pour les sots
Les méchants diseurs de bons mots.
LA FONTAINE, Fables, VIII, 8.

2 Diseurs de bons mots, mauvais caractère.
PASCAL, Pensées, I, 46.

Diseurs de bons mots, mauvais caractère : «Je le dirais, 3 s'il n'avait été dit. Ceux qui nuisent à la réputation ou à la fortune des pauvres, plutôt que de perdre un bon mot, méritent une peine infamante : cela n'a pas été dit, et je l'ose dire.»
LA BRUYÈRE, les Caractères, VIII, 80.

Littér. *Diseur, diseuse de riens.* **Vx.** *Diseur de phébus* (→ Alambiquer, cit. 7).

Pour la non pareille Bouvillon, elle était la plus grande 4 diseuse de riens qui ait jamais été et non seulement elle parlait seule, mais aussi elle se répondait.
SCARRON, le Roman comique, II, X, p. 205.

«Diseur de rien!» soupirait quelquefois ma mère quand 4.1 j'étais un enfant bavard.
F. MAURIAC, le Nouveau Bloc-notes 1958-1960, p. 243.

Spécialt (métaphore littéraire) :

De la mort, Rilke affirme qu'elle est *«der eigentliche* 4.2 *Jasager»*, l'authentique diseuse de Oui, elle dit seulement Oui. Mais cela n'arrive que dans l'être qui a pouvoir de dire, de même que dire n'est dire et parole essentielle que dans ce Oui absolu où la parole donne voix à l'intimité de la mort.
M. BLANCHOT, l'Espace littéraire, p. 194.

♦ 2 Absolt et vx. *Un beau diseur, un diseur* : celui qui affecte de bien parler. *Un grand diseur* : un homme qui parle beaucoup.

Tu fais toujours le beau diseur et le grand esprit; apprends 5 que j'en sais plus que toi (...)
HAUTEROCHE, Crispin médecin, I, 6, *in* LITTRÉ.

Prov. *Les grands diseurs ne sont pas les grands faiseurs* : ceux qui parlent, se vantent, promettent le plus, font généralement le moins.

♦ 3 Littér. Personne qui récite, déclame. *C'est un fin* (→ Café-concert, cit. 2), *un excellent diseur*, une personne qui déclame avec art et esprit.

(...) montrant (...) que rien ne lui échappait, qu'il avait tout 6 compris, que tout, de la finesse du librettiste aux richesses de l'instrumentiste et à l'esprit de la diseuse, était aussi bien de son ressort.
PROUST, Jean Santeuil, Pl., p. 566.

Ce que je voyais c'était un homme chauve en costume 7 marron, un diseur. Il racontait une histoire drôle, à propos d'un fiasco.
S. BECKETT, Nouvelles, p. 43.

DISFONCTION [disfɔ̃ksjɔ̃] n. f.; **DISFONCTIONNEMENT** [disfɔ̃ksjɔnmɑ̃] n. m. → **Dysfonction; dysfonctionnement.**

DISGRÂCE [dizgʀɑs] n. f. — 1539; ital. *disgrazia*, de *dis-*, et *grazia*, du lat. *gracia*. → **Grâce.**

♦ 1 Perte des bonnes grâces, de la faveur d'une personne dont on dépend. → **Défaveur** (cit. 2). *Encourir, s'attirer la disgrâce d'un protecteur. Être, tomber en disgrâce.* → **Disgracié.** — Relig. Absence de la grâce (divine). → cit. 1.

(...) tous les hommes sont corrompus et dans la disgrâce 1 de Dieu (...)
PASCAL, Pensées, IX, 619.

Un Persan qui (...) s'est attiré la disgrâce du prince, est sûr 2 de mourir (...)
MONTESQUIEU, Lettres persanes, CIII.

Au lieu de soulager mes maux, je n'ai fait que les aug- 3 menter en m'exposant à votre disgrâce, et je sens que le pire de tous est de vous déplaire.
ROUSSEAU, Julie ou la Nouvelle Héloïse, Lettre II.

(...) lorsque tout tremble devant le tyran, et qu'il est aussi 4 dangereux d'encourir sa faveur que de mériter sa disgrâce (...)
CHATEAUBRIAND, Mémoires d'outre-tombe, t. II, p. 329 (→ Abjection, cit. 1).

♦ 2 État de celui qui a encouru la disgrâce. *La disgrâce de (qqn).* → **Chute, déchéance, destitution.** *La disgrâce de Fouquet. La disgrâce du ministre a entraîné celle de ses protégés. Suivre un ami dans sa disgrâce.*

Voilà ce que c'est que du monde! le moindre disgrâce 5 nous fait mépriser de ceux qui nous chérissaient.
MOLIÈRE, les Précieuses ridicules, 16.

6　Brody-Larondet comprit alors. Il n'était pas homme à mentir, mais il entrevit sa disgrâce.
> GIRAUDOUX, Bella, IV, p. 101.

♦ **3** Vx. (*Une, des disgrâces*). Événement malheureux. → **Infortune, malheur, revers** (de fortune). *Il a essuyé de nombreuses disgrâces au cours de sa vie.* → **Orage.** *Une cruelle disgrâce. Pour comble de disgrâce...* → **Détresse, misère.** *C'est le comble des disgrâces !* → **Adversité.** — Vx (en interj.). → **Malheur !**

7　Ah, malheur ! Ah, disgrâce !
> MOLIÈRE, l'Amour médecin, I, 6.

8　La mort n'est point pour moi le comble des disgrâces (...)
> RACINE, Bajazet, II, 3.

9　Les hommes semblent être nés pour l'infortune (...) et comme toute disgrâce peut leur arriver, ils devraient être préparés à toute disgrâce.
> LA BRUYÈRE, les Caractères, XI, 23.

♦ **4** Littér. Manque de grâce. → **Disgracieux ; laideur.** *Disgrâce de nature.* → **Difformité, infirmité.**

10　(...) nos plus ardents révolutionnaires puisèrent leur haine de la société dans des disgrâces de nature ou dans des infériorités sociales.
> CHATEAUBRIAND, Mémoires d'outre-tombe, t. IV, p. 188.

11　(...) l'esprit même de cette architecture anguleuse et décolorée dont m'apparaissaient pour la première fois la disgrâce rébarbative, l'intransigeance et la parcimonie.
> GIDE, les Faux-monnayeurs, I, XII, p. 127.

CONTR. Faveur, grâce (bonnes grâces) ; avantage, bonheur. — Beauté, charme, grâce.

DISGRACIÉ, ÉE [dizgʀasje] adj. et n. — 1546, Rabelais ; ital. *disgraziato* «malheureux», de *disgrazia*. → Disgrâce.

♦ **1** Qui n'est plus en faveur, qui est tombé en disgrâce. *Un ministre disgracié.* → **Destitué.** *Amant disgracié.* → **Éconduit.**

1　Rien n'est bien d'un homme disgracié : vertus, mérite, tout est dédaigné ou mal expliqué (...)
> LA BRUYÈRE, les Caractères, XII, 93.

2　L'ambassadeur disgracié, le chef de bureau mis brusquement à la retraite, le mondain à qui on bat froid, l'amoureux éconduit examinent, parfois pendant des mois, l'événement qui a brisé leurs espérances (...)
> PROUST, À la recherche du temps perdu, t. XII, p. 142.

♦ **2** Fig. Peu favorisé, mal partagé. → **Défavorisé.** *Être disgracié de la nature, par la nature.*

2.1　Elle avait conclu de bonne heure (...) qu'il y avait quelque chose de particulier dans son organisation. De conséquences en conséquences, elle vint à penser qu'elle était, jusqu'à un certain point, disgraciée de la nature : cette persuasion augmenta sa timidité et surtout son penchant pour la solitude (...)
> Ch. NODIER, Jean Sbogar, I.

Absolt. *Être disgracié.* → **Difforme** (→ Dédommagé, cit. 2), **infirme.** *Visage disgracié.* → **Ingrat, laid.** *Les disgraciés de la fortune :* les pauvres. → **Déshérité.**

3　Elle haussa vers lui son visage tendre et disgracié.
> SARTRE, l'Âge de raison, III, p. 52.

CONTR. Faveur (en faveur) ; favorisé. ◊ DÉR. Disgracier.

DISGRACIER [dizgʀasje] v. tr. — 1552 ; de *disgracié*. Littéraire.

♦ **1** Priver (qqn) de la faveur qu'on lui accordait. *Disgracier un ministre.* → **Destituer, renvoyer.** *Il a été disgracié à la suite d'une maladresse.*

On sait quel absurde prétexte prit l'empereur, à son retour, en plein conseil d'état, pour disgracier son ministre (*Fouché*) et le punir d'avoir sauvé la France sans lui.
> BALZAC, Splendeurs et misères des courtisanes, Pl., p. 754.

♦ **2** Fig. (au passif). *Il a été bien disgracié par (de) la nature.* → **Disgracié.**

CONTR. Favoriser, protéger.

DISGRACIEUSEMENT [dizgʀasjøzmɑ̃] adv. — 1552 ; de *disgracieux*.

Rare. De manière disgracieuse (Michelet, S. de Beauvoir, *in* T. L. F.).

(...) il est bien dur, ajouta-t-elle, que mon mari, qu'un homme sur l'affection duquel je croyais pouvoir compter, me traite aussi disgracieusement, et ne satisfasse point à ma fantaisie.
> DUMAS, les Trois Mousquetaires, t. I, p. 219.

CONTR. Gracieusement.

DISGRACIEUX, EUSE [dizgʀasjø, øz] adj. — 1578 ; rare jusqu'au XVIIIᵉ ; ital. *disgrazioso*, puis de *dis-*, et *gracieux*. → Gracieux.

Qui n'a aucune grâce. *Une personne revêche* et disgracieuse.* → **Déplaisant.** *Maintien, geste disgracieux. Ornement, assemblage disgracieux.* → **Informe, laid.** *Corps disgracieux. Visage disgracieux.* → **Ingrat.**

1　(...) on trouve, dans toutes ses lettres (...) beaucoup d'autres exemples d'une élocution naturellement disgracieuse et embarrassée.
> Émile HENRIOT, les Romantiques, p. 235.

2　(...) l'absence d'arbres, les maisons disgracieuses et le plan absurde de la ville.
> CAMUS, la Peste, p. 35.

N. (Rare). «*Les gracieux et les disgracieux*» (Péguy). (Actes, comportements, paroles). *Une attitude assez disgracieuse. Réplique disgracieuse, peu aimable.* → **Déplaisant, désagréable, discourtois.**

CONTR. Gracieux ; accort, appétissant, beau ; agréable, aimable, gentil. ◊ DÉR. Disgracieusement.

DISHARMONIE [dizaʀmɔni] n. f. — XXᵉ ; de *dis-*, et *harmonie.*

Didact. ou littér. Absence d'harmonie (entre des parties, des éléments). *Disharmonie de sons, de couleurs.* → **Discordance.** — Fig. *Disharmonie des sentiments.*

CONTR. Harmonie. ◊ HOM. Dysharmonie.

DISHLEY [diʃlɛ] n. m. — 1827 ; du nom de la ferme d'un éleveur anglais, *Dishley Grange*, dans le Leicestershire.

Techn. Mouton de race anglaise, à laine grossière. *Des dishleys. Dishley-mérinos.*

DISJOINDRE [dizʒwɛ̃dʀ] v. tr. [CONJUG. : *joindre*.] — 1361 ; réfection de *desjoindre* (déb. XIIᵉ) ; de *des-* (*dé-*), et *joindre*, d'après lat. *disjungere*, de *dis-*, et *jungere*.

♦ **1** Écarter les unes des autres (des parties jointes entre elles). → **Déjoindre, désassembler, désunir, détacher, diviser, scinder, séparer.** *Le temps a disjoint les pierres du mur. Disjoindre une chose d'une autre.* — Par ext. *Le temps a disjoint le mur.* → **Fendiller, fendre, fissurer, lézarder.** — *Disjoindre des pièces articulées les unes avec les autres.* → **Déboîter, démonter, disloquer.** *Disjoindre les ais d'une cloison.* — *Disjoindre les lèvres, les mains, les cuisses.*

0.1　Jasper Hobson comprit ce qui s'était passé. Il attendit avec une inquiétude poignante. Une fracture du sol pouvait engloutir ses compagnons et lui. Mais une seule secousse se produisit, qui fut plutôt un contre-coup qu'un coup direct. Elle fit incliner la maison du côté du lac et en disjoignit les parois. Puis, le sol reprit sa stabilité et son immobilité. Il fallait songer au plus pressé. La maison, quoique déjetée, était encore habitable.
> J. VERNE, le Pays des fourrures, t. I, p. 296.

♦ **2** (Abstrait). Séparer. *Disjoindre deux sujets, deux questions.* → **Isoler.** — Dr. *Disjoindre deux causes*, les séparer pour les juger chacune à part.

♦ **SE DISJOINDRE** v. pron.

1　Il y avait des sons aigres, faux, étonnants, qui sortaient de partout ; toute cette membrure en forme d'oiseau de mer qui était la *Médée* se disjoignait peu à peu, en gémissant sous l'effort terrible.
> LOTI, Mon frère Yves, XXVIII, p. 90.

♦ **DISJOINT, TE** p. p. adj.

♦ **1** Qui n'est pas, n'a pas été ou n'est plus joint. *Ce mollusque a deux coquilles disjointes. Corps de logis disjoints.* → **Séparé.** *Panneaux disjoints d'un placard.* → **Ouvert.** *Vieux perron aux marches disjointes.* — Par oppos. à *joint* :

1.1 Ses mains indépendantes de femme qui a l'habitude de prier les mains disjointes.
GIRAUDOUX, Siegfried et le Limousin, p. 249.

♦ **2** Dont les éléments sont disjoints.

2 Ainsi le siècle pénétrait jusqu'à moi par toutes les fissures d'un ciment disjoint.
RENAN, Souvenirs d'enfance..., III, III, p. 140.

♦ **3** Fig. Qui n'est pas conjoint. → **Séparé.** *Questions bien disjointes,* qui n'ont rien à voir ensemble. → **Différent, distinct.** — Bot. *Espèces disjointes,* très éloignées les unes des autres. — Mus. *Degré disjoint* (→ **Degré**, 7.), opposé à *conjoint, diatonique.*

Math. *Ensembles disjoints,* qui n'ont aucun élément commun.

Ménage disjoint. Famille disjointe. → **Désuni.**

3 (...) les enfants des couples séparés sont les plus heureux du monde, car chacun des deux époux disjoints rivalise de gentillesse et de gâteries avec l'autre, afin de montrer la supériorité de son amour pour cette progéniture ainsi accablée de sollicitude.
Georges LECOMTE, Ma traversée, p. 105.

CONTR. Joindre; allier, assembler, rapprocher, rejoindre, réunir, unir. — (Du p. p.) **Conjoint.**

DISJONCTER [disʒɔ̃kte] v. intr. — V. 1950; de *disjoncteur.*

Fam. Produire une interruption de courant (souvent suj. impers.). *Ça a disjoncté.* → Sauter. — Fig. (suj. n. de personne) Perdre le contact avec la réalité.

DISJONCTEUR [disʒɔ̃ktœr] n. m. — 1883; du lat. *disjunctum,* supin de *disjungere* «disjoindre».

Techn. et cour. Interrupteur* automatique. *Le disjoncteur coupe le courant quand celui-ci est trop fort ou quand la tension est trop basse. Disjoncteur d'automobile. Disjoncteur grâce auquel le courant se rétablit automatiquement.* → **Conjoncteur-disjoncteur.**

DISJONCTIF, IVE [disʒɔ̃ktif, iv] adj. — 1534; lat. *disjunctivus,* du supin de *disjungere.* → Disjoindre.

Didact. Qui disjoint, isole deux éléments logiques. — Gramm. *Particule, conjonction disjonctive,* qui unit les termes en séparant les idées. — N. f. *Les disjonctives* ou, soit que... *Propositions disjonctives,* dont la coordination est disjonctive.

1 La coordination *disjonctive* indique que deux faits s'excluent l'un l'autre ou traduit une alternative; elle se marque par *ou, ou bien, soit que... soit que, soit que... ou que..., que... que, tantôt... tantôt : Tu étais à ton poste* OU *tu n'y étais pas. — Il paiera* OU BIEN *il sera poursuivi* (AC.). — SOIT QU'*il le fasse,* SOIT QU'*il ne le fasse pas* (ID.). — *Il dit* TANTÔT *qu'il consent,* TANTÔT *qu'il refuse.*
GREVISSE, le Bon Usage, 181.

Log. Se dit d'un jugement qui affirme une alternative. *Le dilemme* est un syllogisme disjonctif.* — N. f. *Une disjonctive :* une alternative disjonctive (opposé à *alternative exclusive*).

2 L'induction, l'analogie, le syllogisme hypothétique et disjonctif, marquent les degrés du raisonnement selon l'essence.
ALAIN, Hegel, *in* les Passions et la Sagesse, Pl., p. 1014.

CONTR. Conjonctif, copulatif.

DISJONCTION [dizʒɔ̃ksjɔ̃] n. f. — XIIIe; lat. *disjunctio,* du supin de *disjungere.* → Disjoindre.

♦ **1** Didact. Action de disjoindre (des idées); résultat de cette action. → **Désunion, dislocation, écartement, séparation.** *La disjonction de deux questions. Les procédés logiques, grammaticaux de disjonction* (→ **Disjonctif**).

♦ **2** (1690). Dr. Séparation (de deux ou plusieurs causes). *Disjonction d'un article de projet de loi,* qu'on sépare de l'ensemble pour en faire ultérieurement l'examen. *Voter la disjonction.* — *Disjonction de deux causes, de deux instances.*

Si les demandes originaires et en garantie sont en état d'être jugées en même temps, il y sera fait droit conjointement; sinon le demandeur originaire pourra faire juger sa demande séparément : le même jugement prononcera sur la disjonction, si les deux instances ont été jointes (...)
Code de procédure civile, art. 184.

♦ **3** (1864). Log. Proposition disjonctive inclusive (une au moins des deux propositions est vraie) ou exclusive (une seule des deux est vraie). *Symbole de la disjonction* (∨). → **Ou; somme** (logique).

CONTR. Jonction; conjonction.

DISLOCATION [dislɔkasjɔ̃] n. f. — 1314; lat. médical *dislocatio,* du supin de *dislocare.* → Disloquer.

♦ **1** Le fait de se disloquer, état de ce qui est disloqué. Méd. Déplacement anormal, en général par traumatisme (d'un organe ou d'une partie du corps). *Dislocation d'une articulation.* → **Déboîtement, désarticulation, entorse, foulure, luxation.**

♦ **2** Le fait de se disloquer (2.); disjonction, séparation violente. *La dislocation des pièces d'une machine.*

♦ **3** (1830, *in* D.D.L.). Géol. *Dislocation de l'écorce terrestre.* → aussi **Faille, plissement.**

1 (...) les dislocations peuvent être des ploiements de couches sans cassure, ou bien il peut y avoir cassure et déplacement d'un compartiment par rapport à l'autre le long du plan de fracture. Dans le premier cas on parle de *plissements,* dans le second, de *failles.*
E. DE MARTONNE, Géographie physique, t. II, VII, p. 689.

(1580). Fig. *La dislocation d'un empire.* → **Démembrement, désagrégation, dissolution.**

♦ **4** Cour. Séparation des membres (d'un groupe). *La dislocation du cortège s'opéra au rond-point.* → **Dispersion.**

Dislocation d'une armée : le renvoi des troupes dans leurs cantonnements respectifs.

2 Murat profita de cette incertitude pour s'arrêter plusieurs jours à Gumbinen et pour diriger sur les différentes villes qui bordent la Vistule les restes des corps; au moment de cette dislocation de l'armée, il en réunit les chefs.
Ph. P. SÉGUR, Hist. de Napoléon, XII, V, *in* LITTRÉ.

Spécialt. Commandement par lequel on signale la fin d'une manœuvre.

3 «Monsieur, votre troupe a bien défilé, je vous en complimente», dit (...) le général...
Il retourna vers sa voiture. Il entendit, derrière lui, du côté des écuries, crier «Dislocation!» et puis les grands éclats de rire (...)
M. DRUON, les Grandes Familles, III, VIII, p. 143.

CONTR. Remboîtage, remboîtement. — Agencement, assemblage, montage, remontage. — Jonction, union.

DISLOQUER [dislɔke] v. tr. — 1545; lat. médical médiéval *dislocare* «déboîter», de *dis-,* et lat. class. *locare* «placer, mettre en un lieu», de *locus* «lieu».

♦ **1** Déplacer violemment (les parties d'une articulation). → **Déboîter, démettre, désarticuler.** *Disloquer* *la mâchoire de qqn.* → **Démantibuler.** — Par ext. *Disloquer un membre. Disloquer le bras, l'épaule de qqn.* → **Démancher.** *Le bourreau lui avait disloqué, rompu les jambes.*

1 (...) quels sont les indices assez puissants pour engager un juge à commencer par disloquer les membres d'un citoyen, son égal, par le tourment de la question.
VOLTAIRE, Polit. et légis., Proc. crim. de Montbailli et de sa femme, *in* LITTRÉ.

♦ **2** (1588). Séparer violemment, sortir de leur place normale (les parties d'un ensemble). → **Désunir.** *Disloquer les rouages, les éléments d'une machine, d'une pièce d'artillerie.* → **Déranger, détraquer, fausser** (→ Caronade, cit. 1). Par ext. Séparer les éléments de... *Disloquer une machine, des meubles.* → **Briser, casser, démolir.**

Par anal. *Disloquer un cortège, un rassemblement* (→ **Disperser**), *un convoi* (→ **Diviser**).

Fig. *Disloquer un empire* (→ **Démembrer**), *un État, un système.*

♦ **SE DISLOQUER** v. pron.

♦ **1** *Se disloquer le pied, la main, l'épaule.* → **Luxer** (se). Par ext. *Se disloquer, avoir l'air de se disloquer en vieillissant.* → **Déformer** (se); → Ampoule, cit. 2.

♦ **2** *Clown* (cit. 1) *qui se disloque en faisant des acrobaties.* → **Contorsionner** (se), **désosser** (se).

♦ **3** *Cortège qui se disloque.* → **Dissoudre, séparer** (se). — *Système, État qui se disloque.* → **Désagréger** (se).

2 Au moment où se disloqua l'assistance officielle, j'aperçus Jules Ferry qui s'en allait avec Eugène Spuller (...)
Georges LECOMTE, Ma traversée, p. 181.

3 Salomon à peine mort, son royaume se disloque. Sa splendeur ouvre un temps de désordre et de décadence, qui s'achèvera dans un vertigineux écroulement.
DANIEL-ROPS, le Peuple de la Bible, III, II, p. 201.

♦ **DISLOQUÉ, ÉE** p. p. adj.

♦ **1** *Articulation disloquée.* — *Rouages, éléments disloqués.*

♦ **2** Dont les éléments ont été disjoints ; par ext., dont les parties ne tiennent plus ensemble. *Un vieux fauteuil disloqué. Une voiture toute disloquée.* — *Cortège disloqué.*

Cassé en plusieurs éléments. — Fig. *Phrase disloquée.*

♦ **3** (Personnes ; corps). Dont les membres n'ont pas la coordination normale. *Corps, pantin disloqué.*

4 Ces monstres disloqués furent jadis des femmes.
BAUDELAIRE, les Fleurs du mal, «Tableaux parisiens», XCI.

DISNEYEN, ENNE [disnejɛ̃, ɛn] adj. — Mil. XXᵉ ; du nom de *Walt Disney.*
Relatif aux dessins de Walt Disney et de son entreprise ; qui évoque les dessins et dessins animés des studios Walt Disney (caractérisés par l'habileté graphique, la simplicité des contours, la caricature souvent animale, et évoquant en général la mièvrerie, le traditionalisme du dessin). «*Sa nouvelle formule* (du Journal de Mickey) *contient, outre les sous-produits disneyens (...) de vieilles bandes américaines*» (*Magazine littéraire*, nᵒ 95, déc. 1974, p. 16).

DISPACHE [dispaʃ] n. f. — 1842 ; ital. *dispaccio* «dépêche», ou esp. *despacho.*
Dr. mar. Règlement des pertes et avaries entre assuré et compagnie d'assurances.
La dispache. — L'article 401 du Code de commerce prévoit que les avaries communes sont réglées au marc le franc de la valeur des biens sauvés (marchandises, navires, etc.).

Pour obtenir ce règlement, il convient donc de procéder à une double opération en évaluant, en premier lieu, le montant des avaries, puis le montant des valeurs qui ont été sauvegardées.
Cette opération extrêmement complexe et souvent délicate s'appelle la «dispache» et est effectuée par des personnes spécialisées nommées «dispacheurs».
Albert BAYER, le Droit maritime, p. 100.

DÉR. Dispacheur.

DISPACHEUR [dispaʃœR] n. m. — Déb. XXᵉ ; de *dispache*, p.-ê. d'après esp. *despachador*, de *despachar* «expédier».
Techn. Expert chargé des dispaches. → Dispache, cit.
— Syn. : *expert répartiteur.*
En cas d'avaries grosses, elles seront réglées suivant les règles de York-Anvers 1890 par deux dispacheurs nommés l'un par le capitaine et l'autre par les propriétaires du chargement (...) J.-R. BLOCH, Sur un cargo, p. 229.
REM. Ne pas confondre avec *dispatcher**.

DISPARAÎTRE [disparɛtR] v. intr. [CONJUG.: *paraître*. → Connaître.] — 1509 ; de *dis-*, et *paraître* ; remplace l'anc. franç. *disparoir*, XIIIᵉ.

Disparaître se conjugue avec l'auxiliaire avoir, quand on veut exprimer l'action : *ces feux ont disparu tout à coup* ; avec l'auxiliaire être (vieilli ou littér.) quand on veut exprimer l'état : *ces feux sont disparus depuis longtemps.*
LITTRÉ, Dict., art. *Disparaître.*

I Ne plus être vu ou visible. ♦ **1** Cesser de paraître, d'être visible. → **Aller** (s'en aller), **échapper** (aux regards), **éclipser** (s'), **évanouir** (s'), **évaporer** (s'). — *Qui disparaît par degrés* (→ **Évanescent**). *Qui disparaît aussitôt qu'apparu* (→ **Fugace, fugitif, fuyant**). *Disparaître aux regards, aux yeux, à la vue.* — *Disparaître dans, derrière, sous* (qqch.). *Le soleil disparaît derrière les nuages* (→ **Cacher** [se], **voiler** [se]), *disparaît à l'horizon* (→ **Coucher** [se]). *La lune s'abaisse et disparaît* (→ Croissant, cit. 2). *Sommets qui disparaissent dans les nuages.* → **Fondre** (se).

2 Il (*le soleil*) plonge enfin parmi les collines et disparaît, tout rouge et comme déchiré par les aspérités de l'horizon.
E. FROMENTIN, Une année dans le Sahel, p. 159.

3 (...) la brume subtile où toutes les formes apparaissaient et disparaissaient soudainement (...)
Valery LARBAUD, Amants, heureux amants, I, p. 13.

Être caché, dissimulé par. → **Cacher** (se), **dissimuler** (se), **recouvrir** (être recouvert de, par) ; → Corniche, cit. 4. *La maison disparaît sous la verdure. Inscriptions gravées qui disparaissent sous la patine.*

4 Les deux panneaux en retour disparaissaient sous des dessins à la plume, des paysages à la gouache et des gravures d'Audran, souvenirs d'un temps meilleur et d'un luxe évanoui. FLAUBERT, Trois contes, «Un cœur simple».

(À la suite d'un mouvement). *Source qui disparaît sous terre.* → **Enfoncer** (s'), **engouffrer** (s'). *Disparaître au tournant d'une route. Disparaître dans la profondeur du sous-bois. Le nageur disparut à nos yeux* (→ **Plonger**).

5 À mes yeux étonnés leur troupe est disparue.
RACINE, Bajazet, V, 3.

6 (...) les voitures disparurent, l'une après l'autre, derrière le tournant (...)
SARTRE, le Sursis, p. 65 (→ Cahotant, cit. 1).

♦ **2** (1650). Personnes. S'en aller. → **Fuir, partir, retirer** (se). *Disparaître sans laisser de traces.*

6.1 Si j'avais disparu, est-ce qu'il serait parti à ma recherche ?
J. ROMAINS, les Hommes de bonne volonté, t. IV, XVII, p. 189.

Disparaître aux yeux du monde ; disparaître de la scène (du monde) : s'isoler dans la retraite, se retirer dans la solitude.

7 Et sans doute elle attend le moment favorable
Pour disparaître aux yeux d'une cour qui l'accable.
RACINE, Bérénice, I, 3.

S'esquiver en hâte. → **Enfuir** (s'), fam. **défiler** (se).

8 L'ami, si de ces lieux tu ne veux disparaître (...)
MOLIÈRE, Amphitryon, III, 2.

9 Les Tyriens, jetant armes et boucliers,
Ont, par divers chemins, disparu les premiers.
RACINE, Athalie, V, 6.

Disparaître furtivement, discrètement. → **Éclipser** (s'),
esquiver (s').

10 Il apprit à jouer au croquet ; il disparaissait avec les jeunes
filles, quand une visite arrivait (...)
J. CHARDONNE, les Destinées sentimentales, p. 86.

♦ **3** (En parlant d'objets qu'on ne peut retrouver). *Nos
gants ont disparu.* → **Égarer** (s'). *Il ne trouve plus ses
dossiers : ils n'ont pas disparu tout seuls.* → **Envoler**
(s'), **volatiliser** (se).

II (Fin XVIIe). Cesser d'être, d'exister. ♦ **1** (Êtres vivants).
→ **Éteindre** (s'), **mourir.** *Marins qui disparaissent en
mer.* → **Perdre** (se). *Toutes ces personnes ont disparu*
(→ Cataloguer, cit. 1). *Il a disparu dans la fleur de
l'âge.* → **Quitter** (cette terre).

11 (...) nous disparaîtrons, moi qui suis si peu de chose, et
ceux que je contemplais si avidement, et de qui j'espérais
toute ma grandeur (...)
LA BRUYÈRE, les Caractères, VIII, 66.

Ne plus être retrouvable, sans que le décès soit
certain. → ci-dessous Disparu, p.

12 Le père avait disparu pendant l'invasion prussienne.
Ed. et J. DE GONCOURT, Journal, 1872, p. 895,
in T. L. F.

♦ **2** (Choses). Être anéanti. *Navire qui disparaît en
mer.* → **Couler** (bas), **perdre** (se), **périr, sombrer.** *Troie
a disparu de la surface de la terre. — Le brouillard a
disparu vers dix heures.* → **Dissiper** (se), **évaporer** (s'),
fondre (se). *— La rougeur de son visage commence
à disparaître.* → **Effacer** (s'). *Son malaise a disparu
très vite. Il a disparu comme par enchantement.*

13 Vous voulez que je vous parle de ma santé (...) ce petit
étouffement est disparu à la vue de l'horizon de notre
petite terrasse (...)
Mᵐᵉ DE SÉVIGNÉ, 567, 12 août 1676.

14 La vigueur du corps s'entretient par l'occupation physique ;
le labeur cessant, la force disparaît (...)
CHATEAUBRIAND, Mémoires d'outre-tombe, t. VI,
p. 319.

15 Sur sa figure ronde où rien d'autre ne bouge, un petit pli,
entre les sourcils, se forme et disparaît, reparaît et s'efface,
seul indice du débat intérieur.
MARTIN DU GARD, les Thibault, t. III, p. 168.

16 Un miracle, s'il dure, cesse d'être considéré comme tel.
C'est pourquoi les apparitions disparaissent si vite.
COCTEAU, Thomas l'imposteur, p. 134.

(Abstrait). *Ses craintes, ses soucis ont disparu en un
clin* (cit. 3) *d'œil.* → **Dissiper** (se), **effacer** (s') **évanouir**
(s') ; **fumée** (s'en aller en fumée). *Après cet échec, tout
orgueil a disparu en lui* (→ Anéantissement, cit. 2). *Ce
défaut n'a pas encore disparu chez lui* (→ Appliquer,
cit. 36). *Cette mode a disparu depuis longtemps.*
→ **Abandonner** (être abandonné) ; → S'en aller rejoindre
les vieilles lunes*. *Civilisation qui disparaît. Dialecte
qui commence à disparaître.* → **Perdre** (se). *Toute
raison de vivre a disparu pour lui. Ses forces disparaissent peu à peu.* → **Diminuer, épuiser** (s'), **tarir.**
Tout finit par disparaître. → **Passer.**

17 Tout ! Tout a disparu, sans échos et sans traces,
Avec le souvenir du monde jeune et beau.
LECONTE DE LISLE, Poèmes barbares,
«La dernière vision».

18 (...) quand l'illusion disparaît, c'est-à-dire quand nous
voyons l'être ou le fait tel qu'il existe en dehors de nous,
nous éprouvons un bizarre sentiment, compliqué moitié
de regret pour le fantôme disparu, moitié de surprise
agréable devant la nouveauté, devant le fait réel.
BAUDELAIRE, le Spleen de Paris, XXX.

(Auxiliaire *être*). *Ce qui est disparu.* → ci-dessous Disparu, p. p.

19 La force des peuples barbares tient à leur jeunesse et disparaît avec elle.
HUGO, Post-scriptum de ma vie, Tas de pierres, IV.

20 Les civilisations de l'Inde, de la Chaldée, de la Perse, de
la Syrie, de l'Égypte, ont disparu l'une après l'autre.
HUGO, les Misérables, IV, VII, IV.

21 Si, extraordinairement, la monarchie disparaissait, la féo-
dalité resterait, le système resterait.
J. ROMAINS, les Hommes de bonne volonté, t. IV,
IX, p. 90.

Par exagér. *Sa voix disparaissait dans ce tumulte.*
→ **Perdre** (se). *Son mérite disparaissait devant la
gloire du vainqueur.* → **Affaiblir** (s'), **éclipser** (s'),
effacer (s').

22 Tout disparaît dans Rome auprès de sa splendeur (...)
RACINE, Bérénice, III, 2.

III **FAIRE DISPARAÎTRE.** ♦ **1** *Faire disparaître qqn,* le
soustraire à la vue.

23 Mais bientôt, à ma vue, on l'a fait disparaître.
RACINE, Athalie, II, 5.

Faire disparaître qqch., l'enlever, le cacher. → **Escamoter.** *Faire disparaître un document compromettant.*

24 Lucas aligna sur la table une demi-douzaine de boîtes de
conserves de poissons. La Marocaine les fit prestement
disparaître. P. MAC ORLAN, la Bandera, XV, p. 178.

♦ **2** **a** (Compl. n. de personne). → **Supprimer, tuer.**
«(...) qu'ils me tuent s'ils veulent. Seulement, c'est
Pauline qu'ils feront disparaître» (H. Pourrat, *Gaspard des montagnes,* p. 257).

b (Compl. n. de chose). *Faire disparaître qqch.*
→ **Anéantir, détruire, effacer, enlever, supprimer** ;
→ Passer au bleu*. *Le temps a fait disparaître
cette inscription.* → **Oblitérer.** *Médicament qui
fait disparaître les maux de tête* (→ Chasser), *la
fièvre* (→ Tomber). *Faire disparaître une tumeur.*
→ **Fondre, résorber.** *Il fit disparaître le reste de son
repas.* → **Absorber, engloutir, engouffrer, manger.**
— Faire disparaître les taches d'un vêtement.
→ **Enlever, ôter, supprimer.** *Faire disparaître une
faute* (→ Corriger, **éliminer**), *une lacune* (→ Combler).
*Faire disparaître un obstacle, une difficulté, un
doute.* → **Balayer, dissiper, lever, résoudre, vaincre.**
Faire disparaître la colère. → **Apaiser, calmer.** *Faire
disparaître les hésitations, les derniers scrupules de
qqn.* → **Chasser, taire** (faire taire).

25 À la vérité, la France possédait-elle encore, contre les apparences, bien des *atouts maîtres,* que sa déroute récente
n'avait pas fait disparaître de son jeu.
Louis MADELIN, Talleyrand, III, XXVIII, p. 298.

c (Sens I, 3). Subtiliser, rendre introuvable. *Qui a
encore fait disparaître mon stylo ?*

♦ **DISPARU, UE** [dispaʀy] p. p. adj.

♦ **1** Qui n'est plus visible.

26 Êtes-vous pour jamais disparu de mes yeux ?
CORNEILLE, Psyché.

27 (...) l'image insaisissable qu'il avait poursuivie de toute l'ardeur d'une imagination amoureuse, et dont il n'avait pu
apercevoir que le profil un dernier pli de robe, aussitôt
disparu (...) Th. GAUTIER, la Toison d'or, II.

28 Miraculeux anneau, disparu du regard
Avec celui que tu fais disparaître,
Protège le bonheur de mon ami Gygès et cache-le !
GIDE, le Roi Candaule, II, 1.

Qui est parti brusquement ou mystérieusement.

29 Ignacio, le plus aventurier de toute la famille, son frère
disparu depuis dix années sans donner de ses nouvelles !...
LOTI, Ramuntcho, I, IX, p. 101.

♦ **2** Qui a cessé d'exister (→ Biographie, cit. 3 ; couler,
cit. 23). *Marin disparu en mer. Un monde disparu*
(→ Barrière, cit. 6). → **Éteint, évanoui.**

30   Dans les Assemblées, l'opposition, qu'on croyait disparue,
      se reconstituait.
                Louis MADELIN, Hist. du Consulat et de l'Empire,
                                    Le Consulat, XI, p. 171.

N. (1907). *Les disparus :* ceux qui sont morts, et,
spécialt, les soldats qui, dans une guerre, sont considérés comme morts bien que leur décès n'ait pu
être établi. *Être porté disparu. Prier pour les disparus. Le nombre de tués et de disparus.* — (Dans
un autre contexte que la guerre). Personne présumée
morte. *L'inondation a fait quelques morts et des
disparus.*

CONTR. Apparaître, paraître, reparaître. — Être, former (se),
manifester (se), montrer (se). — Commencer, rester, revenir.
— Conserver, garder. ◊ DÉR. V. Disparition.

DISPARATE [dispaʀat] adj. et n. f. — 1655; lat. *disparatus* «inégal», p. p. de *disparare*, de *dis-*, et *parare*
«apprêter», de *par, paris* «égal»; le substantif a été
emprunté à l'esp. *disparate* (n. m.), dér. du v. *disparatar*
(du lat. *disparatum*), par l'anc. franç. *disparate* «acte
extravagant».

I Adj. Qui n'est pas en accord, en harmonie avec
ce qui l'entoure; dont la diversité est choquante.
→ **Discordant, divers, hétéroclite, hétérogène.** *Assemblage de sons disparates.* → **Cacophonie.** *Couleurs,
ornements disparates qui jurent*.* — Dont les éléments sont disparates. *Un mobilier disparate.*

1   Ton sentiment et ton langage font avec les siens un effet
      disparate comme la rencontre de tons criards dans un
      tableau (...)
                G. SAND, François le Champi, Avant-propos, p. 17.
2   (...) le sol était jonché des objets les plus disparates, autour
      d'une malle béante, à moitié vide.
                MARTIN DU GARD, les Thibault, t. III, p. 136.
3   Nous avons étalé jusqu'ici sur la table des éléments variés
      et singulièrement disparates.
                André SIEGFRIED, l'Âme des peuples, VII, III, p. 170.

II N. f. (Fin XVIIe). Vx ou littér., didact. Défaut d'harmonie,
dissemblance choquante (entre deux ou plusieurs
choses). → **Différence, disparité.**

4   Un contraste est agréable, une disparate est toujours cho-
      quante; en général, on peut appeler disparate une opposi-
      tion trop forte et trop tranchante; et contraste, une oppo-
      sition délicate qui ne produit qu'une surprise modérée et
      un sentiment plus doux et plus profond que violent (...)
                Mme DE GENLIS, Leçons d'une gouvernante, t. II,
                                                          p. 397.
5   Il y avait en moi de telles disparates, ma condition d'écolier
      formait une telle dispositions morales des désaccords si
      ridicules, que j'évitais comme une humiliation nouvelle
      toute circonstance de nature à nous rappeler à tous deux
      ces désaccords.
                E. FROMENTIN, Dominique, VIII, p. 123.
6   Il fut envoyé à Orléans, au 76e régiment d'infanterie, et,
      grâce à un colonel «intelligent», c'est-à-dire sensible au
      prestige civil et accessible aux recommandations, ne souf-
      frit pas trop de la disparate entre la caserne et la famille.
                A. MAUROIS, À la recherche de M. Proust, II, III,
                                                          p. 48.

REM. On emploie souvent le substantif au masculin; on
peut alors le considérer comme la substantivation normale de l'adjectif.

7   Jusque-là, comme beaucoup d'hommes chez qui leur goût
      pour les arts se développe indépendamment de la sensua-
      lité, un disparate bizarre avait existé entre les satisfactions
      qu'il accordait à l'un et à l'autre (...)
                PROUST, Du côté de chez Swann, Pl., t. I, p. 246.

CONTR. Assorti, harmonieux, homogène, proportionné. —
Conformité, harmonie, unité.

DISPARATION [dispaʀasjɔ̃] n. f. — Mil. XXe; dér. sav.
du lat. *disparatus.* → Disparate.
Physiol. Différence entre les deux images d'un
même objet, formées par les deux rétines.

DISPARITÉ [dispaʀite] n. f. — 1282; lat. *dispar, disparis,*
de *dis-,* et *par, paris,* d'après *parité.*

(La disparité). Absence d'accord, d'harmonie entre
les éléments; caractère disparate. → **Contraste, différence, disparate, dissemblance, dissonance, diversité, hétérogénéité, inégalité.** *Disparité entre deux
personnes, deux caractères. Disparité des couleurs.*
→ **Bigarrure.** *La disparité des éléments d'un tout*
(→ Accommodation, cit.).

Ces vues si déshonnêtes et si communes, qui compensent   1
aux yeux des parents l'extrême disparité d'âge (...)
                DIDEROT, Essai sur Claude, I, 95, *in* LITTRÉ.

(Une, des disparités).

C'est le privilège des conceptions fortes d'unifier, par leur   2
seul contact, les disparités les plus criantes dans le lecteur,
l'auditeur ou le spectateur.
                J.-R. BLOCH, Deux hommes se rencontrent, p. 138.

Écon. Divergence entre deux éléments, créant une
situation de déséquilibre. *Disparité entre deux taux
de croissance.*

CONTR. Accord, analogie, conformité, parité, ressemblance,
similitude.

DISPARITION [dispaʀisjɔ̃] n. f. — 1559; de *disparaître,*
d'après *apparition.*

Action de disparaître*; résultat de cette action.

♦ **1** Le fait de n'être plus visible. *La disparition
du soleil à l'horizon.* → **Coucher.** *La disparition
d'une planète, d'une étoile.* → **Occultation.** *Disparition totale ou partielle d'un astre.* → **Éclipse.**

♦ **2** Action de partir, de disparaître d'un lieu, de ne
plus se manifester (→ **Départ, éloignement, retraite**);
le fait de ne plus être visible. *La disparition brutale, rapide, soudaine de qqn. Apparitions et dispa-
ritions intermittentes. La disparition de qqn derrière
un arbre, sous un couvert, dans une maison. Disparition de l'ennemi durant la nuit* (→ Braillard, cit. 2;
débucher, cit. 3). — *Absence inexplicable. Il n'a prévenu personne de sa disparition.* → **Absence, fugue.**
*La disparition de l'enfant remonte à huit jours.
Constater la disparition d'une grosse somme d'argent* (perte ou vol).

Parfois des collaborateurs plus jeunes et plus sages se trouvent en place et la disparition du chef est un bienfait; il
se peut, aussi, que des ignorants soient appelés à régner,
par hasard.
                J. CHARDONNE, l'Amour du prochain, p. 109.

♦ **3** Action de disparaître en cessant d'exister.
→ **Mort; fin, suppression.** *La disparition d'un
navire en mer.* → **Perte.** *Disparition d'espèces
préhistoriques.* — *La disparition d'une civilisation* (→ **Dissolution, effacement, évanouissement**). —
Disparition de troubles organiques. — *Depuis la
disparition de leur chef, les membres du parti se
sont brouillés.*

CONTR. Apparition, réapparition.

1. DISPATCHER [dispatʃœʀ] n. — 1915, *in* Höfler; mot
angl., de *to dispatch* «répartir».
Anglic. Personne qui s'occupe d'un dispatching. On
rencontre aussi la forme *dispatcheur, euse* n. — Recomm.
off. : → **Régulateur.**
REM. Ne pas confondre avec *dispacheur*.*

2. DISPATCHER [dispatʃe] v. tr. — 1972; empr. à
l'angl. *to dispatch.* → 1. Dispatcher.
Anglic. Répartir. *Dispatcher les marchandises dans
les rayons d'un magasin.* «*Les élèves ont été dis-
patchés un peu partout et on s'est retrouvés avec
des classes surchargées*» (*le Monde,* 12 févr. 2000,
p. 11).

DISPATCHING [dispat∫iŋ] n. m. — 1921; mot angl., p. prés. de *to dispatch* «répartir».

Anglic. Techn. Organisme central qui assure la régulation du trafic (ch. de fer, aviat.), la répartition de l'énergie électrique, etc. — **Recomm. off.** : *poste de distribution, de commande.*

DISPENDIEUSEMENT [dispãdjøzmã] adv. — 1843; de *dispendieux.*

Rare. D'une manière dispendieuse. *Vivre dispendieusement.*

CONTR. Économiquement.

DISPENDIEUX, IEUSE [dispãdjø, jøz] adj. — 1495, attestation isolée; repris 1709, bas lat. *dispendiosius,* de *dispendium* «dépense», de *dispendere* «partager». → Dispenser.

♦ **1** Qui est l'occasion d'une grande dépense. → **Coûteux, onéreux.** *Une façon de vivre dispendieuse. Habitudes dispendieuses. Besoins, goûts dispendieux.*

Je n'avais pas un sol de rente; mais j'avais un nom, des talents; j'étais sobre, et je m'étais ôté les besoins les plus dispendieux, tous ceux de l'opinion.
ROUSSEAU, les Confessions, IX.

♦ **2** Par ext. (critiqué; pop. ou fam.). Qui coûte cher. *Un repas dispendieux. C'est trop dispendieux pour nous.*

CONTR. Marché (bon marché); **économique, gratuit; sobre.**
◊ **DÉR. Dispendieusement.**

DISPENSABLE [dispãsabl] adj. — XIVᵉ; de *dispenser.* **Dr.** *Cas dispensable,* pour lequel on peut obtenir une dispense.

DISPENSAIRE [dispãsɛʀ] n. m. — 1803, à propos de la France; 1775, à propos des établissements anglais; angl. *dispensary,* de *to dispense,* cf. anc. franç. *dispensaire* (1573) «recueil de formules»; de *dispenser.*

Établissement (public ou privé) où l'on donne gratuitement des soins courants et où l'on assure le dépistage et la prévention de certaines maladies à caractère social. *Dispensaire anti-tuberculeux, anti-cancéreux. Aller se faire soigner dans un dispensaire, au dispensaire.*

Il y avait aussi toute une population de malades et de miséreux à isoler, à soigner, à guérir. À l'heure actuelle, partout des hôpitaux (...) des dispensaires, des lazarets (...)
L. M. LYAUTEY, Paroles d'action, p. 114.

DISPENSATEUR, TRICE [dispãsatœʀ, tʀis] n. — 1174, *despensatur*; lat. *dispensator, -trix* «intendant», du supin de *dispensare.* → Dispenser.

Personne qui dispense*, qui distribue. → **Distributeur, répartiteur.** *La justice est la dispensatrice des peines et des récompenses* (Furetière). *Dispensateur de richesses, de biens. Dieu, le dispensateur de toutes grâces* (→ Charnel, cit. 5).

1 (...) un grand ministre est celui qui est le sage dispensateur des revenus publics (...)
MONTESQUIEU, l'Esprit des lois, XIII, xv.

2 (...) je savais qu'auprès du dispensateur des vrais biens le meilleur moyen d'obtenir ceux qui nous sont nécessaires est moins de les demander que de les mériter.
ROUSSEAU, les Confessions, VI.

3 (...) je suppliai le dispensateur de toutes grâces d'accorder à l'orphelin le bonheur, et de lui donner le dédain de la puissance.
CHATEAUBRIAND, Mémoires d'outre-tombe, t. VI, p. 26.

4 (...) les banques centrales, dispensatrices des devises, tiennent ainsi en main la clef d'une serrurerie financière grâce à laquelle la fermeture devient effectivement hermétique.
André SIEGFRIED, l'Âme des peuples, II, p. 21.

L'oiseau, rempli de reconnaissance, s'avança plus près 5 encore sans aucune frayeur, se laissant caresser et prendre par la généreuse dispensatrice, qui, touchée de cette confiante sympathie, le ramena chez elle et commença son éducation.
Raymond ROUSSEL, Impressions d'Afrique, p. 406.

Adj. *Un geste dispensateur (de bienfaits...).*

DISPENSATION [dispãsasjɔ̃] n. f. — V. 1200; lat. impérial *dispensatio,* du supin de *dispensare.* → Dispenser.

Vx ou littér. Distribution (→ Adresse, cit. 3). *La dispensation juste de la lumière et des ombres.* → Reflet, cit. 1.

Rien ne fait mieux comprendre le peu de choses que Dieu croit donner aux hommes, en leur abandonnant les richesses, l'argent, les grands établissements (...) que la dispensation qu'il en fait (...)
LA BRUYÈRE, les Caractères, VI, 24.

DISPENSE [dispãs] n. f. — V. 1447; déverbal de *dispenser* (2.), attesté postérieurement.

♦ **1 Relig. et cour.** Autorisation spéciale, donnée par l'autorité ecclésiastique de faire ce qui est défendu ou de ne pas faire ce qui est prescrit. → **Autorisation, exemption, permission.** *Demander, obtenir une dispense; accorder une dispense à qqn* (→ **Dispenser**). *Dispense accordée par le pape. Obtenir dispense de Rome, en cour de Rome* (→ Autel, cit. 27). *Il a eu sa dispense du pape.*

À Rome, on ne lit point Boccace sans dispense (...) 1
LA FONTAINE, Contes et Nouvelles en vers, «Ballade».

On n'a point pour la mort de dispense de Rome. 2
MOLIÈRE, l'Étourdi, II, 3.

♦ **2 Dr. civil et cour.** Décharge d'une obligation. *Dispense du service militaire. Dispense de scolarité ou d'examen. Dispense d'âge pour passer un examen,* autorisation de le passer avant l'âge légal. *Dispense de certaines obligations civiles.* → **Immunité; franchise.** *Dispense de droits, d'impôts.* → **Exonération, franchise.** — *La dispense de qqn, sa dispense,* celle qu'il, elle a obtenue.

(...) il fallait venir *ester à droit* soi-même, à moins d'une 3 dispense expresse du roi.
VOLTAIRE, Essai sur les mœurs, LXXXV.

(*En ce qui concerne le mariage*) il est loisible au Président 4 de la République d'accorder des dispenses d'âge pour des motifs graves. Code civil, art. 145.

(1836). Pièce établissant la dispense accordée à qqn. → **Dérogation, exonération.**

CONTR. Obligation.

DISPENSÉ, ÉE [dispãse] adj. → **Dispenser.**

DISPENSER [dispãse] v. tr. — 1283; lat. *dispensare* «partager, régler, administrer», de *dispensum,* supin de *dispendere* «distribuer», de *dis-,* et *pendere* «peser».

♦ **1 DISPENSER (qqch.) À (qqn) :** distribuer (en parlant de personnes, de puissances supérieures). → **Accorder, départir, distribuer, donner, répandre.** *Le soleil dispense à tous sa lumière. Les bienfaits que Dieu nous dispense* (→ Autorité, cit. 1).

Il (*Dieu*) leur dispense avec mesure 1
Et la chaleur des jours et la fraîcheur des nuits (...)
RACINE, Athalie, I, 4.

(*La misère*) leur donna cette grande, cette forte éducation qu'elle dispense à coups d'étrivières aux grands hommes (...)
BALZAC, le Cousin Pons, Pl., t. VI, p. 578.

Oui, cette ville, a quelque chose d'ensorcelant, et dispense un charme.
Émile HENRIOT, le Diable à l'hôtel, XIII, p. 106.

4   (...) cette lumière triomphante que dispense un soleil déjà
    méridional, sans que la voile encore la lourde tristesse
    tropicale.
                        André SIEGFRIED, l'Âme des peuples, II, II, p. 34.

Vx. → **Partager, répartir.**

5   Quant à son temps, bien le sut dispenser :
    Deux parts en fit, dont il soulait *(avait coutume de)* passer
    L'une à dormir, et l'autre à ne rien faire.
                        LA FONTAINE, Pièces diverses, II,
                        Épitaphe d'un paresseux.

♦ **2** (1544). **DISPENSER (qqn) DE** : exempter (qqn) de
(une obligation, faire qqch). → **Exempter ; dispense.**
Dispenser qqn d'impôts. → **Décharger, exonérer.** *Dispenser qqn des conditions requises. Être dispensé de
telle formalité. Dispenser qqn d'un devoir, d'un vœu.*
→ **Dégager, soustraire** (à). *Se faire dispenser de...*

6   (...) dispensez mes vœux de cette obéissance (...)
                        MOLIÈRE, Tartuffe, IV, 3.

7   (...) il pouvait la dispenser de l'âge prescrit (...) comme
    il a dispensé de l'âge pour le consulat tant de grands
    hommes (...)   RACINE, Britannicus, 1re Préface.

DISPENSER (qqn) DE (et infinitif)

8   Les Juifs charnels attendaient un Messie charnel, et les
    Chrétiens grossiers croient que le Messie les a dispensés
    d'aimer Dieu (...)   PASCAL, Pensées, IX, 609.

(Sujet n. de chose). Épargner à (qqn) l'obligation de.
→ **Délivrer, libérer ; quitte** (tenir quitte de). *Ton succès
ne te dispense pas de travailler.*

9   Celui qui ne peut remplir les devoirs de père n'a point
    le droit de le devenir. Il n'y a ni pauvreté, ni travaux, ni
    respect humain, qui le dispensent de nourrir ses enfants
    et de les élever lui-même.   ROUSSEAU, Émile, I.

10 Mère Guillette, dit le vieux laboureur, s'il ne fallait que
    cinquante francs pour vous consoler de vos peines et vous
    dispenser d'envoyer votre enfant au loin, vrai, je vous les
    ferais trouver (...)
                        G. SAND, la Mare au diable, V, p. 43.

11 Le bon sens qui dispense de savoir.
                        J. RENARD, Journal, 15 mars 1905.

12 Il ne la comprenait pas : mais ne pas comprendre n'a
    jamais dispensé de juger.
                        R. ROLLAND, l'Âme enchantée, II, p. 179.

Dispenser s'emploie par politesse pour demander la permission de ne pas faire quelque chose ou feindre de
s'excuser d'une abstention. *Dispensez-moi de vous raccompagner.*

Iron. *Je vous dispense de me dire votre avis. —
Dispenser qqn de qqch. Dispensez-moi de vos
réflexions ; je vous dispense de ces réflexions.
Dispensez-moi de ces détails.* → **Épargner ; grâce**
(faire grâce de). *Je vous dispense à l'avenir de vos
visites* : je vous défends de revenir me voir.
→ **Interdire.**

13 Dispensez-moi du récit des blasphèmes (...)
                        CORNEILLE, Polyeucte, III, 2.

14 (...) je suis mal propre à décider la chose ;
    Veuillez m'en dispenser.
                        MOLIÈRE, le Misanthrope, I, 2.

♦ **SE DISPENSER** v. pron.

Se dispenser de : s'exempter de, se soustraire à (une
obligation). *Se dispenser de ses devoirs. Se dispenser
des formalités d'usage.*

15 (...) ce sont des règles dont (...) on ne saurait se dispenser.
                        MOLIÈRE, les Précieuses ridicules, 4.

Se permettre de ne pas faire (qqch.). *Se dispenser
de travailler.*

16 On promet beaucoup pour se dispenser de donner peu.
                        VAUVENARGUES, Réflexions et Maximes, 445.

17 (...) on ne peut se dispenser de juger : c'est une nécessité,
    pour vivre.
                        R. ROLLAND, Musiciens d'aujourd'hui, p. 118.

♦ **DISPENSÉ, ÉE** p. p. adj.

♦ **1** Donné, distribué. *Conseils dispensés à ceux qui
en réclament.*

♦ **2** (1899, *in* D. D. L.). *Être dispensé du service militaire.*
→ **Exempt** (→ Consumer, cit. 12 ; cours, cit. 20). *Il se
croit dispensé de tout effort.*

L'abus des livres tue la science. Croyant savoir ce qu'on a   18
lu, on se croit dispensé de l'apprendre.
                        ROUSSEAU, Émile, V.

N. *Les dispensés de...* Absolt. *Les dispensés, les
exemptés.*

CONTR. Assujettir, astreindre, contraindre, exiger, forcer,
obliger. ◊ DÉR. Dispensable, dispense. — COMP. Indispensable.

DISPERSAL [dispɛʀsal] n. m. — 1959 ; mot angl., de
to disperse «disséminer» ; du lat. *dispergere*. → Disperser.

Anglic. Techn. Aire cimentée pour le stationnement
des avions, dans une base aérienne.

DISPERSANT [dispɛʀsã] n. m. — V. 1960 ; p. prés. de
disperser.

Sc. et techn. Réactif utilisé pour disperser les fines*
d'un matériau. — Spécialt. Produit tensioactif* utilisé pour accélérer la biodégradation des hydrocarbures. «*les spécialistes de l'Institut Français du
Pétrole commencent par préciser qu'il s'agissait non
plus de détergents, mais de "dispersants" (...) le
but visé (est) le morcellement de la nappe en une
mosaïque de mini-nappes moins incontrôlables*»
(*Sciences et Avenir*, mai 1978, p. 47).

Adj. *Des produits dispersants.* — *L'effet dispersant
d'un produit.*

DISPERSEMENT [dispɛʀsəmã] n. m. — 1874 ; de *disperser.*

Rare. État de ce qui est dispersé.

Les pigeons à col bleu, les plus puissants de tout le peuple
des oiseaux, s'en vont sur le pays (...) Ils ont de petits yeux
à facettes qui perçoivent le dispersement le plus étendu
des choses.   J. GIONO, les Vraies Richesses, p. 198.

Action de disperser, le fait de se disperser. → **Dispersion, éparpillement.**

DISPERSER [dispɛʀse] v. tr. — V. 1450 ; lat. *dispersus*,
p. p. de *dispergere* «répandre çà et là», de *dis-*, et *spar-
gere* «éparpiller».

♦ **1** Jeter, répandre çà et là. → **Disséminer, dissiper,
éparpiller, parsemer, répandre, semer.** *Disperser les
débris de qqch. Le courant d'air a dispersé ses
papiers. Disperser des objets de tous côtés. Disperser des cendres au vent* (→ Brûler, cit. 4). *Disperser
des objets sur, dans, entre...* — *Le vent disperse les
brumes.* → **Dissiper.** — (Compl. au sing.). *Disperser le
brouillard.*

Pendant que l'ombre tremble, et que l'âpre rafale   1
Disperse à tous les vents avec son souffle amer
La laine des moutons sinistres de la mer.
                        HUGO, les Contemplations, V, XXIII.

(...) le vent met une ardeur folle et inutile à disperser les   2
rafales du soleil, à les pourchasser en agitant furieusement
les branches du taillis.
                        PROUST, les Plaisirs et les Jours, p. 217.

♦ **2** Répartir en divers endroits, de plusieurs côtés.
→ **Diviser, répartir, séparer.** *Disperser une collection. Disperser des troupes dans différents cantonnements. Dieu dispersa les hommes sur la face de
toute la terre* (Genèse, XI, 8).

L'Éternel vous dispersera *(Israël)* parmi les peuples, et vous   3
ne resterez qu'un petit nombre au milieu des nations où
l'Éternel vous emmènera.
                        BIBLE (SEGOND), Deutéronome, IV, 27.

Disperser les rayons d'une source lumineuse. → **Dispersion.**

Artill. *Disperser le tir*.*

Abstrait. *Disperser ses efforts, ses forces, son attention,* les faire porter sur plusieurs points, sur plusieurs objets à la fois. → **Émietter, éparpiller.**

4   Nous ne doutons pas que si Voltaire, au lieu de disperser les forces colossales de sa pensée sur vingt points différents, les eût toutes réunies vers un même but, la tragédie, il n'eût surpassé Racine et peut-être égalé Corneille. Mais il dépensa le génie en esprit.

> HUGO, Littérature et Philosophie mêlées, «Sur Voltaire».

5   *(Napoléon)* en s'obligeant à distendre son cerveau déjà livré à un travail surhumain, à dissiper son attention, à allonger ses bras, à disperser ses forces d'Amsterdam à Naples, et, plus tard, de Madrid à Hambourg (...)

> Louis MADELIN, Hist. du Consulat et de l'Empire, Vers l'Empire d'Occident, X, p. 137.

♦ 3 Repousser, écarter, mettre en fuite. *Disperser la foule* (→ Attroupement, cit. 7). *Disperser l'ennemi.* → **Balayer, chasser, débander.** *Disperser un cortège, une manifestation, un attroupement.*

6   *(Ils)* avaient arraché aux pillards leur butin, fait évacuer la place et dispersé la foule.

> LOTI, Aziyadé, III, LII, p. 152.

7   Qu'elle est lente à pâlir, l'aube qui rassure les oiseaux et disperse le sabbat des chattes en délire !

> COLETTE, la Paix chez les bêtes, «Le matou», p. 51.

◆ SE DISPERSER v. pron.

♦ 1 Être dispersé. *Les feuilles se dispersent au vent.*

8   La veille, quand on était parti au chant des vieux cantiques, il soufflait une brise du sud, et tous les navires, couverts de voiles, s'étaient dispersés comme des mouettes.

> LOTI, Pêcheur d'Islande, I, XII, p. 126.

Fig. *Souvenirs qui se dispersent* (→ Cendre, cit. 13).

9   Et les trônes, roulant comme des feuilles mortes, Se dispersaient au vent !

> HUGO, les Châtiments, II, VII, 1.

♦ 2 *La foule se dispersa après le spectacle.* → **Partir; égailler** (s'). — *Se disperser par bandes.* → **Essaimer.** *Se disperser dans différentes directions.* → **Diffuser, irradier, rayonner.** *Les ennemis se dispersèrent sous le choc de l'attaque.* → **Enfuir** (s'), **fuir; débander** (se), **rompre.**

Fig. S'appliquer à des travaux différents, à des occupations trop diverses. *Son attention, son activité se disperse. Ne vous dispersez pas trop.*

10   Sans doute se disperser est-il dangereux. Mais s'hypnotiser sur le sillon l'est encore plus.

> J. ROMAINS, les Hommes de bonne volonté, t. V, XVIII, p. 127.

◆ DISPERSÉ, ÉE p. p. adj.

♦ 1 *Papiers, déchets dispersés.* — Sc. *Système dispersé,* dans lequel des particules sont en suspension*.

♦ 2 Se dit de plusieurs objets, ou d'un objet dont les éléments sont répartis en plusieurs endroits. *Les manuscrits de cet auteur sont dispersés. Une œuvre dispersée.*

(Personnes). *Une population dispersée.* → **Clairsemé.** *Ses amis sont dispersés.*

Loc. milit. *Ordre dispersé* (opposé à *serré*).

♦ 3 Qui s'applique à de nombreux objets, à trop d'objets. *Intérêt dispersé. Efforts dispersés.* — *Cet élève est trop dispersé, son attention est dispersée* (→ sens 2 de l'actif).

CONTR. Agglomérer, amonceler, assembler (cit. 4), centraliser, concentrer, masser, rallier, rapprocher, rassembler, réunir. ◊ DÉR. Dispersement.

DISPERSIF, IVE [dispɛʀsif, iv] adj. — 1855; dér. de *dispersum,* supin de *dispergere.* → Disperser.

Sc. Qui provoque la dispersion d'une radiation. *Milieu dispersif.*

DISPERSION [dispɛʀsjɔ̃] n. f. — 1265, *dispertion;* rare av. XVIIᵉ; lat. *dispersio,* de *dispersum,* supin de *dispergere.* → Disperser.

♦ 1 Action de disperser, de se disperser; état de ce qui est dispersé. → **Dissémination, division, éparpillement.** *La dispersion des cendres par le vent. La dispersion des pièces d'une collection.* — *Dispersion de particules, d'électrons.*

Phys. *Dispersion de la lumière :* décomposition d'une lumière formée de radiations de différentes longueurs d'ondes en spectre. *Dispersion de la lumière blanche par un prisme ou un réseau de diffraction.* → **Diffusion.** *Qui provoque une dispersion.* → **Dispersif.**

Balist. *Dispersion du tir. Rectangle de dispersion,* dans lequel se répartissent 99 % des points d'impact.

Chim. État d'une solution colloïdale, en suspension dans un milieu où elle est insoluble. *Milieu de dispersion.*

Opération qui consiste à mettre en suspension (une substance).

Statist. Étendue des valeurs prises par les termes d'une série statistique, envisagées les unes par rapport aux autres ou relativement à un paramètre de position (valeur moyenne, par ex.). *Caractéristiques, paramètres de dispersion d'une série statistique* (variance, écart type, coefficient de variation).

♦ 2 (Éléments humains). *La dispersion des élèves à la sortie de l'école. Donner l'ordre de dispersion, à la fin d'une manifestation. La dispersion d'une armée, d'une flotte.* → **Débandade, déroute, fuite** (mise en).

1   Le czar (...) apprit à moitié chemin la bataille de Narva et la dispersion de tout son camp.

> VOLTAIRE, Hist. de Charles XII, II.

La dispersion d'un groupe, d'une foule, d'un peuple. → **Séparation.** *La dispersion des Juifs.* → **Diaspora.**

2   D'autres éléments seront perdus à jamais, tels ceux qu'on a vu partir vers l'Égypte, entraînant, de force, avec eux Jérémie. La Syrie et l'Asie Mineure en reçurent aussi. Première manifestation dans l'histoire de ce grand phénomène mystérieux et inquiétant qu'est la dispersion juive, la *diaspora.*

> DANIEL-ROPS, le Peuple de la Bible, IV, I, p. 267.

♦ 3 (Abstrait). *La dispersion de l'esprit,* son application à différents sujets. → **Dissipation, éparpillement.** *La dispersion des efforts, des forces, de la pensée.* → **Émiettement.**

3   Je voudrais lire tout, à la fois. Danger de la dispersion.

> GIDE, Journal, 10 oct. 1923.

4   Louis Pasteur s'interdisait la plupart des distractions qui affaiblissent ou façonnent les hommes de vingt ans et sa sévérité précoce appelait dispersion, dissipation, ce que tant d'autres croyaient une fébrilité naturelle, des curiosités profitables.

> Henri MONDOR, Pasteur, p. 19

CONTR. Réunion. — Rassemblement, regroupement. — Concentration. ◊ COMP. V. Dispersoïde.

DISPERSOÏDE [dispɛʀsɔid] adj. — 1922; du rad. de *dispersion,* et *-oïde.*

Chim. Système composé de deux phases paraissant homogènes. — Particule dispersée.

DISPLAY [displɛ] n. m. — V. 1980; angl. *display* «exposition, étalage».

Anglic. Cartonnage publicitaire, utilisé dans une campagne de promotion. — En appos. *Boîte display.* «*Au programme : messages publicitaires sur les antennes radio (...) matériel PLV pour les points de vente (affichettes, boîtes-displays, deux modèles différents de présentoirs)*» (*Livres-Hebdo,* 17 oct. 1983, p. 71).

DISPONIBILITÉ [dispɔnibilite] n. f. — 1492; rare av. 1790; de *disponible.*

État de ce qui est disponible*.

♦ 1 Dr. (Choses). *La disponibilité des biens,* la faculté d'en disposer, de les aliéner librement.

♦ 2 Plur. *Les disponibilités :* actif dont on peut immédiatement disposer (par oppos. aux *immobilisations*). *Les disponibilités sont constituées par les espèces en caisse, en banque* (dépôts à vue), *les effets immédiatement escomptables, certains titres faciles à liquider.* → **Fonds** (de roulement), **trésorerie.**

0.1   Si tu vends, tu risques de rester je ne sais pas combien de temps avec tes disponibilités sur les bras, à regarder grimper les cours...
           N. SARRAUTE, le Planétarium, p. 279.

♦ 3 (Personnes). Situation administrative de certains fonctionnaires, écartés provisoirement de leurs fonctions, mais qui conservent leur grade, leur droit à la retraite. *Être, maintenir, mettre, en disponibilité.*

0.2   Depuis, il a épousé Simone, professeur à la Martinique. Elle a obtenu une mise en disponibilité d'un an... et ils ont réalisé le parcours Martinique-Marseille dans ce laps de temps en passant par la mer Rouge.
           Bernard MOITESSIER, Cap Horn à la voile, p. 53.

Situation d'un militaire maintenu ou renvoyé dans ses foyers avant l'expiration de la durée légale, bien qu'il demeure apte au service actif. — Par ext. Ensemble des militaires qui sont en état de disponibilité. — Situation d'un officier général qui appartient aux cadres constitutifs, mais qui est provisoirement sans emploi.

1   (...) avec ses galons d'or il allait partir de droit pour Toulven; on allait l'envoyer en *disponibilité* pendant trois mois au moins, quatre peut-être (...)
           LOTI, Mon frère Yves, XCVIII, p. 235.

♦ 4 Ling. *Disponibilité d'un mot :* le fait pour un mot d'être à la disposition de qqn, d'être connu activement de lui, même s'il n'est pas effectivement employé. *Utiliser la fréquence et la disponibilité pour établir une liste de mots fondamentaux* (ex. : le français fondamental).

♦ 5 État d'une personne, d'une chose disponible (3.). *La disponibilité de l'esprit. — La disponibilité d'esprit (de qqn).* Avoir une grande disponibilité d'esprit. Elle est serviable, mais elle manque de disponibilité pour faire qqch.

2   Déçu par le saint-simonisme comme il l'avait été par le catholicisme traditionnel, l'idéologie et la physiologie, il se tourna vers le lamennaisisme avec la même disponibilité d'esprit, mais aussi avec les mêmes réticences fondamentales.
           A. BILLY, Sainte-Beuve, p. 133.

3   Le désœuvrement, cette disponibilité totale dont je ne sais si je jouis ou si je souffre à la campagne, cela seul m'incita à pousser la porte entrebâillée, la première après l'escalier, à gauche.
           F. MAURIAC, le Nœud de vipères, II, XVIII, p. 217.

4   Notez tout de suite les principaux thèmes gidiens : ferveur, refus de tout ce qui peut lier, attacher; besoin de disponibilité, d'attente.
           A. MAUROIS, Études littéraires, Gide, t. I, p. 76.

CONTR. Indisponibilité; activité.

DISPONIBLE [dispɔnibl] adj. — XIVe, dr.; répandu XIXe; lat. médiéval *disponibilis,* de *disponere.* → Disposer.

♦ 1 (Choses). Dont on peut disposer. → **Libre.** *Nous avons deux places disponibles. Ces livres sont-ils disponibles? Appartement disponible.*

1   (...) les murs, avec leurs anfractuosités, leurs ouvertures où l'on peut se jeter en cas de péril, lui donnaient l'impression d'un refuge latéral toujours disponible.
           J. ROMAINS, les Hommes de bonne volonté, t. IV, VIII, p. 78.

Dr. *Somme, valeurs disponibles d'une entreprise,* et, n. m., *le disponible.* → **Disponibilité, fonds** (de roulement), **réserve, trésorerie.** — *Biens disponibles. Portion, quotité* disponible par donation, par testament* (opposé à *part réservatrice,* en matière successorale).

Temps disponible. Je n'ai pas une minute disponible pour...

(1956). Ling. *Vocabulaire disponible,* en réserve dans la mémoire, quelle que soit sa fréquence d'emploi (→ Passif). → **Disponibilité.**

♦ 2 (Personnes). *Officier, fonctionnaire disponible,* qui n'est pas en activité, mais qui demeure toujours à la disposition de l'armée, de l'administration.

Par ext. *Être disponible :* être sans emploi, disposer librement de son temps. *Être disponible pour qqch.*

♦ 3 ⓐ Dont l'action, le jugement, les sentiments peuvent se modifier librement; qui n'est lié ou engagé par rien. *Esprit disponible. Se sentir disponible.*

2   Sois disponible de toute ta ferveur à toutes les choses (...) Sois disponible : refuse ton cœur à la fixité, ne t'attache à rien, ni à personne, ni à toi-même. Sois infidèle et toujours amoureux. Désencombre-toi du passé. Que tes passions soient excessives, mais exclusives, jamais.
           C. L. ESTÈVE, résumant Gide, Études philosophiques, p. 31, cité par A. LALANDE, art. *Disponible.*

3   (...) je disais que chaque nouveauté doit nous trouver toujours tout entiers disponibles.
           GIDE, les Nourritures terrestres, IV, I.

ⓑ Qui peut interrompre ses activités pour s'occuper d'autrui. *Il n'est jamais disponible. Être disponible pour qqn, pour s'occuper de ses enfants. Un père, une mère toujours disponible.*

CONTR. Engagé, indisponible, occupé, pris; actif. ◇ **DÉR. et COMP.** Disponibilité, indisponible.

DISPOS, OSE [dispo, oz] adj. — 1465; adapt. de l'ital. *disposto* (du lat. *dispositus,* p. p. de *disponere;* → Disposer), d'après *disposer.*

Rare. Qui est en bonne disposition pour agir. → **Agile, alerte, allègre** (→ Allégresse, cit. 1), **forme** (en forme), **gaillard, ingambe, léger.** — Rare au fém. *Être en humeur dispose* (Académie). *Esprit dispos.* → **Éveillé, ouvert, vif.** — Cour. *Frais* et dispos :* en bonne santé et dans un état euphorique, actif. *Après un bon bain, ils se sentirent frais et dispos pour continuer.*

1   (...) le moi que voici, chargé de lassitude,
A trouvé l'autre moi frais, gaillard et dispos (...)
           MOLIÈRE, Amphitryon, II, 1.

2   Je ne sais ce que j'ai; quand je suis venu ici, j'étais frais et dispos, et me voilà roué, brisé, comme si j'avais fait dix lieues.   DIDEROT, le Neveu de Rameau, Œ., p. 488.

3   Au lieu d'un triste vieillard, un homme jeune et dispos (...)
           G. SAND, la Mare au diable, II, p. 23.

CONTR. Abattu, fatigué, incommodé, indisposé, las, lent, lourd, malade, pesant.

DISPOSANT, ANTE [dispozɑ̃, ɑ̃t] n. — 1459; substantivation du p. prés. de *disposer.*

Dr. Personne qui fait une disposition, soit par donation entre vifs, soit par testament. *Facultés, capacité du disposant* (cf. Code civil, art. 909). → **Donateur, testateur.**

DISPOSER [dispoze] v. — 1180, «décider de»; empr. au lat. *disponere,* de *dis-,* et *ponere* (→ Poser), avec infl. de *poser.*

I V. tr. dir. ♦ **1** (1452). Mettre dans un certain ordre. → **Accommoder, agencer, arranger, établir, installer, placer, ranger, répartir.** — REM. Le compl. est en général au pluriel ou collectif. — *Disposer méthodiquement, symétriquement des objets. Disposer deux ou plusieurs éléments dans un ordre déterminé.* → **Agencer, ajuster, assembler, combiner, composer, construire, coordonner, dresser, monter, ordonner.** *Disposer des objets avec minutie, avec soin* (→ **Compasser,** vx). *Disposer des cailloux en ligne* (→ **Aligner**). *Disposer deux bâtons en* (*forme de*) *croix* (→ **Croiser**). *Disposer des ornements tout autour de qqch.* (→ **Ceindre, entourer**). *Disposer des barreaux par échelons* (→ **Échelonner**), *par étages* (→ **Étager**). *Disposer qqch. à côté de...* (→ **Flanquer**). *Disposer les massifs d'un jardin. Disposer des fleurs dans un vase. Disposer les couverts* (cit. 15) *sur la table. Disposer des colis dans la cale d'un navire.* → **Arrimer.** — *L'architecte a bien disposé les appartements de cette maison.* → **Distribuer.**

1 Lorsqu'il disposa les cieux, j'étais là;
Lorsqu'il traça un cercle à la surface de l'abîme,
Lorsqu'il fixa les nuages en haut.
          BIBLE (SEGOND), Proverbes, VIII, 27-28.

2 On disposa devant le poêle le guéridon, le fauteuil et une chaise.
          J. ROMAINS, les Hommes de bonne volonté, t. V, XXIII, p. 211.

Spécialt. *Disposer ses troupes, l'artillerie avant la bataille. Disposer ses troupes autour d'une place de guerre* (→ **Investir**). *Art de disposer un camp.* → **Castramétation.**

3 Madame, je m'en vais disposer mon armée.
          RACINE, Alexandre, II, 4.

REM. Par rapport aux synonymes partiels, *disposer* insiste sur la répartition spatiale :

4 *Préparer* a pour accessoire l'idée de prévoyance; *apprêter,* celle d'attention et de soin; *disposer* celle d'ordre et d'arrangement (...) on *dispose* pour un usage qui demande l'ajustement ou le concours d'un certain nombre d'objets ou d'opérations.
          LAFAYE, Dict. des synonymes, Préparatifs.

Compl. au sing. *Disposer sa maison pour recevoir un ami* (→ **Embellir, orner**). *Disposer une pièce pour danser. Disposer son lit pour se coucher.* → **Faire** (son lit). *Disposer la table pour le dîner* (→ **Dresser**). *Disposer son visage pour la circonstance* (→ **Composer**).

Fig. et rare. *Disposer utilement son temps. Disposer l'avenir. Disposer ses affaires, un plan.* → **Organiser; combiner, orienter, régler.**

5 Et maître de soi-même, en soi-même il dispose
Tout ce qu'il se propose
De produire au dehors.
          CORNEILLE, Imitation de Jésus-Christ, I, 3.

♦ **2** (XVIe, «prédisposer»). **DISPOSER (qqn) À (qqch.)** : préparer psychologiquement (qqn) à (qqch.). → **Préparer.** *Disposer un malade à mourir, à la mort. Disposer son corps à subir la fatigue. Disposer son âme à la prière* (→ Action, cit. 19). *Disposer qqn à une mauvaise nouvelle.*

6 (*Je*) vais disposer tout mon monde au divertissement que je vous ai promis.
          MOLIÈRE, la Comtesse d'Escarbagnas, 1.

Le malheur vainement à la mort nous dispose;
On la brave de loin, de près c'est autre chose (...)   7
          J.-B. ROUSSEAU, le Bûcheron et la Mort, in LITTRÉ.

Spécialt. *Disposer qqn en faveur de... Je l'ai disposé en votre faveur. Disposer favorablement les esprits.*

(...) mais, si votre femme savait qu'au moment d'arriver   8
vous avez pensé à une autre, ça la disposerait mal pour vous.
          G. SAND, la Mare au diable, XI, p. 98.

Absolt. Sujet n. de chose. *L'opium dispose au sommeil. Métiers qui disposent à la tuberculose.* → **Prédisposer.**

DISPOSER (qqn) À (et inf.) : engager (qqn) à (faire qqch.). → **Décider, déterminer, engager, inciter, pousser.** *Nous l'avons disposé à partir en voyage. Disposer un malade à subir une opération urgente. Disposer qqn à accepter... Nous l'avons disposé à vous recevoir* (→ Cruel, cit. 23).

(...) pour lui (*le monde*), la vraie douleur est un spectacle,   9
une sorte de jouissance qui le dispose à tout absoudre, même un criminel (...)
          BALZAC, la Recherche de l'absolu, Pl., t. IX, p. 577.

(*l'individualisme...*) un sentiment réfléchi et paisible qui   10
dispose chaque citoyen à s'isoler de la masse de ses semblables (...)
          TOCQUEVILLE, De la démocratie en Amérique, III, II, II.

II Commander à sa guise; prendre des dispositions. ♦ **1** V. intr. Stipuler. → **Décider, décréter, dicter, prescrire, régler.** *La loi ne dispose que pour l'avenir. Disposer par testament. C'est à vous de disposer.* — Prov. *L'homme propose, Dieu dispose.*

Vous êtes maître ici, commandez, disposez,   11
Et recevez enfin ma main, si vous l'osez.
          CORNEILLE, Sertorius, V, 4.

Toute personne pourra disposer par testament, soit sous   12
le titre d'institution d'héritier, soit (...)
          Code civil, art. 967.

♦ **2** V. tr. **DISPOSER QUE.** *Le règlement dispose que...*

Qui ne sait, d'ailleurs, que la fameuse ordonnance de Blois,   13
de mai 1579, dispose formellement pour ceux qui se trouveront avoir suborné fils ou fille mineurs (...)
          FRANCE, le Crime de S. Bonnard, Œuvres, t. II, p. 482.

III V. tr. ind. (XVe). (Sujet n. de personne). **DISPOSER DE.** ♦ **1** Avoir à sa disposition, avoir la possession, l'usage de. → **Jouir** (de), **servir** (se servir de), **user, utiliser.** *Vous pouvez disposer de tout dans la maison. Il dispose d'une voiture. Vous pouvez en disposer, je n'en ai plus besoin.* → **Prendre.**

Nous disposons de ces deux pièces. L'argent dont l'entreprise dispose (→ **Disponibilité**). *Si je pouvais disposer de mille francs...* (→ Clôture, cit. 9). *Les renseignements dont nous disposons sont insuffisants. Les moyens dont il dispose...* → **Avoir.** *Je ne dispose que de quelques minutes* (→ Course, cit. 12). *Le temps dont on dispose.* → **Loisir.** — *Pour aller à cette ville vous disposez de deux routes.* → **Choix** (avoir le choix entre); → Choisir, cit. 9. *Il dispose de la majorité des voix.*

(...) le plus hardi mais non pas le plus sage,   14
Promit d'en rendre tant, pourvu que Jupiter
Le laissât disposer de l'air,
Lui donnât saison à sa guise (...)
          LA FONTAINE, Fables, VI, 4.

Je dispose en maître de la nature entière; mon cœur,   15
errant d'objet en objet, s'unit, s'identifie à ceux qui le flattent, s'entoure d'images charmantes, s'enivre de sentiments délicieux.
          ROUSSEAU, les Confessions, IV.

(...) ne t'a-t-il pas laissé de grands biens dont tu disposes   16
à ton gré?
          Th. GAUTIER, le Roman de la momie, II, p. 59.

Il disposerait ainsi d'une certaine fraction de capital, sans   17
diminuer ses revenus.
          J. ROMAINS, les Hommes de bonne volonté, t. V, XVII, p. 120.

Dr. *Disposer d'une terre, d'un bien par vente, par donation, par testament. Les mineurs ne peuvent disposer de leurs biens.* → **Aliéner, jouir.** *Disposer de ses biens en faveur de qqn.*

18   Le droit de tester, c'est-à-dire de disposer de ses biens après sa mort pour les faire passer à d'autres qu'à l'héritier naturel (...)
     FUSTEL DE COULANGES, la Cité antique, p. 87.

♦ **2** Littér. *Disposer de qqn,* en faire ce que l'on veut, s'en servir comme on le veut. *On ne dispose pas de lui comme on veut :* on ne fait pas de lui ce que l'on veut.

19   Enfin, quand Ménélas disposa de sa fille
     En faveur de Pyrrhus, vengeur de sa famille (...)
     RACINE, Andromaque, I, 1.

20   Le 21 janvier avait appris qu'on pouvait disposer de la tête d'un roi ; le 29 juillet a montré qu'on peut disposer d'une couronne.
     CHATEAUBRIAND, Mémoires d'outre-tombe, t. V, p. 278.

21   Son éducation, ses idées religieuses, son affection sans bornes pour son père et sa mère, son ignorance empêchèrent Véronique de concevoir une seule objection ; elle ne pensa même pas qu'on avait disposé d'elle sans elle.
     BALZAC, le Curé de village, Pl., t. VIII, p. 554.

     Vous pouvez disposer de ma vie. Disposez de moi, je suis à votre service (→ Comme, cit. 12). *Disposer de soi.* → **Indépendant ; libre, maître.** *Le droit des peuples à disposer d'eux-mêmes* (→ Autodétermination).

22   Dispose de ma griffe, et sois en assurance :
     Envers et contre tous je te protégerai (...)
     LA FONTAINE, Fables, VIII, 22.

23   (...) c'est à vous à disposer de moi selon vos volontés.
     MOLIÈRE, le Bourgeois gentilhomme, V, 5.

24   Va : j'attends ton retour pour disposer de moi.
     RACINE, Phèdre, III, 2.

25   Vivre sans but, c'est laisser disposer de soi l'aventure.
     GIDE, les Faux-monnayeurs, III, XIV, p. 447.

     Absolt. *Vous pouvez disposer (de vous) :* je ne vous retiens pas, partez (à un inférieur).

     Sports. Avoir une supériorité complète sur (un adversaire). *L'équipe de Reims a disposé du club de X.*

♦ **SE DISPOSER** v. pron. (V. 1393). Se préparer à.

♦ **1** Vx (langue class.). *Se disposer de :* s'apprêter à.

26   Pour en revenir au généreux Alphonse, il se disposa de combattre sur la capitane.
     Mˡˡᵉ DE SCUDÉRY, in G. L. L. F.

♦ **2** *Se disposer à :* se mettre en état, en mesure de ; être sur le point de. *Je me disposais à partir quand il est arrivé.* → **Préparer** (se).

27   Apprenez que votre tuteur se dispose à vous épouser demain   BEAUMARCHAIS, le Barbier de Séville, II, 10.

28   Marie n'avait pas de volonté ; et quoiqu'elle eût encore grande envie de dormir, elle se disposa à suivre Germain.
     G. SAND, la Mare au diable, X, p. 88.

♦ **3** Vx (langue class.). Sujet n. de chose. S'organiser, s'apprêter. « *Tout se dispose (...) pour célébrer la cérémonie* » (Molière, *le Malade imaginaire,* II, 5).

♦ **DISPOSÉ, ÉE** p. p. adj.

♦ **1** Arrangé, placé. *Massifs disposés avec harmonie* (→ Conifère, cit.). *Fleurs disposées avec goût. Objets disposés méthodiquement* (→ Débarras, cit. 2), *symétriquement. Pierres disposées par couches horizontales* (→ Calcaire, cit. 1). *Disposé en travers* (→ **Transversal**).

♦ **2** *Être disposé à :* être préparé à, avoir l'intention de. → **Prêt** (à). *Cœur disposé à la prière.* → **Enclin, porté, tourné ;** → Contempler, cit. 1. — *Se montrer disposé à reconnaître la supériorité d'un adversaire* (→ Cisalpin, cit. 2). *Il est disposé à vous faire confiance* (→ Blanc, cit. 26). *Nous sommes tout disposés*

à vous rendre service. Je suis disposé à lui pardonner.*

(...) il vous trouverait disposée à recevoir ses vœux ?   29
     MOLIÈRE, le Sicilien, 6.

(...) toujours disposé à rendre service à son prochain.   30
     G. SAND, la Mare au diable, V, p. 45.

(...) j'étais disposé à prendre le contre-pied de ses opinions (...)   31
     FRANCE, le Petit Pierre, XVII, p. 107.

(...) mais je suis disposée à tout, même à te livrer, si tu l'exiges, un secret qui n'est pas le mien.   32
     COURTELINE, Boubouroche, II, 4.

♦ **3** (1690). *Être bien, mal disposé pour, envers (qqn) :* être dans de bonnes, de mauvaises dispositions à l'égard de. *Il est bien disposé à votre égard.* → **Bienveillant, favorable, propice.**

     Absolt. *Être bien, mal disposé :* être de bonne, de mauvaise humeur. → **Train** (être, n'être pas en train).

     Au revoir, Georges ! *(Bas.)* Mon père est mal disposé, ne le taquine pas. *(De la porte, à son mari.)* Adieu !   33
     LABICHE, les Petites Mains, I, 9.

CONTR.   Bouleverser, brouiller, déclasser, déplacer, déranger, désordonner, désorganiser, enlever, invertir, mêler, ôter, retirer, troubler. — Indisposer ; contrarier, fâcher. — V. Disponible, dispositif, disposition. ◊ DÉR. Disposant. - COMP. Indisposer, prédisposer.

DISPOSITIF [dispozitif] n. m. — Av. 1615 ; adj., « qui prépare », 1314 ; dér. sav. du lat. *dispositus,* supin de *disponere.* → Disposer.

♦ **1** Dr. Énoncé final (d'un jugement) qui contient la décision du tribunal (opposé aux *motifs*). *Le dispositif d'un jugement, d'un arrêt.*

     Le dispositif du jugement ou de l'arrêt est transcrit sur les registres de l'état civil du lieu où le mariage a été célébré.   1
     Code civil, art. 251.

     Par ext. *Le dispositif d'une loi, d'un décret, d'un arrêté* (opposé à *préambule, considérants*). *Le dispositif d'un traité.*

♦ **2** Milit. Ensemble de moyens disposés conformément à un plan*. → **Disposition.** *Un bon dispositif d'attaque, de défense.*

     Tout donnait à croire que Paris serait attaqué. Gallieni commençait de déployer son dispositif.   2
     G. DUHAMEL, la Pesée des âmes, I, p. 43.

     Par ext. Moyens mis en œuvre pour obtenir un résultat (politique, diplomatique).

     Leur ruse consiste à dénoncer comme défaitistes, en attendant de pouvoir en faire des traîtres, les hommes qui cherchent à mettre en place un « dispositif » de paix, avant que l'irréparable soit consommé.   2.1
     F. MAURIAC, Bloc-notes 1952-1957, p. 222.

♦ **3** (V. 1860). Techn. et cour. Manière dont sont disposés les pièces, les organes d'un appareil ; le mécanisme lui-même. → **Machine, mécanisme.** *Un dispositif ingénieux. Dispositif de sûreté. Dispositif d'accord. Dispositif de commande, de manœuvre* (→ au fig. Civilisation, cit. 7). *Dispositif d'asservissement, de régulation, en cybernétique.*

     À la fois pilote et ingénieur-mécanicien, il était de ceux auxquels la S.A.S. avait fait appel lors de la création de l'usine de Zurich ; et plusieurs dispositifs, encore en usage, portaient son nom.   3
     MARTIN DU GARD, les Thibault, t. V, p. 31.

     On ne désespère pas de pouvoir ces créatures mécaniques de dispositifs qui auraient la valeur de nos sens et qui leur permettraient d'éviter un obstacle, de changer de route, d'accomplir un certain nombre de mouvements analogues à ces mouvements que l'on dit réflexes, en physiologie.   4
     G. DUHAMEL, Manuel du protestataire, IV, p. 123.

     Loc. (trad. angl. *intra uterine device*). *Dispositif intra-utérin* (D. I. U.). → **Stérilet.**

♦ **4** Fig. Manière de disposer (des éléments abstraits). → **Agencement, arrangement, méthode, procédé ;** → Amphithéâtre, cit. 1.

5   On peut, par certains dispositifs de rythme, de rime et d'assonance, bercer notre imagination, la ramener du même au même en un balancement régulier (...)
H. BERGSON, le Rire, p. 62.

DISPOSITION   [dispozisjɔ̃] n. f. — XIIe; lat. *dispositio,* du supin de *disponere.* → Disposer.

♦ **1** Action de disposer, de mettre dans un certain ordre*; résultat de cette action. → **Agencement, arrangement, distribution, ordonnance, organisation, orientation, position, rangement, répartition, situation;** → Décocher, cit. 1. *Une disposition régulière, symétrique.* → **Ordre.** *Disposition de plusieurs éléments, dans un ordre déterminé.* → **Ajustement, assemblage, combinaison, composition, construction, coordination, montage.** *La disposition des mots dans une phrase.* → **Place.** *La disposition des jardins, des massifs.* → **Dessin.** *Disposition des pièces d'un appartement.* → **Distribution.** *Disposition des meubles dans une pièce. Figure et disposition des parties du corps.* → **Configuration, figure, forme, texture.** *Disposition des couches géologiques d'un terrain.* → **Structure.** *Disposition des étages.* → **Étagement.** *— Disposition des colis dans la cale d'un navire.* → **Arrimage.** *— Disposition des matériaux dans une maçonnerie.* → **Appareil;** → Architectural, cit. 2. *— Disposition des troupes.* → **Dispositif; formation, inversion.** — Typogr. *Disposition d'un texte autour d'une illustration.* → **Habillage.** *— Disposition d'un ouvrage, d'un discours* (→ **Plan**), *d'un poème* (→ **Tissure**). — Rhét. *L'une des trois parties de la rhétorique, avec l'invention* et l'élocution*.*

1   (...) le choix de mes personnages et (...) la disposition de mon sujet.   MOLIÈRE, les Fâcheux, Avertissement.

2   (...) ce grand nombre d'astres qu'on n'a pu voir encore deux fois dans la même disposition?
MOLIÈRE, les Amants magnifiques, III, 1.

3   Le bonheur ou le malheur consistent dans une certaine disposition d'organes.
MONTESQUIEU, Cahiers, p. 17.

4   (...) tout est resté rituel dans la disposition des lieux, dans les ornements et les emblèmes, dans l'ordonnance des marchandises, même dans la tenue du patron ou de la patronne et les gestes du métier.
J. ROMAINS, les Hommes de bonne volonté, t. III, XIX, p. 263.

(Modes). Au plur. Dessins, motifs disposés de façon particulière.

♦ **2** Au plur. Moyens, précautions par lesquels on se dispose à qqch. → **Arrangement, décision, mesure, préparatif, résolution.** *Les dispositions envisagées par qqn. Ses dispositions seront efficaces. Prendre ses dispositions pour partir en voyage. Prendre des dispositions pour faire qqch., pour que qqch. se fasse. Nous avons pris des dispositions dans ce sens. J'ai pris toutes les dispositions nécessaires* (→ **Précaution**).

5   Le futur directeur (...) déclara que c'était aux dispositions savantes et promptes de Bonaparte que l'on devait le salut de l'enceinte, autour de laquelle il avait distribué les postes avec beaucoup d'habileté.
CHATEAUBRIAND, Mémoires d'outre-tombe, t. III, p. 84.

♦ **3** Vieilli. Manière d'être, état habituel du corps. → **État** (de santé). *Le climat influe sur la disposition du corps. — Être en bonne disposition, en mauvaise disposition;* → **Aller** (aller bien ou mal), **porter** (se porter bien ou mal).

6   Il est visible que l'âme se trouve assujettie par ses sensations aux dispositions corporelles (...)
BOSSUET, Traité de la connaissance de Dieu..., III.

Mod. **DISPOSITION À** : tendance à. *Disposition à contracter une maladie* (→ Cavité, cit. 2). → **Prédisposition.** *Disposition à éprouver des émotions :* émotivité. *— Disposition des prix à la hausse.*

♦ **4** État d'esprit passager. → **État.** *Être dans, en (telle) disposition. Il est dans une disposition favorable au succès.* → **Veine** (être en veine). *Il est dans une disposition à croire tout ce qu'on lui raconte* (→ **Confiant**). *Être en bonne, en mauvaise disposition.* → **Humeur** (être de bonne, de mauvaise humeur); **composition, volonté, vouloir** (de bon, de mauvais vouloir). *Une disposition d'esprit malveillante* (→ **Aigreur, malveillance;** → Acariâtre, cit. 2), *bienveillante* (→ **Bénignité, bienveillance, bonté, complaisance;** → Affabilité, cit. 1). — Plur. (plus cour.). Intentions envers qqn. *Être dans de bonnes dispositions à l'égard de qqn.* → **Intention, sentiment.**

7   Ceux qui croient sans avoir lu les Testaments, c'est parce qu'ils ont une disposition intérieure toute sainte, et que ce qu'ils entendent dire de notre religion y est conforme.
PASCAL, Pensées, IV, 286.

8   Il a toujours servi le Roi à genoux, avec cette disposition que les gens de quatre-vingts ans n'ont jamais.
Mme DE SÉVIGNÉ, 1025, 17 juin 1687.

9   Les enfants ont une disposition peu à peu près à tellement égayer comme à grandir ce qui les entoure (...)
E. FROMENTIN, Dominique, III, p. 47.

10   C'est alors que j'éprouvai la singulière disposition de mon esprit à se laisser griser par le sublime.
GIDE, Si le grain ne meurt, II, p. 368.

Être en disposition de, disposé à.

10.1   Ne croyez pas surtout que vos amis vous téléphoneront tous les soirs, comme ils le devraient, pour savoir (...) si vous n'avez pas besoin de compagnie, si vous n'êtes pas en disposition de sortir.   CAMUS, la Chute, p. 38.

♦ **5** (XVIIe). Aptitude à faire qqch. (en bien ou en mal). → **Aptitude, don, facilité, faculté, goût, inclination, instinct, orientation, penchant, prédisposition, propension, tendance, vocation.** *Montrer de bonnes, de solides, de grandes, de sérieuses dispositions pour le travail. Avoir des dispositions pour l'étude. Il a une disposition particulière pour les mathématiques.* → **Bosse** (la bosse des maths). *Des dispositions innées, infuses, naturelles.* → **Qualité.** *Disposition héréditaire* (→ Aïeul, cit. 3). *Disposition acquise* (→ **Vertu;** → Contracter, cit. 4). *Il a toutes les dispositions pour réussir.* → *Il est taillé* pour réussir. D'heureuses dispositions* (→ Chevalier, cit. 7). *Des dispositions au bien, au mal* (→ Commettre, cit. 17).

11   J'avais, comme l'on voit, une heureuse disposition à devenir médecin.   A. R. LESAGE, Gil Blas, II, III.

12   C'est une disposition naturelle à l'homme de regarder comme sien tout ce qui est en son pouvoir.
ROUSSEAU, Émile, II.

13   C'est une disposition morbide, à laquelle tu vas me promettre de ne plus te laisser aller.
Paul BOURGET, Un divorce, VII, p. 240.

14   On se contente d'étayer, par des arguments logiques, une conviction que l'on porte en soi : et cette conviction n'est pas motivée, comme on le croit, par des syllogismes et des raisonnements, mais par une disposition naturelle, plus forte que toutes les dialectiques.
MARTIN DU GARD, Jean Barois, I, IV.

15   Un auteur n'est pas en soi moral ou immoral, ce sont nos propres dispositions qui décident de son influence sur nous.   F. MAURIAC, la Pharisienne, XVI, p. 253.

16   Le seul défaut de caractère qu'on lui trouve, c'est une disposition à des colères violentes, quand on le contrarie sur un détail quelquefois infime.
J. ROMAINS, les Hommes de bonne volonté, t. V, XX, p. 160.

16.1   Envoyée de bonne heure à l'école, Louise montra d'étonnantes dispositions pour le travail; grâce à un brillant concours, elle obtint une bourse (...)
Raymond ROUSSEL, Impressions d'Afrique, p. 401.

Absolt. (Vieilli). Avoir des dispositions. → **Douer** (être doué). *Il manque de dispositions.*

♦ **6** Faculté de disposer, pouvoir de faire ce que l'on veut (de qqn, de qqch.). → **Pouvoir.**

17 (...) pourvu qu'il ait en sa main la disposition des grâces.
RACINE, Notes historiques, V.

(1850, *in* D.D.L.). **À... DISPOSITION.** *Avoir qqch. à sa disposition.* → **Posséder; main** (avoir en main, dans la main, sous la main). *L'argent, les valeurs qui sont à la disposition d'une société.* → **Disponibilité.** *Avoir les journaux, la presse à sa disposition. Les moyens mis à notre disposition* (→ Abrégement, cit.). *Laisser (qqch.) à la disposition de qqn.* → **Abandonner, offrir.** *Je tiens ces livres à votre disposition.*

18 Je l'ai fait recopier *(ce texte). Mais l'original est ici à votre disposition.*
J. ROMAINS, les Hommes de bonne volonté, t. V, XXII, p. 174.

(Personnes). *Se tenir, se mettre, être à la disposition de qqn,* s'obliger à le servir, attendre ses ordres, être prêt à lui donner satisfaction. → **Ordre** (être aux ordres de). *Je suis à votre entière disposition pour faire cela.* — Ellipt. *À votre disposition !*

18.1 Nos deux boys partent en avant vers six heures, avec les soixante porteurs qu'on a mis à notre disposition.
GIDE, Voyage au Congo, *in* Souvenirs, Pl., p. 736.

18.2 (...) je n'avais pas le temps, j'étais pressée... Les gens se figurent qu'on doit être toujours à leur disposition, ils sont drôles. — N. SARRAUTE, le Planétarium, p. 201.

Dr. *Acte de disposition* (opposé à *acte d'administration*) : acte dont l'objet est de faire sortir du patrimoine un bien ou une valeur (→ **Aliénation**), ou qui crée un droit réel sur un bien (hypothèque, servitude).

19 Les particuliers ont la libre disposition des biens qui leur appartiennent, sous les modifications établies par les lois.
Code civil, art. 537.

♦ **7** Clause (d'un acte juridique, contrat, testament, donation). *Une disposition importante stipule que... Dispositions entre vifs* (→ Condition, cit. 31). *Disposition à cause de mort, à titre gratuit, à titre onéreux. Dispositions testamentaires*.*

20 À la fin de mes dispositions testamentaires, tu trouveras une liste de legs (...)
MARTIN DU GARD, les Thibault, t. III, p. 256.

♦ **8** Chacun des points que règle une loi, un arrêté, un jugement. *Les dispositions d'une loi, d'une ordonnance. La disposition que renferme cet article.* → **Prescription** ; → Adultérin, cit. 2 ; captation, cit. 2. *Déroger à une disposition.*

21 (...) la loi des Douze Tables est pleine de dispositions très cruelles.
MONTESQUIEU, l'Esprit des lois, VI, XV.

CONTR. **Bouleversement, déclassement, dérangement, désordre, désorganisation, trouble.** ◊ COMP. **Indisposition, prédisposition.**

DISPROPORTION [dispʀɔpɔʀsjɔ̃] n. f. — 1546 ; de *dis-,* et *proportion.*

Défaut de proportion*, trop grande différence entre deux ou plusieurs choses. → **Déséquilibre, différence, disconvenance, disparité, inégalité** (→ Complet, cit. 10 ; convenance, cit. 2). — *La disproportion de la cause et de l'effet, de l'apparence et de la réalité* (→ ci-dessous, cit. 2, 3). *La disproportion d'une chose avec une autre, d'une punition avec la faute. Disproportion entre une chose et une autre* (cit. 1), *entre plusieurs choses. «La disproportion et l'incohérence des développements»* (Valéry), *le caractère disproportionné.* — (L'un des termes étant sous-entendu). *«La disproportion effarante d'un gigantesque cerveau»* (A. Lorrain, *in* T.L.F.). — *Disproportion légère, extrême, choquante* (→ Abrupt, cit. 2). *Disproportion*

d'âge, de taille, de fortune, de mérite... entre deux personnes (→ Avant-garde, cit. 2).

1 Il n'y a pas si grande disproportion entre notre justice et celle de Dieu, qu'entre l'unité et l'infini.
PASCAL, Pensées, III, 233.

2 (...) c'est donc dans la disproportion de nos désirs et de nos facultés que consiste notre misère.
ROUSSEAU, Émile, II.

3 La trop grande disproportion des conditions et des fortunes a pu se supporter tant qu'elle a été cachée (...)
CHATEAUBRIAND, Mémoires d'outre-tombe, t. VI, p. 319.

CONTR. **Proportion. — Analogie, convenance, égalité, équilibre, rapport, ressemblance.** ◊ DÉR. **Disproportionné, disproportionnel, disproportionner.**

DISPROPORTIONNÉ, ÉE [dispʀɔpɔʀsjɔne] adj.
— 1534 ; de *disproportion.*

Qui manque de proportion. → **Inégal.** — *Récompense disproportionnée à qqch.,* qui n'est pas en rapport (avec), et, spécialt, qui est trop grande (pour qqch.). *Résultats disproportionnés aux moyens. Effets disproportionnés à, avec leur cause.* — *Des adversaires de valeurs disproportionnées, très (trop) différentes.*

1 «Élie était un homme comme nous, et sujet aux mêmes passions que nous», dit saint Pierre, pour désabuser les chrétiens de cette fausse idée qui nous fait rejeter l'exemple des saints, comme disproportionné à notre état. C'étaient des saints, disons-nous, ce n'est pas comme nous.
PASCAL, Pensées, XIV, 868.

2 (...) et il résolut aussitôt d'humilier l'Administration, en donnant désormais une somme de travail grotesquement disproportionnée avec la somme d'argent qui en était le salaire.
COURTELINE, Messieurs les ronds-de-cuir, 5e tableau, I, p. 166.

3 Le front n'est point disproportionné au reste : il devait se découronner par le haut, et mettre en avant le haut crâne, en forme d'ouvrage avancé.
André SUARÈS, Trois hommes, «Ibsen», III, p. 105.

Absolt. *Taille disproportionnée.*

Spécialt. Excessif (trop grand, trop fort...) par rapport à la norme, à ce qu'on attendrait. *Une tête disproportionnée,* trop grosse pour le corps. *Il a fourni un travail disproportionné.* → **Démesuré, excessif.**

DÉR. **Disproportionnément.** ◊ HOM. **Disproportionner.**

DISPROPORTIONNEL, ELLE [dispʀɔpɔʀsjɔnɛl] adj. — XIXe ; de *disproportion,* d'après *proportionnel.*
Rare. Qui n'est pas proportionnel. *Qualités disproportionnelles.*

DISPROPORTIONNÉMENT [dispʀɔpɔʀsjɔnemã] adv. — 1838 (Académie, *Compl.* 1842) ; de *disproportionné.*
Rare. De manière disproportionnée.

Devant les restaurants, les terrasses, disproportionnément élargies par le déploiement des chaises et des tables, faisaient l'obstruction plus complète et rendaient la circulation impossible.
GIDE, le Prométhée mal enchaîné, *in* Romans, Pl., p. 338.

DISPROPORTIONNER [dispʀɔpɔʀsjɔne] v. tr. — 1534 ; p. p. ; de *disproportion.*
Rare. Rendre disproportionné. *Disproportionner une chose à, avec une autre. «Cette lueur (...) disproportionnait les objets»* (Hugo, *in* T.L.F.). — Spécialt. Augmenter de manière disproportionnée.

Il n'y avait qu'une seule explication à donner à ces sautes d'humeur et à leur imprévisibilité : la boisson qui disproportionnait dans l'esprit du Colonel tous les malentendus et tous les griefs qu'il avait accumulés contre sa femme.
Georges BORGEAUD, le Préau, *in* Littératures franç. hors de France, p. 127.

HOM. **Disproportionné.**

DISPUTABLE [dispytabl] adj. — 1546; de *disputer*.
Rare. Qui peut donner matière à discussion. → **Discutable.**

Tout ce qui n'est point de la foi ni des principes est disputable. CORNEILLE, Épître de la Suivante, *in* LITTRÉ.

CONTR. Indisputable.

DISPUTAILLER [dispytaje] v. intr. — Av. 1596; de *disputer*, I., 1., et suff. *-ailler*.
Vx et fam. Disputer longuement et inutilement. → **Discutailler, ergoter.**

DÉR. Disputailleur.

DISPUTAILLEUR, EUSE [dispytajœʀ, øz] adj. et n. — 1829; de *disputailler*.
Fam. (Personne) qui aime à disputailler.

DISPUTANT, ANTE [dispytã, ãt] adj. et n. m. — 1830, *in* T.L.F.; du p. prés. de *disputer*.
Vx. Qui aime à discuter, à débattre. — N. m. Personne qui discute avec d'autres, dans un débat. *Les disputants.*

DISPUTATION [dispytasjɔ̃] n. f. — V. 1175, *desputeison*; lat. *disputatio* «examen, discussion», du supin de *disputare*. → Disputer.
Vx. Discussion* publique sur un sujet de théologie. — Par ext., relig. Traité théologique en forme de discussion.

L'Empereur avait tenu à assister en personne à plusieurs des grandes disputations où philosophes et rhéteurs s'affrontaient sur un thème choisi d'avance (...)
J. D'ORMESSON, la Gloire de l'Empire, t. II, p. 424.

DISPUTE [dispyt] n. f. — 1474; déverbal de *disputer*.

♦ **1** Vieilli. Discussion, lutte d'opinions, sur un point de doctrine. → **Combat** (d'opinions), **débat, discussion, disputation.** *Dispute métaphysique* (→ Ballon, cit. 2). *Dispute de mots.* → **Logomachie, verbiage.** *Dispute par écrit.* → **Polémique.**

1 Il est ferme dans la dispute, fort comme un Turc sur ses principes (...) MOLIÈRE, le Malade imaginaire, II, 5.
2 J'aimais tant la dispute, que j'arrêtais les passants, connus ou inconnus, pour leur proposer des arguments.
A. R. LESAGE, Gil Blas, I, I.
3 De cet art de la dispute, de tous ces raffinements de dialectique verbale, ne pouvait se dégager qu'une leçon de scepticisme. Léon BRUNSCHVICG, Descartes, p. 9.

♦ **2** Rare. Lutte d'émulation pour la possession de qqch. *La dispute d'un titre, d'un prix avec un rival*.* — «*La dispute pour le pouvoir*» (Bainville, *in* T.L.F.).

♦ **3** (XVII⁰). Mod. et cour. Échange violent de paroles (arguments, reproches, insultes) entre personnes qui s'opposent. → **Altercation, bagarre** (fam.), **bisbille** (fam.), **castille** (vx), **chamaillerie** (fam.), **chamaillis** (vx), **chicane, combat** (fig.), **conflit, contention** (vx), **controverse, démêlé, discord** (vx), **discorde, discussion, dissension, division, engueulade** (fam.), **escarmouche, explication, guerre** (fig.), **heurt, incident, lutte, prise** (de bec), **querelle;** → fam. Bouffage* de nez. *Dispute sur des questions de droit.* → **Affaire, chicane, contestation, différend, litige, procès.** *Dispute locale.* → **Clocher** (querelle, rivalité de clocher). *Dispute de jeu. Dispute d'amoureux. Dispute de ménage.* → **Scène** (→ Le torchon* brûle). *Être en dispute avec qqn.* → **Brouille, désaccord, difficulté, inimitié, mésentente, mésintelligence, opposition.** → Être comme* chien et chat, avoir maille* à partir avec... — *Sujet de dispute, d'une dispute. Conversation qui prend un tour de dispute. Dispute qui s'élève, éclate entre plusieurs personnes,*

qui se transforme en bagarre. *La divergence d'opinions a fait naître une dispute. Arguments, répliques, ripostes, reproches, injures, insultes échangés dans une dispute. Dispute accompagnée de cris, de coups.* → **Bagarre, bataille, charivari, empoignade, grabuge, rixe.** *Avoir l'avantage dans une dispute. Dispute acharnée; chaleur de la dispute.* → **Agressivité, animosité.** *Chercher dispute, envenimer la dispute.* → Chercher des crosses*, chercher noise*. *Personne qui aime, qui provoque la dispute.* → **Acariâtre, agressif, batailleur** (fig.), **chicaneur, coucheur** (mauvais coucheur), **insociable, provocateur, querelleur.** *Inciter, pousser à la dispute.* → Mettre de l'huile* sur le feu, mettre aux prises*, jeter le trouble*, semer la zizanie*. *Intervenir, s'interposer dans une dispute. Apaiser une dispute. Réconciliation qui suit une dispute. Dispute qui laisse les adversaires irréconciliables.* → **Brouille, brouillerie, fâcherie, rupture.**

4 À quoi sert de se quereller, quand le raccommodement est impossible? Le plaisir des disputes, c'est de faire la paix.
A. DE MUSSET, Comédies et proverbes, On ne badine pas avec l'amour, III, 6.
5 Ils ont entre eux des disputes effroyables, auxquelles assiste, à l'occasion un couple de jardiniers flegmatiques (...)
J. ROMAINS, les Hommes de bonne volonté, t. V, XX, p. 153.

CONTR. Accommodement, accord, entente, paix, réconciliation.

DISPUTER [dispyte] v. — XII⁰; lat. *disputare* «discuter», de *dis-* (intensif), et *putare* «estimer, penser, croire». → Putatif.

I V. tr. ind. ♦ **1** Vx ou littér. Avoir une discussion*. → **Discuter** (mod. et cour.). *Disputer d'un sujet, sur un sujet avec qqn* (→ Assemblée, cit. 8). *Disputer d'une question.* → **Débattre.** *Disputer (de qqch.) contre qqn. Disputer comment..., pourquoi..., si... Ils disputent entre eux si..., la question de savoir si...* — Absolt. *Ils aiment disputer.* → **Discourir, raisonner; disputer.** *Il faudra disputer ferme.* — Loc. *Disputer sur la pointe d'une aiguille*.* → **Disputailler, ergoter.**

1 On disputera fort et ferme de part et d'autre (...)
MOLIÈRE, Critique de l'École des femmes, 7.
2 On a disputé chez les anciens si la fortune n'avait point eu plus de part que la vertu dans les conquêtes d'Alexandre.
RACINE, Alexandre, Épître.
3 C'est la faim qui les gouverne (*les hommes*), au reste, comme il est inutile d'en disputer ici, je dirai, si l'on veut, que la vie des mortels a deux pôles, la faim et l'amour.
FRANCE, la Rôtisserie de la reine Pédauque, Œ., t. VIII, p. 239.

Prov. *Des goûts et des couleurs, il ne faut pas disputer.*

4 Il faut disputer des goûts et des couleurs. D'abord parce que toute dispute se réduit à cette espèce, et qu'il faut que l'on dispute. VALÉRY, Rhumbs, p. 113.

Vx. Engager une lutte violente de paroles avec qqn. → **Batailler, ferrailler.**

5 Au lieu de disputer, discutons; après avoir dit des raisons, donnons des faits.
BUFFON, *in* LAFAYE, Dict. des synonymes, Dispute...
6 Quant à l'argent, ma mémoire est courte, et j'aimerais mieux tout céder que de disputer sur le tien et le mien.
G. SAND, la Mare au diable, IV, p. 35.

♦ **2** Vx. *Disputer de...* : être en concurrence, en rivalité (avec). → **Rivaliser.** *Ces deux femmes disputent de beauté, d'esprit, de laideur* (Académie). *Ces deux employés disputent de zèle.*

II V. tr. (1609). ♦ **1** Littér. *Le disputer en,* rivaliser de. *Le disputer à* (*qqn, qqch.*), prétendre l'égaler.

7   (...) il n'est point de spectacle (...) qui puisse le disputer en magnificence à celui que vous venez de nous donner.
MOLIÈRE, les Amants magnifiques, I, 2.

8   Thèbes le pouvait disputer aux plus belles villes de l'univers (...)
BOSSUET, Hist. des variations, III, 3, *in* LITTRÉ.

♦ **2** Lutter pour la possession ou la conservation d'une chose à laquelle un autre prétend. *Disputer un poste à des rivaux, une femme à un ami.* → Marcher, courir sur les brisées* de qqn. *Rang à disputer.* → **Brigue** (cit. 2); **briguer.** *Disputer un succès à qqn.* → **Jouter.** *L'armée a longtemps disputé la victoire* (à l'ennemi).

9   (...) ce n'est pas là le langage d'un homme à qui on dispute son droit et qui le défend les armes et la force à la main.
PASCAL, Pensées, VI, 388.

10   Je ne savais pas que votre fille fût déjà pourvue de prétendants, et je n'étais pas venu pour la disputer aux autres.
G. SAND, la Mare au diable, XII, p. 102.

Disputer le terrain, le défendre pied à pied, avec acharnement contre l'ennemi. → **Défendre.** — Fig. *Défendre vivement ses opinions contre un adversaire, dans un débat.* → **Soutenir** (ses opinions). — *Défendre ce qu'on veut garder.*

11   Chez les peuples d'Europe, (...) les dernières faveurs sont toujours de même date que la bénédiction nuptiale : les femmes n'y font point comme nos Persanes, qui disputent le terrain quelquefois des mois entiers (...)
MONTESQUIEU, Lettres persanes, LV.

Par ext. Disputer une chose, une personne à qqch., tenter de l'arracher, de la soustraire à.

12   À bout de patience, écœuré de vaines attentes, il s'était enfin décidé à faire son petit coup d'État en venant à Paris, lui-même, disputer aux lenteurs administratives son humble part du legs Quibolle.
COURTELINE, Messieurs les ronds-de-cuir, 1ᵉʳ tableau, III, p. 48.

13   Même parmi les hommes que l'action n'a jamais disputés à l'étude, peu d'hommes se sont plus que lui adonnés à la lecture.
Louis MADELIN, Hist. du Consulat et de l'Empire, De Brumaire à Marengo, VI, p. 84.

♦ **3** (1855, *in* Petiot). Cour. *Disputer un match, un combat, un concours,* le faire en vue de remporter la victoire, le succès.

♦ **4** Fam. Réprimander (qqn). → **Attraper, gronder.** *Il a peur de se faire disputer* (emploi soit régional, soit populaire).

14   Madame de Pontchartrain le disputa, et pour fin lui dit qu'avec tout son savoir elle pariait qu'il ne savait pas qui avait fait le Pater.   SAINT-SIMON, Mémoires, t. I, XLI.

♦ **SE DISPUTER** v. pron.
Courant.

♦ **1** *Se disputer qqch. entre rivaux. Animaux qui se disputent une proie. Prétendants qui se disputent la main d'une femme. Théâtres qui se disputent un acteur. Se disputer la prééminence* (→ **Concurrence,** cit. 5), *l'honneur de faire qqch.* — Par anal. *Des passions contraires se disputent son âme.*

15   Des lambeaux pleins de sang, et des membres affreux
Que des chiens dévorants se disputaient entre eux.
RACINE, Athalie, II, 5 (→ Affreux, cit. 1).

16   (...) son règne s'achève dans l'impuissance en face de ses trois fils rebelles qui, avant sa mort, se disputent son héritage les armes à la main.
J. BAINVILLE, Hist. de France, III, p. 39.

Par ext. Épreuve qui se dispute entre concurrents. Le match s'est disputé hier à Paris.

♦ **2** (Récipr. ; emploi le plus usuel du verbe). Avoir querelle. *Personnes qui se disputent.* → **Chamailler** (se), **chicaner** (se), fam. **engueuler** (se), **parole** (avoir, échanger des paroles), **quereller** (se). *Se disputer avec un ami. Ils n'arrêtent pas de se disputer. Se disputer avec*

violence, en venir aux coups. Elles se disputent, se crêpent le chignon. Se brouiller*, se fâcher après s'être disputé.

17   Deux hommes se disputaient. Les épithètes s'échangeaient si vivement et promptement que l'on ne savait plus qui donnait, qui recevait.   VALÉRY, Mélanges, p. 15.

♦ **3** (Passif). Sports. Être disputé. *Le match s'est disputé hier à Paris.*

♦ **DISPUTÉ, ÉE** p. p. adj.

♦ **1** Vx ou littér. Discuté. *Sujet longuement disputé.*

♦ **2** Qui est l'objet d'une concurrence. *Un titre, un honneur disputé. Terrain, sol disputé* (→ Continuer, cit. 5). — Par ext. *Match chaudement disputé.*

18   Cette victoire, si âprement disputée par un ennemi supérieur en nombre, ne pouvait qu'ajouter au prestige déjà si grand de Bonaparte.
Louis MADELIN, Hist. du Consulat et de l'Empire, Ascension de Bonaparte.

CONTR. Abandonner, céder, donner, renoncer (à). — Féliciter. — Accorder (s'), entendre (s'). ◊ **DÉR.** Disputable, disputailler, disputant, dispute, disputeur. V. **Disputation.**

DISPUTEUR, EUSE [dispytœʀ, øz] adj. et n. — 1681 ; *desputurs,* fin XIIᵉ ; *de disputer,* I., 1.
Personne qui aime à disputer, à discuter. → **Discuteur.** *Un disputeur acharné, enragé.*

1   Les opinions sont partagées, les disputeurs s'échauffent ; ils en viennent aux invectives (...)
A. R. LESAGE, Gil Blas, VIII, IX.

2   (...) Socrate envisageait les sophistes comme de subtils et inutiles disputeurs.
RENAN, l'Avenir de la science, Œ., t. III, III, p. 758.

Adj. *Un esprit disputeur.*

3   Quelques secondes après, les voilà *(les mouettes)* de nouveau réunies sur l'eau, basse-cour disputeuse que nous laissons derrière nous, nichée au creux de la houle qui effeuille lentement la manne des détritus.
CAMUS, l'Été, *in* Essais, Pl., p. 880.

DISQUAIRE [diskɛʀ] n. — 1949 ; de *disque,* 4.
Marchand de disques. *Écouter un disque dans la cabine d'un disquaire.*

L'imprimerie s'essouffle à suivre la fabrication des disques. On les envoie tout nus, sans pochettes, chez le disquaire. Un million soixante-quinze mille disques chantent que l'École est finie.
P. GUTH, Lettre ouverte aux idoles, Sheila, p. 96.

DISQUALIFICATION [diskalifikasjɔ̃] n. f. — 1784 ; angl. *disqualification,* de *to disqualify* (→ Disqualifier), répandu au sens 1.

♦ **1** Turf. Élimination (d'un cheval) qui ne correspond pas aux exigences de la course. — Par anal. Exclusion (d'un joueur) qui a commis une faute contre le règlement.

♦ **2** Action de disqualifier (2.) ; son résultat.

1   Qu'il ne soit donc plus question de cette soi-disant disqualification qui frapperait ceux que le devoir national maintient ici à leur poste de combat. Elle ne vient en France à l'esprit de personne.
L. H. LYAUTEY, Paroles d'action, p. 142.

♦ **3** Par ext. Désavantage.

2   (...) pendant les dix minutes qu'il avait passées là, comme il avait cruellement mesuré la disqualification de l'âge !
MARTIN DU GARD, les Thibault, t. II, p. 278.

DISQUALIFIER [diskalifje] v. tr. — 1784 ; «exclure politiquement (qqn)» ; angl. *to disqualify,* de *dis-,* et *to qualify,* du franç. *qualifier.*

♦ **1** (1854, *in* Petiot). Exclure d'une course (un cheval qui ne répond pas aux conditions exigées par le règlement). → **Distancer.** — Par ext. *Disqualifier* *(un jockey, un coureur, un joueur...)*, exclure d'une épreuve, en raison d'une infraction au règlement. *Disqualifier un boxeur pour coup bas.*

1 — En tout cas, nous jouons à la muette, il est défendu de parler.
— Et si c'était une partie de championnat, tu serais déjà disqualifié.   PAGNOL, Marius, III, 1er tableau, I.

♦ **2** Frapper de discrédit (une personne qui s'est rendue coupable d'une incorrection, d'un manquement à l'honneur, aux devoirs de sa charge, etc.). → **Déshonorer, discréditer.** — Sujet n. de chose. *Une telle attitude l'a disqualifié à mes yeux* (→ Boxe, cit. 3).

2 Ses adversaires disaient qu'il n'avait plus son bon sens, mais il n'est pas facile de disqualifier une persévérance inflexible (...)
MALRAUX, Antimémoires, Folio, p. 31.

(Compl. n. de chose). *Il cherche à disqualifier la profession. Vouloir disqualifier un parti.*

♦ **3** Dr. Déclasser (une infraction) et la reclasser dans une autre catégorie.

♦ **SE DISQUALIFIER** v. pron.
Perdre son crédit ; perdre tout titre à la place qu'on occupe en faisant preuve d'indignité, d'incapacité... *Il s'est disqualifié en tenant de pareils propos.* — *Ce parti s'est complètement disqualifié.*

♦ **DISQUALIFIÉ, ÉE** p. p. adj. *Cheval disqualifié.* — *«Un général battu est un chef disqualifié»* (Foch, *in* T. L. F.). *«Quiconque discute avec passion est aussitôt disqualifié»* (→ Conversation, cit. 11.1, A. Maurois). — *Gouvernement, parti disqualifié.*

CONTR. Qualifier. Requalifier. ◊ DÉR. Disqualification.

DISQUE [disk] n. m. — 1555, «discobole»; lat. *discus* «disque, palet», grec *diskos*, même sens.

I ♦ **1** Palet circulaire de pierre ou de métal que les athlètes grecs s'exerçaient à lancer. → **Discobole.**
Mod. Palet circulaire de bois, légèrement renflé en son centre, cerclé de métal, de dimension et de poids (1972 g) réglementaires, et que les athlètes lancent (en pivotant plusieurs fois sur eux-mêmes). *Lancer le disque. Lanceur de disque.*

0.1 Lorsqu'il prit son disque, et à l'arrière du cercle d'élan commença à le balancer, le poids de la lentille cerclée de fer m'alourdit le bras gauche et l'épaule (...)
Jean PRÉVOST, Plaisirs des sports, p. 205.

Par ext. *Le disque* : discipline athlétique du lancer du disque. *Pratiquer plusieurs lancers : le disque, le javelot.*

♦ **2** (1680). Surface visible circulaire (d'un astre). *Le disque du soleil, de la lune* (→ Arrondir, cit. 1 ; coucher, cit. 2 ; découper, cit. 6).

♦ **3** (1680, «lentille optique»). Objet de forme circulaire et plate ; cercle, cylindre de très faible hauteur ; cette forme (... *en forme de disque*).
a Objets artificiels, fabriqués. *Disque de bois, de pierre, de métal. Disque servant de roue*. Disques et meules* de pierre.*

1 *(De)* lourds chariots à bœufs qui passaient, en roulant bruyamment sur des disques de bois plein, comme des chars antiques.
LOTI, Figures et choses..., À Loyola, I, p. 56.

Disque d'embrayage, qui met en rapport le volant du moteur et l'arbre d'embrayage. *Freins à disques,* à mâchoires serrant un disque collé sur l'axe de la roue. — Techn. *Disque abrasif d'une ponceuse.* — Partie d'une roue entre moyeu et jante.

(1864). Signal formé d'une plaque tournante qui indique par sa position et sa couleur apparente si la voie est libre. *Disque effacé. Siffler au disque* (→ Chemin de fer, cit. 8). *Disque-signal.*

(1957). *Disque de stationnement :* dispositif pour indiquer les heures d'arrivée et de départ des véhicules, à utiliser dans certaines zones de stationnement à durée limitée.

b (1764, Lavoisier). Formes naturelles (notamment en sc. nat.). Spécialt, bot. *Partie centrale (d'une feuille, d'une inflorescence en ombelle, d'un capitule).* — Biol., zool. Organe, élément d'organe... en forme de disque.

(1852). Anat. *Disque intervertébral :* fibro-cartilage situé entre les surfaces articulaires de deux corps vertébraux. *Hernie d'un disque.* → **Discal.**

Disques musculaires : parties claires, alternant avec des parties sombres, des fibrilles d'un muscle strié.

II ♦ **1** (V. 1900 ; le *disque* de phonographe succède au *rouleau*, au *cylindre*). Plaque circulaire en matière thermoplastique sur laquelle sont enregistrés des sons en minces sillons spiralés. → Musique, cit. 37. *Enregistrement, gravure du son sur un disque.* → **Enregistrement.** *Disque dur, disque souple. Disque à saphir, à aiguille. Disque à enregistrement direct,* appelé *disque original. Matrice* d'un disque. Disque à enregistrement numérique (digital,* anglic.). — Ancient. *Disques 78 tours,* ellipt *des 78 tours. Disque microsillon, de longue durée, à rotation lente.* → **Microsillon.** — *Un disque 33 tours, 45 tours,* et, ellipt., *un 33 tours, un 45 tours :* disque dont la vitesse de rotation est de 33 tours, 45 tours par minute. — *Faces ; plages d'un disque. Pochette d'un disque. Album*, coffret* de disques. Collection de disques. Amateur de disques.* → **Discophile.** *Marchand de disques.* → **Disquaire.** *Passer un disque sur un tourne-disque, ou un phonographe*, une platine* tourne-disque, une table de lecture. Changer de disque. Changeur* de disques automatique.* — REM. Par opposition au disque compact (ci-dessous), le disque microsillon est parfois appelé *disque noir.* → **Vinyle.**

2 Le disque reste le procédé le plus courant utilisé pour mettre à la portée du public des enregistrements de qualité.   J.-J. MATRAS, l'Acoustique appliquée, p. 32.

Fig. et fam. *Changer de disque :* parler d'autre chose.

3 — Tu causes, tu causes, dit Laverdure, c'est tout ce que tu sais faire. — Quand même, dit Gridoux, il change pas souvent son disque, celui-là.
R. QUENEAU, Zazie dans le métro, Folio, p. 145.

♦ **2** **a** *Disque (optique) :* disque de petite taille (→ Galette) sur lequel les informations (sons, images...) sont enregistrées sous forme de microcavités creusées à sa surface et qui peuvent être lues par un système optique (rayon laser). — Syn. vieilli. *Disque laser.* — *Disque optique compact (DOC).*

b (1982 ; calque de l'angl. *compact disc*). **DISQUE COMPACT (AUDIO)** : disque optique destiné au grand public et permettant la reproduction de sons (à l'origine, non réinscriptible). → **CD.** On trouve aussi l'anglicisme *compact disc. Lecteur de disques compacts.* — REM. Avec la quasi-disparition des disques gravés (ci-dessus II, 1) on tend à employer *disque,* absolt pour *disque compact.* — Par ext. *Disque compact photo, vidéo* (→ Vidéodisque). *Disque compact informatique.* → **CD-Rom.** — *Disque numérique à usages multiples.* → **DVD.**

♦ **3** Inform. *Disque magnétique, disque :* support de stockage d'informations constitué d'un disque ou d'un empilement de disques recouverts d'une couche magnétique. *Disque souple.* → **Disquette.** *Disque dur :* disque de grande capacité, le plus souvent intégré dans les micro-ordinateurs.

♦ **4** Par métonymie. Les enregistrements par disques. *L'industrie du disque.* — Spéciait. Musique enregistrée. *«Le cinéma tue le théâtre. Le disque tue le concert»* (Alain, *in* T. L. F.).

III Math. Ensemble de points intérieurs à un cercle* comprenant ou non sa frontière *(disque fermé* ou *ouvert). Un disque est une boule** (fermée, ouverte) *du plan euclidien.*

DÉR. Disquaire, disquer (vx), disquette. ◊ COMP. Discophile, discothèque. — Tourne-disque. — Vidéo-disque.

DISQUER [diske] v. tr. — Déb. xxᵉ; de *disque,* sens II.
Vx. Enregistrer un disque.

Mon cher ami, ce mot n'est pas dans le dictionnaire (avec un grand D) et je ne sais pas s'il y sera jamais, mais puisque vous le désirez, je certifie que moi, soussigné Maurice Donnay, de l'Académie française, ce 29 décembre 1928, je vous ai demandé si la chanson du *Père Mexico* était disquée (je dis disquée) et que vous avez admirablement compris de quoi il retournait. Signé : MAURICE DONNAY.
A. CŒUROY et G. CLARENCE, le Phonographe, 67, *in* D. D. L., II, 15.

DISQUETTE [disk ɛt] n. f. — Av. 1975, *in la Clé des mots;* de *disque.*
Inform. Disque souple de faible diamètre servant de support pour la mise en mémoire de données.

DISQUISITION [diskizisjɔ̃] n. f. — XIVᵉ, *disquisicion;* lat. *disquisitio,* du supin de *disquirere* «rechercher», de *dis-,* et *quærere* «chercher».
Vx ou didact. et rare. Recherche* minutieuse, investigation.

Je préfère aux plus belles disquisitions cartésiennes la théorie de la poésie primitive et de l'épopée nationale (...)
RENAN, l'Avenir de la science, *in* Œ., t. III, p. 939.

DISRUPTIF, IVE [disʀyptif, iv] adj. — 1877; électron., 1940; dér. sav. du lat. *disruptum.* → Disruption.

♦ **1** Électr., électron. Qui éclate. *Décharge disruptive,* produisant une étincelle qui dissipe une grande partie de l'énergie accumulée.

♦ **2** Littér. et rare. Qui peut causer une rupture. *Forces disruptives.*

DISRUPTION [disʀypsjɔ̃] n. f. — 1749, Buffon, *in* D. D. L.; lat. *disruptio,* du supin de *disrumpere* «briser, rompre en morceaux», de *dis-,* et *rumpere.* → Rompre.
Didactique.

♦ **1** Vx. Brusque rupture, fracture.

♦ **2** (Fin XIXᵉ). Mod. Électr. Ouverture brusque d'un circuit électrique.

DISSÉCABLE [disekabl] adj. — 1805; de *disséquer.*
Anat. Qui peut être disséqué.

DISSECTEUR, EUSE [disɛktœʀ, øz] n. — Du rad. du latin *dissectum,* supin de *dissecare.* → Disséquer.
Rare. Anat. Personne qui pratique une dissection. *Un habile dissecteur,* → **Anatomiste** (2.), **disséqueur.** — Fig. *Un «dissecteur de consciences»* (P. Bourget, *in* T. L. F.).

DISSECTION [disɛksjɔ̃] n. f. — 1538; lat. *dissectio,* du supin de *dissecare* «couper». → Disséquer.

♦ **1** Action de disséquer, de séparer et d'analyser méthodiquement les différentes parties d'un corps organisé. → **Anatomie** (cit. 3). *La dissection du corps*

humain. *Dissection des animaux.* → **Zootomie.** *Dissection anatomique. Dissection ou anatomie cadavérique* (→ **Autopsie**). *Dissection des artères.* → **Artériotomie.** *Dissection pratiquée sur un animal vivant.* → **Vivisection.** *Le sujet d'une dissection :* le cadavre que l'on dissèque. *Instrument de dissection* (érigne, scalpel...). *Pratiquer une dissection* (→ **Anatomiste,** 2., dissecteur). *Amphithéâtre, table de dissection.*

L'anatomie de l'homme semblait donc devoir être la base **1** de la physiologie et de la médecine humaines. Cependant les préjugés s'opposèrent à la dissection des cadavres, et l'on disséqua, à défaut de corps humains, des cadavres d'animaux aussi rapprochés de l'homme que possible par les organisations : c'est ainsi que toute l'anatomie et la physiologie de Galien furent faites principalement sur des singes. Galien pratiquait en même temps des dissections cadavériques et des expériences sur des animaux vivants, ce qui prouve qu'il avait parfaitement compris que la dissection cadavérique n'a d'intérêt qu'on la met en comparaison avec la dissection sur le vivant.
Cl. BERNARD,
Introd. à la médecine expérimentale, p. 154.

Par métaphore :
(...) je voulais étudier l'homme à fond, l'anatomiser fibre **2** par fibre avec un scalpel inexorable et le tenir tout vif et tout palpitant sur ma table de dissection (...)
Th. GAUTIER, Mˡˡᵉ de Maupin, v, p. 75.

♦ **2** Fig. Analyse fouillée, approfondie.

Faisons, autant qu'il nous est possible, la même dissection **3** de notre âme que Dieu en fera dans son jugement dernier (...)
BOURDALOUE, Pensées, t. I, p. 364.
Division en éléments simples. *«La dissection du travail»* (Valéry).

DISSEMBLABLE [disãblabl] adj. — XIIᵉ, *dessemblable;* de *dis-,* et *semblable.*
Plur. Se dit de deux ou plusieurs personnes ou choses qui ne sont pas semblables, bien qu'ayant entre elles des caractères communs. → **Différent, disparate, divers;** dissemblance (→ **Cause,** cit. 21; composite, cit. 1; communion, cit. 3). *Ensemble formé d'éléments dissemblables* (→ **Hétérogène**). *Figures dissemblables. Caractères dissemblables. Ils sont trop dissemblables pour s'entendre.* → **Opposé.**

(...) il faut que les phrases s'agitent dans un livre comme **1** les feuilles dans une forêt, toutes dissemblables en leur ressemblance.
FLAUBERT, Correspondance, t. II, p. 388.

Sing. *Chose, personne dissemblable d'une autre,* (vx) *à une autre.*

(...) quoique si dissemblable à mon premier *(sonnet),* j'au- **2** rais pourtant de la peine à le désavouer.
RACINE, Lettres, 2, 1660, À l'abbé Vasseur.

L'Église, en cela dissemblable des autres mères qui mettent **3** hors d'elles-mêmes les enfants qu'elles produisent (...)
BOSSUET, Oraison funèbre du Père Bourgoing.

Qui ne ressemble pas ou plus (à...). *Son esprit est toujours dissemblable à ce qu'il était la veille.* → **Changeant, mobile.**

L'on a remarqué que la plupart des hommes sont, dans le **4** cours de leur vie, souvent dissemblables à eux-mêmes, et semblent se transformer en des hommes tout différents.
ROUSSEAU, les Confessions, IX.

CONTR. Semblable; analogue, identique, pareil. ◊ DÉR. Dissemblablement.

DISSEMBLABLEMENT [disãblabləmã] adv. — XIIIᵉ; de *dissemblable.*
Rare. De manière dissemblable. → **Diversement.**

DISSEMBLANCE [disãblãs] n. f. — 1520; de *dis-,* et *(res)semblance,* réfection du moy. franç. *dessemblance* (v. 1165), de *dessembler,* de *dis-,* et *sembler.*

Littér. Manque de ressemblance* entre des êtres, des choses ; caractère de ce qui est dissemblable. → **Différence, disparité, diversité, hétérogénéité, opposition.** *Dissemblance de forme. Il y a une grande dissemblance entre ces deux frères. Rapport de dissemblance entre deux termes* (→ **Contraste**). *La dissemblance des races* (→ Croisement, cit. 4). *Il y a entre eux de nombreuses dissemblances.*

1 Il ne distinguait pas, cet homme si plein de pratique, la dissemblance des sentiments sous la parité des expressions.
FLAUBERT, Mme Bovary, II, XII.

2 On ne peut comparer un artiste qu'à lui-même, mais il y a profit et justice à noter des dissemblances : nous tâcherons de marquer, non en quoi les nouveaux venus se ressemblent, mais en quoi ils diffèrent, c'est-à-dire en quoi ils existent, car être existant, c'est être différent.
R. DE GOURMONT, le Livre des masques, p. 14.

3 Peu à peu tu te fais silence
Mais pas assez vite pourtant
Pour ne sentir ta dissemblance
Et sur le toi-même d'antan
Tomber la poussière du temps.
ARAGON,
le Voyage de Hollande et autres poèmes, p. 76.

CONTR. Analogie, identité, ressemblance.

DISSEMBLER [disãble] v. tr. — Fin XIVe ; de *dis-,* et *(res)sembler,* réfection de l'anc. franç. *dessembler* (XIIIe), de *des-,* et *sembler.*

Littér. et rare. Être dissemblable.

1 Non point que chacun obéisse précisément à un mot d'ordre ; mais tout est arrangé de manière qu'il ne puisse pas dissembler.
GIDE, Retour de l'U. R. S. S., III, p. 49.

Vx. Dissembler qqch. de qqch. : différencier (de). — *Mod.,* littér. *Dissembler de qqn, de qqch.*

2 Rien ne dissemble plus de lui que lui-même. Quelquefois, il est maigre et hâve comme un malade au dernier degré de la consomption (...) Le mois suivant, il est gras et replet (...)
DIDEROT, le Neveu de Rameau, Pl., Œ., p. 426.

CONTR. Ressembler.

DISSÉMINATEUR, TRICE [diseminatœr, tris] adj. et n. — 1486, n. m. ; lat. *disseminator,* du supin de *disseminare.* → Disséminer.

Rare. (Chose, personne) qui dissémine (qqch.). *Agent disséminateur de germes.* → **Propagateur.**

DISSÉMINATION [diseminasjɔ̃] n. f. — 1674 ; lat. *disseminatio,* du supin de *disseminare.* → Disséminer.

♦ **1** Action de disséminer* ; résultat de cette action. → **Dispersion, disséminement** (rare). — *Bot. Dispersion (des graines). La dissémination des fruits ; des graines,* libérées par la déhiscence ou la putréfaction du fruit où elles étaient enfermées. *Méd. Dissémination des germes pathogènes, d'un cancer dans l'organisme.* → **Généralisation, métastase.**

♦ **2** *Par ext. La dissémination des troupes sur un territoire trop vaste.* → **Éparpillement.**

Couples et bandes, et, plus rares, des isolés, passaient et repassaient, toujours en état de dissémination, point encore agglomérés en foules, modérément rieurs.
R. QUENEAU, Pierrot mon ami, p. 8.

Fig. La dissémination des idées. → **Diffusion, propagation.** — *Didact. La Dissémination,* ouvrage de J. Derrida.

CONTR. Accumulation, agglomération, amoncellement, centralisation, concentration, condensation, rassemblement, regroupement, réunion, union.

DISSÉMINEMENT [diseminmã] n. m. — Fin XVIIIe ; de *disséminer.*

Rare. État de ce qui est disséminé.

DISSÉMINER [disemine] v. tr. — 1503, rare av. XVIIIe ; lat. *disseminare,* de *dis-,* et *seminare* «semer, produire», de *semen* «semence».

♦ **1** Répandre en de nombreux points assez écartés. → **Disperser, éparpiller, répandre, semer.** *Le vent dissémine les graines de certains végétaux.*

♦ **2** *Par ext.* Disperser. *Disséminer les troupes dans les différents villages du pays.*

Fig. Disséminer des idées, des théories dans plusieurs milieux.

Pronominal :

Bientôt il aperçut Etchézar, sa paroisse, son clocher massif comme un donjon de forteresse ; auprès de l'église, quelques maisons étaient groupées ; les autres, plus nombreuses, avaient préféré se disséminer aux environs, parmi des arbres, dans des ravins ou sur les escarpements.
LOTI, Ramuntcho, I, 1, p. 9. [1]

♦ **DISSÉMINÉ, ÉE** p. p. adj. *Objets, cailloux disséminés.* — *Pathol. Maladie, infection disséminée* (dans l'organisme, à partir d'un foyer initial).

Figuré :

La matière littéraire n'a pas cessé d'être riche, mais elle me semble complètement disséminée. [2]
SAINTE-BEUVE, Correspondance, II, p. 48.

CONTR. Accumuler, agglomérer, amasser, amonceler, assembler, centraliser, concentrer, condenser, grouper, rallier, rassembler, regrouper, réunir, unir. ◊ **DÉR. Disséminement.**

DISSENSION [disãsjɔ̃] n. f. — 1160 ; lat. *dissensio,* du supin de *dissentire* «être en désaccord», de *dis-,* et *sentire.* → Sentir.

Division violente ou profonde de sentiments, d'intérêts, de convictions. → **Déchirement, désaccord, discorde, dissentiment, divorce, mésintelligence, opposition, querelle.** *La dissension, les dissensions entre plusieurs personnes. Leurs dissensions sont profondes. Dissensions intestines, domestiques, familiales, civiles. Fomenter, propager la dissension, des dissensions. Vivre dans la dissension.* → **Guerre** (fig.) ; → Être à couteaux* tirés. *Apaiser les dissensions. Mettre fin aux dissensions.*

(...) mettre de la dissension dans un ménage (...) [1]
MOLIÈRE, le Bourgeois gentilhomme, IV, 2.

Avec l'amour et l'amitié naissent les dissensions, l'intimité, la haine. [2]
ROUSSEAU, Émile, IV.

Notre nation, la plus diverse, et d'ailleurs, l'une des plus divisées qui soit, se figure à chaque Français tout *une* dans l'instant même. Nos dissensions s'évanouissent, et nous réveillons des images monstrueuses qui nous représentent les uns aux autres. [3]
VALÉRY, Variété IV, p. 70.

CONTR. Accord, concorde, harmonie, intelligence (bonne intelligence).

DISSENTIMENT [disãtimã] n. m. — 1580, Montaigne ; *dissentement,* v. 1350 ; de l'anc. v. *dissentir* (du lat. *dissentire* «être en désaccord»).

Différence dans la manière de juger, de voir qui crée des heurts. → **Conflit, désaccord, dissension, mésintelligence, opposition.** *Un dissentiment d'opinions, d'idées. Dissentiment léger, sérieux, grave. Il y a dissentiment entre nous sur ce point. Leur dissentiment est grave. Ce dissentiment provient d'un malentendu. Les dissentiments font naître les discordes. Apaiser un dissentiment.* — *En cas de dissentiment, s'il y a dissentiment...*

(...) dissentiment entre deux grands esprits (*Tagore et Gandhi*) qui ont l'un pour l'autre estime et admiration, [1]

mais qui sont aussi fatalement séparés que peut l'être un sage d'un apôtre, d'un saint Paul un Platon.
R. ROLLAND, Mahatma Gandhi, p. 523.

2 (...) Maurice Barrès dont j'ai tant admiré l'œuvre et qui, après nos dissentiments de l'affaire Dreyfus, me donna des preuves émouvantes de cordialité (...)
Georges LECOMTE, Ma traversée, p. 523.

3 Les mineurs ne peuvent contracter mariage sans le consentement de leurs père et mère; en cas de dissentiment entre le père et la mère, ce partage emporte consentement.
Code civil, art. 148.

Être en dissentiment avec qqn. → **Conflit, opposition.**

CONTR. Accord, assentiment, concorde, entente, harmonie.

DISSÉQUER [diseke] v. tr. [CONJUG.: *céder*]. — 1549; lat. *dissecare* «couper en deux», de *dis-*, et *secare* «fendre, couper». → Section.

♦ 1 Anat. et cour. Diviser méthodiquement les parties de (un organisme : plante, animal; un corps mort : animal, cadavre d'un être humain), en vue d'en étudier la structure. → **Dissection** (cit. 1). *Disséquer un cadavre. Disséquer un chien, un cheval. Personne qui dissèque.* → **Dissecteur.**

1 (...) un cours d'anatomie commencé sous M. Fitz-Moris, et que je fus obligé d'abandonner par l'horrible puanteur des cadavres qu'on disséquait, et qu'il me fut impossible de supporter.   ROUSSEAU, les Confessions, VI.

1.1 Je suis accablée des plus dures invectives, et les plus effrayants arrêts se prononcent; il ne s'agit de rien moins que de me disséquer toute vive, pour examiner les battements du cœur (...)   SADE, Justine..., t. I, p. 131.

Absolt. *Il dissèque habilement* (→ Anatomiste, cit.).

2 Voilà pourquoi les maîtres de la Renaissance ont si fort étudié le corps humain, pourquoi Michel-Ange a disséqué douze ans.   TAINE, Philosophie de l'art, t. II, p. 332.

Par ext. Mettre en pièces, couper en morceaux. → **Dépecer.** *Bête fauve qui dissèque sa proie.*

♦ 2 (1771). Analyser minutieusement et méthodiquement. → **Dépecer, éplucher.** *Disséquer le caractère, l'esprit de qqn. Disséquer un ouvrage, un texte, une question* (→ Couper les cheveux* en quatre). — **Ellipt.** *Disséquer un auteur* (→ Autopsie, cit. 4).

3 (...) philosophes ou moralistes (...) qui se faisaient de l'ironie une méthode universelle, jugeaient, disséquaient ou raillaient toutes choses divines et humaines.
VALÉRY, Variété IV, p. 13.

4 Disséquer le texte d'un auteur, épier la conversation d'un ami dans l'unique dessein de relever certains mots ou de signaler l'abus de certains tours, c'est là divertissement de cuistre.   G. DUHAMEL, Discours aux nuages, p. 16.

♦ DISSÉQUÉ, ÉE p. p. adj. *Cadavre disséqué.* Par compar. *Sa «joue maigre semblait disséquée»* (Gautier, *in* T. L. F.).

DÉR. Dissécable, disséqueur.

DISSÉQUEUR, EUSE [disekœʀ, øz] n. — 1718; de *disséquer.*

Rare. Personne qui pratique une dissection. → **Dissecteur.**

Fig. (plus cour., parfois péj.). Personne qui dissèque (2.).

DISSERTANT, ANTE [disɛʀtɑ̃, ɑ̃t] adj. — 1836; p. prés. de *disserter.*

Rare. Qui disserte volontiers.

DISSERTATEUR, TRICE [disɛʀtatœʀ, tʀis] n. et adj. — 1722; de *disserter.*

Vx et rare. Auteur de dissertation(s). — **Péj.** Personne qui se plaît à disserter, longuement et vainement. *Quel insupportable dissertateur!* — Adj. *«Cette inquiétude dissertatrice»* (J. de Maistre, *in* T. L. F.).

DISSERTATIF, IVE [disɛʀtatif, iv] adj. — 1819; du rad. de *dissertation*, et suff. *-atif.*

Didact. et rare. Qui a le caractère, la nature d'une dissertation. *Exposé dissertatif.*

X., à qui je dis que son manuscrit (pesant pavé contestataire sur la télévision) est trop dissertatif, insuffisamment protégé *esthétiquement*, saute à ce mot et me rend immédiatement la monnaie de ma pièce : il a beaucoup discuté du *Plaisir du Texte* avec des camarades; mon livre, dit-il «frôle sans cesse la catastrophe».
R. BARTHES, Roland Barthes, p. 108.

DISSERTATION [disɛʀtasjɔ̃] n. f. — 1645; lat. *dissertatio*, du supin de *dissertare*. → Disserter.

♦ 1 Vieilli. Développement le plus souvent écrit, portant sur un point de doctrine, sur une question savante. → **Article, discours, essai, étude, mémoire, traité.** *Savante, longue dissertation. Faire, publier une dissertation sur un point controversé.*

1 (...) j'ai lu deux ou trois cents dissertations sur ce grand objet *(l'âme)*; elles ne m'ont jamais rien appris (...)
VOLTAIRE, Dialogues, XXIV, 2ᵉ entretien, *in* LITTRÉ.

2 Le *traité* est plus étendu ou plus général; la *dissertation*, plus restreinte ou plus particulière. Le *traité* roule sur telle ou telle science, telle ou telle matière, et il est plus ou moins complet; la *dissertation* roule sur tel sujet, telle ou telle question, tel ou tel point, et, de sa nature, elle est toujours partielle.
LAFAYE, Dict. des synonymes, Suppl., Traité...

♦ 2 (1864). **Mod.** Exercice écrit que doivent rédiger les élèves des grandes classes des lycées et ceux des facultés de lettres, sur des sujets littéraires, philosophiques, historiques. → **Composition.** *Dissertation d'examen. Prix de dissertation française. Corriger des dissertations. Corrigé de dissertation. Sujet de dissertation.* — **Abrév. scol.** : *dissert(e)* [disɛʀt] 1931, *in* D.D.L.

Par anal. *Il m'a envoyé toute une dissertation sur les joies de la campagne. Ce roman est entrelardé de dissertations ennuyeuses.*

DÉR. V. Dissertatif.

DISSERTER [disɛʀte] v. intr. — Fin XVIIᵉ, Saint-Simon; lat. *dissertare* «discuter, exposer», fréquentatif de *disserere*, de *dis-*, et *serere* «enchaîner, unir».

♦ 1 Faire un développement, le plus souvent oral et longuement développé (sur une question, un sujet...). → **Discourir, traiter** (de). *Disserter sur la politique, de politique. Disserter politique.* → **Causer** (cit. 8), **parler.** — **Absolt.** *Aimer à disserter* (→ Agir, cit. 10).

Si elle disserte pertinemment de ces choses, comme elle en a souvent causé avec moi, que croiriez-vous?
BALZAC, Séraphîta, Pl., t. X, p. 531.

♦ 2 Rare. Faire une dissertation (2.). *Les élèves ont fini de disserter pour la composition de français.*

♦ 3 Péj. Développer longuement des opinions, des arguments, s'exprimer ennuyeusement et longuement.

DÉR. Dissertant, dissertateur. — V. **Dissertation.**

DISSIDENCE [disidɑ̃s] n. f. — XVᵉ; rare av. XVIIIᵉ; lat. *dissidentia*, de *dissidens*. → Dissident.

♦ 1 Action ou état des personnes qui se séparent d'une communauté religieuse, politique, sociale, d'une école philosophique... → **Division, rébellion, révolte, schisme, scission, sécession, séparation.** *Divergence de doctrine qui entraîne une dissidence au sein d'un parti. Dissidence avec (qqn, qqch.). Dissidence entre qqn et qqn.*

Spécialt. Le fait de se séparer, en s'opposant par la force, d'une communauté politique (État).

EN DISSIDENCE. *Entrer, être en dissidence. Des populations révoltées, en dissidence.*

♦ **2** Par ext. Groupe de dissidents. *Rejoindre la dissidence. Une dissidence armée.*

0.1 Il y eut une reprise générale d'offensive de la dissidence, notamment dans tout le haut bassin de la Moulouya. Huit de nos postes se trouvèrent investis (...)
L. H. LYAUTEY, Paroles d'action, p. 284.

La dissidence, les dissidences marxistes, freudiennes.

♦ **3** Littér. Différence d'opinion. → **Dissentiment, divergence.**

1 Entre lui et le frère de celle qu'il aimait, des dissidences violentes d'opinion avaient éclaté.
SAINTE-BEUVE, Volupté, V, p. 43.

2 (...) et voilà ce qui cause souvent des dissidences entre moi et quelques-uns de mes amis.
RENAN, Souvenirs d'enfance..., I, 1, p. 29. (→ Depuis, cit. 19)

CONTR. **Accord, concorde, union. — Conformisme, orthodoxie.**

DISSIDENT, ENTE [disidã, ãt] adj. et n. — 1539, méd., rare av. 1752; lat. *dissidens*, de *dissidere* «être en désaccord»; de *dis-*, et *sedere* «être fixé, assis».

♦ **1** Qui est en dissidence*, qui fait partie d'une dissidence. → **Hérétique, hétérodoxe, non-conformiste, opposé, rebelle, révolté, schismatique, scissionnaire, séparatiste.** *Parti dissident. Faction, secte dissidente. Église dissidente,* séparée de l'Église officielle dans les pays de tradition protestante. *Un disciple dissident de Marx, de Freud.*

N. *Église de dissidents. Les dissidents surréalistes.*

Ces dissidents persécutés deviendront persécuteurs, lorsqu'ils seront les plus forts.
DIDEROT, Salon de 1767, *in* LITTRÉ.

♦ **2** Cour. Qui cesse de se soumettre à une autorité politique. → **Rebelle, révolté.** *Des éléments dissidents. Des tribus dissidentes, en lutte contre les colonisateurs.*

N. *Des dissidents en arme.*

Spécialt. Personne qui manifeste son opposition à l'idéologie dominante d'un pays. *«Deux écrivains, tous les deux titulaires du prix Dimitrov (...) auraient été mis en garde contre les conséquences que pourrait avoir leur manifestation de sympathie pour les dissidents tchécoslovaques»* (le Monde, 23 févr. 1977). *Les dissidents soviétiques.*

♦ **3** Littér. Qui est en désaccord. *Opinions, pensées, idées dissidentes.*

DISSIMILAIRE [disimilɛʀ] adj. — Av. 1590; de *dis-*, et *similaire*.

Rare. Qui n'est pas similaire*; qui n'est pas du même genre, de la même espèce. → **Dissemblable.** *Les parties dissimilaires des corps organisés.*

CONTR. **Similaire; semblable.**

DISSIMILATION [disimilasjɔ̃] n. f. — 1868; de *dis-*, et *(as)similation*.

Ling. Différenciation de deux phonèmes identiques d'un mot (ex. : *lossignol* qui a donné *rossignol*).

CONTR. **Assimilation, dilation.**

DISSIMILER [disimile] v. tr. — 1890; de *(as)similer*, et préf. *dis-*, d'après *dissimilation*.

Ling. Modifier (un phonème) par dissimilation*.

DISSIMILITUDE [disimilityd] n. f. — XIIIᵉ, rare av. XVIᵉ; lat. *dissimilitudo* «différence», de *dissimilis* «dissemblable», de *dis-*, et *similis*.

Didact. Défaut de similitude, de ressemblance. → **Différence, dissemblance, opposition.**

CONTR. **Similitude.**

DISSIMULABLE [disimylabl] adj. — 1536, *in* T.L.F.; de *dissimuler*.

Qui peut être dissimulé.

Un tiers des valeurs (il s'agit par hasard des valeurs nominatives, non dissimulables) sont soulignées au crayon rouge.
Hervé BAZIN, la Mort du petit cheval, p. 267.

DISSIMULATEUR, TRICE [disimylatœʀ, tʀis] n. et adj. — V. 1481; lat. *dissimulator*, du supin de *dissimulare*. → **Dissimuler.**

Personne qui dissimule, sait dissimuler.

(...) les ariens et entre autres Ursace et Valens, qui avaient fait d'une fois une feinte abjuration de l'arianisme (...) étaient de si subtils dissimulateurs et si féconds en expressions trompeuses, que (...)
BOSSUET, 2ᵉ instruction pastorale, Sur les promesses de l'Église, *in* LITTRÉ.

Adj. *Des courtisans dissimulateurs.*

DISSIMULATION [disimylasjɔ̃] n. f. — 1190; lat. *dissimulatio*, du supin de *dissimulare*. → **Dissimuler.**

♦ **1** Action de dissimuler; comportement d'une personne qui dissimule ses pensées, ses sentiments. *La dissimulation, art de s'étudier, de composer son visage, son maintien, ses paroles pour déguiser sa pensée* (→ Composer, cit. 13). *Parler sans fard, sans feinte, sans dissimulation. Donner le change à force de dissimulation.* → **Comédie, grimace.** *Agir avec dissimulation.* → **Duplicité, sournoiserie.** *Politique de mensonge et de dissimulation.* → **Machiavélisme.** *Dissimulation d'une partie de la vérité.* → **Réticence.**

1 Car, quant à cette nouvelle vertu de feintise et de dissimulation qui est à cette heure si fort en crédit, je la hais capitalement; et, de tous les vices, je n'en trouve aucun qui témoigne tant de lâcheté et bassesse de cœur. C'est une humeur couarde et servile de s'aller déguiser et cacher sous un masque, et de n'oser se faire voir tel qu'on est. Par là nos hommes se dressent à la perfidie : étant duicts *(formés)* à produire des paroles fausses, ils ne font pas conscience d'y manquer. Un cœur généreux ne doit point démentir ses pensées; il se veut faire voir jusques au-dedans. Ou tout y est bon, ou au moins tout y est humain.
MONTAIGNE, Essais, II, XVII.

2 (...) la profonde dissimulation d'une âme énergique, qui ne laisse percer à l'extérieur aucun des sentiments qu'elle renferme.
MÉRIMÉE, Colomba, III.

♦ **2** Caractère d'une personne qui dissimule souvent. *Il est plein de dissimulation et d'hypocrisie*.* → **Fausseté.**

♦ **3** *(Une, des dissimulations.)* Ce que l'on dissimule. *De petites dissimulations.* → **Cachotterie.**

♦ **4** Action de dissimuler (de l'argent). — Dr. *Dissimulation d'actif* : omission volontaire par un commerçant en faillite d'une partie de son actif dans le bilan qu'il dépose. *La dissimulation d'actif entraîne la banqueroute frauduleuse* (→ Dissimuler, cit. 9). — *Dissimulation de bénéfices, de revenus dans une déclaration au fisc.*

CONTR. **Franchise, loyauté, simplicité, sincérité.**

DISSIMULER [disimyle] v. tr. — Fin XIIIᵉ; lat. *dissimulare*, de *dis-*, et *simulare* «rendre semblable; feindre» (→ Simuler), de *simul* «semblable».

♦ **1** Ne pas laisser paraître ce qu'on pense, ce qu'on éprouve, ce qu'on sait (→ **Cacher, celer, taire**), ou chercher à en donner une idée fausse. → **Camoufler, change** (donner le change), **déguiser, masquer**. *Dissimuler sa haine, sa jalousie.* → **Concentrer, enfouir, refouler, renfermer, rentrer.** *Dissimuler une vérité sous un symbole.* → **Envelopper, voiler.** *Dissimuler ses véritables projets.* → **Cacher** (son jeu). *Dissimuler une mauvaise intention sous des dehors caressants.* → Faire patte de velours*. *Dissimuler ses sentiments derrière un masque.* → **Composer** (son visage). *Dissimuler ce qu'une vérité a de brutal, d'affligeant.* → **Atténuer, glisser** (sur); → Passer au bleu*. *Dissimuler ce que l'on devrait, en conscience, révéler.* → **Frauder, tricher.** *Ne rien dissimuler :* jouer cartes sur table, jouer franc jeu. *Je ne vous dissimulerai pas que... :* je vous avoue, je vous confesse que...

Absolt. → **Feindre.** *Qui ne sait pas dissimuler ne sait pas régner* (maxime de Louis XI). *À quoi bon dissimuler? Dissimuler souvent, beaucoup, peu.*

1 Félix, c'est donc ainsi que vous parlez sans fard? (...)
(...) Un chrétien ne craint rien, ne dissimule rien :
Aux yeux de tout le monde il est toujours chrétien.
CORNEILLE, *Polyeucte*, v, 2.

2 Il est plus difficile de dissimuler les sentiments que l'on a que de feindre ceux que l'on n'a pas.
LA ROCHEFOUCAULD, *Maximes posthumes*, 559.

3 (...) mon cœur, qui dissimule peu,
Ne sent nulle contrainte à faire un libre aveu (...)
(...) Et j'avouerai tout haut, d'une âme franche et nette (...)
MOLIÈRE, *les Femmes savantes*, I, 2.

4 La parole a été donnée à l'homme pour dissimuler sa pensée.
TALLEYRAND, *in* Louis MADELIN, *Talleyrand*, p. 442 (→ Déguiser, cit. 9).

5 (...) il ne pouvait dissimuler sa joie, quoiqu'il essayât par instants de se composer.
HUGO, *Notre-Dame de Paris*, X, v.

6 (...) car ce n'est qu'un homme, capable de feindre une émotion sans doute, mais non de la dissimuler (...)
COLETTE, *la Vagabonde*, II, p. 135.

Vx et littér. Feindre de ne pas remarquer. *Dissimuler une injure, une offense,* faire semblant de l'ignorer pour n'avoir pas à en témoigner de ressentiment.

7 Un homme qui sait la cour (...) dissimule les mauvais offices, sourit à ses ennemis (...)
LA BRUYÈRE, *les Caractères*, VIII, 2.

DISSIMULER QUE (avec subj. ou indic.) : cacher que. *Il dissimula qu'il fût au courant, qu'il était au courant de la chose.*

7.1 (...) il se croirait coupable *(Nesmond, archevêque d'Alby)...* si... il lui dissimulait *(au roi)* que le pain de la parole manquait au peuple (...)
SAINT-SIMON, *Mémoires*, t. III, LV, Pl., p. 983.

Par euphém. *Je ne vous dissimulerai pas que cette solution ne me convient guère,* je vous fais savoir que...

(Avec cond.). *Je ne lui ai pas dissimulé que j'aurais préféré partir.*

◆ **2** Dérober, soustraire aux regards (une chose concrète). → **Masquer, voiler.** *Dissimuler les défauts d'une marchandise sous une belle apparence.* → **Farder.** *Dissimuler son visage sous un voile* (→ Cagoule, cit. 3). — **Sujet n. de chose.** *Une tenture dissimulait une porte.*

8 De même que certaines modes en dissimulant aux yeux des hommes le corps tout entier des femmes donnaient jadis du prix à une robe effleurée, la pudeur des sentiments, voilant à l'esprit les signes habituels des passions, fait apercevoir la valeur et la grâce de nuances imperceptibles de langage.
A. MAUROIS, *Climats*, I, IV, p. 39.

Par ext. Rendre moins apparent, moins évident. → **Atténuer** (→ Corriger, cit. 5). *Un regard franc, un bon sourire dissimule les imperfections d'un visage. Dissimuler les défauts de la peau en se fardant.*

---

9 Une jaquette et une robe de serge bleue dissimulaient assez mal la maigreur de son corps, bien qu'elles fussent largement coupées.
J. GREEN, *Adrienne Mesurat*, III, p. 222.

Dissimuler une partie de ses bénéfices dans sa déclaration fiscale. — Failli qui dissimule une partie de son actif.

10 Sera déclaré banqueroutier frauduleux, et puni des peines portées au Code pénal, tout commerçant failli qui aura soustrait ses livres, détourné ou dissimulé une partie de son actif (...)
Code de commerce, art. 591.

◆ **SE DISSIMULER** v. pron.

◆ **1 (Réfl.).** 1864. Cacher sa présence ou la rendre très discrète. *Se dissimuler derrière un pilier. Se dissimuler dans un coin.* → **Petit** (se faire tout petit).

11 Près d'elle, derrière elle, miss Barnay se dissimule dans un éloquent silence et laisse l'autre se pavaner.
GIDE, *Journal*, 15 janv. 1906.

◆ **2 (Passif).** *Avis, avertissement qui se dissimule dans une phrase banale.* → **Glisser** (se). *Sentiments qui se dissimulent sous une indifférence affectée.* → **Cacher** (se). *Motif qui se dissimule derrière un prétexte.* → **Abriter** (s').

12 (...) un fond de gallicanisme mitigé se fût dissimulé sous le couvert d'une profonde connaissance du droit canonique.
RENAN, *Souvenirs d'enfance...*, III, I, p. 123.

13 (...) scepticisme élégant et si discret qu'il se dissimule (...)
GIDE, *Journal*, 28 sept. 1929.

◆ **3** *Se dissimuler les difficultés d'une entreprise, les périls d'une situation,* n'en être pas pleinement conscient, refuser de les voir (→ Avisé, cit. 5). *Il est trop intelligent pour se dissimuler que... Ne pas se dissimuler :* se rendre compte de..., que..., ne se faire aucune illusion sur... *Il ne se dissimule pas son état. Il ne se dissimule pas qu'il est perdu. Sentiment qu'on ne peut pas se dissimuler* (→ Consterner, cit. 4).

14 Il avait aimé se dissimuler qu'en U. R. S. S. aussi il y avait quelque chose de pourri.
S. DE BEAUVOIR, *les Mandarins*, p. 372.

15 Mais il ne se dissimule pas que le jeu ne saurait durer indéfiniment.
J. ROMAINS, t. XIV, p. 241, *in* GREVISSE.

◆ **DISSIMULANT, ANTE** p. prés. adj.

Qui dissimule. *«Les apparences dissimulantes»* (Daudet, 1895, *in* D. D. L.).

◆ **DISSIMULÉ, ÉE** p. p. adj.

◆ **1** → **Caché.** *Sentiment dissimulé. Pensée dissimulée.* → **Arrière-pensée, réticence.** *Manœuvre dissimulée,* qui n'est pas franche (→ Change, cit. 4). *Des aveux dissimulés sous des termes ambigus. — Bénéfices dissimulés, opérations dissimulées* (→ Compte, cit. 14).

16 (...) jamais imitation ne fut mieux dissimulée ni plus savante — il est bien permis, il est louable d'imiter ainsi.
BAUDELAIRE, *Curiosités esthétiques*, *Salon de 1845*, I (Descamps).

17 La jalousie a beau être habilement dissimulée par celui qui l'éprouve, elle est assez vite découverte par celle qui l'inspire, et qui use à son tour d'habileté.
PROUST, *À la recherche du temps perdu*, t. XI, p. 73.

◆ **2 (Personnes).** Qui dissimule. → **Cachottier, dessous** (en), **double, faux, hypocrite, machiavélique, renfermé, secret, sournois** (→ Attirer, cit. 30; comporter, cit. 6). *Ce garçon est très dissimulé.* — **N.** *C'est un dissimulé.* — **Par ext.** *Un esprit dissimulé. Une nature dissimulée.*

18 (...) il a l'esprit franc et point dissimulé.
MOLIÈRE, *l'Étourdi*, III, 4.

CONTR. Affirmer, avouer, confesser, dire, divulguer, exhiber, exposer, montrer. — (Du p. p.) Candide, confiant, franc, loyal, ouvert, simple, sincère. ◊ **DÉR.** Dissimulable. — V. **Dissimulateur, dissimulation.**

DISSIPATEUR, TRICE [disipatœr, tʀis] n. et adj.
— 1392; bas lat. *dissipator*, du supin de *dissipare*. → Dissiper.

Personne qui dissipe son bien ou le bien qui lui est commis. → **Dépensier, gaspilleur, mange-tout** (fam.), **prodigue**.

Son économe était un dissipateur. Il voulait briller : bon cheval, bon équipage; il aimait à s'étaler noblement aux yeux des voisins; il faisait des entreprises continuelles en choses où il n'entendait rien.
ROUSSEAU, les Confessions, VI.

Adj. *Gouvernement dissipateur, administration dissipatrice. À père avare* (cit. 4), *fils dissipateur.*

CONTR. Économe, parcimonieux.

DISSIPATIF, IVE [disipatif, iv] adj. — V. 1965; du rad. de *dissiper*.

Didact. Qui dissipe (de l'énergie). *Mécanisme dissipatif. «Cependant, il pense que ce sont des phénomènes purement physiques, conformes au second principe de la thermo-dynamique, les "structures dissipatives", qui assurent l'apparition et l'entretien des êtres vivants»* (la Recherche, juin 1979, n° 101, p. 614). *«Si le terme "structure" se rapporte aussi bien à l'organisation temporelle que spatiale, l'adjectif "dissipatif" est là pour rappeler que ce type de structure est lié à la présence d'un flux de matière et/ou d'énergie entre le système et le milieu extérieur»* (Sciences et Avenir, n° 421, mars 1982, p. 75).

DISSIPATION [disipasjɔ̃] n. f. — 1419, «dispersion»; lat. *dissipatio*, du supin de *dissipare*. → Dissiper.

♦ **1** Vx. Action de dissiper en dispersant, en faisant disparaître. → **Disparition, dispersion.** *La dissipation des nuages par l'évaporation.*

Mod. Le fait de disparaître en se dissipant. *La dissipation du brouillard est complète.*

Phys. Disparition (de l'énergie) par consommation de puissance. *La dissipation anodique d'une lampe.*

♦ **2** Action de dissiper en dépensant avec prodigalité. *Dissipation d'un patrimoine.* → **Dilapidation** (→ Amasser, cit. 2). — **Par ext.** *Ruiner sa famille en dissipations,* en dépenses exagérées. → **Dépense, folie, gaspillage.**

1 On craignait sa vigilance, et le gaspillage était moindre. Elle-même craignait sa censure, et se contenait davantage dans ses dissipations (...) elle redoutait le juste reproche qu'il osait quelquefois lui faire qu'elle prodiguait le bien d'autrui autant que le sien.
ROUSSEAU, les Confessions, V.

2 Inconcevable dissipation par la main gauche des trésors péniblement gagnés par la main droite.
G. DUHAMEL, Scènes de la vie future, XV, p. 228.

♦ **3** Le fait de porter attention sur d'autres choses que celle sur laquelle il faut se concentrer. *Dissipation de l'esprit, de l'attention.* → **Distraction, éparpillement.**

3 Avec autant d'esprit, il eût pu réussir à tout; mais l'impossibilité de s'appliquer et le goût de la dissipation ne lui ont permis d'acquérir que des demi-talents en tout genre.
ROUSSEAU, les Confessions, XI.

4 Je dois consigner ici mes «concentrations», non mes dissipations.
GIDE, Journal, 1ᵉʳ févr. 1907.

Par ext. Mauvaise conduite, fait de s'amuser durant les cours. *Ces élèves sont enclins à la dissipation.* → **Indiscipline, turbulence.**

5 Je retrouvais ces quinquagénaires avec toutes les marques qui dénoncent sur un enfant laissé seul la désobéissance et la dissipation, une bosse au front du physicien, une déchirure à la culotte de l'ancien ministre.
GIRAUDOUX, Bella, VII, p. 164.

♦ **4** Littér. Débauche. *Vivre dans la dissipation.* → **Débauche, désordre.**

6 Tout notre mal vient de ne pouvoir être seuls : de là le jeu, le luxe, la dissipation, le vin (...)
LA BRUYÈRE, les Caractères, XI, 99.

7 Sa période de dissipation n'a jamais été une période d'impiété.
GIRAUDOUX, Littérature, p. 32.

CONTR. Accumulation, amoncellement. — Économie, épargne. — Application, assagissement, attention, concentration, contention; discipline. — Sagesse.

DISSIPER [disipe] v. tr. — 1170; lat. *dissipare* «disperser, répandre, détruire», de *dis-*, et *supare* «jeter».

♦ **1** Faire cesser en dispersant. *Le soleil dissipe les nuages, les brouillards, les ténèbres.* → **Chasser, disparaître** (faire).

1 Je dis à cette nuit : «Sois plus lente»; et l'aurore
Va dissiper la nuit.
LAMARTINE, Premières méditations, «Le lac».

2 (...) tandis que le premier soleil achevait de dissiper au fond des vallées les ouates laissées par la nuit (...)
MARTIN DU GARD, les Thibault, t. VI, p. 30.

Vx et rare. Disperser. *La police a dissipé la foule, les attroupements.*

3 Que fera-t-il, Madame? et qui peut dissiper
Tous les flots d'ennemis prêts à l'envelopper?
RACINE, Iphigénie, V, 3.

Fig. *Dissiper un trouble, un malaise, la tristesse, la mélancolie.* → **Anéantir, supprimer.** *Dissiper un malentendu.* → **Éclaircir.** *Dissiper la contrainte* (cit. 7), *la gêne.* → Briser, rompre la glace*. *Dissiper les craintes, les inquiétudes, les soupçons, les doutes, les illusions de qqn.* → **Ôter** (de la tête). *Dissiper une menace, un danger.* → **Écarter.**

4 L'estime où l'on vous tient a dissipé l'orage,
Et mon mari de vous ne peut prendre d'ombrage.
MOLIÈRE, Tartuffe, IV, 5.

5 Athalie accourue au bruit pour dissiper la conjuration (...)
BOSSUET, Disc. sur l'Hist. universelle, I, VI.

6 (...) — Ah! dissipez ces indignes alarmes :
Il a trop bien senti le pouvoir de vos charmes.
RACINE, Andromaque, II, 1.

7 Il y a dans la femme une gaieté légère qui dissipe la tristesse de l'homme.
BERNARDIN DE SAINT-PIERRE, in SAINTE-BEUVE, Causeries du lundi, t. I, p. 135.

8 Entre la mère et le fils s'était établi peu à peu un de ces états de malentendu muet d'autant plus malaisés à dissiper qu'ils sont inconscients.
Paul BOURGET, Un divorce, VI, p. 198.

9 (...) il serait utile de ne pas s'entêter dans une attitude arrogante et de dissiper une erreur qui va s'enracinant chez l'adversaire faute de démenti.
PROUST, À la recherche du temps perdu, t. XII, p. 144.

♦ **2** Dépenser sans compter (tout ou partie d'un bien). → **Consumer, dépenser, gaspiller, prodiguer.** *Dissiper son patrimoine, une fortune.* → **Dévorer, dilapider, engloutir, manger.**

Fig. et littér. *Dissiper sa santé, sa jeunesse, sa vie en folles débauches* (→ **Ruiner**). *Dissiper son temps en occupations frivoles* (→ **Gâcher, perdre**).

10 Elle voit dissiper sa jeunesse en regrets,
Mon amour en fumée, et son bien en procès.
RACINE, les Plaideurs, I, 5.

11 Depuis trois ans, je dissipe en seigneur le bien modeste qu'il m'a laissé et qui pouvait suffire à ma vie.
NERVAL, les Filles du feu, «Sylvie».

♦ **3** Fig. et vieilli. Disperser sur plusieurs objets (ce qui devrait être concentré sur un seul). → **Disperser** (cit. 5), **éparpiller.** *Dissiper ses efforts, son attention.*

12 (...) je ne saurais trop vous recommander de ne vous point laisser aller à la tentation de faire des vers français qui ne serviraient qu'à vous dissiper l'esprit.
RACINE, Lettres, 3 juin 1693.

♦ **4** (XVIIᵉ). Littér. *Dissiper qqn*, le distraire de ses occupations sérieuses par des frivolités, des futilités ; le détourner de la règle, de la discipline, du devoir. *Dissiper des enfants, des écoliers en les distrayant au milieu de leur travail.* → **Distraire.** *De mauvaises fréquentations ont dissipé ce jeune homme.* → **Débaucher ; dissipation** (jeter dans la).

13 Le monde au milieu duquel vous vivez a deux pernicieux effets : il nous dissipe, et il nous corrompt (...)
BOURDALOUE, *Éloignement et fuite du monde*,
Préambule, *in* LITTRÉ.

14 (...) elle montrait plus de sagesse déjà que n'en ont la plupart des jeunes filles, que le monde extérieur dissipe et dont maintes préoccupations futiles absorbent la meilleure attention.
GIDE, *la Symphonie pastorale*, p. 66.

♦ **SE DISSIPER** v. pron.

♦ **1** → **Disparaître.** *Les nuages vont se dissiper.* → **Disperser** (se). *La tempête s'est dissipée.* → **Apaiser** (s'). *Odeur, parfum qui se dissipe.* → **Évaporer** (s'), **volatiliser** (se). — Fig. *Mon mal de tête s'est dissipé.* → **Fin** (prendre). *Notre temps, notre vie se dissipent sans que nous nous en rendions compte.* → **Écouler** (s'), **enfuir** (s'), **envoler** (s'). → Anéantir, cit. 2.

15 Et tout ce bruit flatteur de notre renommée,
Comme il n'est que fumée,
Se dissipe en vapeur.
CORNEILLE, *Imitation de Jésus-Christ*, I, 293.

16 (...) une actrice est comme un tableau qu'il faut contempler à distance et sous le jour propice. Si vous approchez, le prestige se dissipe.
Th. GAUTIER, *le Capitaine Fracasse*, t. I, VIII, p. 267.

17 Peu à peu, cependant, la rosée froide se dissipe, la brume s'évapore au soleil.
Alphonse DAUDET, *Contes du lundi*,
«Alsace! Alsace!», p. 138.

18 Antoine s'arrête. Le malaise qu'il ressentait au début s'est dissipé (...)
MARTIN DU GARD, *les Thibault*, IV, p. 17.

♦ **2** (Le sujet désigne un bien, une somme.) *Biens qui se dissipent. S'il continue de ce train, sa fortune, son héritage auront tôt fait de se dissiper.* → **Épuiser** (s'), **fondre, fumée** (s'en aller en).

♦ **3** Littér. (Sujet n. de personne). Se détourner de son travail, de son devoir. → **Déranger** (se).

19 Il nous assure que vous aimez le travail, que vous ne vous dissipez point, et que la promenade et la lecture sont vos plus grands divertissements (...)
RACINE, *Lettres*, 182, 21 juil. 1698.

20 Le duc, se livrant sans cesse à de nouvelles folies, se dissipait par ses inconstances (...)
Antoine HAMILTON, *Mém. du comte de Gramont*,
10, *in* LITTRÉ.

Ces enfants, ces élèves se dissipent, se dissipent mutuellement.

♦ **DISSIPÉ, ÉE** p. p. adj.

♦ **1** *Nuages, orages dissipés.* — *Inquiétudes dissipées.*

21 Auriez-vous porté si loin vos vieux ressentiments (...) dont le souvenir doit être si parfaitement dissipé ?
Mᵐᵉ DE SÉVIGNÉ, 1272, avr. 1690.

22 Car le temps, tu le sais, entraîne sur ses pas
Les illusions dissipées,
Et les feux refroidis, et les amis ingrats,
Et les espérances trompées !
NERVAL, *Poésies*,
«Mélodie» (imitée de Thomas Moore).

♦ **2** Littér. Frivole, déréglé. *Mener une vie dissipée.* → **Dissolu.** *Une jeunesse dissipée.*

N. *Un, des dissipés.*

Littér. Qui manque de sérieux, de concentration. *Un esprit dissipé.*

Spécialt (cour.). *Enfant, élève dissipé*, qui manque d'application, est réfractaire à la discipline. → **Indocile, turbulent.** — N. *Petit dissipé !*

CONTR. Accumuler, amasser, amonceler, conserver, économiser, épargner. — Absorber (s'), appliquer (s') ; assagir (s'). — Appliqué, attentif, réfléchi, sage. — Sérieux. ◊ DÉR. Dissipatif. — V. Dissipateur, dissipation.

DISSOCIABILITÉ [disɔsjabilite] n. f. — 1870 ; au sens de «état de corruption des liens sociaux» (1793) ; de *dissociable.*

Didact. Qualité de ce qui est dissociable.

DISSOCIABLE [disɔsjabl] adj. — 1864 ; «séparable de la société», XVIᵉ ; de *dissocier.*

Qui peut être dissocié. *Les deux problèmes ne sont pas dissociables.*

CONTR. et COMP. Indissociable. ◊ DÉR. Dissociabilité.

DISSOCIATEUR, TRICE [disɔsjatœʀ, tʀis] adj. et n. — 1921 ; de *dissocier.*

Littér. Qui dissocie. → **Dissociatif.**

(...) cet esprit sans préjugés (*Gourmont*), dévorateur, destructeur, universel, sceptique, vulgarisateur, irrespectueux, érudit et philosophique, dissociateur d'idées, transmutateur des valeurs (...)
B. CENDRARS, *Bourlinguer*, p. 316.   1

Et ce que le théâtre peut encore arracher à la parole, ce sont ses possibilités d'expansion hors des mots, de développement dans l'espace, d'action dissociatrice et vibratoire sur la sensibilité.
A. ARTAUD, *le Théâtre et son double*, p. 136.   2

DISSOCIATIF, IVE [disɔsjatif, iv] adj. — 1955 ; du rad. de *dissociation.*

Didact. (physiol., psychol.). Relatif à la dissociation (d'éléments constituant un ensemble cohérent). *Procédé dissociatif.* → **Dissociateur.**

Dans d'autres cas, l'organisme n'arrive pas à résoudre le conflit (*psychique*), la tension et la dissociation qui le caractérisent persistent ; ou bien l'organisme élabore des solutions inadéquates qui ne diminuent pas la tension pénible qu'en accentuant la dissociation, en mettant en jeu les «ajustements dissociatifs» que sont le refoulement et les autres mécanismes de défense découverts par la psychanalyse (...)
Daniel LAGACHE, *la Psychanalyse*, p. 59.

CONTR. Associatif.

DISSOCIATION [disɔsjasjɔ̃] n. f. — XVᵉ ; de *dissocier.*

♦ **1** Action de dissocier ; résultat de cette action. *La dissociation des glaces fluviales au printemps.* → **Débâcle.** *Dissociation d'un corps par l'action d'un liquide* (→ **Dissolution**), *de l'humidité* (→ **Déliquescence**). *Dissociation d'un composé chimique en ses éléments.* → **Analyse.** — *Dissociation d'un noyau d'atome.* → **Désintégration, fission.** — *Dissociation de l'eau au-dessus de 1 200°.*

♦ **2** Séparation. *Dissociation de deux problèmes.* — Dr. *Dissociation de deux causes, de deux instances.* → **Disjonction.** — *Dissociation du moi* (→ **Dédoublement**), *des idées* (→ Association, cit. 19).

Il faut opérer par la dissociation, et non par l'association des idées. Une association est presque toujours banale. La dissociation décompose et découvre des affinités latentes.
J. RENARD, *Journal*, 24 janv. 1890.   1

Il nous faut indiquer ces courbes qui dessinent et portent l'œuvre. Celle-ci commence par un prélude sur le sommeil et le réveil, parce que c'est en de tels moments que la réversibilité du temps, la dissociation du *moi* et sa secrète permanence sont le plus aisément perceptibles.
A. MAUROIS, *À la recherche de Marcel Proust*, VI,   2
2, p. 176.

♦ 3 (1930). Psychiatrie. *Dissociation mentale :* rupture de l'unité psychique, processus fondamental de la schizophrénie. → **Désagrégation** (psychique), **dysharmonie.**

CONTR. **Association ; agglomération, agglutination, mélange. — Synthèse. ◊ DÉR. V. Dissociatif. ⁃ COMP. Photodissociation.**

DISSOCIER [disɔsje] v. tr. — 1495 ; lat. *dissociare,* de *dis-,* et *sociare* «unir», de *socius* «allié, associé».

♦ 1 Séparer (des éléments qui étaient associés). → **Désunir, séparer.** *Dissocier les molécules d'un corps, dissocier un corps.* → **Désagréger, désintégrer.** *Dissocier une substance en la faisant fondre.* → **Dissoudre.**

♦ 2 (Abstrait). *Dissocier deux questions, deux causes juridiques* (→ **Disjoindre**), *des composantes* (cit.), *un ensemble* (→ Chanson, cit. 8).

1   (...) son regard brillant ne se mélangeaient, sans qu'on pût jamais les dissocier tout à fait, une innocence de fillette et une coquette sensualité de femme.
MARTIN DU GARD, les Thibault, t. IX, p. 73.

2   Un président hostile peut la dissocier *(la majorité)* et former un ministère de concentration ; un président favorable peut au contraire la cimenter en parlementant avec les chefs socialistes.
A. MAUROIS, le Cercle de famille, II, XI, p. 281.

♦ SE DISSOCIER v. pron.

♦ 1 *Corps qui se dissocie à l'humidité* (→ **Déliquescence**).

♦ 2 *Groupes politiques qui se dissocient.*

3   (...) ces rassemblements, parfois bien disparates derrière l'idée ou l'homme qui les suscitait pour un effort commun, se dissociaient assez vite.
Georges LECOMTE, Ma traversée, p. 81.

♦ DISSOCIÉ, ÉE p. p. adj. *Éléments dissociés. Questions dissociées.*

CONTR. **Associer ; agglomérer, agglutiner, mélanger, mêler ; rapprocher, réunir. ◊ DÉR. Dissociable, dissociation.**

DISSOLU, UE [disɔly] adj. — 1190 ; lat. *dissolutus,* p. p. de *dissolvere.* → Dissoudre.

Littér. Qui vit dans la dissolution (2.), le libertinage. → **Corrompu, débauché, libertin.** *Vieillard dissolu.* — Par ext. (plus cour.). *Vie dissolue. Mœurs dissolues.* → **Déréglé, relâché.** *Mener une vie dissolue.*

1   Qu'une jeunesse dissolue aille chercher ailleurs des plaisirs faciles et de longs repentirs (...)
ROUSSEAU, De l'inégalité parmi les hommes.

2   Parmi tous ces hommes grossiers, libertins, dissolus, il en est un, me disais-je, qui croit à la pudeur et sait respecter ce qu'il aime.
Th. GAUTIER, le Capitaine Fracasse, t. II, X, p. 13.

3   (...) le personnage dissolu que sera toujours Maurice de Talleyrand.
Louis MADELIN, Talleyrand, III, XXII, p. 221.

N. *C'est un dissolu.* → **Libertin.** *Une dissolue* (rare).

4   On a dit que les dissolus sont compatissants, que ceux qui sont portés à l'incontinence paraissent d'ordinaire chatouilleux et fort tendres à pleurer, mais que les âmes qui travaillent à demeurer chastes n'ont pas une si grande tendresse.   SAINTE-BEUVE, Volupté, XXI, p. 213.

CONTR. **Austère, rangé, vertueux.**

DISSOLUBILITÉ [disɔlybilite] n. f. — 1641 ; de *dissoluble.*

♦ 1 Rare. Qualité d'un corps dissoluble. → **Solubilité.**

♦ 2 Polit. Caractère de ce qui peut être dissous. *La dissolubilité d'une assemblée.*

CONTR. **Indissolubilité.**

DISSOLUBLE [disɔlybl] adj. — 1370 ; lat. *dissolubilis,* de *dissolvere.* → Dissoudre.

♦ 1 (1636 ; attesté au XIIIᵉ). Rare. Soluble. *Substance dissoluble.*

♦ 2 Polit. Qui peut être dissous. *Assemblée dissoluble.*

CONTR. **Indissoluble. ◊ DÉR. Dissolubilité.**

DISSOLUTIF, IVE [disɔlytif, iv] adj. — 1372 ; lat. *dissolutivus,* de *dissolutum,* supin de *dissolvere.* → Dissoudre. Chim., pharm. (Vx). Qui dissout (2.).

DISSOLUTION [disɔlysjɔ̃] n. f. — XIIᵉ, au fig. ; lat. *dissolutio,* du supin de *dissolvere.* → Dissoudre.

♦ 1 (1314). Décomposition* (d'un agrégat, d'un organisme) par la séparation des éléments constituants. *La dissolution des matières animales, végétales. Tomber en dissolution.* → **Corruption, décomposition.**

1   L'anéantissement des caresses ne l'avait pas préparé à la dissolution éternelle. Cette chair finissait sans avoir connu son propre secret.   F. MAURIAC, Génitrix, p. 57.

Géol. *Dissolution des roches calcaires.* → **Désagrégation, désintégration** (→ Caverne, cit. 3 ; dissoudre, cit. 2).

2   La dissolution opérée le long des plans de schistosité, des joints, ou simplement au contact des grains différents, crée un réseau de vides. C'est à sa solubilité que le calcaire doit d'être une roche perméable. Si compact qu'il soit d'apparence, l'eau y développe rapidement des cavités qui s'élargissent de plus en plus.
E. DE MARTONNE, Traité de géographie physique, t. II, p. 629.

Fig. et littér. *La dissolution d'un empire* (→ **Anéantissement, disparition, écroulement, ruine**), *d'un système. Société qui porte en elle des germes, des éléments de dissolution.* → **Destruction.**

3   La volupté, on l'a remarqué, est un grand agent de dissolution pour la foi, et elle inocule plus ou moins le scepticisme.   SAINTE-BEUVE, Proudhon..., p. 102.

Dr. Action de mettre fin légalement à (qqch.). → **Cessation, rupture.** *La dissolution du mariage* (→ **Divorce**), *du régime matrimonial. Dissolution d'une société, d'une association. Prononcer la dissolution d'une assemblée* (→ **Dissoudre**). *Dissolution d'un parti, d'une ligue.*

Spécialt. *Dissolution de l'Assemblée nationale. Droit de dissolution.*

4   (...) la dissolution de l'Assemblée nationale pourra être décidée en conseil des ministres, après avis du président de l'Assemblée. La dissolution sera prononcée conformément à cette décision, par décret du président de la République (...)   Constitution du 27 oct. 1946, art. 51.

♦ 2 Littér. Dérèglement (des mœurs). → **Corruption** (→ Châtiment, cit. 5). *Dissolution des mœurs.* — Absolt. → **Débauche, immoralité.** *Vivre dans la dissolution.*

5   Or il est aisé de connaître les œuvres de la chair qui sont la fornication, l'impureté, l'impudicité, la dissolution.
BIBLE (SACY), Évangile selon saint Paul,
Épître aux Galates, v, 19.

Plur. (Vieilli). *Les dissolutions de la cour. Époque célèbre par ses dissolutions.* → (au plur.) **Débordement, dérèglement, désordre, scandale.**

6   Les dissolutions des grands ne meurent point ; leurs exemples prêcheront encore le vice ou la vertu à nos plus reculés neveux.
MASSILLON, Petit carême, Exemples des gr.,
in LITTRÉ.

♦ 3 Sc. Passage en solution (d'un solide, d'un liquide ou d'un gaz). *Chaleur, vitesse de dissolution. Lois de dissolution.*

♦ **4** Cour. Liquide résultant de la dissolution.
→ **Soluté, solution.** *Dissolution cupro-ammoniacale.
La lessive, dissolution aqueuse de potasse ou de
soude.* — Photogr. *Le bain photographique, dissolution dans laquelle on plonge les préparations
sensibles.*

Absolt. Colle au caoutchouc, obtenue par dissolution de caoutchouc dans un solvant organique, et
utilisée pour la réparation des chambres à air.

7   Un tesson de bouteille posté là depuis le matin se précipita
     avec allégresse à la rencontre du pneu avant gauche (...)
     Antoine répara, s'enduisant avec une rare conscience de
     dissolution.   René FALLET, le Triporteur, p. 85.

♦ **5** Littér. ou didact. Anéantissement (physique ou
moral). *La dissolution de la volonté.* → **Décomposition ; ruine.**
Disparition des fonctions les plus volontaires. *«La
pathologie génétique (...) repose sur les concepts
de régression et de dissolution»* (J. Vuillemin, *in*
T. L. F.).

CONTR. **Association, combinaison, concentration, constitution, cristallisation, formation, précipitation, précipité.** —
Prorogation (d'une assemblée). — **Austérité.**

DISSOLVANT, ANTE [disɔlvã, ãt] adj. et n. m.
— XVIᵉ ; p. prés. de *dissoudre.*

♦ **1** Qui dissout (2.), forme une solution avec un
corps. — N. m. Liquide susceptible de dissoudre
(une autre substance). → **Solvant.** — Spécialt. Produit
pour ôter le vernis à ongles. *Dissolvant gras, sans
acétone. Dissolvant en crème, liquide.*

♦ **2** Fig. [a] Vieilli. Qui affaiblit. *Climat dissolvant. Chaleur dissolvante.*

[b] (1886). Mod. Qui détruit les principes, les
croyances. *«Des doctrines dissolvantes»* (Madelin).
→ **Subversif.** *Une critique dissolvante.*

Cet empoisonneur a osé mettre en circulation, sous forme
de Contes pour les jeunes filles, de dissolvants et inexorables toxiques.   Léon BLOY, le Désespéré, p. 183.

DISSONANCE [disɔnɑ̃s] n. f. — 1320, repris 1450 ; bas
lat. *dissonantia,* de *dissonans, antis,* p. prés. de *dissonare.*
→ Dissoner.

♦ **1** Cour. Réunion de sons dont la simultanéité ou
la succession est désagréable.

1   Et, dans toutes ces voix, une exaltation de larmes et de
     prières qui fond leurs dissonances et qui les unit (...)
                        LOTI, Jérusalem, VII, p. 72.

(En parlant des sons du langage). *Ensemble de dissonances.* → **Cacophonie.** *L'allitération* peut constituer
une dissonance.*

2   (...) les idées seules forment le fond du style, l'harmonie
     des paroles n'en est que l'accessoire, et ne dépend que de
     la sensibilité des organes ; il suffit d'avoir un peu d'oreille
     pour éviter les dissonances (...)
                BUFFON, Discours sur le style, Œ., t. XII, p. 329.

Mus. Intervalle ou accord qui appelle une conso-
nance* (dans ce sens, le mot n'est aucunement péjoratif). *La seconde, la septième, le demi-ton chromatique et tous les intervalles augmentés ou diminués sont des dissonances. Préparer une dissonance :* introduire la note dissonante d'un accord
dans l'accord qui précède celui-ci. *Sauver* (vieilli),
résoudre une dissonance, la faire suivre de l'accord
consonant qu'elle appelle.

3   Ces hardiesses *(en poésie)* lorsqu'elles sont bien sauvées,
     comme les dissonances en musique, font un effet très bril-
     lant.
             CHATEAUBRIAND, le Génie du christianisme, II, I, 3.

♦ **2** Fig. Opposition plus ou moins brutale, entre les
éléments (d'une œuvre, etc.). *Dissonances dans le
style, dans le récit.* → **Rupture** (de ton). *Dissonances*

*voulues, maîtrisées ; involontaires. Dissonances de
tons dans un tableau,* couleurs qui jurent entre
elles (→ Consonance, cit. 7). → **Discordance.**

3.1   (...) le Théâtre de la Cruauté compte en revenir à tous
       les vieux moyens éprouvés et magiques de gagner la sen-
       sibilité. Ces moyens, qui consistent en des intensités de
       couleurs, de lumières ou de sons, qui utilisent la vibra-
       tion, la trépidation, la répétition (...) ne peuvent obtenir
       leur plein effet que par l'utilisation des dissonances.
                   A. ARTAUD, le Théâtre et son double, p. 189.

*Dissonances entre un modèle et une copie, entre les
principes et la conduite.* → **Désaccord.** *Dissonances
dans un caractère.* → **Contradiction, disparate** (cit. 5),
opposition.

4   Seulement, ces qualités et ces défauts, transportés dans le
     monde, ont amené les dissonances les plus originales.
                 RENAN, Souvenirs d'enfance..., VI, III, p. 248.

(Vie psychique, mentale). *Dissonances affectives, intellectuelles,* créant des conflits. *Réduction des dissonances (cognitives).*

CONTR. **Euphonie.** — **Consonance.** — **Accord, harmonie.**

DISSONANT, ANTE [disɔnɑ̃, ɑ̃t] adj. — V. 1450 ;
p. prés. de *dissoner,* d'après le lat. *dissonens.*

♦ **1** (Sons). Qui fait dissonance. *Sons dissonants.*
→ **Discordant.** *Voix dissonantes.* — Mus. *Accord dissonant* (ex. : accord de septième), *intervalle dissonant.* → **Dissonance.**

Alors elles m'étonnent toutes deux, cherchant leurs
guitares accordées des accompagnements en parties et se
reprenant chaque fois qu'un son n'est pas rigoureusement
juste à leur oreille, sans s'embrouiller jamais dans ces harmonies dissonantes, étranges, toujours tristes.
               LOTI, Mᵐᵉ Chrysanthème, XXXVII, p. 190.

L'harmonie dissonante : partie de la théorie de
l'harmonie qui traite des dissonances.

♦ **2** Qui dissone (2.), produit un effet discordant.
*Des vulgarismes dissonants dans un poème lyrique.
Tableau aux tons dissonants.* → **Discordant.** *Senti-
ments dissonants,* en opposition, en contradiction.

CONTR. **Concordant, harmonieux.**

DISSONER [disɔne] v. intr. — 1355, rare av. XVIIIᵉ ; lat.
dissonare, de *dis-* et *sonare* «rendre un son», de *sonus*
«son».

♦ **1** (Sons). Faire une dissonance* (avec d'autres
sons). *Instrument mal accordé qui dissone avec les
autres, dans un orchestre.* — Mus. Produire une dissonance.

(Des sons du langage) :

1   (...) c'est qu'un accent qui lui est propre dissone à votre
     oreille et vous blesse.
                 DIDEROT, Paradoxe sur le comédien, Œ., p. 1044.

♦ **2** Littér. Produire un effet de dissonance (2.), plus
ou moins désagréable. → **Jurer.** *Élément d'un récit
qui dissone, qui dissone avec le reste. Couleur qui
dissone avec une autre. Détail qui dissone dans un
ensemble.*

2   (...) il (le poète anglais Henley) me fit entendre un langage
     dont la vigueur et la verdeur me saisirent. Cela sonnait
     ou dissonait étrangement dans l'atmosphère assez victo-
     rienne de son petit salon.
                 VALÉRY, Regards sur le monde actuel, p. 100.

CONTR. **Consoner ; accorder (s'), cadrer, harmoniser (s').**
◊ DÉR. **Dissonant.** — V. **Dissonance.**

DISSOUDRE [disudʀ] v. tr. [CONJUG. : *absoudre.*] — 1190,
fig. ; du lat. *dissolvere,* de *dis-,* et *solvere* «délier, rompre,
relâcher», d'après *absoudre.*

♦ **1** Vx (en emploi concret). Décomposer (un agrégat,
un organisme) par la séparation des parties.

→ **Décomposer, dissocier.** *Dissoudre les corps, la matière.* → **Anéantir, détruire.**

1 Tout Paris, en dernier lieu, était en alarmes; il était persuadé qu'une comète viendrait dissoudre notre globe le 20 ou 21 de mai.
VOLTAIRE, Lettres, 4013, 17 juin 1773, À Hamilton.

♦ **2** (V. 1660). Désagréger (un corps solide ou gazeux) au moyen d'un liquide *(dissolvant)* dans lequel se disséminent les molécules. *L'eau dissout le sucre.* → **Absorber.** *Dissoudre le savon* (→ Cuire, cit. 9). *Corps que l'on peut dissoudre.* → **Soluble.** *Dissoudre en partie une substance.* → **Mordre** (sur), ronger. — Géol. *L'eau dissout lentement les roches, les calcaires.*

2 L'eau est à la surface de la Terre l'agent chimique le plus actif, grâce aux sels et aux gaz qu'elle renferme en dissolution. À l'état de pureté, elle ne dissout que les chlorures et les sulfates, ainsi que les carbonates alcalins; mais, chargée d'acide carbonique, elle dissout tous les carbonates et décompose les silicates.
Émile HAUG, Traité de géologie, t. I, p. 360.
Faire macérer* des plantes, des fruits, des fleurs dans un alcool pour en dissoudre les sucs.
Par ext. Faire fondre (ce qui s'était solidifié). *Mettre un plat au feu pour dissoudre les graisses.* → **Déprendre.** — Fig. *«Une petite pluie fine qui dissolvait la lumière des phares»* (Camus, in T. L. F.). Fig. et littér. Avoir une action dissolvante, destructrice sur (qqn).
Dissoudre (qqch.) dans (qqch.) : faire disparaître (qqch.) dans (une chose plus vaste, un milieu).

♦ **3** Littér. Faire disparaître, en détruisant la cohésion, en séparant les éléments constitutifs. *Dissoudre un empire, la puissance d'un empire.* → **Ruiner.** *Dissoudre une alliance, une amitié.* → **Briser, dénouer, rompre.** *Dissoudre les forces, les énergies, les sentiments.* → **Annihiler.**

3 (...) on sait quelle était la méthode la plus ordinaire à La Rochefoucauld pour montrer que les vertus de l'homme *n'existent pas*; il les dissolvait, pour ainsi parler, chacune dans le vice qui en était l'excès ou, simplement, qui était proche voisin d'elle (...)
Émile FAGUET, Études littéraires, XVIIᵉ siècle, Descartes, p. 36.

4 Mais, en revanche, n'est-ce point au sommeil et aux songes, que nous demandons de dissoudre les ennuis (...)
VALÉRY, l'Arbre et la Danse, p. 135.

♦ **4** Dr. Mettre légalement fin à (une association). *Dissoudre un mariage.* → **Annuler, rompre.** *Dissoudre la communauté. Dissoudre et liquider une société. Dissoudre un parti. Dissoudre une assemblée, l'Assemblée nationale* (→ **Dissolution**).

5 Le *droit de dissolution* appartenant au gouvernement, considéré par un certain parti comme une survivance du despotisme royal, est au contraire la condition indispensable de tout régime parlementaire et la garantie la plus efficace du corps électoral, de la souveraineté nationale contre les excès de pouvoir, les visées tyranniques, toujours à craindre, d'un parlement. Le gouvernement peut et doit dissoudre le parlement, quand il estime que la politique suivie par lui ne répond pas à la volonté du pays; il provoque ainsi un véritable referendum; il doit convoquer les électeurs dans un délai en général très court et se soumettre au verdict prononcé par eux.
L. DUGUIT, Traité de droit constitutionnel, t. II, p. 811.

Dissoudre une société, une entreprise.

♦ **SE DISSOUDRE** v. pron.

♦ **1** *Se dissoudre en* : se transformer en. *La neige se dissout en eau.* → **Résoudre** (se). *La glace commence à se dissoudre.* → **Fondre.** *Se dissoudre dans un liquide.*

5.1 Il était évident que l'icefield, base de l'île, se dissolvait peu à peu, que les eaux relativement plus chaudes en rongeaient

la surface inférieure.
J. VERNE, le Pays des fourrures, t. II, p. 144.

(Abstrait). Se perdre, disparaître. *Énergies, forces qui se dissolvent. Courage qui se dissout.* → **Affaisser** (s'). — *Civilisation, monde qui se dissout.*

6 Dans une société, qui se dissout et se recompose, la lutte des deux génies, le choc du passé et de l'avenir, le mélange des mœurs anciennes et des mœurs nouvelles, forment une combinaison transitoire qui ne laisse pas un moment d'ennui.
CHATEAUBRIAND, Mémoires d'outre-tombe, t. I, p. 229.

7 Les générations passent, les nations se dissolvent : la langue reste, persiste de siècle en siècle, au moins dans ses formes principales.
FUSTEL DE COULANGES, Leçons à l'impératrice..., p. 27.

8 J'avais laissé depuis des mois ma pensée se dénouer et se dissoudre; je m'en ressaisissais enfin, jouissais de la sentir active et j'aimais et je calme pays qui l'aidait à se recueillir.
GIDE, Si le grain ne meurt, II, I, p. 323.

♦ **2** Être annulé. *Le mariage, la communauté se dissout.*

9 Le mariage se dissout : 1° Par la mort de l'un des époux; 2° Par le divorce légalement prononcé (...)
Code civil, art. 227.

♦ **DISSOUS, DISSOUTE** p. p. adj.

♦ **1** Qui a subi la dissolution. — Qui est passé à l'état de solution. *Gaz dissous (dans un liquide).*

♦ **2** *Parti dissous. Assemblée dissoute.*

CONTR. Associer, combiner, composer, constituer, cristalliser, précipiter, solidifier. — **Raffermir.** — **Proroger** (une assemblée). ◊ DÉR. V. **Dissolu.** — **Dissolvant.**

DISSUADER [disɥade] v. tr. — 1352; lat. *dissuadere*, de *dis-*, et *suadere* «persuader».

Amener (qqn) à renoncer à un projet, à une résolution, à faire qqch. → **Détourner** (qqn). *Dissuader qqn d'une alliance* (→ Apporter, cit. 24; créance, cit. 10). *À force de me déconseiller ce voyage, il m'en a dissuadé et presque dégoûté*. On l'a dissuadé de partir.*

1 Je pense que me dissuadant de ce dessein et en ayant peur pour moi, on a eu peur de moi aussi.
VOITURE, Lettres, 28, in LITTRÉ.

2 Les conseils autorisés du capitaine Julian nous dissuadèrent de différer notre départ, eu égard à l'approche de la mauvaise saison.
GIDE, Si le grain ne meurt, II, I, p. 294.

Dissuader l'ennemi. → **Dissuasion.**

CONTR. Convaincre, persuader. ◊ DÉR. **Dissuasif, dissuasion.**

DISSUASIF, IVE [disɥazif, iv] adj. — 1521; repris XXᵉ, 1963; du rad. du lat. *dissuasum*, supin de *dissuadere*. → Dissuader.

♦ **1** Rare. Qui est propre à dissuader. *Conclusion dissuasive.*

♦ **2** Milit. Propre à dissuader un ennemi d'attaquer. — Relatif à la dissuasion*. *«La menace ne possède plus la vertu dissuasive qu'elle eût eue quatre ou cinq ans plus tôt»* (l'Express, 25 oct. 1965). *Stratégie dissuasive.*

CONTR. Persuasif.

DISSUASION [disɥazjɔ̃] n. f. — V. 1352; lat. *dissuasio*, supin de *dissuadere*. → Dissuader.

♦ **1** Action de dissuader; son résultat.

1 N'est-ce pas là déjà ce qui, dans ce pèlerinage que je fis à la Grande-Chartreuse, à vingt ans, m'en écarta au dernier moment par une dissuasion secrète, de sorte que, sur le point d'atteindre mon but, je tournai bride et repartis (...)
GIDE, Journal, 22 oct. 1928.

♦ **2** (V. 1960; trad. de l'angl. *deterrence*). Milit. et cour. **...DE DISSUASION.** *Politique, stratégie de dissuasion*, qui cherche à dissuader un éventuel ennemi de tenter une épreuve de force, par l'accumulation d'armes notamment atomiques. — *Agent de dissuasion* : «moyen destiné à empêcher un adversaire ou un ennemi potentiel d'accomplir une action hostile par crainte des conséquences» (*Journ. off.* arrêté du 12 août 1976). *Force(s) de dissuasion* : force de frappe à caractère défensif, destinée à dissuader un éventuel adversaire d'attaquer ou d'utiliser le territoire d'autrui à des fins militaires (cantonnement de troupes et de matériel ou bases de combats). *Armement de dissuasion* : armement nucléaire propre à prévenir l'agression ou l'intimidation.

2   DISSUASION : c'est la force de frappe capable de protéger le «sanctuaire» national, c'est-à-dire non pas de gagner la guerre contre un plus grand, mais de faire chez ce plus grand des dégâts tels qu'il aurait intérêt à ne pas traverser notre territoire en cas de conflit avec un adversaire de sa taille.   Roger PRIOURET, *in* l'Express, 2-8 oct. 1967.

3   Le président Carter a décidé d'ajourner la fabrication des bombes à neutrons et la consternation est générale en Europe comme en Amérique où l'on comptait sur cette arme dite de dissuasion.
                              J. GREEN, Journal, 10 avr. 1978,
                              La Terre est si belle, p. 251.

(1971, *in* Gilbert). Procédé destiné à dissuader qqn, à l'impressionner de manière à lui faire cesser une activité (dangereuse, délictueuse ou simplement jugée mauvaise). «*Jugement, verdict de dissuasion*» (F. Pottecher à Europe n° 1, 28 juin 1974). *Parking, parc* de dissuasion*, pour dissuader les automobilistes d'entrer dans une ville.

4   Les bateaux déchargeant dans la mer devraient être frappés de lourdes taxes ou amendes de dissuasion.
                              A. SAUVY, Croissance zéro ?, p. 239.

DISSYLLABE   [disi(l)lab] ou **DISSYLLABIQUE** [disi(l)labik] adj. et n. m. — 1529, *dissyllabe*; *dissyllabique*, 1550, repris XIXᵉ; de *di*-, et *syllabe*, *syllabique*.

Se dit d'un mot, d'un vers de deux syllabes (→ Anoblir, cit. 2). — N. m. *Un disyllabe, un dissyllabique*.

DISSYMÉTRIE   [disimetri] n. f. — 1846, *dyssymétrie*; de *dis*-, et *symétrie*.

Défaut de symétrie. → **Asymétrie**. *La dissymétrie d'un édifice, d'un visage*. — Sc. *Dissymétrie moléculaire*.

Mais ce qui importe, c'est la dissymétrie de la molécule, qui possède le pouvoir rotatoire. La molécule doit être une sorte de solide géométrique à trois dimensions.
                              Henri MONDOR, Pasteur, II, p. 32.

CONTR. Symétrie. ◊ DÉR. Dissymétrique.

DISSYMÉTRIQUE   [disimetrik] adj. — 1846, *dyssymétrique*; de *dissymétrie*.

Qui présente de la dissymétrie. → **Asymétrique**. *Composition, visage dissymétrique* (→ **Irrégulier**). — Sc. *Molécule dissymétrique. Cristal dissymétrique.*

(...) regardant plus loin encore, il fit de l'atome dissymétrique le signe et le signal peut-être de la *vie organique*.
                              Henri MONDOR, Pasteur, II, p. 31.

DISTAL, ALE, AUX   [distal, o] adj. — 1887; mot angl. (1808), du lat. *distans* «éloigné». → Distant.

Sc. **ⓐ** Se dit de la partie la plus éloignée d'un point de référence (dans un organisme, une structure). *Système distal* : le système neuro-musculaire, son squelette de soutien et ses prolongements.
Le rein est composé de 1 200 000 appareils élémentaires, chacun comprenant un glomérule et un tubule ; le tubule

comprend un segment proximal, l'anse de Henlé, un segment distal.
                              A. GALLI et R. LELUC,
                              les Thérapeutiques modernes, p. 119.

Éloigné d'une position centrale (en **paléontologie**).
Qui est éloigné de la pointe antérieure de l'arc dentaire. *La face distale est la face postérieure de la dent. Inclinaison distale* (opposé à **mésial** ou **antérieur**).

ⓑ Qui fonctionne à distance. *Parmi les systèmes chimiques, le système olfactif est distal, le système gustatif proximal.*

CONTR. Central. — Proximal.

DISTANCE   [distãs] n. f. — V. 1223; lat. *distantia*, de *distans, antis*. → Distant.

♦ **1** Longueur* en ligne droite, longueur minimum qui sépare une chose d'une autre. → **Écart, écartement, éloignement, espace, espacement, étendue, intervalle.** *Distance en hauteur.* → **Élévation.** *Distance d'un fond à la surface.* → **Profondeur.** *Distance entre deux lieux. Distance d'un lieu, d'un point à un autre. Une grande, une longue distance. Distance parcourue par qqn.* → **Chemin, course, trajet.** — (1875, *in* Petiot). *Espace à parcourir* (dans une course). *Il ne tiendra pas la distance. Il est meilleur sur cette distance.* — *À une grande distance* (→ **Loin, lointain**). *À courte, à faible, à petite distance.* → **Près, proximité** (à), **voisinage** (dans le). *À peu de distance* (→ A deux pas*). *À plus faible distance, vous voyez...* (→ Au premier plan*). *À cette distance, on ne distingue plus rien* (→ Apercevoir, cit. 11). *À égale distance, à la même distance.* — Loc. prov. *Il est peu de distance du Capitole* (cit. 3) *à la roche Tarpéienne.* — *À une distance de...* → **Périmètre, rayon** (dans le rayon de). *Distance à laquelle tire une arme.* → **Portée.** *Distance que peut parcourir un véhicule sans se ravitailler en carburant.* → **Autonomie**, 3. *Laisser quelque distance entre deux meubles.* → **Vide.** *Mesure des distances. Apprécier, calculer, estimer, évaluer une distance.* → **Mesurer.** *L'homolographe, le stadia, la sonde, le télémètre, le théodolite..., appareils qui permettent d'évaluer les distances. Compteur* qui enregistre les distances parcourues. Mesures* itinéraires** (→ **Mètre, mille**), *bornes* kilométriques, milliaires qui indiquent les distances. Distance de quatre kilomètres.* → **Lieue.** *L'année* de lumière, distance parcourue par la lumière en une année. Distance en ligne droite.* → **Vol** (à vol d'oiseau). *Distance parcourue sans s'arrêter* (→ **Traite, volée**). *La ville est à quelques kilomètres, à quelques heures de distance. Franchir une distance. Faire diminuer la distance* (→ **Approcher, rapprocher**).

1   Quand l'enfant tend la main avec effort sans rien dire, il croit atteindre à l'objet parce qu'il n'en estime pas la distance.   ROUSSEAU, Émile, I.

2   (...) aujourd'hui du reste, on sent l'Afrique presque voisine, comme si les limpidités de l'atmosphère, qui atténuent les distances visibles, avaient eu le pouvoir aussi de la rapprocher de nous.
                              LOTI, Figures et choses...,
                              Instant de recueillement, p. 49.

Loc. *De distance en distance* : de place en place, avec des intervalles déterminés. *Arbres plantés de distance en distance.* → **Clairsemé, espacé**; **échelonné.**

Géom. *Longueur du segment de droite qui joint deux points. Distance d'un point à une droite, à un plan. Distance de deux droites parallèles. Distance des points extrêmes d'un arc.* → **Amplitude.** *À égale distance.* — *Distance entre un astre et l'équateur céleste* (→ **Déclinaison**), *un astre et le soleil* (→ **Élongation**), *deux planètes* (→ **Opposition**). — Loc. Astron.

Distance apparente*, distance angulaire* de deux astres : angle sous lequel on les observe de la Terre — *Distance entre les corps célestes.* → **Apside ; apoastre, périastre ; aphélie, apogée, apolune, périgée, périhélie, périlune.**

Opt. *Distance focale d'un miroir, d'une lentille* (→ Astigmatisme, cit.). → **Focal.**

Dr. *Distance légale :* distance en fonction de laquelle sont fixés les délais de procédure. Intervalle prescrit entre certaines constructions (→ Servitude* de vue).

(1953). *Distance de visibilité :* longueur de chaussée perçue en avant par le conducteur d'un véhicule dont la vue est dégagée.

♦ **2** Spécialt. Espace qui sépare deux personnes. *Distance qui sépare des coureurs entre eux.* → **Avance, retard.**

Loc. (1882, in Petiot). *Prendre ses distances,* se dit des soldats, des gymnastes lorsqu'ils s'alignent en étendant le bras horizontalement, soit devant eux, soit latéralement. *Soldats qui conservent, gardent leur distance quand ils défilent.* — Loc. **Tenir (qqn) à DISTANCE,** *à distance respectueuse,* empêcher d'approcher. — Fig. *Tenir à distance :* tenir à l'écart ; repousser la familiarité en se tenant dans la réserve. On dit dans le même sens : *conserver, garder, maintenir ses distances. Observer les distances* (→ **Distant**).

3 Julien répondait à tous d'un air sombre qui tenait à distance. STENDHAL, le Rouge et le Noir, I, VI, p. 33.

4 (...) on est obligé de se féliciter que les grands écrivains aient été tenus à distance par les hommes et trahis par les femmes quand leurs humiliations et leurs souffrances ont été, sinon l'aiguillon de leur génie, du moins la matière de leurs œuvres.
        PROUST, À la recherche du temps perdu, t. VIII, p. 107.

5 (...) la différence d'âge entre les pères et les fils, elle consistait chez les Rebendart à maintenir les distances entre les autres et soi, entre soi et les autres, par des barres de fer. GIRAUDOUX, Bella, III, p. 54.

♦ **3** (Temps). Écart entre deux moments du temps. → **Écart, éloignement, intervalle.** *Distance qui sépare deux époques, deux dates. Distance de dix ans entre deux événements.*

6 (...) persuadés (...) qu'elles *(les coutumes)* changent avec les temps, que nous sommes trop éloignés de celles qui ont passé, et trop proches de celles qui règnent encore, pour être dans la distance qu'il faut pour faire des unes et des autres un juste discernement.
        LA BRUYÈRE, Disc. sur Théophraste.

7 Ces deux livres terminés, à deux ans de distance et pour ainsi dire écrits d'une haleine, je les publiai comme ils étaient venus, sans y regarder de trop près.
        E. FROMENTIN, Un été dans le Sahara, Préface, p. 20.

♦ **4** Fig. Différence* notable de rang, de condition, de valeur (séparant des personnes ou des choses). *La distance infinie qu'il y a entre le créateur et la créature.* → **Abîme, inégalité, monde.** *Il y a beaucoup de distance entre elle et vous, entre vos deux conditions. Distance infranchissable. — L'amour efface, nivelle, rapproche les distances. Abolir les distances* (→ Autrefois, cit. 10).

8 La distance infinie des corps aux esprits figure la distance infiniment plus infinie des esprits à la charité, car elle est surnaturelle. PASCAL, Pensées, XII, 793.

9 Ce rang entre elle et vous met-il tant de distance ?
        RACINE, Bérénice, I, 1.

10 La distance qu'il y a de l'honnête homme à l'habile homme s'affaiblit de jour à autre, et est sur le point de disparaître. LA BRUYÈRE, les Caractères, XII, 55.

11 Quant à la distance établie par l'habit, elle n'existe pas.
        E. FROMENTIN, Un été dans le Sahara, I, p. 55.

Si nous pouvions mesurer la distance qui nous sépare de   12
ceux que nous croyons le plus proches, nous aurions peur.
        COCTEAU, la Difficulté d'être, p. 222.

(Abstrait). *Distance qui sépare deux actions, entre l'intention et la réalisation, le désir et la réalité.* → **Écart ; loin** (il y a loin de...). *La distance qu'il y a entre vouloir et faire.*

♦ **5** Loc. adv. **À DISTANCE :** de loin (dans l'espace). *Influence exercée à distance. Commande d'un appareil à distance.* → **Télécommande.** — (Dans le temps). → **Recul** (avec du). *À distance on juge mieux.*

À distance, l'absurdité de pareilles accusations ressort   13
mieux. GIDE, Attendu que..., p. 111.

Un jour, les savants, mes confrères, découvriront qu'une   14
certaine tension de notre esprit peut se manifester à distance et modifier la marche des événements (...)
        G. DUHAMEL, le Voyage de P. Périot, X, p. 188.

Peut-être, à distance, jugeait-il Thérèse fade, cet imbé-   15
cile que de fausses complications, des attitudes eussent
retenu !
        F. MAURIAC, Thérèse Desqueyroux, VIII, p. 133.

Loc. adj. *Perception, action à distance.* — Loc. adv. *Tenir à distance* (→ ci-dessus, cit. 3, 4 et *supra*).

Loc. prép. (Rare). *À distance de... :* à la distance nécessaire pour permettre (qqch.). « *À distance d'assaut* » (Joffre, *in* T. L. F.).

CONTR. Contiguïté. — Familiarité, intimité. — Analogie, égalité, ressemblance, similitude. ◊ DÉR. Distancer.

DISTANCER [distɑ̃se] v. tr. [CONJUG.: *placer.*] — 1827, p. p.; angl. *to distance, in* Littré, *Suppl.* ; la forme *distancer* a existé en franç. comme v. intr., « être éloigné », 1361 ; de *distance.*

♦ **1** Dépasser (ce qui avance) d'une certaine distance. → **Dépasser, devancer, gratter** (fam.), **lâcher, semer** (fam.). *Cheval qui distance les autres dans une course. Le cerf a distancé les chiens.* → **Forlonger.** *Se laisser distancer.*

Après quelques minutes de silence, il ralentit volontaire-   1
ment le pas, se laissa distancer par les deux hommes, et
rejoignit Paterson et Alfreda.
        MARTIN DU GARD, les Thibault, t. V, p. 107.

Désireux de goûter ma solitude et l'enveloppement étroit   1.1
de la forêt, je presse le pas, m'échappe en courant, tâchant
de distancer les porteurs.
        GIDE, Voyage au Congo, in Souvenirs, Pl., p. 740.

Fig. → **Enfoncer** (fam.), **primer, surclasser, surpasser.** *Cet élève a distancé ses camarades. Se laisser distancer par ses rivaux, ses concurrents.*

♦ **2** (1827, in Petiot). Sports. Disqualifier (un coureur, un cheval), le considérer comme dépassé, à cause d'une irrégularité relevée contre lui. → **Disqualifier.**

Tels sont les déroulements des courses au galop. Ceux des   1.2
courses au trot n'en diffèrent que par l'obligation imposée
aux chevaux de ne pas prendre le galop. Elles exigent donc
l'intervention de « juges aux allures ». Leur mission est de
distancer les chevaux fautifs, et leurs décisions sont sans
appel.
        Pierre ARNOULT, les Courses de chevaux, p. 97.

♦ **3** Littér. Établir une distance entre. → **Éloigner, espacer.**

Une légère brume azurée distançait les plans les plus pro-   2
ches, dépondérait, immatérialisait chaque objet.
        GIDE, Si le grain ne meurt, II, I, p. 314.

♦ **SE DISTANCER** v. pron. → **Distancier** (se).

CONTR. Approcher, atteindre, rejoindre.

DISTANCIATION [distɑ̃sjasjɔ̃] n. f. — 1959 ; de *distance* (→ Distancier), pour traduire l'all. *Verfremdungs (Effekt)* chez Brecht.

♦ **1** Théâtre. Attitude de l'auteur « prenant ses distances » avec son personnage ; attitude du spectateur prenant ses distances avec l'action dramatique. *Effet de distanciation.*

1   Brecht a voulu créer un théâtre (...) qui ne cherche plus à provoquer l'émotion, mais à développer l'esprit critique des spectateurs. D'abord par le texte même, qui doit être «épique» (...) ensuite par le travail du metteur en scène et de l'acteur sur lui-même : il ne doit pas s'identifier entièrement à son personnage, mais le juger, le critiquer, en observant un effet de *distanciation.*
           Guy DUMUR, le Théâtre contemporain, *in* Encycl. Pl., Hist. des spectacles, p. 1343.

♦ **2** Fig. et littér. **Recul pris par rapport à (qqn, qqch.).**

2   (...) la critique était notre apprentissage de la mise en scène. Si aujourd'hui les jeunes critiques sont sans doute plus désemparés que nous, c'est qu'il leur faut à la fois faire un effort de réflexion ou de distanciation, et vivre. Il leur faut, à la fois, être distants et ne pas être distants, vivre et se regarder vivre.
           J.-L. GODARD, *in* Collection des Cahiers du cinéma, p. 373.

3   Par exemple, la «distanciation» demeure possible à l'égard du modèle actuel de la croissance capitaliste, malgré tous les «conditionnements» qu'il implique de notre pensée, de notre sensibilité, de nos actions : de même demeure possible la «distanciation» à l'égard des modèles existants de socialisme, malgré toutes les manipulations politiques et culturelles.
           Roger GARAUDY, Parole d'homme, p. 237.

Ling. Distance prise par le locuteur par rapport à sa propre énonciation.

Didact. Distance créée entre deux choses, deux phénomènes.

DISTANCIER (SE) [distɑ̃sje] v. pron. — 1957, v. tr.; de *distance,* d'après le lat. *distantia.* → Distancer.

Didact. Mettre une distance (fig.) entre soi et qqn, qqch. *Se distancier d'un maître, d'un allié, de ses opinions. Se distancier de son propre discours.* — Au p. p. adj. :

1   Dans l'automobile qui les conduisit au bureau des isolés coloniaux, il adopte une attitude respectueuse et distanciée.   R. QUENEAU, le Dimanche de la vie, p. 30.

2   (...) d'étonnants décors, des acteurs qui collent exactement à leur rôle, et des images, au contraire, très «distanciées» entraînent le spectateur dans un monde sordide et sauvage, vu à travers le regard naïf et effrayé d'un enfant.
           S. DE BEAUVOIR, Tout compte fait, p. 202.

(Correspond à *distanciation,* 2.). *Se distancier de l'action dramatique.*

DISTANT, ANTE [distɑ̃, ɑ̃t] adj. — 1361; lat. *distans,* p. prés. de *distare* «être éloigné», de *dis-,* et *stare* «se tenir».

I ♦ **1 Qui est à une certaine distance*.** → **Éloigné, loin.** *Ces deux villes sont distantes l'une de l'autre d'environ vingt kilomètres. Ces lieux sont peu distants.*

1   (...) le Brésil, distant de la Guinée environ quatre cent cinquante lieues.   RACINE, Notes historiques, XXXVII.

Figuré :

2   L'art est aussi distant du tumulte que de l'apathie.
           GIDE, Journal 1889-1939, Feuillets, p. 393.

♦ **2** Rare ou littér. → **Éloigné.** *Ces deux époques ne sont pas très distantes l'une de l'autre* (→ Approchant, cit. 1).

3   (...) comme la vieillesse est l'âge le plus distant de l'enfance (...)
           PASCAL, Fragment d'une préface du Traité du vide, *in* LITTRÉ.

Distants par l'âge : d'âges différents.

3.1   Les huit filles qui se trouvaient pour lors au souper, étaient si distantes par l'âge qu'il me serait impossible de vous les esquisser en masse (...)   SADE, Justine..., t. I, p. 144.

II (Personnes). **Qui garde ses distances, reste sur la réserve, décourage la familiarité.** → **Froid, réservé.**

Il s'est montré distant envers nous. Fier et distant. Son orgueil, sa timidité, la rend distante.

4   Était-il possible que tant de grâce lui eût menti, que cette réserve fût une hypocrisie, qu'un affreux secret de maternité coupable se cachât sous ces manières si simples et si distantes (...)   Paul BOURGET, Un divorce, III, p. 130.

5   Il est distant; il est poli jusqu'à la minutie; et à cause de l'extrême politesse, il n'est pas familier. Il déteste le laisser aller, le bruit, la poussière et les coups de coude.
           André SUARÈS, Trois hommes, «Ibsen», III, p. 109.

Un air distant. Des manières distantes et hautaines*.

Rare. *Distant en affection, «en amour»* (Giraudoux, *in* T. L. F.).

CONTR. Adjacent, contigu, proche, rapproché, tangent, voisin. — Affable, aimable, familier.

DISTENDRE [distɑ̃dR] v. tr. [CONJUG.: *tendre.* → Rendre.] — 1560; rare av. XVIIIᵉ; lat. *distendere,* de *dis-,* et *tendere* «tendre, étendre».

♦ **1 Augmenter les dimensions de (qqch.) par la tension.** → **Étirer, gonfler, tendre, tirer.** *Les gaz intestinaux peuvent distendre l'abdomen.* → **Ballonner.** — Pron. *La peau se distend par l'effet de certaines enflures.* — Au p. p. *Ligament, muscle distendu.*

1   Quand de ton corps brisé la pesanteur horrible
Allongeait tes deux bras distendus (...)
           BAUDELAIRE, les Fleurs du mal, CXVIII, «Le reniement de saint Pierre».

Figuré :

2   (...) en s'obligeant à distendre son cerveau déjà livré à un travail surhumain (...)
           Louis MADELIN, Histoire du Consulat et de l'Empire, Vers l'empire d'Occident, X, p. 137 (→ Disperser, cit. 5).

♦ **2** Fig. **Rendre plus lâche, moins tendu, moins intense.** *Distendre un sentiment. Le temps a distendu leur amour.*

◆ **SE DISTENDRE** v. pron.

♦ **1 Se relâcher, être moins tendu, serré (liens).**

♦ **2** Par métaphore ou figuré :

3   Il sentait bien se distendre les derniers liens qui retenaient son âme à ce monde, mais il savourait avec délices cet épuisement, cette fragilité.
           MARTIN DU GARD, les Thibault, t. IV, p. 140.

◆ **DISTENDU, UE** p. p. adj. *Corde distendue.* Voir à l'article.

CONTR. Détendre, relâcher.

DISTENSION [distɑ̃sjɔ̃] n. f. — 1377; lat. *distensio,* de *distensum,* supin de *distendere.* → Distendre.

♦ **1 Augmentation de volume que subit un corps élastique sous l'effet d'une tension*.** → **Allongement, élargissement, gonflement.** *Distension de la peau. Distension de l'estomac. Distension de l'aine.* → **Hernie.** *Distension d'un membre, d'un nerf, d'un muscle.* → **Élongation, extension.**

♦ **2 Relâchement (d'un lien qui s'est allongé).** *Distension d'une courroie, d'une corde...*

♦ **3** (Abstrait). Littér. **Relâchement.** *La distension des liens affectifs, des rapports entre des personnes.*

CONTR. Compression, contraction, relâchement.

DISTHÈNE [distɛn] n. m. — 1801; de *di-,* et grec *sthenos* «force».

Minér. Silicate anhydre d'alumine ($Al_2O_2SiO_2$).

DISTILLAT [disti(l)la] n. m. — 1908 ; de *distiller*.

Sc. Produit d'une distillation.

(...) les eaux de senteurs (...) étaient des distillats de plantes en présence d'eau-de-vie.
Charles BOURGEOIS, Chimie de la beauté, p. 64.

DISTILLATEUR, TRICE [distilatœr, tris] n. — 1580, n. m. ; *destillateurs*, 1555 ; de *distiller*.

◆ **1** Personne qui fabrique et vend les produits obtenus par la distillation. — Spécialt. Fabricant d'eau-de-vie. *Distillateurs et bouilleurs* de cru. Distillateur de cognac, d'armagnac, de marc, de calvados, de whisky.* → **Distillerie.** *Elle est distillatrice.*

◆ **2** N. m. Techn. Appareil servant à distiller l'eau de mer, sur un bateau.

DISTILLATION [distilasjɔ̃] n. f. — 1372 ; bas lat. *distillatio* «écoulement», du supin de *distillare*. → Distiller.

◆ **1** Techn. et cour. (sauf certains emplois). Procédé qui consiste à séparer les constituants d'un mélange, d'une solution liquide, en utilisant les variations des températures d'équilibre liquide-vapeur selon la composition. *La distillation d'un mélange dans un alambic. Les substances volatiles que libère la distillation sont recueillies par condensation (produits de distillation), sous forme de vapeur* (→ **Hydrolat**) *ou de gaz. La distillation sèche s'opère sans addition d'eau. Distillation fractionnée :* séparation d'un mélange de plusieurs liquides à points d'ébullition différents, recueillis successivement. → **Cohobation, rectification.** *Extraire, purifier par distillation. Produit que donne la première chauffe dans la distillation* (→ **Flegme**) ; *produit de tête, de cœur, de queue. Distillation qui débarrasse l'eau de ses sels. Distillation du bois*.* → **Créosote, goudron.** — *Gaz d'éclairage, charbon de cornue, coke, goudrons produits dans la distillation de la houille*. Distillation des pétroles*, des térébenthines** (→ **Raffinage**). — Cour. *Distillation des vins, des cidres, des marcs, des lies ; des moûts de betterave*, des mélasses de canne* à sucre ; des fruits, des grains, des pommes de terre et des topinambours...* → **Alcool, eau-de-vie.** *Résidu de la distillation des grains* (→ **Drèche**), *des liqueurs alcooliques* (→ **Vinasse**). *Distillation de plantes aromatiques* (→ **Essence**).

Si (...) on soumet à la distillation un mélange de plusieurs corps volatils, ces corps distillent dans l'ordre de leurs points d'ébullition réfrigérant. Toutefois, la séparation obtenue n'est pas rigoureuse, car les corps les moins volatils, bien avant même que leur point d'ébullition n'ait été atteint, peuvent être entraînés par les vapeurs des corps les plus volatils.
Omnium agricole, Distillation.

REM. Dans la langue courante, le mot ne s'emploie guère qu'en parlant de la distillation alcoolique, et aussi des parfums.

◆ **2** Fig. et littér. Ce qui s'exprime lentement, de manière subtile (→ les valeurs fig. de Distiller, I., 1., et I., 4.).

DISTILLATOIRE [distilatwar] adj. — V. 1516, n. ; dér. sav. de *distiller*.

Techn. Qui est propre à la distillation. *Appareil distillatoire.* → **Alambic.**

DISTILLER [distile] v. — XIIIᵉ ; lat. *distillare* «tomber goutte à goutte» ; de *dis-*, et *stillare* «distiller», de *stilla* «goutte». → Instiller.

I V. tr. ◆ **1** Didact. Laisser couler goutte à goutte. → **Sécréter.**

(...) selon un phénomène d'exosmose récemment découvert, chaque plante distille par ses racines un poison pour la plante qui lui ressemble (...)
GIDE, Journal, 17 juin 1910. [1]

Par métaphore :

La lune, qui se penche au bord de la vallée,
Distille un jour égal, une aurore voilée (...) [2]
LAMARTINE, Harmonies, I, 10.

Fig. et littér. → **Épancher, répandre.** *Ce personnage distille l'ennui.* — Par métaphore. *Distiller le venin de la calomnie, son venin.*

En blâmant ses écrits, ai-je d'un style affreux
Distillé sur sa vie un venin dangereux ? [3]
BOILEAU, Satires, IX (→ Attaquer, cit. 30).

Son enseignement distillait l'ennui le plus pur.
GIDE, Si le grain ne meurt, I, IX, p. 240. [4]

C'était le minéralogiste Pierquin, dont le regard distillait [5]
un perpétuel sourire corrosif.
G. DUHAMEL, le Voyage de P. Périot, VIII, p. 139.

◆ **2** Cour. Soumettre (qqch.) à la distillation. → **Rectifier, réduire, spiritualiser** (vx), **sublimer.** *Distiller qqch. à plusieurs reprises.* → **Cohober.** *Distiller un mélange dans un alambic*. Distiller de l'alcool industriellement* (→ **Distillateur, distillerie**), *pour sa consommation personnelle.* → **Bouilleur** (de cru). *Purifier de l'eau en la distillant. Distiller du vin. Alcool* obtenu en distillant de la betterave, des grains, des fruits* (→ **Eau-de-vie**), *des plantes* (→ **Essence**). — Vieilli. *Distiller du pétrole* (→ **Raffiner**), *du bois, de la houille.*

◆ **3** Littér. Élaborer (un suc). *L'abeille distille le miel.*

Comme on voit les frelons, troupe lâche et stérile,
Aller piller le miel que l'abeille distille ? [6]
BOILEAU, Satires, I.

Par métaphore :

Tes lèvres distillent le miel, ma fiancée ;
Il y a sous ta langue du miel et du lait (...) [7]
BIBLE (SEGOND), Cantique des cantiques, IV, 11.

◆ **4** Fig. Tirer l'essence d'une chose. → **Raffiner.**

Voici la ruche humaine où j'ai ma cellule pour y distiller [8]
le miel un peu âcre de l'érudition.
FRANCE, le Crime de S. Bonnard, Œ., t. II, p. 279.

La Rochefoucauld distille sa pensée. [9]
Émile FAGUET, Études littéraires, XVIIᵉ siècle,
La Rochefoucauld, p. 229.

II V. intr. Sc. ◆ **1** Couler goutte à goutte. *Poison, liquide qui distille* (→ Distillation, cit.).

◆ **2** Se séparer (d'un mélange) par distillation. *Le gas-oil commence à distiller vers 230°.*

◆ **SE DISTILLER** v. pron.

Être distillé. *Les vins se distillent pour la fabrication des eaux-de-vie.*

(...) une usine où se distillait la moisson de géraniums et [10]
de roses des champs d'alentour (...)
LOTI, Matelot, I, p. 9.

◆ **DISTILLÉ, ÉE** p. p. adj. (Sens I, 2). *Grains, fruits distillés. Eau distillée*, rendue pure par distillation. — *Miel distillé* (par les abeilles). — Fig. *C'est de l'esprit distillé* (→ Condenser, cit. 4).

DÉR. **Distillat, distillateur, distillatoire, distillerie.**

DISTILLERIE [distilri] n. f. — 1784 ; de *distiller*.

◆ **1** Industrie qui s'occupe de la distillation industrielle, et, spécialt., de la fabrication des eaux-de-vie.

◆ **2** Lieu où l'on fabrique les produits de la distillation (spécialt., de la distillation alcoolique). *Une distillerie artisanale, industrielle. Les alambics d'une distillerie. Des distilleries de cognac, de whisky.*

DISTINCT, INCTE [distɛ̃, ɛ̃kt] adj. — 1308; lat. *distinctus*, du supin de *distinguere*. → Distinguer.

♦ 1 Qui ne se confond pas avec quelque chose d'analogue, de voisin. → **Autre, différent, indépendant, séparé.** *Problèmes, domaines distincts* (→ Autre, cit. 109). *Professions distinctes mais complémentaires. L'âme* (cit. 43) *distincte du corps.* → **Individuel, particulier, propre, singulier.** *Objets désignés par des noms distincts. Couleurs bien distinctes les unes des autres.* → **Tranche.**

1   (...) la politique n'est pas distincte de la morale.
       FUSTEL DE COULANGES, Leçons à l'impératrice...,
       p. 173.

2   Je ne sens actuellement aucune douleur ni aucune impression morale nettement distincte d'une confuse mélancolie, d'une indécise peur de ce qui va venir.
       Léon BLOY, le Désespéré, I, p. 9.

♦ 2 Qui se perçoit nettement. *Le jour se lève, les montagnes sont de plus en plus distinctes.* → **Visible.** *Traits bien distincts. — Parler d'une voix distincte.* → **Clair, net.** *Paroles distinctes. Bruit qui devient plus distinct en se rapprochant* (→ Alternatif, cit. 3).

3   Plus de bruit, ou fort peu; mais chaque note plus distincte. Une sonorité extrême, dans l'air, surtout le soir et la nuit.
       E. FROMENTIN, Dominique, III, p. 52.

3.1   Cependant, les détonations redoublaient et se rapprochaient sensiblement. Ce n'était plus un roulement confus, mais une suite de coups de canon distincts.
       J. VERNE, Michel Strogoff, p. 251.

♦ 3 Qui est nettement perçu par l'entendement. → **Clair, explicite, net, sensible.** *Concepts distincts. — Avoir une vue distincte des choses. En termes clairs et distincts. Les idées claires et distinctes,* dans la philosophie de Descartes.

4   J'appelle claire celle *(la connaissance)* qui est présente et manifeste à un esprit attentif (...) et distincte, celle qui est tellement précise et différente de toutes les autres qu'elle ne comprend en soi que ce qui paraît manifestement à celui qui la considère comme il le faut.
       DESCARTES, Principes de la philosophie, I, 45.

CONTR. Indistinct. — Identique, même, semblable. — Ambigu, confus, embrouillé, équivoque, indéfini, indéterminé, obscur, vague. ◊ DÉR. Distinctement, distinctif.

DISTINCTEMENT [distɛ̃ktəmɑ̃] adv. — V. 1282; de *distinct.*

♦ 1 D'une manière distincte (2.). → **Clairement, nettement.** *Voir, entendre distinctement. Parler distinctement,* en articulant bien.

♦ 2 Rare. D'une manière nettement séparée. → **Distinct,** 1.

CONTR. Confusément, indistinctement.

DISTINCTIF, IVE [distɛ̃ktif, iv] adj. — 1314; de *distinct.*

Qui permet de distinguer. → **Caractéristique, particulier, typique.** *Caractère distinctif d'un genre, d'une espèce* (→ **Cachet**; → Chouette, cit. 1). *Attribut, signe, trait distinctif* (→ Commun, cit. 3). *Empreinte, marque distinctive* (→ Augural, cit. 1).

(Déb. XX*ᵉ*). **Ling.** *Trait distinctif :* élément phonique minimal dont la présence ou l'absence dans la chaîne parlée entraîne, pour une langue donnée, un changement de sens, comme en français le trait nasal de [ɛ̃] qui oppose *pain* [pɛ̃] et *paix* [pɛ]. → **Trait** (II., 3.); **opposition** (I., 4.), et aussi **pertinent.**

DISTINCTION [distɛ̃ksjɔ̃] n. f. — V. 1170; lat. *distinctio,* du supin de *distinguere*. → Distinguer.

Ⅰ ♦ 1 Action de distinguer*, de reconnaître pour autre, pour différent. → **Démarcation, différenciation, discrimination, séparation.** *Faire la distinction* entre deux choses. → **Départ.** *La distinction entre le réel et l'imaginaire* (→ Délire, cit. 3). *La distinction du bien* (cit. 44) *et du mal. — Recevoir tout le monde sans distinction.* → **Indistinctement.** *Sans distinction de parti et de religion* (→ Conteste, cit. 1), *d'âge ni de sexe.*

1   Eh quoi? Vous ne ferez nulle distinction
   Entre l'hypocrisie et la dévotion?
       MOLIÈRE, Tartuffe, I, 5.

2   (...) sans autre distinction que celle de leurs vertus et de leurs talents.
       Déclaration des droits de l'homme,
       Constitution du 3 sept. 1791 (→ Capacité, cit. 8).

3   (...) tous les Français étaient appelés, sans distinction de partis et d'origine, à collaborer à la grande œuvre de la réconciliation, condition essentielle de la restauration nationale.
       Louis MADELIN, Hist. du Consulat et de l'Empire,
       De Brumaire à Marengo, XIII, p. 176.

Action «de séparer, dans une assertion ce que l'on discute, ce que l'on admet de ce que l'on n'admet pas» (Lalande). → **Distinguo.** *Faire une distinction subtile. Se perdre dans les distinctions.* → Couper les cheveux* en quatre; argutie, cit. 1.

4   Vous n'avez pu désavouer cela, mais vous y faites une distinction.   PASCAL, Provinciales, XVIII.

5   (...) la fragilité des distinctions et des oppositions que l'on essaie de définir entre les perceptions, les tendances, les mouvements et les conséquences de mouvements, — entre le faire et le laisser faire, l'agir et le pâtir, — le vouloir et le pouvoir.   VALÉRY, Rhumbs, p. 82.

♦ 2 Le fait d'être distinct, séparé. → **Division, séparation.** *La distinction qui existe entre ces deux choses. Il faut maintenir la distinction entre X et Y. — Distinctions entre les hommes,* spécialt, différences hiérarchisantes établies par la société. *Signe de distinction.* → **Distinctif.** *La distinction des pouvoirs. Distinction des rangs, des classes sociales* (→ **Classe,** cit. 3). — *Ce qui établit une telle différence. Créer des distinctions entre les personnes.* → **Différence, préférence.**

6   Il y avait entre eux des distinctions extérieures qui empêchaient qu'on ne prît la femme du praticien pour celle du magistrat et le roturier ou le simple valet pour le gentilhomme.   LA BRUYÈRE, les Caractères, VII, 22.

7   Les distinctions politiques amènent nécessairement les distinctions civiles.
       ROUSSEAU, De l'inégalité parmi les hommes, II.

8   Les hommes naissent et demeurent libres et égaux en droits. Les distinctions sociales ne peuvent être fondées que sur l'utilité commune.
       Déclaration des droits de l'homme,
       Constitution du 3 sept. 1791, art. 1ᵉʳ.

9   (...) le rétablissement d'une *distinction,* acheminant, disait-on, à la restauration *«d'une noblesse».*
       Louis MADELIN, Hist. du Consulat et de l'Empire,
       Le Consulat, XI, p. 171.

Ⅱ (Contexte social). **♦ 1** (1670). Vieilli ou littér. Supériorité qui place une personne ou un groupe au-dessus des autres, dans le jugement social. *La distinction de sa naissance.* → **Éclat, grandeur, noblesse.** *Une personne de distinction, de la plus haute distinction, de haute naissance, de rang élevé ou de valeur éminente.* → **Mérite, talent, valeur.** — *Distinction d'esprit, intellectuelle.*

10   De quelque superbe distinction que se flattent les hommes, ils ont tous une même origine; et cette origine est petite.
       BOSSUET,
       Oraison funèbre de la duchesse d'Orléans.

11   (...) la garantie de valeur personnelle, de distinction d'esprit.
       J. ROMAINS, les Hommes de bonne volonté, t. V,
       XVII, p. 122.

♦ 2 (1687). *Une, des distinctions.* Marque d'estime, honneur*. → **Décoration, dignité, faveur, prérogative.** *Distinction flatteuse. Distinction honorifique.*

Il est promis aux plus hautes distinctions. Aimer les distinctions (→ **Panache**). *Accorder, décerner une distinction. Obtenir (être promu à) une distinction* (→ Croix, cit. 16). *Prix et accessits, distinctions accordées aux plus méritants. Marque, titre de distinction. Décerner une distinction.*

12 Content de son sort, il ne désirait ni fortune ni distinctions ; et il n'en avait point obtenu, parce qu'il est plus commode de les accorder à ceux qui les demandent qu'à ceux qui savent les mériter.
CONDORCET, D'Alembert, *in* LITTRÉ.

♦ **3** (Répandu XIXᵉ, 1831). Cour. Élégance, délicatesse et réserve dans la tenue et les manières. *Avoir de la distinction.* → **Tenue.** *Air de distinction. Distinction dans les manières, le port* (→ Afféterie, cit. 4). → **Distingué.** *Manquer de distinction* (→ **Classe**).

13 C'est une charmante chose que la distinction ; mais il ne faut pas qu'elle dégénère en prétentions et en manières.
A. KARR, *in* P. LAROUSSE.

14 (...) une distinction incontestable, qui s'impose même à nous, malgré la différence profonde des races et des notions acquises.
LOTI, Mᵐᵉ Chrysanthème, XLV, p. 228.

15 Les femmes ont du tact, de la distinction, une véritable élégance dans beaucoup de familles paysannes.
J. CHARDONNE, l'Amour du prochain, p. 168.
Par anal. *Style plein de distinction. Avoir de la distinction dans le style.*

CONTR. Confusion, indistinction. — Identité. — Grossièreté, vulgarité. ◊ DÉR. V. **Distinct, distinguer.**

DISTINGUABLE [distɛ̃gabl] adj. — XVIIᵉ, repris 1850 ; *distingable* (appliqué à des personnes) *in* Richard de Radonvilliers, 1845 ; de *distinguer.*
Que l'on peut distinguer (3. ou 4.).
CONTR. **Indistinguable.**

DISTINGUÉ, ÉE [distɛ̃ge] adj. → **Distinguer.**

DISTINGUER [distɛ̃ge] v. tr. — V. 1360 ; lat. *distinguere* ; cf. *Distinter, Distincter* (→ Distinct) vient de *dis-*, et **stingere* verbe infixé, de l'intensif *stigare*, cf. *instigare* « piquer » ; d'abord « séparer par des marques ».

♦ **1** (Le sujet désigne une différence, un trait caractéristique.) Permettre de reconnaître (une personne ou une chose d'une autre). Caractériser, différencier, séparer. *La raison, le langage distingue l'homme des animaux. Caractéristiques qui distinguent une chose d'une autre, d'avec une autre. — Distinguer les hommes, les éléments d'un ensemble. — Distinguer une chose dans un ensemble, entre, d'entre plusieurs choses semblables.*

1 Tout ce qui distingue les hommes paraît peu de chose. Qu'est-ce qui fait la beauté ou la laideur, la santé ou l'infirmité, l'esprit ou la stupidité ? Une légère différence des organes, un peu plus ou un peu moins de bile, etc. Cependant ce plus ou ce moins est d'une importance infinie pour les hommes ; et lorsqu'ils en jugent autrement ils sont dans l'erreur.
VAUVENARGUES, Maximes, 239.

2 Ce qui distingue la sensibilité moderne de la sensibilité classique, c'est que celle-ci se nourrit de problèmes moraux et celle-là de problèmes métaphysiques.
CAMUS, le Mythe de Sisyphe, p. 142.

3 (...) se parer d'un uniforme spécial qui les distinguait de la foule.
P. MAC ORLAN, le Quai des brumes, XI, p. 161.

♦ **2** (Mil. XVIIᵉ). Élever au-dessus du commun, rendre remarquable par un trait de supériorité. *Vertus qui distinguent une nation ; un homme.* — Absolt. *Aimer ce qui distingue.*

4 Vous aimez dans la vertu même tout ce qui distingue, tout ce qui attire les regards publics.
MASSILLON, Mystères, Œuvre de miséricorde, *in* LITTRÉ.

Je ne vois que la condamnation à mort qui distingue 5 un homme, pensa Mathilde : c'est la seule chose qui ne s'achète pas.
STENDHAL, le Rouge et le Noir, II, VIII, p. 285.

(Sujet n. de personne). Mettre (qqn) à part des autres, en le remarquant comme supérieur. *On le distingua parmi ses collègues pour cette fonction.* → **Choisir, préférer, remarquer.**

Je refuse d'un cœur la vaste complaisance 6
Qui ne fait de mérite aucune différence ;
Je veux qu'on me distingue ; et pour le trancher net,
L'ami du genre humain n'est point du tout mon fait.
MOLIÈRE, le Misanthrope, I, 1.

Il me semble (...) qu'on le distingue beaucoup et qu'on a 7 de grands égards pour lui.
MONTESQUIEU, Lettres persanes, XLVIII.

Spécialt. Montrer une inclination particulière pour qqn, et, spécialt, le prendre pour partenaire sexuel.

Dans le fond, je le distinguais, voilà tout ; et distinguer un 8 homme, ce n'est pas encore l'aimer (...)
MARIVAUX, l'Heureux Stratagème, I, 4.

(...) elle passait pour avoir distingué le notaire Lupin dans 9 sa jeunesse.
BALZAC, les Paysans, Pl., t. VIII, p. 147.

♦ **3** Reconnaître (une personne ou une chose) pour distincte (d'une autre), selon des traits particuliers permettant de ne pas confondre. → **Différencier, discriminer, isoler, séparer, spécifier.** *Distinguer les êtres, les objets selon leurs particularités.* → **Classer, distribuer.** *Distinguer les genres, les espèces. On ne peut distinguer ces jumeaux l'un de l'autre.*

Élevée avec lui dans le sein de sa mère, 10
J'appris à distinguer Bajazet de son frère (...)
RACINE, Bajazet, I, 4.

(...) sa robe (du douc), variée de toutes couleurs, semble 11 (...) différencier son espèce (...) Il est fort aisé à distinguer des autres singes.
BUFFON, Hist. nat. des animaux, Le douc, t. IV.

Dans le temps qu'il y avait des jansénistes, on les distinguait à la longueur du collet de leur manteau. 12
CHAMFORT, Caractères et Anecdotes, Vaisselle duc d'Ayen.

(...) je suis, je vous l'avoue, d'une ignorance incroyable. Je 13 ne distingue pas le seigle du blé, ni le peuplier du tremble ; je ne sais rien des cultures ni des différentes manières d'exploiter une terre.
BALZAC, le Lys dans la vallée, Pl., t. VIII, p. 815.

Ne pas savoir distinguer sa main droite de sa main gauche. — Distinguer le bien et le mal ; le vrai du faux. → **Cribler, démêler, discerner, juger** (→ Apprendre, cit. 18). *Distinguer les desseins et les intentions* (→ Délibérer, cit. 13). *Distinguer les divers sens d'un mot.* → **Analyser, spécifier.** *Distinguer les termes d'une proposition* (→ Débattre, cit. 4).

Par une grande finesse de discernement, on distinguera 14 les pensées stériles des idées fécondes (...)
BUFFON, Disc. sur le style, Œ., t. XII, p. 326.

Rien n'est plus difficile que de distinguer dans l'enfance la 15 stupidité réelle, de cette apparente et trompeuse stupidité qui est l'annonce des âmes fortes.
ROUSSEAU, Émile, II.

Et même, dans cette sorte d'enfance de l'humanité, on peut 16 déjà distinguer trois âges, que les géologues sont convenus d'appeler l'âge de la pierre, l'âge du bronze, l'âge du fer.
FUSTEL DE COULANGES, Leçons à l'impératrice..., p. 10.

Traiter différemment. — Absolument :

Sans distinguer entre eux qui je hais ou qui j'aime (...) 17
RACINE, Mithridate, IV, 5.

♦ **4** (Le sujet désigne une personne, un organe sensoriel, un sens). Percevoir d'une manière distincte, sans confusion, par l'un des cinq sens. — (Vue). *On commence à distinguer les montagnes.* → **Apercevoir, discerner, reconnaître, voir** (→ Angle, cit. 2). *Œil exercé qui distingue les moindres détails. Distinguer un détail à l'œil nu. Distinguer qqn au milieu d'une* *foule. L'éloignement, l'obscurité empêche de distinguer les objets, leur contour. Formes indécises qu'on distingue mal* (→ **Indistinct**). — *(Autres sens). Distinguer les sons, les odeurs, les goûts. Cet aveugle distingue par le toucher une pièce d'or d'une pièce d'argent* (Académie).

18 Moi, disait un dindon, je vois bien quelque chose ;
Mais je ne sais pour quelle cause
Je ne distingue pas très bien.   FLORIAN, Fables, II, 7.

19 Dès que l'enfant commence à distinguer les objets, il importe de mettre du choix dans ceux qu'on lui montre.
ROUSSEAU, Émile, I.

20 Tout était noir. On ne distinguait rien. On entendait un bruit d'écume ; mais on ne voyait pas la rivière.
HUGO, les Misérables, V, IV.

21 Je commence à voir quelque chose. Mais je ne distingue rien. Tout ce qui file et qui dérive, mes regards le suivent un instant et le perdent sans l'avoir divisé (...)
VALÉRY, Eupalinos..., p. 13.

22 Il me semble que j'entends mille bruits dans cette pièce, qui d'abord semblait silencieuse, comme on distingue peu à peu des objets dans l'obscurité, à mesure que les yeux s'y habituent.
MONTHERLANT, Pitié pour les femmes, p. 90.

23 Jacques distingua aussitôt, parmi d'autres, une voix qui avait un timbre spécial, vibrant et pourtant voilé ; celle de Jenny.   MARTIN DU GARD, les Thibault, t. II, p. 202.

Fig. Percevoir.

24 (...) la grâce française où l'on distingue toujours la joie de bien jouer un rôle brillant, si ce n'est même l'orgueil de le jouer.   STENDHAL, Journal, p. 376.

25 (...) Il est essentiellement effacé, terne, et sa valeur même est difficile à distinguer hors du domaine où elle exerce.
J. CHARDONNE, l'Amour du prochain, p. 182.

◆ **SE DISTINGUER** v. pron.

◆ **1** Se rendre distinct, différent de... → **Différer, particulariser** (se), **séparer** (se), **singulariser** (se). *Nation qui se distingue des autres par un caractère personnel* (→ Chanceler, cit. 6). *C'est un original qui cherche à se distinguer.*

26 *(L'âme)* Se mêlant tout à fait avec ce corps qu'elle anime, à la fin elle a peine à s'en distinguer.
BOSSUET, Traité de la connaissance de Dieu..., V, I, *in* LITTRÉ.

27 (...) il reste (...) à chercher et à vérifier par quelle qualité propre, personnelle, il *(le grand artiste)* se distingue des autres.   BAUDELAIRE, l'Art romantique, XXI.

28 Plus je les comparais l'une à l'autre *(la Grèce et la Toscane),* mieux je voyais en quoi elles se distinguent du reste.
Ch. MAURRAS, Anthinéa, p. 7.

29 Les clairons et les tambours se distinguaient des autres soldats par un galon noir et rouge cousu sur les manches de la vareuse en deux losanges superposés.
P. MAC ORLAN, la Bandera, VI, p. 65.

◆ **2** (Littér. ou style soutenu). S'élever au-dessus des autres, se faire connaître, remarquer, se rendre célèbre. → **Illustrer** (s'), **signaler** (se). *Se distinguer par son savoir, son esprit, ses vertus, ses talents, ses exploits. — Il se distingua pendant la guerre, dans telle bataille : il se couvrit d'honneur. Se distinguer dans les lettres. Chercher à se distinguer. Il se distingue dans son groupe : il tient le premier rang.*

30 (...) l'envie audacieuse de se distinguer du commun de ses semblables n'est le plus souvent qu'une tricherie commise envers la société et une injure impardonnable faite à tous les gens modestes (...)
E. FROMENTIN, Dominique, I, p. 4.

31 À l'école primaire, puis au collège, l'enfant ne se distingua guère.   Henri MONDOR, Pasteur, I, p. 14.

Fam. *Quel bon gâteau ! La cuisinière s'est distinguée.*

(Choses). Être remarquable. *Son style se distingue par la pureté.*

◆ **3** Être perçu, discerné. → **Apparaître, montrer** (se), **remarquer** (se). *Les maisons qui se distinguent sur le rivage.*

32 Il enchâsse de belles pensées, de jolis traits, de beaux et riches exemples, et, au milieu de la bonhomie de son style, cela aussitôt se distingue.
SAINTE-BEUVE, Causeries du lundi, VI, p. 267.

33 À l'horizon se distinguait maintenant la rive africaine : des montagnes d'un violet noir et la masse ronde et sombre des courtes végétations.
P. MAC ORLAN, la Bandera, IV, p. 43.

◆ **DISTINGUÉ, ÉE** p. p. adj.

◆ **1** Qui n'est pas confondu. *Sens d'un mot judicieusement distingué.*

34 Les mouches que j'avais observées étaient toutes distinguées les unes des autres par leurs couleurs.
BERNARDIN DE SAINT-PIERRE, Études de la nature, 1.

35 Ses poésies sont toutes en distiques, mais si peu distingués par l'imprimeur qu'on est sujet à les lire de suite, et à chercher un sens général à tant de vers rangés par paires.
RIVAROL, Littérature, Œ., p. 75.

◆ **2** (Personnes ; groupes ; choses humaines). Littér. Remarquable par son rang, son mérite. → **Brillant, célèbre, éminent, supérieur.** *C'est l'un des peintres les plus distingués du siècle. Écrivain, orateur distingué* (→ Abondant, cit. 7 ; cause, cit. 51). *Notre distingué collaborateur.*

36 Quelque distingué que soit un homme, peut-être ne jouit-il jamais sans mélange de la supériorité d'une femme.
Mᵐᵉ DE STAËL, Corinne, VIII, 3.

37 Les hommes distingués se recrutent de nos jours à peu près en égale proportion dans tous les rangs.
RENAN, *in* Pierre LAROUSSE.

Une société distinguée. → **Choisi, crème, élite.**

37' (...) Cet homme d'un nom et d'un mérite si distingué (...)
LA BRUYÈRE, Discours à l'Académie, Préface.

37' J'ai pourtant vu nombre de sots qui n'avaient et ne connaissaient point d'autres mérites dans le monde que celui d'être nés nobles ou dans un rang distingué.
MARIVAUX, le Paysan parvenu, IV, *in* LITTRÉ.

37' La fille de vingt ans appartient à l'une des familles les plus distinguées du Poitou (...) ; pas une *(des filles)* enfin qui ne puisse réclamer les plus beaux titres (...)
SADE, Justine..., t. I, p. 172.

(Dans les formules de politesse, à la fin des lettres). Particulier, spécial. *Recevez l'assurance de mes sentiments distingués, l'expression de ma considération distinguée.* → **Considération** (cit. 11).

◆ **3** Cour. (Personnes). Qui a de la distinction (II., 3.). *Votre amie est très distinguée.*

38 Ma grand-mère avait trouvé ces gens parfaits, elle déclarait que la petite était une perle et que le giletier était l'homme le plus distingué, le mieux qu'elle eût jamais vu. Car pour elle, la distinction était quelque chose d'absolument indépendant du rang social.
PROUST, À la recherche du temps perdu, t. I, p. 33.

(Choses). *Manières distinguées. Toilette, mise distinguée. Air distingué.*

39 (...) une grâce distinguée et fière se dégageant de toute sa petite personne (...)   LOTI, Ramuntcho, I, V, p. 75.

Fam. *Elle trouve distingué d'avoir une voiture noire. Ce papier à lettres fait distingué.*

CONTR. Assimiler, confondre, identifier. — Cacher, effacer, ignorer. — (Du p. p.) Inférieur, médiocre, ordinaire. — Commun, grossier, vulgaire. ◊ **DÉR.** Distinguable. — V. Distinct, distinction.

DISTINGUO [distɛ̃go] n. m. — 1578 ; lat. scolast. *distinguo* «je distingue», première personne de l'indic. présent de *distinguere.* → Distinguer.

◆ **1** Didact. Action d'énoncer une distinction dans une argumentation ; cette distinction. *Distinguo* *qui annonce un concedo* (j'accorde) *et un nego* (je nie).

1 Avant de répondre, Michels tâta du regard l'assemblée. Puis il se lança dans un long développement, avec toutes sortes de distinguos et de détours, et une grande abondance de gestes.
J. ROMAINS, les Hommes de bonne volonté, t. IV, XVI, p. 180.

♦ **2** Cour. Distinction subtile, compliquée. *Avec tous ses distinguos subtils, il ne fait qu'embrouiller la question.*

2 «Je ne dis pas que la ville n'a pas le droit d'abattre les arbres, expliqua-t-il pesamment à son terrible interlocuteur. Je dis que puisque le site est classé, eh bien, c'est illégal!» Et de se lancer dans des distinguos, un peu subtils pour lui, entre le droit du charbonnier et la légalité collective.
Roger IKOR, les Fils d'Avrom, Les eaux mêlées, p. 13.

1. DISTIQUE [distik] n. m. — 1546; *distichon*, 1510; grec *distikhon*, de *distikhos* «à deux rangées», de *dis-* «deux», et *stikhos* «rangée, ligne, vers».

Didact. Groupe de deux vers rimant ensemble et renfermant un énoncé complet.

(...) un de leurs poètes *(des Orientaux)* a fait ce distique, qui a plus de sens que toutes les philosophies du monde :
— Mieux vaut être assis que debout, couché qu'assis, mort que couché.
Th. GAUTIER, Fortunio, XVI, p. 112.

Antiq. (versification lat. et grecque). Réunion d'un hexamètre et d'un pentamètre.

HOM. 2. Distique.

2. DISTIQUE [distik] adj. — 1778, Lamarck; grec *distikas* «à deux rangées». → 1. Distique.

Bot. *Feuilles distiques :* feuilles qui s'insèrent sur la tige en deux séries opposées. *L'orme présente des feuilles distiques.*

HOM. 1. Distique.

DISTOMATOSE [distomatoz] n. f. — 1866; de *di-*, *stomat-*, et 2. *-ose*, le *distome*, agent de cette maladie, ayant deux suçoirs.

Méd. Maladie provoquée par la présence dans le foie et les canaux biliaires de *distomes* ou *douves** pouvant infecter le foie, l'intestin, la bouche et le pharynx. *La distomatose détermine chez les ovidés une sorte d'anémie.* → **Cachexie**. *Distomatose intestinale, pulmonaire, chez l'homme.*

DISTORDRE [distɔrdr] v. tr. [CONJUG.: *tordre*.] — 1575, Paré; lat. *distorquere*, de *dis-*, et *torquere* «tordre, tourner».

♦ **1** Rare. Déformer* par une torsion. → **Tordre**. *La rage, la peur distordait ses traits.* — Pron. *La bouche se distord dans l'attaque d'épilepsie.* — Au p. p. *Distordu, ue.* → **Distors** (vx).

Elle regarde à présent du côté de la lampe, dit encore quelques mots, moins forts, laisse ses traits se distordre progressivement en une grimace qui lui plisse les yeux, écarte les commissures des lèvres et remonte les ailes du nez.
A. ROBBE-GRILLET, le Voyeur, p. 225.

♦ **2** Méd. Donner une entorse à...

♦ **3** Techn. Déformer, donner une reproduction (sonore, visuelle) déformée de (qqch.). «*Lorsqu'il y a une grande quantité de rayons lumineux allant du simple point-objet vers l'œil, les points images semblent s'unir en une ligne verticale. Il en résulte une dilatation verticale du trait qui le distord et le rend méconnaissable. Ainsi, un simple oiseau devient un animal monstrueux*» (Sciences et Avenir, oct. 1979).

(Abstrait). *Facteur qui distord les rapports économiques, sociaux :* facteur de distorsion.

DISTORS, ORSE [distɔr, ɔrs] adj. — 1838; bas lat. *distorsus*, p. p. du lat. *distorquere*. → Distordre.

Vx. Qui est contourné, déformé, de travers. *Membre distors.*

DISTORSION [distɔrsjɔ̃] n. f. — 1538; lat. *distorsio*, de *distorsum*, lat. class. *distortum*, supin de *distorquere*. → Distordre.

♦ **1** Méd. État d'une partie du corps qui se tourne d'un seul côté par le relâchement des muscles opposés, ou par la contraction des muscles correspondants. *Distorsion de la face, des yeux. Distorsion involontaire, spasmodique.* → **Convulsion**.

♦ **2** (1948). Sc. et cour. Aberration produite par les miroirs, les lentilles et déformant les objets.
Acoust. Déformation dans un courant téléphonique, accompagnée d'une altération du son.
Radio. Déformation (d'un signal électrique). *Distorsion d'amplitude. Distorsion harmonique d'un récepteur de radio. «L'oreille (...) tolère une certaine distorsion du signal, du genre appelé "distorsion de phase"»* (Grivet et Herreng, la Télévision, p. 88). *Taux de distorsion.*

♦ **3** (V. 1960). Fig. Déséquilibre entre plusieurs facteurs entraînant une tension. → **Altération, déformation, déviation**. — *Distorsions caractérielles* (psychol.). «*Les distorsions entre l'école et la famille génératrices de nombreuses inadaptations*» (le Monde, 29 nov. 1968).

1 (...) la pulsion n'est accessible que dans ses rejetons psychiques, dans ses effets de sens, plus précisément dans des distorsions du sens (...)
P. RICŒUR, Une interprétation philosophique de Freud, *in* la Nef, n° 31, p. 118.

2 J'ai choisi un cas extrême : une femme qui se sait responsable du suicide de sa fille et que tout son entourage condamne. J'ai essayé de construire l'ensemble des sophismes, des vaticinations, des fuites par lesquels elle tente de se donner raison. Elle n'y parvient qu'en poussant jusqu'à la paraphrénie sa distorsion de la réalité.
S. DE BEAUVOIR, Tout compte fait, p. 142.

3 (...) il y a de grandes ressources pour le style — en prose et plus encore en poésie — dans la distorsion des locutions usuelles.
M. TOURNIER, le Vent Paraclet, p. 160.

Écon. Déséquilibre, inadaptation entre des réalités économiques. *Les distorsions créées par les diverses zones de salaires.*

DISTRACTIF, IVE [distraktif, iv] adj. — XXᵉ; dér. sav. du lat. *distractum*, supin de *distrahere*. → Distraire.

Didact. Avec quoi l'on peut se distraire. → **Distrayant**. *Activités distractives.*

De la sorte doit tomber le côté distractif du théâtre qui raconte des histoires vécues et les raconte telles quelles, par une intervention d'un certain nombre d'éléments oubliés et qui devraient être la condition sine qua non de toute expression et même de toute image et de tout spectacle.
A. ARTAUD, le Théâtre de la cruauté, *in* Œ. compl., t. IV, p. 319.

DISTRACTION [distraksjɔ̃] n. f. — 1316; lat. *distractio*, du supin de *distrahere*. → Distraire.

I Vx ou dr. Action de distraire* (1.) qqch. d'un ensemble; son résultat. → **Prélèvement, séparation**. *La distraction d'une somme d'argent de la caisse par qqn.*

Dr. *Demande en distraction*, présentée par un propriétaire dont le bien a été compris à tort dans une saisie (Code de procédure civile, art. 608, 725, 728).

1 La demande en distraction de tout ou partie des objets saisis sera formée tant contre le saisissant que contre la partie saisie; elle sera formée aussi contre le créancier premier inscrit et au domicile élu dans l'inscription.
Anc. code de procédure civile, art. 725.

Ancient. *Distraction des dépens,* au profit de l'avoué ayant fait une grande partie des avances (remplacé par : droit de recouvrement direct). — *Distraction de saisie* (par un tiers, dans la saisie).

II Mod. et cour. ♦ **1** (XVIIᵉ; 1651, Corneille, *Imitation de Jésus-Christ* : «*Les vains amusements de la distraction*»). Manque d'attention habituel ou momentané aux choses dont on devrait normalement s'occuper, l'esprit étant absorbé par un autre objet. → **Inattention.** *Son travail porte des traces de distraction, se ressent de sa distraction.* → **Étourderie, inapplication.** — *Faire qqch. par distraction. Il a manqué le train par distraction.*

2 La vie de La Fontaine ne fut, pour ainsi dire, qu'une distraction continuelle; au milieu de la société, il en était absent.
DIDEROT, Notice sur La Fontaine, in LITTRÉ.

3 Mon assiduité permanente au travail ne se laissant détourner par aucune distraction (...) fut récompensée (...)
LITTRÉ, Comment j'ai fait mon dictionnaire, p. 22 (→ Assiduité, cit. 3).

4 En roulant les tristes pensées que je disais il y a un instant, j'étais entré dans la cour de l'hôtel de Guermantes, et dans ma distraction je n'avais pas vu une voiture qui s'avançait; au cri du wattman je n'eus que le temps de me ranger vivement de côté (...)
PROUST, À la recherche du temps perdu, t. XV, p. 7.

5 (*Il*) omettait régulièrement de regarder tant de choses que les autres remarquent, ce qui le faisait accuser par les autres de distraction et par lui-même de ne savoir ni écouter ni voir, mais pendant ce temps-là il dictait à ses yeux et à ses oreilles de retenir à jamais ce qui semblait aux autres des riens puérils (...)
PROUST, À la recherche du temps perdu, t. XV, p. 49.

Par métonymie. (*Une, des distractions*). Action qui procède de la distraction; ce qui distrait. *Avoir des distractions.* → **Absence.** *Commettre des distractions.* → **Bévue, erreur, étourderie, gaffe, inadvertance, oubli.** *Ses distractions sont demeurées célèbres.*

6 Le bon est qu'en courant il a perdu sa botte,
Et que, marchant toujours, enfin il s'est trouvé
Une botte de moins quand il est arrivé.
— De ces distractions il est assez capable.
J.-F. REGNARD, le Distrait, I, 6.

7 Les distractions des amoureux et celles des savants n'ont pas fini de faire rire : elles se valent et ne traduisent qu'une adaptation à un très grand objet.
ARAGON, le Paysan de Paris, p. 244.

♦ **2** (1653). Diversion apportée aux choses sérieuses par une occupation propre à délasser l'esprit en l'amusant. → **Dérivatif, diversion.** *Un cerveau surmené a besoin de relâchement, de distraction.* → **Loisir.** *Il faut à cet enfant un peu de distraction.* → **Détente.** — *Vieilli. Vivre dans la distraction.* → **Dissipation, plaisir.**

8 Les vains amusements de la distraction !
CORNEILLE, Imitation de J.-C., I, 21.

9 (...) un amour contrarié, auquel je voulais échapper par la distraction. *NERVAL, les Filles du feu, «Octavie».*

Par métonymie. (*Une, des distractions*). Occupation qui apporte la distraction. → **Amusement, divertissement.** *Les agréments et les distractions de la campagne. Procurer des distractions à ses hôtes. Le jeu, la promenade sont nos distractions quotidiennes.* → **Passe-temps.** *Distraction sans importance.* → **Amusette.** *De quelles distractions allons-nous égayer nos loisirs? Il s'interdit toute distraction* (→ Dispersion, cit. 4).

10 Pour dérober Piccini aux distractions de Paris, je l'engageai à venir travailler près de moi dans ma maison de campagne (...)
MARMONTEL, Mémoires, X, in LITTRÉ.

♦ **3** (Déb. XIXᵉ). Vx. Écart de conduite (dans le domaine sentimental).

11 Mais aussi pendant cinq années entières il n'a pas eu une distraction à me reprocher. Quelles femmes mariées à l'autel pourraient en dire autant à leur seigneur et maître ?
STENDHAL, la Chartreuse de Parme, 1839, p. 238, in T. L. F.

CONTR. Application, attention, concentration, tension.

DISTRAIRE [distʀɛʀ] v. tr. [CONJUG.: *traire*.] — 1377; lat. *distrahere* «tirer en sens divers», de *dis-*, et *trahere* «tirer» (→ Traction; traire); cf. anc. franç. *detraire*, 1285.

I ♦ **1** Littér. Séparer* (qqch. d'un ensemble), détacher* (qqch. de ce qui était naturellement en rapport). *Distraire une somme de l'emploi auquel elle était destinée. Il a distrait telle somme du dépôt qui leur était confié.* → **Dérober, détourner.** *Distraire une voiture d'un convoi, une pièce d'une collection.* → **Prélever.** *Distraire une somme, une quantité d'un total.* → **Retrancher, soustraire.**

1 (...) la France a quarante-neuf millions d'hectares qu'il serait convenable de réduire à quarante; il faut en distraire les chemins, les routes, les dunes, les canaux et les terrains infertiles, incultes ou désertés par les capitaux, comme la plaine de Montégnac.
BALZAC, le Curé de village, Pl., t. VIII, p. 715.

Dr. *Distraire un bien d'une saisie, distraire des dépens les avances de l'avoué* (→ **Distraction**).

♦ **2** Vx. Détourner (qqn) d'un projet, d'une résolution. → **Dissuader.**

2 Les Dieux de ce dessein puissent-ils le distraire !
RACINE, Britannicus, IV, 4.

II ♦ **1** (1558). Détourner l'esprit de (qqn) de l'objet auquel il s'applique, de ce dont il est occupé. *Distraire qqn de ses travaux, de ses occupations. Ne le distrayez pas de son travail !* → **Déranger.** *Il faut le distraire de ses ennuis, de ses préoccupations, de son chagrin, de cette obsession, de son idée fixe.* → **Changer** (changer les idées).

3 Pour me distraire d'une imagination importune, il n'est que de recourir aux livres; ils me détournent facilement à eux et me la dérobent. *MONTAIGNE, Essais, III, III.*

4 (...) la petite bientôt tomba dans une mélancolie dont on ne la put distraire.
P.-L. COURIER, Pamphlets politiques, Pl., p. 6.

5 Tout ce qui est étranger au travail me distrait.
FLAUBERT, Correspondance, II, p. 170.

6 (...) rien ne pouvait me distraire de cette pensée que Jacques allait partir et que je resterais seul (...)
Alphonse DAUDET, le Petit Chose, II, IX, p. 290.

7 Ce que j'admire le plus, chez Valéry, c'est peut-être bien sa constance. Incapable de vraie sympathie, il n'a jamais laissé briser sa ligne, ne s'est jamais laissé distraire de soi par autrui. *GIDE, Journal, 8 mai 1927.*

(1728). **Absolt.** *Que rien ne vous distraie* (→ Acharnement, cit. 4).

8 Quant à la vie de Paris (...) je ne me faisais point d'illusions, et ne la considérais nullement comme un secours. J'y comptais un peu pour me distraire, mais pas du tout pour m'étourdir, et encore moins pour me consoler.
E. FROMENTIN, Dominique, IX, p. 133.

9 Et je n'ose parler de peur de distraire cette âme peut-être occupée de choses meilleures.
GIDE, Journal, janv. 1890.

Péj. → **Dissiper.** *Cet élève distrait sans cesse ses camarades.*

Par ext. Littér. *Distraire l'attention de qqn,* la détourner de son objet (→ Autant, cit. 61). *Distraire le chagrin, l'inquiétude de qqn,* y faire diversion.

10 Adieu. Puisse du moins ce peu que je te donne
De ta triste mémoire effacer tes malheurs,
Et, soigné par tes mains, distraire tes douleurs !
André CHÉNIER, Bucoliques, V, «La Liberté».

11 Il n'était pas venu à Bournemouth pour distraire son attention sur le splendide panorama de la baie, sur le bleu de
la mer où dévalaient les jardins.
M. BARRÈS, Leurs figures, p. 242.

◆ **2** (XVIIIe). Cour. Faire passer le temps agréablement
à (qqn). → **Amuser, désennuyer, divertir, égayer,
récréer.** *Il faut le distraire pour le délasser de ses
travaux. Cette petite amusette le distraira. Comment
distraire nos hôtes ? Les courtisans cherchent à distraire le roi.*

12 Seule femme de cette famille, elle jouait auprès du vieux
chef le rôle de la duchesse de Bourgogne à la cour de
Louis XIV. Pour le distraire, elle faisait mille singeries,
parfois avec succès.
A. MAUROIS, Bernard Quesnay, XIV, p. 90.

13 Je ne sais s'il est vrai que les hommes de lettres se soient
contentés jadis de distraire d'honnêtes gens. (Ils le disent
du moins).   J. PAULHAN, les Fleurs de Tarbes, p. 15

◆ **SE DISTRAIRE** v. pron.

◆ **1** (XVe). Littér. Se détourner* de. *Se distraire d'un
projet. Se distraire de ses ennuis.* → **Arracher** (s'). —
Absolument :

14 Germain fut content qu'elle n'eût pas fait attention à ses
dernières paroles ; il reconnut qu'elles n'étaient point sages,
et il lui tourna le dos pour se distraire et changer de
pensée.   G. SAND, la Mare au diable, X, p. 85.

◆ **2** Réfl. (1807). Mod. S'amuser*, se détendre*. *Avoir
besoin de se distraire. Se distraire pour tromper son
chagrin.* → **Étourdir** (s').

15 (...) il fit sans livre tout au contraire pour se distraire et
s'amuser, pour se divertir et non pour s'avertir.
FRANCE, le Petit Pierre, XXXIII, p. 236.

16 (...) nous allions quitter Jérusalem et continuer notre route
à travers la Galilée, vers Damas la ville sarrasine, pour au
moins nous distraire et nous étourdir au charme de mort
des choses orientales.   LOTI, Jérusalem, XXIII, p. 261.

◆ **DISTRAIT, AITE (ÊTRE)** passif et p. p.

◆ **1** Séparé, ée (de...). *Wagon distrait d'un convoi.
Somme distraite* (d'une somme plus grande). — Fig.,
rare. *«Heures dérobées à l'étude, distraites en apparence»* (Valéry, *in* T. L. F.).

◆ **2** (Au sens II). Détourné (de l'objet auquel il s'appliquait).

17 Le plaisir d'être distrait un instant de ma douleur ou la
répugnance à en être distrait dictaient toutes mes démarches.   STENDHAL, Souvenirs d'égotisme, p. 17.

18 (...) les regrets qu'éprouve toujours un esprit scrupuleux
quand il est distrait de ses tâches majeures.
G. DUHAMEL, le Voyage de Patrice Périot, II, p. 36.

18.1 (...) se fâchant pour un rien, distraits dans leur colère par
moins que rien (...)
Henri MICHAUX, Ailleurs, p. 145.

→ aussi **Distrait, aite.**

CONTR. **Rattacher. — Ennuyer.** ◊ DÉR. **Distrait, distrayant.**

DISTRAIT, AITE [distʀɛ, ɛt] adj. — 1661 ; p. p. adjectivé de *distraire*, II.

◆ **1** Absorbé par autre chose. — (Personnes). *Il m'a
paru distrait.* → **Absent.** → Avoir l'esprit ailleurs*. *Un
auditeur, un auditoire distrait. Elle va son chemin,
distraite* (→ Aller, cit. 11). — *Esprit distrait. Avoir un
air distrait.* — *Écouter d'une oreille distraite,* sans
grande attention. → **Inattentif.** → N'écouter* que d'une
oreille. *Regarder d'un œil distrait.* → **Rêveur, vague.**
Regards distraits.

19 Il faut qu'en écoutant j'aie eu l'esprit distrait.
MOLIÈRE, les Femmes savantes, III, 3.

(...) il laisse vaguer ses pensées sans que vos discours arrê 20
tent son esprit distrait.
BOSSUET, Oraison funèbre de Michel Le Tellier.

Que vous dirai-je enfin ? Je fuis les yeux distraits, 21
Qui me voyant toujours, ne me voyaient jamais.
RACINE, Bérénice, I, 4.

Je me demande vraiment lequel ! disait-il, distrait comme 22
s'il cherchait un mot croisé.
GIRAUDOUX, Bella, VIII, p. 177.

La jeune fille se mit à manger d'un air distrait, presque 23
égaré.
G. DUHAMEL, Chronique des Pasquier, IV, VIII,
p. 314.

◆ **2** Qui est ordinairement occupé d'autre chose que
de ce qu'il fait, ou de ce qu'on lui dit. *Il est distrait,
toujours dans la lune*. Il est si distrait qu'il ne sait
jamais où il a mis ses affaires.* → **Étourdi.**

Je n'ai pas été fâché de passer pour distrait : cela m'a fait 24
hasarder bien des négligences qui m'auraient embarrassé.
MONTESQUIEU, Cahiers, p. 5.

N. *C'est un éternel distrait. Une grande distraite.
Ménalque, type du distrait, dans Les Caractères de
La Bruyère. Le Distrait, comédie de Regnard. Une
distraite.*

Le distrait est, il me semble, un homme qui laisse courir 25
ses actions.
ALAIN, De l'habitude, *in* les Passions et la Sagesse,
Pl., p. 1176.

CONTR. **Appliqué, attentif.** ◊ DÉR. **Distraitement.**

DISTRAITEMENT [distʀɛtmã] adv. — 1846 ; de *distrait.*

De façon distraite. *Crayonner* (cit. 3) *distraitement
en écoutant qqn. Agir, lire distraitement. Parcourir
distraitement le journal. Il répondit distraitement...*
→ **Étourdiment.** *Vagabonder distraitement dans les
rues.* → **Rêveusement.**

Comment supposer même qu'Olivier ait pu prendre connaissance de la carte où il annonçait aux parents d'Olivier
son retour — et où incidemment, négligemment, distraitement en apparence, il précisait le jour et l'heure — comme
on tendrait un piège au sort, et par amour des embrasures.
GIDE, les Faux-monnayeurs, *in* Romans, Pl., p. 991.

DISTRAYANT, ANTE [distʀɛjã, ãt] adj. — 1539 ;
p. prés. de *distraire*, II.

Qui distrait, avec quoi l'on peut se distraire, se
détendre. → **Délassant, divertissant.** *Lecture
distrayante. C'est un roman peu distrayant. Un
spectacle, un film distrayant.*

(Personnes). *Des amis distrayants.*

REM. Le nom (et virtuellement l'adjectif) *distrayeur, euse*
correspond à l'absence de substantivation de *distrayant,*
appliqué aux personnes ; il est très rare.

(...) *Elle* est venue s'accouder sur la table basse, à côté de
moi, si bien que ses seins irritants caressaient le papier
lisse.
Le dernier vers de la strophe restait à souder (...)
Oh ! la distrayeuse !... J'allais lui donner le baiser qu'elle
attendait, quand les visions remuantes, les chères émigrantes aux odeurs lointaines ont reformé leurs danses
dans ma fantaisie.
Charles CROS, le Coffret de santal, Pl., p. 152.

DISTRIBUABLE [distʀibyabl] adj. — 1589 ; de *distribuer.*

Qui peut être distribué. *Secours distribuables en
nature. Bénéfices distribuables.*

DISTRIBUER [distʀibɥe] v. tr. — 1428, *destribueir* ; lat.
distribuere, de *dis-*, et *tribuere*, d'abord «répartir entre les
tribus», de *tribus* «tribu».

◆ **1** Donner à plusieurs personnes prises séparément (une partie d'une chose ou d'un ensemble de choses semblables). → **Donner, partager, répartir** ; **distribution**. *Distribuer des vêtements, des vivres aux soldats ; distribuer à chacun sa ration**. *Distribuer qqch. avec profusion* (→ **Semer**, fig.), *avec parcimonie* (→ **Mesurer**). *Personne qui distribue le courrier, les paquets.* → **Facteur**. *Distribuer des prospectus, des tracts sur la voie publique. Appareil qui distribue* (une marchandise). → **Distributeur**. *Distribuer des cartes aux joueurs.* → **Donner, servir**. *Les cartes ont été mal distribuées.* — Au p. p. *Cartes mal distribuées. Distribuer de l'argent pour acheter des appuis, des suffrages...* → **Arroser** (fam.). *Distribuer des dividendes aux actionnaires. Distribuer les parts d'un bien aux ayants droit.* → **Allotir, assigner, attribuer**. *Distribuer un travail entre des domestiques, et*, pron., *se distribuer des tâches. Distribuer des rôles à des acteurs. Distribuer les rôles* (→ ci-dessous, 6.). → **Distribution**. — Dr. *Distribuer une affaire,* désigner ceux qui seront chargés de la juger. *Distribuer des postes, des titres.* → **Dispenser**. *Distribuer des prix* (→ **Distribution**). *Distribuer des faveurs* (→ **Départir, octroyer**), *des bienfaits, des consolations* (→ Christianisme, cit. 6).

1 La vieille n'avait point de plus pressant souci
Que de distribuer aux servantes leur tâche.
LA FONTAINE, Fables, v, 6.

2 (...) j'ai distribué aux pauvres et à ma famille tout mon bien, sans retenir une obole.
FLAUBERT, la Tentation de saint Antoine, I, p. 13.

3 Mais comment jugerait-on le monsieur qui, les cartes distribuées, quitterait la table en invoquant un scrupule ?
J. ROMAINS, les Hommes de bonne volonté, t. V, I, p. 12.

♦ **2** Donner* à diverses personnes, au hasard. → **Dispenser, prodiguer**. *Distribuer des saluts, des coups de chapeau, des sourires... Distribuer des paroles.* → **Répandre** (→ Chaire, cit. 3). *Ce poste nous distribue une bien mauvaise musique. Distribuer des coups (à qqn).* — (Au football). *Distribuer le jeu,* se dit d'un demi qui passe à propos le ballon à ses avants, à ses trois-quarts. → Place, cit. 15.

4 Il nous distribuait les coups de férule avec une agilité qu'on n'eût point attendue de son épaisse corpulence.
FRANCE, le Crime de Sylvestre Bonnard, Œ., t. II, p. 340.

5 En dehors des magasins, un théâtre, qui n'ouvrait pas toujours, un cinéma et un café-chantant distribuaient la gaieté aux civils, aux artilleurs, aux fantassins (...)
P. MAC ORLAN, la Bandera, IX, p. 103.

♦ **3** (1687). Répartir dans plusieurs endroits. → **Amener, conduire, répandre**. *Les conduites qui distribuent l'eau dans une ville. L'aorte distribue le sang dans l'organisme* (→ Artériel, cit. 1). *Distribuer des éléments un peu partout.* → **Disperser, éparpiller**. — Pron. *Le sang se distribue dans l'organisme.*

6 (Les eaux de Bourbon) se distribuent dans toutes les parties (du corps) avec une onction admirable.
Mᵐᵉ DE SÉVIGNÉ, 1042, 7 oct. 1687.

7 Celui qui nous a donné ce corps fluide (l'eau), l'a distribué avec soin sur la terre.
FÉNELON, Traité de l'existence de Dieu, I, 2.

8 Le mystérieux bonheur enveloppé de voiles n'est plus là pour distribuer ses lumières sur les choses.
M. BARRÈS, Un jardin sur l'Oronte, p. 135.

9 Un escalier étroit, branchu comme une artère, s'élevait dans le milieu de la baraque et distribuait en tous sens des galeries tortueuses (...)
G. DUHAMEL, Chronique des Pasquier, III, IV, p. 41.

Techn. Imprim. *Distribuer les caractères,* les ranger dans la casse, les cassetins après usage.

Télécomm. *Distribuer les signaux de modulation.* → **Distribution** (3.).

Comm. *Distribuer un film* (aux exploitants), en assurer la distribution* (1.).

♦ **4** (XVIᵉ). Répartir (plusieurs choses) d'une manière particulière, selon un certain ordre. → **Arranger, organiser**. *Distribuer logiquement les points d'un exposé.* → **Ordonner ; coordonner**. *Distribuer des couleurs sur une toile, des ornements sur un objet.* → **Disposer**. — Au p. p. *Composition picturale dans laquelle les masses sont bien distribuées.* — *Distribuer des êtres, des objets en espèces, en classes, en catégories.* → **Catégoriser, classer, classifier, départ** (faire le départ entre), **distinguer, diviser, ordonner, ranger**.

10 (...) Servius Tullius, qui avait distribué tous les citoyens en six classes (...)
MONTESQUIEU, l'Esprit des lois, XI, XIX.

♦ **5** Diviser* d'une certaine manière (dans le temps ou dans l'espace). *Distribuer un appartement,* le diviser en pièces affectées à un usage particulier. → **Agencer, aménager**. *Appartement bien distribué. Distribuer au mieux son emploi du temps.*

11 J'approuve la manière dont vous distribuez votre temps et vos études (...)
RACINE, Lettres, 127, 14 oct. 1693, À J.-B. Racine.

♦ **6** (1890 ; 1706, au p. p. adj.). Faire la distribution* de (une pièce, un film). — Au passif et p. p. *La pièce n'est pas encore entièrement distribuée,* il reste un rôle à pourvoir. *Film mal distribué.*

◆ **DISTRIBUÉ, ÉE** p. p. adj.
Voir ci-dessus à l'article.

CONTR. Accaparer, rassembler, récolter, recueillir ; centraliser ; grouper, réunir. ◊ **DÉR.** Distribuable, distributaire. — **COMP.** Redistribuer.

DISTRIBUTAIRE [distribytɛr] adj. et n. — V. 1850 ; de *distribuer,* d'après *donataire.*

Dr. (Personne) qui a reçu qqch. en distribution.

DISTRIBUTEUR, TRICE [distribytœr, tris] adj. et n. — 1361, n. ; bas lat. *distributor,* de *distributum,* supin de *distribuere.* → Distribuer.

I Adj. Qui distribue. — Écon. *Maison distributrice d'une denrée. Organisme, système distributeur.* — Techn. *Piston, robinet distributeur.* — Cour. *Appareil distributeur de timbres, de billets de banque* (→ ci-dessous, n. m.).

II N. ♦ **1** (Rare au fém.). Personne qui distribue (qqch.).

a (Emploi général). Souvent par plais. *Un distributeur de cadeaux, de jouets aux enfants.* → **Donneur**. *«La vieille servante (...) grande distributrice de taloches et de fessées»* (Zola, in T. L. F.). *Un jeune distributeur de tracts, à la sortie du métro.*
Ce distributeur de couronnes (Louis XIV).
SAINT-SIMON, Mémoires, XII, 48. 1

b (Spécialt, désignant une profession). Commerçant, commerçante qui assure la distribution d'un produit. *Distributeur de journaux.* → **Vendeur ; crieur**. *Distributeur agréé, exclusif.* → **Concessionnaire**. — Professionnel de la grande distribution. *«Le premier distributeur néerlandais a pris le contrôle de deux chaînes de supermarchés en Espagne»* (le Monde, 9 sept. 1999, p. 20).
Distributeur de films : personne, organisme chargé de distribuer (3.) les copies des films aux salles de cinéma (→ Distribution, 1.).
(1973). *Agent de distribution** (3., techn. et télécomm.).

♦ **2** N. m. Appareil servant à distribuer. *Distributeur de papier hygiénique. Distributeur de savon liquide.*

Spécialt. **ⓐ** Techn. *Distributeur de vapeur dans une machine* : régulateur de l'admission de la vapeur dans les cylindres — *Distributeur d'engrais* : machine agricole servant à répartir l'engrais sur les terres.

(1864, *in* D. D. L.). Absolt. Mécanisme qui répartit entre les cylindres les étincelles fournies par l'allumage.

Mécan. Aubage fixe d'une turbine (→ Aubage, cit.).

Imprim. Rouleau qui distribue également l'encre sur la table de la machine à imprimer.

ⓑ Cour. Appareil qui distribue qqch. au public. *Distributeur d'essence :* pompe avec cadran indicateur (ancienn†) ou affichage mécanique ou électronique, pour le ravitaillement en essence des véhicules automobiles. → **Pompe** (à essence). *Distributeurs d'essence d'un garage, d'un poste à essence, d'une station-service.*

2   Bariolés de mots anglais et de mots de création nouvelle, avec un seul bras long et souple, une tête lumineuse sans visage, le pied unique et le ventre à la roue chiffrée, les distributeurs d'essence ont parfois l'allure des divinités de l'Égypte ou de celles des peuplades anthropophages qui n'adorent que la guerre.
            ARAGON, le Paysan de Paris, p. 145.

Distributeur automatique (ou, adj., *appareil distributeur*) : appareil public qui distribue une denrée, un objet, après introduction du paiement dans une fente. *Distributeur de friandises. Distributeur de boissons. Distributeur de billets de quai. Distributeur automatique de billets* (abrév. : *D. A. B.*), permettant de retirer de l'argent à l'extérieur d'une banque, au moyen d'une carte de crédit. → **Billetterie**, 2. *Distributeur pour la pesée*, bascule automatique inscrivant le poids sur un ticket. → **Balance, bascule.**

3   (...) une des femmes, celle qui était assise près du distributeur de cigarettes, paraissait se rappeler soudain quelque chose, le patron écoutait ses explications en hochant la tête (...)   G. SIMENON, Feux rouges, p. 48.

4   Il eut quand même l'audace d'allumer une cigarette, parce que quelqu'un d'autre fumait, puis d'aller boire au distributeur d'eau glacée.
            G. SIMENON, Feux rouges, p. 117.

DISTRIBUTIF, IVE [distribytif, iv] adj. — V. 1350 ; bas lat. *distributivus*, du supin de *distribuere*. → Distribuer.

♦ 1 Qui distribue (des choses).

Il *(Hugo)* veut au contraire que la poésie soit utile, s'adresse à tous, parle pour tous, à la fois vengeresse et lumineuse, distributive de châtiments et montrant aux peuples la voie de la Sagesse et du progrès.
       Émile HENRIOT, les Romantiques, p. 74.

Dr. et cour. *Justice distributive*, celle qui donne à chacun la part qui lui revient (par oppos. à *justice commutative**) ; fam., sévérité équitable (distribution de coups, etc.).

♦ 2 (1694). Log. et gramm. Qui, dans une répartition d'objets, désigne individuellement (opposé à *collectif**). *Chaque est un adjectif distributif*, ou, subst. (n. m.), *un distributif.*

♦ 3 Math. Se dit d'une opération, d'une loi de composition interne, qui, effectuée sur le résultat d'une deuxième opération ou loi de composition portant sur deux éléments, donne un résultat identique à celui qu'on obtiendrait en effectuant cette opération sur chacun des deux éléments et la deuxième opération sur les deux résultats partiels ainsi obtenus. *La multiplication est distributive par rapport à l'addition* ($a \times [b + c] = [a \times b] + [a \times c]$).

DÉR. Distributivement, distributivité.

DISTRIBUTION [distRibysjɔ̃] n. f. — 1350 ; «contribution», 1306 ; lat. *distributio*, du supin de *distribuere*.

Action de distribuer* ; son résultat. → **Partage, répartition.**

♦ 1 Répartition (de choses à des personnes). *La distribution de vivres, de vêtements, d'équipements à des soldats (par l'administration militaire). La distribution d'une somme d'argent à plusieurs personnes. Distribution de la part qui revient à chacun.* → **Attribution ; distributaire.** — (Sans mention du destinataire). *Distribution gratuite.* → **Don, largesse, libéralité.** *Distribution de bienfaisance* (cit. 5). *Distribution de prospectus sur la voie publique, d'objets publicitaires dans le commerce.* → **Diffusion.** *Distribution gratuite de journaux, de brochures...* → **Service.** *La distribution du travail, des tâches aux membres d'une équipe. Une distribution de postes, de faveurs.* → **Dispensation.**

(Emplois spéciaux). Postes. *La distribution du courrier aux destinataires. Distribution du soir, troisième distribution :* service des postes exécuté par un facteur qui porte le courrier à domicile.

Distribution des cartes aux joueurs. → **Donne.** — (Théâtre, cin.). *La distribution des rôles* (d'une pièce, d'un film) *aux acteurs* (→ ci-dessous, 6.).

DISTRIBUTION DES PRIX : remise* de prix aux concurrents les plus méritants. — Spécialt. Cérémonie scolaire précédant les grandes vacances, au cours de laquelle on remet des prix, des récompenses aux meilleurs élèves.

1   Il était de loin le premier de sa classe et, aux distributions de prix, le général et le sous-préfet n'en finissaient pas de lui donner la main.
       M. AYMÉ, le Confort intellectuel, VIII, p. 109.

Dr. *Distribution par contribution* : répartition judiciaire, entre les créanciers, des sommes provenant d'une saisie faite sur leur débiteur commun.

Écon. *Distribution des richesses* : ensemble des conditions suivant lesquelles a lieu la répartition des richesses entre les divers membres de la société.

2   De la bonne distribution des jouissances résulte le bonheur individuel.
   Par bonne distribution, il faut entendre non distribution égale, mais distribution équitable. La première égalité, c'est l'équité.   HUGO, les Misérables, IV, I, IV.

Comm. Opérations et circuits grâce auxquels les biens de consommation sont acheminés vers les points de vente. *Circuits de distribution.* «*Un groupe européen, à vocation internationale, spécialisé notamment dans le domaine de la distribution (chaînes de magasins)*» (*l'Express*, p. 61, 10-16 juil. 1972). *Canal* de distribution.* — Loc. *La grande distribution* : la vente en grandes surfaces. Spécialt (cin.). *Distribution de films* : répartition des films dans les salles de cinéma (→ **Distributeur**, II., 1., b).

♦ 2 Le fait de donner au hasard. *Une distribution de sourires, de poignées de main, de coups de poing.*

♦ 3 (1561). Répartition systématique à des endroits différents (d'une matière, etc.). *Distribution des eaux* : ensemble des moyens permettant d'approvisionner une ville en eau potable — *Distribution de l'électricité. Lignes de distribution. Distribution à courant alternatif.* — *Distribution de la vapeur* (d'une machine, d'une chaudière), manière dont elle est répartie sur les faces du piston ; ensemble des pièces grâce auxquelles se fait cette répartition.

(1903, *in* Rev. gén. des sc., n° 18, p. 940). Autom. Méthode suivant laquelle se font l'admission et l'échappement du fluide moteur (→ **Distributeur**).

Typogr. Répartition des caractères dans leurs cassetins respectifs après utilisation.

Télécomm. Action de répartir suivant les besoins les signaux dans un réseau (on dit aussi *répartition*). *Poste de distribution ou de commande* : local où se trouvent les organes de contrôle et de commutation de télécommande.

◆ **4** Arrangement (de choses) selon un certain ordre (temporel, spatial). *Distribution des fêtes dans l'année. Distribution des chapitres dans un livre.* → **Ordonnance, ordre.** *Distribution des ornements sur un objet, des couleurs, des formes sur une toile.* → **Arrangement, disposition** (→ Attitude, cit. 1). *Distribution géographique d'une espèce vivante.* → **Biotope.** — *Distribution de choses par classes, par groupes...* → **Classement.**

3   Pour former ce vif coloris, ces distributions de lumières, ces dégradations de couleurs...
                    FÉNELON, Traité de l'existence de Dieu, VIII,
                                                       in LITTRÉ.

Vieilli. Classification, taxinomie. *La distribution des animaux, des plantes.*

Anat. Répartition des branches d'un vaisseau ou d'un nerf dans les organes ou régions qu'ils desservent.

◆ **5** (1547, en archit.). Division* selon une certaine destination. *La distribution d'un logement,* sa division en pièces distinctes affectées à un usage particulier. → **Agencement, aménagement.** *La distribution de cet appartement est peu pratique : il faut passer par le salon pour aller dans la cuisine.*

◆ **6** (1890). Répartition des rôles (d'une pièce); ensemble des rôles répartis dans une pièce, un film. *La distribution de ce film est bonne.* — Ensemble des acteurs figurant dans une pièce, un film. *Une brillante distribution.* → aussi 1. **Affiche** (I. 1.); cf. l'anglic. *casting.*

◆ **7** (V. 1960; anglicisme). Ling. Ensemble des environnements (suite d'éléments placés à droite et à gauche) caractérisant un élément linguistique dans l'énoncé. *Types de distribution :* classes distributionnelles*.

CONTR. Collecte, prélèvement, quête, ramassage, rassemblement, récolte, récupération. — Levée (du courrier). — Production (des richesses). — Centralisation, groupement. ◊ DÉR. Distributionnalisme, distributionnaliste, distributionnel. – COMP. Câblodistribution.

DISTRIBUTIONNALISME [distribysjɔnalism] n. m. — V. 1960; de l'angl. des États-Unis *distributionalism,* 1933, de *distribution* au sens ling., de *to distribute* «distribuer».
Ling. Linguistique qui tente de décrire une langue par l'analyse distributionnelle. → **Distributionnel.** *Le distributionnalisme de Harris.* — REM. La graphie *distributionalisme* est calquée de l'anglais.

DISTRIBUTIONNALISTE [distribysjɔnalist] adj. et n. — V. 1960; de l'angl. des États-Unis *distributionalist* (Wells, Harris, 1947).
Ling. Relatif à l'analyse distributionnelle*. — Tenant de cette théorie linguistique. — REM. La graphie *distributionaliste* est calquée de l'anglais.

DISTRIBUTIONNEL, ELLE [distribysjɔnɛl] adj. — V. 1960; de l'angl. des États-Unis *distributional* (Bloomfield, 1933).
Ling. *Analyse linguistique distributionnelle,* qui, à partir de la segmentation des énoncés d'un corpus* (2.) en constituants* immédiats, redécomposés en constituants de rang inférieur jusqu'au niveau des unités minimales, étudie la distribution* (7.) et les conditions de co-occurrence* des unités relevées aux divers niveaux d'analyse.

→ **Distributionnalisme.** *Grammaire, lexicologie distributionnelle.* — (En parlant d'éléments non signifiants). *Phonologie distributionnelle.*

Classes distributionnelles : classes de distributions analogues, permettant de caractériser un élément, une fonction.

DISTRIBUTIVEMENT [distribytivmã] adv. — 1551; de *distributif.*
Log., math. Dans un sens distributif* (2. et 3.).

DISTRIBUTIVITÉ [distribytivite] n. f. — Mil. xxᵉ; de *distributif.*
Math., log. Caractère d'un terme distinctif (2.), d'une opération distributive (3.) par rapport à une autre (→ Associativité, cit., Piaget).

DISTRICT [distʀikt] n. m. — 1421, bas lat. *districtus* «territoire»; du supin de *distringere.*

◆ **1** Hist. Circonscription territoriale d'une juridiction. *Un juge ne peut juger hors de son district.*

L'exercice du ban et la perception des profits qu'il autori-   1
sait se trouvèrent désormais circonscrits dans un espace restreint, dans un «district» (le terme vient d'un mot qui précisément signifie contraindre) dont les limites extérieures étaient rarement à plus d'une demi-journée de chevauchée d'un point central, qui était un lieu fortifié.
                    G. DUBY, Guerriers et Paysans, p. 195.

◆ **2** (1696). Fig. Ce dont on a l'administration. *Ceci n'est pas de mon district,* de ma compétence. → **Domaine, rayon.**

(...) ayant le district des pansements et des drogues, je   2
vendais souvent aux hommes de bonnes médecines de cheval (...)
                    BEAUMARCHAIS, le Barbier de Séville, I, 2.

◆ **3** (1611; repris 1780). Petite division territoriale homogène. → **Région.** *Le district des lacs en Angleterre. District houiller.* — Par ext. Secteur.
Fig. *Travailler dans un district particulier,* une spécialité.

◆ **4** (1789). Admin. Subdivision de département établie par la loi du 22 décembre 1789, correspondant approximativement aux arrondissements* actuels. *Chef-lieu de district.*
(1959). *District urbain* : groupement administratif de communes formant une même agglomération; groupement administratif des communes voisines.

1. DISTYLE [distil] adj. — 1839; du grec *di-,* et *stulos* «colonne».
Archit. À deux colonnes. *Porte distyle.*
HOM. Formes du v. **distiller.** — 2. **Distyle.**

2. DISTYLE [distil] adj. — 1839; de *di-,* et *style.*
Bot. Se dit de fleurs qui ont deux styles.
HOM. Formes du v. **distiller.** — 1. **Distyle.**

DISULFIRAME [disylfiʀam] n. m. — Après 1950; de *di-, sulf(i)-* (élément correspondant à *soufre; →* Sulf-), et l'élément final de *(tétraéthyltiu)rame.*
Médicament prescrit dans les cures de désintoxication de l'alcoolisme, et qui est incompatible avec l'ingestion d'alcool (palpitations, angoisse, baisse de la tension).

1. DIT, DITE [di, dit] p. p. adj. → Dire.

2. **DIT** [di] n. m. — V. 1160; du p. p. de *dire*. → Dire.

◆ **1** Vx. Mot, maxime (vx). *Les dits de Socrate.*

On ne conte que ses dits *(de la Dauphine)* pleins d'esprit et de raison.   Mᵐᵉ DE SÉVIGNÉ, 791, 20 mars 1680.

◆ **2** (V. 1170). Didact. (hist. littér.). Au moyen âge, Genre littéraire, petite pièce traitant d'un sujet familier ou d'actualité (on disait dans le même sens *ditié* ou *dittié*). *Le Dit de Pouille*, de Rutebeuf. *Le Dit de la Rose; le Dittié à la louange de Jeanne d'Arc*, de Christine de Pisan.

◆ **3** (1668). Dr. Pièce affirmant certains faits relatifs à la cause.

DITHYRAMBE [ditiʀɑ̃b] n. m. — 1552, Rabelais; lat. *dithyrambus*, du grec *dithurambos*, d'abord «chant en l'honneur de Dionysos», puis «chant, poème ampoulé».

◆ **1** Antiq. grecque. Poème lyrique à la louange de Dionysos.

◆ **2** Mod. Littér. Poème lyrique enthousiaste. *Le dithyrambe est d'inspiration plus impétueuse et de forme moins régulière que l'ode.*

◆ **3** Éloge* enthousiaste, parfois jusqu'à l'emphase. → **Panégyrique**. *Exalter le mérite de qqn jusqu'au dithyrambe. L'éloge qu'il en fit fut un vrai dithyrambe. Entonner un dithyrambe en l'honneur de qqn.*

Orateur disert aux formules classiques, souvent grandiloquentes, capable d'arriver, dans le dithyrambe, à une prodigieuse outrance, il *(Fontanes)* semble avoir pris pour mission de dépasser tous les autres panégyristes du régime et du maître, mais en un style noble et relevé.
     Louis MADELIN, Hist. du Consulat et de l'Empire,
         Vers l'Empire d'Occident, II, p. 29.

CONTR. **Accusation, détraction, réquisitoire.** ◊ DÉR. **Dithyrambique.**

DITHYRAMBIQUE [ditiʀɑ̃bik] adj. — 1553; lat. *dithyrambicus*, du grec *dithurambikos*, de *dithurambos*. → Dithyrambe.

◆ **1** Antiq. grecque. Qui appartient au dithyrambe* (1). *Poème dithyrambique.*

◆ **2** Mod. Littér. Enthousiaste (en parlant d'un poème lyrique). *Poète dithyrambique :* poète qui compose des dithyrambes* (1., 2.) et/ou poète excessif dans la louange (→ *infra*, 3.).

◆ **3** Cour. Qui loue, qui exalte avec emphase. *Louanges, paroles dithyrambiques. Éloge dithyrambique. Article dithyrambique.* → **Élogieux.**

Tout à l'heure, Lebrun, député aux Anciens, personnage froid et peu sujet aux enthousiasmes, au cours d'un rapport lu au sein de l'Assemblée et aux applaudissements de tous, s'exprimer sur l'homme en des termes dithyrambiques (...)
     Louis MADELIN, Hist. du Consulat et de l'Empire,
         Ascension de Bonaparte, IX, p. 119.

(Personnes). *Il a été dithyrambique sur ce sujet, à l'égard de son professeur.*

REM. Le dérivé *dithyrambisme*, n. m. (1888, *in* D. D. L.) est rarissime.

DITO [dito] mot invar. — 1723; toscan *ditto*, de l'ital. *detto*, p. p. de *dire*.

Comm. Déjà dit, de même... (pour éviter la répétition d'un mot). → **Idem, susdit.** *Vingt kilos de sucre en morceaux et cinq dito en poudre.*

DITTOGRAPHIE [ditɔgʀafi] n. f. — 1898; du grec *dittos* «double», et *graphie*.

Didact. Faute constituée dans un manuscrit par une répétition (d'une lettre, d'un mot, d'un morceau de texte).

D. I. U. Sigle de *dispositif* intra-utérin.

DIURÈSE [djyʀɛz] n. f. — 1750; lat. méd. *diuresis*, du grec *diourêsis*, de *diourêin*, de *dio*, et *ourein* «uriner», de *ouran* «urine».

Méd. Excrétion d'urine; débit urinaire. *Troubles de la diurèse. Accroître, diminuer la diurèse.* → **Diurétique.**

Spécialt. Excrétion excessive d'urine. → **Polyurie.**

DIURÉTINE [djyʀetin] n. f. — xxᵉ; de *diurétique*, et *-ine*.

Pharm. Médicament diurétique à base de théobromine.

DIURÉTIQUE [djyʀetik] adj. et n. m. — XIIIᵉ; lat. médical *diureticus*, grec *diourêtikos* «qui fait uriner», de *diourêin*. → Diurèse.

Méd. et cour. Qui augmente l'excrétion d'urine*. *Remède diurétique. Plante diurétique et apéritive.*

N. m. *Un diurétique. L'eau, l'alcool, la bourrache, le colchique, le fenouil, le genêt, la digitale, la graine de lin, le grémil, l'herbe aux perles, la scille, la théobromine sont des diurétiques.*

CONTR. et COMP. **Antidiurétique.** ◊ DÉR. **Diurétine.**

DIURNAL, ALE, AUX [djyʀnal, o] adj. et n. m. — 1525; bas lat. *diurnalis*, de *diurnus*. → Diurne.

Didactique ou littéraire.

◆ **1** Adj. De chaque jour. → **Journalier, quotidien.** *Repos diurnal.* — Spécialt. Antiq. *Actes diurnaux des Romains :* sorte de journal officiel institué par César. → **Diurne.**

◆ **2** N. m. (1671). Relig. *Un diurnal, des diurnaux :* livre de prières qui renferme spécialement l'office du jour.

DIURNE [djyʀn] adj. — 1425; rare av. XVIIIᵉ; lat. *diurnus*, de *dies* «jour».

◆ **1** Didact. Qui dure un jour ou vingt-quatre heures. — Astron. *Mouvement diurne de la Terre*, sa rotation autour de son axe. *Le mouvement diurne :* mouvement apparent, circulaire et uniforme des étoiles dans le ciel en vingt-quatre heures. → **Ciel** (cit. 7). Zool. Se dit d'animaux qui ne vivent qu'un jour. *L'éphémère est un papillon diurne.*

◆ **2** Cour. Qui a lieu le jour, se produit, se manifeste le jour. *Phénomènes diurnes et nocturnes. Températures diurnes. Les activités diurnes.* → aussi **Circadien.**

Spécialt. Qui se montre le jour. *Vie diurne.* — (1606, *in* D. D. L.). Zool. *Rapaces* diurnes, ceux qui ne volent que le jour. *Papillons* diurnes, et, n., *les diurnes :* papillons qui ne volent qu'au grand jour. — Bot. *Plante, fleur diurne,* qui s'épanouit le jour et se ferme pendant la nuit. *La belle-de-jour est une fleur diurne.* — Méd. *Fièvre diurne,* dont les accès apparaissent pendant le jour.

Par ext. *La lumière diurne* (opposé à éclairage artificiel) : la lumière du jour.

◆ **3** Antiq. Qui se reproduit chaque jour. → **Diurnal.** *Les actes diurnes des Romains.*

CONTR. **Nocturne.**

DIVA [diva] n. f. — 1832, Gautier; ital. *diva*, proprt «déesse».

Cantatrice d'opéra en grand renom. *La diva est l'ancêtre de la star. Les grandes divas du XIXe siècle. Caprices de diva.*

C'était ce que nous appelons la véritable diva, c'était le rêve, une Carmen on n'en reverra pas.
> PROUST, Sodome et Gomorrhe, éd. L. de Poche,
> p. 358.

Par ext. Chanteuse célèbre. *Les divas du caf'conc'.* → **Divette.**

(V. 1920). Vx. Célèbre vedette féminine de cinéma (on a aussi employé le masc. *divo,* en ce sens).

DIVAGANT, ANTE [divagã, ãt] adj. — 1845; p. prés. de *divaguer.*

◆ **1** Vx. Qui voyage à l'aventure. — (Choses). Qui divague. *Rivière divagante.* — (Écrit *divaguant*). → 1. Utriculaire, cit.

◆ **2** Mod., littér. Qui pense ou s'exprime sans ordre, sans lien logique. *Un orateur, un écrivain divagant.* — *Poésie divagante.* → **Divagateur.**

N. (Rare). *Des divagants.*

DIVAGATEUR, TRICE [divagatœR, tRis] adj. et n. — 1842; dér. sav. de *divaguer.*

Rare. Qui divague* (2.). *Imagination divagatrice. Avoir un esprit divagateur.* — N. Personne qui divague souvent. — Syn. rare : *divagant.*

DIVAGATION [divagasjõ] n. f. — 1577; de *divaguer.*

◆ **1** Vx. Action de divaguer* (1.). Mod. *Divagation d'une rivière,* le fait pour une rivière de sortir de son lit et de couler ailleurs. → **Défluviation.**

Dr. *Divagation des animaux domestiques, du bétail,* le fait que le propriétaire ou la personne qui en est responsable les laisse errer sur la voie publique ou sur les biens d'autrui. — *Divagations des fous.*

1 Seront punis d'une amende (...) 2° Ceux qui auront occasionné la mort ou la blessure des animaux ou bestiaux appartenant à autrui, par l'effet de la divagation des fous ou furieux, ou d'animaux malfaisants ou féroces (...)
> Code pénal, art. 479.

◆ **2** Fig. et cour. (souv. au plur.). Action de l'esprit (d'une personne) qui erre en dehors d'un sujet précis. → **Digression, élucubration, rêverie** (→ Claustration, cit. 2; acquérir, cit. 1). *Les divagations d'un rêveur, d'un auteur. Se perdre dans des divagations sans fin.*

2 (...) il n'en pouvait finir aucun *(livre),* et se perdait en des divagations, des flâneries sans fin, qui laissaient une lassitude, une tristesse mortelle.
> R. ROLLAND, Jean-Christophe, L'adolescent, I,
> p. 263.

Spécialt. Le fait de déraisonner; suite de pensées ou d'expressions sans lien logique. *Les divagations d'un fou* (→ **Folie**), *d'un malade* (→ **Délire**). *N'écoutez pas ses divagations, il ne sait ce qu'il dit.* → **Extravagance.**

3 J'ajoute qu'il devient inquiétant, que journellement, en son bureau, il mêle à ses divagations les noms de ses supérieurs hiérarchiques (...)
> COURTELINE, Messieurs les ronds-de-cuir, III, I,
> p. 95.

DIVAGUER [divage] v. intr. — 1534; bas lat. *divagari* «errer çà et là», de *dis-,* et lat. class. *vagari,* même sens.

◆ **1** Vx. Errer çà et là. → **Égarer** (s'), **errer, vaguer.**

1 Je n'étais qu'une âme errante qui divaguait çà et là dans la campagne pour user les jours.
> LAMARTINE, Graziella, IV, XI.

Mod. *Rivière qui divague,* qui sort de son lit pour couler ailleurs. — Par anal. *Chemin, route qui divague.*

Dr. *Laisser divaguer des bestiaux hors de leur pâturage; des fous sur la voie publique.* → **Divagation.**

2 Seront punis d'amende (...) 7° Ceux qui auraient laissé divaguer des fous ou des furieux étant sous leur garde, ou des animaux malfaisants ou féroces (...)
> Code pénal, art. 475.

◆ **2** Fig. **ⓐ** Vieilli. Penser, parler sans sujet précis. *Divaguer avec des amis sur divers sujets.*

ⓑ Mod., péj. Ne pas raisonner correctement, dire des absurdités, spécialt, sous l'effet du délire. → **Battre** (la campagne), **dérailler, déraisonner.** *Cet orateur divague. La fièvre faisait divaguer le malade.*

3 (...) je crois que je rêve, répondit Germain; c'est la faim qui me fait divaguer peut-être !
> G. SAND, la Mare au diable, VIII, p. 70.

ⓒ Cour. Parler d'une manière absurde. → **Délirer** (fig.), **extravaguer.** — Fam. *Qu'est-ce que tu dis? Tu divagues complètement! Arrête de divaguer.*

4 Prends garde ! tu vas mentir. Déjà tu divagues comme une ablette étourdie. Réponds lentement. Qu'as-tu perdu? Est-ce ta toupie?
> J. RENARD, Poil de Carotte, La pièce d'argent, I.

DÉR. Divagant, divagateur, divagation.

DIVAN [divã] n. m. — 1519; turc *diouan,* arabe *dīwān* «registre, salle de réunion» (→ Douane), d'un mot persan.

Ⅰ ◆ **1** Hist. Salle garnie de coussins où se réunissait le conseil du Sultan, sous l'Empire ottoman.

1 Je voudrais bien savoir quel parti prennent les puissances chrétiennes à recevoir tous les jours des nasardes sur le nez de leurs ambassadeurs dans le divan de Stamboul.
> VOLTAIRE, Lettres, 3443, 26 fév. 1769,
> Au comte de Voronzof.

(1559). Par métonymie. Le conseil du Sultan. *Le grand vizir était le chef du divan.*

2 Le sultan, indigné fit assembler un divan extraordinaire, et y parla lui-même, ce qu'il ne faisait que très rarement.
> VOLTAIRE, Charles XII, VI.

(1759). Par ext. Le gouvernement turc.

3 (...) pour engager le divan à déclarer la guerre au czar (...)
> VOLTAIRE, Hist. de l'Empire de Russie, I, XIX.

◆ **2** (V. 1660). Par anal. Dans les maisons turques, musulmanes, Vaste salle de réception entourée de coussins.

◆ **3** (Mil. XIXe). Vx. À Paris, Café meublé à la manière orientale à l'époque romantique.

3.1 Le divan est l'estaminet des lions, des dandys, des gants-jaunes de Paris, c'est un café où l'on ne fume que le cigare et la cigarette; la pipe n'y est point tolérée. Les divans, placés tout autour de la salle, permettent aux habitués de s'étendre à la turque (...)
> Charles PAUL DE KOCK, la Grande Ville, t. I, p. 136.

◆ **4** Vx. Recueil de poésies orientales (*in* Littré). *Divan lyrique. Le Divan de Goethe.*

Ⅱ (1742; «estrade à coussins», 1653; de l'arabe égyptien; même mot que *divan, I.*). Cour. Long siège sans dossier ni bras qui peut servir de lit de repos (le *canapé* a un dossier). — Ameublement, cit. 2. *Divan garni de coussins* (→ **Coussin,** cit. 1 et 2). *S'asseoir, s'installer, s'allonger sur un divan. Divan-lit* ou *lit-divan :* divan qui se transforme en lit pour la nuit. *Divans et canapés transformables. Divans à dossiers, à bras.* → **Canapé, sofa.** *Divan surmonté d'une étagère.* → **Cosy.**

4 Je me couchai sur un divan dans l'angle de la salle (...)
> CHATEAUBRIAND, Itinéraire..., 72.

5 Des rideaux aux fenêtres et un large divan couvert d'une étoffe à ramages rouges complètent cette première installation, qui est pour l'instant une installation modeste.
> LOTI, Aziyadé, Solitude, XX, p. 61.

6   En haut, se trouvait une sorte de studio qui contenait un divan et beaucoup de sièges disparates (...)
         J. ROMAINS, les Hommes de bonne volonté, t. IV,
                              XVI, p. 171.

DIVE [div] adj. f. — 1564, Rabelais; 1357, au masc.; lat. *diva* «divine», fém. de *divus*.

Vx. Divine, dans la loc. *la dive bouteille*, le vin. *Être adorateur de la dive bouteille* : aimer à boire.

En faisant ce métier d'échanson, Bilot affectait une religieuse gravité; on eût dit un prêtre de Bacchus officiant et célébrant les mystères de la dive bouteille (...)
       Th. GAUTIER, le Capitaine Fracasse, t. I, VIII, p. 271.

Poét. et vx. Divine (ex. *in* T. L. F.).

DIVERGENCE [divɛRʒɑ̃s] n. f. — 1626; lat. *divergentia*, du supin de *divergere*. → Diverger.

♦ 1 **Didact.** Situation réciproque d'éléments qui divergent*, qui (d'abord confondus ou voisins) vont en s'écartant. → **Dispersion, écartement.** *La divergence de deux lignes, de deux droites, de deux courants de circulation.* — Opt. *Divergence des rayons lumineux réfléchis par un miroir convexe.* — *Divergence des axes de fixation des yeux.* → **Strabisme** (divergent). — Bot. *Angle de divergence*, de rameaux divergents*.

♦ 2 (1801). **Fig.** Le fait de diverger (*la divergence entre une chose et une autre, entre plusieurs choses*); différence, opposition qui en résulte (*une, des divergences*). *Divergence d'idées, d'opinions, de vues.* → **Désaccord, différence, écart.** *Il y a entre eux des divergences inconciliables. Divergences confessionnelles* (cit. 1). *Divergences entre deux versions d'un même fait.* → **Contradiction, opposition.**

1   En fait de contradictions, par exemple, il n'y a pas d'esprit dégagé de préoccupations théologiques qui ne soit forcé de reconnaître les divergences inconciliables entre les synoptiques et le quatrième évangile, et entre les synoptiques comparés les uns avec les autres.
       RENAN, Souvenirs d'enfance..., V, III, p. 214.

2   Il flaira aussitôt que le frère et la sœur ne portaient pas le même jugement sur le caractère de l'enfant, et que cette divergence créait entre eux un point de désaccord.
       MARTIN DU GARD, les Thibault, t. IX, p. 46.

♦ 3 **Math.** Propriété d'une série dont la somme des termes ne tend vers aucune limite.

♦ 4 (Av. 1959). **Phys.** Établissement, dans un réacteur, d'une réaction nucléaire en chaîne divergente.

CONTR. (Du sens 1) **Convergence.** — (Du sens 2) **Accord, analogie, concordance.**

DIVERGENT, ENTE [divɛRʒɑ̃, ɑ̃t] adj. — 1626; lat. *divergens*, p. prés. de *divergere*. → Diverger.

♦ 1 **Sc. et didact.** Qui diverge*, qui va en s'écartant. — *Rayons divergents. Lignes, droites divergentes.* — Math. *Série divergente*, dont la somme des termes ne tend vers aucune limite finie. — Bot. *Rameaux divergents* : rameaux qui s'écartent de la tige.

(XXᵉ). **Par ext.** *Lentille divergente*, qui fait diverger un faisceau parallèle de lumière (ex. : lentilles biconcaves).

♦ 2 **Fig.** Qui s'éloigne. *Pensées divergentes*, qui s'écartent les unes des autres.

1   (...) un souvenir ne se prolonge que dans une direction divergente de l'impression avec laquelle il a coïncidé et de laquelle il s'éloigne de plus en plus.
       PROUST, À la recherche du temps perdu, t. XV,
                             p. 62.

2   Ils sont l'un près de l'autre, immobiles, silencieux, et leurs pensées, divergentes, galopent, galopent (...)
       MARTIN DU GARD, les Thibault, t. III, p. 170.

(1792). Qui ne s'accorde pas. → **Différent, éloigné, opposé.** *Idées, opinions, principes divergents. Interprétations divergentes d'un fait*, différentes jusqu'à être incompatibles.

CONTR. Convergent. — **Analogue, concordant, ressemblant, semblable.**

DIVERGER [divɛRʒe] v. intr. [CONJUG.: *bouger*.] — 1720; lat. *divergere* «incliner», de *dis-*, et *vergere* «être tourné vers, incliner».

♦ 1 **Sc. et didact.** Aller en s'écartant de plus en plus (en parlant d'éléments plus ou moins rapprochés à leur point de départ). → **Écarter** (s'). *Les côtés d'un angle divergent en s'éloignant du sommet. Les rayons d'une roue divergent du moyeu.* — Opt. *Rayons lumineux qui divergent.* — Par ext. *Routes qui divergent. Lignes de chemin de fer qui divergent d'un aiguillage.* → **Bifurquer.**

1   Quand le soleil était descendu à l'horizon, ses rayons, brisés par les troncs des arbres, divergeaient dans les ombres de la forêt, en longues gerbes lumineuses.
       BERNARDIN DE SAINT-PIERRE, Paul et Virginie.

2   (...) les autres (*poissons*)divergent d'un centre commun, comme d'innombrables traits d'or (...)
       CHATEAUBRIAND, le Génie du christianisme, I, V,
                             IV.

(Avec un sujet au sing.). S'écarter d'une direction de référence. *Son œil droit diverge un peu.*

♦ 2 **Fig.** S'écarter de plus en plus (d'une origine commune, d'un type commun).

3   Il en est des types moraux comme des types organiques; à l'origine, ils sortent d'une souche commune, mais, plus ils s'achèvent, plus ils s'écartent; c'est qu'ils se font divergeant.   TAINE, Philosophie de l'art, t. II, p. 43.

(1798). Être en désaccord*. → **Différer.** *Idées, opinions, théories qui divergent. Leurs interprétations divergent sur ce point. Leurs politiques commencent à diverger sérieusement.*

REM. Aux sens 1 et 2, le verbe semble pouvoir s'employer avec un complément prépositionnel (*diverger vers...*, Maeterlinck, *in* T.L.F.; *diverger d'avec...*).

♦ 3 (Mil. XXᵉ). **Phys. nucl.** Entrer en divergence*, amorcer une réaction en chaîne (en parlant d'un réacteur).

CONTR. Converger. — Rapprocher (se); **confondre** (se), **rassembler** (se), **ressembler** (se). ◊ **DÉR.** V. Divergence, divergent.

DIVERS, ERSE [divɛR, ɛRs] adj. — 1119; lat. *diversus* «opposé», puis «varié», p. p. de *divertere*. → Divertir.

♦ 1 **Vx ou littér.** Qui présente plusieurs aspects, plusieurs caractères différents, simultanément ou successivement. → **Bariolé, composite, disparate, diversiforme, hétérogène, varié; changeant** (cit. 6), **ondoyant.** *Un pays, un peuple divers. Il a une intelligence très diverse.*

1   Certes, c'est un sujet merveilleusement vain, divers, et ondoyant, que l'homme. Il est malaisé d'y fonder (*un*) jugement constant et uniforme.
                   MONTAIGNE, Essais, I, 1.

2   Il n'est chose en quoi le monde soit si divers qu'en coutumes et (*en*) lois.   MONTAIGNE, Essais, II, 12.

3   Oh! combien l'homme est inconstant, divers,
Faible, léger, tenant mal sa parole!
       LA FONTAINE, Contes et nouvelles, «La clochette».

4   (*Amants, heureux amants*)
Soyez-vous l'un à l'autre un monde toujours beau,
Toujours divers, toujours nouveau.
       LA FONTAINE, Fables, IX, 2.

5   Sa terre (*de la France*) qui est diverse comme le peuple qui l'habite, est une par l'heureux assemblage de sa diversité (...)
       VALÉRY, Regards sur le monde actuel, p. 256.

♦ **2** Cour. Au plur. Qui présentent des différences intrinsèques et qualitatives, en parlant des choses que l'on compare. → **Différent, dissemblable, distinct, varié.** *Les opinions, les théories les plus diverses. Parler sur les sujets les plus divers.* → À bâtons* rompus. *Les noms divers du Créateur* (cit. 2). *Ils agissent ensemble pour des raisons diverses, pour des motifs très divers. Les éclectiques prennent ce qui leur paraît bon dans des systèmes divers. En des temps divers, à des heures diverses. Choses diverses et mal assorties.* → **Disparate, hétéroclite; bric-à-brac, capharnaüm.**

6   De tant d'objets divers le bizarre assemblage
     Peut-être du hasard vous paraît un ouvrage.
                         RACINE, Athalie, II, 5.

7   Une ample comédie à cent actes divers,
     Et dont la scène est l'univers.
                         LA FONTAINE, Fables, V, 1.

8   Aucune action humaine n'a de source unique, les motifs les plus divers se coalisent pour la nécessiter, elle est l'aboutissement des causes dissemblables et multiples, dont on ne voit que la plus sensible ou la dernière.
                         Edmond JALOUX, le Jeune Homme au masque,
                         XIV, p. 225.

9   Apportez-moi, dès que vous pourrez, trois ou quatre bouteilles de votre eau, puisées à des heures diverses du jour et de la nuit.
                         J. ROMAINS, les Hommes de bonne volonté, t. V,
                         XIV, p. 107.

Frais divers, dépenses diverses (qui ne sont pas classés dans une rubrique précise), et, n., *divers. Nourriture et logement : 5 000 francs; divers : 2 000 francs.*

Loc. *Mouvements divers* : réactions différentes provenant de plusieurs personnes ou groupes (notamment au cours d'un débat, pendant ou après un discours, et en parlant de réactions hostiles).

♦ **3** (1838, *in* D.D.L.). **FAITS DIVERS** : les incidents du jour : accidents, crimes, suicides, et, par métonymie, la rubrique sous laquelle on les groupe. *Petits faits divers* (→ Chiens* écrasés). — Au sing. *Un fait divers. Réflexions sur un fait divers,* de J. Paulhan.

♦ **4** Adj. indéfini. Au plur. (devant le nom). → **Différent** (2.), **multiple, plusieurs, quelconque.** *Diverses personnes m'en ont parlé. On m'a fait diverses propositions. En divers temps, à diverses heures... En diverses occasions. Ses œuvres connurent* (cit. 24) *diverses fortunes.*

10   La ville est partagée en diverses sociétés, qui sont comme autant de petites républiques (...)
                         LA BRUYÈRE, les Caractères, VII, 4.

♦ **5** Employé comme pron. Rare. *Divers pensent que...* (Académie). → **Aucun** (d'aucuns), **certain** (certains).

CONTR. **Égal, homogène, simple, uniforme; immuable, stable.** — **Analogue, identique, même, semblable.** — **Un, unique.** ◊ DÉR. V. **Diversifier, diversion.** — **Diversement.**

DIVERSEMENT [diversəmã] adv. — 1119; de *divers.*

♦ **1** Littér. D'une manière diverse. *Ils répondirent diversement. Parler diversement de* (→ Absence, cit. 5).

♦ **2** De diverses manières. → **Différemment.** *Fait diversement interprété par les commentateurs. Parler diversement de... Son attitude a été diversement appréciée* (par euphém., elle a été critiquée).

Les mots diversement rangés font un divers sens, et les sens diversement rangés font différents effets.
                         PASCAL, Pensées, I, 23.

DIVERSI- Élément de mots, du lat. *diversus* «divers». → **Diversicolore, diversiflore, diversifolié, diversiforme.**

DIVERSICOLORE [diversikɔlɔR] adj. — XIXe; de *diversi-,* et *colore.*

Didact. Dont la couleur varie suivant les individus. *Fleur diversicolore.*

DIVERSIFIANT, ANTE [diversifjã, ãt] adj. — D.i. (1916, *in* T.L.F.); p. prés. de *diversifier.*

Rare. Qui diversifie. *Action diversifiante.* → **Diversificateur.**

DIVERSIFICATEUR, TRICE [diversifikatœr, tris] adj. — XXe; du rad. de *diversification.*

Didact. Qui diversifie. → **Diversifiant.**

Pour que la reproduction sexuée puisse avoir son effet diversificateur, encore faut-il qu'une certaine variété préexiste au départ.
                         Jean ROSTAND,
                         Esquisse d'une histoire de la biologie, p. 183.

DIVERSIFICATION [diversifikasjɔ̃] n. f. — 1286; dér. sav. de *diversifier.*

Action de diversifier, de se diversifier; son résultat. — (Concret). Sc. *La diversification des espèces; des cellules de l'embryon.* — (Abstrait). *La diversification du savoir* (→ Spécialisation).

(V. 1966). Écon. Le fait de varier les biens que l'on produit, vend ou achète, ou de mettre en œuvre de nouveaux produits ou services.

Didact. Le fait d'assurer des possibilités de choix dans l'enseignement (cours, matières à option*; opposé à *programme unique*), la recherche, la vie professionnelle.

CONTR. **Unification, uniformisation.** ◊ DÉR. (Du même rad.) **Diversificateur.**

DIVERSIFIER [diversifje] v. tr. — V. 1256, *diversefier;* lat. médiéval *diversificare,* de *diversus* (→ Divers), et *facere* «faire».

♦ **1** Rendre divers, différents (une pluralité de choses, de personnes). *Diversifier les effets dans un récit, les poses, les attitudes dans un tableau. Diversifier ses lectures, ses occupations.* → **Changer.** *Cette entreprise cherche à diversifier ses produits.*

(Avec un compl. au sing.). *Diversifier sa production, son activité. Diversifier un thème en le variant.*

Dieu diversifie ainsi cet unique précepte de charité, pour   1
satisfaire notre curiosité qui recherche la diversité (...)
                         PASCAL, Pensées, III, 10.

♦ **2** Vx. Rendre plus divers, moins monotone. — Passif. «*Leur train de vie ordinaire, dont la monotonie était de temps en temps diversifiée par...*» (Mérimée, *in* T.L.F.).

♦ **SE DIVERSIFIER** v. pron.

Devenir divers. *Les cellules de l'embryon se diversifient pour former les tissus de l'organisme. Les connaissances, les sciences se diversifient au cours de l'histoire.*

(...) à mesure que l'évolution s'avance, les composés orga-   2
niques se diversifient et se distinguent tellement qu'il faut
les considérer comme distincts (...)
                         Claude BERNARD, Introduction à l'étude de la
                         médecine expérimentale, p. 97, *in* T.L.F.

(Passif). *Des nuances qui se diversifient à l'infini.*

Née des terreurs du moyen âge, la conception chrétienne   3
du diable s'est puissamment modifiée et diversifiée au dix-
neuvième siècle (...)
                         Émile HENRIOT, les Romantiques, p. 446.

◆ **DIVERSIFIÉ, ÉE** p. p. adj.

◆ **1** Divers. *Couleurs diversifiées.*

4 (...) une matière aussi vaste et aussi diversifiée que le sont les mœurs des hommes (...)
LA BRUYÈRE, les Caractères, XV, 26.

◆ **2** Spécialt. Qui a subi une diversification*.

CONTR. **Assimiler, unifier.** ◊ DÉR. **Diversifiant, diversification.**

DIVERSIFLORE [diⱽɛʀsiflɔʀ] adj. — XIXᵉ; de *diversi-*, et *-flore.*

Bot. Dont les fleurs ont des couleurs variées.

DIVERSIFOLIÉ, ÉE [diⱽɛʀsifɔlje] adj. — XIXᵉ; de *diversi-*, et *folié.*

Bot. Dont les feuilles ont des formes variées.

DIVERSIFORME [diⱽɛʀsifɔʀm] adj. — 1846; de *diversi-*, et *forme.*

Didact. Dont la forme est variable. → **Hétéromorphe.**

DIVERSION [diⱽɛʀsjɔ̃] n. f. — 1314; bas lat. *diversio*, du supin de *divertere* «détourner».

Action qui détourne.

◆ **1** Opération militaire destinée à détourner l'ennemi d'un point. *Opérer une diversion avant d'attaquer. Faire une diversion efficace.* — Loc. (1587). *Faire diversion.*

1 Phraate ne vit de ressource que dans la diversion qu'il voulait faire en Syrie (...)
BOSSUET, Disc. sur l'hist. universelle, I, 9.

2 (...) une puissante diversion du côté de l'Angleterre (...)
RACINE, Hist. du siège de Namur.

◆ **2** (1588). Fig. Action qui détourne qqn de ce qui le préoccupe, et, spécialt. de ce qui le chagrine, l'ennuie. → **Dérivatif, distraction, divertissement.** *Un travail régulier sera une diversion à son ennui. Faire diversion à qqch. :* détourner, distraire, divertir* de. → **Tromper.** *Seule une diversion le sauvera de cette obsession.* → **Changement.**

3 (...) don César et sa belle-fille n'épargnèrent rien pour faire diversion à mon chagrin; ils mirent tour à tour en usage les amusements les plus propres à me dissiper (...)
A. R. LESAGE, Gil Blas, XI, I.

4 Fièvreuses années! Nul répit, nulle relâche. Rien qui fasse diversion à ce labeur affolant.
R. ROLLAND, Jean-Christophe, p. 143.

5 Je souhaite une diversion qui m'arrache à moi-même pour un temps, à ma table de travail, à mon piano où ma mémoire est également excédée par l'effort que je lui demande. GIDE, Journal, 22 mars 1917.

Par métonymie. Personne(s) qui constitue(nt) une diversion.

CONTR. **Fixation.**

DIVERSITÉ [diⱽɛʀsite] n. f. — V. 1160; lat. *diversitas*, de *diversus.* → Divers.

◆ **1** Caractère, état de ce qui est divers* (1. et 2.). → **Hétérogénéité, pluralité, variété.** *La diversité des aspects* (cit. 25) *du monde, des choses. Diversité des avis, des jugements, des opinions* (→ Considérer, cit. 4). *La diversité des goûts. Grande, infinie diversité. Diversité des types physiques, des vêtements, dans une foule.*

Vieilli ou littér. (avec un compl. au sing.). *La diversité d'une chose, la présence en elle d'éléments, d'aspects divers. La diversité de son style.* → **Variété.**

1 (Il) ne fut jamais au monde deux opinions pareilles, non plus que deux poils ou deux grains. Leur plus universelle qualité *(des esprits)* c'est la diversité.
MONTAIGNE, Essais, II, XXXVII (cf. aussi PASCAL, Pensées, II, 114-115).

Cette diversité dont on vous parle tant,
Mon voisin Léopard l'a sur soi seulement;
Moi, je l'ai dans l'esprit (...) 2
Le singe avait raison : ce n'est pas sur l'habit
Que la diversité me plaît; c'est dans l'esprit (...)
LA FONTAINE, Fables, IX, 3.

C'est un grand agrément que la diversité. 3
LA MOTTE-HOUDAR, Fables,
«Les amis trop d'accord» (→ Uniformité, cit. 3).

Je me persuadais que chaque être (...) avait à jouer un rôle 4 sur la terre, le sien précisément, et qui ne ressemblait à nul autre (...) Au vrai, j'étais grisé par la diversité de la vie, qui commençait à m'apparaître, et par ma propre diversité (...)
GIDE, Si le grain ne meurt, I, X, p. 274.

◆ **2** Différence, divergence, écart..., opposition. *Diversité entre deux points de vue.*

Elle *(la Brinvilliers)* avait (...) deux confesseurs : l'un disait 5 qu'il fallait tout dire, et l'autre non : elle riait de cette diversité (...)
Mᵐᵉ DE SÉVIGNÉ, 559, 22 juil. 1676.

(...) ressemblance qui se retrouve jusque dans les diversités 6 des deux religions.
B. CONSTANT, Journal intime.

CONTR. **Concordance, monotonie, ressemblance, uniformité.** ◊ COMP. **Biodiversité.**

DIVERTICULE [diⱽɛʀtikyl] n. f. — V. 1500, au sens 2; lat. *diverticulum* «endroit écarté», de *divertere.* → Divertir.

◆ **1** (1824, Nysten, in D. D. L.). Anat. et pathol. Cavité normale ou pathologique, en forme de poche, communiquant avec un organe creux ou un conduit. *Diverticule du côlon, de l'œsophage. «le complexe pinéal de la grenouille Rana (...) Ce complexe, vu ici en coupe sagittale, est formé de deux éléments,* l'épiphyse *et un diverticule qui en est issu, l'organe* frontal. L'organe frontal est caractéristique des anoures (grenouilles, crapauds, etc.)» (la Recherche, juin 1981, p. 725).

◆ **2** Recoin, endroit écarté formant prolongement. *Les diverticules d'un lac. Un vieux château riche en couloirs et en diverticules.*

(...) une salle de restaurant qui se prolonge au fond par un 1 diverticule où il y a juste la place d'une table, d'un banc et de trois chaises, qui est une courette couverte pour donner la place de six clients de plus.
ARAGON, le Paysan de Paris, p. 113.

Figuré :

L'amour, sans doute, vaut qu'on le fasse... Mais comme 2 occupation de l'esprit, sujet de romans et d'études, il est traditionnel et fastidieux et il l'est d'autant plus que l'on néglige plus de le lier à la *fécondation.* Dont il est un incident, un épisode ou diverticule comme le rêve peut être un incident de la digestion ou de la circulation.
VALÉRY, Cahiers, t. II, Pl., p. 402.

DIVERTIMENTO [diⱽɛʀtimento] n. m. — 1951; mot italien.

Mus. Divertissement* (cit. 5.1).

DIVERTIR [diⱽɛʀtiʀ] v. tr. [CONJUG.: *finir.*] — V. 1370; lat. *divertere* «détourner», de *dis*, et *vertere* «tourner, se tourner».

I Vx ou spécialt. ◆ **1** Vx. Détourner, éloigner (qqch., qqn) en écartant.

Après de si beaux coups qu'il a su divertir. 1
MOLIÈRE, l'Étourdi, III, 1.

(Compl. n. de personne) :

Elle ! s'écria la vieille Zéphirine, l'auteur de tous nos maux, 2 elle qui l'a diverti de sa famille, qui nous l'a enlevé (...)
BALZAC, Béatrix, Pl., t. II, p. 515.

◆ **2** Mod. (Dr.). Soustraire à son profit. → **Détourner** (III.), **distraire, soustraire.** *Divertir de l'argent remis en dépôt. Il a diverti les titres qu'on lui avait confiés. Divertir des fonds.* — *Divertir une partie de la* *succession ; un des époux a diverti des effets de la communauté* (→ Divertissement).

3 Celui des époux qui aurait diverti ou recélé quelques effets de la communauté, est privé de sa portion dans lesdits effets.   Code civil, art. 1477.

4 Les héritiers qui auraient diverti ou recélé des effets d'une succession, sont déchus de la faculté d'y renoncer (...)
                                             Code civil, art. 792.

II ♦ 1 (XVIIe). Vieilli. Détourner (qqn, l'esprit de qqn) de ce qui occupe. → **Distraire.** *Divertir qqn d'une occupation, d'un projet, d'une entreprise. Il faut le divertir de ses ennuis, de ses soucis. Divertir l'attention* (cit. 1), *la pensée de qqn.*

5 (...) c'est rendre un homme heureux de le divertir de la vue de ses misères domestiques (...)
                                             PASCAL, Pensées, II, 142.

6 Si je n'oubliai pas complètement les liens que j'avais contractés, j'étais occupé d'intérêts qui m'en divertissaient (...)
                               BALZAC, le Médecin de campagne, Pl., t. VIII,
                                                                    p. 480.

7 Douze siècles ne sont rien pour une caste que le spectacle historique de la civilisation n'a jamais divertie de sa pensée principale (...)
                               BALZAC, les Paysans, Pl., t. VIII, p. 90.

Absolt. Détourner d'une préoccupation dominante, essentielle, ou jugée telle. → **Divertissement.**

8 (...) l'homme, quelque heureux qu'il soit, s'il n'est diverti et occupé par quelque passion ou quelque amusement qui empêche l'ennui de se répandre, sera bientôt chagrin et malheureux.   PASCAL, Pensées, II, 139.

9 Le monde sert à cela surtout : il nous surveille ; nous oblige à nous tenir sur nos gardes. Il nous détourne de nous-mêmes, nous divertit.
                               F. MAURIAC, la Province, p. 29.

♦ 2 Mod. et cour. (mais style soutenu). Distraire en récréant. → **Amuser, distraire, égayer, récréer.** *Le spectacle nous a bien divertis. Divertir un auditoire par des boutades, des saillies.* → **Rire** (faire rire). *Il me divertit par sa maladresse. Sa bonne volonté et sa gaucherie me divertissent.* → **Réjouir.**

10 Pour l'homme aux rubans verts (...) il me divertit quelquefois avec ses brusqueries et son chagrin bourru (...)
                               MOLIÈRE, le Misanthrope, V, 4.

11 (...) un charlatan du Pont-Neuf disait à son singe, en commençant ses jeux : «Allons, mon cher Bertrand, il n'est pas question ici de s'amuser. Il nous faut divertir l'honorable compagnie.»
                               CHAMFORT, Caractères et Anecdotes,
                                             « Lectures demandées ».

12 Il (Destouches) dit : «Je crois que l'art dramatique n'est estimable qu'autant qu'il a pour but d'instruire en divertissant.»
                               G. DUHAMEL, la Défense des lettres, V, p. 301.

♦ SE DIVERTIR v. pron. (1633).

♦ 1 Vieilli ou philos. Se détourner de ce qui occupe, et, spécialt, des problèmes essentiels (→ **Divertissement,** 2.).

♦ 2 Cour. Se distraire, se récréer. *Après un si long travail il voudra se divertir. Les enfants se divertissent.* → **Amuser** (s') (cour.), **jouer.** *Vous avez l'air de bien vous divertir.* → **Amuser** (s'), **rire.** — (Vx.) *Se divertir sous cape* (cit. 5), *à petit bruit* (cit. 31). — *Se divertir en s'instruisant* (→ Culture, cit. 9).

13 (...) il fit son livre tout au contraire pour se distraire et s'amuser, pour se divertir et non pour s'avertir.
                               FRANCE, le Petit Pierre, XXXIII, p. 236.

14 (...) il l'appelait «petite sœur», riait de tout et se divertissait lui-même de sa verve.
                               MARTIN DU GARD, les Thibault, t. II, p. 252.

Se divertir à... Ils se divertissaient à jouer aux cartes (cf. Passer le temps en...).

15 (...) il se divertissait à l'ahurir d'injures, de scies empruntées au répertoire varié des rapins de la place Pigalle.
                               COURTELINE, Messieurs les ronds-de-cuir,
                                             2e tableau, I, p. 57.

Vieilli. Se divertir de... → **Moquer** (se moquer de), **rire** (de). *Se divertir de la maladresse de qqn.*

16 — (...) je me suis divertie de tout ce qu'il m'a dit. — (...) à la fin, il pourrait bien se divertir de vous.
                               MARIVAUX, le Paysan parvenu, I, p. 15.

Spécialt, vx. Avoir des activités érotiques. → **Amuser** (s').

♦ DIVERTI, IE p. p. adj.

(Personnes). Vx. Distrait. — Mod. Amusé. *Le public est sorti tout à fait diverti.*

CONTR. Ennuyer, importuner. ◊ **DÉR.** Divertissant, divertissement.

DIVERTISSANT, ANTE [divertisã, ãt] adj. — 1637 ; p. prés. de *divertir.*

Style soutenu ou iron. Qui divertit*, qui délasse et amuse. → **Distrayant ; amusant, drôle, plaisant, récréatif.** *Une histoire, une aventure* (cit. 11) *divertissante. Un spectacle très divertissant.*

Spécialt. Qui amuse en suscitant la moquerie. *Étourderie, méprise divertissante.*

(Personnes ; souvent péj.). *Un divertissant imbécile.* → **Ridicule.** *Un personnage divertissant.* → **Amusant.**

(...) c'est un père malcommode, mais il n'est pas ennuyeux. Il est même divertissant. Avoue qu'il a de l'imprévu.
                               G. DUHAMEL, Chronique des Pasquier, IV, VI,
                                                                    p. 310.

CONTR. Ennuyeux, fastidieux, insipide, maussade, monotone, triste.

DIVERTISSEMENT [divertismã] n. m. — 1494 ; de *divertir.*

I Vx ou spécialt. Action de détourner à son profit. → **Divertir** (1.) ; **détournement.** *Le divertissement d'une somme d'argent par qqn.*

Mod. (Dr.). Détournement* par un copartageant (cohéritier ou conjoint) d'une partie de la succession ou de la communauté. *Divertissement par la veuve des effets de la communauté* (cf. Code civil, art. 1460 ; → aussi Divertir, cit. 3 et 4).

II ♦ 1 (1580). Vieilli. Action de détourner de ce qui occupe. → **Distraction.** — Absolt. Philos. Occupation qui détourne l'homme de penser aux problèmes essentiels qui devraient le préoccuper. — Spécialt, dans l'œuvre de Pascal (→ cit. *infra*, et Divertir, cit. 8 ; dangereux, cit. 2).

1 La seule chose qui nous console de nos misères est le divertissement, et cependant c'est la plus grande de nos misères ; car c'est cela qui nous empêche principalement de songer à nous, et qui nous fait perdre insensiblement. Sans cela, nous serions dans l'ennui, et cet ennui nous pousserait à chercher un moyen plus solide d'en sortir ; mais le divertissement nous amuse, et nous fait arriver insensiblement à la mort.   PASCAL, Pensées, II, 171.

2 Mais supposé (...) que les exercices de la piété souffrent des intervalles et que les hommes aient besoin de divertissement, je soutiens qu'on ne leur en peut trouver un qui soit plus innocent que la comédie.
                               MOLIÈRE, Tartuffe, Préface.

♦ 2 (1652). Mod. **ⓐ** *Le divertissement (de qqn),* action de divertir, de se divertir. → **Agrément, amusement, délassement** (cit. 3), **distraction, plaisir, récréation.** *Il se livre à ce travail pour son divertissement personnel. Il ne recherche que son divertissement. Le divertissement du public. Le Bourgeois gentilhomme, comédie-ballet pour le divertissement du Roi, de Molière.*

3 On serait bien malheureux, en pareil cas, d'en être réduit à réclamer l'indulgence, car le public n'en a guère ; il veut avant tout son divertissement et son plaisir.
                               SAINTE-BEUVE, Causeries du lundi, 13 mai 1850,
                                                                    t. II, p. 104.

4   Il m'importe peu que des étrangers frivoles voient dans la femme française une gracieuse poupée faite pour le divertissement de l'homme après les affaires.
G. DUHAMEL, Inventaire de l'abîme, VI, p. 82.

b *(Un, des divertissements).* Moyen de se divertir. → **Distraction, jeu, passe-temps, plaisir** (partie de plaisir), **réjouissance,** etc. *La chasse, la pêche sont ses divertissements favoris. Un divertissement coûteux. Le sport* est plus qu'un divertissement. La fantasia, divertissement équestre des Arabes. La course de taureaux, divertissement national espagnol. Les divertissements du carnaval, d'une fête. Le cinéma, le plus répandu des divertissements.*

5   L'intention réelle de Pélopidas était d'offrir à la jeune femme le rare divertissement d'une mêlée d'animaux féroces (...)   LÉON BLOY, la Femme pauvre, p. 148.

♦ 3 Spécialt. **a** Mus. Au XVIIIe siècle, Suite de courtes pièces instrumentales destinées à l'exécution en plein air, pendant un repas. → **Aubade,** 2. **cassation, sérénade.** *Divertissement de Mozart.* — Syn. : *divertimento.*

5.1   Le divertissement ou *divertimento* est une sorte de *suite* instrumentale, mais de forme plus libre : il n'y a pas obligatoirement, entre les différents morceaux dont il se compose (généralement cinq ou six, ou même davantage) d'affinités de structure. D'autre part, il est, en principe, écrit pour un groupe d'instruments solistes plutôt que pour l'orchestre.
André HODEIR, les Formes de la musique, p. 36.

Partie épisodique de la fugue*, séparant les expositions dans des tons voisins.

b Ancienn. Petit opéra de circonstance, comportant des entrées de ballet ; intermède dansé et chanté, pendant un entracte. *George Dandin ou le Grand Divertissement royal de Versailles,* de Molière et Lully (1668).

6   Je vous amène ici un divertissement, que j'ai rencontré, qui dissipera votre chagrin (...) Ce sont des Égyptiens, vêtus en Mores, qui font des danses mêlées de chansons (...)
MOLIÈRE, le Malade imaginaire, II, 9.

c Petite pièce d'un genre léger. *Divertissement joué dans un salon.*

d Littér. Œuvre de fantaisie, d'un caractère léger, agréable.

CONTR. Recueillement. — Affaires, ouvrage, travail. — Ennui.

DIVETTE [divɛt] n. f. — 1890 ; dimin. de *diva.*
Vieilli. Chanteuse d'opérette, de café-concert. *«Le troupier, la divette, le fin diseur...»* (→ Café-concert, cit. 2).

1   La nuit tombait, exaltant les lumières (...) d'un café-concert (...) je distinguais (...) l'émerveillement de la scène, sur laquelle une divette venait débiter des fadeurs.
GIDE, Si le grain ne meurt, I, I, p. 18.

2   Certains surnoms, assez cruels, ne disqualifiaient que les sots : les gens intelligents s'en accommodaient avec autant de grâce que d'insolence. Une divette célèbre vers 1893, qu'on avait — en raison de ses relations parmi les héritiers des divers trônes d'Europe — appelée «le Passage des Princes», s'amusait la première d'être ainsi baptisée.
Francis CARCO, Nostalgie de Paris, p. 124.

DIVIDENDE [dividãd] n. m. — 1151 ; lat. *dividendus* «qui doit être divisé», de *dividere.* → Diviser.

♦ 1 Arith. Nombre à diviser par un autre (appelé *diviseur*). *Dans la division, le dividende s'écrit à la gauche du diviseur. Le quotient exprime combien de fois le dividende contient le diviseur.*

♦ 2 (1742 ; *dividente* ou *divident,* 1735). Fin. Quote-part des bénéfices réalisés par une entreprise, attribuée à chaque associé lors de la répartition des bénéfices. — **Spécialt.** Dans une société par actions, Quote-part des bénéfices attribués à

chaque actionnaire ou au porteur de parts de fondateur. *Dividendes réels* (d'après des bénéfices réels) *et dividendes fictifs* (d'après des bénéfices fictifs). *Coupon de dividende.* → **Coupon** (cit. 1). *Toucher, recevoir un dividende, son dividende. Distribuer des dividendes. De gros dividendes. Acompte de dividende, sur dividende ; dividende provisoire.*

— Mais les services de la Grande Compagnie sont défectueux, sa cuisine est de seconde classe ! La preuve, c'est que vous, intéressé dans l'affaire, vous n'êtes même pas abonné !   0.1
— Sans doute, mais si notre cuisine est de seconde catégorie, nos dividendes sont de la première. C'est quelque chose, cela ! tandis que votre Compagnie nouvelle, avec sa cuisine de première classe, donnera des dividendes d'une maigreur à impressionner désagréablement l'actionnaire.
A. ROBIDA, le Vingtième Siècle, p. 81.

(Il) tient également pour argent gaspillé le dividende attribué aux actionnaires, qui toucheront une faible part des bénéfices dans les années très prospères, lorsqu'on aura prélevé les fonds destinés à être investis (...)   1
J. CHARDONNE, l'Amour du prochain, p. 197.

Le dividende n'est réel et ne peut être distribué qu'autant qu'il correspond à des bénéfices nets, effectivement réalisés et disponibles. Cela suppose que, préalablement, certaines défalcations auront été faites des sommes représentant la différence entre les recettes et les dépenses d'exploitation (...)   2
Le dividende réel est définitivement acquis aux actionnaires (...) Mais s'il était distribué en dehors des conditions qui viennent d'être indiquées, le dividende serait fictif.
Léon LACOUR, Précis de droit commercial, 358-359.

Spécialt. Quote-part des sommes provenant de la réalisation des biens d'un failli, attribuée à chacun des créanciers, ceux-ci étant en état d'union* (Code de commerce, art. 565).

DIVIDIVI [dividivi] ou **LIBIDIBI** [libidibi] n. m. — 1855, Littré et Robin ; mot amérindien (Colombie).
Bot. Variété de césalpinie* (*Cæsalpinia coriaria,* Willdenow) qui pousse en Amérique du Sud et aux Antilles. *Les gousses du dividivi sont riches en tanin.*

DIVIN, INE [divɛ̃, in] adj. et n. — XIVe ; *devin* au XIIe ; lat. *divinus,* de *divus* «dieu, divinité».

I Adj. **♦ 1** Qui appartient à Dieu, aux dieux ; qui vient de Dieu. → **Dieu, dive** (vx). *Caractère divin, essence, nature divine.* → **Divinité.** *Justice divine. Bonté divine.* — Loc. interj. *Bonté divine !,* juron atténué. — *S'abandonner* (cit. 35) *à la miséricorde divine. La puissance, la volonté divine, le vouloir divin. La colère, la vengeance divine. L'esprit divin, la grâce divine. La divine Providence ; la loi divine. Droit divin,* considéré comme révélé par Dieu aux hommes. *Monarchie de droit divin* (→ Dieu, cit. 48 ; attribut, cit. 5). *Instinct divin* (→ Conscience, cit. 14). *Les anges, messagers divins. La création divine, le souffle divin* (→ Âme, cit. 17).

Ô divine, ô charmante loi !   1
Ô justice ! ô bonté suprême !
Que de raisons, quelle douceur extrême
D'engager à ce Dieu son amour et sa foi !
RACINE, Athalie, I, 4.

L'homme, accoutumé à croire divin tout ce qui était puissant (...)   BOSSUET, Disc. sur l'hist. universelle, II, 3.   2

(...) cette paix sereine de Pascal entre les mains de la mort : elle communique la douceur du salut, au sein de la volonté divine (...)   3
André SUARÈS, Trois hommes, «Pascal», I, p. 31.

Trop longtemps, ce monde a composé avec le mal, trop longtemps, il s'est reposé sur la miséricorde divine.   4
CAMUS, la Peste, p. 111.

(Christianisme). *Les personnes divines* : les trois personnes de la Trinité. *Le divin Créateur, l'Être divin* : Dieu le père — *Le Verbe divin* : le fils de Dieu. *Le divin Maître, le divin Messie, le divin Rédempteur, le divin Sauveur* : le Christ. *Le divin Enfant* [divinɛ̃fɑ̃] : l'enfant Jésus. «*Il est né le divin enfant / Jouez hautbois, résonnez musettes*» (cantique de Noël). *Le fondateur, l'instituteur divin du christianisme* (cit. 3). *Les divines Écritures* : la Parole de Dieu ; la Bible. *Les clartés divines de l'Écriture* (→ Autre, cit. 99 ; blasphémer, cit. 6). — *La divine Mère, la Vierge divine* : la Vierge Marie. — *Les divins Apôtres. Les divins prophètes.* — *La divine hostie.*

Littér. *La Divine Comédie,* œuvre de Dante.

♦ **2** Qui est dû à Dieu, à un dieu. *Le culte, le service divin. L'office divin. L'amour* (cit. 3) *divin* (opposé à *l'amour profane*). *Une ferveur divine.*

5 Ô qu'il est doux de voir une ferveur divine
Dans les religieux nourrir la sainteté !
CORNEILLE, l'Imitation de J.-C., I, 25.

6 Les pères de l'Oratoire donnèrent par leur piété (...) au service divin sa majesté naturelle (...)
BOSSUET, Oraison funèbre de la reine d'Angleterre.

Par ext. (Antiq.). *Honneurs divins,* rendus par les Romains à leurs empereurs.

Spécialt. Mis au rang des dieux ; divinisé. *Le divin Achille. Le divin Auguste. Les Anciens faisaient de leurs ancêtres* (cit. 2) *des êtres divins.*

♦ **3** Littér. Qui est attribué à des causes surnaturelles. → Occulte, surnaturel (→ Compréhensible, cit. 2). *Les secrets divins de la nature* (→ Candeur, cit. 3).

♦ **4** (1552, Ronsard). Excellent, parfait. → Beau, bon, céleste, génial, parfait, sublime, suprême. *Une poésie, une musique divine. Un chant* (cit. 1) *divin. Une œuvre divine.* — *Cet écrivain, cet artiste est divin. Le divin Platon, le divin Virgile.* — Vieilli. *Adorable, charmant. Divine beauté, divins appas* (cit. 18). — (1814, *in* D.D.L.). Mod. (Personnes ; choses : spécialt, temps ; nourriture et boissons). Très agréable. *Il fait un temps divin.* → **Délicieux.** *Ce bordeaux est tout simplement divin.*

7 (...) j'allai dîner à Livry avec Corbinelli, il faisait divin, je me promenai délicieusement jusqu'à cinq heures (...)
Mᵐᵉ DE SÉVIGNÉ, 526, 22 avr. 1676.

8 De vos regards divins l'ineffable douceur (...)
MOLIÈRE, Tartuffe, III, 3.

9 (...) Ah ! divine princesse (...)
RACINE, Andromaque, II, 2.

10 Quoi qu'en dise Aristote et sa docte cabale,
Le tabac est divin, il n'est rien qui l'égale.
Thomas CORNEILLE, le Festin de Pierre, I, 1.

11 (...) il l'appela Théophraste, c'est-à-dire un homme dont le langage est divin.
LA BRUYÈRE, Disc. sur Théophraste.

12 Le mot *diabolique* ou *divin* appliqué à l'intensité des jouissances, exprime la même chose, c'est-à-dire des sensations qui vont jusqu'au surnaturel.
BARBEY D'AUREVILLY, les Diaboliques,
«Les dessous de cartes d'une partie de whist».

II N. ♦ **1** N. m. (1552, Ronsard). *Le divin* : ce qui est divin, relatif à Dieu, et, par ext., ce qui est surnaturel ; ce qui est parfait.

13 Quand je vis l'Acropole, j'eus la révélation du divin, comme je l'avais eue la première fois que je sentis vivre l'Évangile, en apercevant la vallée du Jourdain des hauteurs de Casyoun.
RENAN, Souvenirs d'enfance..., II, I.

14 (...) la Grâce, c'est-à-dire le contact avec le divin (...)
DANIEL-ROPS, Ce qui meurt..., II, p. 56.

♦ **2** N. f. Femme d'une beauté exceptionnelle. *Greta Garbo fut surnommée la Divine.* — (En surnom) :

Malgré l'abject où vous pourriez la tenir, Divine (*un homosexuel passif*) règne encore sur le boulevard. À une nouvelle (quinze ans peut-être) mal lingée, et qui se moque du clin d'œil, un mac dit en la bousculant :
— Elle, c'est la Divine ; toi, c'est la souillon.
Jean GENET, Notre-Dame-des-Fleurs, p. 96.

CONTR. Diabolique, infernal, satanique ; humain, terrestre ; profane. — Naturel. — Mauvais. ◊ DÉR. Divinement, diviniser. — V. Divinité.

DIVINATEUR, TRICE [divinatœʀ, tʀis] n. et adj.
— Mil. XVᵉ, n. ; lat. *divinator,* du supin de *divinare.* → Deviner.

♦ **1** N. (Vx). Personne qui pratique la divination*. → Devin, voyant. *Les pythies étaient des divinatrices.* — Personne à l'esprit pénétrant.

♦ **2** Adj. (1806). Didact. ou littér. Qui devine, qui prévoit ce qui doit arriver. *Puissance, science divinatrice.*

1 D'autres rapportaient cette vertu divinatrice des sibylles aux vapeurs (...) des cavernes qu'elles habitaient.
VOLTAIRE, Dict. philosophique, Sibylle.

♦ **3** *Instinct, esprit divinateur.* → **Clairvoyant, pénétrant, perspicace, sagace.**

2 Pauline n'aura jamais tort (...) Elle règne dans la maison, compétente et divinatrice.
J. CHARDONNE, les Destinées sentimentales, p. 248.

DIVINATION [divinasjɔ̃] n. f. — XIIIᵉ ; var. *devination,* 1214 ; lat. *divinatio,* du supin de *divinare.* → Deviner.

♦ **1** Action de découvrir ce qui est caché par des moyens qui ne relèvent pas d'une connaissance naturelle ou ordinaire ; pratique permettant cette découverte. → Devin ; astrologie, magie, mantique, occultisme, parapsychologie, spiritisme, et le suffixe -mancie (bibliomancie, cartomancie, etc.). *La divination de l'avenir** par un prophète, un voyant. → Oracle, prédiction, prophétie, révélation, voyance. *Les Anciens pratiquaient la divination par l'interprétation des signes (divination artificielle) ou par communication directe avec la divinité (divination spontanée). → Augure. Procédés de divination. → Mantique ; -mancie. Divination par le marc de café, à l'aide d'un miroir. La fulguration, divination par l'interprétation des éclairs. Les divinations de la pythie. Divinations par les entrailles des victimes, le vol des oiseaux* (→ Astrologie, cit. 2). *L'art de la divination. Don de voyance et de divination.* → Paranormal, cit.

1 C'est don de Dieu que la divination ; voilà pourquoi ce devrait être une imposture punissable, d'en abuser.
MONTAIGNE, Essais, I, 31.

2 Des divinations par les songes, des sortilèges (...)
PASCAL, Pensées, XXIII, 7, *in* HATZFELD.

Rare. Action, faculté de deviner. *Posséder la divination des pensées.*

♦ **2** Action de deviner, de connaître instinctivement ; résultat de cette action. → **Clairvoyance, inspiration, intuition, sagacité ; conjecture, hypothèse, prévision.** → Astronomie, cit. 2. *Divination instinctive. Avoir des divinations. Avoir la divination de qqch.* — *Manquer de divination. Une clairvoyance poussée jusqu'à la divination. Comment le sait-il ? C'est de la divination ! Ce fut par une sorte de divination que Champollion pénétra le sens de maint hiéroglyphe* (Littré).

3 Dans un tel effort pour faire revivre les hautes âmes du passé, une part de divination et de conjecture doit être permise.
RENAN, Vie de Jésus, Introd., p. 81.

4 (...) ce royaume supérieur des formes idéales et des forces incorporelles au seuil duquel la pensée s'arrête et que les divinations du cœur peuvent seules pénétrer.
TAINE, Philosophie de l'art, t. II, p. 265.

5 Notons (...) de sa part une rapidité merveilleuse à comprendre sans s'attarder, et le foisonnement de sa pensée intuitive, où la part de divination sera infiniment plus grande et plus féconde que le simple don d'observer.
Émile HENRIOT, les Romantiques, p. 331.

DÉR. **Divinatoire.**

DIVINATOIRE [divinatwaʀ] adj. — 1390; du lat. *divinatum*, supin de *divinare*, ou de *divination*.

♦ **1** Relatif à l'art et la pratique de la divination* (1.). *Art, pratique divinatoire. Baguette divinatoire des sourciers.* → **Rabdomancie.**

♦ **2** Qui permet de deviner. → **Divination** (2.). *Don, faculté divinatoire. Instinct divinatoire. Sens divinatoire.*

(...) le Premier Consul — par cet instinct singulier qui allait, dans tant de domaines, jusqu'au don divinatoire — avait le *sentiment* qu'il se machinait quelque chose de grave (...)
Louis MADELIN, Hist. du Consulat et de l'Empire,
Avènement de l'Empire, VI, p. 40.

DIVINEMENT [divinmã] adv. — V. 1327; de *divin*.

♦ **1** Rare. Par l'action, par la vertu divine. *La grâce agit divinement. L'Église est divinement inspirée* (→ Cantonner, cit. 2).

♦ **2** D'une manière divine* (4.). → **Excellemment, parfaitement, souverainement, suprêmement**; littér. **célestement.** *Il parle, il écrit divinement* (→ Bon, cit. 40). *Elle chante divinement, divinement bien. Personne divinement belle.* → **Radieusement.** — *Il fait divinement beau.* → **Délicieusement.**

(...) Bourdaloue prêche divinement bien aux Tuileries.
Mᵐᵉ DE SÉVIGNÉ, 118, 3 déc. 1670.

CONTR. **Mal.**

DIVINISATION [divinizasjɔ̃] n. f. — 1719, dans une trad. du lat.; de *diviniser*.

Action de diviniser*; son résultat. *La divinisation des idoles.* → **Déification.** — Par ext. *Divinisation de l'homme.* → **Sanctification.** — Fig. *La divinisation d'une chose abstraite, d'une idée, d'une valeur.* → **Élévation, exaltation, glorification.**

1 Possédé par mon amour (...) je me livrais à ces adorables divinisations qui sont et le triomphe et le fragile bonheur de la jeunesse.
BALZAC, Autre étude de femme, VII, p. 367,
in D.D.L., II, 2.

2 Le premier but de Comte, qui était de substituer partout le relatif à l'absolu, s'est vite transformé, par la force des choses, en divinisation de ce relatif et en prédication d'une religion à la fois universelle et sans transcendance.
CAMUS, l'Homme révolté, in Essais, Pl., p. 600.

DIVINISER [divinize] v. tr. — 1580; de *divin*.

♦ **1** Attribuer l'essence, la nature divine à... — Spécialt. Mettre au rang des dieux. → **Déifier.** *Les Romains divinisaient leurs empereurs.*

1 Diviniser des idoles de chair (...)
J.-B. ROUSSEAU, Épîtres, II, 5.

♦ **2** Par ext. Revêtir (qqch., qqn) d'un caractère sacré, suprême. → **Sanctifier.** *Philosophie qui divinise l'homme,...*

2 Platon divinisa le monde en lui donnant une âme (...)
VOLTAIRE, Dialogues, XXIX, 6.

3 Les païens ont divinisé la vie, et les chrétiens ont divinisé la mort (...) Mᵐᵉ DE STAËL, Corinne, IV, 2.

♦ **3** Donner une grande valeur à... → **Élever, exalter, glorifier, idéaliser, magnifier** (→ Déesse, cit. 8; déifier, cit. 2). *Diviniser qqn, qqch.*

4 Lorsqu'on ne peut effacer ses erreurs, on les divinise (...)
CHATEAUBRIAND, Mémoires d'outre-tombe, t. II,
p. 327.

(...) avec quel charme ces chefs-d'œuvre se marient 5
à l'amour dont ils divinisent l'objet et augmentent la flamme !
CHATEAUBRIAND, Mémoires d'outre-tombe, t. VI,
p. 190.

La réalité n'est qu'une ombre. Appelle imagination ou folie 6
ce qui la divinise.
A. DE MUSSET, les Caprices de Marianne, I, 1.

♦ **DIVINISÉ, ÉE** p. p. adj. *Empereur romain divinisé* (→ Asile, cit. 11). *Héros divinisés.*
C'était un homme divinisé, un *héros.* 7
FUSTEL DE COULANGES, la Cité antique, p. 135.
Nature, passion divinisée.

CONTR. **Avilir, rabaisser.** ◊ DÉR. **Divinisation.**

DIVINITÉ [divinite] n. f. — 1119; lat. *divinitas*, de *divinus.* → Divin.

♦ **1** Essence divine, nature de Dieu, de l'Être suprême. — (Christianisme). *La divinité du Verbe, de Jésus. Les ariens, les sociniens niaient la divinité de Jésus-Christ* (→ Consubstantialité, cit.). *La divinité du Christ dans l'Eucharistie* (→ Corps, cit. 14).

(...) l'homme dans l'état de la création ou dans celui de la 1
grâce est élevé au-dessus de toute la nature, rendu comme semblable à Dieu, et participant de sa divinité (...)
PASCAL, Pensées, VII, 434.

Les sociniens (...) ne reconnaissent point la divinité de 2
Jésus-Christ. Ils osent prétendre (...) que l'idée d'un Dieu homme est monstrueuse (...)
VOLTAIRE, Dict. philosophique, Divinité de Jésus.

♦ **2** Être divin. → **Déesse, déité, dieu** (I. et IV.). — (Monothéisme). *Adorer, honorer la Divinité. Rendre un culte à la Divinité. Invocation, prière à la Divinité. Contemplation, connaissance de la divinité. Cantique, hymne en l'honneur de la divinité. Le ciel, séjour de la divinité* (→ Bienheureux, cit. 10). *La Divinité, refuge, asile* (cit. 4) *des malheureux.*

Tu n'oublieras jamais de rendre le devoir qu'on doit à la 3
divinité : oraisons, prières et sacrifices, commençant et finissant toutes tes actions par Dieu, auquel les hommes attribuent autant de noms qu'il a de puissances et de vertus (...)
RONSARD, la Franciade, «Au lecteur apprentif»,
Pl., t. II, p. 1028.

Il vaudrait mieux n'avoir aucune idée de la Divinité que 4
d'en avoir des idées basses, fantastiques, injurieuses, indignes d'elle; c'est un moindre mal de la méconnaître que de l'outrager. ROUSSEAU, Émile, IV.

Plus cour. (*Une, des divinités*). *Divinités primitives.* → **Dieu** (II.). *Divinités antiques, mythologiques.* → **Dieu** (III.). *Les Divinités de l'Olympe. Les Faunes, divinités champêtres; les Sylvains, divinités des bois; les Oréades, divinités des montagnes. Les Jeux et les Ris, divinités allégoriques de la joie. Hymen, divinité du mariage. Les divinités du Styx; les Furies, divinités infernales. La Renommée, la Victoire; le Temps, la Terre, divinités allégoriques. Le Hasard, la Fortune, divinités aveugles* (cit. 26). *Divinité favorable; divinité terrible. Libations, sacrifices en l'honneur de la divinité. Culte* (cit. 8) *des divinités.*

Des peuples qui adoraient les fausses divinités (...) 5
BOSSUET, Disc. sur l'hist. universelle, II, 3.

♦ **3** (1642). Ce que l'on adore, que l'on considère comme une puissance surnaturelle. — (Choses). *L'argent est leur seule divinité.*

Ni l'or, ni la grandeur ne nous rendent heureux; 6
Ces deux divinités n'accordent à nos vœux
Que des biens peu certains, des plaisirs peu tranquilles (...)
LA FONTAINE, Philémon et Baucis.

(Personnes) :

(...) cette fausse image de Goethe, qui prévalut longtemps 7
en France, d'une sorte de divinité olympienne, impassible, insensible et impertubée.
GIDE, Attendu que..., p. 109.

(1560). Spécialt. Femme très belle. → **Déesse.**

8 (...) Nelly (...) règne dans le dancing telle la divinité de la rue (...) P. MAC ORLAN, Quai des brumes, p. 184.

CONTR. Humanité.

DIVIS, ISE [divi, iz] adj. et n. m. — 1374; *devis,* xᵉ; lat. *divisus,* p. p. de *dividere.* → Indivis.

Droit.

♦ **1** Adj. Partagé, divisé (opposé à *indivis). Propriétés divises.*

♦ **2** N. m. État d'un bien partagé entre plusieurs propriétaires. → **Division.**

Loc. adv. *Par divis :* après partage.

CONTR. Indivis.

DIVISER [divize] v. tr. — 1190; rare av. xvIᵉ; du lat. *dividere,* d'après *devise;* réfection de l'anc. franç. *deviser.* → Deviser.

I Séparer en parties. ♦ **1** Séparer (une chose ou un ensemble de choses) en plusieurs parties. → **Scinder, subdiviser; séparer.** — REM. *Diviser* est relativement rare dans les emplois concrets. *Diviser un objet concret, un solide, une masse, un espace. Diviser un objet, une chose en fractions* (→ **Fractionner**), *en fragments* (→ **Fragmenter**), *en miettes* (→ **Émietter**), *en morceaux* (→ **Morceler**), *en parcelles* (→ **Parceller**), *en parts* (→ **Partager, partir,** vx), *en sections* (→ **Sectionner**), *en tronçons* (→ **Tronçonner**). *Diviser un ensemble en éléments simples.* → **Décomposer, désagréger, dissocier.** *Diviser un corps solide avec un instrument tranchant.* → **Couper, découper, fendre, trancher.** *Diviser qqch. en deux en rompant, en cassant.* → **Casser, démancher, disjoindre, disloquer, rompre.** *Diviser une roche en feuilles, en lames.* → **Cliver, exfolier.** *Diviser un tronc d'arbre en planches, en rondins.* → **Aménager, débiter.** *Diviser un quartier de viande en pièces.* → **Dépecer.** *Diviser un assemblage en plusieurs éléments.* → **Désassembler, disjoindre.** *Diviser un stock de marchandises pour le vendre.* → **Détailler.** *Diviser une somme en donnant une part à chacun. Diviser qqch. entre plusieurs personnes.* → **Dispenser, distribuer.** — Typogr. *Diviser un mot,* le séparer en deux parties, dont la première reste à la fin de la ligne (→ **Division,** B., 1.). — *Diviser un terrain en lots.* → **Lotir.** *Diviser un domaine, une propriété.* → **Démembrer, morceler.** *Diviser une pièce en deux par une cloison.* → **Cloisonner.** *Diviser en compartiments* (cit. 4). → **Compartimenter.** — *Diviser une ville en arrondissements. Diviser un territoire en circonscriptions, par circonscriptions, en secteurs. La France est divisée en départements.*

1 Il est faux qu'en divisant un espace on puisse arriver à une partie indivisible, c'est-à-dire qui n'ait aucune étendue (...) PASCAL, De l'esprit géométrique, 2.

2 Depuis la fin de l'Empire romain, ou, mieux, depuis la dislocation de l'Empire de Charlemagne, l'Europe occidentale nous apparaît divisée en nations (...) RENAN, Discours et Conférences, Œ., t. I, p. 888.

Partager (une quantité) en quantités égales plus petites. *Diviser la circonférence en 360 degrés.* → **Graduer.** *Diviser un angle en deux en traçant la bissectrice.* → **Bissecter.** *On divise le mètre en décimètres, centimètres. On divise l'année en mois, le mois en jours, le jour en heures, etc.*

Chercher combien de fois une quantité (→ **Diviseur**) est contenue dans une autre (→ **Dividende**). → **Division.** *Diviser un nombre par un autre* (opposé à *multiplier). Diviser A par B.*

Absolt. (Techn.). *Machine à diviser :* machine servant à tracer les divisions équidistantes sur les instruments de précision.

♦ **2** Plus cour. Séparer (un ensemble abstrait, un objet de pensée) en éléments. *Diviser un ensemble en plusieurs groupes, en plusieurs classes. On divise le règne animal en classes, embranchements...* → **Classer.** — *Diviser un ouvrage littéraire en chapitres, en tomes* (→ **Tomer**). — *Diviser un problème en une série de questions.* → **Sérier; analyser.** *Diviser chaque difficulté* (cit. 5) *pour la résoudre.* — *Diviser une tâche entre plusieurs ouvriers.* → **Distribuer, répartir.** *Diviser le travail.* → **Division.** *Diviser ses forces en les appliquant à plusieurs tâches à la fois* (→ **Disperser**).

3 Solon divisa le peuple d'Athènes en quatre classes. MONTESQUIEU, l'Esprit des lois, II, 2.

4 Les financiers français, comme les mandarins chinois et les grands d'Espagne, sont divisés en classes échelonnées (...) A. MAUROIS, le Cercle de famille, II, IX, p. 177.

II (xvIᵉ). Séparer d'autre chose. ♦ **1** (Sujet n. de chose). Séparer (une personne, une chose) d'une autre ou de plusieurs autres. — Vx. (Concret). *Un détroit divise la France et l'Angleterre, divise la France de l'Angleterre, d'avec l'Angleterre.* (On dit plutôt aujourd'hui *séparer*).

5 (...) ces mers qui divisent la Grèce d'avec l'Italie (...) FÉNELON, Télémaque, X.

Mod. (abstrait; avec un compl. au plur.). Opposer par leurs différences. *La politique les divise.*

6 Ce qui divise le plus les êtres, c'est peut-être que les uns vivent surtout dans le passé et les autres seulement dans la minute présente. A. MAUROIS, Climats, I, VI, p. 56.

♦ **2** Semer la discorde, la désunion entre (des personnes, des groupes). → **Brouiller, déchirer, désunir, opposer.** *Les passions politiques ont divisé le pays en deux blocs adverses* (cit. 3). *Famille qui est divisée par des questions d'intérêt. Être divisés d'intérêt* (Académie). *Oppositions qui divisent les esprits. Leurs opinions les divisent.*

7 (...) si une maison est divisée contre elle-même, il est impossible que cette maison subsiste. BIBLE (SACY), Évangile selon saint Marc, III, 25.

8 Lorsque deux factions divisent un empire (...) CORNEILLE, Sertorius, III, 2.

9 Tantôt il *(le ministre)*réunit quelques-uns qui étaient contraires les uns aux autres, et tantôt il divise quelques autres qui étaient unis. LA BRUYÈRE, les Caractères, X, 11.

10 Ces trois personnes réunies autour de cette lampe, que d'intérêts les divisaient, que de pensées hostiles dans leurs cœurs! J. GREEN, Adrienne Mesurat, I, VII, p. 66.

Diviser ses ennemis pour les combattre (cit. 6). — Loc. prov. Absolt. *Diviser pour régner* (cf. la maxime latine *Divide ut regnes).*

Par ext. (Au passif). En parlant d'une personne. *Être divisé soi-même, en soi-même :* être partagé entre des sentiments contradictoires.

11 S'il n'avait que la raison sans passions...
S'il n'avait que les passions sans raison...
Mais ayant l'un et l'autre, il ne peut être sans guerre, ne pouvant avoir paix avec l'un qu'ayant guerre avec l'autre : ainsi il est toujours divisé et contraire à lui-même. PASCAL, Pensées, VI, 412.

♦ **SE DIVISER** v. pron.

♦ **1** (Passif). Être divisé en deux ou plusieurs parties. *Route qui se divise à un carrefour.* → **Bifurquer, ramifier** (se). — Se séparer en parties. *Le germe, l'œuf se divise en cellules* (cit. 9). *Attroupement qui se divise en plusieurs groupes.* → **Disperser** (se), **éparpiller** (s').

Spécialt. Être divisible par... *Vingt-cinq se divise par cinq.*

Fig. *Ce livre se divise en dix chapitres.*

12 Tout le temps de l'histoire romaine (...) peut se diviser en cinq parties. ROLLIN, Traité des Études, *in* LITTRÉ.

(Récipr.). Rare. *Se diviser qqch. : se partager qqch. Se diviser une somme d'argent.*

♦ **2** (Réfl.). Se mettre en dissension ; manifester des opinions différentes. *Se diviser à l'intérieur d'un même parti.*

13 Les juges se divisèrent sur la question de droit.
CHATEAUBRIAND, les Natchez, II, 213.

♦ **DIVISÉ, ÉE** p. p. adj.

I ♦ **1** Séparé en plusieurs éléments ou parties. *Pièce divisée (en deux, trois...). Somme divisée. Héritage divisé. Propriété divisée.* → **Morcelé.**
Bot. *Organe divisé.* — Écon. *Travail divisé.* → **Division** (du travail).

DIVISÉ EN... (sens concret) *Immeuble divisé en nombreux appartements. Boîte divisée en (trois, quatre...) compartiments. Organe divisé en deux, trois parties.* → **Biparti, triparti.**
Spéciait. Séparé en deux. *«Les cheveux abondants et bien divisés»* (J. Renard, *in* T. L. F.).

♦ **2** Didact. Séparé en nombreux éléments, en particules. *Terre divisée* (pédol.). *Corps, poudre finement divisé(e).*

♦ **3 DIVISÉ EN...** (sens abstrait) : séparé en (éléments), souvent par une classification. *Livre divisé et subdivisé en parties, chapitres,* etc. — Séparé par une opposition. *«Un monde brutalement divisé en maîtres et en serviteurs»* (Nizan, *in* T. L. F.).

♦ **4** (Humain). Qui se sépare en éléments opposés les uns aux autres, soit par l'incompatibilité logique, soit par l'hostilité. *L'opinion publique est divisée, profondément divisée. — Pays, royaume ; peuple, public divisé. La France est divisée. Parti divisé. L'Assemblée est divisée.*
(Personnes). Littér. Partagé entre des tendances, des jugements, des sentiments contradictoires. *Se sentir divisé et inquiet. «Le héros claudélien (...) déchiré, affreusement divisé...»* (Mauriac, *in* T. L. F.). — *Esprit divisé. Pensée divisée.*
Être divisé contre soi-même : se combattre soi-même.

II ♦ **1** (Au plur.). Séparés (les uns des autres). *Des êtres divisés par la vie. Tendances divisées mais non opposées.* → **Distinct.**
Plus cour. En opposition d'opinion (personnes). *Ils sont divisés sur ce point.* → **Hostile, opposé.**

♦ **2** Littér. **DIVISÉ DE...** : séparé de... *Cette communauté est divisée de l'ensemble de l'opinion.*

CONTR. **Bloquer, grouper, rassembler, réunir, unir. — Multiplier. — Rapprocher. — Accorder, réconcilier. — (Du p. p.) Indivis. — Massif. — Unanime. — Réuni. — Accord (en).**

DIVISEUR [divizœʀ] n. m. et adj. — XVe ; «celui qui règle quelque chose», v. 1175 ; lat. *divisor,* de *divisum,* supin de *dividere.* → Diviser.

♦ **1** Arithm. et cour. Nombre par lequel on en divise un autre, appelé *dividende*. — *Nombre entier qui divise exactement un autre nombre entier. Commun diviseur à plusieurs nombres entiers,* nombre entier qui les divise tous exactement. *Plus grand commun diviseur :* le plus grand nombre entier qui divise plusieurs nombres entiers exactement. *2, 5 et 10 sont communs diviseurs de 40 et de 50. Diviseurs premiers* (ou *facteurs premiers*) *d'un nombre,* les nombres premiers qui le divisent exactement. — Par appos. *Nombre diviseur ; fraction diviseur.*

♦ **2** (1794). Rare. Personne, force qui sème la division, la désunion. *Il a joué le rôle d'un diviseur au sein de la gauche.* — Adj. *Diviseur, euse :*
Qu'est-ce que le gouvernement de la République ? Le gouvernement des partis, ou rien. Qu'est-ce qu'un parti ? Une division, un partage. Les *«mots de la tribu»* offrent souvent une contexture sacrée qui en contient, en conserve, en préserve le sens. Ici, il est limpide (...) Les idées des partis, les idées diviseuses ont, en République, des agents passionnés ; mais l'idée unitaire, l'idée de la patrie n'y possède ni serviteur dévoué ni gardien armé.
Ch. MAURRAS, Mes idées politiques, Les partis, p. 188 et 190.

♦ **3** (Av. 1974, *in la Clé des mots*). Techn. Dispositif conçu pour déplacer une pièce en cours d'usinage, de manière à la faire traiter par diverses unités de travail.

CONTR. **Multiplicateur.**

DIVISIBILITÉ [divizibilite] n. f. — Fin XIVe ; de *divisible.*
Sc. Caractère de ce qui peut être divisé. *La divisibilité de la matière, de l'espace. Le mercure* (cit. 3) *est d'une divisibilité prodigieuse.* Math. *Caractères de divisibilité,* par lesquels on peut reconnaître qu'un nombre est divisible par un autre.
La physique et la chimie ont plus fait pour la connaissance de la constitution intime des corps que toutes les spéculations des anciens et modernes philosophes sur les qualités abstraites de la matière, son essence, sa divisibilité. RENAN, l'Avenir de la science, Œ., t. III, p. 934.

CONTR. **Indivisibilité.**

DIVISIBLE [divizibl] adj. — 1335 ; bas lat. *divisibilis,* du lat. class. *divisum,* supin de *dividere.* → Diviser.
Qui peut être divisé*. *Roche divisible en couches minces.* → **Clivable, fissile.** *Pour Descartes, la matière est divisible à l'infini* (→ Atome, cit. 3). *«On déclare le mouvement divisible et homogène»* (Bergson).
Ceux (...) qui demeureront dans la créance que l'espace n'est pas divisible à l'infini, ne peuvent rien prétendre aux démonstrations géométriques.
PASCAL, De l'esprit géométrique, 1.
Math. *Nombre divisible,* qui peut être divisé exactement. *Les nombres pairs sont divisibles par 2.*
Dr. *Obligation divisible,* portant sur un bien ou un fait susceptible de division.

CONTR. **Indivisible, insécable.** ◊ DÉR. **Divisibilité.**

DIVISION [divizjɔ̃] n. f. — 1119 ; lat. *divisio,* de *divisum,* supin de *dividere.* → Diviser.

A *(La division de..., en...).* ♦ **1** Action de diviser* ; état de ce qui est divisé (rare en emploi concret). *La division d'une chose par une autre, d'une chose en plusieurs éléments. Résulter d'une division.* → **Subdivision** ; et les éléments dis- ; schizo- ; -tome, -tomie.

a (Concret). *Division en deux parties* (→ **Bipartition**), *en trois parties* (→ **Tripartition**). *Division d'un corps en petites parties.* → **Atomisation, coupure, déchirement, dispersion, fission, fractionnement, fragmentation, morcellement, scission, section, sectionnement, segmentation, séparation.** *Division en parts.* → **Partage ; distribution.** *Division d'un domaine, d'une propriété, d'une terre.* → **Démembrement, lotissement, morcellement.**
Le mal de cette division excessive des propriétés s'étend autour de cent villes de France, et la dévora quelque jour tout entière.
BALZAC, le Curé de village, Pl., t. VIII, p. 713.
La division d'une pièce par cloisonnement. → **Subdivision.** *Division d'une boîte en cases, casiers, compartiments. Division chirurgicale ou pathologique de parties naturellement réunies.* → **Diérèse, solution** (de continuité). *Division congénitale du palais*

1

(→ Bec-de-lièvre, cit.). — *Division d'un territoire en circonscriptions, en secteurs...* Peint. *Division du ton* (→ **Divisionnisme**). *Division de la circonférence en degrés.* → **Graduation**. *La division du kilogramme en grammes. Division centésimale.* → **Échelle**. — *Le calendrier, système de division du temps.* — *Division (de qqch.) entre plusieurs personnes, groupes.*

Math. Opération ayant pour but, connaissant le produit de deux facteurs (→ **Dividende**) et l'un deux (→ **Diviseur**), de trouver le facteur inconnu (→ **Quotient**). *Si l'opération est possible, la division se fait exactement, sinon il y a un reste*. Division d'un nombre entier, d'un binôme, d'un polynôme. Division des fractions. Preuve de la division. Division par deux, cinq, dix* (→ **Déci-**), *cent* (→ **Centi-**), *mille* (→ **Milli-**).

Géom. *Division harmonique** (*sur une droite*).

b (Abstrait). Séparation (d'un objet de pensée) en plusieurs éléments. → Périodicité, cit. *La division d'un livre en chapitres, d'un sermon en plusieurs points.* — Absolt. *Division* : figure de rhétorique par laquelle on indique la manière dont sera divisé le discours. — *Division en classes* (cit. 7). → **Classement, classification**. *Division d'une classe en catégories.* → **Subdivision**. *Division en séries. Division de la chimie* (cit. 4) *en organique et inorganique.*

2 La division par centuries était plutôt une division de cens et de moyens qu'une division de personnes. Tout le peuple était partagé en cent quatre-vingt-treize centuries (...)
MONTESQUIEU, l'Esprit des lois, XI, 14.

c Spécialt. (Dr., admin.). Délibération séparée des divers points d'une question, des divers paragraphes d'un article, etc. dans une assemblée. *Division de la question, de l'amendement.* Absolt. *On a demandé la division.* — *Division des attributions, des pouvoirs*.* → **Distinction, séparation**.

Dr. *Bénéfice de division* : droit qu'ont les cautions d'une même dette d'exiger que le créancier réduise sa poursuite à la mesure de leur part et portion. *Faire prononcer la division* (Code civil, art. 2026). Loc. (Procéd.). *Sans division ni discussion* : solidairement.

d (1778; répandu déb. XXᵉ). Écon. **DIVISION DU TRAVAIL*** : organisation économique consistant dans la décomposition et la répartition des tâches, de telle sorte que chacun accomplisse toujours une même tâche. *Diverses formes de la division du travail* : spécialisation* professionnelle des travailleurs; spécialisation des entreprises; division territoriale et internationale du travail; décomposition du travail technique (→ **Taylorisme**). *Le développement du machinisme est allé de pair avec la division du travail. La division du travail accroît* (cit. 4) *la productivité. De la division du travail social*, ouvrage de Durkheim.

3 L'essence de la division du travail est que chaque travailleur fasse constamment la même besogne (...)
J.-B. SAY, Cours, 1840, t. I, p. 178, in LITTRÉ.

♦ **2** Fait de se diviser, de se séparer en plusieurs éléments. *La division d'un cours d'eau en plusieurs bras.* — Bot. *Division d'une tige en rameaux.* → **Dichotomie; ramification**. — Biol. *Division cellulaire* : phénomène par lequel une cellule donne deux cellules filles. → **Amitose, méiose, mitose**. *Division équationnelle d'une cellule* : division d'une cellule en deux cellules comportant chacune un nombre de chromosomes égal au sien. *Division réductionnelle d'une cellule* : division d'une cellule en deux cellules au cours de laquelle le nombre des chromosomes est diminué de moitié.

B (*Une, des divisions*). ♦ **1** Trait qui divise; ce qui divise. *Pratiquer, tracer des divisions dans la pierre,*

le bois. Tracer des divisions sur une règle, sur un thermomètre (→ **Graduation**).

Typogr. Petit tiret que l'on place à la fin d'une ligne, après une partie d'un mot, pour indiquer que l'autre partie en est reportée à la ligne suivante. → **Tiret**. — *rait* d'union* (plus cour.).

♦ **2** Partie concrètement divisée (d'un tout). → **Élément, fraction, fragment, morceau, part, partie, pièce, portion, section, tranche, tronçon**. *Divisions d'une boîte, d'un récipient.* → **Alvéole, case, casier, cellule, compartiment**. *Divisions d'un objet formé de couches superposées.* → **Étage**.

Bot. Découpure naturelle (d'une feuille), lobe (d'un calice, d'une corolle).

♦ **3** Partie (d'un tout abstraitement divisé). *Divisions politiques, administratives d'un territoire.* → **Circonscription; arrondissement, canton, commune, département, district, gouvernement, province, subdivision, zone**; → ci-dessous, 5., les emplois spéciaux. — *Divisions d'une unité de mesure, d'une grandeur. Divisions décimales, divisions centésimales* : chaque degré* de l'échelle décimale, centésimale. *Divisions d'un cadran, d'un instrument de mesure.* — *Divisions d'un écrit, d'un livre...* → **Alinéa, article, chapitre, livre, paragraphe, titre, tome, section, verset; acte, scène; chant, strophe**. *Les divisions du savoir humain; de la science.* → **Branche, discipline, spécialité**. *Divisions de la société* → **Caste, catégorie, clan, classe, état, groupe, ordre, tribu**). *Les divisions d'une classification, d'une taxinomie en sciences naturelles* (→ **Règne, embranchement, classe, ordre, famille, genre, espèce, variété, type**). — *Divisions du temps*.* → **Ère, époque, instant, moment, période**. *Divisions d'une période rythmique.* → **Membre**.

4 (...) le grand nombre de divisions, loin de rendre un ouvrage plus solide, en détruit l'assemblage (...)
BUFFON, Disc. sur le style, t. XII, p. 327.

♦ **4** (1750; répandu XIXᵉ). Milit. et cour. Grande unité militaire (→ Armée, cit. 11) réunissant des corps de troupes (régiments) d'armes différentes et des services. *En France, la division créée en 1770, supprimée sous l'Empire, réapparaît après la guerre de 1870. Depuis 1943, la division d'infanterie comprend 3 régiments d'infanterie, 1 régiment de reconnaissance blindée (cavalerie), 4 groupes d'artillerie (plus 1 groupe antiaérien), des éléments du génie, du train, des transmissions, du corps médical et divers services. Division blindée, créée en 1943* (abrév. : *D. B.*). — *Division aéroportée*, comprenant des éléments parachutés. *État-major de division.* → **Divisionnaire**. *Général* de division.*

5 (...) on mobilisera deux cent mille hommes en France, Hitler massera quatre divisions blindées à la frontière tchèque.
SARTRE, le Sursis, p. 105.

Réunion d'unités aériennes. *Division aérienne.* — Réunion d'unités navales. *Division navale* : «Groupe de trois ou quatre bâtiments de guerre constituant une formation homogène» (Gruss). *Division de croiseurs. Les trois divisions d'une escadre*.* — La moitié d'une bordée*. *Prendre le quart par division.*

♦ **5** Admin. Réunion de plusieurs bureaux. *Chef de division.*

6 (...) mon père devint (...) chef de la deuxième division administrative.
FRANCE, le Crime de Sylvestre Bonnard, Œ., t. II, p. 385.

Divisions géographiques, territoriales : circonscriptions*, régions*, etc. → ci-dessus, 3. (emploi général). (Au Canada). Service intermédiaire entre la direction et la section.

Admin. Groupe d'élèves de même niveau à l'intérieur d'une même classe. — Groupe d'élèves appartenant à une même tranche d'âge. *La division des grands, des petits. Préfet de division* (dans l'enseignement catholique).

6.1   Quand une division était pleine et que personne ne pouvait y entrer, son père obtenait, au nez des autres élèves, que son fils y fût admis.

PROUST, Jean Santeuil, Pl., p. 582.

Sport (football). *Première, deuxième division,* dans laquelle un club est admis pour disputer le championnat national. *Club de première division. Tomber en deuxième* (ou *seconde*) *division.*

C (1436). Séparation, opposition d'intérêts, de sentiments entre plusieurs personnes. → **Désaccord, divorce, mésintelligence, rupture, scission ; dispute.** — *(La division). Il y a division, de la division entre eux* (Académie). *Engendrer, mettre, semer la division dans une famille, une société. Jeter la division parmi ses ennemis. La division se mit entre eux.* — *(Une, des divisions).* Situation d'opposition. *Fomenter, susciter des divisions. Entretenir, aggraver, envenimer, exciter les divisions. Division irréductible. Division d'opinions.* → **Schisme** (fig). *Divisions intestines.* → **Querelle.** *Pays déchiré* (cit. 25) *par les divisions.*

7   Je suis venu mettre la division entre l'homme et son père, entre la fille et sa mère, entre la belle-fille et sa belle-mère.

BIBLE (SEGOND), Évangile selon saint Matthieu, X, 35.

8   (...) il est trop vrai que les divisions
Ont régné trop longtemps entre nos deux maisons (...)

VOLTAIRE, Tancrède, I, 1.

9   Loin de moi surtout la pensée de jeter des semences de division dans la France, et c'est pourquoi j'ai refusé à mon discours l'accent des passions.

CHATEAUBRIAND, Mémoires d'outre-tombe, t. V, p. 270.

(En parlant d'une personne). *Ressentir en soi des divisions profondes.*

CONTR. Groupement, rassemblement, réunion, union ; indivision ; continuité. — Multiplication. — Ensemble, total, tout. — Accord, union ; rapprochement, réconciliation. ◊ DÉR. Divisionnaire, divisionnisme, divisionniste. ← COMP. Endivisionner. V. Indivision, subdivision.

DIVISIONNAIRE [divizjɔnɛʀ] adj. — 1793 ; de *division.*

♦**1** Qui correspond, qui appartient à une division*. **Spécialt.** *Monnaie divisionnaire,* qui représente une division de l'unité monétaire.

♦**2** D'une division* (4. et 5.). *Artillerie divisionnaire, services divisionnaires. Général divisionnaire,* et, n. m., *un divisionnaire* : général* de division.

Le général sortit à son tour, un colonel ferma doucement la porte derrière lui : l'état-major divisionnaire était au complet, une vingtaine d'officiers (...)

SARTRE, la Mort dans l'âme, p. 95.

Admin. *Ingénieur divisionnaire. Inspecteur, inspectrice divisionnaire.* — **(Police).** *Inspecteur, commissaire* divisionnaire,* et, n. m., *un divisionnaire. Monsieur le divisionnaire.* — REM. Pour le nom, le fém. est virtuel.

DIVISIONNISME [divizjɔnism] n. m. — 1936 ; de *division.*

Didact. En peinture, Procédé qui consiste à juxtaposer des touches de ton pur sur la toile au lieu de les mélanger sur la palette. → **Divisionniste.** *Le divisionnisme est à la base de la technique pointilliste.* → **Néo-impressionnisme.**

DIVISIONNISTE [divizjɔnist] adj. et n. — 1907 ; de *division.*

Didact. Adepte du divisionnisme* en peinture.

Entre 1880 et 1890, apparaissent des nouvelles figures géniales (réprouvées naturellement), et autour desquelles se grouperont comme de la limaille sur un champ magnétique, quelques satellites également voués à la réprobation. Ainsi se constituent deux nouveaux groupes. L'un est le groupe des *divisionnistes,* dont Georges Seurat est le représentant ; l'autre, le groupe des *synthétistes,* ayant à sa tête Paul Gauguin : l'un et l'autre, d'ailleurs, étaient directement issus des Impressionnistes de 1874.

Robert REY, la Peinture moderne, p. 42.

DIVORCE [divɔʀs] n. m. — 1395 ; lat. *divortium* «séparation», de *divertere* «se séparer de», de *dis-,* et *vertere* «tourner» (→ Version ; verser).

♦**1** (D'abord à propos de l'Antiquité ; répandu fin XVIIIᵉ). Rupture légale du mariage civil, du vivant des époux. *Le divorce, à la différence de la séparation* de corps, qui met seulement fin au devoir de cohabitation, dissout le mariage. Le droit romain distingue le divorce par consentement mutuel de la répudiation* (→ ci-dessous, cit. 1). *Le divorce,* introduit en France par la loi du 20 septembre 1792, maintenu par le code civil (titre I, livre 6), supprimé en 1816, fut rétabli par la loi du 27 juillet 1884 (loi Naquet) complétée par la loi du 18 avril 1886 et modifiée par la loi du 11 juillet 1975. Discussions sur l'introduction du divorce en Italie, en Espagne... — Ancienne procédure du divorce en France (avant 1975) : requête* du demandeur au président du tribunal compétent ; réunion des parties pour une tentative de conciliation* ; en cas de non-conciliation, assignation de l'autre époux par le demandeur ; mesures provisoires ordonnées par le magistrat (résidence des époux, garde des enfants, provision alimentaire, mesures conservatoires relatives aux biens) ; instruction et jugement de la cause ; publication et transcription du jugement ; arrêt de divorce. Cas de divorce (en France, depuis 1975) : divorce par consentement mutuel (relevant de la compétence du juge aux affaires matrimoniales) ; divorce pour rupture de la vie commune ou pour altération des facultés mentales ; divorce pour faute (violation grave ou renouvelée des devoirs et obligations du mariage, qui rend intolérable le maintien de la vie commune ; condamnation d'un des époux). L'adultère* n'est plus mentionné parmi les causes du divorce. — Procédure du divorce, sur demande conjointe, sur demande acceptée (divorce par consentement mutuel). Divorce aux torts partagés (en cas de faute pour les deux époux). Divorce aux torts exclusifs de l'un des époux (pouvant entraîner dommages et intérêts). — Conséquences du divorce sur le nom de la femme, sur le domicile conjugal, sur la garde des enfants. Mesures financières (pension alimentaire, prestation compensatoire, dommages et intérêts) en cas de divorce.* — *Le divorce de deux personnes. Le divorce de Julie avec, d'avec son mari. Depuis son divorce, leur divorce... Démographie du divorce.* → **Divortialité.** — *Du divorce considéré au XIXᵉ siècle,* traité de L. de Bonald (1801). *Un divorce,* roman de P. Bourget (1904).

1   Il y a cette différence entre le divorce et la répudiation, que le divorce se fait par consentement mutuel, à l'occasion d'une incompatibilité mutuelle ; au lieu que la répudiation se fait par la volonté et pour l'avantage d'une des deux parties, indépendamment de la volonté et de l'avantage de l'autre.

MONTESQUIEU, l'Esprit des lois, XVI, 15.

2   Le divorce est la *rupture d'un mariage valable, du vivant des deux époux ; divortium* vient de *divertere,* s'en aller chacun

de son côté. Cette rupture ne peut avoir lieu que par autorité de justice et pour des causes déterminées par la loi.
M. PLANIOL, Traité de droit civil, t. I, p. 400.

3 L'institution du divorce et de ce diminutif, de cette sorte de *divorce incomplet* qu'est la séparation de corps, est l'une des plus importantes de notre Droit privé, l'une de celles qui mettent en jeu les plus graves considérations et qui suscitent les plus âpres controverses.
A. COLIN et H. CAPITANT. Cours de droit civil,
t. I, p. 196.

3.1 Le divorce peut être prononcé en cas :
— soit de consentement mutuel ;
— soit de rupture de la vie commune ;
— soit de faute.
Code civil, art. 229 (loi du 11 juil. 1975).

Loc. Vx. *Faire divorce.* → **Divorcer.**

♦ **2** Séparation (d'intérêts, de sentiments, etc.). → **Désaccord, désunion, rupture, séparation.** *Il y a divorce entre la théorie et la pratique, entre les intentions et les résultats.* → **Contradiction, divergence, opposition.** *Le divorce entre la raison scientifique et la raison historique* (→ Marxisme, cit. 3).

4 Le divorce était donc complet entre sa vie extérieure et ses pensées intimes.
J. LEMAITRE, les Rois, p. 29.

5 Le divorce de la vie pratique et de la pensée théorique est si complet que la pensée se trouve tout à fait libérée.
A. MAUROIS, les Discours du Dʳ O'Grady, XIII,
p. 141.

6 À certains moments de l'histoire, la civilisation intègre la culture (...) À d'autres — nous sommes dans un de ces temps morts, — un divorce s'opère. La progression dans l'ordre de la culture va plus vite que la progression dans l'ordre de la civilisation.
DANIEL-ROPS, Ce qui meurt et ce qui naît, II, p. 62.

(V. 1960). État d'opposition, de séparation d'intérêts, d'attitudes, entre personnes ou groupes. *Divorce entre théoriciens et praticiens. «Il est en train de se produire entre le service postal et le public un divorce grave»* (*le Monde*, 23 oct. 1969, *in* Gilbert).

CONTR. **Hymen, mariage, union ; conciliation, réconciliation. — Accord, entente, harmonie, union.** ◊ DÉR. **Divorcer.**

DIVORCÉ, ÉE [divɔʀse] adj. et n. — 1395, *mariage divorcé* ; p. p. de *divorcer.*

♦ **1** Séparé par le divorce. *Femme divorcée. Ils sont divorcés.*
N. *Un, une divorcée* (→ Redivorcer, cit.). *Elle a épousé un divorcé.*

♦ **2** Fig. «*Une science divorcée de la morale*» (Maurois, *in* Grevisse).

DIVORCER [divɔʀse] v. intr. [CONJUG.: *placer.*] — 1395, au p. p. (→ Divorcé) ; de *divorce.*

♦ **1** (1434). En parlant de l'un des époux. Se séparer par le divorce* (de l'autre époux). *Elle a divorcé avec son mari, d'avec son mari, de son mari.*

1 Mélek, après des mois de torture et de larmes, ayant enfin divorcé avec un mari atroce (...)
LOTI, les Désenchantées, VIII, p. 82.

2 L'héroïne avait divorcé d'avec un mari indigne (...)
R. ROLLAND, Jean-Christophe, t. V, p. 122.

3 Sa mère, qui avait divorcé de mon oncle, se remaria (...)
J. DE LACRETELLE, Silbermann, p. 149, *in* GREVISSE.

Absolt. *Il a décidé de divorcer.* → **Rompre, séparer** (se). *Ils ont divorcé il y a deux mois.*

4 Cécile (dans «Jean Barois» de Martin du Gard) le quitte. Elle ne divorce pas, parce qu'elle tient le mariage pour indissoluble, mais se sépare de son mari.
A. MAUROIS, Études littéraires, Martin du Gard,
t. II, p. 173.

♦ **2** Fig., rare. Rompre avec. *Divorcer avec, d'avec le monde, du monde.* → **Renoncer** (à).

Les anges célébrèrent les noces de ces femmes qui ont 5 divorcé avec la terre pour s'unir avec le ciel (...)
CHATEAUBRIAND, les Natchez, IV.

(...) des écrivains (...) ont exprimé publiquement leur désir 6 de voir l'Amérique ibérique divorcer de l'Europe (...) et marcher vers de nouvelles destinées.
G. DUHAMEL, Défense des lettres, XIII, p. 209.

Littér. (Choses). (Emploi absolu). «*La diplomatie et la conscience ont divorcé depuis longtemps*» (Bloch, *in* T. L. F.).

CONTR. **Épouser, marier** (se), **unir** (s'). ◊ DÉR. et COMP. **Divorcé. Redivorcer.**

DIVORTIALITÉ [divɔʀsjalite] n. f. — Mil. xxᵉ ; du rad. du lat. *divortium* (→ Divorce), sur le modèle de *nuptialité.*

Didact. Phénomène démographique en rapport avec les divorces. — *Taux de divortialité. Table de divortialité,* décrivant la survenance de divorces (suivant l'échelle des durées de mariage) au sein d'une cohorte* de mariages. — «*La fécondité va-t-elle continuer à baisser, la divortialité à augmenter, la cohabitation est-elle une simple mode qui disparaîtra aussi rapidement qu'elle est advenue, le mariage enfin et la famille sont-ils à la veille de disparaître ?*» (*la Recherche*, mai 1980, p. 550).

DIVULGATEUR, TRICE [divylgatœʀ, tʀis] n. — 1552 ; bas lat. *divulgator,* du supin du lat. class. *divulgare.* → Divulguer.

Personne qui divulgue (qqch.). → **Propagateur, révélateur, vulgarisateur.** *Les divulgateurs d'une nouvelle doctrine.* — Adj. *Ouvrage divulgateur de théories nouvelles.*

DIVULGATION [divylgasjɔ̃] n. f. — 1510 ; bas lat. *divulgatio,* du supin du lat. class. *divulgare.* → Divulguer.

Action de divulguer* (qqch.) ; son résultat. → **Proclamation, propagation, publication, révélation, vulgarisation** (→ Confidence, cit. 3). *La divulgation d'un secret par un indiscret. La divulgation officielle d'une nouvelle.*

(...) la divulgation des offres qu'on lui fait.
BEAUMARCHAIS, le Mariage de Figaro, I, 4.

(Une, des divulgations). Ce qui est divulgué. *Une divulgation sensationnelle reprise par un journal à scandales.*

DIVULGUER [divylge] v. tr. — xɪvᵉ ; lat. *divulgare,* de *dis-,* et *vulgare* «répandre», de *vulgus* «foule». → Vulgaire.

Porter à la connaissance du public. → **Dévoiler, dire, ébruiter, proclamer, propager, publier, répandre, révéler ; divulgation.** → Mettre au jour*, au grand jour ; corner, crier sur les toits* ; publier à sons de trompe* ; emboucher la trompette* ; raconter à tous les vents*. *Divulguer un secret, une nouvelle, les divulguer partout, parmi, dans le public, auprès de qqn. La nouvelle fut vite divulguée, elle a volé* de bouche en bouche. Les journaux ont divulgué l'entretien. — Divulguer par hasard ce que l'on voulait cacher,* trahir sa pensée. *Divulguer maladroitement ses plans* (→ **la** loc.). Vouloir prendre des lièvres au son du tambour*).

Je sais fort bien qu'Élise a l'esprit trop discret 1
Pour aller divulguer cet entretien secret.
MOLIÈRE, Dom Garcie, II, 1.

(...) agaçant comme un renseigné qui tire vanité des secrets 2 qu'il détient et brûle de divulguer (...)
PROUST, À la recherche du temps perdu, t. XII,
p. 127.

♦ **SE DIVULGUER** v. pron. (Passif).
Être porté à la connaissance du public. *Nouvelle qui se divulgue rapidement.*

CONTR. **Cacher, celer, dissimuler, garder** (pour soi...), **taire.**

DIVULSEUR [divylsœʀ] n. m. — 1878, Larousse, *Suppl.*; dér. sav. du lat. *divulsum.* → Divulsion.

Didact. (chir.). Instrument servant à dilater un canal.

DIVULSION [divylsjɔ̃] n. f. — 1549; lat. *divulsio*, de *divulsum*, supin de *divellere* «arracher», de *dis-*, et *vellere* «arracher».

Didact. Action d'arracher avec violence. → **Arrachement.** *Fracture par divulsion.* — **Par ext.** Dilatation forcée. *Divulsion du pylore, du col utérin.*

DIX [dis] adj. et n. — 1050, *dis, diz*; du lat. *decem.*

I Adj. numéral invariable ; [diz] devant un nom commençant par une voyelle ou un *h* muet, [di] devant un nom commençant par une consonne, [dis] devant une pause. ♦ **1** Adj. numéral cardinal. Nombre pair (10). *Dix unités.* → **Dizaine.** *Formé de dix parties, de dix éléments.* → préf. **Déca-.** *Dix fois plus.* → **Décuple ; décupler.** *Dix fois moins.* → **Dixième**, et préf. **déci-.** — *Les dix doigts des deux mains. Tas de dix gerbes de blé* : dizeau. *Pièce de dix vers.* → **Dizain.** *Dix francs. Dix degrés, dans un signe du zodiaque.* → **Décan.** — *Cerf dix cors*.* — *Dix personnes. Ils étaient dix. Mettre à mort une personne sur dix.* → **Décimer.** *Groupe de dix soldats romains.* → **Décurie.** *Membre d'un collège de dix personnes.* → **Décemvir.** — *Les dix commandements de Dieu.*

Qui dure dix ans. → **Décennal, décennie.** *Dix heures s'écoulèrent* (→ Assis, cit. 38).

1 *(...) C'est folie*
  De compter sur dix ans de vie.
        LA FONTAINE, Fables, VI, 19.

En composition : *Dix mille* (10 000). *La retraite des Dix mille.*

Par ext. Un grand nombre de fois. *Répéter, recommencer dix fois la même chose. Je vous l'ai dit plus de dix fois.* — *En dix lignes* : en quelques mots.

2 *Ma sœur de Radouay trouve le moyen de louer en dix lignes toute la communauté.*
        Mᵐᵉ DE MAINTENON, Lettre à Mᵐᵉ du Perron, 15 août 1711.

♦ **2** Adj. numéral ordinal. (XVIᵉ). → **Dixième.** *Page dix, article dix, paragraphe dix. Le numéro dix. L'an dix avant, après Jésus-Christ. Charles dix, le pape Léon dix* (Charles X, Léon X). *Il est dix heures, dix heures et quart.* — Ellipt. *Le dix du mois* : le dixième jour du mois. *Le dix janvier. La journée du dix août* (1792).

II N. m. (prononc. [dis]). XIIᵉ. ♦ **1** Le nombre dix. *Dix égale neuf plus un, deux fois cinq. Système procédant par dix.* → **Décennaire, décimal, denaire.** *Multiplier par dix.* → **Décupler.** *Dix et dix font vingt. Compter de dix en dix, compter jusqu'à dix.* — Dans une adresse (en chiffres). *Dix, rue de la Pompe. Habiter au dix, rue de France.* — Adj. *Habiter au numéro dix.* — *Nous sommes le dix, aujourd'hui.*

3 *Et trois :*
  Quand nous serons à dix, nous ferons une croix.
        MOLIÈRE, l'Étourdi, I, 9.

En composition. *Soixante et dix*, ou, plus souvent, *soixante-dix* (70); *quatre-vingt-dix* (quatre-vingts plus dix : 90). *Dix-huit...* → **Dix-huit...**

♦ **2** Spécialt. **a** (1571, in D.D.L.). Carte, dé, domino... marqué de dix signes. *Un dix, un double-dix. Dix*

de cœur. *Abattre un dix d'atout.* — Loc. fam. *Dix de der** : coup qui amène dix points et termine (der = dernier) le jeu.

4 *Rois, reines et valets dansaient devant ses yeux. Elle choisit un as de trèfle; se ravisa, prit un dix de carreau.*
        J. GREEN, Adrienne Mesurat, I, V, p. 47.

4.1 *Dans le hall, des matrones emperloussées continuaient une partie de bridge; à une table voisine, un Français de Casablanca annonçait : «Dix de der». Je m'endormais insatisfait, sous les arpèges des premiers trolleys.*
        A. BLONDIN, Monsieur Jadis, p. 105.

b (Sports). Concurrent (athlète, cheval...) qui porte ce numéro. *Le dix passe en tête.*

c Note correspondant à dix points. *Avoir, recevoir un dix à un problème.* Adj. *La note dix. Dix sur dix. Cette composition sera notée sur dix* (avec le coefficient 1).

Loc. fam. *Un* (ou *une*) *de perdu(e), dix de retrouvé(e)s.*

5 *Allons, dit-il, allons ! Faut pas t'en faire, poupée : il en viendra d'autres. Un de perdu, dix de retrouvés.*
        SARTRE, la Mort dans l'âme, p. 133.

♦ **3** Loc. *Neuf fois sur dix* : presque toujours, très souvent. → **Immanquablement.**

Se battre, lutter à dix contre un, dans un combat inégal. *Être à dix contre un dans une bataille* : avoir une supériorité écrasante.

♦ **2** Le chiffre qui représente ce nombre. *Un dix arabe* (10). *Un dix romain* (X).

DÉR. **Dixième, dizain, dizaine, dizeau.** ◊ COMP. **Dix-huit, dix-neuf, dix-sept. — Dix-heures. ◄** HOM. **Dit;** formes du v. **dire** (dans certains cas).

DIX-CORS [dikɔʀ] n. m. → 1. **Cor.**

DIX-HEURES [dizœʀ] n. m. invar. — XXᵉ; de *dix*, et *heure.* → Quatre heures.

Régional (Belgique). Fam. Pause-café ou légère collation au milieu de la matinée. *Prendre son dix-heures.*

HOM. **Diseur.**

DIX-HUIT [dizɥit] → Huit; adj. et n. — XVIᵉ; *dis e uit*, XIIᵉ; de *dix*, et *huit.*

♦ **1** Adj. numéral cardinal. Dix plus huit. *Dix-huit personnes. Il a dix-huit ans. Il y a dix-huit cents ans,* (1 800) ou mille huit cents. *Dix-huit mille* (18 000). — *Format in dix-huit* (in-18).

On dit qu'il (le duc d'Albe) se vantait, en partant, d'avoir fait mourir dix-huit mille personnes par la main du bourreau.
        VOLTAIRE, Essai sur les mœurs, CLXIV.

Adj. ordinal. Dix-huitième. *Page dix-huit. Louis dix-huit* (Louis XVIII). — Ellipt. *Le dix-huit août. Le coup d'État du Dix-huit Brumaire.*

♦ **2** N. m. invar. Le nombre formé de dix plus huit. *Trois fois six, deux fois neuf font dix-huit.*

Le chiffre qui représente ce nombre (18; XVIII).

N. m. ou f. invar. Celui ou celle qui porte le numéro dix-huit, qui est à la dix-huitième place. *Parier sur le dix-huit. Le dix-huit* (la chambre, la table dix-huit, par ex.).

DÉR. **Dix-huitième.**

DIX-HUITIÈME [dizɥitjɛm] adj. et n. — XIIIᵉ; *disuitime; dis e uitme* «dix et huitième», v. 1170; de *dix-huit.*

♦ **1** Qui succède au dix-septième. Adj. numéral ordinal. *Le dix-huitième siècle* : le Siècle des lumières. *Le dix-huitième arrondissement, à Paris.* — N. *Être le dix-huitième, la dix-huitième sur une liste.* — *Habiter dans le dix-huitième.*

♦ **2** Qui est une des parties d'un tout divisé également en dix-huit. *La dix-huitième partie.* — N. *Un dix-huitième* (1/18).

♦ **3** Ce qui est formé de dix-huit parties. — Spécialt. N. f. Au piquet, Série de dix-huit cartes de la même couleur. (N. f.). Mus. Intervalle formé de dix-huit degrés diatoniques (deux octaves et une quarte).

DÉR. Dix-huitièmement.

DIX-HUITIÈMEMENT [dizɥitjɛmɑ̃] adv. — XVIᵉ; de *dix-huitième*.

En dix-huitième lieu, au dix-huitième rang.

DIXIÈME [dizjɛm] adj. et n. — XIIᵉ, *diseme*, *disime*; de *dix*.

I Adj. et n. ♦ **1** Adj. numéral ordinal. Qui succède au neuvième. *Le dixième siècle avant, après Jésus-Christ. Le dixième jour de la décade révolutionnaire.* → **Décadi.** *La dixième fois. Il est au dixième rang,* ou, ellipt., *il est dixième.*

(Intensif.) *Pour la dixième fois, tais-toi !*

N. *Le* ou *la dixième.* Spécialt. *La dixième :* la deuxième année d'enseignement à l'école primaire. *Entrer en dixième.*

♦ **2** Qui est une des parties d'un tout divisé également en dix. *La dixième partie.*

1   La Rappinière reçut son compliment avec un faste de prévôt provincial et ne lui rendit pas la dixième partie des civilités qu'il en reçut (...)
             SCARRON, le Roman comique, I, 5.

N. m. *Un dixième :* cette partie, soit dix pour cent. *Le dixième du franc.* → **Décime.** *Les trois, les sept, les neuf dixièmes d'une quantité. Redevance du dixième de la récolte.* → **Dîme** (cit. 1).

2   Le malheureux cultivateur (...) qui se voit encore enlever le dixième de sa récolte par son curé, ne le regarde plus comme son pasteur (...)
             VOLTAIRE, Des impôts payés à l'étranger.

Par ext. *Les neuf dixièmes :* la quasi-totalité. → **Dix** (neuf sur dix).

3   Aujourd'hui, tout est devenu tellement compliqué, que l'on ne sait plus où donner de la tête; les neuf dixièmes des gens ne comprennent plus rien à quoi que ce soit.
             LOTI, Aziyadé, Eyoub à deux, XL, p. 131.

Spécialt. Impôt du dixième du revenu (distinct de la dîme), sous l'Ancien Régime.

4   On n'osa imposer le dixième que dans l'année 1710. Mais ce dixième, levé à la suite de tant d'autres impôts onéreux, parut si dur, qu'on n'osa pas l'exiger avec rigueur.
             VOLTAIRE, le Siècle de Louis XIV, XXX.

Billet de loterie nationale qui a la valeur d'un dixième du billet entier. *Acheter un dixième.*

II N. f. Mus. Intervalle formé de dix degrés diatoniques (une octave et une tierce).

DÉR. Dixièmement.

DIXIÈMEMENT [dizjɛmɑ̃] adv. — 1503; de *dixième.*
En dixième lieu, dans une énumération. (On dit parfois *décimo*).

DIXIT [diksit] — Mot lat. «il a dit», de *dicere* «dire». Didact. ou iron. Mot employé pour souligner que les paroles qu'on rapporte sont d'un maître et font autorité (→ Sic). — REM. S'emploie parfois ironiquement, quand l'événement est venu contredire l'affirmation du personnage.

DIX-MILLIONIÈME [dimiljɔnjɛm],
DIX-MILLIARDIÈME [dimiljardjɛm] adj. et n. m.
→ **Millionième, milliardième.**

DIX-NEUF [diznœf] → Neuf; adj. et n. — XIIᵉ, *dis e nuef; de dix, et neuf.*

♦ **1** Adj. numéral cardinal. Dix plus neuf. *Dix-neuf ans. Dix-neuf cents francs,* mille neuf cents (1 900).

Adj. ordinal. *Page dix-neuf.* Ellipt. *Le dix-neuf septembre.*

♦ **2** N. m. invar. Le nombre formé de dix plus neuf. *Dix-neuf est un nombre premier.*

Le chiffre qui représente ce nombre (19; XIX).

N. m. ou f. invar. Celui ou celle qui porte le numéro dix-neuf, qui est à la dix-neuvième place. *Parier sur le* ou *la dix-neuf.*

DÉR. Dix-neuvième.

DIX-NEUVIÈME [diznœvjɛm] adj. et n. — XVIᵉ; *dis e novain, dis e nuef, XIIᵉ; de dix-neuf.*

♦ **1** Qui succède au dix-huitième. Adj. numéral ordinal. *Le dix-neuvième siècle. Le dix-neuvième arrondissement* (à Paris). — N. *Il est le dix-neuvième. Habiter dans le dix-neuvième.*

♦ **2** Qui est une des parties d'un tout divisé également en dix-neuf. *La dix-neuvième partie.* — N. *Un dix-neuvième* (1/19).

♦ **3** Ce qui est formé de dix-neuf parties. — N. f. Mus. Intervalle formé de dix-neuf degrés diatoniques.

DÉR. Dix-neuvièmement.

DIX-NEUVIÈMEMENT [diznœvjɛmɑ̃] adv. — XVIᵉ; de *dix-neuvième.*
En dix-neuvième lieu.

DIX-SEPT [dissɛt] → Sept; adj. et n. — XVIᵉ; *dis e set,* XIIᵉ; de *dix, et sept.*

♦ **1** Adj. numéral cardinal. Dix plus sept. *Dix-sept francs. Dix-sept cents* (1 700) : mille sept cents. *Dix-sept cent mille* (1 700 000) : un million sept cent mille.

(...) une instance que j'ai eu l'esprit de faire durer dix-sept ans, et le fond du procès n'est pas jugé encore (...)
             F. DANCOURT, les Vacances, 3.

Adj. ordinal. *Dix-septième. Il habite au numéro dix-sept.* — Ellipt. *Le dix-sept octobre.*

♦ **2** N. m. invar. Le nombre formé par dix plus sept. *Dix-sept est un nombre premier.*

Le chiffre qui représente ce nombre (17; XVII).

N. m. ou f. invar. Celui ou celle qui porte le numéro dix-sept, qui est à la dix-septième place. *Parier sur le* ou *la dix-sept.*

Appeler le dix-sept : appeler police-secours.

DÉR. Dix-septième.

DIX-SEPTIÈME [dissɛtjɛm] adj. et n. — XIIᵉ, *dis e setime; de dix-sept.*

♦ **1** Qui succède au seizième. — Adj. numéral ordinal. *Le dix-septième siècle :* le Grand Siècle. *Le dix-septième arrondissement* (à Paris). — N. *Être le dix-septième sur trente* (élèves, concurrents). *Habiter dans le dix-septième.*

♦ **2** Qui est une des parties d'un tout divisé également en dix-sept. *La dix-septième partie.* — N. *Cinq est le dix-septième de quatre-vingt-cinq. Un dix-septième* (1/17).

♦ **3** Ce qui est formé de dix-sept parties. Spécialt. N. f. Au piquet, Suite de dix-sept cartes de la même couleur.

N. f. Mus. Intervalle formé de dix-sept degrés diatoniques (deux octaves et une tierce).

C'est un philosophe dans son espèce ; il ne pense qu'à lui, le reste de l'univers lui est comme d'un clou à soufflet. Sa fille et sa femme n'ont qu'à mourir quand elles voudront, pourvu que les cloches de la paroisse qui sonneront pour elles continuent de résonner la douzième et la dix-septième, tout sera bien.
    DIDEROT, le Neveu de Rameau.

DÉR. Dix-septièmement.

DIX-SEPTIÈMEMENT [dissɛtjɛmmɑ̃] adv. — XVIᵉ ; de dix-septième.

En dix-septième lieu.

DIZAIN [dizɛ̃] n. m. — XVᵉ ; var. dixain «dixième», Xᵉ, dezain, fin Xᵉ ; de dix, suff. -ain.

♦ **1** Pièce de poésie de dix vers. Ode composée de dizains, de strophes de dix vers. Dizains de Marot, de Maurice Scève, de Malherbe.

Je ne fais dixain (dizain) ni chanson (...)
Qu'en sa tête elle (Marguerite d'Alençon) n'enregistre.
    Clément MAROT, Épigrammes, CXIV.

♦ **2** (1561). Vieilli. Dizaine (de chapelet).

DIZAINE [dizɛn] n. f. — 1360 ; de dix, suff. -aine.

♦ **1** Groupe de dix unités (nombre). Dix dizaines forment une centaine. Colonne des dizaines. Une dizaine de mille.

♦ **2** Réunion de dix personnes, de dix choses de même nature. Deux dizaines de mains de papier forment une rame. Dizaine de jours. → **Décade.**

Il (...) compta, en les froissant un à un entre le pouce et l'index, une dizaine de billets de mille francs.
    P. MAC ORLAN, Quai des brumes, VII, p. 97.

Par ext. Quantité voisine de dix. Ils étaient une dizaine, une bonne dizaine, environ dix, au moins dix. Il y a une dizaine d'années.

♦ **3** (1690). Succession de dix grains d'un chapelet*, entre deux gros grains. — Par métonymie. (Relig. cathol.) Prière consistant à dire un «Notre père» en tenant le gros grain du chapelet et un «Ave»* pour chacun des dix grains intermédiaires. Dire une dizaine de chapelet. Chapelet de quinze dizaines. → **Rosaire.**

♦ **4** (1411). Vx. Nom d'une subdivision du quartier, dans certaines villes.

DÉR. Dizenier.

DIZEAU [dizo] n. m. — 1539 ; de dix, suff. -eau.

Régional. Groupe de dix gerbes dressées et appuyées les unes contre les autres.

DIZENIER [dizənje] n. m. — XIVᵉ ; var. dizainier ; de dizaine.

Hist. Chef d'une dizaine* d'hommes (dans la garde bourgeoise, au moyen âge).

DIZYGOTE [diziɡɔt] adj. — D. i. (XXᵉ) ; de di-, et zygote.

Biol. Jumeaux dizygotes, provenant de deux œufs différents. Syn. cour. : faux jumeaux*. → **Biovulaire, bivitellin.**

CONTR. Monozygote.

D. J. [didʒi ; didʒe] n. inv. — 1973 dans l'Express, à propos de radio (→ ci-dessous, 1) ; abrév. angl. des États-Unis de disc-jockey (→ Disc-jockey) ; d'abord employé en radio, puis aux sens empruntés plus tard.

♦ **1** (Vieilli dans cet emploi). Animateur qui présente les disques à la radio. → **Disc-jockey.** «Les "D.J."

(disc-jockeys) créent un lien entre les auditeurs et eux (les émetteurs des chaînes de radio)» (l'Express, 3 sept. 1973, p. 59).

♦ **2** (Années 1980). Personne chargée de choisir et de présenter le programme de musique enregistrée d'un établissement (boîte) où l'on danse. Ils ont engagé un nouveau D.J.

♦ **3** Anglic. Personne (animateur, musicien) chargée de manipuler des disques de musique (de vinyle) en cours de lecture, pour créer des effets musicaux spécifiques. Le, la D.J. d'une boîte branchée. Le D.J. d'une soirée de dance, de house music, de techno.

DJAÏN [dʒain] n. et adj., **DJAÏNISME** [dʒainism] n. m. → **Jaïn, jaïnisme.**

DJEBEL [dʒebɛl] n. m. — 1787 ; mot arabe, «montagne».

Montagne, terrain montagneux en Afrique du Nord, et, spécialt, en Algérie. — REM. Le mot, utilisé en géographie (pour les pays arabes), notamment dans des noms propres, a été utilisé normalement en français d'Afrique du Nord et dans la langue militaire : Marcher, crapahuter dans le djebel.

DJELLABA [dʒelaba ; dʒɛllaba] n. f. — 1844 ; gélabia, 1832 ; dgilabāb, 1836 ; mot arabe du Maroc ǧallāba.

Longue robe à manches longues et à capuchon, portée par les hommes et les femmes, en Afrique du Nord, généralement faite d'un fin drap de laine. Des djellabas bleues.

(...) la collaboration étroite, cordiale et confiante entre l'autorité chérifienne et l'autorité française, collaboration que symbolise ce soir le mélange autour de cette table, de nos uniformes et de vos djellabas, de nos habits et de vos burnous.
    L.-H. LYAUTEY, Paroles d'action, p. 242. 1

(...) l'Arabe vêtu d'une djellabah autrefois bleue, les pieds dans ses sandales (...)
    CAMUS, l'Exil et le Royaume, L'hôte, p. 104. 2

(...) Maurice est la proie d'une presse scandaleuse. Il voyage au loin, il boit du thé à la menthe, il flotte dans une djellaba. Il réapparaîtra, il nous étonnera.
    Violette LEDUC, la Folie en tête, p. 61. 3

REM. On trouve aussi la graphie djellabah (cit. 2).

DJEMÂÂ [dʒemaa] n. f. — 1870 ; mot arabe, «assemblée».

Didact. ou franç. du Maghreb. Réunion de notables qui représentent un douar, en Afrique du Nord. Des djemââs.

DJICH [dʒiʃ] n. m. invar. — V. 1920 ; arabe maghrébin (arabe classique djǎyš).

Hist. Troupe de partisans en Afrique du Nord, et, spécialement, au Maroc.

DJIHAD ou **JIHAD** [dʒi(j)ad] n. m. — 1870 ; répandu v. 1983 ; mot arabe «effort suprême».

Guerre sainte menée pour propager et défendre l'islam. «Nombreux sont ceux d'entre eux qui ont repris le djihad, contre leurs gouvernements et contre d'autres oppresseurs des musulmans» (le Monde, 30 déc. 1999, p. 2). Combattants du djihad. → **Moudjahiddin.**

DJINN [dʒin] n. m. — 1760 ; dgin, 1689 ; dgen, 1671 ; arabe djînn «esprit bon ou mauvais», répandu par V. Hugo.

Mythol. Esprit de l'air, bon génie, ou démon, dans les croyances arabes. *Les Djinns*, poème de Victor Hugo. *Djinn*, texte de Robbe-Grillet.

1   C'est l'essaim des Djinns qui passe,
    Et tourbillonne en sifflant.
                                    HUGO, les Orientales, XXVIII.

2   Je donne la main à tous les assistants, et je m'assieds pour écouter le conteur des veillées d'hiver (les longues histoires qui durent huit jours, et où figurent les djinns et les génies).
                                    LOTI, Aziyadé, Eyoub à deux, XXII, p. 100.

HOM. Gin, jean.

DNA ou **D. N. A.** [deɛna] n. m. — 1944, en anglais.
Anglic. Sigle anglais (*De*[s]*oxyribo Nucleic Acid*). → ADN. «*Nous nous émerveillons, avec raison, de cette extraordinaire invention de la nature : le DNA support de l'information héréditaire, dépositaire du secret de la vie, source de l'entropie négative dont "se nourrit l'organisme vivant" (Schrödinger)*» (*la Recherche*, mars 1975, p. 246).

DO [do] n. m. invar. — 1767, J.-J. Rousseau ; syllabe sonore par laquelle les Italiens remplacèrent *ut* au XVIIᵉ.

Troisième son de l'échelle fondamentale ; premier son de la gamme naturelle. *Do naturel, do dièse, do bémol. Ton de do majeur ; de do mineur* (relatif mineur de mi bémol majeur). *Dans la notation allemande, anglaise, do est désigné par C.*

REM. *Do*, syllabe de solmisation* de la note *ut*, est devenu le nom le plus courant de cette note : *chanter do, ré, mi, fa, sol.* Cependant on emploie aussi bien *ut* que *do* pour désigner la tonalité. *Sonate de Mozart en do majeur, en ut majeur.*

Dans certaines expressions *ut* est seul employé (ut de poitrine ; clé d'ut). → Ut.

HOM. Dos.

DOBERMAN [dɔbɛrman] n. m. — V. 1960 ; mot allemand, du n. propre *Dober.*

Chien de garde appartenant à une race d'origine allemande, à poils ras, de forme svelte. *Des dobermans.* «*Son chien, un splendide doberman dont ce solitaire taciturne ne se sépare presque jamais*» (*l'Express*, 12 déc. 1977, p. 290).

1. DOC [dɔk] n. m. — Mil. XXᵉ ; de l'angl. des États-Unis *doc* et abrév. de *docteur* en médecine.

Anglic. (En emploi vocatif et fam.). Docteur.

C'est une histoire dont je préfère ne pas me mêler... Votre malade, je ne l'ai pas vu, hein ? D'accord, doc.
                                    A. SIMONIN, Touchez pas au grisbi, p. 167.

HOM. 2. Doc, dock.

2. DOC [dɔk] n. m. — 1988 ; sigle de *disque* optique compact.*

Recommandation en franç. du Québec pour remplacer les anglicismes *CD, CD-Rom.*

HOM. 1. Doc, dock.

DOCHE [dɔʃ] n. f. — 1876, Esnault ; étym. incert. : Esnault suppose une resuffixation de *dab, dabe* : *doche* a aussi signifié «père».

Argot. (Rare). Mère.

Ma doche elle y croyait aux brèmes !
                                    CÉLINE, Guignol's band, p. 85.

(1935). **Cour.** *Belle doche* : belle-mère.

DOCILE [dɔsil] adj. — 1495 ; lat. *docilis* «disposé à s'instruire, qui apprend aisément ; docile», de *docere* «enseigner». → Docte, docteur.

♦ 1 Vieilli. Qui a de la disposition à se laisser instruire, conduire. *Élève, écolier, apprenti docile.* **DOCILE À, AVEC, ENVERS** (qqn, qqch.). *Il est docile à ses maîtres, aux leçons de ses maîtres* (→ Apprenti, cit. 1). *Âme docile à la grâce, aux appels de la grâce.* — **Mod.** (absolt). Qui obéit facilement. *Enfant docile.* → **Discipliné, obéissant, sage.** — *Caractère docile.* → **Disciplinable, doux, facile, flexible, malléable, maniable, pliant, souple** (→ Attentif, cit. 19). — **Péj.** *Il cède toujours, il est trop docile.* → *Il file* doux ; il va comme on le pousse* ; fam. il s'écrase*. *Répondre d'un ton, d'une voix docile.* → **Soumis.** *Oreille docile* (→ Crachoir, cit. 1).

1   Corneille, plus docile à son génie que souple aux volontés d'un premier ministre (...)
                                    VOLTAIRE, Commentaires sur Corneille, Remarque sur le Cid, Préface.

2   Soumis et docile à la critique quand elle lui paraissait juste, il la méprisait souverainement quand il la croyait déraisonnable.
                                    D'ALEMBERT, Éloge de Marivaux, note 25, in LITTRÉ.

3   Telle était la mère de Dostoïevski, docile, totalement soumise à son mari, la servante chrétienne de la famille (...)
                                    André SUARÈS, Trois hommes, «Dostoïevski», I, p. 200.

4   Quelle erreur de croire que ce siècle lui-même ait été celui de la foi docile et de l'obéissance au maître !
                                    J. BAINVILLE, Hist. de France, V, p. 58.

5   Eux aussi (...) devenaient sévères pour la qualité du travail et s'émerveillaient de trouver les ouvriers, hier encore si rétifs, dociles à leurs exigences.
                                    A. MAUROIS, Bernard Quesnay, XXIX, p. 197.

6   (...) ils étaient (...) dociles en apparence à toute autorité extérieure ; mais au fond insaisissables, inaccessibles.
                                    F. MAURIAC, le Mal, I, p. 13.

N. Rare. *C'est un, une docile.*

7   Le docile et le faible sont susceptibles d'impressions (...)
                                    LA BRUYÈRE, les Caractères, XVI, 2.

♦ 2 (Animaux). Obéissant (→ Chèvre, cit. 4). *Chien docile à la voix de son maître. Bœuf docile au joug.*

8   Rendre docile au frein un coursier indompté.
                                    RACINE, Phèdre, I, 2.

♦ 3 (Choses concrètes). Que l'on peut manipuler, diriger aisément. *Cheveux dociles*, qui se coiffent aisément.

9   Tel qu'un ruisseau docile
    Obéit à la main qui détourne son cours.
                                    RACINE, Esther, II, 8.

10 La fille méprisée et perdue, c'est l'argile docile au doigt du potier divin : c'est la victime expiatoire et l'autel de l'holocauste.
                                    FRANCE, le Lys rouge, XVII, p. 139.

(Abstractions). *Des idées, des images peu dociles* (que l'on peut difficilement évoquer, utiliser).

CONTR. Indocile ; entêté, indiscipliné, indomptable, mutin, obstiné, raisonneur, rebelle, récalcitrant, réfractaire, rétif.
◊ DÉR. Docilement, docilité.

DOCILEMENT [dɔsilmã] adv. — 1642 ; de *docile.*

D'une manière docile. *Obéir docilement,* avec docilité, sans faire d'objection. → **Facilement, sagement.** *Obéir, se soumettre docilement à qqn. Suivre docilement un conseil. Répondre docilement.*

CONTR. Indocilement.

DOCILITÉ [dɔsilite] n. f. — 1480 ; de *docile.*

Caractère d'une personne docile. — **Littér.** *Docilité à, envers* (qqn, qqch.). *Docilité aux enseignements du maître.* → **Soumission.**

Plus cour. (Absolt). Comportement soumis ; tendance à obéir. *La docilité d'un enfant.* → **Obéissance, sagesse.** — Relig. *Esprit de docilité*, de soumission à Dieu et à son enseignement.

1 Ce n'est pas une chose rare qu'il faille reprendre le monde de trop de docilité ; c'est un vice naturel comme l'incrédulité et aussi pernicieux. Superstition.
PASCAL, Pensées, IV, 254.

2 Au premier rang, le roi de Bavière qui, avec docilité, se résigne au servage.
Georges LECOMTE, Ma traversée, p. 471.

3 Leur loi unique est la docilité aux impulsions : ne pas intervenir.   F. MAURIAC, le Jeune Homme, p. 75.

(Animaux). *La docilité d'un chien.*

(Choses concrètes). *Docilité des cheveux*, leur facilité à être peignés. — Poét. *La docilité d'un courant, d'une onde.*

CONTR. Indocilité ; entêtement, indiscipline, obstination, rébellion.

DOCIMASIE [dɔsimazi] n. f. — 1754 ; grec *dokimasia* «épreuve», de *dokimagein* «mettre à l'épreuve», de *dokimos* «éprouvé».

Didactique.

♦ 1 (1880). Antiq. grecque. Enquête à laquelle étaient soumis les fonctionnaires, à Athènes.

♦ 2 (1754 ; employé jusqu'au mil. du XIXᵉ). Chim. Vx. Analyse des minerais du point de vue de la quantité et de la qualité des métaux qu'ils renferment.

♦ 3 (1814, Nysten, in D.D.L.). Méd. légale. Épreuves pratiquées sur les organes d'un cadavre (foie, poumon, intestin) pour déterminer les circonstances de la mort. *Docimasie pulmonaire d'un fœtus.*

DOCIMOLOGIE [dɔsimɔlɔʒi] n. f. — 1922, Piéron ; répandu v. 1960 ; v. 1945, au Québec ; du grec *dokimê* «épreuve», et *-logie*.

Psychol. Science et pratique du contrôle des connaissances* (5.). → Concours (4.), épreuve (4.), examen (3.), test (2.) ; psychométrie.

DÉR. Docimologue.

DOCIMOLOGUE [dɔsimɔlɔg] n. — V. 1960 ; de *docimologie* et *-logue*.

Psychol. Spécialiste de docimologie.

DOCK [dɔk] n. m. — 1826, in Höfler ; attestation isolée, 1671, en parlant de l'Angleterre ; mot angl., du holl. *docke*.

♦ 1 Vaste bassin entouré de quais et destiné au chargement et au déchargement des navires.
Par ext. (*dock flottant*, 1864, Année sc. et industr. 1865, p. 469). Cale de construction, de réparation pour les navires, établie au bord des docks. → **Bassin** (de radoub). *Dock de carénage, dock flottant* : cale flottante.
Par analogie :

1 (...) le ballon transatlantique lève l'ancre à onze heures, vous n'avez qu'à vous rendre aux docks aériens d'Asnières (...)   A. ROBIDA, le Vingtième Siècle, p. 187.

♦ 2 (1836 ; généralt au plur.). Hangars, magasins situés en bordure du dock et où sont entreposées les marchandises débarquées. — Par métonymie. Lieu où sont situés les docks. *Aller se promener aux docks*, dans le quartier des docks.

2 L'odeur par là vers les docks est insidieuse, au soufre mouillé, au tabac moite vous rentre au poil, vous habille... au miel aussi...   CÉLINE, Guignol's band, p. 40.
Par ext. Entrepôts* destinés au stockage des marchandises. *Docks à blé.* → **Silo.**

DÉR. Docker. ◊ **HOM. Doc.**

DOCKER [dɔkɛʀ] n. m. — 1889 ; mot angl., de *dock*. → Dock.

Ouvrier qui travaille au chargement et au déchargement des navires. → **Arrimeur, crocheteur** (vx), **débardeur, déchargeur** (→ Décharger, cit. 2). *Le syndicat des dockers. Grève des dockers.*

Charger... décharger !... voilà tout ! Un point et c'est   1
marre !... Dockers ! Dockers ! Voilà tout !...
CÉLINE, Guignol's band, p. 147.

Ce système de travail forcé est répandu au Japon : les   2
dockers, les journaliers, les ouvriers de la construction constituent un sous-prolétariat soumis à un intermédiaire qui sert l'entreprise.
S. DE BEAUVOIR, Tout compte fait, p. 307.

DOCTE [dɔkt] adj. et n. — 1532, Rabelais ; *doct*, v. 1509 ; lat. *doctus* «savant», p. p. de *docere* «enseigner».

Vieilli ou littér. (mod. : souvent iron. ou plais.). Qui possède des connaissances étendues, principalement en matière littéraire ou historique. → **Érudit, fort, instruit, savant.** *Savant très docte.* → **Doctissime.**

Docte (...) ne se dit guère qu'en parlant de l'antiquité et de   1
ce qui s'y rapporte... (Il) s'emploie parfois dans un sens ironique ou en plaisantant.
LAFAYE, Dict. des synonymes, p. 936.

Une personne humble, qui est ensevelie dans le cabinet,   2
qui a médité, cherché, consulté, confronté, lu ou écrit pendant toute sa vie, est un homme docte.
LA BRUYÈRE, les Caractères, II, 28.

(...) Ursus était savantasse, homme de goût, et vieux poète   3
latin. Il était docte sous les deux espèces : il hippocratisait et il pindarisait.   HUGO, l'Homme qui rit, I, I, 1.

Quant à savoir s'il a réussi à bien traduire son auteur, je le   4
laisse à de plus doctes et ne dirai que mon impression. Sa traduction peut paraître très exacte, et fidèlement calquée sur l'original (...)
SAINTE-BEUVE, Causeries du lundi, t. VI, p. 357.

N. (1553). *Les doctes* : les savants.

Mais, sitôt que j'eus achevé tout ce cours d'études, au bout   5
duquel on a coutume d'être reçu au rang des doctes, je changeai entièrement d'opinion.
DESCARTES, Disc. de la méthode, I.

(Choses). *Un docte entretien* (→ Affaire, cit. 13 ; 2. dé, cit.).

(...) dire en beaux vers, ou bien en docte prose (...)   6
MOLIÈRE, l'Étourdi, II, 11.

CONTR. Ignorant ; vulgaire. ◊ **DÉR. Doctement.**

DOCTEMENT [dɔktəmɑ̃] adv. — 1547 ; de *docte*.

Vieilli ou littér. (mod. : souvent iron. ou plais.). D'une manière docte*. → **Savamment.** *Parler doctement.* → *Parler comme un livre*. *Enseigner qqch. doctement* (→ Cuivre, cit. 51). *Pédant qui palabre doctement.*

DOCTEUR [dɔktœʀ] n. m. — 1160 ; lat. *doctor*, de *doctum*, supin de *docere* «enseigner».

I (Le plus souvent avec un complément pour le distinguer du sens II). ♦ 1 Relig. Celui qui enseignait des points de doctrine. *Les docteurs de la loi*, qui interprétaient et enseignaient la loi judaïque.

Sous la reine Alexandra Salomé (76-67) les Pharisiens, au   1
contraire, triomphèrent ; ils en profitèrent pour établir solidement leur influence dans le *sanhédrin*, l'assemblée des anciens, qui formait le conseil du Grand prêtre, et pour y introduire ces Docteurs de la Loi, férus de minutie, qui seront les pires ennemis de Jésus.
DANIEL-ROPS, le Peuple de la Bible, IV, II, p. 339.

Les docteurs de l'Église : les théologiens qui ont enseigné les vérités du christianisme, et, spécialt, les Pères* dont la doctrine a fait autorité. *Saint Athanase, saint Basile, Grégoire de Naziance, saint Jean Chrysostome, docteurs de l'Église grecque. Saint Ambroise, saint Augustin, saint Grégoire le Grand, saint Jérôme, docteurs de l'Église latine. Docteurs d'un concile*.

S'est dit aussi des principaux maîtres de la scolastique médiévale. *Docteur scolastique. Le docteur angélique* : saint Thomas. *Le docteur subtil* : Duns Scot.

2 (...) les docteurs les plus respectés du XIIIᵉ siècle sont d'accord pour combattre l'averroïsme et les formes de leur polémique ne permettent pas de supposer que ce fût là pour eux une dispute oiseuse et sans adversaires.
RENAN, Averroès et l'Averroïsme, Œ. compl., t. III, p. 204.

♦ **2** Vx. Homme docte*. → **Érudit, savant.**

3 Oui, vous êtes sans doute un docteur qu'on révère ;
Tout le savoir du monde est chez vous retiré (...)
MOLIÈRE, Tartuffe, I, 5.

Péjoratif :

4 Que m'importent les controverses, et les arguties des docteurs ?
Au nom de la science ils peuvent nier les miracles ; au nom de la philosophie, la doctrine et au nom de l'histoire les faits.
GIDE, Journal, Numquid et tu... (1916-1919), Pl., p. 587.

Iron. *Prendre un ton de docteur* (→ **Doctoral**).

5 *(Il)* Impose à tous silence, et d'un ton de docteur (...)
BOILEAU, Satires, III.

♦ **3** Personne (homme ou femme) qui est promue au plus haut grade universitaire dans une faculté. → **Doctorat.** *Docteur ès lettres, ès sciences* : personne qui possède un doctorat d'État. *Docteur d'État. Docteur en droit, en médecine* (ci-dessous sens II). *Il faut le titre de docteur pour être nommé professeur dans une faculté des lettres ou des sciences ; ou pour être admis au concours d'agrégation* des facultés de droit et de médecine. Docteur «honoris causa». Bonnet carré des anciens docteurs. Elle est docteur ès sciences de la Faculté de Paris. — Une docteur ès lettres* (emploi critiqué, mais peu évitable, *doctoresse* ayant d'autres emplois). *Mᵐᵉ X, docteur ès sciences.*

II (1775 ; répandu XIXᵉ ; *docteur en médecine*, XVᵉ). Personne qui possède le titre de docteur (I., 3.) en médecine. → **Médecin, toubib** (fam.) ; doc. *Diplôme d'État de docteur en médecine. Appeler, faire venir le docteur.* → **Consulter** (cit. 4 et 13). *Aller chez le docteur,* ou, pop., *au docteur. Docteur-vétérinaire*.*

6 Exerce illégalement la médecine : (...) 4° Tout docteur en médecine qui exerce la médecine sans être inscrit à un tableau d'ordre des médecins (...)
Ordonnance du 24 sept. 1945, art. 8.

(Appellatif). *Monsieur le docteur Dupont,* ou, plus cour., *le docteur Dupont.* — (Appellatif). *Au revoir monsieur le docteur.* Plus cour. : *Au revoir docteur.* → **Doc** (fam.).

7 Le docteur Knock, successeur du docteur Parpalaid (...) a l'honneur de (...) faire connaître que, dans un esprit philanthropique, et pour enrayer le progrès inquiétant des maladies de toutes sortes (...) il donnera tous les lundis matin, de neuf heures trente à onze heures trente, une consultation entièrement gratuite, réservée aux habitants du canton.
J. ROMAINS, Knock, II, 1.

REM. En parlant d'une femme, on emploie aussi le terme *docteur* (→ Doctoresse). *Elle est bon docteur.* Pour une présentation on utilise la forme *le docteur + prénom + nom* (*le docteur Marie Dupont*) alors que la formule neutre (*le*) *Docteur Dupont* pourra être utilisée lorsque le contexte n'engage pas à préciser qu'il s'agit d'une *femme docteur* (ou *femme médecin*). — L'appellation : *Madame le docteur Dupont* est déconseillée. → aussi Doctoresse. — En appellatif, on dit à une femme : *docteur.*

DÉR. V. **Doctoral, doctorat, doctoresse.**

DOCTISSIME [dɔktisim] adj. — XVIᵉ ; lat. *doctissimus,* superlatif de *doctus* «savant». → **Docte.**
Par plais. Très docte ; savantissime.

DOCTORAL, ALE, AUX [dɔktɔral, o] adj.
— V. 1380 ; dér. sav. du lat. *doctor.* → **Docteur.**

♦ **1** Didact. Qui a rapport aux docteurs (qualité, aspect extérieur, comportement). *Titre doctoral,* de docteur. — *Chapeau, bonnet doctoral.*

♦ **2** Cour. *Air, ton doctoral* : air, ton grave, solennel d'une personne qui pontifie. → **Doctrinaire, dogmatique, pédantesque.**

1 Dans les cercles, j'aurais parlé avec les femmes d'un air doctoral et soutenu des thèses de sentiment d'un ton de voix grave et mesuré, comme un homme qui en sait beaucoup plus qu'il n'en veut dire sur la matière qu'il traite, et qui n'a pas appris ce qu'il sait dans les livres (...)
Th. GAUTIER, Mˡˡᵉ de Maupin, VI, p. 136.

2 Je prenais avec les femmes, par timidité et par orgueil, ce ton supérieur et doctoral qu'elles exècrent.
F. MAURIAC, le Nœud de vipères, I, II, p. 27.

Empreint d'un sérieux outré, de pédantisme. Des démonstrations doctorales.

♦ **3** (Personnes). Qui pontifie. *Un professeur, un conférencier doctoral et ennuyeux.*

CONTR. Humble, modeste. ◊ DÉR. Doctoralement. ◄ COMP. Postdoctoral.

DOCTORALEMENT [dɔktɔralmã] adv. — 1603 ; de *doctoral.*
Vx. ou péj. D'une façon doctorale. *Parler doctoralement.*

DOCTORANT, ANTE [dɔktɔrã, ãt] n. — 1976 ; de *doctorat,* d'après l'all. *Doktorand.*
Personne qui prépare un doctorat. → **Thésard.** *Un doctorant, une doctorante en paléontologie.*

DOCTORAT [dɔktɔra] n. m. — 1575 ; lat. médiéval *doctoratus,* de *doctor.* → **Docteur.**

♦ **1** Grade de docteur (I., 3.). *Doctorat d'État, doctorat de 3ᵉ cycle* (en France), obtenu par la soutenance d'une thèse d'État, d'une thèse de 3ᵉ cycle. → **Thèse ; doctorant.** *Doctorat d'université* : titre (et non grade) correspondant à un diplôme non reconnu délivré par une faculté des lettres ou une faculté de droit particulière (parfois réservé aux étrangers). *Avoir le doctorat* : être docteur. *Doctorat ès lettres, ès sciences, doctorat en droit, en médecine. Doctorat honoris causa d'une université. Thèse de doctorat.*

1 J'ai passé ma licence ès lettres. Je voudrais arriver au doctorat.
J. CHARDONNE, les Destinées sentimentales, p. 462.

2 Et ses études pas terminées ? sa thèse de doctorat pas encore achevée ? Mais c'est si difficile, le doctorat de lettres surtout, c'est le plus dur de tous (...)
N. SARRAUTE, le Planétarium, p. 68.

♦ **2** Spécialt. Diplôme national requis pour l'exercice des professions de santé : médecine, chirurgie dentaire, médecine vétérinaire.

♦ **3** Par ext. Examen préliminaire à l'obtention du grade ou du diplôme de docteur (en droit, en médecine). *Passer son doctorat.*

DÉR. V. **Doctorant.**

DOCTORESSE [dɔktɔrɛs] n. f. — 1855, cit. ; «femme de docteur», 1773, Diderot, *Jacques le Fataliste, in* D.D.L. ; «femme savante», XVᵉ ; un fém. *doctrice* est attesté en 1695 dans une traduction de l'italien et réutilisé au XIXᵉ : Balzac, Mérimée, *in* T.L.F. ; du lat. *doctor.* → **Docteur.**
Vieilli. Femme munie du diplôme de docteur en médecine. *Une doctoresse. La doctoresse Madeleine X.*

REM. On dit plutôt *docteur* (→ Docteur, II.) et cette tendance se remarque dès l'apparition du mot :

Diplômes de doctoresses. — La séance solennelle par laquelle se terminent chaque année les cours de l'École féminine de médecine *(Female medical College)* de Philadelphie a eu lieu récemment (...) Les diplômes de docteurs en médecine ont été décernés par le doyen, M. Cleveland, à six étudiantes.
> Revue thérapeutique médico-chirurgicale, III, 332 (1855), *in* D. D. L., II, 8.

DOCTRINAIRE [dɔktʀinɛʀ] n. et adj. — 1652; «doctrinal», XIVᵉ; de *doctrine*, suff. *-aire.*

♦ **1 N. m. Relig.** Religieux de la congrégation des Pères de la doctrine chrétienne.

♦ **2 N. m.** (1816). **Hist.** Sous la Restauration, Homme politique, écrivain, dont les idées semi-libérales et semi-conservatrices étaient subordonnées à un ensemble de doctrines exprimées en un système (le doctrinarisme). *Guizot, Royer-Collard furent des doctrinaires.*

Adj. *Système doctrinaire. École doctrinaire.*

♦ **3 N. m. et f.** Plus cour. (mais style soutenu). Personne qui se montre systématiquement, étroitement attachée à une doctrine, à une opinion, et qui prétend tout y subordonner. → **Dogmatique, sectaire, systématique.** *C'est un, une redoutable doctrinaire. Les doctrinaires et les éclectiques.*

1   (...) les doctrinaires ont cela de bon qu'ils réveillent, par contraste, certaines facultés que l'usage et l'expérience de la vie affaiblissent en nous.
> BERNANOS, l'Imposture, *in* Œ. roman., Pl., p. 311.

♦ **4 Adj.** Sentencieux. → **Doctrinal.** *Des déclarations un peu doctrinaires.*

2   Il parla à son tour d'un ton doctrinaire, avec l'emphase apprise dans les proclamations qu'on collait chaque jour aux murs, et il finit par un morceau d'éloquence où il étrillait magistralement cette «crapule de Badinguet».
> MAUPASSANT, Boule de suif, p. 27.

DÉR. Doctrinairement, doctrinarisme.

DOCTRINAIREMENT [dɔktʀinɛʀmɑ̃] adv. — 1896, Goncourt; de *doctrinaire.*

Didact. ou littér. Comme un, une doctrinaire (3.).

DOCTRINAL, ALE, AUX [dɔktʀinal, o] adj. — Fin XIIᵉ; bas lat. *doctrinalis,* du lat. *doctrina.* → Doctrine.

Didactique ou littéraire.

♦ **1** Qui se rapporte à une doctrine, aux doctrines. *Jugement doctrinal. Querelles doctrinales.*

Connaissance doctrinale. Médecine doctrinale (opposé à *empirique*).

♦ **2** a Qui se rapporte à l'autorité de docteur. → **Docte, doctoral.** *Ton doctrinal, emphase doctrinale.* → **Doctrinaire, 4.**

b Qui se rapporte à l'activité de docteur. *«Chaire doctrinale»* (Claudel, *in* T. L. F.). *Enseignement doctrinal.* — REM. Cet emploi est surtout didact. (ex. : théologie); le mot est plutôt compris au sens 1.

DÉR. Doctrinalement, doctrinalisme.

DOCTRINALEMENT [dɔktʀinalmɑ̃] adv. — 1495; répandu fin XIXᵉ; de *doctrinal.*

♦ **1 Didact.** ou littér. Du point de vue doctrinal (1.).

Doctrinalement, les événements ont confirmé les vues de Marx sur l'importance de l'infrastructure économique et le fait que celle-ci conditionnait les institutions.
> Gaston BOUTHOUL, Sociologie de la politique, Le fascisme, p. 67 (1965).

♦ **2** De manière doctrinale (2.), quelque peu sentencieuse (→ **Doctrinairement**).

DOCTRINALISME [dɔktʀinalism] n. m. — XXᵉ; de *doctrinal.*

Didact. Parti pris doctrinal. → **Doctrinarisme, 2.**

Troisième critique : le doctrinalisme péremptoire et simpliste des partis au pouvoir ou non et leur suffisance comparée à la modestie des savants et des grands techniciens.
> Gaston BOUTHOUL, Sociologie de la politique, Dépolitisation et technocratie, p. 84 (1965).

DOCTRINARISME [dɔktʀinaʀism] n. m. — V. 1830; de *doctrinaire.*

♦ **1 Didact.** Système politique des doctrinaires* (2.), pendant la Restauration.

♦ **2 Péj.** Esprit d'une personne qui se montre systématiquement, étroitement attachée à une doctrine. → **Doctrinalisme.**

DOCTRINE [dɔktʀin] n. f. — V. 1160; lat. *doctrina* «enseignement, science», de *docere* «enseigner», comme *doctor,* etc.

♦ **1 Vx** (langue class.). Savoir.

Je vous crois grand latin et grand docteur juré (...)   1
N'allez point déployer toute votre doctrine (...)
> MOLIÈRE, le Dépit amoureux, II, 6.

♦ **2** Ensemble de notions considérées comme vraies et par lesquelles on prétend fournir une interprétation des faits, orienter ou diriger l'action de l'homme en matière religieuse, philosophique, scientifique, etc. → **Dogme, opinion, système, théorie, thèse.** *Une doctrine orthodoxe, classique; nouvelle. Doctrine dénoncée comme fausse* (→ **Erreur, hérésie**), *corruptrice, pernicieuse, subversive* (→ Détruire, cit. 24). *Doctrine desséchante. Doctrine acroamatique, ésotérique, secrète, hermétique. Antagonisme de doctrines. Doctrines différentes fondues en une seule.* → **Syncrétisme.** *Un corps* de doctrine. Point de doctrine. Enseigner, professer, divulguer une doctrine. Propagande* en faveur d'une doctrine. Adopter une doctrine. Partisan, adepte d'une doctrine. Rejeter une doctrine. Doctrine démodée* (cit. 3), *périmée. La doctrine de qqn, sa doctrine.*

(...) ne soyons plus des enfants, flottants et emportés à tout   2
vent de doctrine, par la tromperie des hommes, par leur ruse (...)
> BIBLE (SEGOND), saint Paul, Épître aux Éphésiens, IV, 14.

(...) science et doctrine ont des fins différentes : l'une cons-   3
tate et explique, l'autre juge et prescrit (...) La doctrine a besoin de lignes simples et de partis pris tranchés (...)
> G. PIROU, les Doctrines économiques en France depuis 1870.

Puisque la doctrine secrète de la captivité de Baby-   3.1
lone et qu'elle n'est point née d'un mouvement interne et spontané du judaïsme, il ne reste plus qu'à chercher si dans la société persane il existait alors une telle doctrine.
> Émile BURNOUF, la Science des religions, p. 119.

Quelle est sa doctrine? Quelle est son étiquette? À quel   4
parti est-il affilié?
> A. MAUROIS, Études littéraires, Saint-Exupéry, III, p. 280.

REM. *Doctrine* peut s'appliquer à un système général, à une théorie, ou à une thèse portant sur un point spécifique.

Doctrines théologiques, religieuses. → **Religion; croyance.** *Doctrines morales, philosophiques.* → **Philosophie.** *La doctrine d'Épicure, de Descartes, de Kant.* → **Théorie.** *Doctrine artistique.* → **École.** *Doctrine littéraire. Doctrine économique, politique* (1. Politique, cit. 10), *sociologique, médicale, scientifique. Ensemble de doctrines.* → **Position.**

♦ **3** (1840). Dr. *La doctrine* : ensemble des travaux juridiques destinés à exposer ou à interpréter le droit (opposé à *législation** et à *jurisprudence**).

5   La doctrine joue dans la science du droit à peu près le même rôle que l'opinion publique en politique, et ce rôle est considérable ; c'est elle qui donne l'orientation ; elle prépare de loin beaucoup de changements de législation et de jurisprudence par l'influence de l'enseignement.
    M. PLANIOL, Traité élémentaire de droit civil, t. I, p. 52.

♦ **4** (1680). *Doctrine chrétienne* : congrégation instituée pour catéchiser le peuple. *Pères de la doctrine chrétienne.* → **Doctrinaire.**
Frères de la doctrine chrétienne (ou *ignorantins*), chargés de l'enseignement.

DÉR. Doctrinaire, doctriner. ◊ COMP. Endoctriner.

DOCTRINER [dɔktʀine] v. tr. — 1131, *in* D.D.L. ; de *doctrine.*

♦ **1** Vx. *Doctriner qqn.* → **Endoctriner.**

♦ **2** Rare. *Doctriner qqch.*, en faire une doctrine. *Doctriner que...* : ériger en doctrine que...

Pour doctriner que le mythe destiné à apaiser l'angoisse, la surexcite, il lui faut oublier — étrange omission chez un gœthien aussi prononcé — que la nature nous gratifie autant qu'elle nous terrifie. Avant de nous tuer, elle entretient notre vie.   Emmanuel BERL, le Virage, p. 75.

DOCTUS CUM LIBRO [dɔktyskɔmlibʀo] loc. adj. ou adv. — Mots latins signifiant : *savant avec le livre.*
Qui étale les connaissances qu'il vient de puiser dans les livres ; en étalant des connaissances livresques.

DOCUDRAME [dɔkydʀam] n. m. — V. 1975 ; de *docu(ment), et drame.*
Techn. Film de fiction qui insère des documents extraits des archives cinématographiques dans une trame romanesque inspirée fortement d'événements réels. — REM. Cette formation (mot-valise) peu euphonique ne semble pas en usage.

DOCUMENT [dɔkymɑ̃] n. m. — Déb. XIIᵉ, «enseignement»; encore attesté fin XVIIIᵉ; lat. *documentum* «ce qui sert à instruire», sens conservé jusqu'au XVIIᵉ; sens actuel issu de l'emploi jurid. *Titres et documents*; de *docere* «instruire, enseigner».

♦ **1** Écrit servant de preuve ou de renseignement ; par ext. «toute base de connaissance, fixée matériellement, susceptible d'être utilisée pour consultation, étude ou preuve» (U.F.O.D.). → **Annales, archives** (cit. 9), **documentation, dossier, écrit, justificatif, matériaux, papier, pièce** (justificative), **statistique, texte, titre ; documentaire, documentation.** *L'histoire est fondée sur des documents* → aussi **Monument.** *Document original ; document en un ou plusieurs exemplaires.* → **Original ;** *copie. Document sur papier. Document microphotographique.* → **Microforme** (et **microcopie, microfiche, microfilm**). *Document graphique, document iconographique. Document audiovisuel. Document officiel. Documents diplomatiques* (→ **Diplomatie, protocole**), *administratifs, historiques, scientifiques. Éclairer un point d'histoire à l'aide de documents originaux* (→ **Cunéiforme,** cit. 1). *Documents relatifs à un événement. Documents de première main.* → **Source.** *Réunir, recueillir, consulter des documents en vue d'une thèse. Classement de documents* (→ **Documentaliste ; documentation**); *documents archivables*, documents photocopiés. Réunir des documents dans un fichier* (→ **Fiche**). *Analyses de documents.*

→ **Documentaire.** *Documents et matériaux philologiques.* — Techn. (documentation). *Document primaire* : document original, contenant toute l'information produite. *Document secondaire,* regroupant l'analyse de plusieurs documents primaires.

David, d'ailleurs, qui doit me donner des documents, tels que vieux papiers, vieux journaux, était absent (...)   1
    SAINTE-BEUVE, Correspondance, IV, p. 255.

Nous devons à la même affaire la publication exacte,   2
historique, de procès-verbaux, de comptes rendus sténographiques, de documents, de papiers, de pièces.
    Ch. PÉGUY, la République..., p. 16.

L'on sait que l'histoire est plus affirmative et semble mieux   3
constituée pour les périodes inconnues, dont il ne reste qu'un seul écrivain, que pour les époques plus récentes et qui nous ont laissé des milliers de documents contradictoires (...)
    J. PAULHAN, Entretien sur des faits divers, p. 19.

Nous avons donc en main les pièces essentielles nécessaires à la mise au point de ce très émouvant chapitre   4
(...) les documents que j'ai sous les yeux ont une valeur indéniable et leur publication est légitime, fût-ce en marge ou en appendice.
    Émile HENRIOT, les Romantiques, p. 124.

Documents nautiques, rassemblant et tenant à jour les informations utiles aux navigateurs. — Cin., télév. *Documents d'archives* : images filmées puisées dans des archives, et utilisées dans un film, une émission.

♦ **2** Ce qui sert de preuve*, de témoignage*. *Objets saisis comme documents.* → **Pièce** (à conviction). *Gravures, photographies, disques utilisés comme documents.*

Portraits, statues, allégories, autographes, médailles, frontispices, tous ces documents parlent aux yeux, éclairent de   5
page en page l'histoire passionnante, mais parfois sévère, de tout ce monde janséniste.
    Émile HENRIOT, les Romantiques, p. 224.

Document humain : témoignage pris sur le vif (sur la vie sociale, la psychologie de l'individu).

♦ **3** Dr. comm. Se dit des pièces qui désignent et caractérisent une marchandise en cours de transport (connaissement, police d'assurance, factures...).

♦ **4** Techn. (en publicité). Projet entièrement élaboré d'une page illustrée, d'une affiche. → **Maquette.**

(...) s'il s'agit d'un magazine tiré en offset ou en héliogravure (...) il *(l'annonceur)* remettra le dessin de l'annonce au document.   6
    B. DE PLAS et H. VERDIER, la Publicité, p. 80.

Abrév. fam. : *doc* (1977) ou *docu* (1977, *in* D.D.L.).

DÉR. Documentaire, documentaliste, documenter.

DOCUMENTAIRE [dɔkymɑ̃tɛʀ] adj. et n. m. — 1876 ; de *document.*

Ⅰ ♦ **1** Qui a le caractère d'un document, repose sur des documents. *Ce livre présente un réel intérêt documentaire.* — Loc. *À titre documentaire...* : à titre de renseignement.

L'érudition frétait des bibliothèques alexandrines pour le ravitaillement d'innombrables rongeurs à lunettes, dont   1
l'office était de picorer des fétus dans l'énorme amas de crottin documentaire fienté par de plus grands animaux, en s'interdisant religieusement jusqu'à la velléité d'une conclusion.   Léon BLOY, le Désespéré, p. 102.

♦ **2** Qui se rapporte aux documents. *Analyse documentaire* : analyse (sémantique) du contenu* des documents. *Code, langage documentaire. Système documentaire* : ensemble des règles qui définissent la gestion d'un ensemble de documents — *Centrale, organisme documentaire,* de documentation. *Recherche documentaire.* — *Logiciel documentaire. Informatique* documentaire.*

♦ **3** (Fin XIXᵉ). **Comm.** *Crédit documentaire*, pour l'acquisition de marchandises dont les documents sont remis en gage au prêteur. — *Traite* ou *effet documentaire*, qui accompagne les documents relatifs à des marchandises remises en gage.

Ⅱ ♦ **1** (1896). **Techn.** ou vieilli. *Film documentaire* : film didactique montrant des faits réels, et non imaginaires (opposé à *film de fiction*). *Film documentaire sur les centrales nucléaires, sur la faune des îles Kerguelen. «John Grierson, pionnier du film documentaire anglais»* (*le Monde*, 26 févr. 1972).

2   Marc *(Allégret)* tâche de filmer des scènes «documentaires» (...)
                GIDE, Voyage au Congo, in Souvenirs, Pl., p. 837.

♦ **2 N. m.** (1915). **Mod.** *Un documentaire. Documentaire de court métrage, de moyen métrage* (→ **Métrage**). *Tourner un documentaire. Présenter, montrer un documentaire en avant-programme dans une salle de cinéma. Documentaire pour la télévision.* Abrév. fam. : *docu* (1967, in D.D.L.), **et,** par plais., *docucu* (d'après *cucul*).

3   Les gosses ça les emmerde le docucu, et comment.
                R. QUENEAU, Loin de Rueil, p. 38.

DÉR. Documentarisme, documentariste.

DOCUMENTALISTE [dɔkymɑ̃talist] n. — V. 1932, en concurrence avec *documentiste* (recommandé en 1939 par l'Office de la langue française), *documentateur* et *documenteur* (Paul Otlet, Jean Gérard); adopté en français, anglais (*-alist*), allemand par le Congrès de la Documentation Universelle de 1937; de *document*, et *-(al)iste*.

Personne qui réunit, classe, conserve et utilise des documents (1.) pour le compte d'une collectivité, d'un service documentaire, etc. *Diplôme de documentaliste. Documentalistes d'un centre, d'un service documentaire; documentaliste privé. Il, elle est documentaliste.*

— C'est au stade du dépouillement que le documentaliste devient spécifiquement producteur. C'est ce travail qui le distingue du bibliothécaire ou de l'archiviste. Le documentaliste procède à l'analyse du document initial dans le but de donner à l'utilisateur éventuel une idée exacte de son contenu. Souvent, ce travail implique une traduction. Cette analyse, plus ou moins condensée est mise sur fiche ou sur feuillet et constitue un nouveau document «dérivé».
                P. MAES, in Avenirs, févr. 1951.

DOCUMENTARISME [dɔkymɑ̃taʀism] n. m. — 1949; dér. sav. de *documentaire.*

Techn. Art de faire des films documentaires* (II.).

(Ce néo-réalisme) constitue, en quelque sorte, une demi-mesure entre le pur documentaire (celui de l'école anglaise) et la volonté, essentielle au cinéma contemporain, de construire un film de l'intérieur comme l'on élabore un roman.
          les Temps modernes, nº 86, déc. 1952, p. 1071.

DOCUMENTARISTE [dɔkymɑ̃taʀist] n. — V. 1935; de *documentaire.*

Auteur de films documentaires. *Une documentariste de talent.*

Je voudrais rejoindre la fiction, non pas tellement parce que la réalité dépasse la fiction, mais parce qu'elle l'implique. Par là, je suis un documentariste. Tous les grands films, je crois, tendent, dans ce qu'ils ont de plus profond, vers le documentaire.
              François REICHENBACH,
     interviewé par J.-L. GODARD, Arts, nº 685,
        27 août 1958, in Cahiers du cinéma, p. 152.

DOCUMENTATION [dɔkymɑ̃tasjɔ̃] n. f. — 1870; de *documenter*, et *-ation.*

♦ **1** Action de rechercher des documents. *Travail, fiches de documentation.*

♦ **2** Ensemble de documents* réunis. *Rechercher de la documentation. Préparer, compléter sa documentation. Documentation riche, variée; insuffisante, rudimentaire. Documentation archivée* (→ **Archives**), *classée, gérée par ordinateur, analysée* (analyse documentaire*).

(...) la documentation (...) était nouvelle : puisée aux Archives, dans l'énorme collection des actes, des imprimés, des manuscrits, des registres des fédérations (...) accrue par les récits et par les souvenirs des survivants de l'extraordinaire drame (...)
          Émile HENRIOT, les Romantiques, p. 399.

Abrév. fam. : *doc*, n. f. (1977, in D.D.L.).

♦ **3** Techn. Activité qui consiste à réunir, gérer, analyser, diffuser des documents dans un but déterminé. *Documentation automatique* : informatique* documentaire. *Spécialiste de la documentation.* → **Documentaliste.** *Union française des organismes de documentation* (U.F.O.D.). *Centres de documentation.* → **Documentaire.** *Services de documentation.*

DÉR. V. Documentaliste.

DOCUMENTER [dɔkymɑ̃te] v. tr. — Av. 1750, Mᵐᵉ de Staal de Launay; de *document.*

♦ **1** Fournir des documents à (qqn.). → **Informer.** *Documenter qqn sur une question.*

Pour satisfaire le goût dominant que j'avais dès mon enfance d'instruire et de documenter quelqu'un.
        Mᵐᵉ DE STAAL DE LAUNAY, Mémoires, t. I, p. 155,
                    in LITTRÉ, Suppl.   1

♦ **2** (1876). Appuyer, étayer sur des documents. *Documenter solidement une thèse.*

♦ **SE DOCUMENTER** v. pron. Plus cour.
Chercher, réunir des documents, et, par ext., s'informer. *Se documenter sur une question. Auteur qui se documente avant d'écrire. Il aurait dû mieux se documenter.*

Pour ce livre de trois cents pages, à peine, qui lui avait coûté trois ans, Marchenoir s'était fait savant. Il s'était documenté jusqu'à la racine des cheveux.   2
             Léon BLOY, le Désespéré, p. 97.

♦ **DOCUMENTÉ, ÉE** p. p. adj. *Auteur bien, mal documenté.* — (Choses) *Cet article est documenté. Ce travail est solidement documenté.*

DÉR. Documentation.

DODÉC-, DODÉCA- Élément, du grec *dodeka* «douze» entrant dans la composition de termes didactiques et indiquant une multiplication par douze de la chose désignée dans la seconde partie du terme. Voir ci-dessous à l'ordre alphabétique.

DODÉCAÈDRE [dɔdekaɛdʀ] n. m. — 1557; de *dodéca-*, et *-èdre.*

Didact. Géom. Solide limité par douze pentagones. *Dodécaèdre régulier*, à faces égales. — **Minér.** Cristal à douze facettes.

Adj. *Cristal dodécaèdre* (on dit aussi *dodécaèdral, ale, aux*, adj., et *dodécaédrique*).

DÉR. Dodécaédrique.

DODÉCAÉDRIQUE [dɔdekaedʀik] adj. — 1838; de *dodécaèdre.*

Didact. D'un dodécaèdre. — Qui constitue un dodécaèdre. *Cristaux dodécaédriques.*

DODÉCAGONAL, ALE, AUX [dɔdekagɔnal, o] adj.
— 1787 ; de *dodécagone*.

Didact. Qui a douze angles ; qui a douze faces.

DODÉCAGONE [dɔdekagon ; dɔdekagɔn] n. m.
— 1680 ; de *dodéca-*, et *-gone*.

Didact. (géom.) ou littér. Polygone à douze côtés.
(→ Girl, cit. 3). *Dodécagone régulier.*
Adj. *Construction dodécagone.* → **Dodécagonal.**

1   Une imprimeuse rotative, mon petit Frantz, rotative et
dodécagone, pouvant donner d'un seul tour de roue l'empreinte d'un dessin de douze à quinze couleurs (...)
         Alphonse DAUDET, Fromont jeune et Risler aîné,
            p. 186.
2   En parlant il heurtait du pied la table dodécagone, et il
faillit renverser le pot de lobélias.
         COLETTE, Julie de Carneilhan, p. 94.

DÉR. **Dodécagonal.**

DODÉCAGYNE [dɔdekaʒin] adj. — 1798 ; de
dodéca-, et *-gyne*.

Didact., bot. Qui a douze pistils ou douze stigmates.

DODÉCANDRE [dɔdekãdʀ] n. f. — 1798 ; de
dodéc(a)-, et grec *andros* «mâle».

Bot., vx. Qui a douze étamines ; qui appartient à la
«dodécandrie», classe du système de Linné.

DODÉCAPHONIQUE [dɔdekafɔnik] adj. — 1947 ; de
dodéca-, et *-phonique*, du grec *phonos*.

Mus. Qui utilise la série de douze sons. → **Sériel.**
La musique dodécaphonique est atonale. Musique
dodécaphonique* → **Dodécaphonisme.** «*La dernière
pièce du recueil* (op. 23, de Schönberg) *est bâtie
sur une série de douze sons (...) Cette pièce est donc
la première œuvre dodécaphonique*» (Leibowitz).

DÉR. **Dodécaphonisme.**

DODÉCAPHONISME [dɔdekafɔnism] n. m. — 1948 ;
de *dodécaphonique*.

Mus. Système musical atonal fondé sur l'emploi
exclusif de la série de douze sons. *Le dodécaphonisme sériel.*

DÉR. **Dodécaphoniste.**

DODÉCAPHONISTE [dɔdekafɔnist] n. et adj. — Mil.
XXᵉ ; de *dodécaphonisme*.

Mus. Compositeur qui utilise le système dodéca-
phonique*.
Adj. *Musicien dodécaphoniste. — Partition, musique
dodécaphoniste. Courant dodécaphoniste.*

DODÉCASTYLE [dɔdekastil] adj. — 1864 ; de
dodéca-, et grec *stulos* «colonne».

Archit. Qui a douze colonnes de façade. *Temple
dodécastyle.*

DODÉCASYLLABE [dɔdekasi(l)lab] adj. et n. m.
— 1555 ; rare av. XVIIIᵉ ; de *dodéca-*, et *syllabe*.

Didact. Qui a douze syllabes.
Spécialt. *Vers dodécasyllabe.* → **Alexandrin.** — N. m.
Un dodécasyllabe.

DODELINANT, ANTE [dɔdlinã, ãt] adj. → **Dodeliner.**

DODELINEMENT [dɔdlinmã] n. m. — 1552 ; de
dodeliner.

Oscillation légère de la tête ou du corps. → **Dandinement.** — REM. On trouve aussi *dodelinage*.

DODELINER [dɔdline] v. intr. et tr. — 1532, Rabelais
(*Pantagruel*) «*il dodelinait de la tête et barytonait du
cul*»; du rad. onomatopéique *dod-*, exprimant le balancement, l'oscillation.

♦ **1** V. intr. Se balancer doucement. → **Dodiner.** *Dodeliner de la tête* (→ Cambrer, cit. 2), *du corps.*

(...) quand elle était petite et que le grand-père Théveneur   1
la prenait sur ses genoux et qu'il s'endormait tout à coup
en dodelinant de la tête.   SARTRE, le Sursis, p. 131.

(Sans complément).

Il faut le voir *(Capus)* se promenant avec Arthur Meyer ! Il   2
fait tous les frais. Il ne peut pas résister à ce chic. Il parle.
Meyer dodeline.   J. RENARD, Journal, 15 févr. 1904.

♦ **2** V. tr. Vieilli. Balancer doucement. *Dodeliner la tête.
Dodeliner un enfant.* → **Bercer, dodiner.**

♦ **SE DODELINER** v. pron. Vx.
Se balancer* doucement. → **Dandiner** (se).

♦ **DODELINANT, ANTE** p. prés. adj.
Qui dodeline. *Tête dodelinante.*

Et la majesté de notre marche dodelinante n'en aurait été   3
qu'accrue, surtout si les quatre pieux étaient tenus par
quatre esclaves nègres.
     A. JARRY, Almanach illustré du Père Ubu, Pl., t. I,
           p. 594 (1901).

C'est papa qui retient à dîner un «compatriote», comme   4
il dit ; et, durant la soirée entière, le «compatriote», un
sourire satisfait étiré sur la face et la tête dodelinante,
disserte interminablement avec son hôte sur la nature
humaine (...)
     Roger IKOR, les Fils d'Avrom, Les eaux mêlées,
           p. 412.

DÉR. **Dodelinement.**

DODINAGE [dɔdinaʒ] n. m. — 1775 ; de *dodiner*.

Techn. (agric.). Mouvement longitudinal d'un blu-
toir*.

DODINE [dɔdin] n. f. — 1373 ; du même rad. que
dodiner, *dod-* exprimant à la fois le gonflement et le
balancement.

Cuis. Sauce au blanc où l'on incorpore le jus d'une
volaille rôtie. *Dodine de canard.*
Par métonymie. Volaille préparée avec cette sauce.
(...) une longue suite de plats ornés de ces noms magnifiques dont l'audition seule faisait jaillir la salive d'entre
les dents : Dodine de caneton fleurdelisée (...)
         A. ARNOUX, Suite variée, p. 16.

DODINER [dɔdine] v. tr. — XIVᵉ ; d'un rad. *dod-* exprimant le balancement. → **Dodeliner.**

Vx ou régional. Balancer doucement. → **Dodeliner,** 2.

(...) il recula de nouveau jusqu'au mur, les yeux plissés,   1
dodinant la tête et soufflant comme un chat fâché.
     MARTIN DU GARD, les Thibault, t. V, p. 11.

Dodiner un enfant, le bercer.

On amena le petit Calyste, elle le prit pour le dodiner.   2
         BALZAC, Béatrix, Pl., t. II, p. 562.

DÉR. **Dodinage.**

1. DODO [dɔdo ; dodo] interj. et n. m. — 1440 ; onomat.
tirée de *dormir*.

Langage enfantin.

I Interj. Dors ! dormez ! *Allez, maintenant dodo !*

II N. m. ♦ **1** Sommeil (surtout dans : *faire dodo*). *Faire
dodo* : dormir. *Tu vas faire un gros (un petit) dodo.*

Au soir des ans doit sembler doux   1
Ce chant qui nous a charmés tous :
Dodo, l'enfant do,
L'enfant dormira tantôt.
     BÉRANGER, Nourrice, *in* LITTRÉ.

Loc. (1951; répandu 1968). *Métro*, boulot, dodo :* slogan dénonçant les contraintes de la vie urbaine pour les travailleurs.

♦ **2** Lit; action de se coucher pour dormir. *Aller au dodo. Mettre un enfant au dodo. Au dodo, les enfants!*

2 Il baisait la bouche de Jacotte, l'aidait à se mettre au dodo (...)
> COURTELINE, Boubouroche,
> Petit historique de Boubouroche, p. 21.

♦ **3** Vx. Enfant endormi (J. Vallès, *in* D.D.L.).

HOM. 2. Dodo.

2. DODO [dɔdo; dodo] n. m. — 1663; du néerl. *dod-aers* par l'anglais.

Anglic. Dronte (oiseau disparu, symbole en anglais d'un passé archaïque → Dinosaure, diplodocus...)

(...) les élans et les bisons décimés, les tortues, les dodos et les kiwis, ils étaient tous là, présents dans le sable et le gravier, ils avaient ressuscité sur la face de la terre.
> J.-M. G. LE CLÉZIO, le Déluge, XI, p. 219.

HOM. 1. Dodo.

DODU, UE [dɔdy] adj. — V. 1470; orig. incert., p.-ê. du rad. onomatopéique *dod-.* → Dodeliner, dodiner.

♦ **1** Qui est bien en chair, un peu gras. → **Étoffé, ferme, gras, plantureux, plein, potelé, rebondi, replet.** *Une poularde dodue. Un bébé frais et dodu. Bras, derrière dodu.*

1 Figurez-vous la plus jolie petite mignonne, douce, tendre, accorte et fraîche, agaçant l'appétit (...) bras dodus, bouche rosée (...)
> BEAUMARCHAIS, le Barbier de Séville, II, 2.

2 Assez grand, dodu sans obésité, le teint fleuri, la lèvre gaie et vermeille (...)
> J. ROMAINS, les Hommes de bonne volonté, t. III,
> V, p. 90.

N. Vx. *Une grosse dodue.*

♦ **2** (Choses). Bombé ou rembourré. *Bouteille, bonbonne dodue. Un paquet de victuailles dodu et rebondi.*

CONTR. Étique, maigre, mince.

DOGAL, ALE, AUX [dɔgal, o] adj. — D.i.; ital. *dogale,* de *doge.* → Doge.

Rare. Du doge, d'un doge.

La police dogale vint l'y chercher et il fut condamné à l'échafaud après un procès sommaire.
> Pierre-Jean RÉMY, Orient-Express, p. 192.

DOGARESSE [dɔgaʀɛs] n. f. — 1691, *in* D.D.L., var. *dogesse;* ital. *dogaressa,* mot vénitien, de *doge.* → Doge.

Hist. Femme d'un doge.

1 (...) elle se promenait dans ma chambre avec la majesté d'une dogaresse et la grâce d'un mannequin.
> PROUST, À la recherche du temps perdu, t. XII,
> p. 211.

2 D'un pan de cette chape de velours noir, velours dont sont faits le loup de Fantômas et celui des Dogaresses, il cherchait à se dérober, mais c'est le sol qui se dérobait sous lui et nous allons voir dans quel traquenard il s'en fut donner.
> J. GENET, Notre-Dame-des-Fleurs, p. 33 (1948).

DOGAT [dɔga] n. m. — 1676, La Houssaye, *in* D.D.L.; ital. *dogato,* de l'ital. *doge.* → Doge.

Didact. Dignité, magistrature du doge*.

DOG-CART [dɔgkaʀt] n. m. — 1852, *in* D.D.L.; mot angl., proprt «charrette à chiens».

Anglic. Vieilli. Voiture à deux roues élevées et dont la caisse est aménagée pour loger des chiens de chasse sous le siège. — Au plur. *Des dog-carts.*

La nuit, pour gagner du temps, ils rentrent en prenant en écharpe une partie du bois de Boulogne, ayant eu la précaution, pour franchir une grille qui ne s'ouvre que pour des officiers, de cacher sous le siège du dog-cart des képis chamarrés qu'ils mettent au bon moment.
> M. YOURCENAR, Archives du Nord, p. 258.

DOGE [dɔʒ] n. m. — 1552; ital. *doge,* mot vénitien; du lat *dux, ducis.* → Duc, duce.

Hist. Chef électif de l'ancienne république de Venise (ou de celle de Gênes). *Magistrature du doge.* → **Dogat.** *Épouse du doge.* → **Dogaresse.** *Navire du doge.* → **Bucentaure.** *La Cité des Doges :* Venise. *Le palais des Doges.* → 1. Palais, cit. 4.

(...) la Venise dont les doges étaient des savants et les marchands des chevaliers (...)
> CHATEAUBRIAND, Mémoires d'outre-tombe, t. VI,
> p. 165.

DOGGER [dɔgœʀ] n. m. — 1889; mot dial. angl. d'orig. incert.; attesté dès le XVIIᵉ, repris en 1856 par le géologue all. Oppel; nom d'un minéral.

Didact. (géol.). Jurassique moyen, compris entre le malm et le lias. *Différents étages du dogger. Le bathonien et le bajocien sont des étages du dogger.*

DOGMATIQUE [dɔgmatik] adj. et n. — 1537; lat. *dogmaticus,* grec *dogmatikos,* de *dogma.* → Dogme.

♦ **1** Théol. **ⓐ** Relatif au dogme. *Querelles dogmatiques. Théologie dogmatique.*
N. f. *La dogmatique,* science qui traite des dogmes. *Histoire de la dogmatique chrétienne. La christologie, branche de la dogmatique.*

La théologie se divise en dogmatique et en morale.   1
> RENAN, Souvenirs d'enfance..., V, II, p. 205.

Traité de dogmatique. *Une grosse dogmatique du XVIIᵉ siècle.*

ⓑ Propre à la théologie dogmatique. *Terme, style dogmatique.*

Les unes *(matières)* dépendent seulement de la mémoire et   2
sont purement historiques (...) les autres dépendent seulement du raisonnement et sont entièrement dogmatiques.
> PASCAL, Fragments de la préface du Traité
> du vide.

♦ **2** Philos. antiq. Qui admet certaines vérités; qui affirme des principes (opposé à *sceptique,* à *pyrrhonien*). *Philosophie dogmatique. Un philosophe dogmatique.* — N. m. (1662). *Un dogmatique.* → **Dogmatiste.**

Qui démêlera cet embrouillement? La nature confond les   3
pyrrhoniens, et la raison confond les dogmatiques.
> PASCAL, Pensées, VII, 434.

♦ **3** Cour. Qui a des opinions franchement dogmes; qui exprime ses opinions d'une manière péremptoire. → **Absolu, catégorique, doctrinaire, systématique.** *Il est très dogmatique.* → **Affirmatif** (cit. 4). *Un esprit dogmatique et intolérant, sectaire.* — *Un marxiste, un capitaliste dogmatique.*
Par ext. *Ton dogmatique.* → **Décisif, doctoral.**

C'est la profonde ignorance qui inspire le ton dogmatique.   4
> LA BRUYÈRE, les Caractères, V, 76.

N. *Un, une dogmatique :* personne qui a des opinions dogmatiques.

Et pour le sceptique même, le scepticisme, ou plutôt un   5
certain scepticisme devient une sorte de foi, toute espèce de dogmatiques étant considérés comme des païens encore dans l'erreur. Jean prenait secrètement en pitié

tous ceux qui croyaient à la Science, qui ne croyaient pas à l'absolu du Moi, à l'existence de Dieu.
                    PROUST, Jean Santeuil, Pl., p. 479.

CONTR. Empirique, pyrrhonien, sceptique. — Hésitant, humble, modeste, prudent, tolérant. ◊ DÉR. Dogmatiquement, dogmatisme.

DOGMATIQUEMENT [dɔgmatikmɑ̃] adv. — 1539; de *dogmatique*.

♦ **1** Théol. Du point de vue du dogme* (1.), de la dogmatique* (1.).

♦ **2** Philos. D'une manière dogmatique* (2.). *Exposer dogmatiquement un système.*

♦ **3** Cour. D'une manière dogmatique* (3.). → **Absolument, catégoriquement, systématiquement.** *Répondre dogmatiquement. Asséner dogmatiquement ses convictions.*

(...) aussi attend-il (...) que chacun se soit expliqué sur le sujet qui s'est offert (...) pour dire dogmatiquement des choses toutes nouvelles, mais à son gré décisives et sans réplique.   LA BRUYÈRE, les Caractères, V, 75.

DOGMATISER [dɔgmatize] v. — 1294; lat. ecclés. *dogmatizare*, de *dogma*. → Dogme.

I V. intr. ♦ **1** Relig. Traiter du dogme, de la doctrine.

1   (...) le plaisir de dogmatiser, sans être repris ni contraint par aucune autorité ecclésiastique ni séculière, était le charme qui possédait les esprits.
                    BOSSUET, Oraison funèbre de la reine d'Angleterre.

♦ **2** (1718). Fig. et didact. Exprimer son opinion d'une manière absolue, sentencieuse, tranchante. *Ce pédant dogmatise sur tout.*

II V. tr. Rare. Ériger en dogme. *Dogmatiser un principe.*

2   Il faut dogmatiser la foi des fidèles, il faut qu'ils sachent ce qu'ils croient, il faut qu'ils comprennent.
                    J. GREEN, Journal, 13 avr. 1962, Vers l'invisible, p. 314.

DÉR. Dogmatiseur, dogmatisme.

DOGMATISEUR [dɔgmatizœʀ] n. m. — 1586; de *dogmatiser*.

Vx. Personne qui dogmatise* (I., 2.), prend un ton dogmatique* (3.). — REM. Le fém. *dogmatiseuse* est virtuel.

DOGMATISME [dɔgmatism] n. m. — 1580; de *dogmatique* ou de *dogmatiser*, d'après d'autres noms en *-isme*.

♦ **1** Relig., philos. Caractère des croyances qui s'appuient sur des dogmes* (1., 2.).

Le dogmatisme est comme un délire récitant. Il y manque cette pointe de diamant, le doute, qui creuse toujours.
                    ALAIN, Propos, 8 oct. 1927.

♦ **2** Cour. Caractère de ce qui est dogmatique* (3.). *Le dogmatisme de qqn, de ses idées. Il est d'un dogmatisme effrayant.* — Dogmatisme politique.

CONTR. Scepticisme; empirisme. ◊ DÉR. Dogmatiste.

DOGMATISTE [dɔgmatist] n. m. — 1558; de *dogmatisme*.

♦ **1** Relig. Personne qui formule, soutient un, des dogmes* (1.).

♦ **2** Philos. Dogmatique* (2.), partisan du dogmatisme* (1.) philosophique.

DOGME [dɔgm] n. m. — 1570; lat. *dogma*, grec *dogma* «opinion, doctrine», du v. *dokein* «croire, penser».

A ♦ **1** Point de doctrine établi ou regardé comme une vérité fondamentale, incontestable (dans une religion, une école philosophique). → **Article** (de foi), **croyance, doctrine, règle.** *Les dogmes du christianisme*. *Dogme qui dépasse la raison.* → **Mystère.**

Ces coutumes émanent moins directement du dogme de l'immortalité de l'âme que de celui de la résurrection des corps (...)   1
                    MONTESQUIEU, l'Esprit des lois, XXIV, XIX.

(...) l'Europe cultivée a subi la reviviscence rapide de ces   2 innombrables pensées : dogmes, philosophies, idéaux hétérogènes ; les trois cents manières d'expliquer le monde ; les mille et une nuances du christianisme, les deux douzaines de positivismes ; tout le spectre de la lumière intellectuelle a étalé ses couleurs incompatibles, éclairant d'une étrange lueur contradictoire l'agonie de l'âme européenne.   VALÉRY, Variété III, p. 203.

♦ **2** Opinion donnée comme une certitude*. *Des dogmes politiques, littéraires, scientifiques. Admettre qqch. comme un dogme.* → **Catéchisme, credo, évangile, loi, vérité** (d'Évangile). *Les dogmes du libéralisme bourgeois, du léninisme. C'est un dogme pour lui.*

Liberté, Égalité, Fraternité, ce sont des dogmes de paix et   3 d'harmonie. Pourquoi leur donner un aspect effrayant ?
                    HUGO, Quatre-vingt-treize, III, II, VII.

B Absolt. LE DOGME : l'ensemble des dogmes (spécialt, de la religion chrétienne). → **Dogmatique.** *Formation du dogme* (→ Construction, cit. 5). *Fixer le dogme. Attaquer le dogme. Enseigner le dogme, les divers points du dogme.* → **Théologie.**

Deux mondes inconnus étaient devant moi, la théologie,   4 l'exposé raisonné du dogme chrétien, et la Bible, censée le dépôt et la source de ce dogme.
                    RENAN, Souvenirs d'enfance..., V, II, p. 203.

(...) le dogme précède toujours le rite (...)   5
                    Émile BURNOUF, la Science des religions, p. 34.

DOGRE [dɔgʀ] n. m. — 1678; néerl. *dogger*, de *Dogger Bank* «banc de Dogger», nom d'un haut-fond très poissonneux de la mer du Nord.

Mar. Petit bâtiment ponté à trois mâts, qui servait à la pêche du hareng et du maquereau en mer du Nord.

DOGUE [dɔg] n. m. — 1513; *docgue*, v. 1510; *dougue*, attestation isolée, 1481; moy. angl. *dog* «chien».

I ♦ **1** Chien de garde trapu, à grosse tête, à fortes mâchoires, au museau écrasé. *La lèvre supérieure du dogue, pendante sur les côtés et relevée en avant, laisse voir les dents. Variétés de dogues.* → **Bouledogue, carlin ;** et aussi **doguin, molosse.**

Ce loup rencontre un dogue aussi puissant que beau (...)   1
                    LA FONTAINE, Fables, I, 5.

Dans une cour à part, grondaient, en secouant leur chaîne   2 et roulant leurs prunelles, huit dogues alains, bêtes formidables qui sautent au ventre des cavaliers et n'ont pas peur des lions.
                    FLAUBERT, Trois contes,
                    «La légende de saint Julien l'Hospitalier», I.

Par compar. (d'une personne). *Il a une tête, un museau de dogue.*

♦ **2** Loc. (1806, in Höfler). *Être d'une humeur de dogue :* être de mauvaise humeur.

♦ **3** (1593). Fig. et vieilli. Personne hargneuse, irascible. Fig. *C'est un dogue, un vrai dogue* (même sens). — Plais. (vx). Concierge, portier.

II (1678, in Höfler). Mar. Vx. *Dogue d'amure :* trou dans le bordé de pavois livrant passage à l'amure de grand-voile.

DÉR. Doguer, doguin.

DOGUER [dɔge] v. intr. et pron. — 1680; de *dogue*.

Vx. Se battre en se donnant des coups de tête (animaux). *Béliers qui doguent.*

Se doguer, v.pron. (même sens).

DOGUIN [dɔgɛ̃] n. m. — 1611; de *dogue*.

Rare. Jeune dogue (chiot de l'espèce dogue). Dogue de petite taille.

(...) le livre de Mademoiselle s'était enfin retrouvé sous un fauteuil où il avait été traîné, mâchonné, déchiré par un jeune doguin (...)
DIDEROT, le Neveu de Rameau, Pl., p. 448.

DOIGT [dwa] n. m. — 1552; *deie*, 1080; *doi*, XIIIᵉ; du lat. pop. *ditus*, contraction de *digitus*. → Digital, dé, datte.

I **A** Emplois au sens propre. ♦ **1** Extrémité articulée (des pieds, des pattes de certains animaux, oiseaux et mammifères). → **-dactyle**. *Les doigts de la main du singe. Doigts du chat, armés de griffes. Animal qui marche sur les doigts.* → **Digitigrade**. *Doigts palmés*, soudés.* → **Palmure, syndactylie.**

1 (...) en général, ils *(les oiseaux)* se servent de leurs doigts beaucoup plus que les quadrupèdes, soit pour saisir, soit pour palper le corps (...)
BUFFON, Hist. nat. des oiseaux, Œ., t. V, p. 36.

♦ **2** Spécialt (chez l'homme). Chacun des cinq prolongements qui terminent la main ou le pied de l'homme. *Les doigts de la main* (absolt et cour. *les doigts*), *les doigts du pied* (cour. *doigts de pied*; → **Orteil**)

♦ **3** Cour. Doigt de la main humaine. *Les cinq doigts.* → **Pouce, index, majeur** (ou médius), 2. **annulaire, auriculaire.** *Doigts surnuméraires* (→ **Polydactylie**); *sixième doigt* (→ **Sexdigitisme**). *Malformations des doigts.* → **Syndactylie; palmature.** *Distance entre les extrémités du pouce et du petit doigt.* → **Empan.** *Intervalle des doigts.* → **Interdigital.** *L'ongle* couvre l'extrémité supérieure du doigt. Pulpe des doigts. Os des doigts.* → **Phalange, phalangette, phalangine.** *Articulations* (cit. 4), *artères, veines, nerfs du doigt. Empreinte du doigt.* → **Digital.** *En forme de doigt.* → **Digitiforme.**

2 *(Des verres)* Où les doigts des laquais, dans la crasse tracés, Témoignaient par écrit qu'on les avait rincés (...)
BOILEAU, Satires, III.

Loc. Le petit doigt : l'auriculaire. *Il s'est tordu le petit doigt.* (→ Ci-dessous B., 4.) — *Doigts fins, longs, fuselés; boudinés* (→ **Boudin,** 2.); *doigts courts, spatulés* (→ Carré, cit. 1). *Doigts allongés, ouverts; écartés; fermés, crispés, crochus. Adresse, agilité, légèreté des doigts.* → **Doigté.** *Avoir les doigts déliés. Être habile de ses doigts. Loc. Avoir des doigts de fée*. Avoir les doigts verts*. — Doigts gourds* (cit. 2), *raides, noueux* (cit. 2). *Avoir l'onglée aux doigts. Souffler sur ses doigts, dans ses doigts pour les réchauffer* (→ Dégourdir, cit. 2). *Maladie, inflammation, déformation du doigt.* → **Engelure, nodosité, panaris.** *Pansement du doigt.* → **Poupée.** *Étui qui protège le doigt.* → **Dé, délot, doigtier.** *Doigts couverts de bagues* (→ Anneau, cit. 6 et 7).

3 (...) ses doigts, depuis longtemps engourdis et maintenant gonflés d'œdème, se refusaient à tout service.
MARTIN DU GARD, les Thibault, t. III, p. 122.

4 La demoiselle avait des doigts fins et blancs avec des ongles faits. Zézette prit une cigarette entre ses doigts rouges.
SARTRE, le Sursis, p. 245.

Les doigts, organes de la préhension*. Prendre, pincer, presser, serrer qqch. avec ses doigts. Prendre qqch. entre deux doigts, dans ses doigts. Pétrir dans ses doigts. Tenir entre ses doigts. Prendre une pincée* avec ses doigts. Égrener un chapelet avec ses doigts.

Navarin me tenailla de ses doigts de fer. 5
FRANCE, le Petit Pierre, VII, p. 35.

Il ne dit pas un mot, mais ses doigts se crispèrent; leurs 6 bouts pointus, aux ongles durs, s'enfoncèrent (...)
M. GENEVOIX, Raboliot, I, I, p. 16.

De celui qui tend trop avidement vers les biens de ce 7 monde des doigts crochus, la langue populaire dit qu'il est *intéressé* (...)
DANIEL-ROPS, Ce qui meurt et ce qui naît, V, p. 183 (→ Désintéressement, cit. 2).

Les doigts, organes du toucher*. Caresser, effleurer, palper (cit. 4), *tâter, toucher avec ses doigts.*

Lorsque mes doigts caressent à loisir 8
Ta tête et ton dos élastique (...)
BAUDELAIRE, Spleen et Idéal, XXXIV.

Mais le doigt se contenta de frôler le papier. 9
J. ROMAINS, les Hommes de bonne volonté, t. V, XXIII, p. 200.

(...) sans raison précise, elle sentit monter en elle une telle 10 allégresse, qu'elle passa les doigts sur son visage, pour palper, lui semblait-il, cette joie sur ses traits.
MARTIN DU GARD, les Thibault, t. II, p. 51.

Ses doigts, glissant doucement sur les touches, esquissè- 11 rent un air de Schumann.
A. MAUROIS, Bernard Quesnay, V, p. 31.

B ♦ **1** Loc. div. — Fam. *Y mettre les quatre doigts et le pouce :* saisir avidement, et, par ext., faire qqch. sans délicatesse.

Vx. *À pleins doigts :* à pleine main*.

Mettre, fourrer ses doigts partout : toucher* à tout. *Mettre le doigt sur, dans qqch.* Fig. *Mettre le doigt sur la plaie :* trouver la source du mal. *Mettre le doigt dessus* :* découvrir, deviner. *Vous avez mis le doigt sur la difficulté. — Mettre le doigt dans l'engrenage*. — Prov. Entre l'arbre* et l'écorce, il ne faut pas mettre le doigt.*

(...) si je me mets mon doigt dans la marque des clous 12 (...) je ne croirai point. *(Jésus)* dit à Thomas : Avance ici ton doigt, et regarde mes mains; avance aussi ta main, et mets-la dans mon côté; et ne sois pas incrédule, mais crois.
BIBLE (SEGOND), Évangile selon saint Jean, XX, 25-27.

Fam. *(Faire qqch.) les doigts dans le nez*,* très facilement.

Toucher qqch. du doigt, voir clairement. *Toucher du doigt le but, la fin,* en être très près. *Faire toucher à qqn une chose du doigt :* convaincre qqn par des preuves indubitables, palpables.

Je voudrais essayer ici de faire sentir ce défaut, de le faire 13 toucher du doigt.
SAINTE-BEUVE, Causeries du lundi, 8 oct. 1849, t. I, p. 31.

Lever le doigt : demander la parole en levant le bras et l'index haut (lang. scol.). Syn. : *lever la main.* — *Faire qqch.* (et, spécialt, *boire) en levant le petit doigt,* avec affectation. *Le petit doigt en l'air.*

Pendant qu'on trinquait, j'ai remarqué qu'ils tenaient tous 13.1 le petit doigt en l'air, bien détaché des autres doigts. C'est un détail, vous me direz.
M. AYMÉ, Travelingue, p. 263.

Avoir la bague* au doigt : avoir obtenu une promesse de mariage. *Menacer qqn du doigt. Montrer qqch. avec le doigt. Désigner* (cit. 3), *indiquer qqch., qqn du doigt.* Loc. fig. *Montrer du doigt :* décrier, railler, ridiculiser (qqn). *Il se fait montrer du doigt* (Académie) : il se fait moquer. *On se les montrait du doigt* (→ Manquer, cit. 24).

Vx. *Montrer qqn au doigt; à deux doigts* (à la fois pour désigner et pour évoquer les cornes, attribut traditionnel des maris trompés).

Faut-il se désormais à deux doigts l'on te montre, 14
Qu'on te mette en chansons, et qu'en toute rencontre
On te rejette au nez le scandaleux affront (...)
MOLIÈRE, Sganarelle, 9.

15 Tu ne seras qu'un objet de risée; tu chercheras en vain une rue déserte où ceux qui passent ne te montrent pas au doigt.
> MUSSET, la Confession d'un enfant du siècle, V, v, p. 323.

Vx. *Donner un doigt de la main pour...,* ce qu'on a de très précieux. *Il donnerait un doigt de la (sa) main pour...* (cf. Il donnerait la prunelle de ses yeux, sa chemise...).

Vx. *Tirer au doigt mouillé* : tirer au sort (un doigt de la main étant mouillé). *Agir au doigt mouillé,* au hasard (Beaufre, *in* T. L. F.).

Mettre le doigt sur la bouche, les lèvres, pour obtenir le silence (→ **Chut,** cit. 2).

15.1 Qu'as-tu? lui demanda vivement le moujik, très étonné de ce brusque mouvement.
— Silence, se hâta de répondre Michel Strogoff, en mettant un doigt sur ses lèvres.
> J. VERNE, Michel Strogoff, p. 205 (1876).

Manger avec ses doigts (→ Fourchette* du père Adam). *Se rincer les doigts* (→ **Rince-doigts**). — *Se lécher les doigts,* (au fig.) trouver beaucoup de plaisir dans qqch.

Loc. fig. *Se mordre les doigts de qqch.,* s'en mordre les doigts, regretter, se repentir.

16 Tu t'es ingénié à lui déplaire et maintenant tu te mords les doigts de ton imprudence.
> FRANCE, le Mannequin d'osier, Œ., t. XI, p. 236.

Faire craquer* ses doigts. Claquer des doigts (→ Danse, cit. 3). *Coup donné avec le doigt.* → **Chiquenaude, pichenette.** — **Loc.** *Avoir les doigts qui démangent* : avoir envie de battre qqn. *Donner* (vx), *taper sur les doigts de qqn, à qqn* : punir qqn en lui donnant des coups sur les doigts, et, par ext., le réprimander. *Avoir, prendre, recevoir sur les doigts* : éprouver les conséquences d'une faute. *Recevoir un coup sur les doigts. Il va se faire taper sur les doigts,* punir. — **Vx.** *Donner des cinq doigts (à...)* : frapper de la main.

17 Je lui donnai de mes cinq doigts
Au beau milieu de son minois (...)
> SCARRON, Virgile travesti, II, *in* LITTRÉ.

17.1 On est libre, alors il faut se débrouiller et comme ils ne veulent surtout pas de la liberté, ni de ses sentences, ils prient qu'on leur donne sur les doigts, ils inventent de terribles règles, ils courent construire des bûchers pour remplacer les églises.
> CAMUS, la Chute, p. 156.

Compter sur ses doigts (pour s'aider, dans le calcul mental). — **Loc.** *Ne rien faire, ne rien savoir faire de ses dix doigts.* **Vx.** *Ne faire œuvre de ses dix doigts* (Académie) : ne rien faire.

Fig. et fam. *Avoir qqch. dans les doigts* : être adroit, expert en qqch. *Avoir un morceau de musique dans les doigts,* l'exécuter de mémoire à la perfection.

17.2 Et j'ai décidé de reprendre le haut, je trouve la lumière trop jolie. Mais je crois que la toile ne vient pas mal. Je la sens. Je l'ai dans les doigts.
> M. AYMÉ, le Vin de Paris, «La bonne peinture», p. 173.

Brûler les doigts (en parlant d'une chose qu'on est impatient de donner, ou dilapider). *L'argent leur brûle les doigts. Se brûler les doigts* : (au fig.) tomber dans un péril, se compromettre dans une affaire délicate.

(1640, *in* D. D. L.). *Être comme les deux doigts de la main, les deux doigts de la même main,* se dit de personnes très unies. → **Accord** (être d'accord); intime.

17.3 Nous remercions M*** Pragen de sa confiance, qu'elle veut que son fils repose dans la terre de Belgique où il a laissé son sang. La Belgique et la France, c'est les deux doigts de la main pour la paix universelle.
> DRIEU LA ROCHELLE, la Comédie de Charleroi, p. 105.

♦ **2** (Loc. avec œil). — (1819). **AU DOIGT ET À L'ŒIL.** *Être obéi, servi au doigt et à l'œil,* exactement, ponctuellement. → Pédale, cit. 5. *Faire marcher qqn au doigt et à l'œil* (→ À la baguette*). → **Œil.**

Se mettre (*se fourrer,* etc.) *le doigt dans l'œil (jusqu'au coude)* : se tromper grossièrement.

17.4 La plupart des philosophes trouvent une preuve de l'existence de Dieu dans le spectacle de la nature, qui leur semble sublime. Pour moi, Dieu n'a existé que le jour où j'ai compris que la création était une œuvre ratée. En effet, on est bien forcé de croire au doigt de Dieu, quand on voit comme le s'est mis dans l'œil.
> Attribué à Germain NOUVEAU, Album Richepin (vers 1875) paru en 1925, *in* Œ. compl., Pl., p. 803.

♦ **3 LE BOUT DU, DES DOIGT(S).** *Loc. Connaître, savoir qqch. sur le bout du doigt, etc.* → **Bout** (cit. 10, 11 et supra).

18 Notre principal avantage est le bout de nos doigts. Nos paysans (...) ont eu l'industrie de travailler en horlogerie (...)
> VOLTAIRE, Correspondance, 4287, 25 févr. 1776, À M. de Fargès.

♦ **4 PETIT DOIGT** (l'auriculaire). — **Loc.** *Mon petit doigt me l'a dit* : je l'ai su (se dit à un enfant). → **Dire** (cit. 66). *Faire qqch. avec le petit doigt,* sans le moindre effort. — *Ne pas remuer le petit doigt* : ne rien faire pour aider qqn. *Ne pouvoir remuer le petit doigt sans en demander la permission.* — *Se cacher derrière son petit doigt* : faire semblant de ne pas connaître la vérité pour échapper à qqch. de désagréable. → Faire l'autruche*.

18.1 Ils sont avec moi... des jeunes de votre âge pour qui je n'ai jamais levé le petit doigt, à qui je n'ai jamais rien donné... et qui spontanément sans que je leur demande rien... ils m'entourent, me soutiennent...
> N. SARRAUTE, Vous les entendez?, p. 188.

18.2 Tout ce qu'il a fait, il l'a fait pour son fils, dit Marthe; pour moi, il ne lèverait pas le petit doigt.
> J.-M. G. LE CLÉZIO, le Déluge, p. 144.

♦ **5** Par métaphore ou fig. **LE DOIGT DE DIEU,** manifestation de sa puissance, de sa volonté; son intervention.

19 Nous y avons vu un de ces traits du doigt divin qui écrit des paroles sévères dans la vie des plus heureux; un de ces avertissements lamentables qui vous crient que tout est vain, hors ce monde de l'âme et de Dieu que vous nous avez révélé.
> SAINTE-BEUVE, Correspondance, t. I, p. 163.

19.1 (... nous sommes) plus loin encore, s'il se peut, de l'Adam de Michel-Ange s'éveillant dans sa perfection au contact du doigt de Dieu.
> M. YOURCENAR, Archives du Nord, p. 20.

♦ **6** Poét. *L'aurore aux doigts de rose.* → **Aurore** (cit. 20 et supra). — *L'envie aux doigts crochus* (cit. 3).

C ♦ **1** Par anal. Partie (d'un gant) où l'on place les doigts. *Les doigts d'un gant. Ce gant a deux doigts percés.*

♦ **2 DOIGT DE PIED.** → **Orteil.** *Avoir mal à un doigt de pied. Le petit doigt de pied. Il s'est fait écraser un doigt de pied.* — **Loc.** *Les doigts de pied en éventail*.*

♦ **3** Techn. Pièce ayant la forme d'un doigt. *Doigt de contact, d'encliquetage, d'entraînement, de transfert.*
Spécialt. Élément d'un engrenage, d'une crémaillère, etc., capable d'entraîner une pièce mobile. *Doigt de came.*

II ♦ **1** Mesure approximative, équivalant à un travers de doigt (ancienne mesure). *Sa jupe est trop courte de trois doigts. Boire un doigt de vin,* une très petite quantité de vin. → **Goutte** (→ Animer, cit. 30).

20 Théophile, sauvé, n'a plus bu que de l'eau rougie et un doigt de champagne dans les petits soupers.
> NERVAL, Petits châteaux de Bohême, I, II, «Portraits».

Mar. Unité de grandeur des mailles de filet. *Mailles de trois doigts.*

Se mettre un doigt de rouge, de fard, un peu de rouge.

21   Une fois les joues enfarinées, on ne peut pas rester (...) comme un pierrot; il faut un doigt de rouge, c'est fatal.
A.-G. DROZ, Monsieur, Madame et Bébé,
Bal d'ambassade, in LITTRÉ, Suppl.

♦ 2 Loc. fig. *Faire un doigt de cour** à une femme* (→ **Brin**).

♦ 3 (Dans des loc. : *à un, deux doigts, d'un doigt...*). Distance infime. → **Près, proche.** *La balle est passée à un doigt du cœur.*

22   (...) ce vent vous avait jetée rapidement sous une arche, à deux doigts du pilier (...)
Mᵐᵉ DE SÉVIGNÉ, 150, 1ᵉʳ avr. 1671.

Fig. *Il s'en est fallu d'un doigt que...* (→ **Cheveu**). — (1552, Rabelais). *Être à deux doigts de la ruine, de sa perte, de sa mort.*

23   (...) quelle horreur (...) d'être toujours à deux doigts de la mort affreuse !   Mᵐᵉ DE SÉVIGNÉ, 1147, 9 mars 1689.

24   À deux doigts de la guerre... Depuis notre enfance, que de fois les aurons-nous mesurés de l'œil, ces deux doigts !
F. MAURIAC, Bloc-notes 1952-1957, p. 257.

DÉR. et COMP. Doigter, doigtier, doitée. Rince-doigts.
◊ **HOM. Doit** (n. m.); formes du v. **devoir.**

DOIGTÉ [dwate] n. m. — 1755; p. p. substantivé de *doigter.*

♦ 1 Mus. Choix et jeu des doigts dans l'exécution d'un morceau (avec un instrument à clavier, à clefs, à cordes, à pistons ou à trous). *Étudier le doigté d'un instrument, d'un morceau* (sur un instrument). *Ce pianiste a un bon, un excellent doigté* (→ **Vélocité**).

Indication, concernant les doigts à employer, portée sur une partition. *Indiquer le doigté* (ou : *le doigter*).

1   Au piano, le «doigté» ne désigne nullement une valeur d'élégance et de délicatesse (ce qui, alors, se dit : «toucher»), mais seulement une façon de numéroter les doigts qui ont à jouer telle ou telle note; le doigté établit d'une façon réfléchie ce qui va devenir un automatisme : c'est en somme le programme d'une machine, une inscription animale.   R. BARTHES, Roland Barthes, p. 74.

Par ext. Adresse des doigts. *Le doigté d'une dactylo, d'un graveur.*

♦ 2 (1890). Fig. Délicatesse habile dans le comportement. → **Adresse, diplomatie, entregent, habileté, savoir-faire, tact.** *Ce genre d'affaire demande du doigté, beaucoup de doigté. Il a un doigté de diplomate. Manquer de doigté. Vous n'avez aucun doigté, laissez-moi faire.*

2   Avec un peu de doigté, le jeune roi aurait pu se sortir de ce mauvais pas. Mais il fit preuve d'une parfaite inintelligence.
DANIEL-ROPS, le Peuple de la Bible, III, ɪɪ, p. 211.

CONTR. Gaucherie, maladresse. ◊ **HOM. Doigter, doitée.**

DOIGTER [dwate] v. — 1726; de *doigt.*
Musique.

♦ 1 V. intr. Poser les doigts comme il convient pour jouer de certains instruments. → **Doigté** (1.). *Sa manière de doigter est incorrecte.*

♦ 2 V. tr. Exécuter (un morceau) en employant les doigts comme il convient. *Doigter un passage.* — Indiquer sur la partition les doigts dont il faut se servir. → **Doigté** (1.).

◆ **DOIGTÉ, ÉE** p. p. adj. *Passage bien, mal doigté.*
DÉR. Doigté. ◊ **HOM. Doigté, doitée.**

DOIGTIER [dwatje] n. m. — 1392, *doitiers;* de *doigt.*

♦ 1 Fourreau en forme de doigt de gant, destiné à protéger un doigt, ou employé par les médecins pour pratiquer divers examens (toucher rectal, vaginal...). *Doigtier de cuir, de caoutchouc. Le délot*, doigtier des calfats.*

♦ 2 Techn. Dé de passementier ouvert des deux côtés. *Doigtier de cuivre.*

♦ 3 a **DOIGTIER DE NOTRE-DAME** ou *doigtier :* digitale pourprée; digitale laineuse. *«On les appelait "doigtier de Notre-Dame", "gantelet", "opium du cœur"; les digitales sont le prototype même de la plante médicinale efficace»* (Sciences et Avenir, sept. 1978).

b *Doigtier :* clavaire digitée.

DOINA [dɔina] n. f. — D. i.; mot roumain *dóinà* «romance».

Didact. Chant lyrique exprimant la tristesse amoureuse, dans la poésie populaire roumaine (comparable au fado portugais). — Au plur. *Des doinas.*

DOIT [dwa] n. m. — 1723; p. p. du v. *devoir.*

♦ 1 Comptab. Partie d'un compte établissant ce que doit le titulaire. → **Comptabilité, compte,** 2.**débit.** *Le doit s'inscrit à gauche et l'avoir à droite.* — Dans la comptabilité en partie double, Montant de ce qu'un compte doit à un autre. → **Passif.**

Par métonymie. Partie gauche (d'un compte).

♦ 2 Par métaphore. *Le doit et avoir dans une relation entre personnes.*

CONTR. Avoir; actif, crédit. ◊ **DÉR. Doitage. ← HOM. Doigt.**

DOITAGE [dwataʒ] n. m. — 1740; de *doit.*
Comm. Inscription des mots «doit»* et «avoir»* dans un livre de comptes.

DOITÉE [dwate] n. f. — 1732; de *doigt.*
Techn. Petite aiguillée servant de mesure aux fileuses pour régler la grosseur de leur fil. — REM. L'orthographe *doigtée* serait préférable.

HOM. Doigté, doigter.

DOL [dɔl] n. m. — 1248; lat. *dolus* «ruse».

♦ 1 Dr. Manœuvres frauduleuses, agissements malhonnêtes tendant à surprendre et tromper qqn en vue de lui faire contracter un engagement qu'il n'aurait pas pris. → **Captation, fraude, tromperie.** *Le dol est un vice du consentement. Contrat entaché de dol. Manœuvre présentant le caractère du dol.* → *Dolosif. Dol principal* (qui détermine la passation d'un acte juridique). *Dol incident* (qui modifie seulement les conditions d'un acte juridique).

1   Le dol est une cause de nullité de la convention lorsque les manœuvres pratiquées par l'une des parties sont telles, qu'il est évident que, sans ces manœuvres, l'autre partie n'aurait pas contracté.   Code civil, art. 1116.

2   Ils exercent le chantage, le dol, la séquestration et commettent d'épouvantables extorsions.
B. CENDRARS, Moravagine, in Œ. compl., t. IV,
p. 65.

♦ 2 Dr. pén. (Rare). Intention criminelle.

♦ 3 Littér. Tromperie; manœuvre destinée à tromper.

DOLABRE [dɔlabʀ] n. f. — 1503; lat. *dolabra* «outil à tête double, hache et pic».

♦ **1** Hist. Hache et pic à long manche (dans l'Antiquité romaine). — Hache de guerre médiévale.

♦ **2** Paléont. Mollusque fossile à coquille en forme de hache.

DOLAGE [dɔlaʒ] n. m. — 1364; de *doler*.
Vx ou techn. Action de doler*; son résultat.

DOLBY [dɔlbi] n. m. invar. — V. 1978; n. déposé angl. des États-Unis (1968), du nom de Ray Dolby, inventeur américain né en 1933.
Audiovisuel. Procédé de réduction du bruit de fond des enregistrements sonores. *Dolby stéréo.* — En appos. *Son dolby.*

DOLCE [dɔltʃe] adv. — 1768, J.-J. Rousseau; mot ital., «doux».
Mus. Mot indiquant qu'il faut donner une expression douce dans l'exécution.
CONTR. Forte. ◊ **DÉR.** V. **Dolcissimo.**

DOLCE VITA [dɔltʃevita] n. f. — 1959; loc. ital., «(la) belle (mot à mot "la douce") vie», répandue en franç. après le film de Federico Fellini, *la Dolce Vita*.
Forme de vie oisive et aisée. — REM. Ne semble pas s'employer au pluriel (le plur. ital. de *vita* est *vite*).

Les quartiers populaires regorgent d'une humanité vociférante et sordide qu'évoquent quasi tendrement les poèmes en dialecte de Belli; le contraste est brutal entre la misère des pauvres et le luxe des familles papales et bancaires; il ne l'est pas moins de nos jours entre la pègre dorée de la dolce vita et les habitants des grottes et des bidonvilles.
M. YOURCENAR, Archives du nord, p. 133.

DOLCISSIMO [dɔltʃisimo] adv. — Fin xixe; mot ital., superlatif de *dolce.* → Dolce.
Mus. D'une manière très douce. *Jouer dolcissimo.*
CONTR. Fortissimo.

DÔLE [dol] n. f. — 1820, *plant de la Dôle* (plant (gamay)); 1856 (vin); de *(la) Dôle* (aussi *Dola, Dollaz*), n. de lieu, donné à plusieurs réalités géographiques (d'après *Glossaire des patois de la Suisse romande*).
Vin rouge suisse (Valais) de qualité, fait avec du pinot noir et du gamay. — (1925). *Dôle blanche* : vin blanc obtenu des mêmes cépages.

Laurent demanda de la viande séchée et changea leur Dôle habituelle contre un Goron.
Christine ARNOTHY, Toutes les chances plus une, p. 368.

(1862). Cépage (d'abord gamay) apte à produire ces vins.

DOLÉANCE [dɔleɑ̃s] n. f. — 1429; réfection de *douliance* (déb. xiiie), *doliance* (1373), du rad. du v. (se) *douloir*, p. cf. *anc. franç. doiants, doillanz,* finale *-éance* comme dans *créance*. P. Guiraud suppose une variante **dolier* de la forme progressive *doloyer*, tirée de l'anc. franç. *doler, douler* (cf. lyonnais *doleir*). → aussi Condoléance, dolent.

♦ **1** Vx (au sing.). Plainte* exprimant un chagrin, une tristesse, une souffrance.

1 Il en faisait sa plainte une nuit. Un voleur
Interrompit la doléance.
LA FONTAINE, Fables, IX, 15.

♦ **2** Mod. (Au plur.). **DOLÉANCES** : plainte pour réclamer au sujet d'un grief ou pour déplorer des malheurs personnels. → **Plainte; complainte,**

récrimination, regret; réclamation, représentation. *Conter, exposer ses doléances à qqn. Faire, exprimer, présenter des doléances, ses doléances. Entendre, écouter des doléances.*

2 Que je n'entende plus vos sottes doléances.
MOLIÈRE, Sganarelle, 1.

3 (...) voyant qu'on n'exécutait pas le traité, il m'écrivit lettres sur lettres pleines de doléances et de griefs (...)
ROUSSEAU, les Confessions, XI.

4 Le propriétaire exprime à haute voix, sur le palier de l'étage, toutes sortes de doléances touchant la consommation d'eau.
G. DUHAMEL, Chronique des Pasquier, IV, VI, p. 309.

Hist. Sous l'Ancien Régime, *Doléances adressées au roi. Les cahiers de doléances des États généraux de 1789* (→ **Cahier**).

5 De ces assemblées *(de paroisses)* sortaient des doléances quelquefois très sensées, quelquefois très naïves, quelques-unes même un peu burlesques, le plus souvent tragiques, qui furent portées, sous forme de *cahiers de paroisses,* à l'assemblée de bailliage où fut rédigé le cahier définitif.
Louis MADELIN, la Révolution, p. 37.

Péj. → **Jérémiades, lamentation.**

DOLEAU [dɔlo] n. m. — 1751; de *doler.*
Techn. Hachette servant à équarrir les ardoises.

DOLEMMENT [dɔlamɑ̃] adv. — 1599; de *dolent.*
Vx. → **Dolentement.**

DOLENCE [dɔlɑ̃s] n. f. — 1891; *dolance,* déb. xvie; du lat. *dolens, entis.* → Dolent.
Archaïsme littér. État (expression, comportement) d'une personne dolente.

Ainsi, ne me resta à me cadenasser dans mes rêveries, à flotter au gré de ma dolence, à m'abriter dans ma chambre comme la souris derrière une plinthe et d'y être oublié (...)
Georges BORGEAUD, le Voyage à l'étranger, p. 313.

DOLENT, ENTE [dɔlɑ̃, ɑ̃t] adj. — V. 1050; du lat. pop. **dolentus,* de *dolens, entis,* de *dolere* «souffrir, faire mal; être affligé, s'affliger». → Doléance.

♦ **1** Littér. Qui est affecté par une souffrance physique, un mauvais état de santé. → **Maladif.** *Je me sens tout dolent.*

1 Il éprouvait à parer son corps dolent, à accouder sa résignation à la fenêtre en regardant la mer, une joie mélancolique.
PROUST, les Plaisirs et les jours, p. 33.

♦ **2** Littér. Qui se sent malheureux et cherche à se faire plaindre. *Il est toujours dolent.*

2 Car je vous aime, et mon âme dolente,
Toutes les nuits est pour vous miaulante.
VOITURE, Poésies, in LITTRÉ.

♦ **3** Plus cour. (souv. péj.). Qui exprime plaintivement une souffrance. → **Geignard, gémissant, pleurnicheur.** *Regards dolents. Mine dolente. Un air accablé et dolent* (→ Accabler, cit. 14). *Un ton dolent.* → **Plaintif.**

3 Créancière, moi! dit Catherine en changeant sa voix dolente en une voix de bœuf; jamais! jamais!
G. SAND, François le Champi, XVIII, p. 130.

4 Pâle et les traits tirés, les yeux dolents, la bouche grave, il semblait échappé d'un moutier du moyen âge (...)
HUYSMANS, En route, p. 163.

Par anal. et littér. (choses concrètes). *Bruit dolent,* qui fait penser à une plainte. → **Plaintif.**

CONTR. Dispos. — Gai, joyeux. ◊ **DÉR. Dolentement, dolenter** (se).

DOLENTEMENT [dɔlɑ̃tmɑ̃] adv. — V. 1175, repris xxᵉ; de *dolent*.

Vx ou littér. (Archaïsme). D'une façon, d'une manière dolente. Syn. (vx) : *dolemment*.

Je traîne un peu dolentement tout le long du jour.
　　　GIDE, Carnets d'Égypte, *in* Souvenirs, Pl., p. 1066.

DOLENTER (SE) [dɔlɑ̃te] v. pron. — 1819; de *dolent*.

Archaïsme littér. Exprimer plaintivement une souffrance (→ **Dolent**, 3.).

(...) si, il y a six mois, au temps où je me dolentais de ne pas avoir de maîtresse, on m'avait fait entrevoir, même lointainement, un pareil bonheur.
　　　Th. GAUTIER, Mˡˡᵉ de Maupin, *in* MATORÉ, p. 306, *in* D.D.L., II, 14.

DOLER [dɔle] v. tr. — V. 1170; lat. *dolare* «dégrossir, façonner».

Techn. Amincir ou aplanir (qqch.) avec un instrument tranchant (comme le doleau*, la doloire*). *Doler les douves des futailles. Doler les peaux pour la ganterie.*

DÉR. Dolage, doleau, doleuse, dolure. — V. aussi **Doloire**.

DOLEUSE [dɔløz] n. f. — D. i. (xxᵉ); de *doler*.

Techn. Machine (meule) à doler. *«Les douelles passent ensuite dans des machines spéciales : doleuse (...), raboteuse» (J.-C. Reggiani, Industrie et Commerce du bois, p. 102). Doleuse pour poncer les peaux.*

DOLIC ou **DOLIQUE** [dɔlik] n. m. — 1786; *doliche*, 1552; grec *dolikos* «sorte de haricot».

Bot. Genre de légumineuses papilionacées (genres *Dolichos lablab* et *Vigna*), originaires de l'Amérique du Sud et d'Afrique. *Dolic, dolique d'Égypte (Dolichos lablab) ou pois indien. Dolic, dolique mongette, à onglet (Vigna unguiculata) ou bannette.*

DOLICHO- Élément du grec *dolikos* «long» entrant dans la composition de termes didactiques (peut s'opposer à *brachy-**). Voir à l'ordre alphabétique.

DOLICHOCÉPHALE [dɔlikosefal] adj. et n. — 1842; de *dolicho-*, et *-céphale*.

Anthrop. (assez cour.). Qui a la boîte crânienne allongée. *L'homme magdalénien est dolichocéphale.* — Syn. : *dolichocrâne.*

N. *Un, une dolichocéphale.*

(...) on peut même se demander si l'habitude de coucher les bébés sur le ventre en leur plaçant ainsi la tête sur la tempe ne contribue pas — compte tenu de la malléabilité de leurs os crâniens — à fabriquer des dolichocéphales.
　　　M. TOURNIER, le Roi des Aulnes, p. 353.

CONTR. Brachycéphale. ◊ DÉR. Dolichocéphalie.

DOLICHOCÉPHALIE [dɔlikosefali] n. f. — 1869; de *dolichocéphale*.

Anthrop. Forme d'un crâne dolichocéphale*. — REM. On dit aussi *dolichocrânie.*

Vous m'intéressez grandement, Monsieur Holmes, je n'espérais pas rencontrer un crâne pareil. Une dolichocéphalie aussi prononcée, ni un tel développement supra-orbitaire. Verriez-vous un inconvénient à ce que je promène mon doigt le long de vos bosses pariétales?
　　　Actuel, nᵒ 48, oct. 1983, p. 93.

DOLICHOCÔLON [dɔlikokolɔ̃] n. m. — D. i. (xxᵉ); de *dolicho-*, et *côlon.*

Méd. Allongement excessif du gros intestin.

DOLICHOCRÂNE [dɔlikokʀɑn] adj. et n. — D. i. (xxᵉ); de *dolicho-*, et *crâne.*

Anthrop. Dolichocéphale.

DÉR. Dolichocrânie.

DOLICHOCRÂNIE [dɔlikokʀani] n. f. — D. i. (xxᵉ); de *dolichocrâne.*

Anthrop. Dolichocéphalie.

DOLICHOMORPHE [dɔlikomɔʀf] adj. — D. i. (xxᵉ); de *dolicho-*, et *-morphe.*

Anthrop. Se dit du corps d'un individu humain mince et de grande taille. → **Longiligne.**

DOLICHOTIS [dɔlikɔtis] n. m. — xixᵉ; de *dolich(o)-*, et grec *ous, ôtos* «oreille».

Zool. Mammifère rongeur *(Caviidés)* de l'Amérique du Sud, appelé aussi *mara, lièvre de Patagonie.*

DOLIMAN [dɔlimɑ̃] n. m. — 1560; *doloman*, 1537; du turc *dolama* «robe rouge». → Dolman.

Vx (encore chez les romantiques : Chateaubriand, Hugo...). Vêtement de dessus, longue robe ouverte par devant, en usage en Turquie jusqu'au xixᵉ siècle.

Là revit, d'une vie immobile et morte, cette Turquie fantasque et chimérique des turbans en moules de pâtisserie, des dolimans bordés de peau de chat, des hautes coiffures coniques, des vestes à soleil dans le dos.
　　　Th. GAUTIER, Constantinople, p. 313.

DÉR. V. **Dolman.**

DOLINE [dɔlin] n. f. — 1895, Encycl. Berthelot, art. *Karst*; mot slave, probablt par l'allemand.

Géol., géogr. Dans les pays de relief calcaire, dépression ou cavité fermée de forme ovale ou circulaire, parfois entourée d'escarpements. → Sotch.

Une seconde catégorie de points d'absorption (V. Aven, cit. 1) est celle des *dolines*, que l'on rencontre notamment dans le Karst, en Istrie, mais aussi dans diverses régions françaises, telles que le Quercy, où on leur donne le nom de *cloups*. Ce sont de vastes entonnoirs circulaires, dont le fond, généralement plat, est constitué par une argile rouge, la *terra rossa*, produit de décalcification du calcaire.
　　　Émile HAUG, Traité de géologie, t. I, XXIII, p. 362.

DOLIQUE [dɔlik] n. m. → **Dolic.**

DOLLAR [dɔlaʀ] n. m. — 1730, *in* Höfler; mot anglo-amér.; du bas all. *daler*, cf. all. *Thaler.*

♦ 1 Unité monétaire (symb. \$) des États-Unis d'Amérique, divisée en 100 cents (→ Le billet* vert). *Le dollar (0,88 g d'or) a perdu 41 % de son ancienne valeur en 1934* (1,5 g d'or pur en 1873). *La flambée du dollar.* — La monnaie des États-Unis, symbole de la puissance financière de ce pays.

Une nation dépendante, autant que l'est la nôtre, des oligarchies à l'intérieur et du dollar à l'extérieur, pourrait s'épargner l'étalage des crises de conscience à la tribune du Palais-Bourbon.
　　　F. MAURIAC, Bloc-notes 1952-1957, p. 149.

En appos. *La zone dollar,* où le dollar sert de monnaie d'échange.

♦ 2 Unité monétaire de quelques pays. *Dollar canadien* (1853). REM. Au Québec et parmi les francophones on dit aussi *piastre* [pjastʀ]. — *Dollar australien, libérien, malais. Dollar de Hong-Kong, de Porto-Rico, de Singapour.*

2 Après quoi il s'exclame, en cantonais : «Matériel américain!» et il part d'un éclat de rire suraigu. Johnson, tout
en lui tendant un billet de dix dollars (des dollars de Hong-
Kong évidemment) [...]
A. ROBBE-GRILLET, la Maison de rendez-vous,
p. 111.

COMP. Asiadollar, eurodollar, narcodollar, pétrodollar.

DOLMAN [dɔlmã] n. m. — 1812; «robe de dessus des
Arméniens», 1762, encore chez Chateaubriand; empr.
par l'all. et le hongrois, du turc *dolama.* → Doliman.

♦**1** Veste à brandebourgs que portaient autrefois
les hussards, les chasseurs à cheval.
1 Son dolman bleu, moulant sa taille superbe, était orné,
sur la droite, d'aiguillettes d'or fines et brillantes (...)
Raymond ROUSSEL, Impressions d'Afrique, p. 30.

♦**2** Vêtement (masculin ou féminin) semblable à
un dolman.
2 (...) est-ce que vous tenez beaucoup à votre dolman? dit-
il en regardant la jolie redingote d'été d'Angelo (...)
J. GIONO, le Hussard sur le toit, p. 17.

DOLMEN [dɔlmɛn] n. m. — 1805; *dolmin,* 1796; mot
créé d'après les mots bretons *taol, dol* «table», et *men*
«pierre».

Monument mégalithique composé de pierres
brutes agencées en forme de table (→ Architecture,
cit. 3). *Alignements de dolmens et de menhirs*. Les
dolmens, fréquents en Bretagne, sont répandus dans
le monde entier. Suite de dolmens formant «allée
couverte». Tertre recouvrant un dolmen* (→ Galgal).
1 (...) au pied du Dolmen étaient appuyées deux autres
pierres qui en soutenaient une troisième couchée horizontalement. La Druidesse monte à cette tribune.
CHATEAUBRIAND, les Martyrs, IX.
2 On dresse parfois, aussi, des pierres suivant une habitude extrêmement ancienne, la même qu'avaient, dans nos
pays, nos néolithiques bâtisseurs de dolmens et de menhirs (...)
DANIEL-ROPS, le Peuple de la Bible, I, III, p. 58.
3 Nous distinguerons, d'abord, le dolmen simple. Les montants dessinent alors deux lignes parallèles ou non, ou
bien trois côtés d'un carré, ou bien encore, un polygone
quelconque, dont il manque généralement un côté, afin
de ménager une entrée. On trouve ensuite le dolmen à
galerie. Il se divise en deux parties : une chambre, dont
le plan est celui du dolmen simple et une galerie, qui
donne accès à cette chambre (...) enfin l'allée couverte, où
les montants dessinent fréquemment un rectangle plus ou
moins allongé, dont il manque l'un des petits côtés.
Fernand NIEL, Dolmens et Menhirs, p. 44.

DÉR. Dolménique.

DOLMÉNIQUE [dɔlmenik] adj. — 1876; de *dolmen.*
Didact. Relatif aux dolmens. *Tables dolméniques.
Alignements dolméniques.*

DOLOIRE [dɔlwaR] n. f. — 1372, *doleoire,* v. 1150; du
lat. pop. **dolatoria,* du lat. class. *dolabra,* d'après *dola-
torium,* du supin de *dolare.* → Doler.
Technique.

♦**1** (1481). Spécialt. Instrument tranchant servant à
amincir, à aplanir (doler). *Doloire de tonnelier :*
petite hache servant à doler le bois de douves,
des cerceaux de tonneaux (→ Copeau, cit.).
Les outils (...) deux cognées, une doloire, deux tarières (...)
Georges DUBY, Guerriers et Paysans, p. 23.
(1818). Par anal. de forme. *Doloire (de maçon) :* pelle
en fer pour gâcher le sable et la chaux.

♦**2** Hist. (moyen âge). Hache de guerre ou de bourreau. — Blason. Armoirie figurant une hache de
guerre sans le manche.

♦**3 EN DOLOIRE :** en forme de doloire ou de hache.
— (1680). Méd. *Bandage en doloire.* — (1778). Bot.
Feuille en doloire.

DOLOMÈDE [dɔlɔmɛd] n. m. — 1839, Boiste, *Nomenclature d'hist. nat.;* genre établi par Walckenaer, lat.
mod. *dolomedes,* grec *dolomêdês* «qui médite des
ruses».

Zool. Araignée brune allongée (n. sc. *Dolomedes;*
famille des *Pisaurides*), qui vit en colonies au bord
de l'eau.

DOLOMIE [dɔlɔmi] n. f. — 1792; nom tiré, par H. de
Saussure, de *Dolomieu,* nom du minéralogiste qui a analysé cette roche.

Géol. Roche composée de carbonate de chaux et
contenant une forte proportion (plus de 50 %) de
dolomite (les calcaires à proportion plus faible
sont dits calcaires dolomitiques; → Dolomitique,
cit. 1). *Dolomies pures* (plus de 90 % de dolomite), *dolomies calcarifères* (de 50 à 90 %). *Dolomies primaires, à grains fins; dolomies secondaires,
à grains grossiers.*

DÉR. V. Dolomite.

DOLOMITE [dɔlɔmit] n. f. — 1838; de *dolomie* ou
directement de *Dolomieu,* nom propre.

Minér. et chim. Carbonate naturel double de calcium et de magnésium ($MgCO_2$, $CaCO_2$) entrant
dans la composition de certains calcaires (calcaires dolomitiques : 10 à 50 %; dolomies : 50 à
90 %). → Dolomie.

REM. Le nom, au pluriel *(les Dolomites),* désigne le massif
italien des Alpes, entre l'Adige et la Piave, formé de
dolomie.

DÉR. Dolomitique, dolomitisation. — (Du n. pr.) **Dolomitisme.**

DOLOMITIQUE [dɔlɔmitik] adj. — 1838; de *dolomite.*
Didactique.

♦**1** Qui renferme de la dolomite*. *Calcaire dolomitique,* renfermant de 10 à 50 % de dolomite.
Dans les calcaires dolomitiques, le calcaire est dissous et   1
la dolomie reste en place. Lorsque l'eau circule dans les
fissures, il se forme de la *dolomie vacuolaire* ou *cargneule,*
souvent d'aspect cloisonné. Lorsque la roche est poreuse
et que l'eau s'infiltre dans toute la masse, le calcaire est
entraîné et le résidu constitue un *sable dolomitique,* qui
renferme souvent des nodules non altérés, désignés dans
les environs de Paris sous le nom de *têtes de chat.*
Émile HAUG, Traité de géologie, t. I, XXIII, p. 364.
Alpes dolomitiques : les Dolomites.

♦**2** Géogr. Des Dolomites.
(La Brenta) imitant les autres rivières dolomitiques, elle   2
dessine des tentacules d'une pieuvre enserrant Venise.
Paul MORAND, Venises, p. 111.

DOLOMITISATION [dɔlɔmitizasjɔ̃] n. f. — D. i. (XXᵉ);
de *dolomite,* suff. *-isation* ou de *(se) dolomitiser.*

Didact. Transformation (d'une roche) en dolomie
sous l'action de l'eau. — REM. On trouve aussi le verbe
(se) dolomitiser.

DOLOMITISME [dɔlɔmitism] n. m. — V. 1960; de
Dolomites, et suff. *-isme,* sur le modèle de *alpinisme.*

Techn. Alpinisme* pratiqué dans les Dolomites, et
nécessitant l'emploi de techniques d'escalade artificielle. *Le dolomitisme exige la pose de nombreux
pitons.*

DOLORISME [dɔlɔRism] n. m. — 1919; dér. sav. du
lat. *dolor.*

Didact. Doctrine de l'utilité, de la valeur (morale) de la douleur. *Duhamel «donne en plein dans ce que j'appellerai le dolorisme, c'est-à-dire la théorie de l'utilité, de la nécessité, de l'excellence de la douleur»* (Paul Souday).

Je n'ai jamais été douillet (...). Mais il y a des limites à l'endurance d'un enfant, et elles sont assez étroites quand on a seulement soixante-douze mois d'expérience du dolorisme expérimental.
Hervé BAZIN, Vipère au poing, p. 23.

Mouvement, tendance littéraire exaltant la douleur. *Manifeste du dolorisme* (J. Teppe, 1935).

DÉR. Doloriste.

DOLORISTE [dɔlɔʀist] adj. et n. — 1919, *le Temps, in* T. L. F.; de *dolorisme*.

Didact. Relatif au dolorisme*. — N. Partisan du dolorisme; écrivain adepte du dolorisme.

DOLOSIF, IVE [dɔlozif, iv] adj. — 1864; dér. sav. du lat. *dolosus*, de *dolus*. → Dol.

Dr. Qui tient du dol*. *Manœuvres dolosives.*

Nous ne devons rien à personne, et il est inadmissible que, tous les six mois, on vienne nous réclamer, par des manœuvres dolosives et à notre corps défendant, je ne sais quel quitus, toujours mis en avant par une presse de sportulaires.
PROUST, Albertine disparue, Folio, p. 298.

DÉR. Dolosivement.

DOLOSIVEMENT [dɔlozivmɑ̃] adv. — 1926; de *dolosif*.

Dr. De manière dolosive.

DOLURE [dɔlyʀ] n. f. — 1877; au XIIᵉ «coup de hache, de doloire»; de *doler*, suff. *-ure.*

Techn. Partie d'une peau enlevée quand on la dole*, quand on l'amincit à la doloire.

DOM [dɔ̃] n. m. — XVIᵉ; *dam* «sire», XIIᵉ; *don*, 1527; du lat. *dominus* «seigneur».

◆ **1** Suivi d'un patronyme; sans article. Titre donné à certains religieux (bénédictins, chartreux, trappistes...).

1   Le bon Calmet ou dom Calmet (car les bénédictins veulent qu'on leur donne du dom)...
VOLTAIRE, Dict. philosophique, Job.

Par plais. (vx). → Messire, Sire.

2   Dom pourceau criait en chemin
Comme s'il avait eu cent bouchers à ses trousses.
LA FONTAINE, Fables, VIII, 12.

◆ **2** (1800). Titre donné aux nobles portugais. — REM. Le *don* espagnol (→ 2.Don) s'écrit en français classique *Dom* (par latinisation).

Dom Garcie de Navarre, Dom Juan ou le Festin de pierre, comédies de Molière.

HOM. Don, dont.

1. D. O. M. Abréviation des mots latins *Deo optimo maximo* «à Dieu très grand et très bon», formule de dédicace des édifices religieux.

2. D. O. M. [dɔm; deɔɛm] n. m. invar. — 1973; sigle.
Département français d'outre-mer. *Les D. O. M.-T. O. M.* [dɔmtɔm] : les départements et territoires* d'outre-mer. *Le ministre des D. O. M.-T. O. M.* — REM. On écrit aussi sans les points d'abréviation, *Dom* : «*Le ministre des Dom-Tom...*» (*l'Express*, 30 juil. 1973, p. 15).

Bien sûr, il faut attendre les résultats des grandes villes dont le scrutin n'est pas encore clos, et puis ceux des Dom-Tom que nous aurons sûrement cette nuit ou demain matin.
Christine ARNOTHY, Toutes les chances plus une, p. 416.

DOMAINE [dɔmɛn] n. m. — XIIᵉ, *demaine, demeine,* aussi «droit de propriété»; du bas lat. *dominium* «droit de propriété», du lat. class. *dominus* «maître».

Ⅰ ◆ **1** Cour. Terre possédée par un propriétaire. → **Bien** (foncier), **propriété, terre.** *Étendue d'un domaine. Un grand domaine. Bois, forêts, chasses, prairies, pâturages, métairies, fermes composant un domaine. Domaine vinicole.* → **Clos.** *Petit domaine.* → **Enclos.** *Marquer les limites, les bornes d'un domaine.* → **Bornage.** *Le domaine de qqn* (d'un propriétaire), *son domaine. Exploiter, cultiver son domaine. Au plur. Les domaines de qqn.* → **Terre**(s). *Se promener, chasser sur ses domaines. Domaine familial.* → **Héritage, patrimoine.** — *Domaine insaisissable.* → **Homestead.** *Vente, partage d'un domaine.*

Le domaine, actuellement composé, outre les bâtiments, de pelouses pour les jeux, de prairies d'élevage, d'un grand potager, de deux petits champs et de bois, était clos de murs sur environ un kilomètre (...)
J. ROMAINS, les Hommes de bonne volonté, t. V, IX, p. 75.

Par métaphore :

Sache, du moins, vivre de la vie intérieure. Et cultive en toi-même un riche domaine.
FRANCE, le Mannequin d'osier, Œ., t. XI, p. 271.

Grands domaines de l'Italie antique. → **Latifundia.** *Domaine féodal.* → **Fief.** — *Grands domaines agricoles, en Amérique du Sud.* → **Hacienda, fazenda, estancia.**

◆ **2** Hist. *Domaine de la couronne* : domaine d'abord confondu avec les possessions familiales du roi de France (sous les Capétiens), puis proclamé inaliénable (ordonnance de Moulins, 1566). — Par ext. Après Philippe Auguste, Ensemble des provinces où le roi de France se substitue aux grands vassaux. *Parts du domaine royal données aux cadets de la Maison de France.* → **Apanage** (cit. 1).

Domaines seigneuriaux : terres appartenant aux seigneurs.

Hist. rom. *Domaines impériaux* : propriétés des empereurs.

◆ **3** Dr. admin. **ⓐ** *Domaine de l'État,* et, absolt, *le Domaine* : les biens de l'État divisés en domaine public et domaine privé. — *Domaine public* : les biens qui par leur nature ou leur affectation ne sont pas susceptibles d'appropriation privée (cours d'eau, rivages, routes, voies ferrées, casernes, etc.). *Les biens du domaine public sont inaliénables et imprescriptibles.*

Domaine privé : biens des collectivités locales non affectés à un service public ou à l'usage direct du public mais pour lesquels le régime de la propriété privée n'est pas complètement applicable (forêts, biens en déshérence, épaves...). *Les biens du domaine privé sont insaisissables et inaliénables à titre gratuit.*

Les chemins, routes et rues à la charge de l'État, les fleuves et rivières navigables ou flottables, les rivages, lais et relais de la mer, les ports, les havres, les rades, et généralement toutes les portions du territoire français qui ne sont pas susceptibles d'une propriété privée, sont considérés comme des dépendances du domaine public.
Code civil, art. 538.

Service des domaines. Direction ou administration générale de l'enregistrement et des domaines. → ci-dessous b.

Domaine départemental : biens du département. *Domaine communal* : biens de la commune — *Domaine forestier de l'État* : ensemble des forêts domaniales.

Loc. **DOMAINE PUBLIC.** *Tomber dans le domaine public*, se dit des œuvres littéraires, musicales, artistiques... qui, après un temps déterminé par les lois (50 ans plus les guerres) cessent d'être la propriété des auteurs ou de leurs héritiers.

Par ext. *Être du, tomber dans le domaine public :* appartenir, être ouvert à tous.

b Administration des domaines. *Plaider contre le domaine, contre les domaines. Rachat de possessions par le domaine.* → Bourse, cit. 8.

c *Domaine public maritime* (rivages, accroissements...). — *Domaine aérien :* espace aérien sous le contrôle d'un État.

II Figuré. ♦ **1** Ce qui appartient (à qqn, à qqch.), lieu abstrait où règne (qqch.). *Le domaine du hasard, du destin, de la liberté humaine. La fièvre, l'épidémie, la guerre, le malheur étend son domaine.*

4 Notre insuffisance d'esprit est précisément le domaine des puissances du hasard, des dieux et du destin.
VALÉRY, Rhumbs, p. 270.

Spécialt. Ce qu'embrasse (un art, une science, un sujet, une idée...). → **Monde, région, sphère, univers.** *Le domaine de l'art* (→ Centupler, cit. 1). *Agrandir le domaine de ses connaissances.* → **Cercle, champ, étendue.** *Ces recherches appartiennent au domaine, sont du domaine des sciences. Domaine scientifique, philosophique. Domaine musical* (nom d'une association française de concerts). *Ce domaine est encore fermé aux savants. Domaine à explorer. Un domaine ouvert au génie de l'homme* (→ Connaissance, cit. 4). *Le domaine du rêve, de l'imagination* (→ Concevoir, cit. 9). — *Dans un, de domaines. Dans tous les domaines :* dans toutes les branches*, en toutes matières*, dans tous les ordres* d'idées, sur tous les points*. *Un progrès immense a été accompli dans ce domaine depuis cinquante ans.*

5 Dans ces derniers temps il (V. Hugo) nous a prouvé que, pour vraiment limité qu'il soit, le domaine de la poésie n'en est pas moins, par le droit du génie, presque illimité.
BAUDELAIRE, l'Art romantique, XXII, I, Hugo.

6 La politique, c'est, par essence, le domaine des choses concrètes ; un domaine, où les généreux élans des cœurs sensibles comptent moins encore qu'ailleurs (...)
MARTIN DU GARD, les Thibault, t. V, p. 199.

7 (...) dans tous les domaines, la recherche de la vérité exige l'application, l'étude, la compétence.
MARTIN DU GARD, les Thibault, t. V, p. 179.

Le domaine de qqn, l'ensemble de ce qu'il connaît plus particulièrement. *L'art médiéval est son domaine.* → **Matière, spécialité.** *Il est dans son domaine.* → **Terrain** (sur son terrain). *Je ne puis vous renseigner, ce n'est pas de mon domaine.* → **Compétence, rayon, ressort.**

8 (...) heureux le spécialiste ! Il n'a pas trop de tout son temps pour son domaine limité.
GIDE, Voyage au Congo, in Souvenirs, Pl., p. 695.

♦ **2** Sc., math. Région délimitée par une frontière où se trouvent les éléments d'un ensemble. → **Diagramme, espace, intervalle, surface.**

Région d'une substance ferromagnétique où l'aimantation est essentiellement uniforme en amplitude et en direction.

Ling. *Domaine (d'application) d'une règle, d'une transformation.*

DOMANIAL, ALE, AUX [dɔmanjal, o] adj.
— XVIᵉ ; lat. médiéval *domanialis,* du bas lat. *dominium.* → Domaine.

Dr. Qui appartient à un domaine. *Ferme domaniale.*

Spécialt. Qui appartient au domaine (I., 3.) public. *Biens domaniaux. Forêt domaniale.*

1 (...) à mesure que nous transformons les terres collectives d'une tribu en terres individuelles, comme nous accroissons la valeur du domaine de chaque membre de la tribu, nous demandons en retour une cession d'une partie de la terre collective à l'État. Et c'est justement sur cette terre collective que nous créons des lots domaniaux pour en faire bénéficier la colonisation française.
L.-H. LYAUTEY, Paroles d'action, p. 398.

Hist. Fondé sur la propriété par domaines.

2 Le régime domanial était construit en fonction d'une agriculture très extensive, et dont, par son seul poids, par les ponctions énormes qu'il opérait sur les forces d'une paysannerie famélique, démunie et trop inégalement répartie sur le sol nourricier, il ne contribuait pas, bien au contraire, à améliorer la productivité.
Georges DUBY, Guerriers et Paysans, p. 103.

DÉR. Domanialiser, domanialité.

DOMANIALISER [dɔmanjalize] v. tr. — D. i. (XXᵉ) ; de *domanial.*

Dr. admin. Annexer au domaine (I., 3.) de l'État.

DOMANIALITÉ [dɔmanjalite] n. f. — 1819, Boiste ; de *domanial.*

Caractère de ce qui est domanial. — **Spécialt.** Régime juridique concernant le domaine (I., 3.) public.

DOMBÉYA [dɔ̃beja] n. m. — XIXᵉ ; de *Dombey,* nom d'un naturaliste.

Bot. Genre de malvacées arbustives qui croît dans les régions chaudes de l'Afrique (certaines espèces sont cultivées en serre, dans les régions tempérées). *Cordages de dombéya.*

1. DÔME [dom] n. m. — XVᵉ ; ital. *duomo,* du lat. ecclés. *domus* «maison de Dieu». Cf. all. *Domkirche.*

Nom donné à l'église* principale de certaines villes d'Italie et d'Allemagne. → **Cathédrale.** *Le dôme de Milan, le dôme de Florence.* — **REM.** On emploie aussi la forme italienne *duomo,* pour l'Italie.

HOM. 2. Dôme.

2. DÔME [dom] n. m. — 1600, *dosme* ; provençal *doma,* du grec *dôma* «maison», qui a désigné par la suite un type de toiture oriental.

♦ **1** Comble* de forme arrondie surmontant certains grands édifices. *Dôme hémisphérique à base circulaire.* → **Coupole.** *Dôme se rétrécissant brusquement vers la pointe.* → **Bulbe.** *Dôme à pans coupés, à base polygonale. Dôme côtelé. Dôme surbaissé,* formant une portion de sphéroïde aplati (→ Calotte, cit. 4). *Dôme surmonté,* formant une portion de sphéroïde allongé. — *Le dôme du Panthéon, des Invalides* (à Paris), *le dôme de Saint-Paul de Londres. Un dôme élégant, classique.*

1 À Venise, il (*le ciel*) est partout ; il caresse la terre et l'eau, il enveloppe avec amour les dômes de plomb et les façades de marbre et jette dans l'espace irisé ses perles et ses cristaux.
FRANCE, le Lys rouge, IV, p. 58.

2 Ce dôme est une armature d'acier artistique de quinze mille pieds de diamètre environ.
RIMBAUD, Illuminations, Villes, p. 94.

Arbor. *Arbres taillés en dôme.*

3 Il a un jardin rempli de roses (...) des avenues de roses en colonnes, en dômes, en guirlandes (...)
J. CHARDONNE, les Destinées sentimentales, p. 138.

Objet, ornement hémisphérique. *Le dôme d'une lampe.*

Loc. Techn. *Dôme de vapeur :* partie supérieure d'une chaudière formant réservoir.

Anat. *Dôme pleuvral :* partie supérieure de la plèvre couvrant le sommet du poumon.

♦ **2** Par métaphore. Littér. *Un dôme de feuillages, de verdure.* Poét. *Le dôme du ciel** (cit. 37). → **Coupole, voûte.**

4 Le dôme obscur des nuits, semé d'astres sans nombre,
Se mirait dans la mer resplendissante et sombre (...)
HUGO, les Orientales, III, 1.

5 Et, sous le dôme épais de la forêt profonde (...)
LECONTE DE LISLE, Poèmes barbares,
«Fontaine aux lianes».

Par métaphore (en parlant de ce qui couvre, abrite, etc.). *«Un dôme de paix»* (L. Bloy). *«Un dôme de peur»* (J. Gracq, *in* T. L. F.).

♦ **3** Géogr. Montagne arrondie. *Un dôme couvert de glace* (→ Chauve, cit. 5). Spécialt. *Dôme volcanique. — Le puy de Dôme.*

♦ **4** Mar. Capot placé au-dessus des panneaux des échelles pour les protéger de la pluie.

HOM. 1. Dôme.

DOMESTICABLE [dɔmɛstikabl] adj. — 1860, Sand; de *domestiquer.*

Qu'on peut domestiquer. → **Apprivoisable.**

Sont-ils *(les papillons-singes)* domesticables? demandai-je au cocher. — Un sur cinq environ, mais pas au-delà de leur quatrième mois.
Robert PINGET, Graal Flibuste, p. 17.

DOMESTICATION [dɔmɛstikasjɔ̃] n. f. — 1832; de *domestiquer.*

♦ **1** Action de domestiquer; son résultat. *La domestication d'animaux sauvages par une population de chasseurs.* → **Apprivoisement.** Par anal. (→ Domestiquer, 3.). *La domestication d'une force naturelle, de l'énergie hydraulique,* son utilisation régulière par l'homme.

♦ **2** Par métaphore ou fig. (→ Domestiquer, 2.). *Domestication de personnes, de peuples.* → **Asservissement, assujettissement** (→ Autorité, cit. 19). *La domestication de l'opinion, d'un peuple. — La domestication des énergies.*

1 Pour Robinson, la disparition de Vendredi, les cactées parées et l'assèchement de la rizière traduisaient unanimement la fragilité et peut-être l'échec de la domestication de l'Araucan. M. TOURNIER, Vendredi..., p. 162.

♦ **3** Par métonymie. Littér. et rare. Animaux, êtres domestiqués.

2 Notre suprême contentement est de regarder défiler toutes les variétés de la domestication. C'est ce qui fait qu'il y a tant de gens sur le passage des cortèges royaux.
HUGO, l'Homme qui rit, I, I, 1.

CONTR. Affranchissement, émancipation.

DOMESTICITÉ [dɔmɛstisite] n. f. — 1583; bas lat. *domesticitas,* de *domesticus.* → Domestique.

♦ **1** Vx. État, condition de domestique*. *Ce vieux valet a quarante ans de domesticité.* → **Engagement, service.**

Par métonymie. La catégorie des domestiques, des gens* de maison.

1 Ainsi mourut l'un des derniers représentants de cette belle et grande domesticité, mot que l'on prend souvent en mauvaise part, et auquel nous donnons ici sa signification réelle en lui faisant exprimer l'attachement féodal du serviteur au maître.
BALZAC, le Cabinet des antiques, Pl., t. IV, p. 462.

Par anal. (Littér.). Dépendance, asservissement. *«Une sorte de domesticité intellectuelle»* (Léautaud, *in* T. L. F.).

♦ **2** (1792). Mod. Ensemble des domestiques. *La domesticité d'une maison, d'un château.* → **Domestique, personnel** (domestique).

2 (...) la chère Suzanne (...) chargée de toute la confiance, sera notre surintendant, commandera la domesticité (...)
BEAUMARCHAIS, la Mère coupable, I, 4.

Ensemble de personnes asservies. → Domestication (3.).

♦ **3** (1612). Rare. Condition d'animal domestique. *La domesticité du cheval.* État de domesticité (→ Apprivoiser, cit. 1).

CONTR. (De 3.) **Nature, sauvagerie.**

DOMESTIQUE [dɔmɛstik] adj. et n. — V. 1393; lat. *domesticus,* de *domus* «maison».

I Adj. ♦ **1** (Vx sauf dans des expressions). Qui concerne la vie à la maison, en famille. *Objets domestiques* (→ Poussette, cit.) *Vie domestique* (→ Contentement, cit. 7). *Travaux domestiques. Économie* domestique. Les vertus domestiques. Affaire domestique.* → **Privé.** *Ennuis, querelles domestiques.* → **Familial, intime.** — Vx. *Appareils, machines domestiques.* → **Ménager** (appareil ménager). — Antiq. *Les dieux domestiques,* ceux du foyer. → **Lare, pénates** (→ Aspect, cit. 14). *Le culte domestique* (→ Autorité, cit. 16).

1 Les uns assassinés dans les places publiques,
Les autres dans le sein de leurs chux domestiques (...)
CORNEILLE, Cinna, I, 3.

2 L'état le plus naturel à l'homme qui étudie comme à celui qui compose avec suite, même que l'ordre de l'imagination, et qui, par conséquent, a besoin de longues heures de travail, est encore la vie domestique, régulière, intime.
SAINTE-BEUVE, *in* BILLY, Sainte-Beuve, p. 327.

♦ **2** N. m. Vx. *Le domestique.* → **Foyer, intérieur, ménage.** — REM. Ne pas confondre avec le sens II, B.

3 Tel, connu dans le monde par de grands talents (...) est petit dans son domestique et aux yeux de ses proches (...)
LA BRUYÈRE, les Caractères, XII, 58.

4 Son domestique était réglé comme l'intérieur d'un monastère (...)
FLAUBERT, Trois contes,
«La légende de saint Julien l'Hospitalier», I.

♦ **3** (Animaux). Qui vit auprès de l'homme pour l'aider ou le distraire, et dont l'espèce, depuis longtemps apprivoisée, se reproduit dans les conditions fixées par l'homme. — REM. Le mot s'applique surtout aux espèces utilitaires; pour le chien et le chat, on dit plutôt *familier.* — *Le cheval est un animal domestique. Animaux domestiques d'une exploitation agricole.* → **Bestiaux.** — REM. *Animal domestique* désigne en général l'espèce; pour l'individu, on emploie plutôt *domestiqué.* — (Opposé à *sauvage*). *Renne domestique, renne sauvage. Éléphant domestique.*

5 (...) dans les autres espèces d'animaux domestiques, telles que celles du cheval, du chien, du bœuf, de la brebis, du cochon, etc., on trouve encore des individus dans leur état de nature, des animaux de ces mêmes espèces qui sont sauvages, et que l'homme ne s'est pas soumis, au lieu que dans le chameau, l'espèce entière est esclave.
BUFFON, Hist. nat., compl., t. III, p. 239.

Vx. (Végétaux). Cultivé par l'homme. *Arbre domestique, baies domestiques.*

♦ **4** Vx. Propre à un pays, à un peuple. → **National.** *«Nos chefs-d'œuvre domestiques»* (Sainte-Beuve). *Luttes, querelles domestiques.* → **Intestin.** — REM. Ce sens archaïque, avec d'autres emplois, nous revient par l'anglais *domestic* «intérieur», parfois calqué en français. *Lignes aériennes domestiques,* intérieures.

II N. (Déb. XVIᵉ). **A** *(Un, une, des domestiques).*
♦ 1 N. m. Hist. Personne (noble ou roturière) attachée à la maison du roi, d'un prince. → **Familier**;
attaché (2.), **bouteiller, camérier, chambellan, cham-
brier, échanson, écuyer, officier, page.**

6 (...) il faudrait avoir le cœur bien dur pour ne pas obéir
à un maître *(le roi)* qui entre dans les intérêts d'un de ses
domestiques avec tant de bonté : aussi le maréchal *(de
Bellefonds)* ne résiste pas; et le voilà remis à sa place et
surchargé d'obligations.
Mᵐᵉ DE SÉVIGNÉ, 237, 13 janv. 1672.

♦ 2 N. Anciennt. Personne employée pour le service, l'entretien de la maison (→ **Gens**), ou le
service matériel intérieur d'un établissement;
spécialt, personne chargée de la tenue du ménage,
du service, de la cuisine, etc., chez un particulier qui l'emploie. — REM. Sans être vieux sur le
plan de la langue, le mot a disparu de tout usage officiel : on dit *employé de maison*, et, au plur., *gens de
maison*. → **Bonne** (d'enfants; à tout faire), **boy, camé-
riste, chambrière** (VX), **chasseur, chauffeur, cocher**
(VX), **concierge, cuisinier, duègne** (VX), **estafier** (VX),
femme (de chambre, de charge, de journée, de ménage),
fille (de cuisine, de salle), **garçon** (de bureau, de café, de
courses, de salle), **garde, gardeuse** (d'enfants), **gardien,
gouvernante, groom, homme** (de peine), **intendant, jardinier, lad, laquais, larbin, laveuse, liftier, lingère,
maître** (d'hôtel), **majordome, marmiton, ménagère,
nourrice, nurse, officieux** (VX), **palefrenier, piqueur** (à
cheval), **plongeur, servante, serveur, serviteur, sommelier, soubrette, souillon** (VX), **suivante** (VX), **valet**
(de chambre, de ferme, de pied); → aussi **Ancillaire.**
Ensemble des domestiques. → **Domesticité, gens** (de
maison), **personnel, service, suite**; péj. **valetaille.** *Suite
de domestiques d'un grand seigneur.* → **Train.** *Les
domestiques d'une maison, d'un hôtel, d'un établissement. Domestique attaché à une personne, à une
maison. Domestique au service d'un maître, d'un
patron. Le, les domestiques de qqn, de Mᵐᵉ X, des X;
leurs domestiques. Domestique qui se place, entre
en condition. Chercher un domestique au bureau de
placement. Engager, prendre un domestique à son
service. Placer un domestique. Fonction de domestique.* → **Domesticité, service.** *Domestique qui fait le
service de la table. Appeler, sonner un domestique.
Se faire servir, aider par un domestique. Livrée*
de domestique. Partie d'une maison réservée aux
domestiques.* → **Communs, office, service** (escalier,
entrée,... de service). *Rémunération d'un domestique.*
→ **Gages.** *Remise faite par certains commerçants
aux domestiques.* → **Sou** (le sou du franc). — *Un vieux
et fidèle domestique. Domestique zélé. Styler un
domestique. Domestique malhonnête* (→ Bombance,
cit. 2). *Domestique qui fait sauter l'anse* du panier,
qui fait de la gratte* (fam.). Maltraiter ses domestiques* (→ Difficile, cit. 25). *Domestique qui se sépare
de ses maîtres.* → **Tablier** (rendre son tablier). *Renvoyer, chasser un domestique; donner congé à une
domestique. Terme péj. ou insultant désignant un,
une domestique.* → **Larbin; bonniche.** — (En attribut).
Il, elle est domestique chez les Untel.

7 Quant au service personnel des maîtres, ils ont dans la
maison huit domestiques, trois femmes et cinq hommes,
sans compter le valet de chambre du baron ni les gens
de la basse-cour.
ROUSSEAU, Julie ou la Nouvelle Héloïse, IV, lettre X.

8 Aux vertus qu'on exige d'un domestique, Votre Excellence
connaît-elle beaucoup de maîtres qui fussent dignes d'être
valets? BEAUMARCHAIS, le Barbier de Séville, I, 2.

8.1 Comme de vieux domestiques qui ont à peu méritent de
connaître nos secrets et, tout en semblant garder avec leur
attitude immobile leur condition subalterne, sont devenus
de vibrants, de sensibles, d'ardents amis, le fauteuil, le lit,
les rideaux de la chambre de Jean étaient devenus des

créatures assez semblables à lui.
PROUST, Jean Santeuil, Pl., p. 357.

Le domestique de Barthou à qui il parlait de sa mort lui 8.2
dit : Oh monsieur, je ne suis pas pressé! — On sait vivre.
CLAUDEL, Journal, 11 juin 1933.

Un domestique en jaquette noire, gros et grisonnant, 9
majestueux, impersonnel, ouvrit les battants de la porte
du salon. C'était Arnaud qui depuis trente ans, à la même
heure, disait d'une voix lente, sans accent : «Madame est
servie» (...)
J. CHARDONNE, les Destinées sentimentales, p. 437.

Régional et vx. *Domestique de ferme* : ouvrier* agricole non qualifié, journalier*; servante (ou fille)
de ferme.

REM. Si le mot n'est pas linguistiquement vieilli, il l'est socialement. La plupart des emplois et des locutions signalés
plus haut sont sortis de l'usage; seuls les emplois métaphoriques et figurés restent vivants.

Péj. *Il nous traite comme des domestiques. Je ne suis
pas son domestique.* → **Esclave, larbin, valet.**

♦ 3 N. Personne qui est soumise à une autre, à un
groupe, qui la sert. *«Les dictateurs sont les domestiques des peuples»* (Baudelaire, *Mon cœur mis à nu*).
— *Être le, la domestique des manies, des volontés
de qqn.* → **Serviteur.**

B N. m. Vx. *Le domestique.* Ensemble des domestiques d'une maison. — REM. Ne pas confondre avec le
sens I, 2.

Son domestique était composé d'une femme de chambre 10
fribourgeoise assez jolie, appelée Merceret, d'un valet de
son pays appelé Claude Anet (...)
ROUSSEAU, les Confessions, III.

Il le savait car il connaissait tout le domestique de l'im- 11
meuble, leurs mœurs et leurs coutumes, les départs et les
arrivées. R. QUENEAU, Loin de Rueil, p. 10.

CONTR. Public; étranger. — Sauvage. — Maître, patron.
◇ DÉR. Domestiquement, domestiquer. — COMP. Électrodomestique.

DOMESTIQUÉ, ÉE [dɔmɛstike] adj. → **Domestiquer,**
p. p.

DOMESTIQUEMENT [dɔmɛstikmã] adv. — 1534; de
domestique.

Vx. En qualité de domestique. *«Servir qqn domestiquement»* (Littré).

DOMESTIQUER [dɔmɛstike] v. tr. — XVᵉ; admis par
l'Académie, 1878; de *domestique.*

♦ 1 Rendre domestique* (une espèce animale sauvage). → **Apprivoiser** (cit. 1), **dompter.** *L'homme a
domestiqué le cheval vingt siècles avant l'ère chrétienne.* — Pron. (passif). *Cette espèce se domestique
facilement.*

♦ 2 (Compl. n. de personne ou de groupe humain).
Amener à une soumission totale, mettre dans la
dépendance. → **Asservir, assujettir.** *Par la création
de l'étiquette, Louis XIV domestiqua ses courtisans.
Domestiquer un peuple.*

Bien placés au cœur de l'Asie Mineure, surveillant les 1
routes de Méditerranée au croissant fertile, possesseurs
de riches mines de fer, ce qui leur assurait une grande
puissance d'armement, ils se soumirent les peuples avoisinants, qu'ils domestiquèrent.
DANIEL-ROPS, le Peuple de la Bible, p. 90.

♦ 3 (Choses). Maîtriser (qqch.) pour utiliser. *Domestiquer les forces naturelles.* — (Abstrait). *Domestiquer
sa volonté, son énergie.*

Ils n'eurent ni le sang ni l'argent, de peindre cette ville 2
en rouge; ils essayèrent plutôt de la domestiquer. Ils ne
visitaient plus : ils habitaient.
A. BLONDIN, Monsieur Jadis, p. 103.

◆ **DOMESTIQUÉ, ÉE** p. p. adj.

♦ **1** Apprivoisé, dompté. *Animal domestiqué. Espèce domestiquée.* — Figuré :

3 (...) personne ne peut penser qu'une liberté, conquise dans ces convulsions, aura le visage tranquille et domestiqué que certains se plaisent à lui rêver. Ce terrible enfantement est celui d'une révolution.
CAMUS, Actuelles I, *in* Essais, Pl., p. 255-256.

♦ **2** Par ext. Asservi, assujetti. *Peuples domestiqués.* — (Choses). Utilisé (après avoir été maîtrisé). *Terres, eaux, mers domestiquées. Fleuve domestiqué.*

CONTR. **Affranchir, émanciper, libérer.** ◊ DÉR. **Domesticable, domestication.**

DOMICILE [dɔmisil] n. m. — 1326; lat. *domicilium,* de *domus* «maison».

♦ **1** a Dr. Lieu où une personne a son principal établissement, demeure légale et officielle. *Une certaine fixité caractérise le domicile par rapport à la résidence* qui peut être momentanée. Domicile d'une personne. Domicile d'une société.* → **Siège.** *Adresse d'un domicile.* → **Adresse.** *Pièce d'identité où sont mentionnés le nom, l'âge, le domicile actuel... de qqn* (→ **Acte,** cit. 12). *Établir son domicile dans une ville. Rentrer à son domicile. Changement de domicile. Certificat de domicile. Ne pas reparaître à son domicile.* → **Absence** (cit. 13). *Une perquisition* (cit. 3) *fut ordonnée au domicile de l'inculpé.*

1 Le domicile de tout Français, quant à l'exercice de ses droits civils, est au lieu où il a son principal établissement.
Code civil, art. 102.

2 La femme mariée n'a point d'autre domicile que celui de son mari.
Code civil, ancien art. 108.

2.1 Le mari et la femme peuvent avoir un domicile distinct sans qu'il soit pour autant porté atteinte aux règles relatives à la communauté de vie.
Code civil, nouvel art. 108.

b Cour. Lieu ordinaire d'habitation. → **Chez-soi, demeure, habitation, home, logement, maison, résidence.** *Choisir un domicile agréable* (→ Carrière, cit. 20). *Être sans domicile.* → *Sur le pavé*, à la rue*, sans toit*; n'avoir ni feu* ni lieu. Personne sans domicile fixe*.* → **Nomade, vagabond.** *Violation* de domicile. Changer de domicile :* déménager.

3 Pour nous la maison est seulement un domicile, un abri ; nous la quittons et l'oublions sans trop de peine, ou, si nous nous y attachons, ce n'est que par la force des habitudes et des souvenirs.
FUSTEL DE COULANGES, la Cité antique, p. 109.

c Syntagmes (dr. et cour.). *Domicile conjugal,* celui des époux. *Abandonner, quitter le domicile conjugal,* en parlant d'un des conjoints. — REM. Cette expression n'existe plus en droit ; on emploie : *résidence de la famille.*
Domicile politique ou électoral : lieu où qqn exerce ses droits politiques.
Dr. *Domicile mortuaire.*
(1959). Admin. *Domicile de secours :* commune où doivent être versées les prestations d'aide sociale.
Dr. *Domicile élu :* lieu déterminé par les parties pour l'exécution d'un acte ou d'une convention. *Élection de domicile* (art. 111 du Code civil).
Cour. ÉLIRE DOMICILE **(quelque part) :** se fixer dans un lieu pour y habiter. → **Fixer** (se), **installer** (s'). *Il a élu domicile au n° 25 de la rue X.*

4 (...) en cette ville
Le diable a pour jamais élu son domicile.
J.-F. REGNARD, Ménechmes, II, 2.

Fig. Se fixer, s'établir. *La dissension a élu domicile dans cette maison, dans ce pays.*

♦ **2** Loc. adv. À DOMICILE **:** dans la demeure même. *Le préposé des P. T. T. porte les lettres à domicile.*

Se faire livrer un colis à domicile. — (1909, *in* D. D. L.). *Travailleur à domicile. Donner des leçons à domicile.*

5 Une autre partie des équipes secondait les médecins dans les visites à domicile (...)
CAMUS, la Peste, p. 151.

♦ **3** Rare. Gîte* (d'un animal).

♦ **4** Fig. et stylistique. Lieu où se trouve normalement (qqch.). *Trouver son domicile naturel dans...* → **Place.**

♦ **5** Astrol. Signe qui, correspondant à une planète, en renforce les qualités lorsqu'elle s'y trouve. *Le domicile diurne de Jupiter.*

DÉR. **Domiciliaire, domicilier.**

DOMICILIAIRE [dɔmisiljɛR] adj. — 1540; de *domicile.*

Dr. Qui a rapport au domicile. *Visite, perquisition* (cit. 5) *domiciliaire,* faite dans le domicile de qqn par autorité de justice.

1 (...) on avait consigné des quartiers entiers pendant vingt-quatre heures afin de procéder à des vérifications domiciliaires.
CAMUS, la Peste, p. 177.

Par extension :

2 Les panthères abondent dans la région et, nous dit-on, ne répugnent pas aux visites domiciliaires.
GIDE, Voyage au Congo, *in* Souvenirs, Pl., p. 762.

DOMICILIATAIRE [dɔmisiljatɛR] n. m. — V. 1900; de *domiciliation.*

Dr., fin. Tiers au domicile de qui un chèque ou une lettre de change est payable (en général, un banquier).

DOMICILIATION [dɔmisiljasjɔ̃] n. f. — 1906; de *domicilier.*

Droit, finances.

♦ **1** Désignation d'un domicile où un effet est payable. *Domiciliation d'une lettre de change. Domiciliation d'un chèque* (banque, bureau de chèques postaux). *Domiciliation bancaire.*

♦ **2** Lieu où est assuré le service financier d'une entreprise, d'une société. *Le paiement des dividendes s'effectue à la domiciliation.*

DÉR. **Domiciliataire.**

DOMICILIER [dɔmisilje] v. tr. — Déb. XVIᵉ; de *domicile.*

♦ **1** Admin. Assigner, fixer un domicile à (qqn). *On l'a domicilié par erreur à une adresse qui n'est pas la sienne.* — Faire connaître le domicile légal de (qqn).

♦ **2** Dr., fin. *Domicilier une traite, un chèque.* → **Domiciliation.**

◆ **SE DOMICILIER** v. pron.
Établir son domicile (dans un lieu, quelque part).

◆ **DOMICILIÉ, ÉE** p. p. adj.

♦ **1** Qui a un domicile (quelque part). *Monsieur X, domicilié à Paris, dans le Var.*

1 Si je me présentais pour voter à Paris où on me dit domicilié (...)
P.-L. COURIER, *in* LITTRÉ.

2 L'individu détenu dans une prison n'y est pas domicilié mais conserve le domicile qu'il avait antérieurement.
Code civil, art. 102 (6, D.P. 62. 1. 162).

N. *Un domicilié, une domiciliée :* personne qui a un domicile.

♦ **2** Fin. *Chèque domicilié.*

DÉR. **Domiciliation.**

DOMINABLE [dɔminabl] adj. — 1568, «personne qu'on peut dominer»; de *dominer*.

Qu'on peut dominer. *Penchants aisément, difficilement dominables.*

(...) rétrécissement de l'expérience existentielle qui se manifeste depuis une quinzaine d'années tant en politique qu'en littérature par les diverses écoles ou disciplines soucieuses de réduire la totalité du vécu et du possible à un étroit canton aisément dominable (...)
J. DUVIGNAUD, l'Impossible Rencontre, in la Nef,
n° 31, p. 136.

DOMINANCE [dɔminãs] n. f. — XVIᵉ; de *dominant*.

♦ **1** Vx. Fait de dominer (→ **Domination**), d'être dominant (→ **Prédominance**). *La dominance d'une personne, d'une nation (sur une autre).*

♦ **2** Didact. et mod. Fait d'être dominant, plus important, mieux perçu. *La dominance d'un ton, d'une couleur dans un tableau.*

Biol. Prépondérance d'un gène ou d'un caractère dominant* sur son allélomorphe récessif* chez un individu hétérozygote (→ **Génotype, hérédité, phénotype**).

DOMINANT, ANTE [dɔminã, ãt] adj. — V. 1282; p. prés. de *dominer*.

A ♦ **1** Vx. Qui exerce un ascendant psychique (sur qqn).

♦ **2** Qui exerce l'autorité, domine sur d'autres. → **Dominer** (I., 1.).

1 Un grand nombre de villes obtenaient pour leurs concitoyens le droit de citoyens romains, et, unies par leur intérêt au peuple dominant, elles tenaient dans le devoir les villes voisines (...)
BOSSUET, Hist., III, 6, in LITTRÉ.

N. *Les dominants et les dominés.*

1.1 Bouche inutile, il est alors de trop. Pourquoi les dominants du régime féodal ne sont-ils pas touchés par cette notion ?
A. SAUVY, Croissance zéro?, p. 29.

♦ **3** (Emplois spéciaux). Féod. *Fief dominant.* → **Fief.**

Dr. *Fonds dominant :* immeuble au profit duquel existe une servitude.

Biol. *Gène dominant,* qui réalise ses caractères en dominant le gène différent porté par l'autre chromosome de la paire (→ **Récessif; hétérozygote**).

Météor. *Vent dominant :* vent le plus fort et/ou le plus constant soufflant dans une région.

B Qui est le plus important, l'emporte parmi d'autres. → **Dominer** (I., 2.); **important, premier, prépondérant, principal.** *Signe, trait dominant; propriété, qualité dominante.* → **Caractéristique, déterminant.** *Humeur, passion dominante. Goût dominant. Idée dominante d'un ouvrage, d'un système.* → Clef* de voûte. *Le préjugé dominant.* → **Régnant, répandu.** *L'opinion dominante.* → **Général.** *Influence dominante. — Couleurs dominantes d'un tableau. Lignes dominantes d'un récit.*

2 Le bon sens des Capétiens, qui devait être, à de rares exceptions près, la qualité dominante de leur race (...)
J. BAINVILLE, Hist. de France, IV, p. 48.

3 Le trait dominant de ma nature et qui aurait frappé toute autre femme que toi, c'est une lucidité affreuse.
F. MAURIAC, le Nœud de vipères, I, p. 16.

4 La vanité est la passion dominante de l'homme.
MONTHERLANT, les Jeunes Filles, p. 162.

C (1680). Concret. Qui surmonte en étant plus élevé. → **Culminant, élevé, éminent, haut, supérieur.** *Ce fort est dans une position dominante.* — Par métaphore ou fig. *Il occupe dans cette société une position dominante* (→ Tenir le haut du pavé*).

CONTR. Opprimé. — Accessoire, auxiliaire, dépendant, incident, secondaire, subordonné, subsidiaire. ◊ DÉR. Dominance, dominante.

DOMINANTE [dɔminãt] n. f. — 1755, en mus.; de *dominant.*

I Élément dominant, essentiel, parmi plusieurs choses. *La dominante de son œuvre est l'ironie.* — Spécialt : ♦ **1** Couleur, ton qui domine visuellement les autres, dans un ensemble coloré.

1 (...) l'Orient avait délégué à Rome des couleurs claires, vivait de couleurs claires : la dominante des fresques de Doura, c'est le rose.
MALRAUX, les Voix du silence, p. 198.

2 (...) de même qu'il m'a semblé revoir, un très court instant, le costume de mon cousin, à dominante marron, m'a-t-il semblé, mais je ne sais pas, je ne sais plus (...)
Claude MAURIAC, le Temps immobile, p. 98.

Spécialt. Arts et techniques graphiques (photogr., imprim.). Couleur qui domine les autres et les dénature. *Je n'aime pas cette marque de pellicule, elle donne une dominante verte.*

♦ **2** Matière principale d'un cursus, dans certaines universités (opposé à *mineure*). *Choisir le japonais en dominante et le coréen en mineure.*

II Mus. Le cinquième degré de la gamme diatonique, ascendante (→ Arpège, cit.). *L'accord parfait majeur comprend la tonique et la dominante du ton. — Septième de dominante :* accord majeur avec septième mineur, sur le cinquième degré d'une gamme.

COMP. Sous-dominante, sus-dominante.

DOMINATEUR, TRICE [dɔminatœʀ, tʀis] n. et adj. — V. 1280; lat. *dominator,* du supin de *dominari.* → Dominer.

♦ **1** N. Littér. Personne ou puissance qui domine sur d'autres, qui commande souverainement. *Alexandre le Grand, dominateur de l'Asie.* → **Conquérant, vainqueur.** *Dominateurs et esclaves.* → **Despote, dictateur, maître, oppresseur, tyran.** *L'Angleterre fut la dominatrice des mers.*

1 (...) venant prendre possession du sceptre de la Grande-Bretagne, elle voyait, pour ainsi dire, les ondes se courber sous elle et soumettre toutes leurs vagues à la dominatrice des mers !
BOSSUET, Oraison funèbre de la reine d'Angleterre.

2 (...) ces insulaires étaient plus robustes et plus braves que leurs dominateurs (...)
VOLTAIRE, Précis du siècle de Louis XV, XL.

♦ **2** Adj. (après le nom). Qui domine, qui aime à dominer. *Pouvoir dominateur, force dominatrice.* → **Despotique, oppressif, tyrannique.** *Caractère, esprit dominateur.* → **Autoritaire, volontaire.** *Regards, gestes dominateurs,* qui décèlent un caractère dominateur. → **Impérieux.** *Il, elle a un caractère dominateur.*

3 Il y avait dans René quelque chose de dominateur qui s'emparait fortement de l'âme.
CHATEAUBRIAND, les Natchez, II, 203.

4 (...) on l'eût prise d'abord pour une servante, mais elle avait un regard dominateur qui corrigeait tout de suite cette impression.
J. GREEN, Adrienne Mesurat, I, 1, p. 8.

N. *C'est une dominatrice,* une femme tyrannique.

CONTR. Esclave, serviteur. — Effacé, humble, modeste, opprimé, soumis.

DOMINATION [dɔminasjɔ̃] n. f. — V. 1120; lat. *dominatio,* du supin de *dominari.* → Dominer.

I ♦ **1** Action de dominer (des personnes); autorité souveraine. → **Autorité, empire, maîtrise, omnipotence, pouvoir, prépondérance, prépotence, suprématie.** → Opprimer, cit. 1. *Domination absolue, totale. Domination despotique, injuste, tyrannique.*

→ **Dictature, oppression, tyrannie.** *Établir sa domination sur un pays* (→ **Conquête; conquérir**). *Affermir, appesantir, étendre sa domination. La domination d'un chef, d'un maître, d'un souverain, d'une armée, d'un envahisseur... La domination d'un pays sur un autre. Être, vivre sous la domination de qqn,* dans l'esclavage*, la sujétion*. *Tomber sous la domination de...* (→ **Dans les griffes* de...,** sous la coupe* de..., sous le joug* de...). *Vivre sous la domination anglaise, sous une domination étrangère* (→ **Degré,** cit. 26). — *Se défendre contre la domination de qqn.* — REM. Le compl. de nom en *de* peut être ambigu. *La domination d'un peuple (sur un autre / par un autre).* — *Désir, esprit, goût, instinct, tentative de domination.*

1   Aristote, avant eux tous, avait dit aussi que les hommes ne sont point naturellement égaux, mais que les uns naissent pour l'esclavage et les autres pour la domination.
     ROUSSEAU, Du contrat social, I, 2.

2   La division de l'Europe est trop grande pour qu'une tentative de domination universelle ne provoque pas très vite une coalition qui fasse rentrer la nation ambitieuse dans ses bornes naturelles.
     RENAN, Discours et Conférences, Œ., t. I, p. 888.

3   (...) c'est au nom de l'esprit européen, et grâce à ses découvertes, que l'Asie rejette aujourd'hui la domination de l'Europe.   MALRAUX, les Voix du silence, p. 589.

Par ext. Action de dominer (des animaux, des choses). → **Domestication.** *La domination d'une espèce sauvage par l'homme.* — Plus cour. Fait de dominer militairement (une région, une zone). *La domination des mers.*

♦ **2** Fait d'exercer une influence déterminante. *Domination spirituelle, morale.* → **Emprise, influence.** *Il exerce sur tous une domination irrésistible.* → **Ascendant.**

4   Il subissait cet ensorcellement féminin, mystérieux et tout-puissant, cette force inconnue, cette domination prodigieuse, venue on ne sait d'où, du démon de la chair et qui jette l'homme le plus sensé aux pieds d'une fille quelconque (...)   MAUPASSANT, la Femme de Paul, p. 20.

5   Cette vieille femme se meurt de ne posséder plus son fils : désir de possession, de domination spirituelle, plus âpre que celui qui emmêle, qui fait se pénétrer, se dévorer deux jeunes corps.   F. MAURIAC, Génitrix, VII, p. 85.

Domination de soi-même. → **Maîtrise, self-control** (anglic.). *La domination des passions, de l'amour.*

6   Enseigne-lui que la domination de la vie ne va pas sans domination de soi-même; car, pour dominer, d'abord il s'agit d'être ; mais nous ne sommes pas : nous nous créons.
     F. MAURIAC, le Jeune Homme, p. 82.

Écon. *Effet de domination* (F. Perroux) : influence exercée par une unité économique sur une autre.

II N. f. pl. (Av. 1690, Furetière). **LES DOMINATIONS :** anges* formant le premier chœur du second ordre (ou seconde hiérarchie), dans la théologie catholique. *La seconde hiérarchie comprend les Dominations, les Vertus et les Puissances.*

7   Je sais que vous gardez une place au Poète
Dans les rangs bienheureux des saintes Légions,
Et que vous m'invitez à l'éternelle fête
Des Trônes, des Vertus, des Dominations.
     BAUDELAIRE, les Fleurs du mal, «Spleen et idéal», I.

CONTR. (Du sens I) Liberté; indépendance. — Esclavage, obéissance, servitude, sujétion.

DOMINER [dɔmine] v. — Xᵉ, comme trans.; du lat. *dominari,* de *dominus* «maître».

I V. intr. (mil. XVIᵉ). **DOMINER SUR, DANS... ♦ 1** Littér. Commander souverainement, avoir la suprématie (sur...). → **Régner.** *Nation, puissance qui domine sur un continent.* — Absolt. *Il aime à dominer.* → **Commander** (cit. 29).

Les hommes veulent être esclaves quelque part, et puiser 1
là de quoi dominer ailleurs.
     LA BRUYÈRE, les Caractères, VIII, 12.

Il *(le czar)* partageait avec Charles XII la gloire de dominer 2
en Pologne (...)
     VOLTAIRE, Hist. de l'empire de Russie, I, 4.

(...) de puissantes amphictyonies qui, dominant sur les 3
États, les contiendraient dans le droit (...)
     FRANCE, la Vie en fleur, XXVIII (→ Amphictyonie, cit.).

♦ **2** Vx ou littér. Exercer une influence qui l'emporte sur les autres. → **Emporter** (l'), **prédominer, prévaloir, régner, triompher.** *Un cœur où l'ambition domine* (Académie). *Il domine de très loin sur ses collègues, dans cette assemblée.*

Dieu ne veut point d'un cœur où le monde domine (...) 4
     CORNEILLE, Polyeucte, I, 1.

♦ **3** Mod. (Personnes et choses). Être le plus apparent, le plus fort, le plus important, parmi plusieurs éléments. → **Emporter** (l'), **prédominer.** *C'est le trait qui domine dans son caractère. La couleur qui domine dans un tableau. Les femmes dominent dans cette assemblée :* il y a surtout* des femmes, il y a plus* de femmes que d'hommes.

Cette humilité profonde qui domine si fort dans son caractère.   MASSILLON, Saint François. 5

La surprise passée, ce qui dominait, c'était une sensation 6
de soulagement.
     MARTIN DU GARD, les Thibault, t. III, p. 228.

(...) elle surprenait, de temps en temps, une expression 7
sauvage dans ses traits et lorsqu'il relevait les paupières, elle était étonnée de la lueur que jetaient ses prunelles ; elle n'aurait pu dire ce qui dominait chez cet homme, la douceur ou la férocité (...)
     J. GREEN, Léviathan, II, VII, p. 190.

(...) les rues étaient envahies, le soir, par la même foule 8
où dominaient seulement les pardessus et les écharpes.
     CAMUS, la Peste, p. 291.

♦ **4** Vx. *Dominer sur, au-dessus de...* : être plus haut (que les objets environnants). → **Culminer.** *La citadelle domine sur la ville* (Académie, 8ᵉ éd.). — REM. De nos jours, le transitif est seul employé dans ce sens (→ ci-dessous, II., 3.).

Noteburg était une place très forte, bâtie dans une île 9
du lac Ladoga, et qui, dominant sur ce lac, rendait son possesseur maître du cours de la Neva qui tombe dans la mer (...)

     VOLTAIRE, Hist. de l'empire de Russie, I, 12.

II V. tr. ♦ **1** Avoir, tenir sous sa suprématie, sous sa domination. → **Diriger, disposer** (de), **gouverner, régir, soumettre.** *Il cherche à dominer ses semblables. Despote, tyran qui domine un peuple.* → **Asservir, assujettir, enchaîner, subjuguer.** *Combattant, concurrent qui domine son adversaire.* → **Avantage, dessus** (avoir l'avantage, le dessus); **emporter** (l'emporter sur); **surpasser; écraser.**

(...) vous vous laissez dominer, outrager, fouler aux pieds 10
par une poignée de drôles.
     R. ROLLAND, Jean-Christophe, Dans la maison, I, p. 984.

(...) cette femme qui toujours l'avait intimidé et humilié, 11
comme il la domine, ce soir ! comme elle doit se sentir méprisée !
     F. MAURIAC, Thérèse Desqueyroux, IX, p. 167.

Nous sommes séparés par des hordes de hobereaux à 12
demi barbares, un peu plus civilisés que du temps de la Germania de Tacite (...) mais non beaucoup plus que les chevaliers de l'Ordre teutonique.
     J. ROMAINS, les Hommes de bonne volonté, t. IV, IX, p. 90.

Sports. Manifester sa supériorité sur (un adversaire). *Il a dominé ses adversaires pendant toute la course. Se faire dominer.* — Absolt. *Ils ont dominé pendant la première mi-temps.* → Mener* le jeu.

12.1 Les arrières regardent avec énervement leurs avants se faire dominer; ils reçoivent l'attaque d'un avant-centre adverse, non sans bousculades, et renvoient la balle qu'on leur intercepte au passage.

Jean PRÉVOST, Plaisirs des sports, p. 141.

Par ext. *Le Bien domine le Mal. L'esprit domine la matière. Le droit a dominé la force.* → **Primer.**

13 (...) la mort, qui égale tout, les domine *(les ambitieux)* de tout côté (...)

BOSSUET,
Oraison funèbre de la duchesse d'Orléans.

14 Nous savons que nous sommes faits pour dominer le monde et non pas le monde nous dominer.

CLAUDEL, Positions et Propositions, p. 205.

♦ **2** Fig. Être plus fort que...; avoir une influence décisive sur... — (L'objet étant extérieur). *Dominer un auditoire par son talent, son autorité...* → **Subjuguer.** — (L'objet étant psychique, intérieur). Neutraliser les effets de..., en contrôlant. *Dominer ses passions par un effort de volonté.* → **Contenir, contrôler, maîtriser, surmonter;** → ci-dessous, Se dominer. *Dominer sa colère, sa douleur, sa souffrance, son trouble. Dominer ses larmes. Se laisser dominer, être dominé par ses passions.* → **Soumis.** — (Sujet n. de chose). *L'ambition, la vanité dominent toutes ses pensées.* → **Posséder.** *La volonté domine, ne domine pas les passions.* — (Compl. n. de personne). *Ses passions le dominent complètement. Le sujet le domine,* l'occupe entièrement.

15 Il savait bien que le lendemain dès huit heures du matin, Mathilde serait à la bibliothèque; il n'y parut qu'à neuf heures, brûlant d'amour, mais sa tête dominait son cœur.

STENDHAL, le Rouge et le Noir, II, XXXI, p. 425.

16 Quand votre sujet vous domine, vous en êtes l'esclave et non le maître.

BALZAC, Massimilla Doni, Pl., t. IX, p. 381.

17 *(Saint Louis)* une de ces natures à la fois énergiques et délicates, chez qui la conscience domine l'intérêt (...)

FUSTEL DE COULANGES, Leçons à l'Impératrice...,
p. 170.

18 (...) elles voulaient m'apprendre à la dominer *(la souffrance)* afin de diminuer ma sensibilité nerveuse et fortifier ma volonté.

PROUST, À la recherche du temps perdu, t. I, p. 56.

19 Malgré son violent désir de dominer sa douleur, des larmes roulèrent sur ses joues.

M. BARRÈS, la Colline inspirée, XII, p. 202.

20 (...) un gouvernement qui *a gardé sa tête* a les plus grandes chances de dominer la situation.

J. ROMAINS, les Hommes de bonne volonté, t. IV,
X, p. 105.

(Sujet et compl. n. de chose). Être plus important que les autres facteurs ou éléments, dans... *Ce problème, cette question domine toute l'affaire.*

(Concret; notamment en parlant des sons). Être plus important que...; être perçu plus nettement que... *Bruit qui domine une rumeur* (→ Aboiement, cit. 1). — Absolt. *Dans le tumulte, sa voix aiguë dominait.*

♦ **3** Avoir au-dessous de soi dans l'espace. → **Surmonter, surplomber.** *Monument, édifice, tour, belvédère qui domine une ville.* → **Dresser** (se dresser au-dessus* de...). *Montagne, piton, place forte qui domine la plaine. Sommet qui domine un massif.* → **Couronner.** *Sa haute taille dominait la foule. Position d'où l'on domine.* → **Dominant.**

21 Celui-ci *(Ney)* enleva, le 16, les hauteurs de Michelsberg qui, je l'ai dit, dominent la ville (...)

Louis MADELIN, Hist. du Consulat et de l'Empire,
Avènement de l'Empire, XXII, p. 278.

22 On devine une vaste dépression, où se dressent quelques monticules, que dominent, en face, de hautes falaises.

J. ROMAINS, les Hommes de bonne volonté, t. II,
XX, p. 228.

Le jardin (...) suspendu en haut d'un mur, dominait **23** l'avenue (...)

J. CHARDONNE, l'Amour du prochain,
p. 95 (→ Contenir, cit. 4).

Dominer (qqn, qqch.) *de :* être plus haut par..., dépasser de... *Il dominait ses voisins de la tête.*

Par métaphore. *Son œuvre domine toute la littérature de sa génération.*

Alors il *(Tolstoï)* put, sous l'aile de l'amour, rêver et réaliser **24** à loisir les chefs-d'œuvre de sa pensée, monuments colossaux qui dominent tout le roman du XIXᵉ siècle : *Guerre et Paix* (1864-1869) et *Anna Karénine* (1873-1877).

R. ROLLAND, Vie de Tolstoï, p. 61.

Fig. *Écrivain qui domine son sujet,* qui est capable de le voir, de l'embrasser dans son ensemble. *Il domine la question.*

♦ **SE DOMINER** v. pron.

Être ou se rendre maître* de soi, de ses réactions. → **Posséder** (se). *Il était prêt à pleurer, à se mettre en colère, mais il se domina. Il ne peut pas, il ne sait pas se dominer.*

♦ **DOMINÉ, ÉE** p. p. adj. *Combattant, concurrent complètement dominé. Peuples, pays dominés.* — *Passions dominées, dominées par la volonté. Colère mal dominée.* — *Il est complètement dominé par ses passions.*

(Au sens II, 3, fig.). *Sujet dominé, bien, mal dominé.*

CONTR. Obéir, servir. — **Céder, fléchir, plier, succomber.** — **Laisser** (se laisser aller). ◊ **DÉR. Dominable, dominant, dominateur, domination.** – **COMP. Prédominer.**

---

1. DOMINICAIN, AINE [dɔminikɛ̃, ɛn] n. — 1546; de *Dominique,* fondateur de l'ordre.

Religieux, religieuse de l'ordre des *Frères prêcheurs,* fondé au XIIIᵉ siècle par saint Dominique. — Adj. (1690). Des dominicains. *Le costume dominicain.*

---

2. DOMINICAIN, AINE [dɔminikɛ̃, ɛn] adj. et n. — 1877; de *Dominique,* trad. franç. de *Domingo.*

Qui est relatif à l'île de Saint-Domingue ou à ses habitants. *La République dominicaine.*

N. *Un Dominicain, une Dominicaine :* une personne qui habite Saint-Domingue ou qui en est originaire.

DOMINICAL, ALE, AUX [dɔminikal, o] adj. — 1417; bas lat. *dominicalis,* dimin. de *dominicus* (→ Dimanche), de *dominus* «maître, seigneur».

♦ **1** Qui appartient au Seigneur. *L'oraison dominicale :* prière que Jésus enseigna à ses disciples. → **Pater;** → le Notre Père*.

Qu'est-ce que l'oraison dominicale? c'est le précis de toutes **1** les demandes que nous devons faire à Dieu.

BOURDALOUE, Pensées, t. II, p. 54, *in* LITTRÉ.

♦ **2** Qui a rapport au dimanche, jour du Seigneur. *Repos dominical. Promenade dominicale.*

(...) après l'avoir longtemps dispensé du sermon domi- **2** nical, il le lui impose un jour, à l'improviste.

BERNANOS, Sous le soleil de Satan, *in* Œ. roman.,
Pl., p. 139.

Lettre dominicale, et, n. f., *La dominicale :* lettre qui désigne le dimanche dans le calendrier mobile romain (→ **Comput**).

N. f. Vieilli. *Une dominicale :* sermon prêché le dimanche, en dehors des périodes d'Avent et de Carême. *Les dominicales de Bourdaloue.*

DOMINION [dɔminjɔn] n. m. — 1869, *in* Höfler; mot angl. signifiant «domination, puissance», du lat. *dominium* (→ Domaine), appliqué pour la première fois par le Parlement britannique au Canada en 1867.

Chacun des États, aujourd'hui indépendants, qui composent l'Union britannique et dont la politique extérieure dépendait du Royaume-Uni. → **Commonwealth.** *Chacun des dominions a pour roi le roi d'Angleterre. Les liens de la Couronne et de l'amitié unissent les dominions à la métropole.*

DOMINO [dɔmino] n. m. — 1401; abrév. d'une expr. lat., p.-ê. *benedicamus Domino* «bénissons le Seigneur».

I ♦ 1 Ancient. Camail noir avec capuchon que les prêtres portaient en hiver.

♦ 2 (1665). Costume de bal masqué consistant en une robe flottante à capuchon. *Un domino noir, rose. Loup* qui accompagne le domino.*

1 (...) les Esther modernes veulent des Assuérus qui puissent, tout déguisés qu'ils sont, se débarrasser la nuit de leur domino : on ne dépose pas le masque des années.
CHATEAUBRIAND, Mémoires d'outre-tombe, t. VI, p. 78.

2 Ils n'étaient reçus qu'à condition d'amener des femmes du monde, protégées, si elles y tenaient, par des dominos et des loups.
NERVAL, Petits Châteaux de Bohême, I, III, Pl., t. I, p. 90.

Par métonymie. Personne revêtue d'un domino. *Être intrigué par un domino.*

.1 Je me promenais dans le foyer depuis cinq minutes, lorsqu'un domino me prend le bras. «Bonjour, Carbonnel!»
E. LABICHE, J'invite le colonel, 3.

♦ 3 Techn. (vx). *Papier de domino, domino.* → **Dominotier** (étym.). *Figures de domino,* les figures de ce papier.

II ♦ 1 (1771, Trévoux; à cause du fond de bois noir, comparé au *domino,* 1.). **a** Petite plaque, noire en dessous, dont les faces sont divisé en deux parties portant de zéro à six points noirs, du double blanc (→ fam. **Albinos,** 3.) jusqu'au double six. *Un domino en os, en ivoire, en plastique. Domino marqué d'un seul point* (→ **As**), *de deux six* (→ **Double-six**)*. Pêcher, piocher un domino. Les vingt-huit dominos d'un jeu.*

.2 Avec une foule de dominos pris à brassées dans le second panier, le clown voulut construire ensuite, à l'extrémité droite de la scène, une sorte de mur en équilibre.
Les rectangles uniformes, placés sur une seule épaisseur, se superposaient symétriquement, présentant maints revers noirs mélangés de faces blanches plus ou moins mouchetées.
Raymond ROUSSEL, Impressions d'Afrique, p. 98.

Châteaux, édifices, piles de dominos. → Compar. *Maisons-dortoirs* (cit. 2) *alignées comme des dominos. Faire tomber une série de dominos.*

(1967; d'après l'angl.). Polit. Zone géographique (pays, région) menacée de subir, par contagion, la situation politique des zones environnantes (comme un domino entraîné par la chute des autres dominos avec lesquels il est rangé verticalement). **Surtout dans les loc.** *Théorie des dominos; politique des dominos.*

b *Les dominos :* jeu consistant à mettre en rapport les combinaisons de points de vingt-huit dominos, selon des règles. *Jouer aux dominos. Un joueur acharné de dominos. Aimer les dominos et les dames. Passer son tour, aux dominos.* → **Bouder.** *Le mah-jong chinois ressemble aux dominos.*

3 Cela finissait toujours par une partie de dominos, — jeu spécialement silencieux et méditatif.
NERVAL, Nuits d'octobre, VI, Pl., t. I, p. 106.

Au sing. (vieilli). *«Jouons au domino»* (Stendhal, *in* T.L.F.). Loc. *Pousser le domino :* jouer aux dominos. — *Faire domino :* gagner la partie.

4 Tu sais si j'aimais le domino, Mangé : eh bien ! ici c'est trop commun, on n'y joue qu'au cabaret.
Henri MONNIER, Scènes populaires, «Les bourgeois campagnards», 8, t. I, p. 347.

♦ 2 (Par anal. de forme). Techn. Dispositif de raccordement électrique pour fils de petite section.

♦ 3 Argot anc. Dent. *Jouer des dominos :* manger.

5 Il continua sans s'émouvoir : un signe comme qui dirait une mouche; c'est pas tout : t'as tous tes *dominos* (dents), faudra t'arracher les deux de devant !
Louise MICHEL, la Misère, t. II, p. 61.

DÉR. Dominotier.

DOMINOTERIE [dɔminɔtri] n. f. — 1640; de *dominotier.*

♦ 1 Techn. Fabrication de papiers marbrés, coloriés (utilisés pour certains jeux de société : loto, jeu de l'oie).

(...) de nouvelles branches, se rattachant toutes à l'industrie et au commerce du papier — l'impression, la dominoterie, le livre, la librairie, l'édition (...)
B. CENDRARS, l'Or, p. 22.

♦ 2 Travail du dominotier (2.).

DOMINOTIER, IÈRE [dɔminɔtje, jɛR] n. — 1540; de *domino* (I., 3.) «papier colorié, peint, marbré» dont les figures étaient appelées *figures de domino, domino.*

♦ 1 Ancient. Fabricant de dominoterie*.

♦ 2 Mod. (de *domino,* II.). Façonneur spécialisé dans la confection des plaques d'os, d'ivoire, qui recouvrent les dominos.

DÉR. Dominoterie.

DOMISME [dɔmism] n. m. — 1960; mot créé par Joannon, du lat. *domus* «demeure».

Didact. Science de la construction et de l'aménagement de l'habitation. → Urbanisme. *«Il* (le domisme) *concerne des questions particulières ou, si l'on veut, privées. Au contraire l'urbanisme a trait aux questions générales intéressant les organismes publics»* (J. Boyer).

DOMMAGE [dɔmaʒ] n. m. — 1080, Chanson de Roland, *damage; domage* d'après *dongier* (danger); dér. anc. de *dam*,* et suff. *-age.*

A ♦ 1 Préjudice subi par qqn. → **Atteinte, dam, détriment, grief** (vx), **lésion, préjudice, tort.** **a** *(Un, des dommages). Dommage matériel,* qui porte atteinte à l'intégrité physique ou aux biens d'une personne. *Dommage moral,* qui porte atteinte à l'honneur, aux sentiments d'affection... d'une personne. *Dommage direct,* directement lié à la faute commise et qui donne lieu à réparation, par oppos. au *dommage indirect. Dommage prévu,* dont les parties ont prévu l'éventualité, par oppos. au *dommage imprévu. Dommage causé avec intention de nuire.* → **Délit** (cit. 1; cit. 8 et *infra). Causer, faire un grave dommage à qqn. Éprouver, subir un dommage. Pâtir, souffrir d'un dommage. Réparer un dommage.* → **Dédommager** (→ Qui casse* paye; payer les pots* cassés). *Payer une indemnité*, des dommages-intérêts pour compenser le dommage. Responsabilité du dommage. Sans dommage (pour...),* sans préjudice. Prov. (vx). *D'un sot, hommage vaut dommage.*

1 Tout fait quelconque de l'homme, qui cause à autrui un dommage, oblige celui par la faute duquel il est arrivé, à le réparer.
Code civil, art. 1832.

2 (...) il ne se fait aucun profit qu'au dommage d'autrui (...)
MONTAIGNE, Essais, I, 22.

3 La nature du dommage causé importe peu. Dans la plupart des cas, ce sera un dommage *atteignant le patrimoine* de la personne, ayant occasionné à sa charge des dépenses ou des pertes appréciables en argent. Ou bien encore, le dommage peut également frapper la victime *dans sa personne physique* : ce sera le cas pour un accident causant la mort ou une incapacité (...) Mais le dommage peut être aussi *d'ordre moral*. C'est, par exemple, une atteinte à la réputation, à la considération d'une personne, résultant de propos injurieux ou de paroles ou écrits diffamatoires (...) Dans tous les cas, la jurisprudence accorde des dommages-intérêts.
A. COLIN et H. CAPITANT,
Cours élémentaire de droit civil, t. II, p. 373.

DOMMAGES-INTÉRÊTS ou *dommages et intérêts* : somme due au créancier par le débiteur qui n'exécute pas son obligation (→ Débiteur, cit. 4). *Dommages-intérêts compensatoires* (en cas d'inexécution de l'obligation), *moratoires* (en cas de retard). — **Par ext.** Indemnité due par l'auteur d'un délit ou d'un quasi-délit en réparation du préjudice causé. *Poursuivre qqn en dommages-intérêts. Demander, réclamer, obtenir des dommages-intérêts.*

4 Le débiteur est condamné, s'il y a lieu, au payement de dommages et intérêts, soit à raison de l'inexécution de l'obligation, soit à raison du retard dans l'exécution, toutes les fois qu'il ne justifie pas que l'inexécution provient d'une cause étrangère qui ne peut lui être imputée, encore qu'il n'y ait aucune mauvaise foi de sa part.
Code civil, art. 1147.

[b] **Collectif.** *Le dommage. Faire du dommage, beaucoup de dommage.*

♦**2** **Dégâts matériels causés aux choses.** → **Dégât, mal, nuisance, ravage.** *Dommages que causent aux cultures la grêle, la gelée, les inondations.* → **Calamité** (calamités agricoles). *Dommage causé dans un bois par l'ouragan.* → **Vimaire.** *Sinistre* qui provoque de grands dommages. Dommages de deux navires qui s'abordent.* → **Riborbage.** *Dommage subi par des marchandises* (→ **Avarie, perte**), *par un édifice.* → **Dégradation, détérioration, endommagement, outrage** (du temps).

5 Au travers d'un mien pré certain ânon passa,
S'y vautra, non sans faire un notable dommage (...)
RACINE, les Plaideurs, I, 7.

DOMMAGES DE GUERRE. **Dr. admin.** Dommages causés aux biens des individus par les faits de guerre et dont la réparation incombe à l'État, en vertu de l'égalité et de la solidarité des citoyens. — **Dr. internat.** Dommages causés à une nation par les faits de guerre et dont la réparation incombe, en principe, à l'ennemi.

6 (...) il était moral (...) que l'Allemagne fût astreinte à payer, d'abord parce qu'elle avait à réparer les dommages causés à autrui, ensuite parce qu'il fallait que le peuple allemand comprît que la guerre est une mauvaise opération et qui ne rapporte rien.
J. BAINVILLE, Conséquences politiques de la paix,
II, p. 26.

Par métonymie. **Fam.** Indemnité touchée pour ces dommages. *Il a touché des dommages de guerre.*

[B] (Déb. XIIIᵉ ; au sing., dans des emplois figés). **Chose fâcheuse, désagréable.** ♦**1** **Vieilli.** *Le dommage.* → **Ennui.** *Le dommage est que..., c'est que... Le dommage est de...* (et inf.).

7 Il y a déjà longtemps que je suis vieux... Le dommage est, non point de trop durer, mais bien de voir tout passer autour de soi.
FRANCE, le Crime de Sylvestre Bonnard, Œ., t. II,
p. 371.

(Précédé de *quel*). *Quel dommage de... Quel dommage d'avoir perdu cette lettre ! Quel dommage que...* (et subj.). «*Quel dommage qu'elles soient laides*» (Larbaud, *in* T. L. F.). — **Absolt.** *Il est parti ? Quel dommage !*

♦**2** (Emplois avec *être*). *Il est* (vieilli), *c'est dommage, c'est bien dommage que...* (et subj.), *c'est dommage de...* (et inf.). *C'est dommage qu'il soit parti si tôt. Ce serait bien dommage de s'en aller maintenant.* **Littér.** *C'est grand dommage que...* (et subj.), *de...* (et inf.).

Ellipt. *Dommage qu'il soit parti. Dommage que vous ne puissiez l'attendre* (→ Avenant, cit. 4).

8 C'est bien dommage qu'elle soit devenue si laide.
VOLTAIRE, Candide, XXVII.

9 La foule imite, comme elle grouille ; il serait dommage qu'elle inventât.
André SUARÈS, Trois hommes, «Ibsen», IV, p. 121.

Absolt. *C'est dommage. Vous n'avez pas pensé à m'apporter ce papier ? C'est dommage, c'est vraiment dommage, c'est trop dommage.*

Ellipt. *Dommage ! :* c'est dommage. *Il a dû s'en aller ? Dommage !*

♦**3** (Négatif). *Ce n'est pas dommage :* c'est heureux, mais on a trop attendu la chose. *On va enfin pouvoir partir, ce n'est pas dommage.* **Fam.** *C'est pas dommage.* — **Ellipt.** *Il est arrivé ? Eh bien, pas dommage !* → **Enfin.**

♦**4** **Régional** (Canada). *Beau dommage :* le contraire serait étonnant.

CONTR. Avantage, bénéfice, gain, produit, profit. — Dédommagement, indemnité, réparation. — Bien, bonheur. ◊ **DÉR.** Dommageable. — **COMP.** Dédommager, endommager. — Dommages-intérêts (ci-dessus à l'article).

DOMMAGEABLE [dɔmaʒabl] adj. — 1309, *damajable ; de dommage.*

Qui cause du dommage. → **Fâcheux, nuisible, préjudiciable.** *Entreprise dommageable. Être dommageable à* (qqn, qqch.). — *Il est dommageable de...* (et inf.).

1 Les erreurs de la royauté n'attaquent pas la royauté seule ; elles sont dommageables à la nation entière : un Roi bronche et s'en va ; mais la nation s'en va-t-elle ?
CHATEAUBRIAND, Mémoires d'outre-tombe, t. VI,
p. 87.

2 Seulement, si cette surconsommation de produits compromet le patrimoine naturel commun, corrompt l'atmosphère ou l'eau des mers, risque d'altérer le climat, l'horizon se modifie, car l'accroissement de la consommation n'est plus seulement un actif ; même si le passif ne peut pas être économiquement évalué, tous nos comptes sont caducs, car la course à la consommation est dommageable. Cette course, qui s'accélère constamment, met en outre en cause l'inégalité des conditions.
A. SAUVY, Croissance zéro ?, p. 216.

CONTR. Avantageux, profitable, utile. ◊ **DÉR.** Dommageablement.

DOMMAGEABLEMENT [dɔmaʒabləmɑ̃] adv. — 1488 ; de *dommageable.*

Rare. De manière dommageable.

DOMMAGES-INTÉRÊTS [dɔmaʒzɛ̃terɛ] n. m. pl.
→ **Dommage,** cit. 4 et *supra.*

DOMOTIQUE [dɔmɔtik] n. f. — 1982 ; du rad. du lat. *domus* «maison», et *(informa)tique.*

Ensemble des techniques permettant une gestion automatisée de l'habitation. «*Des logiciels de domotique optimisent la consommation d'énergie dans les foyers*» (*le Monde*, 25 janv. 2000, p. 6).

DOMPTABLE [dɔ̃tabl]; cour. [dɔ̃ptabl] adj. — XIIᵉ; de *dompter.*

Rare. Qui peut être dompté, soumis à la discipline. *Animal domptable.*

CONTR. **Indomptable** (plus courant).

DOMPTAGE [dɔ̃taʒ]; cour. [dɔ̃ptaʒ] n. m. — 1860; de *dompter.*

Action de dompter*; son résultat. *Le domptage d'un cheval.* **Syn.** : *domptement* (vx).

Ce système de domptage est, comme on voit, des plus simples. Il réussit presque toujours et l'éléphant apprivoisé devient le serviteur le plus doux, le plus utile du paysan cinghalais.

C. LAVOLLÉE, l'Île de Ceylan, *in* Revue des Deux Mondes, 1ᵉʳ sept. 1860, p. 166.

DOMPTEMENT [dɔ̃t(ə)mã]; cour. [dɔ̃ptəmã] n. m. — XVIᵉ; de *dompter.*

Vx. → **Domptage.**

DOMPTER [dɔ̃te]; cour. [dɔ̃pte] v. tr. — 1158, *danter, donter;* du lat. *domitare,* de *domare* «dresser».

♦ **1** Réduire à l'obéissance (un animal sauvage ou dangereux). → **Apprivoiser** (cit. 2), **assujettir, domestiquer, dresser.** *Manèges*, caveçons* qui servent à dompter les chevaux rétifs. Dompter des fauves* (→ **Dompteur**). — Passif et p. p. *Être dompté.*

1   L'éléphant une fois dompté, devient le plus doux et le plus obéissant de tous les animaux.
BUFFON, Hist. nat., Éléphant, Œ. compl., t. III, p. 185.

2   L'homme a opposé les animaux aux animaux, subjuguant les uns par adresse, domptant les autres par la force.
BUFFON, cité par LAFAYE. Dict. des synonymes.

♦ **2** Soumettre à son autorité (qqn, un groupe de personnes). → **Asservir, captiver** (cit. 4), **dominer, maîtriser, mater, plier** (à son autorité), **réduire, soumettre, subjuguer, terrasser, triompher** (de), **vaincre.** *Dompter des rebelles, des insoumis. Dompter une classe turbulente, un enfant terrible. Dompter un ennemi* (→ Apprivoiser, cit. 5).

3   Est-il quelque ennemi qu'à présent je ne dompte?
CORNEILLE, le Cid, v, 2.

4   (...) cette réputation que vous avez de dompter les enfants difficiles et de vous entendre à leur serrer la vis, comme il dit.   F. MAURIAC, la Pharisienne, III, p. 44.

Littér. *Dompter les forces de la nature* (→ **Autel,** cit. 14). *Dompter les eaux d'un fleuve.* → **Domestiquer, enchaîner, maîtriser.**

♦ **3 Littér.** Dominer (une personne, une tendance, etc.). → **Abattre, briser, juguler, maîtriser, museler, rompre.** *Dompter un caractère. Dompter l'orgueil de qqn. — Dompter ses passions, sa colère.* → **Surmonter.**

5   Ma raison, il est vrai, dompte mes sentiments (...)
CORNEILLE, Polyeucte, II, 2 (→ Autorité, cit. 37).

6   Celui qui dompte son cœur vaut mieux que celui qui prend des villes.
BOSSUET, Oraison funèbre de la duchesse d'Orléans.

7   Rien ne dompte la conscience de l'homme, car la conscience de l'homme, c'est la pensée de Dieu.
HUGO, les Châtiments, Préface, 1853.

♦ **SE DOMPTER** v. pron.
Se dominer, se maîtriser. *Apprendre à se dompter.*

♦ **DOMPTÉ, ÉE** p. p. adj.
Apprivoisé, domestiqué. *Cheval dompté. —* Dominé, maîtrisé. *Rebelles domptés. —* Fig. *Orgueil dompté, fureur domptée.*

DÉR. **Domptable, domptage, domptement, dompteur.**
◊ **COMP.** (Du p. p.). **Indompté. — Dompte-venin.**

DOMPTEUR, EUSE [dɔ̃tœr, øz]; cour. [dɔ̃ptœr, øz] n. — 1213, au sens 1 «dominateur»; fém. fin XVIᵉ : *donteuse;* de *dompter.*

♦ **1** Vx ou littér. Personne qui soumet à son autorité (qqn, un groupe). *Un dompteur d'hommes.*

♦ **2** (Mil. XIXᵉ). Personne qui dompte*. *Dompteur de chevaux. Dompteur de bêtes féroces, de fauves* (→ **Belluaire**).

Absolt (plus cour.). Spécialiste du domptage des animaux féroces (notamment félins : lions, tigres, panthères). *Les dompteurs d'un cirque, d'une ménagerie. Prendre une allure de dompteur. Le dompteur fait claquer son fouet.*

De longues éraflures zèbrent les épaules du dompteur de monstres ; les dents et les griffes ont signé en toutes lettres sur sa peau.
Th. GAUTIER, *in* P. LAROUSSE, art. *Dompteur.*

DOMPTE-VENIN [dɔ̃tvənɛ̃] n. m. invar. — 1545; de *dompter, et venin.*

Régional. Asclépiade (plante).

1. DON [dɔ̃] n. m. — Xᵉ, *faire don;* lat. *donum.*
Action de donner; chose donnée. → **Donation; donner.**

♦ **1** Action d'abandonner gratuitement à qqn la propriété ou la jouissance de (qqch.). *Le don de qqch. à qqn (par qqn). Faire un don à qqn. Faire don de qqch. à qqn.*

1   D'un souverain pouvoir, il brise les liens
Du contrat qui lui fait un don de tous vos biens (...)
MOLIÈRE, Tartuffe, v, 7.

Dr. *Don manuel,* mode de donation*.

2   Le don manuel est une donation qui a pour objet, et ne peut avoir pour objet que des choses susceptibles d'une remise matérielle faite de la main à la main, c'est-à-dire des *meubles corporels* ou des *titres au porteur,* et qui se réalise au moment où le donateur remet ces choses au donataire.
A. COLIN et H. CAPITANT, Cours élémentaire de droit civil, t. III, p. 837.

Fig. *Le don de son cœur*, de sa main*, de son corps*.

3   En outre, il parut soudain renoncer à exiger de Claire, presque chaque soir, le don de sa personne, restée si curieusement étrangère aux plaisirs dont elle était la dispensatrice.
A. MAUROIS, Terre promise, p. 200.

Le don de soi : l'action de se dévouer entièrement à qqn ou à qqch. → **Dévouement, sacrifice.** *Toute noblesse* (cit. 4) *vient du don de soi-même. Faire don de sa personne (à une cause, un pays).*

4   On ne fait rien sans cette impulsion qui, au delà de l'égoïsme et des nécessités, affirme la personne humaine dans le don de soi. Il ne suffit d'ailleurs pas que ce soit un désir, une velléité. La charité est la plus exigeante des vertus.
DANIEL-ROPS, Ce qui meurt et ce qui naît, p. 195.

Absolt. *Le don. Essai sur le don,* œuvre de Marcel Mauss.

Par ext. Action de consentir qqch. de son libre mouvement, d'y adhérer, d'y participer de soi-même.

5   Il y a, dans l'obéissance, quand elle est libre et enthousiaste, une sorte d'ivresse, d'élan, de don.
G. DUHAMEL, Chronique des Pasquier, IV, III, p. 271.

♦ **2** Ce qu'on abandonne à qqn sans rien recevoir de lui en retour. → **Cadeau, distribution, générosité, legs, libéralité, présent, secours, subside, subvention.** *Don fait par charité.* → **Aumône, bienfait.** *Don fait à l'occasion du jour de l'an.* → **Étrenne, gratification.** *Don pour s'acquérir les faveurs de qqn.* → **Bakchich, épices, pot-de-vin, pourboire** (→ Donner la pièce*, graisser* la patte à qqn). *Don des patriciens romains à leurs clients.* → **Sportule.** *Don fait à Dieu.*

→ **Oblation, offrande.** *Un don d'argent, en argent, en espèces. Don en nature. Accorder, offrir, remettre, répartir, distribuer des dons. Recevoir un don. — Donner qqch. en pur don. Accepter ceci en don, à titre de don. — Don anonyme. Don respectueux. Don de l'auteur.* → **Hommage.**

6   (...) il est bien moins content du don que de la manière dont il lui a été fait.
                    LA BRUYÈRE, les Caractères, VIII, 45.

7   Sans doute, il est des dons vils qu'un honnête homme ne peut accepter; mais apprenez qu'ils ne déshonorent pas moins la main qui les offre, et qu'un don honnête à faire est toujours honnête à recevoir (...)
                    ROUSSEAU, Julie ou la Nouvelle Héloïse, Lettre XVII.

Anc. dr. *Don gratuit :* contribution que le clergé, financièrement autonome, consentait au roi dans ses assemblées.

♦ **3** Avantage naturel (considéré comme reçu de Dieu, de la Fortune, de la nature...). → **Bénédiction, bienfait, faveur, grâce.** *Le ciel l'a comblé* de ses dons. «Manne du ciel, céleste don»* (→ Manne, cit. 4, Villon). *Les dons que le ciel lui a départis* (cit. 1, 3, 4), *qu'il a reçus en partage. — Poét. Les dons de la terre, ses productions. Les dons de Bacchus, de Cérès, de Flore, de Pomone :* la vendange, les moissons, les fleurs, les fruits. *Les dons de la Fortune :* les richesses.

♦ **4** (XVIᵉ). Disposition innée pour qqch. (considérée comme donnée par la Fortune, par Dieu...). → **Aptitude, art, capacité, facilité, génie, habileté, qualité, talent; douer** (être doué pour). *La délicatesse, don de la nature* (→ Art, cit. 28, 38). *Heureux don. Avoir le don de la parole, de l'éloquence, de l'à-propos,* être doué pour... *Don oratoire. Un don pour les sciences, les langues, le commerce.* → **Bosse.** *Cultiver ses dons. Avoir le don d'ubiquité* (→ Dédoubler, cit. 2). *C'est un don qui lui est propre.* → **Apanage, privilège.** *Faire appel aux dons de qqn* (→ Appel, cit. 12). *L'esprit, don de s'exprimer rapidement et finement. Les dons de l'esprit* (→ Cassant, cit. 3).

8   J'aimais fort l'éloquence et j'étais amoureux de la poésie; mais je pensais que l'une et l'autre étaient des dons de l'esprit plutôt que des fruits de l'étude.
                    DESCARTES, Disc. de la méthode, I.

9   Sans répit, chez nous, la province produit des hommes favorisés par les dons, par le talent, parfois par le génie.
                    G. DUHAMEL, le Temps de la recherche, VII, p. 88.

10 Nous avons tous une faculté particulière — un don, si vous voulez, — par lequel nous resterons toujours absolument distincts des autres êtres. C'est ce don-là qu'il faut arriver à trouver en soi et à exalter, à l'exclusion du reste.
                    MARTIN DU GARD, Jean Barois, II, Le semeur, III.

Fam. *Il a le don de vous plaire.* **Iron.** *Il a le don de l'agacer. Il a le don de parler pour ne rien dire* (→ Beaucoup, cit. 1). *Il, elle a le don des larmes :* il, elle pleure facilement.

11 Il a le don, comme vous dites, de rendre mauvaises les meilleures choses.
                    Mᵐᵉ DE SÉVIGNÉ, 832, 17 juil. 1680.

12 (...) Caroline prend un faux air amical dont l'expression bien connue a le don de faire intérieurement pester un homme (...)
                    BALZAC, Petites Misères de la vie conjugale, Pl., t. X, p. 950.

Relig. Faveur, avantage que l'on tient de la grâce, de la bonté divine. → **Charisme.** *Don du Saint-Esprit* (→ Confirmation, cit. 5). *Le don de prophétie* (→ Avenir, cit. 15). *Le don des langues :* faculté conférée aux apôtres de parler toutes les langues. *La foi, don de Dieu.*

13 Puisque nous avons des dons différents, selon la grâce qui nous a été accordée, que celui qui a le don de prophétie l'exerce (...) que celui qui est appelé au ministère s'attache à son ministère; que celui qui enseigne s'attache à son

enseignement, et celui qui exhorte à l'exhortation.
                    BIBLE (SEGOND), Épître aux Romains, XII, 6-7.

14 La foi est un don de Dieu; ne croyez pas que nous disions que c'est un don de raisonnement.
                    PASCAL, Pensées, IV, 279.

15 Il y a des hommes que Dieu a marqués au front, au sourire, aux paupières, d'un signe et comme d'une huile agréable; qu'il a investis du don d'être aimés!
                    SAINTE-BEUVE, Volupté, XXI, p. 222.

Absolument :

16 Moi, dit Justin solennellement, je crois au don, je crois à la grâce, je crois au signe sur le front.
                    G. DUHAMEL, Chronique des Pasquier, IV, VIII, p. 324.

Dans les contes de fées, Faculté extraordinaire accordée à un enfant.

17 C'était grande assemblée des Fées, pour procéder à la répartition des dons parmi tous les nouveau-nés, arrivés à la vie depuis vingt-quatre heures.
                    BAUDELAIRE, le Spleen de Paris, «Les dons des fées.»

Spécialt (occultisme). *Don de voyance, de clairvoyance, don de Dieu :* le «sixième sens».

CONTR. Réclamation, reprise, revendication, vol. — Défaut, manque. ◊ **DÉR.** Donner. ◆ **COMP.** Surdon. ◆ **HOM.** Dom, 2. **don, dont.**

2. DON [dɔ̃] n. m. — V. 1501; mot esp., du lat. *dominus.* → Dom.

Titre d'honneur particulier aux nobles d'Espagne et qui se place ordinairement devant le prénom. *Don Carlos* (→ **Carlisme**). *Don Juan. Don Quichotte.*

J'ajoutai le *don* à mon nom, imitant en cela bien des Espagnols roturiers qui prennent sans façon ce titre d'honneur hors de leur pays.
                    A. R. LESAGE, Gil Blas, V, I, p. 316.

REM. *Don* s'est écrit *dom* au XVIIᵉ siècle. On écrit : le *Dom Juan* de Molière, mais le *Don Juan* de Mozart (ital. *Don Giovanni*).

HOM. Dom, 1. **don, dont.**

DOÑA [dɔɲa] n. f. — V. 1621, écrit *done;* fém. de l'esp. *don.* → 2. Don.

Titre d'honneur chez les femmes nobles espagnoles (placé devant le prénom). *Doña Inès.* — **REM.** On a écrit *dona* et *donne,* en franç. classique.

DONACE [dɔnas] n. f. — 1801, Lamarck; lat. *donax, acis,* du grec. → Donacie.

Zool. Mollusque bivalve comestible des côtes européennes.

DONACIE [dɔnasi] n. f. — 1791, *Encyclopédie;* lat. sc. *donacia,* du grec *donax, akos* «roseau», désignant aussi un coquillage. → Donace.

Zool. Insecte coléoptère *(Chrysomélidés)* dont l'adulte vit sur les plantes aquatiques, et la larve dans le collet de ces plantes.

DONATAIRE [dɔnatɛʀ] n. — 1501; lat. *donatarius,* du supin de *donare.* → Donner.

♦ **1 Dr.** Personne à qui une donation est faite, qui reçoit une donation. → 1. **Don,** cit. 2.

(...) ne vous offriraient-ils qu'un crayon, les donataires se sentent plus à l'aise et se réjouissent davantage quand ils sont aussi donateurs.
                    Hervé BAZIN, Cri de la chouette, p. 118.

♦ **2 Arts.** → **Donateur,** 2., b.

CONTR. Donateur. ◊ **COMP.** Codonataire.

DONATEUR, TRICE [dɔnatœr, tris] n. — 1320; lat. *donator*, de *donatum*, supin de *donare*. → Donner.

♦ **1** Dr. Celui, celle qui fait une donation*. → **Disposant**; 1. **don** (cit. 2).

♦ **2** ⓐ Personne qui offre un don, des dons à une œuvre philanthropique, charitable. *La généreuse donatrice; le généreux donateur. On a inauguré une plaque en l'honneur de la donatrice.*

ⓑ Personne pieuse qui donne à une église un tableau, un vitrail sur lequel il se fait le plus souvent représenter à genoux.

1 Peut-être (...) si le spectateur exige de moi quelque piété, ne la chercherait-il pas en vain dans ma peinture, où, comme un donateur dans le coin du tableau, je me suis mis à genoux (...)
GIDE, le Retour de l'enfant prodigue, Le lecteur...

REM. Dans cet emploi, on trouve aussi le mot *donataire*, la personne visée étant alors considérée comme «recevant» la protection de Dieu, d'un saint.

♦ **3** Personne qui donne (qqch.). *Quel est le donateur de ce cadeau ?*

2 Rares sont mes jours sans cadeaux. Entendons-nous : je n'ai affaire presque qu'à des donateurs qui me connaissent bien, et savent comment pourvoir à ce que je nomme mon insatiable avidité.
COLETTE, le Fanal bleu, 1949, p. 119, in T. L. F.

Adj. (au fig.). *«L'acte de la conscience donatrice»* (Bachelard, in T. L. F.).

CONTR. Donataire.

DONATION [dɔnasjɔ̃] n. f. — 1235; a éliminé l'anc. franç. *donaison*; lat. *donatio*, du supin de *donare*. → Donner.

Droit et courant.

♦ **1** Contrat par lequel une personne (donateur* ou disposant) «se dépouille actuellement et irrévocablement de la chose donnée en faveur du donataire* qui l'accepte» (Code civil, art. 894). → **Aliénation** (à titre gratuit), **disposition, don, libéralité.** *Des donations entre vifs et des testaments* (titre II du livre III du Code civil). La donation, contrat de bienfaisance. Donation par acte notarié* (Code civil, art. 931), par don* manuel. Donation déguisée, sous l'apparence d'un contrat à titre onéreux (vente à vil prix). Donation par personne interposée. Donation indirecte, qui résulte d'actes n'ayant pas pour but de réaliser une donation proprement dite (remise de dettes, stipulation pour autrui...). Donation en avancement* d'hoirie. Donation-partage, par laquelle un ascendant partage ses biens entre ses descendants (art. 1075 du Code civil). Donation avec réserve d'usufruit. Donation de biens présents. Donation de biens à venir, permise dans le contrat de mariage et entre époux (institution contractuelle). Donation avec charges. Donation avec affectation à une œuvre d'intérêt social, de piété...* → **Fondation.** *Accepter une donation. Irrévocabilité théorique de la donation* (→ Donner* et retenir ne vaut). *Révocation possible de la donation en cas d'inexécution des charges, d'ingratitude du donataire, de survenance d'enfants* (Code civil, art. 953 et suivants). *Retour conventionnel, légal de la donation au donateur. Nullité d'une donation pour cause de captation*.

1 On ne pourra disposer de ses biens, à titre gratuit, que par donation entre vifs ou par testament, dans les formes ci-après établies.
Code civil, art. 893.

2 Pour qu'un *acte de donation soit valable, il faut :* 1° Qu'il soit passé devant notaire; 2° Que l'acceptation du donataire soit expressément mentionnée dans l'acte, ou dans un acte postérieur également notarié qui sera notifié au donateur; 3° S'il s'agit d'une donation d'effets mobiliers, qu'un état

estimatif, signé du donateur et du donataire, soit annexé à la minute de la donation.
A. COLIN et H. CAPITANT,
Cours élémentaire de droit civil, t. III, p. 819.

3 Les formes solennelles (...) ne sont requises que lorsqu'il y a *acte de donation*. Elles ne le sont pas lorsqu'il y a *donation déguisée, donation indirecte*, ou enfin *don manuel*.
JULLIOT DE LA MORANDIÈRE, Précis de droit civil,
t. III, n° 973.

Donation au dernier vivant : donation réciproque entre époux, au bénéfice du dernier vivant.

♦ **2** Acte qui constate le don. *Transcrire une donation.*

DONATISME [dɔnatism] n. m. — 1752; de *donatiste*. Hist. relig. Hérésie de Donat, qui faisait dépendre la validité des sacrements de la sainteté de celui qui les conférait, et qui entraîna un schisme dans l'Église d'Afrique au IVᵉ siècle.

DONATISTE [dɔnatist] n. et adj. — 1594, in D.D.L.; du nom de *Donat*, évêque de Carthage et chef de secte au IVᵉ s. Hist. relig. Partisan du donatisme*. — Adj. *L'hérésie donatiste.*

DÉR. Donatisme.

DONAX [dɔnaks] n. m. → **Donace.**

DONC [dɔ̃k] conj. — 980, *dunc*; donc et *donques*, jusqu'au XVIIᵉ; du lat. impérial *dunc*, croisement de *dumque*, de *dum* «allons!», et *tunc* «alors».

♦ **1** (Conjonction qui sert à amener la conséquence, la conclusion de ce qui précède). → **Adonc** (vx), **conséquence** (en conséquence), **conséquent** (par conséquent), **où** (d'où), **partant, suite** (par suite). *Il était tout à l'heure : il ne peut donc être bien loin. J'ai refusé; donc, inutile d'insister. C'est un ambitieux, donc un insatisfait. Je pense, donc je suis,* cogito ergo sum (Descartes). — *Et donc..., ainsi donc... Si donc on poursuit ce raisonnement... C'est donc que...*

1 (...) cette vérité : *je pense, donc je suis,* était si ferme et si assurée que toutes les plus extravagantes suppositions des sceptiques n'étaient pas capables de l'ébranler (...)
DESCARTES, Disc. de la méthode IV.

2 — Si ce n'est toi, c'est donc ton frère.
LA FONTAINE, Fables, I, 10.

3 En un mot je pense, donc Dieu existe; car ce qui pense en moi, je ne le dois qu'à moi-même (...)
LA BRUYÈRE, les Caractères, XVI, 36.

3.1 (...) d'ailleurs, au moment où le brick sombrait, la mer était haute, c'est-à-dire qu'il avait plus d'eau qu'il ne lui en fallait pour franchir, sans se heurter, toutes roches qu'il n'eussent pas découvert à mer basse. Donc, il ne pouvait y avoir de choc. Donc, le navire avait pas touché. Donc, il avait sauté.
J. VERNE, l'Île mystérieuse, t. II, p. 648.

N. m. invar. *Des car et des donc.*

3.2 Je pense, je pense, — et le donc, c'est que je ne sais si je suis (...)
Henri FAUCONNIER, Malaisie, p. 122.

♦ **2** (Transition pour revenir à un sujet, un récit après une digression). *Je disais donc que... Il se dirigea donc vers nous. Donc, il avait réussi. Sans donc se retourner, il s'en alla.*

4 Pour revenir donc à notre raisonnement, je tiens que (...)
MOLIÈRE, le Médecin malgré lui, II, 4.

5 Le loup donc l'aborde humblement,
Entre en propos, et lui fait compliment (...)
LA FONTAINE, Fables, I, 5.

♦ **3** (Exprimant la surprise causée par ce qui précède ou ce que l'on constate, l'incrédulité). → **Ainsi, ça** (comme ça), **cela** (comme cela). *Il voulait donc venir ici ? Vous habitiez donc là ? Voilà donc la vérité ! — Qu'a-t-il donc ? Qui donc ? Qu'est-ce donc que ce bruit ?*

6 (...) Et d'où vient donc un si bon ordinaire?
LA FONTAINE, Fables, VII, 14.

7 Si vous n'êtes pas malade, que diable ne le dites-vous
donc? MOLIÈRE, le Médecin malgré lui, II, 5.

(Pour renforcer une assertion, une injonction avec un
impér., un adv., un subst. employé en exclamatif). *Taisez-
vous donc! Venez donc par ici! Racontez-moi donc
ce qui s'est passé.*

8 Cesse donc de te plaindre, ou bien, pour te punir,
Je t'ôterai ton plumage. LA FONTAINE, Fables, II, 17.

9 Doucement donc, maladroite, comme vous me saboulez
la tête avec vos mains pesantes!
MOLIÈRE, la Comtesse d'Escarbagnas, 2.

10 Et hue donc! bourrique! Sue donc, esclave! Vis donc!
Damné!
BAUDELAIRE, le Spleen de Paris, V,
«La chambre double».

(Avec *dire*). Fam. *Dites donc, vous là-bas! Eh, dis
donc, toi!* → **Dire.**

11 — Dis donc, reprit le soldat Brû, ce ne sont pas les femmes
qui font ça d'habitude.
R. QUENEAU, le Dimanche de la vie, p. 41.

Pensez donc! Songez donc!

Allons donc!, exprime le doute, l'incrédulité. *Allez
donc savoir ce qui s'est passé!,* vous n'arriverez pas
à le savoir. *Vas-y donc voir, toi qui te crois malin!*
Va donc... Formule a) d'encouragement. — b) d'approbation. *Va donc pour* (suivi d'un mot autonyme,
cité, pour accepter ce qui vient d'être dit). *C'est un génie,
selon toi? Va donc pour génie!* — c) d'injure. *Va
donc, eh, pauvre cloche!*

Comment donc! → **Comment** (et comment!).

Vieilli. *Fi* donc.*

Régional. *Bonjour donc! Adieu donc!*

CONTR. Car, parce que. ◊ COMP. Adonc, adoncques.

1. **DONDAINE** [dɔ̃dɛn] onomat. — D. i.; du rad.
onomatopéique *dond-, dod-* qui a donné *dodeliner,*
dondon*.

Onomatopée, en liaison avec 1.*dondon* dans les
refrains de chanson. → Faridondaine.

2. **DONDAINE** [dɔ̃dɛn] n. f. — 1864; du précédent,
exprimant le gonflement de l'instrument; le mot a
désigné en moy. franç. un trait d'arbalète gros et court.

Archéol. Cornemuse en usage au moyen âge.

1. **DONDON** [dɔ̃dɔ̃] onomat. — 1564, Rabelais; du rad.
dod- (*dodeliner*), *dond-,* exprimant le gonflement et le
balancement.

Vx. Bruit de cloches. → Ding, dong.

2. **DONDON** [dɔ̃dɔ̃] n. f. — 1579, *domdom;* onomat. qui
exprime le gonflement et le balancement. → Dodeliner.

Fam. Femme ou fille qui a beaucoup d'embonpoint. *Une forte dondon. C'est une dondon, une
espèce de dondon.* — Surtout dans : *grosse dondon.*

1 C'était une grosse dondon
Grasse, vigoureuse, bien saine.
SCARRON, Virgile travesti, 1.

2 Étrange contraste entre la génération Louis XIII (Richelieu,
Charles Iᵉʳ, Van Dyck, les Velasquez, Pascal) suprêmement
aristocratique, élégante, raffinée et plutôt décadente, et la
grosse santé charnelle, épaisse et sanguine de Louis XIV
(Madame de Montespan, Vendôme — tous ces goinfres et
toutes ces dondons).
CLAUDEL, Journal, févr.-mars 1930.

DONF (À) [adɔ̃f] loc. adv. — 1990; verlan de *à fond.*
Fam. À fond; complètement.

DONJON [dɔ̃ʒɔ̃] n. m. — V. 1160; du lat. pop. *dominio, -
ionem,* proprt «tour du seigneur», de *dominus* «seigneur».

♦ **1** Tour principale qui dominait le château fort et
formait le dernier retranchement de la garnison.
→ **Château** (cit. 1). *Le donjon de Coucy.*

Le donjon était encore entouré (...) par un vaste fossé
au fond duquel avaient poussé de puissants arbres. Il
eût fallu passer sur la cime de leurs feuillages (...) pour
gagner, de l'autre côté, un porche qu'aucun pont-levis ne
joignait plus. HUYSMANS, Là-bas, p. 113.

Cette tour (ou tour fortifiée quelconque) servant
de prison. *Diderot fut enfermé dans le donjon du
château de Vincennes.*

Blason. Représentation d'un donjon. → **Donjonné.**

Fig. Lieu protégé dans lequel on effectue une
retraite volontaire. *Se retirer dans son donjon :*
s'isoler (→ Tour* d'ivoire).

♦ **2** (1670). Archit. Vx. Petit belvédère situé sur le
comble (d'une maison).

♦ **3** Mar. Vx. Tour (des anciens cuirassés).

♦ **4** Chambre principale (d'un terrier).

DÉR. **Donjonné.**

DONJONNÉ, ÉE [dɔ̃ʒɔne] adj. — Déb. XVIIᵉ; de
donjon.

Blason. Qui comporte un ou plusieurs donjons
(tours, tourelles). *Un château de sable donjonné de
gueules.*

DON JUAN [dɔ̃ʒɥɑ̃] n. m. — 1814; personnage du
théâtre espagnol (Tirso de Molina, 1630) devenu le type
du séducteur.

Séducteur* sans scrupule qui se fait un jeu de
conquérir les femmes qu'il approche. *Méfiez-vous,
c'est un don Juan! Un vieux don Juan.* — Au plur.
Des dons Juans ou *des don Juans. Jouer les dons
Juans.*

REM. Pour la graphie du nom propre, *don* ou *dom Juan.*
→ Dom, 2. don.

DÉR. **Donjuanerie, donjuanesque, donjuaniser, donjuanisme.**

DONJUANERIE [dɔ̃ʒɥanʀi] n. f. — XIXᵉ; de *don Juan.*

Littér. Attitude, comportement de don Juan. *C'est de
la donjuanerie.* → **Donjuanisme.** — *Une, des donjua-
neries :* aventure de don Juan.

(...) tant il eût été sot de transformer une donjuanerie rare
et réussie en une idylle pesante et banale (...)
Jacques LAURENT, les Bêtises, p. 38.

DONJUANESQUE [dɔ̃ʒɥanɛsk] adj. — 1841, *donjuanesque,* Nerval; de *don Juan.*

Littér. ou par plais. Relatif à don Juan; qui a le caractère de don Juan ou d'un don Juan* (→ **Donjuanisme**). *Des manœuvres donjuanesques.*

DONJUANISER ou **DON JUANISER** [dɔ̃ʒɥanize]
v. intr. — 1837, Balzac; de *don Juan.*

Littér. Faire le don Juan*. — Pron. *Se donjuaniser :* se
transformer en séducteur.

Il y a le rire amer d'une divinité opposé à la surprise d'un
trouvère qui se *donjuanise.*
BALZAC, Gambara, Pl., t. IX, p. 463.

DONJUANISME ou **DON JUANISME** [dɔ̃ʒɥa-
nism] n. m. — 1864, Sainte-Beuve, *Nouveaux Lundis,*
2 mai; de *don Juan.*

Littér. Caractère, comportement d'un don Juan.

1 (...) Swann ayant pris à l'aristocratie cet éternel donjuanisme qui, entre deux femmes de rien, fait croire à chacune que ce n'est qu'elle qu'on aime sérieusement (...)
     PROUST, À l'ombre des jeunes filles en fleurs, Pl.,
     t. I, p. 522.

2 Sans doute les femmes ont-elles l'illusion de ne pas résister à Don Juan parce qu'il est irrésistible, alors que c'est bien davantage parce qu'elles ont été prévenues qu'il est irrésistible, qu'avant même de le voir, elles ont renoncé à lui résister. Ses conquêtes sont celles de sa renommée ; elles sont, bien plus que celles de Don Juan, celles du donjuanisme.
     Francis JOURDAIN, Sans remords ni rancune,
     p. 252.

Psychiatrie. Recherche pathologique de nouvelles conquêtes, pour un homme.

DONNABLE [dɔnabl] adj. — 1908, Claudel, *in* T.L.F. ; de *donner*.

Rare. Qui peut être donné.

DONNANT, ANTE [dɔnɑ̃, ɑ̃t] adj. — Déb. XVIIIᵉ, Saint-Simon ; p. prés. de *donner*.

◆ **1 Vx ou régional.** Qui aime donner. *Il n'est guère donnant.* → **Généreux.** *Une personne donnante. Elle n'est guère donnante ni prêteuse**. *Avoir l'humeur donnante* (→ Donner, cit. 13).

0.1 L'autre sachant que les peintres n'ont pas toujours l'humeur donnante, et que la mémoire des promesses est courte, se jeta sur l'occasion.
     MAUPASSANT, Fort comme la mort, éd. 1889,
     p. 318.

◆ **2** (1864, Littré). **Loc. Mod. DONNANT DONNANT :** en n'acceptant de donner une chose qu'à la condition d'en recevoir une autre en échange. → **Rien** (rien pour rien).

1 Le gouvernement, pour l'heure, a besoin de nous. Alors, donnant, donnant... C'est pas ton idée ?
     MARTIN DU GARD, les Thibault, t. VIII, p. 39.

2 Le Christ n'a pas dit : «Vous aurez la vie éternelle *si* vous croyez en moi : donnant donnant.» Il a dit : «Croyez en moi *et* vous aurez la vie éternelle.»
     Jean-Louis CURTIS, le Roseau pensant, p. 266.

DONNE [dɔn] n. f. — 1718 ; déverbal de *donner*.

◆ **1** Action de donner, de distribuer les cartes (→ **Distribution**). *À vous la donne. Perdre sa donne. Fausse, mauvaise donne.* → **Maldonne.**

1 (...) Jurassien a ramassé les cartes, il fait la donne.
     SARTRE, la Mort dans l'âme, p. 289.

Par métaphore ou figuré.

2 (...) s'il n'y avait pas eu cet ensemble de circonstances, cette donne du jeu, peut-être cette fissure béante en ma personne ne serait-elle pas produite cette nuit, mes illusions auraient-elles pu tenir encore quelque temps (...)
     Michel BUTOR, la Modification, p. 228.

◆ **2 Par métonymie.** Cartes données à un joueur. → **Jeu.** *Avoir une belle donne en main.*

COMP. Maldonne.

DONNÉ, ÉE [dɔne] adj. et n. m. → **Donner, p. p.**

DONNÉE [dɔne] n. f. — 1755 ; «aumône», v. 1200 ; de *donné, ée,* p. p. de *donner.*

❙ ◆ 1 Sc. (spécialt math.). Ce qui est donné, connu, déterminé dans l'énoncé d'un problème, et qui sert à découvrir ce qui est inconnu. *Les données du problème.*

◆ **2** Ce qui est admis, connu ou reconnu, et qui sert de base à un raisonnement, de point de départ pour une recherche, un examen (**syn. :** *point de départ**, *élément** *de base). Les données d'une science, d'une recherche expérimentale. Partir d'une donnée.* → **Départ** (point de) ; **circonstance, condition, élément, renseignement.** *Données statistiques. Manquer de données. Ensemble des données sur un problème.*

1 Si un homme raisonne mal, c'est qu'il n'a pas les données pour raisonner mieux (...)
     DIDEROT, Sur le livre de l'Esprit.

2 C'est une autre question. Mais, pour traiter l'ensemble du problème, nous devons le plus possible partir de données exactes.
     J. ROMAINS, les Hommes de bonne volonté, t. V,
     XI, p. 86.

Psychol. (→ Donner, p. p., 5.). *Essai sur les données immédiates de la conscience,* de H. Bergson (1889). **Inform.** (pour traduire l'angl. *data*). Représentation conventionnelle d'une information (fait, notion, ordre d'exécution) sous une forme (analogique ou digitale) permettant d'en faire le traitement automatique. *Banque** *de données. Base** *de données. Traitement** *automatique des données.*

◆ **3 Didact.** Élément fondamental (circonstances principales, caractères...) sur lequel un auteur bâtit le développement de son ouvrage. *Les données d'un roman, d'une comédie.*

❚❙ Vx (de *donner* ; correspond au sens initial «aumône»). Chose donnée. → **Cadeau.** — **REM.** Ce sens semble avoir été populaire, au XIXᵉ s.

3 C'est certainement pas là une donnée, ma foi ! cent écus.
     Henri MONNIER, Scènes populaires,
     «Le roman chez la portière», t. I, p. 15 (éd. 1835).

DONNER [dɔne] v. — 842 ; du lat. *donare* «faire un don», dér. de *donum.* → **Don.**

❙ V. tr. ◼A DONNER QQCH. À QQN : mettre (qqch.) en la possession de qqn. ◆ **1** Abandonner à qqn dans une intention libérale ou sans rien recevoir en retour (une chose que l'on possède ou dont on jouit). → **Aliéner** (à titre gratuit), **allouer, bailler** (vx), **gratifier, offrir.** *Action de donner qqch.* → **Dation, don, donation.** *Donner qqch. à qqn en toute propriété, en dot* (→ **Doter** [qqn de qqch.]), *par testament* (→ **Léguer ; tester,** v. intr.). *Donner qqch. en cadeau, en présent, en récompense à qqn. Donner des étrennes. Donner qqch. pour étrenne, en guise d'étrenne. Donner de l'argent, une pièce, un pourboire à qqn.* **Vx.** *Donner pourboire.* **Fam.** *Donner la pièce à qqn.* → **Pourboire.** *Donner une aumône.* → **Aumôner** (vx) ; **faire** (faire l'aumône). *Donner le casuel épiscopal aux pauvres.* → Percevoir, cit. 6. *Donner tous ses biens.* → **Déposséder** (se), **dépouiller** (se). *Il donnerait sa chemise, jusqu'à sa chemise, tant il est charitable, généreux* (→ Se saigner* aux quatre veines). *Donner qqch. libéralement, à pleines mains.* → **Épandre, prodiguer.** *Donner qqch. avec excès.* → **Fourrer, gaspiller.** *Donner qqch. pour s'en débarrasser, s'en défaire* (→ 1. **Colloquer**). — Par anal. (souvent par plais.). *Donner qqn ses conseils généreusement, pour rien...* → ci-dessous, B.

1 Je te veux donner un louis d'or, et je te le donne pour l'amour de l'humanité.   MOLIÈRE, Dom Juan, III, 2.

2 On ne donne rien si libéralement que ses conseils.
     LA ROCHEFOUCAULD, Maximes, 110.

3 Il lit au front de ceux qu'un vain luxe environne
Que la fortune vend ce qu'on croit qu'elle donne.
     LA FONTAINE, Philémon et Baucis.

4 — C'est un grand abus que de les vendre !
    — Oui ; l'on ferait mieux de nous les donner pour rien.
     BEAUMARCHAIS, le Mariage de Figaro, III, 12.

4.1 — Je mangerais bien mon bonbon... Mais je m'en passerai, tiens, je te donne mon bonbon, prends-le, c'est pour toi. Et, sournoisement, elle guigne le bon effet de sa générosité.
     Léon FRAPIÉ, la Maternelle, 1904, p. 221.

(Sans compl. direct). *Donner aux pauvres, leur donner par bienfaisance*, par charité* (→ **Aumône**). — *Merci, j'ai déjà donné* (à une quête...). *J'ai déjà donné* : ça suffit, ne me demandez rien. *Donner beaucoup, peu* (→ **Libéralité**, cit. 2). — *C'est pour donner, ou pour jeter ?* — *Donner de bon cœur* (cit. 48), *de bonne grâce, avec le sourire ; à contrecœur.* — *Demandez* (cit. 15) *et l'on vous donnera...*

5 Les princes me donnent beaucoup, s'ils ne m'ôtent rien et me font assez de bien, quand ils ne me font point de mal.
MONTAIGNE, *in* Antoine ALBALAT,
la Formation du style, p. 194.

6 Tel donne à pleines mains qui n'oblige personne ;
La façon de donner vaut mieux que ce qu'on donne.
CORNEILLE, le Menteur, I, 1.

7 Ce qu'on nomme libéralité n'est le plus souvent que la vanité de donner, que nous aimons mieux que ce que nous donnons.
LA ROCHEFOUCAULD, Maximes, 263.

8 C'est rusticité que de donner de mauvaise grâce : le plus fort et le plus pénible est de donner ; que coûte-t-il d'y ajouter un sourire ?
LA BRUYÈRE, les Caractères, VIII, 45.

9 — Tiens, je donne sans compter, moi.
— Et moi, je reçois de même, monsieur. Oh ! nous sommes tous deux des gens de bonne foi.
A. R. LESAGE, Turcaret, I, 5.

10 Qui donne aux pauvres prête à Dieu ;
Le bien qu'on fait parfume l'âme !
HUGO, les Voix intérieures, V, 2 (→ 2. Bien, cit. 16).

11 Donner et recevoir, c'est faire vivre l'âme !
HUGO, les Contemplations, I, VI.

12 Donner est plus doux que recevoir.
RENAN, Vie de Jésus, Œ. compl., t. IV, p. 138.

13 Sa bienfaisance était grande autant qu'ingénieuse, et chez elle un vrai don de nature : elle avait l'*humeur donnante*, comme elle disait. *Donner et pardonner*, c'était sa devise. Le bienfait de sa part était perpétuel.
SAINTE-BEUVE, Causeries du lundi, 22 juil. 1850,
t. II, p. 320.

(Avec un compl. indéf.). *Donner beaucoup, peu. Ne rien donner.*

13.1 On promet beaucoup pour se dispenser de donner peu.
VAUVENARGUES, Réflexions et Maximes, 445.

13.2 Les gens qui donnent beaucoup sont sujets à prendre de même.
Charles DE BROSSES, Lettre à l'abbé de Quincey,
1739. (*Lettres italiennes*).

14 Les hommes sont ingrats, dira-t-il (*Napoléon*) à Las Cases ; non !... si l'on a si souvent à s'en plaindre, *c'est que, d'ordinaire, le bienfaiteur exige plus qu'il ne donne.*
Louis MADELIN, Hist. du Consulat et de l'Empire,
De Brumaire à Marengo, VI, p. 76.

Dr. *Donner et retenir ne vaut*, règle de l'ancien droit, qui limite la révocation des donations.

15 (...) si la règle *Donner et retenir ne vaut* était effacée de notre Code (...) le seul résultat de sa suppression serait de permettre l'insertion, dans l'acte de donation, de *clauses* réservant au donateur la faculté de révocation (...) dans certaines catégories de donations, l'application de la règle est dès à présent écartée par notre législation positive.
A. COLIN et H. CAPITANT,
Cours élémentaire de droit civil, III, p. 847.

Par exagér. Vendre à très bon marché (→ *infra*, Donné). → **Brader.** *On ne vend pas, on donne :* c'est pour rien. *C'est donné* (→ *infra*, cit. 84.1).

Prov. *Qui donne tôt donne deux fois* (cf. l'adage latin *Bis dat qui cito dat*). — *Qui donne aux pauvres prête à Dieu* (→ ci-dessus, cit. 10). — (Avec un compl. positif). *La plus belle fille du monde ne peut donner que ce qu'elle a.*

16 On dit communément : « La plus belle femme du monde ne peut donner que ce qu'elle a » ; ce qui est très faux : elle donne précisément ce qu'on croit recevoir, puisqu'en ce genre c'est l'imagination qui fait le prix de ce qu'on reçoit.
CHAMFORT, Maximes et Pensées,
Sur l'amour et la galanterie, XVII.

(...) comme on dit, la plus belle fille ne peut donner que ce qu'elle a, et ce que j'avais n'eût pas été d'une grande utilité à Rosette.
Th. GAUTIER, Mlle de Maupin, VII, p. 161.

♦ **2** Faire don de (qqch.) à qqn. *Donner son sang pour un malade* (→ **Donneur**). *Donner sa vie pour le salut de la patrie :* faire le sacrifice de sa vie.
→ **Sacrifier.**

Le bon berger donne sa vie pour ses brebis.
BIBLE (SEGOND), Évangile selon saint Jean, X,
11 (→ Berger, cit. 2).

Quand je t'aimais, pour toi j'aurais donné ma vie.
A. DE MUSSET, Premières poésies, « À Madame B... ».

Il a donné toute sa vie pour l'amour de sa noble profession, toute sa vie pour la santé, le salut et la gloire de son antique province.
G. DUHAMEL, Récits des temps de guerre, III, II,
p. 300.

Il aurait donné sa vie, soyez sûr, il la donnerait encore, avec élan, pour faire une grande, une véritable découverte.
G. DUHAMEL, Chronique des Pasquier, III, VIII,
p. 88.

Donner son amitié, son amour à qqn. Donner son cœur. « *Je t'ai donné mon cœur...* » (chanson).

Et c'est à vos vertus faire un présent trop bas,
Que vous donner un cœur qui ne se donne pas.
MOLIÈRE, Dom Garcie, V, 5.

(...) il n'y a rien de meilleur, quand on aime, que de donner, de donner toujours, tout, tout, sa vie, sa pensée, son corps, tout ce qu'on a, et de bien sentir qu'on donne et d'être prête à tout risquer pour donner plus encore.
MAUPASSANT, Fort comme la mort, p. 175.

Donner son âme* à Dieu, au diable.

(Le compl. désigne la vie, l'existence, le temps d'une personne). → **Consacrer, employer, vouer.** *Donner sa vie à une œuvre, une entreprise.* → **Dévouer.** *Donner tout son temps à l'étude, au travail. Donner quelques instants à qqn.* → **Accorder.** *Je n'ai que quelques minutes à vous donner.*

Jusqu'au dîner, Mme de Rénal n'eut pas un instant à donner à son prisonnier.
STENDHAL, le Rouge et le Noir, I, XXX, p. 223.

Dieu, le destin, la nature lui a donné de l'intelligence, une santé de fer. → **Doter, douer, impartir, pourvoir** (qqn de...).

♦ **3** **DONNER** (qqch.) **POUR, CONTRE** (qqch.) : céder (qqch.) en échange d'autre chose. → **Céder, fournir, livrer ; (fam.) filer, refiler ; (argot) abouler.** → aussi **Cession.** *Donner qqch. contre, pour de l'argent.* → **Vendre.** *Donner de l'argent pour une marchandise.* → **Acheter.** *Donner un cheval pour, contre un âne.* → **Échanger, troquer.** *Donner un œuf pour un bœuf** (cit. 13 et *supra*). *On ne donne rien pour rien.* → **Donnant** (donnant donnant). *En donner à qqn pour son argent* (→ **Combler, satisfaire**). *Il ne rend jamais ce qu'on lui donne.* → **Prêter.**

Ce qu'on donne aux méchants, toujours on le regrette.
Pour tirer d'eux ce qu'on leur prête,
Il faut que l'on en vienne aux coups,
Il faut plaider, il faut combattre.
LA FONTAINE, Fables, II, 7.

En toute chose l'on ne reçoit qu'en raison de ce que l'on donne.
BALZAC, Physiologie du mariage, Pl., t. X, p. 672.

(Dans le voc. du commerce). Vendre. *Donnez-moi trois pommes. Donnez-moi cinq cents grammes de viande. Donnez-m'en cinq cents grammes.* — *Donner* (une somme) de (qqch.) : payer qqch. (une certaine somme). *Je vous donne dix mille francs de votre voiture, je vous en donne dix mille francs.* → **Offrir.** *Je ne donnerai pas un sou de cela.*

Payer (une certaine somme) à qqn. *Donner des appointements à qqn.* → **Verser.** *Combien donnez-vous à vos employés ?* → **Rémunérer, rétribuer** (qqn).

Donner à chacun selon son dû*. → **Distribuer, partager.** *Donner sa part, sa quote-part, son écot. S'engager à donner de l'argent pour...* → **Souscrire.** *Donner paiement* (→ **Dation**)*, décharge. Donner des arrhes, des gages, une caution.*

Fig. *Donner* (qqch.) *pour* (et inf.)*. Je donnerais bien un million, tout ce que j'ai pour le savoir. Je donnerais beaucoup pour savoir. Donner tout au monde pour avoir qqch.* → **Abandonner, sacrifier.**

27   Que n'aurais-je pas donné pour pouvoir dire au long cette fameuse règle des participes, bien haut, bien clair, sans une faute !

Alphonse DAUDET, Contes du lundi,
«La dernière classe».

Donner (qqch.) *pour que* (et subj.)*. Je donnerais dix ans de ma vie, ma fortune, je ne sais quoi... pour que cela fût, ne fût pas.*

♦ **4** Confier (une chose) à qqn pour un service. → **Confier, remettre.** *Donner ses chaussures au cordonnier. Donner son manteau au vestiaire. — Donner qqch. à* (et inf.)*. Donner sa montre à réparer,* la confier pour réparation, pour qu'on la répare. *Donner un paquet à remettre. Je lui ai donné mes livres à ranger.*

Comm., fin. *Donner une somme en dépôt.* → **Consigner, déposer, mettre.** *Donner qqch. à bail, en location.* → **Louer.** *Donner à crédit.*

B Mettre à la disposition de (qqn). ♦ **1** Mettre à la disposition, à la portée de... → **Fournir, offrir, présenter, procurer.** *Voulez-vous donner des sièges aux invités ?* → **Apporter, approcher, avancer.** *Donner un logement ; donner un asile, l'hospitalité à qqn. Le médecin a donné un médicament, un remède au malade. Donner les sacrements à un mourant.* → **Administrer, prendre** (faire prendre)*. On lui donnerait le bon Dieu sans confession*. — Donner la becquée, la pâture à des volailles.* → **Appâter.** *Donnez-moi du pain. Donnez-m'en.* → **Passer.** *Donner à qqn le vivre et le couvert* (cit. 2)*. Donner la pâtée au chien,* (fig. et péj.) *satisfaire. — Donner du travail à un chômeur, à un indigent. Donner de l'instruction à un enfant. — Donner à* (qqn, un animal) *qqch. à...* (et inf. : *manger, boire...*)*. — Sans compl. dir. Donner à manger, à boire à qqn.*

28   Donnez-nous aujourd'hui notre pain de chaque jour (...)

BIBLE (SACY), Évangile selon saint Luc, XI, 3.

29   (...) si votre ennemi a faim, donnez-lui à manger ; s'il a soif, donnez lui à boire.

BIBLE (SACY), Épître aux Romains, XII, 20.

30   Aux petits des oiseaux il donne leur pâture (...)

RACINE, Athalie, II, 7.

31   (...) il s'agit seulement (...) mais je dis en tout bien, en tout honneur, que vous me donniez à coucher ce soir.

BEAUMARCHAIS, le Barbier de Séville, II, 14.

32   Donne-lui tout de même à boire, dit mon père.

HUGO, la Légende des siècles, XLIX,
«Après la bataille».

33   Et n'ayant jamais appris que rien fût mauvais de ce que Dieu donne à ses enfants.

CLAUDEL, Feuilles de saints, L'architecte.

Régional. *Donner à* (un animal)*, lui donner à manger.* → **Nourrir.**

34   Avant, il donne à la bique. Elle est libre et toute seule dans la grande écurie noire et elle saute tout de suite vers la porte ouverte. Il la regarde manger.

J. GIONO, Regain, p. 30.

(Le compl. désigne une information mise à la disposition de qqn)*. Donnez-moi donc votre adresse, vos coordonnées.* → **Dire ; confier.** *Il m'a donné son numéro de téléphone, mais j'ai oublié de le noter. Donner un renseignement, une information par écrit* (→ aussi ci-dessous, 3.)*.*

Donner une lettre à son destinataire. → **Remettre.** *Donner le courrier.* → **Distribuer.** *— (Au téléphone)*. *Donnez-moi le 12 à X...* → **Passer.**

(Le compl. désigne une partie du corps)*. Nourrice qui donne le sein* à un bébé. — Donner le bras à qqn.* → **Offrir, tendre ; bras** (supra cit. 12)*. Donner la main à qqn.* → **Main.** *— (En parlant d'un chien)*. *Donner la patte. Donne la patte ! — Loc. fig. Donner sa langue au chat*.*

Spécialt. *Donner des cartes aux joueurs.* → **Distribuer, répartir ; donne.** Absolt. *C'est à vous de donner.* → **Faire.**

Loc. fig. (Vieilli)*. La donner belle.* → **Bailler** (→ **Beau,** cit. 77 et supra)*. — Donner des verges pour se faire fouetter* (vx)*, des bâtons pour se faire battre. — On lui en donnera !,* se dit par dérision en parlant d'une personne qui réclame, revendique qqch.

♦ **2** Organiser pour un public, offrir à des invités. *Donner un bal* (cit. 1)*, une réception, une soirée, une fête à des amis, à des invités. — (Sans compl. ind.)*. *Donner une pièce de théâtre, un spectacle. On donne une comédie à ce théâtre.* → **Jouer, représenter.** *Qu'est-ce qu'on donne cette semaine au cinéma ?*

35   Une des femmes de chambre de Mme de la Mole donnait soirée, les domestiques prenaient du punch fort gaiement.

STENDHAL, le Rouge et le Noir, II, XVI.

Loc. fig. *Donner la comédie.* → **Jouer.**

♦ **3** Communiquer, exposer (qqch.) à qqn. → **Communiquer, dire, exposer, exprimer.** *Donner à qqn une description de vive voix, par écrit. Je vais vous donner tous les détails sur cette question. Donner la consigne à un collègue.* → **Passer.** *Voulez-vous me donner l'heure exacte ?* → **Indiquer.** *Donner son avis, son opinion, son point de vue à qqn. Je vous donnerai une réponse demain. Donner congé à qqn.* → **Signifier.** *Donner ses huit jours à un domestique,* le renvoyer*. Donner la réplique à un comédien. Donnez-moi le nom des départements français.* → **Réciter.** *Donner des arguments, des explications, des renseignements. Donner un conseil* (cit. 1, 3 et 6)*, un ordre à qqn. Donner connaissance de...* → **Porter** (à la connaissance) **; informer.** *Donner la marche à suivre.* → **Montrer.** — Mar. *Donner la route :* indiquer le chemin.

Donner une interview à un journaliste. → **Accorder.** Faire pour qqn, pour un public. *Donner une conférence. Donner un cours ; des leçons* (→ Courir le cachet*)*.* Dr. *Je vais vous donner lecture de cet acte. Donner* (un) *jugement.* → **Rendre.**

Vieilli. *Donner le bonjour* (cit. 1)*, le bonsoir* (cit. 1, 2)*.* → **Dire, souhaiter.**

Donner un prétexte, des raisons... → **Apporter, fournir.** — Par ext. (sujet n. de chose)*. Détails que donne un rapport. Ce livre donne de nouvelles preuves.*

Donner l'exemple* (à qqn)*.*

♦ **4** Transmettre. *Il lui a donné ses goûts. Donner une maladie à qqn. — L'abus de tabac peut donner le cancer. —* Spécialt. Transmettre par contagion. *Il lui a donné son rhume.*

♦ **5** Loc. Soumettre en tant que question. *Je vous le donne en cent*, en mille :* je suis sûr que vous ne trouverez pas.

35.1   (...) M. de Lauzun épouse dimanche au Louvre, devinez qui ? je vous le donne en quatre, je vous le donne en dix, je vous le donne en cent (...)

Mme DE SÉVIGNÉ, 121, 15 déc. 1670.

♦ **6** Accepter de mettre (qqch.) à la disposition, à la portée de qqn. → **Accorder, concéder, consentir.** *Ce monarque a donné une constitution à ses* *sujets.* → **Octroyer.** *Donnez-moi un peu de temps, de répit.* → **Laisser.** *Donner un délai à qqn. Donnez-moi le temps d'y penser, le loisir d'y réfléchir. Donner son accord, son aval, son consentement, sa signature à qqn. Donner sa bénédiction* à qqn. Donner sa parole d'honneur à qqn.* → **Promettre.** — *Donner son amitié, sa reconnaissance à qqn. Donner ses faveurs, sa préférence à qqn.* — *Donner son suffrage, son vote à un candidat, à un parti.* — *Donner une faveur, une récompense à un subordonné.* → **Décerner, déférer.** *On lui a donné tous les prix.* — *Donner à qqn l'assurance* que...* → **Certifier** (→ Ficher, foutre son billet*). *Je vous en donne formellement l'assurance. Donner son aide, son assistance à un ami. Fam. Donner un coup de main, un coup d'épaule à qqn.* → **Aider** (→ ci-dessous, D., 4. : donner un coup). *Je vous donne toute mon attention.*

36 François, mon serviteur et mon ami, j'ai un petit discours à te faire et je te prie de me donner ton attention (...)
   G. SAND, François le Champi, XII, p. 98.

37 Solon donna donc au peuple les droits civils et non les droits politiques.
   FUSTEL DE COULANGES, Leçons à l'Impératrice..., p. 55.

(Compl. ind. n. de chose). *Donner son accord, son aval à un projet.*

Loc. fig. *Donner la main à (qqch., un projet).* → **Prêter.**

Loc. (le sujet est un nom de femme). *Donner sa main* à qqn.* → **Accorder.** — (Le sujet est un nom d'homme). *Donner à qqn la main de sa fille,* lui permettre de l'épouser.

Donner la liberté, la clef des champs à qqn.

Donner l'autorisation, la faculté, le moyen, l'occasion, la permission à qqn. Donner à qqn un brevet, un certificat. → **Délivrer.** *Donner acte d'une déposition,* la constater. *Je vous en donne acte bien volontiers. Donner un blanc-seing, carte blanche, pleins pouvoirs à qqn.*

Donner à qqn (un temps, une durée) pour..., lui laisser, lui accorder telle durée, avant de lui réclamer un résultat. *Je vous donne une semaine pour finir ce travail.* — *Donner à qqn (un temps) à...* → ci-dessous, D., 7.

(Avec un compl. sans article). *Donner audience. Donner asile. Donner rendez-vous* à qqn* (on emploie aussi : *un rendez-vous).* — *Donner campos*.* — *Donner satisfaction*.* — *Donner créance, croyance :* ajouter foi. — Fig. *Donner carrière*, libre carrière, donner cours, libre cours...* (→ Lâcher la bride*). — *Donner prise :* prêter le flanc*. *Il donne prise à toutes les calomnies.*

♦ 7 Littér. (sujet n. d'entité). **DONNER (à qqn) DE...** (suivi de l'inf.). → **Accorder, permettre.** *Le ciel nous a donné de supporter ces épreuves.*

Au passif. Être possible, permis. *Il ne m'a pas été donné d'aller le voir.*

38 Il fut donné à celui-ci de tromper les peuples.
   BOSSUET, Oraison funèbre de la reine d'Angleterre.

39 Je raconterai plus tard, s'il m'est donné de poursuivre cette narration nonchalante (...)
   G. DUHAMEL, le Temps de la recherche, VI, p. 75.

♦ 8 **Assigner*** à qqn, à qqch. (une marque, un signe, etc.). → **Établir, fixer, imposer, indiquer, prescrire.** *Donner un nom à un enfant* (→ **Baptiser** ; → Abbé, cit. 1). *Donner un titre à un ouvrage.* → **Intituler.** *Donner des bornes, des limites à...*

♦ 9 *Donner une punition à qqn.* → **Infliger.** *On lui a donné dix ans de prison.* → **Ficher, flanquer, foutre** (fam.). *Donner son congé à un employé.* → **Signifier.** — Loc. *Donner congé*.*

♦ 10 **DONNER À...** (suivi d'un inf.). *Donner une tâche à exécuter.* → **Confier, remettre.** *On m'a donné cela à faire.* — *Donner à entendre (à qqn).* → **Insinuer.** *Donner à deviner qqch. (à qqn).*

(Sujet n. de chose). *Donner à rire.* → **Prêter.** *Son attitude donne à penser, à réfléchir.*

Loc. *Donner sa tête* à couper.*

♦ 11 (Dans des loc.). Être l'auteur de..., produire (un effet). → **Faire.** *Donner l'alarme, l'assaut* (→ **Livrer**), *la chasse* (cit. 6 et supra ; → **Poursuivre**). *Donner le passage.* → **Ouvrir.** — *Donner des soins, des encouragements, des consolations à un malheureux. Donner l'avantage, la victoire à son parti. Donner gain de cause.*

Donner son plein*, sa mesure* (→ Défricher, cit. 2).

Donner des signes, des marques de fatigue. → **Manifester.**

Donner le change. → **Change** (cit. 5 et supra).

Donner la mort à qqn : tuer. — (D'une femme). *Donner le jour, la vie à un enfant,* le faire naître. → **Accoucher** (de), **avoir, faire** (from). Loc. *Donner naissance* à...* — Fig. *Donner le jour, donner naissance à une théorie, à une œuvre.*

♦ 12 Spécialt (sans compl. ind.). **Produire*** (une œuvre). → **Produire, publier.** *Cet écrivain donne un roman par an. Ce peintre, ce sculpteur ne donne plus rien.*

40 (...) il donne un chef-d'œuvre après un roman confus ; et le chef-d'œuvre est suivi d'un livre médiocre.
   André SUARÈS, Trois hommes, «Dostoïevski», III, p. 217.

C (Avec deux compl. n. de personne : *donner qqn à qqn).* ♦ 1 *Donner un enfant (un fils, une fille) à...* (un homme, en parlant d'une femme ; *une femme,* en parlant d'un homme).

♦ 2 Procurer, accorder une personne à qqn. *Donner sa fille en mariage à un jeune homme. «Mon père m'a donné un mari»* (chanson enfantine). — *Donner un tuteur à un orphelin, un précepteur, une gouvernante à un enfant.*

40 Donnez-nous, dit ce peuple (*les grenouilles*), un roi qui se remue.
   LA FONTAINE, Fables, III, 4.

Vx. *Donner qqn au diable* (→ Diable, cit. 29).

♦ 3 *Donner un voleur à la police, aux flics.* → **Livrer.** Absolt et fam. → **Dénoncer ;** (argot) **balancer, balanstiquer.** *Il nous a donnés* (→ Cochon, cit. 7). → **Donneur, 4.**

D (Sujet n. de chose ou de personne). ♦ 1 Être la cause de... → **Causer, susciter.** (Le compl. exprime un sentiment, un fait psychologique). *Donner à qqn l'envie de...* *Cela me donne envie de pleurer. Donner de l'embarras, des difficultés à qqn. Fam. Donner du fil* à retordre à qqn. Donner de l'inquiétude, des sujets d'alarme... Cet enfant me donne bien du souci. Donner de l'ombrage* à qqn.* → **Porter.** *Donner des remords. Donner de l'audace, de l'espoir, de la fierté, de la jalousie. Donner du plaisir, de la joie. Cela vous donnera l'occasion de...* → **Fournir, procurer.** *La solitude lui a donné le goût du travail.* → **Exciter, inspirer.** *Il m'a donné bonne, mauvaise impression.* → **Faire.** *Cela me donne une idée* (→ **Suggérer**).

41 Hasard donne les pensées, et hasard les ôte ; point d'art pour conserver ni pour acquérir.
   PASCAL, Pensées, VI, 370.

42 Non, il n'y a point de jouissances pareilles à celles que peut donner à un honnête femme le sentiment ; tout est faveur auprès d'elle.
   ROUSSEAU, les Confessions, II.

43 (...) une seule chose est précieuse : savoir tirer de l'instant qui passe toutes les joies qu'il peut donner (...)
   Pierre LOUŸS, Aphrodite, V, v, p. 253.

44   (...) ça ne lui a pas donné le goût des Sciences, mais ça lui a enlevé celui des Lettres.

GIDE, Journal, 20 juil. 1914, p. 442.

Ce régime lui a donné des forces. → **Redonner.** *Ce remède lui a donné la santé. Cette odeur me donne la migraine* (→ **Changer**, cit. 35). *Le bateau, l'avion lui donne mal au cœur. C'est le fard qui lui donne des couleurs. Ce travail me donne chaud, soif.* Fig. et fam. *Il m'a donné chaud*.*

Fig. *Cette nouvelle lui a donné des ailes*, l'a stimulé.* (Sans compl. ind.). *Aliment qui donne des forces. Cette odeur donne la migraine. La marche donne de l'appétit.*

4.1   Ma pauvre maman me donnait des recommandations qui étaient le bénéfice de son expérience.

Je me devais manger que peu de riz qui constipe — les pruneaux cuits au contraire — et peu de fraises qui amènent l'urticaire et pas du tout de moules dans les mois sans «r».

Mais du pain toujours, beaucoup de pain.

Les haricots donnent des vents.

Les carottes donnent de la mémoire.

Et un beau teint.

Le poivre donne de bonnes blagues.

L'asperge parfume l'urine.

Henri CALET, la Belle Lurette, p. 195-196.

Loc. (compl. sans déterminant). *Donner lieu, matière, occasion, sujet à...* → **Causer, provoquer.** *Son attitude a donné lieu aux pires critiques.*

45   Tout ce qui était sacré donnait lieu à une fête.

FUSTEL DE COULANGES, la Cité antique, III, VII,
p. 183.

♦ **2** (Sujet n. de choses concrètes ; sans compl. ind.). Produire*. *L'eau que donne une source. Les fleurs, les fruits que donne un arbre. Cette vigne donne trente hectolitres de vin à l'hectare. Emprunt qui donne 10 % d'intérêt.* → **Rapporter, rendre.** Absolt. *Champ fertile qui donne abondamment. Le blé a peu donné cette année.*

46   (...) les poiriers rompent de fruit cette année (...) les pêchers ont donné avec abondance (...)

LA BRUYÈRE, les Caractères, XIII, 2.

47   (...) des bananiers, qui donnent toute l'année de longs régimes de fruits avec un bel ombrage (...)

BERNARDIN DE SAINT-PIERRE, Paul et Virginie,
p. 21.

48   Dans deux ans ce cépage donnera ; dans deux ans aussi la Piboulette (...)   Alphonse DAUDET, <i>Sapho</i>, VI, p. 30.

Par anal. Procurer (à qqn). *Son travail lui donne juste de quoi vivre.*

49   La vie sociale est comme la terre, lui avait dit son camarade, elle nous donne en raison de nos efforts.

BALZAC, l'Envers de l'histoire contemporaine, I,
Pl., t. VII, p. 239.

Instrument de musique qui donne une note, qui donne le la. → **Émettre.** Fig. *Donner le la*, la note*, le ton* (à qqn).*

Par métaphore. *Cette région, cette école a donné plusieurs grands peintres.*

♦ **3** Fam. (compl. indéterminé). Avoir pour conséquence, pour résultat. *Je me demande ce que ça va donner.* → **Rendre ; résulter** (ce qui va en résulter). *Tout cela ne donnera rien de bon. Qu'est-ce que ça donne, à l'usage ? Ça ne donne rien.* — (Sujet n. de personne). *Je me demande ce que cet étudiant va donner plus tard.*

♦ **4** (Sujet n. de personne). Faire sentir (à qqn) l'effet de (une action physique). → **Appliquer.** *Donner un baiser*, donner l'accolade* (cit. 1) *à qqn. Donner un regard, un coup d'œil à qqn, à qqch.* → **Jeter.** *Donner un coup, une gifle, une tape..., la bastonnade, le fouet, les étrivières à qqn.* → **Coup ; assener** (cit. 1), **ficher, flanquer, foutre** (fam.). *Donner un coup de poing.* → **Allonger.** *Donner un coup de dent.*

→ **Mordre.** — Loc. (vx). *En donner à qqn, le battre, et aussi le tromper.*

Donner un coup de main à qqn (traité ci-dessus en B., 6., en considérant le sens résultant : *donner de l'aide*).

REM. *Donner* est normal avec *coup* et quelques autres substantifs ; il peut être en concurrence avec *faire. Donner des caresses.* → **Faire.**

♦ **5** (Sujet n. de personne). Effectuer sur une chose (une opération qui en modifie l'état). *Donner un coup* de peigne, de balai, de lime, de rabot... Donner une couche de peinture à un banc.*

Par métonymie. Loc. *Donner la dernière main* à qqch.*

♦ **6** (Sujet n. de personne ou de chose). Conférer (un caractère nouveau) à (une personne ou une chose) par une opération, une action qui la modifie. *Donner une forme nouvelle à qqch. Donner du jeu aux pièces d'un moteur. Donnez de l'ampleur à la jupe. Donner du corps, de la fermeté, de la force, de la solidité : consolider, corser... — (Abstrait). Donner un air*, une apparence* de... Donner une contorsion* à la vérité :* déformer la vérité. *Cet argument donne du poids, de la valeur à sa thèse. Donner de la vigueur à son style* (→ **Nourrir**), *du piquant à la conversation.*

50   Il reprit, en essayant de ne pas donner de gravité à sa question, de la maintenir dans le ton de la gentillesse (...)

J. ROMAINS, les Hommes de bonne volonté, t. IV,
XX, p. 222.

51   Si elle avait cherché à tromper, elle se serait efforcée de coordonner ses propos, de leur donner au moins un air de vérité (...)   A. MAUROIS, <i>Climats</i>, I, VIII, p. 65.

Donner le mouvement à une machine. → **Imprimer** (le mouvement), **mettre** (en mouvement). — Fam. *Donner toute la gomme*.* Fig. *Donner le branle à une affaire,* la faire partir.

52   Oh! quels petits conducteurs on trouverait souvent aux plus grands empires, si du prince on descendait par degrés jusqu'à la première main qui donne le branle en secret.   ROUSSEAU, <i>Émile</i>, II.

(Chasse). *Donner les chiens,* les lancer (→ *infra* cit. 67 : faire donner les chiens).

Loc. *Donner cours, donner carrière à... :* lancer, faire avancer. *Donner effet à une décision,* faire prendre effet.

♦ **7** (Sujet n. de personne). Considérer (une qualité, un caractère) comme propre à (qqn, qqch.). → **Accorder, attribuer, gratifier** (de), **prêter, supposer.** *Vous lui donnez des qualités qu'il n'a pas. Quel âge lui donnez-vous ? On lui donne vingt ans. Donner de la valeur, du prix, de l'importance.* → **Attacher.** *Donner à qqn l'honneur, le mérite, la gloire d'une action.* → **Imputer.**

53   Vous donnez sottement vos qualités aux autres.

MOLIÈRE, les Femmes savantes, III, 3.

54   (...) vous avez acheté, dit-on, la terre de Rubempré ; je vous en fais mon compliment. C'est une réponse à ceux qui vous donnaient des dettes.

BALZAC, Splendeurs et Misères des courtisanes, II,
Pl., t. V, p. 859.

Donner raison, donner tort à qqn, estimer qu'il a raison ou tort. *Je ne lui donne pas entièrement tort.*

55   (...) Mme Grangier, eût-elle désapprouvé complètement sa fille, pour l'unique satisfaction de donner tort à son mari et à son gendre, lui aurait devant eux, donné raison.

R. RADIGUET, le Diable au corps, p. 161.

Donner qqn, qqch. pour... (suivi d'un adj. ou d'un n.) : présenter* comme étant... *Je vous le donne pour ce qu'il vaut. On le donne pour coupable.* → **Croire, supposer.** *Donner une marchandise pour excellente.* → **Garantir.** *Il lui a donné du cuivre doré pour de l'or.* → Faire passer* pour... *Il nous a donné cette litho pour un Matisse. Donner une chose pour certaine, pour vraie.* → **Prétendre ; affirmer** (cit. 1).

56   Ces penchants que vous nous donnez pour invincibles, ne
      les avez-vous pas mille fois surmontés?
                          MASSILLON, Carême, Samaritains, *in* LITTRÉ.

57   La personne est jolie, elle est jeune (...) Qu'il ne soit pas
      entre nous question de ses qualités, je vous la donne pour
      une créature d'élite (...)
                          BALZAC, le Curé de village, Pl., t. VIII, p. 741.

58   Je ne les donne pas pour des ultramontains bien farou-
      ches.
                          BREMOND, Hist. du sentiment religieux..., t. IV,
                                                          p. 108, *in* T.L.F.

Donner à qqn (un temps) : estimer qu'il a, qu'il
aura cette chose (pendant tel temps, selon telle
condition). *Je lui donne au plus trois mois à vivre.
Le docteur ne lui en donne pas pour longtemps.*

II ▮ V. intr. ◆**1 DONNER DANS** (qqch., une partie du
corps) : heurter, pénétrer dans.

59   Les lances se brisèrent, et un éclat de celle du comte de
      Montgommery lui donna dans l'œil et y demeura.
                          Mᵐᵉ DE LA FAYETTE, la Princesse de Clèves, t. III,
                                                          p. 356.

Loc. *Donner dans le panneau** (cit. 1, 3).

Loc. fig. (vieilli). *Donner dans l'œil** de qqn* : impressionner, plaire vivement. → **Taper** (dans l'œil).

59.1 Mais, jour de Dieu! c'était pas le *conjongo* qui me donnait
      dans l'œil, avec sa séquelle de moutards.
                          Louise MICHEL, la Misère, t. I, p. 61.

DONNER DE... : porter un coup avec (une partie de
soi, contre, dans, sur... qqch.). → **Cogner, frapper,
heurter.** *Donner de la tête contre le mur.* Fig. *Donner
de la tête** contre les murs* : se désespérer. → **Taper**
(se). — Fam. *Ne plus savoir où donner de la tête**. —
Donner du bec* (cit. 13 et supra). *Donner des éperons
à un cheval; donner des deux* (des deux éperons).
→ **Piquer.**

60   Quelques jours après, passant dans une rue avec un jeune
      abbé, mon voisin, j'allai donner du nez contre l'homme au
      sabre.   ROUSSEAU, les Confessions, III.

61   À l'extrémité du camp, les cochons, noirs comme des
      sangliers, grognaient rageusement en donnant de la tête
      contre la porte des soues, car l'heure de leur soupe appro-
      chait.   P. MAC ORLAN, la Bandera, VII, p. 82.

(Sans compl. en *de*). *Donner sur les doigts, sur les
ongles à qqn.*

Fam. *Donner sur les nerfs à qqn.* → **Agacer, irriter.**

61.1 L'orage vous a donné sur les nerfs, ma pauvre femme.
      Allez vous coucher.
                          BERNANOS, la Joie, *in* Œ. roman., Pl., p. 720.

(Sujet n. de chose qui éclaire). *Le soleil donne dans la
pièce. Le soleil donnait dans les yeux.* → **Darder.**

62   Quoique le soleil donnât en plein dans la cour (...)
                          Th. GAUTIER, le Roman de la momie, I, p. 52.

*Donner contre... La voiture alla donner contre un
arbre. Le navire faillit donner contre un écueil.*

REM. Sans être vieillis, la plupart de ces emplois (sauf
donner de la tête) sont stylistiques (style soutenu).

◆**2** (Sujet n. de personne). Se porter (dans, vers).
→ **Engager** (s'), **jeter** (se), **tomber.** *Donner dans une
embuscade, dans un piège.* Fig. et fam. *Donner dans
le piège*, dans le panneau** (→ **Crainte**, cit. 10).
Donner tête** baissée dans... Il donne dans le
sublime.* → **Faire** (→ Faire profession* de...).

63   (...) Beaulieu est déconcerté; il calcule assez mal, et donne
      constamment dans les pièges qu'on lui tend.
                          CHATEAUBRIAND, Mémoires d'outre-tombe, t. III,
                                                          p. 86.

63.1 (...) en dehors de ses passions, dont l'extravagance avait
      été quelquefois sans limites, il avait le sentiment net de
      la réalité qui distingue les hommes de race normande. Il
      ne donna jamais dans l'illusion des conspirations.
                          BARBEY D'AUREVILLY, les Diaboliques,
                                                  «À un dîner d'athées».

Ces vieux jardiniers, ces vieux cuisiniers, ces vieux gardiens de musée qui veulent faire comme les camarades
et qui se mettent à donner dans l'industrie à tour de bras.
                          DRIEU LA ROCHELLE, la Comédie de Charleroi,
                                                          p. 279.

Se laisser aller à. → **Adonner** (s'), **livrer** (se), **plaire**
(se). *Donner dans un défaut, dans le ridicule. Donner
dans la dévotion, dans la préciosité, dans le rigorisme.* Fam. *Il donne en plein, à fond dans...* : il s'y
porte avec une ardeur passionnée, inconsidérée,
irréfléchie.

(...) tout le monde donne là dedans aujourd'hui; on ne
court plus qu'à cela (...)
                          MOLIÈRE, Critique de l'École des femmes, 6.

Moréas donne un peu lui aussi dans ce travers, qui est
celui des trois quarts de littérateurs d'intellectuels d'aujourd'hui.   GIDE, Journal, avr. 1906.

Fam. *Il donne dans tout ce qu'on veut lui faire croire,
il y croit naïvement.* → **Croire.**

◆**3** Attaquer, charger, combattre, engager. *L'armée
va donner* (→ Attendre, cit. 40). *Donner avec impétuosité. Les renforts n'ont pas encore donné.*

Avant de prendre Ulm, nous eûmes à livrer quelques combats où la cavalerie donna singulièrement.
                          BALZAC, le Médecin de campagne, Pl., t. VIII,
                                                          p. 526.

(Factitif). Plus cour. *Faire donner l'infanterie, les
blindés.* Loc. *Faire donner l'artillerie**.

La garde, espoir suprême et suprême pensée!
«Allons! faites donner la garde!» cria-t-il (...)
                          HUGO, les Châtiments, XIII, «Expiation», 2.

(Chasse). *Faire donner les chiens* (→ ci-dessus, la construction transitive : *donner les chiens*, après la cit. 52).

◆**4** (Sujet n. de chose). **DONNER SUR...** : être exposé,
situé; avoir vue, accès sur... *Porte qui donne sur la
rue, sur un jardin. La maison donne sur la mer.*

J'avais moi-même choisi avec amour, à Compiègne, une
chambre dont les fenêtres donnaient sur la forêt.
                          A. MAUROIS, Terre promise, p. 259.

◆**5** Vx. Faire entendre un son.

Loc. mod. (avec *de*). *Donner de la voix. Les chiens
donnent de la voix**.

◆**6** S'allonger, se distendre (en parlant d'un cordage,
d'un tissu). *Cette toile donne à l'usage.* → **Prêter.**

◆**7** Loc. Mar. *Donner de la bande** (en parlant d'un
navire). → **Giter.**

Comme le bâtiment donnait de la bande à bâbord, sa
paroi se penchait sur nous, menaçante, et d'une hauteur
qui me parut extraordinaire, dans l'ombre.
                          H. BOSCO, Un rameau de la nuit, p. 55.

◆ **SE DONNER** v. pron.

◆**1** (Réfl.). Faire don de soi-même. → **Attacher** (s'),
consacrer (se), **dévouer** (se), **livrer** (se), **vouer** (se). *Se
donner à sa patrie, à une cause, à un idéal.* → **Sacri-
fier** (se). *Se donner au travail, à l'étude.* → **Adonner**
(s'). *Se donner tout entier à son œuvre. «Cœur qui se
donne tout entier»* (Académie). *Se donner corps et
âme* (→ **Aimer**, cit. 36).

Partout même habitude de se donner corps et âme, même
besoin de se dévouer, même désir de porter et d'exercer
quelque part l'art de bien souffrir et de bien mourir.
                          A. DE VIGNY, Servitude et Grandeur militaires, III,
                                                          1, p. 175.

Celui qui se donne sans mesure, celui-là possède.
                          André SUARÈS, Trois hommes, «Dostoïevski», V,
                                                          p. 270.

La vie de l'homme contemporain consiste à se fuir et à se
donner à tout, sauf à soi.
                          Edmond JALOUX, le Dernier Jour de la création,
                                                          XI, p. 131.

On se donne en donnant.
                          Marcel MAUSS, Essai sur le don, II, 2, 3.

73 Nous aurons à redire, en considérant les valeurs spirituelles de l'homme, que celles où il s'accomplit sont celles
de charité. C'est au moment où il s'oublie le plus, pour se
donner à autrui, que mystérieusement se réfléchit sur lui
la vertu de cet abandon, et qu'il se retrouve davantage.
DANIEL-ROPS, Ce qui meurt et ce qui naît, II, p. 80.

74 Elle se donnait à tous, elle s'oubliait, elle oubliait qu'elle
était juive, qu'elle était elle-même persécutée, elle s'évadait
dans une grande charité impersonnelle (...)
SARTRE, la Mort dans l'âme, p. 24.

Vieilli. *Se donner à un maître, à un chef.*

*Se donner en spectacle** (cit. 2 et *supra*).

Spécialt (en parlant d'une femme ; sans compl. ind.). Permettre à un homme d'avoir des relations sexuelles
avec soi. → Accorder ses faveurs*. *Se donner pour
de l'argent.* → **Prostituer** (se). — REM. *Se donner* est un
euphémisme, dans ce cas.

74.1 Redevenue libre et comtesse, Madame de Lorsange reprit
ses anciennes habitudes ; mais se croyant quelque chose
dans le monde, elle mit à sa conduite un peu moins d'indécence. Ce n'était plus une fille entretenue : c'était une riche
veuve qui donnait de jolis soupers (...) femme décente en
un mot et qui néanmoins couchait pour deux cents louis,
et se donnait pour cinq cens francs par mois.
SADE, Justine..., t. I, p. 16 (1791).

75 J'ai vu que la plupart des hommes pressent de se donner
la femme qui les aime ; et j'ai toujours fait le contraire,
non par calcul, mais par un sentiment naturel.
A. DE MUSSET,
la Confession d'un enfant du siècle, III, 10.

75.1 Peut-être dans l'enchevêtrement de ses mauvais instincts
et de ses bonnes mœurs, de sa courtisanerie et de sa vertu,
croyait-elle que «la possession» n'était pas un mal, car elle
en plaisantait souvent et disait souvent qu'elle se donnerait
pour faire plaisir, tandis que ses manières habituellement
démentaient cela, puisque pour faire plaisir elle ne pouvait pas aller jusqu'à prêter sa main à la main autrefois
sans désir de Jean qui voulait la garder, défendait le baiser
le plus chaste (...) PROUST, Jean Santeuil, Pl., p. 840.

76 L'homme prend et rejette ; la femme se donne, et on ne
reprend pas, ou on reprend mal, ce qu'on a une fois donné.
MONTHERLANT, les Jeunes Filles, p. 173.

77 Il y a même celles qui se donneraient comme on achète
un billet de loterie : «Je n'ai peut-être qu'une chance sur
dix pour qu'il m'épouse. Mais je risque.»
J. ROMAINS, les Hommes de bonne volonté, t. IV,
XV, p. 162.

♦ **2** (Passif). Être donné. *Cela ne se vend pas, cela se
donne.*

(En parlant d'un spectacle). Avoir lieu, être représenté. «*L'Avare*» *se donne à la Comédie-Française
ce soir. Le Fellini qui se donne au cinéma.*

♦ **3** (Réfl. indirect). Donner à soi-même. → **Prendre.** *Se
donner un chef, un maître. Se donner des chaînes*
(cit. 11). *Le pays s'est donné un nouveau président.
— Se donner de l'air, des vacances. Se donner du
temps* (→ Bagatelle, cit. 15). *Il s'est donné deux ans
pour réussir.* → **Accorder** (s'). *Se donner un but à
atteindre.* → **Assigner** (s'). *Se donner une parole** à
soi-même. Se donner du mal, bien du mal pour...
Se donner du tourment, de la peine**.* → **Décarcasser**
(se), **dépenser** (se) ; → Brillant, cit. 12. *Donnez-vous la
peine d'entrer, de vous asseoir...*

S'accorder, se donner du bon temps, du plaisir, de
l'agrément* : s'amuser.

77.1 Ah çà ! il n'y a donc personne ?... voyons si à l'étude... (*Il
frappe à la porte sur laquelle on lit :* ÉTUDE.) Fermée ! ...
eh bien, il se donne un peu trop maître Bourgillon.
E. LABICHE, Un monsieur qui a brûlé
une dame, 1.

S'en donner à cœur joie (→ **Cœur**, supra cit. 60). Absolt.
S'en donner : se divertir sans arrière-pensée. *Ils s'en
sont donné.*

78 Enfin le souper vint, bon ou mauvais ; la Rappinière but
tant qu'il s'enivra et la Rancune s'en donna aussi jusques
aux gardes.
SCARRON, le Roman comique, I, IV, p. 11.

Se donner un coup (cit. 9). *Se donner un coup de pied
dans la cheville.* — *Se donner la mort.* → **Suicider** (se).
Loc. fig. *Se donner les gants de qqch.* → **Gant.**

S'attribuer faussement. *Elle se donne vingt ans.* — *Se
donner un aspect, une apparence, une contenance.*
→ **Affecter, afficher.** *C'est un air qu'elle se donne. Se
donner un air gai, heureux* (→ Aptitude, cit. 9).

79 Mais c'est la mode maintenant d'être vertueux et chrétien,
c'est une tournure qu'on se donne ; on se pose en saint
Jérôme, comme autrefois en don Juan : l'on en est pâle et
macéré, l'on porte les cheveux à l'apôtre, l'on marche les
mains jointes et les yeux fichés en terre (...)
Th. GAUTIER, Préface de Mlle de Maupin,
éd. critique MATORÉ, p. 6.

Fam. *Se la donner :* se vanter. *Arrête de te la donner !*

♦ **4** (Réfl.). SE DONNER POUR... : se faire passer pour.
→ **Passer, poser** (se poser en). *Se donner pour l'ami de
qqn. Il se donne pour progressiste.*

80 (...) se vouloir donner pour ce qu'on n'est pas.
MOLIÈRE, le Bourgeois gentilhomme, III, 12.

81 Je ne me vante pas excessivement en me donnant pour
doué de plus de raison que la plupart de mes semblables (...) FRANCE, le Petit Pierre, XXXIII, p. 235.

♦ **5** (Récipr.). → **Échanger, entre-donner** (s'). *Ils se donnèrent des coups, des baisers* (cit. 28).

Loc. fig. *Se donner le mot.* → **Mot.** *Ils se donnèrent le
mot pour arriver en même temps.* → **Entendre** (s'). —
*Ils se sont donné rendez-vous** à 5 heures.*

*Se donner la main** : s'aider.

Se donner une maladie. → **Passer** (se), **transmettre**
(se)...

82 On se donne des passions comme des maladies.
BARBEY D'AUREVILLY, les Diaboliques,
«Le dessous de cartes d'une partie de whist».

Ils se donnaient du «Monsieur le Président».

♦ DONNÉ, ÉE p. p. adj. et nom.

♦ **1** Qui a été donné. *Propriété donnée en dot.* —
Absolt. Prov. *À cheval donné on ne regarde pas la
bride**.*

83 C'était une heure en dehors des heures, véritablement
donnée et non marchandée comme les autres.
Edmond JALOUX, le Dernier Jour de la création,
XIII, p. 173.

(Introduisant un groupe nominal complément). *Donné :
vingt francs au porteur.*

Offert à des invités, à un public (avec un compl. en
à...). *Fête donnée au profit d'une bonne œuvre. Pièce
donnée au théâtre municipal.* → **Présenté.**

84 LA COMTESSE D'ESCARBAGNAS, comédie (...) donnée au
public (...) par la troupe du Roi.
MOLIÈRE, la Comtesse d'Escarbagnas (titre de
l'édition de 1682).

♦ **2** (Surtout en attribut). Vendu bon marché.

84.1 C'est vraiment de première qualité. Et si on vous disait le
prix ... Non, mais dites un chiffre ... Elle hoche la tête, l'air
appréciateur, étonné : «Ah ! ça en effet, c'est donné.».
N. SARRAUTE, le Planétarium, p. 48.

♦ **3** Connu, déterminé, fixé. → **Donnée.** — Sc. *Nombres donnés dans l'énoncé d'un problème. Quantités,
grandeurs données.* — Cour. *À une distance donnée,
en un lieu donné, en un temps donné.* → **Certain**
(→ Accélération, cit. 2). — Loc. *À un moment donné... :*
soudain, tout à coup.

85 Qu'est-ce que la guerre ? un métier de barbares où tout
l'art consiste à être plus fort sur un point donné.
Ph.-P. SÉGUR, Hist. de Napoléon, VII, 8, in LITTRÉ,
Dict., art. 1. *Donné, ée.*

86 De Taine à Nietzsche, de Renan à Marx, quelles que soient
les doctrines que l'on considère, il n'en est pas qui admettent comme donné une fois pour toutes l'homme, tel qu'il
est aujourd'hui. L'homme apparaît toujours susceptible
d'être *dépassé.*
DANIEL-ROPS, Ce qui meurt et ce qui naît, V, p. 164.

◆ **4** Loc. prép. (invar.). **ÉTANT DONNÉ** : eu égard à... *Étant donné les circonstances...* (cf. Les choses étant ce qu'elles sont). *Étant donné sa mauvaise volonté, nous nous passerons de lui.* — Littér. (avec accord). *Étant donnée la situation.* → ci-dessous, cit. 87, 89, 90.

87   Yves savait coudre (...) et c'était drôle de le voir se livrer à ce travail, étant donnés son aspect et sa tournure.
> LOTI, Mon frère Yves, XII, p. 54.

88   (...) je me suis demandé si, étant donné l'amitié qui nous lie (...) j'allais accomplir un acte de courage ou de lâcheté.
> J. RENARD, Journal, 5 déc. 1905.

89   Il existe un service de malle-poste qui franchit assez rapidement la chaîne des monts Ourals, mais, les circonstances étant données, ce service était désorganisé.
> J. VERNE, Michel Strogoff, p. 119 (1876).

90   Étant données les circonstances présentes (...) on ne peut pas trop tenir compte du risque (...)
> A. DE SAINT-EXUPÉRY, Pilote de guerre, p. 15.

Loc. conj. **ÉTANT DONNÉ QUE** (avec l'indic.) : en considérant que, puisque. *Étant donné qu'il ne vient pas, nous pouvons partir.*

◆ **5** N. m. *Le donné :* ce qui est immédiatement présenté à l'esprit (opposé à ce qui est construit, élaboré...). → **Donnée.**

91   Il faut faire comme eux *(les historiens) :* observer ce qui est donné. Or, le donné, c'est Rome, c'est Athènes, c'est le Français moyen, c'est le Mélanésien de telle ou telle île, et non pas la prière et le droit en soi.
> Marcel MAUSS, Essai sur le don, conclusion, III.

92   La politique dont le général de Gaulle nous donne le modèle, relève du concret. Elle se ramène à utiliser tout le donné, sans laisser intervenir et jouer nos antipathies, notre passion.
> F. MAURIAC, le Nouveau Bloc-notes 1958-1960, p. 118.

DONNÉE n. f. Voir à l'ordre alphabétique.

CONTR. Demander, réclamer, revendiquer. — Accepter, recevoir. — Avoir, conserver, épargner, garder. — Dénier, enlever, frustrer, ôter, prendre, priver, ravir, retirer, soustraire, spolier, voler. ◇ **DÉR.** Donnable, donnant, donne, donnée, donneur. - **COMP.** Adonner, entre-donner (s'), pardonner, redonner.

DONNEUR, EUSE [dɔnœr, øz] n. et adj. — Déb. XIIᵉ; de *donner.*

I (Personnes). ◆ **1** *Donneur, donneuse de,* personne qui donne. → **Donateur.** *Un donneur, une donneuse d'avis, de conseils.* → **Conseilleur.** *Donneur de compliments,* (fig.) *d'eau bénite.*

1   Voilà de mes donneurs de conseils à la mode.
> MOLIÈRE, l'Amour médecin, I, 1.

2   Pour fermer la bouche une fois pour toutes à ces ineptes donneurs d'avis (...)
> ROUSSEAU, les Confessions, XII.

3   Pour l'arracher à ces donneuses d'éducation (...)
> ROUSSEAU, Émile, IV.

Comm. *Donneur d'ordre, d'aval*, de caution.*

◆ **2** Adj. (en attribut). Qui donne volontiers.

3.1   Elle reste très donneuse. Autrefois, c'était par charité, puis, ce fut par orgueil. Maintenant, c'est par humilité, pour qu'on la supporte, car elle a peur de la solitude.
> J. RENARD, Journal, 23 juil. 1903.

◆ **3** N. m. Spécialt. **DONNEUR DE SANG*** *:* personne qui donne son sang en vue d'une transfusion. Absolt. *Un donneur. Le groupe sanguin d'un donneur. Donneur universel.*

4   Nous avions demandé un donneur de sang et c'est une frêle jeune fille qui s'est présentée devant nous. Elle est classée dans la catégorie des donneurs universels (...)
> G. DUHAMEL, Récits des temps de guerre, III, VIII, p. 310.

(1968). Méd. Personne qui fait don d'un fragment de tissu, d'un organe, en vue de son utilisation thérapeutique ou d'une transplantation (opposé à *receveur*).

◆ **4** (1901). Absolt. Argot, puis fam. Personne qui donne qqn à la police → **Donner,** I., C., 3.; et aussi **Dénonciateur, indicateur.**

5   (...) malheur aux donneurs avec elle (...) Elle les sent et elle est terrible (...)
> Francis CARCO, Jésus-la-Caille, III, IV, p. 180.

6   Laisse-moi tendre mes bras du côté des fermiers, je veux les tenir au courant. Donneuse, ne recommence pas, ne pleure pas du sang, des caillots, des regrets avec ton visage contre le mien, ce qui est fait est fait.
> Violette LEDUC, la Folie en tête, p. 30.

Au fém., en parlant d'un homme. *C'est une donneuse* (→ 2. Salope, 4.).

7   Lui-même avait-il trahi, vendu ses amis ? Son intimité avec un inspecteur de la P.J. m'avait fait craindre — et espérer — qu'il soit une donneuse.
> Jean GENET, Journal du voleur, p. 243.

◆ **5** N. m. Spécialt. Personne qui fait la donne*, aux cartes.

II Adj. et n. (Choses). (Ce) qui «donne», envoie, émet, produit (opposé à *recepteur*). *«Le bore présente une nette tendance à la tétravalence par fixation d'un atome donneur...»* (J.-F. Théry, les Carburants nouveaux, p. 34).

CONTR. Donataire.

DONOVANOSE [dɔnovanoz] n. f. — V. 1960; de *donovania,* nom d'un microorganisme, de *Donovan,* nom d'un biologiste, et *-ose.*

Méd. Maladie vénérienne chronique provoquée par un bacille *(Donovania),* répandue surtout dans les régions chaudes et humides et caractérisée par des ulcérations bourgeonnantes des organes génitaux et des ganglions voisins (syn. : *granulome inguinal*).

DONQUE, DONQUES [dɔk] conj. → **Donc.**

DON QUICHOTTE [dɔ̃kiʃɔt] n. m. — 1795, cit. 1; *comme un don Quichotte,* 1631, Saint-Amant; nom du héros d'un roman de Cervantès (1547-1616).

Homme généreux et chimérique qui se pose en redresseur de torts, en défenseur des opprimés. *Des dons Quichottes* ou *des don Quichottes. Jouer les don(s) Quichottes.*

1   Les Don-Quichottes de la royauté, en combattant pour elle, s'y sont pris avec quelqu'adresse pour donner le change aux farouches républicains.
> BABEUF, in le Tribun du peuple, nᵒ 34, 6 nov., p. 121 (1795), in D.D.L., II, 7.

2   Je dois vivre, absolument, pour combattre leur influence. Ah ! Don Quichotte, tu ne vas pas recommencer ? Personne n'a vraiment besoin de toi. Les hommes préfèrent le mensonge tiède à la vérité qui brûle.
> Pierre MOUSTIERS, la Mort du pantin, p. 263.

DÉR. Donquichottesque, donquichottisme.

DONQUICHOTTESQUE [dɔ̃kiʃɔtɛsk] adj. — 1902; *don quichottesque,* 1887, Laforgue; de *don Quichotte.*

Relatif à don Quichotte. *Aventures donquichottesques.* Qui évoque la personnalité, les caractères de don Quichotte. *Comportement, aspect donquichottesque.*

(...) je pouvais toujours les voir devant nous se silhouettant en sombre (formes donquichottesques décharnées par la lumière qui mordait, corrodait les contours), indélébiles sur le fond de soleil aveuglant (...)
> Claude SIMON, la Route des Flandres, p. 20 (1960).

DONQUICHOTTISME ou **DON-QUICHOTTISME** [dɔ̃kiʃɔtism] n. m. — 1789; *Don-Quichotisme,* 1738, in D.D.L.; de *don Quichotte.*

Disposition à faire le don Quichotte*; caractère, comportement d'un don Quichotte.

Ivan ne dit pas qu'il n'y a pas de vérité. Il dit que, s'il y a une vérité, elle ne peut qu'être inacceptable. Pourquoi? Parce qu'elle est injuste. La lutte de la justice contre la vérité est ouverte ici pour la première fois; elle n'aura plus de cesse. Ivan, solitaire, donc moraliste, se suffira d'une sorte de donquichottisme métaphysique.
> CAMUS, l'Homme révolté, II, *in* Essais, Pl., p. 466.

DONT [dɔ̃] pron. — xᵉ; du lat. pop. *de unde*, renforcement de *unde* «d'où».

Pronom relatif des deux genres et des deux nombres servant à relier une proposition correspondant à un complément introduit par *de*. → **Lequel** (duquel), **qui** (de qui). *Dont représente une personne ou une chose.*

Ⅰ (Exprimant le compl. du verbe). ♦ **1** Avec le sens adverbial de *d'où**, marquant la provenance, l'extraction, l'éloignement. *La chambre dont je sors. Les mines dont on extrait la houille.* — REM. Cet emploi, condamné par Vaugelas et par les grammairiens en général était en usage chez les meilleurs écrivains classiques, et l'est encore assez souvent chez les modernes avec les verbes appelant la préposition *de* (cf. les exemples cités par Littré et par Grevisse, *le Bon Usage*, n° 562).

1 Pour représenter *de* et son complément, on se sert de *en* et de *dont : j'en arrive; la maison dont je sors, d'où je sors.* *Dont* et *d'où* avaient la même prononciation en ancien français. Il faut arriver jusqu'à Vaugelas pour qu'on les distingue (...) Encore Racine écrit-il toujours : *Ménélas trouve sa femme en Égypte,* **dont** *elle n'était point partie* (Andr., 2ᵉ préf.). Et Molière : *en se retournant du côté* **dont** *il sort* (Av., 5, 2).
> F. BRUNOT, la Pensée et la Langue, XI, B, III, p. 432.

2 *(Il)* s'installa, non sans protestations, dans la chambre dont Justin se retirait (...)
> G. DUHAMEL, Chronique des Pasquier, V, VI, p. 88.

REM. *Dont* ne peut s'employer quand le compl. du verbe n'est pas dans un rapport d'appartenance avec l'antécédent. *Fenêtre d'où l'on aperçoit la mer* (et non : *fenêtre dont on aperçoit la mer*).

Fig. Pour marquer l'origine, la descendance. *La famille dont je descends* (Académie). *La classe sociale dont il est issu.*

3 On tient toujours le lieu dont on vient.
> LA FONTAINE, Fables, IX, VII.

4 Rentre dans le néant dont je t'ai fait sortir.
> RACINE, Bajazet, II, 1.

5 La famille distinguée dont il sortait (...)
> PROUST, Du côté de chez Swann, I, éd. La Gerbe, p. 292.

♦ **2** (Moyen, instrument, agent, manière). Avec, par lequel (laquelle)... *Les armes dont ils sont pourvus.* → **Avec** (avec lesquelles). *Le coup dont il fut frappé* (Académie). → **Par** (par lequel). *La maladie dont il est menacé. Les maux dont il a souffert. Les gardes dont il s'entoure. La manière dont elle est habillée.*

6 Et quelle âme, dis-moi, ne serait éperdue
Du coup dont ma raison vient d'être confondue?
> RACINE, Andromaque, III, 1.

7 (...) Virginie (...) cueillit sur le tronc d'un vieux arbre (...) de longues feuilles de scolopendre (...) elle en fit des espèces de brodequins dont elle s'entoura les pieds (...)
> BERNARDIN DE SAINT-PIERRE, Paul et Virginie, p. 37.

REM. *Dont* ne s'emploie plus là où certains verbes de la langue classique appelaient la préposition *de* qu'ils ne gouvernent plus aujourd'hui. *Le collier dont je suis attaché* (La Fontaine) est vieux. On dirait à présent *avec lequel, au moyen duquel, par lequel.*

Ⅱ (Exprimant le compl. de nom). ♦ **1** Possession, qualité, matière (compl. d'un nom ou d'un pronom). *Une plante dont les fleurs durent un jour. C'est l'enfant dont les*

parents sont morts. La maison dont on aperçoit la façade. Un pays dont le climat est agréable. Un manteau dont l'étoffe est chaude. Collection dont les livres sont reliés. Une personne dont la discrétion est éprouvée.

8 Et c'est cette vertu, si nouvelle à la cour,
Dont la persévérance irrite mon amour.
> RACINE, Britannicus, II, 2.

9 (...) exact imitateur des anciens, dont il *(Racine)* a suivi scrupuleusement la netteté et la simplicité de l'action (...)
> LA BRUYÈRE, les Caractères, I, 54.

10 (...) elle dont la susceptibilité de paysanne fière se blessait d'un regard.
> ZOLA, la Terre, p. 55.

11 Ce corps dont tous les contours sont doux, dont toutes les courbes séduisent, dont toutes les molles saillies troublent le cœur, semble fait pour l'immobilité du lit.
> MAUPASSANT, les Sœurs Rondoli, II, p. 46.

11.1 (...) les hautes façades grises, dont ils *(les flocons)* empêchent de bien distinguer la disposition, l'alignement des toits, la situation des ouvertures.
> A. ROBBE-GRILLET, Dans le labyrinthe, p. 15.

♦ **2** Partie d'un tout (compl. d'une expression partitive).

(Compl. d'un n. de nombre ou d'un indéf. numéral sujet). *Des livres dont trois sont reliés; dont une dizaine m'appartient. Des amis dont quelques-uns sont morts.*

(Compl. d'un n. de nombre ou d'un indéf. numéral compl. d'objet dir.). *Des livres dont j'ai gardé une dizaine. Plusieurs amis dont j'ai invité quelques-uns.* — REM. La tournure *Plusieurs amis dont j'en ai invité quelques-uns* était courante dans la langue classique. Elle est inusitée aujourd'hui, et passerait pour fautive.

12 L'ouvrage (...) est divisé en deux parties (...) Chacune se partage en différentes subdivisions, dont j'ommettrai quelques-unes (...)
> BAUDELAIRE, les Paradis artificiels,
> Un mangeur d'opium, I.

13 Un groupe de quarante jeunes drôles dont je blessai deux ou trois.
> Léon BLOY, le Désespéré, p. 42.

14 Ceci n'ira pas sans de terribles conséquences, dont nous ne connaissons encore que quelques-unes.
> CAMUS, l'Homme révolté, p. 42.

(Amenant une proposition sans verbe). *C'est un long texte dont voici l'essentiel. Une série de films médiocres dont deux tout à fait mauvais. Quelques-uns étaient là, dont votre père.* → **Parmi** (parmi lesquels).

15 La nouvelle compagnie compta 27 membres, auxquels furent adjoints bientôt sept autres, dont Balzac, Voiture et Vaugelas.
> Gustave LANSON, Hist. de la littérature franç., p. 406.

16 Deux personnes attendent, dont Marcel Boulenger.
> J. ROMAINS, les Hommes de bonne volonté, t. III, *in* GREVISSE.

REM. 1. Emplois considérés comme fautifs. — Comportant dans la proposition subordonnée un adjectif se rapportant à l'antécédent de *dont*. Ex. : *L'homme dont sa voiture vient de s'arrêter* (il faut dire : *l'homme dont la voiture vient de s'arrêter*). *Cet enfant dont la régularité de son travail est appréciée* (il faut dire : *Cet enfant dont la régularité du travail est appréciée*). Ce dernier emploi se trouve chez quelques grands écrivains, et bénéficie de la tolérance de quelques grammairiens (cf. Grevisse, *le Bon Usage*, nᵒˢ 559 et 560).

17 Le possessif ne doit pas faire pléonasme avec un **dont** qui représente le même nom que lui. C'est pourquoi j'ai relevé et critiqué dans *Pour un meilleur français,* cette phrase du «Monde» : *Affaire de tempérament, et aussi susceptibilité d'un peuple dont le sort de son empire demeure suspendu aux décisions des chefs alliés,* et d'autres phrases analogues. J'ai vu depuis que Maurice Grevisse, dans *Le bon usage,* justifie ce genre de constructions (...) Quelque estime que j'aie pour le solide travail et l'autorité grammaticale de Maurice Grevisse, je maintiens ma position.
> René GEORGIN,
> Difficultés et finesses de notre langue, p. 171.

Avec un pron. pers. dans la subordonnée. Ex. : *L'enfant dont les parents l'ont amené* (il faut dire : *L'enfant que ses parents ont amené*).

(Dépendant d'un compl. introduit par une préposition). *L'homme dont je compte sur l'aide.* Il faut dire : *L'homme sur l'aide duquel* (ou *de qui*) *je compte.*

2. *Dont* est possible quand il dépend à la fois du sujet de la subordonnée et de son complément (cf. Grevisse, *le Bon Usage*, nº 560, Rem. 1.).

18 L'autre, dont les cheveux flottent sur les épaules (...)
FRANCE, Pierre Nozière, III, II, p. 187.

19 (...) ces hommes (...) dont les vingt-cinq ans d'uniforme sont collés à la peau (...)
MARTIN DU GARD, Jean Barois, II, La tourmente, IV, p. 316.

(Faute populaire reprise par plais.). *Dont auquel... : dont.*

19.1 Eh ben, mon garçon, qui m'dit. C'est-il une personne dont auquel qu'on peut dire c'est bien ?
Henri MONNIER, Scènes populaires, «La victime du corridor», 1, t. I, p. 253.

III Exprimant l'objet. — (L'objet du verbe). *L'homme dont je parle. Une histoire dont il ne se souvient pas. L'affaire dont il est question.* — (Le compl. d'un adjectif). *Le malheur dont vous êtes responsable. Un élève dont les professeurs sont satisfaits.*

20 Je serais le premier dont on serait jaloux (...)
CORNEILLE, Sertorius, IV, 3.

21 Comme la force est un point
Dont je ne me pique point (...)
LA FONTAINE, Fables, V, 1.

22 Il a (...) une application dont je suis content (...)
LA BRUYÈRE, Lettre à Condé.

23 Je m'ingéniais à leur rendre les soins dont elles feignaient ou de ne pas s'apercevoir ou d'être obsédées.
FRANCE, le Petit Pierre, XIII, p. 80.

IV Spécialt. (Amenant une subordonnée relative suivie d'une conjonctive). *Cet homme dont je sais qu'il a été marié.* → **Sujet** (au sujet duquel). — REM. Cette construction est lourde quoique grammaticalement correcte.

24 Un luxe, dont j'imagine aujourd'hui qu'il devait être affreux (...)
F. MAURIAC, in HANSE, p. 258.

(Avec, pour antécédent, un neutre, un indéfini). → **Quoi** (de quoi). *Il n'y a rien dont il s'étonne. C'est ce dont il s'agit. Donnez-lui ce dont il a besoin. Voilà ce dont il est responsable. Notre ami n'a pas été invité, ce dont il est mortifié.*

25 (...) il ne comprenait absolument rien à ce dont on parlait.
STENDHAL, le Rouge et le Noir, II, IV, p. 254.

REM. Au XVIIᵉ s., l'ellipse de *ce* devant *dont* était courante : *La d'Oradour n'en est pas, dont elle est tout à fait mortifiée* (Mᵐᵉ de Sévigné, V, 125). Cette construction est sortie de l'usage.

HOM. **Dom**, 1. **don**, 2. **don**.

DONZELLE [dɔ̃zɛl] n. f. — V. 1130; anc. provençal *donzela*, du lat. pop. *domnicella*, dimin. de *domina* «maîtresse», fém. de *dominus*. → Demoiselle.

♦ **1** Vx ou par plais. Demoiselle; jeune fille (jusqu'au XVIIᵉ siècle).

0.1 À vous dire vrai, reprit-il, je ne sais pas si elle le fait, n'ayant jamais essayé moi-même, j'ai trop de goût pour faire entrer ici des donzelles aux seins mous.
J. GIONO, Naissance de l'Odyssée, Pl., t. I, p. 46.

♦ **2** (XVIIIᵉ). Mod. Jeune fille ou femme prétentieuse et ridicule.

1 L'air précieux n'a pas seulement infecté Paris, il s'est aussi répandu dans les provinces, et nos donzelles ridicules ont humé leur bonne part.
MOLIÈRE, les Précieuses ridicules, 1.

♦ **3** Vx et fam. Fille ou femme de mœurs légères.

2 Tu vas chez les *donzelles.* Eh bien, suppose que j'en suis une (...)
Paul DE MUSSET, cité par Émile HENRIOT, les Romantiques, p. 187.

DOPA [dɔpa] n. f. → **Dopamine** (et étym.).

DOPAGE [dɔpaʒ] n. m. — 1921, *in* Höfler; de *doper.*

♦ **1** Action de doper* (1.) ou de se doper (dans l'intention d'un effort à fournir : physique, intellectuel). → **Doping** (anglic.). *Produit de dopage.* → **Dopant, excitant, stimulant.** *Le dopage d'un cheval de course. Dopage d'un étudiant à l'approche d'un concours, d'un coureur cycliste dans une étape de montagne. Le dopage des coureurs* (hommes, chevaux) *est interdit* (→ **Antidopage**) *et ne se pratique que clandestinement.*

1 Il y a une affreuse parodie du *jump,* c'est le dopage : doper le coureur est aussi criminel, aussi sacrilège que de vouloir imiter Dieu; c'est voler à Dieu le privilège de l'étincelle. Dieu d'ailleurs sait alors se venger : le pauvre Malléjac le sait, qu'un doping provocant a conduit aux portes de la folie (punition des voleurs de feu).
R. BARTHES, Mythologies, p. 114.

♦ **2** (1962). Techn. Action de doper (2.); son résultat. — Spécialt. Action d'ajouter une impureté à un semi-conducteur pour modifier ses propriétés de conduction.

2 C'est à ce stade qu'intervient la véritable découverte, en 1978, du Japonais Shirakawa et des Américains du laboratoire de Heeger et Mac Diarmid à l'université de Pennsylvanie aux États-Unis. Par addition intentionnelle de certaines impuretés, opération couramment appelée «dopage», la conductivité électrique est multipliée un million de millions de fois.
la Recherche, oct. 1981, p. 1132 (volume 12).

CONTR. et COMP. (Du sens 1) **Antidopage.**

DOPAMINE [dɔpamin] n. f. — Après 1960; de *dopa,* abrév. de *dihydroxyphénylalanine,* et *-amine.*

Biochim. Aminophénol, de formule $C_8H_{11}NO_2$, servant de neurotransmetteur entre deux neurones. «*Dans les années 1960, les neurobiologistes avaient recensé sept ou huit molécules assurant ou pouvant assurer le rôle de neurotransmetteurs dans différentes régions du système nerveux. Il s'agissait de petites molécules (poids moléculaire environ 200) : des amines telles que l'acétylcholine, la noradrénaline, la dopamine, la sérotonine, ou des acides aminés (...)*» (la Recherche, mai 1981, p. 558). «*La dopamine, une substance qui sert à transmettre des informations indispensables au bon fonctionnement de certaines structures cérébrales assurant la synchronisation de la démarche et l'équilibre*» (l'Express, 18 nov. 1983, p. 160). — *L'acide aminé qui se convertit en dopamine dans le sang est le dihydroxyphénylalanine* (ou *dopa* n. f.).

DOPANT, ANTE [dɔpɑ̃, ɑ̃t] adj. et n. — 1952; p. prés. de *doper.*

I Qui dope (1., 2.). *Sportif convaincu d'avoir usé de substances dopantes. Ajouter un produit dopant à un carburant.*

II N. m. ♦ **1** Substance chimique propre à doper, à dissiper (momentanément) la fatigue. → **Antifatigue; doping, excitant, stimulant.** *Effet prompt et artificiel des dopants. Coureur cycliste qui prend un dopant pour soutenir un effort. Les stéroïdes anabolisants* sont des dopants.

♦ 2 Techn. Substance dont l'addition en faible quantité modifie ou renforce les propriétés d'un matériau, d'un corps. «*Pour faire du carbure de silicium un semi-conducteur, on lui ajoute des dopants : aluminium ou azote*» (*l'Usine nouvelle*, 1971, in *la Clé des mots*). → **Additif.**

DOPE [dɔp] n. m. et f. — 1943, *in* Höfler ; mot angl., de *to dope.* → Doper.

Anglicisme.

♦ 1 N. m. Techn. Substance additive pour «doper» un produit pétrolier. — Substance améliorant l'adhésivité d'un matériau de revêtement routier. — REM. Cet anglicisme fait double emploi avec *dopant**; il est donc doublement à proscrire.

♦ 2 N. f. Fam. Drogue. «*C'est l'histoire d'un VRP dont le fiston noie un chagrin d'amour dans la dope que lui procurent quelques voyous de service*» (*Libération*, 8 déc. 1983). «*Très simple*, répond Michel, un jeune polio de Nancy. Je suis malade depuis quinze ans et je viens à Lourdes depuis dix ans. L'eau n'est qu'un prétexte. En fait, je viens me ressourcer. Recharger les batteries, pour tenir le coup. La foi, c'est une dope.*» (*le Nouvel Obs.*, 12 août 1983, p. 23).

DOPER [dɔpe] v. tr. — 1903, *in* Petiot ; angl. *to dope* «faire prendre un excitant».

Anglicisme.

♦ 1 Administrer un stimulant à... *Doper un cheval de course.* — Par ext. *Doper qqn*, lui faire prendre un excitant. → 1. **Droguer** (→ Dopage, cit. 1). — (1921). Pron. Prendre un excitant. *Se doper avant un examen, une course.*

(1953). Fig. Augmenter la puissance, la qualité, le rendement de (qqch.). → **Stimuler.**

1 (...) malgré mes soins personnels (...) malgré le crottin (...) malgré les restants de vinaigrette dont nous dopions la sève, je n'ai pu provoquer cette joie de vivre qui fait le géranium arborescent, multiflore, capiteux et rutilant à certaines fenêtres (...)
Jacques PERRET, *Bâtons dans les roues*, p. 39.

2 Oui, quel homme raisonnable ne m'accordera l'exclusion de la Chine humiliée, offensée, et formidablement dopée par le marxisme, constitue un crime contre l'humanité tout entière ?
F. MAURIAC, *le Nouveau Bloc-notes 1958-1960*, p. 380.

♦ 2 (1943, *in* Höfler). Techn. Ajouter une substance à (un produit) pour améliorer les qualités. → **Dopant.**

◆ **DOPÉ, ÉE** p. p. adj. *Cheval, coureur dopé.* — Techn. *Produit dopé.*

3 Ce sauvage n'avait jamais paru à la Cour. Il entra dans la capitale, comme un furieux, sur un cheval dangereux et qui paraissait dopé.
Henri MICHAUX, *Ailleurs*, p. 157.

DÉR. **Dopage, dopant.**

DOPING [dɔpiŋ] n. m. — 1900, *in* Höfler ; mot angl., p. prés. de *to dope.* → Doper.

Anglicisme.

♦ 1 Se dit de l'emploi de certains excitants (→ **Dopage**) et de ces excitants eux-mêmes (→ **Dopant** ; → Dopage, cit. 1). *Administrer, prendre un doping.*

(...) les sociétés prennent des garanties contre le *doping*. En effet, à Paris, le cheval gagnant et les chevaux placés de chaque course subissent des prélèvements de salive qui font l'objet d'analyses contradictoires.
Pierre ARNOULT, *les Courses de chevaux*, p. 85.

♦ 2 (V. 1965). Fig. Moyen artificiel qui donne à qqn une force provisoire et souvent illusoire.

REM. Dans tous ses emplois, cet anglic. peut être remplacé par *dopage*.

DOPPLER [dɔplɛʀ] n. m. — 1987 ; du nom du physicien autrichien Doppler.

Méd. Mesure de la vitesse de circulation du sang basée sur l'observation de la modification de la fréquence des ondes sinusoïdales perçue quand le sujet est en mouvement *(effet Doppler);* examen d'imagerie médicale basé sur cette technique. *Passer un doppler.*

DORADE [dɔʀad] n. f. → **Daurade.**

DORAGE [dɔʀaʒ] n. m. — 1752; de *dorer.*

Action de dorer ; son résultat. → **Dorure** (2.).

DORCADE [dɔʀkad] n. f. — 1548, Rabelais, *Quart Livre;* grec *dorkas, dorkados* «gazelle».

Zool. Antilope d'Afrique du Nord et d'Arabie, à longues pattes, à pelage gris et blanc, à cornes en lyre.

(...) Et des ruisseaux furtifs où boivent les dorcades.
MORÉAS, *Cantilènes*, 1886, p. 140, *in* T. L. F.

DORÉ, ÉE [dɔʀe] adj. et n. — 1080 ; p. p. de *dorer.*

I Adj. **♦ 1** Qui est recouvert d'une mince couche d'or, et, par ext., d'une substance imitant l'or. *Tranche dorée d'un livre. Argent doré.* → **Vermeil.** *Cadre* (cit. 3) *doré. Lettres dorées* (→ Caractère, cit. 4). *Clous dorés* (→ Cage, cit. 4). *Sculpture dorée* (→ Acanthe, cit. 2). *Habits aux parements dorés* (→ Attifer, cit. 2). *Boutons dorés d'un uniforme :* boutons recouverts d'or ou boutons d'un métal jaune. *Cuirs dorés* (→ Or, cit. 26).

1 (...) avoir une perruque blonde et bien frisée, des plumes à votre chapeau, un habit bien doré (...)
MOLIÈRE, *Dom Juan*, I, 2.

Loc. **DORÉ SUR TRANCHE**, se dit d'un livre dont la tranche* est passée à l'or. — Fig. Couvert de dorures ; luxueux et ostentatoire. *Une vie dorée sur tranches* (var. : *doré sur toutes les coutures*).

1.1 (...) j'avais conscience, dans ce bureau banal entouré de gloire et de famine, que la force énigmatique qui transformait les commissaires du peuple vêtus de cuir, en maréchaux dorés sur tranches, dépassait de loin les misérables profits des vainqueurs (...)
MALRAUX, *Antimémoires*, Folio, 1972, p. 206.

N. m. (souvent iron.). *Le doré d'un cadre. Bijouterie en doré* (→ **Dorure**). *C'est tout plein de doré partout.*

Prov. Vx. *À vieille mule, frein* doré.*

Vx. Rempli d'or. Loc. mod. *Bonne renommée vaut mieux que ceinture* dorée.*

REM. Dans l'usage actuel, *doré* signifie plutôt «couvert d'une substance imitant l'or» (ex. : *papier doré, cigarette à bout doré*). Pour désigner une véritable dorure, on précisera *doré à l'or fin* ou on dira *couvert d'or*, sauf dans quelques contextes concernant des réalités où l'or est employé normalement.

♦ 2 Qui a l'éclat, la couleur jaune cuivrée de l'or. → **Ambré, mordoré; brillant.** *Moissons dorées; feuillages jaunes et dorés* (→ Acacia, cit. 1; créneau, cit. 1; crosse, cit. 4). *Fruit doré* (→ Brugnon, cit.). *Lumière douce, chaude et dorée* (→ Bleu, cit. 11; combe, cit. 2). *Teinte dorée. Vin clair et doré* (→ Cidre, cit. 2). *Cheveux d'un blond* doré — *Peau dorée.* → **Bronzé, bruni, cuivré** (→ Blancheur, cit. 2; cerise, cit. 4).

2 Ses cheveux étaient dorés, et ne l'étaient pas seuls; car si ses joues étaient roses et ses yeux bleus, c'était comme le

ciel encore empourpré du matin où partout pointe et brille l'or.

PROUST, À la recherche du temps perdu, t. III,
p. 168.

3   (...) goûte le matin de septembre, rouge et doré comme une pêche de vigne, va sans crainte jusqu'au fond du bois (...)

COLETTE, la Paix chez les bêtes,
La chienne jalouse, p. 9.

N. m. *Le doré et l'argenté. Le doré de ses cheveux.* → **Or** (fig.).

(Syntagmes désignant des espèces vivantes). — (Animaux). *Carpes dorées. Carabe doré.* → **Carabe**. *Abeilles dorées* (→ Béer, cit. 11). *Faisan doré.* — (Plantes). *Cresson doré; saxifrage doré.* → **Dorine**.

Spécialt. Couvert d'une couche de jaune d'œuf délayé avant d'être cuit au four. *Gâteau doré. Pâté doré.*

Cuis. (Régional). *Pain doré*, frit, au lait et aux œufs (syn. régional : *pain perdu, pain des anges*).

♦ **3** Loc. fig. En or (fig.). *Langue dorée* (→ Bouche d'or*). *C'est une langue dorée; il, elle a la langue dorée :* il, elle a la parole facile, fait preuve d'éloquence*.

Vers dorés : vers sentencieux, préceptes attribués à Pythagore.

La Légende dorée : histoire des saints écrite par Jacques de Voragine. Par anal. Légende, hagiographie.

4   L'histoire littéraire est tissue comme l'autre de légendes diversement dorées.   VALÉRY, Variété I, p. 74.

Siècle, âge doré, heureux. → **Or** (âge d'or).

♦ **4** Fig. Qui a des couleurs gaies et brillantes. *Des rêves dorés.*

♦ **5** (Idée de richesse). **a** LA JEUNESSE DORÉE : les jeunes gens de la riche bourgeoisie, qui, après Thermidor, prirent part à la réaction contre la Terreur. — Mod. Jeunes gens riches, élégants, insouciants.

5   Les jeunes gens sont lâchés, et la mode s'en mêle. Cette *Jeunesse dorée*, sortant, toute vibrante, du spectacle, déchaîne dans la rue de petites émeutes contre les «buveurs de sang» (...) elle a son uniforme, l'habit carré des muscadins (...)

Louis MADELIN, la Révolution, XXXV, p. 388.

6   La *Maison-d'Or*, c'est bien mal composé : des lorettes, des quarts d'agent de change, et les débris de la jeunesse dorée. Aujourd'hui, tout le monde a quarante ans, — ils en ont soixante. Cherchons la jeunesse encore non dorée. Rien ne me blesse comme les mœurs d'un jeune homme dans un homme âgé (...)

NERVAL, les Nuits d'octobre, IV, «Causerie».

Blousons dorés : les «blousons noirs» de la *jeunesse dorée.*

b *Une médiocrité dorée*, qui n'est pas due au manque d'argent.

7   — J'ai horreur de la médiocrité.
— Mais depuis dix ans, tu vis dans une médiocrité dorée, la pire de toutes.
— J'en ai assez, justement.

DRIEU LA ROCHELLE, le Feu follet, p. 87.

II ♦ **1** N. f. (V. 1300, *Viandier valaisan*). Poisson osseux des mers d'Europe (appelé aussi *jean-doré*). → **Saint-pierre**. *Dorée d'étang :* tanche aux reflets dorés.

♦ **2** N. m. (1806; *poisson doré*, 1634). Au Canada, Poisson d'eau douce à chair estimée. *Le doré noir et le doré jaune ou blanc* (n. sc. : *stizostedion canadense* et *stizostedion vitreum*). «*Ils emplissaient les viviers de carpes, de brochets, de dorés, de maskinongés*» (L.-P. Desrosiers).

DÉR. Dorine.

DORELOTERIE [dɔʀlɔtʀi] n. f. — 1403, mais antérieur (→ Dorelotier); de l'anc. franç. *dorelot*, refrain de chanson (→ Larirette), désignant (mil. XIIIe) des fanfreluches, agrafes, boucles de cheveux, et qui a donné aussi *dorloter**.

Techn. anc. Fabrication des ouvrages de passementerie*. — Rubans, franges fabriqués par les dorelotiers*.

DORELOTIER, IÈRE [dɔʀlɔtje, jɛʀ] n. — 1297, au fém.; masc., 1313; var. *doreloteur* (1313); de *dorelot.* → Doreloterie.

Techn. anc. Passementier, passementière. «*Des dorelotiers aux passementiers : galons, rubans, franges à mèches, lambrequins et mignardises, une exposition pour réactualiser des métiers qui se perdent*» (l'Express, 15 janv. 1973, p. 4).

DORÈME [dɔʀɛm] n. f. — 1786; bas lat. *dorema*, grec *dorêma* «don», en raison des propriétés bienfaisantes de la plante.

Bot. Plante dicotylédone (*Ombellifères*), herbe vivace, exotique, aux grandes feuilles ornementales, aux fleurs duveteuses, et qui fournit une gomme (ammoniaque) aux propriétés expectorantes.

DORÉNAVANT [dɔʀenavɑ̃] adv. — V. 1170, *d'or en avant*; comp. de l'anc. franç. *ore, or* «maintenant», *en*, et *avant.*

À partir du moment présent, à l'avenir. → **Avenir** (à l'avenir), **désormais**, **suite** (dans la suite); → Assentiment, cit. 4; **beau**, cit. 80; **blâme**, cit. 3; **cellule**, cit. 10. *Dorénavant, il viendra tous les dimanches. Il a décidé que dorénavant il travaillerait le soir.*

1   Au lieu de déplorer la mort des autres, grand prince, dorénavant je veux apprendre de vous à rendre la mienne sainte.

BOSSUET, Oraison funèbre du prince de Condé.

2   J'ai décidé de rire dorénavant le moins possible, à cause de mes rides.

MONTHERLANT, les Jeunes Filles, p. 149.

(Dans un programme, un ordre, une injonction). *La réunion aura lieu dorénavant à cinq heures.* — Par plais. *À partir de dorénavant*, de maintenant.

(Par rapport à un temps passé). À partir d'un moment de référence. → Dès lors.

DORER [dɔʀe] v. — 1080, *Chanson de Roland*; lat. impérial *deaurare*, de *de-*, et *aurare*, de *aurum* «or».

A V. tr. ♦ **1** Revêtir (un objet, une surface) d'une mince couche d'or ou d'une substance ayant l'apparence de l'or (→ **Dorure**). *Dorer de la vaisselle. Dorer des vases sacrés. Dorer un plafond. Dorer la tranche d'un livre; dorer un livre sur tranche. Dorer sur cuir, sur bois. Dorer à petits fers, à petits filets. Dorer à froid, au feu, au mercure, par électrolyse.*

Spécialt (reliure). *Dorer un livre sur tranche.* → **Doré**.

Pharm. (vx). *Dorer des pilules*, les revêtir d'une mince feuille d'or pour qu'on puisse les avaler sans en sentir le goût. — Loc. mod. *Dorer la pilule à qqn*, lui faire accepter une chose désagréable au moyen de paroles aimables, flatteuses. → **Tromper** (→ Avaler, cit. 21).

1   La pilule, à vrai dire, était assez amère;
Mais il sut la dorer, et, pour me satisfaire,
D'un bon contrat de quatre mille écus
Il augmenta la dot (...)

LA FONTAINE, Contrat, *in* LITTRÉ.

REM. L'emploi absolu de la loc. semble archaïque.

1.1 Le premier moyen d'être heureux en ménage, celui qui donne le prix à tous les autres, c'est que le Chef commande, et que l'Épouse tendrement chérie, fasse par amour, ce qu'on nommerait dans toute autre qu'une Épouse, obéir. — Vous dorez la pilule; mais je vous entends.
> RESTIF DE LA BRETONNE, la Vie de mon père, p. 238.

Par anal. *Dorer une proposition,* la déguiser sous une apparence séduisante. → **Embellir, flatter.**

♦ **2** Recouvrir d'ornements dorés, de dorure. → **Chamarrer, orner.** *Dorer un uniforme, un salon* (→ **Doré**).

♦ **3** Littér. (Sujet n. de chose). Donner une teinte dorée à. *Le soleil dore le sommet des montagnes.* → **Éclairer** (→ Aurore, cit. 6; bois, cit. 15). *Les moissons doraient la campagne* (→ Abattre, cit. 12). *Le soleil dorait son visage.* → **Bronzer, cuivrer** (cit. 2).

2 Le soleil, quand il vient dorer une chaumière,
Fait que le toit de paille est un toit de lumière (...)
> HUGO, la Légende des siècles, XXXI, II.

3 (...) le soleil dorait les épis, et la fécondité de la terre s'exhalait en poussières odorantes.
> FRANCE, Thaïs, I, p. 37.

4 (...) la lumière remontait de la poitrine au front, rasait les lèvres fardées, dorait un léger duvet blond, au coin des lèvres, rougissait un peu les narines.
> SARTRE, le Sursis, p. 193.

♦ **4** Cuis. Recouvrir d'une couche de jaune d'œuf qui prend une teinte dorée après la cuisson. *Dorer un pâté. Dorer à l'œuf.*

♦ **5** Par métaphore et fig. (Littér.). Donner à (qqch.) des apparences flatteuses, agréables; rendre «doré» (beau, riche...). → cit. Roy, Sartre, in T.L.F.

B V. intr. Prendre une teinte dorée. *Volaille qui commence à dorer au four. Faire dorer une volaille. Les épis commencent à dorer.*

♦ **SE DORER** v. pron.

Prendre une teinte dorée. *Volaille qui se dore à la broche.* — Littér. (Personnes). Bronzer. *Se dorer au soleil.*

5 Tout s'empourpre, tout se dore. Les ramées obscures et cramoisies, pas encore dégarnies de leurs feuilles, s'épandent avec lourdeur au-dessus des gazons. Aucun vent ne souffle aux eaux rouillées des bassins.
> Francis JAMMES, le Roman du lièvre, p. 171.

♦ **DORÉ, ÉE** p. p. adj. → **Doré,** à l'ordre alphabétique.

CONTR. Terne. ◊ DÉR. Dorage, doré, doreur, doroir, dorure. → COMP. Dédorer, redorer, surdorer.

D'ORES ET DÉJÀ [dɔʀzedeʒa] → 2. **Or.**

DOREUR, EUSE [dɔʀœʀ, øz] n. — V. 1292, *doreur;* de *dorer.*

Personne dont le métier est de dorer*. → **Dorure.** *Doreur sur bois, sur métaux, sur porcelaine. Outils, blaireau, chevalet, couchoir, couteau, griffe, pinceau de doreur.* — REM. Le fém. semble très rare.

Ces deux petits bronzes fondus en Italie il y a près de quatre siècles, ce Tibère et cette Niobide devenus accessoires du luxe baroque, lui-même révolu, recouverts de l'or presque inaltérable des anciens doreurs, ont été touchés par les centaines de mains d'inconnus qui tournèrent ces poignées, ouvrirent des portes derrière lesquelles les attendait quelque chose.
> M. YOURCENAR, Archives du Nord, p. 150.

DORIEN, IENNE [dɔʀjɛ̃, jɛn] adj. et n. — 1598, d'Aubigné; du grec *Dôris,* n. propre «Doride». → Dorique.

De Doride, canton du sud-ouest de l'Asie Mineure. *La race dorienne.* N. *Les Doriens.* — Ling. *Le dialecte dorien,* et, n. m., *Le dorien* (on dit aussi *le dorique*): l'un des quatre grands groupes dialectaux du grec ancien.

1 Les Polonais trouvent le dialecte bohème efféminé; c'est la querelle du dorien et de l'ionique.
> CHATEAUBRIAND, Mémoires d'outre-tombe, t. VI, p. 83.

2 (...) la convention s'était établie à Athènes d'employer pour les parties chorales de la tragédie une langue fixée, teintée de dorismes, mais ne représentant au fond aucun dialecte dorien particulier.
> J. VENDRYES, le Langage, p. 322.

Mus. *Mode dorien,* et, n. m., *Le dorien.* **ⓐ** Mode principal de la musique grecque antique (huit sons entre deux *mi;* s'oppose au *phrygien* [ré], au *lydien* [ut], etc.).

ⓑ Dans le plain-chant, mode le plus grave (ré-la [dominante]-ré). Adj. *La toccata dorienne,* de Bach (en ré mineur).

DORINE [dɔʀin] n. f. — 1786, *Encyclopédie;* de *doré,* p.-ê. d'après *Dorine,* nom de femme.

Plante herbacée, (*Saxifragées*) vivace, dont les feuilles charnues se consomment en salade. N. sc.: *chrysoplenium.* Syn. *cresson doré, saxifrage dorée.*

DORIOTISME [dɔʀjɔtism] n. m. — V. 1940; de *Doriot.* → Doriotiste.

Hist. Attitude politique des partisans de Doriot.

(...) il s'en est fallu de peu que (...) les basses plaisanteries des spiqueurs (*speakers*) de Londres ne m'aient rejeté dans le doriotisme éperdu.
> Jacques PERRET, Bâtons dans les roues, p. 12.

DORIOTISTE [dɔʀjɔtist] adj. et n. — Av. 1940; de *Doriot,* homme politique français, ancien communiste rallié à l'extrême droite fasciste du Parti populaire français (1936), puis à la politique de collaboration, à l'antibolchevisme.

Hist. Partisan de Doriot; membre des mouvements pro-allemands et anti-bolchevistes, entre 1940 et 1944. *Miliciens et doriotistes* (→ **Collaborateur**).

(...) bien que Geoffroy et sa femme (...) eussent réputation d'avoir trempé dans le Front Populaire, le rapport coupa court aux opérations que les doriotistes locaux avaient conseillées à la sûreté départementale.
> ARAGON, Blanche..., I, VII, p. 121.

DORIQUE [dɔʀik] adj. et n. — V. 1520-1530, Sagredo; lat. *doricus,* grec *dôrikos,* de *Dôris* «la Doride».

Relatif aux Doriens. → **Dorien.**

Spécialt. **ⓐ** Archit. *L'ordre dorique,* et, n. m., *Le dorique*: le premier et le plus simple des trois ordres d'architecture grecque (→ Corinthien, cit. 2). *Le dorique se caractérise par une colonne cannelée reposant sur un stylobate. Le sommet de la colonne dorique est orné d'un gorgerin et d'annelets; il est surmonté d'un chapiteau simple* (abaque et échine). *Frise d'un temple dorique, formée de métopes* et de triglyphes* surmontés de mutules*, d'une corniche et d'un fronton. Le dorique est le plus ancien des trois ordres.* — (D'un monument). *D'ordre dorique. Le Parthénon, les Propylées, le temple de Pæstum sont doriques.*

1 Les colonnes du péristyle et du portique (*du Parthénon*) reposaient immédiatement sur les degrés du temple; elles étaient sans base, cannelées et d'ordre dorique (...) Les triglyphes de l'ordre dorique marquaient la frise du péristyle: des métopes ou petits tableaux de marbre à coulisse séparaient entre eux les triglyphes (...)
Voyez comme tout est calculé au Parthénon! L'ordre est dorique, et le peu de hauteur de la colonne dans cet ordre vous donne à l'instant l'idée de durée et de solidité; mais

cette colonne, qui de plus est sans base, deviendrait trop lourde : Ictinus (...) fait la colonne cannelée, et l'élève sur des degrés : par ce moyen il introduit presque toute la légèreté du corinthien dans la gravité dorique.
> CHATEAUBRIAND, Itinéraire..., I.

2 C'est dans le dorique, simple, imposant, sévère, que la notion de l'ordre est la plus frappante ; une symétrie voulue s'y affirme, et toute une série de rapports (...) ont été prévus entre les divers membres de l'édifice, entre ceux-ci et l'ensemble. C'est là une création grecque et rien que grecque (...)
> G. CONTENAU et V. CHAPOT, l'Art antique, p. 162.

3 La vérité ne paraît jamais vraie. Je ne parle pas seulement en littérature ou en peinture. Je ne vous citerai pas non plus le cas des colonnes doriques dont les lignes nous semblent rigoureusement perpendiculaires et qui ne donnent cette impression que parce qu'elles sont légèrement courbes. C'est si elles étaient droites que notre œil les verrait renflées, comprenez-vous ?
> G. SIMENON, les Mémoires de Maigret, p. 38.

b N. m. Ling. *Le dorique.* → Dorien.

1. DORIS [dɔʀis] n. f. invar. — 1778, *in* D.D.L. ; lat. sav., du grec *Dôris,* nom de la mère des Néréides.

Zool. Mollusque gastéropode sans coquille *(Nudibranches)* caractérisé par la disposition des branchies en étoile autour de l'anus.

HOM. 2. Doris.

2. DORIS [dɔʀis] n. m. invar. — 1874 ; mot angl. des États-Unis (1709), désignant des embarcations de la mer des Caraïbes, d'orig. incert., p.-ê. d'une langue indienne (le miskito) *dóri, dúri* «pirogue», ou de *dory,* nom d'un poisson (1440), altér. du franç. *doré.*

Embarcation que les pêcheurs de l'Atlantique nord, notamment à Terre-Neuve (→ Terre-neuvas), utilisent pour aller mouiller les lignes de fond.

(...) une saccade rude comme la morsure d'un cachalot géant, de ceux qui broient les doris terre-neuvas.
> Roger VERCEL, Remorques, p. 139.

Par ext. Embarcation légère, canot (dans la marine militaire).

DÉR. Dorissier.

DORISME [dɔʀism] n. m. — D. i. (xxᵉ) ; de *dorien,* et suff. *-isme.*

Ling. Forme dialectale grecque propre au dorien. → Dorien, cit. 2.

DORISSIER [dɔʀisje] n. m. — 1919, *Larousse mensuel ;* de *2. doris.*

Techn. Pêcheur de morue sur doris*. → Morutier.

DORLOTAGE [dɔʀlɔtaʒ] n. m. — 1892 ; de *dorloter.*

Dorlotement. *Un dorlotage maternel.*

Par anal. *La vigne «veut des dorlotages, des précautions...»* (A. Arnoux, *in* T.L.F.).

DORLOTEMENT [dɔʀlɔtmã] n. m. — 1675, attestation isolée ; 1884 ; de *dorloter.*

Action de dorloter (syn. : *dorlotage*).

État d'une personne dorlotée.

Il était si bien dans le dorlotement de cette chambre voluptueuse, si délicieusement étourdi (...)
> Alphonse DAUDET, Sapho, II, p. 11.

DORLOTER [dɔʀlɔte] v. tr. — XIIIᵉ ; *doreloter* «friser», du XIVᵉ au XVIᵉ, de l'anc. franç. *dorelot* «boucle de cheveux». → Dorloterie, dorelotier.

Entourer de soins, de tendresse ; traiter délicatement (qqn). → **Bouchonner** (cit. 3), **cajoler, choyer, mignoter** (vx), **mitonner.** *Dorloter son enfant. Être dorloté par sa femme. Se faire dorloter.*

(...) une belle femme, qui me dorlotera (...)　　　　1
> MOLIÈRE, le Mariage forcé, 1.

Comme j'aime à être dorlotée, je ne suis pas fâchée que vous me plaigniez un peu.　　　　2
> Mᵐᵉ DE SÉVIGNÉ, 503, 16 févr. 1676.

◆ **SE DORLOTER** v. pron. (Réfl.).

Se traiter délicatement, s'abandonner à une paresse douillette. *Aimer à se dorloter.*

(...) il ne faut pas rester à vous dorloter, tandis que votre　　　3
mère se fatigue à vous servir et perd son temps à vous tenir compagnie.
> G. SAND, la Petite Fadette, XXXIX, p. 248.

(...) elle est douillette, comme chacun sait. Elle n'aime rien　　　4
tant que de se dorloter (...)
> N. SARRAUTE, le Planétarium, p. 97.

◆ **DORLOTÉ, ÉE** p. p. adj. *Un enfant dorloté.*

CONTR. Rudoyer. ◊ **DÉR. Dorlotage, dorlotement, dorloterie, dorloteur.**

DORLOTERIE [dɔʀlɔtʀi] n. f. — 1892, Goncourt ; de *dorloter.*

Rare. Dorlotage.

DORLOTEUR, EUSE [dɔʀlɔtœʀ, øz] adj. et n. — 1611, n. ; de *dorloter.*

(Personnes). Qui dorlote (souvent, habituellement). *Une mère dorloteuse.* → **Cajoleur.** — *Un dorloteur.*

(Choses). Littéraire :

Eva aspira la pipe que lui avait préparée Falet ; puis elle se renversa dans ses fourrures en rendant un peu de fumée. Une de ses épaules, dure et polie, se dorait à la lueur de la petite lampe. Ce fragment d'une statue brisée roulait dans un désert sans haut ni bas, gisait au sein d'un abîme tiède et dorloteur.
> DRIEU LA ROCHELLE, le Feu follet, p. 107.

DORMANCE [dɔʀmãs] n. f. — xxᵉ ; de *dormant, dormir ; cf. anc. franç. *dormance* «action de dormir», fin xvᵉ.

Bot. Fait, pour un végétal, de cesser une partie de ses activités quand les conditions climatiques sont mauvaises (froid, éclairement insuffisant). *Les graines «doivent subir une période de post-maturation, destinée à supprimer la dormance de l'embryon...»* (H. Boulay, *Arboriculture...,* p. 54).

DORMANT, ANTE [dɔʀmã, ãt] adj. et n. m. — V. 1112, *eau dormante* ; p. prés. de *dormir.*

I Adj. ◆ **1** Rare (attesté xviiᵉ). Qui dort*. → **Endormi.** *La Belle au bois dormant* (=dormant au bois), titre d'un conte de fée. — **Blason.** *Animal dormant,* placé dans l'attitude du sommeil.

N. Littér. *(Un dormant, une dormante).* Personne (spécialt, personnage d'un conte) qui dort.

Impossible de durer sans usure, sans déperdition ; impos-　　　0.
sible de s'immobiliser dans son être. Il faudrait pour cela ne pas vivre, tels les «dormants» des contes qu'un sommeil magique soustrait au cours du temps pendant le vieillissement, la transformation de ce qui les entoure et qui se réveillent identiques à eux-mêmes dans un univers qu'ils ne reconnaissent plus.
> Roger CAILLOIS, l'Homme et le Sacré, p. 176.

Les sept dormants : héros d'une légende (emmurés, ils dorment des centaines d'années et se réveillent lorsqu'ils sont libérés).

Par ext. Propre à un dormeur. — *Regard dormant, indifférent et, comme endormi*.

0.2 Bientôt il entendit la reprise à temps égaux de sa respiration dormante, calmée.
PROUST, Jean Santeuil, Pl., p. 855.

♦ 2 Qui n'est agité par aucun courant (eau). → **Immobile, stagnant.** *Une eau dormante* (→ Brume, cit. 2 ; croupir, cit. 4).

1 Sur le talus du fossé, de belles fleurs baignent leurs pieds dans une eau dormante et verte.
BALZAC, les Paysans, Pl., t. VIII, p. 13.

2 (...) les étangs de Tolga dormants et profonds avec la silhouette renversée des arbres dans une eau bleue (...)
E. FROMENTIN, Un été dans le Sahara, p. 210.

Fig. *C'est une eau dormante*, une personne d'apparence tranquille, mais à laquelle on ne peut se fier. *Il faut se méfier des eaux dormantes*.

♦ 3 (Abstrait). *Passions dormantes au fond du cœur.* → **Caché, enfoui.**

3 Il lui révélait les joies délicates et les tristesses délicieuses de la pensée, il éveillait les voluptés qu'elle portait dormantes en elle. FRANCE, le Lys rouge, XII, p. 111.

♦ 4 Bot. *Bourgeon, œil dormant.* → **Dormance.** — *Plante dormante*, qui ferme ses feuilles, ses pétales durant la nuit.

♦ 5 (1366 ; *verre dormant*, XVIe). Techn. Qui ne bouge pas. → **Fixe.** *Châssis, vitrage dormant* : châssis fixe, qui ne s'ouvre pas. *Vantaux dormants* (opposé à *vantaux ouvrants*). *Pont dormant* (opposé à *pont-levis*). *Serrure dormante, serrure à pêne dormant* : serrure dont le pêne ne peut fonctionner qu'au moyen d'une clef. *Ligne dormante*, qui reste fixée dans l'eau, sans que le pêcheur la tienne. — Mar. *Manœuvres dormantes* (opposé à *manœuvres courantes*). → **Manœuvre.**

Cour. (Vieilli). *Pli dormant*, qui ne s'ouvre pas.

II N. m. **♦ 1** (1690). *Le dormant d'un châssis, d'une porte, d'une fenêtre* : la partie fixe de la menuiserie dans laquelle vient s'emboîter la partie mobile du châssis, de la porte...

4 Je passai la tête d'abord, j'avais les mains à plat sur le sol de la cour que mes hanches se tortillaient encore, prises entre les dormants. S. BECKETT, Nouvelles, p. 36.

♦ 2 (1678). Mar. Partie fixe d'un cordage (opposé à *courant*).

♦ 3 (1735). Ancienn. *Dormants* : pièces d'ornements, gobelets placés en surtout sur une table. *Un dormant. Dormants de cristal, d'orfèvrerie.*

CONTR. Courant, mobile, ouvrant. ◊ **DÉR. Dormance.**

DORMETTE [dɔrmɛt] n. f. — 1892, Gyp ; de *dormir*. Fam. Petit somme*.

DORMEUR, EUSE [dɔrmœr, øz] n. — XIVe ; adj. v. 1250 ; de *dormir*.

I N. m. et f. **♦ 1** Personne qui dort. *Les ronflements des dormeurs. Une belle dormeuse.* → **Endormi**(e).

1 Le dormeur s'éveilla, tant il en fut surpris *(de son songe)*.
LA FONTAINE, Fables, XI, 4.

2 Dormeuse, amas doré d'ombres et d'abandons.
VALÉRY, Poésies, Charmes, «La dormeuse».

3 Le rêve est donc l'existence normale du dormeur.
COCTEAU, la Difficulté d'être, p. 89.

♦ 2 Personne qui aime à dormir, qui ressent le besoin de dormir longtemps (→ Abandon, cit. 9 ; chêne, cit. 2). *Un dormeur, une grande dormeuse.*

4 J'avais été jusque-là grand dormeur (...)
ROUSSEAU, les Confessions, VI.

5 Elle dort beaucoup, elle est devenue une dormeuse, c'est insuffisant : nuit et jour l'enfant continue à la manger, elle écoute et entend le grignotement incessant dans le ventre qu'il décharne, il lui a mangé les cuisses, les bras, les joues (...) M. DURAS, le Vice-consul, p. 18.

♦ 3 Adj. *Il est très dormeur, peu dormeur. La marmotte, animal dormeur.* — *Poupée dormeuse* : poupée dont les yeux se ferment, quand elle est dans la position horizontale.

Fig. → **Ensommeillé (fig.).**

6 Le taxi s'arrêta au coin de la rue du Bac, dont le cours porte à cette heure des remous aventureux sous les façades dormeuses d'un peuple d'inspecteurs des Finances, de savetiers honoraires, de poètes.
A. BLONDIN, Monsieur Jadis, p. 30.

II N. m. Régional. Crabe qui vit, immobile, dans les anfractuosités du sol. → **Tourteau.** En appos. *Crabe dormeur.* — REM. Le mot est d'usage normal dans certaines régions (Ouest, Bretagne).

7 Alors je joindrais à ma part de prise un homard, une langouste ou l'un de ces gros crabes succulents que nous appelons des dormeurs.
P. MAC ORLAN, l'Ancre de miséricorde, p. 193.

HOM. (Du fém.) **Dormeuse.**

DORMEUSE [dɔrmøz] n. f. — XIVe ; de *dormir*.

♦ 1 Ancienne voiture de voyage dans laquelle il était possible de s'étendre pour dormir.

♦ 2 (1845). Vx. Chaise longue.

♦ 3 N. f. pl. (1871). **DORMEUSES** : boucles d'oreilles dont la perle ou le diamant, monté sur pivot, se ferme par un écrou au lobe de l'oreille (opposé à *pendeloques*).

HOM. Dormeuse (fém. de *dormeur*).

DORMIR [dɔrmir] v. intr. [CONJUG.: *partir*.] — 1080, Chanson de Roland ; lat. *dormire*.

A ♦ 1 (Le sujet désigne un être humain, un animal). Être dans l'état de sommeil*. → **Reposer, sommeiller, somnoler ;** → Être dans les bras* de Morphée, clore, fermer l'œil*, la paupière ; faire un somme*, plonger dans le sommeil* ; fam. écraser (en), pioncer, roupiller ; schloff (aller au schloff). *Il dort encore. Elle est en train de dormir. Il commence à dormir. Dormir d'un profond, d'un pesant sommeil. Dormir d'un bon somme* (→ Ajuster, cit. 18). *Dormir calmement, profondément.* Loc. *Dormir à poings* fermés, Dormir du sommeil du juste. Dormir (tout) d'un somme. Dormir en chien* de fusil. Dormir comme un loir*, comme une marmotte, comme une souche, une bûche. Dormir comme une toupie, comme un sabot, en ronflant. Dormir debout, tout debout (→ **Debout**, infra cit. 14).* — *Avoir envie de dormir* : avoir sommeil. → **Sommeil** (tomber de sommeil). *L'envie, le besoin de dormir. Aller dormir.* → **Coucher** (se) ; **lit** (aller au lit). *Commencer à dormir.* → **Assoupir** (s'), **endormir** (s'). *Qui fait dormir.* → **Dormitif.** — *Dormir pendant toute la nuit*, et, ellipt., *dormir toute la nuit. Dormir douze heures consécutives* (→ Faire le tour du cadran*). *Dormir très tard, dormir longtemps* (→ Faire la grasse matinée*). *Dormir tout son soûl, dormir jusqu'à satiété. Il a trop dormi. Dormir après le déjeuner* : faire la sieste*, faire un somme. — *Dormir après s'être enivré* : cuver (son vin). *Il ne dort pas encore. Je vais essayer de dormir un peu. Ne pas dormir de la nuit* : passer une nuit blanche (cit. 3). *Ne pas dormir tout son content* (cit. 10). *J'ai bien dormi* (cf. Passer une bonne nuit). *Dormir sur un lit, dans son lit. Dormir sur un divan, dans un fauteuil ; par terre. Dormir sous la tente, à la belle étoile* (→ Bouge, cit. 2). *Dormir sous la tente, dans* *un sac de couchage. Pièce où l'on dort.* → **Chambre** (à coucher), **dortoir.** — *Tout le monde dort encore. Tout dort dans la maison.* Par métonymie. *Toute la maison dort jusqu'à sept heures.* → ci-dessous, 5. — *Le bruit l'empêche de dormir. Impossible de dormir, ici. On ne peut pas dormir.* — *Dormir pendant une réunion, une conférence* (→ Audience, cit. 12, 13). *Cet enfant dort en classe. Il, elle passe sa vie à dormir.*

1   Trop dormir fait mal à la tête,
    Et trop dormir c'est vivre en bête (...)
                    SCARRON, Virgile travesti, VII.

2   Nous l'avons, en dormant, Madame, échappé belle (...)
                    MOLIÈRE, les Femmes savantes, IV, 3.

3   Quant à son temps, bien le sut dispenser :
    Deux parts en fit, dont il soulait *(avait coutume de)* passer
    L'une à dormir et l'autre à ne rien faire.
                    LA FONTAINE, Épitaphe d'un paresseux.

4   Cette réflexion embarrassant notre homme :
    On ne dort point, dit-il, quand on a tant d'esprit.
                    LA FONTAINE, Fables, IX, 4.

5   Je ne dormirai point sous de riches lambris :
    Mais voit-on que le somme en perde son prix ?
                    LA FONTAINE, Fables, XI, 4.

6   Il dormait de cet écrasant sommeil de l'ours engourdi et
    de la sangsue repue.   HUGO, les Misérables, V, XXIII.

7   Par moment, je sentais mes yeux se fermer et ma tête
    devenir lourde ; mais impossible de dormir.
                    Alphonse DAUDET, Lettres de mon moulin,
                                Diligence de Beaucaire.

7.1 (...) sans doute il vous est arrivé de traverser le soir la
    chambre d'un petit enfant qui dort et que la lumière a
    réveillé. Il n'a pas bougé et vous croyez qu'il ne s'est pas
    réveillé. Mais vous le voyez qui vous regarde de ses yeux
    grands ouverts. Peut-être même si vous approchez de lui,
    étonné, heureux, sentant son calme il sourira et si vous
    l'embrassez, il vous embrassera. Mais il ne sait pas l'heure
    qu'il est, pourquoi vous êtes là ; vous entendez un bruit
    léger ; il s'est rendormi et ne se rappellera jamais que vous
    êtes entré ; il vous a souri comme on sourit en dormant,
    il vous a regardé presque sans vous voir, en tous cas sans
    penser et il s'est rendormi. Les deux le réveiller vous avez
    embrassé sa petite figure qui, les yeux fermés, la bouche
    laissant passer le souffle, est occupée à cette grande chose
    mystérieuse qu'est de dormir. Car les petits enfants et le
    chien qui tout à l'heure a regardé M. Santeuil avant de
    se rendormir, font avec leur petit corps des choses graves
    comme de dormir, comme de mourir.
                    PROUST, Jean Santeuil, Pl., p. 862.

8   Ils dorment sans cauchemar, comme les autres nuits.
    Leurs respirations se confondent : lourds souffles de
    manœuvres, sifflements de malades, soupirs égaux d'en-
    fants.   R. DORGELÈS, les Croix de bois, V, p. 96.

9   Je sombrais en des accablements de sommeil dont dormir
    ne me guérissait pas. Je me couchais après le repas ; je
    dormais, je me réveillais plus las encore, l'esprit engourdi
    comme pour une métamorphose.
                    GIDE, les Nourritures terrestres, I, II, p. 27.

10 L'enfant avait choisi le mode d'évasion le plus sûr encore
    en ce monde. Il dormait.
                    GIRAUDOUX, les Aventures de Jérôme Bardini,
                                            p. 190.

11 (...) toi qui, pendant les années où je partageais ta couche,
    ne manquais jamais de me dire, le soir, dès que j'appro-
    chais : « Je tombe de sommeil, je dors déjà, je dors... »
                    F. MAURIAC, le Nœud de vipères, I, I, p. 18.

12 Un soir qu'il dormait dans un bar des Halles devant un
    café de dix centimes (...)
                    P. MAC ORLAN, Quai des Brumes, I, p. 9.

Faire semblant de dormir. — Loc. *Il n'en dort pas ;
cela l'empêche de dormir,* en parlant d'une crainte,
d'une préoccupation, d'un espoir qui tient en éveil
(→ Crainte, cit. 2). *Ça ne m'empêche pas de dormir :*
je ne m'en préoccupe pas beaucoup. — *Ne dormir
que d'un œil :* être sur le qui-vive. → **Veiller.** *Dormir
les yeux ouverts* (même sens). *Dormir en lièvre, en
gendarme* (même sens). — *Vous pouvez dormir tranquille, dormir sur vos deux oreilles,* en pleine sécurité ; soyez rassuré. — Vx. *Dormir en repos :* dormir
tranquille.

Enfin, ma très chère, je me mets entre vos mains, et   13
connaissant votre fidélité, je dormirai en repos de ce côté-
là (...)
                    Mᵐᵉ DE SÉVIGNÉ, 485, 1ᵉʳ janv. 1676.

Ah ! dit l'un d'eux avec conviction, avec nous, vous pouvez   14
dormir sur vos deux oreilles. On connaît la vie.
                    SARTRE, la Mort dans l'âme, p. 145.

Dans chaque Français, dit-il, en dodelinant de la tête, « il   15
y a un sceptique qui ne dort jamais que d'un demi-œil... »
                    MARTIN DU GARD, les Thibault, t. V, p. 56.

Fernand pouvait dormir tranquille : il n'avait jamais été   16
trahi, fût-ce en esprit (...)
                    F. MAURIAC, Génitrix, IX, p. 110.

(...) le malheur des Russes blancs n'éveillait en moi que   16
la sollicitude la plus maigre, et le sort de l'Europe ne m'a
jamais empêché de dormir.
                    M. YOURCENAR, Alexis..., p. 141.

Prov. *Qui dort dîne*. — *Le bien, la fortune vient en
dormant,* elle arrive à celui qui ne fait rien pour
l'obtenir. — Vx. *Jeunesse qui veille, vieillesse qui dort,
signe de mort.*

Allus. littér. « *Tu dors Brutus et Rome est dans les
fers* » (Voltaire, *la Mort de César,* II, 2), exhortation
adressée à Brutus pour l'exciter à libérer Rome de
César. — « *Les lauriers* de Miltiade m'empêchent de
dormir* ».

(Animaux). *Chien, chat qui dort au coin du feu.
Oiseau qui dort perché sur une patte.*

(V. 1120). Trans. (avec un compl. « interne »). Littér. ou
régional. *Dormez votre sommeil. Dormir un bon
somme.* — (Compl. de temps). *Dormir sa nuit.*

Tous les riches ont dormi leur sommeil, et, lorsqu'ils se   17
sont éveillés, ils n'ont rien trouvé dans leurs mains (...)
                    BIBLE (SACY), Psaumes, LXXI, 6, in LITTRÉ.

Dormez votre sommeil, riches de la terre, et demeurez   18
dans votre poussière (...)
                    BOSSUET, Oraison funèbre de Michel Le Tellier.

(...) la fatigue aidant, je ne pus dormir ma nuit.   19
                    FRANCE, le Crime de S. Bonnard, Œ., t. II, p. 315.

Au p. p. (Littér.). « *Une nuit mal dormie* » (Gautier, *le
Capitaine Fracasse*).

Par métaphore (proche du sens 4). « *Dormir sa vie* »,
« *son passé* » (M. Aymé, Aragon, in T.L.F.).

♦ **2** Poét. Reposer (en parlant des morts). *Dormir
du dernier sommeil. Les morts dorment en paix.*
→ **Reposer** (→ Cimetière, cit. 5).

Et son ombre *(du saule)* sera légère   20
À la terre où je dormirai.
                    A. DE MUSSET, Poésies nouvelles, « Lucie ».

Lorsque tu dormiras, ma belle ténébreuse,   21
Au fond d'un monument construit en marbre noir.
                    BAUDELAIRE, les Fleurs du mal,
                                « Remords posthume ».

Les morts dorment en paix dans le sein de la terre ;   22
Ainsi doivent dormir nos sentiments éteints.
                    A. DE MUSSET, Poésies nouvelles, « Nuit d'octobre ».

Suivant sa volonté, elle a été inhumée dans le Turbé des   23
vénérés Sivassi d'Eyoub, pour y dormir son dernier sommeil.   LOTI, les Désenchantées, LV, p. 250.

♦ **3** (Végétaux). Se refermer en certaines circonstances (fleurs, feuilles). *La belle-de-nuit dort durant
la journée.*

Les roses dormaient sur les rosiers, près des roses, les   24
rossignols, et dans les kiosques veillaient les sultanes.
                    M. BARRÈS, le Jardin sur l'Oronte, p. 25.

♦ **4** Fig. **ⓐ** Sujet n. de personne. Être dans l'inactivité.
— *Dormir sur son travail,* le faire lentement, sans
courage. → **Endormir** (s'), **traîner.**

Vous ne ferez pas mal de dire à vos hommes, avant de   25
partir, que c'est un chantier où il ne sera pas question de
dormir sur la manche.
                    J. ROMAINS, les Hommes de bonne volonté, t. V,
                                            XXVII, p. 277.

b (Sujet n. de chose; surtout dans : *laisser, faire dormir*). *Laisser dormir qqch.* : ne pas s'en occuper; faire silence sur. → **Négliger, oublier.** *Laisser dormir un scandale.* → **Étouffer.** *Laisser dormir un dossier au fond d'un tiroir.*

26 (...) laisser dormir et oublier toute chose jusqu'à ce que M. de Grignan puisse revenir (...)
> Mme DE SÉVIGNÉ, 345, 13 nov. 1673.

26.1 Avant de dormir soi-même, il faut faire dormir ses pensées. Mais cela ne va pas bien, car vouloir endormir une pensée, c'est penser; et penser c'est s'éveiller. Toute pensée nous met en alerte; et cela est naturel dans un univers qui n'a rien promis.
> ALAIN, Propos, 19 oct. 1927,
> «Faire dormir les pensées».

Laisser dormir ses capitaux. Capitaux qui dorment, qui ne rapportent pas d'intérêt. — *Laisser dormir un ouvrage,* négliger de le poursuivre ou le laisser volontairement de côté, pour donner à la pensée, à l'imagination le temps de la réflexion.

♦ **5** (Choses; lieux). Rester immobile, être sans mouvement. — **Spécialt.** Se dit de la nature, d'une maison, d'un lieu pendant la nuit ou aux moments de moindre activité, lorsque les humains et les animaux dorment. *Toute la maison, homme, bêtes et choses, dormait. La campagne dormait* (→ Assoupir, cit. 17; abandonner, cit. 27).

27 Tout dort; tout est tranquille; et l'ombre de la nuit (...)
> VOLTAIRE, Zaïre, V, 8.

28 D'où venait-il, ce chant, ce soupir exhalé à petit bruit dans le silence de la ville? Quelle âme inquiète veillait, lorsque tout dormait autour d'elle?
> Th. GAUTIER, le Roman de la momie, I, p. 50.

29 (...) tout dormait dans une sécurité profonde et sous le paisible regard des étoiles.
> É. FROMENTIN, Une année dans le Sahel, p. 79.

30 (...) et les raisins couleur de pierre transparente
> Sembleraient dormir au soleil sous l'ombre lente.
> Francis JAMMES, La maison serait pleine de roses,
> in Choix de poèmes, p. 43.

REM. Ces emplois sont à distinguer des métonymies du sens 1 : *tout le quartier, toute la ville dormait.*

♦ **6** Rester sans couler (en parlant de l'eau). → **Dormant** (→ Blanchir, cit. 11).

31 On passait un petit pont. Dans le ruisseau sale, dessous, l'eau dormait dans les détritus et les débris de viande.
> J. GIONO, Regain, p. 105.

32 (...) le fjord dort entre les monts à pic, tel un long lac tortueux (...)
> André SUARÈS, Trois hommes, «Ibsen», I, p. 71.

Prov. *Il n'est pire eau que l'eau qui dort :* il ne faut pas se fier à l'apparence tranquille des gens qui dissimulent leur vraie nature, gardent leurs sentiments secrets.

♦ **7** (1834). Mar. Ne pas se mouvoir (en parlant du compas).

♦ **8** (Sujet n. de chose abstraite). Ne pas se manifester; demeurer sans avoir d'effet extérieur (en parlant des sentiments, des passions, des souvenirs...). *Chagrin* (cit. 12), *passé qui dort, au fond de l'âme. La fièvre qui dormait se ranime* (→ Aggraver, cit. 7).

33 Ne réveillez pas le chagrin qui dort.
> J. RENARD, Journal, 12 sept. 1901
> N.B. Jeu sur le prov. : ... *le chat qui dort.*

34 Ce qui dormait sous les eaux endormies, ce principe de corruption, ce secret putride, je ne fis rien pour l'arracher à la vase.
> F. MAURIAC, le Nœud de vipères, p. 65.

35 Passions du fond caché, lames de fond : le plus souvent, elles dorment; mais il arrive, soulevées, qu'elles emportent les rives de la paix commune.
> André SUARÈS, Trois hommes, «Dostoïevski», V,
> p. 243.

B N. m. (Didact. ou rare). *Le dormir.* → **Sommeil** (→ Boire, cit. 44).

36 Si nous rêvions toutes les nuits que nous sommes poursuivis par des ennemis, et agités par ces fantômes pénibles (...) on appréhenderait le dormir, comme on appréhende le réveil quand on craint d'entrer dans de tels malheurs en effet.
> PASCAL, Pensées, VI, 386.

CONTR. Éveiller (s'), veiller. — Agiter (s'), bouger, remuer. — Réveiller. ◊ **DÉR.** Dormance, dormant, dormette, dormeur, dormeuse, dormoir. **REM.** On trouve plusieurs dérivés (diminutifs) comme *dormailler, dormasser* (Huysmans), *dormichonner, dormitailler,* v. intr. («somnoler, dormir peu ou mal»), illustrés d'exemples, dans le T.L.F. → **COMP.** Endormir.

DORMITIF, IVE [dɔʀmitif, iv] adj. — 1545; dér. sav. du lat. *dormitum,* supin de *dormire.* → Dormir.

Par plaisanterie ou vieux.

♦ **1** Méd. Qui provoque le sommeil*. → **Narcotique, somnifère, soporifique.** *Remède dormitif. Potion dormitive.* — N. m. *Un dormitif. L'opium est un dormitif.*

1 Quand l'anesthésiste apparut pour proposer quelques dormitifs, le Nain jaune se dressa sur sa pyramide d'oreillers et cria : — Jamais!
> Pascal JARDIN, le Nain jaune, p. 208.

Allus. littér. «*Pourquoi l'opium fait-il dormir? (...) Parce qu'il a une vertu dormitive*» (Molière, *le Malade imaginaire,* 3ᵉ intermède en latin) : cité pour ridiculiser une explication purement verbale.

2 (...) le dernier trait de Molière, celui qu'il a en quelque sorte décoché en mourant dans l'admirable bouffonnerie du «Malade imaginaire». Pourquoi l'opium fait-il dormir?... Parce qu'il a une vertu dormitive : plaisanterie immortelle que tout philosophe et tout savant doivent avoir toujours présente à l'esprit, pour ne pas confondre leur ignorance avec leur science ni les mots avec les choses.
> Paul JANET,
> la Philosophie dans les comédies de Molière.

♦ **2** Fig. *Discours dormitif.* → **Endormant, soporifique** (fig.). *Éloquence dormitive* (Académie).

CONTR. Excitant.

DORMITION [dɔʀmisjɔ̃] n. f. — V. 1450, *dormison,* A. Gréban; lat. *dormitio,* du supin de *dormire* «dormir».

♦ **1** Théol. cathol. Le dernier sommeil de la Vierge Marie, au cours duquel eut lieu son assomption. *Dormition de la Vierge* (thème iconographique).

♦ **2** Fig. et littér. Sommeil, inertie. «*Le XXᵉ siècle allait arracher définitivement la littérature à sa dormition*» (*le Nouvel Obs.,* 24 juin 1983, p. 44).

DORMOIR [dɔʀmwaʀ] n. m. — 1875; de *dormir.*

Vx. Endroit où se reposent les bestiaux.

> En nous rien des yeux verts de l'amante fatale
> Par sa jupe épandue en mare de sang noir.
> Rien des beautés faisant que le désir détale
> Devant leurs cœurs repus de vaches au dormoir.
> G. NOUVEAU, Saintes femmes, 1875, Pl., p. 376.

DOROIR [dɔʀwaʀ] n. m. — 1680; de *dorer.*

Techn. (cuis.). Brosse à dorer la pâtisserie.

DORONIC [dɔʀɔnik] n. m. — 1694, Tournefort; *deronic,* 1425; lat. médiéval *doronicum,* de l'arabe *dārā-nīdj.*

Bot. Plante dicotylédone (*Composées*) vivace, dont une variété, le *doronic pardalianche,* est appelée *herbe à la panthère. Doronic d'Allemagne :* arnica.

DORS-, DORSI-, DORSO- Élément, du lat. *dorsum* «dos». → **Dorsalgie, dorsiventral, dorso-palatal, dorso-vélaire.**

DORSAL, ALE, AUX [dɔʀsal, o] adj. et n. — 1314; lat. médiéval *dorsalis*, lat. class. *dorsualis*, de *dorsum*. → Dos.

Qui appartient au dos. → 1. **Tergal**.

♦ **1** Anat. et cour. **a** Du dos (d'une personne, d'un animal). *La région dorsale. L'épine dorsale* (cour.). *Les vertèbres dorsales. Portion dorsale de la colonne vertébrale ou colonne dorsale, comprenant douze vertèbres. Les dernières vertèbres dorsales, du corps des oiseaux.* → **Croupion.** *Les muscles dorsaux.*

N. m. *Muscle dorsal. Le long dorsal* : formation musculaire, de direction longitudinale, qui s'étend du sacrum à la région cervicale — *Le grand dorsal,* situé à la partie inférieure et postérieure du tronc.

1 Situé à la partie postérieure et inférieure du tronc, le grand dorsal est un muscle large et mince, affectant la forme d'un triangle, dont la base répond à la colonne vertébrale et le sommet à la région axillaire.
L. TESTUT, Traité d'anatomie, t. I, p. 877.

2 Le corps charnu du long dorsal se sépare de l'ilio-costal (...) un peu au-dessous de la douzième côte et se divise en deux ordres de faisceaux : les uns externes ou costaux, les autres internes ou transversaires.
L. TESTUT, Traité d'anatomie, t. I, p. 898.

Nageoire dorsale, ou, n. f., *la dorsale,* située sur la ligne médiane du dos des poissons.

Position dorsale, sur le dos. *Décubitus* dorsal.*

2.1 Il y a d'abord la position *dorsale* qui fait de l'enfant un petit gisant, pieusement disposé, la face vers le ciel, les pieds joints et qui, il faut en convenir, évoque plutôt la mort que le repos. À cette position dorsale s'oppose la position *latérale,* les genoux remontés vers le ventre, tout le corps ramassé en forme d'œuf.
M. TOURNIER, le Roi des Aulnes, p. 352.

b (V. 1560, Paré). Anat. Du dos (de la main, du pied). *Région dorsale de la main, du pied* (opposé à *région palmaire). Face dorsale des os du carpe, du tarse.*

♦ **2** *Parachute dorsal,* fixé sur le dos du parachutiste (opposé à *parachute ventral*). — N. m. *Le dorsal. Ouvrir son dorsal.*

♦ **3** Phonét. Se dit des consonnes articulées avec le dos de la langue (ex. : [k]). Par ext. *Une articulation dorsale,* avec le dos de la langue. — N. f. *Une dorsale* : une consonne dorsale. *Dorsales articulées vers l'avant* (palais dur). → **Palatal** (palatale, n. f.), et aussi **Dorso-palatal, dorso-vélaire.**

♦ **4** N. f. Géogr. Ligne faîtière d'une chaîne de montagnes. — Spécialt. Chaîne sous-marine. *Dorsale océanique.*

3 Dans l'ensemble, le pays monte en pente douce d'ouest en est, mais sitôt franchie la ligne de partage des eaux, s'abaisse très vite vers le Jourdain. Hormis la dorsale nord-sud, la chaîne du Carmel, oblique, est seule à marquer une direction nette dans la confusion.
DANIEL-ROPS, le Peuple de la Bible, p. 120.

Météor. *Dorsale barométrique* : ligne de hautes pressions.

♦ **5** N. f. Photogr. Couche appliquée au dos d'un support.

♦ **6** N. m. (1870). Archéol. Tenture servant de dossier dans les stalles du chœur.

DÉR. **Dorsalement.** ◊ COMP. **Latérodorsal, médiodorsal, prédorsal.**

DORSALEMENT [dɔʀsalmɑ̃] adv. — xxᵉ; de *dorsal.*
Sc. En position dorsale. *Éléments soudés dorsalement.* → Céphalothorax, cit.

DORSALGIE [dɔʀsalʒi] n. f. — 1956; de *dors-,* et *-algie.*
Pathol. Douleur localisée au dos.

DORSI- → Dors-.

DORSIFÈRE [dɔʀsifɛʀ] adj. — 1870; de *dorsi-,* et *-fère.*
Bot. Se dit d'une feuille au dos de laquelle se trouvent les organes de fructification.

DORSIVENTRAL, ALE, AUX [dɔʀsivɑ̃tral, o] adj. — xxᵉ; de *dorsi-,* et *ventral.*
Didact. (biol.). Se dit d'une structure présentant une symétrie par rapport à un (seul) axe.

DÉR. **Dorsiventralité.**

DORSIVENTRALITÉ [dɔʀsivɑ̃tralite] n. f. — xxᵉ; de *dorsiventral.*
Bot. Symétrie dorsiventrale. — REM. On écrit aussi *dorsi-ventralité.*

La présence de vrilles sur le sarment (...) nous rappelle que la vigne appuie normalement sa tige à un support. Aussi le sarment n'est-il pas absolument symétrique par rapport à un plan qui passerait par l'axe des organes portés par les nœuds. Tous ses organes sont dirigés d'un même côté (le ventre du sarment), alors que l'autre face ou dos du sarment s'appuie (...) contre un éventuel tuteur. Il y a dorsiventralité de la tige chez la vigne.
Louis LEVADOUX, la Vigne et sa culture, p. 14.

DORSO- → Dors-.

DORSOLOMBAIRE [dɔʀsolɔ̃bɛʀ] adj. — 1929; de *dorso-* (→ Dors-), et *lombaire.*
Physiol. Qui concerne à la fois le dos et la région lombaire. *Les vertèbres dorsolombaires. Douleurs dorsolombaires.*

DORSO-PALATAL, ALE, AUX [dɔʀsopalatal, o] adj. — xxᵉ; de *dorso-,* et *palatal.*
Phonét. Se dit d'une palatale* qui s'articule à la jonction du dos de la langue et du palais dur (→ **Dorso-vélaire**). *Consonne dorso-palatale* (ex. : [k] dans *qui* [ki]). — N. f. *Une dorso-palatale.*

DORSO-VÉLAIRE [dɔʀsovelɛʀ] adj. — xxᵉ; de *dorso-,* et *vélaire.*
Phonét. Se dit d'une vélaire* qui s'articule à la jonction du dos de la langue et du voile du palais. *Consonne dorso-vélaire* (ex. : [k] dans *cou* [ku]). — N. f. *Une dorso-vélaire.*

DORTOIR [dɔʀtwaʀ] n. m. — xiiᵉ; lat. *dormitorium* «chambre à coucher», de *dormitum,* supin de *dormire.* → Dormir.

♦ **1** Grande salle commune où dorment les membres d'une communauté. → **Chambre** (à coucher). *Le dortoir d'un couvent, d'un monastère, d'un collège. Dortoir de caserne.* → **Chambrée.**

J'étais arrivé fort tard à Sainte-Pélagie, et l'on ne pouvait me donner place à la pistole que le lendemain. Il me fallut donc coucher dans l'un des dortoirs communs. C'était une vaste galerie qui contenait une quarantaine de lits.
NERVAL, Mes prisons, Pl., t. I, p. 77.

♦ **2** (V. 1955). En appos. *Cité-dortoir, ville-dortoir, banlieues-dortoirs, quartiers-dortoirs* : lieux (d'habitation) dont la fonction principale est de loger des personnes dont le lieu de travail est dans un centre voisin. *X «n'est pas encore une ville mais ce n'est plus une "commune-dortoir" sans personnalité et sans âme» (le Figaro, 13 janv. 1967).*

On aperçoit au loin, perchés sur une colline, les hauts édifices de la cité ouvrière, maisons-dortoirs à vingt étages alignées les unes derrière les autres comme des dominos.
Régis DEBRAY, l'Indésirable, p. 283.

(En emploi isolé). *Cette ville n'est qu'un dortoir.*

DORURE [dɔʀyʀ] n. f. — V. 1167, *doreure; de dorer.*

▮ ♦ 1 Couche d'or (généralement mince) ou d'une substance ayant l'apparence de l'or, appliquée à un objet (→ **Doré**). *La dorure d'un plafond, d'un tableau* (→ Chromo, cit. 1). *Dorure sur tranches. Une fausse dorure.* → Or, cit. 26.

1 (...) aucune dorure, aucun artifice n'arriverait à cet éclat inimitable de l'or épais et sans alliage, que les siècles n'ont pas su ternir.
LOTI, l'Inde (sans les Anglais), VI, IX, p. 433.
Reliure. *Une dorure usée. Ramender une dorure.*

♦ 2 Ornement ou ensemble d'ornements dorés. *Uniforme couvert de dorures.*

2 (...) c'est sous l'habit rustique d'un laboureur, et non sous la dorure d'un courtisan qu'on trouvera la force, et la vigueur du corps.
ROUSSEAU, Discours sur les sciences et les arts, I.

♦ 3 Préparation liquide servant à dorer la pâte. *La dorure d'un pâté, d'un gâteau.*

♦ 4 Fig. Éclat, apparence brillante et trompeuse. *La dorure de son style.*

3 Alors, presque malgré lui, il répand sur les noires visions la dorure de son éloquence. Il apaise la catastrophe future dans le bercement d'une musique.
J. ROMAINS, les Hommes de bonne volonté, IV, XXIII, p. 256.

▮▮ (1771). Action de dorer. → **Dorage**. Techn. Action de recouvrir certains corps d'une couche d'or. *Dorure sur bois, sur cuir, sur plâtre, sur métal. Dorure de la porcelaine. Ouvrier en dorure.* → **Doreur**. — *Dorure du cuivre, du bronze, du laiton, de l'argent. Préparer la surface d'un corps pour la dorure.* → **Réchampir**. *Dorure à la feuille ou à l'or en feuille, à l'or moulu. Dorure au mercure, à la pâte. Dorure par immersion, au trempé ou en détrempe* (→ **Jaunissage**). *Dorure au bouchon ou au pouce. Dorure au vernis* (→ **Mordant**), *à l'huile, au feu, à chaud, au froid. Dorure où l'on utilise la batture. Dorure galvanique, galvanoplastique, électrochimique. Protection d'une dorure par matage*. Dorure mate, cuivrée. Dorure à l'or vert ou rouge.*
Reliure. *Dorure aux fers.*

DORYPHORE [dɔʀifɔʀ] n. m. — 1752, au sens 1; au sens 2, 1817; grec *doruphoros* «porte-lance», de *doru* «lance» et *phorein* (→ -phore); sens 2, lat. mod. *doryphora*, grec *doruphoros*.

♦ 1 Antiq. grecque. Soldat de la garde impériale armé d'une lance.
Le Doryphore : statue de Polyclète considérée comme un modèle de proportions.

♦ 2 Zool. et cour. À cause des lignes noires qu'il porte sur chaque élytre, Insecte coléoptère *(Chrysomélidés),* scientifiquement appelé *leptinotarse. Le doryphore, parasite de la pomme de terre, est appelé aussi* colorado.

(...) ils prennent un chemin à travers un champ de patates en fleurs qui sent les doryphores et leur suc jaune âcre poivré (...)
Tony DUVERT, Paysage de fantaisie, p. 117.

♦ 3 Fam. **a** (Vieilli; en usage en 1941-1945). Soldat allemand (ils étaient nombreux et «parasites»).
b Touriste, pour les autochtones (comme pour le sens précédent, idée d'invasion massive et de parasitisme).

DOS [do] n. m. — 1080, *Chanson de Roland;* du lat. pop. *dossum,* lat. class. *dorsum,* appliqué surtout aux animaux, et qui a éliminé *tergum* «dos humain».

▮ ♦ 1 Partie postérieure (du corps humain) qui s'étend des épaules jusqu'aux reins de chaque côté de la colonne vertébrale. → **Colonne** (vertébrale), **échine**. Vieilli. *L'épine du dos :* la colonne vertébrale — *Le bas du dos.* → **Derrière, fesse, rein**. *Être large du dos :* avoir les épaules carrées. → **Carrure**. *Dos droit, voûté, cassé, rond, courbé* (cit. 30). *Avoir mal au dos, dans le dos. Déformation, maladies du dos.* → **Bosse, cyphose, gibbosité, lordose, lumbago, nouure, scoliose... Se faire brunir, rôtir le dos au soleil* (→ Boire, cit. 31).

1 C'était un homme d'environ cinquante ans, à moustaches blanches, fort et grand, le dos voûté à la manière des vieux officiers d'infanterie qui ont porté le sac.
A. DE VIGNY, Servitude et Grandeur militaires, I, IV, p. 66.

2 Ce grand corps blanc teinté de rose, doté des longues jambes, du dos plat qu'on voit aux nymphes des fontaines d'Italie; la fesse à fossettes, le sein haut suspendu (...)
COLETTE, Chéri, p. 11.

3 (...) la pianiste qui se penche en creusant le dos (...)
J. ROMAINS, les Hommes de bonne volonté, IV, XV, p. 155.

Avoir un bon dos (vieilli au sens concret), *le dos solide* (→ Compter, cit. 7).

4 Avec un si bon dos, ma foi, Monsieur Loyal,
Quelques coups de bâton ne vous siéraient pas mal.
MOLIÈRE, Tartuffe, V, 4.

5 Ce petit homme, au dos solide, les épaules larges et vénérables, marche à pas comptés.
André SUARÈS, Trois hommes, «Ibsen», III, p. 108.

Loc. fig. *Avoir le dos solide :* avoir de grandes ressources, une situation financière qui permet de supporter de lourdes charges, des pertes importantes (→ avoir les reins* solides).

AVOIR BON DOS : être chargé d'une responsabilité, servir de prétexte (**personnes; choses**). *Sa mère a bon dos, son travail a bon dos :* sa mère, son travail (évoqués)... sont de mauvais prétextes.

5.1 L'adjudant qui a joué un rôle effacé, regarde au loin tristement; il prétend qu'il pense tout le temps à sa femme. Sa femme a bon dos.
DRIEU LA ROCHELLE, la Comédie de Charleroi, p. 218.

Le dos lui démange* (cit. 5).
Courber, plier le dos (l'échine) *sous un fardeau, sous la pluie. — Tomber sur le dos. Dormir sur le dos.* — Fig. → **Céder** (→ Courber, cit. 4), **résigner** (se). — *Tendre le dos, pour porter un fardeau* (→ Corps, cit. 28). Fig. *Tendre le dos sous les coups, sous la fatigue* (→ Clairon, cit. 2).
Faire le gros dos : se ramasser sur soi-même (pour se protéger, etc.); → *infra,* 2.

6 Nous faisions le gros dos sous la pluie.
R. DORGELÈS, les Croix de bois, IV, p. 63.

6.1 Donc, on se serrait les uns contre les autres à quarante ou cinquante, en faisant le gros dos.
DRIEU LA ROCHELLE, la Comédie de Charleroi, p. 55.

Vx (fig.). *Faire le gros dos :* affecter des airs importants.

7 (...) qui, faisant le gros dos, la main dans la ceinture, Viennent, pour tout mérite, étaler leur figure?
J.-F. REGNARD, le Joueur, I, 2.

8 (...) à force (...) de faire l'important et le gros dos, il *(le fils de Saumery)*imposait à une partie de la cour (...)
SAINT-SIMON, Mémoires, t. I, XLVII.

(1809, *in* D. D. L.). Fam. (par euphém.; → Cul). **PLEIN LE DOS.** *En avoir plein le dos de (qqn, qqch.) :* être excédé par (qqn, qqch.). *J'en ai plein le dos :* j'en ai assez. Syn. : *en avoir plein le cul*, ras le cul; en avoir ras* le bol.*

8.1 Le soir, chez Zola, que je trouve triste, morose, agité du désir de quitter Paris, «dont il a *plein le dos.*
Ed. et J. DE GONCOURT, Journal, t. VI, p. 136.

9 Je passe ma vie à me faire engueuler ; j'en ai plein le dos,
   à la fin !
       COURTELINE, Boubouroche, Comédie, I, 1, p. 104.

Loc. *Fardeau, charge qui scie le dos,* qui fait mal.
— Fig. *Scier le dos de qqn,* l'ennuyer, l'importuner.
Il me scie le dos avec ses histoires. Syn. : *casser les
pieds*.

(Avoir le) dos à (qqch.), appuyé contre (qqch.).

9.1 (...) la nouvelle arrivante, effrayée par les grondements
    menaçants de l'animal, se réfugie contre le mur du fond,
    dans la partie située sur la gauche de l'escalier, où elle se
    plaque dos à la pierre.
        A. ROBBE-GRILLET, la Maison de rendez-vous, p. 43.

Fig. *Avoir le dos au mur* : être poussé dans ses
derniers retranchements. → **Acculé** (être).

Loc. prov. *Avoir le dos au feu, le ventre à table* : être
confortablement installé pour manger, et, par ext.,
se donner toutes les aises.

TOURNER LE DOS (à qqn, qqch.) : se présenter de
dos. *Dans la mise en scène traditionnelle, les acteurs
ne doivent pas tourner le dos au public. Le dos
tourné à la porte* : le dos faisant face à la porte.

10 Elle est assise auprès du sa fenêtre, le dos tourné à la
    porte (...)
        BEAUMARCHAIS, le Barbier de Séville, III, 2.

11 Si elle avait deviné que j'étais là, pourquoi s'obstinait-elle
    à me tourner le dos ?   H. BOSCO, Hyacinthe, p. 41.

Fig. *Tourner le dos à qqch.,* négliger, refuser de voir,
de reconnaître, de considérer.

12 Nous tournons le dos à la vérité.
        BOSSUET, Respect, 2.

13 Malheur à qui vit l'œil ouvert sur le monde matériel et le
    dos tourné au monde inconnu !
        HUGO, Post-scriptum de ma vie,
        De la vie et de la mort.

14 Enfin, il lui semblait qu'il devait écarter le risque de
    rompre avec eux ; qu'en s'éloignant d'eux, c'était à sa
    chance qu'il tournait le dos.
        J. ROMAINS, les Hommes de bonne volonté, V,
        XVIII, p. 128.

Vx. *Tourner le dos* : s'en aller, s'éloigner un moment
(→ Cheminer, cit. 3). *Montrer, tourner le dos à l'ennemi* : fuir (→ **Casaque**). — Mod. *Avoir le dos tourné* :
être parti (pour un moment). *Dès qu'il a le dos
tourné* : dès qu'il s'absente un instant. → **Aller** (s'en
aller), **partir**.

15 (...) ceux qui se font les plus grandes amitiés du monde,
    et qui, le dos tourné, font galanterie de se déchirer l'un
    l'autre (...)   MOLIÈRE, l'Impromptu de Versailles, 4.

Tourner le dos à qqn : se détourner de qqn pour
échapper ou pour couper court à un entretien. Fig.
Cesser de fréquenter qqn, en marque de réprobation, de dédain, de mépris (→ **Dédaigner, mépriser**).
Tous ses amis lui ont tourné le dos. → **Abandonner**.

16 (...) le professeur Vernet, qui me tourna le dos, comme
    tout le monde, après que je lui eus donné des preuves
    d'attachement et de confiance qui l'auraient dû toucher (...)
        ROUSSEAU, les Confessions, VIII.

17 Un quant à soi qui touche à la grossièreté, et qui serait
    offensant pour le voisin, s'il n'en rendait pas l'offense. Les
    femmes n'en sont pas exemptes ; de là, cet air de roideur
    et de tourner le dos aux gens, qu'elles ont volontiers.
        André SUARÈS, Trois hommes, « Ibsen », I, p. 73.

Tourner le dos à (qqch., un lieu) : marcher dans une
direction opposée à celle que l'on veut ou que l'on
doit prendre. *Vous voulez aller au village ? mais
vous lui tournez le dos.*

À DOS : derrière soi. Vx. *Avoir l'ennemi à dos,* prêt
à attaquer par derrière. — Fig. (mod.) *Se mettre qqn
à dos,* s'en faire un ennemi. *Il s'est mis tous ses
collègues à dos, en prenant une telle attitude.*

Sac à dos, qui se porte sur le dos.

Loc. *À plat dos.* → Plat, cit. 8.1.

AU DOS : dans le dos, sur le dos. *Mettez les mains
au dos,* derrière le dos (→ Corrégidor, cit.). — *Mettre
le sac au dos.* Fig. S'apprêter à partir. *Sac au dos !* :
en avant !

DANS LE DOS. **[a]** Sur le dos, au dos, derrière le dos.
Carré de toile que les coureurs portent dans le dos
(→ Dossard). *Cacher qqch. dans son dos,* derrière
son dos. *Porter ses cheveux dans le dos* (→ Ânonner,
cit. 4). — Fig. *Agir dans le dos de qqn,* sans qu'il
s'en aperçoive, sans le prévenir. — *Passer la main
dans le dos de qqn,* le flatter. — *Faire froid dans
le dos.* → **Effrayer.** — *Tirer dans le dos de qqn,* par
derrière (→ Coup, cit. 44) ; fig. chercher à lui nuire
hypocritement, sans qu'il puisse se défendre.

S'il y avait, venant de l'extérieur justement, un coup dur,   18
elle se garderait bien de vous tirer dans le dos.
        J. ROMAINS, les Hommes de bonne volonté, III,
        XVII, p. 232.

« Marc, tout est consommé ! Dans les bois près d'Évreux ! »   18
Petrus tenait l'écouteur contre son oreille. Je fus pris à
l'instant d'un grand froid dans le dos et me lançai dans
une quinte de toux fracassante (...)
        Maurice CLAVEL, le Tiers des étoiles, p. 121.

Il est toujours dans son dos. → Sur son dos (ci-
dessous).

[b] (Euphém. ; → Cul). Fam. et vulg. *L'avoir dans le dos* :
être dupé, trompé. → **Avoir** (se faire avoir). — Loc.
Faire un enfant dans le dos à qqn, le tromper,
l'« engrosser » par traîtrise, « faire l'amour » par derrière ou encore, « cocufier » (alors interprété comme :
faire un enfant à une femme dans le dos du mari).

— Vous vous moquez de moi, monsieur Salomon. Ce n'est   18
pas gentil, je vous ai toujours vénéré, comme vous n'êtes
pas sans ignorer.
— Laissez la langue française tranquille, Jeannot. N'essayez pas de la sauter, elle aussi. Vous ne lui ferez pas
un enfant dans le dos, je vous assure. Les plus grands
écrivains ont essayé, vous savez, et ils sont tous morts,
comme les derniers des analphabètes.
        É. AJAR (R. GARY), l'Angoisse du roi Salomon,
        p. 213.

DE DOS : du côté du dos (opposé à *de face*). *Se
regarder de dos, dans une glace. Se voir de dos*
(→ Cambrer, cit. 3 ; combine, cit. 2). *C'est elle, vue de
dos,* montrant le dos. *Cette coiffure est mieux de
dos.* — Plais. *Cette personne est belle, de dos,* elle est
laide.

Loc. fam. *Le même vu de dos* : le même, mais on
ne s'en aperçoit pas.

DERRIÈRE LE DOS. *Mains liées derrière le dos.
Mettez les mains derrière le dos ! Cacher qqch. derrière son dos.* — Fig. *Faire qqch. derrière le dos de
qqn,* sans qu'il en soit averti, sans son consentement (→ Apprêter, cit. 15). *Jeter qqch. derrière son
dos,* traiter comme quantité négligeable, ne pas
s'en soucier. → **Balancer** (s'en balancer).

DOS À DOS [dozado ; doado]. *Placer deux personnes
dos à dos,* chacune tournant le dos à l'autre
(→ Adosser). Fig. *Renvoyer les deux parties dos à
dos,* sans donner raison à l'une plus qu'à l'autre.

Ce qui est injuste, Monsieur Borne, c'est de renvoyer dos   18
à dos les auteurs des catastrophes nationales et ceux qui
s'efforcent de les réparer (...)
        F. MAURIAC, Bloc-notes 1952-1957, p. 156.

SUR LE DOS. *Se coucher, s'étendre, se mettre, s'allonger sur le dos.* → **Décubitus** (dorsal). *S'appuyer sur
le dos.* → **Adosser** (s') ; → Asseoir, cit. 1, 10. — *Dormir
sur le dos.* Fig. et vx. *Être, rester sur le dos* : être
malade, alité, couché. — (1905, in Petiot). *Nage* sur
le dos.

Pop. *Être, aller sur le dos* : se prostituer. → Horizontale.

— Et tes boucles d'oreilles, combien qu'elles coûtent ? (...)   18
On voit que tu gagnes ça sur le dos.

— Pardi elle fait son quart au coin de la rue de Mondétour.
ZOLA, le Ventre de Paris, t. I, p. 187.

Porter une charge sur le dos (→ Bandoulière, cit. 2).
Avoir un sac sur le dos (→ *supra*, sac au dos).

19 Ils traversaient l'enfer de la soif en tirailleurs, une mitrailleuse sur le dos, des grenades à la main.
P. MAC ORLAN, la Bandera, VIII, p. 91.

Fig. *Mettre qqch. sur le dos de qqn,* l'en accuser, l'en rendre responsable. → **Charger, jeter** (sur), **rejeter** (sur). *Prendre qqch. sur son dos,* s'en rendre responsable.

20 (...) il n'y a rien de plus commode et de plus tôt fait que de tout jeter sur mon dos.
Mme DE SÉVIGNÉ, 1359, 17 juil. 1693.

21 Tout ce qu'on mettait sur leur dos pour justifier des mesures de répression dont on avait besoin.
J. ROMAINS, les Hommes de bonne volonté, IV, x, p. 103.

Se mettre qqch. sur le dos, prendre en charge.

Jeter un vêtement sur son dos, sur ses épaules. Par exagér. *N'avoir rien à se mettre sur le dos :* avoir une garde-robe dégarnie. *Il n'a pas une chemise à se mettre sur le dos :* il est extrêmement pauvre.

Loc. *Se laisser manger, tondre la laine sur le dos :* se laisser exploiter, dépouiller sans rien dire.

Frapper qqn sur le dos (→ Assommer, cit. 3 ; bâton, cit. 9).

22 (...) que je prendrais de joie à venger sur son dos tous les pas inutiles que sa jalousie nous fait faire !
MOLIÈRE, le Sicilien, 4.

Loc. **(vx).** *Battre qqn sur le dos d'un autre :* faire devant qqn la critique, le procès d'une personne de telle manière que critiques et reproches retombent en fait sur l'interlocuteur — *Faire pénitence* sur le dos d'autrui* (cit. 13), à ses dépens. — *Faire fortune sur le dos des pauvres gens.* → Politicailleur, cit.

Tomber sur le dos, à la renverse ; (fig.) être surpris (→ Sur le cul*). *Tomber, sauter sur le dos de qqn,* se jeter sur lui, par derrière. — Par ext. *Les ennemis nous sont tombés sur le dos,* ils ont attaqué alors qu'on ne s'y attendait. → **Attaquer.** — Fam. *Nous ne l'attendions pas, il a nous tomber sur le dos d'un moment à l'autre,* arriver à l'improviste (en parlant d'une personne indésirable). *Cela vous retombera sur le dos :* c'est vous qui en supporterez les conséquences (→ Alourdissement, cit. 2).

23 Des actions d'autrui on nous donne le blâme,
Si nos femmes sans nous ont un commerce infâme,
Il faut que tout le mal tombe sur notre dos !
MOLIÈRE, le Cocu imaginaire, 17.

Être sur le dos de qqn, pour le surveiller, pour lui demander un service (→ Coin, cit. 14). *Il est toujours sur mon dos :* il passe son temps à me surveiller, à me harceler (syn. : *dans mon dos*). *Avoir qqn sur le dos.*

23.1 (...) on ne peut pas les laisser seuls un instant, il faut être constamment derrière eux, surveiller chaque pas qu'ils font (...) Seulement voilà on est toujours trop délicat, elle a si peur de les troubler (...) On se figure que ça les empêche de bien travailler, qu'on soit là toujours sur leur dos (...)
N. SARRAUTE, le Planétarium, p. 13.

23.2 M. Cornelis prend un temps avant d'ajouter :
— Et la presse ?
— Ah ! la presse, je l'ai sur le dos sans interruption depuis hier.
René FLORIOT, La vérité tient à un fil, p. 71.

♦ **2** Face supérieure du corps (des animaux). *Dos d'un lapin, d'un lièvre.* → **Râble.** *Extrémité postérieure du dos des oiseaux.* → **Croupion.** *Harnais fixé sur le dos d'un cheval.* → **Dossière, surdos.** *Grimper, monter sur le dos d'un cheval.* → **Monter** (un cheval) ; → Colporteur, cit. 2. *Dos d'âne.* Fig. → **Âne** (II.). *Transport à dos de chameau. Aller à dos de mulet.*

Au piquet, les mulets de la section de mitrailleuses poussaient de petits cris, ruaient et se mordaient le dos. 24
P. MAC ORLAN, la Bandera, XIII, p. 158.

Par anal. *À dos d'homme :* transporté par un homme.

(...) il reste un espace marécageux que nous traversons à 24.1 dos d'homme.
GIDE, Voyage au Congo, in Souvenirs, Pl., p. 839.

T. de manège. (Dos du cheval). *Dos long. Dos court,* signe de force. *Dos large. Dos double,* dans lequel on remarque un léger sillon. *Dos trop concave.* → **Ensellé.** — *Dos de carpe* (d'un mulet) : dos trop convexe.

Loc. *Faire le gros dos,* se dit d'un chat qui bombe le dos en raidissant les pattes postérieures. Loc. fam. *Faire la bête à deux dos.* → **Bête** (cit. 22.1 et *supra*). (V. 1900). Spécialt (argot anc.). *Dos vert, dos :* proxénète (→ **Maquereau**).

À bas la romance et l'idylle (...) 24.2
Des marlous, de la grande ville,
Nous allons chanter la chanson !
V'là les dos, viv'nt les dos !
C'est les dos les gros
Les beaux
À nous les marmites !
A. BRUANT, Dans la rue, «Marche des dos», p. 46.

II Par anal. (Ce qui, par sa forme, sa position, sa destination, offre une analogie avec le dos de l'homme ou de l'animal). ♦ **1** Partie (d'un vêtement) qui couvre le dos. *Manteau à dos ample, plissé. Dos ceintré. Dos d'une cuirasse* (→ **Dossière**). *Robe à dos nu.* — N. m. *Un dos nu :* vêtement de femme dégageant largement le dos.

♦ **2** Dossier*. *Le dos d'une chaise, d'un fauteuil.*

— Qu'est-ce que tu as derrière la tête ? lui demanda 24.3 Valentin.
— Le dos de ma chaise, répondit Julia qui n'était pas bien grande et qui était assise dans un fauteuil.
R. QUENEAU, le Dimanche de la vie, p. 167.

♦ **3** Sc. nat. Partie supérieure et convexe. *Le dos du nez, du pied, de la main* (→ Cigarette, cit. 1), *le dos de la langue* (→ 2. Bol, cit.).

Bot. *Dos d'une strie, d'une graine, d'une feuille.*

Cour. *Dos d'une fourchette, d'une cuiller,* partie extérieure de l'extrémité utilisée. — Fig. *Ne pas y aller avec le dos de la cuiller** (cit. 5). — *Le dos d'une brosse.*

Le dos d'une colline, d'un mamelon. → **Contre-pente** (→ Cramponner, cit. 9).

Poét. *Le dos d'une vague.*

Cependant sur le dos de la plaine liquide 25
S'élève à gros bouillons une montagne humide (...)
RACINE, Phèdre, V, 6.

♦ **4** Côté opposé au tranchant. *Le dos d'une lame, d'un couteau.*

♦ **5** **ⓐ** Rare. Partie postérieure d'une surface. → **Arrière, derrière.** *Le dos d'une maison* (opposé à *façade*).

ⓑ Cour. Partie (d'un livre) qui unit les deux plats. *Les tranches et le dos. Titre au dos du livre* (cf. *Quatrième de couverture*). *Dos à nerfs. Dos cartonné, dos brisé*. Dos collé, cousu. Le relieur doit réparer les dos, mais les plats sont bons.*

ⓒ Envers (d'un papier écrit). → **Arrière, verso.** *L'endroit et le dos de la feuille.* — *Au dos. Mettre son adresse au dos d'une enveloppe. Signer au dos d'un chèque* (→ **Endosser**). *Voir au dos.* → **Verso.**

CONTR. Ventre ; face ; façade. — Plante (du pied) ; plat (de la main). ◊ DÉR. Dossard, dosse, dossier, dossière. — COMP. Ados, adosser, dos-à-dos, dos-d'âne, endos, endosser, extrados, intrados, surdos. — Gratte-dos, lave-dos. — HOM. Do.

DOSABLE [dozabl] adj. — 1819; de *doser*.

Qui peut être dosé. — Fig. *«Une gamme de moyens (...) facilement dosables»* (R. Vuillemin, *Éducation physique*, in T. L. F.).

CONTR. **Indosable.**

DOS-À-DOS [dozado; doado] n. m. — 1859, Gautier, in D.D.L.; de *dos, à, dos*.

Vx. Siège double où les occupants sont placés de part et d'autre d'un dossier. → **Boudeuse**; → Causeuse, cit.

DOSAGE [dozaʒ] n. m. — 1812; de *doser*.

♦ **1** (Concret). Action de doser* (un produit); son résultat. *Faire un dosage. Calculs des dosages.* — Spécialt. *Dosage du sucre dans les vins de Champagne.*

Méd. → **Posologie.**

Techn. Ajout de sirop et d'ingrédients dans l'eau gazéifiée (fabrication des boissons gazeuses).

♦ **2** (Abstrait). Action d'organiser, de combiner (différents éléments) pour obtenir un effet déterminé. *Le dosage des gestes, des paroles. Dosage des critiques et des louanges. Un dosage subtil.*

Son dernier roman, l'Inceste, une des plus effrontées copies d'Hugo qu'on se puisse aviser d'écrire, est un dosage monstrueux de neige, de phosphore et de cantharides (...) Léon BLOY, le Désespéré, p. 182.

Mélange d'éléments dosés. → Mélange, cit. 14.

COMP. **Surdosage.**

DOS D'ÂNE ou **DOS-D'ÂNE** [dodan] n. m. invar. — XXᵉ; de *dos, de*, et *âne* (*supra* cit. 16).

♦ **1** Relief de petites dimensions, présentant deux faces obliques s'écartant symétriquement de leur ligne de jonction, formant crête (→ Dièdre).

♦ **2** Bombement transversal (d'une chaussée). *Des cassis* et des dos d'âne. Ralentir avant le dos d'âne, accélérer sur la bosse*.*

(...) et maintenant qu'il fonce !... si le pont cède on verra bien !... vous dire notre moral... en avant !... le pont cède pas du tout... mais il gode... dos-d'âne... et dos-d'âne !... genre «scenic railway»...   CÉLINE, Rigodon, p. 253.

♦ **3** Bureau* à dos d'âne. *Un dos d'âne Louis XVI.* Appos. *Bureau dos d'âne.*

DOSE [doz] n. f. — 1370; *doise*, XIIIᵉ; lat. médiéval *dosis*, mot grec «action de donner».

♦ **1** Quantité (d'un médicament) qui doit être administrée en une fois. → **Mesure.** *Dose médicamenteuse. Étude des doses suivant la nature des médicaments, et en fonction du malade.* → **Dosologie, posologie.** *Prescrire la dose nécessaire, une dose de... Dose ordinaire. Mesurer une, la dose avec un compte-gouttes, avec une cuiller (à café, à dessert, à soupe). Dose mortelle, dose létale (ou léthale) d'un poison. Une forte dose de quinine. Absorber, prendre une dose massive de... Diminuer, augmenter, forcer la dose. Prendre un médicament à haute dose, à faible dose, à dose homéopathique, infinitésimale. Prendre un remède en plusieurs doses.* → Fois.

1   Non (...) il n'y a pas eu d'autre piqûre que la mienne. J'ai forcé la dose, sciemment. Le cas était désespéré (...)
       MARTIN DU GARD, les Thibault, t. III, p. 214.

Spécialt. Quantité (de drogue) prise en une seule fois. *Doubler les doses d'opium* (cit. 3). *S'injecter une dose d'héroïne. Dose excessive d'une drogue dure.* → **Overdose** (anglic. à remplacer par *surdose*). *Dose de cocaïne que l'on prise.* → Ligne (I., A., 5.). sniff. — Sans compl. :

Quand un étranger arrive, on le met aussitôt en garde : n'allez pas à Harlem, ne traversez pas Central Park à la nuit tombée, méfiez-vous des adolescents qui rôdent en quête de leur dose quotidienne, mais surtout, surtout, ne prenez jamais le métro, car on y viole et on y tue aussi impunément que dans les rêves.

1.1

A. ROBBE-GRILLET, Projet pour une révolution à New York, Préface, p. 6.

Biol., phys. Quantité unitaire de substance ou d'énergie administrée ou reçue. *Dose absorbée, retenue*, quotient de l'énergie communiquée à la matière par les rayonnements ionisants dans un volume donné (où le rayonnement peut être considéré comme uniforme) par la masse de ce volume. *Dose cumulée. Dose minimale létale d'un produit radioactif.*

♦ **2** Quantité de chacun des ingrédients qui entrent dans la composition d'un remède (→ **Formule**). *Ces pilules contiennent une forte dose d'opium.*

♦ **3** Quantité (d'un élément, d'une matière) dans un composé. → **Quantité; partie, portion, proportion.** *Mesurer avec un diabétomètre la dose de glucose contenue dans les urines. — Le sel est en dose infime dans ce terrain. À dose importante, faible.*

Telle substance, même à dose infime, peut changer du tout au tout la valeur d'une source (...)
       J. ROMAINS, les Hommes de bonne volonté, t. V, XIV, p. 107.

2

♦ **4** (XVIIIᵉ). Quantité (d'une matière absorbée). *Boire sa dose de vin.* → **Ration.** Fam. *Avoir sa dose :* être ivre.

♦ **5** (Abstrait). Quantité plus ou moins importante (d'un caractère, d'une qualité). *Avoir une bonne, une forte dose de sottise.* Ellipt. *Quelle dose !* → **Couche.** *Mettre une petite dose d'ironie dans son discours.* → **Pointe, teinte.** *Quelle dose de courage il lui faut pour agir ainsi ! Forcer la dose :* exagérer.

Chaque homme a essentiellement sa dose d'imperfection et de démence (...)
       VOLTAIRE, Principe d'action, XXIV.

3

(Le Comte de Bressac) n'était pas pourvu d'une dose très abondante de commisération dans le cœur.
       SADE, Justine (1791), t. I, p. 68, Presses du Livre français, 1950.

3.1

Quand le sentiment de l'infini entre à haute dose dans un homme, il en fait un dieu ou un monstre, Jésus-Christ ou Torquemada.

4

HUGO, Post-Scriptum de ma vie, Tas de pierres, VI.

(...) la dose de bon sens relatif que donnent les études classiques.
       RENAN, Souvenirs d'enfance..., III, II, p. 129.

5

(Travail). *Ne pas dépasser une certaine dose de travail. C'est ma dose.* — Quantité maximale (de ce que l'on peut supporter). *Avoir sa dose de qqch., de qqn, en avoir assez. J'en ai ma dose, ça suffit !*

DÉR. **Doser.** ◊ COMP. **Dosimètre, surdose, unidose.** ← HOM. **Dôse.**

DÔSE [doz] n. f. — D. i.; mot wallon.

Régional (Belgique). Pop. Bouton sur la peau accompagné de démangeaisons.

HOM. **Dose.**

DOSER [doze] v. tr. — 1558; de *dose*.

♦ **1** Déterminer la dose* de (un médicament). *Compte-gouttes pour doser un remède.*

♦ **2** Déterminer la proportion des différents ingrédients qui entrent dans (un médicament, un mélange, une combinaison). → **Mesurer, proportionner, régler.**

◆ **3** Fig. Mettre (un élément, une caractéristique) dans un ensemble, en quantité plus ou moins importante. *Il faut savoir doser l'ironie. Doser savamment les compliments et les reproches.* → **Distribuer.**

Il n'est pas sans agrément de voir que Pasteur, après quelques années, recevant Joseph Bertrand à l'Académie sut, cette fois, selon les meilleures formules de la tradition, doser, en son «bouquet spirituel», les fleurs et les épines.
          Henri MONDOR, Pasteur, VIII, p. 148.

◆ **DOSÉ, ÉE** p. p. adj. *Remède exactement dosé. — Mélange correctement dosé.* Fig. *Compliments et critiques savamment dosés.*

DÉR. Dosable, dosage, doseur. ◊ COMP. Dosologie. Minidosé.

DOSEUR [dozœʀ] n. m. — 1909; en appos., 1891; de *doser.*

◆ **1** Personne qui dose qqch. Vx. Ouvrier qui procède au dosage* de sucre dans les vins de Champagne. — REM. Dans ce sens, le fém. *doseuse* est virtuel.

◆ **2** N. m. (1949). Mod. Instrument, appareil permettant de faire des dosages. *Un doseur est joint au paquet, au flacon.* — En appos. *«À l'aide d'un robinet doseur-mélangeur on peut (...) fixer à volonté l'incandescence du cautère»* (*Année sc. et industr.* 1892, p. 419, 1891). *Bouchon doseur d'un flacon,* qui donne la mesure d'une dose. — *Doseur à main, doseur automatique* (dans certaines industries alimentaires).

DOSIMÈTRE [dozimɛtʀ] n. m. — 1925; en méd., 1890; de *dosi-,* élément tiré de *dose,* et *-mètre.*

Phys. Appareil permettant de mesurer des doses, et, spécialt, en radioactivité, servant à mesurer la quantité absorbée de rayonnement des rayons X, des rayons ultra-violets. *«Il s'agit en fait d'un dosimètre dont on se sert pour mesurer les radiations d'ultra-violets à l'intérieur des cabines spatiales»* (*Science et Vie,* nᵒ 593, p. 42). *Dosimètre à neutrons.*

DÉR. Dosimétrie.

DOSIMÉTRIE [dozimetʀi] n. f. — Attesté 1932, Académie; probablt fin XIXᵉ (→ Dosimétrique); de *dosimètre.*

Didactique.

◆ **1** Méd. Détermination des doses d'un médicament que l'on doit administrer. → **Posologie.**

◆ **2** Biol., phys. Détermination des doses de rayons X ou d'autres radiations en vue d'un traitement. «Ensemble des méthodes d'évaluation ou de mesure des doses absorbées au cours d'une exposition à un rayonnement ou à d'autres facteurs physiques» (AFNOR). *Dosimétrie X* (rayons X), γ.

DÉR. Dosimétrique.

DOSIMÉTRIQUE [dozimetʀik] adj. — 1886, Maupassant; de *dosimétrie.*

Didact. (méd., phys.). De la dosimétrie. *La «médecine dosimétrique»* (Maupassant, *in* T. L. F.).

DOS-NU [dony] n. m. → **Dos** (II., 1.). *Des dos-nus.*

DOSOLOGIE [dozɔlɔʒi] n. f. → **Posologie.**

DOSSARD [dosaʀ] n. m. — 1904, *in* Petiot; de *dos.*

Pièce d'étoffe que les coureurs ou les joueurs d'une équipe portent sur leur maillot et qui indique leur numéro d'ordre. *Le dossard numéro dix* ou *le dossard dix.*

CONTR. Plastron.

DOSSE [dos] n. f. — 1400; forme fém. de *dos.*

Technique.

◆ **1** Première ou dernière planche sciée dans un tronc d'arbre, et dont la face non équarrie est recouverte d'écorce. On dit aussi : *dosseau. Appareil pour traiter les dosses.* → **Dosseur.**

◆ **2** (1690). Planche épaisse, grossièrement équarrie, servant à soutenir les parois d'une tranchée.

◆ **3** Face bombée de l'osselet (opposé à *face creuse*).

DÉR. (Du sens 1) Dosseur.

DOSSERET [dosʀɛ] n. m. — V. 1360, «dossier d'un dais»; de 1. *dossier,* par substitution de suffixe.

◆ **1** (1690). Archit. Pilastre saillant qui supporte un autre pilastre, une colonne engagée. — (1858). Jambage ou pied-droit d'une porte, d'une fenêtre. *Dosseret de porte.*

◆ **2** (1762, *in* D.D.L.). Techn. Pièce de fer servant à renforcer le dos d'une scie. *Scie à dosseret.*

◆ **3** Dans une cuisine, un laboratoire, Surface verticale adossée à un appareil sanitaire, à un plan de travail.

DOSSEUR [dosœʀ] n. m. — 1973; de *dosse* (1.).

Appareil ou ensemble d'appareils permettant de traiter les dosses.

1. DOSSIER [dosje] n. m. — 1352, *dossier de lit*; de *dos,* et suff. *-ier.*

◆ **1** Partie (d'un siège) sur laquelle on appuie le dos. → **Dos** (II., 2.). *Le dossier d'une chaise, d'un banc, d'un fauteuil, d'un canapé, d'un siège de voiture. Dossier rembourré. Fauteuil à dossier droit, inclinable, réglable* (inclinaison).

Elle recula d'un pas, se cramponnant au dossier d'un siège pour ne pas se trouver mal.   1
          MARTIN DU GARD, les Thibault, t. IV, p. 173.

Par ext. *Dossier d'un lit* : la partie qui soutient le chevet. → **Tête** (de lit). — *Le dossier d'une baignoire* : plan incliné où l'on peut appuyer le dos.

◆ **2** Techn. Partie (d'une hotte) qui appuie sur le dos de celui qui la porte.

◆ **3** Mar. Planche mobile contre laquelle s'appuie le dos, dans une embarcation légère.

◆ **4** Techn. Élément supportant la «couche d'usage». → **Support.** *Dossier d'une moquette.* → **Thibaude.** *Dossier tissé, non textile, enduit.*

DÉR. Dosseret. ◊ HOM. 2. Dossier.

2. DOSSIER [dosje] n. m. — 1586; de *dos* (d'un livre). → **Dos** II., 5., b.

◆ **1** Ensemble des pièces relatives à une affaire et placées dans une chemise; par métonymie, la chemise, le carton qui les contient. *L'étiquette, la cote d'un dossier. Une pile de dossiers* (→ Caler, cit. 2). *Reléguer un dossier dans un tiroir. La poussière des dossiers. Constituer, établir un dossier. Compulser* (cit. 1), *étudier, examiner un dossier. Dépouiller un dossier. Manipuler des dossiers. Demander à voir le dossier d'une affaire. Le dossier d'une procédure. Communiquer le dossier à l'avocat de la partie adverse. Remise du dossier par l'avocat au tribunal. Dossier d'un régiment. Le dossier d'un fonctionnaire, d'un condamné, d'un détenu* (par métonymie, les renseignements du dossier). *Renseignement noté dans le dossier de qqn. Verser une pièce au dossier. Avoir un dossier lourdement chargé. Les pièces, les documents, les papiers d'un dossier. Les paperasses* (cit. 2) *d'un antique dossier. Énumération des pièces d'un dossier.* → **Bordereau.**

2 Pour tous les actes de sa vie sociale, il est obligé de répondre à des interrogatoires, de remplir des états, de réunir des dossiers, d'offrir un tribut de paperasse au monstre.

    G. DUHAMEL, Scènes de la vie future, IV, p. 71.

3 La police? Elle est renseignée, évidemment. Je vois d'ici la page de mon dossier.

    J. ROMAINS, les Hommes de bonne volonté, t. III, XVII, p. 233.

4 Surtout, il retrouverait ses dossiers, ses *tests* : il rapporterait une pleine valise de notes, de livres (...)

    MARTIN DU GARD, les Thibault, t. VIII, p. 209.

5 (...) la plus affreuse image qu'offre le monde moderne : le misérable qui réclame du pain et ne trouve en face de lui, en guise de «responsable», que des dossiers pleins de statistiques et des graphiques de rationalisation.

    DANIEL-ROPS, Ce qui meurt et ce qui naît, I, p. 10.

♦ **2** Contenu d'un dossier; faits, commentaires contenus dans un dossier. *Étudier un dossier. Prendre connaissance d'un dossier.* — *Connaître le dossier de qqch.* : être au fait d'une question, de l'évolution d'un projet, d'une affaire. *Connaître, posséder ses dossiers* : avoir d'une situation une vue d'ensemble, appuyée sur une connaissance assez précise pour être apte à la contrôler.

Dossier de presse, dossier : ensemble d'informations réunies sur une affaire, un sujet. *Notre dossier social de cette semaine.*

♦ **3** Inform. Élément de l'arborescence d'un disque dur permettant de classer les différents fichiers* en groupes et en sous-groupes. → **Répertoire.**

HOM. 1. **Dossier.**

DOSSIÈRE [dosjɛʀ] n. f. — 1260; de *dos.*

♦ **1** Techn. Partie du harnais (d'un cheval), posée sur le dos et qui sert à soutenir les brancards.

♦ **2** (Attesté XIXᵉ). Vx. Dos (d'une cuirasse). Opposé à *plastron.*

♦ **3** Zool. Partie supérieure de la carapace (d'une tortue, etc.).

DOSTOÏEVSKIEN, ENNE [dɔstɔjevskjɛ̃, ɛn] adj.
— Av. 1938, Nizan, *in* T.L.F.; de *Dostoïevski,* romancier russe du XIXᵉ.

Propre à l'univers de Dostoïevski, à sa manière, à son style. *Personnages dostoïevskiens,* tourmentés, masochistes. *Atmosphère dostoïevskienne.*

(...) il n'est que de voir avec quelle constante préoccupation Hitchcock bâtit ses sujets; idée fort dostoïevskienne, il fait de la persuasion le ressort secret du drame.

    J.-L. GODARD, Jean-Luc Godard, *in* Collection des cahiers du cinéma, p. 26.

DOT [dɔt] n. f. — Fin XIIᵉ; rare ou dial. av. XVIᵉ; lat. jurid. *dos, dotis* «don» et «qualité, mérite, don», de *dare* «donner».

I (Au sens étroit). Bien apporté en se mariant (par une femme). ♦ **1** Cour. Biens (d'une femme) apportés lors du mariage (quels que soient la provenance du bien apporté et le régime matrimonial). *Elle a une belle, une grosse dot. Apporter une dot de dix millions. La dot d'une jeune fille. Épouser une jeune fille pour sa dot.* — *Apporter des propriétés en dot. Prendre qqch. en dot.*

1 On savait, en effet, que Mᵐᵉ de Saint-Papoul, née de toute petite noblesse, avait apporté dans le ménage une grosse fortune : une dot d'un million, disait-on (en réalité de cinq cent mille, chiffre déjà considérable pour l'époque)...

    J. ROMAINS, les Hommes de bonne volonté, t. III, XI, p. 143.

Ta dot a fait des petits, Isa. Même en tenant compte de la dépréciation du franc, tu seras éblouie. Tout est à ton nom, à la Westminster, ta dot initiale et les bénéfices (...)
    F. MAURIAC, le Nœud de vipères, XIII, p. 161.   2

Se marier sans dot. — Allus. littér. :

Je trouve ici un avantage qu'ailleurs je ne trouverais pas, et il s'engage à la prendre sans dot. — Sans dot? — Oui (...) C'est pour moi une épargne considérable. — (...) Il est vrai : cela ferme la bouche à tout, *sans dot.* Le moyen de résister à une raison comme celle-là ?
    MOLIÈRE, l'Avare, I, 5.   3

Si cette forte fille ne s'était pas plus tôt mariée, il fallait attribuer au *sans dot* d'Harpagon que pratiquait son père, sans avoir jamais lu Molière.
    BALZAC, le Curé de village, Pl., t. VIII, p. 539.   4

Par métaphore :

Quand on ne prend en dot que la seule beauté,
Le remords est bien près de la solennité (...)
    MOLIÈRE, l'Étourdi, IV, 3.   5

Elle s'était déterminée alors à quitter pour toujours le village où elle était née, et à aller cacher sa faute aux colonies, loin de son pays, où elle avait perdu la seule dot d'une fille pauvre et honnête : la réputation.
    BERNARDIN DE SAINT-PIERRE, Paul et Virginie, p. 16.   6

Par plais. (métonymie). *Épouser une dot* : épouser une fille pour son argent.

Loc. *Coureur, chasseur de dot, de dots* : homme qui cherche à épouser une fille riche.

Il s'approche de moi et dit :   6.1
— Je vais l'inviter. Ne l'effarouche pas.
L'effaroucher. Il utilise ce mot de 1900. Effaroucher ! Le chasseur de dot ! Quel monde !
    Christine ARNOTHY, Un type merveilleux, p. 283.

♦ **2** Dr. (Anciennt). Ceux des biens que la femme apporte au mari pour subvenir aux dépenses du ménage, sous quelque régime que ce soit. *Régime protégeant particulièrement la dot.* → **Dotal.** *Restitution de dot. Augment* de dot.*

La dot, sous ce régime *(le régime dotal)* comme sous celui du chapitre 2 *(régime en communauté),* est le bien que la femme apporte au mari pour supporter les charges du mariage.   Code civil, ancien art. 1540.   7

La femme peut se constituer en dot tous ses biens présents et à venir *(constitution dotale universelle),* ou bien seulement une de ces deux catégories, ou une quotité des uns et des autres, ou seulement un immeuble déterminé, ou un groupe de valeurs mobilières.   8
    M. PLANIOL, Traité élémentaire de droit civil, t. III, nᵒ 1486.

Par anal. Apport que fait une fille au couvent où elle entre en religion. *Dot des religieuses* ou *dot moniale.*

♦ **3** (Dans d'autres cultures que celles d'Europe, et notamment dans l'Antiquité grecque et, de nos jours, en Afrique). Compensation versée par le futur époux ou sa famille à la famille de la future épouse. *Dot en argent, en bétail, en prestations.*

II (Au sens large). Dr. Biens donnés par un tiers dans le contrat de mariage, à l'un ou l'autre des futurs époux. *Dot de la femme, dot du mari. Constitution de dot par les parents. Dot constituée en avancement d'hoirie.*

Ceux qui constituent une dot, sont tenus à la garantie des objets constitués.   Code civil, ancien art. 1547.   9

III Théol. Caractères dont sont investis les bienheureux et qui leur permettent de s'unir à Dieu.

REM. L'ensemble des emplois, sans être linguistiquement vieux, est marqué : le sens I, 1 fait référence à des usages en voie de disparition, ou au passé; les sens juridiques sont archaïques. Seuls les sens I, 3 et II correspondent à des réalités contemporaines et courantes.

DOTAL, ALE, AUX [dɔtal, o] adj. — 1459; lat. *dotalis*, de *dos, dotis*. → Dot.

Droit.

♦ **1** Qui a rapport à la dot* (dans tous les sens de ce mot). *Biens dotaux.*

1 Sous le *régime de la communauté*, à tous ses degrés, *tous les biens de la femme sont dotaux*, puisque la communauté, représentée par le mari, a la jouissance de tous les revenus des époux.

> M. PLANIOL, Traité élémentaire de droit civil, t. III, n° 848.

♦ **2** Ancienn (régime supprimé par la loi du 13 juil. 1965). *Régime dotal* : régime matrimonial sous lequel les seuls biens de la femme qui soient confiés à l'administration et à la jouissance du mari sont ceux qui ont été constitués en dot *(biens dotaux). Les biens dotaux étaient en principe inaliénables, insaisissables, imprescriptibles. Deniers dotaux. Biens extra-dotaux* (→ **Paraphernal.**)

2 Tout ce que la femme se constitue ou qui lui est donné en contrat de mariage, est dotal, s'il n'y a stipulation contraire.

> Code civil, ancien art. 1541.

3 Le mari seul a l'administration des biens dotaux pendant le mariage.
> Code civil, ancien art. 1549.

CONTR. Paraphernal. ◊ **DÉR. Dotalité.**

DOTALITÉ [dɔtalite] n. f. — 1908; de *dotal*, 2.

Dr. (Ancienn). Caractère de bien dotal; régime auquel sont soumis les biens dotaux (2.).

DOTATION [dɔtasjɔ̃] n. f. — 1325; lat. médiéval *dotatio, onis*, du supin de *dotare*. → Doter.

A Rare. Action de doter (qqn, qqch.). Spécialt. Action de doter (un service) en matériel, en véhicules. — *«La construction et la dotation d'un asile pour les vieillards»* (Zola, *in* T.L.F.).

B ♦ **1** Admin. Ensemble des fonds, des revenus assignés par un service, à un établissement d'utilité publique. *Dotation d'un hôpital.*

♦ **2** (Déb. XIXᵉ). Dr. publ. Revenu attribué à un chef d'État, aux membres d'une famille souveraine, à certains fonctionnaires (liste civile). → **Pension, traitement.** *Dotation des cadets de la Maison de France.* → **Apanage** (1.). *Dotations des sénateurs de Napoléon Iᵉʳ.* → **Sénatorerie.** *Dotation du président de la République française.*

Le président de la République reçoit une dotation qui, depuis 1920, est accompagnée de frais de maison et de frais de voyage.
> PRÉLOT, Précis de droit constitutionnel, p. 500.

♦ **3** Équipement, matériel attribué (à un service, etc.). *La dotation de ce service comprend des camions.*

♦ **4** Admin. (Canada). *Dotation (en personnel)* : fonction comprenant le recrutement des fonctionnaires et l'attribution des postes de fonction publique (*«recrutement*, dans un sens étendu, peut être utilisé comme synonyme» *Office de la langue franç.*, 3 août 1979).

DOTER [dɔte] v. tr. — V. 1180; rare jusqu'au XVIᵉ; lat. *dotare*, de *dos, dotis*. → Dot.

A ♦ **1** Cour. Pourvoir d'une dot. → **Dot** (1.). *Doter richement sa fille. Ne dote qui ne veut* (adage juridique). — *Doter une fille de* (une somme).

♦ **2** Dr. Assigner un revenu à (un service, un établissement). → **Dotation** (B., 1.). *Doter une fondation, un hôpital, un collège.*

♦ **3** Dr. Attribuer un revenu à (une personne). → **Dotation** (B., 2.). *Sénateurs dotés par Napoléon Iᵉʳ.*

♦ **4** En franç. d'Afrique. Verser la dot (I., 3.) de (une femme).

B Fig. ♦ **1** *Doter de...* : fournir en équipement, en matériel. *Doter une usine en matériel neuf. Régiment doté d'armes modernes.* → **Équiper.**

♦ **2** (1276). Fig. et littér. *Doter* (qqn, une faculté humaine) *de...* : pourvoir de certains avantages. → **Avantager, favoriser, gratifier.** *La nature a doté son esprit de brillantes qualités.* → **Enrichir, orner.** *La nature l'a bien doté.* → **Douer, partager.** *Doter qqn d'un état.* → **Établir.** *Doter qqn d'un pouvoir, d'une autorité.* → **Investir.** — (Le compl. désigne une collectivité humaine). *Doter un pays d'une industrie.*

On se dit aussi que la Nature nous a dotés *(nous Français)* d'un certain mécanisme d'équilibre qui toujours nous redresse à temps et nous empêche de verser tout à fait dans le fossé (...)

> André SIEGFRIED, l'Âme des peuples, III, VI, p. 77.

(Au passif). *Il est doté d'une mémoire peu commune.*

♦ **DOTÉ, ÉE** p. p. adj. *Fille dotée. — Fondation dotée.*

CONTR. Appauvrir, défavoriser, désavantager.

DOUAIRE [dwɛʀ] n. m. — V. 1160, *doaire*; du lat. médiéval *dotarium*, de *dos, dotis* (→ Dot), d'après *douer.*

Anc. dr. Droit (conventionnel ou coutumier) de l'épouse survivante sur les biens de son mari. *Veuve bénéficiant d'un douaire.* → **Douairière, 1.** *Un douaire de mille francs de revenu.*

Il y en a d'autres, Madame, qui font du mariage un commerce de pur intérêt, qui ne se marient que pour gagner des douaires, que pour s'enrichir par la mort de ceux qu'elles épousent, et courent sans scrupule de mari en mari, pour s'approprier leurs dépouilles.

> MOLIÈRE, le Malade imaginaire, II, 6.

Par métaphore (littér.). Pension. *Faire, constituer un douaire à qqn.*

DÉR. Douairière.

DOUAIRIÈRE [dwɛʀjɛʀ] n. et adj. f. — 1368; de l'anc. adj. *douairier*, de *douaire.*

♦ **1** Anc. dr. Veuve jouissant d'un douaire*. — Appos. ou adj. *Duchesse douairière. Reine douairière.*

♦ **2** Cour. Femme âgée de la haute société. *Une vieille douairière. Une douairière imposante.*

Quelques personnes le saluaient, à qui il rendait leur salut, ayant le même coup de chapeau pour une marchande des Halles en costume sablais que pour une douairière qui passait en voiture découverte, conduite par un chauffeur en livrée.

> G. SIMENON, les Vacances de Maigret, 1948, p. 45.

DOUANE [dwan] n. f. — 1281, *dohanne;* anc. ital. *doana*, arabe *dīwān* «registre, salle de réunion» puis «bureau de douane»; mot persan. → Divan.

♦ **1** Branche de l'administration publique chargée de l'assiette, de la liquidation et du recouvrement des droits imposés sur les marchandises, à la sortie ou à l'entrée d'un pays. — *Les douanes* (admin.); *la douane* (cour.). → **Commerce** (extérieur), **exportation, importation.** *Au point de vue financier, les douanes ont pour objet de procurer un revenu au Trésor; au point de vue économique, elles ont pour but de protéger l'économie nationale* (→ **Protectionnisme**). *Code des douanes* (ensemble de textes codifiés en 1948, en France). *Administration, service des douanes. Personnel des douanes* (en France) : *directeur général, directeur, sous-directeurs, inspecteurs principaux, receveurs principaux; contrôleurs, rédacteurs-contrôleurs, vérificateurs, commis des douanes* (service sédentaire). *Brigades des douanes. Agent; brigadier des douanes.* → **Douanier** (service actif).

Droits* de douane (→ **Droit**, I., 4.). *Tarif des droits de douane :* tarif général (maximum); tarif de faveur ou préférentiel; surtaxes. *Droits de douane ad valorem. Droits de douane spécifiques. Variation des droits de douane.* → **Échelle** (mobile). *Abaisser, relever les droits de douane. Loi sur le relèvement des droits de douane.* → **Cadenas** (3.). *Perception des droits de douane. — Exemption de droits de douane. Franchise des droits et taxes de douane :* immunité diplomatique. → **Valise** (diplomatique); **importation** (temporaire). *Carnet de passage en douane. Permis de circulation des marchandises ayant acquitté les droits de douane.* → **Passavant.** — *Régime suspensif du paiement des droits de douane.* → **Acquit-à-caution**, admission (temporaire), **drawback**, **entrepôt** (réel et fictif), **transit.** *Faire sortir une marchandise de l'entrepôt de la douane.* → **Dédouaner.**

Les barrières de la douane (→ fig. Barrières* douanières). *Les bureaux de la douane.* → ci-dessous, 2. *Déclaration* (cit. 7) *d'une marchandise à la douane. Formalités de douane.* → **Fouille, visite**; et aussi plomber, sonder, etc. → *Passer des marchandises en douane. Transitaire* en douane. — Zone soustraite au service des douanes.* → **Franc** (port franc, zone franche).

Frauder la douane. → **Contrebande.** *Importation sans déclaration; fausse déclaration à la douane, aux douaniers. Ronde de douane. Surveillance de la frontière par la douane. Saisie opérée par la douane.* → **Capture.** *La douane de Roissy a saisi deux kilos d'héroïne.*

1 Là où il y a du commerce, il y a des douanes. L'objet du commerce est l'exportation et l'importation des marchandises en faveur de l'État, et l'objet des douanes est un certain droit sur cette même exportation et importation, aussi en faveur de l'État.
MONTESQUIEU, l'Esprit des lois, XX, 13.

♦ **2** Lieu, édifice où est établie l'administration des douanes, généralement sur les limites territoriales d'un État ou dans un lieu de transport. *La douane d'un port, d'une gare internationale, d'un poste frontière. Douane d'un aéroport. Banquette de la douane. Passer à la douane, passer la douane. Fouille des valises à la douane. Colis saisi, confisqué à la douane.*

Ligne des douanes : ligne formée par les bureaux de douane établis à la frontière* d'un pays.

2 Il est allé à la douane faire visiter quelques ballots.
J.-F. REGNARD, le Retour imprévu, 9.

♦ **3** Droit de douane. *Payer la douane. Marchandise exemptée de douane.*

3 La plus belle étoffe pour qui jamais l'on ait payé la douane à Lyon (...)
Charles SOREL,
Vraye histoire comique de Francion, p. 226.

DÉR. **Douaner**, 1., 2. **douanier**. ◊ COMP. **Dédouaner.**

DOUANER [dwane] v. tr. — 1675; de *douane.*
Dr. Marquer du plomb de l'administration des douanes (les marchandises, à la sortie ou à l'entrée d'un pays).

CONTR. **Dédouaner.**

1. DOUANIER [dwanje] n. m. — 1545; *dohanier*, 1281; de *douane.*
Membre du service actif de l'Administration des douanes. → **Gabelou** (vx ou plais.). *Uniforme de douanier. En France, les douaniers sont organisés militairement. Échapper à la surveillance des douaniers* (→ Contrebande, cit. 1). *Les douaniers d'un poste frontière, d'un aéroport, d'un port de mer.*

Une barrière abaissée ferme le chemin (...) Un jeune douanier, armé d'un fusil, nous conduit au rez-de-chaussée d'une maison (...) Là, était assis (...) un gros et vieux chef de douaniers allemands (...) Il prend nos passeports sans dire mot (...)
CHATEAUBRIAND, Mémoires d'outre-tombe, III,
t. IV, p. 28.

Par métaphore. «*Les douaniers de la pensée*» (Hugo).

2. DOUANIER, IÈRE [dwanje, jɛʀ] adj. — 1850; de *douane.*
Relatif à la douane*, à la réglementation des importations et exportations. *Tarif douanier; taxe douanière. Nomenclature douanière. Politique douanière. Protectionnisme* douanier. Technique douanière.* → **Contingentement, droit** (de douane), **prime, prohibition.** *Accord douanier. Union douanière :* régime établi entre deux ou plusieurs pays qui conviennent d'adopter des tarifs douaniers uniformes vis-à-vis de l'extérieur et de supprimer entre eux les barrières douanières (→ Barrière, cit. 5). *Union douanière des États allemands au XIXᵉ siècle* (Zollverein).

Le premier instrument de cette organisation du commerce extérieur est la *politique douanière* qui présente, en même temps, l'avantage d'apporter des ressources à la trésorerie publique, et, par conséquent, de contribuer à la stabilité de la monnaie.
Pierre GEORGE, les Grands Marchés du monde,
p. 42.

DOUAR [dwaʀ] n. m. — 1617, *adouar*, par l'esp. *aduar*, 1440; rare av. XIXᵉ; arabe maghrébin *dūwār* ou **dwār.*

♦ **1** Agglomération de tentes disposées en cercle que les nomades installent temporairement, en Afrique du Nord.

Le douar ne comptait pas plus de quinze ou vingt tentes, ce qui représente à peine le plus petit des hameaux nomades (...)
E. FROMENTIN, Un été dans le Sahara, I, p. 55.

♦ **2** (1863). Hist. Division administrative rurale en Algérie, sous l'administration française. *Le caïd du douar. La djemaâ, assemblée qui représente le douar.*

Les douars, fraction territoriale de la commune, constituent un groupe social distinct, qui a ses biens et ses intérêts propres. C'est quelque chose de plus qu'une section de commune, car le douar a une représentation spéciale permanente, la djemaâ.
Augustin BERNARD, l'Algérie, p. 418.

DOUBLAGE [dublaʒ] n. m. — 1405; de *doubler.*

A ♦ **1** Action de mettre en double; son résultat. — REM. Les emplois généraux sont rares.

Techn. (filature). Jonction de deux fils pendant l'étirage (pour en faire un seul filé). — Imprim. → **Doublon.**

♦ **2** Dr. Ancienn. Période de résidence obligatoire du forçat dans le voisinage du bagne pendant un temps égal à celui de sa peine. *Le doublage a été remplacé par l'interdiction de séjour.*

B ♦ **1** Théâtre, cin. Remplacement (d'un acteur par un autre).

♦ **2** Cin. (cour.). Remplacement de la bande sonore originale d'un film par une bande provenant de l'enregistrement d'autres voix en une langue différente. → **Post-synchronisation.** *Doublage d'un film italien en français, en anglais. Un mauvais doublage.*

Vous avez constaté que le *doublage* détériore un film, que vous aviez raison de trouver des plus remarquables dans sa version originale.
GIDE, Ainsi soit-il, *in* Souvenirs, Pl., p. 1192.

C ♦ 1 (1826, *in* D.D.L.). Action de doubler, de renforcer (par une *doublure*). *Le doublage d'un vêtement*.

Peint. *Doublage d'un tableau* : action de coller une toile neuve au revers d'un tableau déchiré.

Mar. Revêtement de la carène (d'un navire) avec des planches minces ou des plaques métalliques (alliage de bronze, de cuivre ou d'étain), pour la protéger des coquillages et des tarets.

♦ 2 Par métonymie. Élément qui double, renforce qqch. (→ **Doublure**). — Mar. *Doublage de carène*. *Doublage en cuivre*. — Techn. Élément destiné à doubler une cloison. *Doublages préfabriqués*.

DOUBLANT, ANTE [dublɑ̃, ɑ̃t] n. — D. i.; p. prés. de *doubler*.

Régional (Belgique). Celui, celle qui redouble sa classe, qui recommence une année de classe.
→ 2. **Doubleur, redoublant**.

DOUBLARD [dublaʀ] n. m. — 1881; de *double* (galon double), et suff. *-ard*.

Argot ancien.

♦ 1 Sergent-chef ou sergent-major. — Gardien-chef dans une prison.

1 Mais alors, je n'arrive pas à comprendre. Je savais par les cuistots qu'il y avait une sortante et je pensais bien que tu biftonnerais *(écrirais)*. Mais cet «amant», comme dit le *doublard* (...) A. SARRAZIN, la Cavale, p. 205.

♦ 2 (1928, Lacassagne; de *doubler*). Prostituée considérée par un souteneur comme sa seconde femme.

Au féminin :

2 Je l'entends le chœur des filles qui se gèlent les fesses à guetter le client, pendant que bonhomme réveillonne au champagne avec une *doublarde* qui trouvera dans son soulier de Noël une feuille de route pour aller tapiner. Martin ROLLAND, la Rouquine, p. 16.

DOUBLE [dubl] adj. et n. — XIᵉ, *duble*; *dobpla*, fin Xᵉ; du lat. *duplus*, au neutre *duplum*, de *duo*. → Deux, duplex.

I Adj. **♦ 1** (Plus souvent avant le nom). Qui est répété deux fois, qui vaut deux fois (la chose désignée), ou qui est formé de deux choses de nature plus ou moins semblable. → **Deux**, et les préf. *ambi-, ambo-, amph-* (amphi-, ampho-), *bi-, bis-, di-, dicho-*. *Double nœud*. *Double semelle*. *Boîte à double fond*. *Double menton*. *Lettre double*. *Le double l en espagnol*. *Double V* (W). → **Double-vé**. *Consonne double* (ex. : *ll, nn*). *Double fenêtre*. *Doubles rideaux*. *Cette valise a un fond double, un double fond*. → **Double-fond**. *Double rang de perles*. *Double rangée d'arbres*. *La double colline**. *Double décime**. *Double ration, double dose*. *Double décimètre**. *Double décalitre**. *Une ration double*. *Double exemplaire*. *Feuille double*. *Échelle double* : deux échelles coulissantes. *Comptabilité* (cit.) *en partie double*. (Dominos). *Le double-as*. → ci-dessous, rem. et → **Double-six**. — *Faire coup** (cit. 31) *double*. → **Doublé**. — Sc. (avant ou après le nom, selon les syntagmes). — Phys. *Double réfraction**. *Double pesée**. *Machine à double effet*, dont le piston travaille sur les deux faces. — Astron. *Étoile* double*. — Anat. *Utérus double*, dont le corps est divisé en deux parties, complètement distinctes (utérus didelphe*), ou séparées l'une de l'autre dans leur partie supérieure (utérus bicorne*). — Méd. *Fièvre double* : fièvre intermittente avec deux accès par jour. — Bot. *Fleur double*, dont les étamines et les pistils se sont transformés en pétales, soit naturellement, soit par la culture.

Lilas double. — Dr. *Double imposition**. — Typogr. *Double canon**. — Mus. *Double croche** (cit.) : note munie d'un double crochet. *Double dièse**, *double bémol**. *Double barre**. *Double fugue**. *Double quatuor**. *Double corde**. — *Double flûte* : flûte composée de deux flûtes. — *Cuiller à double bec*. → **Double-bec**. — Tissage. *Étoffe double face*, tissée sans envers, de manière à pouvoir être utilisée des deux côtés. *Ruban double face* : bande de papier à deux faces adhésives (pour maintenir le tour d'une moquette, etc.).

Me fera-t-on porter double bât, double charge? 1
LA FONTAINE, Fables, VI, 8.

(Les dindons) ont double estomac, c'est-à-dire un jabot et 2 un gésier.
BUFFON, Hist. nat. des oiseaux, t. III, p. 206.

(À double...). *Ustensile à double usage*. *Arme* (cit. 30), *hache à double tranchant*. Loc. fig. *À double tranchant**. — *À double tour**.

Après, elle se retira chez elle, où elle eût souhaité s'en- 3 fermer à double tour (...)
LOTI, les Désenchantées, III, p. 28.

Loc. *Faire double emploi* : être de trop, être superflu, inutile. *Avoir double profit*. → **Mouture** (tirer d'un sac deux moutures). — *Double menton** (série de plis donnant l'illusion d'un second menton). — *Mettre les bouchées doubles* : aller deux fois plus vite, très vite dans l'accomplissement d'une tâche urgente. — *Caractère double*. → **Complexe**. *Êtres imaginaires, monstres (centaures, chimères, sirènes...) ayant une double nature*. *Caractère de ce qui est double en soi*. → **Dualité**. *Le double visage* de Janus*. *Don de double vue**. *Double sens**, *double entente**. *Mot, phrase à double sens*, qui a deux significations possibles. → **Ambigu, amphibologique, équivoque**. *Ce livre a un double intérêt*. *Double malheur, double plaisir*.

Car c'est double plaisir de tromper le trompeur. 4
LA FONTAINE, Fables, II, 15.

Les choses, en effet, sont pour le moins doubles. Sur l'acte 5 le plus insignifiant que nous accomplissons, un autre homme embranche une série d'actes entièrement différents.
PROUST, Albertine disparue, éd. La Gerbe, p. 353.

Cette complexité d'origine est en grande partie, je crois, la 6 cause de mes apparentes contradictions. Je suis double; quelquefois une partie de moi rit quand l'autre pleure.
RENAN, Souvenirs d'enfance..., III, I, p. 116.

(...) ce double Talleyrand — le grand seigneur cultivé et 7 le politicien remuant, l'homme de pensée et l'homme d'intrigue, capable, à la même heure, de hauteur et de souplesse. Louis MADELIN, Talleyrand, I, VI, p. 71.

Doubles commandes. → **Double-commande**.

Loc. adj. ou adv. (V. 1965; calque de l'angl. *double blind test, double blind, procedure*). Méd., pharm. *Double(-)aveugle*. *En double aveugle*, se dit d'un essai, d'une expérience qui, à l'insu du malade, alterne un remède et un placebo, ou qui éprouve l'efficacité d'un médicament chez un groupe de malades en utilisant simultanément un placebo chez un groupe témoin, sans en révéler la répartition aux malades et au médecin. — Recomm. off. *(Méthode) à double insu* ou *double anonymat*.

(Après le nom; construit avec de... et un compl.). *Surface double d'une autre*. «*Un nombre double de victimes*» (De Gaulle, *in* T.L.F.).

♦ 2 (Après le nom, sauf en loc.; personnes, facultés humaines). Qui a deux aspects dont un seul est révélé. → **Duplicité**. *Personne, âme double*, qui trompe par des paroles, des actes à deux faces. → **Dissimulé, hypocrite, sournois** (→ Appui, cit. 33). *Il est double; son attitude est double*. Loc. *Jouer un double jeu* (cf. Jouer sur les deux tableaux). *Mener une* *double vie* : mener, en marge de sa vie normale, habituelle, une existence que l'on tient cachée.

8   Ton père va descendre, âme double et sans foi !
CORNEILLE, le Menteur, II, 3.

9   Ah ! que ce cœur est double et sait bien l'art de feindre !
MOLIÈRE, Don Garcie, II, 5.

10   Toute situation double est une situation déloyale.
A. THIBAUDET, Gustave Flaubert, p. 81.

11   Nous avons ici, en passant, assez souvent relevé les torts personnels de Sainte-Beuve, en quelques cas particuliers (Constant, Hugo, Vigny), ses prudences, son double jeu (ses *lettres parisiennes*, anonymement publiées en Suisse), pour ne pas revenir sur ses erreurs et ses faiblesses de caractère, qui ne montrent pas une très grande âme (...)
Émile HENRIOT, les Romantiques, p. 214.

Agent double : espion simultanément au service de deux pays antagonistes.

♦ **3** (Augmentatif). Qui a plus de force, de valeur. *Encre double. Bière double.* → **Supérieur.** *Consommé double* : concentré. — Liturgie. Pour indiquer le degré de solennité de certaines fêtes religieuses : *fête double, semi-double, double majeure, double mineure.*

Qui a plus d'importance, en quantité. *Un double express, un double* (café) *crème. Un double scotch ; un cognac double.* Ellipt. *Garçon, un cognac et pour moi, un double !*

II **A** N. m. (1080). *Le double de..., un double.* ♦ **1** Quantité qui équivaut à deux fois une autre. *Dix est le double de cinq. Payer le double d'un prix. Gagner le double de son dernier salaire. Gagner plus du double. La vie a augmenté du double.*

12   Genève (...) fut plus peuplée du double, plus industrieuse, plus commerçante.
VOLTAIRE, Essai sur les mœurs, CXXV.

13   Dans les poids et les mesures de capacité, chacune des mesures décimales (...) aura son double et sa moitié (...) *double litre* et *demi-litre, double hectogramme* et *demi-hectogramme.*
PRIEUR, in BRUNOT, Hist. de la langue franç., t. IX, III, p. 1152.

Loc. *Quitte* ou double.*

♦ **2** Chose semblable (à une autre) ; autre échantillon (d'un objet). *Le double d'un livre ; d'un objet d'art* (→ **Réplique**). *Des doubles de timbres. Échanger les doubles d'une collection contre des pièces nouvelles. — Double d'un registre.* → **Contrepartie.** *Double d'un papier, d'un acte, second original ou copie exacte.* → **Ampliation, copie, duplicata, expédition, reproduction.** *Le double du grand livre de la dette publique. Papier servant à obtenir des doubles en écrivant l'original.* → **Carbone** (papier carbone), **duplicateur.** *Voilà un double, je garde l'original. Doubles et photocopies*.*

♦ **3** (1832). *Le double d'une personne, qqn qui lui ressemble, qui la reflète, qui est en pleine communion avec elle...* → **Alter ego, sosie.** *C'est son double : il l'imite en tout.*

14   — Polynice et moi, nés à la fois, élevés ensemble, nous avons eu tout en commun. Je ne goûte pas une joie et n'ai pas une pensée, je crois, qui ne soit aussitôt la sienne, et, qui, par son reflet en lui, ne se trouve aussitôt renforcée. — Je ne suis pas sûre que cela me plairait beaucoup d'avoir un double, ni même que ce double je ne le détesterais pas. Du reste, il est des choses qu'on ne peut partager.
GIDE, Œdipe, II.

15   Vous êtes cela, mon double sublimé, le plus fort, le plus fier, le meilleur de moi. J'ai donc pour vous une passion calme et froide.
MONTHERLANT, les Jeunes Filles, p. 49.

B Adv. et loc. adv. ♦ **1** Adv. Deux fois autant. → **Doublement.** *Payer double. Voir double* : voir deux choses là où il n'y en a qu'une. *Homme ivre qui voit double. Tu vois double !*

Tu as bu, Grémio, tu vois double.   16
A. DE MUSSET, Comédies et proverbes, André del Sarto, I, 1.

Quand le temps est compté et les paroles mesurées, on   17
ne dit rien de trop et on prend l'habitude de ne penser que l'essentiel. Ainsi on vit double, ayant moins de temps pour vivre.   R. ROLLAND, Jean-Christophe, II, p. 56.

♦ **2** Loc. adv. (où *double* est subst.). **EN DOUBLE** : en deux parties. *Plié en double. Articles en double,* en deux exemplaires. *Timbres en double. Passer une ficelle en double.*

Tout est simple aujourd'hui : nous hissons la voilure,   17.1
écoutes choquées, et larguons les amarres, passées en double dans les anneaux du coffre, au moment précis où «tout est clair».
Bernard MOITESSIER, Cap Horn à la voile, p. 70.

Loc. adv. Vx. **AU DOUBLE** : deux fois autant ; beaucoup plus. *Il vous rendra au double ce que vous lui prêtez* (→ Centuple).

C'est bien raison qu'au double on le leur rende (...)   18
LA FONTAINE, Contes, III, «Les Rémois».

C N. m. *Un, des doubles.* Spécialt. ♦ **1** **a** Ancienn. Petite pièce qui valait deux deniers.

(...) Il vous rendra tout jusques au dernier double.   19
MOLIÈRE, l'École des femmes, V, 4.

b Partie d'un morceau de papier, de tissu, replié sur lui-même. *Linge en plusieurs doubles.*

c Mar. Partie d'une corde, d'une anse, qui revient sur elle-même.

d Mus. Vx. *Double d'un thème.* → **Variation.**

e Sports. *Double obstacle,* au jumping. *Sauter les doubles.*

♦ **2** **a** (1929). Partie de tennis entre deux équipes de deux joueurs. *Double messieurs. Double dames. Double mixte. Jouer un double, le double dans un tournoi de tennis.*

b Navigation. *En double* : à deux (opposé à *en solitaire*). *La Transat en double.*

♦ **3** **a** Hist. anc. Dans la religion égyptienne, Image impalpable du mort qui était supposée rester auprès du cadavre et subsistait aussi longtemps que le corps n'était pas détruit. *Pour assurer l'entretien du double, les Égyptiens apportaient des vivres au temple funéraire.*

b (1831). Occultisme. *Double, double astral :* fantôme d'une personne ; corps astral. → **Astral** (corps astral, cit. 1), **ombre.**

III N. f. ♦ **1** Régional. Panse* (des ruminants). → **Gras-double.**

♦ **2** (1883). Mar. (vx). «Quantité de vin égale à la ration d'un homme, et qu'on donne en récompense, ou comme réconfortant, en sus de la ration réglementaire» (Gruss). *Accorder la double à un marin.*

Je voulais dire : la double ration de vin au dîner de l'équi-   20
page. À bord, cette double est toujours la récompense des matelots qui ont annoncé les premiers une terre ou un danger (...)   LOTI, Mon frère Yves, LXXXII, p. 195.

CONTR. Demi, simple ; droit, franc, sincère. — Moitié. — Original. ◊ **DÉR.** Doublard, doubleau, 1. doublement, doublet, doubleté, doublette, doublier, doublon, doublot. — **COMP.** Double-bec, double-commande, double-crème, double-fond, double-rideau.
REM. *Double-* sert à former les noms des différents dominos présentant deux fois le même chiffre : *double-blanc* (→ fam. Albinos), *double-as* (ou *double-un*), *double-deux, -trois,* etc. → Double-six.

DOUBLÉ [duble] n. m. — 1755, au sens 1 ; p. p. de *doubler* substantivé.

♦ **1** (1755). Orfèvrerie faite d'un métal ordinaire recouvert, par soudure, d'une mince plaque de métal précieux. → **Fixe, plaqué.** *Du doublé or; doublé argent, platine. Bracelet en doublé. Bijouterie fantaisie en doublé.*

♦ **2** Action, fait qui se répète deux fois. *Un beau doublé.* Sports. Série de deux succès dans deux grandes épreuves. *Réussir le doublé Coupe-Championnat, au football.* — Boxe. Répétition rapide du même coup (direct).

(...) ce boxeur (...) qui corrige méthodiquement sa technique, ses réactions, ses réflexes (...) son doublé fulgurant (...)   B. CENDRARS, Bourlinguer, p. 186.

Billard. Coup qui consiste à toucher la bande avant d'atteindre la bille.

♦ **3** Équit. Action de traverser la piste en diagonale pour la reprendre à l'angle opposé. (On écrit aussi : *le doubler*).

♦ **4** Chasse. Le fait d'abattre de deux coups de fusil successifs deux pièces de gibier. — Cour. Série de deux réussites successives en peu de temps (en sports, etc.). *Faire un beau doublé.* → **Coup** (faire coup double). → **Faire d'une pierre* deux coups.**

DOUBLEAU [dublo] n. m. — 1260, *doubliou*, au sens 2 ; de *double*.

♦ **1** N. m. Arc qui double l'intrados d'une voûte en faisant saillie. *Les doubleaux et les formerets.*

(...) les ogives sont des arcs qui se coupent en croix, qui se croisent en diagonale sous les arêtes. Combinés avec deux doubleaux, en avant et en arrière, avec deux autres arcs à droite et à gauche appelés *formerets*, ils forment un système indéformable, *la croisée d'ogives.*
    P. LAVEDAN, l'Architecture franç., p. 25.

Adj. ou appos. *Arc doubleau.*

♦ **2** (1332). Solive d'un plancher qui soutient les chevêtres.

HOM. **Doublot.**

DOUBLE-BEC [dubləbɛk] n. m. — XIXᵉ ; de *double*, et *bec.*
Techn. Cuiller à deux becs. *Des doubles-becs.*

DOUBLE-CLIC [dubləklik] n. m. — Années 1990 ; calque de l'angl. *double click.* → Clic.
Anglic. (anormal en français : *clic double*). Succession très rapprochée de deux clics (sur la souris d'un ordinateur), produisant un effet différent de celui du simple clic. *Des doubles-clics.*

DOUBLE-CLIQUER [dubləklike] v. intr. — Années 1990 ; calque de l'angl. *to double click.* → Clic.
Anglic. (formation anormale en français). Produire un double-clic. *Double-cliquer sur une icone.*

DOUBLE-COMMANDE [dubləkɔmɑ̃d] n. f. — XXᵉ ; de *double*, et *commande.*
Dispositif permettant le contrôle d'un véhicule-école par un moniteur lors d'une leçon de conduite. — Dispositif permettant un double pilotage (avions). *Des doubles-commandes.*

DOUBLE-CRÈME [dubləkʀɛm] n. m. — 1895 ; de *double*, et *crème.*
Fromage blanc additionné de crème après l'égouttage. *Des doubles-crèmes.* — REM. On fait parfois le mot invar. *Des double-crème.* — Par appos. *Fromages double-crème.*

DOUBLE-CROCHE [dubləkʀɔʃ] n. f. — 1718 ; de *double*, et *croche.*
Mus. Note qui vaut la moitié d'une croche. *Des doubles-croches. La queue de la double-croche porte deux crochets.*

DOUBLE-DÉCIMÈTRE [dublədesimɛtʀ] n. m. — 1795 ; de *double*, et *décimètre.*

♦ **1** Longueur de deux décimètres. → **Décimètre.**

♦ **2** (XIXᵉ). Petite règle plate d'une longueur de deux décimètres. *Des doubles-décimètres.*

DOUBLE-ÉTOFFE [dubletɔf] n. f. — XXᵉ ; de *double*, et *étoffe.*
Techn. Étoffe à deux chaînes et deux trames, qui présente un aspect différent sur chaque face. *Des doubles-étoffes* [dubletɔf].

DOUBLE-FACE [dubləfas] n. f. — 1871 ; de *double*, et *face.*
Techn. et comm. Tissu ourdi à deux chaînes et une trame ou à une chaîne et deux trames et dont l'armure apparaît différente sur chaque face. *Des doubles-faces.*

DOUBLE-FOND [dubləfɔ̃] n. m. — 1892 ; de *double*, et *fond.*
Espace aménagé entre le fond apparent et le fond réel d'un contenant. *Des doubles-fonds. Le double-fond d'un tiroir secret.*

1. DOUBLEMENT [dubləmɑ̃] adv. — V. 1185 ; de *double.*
De deux manières, pour une double raison. *Personne doublement fautive, coupable. Être doublement stupide d'avoir fait une erreur et de s'en être vanté. Je vous suis doublement obligé. Ils se trompent doublement.*

(...) ses accusateurs (d'Ésope) furent punis doublement pour leur gourmandise et pour leur méchanceté.
    LA FONTAINE, Vie d'Ésope.

CONTR. **Moitié** (à moitié).

2. DOUBLEMENT [dubləmɑ̃] n. m. — 1298 ; de *doubler.*

♦ **1** Action de rendre double. *Le doublement d'une somme, des bénéfices, des dépenses. Le doublement du t de jeter devant une finale muette.*

Le revenu par tête des pays peu développés ne progresse pas à une allure supérieure à 1 % par an. Or, à ce rythme, le doublement, pour passer de 300 à 600 dollars par an exigerait soixante-dix ans.
    A. SAUVY, Croissance zéro ?, p. 92.

Milit. Action de doubler une file, un rang d'hommes.

Mus. Emploi simultané (d'un son) par deux parties.

♦ **2** Cour. Action de doubler (un véhicule). → **Dépassement.** *Doublement dangereux.*

CONTR. **Dédoublement.**

DOUBLE-MÈTRE [dubləmɛtʀ] n. m. — 1845 ; de *double*, et *mètre.*

♦ **1** Longueur de deux mètres. → **Mètre.**

♦ **2** Instrument pour mesurer les longueurs, long de deux mètres. *Des doubles-mètres pliants, à ruban.*

♦ **3** Fam. Homme très grand.

C'qu'il est immense, c'qu'il est pointu, c't'être-là ! (...) Il est toujours au courant de tout, c'double-mètre.
    H. BARBUSSE, le Feu, t. II, II, xx.

DOUBLER [duble] v. — 1080, *Chanson de Roland*,
v. intr.; *dobler*, XIIe, v. tr.; du bas lat. *duplare*, de *duplus*.
→ Double.

I V. tr. **A** ◆ **1** Rendre double. *Doubler une ration.
Doubler une somme, un capital*, les multiplier par
deux. *Doubler une longueur, une épaisseur. Doubler une consonne. Action de doubler.* → **Doublement,
duplication.** *Qui double.* → **Duplicatif.**

1 (...) quelle considération, quel respect bas pour un homme
qui évidemment a doublé et triplé sa fortune, depuis qu'il
administre le bien des pauvres!
STENDHAL, le Rouge et le Noir, I, VII, Pl., t. I, p. 247.

2 (...) il paraît qu'on va doubler les impôts et que le Père
Ubu viendra les ramasser lui-même.
A. JARRY, Ubu Roi, III, 3.

(Emplois spéciaux). — Typogr. *Doubler une lettre, un
mot, un passage par erreur.* → 2. **Doublon.** — Mus.
Doubler une partie, la renforcer à l'unisson ou à
l'octave par un second instrument. — Milit. *Doubler les rangs* : mettre sur deux rangs les soldats
qui n'étaient que sur un seul. *Doubler l'étape* :
faire deux étapes au lieu d'une dans la même
journée. *Doubler la garde.* — Mar. *Doubler le quart.*
— *Doubler la bande* : au billard, frapper la bande
avant de toucher la bille. — Sports. Disputer (deux
épreuves analogues). *Doubler 5 000 et 10 000 m.*

(Dans le temps). Vieilli (1765) ou régional (Belgique).
Doubler une classe, la suivre une seconde fois.
→ **Redoubler.** *Élève qui double.* → **Doublant, 2. dou-
bleur, redoublant.**
Doubler le pas : marcher deux fois plus vite
(→ Baguette, cit. 8); par ext. Augmenter son allure.
→ **Accélérer.** *S'apercevant qu'il était en retard, il
doubla le pas.*

3 Tiburce doubla le pas, mais il ne vit plus rien ; la rue était
déserte dans toute sa longueur.
Th. GAUTIER, la Toison d'or, II.

Fig. et rare. *Doubler les craintes, les remords de qqn.*
→ **Augmenter, redoubler.**

4 (...) le sang-froid qui double les moyens et les forces.
Mme DE STAËL, Corinne, I, 4.

5 Ce qui rend les amitiés indissolubles et double leur
charme, est un sentiment qui manque à l'amour, la certitude.
BALZAC, Illusions perdues, Pl., t. IV, p. 656.

6 Devant le petit hôtel, à façade étroite, d'une architecture
indécise, Gurau éprouvait donc une certaine curiosité qui
doublait l'intérêt de sa visite.
J. ROMAINS, les Hommes de bonne volonté, t. III,
XXII, p. 284.

◆ **2** Mettre (qqch.) en double. *Doubler des fils de
tissage. Doubler une étoffe pour tailler deux morceaux semblables.* — Mar. *Doubler les manœuvres,
les cordages, les amarres*, les disposer en double
pour les rendre plus solides.

◆ **3** Garnir intérieurement (qqch.) de qqch. qui
recouvre, augmente l'épaisseur. *Doubler un vêtement, une couverture, un sac, des gants* : appliquer
une étoffe à l'intérieur pour rendre plus chaud,
plus commode. → **Doublure.** *Doubler un tissu de
fourrure* (→ Fourrer), *d'ouate* (→ Ouater). *Doubler
un vêtement de soie, de taffetas, de tartan.* — Absolt :

6.1 Il lui plaisait que deux sœurs Chanel sur trois fussent
enfin réunies, et (...) occupées à volanter, doubler, recouvrir (...)
Edmonde CHARLES-ROUX, l'Irrégulière, p. 191.

Au passif. → aussi ci-dessous Doublé, 2.

7 (...) il ne semblait pas que tout le dedans (du pardessus)
en fût doublé de fourrure.
J. ROMAINS, les Hommes de bonne volonté, t. V,
V, p. 36.

(Le sujet est le nom de ce qui double) :

7.1 Une seconde enveloppe en zinc doublait l'intérieur de la
caisse, qui avait été évidemment disposée pour que les

objets qu'elle renfermait fussent, en toutes circonstances,
à l'abri de l'humidité.
J. VERNE, l'Île mystérieuse, p. 319.

◆ **4** Bijout. Faire d'un ouvrage d'orfèvrerie un doublé.
→ **Doublé** 1., n. m. (à l'ordre alphabétique).
Mar. Effectuer le doublage* de...

◆ **5** Constituer un double, un objet semblable ou
analogue. — Au passif. *Le mur était doublé par une
haie. On a doublé la passerelle par un pont.*

La ville indigène double la ville française, parallèlement 7.2
au fleuve, et s'étend en profondeur à chaque extrémité et
forme proprement deux villes.
GIDE, Voyage au Congo, in Souvenirs, Pl., p. 824.

Pron. (passif). *Le super-marché se double d'une zone
de services.*

(Abstrait). *Les comportements qui doublent une tendance psychologique.*

◆ **6** V. pron. Fig. et littér. *Se doubler de.* → **Accompagner** (s'). *Des compliments qui se doublaient d'une
moquerie. C'est un menteur qui se double d'un lâche.*

Dans ce monde qu'est *la Comédie humaine*, les spécia-   8
listes se sont plus d'une fois émerveillés de découvrir en
Balzac, sous le romancier, un technicien parfait de toutes
les questions traitées : comme si l'écrivain s'était tour à
tour doublé d'un légiste, d'un agriculteur, d'un industriel,
d'un chimiste, d'un financier.
Émile HENRIOT, les Romantiques, p. 297.

B Dépasser en contournant. (1858, in Petiot). Mar.
Doubler un cap, le dépasser, le franchir. Fig. *Doubler le cap, le cap de... ; doubler le cap des tempêtes.*
→ **Cap** (cit. 7). — *Doubler un bâtiment*, le devancer.
Cour. Se dit de tout véhicule qui en dépasse un
autre sur la voie qu'il suit. *Action de doubler un
véhicule.* → **Dépassement, doublement.** *Voiture qui
double une charrette, une motocyclette. La route
n'est pas assez large pour qu'on puisse doubler une
voiture et en croiser une autre en même temps.*
Absolt. *Défense de doubler en côte.*

Quand Joseph doublait une voiture puissante, quand il   9
prenait, à la corde, dans le ruisseau, un tournant difficile,
ou quand il abordait à grande allure une rampe longue
et sinueuse (...)
G. DUHAMEL, Chronique des Pasquier, X, II, p. 310.

Au septième kilomètre, ils doublaient le troupeau des   9.1
lourds humains qui battaient la piste et que nous avions
oubliés. Jean PRÉVOST, Plaisirs des sports, p. 184.

(1860, in Petiot). Par ext. *Doubler qqn*, le dépasser.

J'ai même doublé celui-ci pour la poursuite dans les   9.2
égouts : un honneur, vous voyez.
R. QUENEAU, Loin de Rueil, p. 156.

C ◆ **1** (1752). Théâtre, cin. Remplacer (un comédien)
en cas d'indisponibilité, ou pour certaines scènes.
→ **Remplacer.** *Il s'est fait doubler par un cascadeur
pour les scènes de bagarre. Personne qui double un
acteur dans une pièce.* → **Doublure.** — *Doubler un
rôle* : être la doublure pour ce rôle.

Mlle Lemierre devait faire un rôle de vestale dans l'opéra   10
nouveau ; mais elle est grosse pour la seconde fois ; on ne
sait qui la doublera.
DIDEROT, le Neveu de Rameau, Pl., p. 447.

◆ **2** Cin. Faire le doublage* de (un film, un acteur).
→ **Postsynchroniser.** *L'acteur qui double Laurence
Olivier dans la version française de* Richard III.

D Fam. *Doubler qqn*, le trahir, profiter des avantages qui devraient lui revenir en agissant à sa
place, à son insu. *Il s'est fait doubler.*

La mignonne !... La fleur de mon rêve !... qui me doublait   10.1
avec Bigoudi ! comme ça en plein square !... Ça me renversait... ça me coupait le souffle !...
CÉLINE, le Pont de Londres, p. 157.

II V. intr. ◆ **1** Devenir double. *Le chiffre des importations a doublé. Longueur, hauteur qui double.*

DOUBLER DE... *Doubler de valeur, de longueur :* voir sa valeur, sa longueur doubler. *Animal qui double de poids toutes les cinq semaines pendant sa croissance.*

♦ **2** (Chasse). Faire un doublé*. — Tirer un second coup.

10.2 L'Oncle tirait, puis par précaution, il «doublait», et l'animal foudroyé s'ajoutait à la liste interminable des victimes.
M. PAGNOL, la Gloire de mon père, t. I, p. 203.

♦ **3** Redoubler d'efforts. (Mar.). *Doubler sur les avirons.*

♦ **4** Sports (ballon). Ajouter son action à celle d'un partenaire.

◆ **SE DOUBLER** v. pron. (passif). (Du sens I). → ci-dessus 5. et 6. — *Ration, quantité qui se double. — Vêtement qui se double habituellement. Film qui se double difficilement.*

◆ **DOUBLÉ, ÉE** p. p. adj.

♦ **1** Rendu ou devenu double. *Lettre doublée. Effectif doublé. Poids doublé. — Colonne* doublée.* → **Géminé.**

♦ **2** Garni d'une doublure. *Veste doublée de mouton,* et, ellipt., *doublée mouton; manteau doublé écossais.*

11 Les robes sont magnifiques : des velours noirs, des velours bleus, des velours violets ou cramoisis, doublés de pelleteries précieuses. LOTI, Jérusalem, XIII, p. 157.

♦ **3** (1847). Fig. (avec deux n. de nature analogue). *Doublé de... :* qui est aussi... *C'est un philosophe doublé d'un mathématicien. Compliment doublé d'une moquerie.* → **Accompagné.**

12 Je ne suis qu'un petit garçon qui s'amuse — doublé d'un pasteur protestant qui l'ennuie.
GIDE, Journal, juin 1907.

♦ **4** Dépassé (en parlant d'un véhicule). *Voitures doublées.*

♦ **5** Qui a subi le doublage. *Film doublé* (opposé à *en version originale*). *Acteur étranger doublé en français.*

♦ **6** N. m. → **Doublé.**

CONTR. Dédoubler; sauter (une classe). — Atténuer, diminuer. ◇ DÉR. Doublage, doublant, 1. doubleur, 2. doubleur, doublure. ◂ COMP. Dédoubler, redoubler.

DOUBLE-RIDEAU [dublәʀido] n. m. — 1812; de *double,* et *rideau.*
Rideau d'étoffe épaisse, généralement disposé par-dessus un voilage transparent, et destiné à être tiré le soir. *Faire poser des doubles-rideaux.*

DOUBLE-SCULL [dublәskœl] n. m. — 1887, *in* Petiot; mot angl., de *double* «double», et *scull* «aviron».
Sports (aviron). Bateau long de 10 m 40, armé en couple pour deux rameurs. → **Deux** (*supra*, cit. 5.1). *Le double-scull est un outrigger* à deux rameurs de couple.*

DOUBLE-SIX [dublәsis] n. m. — 1832, Hugo; de *double,* et *six.*
Le domino portant deux fois six points (chiffre maximum). *Des doubles-six.*

DOUBLET [dublɛ] n. m. — XIIᵉ, «étoffe»; de *double.*
Rare ou emplois spéciaux (techn., sc.).

♦ **1** (1301). Pierre fausse formée d'un morceau de cristal sous lequel est placée une feuille de clinquant.

♦ **2** (1680). Coup de trictrac où les deux dés amènent le même point. *Doublet d'as.* → **Ambesas.**

♦ **3** (1835). Ling. Mot de même étymologie, mais de forme différente et d'emploi différemment spécialisé. *Hôpital est le doublet d'hôtel. Hôpital et hôtel sont des doublets. — Les doublets peuvent provenir d'un même mot latin, l'un étant de formation savante* (frêle et fragile, de *fragilem*), *de l'introduction d'une forme étrangère (emprunt) de même origine latine* (noir et nègre), *de la coexistence d'un cas sujet et d'un cas régime* (sire et seigneur).

1 C'est précisément le fait que le doublet ne fait pas double emploi avec son aîné qui en justifie la création. Au mot ancien venu du latin par formation populaire, c'est-à-dire avec des tassements, des contractions du radical qu'expliquent les lois phonétiques, s'est juxtaposé un mot de formation savante reproduisant exactement le mot latin et créé par les clercs pour rendre une idée nouvelle, généralement abstraite.
René GEORGIN,
Difficultés et Finesses de notre langue, p. 15.

♦ **4** Comm. Exemplaire en double.

2 (...) en choisissant entre les doublets qu'il pouvait posséder l'exemplaire le moins détérioré ou le plus complet (...) pour le garder pour soi, ne cédant le doublet qu'à bon prix (...)
B. CENDRARS, Bourlinguer, p. 343.

♦ **5** Ensemble de deux objets analogues. → **Couple, paire.** — Chim. Paire d'électrons mis en commun par deux atomes et constituant une liaison de valence. — Électr. Doublet électrique. → **Dipôle.** — Phys. Raie double d'un spectre. — *Doublet électronique :* deux électrons à spins antiparallèles occupant une même orbitale.

3 Lorsque (...) on soumet les rayons solaires à l'analyse d'un spectroscope pourvu d'un grand pouvoir dispersif on reconnaît que le groupe de deux raies B, situées dans le rouge vif, se compose en réalité de 13 groupes de deux raies auxquelles on a donné le nom de doublets et qui sont d'autant plus intenses qu'elles sont placées plus loin de l'extrémité rouge.
L. FIGUIER, l'Année scientifique et industrielle 1894, p. 24 (1893).

DOUBLETÉ, ÉE [dublәte] adj. — 1765; de *double.*
Techn., comm. Se dit d'une étoffe ornée de fleurs à deux couleurs. *Taffetas doubleté.*

DOUBLE-TOIT [dublәtwa] n. m. — Mil. XXᵉ; de *double,* et *toit.*
Toile doublant celle qui forme le toit d'une tente. *Des doubles-toits.*

DOUBLETTE [dublɛt] n. f. — 1610; de *double.*

♦ **1** Mus. Jeu de l'orgue qui sonne l'octave au-dessus du prestant.

♦ **2** Techn. Planche (de chêne, de frêne) d'un format réglementé, valant *deux* pouces.

♦ **3** Équipe de deux joueurs, aux boules ou à la pétanque.

1. DOUBLEUR, EUSE [dublœʀ, øz] n. — XIIIᵉ, «celui qui double, rend deux fois»; de *doubler.*
Technique.

♦ **1** (1700). Vx. Celui, celle qui double le fil sur le rouet. — Mod. Ouvrier, ouvrière qui pose des doublures. *Doubleuse en fourrure.*

♦ **2** Ouvrier, ouvrière qui fait le doublé, en joaillerie.

♦ **3** N. f. Techn. **DOUBLEUSE :** machine servant à transformer les rubans, obtenus par la carde en gros, en nouveaux rubans prêts à être utilisés par la carde en lin. *Doubleuse-étireuse à lin.*

2. DOUBLEUR, EUSE [dublœʀ, øz] n. — D. i.; de *doubler.*

Régional (Belgique). Élève qui redouble une classe.
→ **Doublant, redoublant.**

DOUBLE-VÉ [dubləve] n. m. — D. i. (attesté mil. XXᵉ); de *double,* et de la transcription graphique de la lettre *V,* prononcée [ve].

Rare. Nom de la lettre de l'alphabet dont la figuration graphique est W. *Des doubles-vés.* — Forme de cette lettre.

(...) sa bouche qui fait en haut un M étroit qu'un trait en dessous sépare d'un double-vé arrondi, plus large.
ARAGON, Blanche..., II, II, p. 198.

DOUBLIER [dublije] n. m. — V. 1180; de *double.*

♦ **1** Anciennt. Nappe que l'on mettait repliée en double sur une table, dans les grandes occasions.

♦ **2** (1864). Agric. Râtelier double de bergerie.

1. DOUBLON [dublɔ̃] n. m. — 1534; de l'esp. *doblon,* dér. de *doble* «double» de même orig. que le franç. *double.*

Ancienne monnaie d'or espagnole (frappée depuis 1497).

Or, je suppose que nous sommes,
Madame, dans votre salon :
On parle chiffres, rentes, sommes.
«Je suis le plus pauvre des hommes,
J'ai dans ma bourse un seul doublon» (...)
Germain NOUVEAU, Valentines, «Toute nue», Pl.,
p. 600 (1885-1887).

HOM. 2. Doublon, 3. doublon; formes du v. **doubler.**

2. DOUBLON [dublɔ̃] n. m. — XIIIᵉ, en parlant de qqch. de double; de *double,* et suff. *-on.*

♦ **1** (1690). Typogr. et cour. Faute consistant dans la répétition d'un élément du manuscrit (mot, ligne, phrase, alinéa...).

♦ **2** (1757). Techn. Réunion de deux bandes de métal laminées ensemble.

HOM. 1. Doublon, 3. doublon; formes du v. **doubler.**

3. DOUBLON, ONNE [dublɔ̃, ɔn] n. — 1445; de *double,* et suff. *-on.*

Régional. Animal (mâle ; femelle) de deux ans (veau, génisse; agneau, brebis; poulain, pouliche...).

HOM. 1. Doublon, 2. doublon; formes du v. **doubler.**

DOUBLOT [dublo] n. m. — 1730; de *double.*
Techn. Fil de laine employé en double.

HOM. **Doubleau.**

DOUBLURE [dublyʀ] n. f. — 1376; de *doubler.*

♦ **1** Étoffe, et, par ext., toute matière, qui sert à garnir l'intérieur de qqch. *Mettre une doublure à un vêtement.* → **Doubler.** *Enlever une doublure.* → **Dédoubler.** *La doublure d'une veste, d'un manteau. Doublure de lustrine, de molesquine, d'ouate, de percaline, de soie, de tartan. Doublure mi-corps. Partie d'une doublure qui dépasse le bord du vêtement.* → **Débord, passepoil.** *Fente d'un habit laissant voir la doublure.* → **Crevé.** *La doublure d'un chapeau.* → **Coiffe.** *— La doublure d'une boîte, d'un coffret, d'un sac à main.*

Elle décousait la doublure d'une robe, dont les bribes s'éparpillaient autour d'elle (...)
FLAUBERT, Mᵐᵉ Bovary, III, II, p. 163.

Elle sent, au toucher, l'humidité du tissu de laine. Il met les deux mains dans ses poches. La doublure en est moite et froide.
A. ROBBE-GRILLET, Dans le labyrinthe, p. 137.

♦ **2** (1808). Acteur, actrice qui remplace le chef d'emploi en cas de besoin. *X est la doublure de Y, créateur du rôle. Doublure pour les scènes dangereuses d'un film.* → **Cascadeur.**

Fig. Double, sosie. *Être la parfaite doublure de qqn.*

♦ **3** Mus. Émission simultanée de la même note de la part d'instruments identiques (plusieurs octaves) ou différents (même ou plusieurs octaves).

Ils *(les orchestres d'instruments à vent)* sont particulièrement destinés au plein air, avec des sonorités très fournies (comportant parfois des doublures entre les divers groupes : mais cela n'est pas nécessaire, il importe surtout que chacun des groupes soit, par lui-même, bien plein).
Charles KOECHLIN, les Instruments à vent, p. 119.

DOUÇAIN [dusɛ̃] n. m. — XXᵉ; de *doux* (eau douce).
Pêche. Maladie de l'huître qui vit dans une eau trop peu salée.

HOM. **Doucin.**

DOUCE [dus] adj. f. → **Doux.**

DOUCE-AMÈRE [dusamɛʀ] n. f. — 1708; de *douce,* fém. de *doux,* et *amère.* → Doux-amer.

Morelle* *(Solanacées),* plante à fleurs violettes et à baies rouges. *Des douces-amères.*

Ça sentait l'humus végétal piétiné sur ce sol bosselé par les racines des bruyères noires : nulle valériane (...) ni douce-amère à baies rouges, rien que de maigres bouquets de phragmites ou de laîches (...)
Jean CAYROL, Histoire de la mer, p. 88.

DOUCEÂTRE [dusɑtʀ] adj. — 1539, *doulcastre;* de *doux, douce,* et suff. péj. *-âtre.*

♦ **1** (Concret). Qui est d'une douceur fade. → **Doucereux** (cit. 2), **fade, insipide.** *Goût douceâtre. Eau douceâtre. — Chaleur douceâtre* (→ Découvert, cit. 2). *Musique douceâtre.*

Le samovar ronronnait; la chambre était tiède; l'atmosphère, douceâtre : Daniel pensa se trouver mal.
MARTIN DU GARD, les Thibault, t. I, p. 115.

(Des sensations elles-mêmes). *Un écœurement douceâtre.*

♦ **2** (Psychique). Qui est trop doux (I., B.). → **Doucereux, falot, mielleux.** *Air, sourire douceâtre. Manières douceâtres. Une façon de parler douceâtre* (Académie). *Phrases douceâtres. Style douceâtre.*

(Personnes). *Un personnage douceâtre, mielleux.*

REM. On écrit parfois *douçâtre.*

DOUCEMENT [dusmɑ̃] adv. — Fin Xᵉ, *dulcement;* de *doux, douce.*

D'une manière douce.

♦ **1** D'une manière délicate, agréable aux sens (→ **Doux,** I., A.). *Musique qui caresse doucement l'oreille.*

C'était une soirée d'automne tiède et doucement voilée; nous remarquions la sonorité de l'air dans cette saison et ce je ne sais quoi de mystérieux qui règne alors dans la nature.
G. SAND, François le Champi, Avant-propos, p. 7.

Vx. Commodément, dans le calme, la quiétude. *Vivre doucement avec ses amis, avec ses livres.*

♦ **2** (Plus cour.). Sans employer une grande énergie, sans hâte, sans violence, ni brutalité. → **Délicatement, doucettement, faiblement, légèrement, pianissimo, piano, posément.** *Parler doucement,* sans crier.

Marcher doucement pour ne pas faire de bruit.
Frapper, frotter doucement. Retirer doucement sa
main (→ Baiser, cit. 6). *Se dégager* (cit. 25) *douce-*
ment d'une étreinte. Travailler doucement, sans se
hâter. → **Mollement.** *Voiture qui part doucement*
(→ **Démarrer,** cit. 3), *qui roule doucement.* → **Lente-**
ment. *Se couler, se glisser doucement pour sortir.*
→ **Doux** (en douce); **furtivement.** *Éclairer doucement.*
→ **Faiblement.** *S'éteindre doucement :* mourir lentement, sans souffrir. → **Paisiblement.**

2 C'est mourir doucement, mais enfin c'est mourir.
                CORNEILLE, Théodore, vierge et martyre, V, 6.
3 Je me suis doucement esquivé sans rien dire (...)
                        MOLIÈRE, les Fâcheux, I, 1.
4 J'ai gagné doucement la porte sans rien dire (...)
                                BOILEAU, Satires, III.
5 (...) elle écoute, à peine perceptible, le bruit de la porte de
   fer. D'ordinaire, Jean la laisse retomber d'elle-même avec
   fracas. Il vient de la refermer doucement.
                J. CHARDONNE, les Destinées sentimentales, II,
                                                         p. 338.

Sans heurter, sans faire de peine. *Traiter qqn dou-*
cement, avec des égards. *Ils se sont expliqués dou-*
cement, sans emportement ni tumulte. *Reprendre*
qqn doucement, avec bonté, sans sévérité. *Avertir*
qqn doucement, avec ménagement, discrétion, ou
à l'insu de qqn. *Allez-y doucement* (→ fam. **Mollo,**
mou).

6 Informez-vous tout doucement de cela, et sans en faire de
   bruit.   RACINE, Lettres.
7 (...) tu es fine, toi, tu as toujours montré de l'esprit, et tu
   fais attention à tout. Si tu vois quelque chose qui te donne
   à penser, tu m'en avertiras tout doucement.
                        G. SAND, la Mare au diable, VI, p. 51.
   (Intensifs). *Bien doucement. Très doucement.* — **Cour.**
   Tout doucement. Tout doucement, sans faire de
   bruit.

♦ **3** Rare. D'une manière douce* (B., 2.), modérée.
Cuire doucement un plat, à feu doux.

♦ **4** Graduellement, insensiblement. → **Pas** (à pas),
peu (à peu). → 2. Dégrader, cit. 2. *Colline qui descend*
doucement vers la mer (→ Adosser, cit. 2). *La tempé-*
rature baisse doucement.

8 On goûte une douceur extrême à réduire, par cent hommages, le cœur d'une jeune beauté (...) à la mener doucement où nous avons envie de la faire venir.
            MOLIÈRE, Dom Juan, I, 2 (→ Arme, cit. 34).

♦ **5** Fig. et fam. Médiocrement; assez mal. → **Couci-**
couça. *Les affaires vont doucement. Comment va le*
malade ? — Doucement; tout doucement. → **Doucet-**
tement.

♦ **6** Interjection pour inviter au calme, à la modération. → **Bellement, doux** (tout doux). *Doucement, ne*
nous emballons pas! Doucement, vous oubliez à qui
vous avez affaire.

9 Doucement, Monsieur : vous ne songez pas que vous êtes
   malade.   MOLIÈRE, le Malade imaginaire, I, 5.
   Fam. *Doucement, les basses!* : n'exagérez pas, soyez
   raisonnables (= «Chantez, jouez moins fort, les
   basses!»).
10 Vous profitez de ce que vous avez retrouvé vos burlingues
   et vos cognes pour leur tomber sur le poil! Doucement,
   les basses (...)
                Roger VERCEL, Capitaine Conan, VI, p. 118.

CONTR. Brusquement, brutalement, rudement, vigoureuse-
ment, violemment. — Bruyamment, fortement. — Précipi-
tamment, promptement, rapidement, vite, vivement.

DOUCEREUSEMENT [dusʀøzmã] adv. — V. 1290;
de *doucereux.*

Rare ou vx (souvent péj.). D'une manière doucereuse.
Dire doucereusement qqch. Paroles chuchotées dou-
cereusement.

DOUCEREUX, EUSE [dusʀø, øz] adj. — XIIe, «doux»
jusqu'au XVIe; de *douceur,* et suff. *-eux.*

♦ **1** (1648). Vieilli. D'une douceur fade, peu agréable
au goût. Trop doux* (I., A., 1.). *Saveur doucereuse.*
Devenir doucereux. → **Affadir** (s').

Et qui (un vin), rouge et vermeil, mais fade et doucereux,   1
N'avait rien qu'un goût plat, et qu'un déboire affreux.
                                BOILEAU, Satires, III.

Ce qui est *douceâtre,* n'arrive pas jusqu'à être doux; ce   2
qui est *doucereux,* est fade par trop de douceur (...) Dans
l'un c'est une qualité naturelle (...) Dans l'autre une qualité
affectée (...)   LAFAYE, Dict. des synonymes, p. 280.

♦ **2** Vieilli ou littér. (Personnes). D'une douceur affectée
(→ **Doux,** I., B.). → **Benoît, doux, mellifue, mielleux,**
papelard, patelin, paterne, patte-pelu, sournois; chat-
temite (faire la chattemite); **sucré.** — REM. La plupart de
ces mots sont archaïques. → Cauteleux, cit. 1. — N.
Un doucereux, une doucereuse. Faire le doucereux.
→ **Sucre** (être tout sucre et tout miel).

Hé! qu'il est doucereux! c'est tout sucre et tout miel.   3
                        MOLIÈRE, l'École des maris, I, 2.

Peignez donc, j'y consens, les héros amoureux;   4
Mais ne m'en formez pas des bergers doucereux (...)
                        BOILEAU, l'Art poétique, III.

Il y a des vieillards doucereux, circonspects, pleins de   5
ménagements, comme s'ils avaient leur fortune à faire.
          VOLTAIRE, Lettre à Mme du Deffand, 15 janv. 1761.

♦ **3** Par ext. Mod. *Air doucereux.* → **Douceâtre, mielleux.**
Paroles doucereuses. → **Emmiellé, mièvre.** *Langage,*
ton, air doucereux.

Il y a un certain air doucereux qui les attire (les galants), 6
ainsi que le miel fait les mouches (...)
                        MOLIÈRE, George Dandin, II, 2.

(...) un air doucereux était étendu comme une couche de   7
miel sur un visage contracté et violent.
                CHATEAUBRIAND, Mémoires d'outre-tombe, t. V,
                                                     p. 361.

Cette question fit briller une lueur d'espoir aux yeux de   8
Jehan. Il reprit sa mine chatte et doucereuse.
                HUGO, Notre-Dame de Paris, VII, IV.

N. m. Vx. *Le doucereux. Détester doucereux.*

CONTR. (Du sens 1) **Acide, âcre, épicé, pimenté, piquant,**
relevé. — (Du sens 2 et 3) **Autoritaire, brutal, dur, ferme,**
violent. ◊ DÉR. **Doucereusement.**

DOUCET, ETTE [dusɛ, ɛt] adj. et n. — XIIe; de *doux.*
Technique ou vieux.

♦ **1** Adj. Vx. Qui est d'un caractère très doux, ou qui
simule la douceur. *Personne doucette. Air doucet.*
— N. *Faire la doucette, le doucet.*

(...) vous faites la discrète,   1
Et vous n'y touchez pas, tant vous semblez doucette (...)
                        MOLIÈRE, Tartuffe, I, 1.

Mon fils, dit la souris, ce doucet est un chat   2
Qui sous son minois hypocrite,
Contre toute ta parenté
D'un malin vouloir est porté.
                        LA FONTAINE, Fables, VI, 5.

♦ **2** N. m. (1845, Bescherelle). Techn. Variété de raisin;
variété de pomme à saveur douce.

DÉR. **Doucette, doucettement.**

DOUCETTE [dusɛt] n. f. — 1680; de *doucet.*

♦ **1** Régional. Mâche (salade).

♦ **2** (1791). Chim. anc. Soude faible, peu caustique.

♦ **3** (1752). Sirop de sucre (syn. : *roussette*).

♦ **4** (Attesté 1864, Littré). Ancienn. Étoffe de soie légère
(au moyen âge).

DOUCETTEMENT [dusεtmɑ̃] adv. — Déb. XIIIe; de *doucet*.

Fam. Tout doucement. *Parler doucettement. — Faire qqch. (tout) doucettement.* → **Lentement.** *Chose qui évolue doucettement.* → **Progressivement.**

1 (...) une petite fièvre qui la consumait tout doucettement (...)   G. SAND, François le Champi, XI, p. 93.

2 L'escale est douce, et cette nuit qui, doucettement, envahit la fenêtre (...)   A. SARRAZIN, la Cavale, p. 169.

DOUCEUR [dusœʀ] n. f. — 1680; *dulçur*, 1119; *dolçor*, v. 1170; bas lat. *dulcor*, de *dulcis*. → **Doux.**

◆ **1** Qualité de ce qui est doux* (I., A., 1.) au goût. *La douceur d'un fruit, d'un breuvage, du miel, du sucre. Douceur exquise. Douceur fade.*

1 (...) nous appelons douceur d'un fruit une certaine sensation qui n'est que dans notre palais.   PROUST, À la recherche du temps perdu, t. XIII, p. 99.

Par métonymie. Au plur. (souvent iron.). *Choses douces au goût.* Spécialt. *Friandises, sucreries. Offrir des douceurs à un enfant. Aimer les douceurs.*

2 Mille bonbons, mille exquises douceurs
Chargeaient toujours les poches de nos sœurs.
    J.-B.-L. GRESSET, Ver-Vert, *in* LITTRÉ.

◆ **2** Par anal. (→ **Doux,** I., A.). Qualité de ce qui procure aux sens (surtout à l'ouïe et au toucher) un plaisir délicat. *La douceur d'une musique, d'un son, d'une voix. La douceur des coloris dans un tableau. Douceur du clair-obscur* (→ Dégradation, cit. 3). *Douceur de la soie, du satin; du velours.* → **Velouté.** *Douceur de la peau.* → Poussinet, cit.

3 La douceur de sa jolie voix, le timbre presque féminin de son accent, l'agrément menu de ses gestes (...)
    André SUARÈS, Trois hommes, «Ibsen», III, p. 109.

La douceur de l'air, de l'atmosphère, du climat, de la température. Douceur de la saison. — Allus. littér. *La douceur angevine.*

4 Plus que le marbre dur me plaît l'ardoise fine,
Plus mon Loire gaulois que le Tibre latin,
Plus mon petit Liré que le mont Palatin,
Et plus que l'air marin la douceur angevine.
    DU BELLAY, Regrets, XXXI.

5 Je songeais à la Touraine où j'avais déjà été et qui me plaisait beaucoup, tant pour la douceur du climat que pour celle des habitants.   ROUSSEAU, les Confessions, XI.

6 L'air humide, tiédi par un soleil encore faible et déjà généreux, soufflait l'inquiète douceur du printemps.
    FRANCE, le Lys rouge, VIII, p. 86.

La douceur du repos, du sommeil.

◆ **3** (*La douceur de...; une, des douceurs*). **a** Impression douce, plaisir modéré et calme. → **Doux** (I., B.); joie, **jouissance, satisfaction.** *Douceur de vivre.* → **Bien-être, bonheur; dolce vita;** → Politiser, cit. 2. *Apprécier les douceurs de la solitude.* → **Quiétude, tranquillité.** *Les douceurs de l'amitié, de la liberté. La douceur de pardonner, de vivre en paix. Les douceurs du succès, de la renommée. La douceur de* (et inf.) : l'agrément qu'il y a à...

7 (...) me laisser goûter les douceurs du sommeil du matin.
    MOLIÈRE, le Sicilien, 6.

8 Le plaisir d'aimer sans l'oser dire a ses peines; mais il a aussi ses douceurs.
    PASCAL, Disc. sur les passions de l'amour.

9 (...) Mme de Coulanges est hors de tout péril et dans la douceur de la convalescence (...)
    Mme DE SÉVIGNÉ, 584, 2 oct. 1676.

10 La guerre a ses douceurs, l'hymen a ses alarmes.
    LA FONTAINE, Fables, III, 1.

11 Que sert (...) au bien des peuples et à la douceur de leurs jours, que le prince place les bornes de son empire au delà des terres de ses ennemis (...)?
    LA BRUYÈRE, les Caractères, X, 24.

(...) privée éternellement du plus grand bien de la vie humaine, c'est-à-dire des douceurs de la société.   12
    BOSSUET, Oraison funèbre du prince de Condé.

La douceur de te voir ne m'est donc point ravie!   13
    VOLTAIRE, Tancrède, II, 7.

Malheureux, dont le cœur ne sait pas comme on aime,   14
Et qui n'ont point connu la douceur de pleurer!
    VOLTAIRE, Épîtres, XXXII,
    Aux mânes de M. de Genonville.

Oh! que non! si le métier d'auteur a ses douceurs, il a   15
aussi ses épines, et je lègue tout cela à mes héritiers.
    A. BRILLAT-SAVARIN, Physiologie du goût, t. I,
    p. 19.

La vie eut bien pour moi de volages douceurs;   16
Je les goûtais à peine, et voilà que je meurs.
    André CHÉNIER, Élégies, «Aux frères de Pange».

Le climat et la douceur de vivre font les sceptiques.   17
    André SUARÈS, Trois hommes, «Ibsen», IV, p. 113.

b Absolt. Au plur. (vx ou par plais.). **DOUCEURS** : *petits plaisirs, petits agréments.*

(...) cette conduite lui a attiré mille petites douceurs.   18
    Mme DE SÉVIGNÉ, 846, 28 août 1680.

Au sing. *Faire une petite douceur à qqn.*

Paroles aimables que l'on adresse à qqn. Dire des douceurs à qqn. Conter des douceurs à une femme, des propos galants. → **Fadaise** (péj.), **galanterie.**

Et d'aller, à l'abri d'une perruque blonde,   19
De ses froides douceurs fatiguer tout le monde (...)
    BOILEAU, Satires, IV.

(...) une de ces douceurs futiles que l'on peut dire à un   20
enfant assoupi ou à un homme qui va mourir.
    G. DUHAMEL, Récits des temps de guerre, V, p. 261.

Iron. *Ils se sont dit des douceurs,* des injures.

◆ **4** Qualité de ce qui est doux* (I., B., 2.), sans rudesse, sans violence. → **Délicatesse, modération.** *Faire qqch. avec douceur. — Mouvements pleins de douceurs.* → **Grâce, légèreté.** *Se dégager avec douceur d'une étreinte.* → **Lenteur.** *Douceur d'un profil.* → **Finesse.**

Il (*l'amour*) entre avec douceur, puis il règne par force;   21
Et quand l'âme une fois a goûté son amorce (...)
    CORNEILLE, Horace, III, 4.

(D'une chose concrète) :

Son profil, dont toutes les lignes étaient arrondies sans   22
cesser d'être fermes, avait cette douceur germanique qui
a pénétré dans la physionomie française par l'Alsace et
la Lorraine, et cette absence complète d'angles qui rendait
les Sicambres si reconnaissables parmi les Romains et qui
distingue la race léonine de la race aquiline.
    HUGO, les Misérables, III, VI, I.

La douceur d'une langue, d'un style.

(...) les principaux personnages d'un poème, ce sont tou-   23
jours la douceur et la vigueur des vers.
    VALÉRY, Variété, p. 78.

Par anal. Qualité d'un mouvement progressif et aisé, de ce qui fonctionne sans heurt ni bruit. *La douceur d'un démarrage, d'un mécanisme, d'un moteur.*

La machine à tuer se mit en mouvement avec une impi-   24
toyable douceur.
    A. MAUROIS, le Cercle de famille, XVI, p. 91.

Loc. adv. Fam. **EN DOUCEUR** : *sans brusquerie, sans violence. Voiture qui démarre en douceur. Avion qui atterrit en douceur.* → **Doucement.**

Fig. *Calmement, sans précipitation. Procéder en douceur. — Discrètement* (→ fam. En douce). *S'éclipser, filer en douceur.*

Je fais à petit bruit mon chemin en douceur.   25
    J.-F. REGNARD, le Distrait, II, 7.

Argot. *Faire, lever qqn en douceur,* tromper en flattant. (On dit aussi *mettre en douceur*).

♦ **5** Qualité morale qui porte à ne pas heurter autrui de front, à être patient, conciliant, affectueux. → **Doux** (I., B., 3. et 4.); **affabilité, amabilité, aménité, bienveillance, bonté, calme, charité, clémence, gentillesse, humanité, indulgence, mansuétude, patience, placidité.** *Douceur de caractère. Douceur angélique, céleste. La colombe, symbole de douceur. Douceur de l'agneau. C'est la douceur même. Douceur affectée* (→ **Affectation**). *Physionomie qui annonce la douceur.* → Attester, cit. 4; commisération, cit. 5. *Douceur qui cache une grande énergie.*

26   Toutes les créatures ou l'affligent *(l'homme)* ou le tentent, et dominent sur lui, ou en le soumettant par leur force, ou en le charmant par leur douceur, ce qui est une domination plus terrible et plus impérieuse.
                           PASCAL, Pensées, VII, 430.

27   Enfin avec des yeux où régnait la douceur (...)
                           RACINE, Esther, I, 1.

28   (...) une patience et une douceur qu'on n'aurait jamais attendue d'une humeur si vive.
               BOSSUET, Oraison funèbre du prince de Condé.

29   (...) il n'y a que l'inaltérable douceur de votre âme qui vous préserve d'un peu d'humeur.
            ROUSSEAU, Julie ou la Nouvelle Héloïse, I, Lettre III.

30   (...) les forts (...) ont seuls cette douceur que le vulgaire prend pour de la faiblesse.
            PROUST, À la recherche du temps perdu, t. X, p. 232.

Par ext. Manière d'agir qui témoigne de la douceur de caractère. *Paroles empreintes de douceur.* → **Bénignité, onction.** *Parler, agir avec douceur. Douceur qui dissimule une grande fermeté* (cf. Une main de fer sous un gant de velours). *Employer la douceur. Prendre qqn par la douceur,* l'amener à faire ce qu'on veut sans le brusquer. *Élever un enfant avec trop de douceur* (→ Dans le coton*). *Traiter qqn avec douceur,* avec des égards, avec ménagement.

31   Je pense que le seul moyen de ramener nos ennemis serait de ne leur montrer que de la charité et de la modestie; mais (...) nous forçons leur amour-propre à se mettre contre nous sous les armes. Ne serait-il pas plus sage et plus utile d'employer la douceur, qui vient à bout de tout ?
                        VOLTAIRE, Lettre écrite sous le nom de M. Cubstorf...

32   (...) il n'y a point de haine qu'on ne désarme à force de douceur et de bons procédés (...)
              ROUSSEAU, les Confessions, IX.

Douceur du ton, du regard, des manières, d'un sourire...

33   Antoine reporta son regard sur la mère. Tant de douceur et de tristesse embellissait ce visage fané, qu'il en fut naïvement touché (...)
           MARTIN DU GARD, les Thibault, t. III, p. 190.

Prov. *Plus fait douceur que violence* (La Fontaine, Fables, VI, 3).

CONTR. Amertume, âcreté; aspérité, rugosité. — Acariâtreté, acrimonie, aigreur (cit. 3), austérité, brusquerie, brutalité, cruauté, dureté, férocité, fureur, indifférence, insensibilité, rigidité, rigorisme, rudesse, sévérité, véhémence, violence.

◊ **DÉR.** Doucereux.

DOUCHE [duʃ] n. f. — 1584, *doulche; doccia,* 1581, cit. Montaigne, au sens B; var. *douge, douje,* XVIᵉ et XVIIᵉ; ital. *doccia,* probabIt de *doccione* «conduite d'eau», du lat. *ductio, onis* «action de conduire», du supin de *ducere* «conduire».

A ♦ **1** Projection d'eau en pluie qui arrose le corps et produit une action hygiénique. *Douche froide, glacée, chaude, tiède. Douche ascendante, descendante, oblique. Administrer, donner une douche à qqn* (→ **Doucher**). *Prendre une douche, une bonne douche, une petite douche. Siffler, chanter en prenant sa douche. — Passer sous la douche. Être sous*

la douche. *Pour lire sous la douche,* ouvrage humoristique de Cami.

(...) il ne lui fallait guère plus de cinq minutes, pour passer   1
sous la douche, se raser, enfiler la chemise glacée (...)
           MARTIN DU GARD, les Thibault, t. VI, p. 10.

Douche thérapeutique, administrée généralement au jet. *Douches données dans un établissement thermal. — Douches administrées aux agités pour les calmer.* — **Loc. fam.** *Il te, il lui faudrait une douche !* : tu as, il a besoin d'être calmé, tu es, il est fou*.

(1866). **Loc. DOUCHE ÉCOSSAISE** : douche alternée d'eau chaude et d'eau froide. — **Fig.** Parole, événement, situation très désagréable qui suit brutalement une parole, un événement, une situation très agréable (ou inversement). *Après les compliments vint une remarque cinglante, c'était la douche écossaise !*

Il lui avait causé assez de déceptions comme cela. Repos   1.1
dans le régime des douches écossaises !
           MONTHERLANT, le Démon du bien, p. 174.

Pour moi qui passe mon temps à aller de l'avant à l'arrière,   1.2
j'éprouve la sensation d'une douche écossaise, passant en
quelques heures de zones surchauffées à des zones *sur-
calmes.*   L.-H. LYAUTEY, Paroles d'action, p. 252.

Méd. Projection d'eau sur ou dans une partie du corps, à des fins thérapeutiques. *Douches filiformes* (dermatologie). *— Douche vaginale, rectale. Douche alternante :* succession de douches écossaises.

♦ **2 Par ext.** Averse que l'on essuie; liquide qui asperge. *J'étais sorti sans parapluie, quelle douche !*

(...) je jette un regard curieux dehors, au risque de recevoir   2
une douchette.   LOTI, Mᵐᵉ Chrysanthème, III, p. 19.

Par anal. *Une véritable douche de lumière.*

♦ **3 Par métaphore ou fig. Fam.** Violente réprimande. *Il va recevoir une bonne douche en rentrant à la maison. —* Ce qui détruit un espoir, une illusion (→ **Déception, désappointement**), rabat les prétentions, ramène au sens des réalités... *Il ne s'attendait pas à un pareil échec : quelle douche pour lui ! Quelle douche froide ! C'est la douche !*

J'aime fréquenter la jeunesse. Elle m'apprend beaucoup   3
plus que l'âge. Son insolence et sa sévérité nous administrent des douches froides. C'est notre hygiène. En outre
l'obligation où nous sommes de lui servir d'exemple nous
force à marcher droit.
           COCTEAU, la Difficulté d'être, p. 206.

B Par métonymie. ♦ **1** (Fin XVIᵉ, d'abord sous la forme ital. *doccia,* → ci-dessous cit. 4). Système de distribution d'eau en pluie, permettant de donner des douches (A.); élément de ce système qui projette l'eau. *Réparer la douche. Douche fixe. Douche mobile, douche téléphone adaptée à une baignoire. Bloc*-douche.*

Il y a ici de quoi boire et aussi de quoi se beigner *(bai-*   4
gner). Un bein *(bain)* couvert, vouté et assez obscur, large
comme la moitié de ma salle de Montaigne. Il y a aussi
certein esgout qu'ils nomment la doccia, ce sont des tuïaux
par lesquels on reçoit l'eau chaude en diverses parties du
cors et notamment à la teste, par des canaus qui descendent sur vous sans cesse et vous viennent battre la partie,
l'eschauffent, et puis l'eau se reçoit par un canal de bois,
come celui des buandières, le long duquel elle s'écoule.
       MONTAIGNE, Journal de voyage en Italie, 7 mai,
           p. 160 (1581), *in* D.D.L., II, 12.

Ensemble formé par ce système et un emplacement recevant l'eau. *Faire installer une douche dans une chambre. Cabinet de toilette avec douche.*

♦ **2 Au plur.** *Les douches :* ensemble d'installations (souvent dans une communauté) permettant de prendre des douches. *Les douches d'un internat, d'une caserne, d'un stade. Aller aux douches.*

Bains-douches : établissement public où l'on peut prendre des bains, des douches. → Hammam.

◆ **3** Appareil à douches thérapeutiques (vaginales, notamment).

DÉR. **Doucher, douchette.** ◊ COMP. **Pare-douche.**

DOUCHER [duʃe] v. tr. — 1642; de douche.

◆ **1** Arroser* au moyen d'une douche. Doucher qqn. Doucher un enfant pour le laver. Doucher un malade. Doucher le dos, les reins de qqn.
Pron. Se doucher : prendre une douche.

◆ **2** Mouiller, tremper (averse, orage). L'orage nous a bien douchés. Se faire doucher : recevoir une averse. → Arroser, saucer (fam.).

◆ **3** (1900, Willy, in D.D.L.). Fam. et vieilli. Essuyer une réprimande. Il s'est fait doucher par son père. — Mod. Subir une déception. Cet accueil l'a douché, a rabattu son exaltation.

DÉR. **Doucheur.**

DOUCHETTE [duʃɛt] n. f. — Mil. xxᵉ; dimin. de douche.

◆ **1** Petite pomme de douche. Évier muni d'une douchette.

◆ **2** Techn. Appareil servant à lire les codes-barres. «Le code-barres ne comporte pas le prix de l'article, mais une suite d'informations transmises à un ordinateur à l'aide d'un lecteur optique (scanner, crayon optique ou autre "douchette")» (le Monde, 27 janv. 1999, p. 2).

DOUCHEUR, EUSE [duʃœR, øz] n. — 1687, attestation isolée; 1836; de doucher.
Personne qui administre des douches. Spécialt. Les doucheurs d'un établissement thermal.

DOUCI [dusi] n. m. — 1765; du p. p. de doucir.
Techn. État d'une glace doucie. → Doucir.

DOUCIN ou **DOUÇAIN** [dusɛ̃] n. m. — 1680; nom régional de l'oursin (par antiphrase?), 1611; de doux.

◆ **1** Arbor. Variété de pommier* (Malus acerba) utilisé comme porte-greffe.

◆ **2** Régional (Bourgogne). Manque de saveur d'un vin.

DOUCINE [dusin] n. f. — Entre 1520 et 1537 (in D.D.L.); de doux, douce, et suff. -in, -ine.

◆ **1** Archit. Ébénisterie. Moulure à deux courbures de mouvement contraire, l'un convexe, l'autre concave. Doucine droite, renversée. Arc en doucine. Meuble à doucine, qui se termine en haut par un retrait incurvé (opposé à en corniche).

◆ **2** Techn. Rabot utilisé pour faire les moulures dites doucines.

DOUCIR [dusiR] v. tr. — 1694; de doux, douce.
Techn. Polir (une glace brute, un métal).

◆ **DOUCI, IE** p. p. adj. Glace doucie : dont les deux faces ont été polies, dressées, et sont exactement parallèles. → Douci (n. m.).

DÉR. **Douci, doucissage, doucisseur.**

DOUCISSAGE [dusisaʒ] n. m. — 1870; de doucir.
Techn. Polissage des glaces (syn. : douci), des métaux.

DOUCISSEUR, EUSE [dusisœR, øz] n. — 1765, n. m.; de doucir.
Techn. Personne qui doucit (les glaces, les métaux).

1. DOUDOU [dudu] n. f. et adj. — Attesté xxᵉ en France métropolitaine; mot du franç. et du créole antillais, de doux, redoublé.
Régional (Antilles).

◆ **1** Jeune femme (des Antilles, de la Réunion...).

Fred (...) traîna longtemps la savate (...) pour échouer on ne sait trop comment à La Réunion et en revenir des années plus tard avec une doudou (...)
          Hervé BAZIN, Cri de la chouette, p. 26.

Épouse, compagne, maîtresse (aux Antilles). Il est avec sa doudou.

◆ **2** Adjectif :

(...) il alla finir la soirée au Sélect Tango. On le lui avait signalé comme le bal doudou où l'on se tenait mal, le bal des «femmes de vie». Il monta à un promenoir de bois qui dominait la fosse des biguines, mais il ne vit rien de la frénésie annoncée.
          Roger VERCEL, l'Île des revenants, p. 130.

2. DOUDOU [dudu] n. m. — Attesté 1985; redoublement enfantin de doux.

Fam. (langage enfantin). Objet généralement souple et doux (peluche, tissu) qu'un jeune enfant choisit comme «compagnon» (pour jouer, pour dormir). «À l'heure de la sieste, le doudou évite bien des angoisses existentielles» (le Matin de Paris, 3 sept. 1985, p. 17). Les doudous sont, dans le langage des pédiatres, des objets transitionnels.

DOUDOUNE [dudun] n. f. — V. 1975; probablt redoublement enfantin de doux.

Fam. Veste en duvet. «Des "doudounes" taille Lilliput. Pour que bébé, qui ne sait pas encore skier, ne gèle pas aux sports d'hiver. (Ce sont des) mini-anoraks en duvet d'oie» (l'Express, 5 janv. 1980, p. 23).

HOM. **Doudounes.**

DOUDOUNES [dudun] n. f. pl. — 1930, in Cellard et Rey; orig. incert.; p.-ê., selon Esnault, du régional (Creuse) bedoune «vache»; plus probablt, redoublement enfantin de doux.

Fam. Seins.

(...) parce qu'y aurait une gonzesse on peut vous amener chez elle elle est chiéement bien elle a des doudounes comme ça (...)
          Tony DUVERT, Paysage de fantaisie, p. 85.

Il a une bourgeoise inouïe : des décolletés dans le dos jusqu'à la raie des fesses, et par-devant des doudounes.
          R. SABATIER, Trois sucettes à la menthe, p. 88.

HOM. **Doudoune.**

DOUÉ, ÉE [dwe] adj. — XVIIᵉ; p. p. de douer.

◆ **1** DOUÉ DE... : qui possède naturellement. Un être doué de vie, de raison, de grâce. Elle est douée d'une grande intuition, d'une bonne mémoire.

Elle avait de grandes qualités malgré ses travers : elle était douée d'une intelligence pratique assez vive, d'une ténacité à toute épreuve.
          MARTIN DU GARD, les Thibault, t. VI, p. 16.

◆ **2** Qui a un don, des dons. Doué en... Un étudiant doué en mathématiques. → Bon, capable, fort; bosse (avoir la bosse de). — Absolt. Il est doué : il a des dons naturels, de l'habileté, du talent, de l'intelligence. Il n'est guère doué. Un enfant très doué. → Surdoué. L'homme le mieux doué... → Avantagé, favorisé, partagé. Si bien doué qu'il soit... (→ Concentration, cit. 4).

2 Quand tu aurais eu une fée pour marraine tu n'aurais pas été mieux doué (...)
Th. GAUTIER, Fortunio, XII, p. 89.

3 (...) il y a des races plus ou moins bien douées en musique.
R. ROLLAND, Musiciens d'aujourd'hui, p. 212.

COMP. Sous-doué, surdoué.

DOUELLE [dwεl] n. f. — 1296, *doele*; de l'anc. franç. *doue*, pour *douve*.

♦ **1** Techn. Petite douve de tonneau. → **Douvelle.**

♦ **2** Archit. Parement d'un voussoir. *La réunion des douelles intérieures forme l'intrados de l'arc ou de la voûte; celle des douelles extérieures forme l'extrados.* Rencontre, enfourchement de deux douelles.

DOUER [dwe] v. tr. — XIIe, *doer*; sens de «doter» jusqu'au XVIIe, à côté de «faire don de»; du lat. *dotare*. → Doter.

♦ **1** Vx (langue class.). Pourvoir (qqn) d'un douaire. → **Doter.**

♦ **2** Littér. Pourvoir de qualités, d'avantages (le sujet désigne Dieu, ou la nature, la fortune personnifiées). → **Donner** (en partage), **doter, gratifier, pourvoir; don.** *La nature l'a doué d'une grande vertu, de beaucoup de patience, d'une rare beauté.*
On ne saurait dire s'il eut sujet de remercier la nature, ou bien de se plaindre d'elle : car, en le douant d'un très bel esprit, elle le fit naître difforme et laid de visage (...)
LA FONTAINE, Vie d'Ésope.
Au passif. *Il a été doué de...* (par la nature, etc.).

♦ **DOUÉ, ÉE** p. p. adj. Plus cour. → **Doué.**
DÉR. Doué.

DOUGLAS [duglas] n. m. — Av. 1874, J. Verne, cit.; de *sapin de Douglas*, du nom du botaniste britannique David *Douglas*.
Conifère (sapin) des forêts d'Amérique du Nord, à ramure très fournie, de croissance rapide, introduit en France au XIXe siècle. *«Le reboisement (...) en épicéa, pin sylvestre et surtout douglas, de meilleur rendement»* (la Recherche, nov. 1974, p. 1000).
— Appos. *Pin, sapin douglas.*
Il s'agissait donc de choisir des arbres dont l'écorce, souple et tenace, se prêtât à ce travail. Or, précisément, le dernier ouragan avait abattu une certaine quantité de douglas, qui convenaient parfaitement à ce genre de construction. Quelques-uns de ces sapins gisaient à terre, et il n'y avait plus qu'à les écorcer (...)
J. VERNE, l'Île mystérieuse, t. I, p. 303 (1874).

DOUIL [duj] n. m. — 1858, Bescherelle; du provençal *dolh*, lat. *dolium* «jarre; tonneau». → 1. Douil.
Régional. Cuveau pour le transport des grappes vendangées jusqu'au cellier.
DÉR. V. Doulos. ◇ HOM. 1. Douille, 2. douille, douilles.

DOUILLAGE [dujaʒ] n. m. — 1752; de l'anc. franç. *doille* «mou», de même orig. que *douillet*. → Douillet.
Techn. Vx. Défaut de fabrication de la trame d'une étoffe.

1. DOUILLE [duj] n. f. — 1227; orig. incert.; p.-ê. d'un francique *dulja*, hypothèse contestée par P. Guiraud, qui propose l'étymon lat. *dolium* «cuve pour le transport du moût». → Douil.
Technique et courant.

♦ **1** Pièce de métal cylindrique et creuse qui sert à assembler deux pièces, à adapter un instrument à un manche, etc. → **Embouchoir, manchon.** *La douille d'une baïonnette, d'un fer de lance, d'une bêche.*

♦ **2** Pièce métallique placée à l'extrémité d'un fil électrique, dans laquelle on fixe le culot d'une ampoule. *Fixer le culot d'une ampoule sur la douille d'une lampe. Douille à pas de vis, douille à baïonnette**.
(...) mon cousin Charles me fit visiter sa petite fabrique 1 de douilles pour lampes électriques.
S. DE BEAUVOIR, la Force de l'âge, p. 62.

♦ **3** Cylindre qui contient l'amorce et la charge de la cartouche. → **Cartouche, étui.** *Douilles en carton des fusils de chasse. Douilles en laiton, en cuivre, des revolvers, des fusils de guerre, des canons...*
Le vieux maraîcher ne se servait jamais de son briquet 2 sans l'avoir d'abord manié, tourné, retourné, examiné avec soin : il l'avait fabriqué lui-même, en 15, dans la Somme, avec une douille; sa vue lui rappelait des choses (...)
Roger IKOR, les Fils d'Avrom, Prologue, p. 10.

♦ **4** Pâtiss. Ustensile en fer-blanc, en forme de cône tronqué, que l'on met dans une poche de tissu *(poche à douille)* pour garnir les gâteaux. *Douille à ouverture ronde, cannelée* (d'après Ginette Mathiot, *la Pâtisserie pour tous, p. 31).*
HOM. Douil, 2. douille, douilles.

2. DOUILLE [duj] n. f. — Av. 1827; orig. obscure; p.-ê. abrév. de *guindouilles* «piécettes d'argent, sous».
Argot, vx. Argent, monnaie.
Est-ce qu'on travaille tant qu'on a de la douille !
Ch. PAUL DE KOCK, la Grande Ville, t. I, p. 181.
DÉR. Douiller. ◇ HOM. Douil, 1. douille, douilles.

DOUILLER [duje] v. tr. — 1858, *in* Esnault; de 2. *douille* «monnaie».
Argot fam. Payer (qqn, qqch.). — Absolt. Casquer.
Cette alliance, n'étant pas faite sur mesures, est un peu grande, et je n'ai pas voulu douiller pour la faire rétrécir beaucoup plus qu'elle ne m'a coûté.
A. SARRAZIN, la Cavale, p. 83.

DOUILLES [duj] n. f. pl. — 1821; probablt de *douillets*, même sens (1747), de l'anc. franç. *douil* «sensible». → Douillet (adj.).
Argot. Cheveux. *Se faire couper les douilles.*
Le rapport ordonne aussi, dit l'homme-lettres, de tailler les barbes. Et les douilles, à la tondeuse rasoche !
H. BARBUSSE, le Feu, t. I, I, II, p. 20.
HOM. Douil, 1. douille, 2. douille.

DOUILLET, ETTE [dujε, εt] adj. — 1361; dimin. en *-et*, de l'anc. franç. *doille* «mou», au fig. «sensible»; du lat. *ductilis* «malléable». → Ductile.

I Choses. ♦ **1** Qui est doux, délicatement moelleux. → **Confortable, doux, mol, mollet, ouaté.** *Lit, oreiller, coussin douillet.*

♦ **2** Confortable et protecteur (d'un lieu). *Habiter un logis douillet. Un appartement, un intérieur douillet. Atmosphère douillette.* — Loc. *Un petit nid douillet.*
(...) changer sa place près de la fenêtre contre un coin 1 douillet près du poêle.
J. ROMAINS, les Hommes de bonne volonté, t. II, XI, p. 107.
Ils étaient assis au fond du bar (...) c'était douillet entouré 2 d'un gros bruit cotonneux qui berçait la ville.
SARTRE, le Sursis, p. 131.

♦ **3** Vieilli. *Peau douillette,* tendre et délicate. *Chair douillette. Les «creux douillets» d'une chair de femme* (Élie Faure, *in* T. L. F.).

II Personnes. ♦ **1** Qui est exagérément sensible aux petites douleurs physiques. → **Chatouilleux, délicat, sensible; impressionnable.** *Elle est trop douillette. Il ne faut pas être si douillet.*

3   On n'était pas douillet, dans la famille ; malade ou non, on ne se plaignait jamais.

             R. ROLLAND, Jean-Christophe, l'Aube,
                        p. 47 (in T. L. F.).

N. *Faire le douillet, la douillette. Oh, le gros douillet !*

♦ **2** Qui aime le confort douillet, la mollesse. *«Une génération douillette, sensitive, efféminée»* (Amiel, *in* T. L. F.).

CONTR. Dur, rude. — Courageux, endurant, énergique, insensible, stoïque, viril. ◊ DÉR. Douillette, douillettement, douilletterie.

DOUILLETTE [dujɛt] n. f. — 1803 ; de *douillet.*

♦ **1** Pardessus ouaté d'ecclésiastique.

Il s'est mis à arpenter la chambre de long en large, les bras enfouis dans les poches de sa douillette.

           BERNANOS, Journal d'un curé de campagne, II,
                              p. 68.

♦ **2** Manteau ouaté de bébé. — Liseuse ouatée, chaude. → **Robe** (de chambre).

♦ **3** Petit fauteuil à dossier rembourré.

DOUILLETTEMENT [dujɛtmã] adv. — XIVᵉ ; de *douillet.*

♦ **1** D'une manière douillette (I.). *Être douillettement couché* (→ 1. Coucher, cit. 3).

Fig. *Vivre douillettement. Élever un enfant trop douillettement.*

♦ **2 Rare.** Comme une personne douillette. *Gémir, pleurnicher douillettement.*

DOUILLETTERIE [dujɛtri] n. f. — 1908 ; de *douillet.*

Rare. Caractère d'une personne douillette (II.). *Il est d'une douilletterie incroyable. «La douilletterie frileuse du personnage»* (Courteline).

DOUILLON [dujɔ̃] n. m. — 1856 ; de l'anc. franç. *doille* «mou» (→ Douillet), et suff. *-on.*

Régional (Normandie). Fruit (pomme ou poire) cuit dans une pâte, formant pâtisserie. — **REM.** Dans le Nord de la Normandie, on dit *bourdelot* pour les douillons aux pommes et *douillons* pour les poires.

DOULEUR [dulœR] n. f. — V. 1050, *dolur* ; lat. *dolor, oris* «souffrance, douleur», de *dolere.* → Dolent.

♦ **1** Sensation ou impression pénible *(une, des douleurs)* ; l'ensemble de ses sensations *(la douleur de..., la douleur).* → **Mal, souffrance, supplice, torture ; douloureux.** *La douleur* (en général). *Manifestations extérieures de la douleur.* → **Cri, convulsion, crispation, gémissement, grimace, hurlement, larme, plainte, sanglot, soupir, spasme.** *Exclamation de douleur.* → **Aïe, ahou.** *Pleurer, gémir, hurler, se tordre, devenir fou de douleur. L'acuité, les affres, les tourments de la douleur. Adoucir, atténuer, apaiser, soulager, calmer, étourdir la douleur. Supprimer la douleur en la niant* (cit. 4). *Réveiller, raviver, aggraver, irriter, exaspérer, exacerber la douleur. Supporter la douleur. Se raidir, se cuirasser contre la douleur* (→ **Stoïcisme**). *«Douleur, tu n'es pas un mal»*, maxime des stoïciens. *Le dolorisme, doctrine qui attribue une grande vertu à la douleur. — Le plaisir* (cit. 14, 16.1) *et la douleur.*

Par ext. Fam. *Sans douleur :* sans difficulté. *Tout s'est bien passé, sans douleur.*

La douleur, les douleurs du corps, du cœur, de l'âme. → ci-dessous, cit. 22.

La douleur, une douleur physique : sensation pénible en un point ou dans une région du corps. *Sentir, ressentir, éprouver une douleur à la tête, à l'estomac, au genou. Douleur causée par un trouble de l'organisme, une lésion. Douleur cutanée.* → **Piqûre ; compression, pincement ; brûlure, irritation ; cuisson, prurit.** *Douleur interne, profonde. Douleur diffuse, sourde.* → **Oppression.** *Douleur aiguë, vive ; cinglante, cuisante, déchirante, fulgurante, irradiante, lancinante, pénétrante, poignante, térébrante, pulsative, profuse. Douleur exquise*. Douleur brusque et brève.* → **Élancement ;** → **Coup,** cit. 3. *Douleur atroce, horrible, insupportable, intolérable.* → **Enfer, géhenne, torture** (s'emploient aussi au sens 2). *Le paroxysme de la, d'une douleur. Être en proie à des douleurs.* → **Dolent, malade, souffrant.** *Douleur dans la tête, le ventre.* → **Mal ; -algie.** *Douleur ressentie sur le trajet d'un nerf.* → **Névralgie.** *Douleur localisée.* → **Barre, brûlure, colique, courbature, effort, inflammation, migraine, point, rage** (de dents), **rhumatisme, tranchée.** *Douleurs erratiques, qui n'ont pas de siège fixe dans le corps.* **Spécialt** (surtout au plur.). *Être dans les douleurs* (de l'accouchement) ; *les premières, les grandes douleurs.* → **Contraction.** *Une femme dans les douleurs,* (vx) *en douleurs.* → **Travail.** — *Nom scientifique de certaines douleurs.* → **Angor, céphalée, pyrosis, ténesme ;** et les suff. **-algie** (arthralgie, causalgie, métralgie...), 1. **algo-, -dynie ;** et aussi **algési-.** — *Provoquer la douleur.* → **Endolorir.** *Qui ne cause aucune douleur.* → **Indolore.** *Être sensible* à la douleur, faible devant la douleur.* → **Douillet.** *Insensibilité à la douleur.* → **Analgésie, analgie, antalgie.** *Sensibilité à la douleur.* → **Algésie.** *Remède qui fait disparaître la douleur.* → **Analgésique, anodin** (remède), **antalgique, narcotique.** *La douleur s'est dissipée, est passée.*

Ni la douleur ne lui est *(à l'homme)* toujours à fuir, ni la   1
volupté toujours à suivre.

         MONTAIGNE, Essais, II, XII, p. 183.

(...) il n'est aucune sorte de sensation qui soit plus vive que   1.1
celle de la douleur ; ses impressions sont sûres, elles ne
trompent point comme celles du plaisir, perpétuellement
jouées par les femmes et presque jamais ressenties par
elles (...)   SADE, Justine..., t. I, p. 196.

Dans notre vallée de larmes, ainsi qu'aux enfers, il est je   2
ne sais quelle plainte éternelle, qui fait le fond ou la note
dominante des lamentations humaines ; on l'entend sans
cesse, et elle continuerait quand toutes les douleurs créées
viendraient à se taire.

        CHATEAUBRIAND, Mémoires d'outre-tombe, t. II,
                           p. 126.

À la femme, il dit : *«Je multiplierai tes souffrances et spé-*   3
*cialement celles à ta grossesse ; tu enfanteras des fils dans
la douleur (...)»*   BIBLE (CRAMPON), Genèse, III, 16.

Ce fut le dernier jour d'avril que la jeune femme accoucha.   4
Les douleurs la prirent l'après-midi, vers quatre heures (...)

          ZOLA, l'Assommoir, t. I, IV, p. 125.

Si l'on s'efforce de définir les diverses sensations qui   5
affectent douloureusement l'organisme humain, on peut
espérer d'y réussir. Quand nous disons par exemple
qu'une douleur est aiguë ou qu'elle est sourde, qu'elle
est lancinante ou fulgurante, nous nous faisons entendre
assez bien.   FRANCE, Pierre Nozière, III, III, p. 234.

Il souffre. De partout : de la bouche, des jambes, du dos...   6
Des frissons de fièvre lui parcourent les reins, et lui tirent,
chaque fois, une plainte sourde. Cependant, ce ne sont
plus ces douleurs fulgurantes qui lui lacéraient le corps,
après la chute, après l'incendie. On a dû s'occuper de lui,
panser ses blessures.

        MARTIN DU GARD, les Thibault, t. VIII, p. 159.

Loc. *Un lit de douleur,* où l'on souffre.

♦ **2** *Douleur (morale) :* sentiment ou émotion pénible résultant de l'insatisfaction des tendances, des besoins, d'un manque, d'une frustration... → **Souffrance.** *Éprouver une grande douleur. Douleur active, passive. Aspects de la douleur morale.*

→ **Affliction, amertume, angoisse, brisement, chagrin, componction, consternation, contrition, crève-cœur, déchirement, déplaisir** (VX), **désespoir, désolation, détresse, deuil, peine, repentir, tristesse ;** (métaphore) **blessure, plaie** (béante, saignante). *La douleur de l'absence* (→ Coup, cit. 51). *Douleur qui serre, transperce* (→ Abandonner, cit. 19), *fait saigner le cœur. Douleur cruelle, cuisante, déchirante* (cit. 2), *poignante. Douleur mortelle. Cicatrisation d'une ancienne douleur. Douleur contenue* (cit. 9), *muette. Se complaire* (cit. 8) *dans la douleur. Se laisser aller à la douleur. Laisser éclater sa douleur. Confier sa douleur à qqn. Être comblé, accablé* (cit. 10) *de douleur ; plongé, abîmé, perdu dans sa douleur ; envahi, écrasé, épuisé, assommé, submergé par la douleur. Raviver une douleur* (→ Remuer, retourner* le couteau, le poignard dans la plaie). *Consoler la douleur de qqn. Dérivatif à la douleur. Ressentir, partager les douleurs d'autrui.* → **Compatir ;** aussi **condoléance**(s) ; → Dépersonnalisation, cit. 1. *Accepter la douleur* (→ Porter sa croix*). *Vie de douleur.* → **Calvaire, couronne** (d'épines), **géhenne.** *Toucher le fond de la douleur* (→ Boire* le calice, la coupe jusqu'à la lie). *Douleur sans fiel*.* — Formule. *«X..., Y... ont la douleur de vous faire part...»,* formule pour un avis de décès. — *J'ai eu la douleur de perdre ma mère. La douleur qui vous a frappé. Chant de douleur.* → **Complainte, lamento.** — *Notre-Dame des sept Douleurs.*

7 Ta douleur, Du Périer, sera donc éternelle (...)
　　　　　MALHERBE, Consolation à M. Du Périer.

8 La douleur que l'on cache est la plus inhumaine.
　　　　　Mathurin RÉGNIER, Dialogue, Cloris et Philis.

9 La douleur qui se tait n'en est que plus funeste.
　　　　　RACINE, Andromaque, III, 3.

10 (...) dans toutes les misères de ma vie, je me sentais constamment rempli de sentiments tendres, touchants, délicieux, qui, versant un baume salutaire sur les blessures de mon cœur navré, semblaient en convertir la douleur en volupté (...)
　　　　　ROUSSEAU, Rêveries..., 8ᵉ promenade.

11 (...) mes motifs de consolation ne servirent qu'à nourrir son désespoir. J'étais comme un homme qui veut sauver son ami coulant à fond au milieu d'un fleuve sans vouloir nager. La douleur l'avait submergé.
　　　　　BERNARDIN DE SAINT-PIERRE, Paul et Virginie,
　　　　　　　　　　　　　　　　　　　　p. 145.

12 (...) les douleurs récentes font reverdir les vieilles douleurs.
　　　　　CHATEAUBRIAND, Mémoires d'outre-tombe, t. II,
　　　　　　　　　　　　　　　　　　　　p. 71.

13 Ici-bas, la douleur à la douleur s'enchaîne,
　　Le jour succède au jour, et la peine à la peine.
　　　　　LAMARTINE, Premières méditations, «L'homme».

14 Rien ne nous rend si grands qu'une grande douleur,
　　Mais, pour en être atteint, ne crois pas, ô poète !
　　Que ta voix ici-bas doive rester muette.
　　　　　A. DE MUSSET, Poésies nouvelles,
　　　　　　　　　「Nuit de mai» (→ Chant, cit. 12).

15 C'était un mal vulgaire et bien connu des hommes ;
　　Mais, lorsque nous avons quelque ennui dans le cœur,
　　Nous nous imaginons, pauvres fous que nous sommes,
　　Que personne avant nous n'a senti la douleur.
　　　　　A. DE MUSSET, Poésies nouvelles, «Nuit d'octobre».

16 L'homme est un apprenti, la douleur est son maître,
　　Et nul ne se connaît tant qu'il n'a pas souffert (...)
　　Pour vivre et pour sentir l'homme a besoin de pleurs (...)
　　　　　A. DE MUSSET, Poésies nouvelles.

17 Sois sage, ô ma Douleur, et tiens-toi plus tranquille.
　　　　　BAUDELAIRE, les Nouvelles Fleurs du mal, VII,
　　　　　　　　　　　　　　　　　　　「Recueillement».

18 La douleur abaisse, humilie, porte à blasphémer.
　　　　　RENAN, Souvenirs d'enfance..., VI, 5.

18.1 À voir Hartbert inanimé, la douleur du marin fut terrible. Il sanglotait, il pleurait, il voulait se briser la tête contre les murailles.
　　　　　J. VERNE, l'Île mystérieuse, t. II, p. 684.

C'est lui *(Dieu)* qui donne la Douleur, parce qu'il n'y a que 19
Lui qui puisse donner quelque chose, et la Douleur est
si sainte qu'elle idéalise ou magnifie les plus misérables
êtres !
　　　　　Léon BLOY, la Femme pauvre, p. 72.

Dostoïevski était né pour la douleur, et pour s'élever dans 20
la douleur, au-dessus de tout l'égoïsme et de toute la misère
morale, où la douleur enferme toutes les natures
médiocres.
　　　　　André SUARÈS, Trois hommes, «Dostoïevski», V,
　　　　　　　　　　　　　　　　　　　　p. 259.

(...) selon l'Église, ce n'est pas la douleur en soi qui rachète, 21
mais la douleur acceptée, consentie, subie, en union avec
le Christ, dans un esprit de pénitence et de repentir.
　　　　　F. MAURIAC, Souffrances et Bonheur du chrétien,
　　　　　　　　　　　　　　　　　　　　p. 36.

Je vous les dirai quand même, un jour, si j'y pense, et que 22
je le puisse, mes étranges douleurs, en détail, et en les
bien distinguant (...) Je vous dirai celles de l'entendement,
celles du cœur et affectives, celles de l'âme (très jolies,
celles de l'âme), et puis celles du corps, les internes ou
cachées d'abord, puis celles en surface (...)
　　　　　S. BECKETT, Premier amour, p. 25.

Prov. *Faute d'argent* (cit. 17), *c'est douleur non pareille* : rien n'est pire que le manque d'argent. — *Les grandes douleurs sont muettes* (cit. 13), on ne peut les exprimer.

CONTR. **Béatitude, bonheur, calme, contentement, euphorie, joie, jubilation, plaisir.** ◊ COMP. **Souffre-douleur.**

DOULOIR (SE) [dulwaʀ] v. pron. — Xᵉ ; du lat. *dolere* «souffrir» ; s'affliger».

Vx. Souffrir. — REM. On trouve des emplois archaïsants de ce verbe jusqu'à la fin du XIXᵉ s. (Moréas, *in* T. L. F.).

DOULOS [dulos] n. m. — 1895, *in* Esnault, «chapeau de femme» ; de *doul, doule,* 1889, *ibid.* ; p.-ê. du mot régional *douil*.*

Argot.

♦ **1** Chapeau d'homme (en concurrence avec *doul*). — (1832, *porter le doul*). Loc. *Porter le doulos :* avoir une mauvaise réputation (délateur, etc.). → **Chapeau.**

♦ **2** Indicateur de police. *Le Doulos,* film de J.-P. Melville.

On appelle «Doulos», par extension, le porteur de «Doule». Le «doule» est à la fois le symbole du policier, qui en portait un du temps où les voyous n'en portaient pas, puis un signe d'élégance permettant un style, une recherche personnelle, à partir du jour où les voyous l'adoptèrent. Le doule, c'est le chapeau.
Silien porte le doule, c'est-à-dire qu'aux yeux des gens du milieu, il en «croque» (cf. «Les Enfants du Paradis», quand Pierre Renoir, qui porte un doule, énumère tous ses surnoms : «Mouton blanc», «Treize à table», etc.). Un doulos est un indicateur de police. On le craint, on tente de ne pas le fréquenter, il joue d'un statut particulier, c'est dans le milieu qu'à la Grande Maison. Ce n'est pas un hors-la-loi ordinaire, mais sa vie est plus dangereuse. Ne vivent longtemps que les doulos intelligents.
　　　　　J.-P. MELVILLE, notes du découpage du film le
　　　　　　　　　　Doulos, *in* l'Avant-Scène, n° 24, p. 8.

DOULOUREUSEMENT [duluʀøzmɑ̃] adv. — 1160, *dolerousement ;* de *douloureux.*

D'une manière douloureuse, avec douleur, au physique ou au moral. *La porte lui pinça les doigts, douloureusement.* — Au moral. *Ils ont été douloureusement éprouvés par la mort d'un proche. Douloureusement atteint dans sa chair, dans ses affections.*

DOULOUREUX, EUSE [duluʀø, øz] adj. et n. f. — V. 1050, *dolerus ;* du bas lat. *dolorosus,* du lat. class. *dolor, oris.* → Douleur.

♦ **1** Qui cause une douleur, s'accompagne de douleur physique. → **Pénible.** *Douloureux physiquement. Maladie, opération, contraction* (cit. 3), *sensation douloureuse. Élancements douloureux. Plaie* *douloureuse.* → **Cuisant.** *Cor* (→ 2. Cor, cit.) *douloureux. Goutte douloureuse* (→ Aigu, cit. 10). *Règles douloureuses* : dysménorrhée. *Rendre le mal plus douloureux.* → **Aigrir.**

1   Je me porte mieux, ma très chère; ce torticolis était un très bon petit rhumatisme; c'est un mal très douloureux, sans repos, sans sommeil; mais il ne fait peur à personne.
Mme DE SÉVIGNÉ, *in* LITTRÉ.

2   (...) cette éruption *(des dents chez les enfants)* est communément pénible et douloureuse.
ROUSSEAU, *Émile*, I.

3   Aujourd'hui, il est plus calme. Les premiers pansements ont été fort douloureux. Il regardait le moignon à vif, suintant, sanglant, agité de secousses (...)
G. DUHAMEL, *Récits des temps de guerre*, I, t. I, p. 89.

♦ 2 Qui est le siège d'une douleur physique. *Point douloureux.* → **Sensible.** *Avoir la tête, le ventre, les pieds douloureux.* → **Endolori.**

♦ 3 Qui cause une douleur morale. → **Affligeant, crucifiant, cruel, déchirant.** *Perte, séparation douloureuse. Souvenir douloureux.* → **Amer, funeste.** *Curiosité douloureuse. Spectacle douloureux.* → **Attristant, lamentable, navrant, pitoyable, triste.** *Douloureux devoir. Douloureuse nécessité. Attente douloureuse.* → **Angoissant, anxieux.** *Il est douloureux de penser, de supporter cela.* — Par ext. (Temps). *Rempli de douleur, de peine. Heures douloureuses. Moments douloureux.* → **Pénible.**

4   Ah! j'ai perdu mon fils! Il me faudra traîner
Une vieillesse douloureuse.
LA FONTAINE, *Fables*, x, 12.

5   Si vous saviez combien il m'est douloureux de vous voir courir à votre perte!   FÉNELON, *Télémaque*, VI.

6   Une imagination vive, sensible et tendre, peut se fixer à quelque objet, à quelque ressouvenir douloureux, et se le représenter de ces couleurs si dominantes qu'elles lui arrachent des larmes.
VOLTAIRE, *Dict. philosophique*, «Larmes».

7   Ô nuit, nuit douloureuse! ô toi, tardive aurore,
Viens-tu? vas-tu venir? es-tu bien loin encore?
André CHÉNIER, *Élégies*, XXI.

8   (...) l'existence du Soldat *(après la peine de mort)* la trace la plus douloureuse de barbarie qui subsiste parmi les hommes (...)
A. DE VIGNY, *Servitude et Grandeur militaires*, I, III, p. 53.

9   Le secret douloureux qui me faisait languir.
BAUDELAIRE, *les Fleurs du mal*, «La vie antérieure».

10   J'étais toute jeune alors, et le souvenir m'est resté si douloureux que je pleure chaque fois en y pensant.
MAUPASSANT, *Clair de lune*, «Une veuve», p. 147.

11   Pour qu'un homme et une femme se puissent souffrir, il faut qu'ils souffrent l'un et l'autre (...) L'accord ne vient que du sacrifice. Celui qui aime le plus souffre le plus. À l'ordinaire, la femme reçoit la part douloureuse (...)
André SUARÈS, *Trois hommes*, «Dostoïevski», IV, p. 240.

12   Mais l'insomnie qui prolonge la veille, si elle peut devenir douloureuse, ou exaspérante, ne comporte presque jamais le sentiment de creuse détresse, de descente au-dessous de soi-même qui est probablement celui que l'homme redoute le plus.
J. ROMAINS, *les Hommes de bonne volonté*, t. III, XVII, p. 224.

Qui est accompagné de douleurs. *Mystère douloureux.*

La Voie douloureuse : le chemin du Calvaire, théâtre des souffrances du Christ.

13   (...) devant moi, s'allongeait, pressée entre de tristes murs, une sorte de ruelle de la mort conduisant à la Voie douloureuse.   LOTI, *Jérusalem*, IX, p. 111.

Fam. → **Difficile, dur.** *J'ai obtenu l'argent, mais ça a été plutôt douloureux.*

♦ 4 (Personnes). Qui éprouve, ressent une douleur physique ou morale. «*Mon ami douloureux*» (Gide, *in* T. L. F.). — *Cœur douloureux. Âmes douloureuses.* — *Peuple douloureux.* — N. Littér. et rare. *Un douloureux.*

♦ 5 Qui exprime la douleur. *Gestes, cris* (→ Délivrer, cit. 13), *accents* (→ Cœur, cit. 41), *air, regards, visage douloureux. Un douloureux récit.*

14   (...) il lui avait dit qu'il l'aimait, et (...) elle l'avait écouté, muette, la bouche douloureuse et les yeux vagues.
FRANCE, *le Lys rouge*, II, p. 30.

15   Les plus belles œuvres des hommes sont obstinément douloureuses.   GIDE, *la Symphonie pastorale*, p. 108.

♦ 6 N. f. (1880). Fam. *La douloureuse* : la note à payer.

CONTR. Indolore; agréable. — Bienheureux, content, épanoui, gai, heureux, hilare, joyeux, riant, rieur, satisfait.
◊ **DÉR. Douloureusement.**

DOUM [dum] n. m. — 1799; arabe *dawm* ou *dūm*, même sens.

Palmier d'Égypte et d'Arabie (n. sc. : *Hyphæne thebaica*). — Par appos. «*Petits palmiers doums*» (A. Gide, *Voyage au Congo*, p. 821).

(...) il regarda les cailloux qui tachaient le sol à perte de vue entre les touffes de doum dont on ferait des balais.
P. MAC ORLAN, *la Bandera*, X, p. 119.

DOUMA [duma] n. f. — 1831, *in* D.D.L.; mot russe, «assemblée».

Hist. Nom de diverses assemblées législatives, dans la Russie tsariste. *Des doumas.* — Mod. Chambre basse du Parlement russe (depuis 1993).

DOURA ou **DOURAH** [dura] n. m. — 1735, *durra*; arabe *dūrāh, dūrrāh* «millet». REM. Le terme arabe signifie «millet» quand il est qualifié par *bayḍā'* «blanche», et «maïs» quand il est accompagné de *ṣāfrā'* «jaune».

Gros mil d'Égypte. → **Sorgho.**

Nous reçûmes aussi en présent des grains de doura grillés.
LAMARTINE, *Voyage en Orient*, t. II, p. 13 (*in* T. L. F.).

DOURIAN [duʁjɑ̃] n. m. — 1588, *durion, dorion, in* Arveiller; du malais *durīan* latinisé, reprise récente sous la forme *dourian.*

Syn. de *durion**.

Les dourians étaient mûrs. Cet événement expliquait tout, car l'odeur de ces fruits semble mettre les hommes en folie comme la valériane les chats.
Henri FAUCONNIER, *Malaisie*, p. 86.

DOURINE [duʁin] n. f. — 1863; p.-ê. de l'arabe *darin* «croûteux».

Vétér. Trypanosomiase* contagieuse des équidés, dite aussi *mal du coït.*

DOURO [duro] n. m. — 1838; de *duro*, mot esp.; abrév. de *pesoduro* «poids (*peso*) dur».

Ancienne monnaie d'argent espagnole. *Le douro valait cinq pesetas. Des douros* [duʁo], à l'esp. [duʁos].

(...) si quelqu'un se présentait au torero le plus vaillant *(Belmonte)* et lui assurait l'argent nécessaire à son existence, ne fût-ce qu'un douro par jour jusqu'à sa mort, il ne s'en trouverait pas un pour entrer dans l'arène.
J. GREEN, *Journal*, Vers l'invisible, 10 sept. 1958, p. 43.

DOUTE [dut] n. m. — V. 1050; déverbal de *douter*.

♦ **1** *(Le doute)*. État de l'esprit qui doute, qui est incertain de la réalité d'un fait, de la vérité d'une énonciation, de la conduite à adopter dans une circonstance particulière. → **Hésitation, incertitude, incrédulité, indécision, indétermination, irrésolution, perplexité, vacillation**; → Opinion, cit. 14. *Le doute est possible. Le doute n'est pas, n'est plus permis. Le doute s'était glissé dans son esprit. Le doute est pire que tout.* — **EN, DANS LE DOUTE.** *Être en doute* (vx), *dans le doute.* → **Douter**; → Cas, cit. 21. *Être dans le doute au sujet de qqch.* → **Balance** (en). *Laisser qqn dans le doute. — Regarder qqn d'un air de doute,* d'un air sceptique*. → **Dubitatif, incrédule.** *Hocher, secouer la tête en signe de doute. Exclamations exprimant le doute* (→ Heu...! ouais...! tiens, tiens!). — *Prov. Dans le doute, abstiens-toi.*

1 (...) de mes vœux encor vous pouvez être en doute?
MOLIÈRE, l'École des maris, II, 9.

2 Un petit air de doute et de mélancolie,
Vous le savez, Ninon, vous rend bien plus jolie (...)
A. DE MUSSET, Poésies nouvelles, «À Ninon».

3 (...) le doute nous ôte la connaissance de nous-même, et nous dégoûte de la vie.
BALZAC, le Lys dans la vallée, Pl., t. VIII, p. 940.

4 (...) qui dit doute, dit impuissance.
BALZAC, Un drame au bord de la mer, Pl., t. IX, p. 877.

5 Mieux vaut l'erreur que le doute, — pourvu qu'elle soit de bonne foi.
R. ROLLAND, Musiciens d'aujourd'hui, p. 118.

6 Je préfère une certitude horrible, faite d'abîmes et de négations, à vos demi-vérités, toutes faites d'affirmations contraires, qui se détruisent et qui ne sont que des doutes honteux, ou si médiocres qu'ils ne se savent même pas douteux.
André SUARÈS, Trois hommes, «Pascal», II, p. 41.

7 Tous les visages étaient sérieux, avec des nuances ici de déconvenue, là de doute.
J. ROMAINS, les Hommes de bonne volonté, t. IV, IX, p. 91.

Mettre qqch. en doute. → **Contester, controverser, nier, refuser** (de croire). *Mettre en doute la parole de qqn. On ne peut mettre en doute sa probité. — Mettre en doute que...,* demande généralement le *ne* explétif dans une phrase négative ou interrogative.

8 Lorsqu'on me trouvera morte, il n'y aura personne qui mette en doute que ce ne soit vous qui m'aurez tuée (...)
MOLIÈRE, George Dandin, III, 6.

9 Mais pour l'astrologie (...) je ne la puis mettre en doute.
MOLIÈRE, les Amants magnifiques, III, 1.

10 Ses nombreux ennemis ont pu l'accuser d'être passionné jusqu'à l'intolérance, mais nul ne s'est jamais avisé de mettre en doute sa sincérité parfaite (...)
Léon BLOY, le Désespéré, p. 189.

Littér. *Révoquer une chose en doute* (→ Définir, cit. 8). *Il y a doute dans cette affaire. — Il n'y a pas de doute..., il ne fait pas de doute que :* la chose est certaine. *Nul doute que... :* il est certain que... (→ ci-dessous, *supra* cit. 25). — *Hors de doute :* certain, évident. *Il est hors de doute que...* (→ ci-dessous, 5.).

Psychiatrie. Vx. *Maladie, folie du doute :* comportement obsessionnel caractérisé par des ruminations, des débats de conscience, des vérifications obsessionnelles. Syn. mod. : *obsessions idéatives, interrogatives.*

Philos. *Doute sceptique, doute métaphysique :* position philosophique qui consiste à ne rien affirmer d'aucune chose. → **Scepticisme, pyrrhonisme;** → Savoir (que sais-je?). *Aboutir au doute universel* (→ Appétit, cit. 27; ballotter, cit. 5).

Doute philosophique, doute méthodique de Descartes, doute cartésien, opération première de la méthode cartésienne.

11 (...) je désirais vaquer seulement à la recherche de la vérité, je pensai qu'il fallait que (...) je rejetasse comme absolument faux tout ce en quoi je pourrais imaginer le moindre doute, afin de voir s'il ne me resterait point après cela quelque chose en ma créance qui fût entièrement indubitable.
DESCARTES, Disc. de la méthode, IV.

12 Le grand principe expérimental est donc le doute, le doute philosophique qui laisse à l'esprit sa liberté et son initiative, et d'où dérivent les qualités les plus précieuses pour un investigateur en physiologie et en médecine. Il ne faut croire à nos observations, à nos théories, que sous bénéfice d'inventaire expérimental.
Cl. BERNARD, Introd. à l'étude de la médecine expérimentale, I, II, p. 76.

Cour. *Le doute religieux,* attitude de celui qui n'a pas d'opinion sur l'existence ou la non-existence de Dieu, ou de celui dont la foi chancelle. → **Incertitude, incroyance.** *Être, vivre dans le doute* (→ Agglomérer, cit. 2; athée, cit. 6; croire, cit. 68).

13 Voilà un doute d'une terrible conséquence.
PASCAL, Pensées, III, 195.

14 (...) le Doute n'est ni une impiété, ni un blasphème, ni un crime; mais une transition d'où l'homme retourne sur ses pas dans les Ténèbres ou s'avance vers la Lumière.
BALZAC, Séraphita, Pl., t. X, p. 545.

15 (...) cette croyance incertaine qui n'est pourtant pas le doute, qui réserve une possibilité à ce qu'on souhaite et dont Musset donne un exemple quand il parle de l'Espoir en Dieu.
PROUST, À la recherche du temps perdu, t. XIII, p. 210.

♦ **2** *(Un, des doutes)*. Jugement par lequel on doute de qqch. *Avoir un doute sur l'authenticité d'un document, sur la réussite d'une affaire. J'ai des doutes, quelques doutes à ce sujet, à propos de... Laisser planer un doute sur...* → **Incertitude, obscurité, ombre.** *On ne le persuade pas aisément, il garde encore un doute, quelques doutes. Les doutes de qqn au sujet de qqch., ses doutes. N'avoir aucun doute quant à... Éclaircir*, dissiper, lever un doute. — Vieilli. *Ôter, tirer qqn d'un doute.*

16 Ôte-moi d'un doute.
Connais-tu bien Don Diègue?
CORNEILLE, le Cid, II, 2.

17 Pour me tirer d'un doute où me jette ma sœur (...)
MOLIÈRE, les Femmes savantes, I, 2.

Loc. *Cela ne fait pas de doute, ne fait aucun doute :* c'est certain, évident, incontestable, indiscutable. *Cela ne fait aucun doute pour moi :* j'en suis certain.

18 Le civisme et le sans-culottisme du jeune officier *(le général Hugo)* ne font pas de doute.
HENRIOT, les Romantiques, p. 26.

L'ombre d'un doute :* le doute le plus léger. *Cela ne fait pas, il n'y a pas l'ombre d'un doute* (renforcement de : *il n'y a pas de doute*).

♦ **3** Inquiétude, soupçon, manque de confiance en qqn.

ⓐ *(Un, des doutes)*. *Avoir des doutes sur qqn.* → **Méfiance, soupçon, suspicion.** *Éprouver des doutes au sujet de qqn, à son endroit.* → **Appréhension, crainte.** *Être torturé par le doute* (→ Continu, cit. 3). *Doute bien, mal fondé. Confirmer ses doutes.*

ⓑ *(Le doute)*. *L'esprit, le démon du doute* (→ Jalousie).

19 Le remède de la jalousie est la certitude de ce qu'on a craint, parce qu'elle cause la fin de la vie, ou la fin de l'amour; c'est un cruel remède, mais il est plus doux que le doute et les soupçons.
LA ROCHEFOUCAULD, Maximes, 514.

20 La jalousie se nourrit dans les doutes (...)
LA ROCHEFOUCAULD, Maximes, 32 (→ Certitude, cit. 6).

21 Dans le doute mortel dont je suis agité (...)
RACINE, Phèdre, I, 1.

22   (...) pour l'être dévoré de cette fièvre, il n'est pas au monde de besoin moral plus impérieux que celui d'un ami devant qui l'on puisse raisonner sur les doutes affreux qui s'emparent de l'âme à chaque instant, car dans cette passion terrible, *toujours une chose imaginée est une chose existante.*
STENDHAL, De l'amour, XXXIV, p. 129.

23   L'esprit du doute, suspendu sur ma tête, venait de me verser dans les veines une goutte de poison; la vapeur m'en montait au cerveau, et je chancelais à demi dans un commencement d'ivresse malfaisante.
A. DE MUSSET,
la Confession d'un enfant du siècle, IV, I, p. 201.

24   Quand un mari se fie à sa femme, il garde pour lui les mauvais propos, et quand il est sûr de son fait, il n'a que faire de la consulter. Quand on a des doutes, on les lève; quand on manque de preuves, on se tait : et quand on ne peut démontrer qu'on a raison, on a tort.
A. DE MUSSET, Comédies et Proverbes,
«Le chandelier», I, 1.

Par métonymie. (Aux sens 1, 2 ou 3). Expression du doute, d'un doute par le langage. *Les doutes exprimés dans sa lettre.*

♦ **4** REM. [a] Les tours : *Il n'y a pas de doute que..., il ne fait pas de doute que..., point de doute que..., nul doute que...,* se construisent avec le subj. et avec *ne* : *nul doute qu'il ne se soit trompé. Il n'y a pas de doute qu'il ne vienne.*

25   Nul doute que ce ne soit un mage (...)
FRANCE, Thaïs, II, p. 121.

26   Il n'y a point de doute que vous ne soyez le flambeau même de ce temps.   VALÉRY, Mon Faust, II, 1, p. 74.
Pour insister sur le caractère incontestable du fait, on omet *ne* (→ Avoir, cit. 86) ou on emploie l'indicatif (→ Avoir, cit. 85).

27   Aucun doute qu'il la rencontrât un jour ou l'autre.
Henri DE RÉGNIER,
les Vacances d'un jeune homme sage, p. 187.

28   Il n'y a donc aucun doute qu'après la mort nous verrons Dieu.   CLAUDEL, Présence et Prophétie, p. 13.

Si le fait affirmé est hypothétique, on emploie le conditionnel. *Nul doute qu'il serait reçu s'il travaillait davantage.*

29   Nul doute qu'il le prendrait *(un livre)* et essayerait de le lire.   DANIEL-ROPS, Mort où est ta victoire?, p. 427.

[b] *Il est hors de doute que...,* est suivi de l'indicatif. *Il est hors de doute qu'il sera là ce soir.*

♦ **5** Loc. adv. SANS DOUTE. [a] Certainement. → **Assurément**; → Attacher, cit. 83; autonome, cit. 3; brouiller, cit. 11; démonstration, cit. 7. *C'est là sans doute un livre de valeur. Viendrez-vous? Sans doute, sans aucun doute,* (littér.) *sans nul doute.* — REM. Dans l'usage moderne, pour redonner à cette locution (vieillie en ce sens) toute sa valeur affirmative, elle est renforcée : *sans aucun doute, sans nul doute...*

30   — La poule ne doit point chanter devant le coq.
— Sans doute.   MOLIÈRE, les Femmes savantes, V, 3.

31   J'ai fait des malheureux, sans doute; et la Phrygie Cent fois de votre sang a vu ma main rougie.
RACINE, Andromaque, I, 4.

[b] Selon toutes les apparences. → **Apparemment, probablement, vraisemblablement**; → Arrêter, cit. 74; avoué, cit. 2; bâcler, cit. 2; dépayser, cit. 5. *Il viendra sans doute ce soir. Sans doute arrivera-t-elle demain.*

32   Il était arrivé là-haut un changement,
Qui présageait sans doute un grand événement.
LA FONTAINE, Fables, VII, 18.

33   Sans doute à nos malheurs ton cœur n'a pu survivre.
RACINE, Alexandre, IV, 1.

33.1 Elle gardait malgré toutes mes critiques sa manière insidieuse de poser des questions d'une façon indirecte pour laquelle elle avait utilisé depuis quelque temps un certain «parce que sans doute». N'osant pas me dire : «Est-ce que cette dame a un hôtel?» elle me disait, les yeux timidement levés comme avec du bon chien : «Parce que sans doute cette dame a son hôtel particulier (...)»
PROUST, le Temps retrouvé, Pl., t. III, p. 748.

REM. *Sans doute que...* est suivi de l'indicatif ou, si le fait est hypothétique, du conditionnel. *Sans doute qu'il l'a oublié. Sans doute qu'il accepterait si vous insistiez.*

34   Nous avons vu suffisamment la malade, et sans doute qu'il y a beaucoup d'impuretés en elle.
MOLIÈRE, l'Amour médecin, II, 2.

35   Et sans doute que comme tous les logeurs elle est de la police (...)   ARAGON, le Paysan de Paris, p. 24.

CONTR. **Certitude, conviction, croyance, décision, persuasion, résolution. — Assurance, évidence, foi, religion.** ◊ DÉR. **Douteux.**

DOUTER [dute] v. tr. ind. *(de...)* et tr. dir. *(que...)* — 1080, *doter* ou *duter;* du lat. *dubitare* «craindre, hésiter», de *dubius* «indécis, qui hésite entre deux attitudes», de *duo* «deux».

♦ **1** Être dans l'incertitude de la réalité d'un fait, de la vérité d'une assertion (→ Assertion, cit. 2).
DOUTER DE... *Douter de la réalité de qqch. Douter de l'authenticité d'une nouvelle. Douter du succès d'une entreprise sans en désespérer. Douter d'une vérité. Douter des choses les plus évidentes. Il doute aujourd'hui de ce qu'il affirmait hier. —* Loc. *J'en doute, j'en doute fort. N'en doutez pas :* soyez-en certain (→ Aller, cit. 38; désordre, cit. 21). *À n'en pas douter :* sans aucun doute. → **Incontestablement, sûrement.**

1   Quand on aime, on doute souvent de ce qu'on croit le plus.   LA ROCHEFOUCAULD, Maximes, 348.

2   Prenez femme, abbaye, emploi, gouvernement :
Les gens en parleront, n'en doutez nullement.
LA FONTAINE, Fables, III, 1.

3   Comme l'amour fait douter des choses les plus démontrées, cette femme qui, avant l'intimité, était si sûre que son amant est un homme au-dessus du vulgaire, aussitôt qu'elle croit n'avoir plus rien à lui refuser, tremble qu'il n'ait cherché qu'à mettre une femme de plus sur sa liste.
STENDHAL, De l'amour, VII, p. 53.

4   Je doute avec mon cœur de ce que mon esprit reconnaît comme vrai.   Paul BOURGET, le Disciple, IV, p. 92.

4.1   Nous pouvons à la fois douter des mêmes choses auxquelles nous croyons et dans le moment même. Car tout ce qui pour nous est l'objet d'un sentiment profondément ressemble en cela à la vie, qui est pour nous un objet de foi et d'amour. Nous croyons à la durée de nos amours, et nous en doutons. Nous croyons à la vie immortelle, et nous en doutons. Nous croyons en Dieu, et nous en doutons (...)   PROUST, Jean Santeuil, Pl., t. III, p. 583.

Littér. *Douter de...* (suivi de l'inf.). *Je doute d'avoir dit cela. Douter de pouvoir faire telle chose. Il ne doute pas d'y arriver.*

5   Elle ne doutait pas d'être toujours en état de se donner à son mari; et elle en recueilli très distraitement la preuve quelques soirs après.
J. ROMAINS, les Hommes de bonne volonté, t. V, I,
p. 8.

DOUTER QUE... (suivi du subj.; à la forme affirmative, sans *ne* explétif). *Je doute fort que cela soit* (Académie).

6   (...) j'ose douter qu'ils *(Voiture et Sarrazin)* fussent tels aujourd'hui qu'ils ont été alors.
LA BRUYÈRE, les Caractères, XIII, 10.

Ne pas douter que... ne... (suivi du subj.). → Bras, cit. 21; corbeau, cit. 6. *Je ne doute pas qu'il ne vienne.* — REM. Pour insister sur le caractère incontestable du fait envisagé, on omet le *ne* explétif ou on emploie l'indicatif. *Je ne doute pas qu'il vienne; je ne doute pas qu'il viendra.* Quand le fait envisagé est hypothétique on emploie le conditionnel. *Je ne doute pas qu'il accepterait, si j'insistais.* → aussi **Doute,** 4., rem., a.

7   (...) je ne doute point qu'il n'y ait eu une ancienne erreur (...)   LA BRUYÈRE, Disc. sur Théophraste.

8   Il ne faut point douter qu'il fera ce qu'il peut.
MOLIÈRE, l'Étourdi, II, 7.

9   Ne doutant pas que le lendemain, sa servante accepterait une proposition qui était pour elle tout à fait inespérée.
       MAUPASSANT, Histoire d'une fille de ferme, III.

Littér. DOUTER SI... (suivi de l'indic. ou du cond.). → **Demander** (se), **savoir** (ne savoir si). *Je doute si je serai en mesure d'accomplir ma promesse* (Littré). *Je doute si j'accepterais un tel poste, dans de pareilles conditions* (→ outre les ex. ci-dessous, la cit. 14, Pascal).

10   Vous promettez beaucoup, Prince ; et je doute fort
Si vous pourrez sur vous faire ce grand effort.
       MOLIÈRE, Dom Garcie, I, 3.

11   Aussi les parents de la belle doutèrent longtemps s'ils obéiraient.
       LA FONTAINE, Psyché, I.

12   *(Vos esclaves)* Doutent si le Vizir vous sert ou vous trahit.
       RACINE, Bajazet, V, 8.

13   (...) les plus sages doutent quelquefois s'il est mieux de connaître ces maux que de les ignorer.
       LA BRUYÈRE, les Caractères, X, 7.

♦ **2** (XVᵉ). **DOUTER DE...** : mettre en doute (des croyances fondamentales considérées comme des vérités, en matière de religion, de morale...). *Les sceptiques doutent de tout, de toutes choses. Douter des mystères de la religion.*

14   Que fera donc l'homme en cet état ? Doutera-t-il de tout ? doutera-t-il s'il veille, si on le pince, si on le brûle ? doutera-t-il s'il doute ? doutera-t-il s'il est ? On n'en peut venir là ; et je mets en fait qu'il n'y a jamais eu de pyrrhonien effectif parfait. La nature soutient la raison impuissante, et l'empêche d'extravaguer jusqu'à ce point.
       PASCAL, Pensées, VII, 434.

15   Comme Hamlet, il doutait de tout maintenant, de ses pensées, de ses haines et de tout ce qu'il avait cru.
       R. ROLLAND, Michel-Ange, II, III, p. 162.

15.1   Douter de tout ou tout croire, ce sont deux solutions également commodes, qui l'une et l'autre nous dispensent de réfléchir.
       H. POINCARÉ, la Science et l'Hypothèse, p. 2.

Absolt. *Savoir douter* (→ Crédibilité, cit. 1 ; croire, cit. 19). *Douter bien, à bon escient* (→ Courir, cit. 68). *Apprendre à douter. Douter pour douter. Il a longtemps douté avant de croire.*

16   Aussitôt Jésus étendit la main, le saisit, et lui dit : Homme de peu de foi, pourquoi as-tu douté ?
       BIBLE (SEGOND), Évangile selon saint Matthieu, XIV, 31.

17   Non que j'imitasse pour cela les sceptiques, qui ne doutent que pour douter, et affectent d'être toujours irrésolus (...)
       DESCARTES, Disc. de la méthode, III.

18   C'est donc un malheur que de douter, mais c'est un devoir indispensable de chercher dans ce doute (...)
       PASCAL, Pensées, III, 194 bis.

19   La balance à la main, Bayle enseigne à douter.
       VOLTAIRE, Poème sur le désastre de Lisbonne
       (→ Balance, cit. 9).

20   De l'homme qui doute à celui qui renie, il n'y a guère de distance. Tout philosophe est cousin d'un athée.
       A. DE MUSSET,
       la Confession d'un enfant du siècle, Pl., p. 237.

21   Douter, c'est examiner, c'est démonter et remonter les idées comme des rouages, sans prévention et sans précipitation (...)
       ALAIN, Propos, p. 21.

♦ **3** Vx. Hésiter. → **Balancer** (vx), **tergiverser**. *Il a longtemps douté avant de tenter cette entreprise* (Académie).

22   Pourriez-vous un moment douter de l'accepter ?
       RACINE, Athalie, III, 4.

Loc. *Ne douter de rien* : n'hésiter devant aucun obstacle, aller de l'avant hardiment, sans tenir compte des difficultés. — **Iron.** *Il ne doute de rien* : il fait preuve d'une audace insolente, il se fait des illusions en croyant que tout lui est possible, que tout lui est permis (→ Avoir tous les culots, tous les toupets).

«Comment donc, monsieur Cyrus, s'écria le marin, je suis   22.1
tout prêt à passer capitaine... dès que vous aurez le moyen de construire une embarcation suffisante pour tenir la mer !
— Nous le ferons, si cela est nécessaire !» répondit Cyrus Smith.
Mais tandis que causaient ces hommes, qui véritablement ne doutaient de rien, l'heure approchait (...)
       J. VERNE, l'Île mystérieuse, t. I, p. 185.

♦ **4 DOUTER DE...** : ne pas avoir confiance en (qqn, qqch.). → **Défier** (se), **méfier** (se). *Douter de qqn, de sa parole, de sa sincérité, de son honnêteté* (→ Désespérer, cit. 2). *Douter du cœur de qqn* (→ Assaut, cit. 5). *Pourquoi doutez-vous de moi ? Douter de soi* : ne pas être sûr de ses sentiments, de ses possibilités.

23   Et de moi je commence à douter tout de bon.
       MOLIÈRE, Amphitryon, I, 2.

24   Vous doutez de la sincérité de mes paroles ; jamais peut-être je n'ai senti avec plus d'amertume qu'en ce moment le peu de confiance que je puis inspirer.
       A. DE MUSSET, Comédies et Proverbes,
       Les caprices de Marianne, II, 3.

25   Doutez, si vous voulez, de l'être qui vous aime,
D'une femme ou d'un chien, — mais non de l'amour même.
       A. DE MUSSET, Premières poésies,
       «Dédicace à M. Alfred T...».

26   Que cette idée ne vous vienne jamais de paraître douter de vous, car aussitôt tout le monde en doute.
       A. DE MUSSET, Comédies et Proverbes,
       «Barberine», I, 4.

27   Tu doutes trop de moi, Jacques, ce n'est pas généreux (...)
       Alphonse DAUDET, le Petit Chose, II, XIV, p. 362.

28   Quiconque doute de soi n'est pas digne de se faire croire. Le doute est la faiblesse même.
       SUARÈS, Trois hommes, «Ibsen», II, p. 91.

29   Ce malheureux apporte, à ne plus douter de soi-même, la sombre et dérisoire passion qu'il manifestait la veille dans le mépris de ses propres efforts.
       G. DUHAMEL, Manuel du protestataire, II, p. 75.

♦ **SE DOUTER** v. pron. (XVᵉ).

(Suivi d'un indéf.). Considérer comme tout à fait probable (ce dont on n'a pas connaissance). *Se douter de qqch.* → **Conjecturer, croire, deviner, pressentir, soupçonner** ; **idée** (avoir idée de) ; → Affinité, cit. 3 ; assez, cit. 48 ; conjecture, cit. 1. *Se douter de qqch. de louche.* → **Flairer, subodorer** ; → Il y a anguille sous roche. *Je me doute de l'effet produit.* → **Imaginer** ; → Centre, cit. 13. *Je m'en doutais !* → **Évidemment, naturellement.** *On s'en doutait* (→ Tu parles !). *Vous doutiez-vous de cela ?* → **Attendre** (s'). *Est-ce que tu t'en doutais ? Ne pas se douter de...* → **Ignorer.** — *Se douter que...* (suivi de l'indic. ou du cond.) → ci-dessous, cit. 33 et 34. *Je me doute que c'est difficile.*

30   (...) on ne crut point qu'il se doutât de rien.
       LA FONTAINE, Fables, VIII, 18 (→ Assurance, cit. 8).

31   Il se doute de quelque chose.
       MOLIÈRE, George Dandin, I, 2.

32   — Ne devines-tu point de quoi je veux parler ? — Je m'en doute assez : de notre jeune amant (...)
       MOLIÈRE, le Malade imaginaire, I, 4.

33   Est-ce qu'elle se doute
qu'elle vous prend le cœur ;
en cueillant sur la route
des fleurs ?
       Francis JAMMES, la Jeune Fille...,
       in Choix de poèmes, p. 59.

34   Nous ne nous doutions pas que si peu de temps après nous aurions à supporter ensemble une si grande épreuve (...)
       J. ROMAINS, les Hommes de bonne volonté, t. V,
       XXVIII, p. 314.

35   (...) à quoi lui servait l'intuition qu'elle avait reçue, sinon à la torturer ? La présence d'un secret (...) n'est-ce pas plus pénible que l'ignorance absolue de celui qui ne se doute de rien ?
       J. GREEN, Léviathan, p. 169.

CONTR. Admettre, croire, décider (se), **espérer, reconnaître, résoudre** (se), **savoir.** ◊ **DÉR. Doute, douteur.**

DOUTEUR, EUSE [dutœʀ, øz] adj. et n. — XIIIᵉ ; de *douter*.

Littér. Qui doute. — N. Celui, celle qui doute. → **Sceptique.**

1 «Et puis», continua-t-il, «ce grand douteur est mû par une foi de charbonnier (...)»
MARTIN DU GARD, les Thibault, VIII, p. 254.

Psychiatrie. Personne souffrant d'une obsession d'interrogation perpétuelle (dite anciennt *folie du doute**).

2 Une tendance exagérée à l'introspection est fréquente chez les scrupuleux, les douteurs, les obsédés et chez beaucoup de psychasthéniques, constamment penchés sur leurs états d'âme pour les analyser, les critiquer.
A. POROT, Manuel alphabétique de psychiatrie, art. *Introspection* (éd. 1952).

DOUTEUSEMENT [dutøzmɑ̃] adv. — V. 1175, *dotosement*; de *douteux*.

◆ **1** D'une manière douteuse.

Nous aimions les musiques exotiques, les quais de la Seine, les péniches et les rôdeurs, les petits caboulots douteusement famés, le désert des nuits.
S. DE BEAUVOIR, la Force de l'âge, p. 262.

◆ **2** Littér. En formulant des doutes.

DOUTEUX, EUSE [dutø, øz] adj. — 1120 ; au moyen âge, aussi «redoutable» et «craintif»; de *doute*, et suff. *-eux*.

A (Choses). ◆ **1** Dont l'existence (ou la réalisation) n'est pas certaine. → **Incertain ;** → Catholique, cit. 2. *Fait douteux*, qui n'a pas été contrôlé, vérifié. *L'authenticité même de ce texte est douteuse. Son succès est douteux. Issue douteuse.* → **Aléatoire, hypothétique, improbable, problématique.**

1 (...) aucune chose dont on ne dispute, et, par conséquent, qui ne soit douteuse (...)
DESCARTES, Disc. de la méthode, I.

Il est douteux que... (suivi du subj.). *Il est douteux qu'il vienne ce soir. — Il n'est pas douteux que... ne...* (suivi du subj.). — REM. Pour insister sur le caractère incontestable du fait envisagé, on peut supprimer *ne* ou employer l'indicatif. → **Doute,** 4., REM. a. *Il n'est pas douteux qu'il ait raison, qu'il a raison.*

2 Il n'est pas douteux que le christianisme ait été une transformation profonde du judaïsme.
H. BERGSON, les Deux Sources de la morale et de la religion, III, p. 254 (→ Christianisme, cit. 11).

◆ **2** Dont la valeur, les caractères, les effets... ne sont pas certains ; qui provoque le doute ; sur quoi on s'interroge. → **Ambigu, discutable, équivoque, obscur.** *Réponse douteuse. Raisonnement douteux* (→ Balancement, cit. 4). *Opinion douteuse.* → **Contestable ;** → Discuter, cit. 8. *Sens douteux d'une phrase, d'une proposition.* → **Amphibologique.** *La date de cette œuvre est douteuse. Origine douteuse d'un objet. Étymologie douteuse.* → **Incertain.**

3 (...) combien à un âge où toutes les opinions sont encore douteuses et vacillantes, les enfants s'étonnent de voir contredire, par des plaisanteries que tout le monde applaudit, les règles directes qu'on leur a données.
B. CONSTANT, Adolphe, II, p. 12.

4 (...) un bon prote marque d'un point d'interrogation, en marge des épreuves, les mots douteux (...)
GIDE, Attendu que..., p. 50.

Versification. *Voyelle, syllabe douteuse*, longue ou brève suivant la place qu'elle occupe dans le vers.

◆ **3** Qui n'a pas ou ne semble pas avoir les qualités qu'on en attend ; dont la qualité est mise en cause. *Vêtement d'une propreté douteuse. Il est d'une honnêteté assez douteuse* (→ ci-dessous, 4.). *Un jour*

douteux : lumière qui permet à peine de distinguer les objets. → **Faible ; pénombre.** — Par ext. *Clarté, lumière douteuse.*

5 Et quel plaisir ! la nuit, à l'heure douteuse et pâle qui précède le point du jour, d'entendre mon coq s'égosiller (...)
Aloysius BERTRAND, Gaspard de la nuit, Ma chaumière.

6 (...) une petite eau-forte (de Rembrandt), de facture hachée, impétueuse, et d'une couleur incomparable, comme toutes les fantaisies de ce génie singulier, moitié nocturne, moitié rayonnant, qui semble n'avoir connu la lumière qu'à l'état douteux de crépuscule, ou à l'état violent d'éclairs.
E. FROMENTIN, Un été dans le Sahara, p. 3.

De qualité médiocre. *Viande douteuse, champignons douteux* (→ Contact, cit. 3). — Dont on peut mettre en doute la propreté ; qui est un peu sale. *Le blanc douteux de son col.* → **Sale.** — Ellipt. *Un col douteux.*

7 (...) en tabliers d'un blanc douteux.
ZOLA, l'Assommoir, t. I, III, p. 104.

Vêtement, mobilier d'un goût douteux, de mauvais goût. *Plaisanterie d'un goût douteux.* → **Mauvais.** — *Une plaisanterie douteuse*, d'un goût douteux.

8 Cette toilette, d'un goût douteux, plus coûteuse que moderne, allait mal à Séniha, qui s'en aperçut.
LOTI, Aziyadé, Eyoub à deux, XLVI, p. 143.

Comm. *Créance douteuse :* créance dont le recouvrement n'est pas assuré. → **Litigieux.**

◆ **4** (Personnes ; qualités). Dont on n'est pas sûr ; que l'on met en doute. → **Suspect.** *Des relations douteuses. Un individu douteux. Personne d'une probité, d'une réputation douteuse. Des mœurs douteuses.*

9 Mais les monstres, dans son œuvre, foisonnent. Il a, comme Gide et Mauriac, le goût des limaces humaines, des êtres visqueux, douteux, vulgaires (...)
A. MAUROIS, Études littéraires, «Martin du Gard», t. II, p. 189.

Subst. :

9.1 En facilitant la tâche de ses interlocuteurs, grâce à l'étiquette dont il est pourvu, l'engagé est mieux vu que le douteux, dont on ne sait jamais dans quel sens il va «partir» et, par suite, ce qu'il faudra lui répondre.
A. SAUVY, Croissance zéro ?, p. 170 (1973).

B (Personnes ; êtres animés). Vx. Qui est dans le doute* ou enclin au doute. → **Hésitant, indécis, méfiant, timide ;** → N'être ni chair* ni poisson. — Littér. et class. Craintif.

10 Dieu ne veut point d'un cœur où le monde domine,
Qui regarde en arrière, et douteux en son choix,
Lorsque sa voix l'appelle, écoute une autre voix.
CORNEILLE, Polyeucte, I, 1.

11 (Notre lièvre) était douteux, inquiet ;
Un souffle, une ombre, un rien, tout lui donnait la fièvre.
LA FONTAINE, Fables, II, 14,
«Le lièvre et les grenouilles».

CONTR. Assuré, authentique, avéré, catégorique, certain, clair, croyable, évident, formel, incontestable, incontesté, indiscutable, indubitable, irrécusable, manifeste, notoire, palpable, patent, positif, sûr, visible. ◊ DÉR. Douteusement.

DOUVAIN [duvɛ̃] n. m. — 1491 ; de 2. *douve*.

Techn. Bois (de chêne, de châtaignier, d'acacia, etc.) propre à faire des douves.

1. DOUVE [duv] n. f. — 1160, *dove* ; du bas lat. *doga* «récipient», du grec *dokhê* «récipient, réservoir».

◆ **1** Fossé destiné à être rempli d'eau, et entourant une grande construction, un château. *Les douves d'un château* (→ Ciel, cit. 38). — Par ext. *Douves de fossé*, les parois de ce fossé.

1 Dès son installation à Cinq-Cygne, le bonhomme d'Hauteserre fit d'une longue ravine par laquelle les eaux de la forêt tombaient dans la douve, un chemin qui sépare deux grandes pièces de terre appartenant à la réserve du

château...

BALZAC, Une ténébreuse affaire, éd. 1841, p. 104.

2   Douve sera ton nom au loin parmi les pierres,
Douve profonde et noire,
Eau basse irréductible
Où l'effort se perdra.

Yves BONNEFOY, Poèmes, Du mouvement et de
l'immobilité de Douve, «L'orangerie», p. 82.

♦ **2 Agric.** Étroit fossé creusé entre deux terrains cultivés, et servant à l'écoulement des eaux.

♦ **3** (1900). **Steeple-chase.** Large fossé précédé d'une
barrière, d'une claie.

HOM. 2. **Douve,** 3. **douve.**

2. DOUVE [duv] n. f. — V. 1200; du bas lat. *doga* «récipient» (→ 1. Douve), par métonymie.

Planche servant à la fabrication des tonneaux
(→ Tonnelier, cit. 2). *Douves de corps,* longues et
courbées. *Douves à oreille. Douves de fond.* → **Jable.**
Petite douve. → **Douvelle.** *Pièce de bois servant à faire
des douves.* → **Bourdillon, merrain ;** → Douvain.

DÉR. Douvain, douvelle. V. **Douelle.** ◊ **HOM.** 1. **Douve,**
3. **douve.**

3. DOUVE [duv] n. f. — XIᵉ ; du bas lat. *dolva,* probablt
d'orig. gauloise.

♦ **1** Ver plathelminthe *(Trématodes)* scientifiquement appelé *Distomum,* parasite des canaux
biliaires de mammifères herbivores, particulièremement du mouton chez lequel il détermine la
cachexie aqueuse. *La grande douve du foie. Formes
larvaires de la douve.* → **Rédie ; cercaire.**

♦ **2** Renoncule* des marais.

HOM. 1. **Douve,** 2. **douve.**

DOUVELLE [duvɛl] n. f. — 1694; dimin. de 2. *douve.*
Techn. Petite douve (de tonneau). → **Douelle.**

DOUX, DOUCE [du, dus] adj., adv. et n. — 1080,
dulz; du lat. *dulcis* «doux, suave», et, au fig., «agréable,
charmant, aimé».

Ⅰ Adj. **A** Domaine de la sensation. ♦ **1** Après le nom, en
épithète. Qui a un goût faible ou sucré (opposé à
amer, acide, fort, piquant, relevé, salé, etc.). *Le sucre
est doux. Doux comme le miel. Amandes, oranges,
pommes douces. Piment doux. Moutarde douce.
Beurre doux,* non salé. *Un plat doux :* un mets
sucré. *Trop doux, doux et écœurant.* → **Douceâtre,
doucereux, écœurant, fade, liquoreux, mielleux, sirupeux.** *Sauce trop douce,* qui manque d'assaisonnement. *Rendre doux, plus doux.* → **Adoucir, édulcorer.**

1   C'est son breuvage le plus doux.

RACINE, Esther, III, 3.

2   La coupe la plus douce apporte l'amertume,
Sauf la coupe du vallon bleu qu'emplit la brume
Comme d'un lait que boit l'Aurore à son réveil.

Francis JAMMES, Sonnets, *in* Choix de poèmes,
p. 247.

Eau* douce, non salée. *Marin d'eau douce*
(→ 2. Marin, cit. 6).

Spécialt. Sucré. *Patate* douce. — Vin doux :* moût ;
vin naturellement sucré (opposé à *sec*). *Champagne
doux,* sucré (opposé à *brut*).

♦ **2** Plutôt après le nom. Agréable au toucher par son
caractère lisse, souple (opposé à *dur, rugueux, violent*). → **Lisse, moelleux, soyeux.** *Peau* douce.* → **Fin,
satiné, uni, velouté.** *Étoffe, laine douce. Poils doux.
Brosse douce.* → **Souple.** — *Lit, matelas très doux.*
→ **Douillet, moelleux, mollet, mou.** *Un doux oreiller.*

→ **Mol.** *Voiture douce,* bien suspendue. → **Confortable.** — Antéposé. **Littér.** *Douce caresse, doux chatouillement.*

(...) il tenait la main d'Antoine familièrement enfermée   3
entre les siennes, qui étaient douces et potelées comme
des mains de femme.

MARTIN DU GARD, les Thibault, t. I, p. 181.

♦ **3** Après le nom. Qui épargne les sensations violentes, désagréables (se dit du temps, du climat). *Un
temps doux et agréable. Il fait doux et tiède. Un
doux zéphyr; une brise douce.* → **Faible.** *Température douce, douce chaleur.* → **Modéré.** *Cette année,
l'hiver a été doux, plutôt doux.* → **Clément.**

Un temps doux. Le vent, faible et chaud, nous venait du   4
Sud. Il amollissait l'air.

H. BOSCO, Un rameau de la nuit, p. 159.

♦ **4** Avant ou après le nom. Peu sonore et agréable
à l'ouïe. → **Caressant, charmant, enchanteur, harmonieux, mélodieux, suave.** — Antéposé. **Littér.** *Doux
accents; doux murmures.* → **Léger.** *De doux accords,
une douce musique* (→ **Amabile, dolce, piano**). *Les
douces rumeurs de la nature; les douces harmonies du soir* (→ 2. Calme, cit. 1). — Postposé. *Musique*
douce. Voix* douce. L'italien est une langue douce,
douce à l'oreille.* → **Musical.** *Des inflexions de voix
très douces, une intonation douce.*

Un beau visage est le plus beau de tous les spectacles; et   5
l'harmonie la plus douce est le son de voix de celle que
l'on aime.   LA BRUYÈRE, les Caractères, III, 10.

C'était une musique très harmonieuse, la voix fraîche de   6
Gaud alternait avec celle de Yann qui avait des sonorités
douces et caressantes dans des notes graves.

LOTI, Pêcheur d'Islande, IV, I, p. 225.

Fig. *Éloquence douce. Parler d'un ton doux* (→ Un mot
pas plus haut que l'autre). — *Doux propos; doux
paroles :* paroles obligeantes, flatteuses (→ **Mielleux**).

Ainsi dans les dangers qui nous suivent en croupe,   7
Le doux parler ne nuit de rien.

LA FONTAINE, Fables, III, 12.

Phonét. *Consonnes douces,* dont l'articulation
n'exige qu'une faible tension musculaire (contr. :
consonne dure). *Les consonnes sonores sont en
général douces* (ex. : *B, G, D*). — Gramm. grecque.
Esprit doux : en grec, signe indiquant que l'initiale
vocalique n'est pas aspirée (').

♦ **5** Après le nom. Agréable à l'œil, à la vue. *Lumière
douce*.* → **Pâle, tamiser** (p. p. adj.); → Atténuer, cit. 10.
Couleur douce. → **Clair.** *Reflets doux; nuances,
teintes douces. Les courbes de ce dessin sont douces.*

Mais à peine entrée dans la haute pièce sévère et drapée,   8
la clarté joyeuse du ciel s'atténuait, devenait douce, s'endormait sur les étoffes, allait mourir dans les portières (...)
MAUPASSANT, Fort comme la mort, p. 1.

♦ **6** Avant ou après le nom. Agréable à l'odorat. *Doux
parfums.* → **Délicat, suave.** *Douces odeurs; odeurs
douces (à l'odorat).*

(...) de douces odeurs sombres et tenaces, qui demeuraient   9
longtemps attachées aux paumes.

COLETTE, la Chatte, p. 103.

B Domaine psychique, abstractions... ♦ **1** Souvent antéposé. **Fig.** Qui procure un agrément calme et
délicat. → **Agréable, délicat, délicieux, exquis.** *Doux
sentiments. Douces sensations. Une douce émotion* (→ Battre, cit. 61). *Doux charme. Douce attente.
Espoir bien doux. Douce nouvelle. Doux souvenir.*
→ **Attendrissant.** *Doux pays*. La solitude lui est
douce. Douce tranquillité. Une douce vengeance. Se
faire une douce violence*. Il est doux de pardonner.
Il me sera bien doux de vous revoir. La douce chaleur d'un cœur affectueux* (→ Déborder, cit. 5). *Qu'il*

est doux de ne rien faire! Doux repos; doux sommeil. Passer des jours bien doux. → **Couler** (se la couler douce; cit. 33 et *supra*). *Mener une vie* douce.* → **Calme, doré, douillet, facile, indolent, mol, paisible, serein, tranquille; dolce vita.** *Il a eu la vie douce. Douces habitudes. Douces manies. Douces pensées* (→ Apaiser, cit. 21). — Vx (langue class.). *Doux liens. Douces chaînes.* → **Amoureux.**

10 Chacun songe en veillant, il n'est rien de plus doux (...)
　　　　　　　　　LA FONTAINE, Fables, VII, 10.

11 Qu'un ami véritable est une douce chose!
　　　　　　　　　LA FONTAINE, Fables, VIII, 11.

12 Eh! Monsieur, mon cher maître, il est si doux de vivre!
　　On ne meurt qu'une fois, et c'est pour si longtemps!
　　　　　　　　　MOLIÈRE, le Dépit amoureux, v, 3.

13 Et tout ingrat qu'il est, il me sera plus doux
　　De mourir avec lui que de vivre avec vous.
　　　　　　　　　RACINE, Andromaque, IV, 3.

14 Les feux de l'aurore ne sont pas si doux que les premiers
　　regards de la gloire.
　　　　　　　　　VAUVENARGUES, Réflexions et Maximes, 375.

15 Cependant il est doux de respirer encore
　　Cet air du ciel natal où l'on croit rajeunir.
　　　　　　　　　LAMARTINE, Harmonies..., III, IV.

16 Qu'il est doux d'être au monde, et quel bien que la vie!
　　Tu le disais ce soir par un beau jour d'été.
　　　　　　　　　A. DE MUSSET, Poésies nouvelles, À Alfred T.,
　　　　　　　　　　　　　　　　　　　　　　　Sonnet.

17 (...) les plus doux instants pour deux amants heureux,
　　Ce sont les entretiens d'une nuit d'insomnie,
　　Pendant l'enivrement qui succède au plaisir.
　　　　　　　　　A. DE MUSSET, Premières Poésies,
　　　　　　　　　　　　　«La coupe et les lèvres», II, 3.

18 Je veux dormir! dormir plutôt que vivre!
　　Dans un sommeil aussi doux que la mort (...)
　　　　　　　　　BAUDELAIRE, Épaves, Pièces condamnées,
　　　　　　　　　　　　　　　　　　　　　　«Le Léthé».

19 Et qu'à vos yeux si beaux l'humble présent soit doux.
　　　　　　　　　VERLAINE, Romances sans paroles, «Aquarelles»,
　　　　　　　　　　　　　Green (→ Cœur, cit. 74).

20 Il m'est doux de vivre en pensée les jours qu'il vivait (...)
　　　　　　　　　FRANCE, le Petit Pierre, XXXIII, p. 236.

21 Mais gardez-moi un peu d'amitié dans votre colère, un
　　souvenir aigre et doux, comme ces temps d'automne où
　　il y a du soleil et de la bise.
　　　　　　　　　FRANCE, le Lys rouge, XXI, p. 161.

22 (...) c'est doux, la nuit, de regarder le ciel. Toutes les étoiles
　　sont fleuries.
　　　　　　　　　SAINT-EXUPÉRY, le Petit Prince, XXVI, p. 86.

Doux à... (suivi de l'inf.) :

23 Affaissant sous son poids un énorme oreiller
　　Un beau corps était là, doux à voir sommeiller (...)
　　　　　　　　　BAUDELAIRE, Poèmes divers, «Le goinfre».

♦ **2** Après le nom. Qui n'a rien d'extrême, d'excessif.
→ **Faible, modéré.**

a Concret. *Montée douce. Escalier doux*, dont les degrés ne sont pas rudes à gravir. *Descente en pente douce.* — *Feu doux*, donnant une chaleur modérée. *Cuire à feu doux*, à petit feu.

b *Prix doux* : prix modéré. *Acheter au prix doux*, (1859, in D.D.L.) *dans les prix doux*, bon marché.

24 (...) je pourrai vous procurer deux juments harnachées
　　dans les prix doux.　　　SARTRE, les Mouches, I, 6.

c Qui ne contraint pas péniblement. *Lois douces.*
→ **Clément, indulgent.** *Administration douce. Le service y est doux.* → **Facile, plaisant.** *Châtiment, supplice trop doux.* → **Anodin, bénin.** *Une mort douce.*
— Antéposé. *De doux reproches. Douce gaieté. Douce plaisanterie.*

25 Il est des moyens doux pour nous satisfaire; il en est de
　　violents et de sanglants (...)
　　　　　　　　　MOLIÈRE, Dom Juan, III, 4.

26 Il ne faut jamais hasarder la plaisanterie même la plus
　　douce et la plus permise qu'avec des gens polis ou qui ont
　　de l'esprit.　　　LA BRUYÈRE, les Caractères, V.

d (D'après l'angl. *soft*). *Drogues* douces.*

e Qui agit sans brutalité, sans effets secondaires néfastes sur le milieu considéré (environnement; organisme) et selon les voies tenues pour les plus naturelles. *Technologies douces*, qui ne portent pas atteinte à l'environnement, au milieu. *Les énergies douces* : les sources d'énergie non polluantes (vent, marées, etc.), opposées aux sources d'énergie telles que le pétrole, la fission nucléaire, etc. — *Médecines douces* (phytothérapie, acupuncture, homéopathie, etc.).

♦ **3** (Personnes; entités humaines). Qui ne heurte, ne blesse personne, n'impose rien, ne se met pas en colère. → **Affable, aimable, amène, angélique, bénin** (cit. 2 et 7), **bienveillant, bon, bonasse, bonhomme, calme, clément** (cit. 1), **complaisant, conciliant, coulant, débonnaire, doucet, faible, gentil, humain, indulgent, liant, malléable, paisible, paterne, patient, souple, tolérant, traitable.** *Un homme doux* (→ Crème, cit. 2). *Caractère, naturel doux* (→ Autant, cit. 28). *Humeur douce. Jeune fille chaste* et douce. Elle est douce comme une colombe* (→ Accort, cit. 3). *Doux comme un agneau, comme un mouton** (cit. 13). → **Inoffensif.** *Cet enfant est doux.* → **Docile, maniable, obéissant, sage, soumis, souple.** *Rendre doux, docile.* → **Adoucir, apprivoiser, discipliner, dompter, dresser, radoucir.** *Doux comme une fille.*

27 Votre petit Allemand (...) est beau comme un ange, et doux
　　et honnête comme une pucelle.
　　　　　　　　　Mᵐᵉ DE SÉVIGNÉ, Lettres, 585, 7 oct. 1676.

28 Pour elle, quoique Dieu l'ait faite douce et tendre (...)
　　　　　　　　　A.-F. ARVERS, Sonnet.

29 Ceux-là seuls sont doux à autrui qui sont doux à eux-
　　mêmes.　　　　FRANCE, le Petit Pierre, I, p. 12.

30 Elle était aussi douce, polie et pure que peut l'être la créa-
　　ture humaine.　　Valery LARBAUD, Amants..., p. 16.

T. d'affection. *Mon doux ami* (cf. au moyen âge, Beau doux ami).

(Animaux). Qui n'est pas méchant. *Un chien doux et caressant. Une monture douce, douce comme un ange* (→ 1. Mule, cit. 1).

31 Ni loups ni renards n'épiaient
　　La douce et l'innocente proie.
　　　　　　　　　LA FONTAINE, Fables, VII, 1.

32 Dans la journée, elles sont douces comme des moutons;
　　à mesure que l'heure de boucler approche, c'est à qui des
　　deux ne restera pas dans le panier grillé (...)
　　　　　　　　　COLETTE, la Paix chez les bêtes, «Chiens savants».

♦ **4** Par ext. Qui dénote de la douceur, de la bienveillance. *Air doux.* → **Gentil.** *Physionomie douce. Doux visage.* → **Beau, gracieux.** *Un doux sourire* (→ Déplaisir, cit. 2). *Un doux regard.* → **Affectueux, aimant, câlin, caressant, tendre.** *Avoir des manières douces* (→ **Chatte**). *Mœurs douces.* → **Paisible.** — *Folie* douce* (par oppos. à *furieuse*).

33 Il est si beau, l'enfant, avec son doux sourire,
　　Sa douce bonne foi, sa voix qui veut tout dire (...)
　　　　　　　　　HUGO, les Feuilles d'automne, XIX,
　　　　　　　　　　　　　「Lorsque l'enfant paraît」.

34 Ses yeux doux et farouches brillaient sous un voile magni-
　　fique de longs cils noirs (...)
　　　　　　　　　FRANCE, Histoire comique, IX, p. 143.

35 (...) c'est une femme rude, épaisse, membrue comme un
　　homme. Rien de doux, ni même de son sexe.
　　　　　　　　　André SUARÈS, Trois hommes, «Pascal», II, p. 21.

Spécialt. → **Amoureux, passionné.** *De douces déclarations. Doux reproches.* — Loc. *Faire les yeux doux* : regarder amoureusement (→ fam. et péj. Faire des yeux de carpe* pâmée, rouler des yeux...). — *Un billet* doux*, galant. Vx. *Le doux penchant.*

c Techn. Vx. *Minerai doux*, qui se fond aisément. *Mine douce.* — Mod. Se dit d'un métal, d'un alliage très malléable et qui a une grande capacité de déformation à froid. *Fer doux* : fer pur, peu cassant, employé dans la fabrication des électro-aimants (par oppos. à *fer aigre*). *Acier doux.* — *Lime douce*, qui mord légèrement et en surface. *Taille douce.* → **Taille.**

35.1 (...) l'essieu de ma calèche casse net. C'est ma faute : je m'étais bien promis que si jamais j'avais une calèche à moi, je ferais forger sous mes yeux un bel essieu avec six barres de fer doux (...)
STENDHAL, Mémoires d'un touriste, I, p. 28.

II Adv. ♦**1** Loc. *Filer doux* : se soumettre, obéir humblement sans opposer de résistance. *Avec lui, il faut filer doux.*

36 Je filai doux, et souscrivis à toutes tes exigences (...)
F. MAURIAC, le Nœud de vipères, I, VII, p. 86.
Vx. *Avaler qqch. doux comme lait.* → **Avaler.**

♦**2** Loc. adv. Vx ou plais. **TOUT DOUX**, se disait familièrement pour inviter au calme, à la modération. → **Doucement.**

37 Mon Dieu! tout doux : vous allez d'abord aux invectives. Est-ce que nous ne pouvons pas raisonner ensemble sans nous emporter?
MOLIÈRE, le Malade imaginaire, I, 5.

38 Tout doux! vous suivez trop votre amoureuse envie, Et vous ne devez pas vous tant passionner.
MOLIÈRE, Tartuffe, IV, 7.

♦**3** (1884). Loc. fam. **EN DOUCE** : sans bruit, avec discrétion. *Il a fait ça en douce. Partir en douce* (cf. Filer à l'anglaise). — *En douce, il a réussi mieux que tout le monde* (cf. Sans en avoir l'air).

♦**4** Vx, fam. **À LA DOUCE** : doucement.

III N. ♦**1** N. m. Ce qui est doux. *Préférer le doux.* — (1805). Liqueur douce. — *Prendre du sec* (du vin sec) *plutôt que du doux.*
Le doux : le ton doux.

39 Heureux qui, dans les vers, sait d'une voix légère Passer du grave au doux, du plaisant au sévère!
BOILEAU, l'Art poétique, I.

40 *(Le rossignol)* saute du grave à l'aigu, du doux au fort (...)
CHATEAUBRIAND, le Génie du christianisme, I, V, V.
Littér. Douceur.

41 Je voulais le doux de la tendresse, le chaud de la maison, le confortement de l'appui, le repos de la répétition.
Claude ROY, Nous, p. 142.

♦**2** N. m. et f. (Personnes). *C'est un doux.* — *Faire la douce* : affecter une fausse douceur. — *Heureux les doux*, les débonnaires.
Fam. (T. d'affection). *Ma douce.* — Fam. *Il va voir sa douce*, son amie, sa fiancée. → Sa blonde*.

CONTR. Acide, âcre, aigre, amer, âpre, corsé, épicé, relevé, salé, sur. — Bruyant, criard ; ardu, coriace, raboteux, rugueux. — Abrupt, escarpé, fatigant, pénible. — Acerbe, acariâtre, acrimonieux, arrogant, austère, bourru, brutal, cruel, direct, dur, emporté, entier, exalté, farouche, féroce, furibond, hargneux, impitoyable, implacable, inclément, inexorable, inflexible, inhumain, insensible, intraitable, irascible, revêche, rigoriste, rigoureux, rude, sévère, violent. ◊ DÉR. Douçain, douceâtre, doucement, doucet, doucin, doucine, doucir. ✱ COMP. Adoucir, aigre-doux, douce-amère (n. f.), doux-amer (adj.). — V. Doudou, doudoune.

DOUX-AMER, DOUCE-AMÈRE [duzamɛʀ, dusamɛʀ] adj. — Mil. XVIe ; de *doux*, et *amer*.
Vx (style du XVIe) ou littér. Qui est à la fois plaisant et amer. «*De bien douces-amères réflexions*» (H. Bazin, *in* T. L. F.).
DÉR. Douce-amère (n. f.).

DOUZAIN [duzɛ̃] n. m. — 1480, *dozain* ; de *douze*.
♦**1** Vx. Ancienne monnaie française qui valait douze deniers ou un sou.
♦**2** Didact. Pièce de poésie, de douze vers.

DOUZAINE [duzɛn] n. f. — Fin XIIe ; de *douze*.
♦**1** Réunion de douze choses de même nature. — REM. *Douzaine* est surtout employé comme terme commercial. *Une douzaine d'œufs. Trois douzaines d'assiettes. Douze douzaines.* → **Grosse.** *Objets groupés par douzaines, vendus à la douzaine. Mille francs à la douzaine.* — Loc. *Treize à la douzaine* : en donnant treize choses pour le prix de douze.

1 Il achète ses cannes par trois, et ses gants paille par douzaines.
Émile HENRIOT, les Romantiques, p. 309.

♦**2** Quantité indéterminée se rapprochant de douze (→ 1. Centaine, cit. 1). *Une douzaine de jours. Un garçon d'une douzaine d'années* (→ Bœuf, cit. 10).

2 (...) une douzaine de Messieurs qui déshonorent les gens de cour par leurs manières extravagantes (...)
MOLIÈRE, Critique de l'École des femmes, V.
Fig. *Il y en a à la douzaine*, en quantité. → **Pelle** (à la pelle). — Vieilli. *Poète, rimeur à la douzaine*, tel qu'on en trouve beaucoup ; médiocre.

3 Hé! finissez, rimeur à la douzaine!
Vos abrégés sont longs au dernier point.
J.-B. ROUSSEAU, Épigrammes, II, 12 (→ Abrégé, cit. 2).

COMP. **Demi-douzaine.**

DOUZE [duz] adj. et n. — 1080 ; du lat. *duodecim*, de *duo* «deux», et *decem* «dix», du grec *dôdeka*.

I Adj. numéral cardinal invar. ♦**1** Nombre à onze plus un, correspondant à dix et deux, à deux fois six (12). *De douze éléments.* → **Dodéca-.** *Les douze mois de l'année. Douze heures ou la moitié d'un jour. Les douze signes du zodiaque. Les douze apôtres. Les douze Césars. La loi des Douze Tables. Immeuble de douze étages. Douze francs.* — En composition. *Douze mille* (12 000). *Douze cents* (1 200) *ou mille deux cents. Douze treizièmes. Douze objets de même nature.* → **Douzaine.** *Douze douzaines ou cent quarante-quatre.* → **Grosse.** *Vers de douze syllabes.* → **Alexandrin, dodécasyllabe.** *Poème de douze vers.* → **Douzain.**

♦**2** Adj. numéral ordinal invar. → **Douzième.** *Numéro douze. Page douze. Charles douze, Pie douze* (XII). — Admin. *Douze heures* : midi. *Douze heures trente* : midi* et demi. — REM. *Minuit* ou *zéro heure* est représenté sur le cadran par le nombre douze, comme midi. Cependant *douze heures* ne peut être employé que pour *midi*. — Ellipt. *Le douze mai. Il a été reçu douze ou treizième à ce concours.*

II N. m. ♦**1** Le nombre douze. *Trois fois quatre font douze. Mille sept cent quatre-vingt-douze. Douze par douze. Numération, système dont la base est douze.* → **Duodécimal.** *Nous sommes aujourd'hui le douze.*

♦**2** Typogr. Mesure typographique égale à 12 points. → **Cicéro.**

DÉR. Douzain, douzaine, douzième. ◊ COMP. Douze-huit (à).

DOUZE-HUIT (À) [aduzɥit] loc. adj. — 1839 ; de *douze*, et *huit*.
Mus. *Mesure à douze-huit* : mesure à quatre temps ayant une noire pointée par temps.

DOUZIÈME [duzjɛm] adj. et n. — Fin XIe, *dudzime* ; de *douze*.

I Adj. et n. ♦**1** Adj. numéral ordinal de *douze*. Qui vient après le onzième. *Le douzième et dernier mois de l'année est décembre. Être dans sa douzième année. La douzième heure* : midi, ou minuit. *Douzième étage.* — N. *Arriver le douzième. Elle est la douzième de sa classe.*

♦ 2 Se dit d'une fraction d'un tout divisé également en douze. *La douzième partie d'un héritage.*

N. m. *Un douzième des candidats a été reçu. Les sept douzièmes d'une quantité.*

Dr. *Douzième provisoire :* fraction du budget dont les Chambres autorisent provisoirement le gouvernement à disposer, pour assurer la continuité des services en cas de retard dans le vote du budget annuel.

❙❙ N. f. Mus. Intervalle compris entre douze degrés conjoints, octave de la quinte. *Les cloches résonnent la douzième et la dix-septième** (cit.).

DÉR. **Douzièmement.**

DOUZIÈMEMENT [duzjεmmɑ̃] adv. — 1690; de *douzième.*

En douzième lieu.

DOUZIL [duzil] ou **DOISIL** [dwazil] n. m. — XIIIᵉ, «trou percé dans le tonneau», du bas lat. *duciculum* «petit tuyau», dér. de *ducere* «conduire».

Techn. Petite cheville* servant à boucher un trou fait dans un tonneau pour en tirer du vin. → **Fausset.** *Mettre un douzil au tonneau.*

DOXA [dɔksa] n. f. — V. 1965, R. Barthes; grec *doxa* «opinion». → -doxe, paradoxe.

Didact. Ensemble des opinions reçues sans discussion, comme une évidence naturelle, dans une civilisation donnée. *Des doxas. D'une doxa.* → **Doxique.**

Chaque parler (chaque fiction) combat pour l'hégémonie. S'il a le pouvoir pour lui, il s'étend partout dans le courant et le quotidien de la vie sociale, il devient doxa, nature : c'est le parler prétendument apolitique des hommes politiques, des agents de l'État, c'est celui de la presse, de la radio, de la télévision, c'est celui de la conversation (...)
R. BARTHES, le Plaisir du texte, p. 47.

COMP. V. **Doxologie** (II.).

DOXAL [dɔksal] n. m. — 1498; lat. *trabes doxalis* «poutre de gloire», du grec *doxa* «gloire» et «opinion». → Doxa.

Didact. Jubé d'église. — Tribune d'orgues.

-DOXE Suffixe, du grec *doxa* «opinion», entrant dans la composition de mots savants tels que : *orthodoxe, hétérodoxe, paradoxe.*

DOXIQUE [dɔksik] adj. — XXᵉ; du grec *doxa* «opinion». → Doxa.

Didact. Qui est de l'ordre de l'opinion, de la croyance.

Spécialt. Relatif à la doxa*.

DOXOGRAPHIE [dɔksɔgrafi] n. f. — 1932, *Larousse*; de *doxo-* (du grec *doxa* «opinion»; → suff. -doxe), et *-graphie.*

Didact. Connaissance des opinions. *Doxographie historique. Doxographie politique et sondages*.*

DÉR. **Doxographique.**

DOXOGRAPHIQUE [dɔksɔgrafik] adj. — 1932; de *doxographie.*

Didact. Relatif à la doxographie, à l'histoire des opinions humaines.

L'intérêt que l'âge classique porte à la science (...) n'est sans doute rien de plus qu'un phénomène sociologique (...) Il n'explique rien, sauf bien sûr au niveau doxographique où en effet il faut le situer.
Michel FOUCAULT, les Mots et les Choses, p. 103.

DOXOLOGIE [dɔksɔlɔʒi] n. f. — 1610; grec ecclés. *doxologia* «glorification», de *doxa* «gloire» (→ Doxal), et *-logia* (→ -logie).

❙ Liturgie cathol. Prière à la gloire de Dieu. Spécialt. Verset récité à la fin des psaumes commençant par *Gloria patri* (Gloire au Père).

❙❙ (Repris mil. XXᵉ; → Doxa). Didact. Parole, discours correspondant à l'opinion dominante, à la doxa.

La Doxa (mot qui va revenir souvent), c'est l'Opinion publique, l'Esprit majoritaire, le Consensus petit-bourgeois, la Voix du Naturel, la Violence du Préjugé. On peut appeler Doxologie (mot de Leibnitz) toute manière de parler adaptée à l'apparence, à l'opinion ou à la pratique.
R. BARTHES, Roland Barthes, p. 51.

DOXYCYCLINE [dɔksisiklin] n. f. — V. 1960; probablt de *d(iméthyl-), -oxy-,* et *cycline.* → Tétracycline.

Méd. Antibiotique de la famille des tétracyclines*, demi-synthétique, à large spectre d'action et qui agit sur les mycoplasmes*.

DOYEN, ENNE [dwajε̃, εn] n. — 1174; du lat. ecclés. *decanus* «chef de dix hommes, dizenier», dér. de *decem.* → Dix.

♦ 1 N. m. et f. Titre de dignité ecclésiastique. — N. m. *Doyen d'un chapitre, d'une collégiale.* — Par appos. *Curé doyen,* celui qui a la paroisse la plus importante du canton, ou doyenné*. *Dignité de doyen.* → **Décanal, décanat, doyenné.**

On se moqua de lui quand il voulut expliquer qu'en sa qualité de doyen du chapitre noble de Braye-le-Haut, il avait le privilège d'être admis en tout temps auprès de l'évêque officiant.
STENDHAL, le Rouge et le Noir, p. 311.   1

À Tiffauges, résidait tout le clergé d'une métropole, doyen, vicaires, trésoriers, chanoines (...)
HUYSMANS, Là-bas, p. 48.   2

N. f. Rare. *Doyenne d'une abbaye :* religieuse qui préside le chapitre. → **Abbesse, supérieur**(e).

♦ 2 N. m. (1690). Personne qui possède la première dignité dans une faculté d'une université. *Le doyen de la Faculté des lettres. Chaque faculté a à sa tête un doyen chargé de son administration et de sa police intérieure. Madame le professeur X, doyen* (le fém. *doyenne* ne s'emploie pas dans ce sens).

La Faculté de médecine qui se choisit tous les deux ans un chef qu'on appelle doyen (...)
FONTENELLE, Geoffroy, *in* LITTRÉ.   3

Le doyen, placé à la tête de chaque faculté, est nommé pour trois ans par le ministre, parmi les professeurs titulaires, sur une double liste de deux candidats présentée, l'une par l'assemblée de la faculté, l'autre par le conseil général des facultés.
Loi du 28 déc. 1885.   4

♦ 3 N. m. et f. Celui, celle qui est le plus ancien, la plus ancienne des membres d'un corps, par ordre de réception (→ **Décanat**). *Le doyen de la Cour d'appel. Le doyen de l'Académie française.*

♦ 4 N. m. et f. (1690). Personne la plus âgée (d'un groupe). *On offrit la place d'honneur à la doyenne de cette réunion. La doyenne des Français. — Le doyen de qqn,* son aîné. *Si vous n'avez que soixante ans, je suis votre doyen* (Littré et Académie, 8ᵉ éd.).

La doyenne montre huit ans au plus, et toutes sont adorablement jolies (...)
LOTI, l'Inde (sans les Anglais), V, II, p. 362.   5

(1636). Dans un corps, une assemblée. *Doyen d'âge, doyenne d'âge* (pour éviter toute confusion avec *doyen* au sens 3; par oppos. à *benjamin*); *Le doyen d'âge, la doyenne d'âge ouvre la séance. Doyen d'âge de certaines communautés* (→ vx Sénieur : le sénieur de Sorbonne). *Qualité de doyen d'âge.* → **Doyenneté.**

En franç. d'Afrique. Personne âgée à qui l'on doit le respect (utilisé comme appellatif). → **Vieux**.

Littér. *« Le doyen des arbres du pays »* (Loti, *in* T. L. F.).

CONTR. **Dernier** (arrivé, venu). — **Jeune** (le plus jeune) ; **cadet**.
◊ DÉR. **Doyenné, doyenneté.** ~ COMP. **Sous-doyen.**

DOYENNÉ [dwajene] n. m. — 1277 ; de *doyen*.

♦ **1** Dignité de doyen dans une église, un chapitre. → **Décanat**. — Par ext. Demeure du doyen. *Se rendre au doyenné.* — Circonscription ecclésiastique ayant à sa tête un doyen.

♦ **2** (1640). *Poire de doyenné,* et, ellipt., *une doyenné :* variété de poire très fondante. *Doyenné d'hiver. Doyenné du comice.*

DOYENNETÉ [dwajɛnte] n. f. — 1839 ; de *doyen*.
Vx. Qualité de doyen d'âge.

DRAC ou **DRAK** [dʀak] n. m. — 1690 ; provençal *drac, dra* (v. 1140) «dragon», puis «lutin» ; du lat. *draco*. → **Dragon, drée**.
Régional (Sud et Centre de la France). Esprit malin, nuisible (parfois comme nom propre : *le Drac*). → **Lutin** (cf. A. Daudet, A. France, F. Fabre, *in* T. L. F.).

DRACÉNA [dʀasena] n. m. — 1806 ; *drakena* et *drachena*, 1623 ; lat. bot. *dracæna*, en lat. anc. «dragon femelle» ; grec *drakaina*, de *drakôn*. → **Dragon**.

♦ **1** Bot. et cour. Arbuste ou arbre tropical à fleurs en grappes (famille des *Liliacées*). *Les dracénas comprennent les dragonniers et les arbres voisins.* — Spécialt. → **Dragonnier**. *Des dracénas. Cultiver des dracénas en serre.* — REM. On écrit aussi *dracæna, dracéna*.

♦ **2** Zool. Grand lézard d'Amérique tropicale.

DRACHE [dʀaʃ] n. f. — 1926 ; *in* D. D. L. ; du néerl. *draschen* «pleuvoir à verse».
Régional (Belgique). Pluie battante, averse. *Quelle drache !*

1 On parle de la pluie, nommée drache nationale, comme si la puissance qui règle les météores avait choisi son petit triangle *(la Belgique)* comme déversoir de prédilection pour la chute des averses.
É. PICARD, Au pays des bilingues, p. 85 (1923).

2 Son raincoat mastic, trempé, prouve qu'il attendait sous la drache depuis longtemps.
Pierre ACCOCE, le Polonais, p. 39.

DÉR. **Dracher**.

DRACHER [dʀaʃe] v. impers. — D. I. ; de *drache*.
Régional (Belgique). Pleuvoir* à verse, à torrents.
— Je crois qu'il va dracher. — Est-ce que vous voulez un parapluie ?
Frantz FONSON et Fernand WICHELER,
le Mariage de Mlle Beulemans, I, 12.

DRACHME [dʀakm] n. f. — 1611 ; *dragme*, mil. XIIIe ; bas lat. *dragma*, lat. class. *drachma*, du grec *drakhmê*.

♦ **1** Antiq. grecque. Poids équivalant à 3,24 g. Monnaie d'argent divisée en six oboles et valant un centième de mine. *Cent drachmes.* → **Mine**. *Sixième de drachme.* → **Obole**. *Le statère* d'argent valait de deux à quatre drachmes.*
La parabole de la drachme perdue :

1 (...) quelle est la femme qui, ayant dix drachmes, et en ayant perdu une, n'allume la lampe, et balayant sa maison, ne la cherche avec grand soin jusqu'à ce qu'elle la trouve ? Et après l'avoir trouvée, elle appelle ses amies et ses voisines, et leur dit : «Réjouissez-vous avec moi, parce que j'ai retrouvé la drachme que j'avais perdue». Je vous

le dis de même, il y aura un grande joie parmi les anges de Dieu, lorsqu'un seul pécheur fera pénitence.
BIBLE (SACY), Évangile selon saint Luc, XV, 8-10.

2 (...) je m'estime infiniment honoré d'avoir été choisi pour récupérer cette drachme perdue, cette perle évangélique flairée et contaminée par le groin de tant de pourceaux.
Léon BLOY, le Désespéré, p. 60.

♦ **2** Unité monétaire de la Grèce moderne. *Le cours de la drachme a monté, a baissé. La drachme vaut 100 lepta.*

DRACOCÉPHALE [dʀakɔsefal] n. m. — 1786 ; de *draco-*, élément tiré du grec *drakôn* (→ **Dragon**), et *-céphale*.
Bot. Plante dicotylédone *(Labiacées),* à feuilles allongées et dentelées, à grandes fleurs bleues (dans certaines espèces : *dracocéphale moldavique* ou *tête de dragon de Moldavie*). — Var. : *dracocéphalum* [dʀakɔsefalɔm] n. m. (lat. mod.).

DRACONCULOSE [dʀakɔkyloz] n. f. — Déb. XXe ; du lat. *dracunculus*, dimin. de *draco* «dragon», et 2. *-ose*.
Méd. Infestation du tissu sous-cutané, parfois aussi des muscles, par des filaires *(Dracunculus medinensis,* dragonneau ou ver de Guinée). Syn. : *dracontiase* [dʀakɔtjaz] n. f. → **Filariose**.

1. DRACONIEN, IENNE [dʀakɔnjɛ̃, jɛn] adj. — 1796 ; *draconique*, XVIe ; de *Dracon*, législateur d'Athènes réputé pour sa sévérité.

♦ **1** Didact. Se dit des lois attribuées à Dracon. *Le code draconien.*

♦ **2** D'une excessive sévérité. → **Inexorable, rigoureux, sévère** ; 2. **drastique** (cit.). *Des lois draconiennes. Mesures, punitions draconiennes. Règlement draconien. Prendre des mesures draconiennes. Cela n'a rien de draconien.*

Les mesures n'étaient pas draconiennes et l'on semblait avoir beaucoup sacrifié au désir de ne pas inquiéter l'opinion publique.
CAMUS, la Peste, p. 65.

CONTR. **Clément, doux, indulgent**. ◊ HOM. 2. **Draconien**.

2. DRACONIEN, IENNE [dʀakɔnjɛ̃, jɛn] adj. — 1838 ; du rad. lat. *draco, onis*. → **Dragon**.
Didact., littér. De dragon. *« Tête draconienne »* (Hugo, *in* T. L. F.).

HOM. 1. **Draconien**.

DRACONTIUM [dʀakɔsjɔm] n. m. — 1747 ; mot lat. «serpentaire» ; grec *drakontion* «petit dragon», de *drakôn*. → **Dragon**.
Bot. Herbe d'Amérique tropicale *(Aroïdacées),* à feuillage luxuriant, à rhizome comestible (féculent), appelée aussi *bois de couleuvre.*

1. DRAG [dʀag] n. m. — 1859 ; mot angl., de *to drag* «traîner».
Anglicisme.

♦ **1** Vx. Chasse à courre simulée où le rôle du gibier est tenu par un cheval monté qui traîne une peau (de renard) attachée à la queue.

♦ **2** Ancient. Mail-coach* dans lequel les dames suivaient le drag (au sens 1) ; calèche. — Loc. mod. *La journée des drags :* journée de courses, à Auteuil, où l'on se rendait en drag.

(...) des victorias (...) des coaches, dans tout l'éclat de leurs trompettes de cuivre ou les drags anglais d'Alfred Vanderbilt, à harnais jaunes, s'élançaient sur les allées nouvellement tracées...
Paul MORAND, New York, p. 224.

2. DRAG [dʀag] n. m. → **Drag-queen**.

DRAGAGE [dʀagaʒ] n. m. — 1765; du v. *draguer*; *draguage*, in Littré.

I ♦ 1 Action de draguer (I.); résultat de cette action (→ 1. **Drague, draguer**). *Le dragage d'une rivière, d'un chenal, d'un bassin, d'un port. Enlèvement des hauts-fonds par dragage. Godet de dragage.* → **Dragline** (anglic.).

♦ 2 Spécialt. Recherche d'objets immergés au moyen de la drague. *Dragage d'une ancre.* — Enlèvement des mines* sous-marines.

II Fam. Le fait de draguer* (II.), de racoler. → 1. **Drague**, II.

Démarche citadine, longuement frôleuse, excitant les vieux «marcheurs» de la *longue marche* du désir, périmée aujourd'hui dans sa candeur de chasse à courre, au profit du *dragage* motorisé (...)
P. GUTH, Lettre ouverte aux idoles, Françoise Hardy, p. 59.

1. DRAGÉE [dʀaʒe] n. f. — XIIIᵉ, *dragiée*; p.-ê. altér. du lat. *tragemata*, grec *tragêmata* «friandises»; mais P. Guiraud considère qu'il s'agit d'un emploi fig. de *dragée* «mélange de grains pour les bestiaux», puis «mélange de friandises», la notion de mélange étant à l'orig. du mot.

♦ 1 Confiserie* formée d'un fruit sec (amande, noisette), d'une praline, etc., recouverte de sucre durci. → **Bonbon.** *Fabrication des dragées* (→ **Dragéification**) : *mondage des amandes; blanchissage, remplissage et lissage (opérations ayant pour but d'enrober l'amande de sucre); séchage à l'étuve. Dragée d'anis. Dragée à l'amande de pin.* → **Pignolat.** *Dragée à la liqueur*, où l'amande est remplacée par une goutte de liqueur. — *Boîte, cornet de dragées.* → **Drageoir.** *Dragées de baptême*, offertes par le parrain. *Offrir des dragées pour son mariage.*

1   S'il pouvait (...) obtenir un cornet de dragées en promettant de se jeter demain par la fenêtre, il le promettrait à l'instant (...)
ROUSSEAU, Émile, II.

2   Nous leur jetions des poignées de dragées, et toute notre route était semée de bonbons. On se souviendra longtemps dans Toulven de ce baptême (...)
LOTI, Mon frère Yves, XLVII, p. 122.

(1773, Diderot). Loc. **TENIR LA DRAGÉE HAUTE (à qqn) :** lui faire sentir son pouvoir, le faire attendre longtemps, lui faire payer cher ce qu'il demande (→ Marché, cit. 30).

3   Je l'avais; il était à moi; il m'appartenait : je restais maîtresse de l'argent; je lui tenais la dragée haute.
F. MAURIAC, le Nœud de vipères, II, XIX, p. 232.

3.1   (...) les amoureux on n'en manquait pas. Mais on leur tenait la dragée haute. On n'était pas des dévergondées. On savait choisir.
R. QUENEAU, Pierrot mon ami, éd. L. de Poche, p. 80.

REM. On a prêté à cette expression plusieurs motivations concrètes, plus ou moins inventées *ad hoc* : *tenir la dragée haute à un chien, à un enfant,* ou *la dragée* (→ 2. **Dragée**) *haute à un cheval.*
Dragée d'attrape, où le sucre enrobe une substance amère.
Loc. fig. *La dragée est amère* : cela est difficile à supporter. — (1680). Vx. *Avaler la dragée* : supporter qqch. de désagréable, de fâcheux. → **Pilule.**
(1680). Vx (langue class.). *Écarter la dragée* : postillonner.
(1864). Pharm. Préparation pharmaceutique ressemblant à une pilule et formée d'un médicament recouvert de gomme, de sucre... *Dragée purgative, thermale, vermifuge. Dragée de semen-contra.*

♦ 2 Petit plomb de chasse. → **Cendrée.** *Grosse, petite dragée.*

(...) et des cris éclatèrent sur mes vitraux comme les dragées d'une sarbacane.
Aloysius BERTRAND, Gaspard de la nuit, Deux juifs.

Argot, fam. Balle, projectile d'arme à feu. → **Bastos, valda.**

♦ 3 N. f. pl. (1767). **DRAGÉES :** maladie des vers à soie, dite aussi *muscardine.*

♦ 4 Loc. *Dragées de Tivoli* : calcite dont les concrétions se présentent en grains.

DÉR. **Dragéifier, drageoir.** ◊ HOM. 2. **Dragée.**

2. DRAGÉE [dʀaʒe] n. f. — XIIIᵉ, *dravie*; du lat. pop. *dravocata*, de *dravoca* «ivraie».

Agric. Mélange de légumineuses et de graminées semé pour fournir du fourrage. (On dit aussi *dravée, dravière* et *hivernage*).

HOM. 1. **Dragée.**

DRAGÉIFICATION [dʀaʒeifikasjɔ̃] n. f. — 1870; de *dragéifier.*

Techn. Technique de fabrication des dragées.

DRAGÉIFIER [dʀaʒeifje] v. tr. — 1850; de 1. *dragée*, et *-ifier.*

Techn. Mettre sous la forme de dragées. *Dragéifier une amande, une pilule.* — Au p. p. *Médicament dragéifié.*

DÉR. **Dragéification.**

DRAGEOIR [dʀaʒwaʀ] n. m. — 1360; *drajouer*, XIIᵉ; de 1. *dragée.*

Anciennement.

♦ 1 Coupe, vase où l'on mettait des dragées, des sucreries, des épices. *Drageoir d'or, d'argent, de cristal, de porcelaine. Drageoir Louis XIV.* — *Le Drageoir aux épices,* roman de Huysmans (1874).

♦ 2 Petite boîte pour porter des dragées sur soi.

Donnez-moi la première babiole que vous aurez sur vous... Tenez, ce petit drageoir d'ivoire émaillé que vous avez là en main.
G. SAND, les Beaux Messieurs de Bois-Doré, p. 167.

DRAGEON [dʀaʒɔ̃] n. m. — 1548, «bourgeon ou tige poussant sur un arbre, une plante»; orig. incert., p.-ê. d'un francique *draibjô* «pousse», qui correspond à l'all. *treiben* «pousser».

Arbor. Pousse aérienne, née sur une racine, et qui produit des racines adventives. → **Rejet, rejeton, surgeon.** *Les drageons peuvent être détachés et replantés. Reproduction d'une plante au moyen de boutures* et de drageons (→ **Drageonner**). *Enlever les drageons qui épuisent une plante. Drageons d'arbres fruitiers, de vigne,* etc. *Plante qui pousse des drageons* (→ **Drageonner**).
Par métaphore. → **Rejet.**

(...) si les vieux mots abolis par l'usage ont laissé quelque rejeton, comme les branches des arbres coupés se rajeunissent de nouveaux drageons, tu le pourras provigner, amender et cultiver, afin qu'il se repeuple de nouveau.
RONSARD, Préface de la Franciade, Au lecteur apprentif, Pl., t. II, p. 1031.

DÉR. **Drageonner.**

DRAGEONNAGE [dʀaʒɔnaʒ] ou **DRAGEONNEMENT** [dʀaʒɔnmɑ̃] n. m. — XVIᵉ, *drageonnage; drageonnement,* 1872; de *drageonner.*

Arbor. Reproduction des plantes par drageons.

DRAGEONNER [dʀaʒɔne] v. intr. — 1636; de *drageon*.
Arbor. Pousser des drageons, en parlant d'une plante. *Les pruniers, certains cerisiers drageonnent beaucoup.*

Par métaphore :

Non, il n'y a pas à dire, la petite fleur bleue, le chiendent de l'âme, c'est difficile à extirper et ce que ça repousse ! Rien ne paraît pendant vingt ans et soudain (...) ça drageonne et ça jaillit en d'inextricables touffes !
                                    HUYSMANS, *Là-bas*, p. 154.

DÉR. **Drageonnage** ou **drageonnement.**

DRAGLINE [dʀaglin; dʀaglajn] n. f. — 1950, *in* Höfler; angl. *dragline*, de *drag* «excavateur», et *line* «câble».
Anglic. Techn. Godet de terrassement ou de dragage. — Recomm. off. : *défonceuse tractée.*

DRAGON [dʀagɔ̃] n. m. — 1080; du lat. *draconem*, accusatif de *draco* «serpent fabuleux»; grec *drakôn* «dragon, serpent».

I A ♦ 1 Animal fabuleux souvent représenté avec des ailes, des griffes et une queue de serpent. → **Chimère, drac** (étym.), **drée, guivre, hydre, tarasque.** *Dragon ailé, dragon vomissant des flammes. Dragon à plusieurs têtes. Le dragon, symbole de vigilance, était consacré à Minerve. Un dragon gardait les pommes d'or du jardin des Hespérides. Le dragon à plusieurs têtes et le dragon à plusieurs queues,* fable de La Fontaine (I, 12). → aussi Démocratie, cit. 2.

1 (...) à l'hydre, un peu banale, de Lerne, il *(le grotesque)* substitue tous ces dragons locaux de nos légendes, la gargouille de Rouen, la gra-ouilli de Metz, la chair-sallée de Troyes, la drée de Montlhéry, la tarasque de Tarascon, monstres de formes si variées et dont les noms baroques sont un caractère de plus.
                                    HUGO, Préface de *Cromwell.*

2 Pour ravir un trésor, il a toujours fallu tuer le dragon qui le garde. GIRAUDOUX, la Folle de Chaillot, I, p. 47.

Blason. Figure de fantaisie représentant un reptile à deux pieds. *Dragon monstrueux,* figuré avec des ailes (→ aussi **Dragonné**).

Dragon peint, sculpté. Le dragon, signe de certaines cohortes (cit. 1) *romaines. Les drakkars* portaient un dragon sur leur poupe.* — *Le dragon chinois.*

♦ 2 Fig. Vx, littér. ou plais. Gardien, surveillant vigilant et intraitable. → **Cerbère.** *Endormir le dragon :* tromper une surveillance sévère.

Loc. *Dragon, dragon de vertu :* femme rigide, intraitable, affectant une vertu farouche. Vieilli. *Faire le dragon :* faire montre d'une vertu excessive, farouche.

3 (...) ces femmes de bien,
Dont la mauvaise humeur fait un procès de rien,
Ces dragons de vertu (...)
                                    MOLIÈRE, l'École des femmes, IV, 8.

4 Vous pourrez vous reposer sur elle de la sûreté de votre front : c'est la perle des duègnes, un vrai dragon pour garder la pudicité du sexe.
                                    A. R. LESAGE, Gil Blas, II, VII.

5 Mais, Monsieur, votre femme passe pour un dragon de vertu dans toute la ville (...)
                                    A. DE MUSSET, les Caprices de Marianne, I, 1.

Vx (langue class.). Femme acariâtre*, violente, aux manières brutales. → **Démon, diable, diablesse.** *C'est un vrai dragon.* — N. f. (1673, Molière). Vx. Syn. : *dragonne.* «*Dragonne de vertu*» (J. Renard).

6 Pour peu que l'on s'oppose à ce que veut sa tête,
On en a pour huit jours d'effroyable tempête.
Elle me fait trembler dès qu'elle prend son ton ;
Je ne sais où me mettre, et c'est un vrai dragon (...)
                                    MOLIÈRE, les Femmes savantes, II, 9.

♦ 3 Dans l'iconographie chrét. Figure du démon (→ **Serpent**). *Saint Michel terrassant le dragon. Saint Georges vainqueur du Dragon,* tableau de Raphaël.

Vx. *Le Dragon.* → **Démon.**

7 (...) des abominations suggérées par le Dragon (...)
                                    PASCAL, les Provinciales, Lettre XIV.

♦ 4 Fig. et vx. Souci, inquiétude chimérique. → **Chimère.** *Se faire des dragons.* — Ce mot est très fréquemment employé par Mᵐᵉ de Sévigné.

♦ 5 Constellation de l'hémisphère boréal figurant un dragon (I., 1.).

♦ 6 Zool. *Dragon volant :* genre de reptiles, de l'ordre des Sauriens, caractérisés par la présence d'un repli membraneux formant parachute.

B Emplois figurés. **♦ 1** Mar. Nom du clin-foc*, sur un cotre. — Voile enverguée sur le grand étai de flèche d'une goélette latine.
Nom d'un type de bateau de plaisance.

♦ 2 Vx. *Dragon d'eau, dragon de vent :* trombe*. — Mod. *Dragon :* «grain soudain et violent soufflant des montagnes sur la mer» (Gruss).

♦ 3 Techn. Tache (d'un diamant). → **Crapaud.**

♦ 4 Vétér. → **Dragonneau.**

II N. et adj. (XVIᵉ; «étendard», figurant probablt un dragon, XIIᵉ). **♦ 1** N. m. Anciennt. Soldat de cavalerie. *Les premiers corps de dragons furent formés d'arquebusiers à cheval* (→ **Argoulet, carabin**); *ils étaient destinés à servir à pied et à cheval. Expéditions des dragons contre les huguenots, sous Louis XIV.* → **Dragonnade.** *Au XIXᵉ siècle, les dragons portaient un casque de cuivre. Les dragons font partie de la cavalerie de ligne.* — *Les Dragons de Villars,* opéra-comique de Maillart (1856).

8 On mit en tête au roi de convertir les huguenots à force de dragons (...) SAINT-SIMON, Mémoires, IV, 367.

9 Dès sa première enfance, la vue de certains dragons du 6ᵉ, aux longs manteaux blancs, et la tête couverte de casques aux longs crins noirs (...) le rendit fou de l'état militaire.
                                    STENDHAL, le Rouge et le Noir, I, V.

Mod. Soldat d'une unité motorisée, puis blindée. *Dragons portés :* motocyclistes, etc., qui remplacèrent les groupes cyclistes des régiments de cavalerie. *Le 6ᵉ régiment de dragons, le 6ᵉ dragons.*

♦ 2 Adj. Vx. **DRAGON, ONNE.** *Mission dragonne.* → **Dragonnade.**

Loc. adv. Vx. *Conversion à la dragonne,* faite brutalement par la force militaire (→ **Dragonnade**). — Mod. Littér. *À la dragonne :* d'une façon cavalière*, hardie (→ À la hussarde.)

10 Et vous, le soldat, le vainqueur, le maître. Le sabre encore à la dragonne ; vous avez tout tué, vous pouvez tout ; elle le sait et vous aussi.
                                    J. ANOUILH, la Valse des toréadors, I, p. 114.

DÉR. **Dragonnade, dragonne, dragonné, dragonneau, dragonner, dragonnet, dragonnier.** ◊ COMP. **Sang-de-dragon** ou **sang-dragon.**

DRAGONNADE [dʀagɔnad] n. f. — 1708; probablt de *dragon,* II. dans l'expr. *conversion à la dragonne* (1680), et suff. *-ade.*

Hist. Sous Louis XIV, Persécutions exercées par les dragons que l'on envoyait loger (→ **Garnisaire**) chez les protestants.

1 Vers la fin de 1684, et au commencement de 1685, tandis que Louis XIV (...) ne craignait aucun de ses voisins, les troupes furent envoyées dans toutes les villes (...) où il y avait le plus de protestants ; et comme les dragons, assez mal disciplinés dans ce temps-là, furent ceux qui commirent le plus d'excès, on appela cette exécution *la*

dragonnade.
VOLTAIRE, le Siècle de Louis XIV, XXXVI.

2 (...) la canonnade de l'île de Ré lui présageait les dragonnades des Cévennes ; la prise de La Rochelle était la préface
de l'édit de Nantes.
DUMAS, les Trois Mousquetaires, t. II, p. 476.

DRAGONNE [dʀagɔn] n. f. — 1800 ; «batterie de tambour», 1771 ; fém. de *dragon*, II., les dragons ayant été
les premiers à porter cet objet.

♦ **1** Cordon, galon qui garnit la poignée (d'un
sabre, d'une épée). *Dragonne ornée d'un gland.*
Passer la dragonne d'un sabre autour du poignet.
Par analogie :

Mais l'honneur de l'étalage, ce sont les colliers de fleurs,
dragonnes terminées de glands allongés, nœuds de couleur et d'odeur mêlées.
Paul MORAND, Rien que la Terre, p. 133.

La Dragonne, roman de Jarry (publié en 1943).

♦ **2** Cordon à la poignée (d'un parapluie, d'un bâton
de ski, d'un appareil de photo, etc.) qu'on passe
au bras.

HOM. Fém. de *dragon* (*supra* cit. 6).

DRAGONNÉ, ÉE [dʀagɔne] adj. — 1647 ; de *dragon*,
I.

Blason. En forme de dragon. *Lion dragonné,* auquel
on ajoute une queue ou des ailes de dragon.

DRAGONNEAU [dʀagɔno] n. m. — Déb. XIIIᵉ, *dra-
gonnel* ; de *dragon*, I., et suff. dimin. *-eau* «petit dragon».
→ Dragonnet.

♦ **1** Méd. anc. Filaire* de Médine (**scientifiquement
appelé** *draconculus medinensis.* → **Draconculose**).

♦ **2** Vétér. Tache dans l'œil du cheval, commencement de cataracte*.

DRAGONNER [dʀagɔne] v. tr. — 1688 ; de *dragon*, II.
Vx ou littér. Exercer une répression brutale sur (une
population, un pays), comme le faisaient les dragons à l'égard des huguenots (→ **Dragonnade**).

DRAGONNET [dʀagɔnɛ] n. m. — 1808, var. mod. de
dragonneau* ; de *dragon*.

Petit poisson osseux marin à grosse tête plate et
à grandes nageoires dorsales, dont le mâle est
connu pour sa parure nuptiale.

Le Dragonnet mâle par exemple, ayant séduit une femelle
par sa livrée éclatante, tous deux s'accolent flanc à flanc
et nagent vers la surface en émettant frai et laitance.
R. et M.-L. BAUCHOT, les Poissons, p. 91.

DRAGONNIER [dʀagɔnje] n. m. — XVᵉ, *dragonnyer*,
de *dragon*, dans *sang-dragon* ; au XIIᵉ, «porte-drapeau»,
de *dragon* «étendard».

Arbre tropical dont la tige ramifiée laisse écouler
une gomme rouge (→ **Sang-dragon**). *Le dragonnier
appartient à la famille des Liliacées.* → **Dracéna**.

1 Les arbres, appartenant aux espèces déjà reconnues,
étaient magnifiques. Harbert en signala de nouveaux,
entre autres, des dragonniers, que Pencroff traita de «poireaux prétentieux», — car, en dépit de leur taille, ils étaient
de cette même famille des liliacées que l'oignon, la civette,
l'échalotte ou l'asperge. Ces dragonniers pouvaient fournir
des racines ligneuses, qui, cuites, sont excellentes, et qui,
soumises à une certaine fermentation, donnent une très
agréable liqueur.
J. VERNE, l'Île mystérieuse, t. I, p. 197.

2 Au pied du Teide et sous la garde du plus grand dragonnier du monde la vallée de la Orotava reflète dans un
ciel de perle tout le trésor de la vie végétale (...) L'arbre
immense, qui plonge ses racines dans la préhistoire, lance
dans le jour (...) son fût irréprochable qui éclate brusquement en fûts obliques, selon un rayonnement parfaitement régulier. A. BRETON, l'Amour fou, V, p. 104.

DRAG-QUEEN [dʀagkwin] n. f. et m. ou **DRAG**
[dʀag] n. m. — V. 1990 ; empr. à l'angl., de *to drag*
«traîner» à cause de la robe longue, et *queen* «reine».
Anglic. Travesti masculin habillé de manière exu-
bérante. *Des drag-queens.*

DRAGSTER [dʀagstɛʀ] n. m. — Mil. XXᵉ ; mot anglo-
amér. (1954), de *drag* «course sur courte distance entre
deux engins motorisés, à l'avantage de celui qui a la
meilleure accélération», et suff. *-ster*.
Anglic. Sport. Engin motorisé construit à partir de
pièces détachées pour un maximum d'efficacité
mécanique dans des courses sur courte distance.
«En réalité sous ce masque placide (la présentation
"sobre" d'une moto) *se cache un véritable dragster. Le moteur (...) atteint sans relâche des régimes
insensés»* (*Moto-Revue,* 6 mai 1981, p. 21).

DRAGUAGE [dʀagaʒ] n. m. → **Dragage**.

1. **DRAGUE** [dʀag] n. f. — 1556 ; *drègue*, en 1388,
Bloch ; *dragge*, en lat. médiéval (v. 1300) ; *drague*
«machine à curer», au XVIIᵉ ; angl. *drag* «crochet, filet»,
de *to drag* «tirer». → Drag.

[I] ♦ **1** Filet en forme de poche, muni d'une armature (en triangle, en arc de cercle...), et dont la
partie inférieure forme racloir. *Drague à huîtres,
à moules,* pour l'exploitation des gisements naturels d'huîtres. *Drague à étriers* (ou *grège*), utilisée
pour la pêche des coquilles Saint-Jacques. *Pêcher
à la traîne avec une drague. Pêcheur à la drague.
Petite drague.* → **Draguette, drainette**.

La drague, dans quelques ruisseaux affluents du Mississippi, amène de grandes huîtres à perles (...) 1
CHATEAUBRIAND, Voyage en Amérique, IV, 14.

Le racloir adapté au filet.

♦ **2 Plus cour.** Instrument ou machine servant à
enlever du fond de l'eau du sable, du gravier, de la
vase. *Drague à bras, à main :* poche en tôle munie
d'un manche. *Curer un puits, le fond d'une rivière
à la drague.*
Spécialt. Construction flottante (chaland, ponton,
navire) portant un engin mécanique destiné à
curer les fonds des fleuves, canaux, estuaires, à
creuser les bassins et chenaux des ports, etc. ;
l'engin mécanique lui-même (→ **Cure-môle**). *Drague
à godets,* munie d'une chaîne sans fin formée
de récipients. *Drague à benne preneuse, à benne
piocheuse,* servant à dérocher* (on l'appelle aussi
dérocheuse). *Drague suceuse,* aspirant le sable, la
vase au moyen d'une pompe centrifuge (*drague
à succion*). *Drague à cuiller.* On charge les vases
extraites par la drague sur un chaland. → **Marie-
salope**. — *Drague sèche,* pour creuser, approfondir
des fossés, etc. → **Excavateur**.

Afin d'améliorer l'accès des ports, on approfondit les che- 2
naux, les passes ou les mouillages (...) Jadis, pour entretenir les profondeurs, par exemple dans le chenal intérieur
de Dunkerque, on ne disposait que des chasses d'eau d'un
bassin de retenue (...) maintenant les dragues entretiennent des profondeurs de 5 à 6 mètres (...) Par les mêmes
procédés, on a ouvert aux gros navires les lits de la Seine
et de la Loire (...) La même méthode aboutit à creuser des
mouillages en eau profonde (...)
DEMANGEON, Géographie économique et
humaine de la France, p. 560.

Filet, grappin ou griffe de fer destinés à racler le
fond d'un bassin, d'une rivière pour y retrouver
des objets immergés.
Drague pour mines* sous-marines : appareil
remorqué par un navire (→ **Dragueur,** I., 3., b),
immergé à profondeur constante et muni de
cisailles qui coupent les orins des mines rencontrées.

Drague hydrographique ou *drague flottante* : filin immergé à profondeur constante, remorqué par deux embarcations, et qui sert à repérer les roches sous-marines.

II (1961, *in* T. L. F. ; déverbal de *draguer*). Fig., fam. Action de déambuler à la recherche d'une aventure galante.

3 (...) c'est le ghetto redouté de l'homosexualité féminine, de la drague grossière, qui se trouve révélé d'un coup *(dans une scène de la Recherche du temps perdu)* : toute une scène par le trou de serrure du langage.
R. BARTHES, Fragments d'un discours amoureux, p. 34-35.

DÉR. (Du sens I) **Draguer, draguette.**

2. DRAGUE [dʀag] n. f. → **Drèche.**

DRAGUER [dʀage] v. tr. — 1634, «curer un fond à la drague»; de 1. *drague.*

I ♦ **1** (Le compl. désigne ce qui est enlevé, retiré par la drague ; le sujet désigne la drague ou la personne qui s'en sert). Pêche. Pêcher (des coquillages) à la drague (I., 1.). *Draguer des huîtres.*
Retirer de l'eau à l'aide d'une drague (I., 1. ou 2.). *Draguer des épaves, des concrétions minérales... sur un fond, au fond de l'eau. Draguer une ancre.*
Spécialt. Retirer (des mines sous-marines) après les avoir détectées. *Les mines draguées par un dragueur* de mine* (→ ci-dessous 2., c).
Par métaphore. «*Quand la nuit eut dragué dans ses plis le reste d'or qui traîne sur les champs vers le soir...*» (H. Bazin, *in* T. L. F.).

♦ **2** (Le compl. désigne le lieu, la surface où opère la drague).
a (Correspond à 1. *drague*, I., 1.). *Draguer un fond pour récolter des coquillages.*
b (Correspond à 1. *drague*, I., 2.). Nettoyer (un fond) au moyen de la drague. *Draguer un chenal, un bassin, un estuaire ensablé, envasé. Draguer un bassin pour en enlever la vase.*
c Spécialt. *Draguer un détroit miné par l'ennemi, y* détecter et en enlever les mines. *Draguer un champ de mines.*
d Par anal. Rare. Nettoyer (un terrain hors de l'eau).
e (Le sujet désigne une action naturelle). Nettoyer (un fond) comme le ferait une drague. *Le flux, la marée drague le port.*
f (Le sujet désigne l'ancre). Racler (le fond) sans y mordre. *L'ancre* drague le fond.* → **Chasser.**

♦ **3** (Le compl. désigne la drague, I., 1.). Traîner (un filet sous-marin). «*Draguant dans l'eau froide son lourd chalut...*» (P. Hamp, *in* T. L. F.).

♦ **4** Absolt. **a** (De l'emploi 1 ou 2). Faire traîner une drague (I., 1.) sur le fond, pour récolter ce qui est au fond. *Draguer au chalut. Draguer pour recueillir des échantillons, en océanographie.*
b Nettoyer un fond à la drague (I., 2.).

II ♦ **1** (1885, Laforgue). Vx, fam. Parcourir (un lieu) à la recherche d'un butin, pour y découvrir qqch. Absolt. Mod. *Les flics draguent dans le secteur.*

Sa planque de Nogent, son manoir clandestin, le petit Frédo me l'avait montré un jour, une fois qu'on draguait dans le coin, pour mettre sur pied une affaire impossible, style *Attaque de la Diligence.*
Albert SIMONIN, Touchez pas au grisbi, p. 25.

♦ **2** V. intr. (V. 1950). Déambuler en quête d'une aventure facile (se dit des garçons et des filles). *Draguer sur les boulevards. Elle draguait.*

♦ **3** V. tr. Chercher à lier connaissance avec (qqn) en vue de relations érotiques. *Draguer une fille, un type.* → **Lever, racoler.** *Il s'est fait draguer par une drôle de nana.*
Par ext. Faire la cour à qqn. «*Je ne comprenais pas du tout pourquoi elle me draguait*» (É. Ajar [R. Gary], *la Vie devant soi*, p. 97).

DÉR. **Dragage, dragueur, dragueuse.** — (Du sens II). **Drague,** (II), **dragueur,** (II).

DRAGUETTE [dʀagɛt] n. f. — 1838 ; de 1. *drague*, et suff. -*ette.*
Techn. (pêche). Petite drague (à huîtres, à moules).

DRAGUEUR [dʀagœʀ] n. m. — 1529, *navires dragueurs; dragueur*, 1664 ; de 1. *drague.*

I ♦ **1** Pêcheur à la drague*. *Dragueur d'huîtres.*
♦ **2** Ouvrier qui drague un fond, qui manœuvre une drague.

Vous ferez débuter le jeune homme, après quinze ans de 1
sublimes études, par les ignobles emplois de pionnier, de soldat du train, de dragueur (...)
PROUDHON, *in* Pierre LAROUSSE.

REM. Aux sens 1 et 2, le fém. est virtuel, mais se heurte aux emplois de *dragueuse*.*

♦ **3** **a** Bateau, chaland, ponton muni d'une drague. *Dragueur qui dégage, approfondit, élargit un chenal.* → **Revoyeur.** *Dragueur à godets.* → 1. **Drague** (I., 2.). — Adj. *Bateau dragueur. Engin dragueur.*

(...) il fit construire d'énormes et ingénieuses machines, 2
des dragueurs-transports monstrueux qui déblayèrent les estuaires du Gange et du Mississippi (...)
A. ROBIDA, le Vingtième Siècle, p. 417.

b Navire destiné à la recherche et à l'enlèvement des mines sous-marines. — (1919). *Dragueur de mines. Les dragueurs sont des chalutiers armés, des torpilleurs, ou des navires spéciaux. Dragueur précédant une escadre dans un chenal.*

II (V. 1960; antérieurement au sens II, 1 du v. *draguer* (1892, J. Renard, *Journal*, dans un emploi qui semble métaphorique)). Fig. Fam. Homme qui drague (1. Draguer, II., 2.). *Se faire accoster par un dragueur.*

Comme je n'ai vraiment pas l'allure du dragueur classique, 3
je n'hésite pas à demander : Vous ne connaîtriez pas un hôtel pas trop cher, s'il vous plaît, mademoiselle ?
Roger BORNICHE, le Play-boy, p. 134.

REM. Le fém. *dragueuse* est attesté en ce sens.

Elles avaient décidé de gagner l'île Saint-Louis à pied, se 4
tenant toujours par le bras, le nez au vent, de l'impudence dans les yeux. Boulevard Saint-Michel, Marielle observa qu'elles ressemblaient plus maintenant à des dragueuses qu'à des voleuses.
Cecil SAINT-LAURENT, la Bourgeoise, p. 138.

DRAGUEUSE [dʀagøz] n. f. — Av. 1948, Larousse ; de *draguer.*

I Techn. Machine complexe pour draguer. → 1. **Drague** (I., 2.), **dragueur** (I., 3.).

Et l'on vit encore les remous de l'eau, la cheminée haute du bateau-laveur, la chaîne immobile de la dragueuse, des tas de sable sur le port, en face, une complication extraordinaire de choses, tout un monde emplissant l'énorme coulée, la fosse creusée d'un horizon à l'autre.
ZOLA, l'Œuvre, p. 4.

II Fam. Femme qui drague (II., 2. ou 3.). → **Dragueur** (II).

1. DRAILLE [dʀaj] n. f. — 1792 ; p.-ê. var. de *traille*, du lat. *tragula*, désignant un javelot, une herse, etc., ou plutôt du languedocien *dralho*, de *traio*, qui correspond à *traille*.*

Mar. Cordage tendu, le long duquel peut glisser une voile, une tente. → **Erse, erseau.** *Draille de foc. Voile glissant le long de la draille au moyen d'un transfilage, d'anneaux, de bagues.*

Ce serait simple sans réveiller les autres puisque la trinquette bômée est déjà parée sur la deuxième draille, mais mon bateau murmure que ce serait une erreur tactique : même si le vent augmentait, il me serait facile de réaliser ce changement de trinquette.

Bernard MOITESSIER, Cap Horn à la voile, p. 72.

HOM. 2. **Draille, dry.**

2. **DRAILLE** [dʀaj] n. f. — 1835 ; dauphinois *draya* «sentier», 1316; d'un lat. pop. **tragulare*, dér. de *trahere* «tirer», d'après *tragula*. → 1. **Draille, traille.**

Régional. Piste ménagée pour les moutons transhumants, dans le Languedoc, les Cévennes.

(...) écheveau compliqué de ravines et de pentes dénudées, parfois réunies et larges alors d'une centaine de mètres, comme un boulevard en pleine brousse qui me rappelait les drailles cévenoles (...)

Claude LÉVI-STRAUSS, Tristes Tropiques, p. 97.

HOM. 1. **Draille, dry.**

DRAIN [dʀɛ̃] n. m. — 1849, agric. ; mot angl., de *to drain* «dessécher». REM. Le mot n'est pas ressenti comme un anglicisme.

♦ **1** Conduit souterrain (souvent, tuyau de terre cuite), servant à faire écouler l'eau des sols trop humides. → **Canal, conduit.** *Pose des drains dans une tranchée. Les drains se jettent dans des collecteurs* (→ **Drainage**).

Par ext. Fossé, généralement garni de pierres ou cimenté, pour le même office.

1 (...) je rencontre le grand drain depuis son embouchure, de la vase jusqu'au ventre, pour voir si on l'a bien récuré.
Henri FAUCONNIER, Malaisie, p. 132.

2 Les drains se dirigeaient en pente insensible vers un canal collecteur qui se dégorgeait lui-même dans l'Angerapp.
M. TOURNIER, le Roi des Aulnes, p. 176.

♦ **2** (1859). **Méd.** Tube (de caoutchouc, de verre, etc.) percé de trous et destiné à favoriser l'écoulement des collections liquides (pus, etc.). *Placer un drain dans une plaie. Drain souple, drain rigide.*

3 Après avoir placé au fond de la plaie un drain, un tube de caoutchouc pour l'écoulement du pus (...)
ZOLA, la Débâcle, p. 490, in T. L. F.

♦ **3** Mar. Tuyau collecteur servant à la vidange des compartiments d'un navire. *Pompe de drain :* pompe de drainage.

DÉR. **Drainer.**

DRAINAGE [dʀɛnaʒ] n. m. — 1848 ; de *drainer.*

♦ **1** ⓐ Opération d'assainissement (des sols trop humides) par l'écoulement de l'eau retenue en excès dans les terres. → **Assainissement, dessèchement.** *Drainage des terres argileuses* (→ Argile, cit. 2). *Le drainage d'une prairie ; d'un marais, d'un polder*. Travaux de drainage dans les Flandres.* → **Wateringue.** *Opérations de drainage :* piquetage du terrain à drainer ; exécution de tranchées, pose de drains* ; remblayage des tranchées ; exécution des bouches de décharge. *Canal, fossé, tranchée de drainage. Système de drainage d'un terrain :* petits drains amenant l'eau à des collecteurs, ceux-ci se déversant dans un collecteur principal qui aboutit à un canal, cours d'eau... *(l'émissaire)* par l'intermédiaire d'une bouche de décharge. *Drainage longitudinal,* où les drains suivent la plus grande pente ; *drainage transversal,* où ils sont obliques. *— Anciens modes de drainage avec pierres concassées ou pierres plates au lieu de tuyaux. — Drainage*

en galeries sans tuyaux, effectué à l'aide de *charrues draineuses. — Loi du 10 juin 1854 sur le libre écoulement des eaux provenant du drainage.*

Le drainage prévoyait un réseau de tranchées de deux mètres cinquante de profondeur au fond desquelles était ménagée une manière de caniveau formé par trois dalles, deux verticales, la troisième horizontale, recouvrant en toiture les deux autres. Un lit de briques concassées, puis de la terre meuble, fermaient la tranchée.
M. TOURNIER, le Roi des Aulnes, p. 176.

ⓑ **Géogr.** Action de drainer les eaux (en parlant d'un réseau hydrographique, d'un bassin...). *Densité de drainage d'un réseau* hydrographique.*

♦ **2** (1855). **Méd.** Opération destinée à favoriser l'écoulement* des collections liquides (pus, etc.) en maintenant leur orifice ouvert par un tube (→ **Drain,** 2.) ou une mèche (→ **Mèche**). *Le drainage d'une plaie. — Par ext. Le drainage du pus.*

♦ **3** (1864). **Fig.** Action de recueillir, de rassembler. *Le drainage des capitaux, de l'or* (→ **Drainer,** 3.). — *«Un puissant drainage des forces intellectuelles de la France»* (Renan, *in* T. L. F.). → l'anglic. **Brain drain.**

CONTR. **Inondation ; irrigation. — Dispersion** (fig.).

1. **DRAINE** ou **DRENNE** [dʀɛn] n. f. — 1775, *draine ; drenne,* 1755 ; *drine* au XVIᵉ ; orig. obscure, p.-ê. du gaul. **drezdo.*

Zool. ou régional (Centre et Sud). Espèce de grive* d'Europe de grande taille *(Turdus viscivorus).*

HOM. 2. **Draine.**

2. **DRAINE** [dʀɛn] n. f. — D. i. ; déverbal de *deraisnier* «parler», de *raisner,* du bas lat. **rationare,* de *ratio* «raison».

Régional (surtout Ouest : La Varende, *in* T. L. F.). Refrain de chanson ; rengaine.

HOM. 1. **Draine.**

DRAINER [dʀɛne; dʀɛne] v. tr. — 1848 ; de *drain.*

♦ **1** ⓐ Débarrasser (un terrain) de l'excès d'eau par le drainage*. → **Assainir, assécher.** *Drainer un marais, un polder. — Au p. p. Terrain drainé, prairie drainée.*

(Sujet n. de chose : ce qui sert au drainage). *Un caniveau draine les eaux de ruissellement.*

ⓑ **Géogr.** Entraîner (des eaux), en parlant d'un cours d'eau, d'un bassin, d'un réseau hydrographique. *La Seine draine toutes les eaux du Bassin parisien.*

♦ **2** (1855). Débarrasser (une plaie, un organe) des collections liquides, en faisant écouler par un dispositif artificiel (drain*, mèche). → Chirurgien, cit. 2. *Drainer un rein, la prostate, la vessie.* — (Sujet n. du dispositif). *Sonde, mèche qui draine une plaie.*

♦ **3** (1865, *in* Höfler). **Fig.** Faire affluer en attirant à soi (soit pour conserver, soit pour dériver). *Drainer les capitaux, les épargnes. On reprochait à ce pays de drainer l'or du monde entier. Drainer la main-d'œuvre étrangère par une politique d'immigration. Drainer qqch. vers..., au profit de (qqn, qqch.).*

Cette heureuse «Terre de charité» n'a pas jusqu'à présent de chemin de fer pour lui amener des parasites et drainer vers l'étranger ses richesses (...)
LOTI, l'Inde (sans les Anglais), III, II, p. 45.

CONTR. **Inonder ; irriguer. — Disperser.** ◊ DÉR. **Drainage, draineur, draineuse.**

DRAINETTE [dʀɛnɛt] n. f. — 1839, Boiste ; de *dranet,* angl. *dragnet* «filet (net) à draguer». → **Drag, draguer.**

Techn. (pêche). Filet traîné pour la pêche aux petits poissons. → 1. **Drague** (I., 1.).

DRAINEUR, EUSE [dʀɛnœʀ, øz] adj. et n. — 1850, in Höfler; de *drainer*.

Techn. (Personne) qui draine (qqch.). — (Choses). *Sonde draineuse.* Fig. *Des draineurs d'argent, de capitaux.*

DRAINEUSE [dʀɛnøz] n. f. — 1861, in Höfler; de *drainer*.

Techn. Appareil pour tracer les fossés de drainage. — Adj. ou appos. *Charrue draineuse.*

DRAISIENNE [dʀɛzjɛn] n. f. — 1816; du nom de l'inventeur, le baron *Drais*, et suff. *-ienne*.

Anciennt. Hist. Instrument de locomotion à deux roues reliées par une pièce de bois sur laquelle on montait à califourchon, et muni d'une direction à pivot. *La draisienne est l'ancêtre du vélocipède, de la bicyclette.* → aussi **Célérifère**. *La draisienne était mue par l'action alternative des pieds sur le sol; elle comportait parfois trois roues. Petite draisienne.* → **Célérette** (rare).

DRAISINE [dʀɛzin; dʀɛzjɛn] n. f. — 1895, à propos de l'Autriche (germanisme?), in D. D. L.; «draisienne», 1845; altér. du précéd.

Techn. Wagonnet léger pour la surveillance de la voie ferrée, le transport de matériel, etc.

DRAKKAR [dʀakaʀ] n. m. — 1840; *drake*, 1870; mot scandinave, «dragon» à cause de l'emblème généralement sculpté à la proue, probablt d'orig. latino-grecque. → Dragon.

Hist. Navire, à voile carrée et à rames, des pirates normands et des navigateurs scandinaves (Vikings).

La mousse marine a alourdi le flanc de nos Drakkars.
SOUVESTRE, Chroniques de la mer, p. 120 (1852), *in* D.D.L., II, 10.

DRAMATIQUE [dʀamatik] adj. — 1370; rare jusqu'au mil. du XVIIᵉ; *dramique*, 1775, Beaumarchais; du bas lat. *dramaticus*, grec *dramatikos*, de *drama*. → Drame.

A ♦ **1** **ⓐ** Didact. ou littér. Destiné au théâtre (en parlant d'un texte); relatif aux ouvrages de théâtre. *Œuvre, ouvrage, poème dramatique. Le genre dramatique.* → **Théâtre; comédie, drame, tragédie.** *Littérature, poésie, prose; style dramatique. Règles de la composition dramatique.* → **Dramaturgie.** *Donner à un récit la forme dramatique. Le caractère dramatique d'un texte, d'un décor* (cit. 3). *Le génie dramatique d'un auteur. L'instinct dramatique d'un comédien. Représentation, spectacle dramatique.*

1 Bien que, selon Aristote, le seul but de la poésie dramatique soit de plaire aux spectateurs, et que la plupart de ces poèmes leur ait plu, je veux bien avouer toutefois que beaucoup d'entre eux n'ont pas atteint le but de l'art.
CORNEILLE, 1ᵉʳ disc. sur l'utilité et sur les parties du poème dramatique.

2 (...) le nom de poème dramatique vient d'un mot grec qui signifie agir, pour montrer que la nature de ce poème consiste dans l'action (...)
MOLIÈRE, la Critique de l'École des femmes, 6.

3 On appelle poème dramatique celui par lequel on fait parler ou agir sur le théâtre les personnages mêmes, à la différence de poème épique, où le poète ne fait que raconter de son chef, indirectement et de suite, les aventures de ceux dont il parle (...)
ROLLIN, Hist. ancienne, Œ., t. V, p. 107, *in* POUGENS.

4 Le genre comique et le genre tragique sont les bornes réelles de la composition dramatique.
DIDEROT, 3ᵉ Entretien sur le fils naturel, Pl., p. 1275.

— Quel est l'objet d'une composition dramatique? 5
— C'est, je crois, d'inspirer aux hommes l'amour de la vertu, l'horreur du vice (...)
DIDEROT, 3ᵉ Entretien sur le fils naturel, Pl., p. 1286.

Le temps jette une obscurité inévitable sur les chefs- 6 d'œuvre dramatiques vieillissants (...) sans Talma une partie des merveilles de Corneille et de Racine serait demeurée inconnue. Le talent dramatique est un flambeau; il communique le feu à d'autres flambeaux à demi éteints, et fait revivre des génies qui vous ravissent par leur splendeur renouvelée.
CHATEAUBRIAND, Mémoires d'outre-tombe, t. II, p. 198.

Adinolfa, sans faire de bruit, attendit quelque temps, 6.1 épiant Méisdehl, dont les gestes l'étonnèrent par leur gracieuse justesse. S'intéressant à la révélation de cet instinct dramatique, elle s'approcha de la fillette pour lui enseigner les principes fondamentaux de la démarche et de la tenue scéniques.
Raymond ROUSSEL, Impressions d'Afrique, p. 307.

REM. Dans ce sens, les syntagmes qui peuvent produire une ambiguïté avec les autres sens sont vieillis (ex. : *un spectacle dramatique*, qui sera plutôt compris au sens 3).

Spécialt. **ART DRAMATIQUE** : l'ensemble des activités théâtrales (→ **Théâtre**), généralement envisagées d'un point de vue professionnel. *Conservatoire, école, festival d'art dramatique. Centre national d'art dramatique.* — *Centre dramatique*, d'art dramatique.

MUSIQUE DRAMATIQUE : la musique composée pour la scène. → **Opéra; lyrique** (théâtre lyrique). *Activités dramatiques en pédagogie, en thérapie. Jeux dramatiques* (→ aussi **Psychodrame**). *Expression dramatique.* → **Expression.**

N. m. Vieilli. Le genre, la forme dramatique. *Réussir dans le dramatique.*

Certains poètes sont sujets, dans le dramatique, à de lon- 6.2 gues suites de vers pompeux qui semblent forts élevés (...)
LA BRUYÈRE, les Caractères, I, 8.

ⓑ (V. 1953, n. f.). Cour. *Émission dramatique*, et, n. f., *une dramatique* : une émission de télévision à caractère théâtral; un récit adapté aux moyens de la télévision ou de la radio. → aussi **Docudrame.**

(...) et qui ne ferait plus crier Blandine obligée de suivre 6.3 à la télé le match au lieu de la dramatique.
Hervé BAZIN, Cri de la chouette, p. 205.

♦ **2** (Av. 1690). Personnes. Qui s'occupe de théâtre. — REM. Cet emploi produit des syntagmes plus courants que le 1., l'ambiguïté avec les autres sens étant plus rare. *Auteur, écrivain, poète dramatique.* → **Dramaturge.** *Artiste dramatique.* → **Acteur, comédien.** *Chanteuse* (cit. 2) *dramatique.*

(...) j'ai toujours pensé que l'on ne saurait rendre trop hau- 7 tement justice aux acteurs, eux dont l'art difficile s'unit à celui du poète dramatique, et complète son œuvre.
A. DE VIGNY, Sur les représentations du drame (Chatterton), Pl., t. I, p. 898.

Les poètes dramatiques ne sont pas seuls dans leurs 8 œuvres, ils n'existent tout entiers que par leurs acteurs (...)
LAMARTINE, Cours familier de littérature, Rac. et Ath. (éd. Garnier, t. I, p. 172).

L'auteur dramatique crée des personnages, s'efface en eux, 9 leur donne sa place de vivant.
A. THIBAUDET, Réflexions sur la littérature, p. 53.

Critique dramatique, de théâtre.

Je connais le bonhomme qui y joue le critique dramatique. 10
VALÉRY, Correspondance avec Gide, 1901, p. 381, *in* T. L. F.

N. m. Vx. Auteur dramatique.

Les dramatiques modernes ont fait de leur art un lieu 11 où, pour remporter le prix (...) il faut observer certaines règles, certaines formules difficiles et inutiles, dont ils sont convenus entre eux.
Joseph JOUBERT, Pensées, XVIII, 83.

♦ **3** Littér. Relatif au drame (A., 2.). *Théâtre tragique et théâtre dramatique.* — *Comédie dramatique,* qui participe du drame.

Caractérisé par le drame, en tant que genre.

12 Les temps primitifs sont lyriques, les temps antiques sont épiques, les temps modernes sont dramatiques.
HUGO, Préface de Cromwell, p. 15.

B (V. 1835; correspond à *drame,* B.). ♦ **1** Qui est susceptible d'émouvoir, d'intéresser vivement le spectateur, au théâtre. → **Émouvant, intéressant, passionnant, poignant, saisissant.** *Scène dramatique. Un sujet, une situation, un dénouement dramatique. Mouvement, intensité dramatique d'une scène. Intérêt, ressort dramatique d'une pièce.* — *Récit dramatique. Il y a dans ce roman un passage dramatique. Scénario, film dramatique.*

♦ **2** (1839, Boiste). En parlant d'événements réels. Très grave et dangereux ou pénible. → **Émouvant, terrible, tragique.** *La situation est dramatique.* → **Dangereux, difficile, grave, sérieux.** *Une entrevue, une rencontre dramatique. L'affaire eut une issue dramatique. Un sauvetage aux péripéties dramatiques. Luttes, convulsions* (cit. 9) *dramatiques. Ce n'est pas dramatique :* ce n'est pas grave.

13 (...) l'effort dramatique que doit faire un jeune garçon qui veut paralyser l'action de ses éducateurs (...)
MONTHERLANT, la Relève du matin, p. 140.

N. m. *Le dramatique de l'affaire,* son caractère dramatique.

CONTR. Épique, lyrique (genre, poésie). — Badin, léger; comique, idyllique. — Froid; ennuyeux. — Insignifiant.
◊ DÉR. Dramatiquement. – COMP. Sociodramatique.

DRAMATIQUEMENT [dʀamatikmɑ̃] adv. — 1777; de *dramatique.*

♦ **1** (De *dramatique,* A.). Rare. En matière de théâtre. *Dramatiquement, cette intrigue ne vaut rien* (→ Dramatique, 1.). *«La danseuse se posa dramatiquement et déclama...»* (Balzac, *in* T. L. F.).

♦ **2** (De *dramatique,* B.). Cour. D'une manière dramatique (B.). → **Tragiquement.** *L'affaire se termina dramatiquement. Il est dramatiquement éprouvé, ruiné.*

DRAMATISANT, ANTE [dʀamatizɑ̃, ɑ̃t] adj. — V. 1969; p. prés. de *dramatiser.*

Littér. Qui exagère la gravité d'une situation. *Une attitude dramatisante, un ton dramatisant.*

REM. La forme est attestée, comme n. m., en 1773, au sens de «dramaturge».

DRAMATISATION [dʀamatizasjɔ̃] n. f. — 1889; de *dramatiser.*

A Didact. ou littér. Le fait de donner la forme théâtrale à (un récit, un contenu pédagogique). *Dramatisation en pédagogie* (méthodes actives), *en psychothérapie* (→ Psychodrame).

B ♦ **1** Action de dramatiser; son résultat; exagération de la gravité (d'une chose). *Les deux gouvernements veulent éviter toute dramatisation de l'incident.*

♦ **2** Psychan. Transformation d'une idée censurée en image, dans le rêve. → **Symbolisation.** — Par ext. Transformation du concept en image, dans l'univers onirique ou mythique.

On pourrait dire que les œuvres littéraires sont comme des mythes séculaires chargés de passé, de présent et de futur, qu'ils véhiculent les désirs archaïques, infantiles (...) comme *réalisés* dans l'avenir par la force même de la dramatisation de l'écriture (...)
J. GILLIBERT, la Création littéraire, *in* la Nef, n° 31, p. 87.

DRAMATISER [dʀamatize] v. tr. — 1801; de *drame.*

A ♦ **1** Vx ou littér. Porter à la scène, donner la forme d'un drame.

♦ **2** Mod. Didact. Transformer (des éléments didactiques, narratifs) en langage théâtral.

B ♦ **1** Présenter (une chose) sous un aspect dramatique, émouvant, tragique. → **Dramatique** (B., 2.). *Son récit dramatise un incident banal.* — Au p. p. adj. *Une biographie dramatisée* (→ Biographie, cit. 1).

Les têtes exaltées éprouvent un besoin inné de dramatiser 1 leurs existences à leurs propres yeux.
G. SAND, citée par LITTRÉ.

♦ **2** (Déb. xxᵉ). Cour. Accorder une importance exagérée, une gravité émouvante à (qqch.). → **Amplifier, corser, exagérer.** *Il est porté à tout dramatiser. Il ne faut rien dramatiser, la situation n'est pas perdue.* Absolt. *Tu dramatises, ce n'est pas si grave.*

Il jugeait essentiel de ne rien dramatiser, d'acclimater peu 2 à peu cette sauvagerie, à force de cordialité et d'aisance.
MARTIN DU GARD, les Thibault, IV, p. 63.

CONTR. Atténuer, minimiser. ◊ DÉR. Dramatisant, dramatisation.

DRAMATISME [dʀamatism] n. m. — 1776, Restif, «caractère théâtral»; de *drame* ou *dramatique,* et suff. *-isme.*

Didact. Caractère dramatique (A., 3., littér., ou B.). *Le dramatisme d'une situation, d'un récit, d'une symphonie.*

DRAMATISTE [dʀamatist] n. et adj. — 1771; de *drame.*

Vx. Auteur dramatique. → **Dramaturge.** — Adj. *Poète dramatiste.* → **Dramatique** (A., 1.).

Tous ces impuissants dramatiques *(Molé, Diderot, Marmontel)* se sont faits dramatistes, c'est-à-dire compositeurs de ce que leur cabale appelle des drames.
COLLÉ, Journal (1771), III, p. 325, *in* PROSCHWITZ, *in* D.D.L., II, 2.

DRAMATURGE [dʀamatyʀʒ] n. — 1773; grec *dramatourgos* «auteur dramatique», de *drâma, atos* (→ Drame), et *ergon.*

♦ **1** Auteur d'ouvrages destinés au théâtre. → **Auteur** (dramatique), **écrivain.** *Un, une dramaturge de talent.* — REM. *Dramaturge* s'est longtemps appliqué aux seuls auteurs de drames (au sens A, 2).

Pourquoi le grand modèle des dramaturges, Shakespeare, 1 n'a-t-il pas lui-même pris ses sujets parmi le peuple?
MARMONTEL, (1782), cité par LITTRÉ.

Ce qui distingue un romancier, un dramaturge, du reste 2 des hommes, c'est justement le don de voir de grands arcanes dans les aventures les plus communes (...) Qu'une belle-mère brûle pour son beau-fils, c'était sans doute un incident aussi peu notable du temps d'Euripide qu'aux jours de Jean Racine. Mais voyez les grands arcanes que ce Racine a découverts dans une passion à peine incestueuse (...)
F. MAURIAC, la Province, p. 52.

♦ **2** Spécialiste de dramaturgie. *Il, elle est à la fois dramaturge et scénographe.*

DRAMATURGIE [dʀamatyʀʒi] n. f. — 1775; au sens de «catalogue d'œuvres dramatiques», 1668, Chapelain, traduisant l'ital. *dramaturgia;* du grec *dramatourgia,* dér. de *dramatourgos.* → Dramaturge.

Didact. Art de la composition dramatique. *La dramaturgie classique, la dramaturgie de Corneille. La Dramaturgie classique en France,* ouvrage de J. Schérer. — Traité de composition dramatique. *La Dramaturgie de Hambourg,* de Lessing.

DÉR. Dramaturgique.

DRAMATURGIQUE [dʀamatyʀʒik] adj. — 1777; de *dramaturgie.*

Didact. Qui a rapport à la dramaturgie. *Des principes dramaturgiques.*

DRAME [dʀam] n. m. — 1657, au sens d'«action, intrigue»; lat. *drama,* du grec *drama* «action», de *drân* «agir».

A ♦ **1** Didact. Genre littéraire comprenant tous les ouvrages composés pour le théâtre. → **Théâtre.** *Le drame représente une action sur une scène.*

1   Qui veut tenter l'histoire de la poésie, du drame ou du roman depuis un siècle, trouve d'abord que la technique s'en est lentement effritée, et dissociée; puis, qu'elle a perdu ses moyens propres, et s'est vue envahie par les secrets ou les procédés des techniques voisines – le poème par la prose, le roman par le lyrisme, le drame par le roman.   J. PAULHAN, les Fleurs de Tarbes, p. 30.

Vx. Pièce à thèse (syn. **mod.** : *pièce* de théâtre*).

2   Les régents de collège y faisaient représenter (...) des drames.
    A. R. LESAGE, le Diable boiteux, 7, *in* HATZFELD.

3   Nous parlons trop dans nos drames; et, conséquemment, nos acteurs n'y jouent pas assez. Nous avons perdu un art, dont les anciens connaissaient bien les ressources.
    DIDEROT, 2ᵉ Entretien sur le fils naturel, Pl., p. 1249.

Mod. *Drame lyrique.* → **Opéra, opéra-comique.** *Drame lyrique, drame musical sacré.* → **Cantate, oratorio.**

♦ **2** (1742, Landais). **Spécialt. Cour.** Genre théâtral comportant des pièces en vers ou en prose, dont l'action généralement tragique, pathétique, s'accompagne d'éléments réalistes, familiers, comiques, bouffons; pièce de théâtre appartenant à ce genre. *Le drame, rompant avec la distinction classique de la tragédie et de la comédie, élargit le domaine et les moyens de ces deux genres. — Le drame satyrique mêlait le pathétique au bouffon. Drames de Shakespeare, Calderon, Lope de Vega. La comédie héroïque et la tragi-comédie du* XVIIᵉ *siècle, la comédie larmoyante du* XVIIIᵉ *siècle préparent le drame, en France. Le drame apparaît en France au* XVIIIᵉ *siècle; on l'appelle* «genre sérieux» (Diderot), «tragédie bourgeoise, drame bourgeois, drame moral». *Les drames de Beaumarchais, de Sedaine. Drame romantique. — Drames de Lessing, de Goethe. Drame historique, réaliste, lyrique, symboliste. Drame religieux espagnol.* → **Auto.** *Drame populaire* (→ **Mélodrame**). *Composer, écrire, publier, éditer un drame. Mise en scène, décors* (cit. 1) *d'un drame. Jouer, monter un drame. Conduire des drames de trente à quarante personnages* (cit. 9).

4   Les hommes de lettres qui se sont voués au théâtre, en examinant cette pièce *(La Mère coupable),* pourront y démêler une intrigue de comédie, fondue dans le pathétique d'un drame. Ce dernier genre, trop dédaigné de quelques juges prévenus, ne leur paraissait pas de force à comporter ces deux éléments réunis. L'intrigue, disaient-ils, est le propre des sujets gais (...) on adapte le pathétique à la marche simple du drame pour en soutenir la faiblesse. Mais ces principes hasardés s'évanouiraient à l'application (...)
    BEAUMARCHAIS, Un mot sur «la Mère coupable», *in* Théâtre, éd. Garnier, p. 348.

4.1   Le drame n'est point une action forcée, rapide, extrême : c'est un beau moment de la vie humaine, qui révèle l'intérieur d'une famille, où, sans négliger les grands traits, on recueille précieusement les détails. Ce n'est point un personnage factice, à qui on attribue rigoureusement tous les défauts ou les vertus de l'espèce : c'est un personnage plus vrai, plus raisonnable, moins gigantesque, et qui, sans être annoncé, fait plus d'effet que s'il l'était. Ourdir, enchaîner les faits conformément à la vérité, suivre dans le choix des événements le cours ordinaire des choses, éviter tout ce qui sent le roman, modeler la marche de la pièce, de sorte

que l'extrait paraisse un récit où règne la plus exacte vraisemblance, créer l'intérêt, et le soutenir sans échafaudage, ne point permettre à l'œil de cesser d'être humide sans froisser le cœur d'une manière trop violente, faire naître enfin à divers intervalles le sourire de l'âme et rendre la joie aussi délicate que la compassion, c'est là ce que propose le drame, à quoi n'a point tenté la comédie.
    Louis-Sébastien MERCIER, Essai sur l'art dramatique (1773), *in* BEAUMARCHAIS, COUTY et REY, Dict. des littératures de langue franç.

Spécialt. Le drame romantique, tel qu'il est défini par Hugo.

4.2   Du jour où le christianisme a dit à l'homme : «Tu es double, tu es composé de deux êtres, l'un périssable, l'autre immortel, l'un charnel, l'autre éthéré, l'un enchaîné par les appétits, les besoins et les passions, l'autre emporté sur les ailes de l'enthousiasme et de la rêverie, celui-ci toujours courbé vers la terre, sa mère, celui-là sans cesse élancé vers le ciel, sa patrie», de ce jour-là le drame a été créé.
    HUGO, Préface de Cromwell (1827).

5   Shakespeare, c'est le Drame; et le drame, qui fond sous un même souffle le grotesque et le sublime, le terrible et le bouffon, la tragédie et la comédie, le drame est le caractère propre de la troisième époque de poésie, de la littérature actuelle (...) L'ode vit de l'idéal, l'épopée du grandiose, le drame du réel (...) le drame, unissant les qualités les plus opposées, peut être tout à la fois plein de profondeur et plein de relief, philosophique et pittoresque (...) (...) le corps y joue son rôle comme l'âme; et les hommes, et les événements, mis en jeu par ce double agent, passent, tour à tour bouffons et terribles, quelquefois terribles et bouffons tout ensemble.
    HUGO, Préface de Cromwell.

Par ext. Pièce d'un caractère grave, pathétique (par oppos. à *comédie*). *Les Mouches,* drame de J.-P. Sartre.

♦ **3** Par métaphore et fig. (du sens 1 ou 2) :

6   La nature est un drame avec des personnages (...)
    HUGO, les Contemplations, V, «En marche», III, IV.

7   Du drame de ses jours *(de Jocelyn)* j'explore le théâtre (...)
    LAMARTINE, Jocelyn, Épilogue, I.

B (1787). Événement ou suite d'événements tragiques, terribles. → **Catastrophe, tragédie;** → Bouleversement, cit. 3. *Drame affreux, atroce, épouvantable, horrible, sanglant, terrible. Le drame humain, le drame terrestre, le drame de la condition humaine. Drame international, planétaire. Drame social. Une affaire qui tourne au drame. Drame qui se noue, qui se dénoue* (cit. 9, 19). *Suite, tissu de drames* (→ Chaos, cit. 8). *Incident qui se corse* (cit. 2) *d'un peu de drame. Cela a été, cela a fait tout un drame. Les circonstances, le décor* (cit. 9) *du drame. Drame de famille, drame personnel. Un drame de la jalousie, d'amour, un drame passionnel, conjugal.*

8   Là *(dans la révolution anglaise)* le drame de la liberté, ici *(dans la Fronde)* sa parodie.
    CHATEAUBRIAND, les Quatre Stuarts (1830), Henriette-Marie.

9   Ces lieux de nos bonheurs et de nos désespoirs,
Où le drame divin de tout notre jeune âge
Avait à chaque site attaché son image!
    LAMARTINE, Jocelyn, 9ᵉ époque (1836).

10   La manière dont le monde des apparences s'impose à nous et dont nous tentons d'imposer au monde extérieur notre interprétation particulière, fait le drame de notre vie.
    GIDE, les Faux-monnayeurs, II, V, p. 261.

11   Le drame de famille s'était greffé à vif sur le drame d'amour.
    MARTIN DU GARD, les Thibault, t. III, p. 278.

12   Le drame du travail, en France, est déterminé par le drame de la monnaie.
    G. DUHAMEL, Manuel du protestataire, II, p. 72.

13   Oh! c'est cette soirée, ce contraste entre la sérénité apparente de ce paysage, de cette maison, et les drames secrets que l'on y devine (...)
    A. MAUROIS, le Cercle de famille, II, p. 277.

Spécialt. En style de journal. Catastrophe causée par un accident, un crime... *Tous les détails sur le drame de... Drame sanglant dans la banlieue parisienne.*

Fam. *Ce n'est pas un drame :* ce n'est pas grave* — *Faire un drame de qqch.* → **Dramatiser** (B.). *Il ne faudrait pas en faire un drame* (→ Faire toute une histoire*, un plat*...). — *En voilà, un drame! Quel petit drame!*

14   Un drame, ils font sûrement un drame parce que leur voiture n'est pas du modèle le plus récent, n'est-il pas vrai? et leurs épouses boudent parce que leur fourrure n'est pas neuve.
CAMUS, Un cas intéressant, *in* Théâtre, Pl., p. 700.

CONTR. Comédie. — **Idylle.** ◊ **DÉR.** Dramatiser, dramatisme, dramatiste. → **COMP. V. Sociodrame.**

-DRAME Élément du précéd. (ex. : *mélodrame, mimodrame, psychodrame*).

DRANGUEL [dʀɑ̃gɛl] n. m. — 1838; *dranguelle,* 1755; orig. incert.; p.-ê. de l'anc. franç. *drenc,* du nordique *drengr* «câble», d'où *dran* «drosse», au XIXᵉ; ou altér. inexpliquée de *drague.*

Techn. (pêche) et régional (Flandres, Picardie). Filet à large ouverture.

DRAP [dʀa] n. m. — XIIᵉ; du bas lat. *drappus,* p.-ê. mot gaulois.

[I] ♦ 1 Toile* de laine dont les fibres sont feutrées par le foulage. *Fabrication du drap.* → **Filature, tissage.** *Opérations successives :* dégraissage (→ **Dégraisser, terrer**); épincetage et époutiage (→ **Épinceter; époutir**); rentrayage (→ **Rentraire**); foulage (→ **Fouler**); lainage (→ **Draper,** cit. 1; **lainer**); séchage; tondage (→ **Tondre**); lustrage ou pressage à chaud (→ **Calandrer, cylindrer**); décatissage (→ **Décatir**); pressage à froid; épaillage. *Le lainage du drap se faisait autrefois au moyen d'une brosse à chardons* (→ 2.**Carde, carder, échardonner**); *il se fait aujourd'hui à la machine* (→ **Forces**); *à la machine* (→ **Tondeuse**). *Donner le dernier apprêt au drap avec la tuile.* → **Tuilage.** *Donner le fini au drap.* → **Striquer.** *Éplucher du drap,* en enlever les bourres. *Bougier du drap pour arrêter les effilures. Bruir* du drap.* — *Drap fin, gros drap. Drap noir, drap union. Elbeuf, Louviers, Roubaix, Sedan, produisent des draps renommés. Drap cuir-laine.* → **Marengo.** — *Coupon, pièce de drap. Couverture de drap que l'on met sur les chevaux de selle.* → **Chabraque.** *Veste, manteau de drap.* → **Caban, kabig.** *Costume, habit, vareuse, pantalon de drap* (→ **Col,** cit. 9 et 11; **bouton,** cit. 7). *Cape* (cit. 1) *de drap. Uniforme militaire en drap. Bouton de drap.* — *Fabricant de drap; négociant en drap.* → **Drapier.** *Commerce du drap, des draps.* → **Draperie.** *Échantillons de draps pour manteaux.*

1   Julien découvrait chez presque tous un respect inné pour l'homme qui porte un habit de *drap fin.*
STENDHAL, le Rouge et le Noir, XXVI, p. 182.

2   Il fit un geste vers Daniel, et lui toucha le bras. Sous sa paume, il sentit le drap rêche de la tunique.
MARTIN DU GARD, les Thibault, t. V, p. 295.

Loc. *Tailler en plein drap :* couper un vêtement dans la pièce de drap. — Fig. User avec hardiesse des moyens dont on dispose pour agir.

Loc. prov. Vieilli. *Au bout de l'aune* faut* (fait défaut) *le drap :* il y a une fin à toute chose.

Spécialt. *Drap mortuaire** (cit. 1) : *pièce d'étoffe de laine dont on couvre le cercueil, le cénotaphe, aux funérailles.* → **Poêle.** — On dit aussi *drap funéraire.*

♦ 2 *Drap d'or, drap de soie :* étoffe tissée d'or, de soie. *Le camp du Drap d'or,* où eut lieu l'entrevue de François Iᵉʳ et d'Henri VIII (1520).

3   D'un bout de l'année à l'autre, que de merveilles, éclatantes et saintes, lui passaient par les mains! Elle n'était que dans la soie, le satin, le velours, les draps d'or et d'argent.
ZOLA, le Rêve, III.

[II] ♦ 1 (1175, d'abord en concurrence avec *linceul*). *Drap de lit*,* et, absolt, *drap :* pièce de toile (de lin, de coton, de chanvre, puis de tissus synthétiques, nylon, tergal...) de forme rectangulaire et qui sert à isoler le corps soit du matelas, soit des couvertures (→ **Linge, lingerie, literie**). *Une paire de draps. Drap de dessous,* que l'on étend sur le matelas et qui peut envelopper le traversin. *Drap de dessus,* que l'on met entre le drap de dessous et les couvertures. *Drap-housse :* drap de dessous dont les bords et les coins sont coupés et cousus de manière à emboîter le matelas. *Rabattre le drap de dessus. Border les draps. Mettre des draps blancs, des draps propres, changer les draps. Mettre des draps à un lit :* faire* le lit — *Blanchir, laver des draps. Étendre des draps pour les faire sécher. Essorer des draps. Plier des draps; pile de draps.* — *Draps blancs, draps de couleur. Draps fins. Draps brodés. Drap garni de dentelle* (cit. 2). *Toile à draps :* toile de coton dont on fait des draps. *Drap de coton; drap pur fil* (de lin), *drap métis* (de lin). *Drap d'enfant, draps de berceau. Les draps :* le lit. — Loc. *Être entre deux draps, dans les draps :* être au lit. *Se mettre, se fourrer dans les draps* (fam. dans les bâches, les bannes, les toiles, les torchons...) : se coucher*. *Repousser, écarter le drap.*

4   Je tiens à mon lit plus qu'à tout. Il est le sanctuaire de la vie. On lui livre sa chair fatiguée pour qu'il la ranime et la repose dans la blancheur des draps et dans la chaleur des duvets.
MAUPASSANT, les Sœurs Rondoli, I, p. 10.

Spécialt. *Drap d'hôpital :* alaise* en tissu caoutchouté — *Drap de bain :* pièce rectangulaire de tissu absorbant, dans laquelle on se sèche après le bain.

(Mil. XIXᵉ). Loc. fig. *Être dans de mauvais, de vilains draps,* dans une mauvaise situation.

Iron. **BEAUX DRAPS.** *Mettre qqn dans de beaux draps :* mettre dans une situation critique*, dangereuse, embarrassante*. *Être, se mettre dans de beaux draps. Le voilà dans de beaux draps. Les Beaux Draps,* œuvre de Céline.

5   Ah! coquines que vous êtes, vous nous mettez dans de beaux draps blancs (...)
MOLIÈRE, les Précieuses ridicules, 16.

6   — Tu t'en vas?... — Eh bien!... tu me mets dans de beaux draps! Qu'est-ce que je vais faire sans toi?
SARTRE, le Sursis, p. 78.

REM. Cette locution semble venir de : *estre couché en blancs draps,* puis, *être (mettre) en beaux draps blancs* «être montré avec tous ses défauts»; *drap* pouvait y être compris au sens I (habit).

♦ 2 Vx. → **Linceul.** Loc. prov. *Le plus riche en mourant n'emporte qu'un drap.*

♦ 3 Régional (Belgique). *Drap de main :* serviette — *Drap de maison :* serpillière. → **Wassingue.** *Drap de vaisselle :* torchon.

♦ 4 Loc. fam. Vieilli. *Drap de poche :* mouchoir.

DÉR. Drapeau, draper, 1. draperie, drapier. ◊ **COMP.** Draphousse. — Sparadrap.

DRAPAGE [dʀapaʒ] ou **DRAPEMENT** [dʀapmɑ̃] n. m. — 1890, *drapage; drapement,* 1876, de *draper.*
Techn. Action de draper (2. ou 3.); son résultat.

DRAPÉ, ÉE [dʀape] adj. et n. → **Draper.**

DRAPEAU [dʀapo] n. m. — 1119, *drapel* «chiffon»; dimin. de *drap.*

I Vx. ♦ **1** Pièce de drap. *«Vieux linges, vieux drapeaux»* (Mathurin Régnier), ancien cri des chiffonniers.

♦ **2** N. m. pl. (XIIIe). *Drapeaux :* langes pour emmailloter un enfant. → **Couche, lange.**

♦ **3** Techn. Débris de toile servant à la fabrication du papier.

II (1578, de l'ital. *drapello*, de même formation que *drapeau*, mais qui a pris ce sens antérieurement). Mod.

♦ **1** Pièce d'étoffe attachée à une hampe et portant les couleurs, les emblèmes (d'une nation, d'un groupement, d'un chef...), pour servir de signal, de signe de ralliement, de symbole, etc. → **Étendard, pavillon.** *L'étoffe d'un drapeau* (→ **Étamine**). *La hampe*, *le bout de hampe en métal d'un drapeau. Drapeau muni d'une cravate* (→ **Cravate**, 2.). *Drapeau en berne*, en signe de deuil. — Agiter, arborer, déployer, hisser, planter un drapeau. Garnir de drapeaux les édifices publics et privés.* → **Pavoiser.** *Salle décorée, pavoisée de drapeaux. Le drapeau d'un ministère. Drapeau qui se déploie, qui flotte, qui ondoie, qui claque au vent. Les plis du drapeau. — Porter un drapeau avec un baudrier*, un brayer. Rouler un drapeau. Mettre un drapeau dans son étui, dans sa gaine. Le drapeau est le signe officiel d'une souveraineté. Drapeau national. Drapeau américain, anglais, russe... Les drapeaux de la France : drapeau blanc des rois de France, ramené par la Restauration, drapeau tricolore de la Révolution, repris en 1830* (→ **Couleur,** cit. 10) *et maintenu en 1848* (→ ci-dessous, cit. 2). *Les drapeaux belge, français, indien, italien... sont tricolores. Le drapeau de l'O. N. U. — Le drapeau de la Croix-Rouge a remplacé, en temps de guerre, le drapeau noir qu'on plaçait sur les hôpitaux, etc. — Drapeau rouge :* emblème révolutionnaire. — *Drapeau blanc :* drapeau qui, en temps de guerre, indique à l'ennemi qu'on veut parlementer. Hisser le drapeau blanc* (fig.). → **Capituler, rendre** (se); → Capitulation, cit. 3. — *Drapeau noir des pirates. — Le drapeau d'une association, d'un club, d'une équipe sportive. Drapeau d'un groupement, d'un parti politique. Drapeaux et bannières*. Étude des drapeaux. → **Vexillologie.** — Par ext. *Drapeaux en papier. Agiter des drapeaux au passage d'un cortège officiel. Piquer des petits drapeaux sur une carte.*
Spécialt. *Le drapeau d'une armée, d'une troupe, d'un régiment..., les couleurs.* → **Couleur** (I., 3.). *Drapeaux militaires.* → aussi **Banderole, bandière** (vx), **bannière, cornette, étendard, fanion, fanon** (vx), **flamme, gonfalon, guidon, oriflamme, pavillon, pennon.** *Remettre son drapeau à un régiment. Présentation du drapeau. La garde du drapeau. Porte-drapeau. Salut au drapeau. Battre, sonner au drapeau. Au drapeau!, batterie de tambour, sonnerie de clairon exécutée pour rendre les honneurs au drapeau. Drapeau décoré de la croix de guerre. Drapeau pris à l'ennemi* (→ Dépouille, cit. 4). *Drapeau déchiré, troué par les balles. Bénir* (cit. 9, 10) *les drapeaux avant la bataille.*

1 (...) jusque-là, le 127e avait marché sans aigle; car alors il fallait conquérir son drapeau sur le champ de bataille, pour prouver qu'ensuite on saurait l'y conserver.
Ph. P. SÉGUR, Hist. de Napoléon, VI, 8, *in* LITTRÉ.

2 Je repousserai jusqu'à la mort le drapeau de sang, et vous devriez le répudier plus que moi! Car le drapeau rouge que vous nous rapportez n'a jamais fait que le tour du Champ-de-Mars, traîné dans le sang du peuple en 91 et en 93, et le drapeau tricolore a fait le tour du monde avec

le nom, la gloire et la liberté de la patrie!
LAMARTINE, Hist. de la révolution de 1848, VII, 27.

On se redit, pendant un mois, la phrase de Lamartine sur 3 le drapeau rouge, «qui n'avait fait que le tour du Champ-de-Mars, tandis que le drapeau tricolore», etc.; et tous se rangèrent sous son ombre, chaque parti ne voyant des trois couleurs que la sienne — et se promettant bien, dès qu'il serait le plus fort, d'arracher les deux autres.
FLAUBERT, l'Éducation sentimentale, III, I.

(...) avec une espèce de solennité, *(elle)* déroula complète- 4 ment l'étoffe (...) c'était un drapeau tricolore de la grandeur d'une serviette (...)
— C'est mon mari qui m'a envoyé ça pour le quatorze juillet. L'autre était trop déteint. Je l'ai arraché de sa hampe que j'ai conservée (...) Première qualité de soie (...) Il faut que je couse ça drapeau à sa hampe.
J. GREEN, Adrienne Mesurat, II, II, p. 159.

Et l'on voit défiler des armées entières dont chaque 4.1 homme est un porte drapeau, et qui ne sont que des armées de drapeaux, une vaste mer, houleuse et creusée par le vent, d'étendards, d'enseignes, de bannières, d'emblèmes et d'oriflammes.
M. TOURNIER, le Roi des Aulnes, p. 323.

♦ **2** Drapeau servant de signal*. *Abaisser le drapeau à damiers à l'arrivée du premier concurrent d'une course d'automobiles. Drapeau rouge de chef de gare. Drapeau signalant des travaux, sur une route.*

♦ **3** a *Le drapeau,* symbole de l'armée, de la patrie, etc. Le respect, le culte du drapeau. L'honneur du drapeau. Mourir pour le drapeau.*

b *Les drapeaux :* l'armée*. — Loc. *Être sous les drapeaux :* être en activité de service dans l'armée. Appeler une classe, les réserves sous les drapeaux.* → **Mobiliser.**

REM. La forme *sous le drapeau* est archaïque :

Outre ces troupes, tenues continuellement sous le drapeau, 5 chaque village entretenait un franc-archer (...)
VOLTAIRE, Essai sur les mœurs, LXXX.

Se ranger, combattre sous les drapeaux d'un chef, d'un pays, dans les armées de ce chef, de ce pays (→ Affluer, cit. 2).

J'attaque sur son trône une reine orgueilleuse, 6
Qui voit sous ses drapeaux marcher un camp nombreux.
RACINE, Athalie, IV, 3.

Enfin, dans la journée de Marengo (...) il semblait avoir 7 définitivement ramené la victoire sous les drapeaux de la Nation.
Louis MADELIN, Hist. du Consulat et de l'Empire,
Le Consulat, I, p. 6.

Emblème, symbole de ralliement* (à un parti, à une cause). → **Bannière.** *Le drapeau du parti.* — Dans des loc. *Se ranger sous le drapeau, se rallier autour du drapeau de qqn, embrasser son parti. Mettre son drapeau dans sa poche :* dissimuler ses opinions, ses convictions. Lever son drapeau :* faire une profession de foi. Porter le drapeau :* être le premier à soutenir une opinion. — Par ext. *Cet homme est le drapeau des manifestants.* → **Porte-drapeau.**

Il *(A. Chénier)* fait voir d'abord (...) la politique s'emparant 8 de tous les esprits, chacun prétendant concourir à la chose publique autrement que par une *docilité raisonnée,* chacun voulant à son tour *porter le drapeau* (...)
SAINTE-BEUVE, Causeries du lundi, 19 mai 1851,
t. IV, p. 149.

Adj. invar. *Bleu drapeau :* le bleu du drapeau tricolore français.

Je roulais pendant une demi-heure dans un vaste marais 9 desséché (...) le ciel, là-dessus, se tendait, bleu drapeau.
Roger VERCEL, Capitaine Conan, XV, p. 248.

♦ **4** (V. 1966). En appos. Signale le caractère prestigieux, symbolique de l'objet qualifié. *Trains* drapeaux. «La S. F. I. O. ne consentira jamais à l'abandon de son adjectif-drapeau* (l'adj. *ouvrière*)» (Sainderichin, 1966, *in* P. Gilbert).

◆ **5** Aviat. *Mettre une hélice en drapeau :* disposer les pales parallèlement au sens de la marche.

Athlétisme. *Un drapeau :* figure de gymnastique où l'athlète se tient horizontalement à un support vertical ou oblique.

◆ **6** Par ext. (du sens 2). *Un drapeau :* une dette chez un commerçant.

10 — Combien doit-on, ici ? demanda Antoine.
— L'ardoise commune ou les drapeaux particuliers ?
René FALLET, le Triporteur, p. 53.

Planter un drapeau : partir, s'éclipser sans payer.

DÉR. Drapeautique, drapelet.

DRAPEAUTIQUE [dʀapotik] adj. — 1932, Céline, cit.; de *drapeau*.

Fam. et littér. Du drapeau national. → **Patriotique**.

La religion drapeautique remplaça promptement la céleste (...)   CÉLINE, Voyage au bout de la nuit, p. 69.

DRAPELET [dʀaplɛ] n. m. — V. 1120, «chiffon»; dimin. de *drapeau*, anc. franç. *drapel*, et suff. *-et*.

◆ **1** (1611; repris 1832). Vx. Petit drapeau ; étendard.

◆ **2** Littér. Petite pièce de tissu (chez Montherlant, *les Bestiaires*, désigne la *muleta*).

◆ **3** (V. 1960). Techn. Partie d'un revêtement de sol qui est repliée et fixée au soubassement. *Le drapelet d'une moquette.*

DRAPEMENT [dʀapmɑ̃] n. m. → **Drapage**.

DRAPER [dʀape] v. tr. — 1225, «fabriquer le drap»; au sens mod., 1636; de *drap*.

◆ **1** Techn. Convertir (une étoffe de laine) en drap*, par le foulage, le lainage, etc. — Spécial. Effectuer le lainage de (une étoffe). → **Lainer**.

1 Aux apprêts, j'étais l'élève du père Fritz, vieux magicien d'Alsace, qui m'enseignait l'art de «draper», c'est-à-dire de lisser le poil d'un tissu brut et de le faire briller. Les laineries, garnies de chardon naturel, devaient accomplir ce travail.   A. MAUROIS, Mémoires, I, VI, p. 85.

◆ **2** Cour. Recouvrir (qqch). de drap, garnir d'une draperie, généralement en signe de deuil. *Draper les tambours pour un enterrement* (→ ci-dessous Drapé, cit. 12). *Draper un portail d'église.*

Absolt. Langue class. ou littér. Porter le deuil.

1.1 (...) nous drapâmes à la mort de Monsieur, comme ayant la même grand'mère que le roi.
PROUST, Sodome et Gomorrhe, Pl., t. II, p. 1089.

◆ **3** Cour. Habiller (qqn, une forme humaine) de vêtements amples, formant des plis harmonieux; représenter (une figure humaine) ainsi vêtue. → 1. **Draperie** (2.). *Draper une figure, une statue à l'antique. Couturier qui drape un mannequin.* — Absolt. *L'art de bien draper.*

2 Je ne connais guère de lois sur la manière de draper les figures; elle est toute de poésie pour l'invention, toute de rigueur pour l'exécution. Point de petits plis chiffonnés les uns sur les autres... Je ne puis souffrir qu'on me montre l'écorché sous la peau ; mais on ne peut trop me montrer le nu sous la draperie. On dit beaucoup de bien et beaucoup de mal de la manière de draper des Anciens.
DIDEROT, Essai sur la peinture, V.

Par anal. Garnir (un objet) d'une étoffe, de manière qu'elle forme des plis harmonieux. *Draper un baldaquin, une fenêtre...*

(Le sujet désigne une étoffe). Recouvrir en formant des plis. *Une toge drapait l'acteur qui jouait le rôle de Néron. Une tenture drapait la table.*

3 Son corsage de velours laisse nus ses bras cerclés de pierres précieuses, et une pièce de soie lamée d'or, aux dessins exquis, la drape comme une statue.
LOTI, l'Inde (sans les Anglais), III, VII, p. 89.

Une ample soierie ancienne drape le piano à queue.   4
J. ROMAINS, les Hommes de bonne volonté, t. V, XIV, p. 99.

Par métaphore :

Le chèvrefeuille, qui drapait un grand arbre mort, apportait aussi le miel de ses premières fleurs.   5
COLETTE, la Chatte, p. 3.

◆ **4** Disposer (une étoffe) de manière qu'elle forme des plis harmonieux. *Draper une tenture, une portière. Draper une toge; une robe. Couturier qui drape une étoffe.*

(...) ces lambeaux d'habillements que ce peuple artiste *(le peuple napolitain)* drape encore avec art (...)   6
Mᵐᵉ DE STAËL, Corinne, XI, II.

◆ **5** Fig. Littér. Cacher* par l'affectation, l'étalage d'apparences flatteuses. → **Cacher, couvrir, envelopper**.

Drapant sa gueuserie avec son arrogance (...)   7
HUGO, Ruy Blas, I, 2.

Et il se mit à rire d'une façon magnifique qui drapait la pauvreté de sa plaisanterie.   8
J. ROMAINS, les Hommes de bonne volonté, t. V, XXVII, p. 291.

◆ **6** Vx. Dire du mal de (qqn), se moquer* de. → **Railler, ridiculiser**.

On dit qu'on l'a drapé dans certaine satire (...)   9
BOILEAU, Satires, III.

Avant de partir j'exerçai mon nouveau talent poétique dans une épître au colonel Godard, où je le drapai de mon mieux.   10
ROUSSEAU, les Confessions, IV.

◆ **SE DRAPER** v. pron.

◆ **1** Arranger ses vêtements de manière à former d'amples plis. *Se draper dans une cape. Musulman qui se drape dans sa djellaba. Acteur qui se drape,* qui dispose son vêtement à l'antique.

Quelques-uns se drapaient dans leurs amples manteaux andalous en drap kaki.   11
P. MAC ORLAN, la Bandera, IV, p. 48.

◆ **2** Fig. *Se draper :* prendre une attitude théâtrale, imposante. → **Poser**; → Ampoule, cit. 3. — Loc. Iron. *Se draper dans sa dignité :* affecter une attitude de dignité offensée, orgueilleuse. — *Se draper dans sa vertu, dans sa probité,* en faire étalage. → **Prévaloir** (se); **parade** (faire parade de...). — REM. On trouve rarement en ce sens la construction *se draper de.* «Il se drape souvent de puritanisme» (Balzac). L'emploi sans complément est vieilli.

Être drapé. *Lit qui se drape d'une couverture, d'un couvre-pied* (→ Couvre-pied, cit.).

◆ **DRAPÉ, ÉE** p. p. adj. et n. m. (1464, au sens 1).

◆ **1** Techn. Préparé comme le drap. *Étoffe drapée, tissu drapé.*

◆ **2** Cour. a Garni d'un drap.

Aux roulements des tambours drapés (...) des grenadiers portaient le corps de leur vaillant capitaine (...)   12
CHATEAUBRIAND, le Génie du christianisme, IV, I, 11.

Lit drapé de perse (→ 2. Perse, cit.).

b Disposé en draperie (étoffes, tissus); couvert d'une étoffe drapée (personnes, parties du corps).

c (Personnes; correspond au pron.). *Berger drapé dans son manteau* (→ Cadis, cit.).

L'épaule des longs plis d'un manteau blanc drapée (...)   13
Murdoc'h, fléau des fils de Math, traître à sa race,
Dans les bois, sur la mer, la poursuit à la trace (...)
LECONTE DE LISLE, Poèmes barbares, «Massacre de Mona».

(...) ces corps drapés comme en des robes de moines, la tête encapuchonnée sous le turban flottant par derrière (...)   14
MAUPASSANT, la Vie errante, D'Alger à Tunis, p. 167.

15 (...) leurs voiles blanches, tendues sur des vergues horizontales, retombaient mollement, drapées à mille plis comme
des stores (...) LOTI, Mᵐᵉ Chrysanthème, II, p. 4.

♦ **3** N. m. **DRAPÉ** : ensemble des plis formés par
l'étoffe d'un vêtement. *Le drapé d'une robe. Un beau
drapé. Les drapés monumentaux de Michel-Ange.*

CONTR. **Dénuder, dévêtir. — Tirer** (une étoffe). ◊ DÉR. **Drapage** ou **drapement.**

1. **DRAPERIE** [dʀapʀi] n. f. — 1180; de *drap.*

♦ **1** Vx. Étoffe, vêtement de drap.

Comm. Tissu de laine. → **Lainage.** *Un coupon de
draperie anglaise. Des draperies en laine peignée.*

♦ **2** (1677). Étoffe, vêtement ample et formant de
grands plis; représentation d'un tel vêtement par
le dessin, la peinture, la sculpture (→ Draper, cit. 1).
*Effet décoratif expressif, ornemental d'une draperie.
Draperie antique. Le jet, les plis, les ondulations
d'une draperie. Draperie ample; draperie collée à la
chair, draperie mouillée* (→ Couvrir, cit. 4). *Draperie
qui caresse* (cit. 12) *le corps. Draperie de moire, de
velours.* — Peint. Vx. *Faire la draperie.*

1 (...) ces corps *(des déesses du Parthénon)* aux formes si
amples et si gracieuses à la fois sous les mille plis des
légères draperies qui les moulent.
Paul RICHER, Nouvelle anatomie artistique, t. V,
Art grec, p. 263.

♦ **3** Étoffe de tenture drapée. *Les draperies d'un
lit, d'une fenêtre.* → **Cantonnière, rideau, tenture.**
*De lourdes, de somptueuses draperies. Les franges
d'une draperie.*

2 (...) les lourdes draperies qu'une main invisible attire des
profondeurs de l'Orient (...)
BAUDELAIRE, le Spleen de Paris, XXII.

Par métaphore :

3 Les convolvulus (...) suspendent devant son nid *(de la poule
d'eau)* des draperies de verdure (...)
CHATEAUBRIAND, le Génie du christianisme, I, V, 7.

♦ **4** Fig. et littér. Vx. Ornements superflus. *Les draperies du style, de la rhétorique.*

HOM. 2. **Draperie.**

2. **DRAPERIE** [dʀapʀi] n. f. — 1254; de *drapier.*

♦ **1** Fabrication, commerce du drap; métier de drapier*.

♦ **2** Manufacture de drap. *Les draperies d'Elbeuf, de
Castres.*

HOM. 1. **Draperie.**

DRAP-HOUSSE [dʀaus] n. m. — 1958; de *drap* (2.),
et *housse* (2.).

Techn., comm. Drap dont les coins et les rebords
sont conçus de manière à emboîter le matelas.
Plur. *Des draps-housses.*

DRAPIER, IÈRE [dʀapje, jɛʀ] n. et adj. — 1244; au
fém., 1248; de *drap.*

♦ **1** Personne qui fabrique, vend le drap* (I.). —
REM. Le fém. n'est plus attesté en franç. mod., mais reste
virtuel. *La corporation des drapiers. Les drapiers-
chaussetiers* (XVᵉ-XVIᵉ s.). *Le syndic des drapiers,*
tableau de Rembrandt.

Adj. *Marchand drapier. Ouvrier drapier.*

♦ **2** Qui concerne la fabrication, le commerce du
drap (I.). *Le commerce drapier,* de drap. *Industrie
drapière.*

Loc. Vx. *Épingle drapière.* → **Drapière.**

DÉR. 2. **Draperie, drapière.**

DRAPIÈRE [dʀapjɛʀ] n. f. — 1811; de *drapier,* adj.,
épingle drapière.

Techn. Épingle grosse et courte.

1. **DRASTIQUE** [dʀastik] adj. — 1741; grec *drastikos*
«qui agit», dér. du verbe *drân* «agir, faire».

Méd. *Purgatif, remède drastique,* énergique, très
actif. N. m. *Un drastique* (ex. : *aloès, colchique, coloquinte, jalap, nerprun, scammonée).* → **Hydragogue,
purgatif.**

Résolu de s'en tenir désormais aux drastiques, aux hydra-
gogues et aux minoratifs, le docteur avait brusquement
quitté Paris (...)
VILLIERS DE L'ISLE-ADAM, Tribulat Bonhomet,
p. 181.

HOM. 2. **Drastique.**

2. **DRASTIQUE** [dʀastik] adj. — 1875, *in* Littré, Suppl.;
angl. *drastic* «radical, rigoureux» *(drastic measures),*
même orig. que 1. *drastique.*

Anglic. (Choses). Énergique, draconien. *Une réforme
drastique. Des mesures drastiques.*

Drastique. Forme ultra-moderne de «draconien». Très
prisé par les exp. *(experts)* pour toutes sortes de mesures.
P. DANINOS, le Jacassin, p. 84.

DÉR. **Drastiquement.** ◊ HOM. 1. **Drastique.**

DRASTIQUEMENT [dʀastikmɑ̃] adv. — Mil. xxᵉ; de
l'anglicisme 2. *drastique.*

(Critiqué). De manière énergique, radicale. *«On
limite drastiquement l'accès à l'enseignement* (en
Russie tsariste)» *(l'Express,* 3 mars 1979, p. 166).

1. **DRAVE** [dʀav] n. f. — xvᵉ; esp. *draba,* ou ital. *draba,*
du lat. *drabe,* lui-même du grec *drabê.*

Bot. Plante dicotylédone *(Crucifères),* herbacée.
Drave vernale, à fleurs blanches.

HOM. 2. **Drave.**

2. **DRAVE** [dʀav] n. f. — Mil. xixᵉ; mot canadien, adapt.
de l'angl. *drive* «conduire».

Anglic. (Canada). Flottage* du bois; action de
diriger le transport du bois flotté par eau.

Ce n'était plus le torrent des hommes lorsque, après les
draves, ils dévalaient de la montagne, et se précipitaient
dans le chemin des maisons.
Félix-Antoine SAVARD, Menaud, maître-draveur,
p. 36.

Faire la drave. → **Draver.**

HOM. 1. **Drave.**

DRAVÉE [dʀave] n. f. (Régional). → 2. **Dragée.**

DRAVER [dʀave] v. intr. — D. i. (XIXᵉ); mot canadien,
adapt. de l'angl. *to drive* «conduire». → 2. **Drave.**

Anglic. (Canada). Diriger le flottage du bois.
→ 1. **Flotter** (II.).

DRAVEUR [dʀavœʀ] n. m. — Mil. xixᵉ; mot canadien,
de 2. *drave,* d'après l'amér. *driver,* ou de *draver.*

Anglic. (Canada). Ouvrier travaillant à la drave*
(2. Drave), au flottage* du bois. → **Flotteur.** *Maître-
draveur* (→ 2. Drave, cit.).

Un gros village, rendez-vous des bûcheux, des draveurs,
des trappeurs. Ce sont des clients de choix pour les
auberges et les hôtels. Ils boivent sec et l'argent ne leur
pèse pas au bout des doigts.
Jean-Yves SOUCY, Un dieu chasseur, p. 46.

DRAVIDIEN, ENNE [dʀavidjɛ̃, ɛn] adj. et n. m.
— 1856, *dravidique*, Lachâtre ; *dravidien*, 1865, *Rev. des cours sc.*, t. II, p. 815; du sanscrit *Dravida*, province du sud de l'Inde, par l'interm. de l'angl. *dravidian* (1856); a remplacé *malabare*.

♦ **1** Relatif aux Dravidiens (populations noires de l'Asie). *Peuples dravidiens. L'art dravidien. — Langues dravidiennes* : groupe des langues qui étaient parlées avant l'arrivée des Aryens dans l'Inde, et qui sont parlées au sud de l'Inde. *Le tamoul*, le malayalam, le télougou sont des langues dravidiennes.*

L'Hindou du Sud, de race dravidienne, petit, vif, colérique, ne correspond plus en rien à la conception que l'Européen a de l'Hindou. Dès qu'on arrive dans le Sud, la peau devient foncée, on a affaire à des presque noirs (...)
> Henri MICHAUX, Un barbare en Asie, p. 115.

♦ **2** N. m. **DRAVIDIEN** : étage géologique correspondant au permien* moyen *(pendjabien). — Le dravidien* : la langue dravidienne.

DRAVIÈRE [dʀavjɛʀ] n. f. — 1318; de l'anc. franç. *drave*, probablt du bas lat. *dravoca* d'orig. gauloise.

Régional. Plante fourragère (vesce); fourrage mêlé.
→ 2. **Dragée.**

Et elle le quitta *(le bœuf)* disant : «Avale la dravière fleurie ! Engoule la luzerne bleue !»
> CLAUDEL, la Jeune Fille Violaine, *in* Théâtre, t. I, Pl., p. 507.

DRAWBACK [dʀobak] n. m. — 1832; attestation isolée, 1755; mot angl. «remise», de *to draw* «tirer», et *back* «en arrière».

Anglicisme.

♦ **1** Comm. Remboursement des droits de douane payés à l'entrée de matières premières, lorsque les produits manufacturés qu'elles ont servi à fabriquer sont exportés. *Le système des drawbacks est voisin de celui de l'admission temporaire.*

«Drawback», qui indique la restitution des droits perçus sur les matières premières lors de la sortie des produits fabriqués, a été importé d'Angleterre vers le milieu du siècle *(le XVIIIᵉ s.)*, et a remplacé *droit de restitution* : à la réexportation on accordait un «drawback» de 4 shellings (FORBONNAIS, Comm. des col. angl., 1755)... Il figura dans le Traité de Versailles du 26 septembre 1766 (...)
> BRUNOT, Hist. de la langue franç., t. VI, I, p. 319.

♦ **2** Fig. Vx (anglic. à la mode entre 1820 et 1870). Inconvénient. «*Le drawback consistait en puces et en cousins gros comme des alouettes*» (Mérimée, *Lettres à une inconnue*, t. I, p. 51).

DRAWING-ROOM [dʀowiŋʀum] n. m. — 1725; mot angl. *drawing-room* «salon, boudoir», issu de *withdrawing-room*, de *to withdraw* «se retirer», et *room* «pièce».

Anglic. Salon de réception, en Angleterre.

DRAYAGE [dʀɛjaʒ] n. m. — 1858; de *drayer*.

Techn. Opération d'égalisation des peaux dans le corroyage ou le tannage.

DRAYER [dʀeje; dʀɛje] v. tr. — 1741; du néerl. *draaien* «tordre».

Techn. Égaliser (une peau) en enlevant une partie de la chair, lors du corroyage*. → **Écharner.**

DÉR. Drayage, drayoir ou drayoire, drayure.

DRAYOIR [dʀɛjwaʀ] n. m. ou **DRAYOIRE** [dʀɛjwaʀ] n. f. — Mil. xxᵉ, *drayoir*; *drayoire*, 1740; de *drayer*.

Techn. Couteau à lame cintrée, à deux manches dont se servent les corroyeurs, les tanneurs pour drayer.

J'empruntai à ma logeuse, dont le mari était maître corroyeur aux tanneries de Putney Commons, le cachet de la corporation, portant la drayoire et, de cire rouge, scellai mon envoi au Club Littéraire d'Uper-Thames.
> Jean RAY, les Derniers Contes de Canterbury, p. 232.

DRAYURE [dʀɛjyʀ; dʀɛjyʀ] n. f. — 1846, Bescherelle ; de *drayer*.

Techn. Rognure de peau détachée en drayant.

DREADLOCKS [dʀɛdlɔks] n. f. pl. — 1984; mot angl. d'Amérique (Jamaïque), de *dread* «peur, frayeur» et *locks* «boucles», la coiffure étant supposée symboliser l'«effrayant pouvoir» des authentiques Rastas.

Anglic. Petites tresses réalisées sur l'ensemble de la chevelure. «*(...) des disciples du rastafarisme, la religion qui colle au reggae comme les dreadlocks au Jamaïcain*» (le Monde, 27 juin 1998, p. 27).

DREADNOUGHT [dʀɛdnɔt; dʀɛdnɔf] n. m. — 1906; mot angl. signifiant «qui ne redoute rien», de *to dread* «redouter», et *nought*, forme archaïque, «nullement»; nom d'un cuirassé.

Anglic. Vx ou hist. Mar. Gros cuirassé d'escadre (notamment en 1914-18).

À Cronstadt, l'affaire se déclenche à neuf heures et demie. Ce sont les torpilleurs *T 501* et *T 513* qui ouvrent le feu. Ils torpillent à bout portant l'énorme dreadnought *Tsaréwitch*, vaisseau-amiral.
> B. CENDRARS, Moravagine, *in* Œ. compl., t. IV, p. 153.

DRÊCHE [dʀɛʃ] n. f. — 1688; *drashe* «cosse», 1250; orig. obscure; supposé issu d'un type gaul. *drasca*, ou (P. Guiraud) *drasche*, doublet de *rasche*, *rache*, représenterait la forme *drasicare, d'après le lat. class. *deradere* «enlever en râclant».

Techn. Agric. Résidu de l'orge après soutirage et filtration du moût dans les brasseries. *La drêche est utilisée pour la nourriture du bétail. Drêches fraîches, humides; déshydratées. — Par ext.* Résidu de la distillation des pommes de terre, des grains. — On trouve aussi la graphie *drèche*.

«Ce diable d'homme, dit-il plus tard, il donnerait de la drèche pour de l'orge, qu'on lui dirait encore merci...»
> BERNANOS, Sous le soleil de Satan, *in* Œ. roman., Pl., p. 66.

DRÉE [dʀe] n. f. — 1827, Hugo; mot dial. très antérieur; correspond en langue d'oïl à l'occitan *drac* (→ Drac), du lat. *draco*. → Dragon.

Régional (Île-de-France, Ouest, Nord de la France). Animal fabuleux ou démon.

Les guivres, les dragons, les méduses, les drées,
Grincent des dents au fond des chambres effondrées (...)
> HUGO, la Légende des siècles, t. I, p. 324, *in* T. L. F., art. *Drac.*

1. DRÈGE ou **DREIGE** [dʀɛʒ] n. f. — 1584; orig. inconnue, p.-ê. empr. à l'angl. *dredge* (1576; en composition, *dredge-boat*, 1471).

Techn. Pêche. Grand filet pour la pêche au fond de la mer.

DÉR. 1. **Drégeur** ou **dreigeur.** ◊ **HOM.** 2. **Drège.**

2. DRÈGE [dʀɛʒ] n. f. — 1700; all. *dresche*, de *dreschen* «battre au fléau».

Techn. Peigne métallique servant à séparer la graine de lin d'avec les tiges.

HOM. 1. **Drège.**

1. DRÉGEUR ou **DREIGEUR** [dʀeʒœʀ] n. m.
— 1579, «pêcheur qui se sert de la drège»; sens mod.,
1681; *bateau dreigeur, dreigeur,* 1769; *drégeur,* 1836;
de 1. *drège.*

Techn. (pêche). Bateau pour pêcher à la drège (ou
dreige).

HOM. 2. Drégeur.

2. DRÉGEUR [dʀeʒœʀ] n. m. — xxᵉ; de 2. *drège* ou
d'un verbe *dréger.*

Techn. Ouvrier séparant les graines de lin de la
tige avec la drège.

REM. Le fém. *drégeuse* est virtuel.

HOM. 1. Drégeur.

DREIGE [dʀeʒ] n. f., **DREIGEUR** [dʀeʒœʀ] n. m.
→ 1. Drège, 1. drégeur.

DRELIN [dʀəlɛ̃] interj. et n. m. — 1673, Molière; *dre lin
din din,* 1630; onomatopée.

Onomatopée évoquant le bruit d'une sonnette,
d'une clochette (en général répété). → **Dring; ding**
(dong). *Les drelins d'une sonnette.*

(...) *tout comme si je ne sonnais point. Chienne, coquine!
Drelin, drelin, drelin...*
    MOLIÈRE, le Malade imaginaire, I, 1.

DRENNE [dʀɛn] n. f. → 1. Draine.

DRÉPANOCYTAIRE [dʀepanɔsitɛʀ] adj. — V. 1970;
de *drépanocyte.*

Méd., biol. Du drépanocyte; qui présente des dré-
panocytes. *Globules drépanocytaires.* «*Sujets drépanocytaires*» (*la Recherche,* juil. 1979, p. 786).

DRÉPANOCYTE [dʀepanɔsit] n. m. — V. 1970; du
grec *drepanon* «faux, serpe», et *-cyte.*

Méd., biol. Globule rouge anormal, en forme de
croissant ou de faucille, caractéristique de la drépanocytose*.

DÉR. Drépanocytaire, drépanocytose.

DRÉPANOCYTOSE [dʀepanɔsitoz] n. f. — V. 1970;
de *drépanocyte,* et 2. *-ose.*

Méd. Anomalie sanguine héréditaire caractérisée
par la présence dans les hématies d'une hémoglobine anormale (hémoglobine 5) qui leur confère la forme d'une faucille. *La drépanocytose est
fréquente chez les sujets noirs d'Afrique et d'Amérique du Nord. Des «maladies métaboliques comme
la drépanocytose ou la thalassémie*» (*Sciences et
Avenir,* nᵒ 409, mars 1981, p. 19).

DRESSAGE [dʀesaʒ] n. m. — 1791, au sens I, 2; *dres-
sure,* n. f., 1854; de *dresser.*

Action de dresser.

I ♦ **1** (1847). Rare. Action d'installer (qqch.) en faisant
tenir droit. *Procéder au dressage d'une tente, d'un
lit, d'un échafaud.* → **Érection, installation, montage.**

♦ **2** Techn. Opération qui consiste à donner une
forme plane (→ **Dresser,** II.). *Dressage des pièces de
bois au rabot, des pièces métalliques au tour, à la
lime. Dressage des tôles.* → **Planage.** — Ébarbage des
verres de montre. — Métall. Opération qui succède
au laminage ou à l'étirage, et qui a pour objet de
redresser les barres ou les fils.

Cuis. Présentation des plats sur un fond (riz, pâte,
canapé, etc.).

II Cour. ♦ **1** (1862). Action de dresser (un animal) en
vue de l'habituer à faire ce que l'homme attend
de lui. *Dressage du cheval, du bœuf... Dressage
savant des animaux de cirque. Dressage et domptage*. L'épreuve de dressage au concours hippique.*

(...) *dans ce dressage de perroquets que nous appelons*   1
l'instruction (...)   ALAIN, Propos, p. 22.

(...) *le volatile retenait difficilement une telle série d'évo-*   1.1
*lutions différentes et précises. Norbert aida sa sœur pour
le laborieux dressage* (...)
    Raymond ROUSSEL, Impressions d'Afrique, p. 426.

♦ **2** Fig. et péj. Éducation très sévère orientée vers
l'exécution mécanique d'un programme.

L'éducation, ici, se confond avec le dressage (...)   2
        F. MAURIAC, le Jeune Homme, p. 71.

Enseignement. Dressage. *Toute instruction séparée d'un*   3
*dressage – c'est-à-dire d'une méthode de développement
des puissances de l'individu, aboutit à des animaux par-
lants.*   VALÉRY, Cahiers, t. II, Pl., p. 1569.

CONTR. Démontage. — Pliage.

DRESSANT [dʀesã] n. m. — D. i.; p. prés. de *dresser.*

Régional (Belgique) et techn. Partie la plus proche de
la verticale dans les couches plissées en zig-zag
des terrains houillers. *Exploitation des dressants.*
«*Les phénomènes de plissement forment dans les
couches : des selles et des fonds (s'il sont peu accen-
tués), ou bien des plateures (pendage inférieur à
45°) et des dressants (pendage supérieur à 45°)*»
(M. Cazin, les Mines, p. 22).

DRESSÉ, ÉE [dʀese; dʀɛse] adj. → **Dresser.**

DRESSEMENT [dʀɛsmã] n. m. — XIIᵉ, au sens du lat.
directio, dans *verge de dressement (virga directionis);*
de *dresser.*

♦ **1** Vx. Le fait de dresser (I.) qqch. → **Dressage,**
I. — Mod. Le fait de se dresser. «*Un dressement
d'oreilles*» (Hugo, *l'Homme qui rit*).

♦ **2** (1874). Rare. Action de dresser (I., 4.), de mettre
par écrit. *Le dressement d'une liste.*

DRESSER [dʀese; dʀɛse] v. tr. — 1050, *drecier;* du lat.
pop. **directiare,* dér. du lat. class. *directus* «droit».

I ♦ **1** Tenir droit et verticalement. → **Lever, redresser.**
*Dresser la tête. Chien, chat, cheval qui dresse les
oreilles* (→ **Chauvir**). *Le fait de dresser l'oreille :* dressement de l'oreille.

Les deux faunes qui sont à ses côtés ont dressé leurs   1
oreilles pointues (...)
        DIDEROT, Salon de 1765, Pl., t. XIII, p. 17.

Il dresse le menton, avec la grande barbe blanche qui   2
pousse en long comme une fougère sur un talus (...)
        André SUARÈS, Trois hommes, «Ibsen», III, p. 111.

Le plus grand avait retiré sa casquette, et dressait vers   3
Antoine sa tête de moineau, ronde et mobile, son regard
hardi.   MARTIN DU GARD, les Thibault, t. III, p. 109.

Loc. fig. *Dresser l'oreille :* écouter attentivement,
diriger son attention. → **Écouter; prêter, tendre**
(l'oreille). *Cette proposition lui fait dresser l'oreille.*

Elle est donc encore jeune? dit la Jeannette Vertaud qui   4
commença à dresser l'oreille.
        G. SAND, François le Champi, XIII, p. 105.

(...) *une analogie me saisissait, comme un appel de cor*   5
au sein d'une forêt fait dresser l'oreille.
        VALÉRY, Variété V, p. 135.

Loc. fig. (VX). *Dresser le poil à qqn,* l'obliger à obéir
(→ II., 3.).

Par anal. Présenter une image verticale. *Église qui dresse son clocher à l'horizon. Montagnes qui dressent leurs crêtes* (→ Arête, cit. 4).

6 Une bande très nette de nuages d'un gris nacré coupait Ténériffe horizontalement par le milieu, et, au-dessus, le pic dressait son grand cône baigné de soleil.
LOTI, Mon frère Yves, XLI, p. 109.

◆ **2 Faire tenir droit.** *Dresser un mât, dresser une échelle contre un mur.* → **Planter.** *Dresser des bannières, des enseignes.* → **Arborer.** — Mar. *Dresser la barre,* la mettre parallèlement à la quille du bâtiment.
Par ext. Construire, installer (ce qui est haut et droit). → **Élever, ériger.** *Dresser un monument, une statue. Dresser un autel,* et, *fig., dresser des autels* (cit. 13) *à quelqu'un. Dresser la guillotine, l'échafaud; dresser un bûcher. Dresser un lit, une tente.* → **Monter.**

7 Il avait (...) dressé des temples aux Dieux (...)
RACINE, Remarques sur l'Odyssée, VI.

8 Tout ce que bâtit l'homme est bâti sur le sable (...) Ce qu'il dresse est dressé pour le vent du désert.
HUGO, les Voix intérieures, XXVIII.

9 Il n'a pas été nécessaire de dresser la guillotine de 93 dans toutes les capitales d'Europe, pour que les principes républicains de 89 pénètrent partout (...)
MARTIN DU GARD, les Thibault, t. V, p. 226.

◆ **3** (XIII°). Littér. ou style soutenu. Disposer comme il le faut. → **Installer, préparer.** *Dresser la table, le couvert :* mettre la nappe et le couvert. → **Mettre** (plus cour.). *Dresser un plat,* le présenter. *Dresser la viande et la servir chaude.* — *Dresser une batterie* :* mettre des canons en batterie contre l'ennemi. **Loc. fig.** *Dresser ses batteries :* prendre des mesures contre un adversaire. — *Dresser une embûche, un piège à un animal,* et, *fig., à une personne* (→ **Semer, tendre).**

10 Un homme d'esprit et de caractère simple et droit peut tomber dans quelque piège ; il ne pense pas que personne veuille lui en dresser, et le choisir pour être sa dupe.
LA BRUYÈRE, les Caractères, II, 36.

11 Tout de suite, elle dressait son couvert.
FLAUBERT, Trois contes, «Un cœur simple», III.

12 La table était dressée dans un petit salon (...)
FRANCE, le Crime de S. Bonnard, Œ., t. II, II, p. 455.

◆ **4 Faire établir avec soin.** → **Établir.** *Dresser une carte, un plan. Dresser un tableau, un projet.* → **Calculer, étudier.** *Dresser un catalogue, un inventaire, une liste.*

13 Je dressai à peu près mon plan sur *les Phéniciennes* d'Euripide.
RACINE, la Thébaïde, Préface.

14 La vraie philosophie de l'histoire consiste à suivre la formation de ce patrimoine humain, à dresser, de période en période, l'inventaire de l'humanité.
JAURÈS, Hist. socialiste..., t. V, p. 87.

Spécialt. Rédiger dans la forme prescrite. *Dresser un acte, une procuration, un contrat** (cit. 3). *Dresser (un) procès-verbal* (→ Authentique, cit. 4). — *Dresser (une) contravention. On lui a dressé contravention.* — **REM.** Cette dernière expression très usitée, admise par l'Académie, est critiquée par quelques puristes.

15 L'acquéreur attendait ses vendeurs avec leur argent. Le notaire achevait de dresser les quittances.
BALZAC, le Curé de village, Pl., t. VIII, p. 618.

16 (...) j'ai chargé un architecte de mes amis (...) de me dresser un projet très sommaire, très approximatif, des constructions et installations diverses qu'on pourrait envisager pour l'aménagement et la mise en valeur de la station.
J. ROMAINS, les Hommes de bonne volonté, t. V, XXII, p. 184.

17 La contravention, faute ou infraction contre la loi, le code (*de la route*), un règlement, c'est le chauffeur qui s'en rend coupable et c'est le gendarme surgissant qui, par

une amende, la punit (...) Conclusion : le chauffeur ayant commis une contravention, le gendarme s'empresse de la constater en *dressant procès-verbal.*
Louis PIÉCHAUD, Questions de langage, p. 116.

◆ **5** (XX°). **Compl. n. de personne. Mettre en opposition** (avec qqn). *Dresser une personne contre une autre.* → **Braquer, exciter, monter.**

18 Les autres s'imaginent que c'est moi seul qui lui mets ces idées en tête et qui la dresse contre eux (...)
F. MAURIAC, le Nœud de vipères, II, p. 238.

II (1169). **Technique.** ◆ **1 Rendre droit et plat.** *Dresser une pierre.* → **Équarrir.** *Dresser une planche, une pièce de bois, de métal.* → **Aplanir, dégauchir.** *Dresser un verre de montre,* en rogner les bords. — *Dresser une haie, un espalier.* → **Tailler.** — *Dresser du linge,* le repasser et l'empeser.
Hortic. *Dresser une planche,* la ratisser et la préparer pour un semis.

18 Cette couche de sable très fin était dressée comme une glace, sans qu'un grain dépassât l'autre.
J. VERNE, l'Île mystérieuse, t. I, p. 186.

Préparer (une feuille de contreplaqué) en rendant ses bords absolument rectilignes.

◆ **2 Amener** (une voie ferrée) à coïncider avec son tracé théorique.

◆ **3 Préparer** (un animal) pour l'équarrissage.

18 — Il serait peut-être temps que je descende équarrir un peu. J'ai quatre bêtes en retard, qui sont à peine dressées.
— Tu les dresses, maintenant ?
— Oh ! tu es fatigant. Il faut t'expliquer tous les termes techniques. Dressées, c'est aplanies, dégrossies, ce que tu voudras. C'est comme quand on est mécanicien, on dresse des pièces sur des marbres.
Boris VIAN, l'Équarrissage pour tous, X, *in* Théâtre, p. 244-245.

III (XVI°). **Rendre soumis, habituer** (un être vivant) à faire docilement et régulièrement quelque chose.
◆ **1 Vx.** (Personnes). *Dresser un soldat au métier des armes.* → **Familiariser** (avec), **former.** — (Sans compl. en a). *Dresser un enfant, un élève.* → **Éduquer, élever, instruire.** *Dresser un domestique.* → **Styler.** — **REM.** *Dresser* pour «instruire», en parlant des personnes, a pris de nos jours, par suite de son application aux animaux, un sens péjoratif (→ ci-dessous, 3.) qu'il n'avait pas autrefois. *«Ce précepteur a bien dressé cet écolier»;* Trévoux, 1771. **Fig.** *Dresser son esprit, sa mémoire...* → **Exercer, habituer.**

19 On ne méprise pas la mémoire, on la dresse, on la contraint et on la fait obéir.
G. DUHAMEL, Inventaire de l'abîme, V, p. 67.

◆ **2** (Le compl. désigne un animal). **Habituer par le dressage*** à effectuer un programme précis. *Dresser un chien pour la chasse* (→ Cerf, cit. 4). *Dresser un cheval à coups de caveçon*,* en lui faisant monter des obstacles, en l'obligeant à des exercices. → **Manège, manéger.** *Achever de dresser un cheval.* → **Confirmer.** *Dresser un oiselet; un oiseau de proie* (→ **Apprivoiser, dompter, mater).** *Dresser des animaux de cirque. Dompter*,* puis dresser des fauves.
Dresser un chien à la chasse, à chasser.

20 Rien ne vaudra jamais deux beaux chevaux, qu'on a dressés à trotter ensemble, du même pas, la patte haute et ronde, à tête bien relevée (...)
J. ROMAINS, les Hommes de bonne volonté, t. III, XII, p. 166.

◆ **3 Fam.** (Compl. n. de personne). **Faire céder, plier.** → **Dompter, façonner, mater ;** → Mener à la baguette*. *Je vais te dresser. La vie se chargera de le dresser; il se fera dresser au service militaire. Cela le dressera* (cf. fam. Cela lui fera les pieds). *Il a été rudement dressé par son père.*

◆ **SE DRESSER** v. pron.

♦ **1** Se mettre droit. *Se dresser sur la pointe des pieds pour mieux voir.* → **Hausser** (se). *Cavalier qui se dresse sur ses étriers. Se dresser sur son siège,* et, absolt, *se dresser.* → **Debout** (se mettre debout), **lever** (se lever). *Se dresser sur son lit; sur son séant.* → **Asseoir** (s'). *Coq qui se dresse sur ses ergots.* Loc. fig. *Se dresser sur ses ergots*. — Animal qui se dresse sur ses pattes de derrière.* → **Cabrer** (se). *— Cheveux qui se dressent sur la tête,* en signe de frayeur. → **Hérisser** (se). *— Fig.* (avec ellipse de *se*). *Faire dresser les cheveux sur la tête de qqn.* → **Cheveu** (cit. 30).

21 Grantaire se dressa en sursaut, étendit les bras, se frotta les yeux, regarda, bâilla, et comprit.
HUGO, les Misérables, V, I, XXIII.

22 Il monte en courant vers la chambre de sa mère. Elle, de son lit ayant bien reconnu le pas du fils, s'est dressée sur son séant, toute raide, toute blanche dans le crépuscule (...)
LOTI, Ramuntcho, II, II, p. 224.

23 La chatte dehors, miaula pour entrer, et se dressa contre le grillage abaissé, en le grattant délicatement, comme une joueuse de harpe.
COLETTE, la Naissance du jour, p. 151.

(Choses). Être droit, vertical. *Montagne qui se dresse à l'horizon.* → **Élever** (s'), **pointer**. *Arbres qui se dressent de chaque côté de la route. Maison, monument... qui se dresse sur une place.*

24 Dans la campagne muette, les peupliers se dressent comme des doigts en l'air et désignent la lune.
J. RENARD, Histoires naturelles, Le grillon.

Obstacles* qui se dressent sur la route, sur le chemin. Fig. Se présenter. *«Telle est la question qui se dressera dans une foule d'esprits»* (Baudelaire, *les Paradis artificiels*).

♦ **2** (Personnes). Manifester une volonté d'opposition. *Se dresser contre quelqu'un.* → **Braquer** (se), **élever** (s'), **insurger** (s'), **opposer** (s'opposer à). *Se dresser contre l'envahisseur.* → **Face** (faire); **résister; combattre**. *Peuple qui se dresse contre un gouvernement, contre des procédés illégaux.* → **Insurger** (s'), **résister** (à).

25 Mais le jour où cette organisation socialiste, ouvrière, se dressera contre la guerre, elle sera justement irrésistible?
J. ROMAINS, les Hommes de bonne volonté, t. IV, IX, p. 93.

26 (...) ayant dû finalement affronter l'Europe presque tout entière, la France s'était, en un magnifique mouvement d'énergie, dressée contre tant d'ennemis (...)
Louis MADELIN, Hist. du Consulat et de l'Empire, De Brumaire à Marengo, V, p. 63.

♦ **3** (Passif). Pouvoir être dressé (animaux). *Les puces, dit-on, se dressent facilement. «Les araignées s'apprivoisent, mais ne se dressent pas»* (R. Queneau, *Loin de Rueil*, p. 69).

◆ **DRESSÉ, ÉE** p. p. adj.

♦ **1** → 1. **Droit**. *Oreilles dressées. Personne dressée sur son séant, sur la pointe des pieds. Animal dressé sur ses pattes de derrière* (→ ci-dessus, I., 1.).

27 Dressés sur la pointe des pieds, ils tendent le cou et suivent les visiteurs d'un regard de singe, insolent et peureux.
SARTRE, la Mort dans l'âme, p. 268.

Installé, construit. *Statue dressée sur une place; tente dressée dans un pré* (→ ci-dessus, I., 2.).

28 Nous nous étions assis sur un tertre, au pied d'une croix noire, dressée au fond d'une retraite ombreuse, où l'on accède par quelques degrés de terre, sorte d'oratoire rustique.
André SUARÈS, Trois hommes, «Pascal», II, p. 45.

♦ **2** Arrangé, disposé (→ ci-dessus, I., 3.). *Buffet dressé.* **Table dressée. —** Établi, rédigé. *Liste dressée. Procès-verbal dressé contre quelqu'un* (→ ci-dessus, I., 4.).

♦ **3** En opposition (→ ci-dessus, I., 5. et v. pron., 2.). *Une noblesse insoumise et dressée contre l'État* (→ Décimé, cit. 3). *Personne dressée contre une autre. Peuple dressé contre la guerre.*

29 Ah! tu ne peux savoir ce qu'est de sentir, d'avoir toujours senti le monde entier dressé contre soi!
A. MAUROIS, Études littéraires, J. de Lacretelle, t. II, p. 225.

♦ **4** Apprivoisé, dompté (→ ci-dessus, III.). *Dressé à..., pour... Animal bien dressé, chien dressé pour la chasse. — Mémoire dressée à retenir certaines choses.* → **Rompu**.

(Sans compl.). *Présenter des chiens dressés dans un spectacle* (→ **Savant**). — Fam. *Un enfant bien dressé,* qu'une éducation sévère a rendu docile, obéissant.

CONTR. **Abaisser, baisser, coucher, courber, plier; abattre, défaire, démonter, ôter. — Gauchir. — Coucher** (se); **accord** (être d'accord avec), **obéir, soumettre** (se). ◊ DÉR. **Dressage, dressant, dressement, dresseur, dressoir.**

DRESSEUR, EUSE [dʀɛsœʀ, øz] n. — 1536; de *dresser.*

I ♦ **1** Celui, celle qui dresse des animaux. *Dresseur de chiens* (cit. 16). *Dresseur de fauves.* → **Dompteur**. *Une dresseuse de chevaux.*

(Sans compl.). *Un dresseur et ses animaux savants.*

♦ **2** Techn. Ouvrier qui prépare la forme des objets. *Dresseur de gants. — Dresseur de cannes à pêche.*

II Techn. ♦ **1** N. f. **DRESSEUSE** : machine à dresser (II.), spécialt, les rives d'une feuille de placage (contreplaqué); les dents d'une lame de scie.

♦ **2** Adj. *Dresseur, euse,* qui dresse (II.). *«Dresseuse à fraise ou massicot dresseur»* (J.-C. Reggiani, *Industrie et commerce du bois*, p. 49).

DRESSING-ROOM [dʀɛsiŋʀum; dʀɛsiŋʀum] ou **DRESSING** [dʀɛsiŋ; dʀɛsiŋ] n. m. — 1875, *in* Höfer; mot angl. (1675) «cabinet de toilette», proprt «pièce (room) pour s'habiller (dressing)», p. prés. de *to dress* «s'habiller».

Anglic. Petite pièce attenant à une chambre à coucher, où sont rangés ou pendus les vêtements. Pl. *Des dressing-rooms, des dressings.* — Recomm. off. (Journ. off. du 18 janv. 1973) : *vestiaire.*

Énervée, soucieuse, elle gagne le dressing-room, en sort ses deux valises de cuir fauve.
Roger BORNICHE, le Gringo, p. 198.

DRESSOIR [dʀɛswaʀ] n. m. — 1321, *drechoir; drechor, dreçor,* 1285; de *dresser,* et suff. *-oir.*

I ♦ **1** Cour. Étagère, buffet à gradins où sont dressés et exposés les objets faisant partie du service de la table (vaisselle, vases, boîtes...). → **Crédence, panetière, vaisselier**. *Buffet à dressoir,* comportant une partie haute sans porte.

(...) de hauts dressoirs en chêne sculpté, où luisaient vaguement des blocs d'orfèvrerie : aiguières, salières, boîtes à épices, hanaps, vases à panses renflées, grands plats d'argent ou de vermeil (...)
Th. GAUTIER, le Capitaine Fracasse, XVI, t. II, p. 176.

♦ **2** Techn. Égouttoir à fromages en forme de buffet.

II ♦ **1** Techn. Outil servant à dresser (II. 1) dans différents métiers (mode, ganterie, etc.). Dans la gravure sur pierre, Plaque de métal poli sur laquelle on adoucit la pierre (à l'émeri).

♦ **2** Hortic. Planche de bois pour dresser (aplanir) le terreau.

DRET [dʀɛ; dʀɛt], **DRETTE** [dʀɛt] adj. et adv.
— Attesté par écrit 1665, La Fontaine ; var. de *droit*.

Régional. Droit (adj. ou adv.). *Tout dret. — Au dret de...* (Balzac) : au droit (en face) de...

DRÈVE [dʀɛv] n. f. — XIIIᵉ, comme toponyme dans le Boulonnais ; 1420, comme nom commun ; moyen néerl. *dreve*, de *driven* «conduire».

Régional (Belgique). Allée bordée d'arbres. → **Avenue, mail.** *La drève qui conduit au château.*

Je suivais sans hâte une longue drève de peupliers d'Italie, toute droite, se soudant à l'horizon.
> Jean RAY, le Livre des fantômes, 1947, «Mon fantôme à moi».

DREYFUSARD, ARDE [dʀefyzaʀ, aʀd ; dʀɛfyzaʀ, aʀd] adj. et n. — 1898 ; de *Dreyfus*, et suff. péj. *-ard*, par oppos. au terme neutre *dreyfusiste**.

Partisan de Dreyfus. — REM. Le mot l'a emporté sur *dreyfusiste* et a perdu sa valeur péjorative.

1 À peine engagé dans l'affaire Dreyfus, il *(Jaurès)* sentit bien que des épreuves nouvelles et des devoirs nouveaux allaient commencer pour tous les dreyfusards, comme on les nommait dédaigneusement.
> Ch. PÉGUY, Préparation du congrès socialiste, Cahiers de la quinzaine, février 1900, *in* la République..., p. 22.

2 — Mais Robert de Saint-Loup pourtant est dreyfusard ?
— Ah ! tant mieux (...) Cela ne m'étonne pas, il est très intelligent (...)
Le dreyfusisme avait rendu Swann d'une naïveté extraordinaire.
> PROUST, le Côté de Guermantes, Pl., t. II, p. 582.

3 (...) un autre soir, à la sortie d'une réunion dreyfusarde (...) il a été emmené au poste, pour avoir conspué les sans-patrie, et crié à pleine gorge : *Mort aux juifs !... Vive le Roi !...*
> O. MIRBEAU, le Journal d'une femme de chambre, p. 171.

REM. La forme *dreyfusien, ienne,* adj. et n., est attestée en 1898.

CONTR. et COMP. **Antidreyfusard.**

DREYFUSISME [dʀefyzism ; dʀɛfyzism] n. m. — 1897 ; de *Dreyfus*, et *-isme*.

Polit. Attitude des partisans de Dreyfus, lors de l'«affaire».

1 Le dreyfusisme l'a perdu. Dans les journaux, on se défie de lui comme d'un anarchiste.
> J. RENARD, Journal, Pl., p. 693.

2 Connaissez-vous M. Droz, une rude vertu franc-comtoise, un de ces Dreyfusards qui se sont dressés dans leur dreyfusisme comme les Montagnards dans leur incorruptibilité ?
> J.-R. BLOCH, *in* Deux hommes se rencontrent, p. 78.

CONTR. et COMP. **Antidreyfusisme.**

DREYFUSISTE [dʀefyzist ; dʀɛfyzist] adj. et n. — 1897 ; de *Dreyfus*.

Vx ou hist. Partisan de Dreyfus. → **Dreyfusard** (cour.).

Ils expliquaient qu'on fût dreyfusiste parce qu'on était d'origine juive.
> PROUST, le Côté de Guermantes, Pl., t. II, p. 583.

DRIBBLE [dʀibl] ou **DRIBBLING** [dʀibliŋ] n. m. — 1913, *dribble, in* Höfler ; *dribbling*, 1889 ; mots angl., de *to dribble*, proprt «tomber goutte à goutte».

Anglic. Sports. Action de dribbler.

(...) match nul (...) malgré la boue, les mêlées défoncées et le dribbling des gars du chardon *(les Écossais).*
> A. ARNOUX, Suite variée, p. 41.

REM. La forme anglaise *dribbling* est vieillie. — Recomm. off. : *drible.*

DRIBBLER [dʀible] v. tr. — 1895 ; de l'angl. *to dribble.*

Anglicisme. Sports (football ou rugby).

♦ 1 Courir en donnant de petits coups sur le ballon, en le faisant passer d'un pied à l'autre, sans en perdre le contrôle. — *Dribbler le ballon* (basket ou hand-ball) ou *dribbler* (1895) : se déplacer en faisant rebondir le ballon au sol. — REM. L'emploi transitif avec *balle* ou *ballon* pour complément est vieilli. — Intrans. ou absolt. *Il s'amuse à dribbler au lieu de shooter.*

Voici deux avants de l'équipe adverse qui arrivent en dribblant ; il serait difficile de trouver un spectacle athlétique plus laid que le dribbling, que ce trot de crapauds qui retiennent en laisse et caressent lourdement de la botte cette balle ronde, toujours prête à s'échapper.
> Jean PRÉVOST, Plaisirs des sports, p. 140.

♦ 2 (1930, *in* Höfler). *Dribbler un joueur, un adversaire,* le passer en dribblant. *Il s'est fait dribbler.*

Recomm. off. : *dribler.*

DÉR. **Dribbleur.**

DRIBBLEUR, EUSE [dʀiblœʀ, øz] n. — 1895, *in* Petiot ; de *dribbler*, et suff. *-eur*, pour rendre l'angl. *dribbler*, de *to dribble.*

Sports. Joueur, joueuse qui dribble bien ou aime à dribbler.

Recomm. off. : *dribleur, euse.*

DRIFT [dʀift] n. m. — 1842 ; mot angl. proprt «mouvement, poussée» de l'anc. angl. *drifan*, angl. mod. *to drive* «conduire ; dériver ; chasser».

Anglicisme.

♦ 1 Géol. Dépôt argilo-sableux laissé par le recul d'un glacier.

♦ 2 (1852). Tourbillon de neige ; rafale de vent dans une zone polaire.

Le 2 octobre, la colonne thermométrique s'était encore abaissée, les premières neiges envahirent tout le territoire aux environs du cap Bathurst. La brise, étant molle, ne forma point un de ces tourbillons, si communs dans les régions polaires, auxquels les anglais ont donné le nom de «drifts».
> J. VERNE, le Pays des fourrures, t. I, p. 223.

♦ 3 (1866, J. Verne, *le Capitaine Hatteras*). *Drift-ice* ou *drift* : glaçon flottant, qui dérive. — REM. La graphie *drifft* (Cendrars, *in* T. L. F.) est aberrante.

DRIFTER [dʀiftœʀ] n. m. — 1922, *in* Höfler ; angl. *drifter,* 1883, de *(to) drift* «dériver».

Anglic. Mar. Bateau de pêche qui utilise des filets dérivants. → **Dériveur,** 3.

En 1928, les «drifters» à voiles pratiquant la pêche du hareng et du maquereau (...) avaient (...) disparu.
> A. BOYER, les Pêches maritimes, p. 14.

1. DRILL [dʀil] n. m. — 1775 ; de *mandrill**.

Zool. Grand singe cynocéphale d'Afrique occidentale, remarquable par ses callosités fessières d'un rouge vif. *Des drills.*

HOM. **2. Drill, 3. drill.**

2. DRILL [dʀil] n. m. — 1922 ; mot angl. «exercice militaire» (1637), apparenté à un mot all. (répandu après 1870), de l'anc. all. *drillen* «faire tourner».

♦ 1 Germanisme. Milit. Méthode d'entraînement* (II.) des recrues. — Plur. Exercices militaires fondés sur la répétition intensive.

♦ 2 (1965). Anglic. Didact. Méthode d'enseignement programmé (2.), fondée sur l'acquisition d'automatismes. → **Entraînement** (II.). — Spécialt. Exercice (I.) systématique, dans cette méthode.

HOM. **1. Drill, 3. drill.**

3. DRILL [dʀil] n. m. — 1855; *drilling*, 1802; angl. *drilling*, même sens (1640).

Anglic. Techn. Variété de serge (tissu).

HOM. 1. Drill, 2. drill.

1. DRILLE [dʀij] n. m. — 1628; argot milit.; orig. obscure, p.-ê. de l'anc. franç. *drille* «chiffon» ou *soudrille*, croisement de *soudard* et de *drille*, d'un v. **druiller*, anc. all. *durlichen* «déchirer» ou de *driller*, vx «courir çà et là», emprunté au néerl. *drillen*; P. Guiraud rattache le mot à *rille*, du lat. *regula* «règle» par une forme hypothétique **deriller* «sortir de l'ordre, de la règle».

♦ 1 Vx. Soldat vagabond, soudard.

1 (...) ses cheveux de drille, plus longs que ceux des autres paysans du village, ses serments à la soldate (...) et une épée rouillée qui lui battait de vieilles bottes encore qu'il n'eût eu de cheval, tout cela donna dans la vue d'une vieille veuve qui tenait hôtellerie.
> SCARRON, le Roman comique, II, VI, p. 183.

♦ 2 (1680). Loc. **BON DRILLE** (VX); **JOYEUX DRILLE** (mod.) : joyeux compagnon, homme jovial. **→ Luron.**

2 Il était seul, et, entrant dans une espèce de cabaret, il s'attable et demande qu'on lui fasse venir le bon drille de l'endroit pour causer avec lui.
> E. DELACROIX, Journal, 29 oct. 1854.

3 C'est un brave homme, mais un joyeux drille. Je crois qu'il n'a jamais dessoulé.
> B. CENDRARS, l'Homme foudroyé, p. 108.

REM. Les syntagmes *un pauvre drille*, *un vieux drille* (un vieux débauché) sont archaïques.

HOM. 2. Drille, 3. drille.

2. DRILLE [dʀij] n. f. — 1370; orig. obscure; p-ê. de l'anc. breton *druilla* «déchirer», du moy. néerl. *dril* «trou percé au foret», apparenté à 2. *drill* (→ 3. Drille) ou des anc. verbes *druiller*, *driller*. → 1. Drille.

Techn. Lambeau de chiffon utilisé pour la fabrication du papier. **→ Drapeau.** (S'emploie surtout au pluriel).

HOM. 1. Drille. 3. drille.

3. DRILLE [dʀij] n. f. — 1752, in Trévoux; all. *drillen* «percer en tournant». → 2. Drille.

Techn. Sorte d'outil à foret. **→ Burin, trépan.**

DÉR. Driller. ◊ HOM. 2. Drille, 3. drille.

DRILLER [dʀije] v. tr. — 1870; de 3. *drille*.

Techn. Percer avec une drille.

DRING [dʀiŋ] interj. et n. m. — XXe; onomat. analogue à *drelin*, p.-ê. avec infl. de *ding*, *dong*.

Onomatopée évoquant le bruit d'une sonnette (**→ Drelin**); spécialt, d'une sonnette électrique. — Répété : *Dring, dring!*

1 (...) tout à coup, vers onze heures du soir, dring, un coup de sonnette.
> J. DUTOURD, les Horreurs de l'amour, p. 657.

2 C'est complet! Plus personne! Complet jusqu'au prochain! Et dring! De la main droite, il fit le geste de tirer une sonnette.
> Robert MERLE, Week-end à Zuydcoote, p. 213 (1949).

REM. On trouve les var. *drin, drinn* [dʀin].

DRINGUELLE [dʀɛ̃gɛl] n. f. — 1683; de l'all. *trinkgeld*, même sens.

Régional (Belgique). Pourboire.

DRINK [dʀink] n. m. — 1874, *in* Höfler; mot angl. de *to drink* «boire».

Anglic. (Affecté). Boisson alcoolisée (dans un contexte mondain, au bar, etc.). **→ Verre.** *Boire un drink. Des drinks.*

1 Quant à eux, comptes-tu pour rien le plaisir de dire à leur bar, sur le coup de minuit, tout en suçant la paille d'un drink (...)
> Paul BOURGET, la Duchesse bleue, p. 68 (1898).

2 L'on compte sur les drinks pour les mettre dans l'atmosphère.
> J. ROMAINS, les Hommes de bonne volonté, t. XXIII, p. 177.

DRIOGRAPHIE [dʀijɔgʀafi] n. f. — 1973; angl. *driography*, de *dry* «sec», voyelle de liaison *-o-*, et *-graphy*. **→ -graphie.**

Anglic. Techn. Procédé d'impression offset* à sec, utilisant une couche de polymères qui repousse l'encre sauf dans les zones correspondant aux caractères. *«La "Driographie", permettant l'impression offset entièrement à sec»* (*l'Express*, 16 juil. 1973, publicité).

DRISSE [dʀis] n. f. — 1639; ital. *drizza* «drisse», déverbal de *drizzare* «dresser» et, spécialt (1606) «hisser une voile».

Mar. Cordage qui sert à hisser une voile, un pavillon, un signal. *Drisse de basse vergue. Le pavillon à mi-drisse*, en berne.

Jasper Hobson, décoiffé par le vent, aveuglé par les averses, saisit le couteau de Norman et trancha la drisse tendue comme une corde de harpe.
Mais le filin mouillé ne courait plus dans la gorge des poulies, et la vergue resta apiquée en tête du mât.
> J. VERNE, le Pays des fourrures, t. I, p. 112.

DRIVE [dʀajv] n. m. — 1894; mot angl., «coup droit et puissant au tennis, au base-ball, au golf, au cricket» (1857); de *to drive* «conduire, mener».

Anglicisme.

♦ 1 Tennis. Coup qui consiste à frapper la balle après un rebond, avec la face de la raquette (la paume de la main en avant) de telle sorte que la balle rase le filet. *Dans le drive, le droitier reprend la balle sur sa droite, le gaucher sur sa gauche. Il est aussi bon dans le drive que dans le revers.* — On dit aussi *coup droit*. **→ Coup** (I., 4.).

Ma pauvre Micheline, c'est fini de nos parties de tennis. Dommage. Ton jeu commençait à se tenir et tu avais un drive qui venait bien. Tu vas te remettre à jouer en double avec des femmes qui te gâteront la main en huit jours.
> M. AYMÉ, Travelingue, p. 23.

♦ 2 (1909, *in* Höfler). Au golf, Coup de longue distance, donné au départ d'un trou, avec le *driver** (1. Driver, I.).

♦ 3 Jazz. Force entraînante (du jeu d'un musicien). *Ce pianiste a du drive.*

CONTR. Revers; lob, smash, volée.

DRIVE-IN [dʀajvin] n. m. invar. — 1953; mot amér. d'abord adj. «où l'on peut entrer en voiture», désignant initialement un cinéma en plein air (v. 1940), de *to drive in* «conduire dedans».

Anglic. Lieu public directement accessible en voiture ou service aménagé de telle sorte que les usagers puissent en bénéficier sans sortir de leur voiture (cinéma, bar, guichet de banque, restaurant, etc.). — Pour le cinéma en plein air, on dit au Québec *ciné-parc* (n. m.).

REM. Le mot, normal lorsqu'on parle des réalités nord-américaines anglophones, compréhensible mais combattu au Québec, est aberrant et d'ailleurs rare à propos des pays francophones.

Adj. *Une «église drive-in»* (l'*Express*, n° 1379, 12 déc. 1977).

1. DRIVER [dʀajvœʀ] ou **DRIVEUR** [dʀivœʀ] n. m. — 1895, *in* Höfler, au sens I., 1.; mot angl. «instrument pour conduire (le jeu, la partie)», 1674; «crosse de golf», 1892; de *(to) drive* «conduire».
Anglicisme. (Sports).

I ♦ **1** Joueur qui exécute un drive (bien ou mal). *Un bon driver au tennis, au golf.*

♦ **2** Objet avec lequel on drive : club de départ (golf); batte (cricket, base-ball).

1 Le *drive* — c'est le nom de ce coup de départ — est effectué avec le club en bois appelé *driver.*
Jean DAUVEN, Technique du sport, Le golf, p. 85.

II ♦ **1** (Turf). Jockey au trot attelé. *Le cheval était privé de son driver habituel.*

2 Enfin pour le trot, l'entraînement se présente avec ses caractéristiques particulières. En effet, le cheval a bien souvent pour éleveur, pour propriétaire, pour entraîneur et pour *driver* ou *jockey* la même personne.
Pierre ARNOULT, les Courses de chevaux, p. 87.

♦ **2** (1928). Argot. Conducteur d'une auto.

2. DRIVER [dʀajve; dʀive] v. tr. — 1898, *in* Petiot; de *drive**, et de l'angl. *to drive* «jouer, conduire le jeu».
Anglicisme. (Sports).

I ♦ **1** Tennis. Envoyer (la balle) par un drive.

♦ **2** (1933, [dʀajve]). Golf. Jouer la balle avec le driver. *Driver sa balle.*

II (1933; → 1. *driver*, II.). ♦ **1** Turf. Conduire (le cheval) attelé à un sulky, dans une course de trot.

♦ **2** Argot [dʀive]. Conduire, diriger.

Mon petit voyou de chauffeur, c'était peut-être un demi-sel mais pardon! pour driver, un peu du bâtiment! À peine les mômes à terre, il a arraché sa tire *(voiture)* du pavé comme un express.
A. SIMONIN, Touchez pas au grisbi, p. 15.

Fig. Diriger, mener (qqn, une affaire). Absolt. Mener une affaire; diriger des personnes, des prostituées. *C'est moi qui drive, maintenant!*

DROGMAN [dʀɔgmã] n. m. — Déb. XIIIᵉ, *drogeman; droguement*, 1213; ital. *dragomanno*, grec byzantin *dragoumanos* «interprète»; arabe *tãrdjumãn*. → Truchement.

Vx. Interprète, dans les pays du Levant (→ Polyglotte, cit. 1). *Les drogmans de l'ambassade de France à Constantinople. Le titre de drogman a été supprimé en 1902.*

1 Je me rendis chez le drogman de Son Excellence (...)
CHATEAUBRIAND, Itinéraire..., LVIII.

2 Ce personnage si triomphant n'était autre qu'un drogman qui sert de guide aux voyageurs dans leur tournée de Grèce (...) Th. GAUTIER, Constantinople, p. 41.

1. DROGUE [dʀɔg] n. f. — XIVᵉ; orig. incert., p.-ê. du néerl. *droog* «(chose) sèche» ou de l'arabe *durawa* «balle de blé»; P. Guiraud y voit une forme méridionale de *derogare* «ôter, diminuer (la valeur)».

I ♦ **1** Ingrédient, matière première employée pour les préparations médicamenteuses confectionnées en officine de pharmacie (→ Cassolette, cit. 1). *Drogues aromatiques. Drogue pharmaceutique.* → **Grabeau.** *Drogue falsifiée.* → **Goure.** *Vase dans lequel on pile les drogues.* → **Mortier.**

♦ **Par ext.** Médicament* confectionné par des amateurs, des non-spécialistes, et qui, généralement, n'est pas utilisé par la médecine. → **Décoction,**

onguent, orviétan, **remède** (de bonne femme)...; → Consultation, cit. 2. *Prendre une drogue. Vendeur de drogues.* → **Charlatan, pharmacopole** (vieux).

1 J'ai souvent pensé, en regardant de près les champs, les vergers, les bois et leurs nombreux habitants, que le règne végétal était un magasin d'aliments donnés par la nature à l'homme et aux animaux; mais jamais il ne m'est venu à l'esprit d'y chercher des drogues et des remèdes.
ROUSSEAU, Rêveries..., 7ᵉ promenade.

2 (...) je trouve moi-même aux herbes des vertus qu'elle ne leur connaît pas, et elle est bien étonnée quand je fais des drogues dont elle voit ensuite le bon effet.
G. SAND, la Petite Fadette, XIX, p. 132.

Péj. Médicament dont on conteste l'utilité, l'efficacité, dont on condamne l'usage. *Toutes les drogues que lui ordonne son médecin lui font plus de mal que de bien. Il ne vit que de drogues.*

3 Il manda les maîtres mires les plus fameux, lesquels ordonnèrent des quantités de drogues.
FLAUBERT, Trois contes, «la Légende de saint Julien l'Hospitalier», I.

4 Les médecins ne nous empoisonnent pas moins de leurs vérités que de leurs drogues.
André SUARÈS, Trois hommes, «Ibsen», VI, p. 156.

Par métaphore :

5 La philosophie, ainsi que la médecine, a beaucoup de drogues, très peu de bons remèdes, et presque point de spécifiques.
CHAMFORT, Maximes et pensées, Sur la science, XLV.

♦ **3** Chose mauvaise à absorber. *Cette boisson est une vraie drogue. Qu'est-ce que c'est que cette drogue ?* → **Médecine, mixture, potion, purge.**

♦ **4** Vx. **a** Chose de mauvaise qualité. *Cette étoffe est de la drogue.*

b Personne désagréable. *Cette petite personne est une drogue* (Académie).

II ♦ **1** (XXᵉ). Cour. Substance toxique, stupéfiant. → **Stupéfiant;** (fam.) 2. **came, camelote, merde** (III.); → **Opium,** cit. 4. *Faire le trafic de la drogue, des drogues* (→ anglic. **Dealer, trafiquant).** *Intoxication par la drogue.* → **Toxicomanie.** — *Drogues euphorisantes, hallucinogènes, stimulantes, stupéfiantes. Drogues dures* (héroïne, amphétamine, etc.) *et drogues douces* (marijuana, haschich, etc.). *Les drogues douces ont des effets moins marqués et surtout ne provoquent pas l'accoutumance.*

5 Or je ne puis malgré ses sourires et ses bonjours, la reconnaître en une dame aux traits tellement déchiquetés que la ligne du visage n'était pas restituable. C'est que depuis trois ans elle prenait de la cocaïne et d'autres drogues.
PROUST, le Temps retrouvé, Pl., t. III, p. 942.

6 Les sujets de cette espèce (...) sont tout comparables à des intoxiqués; et l'on observe en eux, dans la poursuite de leur mort, la même obstination, la même anxiété, les mêmes ruses, la même dissimulation que l'on remarque chez les toxicomanes à la recherche de leur drogue.
VALÉRY, Rhumbs, p. 73.

7 Toute drogue modifie vos appuis. L'appui que vous preniez sur vos sens, l'appui que vos sens prenaient sur le monde, l'appui que vous preniez sur votre impression générale d'être.
Henri MICHAUX, Connaissance par les gouffres, p. 9.

Par ext. Excitant, tranquillisant (tabac, alcool, somnifère) comparé à des stupéfiants.

Par métonymie. L'usage des drogues. *La drogue est un phénomène social. La lutte contre la drogue.*

♦ **2** Chose qui intoxique l'esprit. *«La politique épouvantait comme une drogue dangereuse»* (Zola, la Curée, p. 377).

En composé : *la télé-drogue, le cinéma-drogue.*

DÉR. 1. **Droguer.** — (Du sens I) 1. **Droguerie, droguier, droguiste.** ◊ **COMP.** Antidrogue. ← **HOM.** 2. **Drogue,** 3. **drogue.**

2. DROGUE [dʀɔg] n. f. — 1829; p.-ê. de 1. *drogue* (I., 3.).

Vx. Petite fourche de bois que le perdant portait en gage sur le nez, à un jeu de cartes anciennement en usage dans l'armée et la marine; nom de ce jeu.

Deux ou trois jouaient à la drogue, — le canonnier avait un bout de bois à cheval sur le nez —, tous buvaient.
Henri POURRAT, Gaspard des montagnes, p. 270.

DÉR. 2. Droguer. ◊ HOM. 1. Drogue, 3. drogue.

3. DROGUE [dʀɔg] n. f. — 1723; du néerl. *droog* «sec».

Techn. (pêche). *Harengs de drogue*, séchés et mis en caque. → 2. **Droguerie**.

HOM. 1. Drogue, 2. drogue.

DROGUÉ, ÉE [dʀɔge] adj. et n. — Déb. xxᵉ; p. p. de 1. *droguer*.

(Personnes).

♦ **1** Qui est sous l'influence d'une drogue, d'un stupéfiant, ou intoxiqué par l'usage des stupéfiants. → **Toxicomane; camé** (fam.). *Un drogué*. *«Il n'y a pas de drogués heureux»* (ouvrage de Cl. Olivenstein, 1977). Adj. *Un jeune lycéen drogué*.

1 Les drogués sont des mystiques d'une époque matérialiste qui, n'ayant plus la force d'animer les choses et de les sublimer dans le sens du symbole, entreprennent sur elles un travail inverse de réduction et les usent et les rongent jusqu'à atteindre en elles un noyau de néant.
DRIEU LA ROCHELLE, le Feu follet, p. 31.

2 Maintenant elle vit avec un drogué, peut-être même qu'elle se drogue, ça n'arrange pas les choses.
Cecil SAINT-LAURENT, la Bourgeoise, p. 167.

♦ **2** Fig. Intoxiqué (par quelque chose) comme par une drogue. *Les familles, droguées par la télévision*.

HOM. 1. Droguer, 2. droguer.

1. DROGUER [dʀɔge] v. tr. — 1554, «frelater du vin»; «administrer des médicaments», 1611; de 1. *drogue*.

♦ **1** Faire prendre à (un malade) beaucoup de drogues, de médicaments. *Médecin qui drogue ses malades*.

1 Le sage Locke qui avait passé une partie de sa vie à l'étude de la médecine, recommande fortement de ne jamais droguer les enfants, ni par précaution ni pour de légères incommodités.
ROUSSEAU, Émile, I.

♦ **2** (xxᵉ). Soumettre (qqn) à l'effet des stupéfiants. *«Les drogués veulent droguer tout le monde»* (S. de Beauvoir, *les Mandarins*, p. 154).

Administrer un somnifère à (qqn, un animal). *Les cambrioleurs avaient drogué le chien*.

2 On n'a pourtant bu que deux verres, et on a l'habitude (...) — Ils ont dû nous droguer, dit Claude.
Frantz-André BURGUET, les Meurtrières, p. 224.

◆ **SE DROGUER** v. pron.

♦ **1** Prendre de nombreux médicaments (→ Faire de son corps une boutique d'apothicaire*). *Il se détruira la santé à force de se droguer*.

♦ **2** Prendre de la drogue, des stupéfiants. → fam. **Camer** (se), argot **schnouffer** (se), et aussi **fumer, piquer** (se), **sniffer**. *Personne qui se drogue*. → **Drogué, intoxiqué, toxicomane**.

◆ **DROGUÉ, ÉE** p. p. adj. → **Drogué**.

DÉR. Drogueur. ◊ HOM. Drogué, 2. droguer.

2. DROGUER [dʀɔge] v. intr. — 1808; de 2. *drogue*.

♦ **1** Vx. Jouer à la drogue (2. Drogue); porter la drogue (2. Drogue) en gage.

♦ **2** Fam. et vieilli. Attendre* longuement. *Faire droguer quelqu'un*.

On ne voulait pas avoir drogué pour rien. 1
J. VALLÈS, le Nain jaune, 14 mars 1867.

«Tapez-là. Ou je m'en vais. Et vous ne me reverrez plus.» 2
Le campagnard ne vous fait droguer que lorsqu'il est sûr de votre patience.
J. ROMAINS, les Hommes de bonne volonté, t. V, XXII, p. 184.

De temps en temps, il regardait sa petite tocante en plaqué 3
or, et il se demandait si on allait le faire droguer à n'en plus finir.
M. AYMÉ, Maison basse, p. 83.

HOM. Drogué, 1. droguer.

1. DROGUERIE [dʀɔgʀi] n. f. — 1361; de 1. *drogue* (I.).

♦ **1** Vx. Drogues, médecines, pharmacopée.

♦ **2** (1835). Mod. Commerce des produits chimiques et pharmaceutiques les plus courants, et de produits très divers de toilette, d'hygiène, de ménage, d'entretien. *Droguerie médicinale, industrielle, droguerie-épicerie*. — (1835). Par ext. Magasin où se vend la droguerie. *Acheter de la teinture, du savon dentifrice dans une droguerie. Marchand qui tient une droguerie*. → **Droguiste**. — REM. On appelle par extension *drogueries* les boutiques où se vendent des produits de toilette et d'entretien, voire les produits en vente traditionnellement chez les «marchands de couleur».

Il entrait, comme chef de quelque service, dans une grande pharmacie ou droguerie du centre.
J. ROMAINS, les Hommes de bonne volonté, t. III, XXIII, p. 308.

REM. Une évolution de sens analogue de *drug* en anglais a produit le composé *drugstore*, emprunté en français. → Drugstore.

HOM. 2. Droguerie.

2. DROGUERIE [dʀɔgʀi] n. f. — 1611; néerl. *droogerej*, de *droog* «sec».

Techn. (pêche). Vx. Séchage du hareng. → 3. **Drogue**.

HOM. 1. Droguerie.

DROGUET [dʀɔgɛ] n. m. — 1505; de 1. *drogue*, I., 4., «chose de mauvaise qualité».

♦ **1** Vx. Étoffe de laine de bas prix.

Un petit Français, habit vert pomme, veste de droguet, 1
raclait un violon de poche.
CHATEAUBRIAND, Itinéraire..., III, CXVII.

♦ **2** (1690). Mod. Étoffe brochée de soie, de viscose, de laine et coton, ornée d'un dessin produit par un fil de chaîne supplémentaire. *Droguet de soie*. → **Lustrine**.

Au milieu de cette mode rejetant tous les produits de 2
Lyon, les lampas, les superbes droguets, les persiennes, les étoffes brochées en soie, en argent ou en or, éclate le goût des batistes et des linons, mode apportée à la France par la jeunesse d'une Reine.
Ed. et J. DE GONCOURT, la Femme au XVIIIᵉ s., II, p. 95.

DÉR. Droguetier.

DROGUETIER [dʀɔg(ə)tje; dʀɔgetje] n. m. — 1718; de *droguet*, 2.

Vx. Fabricant de droguet (2.).

DROGUEUR, EUSE [dʀɔgœʀ, øz] n. — 1462, n. m.; de 1. *droguer*.

Vx. Personne, spécialt, médecin qui drogue qqn, qui fait prendre des drogues.

DROGUIER [dʀɔgje] n. m. — 1439; de 1. *drogue*, I., et suff. *-ier*.

Ancienn ou hist. Petite armoire; boîte portative destinée à contenir des substances médicamenteuses. Collection d'échantillons pharmaceutiques.

DROGUISTE [dʀɔgist] n. — 1549; de 1. *drogue*, I., 1.

♦ **1** Vx. Personne qui vend des drogues, des substances médicamenteuses, ou en prépare.

(1792). Mod. *Droguiste en pharmacie :* fabricant de produits biologiques, galéniques, etc. vendus en vrac aux grossistes ou aux pharmaciens d'officine.

♦ **2** Personne qui fabrique et vend des produits de toilette, d'entretien, dans une droguerie*. → **Couleur** (marchand de couleurs). *Aller chez le droguiste acheter un pot de peinture et des pinceaux.* → 1. **Droguerie.**

Par appos. *Épicier droguiste* (a pu s'employer aussi au sens 1).

1. DROIT, DROITE [dʀwa, dʀwat] adj. et adv. — XIIᵉ; *dreit*, 1050; du lat. *directus*. → Direct.

I Adj. (le plus souvent après le nom en épithète). **A** (Concret). ♦ **1** Qui est sans déviation, d'un bout à l'autre. *Barre, tige droite. Arbre, poteau droit. Avoir le corps droit, la taille droite. Se tenir droit. Être droit comme un cierge, un échalas, un I, un jonc, un peuplier, un pieu, un piquet, une statue.* → **Raide.** *Un nez droit.* → *Un nez grec*. — (Personnes). *Tenir la tête droite* (→ Attitude, cit. 10).

1   Levez la tête. Encor. Soyez droite, approchez.
    Faut-il tendre toujours le dos quand vous marchez?
                            J.-F. REGNARD, le Distrait, I, 4.

2   Te voilà sur tes pieds droit comme une statue.
    Dégourdis-toi.   RACINE, les Plaideurs, III, 3.

3   (...) un palmier gigantesque, droit comme un mât.
                    E. FROMENTIN, Un été dans le Sahara, II, p. 114.

4   Finalement, raides et lents, droits comme des I, les deux
    corps se penchèrent l'un vers l'autre (...)
                            H. BERGSON, le Rire, p. 60.

5   Son nez était droit et mince, quoique les narines en fussent
    bien ouvertes.
                    J. GREEN, Adrienne Mesurat, II, IV, p. 237.

6   (...) il ouvrit largement la porte d'entrée, se tenant très
    droit, le visage rigide, comme M. Pommerel lorsqu'il quête
    à la porte du temple.
                    J. CHARDONNE, les Destinées sentimentales, p. 50.

REM. En parlant des personnes, de leur corps, l'adj.
implique en général aussi l'idée de verticalité. → ci-
dessous, 3.

♦ **2** Dont la direction est constante; qui va d'un point à un autre par le chemin le plus court. → **Direct, rectiligne.** *Ligne, voie droite. Route, rue droite, tirée au cordeau** (→ **Aligné**). *Droit comme une flèche. Chemin droit,* sans coudes, sans tournants. *C'est tout droit; c'est droit devant vous. Fil droit.* → **Tendu.** *Le droit fil d'une étoffe** (I., 1.), et, fig., *le droit fil**. *Aller de droit fil**. *Dans le droit fil** *de quelque chose,* dans la même direction.

7   (...) des prairies traversées d'une seule allée large, droite,
    bordée d'arbres géants.
                    J. CHARDONNE, les Destinées sentimentales, II,
                                                          p. 222.

7.1 Le droit fil politique de l'Express est aujourd'hui le même
    qu'en 53.   F. GIROUD, Si je mens, p. 196.

En ligne droite. → **Directement.** *Ce chemin vous conduira chez vous en droite ligne. Il y a deux kilomètres en ligne droite* (→ À vol* d'oiseau). — Fig. *Hériter de quelqu'un en droite ligne.*

8   Un lit de bois clair (...) venait en droite ligne d'un grand
    magasin de Paris (...)
                    J. GREEN, Adrienne Mesurat, I, XIII, p. 116.

Fig. *La droite voie :* la voie du salut, en termes de dévotion. *Le droit chemin* (cit. 34), *la voie droite, la droite voie* (littér.) : le chemin de l'honnêteté, de la vertu... *Un raisonnement en ligne droite,* direct, simple.

9   (...) les voies de Dieu sont droites; mais les méchants y
    trébucheront.   PASCAL, Pensées, VIII, 571.

10 (...) ceux qui ne marchent que fort lentement peuvent
    avancer beaucoup davantage, s'ils suivent toujours le droit
    chemin, que ne font ceux qui courent et qui s'en éloignent.
                        DESCARTES, Discours de la méthode, I.

11 L'âme féminine est d'une simplicité à laquelle les hommes
    ne peuvent croire. Où il n'y a qu'une ligne droite ils cher-
    chent obstinément la complexité d'une trame : ils trouvent
    le vide et s'y perdent.   Pierre LOUŸS, Aphrodite, II, II.

12 On vous montre la voie droite; vous n'avez qu'à suivre.
    C'est vrai pour la religion, c'est vrai pour la discipline de
    l'esprit, pour l'habitude de raisonner (....)
                A. THIBAUDET, Réflexions sur la littérature, p. 252.

13 Combien de garçons, engagés déjà sur de mauvaises
    pentes, ai-je ramenés dans le droit chemin.
                MARTIN DU GARD, Notes sur André Gide, Pl.,
                                                    p. 1399.

(1890). Sports. Escrime. *Coup droit :* coup porté sans dégager* le fer. — Fig. *C'est un coup droit porté à ses prérogatives.* — (1927). Tennis. *Coup** *droit* (angl. *drive**), par oppos. au *revers.*

Mar. *Mettre la barre droite,* parallèle à la quille. — Archit. *Porte, voûte droite,* à une direction principale (opposé à *biais,* II.).

Géom. *Ligne droite.* → **Droite** (II.).

♦ **3** Perpendiculaire à l'horizontale. → **Vertical.** — (Choses). *Ce mur, ce pylône n'est pas droit, il penche. Falaise droite.* → **Abrupt, à-pic.** *Tenez la soupière bien droite,* sans la pencher. *Remettre droit ce qui est tombé.* → **Redresser.** *Une écriture droite,* opposé à *penchée.* — (Personnes). *Être droit sur ses pieds.* → **Debout.** *Se mettre droit.* → **Lever** (se), **redresser** (se). — Avec l'idée de raideur. → ci-dessus, 1. (cit. 2 et 6).

14 Celui qui reste droit devant celui qui tombe (...)
                        HUGO, les Années funestes, XL.

15 (...) ici le roc s'est dentelé comme une scie, là ses tables
    trop droites ne souffrent ni le séjour de la neige, ni les
    sublimes aigrettes des sapins du nord (...)
                    BALZAC, Séraphîta, Pl., t. X, p. 458.

15 Pour la vingtième fois, il la suppliait de ne pas accrocher
    sa capeline sur le coin d'un cadre (...) elle soutenait que
    c'était sans importance, que sa coiffure n'abîmait pas la
    dorure, qu'il n'était pas utile que le tableau fût droit.
                    HUYSMANS, les Sœurs Vatard, p. 224.

Spécialt. Dont les bords sont verticaux. *Gilet droit, veston droit,* par oppos. à *gilet, veston croisé**. — En parlant des vêtements féminins. *Manteau droit,* non cintré ou sans ampleur. *Jupe droite,* sans ampleur. (1828). *Piano** *droit,* dont les cordes et la table d'harmonie sont verticales.

(1864). Anat. *Muscle droit :* muscle dont les fibres sont verticales dans la station debout. — N. m. *Droits antérieurs de la tête; droit latéral de la tête. Grand droit :* muscle de la paroi antérieure de l'abdomen. *Droit interne,* à la partie interne de la cuisse.

♦ **4** Géom. *Angle droit,* formé par deux droites perpendiculaires (90°); opposé à *aigu, obtus. Le fil à plomb forme un angle droit avec l'horizontale. Tracer un angle droit avec une équerre**, *un té. Ces deux rues sont à angle droit.* → **Perpendiculaire.** *Les angles droits d'un rectangle, d'un carré.* — N. m. *Un droit. La somme des angles d'un triangle est égale à deux droits* (180°).

Loc. *Au droit de...* : à angle droit.

16 Il *(le peintre)* a gardé de ses séjours en Orient je ne sais
    quel amour des angles droits, des horizons rectilignes, des
    intersections brusques, dont il a composé pour ainsi dire

la formule et la géométrie de son art.
E. FROMENTIN, Une année dans le Sahel, p. 231.

Par ext. *Section* droite. Prisme droit*, dont les arêtes sont perpendiculaires aux bases. *Cylindre, cône droit*, dont l'axe est perpendiculaire à la base. — *Ascension droite d'un astre.* → **Ascension**, 2.

(Objets concrets). *En angle droit*, en angle (opposé à *rond, arrondi*). *Col droit. Ciseaux à bout droit.*

B (Abstrait). ♦ 1 (Personnes). Qui ne s'écarte pas d'une règle (morale ou intellectuelle). *Un homme droit, simple et droit.* → **Équitable, honnête, juste, probe; franc, loyal, sincère.** *Homme droit et ferme.* → **(vx).** Barre (cit. 2) de fer. *Volonté droite. Cœur droit.* → **Pur.** *Conscience droite.* → Probe, cit. *Intention droite.*

17 (...) un homme simple et droit et craignant Dieu, et s'éloignant du mal. BIBLE (SACY), Job, I, 8.

18 Comme toute conscience n'est pas droite, tout ce qui est selon la conscience n'est pas toujours droit (...)
BOURDALOUE, Fausse conscience, 1ᵉʳ avent.

19 (...) il faut le dire à l'honneur des lettres, la philosophie fait un cœur droit, comme la géométrie fait l'esprit juste (...)
VOLTAIRE, Dict. philosophique, Locke.

20 Le cœur de l'homme est toujours droit sur tout ce qui ne se rapporte pas personnellement à lui.
ROUSSEAU, Lettre à d'Alembert.

21 (...) elle aimait les choses honnêtes, ses penchants étaient droits et vertueux (...) ROUSSEAU, les Confessions, V.

Qui exprime la droiture. *Un visage droit et franc. Un regard droit.* → Crânerie, cit. 1.

♦ 2 (Raison, pensée, jugement...). Qui suit un raisonnement correct, ne dévie pas. *Une pensée droite, un jugement droit.* → **Judicieux, sain, sensé; direct, positif, strict.** *Sa parole est droite et ferme. Jugement, sens droit.* — Vieilli ou littér. (avant le nom). *La droite raison.*

22 Il se trompe dans tous ses raisonnements, il est tout de travers : j'ai tâché de le redresser avec des raisons toutes droites et toutes vraies (...)
Mᵐᵉ DE SÉVIGNÉ, Lettres, 794, 29 mars 1680.

23 Dans la droite raison jamais n'entre la vôtre,
Et toujours d'un excès vous vous jetez dans l'autre.
MOLIÈRE, Tartuffe, V, 1.

Qui exprime cette pensée.

24 Ce qui est élu par la fantaisie est exécrable ; ce qui est conçu par l'autorité est judicieux. Ainsi doit s'exprimer une voix saine, stricte et droite.
Pierre LOUŸS, les Aventures du roi Pausole, V, p. 38.

♦ 3 Techn. *Monnaie droite*, qui a le titre prescrit par la loi.

II Adv. ♦ 1 Selon une ligne droite. → **Droitement (vx), dret** (régional). *Viser droit. Écrire droit. Marcher droit, aller* (cit. 21) *droit, aller devant soi. Courir, s'enfuir, foncer droit devant soi. Ce chemin mène, conduit tout droit chez vous.* → **Directement.** *Aller droit au but.* — **Interj.** *Droit au but !*

25 Mère écrevisse un jour à sa fille disait :
Comme tu vas, bon Dieu ! ne peux-tu marcher droit ?
LA FONTAINE, Fables, XII, 10.

26 Chez le marchand tout droit il s'en alla (...)
LA FONTAINE, Fables, VIII, 18.

27 Il ne s'occupait point de retraites ; il allait droit devant lui comme ces voies romaines qui traversent sans se détourner les précipices et les montagnes.
CHATEAUBRIAND, Mémoires d'outre-tombe, t. III, p. 174.

28 Il repartit, sans s'en apercevoir, cheminant droit devant lui. MARTIN DU GARD, les Thibault, t. III, p. 103.

Dans un plan horizontal. *Tenir droit un plateau, une assiette pleine de soupe.*

♦ 2 Fig. Par la voie la plus courte, la plus rapide. → **Directement.** *Aller* (cit. 67) *droit au but, droit à ses fins*, sans détour, sans ambages (→ Tout de go,

d'emblée). *Parler droit*, brièvement et simplement. *Parler droit pour être compris de tous* (→ Comprendre, cit. 41). *Cette intention me va droit au cœur* (cit. 92). *Conduire une arme de trait droit à son but* (→ 2. Droit, cit. 1.1), *droit au but.*

29 Cette inquiétude trop bien fondée pour une santé qui m'est si chère, avec l'absence d'une personne comme vous, dont tout me va droit au cœur et dont rien ne m'est indifférent (...)
Mᵐᵉ DE SÉVIGNÉ, Lettres, 729 bis, 13 sept. 1679.

30 Dans ce conflit d'ambitions, au milieu de ces difficultés entrecroisées, allez toujours droit au fait, marchez résolument à la question, et ne vous battez jamais que sur un point, avec toutes vos forces.
BALZAC, le Lys dans la vallée, Pl., t. VIII, p. 894.

31 Sans doute il eût été bien simple d'aller droit au fait ; mais précisément mon esprit répugne au plus simple et prend irrésistiblement le biais.
GIDE, les Faux-monnayeurs, III, XV, p. 458.

32 Il y a peut-être des médecins mathématiciens, qui traitent leur malade comme un théorème, et qui vont droit au but comme un boulet de canon.
J. ROMAINS, les Hommes de bonne volonté, t. III, XXII, p. 293.

Marcher droit : se conduire, être obéissant.

33 Mais c'est égal, je pars en guerre et je tuerai tout le monde. Gare à qui ne marchera pas droit !
A. JARRY, Ubu Roi, III, 8.

Sans s'écarter de la vérité. *Juger, penser droit.*

♦ 3 Selon un axe vertical, ou dans un plan vertical. *Remettre un tableau droit. Tiens-toi droit, ma petite !*

CONTR. Anfractueux, arqué, brisé, cambré, contourné, coudé, courbe, courbé, déjeté, détourné, déversé, faussé, fléchi, infléchi, recourbé, sinueux, tordu, tors, tortu, tortueux, voûté ; crochu, retroussé (nez). — Couché, étalé, renversé ; horizontal. — Aigu, obtus (angle). — Faux, fourbe, hypocrite, trompeur. — Anormal, bizarre, faux. ◊ **DÉR.** Droitement, droiture.

2. DROIT, DROITE [dʀwa, dʀwat] adj. et n. — XVᵉ ; même mot que le précédent ; a supplanté l'anc. franç. *destre.* → Dextre.

I Adj. ♦ 1 Qui est du côté opposé à celui du cœur de l'observateur, au côté gauche. → **Dextre,** et préf. **dextro-.** *Le côté droit ; le bras, le flanc, le pied droit. Boiter* (cit. 3) *du pied droit. Se lever du pied droit. La jambe droite. La main droite.* → **Droite.** *Prédominance de la main droite.* → **Droiterie, droitier ; dextralité.** *L'œil droit. Hémisphère droit et hémisphère gauche du cerveau.* **Par ext.** *Le cerveau droit, le cerveau gauche.* — *La partie droite d'un tableau, d'une gravure* (quand on regarde l'objet). *L'aile droite, la partie droite d'un bâtiment* (considérée en se plaçant le dos à la façade). *Le côté droit d'un navire* (en regardant vers l'avant). → **Tribord.** *La rive droite d'une rivière* (dans le sens du courant). **Par ext.** *La rive droite, dans une ville*, les quartiers qui se trouvent sur cette rive. — *Cristal droit.* → **Dextrogyre.**

1 Pourtant les trois promotions étaient là au complet, les littéraires dans la moitié droite de la salle, les scientifiques dans la moitié gauche.
J. ROMAINS, les Hommes de bonne volonté, t. III, III, p. 47.

1.1 La main droite est aussi la main adroite, celle qui conduit l'arme droit à son but.
Roger CAILLOIS, l'Homme et le Sacré, p. 51.

Fig. *Être le bras droit de quelqu'un*, être son principal agent.

Allus. biblique. *Que ta main gauche ne sache pas ce que fait ta main droite.* → **Aumône,** cit. 2.

2 Que si votre œil droit vous est un sujet de scandale, arrache-le et jette-le loin de vous (...) Et si votre main droite vous est un sujet de scandale, coupez-la et jetez-la loin de vous (...)
BIBLE (SACY), Évangile selon saint Matthieu, V, 29-30.

À main droite : du côté droit; à droite.

♦ 2 Spéciait. Dans une assemblée politique. *Centre droit :* la partie du centre qui siège près de la droite (→ **Droite,** I., B.).

Ⅱ N. m. ♦ 1 Loc. adv. (1532, *à droict,* «du côté droit», Rabelais). Vx. *À droit :* à droite. → **Droite** (cit. 7); → Débauche, cit. 2.

♦ 2 DROIT. N. m. (1898, *in* Petiot). **Boxe et cour.** Le poing droit; coup porté par ce poing. → **Droite** (I., C., 2.). *Direct, crochet* (cit. 2) *du droit. Le challenger a reçu un droit terrible.*

Ⅲ DROITE, n. f. → **Droite.**

CONTR. Gauche. ◊ DÉR. Droite, droiterie, droitier.

3. DROIT [dʀwa] n. m. — Xⅱᵉ; *dreit,* 842; du bas lat. *directum,* de l'adj. *directus.* → 1. **Droit.**

Ce qui est conforme à une règle.

Ⅰ *Un droit, des droits.* Ce qui est exigible, ce qui est permis, dans une collectivité humaine (→ **Pouvoir). ♦ 1** Ce qui est permis par conformité à une règle morale, sociale... *Droits naturels. Les droits de l'homme, de l'individu, de la personne humaine. Des droits sacrés, imprescriptibles, inaliénables.*
Reconnaître, consacrer les droits de quelqu'un. Contester un droit. Violer un droit. Priver quelqu'un de ses droits. Aller sur les droits de quelqu'un. Agir au mépris des droits de...
Exercer son droit. Faire quelque chose en vertu du droit de... Faire valoir ses droits. Revendiquer, soutenir son droit. S'arroger un droit. Conquérir un droit. Cela lui confère le droit...; il a acquis le droit de... Rentrer dans ses droits, recouvrer ses droits. Renoncer à tous ses droits, se démettre (cit. 10) *de ses droits. Céder ses droits; cession de droit.*

1   Un auteur n'y fait pas *(au théâtre)* de faciles conquêtes (...)
     Chacun le peut traiter de fat ou d'ignorant;
     C'est un droit qu'à la porte on achète en entrant.
                   BOILEAU, l'Art poétique, Ⅲ.

2   La liberté est le droit de faire tout ce que les lois permettent (...)   MONTESQUIEU, l'Esprit des lois, XI, 3.

3   Nul ne possède d'autre droit que celui de toujours faire son devoir.
           A. COMTE, Système de politique positive, t. I,
                       p. 321, *in* GUERLAC.

4   Non seulement tout homme a des droits, mais tout être a des droits.
         RENAN, Dialogues et fragments philosophiques,
                      préface, Œ., t. I, p. 556.

5   Attendons avec espérance et ne renonçons jamais à nos droits.   A. JARRY, Ubu Roi, Ⅱ, 5.

6   Je veux que Jean-Paul ait pour mère une femme indépendante, une femme qui se soit assuré, par son travail, le droit de penser ce qui lui plaît, et d'agir selon ce qu'elle croit être bien (...)
       MARTIN DU GARD, les Thibault, t. IX, p. 103.

DROITS DE L'HOMME. (1774). **Spéciait.** Ces droits définis par la Constituante de 1789 et considérés comme droits naturels. *La Déclaration des droits de l'homme précède la Constitution du 3 septembre 1791. La Ligue des droits de l'homme :* mouvement de défense des droits de l'homme. *La Déclaration universelle des droits de l'homme. Défense des droits de l'homme. Violations des droits de l'homme.*

7   Les Représentants du Peuple Français, constitués en Assemblée Nationale (...) ont résolu d'exposer, dans une déclaration solennelle, les droits naturels, inaliénables et sacrés de l'homme (...)
     Art. 1. Les hommes naissent et demeurent libres et égaux en droits.
     Art. 2. Le but de toute association politique est la conservation des droits naturels et imprescriptibles de l'homme. Ces droits sont la liberté, la propriété, la sûreté, et la résistance à l'oppression (...)

Art. 12. La garantie des droits de l'homme et du citoyen nécessite une force publique (...)
       Déclaration des droits de l'homme (Constit. 1791).

8   Au lendemain de la victoire remportée par les peuples libres sur les régimes qui ont tenté d'asservir et de dégrader la personne humaine, le peuple français proclame à nouveau que tout être humain, sans distinction de race, de religion, ni de croyance, possède des droits inaliénables et sacrés. Il réaffirme solennellement les droits et les libertés de l'homme et du citoyen consacrés par la Déclaration des Droits de 1789 et les principes fondamentaux reconnus par les lois de la République.
      Constitution de la République française,
           27 oct. 1946, Préambule.

9   Le premier des droits de l'homme c'est la liberté individuelle, la liberté de la propriété, la liberté de la pensée, la liberté du travail.
           JAURÈS, Hist. socialiste..., t. I, p. 186.

9.   Faut-il revendiquer les droits de la parole? Certes, mais pas n'importe quelle parole et pas n'importe quels droits. Est-il possible de mettre le droit à la parole à côté du droit au travail, du droit à l'instruction, à la santé, au logement, à la Ville? Une déclaration des droits concrets de l'Homme, ou des droits de l'Homme concret, n'aurait ni plus ni moins d'efficacité que l'ancienne. Peut-être le droit à la parole se situe-t-il à côté du droit à la Ville, comme horizon de civilisation plus que comme droit tendant à sa reconnaissance institutionnelle.
       Henri LEFEBVRE, la Vie quotidienne dans le
                   monde moderne, p. 298.

9.   (...) c'était horrible. Je n'ai pas dit qu'on n'y peut rien, Maryvonne. Il y a des organisations puissantes qui s'en occupent. Il y a Amnesty International et la Ligue des Droits de l'Homme.
       É. AJAR (R. GARY), l'Angoisse du roi Salomon,
                       p. 277.

Le droit de (quelqu'un) à... Le droit des peuples à disposer d'eux-mêmes (→ **Autodétermination).** *Le droit de l'individu au travail. Le droit à la parole.*
Avoir le droit de... (avec l'inf.). → **Possibilité, pouvoir, qualité; autorisation, permission.** *Avoir le droit d'entrer quelque part, de faire quelque chose. Il en a, il n'en a pas le droit. Il a le droit d'en parler* (→ Il a voix au chapitre). *Vous n'avez pas le droit de dire cela* (→ Vous êtes mal venu à, de...). *Vous en avez le droit. Le droit de vivre, d'aimer.* — **Par ext.** *Un médecin n'a pas le droit d'être négligent,* il a le devoir moral de ne pas être négligent.

Chacun a le droit de défendre son bien (...)
           PASCAL, les Provinciales, 7.   10

Il y a là-dedans des lettres de ma novia. Je ne veux pas qu'on les lise. Entendez-vous, brutes, vous n'avez pas le droit de les lire!   11
       P. MAC ORLAN, la Bandera, V, p. 59.

Certaine insuffisance de la glande thyroïde se rencontre chez les maigres aussi bien que chez les gras; s'ensuit-il que je n'aurai pas le droit d'en parler, dans un exposé qui traite de la seule obésité?   12
       J. PAULHAN, Entretien sur des faits divers, p. 95.

Et toi tu n'as pas le droit de me juger, puisque tu n'iras pas te battre.   SARTRE, le Sursis, p. 56.   13

Avoir droit à... (suivi d'un subst.). *Vous avez droit à des excuses. Il n'y a pas droit.* **Fam.** *Avoir droit à* (quelque chose de fâcheux) : devoir subir, ne pouvoir éviter. *Il a eu droit à des reproches. On a eu droit à une de ces engueulades! Si la guerre éclate, on y a droit!,* on n'y coupera pas.

Celle-là, dit l'homme en fouillant dans une autre poche, je peux dire que je l'ai vue tomber. J'ai eu que le temps de m'aplatir. Ça a fait zim! J'ai bien cru que j'y avais droit.   Robert MERLE, Week-end à Zuydcoote, p. 103.   13

Avoir un droit sur quelqu'un, sur quelque chose. Avoir un droit moral sur... Prendre son droit, ses droits...

— Quel droit as-tu reçu d'enseigner, de prédire?   14
— Le droit qu'un esprit vaste et ferme en ses desseins
A sur l'esprit grossier des vulgaires humains.
       VOLTAIRE, Mahomet, Ⅱ, 5.

Avoir droit sur la vie de quelqu'un. Avoir sur quelqu'un droit de vie et de mort.

15 Un particulier n'a pas droit sur la vie d'un autre (...)
PASCAL, les Provinciales, 14.

16 Il a sur nous un droit et de mort et de vie (...)
CORNEILLE, Horace, V, 2.

Loc. *Avoir (un) droit de regard* sur (qqch.).*
Donner à quelqu'un le droit de... Qui vous a donné le droit de faire ceci ? → **Autoriser, permettre.**

Loc. où *droit* a une valeur collective *(le droit)* par rapport à une personne («ensemble des droits de quelqu'un»). EN **DROIT.** *Être en droit de...* : avoir le droit de...

17 Pour être en droit de lui dire mes sentiments (...)
Mᵐᵉ DE SÉVIGNÉ, Lettres, 44.

18 Le père de famille est en droit de punir chacun de ses enfants ou petits-enfants qui fait une mauvaise action.
FÉNELON, Télémaque, VII.

19 (...) ces conditions, qu'un auteur (...) est en droit d'exiger (...)
LA BRUYÈRE, Préface.

Vieilli ou littér. *Prendre droit sur...* : s'appuyer sur, s'autoriser de...

20 Je prends droit sur ce qu'il nous a lui-même avoué (...)
BOSSUET, Tradition défendue sur... la communion.

De quel droit ? : en vertu de quel droit, de quelle raison, de quelle autorité ?

21 De quel droit les Français, portant partout leurs pas,
Se sont-ils établis dans nos riches climats ?
VOLTAIRE, Tancrède, I, 1.

Être dans son droit, dans son bon droit.

21.1 Le mouvement de révolte s'appuie en même temps sur le refus catégorique d'une intrusion jugée intolérable et sur la certitude confuse d'un bon droit, plus exactement l'impression, chez le révolté, qu'il est «en droit de...».
CAMUS, l'Homme révolté, p. 7.

♦ **2 Dr. et cour.** (de nombreux syntagmes sont seulement de l'usage juridique). Faculté reconnue par la loi à une personne pour lui permettre de faire des actes déterminés. → **Faculté, habilité, prérogative, privilège.** *Droit exclusif.* → **Monopole.** *Titulaire d'un droit.* — *Droits acquis,* attribués en vertu d'une règle antérieure ou d'un usage, par oppos. aux *droits naturels.* — *Droits civiques, droits du citoyen, droits politiques : droits attachés à la qualité de citoyen et dont les principaux sont constitués par l'électorat, et l'éligibilité* (→ **Élection, vote**)*. Priver quelqu'un de ses droits politiques.* → **Dégradation,** cit. 1 ; antiq. **atimie.** — *Droits civils, droits privés. Droits réels,* opposables à tous et permettant d'exercer un pouvoir sur un bien (→ **Propriété, usage, usufruit ; habitation ; emphytéose, servitude**)*. Droits de créance* ou *droits personnels,* donnant à une personne (→ **Créancier**) le droit d'exiger d'une autre (→ **Débiteur**) une prestation. *Droits réels accessoires* (ex. : *le droit de suite,* permettant de saisir un bien en quelque main qu'il se trouve)*. Droits mobiliers, immobiliers.* — *Droits du patrimoine,* ayant une valeur pécuniaire. Anciennt. *Droits de famille,* ayant pour objet les rapports de famille (ex. : *droit de garde, droit de visite...*)*. — Droit éventuel,* issu d'un acte auquel un élément essentiel fait défaut. — *Droit relatif :* droit existant au profit d'une personne contre une autre personne déterminée, par oppos. au *droit absolu,* opposable à tous. — *Droit litigieux,* sur le fond duquel il y a une contestation donnant lieu à un procès. — *Auteur*, ayant cause* d'un droit. Ayant droit.* → **Ayant droit.** *Défendre ses droits devant la justice.* → **Procédure.** *Personnalités chargées, dans divers pays, de faire respecter les droits des citoyens face à l'administration.* → **Médiateur, ombudsman, protecteur** (du citoyen).

22 L'exercice des droits civils est indépendant de l'exercice des droits politiques, lesquels s'acquièrent et se conservent conformément aux lois constitutionnelles et électorales.

Tout Français jouira des droits civils.
Code civil, art. 7 et 8.

Spécialt (syntagmes en *de*)*. Droit d'affouage ; droit d'appui, droit d'attache. Droit de pacage. Droit d'épaves. Droit de chasse, de pêche. Droit de place, de stationnement.*
Droit de grève, droit de vote.
Droit de propriété* (droits mobiliers et immobiliers)*. — Droit de jouissance* légale. Droit d'usage, droit d'habitation. Droit de succession*, droit successif, héréditaire. Droit de tester. Droit de retour au donateur. — Droit de préemption*. Droit de prélation*. — Droit de préférence,* que possèdent certains créanciers, certains détenteurs de titres. *Droit de reprise du bailleur. Droit de rétention,* du créancier sur un objet appartenant au débiteur.
Droit d'auteur (→ **Copyright**)*, droit de l'inventeur :* droit exclusif d'exploitation d'une œuvre par son auteur, d'une invention par son inventeur. *Droit de reproduction. Droits d'impression, droits de reproduction réservés. Tous droits réservés,* mention précisant que l'auteur d'une œuvre, ou son représentant, s'en est réservé exclusivement les droits de reproduction et d'exploitation (→ aussi ci-dessous, cit. 31 et *supra*).
Procéd. *Droits de la défense*. Droit d'évocation*. Droit de communication. — Droit de présentation*. — Droit de réponse.*
Dr. internat. *Droit d'asile** (au sens fig. → Asile, cit. 14)*. Droit de légation** active et passive*. Droit de visite*,* sur les navires étrangers.
Droit de grâce*. — Droit de veto*.
Hist. *Droits féodaux.* → **Féodalité.** *Droits honorifiques,* par oppos. aux *droits utiles. Droit de four, de moulin banal*. Droit de banvin*. Droit du seigneur, droit de cuissage*. Le Droit du seigneur,* comédie de Voltaire. — *Droit d'aubaine.* → **Aubaine** (cit. 1)*. Droit de nommer à un bénéfice.* → **Collation.** *Droit de patronage. Droit de haute et basse justice. Droit de glaive :* droit de connaître des affaires impliquant la peine de mort — *Droit de la couronne, droits royaux, droits régaliens :* droit de guerre, de battre monnaie, d'imposer... → aussi **Régale.** — *Droit d'aînesse* (cit. 1 et 2) *et de primogéniture.*
Droit de cité, de bourgeoisie. → **Bourgeois, bourgeoisie ; cité** (cit. 2).

23 La plupart de ces peuples ne s'étaient pas d'abord fort souciés du droit de bourgeoisie chez les Romains (...)
MONTESQUIEU,
Grandeur et décadence des Romains, IX.

♦ **3 Par ext.** (au plur. ou en loc.). Ce qui donne une influence, une autorité morale, etc. considérée comme légitime. → **Prérogative, privilège, titre.** *Les droits du sang, de l'amitié. Avoir, acquérir des droits à la reconnaissance de quelqu'un. N'avoir pas de droits, n'avoir aucun droit à... Les droits de l'hospitalité. La nature ne perd jamais ses droits.*

24 La nature en tout temps garde ses premiers droits (...)
CORNEILLE, Horace, III, 4.

25 Mais vous ne savez pas ce que c'est qu'une femme :
Vous ignorez quels droits elle a sur toute l'âme.
CORNEILLE, Polyeucte, I, 1.

26 Les droits de la raison (...)
MOLIÈRE, les Femmes savantes, IV, 1.

27 J'ai vu jusqu'au fond de cette âme, la terre n'y a plus aucun droit.
BALZAC, le Curé de village, Pl., t. VIII, p. 757.

Loc. *Avoir droit de...* : avoir lieu*, avoir sujet* de...

28 La plus fausse apparence a droit de nous troubler.
CORNEILLE, Suréna, 112.

♦ **4** Somme d'argent, redevance qu'une personne, une collectivité est en mesure d'exiger de quelqu'un. → **Contribution, imposition, impôt, redevance,** taxe. *Établir un droit sur un acte, sur une marchandise. Acquitter un droit. Percevoir un droit; droit perçu à raison de... Droit que l'on paye pour passer sur un pont, emprunter un bac, une autoroute.* → **Péage.** *Droit d'entrée à un spectacle, à une réunion. Droit d'inscription à une société, à un groupe. Droit d'inscription et cotisation*.*

Hist. (Féodalité, Ancien Régime). *Droits domaniaux ou régaliens,* perçus par le roi. *Droits seigneuriaux. Droits en nature :* droit de mouture, champart, etc. *Droit de relief :* droit de mutation dû au seigneur. — *Droit payé au roi par les officiers de justice.* → **Paulette.**

(Premier Empire). *Droits réunis :* les contributions indirectes. *L'administration des droits réunis.*

Mod. (Contributions indirectes). *Droit au comptant,* effectivement payé lors de la déclaration faite par le contribuable. *Droit constaté,* recouvré postérieurement au fait qui l'a créé. *Droit fraudé,* non acquitté. *Droit progressif,* dont le taux s'accroît à mesure que la valeur à laquelle il s'applique augmente. *Demi-droit; double droit. Droit en sus :* pénalité fiscale.

Droit de circulation, de consommation, de fabrication, sur les boissons.

29   C'est alors en effet, le 24 avril 1806, que Gaudin faisait voter la loi qui établissait définitivement les *droits sur les boissons,* en attendant que l'impôt sur les tabacs fût, en 1810, remplacé par le *monopole,* car il faudra quatre ans encore pour briser, sur ce point, les oppositions.
Louis MADELIN, Hist. du Consulat et de l'Empire, Vers l'Empire d'Occident, V, p. 67.

Droits de douane. Droit d'entrée, de sortie, de statistique. Droit de transit. Droit ad valorem. Droit spécifique,* établi d'après le poids. *Droits protecteurs* (→ **Protectionnisme**), *droits compensateurs* (→ Montants compensatoires*). — *Droit d'octroi*. — Marchandises assujetties aux droits, exemptes de droits.*

Droits de navigation : taxes accessoires des douanes, perçues sur le corps des navires. *Droit de congé*. Droit de francisation, de passeport. Droit d'ancrage** (cit. 1), *de quai* (quayage), *de bassin. Droit de tonnage.*

30   Les lamanages, touages, pilotages, pour entrer dans les havres et rivières, ou pour en sortir, les droits de congés, visites, rapports, tonnes, balises, ancrages et autres droits de navigation, ne sont point avaries ; mais ils sont de simples frais à la charge du navire.
Code de commerce, art. 406.

Droits d'enregistrement. Droit d'acte; droit de mutation :* droits perçus l'un à raison de la rédaction, de l'usage d'un acte, l'autre à raison du fait juridique qu'il concerne. *Droit de titre. Droit fixe,* sur les actes ne constatant aucun mouvement de valeurs. *Droit gradué. Droit proportionnel.* — *Droit de timbre*.* — *Droit de licence,* sur l'exercice de certains commerces. *Droit de garantie*. Droit de transmission,* sur les valeurs mobilières. — *Droits de succession.*

Droit de vérification des poids et mesures (taxe directe).

Procéd. *Droit de poste,* élément des frais de justice.

Droit des pauvres, perçu au profit d'établissements charitables sur les entrées à un spectacle.

Prov. *Où il n'y a rien, le roi perd ses droits.*

Par ext. Somme d'argent payée à une personne et correspondant à un droit (ci-dessus, 2.). → **Rétribution, salaire.** *Droit de présence, droit de signature.* — *Droits d'auteur*** : profits pécuniaires de l'auteur. **Ellipt.** *Ce romancier ne peut vivre de ses droits.*

Quant à ses romans mondains, qu'il produisait d'une veine   31
avare, ils ne lui rapportaient que des droits insignifiants.
J. ROMAINS, les Hommes de bonne volonté, t. III, XIII, p. 177.

Droit de greffe : émoluments perçus par un greffier.

II   LE DROIT (*droits* [I.] *subjectifs*). ◆ **1** Ce qui constitue le fondement des droits de l'homme vivant en société (→ ci-dessus, I.), des règles régissant les rapports humains (→ ci-dessous, III.). → **Légalité, légitimité; justice, morale...** *Le concept, l'idée de Droit. Discuter l'existence du droit. Opposer le droit au fait, au réel. Réduire le droit à la force. Rapports du Droit et de la Morale, du Droit et de la Force. «La force prime le droit»; «force passe droit»* (prov.). *Le droit et la raison.*

Le droit n'est autre chose que la raison même, et la raison   32
la plus certaine, puisque c'est la raison reconnue par le consentement des hommes.
BOSSUET, Hist. des variations..., Avertissement, V, 3.

Le Droit est le souverain du monde.   33
MIRABEAU, *in* MICHELET, Hist. de la Révolution franç., p. 59.

C'est la force et le droit qui règlent toutes choses dans le   34
monde, la force en attendant le droit.
Le droit et la force n'ont entre eux rien de commun par leur nature. En effet, il faut mettre le droit où la force n'est pas, la force étant par un mot une puissance.
Joseph JOUBERT, Pensées, XV, II-III.

Il n'y a de *droit* que lorsqu'il y a une loi pour défendre   35
de faire telle chose, sous peine de punition. Avant la loi, il n'y a de *naturel* que la force du lion, ou le besoin de l'être qui a faim, qui a froid, le *besoin* en un mot (...)
STENDHAL, le Rouge et le Noir, II, XLIV, p. 498.

(...) ils obligèrent la morale à enseigner que le fait   36
accompli est sacré, que le succès est providentiel, et que par conséquent la force prime le droit.
FUSTEL DE COULANGES, Questions contemporaines, p. 70.

En demandant si le droit existe et ce qu'il est, on peut   37
avoir deux questions en vue :
La première est celle de savoir si l'homme vivant dans une société donnée est par là-même soumis à une règle de conduite (...) Cette règle de conduite *(est)* le droit objectif. (...) l'homme depuis des siècles, sans écarter (...) le problème du droit objectif, le met au second plan et veut résoudre avant tout le problème insoluble du droit subjectif (...) y a-t-il certaines volontés qui ont (...) une qualité propre qui leur donne le pouvoir de s'imposer comme telles à d'autres volontés? Si ce pouvoir existe, il est un droit subjectif (...)
L. DUGUIT, Traité de droit constitutionnel, t. I, p. 14.

«Nous sortons de la Légalité pour rentrer dans le *Droit*»,   38
affirmait le troisième Bonaparte (...)
BERNANOS, les Grands Cimetières sous la lune, I, II, p. 67.

Si le droit n'est pas l'armurier des innocents, à quoi sert-il ?   39
GIRAUDOUX, La guerre de Troie n'aura pas lieu, p. 148.

Avons-nous donc été réellement les soldats du droit pour   40
que la victoire fasse de nous les sbires de la bestialité ?
G. DUHAMEL, Récits des temps de guerre, IV, XX, p. 75.

Avoir le droit pour soi. Le droit est pour lui, de son côté.

Donner droit à quelqu'un, lui donner raison*. — *Faire droit à quelqu'un,* lui rendre justice*, au propre et au fig. *Faire droit à une demande.* → **Satisfaire.** *Dire le droit :* exposer le contenu du droit; par ext., rendre justice. *Avant dire droit :* avant jugement définitif.

Est-ce là faire droit ? Est-ce là comme on juge ?   41
RACINE, les Plaideurs, I, 7.

◆ **2** Loc. *Le bon droit, le mauvais droit :* ce qui est considéré comme conforme ou non conforme à l'idée de Droit. — **Proverbe :**

42 (...) bon droit a besoin d'aide (...)
MOLIÈRE, la Comtesse d'Escarbagnas, 5.

43 (...) La raison, mon bon droit, l'équité.
MOLIÈRE, le Misanthrope, I, 1.

Loc. adv. À BON DROIT : d'une façon juste* et légitime ; selon toute raison. → Titre (à juste titre).

44 (...) j'ai vu dans mon voyage
Gens experts et savants, leur ai dit la langueur
Dont Votre Majesté craint à bon droit la suite.
LA FONTAINE, Fables, VIII, 3.

Loc. adv. DE DROIT : d'une façon légitime, incontestable (→ Sans discussion*).

45 Ses grâces appartiennent de droit aux pauvres (...)
BOSSUET, Serm., Septuagésime..., in LITTRÉ.

46 La défense est de droit, la vengeance est infâme (...)
M.-J. CHÉNIER, Charles IX, IV, 1.

REM. Pour le sens juridique de certaines expressions (de droit, de plein droit...), → ci-dessus, III.

♦ 3 Pouvoir* de faire ce que l'on veut. *Le droit du plus fort. Le droit du conquérant, du vainqueur ; le droit de conquête, de l'épée, de la guerre.*

47 Ces montagnes de morts (...)
Sont les titres affreux dont le droit de l'épée,
Justifiant César, a condamné Pompée.
CORNEILLE, Pompée, I, 1.

48 Elle doit être à moi *(la première part)*, dit-il, et la raison,
C'est que je m'appelle Lion (...)
La seconde par droit me doit échoir encor :
Ce droit, vous le savez, c'est le droit du plus fort.
LA FONTAINE, Fables, I, 6.

49 Il usait du droit de la force avec autant d'assurance, avec aussi peu de remords, que s'il avait connu le droit divin, le droit politique et le droit civil.
G.-T. RAYNAL, Hist. philosophique, XIV, 37.

50 Il y a bien un droit du plus sage, mais non pas un droit du plus fort. Joseph JOUBERT, Pensées, XV, IV.

III LE DROIT *(droit objectif ;* → ci-dessus, II., cit. 37). Ensemble des règles qui régissent les rapports des hommes entre eux. → **Juridique.** ♦ 1 Ensemble des règles, considéré comme existant en dehors de toute formulation ; on dit aussi *droit naturel* (→ Concilier, cit. 6). *Pour l'école du droit de la nature et des gens et pour les encyclopédistes, le droit naturel, immuable et universel, découle de la nature humaine.* — Hist. (lat. *jus gentium*). *Droit des gens,* appliqué par Rome à l'égard des citoyens et des hommes libres en général ; (mod.) ensemble des règles de droit communes à tous les pays ; droit international public (→ ci-dessous, III., 2., b). *Le droit des minorités.*

51 Il existe un Droit *universel, immuable,* source de toutes les lois positives ; il n'est que la raison naturelle en tant qu'elle gouverne tous les hommes.
Art. 1er du livre préliminaire du Code civil rédigé par la Commission de l'an VIII, *in* A. COLIN et H. CAPITANT, Traité de droit civil, t. I, p. 3.

52 (...) il est (...) vrai de dire, avec les auteurs du Code civil, qu'il *(le droit naturel)* est *universel.* En revanche, il serait inexact de le présenter comme *immuable.* Il est en effet, tout au contraire, essentiellement *variable et progressif.* Le Droit naturel des peuples modernes diffère profondément de celui des peuples de l'antiquité.
A. COLIN et H. CAPITANT, Traité de droit civil, t. I, p. 4.

53 (...) l'expression «droit naturel» nous paraît (...) captieuse, et bonne à éviter. On peut la remplacer (...) soit par le terme *loi* (biologique, psychologique, sociale), soit par l'expression *droit moral* (... résultant de l'opinion morale et non de la législation).
LALANDE, Voc. de la philosophie, art. *Droit.*

Droit divin : doctrine de la souveraineté, forgée au XVIIe siècle, et d'après laquelle le roi est directement investi par Dieu. *Monarchie de droit divin.* — Par ext. : *le Droit naturel,* considéré comme issu de Dieu, par oppos. au *Droit humain.*

Ses titres n'étant pas de droit humain, il prétend qu'ils sont 54 de droit divin ; mais nous sommes assurés qu'ils sont de droit diabolique (...)
VOLTAIRE, Lettre à M. Mille, 13 sept. 1771.

♦ 2 *Droit positif :*
On appelle «droit positif» les règles juridiques en vigueur 55 dans un État, quel que soit d'ailleurs leur caractère particulier, constitutions, lois, décrets, ordonnances, coutumes, jurisprudence. Ces règles sont «positives» en ce sens qu'elles forment un *objet d'étude concret et certain ;* on les connaît ; elles ont un *texte,* une formule arrêtée et précise (...)
M. PLANIOL, Traité élémentaire de droit civil, t. I, p. 2.

Droit français, anglais, allemand, soviétique... : le droit positif de la France, de l'Angleterre, etc.

Droit écrit ; droit coutumier : droit dérivant de la loi ; de la coutume. → Plaisir, cit. 2. *Droit coutumier berbère.*

Droit prétorien : droit issu de la jurisprudence* (en droit romain, droit créé par le préteur* dans son édit).

DROIT COMMUN : règles générales applicables à une catégorie de rapports de droit, lorsqu'il n'y a aucune dérogation particulière. *Délit* de droit commun,* par oppos. *à délit politique, militaire. Prisonnier de droit commun. Mettre (un bâtiment) sous le régime du droit commun.* → **Banaliser.**

Par métonymie. *Un droit commun* se dit, par ext., d'un prisonnier de droit commun, par oppos. au *(prisonnier) politique.* (Plur. invar : *des droit commun*). *Les droit commun et les politiques sont d'ordinaire séparés.*

Mais les menottes aux poignets de Claude Bourdet, ce 55.1 compagnon de la Libération mis à nu comme un ver à son arrivée parmi les «droit commun» à la Santé, puis à Fresnes, voilà qui diminue curieusement la distance entre le style de M. Bourgès-Maunoury et celui de M. Tixier-Vignancour.
F. MAURIAC, Bloc-notes 1952-1957, p. 225.

Droit étroit, droit strict : règle de droit strictement limitée par ses termes mêmes et ne pouvant pas être étendue. *Règle de droit étroit. Ceci est de droit strict.*

Loc. **FAIRE DROIT.** *Faire droit à une demande :* accorder ce qui est demandé. — Spécialt (usage juridique). *Avant faire droit :* avant de juger définitivement. *Jugement avant faire droit,* et, n. m., *un avant faire droit.*

Loc. adv. **DE DROIT,** se dit de ce qui est légal, prévu par les textes et qui ne peut donner lieu à une discussion. — **DE PLEIN DROIT** : sans qu'il soit nécessaire de manifester de volonté, d'accomplir de formalité.

La compensation s'opère de plein droit par la seule force 56 de la loi, même à l'insu des débiteurs (...)
Code civil, art. 1290.

QUI DE DROIT : personne ayant un droit sur..., ayant habilité à... *L'héritage échut à qui de droit. Adressez-vous à qui de droit,* à celui qui a le droit, le pouvoir de décider.

Voies de droit : recours à la justice pour attaquer un acte, un jugement, ou pour agir contre une personne. — Contr. : *voies de fait.*

En droit. → **Juridiquement.** *Responsable en droit. En droit et non en fait.*

Histoire du droit. Droit romain. Les trois périodes du droit romain : ancien droit romain, droit de la période classique, droit du Bas-Empire. *Sources du droit romain.* → **Code, digeste.**

Le Droit romain, grâce à l'abondance de ses sources et 57 à sa durée millénaire (...) fournit un champ d'observation incomparable pour l'historien du Droit. Il lui permet de voir, mieux qu'aucun autre Droit ancien, comment le Droit naît et se transforme sous l'action des facteurs économiques et politiques, religieux et moraux (...) L'utilité de l'étude du Droit romain pour les juristes tient à sa valeur technique et à son influence.

A.-E. GIFFARD, Précis de droit romain, t. I, p. 1.

Ancien droit français. La France était divisée en pays de droit écrit (droit romain conservé dans le Sud. → Conception, cit. 6), *et en pays de droit coutumier* (coutumes d'esprit germanique, dans le Nord). *Éléments d'unité de l'ancien droit :* le droit canonique (→ ci-dessous, cit. 63 et 64), les ordonnances royales, la doctrine.

Droit intermédiaire : lois élaborées par les assemblées révolutionnaires de 1789 à 1800. — *Abrogation de l'ancien droit,* par la loi du 30 Ventôse an XII (21 mars 1804). → **Code** (→ *infra* cit. 2).

Classification du droit positif. Droit international et Droit national, droit interne. Droit privé et droit public.

58 On doit d'abord distinguer le *droit public* du *droit privé,* distinction capitale et très usuelle, mais dont la raison d'être n'est pas toujours nettement aperçue. Le droit public règle les actes des personnes qui agissent dans un intérêt général, *en vertu d'une délégation directe ou médiate du souverain;* le droit privé règle les actes que les particuliers accomplissent *en leur propre nom pour leurs intérêts individuels.*

M. PLANIOL, Traité élémentaire de droit civil, t. I, p. 9.

a *Droit privé.*

DROIT CIVIL : la branche essentielle du droit privé, traitant des personnes (capacité, famille, mariage), des biens, des successions, des obligations... *Chez les Romains le droit civil* (jus civile) *ou droit du peuple romain s'opposait au droit des gens* (jus gentium), *commun à tous les peuples. Auj. Droit civil* désigne la branche essentielle du droit privé. — *Principales questions de droit civil :* sujets de droit (→ **Personne; domicile, état** [civil], **nom; famille; adoption, alliance, divorce, filiation, légitimation, mariage, parenté, séparation; capacité, aliéné, curatelle, émancipation, incapacité, interdit, mineur, puissance** [paternelle], **tutelle**); patrimoine (→ **Bien, immeuble, meuble, patrimoine;** → *supra* Droits réels); obligations (→ **Contrat, délit** [civil]..., **obligation**); preuve (→ **Présomption, preuve**); sûretés (→ **Cautionnement, hypothèque, nantissement, privilège, sûreté**...); régimes matrimoniaux (→ **Mariage; communauté, dot, dotal, séparation** [de biens]); successions (→ **Héritage, liquidation, partage, renonciation, saisine, succession, testament**...); libéralités (→ **Donation, fondation, legs, libéralité**).

59 Le *droit civil* contient la plupart des matières du droit privé et c'est lui qui représente le *droit commun* chez une nation (...) Pendant tout le moyen âge, l'expression «droit civil» a désigné le droit romain. Ce droit était représenté par les compilations de Justinien (...) Le *jus civile* (...) comprenait à la fois le droit public et le droit privé (...) mais (...) les États modernes se gouvernaient par d'autres règles; ils avaient d'autres institutions politiques. Par suite, les jurisconsultes n'allaient plus chercher dans les recueils de Justinien que les règles du droit privé.

M. PLANIOL, Traité élémentaire de droit civil, t. I, p. 10-11.

DROIT COMMERCIAL : partie du droit privé concernant les actes de commerce et les commerçants. *Principales questions de droit commercial :* sociétés (→ **Société; action, commandite**...); contrats (→ **Commission, gage, vente, warrant**); effets de commerce et opérations de banque (→ **Banque, billet, change, chèque, crédit, dépôt, escompte, virement**...); valeurs mobilières et opérations de bourse (→ **Bourse, titre**); faillite et liquidation (→ **Banqueroute, faillite, liquidation; concordat, créancier, union**...). → aussi **Commerçant, commerce.** *La source principale du*

droit commercial français est le Code de Commerce de 1808.

Le droit privé se divise en deux grandes branches, le droit 60 civil et le droit commercial (...) Le Code de commerce renferme des dispositions spéciales aux actes de commerce et aux commerçants, qui dérogent au Code civil dans un esprit de faveur et de protection pour le commerce. En somme, le droit civil est la règle, le droit commercial l'exception.

R. LACOUR et L. JULLIOT DE LA MORANDIÈRE, Précis de droit commercial, p. 1.

DROIT MARITIME. *Droit maritime* (par oppos. au *droit international public maritime,* au *droit administratif maritime* et au *droit international privé maritime*). *Le droit maritime a pour objet les navires*; les personnes* (→ **Armateur, capitaine, travailleur** [maritime]); *les contrats* (→ **Affrètement, passage**); *les accidents* (→ **Abordage, assistance, avarie, sauvetage**); *les assurances et le crédit maritime. Sources du droit maritime :* livre II du Code de Commerce et diverses lois.

L'expression «droit maritime» peut s'entendre dans un 61 sens très large. Elle désigne l'ensemble des règles juridiques qui intéressent la navigation et le commerce maritime...

Le *droit privé maritime* (...) s'applique aux rapports qui, par suite de cette même navigation, s'établissent entre les particuliers (propriétaires de navires, armateurs, gens de mer, chargeurs, assureurs, etc...).

R. LACOUR, Précis de droit maritime, p. 1.

Partie du droit réglant la manière de faire valoir et de défendre les droits devant la justice : procédure civile et commerciale réglant l'organisation judiciaire (→ **Procédure, juridiction, justice;** arbitrage, cassation, conseil, cour, juge, prud'homme, tribunal...; magistrat, ministère [public]; agréé, avocat, avoué, greffier, huissier, officier ministériel**); la compétence (→ **Action, défense**); la procédure proprement dite (→ **Procédure; jugement; recours :** appel, pourvoi, requête, opposition); les voies d'exécution (→ **Saisie; contribution, ordre**). Cf. Code de Procédure civile.

Droit international privé, déterminant les conditions de la nationalité (→ **Nationalité; naturalisation; déchéance**), la situation des étrangers* (→ **Admission, assignation** [de résidence], **expulsion, immigration, refoulement**) et les conflits de loi (→ **Exequatur**...).

L'expression, introduite et vulgarisée en France par 62 le *Traité de droit international privé* de Fœlix (1843), est aujourd'hui universellement employée *(...les)* trois matières *(du droit international privé)* ont un lien commun : les difficultés qu'elles renferment dérivent de la division du monde en États souverains, de structure et de culture différentes, division qu'il faut concilier avec les relations établies entre les peuples (...)

P. LEREBOURS-PIGEONNIÈRE, Précis de droit international privé, p. 1.

Droit canonique ou *droit canon,* réglant l'organisation de l'Église catholique. *Le droit canonique eut une importance universelle au moyen âge.* → 2. **Canon.** *La dernière codification du droit canon est le* Codex Juris Canonici *de 1917.*

Le *droit canonique,* ou *canon,* est, suivant les idées vul- 63 gaires, la jurisprudence ecclésiastique : c'est le recueil des canons, des règles des conciles, des décrets des papes, et des maximes des Pères.

VOLTAIRE, Dict. philosophique, Droit canonique.

Le droit canonique (...) est l'ensemble des règles par les- 64 quelles se gouverne l'Église catholique (...) Le droit canonique existe encore, mais il est confiné dans l'ordre purement religieux *(Il)* eut son apogée au XIIIᵉ siècle : peu à peu il fut refoulé par l'autorité royale dans le domaine restreint qui lui est resté.

M. PLANIOL, Traité élémentaire de droit civil, t. I, p. 18.

b *Droit public* (→ *supra* cit. 58).

Vx. *Droit politique. Du Contrat social ou Principes du droit politique*, œuvre de J.-J. Rousseau.

65   Le droit politique est encore à naître, et il est à présumer qu'il ne naîtra jamais. Grotius, le maître de tous nos savants en cette partie, n'est qu'un enfant (...) Le seul moderne en état de créer cette grande et inutile science eût été l'illustre Montesquieu. Mais il n'eut garde de traiter des principes du droit politique; il se contenta de traiter du droit positif des gouvernements établis (...)
ROUSSEAU, *Émile*, V.

DROIT CONSTITUTIONNEL : la partie du droit public interne relative à l'organisation et au fonctionnement de l'État. → **Nation, peuple, pouvoir, souveraineté; constitution, régime** (absolutisme, démocratie, monarchie, république...); **élection, scrutin, suffrage, vote; assemblée, parlement, parti; gouvernement, cabinet, conseil, ministre, président; décret, loi...;** aussi **politique.** — *Droit public général*, réglant l'exercice des libertés individuelles. → **Liberté** (association, conscience, culte, presse, radio, réunion...).

66   Si l'on considère l'entité juridico-politique que forme l'État, on discerne (...) qu'elle obéit au droit tant par les règles qui lui donnent l'*être* que par les normes qu'elle suit pour *agir*. Ainsi se distinguent les deux grandes parties du droit public :
Celle dans laquelle on découvre et explique les règles ayant trait à la structure de l'État; c'est le *droit public constitutionnel*, ou tout simplement le *droit constitutionnel*.
Celle où l'on recherche et fixe les règles s'appliquant aux relations de l'État : c'est le *droit public relationnel* ou *droit public* tout court.
Marcel PRÉLOT, *Précis de droit constitutionnel*, p. 10.

DROIT ADMINISTRATIF : ensemble des règles relatives à l'organisation des services publics* et à leurs rapports avec les administrés. → **Administration; arrondissement, district, région, sous-préfecture; commune, maire, municipalité, syndicat** (communal); **département, préfet; conseil** (d'État); **expropriation, police, réquisition;** aussi **public** (domaine, service public, travaux publics, utilité publique). *Le droit administratif régit « les personnes morales de droit privé d'intérêt général ».* → **Association; congrégation, établissement** (d'utilité publique), **société, syndicat.**

Droit financier ou *législation financière* : ensemble des règles relatives aux finances* publiques. → **Budget.** *Le droit fiscal fait partie de la législation financière.* → **Impôt; assiette, liquidation, recouvrement; fisc; emprunt...**

Droit international public, droit des gens, réglant les problèmes de la communauté internationale : *Droit de la paix* (→ **Conseil, union...**; cf. Société des nations, Organisation des Nations Unies...); *relations de l'État avec les autres États* (→ **Diplomatie**); *droit préventif de la guerre* (→ **Charte, médiation, pacte, sécurité**) et *droit de la guerre* (→ **Guerre; neutralité :** *droit des neutres*). *Droit de la guerre et de la paix*, ouvrage de Grotius (1625).

67   Le droit international public (ou droit des gens, ou encore « droit international » tout court) se définit l'ensemble des règles juridiques qui régissent les relations entre les États et les autres entités internationales (l'Église, les belligérants reconnus, l'O.N.U., etc.).
Louis DELBEZ,
Manuel de droit international public, p. 11.

c *Droit pénal* ou *droit criminel* (→ **Criminel**, cit. 12), que l'on rattache parfois au droit privé (cf. *Répertoire Dalloz*, II, p. 224), et qui a trait à la détermination et à la sanction des infractions (→ **Infraction; contravention, crime, délit...,** **tentative; délinquant; complicité, cumul, participation, récidive; peine; amende, bannissement, confiscation, dégradation, déportation, détention, emprisonnement, interdiction, mort, relégation, transportation;**

amnistie, grâce, libération, réhabilitation, sursis**), à la procédure criminelle (→ **Instruction, jugement, recours**). *Le code pénal et le code d'instruction criminelle contiennent les règles du droit pénal. Droit pénal international.*

Le *droit pénal* fait certainement partie du droit public. 68
L'État seul, représentant la nation, a le droit de punir; la poursuite et la condamnation se font en son nom.
M. PLANIOL, *Traité élémentaire de droit civil*, t. I, p. 10.

Droit civil ecclésiastique : ensemble des règles de droit public concernant les rapports de l'État et de l'Église. → **Concordat, séparation** (de l'Église et de l'État).

d *Branches du droit de formation récente, déterminées par leur objet et groupant des règles de droit public et privé.*

Droit médical, déterminant les obligations et les droits du médecin à l'égard des malades, des membres de la profession médicale et de la société en matière de médecine.

Droit aérien, réglementant les instruments de l'aviation marchande (immatriculation, certificat de navigabilité des aéronefs); le statut du personnel; les règles d'utilisation de ces éléments (police de l'air, survol, escale technique, commerciale; contrats de transports); les compagnies de transport aérien. *Spécialiste du droit aérien.* → **Aérianiste.** — *Droit spatial, droit de l'espace.*

Droit social, réglant les obligations de la collectivité pour assurer la protection économique des individus. *Droit* (ou *législation*) *du travail* (Code du travail, 1910). *Droit professionnel*, réglementant l'organisation des professions.

La marche, le progrès du Droit ne s'arrêtent jamais. Depuis 69 longtemps, des concepts nouveaux ont grandi, parmi lesquels une notion surtout tend à acquérir une influence chaque jour grandissante. C'est celle de la *solidarité* (...) Cette notion du *Droit social* (...) conduit à élargir, de plus en plus, la sphère d'intervention de l'État (...)
Le développement de la grande industrie et de la classe du prolétariat (...) a fait clairement apparaître les lacunes de la législation civile. Il a fallu combler ces lacunes (...) De là (...) toute une législation en voie de formation, la *législation ouvrière et sociale* dont on peut dire qu'elle correspond à une *catégorie nouvelle du Droit naturel*.
A. COLIN et H. CAPITANT, *Traité de droit civil*, t. I, p. 5-6.

Droit des assurances, réglant les contrats d'assurances des sociétés privées et nationalisées, des assurances sociales (→ **Assurance**, sécurité* sociale).

Ancienn. *Droit colonial, droit des pays d'outre-mer, droit d'outre-mer* : législation spéciale des territoires d'outre-mer (**opposé à** *droit métropolitain*).

Droit forestier : législation résultant du Code Forestier de 1827 et applicable à la propriété boisée en France. — *Droit des mines*.* — *Droit rural* : règles relatives à la propriété rurale, en partie codifiée (Code rural).

Droit des transports.*

IV Connaissance, description, analyse du droit positif. → **Juridique** (science). *Science, étude du droit. Étudier le droit. Étudiant en droit. Faire son droit. Enseigner le droit; professeur de droit. Faculté de droit. Cours de droit. Manuel, précis de droit civil,* etc. (→ *supra*). *Études de droit.* → **Capacité; licence; doctorat; agrégation.** *Baccalauréat* en droit. Licencié, docteur en droit. Être savant en droit.* → **Juriste.** *L'économie politique est enseignée à la faculté de droit.*

Différentes disciplines de droit : droit privé, public; civil, criminel (→ ci-dessus, III.). *Droit comparé :*

étude comparée du droit de plusieurs pays, de plusieurs époques, etc.

70 D'Alembert se trouva chez Voltaire avec un célèbre professeur de droit de Genève. Celui-ci, admirant l'universalité de Voltaire, dit à d'Alembert : «Il n'y a qu'en droit public que je le trouve un peu faible. — Et moi, dit d'Alembert, je ne le trouve un peu faible qu'en géométrie.»
CHAMFORT, Caractères et anecdotes, Universalité de Voltaire.

71 En se livrant à l'étude du Droit, il se sentit d'abord poussé bien moins vers les lois civiles que vers les lois politiques (...)
SAINTE-BEUVE, Causeries du lundi, 8 avril 1850, t. II, p. 28.

CONTR. Devoir ; interdiction. — Don ; cadeau. — Fait, force.
◊ COMP. Ayant-droit, non-droit, passe-droit.

DROITE [dʀwat] n. f. — XVIᵉ ; de 2. *droit*.

I (De 2. *droit*). **A** ♦ **1** Le côté droit, l'aile, la partie droite (par rapport à un repère, à un point de vue exprimé ou non). *Se diriger vers la droite, prendre sur la droite. Tournez à droite. La droite d'un navire.* → Tribord. — (1559, Amyot, cit. 1). *La droite d'une armée. Donner, céder la droite à quelqu'un,* pour lui faire honneur.

(Avec un possessif). *C'est à votre droite, sur votre droite. Placer quelqu'un à sa droite. Tournez sur votre droite.* Fig. *Il ne sait pas distinguer sa gauche de sa droite* : il ne sait rien.

1 Or s'estoient les chevaliers romains tous jettez en la poincte gauche (...) en intention d'envelopper la droite de Caesar par derriere.
AMYOT, Trad. Plutarque, César, 58, *in* LITTRÉ.

2 Montrevel plaisait merveilleusement au roi, sans avoir jamais su distinguer sa droite d'avec sa gauche.
SAINT-SIMON, Mémoires, III, 390, *in* HATZFELD.

3 (...) il ramassait son pinceau et lui cédait la droite à la promenade, de même que François Iᵉʳ assistait Léonard de Vinci sur son lit de mort.
CHATEAUBRIAND, Mémoires d'outre-tombe, t. V, p. 20.

4 (...) quand vous avez l'habitude de coucher sur la droite, ce n'est pas à mon âge que vous changez (...)
J. ROMAINS, les Hommes de bonne volonté, t. II, VII, p. 75.

La droite de Dieu, du Père (place des justes). *Jésus-Christ est assis à la droite du Père* (→ Ascension, cit. 1). *Les élus seront placés à la droite de Dieu.*

4.1 Il séparera les uns d'avec les autres, comme le berger sépare les brebis d'avec les boucs ; et il mettra les brebis à sa droite, et les boucs à sa gauche.
BIBLE (SEGOND), Évangile selon saint Matthieu, XXV, 33.

♦ **2** Le côté droit (d'un chemin, d'une route) sur lequel les véhicules doivent rouler dans la plupart des pays. *Prendre la droite, tenir, garder sa droite. Et votre droite !,* apostrophe à un conducteur qui ne reste pas à droite.

♦ **3** Loc. adv. (Mil. XVIᵉ, Montaigne). **À DROITE** : du côté droit. *Prendre, tourner à droite. Regarder à droite. C'est à cent mètres à droite. Visez plus à droite. Automobiliste pressé qui double à droite. — Priorité* à droite.*

Milit. *À droite, droite ! Demi-tour à droite,* commandements militaires. — Mar. *À droite* : la barre à tribord.

À droite et à gauche : de tous côtés ; çà et là. *Demander des renseignements à droite et à gauche.* — On dit aussi *de droite et de gauche.*

5 De droite et de gauche, on ne voyait que des ailes qui viraient au mistral par-dessus les pins (...)
Alphonse DAUDET, Lettres de mon moulin, «le Secret de Mᵉ Cornille».

Lucas tournait la tête à droite et à gauche ainsi qu'un dindon inquiet.
P. MAC ORLAN, la Bandera, VII, p. 79.

REM. La langue classique employait plutôt *à droit* «du côté droit, à droite».

Voyez (...) comme nous étions grossiers autrefois que le *cœur était à gauche :* en vérité, ma fille, le mien, ou à droit ou à gauche, est tout plein de vous.
Mᵐᵉ DE SÉVIGNÉ, Lettres, 807, 9 mai 1680.

Math. *À droite :* dans un intervalle dont les valeurs sont supérieures à la valeur prise comme référence (du côté droit dans la représentation graphique sur un axe horizontal ; s'oppose à *à gauche*). *Limite à droite* (d'une fonction). *Suite bornée à droite* (syn. : *bornée supérieurement*). *Intervalle fermé à droite ; ouvert à droite.*

B (1791). *La droite d'une assemblée politique :* les membres, les députés qui siègent à droite (du président) et qui appartiennent traditionnellement aux partis conservateurs. *La droite a voté pour le gouvernement ; l'extrême droite s'est abstenue. Majorité, opposition de droite.*

La droite d'un parti, d'un mouvement politique, sa fraction la moins avancée, la moins révolutionnaire ou la plus réactionnaire. *La droite, le centre et la gauche. Appartenir à la droite, être de droite. Il est de droite. Un homme de droite. Un journal de droite.*

8 Même avec les applaudissements des badauds et les bénédictions des droites réactionnaires (...)
A. MAUROIS, Études littéraires, J. Romains, t. II, p. 149.

9 Cette politique, la droite l'a servie, ce qui s'appelle aujourd'hui la droite : expression parlementaire non d'une doctrine, mais de l'argent.
F. MAURIAC, Bloc-notes 1952-1957, p. 210.

REM. Dans le contexte français contemporain, le mot est surtout employé par des adversaires, se disant *de gauche ;* les partis et le public dits *de droite* (par les autres) se réclament en général d'autres dénominations.

C ♦ **1** (1637). Relig. La main droite (de Dieu).

10 Que votre main s'appesantisse à tous vos ennemis ; que votre droite se fasse sentir à ceux qui vous haïssent.
BIBLE (SACY), Psaumes, XX, 8.

11 Tous deux sont morts. — Seigneur, votre droite est terrible.
HUGO, les Chants du crépuscule, V, v.

♦ **2** **a** La main droite (en termes de boxe, d'escrime...).
b Coup de la main droite, du poing droit. SYN. : *droit.* «*Une droite redoutable, une gauche foudroyante*» (Queneau).

II (1783 ; de 1. *droit*, I., A., 2.). Ligne dont l'image est donnée par un fil parfaitement tendu. Géom. Notion de base de la géométrie élémentaire. *On admet que par deux points on peut faire passer une droite et n'en faire passer qu'une seule. Droites parallèles, perpendiculaires. Ligne brisée,* formée de portions finies de droites. *Demi-droite. Segment de droite. Droite de position,* sur laquelle est situé l'observateur à un moment donné.

12 Aucun de vos savants n'a tiré cette simple induction que la Courbe est la loi des mondes matériels, que la Droite est celle des mondes spirituels (...)
BALZAC, Séraphîta, Pl., t. X, p. 550.

13 Sa ligne paraît incertaine et lente : c'est la courbe vivante, faite de petites droites en nombre infini.
André SUARÈS, Trois hommes, «Dostoïevski», IV, p. 228.

CONTR. Gauche, senestre ; bâbord. ◊ DÉR. (Du sens I, B) Droitisme, droitiste. ◦ COMP. (Du sens I, B). Eurodroite.

DROITEMENT [dʀwatmɑ̃] adv. — 1050, «directement»; de 1. *droit*.

♦ **1** Vx. Directement, en ligne droite. *«Ce chemin va droitement à la ville»* (Furetière). → 1. **Droit** (adverbe).

♦ **2** (De 1. *droit*, I., B.). Vx ou régional. D'une manière droite, franche, équitable, judicieuse. *Agir, juger, parler droitement.*

1   L'homme juge droitement, lorsque, sentant ses jugements variables (...) il leur donne pour règle des vérités éternelles (...)
         BOSSUET, Traité de la connaissance de Dieu..., IV, 5.

2   Non, mon maître, répliqua tout droitement le champi.
         G. SAND, François le Champi, XIII, p. 100.

CONTR. Faussement, hypocritement.

DROITERIE [dʀwatʀi] n. f. — 1922, *Larousse universel;* de 2. *droit*.

Didact. (physiol.). Prédominance fonctionnelle de la main droite (→ **Droitier; dextralité, manualité**), et de l'œil droit (→ **Ocularité**). *Droiterie et latéralité.*

CONTR. Gaucherie.

DROITIER, IÈRE [dʀwatje, jɛʀ] adj. et n. — XVIᵉ; de 2. *droit*.

♦ **1** Qui se sert mieux de la main droite que de la main gauche. → **Dextralité, droiterie.** *La plupart des humains sont droitiers.* N. *Une droitière et une ambidextre.*

Heureusement que je ne suis ni gauchère ni droitière, et que je brode des deux mains.
         ZOLA, le Rêve, p. 77, *in* T. L. F.

♦ **2** (Av. 1918, *in* D.D.L.). Polit. Qui appartient à la droite politique d'un mouvement. *Les tendances droitières du parti. Les éléments droitiers de la fédération.* — N. *Droitiers et gauchistes se sont affrontés au dernier congrès du mouvement.* — REM. On trouve, depuis 1968, la forme *droitiste*, n. et adj., sur le modèle de *gauchiste.* → Droitisme.

CONTR. Gaucher. — Gauchiste.

DROITISME [dʀwatism] n. m. — 1910; de *droite*, I., B., d'après *gauchisme.*

Polit. Attitude des partisans de la droite politique, ou des solutions de droite (notamment dans un parti de gauche).

CONTR. Gauchisme.

DROITISTE [dʀwatist] n. et adj. — 1966; de *droite*, I., B., d'après *gauchisme.*

Polit. Qui est partisan de la droite, de solutions réactionnaires. *«Le caractère conservateur et "droitiste" de sa politique»* (Guillain).

CONTR. Gauchiste.

DROITURE [dʀwatyʀ] n. f. — XIIᵉ, au sens de «droit, justice», puis *adroiture* «directement»; de 1. *droit*.

♦ **1** Vx. Direction en droite ligne. Loc. adv. *En droiture.* → **Directement**, 1. **droit** (II.) *À droiture, à la droiture :* tout droit.

1   Combien voulez-vous (...) pour me mener en droiture à Venise (...)   VOLTAIRE, Candide, 19.

REM. *En droiture se rencontre encore au XIXᵉ et même au XXᵉ s. (Benda, in T. L. F.), notamment par métaphore : «la droiture de notre ligne de conduite (...) nous regardons à marcher droit»* (Maurras, *in* Gide, Journal 1917, Pl., p. 611).

Rare et littér. Position droite, verticale.

♦ **2** (1680). Mod. Qualité d'une personne droite et loyale, dont la conduite est conforme aux lois de la morale, du devoir. → **Équité, franchise, honnêteté, impartialité, justice, loyauté, probité, rectitude, sincérité.** *Droiture de caractère, de cœur. Agir toujours avec droiture. Il est d'une droiture absolue, irréprochable.*

2   (...) la droiture et la probité peuvent s'allier quelquefois avec la culture des lettres.
         ROUSSEAU, les Confessions, VIII.

3   Comme il voyait l'honnêteté de ma nature, la pureté de mes mœurs et la droiture de mon esprit, l'idée ne lui vint pas un instant que des doutes s'élèveraient pour moi sur des matières où lui-même n'en avait aucun.
         RENAN, Souvenirs d'enfance..., IV, p. 172.

4   Il le tenait en mépris hautain, écœuré dans sa droiture de fonctionnaire consciencieux qu'honore la fidélité au devoir (...)
         COURTELINE, Messieurs les ronds-de-cuir, 1ᵉʳ tableau, II.

5   (...) ce qui vous choque, vous, ondoyant, c'est la droiture de notre ligne de conduite : il y a des terrains que nous avons besoin d'exproprier, par droiture, et des êtres que nous avons besoin d'écraser.
         GIDE, Journal, 7 janv. 1917.

♦ **3** (1662). Vieilli ou littér. Rigueur de l'esprit. *Droiture du jugement.* → **Rectitude, sens** (bon sens). *Il a une grande droiture de raisonnement, de jugement.*

6   Tout cela fut traité avec une justesse, une droiture, une vérité, que les plus grands critiques n'auraient pas eu le mot à dire.
         Mᵐᵉ DE SÉVIGNÉ, 909, 5 mars 1683.

CONTR. Artifice, astuce, déloyauté, duplicité, foi (mauvaise foi), **fraude, improbité, injustice, malhonnêteté, rouerie, ruse.**

DROLATIQUE [dʀɔlatik] adj. — 1565; repris par Balzac, 1832, *les Contes drolatiques* (pastiche du moyen français); de *drôle.*

Littér. Qui a de la drôlerie*, qui est récréatif et pittoresque. → **Cocasse, curieux, drôle, plaisant.** *Un personnage, une figure drolatique,* dont la bizarrerie, l'originalité prêtent à rire. *Histoire, scène, situation drolatique.* → **Bouffon, burlesque.**

1   Sous ce chapeau, qui paraissait près de tomber, s'étendait une de ces figures falotes et drolatiques comme les Chinois seuls en savent inventer pour leurs magots.
         BALZAC, le Cousin Pons, Pl., t. VI, p. 527.

2   (...) je ne serai jamais rédacteur dans un journal vertueux, à moins que je ne me convertisse, ce qui serait assez drolatique.
         Th. GAUTIER, Préface de Mˡˡᵉ de Maupin, éd. critique MATORÉ, p. 33.

3   Je trouve toujours assez drolatique de voir d'honorables bourgeois se mettre sur leurs fumerons et retirer leur huit-reflets pour entendre exécuter un hymne révolutionnaire, plein d'appels aux armes, plein de sang et de fureur, plein de meurtres sacrés.
         G. DUHAMEL, Chronique des Pasquier, VI, IX, p. 460.

N. m. *Le drolatique de cette histoire, c'est que...*

CONTR. Banal, fastidieux, triste. ◊ **DÉR. Drolatiquement.**

DROLATIQUEMENT [dʀɔlatikmɑ̃] adv. — Fin XVIᵉ; repris en 1845; de *drolatique.*

Littér. De manière drolatique.

DRÔLE [dʀol] n. m. et adj. — 1584, *drolle* «plaisant, coquin»; néerl. *drol* «petit bonhomme, lutin».

I N. m. ♦ **1** Vx. Homme singulier et roué à l'égard duquel on éprouve une bienveillance amusée, en même temps qu'une certaine défiance. → **Coquin.** *Ce drôle ne manque pas d'esprit! Voilà un drôle qui a plus d'une corde à son arc. En appellatif : Allez, drôles, un peu de respect.*

1 Le drôle a si bien fait par son humeur plaisante
Qu'il possède aujourd'hui cinq mille écus de rente (...)
SCARRON, Don Japhet d'Arménie, I, 1.

2 Et le drôle *(le renard)* eut lapé le tout en un moment.
LA FONTAINE, Fables, I, 18.

3 Une fois au service du Pape, le drôle continua le jeu qui
lui avait si bien réussi.
Alphonse DAUDET, Lettres de mon moulin,
«La mule du pape».

♦ **2** Péj. et vieilli. Homme méprisable. → **Maraud** (vx),
et fém. **drôlesse**. *C'est un drôle, un mauvais drôle,
un coquin. Ce drôle a déjà commis de nombreux
méfaits.*

4 Les miracles accomplis sur les champs de bataille nous
ont appris que les plus mauvais drôles pouvaient s'y transformer en héros (...)
BALZAC, les Paysans, Pl., t. VIII, p. 76.

5 Le vieux drôle faisait ostensiblement l'immonde commerce des reconnaissances du mont-de-piété (...) Il n'était,
certes, pas encombré de scrupules !
Léon BLOY, le Désespéré, p. 126.

♦ **3** (1739). Mod. et régional. Jeune garçon (dans le
Midi de la France). *Un petit drôle.* — En appellatif.
Allez vous en, petits drôles ! — (Avec des possessifs).
Mon drôle : mon fils. *Mes drôles* : mes enfants.
→ **Drôlesse** (2.), **gamin, garçon, gosse.**

6 Comme s'il était homme à se gêner pour un drôle ! L'enfant
l'avait distrait pendant quelque jours.
F. MAURIAC, Génitrix, XVI, p. 173.

II Adj. (1636). ♦ **1** (Après le nom, en épithète ; personnes,
choses). Qui prête à rire par son originalité, sa
singularité. → **Amusant, comique, facétieux, plaisant,
risible ; et, fam., bidonnant, gondolant, marrant, poilant, rigolo, tordant.** *Une histoire drôle, un mot drôle.*
→ **Blague** (cit. 3), **boutade, plaisanterie, trait** (d'esprit).
*Raconter des histoires drôles. Cette histoire est vrai-
ment drôle* (→ Elle est bien bonne*). *Situation, scène
drôle à voir.* → **Bouffon.** *Ce bon tour, cette farce
était vraiment drôle. C'est trop drôle ! Vous trouvez
cela drôle ? Cette farce n'est vraiment pas drôle.* —
La situation actuelle n'est pas drôle, elle est triste,
navrante, affligeante. — *Personne drôle en société,*
qui sait faire rire. → **Amusant, gai.** — Qui fait rire.
→ **Comique, ridicule.** *Ce qu'il est drôle, avec ce petit
chapeau.*

7 Vous êtes tout à fait drôle comme cela.
MOLIÈRE, le Bourgeois gentilhomme, III, 2.

8 (...) cela sera drôle ; car le mari ne se doutera point de la
manigance (...) MOLIÈRE, George Dandin, I, 2.

8.1 (...) sa conversation était d'une gaieté continue, elle faisait
rire perpétuellement par des rapprochements comiques,
une manière spirituelle de raconter la moindre chose, si
bien qu'elle n'avait nul besoin de raconter des histoires
drôles et qu'un mot drôle raconté par elle ne l'eût pas
été plus, mais bien plutôt que dans toute circonstance de
la vie, elle découvrait quelque chose de drôle, dans toute
conversation qu'elle entendait, dans toute action.
PROUST, Jean Santeuil, Pl., p. 522.

9 Mais dans la vie d'étudiant il y a aussi les études ; et les
études, avec les examens au bout, ce n'est pas toujours
très drôle.
J. ROMAINS, les Hommes de bonne volonté, t. IV,
XVIII, p. 199.

10 J'habite chez mon frère et ma belle-sœur, mais je ne vous
invite pas à dîner chez eux : ils ne sont pas drôles.
SARTRE, le Sursis, p. 208.

♦ **2** (Choses). Qui est anormal, étonnant. → **Bizarre,
curieux, étonnant, étrange, extraordinaire, singulier,
surprenant.** *Nous trouvons drôle qu'il ait oublié de
nous prévenir.*

a (Attribut). *Ça, c'est drôle !* — (Personnes). *Je l'ai trouvé
drôle :* il doit avoir quelque souci caché. — Fam.
Vous êtes drôle ! Qu'auriez-vous fait à ma place ? Se

sentir tout drôle : ne pas se sentir comme d'habitude, physiquement ou moralement. → **Chose** (tout
chose).

Elle a avoué le lendemain avoir éprouvé quelque chose de 11
singulier pendant plusieurs heures, avoir été *toute drôle,
toute je ne sais comment.* Cependant elle n'avait pas pris
de haschisch.
BAUDELAIRE, Du vin et du haschisch, IV.

b Dans la construction *drôle de...* (gardant sa valeur
d'adjectif). *Drôle d'histoire ! Un drôle d'instrument.
Une drôle d'odeur. Une drôle d'aventure* (→ **Extravagant, fantastique, rocambolesque...**). *Drôle de drame,*
film de Prévert et Carné. *Quelle drôle d'idée ! Quel
drôle de métier on me fait faire !* → **Triste.** *Faire une
drôle de tête, de gueule, de bobine* (fam.). *Avoir un
drôle d'air. Un drôle de personnage. Un drôle d'individu, de corps, de bougre, de pistolet, de paroissien.
C'est un drôle de type, de numéro, de zèbre, de zigoto,
de coco,* une personne originale*, bizarre, qui
étonne, ou dont il convient de se méfier (→ **Triste**).

J'ai une drôle d'idée dans ma tête (...) 12
VOLTAIRE, Lettre à d'Argenson, 26 janv. 1740.

Imaginez toutes les contractions, toutes les incompatibi- 13
*lités possibles, vous les verrez dans le gouvernement, dans
les tribunaux, dans les églises, dans les spectacles de cette
drôle de nation.* VOLTAIRE, Candide, 22.

Florent s'était promené tout le matin avec Claude Lantier, 13
*un drôle de corps, qui était justement le neveu de madame
Quenu.* ZOLA, le Ventre de Paris, t. I, p. 54.

Tu es une drôle de bête, lui dit-il enfin, mince comme un 14
doigt (...)
SAINT-EXUPÉRY, le Petit Prince, XVII, p. 60.

Exercice de style ? Oui, peut-être. Drôle d'exercice ! drôle 15
de style !
F. MAURIAC, le Nouveau Bloc-notes 1958-1960,
p. 176.

Loc. *La drôle de guerre :* nom donné à la guerre
de 1939-1945 dans sa première phase, à cause du
calme qui régnait sur l'ensemble du front. → **Drôlet**
(drôlette).

À la fin de 39, pendant ce qu'on a appelé «la drôle de 15
*guerre» parce qu'il ne se passait rien tandis que les Pari-
siens déambulaient en portant consciencieusement leur
masque à gaz, toute l'activité cinématographique s'était
arrêtée.* F. GIROUD, Si je mens, p. 73.

En voir de drôles : voir des choses curieuses ou
désagréables. *En faire voir de drôles à qqn,* lui créer
des soucis.

Je me doute, dit le Libanais, que, dans votre métier, vous 16
devez en voir de drôles.
Jacques LAURENT, les Bêtises, p. 335.

♦ **3** Fam. **DRÔLE DE...** (intensif). → **Beau, rude.** *Cet
homme a une drôle de carrure, une drôle de poigne,*
une large carrure, une forte poigne. *Il faut une
drôle d'endurance, de patience pour supporter cela,*
il en faut beaucoup.

**CONTR. Ennuyeux, falot, insipide, triste. — Normal, ordi-
naire.** ◊ **DÉR. Drolatique, drôlement, drôlerie, drôlesse,
drôlet, drôlichon.**

REM. On trouve isolément d'autres dérivés, tel *drôlasse* (*une
«gaucherie drôlasse»,* Cingria).

DRÔLEMENT [dʀolmɑ̃] adv. — 1625 ; de *drôle,* adj.

♦ **1** Rare. D'une manière amusante (→ **Drôle,** adj.,
II., 1.). → **Comiquement, plaisamment.**

(...) il (Gautier) a drôlement raconté comment son père, 1
*pour l'obliger à écrire, l'enfermait sous clef, à raison de
tant de pages par jour.*
Émile HENRIOT, les Romantiques, p. 208.

♦ **2** (1845). D'une manière bizarre (→ **Drôle,** adj.,
II., 2.). → **Bizarrement.** *Elle est drôlement accoutrée.
Vous vous comportez drôlement pour un homme
sensé.*

♦ 3 (1945, *in* Esnault). Fam. De manière extraordinaire (→ **Drôle**, adj., II., 3.). → **Bien, diablement, extrêmement, rudement ; fam. vachement.** *Les prix ont drôlement augmenté. Il fait drôlement froid aujourd'hui. C'est drôlement difficile. Elle est drôlement bien.* → **Joliment, très.**

2 — Tu m'as l'air drôlement défaitiste. — Je ne suis pas défaitiste : je constate la défaite.
SARTRE, les Chemins de la liberté, III, II,
p. 217 (→ Défaite, cit. 4).

CONTR. Tristement. — Normalement. — Peu, pas.

DRÔLERIE [dRolRi] n. f. — 1573 ; de *drôle*.

♦ 1 Parole ou action drôle et pittoresque. → **Bouffonnerie.** *Dire des drôleries. Histoire pleine de drôleries.* → **Drolatique.**

1 (...) la petite Fadette ne manquait d'accoster les *bessons de la Bessonnière*, par toutes sortes de drôleries et de sornettes, du plus loin qu'elle les voyait venir de son côté.
G. SAND, la Petite Fadette, VIII, p. 61.

♦ 2 Caractère de ce qui est drôle et pittoresque. *La drôlerie d'une histoire* (→ Citation, cit. 6). *Une situation pleine de drôlerie. Drôlerie d'une personne* (→ Assemblée, cit. 6). *C'est d'une drôlerie !*

1.1 Sans d'ailleurs chercher les causes de la gaieté qui trouver de la gaieté à toute heure près de soi, l'évidence de cette possibilité que nous enseigne toute personne spirituelle, par la drôlerie qu'elle trouve en tout, nous montre que si nous croyons qu'il y a peu de choses drôles, c'est que nous ne savons pas les y voir (...)
PROUST, Jean Santeuil, Pl., p. 522.

2 Ses naïves confessions sont pleines de bonne humeur, de drôlerie, d'exubérance ; il les farcit de citations dans toutes les langues, de vers de son invention, de morales de mirliton (...)
R. ROLLAND, Voyage musical au pays du passé,
p. 108.

3 Il y avait, dans ce journal, du talent, de la drôlerie et du désespoir. A. MAUROIS, Lélia, II, III, p. 101.

CONTR. Tristesse.

DRÔLESSE [dRolɛs] n. f. — XVIᵉ ; de *drôle*, I., et suff. -*esse*.

♦ 1 Vieilli et péj. Femme effrontée, dévergondée.

1 Le prêtre lui objecta que si tous les jeunes gens qui ont failli être dupes d'une drôlesse devaient prendre le froc, les couvents seraient trop petits.
A. BILLY, Sur les bords de la Veule, p. 99.

♦ 2 Régional (Sud) et fam. Petite fille. → **Drôle**, I., 3. *Où es-tu passée, petite drôlesse ?*

2 Vous connaissiez cette petite drôlesse de tantôt ? demanda Helmina. Louise MICHEL, la Misère, t. III, p. 536.

REM. On trouve aussi la var. régionale *drôlière* dans cette acception.

DRÔLET, ETTE [dRolɛ, ɛt] adj. — 1739 ; de *drôle*, II., et suff. dimin. -*et*.

♦ 1 Littér. Assez amusant (personnes, choses).

♦ 2 N. f. Fam. et vieilli (s'est dit pendant l'Occupation, v. 1941-45). **LA DRÔLETTE** : la «drôle* de guerre».

Il y a eu des fautes de commises. Total, on est dans le blaquaoute. Pendant la drôlette, on n'a pourtant pas trop souffert, au contraire. Il y avait du monde, l'homme n'était pas rare, il voulait du linge.
M. AYMÉ, le Passe-muraille, p. 261.

DRÔLICHON, ONNE [dRoliʃɔ̃, ɔn] adj. — 1860 ; de *drôle*, et suff. -*ichon*.

Fam. Qui est assez drôle. *Une enfant drôlichon, drôlichonne.*

Une jolie petite jeune femme, ébouriffée, drôlichonne, à peine éveillée, sautait sur le quai (...)
A. ALLAIS, l'Affaire Blaireau, p. 50.

DROMADAIRE [dRɔmadɛR] n. m. — Mil. XIᵉ ; du bas lat. *dromedarius*, du grec *dromas* «coureur».

♦ 1 Mammifère voisin du chameau, mais à une seule bosse. — REM. Sans être didactique, le mot est moins courant que *chameau*, qui (malgré son sens strict) s'emploie fréquemment pour désigner cet animal. → **Chameau** (cit. 1, et 2.2) et aussi chamelier, chamelle (REM.), chamelon. *Dromadaire du Sahara dressé pour les courses rapides.* → **Méhari.**

1 (...) ces deux races diffèrent en ce que le chameau porte deux bosses, et que le dromadaire n'en a qu'une ; il est aussi plus petit et moins fort que le chameau (...) le dromadaire, plus commun que le chameau de somme en Arabie, se trouve de même en grande quantité dans toute la partie septentrionale de l'Afrique (...) en Égypte, en Perse, dans la Tartarie méridionale et dans les parties septentrionales de l'Inde.
BUFFON, Hist. nat. des animaux, III,
Le dromadaire, p. 233.

2 (...) on voit le désert grisâtre se dégrader sous le ventre roux des dromadaires.
E. FROMENTIN, Un été dans le Sahara, p. 51.

3 Avec ses quatre dromadaires
Don Pedro d'Alfaroubeira
Courut le monde et l'admira.
Il fit ce que je voudrais faire
Si j'avais quatre dromadaires.
APOLLINAIRE, le Bestiaire, «Le dromadaire», Pl.,
p. 12.

♦ 2 Fig. et fam. Personne laide, pénible. *Ce vieux dromadaire.* — REM. Cet emploi reste stylistique et n'a pas pris les valeurs du sens fig. de *chameau**.

DROME [dRom] n. f. — 1755, sens 4 ; bas all. *Drom*, ou néerl. *drom* «masse, multitude» et au fig. «assemblage de charpente».

♦ 1 (1773). Mar. **a** Ensemble de diverses pièces de rechange (avirons, mâts, vergues...) disposées sur le pont d'un navire. *Vergues en drome.*

1 Ils se jetèrent sur des avirons, des mâts de rechange, des gaffes — tout ce qui se trouva dans la drome de long et de solide (...) LOTI, Pêcheur d'Islande, III, XI, p. 180.

Au plur. *Les dromes* (même sens).

2 Le lendemain, 19 décembre, on brûla la mâture, les dromes, les esparres. On abattit les mâts, on les débita à coups de hache.
J. VERNE, le Tour du monde en 80 jours, p. 304.

b Assemblage flottant de plusieurs pièces de bois. *Une drome de barils.*

3 Quelques épaves flottaient à la surface de la mer. On voyait toute une drome, consistant en mâts et vergues de rechange, des cages à poules avec leurs volatiles encore vivants, des caisses et des barils (...)
J. VERNE, l'Île mystérieuse, t. II, p. 643.

c *La drome d'une embarcation* : rassemblement en bon ordre des avirons, mâts, gaffes d'une embarcation sur les bancs.

♦ 2 Mar. Ensemble des embarcations appartenant à un navire.

♦ 3 Pêche. → **Orin.**

♦ 4 Techn. Pièce de charpente qui supporte le marteau d'une forge.

-DROME, -DROMIE Élément tiré du grec *dromos* «course». Ex. : *aérodrome, autodrome, cynodrome, hippodrome, vélodrome.* — REM. L'emploi autonome de *drome*, de même origine, reste exceptionnel au sens de *dromos**.

DROMIE [dRomi] n. f. — XIXᵉ ; du lat. zool. *dromia* (1802, Latreille), grec *dromias* «coureur» (→ -drome) désignant un crabe.

Zool. Petit crabe des mers tropicales, à corps sphérique, velu, à pattes courtes et épaisses.

DROMOMANIE [dʀɔmɔmani; dʀomomani] n. f. — XXᵉ; de *dromos* «course», et *manie*.

Méd. (pathol.). Besoin irrésistible de marcher ou de faire des voyages.

DROMON [dʀɔmɔ̃] n. m. — 1080; de *dromo, -onis*, bas lat. «navire de course», du grec *dromos* «course».

Didact. (hist.). Navire de guerre mû par des rames, employé en Méditerranée, surtout par les Byzantins.

DROMOS [dʀɔmɔs] n. m. — 1811, Chateaubriand; mot grec «course», et par métonymie «avenue».

Didact. (archéol.). Avenue, piste (d'abord destinée à la course). *Le dromos du trésor d'Atrée.* — REM. La variante francisée *drome*, n. m. (1880, Renan) est employée dans l'expression *logothète du drome* : fonctionnaire de l'empire byzantin chargé des postes et courriers impériaux.

DRONE [dʀon] n. m. — 1954; mot angl. (1946 dans ce sens, appliqué aussi à un missile), proprt «faux bourdon» (onomat.).

Anglic. Milit. Petit avion de reconnaissance, sans pilote, guidé par des stations au sol. «*Les drones (...), ces avions sans pilote utilisés pour observer les mouvements de l'adversaire*» (*le Monde*, 5 mai 1999, p. 4).

DRONGAIRE [dʀɔ̃gɛʀ] n. m. → **Drungaire.**

DRONTE [dʀɔ̃t] n. m. — 1663; mot d'un parler de l'océan Indien, par le hollandais.

Grand oiseau coureur de l'île Maurice, incapable de voler, exterminé par l'homme au XVIIᵉ siècle. → **Dodo.**

Voici Bernardin Cevenot, qui a tenté de sauver le dronte, cette oie de la Réunion.
GIRAUDOUX, la Folle de Chaillot, 1944, II, p. 181, *in* T.L.F.

1. DROP [dʀɔp] n. m. — 1870; mot angl., de *to drop* «laisser tomber».

Anglicisme.

♦ **1** Mar. Appareil de chargement des navires.

♦ **2** (1906, *in* Petiot). Au golf, Action de ramasser (une balle) et de la laisser tomber par-dessus son épaule (si on la juge injouable).

2. DROP [dʀɔp] n. m. → **Drop-goal.**

1. DROPER [dʀɔpe] v. intr. — 1902; aphérèse d'*adroper*, argot des soldats d'Afrique (1869), de l'arabe *azreb* «dépêche-toi», d'où *adreb*.

Pop. Filer, courir très vite.

Je me sens très, très fatiguée; il n'y avait pas de fourgon, les agents convoyeurs m'ont fait droper au pas de charge jusqu'à la gare.   A. SARRAZIN, la Cavale, p. 149.

HOM. 2. **Droper.**

2. DROPER ou **DROPPER** [dʀɔpe] v. tr. — 1918, au sens II (→ cit.); de l'angl. *to drop* «laisser tomber». Anglicisme.

I ♦ **1** → **Larguer** (2.), **parachuter** (1.). «*Le capitaine refusa d'aller plus loin pour nous dropper dans la baie de Tanger*» (A. Bombard, *Naufragé volontaire*, p. 114).

♦ **2** (1934, *in* Petiot). Spécialt. Au golf, Laisser tomber (la balle déplacée derrière soi) par-dessus son épaule.

II ♦ **1** Fam. Abandonner, délaisser (qqn); négliger (une relation). Laisser choir, tomber.

Alors, me disait-elle, c'est fini? Vous ne viendrez plus jamais voir Gilberte? Je suis contente d'être exceptée et que vous ne me «dropiez» pas tout à fait(¹).
PROUST, À l'ombre des jeunes filles en fleurs, Pl., t. I, p. 640.
(¹) C'est Odette Swann, ancienne demi-mondaine férue d'anglicismes, qui parle.

♦ **2** (1972). Fig. Abandonner (ses études, son métier) par rejet des valeurs sociales et culturelles, et vivre en marge des cadres existants de la société. — P. p. substantivé. (1973, *in* Höfler). *Un dropé, une dropée.* → **Drop-out; hippie, marginal.** «*Les dropés*», plus constructifs que les marginaux de base, montrent bien qu'il y a recherche d'un autre travail, et non pas simple lassitude de la dureté urbaine» (le Nouvel Obs., 30 avr. 1973).

DÉR. **Droppage.** ◊ HOM. 1. **Droper.**

DROP-GOAL [dʀɔpgol] n. m. — 1892, *in* Höfler; mot angl., de *to drop* «laisser tomber», et *goal* «but».

Anglic. Au rugby, Coup de pied en demi-volée dit aussi *coup de pied tombé. Réussir un drop-goal.* Plur. *Des drop-goals.* Ellipt. *Tenter le drop* (1913, *in* Höfler).

(...) et j'appris très tôt avec eux à frapper le ballon, à le recevoir de volée, à le passer, à tenter des buts ou des *drops* devenant dans cet entraînement préparatoire d'une adresse accomplie, mais jamais je ne pus disputer un véritable match (...)
Raymond ABELLIO, Ma dernière mémoire, t. I, p. 114.

DROP-OUT [dʀɔpawt] n. m. invar. — 1967; mot angl. des États-Unis «qui abandonne (ses études, sa vie professionnelle)», de *to drop out* «laisser tomber».

Anglic. *Un, une drop-out* : un(e) dropé(e). → 2. **Droper** (II., 2.). *Des drop-out.* «*c'est un drop-out; il a abandonné le convoi qui l'aurait mené comme les autres médecins à soigner des grippes et à délivrer des congés de maladie*» (le Sauvage, juin-juil. 1973).

DROPPAGE [dʀɔpaʒ] n. m. — 1960; de 2. *droper* I., 1.

Milit. Parachutage de personnel ou de matériel. *Zone de droppage* : terrain approprié pour le largage.

DROPPER [dʀɔpe] v. tr. → 2. **Droper.**

DROSCHKI [dʀɔʃki] n. m. → **Droski.**

DROSÉRA ou **DROSERA** [dʀozeʀa] n. m. — 1826; *drosère*, 1819; lat. sc. *drosera* (1735), du grec *droseros* «humide de rosée».

Plante carnivore des tourbières, type de Droséracées, appelée aussi *rossolis. Le droséra possède des feuilles hérissées de poils irritables qui sécrètent un liquide visqueux et se referment au moindre contact; l'insecte qui se pose sur ces feuilles est emprisonné et englué* (certains botanistes ont attribué au liquide sécrété des propriétés digestives).

DÉR. **Droséracées.**

DROSÉRACÉES [dʀozeʀase] n. f. pl. — 1895; de *droséra*, et suff. *-acées.*

Bot. Famille des plantes phanérogames angiospermes, classe des dicotylédones dialypétales. *Types principaux de droséracées* : aldrovandie, dionée, droséra, drosophyllum, parnassie, rorella.

DROSKI [dʀɔski] ou **DROSCHKI** [dʀɔʃki] n. m. — 1822, Stendhal, *droski; droschki*, 1845; russe *droški* «cabriolets», all. *droschke*.

Ancienn. Voiture basse, cabriolet découvert autrefois en usage en Russie. — Var. (rare) : *drouski*.

(...) Serge Ivanovitch donna le signal qui ébranla une longue colonne de chariots, de calèches, de drouskis *(sic)*.
William DE BAZELAIRE, l'Or de la Bérézina, p. 132.

DROSOPHILE [dʀozofil] n. f. — 1844; lat. sav., du grec *drosos* «rosée», et *-phile*.

Sc. Insecte diptère *(Brachycères)* à corps souvent rouge (syn. : *mouche du vinaigre*). *La drosophile, qui se reproduit vite, a des chromosomes peu nombreux et facilement observables; elle est fréquemment utilisée dans les expériences de génétique.* Adj. *Mouche drosophile.*

1 La drosophile est très facile à élever; elle présente un grand nombre de races, ou mutations, dont chacune correspond à la variation d'une unité mendélienne; elle ne possède qu'un petit nombre de chromosomes *(quatre)* dans la cellule reproductrice.
Jean ROSTAND, Esquisse d'une histoire de la biologie, note, p. 214.

2 Eh bien, malgré mon boléro à paillettes, j'ai passé une excellente soirée. Parlé drosophiles, gènes et mosaïque du tabac avec un garçon charmant.
Benoîte et Flora GROULT, Journal à quatre mains, p. 152.

DROSOPHYLLUM [dʀozofilɔm] n. m. — D. i.; du grec *drosos* «rosée», et *phyllum*.

Bot. Plante insectivore *(Droséracées)* qui englue les insectes par la matière visqueuse qu'elle sécrète. Var. anc. : *drosophylle* (ne pas confondre avec l'homonyme *drosophile*).

DROSS [dʀɔs] n. m. — 1882 (→ ci-dessous, cit. 1); de l'angl. *dross* «scories, mâchefer», sens attesté en français du Canada en 1919; le terme angl. normal est *green mud* «boue verte».

Anglic. Particules charbonneuses provenant de la combustion de l'opium.

1 Les particules charbonneuses qui restent attachées aux parois du fourneau sont le résultat de la combustion complète du chandoo et constituent le *dross*. Ce dross, d'une odeur très désagréable, contient de l'opium pur, du goudron et des produits empyreumatiques.
la Science illustrée, 1882, t. II, p. 260.

2 Il n'avait plus de drogue depuis un an et en était réduit à prendre du dross, qu'il délayait dans un peu d'eau.
Francis CARCO, Ombres vivantes, p. 273.

HOM. Drosse.

DROSSAGE [dʀɔsaʒ] n. m. — D. i.; de *drosser*.
Mar. Le fait de drosser (un navire).

DROSSART [dʀɔsaʀ] n. m. — 1545, attestation isolée, repris 1755; moy. néerl. *drossaert*, même sens.

Hist. Bailli, officier de justice, aux Pays-Bas et dans certaines parties de l'Allemagne.

DROSSE [dʀɔs] n. f. — 1634, «cordage pour l'arrimage des canons»; pour la manœuvre des voiles, 1680; sens mod., 1773; altér. de l'ital. *trozza*, du lat. *tradux* «sarment», par croisement avec *drisse*.

Mar. Filin, câble, cordage ou chaîne servant à faire mouvoir la barre du gouvernail, à partir de la roue ou du servomoteur.

Ils disent qu'ils ont réparé leur drosse cassée, que le navire gouverne un peu, qu'ils vont essayer de rentrer seuls (...)
Roger VERCEL, Remorques, p. 140.

DÉR. Drosser. ◊ HOM. Dross.

DROSSER [dʀɔse] v. tr. — 1634; de *drosse* ou du néerl. *drossen*, même sens.

♦ 1 Mar. Entraîner vers la côte. → **Dériver.** *Courant qui drosse un navire. Drosser un navire à la côte, vers la côte.*

Par ext. (usage des marins). Entraîner.

À l'appel, ils se levaient pesamment de tous les coins de la nuit où ils avaient été drossés, les uns contre le treuil de remorque, les autres sous les colonnes des pompes.
Roger VERCEL, Remorques, p. 85.

Au p. p. *Navire drossé à la côte.*

♦ 2 Par anal. (en parlant d'un avion) :

L'équipage était condamné à s'enfoncer, avant trente minutes, dans un cyclone qui le drosserait jusqu'au sol.
SAINT-EXUPÉRY, Vol de nuit, XVII, p. 140.

DÉR. Drossage.

DROUILLE [dʀuj] n. f. — 1810; *droye*, en dialecte liégeois, v. 1625; mot signifiant «colique», de *drouiller*, néerl. *drollen*.

Régional (Nord de la France, Belgique). Femme de mauvaise vie; prostituée pauvre. → **Pierreuse.**

DROUILLET [dʀujɛ] n. m. — 1769; orig. inconnue.

Techn. (pêche) et régional. Filet dormant, tendu sur des perches.

DRU, UE [dʀy] adj. — 1080, *erbe drue*; d'un gaulois *drûto* «fort, vigoureux».

♦ 1 Ⓐ Adj. Qui présente des pousses serrées et touffues. → **Épais, serré, touffu.** *Herbe haute et drue. Les blés sont drus cette année.*

Par anal. *Cheveux* (cit. 10) *drus et épais. Barbe drue.*

Le prince était contre le poêle sa beauté de jeune dieu, que fortifiait une barbe drue et noire.
FRANCE, le Lys rouge, IX, p. 91.

Par ext. Se dit d'éléments nombreux et serrés. *Des gouttes de pluie drues et serrées. Des coups drus.* — (Collectif). Qui présente de tels éléments. *Pluie, neige, grêle drue et serrée. La pluie tombe, drue et glaciale* (→ Cinq, cit. 10; 1. criquet, cit. 1).

Il pleuvait par torrents le lendemain; une de ces pluies d'abat, sans trêve, sans merci, aveuglante, inondant tout; une pluie drue à ne pas se voir d'un bout du navire à l'autre. LOTI, Mᵐᵉ Chrysanthème, III, p. 13.

Ⓑ Adv. *Le blé pousse dru. Semer dru. La pluie, la neige tombe dru. «Les balles pleuvaient dru comme mouches»* (Littré). *Cogner dru, taper dru.*

Toute la rive droite était gazonnée (...) le jonc et la prêle avaient poussé si dru dans le sable, qu'on ne pouvait voir un coin grand comme le pied pour y chercher une empreinte. G. SAND, la Petite Fadette, VIII, p. 55.

♦ 2 Littér. Qui a poussé avec vigueur; qui est d'une «belle venue». *Une gorge ferme et drue.*

Qui s'élance, se développe avec force. *Une flamme drue, un jet puissant et dru.* → **Fort.** — REM. De nombreux emplois stylistiques évoquent à la fois la force d'une «pousse» et la consistance serrée (*une ombre drue*, etc.).

Adv. *Le soleil tape dru, le vent souffle dru.*

♦ 3 (Abstrait). Littér. Vigoureux, fort (en parlant des productions de l'esprit, du langage). *Un langage dru,* vigoureux, hardi. *Une verve drue, un style dru.*

Je ne puis rien produire, non par stérilité, mais par surabondance; mes idées poussent, si drues et si serrées qu'elles s'étouffent et ne peuvent mûrir.
Th. GAUTIER, Mˡˡᵉ de Maupin, VI, p. 117.

Le dialogue n'est pas tant vif que dru, aigu, tranchant; il est riche en mots pleins de sens, aux échos qui durent; d'ailleurs il les répète; il ne craint pas d'être monotone et morose.
André SUARÈS, Trois hommes, «Ibsen», IV, p. 117.

Un accent dru, qui évoque le terroir.

♦ **4** Vieilli ou littér. (Personnes). Comparable à un végétal dru, pour la vigueur de la constitution, l'ardeur du tempérament. → **Gaillard, vigoureux.**

6 On se nourrit des anciens et des habiles modernes (...) et quand enfin l'on est auteur (...) on les maltraite, semblable à ces enfants drus et forts d'un bon lait qu'ils ont sucé (...)
LA BRUYÈRE, les Caractères, I, 15.

7 Catherine de Navarre, dit-on, fut fille amoureuse et drue, qui eut un mari débile.
P.-L. COURIER, Lettres, I, 339, in LITTRÉ.

♦ **5** (XVIᵉ-XVIIᵉ). Vx. Gai, vif. *«Vous êtes bien dru aujourd'hui»* (Académie, 1835).

CONTR. **Clairsemé, rare.** ◊ DÉR. **Drument ou druement.**

DRUGSTORE ou **DRUG-STORE** [dʀœgstɔʀ] n. m. — 1928, *drugstore; drug-store*, 1925; mot angl. (attesté depuis 1810), de *drug* «drogue», et *store* «magasin».

♦ **1** Aux États-Unis, Magasin où l'on vend divers produits (pharmacie, hygiène, alimentation, cigarettes...). — REM. Au Canada francophone, on dit *pharmacie.*

1 Je m'assis auprès de Norman au bar d'un drug-store, où un médiocre café nous réchauffa.
Philippe HÉRIAT, les Enfants gâtés, p. 52 (1939).

♦ **2** En France. (Anglic.; nom déposé). Ensemble formé d'un bar, d'un café-restaurant, de magasins divers, parfois d'une salle de spectacle. *Des drugstores.*

2 (...) elle et Philippe, justement, ils ont été voir ensemble le dernier Fellini au nouveau Drugstore de Saint-Germain-des-Prés (...)
ARAGON, Blanche..., I, v, p. 86.

3 À la librairie du drugstore, il réussit tout de même à parler avec une fille qui n'était même pas très jolie et qui plaisait à peine.
Jean-Louis CURTIS, le Roseau pensant, p. 192.

Abrév. fam.: *drug* [dʀœg] (1966, *in* D.D.L.). *«Un bistrot de passage, un pub, un drug...»* (*l'Express*, 30 oct. 1972, p. 101).

DRUIDE [dʀyid] n. m. — 1213; lat. *druida*, d'orig. gauloise; cf. l'irlandais *drui* «sorcier», parfois rattaché au grec *drus* «chêne», ou du celtique **druvids* «très savant», de *dru-* préfixe intensif, et **suvids* «sage».

Prêtre gaulois ou celte. → **Eubage, saronide.** *Le culte* (→ **Druidisme**), *le gouvernement des druides. Grand druide. Collège des druides. Réunion des druides dans les forêts. Chaque année les druides cueillaient le gui sacré sur les chênes, avec une faucille d'or. Sacrifices humains célébrés par les druides.*

(...) les druides savaient, au besoin, suppléer à leur ignorance par la hardiesse des hypothèses. Ils ne témoignaient aucun mépris pour les choses étrangères, ils avaient emprunté à la Grèce son alphabet, et peut-être avaient-ils modifié leurs doctrines primitives sous la rumeur lointaine de la philosophie grecque. Enfin, leurs procédés scolaires ôtaient à leur science ce qu'elle pouvait avoir de rebutant, ce que n'eût point aisément supporté l'esprit vagabond de la jeunesse celtique.
Camille JULLIAN, Vercingétorix, p. 96.

DÉR. **Druidesse, druidique, druidisme.**

DRUIDESSE [dʀyidɛs] n. f. — 1727, Dom Martin; de *druide.*

Didact. Prêtresse, chez les anciens Gaulois (→ Chêne, cit. 5). *Velléda, célèbre druidesse de Germanie.*

Il était facile d'imaginer (...) la druidesse observant le ruisseau rouge, pendant qu'autour d'elle la foule hurlait, au tapage des cymbales et des buccins faits d'une corne d'auroch.
FLAUBERT, Bouvard et Pécuchet, t. I, 1880, p. 113, *in* T.L.F.

DRUIDIQUE [dʀyidik] adj. — 1773; de *druide.*

Qui est relatif aux druides. *Religion, cérémonies* (→ Récitatif, cit. 1), *croyances, enseignement druidique. Autel, monument druidique* (→ Pierre, cit. 23). *Chênes, forêts druidiques.*

Malheureusement, les grandes carrières sont fermées aujourd'hui. Il y en avait une du côté du Château-Rouge, qui semblait un temple druidique, avec ses hauts piliers soutenant des voûtes carrées.
NERVAL, les Nuits d'octobre, III, Pl., t. I, p. 102.

DRUIDISME [dʀyidism] n. m. — 1727; de *druide.*

Didact. Religion, culte des druides.

DRUMENT ou **DRUEMENT** [dʀymɑ̃] adv. — Av. 1200, «avec opulence, richement»; de *dru.*

Littér. et vieilli. D'une manière drue, serrée (végétaux, etc.), vigoureuse. — Fig. *Boire druement.*

DRUMLIN [dʀœmlin] n. m. — 1929, *in* Höfler; attestation isolée (au plur.) 1906; mot irlandais, du gaélique *druim* «bord d'une colline», par l'anglais.

Géogr. Éminence elliptique constituée par les éléments d'une moraine, dans les pays de relief glaciaire.

Les moraines de fond peuvent atteindre couramment 30 m d'épaisseur moyenne (Inlandsis quaternaire dans l'Ohio) et jusqu'à plus de 100 m parfois; près des fronts elles forment quelquefois des groupes de buttes ou *drumlins*, allongées parallèlement à l'écoulement de la glace et pouvant dépasser 1 km de long.
Usevelod ROMANOVSKY et André CAILLEUX, la Glace et les Glaciers, p. 95.

DRUMMER [dʀœmœʀ] n. — 1928, *in* Höfler; mot angl., de *to drum* «jouer du tambour». → Drums.

Anglic. Jazz. Batteur, percussionniste.

1 Le drummer saupoudra sa caisse et il se fit du silence.
R. QUENEAU, Loin de Rueil, p. 194.

2 Le gros pianiste salua de loin les deux frères et se mit à pianoter doucement. Un *drummer* noir l'accompagnait discrètement. Tout cela très sans façon.
Elsa TRIOLET, Bonsoir, Thérèse, p. 32.

DRUMS [dʀœms] n. m. pl. — 1935, *in* Höfler; mot angl., de *to drum* «jouer de la batterie». → Drummer.

Anglic. Batterie, dans les orchestres de jazz, de rock. → **Batterie.**

DRUNGAIRE [dʀœgɛʀ] n. m. — 1721; *drongaire*, 1838; lat. tardif *drungarius*, de *drunga* «corps de troupe».

Didact. (Hist.). **a** Chef d'un corps de troupe (*drunga* ou *dronge*), subdivision d'une légion dans l'armée byzantine.

b Amiral de la flotte byzantine.

L'empereur grec pâlit dans Byzance aux abois;
Son armée est sans duc, sa flotte sans drungaire (...)
HUGO, la Légende des siècles, p. 145.

REM. On écrit aussi *drongaire.*

DRUPACÉ, ÉE [dʀypase] adj. — 1889, *Année sc. et industr.* 1890, p. 187; de *drupe*, et suff. *-acé.*

Bot. De la nature d'une drupe. *Fruit drupacé.*

DRUPE [dʀyp] n. f. — 1796; bas lat. *drupa* «olive mûre».

Bot. Fruit indéhiscent, charnu, à noyau (abricot, amande, cerise, noix, noix de coco, olive, pêche, prune...). — REM. Les botanistes considèrent parfois les pommes et les poires comme des *drupes* en raison de leur noyau parcheminé (→ aussi Induvie).

DÉR. **Drupacé, drupéole.**

DRUPÉOLE [dʀypeɔl] n. f. — 1842 ; *drupole*, 1827 ; de *drupe*.

Bot. Petite drupe, souvent dans une agglomération formant le fruit.

DRUSE [dʀyz] n. f. — 1755, var. *drusen* ; all. *Druse*, même sens.

I **Géol.** Géode.

II Au plur. **Physiol.** Dépôt de substance hyoline, au contact de l'épithélium pigmenté de la rétine.
HOM. Druze.

DRUZE [dʀyz] adj. et n. — D. i. ; plur. arabe *Duruz*, au sing. *Durzi*.

Qui appartient à une population musulmane arabophone de Syrie, du Liban et de Palestine, dont la religion est dérivée de l'ismaïlisme. *La culture druze, les populations druzes du Liban*. — N. *Un Druze, une Druze*.
HOM. Druse.

DRY [dʀaj] adj. et n. m. invar. — 1877 ; angl. *dry* «sec».
Anglicisme.

♦ 1 Adj. Sec, en parlant du champagne non sucré. *Un champagne dry*, sec. — Sec, en parlant des vermouths blancs. *Martini dry*. → aussi **Extra-dry**.

1 Trente marques de champagne y énonçaient en six pages leurs cuvées réservées : dry, brut, nature, extra, superior, extra-dry (...)
Pierre HAMP, Marée fraîche, p. 173 (1908).

♦ 2 N. m. invar. (1951). Cocktail composé de vermouth blanc, sec, et de gin, que les anglo-américains appellent *martini*.

2 *(Le) Royalty* où j'ai délibérément établi mes quartiers d'été, du jour où j'ai su distinguer un «dry» d'un «gin-fizz».
A. BLONDIN, Monsieur Jadis, p. 111.

COMP. Extra-dry. ◊ **HOM.** 1. Draille, 2. draille.

DRYADE [dʀijad] n. f. — 1269 ; lat. *dryas, -adis*, du grec *druas, -ados*, de *drus* «chêne».

I **Myth.** Nymphe* protectrice des forêts (→ aussi **Hamadryade**).

Tous les hommes, disait celui-ci, ont eu l'âge de Chérubin : c'est l'époque où, faute de dryades, on embrasse, sans dégoût le tronc des chênes.
BAUDELAIRE, le Spleen de Paris, XLII.

II (1786). **Bot.** Plante dicotylédone (*Rosacées*) vivace, qui croît dans les montagnes (n. sc. : *dryas*). → aussi **Chênette**.

DRY FARMING [dʀajfaʀmiŋ] n. m. — 1911 ; mots angl. «culture à sec», de *dry* «sec», et *farming*, de *to farm* «cultiver».

Anglic. Agric. Méthode de culture des régions sèches, qui consiste à emmagasiner dans le sol l'eau tombée pendant deux années consécutives, la pluie d'une seule année étant insuffisante pour obtenir une bonne récolte. *Fermier, cultivateur pratiquant le dry farming* : dry farmer, n. m. (1912, in Höfler).

DRYOPITHÈQUE [dʀijɔpitɛk] n. m. — 1890, Larousse ; du grec *drus, druos* «chêne», et *-pithèque*.

Didact. Primate fossile du miocène.

DU [dy] art. — IXe, *del* ; contraction de la prép. *de*, et de l'art. déf. *le*.

♦ 1 Article contracté, en usage devant consonne et h aspiré. *Venir du Portugal*. — *La fin du héros*. → 1. **De** et **le**.

♦ 2 (Déb. XIIIe, *del*). Article partitif. *Manger du pain et de l'ail*. → 2. **De**.
HOM. Dû ; formes de **devoir**.

DÛ, DUE [dy] adj. et n. m. — XIVe ; p. p. de *devoir*.

♦ 1 Adj. Que l'on doit. *Somme due*. — **Loc. prov.** *Chose promise, chose due*. — *En port dû*.
Qui est redevable à ; causé par. *«Des propriétés dues à ce qu'on appelle "les radiations"»* (J. Romains).
Dr. *Acte en due forme, en bonne et due forme*, conformément à la loi et revêtu de toutes les formalités nécessaires.

♦ 2 N. m. (1668). **DÛ** : ce qui est dû. *Payer son dû.* → **Dette.** *Réclamer son dû. Je ne vous demande que mon dû. À chacun son dû, selon son dû* (cf. Il faut rendre à César ce qui est à César).

Ah! faute irréparable! moi, domestique renvoyé, lui demander mon dû!   1
P.-L. COURIER, I, 145, *in* LITTRÉ.
Sur quoi, leur dû acquitté, les clients gagnaient la sortie.   2
COURTELINE, Boubouroche, Petit historique, p. 18.

CONTR. Indu (2.). ◊ **HOM. Du** (art.).

DUAL, ALE, ALS, ALES [dyal; dyal] adj. — 1948 ; du bas lat. *dualis* «de deux». (→ 2. **Duel**, 3. **duel**), du lat. class. *duo* «deux».

♦ 1 Log., math. Se dit de propriétés qui sont par deux et qui présentent un caractère de réciprocité. *Équation, expression duale*, qui se déduit d'une équation ou d'une expression écrite avec les symboles ∪ (union) et ∩ (intersection) en inversant les symboles ∪ et ∩. *Relations duales. Espace dual. Formes duales.*
N. m. *Dual d'un K-espace vectoriel E* : ensemble des formes linéaires définies de E dans K. — **Géom.** *Dual d'un polyèdre* : polyèdre image du premier dans une transformation par polaires réciproques par rapport à une sphère.

♦ 2 **Didact.** (Angl. *dual* «double»). Double (avec un caractère de réciprocité). → 3. **Duel**, II.
Alors, la leçon double du bachelardisme trouverait sa vérité duale et le miracle hellénique une nouvelle unité.
Michel SERRES, Hermès I, la Communication, p. 35.

Écon. *Société duale*, caractérisée par le dualisme.

DUALISME [dyalism; dyalism] n. m. — 1697, Bayle, *Dict.* ; *dualisme*, lat. mod., dér. sav. du lat. *dualis* «qui est composé de deux», de *duo* «deux».
Philosophie.

♦ 1 Doctrine qui admet dans l'univers deux principes premiers irréductibles. *Antagonisme, conflit des principes du Bien et du Mal dans les dualismes zoroastrien, manichéen... Dualisme de l'Idée et de la Matière chez Platon.*

(Le) conflit entre le dieu du soleil (...) et le dragon qu'on supposait le gardien de la pluie, devint en Perse la lutte spirituelle entre le bien moral et le mal moral : de façon qu'un texte, suggéré par un spectacle très commun du monde extérieur, se trouva être le fondement d'une philosophie connue sous le nom de Dualisme (en d'autres mots, le conflit entre deux dieux, l'un bon, l'autre mauvais)... Ce combat du bien et du mal (...) on en parle aussi comme du grand conflit entre Ormuzd et Ahriman.
MALLARMÉ, les Dieux antiques, Mythes perses, Pl., p. 1174.

♦ **2** Système qui, dans un ordre d'idées quelconque, admet la coexistence* de deux principes essentiellement irréductibles. *Dualisme de la nature et de la grâce. Dualisme de la volonté et de l'entendement. Dualisme de la matière et de l'esprit.*

♦ **3** Coexistence de deux éléments différents. → **Dualité.** *Dualisme de l'Autriche-Hongrie (1867-1919). Dualisme de races, de religions. Dualisme des partis.*

♦ **4** Ethnol. Organisation sociale dualiste* par division d'une ethnie en deux clans.

Écon. Juxtaposition de deux secteurs économiques à caractéristiques différentes.

CONTR. **Monisme, pluralisme.**

DUALISTE [dyalist; dyalist] adj. — 1702; *dualistique,* 1842; du lat. *dualis.* → Dualisme.

Didactique.

♦ **1** Qui se rapporte au dualisme. *Système, théorie dualiste. Philosophie, religion dualiste.* — N. (1864). *Un, une dualiste :* partisan du dualisme.

À l'époque des Achéménides, la religion perse, qui n'était déjà plus celle de Zoroastre dans sa pureté (le réformateur a sans doute été monothéiste), était essentiellement dualiste.   DANIEL-ROPS, le Peuple de la Bible, I, p. 285.

♦ **2** Ethnol. *Organisation dualiste :* système qui répartit tous les membres d'une communauté sociale en deux moitiés (notamment deux clans) entretenant l'une avec l'autre des relations de solidarité et d'hostilité. → Dualisme, 4.

DÉR. **Dualistique.**

DUALISTIQUE [dyalistik; dyalistik] adj. — 1838; de *dualiste.*

Didactique.

♦ **1** Philos. Du dualisme. *«Fondement dualistique de la grâce»* (G. Marcel, *in* T. L. F.).

♦ **2** Hist. des sc. Se dit de la théorie chimique de Lavoisier, pour laquelle tout composé était binaire.

DUALITÉ [dyalite; dyalite] n. f. — 1377; puis 1585; rare jusqu'au XIXe; repris en 1835; du lat. dualis, de *duo* «deux». → Dualisme.

♦ **1** Caractère ou état de ce qui est double en soi; coexistence* de deux éléments de nature différente. *La dualité de l'être humain :* l'âme et le corps. *Une dualité d'éléments. «La dualité des langues en Belgique»* (Académie).

1   Alors s'établit en moi une lutte ou plutôt une dualité qui a été le secret de toutes mes opinions.   RENAN, Souvenirs d'enfance..., II, VII, p. 100.

La dualité de... et de... : le caractère séparé, nettement opposable (de deux éléments exprimés).

2   Ce que Danton demande à la Convention, c'est d'abolir la dualité du pouvoir délibérant et du pouvoir exécutif : c'est de prendre elle-même le pouvoir et d'exercer le ministère.   JAURÈS, Hist. socialiste..., t. VII, p. 151.

♦ **2** Ling. Catégorie du nombre correspondant à deux éléments. → 2. **Duel** (opposé à *pluralité :* plus de deux).

♦ **3** Math. Correspondance réciproque entre deux catégories d'objets. *Relation de dualité.*

CONTR. **Unité.**

DUBITABLE [dybitabl] adj. — Fin XIXe; lat. *dubitabilis* «douteux; qui doute», du supin de *dubitare* (→ Douter), d'après *indubitable.* REM. Richard de Radonvilliers proposait en 1845 *dubitabiliser* «rendre, devenir douteux» et son participe passé.

Littér. et rare. Dont on peut douter. → **Douteux.**

(...) une dubitable rêverie de quelque naïf moine gaulois (...)   Léon BLOY, le Désespéré, p. 96.

CONTR. **Indubitable.**

DUBITATIF, IVE [dybitatif, iv] adj. — XIIIe; bas lat. *dubitativus,* du supin de *dubitare.* → Douter.

Qui exprime le doute.

♦ **1** Didact. Qui exprime un doute, une question par le langage. *Réponse dubitative. Conjonction* dubitative* (vx). *Construction, proposition dubitative.*

♦ **2** Plus cour. Qui exprime le doute, l'incertitude ou le scepticisme. *Avoir un air, un ton dubitatif.*

1   Albertine employait toujours le ton dubitatif pour les résolutions irrévocables.   PROUST, À la recherche du temps perdu, t. XI, p. 111.

2   (...) comme je me contentais de sourire, d'un air absent ou dubitatif, il a fini par me promettre de réunir l'assemblée le 30 février.   Pierre MOUSTIERS, la Mort du pantin, p. 257.

CONTR. **Affirmatif, négatif.** ◊ DÉR. **Dubitativement.**

DUBITATION [dybitasjɔ̃] n. f. — 1223; lat. *dubitatio,* du supin de *dubitare.*

Rhét. Figure par laquelle l'orateur feint d'hésiter sur la manière dont il doit interpréter ou juger quelque chose, afin de prévenir les objections.

DUBITATIVEMENT [dybitativmɑ̃] adv. — 1771; de *dubitatif.*

Didact. ou littér. D'une manière dubitative. *Répondre dubitativement.*

CONTR. **Affirmativement, négativement.**

1. DUC [dyk] n. m. — 1080; du lat. *dux, ducis* «chef», à l'accusatif. → ital. Duce.

I ♦ **1** Hist. Souverain d'un duché, circonscription supérieure à un comté, relevant généralement d'un roi ou d'un empereur. *Le duc et la duchesse de Bourgogne.*

♦ **2** Mod. Celui qui porte le titre de noblesse le plus élevé après celui de prince (en France et dans quelques pays étrangers). *Le duc d'Albe, de Guise, d'Enghien, de Richelieu, de Saint-Simon, de La Rochefoucauld... Un duc. Duc et pair.* → aussi **Archiduc, grand-duc.**

Monsieur disait à la princesse de baiser les personnes qu'elle devait, c'est-à-dire princes et princesses du sang, ducs et duchesses.   SAINT-SIMON, Mémoires, 41, 234, *in* LITTRÉ.

II (1877). Anciennt. Luxueuse voiture à cheval, à quatre roues, deux places, un siège de cocher et un siège arrière pour un domestique.

DÉR. **Ducal, duché, duchesse.** ◊ COMP. **Archiduc, grand-duc.** → HOM. 2. **Duc.**

2. DUC [dyk] n. m. — 1165, Chrétien de Troyes; probablt à cause des aigrettes, comparées à une couronne ducale.

Zool. ou rare (sous la forme isolée). Oiseau nocturne (*Strigidés* ou *Bubonidés*) qui porte sur la tête deux aigrettes en forme d'oreilles de chat. *Grand duc.* → **Bubo.** *Moyen duc.* → **Hibou.** *Petit duc.* → **Scops.**

REM. Le syntagme *grand duc* constitue l'emploi le plus courant du mot.

HOM. 1. **Duc.**

DUCAL, ALE, AUX [dykal, o] adj. — V. 1270, *in* Arveiller; *duchal*, v. 1150; de 1. *duc.*

♦ **1** Qui appartient à un duc, à une duchesse. *Couronne ducale. Palais ducal. — Cour grand-ducale,* qui appartient à un grand-duché.

♦ **2** Vx. Du doge* de Venise. *Le Palais ducal,* à Venise (Nodier, *Jean Sbogar,* in T. L. F.).

DUCASSE [dykas] n. f. — 1391, *ducace;* var. dial. de l'anc. franç. *dicasse, dicaze,* fin XIIᵉ, de *Dédicace,* nom d'une fête catholique.

Régional. Fête patronale (et, par ext., fête publique), en Belgique (Hainaut) et dans le Nord de la France. *C'est la ducasse. Aller à la ducasse.* → **Kermesse.** — *Lieu où se tient cette fête.*

Par ext. (Nord, Belgique). Fête, réjouissances inhabituelles.

1 Depuis cinq grandes heures, la herscheuse et son galant se promenaient à travers la ducasse. C'était, le long de la route de Montsou, de cette large rue aux maisons basses et peinturlurées, dévalant en lacet, un flot de peuple qui roulait sous le soleil (...) Aux deux bords, les cabarets crevaient de monde, rallongeaient leurs tables jusqu'au pavé où stationnait un double rang de camelots, de bazars en plein vent, des fichus et des miroirs pour les filles, des couteaux et des casquettes pour les garçons, sans compter les douceurs, des dragées et des biscuits. Devant l'église, on tirait de l'arc. Au coin de la route de Joiselle, à côté de la Régie, dans un enclos de planches, on se ruait à un combat de coqs, deux grands coqs rouges, armés d'éperons de fer, dont la gorge ouverte saignait. Plus loin chez Maigrat, on gagnait des tabliers et des culottes, au billard.
　　　　　　　ZOLA, Germinal, éd. L. de Poche, p. 149-150.

2 Certes, le père n'eût pas permis jadis qu'elle dansât aux ducasses, et c'est un bien pauvre soulas pour une fille que le regard furtif jeté chaque dimanche, au sortir de la messe, sur les vitres de l'estaminet.
　　　　　　　BERNANOS, Monsieur Ouine, p. 35.

3 Les ducasses durent deux, trois jours, et même plus dans certaines communes.
　　　　　　　Constant MALVA, Un mineur vous parle,
　　　　　　　　　　　　　　　　　　p. 114 (1948).

DUCAT [dyka] n. m. — 1395; ital. *ducato,* proprt «monnaie à l'effigie d'un duc»; primitivement monnaie frappée par les ducs ou doges de Venise.

Hist. Ancienne monnaie d'or. *Or de ducat :* or au titre du ducat.

1 Celui-ci ne songeait que ducats et pistoles.
　　　　　　　LA FONTAINE, Fables, XII, 3.

2 Ces chapelles, extrêmement ornées d'arabesques, de volutes, de rinceaux et de ramages de sculpture entremêlés de croix, de blasons, de fleurs de lis, le tout doré en or de ducat, surprennent par leurs richesses.
　　　　　　　Th. GAUTIER, Constantinople, p. 30.

Adj. *Or ducat.*

DÉR. Ducaton.

DUCATON [dykatɔ̃] n. m. — 1596, *ducquaton;* de *ducat.*

Vx (ou citation). Ancienne monnaie d'argent.

1 Mais le moindre ducaton
Ferait bien mieux mon affaire.
　　　　　　　LA FONTAINE, Fables, I, 20.

2 Je le croyais ruiné!... il a même trouvé un éditeur pour moi ! l'éditeur m'a donné une tortue dont la coquille est rose et vernie : le moindre ducaton ferait bien mieux mon affaire.　　　Max JACOB, le Cornet à dés, p. 50.

DUC-D'ALBE [dykdalb] n. m. — 1869, *duc d'Albe;* d'après le néerl. *duc Dalba* (néerl. mod. *dukdall*) désignant ces ouvrages, après la venue du duc d'Albe à Amsterdam.

Mar. Appui isolé constitué de pieux auxquels s'amarrent les bateaux. *Les ducs-d'Albe de Venise.*

DUCE [dutʃe] n. m. — 1922; mot ital. «chef», lat. *dux.* → 1. Duc.

Le duce, titre pris par Mussolini, chef de l'Italie fasciste (1922-1945).

DUCHÉ [dyʃe] n. m. — 1210, au fém., *la duchiet;* de 1. *duc.*

Seigneurie, principauté à laquelle le titre de duc* est attaché. *Les anciens duchés de Bourgogne, de Bretagne, de Normandie. Ériger une terre en duché. — Duché-pairie :* terre à laquelle était attaché le titre de duc et pair. — REM. Le terme est encore fréquemment féminin au XVIIᵉ s.; cette forme, condamnée par Vaugelas, subsiste encore dans le *Dictionnaire de Trévoux* (1752). → aussi **Archiduché, grand-duché.**

DUCHESSE [dyʃɛs] n. f. — XIIᵉ; *duchoise,* 1160; de 1. *duc;* cf. le lat. médiéval *ducatissa.*

I ♦ **1** Femme revêtue de la dignité de duc* soit par mariage, soit par la possession d'un duché, soit par l'attribution du titre. *La duchesse d'Anjou, de Bretagne. Madame la duchesse de X. Les duchesses avaient le privilège de s'asseoir en présence du roi* (privilège du tabouret*).

Il vint ensuite bien des duchesses, entre autres la jeune Ventadour, très belle et jolie. On fut, quelques moments, sans lui apporter ce divin tabouret.
　　　　　　　Mᵐᵉ DE SÉVIGNÉ, Lettres, 150, 1ᵉʳ avr. 1671.

♦ **2** *La grande-duchesse de Luxembourg :* souveraine du grand-duché de Luxembourg.

♦ **3** (1870). Iron. (en parlant d'une femme qui affecte de grands airs). *Elle fait sa duchesse, la duchesse.*

II (1742). ♦ **1** *Lit à la duchesse :* grand lit à quatre colonnes supportant un baldaquin.

Techn. Chaise longue comportant un dossier haut et, vers les pieds, un dossier bas. *Duchesse en bateau. Duchesse brisée,* formée d'une bergère, d'un petit fauteuil à dossier bas et d'un tabouret intermédiaire, les trois pièces étant juxtaposées ou encastrées les unes dans les autres.

(1881; *pommes de terre à la duchesse,* 1816). En appos. *Pommes duchesse :* purée de pommes de terre liée au jaune d'œuf, moulée et frite.

♦ **2** Ancienn. Nœud de ruban porté par les femmes sur le front (XIXᵉ siècle).

♦ **3** Guipure* flamande. — En appos. *Satin duchesse,* dont l'endroit est très brillant et l'envers mat.

III (1864). Variété de poire fondante. En appos. Invar. *Des poires duchesse.*

DUCROIRE [dykʀwaʀ] n. m. — 1723; de *du,* et *croire,* au sens archaïque de «vendre à crédit».

Commerce.

♦ **1** Engagement par lequel un commissionnaire garantit son commettant contre les risques d'insolvabilité de l'acheteur.

Prime accordée au commissionnaire qui répond des personnes auxquelles il vend la marchandise.

♦ **2** Commissionnaire qui garantit son commettant par un ducroire.

-DUCTE Suffixe, du lat. *ductus* «conduit», du supin de *ducere* «conduire», qui entre dans la composition des mots savants tels que *oviducte, vasiducte.*

DUCTILE [dyktil] adj. — XVᵉ ; attestation isolée, 1282 ; lat. *ductilis*, du supin de *ducere* «conduire, tirer».

♦ **1** (Concret). Qui peut être allongé, étendu, étiré sans se rompre. *Métal ductile. L'or est le plus ductile des métaux. Fonte ductile*, à graphite cristallisé en sphères.

1 (...) on fabrique le papier, on file les métaux ductiles.
VOLTAIRE, Hist. de Russie, I, 9, *in* LITTRÉ.

♦ **2** (1542). Littér. (En parlant des personnes ou de leur comportement). Influençable. → **Malléable**.

2 Ce sont les hommes les plus ductiles et les plus doux que l'on fait souffrir davantage. À l'image de l'or, on peut les faire passer par la filière la plus étroite sans les casser.
Louis-Claude DE SAINT-MARTIN,
l'Homme de désir, p. 53.

3 (...) un état religieux de la tête où les sensations sont devenues telles et si ductiles qu'elles sont bonnes à visiter par l'Esprit.
A. ARTAUD, Sur le théâtre balinais, Appendice,
in Œ. compl., t. IV, p. 299.

DÉR. Ductilité.

DUCTILITÉ [dyktilite] n. f. — 1671 ; de *ductile*.

♦ **1** (Concret). Propriété des corps ductiles. *La ductilité de l'or permet de l'étirer en fils très fins.*

1 Quoique ces deux membranes *(de la tige)* soient devenues solides et ligneuses par leurs surfaces intérieures, elles conservent, à leurs surfaces extérieures, de la souplesse et de la ductilité.
BUFFON, De la vieillesse et de la mort, *in* LITTRÉ.

♦ **2** Fig. et littér. Aptitude d'une personne à se plier aux circonstances, aux influences extérieures. → **Malléabilité**.

2 (...) comme l'ange rebelle, il *(Napoléon)* pouvait raccourcir sa taille incommensurable pour la renfermer dans un espace mesuré ; sa ductilité lui fournissait des moyens de salut et de renaissance ; avec lui tout n'était pas fini quand il semblait avoir fini.
CHATEAUBRIAND, Mémoires d'outre-tombe, t. II,
p. 528.

DUCTION [dyksjɔ̃] n. f. — XXᵉ ; du lat. *ductum*, p. p. de *ducere* «conduire».

Physiol. Mouvement effectué par un seul œil. *Les mouvements de duction comprennent : l'abduction, l'adduction, la supraduction, l'infraduction et la cycloduction.*

DUÈGNE [dyɛɲ] n. f. — 1655, cit. Scarron ; *doêgne*, 1643 ; esp. *dueña*, du lat. *domina*, fém. de *dominus* «maître».

♦ **1** Anciennt. Femme âgée, gouvernante chargée de veiller sur la conduite d'une jeune fille ou d'une jeune femme. → **Chaperon ; domestique**. *Une duègne gênante, revêche.*

1 (...) il faut que j'apprenne, à ceux qui ne le savent pas, que les dames en Espagne ont des duègnes auprès d'elles ; et ces duègnas sont à peu près la même chose que les gouvernantes ou dames d'honneur que nous voyons auprès des femmes de grande condition. Il faut que je dise encore que ces duègnas ou duègnes sont animaux rigides et fâcheux, aussi redoutés pour le moins que des belles-mères.
SCARRON, le Roman comique, I, XXII, p. 136 (1655).

2 La vieillesse d'une duègne ne rassure pas tant un amant jaloux que la vieillesse du visage de celle qu'il aime.
PROUST, À la recherche du temps perdu, t. XI,
p. 240.

Rôle de théâtre correspondant à cette fonction. *Jouer les duègnes.*

♦ **2** Péj. et vieilli. Vieille femme acariâtre et gênante.

1. DUEL [dyɛl ; dyɛl] n. m. — 1539 ; lat. *duellum*, archaïsme pour *bellum* «guerre», rattaché par erreur à *duo*.

♦ **1** Anciennt. Combat entre deux adversaires armés (combat* singulier).

Le vainqueur offrit le duel au nouveau roi.   1
BOSSUET, Disc. sur l'hist. universelle, III, 4.

Anc., dr. *Duel judiciaire* : combat* singulier admis comme preuve juridique. → **Ordalie**. *Le vainqueur du duel judiciaire était réputé avoir le bon droit pour lui* (→ Battre, cit. 80).

(...) faute de témoins, les parties recourent à la *bataille*,   2
c'est-à-dire au duel judiciaire, qui a lieu devant le juge selon un cérémonial minutieux.
Fr. OLIVIER-MARTIN, Précis d'hist. du droit franç.,
nº 291.

Duel au sabre des étudiants allemands. → **Mensur**.

♦ **2** Combat entre deux personnes dont l'une exige de l'autre la réparation d'une offense par les armes. → **Affaire** (d'honneur), **rencontre, réparation** (par les armes). *Provoquer quelqu'un en duel.* → **Appelant ; cartel** (→ Remettre sa carte*). *Duel en champ clos. Les seconds, les témoins dans un duel. L'offensé* a le choix des armes pour le duel. Duel au pistolet, à l'épée. Nouvel assaut dans un duel.* → **Reprise**. *Duel au premier sang ; duel à mort. Les édits du roi contre le duel.*

(...) on a fait dans le siècle passé des lois capitales contre   3
les duels (...)
MONTESQUIEU, l'Esprit des lois, XXVIII, 24.

(...) le duel est affreux, surtout lorsqu'il détruit une vie   4
pleine d'espérances et qu'il prive la société d'un de ces hommes rares qui ne viennent qu'après le travail d'un siècle, dans la chaîne de certaines idées et de certains événements.
CHATEAUBRIAND, Mémoires d'outre-tombe, t. VI,
p. 280.

(...) dans le silence du code pénal, il faut appliquer le   5
droit commun du meurtre et des coups et blessures. Vainement opposerait-on le défaut d'intention coupable, l'état de légitime défense, ou enfin le consentement de la victime, qui n'est pas un fait justificatif. Cette jurisprudence rigoureuse, qui atteignait les duellistes et leurs témoins, inculpés comme complices, s'accordait mal avec le sentiment public. Il s'ensuivit une extrême irrégularité des poursuites. La désuétude du duel a fait perdre à cette question la plus grande partie de son intérêt.
H. DONNEDIEU DE VABRES,
Précis de droit criminel, nº 225.

EN DUEL : en se battant dans un duel. *Se battre en duel.* → **Battre** (se), **bretailler** (VX), **croiser** (cit. 3 : croiser le fer), **ferrailler** (cf. Aller sur le pré, sur le terrain). *Il a été tué en duel.*

♦ **3** Combat singulier. *Duel à coups de poing.* — Par anal. *Un duel d'artillerie* (cit. 2).

Un duel de... : un combat entre deux personnes, quant à... *Un duel d'esprit, d'astuce, d'imagination.* → **Joute**. — *Avoir un duel avec* (le destin, la misère...). → **Combat**. *Le duel de la brute et de (avec) l'esprit.*

Duel oratoire : échange de répliques entre deux orateurs. → **Joute**. — *«Un duel d'idées. Le duel de deux principes, de deux civilisations»* (Académie). → **Antagonisme, lutte, opposition**. *Duel entre le bien et le mal.*

Didact. et rare. Groupe de deux éléments. → **Duo**.

Social est toujours couplé avec *économique*. Ce duel fonc-   6
tionne uniformément comme un alibi.
R. BARTHES, Mythologies, p. 141.

HOM. 2. Duel, 3. duel, D. U. E. L.

2. DUEL [dyɛl ; dyɛl] n. m. — 1570 ; bas lat. *dualis*, du lat. class. *duo* «deux».

Gramm. Nombre* qui s'emploie dans les déclinaisons et les conjugaisons de certaines langues (arabe, grec, hébreu, sanscrit...) quand il s'agit de désigner deux personnes, deux choses (→ **Dualité**, 2.). *Le duel et le pluriel* (pluralité : plus de deux). *Relatif au duel.* → 3. **Duel**, I.

La langue que je parle a perdu ces modes qui, n'étant ni singulier ni pluriel, donnent au cri de l'homme autre sens que de sa douleur égoïste, sans le noyer dans l'océan des autres. Nous n'avons plus en français le *duel* qui parlerait (...) encore pour Blanche et moi (...) pour cette lutte où l'homme et la femme, ensemble, sont à la fois deux et un seul (...) Et l'on ne dirait plus ni je ni toi, nous deux, ni même nous, mais quelque *l'on* qui serait l'un et l'autre indivisibles (...)   ARAGON, Blanche..., II, II, p. 207.

HOM. 1. **Duel**, 3. **duel**, **D. U. E. L.**

3. **DUEL, ELLE** [dɥɛl; dɥɛl] adj. — 1827 ; bas lat. *dualis*, du lat. class. *duo* «deux».

I Gramm. Propre au duel (2. Duel).

1 Les troisièmes personnes duelles aux autres sont les mêmes que les plurielles.
     CHATEAUBRIAND, Voyage en Amérique...,
     Langues indiennes, p. 144.

Didact. et rare. Qui repose sur la dualité, sur le concept de dualité, de double*. → **Dualiste ; binaire.**

2 La *logique de Port-Royal* le dit : «le signe renferme deux idées (...)». Théorie duelle du signe, qui s'oppose (...) à l'organisation plus complexe de la Renaissance ; alors, la théorie du signe impliquait trois éléments (...)
     Michel FOUCAULT, les Mots et les Choses, p. 78.

II Didact. Double. → **Dual**, 2.

3 C'est là *(le discours humain)* le champ que notre expérience polarise dans une relation qui n'est à deux qu'en apparence, car toute position de sa structure en termes seulement duels, lui est aussi inadéquate en théorie que ruineuse pour sa technique.
     Jacques LACAN, Écrits, p. 265.

HOM. 1. **Duel**, 2. **duel**, **D. U. E. L.**

D. U. E. L. [dɥɛl] n. m. — 1966 ; sigle.

Admin. Anciennt. Diplôme universitaire d'études littéraires. *Le D. U. E. L. et le D. U. E. S. ont été remplacés par le D. E. U. G.*

HOM. 1. **Duel**, 2. **duel**, 3. **duel**.

DUELLISTE [dɥelist; dɥɛlist] n. — Fin XVIᵉ ; ital. *duellista*, de *duello*, du lat. class. *duellum*. → 1. Duel.

Personne qui se bat en duel. **Spécialt.** Personne qui cherche les occasions de se battre en duel. → **Bretteur, ferrailleur.** *Un duelliste impénitent. Une duelliste.*

1 Girolamoni Paraguante, les célèbres maîtres d'armes, n'ont un jeu plus serré. Je l'ai bien observé en cette rencontre, et nos plus fameux duellistes n'y feraient que blanchir.
     Th. GAUTIER, le Capitaine Fracasse, p. 248.

2 Le duelliste habile n'a point peur parce qu'il voit clairement ce qu'il fait et ce que fait l'autre ; mais s'il se livre au destin, le regard noir qui le guette le perce avant l'épée ; et cette peur est pire que le mal.
     ALAIN, Propos, Épictète, 10 déc. 1910.

DUETTINO [dɥetino] et **DUETTO** [dɥɛtto; dɥeto] n. m. — XIXᵉ, *duettino ; duetto*, 1823, cit. ; mot ital., dimin. de *duo*.

Mus. Petit duo. — Plur. *Des duettinos, des duettos* ou (plur. ital.), *des duettini, des duetti.*

1 (...) deux ou trois petits airs ou *duetti*, écrits avec génie, et, mieux encore, écrits avec nouveauté.
     STENDHAL, Vie de Rossini, Introduction, III, p. 35.

2 Il chanta après souper un petit duettino avec Mᵐᵉ de Rênal.
     STENDHAL, le Rouge et le Noir, p. 152.

DUETTISTE [dɥetist] n. — 1913 ; ital. *duettisto*, de *duetto*. → Duetto.

Personne qui joue ou qui chante une partie dans un duo. — *Duettistes comiques* (music-hall).

DUFFEL-COAT ou **DUFFLE-COAT** [dœfœlkot] n. m. — V. 1945 ; mots angl., de *duffel* «tissu de laine», de *Duffel* (ville de Flandres), et *coat* «manteau».

Manteau trois-quarts avec capuchon, en gros tissu de laine (sur le modèle des trois-quarts de la marine britannique). Plur. *Des duffel-coats* ou *duffle-coats.*

Elle perdait son hâle (...) et le froid la tuait à peu près. Recroquevillée dans son duffle-coat, pâlie (...)
     Christiane ROCHEFORT, le Repos du guerrier, II,
     VI, p. 232.

DUGAZON [dygazɔ̃] n. f. — 1843 ; nom d'une célèbre cantatrice (1755-1821).

Mus. (opéra). Rôle d'amoureuse, dans les opéras-comiques. *Jouer les dugazons. Emploi de dugazon.*

DUGONG [dygɔ̃g] n. m. — 1765, Buffon, écrit *dugon ; dugong*, 1832 ; *dujung*, 1756 ; malais *duyung*.

Zool. Mammifère aquatique *(Siréniens*)*, voisin du lamantin*, qui vit dans l'océan Indien et peut atteindre 5 m de long (n. sc. : *halicore*). *Le dugong, dit vache marine, se nourrit de végétaux aquatiques.*

Ce n'était pas un lamantin, mais un spécimen de cette espèce (...) qui porte le nom de «dugong», car ses narines étaient ouvertes à la partie supérieure de son museau (...) Le dugong était mort. C'était un énorme animal, long de quinze pieds, qui devait peser de trois à quatre mille livres.   J. VERNE, l'Île mystérieuse, t. I, p. 214-215.

1. **DUIRE** [dɥir] v. intr. [CONJUG.: *conduire*.] — Fin Xᵉ ; du bas lat. *dōcere*, du lat. class. *docēre* «enseigner».

Vx (langue médiévale et class.) ou archaïsme. Dresser (qqn, un animal).

DÉR. **Duit.**

2. **DUIRE** [dɥir] v. tr. ind. [CONJUG.: *conduire*.] — Xᵉ ; «conduire», sens fig., XIIIᵉ.

Vx (jusqu'au XVIIᵉ) ou archaïque. **DUIRE À** (qqn) : convenir, plaire.

Le voyage vous duit-il ?
     Aloysius BERTRAND, Gaspard de la nuit, p. 154,
     in T. L. F.

DUIT [dɥi] n. m. — XIIIᵉ ; de 1. *duire*, du lat. *ducere* «conduire».

Vieux ou régional.

♦ **1** Pêche. Chaussée formée de pieux et de cailloux, en travers d'une rivière ou d'un petit bras de mer, et qui est destinée à arrêter le poisson au moment du jusant. → **Barrage.**

♦ **2** (1864, Littré). Techn. Lit artificiel pour régulariser, canaliser un cours d'eau.

DUITAGE [dɥitaʒ] n. m. — 1877, Littré, *Suppl. ;* de *duiter.*

Techn. Disposition des duites. *Le duitage d'un tissu. — Nombre de fils de trame (duites) par centimètre.*

DUITE [dɥit] n. f. — 1531, Huguet ; de l'anc. franç. *duire* «conduire».

Technique.

♦ **1** Longueur de trame insérée par la navette d'une lisière à l'autre, dans une pièce d'étoffe. *Insertions de duite. Tissage simple duite* (deux insertions), *double duite* (trois).

Soudain, rapide comme l'éclair, une navette, lancée par un ressort du panneau, passa entre l'ensemble des soies dénivelées (...) Dévidée hors du fragile engin, une duite ou fil transversal s'étendait maintenant au milieu de la chaîne en formant le début de la trame.
Raymond ROUSSEL, Impressions d'Afrique, p. 129.

Portion de la chaîne qui se soulève et s'abaisse à chaque mouvement d'un métier à tisser.

♦ 2 Double fil de chanvre utilisé pour consolider une série horizontale de nœuds (en tapisserie).

DÉR. Duiter.

DUITER [dɥite] v. tr. — 1870; 1611, au sens général de «ajuster»; de *duite*.

Techn. Passer (un fil de trame : duite) entre les fils de chaîne. — Compter les fils de trame de (une étoffe).

DÉR. Duitage.

DULÇAQUICOLE [dylsakikɔl] adj. — Mil. XXᵉ; du lat. *dulcis* «doux», et de *aquicole*.

Didact. Qui vit en eau douce. *Espèce, poisson dulçaquicole.* Syn. cour. : *d'eau douce.* «*Des espèces* (d'oiseaux aquatiques) *habituellement dulçaquicoles*» (*Science et Vie*, mars 1976).

DULCIFIANT, ANTE [dylsifjɑ̃, ɑ̃t] adj. → Dulcifier.

DULCIFICATION [dylsifikasjɔ̃] n. f. — 1651; de *dulcifier*.

Vx. Action de dulcifier (propre et figuré).

DULCIFIER [dylsifje] v. tr. — 1620; bas lat. *dulcificare* «rendre doux», de *dulcis* «doux», et *facere* «faire».

♦ 1 Vx. Rendre plus doux, moins âcre, moins acide ou moins amer par addition d'une substance. → **Adoucir**; **doux**. *Dulcifier une potion.*

♦ 2 Techn. Faire subir un premier raffinage à (du plomb).

♦ 3 Fig. et rare. Apaiser (qqn, ses sentiments, son comportement).

1 Enfin, Lucien s'aperçut qu'après l'avoir suffisamment dulcifié par les compliments les plus flatteurs et les mieux faits, le comte l'accablait de questions.
STENDHAL, Lucien Leuwen, éd. L. de Poche, p. 150.

◆ **DULCIFIANT, ANTE** p. p. adj. et n. m.

(Produit) calmant. — *Un dulcifiant.*

2 (...) il ne sera *(pas)* mauvais de vous (...) donner quelque petit clystère dulcifiant.
MOLIÈRE, le Médecin malgré lui, II, 4.

CONTR. Acidifier. ◊ DÉR. Dulcification.

DULCIMER [dylsimɛR] n. m. — Mil. XVᵉ; *doulcemer*, 1449; angl. *dulcimer*, du lat. *dulcis* «doux», et *melos* «chant».

Mus. ancienne. Instrument médiéval à cordes métalliques frappées. → **Tympanon**. *Les vielles et les dulcimers. Le dulcimer a la sonorité du clavecin.* «*... on les voit peu à peu apparaître à la devanture des magasins de musique : instruments à cordes qui se jouent à plat sur les genoux, le dulcimer et l'épinette des Vosges...*» (*Actuel*, déc. 1974, p. 54).

DULCINE [dylsin] n. f. — 1893, in Année sc. et industr. 1894, p. 259; du lat. *dulcis* «doux», et suff. -ine.

Didact. Édulcorant artificiel non nutritif (paraphénéthylurée).

DULCINÉE [dylsine] n. f. — 1718; de *Dulcinée du Toboso*, nom de la femme aimée de *don Quichotte*, dans le roman de Cervantes et dont le héros se fait une image fort idéalisée.

Souvent iron. Femme inspirant une passion romanesque; fiancée, maîtresse. *Il soupire auprès de sa dulcinée. Il est allé voir sa dulcinée.* → **Bien-aimée.**

Tu me demandes pourquoi tu es fidèle à ta Dulcinée. L'explication est facile : parce que tu ne l'étais pas aux autres. Mais pourquoi à celle-là plus qu'aux autres ? C'est que celle-là est venue à l'époque où tu devais l'être.
FLAUBERT, Correspondance, t. I, Pl., p. 680.

DULCITE [dylsit] n. f. — V. 1860; lat. sav. *dulcita*, du lat. class. *dulcis* «doux».

Chim. Matière sucrée ($C_6H_{14}O_6$), isomère de la mannite, que l'on extrait du mélampyre.

On emploie aussi *dulcitol* [dylsitɔl] n. m.

DULIE [dyli] n. f. — 1372; lat. ecclés. *dulia*, du grec *douleia*, proprt «servitude».

Théol. Respect et honneur que l'on rend aux anges, aux saints. — Loc. (seul emploi normal). *Culte de dulie,* par oppos. au *culte de latrie*, rendu à Dieu seul.

C'est un événement inouï dans les annales de l'Église, l'unique exemple d'un culte de dulie rendu à un non-chrétien.
J. D'ORMESSON, la Gloire de l'Empire, t. II, p. 604.

COMP. Hyperdulie.

DUM-DUM [dɔmdɔm; dumdum] n. f. — 1899; nom d'une localité de l'Inde où se fabriquèrent primitivement ces balles.

Balle de fusil dont l'enveloppe est sciée en quartiers de façon à s'écraser sur l'objectif en y faisant une large déchirure. *Une dum-dum* (rare). — En appos. L'*emploi des balles dum-dum a été interdit en 1899 par la conférence de La Haye.*

1 Commandant Esterhazy, vous avez votre cartouche dum-dum pour le coup de grâce ?
CLÉMENCEAU, l'Iniquité, p. 342, in D.D.L., II, 4.

2 (...) ils *(les mots)* traversaient les yeux, les tympans, ils éclataient à l'intérieur du crâne comme des balles dum-dum.
J.-M. G. LE CLÉZIO, les Géants, p. 116.

DÛMENT [dymɑ̃] adv. — 1331, *deüement*; de *due*, p. p. fém. de *devoir*.

♦ 1 Dr., admin. Selon les formes prescrites; en due forme. *Fait dûment constaté. Dûment autorisé, justifié, constaté.*

♦ 2 Iron. Comme il faut, de la belle manière. *Il l'a dûment engueulé. Un repas dûment arrosé.* — Vieilli. *Bien et dûment :* bel et bien.

1 (...) un personnage
Dûment atteint de cocuage (...)
LA FONTAINE, Contes et nouvelles, «La coupe enchantée».

2 Le jour de l'enterrement, on nous fit monter dans un grand carrosse noir tiré par un cheval marchant au pas et dûment caparaçonné.
J. GREEN, Journal, 23 oct. 1958, Vers l'invisible, p. 54.

CONTR. et COMP. Indûment.

DUMPER [dœmpœR] n. m. — 1920, in Höfler; mot angl. de *to dump* «décharger».

Anglic. Engin de terrassement, comprenant une benne automotrice basculante. — REM. L'emploi de *tombereau** est officiellement recommandé à la place de cet anglicisme.

DUMPING [dœmpiŋ] n. m. — V. 1900, M. Mény (titre d'une thèse); terme comm. angl., de *to dump* «entasser, déblayer».

Anglic. Écon. Pratique qui consiste à vendre sur les marchés extérieurs à des prix inférieurs à ceux qui sont pratiqués sur le marché national ou même à des prix inférieurs aux prix de revient. *Permettre le dumping en accordant des primes d'exportation aux vendeurs. Lutter contre le dumping d'un pays étranger par des droits de douane* (→ **Antidumping**).

1 Il a été souvent question du *dumping* avant la guerre *(de 1914)* et plus que jamais on s'en préoccupe pour après la guerre, parce qu'on voit là une arme de guerre économique spéciale à l'Allemagne et qui paraît aussi redoutable que les gaz asphyxiants.
Charles GIDE, Cours d'économie politique, t. II, p. 60.

2 Tout a été écrit sur les méfaits du *dumping*, forme de guerre froide due aux abus de la liberté économique. Aujourd'hui même, certains États, en dépit de la pénurie qui règne chez eux, exportent à fonds perdus.
Gaston BOUTHOUL, Sociologie de la politique, Les excès du dynamisme économique, p. 116.

3 Les Italiens ont surgi sans tradition dans le monde des réfrigérateurs, avec des modèles plus simples et à moitié prix. Les constructeurs européens ont d'abord souri, puis ont réclamé des protections contre ce dumping.
R. PRIOURET, in l'Express, 17-23 juil. 1967.

Par ext. Vente à un prix trop bas, cassé. *Faire du dumping* (→ fam. Casser* les prix).

(1989). Fig. *Dumping social :* utilisation d'une main-d'œuvre rémunérée de manière illégale et très basse. *«Certains syndicats soulignent les risques de dumping social avec des salariés habitués à des salaires modestes»* (le Monde, 26 févr. 2000, p. 21).

COMP. **Antidumping.**

DUNAL, ALE, AUX [dynal, o] adj. — 1959; de *dune*.
Didact. (géogr.). Des dunes; qui forme une dune.

DUNDEE [dœndi]; régional (Bretagne) [dɛ̃de] n. m. — 1901, in Höfler; de l'angl. *dandy*, altéré d'après *Dundee*, port d'Écosse.

Navire à voiles à gréement de cotre aurique à tapecul, utilisé naguère pour la pêche. *Les dundees de Concarneau, de Groix, qui armaient au thon* (avant la Deuxième Guerre mondiale et jusque vers 1950).

En courant plus loin vers Kindall, l'on aperçoit les «barges» en peine, cotres et dundees largués auprès, lourdes à verser...
CÉLINE, Guignol's band, p. 49.

DUNE [dyn] n. f. — 1195; du moy. néerl. *dunen*, du gaulois *duno* «hauteur»; cf. *Lugdunum* «Lyon», *Augustodunum* «Autun».

Butte, colline de sable* fin formée par le vent sur le bord des mers *(dunes maritimes)*, ou dans l'intérieur des déserts *(dunes continentales).* → **Butte,** cit. 1 (butte de sable). *Les dunes des Landes. Dunes mouvantes,* qui se déplacent le sens du vent. *Dunes littorales. Fixation des dunes par les plantations de pins. Région de dunes, dans le Sahara.* → **Erg.** *Dune en croissant.*

1 (...) la longue dune de sable uni où nous marchions sans entendre le bruit de nos pas, comme dans la neige.
E. FROMENTIN, Un été dans le Sahara, II, p. 204.

2 Les dunes ne sont point inconnues dans les pays humides, mais elles n'y occupent que des étendues très limitées; on les trouve surtout au bord de la mer, dans quelques grandes vallées à alluvions sableuses et au voisinage des anciens fronts de glaciers quaternaires. Dans les pays arides, elles couvrent au contraire d'immenses étendues, appelées *Erg* dans le Sahara, *Koum* dans l'Asie centrale.
E. DE MARTONNE, Traité de géographie physique, t. II, p. 951.

Par anal. *La neige formait de petites dunes.*
DÉR. **Dunal, dunette.**

DUNETTE [dynɛt] n. f. — 1550, «levée de terre fortifiée»; de *dune*.

(1634). Mar. Superstructure élevée sur le pont arrière d'un navire et s'étendant sur toute sa largeur (à la différence du rouf*, de la teugue). *Loger dans la dunette.* — Spécialt. La partie supérieure de la dunette. *Monter, se promener sur la dunette.*

1 André, sa cabine choisie, ses bagages placés, se tient à l'arrière sur la dunette, entouré d'aimables gens des ambassades qui sont venus pour le conduire (...)
LOTI, les Désenchantées, VI, LIII, p. 245.

2 (...) ces points culminants, les seuls où je puisse vivre (...) Amateur des avions de sport où l'on porte la tête en plein ciel, je figurais aussi, sur les bateaux, l'éternel promeneur des dunettes.
CAMUS, la Chute, p. 30.

DUO [dyo; dyɔ] n. m. — 1548; mot ital. «deux» (en ital. mod. *due*), du lat. *duo* «deux».

♦ 1 Composition musicale pour deux voix, deux parties vocales ou deux instruments. → **Duetto, duettino.** *Des duos. Duo accompagné. Duo de violon. Duo pour ténor et basse. Chanter en duo.* — *Duo comique* (chansonniers, music-hall*). → **Duettiste).**

1 On appelle duo une musique à deux voix, quoiqu'il y ait une troisième partie pour la basse continue, et d'autres pour la symphonie (...)
ROUSSEAU, Dict. de musique.

2 Un air ou deux comme le duo de Mozart, et le reste fatigue et donne de l'impatience.
E. DELACROIX, Journal, 30 nov. 1853.

♦ 2 Fig. et fam. *Duo d'injures :* échange de mots grossiers. *Un duo de rires.* — *Le duo du vent et du ressac.*

♦ 3 Fam. Couple étroitement lié ou ironiquement rapproché. *Ils font un beau duo.* → **Paire.**

DUODÉCENNAL, ALE, AUX [dyodesenal, o] adj. — 1861, in Littré, Suppl.; bas lat. *duodecennis,* de *duodecim* «douze», et *annus* «année», d'après *décennal.*
Didact. De douze ans. *Des cycles duodécennaux.*

DUODÉCIMAL, ALE, AUX [dyodesimal, o] adj. — 1801; dér. du lat. sav. *duodecimus* «douzième», de *duodecim* «douze», d'après *décimal.*
Arithm. Qui procède par douze; qui a pour base le nombre douze*. *Système de numération duodécimale.*

DUODÉCIMO [dyodesimo] adv. — 1846; du lat. *duodecimus :* → Duodécimal.
Didact. Douzièmement*.

DUODÉNAL, ALE, AUX [dyɔdenal, o] adj. — 1808; de *duodénum.*
Anat. et méd. Du duodénum. *Bulbe duodénal. Ulcère duodénal.*

DUODÉNITE [dyɔdenit] n. f. — 1825, Broussais; de *duodénum,* et suff. *-ite.*
Méd. Inflammation du duodénum.

J'entends par *duodénite,* l'inflammation de cette première portion des intestins grêles qui fait immédiatement suite à l'estomac (...) ce mot n'est pas composé suivant les règles de la néologie médicale, puisqu'il n'est pas tiré du grec; mais je répondrai que le duodénum n'avait pas de nom particulier dans cette langue.
C. BROUSSAIS, Sur la duodénite chronique, 16, *in* D.D.L.

DUODÉNUM [dyɔdenɔm] n. m. — 1478; lat. méd. *duodenum*, de *duodenum digitorum* «de douze doigts», d'après la longueur de cette portion de l'intestin, du lat. class. *duodeni* «chacun douze», de *duodecim* «douze».

Anat. Partie initiale de l'intestin grêle accolée à la paroi abdominale postérieure, qui s'étend du pylore à la première anse du jéjunum, avec lequel elle forme un angle (duodéno-jéjunal), à gauche de la deuxième vertèbre lombaire (longueur d'environ 12 travers de doigt). *Canal cholédoque qui conduit la bile dans le duodénum* (→ Canal, cit. 12).

Bien que doué d'une certaine mobilité sur le vivant, le duodénum (...) présente deux caractères qui le différencient des autres portions de l'intestin grêle : 1° il en représente la portion la plus fixe (...)
2° à l'exception du premier segment de la première portion, il est profondément situé.
　　　　　　L. TESTUT, *Traité d'anatomie*, t. IV, p. 268.

DÉR. Duodénal, duodénite.

DUODI [dyodi] n. m. — 1793; lat. *duo* «deux», et *dies* «jour».

Hist. Le deuxième jour de la décade, dans le calendrier* républicain. *Des duodis.* — REM. Le mot est invariable chez Erckmann et Chatrian (*les duodi*), in T. L. F.

DUOPOLE [dyɔpɔl] n. m. — V. 1950; de *duo-* «deux», et *-pole*, élément savant, d'après *monopole*.

Écon. Situation d'un marché où deux vendeurs se partagent toute une production (→ **Monopole, oligopole**).

DUPE [dyp] n. f. et adj. — 1426, *duppe*; d'abord terme de jargon; emploi plaisant de *dupe* «huppe», oiseau d'apparence stupide; selon Guiraud, de **dé-hupper* «enlever la huppe» (symbole de prestige), comme on *plume** : le dupé est un plumé.

♦ **1** Littér. ou style soutenu. Personne qui a été trompée ou qu'il est facile de tromper. → **Pigeon, pigeonneau** (→ Bonard, dindon* de la farce, gogo*). *C'est une dupe, une bonne* (cit. 59) *dupe. Être la dupe de qqn, de sa flatterie, de ses charmes* (→ Animal, cit. 12). *Prendre qqn pour dupe.* → **Duper**. *Faire des dupes.*

1　Les hommes ne vivraient pas longtemps en société, s'ils n'étaient les dupes les uns des autres.
　　　　　　LA ROCHEFOUCAULD, *Maximes*, 87.

2　(...) ceux que l'on sait même agir de bonne foi là-dessus (...) sont toujours les dupes des autres; ils donnent hautement dans le panneau des grimaciers, et appuient aveuglément les singes de leurs actions.
　　　　　　MOLIÈRE, *Dom Juan*, V, 2.

3　Une des meilleures raisons qu'on puisse avoir de ne se marier jamais, c'est qu'on n'est pas tout à fait la dupe d'une femme tant qu'elle n'est point la vôtre.
　　　　　　CHAMFORT, *Maximes*, *Sur les femmes et le mariage*, XXX.

4　L'avare se moque du prodigue, le prodigue de l'avare; l'incrédule du dévot, le dévot de l'incrédule; ils se prennent réciproquement pour des dupes.
　　　　　　RIVAROL, *Notes, pensées et maximes*, II, p. 12.

5　(...) les femmes ne sont pas plus des dupes des comédies que jouent les hommes que les leurs.
　　　　　　BALZAC, *le Cabinet des antiques*, Pl., t. IV, p. 386.

6　(...) l'amour-propre est un escroc qui ne manque jamais sa dupe (...)　　　　BALZAC, *la Vieille Fille*, Pl., t. IV, p. 233.
Être la dupe d'une affaire, d'un marché, n'y pas trouver son compte, y perdre. → **Avoir** (se faire avoir).
— Plus cour. *C'est un marché de dupes,* nous avons été volés. *Un métier de dupes* : activité sans profit personnel.
Être la dupe de sa bonne foi, de sa sincérité, de son cœur : se tromper soi-même. *Être la dupe de soi-même, de ses propres mensonges.*

J'admire comme notre esprit est véritablement la dupe de 7 notre cœur (...)
　　　　　　Mᵐᵉ DE SÉVIGNÉ, 540, 24 mai 1676 (→ Cœur, cit. 145, LA ROCHEFOUCAULD).

Les femmes sont constamment les dupes ou les victimes 8 de leur excessive sensibilité (...)
　　　　　　BALZAC, *Physiologie du mariage*, Pl., t. X, p. 852.

Loc. *C'est un jeu de dupes,* en parlant d'un marché, d'un contrat où l'on a été abusé.

(...) tout le monde fait des bénéfices, sauf vous; c'est un 9 jeu de dupes.
　　　　　　J. ROMAINS, *les Hommes de bonne volonté*, t. V, XXII, p. 182.

La journée des dupes : le 10 novembre 1630, jour où le cardinal de Richelieu, que l'on croyait disgracié, reprit son autorité auprès du roi Louis XIII.

Le royaume pacifié, le temps était-il venu d'entreprendre la 10 lutte contre la Maison d'Autriche? La question fut débattue pendant toute l'année 1630, et décidée lors de la fameuse journée des dupes (10 novembre) qui assura le triomphe de Richelieu sur ses adversaires.
　　　　　　Pierre GAXOTTE, *Hist. des Français*, t. II, p. 76.

Par ext. Événement qui tourne à la confusion de ceux qui s'en réjouissaient.

Le 13 mai (*1958*) ou la journée des dupes. Nous devons 10.1 convenir que certaines de ces dupes ont quelques raisons d'enrager.
　　　　　　F. MAURIAC, *le Nouveau Bloc-notes*, 1958-1960, p. 172.

♦ **2** Adj. (Uniquement comme attribut, absolument ou avec un complément nom de personne ou de chose). *Être dupe de qqn, de qqch.* (→ Commencer, cit. 17; complice, cit. 3; déchiqueter, cit. 3). *Il n'est pas dupe de vos mensonges. Se croire dupe de qqn.* — (Sans compl.). → **Crédule, naïf**. *Ne soyez pas dupe. Être dupe.* → Se faire avoir*, posséder*.

Ne me crois pas dupe, et crédule à ce point.　　　　　11
　　　　　　MOLIÈRE, *les Fâcheux*, III, 4.

Chétive créature, me dit-elle en colère, t'imagines-tu que les 11.1 hommes sont assez dupes pour faire l'aumône à de petites filles comme toi, sans exiger l'intérêt de leur argent?
　　　　　　SADE, *Justine...*, t. I, p. 24.

(...) il chercha à expliquer, par des exemples pittoresques, 12 qui amusaient les enfants, ce que c'était qu'être dupe.
Je comprends, dit Stanislas, c'est le corbeau qui a la sottise de laisser tomber son fromage, que prend le renard, qui était un flatteur (...)
　　　　　　STENDHAL, *le Rouge et le Noir*, I, XXII, p. 144.

Comme on serait meilleur sans la crainte d'être dupe 13
　　　　　　J. RENARD, *Journal*, 18 janv. 1896.

Les hommes sont facilement dupes de ce qui flatte leur 14 orgueil et leurs désirs; et un artiste est deux fois plus dupe qu'un autre homme, parce qu'il a plus d'imagination.
　　　　　　R. ROLLAND, *Jean-Christophe*, IV, p. 74.

J'ai une preuve de ta traîtrise, ajoutait Marthe. Elle ne me 15 reverrait jamais. Sans doute souffrirait-elle, mais elle préférerait souffrir que d'être dupe.
　　　　　　R. RADIGUET, *le Diable au corps*, p. 143.

CONTR. Trompeur; malin, rusé. ◊ **DÉR.** Duper.

DUPER [dype] v. tr. — 1622; au p. p., v. 1460; de *dupe*. Littér. ou style soutenu. Prendre (qqn) pour dupe*. → **Abuser, attraper, décevoir, dindonner, enquinauder, flouer, jobarder, jouer** (se jouer de...), **leurrer, mystifier, surprendre, tromper**; fam. **avoir, couillonner, embobiner, empiler, enfoncer, entôler, estamper, faire, feinter, foutre** (dedans), **mettre** (dedans), **pigeonner, refaire, rouler** (→ Faire tomber* dans le panneau). *Il est facile à duper. Se laisser duper. Duper ses adversaires au jeu* (→ Tricher). *Être dupé par son cœur, ses sens* (→ Assurer, cit. 22; désarmer, cit. 5).

(*Vous osez*) *Duper un honnête homme et vous jouer de* 1 lui?　　　　　MOLIÈRE, *l'Étourdi*, IV, 6.

2　(...) on est aisément dupé par ce qu'on aime,
Et l'amour-propre engage à se tromper soi-même.
　　　　　　　　　　MOLIÈRE, Tartuffe, IV, 3.

3　Si c'est par amitié qu'ils vous obéissent, vous les dupez.
　　　　　　　　　　SAINT-EXUPÉRY, Vol de nuit, p. 62.

3.1　Ce n'est pas seulement pour duper nos enfants que nous les entretenons dans la croyance au Père Noël : leur ferveur nous réchauffe, nous aide à nous tromper nous-mêmes, et à croire, puisqu'ils y croient, qu'un monde de générosité sans contrepartie n'est pas absolument incompatible avec la réalité.
　　　　　　　　　Claude LÉVI-STRAUSS, Tristes Tropiques, p. 211.

Pron. (Réfl.). S'aveugler. *Se duper soi-même.* — (Récipr.). *Ils ont essayé de se duper.*

4　Il lui est arrivé de se tromper, de céder à des généralisations spécieuses et de persévérer quelque temps dans l'erreur, mais il ne se dupait jamais par orgueil d'infaillibilité (...)　Henri MONDOR, Pasteur, IV, p. 56.

CONTR. Détromper. ◊ DÉR. Duperie, dupeur.

DUPERIE　[dypʀi]　n. f. — 1690, *duperie;* de *duper.*

✦ **1** Littér. Action de *duper** qqn ; résultat de cette action. ➙ **Erreur, leurre, supercherie, trahison, tromperie...** (→ fam. Estampage...). — Rare. *La duperie de qqn par qqn.* — Plus cour. *Une, des duperies. Le bonheur n'est qu'une duperie* (→ Désarmer, cit. 8). *Des duperies grossières.* — *Tout n'est qu'apparence et duperie* (→ Désespoir, cit. 5).

1　Regardant par amour du bien public comme une duperie ou comme une jactance (...)
　　　　　　　　　　MARMONTEL, Mémoires, XII.

2　Cette fièvre de réforme les voue par avance — ironie dont leur subtilité ne les avertit pas — à la duperie des utopies les plus vieilles et les plus décidément condamnées par l'histoire.　Paul BOURGET, Un divorce, III, p. 103.

✦ **2** Vieilli. État d'une personne qui est dupe. *La duperie de qqn,* le fait qu'il soit dupé.

3　La pire de toutes les duperies où puisse mener la connaissance des femmes est de n'aimer jamais, de peur d'être trompé.　STENDHAL, Journal, p. 140.

CONTR. Réalité ; dessillement, révélation.

DUPEUR, EUSE　[dypœʀ, øz]　n. — 1669; de *duper.*
Vx. Celui ou celle qui se plaît à duper les autres. *Le dupeur de qqn, son dupeur.*

Et quels scrupules le retiendraient dans cette conquête des privilèges sociaux ? La morale ? Il n'aperçoit autour de lui que dupeurs rapaces et dupes victimées.
　　　　　　　　　Paul BOURGET, Essais psychologiques, p. 247.

DUPLEX　[dyplɛks]　adj. et n. m. — 1883; mot lat., «double».

✦ **1** Système de transmission de l'information qui permet d'assurer simultanément l'envoi et la réception de messages.
(1954). Télécomm. Dispositif permettant de transmettre des programmes (radio, télévision) émis à partir de deux ou plusieurs stations émettrices. «*Un "duplex" du son et de l'image sera organisé entre une loge de la salle* (d'un théâtre) *et l'appartement de Mme Colette, au Palais Royal*» (le Monde, 24 févr. 1954). *Émission en duplex,* ou *duplex.* ➙ aussi **Multiplex.** *Établissement d'un duplex.* ➙ **Duplication,** 4 (ou duplexage).
Inform. *En duplex :* bidirectionnel. ➙ **Directionnel.**

✦ **2** Techn. *Procédé duplex,* fonte et affinage d'un métal en deux opérations successives. — *Acier duplex, triplex,* constitué de deux ou trois couches assemblées à chaud.

✦ **3** N. m. (V. 1960). Cour. Appartement sur deux étages. *Un trois pièces en duplex,* à deux niveaux réunis par un escalier intérieur.

Elle travaille dans une maison de modes et elle habite, rue de Varenne, un duplex très simple, sans autre ornement qu'un petit tableau de Max Ernst, que son père lui avait offert pour son vingtième anniversaire.
　　　　　　Jean-Louis CURTIS, le Roseau pensant, p. 108.

DUPLEXAGE　[dyplɛksaʒ]　n. m. — Mil. xxe; de *duplexer.*
Télécomm. Duplication (4.).

DUPLEXER　[dyplɛkse]　v. tr. — 1939, *in* T. L. F.; de *duplex,* 1.
Télécomm. Établir (un équipement) en duplex.
➙ **Dupliquer.**
DÉR. Duplexage, duplexeur.

DUPLEXEUR　[dyplɛksœʀ]　n. m. — Mil. xxe; de *duplexer.*
Télécomm. Dispositif de commutation d'antenne (sur émission et réception).

DUPLICATA　[dyplikata]　n. m. invar. — 1511, *in* D. D. L.; lat. médiéval *duplicata (littera)* «lettre redoublée», du p. p. de *duplicare.* ➙ **Dupliquer.**

✦ **1** Dr. admin. Double*, second exemplaire d'une pièce ou d'un acte. *Le duplicata a la valeur de l'original.* ➙ **Copie, double** (→ Assembler, cit. 28). *Le duplicata d'un diplôme, d'une quittance, d'un chèque, d'un testament.* «*On lui a envoyé les duplicata de plusieurs dépêches*» (Académie). *Expédier un acte en duplicata.*
Par ext. Copie (d'un document quelconque). *Le duplicata d'un dessin.*

✦ **2** Double (de qqch.). — Techn. *Faire le duplicata d'un disque* (➙ **Dupliquer**). — *C'est le duplicata de son père,* il (elle) lui ressemble beaucoup. ➙ **Copie*** conforme.
DÉR. Dupliquer.

DUPLICATAGE　[dyplikataʒ]　n. m. — Mil. xxe; de *duplicater.*
Techn. Reproduction (d'un enregistrement sonore).
La consommation des cylindres, par suite de la diffusion dans le public, rend nécessaire le duplicatage, la production industrielle de cylindres originaux étant devenue impossible pour les artistes. On utilisait alors un pantographe qui, sur une pointe lisait le cylindre original et sur une autre pointe gravait le cylindre dupliqué.
　　　　　　Pierre GILOTAUX, l'Industrie du disque, p. 13.

DUPLICATER　[dyplikate]　v. tr. — Mil. xxe, mais le terme est appliqué à des techniques de la fin du xixe; de *duplicata.*
Hist., techn. Reproduire (un enregistrement sonore) à partir de l'original.
DÉR. Duplicatage.

DUPLICATEUR　[dyplikatœʀ]　n. m. — 1842; lat. *duplicator* «qui double», du supin de *duplicare.* ➙ **Dupliquer.**
Appareil, machine servant à reproduire un document à un grand nombre d'exemplaires (➙ **Polycopie, reproduction**). *Duplicateur à stencils*, à clichés en métaux, à carbone. Duplicateur offset. Duplicateur à alcool, à encre. Duplicateur à main.*

DUPLICATIF, IVE　[dyplikatif, iv]　adj. — D. i. (xxe, atteste 1955, *in* T. L. F.); de *duplication.*
Didact. ou techn. Qui double, qui opère la duplication. «*Cette reproduction duplicative*» (P. Morand, 1955, *in* T. L. F.).

DUPLICATION [dyplikasjɔ̃] n. f. — XIIIᵉ ; lat. *duplicatio,* du supin de *duplicare.* → Dupliquer.

♦ **1** Vx ou didact. Opération par laquelle on double (une quantité, un volume). *La duplication du cube :* construction d'un cube double d'un autre.

♦ **2** Le fait de se reproduire en double, identiquement.

1 (...) on constate la duplication sans fin d'une effigie singulière, que le temps perpétue et propage. Chaque génération de tigres vient au jour avec les mêmes rayures jaunes et noires. Il n'y a pas seulement *répétition,* multiplication illimitée d'un modèle.
Roger CAILLOIS, Esthétique généralisée, I, p. 12.

Biol. Action de doubler (intrans.). *Duplication chromosomique :* présence d'un segment de chromosome supplémentaire à côté d'une paire de chromosomes normaux — *Duplication de l'acide désoxyribonucléique*.*

♦ **3** Techn. (industr. du disque). Le fait de reproduire à partir d'un original. → Duplicater.

2 Le 1ᵉʳ mai 1878, Charles Cros dépose en France le brevet nᵒ 124213 (...) Ce brevet décrit également la duplication des disques par moulage du sillon en creux ou en relief dans le métal.
Pierre GILOTAUX, l'Industrie du disque, p. 7.

Reproduction (d'un document).

♦ **4** Télécomm. Action d'établir un duplex* (1.). On dit aussi *duplexage,* n. m.

DÉR. Duplicatif.

DUPLICATURE [dyplikatyʀ] n. f. — 1906, in *Rev. gén. des sc.,* nᵒ 21, p. 953 ; du lat. *duplicatus,* et *-ure.*

Biol. État d'une membrane repliée sur elle-même. *La duplicature du péritoine.*

DUPLICE [dyplis] adj. et n. — XXᵉ ; dér. régressif de *duplicité.*

Didact. ou littér. Double, ambigu.

1 Je me reprochais d'être duplice, hypocrite.
S. DE BEAUVOIR,
Mémoires d'une jeune fille rangée, p. 308.

2 Moune, l'éternelle enfant à la fois duplice et touchante comme elles le sont toutes, qui sait si bien jouer de son âge et y sélectionner les faiblesses profitables !
Benoîte et Flora GROULT, Il était deux fois..., p. 56.

DUPLICITÉ [dyplisite] n. f. — 1265 ; bas lat. *duplicitas,* de *duplex, icis.* → Duplex.

♦ **1** Vx. Caractère de ce qui est double*. → Dualité.

1 Cette duplicité de l'homme est si visible, qu'il y en a qui ont pensé que nous avions deux âmes.
PASCAL, Pensées, VI, 417.

♦ **2** Mod. Caractère d'une personne qui a deux attitudes, joue deux rôles, feint des sentiments autres que ceux qu'elle a dans le cœur. → Fausseté, foi (mauvaise foi), **hypocrisie, mensonge** (→ Jouer* double jeu, jouer* sur deux tableaux ; manger à deux râteliers*).

2 Une duplicité indigne qui loue en face et déchire en secret.
MASSILLON, Carême, Médis.

3 *Duplicité* renchérit sur *fausseté* : la *duplicité* est une *fausseté* odieuse, par laquelle un homme se met sciemment en opposition avec lui-même, avec ce qu'il a dit ou fait, avec ce qu'il fait ou éprouve.
LAFAYE, Dict. des synonymes, Suppl., p. 148.

4 Le Roi, malgré son éducation jésuitique et la duplicité ordinaire aux princes, avait un fonds d'honnêteté (...).
MICHELET, Hist. de la Révolution franç., I, p. 770.

CONTR. Droiture, franchise, loyauté, naïveté, rondeur, simplicité. ◊ DÉR. Duplice.

DUPLIQUE [dyplik] n. f. — 1525 ; déverbal de *dupliquer.*

Dr. anc. Réponse d'un défendeur à la réplique du demandeur.

DUPLIQUER [dyplike] v. — 1290, *dupliquier,* au sens I ; lat. *duplicare* «doubler», de *duplex, icis.* → Duplex, 1.

[I] V. intr. Anc. dr. Répondre à la réplique d'un demandeur. → Duplique.

[II] V. tr. (XXᵉ). ♦ **1** Télécomm. → Duplexer ; duplication, 4.

♦ **2** Faire un ou plusieurs duplicata de (un document) par cliché, stencil, photocopie, etc. (→ Duplicateur). «... *copier, protéger ou lister un fichier, enchaîner plusieurs commandes, formater ou dupliquer un disque, etc.*» (Livres-Hebdo, nᵒ 48, 28 nov. 1983, p. 44).

♦ **3** Didact. Répéter, redoubler (une sensation, une expérience).

DÉR. (Du sens 1) Duplique.

DUQUEL [dykɛl] pron. rel. → Lequel.

DUR, DURE [dyʀ] adj., adv. et n. — Fin Xᵉ, «pénible» ; lat. *durus,* «dur au toucher, ferme, rude ; âpre ; au fig. sévère, pénible...»

[I] Adj. (En épithète, plutôt après le nom). **A** ♦ **1** (Concret). Qui résiste à la pression, au toucher ; qui ne se laisse pas entamer ou déformer facilement. *Le fer, l'acier sont des métaux durs. Heurter qqch. de dur. Croquer une substance dure. Sentir un objet dur. La glace est dure. Dur comme le marbre ; comme le diamant* (→ Adamantin, diamantin) ; *comme la pierre ; comme le bronze* (→ Bronzé, vx) ; *comme du bois ; comme du béton. Sol sec et dur. Partie dure à la surface de qqch.* (→ Croûte). *Couche dure de l'épiderme* (→ Callosité, corne, durillon). *Une peau dure. Il a la tête dure, le crâne dur.* — *Pâtisserie, mets dur sous la dent.* → Craquant, croquant, croustillant. *Joue enflée et enflée. Un vieux cuir devenu très dur.* → Cassant, rigide.

1 Adieu, rocher, caillou (...) et tout ce qu'il y a de plus dur au monde.   MOLIÈRE, George Dandin, II, 1.

2 La plupart des os sont d'une substance sèche et dure (...)
BOSSUET, Traité de la connaissance de Dieu, II, 7.

3 *(Elle)* froissa dans sa paume dure les pétales d'un bouquet qui s'effeuillait (...)
J. CHARDONNE, les Destinées sentimentales, p. 326.

4 Les ganglions avaient cessé d'enfler. Ils étaient toujours là, durs comme des écrous, vissés dans le creux des articulations, et Rieux jugea impossible de les ouvrir.
CAMUS, la Peste, p. 310.

Loc. fig. *Avoir la peau dure :* résister à tout, être dur (2.). — *Avoir la tête dure :* ne rien comprendre (→ Bouché, borné), ou ne pas vouloir comprendre (→ Buté, entêté). — *Avoir la dent* dure :* être sans indulgence, brutal (mordre durement, efficacement). — Vieilli. *Avoir le cuir dur :* être buté, récalcitrant.

(Dans des syntagmes où il qualifie un genre pour former une espèce, par oppos. à *mou, tendre,* etc.). Qui ne se laisse pas entamer facilement. *Blés durs et blés tendres. Bois durs :* chêne, hêtre, châtaigner, noyer, frêne (opposé à : *bois tendres*). — *Caramel dur* (opposé à *mou). Fromage dur* (séché) opposé à *fromage mou, fromage frais.* — *Crayon dur, mine dure* (opposé à *gras*). — *Pierre* dure.*

Qui résiste à la déformation (opposé à *souple*). *Poils durs. Brosse dure, à poils durs* (opposé à *souple). Col dur,* empesé *? Papier, carton dur.* → Fort, rigide. *Plastique dur.*

Œuf* dur (opposé à *sur le plat, à la coque, mollet,* etc.).

Par ext. Rude au toucher, par son manque d'élasticité. *Une barbe dure,* qui pique*. *Draps durs.*
→ **Rêche, rugueux.**

Qui, étant fait d'une substance dure, est peu confortable. *Un lit dur. Siège dur.* → fam. Rembourré avec des noyaux* de pêche. *La suspension de cette voiture est trop dure, c'est un vrai tape-cul!* — Mar. *Mer dure,* dont les lames courtes rendent la navigation difficile et pénible.

Qui résiste (plus qu'on ne pourrait normalement s'y attendre). *Viande dure.* → **Coriace.** *Ce steak est vraiment dur* (→ fam. C'est de la carne*, de la semelle*). *Légume dur,* par défaut de cuisson. *Ces haricots sont durs. Des fruits durs,* par défaut de maturité. → **Vert.** *Pain dur.* → **Rassis** (opposé à *frais*).
Méd. *Pouls dur,* sans élasticité.

Eau dure, qui contient trop de calcaire pour mousser avec le savon et être propre à la cuisson des aliments (→ Cuire, cit. 8).

♦ 2 Qui résiste, ne cède pas facilement.
ⓐ (Sans compl.). Concret. Difficile à manœuvrer. *Cette porte, cette fenêtre est dure,* résiste quand on l'ouvre et la ferme. *La serrure est très dure. Un ressort dur. La pédale de frein est dure.*

Difficile, pénible à parcourir. *Route dure. Un parcours très dur. Escalier très dur.* → **Raide.** *Pente, côte dure.* → **Rude** (opposé à *douce*).

(Abstrait). Difficile, pénible à effectuer, à faire. *Travail dur.* — (Antéposé.) *Un dur labeur. C'est trop dur pour moi. Ce n'est pas dur (c'est pas dur) de conduire une voiture! Le plus dur est passé* (cit. 65).
Fam. Difficile à comprendre. *Cet exercice est trop dur. Un livre dur.* → **Ardu.** *C'est dur, c'est pas dur :* c'est difficile, facile.

ⓑ (Personnes). **DUR À** (suivi d'un nom) : qui résiste bien à, ne craint pas. *Être dur au mal.* → **Stoïque.** *Il est dur, elle est dure à la peine, à la tâche.* → **Aguerri, courageux, endurant, endurci, patient.**

Dur à la détente* : avare; ou qui ne se laisse pas facilement extorquer des renseignements, avare de paroles; ou qui ne comprend pas facilement.

5   Un homme dur au travail et à la peine (...)
            LA BRUYÈRE, les Caractères, IV, 50.

5.1   (...) naturellement, on le prenait pour un espion, et on ne disait pas devant lui un mot qui eût trait aux événements du jour.
     Aussi, voyant qu'il ne pouvait rien apprendre de relatif à l'invasion tartare, écrivit-il sur son carnet :
     «Voyageurs d'une discrétion absolue. En matière politique, très durs à la détente.»
            J. VERNE, Michel Strogoff, p. 51.

♦ 3 (Idée de résistance, parfois par compar. ou métaphore du sens 1). Loc. *Avoir l'oreille dure,* peu sensible aux impressions.

Par métonymie. DUR D'OREILLE : qui a l'oreille dure (ci-dessous), qui entend mal. **Argot fam.** *Il est dur de la feuille* (même sens).

6   Ce bruit interne était si grand, qu'il m'ôta la finesse d'ouïe que j'avais auparavant, et me rendit non tout à fait sourd mais dur d'oreille, comme je le suis depuis ce temps-là.
            ROUSSEAU, les Confessions, VI.

Qui résiste, ne cède pas facilement. *Un sommeil dur,* profond, lourd. — *Avoir la vie dure :* ne pas mourir, malgré l'âge, la maladie, les accidents (→ Avoir l'âme chevillée* au corps). — **Fam.** Durer, fonctionner longtemps. *Elle a la vie dure, cette voiture!*

7   Par bonheur, les sommeils de vingt ans sont aussi durs que la faïence de l'Économe.
            J. ROMAINS, les Hommes de bonne volonté, t. IV, XVIII, p. 194.

Que ça a la vie dure, un homme politique de la IVᵉ République.   7.1
            F. MAURIAC, le Nouveau Bloc-notes 1958-1960, p. 51.

Insensible. *Avoir le cœur dur* (→ Un cœur de pierre*, de marbre*, de roche*).
Vétér. *Bouche dure* (d'un cheval), qui résiste au mors, n'y répond pas.

♦ 4 (Idée de difficulté). **DUR À** (suivi d'un inf.) : qui demande un grand effort, une grande compétence, un long apprentissage pour... → **Difficile.** *Instrument dur à manier. Cette côte est dure à monter. Légumes durs à cuire.* — **N.,** au fig. *Un dur à cuire, une dure à cuire* (→ ci-dessous III., 1.).

Homme dur à convaincre, à émouvoir. Aventure dure à imaginer. Problème dur à résoudre. Il est dur à supporter. Musique dure à écouter. Un meuble dur à déménager. Un enfant dur à tenir.

Non, l'on n'a point vu d'âme à manier si dure (...)   8
            MOLIÈRE, le Misanthrope, IV, 1.

♦ 5 Pénible à supporter, désagréable. **ⓐ** Pénible pour les sens. *Cidre* (cit. 4) *dur,* sec et fort. *Vin dur. Hiver dur,* très froid. *Un dur hiver.* → **Rude.** *Le soleil était dur. Une lumière dure,* qui blesse l'œil, ou qui souligne les reliefs de manière exagérée (opposé à *douce*). *Photo exécutée en lumière dure. Des yeux d'un bleu dur. Voix dure,* perçante ou rauque, désagréable à l'oreille. *Une langue dure,* qui sonne de façon déplaisante. *Avoir les traits* (du visage) *durs,* les traits accusés et sans grâce (→ Avoir le visage taillé à coups de serpe*). *Visage dur et ingrat*.* **Peint.** *Un dessin dur,* dont le tracé manque de souplesse et de légèreté. — *Un style dur* (→ **Heurté, rocailleux, sec**). **Par métonymie.** *Un auteur dur.*

Maudit soit l'auteur dur dont l'âpre et rude verve (...)   9
            BOILEAU, Vers en style de Chapelain, in LITTRÉ.

(...) son dur et long profil se détachait en silhouette dans   10
une sorte de halo.   J. GREEN, Léviathan, II, I, p. 139.

Phonét. *Consonnes dures* (par oppos. à *consonnes douces.* → **Doux**).

ⓑ Moralement pénible pour une personne, des personnes. → **Pénible.** *Un dur traitement, une dure punition.* → **Rigoureux, sévère.** *Dure leçon. Dures vérités. Dure pénitence. La loi est dure, mais c'est la loi* (→ Dura* lex sed lex). *Ce fut une dure épreuve.* → **Affligeant, douloureux, rude.** *En cette dure épreuve, cette dure extrémité, cette dure nécessité... De durs combats. La lutte fut dure.* → **Acharné, âpre, farouche.** *Être à dure école. Un coup dur.* → **Coup** (cit. 44). *Un travail dur. C'est un métier trop dur. Un dur effort. Les temps sont durs.* → **Difficile, malheureux.** *Mener une vie dure, une dure vie,* pénible ou austère*. *Mener, rendre, faire la vie dure à qqn,* le rendre malheureux, le tourmenter. → **Despote** (être despote). *C'est dur, d'entendre des choses pareilles. La chose est dure pour lui,* (vieilli) *lui est dure* (→ ci-dessous, cit. 11, 12).

(...) laissez-moi jouir d'un bien sans lequel la vie m'est dure   11
et fâcheuse (...)   Mᵐᵉ DE SÉVIGNÉ, 136, 18 févr. 1671.

(...) il m'est dur que vous plaigniez si fort   12
Un homme que je hais de l'égal de la mort (...)
            MOLIÈRE, l'École des maris, II, 7.

(...) il est plus dur de l'appréhender *(la mort)* que de la   13
souffrir.   LA BRUYÈRE, les Caractères, XI, 36.

(...) le siècle est dur, et (...) on a bien de la peine à vivre.   14
            LA BRUYÈRE, les Caractères de Théophraste, De l'impertinent...

Qu'il est dur de haïr ceux qu'on voudrait aimer.   15
            VOLTAIRE, Mahomet, III, 1.

(...) je cherche un autre métier (...) Celui que j'ai à présent   16
me fatigue et me ne rapporte presque rien. À la blanchisserie on étouffe, et puis être toujours à appuyer sur ce fer (...) Bref, je cherche autre chose. — Autre chose? Quoi? —

Un métier moins dur (...)

J. GREEN, *Léviathan*, I, VIII, p. 66.

Exclam. *Dur!* (souvent redoublé) *Dur, dur!* : c'est pénible, difficile à supporter (souvent à propos de choses sans gravité, ou dans lesquelles on n'est pas directement impliqué). «*Un polytechnicien désire faire notre éducation informatico-sentimentale. Dur, dur, pensez-vous. Erreur, cette "grosse tête" adopte le ton badin, plaisante à l'occasion, raconte même des anecdotes*» (*le Point*, 21-27 juin 1982, p. 157).

C *Dur à* (et inf.) : pénible, désagréable. *Un aliment dur à digérer.* **Loc. fig.** *C'est dur à digérer, à avaler* : c'est pénible. — *Choses dures à entendre. C'est un moment dur à passer, à traverser. C'est un peu dur à accepter.*

B ◆ **1** (V. 1050). Personnes. Qui manque de cœur, d'humanité, d'indulgence. → **Autoritaire, blessant, brutal, exigeant, farouche, féroce, froid, impassible, impitoyable, implacable, indifférent, inébranlable, inexorable, inflexible, inhumain, insensible, intraitable, intransigeant, mauvais, méchant, rigoriste, sévère, strict, terrible, vache** (fam.). *Un homme dur, sans cœur**, *sans entrailles** (vx). *Être dur, se montrer dur pour qqn, envers qqn. Maître dur pour ses domestiques. Il a été très dur avec ses parents. Être dur pour soi et pour les autres* (→ Despotisme, cit. 8). *Être dur en affaires. Être dur pour les faiblesses, les fautes d'autrui. Rendre qqn dur.* → **Aigrir, endurcir, rendurcir.** *Devenir dur.* → **Dessécher** (se), **racornir** (se).

17 Ô gens durs! vous n'ouvrez vos logis ni vos cœurs!

LA FONTAINE, *Philémon et Baucis*.

18 — Au tribunal le magistrat s'oublie, et ne voit plus que l'ordonnance. — Indulgente aux grands, dure aux petits (...)

BEAUMARCHAIS, *le Mariage de Figaro*, III, 5.

19 Les hommes qui passent pour être durs sont de fait beaucoup plus sensibles que ceux dont on vante la sensibilité expansive. Ils se font durs parce que leur sensibilité étant vraie, ils la font souffrir. Les autres n'ont pas besoin de se faire durs, car ce qu'ils ont de sensibilité est bien facile à porter. B. CONSTANT, *Journal intime*, p. 175.

20 (...) il se disait qu'il n'avait aucune vraie bonté à espérer de qui avait été si injuste et si dur pour son père.

HUGO, *les Misérables*, V, V, II.

21 *Il lui arrive d'être très dur. Je ne pense pas que personne puisse l'être comme lui. Il vous brise l'esprit d'un mot, et je me vois comme un vase manqué que le potier jette aux débris.* VALÉRY, M. Teste, p. 38.

22 Sa tristesse est sans douceur; elle aime le sarcasme. Il est dur; il a l'air cruel; il semble jouir de la catastrophe, tant il se soucie peu de l'amortir.

André SUARÈS, *Trois hommes*, «Ibsen», V, p. 136.

22.1 (...) M. Sandré resta encore quelques instants à table, regardant son petit Jean pour qui il était toujours si dur, dont il contrecarrait à tout instant les fantaisies les plus innocentes, qu'il faisait envoyer coucher quand on oubliait l'heure, lui qui depuis un mois avait forcé sa fille et son gendre à séparer Jean de Melle Kossichef, lui qui n'embrassait jamais Jean, même pas le 1er janvier, l'appela doucement, l'assit sur ses genoux, et l'embrassa de ses vieilles lèvres durcies (...) PROUST, *Jean Santeuil*, Pl., p. 225.

(En parlant d'un enfant). Dont on ne fait pas ce qu'on veut, qui n'obéit pas, a tendance à tout détruire. *Le plus jeune de ses fils est le plus dur.* → **Difficile, turbulent.**

◆ **2** Qui exprime, qui traduit un manque de cœur, d'indulgence, d'aménité... *Un regard dur et méprisant.* → **Féroce.** *Expression, physionomie dure.* → **Rébarbatif, revêche.** *Mine dure et renfrognée. Répondre sur un ton dur.* → **Acerbe, bourru, bref, brusque, brutal, cassant, glacé, glacial, rogue, rude, sec, vif, violent.** *Parole, remarque dure.* → **Acéré, amer, choquant, cinglant, offensant, sévère.** — Qui juge sévèrement. *Ce livre est bien*

dur pour Louis XV. La critique fut dure pour son dernier ouvrage. Tu es bien dur avec lui.

23 (...) il faut lire un grand nombre de termes durs et injurieux que se disent des hommes graves, qui d'un point de doctrine (...) se font une querelle personnelle.

LA BRUYÈRE, *les Caractères*, I, 58.

24 Mais la passion la rendait cette fois insensible à la pitié, et lui faisait (c'est elle qui l'avoue) le cœur *dur comme diamant*.

SAINTE-BEUVE, *Causeries du lundi*, 11 août 1851, t. IV, p. 420.

25 (...) le jugement dur porté sur lui *(Sandeau)* par Madame Sand : «Il a tout perdu, même mon estime.»

Émile HENRIOT, *les Romantiques*, p. 418.

26 «Pourquoi donc», se demandait Jacques, «son visage prend-il si aisément cet aspect dur et fermé?»

MARTIN DU GARD, *les Thibault*, t. II, p. 255.

27 À cultiver une terre ingrate, à forcer, à embellir de mauvaises herbes, il avait pris quelque chose de dur qui ne s'accordait guère avec sa douceur.

COCTEAU, *le Grand Écart*, I, p. 5.

◆ **3** Brutal et répressif; sans concession. *Une politique dure.* → **Musclée.** *Des mesures de répression exceptionnellement dures. Une loi très dure.* → **Draconien.**

(Des personnes). *Des dirigeants durs, plus durs. Des politiciens durs.* → **Faucon;** → ci-dessous, III., 1.

Loc. *Pur et dur; dur et pur* (moins courant).

27.1 Quelques films américains, où le héros dur et pur, ne répugnait pas devant un verre de lait avant de sortir son colt justicier. R. BARTHES, *Mythologies*, p. 77.

C (Opposé à *doux*; adapt. de l'angl. *hard*). ◆ **1** Qui a des effets importants et dangereux. *Drogues** *dures et drogues douces.*

◆ **2** Qui est rigoureux. *Technologies dures.*

II Adv. (XIIIe). ◆ **1** Avec force, violence. *Frapper, cogner dur.* → **Fort, sec.** *Taper dur sur qqch. Il frappait de plus en plus dur. Le vent soufflait dur.*

◆ **2** Avec intensité. *Travailler dur.* → **Énergiquement, ferme, rudement, sérieusement** (cf. D'arrache-pied). *Il gèle dur, la nuit.* — **Fig.** *Ça chauffe dur* : il y a du vilain, ça barde.

28 Le soleil commença de frapper dur.

ALAIN-FOURNIER, *le Grand Meaulnes*, p. 189.

29 Allez derrière, dit le type à Sarah. Et poussez dur.

SARTRE, *la Mort dans l'âme*, p. 16.

30 (...) ça se mit à gueuler dur de l'autre côté de la cloison.

SARTRE, *le Sursis*, p. 51.

Loc. fig. *Croire** *à qqch. dur comme fer.*

III N. (1350). ◆ **1** Personne aguerrie, bien trempée, qui n'a peur de rien, ne recule devant rien. *C'est un dur, une dure* (→ Bande, cit. 6). *Jouer les durs* (→ Jouer les gros bras*, les casseurs*). *Se faire passer pour un dur. Un gros dur.* — **Spécialt.** Homme du milieu. *C'était un dur, un vrai.* — **Loc.** *Dur de dur* (intensif) : dur parmi les durs. → Vrai* de vrai.

31 Je voulais être un homme. Un dur... Est-ce que c'est possible qu'on soit un lâche quand on a choisi les chemins les plus dangereux? SARTRE, *Huis-clos*, V.

Politicien, militaire, partisan de la manière forte, intransigeant. → **Épervier, faucon.** *Les durs du Pentagone.*

(1829). DUR À CUIRE : personne qui ne se laisse pas mener ni émouvoir, qu'on ne peut faire marcher aisément.

31.1 (...) de vieilles moustaches se surprennent, à la fin du récit que fait cette femme, l'œil humide de larmes. *Le capitaine.* Eh bien! sergent, qu'avez-vous donc? Je vous croyais un dur à cuire.

Mémoires de Vidocq, IV, 1828-1829, *in* D.D.L., II, 3.

31.2 On se mouche comme à l'église avant que le sermon commence, et les durs à cuire, ceux qui ont pour opinion «qu'il faut que ce soit comme en 93», écoutent religieusement, tout en regardant de travers ses voisins suspects de modératisme.　　　　　J. VALLÈS, l'Insurgé, p. 123.

Enfant difficile à élever, violent et qui n'en fait qu'à sa tête. *Sa dernière fille est une dure.*

♦ **2** N. m. Ce qui est dur. *Le dur et le mou. Je préfère dormir sur du dur.*

EN DUR : en maçonnerie. *Construire en dur* (opposé à *préfabriqué, provisoire*). *Les dortoirs sont dans des tentes, le réfectoire dans un bâtiment en dur.* — Aviat. *Piste en dur,* bétonnée (opposé à *de terre battue*). — REM. En Afrique, l'expression s'oppose à «en construction traditionnelle» (banco, bambou...).

31.3 (...) ce rancho à flanc de montagne devenu avec le temps un vrai faubourg, avec de vraies maisons en dur, de vrais toits plats en ciment où faire sécher le linge, suspendre un hamac quand la nuit est trop chaude, emmagasiner la pluie en citerne.　　　Régis DEBRAY, l'Indésirable, p. 14.

(Fig. et fam.). D'une façon concrète, tangible.

31.4 (...) Renaud, qui m'obligeait à partager ses cauchemars et à les jouer en dur.
　　　　Christiane ROCHEFORT, le Repos du guerrier, I, v, p. 108.

Loc. Techn. *De (tout) son dur :*

31.5 Cette pièce d'acier, après avoir été trempée, «de tout son dur», comme on dit en métallurgie, fut fixée d'une façon inébranlable sur un bâti solidement enfoncé dans le sol, à quelques pieds seulement de la grande chute, dont l'ingénieur allait encore utiliser la force motrice.
　　　　　J. VERNE, l'Île mystérieuse, t. II, p. 557 (1874).

♦ **3** N. m. Techn. Tension (d'une corde). *Donner du dur* (opposé à *mou*) : tendre plus (la corde).

♦ **4** N. m. (1886; «fer», 1836). Argot, puis fam. Train. *Prendre le dur. Brûler* (cit. 10.3) *le dur :* voyager en fraude par le train.

31.6 Il prit son billet en vitesse et son dur juste à temps (...)
　　　　　R. QUENEAU, le Dimanche de la vie, p. 96.

♦ **5** N. m. (1800). Argot. *Les durs :* les fers du détenu. — (1833). Bagne. — (1899). Prison. *Être aux durs.*

31.7 Résultat, six mois après, on s'est retrouvé aux durs.
　　　　　A. SARRAZIN, la Cavale, p. 307.

♦ **6** N. m. (1800, *in* D.D.L.). Fam. Eau-de-vie (→ aussi Doux, III, 1.). *Un verre de dur.*

31.8 (...) elle avale coup sur coup trois petits verres d'anisette, après quoi elle s'écrie :
— Décidément, c'est trop doux : ça *m'écœure,* l'anisette... Je vais revenir au dur... Donnez-moi du fil en quatre, cher ami ?
On sert de l'eau-de-vie à la grosse femme, qui l'avale sans sourciller.
　　　　Ch. PAUL DE KOCK, la Grande Ville, t. I, p. 262.

♦ **7** N. f. **LA DURE** : le sol, la terre nue. *Coucher sur la dure.* → **Terre** (par terre).

32 J'ai bu chaud, mangé froid, j'ai couché sur la dure (...)
　　　　　Mathurin RÉGNIER, Satires, II.

32.1 Mon père se couchait de bonne heure et se levait matin ; mais encore qu'il eût le sommeil léger et court, il s'endormait au bruit des veilleuses : il a souvent passé la nuit sur la dure.
　　　　RESTIF DE LA BRETONNE, la Vie de mon père, p. 158.

33 C'est un homme qui, à force de faire carder son matelas, le voit diminuer, et finit par coucher sur la dure.
　　　　　CHAMFORT, Maximes et pensées, Sur la philosophie et la morale, IX.

♦ **8** Loc. *En dire, en faire, en voir de dures,* des choses pénibles à supporter. *Il nous en fait voir de dures* (→ De toutes les couleurs*).

♦ **9** Loc. adv. **À LA DURE** : de manière rude, dure à supporter. *Être élevé à la dure,* sans douceur, avec sévérité. → **Durement.** *Coucher à la dure,* sans confort (sur le sol nu, par croisement avec le sens 7).

33.1 (...) le redoutable chasseur sibérien avait élevé son fils Michel «à la dure», suivant l'expression populaire (...)
　　　　　J. VERNE, Michel Strogoff, p. 35.

33.2 Il fallait une certaine attention pour ne pas piétiner les dormeurs, capricieusement étendus çà et là. C'étaient pour la plupart des moujiks, habitués à coucher à la dure et auxquels les planchers d'un pont devaient suffire.
　　　　　J. VERNE, Michel Strogoff, p. 102.

34 Pour nous, l'argent n'était qu'un moyen d'arriver à faire quelqu'un de bien. C'est pour ça qu'on vous élevait à la dure.
　　　　Valery LARBAUD, Fermina Marquez, XX, p. 247.

35 Son père le fit élever à la dure.
　　　　　A. MAUROIS, Lélia, p. 14.

CONTR. **Amolli, blet, douillet, doux, élastique, flasque, liquide, moelleux, mou, souple, tendre.** — **Docile, douillet, mollasse, mou, vulnérable ; aisé, facile.** — **Doux, harmonieux ; agréable, léger.** — **Affectueux, bienveillant, bon, compatissant, débonnaire, humain, indulgent, sensible, tendre.** — **Légèrement, mollement.** — **Mou,** n. m. ◊ DÉR. **Duraille, durcir, durement, duret, dureté,** 1. et 2. **durillon.** — V. **Durit.** ◄ COMP. **Durbec, dure-mère.**

DURABILITÉ [dyʀabilite] n. f. — Fin XIIIᵉ ; de *durable.*

♦ **1** Didact. Caractère de ce qui est durable. → **Permanence, pérennité, persistance.** *La durabilité des choses, d'une espèce.*

Techn. Propriété (d'un bois) de résister aux facteurs d'altération. *Durabilité moyenne d'un bois.*

♦ **2** Dr. Temps d'utilisation (d'un bien) ou de validité (d'un droit).

Écon. Durée pendant laquelle un bien satisfait un besoin.

DURABLE [dyʀabl] adj. — V. 1050 ; de *durer.*

♦ **1** Littér. De nature à durer longtemps. *Une construction, un monument durable.* — Écon. Capable de se conserver longtemps. *Marchandises, biens durables.*

(Abstrait). Plus cour. Qui est de nature à ne pas se modifier, n'est pas éphémère. *État, situation durable.* → **Constant, permanent, stable.** *Un changement durable. Rendre durable.* → **Consacrer, confirmer, entériner.** *Faire œuvre durable. La gloire de cet écrivain sera durable. Sentiment, amitié, amour durable.* → **Profond, solide.** *S'attacher d'une manière durable,* pour longtemps (→ À jamais*, à la vie*). *Entreprise durable.* → **Viable, vivace.** *Un souvenir durable.* → **Vif, vivant.** *Préjugés durables.* → **Enraciné, tenace, vivace.** *Caractère de ce qui est durable.* → **Durabilité.**

1 Don précieux, inestimable présent, si seulement la possession en avait été plus durable (...)
　　　　　BOSSUET,
　　Oraison funèbre de la Duchesse d'Orléans.

2 (...) il n'y a que la vérité qui soit durable, et même éternelle.
　　　　　BUFFON, Disc. sur le style, p. 25.

3 C'est que, dans le premier cas, l'écrivain n'avait exprimé que des caractères superficiels et éphémères, tandis que, dans le second, il a saisi des caractères durables et profonds.
　　　　TAINE, Philosophie de l'art, t. II, v, II, III, p. 259.

4 J'avais l'insouciance de ceux qui croient leur bonheur durable.
　　　　PROUST, À la recherche du temps perdu, t. XI, p. 97.

5 Faire œuvre durable, c'est là mon ambition, et quant au reste : succès, honneurs, acclamations, j'en fais moins cas que de la moindre parcelle de vraie gloire : apporter réconfort et joie aux jeunes hommes de demain.
　　　　　GIDE, Journal, 10 avr. 1943.

N. m. *Le durable* : caractère ou état de ce qui dure longtemps (→ Délaisser, cit. 3 ; passer, cit. 70).

Spécialt. De nature à durer très longtemps sans se modifier (→ ci-dessus cit. 2 et les emplois comme : *gloire durable*). → **Définitif, éternel, immortel, impérissable.**

♦ **2** Qui dure effectivement longtemps. — Rare en emploi concret : *«Certains fruits durables et ratatinés des haies»* (Proust, *in* T. L. F.). — (Abstrait). *Son sentiment n'a pas été très durable.* → **Persistant.** — REM. Seule la syntaxe permet d'affecter à *durable* une valeur phénoménale, et non virtuelle (sens 1) : tous les emplois cités avec cette valeur peuvent être interprétés au sens 1; l'inverse est souvent vrai (*un souvenir durable* est «capable de durer»; mais dans la phrase : *le souvenir fut durable*, la durée est effective).

CONTR. Bref, court, éphémère, fragile, fugace, fugitif, instantané, momentané, passager, périssable, temporaire, transitoire. ◊ DÉR. **Durabilité, durablement.**

DURABLEMENT [dyʀabləmɑ̃] adv. — V. 1170; de *durable.*

D'une façon durable (→ Avant, cit. 66). *Œuvrer durablement pour l'avenir.*

(Il faut) associer aux actes qui assureront la sécurité de tous et l'organisation mondiale de la paix, un état sans lequel on ne voit point comment pourraient être valablement et durablement construites, ni la sécurité, ni l'organisation mondiale, ni la paix.
Ch. DE GAULLE, Mémoires de guerre, p. 305.

DUR-À-CUIRE [dyʀakɥiʀ] adj. et n. → **Dur** (III., 1.).

DURAILLE [dyʀaj] adj. — 1907, «difficile»; de *dur.*
Fam. Dur. — (Concret). *Il est duraille, ton canapé.* — Difficile. *C'est duraille, son cours.*

1 Deviner maintenant où se trouvait Lili, et pourquoi on l'avait emmenée, c'était duraille, du vrai travail de cartomancienne.
A. SIMONIN, Touchez pas au grisbi, p. 123.

N. m. Rare. *Un duraille :* un dur, un dur à cuire.

2 Chantez des javas canailles
Que de gros durailles
Dans't à Robinson (...)
Boris VIAN, Textes et chansons, Chantez, p. 32.

DURAL, ALE, AUX [dyʀal, o] adj. — 1959; de *dure,* dans *dure-mère,* et suff. *-al,* p.-ê. angl. *dural* (1888).
Anat. Qui se rapporte à la dure-mère. *Cul-de-sac dural. Gaine durale. Hématome dural.* — REM. On dit aussi *dure-mérien, enne* [dyʀ(ə)meʀjɛ̃, ɛn].

COMP. **Épidural, extradural, péridural.**

DURA LEX SED LEX [dyʀalɛkssɛdlɛks]
Locution latine *(la loi est dure, mais c'est la loi),* que l'on rappelle en parlant d'une règle à laquelle il faut se soumettre, quelque pénible qu'elle soit.

DURALUMIN [dyʀalymɛ̃] n. m. — 1932, nom déposé; de *Düren,* ville allemande où l'alliage fut créé, et *aluminium,* avec influence de *dur.*
Alliage léger d'aluminium, de cuivre, de magnésium et de manganèse, utilisé dans la construction aéronautique... *Construction en duralumin,* et, par abrév., *en dural* [dyʀal]. *Des tôles de duralumin, un cadre de bicyclette en duralumin.*

DURAMEN [dyʀamɛn] n. m. — 1839, Boiste; mot latin, «durcissement», de *durare* «durcir», de *durus* «dur».
Bot. Partie tout à fait lignifiée d'un tronc d'arbre (par oppos. à l'*aubier**). → **Cœur.** *Le duramen est le bois parfait; sa coloration est généralement plus foncée que celle de l'aubier.* → **Bois.** *Des duramens.*

CONTR. **Aubier.**

DURANT [dyʀɑ̃] prép. — 1260, après le nom; avant le nom, XVIe; p. prés. de *durer.*

♦ **1** Cour. (Avant le nom). Pendant la durée entière de. → **Pendant.** *Durant la nuit. Durant l'été. Parler durant des heures. Durant tout le XVIIe siècle.* → **Cours** (au cours de). *Durant son séjour, son absence, son sommeil. Durant le repas, la représentation. — Durant cinquante pages, durant tout le roman. — Durant longtemps* (rare).

Jugez durant ce temps ce que vous pourrez faire.   1
CORNEILLE, Pompée, II, 4.

(...) cette douceur maternelle qui me couvait durant des   2
heures entières d'un sourire attendri (...)
G. SAND, Elle et Lui, X, p. 231 (→ Couver, cit. 2).

Théoriquement *durant* s'emploierait seulement avec une   3
indication précise de la durée : *Durant trois heures, ils se battirent comme des lions; — Quatre heures* durant (...) Mais on dit fort bien : durant *une partie de la nuit.* Il suffit, pour qu'on puisse employer *durant* que les limites de l'action coïncident avec la durée exprimée : durant *une infinité de siècles, la Terre a existé sans l'homme.*
F. BRUNOT, la Pensée et la Langue, III, XI, section C, V, p. 449.

Loc. conj. Vieilli ou littér. *Durant que :* pendant tout le temps que. *Durant que..., durant le temps, tout le temps que...*
À l'époque, au moment de (avec une fonction de repérage, et le même type de noms sauf ceux qui expriment une durée : *heure, jour). Durant la Révolution française. Durant son voyage, il a eu plusieurs ennuis de santé.*
Durant que... : pendant que... (le temps exprimé par le compl. n'est plus concerné dans son entier, mais comme un repère à l'intérieur duquel se situe la simultanéité). *Durant qu'il travaillait, il entendit plusieurs fois crier dans la rue.*

♦ **2** Loc. (Après le nom). *Parler une heure, des heures durant. Travailler sa vie durant.*

(...) L'écrit portait   4
Qu'un mois durant le roi tiendrait
Cour plénière (...)   LA FONTAINE, Fables, VII, 7.

(...) mon frère et moi, nous vous assurerons, votre vie   5
durant, les mensualités que vous touchiez ici.
MARTIN DU GARD, les Thibault, t. IV, p. 204.

DURATIF, IVE [dyʀatif, iv] adj. — 1875, P. Larousse, art. *Slave,* ling.; dér. sav. de *durer.*
Ling. *Aspect duratif,* celui d'une action (verbe) considérée dans son développement, sa durée. → **Imperfectif.**

DURBEC [dyʀbɛk] n. m. — 1843, Landais; de *dur,* et *bec.*
Genre d'oiseaux passereaux, de la famille des *fringillidés,* habitant les forêts de conifères des régions de l'hémisphère boréal.

DURCIR [dyʀsiʀ] v. — Fin XIIe, intrans.; de *dur.*

I V. tr. ♦ **1** Rendre dur, plus dur. *La chaleur durcit la terre. Durcir l'acier.* → **Tremper.** *L'âge durcit les artères, les tissus.* → **Indurer.**

Je pris sa main, sa pauvre main de gabier dans les   1
miennes; il fallait la serrer très fort pour qu'elle sentît la pression, car le travail l'avait beaucoup durcie.
LOTI, Mon frère Yves, LXVII, p. 158.

♦ **2** Fig. Rendre plus fort, moins sensible. → **Affermir, endurcir, fortifier, tremper.**

On s'exerce à durcir son cœur, on se cache de la pitié, de   2
peur qu'elle ne ressemble à la faiblesse; on se fait effort pour dissimuler le sentiment divin de la compassion, sans songer qu'à force d'enfermer un bon sentiment on étouffe le prisonnier.
A. DE VIGNY, Servitude et Grandeur militaires, II, XIII, p. 167.

♦ 3 (XXᵉ). Rendre plus ferme, plus intransigeant. *Ils ont durci leurs positions depuis cette réunion. Les syndicats ont durci l'action, durci la grève.*

♦ 4 Par ext. (Sujet n. de chose). Faire paraître dur, plus dur. *Cette coiffure lui durcit les traits, le visage.*

II V. intr. Devenir dur, ferme. *Pain qui durcit rapidement.* → **Rassir, sécher.** *Faire durcir des œufs dans l'eau bouillante. Crème qui durcit en se refroidissant.* → **Prendre, solidifier** (se). *L'argile durcit sous l'effet de la chaleur. Surface d'un liquide, d'un solide qui durcit* (→ **Croûte**). *La neige a durci.*

♦ SE DURCIR v. pron. (du sens I). *La pierre se durcit à l'air. — Ses traits se durcissent avec l'âge.* → **Accentuer** (s').

3 Le garçon était toujours aussi pâle, mais, petit à petit, les traits de son visage, ces traits si délicats, si puérils, se durcissaient, s'ordonnaient comme sous l'action d'une force intérieure.
G. DUHAMEL, le Voyage de Patrice Périot, XIV, p. 258.

Devenir insensible. *Son cœur se durcit à cette pensée.*

4 Je dis que le cœur aime l'être universel naturellement, et soi-même naturellement, selon qu'il s'y adonne, et il se durcit contre l'un ou l'autre, à son choix.
PASCAL, Pensées, IV, 277.

♦ DURCI, IE p. p. adj. *Sol durci.* → **Battu.** *Muscle durci par l'effort. Neige durcie.*
Fig. *Sensibilité durcie* (→ Desséché, cit. 15). *Regard durci par la haine. Voix durcie par la colère.*

5 Un bruit de cristaux brutalisés lui parvint, puis la voix d'Edmée, claire, durcie pour la réprimande.
COLETTE, Fin de Chéri, p. 5.

CONTR. Amollir, attendrir, mollifier, mollir, mortifier, ramollir ; adoucir. ◇ DÉR. Durcissement, durcisseur.
→ COMP. Endurcir. — Radiodurcissable.

DURCISSEMENT [dyʀsismɑ̃] n. m. — 1753 ; de *durcir*.

♦ 1 Action de durcir, de se durcir ; résultat de cette action. *Le durcissement de l'argile, du ciment. Durcissement des tissus.* → **Induration, sclérose.** *Durcissement des artères.* → **Artério-sclérose.** *Durcissement de la paume des mains, de la plante des pieds.* → **Callosité, corne, durillon.**

1 Au début, l'eau continuait à s'infiltrer entre la tôle et le coffrage, délavant le ciment avant durcissement.
Bernard MOITESSIER, Cap Horn à la voile, p. 86.

♦ 2 Le fait de devenir plus résistant, plus dur (fig.). → **Raffermissement, renforcement.** *On constate un durcissement de la résistance ennemie sur ce point du front. Durcissement d'une attitude, d'une position, de l'opposition,* qui devient plus rigide, plus intransigeante.

2 Je suis heureux de lui avoir fait confiance, puisqu'il en a été aidé, mais je regrette de ne pas lui avoir dit, hier soir, que le terme d'«endurcissement» dont je me suis servi à son propos et qui l'a peiné, je crois, trahit ma pensée, car il est péjoratif. Cet «durcissement» que je voulais dire. Mitterrand s'est durci et non endurci.
F. MAURIAC, le Nouveau Bloc-notes 1958-1960, p. 269.

CONTR. Amollissement, attendrissement, mollification ; assouplissement. ◇ COMP. Endurcissement.

DURCISSEUR, EUSE [dyʀsisœʀ, øz] adj. et n. m. — 1961 ; 1864, adj. ; de *durcir*.

♦ 1 Adj. Qui durcit (qqch.), sert à durcir.

♦ 2 N. m. Produit ajouté à un autre, ou appliqué sur quelque chose pour durcir, pour augmenter la résistance. *Durcisseur pour les ongles.*

DURÉE [dyʀe] n. f. — 1131 ; de *durer*.

♦ 1 Espace de temps qui s'écoule entre les deux limites observées (début et fin) de (un phénomène). → **Temps ; espace, longueur** (du temps) ; **moment, période.** *La durée d'un spectacle, d'un voyage. Durée d'un traitement. Durée des vacances. Durée des fonctions d'un souverain ; durée d'une influence, d'une mode.* → **Règne.** *Durée d'un mandat, d'une législature. Durée pendant laquelle on a occupé une fonction.* → **Ancienneté.** *Durée ininterrompue.* → **Continuité, permanence.** *Durée hebdomadaire de travail. Réduction de la durée légale du travail. Diminuer la durée de qqch.* (→ **Abréger, raccourcir**), *l'augmenter* (→ **Prolonger**). *La durée de la vie.* → **Âge, carrière, cours, existence, longévité.** *La durée de leur liaison.*

1 La durée de nos passions ne dépend pas plus de nous que la durée de notre vie.
LA ROCHEFOUCAULD, Maximes, V.

2 Quand je considère la petite durée de ma vie, absorbée dans l'éternité précédente et suivante (...) le petit espace que je remplis et même que je vois, abîmé dans l'infinie immensité des espaces que j'ignore et qui m'ignorent, je m'effraie et m'étonne de me voir ici plutôt que là (...)
PASCAL, Pensées, III, 205.

3 Mais hélas ! Tout ce qu'elle aimait devait être de peu de durée (...)
BOSSUET, Oraison funèbre d'Anne de Gonzague.

4 (...) la notion des durées se perdait pour eux dans la monotonie du temps.
LOTI, Mon frère Yves, LXXXII, p. 196.

(Qualifié). Espace de temps (dont on précise la nature). *Pendant, pour une durée de quinze jours.* → **Espace, période.** *Charge d'une durée de trois ans* (→ **Triennat**), *de sept ans* (→ **Septennat**). *Longue durée.* → **Longueur, pérennité.** *De longue durée.* → **Durable ; éternel, fin** (sans fin), **interminable, long, pérenne, perpétuel.** *— Microsillon de longue durée, disque longue durée* (cf. le canadianisme Long jeu). — REM. Avec la quasi disparition des disques à 78 tours minute, l'expression devient archaïque. — *Courte, brève durée.* → **Instant, moment.** *Bonheur de courte durée. Contrat de travail à durée limitée. Durée déterminée, indéterminée. Être absent pour une durée illimitée,* dont le terme n'est pas fixé. *Durée infinie.* → **Éternité, perpétuité.** *La durée d'un éclair :* un bref instant.

Prov. *Ciel* pommelé et femme fardée ne sont pas de longue durée.

Temps pendant lequel une chose existe avant d'être détruite. «*La durée des habits*» (Delacroix, *in* T. L. F.). *La peinture, le vernis augmentent la durée du bois.*

Absolt. Espace de temps limité.

5 Comme un tableau est un espace à émouvoir, une pièce de théâtre, c'est une durée à animer.
GIDE, Journal, 21 juin 1914.

Vx. Durée de la vie. *Approcher du terme de sa durée.* → **Vieillir.**

♦ 2 Fait de durer, de se prolonger un temps considéré comme assez long ; long espace de temps. — Caractère de ce qui est durable. *Son succès sera de peu de durée,* sera éphémère, passager, sans lendemain.

5.1 Comme son succès à la chambre ne lui avait coûté aucun travail, il ne pouvait croire à sa durée, ni presque à sa réalité.
STENDHAL, Lucien Leuwen, p. 658.

5.2 L'instabilité s'impose comme le régime normal de l'époque dans tous les ordres. Mais, par là, la continuité, la durée, le tempérament, la sérénité deviennent, dans cet univers en transformation furieuse, des valeurs du plus haut prix.
VALÉRY, Regards sur le monde actuel, p. 300.

Loc. Vx. *De durée* : qui dure. — *Avoir durée* : durer longtemps.

♦ **3** Absolt. Philos. et cour. Déroulement du temps. *L'espace et la durée* (→ Détruire, cit. 43 ; brièveté, cit. 2).

6   C'est de là *(de la pensée)* qu'il faut nous relever, non de l'espace et de la durée, que nous ne saurions remplir.
PASCAL, Pensées, I, 6.

6.1   Si l'on fait abstraction des spécialistes du temps qui apparaissent vers le moment où se constituent les premiers ensembles urbains, la notion fondamentale de durée n'est appréhendée en effet qu'à travers le retour de produits ou d'opérations de caractère vital.
A. LEROI-GOURHAN, le Geste et la Parole, t. II, p. 145.

Temps vécu, caractère des états psychiques qui se succèdent en se fondant les uns dans les autres (opposé au *temps objectif, mesurable*).

7   La durée vécue par notre conscience est une durée au rythme déterminé, bien différente de ce temps dont parle le physicien et qui peut emmagasiner, dans un intervalle donné, un nombre aussi grand qu'on voudra de phénomènes.
H. BERGSON, Matière et Mémoire, p. 229.

♦ **4** (1870). Mus. Temps pendant lequel un son ou un silence doit être entendu. → **Valeur.**

HOM. Formes du v. **durer.**

DUREMENT [dyʀmɑ̃] adv. — 1080 ; de *dur.*
D'une manière dure.

A ♦ **1** Concret. (Rare). En opposant au toucher, à la pression une forte résistance. *Être durement couché sur un lit de sangles.*

♦ **2** Abstrait. (Cour.). D'une manière pénible à supporter. *Il a été durement éprouvé par cette perte. Peuple durement asservi. Enfant élevé durement.*
→ **Dur** (à la dure).

♦ **3** Énergiquement et avec peine. *Travailler durement. Gagner durement sa vie.* → **Péniblement.**

B Avec dureté*, sans bonté, sans humanité. *Regarder durement qqn. Parler, répondre durement.*
→ **Méchamment, sèchement.** *Être jugé durement par ses semblables, sans indulgence. Traiter durement un domestique.*

1   Il regarda durement Daniel et bâilla avec férocité (...)
SARTRE, l'Âge de raison, VII, p. 90.

2   Sans doute n'ignorait-elle pas qu'on la jugeait durement et que plusieurs des personnes qui lui parlaient avec douceur, lorsqu'elle les rencontrait, ne se faisaient pas faute de la rudoyer dans leurs conversations entre elles (...)
J. GREEN, Léviathan, IX, p. 75.

CONTR. Confortablement, mollement. — Légèrement. — Doucement, gentiment.

DURE-MÈRE [dyʀmɛʀ] n. f. — XIIIᵉ ; de *dur,* et *mère,* trad. du lat. méd. *dura mater.*
Anat. La plus superficielle et la plus résistante des trois méninges. → **Méninge** (dure ou fibreuse). *De la dure-mère.* → **Dural.**

DURER [dyʀe] v. intr. — V. 1050 ; du lat. *durare* «durcir» ; endurer, résister, durer», de *durus* «dur».
Continuer d'être, d'exister.

I (Choses). ♦ **1** **a** Avec un compl. ou un adv. Avoir une durée de... → **Prolonger** (se). *Spectacle qui dure deux heures. Son attente a duré des semaines. Voilà des semaines que cela dure. Leur conversation dure encore, dure depuis midi. Maladie qui dure quarante jours ; les quarante jours que cette maladie a duré. Leur liaison a duré quelque temps, peu de temps, longtemps. Les débats durèrent longtemps. Durer trop longtemps, une éternité.* → **Éterniser** (s'), **finir** (n'en plus finir), **traîner** (en longueur). *Cela a assez*

duré. Cela n'a que trop duré. Cela n'a duré qu'un instant. La douleur n'a duré qu'une fraction de seconde.* → **Passer.** *Ça va durer longtemps cette petite plaisanterie ?*

1   Et l'absence de ce qu'on aime,
Quelque peu qu'elle dure, a toujours trop duré.
MOLIÈRE, Amphitryon, II, 2.

2   L'attaque de goutte fut prolongée par les grands froids de l'hiver et dura plusieurs mois.
STENDHAL, le Rouge et le Noir, II, VII, p. 274.

b Absolt. *Durer :* durer longtemps. *L'hiver a duré cette année. Le beau temps dure.* → **Maintenir** (se). *La guerre pourrait bien durer. Durer sourdement, dans le secret.* → **Couver** (sous la cendre). *Faire durer :* prolonger, entretenir, perpétuer. *Faire durer les vacances. Faire durer une dispute, un désaccord.* → **Entretenir ; prolonger.** *Faire durer sans cesse.* → **Perpétuer.** *Faire durer la raillerie, la plaisanterie.* → **Pousser.** *Faire durer le plaisir. Pourvu que cela dure. Cela ne peut durer* (il faut que cela cesse). *Ça n'a pas duré.*

3   Julien éprouvait une invincible répugnance à s'en aller, il faisait durer l'explication.
STENDHAL, le Rouge et le Noir, II, VI, p. 267.

♦ **2** (En parlant du temps). Donner l'impression de durer (un temps important), sembler long. *Cette minute a duré une heure, nous a duré une heure, a paru durer une heure. Cette séance dure.*

4   (...) si je voulais vous dire que depuis que vous êtes partis, les jours m'ont duré des siècles, il y aurait un air assez poétique dans cette exagération, et ce serait pourtant une vérité.
Mᵐᵉ DE SÉVIGNÉ, 670, 15 nov. 1677.

5   Chaque heure de cette vie abominable me semble durer une journée.
STENDHAL, le Rouge et le Noir, I, XIX, p. 116.

Durer à qqn : paraître long. *Le temps lui dure depuis qu'il attend votre arrivée.*

♦ **3** Résister contre les atteintes du temps, les causes de destruction. → **Conserver** (se), **demeurer** (II., 2.), **résister, subsister, tenir.** *La pierre dure plus que le bois. Cette église a duré plusieurs siècles. Fleur qui ne dure qu'un jour.* → **Vivre.** *La jeunesse ne dure pas longtemps. Plaisir d'amour* (cit. 27) *ne dure qu'un moment* (Florian). *Cela dura le temps d'un été. Vos bonnes résolutions n'ont pas duré longtemps* (→ **Persévérer**). *Ce caprice vous dure-t-il encore ? C'est une manie qui lui dure depuis des années.* — Fam. *Ça durera ce que ça durera :* cela n'a guère de chance de durer, mais peu importe. — *Durer toujours* (→ **Éternel, immortel**).

6   Las ! voyez comme en peu d'espace,
Mignonne, elle a dessus la place
Las, las ! ses beautés laissé choir !
Ô vraiment marâtre Nature,
Puisqu'une telle fleur ne dure
Que du matin jusques au soir !
RONSARD, Odes, I, XVII.

7   Et ce qui est admirable, incomparable et tout à fait divin, est que cette religion, qui a toujours duré, a toujours été combattue.
PASCAL, Pensées, IX, 613.

8   (...) combien de ces mots aventuriers qui paraissent subitement, durent un temps, et que bientôt on ne revoit plus !
LA BRUYÈRE, les Caractères, V, 11.

9   (...) quand l'amour a duré longtemps, une douce habitude en remplit le vide, et l'attrait de la confiance succède aux transports de la passion.
ROUSSEAU, Émile, V.

10   J'aimerais mieux avoir peint la chapelle Sixtine que gagné bien des batailles, même celle de Marengo. Ça durera plus longtemps et c'était peut-être plus difficile.
FLAUBERT, Correspondance, t. II, p. 49.

10.1   Cela durera ce que cela durera, comme disent les bonnes gens. Je ne veux rien laisser perdre.
J. ROMAINS, Les Hommes de bonne volonté, La douceur de la vie, p. 16.

Absolt. Durer longtemps. *Leur amour a duré grâce à une mutuelle compréhension.* → **Soutenir** (se). *Son souvenir dure dans ma mémoire.* → **Perpétuer** (se), **vivre.** *Faire œuvre qui dure.*

11 Rien, afin que tout dure,
Ne dure éternellement.
MALHERBE, Sur la prise de Marseille.

12 Des amours de voyage ne sont pas faits pour durer.
ROUSSEAU, les Confessions, VI.

13 Mais le vrai a une grande force, quand il est libre ; le vrai dure ; le faux change sans cesse et tombe.
RENAN, Souvenirs d'enfance..., Préface, p. 17.

14 Dès qu'il s'y mêle du désir l'amour ne peut prétendre à durer.
GIDE, Feuillets, *in* Journal 1889-1939, Pl., p. 719.

♦ **4** Spécialt. (En parlant de ce qui se consomme par l'usage). *Ce costume a duré deux ans. — Durer à qqn,* lui servir longtemps. *Son mois de salaire ne lui dure qu'une quinzaine. Cette ration devra vous durer huit jours.* → **Faire.** — *Ce jouet ne durera pas longtemps* (→ Ne fera pas long feu*). *Costume fait pour durer longtemps,* et, absolt, *pour durer.* → **Loin** (aller loin), **profit** (faire du profit), **usage** (faire de l'usage). *Faire durer qqch., ses affaires.* → **Conserver, économiser, épargner.**

14.1 Le monde est soigneux de ses coiffures par ici, une casquette dure dix ans et un melon toute une vie.
ARAGON, les Beaux Quartiers, p. 15.

Loc. *Faire feu* qui dure.*

II (Personnes). ♦ **1** Vx. Vivre.

15 Il s'est fait admirer tant qu'ont duré ses frères (...)
CORNEILLE, Horace, III, 6.

♦ **2** Mod. Continuer à vivre, et, péj., faire juste ce qu'il faut pour rester en vie. *Malade comme il est, il ne va pas durer longtemps.*

16 Je me décourage de durer.
CHATEAUBRIAND, Mémoires d'outre-tombe, t. IV, p. 91.

17 Je dure sans vieillir, j'existe sans souffrir (...)
HUGO, la Légende des siècles, XII, IV.

18 Pour nous, vivre c'est nous modifier ; pour les Arabes, exister, c'est durer.
E. FROMENTIN, Une année dans le Sahel, p. 45.

19 Qui veut durer, doit endurer.
R. ROLLAND, Jean-Christophe, VII, p. 102.

♦ **3** Vieilli ou régional. Demeurer là où on est, comme on est. → **Demeurer, rester.** (S'emploie surtout à la forme négative). *Ne pouvoir durer en place. Nous n'y pouvons plus durer. Le métier est trop pénible, personne n'y dure longtemps* (→ Tenir* le coup).

20 (...) fatiguée et lasse de Paris, jusqu'au point de n'y pouvoir durer. Mᵐᵉ DE SÉVIGNÉ, 433, 21 août 1675.

21 J'étouffe quand je suis dans une ville. Je ne peux pas durer plus d'une journée à Grenoble quand j'y mène Louise.
BALZAC, le Médecin de campagne, Pl., t. VIII, p. 428.

En franç. d'Afrique, Rester, habiter, séjourner.

CONTR. Arrêter (s'), **cesser, passer, terminer** (se). — **Disparaître, mourir.** — **Aller** (s'en aller), **partir.** ◊ DÉR. **Durable, durant, durée.** ◄ HOM. **Durée.**

DURET, ETTE [dyʀɛ, ɛt] adj. — V. 1200 ; de *dur.*
Fam. et vx. Un peu dur (I., A., 1.). *Un biscuit duret.*

DURETÉ [dyʀte] n. f. — XIVᵉ ; *durtés,* XIIIᵉ, «malheurs, souffrances» ; de *dur.*
Caractère de ce qui est dur*.

A ♦ **1** Propriété de ce qui résiste à la pression, au toucher ; de ce qui ne se laisse pas entamer facilement (→ **Dur** I, A., 1.). *La dureté du verre, du fer. Dureté du marbre, du stuc* (→ Plâtre, cit. 3). *Le diamant est d'une dureté très grande : il raye*

tous les minéraux sans être rayé par eux. *Un métal, un alliage d'une grande dureté.* — *Dureté d'un muscle. Dureté du ventre. Degré de dureté d'une substance.* → **Consistance.** *Dureté d'un morceau de viande. Dureté du pain rassis.* — *La dureté d'un lit, d'un sommier, d'un matelas. Dureté de la barbe. Dureté d'une brosse.* → **Rigidité.**

1 Celui qui a des crevasses aux doigts, ou qui les a gourds, trouverait une pareille dureté au bois ou au fer qu'il manie, que fait un autre.
MONTAIGNE, Essais, II, XII, p. 267.

2 La dureté de la barbe s'allie à l'idée de force.
J. ROMAINS, les Hommes de bonne volonté, t. II, VI, p. 70.

Phys. Résistance à la production d'une empreinte par pression d'un objet de nature différente. *Échelle de dureté de Mohs* (10 degrés).

Fig. *Dureté de l'eau :* qualité de l'eau qui renferme certains sels (sulfate de calcium, chlorure de magnésium...) et ne produit pas de mousse avec le savon. → Titre* (III., 2.) hydrotimétrique. *Dureté temporaire* (bicarbonates), *permanente* (sulfates), *dureté totale.*

♦ **2** (→ Dur, I., A., 3.). Loc. *Dureté d'oreille :* défaut de sensibilité de l'oreille, commencement de surdité*.

♦ **3** Caractère pénible à supporter (→ Dur, I., A., 5.).
a Défaut de douceur. *La dureté d'un climat.* → **Inclémence, rigueur, rudesse** (→ Blesser, cit. 15). *La dureté d'un son, d'une voix. Dureté d'un accord.* → **Fausseté ; faux.** *Dureté des traits du visage. Dureté du contour, du tracé d'un dessin,* et, par ext., *dureté de crayon. Dureté d'un style littéraire.*

3 Pour adoucir en moi cette âpre dureté
Des climats où mon sort en naissant m'a jeté.
VOLTAIRE, l'Orphelin de la Chine, IV, 4.

b Caractère de ce qui est pénible à supporter. *La dureté des temps. Dureté d'une condition. Excessive dureté d'un châtiment.* → **Sévérité.** — Au plur. Choses, événements pénibles.

4 D'ensemble, c'est une vie hideuse que celle-ci (...) toutes les duretés de la fortune, les injures du malheur (...)
André SUARÈS, Trois hommes, «Dostoïevski», I, p. 208.

B (→ Dur, I., B.). ♦ **1** (Personnes). Manque de sensibilité, de cœur ; de douceur ; caractère ou comportement dur. → **Insensibilité, sécheresse** (→ Acier, cit. 4). *La dureté d'un père pour ses fils. Traiter qqn avec dureté.* → **Malmener, maltraiter, rudoyer.** *On ne réussit guère avec une telle dureté* (→ prov. On ne prend pas les mouches* avec du vinaigre). *Repousser qqn avec dureté.* → **Brutalité** (cit. 2), **rudesse.** *Répondre avec dureté.* → **Durement.** *Auriez-vous la dureté de lui refuser votre aide ?* (→ **Cœur, courage, cruauté**).

5 L'expérience confirme que la mollesse ou l'indulgence pour soi et la dureté pour les autres n'est qu'un seul et même vice.
LA BRUYÈRE, les Caractères, IV, 49.

6 Il était rebuté par la dureté, la sécheresse, l'égoïsme de ces âmes d'intellectuels (...)
R. ROLLAND, Jean-Christophe, Dans la maison, II, p. 993.

7 Elle avait beau paraître impérieuse, effrayer son mari par sa dureté, elle était faible, plus faible que ceux à qui elle en imposait tant. J. GREEN, Léviathan, II, II, p. 145.

Par ext. *Dureté d'âme, de cœur.* Caractère (d'un acte, d'une attitude) qui témoigne de la dureté d'une personne. *Dureté du regard, de l'expression. La dureté d'une réponse, d'un reproche.*

8 (...) la dureté de votre âme, qui, par ses continuels dédains, ne me promet pas poires molles.
MOLIÈRE, la Comtesse d'Escarbagnas, 4.

9 (...) des yeux enfoncés, d'un vert sombre, dont la dureté, chaque fois, surprenait (...)
J. ROMAINS, les Hommes de bonne volonté, t. III, II, p. 26.

♦ **2** Vx. *Une, des duretés.* Action, parole pleine de dureté. → **Méchanceté.** *Dire des duretés à qqn.*

10 J'admire l'aigreur de Monsieur le Coadjuteur : par où méritez-vous ces duretés?
Mme DE SÉVIGNÉ, 1112, 27 déc. 1688.

11 Je tombe des nues quand vous m'écrivez que je vous ai dit des duretés (...)
VOLTAIRE, Lettre au roi de Prusse, 128, *in* LITTRÉ.

12 La bonté nous entraîne à des devoirs trop lourds (...) De là, ces révoltes subites, ces vengeances qui déconcertent, ces duretés qui ne sont pas dans notre nature.
J. CHARDONNE, l'Amour du prochain, VI, p. 129.

CONTR. **Flaccidité, mollesse. — Clémence, douceur, harmonie, souplesse. — Aménité, attendrissement, charité, cœur, commisération, compassion, gentillesse, indulgence, sensibilité, tendresse.**

DURHAM [dyʀam] n. et adj. — 1855; nom d'un comté anglais.

Bovin d'une race sélectionnée, originaire du Durham. — Appos.

Mon cœur se gonfle d'un orgueil patriotique quand je contemple la belle paire de vaches durham du poids de 1 500 kilos chacune, à laquelle le jury a décerné le premier prix avec une unanimité qui l'honore (...)
A. ROBIDA, le Vingtième Siècle, p. 155.

DURIAN [dyʀjã] n. m. → **Durion.**

1. **DURILLON** [dyʀijɔ̃] n. m. — 1478; *dureillon, durellon,* XIIIᵉ; de *dur.*

Callosité arrondie, légèrement saillante qui se forme sur la plante des pieds et la paume des mains par épaississement de l'épiderme, aux endroits soumis à des pressions répétées. → **Cal, callosité.** *Durillon avec tumeur et prolongement dans le derme.* → **Cor.** *Extirper des durillons.* → Pédicure, cit.

1 (...) il avait comparé ses mains nerveuses et converties en durillons avec deux petites mains plus blanches et plus délicates que les lis (...)
VOLTAIRE, le Crocheteur borgne.

2 Les mains qui peinent n'évitent la blessure que grâce au durillon.
G. DUHAMEL, Récits des temps de guerre, IV, XIX, p. 74.

2. **DURILLON, ONNE** [dyʀijɔ̃, ɔn] adj. — 1889; de *dur,* et suff. *-illon,* par jeu de mots avec 1. *durillon.*

Argot. Dur, difficile ou pénible.

Comme ça, tu vois, c'est pas durillon.
R. DORGELÈS, Tout est à vendre, p. 280.

DURION [dyʀjɔ̃] ou **DURIAN** [dyʀjã] n. m. — 1588; *durian;* malais *dourian,* par l'esp., puis le lat. savant.

Grand arbre de l'archipel indien (famille des Malvacées) dont le fruit, de la grosseur d'un petit melon, est comestible; ce fruit. «*L'Extrême-Orient* (...) *Fruits frais :* ramboustan, durian, mangoustan» (*le Point,* nᵒ 4, 16 oct. 1972, p. 19).

DURIT ou **DURITE** [dyʀit] n. f. — 1949; marque déposée; probablt de *dur.*

Tuyau, conduite en caoutchouc traité pour les raccords de canalisations des moteurs à explosion. *Changer une durit.* — REM. L'orthographe *durite,* plus normale en français, tend à se développer.

D. U. T. [deyte] n. m. invar. — 1971; sigle de *Diplôme Universitaire de Technologie.*

En France, Diplôme de technicien obtenu dans un I. U. T., en deux ans, après le baccalauréat.

DUUMVIR [dyɔmviʀ] n. m. — 1587; mot lat., de *duo* «deux», et *vir* «homme».

Didact. (hist.). Dans l'Antiquité romaine, Membre d'un collège de deux magistrats. *Les duumvirs coloniaux, capitaux.*

DÉR. **Duumviral, duumvirat.**

DUUMVIRAL, ALE, AUX [dyɔmviʀal, o] adj. — 1732; de *duumvir.*

Didact. (hist.). Qui se rapporte aux duumvirs. *Fonctions duumvirales.*

DUUMVIRAT [dyɔmviʀa] n. m. — 1626; de *duumvir.*

Didact. (hist.). Dignité, fonction de duumvir. Par ext. Durée de cette fonction.

Par analogie :

Ah! une lettre!... Encore une demande pour cette place d'inspecteur de première classe... elle n'est vacante que depuis hier... il y a déjà quatorze concurrents... mais je ne puis en disposer sans l'adhésion de mon collègue Saint-Putois... et réciproquement... c'est un duumvirat !
E. LABICHE, la Chasse aux corbeaux, IV, 1.

DUVET [dyvɛ] n. m. — Av. 1278; altér. de *dumet,* dimin. de l'anc. franç. *dum* ou *dun* (XIIIᵉ), refait sur *plume,* empr. au scandinave *dũnn;* cf. angl. *down,* all. *Daune.*

I ♦ **1** Petites plumes molles et très légères qui poussent les premières sur le corps des oisillons, et qu'on trouve sur le ventre et le dessous des ailes chez les oiseaux adultes. *Chaque petite plume du duvet (→ **Plumule**) a une tige très flexible, des barbes minces et des barbules impalpables. Duvet des oisillons, des poussins. Duvet du cygne* (cit. 4), du canard, de l'oie. Duvet de l'eider.* → **Édredon.** *La finesse, la douceur, la légèreté, la chaleur du duvet.*

Il soulevait du bout de l'ongle, le duvet neigeux et doux qui 1 se gonflait à la gorge de l'oiseau, qui lui ouatait le ventre et les cuisses. M. GENEVOIX, Raboliot, II, III, 91.

Par comparaison :

La neige en cette nuit flottait comme un duvet (...) 2
HUGO, la Légende des siècles, XLIX, «Cimetière d'Eylau».

En quinze jours, elle a su danser; elle est légère comme 3 un duvet.
MARTIN DU GARD, les Thibault, t. II, p. 102.

Oreiller, coussin, édredon, matelas de duvet. Coucher sur le duvet.

Là, parmi les douceurs d'un tranquille silence, 4
Règne sur le duvet une heureuse indolence.
BOILEAU, le Lutrin, I.

Veste en duvet. → **Doudoune** (fam.).

♦ **2** (V. 1945). Sac de couchage bourré de duvet. *Le duvet d'un campeur.*

(...) ils ont visité la Corse de fond en comble, couchant 4.1 sous la tente dans des *duvets* (...)
J. DUTOURD, les Horreurs de l'amour, p. 627.

♦ **3** (1745). Régional (Suisse, Savoie, Lorraine, Belgique). Gros édredon garni de duvet. → **Couette.**

La longue et basse chambre à coucher commune, avec 4.2 ses lits ramassés, hauts en cadre, bedonnant sous leurs duvets et leurs couvertures de laine au crochet.
R. FRISON-ROCHE, Premier de cordée, I, p. 15 (1943).

II Par anal. ♦ **1** Poils très fins et très doux au toucher qui, chez les mammifères, poussent sous les longs poils.

♦ **2** Bot et cour. Production cotonneuse (sur certaines plantes). *Tiges, feuilles couvertes de duvet* (→ **Coton-neux, laineux, lanifère, lanugineux, pubescent, tomen-teux**). *Le duvet d'un bourgeon. Duvet de chardon. La pêche, le coing sont recouverts d'un duvet.*

♦ **3** Poil très fin. *Elle a un léger duvet, un peu de duvet sur la lèvre supérieure.*

5   (...) la lumière remontait de la poitrine au front, rasait des lèvres fardées, dorait un léger duvet blond, au coin des lèvres, rougissait un peu les narines.
                  SARTRE, le Sursis, p. 193.

(1680). Barbe naissante (d'un jeune homme). *Léger duvet.* → **Poil** (poil follet). *Menton, lèvre couverte de duvet.* → **Cotonné.**

6   Sous les fraîches apparences de ses vingt ans, sous le premier duvet de l'adolescence, il cachait une corruption profonde.   Th. GAUTIER, Mlle de Maupin, I, p. 17.

7   Il pensa aussi qu'il lui fallait, le plus tôt possible, se raser les joues et le menton. Le duvet qui les couvrait encore ressemblait à un aveu public d'ingénuité.
        J. ROMAINS, les Hommes de bonne volonté, t. II,
                    VI, p. 70.

♦ **4** Par métaphore. Littér. (symbole de douceur, de protection...). *«Une génération douillette (...) se forme ainsi dans le duvet»* (Amiel, *in* T. L. F.). → **Coton.**

DÉR. **Duveté, duveter (se), duveteux, duvetine.**

DUVETÉ, ÉE [dyvte] adj. — 1611; *dumeté*, 1534, *in* Rabelais; de *dumet*, puis de *duvet*. → **Duvet.**

♦ **1** Qui est couvert de duvet. → **Duveteux** (2.). *Pêche duvetée.* → **Velouté.** *Lèvre duvetée* (→ Anguleux, cit. 2).

(...) sur les rivages duvetés de ta chevelure, je m'enivre des odeurs combinées du goudron, du musc et de l'huile de coco.   BAUDELAIRE, le Spleen de Paris, XVII.

♦ **2** Fig. et littér. Qui a la douceur du duvet.

DUVETER (SE) [dyvte] v. pron. — 1875; de *duvet*. Se couvrir de duvet. *Ses joues commencent à se duveter.* — REM. On trouve aussi le verbe transitif *duveter* (cf. Goncourt, *in* T. L. F.).

DUVETEUX, EUSE [dyvtø, øz] adj. — 1573; de *duvet*.

♦ **1** Qui est de la nature du duvet. *Un pelage duveteux.*

♦ **2** Couvert de duvet; qui a beaucoup de duvet. *Une peau duveteuse* (→ Dague, cit. 4). *Un oisillon duveteux.* → **Duveté.**

Le crâne duveteux, le long nez, le cou d'oiseau revêtirent quelque chose de monacal.
        Jean-Louis CURTIS, le Roseau pensant, p. 40.

DUVETINE [dyvtin] n. f. — 1921, Giraudoux; de *duvet*, suff. *-ine*.
Rare. Tissu dont l'endroit est velouté (→ Veloutine).

DUXELLES [dyksɛl] n. f. — D. i. (xxe); *duxel*, n. m., 1953, p.-ê. du nom du marquis d'Uxelles.
Cuis. Hachis fait de champignons à l'étuvée, cuits au beurre avec de l'ail et des échalotes, et parfois avec d'autres éléments. *«Un fond d'artichaut farci d'une duxelles de champignons et de crevettes»* (l'Express, 21 juil. 1979, p. 16).

DVD [devede] n. m. invar. — 1995; sigle angl. de *Digital Video Disc*, puis de *Digital Versatile Disc* «disque numérique à usages multiples».
Anglic. Disque compact numérique de grande capacité. *Un lecteur de DVD. DVD audio, DVD vidéo.*

DVD-ROM [devedeʁɔm] n. m. invar. — 1996; sigle angl. de *Digital Versatile Disc Read Only Memory*. → CD-Rom.
Anglic. DVD destiné à l'informatique, à mémoire morte. *Le «DVD-ROM, ce nouveau support numérique de même forme que le CD-ROM, mais qui peut contenir de quatre à dix-sept fois plus de données»* (le Monde, 22 sept. 1999, p. 4).

Dy [deigʁɛk] Symbole chimique du *dysprosium**.

DYADE [djad] n. f. — 1838; *dyas*, sens lat., 1546, Rabelais; bas lat. *dyas, -adis* «nombre de deux», du grec.
Didactique.

♦ **1** Philos. Réunion de deux principes qui se complètent réciproquement. *La dyade pythagoricienne de l'unité et de l'infini.*

1   Deux principes pour Pythagore : le un ou *monade* (...) — et le deux ou *dyade*, principe produit par l'intervention du «vide» ou «intervalle» et essentiellement parfait.
        CLAUDEL, Journal, mars-avr. 1934.

♦ **2** Biol. Paire de chromosomes, l'un d'origine paternelle, l'autre d'origine maternelle, dont la séparation est à la base de la disjonction du caractère héréditaire (→ Méiose, mitose).

♦ **3** Didact. (emploi général). Ensemble formé de deux éléments. → **Couple.**

2   Il y aurait pourtant dans cet amour la possibilité d'une douleur innocente, d'un malheur innocent (si j'étais fidèle au pur Imaginaire, et ne reproduisais en moi que la dyade enfantine, la souffrance de l'enfant séparé de sa mère).
        R. BARTHES, Fragments d'un discours amoureux,
                    p. 136.

DÉR. **Dyadique.**

DYADIQUE [djadik] adj. — 1870; de *dyade*.
Didactique.

♦ **1** Qui concerne une dyade. → **Binaire.**

♦ **2** Log., inform. Construit selon un modèle binaire. *Logique dyadique.*

DYALISCOPE [djaliskɔp] n. m. — 1959; nom déposé; p.-ê. du grec *duas* «deux», et *-scope*.
Didact. Procédé cinématographique sur grand écran.

DÉR. **Dyaliscopique.**

DYALISCOPIQUE [djaliskɔpik] adj. — xxe; de *dyaliscope*.
Qui concerne le dyaliscope. *«Les objectifs dyaliscopiques réglés par Henri Decae (dans les Quatre Cents Coups, de F. Truffaut)»* (J.-L. Godard, Cahiers du cinéma, n° 92, févr. 1959).

DYARCHIE [djaʁʃi, dijaʁʃi] n. f. — 1808; du grec *duo* «deux», et *-archie*, du grec *arkhê* «commandement».
Didactique.

a Hist. Gouvernement simultané de deux rois, deux chefs, deux pouvoirs. *La dyarchie de Sparte.*

b Organe gouvernemental dirigé conjointement par deux hommes. — Puissance exercée à deux.

Ce qu'en attendent et espèrent les Américains et les Russes est le partage de la terre entre eux, et la jouissance tranquille de leur puissance — la direction du monde à deux, la souveraineté partagée, une dyarchie.
        Pierre NORD, les Espionnes au coin du feu, p. 431.

DYARQUE [djaʁk; dijaʁk] n. m. — 1808; du grec *duo* «deux», et *arkhos* «chef».
Didact. (hist.). Titre des souverains qui gouvernent simultanément une dyarchie.

DYKE [dik] n. m. — 1759; *dike*, 1768; mot angl., proprt «digue».

Géol. Roche éruptive qui fait saillie à la surface du sol et qui affecte la forme d'une épaisse muraille, ou d'une colonne. *Les dykes sont d'anciennes cheminées éruptives mises au jour par l'érosion des terrains avoisinants.*

(...) *Le Puy-en-Velay, une de ces innombrables villes où vous n'êtes jamais allé, une des ces villes de province française qui doit suer un ennui de suie malgré ses curiosités géologiques, ses dykes, si c'est bien ainsi qu'on les appelle, et sa cathédrale ornée de peintures.*
> Michel BUTOR, la Modification, p. 25.

Dyn [din] Symbole de la *dyne*.

DYNAM-, DYNAMO- Premier élément de mots savants, tiré du grec *dunamis* «force».

DYNAMICIEN, IENNE [dinamisjɛ̃, jɛn] n. — 1968; de *dynamique*.

Psychol., sociol. Personne spécialisée dans l'étude des relations psycho-sociales (dynamique sociale, dynamique de groupe), et de leurs effets. *«Pour les dynamiciens américains, la notion de participation est capitale. En suscitant un libre échange de vues au sein du groupe, on permettra à celui-ci d'atteindre le meilleur équilibre»* (le Figaro littéraire, 9-15 sept. 1968).

-DYNAMIE Suffixe, du grec *dunamis* «force», entrant dans la composition de certains mots savants comme *adynamie...* → aussi (préf.) **Dynam-**.

DYNAMIQUE [dinamik] adj. et n. — 1692, *science dynamique*; grec *dunamikos*, de *dunamis* «force».

▊ ♦ 1 Adj. Relatif aux forces, à la notion de force. *Traité de la science dynamique*, œuvre de Leibniz. — **Mécan.** *Effet dynamique. Électricité dynamique*, courant électrique; son étude. *Unité dynamique.* → **Dyne.**

Écon. (par oppos. à *statique*). Relatif à l'étude des faits économiques dans leurs causes et leurs effets. *Théorie dynamique de l'Économie. L'Économie dynamique tient compte de la chronologie des faits économiques dans les relations de causes à effets* (analyse économique).

1 (...) *on peut qualifier de dynamique une théorie lorsque celle-ci vise à l'interprétation d'une situation qui résulte d'influences produites à des époques différentes et manifestées à un même moment ou provoquées à la même date, mais successivement ressenties.*
> Jean ROMEUF, Dict. des sciences économiques, t. I, p. 431.

Méd. Relatif à l'efficacité, à la puissance d'action d'un remède. → **Dynamisation.**

2 *Par un procédé qui lui est propre, et qu'on n'avait jamais essayé avant elle, la médecine homéopathique développe tellement les vertus médicinales dynamiques des substances grossières, qu'elle procure une action des plus pénétrantes à toutes, même à celles qui, avant d'avoir été traitées ainsi, n'exerçaient pas la moindre influence médicamenteuse sur le corps de l'homme.*
> P. VANNIER, l'Homéopathie, p. 31.

♦ 2 Sc. Qui considère les choses dans leur mouvement, leur devenir.

3 *Une fois de plus, il distingue une religion statique et une religion dynamique, le tout fait et le «se faisant», le discours et la réalité.*
> A. MAUROIS, Études littéraires, Bergson, IV, t. I, p. 176.

♦ 3 (XXᵉ). Cour. (Personnes). Qui manifeste une grande vitalité, de la décision et de l'entrain.

Une personne dynamique. → **Dynamisme** (plein de dynamisme); **actif, énergique, entreprenant.** *Elle est plus dynamique que ses enfants. Un jeune cadre dynamique. Un vendeur dynamique et combatif.* → **Accrocheur, agressif.**

3.1 *Dîner, le soir, avec deux des organisateurs, genre «abbés dynamiques».*
> F. MAURIAC, Bloc-notes 1952-1957, p. 30.

▊▊ N. f. ♦ 1 Mécan. *La dynamique* : partie de la mécanique* qui étudie le mouvement d'un mobile considéré dans ses rapports avec les forces qui en sont les causes. → **Accélération, force.** *La plupart des problèmes de dynamique se ramènent à la résolution d'un système d'équations différentielles.*

(XXᵉ). Ensemble des forces en interaction et en opposition dans un phénomène, une structure. *Dynamique du système.* (**Géol.**). *Dynamique des sols. — Dynamique des populations.* — (V. 1965). **Fig.** *Forces orientées vers un progrès, une expansion. La dynamique de l'idée européenne. Dynamique révolutionnaire. La dynamique politique* (→ 1. Politique, cit. 12).

♦ 2 Sociol. Partie de la sociologie qui étudie les faits en évolution et non dans leur état actuel. *Dynamique sociale* (ou *sociologie dynamique*), terme employé par A. Comte, par oppos à *statique* sociale. *Dynamique des sociétés. «L'État-Nation (...) ressuscite les formes de la pensée, de la politique et de la dynamique tribales»* (G. Bouthoul, Sociologie de la politique, p. 33).

4 *La dynamique sociale a pour objet de montrer le progrès des organes nécessaires dans la structure de toute société, et qui existe dans les trois états.*
> J. BAUDRY, Cours, in J. ROMEUF, Dict. des sciences économiques, t. I, p. 432.

♦ 3 (V. 1940, en angl., *in* K. Lewin). **Psychol., sociol.** *Dynamique de groupe; dynamique des groupes* : ensemble des règles qui président à la conduite de groupes sociaux dans le cadre de leur activité propre. *Influence de la dynamique des groupes sur le rendement. Utilisation des diverses sciences humaines* (→ ci-dessous, **psychan.**) *dans la dynamique des groupes. Spécialiste de la dynamique sociale.* → **Dynamicien.**

5 *L'un de ces buts (de la psychologie sociale) est l'étude des relations inter-individuelles et de la dynamique des groupes. Il faut d'abord rappeler les travaux de Lewin et de ses collaborateurs sur les «champs» perceptifs et affectifs (en un sens gestaltiste élargi, comprenant le sujet et ses réactions), et surtout sur la dynamique d'ensemble de ces champs; Lewin s'est efforcé de montrer que les caractères de désirabilité, les oppositions ou les inhibitions et «barrières psychiques», dépendent de la structure d'ensemble du champ autant que des besoins plus ou moins permanents des individus.*
> J. PIAGET, Épistémologie des sciences de l'homme, p. 174-175.

Psychan. *Dynamique des états de conscience.* «Aspect de la théorie psychanalytique selon lequel les processus de conduite sont envisagés comme résultant de l'interaction et de l'opposition des forces» (D. Lagache, in Piéron, Vocabulaire de la psychologie).

♦ 4 Écart de niveau sonore entre extrêmes, du plus fort au plus faible. *La dynamique d'un passage musical.* — Écart (en décibels) entre les niveaux extrêmes d'un signal utile (radio, reproduction sonore). *La dynamique d'un disque.*

DÉR. Dynamicien, dynamiquement. **◊ COMP.** Électrodynamique, isodynamique, magnétodynamique, thermodynamique.

DYNAMIQUEMENT [dinamikmã] adv. — 1826; de *dynamique*.

♦ **1** Mécan. Du point de vue mécanique.

♦ **2** (xxᵉ). Cour. Avec dynamisme. → **Dynamique** (I., 3.), **dynamisme** (2.).

DYNAMISANT, ANTE [dinamizã, ãt] adj. — 1967; du p. prés. de *dynamiser*.

Qui communique, donne du dynamisme. «*(...) il prend parti pour une gestion monétaire au service de l'échange, en tant qu'élément dynamisant de la croissance*» (*le Monde*, 7 mars 2000, p. 6).

DYNAMISATION [dinamizasjɔ̃] n. f. — Mill. xxᵉ; angl. *dynamization*, de *(to) dynamize*. → Dynamiser.

♦ **1** Techn. (homéopathie). Action d'accroître l'efficacité d'un remède par des procédés de préparation spécifiquement homéopathiques : dilution, trituration. *Hautes dynamisations. L'infinitésimal et les dynamisations. Dynamisations et numérotages.*

C'est en 1866, qu'à la société médicale homéopathique de France, une grande discussion s'ouvre sur la question brûlante des «doses». Les débats permettent de voir qu'à cette époque les uns «ne croyaient pas» à l'action des hautes dynamisations, alors que les autres «y croyaient» et défendaient cette action avec obstination.
Pierre VANNIER, l'Homéopathie, p. 45.

♦ **2** (V. 1960). Action de dynamiser (2.). *Dynamisation de l'entreprise, de la vie économique.*

DYNAMISER [dinamize] v. tr. — 1862; *se dynamiser* «prendre un caractère dynamique»; angl. *to dynamize*, 1855; dér. du grec *dunamis* «force».

♦ **1** Techn. (homéopathie). Procéder à la dynamisation de (une substance).

♦ **2** (V. 1968). Donner, communiquer du dynamisme (2.) à (qqn, un groupe, une activité). «*Il* (le directeur du marketing) *disposera d'un ensemble de services qu'il devra restructurer et dynamiser*» (*le Figaro*, févr. 1968, Offre d'emploi).

(...) la fin des marchands, des injustices sociales, un véritable socialisme plus la liberté de l'homme entier, c'est ce que nous souhaitons tous. Mais par quoi dynamiser réellement les consciences, les cœurs, les âmes? Quelle est la vision d'une relation exaltante à la totalité? Où est la finalité élargissante?
Louis PAUWELS, *in* Planète, nᵒ 4, févr. 1969, p. 12.

♦ **DYNAMISÉ, ÉE** p. p. adj. Voir ci-dessus à l'article.

DÉR. Dynamisant.

DYNAMISME [dinamism] n. m. — 1835; dér. sav. du grec *dunamis* «force», d'après *dynamique*.

♦ **1** Philos. **ⓐ** Système qui reconnaît dans les choses l'existence de forces irréductibles à la masse et au mouvement (par oppos. à *mécanisme*). *Le dynamisme de Leibniz.*

ⓑ «Doctrine qui pose le mouvement ou le devenir comme primitif, et qui considère la matière comme définie par certains caractères du mouvement, ou la chose comme une étape du progrès» (Lalande), par oppos. à *statisme. Le dynamisme de Bergson.*

♦ **2** (1932). Cour. → **Énergie, vitalité.** *Personne qui a du dynamisme. Il manque de dynamisme. Quel dynamisme! Le dynamisme du monde moderne* (→ Cinéma, cit. 2; contrepoids, cit. 6).

Vos réformistes s'imaginent que les lois sociales, les conquêtes économiques augmentent nécessairement le dynamisme du prolétariat en même temps que son mieux-être (...) MARTIN DU GARD, les Thibault, t. V, p. 61.

CONTR. Mécanisme; statisme. — Mollesse, passivité. ◊ **DÉR. Dynamiste. ◆ COMP. Isodynamisme.**

DYNAMISTE [dinamist] n. et adj. — 1834; de *dynamisme*.

Philos. Partisan du dynamisme (1.). — Adj. (Opposé à *mécaniste*). *Une philosophie dynamiste. Une théorie dynamiste.*

DYNAMITAGE [dinamitaʒ] n. m. — 1917, *in* D.D.L.; de *dynamiter*.

♦ **1** Action de faire sauter (qqch.) à la dynamite. *Le dynamitage d'un pont, d'une voie ferrée.*

On sait qu'à New York, lorsqu'un bâtiment est la proie des flammes ou que les pompiers désespèrent d'éteindre le feu au moyen de leurs lances avant qu'il ne soit communiqué aux constructions voisines, on préfère détruire tout de suite l'immeuble sinistré par un violent dynamitage, dont le souffle fait en une seconde plus de travail que mille tonnes d'eau, suivant un procédé qui fut d'abord expérimenté pour les puits de pétrole.
A. ROBBE-GRILLET,
Projet pour une révolution à New York, p. 83.

♦ **2** (V. 1970). Fig. Action de détruire les règles traditionnelles sur lesquelles repose un système (→ Dynamiter, 3.). *Le dynamitage du langage, de la politique, de la réalité.*

DYNAMITE [dinamit] n. f. — 1868, cit. 1; angl. *dynamite*, mot forgé par H. Nobel en 1867, du grec *dunamis* «force».

♦ **1** Substance explosive, composée d'un mélange de nitroglycérine* et de différentes matières solides, les unes inertes (kieselguhr, randanite), les autres actives (nitrate de soude, soufre, charbon, paraffine, cellulose, coton-poudre...). → **Explosif.** *Force explosive de la dynamite. Attentat à la dynamite. Faire sauter un rocher à la dynamite.*

La *dynamite* — tel est le nom donné par M. Nobel au nouveau mélange — n'est donc autre chose que le mélange de sable et de nitroglycérine (...)
L. FIGUIER, l'Année scientifique et industrielle
1869, p. 218 (1868).

         1

(...) ce terrible produit (*la nitroglycérine*), dont la puissance explosible est peut-être décuple de celle de la poudre ordinaire, et qui a déjà causé tant d'accidents! Toutefois, depuis qu'on a trouvé le moyen de le transformer en dynamite, c'est-à-dire de le mélanger avec une substance solide, argile ou sucre, assez poreuse pour le retenir, le dangereux liquide a pu être utilisé avec plus de sécurité. Mais la dynamite n'était pas encore connue à l'époque où les colons opéraient dans l'île Lincoln.
J. VERNE, l'Île mystérieuse, t. I, p. 226-227.

         2

Comme un rocher qui encombre le milieu d'une piste, et qu'on fait sauter à la dynamite. Ensuite, quelle belle voie dégagée!
J. ROMAINS, les Hommes de bonne volonté, t. IV,
VII, p. 74.

         3

♦ **2** Fig. et fam. *C'est de la dynamite*, se dit de qqn ou de qqch. qui semble avoir un pouvoir explosif. *C'est de la dynamite, ce bonhomme* (→ Il pète* du feu). *Qu'est-ce que c'est que ce breuvage? une vraie dynamite! Ce dossier, ce rapport secret, c'est de la dynamite!*

La soupe de poisson de Marinette, une recette caraïbe qu'elle avait apprise dans ses voyages, on pouvait pas imaginer meilleur comme dynamite veloutée.
A. SIMONIN, Touchez pas au grisbi, p. 88.

         4

♦ **3** (1926, Esnault). Argot des sports. Dopage.

DÉR. Dynamiter, dynamiterie, dynamitier. ◊ COMP. Dynamite-gomme.

DYNAMITE-GOMME [dinamitgɔm] n. f. — 1890, *in* P. Larousse, *Deuxième Suppl.*; de *dynamite*, et *gomme*.
Techn. Dynamite à consistance caoutchouteuse. *Des dynamites-gommes.*

DYNAMITER [dinamite] v. tr. — 1890, *dynamité, ée; dynamitisé*, 1882; de *dynamite.*

◆ **1** Faire sauter à la dynamite. *Dynamiter un pont, une route, une galerie de mine.*

◆ **2** Poser une charge de dynamite de manière à faire sauter.

◆ **3** (1966). Fig. Détruire violemment; (**spécialt**) détruire (un système) en faisant éclater les règles traditionnelles. *Dynamiter les mythes, les certitudes. Dynamiter le cinéma classique, les structures dramatiques.*

Deux mille ans de christianisme, décida-t-il, avaient étouffé l'animal humain sous le poids de devoirs, de responsabilités fictives. Il était temps de dynamiter cette chape de tristesse et d'ennui. Les hippies et les contestataires s'y employaient.
> Jean-Louis CURTIS, le Roseau pensant, p. 189.

DÉR. Dynamitage, dynamiteur.

DYNAMITERIE [dinamitʀi] n. f. — 1875; de *dynamite.*
Techn. Fabrique de dynamite.

DYNAMITEUR, EUSE [dinamitœʀ, øz] n. — 1871; de *dynamiter.*

◆ **1** Vx. Fabricant de dynamite ou personne qui travaille à la fabrication de la dynamite. — On dit aujourd'hui *dynamitier.*

◆ **2** (1882). Auteur d'attentats à la dynamite. — REM. On trouve en ce sens le syn. emprunté à l'esp., *dinamitero.* — Par ext. Combattant dont l'arme est la dynamite; soldat chargé des destructions à la dynamite.

1 Un milicien lança un paquet qui explosa sur un toit; les tuiles jaillirent jusqu'au mur qui protégeait les dynamiteurs.
> MALRAUX, l'Espoir, p. 582.

2 Une des dernières maisons tenant encore debout, celle du narrateur, située dans la partie ouest de Greenwich, est investie maintenant par une équipe de dynamiteurs.
> A. ROBBE-GRILLET,
> Projet pour une révolution à New York, p. 207.

◆ **3** Par métaphore ou fig. Personne qui dynamite (fig.), détruit violemment. — Adj. «*La jeunesse littéraire, qui est dynamiteuse par pose...*» (Goncourt, in T. L. F.).

DYNAMITIER [dinamitje] n. m. — D. i. (XXᵉ); de *dynamite.*
Techn. Fabricant de dynamite. — Syn. (vx) : *dynamiteur* (1.).

DYNAMO [dinamo] n. f. — 1881; de *dynamo-électrique.*
Machine dynamo-électrique, transformant l'énergie mécanique en énergie électrique. — (1872). *Dynamo à courant continu de Gramme. Dynamo à courant alternatif.* → **Alternateur.** *Une dynamo comprend un électro-aimant* (→ **Inducteur**), *un induit comportant des bobines enroulées en série* (→ **Induit**), *des organes de connexion* (→ **Balai, collecteur**). — Spécialt (cour.). *Dynamo d'une automobile,* mue par un moteur et produisant le courant nécessaire aux appareils de l'équipement électrique. *La dynamo charge les accumulateurs. La dynamo est en panne.*

(...) une station centrale comprenant une chaudière et l'ensemble des moteurs et dynamos produisant l'énergie électrique (...)
> L. FIGUIER, l'Année sc. et industr. 1890,
> p. 128 (1889).

COMP. Dynamophare, dynamoteur.

DYNAMO- → Dynam-.

DYNAMO-ÉLECTRIQUE [dinamoelɛktʀik] adj. — 1868, in Cottez; de *dynamo-,* et *électrique.*
Électr. Qui transforme l'énergie mécanique en énergie électrique (courant continu). *Des machines dynamo-électriques.* → **Dynamo.**

DYNAMOGÈNE [dinamɔʒɛn] adj. — V. 1848, in D. D. L.; de *dynamo-,* et *-gène.*
Physiol. Qui engendre, qui crée de l'énergie, de la force. *Aliment dynamogène.* — Spécialt. *Sensation, sentiment dynamogène,* qui augmente le tonus vital. — Zool. *Zone dynamogène :* partie de la surface du corps de certains insectes dont l'excitation provoque des mouvements. — Syn. : *dynamogénique* [dinamɔʒenik] adj. (1897).
CONTR. Inhibitoire.

DYNAMOGÉNIE [dinamɔʒeni] n. f. — 1888; *dynamogénésie,* 1843; de *dynamo-,* et *-génie.*
Physiol. Accroissement de la fonction d'un organe sous l'influence d'une excitation.
CONTR. Inhibition.

DYNAMOGRAPHE [dinamɔgʀaf] n. m. — 1870, in P. Larousse; de *dynamo-,* et *-graphe.*
Physiol. Instrument servant à enregistrer la force musculaire.

DYNAMOMÈTRE [dinamɔmɛtʀ] n. m. — 1798; de *dynamo-,* et *-mètre.*
Phys. Instrument servant à mesurer l'intensité des forces. *Dynamomètre enregistreur* (→ Dynamographe). — Physiol. Appareil servant à mesurer la force musculaire, l'intensité d'une contraction musculaire.

DYNAMOMÉTRIE [dinamɔmetʀi] n. f. — 1839, Boiste; de *dynamomètre.*
Phys., techn. Mesure des forces au moyen du dynamomètre.
DÉR. Dynamométrique.

DYNAMOMÉTRIQUE [dinamɔmetʀik] adj. — 1814; de *dynamométrie.*
Phys. De la dynamométrie. *Mesures dynamométriques.*

DYNAMOPHARE [dinamofaʀ] n. m. ou f. — XXᵉ; de *dynamo,* et *phare.*
Techn. Petit générateur électrique cylindrique, appliqué contre la roue d'une bicyclette et qui alimente le phare.

DYNAMOTEUR [dinamɔtœʀ] n. m. — XXᵉ; de *dyna(mo),* et *moteur.*
Techn. Dispositif électrique d'une automobile, fonctionnant comme démarreur au départ et comme dynamo lorsque le moteur tourne.

DYNASTE [dinast] n. m. — V. 1500; grec *dunastês* «souverain».
Didact. (hist.). Petit souverain qui gouvernait sous la dépendance d'un souverain plus puissant, dans l'Antiquité.

Moi qui avais droit à un furlong de belle haute laine pour garnir ma tente; moi, dynaste royal, j'usais sans murmures de méchante drapade mal décatie.
> Jean RAY, les Derniers Contes de Canterbury,
> p. 120.

DYNASTIE [dinasti] n. f. — 1455; repris, 1718, Académie; de *dunasteia* «souveraineté», de *dunasteuein* «exercer le pouvoir», de *dunastês*. → Dynaste.

◆ **1** Succession des souverains d'une même famille (→ Assyrien, cit.; dérogation, cit. 2). *Le chef, le fondateur d'une dynastie. Maintien, déchéance, fin d'une dynastie. Établissement d'une dynastie. La dynastie mérovingienne, carolingienne, capétienne.* — Période pendant laquelle ont régné les souverains appartenant à une même famille. *Sous la dynastie des Tang.*

Il faut donc admettre qu'une nation peut exister sans principe dynastique, et même que des nations qui ont été formées par des dynasties peuvent se séparer de cette dynastie sans pour cela cesser d'exister.
RENAN, Discours et conférences, 1Œ., compl., t. I, p. 894.

◆ **2** Fig. Succession d'hommes célèbres, dans une même famille. *La dynastie des Bach, des Cassini, des Saussure.*

(Qualifié par l'activité). Succession des descendants. *Une dynastie de commerçants.*

Succession de personnes liées par un facteur commun (influence, style, etc.). *Une dynastie littéraire.*

DÉR. Dynastique.

DYNASTIQUE [dinastik] adj. — 1834; de *dynastie.*

◆ **1** Relatif à une dynastie. *Principe dynastique* (→ Dynastie, cit. 1). *La succession dynastique. Une guerre dynastique.*

Qui met au pouvoir une dynastie. *Monarchie dynastique.*

Qui défend une dynastie. — (1842, *in* D.D.L.). Spécialt. *Opposition dynastique*, soutenant la branche cadette des Bourbons (par oppos. à *légitimiste*).

◆ **2** Rare (au sens fig. de *dynastie*). *Traditions dynastiques, dans une famille.*

COMP. Prédynastique.

DYNATRON [dinatR5] n. m. — V. 1960; de *dyna(mique)*, et *(élec)tron.*
Techn. Tube électronique dont la grille est plus positive que l'anode.

DYNE [din] n. f. — 1881; angl. *dyne*, du grec *dunamis* «force».
Phys. Unité de force (symb. : *dyn*) valant 10^{-5} newton. *La dyne est l'unité principale de force du système C.G.S.; elle correspond à une force qui, appliquée à une masse de 1 gramme, lui communique une accélération de 1 cm par seconde carrée. Travail produit par une dyne* (→ **Erg**). *Pression d'une dyne par cm²* (→ **Barye**).

COMP. Mégadyne. ◊ **HOM. DIN**, formes du v. 1. **dîner.**

-DYNE Élément, tiré de *dynamique*, servant à former des mots savants, en particulier dans le vocabulaire de l'électricité. Ex : *aérodyne, hétérodyne, métadyne, neutrodyne, ultradyne.*

DYS- Préfixe tiré du grec *dus-* exprimant l'idée de difficulté, de manque, et entrant dans la composition de nombreux mots savants.

DYSACOUSIE [dizakuzi] n. f. — V. 1970; de *dys-*, et *-acousie.*
Méd. Trouble de l'audition.

DYSACROMÉLIE [dizakR2meli] n. f. — 1946, G. Coury; de *dys-*, *acro-*, et *-mélie.*
Anat. Dysmorphie* des extrémités (des membres). → **Dysmélie.**
DÉR. Dysacromélique.

DYSACROMÉLIQUE [dizakR2melik] adj. — Mil. xxᵉ; de *dysacromélie.*
Anat. De la dysacromélie. *Un syndrome dysacromélique.*

DYSARTHRIE [dizaRtRi] n. f. — 1897; de *dys-*, grec *arthron* «articulation»; (→ Arthr-), et suff. *-ie.*
Méd. Difficulté de l'élocution due à une lésion des centres moteurs du langage. → **Anarthrie.** *Le bégaiement n'est pas toujours une dysarthrie. Dysarthrie sévère.* → **Ululation** (2.).

Le 10 octobre, c'est-à-dire huit jours après l'institution du traitement spécifique, le malade présente des troubles de la parole; celle-ci devient lente, scandée, traînante, monotone à la manière de la dysarthrie des pseudo-bulbaires.
B. CENDRARS, Moravagine, in Œ. compl., t. IV, p. 257.

DÉR. Dysarthrique.

DYSARTHRIQUE [dizaRtRik] adj. — 1970; de *dysarthrie.*
Méd. De la dysarthrie. *Troubles dysarthriques.* — Adj. et n. Atteint de dysarthrie. *Malade dysarthrique. Un, une dysarthrique.*

DYSARTHROSE [dizaRtroz] n. f. — xxᵉ; de *dys-*, et *arthrose.*
Pathol. Malformation d'une articulation.

DYSBARISME [dizbarism; disbarism] n. m. — 1962; de *dys-*, grec *baros* «pesanteur», et suff. *-isme.*
Méd. Ensemble de troubles résultant d'une baisse brutale de la pression atmosphérique ambiante, lors des voyages en haute altitude : douleurs articulaires, névralgies, obscurcissement de la vue (→ **Anopsie**), vertiges, paresthésies, troubles cutanés. — Syn. : *aéro-embolisme.*

DYSBASIE [dizbazi; disbazi] n. f. — 1909, *in* D.D.L.; de *dys-*, et grec *basis* «action de marcher».
Méd. Trouble de la marche. → aussi Abasie.
DÉR. Dysbasique.

DYSBASIQUE [dizbazik; disbazik] adj. — D. i. (xxᵉ); de *dysbasie.*
Méd. De la dysbasie.

DYSBOULIE [dizbuli; disbuli] n. f. — 1909, Apert; de *dys-*, et grec *boulê* «volonté».
Psychiatrie. Rare. Troubles de la volonté. → **Aboulie.**
DÉR. Dysboulique.

DYSBOULIQUE [dizbulik; disbulik] adj. — Déb. xxᵉ; de *dysboulie.*
Psychiatrie. Rare. De la dysboulie. → **Aboulique.**

DYSCALCULIE [diskalkyli] n. f. — V. 1970; de *dys-*, et *calcul*, d'après *dyslexie, dysorthographie*, etc.
Didact. Trouble dans l'apprentissage du calcul (non lié à des déficiences intellectuelles). → Dysgraphie, dyslexie.

DYSCHROMATOPE [diskR2mat2p] adj. et n. — D. i. (xxᵉ); de *dyschromatopsie.*
Méd. Atteint de dyschromatopsie.

DYSCHROMATOPSIE [diskʀɔmatɔpsi] n. f. — 1855; de *dys-*, grec *chrôma* «couleur», et *opsis* «action de voir».
Méd. Trouble de la perception des couleurs; (spécialt) incapacité de l'œil à distinguer les trois couleurs fondamentales. → **Achromatopsie, daltonisme.**
DÉR. Dyschromatope.

DYSCHROMIE [diskʀɔmi] n. f. — 1900, *in* D.D.L.; de *dys-*, et *-chromie.*
Méd. Trouble de la pigmentation de la peau (*achromie, hyperchromie* : absence ou excès de pigmentation; vitiligo).

DYSCINÉSIE [disinezi] n. f. → **Dyskinésie.**

DYSCINÉTIQUE [disinetik] adj. et n. → **Dyskinétique.**

DYSCOLE ou **DISCOLE** [diskɔl] adj. — XIVᵉ; bas lat. *dyscolus* «morose»; grec *duskolos* «difficile à vivre».
Didact. et vx. Qui est difficile à vivre, en raison de sa mauvaise humeur.

DYSCRASIE [diskʀazi] n. f. — 1314, *discrasie*; bas lat. *dyscrasia*, grec *duskrasia* «mauvais tempérament», de *dus* (→ Dys-), et *krasia* «tempérament».
Médecine.
♦ **1** Vieilli. Perturbation des humeurs organiques. — Mauvaise constitution.
♦ **2** (1905, *in Rev. gén. des sc.*, nᵒ 8, p. 398). **Mod.** Perturbation des phénomènes de coagulation sanguine. → **Crase** (sanguine).
DÉR. Dyscrasique.

DYSCRASIQUE [diskʀazik] adj. — 1903, *in Rev. gén. des sc.*, nᵒ 6, p. 328; de *dyscrasie.*
Méd. De la dyscrasie.

DYSENDOCRINIE [dizãdɔkʀini] n. f. — 1938, *in* D.D.L.; de *dys-*, *endocrine*, et suff. *-ie.*
Méd. Trouble des glandes endocrines.
DÉR. Dysendocrinien.

DYSENDOCRINIEN, ENNE [dizãdɔkʀinjɛ̃, ɛn] adj. — 1922; de *dysendocrinie*, d'après *endocrinien.*
Méd. Relatif à un trouble du fonctionnement endocrinien.

DYSENTERIE [disãtʀi] n. f. — V. 1560; *dissenterie*, 1372; *dissintere*, XIIIᵉ; de *dys-*, et grec *entera* «entrailles».
Méd. et cour. Maladie infectieuse caractérisée par une inflammation ulcéreuse du gros intestin, surtout du côlon, provoquant des évacuations sanguinolentes accompagnées de coliques violentes. — **Spécialt.** Infection intestinale causée par des bacilles ou des amibes. *Dysenterie amibienne, bacillaire.* → **Amibiase.**
Par métaphore (littér.). «*Une dysenterie de mots*» (Goncourt). → **Diarrhée.**
DÉR. Dysentérique.

DYSENTÉRIQUE [disãteʀik] adj. — Fin XIVᵉ; de *dysenterie.*
Méd. et cour. Qui est relatif à la dysenterie. *Colique, flux dysentérique. Amibe, bacille dysentérique.*
Adj. et n. (Malade) atteint de dysenterie.
La moitié des feuilles manquent à cause des dysentériques qui n'ont jamais de papier suffisamment.
CÉLINE, Voyage au bout de la nuit, p. 182.
Var. *dysenterique* [disãteʀik].

DYSESTHÉSIE [dizɛstezi] n. f. — 1772; grec *dusaisthesia*, de *dus-* (→ Dys-), et *aisthesis* «sensibilité».
Didact. (méd., psychol.). Trouble qui s'exprime par une diminution ou une exagération de la sensibilité cutanée. → **Paresthésie.** *Sensations d'engourdissement, de picotements, de fourmillements, dans les dysesthésies.*
DÉR. Dysesthésique.

DYSESTHÉSIQUE [dizɛstezik] adj. — D. i.; de *dysesthésie.*
Didact. (méd., psychol.). De la dysesthésie. *Sensations, troubles dysesthésiques.*

DYSFONCTION [disfɔ̃ktsjɔ̃] n. f. — 1916; de *dys-*, et *fonction.*
Didact. Fonction qui ne se réalise pas normalement. — Dysfonctionnement.
On écrit parfois *disfonction.*

DYSFONCTIONNEMENT [disfɔ̃ksjɔnmã] n. m. — 1916; mot hybride, de *dys-*, et *fonctionnement.*
Didact. (méd.). Trouble de fonctionnement, fonctionnement anormal (insuffisant ou excessif) de (un organe, une glande...).
(...) l'hérédité (*dans les psychoses circulaires*) est fréquemment une hérédité glandulaire : même rythme de règles chez les femmes, mêmes perturbations ovariennes, même dysfonctionnement hépatique. On trouve là le témoignage de troubles de fonctionnement sur lesquels justement la thérapeutique peut s'exercer.
H. BARUK, Psychoses et Névroses, p. 121.
Par ext. Difficulté, trouble (dans un fonctionnement). *Le dysfonctionnement des institutions.*
REM. 1. On écrit parfois *disfonctionnement.*
2. On trouve aussi, dans le discours didactique, le verbe *dysfonctionner* [disfɔ̃ksjɔne] v. intr.

DYSGÉNÉSIE [disʒenezi; dizʒenezi] n. f. — 1843, Landais; de *dys-*, et *-génésie.*
♦ **1** Pathol., vx. Malformation. *Dysgénésie cérébrale.* → **Dysplasie.**
♦ **2** Biol. Trouble de la capacité de reproduction. — **Spécialt.** Incapacité de reproduction entre hybrides qui demeurent féconds avec les individus des races dont ils proviennent.

DYSGÉNIQUE [disʒenik; dizʒenik] adj. — 1972; angl. *dysgenic* (→ Dys-, et *-génique*).
Biol. Qui s'oppose à l'amélioration de la race, qui favorise une évolution régressive.
CONTR. Eugénique.

DYSGNOSIE [disgnozi; dizgnozi] n. f. — 1906, *in* D.D.L.; de *dys-*, et *-gnosie.*
Méd. Trouble des fonctions intellectuelles. → **Agnosie.**

DYSGRAMMATISME [disgʀa(m)matism; dizgʀa(m)matism] n. m. → **Agrammatisme.**

DYSGRAPHIE [disgʀafi; dizgʀafi] n. f. — 1902, *in* D.D.L.; «défaut de conformation d'un organe», 1878; de *dys-*, et *-graphie.*
Méd. Difficulté dans l'acquisition ou l'exécution de l'écriture, liée à des troubles fonctionnels (en l'absence de déficiences intellectuelles). *Dysgraphie d'évolution. Dysgraphie et dyslexie.*
DÉR. Dysgraphique.

DYSGRAPHIQUE [disɡʀafik; dizɡʀafik] adj. et n. — Mil. xxᵉ (attesté v. 1960); de *dysgraphie*.
Méd. De la dysgraphie. *Troubles dysgraphiques.* — Adj. et n. (Personne) atteint(e) de dysgraphie. *«Tous ceux qui apprennent mal ou lentement à lire et à écrire, ne sont pas des dyslexiques, ni des dysgraphiques»* (*le Figaro*, 8 nov. 1966).

DYSHARMONIE ou **DISHARMONIE** [dizaʀmɔni] n. f. — 1839, Boiste; de *dys-*, et *harmonie*, *disharmonie* par une évolution graphique comparable à celle de *dyssymétrie*, qui a donné *dissymétrie*.
Didact. Absence d'harmonie (entre des parties, des éléments). *Disharmonie de sons, de couleurs.* — Fig. *Disharmonie des sentiments.*
(...) que l'oreille prenne goût à ces dissonances de même que, dans un autre domaine, l'œil à des disharmonies picturales plus subtiles, il va sans dire... Ne prétendant plus à la consonance et à l'harmonie, vers quoi s'achemine la musique? Vers une sorte de barbarie. Le son même, si lentement et exquisement dégagé du bruit, y retourne. GIDE, *Journal*, 28 févr. 1928.
Spécialt, méd. DYSHARMONIE : «terme employé par certains auteurs pour désigner la dissociation schizophrénique» (J. Sutter, *in* A. Porot, *Manuel de psychiatrie*, 1952).
DÉR. Dysharmonique ou **disharmonique**.

DYSHARMONIQUE ou **DISHARMONIQUE** [dizaʀmɔnik] adj. — 1925, en méd.; de *dysharmonie*, *disharmonie*.
♦ **1** Didact. Qui manque d'harmonie; dont les parties, les éléments ne sont pas en harmonie. — Géol. *Pli dysharmonique*, qui modifie différemment les couches successives.
♦ **2** Sc. (ethnol.). Se dit d'une structure de parenté où la règle de filiation et la règle de résidence sont opposées. *Régime, système dysharmonique* (opposé à *harmonique*, 4.).

DYSIDROSE ou **DYSHIDROSE** [dizidʀoz] n. f. — 1901, *dysidrose*; *dyshidrose*, 1898; empr. angl. (1873), du grec *dus-* (→ Dys-), et *hidrôs* «sueur».
Méd. Trouble de la sécrétion sudorale. — Par ext. Éruption vésiculeuse des mains et des pieds (rappelant celle de la *miliaire**).

DYSKÉRATOSE [diskeʀatoz] n. f. — xxᵉ (1946, *in* T.L.F.); de *dys-*, et *kératose*.
Méd. Kératinisation anormale, précoce, de certaines cellules de l'épiderme ayant pour résultat leur séparation des autres cellules et la constitution de lésions cutanées.

DYSKINÉSIE [diskinezi] ou (rare) **DYSCINÉSIE** [disinezi] n. f. — Mil. xxᵉ, *dyskinésie*; *dyscinésie*, 1772; grec *duskinêsis*, de *dus-* (→ Dys-), et *kinêsis* «mouvement».
Méd. Trouble dans l'accomplissement des mouvements volontaires (lenteur, incoordination...) ou involontaires (par suite de spasmes, crampes, etc.). → **Apraxie, dystonie.** *Dyskinésie fonctionnelle :* crampe professionnelle.
Trouble de la motricité (d'un organe). *Dyskinésie œsophagienne.*
DÉR. Dyskinétique.

DYSKINÉTIQUE [diskinetik] ou **DYSCINÉTIQUE** [disinetik] adj. et n. — D. i.; de *dyskinésie*, *dyscinésie*.
Méd. De la dyskinésie. — Adj. et n. (Personne) atteint(e) de dyskinésie.

DYSLALIE [dislali] n. f. — 1842, *in* D.D.L.; de *dys-*, et *-lalie*.
Méd. Trouble de l'articulation de certains phonèmes dû à une anomalie ou à une lésion des organes de la phonation. → **Dysarthrie.** — REM. L'adj. *dyslalique* [dislalik] est attesté.

DYSLEPTIQUE [dislɛptik] adj. — 1961; de *(psycho)dysleptique*.
Méd. Qui dérègle, favorise un dysfonctionnement, sur le plan psychique. *Psychoses expérimentales provoquées par des drogues à action dysleptique.* → **Psychodysleptique.**
Les émotions humaines sont capables de produire des troubles du comportement aussi intenses et aussi variés que ceux produits par les drogues psychotropes à action leptique, analeptique ou dysleptique : troubles des comportements intellectuels, avec syndrome confuso-onirique, syndrome de dépersonnalisation et même perte de conscience (syncope émotive).
Jean DELAY,
Introd. à la médecine psychosomatique,
Notes et observations, p. 115 (1961).

DYSLEXIE [dislɛksi] n. f. — 1897; de *dys-*, et grec *lexis* «mot». → Lexie, lexique.
Méd. et cour. Trouble de la capacité de lire, ou difficulté à reconnaître et à reproduire le langage écrit. *Dyslexie spécifique. Dyslexie d'évolution.* → **Alexie.** *Dyslexie et dysorthographie, et dyscalculie.*
DÉR. Dyslexique.

DYSLEXIQUE [dislɛksik] adj. et n. — xxᵉ (1959, H. Bazin, *in* T.L.F.); de *dyslexie*.
Méd. Qui se rapporte à la dyslexie. — Adj. et n. Cour. (Personne) atteint(e) de dyslexie. *Un enfant dyslexique. Un dyslexique.*
(...) Manuelle redouble sa septième et on m'apprend qu'elle est dyslexique!
Benoîte et Flora GROULT, Il était deux fois, p. 245.

DYSLOGIE [dislɔʒi] n. f. — 1906, *in* D.D.L.; de *dys-*, et *-logie*.
Méd. Trouble du langage lié à une altération des fonctions intellectuelles. *Dyslogie se traduisant par la logorrhée*, la verbigération*, des stéréotypes répétitifs.* — *Dyslogie graphique :* trouble de l'écriture dû à des déficiences intellectuelles. → **Dysgraphie, dysorthographie.**
DÉR. Dyslogique.

DYSLOGIQUE [dislɔʒik] adj. et n. — 1922, *in* D.D.L.; de *dyslogie*.
Méd. De la dyslogie. — Adj. et n. (Personne) atteint(e) de dyslogie. *Un enfant dyslogique.*

DYSMÉLIE [dismeli] n. f. — D. i. (mil. xxᵉ); de *dys-*, et *-mélie*.
Méd. Développement anormal (insuffisant, excessif ou aberrant) d'un ou de plusieurs membres, lié à un trouble de l'embryogenèse.
DÉR. Dysmélique.

DYSMÉLIQUE [dismelik] adj. et n. — D. i. (mil. xxᵉ); de *dysmélie*.
Méd. De la dysmélie. *Anomalies dysméliques.* — Adj. et n. (Personne) atteint(e) de dysmélie. *«Enfants dysméliques (ou phocomèles), atteints des malformations des membres que l'on connaît à la suite de l'affaire de la Thalidomide»* (*Science et Vie*, 1973).

DYSMÉNORRHÉE [dismenɔʀe] n. f. — 1795; de *dys-*, et *-ménorrhée*.

Méd. Menstruation difficile et douloureuse (→ Coliques* utérines). *Dysménorrhée congestive, fonctionnelle, inflammatoire, nerveuse, spasmodique.*

DÉR. Dysménorrhéique.

DYSMÉNORRHÉIQUE [dismenɔʀeik] adj. — 1836; de *dysménorrhée*.

Méd. Qui se rapporte à la dysménorrhée. *Troubles dysménorrhéiques.* — Adj. et n. f. Qui souffre de dysménorrhée.

DYSMÉTRIE [dismetʀi] n. f. — 1912, *in* D.D.L.; de *dys-*, et *-métrie*, du grec *metron* «mesure».

Méd. Incapacité de maîtriser l'amplitude des mouvements accomplis dans un certain but. *La dysmétrie s'observe dans les lésions du cervelet et des voies cérébelleuses.*

DYSMIMIE [dismimi] n. f. — 1906, *in* D.D.L.; terme créé par Kussmaul; de *dys-*, et grec *mimia* «imitation», de *mimos*. → Mime, mimique.

Méd. Trouble de l'expression par gestes et expressions faciales. → Amimie, hypermimie.

DYSMNÉSIE [dismnezi] n. f. — 1842, *in* D.D.L.; de *dys-*, et *(a)mnésie*.

Méd. Altération de la mémoire des faits récents *(dysmnésie de fixation)* ou des faits anciens *(amnésie diffuse)*, plus faible que dans l'amnésie*. *Dysmnésie d'évocation,* portant sur les souvenirs passés qui ne peuvent plus être évoqués. *Dysmnésie d'évocation portant sur les noms propres, les chiffres. Dysmnésie et hypermnésie, et ecmnésie*.

DÉR. Dysmnésique.

DYSMNÉSIQUE [dismnezik] adj. et n. — Fin XIXᵉ; de *dysmnésie*.

Méd. De la dysmnésie. — Adj. et n. (Personne) atteint(e) de dysmnésie.

DYSMORPHIE [dismɔʀfi] ou **DYSMORPHOSE** [dismɔʀfoz] n. f. — 1870, *dysmorphie*; *dysmorphose*, XXᵉ; de *dys-*, et grec *morphê* «forme».

Didact. (anat.). Difformité. *Dysmorphie du bras, de la jambe.* — **Méd.** → **Difformité; dysacromélie, dysmélie, dysphasie, dystrophie.**

DYSOREXIE [dizɔʀeksi] n. f. — 1803, *in* D.D.L.; grec médical *dusorexia* «inappétence», de *dus-* (→ Dys-), et *oregesthai* «aspirer, tendre».

Méd. Trouble de l'appétit (anorexie, boulimie, certaines toxicomanies, ingestion de matières non alimentaires).

DÉR. Dysorexique.

DYSOREXIQUE [dizɔʀeksik] adj. et n. — D. i.; de *dysorexie*.

Méd. De la dysorexie. — Adj. et n. (Personne) atteint(e) de dysorexie.

DYSORTHOGRAPHIE [dizɔʀtɔɡʀafi] n. f. — V. 1960; de *dys-*, et *orthographe*, d'après *dyslexie*, etc.

Méd. Trouble dans l'acquisition et la maîtrise des règles de l'orthographe (sans déficience intellectuelle; → Dyslogie [graphique]).

DÉR. Dysorthographique.

DYSORTHOGRAPHIQUE [dizɔʀtɔɡʀafik] adj. et n. — Mil. XXᵉ; de *dysorthographie*.

Méd. De la dysorthographie. *Troubles dysorthographiques.* — Adj. et n. (Personne) atteint(e) de dysorthographie. *Psychologues qui s'occupent des dyslexiques et des dysorthographiques.*

DYSOSMIE [dizɔsmi] n. f. — 1819, *in* D.D.L.; de *dys-*, et *-osmie*.

Méd. Trouble de l'olfaction (→ Anosmie).

DYSOSTOSE [dizɔstoz] n. f. — 1905, *in Rév. gén. des sc.*, nᵒ 20, p. 881; de *dys-*, *ost(éo)-*, et 2. *-ose*.

Pathol. Dystrophie osseuse. *Dysostose héréditaire.*

DYSPAREUNIE [dispaʀøni] n. f. — D. i. (mil. XXᵉ), de *dys-*, et grec *pareunos* «compagne ou compagnon de lit».

Méd. Douleur éprouvée par la femme lors d'un rapport sexuel (opposé à *eupareunie*). — **Syn.** : *algopareunie.* → aussi **Apareunie.**

(...) écarter de ce métier *(la sexologie)* les charlatans, les ignorants, les névrosés, ceux qui pourraient «traiter» pendant des mois la frigidité ou la dyspareunie provoquées, en fait, par un cancer du col utérin (...)
Gérard ZWANG, *in* l'Express, 13 nov. 1972, p. 98.

DYSPEPSIE [dispɛpsi] n. f. — 1673; *dipepsie*, 1550; lat. *dyspepsia*, grec *duspepsia*, même sens, de *duspeptos* «difficile à digérer», de *dus-* (→ Dys-), et *peptos* «cuit». → Pepsine.

Méd. et **cour.** Digestion difficile et douloureuse. — Troubles digestifs fonctionnels, surtout de l'estomac, sans lésion organique évidente. *Dyspepsie acide.* → **Hyperacidité.** *Dyspepsie flatulente,* par aérophagie* ou production de gaz intestinaux. → **Ballonnement, météorisme.** *Dyspepsie douloureuse au niveau de l'estomac* (→ Gastralgie), *de l'œsophage* (→ Pyrosis). *Dyspepsie atonique.*

«Nous sommes des nerveux, nous sommes de grands nerveux», aimait à répéter M. de Clergerie, qui justifiait ainsi sa dyspepsie, et d'ailleurs raffolait de la psychiatrie à la mode... BERNANOS, la Joie, *in* Œ. roman., Pl., p. 570.

Par métaphore (littér). *Une «dyspepsie morale»* (P. Bourget, *in* T. L. F.).

DÉR. Dyspeptique ou dyspepsique.

DYSPEPTIQUE [dispɛptik] ou **DYSPEPSIQUE** [dispɛpsik] adj. et n. — 1845, *dyspeptique*; *dyspepsique*, 1845; de *dyspepsie*.

Méd. et **cour.** De la dyspepsie. *Des symptômes dyspepsiques.* — Adj. et n. (Personne) atteint(e) de dyspepsie.

Hypocondriaque et d'ailleurs dyspeptique, il croyait nécessaire à sa digestion de dîner dans l'obscurité et de marcher deux heures aussitôt après son dîner.
PROUST, Jean Santeuil, Pl., p. 227.

DYSPHAGIE [disfaʒi] n. f. — 1805; de *dys-*, et *-phagie*.

Méd. Difficulté à accomplir l'acte de manger, et, par ext., à déglutir. *La dysphagie est le plus souvent due à un état pathologique de l'arrière-gorge ou de l'œsophage.*

DÉR. Dysphagique.

DYSPHAGIQUE [disfaʒik] adj. — XXᵉ; de *dysphagie*.

Méd. Qui se rapporte à la dysphagie, s'accompagne de dysphagie. *Troubles, névroses dysphagiques.*

DYSPHASIE [disfazi] n. f. — 1870, *in* P. Larousse; de *dys-*, et *-phasie*, d'après *aphasie*.
Didact. (méd.). Difficulté de langage (parole ou fonction du langage) due à des lésions des centres cérébraux. *Dysphasie motrice* : difficulté d'expression. → **Aphasie.** *Dysphasie sensorielle* : difficulté de compréhension.
DÉR. Dysphasique.

DYSPHASIQUE [disfazik] adj. et n. — Fin XIXᵉ; de *dysphasie.*
Méd. De la dysphasie. — **Adj.** et n. (Personne) atteint(e) de dysphasie.

DYSPHÉMIE [disfemi] n. f. — 1902, *in* D.D.L.; de *dys-*, grec *phêmê* «parole, élocution», et suff. *-ie.*
Méd. Mauvaise prononciation des mots sans rapport avec une lésion des organes de la phonation, observée chez certains déficients ou malades mentaux.

DYSPHONIE [disfɔni] n. f. — 1793; attestation isolée, 1586; de *dys-*, et *-phonie.*
Méd. Nom générique des troubles de la phonation, d'origine centrale ou périphérique (→ **Aphonie, dysarthrie).**
DÉR. Dysphonique.

DYSPHONIQUE [disfɔnik] adj. — 1866; de *dysphonie.*
Méd. De la dysphonie. — **Adj.** et n. Atteint de dysphonie.

DYSPHORIE [disfɔʀi] n. f. — 1811; grec *dusphoria* «angoisse», de *dusphoros* «difficile à supporter», de *dus-* (→ Dys-), et *pherein* «porter».
Didact. État de malaise. «*Les états d'euphorie et de dysphorie collective*» (Durkheim, *in* T. L. F.). — REM. Le mot et son dérivé ont tendance à se diffuser dans la langue courante.
DÉR. Dysphorique.

DYSPHORIQUE [disfɔʀik] adj. — XXᵉ; *dysphorien,* 1893; de *dysphorie.*
Didactique.
♦ **1** Relatif à la dysphorie. *Réactions dysphoriques. C'est une situation assez dysphorique,* pénible.
♦ **2** Adj. et n. Qui ressent un état de malaise. *Elle se sentait dysphorique.*

DYSPHRÉNIE [disfʀeni] n. f. — 1938, *in* D.D.L.; de *dys-*, grec *phrên, phrenos* «esprit, intelligence», et suff. *-ie.*
Psychiatrie. Psychose fonctionnelle, sans substrat organique bien déterminé.

DYSPLASIE [displazi] n. f. — 1938, *in* D.D.L.; de *dys-*, et *-plasie.*
Didact. (biol., méd.). Anomalie dans le développement biologique (de tissu, d'organes, d'organismes) se traduisant par des malformations. → **Dystrophie; hyperplasie, hypoplasie.** *Dysplasie résultant d'une dystrophie. Dysplasie périostale* : friabilité et fragilité des os. *Dysplasie pigmentaire mélanique. Dysplasies dentaires* (hypoplasiques). → **Érosion.**
DÉR. Dysplasique.

DYSPLASIQUE [displazik] adj. — Mil. XXᵉ; de *dysplasie.*
Didact. De la dysplasie. *Anomalies dysplasiques.*

DYSPNÉE [dispne] n. f. — XVIIᵉ; *dyspnœe,* XVIᵉ; du grec *dus-* (→ Dys-), et *pneîn* «respirer».
Méd. Difficulté de la respiration. (→ **Anhélation).** *Dyspnée d'origine hystérique. Dyspnée asthmatique, cardiaque.*
DÉR. Dyspnéique.

DYSPNÉIQUE [dispneik] adj. et n. — 1833; de *dyspnée.*
Méd. Caractéristique de la dyspnée. *Une toux dyspnéique.* — **Adj.** et n. Atteint de dyspnée. *Un, une dyspnéique.*
(...) la grande angoisse dyspnéique *(qui)* me fait lutter sur le sol contre une étreinte invisible et meurtrière (...)
M. TOURNIER, le Roi des Aulnes, p. 79.

DYSPRAXIE [dispʀaksi] n. f. — 1945, *in* D.D.L.; de *dys-*, et *-praxie,* du grec *praxis* «action». → Praxie.
Méd. Difficulté à effectuer des mouvements coordonnés, à se rendre compte de la situation de son propre corps dans l'espace, en l'absence de toute lésion organique. — Spécialt. Chez l'enfant, Difficulté importante dans l'acquisition des activités constructives (par ex. dans l'apprentissage de la lecture, de l'écriture, du calcul), en général associée à un retard du développement psychomoteur et à des troubles affectifs.
DÉR. Dyspraxique.

DYSPRAXIQUE [dispʀaksik] adj. — Mil. XXᵉ; de *dyspraxie.*
♦ **1** Méd. De la dyspraxie. *Troubles dyspraxiques.*
♦ **2** Adj. et n. Atteint de dyspraxie. *Rééduquer un enfant dyspraxique.* — *Des dyspraxiques.*

DYSPROSIUM [dispʀozjɔm] n. m. — 1886, Lecoq de Boisbaudran; lat. sav., du grec *dusprositos* «difficile à atteindre».
Chim. Métal du groupe des terres rares (nᵒ at. 66; p. at. 161,50; d = 8,536), d'éclat métallique analogue à celui de l'argent.

DYSRYTHMIE [disʀitmi] n. f. — 1970; de *dys-*, *rythme,* et suff. *-ie.*
Didact. Anomalie d'un rythme (surtout enregistré par électrocardiogramme, encéphalogramme).

DYSSOCIAL, ALE, AUX [disɔsjal, o] adj. — XXᵉ; de *dys-*, et *social.*
Didact. Se dit d'un comportement délictueux ou criminel, entrant en conflit avec les codes sociaux habituels. → **Asocial.**

DYSTASIE [distazi] n. f. — 1938, *in* D.D.L.; de *dys-*, grec *stasis* «action de se tenir debout», et suff. *-ie.*
Méd. Difficulté à se tenir debout. → **Dystonie** (d'attitude).

DYSTHANASIE [distanazi] n. f. — 1846; de *dys-*, rad. du grec *thanatos* «mort», et suff. *-ie.*
Méd. (rare). Mort après une agonie longue et douloureuse (opposé à *euthanasie*).

DYSTHYMIE [distimi] n. f. — XXᵉ; de *dys-*, et *-thymie.*
Méd. Trouble pathologique de l'humeur.

DYSTOCIE [distɔsi] n. f. — 1864; *dystokie*, 1829; grec *dustokia*, même sens, de *dus* (→ Dys-), et *tokos* «enfantement».

Méd. Accouchement laborieux, pénible. *Dystocie par anomalie de contraction, de dilatation. Dystocie cervicale de nature pathologique, anatomique ou fonctionnelle.*

Les cas de *dystocie*, c'est-à-dire où l'enfant vient au monde en état de mort apparente et ne peut être ramené à la vie par les méthodes actuelles (...)
　　　　　　　　　　L. FIGUIER, l'Année sc. et industr. 1882,
　　　　　　　　　　　　　　　　　　　p. 362 (1881).

CONTR. Eutocie. ◊ DÉR. Dystocique.

DYSTOCIQUE [distɔsik] adj. — D. i. (attesté, 1953); de *dystocie*.
Méd. De la dystocie. *Un accident dystocique.*

DYSTOMIE [distɔmi] n. f. — xxᵉ; de *dy(s)-*, grec *stoma* «bouche», et suff. *-ie*. → Stomato-.
Didact. Nom générique des différents troubles de la prononciation (zézaiement, chuintement, etc.). → **Blésité, dysphonie.**

DYSTONIE [distɔni] n. f. — 1843, Landas; de *dys-*, grec *tonos* «tension». → -tonie.
Didact. (méd.). Altération du tonus musculaire, trouble de la tonicité (d'un organe). *Dystonie d'attitude* : altération des mouvements d'équilibre dans la station debout. *Dystonie neuro-végétative* : altération fonctionnelle des nerfs vague et sympathique dans le sens de l'hypertonie ou de l'hypotonie (→ **Sympathicotonie, vagotonie**). *«La dystonie neuro-végétative du mal de l'air»* (Guillerme, *la Vie en haute altitude*, p. 104). *Dystonie* (ou *dyscinésie*) *biliaire* : altération fonctionnelle de l'appareil biliaire, à caractère dégénératif ou tumoral. — On rencontre l'adj. *dystonique* [distɔnik].

DYSTROPHIANT, ANTE [distrɔfjã, ãt] adj. — xxᵉ; de *dystrophie*.
Didact. Qui produit une dystrophie. *«Les affections dystrophiantes (...) sont le rachitisme et un hypo ou hyperfonctionnement des glandes endocrines»* (P. L. Rousseau, *les Dents*, p. 105).

DYSTROPHIE [distrɔfi] n. f. — 1878; de *dys-*, et *-trophie*, du grec *trôphie* «nourriture».

Médecine.

♦1 Trouble de la nutrition (d'un organe ou d'une région anatomique). *Dystrophies dentaires.* → **Anodontie, dysplasie, oligodontie.**

Pour Ruppe, les dystrophies dentaires sont des modifications de dimension, de forme ou de structure de la dent, témoins indélébiles d'un trouble ayant atteint la calcification de son germe. Pour Lebwog, (...) les dystrophies veulent dire : troubles de la nutrition localisés à un organe ou à un système.　　　　　P.-L. ROUSSEAU, les Dents, p. 56.

♦2 Anomalie de développement ou dégénérescence d'un organe ou d'une structure anatomique. *Dystrophie de la cornée. Dystrophie musculaire progressive.* → **Atrophie, hypertrophie.**

DÉR. Dystrophiant, dystrophique.

DYSTROPHIQUE [distrɔfik] adj. — 1879; de *dystrophie*.
Méd. Relatif à la dystrophie. *Troubles dystrophiques. Stigmates dentaires dystrophiques. «Pulpites chroniques dystrophiques*, à dégénérescence calcaire, graisseuse, kystique» (P.-L. Rousseau, *les Dents*).

DYSURIE [dizyʀi] n. f. — 1560; *dissurie*, xivᵉ; bas lat. *dysuria*, grec *dus ouria*, même sens, de *dus-* (→ Dys-), et *ouron* «urine».
Méd. Difficulté de la miction.
DÉR. Dysurique.

DYSURIQUE [dizyʀik] adj. — 1864; de *dysurie*.
Méd. De la dysurie. — Adj. et n. Qui souffre de dysurie.

DYTICIDÉS [ditiside] n. m. pl. — 1908; du grec *dutikos* (→ Dytique), et *-idés.*
Zool. Famille d'insectes coléoptères aquatiques et carnassiers. *Types principaux de dyticidés* : dytique, haliple, hydropore.

DYTIQUE [ditik] adj. — 1764; grec *dutikos* «plongeur», de *duein* «s'enfoncer, plonger».
Zool. Insecte coléoptère vivant dans l'eau (*Dyticidés* ou *Hydrocanthares*), destructeur du frai, des alevins et même de petits poissons.

(...) par en dessous, la remontée à l'air d'un dytique, le suçon d'un chevesne en touchaient la surface (...)
　　　　　　　　　Hervé BAZIN, Cri de la chouette, p. 225.

DZÊTA [dzɛta] n. m. → **Zêta.**

E

e - enthymème

E [ø; ə] nom masculin.
Cinquième lettre et deuxième voyelle de l'alphabet, servant à noter, seule, deux, trois voyelles [e], [ɛ], [ə], et en combinaison, divers sons vocaliques (ex. : eau [o]). E *majuscule*, e *minuscule ;* e *romain*, e *italique.*

♦ **1** E ouvert [ɛ] dans : *il est* [ilɛ], *lettre* [lɛtʀ], *mer* [mɛʀ], *frère* [fʀɛʀʀ], *père* [pɛʀ], *près* [pʀɛ], *promène* [pʀɔmɛn], *fête* [fɛt], *tête* [tɛt], *toupet* [tupɛ].
E fermé [e] dans *boucher* [buʃe], *chantez* [ʃɑ̃te], *tomber* [tɔ̃be], *et* [e], *thé* [te].
E muet [(ə)] : voyelle centrale, ni fermée ni ouverte, ni arrondie, ni étirée, qui se prononce ou non selon sa position dans le groupe rythmique (on dit aussi *e instable*, ou *e caduc*, ou *schwa*). Ex. : e dans *fenêtre* [f(ə)nɛtʀ]. — L'*e muet* des déterminants et des pronoms (*je, me, te, se, le...*), celui de *jusque* s'élide et est remplacé par une apostrophe devant une voyelle ou un h muet.

1   (...) l'e muet qui tantôt existe, tantôt ne se fait presque point sentir qu'il ne s'efface entièrement, et qui procure tant d'effets subtils de silences élémentaires, ou qui termine ou prolonge tant de mots par une sorte d'ombre que semble jeter après elle une syllabe accentuée (...)
VALÉRY, Regards sur le monde actuel, p. 127.

2   En fin de mot, e muet ne se prononce en général pas, et indique simplement que la consonne représentée par la lettre précédente doit, elle, être prononcée.
François DELL, les Règles et les Sons, p. 178.

REM. *E* surmonté d'un tréma, ne se prononce pas dans une finale ; ex. : *aiguë* [egy].

♦ **2** *E.* ou *Em.* : abrév. de *Éminence.* — *E.* ou *Exc.* : abrév. de *Excellence.* — *E.* : abrév. de *Est.*

♦ **3** Math. e : nombre incommensurable qui sert de base aux logarithmes népériens (e = 2,71828...). Phys. e : symbole de l'électron.

♦ **4** Mus. Nom ancien, de la note mi, en français (cet usage est contemporain en anglais et en allemand).

E- [i], parfois [ø] Anglic. Élément, tiré de l'angl. *electronic* «électronique», en haut dans la composition de mots en rapport avec une activité sur le réseau mondial de communication avec Internet. Ex. : *e-mail* (voir à l'ordre alphab.), *e-commerce* «commerce électronique» (et l'anglicisme cohérent *e-business*), *e-publicité* ou *e-pub* «publicité sur Internet», *e-book* «livre électronique», *e-médecine...*
— REM. Non motivé et de prononciation aberrante en français, cet élément pourrait être remplacé (parfois par *cyber-*).

É- (XVIIᵉ, forme mod. de *es-*), **EF-, ES-** Préfixe, du lat. *e(x)*, prép. et préf., marquant l'éloignement ou la privation (*équeuter*), souvent aussi le changement d'état et l'achèvement (*échauffer*), servant à former des composés (*égarer*) sur le modèle des composés issus du lat. (*édenter*). → **1. Ex-.**

-É, -ÉE, -ÉS, -ÉES Suffixe servant à former les participes passés des verbes de la 1ʳᵉ conjugaison. *Il a déballé les marchandises. La rivière a débordé. Ils sont tombés dans un piège. Elles sont passées dans la rue.*
Sur un radical nominal, *-é, -ée* sert à former des adjectifs correspondant en général à un verbe en *-er*. Une série est formée d'un nom de vêtement + *-é : ganté, chapeauté*, etc. ; cette série est ouverte :
Mᵐᵉ Floche qui (...) se permettait sur mon bras une discrète taloche de sa maigre main mitainée.
GIDE, Isabelle, III, *in* Romans, Pl., p. 622.

E. A. O. [əao] n. m. V. 1980 ; abrév. de Enseignement assisté* par ordinateur. *«"Au moins, il est gentil. Avec lui on peut se tromper : il ne nous engueule jamais." Dans la bouche d'un enfant de sept ans, cette petite phrase illustre un aspect intéressant de l'E.A.O. (...) L'E.A.O. révolutionne le rapport enseignant-enseigné»* (le Nouvel Obs., 2 déc. 1983, p. 106).

EAU [o] n. f. — 1490 ; *egua*, v. 1050 ; *ewe*, v. 1150 ; *eaue*, 1185 ; du lat. *aqua.*

Ⅰ (1050). Liquide incolore, inodore, transparent et insipide lorsqu'il est pur, que l'on trouve (mêlé à d'autres éléments) en abondance dans la nature. → **Flotte** (pop.), **onde** (poét.), et préf. **hydr.** **A** (*L'eau, les eaux*). ♦ **1** Cet élément dans la nature. *Composition chimique de l'eau pure* : deux atomes d'hydrogène et un atome d'oxygène ; formule chimique : H_2O (→ ci-dessous, D.). *L'eau était considérée par les anciens comme un élément*. Le feu* et l'eau.* — Loc. fig., vx. *Être comme l'eau et le feu*, en opposition totale. — *L'eau éteint le feu. Analyse de l'eau. L'eau gèle, se congèle à 0 °C, bout à 100 °C. Abaisser le point de congélation de l'eau* (→ **Antigel**). *Vapeur* d'eau. Condensation* de la vapeur d'eau. Goutte* d'eau. Eau naturelle. Eau crue*. Eau pure, eau distillée*, rendue pure par *distillation* (...). *Corps contenant de l'eau* (→ **Aqueux, hydraté**), *corps sans eau* (→ **Anhydre**).

1   L'eau naturelle n'est jamais absolument pure car, indépendamment des composés isotopiques (...) elle renferme à l'état dissous de nombreux gaz et sels minéraux. Une eau très pure s'obtient au laboratoire par *distillation* (...)
                       Henri JARLAN, l'Eau, p. 65.

1.1   — (...) je crois que l'eau sera un jour employée comme combustible, que l'hydrogène et l'oxygène, qui la constituent, utilisés isolément ou simultanément, fourniront une source de chaleur et de lumière inépuisables et d'une intensité que la houille ne saurait avoir.
                       J. VERNE, l'Île mystérieuse, t. II, p. 459.

Eau claire*, limpide, transparente. — Fig. *Clair* comme l'eau de roche* : très clair. *Eau boueuse, bourbeuse, vaseuse, trouble*. Troubler* l'eau. Eau croupie. Eau froide, chaude, tiède, bouillante. Eau douce, eau des rivières, des lacs* (opposé à *eau salée, eau de mer*). *Eau saumâtre. Eau calcaire, eau dure ; dureté de l'eau. Adoucir* l'eau.* — *Qualité de l'eau. Goutte d'eau. Flaque d'eau.*

2   Le bruit, l'éclat de l'eau, sa blancheur transparente,
   D'un voile de cristal alors peu différente.
                       LA FONTAINE, Psyché, I.

REM. Le mot *eau*, désignant en général une substance et non une quantité de cette substance (c'est un terme «non comptable»), est le plus souvent précédé de l'article défini (*l'eau*), ou de l'article indéfini, lorsqu'il est accompagné d'une qualification (*une eau trouble, une eau qui court* ; → cit. 3 ci-dessous). *Une eau*, pour «une quantité d'eau», n'est pas normal en français. En revanche, le plur. *des eaux*, comme *les eaux*, prenant une valeur générale, se rencontre dans des emplois particuliers.

3   Tu es une eau informe qui coule selon la pente qu'on lui offre, un poisson sans mémoire et sans réflexion qui tant qu'il vivra dans son aquarium se heurtera cent fois par jour contre le vitrage qu'il continuera à prendre pour de l'eau.
                   PROUST, À la recherche du temps perdu, t. II, p. 101.

Corps perméable, imperméable à l'eau. Étanchéité* d'un corps qui ne laisse pas pénétrer l'eau (→ **Étanche**). *Prendre l'eau* : se laisser pénétrer par l'eau. *S'imbiber, se gonfler d'eau. Enlever l'eau* : diminuer la quantité d'eau contenue dans une substance (→ **Déshydrater, dessécher, sécher**).

(Emplois et contextes particuliers). **a** *L'eau atmosphérique* (→ **Humidité, hygrométrie...**). *L'eau du ciel. Eau de pluie.* → **Pluie**. *La terre a besoin d'eau, manque d'eau.* — *Trombe* d'eau. Un déluge* d'eau. L'eau ruisselle sur le toit. Les chéneaux, les gouttières recueillent l'eau du toit* (→ **Barbacane, chantepleure, chéneau, gouttière**).

4   L'eau ruisselait doucement sur le brisis du toit, et par intervalles, des bouffées de vent se faufilaient en mugissant sous les tuiles du grenier.
                   MARTIN DU GARD, les Thibault, t. IV, p. 53.

Les grandes eaux, une pluie abondante (→ **Amour**, cit. 21).

Fam. *Pluie.* → **Flotte**. *Il est tombé de l'eau, il va tomber de l'eau.* → **Pleuvoir**. — Vieilli. *Le temps est à l'eau*, à la pluie. — Littér. *Les eaux* (de la pluie). → **Averse** (cit. 3).

5   (...) une de ces pluies humides qui (...) couvrent bientôt les habits d'une mousse d'eau glacée et pénétrante.
            MAUPASSANT, Contes, Toine, «l'Armoire» (→ Pluie, cit. 3).

b (*L'eau, les eaux*, à la surface de la Terre et dans l'écorce terrestre). → **Hydrographie**. *Eaux courantes. Eau de source, de roche. Eau de fusion des neiges, des glaciers. Eaux de ruissellement, eaux sauvages. Eaux d'infiltration* (→ **Aven**, cit. 1). *Eaux souterraines. Nappe* d'eau souterraine. Affleurement, émergence, résurgence des eaux souterraines.* → **Puits, source**. — (Didact.). *Eaux de surface.* — *Eau qui sourd, suinte, coule, ruisselle, bouillonne, jaillit...* → **Couler**. *Eaux chaudes jaillissantes des geysers. Bruit*, clapotement, clapotis, gazouillis, murmure de l'eau, des eaux. Action des eaux courantes sur le relief de l'écorce terrestre.* → **Érosion, ravinement ; caverne, gouffre, grotte.** *Dépôts amenés par les eaux.* → **Dépôt ; alluvion, limon, vase.** *Drainer* l'eau, les eaux d'un sol.*

Spécialt (fleuves, rivières). *Le courant, le fil* de l'eau. Voguer au fil de l'eau.*

L'eau, les eaux de la mer, de l'océan, d'une rivière, d'un fleuve (→ ci-dessous II., L'eau, absolt). *L'eau des lacs. L'eau salée des mers. L'eau de ce lac est froide, glacée. L'eau tiède de l'océan Indien. L'eau, les eaux dormantes* d'un lac tranquille, d'un étang. Eau stagnante des marais. Eau croupissante* (→ **Croupir**, cit. 4) *d'une mare.* — *Naviguer, voguer sur les eaux bleues de la Méditerranée.* — REM. Le plur., en l'absence de toute qualification, semble archaïque sauf dans certains syntagmes ; le sens du mot, dans la cit. 6, est «eaux courantes».

6   Nous allons sans cesse au tombeau, ainsi que des eaux qui se perdent sans retour.
            BOSSUET, Oraison funèbre de la duchesse d'Orléans.

7   Ne sachant pas encore que tout s'oublie et se perd au cours rapide des heures, que toutes nos actions coulent comme l'eau des fleuves entre les rivages sans mémoire (...)
           FRANCE, Histoire comique, VIII, p. 113.

Eau de mer. — Didact. *Eau océanique* : eau de mer participant à la circulation des océans et où les influences continentales sont indiscernables.

Loc. *Eaux vives* : eau naturelle qui s'écoule rapidement (ruisseaux, rivières) et n'est pas souillée. — Spécialt (et techn.). *Vive-eau* : grande marée.

Eaux stagnantes des marais, marécages... Eaux stagnantes du Bas-Mississippi (→ **Bayou**). *La flore, la faune des eaux stagnantes. Oiseaux des eaux stagnantes.*

7.1   La pouilleuse auberge était au centre d'une immense lande déserte, aux marécages féroces, qui ne rendaient jamais la proie de leurs boues fétides, où la jungle grise des ajoncs était peuplée par toute la gent madrée et maléfique des eaux stagnantes : courlis qui crient à la mort et poignardent les ombres de leurs becs de cauchemar, foulques mécaniques, bécassines criardes, jaquets téméraires, sarcelles tournentées, canards siffleurs ivres de pourriture, tadornes guetteurs, macreuses brutales, chevaliers mélancoliques, grèbes mystérieux, butors lamentables, pluviers pleurards, poules d'eau malodorantes et vilainement griffues, vanneaux souples et râles boueux.
           Jean RAY, les Derniers Contes de Canterbury, p. 131.

Eau morte, eaux mortes : eaux qui ne s'écoulent pas. — Spécialt et techn. *Morte-eau* : marée faible. *Être en morte-eau*, à l'époque des marées les plus faibles.

L'eau qui entoure un navire. *La pression de l'eau sur la coque d'un sous-marin. Navire qui embarque* de l'eau* (→ Couler, cit. 21). — Loc. *Faire eau* : avoir de l'eau qui pénètre anormalement dans le navire. *Faire eau de toutes parts* : (au fig.) risquer de sombrer. — *Voie d'eau* : fissure, trou, etc. qui permet à l'eau d'entrer. *Aveugler* une voie d'eau.*

boxed-c Seulement au plur. LES EAUX : les masses d'eau qui séjournent. *La faune, les oiseaux des eaux.* → **Aquicole; aquatique** (→ ci-dessus, cit. 7.1).

L'ensemble des eaux qui circulent, ruissellent ou se déplacent (cours d'eau, lacs et mers). → **Courant.** *Dégradations causées par les eaux courantes* : affouillements*, dégravoiements. — REM. *Dégâts des eaux,* en terme d'assurance, inclut les eaux canalisées artificiellement (→ ci-dessous). *La montée; le retrait,* (vx) *la retraite des eaux. L'inondation a duré trois jours, puis les eaux se sont retirées.* → **Décrue, reflux.** *Remous, tourbillons, tournoiement des eaux en cuve. Défense contre les eaux. Digue* pour maintenir les eaux.*

Loc. (ancienn). LES EAUX ET FORÊTS. → **Forêt.**

boxed-d ... D'EAU (dans des syntagmes). *Cours d'eau.* → **Cours; fleuve, rivière, torrent.** *Longueur, débit, régime d'un cours d'eau.*

Chute d'eau. → **Cascade, cataracte, chute.**

Voie d'eau : toute étendue allongée d'eau naturelle (cours d'eau, rivière, etc.) ou artificielle (canal, etc.) sur laquelle on peut naviguer dans les terres. *Pièces d'eau.* → **Bassin; piscine.**

Jet* d'eau. Berceau* (II., 1.) *d'eau.*

boxed-e Loc. (formées avec *l'eau* dans les mêmes contextes). *Il faut laisser couler l'eau,* il faut laisser aller les choses, ne pas s'en soucier inutilement. — *D'ici là il passera bien de l'eau sous les ponts* : il s'écoulera beaucoup de temps, il se passera bien des choses et celle dont on parle ne se produira peut-être pas.

7.2 On revient de loin ! poursuit l'autre en écartant les bras dans un geste d'impuissance ironique. C'est l'expression d'un communiste français, je crois (...) Depuis Tobrouk, il a coulé beaucoup d'eau sous les ponts.
Régis DEBRAY, l'Indésirable, p. 150.

Une goutte d'eau dans la mer : une chose d'une infime importance. — *Aller à vau-l'eau.* → **Val.** — *Battre l'eau, battre l'eau avec un bâton* : faire des efforts qui ne doivent servir à rien. — *C'est un coup d'épée dans l'eau,* une tentative inutile. — *L'eau va à la rivière* : l'argent va aux riches. — *Il ne trouverait pas de l'eau à la rivière,* se dit de quelqu'un qui se montre incapable de trouver les choses les plus faciles à trouver. — *Porter de l'eau à la rivière* : apporter quelque chose en un endroit où il abonde; faire quelque action parfaitement inutile. — *Tant va la cruche* à l'eau qu'à la fin elle se casse.* — *Tenir quelqu'un le bec* dans l'eau. Être le bec* dans l'eau.* — Fam. *Il y a de l'eau dans le gaz* : quelque chose ne va plus, l'atmosphère est à la dispute. — *Pêcher** (cit. 12 et 13) *en eau trouble* : tirer avantage d'une situation troublée. — *Tâter l'eau* : s'informer prudemment.

Prov. *Il n'est pire eau que l'eau qui dort.* → **Dormir** (infra cit. 32).

8 L'eau qui dort : il s'y faisait, par instants, un remous de pensées indéchiffrables.
MARTIN DU GARD, les Thibault, t. IV, p. 107.

8.1 Oui, mais l'antithèse se présente : elle est tout de même femme, ça doit la travailler et puis il n'y a pas pire eau que l'eau qui dort. Yanny HUREAUX, la Prof, p. 256.

boxed-f (*L'eau*). *Rôle de l'eau dans la nature* (→ ci-dessus), *dans la constitution des organismes vivants.* — Sc. *Eau de constitution, de circulation, de réserve.*

L'eau est la condition première indispensable à toute manifestation vitale, comme à toutes manifestations des phénomènes physicochimiques. 9
Claude BERNARD, Introd. à l'étude de la médecine expérimentale, II, II, p. 170.

♦ **2** Ce liquide, utilisé par l'homme. *Usages domestiques, hygiéniques, thérapeutiques de l'eau. Usages, utilisation de l'eau.*

L'eau se trouve être la richesse économique par excellence; elle est, pour les hommes, plus richesse que la houille ou que l'or. 10
Jean BRUNHES, la Géographie humaine, t. I, p. 68.

L'eau porte vingt noms. Pendant que le pharmacien la déguise sous l'appellation scientifico-commerciale de *protoxyde d'hydrogène,* l'ironie populaire l'affuble de sobriquets caustiques, de *sirop de grenouille* à *Château-la-Pompe.* 11
F. BRUNOT, la Pensée et la Langue, I, II, VIII, p. 77.

Déviance sexuelle dans laquelle le plaisir est lié à la vue, au contact de l'eau. → **Ondinisme.**

boxed-a Ce liquide en tant que boisson. *Boire de l'eau.* → fam. *Château-la-pompe, flotte, sirop de grenouille. Eau de boisson* (didact.); *eau potable** (cour.). *Buveur* d'eau. Un verre* d'eau. Une bouteille, une carafe, une cruche d'eau. Eau rougie* : eau additionnée de vin. *Mettre un puni au pain et à l'eau.* — *Eau sucrée,* additionnée de sucre. *Eau gazeuse,* gazéifiée; (fam.) *de l'eau qui pique. Eau plate* : eau non gazeuse.

Loc. *Vivre* d'amour et d'eau fraîche.* — Loc. fam. *Compte* là-dessus et bois de l'eau fraîche.*

Une tempête* dans un verre d'eau. — *Se noyer dans un verre (un bol) d'eau* : être incapable de résoudre le moindre problème; être déconcerté par la moindre difficulté.

Mettre de l'eau dans son vin : couper*, baptiser* le vin; (fig.) réduire ses exigences, atténuer ses prétentions. — REM. L'exemple ci-dessous joue sur l'expression *vin de messe* :

(...) elle avait bien changé, Mme Rezeau (...) Elle avait mis beaucoup d'eau dans son vin de messe et je gage que le divorce des vicaires d'avec leur prêtre établi, la soutane, les bas latin, les indulgences, le maigre et la sainte pudibonderie n'avait point raffermi sa foi. 12
Hervé BAZIN, Cri de la chouette, p. 184.

(En parlant d'un navire). *Faire de l'eau* : s'approvisionner en eau potable (→ régional **Aiguer**; aussi **aiguade**).

boxed-b Ce liquide dans la préparation des aliments. *Eau de cuisson. Cuire des légumes à l'eau. Faire bouillir de l'eau. Bassine d'eau. Eau de riz, d'orge, de poulet...,* où on a fait cuire du riz, de l'orge, du poulet... (→ aussi ci-dessous, IV.). *Sauce étendue d'eau.*

Laver, nettoyer, rincer à l'eau. Lavage à grande eau (→ 2.Pompe, cit. 2). *Eau de vaisselle,* qui a servi à laver la vaisselle (→ **Rinçure**). — Fig. et fam. *C'est de l'eau de vaisselle,* se dit d'un bouillon, d'une infusion, etc. insipide. — *Eau de boudin*.* Loc. *S'en aller en eau de boudin* (→ **Boudin**). — *Eau de lessive.*

Au plur. *Eaux ménagères. Eaux grasses.*

boxed-c Ce liquide servant aux ablutions, à la toilette. *Se laver* à l'eau froide, à l'eau chaude. Se laver à grande eau,* en faisant couler l'eau abondamment. *Eau froide et chaude d'une douche écossaise. Se passer les mains à l'eau. Se tremper dans l'eau. S'arroser, s'asperger d'eau. Usage thérapeutique* (externe) *de l'eau.* → **Hydrothérapie.** — Loc. *Eau de bidet*.*

L'eau sert sans doute aux besoins de la cuisine, après quoi il n'en reste plus pour la propreté. Elle vient d'un maigre marigot, qui sort d'un marécage à deux cents mètres du village, puis se perd dans une fondrière. 13
GIDE, Voyage au Congo, in Souvenirs, Pl., p. 807.

14   Il était après tout normal que dans un pays où l'eau froide coulait chaude on n'eût pas jugé utile de dépenser de l'argent pour installer un second circuit.

Claude SIMON, le Palace, 10/18, p. 134.

(Syntagmes). *Pot* à eau. Chasse* d'eau.*

(Dans des usages symboliques, liés à l'idée de purification). *Eau lustrale :* eau servant à des purifications (chez les Anciens, on y avait éteint le tison d'un bûcher sacrificiel). — Liturg. cathol. *Eau baptismale* (→ Aspersion, cit. 4 ; baptême, cit. 4). *Eau bénite*.* — Loc. fig. (vx). *Eau bénite de cour :* fausse promesse.

d̄ Anc., dr. pénal. *Épreuve de l'eau,* dans les ordalies*. *Torture, question* par l'eau,* dans laquelle on force le patient à ingérer de très grandes quantités d'eau.

♦ 3 Ce liquide dans l'économie humaine, en tant que matière collectée, dirigée, distribuée, pour les usages domestiques et industriels, ou encore pour régler sa présence sur le sol, dans l'agriculture.

ā *Aménagement et distribution de l'eau dans les terres.* → Hydraulique. *Droit de conduire l'eau à travers les terrains d'autrui.* → Aiguage. *Travaux agricoles destinés à remédier à la pénurie* (→ Arrosage, irrigation) *ou à l'excès d'eau* (→ Assèchement, drainage). *Chercher, trouver de l'eau. Amener l'eau* (→ Amenée). *Pomper, puiser, tirer de l'eau au puits*, à la source. — Point d'eau :* lieu où l'on trouve de l'eau (dans une région sèche).

15   Il s'agissait de faire un long crochet sur les territoires des cercles de Boghar, Djelfa et Bou-Saada pour déterminer les points d'eau.

MAUPASSANT, Au soleil, «Le Zar'ez», p. 113.

Ce liquide, source d'énergie. → Houille (blanche); **hydrodynamique, hydroélectrique.** — Loc. *Moulin* à eau.* — (Fig.). *Faire venir (de) l'eau au moulin* de quelqu'un.*

Ce liquide, tel qu'il est recueilli, traité, conduit, distribué dans les habitations, dans l'économie moderne. *Captage, distribution de l'eau.* → **Aqueduc, barrage, bassin, canal, canalisation, citerne, colonne, conduite, dérivation, fontaine,** 2. **pompe, réservoir, robinet, vanne.**

b̄ EAU COURANTE : l'eau amenée et distribuée par robinets à l'intérieur des logements ; le système qui permet cette distribution. *Un vieil appartement sans eau courante. Eau courante à tous les étages,* formule employée à l'époque où le «confort moderne» (eau, gaz, électricité) était en cours d'institution. — *Il y a l'eau sur le palier :* l'eau courante. — *Robinet* d'eau chaude, d'eau froide. Il faut couper l'eau pour réparer les robinets de la baignoire, du lavabo, de l'évier. — L'eau du robinet,* qui coule du robinet ; (spécialt) eau potable venant de la distribution par conduites, par oppos. à l'eau mise en bouteilles (→ ci-dessous B.). — En appos. *Bloc-* (I., 4., b) *eau.*

c̄ (Dans des syntagmes). ... D'EAU. *Château d'eau.* — *Conduite d'eau. Prise d'eau.* — ... À EAU. *Compteur à eau.* — Par métonymie. *Relever l'eau,* les compteurs* à eau.

d̄ *L'eau :* quantité d'eau consommée et facturée. *Facture d'eau. Je viens de payer l'eau et le gaz.*

ē (Au plur.). LES EAUX. *Traitement des eaux.* → **Aération, clarification, distillation, épuration, filtrage, javellisation, stérilisation, verdunisation.** *Écoulement des eaux.* → **Collecteur, descente, déversoir, égout, évier, fosse, rigole, tuyau.** *Eaux résiduaires. Eaux usées. Évacuation des eaux usées.* → **Assainissement,** 1. — *Eaux industrielles. Eaux vannes.* → **Eaux-vannes.**

À Paris, l'adduction des eaux, les réservoirs d'alimentation étaient sous la garde de l'État.

MARTIN DU GARD, les Thibault, t. VII, p. 76.

Aménagement des eaux pour l'élevage du poisson. → **Aquiculture, pisciculture ; aquarium, vivier.**

Absolt. *Les eaux distribuées. — La Compagnie des Eaux.*

f̄ L'eau dans les processus techniques. *Moteur refroidi par l'eau, à l'eau. Vérifier l'eau,* le niveau de l'eau (de la batterie, du radiateur*).

... À EAU : qui s'effectue ou fonctionne par une circulation d'eau. *Refroidissement à eau. Radiateur à eau.* — *Horloge* à eau.* — *Bombardier* à eau* (→ Canadair).

... À L'EAU, en utilisant de l'eau (quand on peut utiliser un autre liquide). *Nettoyer, passer qqch. à l'eau, à l'eau bouillante* (→ Ébouillanter, échauder). *Passer les laines à l'eau* (→ Ébrouer). — *Peinture à l'eau* (opposé à *à l'huile*). → **Peinture ; aquarelle, gouache.**

B̄ *(Une, des eaux ; l'eau de...).* Ce liquide, considéré dans sa composition particulière, tel qu'on peut le trouver dans la nature. *Composition* (cit. 3) *d'une eau. Eau de source. Cette eau est arsenicale. Les sels minéraux d'une eau. Eaux alcalines, calciques, chlorurées, sodiques. Eaux ferrugineuses, magnésiennes, sulfureuses. Eaux radioactives. — Eau dure,* contenant des sels de calcium.

EAU THERMALE : eau minérale chaude naturelle (→ ci-dessous III., Les eaux).

(1865). EAU MINÉRALE : (sc.) *toute eau contenant des sels minéraux en proportion notable ou intéressante (pour un usage thérapeutique, notamment) ;* (cour.) *une telle eau, mise en bouteille et vendue pour la consommation. Il ne boit que de l'eau minérale. Une eau minérale ; des eaux minérales très différentes, salées. Eau minérale plate, gazeuse. Une bouteille d'eau minérale.*

Ellipt. *Voulez-vous de l'eau plate, ou gazeuse, avec votre whisky ? Non, je préfère de l'eau du robinet* (→ ci-dessous IV., A., Eau de Seltz).

Eau de... (suivi du nom d'origine). *Eau de Vichy.*

Par métonymie. *Une eau :* une bouteille d'eau minérale. *Vous me mettrez douze bières et autant d'eaux.*

C̄ (Chim. nucl.). EAU LOURDE : composé dans lequel l'hydrogène de l'eau est remplacé par du deutérium* (D_2O), hydrogène lourd de masse at. 2, ou du tritium. *Usine d'eau lourde. De l'eau lourde.* — (Dans des contextes sc. ou techn.). *Eau légère, eau ordinaire* (par oppos. à *eau lourde*). *«La première centrale française à eau légère de grande puissance»* (le Monde, 23 févr. 1977, p. 19).

D̄ Sc. L'eau, le corps chimique H_2O indépendamment de son état. *Eau liquide* (l'eau, au sens courant), *solide* (→ Glace), *gazeuse* (→ Vapeur : vapeur d'eau).

Il me semblait à la fin de ne plus apercevoir que tous les états de l'eau, — l'eau neige, — l'eau glace, — l'eau vive, — l'eau flaque mirant leur nuée, — l'eau vapeur dont les volutes libérées se détordent, se disloquent, s'attardent et se dissipent après nous.   VALÉRY, Variété II, p. 24.

IIĪ *(L'eau ; d'eau).* ♦ 1 Masse indéterminée de ce liquide, notamment dans la nature (rivière, fleuve, lac, étang, mer, océan...).

ā *La surface, le fond de l'eau. Quelle est la profondeur de l'eau, ici ? Marcher au bord de l'eau, près de l'eau.* — Spécialt (vieilli, régional ou fam.). *Passer, traverser l'eau,* la mer, un lac ou une rivière. *Traverser l'eau par un bac. De l'autre côté de l'eau.*

Se peut-il rien de plus plaisant, qu'un homme ait droit de me tuer parce qu'il demeure au delà de l'eau, et que son prince a querelle contre le mien, quoique je n'en aie

aucune avec lui ?
PASCAL, Pensées, V, 294 (→ Assassin, cit. 7).

Fam. (selon les contextes). Rivière, fleuve ; lac ; mer.
→ fam. **Baille** (3.), **flotte**.

b (Précédé d'une préposition). À L'EAU. *Se mettre à l'eau* (pour se baigner, etc.). → **Mouiller** (se). *Se jeter à l'eau, s'y mettre brusquement* (en plongeant, etc.). — Par compar. *Il se décida comme on se jette à l'eau.* — Fig. *Se jeter à l'eau : prendre brusquement une décision difficile.* → **Lancer** (se).

16.3 — « J'ai découvert... » commença Martial ; et il s'arrêta, saisi de panique devant l'inanité de ce qu'il allait dire ; puis il se décida, comme on se jette à l'eau : « J'ai découvert que je n'avais plus que vingt ans à vivre », lança-t-il d'un trait.
Jean-Louis CURTIS, le Roseau pensant, p. 134.

Fig. *Se décider brusquement, se lancer* (dans une entreprise, un travail risqué).

16.4 D'habitude, rien ne m'intimide moins qu'un micro. Mais cette fois, je parlerai et on me verra. J'enveloppe d'un regard méfiant les lampes, les écrans, les câbles. (...) C'est le moment de me jeter à l'eau.
F. MAURIAC, Bloc-notes 1952-1957, p. 332.

16.5 Il a fallu que je me jette à l'eau, je m'y suis jetée. Je leur exposai, sans modération, le rôle de la chaleur, de la fatalité de la chaleur dans *Sanctuaire*.
Violette LEDUC, la Folie en tête, p. 81.

16.6 Ça n'est pas agréable de sentir que les gens qui sont chez vous sont venus de force. Je sais bien qu'à sa place, pour être reçu comme ça, j'aurais préféré laisser tomber ce voyage-là dans l'eau.
PROUST, Jean Santeuil, Pl., p. 597.

Tomber à l'eau (accidentellement). *Elle est tombée à l'eau et elle s'est noyée.* — Fig. *L'affaire est tombée* à l'eau, a raté, n'a pas abouti. Tout est à l'eau.* — *Flanquer, foutre, jeter qqn à l'eau.*

Mettre un navire à l'eau, le lancer.

À l'eau !, menace à l'adresse de qqn que l'on veut jeter à l'eau (→ fam. *Au jus* !, au bouillon* !*).

DANS L'EAU. *Se plonger dans l'eau* pour prendre un bain. *Entrer dans l'eau. Se tremper dans l'eau. Nager, barboter, flotter dans l'eau.*

REM. Avec certains verbes, *dans l'eau* et *à l'eau* sont également possibles ; *dans l'eau* est moins fréquent et plus marqué (*se mettre, se jeter, tomber dans l'eau*).

Spécialt (même valeur que *sous l'eau*). *Il y a quelque chose dans l'eau.* Fig. *Tomber dans l'eau.*

SUR L'EAU. *Flotter sur l'eau. Maman, les p'tits bateaux qui vont sur l'eau ont-ils des jambes ?,* chanson enfantine. *Reparaître, revenir sur l'eau :* refaire surface. — Loc. fig. *Revenir* sur l'eau.*

SOUS L'EAU : sous la surface. *Nager sous l'eau.*
→ **Sous-marin** (nage sous-marine).

DE L'EAU. *Sortir de l'eau.* → **Onde** (I., 2., poét.). *Vénus sortant de l'eau.* → **Anadyomène**.

♦ **2** Spécialt. Étendue, volume d'eau naturelle d'une certaine importance considéré comme un milieu. *Animal, plante qui croît, vit dans l'eau, au bord de l'eau.* → **Aquatique** (et les dér. du lat. *aqua* « eau »). *Science qui étudie les organismes vivant dans l'eau.* → **Hydrobiologie**. *Poissons* de mer et poissons d'eau douce* (→ **Dulçaquicole**). — *Un poisson* dans l'eau, hors de l'eau.*

... **D'EAU** : qui vit habituellement dans l'eau, près de l'eau. → **Aquicole**. *Buffle* d'eau. Rat* d'eau. Poule* d'eau. Gibier d'eau. — Plantes d'eau. Chanvre d'eau.* → **Eupatoire**. *Châtaigne d'eau.* → 1. **Macle**.

16.7 Il y a terriblement d'années, je m'en allais chasser le gibier d'eau dans les marais de l'Ouest.
BARBEY D'AUREVILLY, les Diaboliques,
« Le rideau cramoisi ».

Loc. *Marin d'eau douce* (par anal. avec *poisson d'eau douce*). → 2. **Marin** (cit. 6).

♦ **3** *(L'eau).* Niveau auquel monte la surface d'une masse d'eau (naturelle ou artificielle). *L'eau montait lentement,* la surface* de l'eau. *Avoir de l'eau jusqu'à la ceinture, à mi-corps, jusqu'au cou* (→ ci-dessus II., 1., b avec la même valeur Entrer dans l'eau jusqu'à...).

III (Emplois exclusivement au pluriel). **LES EAUX.**
♦ **1** (1790 ; de *eau thermale,* → ci-dessus I., B.). Vieilli. *Les eaux de* (suivi d'un nom de lieu) : l'ensemble des installations thermales et touristiques qui constitue une *ville* d'eaux. Préférer les eaux de Plombières à celles de Vichy. Aller aux eaux, prendre les eaux :* faire une cure* thermale (→ **Thermalisme** ; **crénothérapie**). *Malades qui se soignent en prenant les eaux à la buvette** (→ **Baigneur, buveur, curiste**).

Les eaux étaient fort gaies cette année-là ; il y avait grand   16.8
concours de gens riches, souvent de très beaux bals (...)
STENDHAL, Mina de Vanghel, Pl., t. II, p. 1149.

Quelques Russes et une famille de Lyonnais vinrent   16.9
prendre les eaux à son établissement.
FRANCE, Jocaste, XIV, p. 133.

L'année suivante Jean dut accompagner sa mère à des   16.10
eaux situées dans une vallée qu'enferment de hautes montagnes.
PROUST, Jean Santeuil, Pl., p. 136.

♦ **2** (Emplois spéciaux et locutions). **a** *Hautes eaux, basses eaux :* niveau élevé, niveau bas de l'eau d'une étendue naturelle de ce liquide (mer, → **Marée** ; cours d'eau, → **Crue, étiage**). *Les hautes eaux d'une inondation*.*

b Courant ; zone d'une profondeur donnée. *Nager entre deux eaux.*

Loc. fig. **ENTRE DEUX EAUX** : dans une situation intermédiaire, et notamment, en évitant de prendre parti. — *Nager entre deux eaux :* éviter de se décider, de se compromettre et manœuvrer entre deux partis.

c **GRANDES EAUX** : jets d'eau et cascades d'agrément jaillissant et coulant à plein débit. *Les grandes eaux du château de Versailles, du palais du Trocadéro, à Paris.* — Par plais. Larmes abondantes.

(...) Il y en a peu qui pleurent ; quelques-unes tout de   16.11
même, accrochées au cou de leur homme. Les soldats plaisantent : « Alors, c'est les grandes eaux ! »
S. DE BEAUVOIR, la Force de l'âge, p. 444.

d Mar. *Les eaux d'un navire,* la trace qu'il laisse derrière lui. → *Sillage.* — Fig. *Naviguer, être dans les eaux de quelqu'un,* le suivre, être de son parti, partager ses opinions.

e *Eaux territoriales :* zone de mer qui s'étend des côtes d'un pays jusqu'à une ligne considérée comme la frontière maritime de ce pays. *Naviguer dans les eaux françaises, anglaises...*

IV (Qualifié par un adj. ou un compl. de nom). Liquide contenant de l'eau, traitée par adjonction d'un ou plusieurs produits ; solution aqueuse ; préparation distillée ou infusée. **A** Solution aqueuse. **a** Pour la boisson. (1771 ; à l'origine, nom d'une eau minérale naturelle dite *eau de Selse ;* de *Selters,* localité allemande). **EAU DE SELTZ** : eau chargée de gaz carbonique (angl. *soda*) sous pression au moyen d'un appareil dit *seltzogène.* → **Gazogène** (1., vx). *Siphon d'eau de Seltz.* **EAU TONIQUE** (anglic.). → **Tonique** (I., 3.).

b (Pour des usages thérapeutiques). *Eau oxygénée* (cit. 1). *Eau oxygénée à 10 volumes** (1 litre contient 15,2 g de peroxyde d'hydrogène H_2O_2). — *Eau sédative.* — Vx. *Eau blanche :* solution d'acétate de plomb, employée comme résolutif. — Vx. *Eau d'arquebusade** (ou *d'arquebuse* [2., a]). *Eau borique, chlorée, phéniquée. Eau chloroformée :* solution de chloroforme.

C (Pour des usages variés : entretien, nettoyage). **EAU DE JAVEL** : solution de chlore (→ **Hypochlorite**) utilisée pour le nettoyage (syn. pop. : *de la javel**). — Vx. *Eau de chlore* : solution aqueuse de chlore. — Vx. *Eau de cuivre* : solution d'acide oxalique. — *Eau de chaux* : solution aqueuse d'hydroxyde de calcium. — Vx. *Eau de goudron* (trad. de *tar water*, notamment dans l'œuvre du philosophe Berkeley, *Siris*, 1743).

(Avec des adj.) Vx. *Eau ardente* : essence de térébenthine. — *Eau céleste* : solution (bleutée) d'ammoniaque et de sulfate de cuivre. — *Eau régale* : mélange d'acide chlorhydrique (35 %) et d'acide azotique (65 %) qui a la propriété de dissoudre l'or (1. Or, cit. 9) et le platine. — *Eau seconde* : solution aqueuse d'acide azotique, employée comme décapant. — *Eau forte.* → **Eau-forte.**

(1546). Vx. *Eau blanche* : eau additionnée de son utilisée pour soigner les chevaux. Vx. *Eau athénienne**. — Vx. *Eau ferrée, ferrugineuse*, contenant du fer oxydé *(eau rouillée).*

Vx ou régional. *Eau d'ange* (III., 1.) ou *eau de myrte* : eau distillée aromatique.

16.12   Vendredi récoltait des fleurs de myrte pour en faire de l'eau d'ange, lorsqu'il aperçut un point blanc à l'horizon, du côté du levant.   M. TOURNIER, Vendredi... p. 233.

Eau de vie, eau de feu (vx) → **Eau-de-vie.**

B **EAU DE...** (le compl. désigne la finalité, la substance caractéristique ou l'origine). Préparation à base d'alcool obtenue par distillation ou infusion de substances végétales. *Eau de senteur. Eaux de toilette.* → **Lotion, parfum.** *Eau de rose ; eau de lavande. Eau dentifrice**. Eau de mélisse. Eau de fleurs d'oranger. Eau d'arquebuse* (2., b).

(1761, *in* D.D.L.). **EAU DE COLOGNE,** où entrent plusieurs essences (de bergamote, citron, néroli, girofle, etc.).

Loc. fig. **À L'EAU DE ROSE** : sentimental, mièvre, fade, insipide. *Un roman à l'eau de rose.*

16.13   Toute la littérature érotique qui a précédé ce petit livre se trouve d'un seul coup changée en eau de rose.   F. MAURIAC, Bloc-notes 1952-1957, p. 135.

C Par anal. (dans des expr.). ♦ **1** (1185). Sécrétion liquide du corps humain. **a** Sueur. *Être (tout) en eau.* → **Sueur.** *Suer* sang et eau.*

17   Je suis en eau : prenons un peu d'haleine (...)
         MOLIÈRE, l'École des femmes, II, 2.

18   C'était un long sentier tout pavé de braise rouge. Je chancelais comme si j'avais bu ; à chaque pas, je trébuchais ; j'étais tout en eau, chaque poil de mon corps avait sa goutte de sueur, et je haletais de soif (...)
         Alphonse DAUDET, Lettres de mon moulin,
         « Le curé de Cucugnan. »

b Salive. *Mettre, avoir l'eau, faire venir l'eau à la bouche* : exciter l'envie. → **Salive.** *J'en ai l'eau à la bouche.*

18.1   Il est vrai que cette horreur était un peu tempérée par les convoitises d'une sensualité très éveillée, et par tous les récits qui faisaient venir l'eau à la bouche des gourmands de la ville, quand on parlait devant eux des dîners du vieux M. de Mesnilgrand.
         BARBEY D'AUREVILLY, les Diaboliques,
         « À un dîner d'athées. »

18.2   Ces beaux après-midi hivernaux de maladie *(employés à la lecture)*, je les avais passés si souvent à cheval, en prison, dans des auberges où chaque plat me mettait l'eau à la bouche, que je péchais en essayant de l'ignorer.
         Jacques LAURENT, les Bêtises, p. 151.

c Sérosité. *Cloque, ampoule pleine d'eau.*

d Fam. Urine. *Lâcher de l'eau.* → **Pisser.**

e Larmes, pleurs. *Se fondre en eau.* → **Larme** ; pleurer. — Loc. littér. *L'eau des yeux* (Lamartine, *in* T.L.F.), *des larmes* (Claudel, *Journal* I, p. 578) : les larmes.

♦ **2** (1694). Au plur. (Les eaux). Liquide amniotique. *Poche des eaux.* → **Amnios.** *La perte des eaux.*

♦ **3** Suc (des fruits). *Pêche qui a trop d'eau.* — En franç. d'Afrique. *Eau de coco* : albumen liquide contenu dans la noix de coco. → **Lait** (de coco).

V (1611). Fig., techn. Transparence, pureté (des pierres précieuses). *L'eau d'une pierre précieuse.* → **Limpidité.** *Diamants de la première eau. L'eau d'une perle* : qualité qui réunit son orient et son lustre. — Loc. cour. *Perles d'une belle eau. Diamants de la plus belle eau.*

À travers l'eau pure du diamant l'avenir s'étalait en effet,   18
étincelant. On y entrait, un peu aveuglé, étourdi.
         M. DURAS, Un barrage contre le Pacifique, p. 126.

Par métaphore :

Il plongea un instant son regard dans les beaux yeux, un   19
peu trop grands, un peu trop ronds, mais d'une eau si
pure (...)
         MARTIN DU GARD, les Thibault, t. VI, p. 75.

Loc. *Un escroc, un imbécile de la plus belle eau* : ce qu'on peut trouver de mieux en fait d'escroc, d'imbécile. — *De la même eau* : du même genre.

COMP. Eau-de-vie, eau-forte, eaux-mères, eaux-vannes. — Morte-eau, vau-l'eau (à) (V. Val), vive-eau. ◊ HOM. Au, aulx (de *ail*), haut, ho, o, ô, oh.

-EAU ou **-ELLE** Suffixes issus du lat. *-ellus, -ella*, servant à former des noms masculins (*-eau*, anciennt *-el*) et féminins (*-elle*), et des adjectifs (*-eau, -elle* ; ex. *tourangeau*).

♦ **1** Avec une valeur diminutive (ex. chevreau, girafeau, souriceau, jambonneau ; prunelle, passerelle).

♦ **2** Avec une simple fonction dérivative (ex. bandeau, barreau, écriteau, pruneau ; citronnelle). — REM. De nombreux dérivés sont démotivés, le radical n'existant plus (ex. corbeau, rameau).

EAU-DE-VIE [od(ə)vi] n. f. — XIVᵉ ; adapt. du lat. des alchimistes *aqua vitæ.*

Liquide alcoolique consommable provenant de la distillation du jus fermenté des fruits *(eau-de-vie naturelle)* ou de la distillation de substances alimentaires (céréales, tubercules). → **Alcool,** et, fam., **brutal** (n. m.), **casse-gueule, casse-pattes, casse-poitrine, cric, dur** (n. m.), **gnôle, goutte, rincette, schnaps, tord-boyaux** ; **aguardiente.** (→ Ardent, cit. 13 ; cabaret, cit. 2). *Eau-de-vie de vin.* → **Armagnac,** (vieilli) **brandevin, brandy, fine, trois-six** (vieilli). *Eau-de-vie de marc.* → **Marc** ; **grappa.** *Eau-de-vie de cidre.* → **Calvados.** *Eau-de-vie de canne à sucre.* → **Rhum, tafia.** *Eau-de-vie de fruit.* → **Brou, kirsch, mirabelle, quetsche, tequila.** *Eau-de-vie de grain.* → **Akvavit, genièvre, schiedam, gin, kummel, vodka, whisky.** *Eau-de-vie de riz.* → **Arack.** *Eau-de-vie de tubercules* (betterave, pomme de terre, topinambour). *Eau-de-vie brûlée* (→ **Brûlot**), *caramélisée. Café, thé mêlé d'eau-de-vie.* → **Gloria** ; régional **bistouille.** *Boissons à base d'eau-de-vie.* → **Grog, vespétro.** *Mauvaise eau-de-vie.* → **Tord-boyaux.** *Un petit verre d'eau-de-vie. Rasade d'eau-de-vie. Cerises, prunes à l'eau-de-vie. Distillerie d'eau-de-vie.* → **Brûlerie.** *Fabricant d'eau-de-vie.* → **Bouilleur** (de cru), **brûleur, distillateur.** *Emmagasiner l'eau-de-vie dans un chai.*

Quand il avait bu seulement un verre d'eau-de-vie, après   1
les longues abstinences de la mer, tout de suite sa tête
partait (...)   LOTI, Mon frère Yves, VII, p. 32.

Prenons l'exemple de *l'eau-de-vie*, et de ses noms. Le mot   2
rappelle un ancien préjugé, l'idée d'un extrait de Jouvence
qui entretient la force ; il a une valeur expressive. Néanmoins, aujourd'hui, pour le rajeunir, on marque la qualité : *de la fine,* la couleur : *de la blanche,* ou bien on dit de

quoi est faite la liqueur en question : *eau-de-vie de grain*, de *marc* et plus simplement *marc*; on exprime d'où elle vient : *cognac, calvados* (...)
F. BRUNOT, la Pensée et la Langue, IV, XIII, I, p. 577.

3 Et tu bois cet alcool brûlant comme ta vie
Ta vie que tu bois comme une eau de vie
APOLLINAIRE, Alcools, p. 15.

Pharm. *Eau-de-vie allemande :* teinture de jalap, purgatif.

REM. On écrit parfois *eau de vie*, sans trait d'union.

EAU-FORTE [ofɔʀt] n. f. — 1543, *in* D.D.L.; comp. de *eau*, et *forte*, de 1. *fort* (adjectif).

♦ **1** (1543). Acide nitrique étendu d'eau dont les graveurs se servent pour attaquer le cuivre, là où le vernis a été enlevé par la pointe.
Graveur à l'eau-forte. → **Aquafortiste.** *L'échoppe, pointe du graveur à l'eau-forte. L'eau-forte s'oppose à la taille-douce.*

1 J'ai sous les yeux les *Chasses* de Rubens ; une entre autres, celle *aux lions*, gravée à l'eau-forte par Soutman.
E. DELACROIX, Journal, 25 janv. 1847.

Par métaphore :

2 Un aspect de la côte s'est gravé à l'eau-forte dans ma mémoire, l'aspect d'une rangée d'arbres flagellés par le vent du large et tendant, sous le ciel bas, vers la terre plate et nue, leur tronc courbé et leurs maigres rameaux.
FRANCE, le Petit Pierre, XIII, p. 77.

♦ **2** (1808). *Le procédé de gravure utilisant l'eau-forte; gravure ainsi obtenue (une eau-forte).* → **Gravure.** *L'art de l'eau-forte. Livre illustré d'eaux-fortes originales.*

EAUX-MÈRES [omɛʀ] n. f. pl. — 1795, au sing. : «Après quelques jours de dépôt, on puise l'eau qui ne laisse pas cristalliser si facilement les sels qu'elle contient : elle se nomme eau-mère» (*Journal des Arts et Manufactures*, Thermidor an III, p. 24-25); de *eau*, et *mère*.

Techn., vieilli. Résidu d'une solution, après cristallisation de la substance qui y était dissoute. *Eaux-mères du sel marin.* **REM.** On écrit aussi *eaux mères*.

Lorsque le sulfure de pyrites eut été entièrement réduit par le feu, le résultat de l'opération, consistant en sulfate de fer, sulfate d'alumine, silice, résidu de charbon et cendres, fut déposé dans un bassin rempli d'eau. On agita ce mélange, on le laissa reposer, puis on le décanta, et on obtint un liquide clair, contenant en dissolution du sulfate de fer et du sulfate d'alumine, les autres matières étant restées solides, puisqu'elles étaient insolubles. Enfin, ce liquide s'étant vaporisé en partie, des cristaux de sulfate de fer se déposèrent, et les eaux-mères, c'est-à-dire le liquide non vaporisé, qui contenait du sulfate d'alumine, furent abandonnées.
J. VERNE, l'Île mystérieuse, t. I, p. 224.

EAUX-VANNES [ovan] n. f. pl. — 1872, Littré, art. *Vanne*; au sing., 1868, *in* Année sc. et industr. 1869, p. 370; de *eau*, et *vanne*.

Techn. Partie liquide des fosses d'aisances, des bassins de vidange. — **Syn.** : *eau d'égout*.

ÉBAHIR [ebaiʀ] v. tr. — Av. 1150, *esbahir*; de l'anc. franç. *baer* (→ Bayer), cf. anc. adj. *baïf* «ébahi», même époque.

Frapper d'un grand étonnement. → **Abasourdir, ébaubir, épater, étonner, stupéfier.** *Il m'a ébahi par ses raisonnements* (Académie). *Voilà une nouvelle qui m'ébahit.* — (Souvent au passif). *Il en a été ébahi, complètement ébahi.*

♦ **S'ÉBAHIR** v. pron. (Réfl.).

S'étonner au plus haut point. *S'ébahir de quelque chose, d'un spectacle, à la vue d'un spectacle.* → **Émerveiller** (s'); → tomber des nues*, ouvrir de grands yeux*. *S'ébahir devant, sur qqch.* — Vieilli. *S'ébahir à qqch.* — Loc. *S'ébahir d'aise.*

1 Il n'y a pas jusqu'à mes firmans que je ne me plaise à dérouler : j'en touche avec plaisir le vélin, j'en suis l'élégante calligraphie et je m'ébahis à la pompe du style.
CHATEAUBRIAND, Mémoires d'outre-tombe, t. II, p. 381.

2 Le penseur militant ne doit pas plus s'ébahir d'être tour à tour populaire et impopulaire que le marin d'être tour à tour sec et mouillé.
HUGO, Post-Scriptum de ma vie, Tas de pierres, IV.

3 L'Andante scherzando *(de la 8ᵉ symphonie)* est une de ces productions auxquelles on ne peut trouver ni modèle ni pendant ; cela tombe du ciel tout entier dans la pensée de l'artiste ; il s'écrit tout d'un trait et nous nous ébahissons à l'entendre.
BERLIOZ, Beethoven, p. 57.

♦ **ÉBAHI, IE** p. p. adj.

(Plus cour.). Qui est très étonné. → **Abasourdi, ahuri, baba** (fam.), **ébaubi, éberlué, émerveillé, épaté** (fam.), **étonné, interdit, stupéfait, surpris.** *Je suis ébahi d'apprendre cela, d'apprendre que... J'en suis resté tout ébahi.*

4 Je tombais des nues, j'étais ébahi, je ne savais que dire, je ne trouvais pas un mot.
ROUSSEAU, les Confessions, IX.

Qui exprime un grand étonnement. *Air, visage ébahi.*

N. (Rare). *Qu'est-ce que c'est que cet ébahi.* → **Ahuri.**

DÉR. Ébahissement.

ÉBAHISSEMENT [ebaismɑ̃] n. m. — V. 1200; de *ébahir*.

État de celui qui est ébahi ; étonnement extrême. → **Admiration, émerveillement, étonnement, stupéfaction, surprise.** *Être dans l'ébahissement le plus total.*

1 «François, si tu commences déjà à tout souffrir des enfants, tu ne sais pas où ils s'arrêteront». Et à son grand ébahissement, François lui répondit : «J'aime mieux souffrir le mal que de le rendre».
G. SAND, François le Champi, II, p. 37.

1.1 Ils passèrent avec ébahissement devant les quadrupèdes empaillés.
FLAUBERT, Bouvard et Pécuchet.

Vieilli. *Mettre, tenir (qqn) en ébahissement.*
(Un, des ébahissements). État, réaction spécifique d'une personne ébahie.

2 Ils se connaissaient trop pour avoir ces ébahissements de la possession qui en centuplent la joie.
FLAUBERT, Mᵐᵉ Bovary, III, VI.

ÉBARBAGE [ebaʀbaʒ] n. m. — 1765; de *ébarber*.
Techn. Action d'ébarber ; son résultat. *Ébarbage d'une pièce brute* (à la lime, à la meule).

ÉBARBEMENT [ebaʀbəmɑ̃] n. m. — 1691; de *ébarber*.
Vieux. Ébarbage.

ÉBARBER [ebaʀbe] v. tr. — 1438; *esbarber* «couper la barbe de (qqn)», XIIᵉ-XIIIᵉ; de *é*, *barbe* et suff. verbal.

♦ **1** Techn. Débarrasser (un objet, une substance) des barbes, aspérités, bavures. → **Limer, rogner.** — *Ébarber du papier, les tranches d'un livre.* — *Ébarber une pièce de métal. Ébarber un métal sculpté.* → **Boësser.** — *Ébarber une gravure sur planche.*

♦ **2** Couper la partie végétative de (un végétal). *Ébarber de l'orge.* — Par ext. *Ébarber une haie.* → **Tailler, tondre.**

♦ **3** Cuis. Couper les barbes de (un poisson).

DÉR. Ébarbage, ébarbement, ébarbeur ou ébarbeuse, ébarboir, ébarbure.

ÉBARBEUR [ebaʀbœʀ] n. m. ou **ÉBARBEUSE** [ebaʀbøz] n. f. — 1873, *ébarbeuse, in* D.D.L.; de *ébarber.*

Techn. Machine à ébarber.

Les tôles de coque ont été préalablement décalaminées sur les deux faces à l'aide d'une ébarbeuse à main, genre de ponceuse électrique qui entraîne un disque abrasif à la vitesse de 6 000 tours-minute.

Bernard MOITESSIER, *Cap Horn à la voile*, p. 44.

ÉBARBOIR [ebaʀbwaʀ] n. m. — 1755; de *ébarber.*

Techn. Outil servant à ébarber. → **Boësse, grattoir.**

ÉBARBURE [ebaʀbyʀ] n. f. — 1755; de *ébarber.*

Techn. Partie enlevée par l'ébarbage. → **Bavure, copeau.**

ÉBARDOIR [ebaʀdwaʀ] n. m. — 1785, *Encyclopédie méthodique; orig. incert., p.-ê. altér. de ébarboir.*

Techn. anc. Outil à trois côtés tranchants, destiné à gratter le métal (zingueurs, ferblantiers).

ÉBAROUIR [ebaʀwiʀ] v. tr. — 1694; orig. obscure.

Techn. et régional. Dessécher, disjoindre (les bordages d'un navire, les douves d'une futaille), en parlant de l'action du soleil.

ÉBAT [eba] n. m. — XIIIᵉ, *esbat :* déverbal de *ébattre (s').*

♦ **1** (En général au plur.). Jeux, mouvements d'un être, qui s'ébat (souvent un enfant). *Prendre ses ébats :* se divertir (en général en plein air) en folâtrant. — Spécialt (plus cour.). *Ébats amoureux :* activités érotiques, «jeux» de l'amour. *Les amoureux ont été dérangés dans leurs ébats.*

1   Pour vos ébats nous nourrirons nos filles !
LA FONTAINE, Contes, «Le berceau».

2   (...) des ébats de cygnes dans les claires eaux des viviers (...)
HUGO, Notre-Dame de Paris, III, II.

♦ **2** (Au sing.). Chasse. Promenade des chiens.

♦ **3** Horlog. Jeu entre deux organes, mobiles l'un par rapport à l'autre.

ÉBATTEMENT [ebatmɑ̃] n. m. — XIIIᵉ; de *ébattre (s').*

Vx ou littér. Action de s'ébattre. → **Ébat.** — Fig. *«Le premier ébattement des sens»* (Sainte-Beuve, *in* T. L. F.).

ÉBATTRE (S') [ebatʀ] v. pron. [CONJUG.: *battre*] — 1160; de é-, et *battre.*

♦ **1** Fam. Se donner du mouvement, pour se divertir, sans contrainte, au gré de sa fantaisie. → **Amuser** (s'), **divertir** (se), **folâtrer, jouer.** *Poulains qui s'ébattent dans les prés. Enfants qui s'ébattent sur la plage* (→ Rhabiller, cit. 3). — (Souvent en parlant de volatiles). *Canards qui s'ébattent dans une mare.*

1   Les dimanches, mes camarades venaient me chercher après le prêche pour aller m'ébattre avec eux.
ROUSSEAU, les Confessions, I.

2   (...) afin (...) que toute la jeunesse de la maison (...) pût s'ébattre et se divertir en liberté, selon l'ordonnance du bon Dieu.
G. SAND, la Petite Fadette, XXVI, p. 176.

3   Une troupe d'enfants s'ébattait aux alentours comme des poussins sur la limite d'un poulailler.
E. FROMENTIN, Une année dans le Sahel, p. 272.

Spécialt, vieilli. *Amoureux qui s'ébattent.*

♦ **2** Abstrait. Vagabonder, se divertir.

4   Ma pensée s'ébattait dans les étranges et chimériques régions de la lune.
BAUDELAIRE, Trad. E. POE, Histoires extraordinaires, Pl., p. 181.

DÉR. et COMP. Ébat, ébattement.

ÉBAUBI, IE [ebobi] adj. — XIIIᵉ, *esbaubi;* repris au XVIIᵉ (Molière, Mᵐᵉ de Sévigné); anc. franç. *abaubi,* p. p. de *abaubir* «rendre bègue». → Ébaubir, du lat. *balbus* «bègue».

Qui est surpris au point de bégayer, de ne pouvoir s'exprimer, et, spécialt, frappé d'une stupeur admirative. → **Ébahi, étonné, interdit, stupéfait, surpris.** *Il en est resté tout ébaubi.*

1   Je suis toute ébaubie, et je tombe des nues !
MOLIÈRE, Tartuffe, V, 5.

2   En outre elle était fière de montrer sa fille, de circuler dans la voiture blanche qui portait, sur le radiateur, la signature de son gendre et de faire raconter par Claire aux voisins ébaubis ses conversations avec des grands de la terre.
A. MAUROIS, Terre promise, p. 179.

3   Nous descendîmes d'auto à Esquemont. Et là, de nouveau, le maire nous reçut. Ce maire-là était aussi ébaubi devant Mᵐᵉ Pragen que l'autre; mais d'une autre façon, non plus comme un bourgeois, mais comme un paysan.
DRIEU LA ROCHELLE, la Comédie de Charleroi, p. 19.

4   Enfin voilà un employé... Un vrai à lustrine... et puis trois !... dix autres !... tous en lustrine et binocles, à faux col celluloïd... Ah ! je m'arrête pile ! O cellulo !... ils m'interloquent ! C'est les premiers que je vois à Londres !... J'en demeure ébaubi ! Ils me fascinent...
CÉLINE, Guignol's band, p. 295.

REM. Familier dans la langue classique, le mot a vieilli : il est aujourd'hui, soit régional, soit assez littéraire.

ÉBAUBIR [ebobiʀ] v. tr. — V. 1223; issu par changement de préf. de l'anc. franç. *abaubir.* → Ébaubi.

Fam. Rendre (qqn) ébaubi. → **Ébahir, étonner.**

Rien qui vous fascine comme les flammes surtout comme ça volantes dardantes, dansantes au ciel... Ça vous ébaubit... ensorcelle... les formes que ça prend !
CÉLINE, Guignol's band, p. 260.

♦ **S'ÉBAUBIR,** v. pron. (réfl.).

S'étonner grandement. *S'ébaubir de qqch.*

REM. D'abord fam., comme *ébaubi,* le mot est aujourd'hui plutôt stylistique.

ÉBAUCHAGE [eboʃaʒ] n. m. — V. 1508, *esbauchage;* de *ébaucher.*

Action d'ébaucher. — Spécialt. Techn. La première des opérations tendant à façonner. → **Dégrossissage, esquisse; façon** (première façon). *Ébauchage du cristal,* première taille.

Le tintamarre de la pompe à feu couvrit ses paroles, et ils entrèrent dans l'atelier des ébauchages. Des hommes, assis à une table étroite, posaient devant eux, sur un disque tournant, une masse de pâte; leur main gauche en raclait l'intérieur, leur droite en caressait la surface, et l'on voyait s'élever des vases, comme des fleurs qui s'épanouissent.
FLAUBERT, l'Éducation sentimentale, t. I, p. 249.

CONTR. Finition.

ÉBAUCHE [eboʃ] n. f. — 1619, *esbauche;* déverbal de *ébaucher.*

♦ **1** Première forme, encore imparfaite que l'on donne à une œuvre (plastique ou littéraire) en l'ébauchant; premier état (de cette œuvre). → **Canevas, croquis, esquisse, essai, jet** (premier jet), **projet, schéma.** *L'ébauche d'un tableau, d'un roman,* l'action de l'ébaucher (rare); le résultat de cette action. — Sans compl. *(L'ébauche; une, des ébauches). L'œuvre ébauchée. L'ébauche donne déjà l'idée de l'ouvrage achevé. Ce n'est là qu'une grossière ébauche, une première ébauche. Polir une ébauche. Passer de l'état d'ébauche à celui de perfection.*

1   (...) j'en pouvais tracer quelque ébauche grossière.
CORNEILLE, Poésies diverses, 26.

2   Ô vous, Iris, qui savez tout charmer,
(...) agréez que ma muse
Achève un jour cette ébauche confuse.
LA FONTAINE, Fables, XII, 15.

3   Je ne pouvais m'arracher aux dessins originaux de Léonard de Vinci, de Michel-Ange et de Raphaël. Rien n'est
plus attachant que ces ébauches du génie livré seul à ses
études et à ses caprices ; il vous admet à son intimité ; il
vous initie à ses secrets ; il vous apprend par quels degrés
et par quels efforts il est parvenu à la perfection : on est
ravi de voir comment il s'était trompé, comment il s'est
aperçu de son erreur et l'a redressée.
CHATEAUBRIAND, Mémoires d'outre-tombe, t. VI,
p. 175.

4   Quelques lectures de mes premières ébauches servirent
à m'éclairer. Les lectures sont excellentes comme instruction, lorsqu'on ne prend pas pour argent comptant les
flagorneries obligées. Pourvu qu'un auteur soit de bonne
foi, il sentira vite, par l'impression instinctive des autres,
les endroits faibles de son travail, et surtout si ce travail
est trop long ou trop court, s'il garde, ne remplit pas, ou
dépasse la juste mesure.
CHATEAUBRIAND, Mémoires d'outre-tombe, II,
p. 130.

5   L'ébauche est le commencement même, encore informe
du travail d'où l'œuvre sortira accomplie. L'esquisse n'en
est que le trait, que le plan et n'entre dans l'œuvre que
comme préparation.   LITTRÉ, Dict., art. *Ébauche.*

Figuré :

6   Tu demeures surpris et changes de couleur à ce discours ;
ce n'est là qu'une ébauche du personnage, et pour en
achever le portrait, il faudrait bien d'autres coups de pinceau.   MOLIÈRE, Dom Juan, I, 1.

7   J'ai vu autrefois un jeune homme qui m'avait volé la forme
que j'aurais dû avoir. Ce scélérat était juste comme j'aurais
voulu être. Il avait la beauté de ma laideur, et à côté de
lui j'avais l'air de son ébauche.
Th. GAUTIER, Mlle de Maupin, IV, p. 51.

♦ **2** Action d'ébaucher (un acte) ; premier indice,
premier développement (d'une chose). → **Commencement, début, esquisse, germe.** *L'ébauche d'un geste.
L'ébauche d'une phrase.*

8   Développant déjà, dans les premières ébauches de nos passions, tout ce que nous devons être (...)
MASSILLON, Carême, Voc., *in* LITTRÉ.

9   Son irritation semblait s'atténuer ; l'ébauche d'un sourire
joua même sur ses lèvres.
MARTIN DU GARD, les Thibault, t. V, p. 215.

10   Elle se laissa mettre un baiser sur la joue, le rendit par
une ébauche de baiser dans le vide, et rougit en regardant
avec inquiétude autour d'elle.
J. ROMAINS, les Hommes de bonne volonté, t. V,
XXIII, p. 196.

11   La voix d'homme reprend sa même phrase pour la troisième fois, mais avec moins de force, ce qui empêche de
nouveau d'y reconnaître autre chose que des ébauches de
sons, privés de sens.
A. ROBBE-GRILLET, Dans le labyrinthe, p. 82.

♦ **3** *Une, l'ébauche de (qqch.) :* une chose dans un
état inachevé, imparfait. *Une ébauche de mur, de
barricade.*

Techn. Mouvement d'horlogerie incomplet, non
assemblé.

(1897). **Biol.** Partie de l'embryon qui contient les
matériaux dont dérivera un organe (→ **Bourgeon,**
3.).

Littér. Se dit d'une chose achevée ou d'une personne considérée comme incomplète, imparfaite
(surtout par métaphore). *Des ébauches de démocratie,
de nations.*

**CONTR. Aboutissement, accomplissement, achèvement, exé-
cution, perfectionnement, réalisation. ◊ DÉR. Ébauchon.
→ HOM. Formes du v. ébaucher.**

ÉBAUCHER [ebɔʃe] v. tr. — 1549, *esbaucher; esbo-
chier,* 1380 ; anc. picard *esboquier* «dégrossir, ébrancher, émonder», 1369 ; de *es- (é-),* de l'anc. franç. *balc,
bauch* «poutre» (→ Bau), et suff. *-er.*

Commencer à réaliser (ce que désigne le complément) en donnant une première forme.

♦ **1** (1369). → Donner la première façon à (une
matière). → **Commencer, entamer.** *Ébaucher une
poutre, un bloc.* → **Dégrossir, épanneler.** *Ébaucher
un diamant,* commencer à le tailler. — Absolt.
Outils à ébaucher.

♦ **2** Donner la première forme à (un ouvrage).
Ébaucher une statue, un tableau. → **Esquisser.** *Ébaucher un dessin.* → **Crayonner, dessiner, tracer.** *Ébaucher un tableau* (faire les esquisses, etc.). *Ébaucher
une statue.* — (Avec un compl. de manière). *Ébaucher
(une œuvre picturale) à la détrempe, en frottis.*

Par métaphore :

   Mais pour mon frère l'ours, on ne l'a qu'ébauché.   1
Jamais, s'il me veut croire, il ne se fera peindre.
LA FONTAINE, Fables, I, 7.

Absolument :

   L'humanité suppose, ébauche, essaye, approche,   2
Elle façonne un marbre, elle taille une roche,
Et fait une statue (...)
HUGO, la Légende des siècles, XXII, IV, p. 162.

Concevoir, préparer (une œuvre en langage) dans
les grandes lignes initiales. → **Dessiner.** *Ébaucher
un ouvrage* (→ Débrouiller, cit. 4). *Ébaucher un traité.
Il doit rédiger sa thèse, il ne l'a encore qu'ébauchée.*

Figuré :

   Il n'y a point au monde un si pénible métier que celui de   3
se faire un grand nom : la vie s'achève que l'on a à peine
ébauché son ouvrage.
LA BRUYÈRE, les Caractères, II, 9.

Par métaphore (avec le sens 3 ci-dessous). *Ébaucher un
roman d'amour, une intrigue.*

   (...) ce qui me torturait à imaginer chez Albertine, c'était   4
mon propre désir perpétuel de plaire à de nouvelles
femmes, d'ébaucher de nouveaux romans.
PROUST, À la recherche du temps perdu, t. XII,
p. 229.

♦ **3** Commencer à concevoir ou à établir (qqch.).
Ébaucher un plan, un projet. → **Préparer ; projeter**
(→ Poser des jalons* ; amorcer, cit. 5).

   D'abord séduite par ce projet qu'avait ébauché Lanie dans   5
un moment de transe intellectuelle, Monique s'était rendue
à mes raisons.
G. DUHAMEL, Cri des profondeurs, IV, p. 74.

Commencer à réaliser, à développer en soi.
*Les organes qui ébauchent dans l'œuf les diffé-
rents tissus. «Il ébauchait une calvitie...»* (Hugo, *in*
T. L. F.).

Commencer à faire voir, à faire apparaître.
→ **Esquisser.** *Des montagnes ébauchaient leurs
formes dans le brouillard.* — (Le sujet désigne une
action externe). *Une faible lueur ébauchait des formes
vagues.*

REM. Dans ces emplois, seul le pron. et le p. p. (→ ci-
dessous) sont courants.

Spécialt. Commencer (un geste, un mouvement, une action) sans exécuter jusqu'au bout.
→ **Esquisser.** *Ébaucher un sourire, un geste. Il
ébaucha un mouvement de recul, puis s'arrêta.
Ébaucher un signe de la main.*

   J'ai ébauché un salut gêné et l'ai suivi dans la pièce voisine,   6
celle même où il m'avait reçu la dernière fois.
GIDE, les Faux-monnayeurs, I, XVIII, p. 206.

   Il se contenta d'ébaucher un geste énergique de protesta-   7
tion.   MARTIN DU GARD, les Thibault, t. VIII, p. 255.

Engager (une relation) sans intention ou sans possibilité de durée. *Ébaucher des connaissances, des
amours. Ébaucher une conversation.*

◆ **S'ÉBAUCHER** v. pron. (Passif).

♦ **1** Prendre forme ; être au début de son exécution (œuvre, travail). *Œuvre qui s'ébauche lentement.*
→ **Esquisser** (s').

♦ **2** Se concevoir, se préparer. *Le projet qui s'ébauche dans son esprit, dans sa cervelle.* → **Dessiner** (se), **naître** (→ Couver, cit. 7 ; noir, cit. 28).

8   Dans son cerveau fatigué, une confusion s'ébaucha entre la main de Dieu et cette main de prêtre vivante, toute proche.
MARTIN DU GARD, les Thibault, t. IV, p. 134.

♦ **3** Commencer à prendre forme, sans être exécuté jusqu'au bout. — (Concret : phénomènes naturels). *Les tissus, les organes qui s'ébauchent au cours de la vie embryonnaire.* — (Actes). *Un sourire s'ébauchait sur son visage.* — (Phénomènes psychiques). *Des réactions, des sentiments qui s'ébauchent. Des images s'ébauchaient puis disparaissaient dans son esprit. — Une intrigue s'ébauchait entre eux.* — (Phénomènes sociaux). *Une évolution s'ébauche. Le conflit qui s'ébauchait dans le parti. Les combinaisons louches qui s'ébauchent.*

♦ **4** Commencer à se voir, à pouvoir être perçu. *La chaîne des Alpes s'ébauchait dans le lointain, dans la brume.*

◆ **ÉBAUCHÉ, ÉE** p. p. adj.

♦ **1** Auquel on a donné une première façon. *Poutre ébauchée. Bloc à peine ébauché,* encore informe.

9   (...) tirer une Diane ou une Minerve hors d'un bloc de marbre qui n'est point encore ébauché.
DESCARTES, Disc. de la méthode, II.

♦ **2** (En parlant d'un ouvrage). Auquel on a donné une première forme. *Ouvrage confusément ébauché, à peine ébauché. Ce tableau n'est qu'ébauché.*
→ **Inachevé.**

(En parlant des productions de l'esprit). Conçu, préparé dans les grandes lignes initiales. *Plan d'action ébauché.*

10 Les hommes d'action s'étourdissent par le mouvement, pour ne pas se fatiguer à achever des idées ébauchées dans leur tête.
A. DE VIGNY, Journal d'un poète, p. 90.

11 Peu à peu une idée, à peine ébauchée, apparaît dans la tête, tandis que les mots se resserrent et qu'il se marque de l'un à l'autre à la fois une tension et une montée de la voix.
J. ROMAINS, les Hommes de bonne volonté, t. IV,
XXIII, p. 254.

♦ **3** (Aux sens 3 et 4 de *s'ébaucher*). *Formes, réactions, images à peine ébauchées.* — *Relations ébauchées.*

CONTR. Achever, finir, terminer. ◊ **DÉR.** Ébauchage, ébauche, ébaucheur. ◆ **HOM.** V. Ébauche, ébauchon.

ÉBAUCHEUR, EUSE [eboʃœʀ, øz] n. — 1795 ; de *ébaucher.*

Technique.

♦ **1** Personne chargée d'ébaucher (1.), de dégrossir. *Ébaucheur de pierres, de verres.* — En appos. *Ouvriers ébaucheurs.*

Par ce système adroitement combiné, Genève achetoit, avec le prix d'une journée du plus médiocre de ses finisseurs, le travail de plus de six journées des ébaucheurs. Puis avec le prix de la même journée de finisseurs, elle se pourvoyait du produit de plusieurs journées d'ouvriers (...)
Journal des arts et manufactures, nº 2,
floréal an III, 1795, p. 134.

♦ **2** N. m. Marteau servant à dégrossir les pièces métallurgiques, après leur passage au four à réchauffer.

ÉBAUCHOIR [eboʃwaʀ] n. m. — 1676, *esbauchoir* ; de *ébaucher.*

Techn. Outil (de sculpteur et de divers artisans) servant à ébaucher.

Jamais un art majeur de l'Orient n'avait tenté d'imiter une figure humaine, même lorsqu'il représentait Goudéa, même lorsque le sculpteur Thoutmosis moulait les masques des vivants. Le plus célèbre réalisme de l'Orient est celui de Tell el-Amarna, mais les premiers coups d'ébauchoir qui transforment en plans sculpturaux ceux de la bouche et des yeux d'Akhnaton esquissent l'opération qui fera de son masque le visage de ses colosses.
MALRAUX, la Métamorphose des dieux, p. 47-48.

Outil de charpentier servant à ébaucher les mortaises.

ÉBAUCHON [eboʃɔ̃] n. m. — 1932 ; de *ébauche,* et suff. *-on.*

Techn. Petit bloc de racine de bruyère dégrossi, destiné à la fabrication des pipes.

HOM. Forme du v. **ébaucher.**

ÉBAUDIR [ebodiʀ] v. tr. — 1080, v. pron., *s'esbaldir* ; v. tr. v. 1160 ; de é- et de l'anc. franç. *bald, baud* «joyeux».
→ **Baudet.**

Vx (déjà archaïque dans la langue class.). Mettre en allégresse. → **Amuser, égayer, réjouir ; rire** (faire).

J'ébaudirai Votre Excellence
Par des airs de mon flageolet (...)
VOLTAIRE, Lettres en vers et en prose, 1, *in* LITTRÉ.

◆ **S'ÉBAUDIR** (1080) ou

◆ **S'ESBAUDIR** v. pron.

Vx ou archaïsme littér. (Mauriac, Céline, *in* T.L.F.). S'égayer, se réjouir.

Pour n'avoir pas l'air d'un parent malheureux, je m'ébaudissais à la noce (...)
CHATEAUBRIAND, Itinéraire..., II, 8.

(...) la joie calme où s'ébaudissait mon âme (...)
BAUDELAIRE, le Spleen de Paris, XV, «Le gâteau».

DÉR. Ébaudissement.

ÉBAUDISSEMENT [ebodismɑ̃] n. m. — V. 1200, *esbaudissement* ; de *esbaudir, ébaudir.*

Vx ou archaïsme littér. Le fait de s'ébaudir ; état d'une personne ébaudie, réjouie. → **Plaisir, réjouissance.**

(Le vent) a bientôt fait d'envoyer un chapeau à la rivière, au grand ébaudissement des pages, laquais et galopins.
Th. GAUTIER, le Capitaine Fracasse, t. II, XI, p. 59.

ÉBAVURAGE [ebavyʀaʒ] n. m. — 1933 ; de *ébavurer.*

Techn. Action d'ébavurer ; son résultat.

ÉBAVURER [ebavyʀe] v. tr. — 1904, *in* D.D.L. ; de é-, *bavure,* suff. verbal.

Techn. Débarrasser de ses bavures (une pièce matricée, estampée).

DÉR. Ébavurage.

ÈBE ou **EBBE** [ɛb] n. m. — 1282, *èbe* ; *ebbe,* déb. XIIIᵉ ; p.-ê. empr. à l'anglo-saxon *ebban.*

Régional (Normandie). Marée descendante.

La Manche n'est pas une mer comme une autre. La marée y monte de cinquante pieds dans les malines et de vingt-cinq dans les mortes eaux. Ici, le reflux n'est pas l'èbe, et l'èbe n'est pas le jusant.
HUGO, l'Homme qui rit, t. I, 1869, p. 88.

ÉBÉNACÉ, ÉE [ebenase] adj. — 1846, Bescherelle ; de *ébène,* et *-acé.*

Vx. Qui ressemble à l'ébène, à la couleur de l'ébène. *Un bois exotique ébénacé.*

HOM. Ébénacées.

ÉBÉNACÉES [ebenase] n. f. pl. — 1804; de *ébène*, et *-acées* (→ *-acé*).

Bot. Famille de plantes dicotylédones gamopétales comprenant des arbres ou arbrisseaux des régions tropicales, à bois très dur, dense et généralement noir. → **Ébénier, plaqueminier.**

HOM. Ébénacé.

ÉBÈNE [ebɛn] n. f. — Après 1250, *ebaine;* lat. *ebenus,* grec *ebenos,* d'orig. égyptienne.

♦ **1** (V. 1160). Bois de l'ébénier*, d'un noir foncé, d'un grain uni et d'une grande dureté, utilisé en tabletterie, marqueterie, brosserie, etc. *Bois d'ébène. Ouvrages de tabletterie en ébène. Meubles, armoire, lit d'ébène. Coffret d'ébène.*

1 L'ébène dont le cœur présente une magnifique couleur noire, ou noirâtre caractéristique, est un bois très dense, plus lourd que l'eau, très dur, difficile à travailler, mais à grain très fin et prenant un magnifique poli. Il appartient au genre *Diospyros* et est originaire d'Afrique; les provenances du Gabon sont plus appréciées que celles du Cameroun. Madagascar donne également une belle qualité. L'ébène ne provient pas d'un grand arbre; elle est importée sous forme de petits billons; on l'utilise en brosserie, coutellerie, lutherie, tournerie, marqueterie.
> Jean CAMPREDON, le Bois, p. 109.

Par ext. (Qualifié.) Bois dense et foncé d'autres arbres exotiques. *Ébène verte, jaune* : bois de biguonia leuxycolen. *Fausse ébène* : bois du faux ébénier. *Ébène rouge,* d'un arbre d'Amérique du Sud. *Ébène du Sénégal.* → **Dalbergie.**

♦ **2** Par compar. *Noir comme (de) l'ébène. D'un noir d'ébène.* — (1794). Surtout en parlant des cheveux et du teint. *D'ébène* : d'un noir soutenu. *Cheveux, barbe d'ébène,* très noirs (→ Cou, cit. 5).

2 Les vierges aux seins d'ébène,
Belles comme les beaux soirs,
Riaient de se voir à peine
Dans le cuivre des miroirs (...)
> HUGO, les Orientales, I, 3.

3 Fortes tresses, soyez la houle qui m'enlève!
Tu contiens, mer d'ébène, un éblouissant rêve
De voiles, de rameurs, de flammes et de mâts (...)
> BAUDELAIRE, les Fleurs du mal, «Spleen et idéal»,
> XXIII.

♦ **3** Loc. fig. (1833). Vx ou hist. **BOIS D'ÉBÈNE,** nom donné aux Noirs par les négriers. *Le commerce du bois d'ébène* : la traite des esclaves noirs.

DÉR. Ébénacé, ébénacées, ébénier, ébéniste.

ÉBÉNIER [ebenje] n. m. — 1680; de *ébène*, et suff. *-ier*.

Arbre de la famille des ébénacées, à fleurs jaunes, qui fournit l'ébène. — Par ext. *Ébénier de l'Inde.* → **Plaqueminier** (→ Cru, cit. 6). *Faux ébénier* : cytise.

ÉBÉNISTE [ebenist] n. — 1676; de *ébène*, et *-iste.*

♦ **1** Personne spécialisée dans la fabrication des meubles de luxe (à l'origine, en ébène et autres bois exotiques précieux) ou de caractère plus décoratif qu'utilitaire. *L'ébéniste Boulle. Les grands ébénistes du XVIIIᵉ siècle. Meuble signé par un ébéniste. Une ébéniste. Outils de l'ébéniste* : guimbarde, rabot, racloir... — Appos. *Ouvrier, artisan ébéniste.*
(En valeur d'adj.). Des ébénistes. «*Le milieu ébéniste*» (J. Romains, *in* T. L. F.).

♦ **2** (1885). Commerçant qui vend des meubles de luxe (et qui, en principe, les fabrique). *Ébéniste-décorateur.*

DÉR. Ébénisterie.

ÉBÉNISTERIE [ebenistəri] n. f. — 1732; de *ébéniste.*

Art, métier de l'ébéniste.

♦ **1** Branche de la menuiserie appliquée à la fabrication des meubles de luxe ou décoratifs, exigeant une technique plus soignée que la menuiserie. → **Menuiserie; marqueterie, tabletterie.** *Bois d'ébénisterie* : acajou, alisier, amarante, buis, cerisier, chêne, citronnier, courbaril, ébène, érable, merisier, micocoulier, myrte, noyer, okoumé, orme, palissandre, pitchpin, plaqueminier, poirier, rose (bois de rose), santal (bois de santal), sycomore, thuya, wacapou... *Travaux d'ébénisterie* : déroulage, placage, tranchage; contre-placage. *Ouvrages d'ébénisterie* (→ **Meuble, moulure, parquet).**

J'achète pour quatre-vingts francs un délicieux meuble d'ébénisterie antique, et l'on crie au luxe...
> BALZAC, Lettres à l'Étrangère, t. II, 1850, p. 52,
> in T. L. F.

♦ **2** Par métonymie. ⓐ (1798). Ensemble des meubles fabriqués par les ébénistes. *L'importation d'ébénisterie.*
ⓑ Partie (d'un objet) fait de bois d'ébénisterie. *L'ébénisterie d'un téléviseur.*

ÉBERGEMENT [ebɛʀʒəmã] n. m. — 1864, *in* Littré; de *é-,* 1. *berge* et suff. *-ment.*

Techn. Opération par laquelle on coupe les berges (d'un cours d'eau nettoyé, curé) pour régulariser les talus.

HOM. Hébergement.

ÉBERLUER [ebɛʀlɥe] v. tr. — 1530; repris vers 1830; de *é-, berlue,* et suff. verbal.

♦ **1** (1567). Vx. Donner la berlue* à (qqn). → **Éblouir** (1.).

♦ **2** Étonner fortement.

♦ **ÉBERLUÉ, ÉE** p. p. adj. (1585).

♦ **1** Qui a la berlue.

♦ **2** Fam. Ébahi, stupéfait.

Ma mère, complètement submergée, éberluée, amusée tout de même par tant de piterie, mais effrayée plutôt encore, et n'approuvant pas trop une méthode qui supprimait la contrainte et l'effort (...) tâchait en vain de placer une phrase complète (...)
> GIDE, Si le grain ne meurt, I, v, p. 161.

REM. On relève des variantes régionales, comme *ébervigé* (1883, Daudet, *in* D. D. L.).

ÉBERNER [ebɛʀne] v. → **Ébrener.**

ÉBIONITE [ebjɔnit] adj. et n. m. — 1740, Trévoux, mais très antérieur; de l'hébreu *ebion* «pauvre, misérable», et suff. *-ite.*

Hist. des relig. Membre d'une secte judaïque ou hérétique, qui, en particulier, n'utilisait que l'évangile de Matthieu.

Cependant l'ignorance où étaient tenus les premiers chrétiens avait fait naître des opinions dissidentes qui attaquaient la doctrine, les unes *(ébionites)* en niant la divinité du Christ, les autres *(marcionites)* en niant son humanité.
> Émile BURNOUF, la Science des religions, p. 119.

ÉBISÈLEMENT [ebizɛlmã] n. m. — 1846, Bescherelle; de *ébiseler.*

Techn. Action d'ébiseler.

ÉBISELER [ebizle] v. tr. [CONJUG.: *geler.*] — 1408, *abiselee;* de *é-, bis(eau),* et *-eler.*

Techn. Tailler en biseau*, en chanfrein. *Ébiseler une planche. Ébiseler un trou,* le rendre conique.

DÉR. Ébisèlement.

ÉBLOUIR [ebluiʀ] v. tr. — V. 1165, *esbleuir*, du lat. *exblaudire*, formé avec le francique *blaudi* «faible»; cf. all. *blöde* «faible des yeux».

♦ 1 Troubler (la vue ou une personne dans sa vision) par un éclat insoutenable. → **Aveugler, blesser** (les yeux, la vue). *Le soleil éblouit les yeux, la vue* (→ Colza, cit.). *Ses phares nous éblouissaient.* Absolt. *La blancheur de la neige éblouit* (→ Blanc, cit. 15).

1   Nos sens n'aperçoivent rien d'extrême, trop de bruit nous assourdit, trop de lumière éblouit (...)
            PASCAL, Pensées, II, 72.

2   En face, les murs de la mosquée éblouissaient avec leur réverbération blanche.
            LOTI, les Désenchantées, IV, XXIII, p. 150.

2.1 (...) mais ce qui éblouissait le regard, c'étaient ces icebergs mobiles, semblables à des blocs d'argent en prison, dont l'œil ne pouvait soutenir la réverbération.
            J. VERNE, le Pays des fourrures, t. I, p. 103.

Littér. (Le compl. désignant une chose, un lieu...) :

3   Je vois se dérouler des rivages heureux
     Qu'éblouissent les feux d'un soleil monotone (...)
            BAUDELAIRE, les Fleurs du mal, «Spleen et idéal», XXII.

Par ext. Troubler (qqn) dans ses perceptions.

4   (...) une sorte de vertige l'éblouit.
            FLAUBERT, l'Éducation sentimentale, III, I.

♦ 2 (1552). Frapper d'admiration (la vue ou l'esprit), émerveiller, briller* (cit. 14), éclater, étinceler. *Sa beauté nous éblouissait.*

5   Ce n'est pas sans sujet que je mets votre illustre nom à la tête de cet ouvrage. Et de quel autre nom pourrais-je éblouir les yeux de mes lecteurs, que de celui dont mes spectateurs ont été si heureusement éblouis?
            RACINE, Andromaque, À Madame.

6   Quand on nous mena dans nos chambres, nous fûmes éblouis de la blancheur des rideaux du lit et des fenêtres, de la propreté hollandaise des planchers et du soin parfait de tous les détails.
            Th. GAUTIER, Voyage en Espagne, p. 11.

Vieilli (langue class.). Tromper, surprendre par un éclat trompeur, spécieux. — REM. Dans cet emploi, l'idée d'éclat qui trouble l'emporte encore sur celle de tromperie (→ ci-dessous 3.).

7   Cette nouveauté éblouit les yeux du peuple.
            BOSSUET, Hist., II, 5, in LITTRÉ.

Mod. Frapper vivement, produire un sentiment d'étonnement admiratif. → **Aveugler** (→ cit. 4), **émerveiller, épater** (fam.), **étonner, étourdir, fasciner, hypnotiser, séduire, surprendre, troubler** (→ Donner dans l'œil* de quelqu'un; jeter de la poudre aux yeux*; fam., en mettre plein la vue*). *Éblouir quelqu'un de ses richesses, par ses richesses. Se laisser éblouir par les apparences* (→ Appareil, cit. 6). *Éblouir quelqu'un par sa faconde.* → aussi **Impressionner** (→ Action, cit. 14; captif, cit. 1).

8   Je m'en allais au hasard, ivre de joie, me répétant un mot qui m'éblouissait comme un soleil levant.
            E. FROMENTIN, Dominique, XV.

9   Oui, et nous éblouirons nos compatriotes des récits de nos aventures merveilleuses.   A. JARRY, Ubu roi, V, 4.

10   Le «bon sens» consiste à ne se laisser point éblouir par un sentiment ou une idée, si excellents puissent-ils être, jusqu'à perdre de vue tout le reste.
            GIDE, Journal, 16 oct. 1927.

11   Il y a bien ceux qui, soudain, pour vous éblouir, tentent de s'exprimer avec élégance. Mais quelle gaucherie!
            J. ROMAINS, les Hommes de bonne volonté, t. IV, XIX, p. 212.

Absolt. *Chercher à éblouir.*

12   Mais elle cherchait si peu à éblouir, et son instinct naturel de parure était si exempt de tout orgueil et de toute coquetterie, qu'aussitôt après les saintes cérémonies, elle se hâtait de se dépouiller de ses riches parures et de revêtir la

simple veste de gros drap vert, la robe d'indienne rayée de rouge et de noir (...)   LAMARTINE, Graziella, III, XV.

Rien n'éblouit comme l'étonnement de voir tout réussir.
            HUGO, Quatre-vingt-treize, III, II, V.

♦ 3 (1559). Vieilli. Séduire en trompant. → **Abuser, tromper.** *Éblouir quelqu'un par des promesses trompeuses, des artifices* (→ Avec, cit. 61).

Mais n'espère non plus m'éblouir de parjures.
            CORNEILLE, Cinna, IV, 6.

J'ai de meilleurs yeux qu'on ne pense, et votre galimatias ne m'a point tantôt ébloui.
            MOLIÈRE, George Dandin, II, 2.

Inventez des raisons qui puissent l'éblouir.
            RACINE, Mithridate, II, 6.

Vx (langue class.). Rendre fier, orgueilleux. → **Enorgueillir.** *Son succès l'a ébloui.*

♦ S'ÉBLOUIR v. pron. (Réfl.).

Se laisser aveugler, fasciner. → **Enorgueillir, illusionner** (s'). *Il s'éblouit de son propre succès. S'éblouir de ses titres, de son intelligence.*

Vous vous éblouissiez du titre et de l'emploi (...)
            CORNEILLE, Sertorius, V, 4.

Je ne m'éblouis point de cette illusion (...)
            CORNEILLE, Sertorius, III, 1.

De leur éclat trompeur je ne m'éblouis pas (...)
            MOLIÈRE, Tartuffe, IV, 1.

Il *(Saint-Just)* s'éblouissait parfois lui-même de fausses clartés (...)   JAURÈS, Hist. socialiste... VI, p. 163.

♦ ÉBLOUI, IE p. p. et adj.

♦ 1 Dont la vision est troublée par un éclat insoutenable. *Ébloui par le soleil. Yeux éblouis* (→ Brasier, cit. 2; cligner, cit. 3).

On voyait (...) dans la vaste campagne, briller au soleil les casques, les cuirasses et les boucliers des ennemis; les yeux en étaient éblouis.   FÉNELON, Télémaque, IX.

La lampe s'éteignit. Il restait ébloui, avec des ronds violets qui lui tournaient dans les yeux.
            SARTRE, le Sursis, p. 192.

♦ 2 Fig. *Ébloui par une telle splendeur, un tel prestige. Ébloui de ses richesses...* (→ Brillant, cit. 10; cordon, cit. 6).

Heureux celui qui tombe aussitôt qu'il commence!
Heureux celui qui meurt et qui ferme les yeux
Tout ébloui encor de rêves glorieux!
            A. DE VIGNY, Poésies, «Sur la mort de Byron».

CONTR. Assombrir, obscurcir, ternir. ◊ **DÉR.** Éblouissant, éblouissement.

ÉBLOUISSANT, ANTE [ebluisɑ̃, ɑ̃t] p. prés. et adj.
— 1470, *esblouissant*, in D.D.L.; p. prés. de *éblouir*.

♦ 1 Qui éblouit. → **Aveuglant, brillant, éclatant, étincelant.** *Lumière éblouissante* (→ Artifice, cit. 17). *L'éclat éblouissant des dorures* (→ Contraste, cit. 9). *La blancheur éblouissante de la neige. Diamants éblouissants* (→ Cristallisation, cit. 4).

(...) un torrent de lumière rendue plus éblouissante encore par le contraste du demi-jour de l'intérieur.
            Th. GAUTIER, Voyage en Espagne, p. 239.

Au sortir de cette obscurité, la pleine lumière a mis pour ses yeux une pluie éblouissante; il *(Rembrandt)* l'a sentie comme un flamboiement d'éclair, comme une illumination magique, ou comme une gerbe de dards.
            TAINE, Philosophie de l'art, t. II, p. 76.

Qu'elle est jolie, la ville de neige sous l'éblouissante lumière!   MAUPASSANT, Au soleil, Alger.

♦ 2 (1663). Qui impressionne (par sa beauté). *Teint éblouissant* (→ Dégager, cit. 8). *Une femme éblouissante* (→ Cadencer, cit. 5; coquette, cit. 10). *Une beauté éblouissante.*

(...) que je vous trouve le teint d'une blancheur éblouissante (...)   MOLIÈRE, l'Impromptu de Versailles, 4.

4.1 On comprend bien que le mariage se fit quarante-huit heures plus tard, et Passepartout, superbe, resplendissant, éblouissant, y figura comme témoin de la jeune femme. Ne l'avait-il pas sauvée, et ne lui devait-on pas cet honneur ?
J. VERNE, le Tour du monde en 80 jours, p. 330.

♦ **3** Vx (langue class.). Qui trompe en séduisant.

5 Il y a dans quelques femmes (...) un esprit éblouissant qui impose (...)   LA BRUYÈRE, les Caractères, III, 4.

♦ **4** Mod. D'une beauté merveilleuse, d'une qualité si brillante qu'elle étonne. → **Beau, brillant, étonnant, merveilleux.** *Fête, réception éblouissante* (→ Bal, cit. 9). *Une pensée éblouissante* (→ Attendre, cit. 48). *Rêve éblouissant* (→ Ebène, cit. 3). *Style éblouissant. Une verve éblouissante* (→ Animer, cit. 14).

6 C'est dans ce discours que Mirabeau a donné la plus puissante et la plus éblouissante formule de ce que nous appelons aujourd'hui la grève générale.
JAURÈS, Hist. socialiste..., I, p. 77.

7 (...) parmi les portraits d'un éblouissant coloriste, le plus saisissant est parfois un portrait tout en noir.
PROUST, À la recherche du temps perdu, t. VIII, p. 192.

CONTR. Obscur, sombre, terne.

ÉBLOUISSEMENT [ebluismã] n. m. — V. 1450, au sens 3, *esblouissement; du p. prés. de éblouir.*

♦ **1** (Av. 1549). État de la vue frappée par l'éclat trop brutal de la lumière. *Éblouissement causé par le soleil couchant. Papillotage des yeux produit par un long éblouissement.*

1 (...) c'était d'abord un éblouissement de toits, de cheminées, de rues, de ponts, de places, de flèches, de clochers. Tout vous prenait aux yeux à la fois (...)
HUGO, Notre-Dame de Paris, III, II.

2 Je voulais voir cette terre du soleil et du sable en plein été, sous la pesante chaleur, dans l'éblouissement furieux de la lumière.   MAUPASSANT, Au soleil, p. 12.

♦ **2** (1539). Trouble de la vue provoqué par une cause interne (faiblesse, congestion) ou externe (choc), et généralement accompagné de vertige. → **Berlue, hallucination, syncope, trouble, vertige.** *Être pris d'éblouissements. Avoir des éblouissements. Avoir un éblouissement après un choc, un coup..., en voir trente-six chandelles** (*supra* cit. 4).

3 Il m'a pris tout à coup un éblouissement (...)
MOLIÈRE, l'Avare, I, 4.

4 Ce seul baiser, ce baiser funeste, avant même de le recevoir, m'embrassait le sang à tel point, que ma tête se troublait, un éblouissement m'aveuglait, mes genoux tremblants ne pouvaient me soutenir ; j'étais forcé de m'arrêter, de m'asseoir ; toute ma machine était dans un désordre inconcevable : j'étais prêt à m'évanouir.
ROUSSEAU, les Confessions, IX.

♦ **3** (Mil. XVᵉ). État de l'esprit ébloui ; émerveillement. → **Étonnement, fascination, surprise** (→ Aveugler, cit. 4 ; cécité, cit. 3). *Les Éblouissements,* recueil de poèmes de la comtesse de Noailles (1907).

5 Descartes ne parle pas de l'effroi qui provient d'un éblouissement de notre esprit au sujet d'un objet épouvantable (...)
BERNARDIN DE SAINT-PIERRE, Harmonies..., V.

6 (...) le nouvel éclat de sa beauté me frappait tellement que je croyais la voir pour la première fois, et que ma familiarité ordinaire avec elle se changeait en une sorte de timidité et d'éblouissement.
LAMARTINE, Graziella, III, XV.

7 Mais dès que je fus arrivé à la route, ce fut un éblouissement. Là où je n'avais vu, avec ma grand-mère, au mois d'août, que les feuilles et comme l'emplacement des pommiers, à perte de vue ils étaient en pleine floraison, d'un luxe inouï, les pieds dans la boue et en toilette de bal (...)
PROUST, À la recherche du temps perdu, t. IX, p. 232.

ÉBONITAGE [ebɔnitaʒ] n. m. — 1973, *in* C.I.L.F.; de *ébonite.*

Techn. Recouvrement (d'un matériau, d'un objet) par une couche d'ébonite.

ÉBONITE [ebɔnit] n. f. — 1862 ; angl. *ebonite,* de *ebon, ebony* «ébène».

Matière plastique, dure et noire, obtenue par la vulcanisation du caoutchouc, et utilisée pour ses propriétés isolantes. *Stylo en ébonite.* → **Vulcanite.**
— Je téléphone de New York.
— Je sais (...) Avez-vous fait de beaux voyages ? Comme sa voix est proche ! Elle frôle mon visage. Mais lui, soudain, il est très loin ; contre l'ébonite noire du récepteur, ma main est moite.
S. DE BEAUVOIR, les Mandarins, 1954, p. 309, *in* T.L.F.

DÉR. Ébonitage.

ÉBORGNAGE [ebɔrɲaʒ] n. m. — 1825 ; de *éborgner.*
Arbor. Action d'éborgner (un arbre), résultat de cette action. → **Ébourgeonnage.**

ÉBORGNEMENT [ebɔrɲəmã] n. m. — 1605 ; de *éborgner.*

♦ **1** Rare. Action d'éborgner (qqn) ; son résultat.

♦ **2** Arbor. Éborgnage.

ÉBORGNER [ebɔrɲe] v. tr. — 1564 ; de *é-, borgne,* et suff. verbal.

♦ **1** Rendre (qqn, un animal) borgne* (→ Aveugler, cit. 9).

1 Et comme le cavalier se penchait, il éborgna son valet du bout de son épée.
Aloysius BERTRAND, Gaspard de la nuit, «Le vieux Paris», VI.

Par exagér. Donner un coup sur l'œil de (qqn). *Attention ! vous gesticulez tant que vous allez finir par m'éborgner.*

2 Parbleu ! d'un coup de point il faut que je t'éborgne (...)
HAUTEROCHE, les Apparences trompeuses, III, 5, *in* LITTRÉ.

♦ **2** (1796). Arbor. *Éborgner un arbre fruitier,* le débarrasser des bourgeons, des yeux inutiles. → **Éborgnage.**

♦ **3** (1690). *Éborgner une maison,* lui ôter le jour en élevant une construction devant ses fenêtres, en les condamnant.

◆ **S'ÉBORGNER** v. pron.
(Réfl.). Se crever un œil. *J'ai failli m'éborgner.*
(Récipr.). Se crever un œil l'un à l'autre.

3 Allons, messieurs, êtes-vous fous ?
On n'y voit pas. Ils vont s'éborgner, par saint George !
HUGO, Marion Delorme, II, 3.

Par exagér. Se donner un coup sur l'œil.

◆ **ÉBORGNÉ, ÉE** p. p. adj. (Sens 1). *Un chat éborgné.* — (Sens 2). *Arbre fruitier éborgné.* — (Sens 3). *Maison éborgnée. Fenêtre éborgnée,* aux vitres cassées.

DÉR. Éborgnage, éborgnement.

ÉBOTTER [ebɔte] v. tr. → **Ébouter.**

ÉBOUAGE [ebuaʒ] n. m. — 1871, *in* Littré, *Suppl.* ; de *ébouer.*

Vx. Action d'ébouer ; son résultat. — Spécialt. Enlèvement des ordures ménagères.

ÉBOUER [ebue] v. tr. — 1864; de *é-*, *boue*, et suff. verbal.

◆ **1** Vx. Débarrasser de la boue.

◆ **2** Par ext. Débarrasser (les rues, les routes) des ordures ménagères.

DÉR. **Ébouage, éboueur.**

ÉBOUEUR, EUSE [ebuœʀ, øz] n. — 1858, *éboueur*; *éboueuse*, 1870; 1858, «appareil pour enlever les boues», in *Année sc. et industr.* 3e année, t. II, p. 264; de *éboueur*, et *-eur*.

◆ **1** Vx. Personne qui nettoie la boue.

◆ **2** Spécialt. Personne dont le travail consiste à débarrasser de la boue, des ordures ménagères. *Le passage des éboueurs.* → **Boueur, boueux** (fam.). *La Vie imaginaire de l'éboueur Auguste Geai*, pièce de Armand Gatti.

1　Au lever du rideau l'éboueur, âgé d'une quarantaine d'années, vient d'être blessé au cours d'une manifestation et se débat contre la mort sur un lit d'hôpital.
　　　　　　　S. DE BEAUVOIR, Tout compte fait, p. 214.

2　Caché derrière une station-wagon verte, Radiez regarde passer le camion des éboueurs qui vident les poubelles.
　　　　　　　J.-M. G. LE CLÉZIO, Désert, p. 367.

N. f. Machine servant à ébouer.

ÉBOUILLANTAGE [ebujātaʒ] n. m. — 1876; de *ébouillanter*.

Action d'ébouillanter. → **Ébouillantement.** *Ébouillantage de légumes pour les blanchir.*

(...) les naseaux, les lèvres et la langue tirée, blanchis et gonflés par l'ébouillantage (...)
　　　　　　　Pierre GASCAR, les Bêtes, p. 58.

ÉBOUILLANTEMENT [ebujātmā] n. m. — 1912; du rad. de *ébouillanter*.

Action d'ébouillanter. → **Ébouillantage.**

À l'annonce du régime compliqué de pesées, de dosages, d'ébouillantement des tétines, Pierre se trouvait en même temps inquiet et heureux : pourrait-on faire proprement tout cela ?
　　　　　　　Jean PRÉVOST, les Frères Bouquinquant, p. 49-50.

ÉBOUILLANTER [ebujāte] v. tr. — 1836; de *é-*, *bouillant*, et suff. verbal.

◆ **1** (1838). Tremper dans l'eau bouillante. *Ébouillanter les cocons de vers à soie. Ébouillanter le blé de semence.* — Spécialt (cuis.). Tremper dans l'eau bouillante (pour modifier la consistance, pour éplucher, etc.).

◆ **2** Arroser d'eau bouillante; laver à l'eau bouillante. → **Échauder.** *Ébouillanter une théière. Ébouillanter des légumes.* → **Blanchir.**
Ébouillanter qqn, le brûler avec de l'eau bouillante.
Régional (Canada). *Ébouillanter du thé*, l'infuser.

◆ **S'ÉBOUILLANTER** v. pron.
Se brûler avec de l'eau bouillante.

◆ **ÉBOUILLANTÉ, ÉE** p. p. adj.
Plongé dans l'eau bouillante. — Brûlé par de l'eau bouillante.

On crut Gervaise ébouillantée. Mais elle n'avait que le pied gauche brûlé légèrement.
　　　　　　　ZOLA, l'Assommoir, p. 397, *in* T. L. F.

DÉR. **Ébouillantage, ébouillantement.**

ÉBOUILLIR [ebujiʀ] v. intr. — V. 1393; *esbuillissant*, p. prés., 1119; de *é-*, et *bouillir*.

Vx. Diminuer de volume par ébullition. → **Réduire.**

La meunière coiffa le brasier d'une large marmite (...) Tandis que les patates de mon souper ébouillaient sous sa garde, je m'amusai à lire à la lueur du feu, en baissant la tête, un journal anglais tombé à terre entre mes jambes (...)
　　　　　　　CHATEAUBRIAND, Mémoires d'outre-tombe, t. I, 1848, p. 340, *in* T. L. F.

Trans. *Ébouillir une sauce.*

ÉBOULEMENT [ebulmā] n. m. — 1547; de *ébouler*.

◆ **1** Le fait de s'ébouler; chute de terres, de rochers, de matériaux, de constructions qui s'éboulent. → **Affaissement, chute, dégringolade** (fam.), **éboulis** (1.), **écroulement, effondrement.** *L'éboulement d'une muraille, d'une construction. L'éboulement d'une butte, d'un tertre. L'éboulement des parois d'une galerie, d'une galerie de mine. Prévenir l'éboulement des terres au moyen d'un clayonnage*. — Exploitation par éboulement d'une veine friable.* — (Sans compl. : *un, des éboulements*). *Les tremblements de terre, les torrents provoquent des éboulements en montagne.* → **Avalanche.** *Être écrasé par un éboulement. Lent éboulement de terrain.* → **Glissement.** *Éboulement d'une falaise attaquée par la mer. Caverne* (cit. 3) *formée par des éboulements.*

(...) Étienne achevait le havage d'un bloc, lorsqu'un lointain grondement de tonnerre ébranla toute la mine. — Qu'est-ce donc? cria-t-il (...) Il avait cru que la galerie s'effondrait derrière son dos (...) Maheu se laissait glisser sur la pente de la taille, en disant : — C'est un éboulement... Vite! vite!
　　　　　　　ZOLA, Germinal, t. I, p. 209.

Des appels, le bruit d'une pièce de bois ou d'une chaîne de fer tombant sur le pavé, l'éboulement sourd d'une charretée de légumes (...)
　　　　　　　ZOLA, le Ventre de Paris, t. I, p. 13-14.

Fig. → **Avalanche, débordement.**

C'est une joie encore étonnée, une stupeur, pour ainsi dire, de cet éboulement de bonheur.
　　　　　　　Éd. et J. DE GONCOURT, Journal, p. 113.

◆ **2** Par métonymie. Amas de terres ou de matériaux éboulés. → **Éboulis.** *Un éboulement bouchait le passage. Éboulements de phonolithes* (→ Courir, cit. 3). *De ce monument, il ne reste que quelques éboulements.* → **Ruine.**

(...) il examina toutes les rives pour voir s'il n'y trouverait pas quelque marque de pied, ou quelque petit éboulement de terre qui n'eût point coutume d'y être.
　　　　　　　G. SAND, la Petite Fadette, VIII, p. 54.

ÉBOULER [ebule] v. tr. et intr. — 1283, *esboueler*; *esboêler* «éventrer», v. 1130; de *es-*, anc. franç. *boel*, *boiel* (→ Boyau), et suff. verbal.

◆ **1** V. tr. (1283). Rare. Faire tomber (une construction, une masse de terre...) par désagrégation, affaissement. *Ébouler un mur. — Les vagues finiront par ébouler la falaise.*

(...) le blaireau se défend en reculant, éboule de la terre, afin d'arrêter ou de d'enterrer les chiens.
　　　　　　　BUFFON, Hist. nat. des animaux, Blaireau, Œ. compl., t. II, p. 586.

◆ **2** V. intr. (1653). Tomber par morceaux, en s'affaissant. → **Crouler, tomber.** *Faire ébouler un mur, un tas de sable. Ces terres, ce tas de sable sont près d'ébouler* (Académie).

— Regarde, il y a une gerçure. J'ai peur que ça n'éboule. Ah! ouiche! ébouler! Et puis, ce ne serait pas la première fois, on s'en tirerait de même.
　　　　　　　ZOLA, Germinal, t. I, p. 43.

◆ **S'ÉBOULER** v. pron. (1559). Même sens que l'intrans. → **Affaisser** (s'), **crouler, dégringoler** (fam.), **écrouler** (s'), **effondrer** (s'). *Le sable s'éboule sous les pieds.* → **Rouler.** *Des reliefs peuvent s'ébouler subitement, recouvrant des vallées de leurs débris. Sable, terrain qui s'éboule facilement.* → **Boulant.** *Cette muraille commence à s'ébouler. Cette pile de bois va s'ébouler* (Académie).

2.1 (...) j'étais déjà presque sur la crête, lorsque tout s'éboulant par mon poids, je retombai dans le fossé sous les débris que j'avais entraînés. SADE, *Justine...*, t. I, p. 218.

3 Je montai seul ; je gravis péniblement le dernier cône en enfonçant mes pieds et mes mains dans une cendre épaisse et brûlante qui s'éboulait sous le poids de l'homme. LAMARTINE, *Graziella*, IV, x, p. 119.

4 (...) Puerto Lapiche consiste en quelques masures plus qu'à demi ruinées, accroupies et juchées sur le penchant d'un coteau lézardé, éraillé, friable à force de sécheresse, et qui s'éboule en déchirures bizarres. C'est le comble de l'aridité et de la désolation. Th. GAUTIER, *Voyage en Espagne*, p. 137.

5 Les pyramides de fruits s'éboulaient sur les gâteaux de miel, (...) FLAUBERT, *Salammbô*, Pl., t. I, p. 745.

Littér. et rare. (Personnes). S'effondrer (Huysmans, *in* T. L. F.).

Fig. S'effondrer. *« Et voilà tout à coup que cette illusion s'éboule »* (Saint-Exupéry, *Pilote de guerre*, *in* T. L. F.).

CONTR. **Consolider, raffermir, redresser.** ◊ DÉR. **Éboulement, ébouleux, éboulis.**

ÉBOULEUX, EUSE [ebulø, øz] adj. — 1795 ; de *ébouler.*

Techn. ou régional. Qui s'éboule facilement. *Terrains, sables ébouleux.* → **Friable.**

ÉBOULIS [ebuli] n. m. — 1680 ; de *ébouler*, suff. *-is.*

♦ **1** Chute de pierres qui s'éboulent. → **Éboulement.** *Un éboulis risque de se produire. Au début, à la fin de l'éboulis. Danger d'éboulis.*

♦ **2** Amas constitué de matériaux éboulés. *Éboulis de roches, de sables, de terres.* → **Éboulement.**

Et il regarda la route qui se dessinait à peu près correctement à travers les éboulis de roches et les tristes matériaux empilés en vrac. P. MAC ORLAN, *la Bandera*, XI, p. 131.

Géogr. Débris rocheux formant un talus à forte pente. *Pied, cône d'éboulis. Éboulis calcaire.*

ÉBOUQUETER [ebukte] v. tr. — 1856, *in* La Châtre ; de *é-*, *bouquet*, et *-er.*

Arbor. Couper les bourgeons à feuilles pour conserver toute la sève aux bourgeons à fruits.

ÉBOURGEONNAGE [eburʒɔnaʒ] ou **ÉBOURGEONNEMENT** [eburʒɔnmã] n. m. — 1611, *ébourgeonnage ; ébourgeonnement*, 1551 ; de *ébourgeonner.*

Agric. Suppression des bourgeons superflus d'un arbre (→ **Éborgnage**), d'un pied de vigne (→ **Épamprage**), pour ne conserver que ceux d'où naîtront les rameaux nécessaires au développement normal de la plante.

ÉBOURGEONNER [eburʒɔne] v. tr. — 1486, *esbourjonner* ; de *é-*, *bourgeon*, et suff. verbal.

Agric. Débarrasser (un arbre fruitier, la vigne...) des bourgeons superflus. → **Éborgner, ébouqueter.** *Ébourgeonner la vigne.* → **Épamprer.** *Ébourgeonner des arbres fruitiers.* — Absolt. *On ébourgeonne au printemps.*

DÉR. **Ébourgeonnage, ébourgeonnoir.**

ÉBOURGEONNOIR [eburʒɔnwar] n. m. — XVIᵉ ; de *ébourgeonner*, et *-oir.*

Techn. (agric.). Serpette à long manche servant à ébourgeonner.

ÉBOURIFFAGE [eburifaʒ] n. m. — XIXᵉ, Goncourt ; de *ébouriffer.*

♦ **1** Action d'ébouriffer ; état de ce qui est ébouriffé. → **Ébouriffure.**

Par analogie :

Et le velours du veston (...) avait çà et là quelque chose de hérissé, de déchiqueté et de velu qui faisait penser à l'ébouriffage des œillets dans les vase. PROUST, *À l'ombre des jeunes filles en fleurs*, Pl., t. I, p. 849.

REM. On trouve (Barbey d'Aurevilly, *in* D. D. L.) le n. f. *ébouriffade* (sic) « masse de cheveux ébouriffés », et la variante synonyme *ébouriffement*, n. m. (Goncourt, J. Romains, *in* T. L. F.).

♦ **2** Techn. Fibres mal fixées qui apparaissent hors de la couche d'usage d'un revêtement de sol (moquette, etc.).

ÉBOURIFFANT, ANTE [eburifã, ãt] adj. — 1837 ; p. prés. de *ébouriffer.*

Fam. Qui paraît extraordinaire au point de choquer. → **Ébouriffer** (2.) ; **étonnant, étrange, extraordinaire.** *Un succès ébouriffant. Histoire ébouriffante.* → **Incroyable, invraisemblable.**

Les professionnels du sport ont acclimaté, chez nous, un jargon ébouriffant, presque intraduisible, farci de mots étrangers, employés hors de propos (...) G. DUHAMEL, *Scènes de la vie future*, XII, p. 188.

ÉBOURIFFÉ, ÉE [eburife] adj. — 1671, Mᵐᵉ de Sévigné ; probablt à rattacher, comme le provençal *esbourifa* « aux cheveux retroussés comme de la bourre », au bas lat. *burra* (→ 1. Bourre).

♦ **1** Dont les cheveux sont relevés et en désordre. → **Dépeigné, échevelé, hirsute.** *Cet enfant est tout ébouriffé. « Pierre l'Ébouriffé ». Tête ébouriffée. Chevelure, perruque, tignasse ébouriffée. Cheveux* (cit. 22) *ébouriffés.* — *Pelage ébouriffé.*

(...) ce qu'il (M. de Grignan) aurait pu retrancher, c'est sa barbe de capucin ; il est vrai qu'elle ne lui fait point de tort, puisqu'à Livry, avec sa *touffe ébouriffée*, vous ne pensiez pas qu'Adonis fût plus beau (...) Mᵐᵉ DE SÉVIGNÉ, 196, 23 août 1671. 1

C'était l'heure du premier déjeuner. Des bols de café au lait encombraient un guéridon auprès du feu. Des savates traînaient sur le tapis, des vêtements sur les fauteuils. Arnoux, en caleçon et en veste de tricot, avait les yeux rouges et la chevelure ébouriffée (...) FLAUBERT, *l'Éducation sentimentale*, II, III. 2

Par anal. *Arbre, panache ébouriffé.* → **Hérissé** (→ Bouquet, cit. 6).

Par métaphore. → **Bizarre, complexe, compliqué.**

J'ai rencontré l'oasis que nous avons si souvent rêvée d'après quelques romans : une nature luxuriante et parée, des accidents sans confusion, quelque chose de sauvage et d'ébouriffé, de secret, de pas commun. BALZAC, *les Paysans*, Pl., t. VIII, p. 14. 3

♦ **2** Fig. et fam. (Personnes). → **Ahuri, étonné, stupéfait, surpris.**

(...) j'en ai fait un *(commentaire)* sur cette pièce qui est extrêmement profond et merveilleux. Mᵉ Joli de Fleury pourrait en être tout ébouriffé. VOLTAIRE, *Lettre à d'Argental*, 7 août 1762. 4

DÉR. **Ébouriffer.**

ÉBOURIFFEMENT [eburifmã] n. m. → **Ébouriffage.**

ÉBOURIFFER [ebuʀife] v. tr. — Mil. XVIIIᵉ; de *ébouriffé*.

◆ **1** (1842). Mettre en désordre, relever (en désordre), hérisser (les cheveux). → **Écheveler, embrouiller, hérisser.** *Le vent a ébouriffé ses cheveux.* — Mettre en désordre les cheveux de (qqn). *Le vent l'a ébouriffé.*

(Sujet n. de personne). *Ébouriffer les cheveux de qqn, ébouriffer qqn* (en jouant, par plaisanterie, au cours de la coiffure, etc.). — Par analogie :

1 (...) le peintre ébouriffera le balai comme l'est un homme en colère, il en hérissera les brins comme si c'étaient vos cheveux frémissants. BALZAC, in P. LAROUSSE.

Par anal. *Ébouriffer les plumes, les poils d'un animal.*

◆ **2** (Av. 1778). **Fig. et fam.** Surprendre au point de choquer. → **Ahurir, étonner, surprendre.** *Cette nouvelle l'a ébouriffé* (→ **Ébouriffant**).

2 Je ne suis pas malade, c'est le prix du bonnet qui m'ébouriffe. ROUSSEAU, in P. LAROUSSE.

◆ **S'ÉBOURIFFER** v. pron.

◆ **1** (Passif). En parlant des cheveux. Être ébouriffé.

3 Il enfonçait le cou dans les épaules ; sur son front bas, ses cheveux, collés de sueur, s'ébouriffaient.
MARTIN DU GARD, les Thibault, t. VII, p. 55.

◆ **2** (Réfl.). Ébouriffer ses cheveux.

(1852). **Fig. et vieilli.** Être surpris, choqué.

4 Le capitaine est un farceur. Un homme comme lui ne s'ébouriffe pas de deux ou trois mots grossiers que j'aurais pu dire. FLAUBERT, Correspondance, 1ᵉʳ sept. 1852.

◆ **ÉBOURIFFÉ, ÉE** p. p. → **Ébouriffé.**

CONTR. Peigner ; coiffer. ◊ **DÉR. Ébouriffage, ébouriffant, ébouriffoir, ébouriffure.**

ÉBOURIFFOIR [ebuʀifwaʀ] n. m. — 1901, *Nouveau Larousse illustré* ; de *ébouriffer*.
Techn. Pinceau à long poil dont se servent les peintres en bâtiment.

ÉBOURIFFURE [ebuʀifyʀ] n. f. — 1863, Sainte-Beuve, au fig. ; au sens propre, 1869 (→ cit.) ; de *ébouriffer*.
Rare. État d'une chevelure ébouriffée.

Sa mine pâle, un peu bouffie et à nez retroussé, semblait plus insolente encore par l'ébouriffure de sa perruque où tenait un chapeau d'homme.
FLAUBERT, l'Éducation sentimentale, I, p. 203, *in* BRUNOT.

ÉBOURRAGE [ebuʀaʒ] n. m. — 1790 ; de *ébourrer*.
Techn. Action d'ébourrer. → **Débourrage.**

ÉBOURRER [ebuʀe] v. tr. — XIIIᵉ ; de *é-, bourre,* et suff. verbal.
Techn. Dépouiller de sa bourre (une peau). → **Débourrer** (I., 1.).

DÉR. Ébourrage, ébourreuse, ébourroir.

ÉBOURREUSE [ebuʀøz] n. f. — 1901 ; de *ébourrer*.
Techn. Machine à ébourrer les peaux. — **REM.** La forme masculine *ébourreur* [ebuʀœʀ] se rencontre dans le terme techn. *batteur ébourreur* (1930, *in* T. L. F.).

ÉBOURROIR [ebuʀwaʀ] n. m. — 1900 ; de *ébourrer*.
Techn. Outil de cordonnier*, employé pour dresser et lisser les coutures des chaussures.

ÉBOUSINER [ebuzine] v. tr. — 1694, Thomas Corneille ; de *é-, bousin,* et suff. verbal.
Techn. Enlever la croûte terreuse et friable qui recouvre les pierres de taille. → **1. Bousin.**

ÉBOUTER [ebute] ou **ÉBOTTER** [ebɔte] v. tr. — 1862 ; *esbouté,* p. p., 1529 ; de *é-, bout,* et suff. verbal.
Vieilli ou régional. Raccourcir (qqch.) en coupant le bout. *Ébouter une canne, un bâton.* — **Techn.** Dans la fabrication de la dentelle à l'aiguille, Couper les bouts de fils restants, après avoir séparé le parchemin servant de patron et la dentelle. — **Hortic.** Couper l'extrémité des bourgeons de (une plante).

DÉR. Ébouteuse.

ÉBOUTEUSE [ebutøz] n. f. — 1864 ; de *ébouter*.
Technique.
◆ **1** (1864). Dentellière qui éboute.
◆ **2** (1961). Machine qui coupe les bouts des pièces de bois. — **Spécialt.** Machine qui coupe les bouts des haricots verts.

ÉBOUTURER [ebutyʀe] v. tr. — 1796 ; de *é-, bouture,* et suff. verbal.
Techn. (arbor.). Dégarnir (un arbre, une plante) de boutons, boutures, drageons, pour les replanter ailleurs.

ÉBRAISER [ebreze ; ebʀeze] v. tr. — XVIIIᵉ ; de *é, braise,* et suff. verbal.
Techn. Débarrasser (un four) de la braise.

DÉR. Ébraisoir.

ÉBRAISOIR [ebʀezwaʀ] n. m. — 1755 ; de *ébraiser*.
Techn. Pelle à ébraiser.

ÉBRANCHAGE [ebʀɑ̃ʃaʒ] ou **ÉBRANCHEMENT** [ebʀɑ̃ʃmɑ̃] n. m. — 1700, *ébranchage* ; *ébranchement*, XVIᵉ ; de *ébrancher,* et *-age, -ment*.
Action d'ébrancher (un arbre). → **Élagage, émondage.** *L'ébranchage délictueux est puni des mêmes peines que l'abattage.* — **Spécialt.** Opération qui consiste à débarrasser un arbre de ses branches basses, afin de le faire croître en hauteur.

ÉBRANCHER [ebʀɑ̃ʃe] v. tr. — 1197 ; de *é-, branche,* et *-er*.
Arbor. Dépouiller (un arbre) de tout ou partie de ses branches. → **Élaguer, émonder, tailler** (→ Arbre, cit. 11 et 39).

Ulysse abattit vingt arbres en tout, les ébrancha avec sa hache, les polit et les dressa.
FÉNELON, t. XXI, p. 338, *in* LITTRÉ.

(...) un joli ruisseau coulant entre deux rangs de vieux saules qu'on avait souvent ébranchés.
ROUSSEAU, Julie ou la Nouvelle Héloïse, IV, Lettre XI.

Par métaphore :
N'allons pas mutiler notre civilisation déjà malade, en prétendant l'ébrancher de quelques-uns de ses rameaux les plus vivaces.
R. ROLLAND, Jean-Christophe, Dans la maison, II, p. 1007.

◆ **ÉBRANCHÉ, ÉE** p. p. adj. «*Un arbre est ébranché quand il est dépouillé de ses branches par accident ou par la main du jardinier*» (Trévoux).
L'arbre ébranché, tout nu, montre le poing.
J. RENARD, Journal, 26 mai 1906.

(...) les vieux saules ébranchés miraient dans l'eau leur écorce grise (...) FLAUBERT, Mᵐᵉ Bovary, II, III.

Lui-même *(l'arbre)* étêté et ébranché jusqu'au tronc, il ressemblait à un immense cercueil.
J. ROMAINS, les Hommes de bonne volonté, t. V, XXIII, p. 205.

(...) ils trouvèrent au bord du chemin quatre piquets ébranchés plantés en rectangle sur un emplacement où l'on avait dû entasser du petit bois de coupe.
J. GIONO, le Hussard sur le toit, p. 277.

DÉR. Ébranchage, ébrancheur, ébranchoir.

ÉBRANCHEUR [ebʀɑ̃ʃœʀ] n. m. — 1669; de ébrancher.

Techn. Personne qui ébranche (des arbres). → **Élagueur.** — REM. Le fém. ébrancheuse est virtuel.

ÉBRANCHOIR [ebʀɑ̃ʃwaʀ] n. m. — 1823, Boiste; de ébrancher.

Agric. Serpette à long manche, servant à ébrancher les arbres.

ÉBRANLABLE [ebʀɑ̃labl] adj. — 1555; de ébranler.

Rare. Qui peut être ébranlé. Une fermeté ébranlable.

CONTR. (Plus cour.) **Inébranlable.**

ÉBRANLEMENT [ebʀɑ̃lmɑ̃] n. m. — 1503; de ébranler.

Action d'ébranler, de s'ébranler; son résultat.

♦ **1** Oscillation ou vibration produite par un choc ou une secousse. → **Choc, commotion, secousse.** L'ébranlement des vitres sous l'effet d'une explosion. Ébranlement du sol par un mouvement sismique. → **Tremblement.**

1   Les sons excitent des ébranlements sensibles au tact (...)
                   ROUSSEAU, Émile, II.

1.1   J'entendais déjà l'ébranlement que cause à ma maison tous les soirs, à minuit, un locataire auquel la concierge ne tient pas à ouvrir et qui secoue, comme Samson, mais en criant, le double portail.
             GIRAUDOUX, Siegfried et le Limousin, p. 51.

♦ **2** Abstrait. État de ce qui est chancelant; menace de ruine*. → **Balancer, branler, brimbaler.** L'ébranlement de sa fortune. L'ébranlement d'un empire. → **Crise.** L'ébranlement d'un régime sous les attaques de l'opposition. — L'ébranlement de la santé de qqn.

2   La garde impériale sentit dans l'ombre l'armée lâchant pied autour d'elle, et le vaste ébranlement de la déroute, elle entendit le sauve-qui-peut!
               HUGO, les Misérables, II, I, XII.

♦ **3** Choc nerveux qui a des répercussions sur l'équilibre de qqn. → **Agitation, bouleversement, choc** (cit. 14), **émoi, émotion, secousse, trouble.** Ébranlement nerveux. La mort de son père fut pour elle un terrible ébranlement. Ébranlement du cœur, de l'intelligence.

3   Un ébranlement dans les intelligences prépare un bouleversement dans les faits (...)
            HUGO, William Shakespeare, II, I.

4   (...) ce sens (l'odorat) qui, plus directement en rapport que les autres avec le système cérébral, doit causer par des altérations d'invisibles ébranlements aux organes de la pensée.
         BALZAC, Études philosophiques, Pl., t. X, p. 371.

CONTR. (Du sens 1) **Arrêt, fixation, maintien; immobilité.** — (Du sens 2) **Fermeté, solidité; affermissement, raffermissement. Calme, constance, froideur,** etc.

ÉBRANLER [ebʀɑ̃le] v. tr. — 1428; de é-, et branler «secouer».

♦ **1** Rare. (Sujet n. de personne ou de chose). Imprimer un mouvement d'oscillation à (qqch.), mettre en branle*. → **Balancer, branler, brimbaler.** Ébranler une cloche. Ébranler le balancier d'une horloge.

Cour. (Sujet n. de chose). Faire trembler, osciller, vibrer par des chocs, des secousses. → **Agiter, secouer.** → Battement, cit. 1. Son qui ébranle l'air. Détonation qui ébranle les vitres. Le passage d'un lourd camion ébranla la rue, le sol. Un gros rire l'ébranla tout entier (→ Bouche, cit. 7).

1   J'aimais la tour, verte de lierre,
     Qu'ébranle la cloche du soir (...)
           HUGO, Odes et Ballades, II, III, 1.

Les rues étaient désertes. Quelquefois une charrette lourde 2
passait, en ébranlant les pavés.
         FLAUBERT, l'Éducation sentimentale, I, IV.

Un tambourinement lointain ébranlait le sol. 3
        MARTIN DU GARD, les Thibault, t. IX, p. 133.

Son mari mangeait machinalement. Quelquefois il était 4
secoué par un hoquet sombre qui l'ébranlait comme une
montagne de neige.
        COCTEAU, le Grand Écart, p. 33.

♦ **2** Communiquer un mouvement à (qqch.); faire bouger. → **Mouvoir, remuer.** Il n'aura pas la force d'ébranler ce meuble, cette caisse (→ **Soulever**).

Sur l'ais qui le soutient auprès d'un Avicenne, 5
Deux des plus forts mortels l'ébranleraient à peine.
        BOILEAU, le Lutrin, V.

♦ **3** Compromettre l'équilibre, la solidité de (une construction), à la suite d'un ébranlement. → **Chanceler, craquer, crouler** (faire), **démolir, ruiner.** La tempête a ébranlé cet arbre. Une bombe a ébranlé cet immeuble, mais il ne s'est pas écroulé. Ébranler les fondements, les colonnes du temple.

Et (Samson) ayant fortement ébranlé les colonnes, la 6
maison tomba sur tous les princes et sur tout le reste du
peuple qui était là (...)
      BIBLE (SACY), Juges, XVI, 30.

Son épouvante était, en nourrissant de tels élèves, de pré- 7
parer à la vérité des ennemis redoutables. Il savait que
c'est dans le temple que furent forgés les marteaux qui
ébranlèrent le temple.
     FRANCE, l'Orme du mail, Œ., t. XI, II, p. 16.

Par anal. Une contre-attaque ébranla l'avant-garde ennemie.

Abstrait. Mettre en danger de crise ou de ruine en portant un coup efficace. → **Attaquer, atteindre, saper.** Ébranler le trône, le régime, l'État. Ébranler le pouvoir de quelqu'un. Les scandales ébranlèrent la confiance publique, le crédit public. Cela ébranle son autorité (→ Mettre en question*). Cette querelle n'ébranla pas leur amitié.

L'art de fronder, bouleverser les États, est d'ébranler les 8
coutumes établies, en sondant jusque dans leur source,
pour marquer leur défaut d'autorité et de justice.
       PASCAL, Pensées, V, 294.

(...) les séditions, l'ignorance et l'indiscipline, tous les 9
genres de corruption qui dégradent un peuple, ébranlaient
depuis un siècle l'empire ottoman (...)
    G.-T. RAYNAL, Hist. philosophique, V, 23, in LITTRÉ.

Ce ne sont pas les philosophes, eux qui ne font que des 10
systèmes, qui ébranlent les empires (...)
      DANTON, in JAURÈS, Hist. socialiste..., IV, p. 15.

Depuis qu'il était à Paris, il avait pu constater par quels 11
services immenses le général Bonaparte avait mérité une
popularité que rien n'ébranlerait dans les masses (...)
      Louis MADELIN, Hist. du Consulat et de l'Empire,
             Avènement de l'Empire, V, p. 49.

Ébranler la santé, les nerfs de quelqu'un. Cette nouvelle, ce malheur a ébranlé son cerveau, sa raison. L'accident qui a ébranlé sa santé. → **Compromettre.**

♦ **4** Rendre peu ferme, incertain (les opinions, les pensées, les résolutions, le moral de qqn). → **Affaiblir.** Cela a ébranlé ses résolutions. → **Décourager.** Les revers n'ébranleront pas son courage, sa volonté. Aucun raisonnement ne put ébranler sa croyance, sa foi, ses convictions. → **Abattre, détruire, entamer, saper.** Attaque (cit. 5) qui ébranle une conviction.

Rodrigue suit ici son devoir sans rien relâcher de sa pas- 12
sion; Chimène fait la même chose à son tour, sans laisser
ébranler son dessein par la douleur où elle se voit abîmée
par là (...)   CORNEILLE, Examen du Cid.

Rien n'est capable d'ébranler la résolution que j'ai prise. 13
        MOLIÈRE, le Médecin malgré lui, III, 6.

Ses menaces n'ont pu ébranler ma fidélité (...) 14
       A. R. LESAGE, le Diable boiteux, V.

Plus aucune de mes convictions n'est solide suffisamment 15
pour que la moindre objection aussitôt ne l'ébranle (...)
      GIDE, Pages de journal, 26 juin 1940, p. 48.

♦ **5** Littér. (Le compl. désigne le cœur, l'âme, les facultés).
→ **Émouvoir, remuer, toucher** (→ Convaincre, cit. 1).
Ébranler l'imagination de qqn. → **Exciter.**

16 Peuple ingrat? Quoi? toujours les plus grandes merveilles
Sans ébranler ton cœur frapperont tes oreilles?
RACINE, Athalie, I, 1.

17 Sur la scène même, il ne faut pas tout dire à la vue, mais
ébranler l'imagination.
ROUSSEAU, Lettre à d'Alembert.

18 Toujours lui! Lui partout! — Ou brûlante ou glacée,
Son image sans cesse ébranle ma pensée (...)
HUGO, les Orientales, XL, I.

♦ **6** (Compl. n. de personne). Troubler, faire chanceler
(qqn) dans ses convictions (→ **Hésiter** : faire hésiter);
ses sentiments (→ **Agiter, bouleverser, émouvoir,
remuer, secouer, toucher, troubler**). *Aucun argument
ne l'ébranle.* → **Convaincre.** *Cette rencontre l'ébranla
profondément. Rien ne l'ébranle, il est imperturbable, obstiné, convaincu, têtu.*

19 (Dieu) si tu les soutiens, qui peut les ébranler?
RACINE, Athalie, III, 7.

20 Ce contact, à peine sensible pourtant, ébranla Mâtho jusqu'au fond de lui-même. Un soulèvement de tout son être
le précipitait vers elle.
FLAUBERT, Salammbô, XI, p. 220.

21 Mais Fortuné, il est sans excuse et impardonnable. Je te
charge, mon cher ami, de l'ébranler à force d'arguments.
SAINTE-BEUVE, Correspondance, 14 sept. 1822,
t. I, p. 39.

♦ **S'ÉBRANLER** v. pron.

♦ **1** Recevoir un mouvement d'oscillation, être mis
en branle. → **Branler** (vx), **osciller.**

22 (...) les ustensiles de cuivre pendus aux murailles noires
s'ébranlent et donnent des vibrations métalliques (...)
LOTI, Aziyadé, IV, XVIII, p. 199.

23 Les cloches de Saint-Jacques s'ébranlaient pour les vêpres;
leurs vibrations semblaient ne faire qu'un avec la lumière
du soleil.
MARTIN DU GARD, les Thibault, t. I, p. 190.

♦ **2** Cour. Se mettre en mouvement. → **Avancer,
partir; marche** (se mettre en marche). *Voiture qui
s'ébranle.* → **Démarrer.** *Carriole* (cit. 1) *qui s'ébranle.
Cortège, procession qui s'ébranle.* → **Animer** (s').

24 Tout s'émeut, tout s'ébranle, tout brûle de combattre.
DANTON, Disc. du 2 sept. 1792.

25 Il fallut qu'un Italien, le colonel Delfanti, s'élançât le premier; alors les soldats s'ébranlèrent, et la foule suivit (...)
Ph.-P. SÉGUR, Hist. de Napoléon, IX, 13.

26 Pesamment le cortège s'ébranla (...)
MARTIN DU GARD, les Thibault, t. IV, p. 163.

♦ **ÉBRANLÉ, ÉE** p. p. adj.

♦ **1** *Vitres ébranlées par une déflagration, une explosion. Terre ébranlée par le passage d'un tombereau...*

27 Un tonnerre sans fin nous retentissait dans la tête et le sol
ébranlé tremblait sous nos pas.
R. DORGELÈS, les Croix de bois, XV, p. 306.

28 En tendant l'oreille, n'entendions-nous pas ce grondement
homogène, étoffé, que propageait la terre ébranlée?
COLETTE, l'Étoile Vesper, p. 34.

♦ **2** Dont la solidité est compromise; qui menace
ruine. *Cet arbre, ce mur est ébranlé mais tient
encore debout.* — Abstrait. *Régime, pouvoir ébranlé.
Confiance* (cit. 10) *ébranlée. Autorité ébranlée.* → **Fragile, menacé.** — *Sa santé est ébranlée.* → **Compromis;
danger** (en).

29 La tourmente a pu arracher à l'arbre quelques branches;
le tronc n'est pas ébranlé.
R. ROLLAND, Jean-Christophe, Introd., p. XVI.

30 Ainsi la succession par ordre de primogéniture, loi fondamentale et tutélaire du royaume, était ébranlée, presque
renversée.
J. BAINVILLE, Hist. de France, IX, p. 179.

♦ **3** → **Indécis; incertain.** *Résolution, croyance, foi,
conviction ébranlée. Volonté ébranlée.*

♦ **4** Littér. Ému, touché. *Cœur ébranlé. Imagination
ébranlée.*

♦ **5** Dont les convictions chancellent; qui est
troublé. *Il a été profondément ébranlé dans ses
convictions. Contradicteur ébranlé.* → **Convaincu.**

(...) Françoise, convaincue ou du moins ébranlée, avait été 3
forcée d'avouer à ma tante les projets qu'elle-même avait
formés (...)
PROUST, À la recherche du temps perdu, t. XII,
p. 190.

Pour la première fois, depuis le début de la guerre, l'An- 3
gleterre se sentait ébranlée dans sa foi en la victoire finale.
Louis MADELIN, Hist. du Consulat et de l'Empire,
Le Consulat, VI, p. 74.

CONTR. Arrêter, fixer, maintenir. — Affermir, assurer,
cimenter (l'amitié), consolider, étayer, raffermir. — Confirmer (dans une opinion), rassurer. — (Du p. p.) Immobile;
ferme, solide, sûr; constant, imperturbable, inébranlable,
inébranlé; froid, sceptique. ◊ **DÉR.** Ébranlable, ébranlement, ébranleur.

ÉBRANLEUR, EUSE [ebrɑ̃lœr, øz] n. m. et adj.
— Attesté mil. XXᵉ; de *ébranler.*
Rare. Personne qui ébranle (qqch.).

Viens dans le courant du Golfe; je te ferai connaître d'autres êtres que cet ignoble ébranleur de la mer.
Jean CAYROL, Histoire de la mer, p. 123.

ÉBRASEMENT [ebrazmɑ̃] n. m. ou **ÉBRASURE**
[ebrazyr] n. f. — 1694, *ébrasement; embrasement,* 1403;
de *ébraser.*
Technique.

♦ **1** Rare. Action d'ébraser.

♦ **2** Spécialt. Percement (d'une baie) en ligne
biaise; proportion dans laquelle une ouverture
est ébrasée (→ aussi **Embrasure**). *Ébrasement des
parois latérales* (tableau), *du haut et du bas* (cintre
et appui) *d'une fenêtre. Double ébrasement,* vers
l'intérieur et vers l'extérieur.

♦ **3** Plus cour. Forme de ce qui est ébrasé; partie
évasée dans l'épaisseur d'une ouverture. — Syn. :
*ébrasure. Ébrasement d'un portail en ressauts suc-
cessifs* (→ **Voussure**). *Ébrasement d'une cheminée,*
entre la chambranle et le rideau. *Se mettre dans
l'ébrasement d'un portail. Fenêtre à profonds ébra-
sements.*

ÉBRASER [ebraze] v. tr. — 1636; var. de *embraser* (2).
Techn., archit. Percer (une baie) en ligne biaise de
manière à donner plus de jour ou plus de jeu à
des battants. *Ébraser une fenêtre vers l'intérieur.* —
Au p. p. *Portail ébrasé.* → **Biais** (II.).
DÉR. Ébrasement.

ÉBRASURE [ebrazyr] n. f. — 1878; de *ébraser.*
Techn. Partie évasée dans l'épaisseur d'une ouverture. — Syn. : *ébrasement* (3.). *Les ébrasures d'un
portail, d'une baie.*

ÉBRÈCHEMENT [ebrɛʃmɑ̃] n. m. — V. 1623; de *ébrécher.*
Rare. Action d'ébrécher; état de ce qui est ébréché.

ÉBRÉCHER [ebreʃe] v. tr. [CONJUG.: *céder.*] — 1260; de
é-, brèche et suff. verbal.

A ♦ **1** Endommager en faisant des brèches, des
entailles sur le bord (→ **Endommager; écorner,
entamer**). *Ébrécher un couteau, un rasoir, un sabre.
Ébrécher un verre.*

A-t-il donc ébréché le sabre de son père? 1
HUGO, les Orientales, VII. 1.

(Au sens initial de *brèche*). *Portail, montant, pilastre que des voitures ont ébréché.*

(Faux pron.). *S'ébrécher une dent.* → **Casser.**

♦ **2** Endommager (qqch.) en cassant une ou des dents. *Ébrécher une scie.*

B Abstrait. Rendre incomplet, diminuer par des prélèvements anormaux. → **Amoindrir, dégrader, diminuer, écorner, endommager, entamer, mutiler.** *Ébrécher sa fortune par de grandes dépenses. Cette erreur a ébréché sa réputation.*

◆ **S'ÉBRÉCHER** v. pron.

♦ **1** Être ébréché. *Couteau qui s'ébrèche contre un corps dur* (→ Aride, cit. 6).

2 Durandal, à tuer ces coquins s'ébréchant,
Avait jonché de morts la terre, et fait ce champ.
        HUGO, la Légende des siècles, XV, 11.

♦ **2** Fig. Se dégrader. *Sa réputation s'ébrèche.*

◆ **ÉBRÉCHÉ, ÉE** p. p. adj.

♦ **1** Qui présente des brèches sur le bord. *Couteau ébréché, lame ébréchée. Plats, assiettes, verres ébréchés* (→ Couper, cit.). *Un vieux pot à eau, fêlé* et ébréché. Statue ébréchée.* → **Détériorer** (p. p.). *Dents ébréchées, cassées.* → *Glaive, sabre ébréché.*

3 Dieu vous a remis le glaive de sa puissance et celui de sa justice, prenez garde de le lui rendre ébréchés (...)
        CHATEAUBRIAND, les Natchez, II, 212.

4 (...) de ces dents désordonnées, ébréchées çà et là, comme les créneaux d'une forteresse (...)
        HUGO, Notre-Dame de Paris, I, V.

5 Par vous, Naïades ébréchées,
Sur trois cailloux si mal couchées (...)
        A. DE MUSSET, Poésies nouvelles,
        «Sur trois marches...».

6 (...) une petite table graisseuse, sur laquelle traînait un pot à eau ébréché.   ZOLA, l'Assommoir, t. I, p. 2.

Scie ébréchée, qui a perdu une ou plusieurs dents.
Par anal. Qui présente des brèches, des cassures. *Montagne, crête ébréchée.* → **Crénelé** (→ En dents de scie*).

7 (...) l'hôtel du comte d'Étampes, dont le donjon, ruiné à son sommet, s'arrondissait aux yeux, ébréché comme une crête de coq (...)   HUGO, Notre-Dame de Paris, III, II.

♦ **2** Abstrait. Dégradé, diminué. *Fortune ébréchée.* → **Entamé.** *Réputation ébréchée.*

CONTR. Affûter. — Réparer. — (Du p. p.) **Intact.** ◊ **DÉR. Ébrèchement, ébréchure.**

ÉBRÉCHURE [ebreʃyʀ] n. f. — 1873; de *ébrécher.*
Partie ébréchée, petit morceau qui est parti du bord d'un objet. *Les ébréchures d'une assiette.*

1 Mais ce qui étonnait, au milieu de ces choses neuves, c'était, adossé au mur de droite, un grand secrétaire, carré, trapu, qu'on avait fait revernir sans pouvoir réparer les ébréchures du marbre, ni cacher les éraflures de l'acajou noir de vieillesse.
        ZOLA, le Ventre de Paris, t. I, p. 86.

2 Mais à sa manière et autant qu'elle le pouvait, par l'agréable couleur jaunâtre qu'avaient prise son portail et l'ébréchure de sa porte, elle témoignait de la beauté des lois suivant lesquelles le soleil et la pluie changent la couleur de la pierre, suivant lesquelles la pierre usée s'entrouvre.   PROUST, Jean Santeuil, Pl., p. 513.

ÉBRENER [ebʀəne] ou **ÉBERNER** [ebɛʀne] v. tr.
[CONJUG.: *geler.*] — 1280; de *é-, -bren,* et *er-.* → **Bran.**
Vx ou régional. Nettoyer de ses excréments (un enfant). → **Torcher.**

Nos Français sont comme les enfants qui braillent quand on les éberne.
        BEAUMARCHAIS, Préf. au Mariage de Figaro, 1784.

DÉR. Ébreneur.

ÉBRENEUR, EUSE [ebʀənœʀ, øz] n. — ; de *ébrener.*
Vx. Personne chargée du soin d'ébrener.

La Vrillière était tout feu roi, conséquemment tout bâtard (*dévoué au feu roi et à ses bâtards*), lié avec eux par la Maintenon leur ébreneuse (...)
        SAINT-SIMON, Mémoires, 514, 75.

ÉBRIÉTÉ [ebʀijete] n. f. — V. 1330; lat. *ebrietas,* de *ebrius* «ivre».
État d'une personne ivre, ivresse (surtout en style administratif). *Une ébriété complète. Être en état d'ébriété :* être ivre.

1 Ce fléchissement se trouve même correspondre à une phase délicate du travail digestif : celle où les nourritures, ayant achevé de semer le long des muqueuses les éléments de plaisir qu'elles contenaient, et de pousser dans toute la chair une douce ébriété générale, exigent des organes un effort purement industriel, avec des difficultés à résoudre, dont les plus graves et les plus mornes ont été réservées pour la fin.
        J. ROMAINS, les Hommes de bonne volonté, t. III,
        XVII, p. 226.

2 Il s'était présenté chez une élève dans un état d'ébriété complète : à la suite de ce scandale, toutes les maisons lui furent fermées.
        R. ROLLAND, Jean-Christophe, Le Matin, p. 131.

L'ébriété du vin, de l'alcool, causée par le vin, l'alcool.

Par métaphore et littér. Vive exaltation. → **Ivresse** (fig.).

ÉBRIEUX, EUSE [ebʀijø, øz] adj. — 1865; empr. au lat. class. *ebriosus* «ivre», de *ebrius.*
Méd. (Vx). Qui est caractéristique de l'ébriété. *Tremblement ébrieux. Démarche ébrieuse.*

ÉBROUAGE [ebʀuaʒ] ou **ÉBROUISSAGE** [ebʀuisaʒ] n. m. — 1846, Bescherelle; de 1. *ébrouer,* et *-age, -issage.*
Techn. Opération par laquelle on ébroue les laines. *L'ébrouage prépare le mordançage.*

ÉBROUEMENT [ebʀumɑ̃] n. m. — 1611; de *s'ébrouer.*

♦ **1** (1755). Expiration bruyante (du cheval et de certains animaux).

1 Il ne cessa de discourir sur sa promenade à cheval (...) des ébrouements de son cheval dans les terres labourées (...)
        CHATEAUBRIAND, Mémoires d'outre-tombe, XI,
        322, in LITTRÉ.

1.1 Le coupé était tout attelé, et c'était l'ébrouement du cheval qui l'avait fait découvrir.
        ZOLA, Son Excellence Eugène Rougon, t. II, p. 107.

2 Un long moment il (*le cerf*) nagea dans le clair, suivi, poussé par les regards tendus. Les chiens s'étaient remis à japper. Dans l'intervalle de leurs abois on entendait le souffle de la bête, un ébrouement rauque et profond comme en ont les chevaux abattus.
        M. GENEVOIX, Forêt voisine, XII, p. 167.

♦ **2** Par anal. Bruit comparable à un ébrouement.

3 (...) il distinguait vers le chenil le souffle ronflant de son vieux chien Pillon, le choc mou d'un lapin qui se tournait dans sa caisse, l'ébrouement d'ailes d'une poule au perchoir, ou celui d'un faisan dans la volière d'élevage.
        M. GENEVOIX, Raboliot, I, p. 10.

4 Un dernier ébrouement d'ailes s'apaisa dans les arbres chargés d'oiseaux.   F. MAURIAC, Génitrix, V.

Fig. Bruit et mouvement d'animaux, de personnes qui s'ébrouent (2.). *«Puis il y a cinq minutes d'entracte, un ébrouement général de la salle qui se remet, s'étire»* (A. Daudet, *Rois en exil,* 1879, p. 292, in T. L. F.).

1. ÉBROUER [ebʀue] v. tr. — 1390; *esboer,* 1250; probablt empr. au v. néerl. *broeyen* «ébouillanter».
Techn. Passer (les laines) dans l'eau de son, avant la teinture.

DÉR. Ébrouage.

2. **ÉBROUER (S')** [ebʁue] v. pron. — 1690, Furetière; intrans., 1564; probablt dér. du même rad. germanique que *brouet* «écume qui vient à la bouche des chevaux», en normand.

♦ **1** Le sujet désigne un cheval. Souffler bruyamment en secouant la tête (par peur, impatience...). → **Renifler, souffler.**

1   Des chevaux hennissaient et s'ébrouaient.
         P. MAC ORLAN, la Bandera, II, p. 18.

1.1   (...) la colonne était arrêtée si bien que l'on n'entendait plus maintenant que le ruissellement de la pluie tout autour, la nuit toujours aussi noire, déserte, un cheval renâclant parfois, s'ébrouant, puis le bruit de la pluie recouvrant tout de nouveau (...)
         Claude SIMON, la Route des Flandres, p. 38.

♦ **2** Par anal. S'agiter, se secouer pour se nettoyer, se dégager, sortir d'un état d'engourdissement. *Moineaux qui s'ébrouent dans une flaque d'eau.* → **Ébattre (s'), folâtrer.**

2   Nous marchions à pas légers, muets, pour n'effaroucher aucun dieu, ni le gibier, écureuils, lapins, chevreuils, qui folâtre et s'ébroue, confiant en l'innocence de l'heure (...)
         GIDE, Si le grain ne meurt, I, VIII, p. 210.

Sujet n. de personne. *Plongeur qui s'ébroue en sortant de l'eau. Dormeur qui s'ébroue, qui s'étire en se réveillant. S'ébrouer sous la douche. Enfants qui s'ébrouent.* → **Folâtrer, jouer.**

3   Estrées revint à soi le premier, se secoua, s'ébroua, regarda la compagnie, comme un homme qui revient de l'autre monde.   SAINT-SIMON, *in* P. LAROUSSE.

4   Elle riait et s'ébrouait avec la grâce dégingandée qu'ont les jeunes filles trop grandes.
         Francis JAMMES, Tristesses *in* Choix de poèmes, p. 157.

5   Il *(Joseph Pasquier)* prit une douche, poussa de grands soupirs en s'ébrouant sous une pluie tantôt brûlante et tantôt glacée (...)
         G. DUHAMEL, Chronique des Pasquier, X, VIII, p. 420.

6   L'agitation des autres voyageurs qui s'ébrouaient et dévoilèrent les lampes, leur fit à tous deux ouvrir les yeux.
         MARTIN DU GARD, les Thibault, t. IV, p. 144.

7   Or, maintenant dans cette plaine je m'ébrouais. Toutes mes forces surgissaient à l'espoir.
         DRIEU LA ROCHELLE, la Comédie de Charleroi, p. 69.

Fig. et littér. «*Les esprits (...) qui s'ébrouent*» (Valéry).

DÉR. Ébrouement.

ÉBROUISSAGE [ebʁuisaʒ] n. m. → **Ébrouage.**

ÉBRUITEMENT [ebʁɥitmɑ̃] n. m. — V. 1840; de *ébruiter.*

Action d'ébruiter; son résultat. *L'ébruitement d'un secret. Il faut empêcher l'ébruitement de cette nouvelle.*

Comment, après l'ébruitement de ce premier vol, a-t-elle osé recommencer?
         Ed. et J. DE GONCOURT, Journal, 1869, p. 518, *in* T.L.F.

ÉBRUITER [ebʁɥite] v. tr. — 1583; de *é-, bruit,* et suff. verbal.

Divulguer sous forme de nouvelles plus ou moins confuses qui circulent dans le public. → 1. **Dire, divulguer, éventer, répandre.** *Ébruiter une affaire, une nouvelle, un projet, un secret. Il a ébruité cela partout.* → **Colporter.**

1   Je suis sûr de la discrétion de Mᵐᵉ Dupin et de l'amitié de Mᵐᵉ de Chenonceaux; je l'étais de celle de Mᵐᵉ de Francueil, qui d'ailleurs mourut longtemps avant que mon secret fût ébruité.   ROUSSEAU, les Confessions, VIII.

2   (...) venez demain ou ce soir à la cure et gardez qu'on ne sache ce que j'aurai à vous faire savoir, car il m'est défendu de l'ébruiter et c'est une affaire de conscience pour moi.
         G. SAND, François le Champi, XIV, p. 107.

3   Un petit événement, comme l'entrée d'un étranger quelque peu célèbre, ou l'arrivée d'une bande de provinciaux, ou un mouvement du peuple aux avenues de la ville, ne pouvait manquer, dans les circonstances ordinaires, d'être vite ébruité.
         RENAN, la Vie de Jésus, XXIII, Œ. compl., t. IV, p. 319.

4   Autre que ce doux rien par leur lèvre ébruité,
    Le baiser, qui tout bas des perfides assure (...)
         MALLARMÉ, l'Après-midi d'un faune.

♦ **S'ÉBRUITER** v. pron. *Rien ne s'est ébruité de cet entretien secret.* → **Savoir** (se); **répandre** (se), **transpirer.**

De cette affaire, jamais rien ne s'était ébruité.
         Francis CARCO, Jésus-la-Caille, I, V, p. 49.

5

CONTR. Cacher, étouffer, garder, taire. ◊ **DÉR.** Ébruitement.

ÉBRUTER [ebʁyte] v. tr. — D. i. (XXᵉ; le dér. *ébrutage* est attesté en 1923); de *é-, brut,* et suff. verbal.

Techn. Ébaucher le contour de (un diamant, avant la taille). → **Brutage.** — On dit aussi *débruter.*

ÉBUARD [ebɥaʁ] n. m. — 1743, Trévoux; orig. obscure; à rapprocher de l'angevin *ébuer* «ébarber» sans rapport clair avec le verbe *ébuer* «égoutter (le linge)».

Techn. Coin de bois dur pour fendre les bûches.

ÉBULLEUR [ebylœʁ] n. m. — Mil. XXᵉ; de *é-, bulle,* et -*eur.*

Techn. Appareil qui empêche la formation de bulles dans une matière. — Par appos. «*Un rouleau ébulleur-calandreur*» (J.-C. Desjeux et J. Duflos, *les Plastiques renforcés*, p. 79).

ÉBULLIOMÈTRE [ebyljɔmɛtʁ] ou **ÉBULLIOSCOPE** [ebyljɔskɔp] n. m. — 1902, *ébulliomètre; ébullioscope,* 1849; du lat. *ébullire* «bouillir», et -*mètre,* -*scope.*

Sciences.

♦ **1** Anciennt. Appareil permettant de déterminer la richesse en alcool d'un mélange, par l'observation de son point d'ébullition.

♦ **2** Mod. Appareil servant à déterminer les températures d'ébullition des corps. — REM. La forme *ébullioscope* semble être la plus usitée.

DÉR. Ébulliométrie.

ÉBULLIOMÉTRIE [ebyljɔmetʁi] (vieilli) ou **ÉBULLIOSCOPIE** [ebyljɔskɔpi] n. f. 1902; de *ébulliomètre, ébullioscope.* Sc. Mesure des températures d'ébullition.

ÉBULLITION [ebylisjɔ̃] n. f. — 1314; bas lat. *ebullitio* «jaillissement par ébullition», du supin de *ebullire* «bouillonner», de *ex-* et *bullire.* → **Bouillir.**

♦ **1** Cour. État d'un liquide soumis à l'action de la chaleur, et dans lequel se forment des bulles de vapeur qui viennent crever à la surface. → **Bouillonnement, effervescence.** *L'ébullition est précédée par un frémissement* du liquide produit par la condensation des premières bulles. *Réduire un bouillon en prolongeant l'ébullition. Porter de l'eau à ébullition. — Eau en ébullition.*

Phys. Phénomène accompagnant le passage à l'état gazeux d'un liquide porté à une température déterminée *(point d'ébullition)* sous une pression donnée. *La température d'ébullition varie avec la pression. Le point d'ébullition s'abaisse aux faibles pressions. Pendant toute la durée de l'ébullition, la température du liquide reste constante.*

1   La chaleur de l'eau est indépendante de la violence de l'ébullition et de sa durée; l'eau moins comprimée par l'atmosphère bout, plus tôt, et elle bout fort vite dans le vide.   D'ALEMBERT, Encycl., art. *Ébullition.*

2   Les Arabes tirent le sel de l'eau par ébullition.
     CHATEAUBRIAND, Itinéraire..., II, 172.

Par anal. → Effervescence, éruption.

3   Comme le volcan était depuis quelque temps en ébullition et lançait à chaque secousse des nuages de cendres et de pierres (...)   LAMARTINE, Graziella, IV, x.

Spécialt (métall.). Opération consistant à volatiliser un métal (cf. Guillet, 1923, *in* T. L. F.).

♦ 2 Fig. et vieilli. Émotion vive et passagère; mouvement violent et spontané. *L'ébullition de la colère.*

4   Je suis pour le bon sens, et ne saurais souffrir les ébullitions de cerveau de nos marquis de Mascarille.
     MOLIÈRE, Critique de l'École des femmes, 5.

EN ÉBULLITION : dans un état de vive agitation, de surexcitation. **→ Bouillonnement, effervescence, éruption, fermentation.** *Son cerveau est en ébullition. C'est un violent, il est constamment en ébullition.* **→ Agitation, énervement.** *Entrer en ébullition.* **→ Bouillir, bouillonner, frémir.** *Ville, pays en ébullition. Foule en ébullition. Tout le quartier était en ébullition.*

5   (...) Diderot, une espèce de génie extravasé et en ébullition, qui ne peut se contenir à une limite (...)
     SAINTE-BEUVE, Causeries du lundi, 27 janv. 1851, t. III, p. 335.

6   La Galilée était de la sorte une vaste fournaise, où s'agitaient en ébullition les éléments les plus divers.
     RENAN, Vie de Jésus, IV, Œ. compl., t. IV, p. 124.

CONTR. Refroidissement. — Apaisement, calme, tranquillité.

ÉBURNATION [ebyʀnasjɔ̃] n. f. — 1846, Bescherelle; *éburnification,* 1843, Landais; du lat. *eburneus* «d'ivoire».

Didact. Augmentation importante de la densité d'un os, qui prend alors l'aspect de l'ivoire (**→ Éburné**).

ÉBURNE [ebyʀn] n. f. — 1801; lat. sc. *eburna,* de *eburneus* «d'ivoire».

Zool. Mollusque univalve, blanc tacheté de rouge (famille des *Buccinidés;* → Buccin et cérite, cit.).

ÉBURNÉ, ÉE [ebyʀne], **ÉBURNÉEN, ÉENNE** [ebyʀneɛ̃, eɛn] adj. — 1520, *éburné; éburnéen,* 1845; cf. le moy. franç. *éburnin,* 1509; du rad. du lat. *eburneus* «d'ivoire», et *-é, -éen.*

♦ 1 Didact. ou littér. Qui a la couleur, l'apparence, la consistance de l'ivoire.

(...) les bras *(de la déesse),* taillés d'une seule pièce dans deux énormes défenses d'ivoire fossile, sont d'une rare beauté; la transparence éburnéenne traversée de veines bleuâtres et de blancheurs rosées, joue la chair à faire illusion (...)
     Th. GAUTIER, Portraits contemporains, Simart, p. 363.

Anat. *Substance éburnée.* **→ Dentine.**

♦ 2 Méd. *Os éburné,* qui a pris l'aspect, la consistance de l'ivoire.

ÉCACHEMENT [ekaʃmɑ̃] n. m. — XVᵉ; de *écacher.*
Techn. Action d'écacher.

ÉCACHER [ekaʃe] v. tr. — V. 1165; de *é-* et *cacher,* dans l'anc. sens «fouler».

Vieux.

♦ 1 Vx. ou techn. Aplanir, aplatir ou amincir en comprimant. *Écacher une lame,* la dresser (**→ Dresser,** II.) sur la meule. *Écacher un fil d'or, d'argent,* le passer au laminoir. *Écacher de la cire,* la pétrir pour la rendre molle.

♦ 2 Déformer en pressant, en froissant. *Écacher la pointe d'un couteau,* l'émousser en appuyant.

1   La justice et la vérité sont deux pointes si subtiles, que nos instruments sont trop mousses, pour y toucher exactement. S'ils y arrivent, ils en écachent la pointe, et appuient tout autour, plus sur le faux que sur le vrai.
     PASCAL, Pensées, II, 82.

♦ 3 Broyer, écraser. *Écacher des noix.*

2   (...) leur corps étant d'un poids énorme, ils *(les éléphants)* écachent et détruisent dix fois plus de plantes avec leurs pieds qu'ils n'en consomment pour leur nourriture.
     BUFFON, Hist. nat. des animaux, L'éléphant, Œ. compl., t. III, p. 179.

♦ ÉCACHÉ, ÉE p. p. adj. *Noix écachées.* — **Fam. et vx.** *Nez écaché.* **→ Aplati, camus, écrasé, plat.**

3   (...) Ragotin, poussant la porte de l'autre côté de toute sa force, la fit donner si rudement contre le visage de la pauvre dame qu'elle en eut le nez écaché (...)
     SCARRON, le Roman comique, II, x, p. 207.

Figuré :

4   Cela n'avait plus aucun rapport avec le lamento glacé, têtu des carmélites, et cela ne ressemblait pas davantage au timbre asexué, à la voix d'enfant, écachée, arrondie du bout, des franciscaines (...)
     HUYSMANS, En route, p. 116.

DÉR. Écachement, écacheur.

ÉCACHEUR [ekaʃœʀ] n. m. — 1808, Boiste; de *écacher.*

Techn. Ouvrier qui écache (1.) qqch. — REM. Le fém. *écacheuse* est virtuel.

ÉCAILLAGE [ekajaʒ] n. m. — 1755; de *écailler.*

I ♦ 1 (1845). Action d'écailler (le poisson).

♦ 2 (1823). Action d'ouvrir les huîtres.

II (1803). Fait de s'écailler. — **Syn. :** *écaillement. L'écaillage d'une poterie, d'un tableau, d'une roche. L'écaillage des tableaux tient à une mauvaise préparation des dessous, à des mélanges imprudents de couleurs, au vernis et dans certains cas au manque de soin avec lequel la toile a été roulée* (Réau). — *Écaillage des dents d'engrenage, des panneaux stratifiés.*

ÉCAILLE [ekaj] n. f. — V. 1200, *escailhe;* du francique *skalja;* cf. all. *Schale,* angl. *shell.*

A *(Une, des écailles).* **♦ 1** (V. 1256). Chacune des petites plaques juxtaposées ou imbriquées qui recouvrent la peau de certains poissons, de certains reptiles et les pattes de certains oiseaux. *Animal au tégument d'écailles.* **→ Squamifère.** *Dragons, monstres mythologiques au corps hérissé d'écailles* (→ Cactus, cit.). *Poisson aux écailles chatoyantes, irisées. Écailles gluantes* (→ Poisson, cit. 10). *Les luisances aquatiques des écailles* (→ Pagel, cit.). *Perles fausses* (dites : *essence d'orient*) *faites avec des écailles d'ablette. En forme d'écailles.* **→ Squameux, squamiforme.** — *Fourreau papelonné* (cit. 1) *d'écailles bleues.*

1   Voici celles des bêtes qui naissent dans les eaux, dont il vous est permis de manger : Vous mangerez de tout ce qui a des nageoires et des écailles, tant dans la mer que dans les rivières et dans les étangs.
     BIBLE (SACY), Lévitique, XI, 9.

2   Tout son corps est couvert d'écailles jaunissantes.
                          RACINE, Phèdre, V, 6.

3   On entendait mugir le semoun meurtrier,
    Et sur les cailloux blancs les écailles crier
    Sous le ventre des crocodiles.
                          HUGO, les Orientales, I, 4.

4   De sa splendide écaille éteignant les émaux,
    Un grand poisson navigue à travers les rameaux.
    Dans l'ombre transparente indolemment il rôde ;
    Et, brusquement, d'un coup de sa nageoire en feu
    Il fait, par le cristal morne, immobile et bleu,
    Courir un frisson d'or, de nacre et d'émeraude.
                          J. M. DE HÉRÉDIA, les Trophées, «Le récif de corail».

    (1716). Zool. Chacune des plaquettes microscopi-
    ques dont est faite la poussière* (3.) des ailes des
    lépidoptères.

5   Dès 1716, Réaumur discutera pour savoir si on doit
    nommer *plumes* ou *écailles* les grains de cette fine pous-
    sière qui recouvre l'aile des papillons ; il reviendra sur cette
    question en 1734 (...)
                          F. BRUNOT, Hist. de la langue franç., t. VI, I, II,
                                                          p. 575.

    (1762). Bot. Chacune des petites lames coriaces
    imbriquées enveloppant certains organes (bour-
    geons, bulbes) de végétaux. *Les écailles d'un bour-
    geon, d'un bulbe de lis, des cônes du sapin.*

    (1606). Par anal. Chacune des lamelles métalliques
    dont se composaient certaines armures (→ Pape-
    lonné, cit. 2). → **Cataphracte.**

5.1 Il *(Goliath)* avait en tête un casque d'airain ; il était revêtu
    d'une cuirasse à écailles, qui pesait environ cinq mille
    sicles d'airain.   BIBLE (SACY), Rois, I, XVII, 5.

    (1676). Arts. Motif ornemental en forme d'écaille de
    poisson (en architecture, broderie, tapisserie...).

    ♦2 Parcelle se détachant d'une chose qui s'ex-
    folie, se desquame. → **Exfoliation.** *Écailles du pain*
    (→ Croûte), *du mica* (→ Lamelle), *du fer surchauffé,
    du bronze qu'on met en œuvre, du marbre qu'on tra-
    vaille. Mur dont le crépi, tableau dont le vernis se
    détache par écailles. Peinture qui s'en va en écailles.*
    → **Écaillage.** — *Peau tombant par écailles.* → **Des-
    quamer** (se); **plaque, squame**; et aussi **pellicule.**

6   (...) Jésus-Christ fit tomber en un instant des yeux de Saül
    converti cette espèce d'écaille dont ils étaient couverts.
                          BOSSUET, Oraison funèbre d'Anne de Gonzague.

7   Entre ces fenêtres, le crépi, tombé par écailles comme les
    squames d'une peau malade, mettait à nu des briques dis-
    jointes, des moellons effrités aux pernicieuses influences
    de la lune (...)
                          Th. GAUTIER, le Capitaine Fracasse, t. I, I, p. 2.

    Fig. Par allus. à saint Paul recouvrant la vue : «*Il
    lui tomba les yeux comme des écailles*» (Actes des
    apôtres, IX, 18). → ci-dessus, cit. 6. *Les écailles lui
    sont tombées des yeux :* ses yeux se sont dessillés,
    il s'est rendu compte de son erreur. → **Dessiller**
    (→ Aveuglement, cit. 15; bévue, cit. 2).

8   Les écailles tombèrent des yeux de Fabrice ; il comprit
    pour la première fois qu'il avait tort dans tout ce qui lui
    arrivait depuis deux mois.
                          STENDHAL, la Chartreuse de Parme, t. II, p. 75.

9   Quelle révélation ! Les écailles me sont tombées des yeux.
    Tout cela est aveuglant.
                          MONTHERLANT, Pitié pour les femmes, Pl.,
                                                          p. 1185, in T.L.F.

    ♦3 (1474). Vx. Chacune des deux valves* d'un mol-
    lusque bivalve. → **Coquille.** *Écailles de moules,
    d'huîtres.* → 1. **Écailler,** 2. **écailler** (→ Approcher,
    cit. 24).

10 Et des milliers de petites flaques en lave, laissées par le
    flot de la veille, reflétaient le jour naissant, brillaient sur
    l'étendue molle comme des écailles de nacre.
                          LOTI, Ramuntcho, I, II, p. 26.

    Fig. *Manger l'huître et laisser les écailles :* prendre
    tout le profit d'une affaire.

On fait tant, à la fin, que l'huître est pour le juge,   1
Les écailles pour les plaideurs.
                          LA FONTAINE, Fables, I, 21.

Un tiers sans droit mangea l'huître et laissa les écailles   1
aux prétendants.
                          SAINT-SIMON, Mémoires, 65, 79, in LITTRÉ.

♦4 Par anal. (Vx ou régional). *Écailles de noix.*
→ **Coque, coquille** (cour.), **écale.**

▉ B (1539). *[L'écaille].* Matière qui constitue la carapace des grandes tortues de mer (tortue franche,
caret), utilisée dans la tabletterie et la confection
d'objets divers. → Lunettes, cit. 3.1. *L'écaille ressemble
à la corne. Peigne, monture d'éventail, lunettes en
écaille. Meuble Boulle incrusté de burgaudine* et
d'écaille. Pièces de tabletterie en écaille. Lunettes à
monture d'écaille. Écaille noire, rouge foncé, brune,
blonde* (→ Cristal, cit. 4), *jaspée ou tigrée de jaune;
écaille claire* (→ Caler, cit. 4), *transparente, luisante,
polie.* — Par ext. Résine synthétique imitant cette
matière. → **Bakélite.**

Madame Prune, un jour, était allée nous chercher une   1
relique de sa galante jeunesse, un peigne en écaille blonde
d'une transparence rare (...)
                          LOTI, Mme Chrysanthème, XLIV, p. 222.

Des taches de soleil tremblaient sur sa chair, faisaient   1
briller ses dents, et donnaient, par place, à ses cheveux,
des transparences d'écaille blonde.
                          MARTIN DU GARD, les Thibault, t. VI, p. 75.

(T. de reliure). *Veau écaille :* veau traité de manière
à avoir l'aspect de l'écaille.

DÉR. **Écaillé,** 1. **écailler,** 2. **écailler, écailleux.** ◊ HOM. Formes
du v. 1. **écailler.**

ÉCAILLÉ, ÉE [ekaje] adj. — V. 1256, *escalié,* puis
1544; p. p. de 1. *écailler;* le sens 1 vient de *écaille.*

♦1 Vx. Couvert d'écailles. → **Écailleux.** *Peau écaillée.
Animal écaillé.* → **Squamifère.**

♦2 Qui s'écaille. *Vernis écaillé. Peinture écaillée.
Maison à la façade lézardée, écaillée.*

(...) la villa écaillée au fond d'une impasse (...)   1
                          J. ROMAINS, les Hommes de bonne volonté, t. V,
                                                          XVIII, p. 131.

♦3 Littér. *Écaillé de... :* couvert d'ornements, de
taches, de reflets évoquant des écailles.

(...) l'île de la Cité, ressemblant par sa forme à une énorme   2
tortue, et faisant sortir ses ponts écaillés de tuiles, comme
des pattes, de dessous sa grise carapace de toits.
                          HUGO, Notre-Dame de Paris, III, II.

La flamme empourpre, autour de la table fournaise,   3
Ces hommes écaillés de lumière et de braise.
                          HUGO, la Légende des siècles, XXI, V.

HOM. 1. et 2. **Écailler.**

ÉCAILLEMENT [ekajmã] n. m. — 1611; de 1. *écailler.*
Fait de s'écailler ; état de ce qui est écaillé. — Syn. :
écaillage, II. *L'écaillement d'un tableau, d'un revêtement, d'un enduit.*

1. ÉCAILLER [ekaje] v. tr. — Déb. XIIIe; de *écaille.*

♦1 Dépouiller (un poisson, un reptile) de ses
écailles. *Écailler une carpe.*

♦2 (1690). *Écailler une huître,* l'ouvrir. → **Écaillage,**
2. **Écailler.**

♦3 Faire tomber en écailles (ce qui recouvre une
matière, une couche peu épaisse qui recouvre une
matière). → **Érafler.** *Écailler le plomb avant de faire
une soudure.* → **Gratter.**

(Sujet n. de chose). *Les intempéries avaient écaillé le
vieux mur.*

♦4 (1838). Rare. Couvrir d'ornements en forme
d'écailles. *Écailler un toit, un dôme.*

♦ **S'ÉCAILLER** v. pron. (1496).

Se détacher et tomber par écailles. → **Effriter** (s'). *Peinture, plâtre, statue qui se fendille, s'écaille.* → Crevasser, cit. 2. *Des tuyauteries dont la peinture s'était écaillée.* → Coursive, cit.

Figuré :

Je lui dévisagerais la frimousse, moi ! Tu verrais bien si son honnêteté ne s'écaillerait pas.
HUYSMANS, Marthe, 1876, p. 115.

DÉR. Écaillage, écaillé, écaillement, écailleur, écaillure. ◊ HOM. Écaillé, 2. écailler.

2. **ÉCAILLER, ÈRE** [ekaje, ɛʀ] n. — 1303, *escailliere; de écaille.*

♦ **1** Personne qui ouvre et vend des huîtres. *Maître écailler :* restaurateur qui se fait une spécialité des huîtres et fruits de mer.

1   C'est pas des bêtes, rétorqua Julia, c'est des fruits. Chez tous les écaillers convenables ça s'appelle des fruits de mer.   R. QUENEAU, le Dimanche de la vie, p. 135.

2   Je suis écaillère, et, si je n'avais pas de varices, j'aurais maintenant la belle vie.
Hervé BAZIN, Madame Ex, p. 116.

♦ **2** N. f. Instrument servant à ouvrir les huîtres.

HOM. Écaillé, 1. écailler.

ÉCAILLEUR, EUSE [ekajœʀ, øz] n. — 1611; de 1. *écailler.*

I N. Vieilli. Personne qui ouvre les huîtres. — (1690). Personne qui vend des huîtres au détail.

II N. m. ♦ **1** Techn. Instrument pour écailler* (1.) le poisson.

♦ **2** Techn. Appareil servant à diviser en écailles une matière fondue, à écailler (3.). *Écailleur pour vernis.*

ÉCAILLEUX, EUSE [ekajø, øz] adj. — V. 1290, *escailleus; de écaille.*

♦ **1** Qui a des écailles. *Le dos écailleux du lézard. Poisson écailleux* (→ Barbillon, cit. 1 ; chatoiement, cit.). *«Beaucoup de poissons écailleux ont des barbillons»* (Bernardin de Saint-Pierre).
(1694). Bot. Qui comporte des écailles, des lamelles ayant l'apparence d'écailles. *Parties écailleuses de certains végétaux. Cône, bulbe écailleux.*

♦ **2** (1690, Furetière). Susceptible de se détacher par écailles. *Ardoise écailleuse. Dartre écailleuse. La peau écailleuse des lépreux.*

L'espèce de linceul qui le recouvrait était tombé jusqu'à ses hanches ; et ses épaules, sa poitrine, ses bras maigres disparaissaient sous les plaques de pustules écailleuses.
FLAUBERT, Trois contes,
«la Légende de saint Julien l'Hospitalier», III.

ÉCAILLURE [ekajyʀ] n. f. — 1539; de 1. *écailler.*

♦ **1** Pellicule détachée d'une surface. *Les écaillures d'un crépi, d'un vernis.*

1   Leur charpente se montrait sous les écaillures du plâtre.
FLAUBERT, l'Éducation sentimentale, t. II, 1869,
p. 169, *in* T.L.F.

♦ **2** (1605). Zool. Ensemble des écailles d'un reptile, d'un poisson.

2   Cette Carpe baptisée «royale» en France (...) porte indifféremment des écailles (Carpes-écailles), quelques-unes seulement (Carpes-miroirs) ou presque pas du tout (Carpes-cuir).
Quelle que soit d'ailleurs l'écaillure que présentent ces poissons, ils ont tous quelques caractères communs, d'une extrême importance (...)
Paul VIVIER, la Pisciculture, p. 69.

ÉCALE [ekal] n. f. — V. 1175, *escale* «valve de coquillage»; *eschale* «coquille d'œuf», v. 1180; du francique **skala.* → Écaille.

♦ **1** (1361). Enveloppe recouvrant la coque des noix (→ **Brou**), noisettes, amandes, châtaignes... → **Écorce.** *Noix dépouillée de son écale* (régional : *écalot,* n. m.).

1   (...) sur la plate-forme supérieure, qui était une prairie verte où il y avait des rochers avec des lacs de confitures et des bateaux en écales de noisettes, on voyait un petit Amour, se balançant à une escarpolette de chocolat (...)
FLAUBERT, Mᵐᵉ Bovary, Folio, p. 53.

2   Le pont était sali par des écales de noix, des bouts de cigares, des pelures de poires, des détritus (...)
FLAUBERT, l'Éducation sentimentale, I, 1.

♦ **2** (1690, Furetière). Vx. Gousse (des pois, des fèves, des haricots). → 1. **Cosse.**

DÉR. Écaler, écalure. ◊ HOM. Formes du v. écaler.

ÉCALER [ekale] v. tr. — 1531, *esqualer; de écale.*
(1660). Dépouiller de son écale. *Écaler des noix.* → **Décortiquer.** — Par ext. *Écaler des œufs durs,* les dépouiller de leur coquille.

♦ **S'ÉCALER** v. pron. *Les noix très mûres s'écalent.*

♦ **ÉCALÉ, ÉE** p. p. adj. *Noix écalées.*

(...) des figues de cactus, les unes dans leur capsule épineuse, les autres déjà écalées (...)
Th. GAUTIER, Voyage en Espagne, p. 272.

ÉCALURE [ekalyʀ] n. f. — 1840; de *écale.*
Techn. Pellicule dure (de certaines graines). *Des écalures de café.*

ÉCAMOUSSURE [ekamusyʀ] n. f. — 1930, dans la langue techn. générale; antérieur régionalement (1676 à Neuchâtel, *equemoussieure, in* Pierrehumbert); de *comossure* (1587, *ibid.*), du lat. *commissura* «joint». → Commissure.
Techn. Palier dans lequel l'arbre de rotation (d'une charrue réversible) pivote.

ÉCANG [ekã] n. m. — 1755; déverbal de *écanguer.*
Techn. Outil pour écanguer le lin, le chanvre.

ÉCANGAGE [ekãgaʒ] n. m. — 1846, Bescherelle; de *écanguer.*
Techn. Action d'écanguer; résultat de cette action. *L'écangage du lin.*

ÉCANGUER [ekãge] v. tr. — 1755; forme normanno-picarde, orig. incert., p. ê. d'un rad. francique **swang* «élan, mouvement».
Techn. Broyer (le chanvre, le lin) pour séparer de la partie ligneuse la matière textile.
DÉR. Écang, écangage, écangueur.

ÉCANGUEUR, EUSE [ekãgœʀ, øz] n. — 1808, Boiste; de *écanguer.*
Techn. Ouvrier, ouvrière qui écangue le lin.

ÉCAPSULEUSE [ekapsyløz] n. f. — Mil. XXᵉ, *in* G.L.L.F.; de *é-, capsuler,* suff. fém. *-euse.*
Techn. (agric.). Machine qui enlève les capsules des graines de lin (par battage) après avoir soulevé et transporté le lin coupé.

ÉCARBOUILLER [ekaʀbuje] v. tr. → **Écrabouiller.**

ÉCARDER (S') [ekaʀde] v. pron. — V. 1300, *escharder; de é-, et carder.*
Vieilli. S'effilocher comme la laine qu'on carde.

ÉCARLATE [ekaʀlat] n. f. et adj. — 1168; du lat. médiéval *scarlata* «drap écarlate de (différentes) couleurs éclatantes»; arabe *siḡīlāt* «tissu décoré de sceaux», VIIᵉ, lui-même du grec tardif *sigillatos,* du bas lat. *sigillatus* «(vêtement, tissu) orné de figurines, de sceaux», de *sigillum.*

Ⅰ N. f. ♦ **1** (1168). Vx. Étoffe précieuse, drap fin d'une couleur éclatante. *Écarlates bleues, vertes.*

1   Mancherons d'écarlate verte.
Clément MAROT, Opuscules,
«Dialogue de deux amoureux».

1.1   Voilà le prêtre qui arrive muni de bois précieux, d'écarlate, d'hysope (...) Le bois signifie la croix, l'écarlate signifie l'évidence ou le feu spirituel (...)
CLAUDEL, Journal, sept. 1936.

♦ **2** (V. 1173). Couleur d'un rouge éclatant obtenue par un colorant tiré de la cochenille (→ **Kermès**) et utilisée en teinturerie. *Écarlate de Venise, des Gobelins, de Hollande.*

2   Car Moïse (...) prit (...) de la laine teinte en écarlate (...)
BIBLE (SACY), Épître de saint Paul aux Hébreux,
IX, 19.

3   Vers le couchant rayé d'écarlate (...)
LECONTE DE LISLE, Poèmes barbares, «Quaïn».

Loc. Vx. *Yeux bordés d'écarlate,* rouges sur les bords.
— Syn. fam. : *yeux bordés de jambon.*

4   Je n'ai pas eu toujours les yeux éraillés et bordés d'écarlate (...)
VOLTAIRE, Candide, XI.

♦ **3** Étoffe teinte de cette couleur. — Loc. fig. *Endosser l'écarlate :* être promu à certaines dignités dont les titulaires sont revêtus d'une robe d'écarlate (→ **Pourpre**).

5   Y voit-on des savants en droit, en médecine,
Endosser l'écarlate et se fourrer d'hermine?
BOILEAU, Satires, VIII.

♦ **4** Cuis. *À l'écarlate :* plongé avant cuisson dans une saumure additionnée de salpêtre. *Langue à l'écarlate.*

Ⅱ Adj. (1770). De cette couleur rouge vif (→ **Brasier,** cit. 1). *Ruban, velours écarlate. Des fleurs écarlates. Un tissu écarlate. Robe écarlate.*

6   L'*espada* fit voltiger à plusieurs reprises l'étoffe écarlate sur laquelle le taureau se précipitait aveuglément (...)
Th. GAUTIER, Voyage en Espagne, p. 58.

Par métaphore. Littér. *Des opinions écarlates,* extrêmement révolutionnaires. **→ Rouge.**

7   Bahorel était un être de bonne humeur et de mauvaise compagnie (...) ayant des gilets téméraires et des opinions écarlates; tapageur en grand, c'est-à-dire n'aimant rien tant qu'une querelle, si ce n'est une émeute, et rien tant qu'une émeute, si ce n'est une révolution (...)
HUGO, les Misérables, t. I, 1862, p. 780, in T. L. F.

Dans certaines maladies (→ **Rougeole, scarlatine),** *le malade est couvert de taches écarlates.*

(En parlant du visage humain). Rouge (après un effort physique). *Cette course l'avait rendu écarlate.* — Spécialt. Rouge (de honte, de confusion). *À ces mots, il devient écarlate.* **→ Cramoisi.**

ÉCARQUILLEMENT [ekaʀkijmɑ̃] n. m. — 1572; de *écarquiller.*

Action d'écarquiller, de s'écarquiller; résultat de cette action.

Ses yeux pâles sont cernés de noir, encore agrandis par l'écarquillement des paupières.
A. ROBBE-GRILLET, Dans le labyrinthe, p. 209.

ÉCARQUILLER [ekaʀkije] v. tr. — 1530; altér. de *équartiller,* de é-, quart et -iller. → Écarter, écarteler.

♦ **1** Ouvrir démesurément (les yeux), notamment sous l'effet d'un grand étonnement ou d'un effort d'attention. *Écarquiller les yeux pour ne rien perdre du spectacle.*

M'as-tu de tes gros yeux assez considéré?
Comme il les écarquille, et paraît effaré!
MOLIÈRE, Amphitryon, III, 2.

Soyez persuadé qu'elles *(les femmes)* aiment à avoir de la poudre dans les yeux, et que plus on leur en jette, plus elles les écarquillent afin d'en gober davantage.
A. DE MUSSET, On ne badine pas avec l'amour, I, 2.

(...) l'étonnement ou le désir de paraître étonnée écarquillait ses yeux.
PROUST, À la recherche du temps perdu, t. XII,
p. 242.

♦ **2** (1594). Vx. Écarquiller les doigts, jambes. **→ Écarter.**

Ses deux jambes écarquillant (...)
Scarron, Virgile travesti, II.

Justin écarquilla les doigts, puis écarta les bras du corps en signe d'incertitude et de détresse.
G. DUHAMEL, Chronique des Pasquier, VII, p. 284.

♦ **S'ÉCARQUILLER** v. pron. (réfl.).

Jamais je ne m'occuperai de politique, fit l'abbé Tauziès, dont les yeux s'écarquillaient de plus en plus.
Pierre BENOIT, Mᴸˡᵉ de La Ferté, III, p. 176.

♦ **ÉCARQUILLÉ, ÉE** p. p. et adj.

Démesurément ouvert (en parlant des yeux). *Avoir les yeux écarquillés* (→ Aune, cit. 3; comique, cit. 12; dévisager, cit. 2).

Par ext. Qui a les yeux écarquillés.

Sur une photo de cinquante officiers, je reconnais Gallen, le futur maréchal Blücher, et le désigne à l'ambassadeur de France, qui m'accompagne. Arrive, comme porté par des patins à roulettes, le traducteur qui semblait ne plus s'intéresser à nous. «Lequel est-ce?» demande-t-il, écarquillé. Gallen ne reparaît sur aucune autre photo.
MALRAUX, Antimémoires, Folio, p. 497.

CONTR. Fermer. ◊ DÉR. Écarquillement.

1. ÉCART [ekaʀ] n. m. — V. 1200, «entaille, incision»; déverbal de 1. *écarter.*

🅐 ♦ **1** (1274). Distance qui sépare des choses qu'on écarte ou qui s'écartent l'une de l'autre. **→ Distance, écartement, éloignement.** *Augmenter, diminuer l'écart des bras, des jambes. Écart des branches d'un compas. Écart interpupillaire.*

(1680). **GRAND ÉCART** : écart des jambes d'avant en arrière de telle façon qu'elles soient dans le prolongement l'une de l'autre, à l'horizontale. *Faire le grand écart, un grand écart, au contact du sol* (→ Danse, cit. 2). — Par métaphore. *Le Grand Écart,* titre d'un roman de J. Cocteau.

En Espagne, les pieds quittent à peine la terre; point de ces grands ronds de jambe, de ces écarts qui font ressembler une femme à un compas forcé, et qu'on trouve là-bas d'une indécence révoltante. C'est le corps qui danse (...)
Th. GAUTIER, Voyage en Espagne, p. 217.

Loc. (Gymnastique). *Sortir à l'écart :* franchir (les barres parallèles) jambes écartées.

Mus. Distance entre deux positions éloignées des doigts, au piano. *L'intervalle de dixième est généralement le plus grand écart exigé de la main du pianiste.*

♦ **2** Mus. Intervalle* (entre deux sons). *Écart entre deux parties d'une harmonisation.*

Distance séparant le point de chute d'une trajectoire d'un point idéal dit *point moyen de tir. Écart en direction, écart en portée. Écart probable,* celui qui a une chance sur deux de n'être pas dépassé. *L'écart probable mesure un huitième du côté du rectangle de dispersion*. Quatre écarts probables.* **→ Fourchette.**

◆ **3** (1864). **Abstrait**. Différence entre deux grandeurs ou valeurs (dont l'une, en particulier, est une moyenne ou une grandeur de référence). → **Différence, distance, marge**. *Écart entre deux lectures d'un instrument de précision. Écart entre plusieurs pesées. Écarts du thermomètre entre les températures du jour et de la nuit.* → **Variation**. — *Écart entre le prix de revient et le prix de vente. Écart entre le méridien magnétique et le méridien géographique.* → **Déclinaison**. — *Écart de temps entre un événement raconté et sa date réelle.* → **Anachronisme**. *Écart de temps entre deux opérations.* → **Décalage**. — *Écart entre le modèle, l'archétype* (cit. 7) *et la copie.* → **Erreur**. *Écart de dimension permis lors de la fabrication d'une pièce mécanique.* → **Tolérance**. — **Psychol**. *Écart entre une valeur individuelle et une valeur type.*

2   Déjà divisées au foyer, les deux vies *(des époux)* divergent au delà par un écart toujours croissant.
      TAINE, les Origines de la France contemporaine,
                                                    I, t. I, p. 205.

3   Le romanesque n'est pas dans le réel, mais dans l'écart entre le monde réel et celui de l'imagination.
      A. MAUROIS, Études littéraires, Proust, p. 121.

Écart angulaire entre deux points : angle formé par deux plans verticaux passant par l'œil de l'observateur et par chacun de ces deux points.

Statist. *Écart type* : écart quadratique moyen, racine carrée de la variance*. → **Erreur** (et aussi erreur-type), **variation**.

Ling. Fait de discours qui s'écarte d'une norme quantitative (statistique, par rapport au champ sémantique d'un auteur ou d'une moyenne des usages) ou qualitative, intuitive (bon usage, originalité, niveau littéraire ou poétique ; → Fait de style), typologique ou structurelle. *Un écart stylistique. Le style a pu être défini comme formé d'écarts.*

◆ **4** |a| Action de s'écarter, de s'éloigner d'une direction ou d'une position. → **Déviation**. *Brusque écart d'une voiture* (→ **Embardée**), *d'un cheval* (→ Arrière, cit. 10). *Faire un écart pour éviter un coup* : se jeter de côté*.

4   (...) la Grise fit un écart en dressant les oreilles, puis revint sur ses pas, et se rapprocha du buisson (...)
                              G. SAND, la Mare au diable, VI, p. 51.

(1903, *in* Petiot). **Spécialt**. Mouvement par lequel on évite le taureau, dans les courses landaises, les corridas.

|b| **Vétér**. Entorse* de l'articulation des membres antérieurs du cheval, du bœuf... (les deux parties de l'articulation s'écartant l'une de l'autre). *Ce cheval s'est donné un écart. Écart d'épaule.*

◆ **5** (1655). **Abstrait. Fig**. Action de s'écarter d'une règle morale ou intellectuelle, des conventions sociales, etc. Irrégularité. *Écarts de l'imagination.* → **Errement, vagabondage ; aberration, folie**. *Écarts de conduite*. → **Dévergondage, échappée** (vx), **faute, frasque, fredaine, incartade, manquement, pas** (faux pas), **relâchement**. — **Absolt**. *Les écarts de la jeunesse. Les écarts pardonnables* (cit. 3) *des soldats. Faire un écart* (→ Sortir de la règle*, de la bonne voie*). *Écart par rapport à la norme. Écart regrettable. Écarts de langage* (→ **Impertinence, inconvenance, incorrection**). — (Dans le domaine physique). *Écart de régime.*

5   Vous êtes si fertile en pareils contretemps,
     Que vos écarts d'esprit n'étonnent plus les gens.
                                    MOLIÈRE, l'Étourdi, I, 4.

6   (...) Mᵐᵉ d'Épinay, à qui la nature avait donné, avec un tempérament très exigeant, des qualités excellentes pour en régler ou racheter les écarts.
                              ROUSSEAU, les Confessions, VII.

7   (...) trop souvent un écart de jeunesse décide du sort de la vie (...)   ROUSSEAU, Lettre à M. d'Alembert.

Comme l'aiguille du compas demeure assez constante   8
tandis que la route varie, ainsi peut-on regarder les caprices ou bien les applications successives de notre pensée, les variations de notre attention, les incidents de la vie mentale, les divertissements de notre mémoire, la diversité de nos désirs, de nos émotions et de nos impulsions — comme des écarts définis par contraste avec je ne sais quelle constance dans l'intention profonde et essentielle de l'esprit (...)   VALÉRY, Rhumbs, p. 11.

Je vivais encore de mon métier, quoique ma réputation fût   8.1
bien entamée par mes écarts de langage, l'exercice régulier de ma profession compromis par le désordre de ma vie.
                              CAMUS, la Chute, p. 124.

Spécialt. Phénomène observé qui est extérieur à une norme*.

(...) le ton du dictionnaire, sa rhétorique prescriptive ou   8.2
évaluatrice, doit être soigneusement distingué de la construction du modèle normatif. Tel lexicographe peut condamner avec vigueur certains écarts, mais tolérer plus de variations que tel autre, qui gardera un discours calme et bienveillant en éliminant tout ce qui gêne.
                      Alain REY, «Norme et dictionnaires»,
                              in la Norme linguistique, p. 544.

Spécialt (vieilli). Développement étranger à un sujet. → **Digression**. *Orateur qui se livre à des écarts.*

B (1247). Par métonymie. **Admin. ou régional**. Lieu écarté. — **Spécialt**. Localité peu éloignée d'une commune dont elle dépend. *Ce hameau est un écart de la commune de X...*

La route, maintenant, était chargée de monde. Les   9
bûcheux des hameaux, les femmes des écarts perdus étaient venus par petits groupes (...)
                      M. GENEVOIX, Forêt voisine, XII, p. 170.

C **Loc. adv**. (V. 1450). **À L'ÉCART** : dans un lieu éloigné, écarté ; à une certaine distance (de la foule, d'un groupe). → **Loin, part** (à part). *Se tenir, rester à l'écart. Demeurer à l'écart, en arrière* (→ Arrière, cit. 17). *Se mettre à l'écart, à l'abri.* → **Garer** (se). *Vivre à l'écart, dans l'isolement*. → **Cantonner** (se). → *Mener une vie d'ermite*, d'anachorète*. — Vieilli. *Prendre, tirer* (qqn) *à l'écart*, pour lui confier quelque chose (→ Faire un aparté). → **Part** (à). *Mettre à l'écart.* → **Écarter, éloigner, isoler**. *Ce petit groupe reste toujours à l'écart* (→ Faire bande* à part). *Jeter à l'écart.* → **Rejeter** (→ Dépouiller, cit. 18). — Fig. *Tenir* (qqn) *à l'écart*, ne pas le faire participer, ne pas le tenir au courant. — *Lieu à l'écart.* → **Buen-retiro**.

Elle prit à l'écart Mentor pour le faire parler.   10
                              FÉNELON, Télémaque, VII.

(...) ils se tenaient à l'écart, et me laissaient livrée à une   11
foule d'ennuyeux (...)
            LACLOS, les Liaisons dangereuses, LXXXI, p. 186.

Elle se tenait à l'écart modestement, quand un jeune   12
homme d'apparence cossue (...) vint l'inviter à la danse.
                FLAUBERT, Trois contes, «Un cœur simple», I.

Enfin, dans l'après-midi (...) elle s'assit à l'écart dans un   13
jardin, pour entendre, loin de la foule, un de ces concerts (...)   BAUDELAIRE, le Spleen de Paris, XIII.

Il semblait que le progrès du siècle eût oublié la petite   14
ville ; elle était sise à l'écart et ne s'en apercevait pas.
                              GIDE, Si le grain ne meurt, I, II.

Loc. prép. **À L'ÉCART DE** : loin de, à une certaine distance de. *Maison à l'écart du village, de la route* (→ Clairière, cit. 1 ; crécerelle, cit.). — Fig. *Se tenir à l'écart de l'agitation politique, des partis. Laisser quelqu'un à l'écart d'une affaire.*

(...) se côtoyant *(se mettant de côté)*   15
À l'écart des autres, *(il)* regarde.
                              RONSARD, les Odes, I, 10.

CONTR. Rapprochement ; contact. — **Coïncidence, concordance, correspondance, égalité, similitude**. — **Régularité**. — (De *à l'écart...*) **Centre** (au), **milieu** (au), **parmi**. ◊ **HOM**. 2. **Écart**, 3. **écart**.

2. ÉCART [ekaʀ] n. m. — 1606; déverbal, de 2. *écarter.*

♦ 1 (Av. 1611). Action d'écarter dans quelques jeux de cartes (tarot, écarté, whist). *Avez-vous fait votre écart ?*

> Je ne sais si souvent vous jouez au piquet,
> Mais, au moins, faites-vous des écarts admirables.
> MOLIÈRE, l'Étourdi, IV, 6.

♦ 2 (1606). Les cartes écartées du jeu. *Regarder, reprendre son écart.*

HOM. 1. Écart, 3. écart.

3. ÉCART [ekaʀ] n. m. — 1694, Corneille; orig. obscure; p.-ê. de l'anc. franç. *equerve.*

Mar. Assemblage de deux pièces de bois, d'acier... exactement jointives, et réunies par un boulonnage. *Ajuster par un écart.* → **Écarver.**

HOM. 1. Écart, 2. écart.

ÉCARTABLE [ekaʀtabl] adj. — D. i.; de 2. *écarter,* et -*able.*

Jeu de cartes. Qui peut ou doit être écarté du jeu, lorsque les règles le permettent (en parlant d'une carte de faible valeur).

ÉCARTÉ [ekaʀte] n. m. — 1810; de 2. *écarter.*

Jeu de cartes où chaque joueur peut, si l'adversaire l'accorde, écarter (→ 2. Écarter) les cartes qui ne lui conviennent pas et en recevoir de nouvelles. → 2. **Triomphe.**

1 — Nous avons commencé une partie d'écarté ensemble, dit maître Lagatut (...) vous avez fait les deux premières levées; reste à savoir qui va faire les trois autres.
LOTI, Mon frère Yves, XXXIV, p. 103.

2 Quand les quatre tables de whist étaient établies pour les douairières et les vieux gentilshommes, et les deux tables d'écarté pour les jeunes gens, ces demoiselles se plaçaient, comme à l'église, dans leurs chapelles où elles étaient séparées des hommes, et elles formaient, dans un angle du salon, un groupe silencieux (...)
BARBEY D'AUREVILLY, les Diaboliques, «Le dessous de cartes...».

ÉCARTÈLEMENT [ekaʀtɛlmɑ̃] n. m. — 1565; de *écarteler.*

♦ 1 Supplice par lequel on écartelait un condamné (→ Condamner, cit. 6). *L'écartèlement de Ravaillac, de Damiens.*

1 Pour le crime de lèse-majesté au premier chef on avait un supplice horrible, l'écartèlement, précédé et assaisonné du tenaillement.
MICHELET, Hist. de France, t. XIII, XIII.

2 Si c'était quelque bel écartèlement à quatre chevaux montés chacun par un archer de la prévôté (...)
Th. GAUTIER, le Capitaine Fracasse, t. II, XX, p. 299.

♦ 2 Fig. État d'une personne écartelée, tiraillée par des forces, des influences opposées. *L'écartèlement de l'homme entre le bien et le mal.* → **Tiraillement** (→ Bien, cit. 70).

3 (...) un chrétien (...) dont le Maître a connu la douleur dans ses membres et dans son âme (...) le Père resterait (...) fidèle à cet écartèlement dont la croix est le symbole (...)
CAMUS, la Peste, p. 244.

♦ 3 Blason. Division du champ de l'écu en quatre quartiers.

COMP. Contre-écartèlement.

ÉCARTELER [ekaʀtəle] v. tr. — V. 1165; de l'anc. franç. *esquarterer* «mettre en quartiers». → Quartier.

Partager en quatre.

♦ 1 (1422). Déchirer en quatre (un condamné) en faisant tirer ses membres par quatre chevaux (parfois aussi par des branches d'arbre rapprochées au préalable de force). *En France on écartelait les criminels de lèse-majesté.* → **Démembrer.**

1 Il (Damiens) était fort. Et quatre forts chevaux ne purent l'écarteler. On en ajouta deux, avec peu de succès. Le bourreau (...) demanda (...) «la permission de donner un coup de tranchoir aux jointures», ce qui fut refusé d'abord «pour le faire souffrir davantage».
MICHELET, Hist. de France, t. XVIII, XIX.

Par exagér. Tirer* les membres de (qqn) dans tous les sens.

♦ 2 Fig. (Surtout au passif et au p. p.; → ci-dessous, Écartelé). Tirailler. → **Partager, tirer.** *Ses idées et ses intérêts très opposés l'écartèlent.*

2 À mesure qu'il répudiait tout ce qu'il avait tenu pour indubitable, un merveilleux apaisement naissait entre les forces qui jusqu'alors l'avaient écartelé.
MARTIN DU GARD, les Thibault, t. II, p. 84.

♦ 3 (V. 1280). Blason. Partager (l'écu) en quatre quartiers. *Écarteler un écu, un écusson, des armes.*

♦ ÉCARTELÉ, ÉE p. p. adj.

♦ 1 *Criminel écartelé pour lèse-majesté.* — N. *Les roués, les écartelés.*

3 Comme les magistrats, après avoir fait rouer quelques malfaiteurs, ordonnent que l'on exposera en plusieurs endroits, sur les grands chemins, leurs membres écartelés (...)
BOSSUET, Sermon pour le 9ᵉ dim. après la Pentecôte.

Par exagération :

4 Le docteur incisait les aines du malade que deux infirmières, de chaque côté du lit, tenaient écartelé.
CAMUS, la Peste, p. 226.

♦ 2 Fig. → **Partagé, tiraillé.** *Écartelé entre le bien et le mal, entre le courage et la peur.*

5 Par ma race, j'étais partagé et comme écartelé entre des forces contraires.
RENAN, Souvenirs d'enfance..., III, I, p. 114.

6 Il a quitté l'armée, assailli de doutes, écartelé entre son éducation et l'irrésistible besoin d'affranchir sa pensée (...)
MARTIN DU GARD, Jean Barois, II, II, p. 176.

7 Le chrétien demeuré charnel est écartelé.
F. MAURIAC, Souffrances et Bonheur du chrétien, p. 79.

Nom :

8 Je n'ai jamais rien su renoncer, et protégeant en moi à la fois le meilleur et le pire, c'est en écartelé que j'ai vécu.
GIDE, Feuillets, II, in Journal, 1889-1939, Pl., p. 777.

♦ 3 Blason. *Écu écartelé,* partagé en quatre quartiers (→ aussi **Gironné**). *Écartelé de gueules et d'or. Écartelé en sautoir,* par deux lignes obliques.

9 (Le palais) avec ses portes rouges écartelées d'une croix noire (...)
FLAUBERT, Salammbô, I, p. 2.

DÉR. Écartèlement, écartelure. ◊ **COMP.** Contre-écarteler.

ÉCARTELURE [ekaʀtəlyʀ] n. f. — 1352; de *écartelé.*

Blason. Division de l'écu en quatre quartiers. — Par ext. Chacun des quartiers.

ÉCARTEMENT [ekaʀtəmɑ̃] n. m. — 1284; de 1. *écarter.*

♦ 1 (1491). Action d'écarter (une chose d'une autre) : action, fait de s'écarter l'une de l'autre, en parlant de deux choses. → **Écart, éloignement, séparation.** *Écartement des bras, des jambes.*

Dans un écartement de nuages, qui laisse
Voir au-dessus des feux la céleste allégresse,
Un point vague et confus apparaît.
HUGO, la Légende des siècles, LVIII, II.

1.1 L'écartement des bras m'est cher, presque plus cher que l'écartement autre.
VERLAINE, Odes en son honneur, III.

◆ **2** (1557). Espace qui sépare (une chose d'une ou plusieurs autres). → **Écart, distance, espace.** *Poteaux qui ont un écartement de huit mètres. Pièces de bois maintenant l'écartement de deux autres pièces.* → **Épart.** *Écartement des essieux* (→ **Empattement**)*, des roues* (→ **Voie**) *d'un véhicule. Écartement des plans d'un avion biplan. Écartement de voie,* entre les rails d'une voie de chemin de fer. — *Écartement des oreilles, des yeux.*

2 Dans les tableaux italiens, l'écartement des yeux dans les têtes, marque l'âge de la peinture.
Ed. et J. DE GONCOURT, Journal, p. 203.

Balist. *Coefficient d'écartement* (des projectiles d'une même arme).

◆ **3** Séparation de choses qui devraient être jointes. → **Disjonction.** *L'écartement des ais d'une porte. Il y a eu de l'écartement dans ce mur* (Académie).

CONTR. Rapprochement. — Contact, union, etc. ◊ **COMP. Sur-écartement.**

1. ÉCARTER [ekaʀte] v. — XIIIᵉ, *escarter,* XIIIᵉ; du lat. pop. *exquartare* «partager en quatre» (→ Écarteler)*,* de *quartus* «quart»; P. Guiraud suggère un étymon gallo-roman *excoartare* «desserrer, désunir», de *artare* «serrer», et *coartare* «serrer ensemble».

▮I▮ V. tr. ◆ **1** (1573). Mettre (plusieurs choses ou plusieurs parties d'une chose) à une certaine distance (relativement faible) les unes des autres. → **Désunir, disjoindre, diviser, espacer, partager, partir** (vx)*,* **séparer.** — (Avec un compl. au plur.). *Écarter les pièces d'un assemblage.* → **Démonter, désassembler, disloquer, desserrer.** *Écarter les rideaux, les persiennes, les roseaux.* → **Entrouvrir, ouvrir.** *Écarter les doigts, les mains. Écarter les paupières.* → **Écarquiller, ouvrir** (les yeux). *Écarter les lèvres d'une plaie* (→ **Élargir; dilater**)*. Écarter les jambes au maximum* (→ Faire le grand écart*). Écarter les branches d'un compas. — Le vent écarte les nuages.* → **Disperser, dissiper** (→ Aquilon, cit. 2).

1 Maître! puisque voici la saison des pervenches,
Si tu veux, chaque nuit, en écartant les branches,
Sans éveiller d'échos à nos pas hasardeux,
Nous irons tous les trois (...)
HUGO, les Voix intérieures, V, VII.

2 La pénombre de la chambre ne lui seyait pas; elle alla vers la fenêtre et d'un seul coup écarta les rideaux.
J. GREEN, Adrienne Mesurat, p. 274.

3 (...) le petit malade (...) se raidit brusquement et, les dents de nouveau serrées, se creusa un peu au niveau de la taille, écartant lentement les bras et les jambes.
CAMUS, la Peste, p. 233.

(Avec un compl. au sing.). *Écarter l'orifice d'un canal naturel,* les bords. — *Écarter un rideau,* l'ouvrir. Par métaphore. «*La brume écarte son rideau*» (Hugo).

Séparer (en deux groupes). *Écarter la foule pour passer.* → **Fendre.** *Écarter le feuillage pour voir.*

4 (...) Raton avec sa patte
D'une manière délicate,
Écarte un peu la cendre (...)
LA FONTAINE, Fables, IX, 17.

Absolt. *Ce fusil écarte* (le plomb)*, il éparpille* trop le plomb. → **Écartement.**

◆ **2** *Écarter* (qqn, qqch.) *de...* : mettre (qqn, qqch.) à une certaine distance de... → **Éloigner, repousser; part** (mettre à part).

5 Ces trois verbes (*Écarter, mettre à l'écart, éloigner*) ont rapport à l'action par laquelle on cherche à faire disparaître quelque chose de sa vue, ou à en détourner son attention. *Éloigner* est plus fort qu'*écarter* et *écarter* que *mettre à l'écart.* Un prince doit *éloigner* de soi les traîtres et en

écarter les flatteurs. On *écarte* ce dont on veut se débarrasser pour toujours. On *met à l'écart* ce qu'on veut ou qu'on peut reprendre ensuite. Un juge doit *écarter* toute prévention et *mettre* tout sentiment personnel *à l'écart.*
D'ALEMBERT, Encycl., art. Écarter.

Écarter un meuble, une table du mur. Écartez cet enfant du poêle, il va se brûler. Écarter quelqu'un de son passage. Écarter un indésirable de son pays natal (→ **Exiler, reléguer.** → Mettre en quarantaine*). (Sans compl. en *de*). Repousser plus loin. *Écarter quelqu'un, l'écarter par un coup, d'un coup d'épaule* (→ Bourrade, cit. 1)*. Écarter de la main une mèche de cheveux. Écarter un voile* qui empêche de voir qqch. (→ **Découvrir,** cit. 2; **soulever**)*. Écarter un obstacle gênant. Écarter les mouches, les insectes.* → **Chasser.** — *L'approche de l'orage écarta les badauds. Écarter les importuns.*

6 (...) quand voulant donner un baiser sur ton cœur, je rencontre un ruban ou une gaze, je l'écarte seulement, et n'ai cependant pas le sentiment d'un obstacle.
LACLOS, les Liaisons dangereuses, CL, p. 364.

7 La fille de l'hôtesse (...) se tenait debout auprès de moi, un éventail d'une main et un petit balai de l'autre, tâchant d'écarter les insectes importuns (...)
Th. GAUTIER, Voyage en Espagne, p. 130.

8 Il passe péniblement la main sur son front, comme pour en écarter un nuage dont l'opacité obscurcit son intelligence.
LAUTRÉAMONT, les Chants de Maldoror, II, p. 62.

(Abstrait). *Écarter qqn d'une carrière. Écarter qqn d'un poste, d'un emploi.* → **Évincer.** *Les sélectionneurs ont écarté ce joueur de l'équipe de France.* → **Exclure.**

9 (...) l'entêtement d'une femme obstinée qui, sacrifiant toujours à ses goûts ses lumières, si tant est qu'elle en eût, écartait presque toujours des emplois, les plus capables, pour placer ceux qui lui plaisaient le plus (...)
ROUSSEAU, les Confessions, XI.

(Sans compl. second en *de*). *Écarter tous ses rivaux, tous ses concurrents. Écarter un candidat.* → **Éliminer.** *On l'a écarté de la liste. Écarter d'un ouvrage les parties superflues.* → **Rejeter.** *Écarter une citation d'un dictionnaire.* → **Élaguer, retrancher.**

Spécialt. Éloigner (de soi). *Écarter toute idée préconçue.* → Faire table rase. *Écarter de son esprit une idée désagréable, une impression pénible, un soupçon.* → **Bannir, chasser, conjurer, secouer.** — *Écarter le mal. Amulette qui écarte le mauvais sort. Écarter une menace, un risque, un péril. Il a réussi à écarter les soupçons.* → **Éloigner; dissiper, supprimer.** *Écarter une objection, une hypothèse.* → **Négliger, passer** (sur).

10 On sait avec quel infatigable dévouement madame Ingres écarta de son mari toutes ces petites misères qui taquinent le génie et le distrayent.
Th. GAUTIER, Portraits contemporains, Ingres, p. 284.

11 Mais la constituante écartait ce problème comme un cauchemar.
JAURÈS, Hist. socialiste..., II, p. 213.

12 Je suis déjà couché, mais une singulière rumeur, un frémissement du haut en bas de la maison (...) écartent de moi le sommeil.
GIDE, Si le grain ne meurt, I, 1, p. 25.

13 Ce qu'il (*Freud*) nous apporte surtout c'est de l'audace; ou plus exactement, il écarte de nous certaine fausse et gênante pudeur.
GIDE, Journal, 19 juin 1924.

Vx. Éviter. *Écarter un coup.*

◆ **3** Éloigner (qqn, qqch.) d'une direction. → **Dérouter** (vx)*,* **détourner, dévier, dévoyer, égarer.** *Écarter un cours d'eau de son lit.* → **Dériver.** *Prenez ce chemin, cela ne vous écartera pas beaucoup. Ils l'ont écarté de son chemin. — Fig. Certaines influences l'ont écarté du droit chemin. — Fig. Écarter quelqu'un de son devoir, de sa tâche.* → **Débaucher, distraire, divertir.**

14   Un peu de philosophie écarte de la religion et beaucoup
y ramène.   RIVAROL, Maximes et Pensées.

♦ **4** Spécialt (taurom.). Faire la manœuvre de l'écarteur, en éloignant de soi (→ ci-dessus, 2.) et de sa
direction (3.). *Écarter le taureau*, et, absolt, *écarter*
(→ **Écarteur**).

15   Il savait éviter ses sautes d'humeur comme un torero sait
écarter un taureau bluffeur.
                          P. MAC ORLAN, la Bandera, XV, p. 179.

♦ **5** Régional (Canada; anc. franç. *escarter*). Égarer.
Écarter un livre, un stylo.

III V. intr. Rare. Faire un écart. *La bête, le taureau a
brusquement écarté.*

◆ **S'ÉCARTER** v. pron. (Du sens I).

♦ **1** S'éloigner les unes des autres (en parlant de plusieurs choses). *Les nuages s'écartèrent.* → **Disperser**
(se). *Ses doigts s'écartèrent.* → **Ouvrir** (s'). *Lignes qui
s'écartent à partir d'une origine.* → **Diverger**. — (Noms
de personnes au plur.). *Ils s'écartèrent* (les uns des
autres). *Écartez-vous, vous allez vous gêner.* — (D'une
chose unique). S'ouvrir, s'élargir par l'écartement de
ses éléments. *La foule s'écarta pour lui livrer passage.*

16   Des chantres désormais la brigade timide
S'écarte, et du Palais regagne les chemins.
                                          BOILEAU, le Lutrin, V.

17   (...) ce brouillard amoureux où ils se cachaient s'écartait
parfois brusquement et le regard qu'ils portaient alors sur
toutes choses éclairait celles-ci comme des projecteurs.
                 Edmond JALOUX, le Dernier Jour de la création,
                                                       VIII, p. 92.

♦ **2** (V. 1450). Le sujet désigne une personne, un animal,
un véhicule... S'éloigner (d'une personne, d'une
chose, d'un point, d'un lieu de passage). *Écartez-
vous du mur, écartez-vous de là.* → **Éviter**. *Ne vous
écartez pas d'ici.* → **Éloigner** (s'). *Écarte-toi de mon
soleil !* → **Ôter** (s'). — *Navire qui s'écarte de la côte.*
— (Sans compl. en *de*). S'éloigner ou s'effacer* pour
éviter qqn, qqch. *Écartez-vous !* → **Place** (faire place),
ranger (se).

18   (...) elle *(la chèvre)* aime à s'écarter dans les solitudes, à
grimper sur les lieux escarpés (...)
                   BUFFON, Hist. nat. des animaux, Chèvre,
                                    Œ. compl., t. II, p. 457.

19   Heureux qui, s'écartant des sentiers d'ici-bas,
A l'ombre du désert allant cacher ses pas,
D'un monde dédaigné secouant la poussière,
Efface, encor vivant, ses traces sur la terre (...)
          LAMARTINE, Nouvelles méditations, «Solitude».

20   — C'est demain la fête du *Corpus Domini* (la Fête-Dieu) [...]
— C'est à vous de voir si vous voulez profiter de l'occasion
pour vous écarter dans la ville.
        STENDHAL, le Rouge et le Noir, I, XXVIII, p. 394.

♦ **3** S'éloigner (d'une direction). → **Égarer** (s').
S'écarter du bon chemin. → **Divaguer**, **errer**. *Ce
n'est pas le bon chemin, nous nous en écartons.*

(1585). **Fig.** Se détourner de, ne pas suivre (une
ligne).

Fig. *S'écarter de la bonne voie, du droit chemin.
S'écarter de la raison, du bon sens.* → **Faire fausse
route***. *L'art* (cit. 79) *s'écarte de la nature. S'écarter
du grand chemin* (cit. 42), *des lieux communs*
(cit. 24), *dans un ouvrage. Cette traduction s'écarte
trop de l'original.* → **Différer**. *S'écarter d'un modèle.
S'écarter du sujet* (→ Sortir de son sujet). *Il ne s'est
pas écarté de la tradition de sa famille.* → **Manquer**
(à). *Ne pas s'écarter d'une opinion.* → **Départir** (se),
renoncer. *S'écarter d'une ligne politique.* → **Dévier**.
S'écarter d'une méthode.

21   Jamais de la nature il ne faut s'écarter.
                               BOILEAU, l'Art poétique, III.

Quand m'avez-vous vue m'écarter des règles que je me
suis prescrites et manquer à mes principes ?
           LACLOS, les Liaisons dangereuses, LXXXI, p. 183.   22

(...) la tendance qu'ont les âmes austères (...) à diviser le
monde exactement en deux, à croire tout le mal d'un côté,
et tout le bien de l'autre, à excommunier sans remède tout
ce qui s'écarte de la précise ligne droite qu'elles se flattent
de suivre seules.   23
            MICHELET, Hist. de la Révolution franç., II, p. 143.

Dans la conduite comme dans la littérature, tout ce qui
s'écarte d'un certain modèle est rejeté. Le nombre des
actions permises s'est restreint comme le nombre des mots
autorisés.   24
           TAINE, les Origines de la France contemporaine,
                                              I, t. I, p. 246.

Ils s'écartent de leur nature une fois par jour.
                                  VALÉRY, Rhumbs, p. 244.   25

♦ **4** Régional (Canada). S'égarer. *S'écarter dans la
forêt, dans une ville inconnue* (→ ci-dessus, I., 5.).

◆ **ÉCARTÉ, ÉE** p. p. adj.

♦ **1** Sensiblement éloigné l'un de l'autre. → **Éloigné**,
séparé. *Doigts écartés. Bras et jambes écartés*
(→ Appui, cit. 1). *Cheval dont les membres sont très
écartés* (→ **Large**, **ouvert**). *Elle a les yeux écartés,
très écartés.*

Autant Lahrier lui pesait aux épaules, autant, par contre,
il prisait Chavarax, avec lequel, des heures entières, il discutait de jurisprudence, le derrière présenté aux bûches
de la cheminée entre les pans écartés de sa redingote.
              COURTELINE, Messieurs les ronds-de-cuir, III, I.

Pablo se tenait au milieu de la chambre, essoufflé, cramoisi, les jambes écartées, les mains dans les poches.
                                    SARTRE, le Sursis, p. 86.   26

♦ **2** Mis de côté, à l'écart ; rejeté. *Candidat, candidature écartés.* → **Refusé**. *Le voici écarté du pouvoir.
Idée, hypothèse écartée. Tout préjugé écarté. Obstacle
écarté.* → **Évité**.

Supposer que M. Tiziano Vecellio *(le Titien)*, n'ayant jamais
peint, ou toute maladresse écartée, eût peint tout à coup
la *Pietà* de Venise parce qu'il était lui et qu'il avait quatre-
vingts ans, est évidemment absurde.   27
              MALRAUX, les Voix du silence, p. 415.

♦ **3** (En parlant d'un lieu). Situé à l'écart ; assez éloigné
des centres, des lieux de passage. → **Isolé**, **perdu**,
retiré, **solitaire**. *Lieu, endroit écarté et désert* (cit. 3).
*Être égaré, perdu dans un lieu écarté. Rue, ruelle
écartée. Chemin écarté.* → **Détourné**. *Nous y parvien-
drons par une voie écartée.*

(...) parmi la foule d'un grand peuple fort actif et plus soigneux de ses propres affaires que curieux de celles d'autrui
(...) j'ai pu vivre aussi solitaire et retiré dans les déserts les
plus écartés.   DESCARTES, Disc. de la méthode, III.   28

(Je vais) chercher sur la terre un endroit écarté
Où d'être homme d'honneur on ait la liberté.
                            MOLIÈRE, le Misanthrope, V, 4.   29

Nous ne suivions que des sentiers ; je marchais la première, je me retourne pour demander à Saint-Florent si
ces routes écartées sont réellement celles qu'il faut suivre,
si par hasard il ne s'égare point, s'il croit enfin que nous
devions arriver bientôt.   SADE, Justine..., t. I, p. 63.   30

Loin dans la forêt (...) que s'ouvre pour le quelque haut
caveau (...) quelque sépulcre, écarté, solitaire (...)   31
       MALLARMÉ, Trad. E. POE, Poèmes, «La dormeuse».

CONTR. Appâter, attirer, rassembler... — (Du p. p.) Assimilé. ◇ **DÉR.** 1. **Écart, écartement, écarteur**. – **COMP.** Écartomètre. – **HOM.** 2. **Écarter**.

---

2. **ÉCARTER** [ekaʀte] v. tr. — 1611; de é-, *carte*, et
suff. verbal, p.-ê. avec infl. de l'ital. *scartare*.

Jeu de cartes. Rejeter de son jeu (une ou plusieurs
cartes qui seront remplacées à la donne suivante).
→ **Écarté**.

J'en avais écarté *(des carreaux)* la dame avec le roi (...)
                             MOLIÈRE, les Fâcheux, II, 2.

DÉR. 2. **Écart, écartable, écarté**. ◇ **HOM.** 1. **Écarter**.

ÉCARTEUR [ekaʀtœʀ] n. m. — 1864; de 1. *écarter*, et *-eur*.

♦ **1** (1864). Taurom. Dans les courses landaises, Homme qui provoque la bête et l'évite au dernier moment en faisant un écart. → 1. **Écarter**, I., 4. — REM. Dans ce sens, le fém. est virtuel.

♦ **2** (1877). Méd. Instrument de chirurgie servant à écarter les lèvres d'une plaie, les parois d'une cavité, des plans musculaires, des os. *Écarteur utérin.* → **Dilatateur.**

ÉCARTOMÈTRE [ekaʀtɔmetʀ] n. m. — V. 1970; de 1. *écarter*, et *-mètre*.

Sc. Instrument servant à mesurer les écarts, les distances qui séparent un mobile d'un point de référence. *«Dans ce projet, l'écartométrie était réalisée à l'aide d'écartomètres infrarouges»* (*Aéronautique et astronautique*, 1973, n° 39, p. 40). *Écartomètre acoustique.*

DÉR. **Écartométrie.**

ÉCARTOMÉTRIE [ekaʀtɔmetʀi] n. f. — V. 1970; de *écartomètre*.

Sc. Calcul des écarts, des erreurs de position (notamment des erreurs de position d'une cible que donne l'écho, en radar). *Systèmes d'écartométrie automatique.*

ÉCARVER [ekaʀve] v. tr. — XVIIIᵉ; du scandinave *skarwe* «ajuster».

Techn. anc. Ajuster (deux pièces de bois, d'acier) par un écart. → 3. **Écart.**

ÉCATIR [ekatiʀ] v. tr., **ÉCATISSAGE** [ekatisaʒ], n. m., **ÉCATISSEUR** [ekatisœʀ] n. m. → **Catir, catissage, catisseur.**

ECBALLIUM [ɛkbaljɔm] n. m. — 1845, *ecbalie*; lat. bot., du grec *ekballein* «lancer au dehors», de *ballein* «lancer».

Bot. Plante (*Cucurbitacées*) des régions méditerranéennes, poussant dans les décombres, et dont le fruit projette au loin ses graines. *Des ecballiums.*

E. C. B. U. [øsebey] n. m. — 1977; sigle.

Méd. Examen cytobactériologique* des urines.

ECCE HOMO [ɛtʃeɔmo] n. m. invar. et loc.-phrase. — 1690, au sens 1; mots latins signifiant «voilà l'homme», paroles prononcées par Ponce Pilate présentant au peuple juif le Christ couronné d'épines (Évangile selon saint Jean, XIX, 5).

♦ **1** N. m. **a)** Tableau, dessin, sculpture représentant Jésus-Christ portant la couronne d'épines. *Les ecce homo du Corrège, du Titien.*

b) (1835). Fig. et vx. Homme pâle et amaigri.

♦ **2** (Fin XIXᵉ; cf. *Ecce homo*, œuvre de Nietzsche, 1908). «Voici l'homme»; ou : «me voici» (avec des connotations dues à l'origine religieuse de l'expression). Oui, sans aucun doute, il était ce paresseux, ce petit-bourgeois sans envergure, qu'Hubert avait décrit, avec une pétulance brutale et frivole qui devait être l'expression même de la vérité. Toute sa vie recevait de cet éclairage une signification qui l'épouvantait. Ecce homo. Il était bien cet homme.

Jean-Louis CURTIS, le Roseau pensant, p. 154.

ECCÉITÉ [ɛtʃeite] ou [ɛkseite] n. f. — 1599; lat. scolast. *ecceitas*, de *ecce* «voici», et *-ité*.

♦ **1** Didactique. Scolast. Principe qui fait qu'une essence est rendue individuelle.

♦ **2** Philos. (pour traduire l'all. *Dasein*). Dans l'existentialisme, Caractère de ce qui se trouve concrètement et particulièrement situé dans l'espace. → Être-là.

ECCHYMOSE [ekimoz] n. f. — 1540, *in* D.D.L.; grec *egkumôsis* de *en* «dans» et *khumos* «liquide, suc».

Tache (noire, brune jaunâtre) produite par diffusion de sang dans le tissu sous-cutané. *Avoir une ecchymose. L'ecchymose peut être accidentelle (traumatisme, contusion), ou en rapport avec un trouble de la coagulation* (n. cour. : *bleu*). — **Bleu, contusion, extravasation** (didact.), **mâchure, pinçon.**

— On a bien vu qu'il y avait des ecchymoses autour du cou de Clara. Il avait dû l'étrangler.

MARTIN DU GARD, les Thibault, t. III, p. 73.

DÉR. **Ecchymoser, ecchymotique.**

ECCHYMOSER [ekimoze] v. tr. — 1856; au p. p., 1833, *in* D.D.L.; de *ecchymose*, et *-er*.

Rare. Produire une ou plusieurs ecchymoses sur, à...

♦ **ECCHYMOSÉ, ÉE** p. p. adj.

Plus cour. Affecté d'une ou de plusieurs ecchymoses. *Tissus ecchymosé. Œil ecchymosé.* — Syn. fam. : *poché.*

ECCHYMOTIQUE [ekimɔtik] adj. — 1858; de *ecchymose*, sur le modèle de *hématose-hématique.*

Méd. Relatif à l'ecchymose. *Tache ecchymotique. Érysipèle ecchymotique.*

ECCLÉSIA [eklezja] ou **ECCLÉSIE** [eklezi] n. f. — 1954, *ecclésia*; *ecclésie*, 1831; du grec *ekklêsia*.

Didact. (hist.). Assemblée du peuple dans les cités grecques et en particulier à Athènes. *Des ecclésias, des ecclésies.*

ECCLÉSIAL, ALE, AUX [eklezjal, o] adj. — V. 1175; repris 1838; du lat. médiéval *ecclesialis* «relatif à une église», du lat. class. *ecclesia*, grec *ekklêsia*. → Église.

Didactique.

♦ **1** Qui concerne l'Église, entendue comme communauté, sous son aspect social et juridique.

♦ **2** Rare. Qui concerne l'église, lieu de culte. *L'art ecclésial.*

ECCLÉSIASTE [eklezjast] n. m. — XIIᵉ; lat. *ecclesiastes*, grec *ekklêsiastês* «prédicateur». de *ekklêsia*. → Église.

Dénomination de l'auteur d'un des livres sapientiaux de l'Ancien Testament. — Par ext. Le livre lui-même.

Paroles de l'Ecclésiaste, fils de David, roi dans Jérusalem. Vanité des vanités ! dit l'Ecclésiaste (...)   1

BIBLE (CRAMPON), l'Ecclésiaste, I, 1, 2.

C'est pour cela que l'Ecclésiaste, après avoir commencé   2
son divin ouvrage par les paroles que j'ai récitées (vanité, etc.), après en avoir rempli toutes les pages du mépris des choses humaines, veut enfin montrer à l'homme quelque chose de plus solide, et conclut tout son discours en lui disant (...)

BOSSUET,
Oraison funèbre de Henriette-Anne d'Angleterre.

Soit que l'Ecclésiaste ait été effectivement composé par   3
Salomon, soit qu'un autre auteur inspiré ait fait parler ce sage, ce livre a toujours été regardé comme un monument précieux, et l'est d'autant plus qu'on y trouve plus de philosophie.

VOLTAIRE, Précis de l'Ecclésiaste, Avertissement.

ECCLÉSIASTIQUE [eklezjastik] adj. et n. m. — 1324; lat. *ecclesiasticus*, grec *ekklêsiastikos*, de *ekklêsiastês*. → Ecclésiaste.

I ♦ **1** (1324). **Adj.** Relatif, propre au clergé d'une église chrétienne, **et**, spécialt, de l'Église catholique. *L'état ecclésiastique; la vie, la carrière ecclésiastique. Discipline, règle ecclésiastique. Célibat ecclésiastique. Ordres* ecclésiastiques.* → **Religieux.** *Autorité* (cit. 25), *puissance ecclésiastique. Histoire ecclésiastique. Charges* (cit. 17), *fonctions ecclésiastiques* (→ Article, cit. 7). *Dignités, honneurs ecclésiastiques. L'archiprêtre, le chanoine, sont des dignitaires ecclésiastiques* (→ **Prélat**). — *Droit, loi ecclésiastique.* → **2. Canon.** *Juridiction, tribunal ecclésiastique* (→ **Officialité**). *Chambre ecclésiastique. Censure ecclésiastique. Délit ecclésiastique.* → **Bénéfice* ecclésiastique. Revenu ecclésiastique.* → **Mense.** *Chancellerie ecclésiastique. Biens ecclésiastiques. Province ecclésiastique. Divisions ecclésiastiques.* → **Diocèse, paroisse.** *Calendrier ecclésiastique.* — *Habit, costume ecclésiastique. L'onction ecclésiastique.*

1 Eh bien! se dit-il (*Julien....*) Je sais choisir l'uniforme de mon siècle. Et il sentit redoubler son ambition et son attachement à l'habit ecclésiastique.
STENDHAL, le Rouge et le Noir, II, XIII.

2 Les paysans les tenaient pour les chefs laïques de la paroisse, comme le curé était le chef ecclésiastique.
RENAN, Souvenirs d'enfance, I, III, p. 38.

3 Aussitôt que Gilles (*de Rais*) et ses complices furent incarcérés, deux tribunaux s'organisèrent : l'un ecclésiastique, pour juger les crimes qui relevaient de l'Église, l'autre, civil (...) À vrai dire, le tribunal civil qui assista aux débats ecclésiastiques s'effaça complètement (...) les procédures ecclésiastiques durèrent un mois et huit jours (...)
HUYSMANS, Là-bas, XVI, p. 222.

♦ **2** N. m. (1507). Membre d'un clergé. → **Clergé, église.** *Ecclésiastiques catholiques romains.* → **Abbé, chanoine, clerc, curé, ministre, pasteur, prêtre, religieux;** fam. **calotin, calotte, curaillon, curé** (fam.), **cureton.** *Ecclésiastique protestant.* → **Pasteur; ministre.** — (Sans précision). Membre du clergé catholique. *Formation de l'ecclésiastique au séminaire. Ecclésiastique appartenant au clergé séculier, régulier. Costume d'ecclésiastique.* → **Barrette, calotte, camail, douillette, rabat, soutane.** *Chapeau, ceinture, col d'ecclésiastique. Les ecclésiastiques ne portent plus la soutane, en France et dans de nombreux pays. Honoraires, casuel* d'un ecclésiastique. Le prieur* (cit. 1) *était un très bon ecclésiastique.*

4 Chacun de nous avait dans une petite armoire un fourniment complet d'ecclésiastique : une soutane noire avec une longue queue, une aube, un surplis (...) des bas de soie noire, deux calottes (...) des rabats bordés de petites perles blanches, tout ce qu'il fallait.
Alphonse DAUDET, le Petit Chose, I, II, p. 24.

5 Je veux croire que votre père spirituel est un excellent ecclésiastique, pavé et briqueté des plus évangéliques intentions.
Léon BLOY, le Désespéré, IV, p. 175.

II N. m. Un des livres sapientiaux de l'Ancien Testament, considéré comme apocryphe par les israélites et les protestants. «*Dans les manuscrits grecs, l'Ecclésiastique est désigné sous le nom de* La sagesse de Jésus, *fils de* Sirach...» (Crampon, Bible). → aussi **Ecclésiaste.**

CONTR. Civil, laïque, temporel. ◊ DÉR. Ecclésiastiquement.

ECCLÉSIASTIQUEMENT [eklezjastikmã] adv. — 1422, in D.D.L.; de *ecclésiastique*.
Rare. À la manière des ecclésiastiques; du point de vue du clergé de l'Église.

ECCLÉSIOLOGIE [eklezjɔlɔʒi] n. f. — 1927; du rad. latino-grec de *ecclesia* «église», et *-logie*.
Théol. Partie de la théologie (chrétienne) qui traite de l'Église.
DÉR. Ecclésiologique.

ECCLÉSIOLOGIQUE [eklezjɔlɔʒik] adj. — 1957; de *ecclésiologie*.
Théol. Qui est relatif à l'ecclésiologie, à l'Église. *La réflexion ecclésiologique d'un théologien.*

ECCOPROTIQUE [ekɔprɔtik] adj. et n. m. — 1633, in D.D.L.; du grec *ekkoprôtikos* «purgatif»; de *ekkoproun* «débarrasser des excréments». → Copro-.
Pharm. Vx. (Médicament) qui purge légèrement.

ÉCENTE [esãt] n. f. → **Essente.**

ÉCÉPER [esepe] v. tr. [CONJUG.: *céder*.] — 1268, *esceper*; de *é-*, *cep*, et suff. verbal.
Agric. Arracher les ceps de (une vigne).

ÉCERVELÉ, ÉE [esɛrvəle] adj. — XIIIe; de *é-*, *cervelle*, et *é-*; l'anc. franç. *escervelé* est le p. p. de *escerveler* «écraser la tête (de qqn) en faisant jaillir la cervelle» (v. 1155, Wace), et, au fig. (1305), «troubler le cerveau».

♦ **1** Qui est sans cervelle, sans jugement; qui se comporte sans aucun discernement, d'une manière irréfléchie. → **Braque, dingue,** (fam.), **distrait, étourdi, évaporé, éventé** (vx), **fou** (par ext.), **hurluberlu, imprudent, inattentif, inconséquent, insensé, irréfléchi, léger, malavisé, téméraire.** *Tête écervelée.*

(...) un ascète des finances (...) qui, dans l'ombre (...) use sa vie à réparer les bévues d'un potentat écervelé.
J. CHARDONNE, l'Amour du prochain, VII, p. 184.

N. *Un écervelé, une écervelée.* → **Hurluberlu, linotte** (tête de). *Une jeune écervelée. Un écervelé qui accumule les bévues, les gaffes.* → **Gaffeur.** *Agir en écervelé, comme un écervelé.*

C'est un petit écervelé, qui vous a pris pour un autre.
MOLIÈRE, la Critique de l'École des femmes, 4.

J'ai lu tous les mémoires de Beaumarchais, et je ne me suis jamais tant amusé. J'ai peur que ce brillant écervelé n'ait au fond raison contre tout le monde.
VOLTAIRE, Lettre à Argental, 4076, 30 déc. 1773.

Par ext. (Comportement). *Un bavardage écervelé.*

♦ **2** (Reprise du sens étym.). Privé de cerveau (→ Décérébré, décervelé).

ÉCHAFAUD [eʃafo] n. m. — V. 1170, *eschaafauz*; altération, d'après *échelle*, de l'anc. franç. *chafaud*, d'un lat. pop. *catafalicum*, du préf. grec *kata* «en bas», du lat. *fala* «tour de bois» et de *catasta* «estrade où l'on exposait les esclaves en vente», mot grec; cf. ital. *catafalco*. → Catafalque.

♦ **1** (V. 1170). **Vx.** Plate-forme, estrade sur une charpente de tréteaux.
Construction soutenant des gradins, etc., pour des spectateurs. → **Estrade, plate-forme, tréteau, tribune.** — Spécialt. Estrade où jouent des comédiens (→ Tréteau, plur.).

Les échafauds étaient déjà dressés tout autour et déjà les personnes les plus curieuses commençaient à s'y placer.
A. R. LESAGE, le Diable boiteux, 8.

Techn. Construction en forme de plancher à l'usage des ouvriers en bâtiment (maçons, peintres...). → **Échafaudage.** *Échafaud volant.*

Il a envoyé toute la journée sur les échafauds avec les maçons pour les servir et leur passer leurs auges et leurs pierres (...)
CLAUDEL, l'Annonce faite à Marie, III, 1.

Mar. Plate-forme suspendue le long de la coque ou d'un mât pour y effectuer des travaux.

Fig. et littér. → **Échafaudage.** «*Un échafaud de coiffures*» (Valéry *in* T. L. F.).

♦ **2** (1357). **Mod.** Plate-forme en charpente destinée à l'exposition, à l'exécution des condamnés. → **Justice** (bois de); 2. **butte (argot).** *Monter à l'échafaud. Périr, finir, mourir, être exécuté sur l'échafaud. Se faire le pourvoyeur* (cit. 1) *de l'échafaud. La charrette* qui conduisait les condamnés à l'échafaud. Faire la toilette des condamnés avant de les mener à l'échafaud. Porter sa tête sur l'échafaud :* être décapité.

Par ext. Peine de mort par décapitation. *Criminel condamné à l'échafaud.* → **Guillotine.** *Il risque l'échafaud,* le dernier supplice*, (→ Il risque sa tête*). *Ascenseur pour l'échafaud,* film de Louis Malle.

2.1 (...) une délicatesse déplacée t'a conduite aux pieds de l'échafaud, un crime affreux t'en sauve; regarde à quoi les bonnes actions servent dans le monde, et si c'est bien la peine de s'immoler pour elles!
            SADE, Justine..., t. I, p. 35 (1791).

3 Au pied de l'échafaud j'essaye encor ma lyre.
            André CHÉNIER, Iambes, XII.

4 Cet instinct de bien-être qui existe toujours chez l'homme, même dans les instants les plus cruels, même au pied de l'échafaud.
            STENDHAL, Armance, XVII.

5 J'écoute en frémissant chaque bûche qui tombe;
L'échafaud qu'on bâtit n'a pas d'écho plus sourd.
Mon esprit est pareil à la tour qui succombe
Sous les coups du bélier infatigable et lourd.
            BAUDELAIRE, les Fleurs du mal, «Spleen et idéal», LVI.

6 L'échafaud (...) a quelque chose qui hallucine (...) L'échafaud est vision. L'échafaud n'est pas une charpente, l'échafaud n'est pas une machine; l'échafaud n'est pas une mécanique inerte (...) L'échafaud est le complice du bourreau; il dévore, il mange de la chair, il boit du sang. L'échafaud est une sorte de monstre fabriqué par le juge et par le charpentier, un spectre qui semble vivre d'une espèce de vie épouvantable faite de toute la mort qu'il a donnée.
            HUGO, les Misérables, I, I, IV.

7 Dans la rue des Blancs-Manteaux
Ils ont élevé des tréteaux
Et mis du son dans un seau
Et c'était un échafaud (...)
            SARTRE, Huis-clos, V, p. 134.

Littér. Peine de mort exécutée en public. «*Le crime* (cit. 14) *fait la honte et non pas l'échafaud.*»

DÉR. Échafaudage, échafauder.

ÉCHAFAUDAGE [eʃafodaʒ] n. m. — 1517, *eschafaudaige;* de *échafaud,* et suff. *-age.*

♦ **1 Rare.** Action de dresser des échafauds (1.) pour travailler à un bâtiment... *L'échafaudage a duré deux jours. L'échafaudage d'une charpente métallique.*

(1860). **Fig. et cour.** Édification progressive. *L'échafaudage d'un système. L'échafaudage d'une fortune.*

1 Chaque échelon de moins dans l'ordre de succession légitime était un degré de plus dans l'échafaudage de sa fortune.
            SAINTE-BEUVE, *in* Pierre LAROUSSE.

♦ **2** Construction temporaire, essentiellement constituée de passerelles ou de plates-formes soutenues par une charpente, destinée à conduire les personnes et le matériel en tous points d'un bâtiment à édifier ou à réparer. → **Échafaud, 1.** *Échafaudage de bois,* formé de perches verticales, assemblées par des cordages à des perches horizontales (→ 2. **Boulin**). *Massif de moellon,* plâtre supportant les écoperches d'un échafaudage. → **Patin.** — *Échafaudage en tubes métalliques. Échafaudages tubulaires. Échafaudages d'assemblage,* formés de pièces de charpente réunies par des croix de saint André. *Échafaudages volants,* soutenus par des cordes, etc. *Échafaudages fixes, mobiles. Échafaudages de maçons, de couvreurs. Dresser un échafaudage contre une façade pour la ravaler.*

2 (...) il n'y a d'autres règles que les lois de la nature (...) et les lois spéciales qui (...) résultent des conditions propres à chaque sujet (...) Les premières sont la charpente qui soutient la maison; les secondes l'échafaudage qui sert à la bâtir et qu'on refait à chaque édifice.
            HUGO, Préface de Cromwell.

3 (...) ce puits semblait être en réparation, car l'échafaudage croisé des poutres qui soutenait des cloches paraissait être dressé (...) pour étayer les murs.
            HUYSMANS, Là-bas, III, p. 32.

3.1 (...) ces derniers échafaudages, ces traces du travail de la veille qu'on n'a pas eu le temps d'enlever et qui mêlées aux drapeaux et aux lampions égaient comme une note joyeuse de plus, semblent en fête malgré eux, comme ces vieilles que les jeunes gens forcent à danser.
            PROUST, Jean Santeuil, Pl., p. 774.

Fig. *Échafaudage de... :* préparatifs, moyens nécessaires à la construction, à l'élaboration (de quelque chose).

4 (...) extraordinaire quatre-vingt-treize. Sous un échafaudage de barbarie se construit un temple de civilisation.
            HUGO, Quatre-vingt-treize, III, VII, V.

♦ **3** (Av. 1791). *Échafaudage de...,* amas (d'objets posés les uns sur les autres). → **Amoncellement, édifice, pyramide.** *Un savant échafaudage de cartes* (→ Château* de cartes). *Un échafaudage de meubles, de livres, de dossiers. — Un savant échafaudage de cheveux. Des chapeaux avec des échafaudages de tulle et de plumes.* → **Paille, cit. 8.**

5 (...) elle porte sur la tête un savant échafaudage de faux cheveux de coussins et de nœuds, rattaché par des épingles, couronné par des plumes, et tellement haut que souvent «le menton est à mi-chemin des pieds (...)»
            TAINE, les Origines de la France contemporaine, I, t. I, p. 213.

♦ **4** (Av. 1752). **Abstrait.** Assemblage complexe et peu solide (de faits, d'arguments, de preuves, de raisons...). *Un échafaudage d'idées.* «*Une nouvelle déclaration de Jacques venait généralement renverser l'échafaudage de ses réflexions.*» (Martin du Gard). *Renverser un échafaudage de preuves. Un échafaudage de maximes pompeuses, de raisonnements captieux* (→ Culminer, cit. 6). — **Absolt.** *Tout cet échafaudage s'est écroulé.* → **Combinaison.**

6 Avec quelle amertume il *(Gringoire)* voyait s'écrouler pièce à pièce tout son échafaudage de gloire et de poésie!
            HUGO, Notre-Dame de Paris, I, 4.

ÉCHAFAUDEMENT [eʃafodmã] n. m. — 1914, Gide; de *échafauder,* fig.

Littér. Le fait d'échafauder (des arguments, une théorie).

Taisez-vous! vous ne savez rien. Et moi qui perds mon temps près de vous dans des échafaudements ridicules (...)
            GIDE, les Caves du Vatican, V, III, p. 841.

ÉCHAFAUDER [eʃafode] v. intr. et tr. — V. 1260, *eschaufauder; eschaffaulder,* 1464; de *échafaud.*

I V. intr. Dresser un échafaudage* (pour construire, peindre... un bâtiment). *Il ne sera pas nécessaire d'échafauder pour construire ce petit mur.*

II ♦ **1** V. tr. (XVᵉ). **Vx.** Dresser en échafaudage. *Échafauder des charpentes.* — **Mod.** Superposer (des objets concrets), soit de manière instable, soit en formant un amoncellement élevé, complexe... (→ Échafaudage, 3.). → **Amonceler, empiler, entasser.** *Échafauder des piles de livres.*

Par métaphore (avec la valeur des sens 2 ou 3).

1 Et il se mit à échafauder, avec cette donnée et sur cette base, le fantasque édifice des hypothèses, ce château de cartes des philosophes (...)
HUGO, Notre-Dame de Paris, II, v.

2 J'estime donc qu'il est vain d'échafauder, pour expliquer l'inconnaissable, des hypothèses qui n'ont aucune base expérimentale.
MARTIN DU GARD, Jean Barois, II, Le calme, III, p. 361.

♦ **2** (Abstrait). Réunir et superposer de nombreux éléments. *Échafauder des hypothèses.* → **Amasser.** *Échafauder projet sur projets.* — Élaborer progressivement par une telle réunion d'éléments. → **Bâtir, construire, élaborer, établir, fonder.** *Échafauder une théorie, un système.*

♦ **3** Spécialt (plus cour.). Former par des combinaisons hâtives et fragiles. → **Accumuler, amasser, amonceler, combiner; échafaudement.** *Échafauder un plan, une théorie, une combinaison* (cit. 7). *Échafauder hâtivement un raisonnement, un système. Échafauder des projets que l'on ne réalise jamais* (→ Avenir, cit. 31). *Échafauder une entreprise sur une base fragile.* → **Baser, fonder.**

3 (...) il *(Morel)* avait assuré à M. de Charlus qu'il était en ce moment-là à étudier la musique en Allemagne. Il s'était servi, pour échafauder son mensonge, de personnes bénévoles à qui il avait envoyé ses lettres en Allemagne, d'où on les réexpédiait à l'insu de Charlus (...)
PROUST, À la recherche du temps perdu, t. XII, p. 18.

♦ **S'ÉCHAFAUDER** v. pron.

♦ **1** Vx. (Réfl.). Dresser l'échafaudage sur lequel on monte. *Les maçons s'échafaudèrent à la hâte.* — Fig. (Saint-Simon, *Mémoires*, t. II, ɪɪ). S'élever par degrés en se ménageant des appuis.

♦ **2** Mod. (Passif). S'entasser de façon plus ou moins stable.

♦ **3** Fig. et mod. (Passif). Être formé par des combinaisons hâtives et fragiles.

4 (...) il *(J. Valjean)* voyait, avec une terreur mêlée de rage, s'échafauder, s'étager et monter à perte de vue au-dessus de lui, avec des escarpements horribles, une sorte d'entassement effrayant de choses, de lois, de préjugés, d'hommes et de faits, dont les contours lui échappaient, dont la masse l'épouvantait, et qui n'était autre chose que cette prodigieuse pyramide que nous appelons la civilisation.
HUGO, les Misérables, I, II, VII.

♦ **ÉCHAFAUDÉ, ÉE** p. p. adj.
Entassé. *Des bagages échafaudés.* — (Abstrait). *Des projets hâtivement échafaudés.*
DÉR. Échafaudement, échafaudeur.

ÉCHAFAUDEUR, EUSE [eʃafodœʀ, øz] n. — 1292, «constructeur d'échafaud (1.)»; 1859, dans un sens techn.; repris XXᵉ; de *échafauder.*
Rare. Celui, celle qui échafaude (2., 3.). *Des écha-faudeurs de systèmes, de théories.*

ÉCHALAS [eʃala] n. m. invar. — 1215, *eschalaz* au sens 1; altér. d'après *échelle,* de *charas,* du lat. pop. **caracium,* du grec *kharas* «roseau». → Charasse.

♦ **1** Pieu en bois que l'on enfonce dans le sol au pied d'un arbuste, d'un cep de vigne pour le soutenir (→ **Tuteur**). *Échalas de chêne, de châtaignier, d'acacia, d'aune* (cit.). *Échalas de fente, fait de bois fendu dans le sens de la longueur. Échalas fait d'un rondin.* → **Paisseau.** *Grand échalas pour soutenir une vigne en hautains*.* — *Clôture d'échalas.* → **Échalier.** *Extrémité libre des échalas d'une clôture.* → **Peigne.** *Tailler un échalas.* — Forme anc. : *eschallas.*

On les supporte *(les vignes)* avec paisseaux, eschallas (...) diversement nommés selon les endroits. 1
O. DE SERRES, 178, in LITTRÉ.

On le rapporta sur deux échalas. Il ne cessa de rire tout 1 le long de la route en gesticulant des bras et des jambes.
MAUPASSANT, Contes du jour et de la nuit, p. 170.

(...) ces petits jardins avec leurs échalas et leurs cabanes, 1 ces petites villas de meulière dans leurs enclos avec leurs antennes de télévision.
Michel BUTOR, la Modification, p. 14.

Pop. et vx. *Jus d'échalas :* vin médiocre.

♦ **2** ⓐ Par compar. Fam. *Être grand, droit, maigre, sec comme un échalas. Se tenir raide comme un échalas.* Loc. fig. *Il a avalé un échalas :* il est raide. → Il a avalé son parapluie*. — *Des jambes en échalas,* longues et maigres.

Mais cette maladie ambulante *(Marneffe),* vêtue de beau 2 drap, balançait ses jambes en échalas dans un élégant pantalon.
BALZAC, la Cousine Bette, Pl., t. VI, p. 271.

ⓑ (1690). Fig. *Un échalas :* une personne grande et maigre. *Un grand échalas.* → **Escogriffe, perche.** *Cette fille est une girafe, un échalas.*

C'était *(la Chaise)* un grand échalas, prodigieux en hauteur, 3 et si mince qu'on croyait toujours qu'il allait rompre (...)
SAINT-SIMON, Mémoires, t. I, XXX.

Ha! Ha! C'est bien amusant! Cet échalas! Cette figure de 4 carême! Ha! Ha! Et il paraît qu'elle a plus de sex-appeal que moi? M. AYMÉ, la Tête des autres, II, 5.

ÉCHALASSAGE [eʃalasaʒ] ou **ÉCHALASSEMENT** [eʃalasmã] n. m. — 1845, *échalassage*; *échalassement,* 1552; de *échalasser.*
Vitic. ⓐ Opération par laquelle on soutient les rameaux de la vigne, à l'aide d'échalas, et, par ext., d'arbres, de treillages en fer, en bois.
ⓑ Ensemble d'échalas. *L'échalassage est solide.*

ÉCHALASSER [eʃalase] v. tr. — 1396, *eschalacier*; de *échalas.*
Agric. Garnir (une vigne, une plante) d'échalas, de supports.
DÉR. Échalassage.

ÉCHALIER [eʃalje] n. m. — 1530, *eschallier; eschalier,* «escalier», v. 1180; du lat. *scalarium.* → Escalier.

♦ **1** (1530). Échelle rudimentaire permettant de franchir une haie. *Échalier formé de clayonnages, de barres de bois formant échelons de chaque côté de la haie.*

♦ **2** Clôture mobile barrant l'entrée d'un champ. — Var. : *échallier.*

(...) chaque monceau de terre a son entrée qui, large de dix pieds environ, est fermée par ce qu'on nomme dans l'Ouest un *échalier.* L'échalier est un tronc ou une forte branche dont un des bouts, percé de part en part, s'emmanche dans une autre pièce de bois informe qui lui sert de pivot (...) Cette clôture varie suivant le génie de chaque propriétaire. Souvent l'échalier consiste en une seule branche d'arbre dont les deux bouts sont scellés par de la terre dans la haie. BALZAC, les Chouans, Pl., t. VII, p. 973.

Champs, prés enclos entourés de haies hautes et vives appelées ici des bouchures, interrompues çà et là par des passages que l'on nomme échaliers.
Jacques LACARRIÈRE, Chemin faisant..., p. 86.

Clôture de branches entrelacées.

ÉCHALOTE [eʃalɔt] n. f. — V. 1500, *eschalote; escaluigne,* v. 1140; *escalone* ou *eschalogne* au XIIIᵉ; altér. du lat. *ascalonia (cæpa),* «oignon d'Ascalon», ville de Palestine.

Plante potagère (*Liliacées*), variété d'ail (*allium ascalonicum*) dont les feuilles et surtout les bulbes sont utilisés comme condiments. *Échalote de Jersey, d'Alençon. Le goût de l'échalote est proche de celui de l'oignon*. Sauce à l'échalote. Ragoût à l'échalote. Mettre des feuilles d'échalote, du vert d'échalote dans une omelette aux fines herbes. Gousse d'échalote; rondelle d'échalote. Grillade, onglet à l'échalote, aux échalotes. Vinaigre à l'échalote.*

Il ne faut pas se dissimuler que c'est là le restaurant des aristos. L'usage est d'y demander des huîtres d'Ostende avec un petit ragoût d'échalotes découpées dans du vinaigre et poivrées, dont on arrose légèrement lesdites huîtres.   NERVAL, les Nuits d'octobre, XIV.

Échalote d'Espagne. → **Rocambole.**

DÉR. Échaloté.

ÉCHALOTÉ, ÉE [eʃalɔte] adj. — 1552, rare av. 1900 : Huysmans, *l'Oblat*, 1903; de *échalote.*

Rare. Assaisonné aux échalotes. *Sauce échalotée.*

ÉCHAMPIR [eʃɑ̃piʀ] v. tr. → **Réchampir.**

ÉCHANCRER [eʃɑ̃kʀe] v. tr. — 1546, in D.D.L.; de *é-, chancre*, et suff. verbal : «entamer comme fait un chancre».

Enlever en arrondi (une partie du bord), creuser un peu plus (une partie arrondie). → **Entailler, entamer.** *Échancrer une planche en croissant.* → **Creuser, évider.** *Échancrer l'encolure d'une robe, la monture d'une manche.* → **Couper, décolleter, découper, tailler.** — Par ext. (Sujet n. de chose). *La mer échancre le rivage en formant une baie. Le courant a échancré la côte.*

1   Le chancelier Duprat était devenu si gros et si gras, qu'il fallut faire échancrer sa table pour faire place à son ventre.   L. SALLENTIN, *in* Pierre LAROUSSE.

◆ **S'ÉCHANCRER** v. pron. (Passif).

Présenter, former une échancrure. *A cet endroit, la falaise s'échancre. Mur qui s'échancre en un renfoncement.* — Former une échancrure, un renfoncement.

◆ **ÉCHANCRÉ, ÉE** p. p. adj.

Forme échancrée. Bord légèrement échancré. — **Spécialt. Cout.** Creusé en dedans (en forme de croissant ou de V). *Encolure, emmanchure échancrée. Robe échancrée,* dont l'encolure est échancrée. *Corsage échancré. Chemise largement échancrée,* ouverte.

2   Cette femme soupait devant lui, en robe du soir échancrée en triangle sur un dos nu.   SAINT-EXUPÉRY, *Courrier sud*, II, XII, p. 138.

3   — Tu devrais faire mettre un autre bouton à ton pardessus.
— Il lui montre où.
— Il est trop échancré ton pardessus.
— Ça c'est vrai.   R. QUENEAU, *Exercices de style*, p. 82.

Feuilles échancrées, pétales échancrés. — **Géogr.** *Littoral, rivage échancré. Côtes profondément échancrées.* — **Anat.** Qui présente une entaille, une dépression. *Organe, os échancré.*

DÉR. Échancrure.

ÉCHANCRURE [eʃɑ̃kʀyʀ] n. f. — 1546, *eschencrure, in* D.D.L.; de *échancrer.*

◆ **1** Partie échancrée, entamée. → **Coupure; découpure, encoche, entaille, indentation.** *Échancrure en arc de cercle, en croissant. Échancrure d'un plat à barbe. Échancrure d'une étoffe. Échancrure d'une encolure (*→ **Décolleté***), d'une emmanchure*

(→ **Entournure**). *Élargir une échancrure. Échancrure d'une chemise. Échancrure d'une robe, d'un corsage (*→ **Col,** cit. 11; **cordon,** cit. 7). → **Décolleté.**

Leurs longues jupes, bouffant autour d'elles, semblaient des flots d'où leur taille émergeait, et les seins s'offraient aux regards dans l'échancrure des corsages.   1
FLAUBERT, l'Éducation sentimentale, II, II.

Il marchait de long en large en compagnie d'un camarade   1.1
qui devait être son maître d'élégance et qui lui conseillait, avec une pédanterie dandyesque, de faire diminuer l'échancrure de son pardessus en y faisant adjoindre un bouton supplémentaire.   R. QUENEAU, *Exercices de style*, p. 84.

Quand il se fit tendre, ell'lui dit : «J'présage   1.2
Qu'c'est pas dans les plis de mon cotillon,
Ni dans l'échancrure de mon corsage,
Qu'on va-t-à la chasse aux papillons.»
Georges BRASSENS, la Chasse aux papillons.

◆ **2** Partie enfoncée, concave, de ce qui est échancré*. *Échancrures d'une côte, d'un rivage.* → **Baie, golfe.**

Il paraît par les échancrures de toutes les terres que l'océan   2
baigne que les deux hémisphères ont perdu plus de 2 000 lieues de terrain (...)
VOLTAIRE, Essai sur les mœurs, Changements, *in* LITTRÉ.

(...) la baie Kotzebue, large échancrure triangulaire qui   2.1
mord profondément la côte américaine.
J. VERNE, le Pays des fourrures, t. II, p. 245.

L'échancrure de mer, en bas, retenait une laiteuse clarté   3
qui n'avait plus sa source dans le ciel.
COLETTE, la Naissance du jour, p. 198.

Mar. Concavité de la bordure d'une voile.

CONTR. Saillie.

ÉCHANGE [eʃɑ̃ʒ] n. m. — V. 1100, *escange;* déverbal de 1. *échanger.*

◆ **1** Opération par laquelle on échange (des biens, des personnes considérées comme des biens). *Faire un échange, l'échange de qqch. avec quelqu'un. Faire un échange avantageux.* — *Proposer un échange à un collectionneur. Les échanges font la joie des bouquinistes, des collectionneurs, des brocanteurs (*→ **Brocanter,** cit. 2). *Obtenir un nouvel appartement par un échange. Échange de postes, de résidences.* → **Permutation.** — *Échange de territoires à l'occasion d'un traité de paix. Discuter d'un échange de prisonniers. Cartel (cit. 2) d'échange.* — *Échange de pièces neuves contre des pièces usées. Échange standard*.*

Il envoie à Décie en proposer l'échange (*de Sévère prison-*   1
nier),
Et soudain l'Empereur, transporté de plaisir,
Offre au Perse son frère et cent chefs à choisir.
CORNEILLE, Polyeucte, I, 4.

Vous savez que nous allons peut-être l'avoir, l'appartement   1.1
de tante Berthe... Mais ça ne se fera pas tout seul, je le sais bien. Il y aura des difficultés... On a pensé à un échange à trois.   N. SARRAUTE, le Planétarium, p. 129.

Spécialt. Aux échecs, *Faire un échange* : prendre une pièce à l'adversaire qui prend à son tour la pièce équivalente.

Échanges entre personnes. Échanges amoureux. L'Échange, pièce de Paul Claudel. — *Échanges érotiques.* → **Échangisme.**

Dr. Contrat par lequel les deux parties se donnent respectivement une chose pour une autre (Code civil, art. 1702). → **Troc.** *Échange de choses de même valeur*. Échange avec soulte*. Échange de parcelles de terre, d'appartements.*

L'échange est, par rapport à la vente, le contrat primitif   2
(...) La vente n'est qu'une moitié de l'opération totale; l'échange complet se décompose en deux ventes successives : on vend une chose et avec le prix on en achète une autre. L'intermédiaire de la monnaie facilite l'échange des

choses. Pour l'économiste, vente et échange sont une seule et même chose ; ce n'est qu'au point de vue du droit que les deux contrats sont distincts.

M. PLANIOL, Traité élémentaire de droit civil, t. II, n° 1658.

(1748). Écon. (*Échange indirect,* par l'intermédiaire de la monnaie). Opération commerciale par laquelle des biens, des services sont échangés contre d'autres biens ou contre une monnaie. → **Commerce.** *Échange de produits contre d'autres produits. Échanges entre pays. Moyens d'échange* (→ Débouché, cit. 12 ; monnaie, cit. 5). *Valeur* d'échange d'un bien, d'un produit. Mouvement, volume des échanges. Liberté* (→ **Libre-échange**) *ou réglementaux* (→ **Protectionnisme**) *des échanges internationaux* (→ Ampleur, cit. 2). — *Échange de devises.* → **Change.** — *Monnaie d'échange :* une chose qui permet un échange avantageux.

3 La société consiste dans les services mutuels que se rendent les particuliers ; c'est pourquoi elle se lie par la communication et permutation : et tout cela est né du besoin, parce qu'il n'est pas possible qu'un seul homme puisse suffire à tout. Ainsi la société demande la diversité des ouvrages (...) on a introduit l'usage de l'argent. Je vous donne mon blé, par exemple ; mais j'aurai besoin d'un logement dans quelque temps. Je fais un échange avec Paul, afin de me loger : mais Paul n'a pas de quoi m'accommoder, il substitue de l'argent en la place du logement que je lui demande ; et ainsi l'argent m'est comme caution que je pourrai avoir une maison quand la nécessité me pressera (...)

BOSSUET, Pensée chrétienne et morale, De la société.

4 Les peuples qui ont peu de marchandises pour le commerce (...) négocient par échange. Ainsi les caravanes de Maures qui vont à Tombouctou, dans le fond de l'Afrique, troquer du sel contre de l'or, n'ont pas besoin de monnaie. Le Maure met son sel dans un monceau ; le Nègre, sa poudre dans un autre ; s'il n'y a pas assez d'or, le Maure retranche de son sel, ou le Nègre ajoute de son or, jusqu'à ce que les parties conviennent.

MONTESQUIEU, l'Esprit des lois, XXII, I.

5 La place que tient l'échange dans la vie moderne est incalculable. Pour s'en faire quelque idée, il suffit de remarquer que la presque totalité des richesses n'ont été produites que pour être échangées (...) demandez-vous quelle est la part de ces richesses que le producteur destine à sa propre consommation ! Elle est nulle ou insignifiante. Ce ne sont que des *marchandises,* c'est-à-dire, comme le nom l'indique assez, des objets destinés à être vendus. Notre industrie, notre habileté, nos talents, sont aussi le plus souvent destinés à satisfaire les besoins *des autres* et non les nôtres (...) Et voilà pourquoi, quand il s'agit d'estimer nos richesses, nous les apprécions non point d'après leur plus ou moins d'utilité pour nous, mais uniquement d'après leur valeur d'échange, c'est-à-dire leur utilité pour autrui.

Charles GIDE, Cours d'économie politique, t. I, p. 338-339.

6 (...) si la fédération des États d'Europe ne permettait pas une paix *économique,* comme la veut Wilson, avec la liberté des échanges commerciaux, la suppression des barrières douanières, etc.

MARTIN DU GARD, les Thibault, t. IX, p. 169.

♦ **2 EN ÉCHANGE,** loc. adv. *En manière d'échange ; de manière qu'il y ait échange.* → **Compensation** (en), **contrepartie** (en), **dédommagement** (en), **récompense** (en), **remplacement** (en), **retour** (en). *Céder une chose et en recevoir une autre en échange. Donner, passer* (→ Confesseur, cit. 3), *remettre une chose en échange.*

7 Les peuples lui ont confié la puissance et l'autorité, et se sont réservé en échange ses soins, son temps et sa vigilance.

MASSILLON, *in* Pierre LAROUSSE.

8 Vous trouverez ci-joint le paquet de vos lettres. Je compte que vous me renverrez en échange toutes celles de ma fille (...)

LACLOS, les Liaisons dangereuses, Lettre LXII.

EN ÉCHANGE DE, loc. prép. *Pour prix de, au lieu de, à la place de..., pour compenser, remplacer.*

9 Il m'a donné son cœur en échange du mien.

SCARRON, Don Japhet d'Arménie, IV, 1.

Tel, un magnifique tyran italien du bon temps offrait au divin Arétin soit une dague enrichie de pierreries, soit un manteau de cour, en échange d'un précieux sonnet ou d'un curieux poème satirique.

BAUDELAIRE, le Spleen de Paris, L.

(...) sa possession ne me semblait plus un bien en échange duquel on est prêt à donner tous les autres.

PROUST, À la recherche du temps perdu, t. XII, p. 261.

♦ **3** (XVIIIᵉ). Par anal. du sens 1. Communication réciproque (de documents, de pièces, de renseignements, etc.). *Des échanges de lettres.* → **Correspondance.** *Échange de notes diplomatiques, de pouvoirs entre plénipotentiaires.*

Fig. *Échange(s) de politesses, de poignées de main, de compliments, de services, de bons procédés, de bons offices* (→ Amitié, cit. 6). *Un échange de vues plutôt qu'une conférence. Un échange de fantaisies* (→ Amour, cit. 13). *Échange de secrets* (→ Confier, cit. 13). *Un échange, des échanges d'injures, de coups.*

Le tout se termina par des expansions et des échanges de poignées de main au bord de la fosse béante.

COURTELINE, Messieurs les ronds-de-cuir, 6ᵉ tableau, II, p. 226.

(...) un échange constamment intense de signes et d'actes, de volontés et de sentiments, dont les valeurs, les éclats, les accès, les effets se répondent, se renforcent ou se détruisent à toute heure du jour.

VALÉRY, Regards sur le monde actuel, p. 151.

Ils échangèrent quelques phrases, les plus pauvres et les plus ordinaires possibles ; et moins pour le contenu même des phrases que pour se réhabituer à l'échange.

J. ROMAINS, les Hommes de bonne volonté, t. IV, XX, p. 221.

♦ **4** (1865). Biol. Passage (dans les deux sens) et circulation de substances entre la cellule et le milieu extérieur. → **Perméabilité** (cellulaire). *Échanges cellulaires. Échanges gazeux, respiratoires.* (→ **Métabolisme**).

Chez tous les êtres vivants, le milieu intérieur, qui est un véritable *produit de l'organisme,* conserve des rapports nécessaires d'échanges et d'équilibres avec le milieu cosmique extérieur.

Cl. BERNARD, Introd. à l'étude de la médecine expérimentale, II, I, p. 107.

L'intensité des échanges chimiques, du métabolisme des groupes cellulaires et de l'être vivant tout entier, est l'expression de l'intensité de la vie organique.

Alexis CARREL, l'Homme, cet inconnu, p. 94.

Phys. *Échange de chaleur entre deux fluides.*

♦ **5** Au plur. ⓐ Ensemble des relations entre États se traduisant par des prestations réciproques, dans un domaine déterminé. *Échanges culturels, artistiques.*

ⓑ Relations orales et décisions communes. *Les deux chefs d'État ont eu des échanges fructueux, ils ont communiqué ensemble, échangé leurs idées.*

♦ **6** Sports. Le fait d'échanger des coups, des balles. *Les échanges d'une partie de tennis.* → **Set.**

DÉR. Échangisme, échangiste. ◊ **COMP.** Contre-échange, libre-échange.

ÉCHANGEABLE [eʃɑ̃ʒabl] adj. — Fin XVIᵉ ; de 1. *échanger.*

Susceptible d'être échangé. *Produits échangeables* (→ Argent, cit. 15). *Prisonnier échangeable contre un autre.*

CONTR. Inéchangeable.

1. ÉCHANGER [eʃɑ̃ʒe] v. tr. [CONJUG.: *bouger.*] — V. 1170, *eschangier ;* de *é-,* et *changer.*

♦ **1** (Compl. au sing.). Céder (une chose, un bien) moyennant contrepartie. *Échanger une marchan-*

dise contre une autre. Ésaü échangea son droit d'aînesse contre un plat de lentilles. — (Compl. au plur.). Donner et recevoir (des choses équivalentes qui passent de l'un à l'autre). *Ils ont échangé entre eux leurs vêtements, leurs places. Échanger son poste avec un camarade.* → **Changer** (de..., avec...), **permuter.** *Échanger des pièces de collection, des timbres rares, des tableaux. Ils ont échangé leurs cartes. Mariés qui échangent leurs anneaux. Échanger des prisonniers.*

1 Quand on réconcilia l'abbé Delille et Rivarol, à Hambourg, dans l'émigration, ils n'imaginèrent rien de mieux que d'échanger leurs tabatières.
SAINTE-BEUVE, *Portraits littéraires*, t. II, p. 336 (note).

2 Le quart d'heure est passé, Monsieur, je vous délivre :
Le mariage est fait...
Ils viennent à l'instant d'échanger leur anneau.
Edmond ROSTAND, *Cyrano de Bergerac*, III, 11.

Faire un échange de pièces, aux échecs.

Dr. *Échanger des biens.* → **Échange.** — **Écon.** *Échanger des denrées, des produits contre d'autres produits ou denrées* (→ **Troquer**), *contre de l'argent* (→ **Commercer ; acheter, vendre**). — *Échanger un billet contre de la monnaie ; échanger des devises.* → **Changer.**

3 *Tout achat suppose une vente préalable,* car, avant de pouvoir acheter, il faut au préalable avoir échangé quelque chose, notre travail, nos services, nos produits, contre de l'argent. A l'inverse, *toute vente présuppose un achat pour l'avenir,* car si nous échangeons nos produits contre de l'argent, ce n'est que pour échanger plus tard cet argent contre d'autres marchandises : sinon, qu'en ferions-nous ?
Charles GIDE, *Cours d'économie politique,* t. I, p. 343.

En parlant de biens abstraits.

4 Tant de gens échangent volontiers l'honneur contre les honneurs.
A. KARR, *in* Pierre LAROUSSE.

5 — Il y avait aussi (dit-il) autre chose dans les saintes... Elles échangeaient des vertus et une résignation terrestres contre un bonheur éternel ; c'est un bon placement...
A. MAUROIS, *le Cercle de famille*, III, X, p. 278.

♦ **2** (Sujet au plur.). Se faire des envois ou des communications réciproques (de choses du même genre). *Échanger des lettres, des notes diplomatiques, des cadeaux.* — **Diplom.** *Plénipotentiaires qui échangent leurs pouvoirs, qui se donnent mutuellement connaissance des papiers qui les accréditent.*

Par ext. *Échanger des coups, des horions.*

(1830). Le compl. désigne des abstractions, des signes, des comportements. Adresser et recevoir en retour. *Échanger ses idées, ses pensées* (→ Bout, cit. 9), *ses impressions* (→ Boutade, cit. 2), *ses vues. Échanger quelques propos, des confidences, des politesses, des compliments, un sourire, un bonjour. Échanger des injures* (→ Choquer, cit. 1), *des pointes, des piques, des facéties* (→ Assister, cit. 4). → **Adresser** (s'). *Échanger des promesses.*

6 Oui, les premiers baisers, oui, les premiers serments
Que deux êtres mortels échangèrent sous terre,
Ce fut au pied d'un arbre effeuillé par les vents.
A. DE MUSSET, *Poésies nouvelles*, «Souvenir».

7 L'étranger échangea seulement avec Caroline un regard, rapide il est vrai, mais par lequel leurs âmes eurent un léger contact (...)
BALZAC, *Une double famille*, Pl., t. I, p. 932.

8 Nous échangeâmes une rapide poignée de main, deux paroles amicales, et un regard profond et compréhensif de gens qui ont vu ensemble les choses d'autrefois.
Th. GAUTIER, *Portraits contemporains*, L. Gozlan, p. 145.

9 Un soir fait de rose et de bleu mystique,
Nous échangerons un éclair unique,
Comme un long sanglot, tout chargé d'adieux (...)
BAUDELAIRE, *les Fleurs du mal*, «La mort», CXXI.

Ces quatre hommes qui sont là rient très fort, échangent 10 des plaisanteries faubouriennes, avec un mauvais accent parisien (...)
LOTI, *Figures et Choses...*, p. 254.

Le jardinier, qui n'a peut-être jamais dit un mot plus haut 11 que l'autre à sa femme, les entend échanger des injures ignobles.
J. ROMAINS, *les Hommes de bonne volonté*, t. V, XX, p. 153.

Et il échangea avec sa femme le sourire, le mouvement de 12 menton, le manège de coquetterie qui convenait au «joli couple».
COLETTE, *la Chatte*, p. 122.

REM. *Échanger* suppose l'intervention de deux personnes, une réciprocité au moins sous-entendue. *Monter dans sa chambre pour échanger sa veste contre un manteau* est d'un emploi contesté.

Le soufflet qui séparait son bureau du salon du ministre 13 était la chambre d'accessoires où en une seconde Crapuce échangeait le masque de l'extrême tyrannie contre celui de la servilité.
GIRAUDOUX, *Bella*, IV, p. 91.

♦ **S'ÉCHANGER** v. pron. (Passif).

Être échangé, cédé, moyennant contrepartie. *Les produits s'échangent contre les produits* (→ Débouché, cit. 8 et 10). — Fig. *Que de confidences s'échangèrent !*

CONTR. Conserver, garder. ◊ **DÉR. Échange, échangeable, échangeur.** ← **HOM.** 2. **Échanger.**

2. ÉCHANGER [eʃɑ̃ʒe] v. tr. [CONJUG.: *bouger*.] 1701, corruption de *essanger.* → **Essanger.**

HOM. 1. **Échanger.**

ÉCHANGEUR [eʃɑ̃ʒœʀ] n. m. — 1292, *eschangeor ;* de 1. *échanger.*

♦ **1** (1292). **Dr. Ancient, vx.** Celui qui est partie à un échange (depuis le XVIIIᵉ, on dit *échangiste*). — **REM.** Dans ce sens, le fém. est virtuel.

♦ **2** (1862, *Année sc. et industr.*, 1863, p. 460). Appareil destiné à réchauffer ou refroidir un fluide, au moyen d'un autre fluide qui circule à une température différente (on dit aussi *échangeur de chaleur, de température*).

Chir. *Échangeur thermique :*

(...) en adaptant au circuit du cœur-poumon artificiel un 1 appareil qui permet de baisser ou d'augmenter à volonté la température du sang injecté à l'opéré (un échangeur thermique), on peut (...) faire baisser sa température centrale, puis la faire remonter (...)
Cl. D'ALLAINES, *la Chirurgie du cœur*, p. 92.

♦ **3** (V. 1960). Raccordement, sans croisement à niveau, de plusieurs voies routières, routes ou autoroutes. *Échangeur à trois niveaux. L'échangeur de la porte de la Chapelle, à Paris.* «*Un échangeur d'autoroutes en plein milieu des champs : le Canada pense dès aujourd'hui à organiser la circulation de l'an 2000*» (*Science et Vie*, nᵒ 594, p. 79).

Sur les places, les circuits mobiles, les échangeurs diri- 2 geaient les voitures vers des parkings souterrains, propices au silence, à la promenade, à la méditation.
Jean CAYROL, *Histoire d'un désert*, p. 24.

Entre les deux cordillères, la ville a dû forcer l'entrée d'un 3 coup d'épaule et pousser en hauteur, comme la jungle. Pas d'échappée qu'une autoroute centrale se ramifiant, tout au long en échangeurs superposés, boucles et trèfles au dessin compliqué.
Régis DEBRAY, *l'Indésirable*, p. 89-90.

ÉCHANGISME [eʃɑ̃ʒism] n. m. — XXᵉ ; de *échange.* Pratique consistant pour deux ou plusieurs couples, à échanger des partenaires sexuels.

Il y a quelques années, Rodolphe était fou d'échangisme, il emmenait Emma dans des partouzes parfois exagérément populaires, Emma s'y est intéressée pour faire plaisir à Rodolphe, mais s'est vite ennuyée.
Ph. SOLLERS, *Femmes*, p. 121.

ÉCHANGISTE [eʃɑ̃ʒist] n. et adj. — 1776; de échange, et -iste.

♦ 1 Dr., écon. Personne qui est partie dans un échange. → **Coéchangiste.**

1 Chaque échangiste (d'appartement) doit au préalable avertir son propriétaire par acte extrajudiciaire ou par lettre recommandée avec accusé de réception. Si le propriétaire entend s'opposer à l'échange, il doit à peine de forclusion, saisir la juridiction compétente (...) dans un délai de quinze jours.   Loi du 1ᵉʳ sept. 1948, art. 79.

Adj. **[a]** Qui procède à des échanges.

[b] Fondé sur l'échange. «(...) la philosophie échangiste du Net des origines» (le Monde, 4 oct. 2000, p. 22).

♦ 2 Personnes. Couple qui échange son partenaire amoureux, sexuel. Des couples d'échangistes. — Adj. Relatif à l'échangisme.

2 Marie-Christine et moi, nous comprenons tout à fait les théories échangistes. C'est une méthode plus honnête, plus saine que les petites tricheries d'antan.
                    Cecil SAINT-LAURENT, la Bourgeoise, p. 229.

COMP. Coéchangiste, libre-échangiste.

ÉCHANSON [eʃɑ̃sɔ̃] n. m. — Fin XIIᵉ; du francique *kanjo, latinisé en scantio, scantionis (VIIIᵉ).

♦ 1 (Fin XIIᵉ). Antiq. et moyen âge. Officier d'une maison royale ou seigneuriale (→ **Bouteiller, domestique, sommelier**), dont la fonction était de servir à boire à la table du prince. Le grand échanson, le premier en dignité. — Myth. Ganymède, échanson des dieux de l'Olympe.

♦ 2 (1797). Fam., plais. **ÉCHANSON, ÉCHANSONNE** : personne qui sert à boire. Soyez notre échanson (→ Briser, cit. 1).

1 Les buveurs d'Holbein remplissent leurs coupes avec une sorte de fureur pour écarter l'idée de la mort, qui, invisible pour eux, leur sert d'échanson.
                    G. SAND, la Mare au diable, I, p. 12.

2 En faisant ce métier d'échanson, Bilot affectait une religieuse gravité; on eût dit un prêtre de Bacchus officiant et célébrant les mystères de la dive bouteille.
                Th. GAUTIER, le Capitaine Fracasse, t. I, VIII, p. 271.

Par métaphore ou fig. (Poét.).

3 L'angélique échanson des couchants violets
Penchant l'urne du rêve emplit l'or vieux des coupes.
                    SAMAIN, Chariot d'or, Soir.

4 (...) Belles personnes,
Rayonnez, fleurissez, soyez des échansonnes
De rêve, d'un sourire enchantez un trépas,
Inspirez-nous des vers... mais ne les jugez pas!
                Edmond ROSTAND, Cyrano de Bergerac, I, 4.

DÉR. Échansonnerie.

ÉCHANSONNERIE [eʃɑ̃sɔnʀi] n. f. — Av. 1278; de échanson.

Didactique (histoire).

♦ 1 Lieu du palais où l'on distribuait le vin.

♦ 2 (1718). Corps des échansons (d'un prince).

ÉCHANTIGNOLE [eʃɑ̃tiɲɔl] n. f. → **Chantignole.**

ÉCHANTILLON [eʃɑ̃tijɔ̃] n. m. — 1260, au sens 1, a; d'un type exchandillon, dér. du bas lat. *scandiculum, dér. de scandere «monter, gravir», et signifiant «échelle», d'où «jauge, mesure».

♦ 1 **[a]** Vx, métrol. Étalon* de poids, mesures, monnaies.

[b] (1636). Mod. Type réglementaire de certains matériaux de construction. Bois d'échantillon. Brique, pavé d'échantillon. — (1832). Mar. Bâtiment de fort, de petit, de faible échantillon, suivant la largeur et l'épaisseur des pièces de construction.

♦ 2 (1407). Cour. Petite quantité d'une marchandise que l'on montre pour donner une idée de l'ensemble, et, spécialt, petit morceau d'étoffe détaché à cet effet de la pièce principale. Carte*, cahier, liasse* d'échantillons. Échantillons de blé, de vin, de café. — (Sans compl.). Botte, carnet, jeux d'échantillons à l'usage des représentants (→ Collection). Acheter une pièce sur un échantillon. Échantillons factices destinés à l'étalage. — Vente à l'échantillon, où la marchandise vendue doit être rigoureusement conforme à l'échantillon produit.

On contait hier au soir à table qu'Arlequin, l'autre jour, à Paris, portait une grosse pierre sous son petit manteau. On lui demandait ce qu'il voulait faire de cette pierre; il dit que c'était un échantillon d'une maison, qu'il voulait vendre (...)   Mᵐᵉ DE SÉVIGNÉ, 194, 16 août 1671.

Mon ancien camarade du petit séminaire, Fabregargues, établi pharmacien aux environs de Montreuil, m'envoie des boîtes-échantillons publicitaires.
            BERNANOS, Journal d'un curé de campagne, II, p. 117.

Il arrive avec sa caisse... Il étale ses échantillons, lentement, devant le client. Quand on dit «non», il remballe. Quand on commande, il note.
                A. MAUROIS, Bernard Quesnay, VI, p. 42.

(...) quel danger, quelle folie de choisir sur des échantillons (...)   N. SARRAUTE, le Planétarium, p. 7.

(1579). Par ext. Échantillon de... : partie (de qqch., d'un travail...) qui donne une idée de l'ensemble. Prélever des échantillons d'eau aux fins d'analyse.

L'eau sort à la température de 18°. Elle est assez franchement gazeuse. Mais une partie notable du gaz se perd dans les échantillons du fait du procédé primitif de mise en bouteilles.
                J. ROMAINS, les Hommes de bonne volonté, t. V, XXII, p. 175.

On dirait que l'ancienne Égypte ait craint que la postérité ignorât un jour ce que c'était que la mort, et qu'elle ait voulu, à travers les temps, lui faire parvenir des échantillons de cadavres.
                CHATEAUBRIAND, le Génie du christianisme, IV, II, I.

Par ext. Spécimen remarquable, typique. → **Prototype, représentant, spécimen.** De remarquables échantillons d'une espèce animale très rare. Un échantillon typique. — Par ext. Individu représentatif. Un bel échantillon de bourgeoisie provinciale.

Une très jolie servante, charmant échantillon de la beauté des femmes de Malaga, célèbre en Espagne (...)
                Th. GAUTIER, Voyage en Espagne, p. 205.

Ce charmant récit de trois ou quatre pages, très fin, très gai, qui exagère la réalité, qui ne va pas tout à fait jusqu'à la caricature (...) est peut-être le premier échantillon, dans notre littérature, de ce genre un peu chargé, mais d'une charge légère, où Janin s'est tant joué depuis.
            SAINTE-BEUVE, Causeries du lundi, 13 mai 1850, t. II, p. 106.

(...) il ne pouvait pas rencontrer un être tant soit peu particulier dans son attitude, sans s'interrompre quelques secondes pour observer l'échantillon d'humanité que le hasard plaçait sur son chemin.
            MARTIN DU GARD, les Thibault, IV, p. 277.

(Collectif). Échantillonnage. Un riche échantillon de populations variées, mélangées.

Fig. Cas particulier (de...). → **Abrégé, aperçu, exemple.** Un échantillon de ses réactions, de son style. Je vais vous donner un simple échantillon de son attitude.

(...) ce n'est qu'un petit échantillon de sa mauvaise humeur.   MOLIÈRE, le Médecin malgré lui, III, 3.

10   Les Juifs étaient accoutumés aux grands et éclatants miracles, et ainsi, ayant eu les grands coups de la mer Rouge et
la terre de Canaan comme un abrégé des grandes choses
de leur Messie, ils en attendaient donc de plus éclatants,
dont ceux de Moïse n'étaient que les échantillons.
PASCAL, Pensées, XII, 746.

11   (...) je n'y suis <i>(à Brevannes)</i> que depuis vingt-quatre
heures, mais on juge sur un échantillon.
Mme DE SÉVIGNÉ, 1086, 11 nov. 1688.

12   (...) je voulus lui donner un échantillon de mon talent, et
je me mis à composer une pièce pour son concert, aussi
effrontément que si j'avais su comment m'y prendre.
ROUSSEAU, les Confessions, IV.

Fam., iron. Personne ou chose très petite. *Quel échantillon !*

◆ **3 Statist. et cour.** Fraction d'une population destinée
à être étudiée par sondage. *Le choix des échantillons se fait par une méthode empirique ou raisonnée. Ce sondage a été fait sur un échantillon de
deux mille personnes.*

DÉR. Échantillonner. ◇ **COMP.** Sous-échantillon.

ÉCHANTILLONNAGE [eʃɑ̃tijɔnaʒ] n. m. — 1452; de
échantillonner.

◆ **1 Vx.** Étalonnage. — (1864). **Mod.** Action d'échantillonner. — **Mar.** Ensemble des dimensions des
parties structurales d'un navire.

◆ **2** Collection d'échantillons; ensemble d'échantillons. — **Fig.** «*Nous sommes maintenant une petite
société, un échantillonnage à peu près complet du
monde de l'intelligence*» (Goncourt, *Ch. Demailly*,
1860, p. 161).

◆ **3 Statist.** Ensemble des opérations pour la détermination d'un échantillon, dans une enquête par
sondage. — **Par ext.** L'étude du sondage.

◆ **4 Inform.** Transformation d'une fonction continue,
représentée par un signal analogique*, en fonction prenant des valeurs discrètes en vue d'un
traitement numérique binaire*. → **Quantification.**

ÉCHANTILLONNER [eʃɑ̃tijɔne] v. tr. — 1452; de
échantillon.

◆ **1 Vx.** Comparer (un poids, une mesure) avec
l'étalon et les rendre conformes à celui-ci. → **Éta-
lonner.**

◆ **2** (1558). Prélever, choisir des échantillons de (une
substance, un produit). *Échantillonner des pièces
de tissu, des draps.* — Prélever en tant qu'échantillon. *Échantillonner une petite quantité d'une substance, d'un minerai.*

◆ **3 Techn.** Exécuter (un travail) partiellement, à titre
de modèle pour le reste. *Échantillonner une broderie, une tapisserie.*

◆ **4 Techn.** *Échantillonner des peaux*, en couper les
extrémités (tête, queue, pieds), en rogner les bords,
pour leur donner une forme régulière.

◆ **5 Statist.** Choisir un échantillon de population;
considérer en tant qu'échantillon statistique.

◆ **6 Inform.** Opérer l'échantillonnage (4.) d'un signal.

DÉR. Échantillonnage, échantillonneur.

ÉCHANTILLONNEUR, EUSE [eʃɑ̃tijɔnœʀ, øz] n.
— 1904, *in* D.D.L.; de *échantillonner.*

◆ **1** Personne qui échantillonne.

◆ **2 N. m.** Instrument pour échantillonner (2.).

◆ **3 Inform.** Dispositif qui réalise l'échantillonnage
(4.) d'une grandeur analogique. *Échantillonneur de
sons.* → **Sampler.**

ÉCHANVRER [eʃɑ̃vʀe] v. tr. — 1723; de *é-*, du lat. *ex-*
«hors de», *chanvre* et suff. verbal.

Techn. Débarrasser (la filasse) de la chènevotte.

DÉR. Échanvroir.

ÉCHANVROIR [eʃɑ̃vʀwaʀ] n. m. — 1808, Boiste; de
échanvrer.

Techn. Outil pour échanvrer.

ÉCHAPPADE [eʃapad] n. f. — 1856, Goncourt; 1755, t.
de gravure; de (s') *échapper*, et suff. *-ade.*

Rare et littér. Action de s'échapper; son résultat.

ÉCHAPPATOIRE [eʃapatwaʀ] n. f. — 1465; de
échapper, et *-(at)oire.*

◆ **1** Moyen* détourné par lequel on cherche à se
tirer d'embarras. → **Défaite** (vx), **dérobade, excuse,
faux-fuyant, fuite, prétexte, ruse, sortie** (porte de), **subterfuge.** *Éviter un ennui, éluder une offre, une question par une échappatoire. Répondre par une échappatoire. Il faut trouver une échappatoire pour sortir
de ce mauvais pas.* → **Issue, porte** (porte de derrière,
de sortie). *Chercher, inventer des échappatoires. Grossière échappatoire. Enlever à qqn toute échappatoire.*
→ **Acculer;** → **Mettre au pied du mur*.**

Si nous les pressons de nous montrer une église de leur
croyance, toujours visible, ils se préparent une échappatoire.   BOSSUET, *Hist. des variations*, 15.   1

(...) des questions si bien posées qu'il soit impossible de
s'en défaire par des échappatoires.
CLAUDEL, Positions et Propositions, p. 93.   2

Aucune échappatoire possible; aucun moyen de s'en
tirer...   GIDE, *Journal*, 28 nov. 1942.   3

Par ext. Moyen de s'échapper, de s'évader.

L'horreur de l'homme pour la réalité lui a fait trouver ces
trois échappatoires : l'ivresse, l'amour, le travail.   4
Ed. et J. DE GONCOURT, Journal, p. 283.

◆ **2 Techn. (autom.).** Zone dégagée, sur circuit, à l'entrée ou la sortie d'un virage, en cas de perte de
contrôle de la voiture.

ÉCHAPPÉ, ÉE [eʃape] n. — XVe; p. p. de *échapper.*

◆ **1 Vieilli.** Personne qui s'est échappée d'un lieu où
elle était gardée. → **Évadé; fugitif.** *Un échappé, une
échappée de prison.* — **Fig.** *Un échappé des galères,
de prison :* un individu patibulaire (→ Un reste* de
gibet, de bagne).

J'avais plus l'air d'un échappé des galères que d'un enfant
de famille.   A. R. LESAGE, *Don Guzman...*, II, 2.

Loc. *C'est un échappé de Charenton, de Bicêtre*, un
fou*.

◆ **2 N. m. (Danse).** Pas de danse dans lequel on
s'élève sur les pointes (pour une danseuse), ou les
demi-pointes (pour un danseur) pour retomber en
deuxième ou en quatrième position.

HOM. Échappée, échapper.

ÉCHAPPÉE [eʃape] n. f. — 1490; p. p. de *échapper*
substantivé au féminin.

I ◆ **1 Vx.** Action de s'échapper (d'un endroit).
→ **Échappement, 1.** (vx), **escapade, fugue, fuite.** *Faire
des échappées dans les champs.* → **Promenade,
sortie.**

Madame Guyon faisait des échappées de Paris chez ce
dernier *(le Duc de Bourgogne)...*   1
SAINT-SIMON, Mémoires, 31, 109.

Dans mes échappées du dimanche, je me répandais dans
la campagne avec des jeunes gens de mon âge.   2
ROUSSEAU, in P. LAROUSSE.

Par métaphore. Mod. (littér.).

2.1 L'atmosphère asphyxiante, dans laquelle nous vivons sans échappée possible.

> A. ARTAUD, le Théâtre et son double,
> Idées/Gallimard, p. 103.

Fig. et vx. Écart de conduite. → **Incartade.** *C'est une échappée de jeune homme* (Académie).

♦ 2 Chasse. Action d'échapper à quelqu'un, à quelque chose. *L'échappée du gibier qui dépiste les chiens.* — **Loc.** *Les chiens chassent l'échappée.*

(1865, in Petiot). Sports et cour. Action menée par un ou plusieurs coureurs cyclistes qui lâchent le peloton et tâchent de conserver leur avance. *Échappée d'un coureur, de coureurs qui se détache(nt) du peloton.* — Aux jeux de balle, Action d'un ou de plusieurs attaquants qui tentent d'échapper au marquage de l'adversaire.

♦ 3 (Du sens II, 2 du verbe : *l'échapper belle*). Stylistique. *L'échappée belle* (titre de film) : le fait de l'échapper belle tout en s'échappant.

Ⅱ Espace libre mais étroit, resserré entre deux obstacles. **♦ 1 (1704).** Espace qui laisse voir quelque chose. — **Vx.** *Une échappée de vue,* mod., *une échappée* : espace étroit qui laisse voir l'horizon. → **Perspective** (cit. 5). *Échappée dans les arbres, entre des collines, des maisons... Échappée sur la mer. De cette maison, on a une belle échappée sur la campagne.* → **Ouverture, vue.** — *Échappée à travers les nuages.* → **Trouée.**

3   Par un étroit intervalle entre deux murs au delà d'une cour profonde, il y avait une échappée de vue superbe.

> STENDHAL, le Rouge et le Noir, II, XXXVI.

Fig. et littér. *Il y a dans cet ouvrage des échappées intéressantes sur différentes questions* (→ **Horizon**).

Peint. *Échappée de lumière* : lumière qui passe, qui filtre entre deux masses opaques.

♦ 2 Temporel. *Échappée de soleil, de beau temps* : court moment pendant lequel le ciel nuageux se dégage. *Le ciel est resté couvert avec quelques échappées de beau temps.*

(1667). Fig. (Vieilli ou littér.). Bref moment, court intervalle. *Il a des échappées de bon sens.* — *Par échappées* : par intervalles et comme à la dérobée.

4   Les pauvres gens n'avaient de leurs amours
Encor joui, sinon par échappées (...)

> LA FONTAINE, Contes, «La gageure...».

5   (...) ce charmant poète qu'on ne retrouve que par échappées dans son œuvre (...)

> Valery LARBAUD, Amants..., Beauté,
> mon beau souci, p. 11.

♦ 3 Techn. Espace ménagé pour un passage. — *Échappée d'une cour, d'une remise, d'un garage...* : espace permettant aux voitures de tourner pour s'y ranger ou pour en sortir. → **Dégagement.** — (1704). **Archit.** *Échappée d'un escalier* : espace compris entre les marches et le plafond (on dit aussi *échappement**). *Cet escalier a une échappée de deux mètres.*

HOM. Échappé, échapper.

ÉCHAPPEMENT [eʃapmɑ̃] n. m. — V. 1175; rare av. 1752; de *échapper.*

♦ 1 Vx. Action, moyen de s'échapper, de se tirer d'embarras. → **Échappée,** I., 1. (vx), **évasion, fuite, sortie.**

1   J'avais enlevé la petite dans l'idée de donner le change à mes penchants et de détourner sur quelque autre objet cette vague tendresse qui flotte dans mon âme et l'inonde; je l'avais prise comme une espèce d'échappement à mes facultés aimantes (...)

> Th. GAUTIER, Mᴵˡᵉ de Maupin, X, p. 230.

2   (...) l'état de chasteté, force était de m'en persuader, restait insidieux et précaire; tout autre échappement m'étant refusé, je retombais dans le vice de ma première enfance (...)

> GIDE, Si le grain ne meurt, I, IX, p. 245.

♦ 2 (1717). Techn., horlog. Mécanisme régulateur adapté au pendule ou au balancier, et qui vient se placer à chaque oscillation entre les dents qui libère («laisse échapper») une par une. *Horloge, montre à échappement. L'échappement sert à régulariser le mouvement moteur, et décompose la marche des aiguilles en mouvements saccadés d'égale durée. Échappement à cylindre, à repos. Échappement à détente,* sur les chronomètres* de marine. *Échappement à recul,* pour les sonneries de réveil. *Échappement à chevilles; à ancre* (→ **Assortiment,** 3.)

2.1   Or, ce fut au milieu de cette stagnation que maître Zacharius inventa l'échappement qui lui permit d'obtenir une régularité mathématique, en soumettant le mouvement du pendule à une force constante. Cette invention avait tourné la tête du vieil horloger.

> J. VERNE, Maître Zacharius, p. 131.

Échappement d'un piano : mécanisme qui assure le retrait du marteau après qu'il a percuté la corde, et qui permet notamment une exécution aisée des traits rapides.

♦ 3 (1845). Techn. Mécan. Expulsion (de la vapeur, des gaz); dernière phase de la distribution et de la circulation de la vapeur dans les cylindres. — **Spécialt.** Dernier temps du cycle d'un moteur à explosion pendant lequel s'effectue l'évacuation des gaz brûlés. *Admission, compression, combustion et échappement d'un moteur à quatre temps. Soupape d'échappement. Échappement libre,* par lequel les gaz sortent directement du moteur à l'air libre. *Échappement silencieux.* — **Loc. cour.** (1894). *Pot** (cit. 20.1) *d'échappement. Tuyau d'échappement muni d'un silencieux,* conduisant les gaz au-dessous et vers l'arrière de la voiture.

3   La voiture de dératisation passa sous leur fenêtre dans un grand bruit d'échappement.

> CAMUS, la Peste, I, p. 69.

4   Et le moteur tourne une semaine plus tard en vomissant des torrents de suie par son gros tuyau d'échappement placé debout sur le toit de la cabine comme une cheminée de navire.

> Bernard MOITESSIER, Cap Horn à la voile, p. 87.

♦ 4 Archit. *Échappement d'un escalier.* → **Échappée** (3.)

CONTR. Admission.

ÉCHAPPER [eʃape] v. — V. 1100, *escaper,* au sens I, 1; du lat. pop. *excappare,* propr «sortir de la chape», de *ex-,* et bas lat. *cappa* «sorte de coiffure; manteau». → **Chape.**

Ⅰ V. intr. **A** (Ne plus être pris). *Échapper de, à qqch.; échapper à qqn.* → **Aller** (s'en), **partir. ♦ 1** (Sujet n. de personne, d'animé). **a** Vieilli. **ÉCHAPPER DE...** : s'enfuir (d'un lieu), fausser compagnie à (qqn). → **Enfuir** (s'), **sauver** (se). — **REM.** On emploie plus couramment dans ce sens s'échapper, v. pron. *Échapper de prison, du bagne.* → **Évader** (s'). — **Absolt.** *Laisser échapper un détenu. Échapper des mains de ses gardiens.* → Tromper la surveillance* de...

Vieilli. Se tirer, sortir (d'un danger, d'un état fâcheux). *Échapper d'un naufrage, d'un danger,* en sortir indemne. → **Réchapper; rescapé.** *Échapper d'une maladie.* → **Guérir.** — **Absolt.** *Il en a échappé.* → Passer* à travers, s'en tirer*.

1   Vous avez beaucoup à remercier Dieu d'en être échappé à si bon marché.

> RACINE, Lettre à son fils, 41.

2 (...) si jamais nous échappons de cette tempête, je me défierai de moi-même comme de mon plus dangereux ennemi (...) FÉNELON, Télémaque, I.

2.1 (...) mon épitaphe me plaît toujours. Elle illustre un point de grammaire (...) pour pouvoir m'exhumer il faudra d'abord me trouver, et j'ai bien peur que l'État n'ait autant de mal à me trouver mort que vivant. C'est pour cela que je me dépêche de la consigner à cette place, avant qu'il ne soit trop tard :
Ci-gît qui y échappa tant
Qu'il n'en échappe que maintenant (...)
S. BECKETT, Premier amour, p. 10.

b Mod. ÉCHAPPER À... : sortir indemne, vivant de... *Échapper à un naufrage, à un accident. Il a seul échappé à l'accident, au massacre.*

3 Lireux, un écrivain saisi pour être fusillé et qui a échappé par miracle, déclare avoir vu «plus de huit cents cadavres».
HUGO, Histoire d'un crime, III, III.

REM. Pour la construction analogue, avec un compl. n. de personne, → ci-dessous, I., B., 1.

Fig. Sortir de... *Échapper à sa condition, à son milieu. Échapper à des habitudes, à une influence...*

4 Vous continuerez d'habiter les mêmes chambres, le même fauteuil, de voir le même horizon dans le cadre de la même fenêtre. *Échappez donc à tout cela !* Il y a si peu de jours dans la vie : faites que pas un d'eux ne ressemble au suivant.
Pierre LOUŸS, les Aventures du roi Pausole, I, IX.

♦ **2** (V. 1140). Sujet n. de chose. Cesser d'être tenu, retenu. *Objet qui échappe des mains.* → **Glisser, tomber.** *Le verre lui a échappé des mains.* — (Sans compl. ind.). *Laisser échapper le plat, le vase que l'on portait.* → **Lâcher** (→ Boucan, cit.).

5 (...) l'idée qu'il ne pourra pas faire ce crime, que sa main tremblera, que le couteau lui échappera.
J. ROMAINS, les Hommes de bonne volonté, t. III, XXII, p. 294.

Fig. (Ne pas pouvoir être retenu, conservé). *Le temps nous échappe.* → **Écouler** (s'), **fuir** (→ Dépenser, cit. 8). *Il sent que son autorité va lui échapper. La patience lui échappe.* — Absolt. *Le bonheur échappe vite. Laisser échapper un avantage, une bonne occasion.* → **Manquer.**

6 Elle *(la vérité)* échappe aussitôt qu'on présume en jouir (...)
CORNEILLE, Poésies diverses,
Défense des fables dans la poésie.

7 (...) il me semble toujours que tout ce que j'aime, tout ce qui m'est bon, va m'échapper (...)
Mᵐᵉ DE SÉVIGNÉ, Lettres, 216, 1ᵉʳ nov. 1671.

8 (...) l'homme, à qui tout échappe, ne jouit que de ce qu'il sait perdre. ROUSSEAU, Émile, V.

9 Le temps m'échappe et fuit (...)
LAMARTINE, Premières méditations, «le Lac».

♦ **3** (Sujet n. de personne). *Échapper à qqn* : cesser de subir l'influence de qqn, s'en éloigner psychologiquement. *Échapper à qqn* (en changeant de sentiment). → **Détacher** (se). *Sa femme, son disciple lui échappe peu à peu. Elle sentait que son fils lui échappait.*

10 Madame de Montespan s'aperçut que le roi lui échappait lorsque le mal était sans remède.
Mᵐᵉ DE CAYLUS, Souvenirs, p. 112, *in* LITTRÉ.

Littér. ou vx. *Échapper à qqn, aux soins de qqn,* en quittant la vie. → **Mourir.** *Il va nous échapper malgré nos soins.*

11 La princesse leur échappait parmi des embrassements si tendres, et la mort plus puissante nous l'enlevait entre ces royales mains.
BOSSUET,
Oraison funèbre de Henriette-Anne d'Angleterre.

12 (...) l'enfant lui échappait, et son effort sombrait dans le vide. Il lâchait alors le mince poignet et retournait à sa place. CAMUS, la Peste, p. 235.

Cour. (Le sujet désigne un signe du langage). Ne pouvoir être retrouvé dans la mémoire (se dit de ce dont on a perdu le souvenir). *Son nom m'échappe. Le terme exact m'échappe pour l'instant* (→ **Oublier**).

13 Tant d'autres, dont les noms lui sont même échappés (...)
RACINE, Phèdre, I, 1.

14 Sa mémoire ne laissait rien échapper et tout lui semblait précieux dans les cent petits détails qu'elle glanait chaque jour (...) J. GREEN, Léviathan, III, p. 22.

♦ **4** Techn. (Sujet n. de chose). ÉCHAPPER À : ne se être engagé dans. «*La tête de ces vis échappe à l'ardoise*» (Viollet-Le-Duc, *in* T. L. F.).

♦ **5** Être émis, prononcé contre la volonté du sujet (en parlant d'un son que l'on émet involontairement). Absolt. *Laisser échapper un soupir, un cri* (cit. 8). — Impers. *Il lui a échappé un gémissement de douleur, un juron.*

15 (...) il lui échappa un cri, dans lequel je crus reconnaître plus d'amour que de surprise et d'effroi.
LACLOS, les Liaisons dangereuses, Lettre LXXVI.

(Le sujet désigne ce qui est dit, fait par mégarde, imprudence ou maladresse.) — REM. Se conjugue fréquemment avec *avoir* lorsque toute confusion est impossible avec le sens B., 2., b. *Quelques fautes lui sont échappées. Une parole malheureuse lui est échappée, lui a échappé dans la discussion. Mon secret m'a échappé.* — Absolt. *Laisser échapper une remarque, une protestation, un geste d'agacement...* — Impers. *Il lui échappa de la tutoyer en public.*

16 Ce mot ne m'a jamais échappé sans remords.
CORNEILLE, Œdipe, V, 7.

17 Il échappe à une jeune personne de petites choses qui (...) flattent sensiblement celui pour qui elles sont faites. Il n'échappe presque rien aux hommes ; leurs caresses sont volontaires (...) LA BRUYÈRE, les Caractères, III, 14.

18 On évita même de la nommer, car Landry devenait rouge, et tout aussitôt pâle, quand son nom échappait à quelqu'un devant lui (...)
G. SAND, la Petite Fadette, XXX, p. 204.

19 Nous nous sommes quittés sur des paroles très dures. Je veux t'avoir dit d'abord que je regrette celles qui me sont échappées. Paul BOURGET, Un divorce, VI, p. 211.

19.1 Mais enfin, ça lui a échappé, c'est pas cela qu'il voulait dire. — Échappé ! entre un général de l'armée française, le sous-chef d'État-Major de l'armée, et le Barreau, il n'y a pas de mots qui échappent.
PROUST, Jean Santeuil, Pl., p. 631.

B ÉCHAPPER À... : se dérober à, ne pas être pris.
♦ **1** (Sujet animé). Éviter (qqn, qqch. de menaçant qui peut atteindre, saisir, prendre...). **a** *Échapper à quelqu'un. Échapper à la police, aux recherches. Échapper à ses poursuivants.* → **Semer** (fam.). *Il ne nous échappera pas* (→ 1. Coupable, cit. 8). *Proie qui échappe au moment où on allait la saisir.*

20 Elle s'était réfugiée au Maroc espagnol, dans ce coin perdu du Djebel, afin d'échapper à la police de Rabat (...)
P. MAC ORLAN, la Bandera, XI, p. 126.

Absolt. Vx. Se dérober à la discussion. *Il est fuyant, il échappe* (Académie).

b *Échapper à quelque chose.* → **Éviter.** *Échapper à la prison, à la potence. Échapper au danger qui menace. Il a échappé de justesse à la mort.*

21 On le mène, comme elle, à la potence. On ne lui fait grâce que de la vie. Il échappe au gibet ; mais on se réserve à la suite infinie des supplices.
André SUARÈS, Trois hommes, «Dostoïevski», III, p. 207.

Se dérober, se soustraire (à qqch.). *Échapper à un ennui, à une corvée.* → **Couper** (à). *Il n'y a pas moyen d'y échapper. Échapper à une question embarrassante, à une difficulté.* → **Éluder, esquiver.** *Fait d'échapper à une tâche, à une obligation.* → **Dérobade, échappatoire.** *Échapper à la règle, à la loi.*

→ **Exception** (faire). *Échapper au service militaire.*
→ **Exempt, exempté** (être). *Vouloir échapper à son destin. Nul n'échappe à la critique.* → **Abri** (être à l'abri de); → Chimérique, cit. 2. *Échapper à la peur, à l'ennui. Échapper aux erreurs de son siècle, à la facilité, à la vulgarité.*

22 (...) le compositeur *(Wagner),* dans la traduction musicale, a échappé à cette vulgarité qui accompagne trop souvent la peinture du sentiment le plus *populaire* — j'allais dire populacier (...)
BAUDELAIRE, l'Art romantique, R. Wagner, III.

23 Je songeais à cette obligation à laquelle nul de nous ne peut échapper.
FRANCE, la Vie en fleur, XXIII, p. 263.

24 J'ai quelquefois désiré, je l'avoue, d'être tout à fait imbécile, afin d'échapper complètement aux sophismes de l'orgueil (...)
Léon BLOY, la Femme pauvre, I, XV, p. 90.

25 Est-ce que vous n'avez pas compris, cet été-là, qu'il y a une fatalité sur nous? Et que nous ne lui échapperons pas?
MARTIN DU GARD, les Thibault, t. VI, p. 157.

26 Si Kyo échappait à la peur par manque d'imagination (...)
MALRAUX, la Condition humaine, VI, 10 h.

♦ **2** (Sujet n. de chose). **ⓐ** Être à l'abri de, en dehors de. *Une telle œuvre échappe à la banalité. Mot qui échappe à toute définition. Ses initiatives échappent à notre contrôle. Cette question échappe à ma compétence.* → **Sortir** (de).

27 (...) il y a dans les producteurs multiples de l'art quelque chose de toujours nouveau qui échappera éternellement à la règle et aux analyses de l'école!
BAUDELAIRE, Curiosités esthétiques, Exposition universelle, Pl., p. 683.

28 (...) leur liaison (...) échappait ainsi à ce qu'il y a de banal dans un adultère de gens du monde (...)
J. ROMAINS, les Hommes de bonne volonté, t. V, IV, p. 27.

ⓑ N'être pas touché, contrôlé, compris, remarqué. (Se conjugue avec l'auxiliaire *avoir.* Jusqu'au XVIIIᵉ, on trouve quelques emplois avec *être* dans ce sens). *Tout ce qui échappe à notre vue. Animaux microscopiques qui échappent au regard. Ce détail a échappé à mon attention. Faute qui échappe à un correcteur,* qu'un correcteur laisse passer. *Il surveille tout, rien ne lui échappe :* il remarque tout. → L'œil* du maître. *Rien n'a échappé à leur prévoyance; ils n'ont rien négligé. Les objets particuliers lui échappent.* → Perdre, cit. 57. *Le sens de cette phrase m'échappe. Toute l'ironie du texte lui a échappé. Le surnaturel échappe à notre compréhension.* → **Dépasser.** — Impers. *Il ne m'a échappé à personne que cette allusion était dirigée contre X. Il ne lui a pas échappé que vous étiez mécontent.*

29 (...) et puis, quand le sens m'échappe, je me mets en colère, et je jette tout.
Mᵐᵉ DE SÉVIGNÉ, 181, 5 juil. 1671.

30 (...) fouiller dans les archives de l'antiquité pour en retirer des choses (...) échappées aux esprits les plus curieux (...)
LA BRUYÈRE, Disc. de réception à l'Acad. franç.

31 Ces inconvénients n'étaient pas compensés à ses yeux par un pittoresque ou une poésie qui lui échappaient.
J. ROMAINS, les Hommes de bonne volonté, t. V, XXIII, p. 201.

32 (...) la mise en question (...) de l'homme par tout ce qui lui échappe, par ce qui le dépasse, le transcende ou l'anéantit.
MALRAUX, les Voix du silence, p. 178.

Ⅱ **V. tr.** ♦**1** (V. 1200). Vx. *Échapper qqn, qqch.,* éviter.
→ ci-dessus Échapper à... *«Nulle puissance ne peut échapper les mains de Dieu»* (Bossuet)
Laisser échapper, manquer.

♦**2** Loc. (1640). **L'ÉCHAPPER BELLE. ⓐ** Vx. Manquer une balle qui était pourtant belle, c'est-à-dire de nature à être reprise, renvoyée.

ⓑ Mod. Échapper de justesse à un danger. *Elle l'a échappé belle.* — REM. Le participe, en principe, ne s'accorde pas avec *belle;* mais on trouve des exemples de

cet accord : *il l'avait échappée belle* (Aragon, *in* T. L. F.).
— Var. anc. : *en échapper une belle :*

— O Fée aux miettes! lui dis-je, que le ciel m'est favorable de me faire trouver partout où vous avez besoin de moi pour vous retirer des périls de la mer! Vous en avez encore échappé une belle, cette fois; mais aussi qu'aviez-vous à faire de retarder pendant deux ans votre voyage à Greenock?
Charles NODIER, Contes, éd. Charpentier, p. 186.

♦**3** Régional, notamment Canada, cf. anc. franç. *eschapper* «laisser partir», dial. *échaiper* (Morvan). Laisser (involontairement) tomber; ne plus pouvoir tenir. *«Il suivit leur regard et, de stupeur, il échappa son colis sur ses pieds»* (Lemelin). *Échapper un poisson* (à la pêche). *Échapper son cheval.*

Il n'avait pu toucher une fois la balle sans «l'échapper», la reprendre en cafouillant dans ses mains autrefois si sûres.
René FALLET, le Triporteur, p. 379.

♦ **S'ÉCHAPPER** v. pron.

♦**1** (V. 1160). Sujet animé. S'enfuir, se sauver. → **Partir.** → *supra,* Échapper, I., A., 1. *Les détenus se sont échappés de prison.* → **Évader** (s'). → Prendre la clef* des champs. *S'échapper à toutes jambes.* → **Déguerpir, filer** (fam.). *Ne le laissez pas s'échapper! S'échapper pour gagner un refuge.* → **Réfugier** (se). *S'échapper des mains, des bras de quelqu'un.* → **Dégager** (se). *Jeunes gens qui s'échappent de chez eux* (→ **Escapade**). *Chien qui rompt sa chaîne et s'échappe. L'oiseau s'est échappé de sa cage.*

(...) le chien Macaire profita d'un mouvement qui se faisait au bout du petit corridor pour s'échapper dans l'escalier de service, et descendre les étages.
J. ROMAINS, les Hommes de bonne volonté, t. IV, VIII, p. 76.

(...) je ne l'ai pas dénoncé parce que j'avais peur de sa vengeance. Même si on l'avait pris, il y a des prisonniers qui s'échappent. Qui sait s'il ne serait pas revenu par ici pour m'égorger?
J. GREEN, Léviathan, II, VI, p. 186.

(1880, *in* Petiot). Sports. Faire une échappée*. *Cyclistes qui s'échappent du peloton.*

Fig. et vieilli. *Son esprit s'échappe.* → **Égarer** (s'); → Capricieux, cit. 1.

Vx. *S'échapper de qqn.* → **Quitter.**

A peine ai-je eu loisir de lui dire deux mots,
Qu'aussitôt le fantasque, en me tournant le dos,
S'est échappé de moi (...)
CORNEILLE, Mélite, II, 8.

S'en aller, sortir, partir discrètement. *S'échapper pour un moment, pour quelques instants.* → **Absenter** (s'). *Elle s'échappa pour aller ouvrir la porte. Il s'échappa pour aller chercher des rafraîchissements. S'échapper d'une réunion, d'une réception...* → **Brûler** (la politesse), **disparaître, éclipser** (s'), **esquiver** (s').

(...) j'aime avant tout la règle et trouve aussi mauvais de renvoyer un hôte quand il veut demeurer, que de le retenir quand il veut s'échapper.
Victor BÉRARD, Trad. HOMÈRE, l'Odyssée, p. 252.

Figuré :

Ainsi de l'aube au crépuscule, comme des mots railleurs, pinsons, mésanges, martins et pierrots s'échappent des jeunes arbres vers le vieux noyer.
J. RENARD, Histoires naturelles, Merle!

Spécialt. Vx. S'emporter, se laisser aller à quelque parole ou action inconsidérée.

D'où vient que les mêmes hommes qui ont un flegme tout prêt pour recevoir indifféremment les plus grands désastres, s'échappent, et ont une bile intarissable sur les plus petits inconvénients?
LA BRUYÈRE, les Caractères, XI, 148.

On s'est échappé dans une rencontre, on a parlé, agi mal à propos.
BOURDALOUE, Pensées, Sur l'humilité et l'orgueil.

Régional. Absolt. S'en aller. *Je m'échappe.*

♦ **2** (Sujet n. de chose). Sortir (souvent, par surprise, d'une manière non contrôlée). *Objet qui s'échappe des mains de qqn.* → **Tomber.** *Fumée qui s'échappe du toit. Eau qui s'échappe par un trou, une fuite du récipient qui la contient.* → **Épandre** (s'). *Liquide qui s'échappe par des fissures, des pores...* → **Suinter, transpirer.** *Veillez à ce que le lait ne s'échappe pas.* → **Déborder, sauver** (se). *Les gaz s'échappent après la combustion* (→ **Échappement**). *Cheveux qui s'échappent d'un chapeau* (→ Bonnet, cit. 2). *Couture, ourlet d'un vêtement qui s'échappe, se défait.* → **Émaner, provenir, venir.** — *Des pleurs s'échappèrent de ses yeux.* → **Couler, répandre** (se). *Note, son qui s'échappe d'un instrument. Gémissement, soupir, sanglot... qui s'échappe de la bouche de quelqu'un.*

40   Ah! qu'un seul des soupirs que mon cœur vous envoie,
S'il s'échappait vers elle, y porterait de joie!
             RACINE, Andromaque, I, 4.

41   De chaque côté des pavillons, serpente une haie vive d'où s'échappent des ronces semblables à des cheveux follets.
             BALZAC, les Paysans, Pl., t. VIII, p. 13.

42   De vous, claire et joyeuse ainsi qu'une fanfare
Dans le matin étincelant,
Une note plaintive, une note bizarre
S'échappa (...)
            BAUDELAIRE, les Fleurs du mal, «Confession».

42.1   Soudain la main d'un des passagers s'est mise à trembler, le verre qu'elle tenait s'est échappé et a roulé sur le plancher (...)
           N. SARRAUTE, le Planétarium, p. 76.

Impersonnel :

43   Il s'échappait de ces boîtes, je ne sais quelle odeur fanée, quel parfum éteint, qui, soudain, réveillaient en moi pour tout un jour les souvenirs, les regrets, et arrêtaient mes recherches.
           ALAIN-FOURNIER, le Grand Meaulnes, p. 337.

Au participe passé :

44   Un flot de sang échappé de la bouche barbouillait son menton sous son cou, imbibait la neige.
           COCTEAU, les Enfants terribles, p. 14.

Par métaphore :

45   Mon âme a comme une fissure par où s'échappe, goutte à goutte, l'enthousiasme.
           F. MAURIAC, l'Enfant chargé de chaînes, p. 98.

♦ **ÉCHAPPÉ, ÉE** p. p. adj. *Courir comme un cheval échappé. — Parole échappée. — N. Un, une échappé(e).* → **Échappé.**

46   Un mot échappé tue un homme du premier ordre.
           VALÉRY, Cahiers, t. II, Pl., p. 1454.

CONTR. Entrer, rentrer, rester. — Revenir. — Retenu (être).
◊ **DÉR. Échappade, échappatoire ; échappé, échappée, échappement. ♦ COMP. Réchapper. ♦ HOM. Échappé, échappée.**

ÉCHARDE [eʃaʀd] n. f. — Déb. XIIIᵉ ; *escherde*, v. 1165 ; du francique *skarda* «éclat de bois», p.-ê. selon P. Guiraud par un croisement avec un gallo-roman *excarpitare* qui aurait donné l'anc. franç. *escart* «brèche», d'où *escarder* «ébrécher».

Petit fragment pointu d'un corps étranger (éclat de bois, épine, piquant végétal...) qui a pénétré sous la peau par accident. *Avoir une écharde dans le doigt, le pied. Retirer, extraire une écharde. Écharde qui provoque un panaris.*

Par comparaison :

1   Elle était dans sa pensée comme une écharde dans le doigt, d'autant plus douloureuse qu'on la voit à peine.
           Edmond JALOUX, le Dernier Jour de la création, VIII, p. 98.

2   (...) il m'a fait mal, je le porte comme une esquille de bois sous mes ongles, comme une escarbille brûlante sous mes paupières, comme une écharde dans mon cœur.
           SARTRE, le Sursis, p. 83.

Par anal. Pointe. *Des échardes de fil de fer barbelé.*

Par métaphore :

3   Bertrand Gay-Lussac, écharde dans ma chair (j'en ai physiquement encore souffert hier), pointe sensible sur le disque de la vie. Dès ma quatorzième année j'ai ainsi été mis à jamais en contact avec ce que les enfants ignorent et ce dont les adultes se détournent : la douleur et la mort.
           Claude MAURIAC, le Temps immobile, p. 201.

ÉCHARDONNAGE [eʃaʀdɔnaʒ] n. m. — 1838 ; de *échardonner.*

♦ **1** Agric. Action d'échardonner (un terrain).

♦ **2** Techn. Opération par laquelle on débarrasse la fibre des impuretés. → **Déchardonnage.** *L'échardonnage est une des opérations de cardage. Tambour d'échardonnage,* dit «rouletabosse».

ÉCHARDONNER [eʃaʀdɔne] v. tr. — V. 1223 ; de *é-, chardon,* et suff. verbal.

♦ **1** Agric. Débarrasser (un terrain) des chardons qui y poussent. *Échardonner un champ de blé. On échardonne au mois de mai avec un sarcloir* (→ **Sarcler**) *ou un échardonnoir.*

♦ **2** Techn. **[a]** Anciennt. Faire passer (un drap) sous des cylindres garnis de chardons afin de faire apparaître le duvet → 2. Carde. On a dit dans ce sens *chardonner* (1564).

[b] (1870). Mod. Débarrasser (la laine, une fibre) des impuretés : chardons, pailles, etc. *Opération par laquelle on échardonne la laine.* → **Échardonnage ; déchardonnage.** — Au p. p. :

Cest (...) sans solution de continuité que la nappe de laine échardonnée se présente au cardage *(proprement dit).*
           Raymond THIÉBAUT, la Filature, p. 66.

DÉR. Échardonnage, échardonneur, échardonnoir.

ÉCHARDONNEUR, EUSE [eʃaʀdɔnœʀ, øz] n. — 1890, n. f. ; de *échardonner.*

Technique.

[I] Ouvrier, ouvrière qui pratiquait l'échardonnage à la main.

[II] ♦ **1** Par appos. ou adj. m. *Cylindre échardonneur :* cylindre qui débarrasse le tambour d'échardonnage dit «rouletabosse» des impuretés retirées de la laine.

♦ **2** (1890, in *Année sc. et industr.* 1891, p. 555). **ÉCHARDONNEUSE,** n. f. *Machine qui effectue l'échardonnage (de la laine, du drap).* → **Échardonnage.**

ÉCHARDONNOIR [eʃaʀdɔnwaʀ] n. m. — 1846, Bescherelle ; de *échardonner.*

Techn. (agric.). Petite serpe fixée à un long manche pour sectionner les racines des chardons. — REM. On a dit aussi *échardonnet,* n. m. (1808, Boiste) et *échardonnette,* n. f. (1846).

ÉCHARNAGE [eʃaʀnaʒ] ou **ÉCHARNEMENT** [eʃaʀnəmã] n. m. — 1790 ; de *écharner.*

Techn. Action d'écharner les peaux. → **Drayage.**

ÉCHARNER [eʃaʀne] v. tr. — 1680 ; déb. XIIIᵉ, au p. p. «décharné» ; de *é-,* anc. franç. *charn* «chair», et suff. verbal.

Techn. (corroyage*). Débarrasser (une peau) de la chair qui y adhère. → **Drayer.**

♦ **S'ÉCHARNER** v. pron. (Passif). Être écharné.

♦ **ÉCHARNÉ, ÉE** p. p. adj.

Mathieu en a fini avec l'ours — le lard dans le baril de saumure, les jambons suspendus dans la cheminée — la peau écharnée et clouée sur un mur, la viande découpée en lanières qui sèchent dans le vent.
         Jean-Yves SOUCY, Un dieu chasseur, p. 16.

DÉR. Écharnage, écharneur, écharnoir, écharnure.

ÉCHARNEUR, EUSE [eʃaʀnœʀ, øz] n. — Attesté 1900, au sens II; de *écharner*.

Technique.

I Personne qui écharne les peaux.

II **ÉCHARNEUSE**, n. f. *Appareil pour écharner les peaux.*

ÉCHARNOIR [eʃaʀnwaʀ] n. m. — 1723; de *écharner*.

Techn. (corroyage). Couteau à écharner. → **Drayoire.**

ÉCHARNURE [eʃaʀnyʀ] n. f. — 1493; de *écharner*.

Techn. (corroyage). Débris de chair enlevé par l'écharnoir. → **Drayure.** — Façon qu'on donne en écharnant.

ÉCHARPAGE [eʃaʀpaʒ] n. m. — D. i. (attesté 1870, P. Larousse); de 1. *écharper*.

Techn. et cour. Action d'écharper. *L'écharpage de la laine, du lin.* — *L'écharpage de l'assassin par la foule.* → **Lynchage.** *L'écharpage d'un livre par la critique.* → **Éreintement.**

ÉCHARPE [eʃaʀp] n. f. — V. 1135, *escharpe; escherpe*, 1283; orig. incert., traditionnellement rattaché au francique *skirpa* «panier de jonc»; (cf. le lat. médiéval *scrippa* «sacoche de pèlerin») ou (P. Guiraud), de *excapere*, comme 1. *écharper*, 1. («bande obtenue en déchirant les fibres»).

♦ **1** (1306). Large bande d'étoffe servant d'insigne, passée obliquement autour du corps, de l'épaule droite à la hanche gauche, ou nouée autour de la taille. **a** Ancienn, hist. *Écharpe du chevalier*, aux couleurs de sa dame. — Insigne de guerre, ou de parti. *Écharpe blanche et or du ministre de la Guerre, des maréchaux.*

1   (...) on ne tient guère plus d'un moment contre une écharpe d'or et une plume blanche (...)
         LA BRUYÈRE, les Caractères, III, 29.

Loc. (vx). *Changer d'écharpe :* changer de parti.

b Insigne (des députés, de certains officiers civils). *Écharpe tricolore de maire, de commissaire de police. L'écharpe est considérée comme l'emblème de la loi. Maires revêtus de leur écharpe.*

♦ **2** (1549). Méd. Bandage* qui sert à soutenir l'avant-bras. *Grande écharpe*, nouée derrière le cou. *Petite écharpe*, attachée sur la poitrine. — Cour. **EN ÉCHARPE.** *Porter un bras en écharpe. Avoir un bras en écharpe.*

2   L'un avait le bras en écharpe; l'autre la mâchoire à demi emportée, avec la tête bandée (...)
         RACINE, Lettres, 102, 24 juin 1692.

3   (...) le bras bandé par le chirurgien et soutenu d'une écharpe.
         Th. GAUTIER, le Capitaine Fracasse, t. II, X, p. 1.

Par métaphore (et allus. littér.) :

4   Elle trouvait au fond de mon regard quelque blessure, car elle me disait : *You carry your heart in a sling* (vous portez votre cœur en écharpe). Je portais mon cœur je ne sais comment.
         CHATEAUBRIAND, Mémoires d'outre-tombe, t. II, p. 108.

♦ **3** (1666). Cour. Longue bande de tissu, de tricot, qu'on porte généralement autour du cou, parfois sur les épaules, pour se protéger du froid ou comme ornement (→ **Cache-col, cache-nez**); par ext. pièce de tissu de forme quelconque (carré, triangulaire...) portée de la même manière (→ **Carré, foulard, pointe**). *Mettre une écharpe. Enrouler une écharpe autour de son cou, jeter une écharpe sur ses épaules. Nouer une écharpe. Être emmitouflé dans une écharpe. Écharpe de laine, de soie. Écharpe unie, écossaise, rayée. Écharpe à pans ouvragés, effilés. Écharpe de femme portée en garniture : écharpe de tulle, de mousseline...* (→ Balancer, cit. 6).

5   (...) Une jeune beauté
Dont le vent fait voler l'écharpe obéissante.
         André CHÉNIER, Bucoliques, XXIV.

6   Des nuages roses, en forme d'écharpe, s'allongeaient au delà des toits (...)
         FLAUBERT, l'Éducation sentimentale, I, V.

7   (Elle) enroula autour de son cou une écharpe rayée de beige et de brun, maintenue par une barrette brillante épinglée en biais (...)
         J. CHARDONNE, les Destinées sentimentales, p. 473.

Par métaphore (→ Cortège, cit. 1) :

8   Ceux du sol nous distinguent à cause de l'écharpe de nacre blanche qu'un avion, s'il vole à haute altitude, traîne comme un voile de mariée.
         SAINT-EXUPÉRY, Pilote de guerre, X, p. 73.

Par anal. Bande allongée, d'apparence souple, flottante. *Une écharpe de fumée, de neige.*

Poét. *L'écharpe d'Iris, l'écharpe aux sept couleurs.* → **Arc-en-ciel.**

9   L'écharpe aux sept couleurs que l'orage en la nue
Laisse, comme un trophée, au soleil triomphant (...)
         HUGO, Odes et Ballades, V, XIII.

♦ **4 EN ÉCHARPE,** loc. adv. (Du sens 2). — (1283). En bandoulière*. *Porter le grand cordon en écharpe.* Par ext. Obliquement, de biais. *Coup d'épée en écharpe.* — Artill. *Canon qui tire en écharpe.* — Mar. *Cordage en écharpe*, qui croise un autre objet. Ch. de fer. *Collision* au point de rencontre de deux voies convergentes. — Cour. *Prendre en écharpe. Véhicule pris en écharpe par un autre*, accroché latéralement, par accident.

10   En quittant le Palais de Justice, la voiture cellulaire qui me ramenait en prison a été prise en écharpe par un camion.
         M. AYMÉ, la Tête des autres, I, 8.

Figuré :

11   Le soleil couchant prenait en écharpe la partie de la ruelle (...)   Paul BOURGET, Un divorce, III, p. 118.

♦ **5** (1755). Techn. Pièce de menuiserie disposée en diagonale. — (1567). Cordage utilisé par les maçons pour faire avancer ou monter les matériaux de construction. Mar. → **Herpe.**

DÉR. 2. Écharper.

1. ÉCHARPER [eʃaʀpe] v. tr. — 1669; var. de *escharpir*, XVIe, de l'anc. franç. *charpir* «déchirer», du lat. pop. *excarpere* «déchirer» (→ Charpie).

♦ **1** (1765). Techn. Diviser les brins de (un textile). *Écharper la laine, le lin.* → **Écharpiller.**

♦ **2** (1669). Blesser* grièvement avec un instrument tranchant. → **Balafrer, mutiler.** *Écharper son adversaire. Il lui a écharpé le visage.* → **Entailler.**

1   Hommes que la guerre a lésés, écharpés, sur qui elle a essayé les fantaisies de sa cruauté arbitraire (...)
         COLETTE, l'Étoile Vesper, p. 75.

Par ext. Couper, tailler maladroitement. *Le chirurgien l'a écharpé. Il a écharpé ce poulet avant de le servir à table.*

◆**3** (Av. 1755). **Cour.** Mettre (qqn) en pièces ; massacrer. **→ Charpie** (mettre en charpie), **déchiqueter, écharpiller.** *Se faire écharper par la foule.* → Compter, cit. 34. *La foule voulait écharper l'assassin.* **→ Lyncher.** *Personne écharpée dans une bataille.* — **Au** p. p. :

2 (...) je voyais, par exemple, mon pauvre Tissaudier orgiastiquement écharpé par les hétaïres.
GIDE, Si le grain ne meurt, I, VII, p. 192.

3 Je savais aussi qu'il s'était fait écharper par une automobile : c'est pourquoi il s'appuyait sur une canne, et boitait.
S. DE BEAUVOIR, la Force de l'âge, p. 400.

Fig. Blesser. *Se faire écharper par la critique.* **→ Éreinter.** *Son livre a été écharpé.*

◆ **S'ÉCHARPER** v. pron. (Récipr.) *Séparez-les ; ils vont s'écharper.* **→ Entre-tuer** (s').

DÉR. Écharpage, écharpiller. ◊ **HOM.** 2. Écharper.

2. ÉCHARPER [eʃaʀpe] v. tr. — XVᵉ ; de écharpe.

◆**1** (XVᵉ). **Rare.** Ceindre (qqn) d'une écharpe.
Pron. *S'écharper,* ceindre une écharpe.

◆**2** (1676). **Techn.** Entourer (qqch.) d'une écharpe (5.). *Écharper des matériaux.*

HOM. 1. Écharper.

ÉCHARPILLAGE [eʃaʀpijaʒ] ou **ÉCHARPILLE-MENT** [eʃaʀpijmɑ̃] — 1877, Goncourt, *écharpillage* ; *écharpillement,* XXᵉ ; de *écharpiller.*

Rare. Action d'éparpiller ; son résultat.

ÉCHARPILLER [eʃaʀpije] v. tr. — Av. 1468 ; *escarpiller* «tailler en pièces (des personnes)» ; de 1. *écharper,* et -*iller.*

◆**1 Techn.** Diviser les brins de (un textile).

◆**2 Fam.** et **vieilli.** Tailler en pièces, écharper (1. Écharper, 3.).
Pron. (Récipr.). «*Oh ! murmura-t-elle, j'ai vu un crêpage de chignons, hier. Elles s'écharpillaient* (...)» (Zola, *l'Assommoir,* p. 546, *in* T. L. F.).

DÉR. Écharpillage.

ÉCHARS, ÉCHARSE [eʃaʀ, eʃaʀs] adj. et n. m. — V. 1130 ; du lat. pop. **excarpus,* lat. class. *excerptus* «extrait, resserré».
Vieux.

[I] (D'une monnaie). Qui est au-dessous du titre légal. *Monnaie écharse.*

[II] **ÉCHARS,** n. m. (1870). Ce qui manque à une monnaie pour avoir le titre légal.

DÉR. Écharser.

ÉCHARSER [eʃaʀse] v. tr. — XIVᵉ ; de *échars.*
Techn. et **vx.** Fabriquer (une monnaie) au-dessous du titre légal.

ÉCHASSE [eʃas] n. f. — V. 1185, *eschace* «béquille, jambe de bois» ; du francique **skakkja.*

◆**1** (XIIIᵉ). Chacun des deux longs bâtons munis d'un étrier sur lequel on pose le pied (**→ Fourchon**), utilisés pour marcher dans des terrains difficiles (landes, marécages...) ou, par jeu, pour se grandir. *Être monté, perché sur des échasses. Marcher avec des échasses. Échasses de berger. Les échasses des bergers landais. Petites échasses pour enfants* (jouet). *Personnages déguisés montés sur des échasses, dans un carnaval.*

1 C'était un berger monté sur ses échasses, marchant à pas de faucheux à travers les marécages et les sables.
Th. GAUTIER, le Capitaine Fracasse, t. I, IV, p. 107.

Par comparaison :

Je venais de comprendre pourquoi le duc de Guermantes 1.1
(... *avait*) vacillé sur des jambes flageolantes (...) et ne s'était avancé qu'en tremblant comme une feuille, sur le sommet peu praticable de quatre-vingt-trois années, comme si les hommes étaient juchés sur de vivantes échasses, grandissant sans cesse, parfois plus hautes que des clochers, finissant par leur rendre la marche difficile et périlleuse, et d'où tout d'un coup ils tombaient.
PROUST, le Temps retrouvé, Pl., t. III, p. 1 047-1 048.

(Au Canada). → **Béquille** (4.).

◆**2** (1718). **Loc.** *Être monté sur des échasses :* avoir de longues jambes* (maigres). — **Fig.** et **vieilli.** Être emphatique (en parlant d'un vers, d'une sentence). — **Par comparaison :**

(Ces vers) Montés sur deux grands mots, comme une deux 2
échasses (...)
BOILEAU, Satires, IV.

En appos. Talons (cit. 5) *échasses,* très hauts.

(1665). **Vx** ou **littér.** *Monter, être monté, juché, perché... sur des échasses :* faire l'important, être guindé, se vouloir plus grand qu'on n'est.

Nous cherchons d'autres conditions, pour n'entendre 3
l'usage des nôtres (...) Si, avons-nous beau monter sur des échasses, car sur des échasses encore faut-il marcher de nos jambes.
MONTAIGNE, Essais, III, XIII.

Nul ne s'est moins juché sur les échasses du devoir et de 4
la morale.
André SUARÈS, Trois hommes, «Dostoïevski», V, p. 262.

Monté sur les échasses de l'expérience, il se croit certain 5
de dominer les problèmes.
A. MAUROIS, Un art de vivre, p. 208.

L'homme ne deviendra point vraiment grand aussi long- 6
temps qu'il se juchera sur des échasses.
GIDE, Journal, 20 mai 1935.

Par anal. Patte longue et fine (d'un oiseau). **→ Échassier ;** et → ci-dessous 2.

◆**3** (1768). **Zool.** Oiseau des marais *(Charadriidés),* à hautes pattes fines, au plumage blanc et noir, appelé scientifiquement *himantopus,* et qui vit au bord des eaux salées ou douces. **→ 1. Échassier.**

DÉR. 1. et 2. **Échassier.**

1. ÉCHASSIER [eʃasje] n. m. — V. 1150 ; *eschacier* «celui qui a une jambe de bois», de *échasse,* et -*ier.*

◆**1 Au plur. Zool.** Ancien ordre d'oiseaux carnivores des marais auxquels leurs longues pattes, rappelant des échasses, permettent de marcher sur les fonds vaseux. *Les échassiers sont des oiseaux à demi aquatiques répandus sur tout le globe ; leur taille est variable ; ils se nourrissent de poissons, de mollusques, d'insectes. Les échassiers correspondent aux ordres suivants :* ciconiiformes, charadriiformes, gruiformes, phœnicopteriformes. *Principaux échassiers :* agami, alouette (de mer), avocette, balæniceps, barge, bécasse, bécasseau, bécassine, bihoreau, butor, chevalier, cigogne, combattant, courlis, échasse, falcinelle, flamant, foulque, glaréole, grue, héron, ibis, jabiru, kamichi, limicola, marabout, œdicnème, ombrette, outarde, phalarope, pluvian, pluvier, poule (d'eau), râle, rynchée, sanderling, tantale, vanneau.

Au sing., et **cour.** Oiseau à longues pattes fines. *Le héron est un échassier.*

◆**2 Loc. Fig.** *Avoir des jambes d'échassier,* de très longues jambes. *Être perché sur une jambe comme un échassier.*

(...) Itchoua, sur ses longues jambes d'échassier, chemine 1
la main appuyée à l'épaule de Ramuntcho.
LOTI, Ramuntcho, II, IX, p. 275.

2   La religieuse voulut lui avancer un fauteuil, mais Mademoiselle recula d'un pas ; elle serait restée comme un échassier, debout sur une patte, pendant dix heures consécutives, plutôt que de poser sa jupe sur ce siège colonisé par les microbes !
> MARTIN DU GARD, les Thibault, t. III, p. 263.

♦ **3** Fig. Rare. Homme grand et maigre, à longues jambes. — REM. Le fém. n'est pas attesté. → 2. Échassier, 2.

2. ÉCHASSIER, IÈRE [eʃasje, jɛʀ] adj. et n. f. — 1870 ; de *échasse*.

♦ **1** Qui paraît monté sur des échasses.

1   (...) un curieux oiseau gris à fine aigrette blanche, bec très long (...), pattes jaunes presque échassières (...)
> GIDE, Retour du Tchad, I, in Souvenirs, Pl., p. 877.

2   (...) leurs ombres noires tantôt glissant à côté d'eux sur la route comme leurs doubles fidèles, tantôt raccourcies, tassées ou plutôt télescopées, naines et difformes, tantôt étirées, échassières et distendues (...)
> Claude SIMON, la Route des Flandres, p. 21.

♦ **2** N. f. Argot. « *Les "échassières" (prostituées) perchées au mois sur les tabourets des bars américains* » (J. Derogy, in *l'Express*, 28 août 1972, p. 24).

ÉCHAUBOULÉ, ÉE [eʃobule] adj. — 1549 ; de *échaubouure*.
Pathol. Qui a des échaubouures ; qui est atteint d'échaubouure. *Cheval échauboulé.*

ÉCHAUBOULURE [eʃobulyʀ] n. f. — 1606, *eschaubouure* ; altér. de *eschaubouilleure*, 1548 ; de *é-*, et *chaubouillure*, dér. de *chaud* et *bouillir*.
Pathologie.

♦ **1** Vx. (Chez l'homme). Petite cloque qui vient sur la peau pendant les grandes chaleurs. → **Dermatose.**

♦ **2** Mod. Vétér. Urticaire de certains animaux (cheval, bœuf, porc, chien) caractérisé par de petites tumeurs aplaties presque confluentes.

DÉR. Échauboulé.

1. ÉCHAUDAGE [eʃodaʒ] n. m. — 1864 ; de 1. *échauder*.

♦ **1** Action de passer à l'eau chaude. *L'échaudage d'une théière.* — Cuis. *L'échaudage d'une volaille* (avant de la plumer).

♦ **2** Agric. Accident qui frappe les céréales, les vignes échaudées.

2. ÉCHAUDAGE [eʃodaʒ] n. m. — 1846, Bescherelle ; de 2. *échauder.*
Technique.

♦ **1** Action de passer au lait de chaux (→ 2. **Échauder**) ; résultat de cette action. *L'échaudage d'un mur.* → **Chaulage.**

♦ **2** Lait de chaux servant à échauder.

ÉCHAUDÉ, ÉE [eʃode] adj. et n. m. → **Échauder.**

ÉCHAUDEMENT [eʃodmɑ̃] n. m. — 1564 ; de 1. *échauder*, et *-ment*.
Agric. → **Échaudage.**

1. ÉCHAUDER [eʃode] v. tr. — Fin XIIᵉ ; du bas lat. *excaldare* « baigner dans l'eau chaude », « échauder », de *ex-* intensif et *caldus, calidus.* → Chaud.

♦ **1** Passer, laver à l'eau chaude. *Échauder la théière avant d'y mettre le thé.* → **Ébouillanter.** *Échauder le plancher pour le nettoyer.*

En Flandre l'on ne se lave la figure qu'une fois la semaine, mais en revanche les planchers sont échaudés et grattés à vif deux fois par jour.
> Th. GAUTIER, la Toison d'or, III.

(...) il croit devoir échauder, avant de s'en servir, la théière de porcelaine... ne lui a-t-on pas enseigné en effet que l'eau bouillante risque de faire éclater les verres ?
> GIDE, Voyage au Congo, in Souvenirs, Pl., p. 765.

Cuis. Tremper dans l'eau bouillante pendant quelques instants (des légumes, des fruits pour les peler, la peau d'un animal). → **Ébouillanter.** *Échauder la pâte d'un gâteau. Échauder des tomates. Échauder un cochon de lait, une volaille avant d'en enlever le poil, la plume.*

♦ **2** Vx ou régional. **ⓐ** Brûler (qqn, une partie du corps, la peau...) avec un liquide chaud. *Le maladroit m'a échaudé, m'a échaudé le bras.*

ⓑ Fig. et cour. *Se faire échauder, être échaudé :* être victime d'une mésaventure, éprouver un dommage, une déception.

(...) il (Stendhal) avait été trop souvent échaudé par le fait de ses imaginations pour ne pas vouloir être sûr, cette fois, qu'il ne s'agissait pas d'un caprice, et qu'il n'avait pas affaire à une écervelée.
> Émile HENRIOT, Portraits de femmes, p. 311.

♦ **3** (1723). Agric. (En parlant du soleil, de la chaleur). Dessécher, griller (les céréales, la vigne). *Les grandes chaleurs échaudent la vigne.*

◆ **S'ÉCHAUDER** v. pron. *S'ébouillanter, s'échauder avec de l'huile bouillante.* — Figuré :
Il s'avance dans la vie comme un hurluberlu et risque de ne prendre quelque expérience qu'en s'échaudant cruellement.
> GIDE, Journal, 6 août 1926.

◆ **ÉCHAUDÉ, ÉE** p. p. adj. et n. Spécialt.

♦ **1** *Blé échaudé,* desséché, grillé par la chaleur, par un soleil trop ardent. *Vigne échaudée.*

♦ **2** *Avoir les mains échaudées,* brûlées par l'eau chaude. — Loc. (vieilli). *Crier comme un échaudé.* — Prov. *Chat échaudé craint l'eau froide.* → **Chat.**
Fig. *Des personnes échaudées par une déception* (→ ci-dessus 2., b, et s'échauder, fig., cit. 3).

♦ **3** N. m. (1260). *Un échaudé :* gâteau léger de pâte échaudée, puis passée au four (→ Collation, cit. 4).

DÉR. 1. Échaudage, échaudement, échaudoir, échaudure.
◇ HOM. 2. Échauder.

2. ÉCHAUDER [eʃode] v. tr. — 1783 ; de *é-*, du lat. *ex-*, et de *chauder*, dér. de *chaux*.

♦ **1** Enduire de lait de chaux. → **Chauler.** *Échauder un mur.*

♦ **2** Faire macérer dans du lait de chaux. *Échauder une préparation de colle forte.*

DÉR. 2. Échaudage. ◇ HOM. 1. Échauder.

ÉCHAUDOIR [eʃodwaʀ] n. m. — 1380, « vase à chauffer » ; de 1. *échauder*, et suff. *-oir.*
Technique.

♦ **1** Grande cuve où l'on échaude les bêtes de boucherie abattues.
L'animal qui vient de périr bascule dans l'échaudoir.
> G. DUHAMEL, Scènes de la vie future, p. 128.

Local réservé à cette opération. *Les échaudoirs d'un abattoir.*

Auguste alla d'abord chercher dans la cour deux brocs pleins de sang de cochon. C'était lui qui saignait à l'abattoir. Il prenait le sang et l'intérieur des bêtes, laissant aux garçons d'échaudoir le soin d'apporter, l'après-midi, les porcs tout préparés dans leur voiture.
> ZOLA, le Ventre de Paris, t. I, p. 123.

♦ **2** (Teinture). Cuve dans laquelle on échaude et dégraisse la laine. — Local réservé à cette opération.

ÉCHAUDURE [eʃodyʀ] n. f. — XIIᵉ; de 1. *échauder*.
Brûlure occasionnée par un liquide très chaud (→ anglic. **Scald**).

ÉCHAUFFANT, ANTE [eʃofã, ãt] p. prés. et adj.
— V. 1128; p. prés. de *échauffer*.
Qui échauffe, augmente la chaleur. → **Calorifiant**.
— Spécialt et vx. Qui provoque de l'échauffement*, de la constipation. *Les aliments épicés, le gibier sont échauffants*.

CONTR. Laxatif, purgatif, rafraîchissant.

ÉCHAUFFEMENT [eʃofmã] n. m. — V. 1200; de *échauffer*.

I ♦ **1** Rare ou techn. Action d'échauffer, de s'échauffer; le fait d'être échauffé, de s'échauffer. *L'échauffement des terres sous l'action du soleil.* → **Réchauffement**. *L'échauffement de l'atmosphère. Échauffement d'une pièce mécanique*, dû au frottement, à un défaut de graissage. *L'échauffement d'un essieu. L'échauffement des pneus d'une automobile.* — *L'échauffement du charbon dans une mine, dû à l'oxydation*.

♦ **2** (V. 1200). Fig. Littér. ou vieilli. → **Animation, ardeur, effervescence, énervement, exaltation, excitation, surexcitation**.

1 (...) tout bourgeois, dans l'échauffement de sa jeunesse, ne fût-ce qu'un jour, une minute, s'est cru capable d'immenses passions, de hautes entreprises.
FLAUBERT, Mᵐᵉ Bovary, III, VI, p. 185.

2 (...) méfions-nous de cette espèce d'échauffement qu'on appelle l'inspiration et où il entre souvent plus d'émotion nerveuse que de force musculaire.
FLAUBERT, Correspondance, t. II, p. 175.

♦ **3** (1423). Action d'échauffer le corps par des mouvements appropriés; son résultat. *Séance d'échauffement. Des exercices d'échauffement*.

II ♦ **1** Techn. Altération, fermentation due à la chaleur. *Échauffement du bois* (mal ventilé), *des céréales* (→ **Échauffure**, 1.), *de la farine*.

♦ **2** Méd. Vieilli. État inflammatoire, irritation; constipation légère.

CONTR. Refroidissement. — Apaisement, attiédissement, calme.

ÉCHAUFFER [eʃofe] v. tr. — Fin XIᵉ, *eschalfer*; du lat. pop. *excalefare*, du lat. class. *excalefacere*, de *ex-* (intensif), *calere* «être chaud», de *caldus, calidus* (→ **Chaud**), et *facere* «faire».

♦ **1** Rendre chaud par degrés (spécialt ce qui devait rester froid). *Le soleil échauffe le sol. Le frottement échauffe les roues, l'axe, les paliers*.

♦ **2** Vieilli. Donner chaud à (qqn). → **Chauffer, réchauffer**.

1 Le soleil des vivants n'échauffe plus les morts.
LAMARTINE, Premières méditations, «L'isolement».

2 Il les échauffa et les frotta bien longtemps *(les mains)* dans les siennes (...)
G. SAND, la Petite Fadette, XXIV, p. 162.

♦ **3** Méd. et vx. Causer de l'échauffement*, de l'irritation, de la constipation à (qqn).

3 (...) toutes ces nourritures épicées finissent par vous échauffer le sang et ne valent pas, quoiqu'on en dise, un bon pot-au-feu. FLAUBERT, Mᵐᵉ Bovary, II, VI, p. 81.

♦ **4** Littér. ou style soutenu. Donner de l'animation, de la force à (l'esprit, les sentiments...).
→ **Animer, enflammer, exciter**. *Échauffer l'imagination* (→ Acharner, cit. 2), *les esprits, les têtes*.
→ **Exalter**. — Loc. *Échauffer le sang, la bile* (→ Blesser, cit. 4) *à qqn*, le mettre en colère. — REM. Ces emplois sont métaphoriques du sens médical ancien, 2. — *Échauffer les oreilles, la tête de qqn* : irriter, impatienter par ses discours.

4 *(Et l'avertissez bien)*
Qu'elle ne vienne pas m'échauffer les oreilles !
MOLIÈRE, les Femmes savantes, III, 6.

5 Il *(Jésus)* associait à son dogme du «royaume de Dieu» tout ce qui échauffait les cœurs et les imaginations.
RENAN, Vie de Jésus, XV, Œ. compl., t. IV, p. 233.

6 Mais qu'on ne m'échauffe pas la tête, aujourd'hui. J'en ai assez (...)
J. GREEN, Adrienne Mesurat, III, IX, p. 284.

♦ **S'ÉCHAUFFER** v. pron.

♦ **1** Devenir chaud graduellement.

Vx. Se réchauffer. *S'échauffer en courant*.

(1423). Mod. Faire quelques exercices (sautillements, etc.) avant l'épreuve, pour échauffer ses muscles.

6.1 (...) ils s'échauffent, prennent enfin place au départ. Eux et le starter jouent à se narguer.
Jean PRÉVOST, Plaisirs des sports, p. 105.

♦ **2** Vx. Devenir plus animé (d'une situation, d'une querelle). *La discussion commençait à s'échauffer*.

7 (...) de paroles en paroles, les choses se sont échauffées, et il en a reçu quelques blessures (...)
MOLIÈRE, les Amants magnifiques, V, 3.

♦ **3** Méd. anc. *Humeurs qui s'échauffent. La bile s'échauffe*.

Par métaphore :

8 — Ah ! vous êtes dévot, et vous vous emportez ?
— Oui, ma bile s'échauffe à toutes ces fadaises (...)
MOLIÈRE, Tartuffe, II, 2.

♦ **4** Fig. S'animer, se passionner (d'une personne, de l'esprit...). *S'échauffer en parlant* : mettre de plus en plus de cœur, de passion dans ce qu'on dit.
→ **Animer** (s'). *Cerveau, imagination qui s'échauffe*.
→ **Bouillonner** (cit. 4), **emballer** (s') (fam.), **enthousiasmer** (s'), **exalter** (s').

9 C'est le défaut des romans; l'auteur se bat les flancs pour s'échauffer, et le lecteur reste froid.
LACLOS, les Liaisons dangereuses, Lettre XXXIII.

10 Je ne l'écoutai pas, quoiqu'il s'échauffât pour me démontrer la supériorité du fantassin sur le cavalier.
A. DE VIGNY, Servitude et Grandeur militaires, I, VI, p. 92.

11 Cette fois, seulement *(en créant Joseph Prudhomme)*, il *(Henri Monnier)* est sorti de son impartialité glaciale, il s'est échauffé, il s'est animé, il a chargé le trait, il a outré l'effet, il a composé enfin.
Th. GAUTIER, Portraits contemporains, H. Monnier, p. 36.

12 Prenez des femmes qui ont faim et des hommes qui ont bu; mettez-en mille ensemble, laissez-les s'échauffer par leurs cris, par l'attente, par la contagion mutuelle de leur émotion croissante; au bout de quelques heures, vous n'aurez plus qu'une cohue de fous dangereux; dès 1789, on le saura de reste.
TAINE, les Origines de la France contemporaine, II, t. II, p. 56.

♦ **ÉCHAUFFÉ, ÉE** p. p. et adj.

♦ **1** Rare. Dont la chaleur s'est élevée.

♦ **2** Méd. (Vx). Qui souffre d'une irritation, qui est atteint de constipation.

♦ **3** Techn. (agric., etc.). Qui s'est altéré; qui a fermenté. *Bois échauffé. Blé échauffé*.

N. m. Odeur de matières trop chauffées ou en fermentation. *Le gigot sent l'échauffé.*

♦ 4 Fig. (Personnes, esprits). Passionné, animé. **→ Enflammé, excité.** *Personne, tête échauffée. Imagination échauffée.*

13 Sur les visages et dans les propos, le désintéressement d'amateurs blasés. Seuls, deux abbés paraissaient échauffés (...)
DE VOGÜÉ, les Morts qui parlent, 1899, p. 281,
in T.L.F.

N. (Vx.) *Un échauffé, une échauffée :* personne passionnée, excitée.

CONTR. Attiédir, refroidir. — Amortir, apaiser, calmer, tempérer. ◊ DÉR. Échauffant, échauffement, échauffure.

ÉCHAUFFOURÉE [eʃofuʀe] n. f. — Mil. XIVᵉ, «mauvaise rencontre»; croisement de *fourrer* avec *chaufour**; selon Guiraud, de *eschauffe* (du v. *eschauffer*) et *fourrée* comme dans *coup fourré.*

♦ 1 (1677, *in* D.D.L). Vx. Entreprise concertée, téméraire, malheureuse.

♦ 2 Mod. Rencontre inopinée, confuse et de courte durée entre adversaires qui en viennent aux mains. **→ Bagarre** (cit. 2), **combat, rixe.**

1 Que des esprits superficiels ne voient dans la révolution des trois jours *(la révolution de Juillet)* qu'une échauffourée, c'est tout simple; mais les hommes réfléchis savent qu'un pas énorme a été fait (...)
CHATEAUBRIAND, Mémoires d'outre-tombe, t. V,
p. 278.

2 (...) une demi-douzaine de consommateurs commentaient les nouvelles du quartier, qui avait été le théâtre de plusieurs échauffourées sérieuses. Autour de la gare de l'Est, une manifestation contre la guerre avait été rudement dispersée. Elle s'était reformée devant la C.G.T.; là, un véritable commencement d'émeute avait nécessité une charge de police; les blessés, disait-on, étaient nombreux.
MARTIN DU GARD, les Thibault, t. VI, p. 284.

♦ 3 Milit. (vieilli). Petit combat isolé. **→ Accrochage, engagement, escarmouche.**

3 Il venait de se passer non loin de là une échauffourée sur laquelle Murat se taisait : notre avant-garde avait été culbutée.
Ph.-P. SÉGUR, Hist. de Napoléon, *in* LITTRÉ.

ÉCHAUFFURE [eʃofyʀ] n. f. — V. 1256 «inflammation cutanée»; de *échauffer.*

♦ 1 Agric. Échauffement (II., 1.), altération par fermentation (des céréales).

♦ 2 Techn. Altération (de certains bois) due à un champignon. *L'échauffure du hêtre, dont les grumes ont séjourné en forêt, se traduit par une diminution de résistance du bois.*

Les bois que l'on soumet à l'injection sont ceux que l'on désire spécialement protéger parce qu'ils sont plus exposés que d'autres à l'action des pourritures et échauffures.
J.-C. REGGIANI, Industries et Commerce du bois,
p. 105.

♦ 3 Pathol. Vieilli. Petite rougeur qui apparaît sur la peau lors d'un échauffement.

ÉCHAUGUETTE [eʃogɛt] n. f. — V. 1175, *eschaugaite* «guet»; *escalguaite* «sentinelle», v. 1100; francique *skârwatha* «troupe de guet».

Fortif. (au moyen âge). Guérite* en pierre, placée en encorbellement aux angles des châteaux forts, des bastions, pour en surveiller les abords. *Échauguette munie d'une toiture conique «en poivrière»,* pour abriter le guetteur, la sentinelle. *Guérites de guet analogues à l'échauguette.* **→ Bretèche, échiffe** (ou échiffre), **poivrière.**

Par anal. Petite tourelle ornementale, à l'angle d'un édifice.

ÉCHAULER [eʃole] v. tr. **→ Chauler.**

ÉCHAUMER [eʃome] v. tr. — 1722; de *é-, chaume* et suff. verbal.
Régional. **→ Déchaumer.**

ÈCHE [ɛʃ] n. f. **→ Esche.**

ÉCHÉANCE [eʃeɑ̃s] n. f. — V. 1220 «succession, héritage»; sens mod., 1678; du rad. du p. prés. de *échoir, échéant,* et *-ance.*

♦ 1 ⓐ Dr. et cour. Date à laquelle expire un délai. **→ Expiration, terme.** *L'échéance d'un acte, en procédure* (→ Délai, cit. 7).

1 Le mois a trente jours. Jusqu'à cette échéance
Jeûnerons-nous, par votre foi?
LA FONTAINE, Fables, X, 15.

ⓑ (1630). Date à laquelle une obligation, d'un paiement est exigible. *Échéance d'une dette. Payer avant l'échéance. L'échéance d'un loyer* (**→ Terme**). *Échéance d'un billet à ordre, d'une lettre de change, d'une traite. Échéance des effets de commerce :* échéance à jour fixe, à délai de date (délai après la rédaction), à vue ou à présentation (chèque*), à délai de vue (délai partant de l'acceptation ou du protêt). *Échéance fin courant,* le dernier jour du mois. *Échéance d'un mois.* **→ Usance.** *Somme restant due après l'échéance.* **→ Arrérages, arriéré** (II.). *Escompte* dont bénéficie la personne qui acquitte une dette avant l'échéance. Suspension des échéances.* **→ Moratoire.** *Reporter, proroger une échéance. Acte constatant le défaut de paiement à l'échéance.* **→ Protêt.** *Échéance moyenne,* d'un effet unique remplaçant plusieurs effets d'échéances différentes.

2 Une lettre de change peut être tirée : À vue. À un certain délai de vue. À un certain délai de date. À jour fixe. Les lettres de change, soit à d'autres échéances, soit à échéances successives, sont nulles.
Code de commerce, art. 131.

ⓒ Par ext. Ensemble des effets dont l'échéance tombe à une date donnée. *Faire face à une lourde échéance. Payer l'échéance. — Préparer l'échéance :* préparer les règlements, les paiements à échoir.

3 (...) ce notaire accumule les précautions... Que ferait M. Achille s'il se savait condamné à mourir demain? Sans doute il dicterait son courrier et préparerait son échéance...
A. MAUROIS, Bernard Quesnay, I, p. 7.

ⓓ Fig. Date à laquelle une chose doit arriver, une faute se payer. *Une échéance inéluctable.* **→ Destin.**

4 (...) des événements (...) qui ont cheminé souterrainement, à petites secousses, vers leur fatale échéance (...)
A. ARNOUX, Crimes innocents, IV, p. 119.

Spécialt. Date à laquelle un événement politique (élections, vote, etc.) doit intervenir. *Échéance politique. Échéance électorale. Ce sera une échéance difficile, délicate pour le gouvernement.*

4. Vont-ils rouler vers l'échéance d'octobre, comme s'ils ignoraient que ce qu'ils n'ont pas su accomplir souverainement risque de leur être imposé, par les Nations Unies, ignominieusement?
F. MAURIAC, Bloc-notes 1952-1957, p. 342.

♦ 2 À... ÉCHÉANCE : dans un délai. *Emprunter, prêter à longue échéance. Effet à longue, à courte échéance.* — Fig. *À longue échéance,* lointain. *À brève échéance,* proche. *L'issue de cette affaire est à longue échéance. Obtenir des résultats à brève échéance :* rapidement (→ Conjuration, cit. 6). — Dr. *À échéance :* dans un certain délai. *À échéance de deux ans :* dans un délai de deux ans.

5 (...) il *(le Germain)* (...) a l'esprit de suite, il peut persister dans des entreprises dont l'issue est à longue échéance.
TAINE, Philosophie de l'art, t. I, p. 235.

CONTR. Début, engagement. ◊ DÉR. Échéancier.

ÉCHÉANCIER [eʃeãsje] n. m. — 1864, Littré; de *échéance.*

Registre décrivant ce qui doit être fait à certaines dates. — **Spécialt, comptab.** Registre des effets à payer ou à recevoir inscrits à la date de leur échéance.

Tout s'inscrit à mesure sur des imprimés à plusieurs doubles, où la parole reproduite en mauves de plus en plus pâles finirait sans doute par se dissoudre dans le dédain et l'ennui même du papier, n'étaient les échéanciers, ces forteresses de carton bleu très solide, troués au centre d'une lucarne ronde afin qu'aucune feuille insérée ne s'y dissimule dans l'oubli.
F. PONGE, le Parti pris des choses, p. 68.

Par ext. Ensemble de délais à respecter. *Établir l'échéancier d'un projet, d'une réforme* (→ **Calendrier).**

ÉCHÉANT, ANTE [eʃeã, ãt] adj. — 1804; du p. prés. de *échoir*; très antérieur comme forme verbale. → Échoir, échéance.

♦ 1 Dr. Qui arrive à échéance. *Terme échéant.* — **Spécialt.** *Effet de commerce échéant,* qui arrive à échéance*.

♦ 2 Loc. adv. (1804). **Cour. LE CAS ÉCHÉANT** [ləka zefeã] : si le cas, si l'occasion se présente. → **Éventuellement; occasion** (à l'occasion). *Je m'en occuperai, le cas échéant, s'il y a lieu*.

Jamais elle n'avait laissé disparaître sans se ménager un recours l'humain qui aurait pu, le cas échéant, devenir son mari.
GIRAUDOUX, Juliette au pays des hommes, p. 31.

ÉCHEC [eʃɛk] n. m. — V. 1170, au sens 1; sens étendu, d'abord dans des loc., au XIIIᵉ; de *échecs.* → Échecs.

♦ 1 ⓐ Aux échecs, Situation du roi qui se trouve sur une case battue par une pièce de l'adversaire; coup créant cette situation (et dont le joueur doit avertir son adversaire en prononçant le mot). *Faire échec; par pléonasme échec au roi. Éviter l'échec,* soit en prenant, soit en déplaçant, soit en interposant une pièce pour se couvrir. — *Échec et mat* [eʃɛkemat] (coup qui met fin à la partie). *Faire échec et mat en dix coups. Échec à la découverte, échec double, échec croisé, échec perpétuel.* — *En échec,* se dit du roi, et du joueur dont le roi est dans cette situation. *On ne peut roquer quand on est en échec.*

Adj. *Être échec* : avoir son roi en échec. *Être échec et mat* : avoir perdu la partie. *Vous êtes échec et mat.*

ⓑ Par métaphore (vx) :

1 Nous le trouvâmes (*M. de Pomponne*) [...] on causa tout le soir; on joua aux échecs; ah! quel échec et mat on lui préparait à Saint-Germain (*sa destitution*)!
Mᵐᵉ DE SÉVIGNÉ, 386, *in* LITTRÉ.

Emploi adjectif :

2 La vie de la cour est un jeu sérieux, mélancolique, qui applique : il faut arranger ses pièces (...) et après toutes ses rêveries et toutes ses mesures, on est échec, quelquefois mat (...) LA BRUYÈRE, les Caractères, VIII, 64.

ⓒ Par ext. Situation analogue de la reine. *Échec à la reine.*

♦ 2 Loc. (V. 1223). *Faire échec à quelqu'un,* lui créer des difficultés, des obstacles. *Faire échec à un projet,* le contrarier.

♦ 3 EN ÉCHEC : dans une position difficile (du fait d'un tiers). *Tenir qqn en échec,* le mettre en difficulté, entraver son action. → **Braver** (cit. 2), **embarrasser, gêner.**

3 Ne vous étonnez pas s'il *(l'homme)* ne raisonne pas bien à présent, une mouche bourdonne à ses oreilles (...) Si vous

voulez qu'il puisse trouver la vérité, chassez cet animal qui tient sa raison en échec (...)
PASCAL, Pensées, VI, 366.

Une fois ou deux il parut embarrasser Mirabeau, et il eut 4 l'honneur de le tenir en échec.
SAINTE-BEUVE, Causeries du lundi, 8 avr. 1850, t. II, p. 23.

♦ 4 Cour. *(Un, des échecs).* Revers éprouvé par qqn qui voit ses calculs déjoués, ses espérances trompées. *Échec à un examen. Courir à un échec certain; aller au-devant d'un échec. Essuyer, subir un échec.* → Tomber sur un bec*, revenir bredouille*, faire chou* blanc, faire fiasco*, ramasser une gamelle*, une pelle*, se casser le nez*, prendre une pilule*, une tape*, remporter une veste*. *Ressentir cruellement un échec. Échec cruel, cuisant, injuste, inattendu, sanglant.* → **Déboire, déception, déconvenue; demi-échec; échouer.** *Après un tel échec, il s'en est allé la queue* basse. Échec déshonorant* (→ Déshonorer, cit. 6). *Attribuer* (cit. 15) *son échec à quelqu'un d'autre.*

(...) si de quelque échec notre faute est suivie, 5 Nous disons injures au sort.
LA FONTAINE, Fables, VII, 14.

(...) l'échec qu'éprouve l'amour-propre rend injuste envers 6 l'objet trop apprécié. STENDHAL, De l'amour, p. 43.

Pourquoi sortirait-il d'une situation brillante quoique non 7 assurée, pour se jeter dans une situation si critique où le moindre échec pouvait tout perdre, où tout revers serait décisif.
Ph.-P. SÉGUR, Hist. de Napoléon, II, 4, *in* LITTRÉ.

La vie de Flaubert, comme celle de presque tout le monde, 8 avait été faite en grande partie de déceptions et d'échecs.
A. THIBAUDET, Gustave Flaubert, p. 193.

Nous gagnons rarement à étayer d'un mensonge, une 9 erreur ou un échec.
BERNANOS, les Grands Cimetières sous la lune, II, II, p. 217.

Les échecs fortifient les forts. 10
SAINT-EXUPÉRY, Vol de nuit, XIII, p. 113.

Fait d'échouer, revers dans une entreprise. → **Insuccès, malheur, revers.** *Triompher malgré plusieurs échecs. Échec complet, total d'une affaire, d'un projet.* → **Avortement, chute, défaite** (cit. 7), **faillite, fiasco, naufrage.** *Tentative vouée à l'échec. Échec d'une pièce de théâtre.* → **Bide, four** (→ Tomber à plat).

À ce moment, la suite de ses œuvres n'est qu'une collec- 11 tion d'échecs. Mais si ces échecs gardent tous la même résonance, le créateur a su répéter l'image de sa propre condition, faire retentir le secret stérile dont il est détenteur. CAMUS, le Mythe de Sisyphe, p. 155.

Philos., psychol. et cour. *L'échec,* comportement, attitude qui conduit à échouer. *Névrose d'échec. Conduite d'échec.* — (Dans un sens analogue). *Toute sa vie n'a été qu'un échec, un long échec.*

L'histoire d'une vie, quelle qu'elle soit, est l'histoire d'un 12 échec. Le cœfficient d'adversité des choses est tel qu'il faut des années de patience pour obtenir le plus infime résultat. SARTRE, l'Être et le Néant, p. 561.

CONTR. Avantage, bonheur, réussite, succès. ◊ COMP. Demi-échec. ← HOM. Échecs.

ÉCHECS [eʃɛk] n. m. pl. — 1080, *eschecs;* de l'expression arabo-persane (')*āš-šāh māt* «le roi est mort» (→ **Mat**); le *c* final de *échec* dû à un croisement avec l'anc. franç. *eschec* «butin», mot d'orig. francique (**skak**).

♦ 1 Jeu dans lequel deux joueurs font manœuvrer l'une contre l'autre deux séries de 16 pièces diverses, sur une tablette divisée en 64 cases (→ **Échiquier**). *Relatif aux échecs.* → **Échiquéen.** *Pièces d'échecs.* → **Roi; dame** ou **reine** (pièces uniques); **fou, cavalier, tour** (pièces doubles); **pion** (8 pions). *Coups et termes d'échecs.* → **Adouber; échange, fourchette, gambit, mat, ouverture, pat, prise; roquer;**

sacrifice, trait. *Jouer aux échecs.* → Pousser* (cit. 21) le bois. *Amateur d'échecs.* ➤ **Échéphile.** *Joueur, champion d'échecs. Un grand maître aux échecs. Partie, problème, tournoi d'échecs. Championnat international d'échecs.*

13 Le jeu que nous appelons *des échecs,* par corruption, fut inventé par eux *(les Indiens),* et nous n'avons rien qui en approche : il est allégorique comme leurs fables ; c'est l'image de la guerre. Les noms de *shak,* qui veut dire *prince,* et de *pion* qui signifie *soldat,* se sont conservés (...)
VOLTAIRE, Essai sur les mœurs, III.

14 Il s'avisa de me proposer d'apprendre les échecs, qu'il jouait un peu (...) me voilà forcée des échecs. J'achète un échiquier (...) je m'enferme dans ma chambre ; j'y passe les jours et les nuits à vouloir apprendre par cœur toutes les parties (...)
ROUSSEAU, les Confessions, V.

15 Je ferais une fort jolie conversation par la poste, comme on dit que les Espagnols jouent aux échecs.
ROUSSEAU, les Confessions, III.

16 Si le temps est trop froid ou trop pluvieux, je me réfugie au café de la Régence ; là je m'amuse à voir jouer aux échecs. Paris est l'endroit du monde, et le café de la Régence est l'endroit de Paris où l'on joue le mieux à ce jeu ; c'est chez Rey que font assaut Légal le profond, Philidor le subtil (...) qu'on voit les coups les plus surprenants (...)
DIDEROT, le Neveu de Rameau, Pl., p. 425.

17 On gouverne les hommes avec la tête. On ne joue pas aux échecs avec un bon cœur.
CHAMFORT, Maximes et pensées, Sur la politique, XLIII.

Proverbe :

18 Les fous sont aux échecs les plus proches des rois.
Mathurin RÉGNIER, Satires, XIV.

Un jeu d'échecs, ensemble formé par l'échiquier et les pièces (→ ci-dessous, 2.). *Un magnifique jeu d'échecs du XVIIe siècle.*

Fig. *Partie, jeu d'échecs :* activité, entreprise compliquée exigeant calcul, subtilité et prévision.

19 (...) la bataille qui allait se livrer s'ordonnait dans son esprit comme une partie d'échecs qu'il eût menée dans son fauteuil, avec la certitude de la gagner.
Louis MADELIN, Hist. du Consulat et de l'Empire, L'avènement de l'Empire, XXV, p. 312.

20 Il se joue un jeu d'échecs fort compliqué ; à chaque coup, le problème est autre ; et les pièces du jeu sont les images de la vue, les prévisions euclidiennes de déplacement, les divers groupes musculaires indépendants, et bien d'autres choses.
VALÉRY, Autres rhumbs, p. 96.

21 Me voici seul avec ton jeu d'échecs, poésie (...)
COCTEAU, le Discours du grand sommeil, Prologue, 8.

21.1 (...) redoutables champions qui avez mené sur plusieurs continents à la fois vos parties d'échecs, et de quels échecs !
F. MAURIAC, Bloc-notes 1952-1957, p. 143.

♦ **2** (V. 1177). Ensemble des pièces d'échecs. *Des échecs en ivoire, en buis, en ébène. Des échecs anciens.* Syn. plus courant : *un jeu d'échecs.*

DÉR. et **COMP.** Échec, échiquéen, échiquier. Échéphile.
◊ **HOM.** Échec.

ÉCHÉE [eʃe] n. f. — 1755 ; altér. d'*eschief,* dér. de *eschevet.* → Écheveau.

Techn. Quantité de fil qu'on place en une seule fois sur le dévidoir.

ÉCHELAGE [eʃ(ə)laʒ] ou **ÉCHELLAGE** [eʃelaʒ ; eʃɛlaʒ] n. m. — 1509 ; de *échelle,* et *-age.*

Dr. Droit de poser une échelle, un échafaudage... sur la propriété d'autrui pour construire, réparer un mur, un bâtiment. *Servitude d'échelage. L'échelage est une servitude réelle.*

ÉCHELER [eʃ(ə)le] v. [CONJUG.: *appeler.*] — 1274, *escheller ;* de *échelle.*

Vx ou régional.

♦ **1** V. tr. Escalader à l'aide d'une échelle. *Écheler un mur.* — Par ext. Grimper, escalader. *Écheler un talus.*

♦ **2** V. intr. Monter par degrés, grimper (→ **Escalader**).

Des cris, une volubile querelle de femmes (...) le grésillement du feu qui commençait à écheler de ramure en ramure dans le bûcher, autant de caresses pour l'oreille d'Ulysse.
J. GIONO, Naissance de l'Odyssée, p. 38.

ÉCHELETTE [eʃ(ə)lɛt] n. f. — 1316 ; de *échelle,* et suff. dimin. *-ette.*

I ♦ **1** Techn. ou régional. Petite échelle attachée au bât d'une bête de somme pour y accrocher un fardeau (gerbes, bottes de foin, etc.).

Ridelle* placée sur le devant d'une charrette et servant à retenir la charge.

♦ **2** (1755). Comptab. *Compte, comptabilité par échelettes,* où les acomptes sont imputés sur les intérêts avant d'être sur le capital.

II (1555). Oiseau grimpeur du genre des Passereaux. → **Grimpereau.**

ÉCHELIER [eʃəlje] n. m. — 1690 ; de *échelle.*

Techn. Échelle composée d'un seul montant traversé par des chevilles servant de degrés. → 1. **Rancher.**

ÉCHELLAGE [eʃelaʒ ; eʃɛlaʒ] n. m. ➤ **Échelage.**

ÉCHELLE [eʃɛl] n. f. — V. 1150, *eschale ;* du lat. *scala.* → Escalier.

I ♦ **1** Dispositif transportable formé de deux montants* parallèles (ou légèrement convergents) réunis de distance en distance par des barreaux transversaux (→ **Échelon**) servant de marches, ou par deux de ces dispositifs articulés (→ aussi **Escabeau, escalier**). *Dresser une échelle, appuyer une échelle contre un mur. Mettre le pied sur le premier échelon, le premier degré d'une échelle. Monter sur une échelle ; monter à une échelle, à l'échelle. Escalader une échelle. Être en haut d'une échelle. Tomber de l'échelle. Tenir, caler le pied d'une échelle.* — *Échelle de fer, métallique. Échelle fixe, scellée à un mur. Échelle brisée ; échelle pliante. Échelle coulissante,* formée de deux échelles superposées. *Échelle à crampons. Échelle d'incendie, de sauvetage ; la grande échelle des pompiers. Échelle double,* formée de deux échelles réunies par leurs sommets. — *Échelle de bibliothèque.*

(...) le chanvreur ferma à grand bruit l'huis de la lucarne et redescendit dans la chambre au-dessous par une échelle.
G. SAND, la Mare au diable, Appendice, II, p. 160.

Les échelles, de sept mètres, se succédaient, les unes solides encore, les autres branlantes, craquantes, près de se rompre ; les paliers étroits défilaient, verdis, pourris (...)
ZOLA, Germinal, t. I, p. 304.

Vx. *Échelle de potence,* sur laquelle montaient les condamnés, et le bourreau pour tirer la corde. — Absolt. *L'échelle :* le gibet. *Coupable fouetté au pied de l'échelle.* — Loc. *Sentir l'échelle :* être digne d'une punition exemplaire ; être susceptible de pouvoir conduire au gibet.

(...) je sais (...) me démêler prudemment de toutes les galanteries qui sentent tant soit peu l'échelle (...)
MOLIÈRE, l'Avare, II, 1.

(1636). Par anal. *Échelle de corde,* dont les montants sont en corde et qui peut s'enrouler sur elle-même. *Dérouler une échelle de corde. Monter à une fenêtre à l'aide d'une échelle de corde.* — *Échelle de soie* (→ Balcon, cit. 3). *L'Échelle de soie,* opéra de Rossini.

4 *(...) à mon âge on n'a plus d'échelle de soie qu'en souvenir, et l'on n'escalade les murs qu'avec les ombres.*
CHATEAUBRIAND, Mémoires d'outre-tombe, t. VI, p. 37.

5 Marius reconnut alors que ce qu'il avait pris pour un tas informe était une échelle de corde très bien faite avec des échelons de bois et deux crampons pour l'accrocher.
HUGO, les Misérables, III, VIII, XVII.

5.1 — Et comment entrerons-nous ? demanda le marin.
— Par une échelle extérieure, répondit Cyrus Smith, une échelle de corde, qui, une fois retirée, rendra impossible l'accès de notre demeure.
J. VERNE, l'Île mystérieuse, t. I, p. 245.

Par ext. Dispositif analogue, à un seul montant muni de chevilles. → **Échelier, rancher.** *Échelle à cueillir.*

Mar. Ensemble de degrés, escalier fixe ou mobile. (REM. Le mot escalier* ne s'emploie pas dans le langage maritime). *Échelle de commandement, échelle de coupée :* échelle principale servant à monter à bord. *Échelle de pilote :* échelle de corde à degrés de bois. *Échelle d'écoutille,* formée de fers rivés aux deux épontilles. *Échelle de tangon, échelle de revers. Échelle de dunette, de passerelle. Échelle de cale.* → aussi **Descente** (3.).

6 *(...) le bâtiment donnait de la bande à bâbord. Ce fut Travellini qui attrapa l'échelle : deux cordes mouillées, des barreaux de bois. J'avoue qu'elle me fit une désagréable impression. Mais déjà Travellini et Labartelade grimpaient. Je les suivis maladroitement, en évitant de regarder dans le vide.*
H. BOSCO, Un rameau de la nuit, II, p. 55.

Échelle de meunier : escalier rustique, droit et sans contremarches.

Par anal. *Échelle à poissons :* plan incliné, muni de cloisons en chicanes et qui permet aux poissons migrateurs de franchir un obstacle (barrage, etc.). → Ascenseur* à poissons. *Échelle à saumons.*

6.1 Sur une centaine de mètres tout au plus, la barge à fond plat, soulevée par des vagues d'un mètre, a tenu bon, nous avions l'impression de gravir des degrés ! comme un gigantesque saumon remonte une échelle à poissons (...)
R. FRISON-ROCHE, Nahanni, p. 237.

L'échelle de Jacob : échelle vue en songe par Jacob, dans la Genèse.

7 Alors il *(Jacob)* vit en songe une échelle, dont le pied était appuyé sur la terre, et le haut touchait au ciel, et des anges de Dieu montaient et descendaient le long de l'échelle. Il vit aussi le Seigneur appuyé sur le haut de l'échelle (...)
BIBLE (SACY), Genèse, XXVIII, 12-13.

Loc. fig. (1835). **COURTE ÉCHELLE.** *Faire la courte échelle à qqn,* l'aider à s'élever en lui offrant comme points d'appui les mains jointes, puis les épaules. *Ils se sont fait la courte échelle pour franchir un mur, atteindre une branche.* — **Fig.** Aider qqn à avancer, à réussir. → **Aider, prêter** (prêter son concours).

8 *(...) est-il bon camarade ? peut-il pousser les autres ? les faire valoir ? les élever ? leur faire la courte échelle ?*
SCRIBE, la Camaraderie, II, 1, *in* LITTRÉ.

(En emploi libre ; rare). *Courte échelle :* aide, concours.

8.1 *(...) cette espèce de franc-maçonnerie de la courte-échelle (sic),* où l'on se passait les travaux, les commandes, les voix à l'Institut (...)
Ed. et J. DE GONCOURT, Manette Salomon, p. 168 (1867).

TIRER L'ÉCHELLE. *Après lui, il faut tirer l'échelle :* on ne peut faire mieux que lui le travail qu'il vient d'accomplir. *Après cette brillante démonstration, il*

n'y a plus qu'à tirer l'échelle. — Iron. *Si vous ne savez même pas cela, il n'y a plus qu'à tirer l'échelle,* ce n'est plus la peine de continuer, d'insister (→ Inutile d'insister).

9 Oh ! morgueune ! il faut tirer l'échelle après celui-là, et tous les autres ne sont pas dignes de lui déchausser les souliers.
MOLIÈRE, le Médecin malgré lui, II, 1.

9.1 Après ça il n'y avait plus qu'à tirer l'échelle. On alluma la télévision.
F. MALLET-JORIS, le Jeu du souterrain, p. 13.

Monter à l'échelle : prendre au sérieux une plaisanterie, être dupe par naïveté. *Il l'a fait monter à l'échelle.* → **Grimper, marcher** (faire marcher).

10 — Ce n'est pas vrai ; vous voulez me faire monter à l'échelle.
F. MAURIAC, le Mal, p. 183.

♦ 2 (Dispositifs concrets comparés à une échelle). **[a]** Régional (Suisse, etc.). Ridelle* à claire-voie, amovible, placée sur les côtés d'une charrette. *Char à échelles, transportant du foin, du blé.*

10.1 Julien dîna de bon appétit, après quoi il attela les chevaux au char à échelles pour aller chercher le froment.
C. F. RAMUZ, Aline, Œ. compl., t. I, p. 116.

[b] Modes. Garniture formée de rubans superposés, de plus en plus large vers le haut.

Cout. (appos.). *Jour échelle :* jour donnant l'aspect d'une échelle.

[c] Série de mailles filées* sur la longueur d'un bas, d'un collant. *Faire, avoir une échelle à son bas.* → **Estafilade** (vieilli).

♦ 3 Abstrait. Série, suite continue ou progressive. → **Hiérarchie, série, succession, suite.** *Échelle des êtres :* série régulière et sans interruption des organismes les plus simples aux plus perfectionnés. *Échelle animale.* — (1821). *Échelle sociale :* hiérarchie des conditions, des situations dans une société. — *Être en haut, en bas de l'échelle. Il est arrivé au sommet de l'échelle,* de la hiérarchie. *Du haut en bas de l'échelle sociale* (→ Coopération, cit. 2). *Échelle des âges. Échelle des valeurs morales, littéraires, esthétiques* (→ Délivrer, cit. 10). *L'échelle des valeurs*. L'échelle de la création,* suite ordonnée des choses et des êtres, de la matière brute à l'esprit.

11 L'échelle vaste est là. Comme je te l'ai dit,
Par des zones sans fin la vie universelle
Monte, et par des degrés innombrables ruisselle,
Depuis l'infâme nuit jusqu'au charmant azur.
HUGO, les Contemplations, VI, XXVI.

12 (...) plus une œuvre (...) remplira exactement et complètement les conditions indiquées, plus elle sera haut placée dans l'échelle.
TAINE, Philosophie de l'art, t. II, p. 237.

13 *(La bourgeoisie)* a monté dans l'échelle sociale, et, par son élite, elle rejoint les plus haut placés.
TAINE, les Origines de la France contemporaine, II, t. II, p. 171.

14 (...) cette nuit-là, en quelques heures, se trouva renversée l'échelle des valeurs que, depuis son enfance, il croyait immuable.
MARTIN DU GARD, les Thibault, t. II, p. 84.

14.1 La petite société bourgeoise de la ville, tout apeurée qu'elle fût, conservait son échelle de valeurs. Ce qui consternait le plus un certain nombre de notables, c'était que leurs enfants, les reniant, fussent passés dans le camp ennemi.
Suzanne PROU, Miroirs d'Edmée, p. 125.

Mus. *Échelle des sons ; échelle ascendante, descendante. Les degrés de l'échelle des sons.* → **Degré** (cit. 11). *Échelle diatonique :* série des tons qui constituent la gamme. *Échelle chromatique :* série des douze demi-tons d'une octave. — *Échelle harmonique.* → **Gamme.**

15 Il suffit d'examiner son échelle *(du chant grégorien)* pour se convaincre de sa haute origine. Avant Gui Arétin, elle ne s'élevait pas au-dessus de la quinte, en commençant par

l'ut, ré, mi, fa, sol. Ces cinq tons sont la gamme naturelle de la voix (...)

    CHATEAUBRIAND, le Génie du christianisme, III, I, 2.

Peint. *Échelle des couleurs* : série des nuances par lesquelles on passe d'une couleur à une autre.

Psychol. Série de tests gradués correspondant aux différents niveaux du développement mental (pour la détermination de l'âge mental et du quotient intellectuel). — *Échelle sensorielle* ou *subjective*, permettant de comparer les stimuli et les degrés de réponse.

Écon. *Échelle des salaires, des traitements.*

Économies d'échelle : économies réalisées dans une entreprise en faisant supporter des coûts par un plus grand nombre d'opérations, par une plus forte activité... *Plus l'entreprise est grande, plus les économies d'échelle peuvent être importantes.*

Échelle mobile. **[a]** Disposition insérée dans un contrat et en vertu de laquelle le prix nominal ou le salaire stipulé suivra les variations d'un autre élément économique (par exemple, l'indice du coût de la vie, pour les salaires). → **Indexation.**

[b] Système qui fait varier les droits de douane* suivant les variations des prix du marché intérieur.

16   Lorsque les prix extérieurs subissent des hausses fréquentes et amplifiées, on a eu l'idée de lier la destinée des salaires à la destinée des prix, c'est-à-dire d'assurer une hausse automatique des salaires, calquée sur la hausse des prix. C'est le système de l'échelle mobile.

    REBOUD et GUITTON, Précis d'économie politique, t. II, p. 488.

◆ **4 [a]** (XVIIᵉ). Ligne graduée, divisée en parties égales, indiquant le rapport des dimensions en distances marquées sur un plan avec les dimensions ou distances réelles (*échelle graphique*); par ext., rapport existant entre une longueur sur une représentation (carte, etc.) et la longueur réelle correspondante (*échelle numérique*). *Échelle d'un plan, d'un relevé topographique, d'une carte, d'une photographie aérienne. 1 mm représente 100 m à l'échelle de 1/100 000. Mesurer une distance sur, d'après l'échelle. Carte à grande échelle,* représentant un terrain peu étendu par une surface relativement importante. — REM. Les expressions *à grande* et *à petite échelle* sont souvent employées à contresens. *À l'échelle :* à la même échelle (que le reste de la carte, du plan). *Cette partie du plan n'est pas à l'échelle.*

Loc. *Faire quelque chose, travailler, opérer sur une grande échelle,* en grand*, largement. *Sur une petite échelle* (sens opposé). — *Ce projet n'est pas réalisable à une si grande échelle.*

Par anal. *Échelle d'une maquette, d'un modèle réduit, d'un dessin de machine. Échelle de réduction, d'agrandissement d'un dessin. Échelle d'un graphique statistique.*

[b] Série de divisions* sur un instrument de mesure, un tableau, etc. → **Graduation.** *Échelle arithmétique, logarithmique. Échelle centésimale. L'échelle d'un baromètre, d'un thermomètre. Échelle des eaux, des marées, échelle des ponts,* servant de repère pour mesurer la hauteur de l'eau. *Échelle servant à mesurer le tirant d'eau d'un navire.*

[c] Abstrait. Suite de valeurs servant de moyen de mesure, d'évaluation; système de référence. *L'échelle des températures.*

17   Il faut se faire une échelle pour y rapporter les mesures qu'on prend.   ROUSSEAU, Émile, V.

Ces hommes tenaient plus ou moins à l'ancienne race humaine : on avait une échelle de proportion pour les mesurer.   18

    CHATEAUBRIAND, Mémoires d'outre-tombe, t. VI, p. 265.

Sc. *Échelle de Beaufort,* utilisée pour mesurer la force du vent (graduée de 0 à 12). *Échelle de Richter,* utilisée pour mesurer la magnitude* des séismes (numérotée de 1 à 9).

[d] Fig. À L'ÉCHELLE (DE) : selon un ordre de grandeur*, de dimension* (→ Décalage, cit. 1), d'importance. *Ce problème se pose à l'échelle nationale, continentale. Nature à l'échelle de l'homme.* → **Mesure, taille.** *«À l'échelle humaine»,* ouvrage de Léon Blum. — *À son échelle, il réussit très bien.* → **Niveau.**

Si l'on rapportait à l'échelle des événements publics les calamités d'une vie privée, ces calamités devraient à peine occuper un mot dans des *Mémoires.*   19

    CHATEAUBRIAND, Mémoires d'outre-tombe, t. II, p. 272.

(...) il est faux de croire que l'échelle des craintes correspond à celle des dangers qui les inspirent.   20

    PROUST, À la recherche du temps perdu, t. XIV, p. 171.

Il n'y a d'art qu'à l'échelle de l'homme.   21

    GIDE, Journal, août 1910, p. 310.

(...) comme si la liaison avec cette femme n'eût plus été à la mesure de certains sentiments nouveaux, à l'échelle des événements qui perturbaient le monde.   22

    MARTIN DU GARD, les Thibault, t. VII, p. 104.

Les quanta, la relativité (...) définissent un monde qui n'a de réalité définissable qu'à l'échelle des grandeurs moyennes qui sont les nôtres.   23

    CAMUS, l'Homme révolté, p. 364.

— Les affaires...   23.

— Quoi, les affaires? Tu y es aussi, à ton échelle. Fournir de bons logements, cela aide autant le peuple que de vieilles capotes militaires qu'on essaie de teindre en bleu foncé.

    Alain BOSQUET, les Bonnes Intentions, p. 116.

[II] (1675; *in* D. D. L.; d'abord «lieu où l'on pose une échelle pour débarquer». → Escale). Vx. ou hist. Place de commerce, sur certaines côtes. *L'échelle de...* (suivi d'un nom de lieu). — **Loc.** *Faire échelle :* faire escale, relâcher (dans un port). — Hist. (Au plur.). *Les échelles du Levant :* les ports de Turquie, d'Asie Mineure, par lesquels se faisait le commerce avec l'Europe.

Aben Hamet s'embarqua à l'échelle de Tunis (...)   24

    CHATEAUBRIAND, le Dernier Abencérage, 153.

C'était singulier au moins, de voir circuler cette bête une nuit d'hiver, et elle nous suivit sans trêve, pendant plus d'une heure que nous mîmes à remonter de l'échelle du Phanar à celle d'Eyoub.   25

    LOTI, Aziyadé, Eyoub à deux, p. 119.

DÉR. Échelage, écheler, échelette, échelier, échellier, échelon.

ÉCHELLIER   [eʃelje; eʃɛlje] n. m. — 1877 ; de *échelle,* I., 4.

Bourse. Spéculateur qui achète au comptant une valeur au même moment qu'il la vend à terme avec prime (achat «prime contre ferme»). — REM. Le fém. *échellière* [eʃeljɛr; eʃɛljɛʀ] est virtuel.

ÉCHELON   [eʃlɔ̃] n. m. — Fin XIᵉ ; de *échelle,* et suff. *-on.*

◆ **1** Traverse d'une échelle*. → **Barreau, degré,** et aussi **marche.** *Échelon en bois, en métal. Échelon de corde, entre des haubans.* → **Enflèchure.** *Échelon d'un rancher.* → **Ranche.** *Monter, gravir; descendre les échelons; sauter, passer un échelon.*

(...) quelques briques démolies me donnaient à la fois et la facilité de me servir des autres comme d'échelons, et celle d'enfoncer, pour me soutenir, la pointe de mon pied dans la terre (...)   0.1

    SADE, Justine..., t. I, p. 218.

1   Alors (*Jean Valjean*) monta sur le massif de maçonnerie et commença à s'élever dans l'angle du mur et du pignon avec autant de solidité et de certitude que s'il eût eu des échelons sous les talons et sous les coudes.
             HUGO, les Misérables, II, v, 5.

1.1   Cette échelle fut confectionnée avec un soin extrême, et ses montants avaient la solidité d'un gros câble. Quant aux échelons, ce fut une sorte de cèdre rouge, aux branches légères et résistantes, qui les fournit.
             J. VERNE, l'Île mystérieuse, t. I, p. 247.

Par anal. Chacun des degrés (crampon de fer, etc.) qui sont disposés (sur une paroi...) pour monter.

♦ **2 Fig.** Ce par quoi on monte ou on descend d'un rang à un autre chacun des degrés successifs d'une série. *Cette situation modeste lui a servi d'échelon pour arriver.* → **Marchepied.** *S'élever par échelons, d'échelon en échelon.* → **Graduellement; palier** (par paliers). *Monter, descendre un échelon. Gravir tous les échelons de la hiérarchie. Les échelons de la fortune, du succès.* → **Phase.**

2   Tout homme qui a été ministre, n'importe à quel titre, le redevient : un premier ministère est l'échelon du second ; il reste sur l'individu qui a porté l'habit brodé une odeur de portefeuille qui le fait retrouver tôt ou tard par les bureaux.
             CHATEAUBRIAND, Mémoires d'outre-tombe, t. IV, p. 124.

3   (...) nous sommes l'échelon (...) par lequel les musulmanes de Turquie sont appelées à monter et à s'affranchir.
             LOTI, les Désenchantées, IV, p. 135.

4   (...) ils étaient placés par leurs parents au bas d'une carrière administrative et ils gravissaient les échelons, si haut fussent-ils, avec la sûreté d'un funiculaire.
             GIRAUDOUX, Bella, III, p. 57.

À l'échelon de qqn, à son niveau*.

Le dernier échelon : l'échelon, le point le plus élevé (dans le bien comme dans le mal), ou le plus bas.

5   Tous les hommes étaient montés au dernier échelon de la folie.
             VOLTAIRE, Dialogues, 10, in LITTRÉ.

6   Quand il (*l'homme*) atteint au plus haut degré de civilisation, il est au dernier échelon de la morale (...)
             CHATEAUBRIAND, le Génie du christianisme, I, III, 3.

7   La critique est au dernier échelon de la littérature, comme forme presque toujours et comme *valeur morale,* incontestablement elle passe après le bout rimé et l'acrostiche, lesquels demandent au moins un travail d'invention quelconque.
             FLAUBERT, Correspondance, t. II, p. 259.

Spécialt. **a** Position d'un fonctionnaire à l'intérieur d'un même grade, d'une même classe. *Les échelons de la carrière d'un fonctionnaire, marqués par des différences de traitement. Demeurer au premier échelon; passer au troisième échelon; parvenir à l'échelon le plus élevé. Avancer d'un échelon. Les échelons de solde.* → **Degré, grade, position, rang.**

b L'un des différents stades d'une organisation, d'une administration. → **Niveau, stade.** *À l'échelon communal, départemental, national.* — **Milit.** *Échelons de commandement. À l'échelon de la division, du corps d'armée.*

♦ **3** (1823). **Milit.** Élément d'une troupe fractionnée en profondeur. *Disposer des troupes par échelons. Marcher, attaquer en premier échelon. Échelon d'attaque. Échelon débordant. Le dernier échelon :* les réserves. — **Spécialt, artill.** Ensemble des éléments autres que les sections de combat ; lieu où se tiennent ces éléments. *Rentrer à l'échelon.*

DÉR. Échelonner.

ÉCHELONNEMENT [eʃlɔnmɑ̃] n. m. — 1851, *in* D.D.L.; de *échelonner.*

Action d'échelonner, de s'échelonner; son résultat.

L'échelonnement des troupes, leur disposition par échelons*. — (Dans l'espace). *L'échelonnement des poteaux le long d'une route.* — (Dans le temps). *L'échelonnement des paiements.* — (Abstrait). *L'échelonnement des valeurs. Un «échelonnement en série (de concepts)»* (E. Mounier, *in* T. L. F.).

COMP. Rééchelonnement.

ÉCHELONNER [eʃlɔne] v. tr. — Fin XIVe ; repris 1823 ; de *échelon.*

♦ **1** (1823). **Milit.** Disposer (des troupes) de distance en distance, par échelon (3.). *Échelonner un régiment d'infanterie en trois échelons.*

♦ **2** Disposer (plusieurs choses) à une certaine distance les unes des autres. → **Distribuer, diviser, espacer, répartir.** — Disposer par degrés. → **Graduer, sérier.** *Échelonner des couleurs sur un tableau.*

1   Là, un homme qui donne à dîner sait échelonner ses vins de façon à ne pas émousser le goût et à faire boire le plus possible.   TAINE, Philosophie de l'art, t. I, p. 261.

♦ **3** Distribuer dans le temps, exécuter une chose en plusieurs fois, à intervalles réguliers. *Échelonner des livraisons, des paiements, des versements. Échelonner un travail sur six mois.* → **Étaler.**

♦ **4** (Abstrait). Distribuer progressivement. *Échelonner des arguments, du général au particulier.*

♦ **S'ÉCHELONNER** v. pron.

♦ **1 Milit.** *Troupes qui s'échelonnent sur un kilomètre.*

2   Un bataillon de Réguliers s'échelonnait par petits postes le long de la frontière.
             P. MAC ORLAN, la Bandera, X, p. 118.

♦ **2** (1832). *Maisons qui s'échelonnent sur une colline, qui y sont disposées «par échelons», à des hauteurs différentes.* → **Étager** (s'). *Couleur qui s'échelonne en nuances de plus en plus vives.*

3   Les étages de ces prisons, en s'enfonçant dans le sol, allaient se rétrécissant et s'assombrissant. C'était autant de zones où s'échelonnaient les nuances de l'horreur.
             HUGO, Notre-Dame de Paris, II, VIII, 4.

4   Au-dessus s'élèvent de grands hôtels européens et le quartier français, au-dessus encore s'échelonne la ville arabe (...)   MAUPASSANT, Au soleil, Alger, p. 25.

♦ **3** (1842). **Dans le temps.** *Les paiements s'échelonneront sur un an.*

♦ **4** (Abstrait). *«Leur scepticisme s'échelonne aux divers degrés de l'intelligence humaine»* (Renan, *in* T. L. F.).

♦ **ÉCHELONNÉ, ÉE** p. p. adj. **Milit.** *Troupes échelonnées en profondeur; en cordon* (cit. 9).

Maisons échelonnées sur la colline. Paiements échelonnés.

5   Toutes les sciences me paraissent échelonnées par leur objet à un moment de la durée.
             RENAN, Dialogues et Fragments philosophiques, Œ. compl., t. I, p. 155.

6   Quand l'œuvre, après avoir ainsi passé de tribunaux en tribunaux, en sort qualifiée de la même manière, et que les juges, échelonnés sur toute la ligne des siècles, s'accordent en un même arrêt, il est probable que la sentence est vraie (...)   TAINE, Philosophie de l'art, t. II, p. 235.

7   Les financiers français, comme les mandarins chinois et les grands d'Espagne, sont divisés en classes échelonnées (...)   A. MAUROIS, le Cercle de famille, II, p. 177.

CONTR. Bloquer, grouper, masser, ramasser. ◊ **DÉR. Échelonnement.**

ÉCHENAU, ÉCHENEAU [eʃ(ə)no] n. m. — 1287, *eschanal; de é-,* et *chenal.*

Techn. Rigole où s'écoule un liquide. *Des échenaux, des échenaux.*

Cet entassement pêle-mêle dans un coin, et tout à coup écumeuse, et toute chaude encore de vie, et fumante par tous les échenaux de l'abattoir (...)
CLAUDEL, Poèmes de guerre, «Derrière eux», p. 138.

Spécialt. (Métall.). Bassin de terre destiné à recevoir le métal en fusion.

REM. La var. *échenal* [eʃ(ə)nal] est archaïque. On rencontre aussi la var. graphique *écheno (des échenos).*

ÉCHÉNÉIDE [ekeneid] ou **ÉCHENEIS** [ekeneis] n. m. — 1552, *echineis*, Rabelais; mot lat., du grec *ekhein* «retenir» et *naus, néos* «navire».

Zool. → **Rémora.**

ÉCHENILLAGE [eʃnijaʒ] n. m. — 1783; de *écheniller.*

♦ **1** Opération qui consiste à écheniller (1.). *L'échenillage est rendu obligatoire par arrêté préfectoral (Loi du 21 juin 1898). — Importance de l'échenillage dans certaines sociétés vivant de cueillette et de chasse, et qui consomment des insectes.*

♦ **2** Le fait d'enlever les éléments indésirables, de supprimer par endroits.
Le cœur a des raisons... de Flers et Caillavet. Le meilleur acte que j'aie vu depuis longtemps. Il n'est que spirituel, mais il l'est extrêmement. Avec un peu d'échenillage, ce serait un chef-d'œuvre.
J. RENARD, Journal, 11 mai 1902.

Spécialt. fin. Réduction de frais, de crédits budgétaires par postes successifs.

ÉCHENILLER [eʃnije] v. tr. — Fin XIVᵉ; de é-, *chenille,* et suff. verbal.

♦ **1** Débarrasser (un arbre, une haie) des nids de chenilles qui s'y trouvent. *Écheniller un arbre au sécateur, à l'échenilloir. Écheniller une haie par enfumage, épandage d'insecticide...* Absolt. *On échenille en hiver.*

0.1   Qu'elle eût beaucoup à faire ou non, si elle jetait le regard sur ses plantes, elle s'y laissait prendre, «engluer» comme elle disait (...)
— Je les échenille. Je les épuceronne. Je lave une feuille après l'autre.
Tite-le-Long muet l'observait avec amour.
M. JOUHANDEAU, Tite-le-Long, p. 96.

♦ **2** (1826, *in* D.D.L.). Fig. Débarrasser (qqch.) de nombreux éléments indésirables.

1   Peut-être convient-il d'écheniller cette histoire où le moral joue un grand rôle, des vils intérêts matériels dont se préoccupait exclusivement monsieur de La Baudraye (...)
BALZAC, la Muse du département, Pl., t. IV, p. 55.

2   Ne nous bornons pas à nous prosterner sous l'arbre Création (...) Nous avons un devoir (...) assainir la croyance, ôter les superstitions de dessus la religion; écheniller Dieu.
HUGO, les Misérables, II, VII, 5.

DÉR. **Échenillage, échenilleur, échenilloir.**

ÉCHENILLEUR, EUSE [eʃnijœr, øz] n. — 1839, Boiste; de *écheniller,* et *-eur.*

♦ **1** Techn. ou didact. Personne qui échenille les arbres. Personne qui pratique l'échenillage.

♦ **2** N. m. Zool. ou régional. Genre d'oiseaux destructeurs de chenilles.

ÉCHENILLOIR [eʃnijwar] n. m. — XVIIᵉ; de *écheniller,* et *-oir.*

Techn. (arbor.). Cisaille fixée à l'extrémité d'une perche et servant à écheniller les arbres.

ÉCHÉPHILE [eʃefil] n. — XXᵉ; de *échecs,* et *-phile.*
Didact. Amateur d'échecs.

ÉCHER [eʃe] v. tr. → **Escher.**

ÉCHEVEAU [eʃ(ə)vo] n. m. — XVᵉ; *eschevel,* déb. XIVᵉ; *escheviauz* (plur.), v. 1165; probablt du lat. *scabellum* «petit banc» (→ Escabeau), et, par ext., «dévidoir», puis «écheveau».

♦ **1** Assemblage de fils repliés en plusieurs tours et réunis par un fil de liage afin qu'ils ne se mêlent pas. *Écheveau de laine, de soie. Mettre du fil, du coton en écheveau. Dévidoir* (cit. 1) *qui roule le fil en écheveaux. Défaire, dévider un écheveau. Mettre en pelote un écheveau. Petit écheveau* (→ **Échevette**).
— Spécialt. Unité de mesure dans la filature du coton. Assemblage de fils d'une longueur de mille mètres.

Sur des perches partant du haut des greniers, des écheveaux de coton séchaient à l'air.   1
FLAUBERT, Mᵐᵉ Bovary, I, 1.

Tout le jour, quelques minces traînées de vapeur restées étendues au-dessus de l'horizon, pareilles à de longs écheveaux de soie blanche.   2
E. FROMENTIN, Un été dans le Sahara, p. 74.

Hubert (...) alla chercher au fond du bahut un écheveau, le coupa, effila les deux bouts en égratignant l'or qui recouvrait la soie; et il apportait l'écheveau, enfermé dans une torche de parchemin.   ZOLA, le Rêve, III.   3

(...) sa queue de cheveux tombée de son serre-tête comme un maigre écheveau de chanvre gris (...)   4
LOTI, Pêcheur d'Islande, III, XIII, p. 196.

Spécialt. artill. Vx. Assemblage de crins formant le ressort de certaines armes balistiques.

Par anal. *Écheveau de racines, de ficelles, de barbelés :* assemblage (d'éléments longs) plus ou moins emmêlé.

Fig. et littér. *Des écheveaux de fumée, de brouillard.* — *Un écheveau de ruelles.* → **Dédale, labyrinthe.**

♦ **2** (1611). État embrouillé, complication. → **Dédale** (cit. 1), **embrouillamini, imbroglio.** *Débrouiller* (cit. 7), *démêler, désentortiller l'écheveau d'une intrigue, d'un récit.*

Loc. *Démêler (débrouiller, dévider) l'écheveau,* rendre claire une affaire très embrouillée.

(...) son chic unique à faire jaillir la lumière en démêlant en un clin d'œil des écheveaux d'affaires compliquées sur lesquelles employés et chefs avaient sué sang et eau, des mois.   5
COURTELINE, Messieurs les ronds-de-cuir, 1ᵉʳ tableau, III, p. 45.

(Il) sentait aujourd'hui dans sa tête l'algèbre et la trigonométrie à l'état d'écheveaux mêlés, indébrouillables, et s'imaginait avec une enfantine frayeur qu'il aurait toutes les peines du monde à remettre au point voulu ces abstractions-là.   LOTI, Matelot, XXVII, p. 104.   6

(...) aider un homme à débrouiller l'écheveau de sa vie intérieure (...)   F. MAURIAC, la Pharisienne, p. 68.   7

♦ **3** **a** Vx. Déroulement temporel continu. *L'écheveau du temps.* → Dévider, cit. 4.

b Loc. *Dévider son écheveau, l'écheveau :* parler sans s'arrêter.

DÉR. **Échevette.**

ÉCHEVELÉ, ÉE [eʃəvle] adj. — V. 1050, *eschevelede;* de es- (é-), *chevel (cheveu),* et *-é.*

♦ **1** Dont les cheveux sont épars, en désordre. → **Ébouriffé, hérissé, hirsute.** *Des jeunes gens échevelés. Tête, perruque échevelée.*

Toutes ces femmes qui étaient à Saint-Cloud, criant échevelées comme des bacchantes.   SAINT-SIMON, III, 29.   1

Lorsque avec ses enfants vêtus de peaux de bêtes, Échevelé, livide au milieu des tempêtes, Caïn se fut enfui (...)   2
HUGO, la Légende des siècles, II, «La conscience».

2.1 Angèle pleurait, pleurait et ses longs cheveux se défirent. Ce fut alors que Hubert entra. En nous voyant échevelés : «Pardon ! — je vous dérange,» dit-il, en faisant mine de ressortir.   GIDE, Paludes, *in* Romans, Pl., p. 144.

N. *Un échevelé, une échevelée.*

Par anal. *Nuages échevelés. Arbres échevelés.*

3 (...) ils *(les palmiers)* sont échevelés, à moitié morts, tout jaunes. Le vent, qui fait un bruit d'enfer dans leurs bouquets de palmes, les rebrousse entièrement comme un parapluie retourné.   E. FROMENTIN, Un été dans le Sahara, p. 99.

♦ 2 Fig. → Désordonné, effréné. *Une danse échevelée* (→ Amusette, cit. 2). — *Phrases échevelées.*

Excessif, désordonné. *Une passion échevelée. Histoire échevelée.* **→ Insensé** (→ Capricieux, cit. 2). *Poète échevelé. Romantisme échevelé. Style échevelé.*

CONTR. Lisser, peigner; lissé, ordonné, peigné. — Calme, sage. ◊ **DÉR.** Écheveler.

ÉCHEVELER [eʃəvle] v. tr. [CONJUG.: *appeler* ou *geler*.] — V. 1185; de *échevelé*⁎.

Littér. Mettre les cheveux en désordre. **→ Dépeigner, ébouriffer.**

1 Gilliatt subitement sentit qu'un souffle l'échevelait. Trois ou quatre larges araignées de pluie s'écrasèrent autour de lui sur la roche. Puis il y eut un second coup de foudre. Le vent se leva.   HUGO, les Travailleurs de la mer, II, III, 6.

Par analogie :

2 Course à Criquetot. Le ciel était bas, très sombre, chargé d'averses; un grand vent de mer échevelait les nuages.   GIDE, Journal, 15 déc. 1917, p. 641.

♦ S'ÉCHEVELER v. pron.

Se mettre en désordre (en parlant des cheveux).

2.1 Miette arrivait tout essoufflée, traversant les chaumes; dans sa course, les petits cheveux de son front et de ses tempes s'échevelaient.   ZOLA, la Fortune des Rougon, p. 182, *in* T. L. F.

Par métaphore :

3 (...) et, la nuit, nous voyons les forêts, D'où cherchent à s'enfuir les larves enfermées, S'écheveler dans l'ombre en lugubres fumées,   HUGO, les Contemplations, VI, XXVI.

4 Là-haut de grands nuages tors S'échevèlent avec furie.   VERLAINE, Poèmes saturniens, «Sub urbe».

♦ ÉCHEVELÉ, ÉE p. p. **→ Échevelé.**

DÉR. Échevellement.

ÉCHEVELLEMENT ou **ÉCHEVÈLEMENT** [eʃ(ə)vɛlmɑ̃] n. m. — 1642; de *écheveler*, et *-ment*.

Rare. Action d'écheveler, de mettre les cheveux en désordre; état de ce qui est échevelé.

1 Mᵐᵉ Xavier est un peu folle, et ça se voit. Même au repos, son visage, sous l'échevellement des mèches grises, paraît mobile et tourmenté.   MARTIN DU GARD, Vieille France, 1933, p. 1032, *in* T. L. F.

Par métaphore (littér.). Mouvement, forme qui rappelle des cheveux en désordre.

2 De ma cabine je regarde bêtement par l'œil rond, par le hublot du bateau, l'échevèlement des vagues (...)   Ed. et J. DE GONCOURT, Journal, t. III, p. 84.

3 Un spectacle s'éclaircit à dix mètres de nous; un jardin potager soigné à en pleurer d'amour. Des rubans vert-de-gris coiffaient la terre : des poireaux avec leur échevellement. Une mêlée de copeaux antiques. J'arrivais, je divaguais.   Violette LEDUC, Folie en tête, p. 305.

ECHEVERIA [eʃeverja] ou **ÉCHEVÉRIE** [eʃeveri] n. m. ou f. — 1870, *echeveria*; *échévérie*, 1846, Bescherelle; du nom de M. *Echeveri* [etʃeveri], dessinateur de la *Flora Mexicana.*

Bot. Plante grasse charnue *(Crassulacées)* originaire d'Amérique, dont plusieurs espèces sont cultivées en Europe comme plantes ornementales. *Des echeverias, des échevéries.*

(...) un gobelet de feuilles épaisses, charnues comme celles du sédum ou de l'echeveria (de la forme de ces dernières)...   GIDE, Retour du Tchad, VIII, *in* Souvenirs, Pl., p. 992.

ÉCHEVETTAGE [eʃ(ə)vetaʒ] n. m. — 1877; de *échevette*.

Techn. Opération par laquelle on met le fil en échevettes.

ÉCHEVETTE [eʃ(ə)vɛt] n. f. — 1407; du rad. de *écheveau*, et *-ette*.

Techn. ou **régional.** Petit écheveau. — **Spécialt.** Longueur déterminée de fil dévidé (variable suivant les textiles). *Pour le coton, l'échevette est de cent mètres (le dixième d'un écheveau).*

DÉR. Échevettage.

ÉCHEVIN [eʃ(ə)vɛ̃] n. m. — V. 1165, *eskievin*; probablt. du francique *skapin* «juge»; attesté en lat. médiéval *scabinus*. P. Guiraud rapproche le mot de l'anc. franç. *eschever* «achever», probablt de *chevir* (XIIᵉ) «venir à bout d'une affaire difficile».

♦ 1 (V. 1165). Au moyen âge, Assesseur du tribunal comtal, puis magistrat municipal. *Les échevins de Paris étaient au nombre de quatre. Échevins du sud de la France* (consuls); *de Toulouse* (capitouls); *de l'Ouest* (jurats); *d'Alsace* (ammeistres).

1 (...) les robes mi-parties rouge et tanné des échevins et des quarteniers (...)   HUGO, Notre-Dame de Paris, I, VI, 1.

2 La ville avait ses chefs, pris parmi les habitants (...) il y avait d'ordinaire un chef supérieur appelé *maïeur* ou *maire* (...) assisté d'un petit groupe d'adjoints appelés dans le Nord *échevins*, dans l'Ouest *jurats*.   Ch. SEIGNOBOS, Hist. sincère de la nation franç., p. 167.

♦ 2 (1701, Pays-Bas). **Mod. (Pays-Bas, Belgique).** Magistrat adjoint au bourgmestre. *Le collège formé par le bourgmestre et les échevins. Les échevins de Liège.*

3 M. Coomans arrivait avec son premier clerc. Puis Meulebeck qui était échevin des Travaux Publics.   G. SIMENON, le Bourgmestre de Furnes, I, V (1939).

Canada. Rare. Conseiller municipal.

DÉR. Échevinage, échevinal, échevinat.

ÉCHEVINAGE [eʃ(ə)vinaʒ] n. m. — 1219; de *échevin*.

♦ 1 (1219). **Hist.** Corps des échevins d'une ville.

Une réponse par laquelle M. l'échevin m'assurait que les marmots de la rue Saint-Jacques étaient dignes de la sollicitude de l'échevinage parisien.   FRANCE, les Opinions de J. Coignard, 1893, p. 133, *in* T. L. F.

♦ 2 Hist. et mod. (Belgique, etc.). Fonction d'échevin (**→ Échevinat**); durée de cette fonction.

ÉCHEVINAL, ALE, AUX [eʃ(ə)vinal, o] adj. — XVIᵉ; *eschevinal*; de *échevin*.

(Surtout au masc. sing.). De l'échevin. *Fonctions échevinales. Collège échevinal :* en Belgique, Collège formé du bourgmestre et des échevins d'une commune. **→ Communal.**

Mon agent m'introduit dans la salle du conseil échevinal (nous sommes en Belgique).   VERLAINE, Aegri somnia.

ÉCHEVINAT [eʃ(ə)vina] n. m. — D. i. ; de *échevin.*

(Belgique). Charge d'échevin. — Services administratifs d'un échevinat. *L'échevinat de l'Instruction publique. L'échevinat de l'état civil est souvent installé à la maison communale.*

ÉCHIDNÉ [ekidne] n. m. — 1806 ; lat. *echidna,* du grec *ekhidna* «vipère».

Zool. Mammifère australien (*Monotrèmes* ; famille des *Tachyglossidés*), ressemblant au hérisson, épineux, au museau prolongé en bec corné. *Les échidnés et les ornithorhynques* sont les seuls mammifères ovipares connus. L'échidné est insectivore, nocturne et fouisseur.*

ÉCHIF, IVE [eʃif, iv] adj. — 1573 ; de l'anc. franç. *escif* «difficile, abrupt» (déb. XIIᵉ), *eschif* «hostile» (mil. XIIᵉ) ; mot germanique **skioh* «farouche».

Techn. (chasse). Se dit d'un chien, d'un faucon avide, qui mange beaucoup.

HOM. Échiffe.

ÉCHIFFE [eʃif] ou **ÉCHIFFRE** [eʃifʀ] n. f. et m. — V. 1150, *eschive* ; probablt de l'anç. franç. *eschif, escif* «abrupt». → Échif.

♦ **1** N. f. Ancient. Guérite en bois sur les remparts d'une ville. → **Échauguette, guérite.**

♦ **2** N. m. (1607). Techn. (archit.). *Mur d'échiffre,* et, ellipt., *échiffre :* mur qui, dans un escalier, supporte les abouts des marches. — **Par ext.** Charpente d'un escalier.

HOM. (De *échiffe*) Échif.

ÉCHIGNER [eʃiɲe] v. tr. — 1660 ; altér. de *échiner.*
Familier et vieux.

♦ **1** Battre, rosser. → **Échiner,** 1. *Il s'est fait échigner.* — Fatiguer péniblement. — **Pron.** *S'échigner à* (et inf.) : *se donner du mal pour...*

♦ **2** (1852). Critiquer vivement. → **Échiner,** 2.
(...) c'est amusant de l'entendre abîmer ses petites camarades... Elle en fait des portraits... Jusqu'à des noms de muscles qu'elle a retenus pour les échigner !
    Ed. et J. DE GONCOURT, Manette Salomon, p. 187.

1. ÉCHINE [eʃin] n. f. — 1080, *eschine* ; du francique **skina* «baguette de bois», d'où «aiguille, os long». → Épine (épine dorsale).

♦ **1** Colonne vertébrale (de l'homme et de certains animaux) ; partie du dos où elle se trouve. → **Colonne** (colonne vertébrale), **épine** (épine dorsale), **rachis** (→ Appeler, cit. 29 ; casser, cit. 20). *Avoir une douleur le long de l'échine. Avoir l'échine forte ; porter des fardeaux sur son échine. Avoir l'échine maigre.* — **REM.** Le mot était beaucoup plus courant dans la langue classique ; il a toujours été rare ou spécial pour désigner spécifiquement le rachis.

1 L'échine j'allongeais comme un âne rétif (...)
    Mathurin RÉGNIER, Satires, VIII.

2 Le long de ton échine
Je grimperai premièrement (...)
    LA FONTAINE, Fables, III, 5.

3 L'animal à longue échine *(la belette)...*
    LA FONTAINE, Fables, IV, 6.

4 Tandis que Colletet, crotté jusqu'à l'échine,
S'en va chercher son pain de cuisine en cuisine (...)
    BOILEAU, Satires, I.

Loc. (1678). Fam. et vieilli. *Caresser, frotter, rompre l'échine à qqn,* le battre, le rosser.

(...) si jamais volée de bois vert, appliquée sur une échine, 5
a dûment redressé la moelle épinière à quelqu'un (...)
    BEAUMARCHAIS, le Mariage de Figaro, I, 1.

Ô valets solennels, ô majestueux fourbes, 6
Travaillant votre échine à produire des courbes (...)
    HUGO, les Châtiments, III, VIII, II.

Mod. (suggérant la servilité, dans des loc.). — (1845). *Courber, plier l'échine :* se soumettre. — *L'échine basse,* humblement, avec servilité. *Avoir l'échine souple, flexible :* être bassement complaisant, servile, prêt à faire des courbettes.

Le préfet du Rhône, du nom d'Isidore Liochet, était un 7
homme d'une remarquable souplesse d'échine, et cependant cette remarquable flexibilité de sa colonne vertébrale ne le sauvait pas toujours des fantaisies du destin (...)
    G. CHEVALLIER, Clochemerle, p. 333.

Poét. Par métaphore. Arête montagneuse. *L'échine des montagnes* (→ Colline, cit. 5 ; creuser, cit. 27).

♦ **2** Techn. (bouch.) et cour. Partie de la longe du porc. *Échine de porc au vin blanc. Une côte de porc dans l'échine.* → **Échinée.**

DÉR. Échinée, échiner. ◊ **HOM.** 2. Échine, formes du v. échiner.

2. ÉCHINE [eʃin] n. f. — 1567 ; 1546, Rabelais, «aiguille» ; lat. *echinus,* grec *ekhinos* «oursin».

Archit. Moulure saillante placée sous l'abaque du chapiteau dorique. — Ornement du chapiteau ionique. → **Ove.**

HOM. 1. Échine, formes du v. échiner.

ÉCHINÉE [eʃine] n. f. — 1398 ; v. 1131 «dos, reins» (d'un cheval) ; de 1. *échine,* et *-ée.*

Cuis. Morceau du dos d'un porc. → 1. **Échine,** 2.

HOM. Échiner.

ÉCHINER [eʃine] v. tr. — V. 1225 ; de 1. *échine,* et *-er.*

♦ **1** ⓐ Casser l'échine, les reins de (qqn). → **Éreinter.** ⓑ Battre, rosser. *Échiner qqn de coups.* → **Accabler, assommer** (cit. 11), **battre, rouer.** — Battre à plates coutures. *L'armée s'est fait échiner.* ⓒ Vieilli. Fatiguer péniblement. → **Éreinter, harasser.** *Échiner qqn par le travail.*

♦ **2** (1775). Mod. Critiquer vivement. *Il s'est fait échiner par les critiques.* → **Maltraiter ;** → Échigner, cit.

♦ **S'ÉCHINER** v. pron.

♦ **1** Vx. (Récipr.) Se battre violemment.

♦ **2** (1785-1853). Mod. (Réfl.). Fam. Se donner beaucoup de peine. → **Épuiser** (s'), **éreinter** (s'), **esquinter** (s'), **exténuer** (s'), **fatiguer** (se), **tuer** (se). *S'échiner au travail, à travailler. S'échiner les yeux à broder.*

Je suis moulu. Car, sire, on s'échine à la guerre (...) 1
    HUGO, la Légende des siècles, I, 10.

(...) il fallait l'aimer, quoi ! Et la nourrir, et *s'échiner* pour 2
elle ! Ah ! misère ! Il ne me manquait plus que ce grain au chapelet.
    Louise MICHEL, la Misère, t. I, p. 20.

♦ **ÉCHINÉ, ÉE** p. p. adj.

Très fatigué. → **Brisé, fourbu, harassé, moulu, rompu.** *Être complètement échiné.*

DÉR. Échigner. ◊ **HOM.** Échinée.

ÉCHINIDES [ekinid] n. m. pl. — 1812 ; du grec *ekhinos* «hérisson», suff. *-ides.*

Zool. Classe d'animaux métazoaires échinodermes marins recouverts de piquants mobiles, qui comprend les oursins* et des espèces fossiles. — Au sing. *Un échinide.*

ÉCHINOCACTUS [ekinokaktys] n. m. — 1870; *échinocacte*, 1845, Bescherelle; lat. sav., du grec *ekhinos* «hérisson, oursin», et *cactus*.

Bot. Plante grasse *(Cactacées)*, à tige trapue arrondie en globe (ressemblant à un oursin).

ÉCHINOCOCCOSE [ekinɔkɔkoz] n. f. — 1905, in *Rev. gén. des sc.*, n° 6, p. 235; de *échinocoque*, et *-ose*.

Méd. Affection provoquée chez l'homme par les échinocoques qui se développent dans les viscères (surtout le foie et le poumon) à partir d'œufs avalés avec les aliments contaminés, et constituent des tumeurs (kystes hydatiques).

ÉCHINOCOQUE [ekinɔkɔk] n. m. — 1817, in D.D.L.; lat. sav. *echinococcus*, du grec *ekhinos* «oursin», et *kokkos* «grain».

Zool., méd. Larve d'un ténia *(Ténia echinococcus*, parasite du chien) qui, chez l'homme, produit des kystes hydatiques. → **Hydatide.**

DÉR. Échinococcose.

ÉCHINODERMES [ekinɔdɛʀm] n. m. pl. — 1792, Bruguières; du grec *ekhinos* «oursin», et *-derme*.

Embranchement du règne animal, animaux marins à symétrie rayonnante (astérides, crinoïdes, oursins, holothurides, ophiurides). — Au sing. Un *échinoderme*, animal de cet embranchement.

L'eau reprenait sa noirceur, elle se perdait parmi les masses pierreuses composées de mollusques et d'échinodermes (...)
J. CAYROL, Histoire de la mer, 1973, p. 182.

ÉCHIQUÉEN, ENNE [eʃikeɛ̃, ɛn] adj. — xxᵉ; de *échec(s)*, et *-éen*.

Relatif aux échecs. «*L'analyse du jeu des échecs*» de *Philidor* (1749) *est un des classiques de la littérature échiquéenne.*

ÉCHIQUETÉ, ÉE [eʃikte] adj. — V. 1180, *eskierkeré*; *eschequeré*, 1189; *eschequeté*, v. 1234; de *échiquier*, et *-é*.

Blason. Qui est divisé en cases semblables à celles d'un échiquier. *Écu, chef échiqueté. Croix échiquetée.*

ÉCHIQUIER [eʃikje] n. m. — xiiᵉ, *eschequier* (v. 1130, *eschaquier*); de *échec**, et *-ier*.

A ♦ 1 (V. 1176). Tableau divisé en soixante-quatre cases alternativement blanches et noires (ou de deux autres couleurs) et sur lequel on joue aux échecs. → **Échecs** (cit. 14). *Disposer les pièces d'échecs sur l'échiquier. Renverser l'échiquier par dépit. Fabricant d'échiquier* (→ **Tabletier, tabletterie**). *Côté de l'échiquier sur lequel on joue.* → **Tablier.**

1 Jacques savait d'avance tout ce qu'ils allaient dire; seule variait la disposition des objections et des arguments, comme celle des pions sur un échiquier.
MARTIN DU GARD, les Thibault, t. V, p. 53.

♦ 2 (V. 1160). Surface couverte de carrés égaux et contigus, aux couleurs alternées. → **Damier, quadrillage.** *Un échiquier d'arbres.* EN ÉCHIQUIER, se dit d'objets disposés en une série de carrés dont les lignes se croisent comme sur un échiquier. *Arbres plantés en échiquier.* → **Quinconce.** — Blason. *Écu divisé en échiquier*, en plusieurs carrés alternativement de métal et de couleur. → **Échiqueté.** — Milit. Ancienne disposition des troupes formées sur plusieurs lignes, en carrés, ceux-ci étant séparés d'une distance égale à leur côté, et ceux de la seconde ligne placés derrière les vides de la première.

(...) un échiquier de fenêtres noires, où de jolies figures n'apparaissent que par exception. 2
NERVAL, Promenades et Souvenirs, I, «La butte Montmartre», Pl., t. I, p. 141.

Comptab. Tableau composé de cases contenant chacune un nombre qui satisfait à une loi de répartition.

♦ 3 Techn. (pêche). Filet carré. → **Carrelet.**

B Fig. (Par allus. à la partie qui se joue sur l'échiquier). Terrain, lieu où se joue une partie serrée, où s'effectue une manœuvre, où s'opposent plusieurs intérêts, plusieurs partis. *L'échiquier parlementaire* (Académie). *L'échiquier européen. L'échiquier colonial* (J. Ziegler).

(...) je le répète, il était assez indifférent pour moi que 3 ce monde fût un échiquier, comme me le disait encore Augustin; que la vie fût une partie jouée bien ou mal, et qu'il y eût des règles pour un pareil jeu.
E. FROMENTIN, Dominique, III, p. 54.

Tout d'abord, au moment de la livrer *(la bataille)*, avait-il 4 l'avantage de connaître à fond l'échiquier — je veux dire le terrain.
Louis MADELIN, Hist. du Consulat et de l'Empire, L'avènement de l'Empire, xxv, p. 313.

Être à la tête d'un pays qui tient une place sur l'échiquier, 5 d'un pays qui possède un territoire, un empire colonial, ça oblige à une vision réaliste.
MARTIN DU GARD, les Thibault, t. VI, p. 126.

C (1170; *eschekier* «trésor royal», parce que «la cour... des ducs de Normandie se réunissait autour d'une table recouverte d'un tapis orné de carreaux servant à faire les comptes», Bloch). **♦ 1** (1280). **Hist.** Cour souveraine de Justice de Normandie, érigée en parlement en 1499.

♦ 2 (1654, in D.D.L.; adapt. angl. *exchequer*, franç. *échiquier*, au sens C, ci-dessus). **Mod.** En Angleterre, Administration financière centrale. *Le chancelier de l'Échiquier est l'équivalent du ministre des Finances.*

DÉR. Échiqueté.

ÉCHIURIENS [ekjyʀjɛ̃] n. m. pl. — Mil. xxᵉ; *échiurides*, 1846; du lat. zool. *echiurus* «à queue hérissée de piquants», du grec *ekhos* «piquant» et *oura* «queue».

Zool. Embranchement d'animaux métazoaires coelomates classés parmi les vers*, marins et parfois abyssaux, à l'organisme composé d'une trompe (lobe céphalique) non invaginable et d'un «tronc» allongé, le plus souvent enfoncé dans le sable ou la vase. *Certains échiuriens présentent un dimorphisme sexuel considérable* (par exemple, la bonellie, à mâle nain parasite de la femelle). — Au sing. *Un échiurien.*

ÉCHO [eko] n. m. — V. 1227, *equo*; lat. *echo*, grec *ēkhō* «bruit, son répercuté».

♦ 1 (1279). Phénomène de réflexion du son par un obstacle qui le répercute. *Étude des échos.* → **Cata-coustique.** *Il y a de l'écho dans cette salle. Bruit répercuté, répété, reproduit, amplifié par l'écho. Écho simple*, qui ne reproduit les sons qu'une fois. *Écho multiple*, qui peut les répercuter plusieurs fois de suite. *Écho monosyllabique, dissyllabique, polysyllabique*, qui répète une, deux, plusieurs syllabes. *Réponse de l'écho* (→ Bataille, cit. 12). *Aller, se répercuter d'écho en écho* (d'un son).

Par ext. Son répercuté par l'écho. *Entendre un écho, des échos* (→ ci-dessous, cit. 3). *L'écho d'un son, d'un cri* : le son, le cri répercuté par un écho.

La Comtesse. Ce ne sera pas moi. — *Le Comte.* Ni moi. — 1
Figaro (à part). Ni moi. — *Suzanne* (à part). Ni moi. — *Le Comte.* Il y a de l'écho ici, parlons plus bas.
BEAUMARCHAIS, le Mariage de Figaro, V, 7.

2   Un nom que nul écho n'a jamais répété !
> LAMARTINE, Harmonies..., «Premier regret».

3   Comme de longs échos qui de loin se confondent.
> BAUDELAIRE, les Fleurs du mal,
> «Correspondances».

4   (...) l'adieu du chasseur que l'écho faible accueille
> Et que le vent du nord porte de feuille en feuille.
> A. DE VIGNY, Poésies, «Le cor».

5   Bientôt la tête du cortège pénétra dans le palais, et, répercutés par les échos, les clairons et les tambours résonnèrent avec un fracas qui fit s'envoler les ibis endormis sur les entablements.
> Th. GAUTIER, le Roman de la momie, IV, p. 86.

6   Bien que l'orchestre se fût tu brusquement, l'écho de sa rumeur, survivant aux mélodies qui avaient tari les flûtes et épuisé les violons, se propagea, un moment encore, dans les branches, mêlé au vent et aux feuilles froissées.
> Edmond JALOUX, le Jeune Homme au masque, I,
> p. 1.

6.1   Les peintres chasseurs de paysage avaient cédé la place aux chasseurs d'échos ; devant chaque montagne convexe, un Berlinois en vacances de Pâques faisait crier au chœur de ses enfants, juchés sur des pierres de taille différente, pour que leurs bouches du moins fussent à la même hauteur, un hymne de vengeance, ou, pour les reposer, une de ces questions comiques dont l'écho ne doit répondre que la dernière syllabe.
> GIRAUDOUX, Siegfried et le Limousin, p. 187.

6.2   Un jour, au fond du bois d'Arghyros, le guide conduisit Soreau à l'angle d'un carrefour ombreux, en le priant d'expérimenter un écho vanté pour son étonnante pureté. Soreau obéit et lança une série de mots ou de sons qui furent aussitôt reproduits avec une parfaite exactitude.
> Raymond ROUSSEL, Impressions d'Afrique, p. 340.

Par anal. (techn., sc.). Réémission d'un signal vers l'émetteur. *Effet d'écho. Écho radioélectrique,* répétition légèrement différée d'un signal radioélectrique. *Écho radar*. Écho hertzien.* — Spécialt. Comparaison entre un signal émis et le signal reçu par réémission vers l'émetteur. *Méthode des échos.* — Image en double, décalée par rapport à l'image normale (en télévision, etc.).

Loc. *En écho,* en répétant. *Répondre en écho,* en utilisant les mêmes mots.

Ling. (En appos.). *Question-écho :* question ayant la même forme syntaxique que l'affirmation qui la précède. Ex. : *Il est parti hier. — Il est parti hier ?*

Loc. fig. *Faire écho à qqch.,* le répéter, le propager. Syn. : *se faire l'écho de...* (où *écho* a le sens 4).

♦ **2** (1690, Furetière). Par ext. Lieu où l'écho se produit. *L'écho du bois, des gorges.*

Loc. *À tous les échos :* dans toutes les directions.

7   *(Les bergers)* faisaient répéter les doux sons de leurs flûtes (...) à tous les échos d'alentour.
> FÉNELON, Télémaque, II.

8   Je pense surtout que le gouvernement commet une faute grave en laissant se propager à tous les échos votre (...) bruit de sabre !
> MARTIN DU GARD, les Thibault, t. VI, p. 125.

♦ **3** **ⓐ** (1687). Ce qui est répété par quelqu'un. → **Bruit, nouvelle.** *Nous avons eu un faible écho de ces événements. J'en ai eu quelques échos. Les échos de la grande ville* (→ Dénaturé, cit. 12).

9   J'écoute peu ces bruits que le peuple répète,
> Échos tumultueux d'une voix plus subtile.
> VOLTAIRE, Sémiramis, II, 3.

10   L'écho des discussions passionnées du temps franchissait parfois les murs de la maison ; les discours de M. Mauguin (je ne sais pas bien pourquoi) avaient surtout le privilège d'émouvoir les jeunes.
> RENAN, Souvenirs d'enfance..., IV, I, p. 159.

11   Enfin ce que j'en sais n'est pas direct ; je le tiens de lui ; c'est lui qui voit les gens, qui leur parle ; mon récit n'est jamais qu'un écho.   GIDE, Journal, 11 oct. 1916.

ⓑ (1860). Spécialt (journalisme). *Les échos d'un journal :* rubrique consacrée aux petites nouvelles mondaines ou locales. *Faire les échos.* → **Échotier.** — Titre de nombreux journaux. *Le Petit Écho de la mode. Les Échos. Le Journal des échos.*

♦ **4** (1661). Personne qui répète, reflète ce qu'une autre a dit (ou fait). *La calomnie trouve ordinairement des échos* (Académie). *Être l'écho de faux bruits.* — Loc. *Se faire l'écho de,* répéter en propageant. → **Propager, répéter.** *Elle s'est fait l'écho, ils se sont fait l'écho de la nouvelle.* — Syn. : *faire écho à...* (où *écho* a le sens 1).

12   Mais je ne puis du tout approuver sa chimère,
> Et me rendre l'écho des choses qu'elle dit (...)
> MOLIÈRE, les Femmes savantes, I, 3.

13   Ménippe est l'oiseau paré de divers plumages qui ne sont pas à lui. Il ne parle pas, il ne sent pas ; il répète des sentiments et des discours, se sert même si naturellement de l'esprit des autres (...) qu'il croit souvent dire son goût ou expliquer sa pensée, lorsqu'il n'est que l'écho de quelqu'un qu'il vient de quitter.
> LA BRUYÈRE, les Caractères, II, 40.

♦ **5** Littér. (Par métaphore du sens 1). Ce qui reflète, répète (qqch.). → **Expression, reflet, résonance.**

14   (...) et sa voix argentine,
> Écho limpide et pur de son âme enfantine,
> Musique de cette âme où tout semblait chanter,
> Égayait jusqu'à l'air qui l'entendait monter !
> LAMARTINE, Harmonies..., «Premier regret».

15   Tout souffle, tout rayon, ou propice ou fatal,
> Fait reluire et vibrer mon âme de cristal.
> Mon âme aux mille voix, que le Dieu que j'adore
> Mit au centre de tout comme un écho sonore.
> HUGO, Feuilles d'automne, I, 1.

16   La voix du cygne qui s'apprêtait à mourir fut transmise par moi au cygne mourant : j'étais l'écho de ces ineffables et derniers concerts !
> CHATEAUBRIAND, Mémoires d'outre-tombe, t. II,
> p. 264.

17   Ses paroles n'étaient qu'une réponse affaiblie, docile, presque un simple écho de mes paroles ; elle n'était plus que le reflet de ma propre pensée.
> PROUST, À la recherche du temps perdu, t. IX,
> p. 234.

18   J'attends l'écho de ma grandeur interne,
> Amère, sombre et sonore citerne,
> Sonnant dans l'âme un creux toujours futur !
> VALÉRY, Poésies, «Le cimetière marin».

♦ **6** Accueil et réaction favorable, sympathique. → **Adhésion, approbation, réponse, résonance, sympathie.** *Sans écho* (après des verbes comme *être, demeurer, rester*) : sans effet, sans résultat. *Sa protestation est restée sans écho. Offre qui ne trouve, n'éveille aucun écho.*

19   (...) une seule pensée creusée, une voix entendue, une souffrance vive, un seul écho que rencontre en vous la parole, change à jamais votre âme.
> BALZAC, Séraphîta, Pl., t. X, p. 574.

20   On ne goûterait pas le comique si l'on se sentait isolé. Il semble que le rire ait besoin d'un écho.
> H. BERGSON, le Rire, I, p. 4.

♦ **7** **ⓐ** (1690, Furetière). Mus. Effet musical obtenu par une reprise ou un prolongement du son. *Note en écho. Faire un écho sur l'orgue.*

ⓑ (1680). Versification. Reprise d'un mot, pour donner une impression de réponse, de correspondance. *Vers en écho.* → **Échoïque** (→ Commis, cit. 2).

DÉR. **Échoïque, échotier.** ◊ HOM. **Écot.**

ÉCHO- Élément servant à composer des substantifs désignant l'utilisation d'échos sonores. → **Échographie, écholocation, échomètre, échométrie, échosondeur, échotomographie.** — REM. De nombreux autres composés sont attestés dans l'usage scientifique ou technique.

ÉCHOCARDIOGRAMME [ekokaʀdjogʀam] n. m.
— V. 1980; de *échographie* et *cardiogramme*, d'après l'angl. *echocardiogram* (attesté 1975).
Méd. Enregistrement échographique du cœur (cardiogramme).

ÉCHOCARDIOGRAPHIE [ekokaʀdjogʀafi] n. f.
— V. 1975; de *échographie* et *cardiographie*, d'après l'angl. *echocardiography*, 1965.
Méd. Échographie du cœur.

ÉCHOGRAMME [ekogʀam] n. m. — 1978; de *écho-*, et *-gramme.*
Didactique.
◆ **1 Techn.** Enregistrement graphique fourni par un échosondeur*.
◆ **2 Méd.** Image fournie par un échographe*. **Syn.** plus cour : *échographie.*
HOM. Écogramme.

ÉCHOGRAPHE [ekogʀaf] n. m. — 1978; de *écho-*, et *-graphe.*
Méd. Appareil qui permet, au moyen d'ultra-sons, l'enregistrement des échos des milieux réfringents du corps humain. → **Échographie; échogramme.** *Échographe à balayage.*

ÉCHOGRAPHIE [ekogʀafi] n. f. — 1906, in *Rev. gén. des sc.*, n° 8, p. 388; de *écho-*, et *-graphie.*
Didactique.
◆ **1 Méd. (Rare).** Incapacité pour un sujet de comprendre le sens d'un texte qu'il peut copier normalement et impossibilité de l'écrire spontanément.
◆ **2** (Av. 1971). **Méd., phys.** et **cour.** Méthode d'exploration médicale utilisant la réflexion des ultra-sons par les structures organiques; image ainsi obtenue (→ **Échogramme**). *Échographie de l'abdomen, du foie, de la prostate; échographie de l'œil. Échographie cardiaque.* → **Échocardiographie.** *L'échographie permet notamment de mesurer les composantes optiques de l'œil, de déterminer la position de la faux du cerveau, etc.; elle est utilisée dans la surveillance des grossesses, pour visualiser la position et la taille du fœtus, et pour contrôler son développement* (syn. : *échotomographie*). → **Ultrasonographie.** *Salles d'échographie d'un hôpital. Pratiquer une échographie* (→ **Échographe**). — **Abrév. fam.** : *écho* [eko] n. f.
Cela est particulièrement intéressant en échographie où il faut focaliser sur une grande profondeur de champ (...) L'échographie permet le principe du sonar consiste à détecter et à enregistrer les échos provenant des interfaces réfléchissantes situées sur la trajectoire de l'onde incidente.
         la Recherche, n° 101, juin 1979, p. 647.
DÉR. Échographique, échographiste. ◊ HOM. Écographie.

ÉCHOGRAPHIQUE [ekogʀafik] adj. — V. 1970; de *échographie.*
Didact. Relatif à l'échographie (→ Échographiste, cit.). *«L'image échographique permet, par exemple, de déceler les structures liquidiennes qui, totalement vides d'échos, sont très bien cernées»* (Sciences et Avenir, mars 1978, p. 68).

ÉCHOGRAPHISTE [ekogʀafist] n. — V. 1970; de *échographie.*

Méd. Praticien qui se spécialise dans la technique de l'échographie (2.). *«D'une façon générale, la scène échographique est un lieu où la multiplicité des regards (ceux de la parturiente et du futur père sur l'écran, sur le fœtus, sur l'échographiste, etc.; ceux de l'échographiste et de l'équipe soignante sur ces mêmes images et sur le corps de la patiente, etc.) est une composante importante du vécu de l'échographie»* (Science et Vie, déc. 1983, n° 145, p. 31).
HOM. Écographiste.

ÉCHOÏQUE [ekɔik] adj. — 1864; de *écho* (7, b), et *-ique.*
Didact. (versification). Vers terminé par deux mots assonants ou qui riment, en grec, en latin. — En français, Vers terminé par un écho (vers *en écho*).

ÉCHOIR [eʃwaʀ] v. intr. et défectif. [CONJUG.: *il échoit* (VX, *échet*), *ils échoient; il échut; il échoira* (VX, *écherra*); *il échoirait; échéant; échu.*] — V. 1135; du lat. pop. *excadere*, class. *excidere.* → Choir.
◆ **1** (V. 1135). Être dévolu* par le sort ou par cas fortuit. → **Advenir, arriver, revenir, survenir, venir.** *Échoir en partage à quelqu'un. Échoir par le sort. Le gros lot lui est échu. Échoir par succession. Ces biens lui sont échus en héritage. Il lui est échu une succession depuis son mariage.*

La seconde *(part)* par droit me doit échoir encor (...)   1
    LA FONTAINE, Fables, I, 6 (→ Droit, cit. 48).
Ô hommes, quels que vous soyez, et quelque sort qui vous   2
soit échu par l'ordre de Dieu dans le grand partage qu'il
a fait du monde (...)   BOSSUET, Sermons, Justice, 1.
Les immeubles que les époux possèdent au jour de la célé-   3
bration du mariage, ou qui leur écherront pendant son
cours à titre de succession, n'entrent point en communauté.   Code civil, art. 1404.
Un observateur averti des choses de la table n'aurait pas   4
manqué de se demander par quel paradoxe de la nature
une maladie aussi raffinée, aussi sympathique que la
goutte, avait bien pu échoir en partage à un si piètre mangeur.   Pierre BENOÎT, Mⁿᵉ de la Ferté, III, p. 161.
Le verbe est rare, sauf à l'infinitif, au prés. de l'indicatif et
au p. p. *(échu)* :
Moréas et Ghil   5
Ghil et Moréas
Qui va vaincre? Hélas!
Est-ce au plus agile
Qu'écherra la palme
Ou bien au plus calme?
    VERLAINE, Invectives, X, Pl., p. 693.
On proposa ce jeu, licite dans un atelier, de tirer au sort   6
qui monterait nu sur la table à modèle; et sans tricherie,
quoique Sengle eût prédit que cela écherrait, le sort tomba
sur Severus Altmensch.
    A. JARRY, les Jours et les Nuits, Pl., t. I, p. 750.
Procéd. Vx. *Si le cas y échoit, y échet*, ou simplement, *s'il y échet* : si l'occasion se présente, s'il y a lieu. → **Échéant** (le cas échéant).

◆ **2** (1670). Arriver à échéance*. *Le terme échoit le 15 janvier. Au passif. Billet dont la date de paiement est échue. Intérêts à échoir.* — *Le délai est échu, expiré, révolu.*

(...) les quatre années sont échues où les jeux se doivent   7
célébrer.
    RACINE, Livres annotés, Pindare, Olympique, IV.

◆ **ÉCHU, ÉCHUE** p. p. adj.
Dévolu. *Biens échus.* — Arrivé à échéance. *Payer le terme échu. Payer à terme échu. Délai échu*, expiré.
DÉR. Échéance, échéant, échute.

ÉCHOLALIE [ekolali] n. f. — 1890; en all., 1853; grec *êkhô* (→ Écho), et *lalia* «bavardage».

Psychiatrie. Répétition automatique des paroles (ou chutes de phrases) du locuteur, observée dans certains états déments ou confusionnels.

Et Valentin se met à observer cette écholalie que vient chasser (...) une voix grave et anonyme qui réclame impérieusement *de la gomme, de la gomme, de la gomme* (...)
R. QUENEAU, le Dimanche de la vie, p. 207.

DÉR. Écholalique.

ÉCHOLALIQUE [ekɔlalik] adj. — D. i. (XXᵉ); de *écholalie*.

Psychiatrie. Relatif à l'écholalie. — Adj. et n. Atteint d'écholalie.

ÉCHOLOCATION [ekolɔkasjɔ̃] n. f. — V. 1950, *in* D.D.L.; empr. à l'angl. *echolocation* (1944), de *écho-* (→ Écho-), et *location* «emplacement, lieu, localisation».
Phys. (Anglic.). Évaluation de la position et de la distance d'un objet par la mesure du temps nécessaire à une brève impulsion sonore (→ **Sonar**) pour revenir à sa source. *Le système d'écholocation des baleines, des dauphins. «Il est probable que, dans la recherche de nourriture, les manchots sont guidés par écholocation puisque leurs proies favorites sont connues comme émettrices de bruits divers»* (la Recherche, n° 93, oct. 1978). — REM. On dit aussi *écholocalisation*, n. f. (forme francisée).

ÉCHOMÈTRE [ekɔmɛtʀ] n. m. — 1771, Trévoux; de *écho-*, et *mètre*.
Sc. et techn. Instrument destiné à mesurer la durée des sons, à déterminer leurs intervalles et leurs rapports.

ÉCHOMÉTRIE [ekɔmetʀi] n. f. — 1690, Furetière; de *écho-*, et *-métrie*.
Sc., techn. Mesure des rapports des sons.

1. ÉCHOPPE [eʃɔp] n. f. — V. 1230, *escope*; néerl. *schoppe*, avec infl. de l'angl. *shop* «magasin».

♦ **1** Vieilli ou spécialt. Petite boutique parfois en planches, en appentis et adossée contre un mur. → **Baraque, boutique, magasin**. *Une échoppe d'artisan, de cordonnier, de fleuriste. Les échoppes des bazars, des marchés orientaux, des souks.*

1 Les quelques maisons de cette ruelle étaient d'étroites bicoques mal alignées et dont les rez-de-chaussée devaient servir d'échoppes depuis le XVIᵉ siècle.
MARTIN DU GARD, les Thibault, t. IV, p. 45.

2 Tantôt, dans les ruelles de l'immense bazar, une somnolence universelle assoupit tous ces commerçants. C'est l'heure des chapelets, des lectures coraniques, l'heure où un ami vient s'asseoir sur le bord de l'échoppe pour bavarder un moment.
Jérôme et Jean THARAUD, Fez, p. 63.

3 Les échoppes ont encore un ténébreux aspect d'antan et les débits de vins, cette forte et fraîche odeur de cave qui, l'été, se répand au dehors.
Francis CARCO, Nostalgie de Paris, p. 52.

♦ **2** Régional (Bordeaux). Petite maison ne comportant que le rez-de-chaussée.

4 Il avait pris pension chez une veuve dans une de ces maisons sans étages que les Bordelais appellent échoppes.
F. MAURIAC, Un adolescent d'autrefois, p. 151.

HOM. 2. Échoppe.

2. ÉCHOPPE [eʃɔp] n. f. — 1579, *eschope*; *escoppre*, 1418; *eschaulbre*, 1366; du lat. *scalprum* «burin, ciseau».
(1579). Techn. Outil à pointe taillée en biseau qu'emploient les clicheurs, ciseleurs, graveurs, orfèvres. → **Burin**. — Pointe d'acier utilisée pour graver à l'eau-forte.

DÉR. Échopper. ◊ **HOM.** 1. Échoppe.

ÉCHOPPER [eʃɔpe] v. tr. — 1676; *eschoppeler*, 1615, *in* D.D.L.; déb. XVᵉ «érafler d'un coup de lance»; de 2. *échoppe*.
(1615). Techn. Graver, tailler ou enlever avec une échoppe.
Figuré ▪
Le fils Belvoir m'envoie chaque trimestre le recueil des passages qu'il est contraint d'échopper ou de corriger dans les auteurs français.
GIRAUDOUX, Juliette au pays des hommes, p. 58.

ÉCHOPRAXIE [ekopʀaksi] n. f. — 1900, *in* D.D.L.; de *écho-*, et *-praxie*.
Psychiatrie. Exécution automatique, par imitation, de gestes faits par autrui, observée dans certaines démences et états de confusion mentale.

ÉCHOSONDEUR [ekosɔ̃dœʀ] n. m. — Mil. XXᵉ; de *écho-*, et *sondeur*.
Techn. Appareil de sondage (échosondage) utilisant la propagation des ondes sonores dans l'eau et permettant en particulier d'établir des cartes sous-marines (→ Échogramme). — REM. On écrit parfois *écho-sondeur*.

Mais je compte bien équiper *Joshua* d'un écho-sondeur moins encombrant que le bricolage éventuel du cigare-avertisseur...
Bernard MOITESSIER, Cap Horn à la voile, p. 65.

ÉCHOTIER, IÈRE [ekɔtje, jɛʀ] n. — 1866, *échotier*; de *écho* et *-ier*, avec un *t* de liaison.
Rédacteur des échos (dans un journal). *Un échotier mondain, des spectacles.*

(...) il s'agissait du prince Luigi Voudzoï, un prince poldève qui terminait ses études en France. Un échotier méchant prétendait qu'elles consistaient surtout en beuveries et bacchanales.
R. QUENEAU, Pierrot mon ami, éd. L. de Poche, p. 57.

ÉCHOTOMOGRAPHIE [ekɔtɔmɔgʀafi] n. f. — V. 1970; de *écho-*, *tomo-*, et *-graphie*.
Méd. Échographie*.

Une échotomographie perfectionnée fournira en temps réel l'image du cœur des cosmonautes, notamment au moment de la redistribution du volume sanguin. La méthode échotomographique consiste à visualiser les organes par échos d'ultrasons : elle permettra d'observer d'une manière générale les variations de volume des grands vaisseaux et le comportement des organes internes du spationaute.
Albert DUCROCQ,
les Expériences du vol spatial franco-soviétique, *in* Sciences et Avenir, n° 424, juin 1982, p. 29.

DÉR. Échotomographique (→ cit. ci-dessus; V. Échographique).

ÉCHOUAGE [eʃwaʒ] n. m. — 1674; de *échouer*.
Le fait d'échouer (I., 1.; → **Échouement**); situation d'un navire qui l'on échoue volontairement. *Échouage au bassin. Échouage à l'ancrage. Échouage d'une barque, sur la plage. Lieu d'échouage. Cale d'échouage. Port d'échouage*, dans lequel les navires doivent échouer à marée basse. — Lieu propice à l'échouage. *Chercher un échouage pour faire hiverner un bateau.*

1 Plage unie sur la côte, où s'arrêtent, en touchant sans danger, les navires de petite dimension. Dans la Méditerranée, les pêcheurs de sardines viennent à l'échouage en rentrant de leur expédition (...)
LEGOARANT, *in* LITTRÉ.

2 Échouages hideux au fond des golfes bruns (...)
RIMBAUD, Poésies, «Le bateau ivre».

ÉCHOUEMENT [eʃumɑ̃] n. m. — 1626; de *échouer*. Arrêt accidentel d'un navire par contact avec le fond. *Échouement avec bris* (art. 369 du Code de commerce). *Échouement volontaire du navire pour sauver la cargaison.* → **Échouage.**

1 L'empereur Talou VII, qui, attendant depuis quelques heures l'inévitable échouement de notre navire signalé par un pêcheur indigène, comptait nous retenir en son pouvoir jusqu'au paiement d'une rançon suffisante.
Raymond ROUSSEL, Impressions d'Afrique, p. 220.

2 Balbet retrouva toutes ses cartouches mouillées par la mer, qui, à marée haute, profitant d'une large voie d'eau occasionnée par l'échouement, avait partiellement envahi la cale du Lyncée.
Raymond ROUSSEL, Impressions d'Afrique, p. 295.

Par métaphore. Échec (d'une entreprise).

ÉCHOUER [eʃwe] v. — 1559; orig. incert., p.-ê. de *échoir* ou du normand *escover, de escoudre, escourre* «secouer». P. Guiraud rapproche le mot de l'anc. wallon *chouer* «essuyer», var. de *choyer**, du lat. *exsucare*.

I V. intr. ♦ **1** (1573). En parlant d'un navire, d'une embarcation. Toucher le fond par accident et se trouver arrêté dans sa marche. → **Aggraver** (s'), **enfoncer** (s'), **engraver** (s'), **ensabler** (s'), **envaser** (s'). *Le fait d'échouer.* → **Échouage, échouement, naufrage.** *Le navire a échoué sur un banc de sable, contre un écueil, un brisant.* → **Donner** (contre, sur un écueil). — REM. Sans être archaïque, cet emploi semble moins courant de nos jours que le pron. *s'échouer.*

1 Dans cette position où le vent et la mer le jetaient à terre, il lui était également impossible *(au vaisseau)* [...] d'échouer sur le rivage, dont il était séparé par des hauts-fonds semés de récifs.
BERNARDIN DE SAINT-PIERRE, Paul et Virginie, p. 123.

Par anal. Être poussé, jeté sur la côte. *Une baleine a échoué sur la côte, à la côte. Des débris ont échoué sur le sable. Épave qui échoue à la côte* (→ 2. **Atterrer, vx**).

(Navires, embarcations). Se placer de manière que la quille soit à sec, ou plus ou moins engagée sur le fond de la mer, sur le sable... *Les caboteurs échouent dans les havres à marée basse. Le navire échoue au bassin* (→ **Échouage**).

Par métonymie. (En parlant des passagers d'un navire). *Nous avons échoué sur un écueil près du rivage.*

Par métaphore :

2 Et pourtant, à la fleur de l'âge,
Sur quels écueils, sur quel rivage
Déjà n'ai-je pas échoué?
LAMARTINE, Premières méditations, «Adieu».

♦ **2** (Personnes). Par métaphore du sens 1 (→ ci-dessous, cit. 4) ou fig. S'arrêter par lassitude en un lieu dont on se contente faute de mieux, ou par le hasard. *Ils ont fini par échouer au cinéma.*

3 Le restaurant où ils avaient échoué, immense hall plein de monde, de lumières et de bruit, était à la fois une taverne, un dancing, une académie de billard (...)
MARTIN DU GARD, les Thibault, t. III, p. 97.

4 Tu étais venu échouer là, sur la place de la Paix, comme un pauvre rouget poussé par une lame.
P. MAC ORLAN, la Bandera, V, p. 58.

♦ **3** (1660; d'abord métaphore : *échouer sur un écueil, près du port;* avec infl. probable de *échec*). Par ext. (Sujet n. de personnes). Ne pas réussir, éprouver un échec*, un insuccès. *Échouer devant l'obstacle.* → fam. Se casser* le nez ; ramasser une pelle*, une tape*, une veste*. *Cette entreprise est trop difficile, vous y échouerez. Échouer simultanément dans deux entreprises.* → Demeurer le cul* entre deux selles. *Échouer plusieurs fois de suite.* → **Jouer** (de malheur). *Personne qui échoue souvent.* → **Perdant, raté; loser**

(anglic.); → aussi Conduite d'échec. *Échouer près du but. Échouer à un examen,* ne pas y être reçu. → **Coller, rater, sécher.**

5 (...) Frédéric échoua
Près de ce roc *(ce cœur insensible)*, et le nez s'y cassa (...)
LA FONTAINE, Contes et nouvelles, III, «Le Faucon».

6 Rien n'est humiliant comme de voir les sots réussir dans les entreprises où l'on échoue.
FLAUBERT, l'Éducation sentimentale, I, V, p. 93.

(Sujet n. de choses). → **Avorter, claquer, craquer, crever, crouler, manquer, merder** (fam.), **merdoyer** (fam.), **péter** (fam.), **rater, tomber, tourner** (mal tourner), **vasouiller** (fam.); → S'en aller en eau de boudin*, faire long feu*, faire naufrage*. *Toutes ses tentatives, tous ses efforts ont échoué. Entreprise mort-née qui échoue dès son début. Les attaques ennemies ont échoué devant notre résistance.* → **Briser** (se). *Faire échouer un plan.* → **Couler, torpiller.**

7 (...) ces rêves qui échouent dans la médiocrité.
A. THIBAUDET, Gustave Flaubert, p. 31.

II V. tr. (1559). Mar. Faire échouer (un navire, une embarcation). Pousser (une embarcation) jusqu'au contact de la côte. *Échouer une barque, pour en nettoyer la carène. «J'échouais mon bateau au rivage»* (Chateaubriand). *Échouer un bateau sur ses béquilles* (→ **Béquiller**). — Jeter à la côte. *Le capitaine échoua son navire pour le soustraire à la prise de l'ennemi.*

♦ **S'ÉCHOUER** v. pron.

♦ **1** (En parlant d'un navire, d'une embarcation). Se jeter à la côte*. (Syn. plus cour. de *échouer*, I, 1.). *Le navire s'est échoué sur les écueils. Le corsaire aima mieux s'échouer que de se laisser prendre.*

8 Malheureusement on ne trouve que quatre ou cinq brasses d'eau, et on est réduit à s'échouer (...)
G. T. RAYNAL, Hist. philosophique..., VIII, 10.

(Objets, personnes à bord d'un navire). *Des caisses qui s'échouent sur une plage. — Les marins survivants s'étaient échoués sur une île.*

Par métaphore. *Après maintes entreprises malheureuses, il s'est échoué dans ce poste subalterne* (Académie).

9 Pauvre petite plante saine et fraîche, née dans les bois de Toulven, comment était-il venu s'échouer dans cette misère de la ville?
LOTI, Mon frère Yves, LI, p. 132.

♦ **2** Fig. (Sens I, 2 de *échouer*). Rare. *«(Ils) s'échouèrent enfin dans un petit café»* (Zola, in T. L. F.).

♦ **ÉCHOUÉ, ÉE** p. p. adj.

(1559). Mar. et cour. (En parlant d'une embarcation). Qui, touchant le fond, ne peut plus flotter. *Trace d'un navire échoué dans la vase.* → **Souille.** *Barques de pêche échouées sur la plage* (→ Aborder, cit. 2). *Mettre à flot, afflouer, renflouer un bateau échoué.*

10 Au bord et parmi des joncs pliés en deux par le cours de l'eau, il y avait des bateaux amarrés chargés de planches et de vieux chalands échoués dans la vase, comme s'ils n'eussent jamais flotté.
E. FROMENTIN, Dominique, IV, p. 61.

11 (...) si le navire échoué peut être relevé, réparé, et mis en état de continuer sa route pour le lieu de sa destination.
Code de commerce, art. 389.

Par ext. *Caisses, débris échoués.*

Par anal. Qui a été poussé, jeté sur la côte. *Ils ramassaient les débris échoués sur le sable.*

12 Les enfants s'approchaient sans peur comme d'une immense baleine échouée, sans défense, et qu'on allait dépecer.
PROUST, Du côté de chez Swann, p. 398, in T. L. F.

CONTR. Afflouer, renflouer; flotter. — Réussir. ◊ **DÉR.** Échouage, échouement.

ÉCHU [eʃy] adj. → Échoir (p. p.).

ÉCHUTE [eʃyt] n. f. — 1611, *escheute;* anc. p. p. fém. du v. *échoir.*

♦ **1** Ancient (hist. du droit). Droit du seigneur à succéder dans certains cas à ses mainmortables. — La succession.

> Je ne veux ni mainmorte ni échute dans ce petit coin de terre que j'habite (...)
> VOLTAIRE, Lettre à Perret, 28 déc. 1771.

♦ **2** Mod. (Régional : Suisse). Part de la recette d'une vente publique qui échoit au commissaire-priseur.

ÉCILLÉ, ÉE [esile] adj. — Fin XIXᵉ, Huysmans *in* G.L.L.F.; de *é-, cil,* et suff. *-é.*

Littér. et rare. Qui n'a pas ou plus de cils.

ÉCIMAGE [esimaʒ] n. m. — 1791; de *écimer.*

Techn. Action d'écimer (une plante). *L'écimage du maïs.*

ÉCIMER [esime] v. tr. — 1572, *escimer;* de *é-, cime* et suff. verbal.

Techn. Couper la cime, la partie supérieure de (un arbre, une plante), pour favoriser la croissance des organes inférieurs. *Écimer un arbre.* → **Déshonorer, étêter, tailler.**

Au p. p. *Arbre écimé.*

1   (...) une avenue plantée d'arbres écimés et trapus (...)
    Th. GAUTIER, Voyage en Espagne, p. 48.

2   Promenade dans la plantation, cette terre pareille à du tabac fin. Les deux jiquitibas gigantesques dans ce qui reste de la forêt vierge, particulièrement ce vieux écimé par la foudre, les racines comme la patte d'un être monstrueux, 40 mètres de tour.
    CLAUDEL, Journal, 30 juil. 1918.

Spécialt. Enlever la partie supérieure (d'une plante herbacée) afin de favoriser le développement des feuilles ou des bourgeons inférieurs. *Écimer du tabac, du maïs.*

DÉR. Écimage, écimeuse.

ÉCIMEUSE [esimøz] n. f. — 1922; de *écimer.*

Agric. Machine pour écimer le blé.

ÉCLABOUSSANT, ANTE [eklabusɑ̃, ɑ̃t] p. prés. adj.
— D. i. (attesté XIXᵉ); p. prés. de *éclabousser.*

Qui éclabousse.

♦ **1** Qui couvre de liquide, en rejaillissant.

1   La pluie tombait à flots, une pluie normande qu'on aurait dit jetée par une main furieuse, une pluie en biais, épaisse comme un rideau, formant une sorte de mur à raies obliques, une pluie cinglante, éclaboussante, noyant tout.
    MAUPASSANT, Mademoiselle Fifi, p. 5-6.

Par métaphore :

2   Je ne suis et tu n'es, dans les vastes flux des choses, qu'un point d'arrêt favorable au rejaillissement (...) Un court moment d'arrêt : le complexe, le doux, le violent mouvement des mondes se fera de ta mort une écume éclaboussante.
    Georges BATAILLE, l'Expérience intérieure, p. 124.

♦ **2** Fig. Qui atteint par contrecoup. *Un scandale éclaboussant.* — *Un luxe éclaboussant,* indécemment étalé.

ÉCLABOUSSEMENT [eklabusmɑ̃] n. m. — 1835; de *éclabousser.*

♦ **1** Rare. Action d'éclabousser. *L'éclaboussement des piétons par une voiture.*

♦ **2** Jaillissement. *Dans un éclaboussement d'écume.*

Par métaphore :

> Ta gaucherie faisait rire les dieux. Ne cherche pas ailleurs les causes de l'abandon où ils t'ont laissé. Ils sont en train de marcher dans d'admirables éclaboussements d'astres, loin de toi.
> J. GIONO, les Vraies Richesses, p. 86.

♦ **3** Fig. *L'éclaboussement d'un scandale.*

ÉCLABOUSSER [eklabuse] v. tr. — 1564, *esclabocher;* var. expressive de l'anc. franç. *esclaboter* v. 1225; traditionnellement rattaché à un rad. onomat. *klapp-klabb* et à *bouter.* Pour P. Guiraud, il s'agit d'un composé tautologique de *bousser,* doublet de *bouter* «pousser hors» et de *éclater,* d'où *éclabousser* «rejeter sous forme d'éclats».

♦ **1** Faire rejaillir* de la boue sur (qqn, qqch.); couvrir d'un liquide salissant qu'on a fait rejaillir. → **Arroser, asperger, mouiller.** *Éclabousser qqn en marchant dans une flaque d'eau. Voiture qui roule dans le ruisseau et éclabousse les passants. Salir, souiller, tacher un vêtement en l'éclaboussant. Éclabousser de sauce les vêtements de qqn.* — (D'une chose). *Plume qui éclabousse.* — (Avec un compl. en de...). *Éclabousser qqn d'eau sale.* Par métaphore. → ci-dessous, cit. 2.

1   Guenaud sur son cheval en passant m'éclabousse.
    BOILEAU, Satires, VI.

2   Deux guerriers ont couru l'un sur l'autre; leurs armes Ont éclaboussé l'air de lueurs et de sang.
    BAUDELAIRE, les Fleurs du mal, XXXV.

3   Il (*l'automobiliste*) éclabousse les piétons, double les véhicules qu'il «surclasse» par la puissance; il tient son rang dans une hiérarchie.
    G. DUHAMEL, Manuel du protestataire, IV, p. 131.

Littér. (à propos d'autre chose qu'un liquide; → aussi ci-dessus, cit. 2). *Éclabousser l'ombre de taches de lumière.*

4   Au milieu du jour, le soleil, tombant d'aplomb sur les larges verdures, les éclaboussait, suspendait des gouttes argentines à la pointe des branches, rayait le gazon de traînées d'émeraudes, jetait des taches d'or sur les couches de feuilles mortes (...)
    FLAUBERT, l'Éducation sentimentale, III, I.

(Le sujet désigne le liquide). Rejaillir sur (qqn, qqch.).

4.1   Il prit à plein poing la chandelle et la posa sur la cheminée avec un frappement si violent que la mèche faillit s'éteindre et que le suif éclaboussa le mur.
    HUGO, les Misérables, I, II, VII.

♦ **2** Fig. Salir par contrecoup. *Le scandale qu'il a provoqué a éclaboussé ses amis.* → **Rejaillir** (sur), **souiller;** → Boue, cit. 12. *Être éclaboussé par des calomnies.* → **Éclaboussure** (→ Clapoter, cit. 3).

5   L'éloge hyperbolique, l'injure acrimonieuse, qu'on ne se ménageait pas alors de part et d'autre, n'éclaboussèrent même pas son nom.
    Th. GAUTIER, Portraits contemporains, H. Vernet, p. 312.

6   (...) je ne m'attendais pas à la pensée du scandale qui va vous éclabousser.   M. AYMÉ, la Tête des autres, I, 10.

♦ **3** Humilier par un étalage de luxe. *Un nouveau riche qui veut éclabousser tout le monde* (→ **Écraser**). *Le luxe éclabousse la misère.*

♦ **S'ÉCLABOUSSER** v. pron. (Réfl.). *Elle s'est éclaboussée en arrosant le jardin.*

7   Elle prenait évidemment beaucoup de plaisir à tirer de l'eau en évitant de s'éclabousser (...)
    J. ROMAINS, les Hommes de bonne volonté, t. V, IV, p. 30.

(Récipr.). *Les enfants s'éclaboussaient dans la piscine.*

♦ **ÉCLABOUSSÉ, ÉE** p. p. adj. (Souvent suivi d'un compl. prép. *de*).

♦ **1** Qui est couvert d'un liquide qui a rejailli accidentellement. *Manteau éclaboussé de boue.* → **Maculé.**

8 (...) une mouette énorme, qui se gorgeait activement de l'horrible viande, son bec et ses serres profondément enfouis dans le corps, et son blanc plumage tout éclaboussé de sang.
BAUDELAIRE, Trad. E. POE,
les Aventures d'A. Gordon Pym, X.

Poét. *Jardin éclaboussé de soleil.*

9 (...) les marronniers géants dont la lourde verdure est éclaboussée de grappes rouges ou blanches.
MAUPASSANT, Fort comme la mort, p. 116.

♦ **2** Fig. Compromis, sali moralement. *Un politicien éclaboussé par un scandale.*

DÉR. **Éclaboussant, éclaboussement, éclaboussure.**

ÉCLABOUSSURE [eklabusyʀ] n.f. — 1528, *esclabousseüre; de éclabousser.*

♦ **1** (Rare au sing.). Liquide salissant qui a rejailli sur une personne, une chose. → **Salissure, souillure, tache.** *Manteau couvert, maculé d'éclaboussures. Éclaboussures d'encre, de sang.*

1 Son père et sa mère étaient devant lui, étendus sur le dos avec un trou dans la poitrine (...) des éclaboussures et des flaques de sang s'étalaient au milieu de leur peau blanche, sur les draps du lit, par terre, le long d'un christ d'ivoire suspendu dans l'alcôve.
FLAUBERT, Trois contes,
«La légende de saint Julien l'Hospitalier», II.

2 (...) au-dessus de la cuvette de zinc, luisait un miroir de bazar, taché d'éclaboussures.
MARTIN DU GARD, les Thibault, t. VI, p. 235.

Littér. et rare. Éclat. *Des éclaboussures de pierres* (O. Feuillet *in* T.L.F.). — Plus cour. *Des éclaboussures de lumière, de couleur.*

♦ **2** Fig. Coup indirectement reçu (quand on est trop près de gens qui se battent). *Écartez-vous de cette mêlée si vous voulez éviter les éclaboussures.*

3 (...) les traversins de crin, durs comme des bûches, servaient de projectiles. Pour moi, qui m'étais obstiné à garder mon lit, je ne veux point cacher que je reçus quelques éclaboussures de la bataille.
NERVAL, Mes prisons, Pl., t. I, p. 77.

♦ **3** Conséquence que l'on subit par ricochet (→ **Contrecoup**). Spécialt. Tache (à la réputation, etc.). *Si le scandale éclate, il en rejaillira sur vous des éclaboussures.*

1. ÉCLAIR [eklɛʀ] n.m. — V. 1121, *esclair;* déverbal de *éclairer.*

♦ **1** (Fin XIIᵉ). Lumière intense et brève, formant une ligne sinueuse, parfois ramifiée, provoquée par une décharge électrique, pendant un orage. → **Foudre, tonnerre; fulgur.** *Un violent éclair, un éclair éblouissant. Lueur des éclairs.* → Orage, cit. 2. *Éclairs qui sillonnent, illuminent le ciel pendant l'orage. Bruit succédant à un éclair.* → **Tonnerre.** *Éclair de chaleur :* éclair lointain, qui n'est pas accompagné de tonnerre. → **Fulguration** (→ Blémir, cit. 5). *Éclair fulminant,* à ligne très nette. *Éclair arborescent* ou *ramifié. Éclair en zigzag, en chapelet, en boule, en nappes...* (→ Déchirer, cit. 10).

1 La tempête s'élance de la terre aux mers et des mers à la terre, et les ceint d'une chaîne aux secousses furieuses; l'éclair trace devant la foudre un lumineux sentier.
NERVAL, Trad. GOETHE, Faust,
Prologue dans le ciel.

2 (...) un nuage de plus en plus sombre, de plus en plus chargé d'électricité qui éclatait en mille éclairs (...)
HUGO, Notre-Dame de Paris, VI, IV.

Soudain, dans l'air lourd et délicieux, passe une flèche 3 lumineuse, un éclair qui, comme le rayon du docteur allemand, traverse les corps.
FRANCE, *in* PROUST, les Plaisirs et les Jours,
Préface.

(...) l'éclair qui troue une seconde les ténèbres et les laisse 4 plus opaques après lui (...)
MARTIN DU GARD, les Thibault, t. III, p. 219.

En ce moment, de grands éclairs blanchâtres s'épanouis- 4.1 saient au-dessus de l'île et dessinaient en noir les découpures du feuillage. Ces éclats intenses éblouissaient et aveuglaient. L'orage, évidemment, ne pouvait tarder à se déchaîner. Les éclairs devinrent peu à peu plus rapides et plus lumineux. Des grondements lointains roulaient dans les profondeurs du ciel.
J. VERNE, l'Île mystérieuse, t. II, p. 786.

Par métaphore. Ce qui illumine brusquement.

Vous avez été un éclair de ma nuit, et vous avez illuminé 5 bien des endroits sombres de mon âme; vous avez ouvert dans ma vie des perspectives toutes nouvelles. Je vous dois de connaître l'amour (...)
Th. GAUTIER, Mⁿᵉ de Maupin, I, p. 22.

Loc. *Avec la rapidité de l'éclair, comme l'éclair,* très vite. *Il a fait cette course avec la rapidité de l'éclair* (→ Beau, cit. 4). *Il est prompt, rapide comme l'éclair. Partir comme un éclair,* très rapidement. → Comme une flèche*, comme le vent*; (fam.) comme un pet*.

Il baisa la main et partit comme un éclair (...) 6
Antoine HAMILTON,
Mémoire du comte de Grammont, 5, *in* LITTRÉ.

(...) ramenez-moi comme un éclair à Constantinople, et 7 vous serez payé sur le champ.
VOLTAIRE, Candide, XXVII.

Passer comme un éclair, comme l'éclair : passer très vite. *L'avion est passé comme un éclair. Il est passé comme un éclair* sans même nous voir. — (Choses abstraites). Avoir une courte durée. *Le temps des vacances a passé comme un éclair. Bonheur qui passe, qui s'enfuit comme un éclair.* → **Passager.**

Mais, comme un jour d'hiver où le soleil reluit, 8
Ma joie en moins d'un rien comme un éclair s'enfuit (...)
Mathurin RÉGNIER, Satires, X.

Pendant cet heureux temps, passé comme un éclair 9
MOLIÈRE, Sganarelle, 2.

Monsieur de Rennes a passé ici comme un éclair (...) 10
Mᵐᵉ DE SÉVIGNÉ, 835, 24 juil. 1680.

Tous ces usages naissent et passent comme un éclair. 11
ROUSSEAU, Julie ou la Nouvelle Héloïse, IV, IX, note.

Fig. *Ce type est un véritable éclair.* (Dans un surnom). *Guy l'Éclair,* héros de bande dessinée (adapt. de l'angl. *Flash* («éclair») *Gordon*).

Par appos., fam. Très rapide. *Déjeuner éclair. Il m'a fait une visite éclair.* Spécialt. *Guerre éclair. Nouvelle-éclair.* → **Flash.** *Message éclair.* — (1928). *Fermeture Éclair* (marque déposée). → **Fermeture;** → anglic. Zip.

♦ **2** Lumière vive de courte durée. *Un éclair de soleil entre les nuages. Éclairs provoqués par la réfraction de la lumière sur des objets. Éclairs des épées qui se croisent. Pierres précieuses, cristaux, bijoux qui jettent des éclairs.* → **Étinceler.** — Chim. Lumière mobile et étincelante du bain d'argent au moment où la congélation se termine. — *Éclair de magnésium.* → **Flash** (anglic.). — Par appos. *Lampe éclair.*

Par exagér. *Les éclairs du sourire, des dents* (cit. 5). *L'éclair du regard, des yeux.* → **Éclat.** *Ses yeux lancent des éclairs.* → **Flamme; fulgurant.** *Éclair de malice, de colère qui passe dans le regard.* → **Lueur.**

Des éclairs de ses yeux l'œil était ébloui. 12
RACINE, Esther, II, 8.

Un regard offensé, vous le savez, madame, 13
Change deux yeux d'azur en deux éclairs de flamme (...)
A. DE MUSSET, Poésies nouvelles, «À Ninon».

14 — Oui, dit Bœhm, sérieux. (Ce qui fit passer un éclair de malice dans les yeux d'Alfreda).
MARTIN DU GARD, les Thibault, t. V, p. 123.

◆ **3** Fig. (le plus souvent dans : *éclair de...*). Manifestation soudaine et passagère ; bref moment. *Un éclair de bon sens, de lucidité. Il a tout compris en un éclair. Ce fut pour lui l'éclair, un éclair.* → **Illumination, révélation.** *Éclair de génie :* inspiration soudaine.

15 L'exemple froid vaut mieux qu'un éclair de fureur.
HUGO, Châtiments, III, XVI.

16 Vous avez la bonté, Monsieur, de juger de moi par mes vers, et de m'attribuer, comme dispositions habituelles, ce qui n'est qu'éclair passager dans ma vie.
SAINTE-BEUVE, Correspondance, t. I, p. 195.

17 Et pourtant, de la faiblesse traînée pendant des années, un éclair d'énergie surgit parfois.
PROUST, Albertine disparue, éd. La Gerbe, p. 106.

18 (...) cette idée obscure d'Ordre, de Loi, que, par éclairs, vous entrevoyez, il faut, en dépit de tout, vous tourner vers ça, mon cher enfant, et prier !
MARTIN DU GARD, les Thibault, t. IV, p. 317.

CONTR. Noir, obscurité, ombre. ◊ **HOM.** 2. Éclair, éclaire ; formes du v. **éclairer.**

2. ÉCLAIR [eklɛr] n. m. — 1864 ; p.-ê. de 1. *éclair* parce qu'il peut se manger vite.

Petit gâteau allongé, fourré d'une crème cuite (au chocolat, au café) et glacé par-dessus. *Éclair au café, éclair au chocolat. Donnez-moi deux éclairs et deux religieuses. Manger des éclairs.*

HOM. 1. Éclair, éclaire ; formes du v. **éclairer.**

ÉCLAIRAGE [eklɛraʒ] n. m. — 1798, Académie ; de *éclairer.*

Action d'éclairer ; son résultat.

I ◆ **1** Action, manière d'éclairer (la voie publique, les locaux) par une lumière artificielle. *L'éclairage d'une pièce, d'une salle, d'une maison* (→ **Lampe ; applique, lampadaire, lustre, plafonnier, vasque**). *Éclairage des lieux publics, des vitrines* (→ **Rampe**), *des cafés. Éclairage des spectacles, de la scène, du plateau* (→ **Gouttière, projecteur, rampe, réflecteur**). *Éclairage des voies publiques, des autoroutes. Éclairage des voies ferrées.* → **Signalisation.** *Éclairage des côtes.* → **Feu, phare.** *Éclairage obligatoire des véhicules. Éclairage d'une automobile.* → **Code, feu** (feu de position, feu rouge), **phare, veilleuse.** — (Sans compl.). *Éclairage par combustion de matières concrètes* (résine, suif...). → **Bougie, candélabre, chandelle, cierge, flambeau, girandole, lanterne, torche.** *Éclairage par combustion d'huiles végétales et minérales.* → **Lampe** (à huile, à pétrole, à essence), **réverbère.** *Éclairage par le gaz, au gaz,* (acétylène, butane, gaz d'éclairage ou de ville). → **Bec** (de gaz), **brûleur, lampe** (à acétylène, à butane). — (1865). *Éclairage électrique* (lampes électriques, tubes luminescents...). → **Ampoule, tube.** *Appareils d'éclairage. Magasin d'éclairage.* → **Luminaire.** — *Frais d'éclairage et de chauffage. Chauffage et éclairage compris* (dans les charges, le loyer). *Un éclairage blanc, jaune ; vif, éblouissant. Éclairage imitant celui du jour.* → **Giorno** (à). *Éclairage faible, doux.* → **Lumière** (tamisée), **veilleuse.** *Éclairage direct,* dont le flux lumineux est dirigé sur ce qu'on veut éclairer (généralement vers le bas). *Éclairage indirect,* dont le flux est dirigé ailleurs que sur ce qu'on veut éclairer (généralement vers le haut). *Éclairage astral*.* — (1934). *Éclairage d'ambiance*. Problèmes d'éclairage* (théâtre, cinéma, télévision, photogr.). → **Éclairagiste.**

Le radieux soleil tombait en plein sur leurs épais voiles, et André, à la faveur de cet éclairage à outrance, essayait de découvrir quelque chose de leurs traits.   1
LOTI, les Désenchantées, III, XI, p. 96.

Vous avez un profil extraordinaire sous cet éclairage (...)   2
J. ROMAINS, les Hommes de bonne volonté, t. III, XVI, p. 218.

(...) cette diffusion de l'action sur un espace immense obligera l'éclairage d'une scène et les éclairages divers d'une représentation à empoigner aussi bien le public que les personnages (...)   2.1
A. ARTAUD, le Théâtre et son double, Le théâtre de la cruauté, Idées Gallimard, p. 146-147.

(...) ces brutes ignares qui abattent les tendres vieilles demeures et dressent à leur place ces blocs en ciment, ces cubes hideux, sans vie, où dans le désespoir glacé, sépulcral, qui filtre des éclairages indirects, des tubes de néon, flottent de sinistres objets de cabinets de dentiste, de salles d'opération (...)   2.2
N. SARRAUTE, le Planétarium, p. 18.

◆ **2** Distribution de la lumière. → **Lumière.** *Éclairage naturel, artificiel. Le bon éclairage d'une pièce à grandes fenêtres. Le faible éclairage d'un sous-sol. L'éclairage est insuffisant pour prendre cette photo.*

Pour l'éclairage, il ne fallait point songer à l'établir par le haut, puisqu'une énorme épaisseur de granit plafonnait au-dessus d'elle (la grotte) ; mais peut-être pourrait-on percer la paroi antérieure, qui faisait face à la mer.   2.3
J. VERNE, l'Île mystérieuse, t. I, p. 240 (1874).

(...) par moments, sous certains éclairages, si on se plaçait à certains endroits, on ne voyait plus rien (...)   2.4
N. SARRAUTE, le Planétarium, p. 31.

Peint. *Éclairage d'un tableau :* manière dont la scène qu'il représente est éclairée. *Éclairage d'un tableau en clair-obscur.* Par ext. Manière, propre à un peintre, d'éclairer ses scènes. *Éclairage d'un peintre.*

(...) je retrouvais, avec plus d'intensité, de transparence et de fraîcheur, les éclairages et les colorations que, au cours de ce même après-midi passé au Musée du Louvre, je venais d'admirer dans les toiles de Claude Gellée dit *le Lorrain.*   3
Georges LECOMTE, Ma traversée, p. 223.

L'éclairage du Caravage venait d'une coulée de jour, souvent le rais de son fameux soupirail ; il servait à arracher à un fond sombre ses personnages, dont il accentuait les traits. Les pâles flammes de Latour servent à unir les siens ; sa bougie est la source d'une lumière *diffuse* malgré la netteté de ses plans, et cette lumière n'est nullement réaliste, elle est intemporelle comme celle de Rembrandt.   4
MALRAUX, les Voix du silence, p. 388.

◆ **3** Fig. Manière particulière de décrire, d'envisager, de comprendre (qqch.). → **Aspect, perspective, point de vue.** → Baigner, cit. 10. *Sous, dans cet éclairage.* → **Angle, jour.** *C'est une question d'éclairage.*

À lire ses lettres de Sainte-Beuve sous cet éclairage, dont il mérite au premier chef qu'on le fasse bénéficier à son tour, on devient plus juste pour lui.   5
Émile HENRIOT, les Romantiques, p. 256.

L'éclairage nouveau de son gros volume sur Stendhal est de considérer Stendhal comme un de ces vaincus, et de placer son œuvre sous ce jour (...)   6
Émile HENRIOT, les Romantiques, p. 361.

(...) les mêmes faits n'auraient-ils pu apparaître différents dans un autre éclairage ?   7
F. MAURIAC, le Nouveau Bloc-notes, 1958-1960, p. 36.

II (De *éclairer,* I., B., 3.). **Mar.** *Bâtiment en éclairage,* qui assure la protection d'une force navale en la devançant pour détecter les engins ennemis qui sont sur sa route. → **Éclaireur.**

CONTR. Extinction. — Obscurité, ombre. ◊ **DÉR.** Éclairagisme. — Éclairagiste.

ÉCLAIRAGISME [eklɛraʒism] n. m. — 1937, *in* D.D.L. ; de *éclairage.*

Techn., comm. Ensemble de techniques employées pour obtenir un éclairage rationnel.

ÉCLAIRAGISTE [eklɛraʒist] n. m. — 1948; de *éclairage.*

Techn. Technicien spécialisé dans l'étude des problèmes d'éclairage et dans la réalisation d'éclairages rationnels. *Éclairagiste attaché à un studio de cinéma.* — **Par appos.** *Ouvrier, technicien éclairagiste.*

ÉCLAIRANT, ANTE [eklɛrɑ̃, ɑ̃t] adj. — 1560, *in* D. D. L.; p. prés. de *éclairer.*

♦ **1** Qui a la propriété d'éclairer (cit. 14). *Le pouvoir éclairant de l'alcool, de l'acétylène.* — Vieilli. *Gaz, artifice éclairant.*

1 En apparence, tout au moins, le docteur Ox s'était engagé à éclairer la ville, qui en avait bien besoin, «la nuit surtout», disait finement le commissaire Passauf. Aussi, une usine pour la production d'un gaz éclairant avait-elle été installée. J. VERNE, le Docteur Ox, p. 23.

♦ **2 Fig.** (Sujet n. de chose). Qui a la propriété d'éclaircir, d'expliquer. *Raisons peu éclairantes. C'est tout à fait éclairant. Ce n'est pas très éclairant.*

2 (...) j'ai rattaché l'idée de téléologie du sujet à la *Phénoménologie de l'esprit* de Hegel; cet exemple n'est pas contraignant; il est seulement éclairant (...)
P. RICŒUR,
Une interprétation philosophique de Freud,
in la Nef, n° 31, p. 124.

3 Un mot de mon père hier, si éclairant, si terrible (c'est la première fois que je l'entendis dire quelque chose de semblable). Parlant de ses romans, si peu dits beaux, il enchaîna : «... qui furent beaux mais qui ne le sont plus...». Éclairant non pas tant sur sa littérature que sur la littérature, dont les produits, à quelques exceptions près, se fanent comme des fleurs (...)
Claude MAURIAC, le Temps immobile, p. 255.

4 Purifié le corps, enseveli le destin éclairant dans la terre du verbe. Yves BONNEFOY, Poèmes, «Vrai corps», p. 55.

ÉCLAIRCIE [eklɛrsi] n. f. — 1829; *esclarcye,* déb. XVIᵉ, «aurore»; p. p. substantivé au fém. de *éclaircir.*

I ♦ **1** (1694). Endroit clair qui apparaît dans un ciel nuageux ou brumeux. *Petite éclaircie entre les nuages.* → **Trouée.** — Brève interruption du temps pluvieux, coïncidant avec cette apparition. → **Embellie.** *Temps pluvieux avec éclaircies. Profiter d'une éclaircie pour sortir.*

♦ **2 Fig.** Brève amélioration, brève détente. → **Amélioration, changement.** *Voici enfin une éclaircie dans le ciel diplomatique. Il y a des éclaircies dans leurs relations.* → **Détente, répit.** — *Par éclaircies.*

Les femmes des champs ne rient guère d'ailleurs. C'est affaire aux hommes, cela! Elles ont l'âme triste et bornée, ayant une vie morne et sans éclaircie.
MAUPASSANT, Contes, «La mère sauvage», p. 209.

II Rare. Espace découvert, dégarni d'arbres (dans une forêt, un bois). → **Clairière.** *Il y a une éclaircie après ces fourrés.*

III Techn. Action d'éclaircir. ♦ **1** Sylviculture. Coupe des jeunes arbres les plus chétifs dans une futaie, destinée à donner de la place aux plus robustes. *L'éclaircie a pour but d'empêcher que les jeunes arbres, par manque de place, ne se gênent dans leur croissance.*

♦ **2** Hortic. *Éclaircie des fruits :* opération qui consiste à enlever certains fruits avant leur maturité, afin que ceux qui restent soient plus beaux. *Éclaircie des grappes de raisin.* → **Ciselement.**

CONTR. Obscurcissement, tension.

ÉCLAIRCIR [eklɛrsir] v. tr. — V. 1130, *esclarcir; esclaircir,* v. 1230, sur *clair;* du lat. pop. *exclaricire,* de *ex-,* et lat. *claricare* (p.-ê. par un comp. **exclaricare*), de *clarus* «clair».

Rendre clair, plus clair. → **Clair.**

A (Concret). ♦ **1** Rendre pur, net. *Vent qui éclaircit le ciel en chassant les nuages.* → **Dégager.** *Éclaircir le teint,* le rendre frais, éclatant. *Ce régime vous éclaircira le teint.* — Se racler la gorge pour que la voix soit plus pure, plus nette. *Boire de l'eau fraîche pour éclaircir sa voix.*

(Réfl. ind.). *S'éclaircir la voix, la gorge.*

1 Elle (...) toussa comme font souvent les personnes qui parlent seules, sans doute pour faire croire à ceux qui les auraient entendues qu'elles s'éclaircissent la gorge (...)
J. GREEN, Léviathan, p. 134.

♦ **2** Rendre moins foncé. *Éclaircir une couleur. Éclaircir un bleu avec de l'eau.* → **Délaver.** — Spécialt (techn.). *Éclaircir de la vaisselle, de l'argenterie,* la rendre brillante.

♦ **3** Rendre moins épais (une pâte, un liquide). *Éclaircir un sirop, une sauce en ajoutant de l'eau.* → **Allonger.** *Éclaircir du vin en le décantant.*

♦ **4** Rendre moins serré, moins touffu, moins nombreux. *Éclaircir une futaie en coupant quelques arbres.* → **Éclaircie,** III. *Éclaircir des arbres, des branches.* → **Tailler; élaguer.** *Éclaircir une planche de laitues. Éclaircir des cheveux. Elle a demandé au coiffeur de lui éclaircir les cheveux.*

(XIVᵉ). Fig. *La fusillade éclaircissait les rangs.*

B (Abstrait). ♦ **1** (1283). Rendre moins confus, plus compréhensible. *Éclaircir un point, une question embrouillée, une affaire compliquée.* → **Clarifier, débrouiller, débroussailler, défricher, démêler.** — *Éclaircir les idées de qqn.* — Fam. *Cela vous éclaircira les idées.* → **Remettre.** *Éclaircir qqch. en expliquant.* → **Démontrer, développer, expliquer.** *Éclaircir un sens par le contexte* (→ **Éclairer**), *par un exemple* (→ **Illustrer**). *Éclaircir un mystère, une énigme.* → **Déchiffrer, élucider;** → **Tirer au clair***. *Il est décidé à éclaircir la chose.* — Vieilli. *Éclaircir des doutes, un malentendu,* dissiper.

2 (...) à cette fois (...) les choses vont être éclaircies (...)
MOLIÈRE, George Dandin, III, 6.

3 (...) la fatigue d'éclaircir les difficultés (...)
RACINE, Bérénice, Préface.

4 Ce terme est équivoque, il le faut éclaircir.
BOILEAU, Art poétique, I.

5 (...) je fis une assez longue excursion pour éclaircir les doutes qui me restaient encore.
MÉRIMÉE, Carmen, I.

6 (...) plus on élague et plus on éclaircit. Réduit à un vocabulaire de choix, le français dit moins de choses, mais il les dit avec plus de justesse et d'agrément.
TAINE, les Origines de la France contemporaine,
I, t. I, p. 296.

7 (...) les énigmes laissées à jamais insolubles par la mort du seul être qui eût pu les éclaircir.
PROUST, À la recherche du temps perdu, t. XIII,
p. 94.

8 Ce que nous n'avons pas eu à déchiffrer, à éclaircir par notre effort personnel, ce qui était clair avant nous, n'est pas à nous.
PROUST, À la recherche du temps perdu, t. XV,
p. 24.

♦ **2** (XVIIᵉ). Vieilli. *Éclaircir qqn,* l'informer, le mettre au courant (→ **Donner des éclaircissements***).

8.1 Il y a une chose qui me fait de la peine et sur laquelle je vous supplie de m'éclaircir, c'est que je ne puis comprendre comment vous pouvez vivre, agir ou vous mouvoir dans l'eau sans vous noyer.
A. GALLAND, les Mille et une Nuits, t. II, p. 284.

◆ **S'ÉCLAIRCIR** v. pron. **A** (Concret). ◆ **1** (Passif). *Devenir plus pur, plus net. Le ciel, le temps commence à s'éclaircir, à se dégager.* — Par ext. *Brouillard qui s'éclaircit.* → **Dissiper** (se).

9　Dans le moment où le ciel commençait à s'éclaircir (...)
　　　　　　　　　　　　FÉNELON, Télémaque, I.

10　(...) comme le brouillard endormi sur la mare voisine ne paraissait nullement près de s'éclaircir, elle conseilla à Germain de s'arranger auprès du feu pour faire un somme.
　　　　　　　　　　　G. SAND, la Mare au diable, x, p. 81.

10.1　Le ciel s'est un peu éclairci vers le soir et, tandis que j'écris ceci, la nuit monte dans un ciel admirable.
　　　　　　　GIDE, Voyage au Congo, in Souvenirs, Pl., p. 763.

　　Fig. *L'horizon s'éclaircit :* l'avenir semble moins sombre, moins menaçant.

◆ **2** Devenir moins foncé. *Cette couleur s'est éclaircie avec le temps.* → **Passer.**

11　(...) son visage a changé, son teint s'est éclairci (...)
　　　　　　　　MOLIÈRE, l'Amour médecin, III, 6.

◆ **3** Devenir moins épais (d'un liquide). *Ce sirop s'est éclairci.* → **Fluidifier** (se).

◆ **4** Devenir moins serré, moins touffu, moins dense. *Ses cheveux s'éclaircissent près des tempes.* → **Dégarnir** (se), **raréfier** (se). — *Les gens partaient, la foule s'éclaircissait. Les rangs s'éclaircissaient sous le feu ennemi.*

12　La troupe s'éclaircissait peu à peu (...)
　　　　　　　　　　　　VAUGELAS, in LITTRÉ.

　　B (Abstrait). ◆ **1** Devenir moins embrouillé, moins confus, plus compréhensible. *La situation politique s'est éclaircie. Ces difficultés s'éclairciront peu à peu. L'affaire s'est éclaircie.*

13　(...) il y a de certains avenirs obscurs qui s'éclaircissent quelquefois tout d'un coup (...)
　　　　　　　　　Mᵐᵉ DE SÉVIGNÉ, 807, 10 mai 1680.

14　Tous vos doutes, mon fils, bientôt s'éclairciront.
　　　　　　　　　　RACINE, Athalie, IV, 1.

15　Une certaine confusion règne encore, mais encore un peu de temps et tout s'éclaircira ; nous verrons enfin apparaître le miracle d'une société animale, une parfaite et définitive fourmilière.　　　　VALÉRY, Variété I, p. 22.

　　(Correspond à *éclaircir*, B., 2.). Vx. *S'éclaircir avec qqn :* s'expliquer avec qqn (Mᵐᵉ de Staël *in* T. L. F.).

◆ **2** Vx. *S'éclaircir de qqch.* (Stendhal) : rendre clair (qqch.) pour soi.

16　(...) je prends la liberté de rappeler à Votre Majesté qu'elle s'est imposé elle-même un devoir de s'éclaircir en personne de la bonne police qu'elle veut qui soit observée dans sa capitale et aux environs.
　　　　　A. GALLAND, les Mille et une Nuits, t. III, p. 195.

◆ **ÉCLAIRCI, IE** p. p. adj.

Devenu (plus) clair*. *Ciel, temps éclairci* (→ **Éclaircie**). — *Feuillage éclairci.* — *Front éclairci, dégarni.* — *Une foule éclaircie,* moins dense. — (Abstrait). *Affaire éclaircie,* devenue plus claire.

CONTR. Assombrir, couvrir, enténébrer, obscurcir, rembrunir, troubler ; brouiller. — Foncer, noircir, ombrer, ternir. — Condenser, épaissir. — Serrer. — Compliquer, embrouiller, obscurcir. — (Du p. p.). Inéclairci. ◇ DÉR. Éclaircie, éclaircissage, éclaircissement.

ÉCLAIRCISSAGE [eklεRsisaʒ] n. m. — 1835 ; du rad. du p. prés. de *éclaircir*, et *-age.*

◆ **1** Vieilli (techn.). Action de polir à la meule les verres de montre, les métaux. → **Polissage.**

◆ **2** Agric. Action d'éclaircir un semis, une plantation en enlevant un certain nombre de plants. → **Démariage** (des betteraves), **éclaircie** (III.).

ÉCLAIRCISSEMENT [eklεRsismã] n. m. — XIIIᵉ ; du rad. du p.prés de *éclaircir*, et *-ment.*

A (Concret). ◆ **1** Action de rendre plus clair. *L'éclaircissement lent, progressif du ciel.*
Spécialt. Action d'éclaircir (une peinture).

◆ **2** Le fait de devenir moins foncé. *L'éclaircissement du teint.*

◆ **3** Le fait de devenir moins épais, moins pâteux.

◆ **4** Le fait de devenir moins épais, moins serré. *L'éclaircissement d'une forêt, des cheveux.*

B (Abstrait). ◆ **1** Explication (d'une chose obscure ou douteuse). → **Commentaire, explication.** *L'éclaircissement d'un texte, d'un passage obscur. Éclaircissement d'une difficulté, d'un doute. Demande d'éclaircissement.* — *(Un, des éclaircissements).* Donner des *éclaircissements sur une affaire compliquée, sur des démarches à faire.* → **Renseignement.** — Note explicative, renseignement. *Éclaircissement en marge d'un texte. Notes et éclaircissements.*

1　Car voici comme raisonnent les hommes, quand ils choisissent de vivre dans cette ignorance de ce qu'ils sont et sans rechercher d'éclaircissement. «Je ne sais», disent-ils...
　　　　　　　　　PASCAL, Pensées, III, 195.

2　Mon livre, le voilà tel que je l'ai fait et tel qu'on doit le lire, avant que les commentateurs ne l'obscurcissent de leurs éclaircissements.
　　　　　Aloysius BERTRAND, Gaspard de la nuit, p. 165.

3　*(Chez Hatzfeld)* les exemples ne sont pas, comme chez Littré, destinés à l'agrément du lecteur autant qu'à l'éclaircissement du sens des mots : ils ont exclusivement ce dernier objet.
　　　　　　Gaston PARIS, in Revue des Deux-Mondes,
　　　　　　　　　　　　　　　　　15 sept. 1901.

4　Les difficultés que ma santé, mon indécision (...) mettaient à réaliser n'importe quoi m'avaient fait remettre de jour en jour, de mois en mois, d'année en année, l'éclaircissement de certains soupçons comme l'accomplissement de certains désirs.
　　　　　PROUST, À la recherche du temps perdu, t. XIII,
　　　　　　　　　　　　　　　　　p. 121.

Sans un mot d'éclaircissement, sans éclaircissement : sans explication.

◆ **2** Spécialt. *(Un, des éclaircissements).* Explication tendant à une mise au point, une justification. *Demander à qqn des éclaircissements sur sa conduite, ses intentions. Exiger des éclaircissements à propos d'une réflexion à double entente, d'une allusion... Donner un éclaircissement pour se justifier.*

5　Épargner à mon cœur cet éclaircissement.
　　　　　　　　　RACINE, Bérénice, III, 1.

6　(...) je n'ai jamais pu souffrir les explications, les raccommodements par protestation et éclaircissement, lamentation et pleurs, verbiage et reproches, détails et apologie.
　　　　　CHATEAUBRIAND, Mémoires d'outre-tombe, t. II,
　　　　　　　　　　　　　　　　　p. 105.

7　— Depuis quand êtes-vous ici ? demanda-t-elle, décidée à obtenir quelques éclaircissements.
　　　　　MARTIN DU GARD, les Thibault, t. II, p. 235.

CONTR. Obscurcissement.

ÉCLAIRE [eklεR] n. f. — Av. 1250 ; déverbal de *éclairer* : ces plantes avaient la réputation d'améliorer la vue.
Régional. *Grande éclaire :* chélidoine (*Papavéracées*). *Petite éclaire :* ficaire, dite aussi éclairette (*Renonculacées*).

HOM. 1. et 2. **Éclair ;** formes du v. **éclairer.**

ÉCLAIREMENT [eklεRmã] n. m. — 1893 ; «clarté, éclairage» en anc. franç. (XIIᵉ) ; de *éclairer.*

◆ **1** Phys. *Éclairement d'une surface :* quotient du flux lumineux qu'elle reçoit par la mesure de cette surface. *Unités d'éclairement.* → **Lux, phot.** — Bot. Durée ou intensité de la lumière qui agit sur une plante. *Phénomènes végétatifs liés à l'éclairement.*

♦ **2** Littér. Action, fait d'éclairer, de s'éclairer. *L'éclairement solaire.* → **Clarté, illumination.** «*Ses traits s'animèrent, ce fut un éclairement soudain*» (Gide).

♦ **3** Fig., rare. Explication, révélation. *L'éclairement d'une question.*

ÉCLAIRER [eklere; eklɛre] v. — 1080, *esclairer;* d'un lat. pop. **exclariare,* lat. class. *exclarare,* de *ex-,* et *clarare,* de *clarus.* → Clair.

[I] V. tr. **[A]** Concret. ♦ **1** (V. 1200). Répandre de la lumière sur (qqch., qqn). *Le soleil, la lune éclairent la terre* (→ Astre, cit. 7). *Rayon de soleil qui éclaire un objet, un visage, un nuage. Un faible jour nous éclaire* (→ Aurore, cit. 3). — (Lumière artificielle). *Lampes, becs de gaz, luminaires... qui éclairent les maisons, les voies publiques pendant la nuit.* → **Éclairage.** *Une vive lumière électrique éclaira soudain la pièce.* → **Illuminer.** *Une veilleuse éclaire faiblement la pièce.* — *Éclairer un lieu d'une lumière vive, forte, douce.*

1 (...) voilà deux flambeaux pour éclairer la comédie.
MOLIÈRE, le Sicilien, 2.

2 Qu'il (*l'homme*) regarde cette éclatante lumière, mise comme une lampe éternelle pour éclairer l'univers (...)
PASCAL, Pensées, II, 72 (→ Contempler, cit. 1).

3 (...) je remarquai, avant d'arriver à la couchée, un admirable effet de soleil; les rayons lumineux éclairaient en flanc une chaîne de montagnes très éloignées dont tous les détails ressortaient avec une netteté extraordinaire; les côtés baignés d'ombre étaient presque invisibles, le ciel avait des nuances de mine de saturne.
Th. GAUTIER, Voyage en Espagne, p. 45.

4 La lucarne du galetas où le jour paraissait était précisément en face de la porte et éclairait cette figure d'une lumière blafarde.
HUGO, les Misérables, III, VIII, IV.

5 Une magnifique lumière, la lumière d'un beau jour verse ses ondes incorruptibles dans ce lieu sordide et éclaire cet homme. Au dehors, elle répand sa splendeur sur toutes les misères d'un quartier populeux.
FRANCE, le Crime de S. Bonnard, Œ., t. II, p. 469.

6 Derrière le paravent, un insolite lumignon éclairait un angle généralement obscur de la pièce, où deux ombres s'étiraient jusqu'à la corniche.
MARTIN DU GARD, les Thibault, t. IV, p. 122.

Laisser passer la lumière, donner du jour à (un lieu). *Deux larges baies éclairent le salon, l'éclairent d'un jour franc.* → ci-dessus, cit. 4.

Par ext. Commander l'éclairage de (un lieu). *Un bouton électrique, une minuterie éclaire l'escalier.* → Cochère, cit. 2.

Par métaphore :

7 (...) il ne pouvait plus se payer de mots, il était à l'une de ces rares minutes où l'introspection descend jusqu'à ces bas-fonds qu'elle n'a jamais éclairés encore.
MARTIN DU GARD, les Thibault, t. I, p. 231.

Spécialt. (Sujet n. de personne). → Donner de la lumière à (qqn). *Éclairer une personne qui descend dans une cave* (Académie).

8 (...) vite un flambeau pour conduire M. Dimanche (...) je vais vous éclairer.
MOLIÈRE, Dom Juan, IV, 3.

Maison où l'on est chauffé et éclairé gratuitement, dont le chauffage, l'éclairage sont gratuits.

[b] Donner de la lumière, de l'éclairage à (un lieu). *Éclairez la pièce !* → **Allumer** (la lumière).

[c] Loc. *Éclairer sa lanterne.* → **Lanterne.**

♦ **2** Répandre une espèce de lumière, de clarté sur (le visage); rendre plus clair. *Deux beaux yeux éclairent son visage.* → **Illuminer** (→ Brillant, cit. 7). *Un sourire éclaira sa figure.* — Fig. Donner de l'éclat. *La joie éclaire son regard, son visage.*

9 (...) une joie subite éclaira son regard et envoya le sang à son visage (...)
J. GREEN, Léviathan, p. 163.

Sans doute fut-elle émue de pitié en voyant la détresse de 10 ce visage que le désir n'éclairait même plus (...)
J. GREEN, Léviathan, p. 14.

♦ **3** (XVIᵉ; à cause de l'éclat de l'argent, 1771). Argot. Payer. — Fam. *Éclairer le tapis,* ou, absolt, *éclairer :* miser.

[B] Abstrait. ♦ **1** (V. 1230). Rendre clair, compréhensible, intelligible. → **Éclaircir, expliquer.** *Cette thèse éclaire quelques problèmes, quelques points obscurs. Éclairer un texte par des commentaires. Un commentaire qui éclaire la pensée de l'auteur.*

Nous avons transcrit ces lignes, doublement intéressantes, 11 parce qu'elles éclairent un côté peu connu de la vie de Balzac, et qu'elles montrent chez lui la conscience de cette puissante faculté d'intuition qu'il possédait déjà à un si haut degré et sans laquelle la réalisation de son œuvre eût été impossible.
Th. GAUTIER, Portraits contemporains, Balzac, p. 63.

Il a vérifié tous ses textes sur les autographes, et il entoure 12 leur publication méthodique d'un luxe inouï de commentaires et de références de tous ordres, propres à éclairer de la façon la plus complète la pensée de l'épistolier.
Émile HENRIOT, les Romantiques, p. 232.

Aux reproches, aux critiques de son amie, Balzac répond 13 en se justifiant; ses explications éclairent son besoin de luxe, son goût du décor, son désir d'aimer, d'être aimé.
Émile HENRIOT, Portraits de femmes, p. 340.

(Cartes). *Éclairer le jeu :* jouer de façon à se faire comprendre de son partenaire.

♦ **2** Mettre (qqn) en état de voir clair, de comprendre, de discerner le vrai du faux. *Éclairer un enfant, une personne qui demande conseil.* → **Guider, informer, initier, instruire.** → Donner des lumières*. *Éclairer qqn sur ce qu'il ignore, sur la conduite à suivre, le choix* (cit. 6) *à faire...* → **Apprendre, renseigner.** *Demandez-lui ce qu'il en est, peut-être pourra-t-il vous éclairer. Éclairez-nous sur ce sujet. Éclairer la conscience d'un juge, l'esprit d'un critique. Éclairer qqn qui est dans l'erreur.* → **Désabuser, dessiller** (les yeux), **détromper, ouvrir** (les yeux). *Éclairer qqn de, par ses conseils.*

Dieu l'ayant (...) éclairée de fort bonne heure (...) 14
RACINE, Hist. de Port-Royal.

(...) c'est un petit esprit vif et tout battant neuf, que nous 15 prenons plaisir d'éclairer.
Mᵐᵉ DE SÉVIGNÉ, 491, 12 janv. 1676.

(...) je sens (...) que toutes ces lumières dont il (*Bourdaloue*) 16 a éclairé mon esprit, ne sont point capables d'opérer mon salut.
Mᵐᵉ DE SÉVIGNÉ, 912, 20 avr. 1683.

(...) ne m'abandonnez pas dans le délire où vous m'avez 17 plongé : prêtez-moi votre raison, puisque vous avez ravi la mienne; après m'avoir corrigé, éclairez-moi (...)
LACLOS, les Liaisons dangereuses, Lettre XXIV.

Il faut (...) éclairer le peuple pour pouvoir le constituer un 18 jour.
HUGO, Littérature et Philosophie mêlées, 9 déc. 1830, p. 53.

(Au passif). *Être éclairé, parfaitement éclairé sur qqn, qqch.* → **Être au clair**.

(Sujet n. de chose). *La raison, l'expérience nous éclaire* (→ Conscience, cit. 5). *Ce discours l'a éclairé.* → **Édifier.**

Faites choix d'un censeur solide et salutaire, 19
Que la raison conduise et le savoir éclaire (...)
BOILEAU, l'Art poétique, IV.

(...) j'étouffe en mon cœur la raison qui m'éclaire (...) 20
RACINE, Andromaque, V, 4.

♦ **3** (1834). Milit. (du sens de «surveiller, observer», XVIᵉ). *Éclairer la marche, la progression d'une troupe,* la protéger en envoyant en avant des éléments de reconnaissance.

Par ext. *Éclairer une armée.* → **Reconnaître, reconnaissance** (aller, partir en reconnaissance). *Soldat qui éclaire une troupe.* → **Éclaireur** (plus cour. que le verbe).

21   Pendant que Ney attaquait, Murat éclairait ses flancs avec
      sa cavalerie (...)
                              Ph.-P. SÉGUR, Hist. de Napoléon, VI, 7.

♦ **4** Fig. et vx. Incendier. *«Les incendiaires qui éclairè-*
rent leurs châteaux (des aristocrates)» (*Dictionnaire*
national, 1790, *in* D.D.L.).

II V. intr. ♦ **1** (Impers.). Vx ou régional. Faire des éclairs.
Il tonne et il éclaire.

♦ **2** Cour. Répandre de la lumière. *Cette lampe*
éclaire mal et fatigue la vue. Lueur qui éclaire à
peine (→ Bougie, cit. 2). — *Les yeux des chats, les*
vers luisants éclairent pendant la nuit (Académie).
→ **Briller, étinceler, luire.**

◆ **S'ÉCLAIRER** v. pron. (du sens I). Passif. **A** Concret.
♦ **1** Recevoir de la lumière. *Le paysage s'éclaire*
au lever du soleil. La scène s'éclaira tout à coup
(cit. 71). *Toutes les fenêtres s'éclairent à la même*
heure. → **Allumer** (s').

22   De véritables scènes avec plusieurs plans de portants et
      de personnages découpés qui s'éclairent, dès que la nuit
      tombe, par un peu de rampes et de herses électriques.
                      G. DUHAMEL, Scènes de la vie future, VI, p. 93.

(Sujet n. de personne). Se procurer un éclairage.
S'éclairer à la bougie, au gaz, à l'électricité. S'éclairer
à bon marché. Prendre une bougie pour s'éclairer
dans la cave.

♦ **2** Par anal. *Son visage s'éclaira d'un sourire.* — Fig.
À cette bonne nouvelle, son visage s'éclaira. → **Illu-**
miner (s'), **rayonner.**

♦ **3** (D'une couleur). *Les tons s'éclairent et s'assombris-*
sent progressivement.

B Abstrait. Devenir clair, compréhensible. *Les sym-*
boles s'éclairent à la fin du livre. Tout s'éclaire.

Réciproque :

23   Pour peu qu'on ait un vrai goût pour les sciences, la pre-
      mière chose qu'on sent en s'y livrant, c'est leur liaison, qui
      fait qu'elles s'attirent, s'aident, s'éclairent mutuellement, et
      que l'une ne peut se passer de l'autre.
                              ROUSSEAU, les Confessions, VI.

◆ **ÉCLAIRÉ, ÉE** p. p. adj.
♦ **1** Qui reçoit de la lumière. *Salle bien éclairée.*
→ **Lumineux.** *Vitrine éclairée toute la nuit. Café*
éclairé au néon. Parc éclairé à giorno par des pro-
jecteurs. Corridor (cit. 2) *éclairé par une lanterne.*
Endroit, scène faiblement éclairés (→ **Clair-obscur**).
Être éclairé par derrière, à contre-jour.

24   C'était une salle carrée (...) éclairée au nord, au couchant
      et au midi par trois fenêtres (...)
                  FRANCE, l'Anneau d'améthyste, Œ., t. XII, p. 43.

Par anal. *Visage éclairé par de grands yeux, un large*
sourire...

25   (Miss Bell) leva sa petite tête laide, éclairée et brûlée par
      des yeux splendides.
                              FRANCE, le Lys rouge, IX, p. 91.

♦ **2** (1667). Dont la raison s'est formée par l'acquisition de l'instruction et l'exercice de l'esprit
critique. → **Averti, avisé, clairvoyant, expérimenté,**
habile, lucide, sage, savant, sensé. *Un homme éclairé ;*
des intelligences, des esprits éclairés. Juge éclairé
(→ Corrompre, cit. 18). *Il est très éclairé sur ce*
point. → **Courant** (au courant), **instruit.** *Public éclairé,*
capable d'apprécier, de critiquer ce qu'on lui présente. — Par ext. *Une critique éclairée. Une religion,*
une morale éclairée.

26   (...) cette glorieuse déclaration du plus grand roi du monde
      et du plus éclairé (...)   MOLIÈRE, Tartuffe, 1er placet.

27   Tout éclairée qu'elle était, elle n'a point présumé de ses
      connaissances, et jamais ses lumières ne l'ont éblouie.
                                                  BOSSUET,
                Oraison funèbre de Henriette-Anne d'Angleterre.

(...) vous ne me jugerez pas selon les principes étroits dont   28
je sais que vous avez horreur, mais selon une religion
éclairée et humaine (...)
                              F. MAURIAC, la Pharisienne, p. 47.

Loc. (Hist.). *Le despotisme éclairé :* idéal politique
de certains philosophes du XVIIIe siècle. *Despote*
éclairé.

CONTR. Assombrir, enténébrer, obscurcir ; éteindre. —
Brouiller, compliquer, embrouiller. — Abuser, aveugler. —
Inéclairer, obscur, sombre, ténébreux. — Aveugle, bouché,
étroit, formaliste, ignorant. ◊ **DÉR. Éclair, éclairage, éclai-**
rant, éclaire, éclairement, éclaireur.

ÉCLAIREUR, EUSE [eklɛʀœʀ, øz] n. — 1792; «surveillant», XVIe ; de *éclairer*, au sens I, B, 3 et I, A, 1.

I ♦ **1** N. m. (1792). Soldat qui précède la marche d'une
unité de combat, afin de reconnaître le terrain
et de signaler la présence de l'ennemi. → **Éclairer**
(I., B., 3.). *Envoyer un éclaireur en reconnaissance.*
Détachement d'éclaireurs.

Le jour, il cheminait le plus souvent à pied, au-devant   1
du chariot, en éclaireur, surtout lorsque près de la route
quelques buissons, taillis, pans de murs, ou chaumines
ruinées, pouvaient servir de retraite à une embuscade.
                  Th. GAUTIER, le Capitaine Fracasse, t. II, XI, p. 42.

Les hommes d'avant-garde le prendraient pour un éclai-   2
reur, pour quelque hardi et malin troupier parti seul en
reconnaissance (...)
                          MAUPASSANT, Contes de la bécasse,
                                  Aventure de Walter Schnaffs.

Par ext. Personne envoyée en reconnaissance. — Loc.
Être, marcher en éclaireur.

C'était un sol montueux, assez accidenté, très propre aux   3
embûches, et sur lequel on ne se hasarda qu'avec une
extrême précaution. Top et Jup marchaient en éclaireurs,
et, se jetant de droite et de gauche dans les épais taillis,
ils rivalisaient d'intelligence et d'adresse. Mais rien n'indiquait que les rives du cours d'eau eussent été récemment
fréquentées, rien n'annonçait ni la présence ni la proximité des convicts.
                      J. VERNE, l'Île mystérieuse, t. II, p. 740 (1874).

Cour. *Personne qui part en éclaireur,* en avant.
→ **Avant-coureur.** Fig. *On m'a envoyé en éclaireur*
pour tâter le terrain.

Spécialt (mar.). Petit bâtiment de guerre qui,
détaché d'une escadre, va à la découverte.

Adj. *Avion éclaireur :* avion chargé de guider une
formation de bombardement.

♦ **2** ÉCLAIREUR, ÉCLAIREUSE (1911 ; trad. angl. *scout.*
→ Scout, guide) : membre de certaines associations
de scoutisme français (protestantes, israélites). **Par**
appos. *Scout éclaireur.*

II N. m. Chir. (de *éclairer,* I., A., 1.). Dispositif portant
une lampe électrique utilisé lors de l'inspection
d'une cavité de l'organisme.

ÉCLAMÉ, ÉE [eklame] adj. — 1709; de l'anc. franç.
esclame «défectueux», rattaché au francique **slimb*
«oblique, de travers».

Vx ou régional. (En parlant d'un oiseau). Qui a une patte
ou une aile cassée.

ÉCLAMPSIE [eklɑ̃psi] n. f. — 1783; lat. mod.
eclampsis, grec *eklampsis,* de *eklampein* «briller soudainement, éclater».

Méd. (et mod., vétér.). *Éclampsie puerpérale :* syndrome atteignant les femmes enceintes à la fin
de la grossesse, caractérisé par des convulsions
accompagnées de coma. *Éclampsie gravide des pre-*
miers mois. — *Éclampsie infantile,* caractérisée par
des convulsions.
Éclampsie des chiennes.

DÉR. Éclamptique.

ÉCLAMPTIQUE [eklãptik] adj. — 1841, in D.D.L.; de
éclampsie.

Méd. Qui a rapport à l'éclampsie, qui est atteint
d'éclampsie. *Crise, accès éclamptique.* — **N. f.**
(1849). *Une éclamptique :* femme, femelle atteinte
d'éclampsie.

ÉCLANCHE [eklãf] n. f. — V. 1190, (main) esclanche,
adj. «gauche»; *eslange*, 1548, in Rabelais; probablt. du
francique *slink* «gauche».

Vx. Épaule de mouton séparée du corps de
l'animal.

ÉCLAT [ekla] n. m. — V. 1165, *esclat;* déverbal de
éclater.

Ⅰ *L'éclat (de...); (un, des éclats).* ♦**1** (V. 1165). Fragment d'un corps qui éclate, se brise ou a été brisé
en nombreux morceaux. → **Brisure, fragment, morceau.** *Éclat de verre. Éclat de bois qui saute sous
la hache. Éclat de bois en forme de coin.* → **Éclisse.**
Éclat de roche (→ Crépiter, cit. 1), *de pierre taillée.*
→ **Recoupe.** *Éclat enlevé de l'angle d'une pierre, d'un
meuble.* → **Écornure.** *Éclat d'os.* → **Esquille.** *Éclat qui
pénètre sous la peau.* → **Écharde.** *Éclat de bombe,
éclat d'obus. Un éclat d'obus lui a traversé la jambe.
Blessé par un éclat d'obus. Être blessé d'un éclat
dans l'œil.* — **Loc.** *En éclats.* **VOLER EN ÉCLATS :**
éclater, se briser. *La vitre a volé en éclats.* — **Fig.**
Cesser, échouer brusquement. *«(...) cette démonstration d'une véritable volonté politique a immédiatement volé en éclats le week-end dernier aux
Pays-Bas»* (le Nouvel Obs., 20 mars 1997, p. 50).

1   L'essieu crie et se rompt. L'intrépide Hippolyte
     Voit voler en éclats tout son char fracassé (...)
                               RACINE, Phèdre, V, 6.
2   À Luxembourg, blessé d'un éclat de grenade (...)
             MASSILLON, Oraison funèbre de Conti.
3   La marmite saute en l'air, vole en éclats; la sauce retombe
     en pluie.
                             LOTI, Figures et choses...,
                       «Trois journées de guerre», III.
4   Un assez gros éclat de bombe a crevé un volet de bois
     et fait sauter le panneau d'en bas d'une des fenêtres du
     salon.   GIDE, Journal, 6 janv. 1943.

Hortic. Fragment d'une plante muni de racines que
l'on a détaché pour obtenir une nouvelle plante.

♦**2** (Après 1450). **Vx.** Bruit violent et soudain de ce
qui éclate. → **Bruit.** *Éclat de tonnerre.* → **Fracas**
(→ Blesser, cit. 5). *Éclats de trompette* (→ Bataille,
cit. 20). *Des sons pleins d'éclat.* → **Éclatant.**

5   Je m'allais aborder, quand, d'un son plein d'éclat,
     L'autre *(le coq)* m'a fait prendre la fuite.
                    LA FONTAINE, Fables, VI, 5.
6   (...) ô nuit effroyable! où retentit tout à coup comme un
     éclat de tonnerre cette étonnante nouvelle (...)
                                 BOSSUET,
     Oraison funèbre de Henriette-Anne d'Angleterre
                            (→ Désastreux, cit. 1).

(1643, in D.D.L.). **Mod.** **ⓐ** **ÉCLAT DE VOIX.** *Parler avec
de grands éclats de voix. Éclats de voix d'une dispute.* → **Cri, gueulement** (fam.). — **Par ext.** *Éclat de
joie, de colère :* joie, colère soudaine et bruyante
(→ Charivari, cit. 2).

7   On parlait très fort, avec des éclats de voix qui déchiraient
     le murmure gras des enrouements.
                   ZOLA, l'Assommoir, t. I, II, p. 47.
8   Hommes taciturnes le plus souvent, avec les éclats violents
     d'une joie brusque; un long silence et, quand il est rompu,
     beaucoup de bruit.
            André SUARÈS, Trois hommes, «Ibsen», I, p. 73.

ⓑ **ÉCLAT DE RIRE.** → 2. **Rire;** → Effarement, cit. 2;
fuser, cit. 10; gai, cit. 2; gaieté cit. 3; pétulant, cit. 3.
De grands éclats de rire. Partir d'un éclat de rire.
→ **Éclater** (de rire). — *La salle tout entière partit d'un
grand éclat de rire. Rire* aux éclats.* → 1. **Rire.** (rire
aux larmes, à gorge déployée; crever de rire...)

9   Il ne faut que voir les continuels éclats de rire que le par
     terre y fait.
            MOLIÈRE, la Critique de l'École des femmes, 5.
10   (...) on ne l'entendait jamais rire à grands éclats et, comme
     disent nos pères, rire d'un pied carré (...)
                   NERVAL, la Main enchantée, I.
11   Il faut croire qu'il y avait dans cette phrase une intention
     très comique, car l'impériale tout entière partit d'un gros
     éclat de rire (...)
            Alphonse DAUDET, Lettres de mon moulin,
                     «La diligence de Beaucaire».

(1645). Grand retentissement. → **Bruit.** *Cette affaire
fit beaucoup d'éclat dans la presse.* → **Retentissement** (avoir un). *Intervenir avec éclat dans le débat*
(cit. 7). *Cette nouvelle fera de l'éclat.* → **Scandale,
tapage; boucan** (fam.). *L'éclat d'une rupture.* — *(Un,
des éclats). Avoir peur des éclats.* — *Faire un éclat :
provoquer un scandale en manifestant son opinion. Il est violent et n'hésitera pas à faire un éclat.
Éviter, craindre les éclats.*

12   (...) une honnête femme n'aime point les éclats; je n'ai
     garde de lui en rien dire (...)
                 MOLIÈRE, George Dandin, II, 8.
13   Et le mal n'est jamais que dans l'éclat qu'on fait;
     Le scandale du monde est ce qui fait l'offense,
     Et ce n'est pas pécher que pécher en silence.
                   MOLIÈRE, Tartuffe, IV, 5.
14   La dame, qui était prudente, au lieu de faire un éclat qui
     aurait eu de fâcheuses suites, reprit son parent avec dou
     ceur (...)   A. R. LESAGE, Gil Blas, VIII, VIII.
15   Mᵐᵉ d'Houdetot ne m'avait rien tant recommandé que de
     rester tranquille, et de lui laisser le soin de se tirer seule
     de cette affaire, et d'éviter, surtout dans le moment même,
     toute rupture et tout éclat (...)
                ROUSSEAU, les Confessions, IX.
16   Le livre fit, dans la presse, un grand éclat.
            A. MAUROIS, Lélia, IV, I, p. 188.

Ⅱ ♦**1** **ⓐ** (1564). *L'éclat (de...).* Intensité d'une lumière
vive et brillante. *L'éclat d'une lumière, d'une
flamme. L'éclat du soleil éblouit. Éclat du jour.*
→ **Clarté, splendeur.** *Lumière qui brille avec éclat.*
→ **Étinceler, luire, resplendir, scintiller.** — **Astron.**
Éclat stellaire, éclat d'une étoile, d'un astre. → **Magnitude.** — **Chim.** *Éclat du phosphore.* → **Phosphorescence.**

17   (...) l'éclair trace devant la foudre un lumineux sentier.
     Mais plus haut tes messagers, Seigneur, adorent l'éclat pai
     sible de ton jour.
                NERVAL, Trad. de GOETHE, Faust,
                     Prologue dans le ciel.
18   Quand ils rentrèrent, les étoiles se détachaient avec éclat
     sur un ciel bleu de velours sombre.
         A. MAUROIS, les Silences du colonel Bramble,
                            XVII, p. 169.
19   L'éclat de la lumière l'aveuglait.
            MARTIN DU GARD, les Thibault, t. VIII, p. 69.

Spécialt. Apparition brusque de lumière. *L'éclat de
lumière d'un météore.* → **Coruscation.**

Par ext. Lumière reflétée par un corps brillant.
Éclat des métaux, des minéraux. Éclat métallique
(→ Caractère, cit. 6), *adamantin, vitreux, nacré, perlé,
soyeux, ivoirin, incolore...* — *Éclat dur de l'acier.
Éclat des bijoux, des pierres précieuses. L'éclat d'un
diamant* (cit. 6). → **Bluette, feu, scintillation, scintillement.** *L'or, les pierreries de sa parure brillaient
avec un vif éclat.* → **Brillance, brillement, flamboiement** (→ Dorure, cit. 1). *Éclat de l'escarboucle. Doux
éclat.* → **Chatoiement, miroitement.** *L'éclat argenté
de la mer* (→ Briser, cit. 27). *Éclat d'une surface*

lisse, vernie... → **Lustre.** *Donner de l'éclat à qqch.*
→ **Brillanter, polir, reluire** (faire). *Faire perdre l'éclat.*
→ **Dépolir, éteindre, obscurcir, ternir, voiler.** *Sans éclat.* → **Mat, terne.**

20 Et comme elle *(votre félicité)* a l'éclat du verre,
Elle en a la fragilité.   CORNEILLE, Polyeucte, IV, 2.

21 (...) l'insoutenable éclat d'une lame d'acier au soleil.
                                 COURTELINE, Messieurs les ronds-de-cuir,
                                                      5ᵉ tableau, I, p. 171.

22 Ses yeux étaient noirs et brillaient d'un éclat de jais,
comme ceux de sa mère, entre de très longs cils charmants.   LOTI, Mon frère Yves, LVII, p. 139.

Éclat des yeux, du regard. → **Animation, éclair, feu,
flamme, pétillement, vivacité.** *La joie avivait* l'éclat
de ses yeux. Donner de l'éclat au regard. → **Animer.**

23 Je n'aurais adoré que l'éclat de vos yeux (...)
                                       CORNEILLE, Polyeucte, IV, 5.

b *(Un, des éclats).* → **Éclair.** – Techn. *Phare, feu à
éclats* (aviat., marine).

◆ **2** (1643). Vivacité et fraîcheur (d'une couleur);
couleur vive et fraîche qui plaît. *L'éclat du blanc,
du vermillon, du jaune d'or. Donner de l'éclat à une
couleur* (→ **Aviver, rehausser**). *L'opposition des couleurs leur donne de l'éclat.* → **Relief.** *Couleur qui perd
son éclat* (→ **Pâlir, passer**). *Éclat des coloris* (cit. 2),
d'un tableau. Éclat d'un chaud crépi (→ Peinturlurage, cit.). *Éclat de la neige. L'éclat des fleurs, du
plumage d'un oiseau.*

24 *(La fresque)* Se conserve un éclat d'éternelle durée (...)
                           MOLIÈRE, la Gloire du Val-de-Grâce, 240.

25 Sous votre aimable tête un cou blanc, délicat,
Se plie, et de la neige effacerait l'éclat.
                                    André CHÉNIER, Bucoliques,
                                   «Les colombes» (→ Cou, cit. 4 et 5).

26 (...) «Elle avait seize ans!» Oui, seize ans! et cet âge
N'avait jamais brillé sur un front plus charmant!
Et jamais tout l'éclat de ce brûlant rivage
Ne s'était réfléchi dans un œil plus aimant!
                         LAMARTINE, Harmonies..., «Premier regret.»

27 (...) comme s'avivent d'un éclat mouillé les tons d'une peinture fraîchement lavée.
                             LOTI, Mᵐᵉ Chrysanthème, XXXIV, p. 158.

Éclat du teint, pureté et fraîcheur. – Par ext. *L'éclat
d'une femme :* beauté fraîche, radieuse. – *Avoir de
l'éclat. A perdu son éclat.* → Se flétrir. – *Être
dans tout l'éclat de sa beauté.* → **Beauté, fraîcheur.**
L'éclat de la jeunesse.

28 (...) elle avait encor cet éclat emprunté
Dont elle eut soin de peindre et d'orner son visage (...)
                                       RACINE, Athalie, II, 5.

29 Elle avait de ces beautés qui se conservent, parce qu'elles
sont plus dans la physionomie que dans les traits; aussi
la sienne était-elle encore dans tout son premier éclat.
                               ROUSSEAU, les Confessions, II.

30 (...) madame de Guiche, alors dans tout l'éclat de sa jeunesse et suivie d'un peuple d'adorateurs (...)
                         CHATEAUBRIAND, Mémoires d'outre-tombe, t. VI,
                                                            p. 56.

31 (...) les femmes *(en Suède)* avaient un éclat froid, cristallin (...)   A. MAUROIS, Climats, I, X, p. 83.

32 Mais les muqueuses restaient pâles; les yeux, souvent
cernés; le regard et le teint manquaient d'éclat.
                         J. ROMAINS, les Hommes de bonne volonté, t. III,
                                                       VIII, p. 124.

◆ **3** (1604). Littér. ou style soutenu. Caractère de ce
qui est brillant*, magnifique. → **Apparat, effet,
faste, luxe, majesté, magnificence, pompe, richesse.**
*L'éclat des grandeurs, des richesses. Éclat de son
rang, de ses titres... Éclat tapageur. Éclat trompeur,
faux éclat de qqch.* → **Apparence, brillant, clinquant,
vernis.**

33 C'est de fort bonne foi que vous vantez son zèle;
Mais par un faux éclat je vous crois ébloui.
                                      MOLIÈRE, Tartuffe, I, 5.

34 Elle *(Thérèse)* était née riche, dans l'éclat criard d'une fortune trop neuve.   FRANCE, le Lys rouge, I, p. 19.

35 La richesse des costumes et l'éclat des décors étouffent le
drame qui ne veut pour parure que la grandeur de l'action
et la vérité des caractères.
                                   FRANCE, le Petit Pierre, X, p. 66.

36 Tout le génie de Milton sort de là : il a porté l'éclat de la
Renaissance dans le sérieux de la Réforme, les magnifi-
cences de Spencer parmi les sévérités de Calvin.
                    GIDE, Feuillets, in Journal 1889-1939, Pl., p. 351.

Éclat du style, de l'éloquence... (→ Chaleur, cit. 7).
Faux éclat du style.

37 Nicole dit que l'éloquence et la facilité donnent un certain
éclat aux pensées (...)
                                   Mᵐᵉ DE SÉVIGNÉ, 96, in LITTRÉ.

Spécialt. Renommée éclatante. *L'éclat de sa vertu,
de son nom.* → **Auréole, célébrité, gloire, grandeur,
prestige.**

38 Meurs; mais quitte du moins ta vie avec éclat (...)
                                       CORNEILLE, Cinna, IV, 2.

39 L'éclat que le nom de Charlemagne a laissé dans l'histoire (...)   J. BAINVILLE, Hist. de France, III, p. 33.

Cour. ...**D'ÉCLAT** : remarquable, éclatant. *Action,
coup d'éclat :* action remarquable.

**CONTR. Murmure. — Ombre; matité; sobriété. — Humilité,
médiocrité, sobriété. ◊ COMP. Pare-éclats.**

ÉCLATAGE [eklataʒ] n. m. — 1922; de *éclater.*
Techn. Sectionnement d'une tige en nombreux
éclats.

ÉCLATAMMENT [eklatamɑ̃] adv. — D. I. (XXᵉ); de
éclatant.
Rare. D'une manière éclatante.

Bien affermie dans sa chair magnifique et satisfaite, éclatamment victorieuse de cette jalouse (...)
                             G. CHEVALLIER, Clochemerle, p. 124.

ÉCLATANT, ANTE [eklatɑ̃, ɑ̃t] adj. — 1538; «cassant, fragile», 1436; p. prés. de *éclater.* REM. L'adj. se
place le plus souvent après le nom; l'antéposition est
stylistique *(une éclatante revanche).*

◆ **1** Qui brille avec éclat (→ Éclat, II.). *Lumière éclatante.* → **Ardent, éblouissant, étincelant, flamboyant.**
Ciel éclatant de lumière. Métal, objet éclatant, qui
reflète la lumière. → **Brillant, rutilant.**

1   (...) une mosquée éclatante luit sous le soleil.
                                  MAUPASSANT, Au soleil, Alger.

2   (...) Des cafés tapageurs aux lustres éclatants!
                                   RIMBAUD, Poésies, «Roman», I.

2.1 Il faisait éclatant; de la neige, séparés comme les grains
d'un riz à l'indienne, chacun des cristaux étincelait à son
compte (...)
                     GIRAUDOUX, Siegfried et le Limousin, p. 122.

Couleur éclatante. → **Clair, vif, voyant.** *Un rouge éclatant.* → **Rutilant.** *Une blancheur éclatante. La blancheur* (cit. 1) *éclatante des pentes neigeuses. Ses
mains, son cou étaient d'une blancheur éclatante.*
→ *Une blancheur d'albâtre, d'ivoire, de lys, de neige.*

Par ext. Dont la couleur, le coloris a de l'éclat.
Fleurs éclatantes. Oiseau au plumage éclatant
(→ Coq, cit. 11). *Parure, décoration éclatante.* → **Fastueux, luxueux, magnifique, riche.** *Dents* (cit. 3),
*sourire éclatant. Un mur éclatant de blancheur
sous le soleil. Teint éclatant.* → **Coloré, frais.** *Chevelure* (cit. 5) *éclatante. Une beauté* (cit. 20) *éclatante.*
→ **Radieux, rayonnant, resplendissant.** (Personnes).
Être éclatant de beauté, de santé.

3   (...) et nos prés au printemps,
Avec toutes leurs fleurs, sont bien moins éclatants.
                                       MOLIÈRE, Mélicerte, I, 3.

4   Un jeune enfant couvert d'une robe éclatante (...)
                                       RACINE, Athalie, II, 5.

5 Il avait des yeux bleus limpides, un teint d'une blancheur
éclatante, des traits d'une extrême finesse.
                        FRANCE, le Petit Pierre, XXXII, p. 228.

♦ **2** Vieilli ou littér. Qui fait un grand bruit. *Le son éclatant de la trompette. Fanfare éclatante* (→ Bondir,
cit. 2). *Le chant éclatant des oiseaux. Voix éclatante.* → **Tonnant.** *Pousser des cris* (cit. 13) *éclatants.*
→ **Aigu, perçant, strident.** *Rire éclatant.* → **Bruyant,
sonore.**
Par ext. *Joie éclatante,* qui s'extériorise avec bruit
(ou, autre sens : qui est manifeste, clairement visible
— emploi à rattacher au sens 3).
REM. On rencontre exceptionnellement l'adjectif au sens
de *éclater* «exploser». → Éclater, cit. 2.1.

♦ **3** Fig. Qui se manifeste de la façon la plus frappante. *Un éclatant succès, une victoire éclatante.
Action* (cit. 14) *éclatante :* action d'éclat. → **Glorieux,
illustre, remarquable.** *Mérite, service éclatant. Des
dons éclatants. Une vengeance, une revanche éclatante,* publique et manifeste. → **Retentissant, triomphal** (→ Début, cit. 2).

6 Notre vengeance, pour être différée, n'en sera pas moins
éclatante (...)   MOLIÈRE, Dom Juan, III, 4.
7 Voilà des dons éclatants, et des insuffisances notoires.
                    André SIEGFRIED, l'Âme des peuples, VI, IV, p. 154.

Qui s'impose. → **Évident, flagrant, frappant, fulgurant, irrécusable, manifeste, notoire.** *Des preuves, des
marques éclatantes. Une vérité éclatante. Une mauvaise foi éclatante.*

8 Oui, j'ai souvent remarqué qu'on tient pour aliénés ceux
qui hasardent par exception des vérités éclatantes. Les
paradoxes trouvent tout le monde d'accord.
                        Pierre LOUŸS, Aphrodite, III, II, p. 152.

CONTR. Mat, obscur, sombre, terne; discret, effacé, éteint,
fade, foncé, neutre, pâle, sobre; fané, flétri, morne, passé. —
Doux, sourd. — Caché, humble, modeste; équivoque; douteux. ◊ DÉR. Éclatamment.

ÉCLATÉ [eklate] n. m. — Mil. XXᵉ; p. p. subst. de *éclater.*
Techn. Représentation graphique d'un objet com-
plexe (machine, moteur, ouvrage d'art), qui en
montre les éléments ordinairement invisibles par
séparation de ces éléments représentés en perspective *(perspective éclatée). Dessiner un éclaté d'une
machine, d'une distillerie de pétrole.*

ÉCLATEMENT [eklatmã] n. m. — 1553; de *éclater.*
♦ **1** Fait d'éclater. (Avec bruit). *L'éclatement d'une
chaudière, d'une conduite ; l'éclatement d'une bombe,
d'un obus.* → **Explosion.** (Sans bruit). *Éclatement
d'un vaisseau sanguin.* → **Rupture.** *Éclatement d'un
abcès.*
1 (...) les tirs de barrage, le ronflement des avions, le sourd
éclatement des bombes, lui martelaient le crâne (...)
                        MARTIN DU GARD, les Thibault, t. IX, p. 136.
Spécialt. *Éclatement d'un pneu* (→ **Crevaison**).
Par métaphore.
2 Une hypertrophie de joie lui gonflait le cœur, jusqu'à l'éclatement de sa poitrine.
                        Léon BLOY, le Désespéré, V, p. 226.
Par métonymie. Bruit analogue à celui que fait une
chose qui éclate. *On entendait des coups, des écla-
tements.*

♦ **2** Fig. **ⓐ** Fragmentation (d'un ensemble; d'un
groupe humain) en plusieurs éléments. *L'éclatement d'un parti,* sa division brutale en groupes
nouveaux. *L'éclatement d'un État en pays autonomes* (→ **Balkanisation**). *Éclatement d'un ministère
en divers services séparés. L'éclatement progressif de
la famille traditionnelle dans les sociétés occidentales.* — Techn. *Gare d'éclatement,* où les convois se
divisent en plusieurs trains. *Port d'éclatement.*

ⓑ Brusque extension, épanouissement. *«Un art en
plein éclatement»* (*le Monde*, sept. 1967).

ÉCLATER [eklate] v. Av. 1150, *esclater;* traditionnellement considéré comme issu du francique **slaitan*
«fendre, briser». P. Guiraud suggère l'étymon **exclacci-
tare* «s'ouvrir avec bruit», d'après la rac. onomatopéique
clacc- «coup, bruit qui l'accompagne» (→ Claquer).

Ⅰ V. tr. ♦ **1** Vx. Casser, faire voler en éclats. *Éclater une
branche, un arbre* (cit. 18).

♦ **2** (1651). Mod. Hortic. Diviser (une plante) en séparant des drageons.

Ⅱ V. intr. (1532). ♦ **1** (1564). Se rompre* avec violence
et généralement avec bruit, en projetant des fragments, ou en s'ouvrant. → **Briser** (se), **casser** (se).
*Le gel fait éclater les roches. Chaudière, radiateur
qui éclate. Les conduites ont éclaté.* → **Crever.** *Vitre
qui éclate.* → **Voler** (en éclats). *Bombe, obus, pétard,
fusée qui éclate.* → **Exploser.** *La grenade lui a éclaté
dans les mains.* → **Péter** (fam.). *Mine qui éclate.*
→ **Sauter** (→ Détruire, cit. 30). *Bruit d'un engin qui
éclate.* → **Déflagration, détonation.** *Le pneu arrière
droit a éclaté.* → **Crever.** — *Le bois vert qu'on brûle
éclate en pétillant*. Les châtaignes éclatent sur le
feu.* → **Fendre** (se). *Bourgeons qui éclatent.* → **Ouvrir**
(s'). — Se rompre sans bruit, en s'ouvrant. *Un abcès
qui éclate.*

Vois, — c'est un météore! il éclate et s'éteint.   1
                        HUGO, Odes et Ballades, V, 20.
D'un coup de doigt, sans prendre le temps de s'asseoir, il   2
fit éclater l'enveloppe.
                        COURTELINE, Messieurs les ronds-de-cuir,
                                            2ᵉ tableau, I, p. 54.
Les bombes éclatant en l'air, ne tombaient pas et demeu-   2.1
raient éternellement éclatantes.
                        Ed. et J. DE GONCOURT, Journal, t. II, p. 138.
Par exagér. *Il lui semble que sa tête va éclater.*
Après les liqueurs surtout, Fumichon ne se connaissait   3
plus ; et son visage apoplectique était près d'éclater comme
un obus.
                        FLAUBERT, l'Éducation sentimentale, III, II.
Son cœur battait dans sa poitrine et ses tempes mena-   4
çaient d'éclater.
                        P. MAC ORLAN, la Bandera, XVII, p. 207.
Par ext. Vx. *Vêtement, tissu qui éclate,* se déchire
brusquement.

♦ **2** Se diviser en plusieurs éléments. *«La revue
(...) éclate en cinq publications»* (*l'Express*, 26 mai
1969). *«En moins de deux ans, la coalition* (gouvernementale) *éclatera»* (*le Monde*, 22 sept. 1965).
(Concret). *La voie express éclate en trois branches.*

♦ **3** (1671). Faire entendre un bruit violent et soudain (→ **Éclat**). *Orage, tonnerre qui éclate.* — Fig.
L'orage va éclater, se dit d'une querelle, d'une
menace imminente. — *Trompette qui éclate avec un
son perçant. Le cri de la chouette éclata dans la nuit.*
→ **Retentir.** *Des applaudissements éclatent de toutes
parts.* → **Crépiter.** *«La Marseillaise» éclata* (→ Bruit,
cit. 9). *Des rires éclatent.* → ci-dessous, cit. 12 et 13.

(...) la crépitation des coups de feu d'un tir voisin, qui écla-   5
taient comme l'explosion des bouchons de champagne (...)
                        BAUDELAIRE, le Spleen de Paris, XLV.
(...) tous à la fois entonnèrent un hymne, et répétant tou-   6
jours les mêmes syllabes et renforçant les sons, leurs voix
montaient, éclatèrent, devinrent terribles, puis, d'un seul
coup, se turent.   FLAUBERT, Salammbô, VII, p. 128.
Ils vont. Et la trompette éclate, et le clairon,   7
Et le sistre, et la harpe, et le tambour (...)
                        LECONTE DE LISLE, Poèmes barbares,
                                            «La vigne de Naboth», II.
Il est midi. La canicule tombe des ormeaux bleus et noirs   8
où éclate le cri d'une cigale.
                        Francis JAMMES, Clara d'Ellébeuse, I.

9 Les musiciens s'accordaient; soudain, après un bref silence, une marche pompeuse et bruyante éclata.
J. GREEN, Adrienne Mesurat, I, XI, p. 99.

(Sujet n. de personne). Construit avec *en* ou *de* (suivi d'un nom). — (1640). *Éclater de rire* : rire* soudainement avec bruit. → **Pouffer.** → Chemise, cit. 1; exempt, cit. 15; patatras, cit. 1; purger, cit. 7. *Il éclate de rire au récit de cette aventure.* — Vx. *Éclater* : éclater de rire.

10 (...) il rit (...) il éclate d'une chose qui lui passe par l'esprit (...)
LA BRUYÈRE, les Caractères, XI, 7.

11 On conte une histoire touchante, le Belge éclate de rire pour faire croire qu'il a compris.
BAUDELAIRE, Argument du livre sur la Belgique, VI, Pl., p. 1283.

REM. *Éclater de rire, éclater en sanglots* sont les seuls syntagmes courants. En revanche les constructions avec *rire, sanglot* comme sujet sont plutôt littéraires.

12 Les jeunes filles, assises sur les balcons, chantaient des couplets que les *novios* accompagnaient d'en bas; à chaque stance éclataient des rires, des cris, des applaudissements à n'en plus finir.
Th. GAUTIER, Voyage en Espagne, p. 202.

13 D'ailleurs les rires éclataient à certains moments, ces rires, qui lorsqu'ils viennent d'un groupe de femmes, sont aussi impudiquement révélateurs que du linge à une fenêtre.
J. ROMAINS, les Hommes de bonne volonté, t. III, XV, p. 194.

14 (...) les sanglots que j'eus la force de contenir devant mon père et qui n'éclatèrent que quand je me retrouvai seul avec maman.
PROUST, À la recherche du temps perdu, t. I, p. 55.

Éclater en sanglots (→ Angoisse, cit. 3; excéder, cit. 10).

15 Des larmes de colère et d'émotion commençaient à couvrir sa voix, mais elle se domina et reprit avec précipitation, comme si elle eût craint d'éclater en sanglots avant d'arriver au bout de ce qu'elle voulait dire (...)
J. GREEN, Adrienne Mesurat, III, VIII, p. 276.

→ aussi ci-dessous, *infra* cit. 20.

♦ **4** (1640). Fig. Se manifester tout à coup, brutalement. — (En parlant d'un événement, d'un état). *L'incendie a éclaté dans un atelier, dans un entrepôt. La guerre, la révolution va éclater. — Un scandale a éclaté à propos de cette affaire. Dispute qui éclate entre deux personnes. — Maladie qui éclate.* → **Déclarer** (se).

16 À chaque instant les intérêts diffèrent, les conflits et les compétitions éclatent.
J. BAINVILLE, Hist. de France, V, p. 70.

17 Il y a des maladies qui commencent lentement, par des malaises légers et convergents; d'autres éclatent en une soirée dans un accès de fièvre violent.
A. MAUROIS, Climats, I, VIII, p. 63.

18 La guerre, si par malheur elle éclate, sera un événement entièrement nouveau dans le monde par la profondeur et l'étendue du désastre (...)
J. ROMAINS, les Hommes de bonne volonté, t. IV, XXIII, p. 255.

19 Elle se rappelait surtout la querelle qui avait éclaté presque tout de suite entre eux (...)
MARTIN DU GARD, les Thibault, t. III, p. 84.

(En parlant d'un sentiment). *Colère qui éclate, qui explose.* → **Explosion** (de colère). *Laisser éclater sa joie* (→ Attendre, cit. 42), *sa haine* (→ Discorde, cit. 2), *sa tendresse* (→ Accumuler, cit. 14)... → **Montrer.**

20 Quand une femme hait l'homme qui l'a violée, elle ne peut plus se trouver devant lui sans que cette haine éclate.
MAUPASSANT, Fort comme la mort, p. 53.

(Personnes). *Éclater en injures, en invectives, en reproches.* → **Répandre** (se). *Éclater en menaces.* → **Fulminer.**

21 Vous voudriez que (...) j'allasse éclater promptement en invectives et en injures.
MOLIÈRE, l'Impromptu de Versailles, 5.

22 Dans la conversation, il éclatait en colères littéraires risibles. En politique, il déraisonnait (...)
CHATEAUBRIAND, Mémoires d'outre-tombe, t. II, p. 122.

(1643). Absolt. S'emporter bruyamment (d'une personne qui ne peut plus se dominer et exprime soudain son ressentiment). → **Colère** (se mettre en colère), **emporter** (s'). *Sa patience a des limites; il finira par éclater.* → **Débonder** (se), **déborder.**

23 Voulez-vous que je dise? il faut qu'enfin j'éclate,
Que je lève le masque, et décharge ma rate (...)
MOLIÈRE, les Femmes savantes, II, 7.

24 Incapable d'éclater, de me mettre en colère, aucun geste ne manifesterait ma haine.
R. RADIGUET, le Diable au corps, p. 180.

♦ **5** (1564). Avoir de l'éclat, frapper la vue par une vive lumière (→ **Briller**); briller d'un vif éclat. — REM. Cet emploi est vieux avec un sujet n. de personne (→ ci-dessous, cit. 25).

25 Il eût été inutile à Notre Seigneur Jésus-Christ, pour éclater dans son règne de sainteté, de venir en roi; mais il y est bien venu avec l'éclat de son ordre!
PASCAL, Pensées, XII, 793.

26 L'or éclate, dites-vous, sur les habits de Philémon. — Il éclate de même chez les marchands.
LA BRUYÈRE, les Caractères, II, 27.

27 Le nez, rouge et gonflé, éclatait comme une braise dans la figure commune.
F. MAURIAC, l'Enfant chargé de chaînes, p. 145.

27. Elle s'étire au soleil avec un étrange frisson. La lumière fouille encore le misérable visage torturé où la bouche peinte éclate lugubrement.
BERNANOS, Monsieur Ouine, p. 10.

Par anal. *Intelligence qui éclate dans les yeux.* → **Pétiller.** *La joie éclate sur son visage.* → **Rayonner.**

28 La beauté, les grâces, la joie, les plaisirs éclataient également sur leurs visages (...)
FÉNELON, Télémaque, IV.

29 Quel était ce feu intérieur qui éclatait parfois dans son regard, au point que son œil ressemblait à un trou percé dans la paroi d'une fournaise?
HUGO, Notre-Dame de Paris, IV, V.

Littér. *Éclater de..., en... «La rivière éclatait de lumière»* (Maupassant). *Des villas «éclataient en blancheur»* (Daudet, *in* T. L. F.).

♦ **6** (1643). Paraître clairement, avec évidence. → **Manifester** (se). *La partialité de l'auteur éclate à chaque page de ce livre.* → **Sauter** (aux yeux). *La faiblesse de l'homme éclate en tout ce qu'il fait* (→ Attacher, cit. 60).

30 (...) il ne se voit rien où le goût attique se fasse mieux remarquer et où l'élégance grecque éclate davantage (...)
LA BRUYÈRE, Discours sur Théophraste.

31 Au contraire : la droiture, la modestie naturelle, la bonté de Battaincourt, éclataient en ses moindres propos, jusque dans les gaucheries de son maintien.
MARTIN DU GARD, les Thibault, t. VII, p. 103.

Fig. (Sujet n. de personne). Accéder soudain à la célébrité. *«Le pilote suédois a éclaté sur la scène internationale»* (*l'Auto-journal*, 29 janv. 1970). — (Choses, entreprises). Se développer rapidement, prendre brusquement de l'importance.

◆ **S'ÉCLATER** v. pron.

♦ **1** Vx, fig. *S'éclater de rire* : éclater de rire. → Mordieu, cit. *«La surprise est cause qu'on s'éclate de rire»* (Descartes). Par plaisanterie :

32 Les deux autres trouvèrent la plaisanterie merveilleuse, Ils s'éclatèrent de rire comme un cent de pets (...)
R. QUENEAU, Pierrot mon ami, éd. L. de Poche, p. 23.

♦ **2** (V. 1968). Mod. S'exprimer violemment dans le plaisir, sans contrainte (surtout dans l'expr. à la mode : *s'éclater comme une bête*).

33 (...) au cinéma, je veux être un satrape. Plus ça coûte cher, plus il y a de vedettes, plus l'écran est vaste, plus c'est soigné, plus je m'éclate.
Jean-Louis CURTIS, l'Horizon, t. II, p. 183.

◆ **ÉCLATÉ, ÉE** p. p. et adj.

♦ **1** Spécialt (blason). Se dit d'une pièce dont la section n'est pas nette. *Écu éclaté.*

♦ **2** Techn. *Perspective éclatée.* → **Éclaté.**

CONTR. Comprimer, contenir, retenir. — Apaiser (s'). — **Dominer** (se), **maîtriser** (se). — **Cacher** (se), **dissimuler** (se). — **Taire** (se). ◊ **DÉR. Éclat, éclatage, éclatant, éclaté, éclatement, éclateur.**

ÉCLATEUR [eklatœʀ] n. m. — 1922; de *éclater.*
Techn. Appareil à deux électrodes séparées par un diélectrique, disposées de façon qu'une étincelle jaillisse entre elles quand la différence de potentiel atteint une certaine valeur.

(...) entré à mi-corps dans le coffre de l'émetteur, il essayait d'engager, sous l'éclateur, un imperceptible écrou nickelé qui s'échappait entre ses doigts épais.
R. VERCEL, Remorques, p. 105.

ÉCLECTIQUE [eklɛktik] adj. — 1651; grec *eklektikos,* de *eklegein* «choisir».

♦ **1** (1732). Philos. Qui professe l'éclectisme, est inspiré par l'éclectisme. *Philosophie éclectique. Un, une philosophe éclectique,* et, u., *un, une éclectique.*

1 (...) une secte de philosophes (*l'école de Potamon d'Alexandrie*) qu'on appelait *éclectique, c'*est-à-dire *choisissante,* dans laquelle on faisait profession de choisir ce que chacune des autres avait de meilleur (...)
Encyclopédie, DIDEROT, art. *Éclectique.*

♦ **2** (1832). Cour. Qui n'a pas de goût exclusif, ne se limite pas à une catégorie d'objets ; à une tendance. *Elle est éclectique en littérature, en peinture, en politique, en amour, en fait de lecture.* — N. *Un, une éclectique :* personne qui n'a pas de goût exclusif. — *Goûts, opinions éclectiques.*

2 C'était l'esprit le plus ouvert à toutes les notions et à toutes les impressions, le jouisseur le plus éclectique et le plus impartial.
BAUDELAIRE, Curiosités esthétiques, XV.

CONTR. Absolu, exclusif, fanatique, sectaire. ◊ **DÉR. Éclectiquement. — Éclectisme.**

ÉCLECTIQUEMENT [eklɛktikmã] adv. — 1842; de *éclectique.*
Didact. ou littér. D'une manière éclectique ; sans se limiter à une tendance, une catégorie d'objets.

ÉCLECTISME [eklɛktism] n. m. — 1755; de *éclectique,* et *-isme.*

♦ **1** (1755). Philos. École et méthode philosophique grecque de Potamon d'Alexandrie, recommandant d'emprunter aux divers systèmes les thèses les meilleures quand elles sont conciliables, plutôt que d'édifier un système nouveau. → **Syncrétisme.** (1817). Position analogue (soutenue par Victor Cousin, notamment). *Éclectisme philosophique, médical, politique. L'éclectisme en esthétique.*

1 L'éclectisme est une direction de goût qui consiste à réunir les qualités d'écoles différentes pour en former un ensemble harmonieux. C'est aussi, pour la critique, savoir apprécier et louer les qualités particulières et opposées de ces écoles.
A. THIERS, *in* Grande encyclopédie BERTHELOT, art. *Éclectisme.*

1.1 (...) ce que je recommande, c'est cet éclectisme éclairé qui, jugeant avec équité et même avec bienveillance toutes les doctrines, leur emprunte ce qu'elles ont de commun et de vrai, néglige ce qu'elles ont d'opposé et de faux.
Victor COUSIN, Cours d'histoire de la philosophie moderne, t. II, p. 12, *in* T.L.F. (1847).

♦ **2** (1831). Disposition d'esprit éclectique. *Faire preuve d'éclectisme dans ses lectures, dans ses relations. L'éclectisme des lectures. Se cultiver avec éclectisme.*

2 (...) nous avons de tous les siècles, hors du nôtre, chose qui n'a jamais été vue à une autre époque : l'éclectisme est notre goût ; nous prenons tout ce que nous trouvons, ceci pour sa beauté, cela pour sa commodité, telle autre chose pour son antiquité, telle autre pour sa laideur même (...)
A. DE MUSSET, la Confession d'un enfant du siècle, I, IV, p. 39.

CONTR. Sectarisme.

ÉCLIMÈTRE [eklimɛtʀ] n. m. — 1870; du grec *ekkli(nês)* «incliné», et *-mètre.*
Techn. Instrument d'arpenteur pour mesurer la différence de niveau entre deux points.

ÉCLIPSE [eklips] n. f. — V. 1150; lat. impérial *eclipsis,* grec *ekleipsis.*

♦ **1** (V. 1150). Occultation passagère d'un astre, produite par l'interposition d'un autre corps céleste entre cet astre et la source de lumière (*éclipse vraie*) ou entre cet astre et le point d'observation (*éclipse apparente*). *Éclipse de Soleil,* lorsque la Lune passe entre le Soleil et la Terre. *Éclipse de Lune,* lorsque la Lune, dans certains des cas où elle est en opposition* avec le Soleil, pénètre dans le cône d'ombre projeté par la Terre. *Éclipse totale, partielle. Éclipse visible, invisible de tel endroit. Éclipse annulaire :* éclipse partielle de Soleil, dans laquelle le bord de l'astre, demeurant seul visible, forme un anneau lumineux. — *Atmosphère lumineuse du Soleil, observable dans les éclipses totales.* → *Saros.* — *Obscurcissement produit par une éclipse* (→ Déployer, cit. 9). → **Obscuration.**

1 L'ancienne coutume (*indienne*) de se plonger dans les fleuves au moment d'une éclipse n'a pu encore être abolie ; et, quoiqu'il y eût des astronomes indiens qui sussent calculer les éclipses, les peuples n'en étaient pas moins persuadés que le soleil tombait dans la gueule d'un dragon, et qu'on ne pouvait le délivrer qu'en se mettant tout nu dans l'eau, et en faisant un grand bruit qui épouvantait le dragon et lui faisait lâcher prise.
VOLTAIRE, Essai sur les mœurs, CLVII.

2 La lune ne disparaît pas entièrement dans ses éclipses ; elle est encore éclairée d'une très faible lumière qui lui vient des rayons du soleil, infléchis par l'atmosphère terrestre.
LAPLACE, Exposition du système du monde, I, 4, *in* LITTRÉ.

Par anal. Disparition d'un point lumineux. — À ÉCLIPSES : qui apparaît et disparaît de façon intermittente. *Phare à éclipses.*

♦ **2** (V. 1223). Période de fléchissement, de défaillance, période où quelque chose disparaît, ne se fait plus sentir, n'agit plus. *Périodes d'éclipses dans l'histoire d'un peuple, d'une civilisation.* → **Décadence, déchéance, sommeil** (→ Assise, cit. 5). *Mémoire sujette à de brèves éclipses.* → **Absence, défaillance, défaut, manque, obnubilation.** *Sa popularité connaît une éclipse.* → **Chute, défaveur.** *Souffrir une éclipse.* — *À éclipses :* intermittent (→ ci-dessous, cit. 5).

3 (*Durant la Fronde*) les astres les plus brillants souffrirent presque tous quelque éclipse.
FLÉCHIER, Oraison funèbre, Turenne, *in* LITTRÉ.

4 La vertu la plus pure et la plus brillante a ses taches et ses éclipses (...)
MASSILLON, Sermon pour le lundi de la 4ᵉ semaine de Carême, Médisance, *in* LITTRÉ.

5 (...) cette publicité à éclipses, à répétitions, à explosions (...)
G. DUHAMEL, Scènes de la vie future, X, p. 159.

6 Il y a souvent de longues périodes silencieuses qui sont, pour un peuple, comme des éclipses de génie.
G. DUHAMEL, la Défense des lettres, IV, I, p. 280.

L'éclipse de (*qqch.*), action d'éclipser (qqch.).

7 Les méprises relatives aux visages sont le résultat de l'éclipse de l'image réelle par l'hallucination (...)
BAUDELAIRE, Journaux intimes, Fusées, VIII.

Fam. Disparition momentanée. *Faire une courte, une longue éclipse.* → **Absence, disparition.** *Reparaître après une éclipse.* «*L'homme qu'il chassait n'était plus là. Éclipse totale de l'homme en blouse*» (Hugo).

Méd. *Éclipse cérébrale :* paralysie passagère frappant un malade atteint d'hypertension artérielle. *Éclipse visuelle :* accès de cécité.

CONTR. Apparition, réapparition. ◊ **DÉR.** Éclipser.

ÉCLIPSER   [eklipse] v. tr. — V. 1250; de *éclipse.*

♦ **1 Astron.** Provoquer l'éclipse de (un autre astre). *La Lune éclipse parfois le Soleil, et la Terre éclipse parfois la Lune.*

0.1   On n'empêche pas la lune d'éclipser parfois le soleil, mais il est important de savoir que c'est par excès d'influence du principe femelle pour pouvoir réformer le ciel en réformant les actes des habitants du microcosme humanisé.
A. LEROI-GOURHAN, le Geste et la Parole, t. II, p. 166.

Rendre momentanément invisible. → **Cacher, intercepter, offusquer, voiler.** *Nuage qui éclipse le soleil.* Obscurcir en répandant un éclat plus grand. *Le soleil éclipse les étoiles.* → **Pâlir** (faire).

♦ **2 Fig. et cour.** Empêcher de paraître, de plaire, en brillant soi-même davantage. *Éclipser ses rivaux.* → **Effacer, emporter** (l'emporter sur), **surpasser, vaincre** (→ Effet, cit. 29). *Il craint tout ce qui pourrait l'éclipser.* → **Ombrage, ombre** (faire); **pâlir** (faire).

1   Un roi dont la grandeur éclipsa ses ancêtres.
VOLTAIRE, Disc. sur la loi naturelle, IV.

2   *(Les rossignols)* font tous leurs efforts pour éclipser leurs rivaux, pour couvrir toutes les autres voix et même tous les autres bruits.
BUFFON, Hist. naturelle des oiseaux, Le rossignol, t. VI, p. 494.

3   (...) si elles ne sont pas belles, elles ont de la physionomie, qui supplée à la beauté, et l'éclipse quelquefois (...)
ROUSSEAU, Julie ou la Nouvelle Héloïse, Lettre XXI.

4   (...) la gloire de l'auteur éclipse celle des savants qui l'ont préparée (...)
CONDORCET, Duhamel, *in* LITTRÉ.

◆ **S'ÉCLIPSER** v. pron.

♦ **1 Astron.** Subir une éclipse. *Le soleil s'est éclipsé trente-neuf fois à Paris au XIXᵉ siècle.*

♦ **2 Littér.** Devenir invisible; être éclipsé, voilé. *Le soleil s'éclipse derrière un nuage. Paysage qui s'éclipse dans le brouillard.*

5   (...) la crainte et la honte me subjuguent à tel point que je voudrais m'éclipser aux yeux de tous les mortels.
ROUSSEAU, les Confessions, I.

♦ **3** (V. 1275). **Sujet n. de personne. ⓐ** Vx. Être éclipsé. → **Disparaître.**

6   Tel brille au second rang qui s'éclipse au premier (...)
VOLTAIRE, la Henriade, I.

ⓑ Mod. S'éloigner, ne plus paraître aux yeux du monde. *S'éclipser pendant une longue période. S'éclipser de la scène politique.*

ⓒ Cour. S'en aller à la dérobée. → **Partir; déguerpir, filer, retirer** (se), **sortir.** *Il s'est éclipsé avant la fin de la cérémonie.*

7   Que fait-il? il s'éclipse; il part (...)
LA FONTAINE, Contes, «Le petit chien qui secoue de l'argent et des pierreries».

♦ **4** (Sujet n. de chose). Disparaître. *J'avais mis là des papiers, je ne les retrouve plus, ils se sont éclipsés* (Académie).

Cesser d'exister. → **Disparaître, évanouir** (s').

8   Ainsi s'éclipsèrent en un instant toutes mes grandes espérances (...)
ROUSSEAU, les Confessions, II.

CONTR. Apparaître, réapparaître.

ÉCLIPTIQUE   [ekliptik] adj. et n. m. — Après 1250, *ecliptike;* rare av. 1611; du lat. *eclipticus,* grec *ekleiptikos* «relatif aux éclipses», de *ekleipsis.* → Éclipse.

Didactique.

♦ **1 Adj.** Vx. Propre aux éclipses. *Conjonction écliptique :* conjonction de deux astres amenant l'éclipse de l'un par l'autre. — (1870). Mod. Relatif à l'écliptique. *Coordonnées écliptiques d'un astre.*

♦ **2 N. m.** (XVIIᵉ, n. f.; grec *ekleiptikos (kuklos),* les éclipses se produisant près des points où ce cercle coupe l'orbite de la Lune). Grand cercle d'intersection du plan de l'orbite terrestre avec la sphère céleste; ce plan. *Axe de l'écliptique :* diamètre de la sphère céleste, perpendiculaire au plan de l'écliptique, *Obliquité de l'écliptique :* angle formé par le plan de l'écliptique et le plan de l'équateur. *Pôles de l'écliptique :* les deux points où l'axe de l'écliptique rencontre la sphère céleste.

Pour comprendre toute l'importance de l'inclinaison de l'écliptique, il suffit de supposer qu'elle varie et de considérer les changements géographiques qui en résulteraient. Si l'inclinaison était nulle, c'est-à-dire si l'écliptique coïncidait avec l'équateur, la Terre serait constamment dans la situation réalisée aux équinoxes. Plus de jours inégaux, partant plus de saisons.
E. DE MARTONNE, Traité de géographie physique, t. I, II, p. 41.

ÉCLIS   [ekli] n. m. — 1873, cit., Corbière; de *éclisse.*

Rare. Éclat (d'une matière dure).

Et vous viendrez alors, imbécile caillette,
Taper dans ce miroir clignant qui se paillette
D'un éclis d'or, accroc de l'astre jaune, éteint.
Tristan CORBIÈRE, les Amours jaunes, Pl., p. 740.

ÉCLISSAGE   [eklisaʒ] n. m. — 1870; de *éclisser.*

Techn. Action d'éclisser; système d'éclisses.

ÉCLISSE   [eklis] n. f. — V. 1170, *esclisse; esclice,* v. 1100; déverbal de *esclicer.* → Éclisser.

♦ **1** (V. 1100). Techn. Éclat de bois. — Par ext. Éclat (d'une matière dure).

1   Sur l'eau, parmi les détritus vont à la dérive, des brins d'herbe arrachés aux rives, des éclisses de bois, des racines.
J.-M. G. LE CLÉZIO, la Fièvre, p. 182.

2   Derrière l'étal, un homme rougeaud armé d'une hache coupait, tranchait, mutilait sans cesse, avec des gestes précis et rapides, sans souci des éclisses d'os qui sautaient vers sa figure.
J.-M. G. LE CLÉZIO, le Déluge, p. 74.

Plaque de bois mince utilisée en lutherie; (1680) bois de fente utilisé en boissellerie, etc. (pour faire des ouvrages légers, seaux, minots, tamis, tambours, etc.). *Les éclisses d'un violon font le tour de la caisse de résonance.*

3   (...) des tambours de toutes grandeurs, garnis de leurs taffetas et de leur éclisse, servant à broder au crochet.
ZOLA, le Rêve, III, p. 18.

4   Il se redressa, plaqua les éclisses sur le galbe de bois et les y fixa avec des barrettes pour le temps de refroidissement.
Herbert LE PORRIER, le Luthier de Crémone, p. 102.

(1549). Chir. Plaque de bois ou bandage de carton qu'on applique le long d'un membre fracturé pour maintenir les os. → **Attelle, gouttière.**

Hortic. Lame (de bois, de carton) soutenant une branche, un rameau.

♦ **2** (1539). Techn. Rond d'osier sur lequel on fait égoutter le lait caillé, le fromage. → **Claie, clisse.**

♦ **3** (1870). Techn. Pièce d'acier reliant les rails les uns aux autres. *Boulon d'éclisse. Jonction par éclisse.*

DÉR. Éclis.

ÉCLISSER [eklise] v. tr. — 1552, *ecclisser; esclicer* «fendre en éclats», v. 1100; du francique **slitan* «fendre», sans doute apparenté à **slaitan*. → Éclater.

♦ **1** Chir. Assujettir (un membre) par des éclisses.

♦ **2** Techn. Fixer à l'aide d'éclisses (un rail, un aiguillage).

♦ **ÉCLISSÉ, ÉE** p. p. adj. *Jambe éclissée. — Rails éclissés.*

DÉR. Éclissage, éclisse, éclisseuse.

ÉCLISSEUSE [eklisøz] n. f. — XXᵉ; de *éclisser.*
Techn. Machine qui prépare les quartiers d'osier servant d'éclisses en vannerie.

ÉCLOPÉ, ÉE [eklɔpe] adj. et n. — 1176, Chrétien; p. p. de *écloper,* ou directement formé sur le p. p. de l'anc. franç. *cloper.*

♦ **1** Qui marche péniblement (→ **Clopin-clopant**), en raison d'un accident, d'une blessure. → **Blessé, boiteux, estropié, infirme.** *Être tout éclopé.* — N. Spécialt. *Un éclopé :* soldat légèrement blessé.

1 (...) à chaque étape, l'armée laissait en arrière un grand nombre d'éclopés *(sic)* et de traînards.
MÉRIMÉE, Histoire du règne de Pierre le Grand, p. 558 *in* T. L. F.

2 On avait dû loger dans nos baraques, une foule d'éclopés exigeants et querelleurs qui jouaient, criaient, brisaient tout et n'obéissaient à personne.
G. DUHAMEL, la Pesée des âmes, XIII, p. 318.

♦ **2** Fig. (Choses). Littér. Qui est détérioré. *Une maison éclopée. Un tabouret éclopé.*

♦ **3** N. Fig. *Un éclopé, une éclopée :* personne qui a subi des épreuves pénibles, par lesquelles elle a été moralement blessée. «*Les éclopés de l'amour et des passions*» (Sainte-Beuve).

3 Vauvenargues dit que dans les jardins publics il est des allées hantées principalement par l'ambition déçue, par les inventeurs malheureux, par les gloires avortées, par les cœurs brisés, par toutes ces âmes tumultueuses et fermées, en qui grondent encore les derniers soupirs d'un orage, et qui reculent loin du regard insolent des joyeux et des oisifs. Ces retraites ombreuses sont les rendez-vous des éclopés de la vie.
BAUDELAIRE, Petits poèmes en prose, «Les veuves», 1867, p. 63, *in* T. L. F.

ÉCLOPER [eklɔpe] v. tr. — V. 1179, *le Roman de Renart;* de *é-,* et de l'anc. franç. *cloper* «boiter». → Clopinant.
Rare. Rendre boiteux, bancal. — Par ext. → **Estropier.**

Ce damné barbier qui vient d'écloper toute ma maison en un tour de main (...)
BEAUMARCHAIS, le Barbier de Séville, II, 4.

ÉCLORE [eklɔr] v. intr. [CONJUG.: *il éclôt* (Acad. : *il éclot*), *ils éclosent; il éclora; il éclorait; qu'il éclose; éclos, éclose; éclosant;* rare sauf au prés., inf. et p. p.] — V. 1170; du lat. pop. **exclaudere,* du lat. class. *excludere* «faire sortir». → Exclure.

♦ **1** Sortir de l'œuf (en parlant d'un animal ovipare). → **Éclosion.** *La poule couve* ses œufs pour faire éclore les poussins. Les poussins sont éclos, viennent d'éclore. — Au p. p. Oisillon à peine éclos.* N. m. *Dernier éclos d'une couvée.* → **Culot.**

4 (...) la plupart des oiseaux sortent de l'œuf au bout de vingt et un jours; quelques-uns, comme les serins, éclosent au bout de treize ou quatorze jours (...)
BUFFON, Hist. nat. des animaux, IX, t. I, p. 599.

(...) toutes les ambitions étaient éveillées, et chacun espérait devenir ministre : les orages font éclore les insectes.
CHATEAUBRIAND, Mémoires d'outre-tombe, t. V, p. 180.

Par ext. S'ouvrir (en parlant d'un œuf). *L'œuf est éclos. Faire éclore des œufs.* → **Incubation.** — Au p. p. *Œufs éclos.*

Par métaphore (littér.). *Éclore à la vie,* éclore (d'un être humain). → **Naître.**

♦ **2** Par anal. S'ouvrir (en parlant d'une fleur en bouton); commencer à fleurir (végétal). → **Épanouir** (s'), **fleurir.** *Les roses vont éclore* (→ Carnaval, cit. 3). — Au p. p. *Une fleur à peine éclose, fraîche éclose.*

Avec les fleurs et les boutons éclos 3
Le beau printemps fait printaner ma peine (...)
RONSARD, Amours de Cassandre, I, CCXII.

(...) de même que le moissonneur tranche de sa faux une 4
tendre fleur qui commence à éclore (...)
FÉNELON, Télémaque, III.

Les coquelicots et les bluets éclosent dans des oppositions 5
ravissantes.
BERNARDIN DE SAINT-PIERRE, Études de la nature, V.

La fleur de l'églantier sent ses bourgeons éclore. 6
Le printemps naît ce soir; les vents vont s'embraser (...)
MUSSET, Poésies nouvelles, «Nuit de mai».

♦ **3** (V. 1260). Fig. et littér. Naître, paraître. *Aube* (cit. 7), *vie qui vient d'éclore.* → **Commencer.** «*L'astre* (cit. 7.1) *à peine vient d'éclore...*». *Époque qui voit éclore de grands talents* (→ **Apparaître, manifester** [se], **surgir**), *de belles œuvres.* → **Produire** (...)

Ainsi commencèrent à germer avec mes malheurs les 7
vertus dont la semence était au fond de mon âme, que l'étude avait cultivées, et qui n'attendaient pour éclore que le ferment de l'adversité.
ROUSSEAU, les Confessions, VI.

Il avait suffi de la chaleur des ailes de la renommée de 8
Marengo et d'Austerlitz pour faire éclore des armées dans cette France qui n'est qu'un grand nid de soldats.
CHATEAUBRIAND, Mémoires d'outre-tombe, t. IV, p. 11.

J'ai compris quelle douleur peut éclore de l'amour, et quel 9
aveuglement naître dans un regard.
Francis JAMMES, Notes, p. 277.

La sympathie peut éclore bien des qualités somno- 10
lentes; je me suis souvent persuadé que les pires gredins sont ceux auxquels d'abord les sourires affectueux ont manqué.
GIDE, Si le grain ne meurt, I, III, p. 80.

Son intelligence *(de Mᵐᵉ de Staël)* est passionnée, et, pour 11
éclore, il faut à ses idées la température de l'enthousiasme.
A. THIBAUDET, Histoire de la littérature franç., p. 46.

CONTR. Mourir, faner (se), **flétrir** (se), **passer.** — **Avorter, disparaître, finir.** (Du p. p.). Inéclos. ◊ **DÉR.** Écloserie, éclosion.

ÉCLOS, OSE [eklo, oz] p. p. adj. → **Éclore.**

ÉCLOSERIE [eklozʀi] n. f. — XXᵉ; du p. p. de *éclore, éclos.*
Techn. Emplacement où sont placés les œufs au moment de l'éclosion. *Une écloserie de homards, de crevettes.* «*Sa production* (du poisson) *en écloseries*» (le Nouvel Obs., 10 avr. 1978, p. 52).

ÉCLOSION [eklozjɔ̃] n. f. — 1747; du p. p. de *éclore, éclos.*

♦ **1** Fait d'éclore. *L'éclosion d'une couvée.*

Entre l'éclosion des œufs et l'essor des oisillons, la tâche 1
d'un couple de mésanges confond l'observateur.
COLETTE, Histoires pour Bel-Gazou, «Mésanges».

Fait de s'ouvrir (en parlant d'un œuf). *L'éclosion d'un œuf.*

♦ **2** Par anal. Épanouissement (du bourgeon, de la fleur). *L'éclosion d'une rose.*

Par métaphore (littér.). *L'éclosion du printemps.*

♦ **3** (1830). Fig. Naissance, apparition. → **Commencement.** *Éclosion du jour. L'éclosion d'une œuvre* (→ **Production**), *d'un poète, d'un talent, d'une idée, d'un projet, d'un monde nouveau.*

2 (...) l'éclosion lente et suprême de la liberté (...)
   HUGO, la Légende des siècles, Préface (1857).

3 (...) j'assiste à l'éclosion de ma pensée : je la regarde, je l'écoute : je lance un coup d'archet : la symphonie fait son remuement dans les profondeurs, ou vient d'un bond sur la scène. RIMBAUD, Correspondance, 15 mai 1871.

REM. Dans cet emploi, le compl. désigne en général une chose abstraite (ou une personne prise comme type général : *l'éclosion d'un nouveau Michel-Ange*); lorsque le compl. désigne une chose individuelle, concrète (*«l'éclosion des vagues»*, Camus, in T.L.F.), il s'agit plutôt d'une métaphore stylistique des sens 1 ou 2.

CONTR. Mort. — Flétrissement. — Anéantissement, avortement, chute, déclin, disparition, évanouissement, fin.

ÉCLUSAGE [eklyzaʒ] n. m. — 1410, *esclusage; éclusement*, 1877; de *écluser*, et *-age.*
Techn. Action d'écluser (un bateau), de faire passer par l'écluse. → **Sassement.**

ÉCLUSE [eklyz] n. f. — V. 1200, *escluse;* bas lat. *exclusa*, p. p. fém. de *excludere* (→ Exclure), proprt «(eau) séparée du courant».

♦ **1** Ouvrage hydraulique formé essentiellement de portes munies de vannes et qui est destiné à retenir ou à lâcher l'eau selon les besoins. *Écluse simple*, qui retient l'eau à un seul niveau. *Écluse double*, qui retient l'eau à deux niveaux différents. *Écluse à sas*, formée de deux écluses séparées par un sas. *Écluse de chasse*. *Écluse en palis sur une rivière.* → **Portereau.** *Petite écluse provisoire.* → **Batardeau.** *Écluses d'un canal*, destinées à faire passer, aux changements de niveau, les bateaux du bief* d'amont au bief d'aval ou inversement. *Bassin où séjourne le bateau entre les portes de l'écluse.* → **Chambre, sas.** *Faire passer un bateau par l'écluse.* → **Écluser, sasser.** *Hydrobascule récupérant l'eau perdue par l'écluse. Charpente, maçonnerie d'une écluse.* → **Bajoyer, barrage, digue, musoir, radier.** — Par métonymie. *Lever, baisser, ouvrir, fermer, lâcher les écluses*, les portes de l'écluse. — Spécialt. *Écluse (provisionnelle) :* écluse qui permet l'inondation des fossés d'une forteresse.

1 Des torrents d'eau s'écoulaient en tourbillonnant comme au débouché d'une écluse.
   CHATEAUBRIAND, les Natchez, VII.

2 Quand on doit traiter un fleuve comme la Seine (...) on emploie la canalisation ; on divise le cours en biefs séparés par des barrages, de manière à relever le niveau de l'eau, en amont des barrages, sur les seuils qu'on veut noyer sous une plus grande épaisseur d'eau. L'inconvénient de cette méthode, c'est que les barrages avec leurs écluses sont des ouvrages immuables.
   DEMANGEON, Géographie économique et
   humaine de la France, t. I, p. 427.

Par métaphore :

3 (...) en ouvrant les écluses du cœur, elle fait que le sang circule plus vite (...)
   DESCARTES, les Passions de l'âme, II.

Par extension et figuré :

4 Mais avant qu'il lâchât les écluses des cieux (...)
   BOILEAU, Satires, XII.

5 Là-dessus il repartit, il mit son cœur à nu, ouvrit l'écluse au flot amer de ses rancunes.
   COURTELINE, Messieurs les ronds-de-cuir,
   1er tableau, II, p. 34.

6 (...) le poète *(Lamartine)* ne pouvant revenir à son art (...) sans laisser en lui se rouvrir les larges écluses de son effusion universelle, quitte à tomber parfois dans le ronron (...)
   Émile HENRIOT, les Romantiques, p. 111.

Par anal. (techn.). *Écluse (à air) :* sas permettant l'entrée et la sortie d'un compartiment à air comprimé (→ **Éclusement**).
Loc. fig. ou fam. *Lâcher les écluses :* uriner; pleurer abondamment.

♦ **2** Technique. **ⓐ** Parc fermé par un mur de pierres pour retenir le poisson, les coquillages amenés par la marée.
ⓑ Compartiment permettant d'entrer ou de sortir d'un caisson sous air comprimé.
ⓒ Plaque de fer mobile permettant de laisser s'écouler le métal en fusion vers les moules de fonderie.

DÉR. Écluser, éclusier.

ÉCLUSÉE [eklyze] n. f. — 1627; p. p. de *écluser*, substantivé au féminin.
Technique.
♦ **1** Quantité d'eau qui coule depuis qu'on a lâché l'écluse jusqu'à ce qu'on l'ait refermée.
♦ **2** (1715). Train de bois flotté construit pour passer dans les écluses.

ÉCLUSEMENT [eklyzmã] n. m. — 1877, in Littré, Suppl.; de *écluser*.
Techn. Opération par laquelle on fait pénétrer de l'air comprimé dans un sas, pour permettre l'entrée dans un compartiment mis sous pression.

ÉCLUSER [eklyze] v. tr. — XIe, *escluser*; de *écluse*, et *-er.*

Ⅰ ♦ **1** Techn. Barrer (une rivière, un canal) par une écluse.
♦ **2** Faire passer (un bateau) par une écluse. *Écluser une péniche.* Par anal. Pratiquer l'éclusement de (personnes), sasser.
♦ **3** Techn. (fonderie). Ouvrir ou fermer l'écluse (→ Écluse, 2.).

Ⅱ (1936). Pop. ou fam. Boire. *Écluser un godet :* boire un verre. *En écluser un :* vider un verre.

Charles éclusa son beaujolais, s'essuya les moustaches du revers de la main (...)
   R. QUENEAU, Zazie dans le métro, Folio,
   p. 21 (1959).

(...) Jane se nourrit et écluse de la bière comme quatre (...)
   A. SARRAZIN, la Cavale, p. 160.

Absolument :

Entre deux ritournelles, on trinquait, on buvait à Paris, à Paname, au *Crapouillot*, et Galtier, le verre en main, orchestrait les réjouissances, sans les emplir, ce verre, ni surtout oublier de le vider en honnête homme qui sait ce qu'*écluser* veut dire.
   Francis CARCO, Ombres vivantes, p. 207.

◆ **ÉCLUSÉ, ÉE** p. p. et adj.
♦ **1** (1898). Retenu dans une écluse. *Péniche éclusée.*
♦ **2** Bu. *Tous les verres éclusés avec les copains.*

DÉR. Éclusage, éclusée, éclusement.

ÉCLUSIER, IÈRE [eklyzje, jɛʀ] n. et adj. — V. 1470; de *écluse.*

♦ **1** N. Personne chargée de la garde et de la manœuvre d'une écluse.

(...) un éclusier, las d'avoir ouvert cinq fois l'écluse, en cette nuit du samedi au dimanche, à des bateaux berrichons qui remontaient par le canal du Nivernais, ronflait dans les draps du lit défait (...)
   R. BAZIN, le Blé qui lève, 1907, p. 176, in T.L.F.

♦ **2** Adj. (1838). Techn. Qui a rapport à une écluse. *Maison éclusière. Porte éclusière.*

ECMNÉSIE [ekmnezi] n. f. — Fin XIXᵉ; du grec *ek-*, préf. qui marque le mouvement du dedans vers le dehors, et *mnêmê* «mémoire».

Psychiatrie. Évocation hallucinatoire de tranches du passé.

ÉCO- Élément, du grec *oikos* «maison, habitat» entrant dans la formation de substantifs avec le sens «maison, choses domestiques» (→ Écophobie), ou, plus souvent, «habitat, milieu naturel», d'après *écologie*. Outre les composés traités à l'ordre alphabétique, on peut mentionner : *éco-communauté*, n. f. (1977); *écogéologue*, n. (1978); *écolinguistique*, n. f. (1974); *écopathologie*, n. f. (1977).

ÉCOBUAGE [ekɔbɥaʒ; ekɔbɥaʒ] n. m. — 1797; de *écobuer*.

Agric. Action de fertiliser (des terres) en les écobuant (à distinguer de *brûlis*).

Par métaphore :

1 L'écobuage est une méthode de préparation du champ : le sol gazonné est détaché à la houe, à la bêche ou à la charrue, les gazons sont mis à sécher, puis disposés en fourneaux et brûlés; les cendres sont ensuite répandues sur le champ.
  François SIGAUT, *in* le Monde, 24 mars 1982, p. 18.

Par métaphore :

2 Sueur et cris sous le fer saisonnier
  pratiquer en soi-même la culture sur brûlis
  vouer son âme à l'écobuage.
  Michel LEIRIS, Haut mal, p. 199.

ÉCOBUE [ekɔby] n. f. — 1753, au sens 2; déverbal de *écobuer*.

Technique ancienne.

♦ **1** (1767). Houe servant à détacher les mottes de terre.

♦ **2** (1753). Au plur. Les herbes et les racines brûlées par écobuage.

ÉCOBUER [ekɔbye; ekɔbɥe] v. tr. — 1721; *égobuer*, 1539; *gobuer*, 1519; terme dial. de l'Ouest; de *gobuis* «terre pelée où l'on met le feu», du saintongeais *gobe* «motte de terre», rad. gaul. **gobbo* «gueule, bouche».

Agric. Peler (la terre) en arrachant les mottes, avec les herbes et les racines, que l'on brûle ensuite pour fertiliser le sol avec les cendres.

Au p. p. :

La terre du soleil d'août écobuée
Où de petits chevaux lentement se promènent (...)
  ARAGON,
  le Voyage de Hollande et autres poèmes, p. 18.

DÉR. Écobuage, écobue, écobueur.

ÉCOBUEUR, EUSE [ekɔbyœʀ, øz; ekɔbɥœʀ, øz] n. — 1760, au masc.; de *écobuer*.

Techn. (agric.). Personne qui pratique l'écobuage.

ÉCOCIDE [ekɔsid] n. m. — 1972; de *éco-* ou *écologie*, et *-cide*, d'après *génocide* (mot mal formé sauf si *éco-* correspond à «milieu»).

Didact. Destruction de milieux naturels (flore et faune). «*L'écocide viêtnamien*» (*le Nouvel Obs.*, 7 août 1972).

ÉCOCLIMATOLOGIE [ekɔklimatɔlɔʒi] n. f. — 1968; de *éco-* (*écologie*), et *climatologie*, p.-ê. d'après l'angl. *ecoclimatology* (attesté 1966), de *ecoclimate* (1931); le franç. *écoclimat* est attesté en 1949 (*in* C.I.L.F.)

Didact. Science qui étudie l'influence du climat sur les êtres vivants, et leur répartition en fonction de celui-ci (→ Bioclimatologie).

ÉCO-ÉTHOLOGIE [ekoetɔlɔʒi] n. f. — V. 1970; de *éco-* (*écologie*), et *éthologie* (*écologie éthologique*, 1969).

Didact. Science qui étudie, d'un point de vue dynamique, le fonctionnement des organismes vivants, en relation avec leur environnement. → **Écologie, éthologie.**

ÉCŒURANT, ANTE [ekœʀɑ̃, ɑ̃t] adj. — XIXᵉ; p. prés. de *écœurer*.

♦ **1** Qui écœure, soulève le cœur. *Odeur désagréable, écœurante.* → **Fade, fétide, nauséabond, nauséeux** (→ Chaufferie, cit. 1). *Une écœurante odeur de violette.* → Pommade, cit. 3. *Nourriture écœurante, qui coupe l'appétit.* → **Dégoûtant, infect, répugnant.**

L'engraissement forcé des bestiaux ne donne qu'une 1 viande aussi malsaine qu'écœurante.
  RASPAIL, *in* Pierre LAROUSSE.

Je pense à ceux dont la rencontre vous jette au nez des 2 odeurs écœurantes d'ail ou d'humanité.
  MAUPASSANT, les Sœurs Rondoli, I, p. 11.

L'écœurante chaleur gorge la chambre étroite (...) 3
  RIMBAUD, Poésies, «Accroupissements».

L'odeur de la chevelure dénouée montait vers lui dans la 4 tiédeur de l'alcôve : une odeur excitante à la fois et douce, une odeur tenace, un peu écœurante (...)
  MARTIN DU GARD, les Thibault, t. III, p. 12.

Par ext. Fade, trop gras ou trop sucré. *Un gâteau écœurant.*

♦ **2** Fig. Moralement répugnant, révoltant. → **Dégoûtant.** *Procédé écœurant. Flatteries écœurantes. Spectacle écœurant de banalité.*

Quel volume insipide, affadissant, nauséabond et d'une 5 lecture écœurante! SAINTE-BEUVE, *in* P. LAROUSSE.

Résultats écœurants. → **Décourageant.** *Travail écœurant.* → **Rebutant.**

(...) il *(son destin)* est là, tout entier, écœurant à force d'être 6 prévisible (...) SARTRE, le Sursis, p. 100.

♦ **3** Qui crée une espèce de malaise, de découragement. *Il a une facilité! c'est écœurant.* → **Décourageant.**

CONTR. Agréable, suave. — Alléchant, appétissant. — Encourageant, exaltant.

ÉCŒUREMENT [ekœʀmɑ̃] n. m. — 1870, Bloch; de *écœurer*.

♦ **1** État d'une personne écœurée. → **Dégoût, haut-le-cœur, nausée.**

Il vous en reste une sensation morale et physique d'écœurement comme lorsqu'on a mis la main, par hasard, en des choses poisseuses, et qu'on n'a pas d'eau pour se laver.
  MAUPASSANT, les Sœurs Rondoli, «Le verrou».

♦ **2** Fig. Dégoût profond, répugnance. *Des combinaisons auxquelles on ne peut assister sans écœurement. On est pris, saisi d'écœurement devant pareil spectacle* (Académie). → **Dégoût, répugnance, répulsion.**

♦ **3** Fig. Découragement. *Écœurement causé par une déception* (cit. 4), *par des échecs répétés.* → **Abattement, lassitude.**

CONTR. Appétit, faim. — Euphorie. — Confiance, courage, enthousiasme.

ÉCŒURER [ekœʀe] v. tr. — 1640, vulgaire; *esqueuré*, adj., 1611, «accablé, découragé»; rare av. 1864; de *é-*, *cœur* et suff. verbal.

♦ **1** Dégoûter au point de donner envie de vomir. → **Dégoûter.** *Cette odeur de cuisine m'écœure* (→ Lever, soulever le cœur*, donner mal au cœur*).

— Absolt. *Les crèmes trop sucrées écœurent.* — Pron. *Vous allez vous écœurer.*

1 D'autres restent assis, très silencieux et songeurs, écœurés maintenant d'avoir dû charger à la baïonnette, de se voir du sang sur leurs habits de toile, et attendant le jour avec impatience pour aller laver cela «à l'eau douce».
> LOTI, Figures et choses..., p. 225.

2 Elle réfléchit une seconde, saisit la bouteille de sirop placée devant elle et but au goulot. Cette liqueur épaisse l'écœura. Elle en avala une gorgée, puis regarda l'étiquette d'un air de dégoût.
> J. GREEN, Adrienne Mesurat, II, v, p. 198.

♦ **2** Fig. Dégoûter* au plus haut point en inspirant l'indignation ou le mépris. → **Indigner, révolter.** *De tels procédés m'écœurent. J'en suis écœuré.*

2.1 Ce qu'ils avaient vu de l'invasion, de ces incendies, de ces pillages, de ces meurtres, les avait profondément écœurés, et ils avaient hâte d'être dans les rangs de l'armée sibérienne.
> J. VERNE, Michel Strogoff, p. 327 (1876).

Au p. p. :

3 J'étais las, las, écœuré plus que je ne saurais dire par toutes les bêtises, toutes les bassesses, toutes les saletés que j'avais vues et auxquelles j'avais participé pendant quinze ans.
> MAUPASSANT, Clair de lune, «Le père».

4 (...) le pays, écœuré des abus du pouvoir comme de l'incapacité des gouvernants civils (...)
> Louis MADELIN, Hist. du Consulat et de l'Empire,
> L'ascension de Bonaparte, XIII, p. 184.

♦ **3** Fig. Décourager, démoraliser profondément. → **Abattre, décourager.** *Ses échecs l'ont écœuré. Ses succès faciles écœurent les autres élèves.*

(1924, Montherlant). **Spécialt** (sports). Décourager (l'adversaire) en imposant un effort trop grand. *Écœurer ses concurrents.*

♦ **ÉCŒURÉ, ÉE** p. p. et adj.

♦ **1** Qui est dégoûté au point d'avoir envie de vomir.

5 Je veille à présent, du fond de ma demi-ivresse, je ne veux pas le sommeil, la syncope dont on sort écœurée, je ne veux du petit génie de l'éther (...) que le battement d'ailes en éventail.
> COLETTE et WILLY, Claudine s'en va, 1900, p. 223,
> *in* T. L. F.

♦ **2** Fig. Qui est dégoûté et éprouve ou manifeste de l'indignation ou du mépris (→ ci-dessus, cit. 3, 4). *Un regard écœuré.*

♦ **3** Qui est découragé, profondément démoralisé. *Il est écœuré de ses mauvais résultats.*

N. (aux sens 1, 2, 3). *Un écœuré, une écœurée.*

CONTR. Appétit (mettre en). — Enthousiasmer, plaire. ◊ **DÉR.** Écœurant, écœurement.

ÉCOFRAI [ekɔfʀɛ] ou **ÉCOFROI** [ekɔfʀwa] n. m. — 1554, *escofret; escofroie,* 1318; du germanique *skōh- «chaussure».

Techn. Table dont se servent les tanneurs, les selliers, pour couper le cuir.

ÉCOGÉNÉTIQUE [ekoʒenetik] n. f. — Av. 1969; de *éco-* (écologie), et *génétique.*

Didact. Étude des différents types génétiques d'une espèce, relativement aux diverses caractéristiques du milieu naturel (→ Écotype) et des variations phénotypiques dues au milieu (→ Accommodat, écomorphose).

ÉCOGRAMME [ekɔgram] n. m. — V. 1970; de *éco-* (écologie), et *-gramme.*

Didact. Représentation graphique de l'évolution des paramètres de l'environnement.

HOM. Échogramme.

ÉCOGRAPHIE [ekɔgʀafi] n. f. — 1971; de *éco-* (écologie), et *-graphie.*

Didact. Étude (observation et enregistrement) de l'évolution de l'environnement, dans ses ressources et dans ses peuplements (→ **Écogramme**).

HOM. Échographie.

ÉCOIN [ekwɛ̃] n. m. — 1876; *escoyn,* mil. XVᵉ, «première planche sciée»; de *é-* (lat. *ex-*), et anc. franç. *coin* «peau» (→ Couenne) plus ou moins confondu avec *coin*.

Techn. Planche non équarrie (syn. : *croûte*) utilisée dans les mines.

ÉCOINÇON [ekwɛ̃sɔ̃] n. m. — 1331, *escoinçon;* de *é-, coin* (→ Coincer), et *-on.*

Technique.

♦ **1** Pièce de menuiserie, de maçonnerie formant encoignure. *Meuble en écoinçon :* dont la forme triangulaire épouse les côtés de l'angle formé par deux murs. → **Encoignure.**

♦ **2** Pierre qui fait l'encoignure de l'embrasure d'une porte, d'une fenêtre.

♦ **3** En mobilier, Élément décoratif servant à raccorder un motif central rond ou ovale à un cadre rectiligne. *Les écoinçons d'un panneau.*

ÉCO-INDUSTRIE [ekoɛ̃dystʀi] n. f. — 1989; de *éco-* (Écologie), et *industrie.*

Industrie de la protection de l'environnement, de la dépollution. *«Les éco-industries réalisent l'essentiel de leurs activités dans le traitement de l'eau et l'assainissement d'une part, les déchets et la récupération d'autre part»* (*le Monde,* 5 janv. 1989, p. 9).

ÉCOINE ou **ÉCOUANE** [ekwan] n. f. — 1819, *in* Littré, *Suppl.* 1877; *escohine,* 1344, puis *escuene, escouenne* au XVIIᵉ, *ecouanne* au XVIIIᵉ; du lat. *scobina,* de *scobis* «chose râpée, grattée», de *scabere.*

Techn. Lime, râpe à une seule rangée de tailles.

DÉR. Écoiner, écoinette.

ÉCOINER [ekwane] v. tr. — 1723; de *écoine.*

Techn. Limer, râper avec une écoine.

ÉCOINETTE [ekwanɛt] n. f. — 1723; de *écoine.*

Techn. Petite écoine.

ÉCOLABEL [ekolabɛl] n. m. — 1990; de *éco-* (écologie), et *label.*

Comm. Label européen (institué en 1992) garantissant l'innocuité d'un produit pour l'environnement, à tous les stades de sa fabrication, de sa distribution et de sa consommation. *«(...) le premier siège de travail à avoir reçu l'écolabel européen»* (*le Monde,* 5 févr. 2000, p. 27).

ÉCOLAGE [ekɔlaʒ] n. m. — V. 1340, «instruction»; de *école,* et *-age.*

♦ **1** Vx ou régional (Suisse). Frais de scolarité (notamment dans une école privée).

> Bien joli partir, mais qui rapporte l'argent pour le ménage, qui paye l'écolage des gosses ?
> Germain CLAVIEN, Un hiver en Ardèche, p. 50.

♦ **2** Admin. milit. (aviat.). Cycle d'instruction pour l'apprentissage des techniques aériennes.

HOM. Écollage.

ÉCOLÂTRE [ekɔlatʀ] n. m. — *1304, escolastre; scolaistre,* XIIIe; *du lat. médiéval scholaster, -tri.*

Anciennt. hist. Au moyen âge et à la Renaissance, Ecclésiastique qui dirigeait l'école attachée à l'église cathédrale.

Langue class. Ecclésiastique inspecteur des écoles d'un diocèse.

1 Ce n'est point, dit l'écolâtre, mon intérêt qui me mène, mais celui de la prébende.
LA BRUYÈRE, les Caractères, XIV, 26.

2 Jadis Odon d'Orléans, écolâtre de cette cathédrale, assis pendant la nuit devant le portail de l'église, enseignait à ses disciples le cours des astres, leur montrant du doigt la voie lactée et les étoiles.
CHATEAUBRIAND, Mémoires d'outre-tombe, t. II, p. 34.

ÉCOLE [ekɔl] n. f. — V. 1050, *escole; du lat. schola,* du grec *skholê.*

♦ 1 Établissement dans lequel est donné un enseignement* collectif. *École privée, publique. École d'État; école laïque. École libre, école religieuse. École confessionnelle.* → **Cours, institution.** *École de filles, de garçons. École mixte. École d'adultes. Celui, celle qui fréquente une école.* → **Écolier, élève.** *Entrer dans une école; suivre les cours* d'une école. Personne qui enseigne, donne des cours dans une école.* → **Enseignant, maître, maîtresse, professeur.** *Ouvrir une école.* Vx. *Tenir école* (→ Blason, cit. 2). *École dans laquelle les élèves vivent* (→ **Internat, pension**), *ne viennent que pour travailler* (→ **Externat**). *École qui prépare à un examen*, à un concours*. Fréquentation d'une école.* → **Scolarité.** *Règlement, discipline d'une école. Frais d'école.* → **Écolage** (régional). *Congés d'une école.* → **Vacances.** *Rentrée des écoles ou rentrée des classes** *Fournitures, livres à l'usage des écoles.* → **Scolaire.** — *Directeur, directrice d'école. Ses camarades d'école. Maître d'école* (ci-dessous : **spécialt, a**).

1 Mais quoi? Je fuyoie *(fuyais)* l'école,
Comme fait le mauvais enfant,
VILLON, le Testament, XXVI, p. 25.

Par ext. Ensemble des élèves, du personnel d'une école. *L'école aura congé le 11 novembre. Licencier l'école en raison d'une épidémie. Incident qui crée de l'agitation dans une école. L'école est à la promenade.*

Le local lui-même. *Construction de nouvelles écoles. École moderne, bien aérée. Classes, salles d'études et de travail, parloir, réfectoire*, dortoir, préau d'une école. La cour de l'école est animée à l'heure de la récréation. Les pupitres, le tableau noir, le matériel d'une salle d'école. User ses fonds de culottes sur les bancs de l'école* (fam.) : *faire des études.*

Spécialt. [a] Dans les pays francophones et dans les civilisations analogues, Établissement où l'on donne un enseignement général, sans spécialisation.

Établissement d'enseignement primaire. *Écoles primaires.* — *École maternelle*, enfantine.* → **Garderie, jardin** (d'enfants). — *École primaire élémentaire* ou (vx) *école communale,* et, absolt, *l'école :* établissement où l'on enseigne aux enfants les premiers éléments de l'instruction. *Un enfant en âge d'aller à l'école* (→ **Classe, scolarité**). *Envoyer un enfant à l'école. Maître* (Baïf, 1567), *maîtresse d'école.* → **Instituteur** (→ vx Magister, régent). *Devoirs*, compositions* exécutés à l'école. Punitions, sanctions infligées à l'école* (→ **Coin, ligne, pensum, piquet, retenue**). *Distribution des prix aux élèves d'une école. Caisse* des écoles. École de village. École en plein air. École buissonnière** (vx).

Par cet endroit passe un maître d'école.
LA FONTAINE, Fables, I, 19.

J'avais distingué la seule fillette qui me ressemblât, parce qu'elle était propre, et allait à l'école accompagnée d'une petite sœur, comme moi de mon petit frère. 3
R. RADIGUET, le Diable au corps, p. 8.

La cour fourmillait d'enfants dont les cris me terrifièrent, ignorant que j'étais encore de l'école et de ses coutumes. 4
G. DUHAMEL, Chronique des Pasquier, I, v, p. 66.

Mais Romains a passé de l'école communale de Montmartre au Lycée Condorcet, c'est-à-dire de l'école essentiellement populaire au Lycée essentiellement bourgeois (...) 5
A. MAUROIS, Études littéraires, Des Romains, t. II, I, p. 118.

Au cours du semestre de l'année civile où un enfant atteint l'âge de six ans, les personnes responsables (...) doivent, quinze jours au moins avant la rentrée des classes, soit le faire inscrire dans une école publique ou privée, soit déclarer au maire et à l'inspecteur d'académie qu'elles lui feront donner l'instruction dans la famille. 6
Loi du 22 mai 1946.

Loc. fig. *Prendre le chemin de l'école* (ou *le chemin des écoliers**). *Faire l'école buissonnière*.* → **Buissonnier** (cit.); → 1. Muser, cit. 2.

Anciennt. *École primaire supérieure. École normale primaire :* établissement où étaient formés les instituteurs et institutrices. *École normale d'enseignement primaire,* où étaient formés les professeurs d'école normale primaire. — Mod. *École normale d'instituteurs, d'institutrices.*

Vx. *Écoles secondaires.* → **Collège, gymnase, lycée;** (fam.) **bahut, boîte.**

[b] **Dans d'autres cultures.** *École musulmane.* → **Zaouia.** *École coranique*. École de brousse.*

[c] Établissements spéciaux (pour une catégorie d'élèves; où sont enseignées des matières particulières).

Écoles spéciales. École de danse, de musique, d'art dramatique (→ **Conservatoire, cours**), *de dessin* (→ **Académie**). *École des beaux-arts. L'École des arts décoratifs. L'École du Louvre. École qui forme les prêtres* (→ **Séminaire**), *les enfants de chœur* (→ **Maîtrise, psallette**). *La Schola Cantorum, école de chant liturgique.* — *École de conduite automobile.* → **Auto-école.** *École de voile. Cf. Centre nautique. École d'escalade*, en alpinisme*. Les écoles de samba, au Brésil* (→ 1. Samba, cit.).

Écoles techniques. École d'apprentissage. → **Centre.** *École professionnelle. École commerciale, école de commerce.* → **Business school** (anglic.). *École d'horlogerie; école des mousses; école de chimie, d'électricité.*

Elle suivit les cours d'une école de dactylographie. Devant les pupitres d'école, des filles de tout âge chuchotaient tandis qu'une femme assise à une table lisait à voix haute (...) 7
J. CHARDONNE, les Destinées sentimentales, p. 182.

École du dimanche (probablt de l'angl. *sunday school*) : dans la religion protestante, Établissement dépendant du temple qui dispense le dimanche un enseignement religieux; cet enseignement (→ Catéchisme).

École d'adultes, école du soir. → **Cours.**

Écoles pour handicapés, pour enfants dyslexiques.

GRANDE ÉCOLE : école de l'enseignement supérieur, de l'enseignement supérieur technique. *Anciens élèves d'une grande école. Les grandes écoles et l'université*.*

Préparation aux grandes écoles (dans les classes* préparatoires aux grandes écoles). *Concours d'admission dans une grande école. École normale supérieure,* où sont formés (en principe) les professeurs de l'enseignement secondaire. → **Normale.** *École des chartes*. École des langues orientales. École de médecine.* → **Faculté.** *La Sorbonne, ancienne école de théologie. École supérieure musulmane.*

→ **Médersa.** — *École nationale d'administration* (E.N.A.; → **Énarque**). *École des arts et métiers. École des mines. École polytechnique.* → **Polytechnique.** *École militaire. École centrale.* → **Centrale.** *École de guerre.* → **Prytanée.** *École spéciale militaire de Saint-Cyr,* devenue *École militaire interarmes de Coëtquidan* (→ argot scol. **Baille**). *École navale,* spécialt, ou, ellipt., *Navale,* n. f. (→ argot scol. Baille). *Groupe d'écoles ou facultés* qui donnent l'enseignement supérieur.* → **Université.** — *École,* pour grande école. *L'argot des écoles* (de Polytechnique, de Saint-Cyr, etc.). *Quartier des Écoles, à Paris :* le Quartier latin*, où se trouvaient la plupart des facultés et grandes écoles. *École qui prépare à la carrière de..., fournit les cadres de... Cette école donne une formation scientifique. Il est sorti premier de l'école de...* Spécialt. *L'École :* l'École normale supérieure de la rue d'Ulm, à Paris. Vx ou par plais. (→ ci-dessous cit. 8). *Sortir des écoles.*

8 Thomas Diafoirus est un grand benêt, nouvellement sorti des Écoles (...) MOLIÈRE, le Malade imaginaire, II, 5.

9 (...) le jour même, son nom avait paru à l'*Officiel :* Jean Berny, admissible à l'École navale !
LOTI, Matelot, III, p. 10.

10 Il faut avouer aussi que le Scientifique de l'École *(normale supérieure),* avec sa blouse crasseuse, sa tignasse, sa trogne de potard mal embouché laisse la part belle aux jeunes messieurs à bicorne *(de l'École polytechnique).*
J. ROMAINS, les Hommes de bonne volonté, t. IV, XVIII, p. 200.

10.1 Elle me parla d'un sentiment grave et profond qu'elle nourrissait depuis plus d'un an pour un garçon de très bonne famille, qui sortait «des grandes écoles».
M. AYMÉ, le Vin de Paris, «l'Indifférent», p. 21.

Loc. (Vx). *Mot d'école :* terme ou expression sans rapport avec la réalité concrète, trop abstrait. — Mod. *Renvoyer, faire retourner qqn à l'école,* lui faire sentir son ignorance. — Vieilli. *Sentir l'école* (d'une personne) : avoir des manières pédantes* et gauches (→ **Cuistre**); (d'une chose) : être acquis par l'enseignement, hors de la vie active. «*Ce pédantisme qui sent l'école*» (Proust).

En appos., formant un nom composé. → **Auto-école** *(école de conduite automobile).* Par anal. *Un avion-école, un navire*-école, un voilier-école; une ferme-école.*

♦ **2** **a** Milit. Enseignement, exercice faisant partie de l'instruction*. → **Exercice.** *École du soldat. École de peloton. École de pièce, de groupe, de la section, du bataillon. École de tir; écoles à feu :* exercices de tir réel.

11 On m'apprit l'école du soldat et l'école de peloton de manière à exécuter les charges en douze temps, les charges précipitées et les charges à volonté, en comptant ou sans compter les mouvements (...)
A. DE VIGNY, Servitude et grandeur militaires, II, VIII, p. 138.

b (1755). Exercice d'équitation. *Basse école :* exercices par lesquels on apprend à monter à cheval. — Cour. *Haute école :* exercices de la voltige, équitation savante, et, par ext., tout exercice acrobatique.

11.1 Dans la *basse-école,* le cheval est exercé sur une et sur deux pistes dans toutes les allures «naturelles» amenées à leur plus haut degré de régularité à toutes les vitesses, ainsi qu'à l'inversion instantanée du galop dans les changements de direction.
Henri AUBLET, l'Équitation, p. 94.

11.2 Trouvé une carte que Reine Gianoli m'avait écrite il y a un an : *Je joue à la radio un concerto de Saint-Saëns. Écoutez-le, si vous aimez la haute école* (...)
J. GREEN, Journal, 5 déc. 1965, Vers l'invisible, p. 455.

♦ **3** Loc. (Vx). *Faire une école :* au jeu, Faire une faute, une erreur grave (telle qu'on mériterait d'être renvoyé à l'école). *Faire une école, au trictrac* (cit. 1). — Par ext. *École :* faute grave (Mauriac, *in* T.L.F.).

♦ **4** Vieilli ou littér. Ce qui est propre à instruire et à former; source d'enseignement.

12 (...) il y a à merveilleusement à profiter de tout ce que vous dites; c'est une école que votre conversation (...)
MOLIÈRE, la Comtesse d'Escarbagnas, 2.

13 C'était *(la Hollande)* une école où se formaient les soldats et les capitaines.
RACINE, les Campagnes de Louis XIV.

14 Il n'y a aucun métier qui n'ait son apprentissage, et (...) on remarque dans toutes *(les conditions)* un temps de pratique et d'exercice qui prépare aux emplois (...) Il y a l'école de la guerre : où est l'école du magistrat?
LA BRUYÈRE, les Caractères, XIV, 48.

15 Toute femme est une école, et c'est d'elle que les générations reçoivent vraiment leur croyance.
MICHELET, la Femme, p. 163.

Vx. *L'école des jeunes filles :* l'éducation, les conseils qu'on leur donne. *L'École des femmes, l'École des maris,* comédies de Molière. *L'École des femmes,* récit de Gide. *L'École des indifférents,* ouvrage de Giraudoux. — *L'École des cadavres,* pamphlet de Céline.

Spécialt et mod. **L'ÉCOLE DE...** **a** Enseignement donné par; ce que l'on apprend par l'habitude, l'expérience de. *L'école de la pauvreté,* ce qu'apprend la pauvreté. *L'école du malheur. Il a été à dure, à rude école,* le malheur, les difficultés l'ont instruit. *L'école du monde.* — REM. Le complément désigne ici l'enseignant.

16 Et l'école du monde, en l'air dont il faut vivre Instruit mieux, à mon gré, que ne fait aucun livre.
MOLIÈRE, l'École des maris, I, 2.

17 Un homme qui serait en peine de connaître (...) s'il commence à vieillir, peut consulter les yeux d'une jeune femme qu'il aborde, et le ton dont elle lui parle : il apprendra ce qu'il craint de savoir. Rude école.
LA BRUYÈRE, les Caractères, III, 64.

Loc. (V. 1160). **À... (L')ÉCOLE (DE...) :** par l'enseignement (de qqn). *Avec vous, il est à bonne école,* vous saurez le former. *Il s'est formé à l'école des grands savants. À votre école,* il perdra vite sa timidité. *L'école du travail, de la rue.*

18 Et la bonne elle-même regardait monsieur d'un œil émerveillé, en songeant qu'il accompagnerait la voiture à cheval; et pendant tous les repas elle l'écoutait parler d'équitation, raconter ses exploits de jadis, chez son père. Oh ! il avait été à bonne école, et, une fois la bête entre ses jambes, il ne craignait rien, mais rien !
MAUPASSANT, Mademoiselle Fifi, p. 109.

b (Le compl. désigne la chose enseignée). Ce qui donne la connaissance, l'expérience (de qqch.). *L'école du mensonge,* ce qui apprend à mentir. *Cette œuvre est une école de grandeur. L'École de la médisance (School for Scandal),* comédie de Sheridan.

19 Corneille, ancien Romain parmi les Français, a établi une école de grandeur d'âme; et Molière a fondé celle de la vie civile.
VOLTAIRE, Lettre à un premier commis, *in* Œ., t. XLVII.

19 (...) qui peut disconvenir aussi que le théâtre de ce même Molière (...) ne soit une école de vices et de mauvaises mœurs, plus dangereuse que les livres mêmes où l'on fait profession de les enseigner?
ROUSSEAU, Lettre à d'Alembert.

20 Je suis à moitié des Confessions de J.-J. Rousseau; c'est admirable. Voilà la vraie école de style.
FLAUBERT, Correspondance, 23, 11 oct. 1838.

21 Le théâtre de la France est l'école sans fin de la morale, de la politique, le miroir des lois et des coutumes, une imitation qui n'a pas sa pareille des sentiments communs à tout un peuple, des plus bas aux plus héroïques.
André SUARÈS, Trois hommes, «Ibsen», II, p. 81.

♦ **5** Absolt. *L'École :* l'enseignement et la philosophie scolastique, inspirée d'Aristote et des Pères de l'Église. *L'ange de l'École :* saint Thomas d'Aquin.

♦ **6** Groupe ou suite de personnes, d'écrivains, d'artistes qui se réclament d'un même maître ou professent les mêmes doctrines. → **Chapelle, mouvement, secte** (→ Coterie, cit. 2). *Formation d'une école autour d'un chef* d'école. Personne qui appartient à une école.* → **Adepte.** *Le manifeste d'une école. Divergences, rupture au sein d'une école. Une école de penseurs* (cit. 4).

Écoles philosophiques. L'école de Platon. L'école d'Aristote. L'école d'Alexandrie. L'École d'Athènes, fresque de Raphaël.

Écoles littéraires. → **Groupe.** *L'école classique* (cit. 5). *L'École romantique,* essai de Heine. *L'École païenne,* article de Baudelaire (dirigé contre Banville, Ménard, Gautier, Leconte de Lisle).

22 (...) les vieilles écoles se remuent et se raniment pour pousser un dernier cri (...)
SAINTE-BEUVE, Correspondance, 58, 6 déc. 1828.

23 Il était leur directeur à tous ; cela faisait une coterie à part, une sorte d'école d'où les profanes étaient exclus et qui avait ses hauts secrets.
RENAN, Souvenirs d'enfance..., IV, II, p. 176.

24 Depuis quatre siècles, l'évolution de nos arts procède par écoles successives, actions et réactions, manifestes et pamphlets.
VALÉRY, Regards sur le monde actuel, p. 187.

25 Toute famille, tout clan, toute école forme ses « mots » et ses locutions familières, qu'elle charge d'un sens, secret pour l'étranger.
J. PAULHAN, les Fleurs de Tarbes, II, VI, p. 97.

Spécialt. Ensemble de peintres liés par des influences communes et un style apparenté. — REM. Dans le domaine pictural, le mot a une valeur moins précise et ne suppose pas forcément un maître (un *chef d'école*) et des disciples ; mais cette valeur plus stricte est néanmoins possible. — *L'école de Michel-Ange. On ne peut attribuer ce tableau au Caravage, mais il est sans aucun doute de son atelier ou de son école.* — *Rembrandt appartient à l'école flamande. L'école florentine, vénitienne. L'école impressionniste, surréaliste, futuriste.* → ci-dessous le sens extensif (cit. 28 et *supra*).

26 Le mot : école, où l'idée d'un enseignement se mêle comme elle peut à celle d'une communauté de recherches (...)
MALRAUX, les Voix du silence, p. 358.

6.1 Mort, le Douanier *(Henri Rousseau)* est un chef d'école. Mais sa véritable école n'est pas celle des naïfs qui l'imitent et le suivent. Car, bien qu'il mesure le nez de ses modèles, son art si appliqué, comme celui de Bosch, est un art fantastique.
MALRAUX, les Voix du silence, p. 508.

Loc. *Faire école* : avoir de nombreux imitateurs, des disciples, des adeptes. *X fait école en matière d'économie politique.* → **Autorité** (faire autorité).

27 Jamais un denier, une branche d'arbre appartenant à autrui ne passa dans les mains de ce sublime républicain, qui rendrait la république acceptable s'il pouvait faire école.
BALZAC, les Paysans, Pl., t. VIII, p. 186.

Par ext. *Une idée, une théorie, une œuvre... qui fait école,* qui est approuvée, qui se répand. → **Classique.**

Être de la vieille école : avoir une formation fondée sur des principes vieillis.

7.1 Je peux me raconter une histoire, les moules seront vite cuites. Je serais un laboureur, je commencerais ma journée à quatre heures, j'aurais des percherons, je suis de la vieille école, je préfère le balancement de leurs reins aux soubresauts des tracteurs.
Violette LEDUC, la Folie en tête, p. 240.

Par ext. Esprit commun à certains artistes ou savants. *École historique,* dans la philosophie, les sciences. *École de Montpellier,* en médecine. → **Doctrine, système, tendance.** — (Arts). Ensemble d'artistes (notamment de peintres) rapprochés

par une attitude commune, un milieu commun (sans qu'il y ait forcément influences).

L'exposition qui, après vingt ans d'esthétique hitlérienne, 28 groupait à Munich les autodidactes, sous le titre « Peintres libres », semblait dans son ensemble un pastiche de l'école de Paris, bien qu'aucun maître français en particulier n'y fût imité.
MALRAUX, les Voix du silence, p. 313.

DÉR. **Écolage.** ◊ COMP. **Auto-école, vaisseau-école.**

ÉCOLIER, IÈRE [ekɔlje, jɛR] n. et adj. — 1206, *escolier ;* du bas lat. *scholaris* « d'école », de *schola.* → **École.**

♦ **1** (1206). Vx. Celui, celle qui fréquente une école, reçoit des leçons d'un maître. → **Élève. Spécialt** (anciennt). Étudiant. *Les écoliers des universités du moyen âge. Écolier de Sorbonne.* → **Étudiant.** *L'écolier limousin* (personnage de Rabelais). — REM. Cet emploi était déjà ambigu au XVIIᵉ s., du fait de la fréquence du sens 2. → ci-dessous la cit. 2.

— Et à quoi passez-vous le temps, vous autres messieurs 1 étudiants audit Paris ? Répondit l'écolier : — Nous transfretons la Sequane... (traversons la Seine).
RABELAIS, Pantagruel, VI.

— C'est un de mes écoliers,... — il ne fallait pas faire faire 2 cela par un écolier ; et vous n'étiez pas trop bon vousmême pour cette besogne-là. — Il ne faut pas, Monsieur, que le nom d'écolier vous abuse. Ces sortes d'écoliers en savent autant que les plus grands maîtres (...)
MOLIÈRE, le Bourgeois gentilhomme, I, 2.

(...) Seigneur écolier (...) je viens d'apprendre que vous êtes 3 le seigneur Gil Blas de Santillane (...)
A.-R. LESAGE, Gil Blas, I, II.

♦ **2** Enfant qui fréquente l'école. **a** Ancient (avant l'école publique de la IIIᵉ République).

Et ne sais bête au monde pire 4
Que l'écolier, si ce n'est le pédant.
LA FONTAINE, Fables, IX, 5.

Ouvrez un journal : ne semble-t-il pas voir un dur répéti- 5
teur, la férule ou la verge levée sur des écoliers négligents, les traiter en esclaves au plus léger défaut dans le devoir ?
BEAUMARCHAIS, le Barbier de Séville,
Lettre sur la critique.

Homère emportera dans son vaste reflux 6
L'écolier ébloui ; l'enfant ne sera plus
Une bête de somme attelée à Virgile (...)
HUGO, les Contemplations, I, XIII.

b (XIXᵉ). Mod. Enfant qui fréquente l'école primaire, les petites classes d'un collège. → **Élève.** *Un petit écolier. Des écolières retour de l'école. Écoliers du cours moyen, de sixième. Une bande d'écolières. Cartable, plumier, trousse d'écolier... Le maître et les écoliers. Devoirs, dictées d'écoliers. Bons, mauvais écoliers. Écolier qui dissipe la classe, copie sur son voisin. Tour, malice d'écolier. Confisquer un objet à un écolier. Envoyer un écolier au coin, au piquet. Bons points, croix, prix, couronnes distribués aux meilleurs écoliers.*

Dans la vie d'écolier, le lundi a le tort de succéder au 7
dimanche, et de ne pas être encore éclairé par le rayonnement du jeudi.
J. ROMAINS, les Hommes de bonne volonté, t. II,
XI, p. 109.

REM. Sans être vieilli, le mot connote une image traditionnelle, qui est surtout formée avec l'enseignement public de 1900 à 1930 ou 1940 : *la blouse, le tablier d'écolier* (et *d'écolière*) comme nombre d'exemples donnés ci-dessus, disparaissent du monde contemporain qui préfère le mot *élève*.*

Par appos. *Papier écolier :* papier blanc, de qualité moyenne, du type employé dans les cahiers d'écolier. *Cahier format écolier.*

Le chemin des écoliers, le plus long. → **Chemin** (cit. 10, 10.1).

♦ **3** Fig. et fam. Personne encore peu versée dans son art ou qui a peu d'expérience. → **Apprenti, débutant,** novice (→ Apprentissage, cit. 7). *Il a besoin de conseils, ce n'est encore qu'un écolier. Faute d'écolier.*

8 (...) vous n'avez pas le génie de votre état; vous n'en avez que ce que vous en avez appris, et vous n'inventez rien. Aussi, dès (...) qu'il vous faut sortir de la route ordinaire, vous restez court comme un écolier.
LACLOS, les Liaisons dangereuses, Lettre CVI.

♦ **4** Adj. (XIVᵉ). **a** Rare. Qui est propre à l'écolier. *Des manières écolières. La gent écolière.*

b Fig. et vx. Qui sent l'école. → **Scolaire.**

9 Les gens de cette sorte sont académistes, écoliers, et c'est le plus méchant caractère d'homme que je connaisse.
PASCAL, Pensées, III, 194 bis.

10 Elle *(la Révolution)* a été, au point de vue littéraire, plus conservatrice, plus écolière, plus primaire que n'importe quelle autre époque.
A. THIBAUDET, Hist. de la littérature franç..., p. 5.

CONTR. Maître. — Expert, savant.

ÉCOLLAGE [ekɔlaʒ] n. m. — Attesté mil. xxᵉ; de é- (lat. *ex-*), et *collage.*
Techn. Soudure de deux pièces métalliques mises bout à bout (→ **Écolleter**).
HOM. Écolage.

ÉCOLLETER [ekɔlte] v. tr. [CONJUG.: *jeter.*] — 1611; de l'anc. franç. *escoleter* «décapiter», puis «décolleter», de é- (lat. *ex-*), et *col, collet.*
Technique.

I Orfèvr. Élargir le bas d'une pièce.

II (Par croisement avec *écollage*, de *coller*). Souder bout à bout (deux pièces métalliques). → **Écollage.**

ÉCOLO [ekɔlo] n. — V. 1970; apocope de *écologiste.*
Fam. Écologiste (**au sens extensif, politique**). → **Écologiste** (3.); vert (I., 6., b). *Les écolos ont manifesté contre l'implantation d'une centrale nucléaire. «Il vit dans un petit village commingeois au pied des Pyrénées et c'est un adorateur des énergies éolienne et solaire. Un gentil écolo donc...»* (le Nouvel Obs., 22 mai 1978, p. 60). — Adj. *Des candidats écolos. La mode écolo.* — *Voter écolo.*

ÉCOLOGIE [ekɔlɔʒi] n. f. — 1874; all. *Ecologie,* 1866, Haeckel; didact. jusqu'en 1968-1970, où le mot s'est répandu; du grec *oikos* «maison, habitat», et *-logie,* d'après *économie.*

♦ **1** Didact. Science qui étudie les milieux où vivent et se reproduisent les êtres vivants, ainsi que les rapports de ces êtres avec le milieu. → **Bionomie, écologie; autoécologie, synécologie; écographie, écophysiologie.** *L'écologie étudie conjointement les relations des espèces entre elles et avec leur milieu, ainsi que la dynamique de leurs populations.* → **Écosystème** (et **biocénose, biotope**); **biosphère, écosphère; milieu.** *Écologie quantitative, basée notamment sur l'évaluation de la production des écosystèmes* (→ **Biomasse**). *Écologie animale* (zooécologie), *écologie végétale* (phytoécologie). *Écologie éthologique.* → **Éco-éthologie.** *Écologie humaine. Écologie marine, écologie forestière. Écologie d'une espèce, d'un milieu. Spécialiste de l'écologie.* → **Écologiste** (1.), **écologue.** *Écologie et agriculture, écologie agricole* (→ **Agrobiologie**). *Écologie et respect de l'environnement*, *des cycles naturels. Utilisation de l'écologie dans la protection ou la restauration des équilibres naturels* (aménagement du littoral, etc.).

1 L'écologie tend à combler le fossé que l'industrie a creusé entre l'homme et les animaux.
Emmanuel BERL, le Virage, p. 163.

Écologie culturelle : étude des différences entre les cultures et civilisations humaines, en fonction de leur environnement.
Par métonymie. Les réalités étudiées par l'écologie, les êtres vivants et leurs milieux. *Étudier l'écologie d'une zone.*

2 (...) le Brésil cherche déjà sa défense et fait valoir non seulement les grandes difficultés du défrichement de l'Amazonie, mais le danger que présenterait, pour l'écologie mondiale, la disparition de forêts productrices d'oxygène.
A. SAUVY, Croissance zéro?, p. 119.

♦ **2** Cour. Doctrine visant à une meilleure adaptation de l'homme à son environnement naturel, vivant (animaux, plantes) et non vivant, ainsi qu'à une protection de celui-ci (→ **Écologisme**); courant politique défendant cette doctrine. → **Écolo** (fam.), **écologiste.**

DÉR. Écologique, écologisme, écologiste, écologue. ◊ COMP. Autoécologie, phytoécologie, synécologie. — V. Éco-.

ÉCOLOGIQUE [ekɔlɔʒik] adj. — 1900; didact. jusque v. 1970, puis cour.; de *écologie.*

♦ **1** Relatif à l'écologie (1.); qui concerne les rapports entre les êtres vivants et leur milieu. *L'écosystème**, *unité écologique fondamentale. Équilibres écologiques. Les paramètres écologiques d'un milieu. Facteurs** *écologiques* (biotiques* *ou* abiotiques*), *qui conditionnent le développement des organismes vivants.* — Loc. *Niche écologique* : fonction d'une espèce, d'une population, dans le milieu dont elle fait partie. — *Catastrophe écologique. Destructions, pertes écologiques liées à une marée noire.*

1 L'émigration (...) est déclenchée par des facteurs très divers tels que la densité trop grande des individus qui entraîne des compétitions intraspécifiques, la disette de nourriture, des conditions écologiques défavorables (assèchement, variations thermiques...).
Jean GUIBÉ, les Batraciens, p. 105.

2 Bien d'autres menaces se profilent, par destruction des équilibres écologiques naturels.
A. SAUVY, Croissance zéro?, p. 10.

REM. On rencontre parfois la graphie *œcologique* (didact.; 1907, in Rev. gén. des sc., nº 23, p. 961).

3 Dans les régions subarctiques, l'homme doit s'adapter à un milieu dont les caractères œcologiques fondamentaux sont la sévérité des grands froids et la variation annuelle de la durée d'insolation.
Charles-Pierre PÉGUY, la Neige, p. 109.

Spécialt. Relatif à l'écologie humaine. *«(...) les communes d'habitat dispersé où les études écologiques constatent un certain isolement social et des caractères anomiques»* (Antoine et Oulif, cités par J. Cazeneuve, Sociologie de la radio-télévision, p. 94).

♦ **2** Cour. Qui respecte les équilibres écologiques naturels. → **Écologiste** (2.). *Mesures écologiques de défense de l'environnement, de lutte contre les pollutions.* → **Environnemental** (anglic.).

DÉR. Écologiquement.

ÉCOLOGIQUEMENT [ekɔlɔʒikmɑ̃] adv. — 1969, cour.; de *écologique.*
D'un point de vue écologique. *«du jour où l'homme découvrit le miel, la cire et la gelée royale, il domestiqua le précieux insecte* (l'abeille), *améliora l'habitat des ouvrières, construisit des ruches facilement accessibles, dans des régions écologiquement appropriées»* (Sciences et Avenir, nº 418, déc. 1981, p. 63).

ÉCOLOGISME [ekɔlɔʒism] n. m. — V. 1975; de *écologie*, et *-isme.*

Doctrine, action des écologistes (B., 2.). → **Écologie** (2.). *«On se trompe si l'on croit que l'"écologisme" se réduit à un mouvement de protestation contre la pollution, le béton, la dégradation du cadre de vie...»* (*le Nouvel Obs.*, 7 mars 1977, p. 22).

ÉCOLOGISTE [ekɔlɔʒist] adj. et n. — 1964; de *écologie*, et *-iste*.

A Adj. ◆ **1** Relatif à l'écologie, à l'étude et à la sauvegarde des équilibres écologiques. *Mesures écologistes.* → **Écologique, 2.**

◆ **2** Écolo (fam.), vert (I., 6., b). *Candidat écologiste.* — Relatif à l'écologisme; favorable aux écologistes. *Les suffrages écologistes.*

B N. ◆ **1** Spécialiste de l'écologie. → **Écologue.** *«Pour sauver la nature, un corps d'écologistes-conseils»* (*la Croix*, 7 janv. 1970). *Écologiste du monde animal, végétal* (zooécologiste, phytoécologiste).

◆ **2** Personne qui, en défendant des thèses inspirées de l'écologie, critique la société industrielle d'efficacité et de profit, et adopte des positions politiques non traditionnelles. → **Écolo** (fam.). *La lutte des écologistes contre la pollution*, la dégradation de l'environnement. Les écologistes ont soutenu un candidat de gauche.*

ÉCOLOGUE [ekɔlɔg] n. — V. 1979; de *écologie*.
Didact. Spécialiste de l'écologie (1.); scientifique, chercheur qui s'occupe d'écologie. — **REM.** Le mot remédie à l'ambiguïté de *écologie*, depuis la diffusion du sens extensif de ce mot (→ **Écologiste**, B., 2.).

ÉCOMORPHOSE [ekomɔrfoz] n. f. — 1922; de *éco- (écologie)*, et *-morphose* «processus concernant une forme», du grec *-morphôsis*. → Anamorphose, métamorphose...
Didact. Réalisation particulière d'un génotype, en tant que déterminée par le milieu. → aussi **Phénotype**; écogénétique.

ÉCOMUSÉE [ekomyze] n. m. — Av. 1960, mot créé par Georges-Henri Rivière; de *éco-*, et *musée*.
Didact. *«Musée de l'homme et de la nature (...) où l'homme est interprété dans son milieu naturel, la nature dans sa sauvagerie, mais aussi telle que la société (... l'a) adaptée à (son) usage»* (G.-H. Rivière). *«Une exposition vient d'être organisée par l'Écomusée de Fresnes, dans la banlieue sud de Paris. La ville de Fresnes a en effet voulu posséder un écomusée où la population puisse prendre conscience de son environnement»* (*Sciences et Avenir*, n° 425, juil. 1982, p. 56). *«Le but de l'écomusée est de mettre en place (...) les moyens de conservation, sur les lieux mêmes de leur installation et de leur exploitation, des témoignages de l'activité des hommes au travail, de leur vie sociale et culturelle»* (M.-F. Noël, *in* P. Cabanne, *Guide des musées de France*, p. 189). *Écomusée et patrimoine ethnographique.*

ÉCONDUIRE [ekɔ̃dɥir] v. tr. [CONJUG.: *conduire*.] — V. 1485; altération, sous l'infl. de *conduire*, de l'anc. franç. *escondire* «refuser», *s'escondire* «s'excuser»; lat. médiéval *excondicere*, de *ex-*, négatif, et du lat. class. *condicere* «convenir de».

◆ **1** Repousser (un solliciteur), ne pas accéder à la demande de (qqn). → **Refuser;** → fam. Envoyer* au bain, aux pelotes, envoyer balader, bouler, paître, promener... *Éconduire un solliciteur* (→ Croulant, cit. 10).

Il s'est fait éconduire brutalement. Je l'ai poliment éconduit. → **Excuser** (s'). *Un des soupirants qu'elle a éconduits.* — Au p. p. *Prétendant éconduit.*

Éconduire un lion rarement se pratique. 1
Le voilà donc admis, soulagé, bien reçu (...)
　　　　　　LA FONTAINE, Fables, IV, 12.

Je pris donc, en attendant mieux, le parti d'aller m'offrir de 2
boutique en boutique pour graver un chiffre ou des armes
sur de la vaisselle, espérant tenter les gens par le bon
marché, en me mettant à leur discrétion. Cet expédient ne
fut pas fort heureux. Je fus presque partout éconduit (...)
　　　　　　ROUSSEAU, les Confessions, II.

Éconduit, il insiste (*le courtisan*); repoussé, il tient bon; 3
qu'on le chasse, il revient; qu'on le batte, il se couche à
terre.　　　　　P.-L. COURIER, Simple discours.
Par ext. Littér. *«Nous éconduisons sa curiosité* (de l'enfant)*»* (Valéry, *in* T. L. F.).

◆ **2** Congédier. → **Chasser, congédier, débarrasser** (se), **reconduire, renvoyer; porte** (refuser sa porte, mettre à la porte...). *Éconduire un visiteur, un importun.*

Je l'éconduis, car je craignais que, tout en chuchotant, il 4
ne finît par éveiller maman.
　　　　　PROUST, À la recherche du temps perdu, t. X,
　　　　　　　　　　　　　　　　　　p. 331.

Il (*Sainte-Beuve*) se serait volontiers offert comme consola- 5
teur. Il fut éconduit, ne revint pas — et il ne parlera jamais
des livres de madame d'Agoult.
　　　　　Émile HENRIOT, les Romantiques, p. 442.

CONTR. Accueillir, admettre, recevoir.

ÉCONOCROQUES [ekɔnɔkrɔk] n. f. pl. — 1913, Esnault; de *économie*, et argot *croque* «sou».
Argot ou fam. Économies. *Ils lui ont piqué ses éconocroques.*

Bonne santé. Costaud. Sûrement des éconocroques.
　　　R. QUENEAU, Zazie dans le métro, Folio,
　　　　　　　　　　　　　　　p. 75 (1959).

ÉCONOMAT [ekɔnɔma] n. m. — 1553; de *économe*, et *-at*.

◆ **1** (1553). Fonction d'économe. *L'économat d'un collège, d'un lycée, d'un hospice. Obtenir l'économat d'un établissement.* — Service chargé de cette fonction. *Adressez-vous à l'économat.* → **Intendance.** — (1835). Bureau de l'économe.

◆ **2** Anc. dr. Régie d'un bien ecclésiastique vacant exercée au nom du roi.
Le roi lui confia (*à Pelisson*)... les revenus du tiers des économats (...)
　　　VOLTAIRE, le Siècle de Louis XIV, XXXVI.

◆ **3** Magasin de vente, créé et administré par un employeur à l'usage de ses salariés, ouvriers et employés, et où les marchandises sont délivrées en échange de bons remis à l'employé en paiement de son salaire. *Les économats des chemins de fer. Les abus engendrés par les économats ont déterminé leur prohibition presque totale* (loi du 25 mars 1910, *Code du travail*). **Par ext.** Nom de magasins à succursales multiples (→ Coopérative).

ÉCONOME [ekɔnɔm] n. et adj. — 1337; lat. *œconomus* «administrateur», du grec *oikonomos*, de *oikos* «maison», et *nomos* «administration».

I N. ◆ **1** Vx. Personne qui administre une maison, des biens. → **Administrateur.**
(...) de sages économes, ou d'excellents pères de famille (...) 1
　　　　　LA BRUYÈRE, les Caractères, II, 11.
(En parlant d'un homme d'État, d'un financier). *Colbert, excellent économe des biens de l'État.*

◆ **2** Anciennt (hist.). Intendant d'une grande maison. → **Intendant, régisseur.** *Mauvais économe* (→ Dissipateur, cit.).

Allus. bibl. *Parabole de l'econome infidèle* (Évangile selon saint Luc, XVI).

2 (...) Un homme riche avait un économe qui fut accusé devant lui, comme ayant dissipé les biens de son maître. Et il le fit venir et il lui dit : Qu'est-ce que j'entends dire de vous ? Rendez-moi compte de votre administration, car vous ne pourrez plus gouverner mon bien. Alors cet économe dit en lui-même : Que ferai-je, mon maître m'ôtant l'administration de son bien ?

BIBLE (SACY), Évangile selon saint Luc, XVI, 1-2-3.

♦3 Mod. Personne chargée de l'administration matérielle, des recettes et dépenses (dans une communauté religieuse, un établissement hospitalier, un établissement d'enseignement). → **Dépensier, gestionnaire, intendant; économat.** *L'économe d'un lycée s'appelle officiellement aujourd'hui intendant universitaire. Sous-économe :* fonctionnaire adjoint à l'économe. — Par appos. ou adj. (Dans les communautés religieuses). *Le père économe, la mère économe.*

3 Pot (à *l'École normale supérieure...*) désigne (...) le repas considéré en particulier; la nourriture en général; et l'Économe, parce qu'entre autres opérations louches il veille à la nourriture.

J. ROMAINS, les Hommes de bonne volonté, t. III, I, p. 6.

II Adj. (1690). Cour. Qui dépense avec mesure, avec modération; qui sait éviter toute dépense inutile. → **Ménager (vx); parcimonieux, serré (fam.).** → Dépenser, cit. 6. *Maîtresse de maison économe. Il, elle n'est pas très économe, économe jusqu'à l'avarice.* → **Avare** (cit. 10). *Être économe pour pouvoir épargner.* → **Épargnant.** *Être sobre*, prévoyant* et économe.*

4 Leurs pères étaient de la vieille génération israélite, laborieuse et tenace (...) élevant leur fortune avec une âpre énergie, et jouissant de celle-ci bien plus que de celle-là. Les fils semblaient faits pour détruire ce que leurs pères avaient édifié : ils persiflaient les préjugés familiaux et cette manie de fournir économes et fouisseuses : ils jouaient aux artistes, ils affectaient de mépriser la fortune et la jeter par les fenêtres.

R. ROLLAND, Jean-Christophe, La révolte, I, p. 416.

(1810). Fig. *Économe de qqch. Être économe de ses paroles, de ses promesses.* → **Mesuré, modéré;** ménager. *Il n'est pas économe de louanges,* il en fait beaucoup. *Être économe de son temps,* ne pas le perdre, l'utiliser au mieux. — (Sans compl. en *de*).
→ ci-dessous, cit. 5.

4.1 Phileas Fogg était de ces gens mathématiquement exacts, qui, jamais pressés et toujours prêts, sont économes de leurs pas et de leurs mouvements. Il ne faisait pas une enjambée de trop, allant toujours par le plus court.

J. VERNE, le Tour du monde en 80 jours, p. 10 (1873).

5 Pour en être plus économe, je noterai minutieusement l'emploi de mon temps. GIDE, Journal, 1912, p. 362.

(De *L'Économe,* marque déposée). *Couteau économe* ou, n. m. *un économe :* un épluche-légumes.

CONTR. Dépensier, dilapidateur, dissipateur, gaspilleur, prodigue. — Excessif. ◊ DÉR. Économat. — V. Économie, économique. — COMP. Sous-économe.

ÉCONOMÈTRE [ekɔnɔmɛtʀ] n. — 1952, *in* D.D.L.; de *économie,* et *-mètre.*

Didact. → **Économétricien.**

Plus d'un ménage dans une *favella* du Brésil ou dans un logis fort modeste d'Asie ou d'Afrique possède un téléviseur, sans avoir à sa table les rations alimentaires réglementaires. Les économètres peuvent débattre sur la réalisation de la satisfaction optimale, mais le fait est socialement important. Une demande plus forte d'aliments aurait stimulé la production agricole et quelque peu amélioré la balance des comptes des pays intéressés.

A. SAUVY, Croissance zéro?, 1973, p. 143.

ÉCONOMÉTRICIEN, IENNE [ekɔnɔmetʀisjɛ̃, jɛn] n. — 1955, *Dict. des métiers;* de *économétrique,* et *-(ic)ien.*

Didact. (sc.). Spécialiste de l'économétrie. Syn. : *économètre.*

ÉCONOMÉTRIE [ekɔnɔmetʀi] n. f. — 1949, *in* D.D.L.; de *économie,* et *-métrie.*

Sc. Traitement mathématique de données statistiques concernant les phénomènes économiques; technique qui utilise ce traitement.

1 (...) les normes de l'économétrie moderne permettent de prévoir une modification de la structure de la demande, qui résulterait avant tout des rapports salaires-prix.

L.-V. VASSEUR, J.-J. BIMBENET, et M. HILLAIRET, les Industries de l'alimentation, p. 48.

2 (...) en économétrie, les spécialistes soulignent souvent l'écart qui subsiste, à leurs yeux, entre le «modèle» mathématique et le «schéma expérimental», un modèle sans relations suffisantes avec le concret n'étant alors qu'un jeu de relations mathématiques, tandis qu'un modèle épousant le détail du schéma expérimental peut prétendre à atteindre le rang de structure «réelle».

J. PIAGET, Épistémologie des sciences de l'homme, p. 286 (1970).

DÉR. **Économétrique.**

ÉCONOMÉTRIQUE [ekɔnɔmetʀik] adj. — 1952, *in* D.D.L.; de *économétrie.*

Sc. Relatif à l'économétrie. *Calcul, méthode économétrique.*

Quand les jeunes révoltés placent leur idéal dans l'amour et la musique, leur choix ne résulte pas d'un calcul économétrique ou écologique, tout en allant curieusement dans le même sens que les solutions préconisées par de beaucoup moins jeunes, plus chauves que chevelus, au bout d'un cheminement bien différent.

A. SAUVY, Croissance zéro?, p. 240.

DÉR. **Économétricien.**

ÉCONOMICITÉ [ekɔnɔmisite] n. f. — 1949; de *économique,* et *-ité.*

Didact. Rapport favorable entre les résultats obtenus et leur coût d'obtention, dans un groupe social important; caractère économique (II.) d'un processus économique (I.).

ÉCONOMICO- Forme que prend l'adj. *économique* lorsqu'on lui adjoint un autre adjectif. Ex. : *économico-administratif* (1968); *économico-culturel* (1972); *économico-juridique* (1908); *économico-politique* (1960); *économico-social* (1936); *économico-sociologique* (1966); *économico-technique* (1970).

ÉCONOMIE [ekɔnɔmi] n. f. — 1546; *yconomie,* v. 1371; lat. class. œconomia, de oikonomos. → Économe.

I ♦1 (V. 1371). Vx. Art de bien conduire, de bien administrer une maison. → **Administration, gestion,** ménage. *Économie domestique, privée. Administrer sa maison, son ménage avec une sage économie.*

1 (L') économie est (l') art de gouverner un hôtel (*une maison*) et les appartenances pour acquérir (*des*) richesses.
ORESME, trad. d'ARISTOTE, l'Éthique, XI, *in* LITTRÉ.

2 L'économie privée nous enseigne à régler convenablement les consommations de la famille.
J.-B. SAY, Traité d'économie politique, éd. de 1841, p. 453.

Par ext. Art de bien gérer les biens d'un particulier (rare dans cette acception par suite du développement du sens II).

3 Ce mot ne signifie dans l'acception ordinaire que la manière d'administrer son bien; elle est commune à un père de famille et à un surintendant des finances d'un

royaume (...) La première économie, celle par qui subsistent toutes les autres, est celle de la campagne (...)
(...) L'économie d'un État n'est précisément que celle d'une grande famille (...)
C'est en France et en Angleterre que l'économie publique est le plus compliquée. On n'a pas d'idée d'une telle administration dans le reste du globe (...)
> VOLTAIRE, Dict. philosophique, Économie.

4   Toute région habitée par une population sédentaire se transfigure peu à peu (...) Une terre entreprise depuis des siècles est donc une œuvre des actes de la vie : l'économie et la volonté humaine s'y sont inscrites (...)
> VALÉRY, Regards sur le monde actuel, p. 256.

(1615, œconomie). Spécialt. *Économie politique* (aux XVIIᵉ et XVIIIᵉ s.) : art d'administrer, de gérer les richesses de l'État, de la cité. *Traité de l'œconomie politique*, d'A. de Montchrestien. *Une sage économie politique.* → 1. Pratique, cit. 2. — (1615). *Économie publique* (→ ci-dessus, cit. 3, Voltaire); *économie générale.* → Administration, gestion. — REM. Pour le sens actuel, → ci-dessous I., 3.

5   Économie (...) ne signifie originairement que le sage et légitime gouvernement de la maison, pour le bien commun de toute la famille. Le sens de ce terme a été dans la suite étendu au gouvernement de la grande famille, qui est l'État. Pour distinguer ces deux acceptions, on l'appelle dans ce dernier cas, *économie générale* ou *politique* (...)
> ROUSSEAU, in Encyclopédie (DIDEROT), art. *Économie.*

♦2 (XVIIᵉ). a Littér. Organisation des divers éléments (d'un ensemble); manière dont sont distribuées les parties. → Arrangement, distribution, harmonie, ordre, organisation, structure. *L'économie du corps humain. L'économie animale. L'économie d'une entreprise, d'une affaire. L'économie d'une loi. L'économie générale d'une œuvre littéraire* (→ Plan).

6   Vous fûtes témoin avec quelle pénétration d'esprit il (*Colbert*) jugea de l'économie de la pièce (...)
> RACINE, Britannicus, Épître dédicatoire, À Monseigneur le Duc de Chevreuse.

7   Tout est disposé dans l'univers avec une économie digne de l'auteur de la nature (...)
> MASSILLON, Carême, Prospérité, in LITTRÉ.

8   (...) tous ces globes (*les astres*) ne se choquent point, ils ne se dérangent point (...) ô économie merveilleuse du hasard!   LA BRUYÈRE, les Caractères, XVI, 43.

9   (...) rien ne vous est caché de leur économie (*des corps humains*) (...)   LA BRUYÈRE, les Caractères, XIV, 68.

10 On sait (...) combien la nécessité de produire sans arrêt (...) a grevé l'économie même de son œuvre (*de Balzac*) gigantesque, certes, mais hâtive, fiévreuse, encombrée (...)
> Émile HENRIOT, Portraits de femmes, p. 338.

b Relation, articulation des parties (d'un système). *Économie d'un projet.*

Ling. Principe d'organisation de l'énergie requise pour satisfaire aux besoins de la communication. *Économie des changements phonétiques*, ouvrage d'A. Martinet.

♦3 (Sens précisé vers le milieu du XVIIIᵉ; → ci-dessous, cit. 14). ÉCONOMIE POLITIQUE ou ÉCONOMIE : science qui a pour objets la connaissance des phénomènes concernant la production (→ Chrématistique), la distribution et la consommation des richesses, des biens matériels dans la société humaine. Syn. : *science économique* ou *science de l'économie.* → Macroéconomie, micro-économie. *L'économie politique, science sociale, liée à la sociologie. L'économie politique étudie les besoins* (→ Besoin, richesse; utilité, valeur), *les facteurs de la production* (richesses naturelles : → Énergie, matière [matières premières]...; démographie, population; productivité, travail; capital, investissement, machinisme), *l'organisation de la production* (→ Agriculture, industrie; artisanat, coopérative, corporation, entreprise, exploitation, société; capitalisme, concurrence; association,

cartel, cartellisation, concentration, intégration, duopole, monopole, oligopole, trust; collectivisme, socialisme), *la circulation des richesses* (→ Circulation, commerce, échange, transport; achat, troc, vente), *les prix* (→ Prix; demande, marché, offre), *le crédit* (→ Crédit; banque), *la monnaie* (→ Monnaie), *la bourse*; les échanges* internationaux* (→ Commerce; change, douane...), *la répartition des richesses* (→ Gain, intérêt, profit, propriété, rente, revenu, salaire; plus-value); *le rôle de l'État dans la production, la répartition...* (→ Collectivisme, dirigisme, étatisme, nationalisation, planification, travail [travaux publics]; budget, finance, trésor [public]; impôt; droit, taxe; rationnement...); *la consommation* (→ Consommation, dépense, épargne...). *La méthode en économie politique.* → Conjoncture, prévision, statistique. *Doctrines en économie politique.* → Collectivisme, coopératisme, dirigisme, étatisme, industrialisme, libéralisme, marxisme, mercantilisme, physiocratie, socialisme, syndicalisme, utilitarisme... — *Apprendre, étudier l'économie politique. Cours, professeur, traité d'économie politique. En France, l'économie politique est enseignée à la faculté de droit*. Étudiant en droit qui fait de l'économie politique* (argot scol. : *écopo* [ekopo] 1950; in D.D.L.).

11 Traité d'économie politique ou simple exposition de la manière dont se forment, se distribuent et se consomment les richesses.   J.-B. SAY, Titre du Traité de 1803.

12 Heureusement l'économie politique lui restait encore (...) Bien qu'elle doive être considérée comme une science, c'est-à-dire comme un tout organique, cependant quelques-unes de ses parties intégrantes en peuvent être détachées isolément.
> BAUDELAIRE, les Paradis artificiels, Un mangeur d'opium, IV.

13 L'économie politique a pour objet, parmi les rapports des hommes vivant en société, ceux-là seulement qui tendent à la satisfaction de leurs besoins matériels (...)
> Ch. GIDE, Traité d'économie politique, t. I, p. 3.

14 (...) naguère encore, on enseignait couramment, que le père de l'économie politique (...) était Adam Smith, l'illustre Écossais, auteur de l'*Essai sur la richesse des nations* (1776)... Depuis un tiers de siècle environ, l'accord se fait de plus en plus pour reconnaître le droit de paternité de Quesnay, et l'origine française de l'économie politique scientifique, née chez nous (...)
> René GONNARD, Hist. des doctrines économiques, p. 186.

15 La *production* et la *consommation* ne sont économiques que par un certain côté. À les prendre dans leur totalité, elles impliquent un grand nombre de notions étrangères à l'économie politique (...) empruntées (...) à la technologie (...) à la physiologie, à l'ethnographie (...) L'économie politique traite de la production et de la consommation (...) dans la mesure où elles sont en rapport avec la distribution, à titre de cause ou d'effet.
> E. HALÉVY, in LALANDE, Voc. de la philosophie, art. *Économie politique.*

16 L'économie politique est un département dans cette vaste province du savoir humain que forme la Sociologie ou Science sociale.
> G. PIROU, Introd. à l'étude de l'économie politique, p. 11.

Vocabulaire de l'économie politique. → ci-dessus, et : Abondance, abondanciste, agrégat, anti-inflationniste, autarcie, auto-consommation, autofinancement, autogestion, bloc, blocus, cartellisation, centrale (d'achats), chalandise, circuit, collectivisation, commercialiser, compétitif, complexe, concurrence, concurrentiel, concerter, conjoncture, conjoncturel, conjoncturiste, consommation, consortial; décartellisation, déflationniste, déplanification, dési(dé)rabilité, despécialisation, développement, directivisme, distorsion, dumping, fourchette, implantation, leasing, libéralisation, libération, libre-échangisme, macrodécision, marginalisation,

marketing, maximation, microdécision, modèle, monopoliste (-ique), monopsone, néocapitalisme, néocolonialisme, néolibéralisme, oligopole, opacité, optimiser, pénibilité, plan, planisme (-iste), prescripteur, prévision, prévisionniste, processif, productivisme, ratio, récessif, reconversion, reconvertir, recyclage, régionalisation, rentabiliser, semi-fini, semi-produit, socio-économique, surcapacité, surchauffe, surconsommation, surdéveloppé, surprofit, sursalaire, techno-économique, transparence.

Économie agricole ou rurale ; économie industrielle : parties de l'économie politique relatives à l'agriculture, à l'industrie.

17   L'économie industrielle n'est que l'application de l'économie politique aux choses qui tiennent à l'industrie.
        J.-B. SAY, Cours complet d'économie politique
                pratique, t. I, éd. de 1840, p. 34.

Économie humaine : l'économie politique sous l'angle des valeurs humaines (alimentation, habitation ; niveau de vie ; conditions de travail ; éducation, hygiène, médecine...). — *Économie sociale :* ensemble des connaissances relatives à la condition ouvrière et à son amélioration. — **Spécialt.** Pour certains économistes (Walras, Ch. Gide), Ensemble des études tendant à la détermination et à la réalisation d'un idéal dans l'ordre économique.

REM. Les économistes modernes ont tendance à préférer l'emploi de *économie* sans l'adj. *politique* (sauf à préciser le domaine par d'autres adjectifs). — *Économie pure, appliquée. Économie mathématique, statistique* (→ **Économétrie**).

(Tendances, écoles). *L'économie marxiste, postmarxiste. L'économie keynésienne*.*

♦ **4** Activité, vie économique ; ensemble des faits relatifs à la production, à la distribution et à la consommation des richesses dans une collectivité humaine. *Économie mondiale, européenne. Ministère de l'Économie. Étudier l'économie des États-Unis, de l'U.R.S.S.* (→ **Géographie*** économique). *Économie en plein développement, en période de prospérité ; économie en expansion ; économie en crise* (→ **Boom, krach ; crise, cycle...**). *Vivre en économie fermée* (→ **Autarcie, autoconsommation**). *Économie de subsistance. Économie primitive. Économie moderne. Les économies des pays en développement.*

18   Merveilles de l'art agricole et merveilles de l'art du vêtement, ils *(les vins et les tissus français)* ont partout fait connaître ce qu'il y a de plus raffiné dans l'économie française.
        DEMANGEON, Géographie économique et
                humaine de la France, t. I, p. 14.

18.1 Dans les économies de subsistance du passé (et même du présent), l'extrême richesse côtoyait souvent l'extrême pauvreté.   A. SAUVY, Croissance zéro ?, p. 301.

Économie capitaliste (opposé à *étatisme, socialisme*) ; *économie libérale.* → **Capitalisme, libéralisme.** *Économie de marché. Économie dirigée, planifiée,* qui comporte une forte intervention de l'État. → **Dirigisme** (cit. 1). *Système d'économie collectiviste. Économie collectivisée.* — *Économie fermée, autarcique.*

18.2 Les paysans ont vécu et vivent encore dans cette période en économie naturelle ou fermée. Ils disposent de peu d'argent ; la gestion se distingue en celle de la maison avec ses dépendances (jardin, poulailler, etc.) où règne la femme, et celle de l'exploitation, domaine de l'homme. Les provisions en nature, en semences, en conserves, constituent un fonds que l'on gaspille parfois en le jetant dans le tourbillon de la Fête.
        Henri LEFEBVRE, la Vie quotidienne dans le
                monde moderne, 1968, p. 70.

Économie concertée : principe d'organisation de la prise de décision économique en commun par l'État et les entreprises privées. *Sociétés d'économie mixte :* «sociétés dans lesquelles l'État ou une collectivité publique sont associés à des capitaux privés» (Bernard, Colli et Lewandowski).

(V. 1997 ; trad. de l'angl. *new economy*). *Nouvelle économie :* ensemble des activités économiques liées à Internet et à sa très forte expansion mondiale. *L'explosion de la nouvelle économie.* — On trouve aussi l'anglicisme *net-économie*.

II ♦ **1** (*L'économie*). (XVIᵉ). Cour. Gestion où l'on évite toute dépense inutile. → **Épargne, parcimonie ; frugalité, mesure, modération, sobriété, tempérance** (→ Bienfaisance, cit. 1) ; **prévoyance.** *Avoir de l'économie ; vivre avec économie. Économie excessive, sordide.* → **Avarice** (cit. 4), **mesquinerie.** *Économie très stricte.*

Si je ne vous fais pas aussi bonne chère que je voudrais, c'est la faute de Monsieur votre intendant, qui m'a rogné les ailes avec les ciseaux de son économie.
        MOLIÈRE, l'Avare, V, 2.

(...) plus riches par leur économie et par leur modestie que leurs revenus et leurs domaines.
        LA BRUYÈRE, les Caractères, VII, 22.

Les biens qu'acquièrent une utile industrie
Ou ceux que la vertu doit à l'économie (...)
        M.-J. DE CHÉNIER, Gracques, II, 3.

Devenue veuve, elle gérait avec une sévère économie son modique avoir (...)
        FRANCE, le Petit Pierre, XVII, p. 105.

♦ **2** (*Une, des économies*). Ce qu'on épargne, ce qu'on évite de dépenser. *Une notable, une sérieuse économie. Réaliser une économie de matières premières. Faire des économies d'énergie :* diminuer la consommation de pétrole, de gaz, d'électricité. — Loc. prov. *Il n'y a pas de petites économies.* — Loc. *Faire des économies de bouts de chandelle*.*

Là où le patron a tort, c'est quand il s'obstine, pour une économie de bouts de chandelle, à employer un calicot de mauvaise qualité.
        J. ROMAINS, les Hommes de bonne volonté, t. I,
                VIII, p. 78.

Économies d'énergie. Cf. le slogan (1982-1983) : la chasse au Gaspi.

Fig. *Une sérieuse économie de temps et d'argent. Économie d'effort, de fatigue.*

Loc. fig. *Faire l'économie de :* éviter, se dispenser de. *Elle a fait l'économie d'un coup de téléphone. Il a fait l'économie d'une explication.*

(1829). Au plur. Somme d'argent que l'on a économisée. *Faire des économies.* → **Économiser, épargner ; boursicoter** (VX), **compter, lésiner, regarder** (à la dépense). → Mettre de côté, et, fam., à gauche ; garder une poire pour la soif. *Avoir des économies.* → **Pécule, réserve ; éconocroques** (argot.). → Bas de laine... *Mettre ses économies à la caisse d'épargne. Tirelire contenant les économies d'un enfant. Placer ses économies. Le montant de mes économies.*

Tous ces grands artistes brûlent la chandelle par les deux bouts (...) Mais ils meurent à l'hôpital, parce qu'ils n'ont pas eu l'esprit, étant jeunes, de faire des économies.
        FLAUBERT, Mᵐᵉ Bovary, XIV, p. 141.

CONTR. (II.) **Dépense, dilapidation, dissipation, gaspillage, prodigalité, profusion. — Démesure, excès.** ◇ **DÉR.** Économètre, économétrie. → **COMP.** Macroéconomie, microéconomie.

ÉCONOMIQUE [ekɔnɔmik] adj. et n. — V. 1371, *ycomonique ; iconomike,* n. f., v. 1265 ; du lat. class., d'orig. grecque *œconomicus,* de *œconomia.* → **Économe, économie.**

I ◆ **1** Vx. Qui concerne l'économie (I., 1.), l'administration d'une maison, d'un ménage. *Prudence, sagesse économique* (Académie).

◆ **2** (1767). Mod. Qui concerne la production, la distribution, la consommation des richesses ou l'étude de ces phénomènes. → **Économie** (politique). *Activité, vie économique d'un pays* (→ **Économie,** I., 4.). *Évolution, cycle, progrès, croissance économique, crise** (cit. 7, 8) *économique. Conjoncture économique. Mécanismes, phénomènes économiques. Politique, organisation, système, plan** *économique. Dans le domaine économique, dans l'ordre économique, du point de vue économique... Débouchés* (cit. 6) *économiques. Isolement; blocus** *économique.* — *Loi économique. Doctrine économique. Études économiques. Pensée, science économique. Histoire, géographie économique. Prévision, conjoncture économique. Analyse économique* (→ **Économétrie).** *Statistiques économiques. Le dumping* (cit. 1), *arme de guerre économique.*

1 En quoi un phénomène est-il économique? Au lieu de définir ce caractère par la considération des «richesses» (...) il me paraîtrait préférable de suivre les économistes récents qui prennent comme notion centrale l'idée de satisfaction des besoins matériels...
F. SIMIAND, *in* LALANDE, *Voc. de la philosophie, art. Économie politique*
(→ Économie, cit. 13).

2 (...) la profession (...) est à l'ordre économique ce que la commune est à l'ordre politique, la cellule vivante sur laquelle l'organisation s'édifie.
CAMUS, l'Homme révolté, p. 367.

N. m. L'ÉCONOMIQUE : l'ensemble des phénomènes économiques; le domaine économique. *L'économique, le politique et le social.*

3 (...) il est trop évident aujourd'hui que l'économique nous entraîne vers une ruine de la civilisation tout entière pour qu'on songe à insister.
DANIEL-ROPS, Ce qui meurt et ce qui naît, III, p. 109.

N. f. L'ÉCONOMIQUE (1694; *iconomike,* v. 1265) : la science économique, l'économie* politique. *L'économique et la politique.* «*Les lois de* l'économique» (Alain, *Propos*).

◆ **3** Spécialt (psychan.). Dans la pensée freudienne, «Qualifie tout ce qui se rapporte à l'hypothèse selon laquelle les processus psychiques consistent en la circulation et la répartition d'une énergie quantifiable (énergie pulsionnelle), c'est-à-dire susceptible d'augmentation, de diminution, d'équivalences» (Laplanche et Pontalis). → aussi **Dynamique, topique.**

II (1690). Cour. Qui réduit les frais, épargne la dépense. *Procédé, méthode économique.* → **Avantageux.** — Qui n'est pas cher. *Ce n'est pas très économique. Chauffage économique.* — Loc. *Bûche** *économique.* — *Des distractions assez économiques. Cette voiture est économique,* consomme peu, nécessite peu de frais d'entretien.

4 Un esprit, observant les événements, dans l'Histoire, l'énorme dépense de vies, de misères, de souffrances, de choses utiles, et toutes les destructions de toute espèce qu'ils entraînent, et considérant ensuite les résultats, peut, et même doit, imaginer que ces mêmes résultats, en ce qu'ils avaient de souhaitable, pouvaient être obtenus par des voies plus économiques. C'est là son rôle d'esprit.
VALÉRY, Mauvaises pensées et autres, 1942, p. 208, in T. L. F.

CONTR. **Cher, coûteux, dispendieux, onéreux, ruineux.**
◊ DÉR. **Économicité, économiquement.** – COMP. **Antiéconomique.**

ÉCONOMIQUEMENT [ekɔnɔmikmɑ̃] adv. — 1690, Furetière; de *économique.*

I (1690). En épargnant la dépense, d'une manière économique (II.). *Vivre économiquement. Se distraire, voyager économiquement,* à peu de frais.

(...) ils restent debout l'un à côté de l'autre sans se parler, tirant silencieusement et économiquement sur leurs cigarettes, attendant sans doute le départ du train pour passer sur un autre quai.
Claude SIMON, le Palace, 10/18, p. 36.

II (V. 1770). Relativement à la vie ou à la science économique (I.). *Envisager économiquement une question. Économiquement parlant.* — Loc. *Les économiquement faibles :* les personnes qui disposent de ressources insuffisantes (sans être proprement indigentes). *L'État aide les économiquement faibles.*

ÉCONOMISER [ekɔnɔmize] v. tr. — 1718, au sens I; de *économie.*

I Vx. Gérer avec sagesse.

En faisant son champ de narcisses, Jourdain avait trouvé   0.1
une source. Toute petite. Pas plus grosse qu'un tuyau de pipe (...) Il avait pensé à l'économiser dans un bassin de terre colmaté d'argile. Elle y dormait. Elle lui avait permis deux ou trois choses nouvelles : d'abord un potager.
J. GIONO, Que ma joie demeure, 1935, p. 376, in T. L. F.

II Mod. ◆ **1** (1759). Mod. Dépenser, utiliser avec mesure. → **Ménager.** *Économiser ses revenus. Économiser des vivres en prévision de la disette. Économiser ses provisions pendant la guerre.* → **Emmagasiner.** *Économiser l'énergie, l'électricité. Économiser de la place.*
Fig. *Économiser son temps, ses instants, les minutes* (→ Agitation, cit. 4). *Économiser ses forces.* → **Ménager.** *Économiser les paroles, les flatteries, les louanges.* → **Avare** (être avare de...).

◆ **2** (1835). Mettre de côté en épargnant. → **Épargner, garder;** → Mettre de côté*; mettre à gauche*. *Économiser mille francs.*

À force de privations, il économiserait quatre mille   1
francs (...)
FLAUBERT, l'Éducation sentimentale, I, II.

Absolt. *Il économise sur tout. Il économise depuis dix ans pour s'acheter une maison.* → **Amasser, thésauriser.** *Économiser pour les mauvais jours, pour ses vieux jours.* → Garder une poire* pour la soif.

(...) pendant que la maman et le grand-père là-bas, et   2
aussi l'humble Miette, économisaient sur toutes choses pour payer sa pension et ses répétiteurs.
LOTI, Matelot, III, p. 11.

CONTR. **Dépenser** (sans compter), **dilapider, dissiper, gaspiller, jeter** (l'argent par les fenêtres), **prodiguer.** ◊ DÉR. (Du sens II.) **Économiseur.**

ÉCONOMISEUR [ekɔnɔmizœr] n. m. et adj. m. — 1890; de *économiser.*

Qui économise (II.).

◆ **1** N. m. (1901). Techn. Appareil permettant de réaliser une économie sur la consommation de carburant d'une machine. — (1890). Spécialt. Réchauffeur d'eau d'une chaudière, permettant une récupération de la chaleur.

◆ **2** Adj. m. Qui économise, et, spécialt, permet de réaliser une économie sur la consommation (de gaz, essence, électricité). *Dispositif économiseur de piles d'un poste à transistors.* — REM. Le fém. *économiseuse* est virtuel.

ÉCONOMISME [ekɔnɔmism] n. m. — 1775, au sens I;
du rad. de *économiste*.

◆ **1** Vx. Économie (politique).

◆ **2** Polit. Doctrine de certains théoriciens de la
social-démocratie russe qui, contrairement aux
thèses de Lénine, demandaient que le combat
ouvrier se limitât au terrain économique; tendance à donner à l'économique la priorité sur le
politique. *« Les économistes* (chinois) *accusèrent les
militaires d'économisme et se firent eux-mêmes qualifier de* soldatesque en papier » (*l'Express,* 8-14 juil.
1968).

1 Cet ouvrage comporte une interprétation de la pensée marxiste sur laquelle il faut revenir. Elle récuse d'un côté le
philosophisme et de l'autre l'économisme. Elle n'admet pas
que l'héritage légué par Marx se réduise à un système philosophique (*le matérialisme dialectique*) ou à une théorie
d'économie politique.
                          Henri LEFEBVRE, la Vie quotidienne dans le
                                          monde moderne, 1968, p. 62.

2 Le cas de la Chine est souvent cité en modèle, par son
hostilité à l'économisme.
                          A. SAUVY, Croissance zéro ?, p. 305.

ÉCONOMISTE [ekɔnɔmist] n. — 1767; de *économie,*
et *-iste.*

(1802). Spécialiste d'économie politique. *Un bon, un
mauvais économiste.*

1 Les économistes sont des chirurgiens qui ont un excellent
scalpel et un bistouri ébréché, opérant à merveille sur le
mort et martyrisant le vif.
                          CHAMFORT, Maximes, Sur la science, XVI.

2 Je sais qu'il y en a qui préfèrent les moulins aux églises, et
le pain du corps à celui de l'âme. À ceux-là, je n'ai rien à
leur dire. Ils méritent d'être économistes dans ce monde,
et aussi dans l'autre.
                          Th. GAUTIER, Préface de Mlle de Maupin,
                                          p. 30 (éd. critique MATORÉ).

2.1 Philippe en fut quitte (...) pour un immense pensum, consistant à résumer en un travail de trois cents pages tout
ce que les économistes avaient écrit sur la formation des
capitaux et sur la monnaie, métal ou papier, et autres
signes représentatifs de valeurs.
                          A. ROBIDA, le Vingtième Siècle, p. 269.

3 (...) ce prophète était déjà en passe de devenir un de nos
sociologues les plus éminents, le sociologue n'étant pas
moins naturellement éminent que l'économiste n'est distingué.   Ch. PÉGUY, la République..., p. 189.

4 (...) la science économique n'est pas toute l'économie politique. Il arrive à l'économiste d'apprécier après avoir
décrit, et de proposer la réforme de ce qu'il a constaté.
Quand l'économiste passe ainsi du champ de la science
à celui de la doctrine ou de la politique économiques, la
morale intervient, qu'il en ait ou non conscience. Il ne peut
juger la réalité qu'en fonction de certaines fins.
                          PIROU, Introd. à l'étude de l'économie politique,
                                          p. 116.

Spécialt. *Les économistes :* écrivains français du
XVIIIe siècle qui écrivirent sur des questions de
richesse sociale.

Partisan de l'économisme (2.).

DÉR. Économisme.

ÉCOPAGE [ekɔpaʒ] n. m. — XXe; de *écoper.*

Mar. Action d'écoper.

La tempête arrivait... Heureusement, ma technique d'écopage s'était perfectionnée. Une fois le canot rempli, je commençais à vider avec mon chapeau, qui contenait deux ou
trois litres d'eau, puis je fignolais à la chaussure.
                          Alain BOMBARD, Naufragé volontaire, p. 242.

ÉCOPE [ekɔp] ou **ESCOPE** [ɛskɔp] n. f. — 1369; du
francique **skopa,* cf. moy. néerl. *Schope.*

◆ **1** Pelle de bois à long manche servant à puiser
ou à vider l'eau (→ **Sasse**).

Jasper Hobson et Mrs Paulina Barrett vidèrent donc   1
promptement cette eau, qui, par sa mobilité même, pouvait les faire chavirer. Ce ne fut pas une petite besogne,
car, à chaque moment, quelque crête de vague embar-
quait, et il fallait avoir constamment l'écope à la main.
                          J. VERNE, le Pays des fourrures, t. I, p. 117.

Fred a sauté; il a, sous le banc où s'allongent les gaffes,   2
saisi l'écope et pesant sur un bord, retrouvant le tour de
bras, la cadence, il expédie de longues giclées sales.
                          Hervé BAZIN, Cri de la chouette, p. 159.

◆ **2** Techn. Vx. Coupe en bois peu profonde qui servait à écrémer le lait. — Mod. Pièce d'alimentation
d'un broyeur.

DÉR. Écoper.

ÉCOPER [ekɔpe] v. tr. — 1837; de *écope,* et suff. verbal.

◆ **1** (1837). Mar. Vider (un bateau) avec une écope.
— Absolt. *Il va falloir écoper.*

Presque instinctivement, j'écope d'abord des deux mains,   0.
puis avec mon chapeau : instrument absurde de ce travail impossible. Il fallait écoper assez vite entre les plus
grosses vagues pour que l'*Hérétique,* allégé, émergeât suffisamment.
                          Alain BOMBARD, Naufragé volontaire, p. 158.

Il *(le bateau)* a besoin d'être écopé, l'eau affleure le caille-   0.
botis.   Hervé BAZIN, Cri de la chouette, p. 159.

Par ext. Vider (un lieu) avec un récipient. *Écoper
un bassin avec un seau.*

◆ **2** (1867). Fam., vx. Boire. → **Écluser.**

◆ **3** (1879). Mod. Recevoir (un coup), subir (un dommage).

Pourtant dans les premiers jours de son incorporation, le   0.
jeune vicomte « écopa », comme on dit dans l'armée, deux
jours de salle de police.
                          A. ALLAIS, Contes et chroniques, p. 55.

Trans. ind. *Écoper de... :* recevoir (une punition). *Il
a écopé d'une réprimande.* — (1880). Être condamné
(à une peine de prison). *Il a écopé de dix jours de
prison.*

(1867). Absolt. Être atteint, puni. → **Trinquer.**

Si on voulait les pincer une bonne fois, elles écoperaient   1
ferme, c'est fort probable. Mais il faudrait pouvoir les convaincre de quelque délit prévu.
                          Léon BLOY, la Femme pauvre, p. 257.

(Il) a été sept fois blessé avant d'être tué, et chaque fois   2
qu'il revenait d'une expédition sans avoir écopé, il avait
l'air de s'excuser et de dire que ce n'était pas sa faute.
                          PROUST, À la recherche du temps perdu, t. XIV,
                                          p. 72.

DÉR. Écopage.

ÉCOPERCHE [ekopɛrʃ] n. f. — 1315, *escouberge,
escorberge* « perche »; comp. de 2. *écot,* et *perche.*

Technique.

◆ **1** (1755). Grande perche verticale d'échafaudage,
soutenant les boulins et les planches.

◆ **2** (1676). Grande pièce de bois verticale munie
d'une poulie et servant à élever des matériaux de
construction.

ÉCOPHOBIE [ekofɔbi] n. f. — Mil. XXe; de *éco-,* et
phobie.

Psychiatrie. Aversion pathologique pour tout ce qui
a trait à la vie domestique.

ÉCOPHYSIOLOGIE [ekofizjɔlɔʒi] n. f. — 1965; de
éco- (*écologie*), et *physiologie.*

Didact. Science qui étudie l'influence des facteurs
écologiques sur le fonctionnement des processus
physiologiques des êtres vivants.

ÉCOPROTÉINE [ekopʀɔtein] n. f. — 1971, Marty, *in* Cottez ; de *éco-* (*écologie*), et *protéine*.

Didact. Protéine dont la synthèse est liée à une variation des facteurs écologiques (pression, température, etc.).

ÉCOQUAGE [ekɔkaʒ] ou **ÉCOQUETAGE** [ekɔktaʒ] n. m. — 1908, *écoquage ; écoquetage*, 1930 ; de *écoquer*.

Chasse. Action d'écoquer, d'écoqueter.

ÉCOQUER [ekɔke] ou **ÉCOQUETER** [ekɔk(ə)te] v. tr. — 1834 ; de *é-*, *coq*, et *-eter*.

Chasse. Dégarnir (une chasse) des mâles trop nombreux de faisans, perdrix, etc.

DÉR. Écoquage ou écoquetage.

ÉCORAGE [ekɔʀaʒ] n. m. — 1870 ; de 2. *écorer*.

♦ 1 Techn. Tenue des comptes d'un bateau de pêche.

♦ 2 Dr. mar. Contrat de gérance d'un bateau de pêche.

ÉCORÇAGE [ekɔʀsaʒ] ou **ÉCORCEMENT** [ekɔʀsəmã] n. m. — 1799, *écorçage ; écorcement*, 1538 ; de *écorcer*, et *-age*, *-ment*.

Action d'écorcer (un arbre) ; résultat de cette action.

ÉCORCE [ekɔʀs] n. f. — 1176 ; du lat. impérial *scortea*, d'abord «manteau de peau», de *scortum* «peau, cuir».

♦ 1 (1176). Enveloppe d'un tronc (d'arbre) et des branches, qu'on peut détacher du bois ; enveloppe de la tige et des racines composées de grandes cellules, dont les parois s'épaississent avec l'âge. *L'épiderme, l'écorce et le cylindre central. L'écorce recouvre immédiatement l'aubier. Écorce lisse, rugueuse, cannelée, présentant de petites fentes* (→ **Gerçure**), *des taches brunes* (→ **Lenticelle**), *couverte de lichen, de mousse* (→ **Bryon**). *Écorce argentée* (cit. 3) *du bouleau, du peuplier. Écorce de platane. Écorce du prunier, du cerisier laissant exsuder de la gomme* (→ **Bran**). *Écorce du grenadier, riche en pelletiérine**, *du quillaja* (→ **Bois*** *de Panama*), *du cannelier* (→ **Cannelle**), *du chêne-liège* (→ **Liège**), *du chanvre* (→ **Teille**). *Écorce tinctoriale du quercitron**. *Écorce du chêne* (→ **Regros**), *utilisée pour le corroyage* (→ **Tan**). *Tanin des écorces* (corticine). — *Plantes dont l'écorce est employée en médecine.* → **Angustura, nauclée, quinquina**... *Écorce laissée sur le bois coupé.* → **Grume**. *Enlever* (→ **Écorcer**), *inciser* (→ **Baguer, gemmer**), *gratter* (→ **Décortiquer**), *flamber ou «couliner» l'écorce d'un arbre. Graver une date, des initiales sur l'écorce d'un arbre. Enlever un anneau d'écorce et de cambium pour interrompre la circulation de la sève* (→ **Annélation**).

1   Ne vois-tu pas le sang, lequel dégoutte à force,
     Des Nymphes qui vivaient dessous la rude écorce ?
                          RONSARD,
            Contre les bûcherons de la forêt de Gastine.

2   (...) le parfum (...) des écorces soulevées sur la peau neuve
     des arbres (...)   René BAZIN, les Oberlé, I, p. 1.

Prov. *Entre l'arbre et l'écorce, il ne faut pas mettre le doigt.* → **Arbre.**

Loc. fig. *Il ne faut pas juger l'arbre par l'écorce :* il ne faut pas juger d'après les apparences.

Morceau d'écorce. *Jeter les écorces. Jeter des écorces dans le feu.*

3   (Il suffit) De jeter à la cendre où couve l'étincelle,
     Une à une, dans l'âtre, en offrant au Sylvain,
     Des écorces de hêtre et des pommes de pin.
     H. DE RÉGNIER, Médailles d'argile, «Le feu».

♦ 2 (XIIIᵉ). Sens aberrant en botanique. Enveloppe coriace (de fruits). *Écorce de châtaigne, de noix* (→ **Écale**), *de melon, de pastèque* (→ Diaprer, cit. 1). *Écorce de citron* (cit. 1), *d'orange.* → **Peau, pelure, zeste.** *Sirop d'écorce d'oranges amères.*

4   On nous racontera sans fin qu'il (Hugo) mangeait le
     homard avec sa carapace et l'orange avec son écorce (...)
                 Émile HENRIOT, les Romantiques, p. 76.

Par métonymie. *Parquet jonché d'écorces d'orange, de morceaux d'écorce.* → **Pelure.**

Prov. *On presse l'orange et on jette l'écorce :* on tire tout le profit possible de qqn puis on l'abandonne.

5   (...) il (La Mettrie) m'a juré qu'en parlant au roi (Frédéric), ces jours passés, de ma prétendue faveur et de la petite jalousie qu'elle excite, le roi lui avait répondu : «J'aurai besoin de lui encore un an, tout au plus ; on presse l'orange, et on jette l'écorce.»
     VOLTAIRE, Lettre à Madame Denis, 2 sept. 1751.

♦ 3 Par anal. *L'écorce terrestre :* partie superficielle du globe. → **Croûte.**

6   L'expression *d'écorce terrestre* dérive de cette conception (l'hypothèse périmée du feu central) et est tellement passée dans la langue pour désigner les couches superficielles du globe terrestre, qu'il est difficile de s'en défaire.
     E. DE MARTONNE, Traité de géographie physique,
                                       t. I, p. 93.

Anat. Vx. *Écorce cérébrale.* → **Cortex, cortical ;** → Réflexe, cit. 2.

♦ 4 (1265). **Fig. Vx** ou **littér.** Enveloppe extérieure, apparence. → **Apparence, aspect, dehors, enveloppe, extérieur.** *Paysan d'écorce assez rude* (→ Aiguiser, cit. 10). *Une écorce superficielle, trompeuse.* → **Superficie, vernis.**

7   Le peuple qui voit tout seulement par l'écorce (...)
                          CORNEILLE, Horace, V, 2.

8   Nous ne connaissons que la surface et l'écorce de la plupart des choses (...)
            Pierre NICOLE, Essais de morale, 1ᵉʳ traité, 8.

9   (...) ici (chez les grands) se cache une sève maligne et corrompue sous l'écorce de la politesse.
            LA BRUYÈRE, les Caractères, IX, 25.

10   Je regardais, à la lumière de la lune, ce front pâle, ces yeux clos, ces mèches de cheveux qui tremblaient au vent, et je me disais : ce que je vois là n'est qu'une écorce. Le plus important est invisible.
            SAINT-EXUPÉRY, le Petit Prince, p. 78.

CONTR. Cœur, fond. ◊ **DÉR. Écorcer.**

ÉCORCEMENT [ekɔʀsəmã] n. m. → **Écorçage.**

ÉCORCER [ekɔʀse] v. tr. [CONJUG.: *placer*.] — XIIIᵉ ; de *écorce*, et suff. verbal.

♦ 1 Dépouiller de son écorce. *Écorcer un arbre.* → **Baguer, démascler, gemmer, inciser.** — **Pron.** (Passif). *Perdre son écorce. Arbre qui s'écorce naturellement.* → **Exfolier** (s').

1   (...) non seulement ils jetaient bas les arbres, mais ils les écorçaient à mesure : d'abord sur pied jusqu'à hauteur d'homme, ensuite sur des tréteaux où ils les faisaient basculer, à deux seulement, d'un coup d'épaule. Et ils n'employaient pas la bêche comme font les bûcheux du pays, mais une grande plane pareille à celle des tonneliers.
            M. GENEVOIX, Forêt voisine, XIV, p. 216.

♦ 2 Décortiquer, peler (le grain, les fruits). *Écorcer du riz* (→ **Décortiquer**), *des oranges* (→ **Peler**).

2   Ils étaient même en train, tous ensemble, mais chacun pour soi, de couper des branches de genêts qu'ils charriaient ensuite par fagots à leur ombre. Les femmes en écorçaient les grosses tiges et en tressaient des claies.
            J. GIONO, le Hussard sur le toit, p. 174.

◆ **ÉCORCÉ, ÉE** p. p. adj. *Bois écorcé et bois non écorcé, en grume*. — Orange écorcée.*

3 (...) de sorte qu'ils étaient — disait-il — doublement prisonniers : une première fois de cette clôture de barbelés tendue sur les poteaux de pin brut, non écorcé, rougeâtre, et une seconde fois de leur propre infection (...)
    Claude SIMON, la Route des Flandres, p. 119.

DÉR. Écorçage ou écorcement, écorceur, écorceuse, écorçoir.

ÉCORCEUR [ekɔRsœR] n. m. — *1893, in* D.D.L.; de *écorcer, et -eur.*

Agric. Ouvrier procédant à l'écorçage des arbres. — **REM.** Le fém. *écorceuse* est virtuel.

Outil avec lequel on écorce.

ÉCORCEUSE [ekɔRsøz] n. f. — Mil. XXᵉ; fém. de *écorceur.*

Techn. Machine à écorcer les troncs d'arbres coupés.

ÉCORCHANT, ANTE [ekɔRʃɑ̃, ɑ̃t] adj. — Mil. XVIIIᵉ; p. prés. de *écorcher.*

Rare. Qui écorche l'oreille (d'un son).

ÉCORCHE-CUL (À ou **À L')** [aekɔRʃ(ə)ky; ale kɔRʃ(ə)ky] loc. adv. — 1552, Rabelais; de *écorcher,* et *cul.*

Fam., vieilli. En glissant sur le derrière. *Descendre une pente à écorche-cul.*

ÉCORCHEMENT [ekɔRʃəmɑ̃] n. m. — Fin XIIIᵉ; de *écorcher.*

(1827). Action d'écorcher (un animal).

(...) alors que l'équivalent de la préparation culinaire des lapins et des lièvres, écorchement, dépiautage, éjection des viscères, avec comme but dernier l'innocence absolue et gratuite de l'idiot (...)
    R. QUENEAU, Loin de Rueil, 1944, p. 167.

ÉCORCHER [ekɔRʃe] v. tr. — 1155; du bas lat. *excorticare* «écorcer», de *ex-,* et *cortex, corticis* «enveloppe, écorce».

◆ **1** (V. 1160). Dépouiller de sa peau (un animal). → **Dépouiller; dépiauter.** *Écorcher un animal, un lapin, un loup, un bœuf, un cheval* (→ **Équarrir;** → **Démembrer,** cit. 1). — *Certains criminels étaient écorchés vifs. Écorcher les bêtes à l'abattoir* (→ **Écorcherie).**

1 Ce drôle est toujours le même! Et à moins qu'on ne l'écorche vif, je prédis qu'il mourra dans la peau du plus cher insolent (...)
    BEAUMARCHAIS, le Mariage de Figaro, I, 4.

2 Ces gentillesses devaient se renouveler chaque année pendant des siècles. Monuments et textes nous représentent le sort des vaincus (...) les prisonniers sont empalés ou pendus devant la ville assiégée pour épouvanter les habitants; parfois le roi d'Assyrie les fait écorcher vifs et tapisse de leurs peaux les murs de son camp.
    G. CONTENAU, Asie occidentale ancienne, in CAPART et G. CONTENAU, Hist. de l'Orient ancien, p. 283.

Prov. *Il faut tondre les brebis et non les écorcher :* il ne faut pas exiger du contribuable plus qu'il ne peut donner. — Loc. *Il crie comme si on l'écorchait :* il crie très fort. *Il crie avant qu'on l'écorche,* pour rien du tout, sans raison (→ **Anguille,** proverbe).

3 — Vous avez plus de peur que de mal, et votre cœur crie avant qu'on l'écorche.
    — Comment diable! il est écorché depuis la tête jusqu'aux pieds. MOLIÈRE, les Précieuses ridicules, 9.

◆ **2** (V. 1225, pron.). Blesser en entamant superficiellement la peau. → **Déchirer, égratigner, érafler, excorier, griffer, labourer.** *Les épines l'ont écorché, lui ont écorché le bras, la peau. —* **Faux pron.** *Elle s'est écorché la jambe.*

La pierre âpre et cruelle écorche ses flancs nus (...)   4
    HUGO, la Légende des siècles, IV, «Le Titan», V.

Et cependant il *(le chiffonnier)* a le dos et les reins écorchés   5
par le poids de sa hotte.
    BAUDELAIRE, Du vin et du haschisch, II.

(1598). Compl. n. de chose. Entamer superficiellement, érafler. → **Érafler.** *La voiture a écorché l'arbre en reculant. Écorcher le mur en poussant un meuble. Écorcher le sol en le labourant superficiellement.*

(...) quelques spectres à demi nus, qui écorchaient, avec   6
des bœufs aussi décharnés qu'eux, un sol encore plus
amaigri (...)
    VOLTAIRE, Dict. philosophique, Fertilisation.

Par exagér. *Ce vin écorche le gosier. Des cris, des hurlements qui écorchent les oreilles. Ça t'écorcherait le gosier (la bouche...), de dire merci?*

— Puisque le propriétaire nous flanque à la porte parce   6
qu'elle lui écorche les oreilles!
    E. LABICHE, la Chasse aux corbeaux, II, 1.

◆ **3** **a** Abstrait. Rare. Déformer. *Écorcher la vérité,* l'altérer.

b (1532). Cour. Déformer, prononcer de travers. *Écorcher un mot en le prononçant mal.* → **Estropier.** *Il écorche tous les noms propres. Écorcher une langue,* la parler, la prononcer mal.

(...) il *(Mazarin)* ne parle pas bien français; et il l'écorche   7
tellement (...)
    MONTESQUIEU, Lettres persanes, CXII.

◆ **4** (1673). Fig. (Compl. n. de personne). *Écorcher les clients,* les faire payer trop cher. → **Échauder, exploiter, estamper, rançonner.** *Un restaurant où nous nous sommes fait écorcher.*

Écorcher son prochain : tenir des propos malveillants. — Pron. (récipr.). *Ils passent leur temps à s'écorcher,* à se quereller, à se nuire.

Cette reprise du thomisme, et les écrits de Maritain, et   8
la querelle de l'*Action Française,* etc. où nous nous écorchons, ne paraîtront bientôt plus que curiosités historiques
et je doute si quelque autre qu'un archéologue y pourra
prendre quelque intérêt. GIDE, Journal, févr. 1930.

◆ **ÉCORCHÉ, ÉE** p. p. adj. et n.

I Adj. ◆ **1** Qui est dépouillé de sa peau. *Un lapin écorché.* → **Dépouillé, dépiauté.** — *Écorché vif :* dont on a enlevé la peau sans le tuer. *Un criminel écorché vif.*

◆ **2** Dont la peau est superficiellement entamée. → **Égratigné, griffé.** *Main écorchée, genoux écorchés.* Par ext. Dont la surface est entamée. *Mur écorché.*

◆ **3** Fig. Qui est déformé, prononcé de travers. *Nom propre écorché. Langue écorchée. Une chanson écorchée par un mauvais chanteur.*

II N. ◆ **1** (*Un, une écorchée*). Personne qui a été écorchée (→ **Écorcher,** 1.). Fig. *Une sensibilité d'écorché vif.*

(...) cette sorte de poésie qui vient du frémissement des   9
nerfs à nu, une poésie d'écorché vif.
    M. BARRÈS, Un jardin sur l'Oronte, p. 3.

(...) Vigny, toujours sur la réserve *(avec Hugo)* en sa dis-   10
position d'écorché vif malgré l'effusion et les protestations
fraternelles.
    Émile HENRIOT, les Romantiques, p. 76.

On devient, à force de s'étudier, au lieu de s'endurcir,   10
une sorte d'écorché *moral* et sensitif, blessé à la moindre
impression, sans défense, sans enveloppe, tout saignant.
    Ed. et J. de GONCOURT, Journal, t. II, p. 15.

◆ **2** N. m. Arts. Statue d'homme, d'animal représenté comme dépouillé de sa peau, d'après laquelle les étudiants des beaux-arts dessinent des études. L'*Écorché*, de Houdon. *Dessiner d'après l'écorché.* — **Par ext.** *Faire voir l'écorché sous la peau*, les muscles, les nerfs... (→ Draper, cit. 2).

11 Après la séance de dessin, un habile anatomiste expliquera à mon élève l'écorché, et lui fera l'application de ses leçons sur le nu animé et vivant; et il ne dessinera d'après l'écorché que douze fois au plus dans une année.
DIDEROT, *Essai sur la peinture*, I.

12 (...) il *(Michel-Ange)* insiste pour prouver qu'il sait manier le squelette et faire le mouvement; vous trouverez des Èves et des Adams ... des Horatius Coclès, qui ressemblent à des écorchés vivants et grotesques; les personnages ont l'air de vouloir sortir de leur peau.
TAINE, *Philosophie de l'art*, t. II, p. 36.

Techn. Dessin d'une machine, d'une installation dépourvue de son enveloppe extérieure (carrosserie, etc.). *Dessiner un écorché et un éclaté* de moteur.*

DÉR. Écorchant, écorchement, écorcherie, écorcheur, écorchure. ◊ **COMP.** Écorche-cul (à l').

ÉCORCHERIE [ekɔʀʃəʀi] n. f. — 1320; de *écorcher*, et *-erie*.

◆ **1 Techn. (Ancienn).** Lieu de l'abattoir où l'on écorche les bêtes.

1 Une des curiosités de Francfort, qui disparaîtra bientôt, j'en ai peur, c'est la boucherie (...) Les bouchers sanglants et les bouchères roses causent avec grâce sous des guirlandes de gigots. Un ruisseau rouge, dont deux fontaines jaillissantes modifient à peine la couleur, coule et fume au milieu de la rue. Au moment où j'y passais, elle était pleine de cris effrayants. D'inexorables garçons tueurs, à figures hérodiennes, y commettaient un massacre de cochons de lait (...) Une superbe et grandiose enseigne dorée, soutenue par une grille en potence, la plus belle et la plus riche du monde, composée de tous les emblèmes du corps des bouchers et surmontée de la couronne impériale, domine et complète cette magnifique écorcherie digne de Paris au moyen âge.
HUGO, *le Rhin*, Lettre XXIV, Francfort-sur-le-Main.

◆ **2 Rare.** Action d'écorcher (au fig.).

2 À suffocation très atroce, mille écorcheries d'agrément et vertes contorsions de blessures (...) n'apaisent à gré votre soif qu'à l'outre pleine de vinaigre (...)
CÉLINE, *Guignol's band*, p. 22.

ÉCORCHEUR, EUSE [ekɔʀʃœʀ, øz] n. et adj. — Av. 1250; de *écorcher*.

◆ **1 (Inus. au fém.).** Personne qui écorche les bêtes pour la boucherie. — (1441). **Spécialt.** *Les écorcheurs :* brigands qui rançonnaient les paysans lors de la guerre de Cent Ans.

1 Pour la France, elle est dans la plus désastreuse période de son histoire : le pays est conquis, dévasté par les Anglais; sous Charles VII, les loups entraient dans les faubourgs de Paris; quand les Anglais sont chassés, les *écorcheurs* et capitaines d'aventure vivent sur le paysan, le rançonnent et le pillent à plaisir; un de ces seigneurs assassins, Gilles de Retz, a donné naissance à la légende de Barbe-Bleue.
TAINE, *Philosophie de l'art*, t. I, p. 128.

◆ **2 Fig. et vieilli.** Personne qui «écorche», vole (les clients); usurier, commerçant.

◆ **3 Adj. Littér. et rare.** Qui irrite, qui choque l'oreille, le goût esthétique.

2 Dans un panier accroché au signal d'arrêt des autobus, une mandarine à moitié mangée étale son acidité. Ces souvenirs d'agrumes qui passent sur la cornée de l'œil, légèrement écorcheurs, et suscitent une larme (...)
J.-M. G. LE CLÉZIO, *le Déluge*, p. 279.

ÉCORCHURE [ekɔʀʃyʀ] n. f. — XIIIe; de *écorcher*.

Déchirure légère de la peau. → **Égratignure**, **entaille**, **éraflure**, **excoriation**, **griffure**, **plaie**. *Avoir une écorchure à la main, au genou. Des écorchures sans gravité.* «*Ces plaies, écorchures plutôt que blessures...*» (Hugo, *les Travailleurs de la mer*).

Je me relevai (...) et ma manche droite, déchirée au coude, laissait voir une petite écorchure qui saignait un peu.
GYP, *Souvenirs d'une petite fille*, p. 341, in T. L. F.

Par métaphore. «*Une écorchure au flanc d'une montagne*» (Gautier, in T. L. F.).

ÉCORÇOIR [ekɔʀswaʀ] n. m. — 1905, in D.D.L.; de *écorcer*, et *-oir*.

Techn. (sylv.). Outil servant à enlever l'écorce.

Deux hommes (...) me rapportent mon écorçoir que j'avais égaré là-bas.
GIDE, *Voyage au Congo*, in *Souvenirs*, Pl., p. 744.

ÉCORE [ekɔʀ] n. f. V. 1383, *escore*. → **Accore**.

1. ÉCORER [ekɔʀe] v. tr. V. 1383, *escorer*. → **Accore**, **accorer**.

2. ÉCORER [ekɔʀe] v. tr. — 1870; p.-ê., bien que le mot soit récent, empr. à l'anc. nordique *skora* «couper, entailler».

Techn. Tenir les comptes d'un bateau de pêche.

DÉR. Écorage.

ÉCORNAGE [ekɔʀnaʒ] n. m. — 1866; de *écorner*.

◆ **1 Rare.** Action d'écorner (2.); son résultat.

◆ **2 (XXe).** **Techn. (méd. vétér.).** Amputation, accidentelle ou non, des cornes (d'un animal).

ÉCORNE [ekɔʀn] n. f. — 1569; déverbal de *écorner*.

Vx (langue class.). Action d'écorner (3., fig.). → **Écornage**.

ÉCORNER [ekɔʀne] v. tr. — V. 1200; de *é-*, *corne*, et suff. verbal.

◆ **1 (V. 1200).** Priver, accidentellement ou non, (un animal) de ses cornes. → **Décorner** (1.).

◆ **2 (1611).** Casser, endommager un angle de... *Écorner une pierre. Écorner un livre*, faire des cornes à ses pages. — Au p. p. *Ces dés sont tout écornés. Livre aux pages écornées.* — **Par ext.** *Écorner une assiette, une tasse.* → **Ébrécher.**

1 (...) des vieux cadres, des vieux cuivres, des porcelaines écornées.
BALZAC, *le Cousin Pons*, Pl., t. VI, p. 614.

2 Oui! ce taudis (...) est bien le mien. Voici les meubles sots, poudreux, écornés (...)
BAUDELAIRE, *le Spleen de Paris*, V.

2.1 (...) la barricade-forteresse (...) résista vaillamment au canon et repoussa deux assauts de l'infanterie. Les maisons voisines furent légèrement écornées dans l'ardeur de la lutte; mais les propriétaires, certains d'être indemnisés, ne songèrent pas à se plaindre.
A. ROBIDA, *le Vingtième Siècle*, p. 290.

3 (...) il y en avait d'autres *(de livres)*, brochés, tout écornés par l'usage.
J. DE LACRETELLE, *Retour de Silbermann*, p. 51.

Par anal. Ôter une partie de (qqch.) en enlevant un angle.

3.1 Autrefois, ma maison était pleine de livres à moitié lus. C'est aussi dégoûtant que ces gens qui écornent un foie gras et font jeter le reste.
CAMUS, *la Chute*, p. 140.

La route a écorné sa propriété, a légèrement empiété sur elle.

♦ **3** Fig. Entamer, réduire. *Écorner ses provisions.* → **Entamer.** *On lui a écorné sa pension.* → **Diminuer, réduire.** *Écorner une journée. Écorner son patrimoine.* → **Amoindrir; dépenser, dissiper.** — Au p. p. → cit. 4.

4 Cette fortune, bien qu'écornée déjà, lui avait permis jusqu'alors de subsister tant bien que mal, sans abandonner son appartement ni lésiner sur l'éducation des enfants.
MARTIN DU GARD, les Thibault, t. III, p. 50.

5 (...) désolé cependant d'écorner une journée que j'espérais pouvoir donner toute au travail.
GIDE, Journal, 22 nov. 1912.

DÉR. **Écornage, écorne, écornure.** ◊ COMP. **Écornifler.**

ÉCORNIFLAGE [ekɔrniflaʒ] n. m. — Mil. XXᵉ; de *écornifler.*

Fam. Action d'écornifler; son résultat.

ÉCORNIFLER [ekɔrnifle] v. tr. — V. 1441; de *écorner* «amputer», et du moy. franç. *nifler* (→ Renifler), avec, p.-ê., infl. du moy. franç. *rifler* «piller».

♦ **1** Fam. **ⓐ** Se procurer çà et là aux dépens d'autrui (de l'argent, un bon repas...). → **Escroquer, grappiller, rafler; resquiller.** *Écornifler un repas.*

1 (...) et pendant ce temps-là le regard effleure nonchalamment un jeune dos nu, une croupe un peu tendue, écornifle toutes les aubaines qu'offrent les après-midi d'été.
SARTRE, le Sursis, p. 105.

ⓑ Se procurer qqch. aux dépens de (qqn). *Il s'est fait écornifler par un tapeur.*

♦ **2** Endommager, érafler. *Écornifler un meuble.*
Fig., littér. Porter atteinte à (qqn, qqch.).

2 Histoires de putinerie et de tribaderie, qu'elle trouve toutes naturelles et n'écorniflant en rien l'austérité de la grande et sublime morale.
Ed. et J. DE GONCOURT, Journal, 1876, p. 1120,
in T. L. F.

♦ **ÉCORNIFLÉ, ÉE** p. p. adj. (surtout au sens 2). *Meuble écorniflé. Il a le visage un peu écorniflé*, blessé, égratigné.

DÉR. **Écorniflage, écorniflerie, écornifleur, écorniflure.**

ÉCORNIFLERIE [ekɔrnifləri] n. f. — 1573; de *écornifler.*

Vx. Opération par laquelle on écornifle (1.) qqch. ou qqn.

ÉCORNIFLEUR, EUSE [ekɔrniflœr, øz] n. — 1537; de *écornifler*, et *-eur.*

Pique-assiette, parasite. → **Écumeur, escroc, parasite, pique-assiette; resquilleur** (fam.). *L'Écornifleur*, roman de Jules Renard.

1 Comme ils *(les rats)* pouvaient gagner leur habitation, L'écornifleur *(le renard)* étant à demi-quart de lieue (...)
LA FONTAINE, Fables, IX, «Les deux rats, le renard et l'œuf».

2 Parmi ces aventuriers que le fumet de notre cuisine attirait au logis, il en venait un qui surpassait tous les autres en effronterie (...) Nous étant défaits de cet écornifleur (...)
A.-R. LESAGE, *in* LAFAYE, Dict. des synonymes.

ÉCORNIFLURE [ekɔrniflyr] n. f. — 1855, Champel; de *écornifler*, 2.

Éraflure.

Un étonnement de ne trouver ni trou ni écorniflure à mon immeuble.
Ed. et J. DE GONCOURT, Journal, 1871, p. 718,
in T. L. F.

ÉCORNURE [ekɔrnyr] n. f. — 1694, Corneille; de *écorner.*

♦ **1** Éclat d'une pierre, d'un marbre, d'un meuble écorné. — (1855). Brèche occasionnée par la cassure.

1 Sur le marbre de la commode était posée une réplique du buste du poète (...) le mouleur avait donné à cette réplique la teinte du bronze, mais une écornure au nez trahissait d'un éclat plâtreux la vraie matière.
M. DRUON, les Grandes Familles, I, III, p. 29.

♦ **2** (1846). Fig., vx. Partie de qqch. qui a été écorné, entamé.

2 L'esprit à moitié égaré, je quitte la voiture à Saint-Sulpice, et j'y oublie mon portefeuille renfermant l'écornure de mon trésor. Je cours chez moi et je raconte que j'ai laissé les dix mille francs dans un fiacre.
CHATEAUBRIAND, Mémoires d'outre-tombe, t. I, 1848, p. 384, *in* T. L. F.

ÉCOSPHÈRE [ekosfɛr] n. f. — V. 1969; de *éco-* (*écologie*), et *sphère*, d'après *biosphère*. REM. L'angl. *ecosphere* est attesté dès 1953.

Didact. Partie de la sphère terrestre où vivent les organismes vivants (→ **Biosphère**), envisagée notamment du point de vue des relations entre ces organismes et leur milieu. *On divise l'écosphère en unités fonctionnelles associant les communautés d'êtres vivants et les milieux où elles vivent* (→ **Écosystème**).

ÉCOSSAIS, AISE [ekɔsɛ, ɛz] adj. et n. — Av. 1350; de *Écosse*, pays occupant le nord de la Grande-Bretagne, et *-ais*; anc. franç. *escot* «écossais», du bas lat. *Scoti* «habitants de la Calédonie», *Scotia.*

♦ **1** De l'Écosse. *Les lacs écossais* (→ **Loch**). *Ossian, le barde* (mythique) *écossais. Les clans, les grands seigneurs* (→ **Laird**), *les montagnards* (→ **Highlander**) *écossais. Slogan* est un mot écossais.*

Spécialt. **ⓐ** *Danse écossaise*, et, n. f., *écossaise* (→ **Scottish**). — Musique sur laquelle se danse l'écossaise.

ⓑ *Tissu écossais*, ou, ellipt., *écossais*: tissu de fils de laine peignée disposés par bandes de couleurs et de largeurs différentes, se croisant à angle droit selon un modèle déterminé, et qui était distinctif des clans. *Un bel écossais vert et jaune.* — Par ext. Tout tissu dont les fils forment des bandes de couleurs différentes se croisant à angle droit (→ ci-dessous, 2., adj.).

ⓒ *Douche écossaise.* → **Douche.**

ⓓ Hist. *La garde écossaise*: compagnie des gardes du corps du roi de France, fondée sous Charles VII, et composée à l'origine d'Écossais. *Le rite écossais*: un des rites de la franc-maçonnerie française. — Philos. *L'école écossaise*: école philosophique fondée en Écosse au XVIIIᵉ siècle, pour laquelle on ne peut atteindre la vérité que par l'expérience.

ⓔ Géogr. *Volcan écossais, de type écossais*, en cône renversé, la partie centrale étant effondrée et les coulées périphériques de laves relevées.

N. *Un Écossais, une Écossaise*: personne qui est originaire de l'Écosse. *Costume des Écossais.* → **Kilt, philibeg, plaid, tartan.** *Cornemuse* (→ **Pibrock**), *épée* (→ **Claymore**) *des Écossais. L'Écossaise ou Marie Stuart*, tragédie de Montchrétien. *L'Écossaise*, comédie de Voltaire.

Ling. **L'ÉCOSSAIS. ⓐ** Langue gaélique des Hautes-Terres d'Écosse. → **Erse.** *L'écossais et l'irlandais.*

ⓑ Dialecte anglais des Basses-Terres d'Écosse. SYN.: *anglais d'Écosse.*

♦ **2** Adj. (1814). Qui est fait de tissu écossais (→ ci-dessus, 1., b). *Jupe écossaise. Une cravate écossaise.*

ÉCOSSE [ekɔs] n. f. — 1381; déverbal de *écosser*.
Vx ou régional. Cosse* (de pois, de fèves).

ÉCOSSER [ekɔse] v. tr. — V. 1200; de *é-*, *cosse*, et suff. verbal.

♦ **1** Dépouiller (des pois, des haricots) de la cosse. *Haricots à écosser*, à manger en grains (**opposé à** *haricots verts*).
Pron. (passif). *Ces haricots s'écossent facilement.*
Littér. Enlever un à un.
Il (...) écossa le long des lances d'herbe les chapelets d'escargots grimpeurs dont les vaches sont friandes.
COLETTE, le Blé en herbe, 1923, p. 179.
Par ext. Dépouiller (un fruit, un légume) de son enveloppe. *Écosser des châtaignes, des cacahuètes.*

♦ **2 Pop.** [a] Travailler. — Loc. *Ne pas en écosser une* : ne rien faire.
[b] (1881). Dépenser. *Écosser de l'argent. Qu'est-ce qu'on a écossé !*
DÉR. Écosse, écosseur.

ÉCOSSEUR, EUSE [ekɔsœR, øz] n. — 1560; de *écosser*.

♦ **1 Rare.** Personne qui écosse des légumes.
Fam. Personne chargée d'ouvrir les lettres dans une administration.

♦ **2 N. f. Techn.** Machine à écosser les légumes.

ÉCOSYSTÈME [ekosistɛm] n. m. — Mil. XXᵉ (1962, Duvigneaud, in *Encyclopædia universalis*); de *éco-* (*écologie*), et *système*, d'après l'angl. *ecosystem*, terme proposé par Tansley, 1935.
Didact. (écol.). Unité écologique de base, formée par le milieu (**→ Biotope**) et les organismes animaux et végétaux qui y vivent (**→ Biocénose**). *L'ensemble des écosystèmes du globe terrestre forme l'écosphère* (ou *biosphère*); *leur dimension va de l'association de très petite taille* (→ Synusie) *à l'écosphère tout entière. Zone de transition entre deux écosystèmes.* **→ Écotone.** *Les transferts d'énergie et de matière dans les écosystèmes se font par l'intermédiaire des chaînes* alimentaires. *«La pollution des écosystèmes par le mercure»* (*Sciences, progrès, découverte*, oct. 1972).

1. ÉCOT [eko] n. m. — Déb. XIIIᵉ; *escoz* 1176; du francique **skot* (→ 2. Écot), au sens fig. «contribution».

♦ **1** (Déb. XIIIᵉ). Quote-part (d'un convive) pour un repas à frais commun. *Chacun paiera son écot. Écot supplémentaire.* **→ Subrécot.** — Par ext. *Payer l'écot, son écot* : régler le montant de la note.

1 À ces mots, il appela l'hôte, paya l'écot, et nous nous levâmes de table pour nous en aller.
A.-R. LESAGE, Gil Blas, III, II.

2 L'écot était cher et le service médiocre; on lui comptait du vin à six sous pour du vin de Champagne d'une livre (...)
NERVAL, les Illuminés, p. 69, in T. L. F.

♦ **2** (1176). Fig. Contribution. *Apporter son écot.* — **REM.** Dans les deux sens, l'emploi le plus courant est : *payer son écot.*

3 Quand un critique cède pourtant et qu'il se laisse aller à son plaisir, ce n'est jamais pour lui sans conséquence, c'est en louanges qu'il doit payer son écot.
SAINTE-BEUVE, Chateaubriand et son groupe littéraire sous l'Empire, t. I, 1860, p. 18, in T. L. F.

4 Et Aurélie? Je l'entends là-haut dans sa chambre qui punit bruyamment les objets parce que François qui avait promis n'a pas tenu...
— Tu viens goûter, Lie?
— Non, j'ai pas faim, je travaille.

Nous devons tous payer notre écot ici parce que François n'a pas téléphoné.
Benoîte et Flora GROULT, Il était deux fois, p. 148-149.
HOM. Écho, 2. écot.

2. ÉCOT [eko] n. m. — V. 1200, *escot*; du francique **skot* «pousse».

♦ **1 Arbor.** Tronc d'arbre, rameau imparfaitement élagué.

♦ **2 Blason.** Arbre ou branche sans rameaux.
DÉR. Écoté. ◊ **COMP.** Écoperche. **→ HOM.** Écho, 1. écot.

ÉCÔTAGE [ekotaʒ] n. m. — 1768; de *écôter*.
Techn. Opération par laquelle on écôte.
[a] *Écôtage des feuilles de tabac, du tabac.*
[b] (1803). *Écôtage du fil de fer.*

ÉCOTAXE [ekotaks] n. f. — 1992; de *éco-* (*écologie*), et *taxe*.
Taxe «écologique» sur les sources de pollution et sur l'exploitation des ressources naturelles non renouvelables. *«L'instauration d'une écotaxe à l'échelle européenne sur les pollutions»* (*le Nouvel Obs.*, 20 avr. 1995, p. 16).

ÉCOTÉ, ÉE [ekote] adj. — 1671; de l'anc. franç. *écoter* «ébrancher»; de *2. écot*.
Blason. Privé de ses rameaux, en parlant d'un tronc ou d'une branche; taillée comme un écot, en parlant d'une pièce. *Croix écotée.*

ÉCÔTER [ekote] v. tr. — 1762; de *é-* priv., *côte*, et suff. verbal.
Technique.

♦ **1** Nettoyer (les feuilles du tabac) en enlevant les côtes.

♦ **2** (1832, sans doute antérieur; → Écôtage). Faire passer (le fil de fer) à la filière pour supprimer les côtes.
DÉR. Écôtage, écôteur.

ÉCÔTEUR, EUSE [ekotœR, øz] n. — 1768; de *écôter*.
Techn. Personne, ouvrier, ouvrière qui écôte.

ÉCOTONE [ekotɔn] n. m. — 1938; sens restreint, in Pierre George, *Dict. de géographie*, 1970; angl. *ecotone* (1904), de *éco-* (→ Éco-), et grec *tonos* «tension».
Didact. Zone de transition entre deux écosystèmes*, où ils s'interpénètrent et les conditions d'environnement sont intermédiaires. *L'estran, zone littorale alternativement couverte et découverte par la mer, est un écotone. L'écotone contient souvent un plus grand nombre d'espèces que les écosystèmes adjacents.* — Par ext. Zone de transition entre deux communautés écologiques voisines.

ÉCOTOXICOLOGIE [ekotɔksikɔlɔʒi] n. f. — 1979; de *éco-* (→ Écologie), et *toxicologie*.
Didact. Science qui étudie les conséquences écologiques de la pollution, de la contamination chimique ou radioactive.

ÉCOTROPE [ekotRɔp] adj. — Mil. XXᵉ; de *éco-* (→ Écologie), et *-trope*.
Didact. Se dit d'un virus, d'un parasite capable de réinfecter les cellules de l'organisme qui l'a reçu ou d'un organisme de même espèce (s'oppose à *xénotrope*). *«Certains de ces virus, dits écotropes, peuvent se multiplier plus ou moins efficacement sur ces cellules* (de l'espèce animale dont ils proviennent)» (*Revue du Palais de la découverte*, 5, nᵒ 49, juin 1977).

ÉCOTYPE [ekotip] n. m. — V. 1950; angl. *ecotype*, 1922; de *éco-* (→ Éco-), et *type*.

Didact. (**écol.**). Type héréditaire à l'intérieur d'une espèce (sous-espèce), sélectionné par des adaptations génétiques aux conditions particulières du milieu.

Cette forme qui paraît exactement adaptée au milieu, ou comme on dit à son biotope est l'écotype (...)
Paul VIVIER, la Pisciculture, p. 10.

ÉCOUANE [ekwan] n. f. — 1690, *escouene*; *escuene* 1676; *eschohine*, 1344; du lat. *scobina* «lime, râpe».

Technique. → Égoïne.

◆ **1** Vx. Grande lime plate utilisée par les tabletiers, les ébénistes.

◆ **2** Rabot d'armurier servant à aplanir le fer.

ÉCOUET [ekwɛ] n. m. — 1694; de *é-*, *couet*, t. de mar., fin XIVᵉ, de *coue* «queue». → Queue.

Mar. (vx). Cordage rétréci au bout (la «queue») formant amure de grand-voile et de misaine.

ÉCOUFLE [ekufl] n. m. — V. 1120, *escufle*; de l'anc. breton **skofla* «milan».

Régional.

◆ **1** Sorte de milan, d'oiseau de proie. *L'Escoufle*, conte de Jean Renart (déb. XIIIᵉ).

◆ **2** Cerf-volant (jouet).

ÉCOULAGE [ekulaʒ] n. m. — 1873, *in* Littré, *Suppl.*; de *écouler*.

Technique.

◆ **1** Vx. Opération par laquelle on fait couler le jus du raisin, après le pressage.

◆ **2** Opération par laquelle on conduit le bois de flottage sur les cours d'eau. → Flottage.

ÉCOULEMENT [ekulmã] n. m. — 1539; de *écouler*.

◆ **1** (1539). Fait de s'écouler; mouvement d'un liquide qui s'écoule. → **Coulure, débord, dégorgement, dégoulinement, déversement, épanchement, évacuation, flot, flux, ruissellement, sortie.** *Science qui étudie l'écoulement des fluides, des liquides.* → **Hydraulique, hydrodynamique.** *Écoulement d'un liquide goutte à goutte.* → **Égouttement, stillation.** *Écoulement peu abondant et continu.* → **Filet, exsudation, suintement.** *L'écoulement des baumes, des gommes, des résines. Écoulement par une fissure.* → **Fuite.** *Écoulement en douche, en jet.* → **Aspersion, effusion, projection.** *Chéneau* pour l'écoulement des eaux d'un toit. Chantepleure* pour l'écoulement des eaux d'une terrasse. Écoulement des eaux dans les champs.* → **Drainage** (→ Dessèchement, cit. 2), **irrigation.** *Canal, conduit, rigole, fossé, tranchée, tuyau, orifice, siphon, trou... d'écoulement. Tourner le robinet, ouvrir les vannes pour permettre l'écoulement.* → **Passage; vidange.** *Arrêter l'écoulement d'un liquide.* → **Étancher.** *Égout* servant à l'écoulement des eaux-vannes.* **Dr.** *Servitude d'écoulement des eaux* : obligation pour un inférieur de recevoir les eaux d'un supérieur (cf. Code civil, art. 640). — **Hydrogr., géogr.** *Écoulement des eaux de pluie suivant la pente naturelle.* → **Ruissellement.** *Canal d'écoulement d'un torrent* (→ Déjection, cit. 3). *Écoulement en cascade.* → **Chute.** *Écoulement d'un fleuve* (→ **Courant, cours**). *Écoulement des eaux qui se retirent.* → **Reflux.**

1   (...) plus il pleut, plus la proportion d'eau écoulée est forte; — l'évaporation, variant comme la température, réduit le quotient d'écoulement; — les terrains imperméables, diminuant l'infiltration, donnent des taux d'écoulement plus élevés; — les fortes pentes rendent l'écoulement plus rapide et par conséquent déterminent un quotient plus fort (...)
E. DE MARTONNE, Traité de géographie physique, t. I, p. 463.

La crête de ce dos d'âne qui détermine la division des eaux   2
dessine une ligne très capricieuse. Le point culminant, qui est le lieu de partage des écoulements, est, dans l'égout Sainte-Avoye, au-delà de la rue Michel-le-Comte (...)
HUGO, les Misérables, V, III, 1.

Puis la file bossuée des autres *(maisons)* s'en allait, s'enfonçant en plein noir, lézardée, verdie par les écoulements des pluies, dans une débandade de couleurs et d'attitudes telle que Claude en riait d'aise.   2.1
ZOLA, le Ventre de Paris, t. I, p. 29.

Spécialt, phys. *Vitesse d'écoulement d'un fluide. Palier d'écoulement :* pour certains matériaux (acier doux, etc.), Phase dans laquelle les déformations progressent à contrainte constante. **Hydrol.** *Écoulement libre, en milieu poreux. Écoulement laminaire, turbulent.*

(1740). **Physiol.** Mouvement des liquides, des sécrétions* qui sortent d'un organe. → **Excrétion, sécrétion.** *L'écoulement continu du sang dans les veines et les artères. Écoulement de la bile dans le canal cholédoque. Écoulement du lait.* → **Lactation.** *Écoulement des larmes* (→ **Lacrymal**). *Écoulement de l'urine.* → **Miction.** *Écoulement de pus.* → **Pyorrhée, suppuration.** *Écoulement scrofuleux.* → **Écrouelles, humeur** (humeurs froides). — Vx. *Ouverture* par où s'opère un écoulement* (émonctoire, exutoire, fistule...). *Écoulement du sang.* → **Hémorragie, saignement.** *Écoulements séreux, muqueux. Écoulement par le nez* (→ **Catarrhe, épistaxis, rhume...**), *par l'oreille* (→ **Otorrhée**). *Écoulement de salive.* → **Ptyalisme, salivation.** *Écoulements à l'intérieur du corps* (→ **Épanchement**), *hors du corps* (→ **Débord, dégorgement, émission, évacuation, flux,** et le suff. *-rhée*). *Écoulement utérin, menstruel* (→ **Leucorrhée, menstrues, perte, règles**).

À l'inverse de la leucorrhée, caractérisée par un écoulement modéré et continu, l'hydrorrhée se manifeste par une expulsion de liquide sous forme de jet.   3
André BINET, la Vie sexuelle de la femme, VIII, p. 172.

Cour. (par euphém.). Blennorragie.

◆ **2** (1834). Par anal. Mouvement (de personnes, de véhicules) hors d'un lieu. *Faciliter l'écoulement de la foule.* → **Sortie.** *L'écoulement des voitures.* → **Flot, flux** (fig.).

Il y avait, à l'issue du pont, sur l'autre rive, un marais où   4
beaucoup de chevaux et de voitures s'étaient enfoncés, ce qui embarrassait encore et retardait l'écoulement.
Ph.-P. SÉGUR, Hist. de Napoléon, XI, 9.

(XVIIᵉ). *Écoulement du temps.* → **Fuite.** *Écoulement des jours, des heures...*

(...) ces différentes pensées qui nous y agitent *(dans la vie)*   5
n'étant peut-être que des illusions, pareilles à l'écoulement du temps et aux vaines fantaisies de nos songes?
PASCAL, Pensées, VII, 434.

◆ **3** (1832). **Comm.** et **cour.** Possibilité d'écouler (des marchandises). → **Débit, débouché, vente.** *L'écoulement des marchandises, des produits, des récoltes. Écoulement facile. Écoulement de la production sur le marché. Écoulement de faux billets.*

(...) des richesses qui ne trouvent pas d'écoulement dans   6
une population réduite aux plus bas salaires possibles (...)
J. CHARDONNE, l'Amour du prochain, p. 197.

◆ **4** **Techn.** Déformation* (des matériaux) dans le cas d'efforts appliqués pendant longtemps.

CONTR. Stagnation. — **Rétention.** — **Stationnement, stockage.**
◊ **COMP. Sous-écoulement.**

ÉCOULER [ekule] v. — V. 1160, *soi escoler; de é-,* et *couler.*

I V. pron. (V. 1160). **S'ÉCOULER. ♦ 1** Couler hors d'un lieu (en parlant d'un fluide). → **Couler, dégouliner, dégorger** (se), **dégoutter, déverser** (se), **échapper** (s'), **épancher** (s'), **fuir, répandre** (se), **suinter.** *Liquide qui s'écoule vite, lentement. Fente, trop-plein par où l'eau s'écoule. Le vin s'écoulait par une fissure* (→ **Coulage**). *Décharge où s'écoulent les eaux d'un bassin.* → **Dégorger** (se), **vider** (se); **écoulement.**

1 Ce qui *coule* court; ce qui s'*écoule* s'échappe, s'enfuit. L'eau de la rivière *coule* dans son lit; de l'eau s'*écoule* d'un réservoir d'où elle le fuit, d'où elle s'en va, qu'elle met ou tend à mettre à sec.
     LAFAYE, Dict. des synonymes, Suppl. Couler... Fluer.

2 Voyez le métal bouillant, il ne se fond pas par degrés; un instant, le voilà solide; un instant après, tout s'écoule.
     NERVAL, Fragments, Paradoxe et vérité, Pl., p. 429.

(Avec ellipse du pron.). *Laisser écouler les eaux. Dessécher un étang en faisant écouler l'eau.*

3 Les pluies de la veille n'étaient pas encore écoulées et faisaient un petit torrent au centre (...)
     HUGO, les Misérables, V, III, 1.

Par métaphore :

4 La source de mes jours comme eux *(des ruisseaux)* s'est écoulée;
Elle a passé sans bruit, sans nom et sans retour (...)
     LAMARTINE, Premières méditations, VI.

♦ 2 (1557). Par anal. *La foule s'écoule lentement.* → **Évacuer, retirer** (se), **sortir.** — **(Ellipse du pron.).** *Laisser écouler la foule* (→ Curieux, cit. 4).

5 (...) l'assemblée en foule,
Avec un bruit confus, par les portes s'écoule (...)
     BOILEAU, le Lutrin, 1.

6 (...) la foule qui s'écoulait de tous les lieux de plaisir à la fois, dans la douceur de cette nuit papillotante de lumières (...)
     MARTIN DU GARD, les Thibault, t. III, p. 38.

♦ 3 (V. 1550). Fig. Disparaître progressivement. → **Aller** (s'en), **disparaître, dissiper** (se), **évanouir** (s'), **passer.** *Les richesses s'écoulent plus vite qu'elles ne s'acquièrent. Le bonheur s'écoule.* → **Consumer** (se), **enfuir** (s'). — **(Ellipse du pron.;** → ci-dessous, cit. 7).

7 *Écoulement* — C'est une chose horrible de sentir écouler tout ce qu'on possède.   PASCAL, Pensées, III, 212.

8 Le bonheur des méchants comme un torrent s'écoule.
     RACINE, Athalie, II, 7.

9 Pendant que les fonds publics s'écoulent en fêtes de fraternité (...)   RIMBAUD, les Illuminations, XII.

Au participe passé :

10 (...) les notes écoulées d'une mélodie, qui sont encore entendues dans la note suivante et viennent la teinter et lui donner son sens (...)   SARTRE, Situations I, II, p. 271.

Le temps s'écoule. → **Enfuir** (s'), **envoler** (s'), **marcher, passer.** *À mesure que les années s'écoulent. Laissez ce mois s'écouler. La journée s'est écoulée trop vite* (→ Bon, cit. 12).

11 Que nous passons rapidement sur cette terre! Le premier quart de la vie est écoulé avant qu'on en connaisse l'usage; le dernier quart s'écoule encore après qu'on a cessé d'en jouir.   ROUSSEAU, Émile, IV.

12 Voir ses jours épuisés s'écouler goutte à goutte (...)
     LAMARTINE, Nouvelles méditations, «Les préludes».

13 (...) il est rare que la peinture des lieux où la vie s'écoule ne rappelle à chacun ou ses vœux trahis ou ses espérances en fleurs.
     BALZAC, la Recherche de l'absolu, Pl., t. IX, p. 475.

14 L'idée que la vie s'écoule et fuit comme l'eau entrait pour la première fois dans mon esprit.
     FRANCE, le Petit Pierre, XXIV, p. 171.

15 Le vaste flot des jours se déroule lentement. Immuables, le jour et la nuit remontent et redescendent, comme le flux et le reflux d'une mer infinie. Les semaines et les mois s'écoulent et recommencent. Et la suite des jours est comme un même jour.   R. ROLLAND, Jean-Christophe, I, p. 21.

Au p. p. *Les années écoulées,* révolues. *Le temps est écoulé :* le délai est expiré. *Jeunesse écoulée auprès de ses parents.*

II V. tr. (1829, *in* D.D.L.). Vendre (des marchandises) de façon continue jusqu'à épuiser; se débarrasser de. → **Débiter** (se), **placer** (se), **vendre** (se). *Trouver des débouchés pour faire écouler ses produits.* — Passif et p. p. *Notre stock est écoulé.* → **Épuiser.**

Pron. (passif). (1810). *Marchandise qui s'écoule difficilement* (→ Cellule, cit. 11).

16 (...) il s'est plus écoulé d'exemplaires de mon dernier ouvrage, en quelques mois, qu'il ne s'est vendu d'exemplaires du *Génie du Christianisme* en plusieurs années.
     CHATEAUBRIAND, Examen des Martyrs.

Spécialt. *Écouler de faux billets,* les faire passer dans la circulation.

III V. intr. Techn. Suinter en s'égouttant. *Faire écouler le cuir.*

CONTR. **Stagner, stationner.** — **Rester.** — **Stocker.** ◊ DÉR. **Écoulage, écoulement.**

ÉCOUMÈNE [ekumɛn] n. m. 1844, *écumène.* → **Œkoumène.**

ÉCOURGEON [ekuRʒɔ̃] n. m. → 2. **Escourgeon.**

ÉCOURTEMENT [ekuRtəmã] n. m. — 1891, Renan; de *écourter.*

Rare. Le fait d'écourter, de faire cesser avant le temps normal. → **Abrègement, raccourcissement.**

Nos parents ne sont pas la principale cause de l'écourtement de notre visite, me dit Mme de Cambremer douairière (...)
     PROUST, Sodome et Gomorrhe, Pl., t. II, p. 821.

ÉCOURTER [ekuRte] v. tr. — V. 1175, *escurter; de é-, court,* et suff. verbal.

♦ 1 (V. 1175). Rendre plus court (dans l'espace). → **Diminuer, raccourcir, rapetisser, rogner.** *Il faut écourter cette jupe, ce manteau. Vos cheveux gagneraient à être écourtés.* → **Couper.** *«Il avait (...) écourté sa barbe, coupé ses cheveux»* (Giraudoux).

(V. 1175). Spécialt. *Écourter un chien,* lui couper la queue ou les oreilles. *Écourter un cheval, un chat,* lui couper la queue.

♦ 2 (1846). Rendre plus court (en durée). *Écourter une visite. Écourter un voyage. J'ai dû écourter mon séjour.* — (À la fois en longueur et en durée). *Écourter son chemin par un raccourci.*

1 (...) moi, qui fais des miracles, tu le sais bien, pour écourter autant que possible tes heures de captivité (...)
     COURTELINE, Boubouroche, II, 1.

♦ 3 Rendre plus court (une production de langage). → **Abréger, alléger, résumer.** *Il faudra écourter ce chapitre, ce dernier acte. Il est tard, tâchez d'écourter votre discours* (→ Laconisme).

♦ 4 Donner moins d'ampleur à (un geste). *Écourter ses gestes; écourter une révérence.* — REM. Rare, sauf au p. p. :

2 Elle lui fit un salut gracieusement écourté, qui n'avait rien de compromettant, et dont la familiarité n'excluait pas la dignité.   BAUDELAIRE, la Fanfarlo.

♦ 5 (1690, Furetière). Péj. Rendre anormalement court. → **Tronquer.** *Fausser la pensée d'un auteur en écourtant les citations.*

◆ ÉCOURTÉ, ÉE p. p. adj. (Sens 1). *Jupon, vêtements écourtés.*

3 (...) il ne vit plus qu'une vieille édentée,
Au teint de suie, à la taille écourtée.
     VOLTAIRE, *in* Pierre LAROUSSE.

(Sens 2 à 4). *Dénouement écourté. Conclusions, démonstrations, citations écourtées.* → **Tronquer** (→ aussi ci-dessus, cit. 2).

4 On ne trouve dans Mably que des idées écourtées.
CHATEAUBRIAND, *in* Pierre LAROUSSE.

5 Tu en es encore à la tentation d'Antoine. L'ébat du zèle écourté, les tics d'orgueil puéril, l'affaissement et l'effroi.
RIMBAUD, les Illuminations, Jeunesse, IV.

CONTR. Allonger, amplifier, développer, prolonger... ◊ DÉR. Écourtement, écourticher.

ÉCOURTICHER [ekuʀtiʃe] v. tr. — 1909; de *écourter*, et *-icher.*
Régional (Canada), fam. Raccourcir excessivement. *Écourticher une robe.*

ÉCOUTABLE [ekutabl] adj. — 1866, Amiel; dans Richard de Radonvilliers, 1845, au fig.; de *écouter.*
Qui peut être écouté; que l'on peut supporter d'écouter (→ **Supportable**). *Cette musique est à peine écoutable. Une conférence banale, mais très écoutable.*

La colonne démarre, tous les moteurs fulminent, pètent dans un vacarme pas écoutable!...
CÉLINE, Guignol's band, p. 8.

CONTR. Inécoutable.

ÉCOUTANT, ANTE [ekutɑ̃, ɑ̃t] p. prés., adj. et n. — 1389, n.; p. prés. de *écouter.*

♦ **1** Adj. Rare. Qui écoute. — (1690, Furetière). Par plais. *Avocat écoutant :* avocat qui n'a pas de client et qui écoute les autres plaider.

♦ **2** N. Vx (langue class.). *Un écoutant, une écoutante :* personne qui écoute. → **Auditeur.**

1 (...) les gens l'avaient prise
Pour maître tel, qui traînait après soi
Force écoutants (...) LA FONTAINE, Fables, VII, 15.

2 (...) de tout ce qui se dit de bons mots, de calembours, d'à-peu-près dans les cafés, les casernes ou la rue, il n'y en a peut-être pas un de perdu. Chaque écoutant se l'approprie, et au bout de huit jours, qu'il est fameux, plus de cent mille personnes en ont tiré avantage (...)
Jean PRÉVOST, les Frères Bouquinquant, p. 15.

Spécialt, mod. Personne qui écoute (à la radio; au téléphone) les appels de personnes en détresse et se propose, bénévolement, d'aider ces dernières par des encouragements, des conseils,... *«Les adultes ont, paraît-il, peur des traumatismes que causerait, chez de jeunes "écoutants" de l'organisation S.O.S. Amitié, la confession de certains malheurs»* (l'Express, 30 avr. 1973, p. 91).

1. ÉCOUTE [ekut] n. f. — 1411; *escute,* déb. XIIᵉ, «espion, personne qui guette, écoute»; déverbal de *écouter.*

I ♦ **1** Vx (emploi général). Action d'écouter. — REM. Le mot reste rare en emploi général, sauf dans les loc. ci-dessous; on en trouve cependant des exemples littéraires (Goncourt, 1893; Cocteau, *in* T.L.F.).

♦ **2** Spécialt, mod. **a** (1864, Littré). Milit. Détection de l'activité ennemie par le son. *Poste d'écoute :* poste spécialement équipé pour détecter et repérer par le son le travail de mine de l'ennemi, et en général son activité, ses armes, ses communications. *Organiser l'écoute :* équiper des postes d'écoute. — *Écoute sous-marine,* en vue de la recherche des sous-marins. → **Détection; asdic, sonar.** — *Écoute microphonique. Écoutes électroniques. «Un important centre d'écoutes électroniques permet de surveiller les mouvements de la flotte soviétique»* (le Monde, 7-8 oct. 1973).

Mar. Détection sonore des mouvements des bâtiments ennemis. — Le fait d'écouter la radio de bord.

Or, toute la vie, toute la fortune du bateau étaient suspendues à cette écoute perpétuelle qui ne devait laisser fuir ni un point ni un trait émis du large. 0.1
Roger VERCEL, Remorques, p. 24.

b (V. 1915). Action d'écouter, de recevoir (une émission radiophonique, et, par ext., de télévision). *L'écoute d'une émission par les auditeurs. Une longue écoute. Temps d'écoute. Heures de grande écoute. Cette émission a une grande écoute,* de nombreux auditeurs. *Indice* d'écoute.* — Loc. *Prendre l'écoute :* commencer à écouter, à recevoir un poste émetteur. — *Ne quittez pas l'écoute,* formule (vieillie) employée pour inciter les auditeurs à continuer l'écoute dans l'attente d'une information importante.

En ce qui me concerne, je n'ai pas la chance de «prendre l'écoute» souvent et longtemps; mais, quand il m'arrive de le faire, je m'arrange pour n'être point dérangé, pour tirer tout le parti possible de ma dépense d'attention. 1
G. DUHAMEL, Manuel du protestataire, VI, p. 153.

Ici Radio-Paris, ne quittez pas l'écoute : dans un instant nous vous transmettrons la traduction française de la première partie du discours du chancelier Hitler. 2
SARTRE, le Sursis, p. 257.

Dernière soirée à Malagar. Radio. Rien au programme. Rien à espérer que des hasards de l'écoute. Ah! du Mozart!... F. MAURIAC, Bloc-notes 1952-1957, p. 70. 2.1

À L'ÉCOUTE. *Être, se mettre, rester à l'écoute. Être à l'écoute d'un poste, d'un émetteur.*

Ce soir c'est une émission du Poste Parisien : j'imagine les milliers d'auditeurs à l'écoute lorsqu'ils entendirent parler de «la glace qu'il faut casser avec des fers rougis». 2.2
F. MAURIAC, Bloc-notes 1952-1957, p. 48.

REM. Pour *à l'écoute (de)...* au sens de *aux écoutes,* voir ci-dessous 3.

c (Surtout dans des expressions). Le fait d'écouter (une communication, notamment téléphonique) à l'insu des personnes qui communiquent. *Écoutes téléphoniques :* dispositifs permettant la surveillance des communications. — *Table d'écoute :* dispositif permettant de surveiller les communications. — *Mettre qqn, un téléphone, des correspondants sur écoute, sur table d'écoute.*

Et leurs relations avec Mendès-France, que nous appelions entre nous d'un nom de code, Augustin, à cause des écoutes téléphoniques. 2.3
Françoise GIROUD, Si je mens, 1972, p. 199.

d (XXᵉ; reprise du sens général). Le fait d'écouter, de prêter attention aux sons et de leur attribuer un sens (écoute des paroles) ou une valeur (musique, etc.). → **Audition.**

(...) une faculté d'écoute aussi grande que la parole. 2.4
COCTEAU, Journal d'un inconnu, p. 139.

Apprendre un *nouveau solfège* par des écoutes systématiques d'objets sonores de toute espèce. 2.5
Pierre SCHAEFFER, la Musique concrète, p. 29.

(Psychol.). *Double écoute :* méthode d'investigation qui tient compte des données physiques et psychiques du sujet. *La psychosomatique, médecine de la double écoute.*

Nous rejoignons là une formulation à laquelle personnellement je tiens beaucoup et qui est celle de la «double écoute», l'une s'adressant au message de la personnalité, l'autre à celui des organes malades. 2.6
C. KOUPERNIK, Un traitement d'exception, *in* la Nef, nᵒ 31, p. 162.

(Avec les valeurs psychologiques de *écouter,* spécialt). Le fait de prêter attention au discours, et, par ext., au comportement signifiant (de qqn).

Tel est le retentissement : la pratique zélée d'une écoute parfaite : au contraire de l'analyste (et pour cause), loin de «flotter» pendant que l'autre parle, j'écoute *complètement,* 2.7

en état de conscience totale : je ne peux m'empêcher de tout entendre, et c'est la pureté de cette écoute qui m'est douloureuse : qui pourrait supporter sans souffrir un sens multiple et cependant purifié de tout «bruit»?
R. BARTHES, Fragments d'un discours amoureux, p. 239.

◉ Le fait d'être écouté par qqn. → **Oreille** (*supra* cit. 15). Loc. *Avoir l'écoute de* : avoir l'oreille, l'appui de... *Il a des chances d'arriver, car il a l'écoute du ministre.*

◆ **3** Loc. **AUX ÉCOUTES (DE...).** ⓐ (De *écoute*, XIVᵉ, «poste de guet»). Vx. Dans un lieu, à un endroit (dit *écoute*) où l'on peut guetter l'ennemi.

ⓑ **Mod.** Dans une situation où l'on peut surveiller, entendre par vigilance ou par curiosité. *Être aux écoutes*, attentif, vigilant. → **Aguet** (aux aguets).

3 Sylvinet n'entendit plus rien que des pas qui s'éloignaient, et, pour n'être point surpris aux écoutes par son frère, qui revenait vers lui, il entra vivement dans le cimetière et le laissa passer.
G. SAND, la Petite Fadette, XXVII, p. 180.

4 De peur de voir reparaître Mᵐᵉ Husnugul, qui devait être aux écoutes derrière la porte seulement poussée, elles n'osaient point se parler (...)
LOTI, les Désenchantées, I, III, p. 45.

5 Avec les gestes lents d'un voleur aux écoutes, Joseph Pasquier descendit l'escalier qui conduisait jusque dans les entrailles de la maison.
G. DUHAMEL, Chronique des Pasquier, X, IV, p. 350.

Aux écoutes de qqn. **Par métaphore.** *Être aux écoutes de l'actualité, des événements, du monde, de la politique.*

6 Jamais mon esprit, étant toujours en transe aux écoutes de l'avenir pour le regard du bien public (...)
AMYOT, Vie de Paul-Émile, *in* LITTRÉ.

II Par métonymie. ◆ **1** (Déb. XIIᵉ). Personne qui écoute ; spécialt, guetteur, sentinelle.

Mod. (par appos.). *Sœur écoute* : religieuse qui accompagne au parloir la religieuse ou la pensionnaire qu'on y appelle.

◆ **2** (1401). Anciennt. Lieu d'où l'on peut écouter sans être vu (→ aussi, ci-dessus, Aux écoutes). — (1690). Au plur. Tribunes fermées par des jalousies. *Les écoutes d'un couvent.*

◆ **3** Vx. Ce qui sert à écouter. — N. f. pl. (1864). Vén. Oreilles (du sanglier). *Les écoutes du sanglier.*

HOM. 2. Écoute.

2. ÉCOUTE [ekut] n. f. — 1165; de l'anc. nordique *skaut* «angle inférieur de la voile»; par ext. «cordage fixé à cet angle».

Mar. Manœuvre, cordage servant à orienter une voile et à l'amarrer à son coin inférieur sous le vent qui est le *point d'écoute* (Gruss). (S'oppose à *amure**; → Amurer, cit.). *Grandes écoutes. Écoutes de hunier. Larguer les écoutes.*

1 Aussi, pas une écoute qui ne fut consciencieusement raidie ! Pas une voile qui ne fût vigoureusement étarquée ! Pas une embardée que l'on pût reprocher à l'homme de barre ! On n'eût pas manœuvré plus sévèrement dans une régate du Royal-Yacht-Club.
J. VERNE, le Tour du monde en 80 jours, p. 177.

2 Les deux passagers restaient silencieux, tandis que le vieux marin, à travers ses paupières éraillées, cherchait à percer l'opaque brouillard. D'ailleurs, il se tenait prêt à tout événement, et, son écoute à la main, il attendait le vent, prêt à la filer si l'attaque était trop brusque.
J. VERNE, le Pays des fourrures, t. I, p. 109.

HOM. 1. Écoute.

ÉCOUTER [ekute] v. tr. — Fin IXᵉ, *eskolter; escolter*, Xᵉ; du bas lat. *ascultare*, lat. class. *auscultare*. → Ausculter.

◆ **1** S'appliquer à entendre*, prêter son attention à (des bruits, des paroles). → **Ouïr**; → être à l'écoute*, dresser, prêter, tendre l'oreille*. *Entendre** *qqch. distraitement, sans l'écouter. Écouter le chant des oiseaux, le bruit de la mer, un son lointain* (→ Échafaud, cit. 5). → **Percevoir.** *Auditeurs qui écoutent un concert, un discours* (→ Aise, cit. 23). *Médecin qui écoute les battements du cœur, les râles.* → **Ausculter.**

(Le compl. désigne la source du bruit). *Écouter la pluie, les criquets* (→ ci-dessous, cit. 6, 7).

1 Il ne faut jamais dire aux gens :
Écoutez un bon mot, oyez une merveille.
LA FONTAINE, Fables, XI, 9.

2 L'enfant qui veut parler ne doit écouter que les mots qu'il peut entendre, ne dire que ceux qu'il peut articuler.
ROUSSEAU, Émile, I.

3 (...) fuyons surtout ces entretiens particuliers et trop dangereux où, par une inconcevable puissance, sans jamais parvenir à vous dire ce que je veux, je passe mon temps à écouter ce que je ne devrais pas entendre.
LACLOS, les Liaisons dangereuses, Lettre XC.

4 Il parlait peu ; son visage était mélancolique ; il penchait souvent l'oreille et il avait l'air d'écouter quelque chose de triste : on eût dit qu'il entendait tomber ses dernières années, comme les gouttes d'une pluie d'hiver sur le pavé.
CHATEAUBRIAND, Mémoires d'outre-tombe, t. IV, p. 188.

5 La chanson de la bohémienne avait troublé la rêverie de Gringoire, mais comme le cygne trouble l'eau. Il l'écoutait avec une sorte de ravissement et d'oubli de toute chose.
HUGO, Notre-Dame de Paris, II, III.

6 (...) j'écoutais, ressuscités par mon attention, les criquets qui sciaient en menus éclats la canicule (...)
COLETTE, la Naissance du jour, p. 122.

7 Comme un bon médecin se réjouit d'entendre les battements, même faibles, du cœur, Bernard, parcourait les salles, tendait l'oreille pour écouter avec un plaisir délicieux les rares métiers survivants.
MAUROIS, Bernard Quesnay, XXVIII, p. 182.

Par ext. *Écouter qqn. Vous ne m'écoutez pas ; écoutez-moi bien. Il m'a écouté jusqu'au bout, attentivement* (cf. Être suspendu aux lèvres de qqn ; boire les paroles ; → Avidité, cit. 5 ; attention, cit. 1). *Parlez plus bas, on nous écoute.* → **Guetter.** *Écoutez-moi, quand je parle !*

8 L'abbé avait fait asseoir le jeune homme près de lui, comme pour une confession ; et il l'écoutait avec recueillement, le buste en arrière, la tête inclinée sur l'épaule gauche, à son habitude.
MARTIN DU GARD, les Thibault, t. I, p. 221.

Écouter qqch., qqn (suivi de l'inf. ou d'une relative). *Il écoutait la pluie tomber*, le bruit que faisait la pluie en tombant. *Il l'écoutait parler, chanter. — Nous écoutions les oiseaux qui chantaient. On l'écoutait qui fredonnait.*
Écouter si qqn vient. Écouter d'où vient un bruit.
Absolt. *Écouter* : prêter une oreille attentive. *Allô, j'écoute ! Je suis venu pour écouter seulement. Savoir écouter* (→ Action, cit. 26 ; 2. causer, cit. 2 ; conversation, cit. 3 ; bruire, cit. 6).

9 Il (*Théophile*) écoute, il veille sur tout ce qui peut servir de pâture à son esprit d'intrigue, de médiation ou de manège.
LA BRUYÈRE, les Caractères, IX, 15.

10 M. de Villèle écoutait, résumait et ne concluait point (...)
CHATEAUBRIAND, Mémoires d'outre-tombe, t. IV, p. 110.

11 Nous avons écouté, retenant notre haleine
Et le pas suspendu (...)
A. DE VIGNY, Poèmes philosophiques, «La mort du loup», I.

12 Il venait, il causait avec vous ; lui, si enivré de son œuvre, et, en apparence, si plein de lui-même, il savait interroger à son profit, il savait écouter ; mais, même quand il n'avait

pas écouté, quand il semblait n'avoir vu que lui et son idée, il sortait ayant emporté de là, ayant absorbé tout ce qu'il voulait savoir, et il vous étonnait plus tard à le décrire.
> SAINTE-BEUVE, Causeries du lundi, Balzac, t. II, p. 450.

13 Aujourd'hui on ne sait plus parler, parce qu'on ne sait plus écouter.   J. RENARD, Journal, 1893, p. 107.

14 Toutes choses sont dites déjà ; mais comme personne n'écoute, il faut toujours recommencer.
> GIDE, le Retour de l'enfant prodigue, p. 10.

15 Je m'arrête un instant pour écouter en silence. C'est d'abord comme une voix tremblante qui, de très loin, ose à peine chanter sa joie (...)
> ALAIN-FOURNIER, le Grand Meaulnes, p. 282.

16 Puis ma frivolité, dès que je n'étais pas seul, me faisait désirer de plaire, plus désireux d'amuser en bavardant que de m'instruire en écoutant(...)
> PROUST, À la recherche du temps perdu, t. XIV, p. 34.

Par ext. Prêter une attention plus ou moins bienveillante à (des propos, qqn), ne pas refuser d'entendre. *Il les a renvoyés sans les écouter. Écouter les plaignants. Écouter les doléances, les observations, les raisons de qqn. Non, je n'écoute plus rien !*

17 (...) Notre sage magistrat écoutait également le riche et le pauvre (...)
> BOSSUET, Oraison funèbre de Michel Le Tellier.

18 (...) je ne perdrai pas mon temps à écouter ses doléances, si cela ne doit nous mener à rien.
> LACLOS, les Liaisons dangereuses, Lettre LIX.

Loc. Absolt. *N'écouter que d'une oreille,* distraitement ; ne prêter qu'une faible attention à ce qui est dit. *Écouter de toutes ses oreilles, de ses deux oreilles :* être particulièrement attentif (→ Être tout ouïe*). — *Écouter aux portes :* écouter indiscrètement une conversation derrière une porte ; fig., être indiscret.

Écoute ! Écoutez !, apostrophe destinée à appeler qqn, à fixer l'attention de l'interlocuteur (→ Arrêter, cit. 21), ou à corriger l'impression de ce qu'on va dire, à solliciter l'assentiment, à renforcer un conseil (→ Voyez*-vous !). *Écoutez, ne faites pas cela, n'y allez pas ! Écoute, je t'aime beaucoup, tu sais !*

◆ **2** (Fin IXe). Accueillir avec faveur (ce que dit qqn), jusqu'à y apporter son adhésion, sa confiance. *Écouter les avis, les conseils d'un ami.* → **Suivre** ; **compte** (tenir compte). *Écouter des propositions de paix.* → **Considérer.** *Écouter les propos flatteurs, y être sensible. Dieu a écouté ses prières. Écoutez mes vœux.* → **Exaucer.**

19 Mais écouteriez-vous les conseils d'une femme ?
> CORNEILLE, Cinna, IV, 3.

(**Compl. n. de personne**). *N'écouter pas ces baratineurs. Ces enfants n'écoutent pas leurs parents.* → **Céder, obéir.** *Savoir se faire écouter* (→ Avoir l'oreille* de qqn). *On l'écoute comme un oracle,* avec une entière confiance ou beaucoup d'admiration. *N'écouter que soi-même :* ne consulter personne. — **Passif.** *Il est très écouté par les milieux politiques.*

20 Apprenez que tout flatteur
Vit aux dépens de celui qui l'écoute.
> LA FONTAINE, Fables, I, 2.

21 L'homme digne d'être écouté est celui qui ne se sert de la parole que pour la pensée, et de la pensée que pour la vérité et la vertu.   FÉNELON, Lettre à l'Académie, IV.

22 On ne l'avait point nommé ; je fus frappé du langage d'un homme qui pérorait seul et se faisait écouter avec quelque droit comme un oracle. L'esprit de Rivarol nuisait à son talent, sa parole à sa plume.
> CHATEAUBRIAND, Mémoires d'outre-tombe, t. II, p. 35.

Par ext. *Écouter trop son mal* (→ ci-dessous, S'écouter, 3.).

Fig., littér. Se laisser aller à (un sentiment, une passion, un principe qui dicte une certaine conduite). *Écouter sa colère, sa douleur, sa passion. Écouter son cœur, sa conscience* (→ Bien, cit. 42).

23 Sabine, écoutez moins la douleur qui vous presse (...)
> CORNEILLE, Horace, V, 3.

24 Il ne faut écouter que la vengeance alors.
> MOLIÈRE, Amphitryon, III, 7.

25 Femme, écoute ton cœur, ne lis pas d'autre livre (...)
> HUGO, la Légende des siècles, XXXVI, XX.

Loc. (Plus cour.). *N'écouter que son courage, que son devoir...*

26 N'écoutant que son courage qui ne lui disait rien, il se garda d'intervenir.
> J. RENARD, Journal, 18 oct. 1908.

◆ **S'ÉCOUTER** v. pron.

◆ **1** (1558). Prêter attention à sa propre voix. → Pérorer, cit. 1. — *S'écouter* (et inf.). *S'écouter parler* (1. Parler, cit. 7) : parler lentement et en se complaisant à ses paroles.

Le cœur préfère rester concentré sur son sentiment qu'il réchauffe et protège — son bonheur est méditatif, silencieux —, il s'écoute palpiter, il se déguste religieusement lui-même.   26
> H. F. AMIEL, Journal intime, *in* Littératures de langue franç. hors de France, p. 546.

◆ **2** (1628). Suivre son inspiration. *Si je m'écoutais, je n'irais pas à ce rendez-vous.*

(*Rien*) ne pouvait forcer Napoléon à combattre ses propres raisonnements et l'empêcher de s'écouter lui-même.   27
> Ph.-P. SÉGUR, Hist. de Napoléon, II, 4.

Qu'est-ce qu'ils font là-haut ? Pas «ça» tout de même ? J'irais bien voir si je m'écoutais. Une entrée dramatique : Ciel, mon fils dans les bras de cette petite !   27
> Benoîte et Flora GROULT, Il était deux fois, p. 147-148.

◆ **3** Prêter une trop grande attention à sa personne, à sa santé. → **Ménager** (se), **observer** (s'). *À force de s'écouter, il deviendra très malade. Il s'écoute trop. Ne vous écoutez pas tant, vous irez mieux.*

On se fait violence, on ne s'écoute point, on croit qu'à force de prendre sur soi, à la fin on accoutumera le corps à obéir (...)   28
> MASSILLON, Conférence sur le jubilé, *in* LITTRÉ.

Poétiquement :

Je souris à la mort volontaire et prochaine (...)   29
Déjà le doux poignard qui percerait mon sein
Se présente à mes yeux et frémit sous ma main ;
Et puis mon cœur s'écoute et s'ouvre à la faiblesse (...)
> André CHÉNIER, Élégies, XXXIII.

◆ **ÉCOUTÉ, ÉE** p. p. et adj.

◆ **1** (En parlant d'une personne). Que l'on écoute volontiers, avec attention et profit. *C'est un des orateurs les plus écoutés à la Chambre.*

◆ **2** (1690, Furetière). Techn. (équit.). *Pas, mouvement écouté,* exécuté avec précision.

CONTR. Désobéir, dédaigner, négliger. — Sourd (rester). — (Du p. p.). Inécouté. ◊ **DÉR.** Écoutable, écoutant, 1. écoute, écouteur, écouteux, écoutoir. — **COMP.** Écoute-s'il-pleut, inécoutable, inécouté.

ÉCOUTE-S'IL-PLEUT   [ekutsilplø] n. m. invar.
— 1690 ; de *écouter,* à l'impér., *si,* et *il pleut,* prés. de l'indic. de *pleuvoir.*

Vieux.

◆ **1** Moulin à eau (il semble attendre la pluie pour fonctionner).

◆ **2** Personne peureuse, anxieuse (elle semble à l'écoute du moindre bruit).

ÉCOUTEUR, EUSE [ekutœʀ, øz] n. — V. 1175, *escoteor*; de *écouter*.

♦ **1** (V. 1175). Vieilli. Celui, celle qui écoute. → **Auditeur**. Spécialt. Celui, celle qui écoute avec curiosité, avec indiscrétion. *C'est un écouteur aux portes.* → **Indiscret**.

1 (...) vous me savez assez alerte pour voir les gens sans qu'ils m'aperçoivent, et assez maligne pour persifler les écouteurs.
ROUSSEAU, Julie ou la Nouvelle Héloïse, V, Lettre X.

2 Il commençait à vivre à l'heure du thé, courant le monde, où il jouait le rôle de gazetier, de trucheman, de trait d'union et d'écouteur.
GIDE, Si le grain ne meurt, I, x, p. 278.

♦ **2** (1919). Mod. Appareil récepteur d'un signal acoustique qu'on applique à l'oreille. *Les écouteurs d'un casque de radiotélégraphiste.* — Spécialt. Partie du récepteur téléphonique qu'on applique sur l'oreille pour écouter. *Décrocher, prendre l'écouteur.*

3 Il y eut un bref silence, puis une sorte de jappement, au bout du fil, et on raccrocha. Mathieu garda un moment l'écouteur serré dans sa main puis il le reposa doucement sur la table.
SARTRE, l'Âge de raison, p. 310.

4 (...) le téléphone sonna (...) Elle pressa l'écouteur contre sa joue (...)
H. TROYAT, la Tête sur les épaules, p. 57.

ÉCOUTEUX, EUSE [ekutø, øz] adj. — 1690, Furetière; de *écouter*, et *-eux*.

Équit. *Cheval écouteux*, qui se laisse distraire.

ÉCOUTILLE [ekutij] n. f. — 1538, *escoutille* «panneau recouvrant l'écoutille»; esp. *escotilla*, de *escotar* «faire une encolure», d'où est issu le sens de «trappe» (Bloch); même rac. que 2. *écoute*.

(1552). Mar. Ouverture rectangulaire pratiquée dans le pont d'un navire et qui permet l'accès aux étages inférieurs. → **Trappe**. *Écoutille avant, arrière, de faux-pont. Le surbau, cadre des écoutilles. Couverture de l'écoutille.* → **Caillebotis, panneau**. *Barre de fermeture des écoutilles.* → **Galiote**. *Fermer les écoutilles.*

1 Quand les Hollandais essuient un coup de vent en haute mer, ils se retirent dans l'intérieur du navire, ferment les écoutilles et boivent du punch, laissant un chien sur le pont pour aboyer à la tempête (...)
CHATEAUBRIAND, Mémoires d'outre-tombe, t. II, p. 53.

2 Il alluma brusquement sa lampe électrique; et tous deux, précédés d'une flamme blanche, ils s'enfoncèrent, par une écoutille, dans les profondeurs du bâtiment.
H. BOSCO, Un rameau de la nuit, p. 55.

Par analogie :

3 (...) monsieur Guillaume (*drapier*) ressemblait à un capitaine commandant la manœuvre. Sa voix aiguë, passant par un judas pour interroger la profondeur des écoutilles du magasin d'en bas (...)
BALZAC, la Maison du chat-qui-pelote, Pl., t. I, p. 37.

DÉR. **Écoutillon**.

ÉCOUTILLON [ekutijɔ̃] n. m. — 1552, Rabelais; de *écoutille*.

Mar. Petite ouverture faite dans le panneau d'une écoutille.

ÉCOUTOIR [ekutwaʀ] n. m. — 1812; de *écouter*.

Vx. Cornet acoustique.

ÉCOUVETTE [ekuvɛt] n. f. — 1636; XIVᵉ, *escou-* ou *escovette*, de l'anc. franç. *escove, escouve*. → Écouvillon.

Technique ancienne.

♦ **1** Petit écouvillon (1.). — (1838). Spécialt. Brosse pour nettoyer les plaques de pressage des étoffes (avant l'apprêt).

♦ **2** Petit balai avec lequel on nettoyait les débris extraits du drap par les épinceteuses.

♦ **3** (Var. *escoubette*, du provençal). Mod. Petit balai pour dégager la bourre des cocons de vers à soie.

ÉCOUVILLON [ekuvijɔ̃] n. m. — XIVᵉ; *escoveillon*, fin XIIᵉ; de l'anc. franç. *escouve* (fin XIᵉ) «balai», du bas lat. *scopa*, lat. class. *scopæ* «balai».

♦ **1** (Fin XIIᵉ). Vx. Balai fait d'un long bâton auquel est fixé un chiffon et utilisé par les boulangers pour nettoyer leur four; plus spécialt, le chiffon lui-même. *Petit écouvillon.* → **Écouvette**.

1 (...) par le bien renommé Villon,
Qui ne mange figue ni date.
Sec et noir comme écouvillon,
Il n'a tente ne (*ni*) pavillon.
VILLON, Lais, XL.

♦ **2** (1643). Mod. Brosse cylindrique montée sur un manche plus ou moins long et utilisée pour nettoyer et graisser l'âme des armes à feu. *Écouvillon de canon, de fusil, de revolver.*

2 (...) autour de la pièce d'Honoré surtout, l'effort continuait, sans hâte et obstiné (...) Il pointait, tirait le rugueux, pendant que les trois (*servants*) allaient au caisson, chargeaient, maniaient l'écouvillon et le refouloir.
ZOLA, la Débâcle, t. I, p. 314.

(1939). Par anal. *Écouvillon pour nettoyer les bouteilles, des instruments de musique à vent.* → **Goupillon**. — (1826). Chir. Petite brosse servant à racler et à enlever les mucosités dans les orifices et cavités naturels (pour les nettoyer ou faire des prélèvements).

DÉR. **Écouvillonner**.

ÉCOUVILLONNAGE [ekuvijɔnaʒ] ou **ÉCOUVILLONNEMENT** [ekuvijɔnmɑ̃] n. m. — 1870, *écouvillonnage*; *écouvillonnement*, 1835, in D.D.L.; de *écouvillonner*, et *-age, -ment*.

Techn. Nettoyage, brossage à l'écouvillon. — Méd. Action d'écouvillonner; résultat de cette action.

ÉCOUVILLONNER [ekuvijɔne] v. tr. — 1611; de *écouvillon*.

Techn. Nettoyer avec l'écouvillon. (1680). *Écouvillonner un four.* (1611). *Écouvillonner une arme à feu.* (1930). Méd. Nettoyer (une cavité naturelle) avec l'écouvillon.

Par métaphore :

Une palmeraie, à l'horizon; les plus hauts palmiers écouvillonnent le ciel.
Paul MORAND, Paris-Tombouctou, 1929, p. 216, in T.L.F.

DÉR. **Écouvillonnage, écouvillonnement**.

ÉCRABOUILLABLE [ekʀabujabl] adj. — Attesté 1951; de *écrabouiller*.

Rare. Qui peut être écrabouillé.

(...) je me trouve à l'instant bouleversé, décapé, racorni infect (...) quelque chose (...) d'écrabouillable subrepticement entre salpêtre et cendres chaudes (...)
CÉLINE, Guignol's band, p. 28 (1951).

ÉCRABOUILLAGE [ekʀabujaʒ] n. m. — 1885, Vallès; de *écrabouiller*.

Fam. Action d'écrabouiller; fait de s'écrabouiller. → **Écrabouillement**.

Le bureau a eu peur que mon écrabouillage ne fit une tache sale dans l'apothéose du concurrent.
J. VALLÈS, l'Insurgé, 106 (1886).

ÉCRABOUILLEMENT [ekʀabujmɑ̃] n. m. — 1871, Goncourt; de *écrabouiller*.

Fam. Action, fait de s'écrabouiller. → **Écrabouillage.**

Par suite de ce que le haut-commandement français, dans le style qui lui était propre, appela un bombardement inhabituel, autant dire un enfer, il y eut un écrabouillement de l'infanterie.
J. GREEN, Journal, 14 oct. 1961, Vers l'invisible,
p. 280.

ÉCRABOUILLER [ekʀabuje] v. tr. — 1535, Rabelais, *escarbouiller; escrabouiller*, 1578, Ronsard; croisement de *écraser* avec l'anc. franç. *esboillier* «éventrer», de *boiel.* → Boyau.

Fam. Écraser, réduire en bouillie. → **Anéantir, broyer.** *Écrabouiller un limaçon, un crapaud. Attention! tu vas écrabouiller les fleurs. Un camion a failli nous écrabouiller.* — (Faux pron.). *S'écrabouiller la main.* — **REM.** Dans ce type d'emploi, *écrabouiller* est un intensif de *écraser*.

1   Sang de la Madone, quel trou! Bon fusil, ma foi! Quel calibre! Ça vous écrabouille une cervelle!
MÉRIMÉE, Colomba, XVII.

2   (...) une immense foule réussit à envahir les quais et les voies, à s'y masser pour que l'express ne puisse s'ébranler sans écrabouiller une multitude de gens.
Georges LECOMTE, Ma traversée, p. 177.

3   Cette nuit-là, les Boches bombardèrent Bus pour la première fois depuis le début de la guerre et le premier obus tomba en plein sur la voiture de la 6ᵉ Cie qui débouchait sur la place du Marché. Le cheval, le cocher et Lang furent écrabouillés. On ramassa deux, trois écuellées de petits débris et les quelques gros morceaux furent noués dans une toile de tente. C'est ainsi que furent enterrés Lang, le cocher et le la bidoche de cheval. Et l'on planta une croix de bois sur le tumulus.
B. CENDRARS, la Main coupée, in Œ. compl., t. X,
p. 21.

REM. Rare, vx. On trouve aussi les formes *écarbouiller* (enregistrée par l'Académie, Huitième éd.), et *escarbouiller.*

Par métaphore :

4   (...) l'Inquisition, ce tribunal qui jugeait la pensée, cette grande institution dont l'idée seule tortille nos petits nerfs et escarbouille nos têtes de linottes (...)
BARBEY D'AUREVILLY, les Diaboliques,
«La vengeance d'une femme».

Fig. Détruire, tuer. → **Aplatir, démolir.** *Il voulait écrabouiller les bourgeois.*

◆ **S'ÉCRABOUILLER** v. pron. (**Réfl.**). (1886, in D.D.L.). *S'écrabouiller sur le sol.*

Rare. Par exagér. S'aplatir.

5   Ah! tant pis, je vais avancer encore un peu. Un sifflement : je m'écrabouille contre terre. Vlan. Nom de Dieu, c'est dans la tranchée; mes types ont dû prendre. J'entends des cris, des gémissements.
DRIEU LA ROCHELLE, la Comédie de Charleroi,
p. 223.

DÉR. Écrabouillable, écrabouillage, écrabouillement, écrabouilleur.

ÉCRABOUILLEUR, EUSE [ekʀabujœʀ, øz] n. — 1939; de *écrabouiller.*

Fam. Personne qui écrabouille. → **Écraseur.**

(...) le gros sergent écrabouilleur là-dedans, pas un homme, une broutille, un chien enragé.
Jean HOUGRON, la Gueule pleine de dents, p. 288.

ÉCRAN [ekʀɑ̃] n. m. — Fin XIIIᵉ, *escren;* du moy. néerl. *scherm* «paravent, écran».

◆ **1** Objet, panneau, destiné à arrêter un rayonnement.

(Fin XIIIᵉ). Panneau servant à protéger de la chaleur d'un foyer. **Syn.** : *devant-de-feu. Écran de cheminée :* cloison portative à une feuille montée sur deux pieds et que l'on place devant une cheminée, un poêle. *Écran en osier, en tapisserie* (→ Chinois, cit. 2). *Écran métallique.* → **Pare-étincelles.** *Écran à main,* pourvu d'un manche. → **Éventail.** *Écran utilisé comme ventilateur.* → **Panca.**

(1857). Châssis tendu de toile dont se servent les dessinateurs, les peintres... pour voiler un excès de lumière.

Photogr. *Écrans colorés :* lames transparentes de diverses couleurs qui ne laissent passer sur la surface sensible que leurs couleurs complémentaires. → **Filtre** (coloré).

Électr. Enveloppe ou paroi destinée à protéger contre des actions électriques ou magnétiques. *Écran électrodynamique, électromagnétique.*

Techn. Dispositif, blindage* protégeant des radiations (→ **Bouclier, carter**). *Écran thermique,* d'un réacteur nucléaire.

◆ **2** (1538). Objet interposé qui dissimule ou protège (→ **Abri, paravent, protection,** et préf. **pare-**). *Les montagnes forment un écran. Écran de verdure, de fumée.* → **Rideau. Spécialt.** *Écran de fumée,* destiné à masquer les opérations de troupes, de navires. → **Rideau.** *Écran antibruit. Faire un écran de sa main. Il se mit devant moi pour me servir d'écran* (Littré). — *Faire écran. Les arbres font écran entre la mer et la maison.*

L'employé (...) soulevant la partie supérieure d'un grand sous-main de moleskine, tourna cet écran dans la direction de Champcenais, et abrita, là-dessous, le dossier mystérieux.
J. ROMAINS, les Hommes de bonne volonté. t. II,
XIV, p. 144.

Par métaphore ou fig. *L'écran des préjugés. Souvenir qui forme écran et empêche une prise de conscience,* dit en psychanalyse *souvenir-écran.*

Mais mon christianisme ne relève que du Christ. Entre lui et moi, je tiens Calvin ou saint Paul pour deux écrans également néfastes.
GIDE, Journal, 30 mai 1910.

◆ **3** (1859; cin., 1895). **Spécialt.** Ⓐ Surface sur laquelle se reproduit l'image d'un objet. *Écran de chambre* noire.* — Surface blanche (en toile, matière plastique) sur laquelle sont projetées les images photographiques ou cinématographiques. *Écran large, géant; écran panoramique. Écran de cinémascope, de cinérama. Spectacle projeté sur plusieurs écrans* (polyvision). *Places de cinéma rapprochées, éloignées de l'écran.*

Je suis allé au cinéma deux fois avec Emmanuel qui ne comprend pas toujours ce qui se passe sur l'écran. Il faut alors lui donner des explications.
CAMUS, l'Étranger, IV, p. 53.

Loc. *Crever l'écran* (en parlant d'un acteur) : faire un effet remarquable, dans un film. *Cette actrice crève l'écran.*

Écran fluorescent : surface fluorescente sur laquelle se forme l'image dans les tubes cathodiques. *L'écran d'un récepteur de télévision, d'une console* d'ordinateur, d'un terminal*. Écran formaté.* — *Écran radioscopique,* sur lequel se forme l'image d'un corps traversé par les rayons X.

Ⓑ **Par ext.** *L'écran, le grand écran :* l'art cinématographique. → **Cinéma.** *Technique de l'écran* (→ Autant, cit. 45). (1921). *Porter un roman à l'écran,* en faire un film. *Nouveautés de l'écran. Vedettes de la scène et de l'écran,* du théâtre et du cinéma.

Le petit écran : la télévision. *Une vedette du petit écran.*

4   TÉLÉVISION : le petit écran traite à sa manière le théâtre et en fait voir ce que personne encore n'y avait vu.
F. MAURIAC, le Nouveau Bloc-notes 1958-1960, p. 220.

5   La N. B. C. a vérifié, par ses sondages, que la publicité par la télévision était plus efficace que celle qui est faite par d'autres procédés. Plusieurs travaux ont porté, d'autre part, sur les meilleurs moyens de présenter les annonces commerciales sur le petit écran.
J. CAZENEUVE, Sociologie de la radio-télévision, p. 106.

6   Si je n'avais pas été victime d'un malaise, les militaires ne m'auraient pas pris et enfermé et j'aurais été un héros que la famille contemple sur le petit écran (...)
Jean CAYROL, Histoire d'un désert, p. 218.

7   (...) le soir les émissions de télévision, avec ses faux théâtres, ses faux jeux télévisés, ses films policiers, ses informations manipulatrices, bref, tout ce qui me confirme et me confine dans une vie où je n'existe pas mais où je fonctionne. C'est le quotidien mortel de l'idole phosphorescente, du petit écran.
Roger GARAUDY, Parole d'homme, p. 80.

♦ **4** Rare (recomm. off.). Baffle*.

ÉCRANIQUE [ekʀanik] adj. — 1947, Souriau ; de *écran*, 3.
Didact. De l'écran (de cinéma). *L'image écranique.* — Du cinéma. — REM. On a écrit et dit *écranesque*, en ce sens (1923, *in* Giraud).

ÉCRASABLE [ekʀazabl] adj. — 1870 ; de *écraser*.
Rare. Qui peut être écrasé.
Narcense commençait à bien rigoler de cette misère et de cette mauvaise humeur réduites à d'aussi basses proportions. Cette teigne humaine impuissante et écrasable.
R. QUENEAU, le Chiendent, p. 68.

ÉCRASAGE [ekʀazaʒ] n. m. — 1795, *in* D.D.L. ; de *écraser*.
Techn. Opération par laquelle on écrase qqch.

ÉCRASANT, ANTE [ekʀazɑ̃, ɑ̃t] adj. — XVIIIᵉ ; p. prés. de *écraser*.

♦ **1** Qui écrase ou qui surcharge. *Poids, faix écrasant. Charge, masse écrasante.* → **Lourd.**

♦ **2** (1838). Fig. Qui pèse lourdement, est très pénible à supporter. *Succomber sous le poids écrasant des affaires, sous un labeur écrasant.* → **Accablant.** *Dettes écrasantes. Impôts écrasants. Une chaleur écrasante.* — *Un mépris écrasant.*

1   Danton aimait sa femme de passion et la voyait mourir. L'écrasante rapidité d'une telle révolution (...) brisait la pauvre femme.
MICHELET, Hist. de la Révolution franç., VIII, 8.

2   Une responsabilité écrasante pèse sur vous tous, — celle de protéger, de prolonger, d'embellir ma scintillante, ma précieuse petite vie d'elfe.
COLETTE, la Paix chez les bêtes, « La chienne trop petite ».

3   Je vois d'abord, surtout en Méditerranée, un milieu géographique à mesure humaine, où la nature n'est ni écrasante ni disproportionnée par rapport à l'humain.
André SIEGFRIED, l'Âme des peuples, Conclusion, II.

4   Je m'en tiens, depuis longtemps, malgré d'écrasants devoirs, à ma règle personnelle qui est de conserver jalousement quelques heures de solitude chaque jour, quelques jours de solitude chaque mois et quelques mois de solitude chaque année.
G. DUHAMEL, Manuel du protestataire, Préface, p. 12.

♦ **3** Qui entraîne l'écrasement de l'adversaire. *Infliger une défaite écrasante.* → **Cuisant, humiliant.** *Succès écrasant. Il a fait preuve d'une supériorité écrasante. Forces écrasantes* : forces de beaucoup supérieures.

♦ **4** Vx (concret). Qui écrase, tue en écrasant. → **Écraseur** (mod.).
CONTR. Léger.

ÉCRASÉ, ÉE [ekʀaze] p. p. adj. → **Écraser.**

ÉCRASEMENT [ekʀazmɑ̃] n. m. — 1611 ; de *écraser*.

♦ **1** (1611). Action d'écraser* ; fait d'être écrasé. *La secousse de l'écrasement* (→ Choc, cit. 3). *L'écrasement du raisin dans la cuve. Écrasement de l'archet* (cit. 5) *sur les cordes. Résistance des matériaux à l'écrasement. Écrasement d'un membre à la lutte. Écrasement accidentel d'un organe, d'un membre* (→ **Attrition, broiement).** *Syndrome de choc dû à un écrasement* (*syndrome d'écrasement*, ou *syndrome de Bywater*). *L'écrasement de la jambe a nécessité l'amputation. Force, puissance d'écrasement.*

1   Qui ne sait que la vue de chats, de rats, l'écrasement d'un charbon, etc., emportent la raison hors des gonds ?
PASCAL, Pensées, II, 82.

1.1   Vers le soir, le brick fut tout à fait engagé dans ces écueils mouvants, dont la force d'écrasement est irrésistible.
J. VERNE, Un hivernage dans les glaces, p. 240.

Par métonymie. Bruit produit par un écrasement.

2   Les voitures arrivaient toujours ; les cris des charretiers, les coups de fouet, les écrasements du pavé sous le fer des roues et le sabot des bêtes, grandissaient (...)
ZOLA, le Ventre de Paris, t. I, p. 21-22.

(1857). Spécialt, chir. *Écrasement linéaire* : méthode d'amputation « consistant à sectionner les tissus avec une chaîne progressivement serrée » (Garnier).
Par anal. (en parlant de personnes). Entassement. *L'écrasement de la foule dans le métro.*

♦ **2** Fig. Le fait d'écraser (2.) ; son résultat. *L'écrasement d'un directeur par les responsabilités. Une impression d'écrasement, d'oppression.*

♦ **3** (1871). Fig. Destruction complète (des forces d'un adversaire). → **Anéantissement, destruction.** *L'écrasement des forces ennemies* (→ Belliqueux, cit. 2 ; classe, cit. 6). *L'écrasement complet de la résistance ennemie. Écrasement d'une révolte, d'une insurrection. Ce n'est pas une défaite, c'est un écrasement !*

3   Les guerres de l'Ancien Régime n'avaient pas été ces luttes inexpiables qui, jetant les nations entières les unes contre les autres, disloquent le monde et qui ne se peuvent terminer que par l'écrasement du vaincu.
Louis MADELIN, Talleyrand, V, XL, p. 447.

4   Les mouvements révolutionnaires d'Allemagne, d'Italie et de France ont marqué le point le plus haut de l'espoir révolutionnaire. Mais l'écrasement de ces révolutions et le renforcement consécutif des régimes capitalistes ont fait de la guerre la réalité de la révolution.
CAMUS, l'Homme révolté, p. 289.

♦ **4** Fig. Le fait de comprimer, de modifier en réduisant les écarts, les intermédiaires. *L'écrasement de la hiérarchie. Écrasement de l'échelle, de l'éventail des salaires* : réduction de l'écart entre les salaires les plus bas et les salaires les plus élevés.
Phonét. Réduction (d'un mot, d'un groupe de mots). → **Contraction, élision.**

5   Les faits d'écrasement sont tout à fait communs dans le parler familier : ptêt (peut-être), spa (n'est-ce pas).
F. BRUNOT et Ch. BRUNEAU, Précis de grammaire historique, p. 45.

ÉCRASE-MERDE [ekʀazmɛʀd] n. m. — 1896, Jarry, écrit par plais. *-merdre* ; de *écraser*, et *merdre*, pour *merde.*

Fam. Grosse chaussure. → **Godasse.** *Des écrase-merde* (plur. «logique»); *des écrase-merdes.*

1 Voici, Monsieur, un excellent article, la spécialité de la maison, les Écrase-merdres. De même qu'il y a différentes espèces de merdres, il y a des écrase-merdres pour la pluralité des goûts. Voici pour les estrons récents ; voici pour le crottin de cheval ; voici pour le méconium d'enfant au berceau ; voici pour le fiant de gendarme ; voici pour les spyrates antiques ; voici pour les selles d'un homme entre deux âges.

A. JARRY, les Paralipomènes d'Ubu, Pl., p. 473.

Par ext. Toute chaussure.

2 La horde de niais sortit à grand bruit. Treuffais boucla son porte-documents en écoutant s'éloigner le piétinement des coûteux écrase-merde.

J.-P. MANCHETTE, Nada, p. 15.

ÉCRASER [ekʀɑze] v. tr. — 1560 ; de é-, es- (lat. ex- intensif), et empr. au moy. angl. *to crasen* «briser, écraser», probablt d'orig. scandinave.

A ♦ **1** (1560). Aplatir et déformer (un corps), tuer ou chercher à tuer (un être vivant) par une forte compression, par un choc violent. → **Aplatir, broyer, comprimer, écacher, égruger, écrabouiller** (fam.). Cf. provençal esquicher. *Écraser un insecte, un ver* sous ses pieds. Écraser l'herbe en marchant. Écraser un fruit entre le pouce et l'index* (→ Coque, cit. 4). *Écraser une amande avec ses dents.* → **Croquer, mâcher.** — (Sujet n. de chose). *Le toit, le mur l'a écrasé en s'effondrant. Être écrasé par une avalanche, un éboulement. La pression qui l'écrasait.*

1 L'homme n'est qu'un roseau, le plus faible de la nature ; mais c'est un roseau pensant. Il ne faut pas que l'univers entier s'arme pour l'écraser : une vapeur, une goutte d'eau, suffit pour le tuer. Mais, quand l'univers l'écraserait, l'homme serait encore plus noble que ce qui le tue, parce qu'il sait qu'il meurt, et l'avantage que l'univers a sur lui, l'univers n'en sait rien. PASCAL, Pensées, VI, 347.

2 Ou qu'en tombant sur lui ces murs ne vous écrasent ? RACINE, Athalie, III, 5.

3 Le mépris que mes profondes méditations m'avaient inspiré pour les mœurs, les maximes et les préjugés de mon siècle, me rendaient insensible aux railleries de ceux qui les avaient, et j'écrasais leurs petits bons mots avec mes sentences, comme j'écraserais un insecte entre mes doigts. ROUSSEAU, les Confessions, IX.

4 Le chariot aux lourdes roues
Chargé de pierres et de boues,
Le wagon enragé peut bien
Écraser ma tête coupable
Ou me couper par le milieu (...)
BAUDELAIRE, les Fleurs du mal, CVI.

5 Une mouche venait bourdonner autour de lui, se poser sur sa joue, sur son cou ; il la chassait, essayait de l'écraser comme si elle eût été le malheur lui-même.
J. CHARDONNE, les Destinées sentimentales, p. 347.

Par exagér. *Écraser le pied de qqn,* le meurtrir en marchant dessus (→ Cohue, cit. 2). *Attention, vous m'écrasez le pied !*

Renverser* et passer sur le corps de (qqn) ; spécialt, tuer* en renversant et en passant dessus. *Se faire écraser par un train, une automobile. C'est un chauffard, il a déjà écrasé qqn.*

Presser ou broyer (une substance). *Écraser le raisin.* → **Fouler ; fouloir** (→ Danse, cit. 12). *Écraser du poivre, de l'ail.* → **Piler.** *Écraser du gravier.* → **Concasser, cylindrer.** *Écraser qqch. dans un mortier* (→ **Piler, triturer**), *dans un moulin* (→ **Moudre**). *Écraser qqch. sous des cylindres, des meules, des rouleaux compresseurs.* → **Cylindrer ; écacher, laminer.** *Bocard, broyeur, concasseur pour écraser le minerai.* → **Concasser.** *Écraser une substance avec une batte, un maillet, un marteau, un pilon, une presse, un instrument contondant. Briser*, détruire* un objet en l'écrasant. Écraser qqch. pour réduire en poudre* (→ **Pulvériser**). *Réduire le volume*

en écrasant. → **Tasser.** *Débris, détritus d'un objet qu'on écrase.*

Écraser une cigarette, l'éteindre en en pressant le bout incandescent. — *Écraser une larme,* l'essuyer.
Fam. Appuyer fortement et à fond sur (qqch.). *Écraser la pédale de frein, l'accélérateur.*

♦ **2** Fig. Faire succomber (qqn), accabler sous l'action d'une force irrésistible. *Ce travail, cette responsabilité l'écrase.* → **Accabler.** *Écraser qqn de... Écraser qqn de fatigue, de travail.* Cour. au passif et qu p. p. (→ ci-dessous, cit. 8, 9). *Être écrasé par la fatigue.* → **Harassé, moulu** (→ Être brisé*, broyé* de fatigue). *Être écrasé de lassitude, de tristesse, de honte, de remords. — Le fort écrase le faible.* → **Opprimer, ruiner.** *Nouvelle imprévue qui écrase.* → **Abasourdir, abattre, consterner, étonner** (→ Châtier, cit. 8). — **Absolt.** → ci-dessous, cit. 10.

6 Quoi que vous fassiez, écrasez l'infâme, et aimez qui vous aime.
VOLTAIRE, Correspondances, 28 nov. 1762 (→ Infâme).

7 Ici (*à Tadjemout*) le soleil de midi consterne, écrase, mortifie, et c'est l'ombre de minuit qui répare et à son tour redonne la vie.
E. FROMENTIN, Un été dans le Sahara, p. 248.

8 Se peut-il qu'Elle me fasse pardonner les ambitions continuellement écrasées (...)
RIMBAUD, Illuminations, «Angoisse».

9 Alors on se sent écrasé sous le sentiment de «l'éternelle misère de tout», de l'impuissance humaine et de la monotonie des actions.
MAUPASSANT, Au soleil, p. 9.

10 J'ai la personne et l'œuvre de Wagner en horreur ; mon aversion passionnée n'a fait que croître depuis mon enfance. Ce prodigieux génie n'exalte pas tant qu'il n'*écrase.*
GIDE, Journal, 25 janv. 1908.

11 (...) les ennemis, les faibles, ceux qu'il faut écraser, ceux qu'il faut maintenir en obéissance et en servitude.
J. ROMAINS, les Hommes de bonne volonté, t. I, XVI, p. 172.

12 (...) pendant les périodes de prospérité les grandes entreprises écrasent les petites. C'est l'inverse dans la crise.
J. CHARDONNE, les Destinées sentimentales, p. 488.

♦ **3** (1690, Furetière). Vaincre, réduire totalement (un ennemi, une résistance) ; dominer très nettement. *Notre armée écrasa l'ennemi* (→ Carré, cit. 6). → **Abattre, anéantir, détruire.** *Écraser impitoyablement une sédition. — Écraser qqn dans une discussion. —* **Sports.** *Écraser un adversaire dans une compétition, un match,* être beaucoup plus fort que lui. *Notre équipe a été écrasée,* a subi une lourde défaite.

Loc. fig. (où *écraser* a le sens 1). *Écraser qqch. dans l'œuf :* anéantir au stade de la préparation (un complot, etc.). — *Écraser une révolte dans le sang.*

♦ **4** (Sujet n. de chose). Dominer par sa masse, faire paraître bas ou petit. *Cet immeuble écrase tous ceux qui l'entourent.* → **Rapetisser.**

13 J'aspirais à revenir à ma vieille ville sombre, écrasée par sa cathédrale, mais où l'on sentait vivre une forte protestation contre tout ce qui est plat et banal.
RENAN, Souvenirs d'enfance..., I, I, p. 27.

♦ **5** Fig. (Sujet n. de personne). Dominer, humilier. *Elle écrase de son luxe tout son entourage.* → **Éclabousser, humilier.** *Écraser qqn de son mépris. Peintre qui écrase tous ses rivaux* (→ Brutal, cit. 7 ; châtier, cit. 8). → **Dominer, éclipser.**

♦ **6** Littér. Compromettre, nier brutalement (une entité morale, intellectuelle). *Une tyrannie qui écrase l'homme, l'esprit. Une philosophie qui écrase toute initiative.*

B Fig. et fam. ♦ **1** (1908). Fam. **EN ÉCRASER :** dormir profondément.

13.1   *Antoine revient vers le lit.*
Regarde-moi ça s'il en écrase... Il travaille bien, tu sais...
Sauf pour la géométrie... là, il n'est pas champion...
H.-G. CLOUZOT et J. FERRY, Quai des Orfèvres,
1947, in l'Avant-scène, 1963, p. 25.

13.2   *Parvenu à la bifurcation, je remise mon baquet voiture*
sur le bord du fossé, je mets mon feu de position et je
fais basculer le dossier de mon siège afin de pouvoir en
écraser. Le sommeil commence à me gagner pour de bon
et j'ai idée qu'une ronflette ne me fera pas de mal.
SAN-ANTONIO, le Secret de Polichinelle, p. 92.

Rare. *Écraser* (**même sens**).

13.3   (...) *après je monterai à la cuisine... je me trouverai bien*
un petit morceau... Mais après toutes ces fatigues d'abord
écraser !... Ah ! ronfler !... la faim passe après !
CÉLINE, Guignol's band, p. 215.

♦ **2 Pop.** *Écraser le coup,* oublier volontairement. —
Absolt. *Écrase !* (1956, *in* Esnault) : n'insiste pas, ça va
comme ça, laisse tomber. *Tu ferais mieux d'écraser,*
de ne pas insister.

◆ **S'ÉCRASER** v. pron.

♦ **1** (1659). S'aplatir (5.), éclater en tombant. *Les*
fruits s'écrasent en tombant. L'avion s'est écrasé sur
le sol, contre une montagne. Les balles s'écrasent sur
le blindage.

14   Le monstre, furieux de se voir entendu (...)
Du roc s'élance en bas, et s'écrase lui-même.
CORNEILLE, Œdipe, I, 3.

15   Il avait beau tordre le cou, renverser la nuque : elles
(les gouttes) battaient sa face, s'écrasaient, claquaient sans
relâche.   ZOLA, Germinal, t. I, p. 41.

Spécialt (escrime). Se fendre en se penchant le plus
en avant possible.

♦ **2 Fig.** (Sujet n. de personne). Se tasser, se faire petit.
S'écraser contre le mur pour laisser passer qqn.
Fam. *S'écraser devant qqn* : se sentir inférieur, n'oser
rien dire. *Écrase-toi, n'insiste pas. Il s'est écrasé, il*
a renoncé.

♦ **3** (Récipr.). **Fam.** Être très serré l'un contre l'autre,
les uns contre les autres ; s'entasser. *Les gens s'écra-*
saient à la sortie. Beaucoup de monde à l'exposition ;
on s'écrasait ! La foule s'écrasait.

◆ **ÉCRASÉ, ÉE** p. p. adj. et n.

♦ **1** Qui est aplati, broyé, sous l'effet d'une compression, d'un choc violent. *Fruit, insecte écrasé.* —
Couleur cerise écrasée.

Qui a été renversé par un véhicule qui lui est passé
sur le corps. *Un piéton écrasé par une voiture.* — **N.**
Un écrasé, une écrasée. «Le carrefour des écrasés»
(carrefour dangereux, à Paris, v. 1880).
Loc. fam. *La rubrique des chiens écrasés* : les faits
divers sans intérêt, dans un journal. **Ellipt.** *Un jour-*
naliste qui fait les chiens écrasés.

♦ **2** (1629). Qui est très aplati, court et ramassé. *Nez*
écrasé. → **Camard** (cit. 1). *Visage écrasé.* — **Archit.** *Édi-*
fice écrasé, qui manque de hauteur ou dont le soubassement est trop court de proportions par rapport aux étages supérieurs. — **Typogr.** *Lettre écrasée.*

16   (...) à nos colonnes fluettes, guindées sur d'énormes bases,
ou à nos porches ignobles et écrasés que nous appelons
des portiques.   CHATEAUBRIAND, Itinéraire..., I.

♦ **3 Fig.** Moralement abattu. — **N. Rare.** *Un écrasé,*
une écrasée.

17   Si j'avais (à Dieu ne plaise !) vingt ans de moins, je serais
sans doute assez fou pour essayer de prouver que cela
n'était pas le repos, que vous appeliez repos la révolte
silencieuse d'une pauvre petite âme écrasée.
BERNANOS, Dialogues d'ombres, 1928,
in Œ. roman., Pl., p. 43.

♦ **4 N. f.** *Une écrasée* : effondrement du sol au-dessus
d'une ancienne fouille de mine qui n'a pas été
boisée ou comblée.

CONTR. Décharger, soulager. — **Aise** (mettre à l'aise).
◊ **DÉR. Écrasable, écrasage, écrasant, écrasement, écra-**
seur, écrasis. → **COMP. Écrase-merde.** — **V. Écrabouiller.**

ÉCRASEUR, EUSE [ekrazœr, øz] adj. et n. — 1571,
adj. ; 1611, n. ; de *écraser.*

Ⅰ **Adj. Rare.** Qui écrase. → **Écrasant.**

Ⅱ **N.** ♦ **1** Personne qui écrase. *Un écraseur de poules.*
Cour. Anciennt. Mauvais cocher ; mod., conducteur
maladroit. → **Chauffard.**
Argot mar. *Écraseur,* ou *écraseur de crabes.* → **Cabo-**
teur.

1   Les lieutenants sont l'un et l'autre des écraseurs. Ce terme
élégant sert aux long-courriers à désigner les capitaines
de cabotage, attendu que ceux-ci, faute des diplômes suf-
fisants pour s'aventurer au large, sont réduits à suivre les
côtes de près, et passent, cela va sans dire, le plus clair
de leur existence à aplatir des crabes.
J.-R. BLOCH, Sur un cargo, p. 198.

Au sens A, 3 de *écraser* :

2   Je déteste trop précisément le crime — et non celui qui
le commet qui m'atterre plus qu'il ne me dégoûte — pour
avoir envie de participer à mon tour d'un autre crime,
notre société ne se défendant jamais que des forts une
fois qu'ils sont devenus faibles et jamais des forts, des
écraseurs, au moment où précisément ils écrasent.
Michèle PERREIN, Entre chienne et louve, p. 190.

♦ **2 N. m.** (1857). **Chir.** Instrument en forme de chaîne
ou de corde tranchante, servant à serrer circulairement une partie qui doit être amputée.
Techn. Moulin de cidrerie.

ÉCRASIS [ekrazi] n. m. — 1883, Huysmans ; de *écraser,*
et *-is.*

Rare. Amas d'objets, d'êtres écrasés. — **Peint.** Épais
trait de crayon ; grosses taches de peinture.

(...) de près, le maillot d'une danseuse de Degas est un
écrasis de crayon rose ; à distance, c'est du coton tendu
sur une jambe qui muscle.
HUYSMANS, l'Art moderne, 1883, p. 138, in T. L. F.

ÉCRASURE [ekrazyr] n. f. — 1870 ; de *écraser,* et suff.
-ure.

Techn. Partie écrasée (d'un velours, d'une peluche).
Syn. : *mâchure.*

ÉCRELET [ekrəlɛ] n. m. → **Lécrelet.**

ÉCRÉMAGE [ekremaʒ] n. m. — 1765 au sens techn.,
1., b ; de *écrémer.*

♦ **1 ⓐ** (1838). Action d'écrémer (le lait) ; son résultat.
L'écrémage est la première opération de la fabrica-
tion du beurre.
ⓑ (1765). **Techn.** Action d'écrémer (du verre, du
métal en fusion, des huiles de pétrole, etc.).

♦ **2** (1867). **Fig.** Prélèvement des meilleurs éléments
(d'un groupe humain). *«L'écrémage des classes*
populaires par l'Université reste très limité» (*le*
Monde, 20 avr. 1964).

ÉCRÉMER [ekreme] v. tr. [CONJUG.: *céder.*] — XVᵉ,
escramer; de *é-, crème,* et *-er.*

♦ **1 ⓐ** Dépouiller (le lait) de la crème, de la matière
grasse. *Écrémer du lait, le lait.* — **Au p. p. adj.** *Lait*
écrémé, lait (à) demi écrémé. → **Maigre.**

1   Lorsque le lait est laissé au repos, la matière grasse monte,
à raison de sa moindre densité, à la partie supérieure
du récipient ; la couche dans laquelle elle se concentre
constitue la crème. En enlevant cette couche, on obtient,
d'une part la crème, et d'autre part le lait écrémé ou lait
maigre.   Omnium agricole, Écrémage.

ⓑ (1765). Techn. Enlever les scories à la surface du verre en fusion.

ⓒ Techn. Recueillir (les hydrocarbures) à la surface d'un bassin.

♦ **2** (1690, Furetière). Fig. Dépouiller des meilleurs éléments (un ensemble, un groupe). *Écrémer une bibliothèque, une collection. Écrémer une affaire.* → **Choisir, sélectionner.** «*L'exode féminin qui "écrème" les campagnes*» (J. Chaffard). **Par ext., péj.** Dépouiller systématiquement de ce qu'il y a de meilleur. → **Rafler.**

2   Tes scélérats de bouquinistes de Paris, qui écrèment tout jusqu'ici.
            Ed. DE GONCOURT, Charles Demailly, 1860, p. 92,
                                        in T. L. F.

DÉR. Écrémage, écrémette, écrémeuse, écrémoir ou **écrémoire.**

ÉCRÉMETTE [ekʀemɛt] n. f. — 1907, Larousse ; de *écrémer.*
Technique.
♦ **1** Régional. Écrémoir à fromage.
♦ **2** Écrémoir (3.) d'artificier.

ÉCRÉMEUR [ekʀemœʀ] n. m. — xxᵉ ; de *écrémer.*
Techn. Dispositif permettant d'écrémer un bassin de décantation ou de récupération d'hydrocarbures.

ÉCRÉMEUSE [ekʀemøz] n. f. — 1890 ; de *écrémer.*
Techn. Machine à écrémer le lait en concentrant la matière grasse. *Écrémeuse rotative, électrique. Barattes, écrémeuses et malaxeurs sont utilisés pour faire le beurre.*

ÉCRÉMOIR n. m. ou **ÉCRÉMOIRE** [ekʀemwaʀ] n. f. — 1802, *écrémoir*; *escramoire*, 1363 au sens 1 ; de *écrémer*, et *-oir, -oire.*
Technique.
♦ **1** Sorte d'écumoire pour écrémer (1., a) le lait.
♦ **2** (1802). Ustensile pour écrémer (1., b) le verre en fusion.
♦ **3** (1752). Cuiller de corne ou de cuivre dont se servent les artificiers pour rassembler les matières broyées. (On dit aussi *écrémette*).

ÉCRÊTAGE [ekʀetaʒ] n. m. — V. 1970 ; de *écrêter.*
♦ **1** Écrêtement (2.).
♦ **2** (De *écrêter*, 5.). Électr. Opération par laquelle on maintient un signal électrique à un niveau constant.

ÉCRÊTEMENT [ekʀetmã] n. m. — 1838 ; de *écrêter.*
♦ **1** (1864). Techn. Artill. Action d'écrêter. *L'écrêtement d'une côte, d'un parapet.*
♦ **2** (1966). Fig. (Admin.). Suppression des «pointes», des éléments quantitativement extrêmes. *L'«écrêtement des horaires les plus longs»* (J.-P. Courthéoux, *la Politique des revenus*, p. 108).

ÉCRÊTER [ekʀete] v. tr. — 1752 ; *écrêté* «dont on a enlevé la crête», 1611 ; de *é*, *crête*, et suff. verbal.
♦ **1** Rare. Dégarnir de sa crête. *Écrêter un coq.*
♦ **2** (1752). Artill. Abattre la crête de (un ouvrage fortifié). *Écrêter un objectif, un bastion.* Absolt. Se dit des pièces en batterie derrière une crête, lorsque, leur tir étant trop tendu, la crête se trouve touchée (→ Dévaster, cit. 4).

(...) le boulet frappait le bord extrême de l'arête supérieure   1
de la barricade, l'écrêtait, et émiettait les pavés sur les insurgés en éclats de mitraille.
            HUGO, les Misérables, V, I, XIV.

Par anal. *La tempête a écrêté le mur.*

♦ **3** (1864). Techn. Niveler (une route) en faisant disparaître les crêtes qui ôtent la visibilité. → **Aplanir, araser, niveler.** *Écrêter une côte*, en diminuer la hauteur.

♦ **4** Agric. Dépouiller (les tiges de maïs) de leurs crêtes. — Par ext. *Écrêter du maïs.*

♦ **5** (Mil. xxᵉ). Électr. Niveler (un signal électrique) au delà d'un certain seuil, de manière à le maintenir à un niveau constant. → **Bloquer, saturer.**

♦ **6** (1960). Fig. (Admin.). Égaliser en supprimant les éléments extrêmes. *Écrêter les prix, les salaires. Écrêter les horaires* (→ **Écrêtement**).

♦ **ÉCRÊTÉ, ÉE** p. p. adj. *Coq écrêté.* — *Bastion, mur écrêté.*

Tout un côté de la cité, écroulé vers la rive, peut-être à   2
la suite du tremblement de terre, étage, du haut en bas du rocher qui les porte, des murs écrêtés et fendus, des moitiés de vieilles demeures plâtreuses, ouvertes au vent du large.
            MAUPASSANT, la Vie errante, Côte italienne.

Maïs écrêté. — Courbe écrêtée.

DÉR. Écrêtement.

ÉCREVISSE [ekʀəvis] n. f. — 1248, *escreveice*; *escrevise*, v. 1265 ; de l'anc. franç. *crevice*, du francique **krebitja*; cf. anc. haut all. *krebiz*; all. *Krebs.*

♦ **1** Crustacé d'eau douce (type des décapodes macroures), de taille moyenne, aux pattes antérieures armées de pinces (cit. 4) robustes. → **Astacus; astaco-.** *L'écrevisse habite les cours d'eau profonds et rapides ou les ruisseaux à fond de gravier; elle se nourrit de débris animaux ou végétaux, de crustacés, de mollusques. Les écrevisses marchent aussi bien en arrière qu'en avant. Carapace brunâtre de l'écrevisse vivante. Pêcher l'écrevisse avec des balances*, des pêchettes*. Pêche à l'écrevisse. Élevage des écrevisses.* → **Astaciculture.** — *Écrevisses au court-bouillon (à la nage). Beurre, bisque, coulis d'écrevisses. Buisson* d'écrevisses.*

Mˡˡᵉ Vatnaz mangea presque à elle seule le buisson d'écre-   1
visses, et les carapaces sonnaient sous ses longues dents.
            FLAUBERT, l'Éducation sentimentale, II, I.

Te souviens-tu du temps où nous parcourions ces bois (...)   2
Quand nous allions tirer les écrevisses des pierres, sous les ponts de la Nonette et de l'Oise (...)
            NERVAL, Fragments de Sylvie.

Il ne fallut pas cinq minutes pour faire une pêche miracu-   2.1
leuse, car les écrevisses pullulaient dans le creek. De ces crustacés, dont le test présentait une couleur bleu cobalt, et qui portaient un rostre armé d'une petite dent, on remplit un sac, et la route fut reprise.
            J. VERNE, l'Île mystérieuse, t. I, p. 345.

L'arrivage des écrevisses d'Allemagne, en boîtes et en   2.2
paniers, était très-fort ce matin-là.
            ZOLA, le Ventre de Paris, t. I, p. 151-152.

Loc. fam. *Rouge comme une écrevisse* : très rouge, comme le sont les écrevisses après la cuisson.

Mod. (par allus. à la nage à reculons de l'écrevisse, qui, en revanche, marche en avançant normalement). *Aller, marcher comme les écrevisses* : reculer au lieu d'avancer, de progresser.

Les sages quelquefois, ainsi que l'écrevisse,   3
Marchent à reculons, tournent le dos au port.
            LA FONTAINE, Fables, XII, 10.

Loc. Vx. *Éplucheur d'écrevisses*, se dit de celui qui se perd en discussions futiles (les écrevisses étant longues à éplucher et n'offrant que peu à manger). → **Chicanier.**

4 (...) vous savez (...) combien l'on hait en ce pays-ci les démêlés des provinces : cela s'appelle *éplucher des écrevisses.* Mᵐᵉ DE SÉVIGNÉ, 1109, 20 déc. 1688.

(Image d'une écrevisse). Blason. Figure de l'écu. — *L'Écrevisse :* le Cancer*, signe du zodiaque.

♦ **2** Par anal. Ancienne cuirasse formée d'écailles. — (1842). **Techn.** Sorte de grande tenaille employée dans les forges.

♦ **3** Par métaphore. [a] **Littér.** et par plais. Vers qui, lu à rebours, présente un sens. → **Récurrent.**

[b] **Argot, vx.** *Écrevisse cuite :* cardinal.

ÉCRIER [ekʀije] v. tr. — 1768; de é-, et cru, adj. «non préparé»; pour *écruer.*

Techn. anc. Frotter (un fil de fer) avec un tissu enduit de grès, pour le nettoyer.

DÉR. Écrieur. ◊ **HOM. Écrier** (s').

ÉCRIER (S') [ekʀije] v. pron. — Xᵉ; de é-, et *crier.*

♦ **1** Vieilli. Pousser subitement des cris (sous l'effet de la surprise, de la frayeur, de l'admiration, de l'indignation, de la douleur...). *S'écrier à propos de, sur qqch.,* s'en indigner bruyamment.

1 (...) Il s'écrie, et sa suite,
De peur d'un pareil sort, prend aussitôt la fuite.
CORNEILLE, Nicomède, V, 7.

2 (...) nous ferons notre devoir de nous écrier comme il faut sur tout ce qu'on dira.
MOLIÈRE, les Précieuses ridicules, 9.

(Le sujet est un animal). Pousser son cri.

♦ **2** Mod. Dire (qqch.) d'une voix forte et émue. → **Exclamer** (s'). *Il s'écria :* «Venez vite!». *Il s'écria que c'était une injustice. Elle s'écria qu'elle n'accepterait jamais. —* (En incise). *Vite! s'écria-t-il.*

3 Ah! s'est-il écrié, César, tout est perdu.
ROTROU, le Véritable St Genest, II, 8.

4 Il se sentit le cœur triste comme une tombe,
Alors il s'écria :
— «O douleur! j'ai voulu, moi dont l'âme est troublée» (...)
HUGO, les Rayons et les Ombres, «Tristesse d'Olympio».

5 Elle réfléchissait encore, taisait avec effort ce que lui dictait sa cruauté céleste, puis s'écriait de nouveau (...)
COLETTE, la Naissance du jour, p. 47.

Absolt, vieilli. Approuver ou désapprouver (une idée, une opinion). → **Indigner** (s'), **récrier** (se).

REM. Le verbe s'emploie aussi à propos de l'expression écrite (→ Cri, fig.). *Plusieurs journalistes se sont écriés avec indignation dans leur quotidien...*

CONTR. Maîtriser (se), **taire** (se). ◊ **HOM. Écrier.**

ÉCRIEUR [ekʀijœʀ] n. m. — 1768; de *écrier,* v. tr.
Techn. Ouvrier qui écrie le fil de fer. — **REM.** Le fém. *écrieuse* est virtuel.

ÉCRILLE [ekʀij] n. f. — 1743, Trévoux; probablt de l'anc. nordique *skidla* «glisser».
Pêche. Clôture de clayonnage posée à la décharge d'un étang pour empêcher le poisson d'en sortir.

ÉCRIN [ekʀɛ̃] n. m. — Après 1050, escrin; du lat. class. *scrinium.*

♦ **1** Boîte ou coffret, en général tendu de tissu, où l'on range et garde les bijoux et les objets précieux. → **Baguier, coffre, coffret, étui.** *Offrir une bague, un collier, une montre-bracelet dans un écrin. Ranger l'argenterie dans les écrins.*

Par métonymie. Contenu d'un écrin. *Avoir un riche écrin. L'écrin de la Reine. —* **Loc. fig.** *C'est le plus beau joyau de son écrin,* ce qu'il possède de plus précieux.

Je rêvais, contemplant ces bières   1
De palissandre ou d'acajou,
Qu'un habile ébéniste orne de cent manières :
«Quel écrin et pour quel bijou!»
BAUDELAIRE, Amœnitates belgicæ, VII.

♦ **2** Fig. et poét. Ce qui renferme qqch. de précieux, de gracieux.

Et les perles en dents se moulent   2
Pour l'écrin des rires charmants.
Th. GAUTIER, Émaux et camées, «Affinités secrètes».

Les écrins sombres des loges renfermaient les têtes étincelantes et les épaules nues des femmes.   3
FRANCE, le Lys rouge, XXXII, p. 234.

ÉCRIRE [ekʀiʀ] v. tr. — V. 1050, escrire; du lat. *scribere.*
REM. *Écrire,* pour sa syntaxe, correspond à la fois à *dire* (essentiellement trans.) et à *parler* (intrans.). Les emplois transitifs sont soumis à diverses contraintes (voir REM. ci-dessous).

[I] ♦ **1** [a] **Trans.** Tracer (des signes d'écriture, un ensemble organisé de ces signes). → suff. **-graphie.** *Écrire une lettre, un signe, un caractère. Écrire une ligne, une phrase, un alinéa, un paragraphe, une page. Écrire un mot, un nom, une expression... — Écrivez cela ici, sur une autre feuille. Écrire une phrase pour la seconde fois.* → **Récrire** (ou **réécrire**), **reprendre; copier, recopier, transcrire.** *Écrire qqch. dans une autre langue.* → **Traduire.** *Écrire une phrase sous la dictée* (cit. 1). *Écrire qqch. en surcharge.* → **Surcharger.** *Effacer, biffer ce que l'on a écrit. Écrire un mot au lieu d'un autre.* → **Lapsus** (lapsus calami).

Exprimer (qqch.) par l'écriture (le compl. désigne non plus les signes, mais ce qui est signifié, exprimé). Écrire une idée, sa pensée. Écrire qqch. sur, à propos de qqn. — **REM.** Les compl. directs possibles avec *écrire* sont peu nombreux, quand ils ne désignent pas les signes. Ce sont surtout des indéterminés *(quelque chose, rien, ce que...). — Écrire ce qui vient à l'esprit.* → **Exposer, exprimer, coucher** (par écrit). *Écrire ce que l'on pense de qqch. Écrire ses pensées, ses réflexions.*

En écrivant ma pensée elle m'échappe quelquefois (...)   1
PASCAL, Pensées, VI, 372.

(...) ils estimaient impraticable à un homme même qui est   2
dans l'habitude de penser, et d'écrire ce qu'il pense, l'art de lier ses pensées (...)
LA BRUYÈRE, Disc. de réception à l'Académie, Préface.

On le voyait sans cesse écrire, écrire   3
Ce qu'il avait jadis entendu dire (...)
VOLTAIRE, le Pauvre Diable (→ Compiler, cit.).

(...) il y avait sur la marge ces trois mots écrits au crayon,   4
et tracés d'une main rapide et ferme (...)
NERVAL, les Filles du feu, «Angélique», II.

L'homme n'écrit rien sur le sable   5
À l'heure où passe l'aquilon.
A. DE MUSSET, Poésies nouvelles, «Nuit de mai».

J'attends trop souvent que la phrase ait achevé de se   6
former en moi, pour l'écrire.
GIDE, Journal, 4 juin 1930.

Les idées ne venaient pas. Soudain, il prit une résolution,   7
écrivit quelques lignes, les relut et déchira la feuille de papier.
P. MAC ORLAN, la Bandera, XIV, p. 172.

Sur mon cahier d'écolier   8
Sur mon pupitre et les arbres
Sur le sable sur la neige
J'écris ton nom.
ÉLUARD, Poésie et vérité 42, «Liberté».

Écrire l'arabe, le chinois : connaître et pouvoir pratiquer l'écriture arabe, chinoise. *Il apprend l'hébreu, mais il ne sait pas l'écrire. Il lit et écrit le grec, le russe.* — REM. Pour l'emploi absolu, → ci-dessous b, *supra* cit. 9.

Par anal. Noter. *Écrire des chiffres.* → **Poser.** *Écrire une addition, une équation.* — *Écrire des notes de musique sur une portée. Écrire un accompagnement. Écrire un pas de danse* (→ **Chorégraphie**).

Fig. Tracer (comme une écriture). → **Dessiner.** *Écrire des signes, des arabesques* (cit. 9) *dans l'air.*

b (Sans compl. dir.). *Écrire sur une feuille de papier.* → Gratter, noircir, salir du papier ; tenir la plume. *Écrire sur, dans un carnet, un cahier ; sur du parchemin. Écrire sur une ardoise, sur un tableau noir, sur un mur, dans la poussière, le sable. Écrire à la craie, au crayon* (→ **Crayonner**), *à l'encre, avec une plume d'oie, un porte-plume, un stylographe. Les anciens écrivaient avec un stylet, sur des tablettes. Roseau à écrire* (→ **Calame**). *Acheter de quoi écrire dans une papeterie*. Matériel pour écrire. Table à écrire. Écrire sur un pupitre, sur un sous-main, sur ses genoux* (→ Courir, cit. 29). *Se mettre à son bureau pour écrire. S'apprêter, commencer à écrire.* → Prendre la plume*. *Écrire en haut, au bas de la page ; en marge* (→ **Marginer**). *N'écrivez pas sur cette page, laissez-la en blanc. Écrire sur une page entière.* → **Couvrir, remplir.** *Écrire au brouillon* (→ **Brouillonner**), *au propre* (→ **Recopier**). — *Être fatigué d'écrire ; avoir mal au poignet à force d'écrire. Je n'ai plus le courage d'écrire* (→ La plume* me tombe des mains).

Absolt. Connaître et pratiquer l'écriture. *Apprendre à écrire. Faire des barres, des bâtons* pour apprendre à écrire. Perte de la capacité d'écrire.* → **Agraphie.** *Savoir lire et écrire. Il ne sait ni lire ni écrire* (→ **Analphabète, illettré**). *Écrire bien, lisiblement, couramment* (cit.). *Écrire avec application.* → **Calligraphie.** *Écrire de travers. Transparent pour écrire droit* (→ **Guide-âne**). *Écrire mal, d'une manière illisible, comme un chat, comme un cochon.* → **Barbouiller, brouillonner, gribouiller, griffonner** ; cf. Faire des pattes de mouches. *Écrire en grosses lettres, écrire gros ; écrire fin. Écrire en majuscules, en capitales ; en minuscules. Écrire en caractères grecs, romains, arabes, russes, chinois, japonais. Écrire en hiéroglyphes, en idéogrammes... Il apprend le japonais, mais il ne sait pas encore écrire.*

9 La manière d'enseigner à écrire doit être à peu près de même *(que pour la lecture) ;* quand les enfants savent déjà un peu lire, on leur peut faire un divertissement de former des lettres (...) Les enfants se portent d'eux-mêmes à faire des figures sur le papier ; si peu qu'on aide à cette inclination sans la gêner trop, ils formeront des lettres en se jouant et s'accoutumeront peu à peu à écrire.
    FÉNELON, De l'éducation des filles, v.

10 Il tira ensuite de sa poche une petite lame d'ivoire, écrivit sur cette lame avec une aiguille d'or (...)
    VOLTAIRE, la Princesse de Babylone, 1.

Machine à écrire. → **Machine ; dactylotype.**

♦ **2** Employer telles ou telles lettres pour écrire (un mot, une suite de caractères graphiques codée). → **Orthographier.** *Comment écrivez-vous ce mot ? Je ne sais pas écrire son nom.*

11 Tu éviteras toute orthographie *(orthographe)* superflue et ne mettras aucunes lettres en tels mots si tu ne les prononces en les lisant ; au moins tu en useras le plus sobrement que tu pourras, en attendant meilleure réformation : tu é(s)criras *escrit* et non *escripte, cieus* et non *cieulx.*
    RONSARD, Abrégé de l'art poétique franç., Pl., t. II, p. 1009.

♦ **3** Consigner*, noter* par écrit. *Écrire un nom, une adresse sur un carnet, un bloc. Écrire son nom*

à *la fin d'une lettre.* → **Apposer, signer.** *Écrire ses dépenses sur un agenda.* → **Inscrire, marquer, noter.** *Écrivez cela pour moi ; écrivez-moi ces renseignements.*

12 (...) vous (...) connaissez la minutieuse exactitude avec laquelle l'administration française écrit tout, verbalise sur tout, consomme des rames de papier pour constater l'entrée et la sortie de quelques centimes (...)
    BALZAC, la Cousine Bette, t. VI, p. 421.

12 Tenez ! Écrivez-moi son nom, l'âge, les états de service de votre mari (...)
    ZOLA, la Bête humaine, p. 102.

Exprimer par l'écriture (avec les mêmes connotations que le sens II). *Écrire sa vie* (→ aussi S'écrire, 3.).

13 Ce fut d'abord une étude. J'écrivais des silences, des nuits, je notais l'inexprimable. Je fixais des vertiges.
    RIMBAUD, Une saison en enfer, p. 219.

(En procédure). *Le greffier* écrit une déposition, un interrogatoire, un procès-verbal. Écrire qqch. en addition sur une requête.* → **Apostiller.** *Écrire un exploit.* → **Libeller.**

Vous riez ? Écrivez qu'elle a ri.

14   RACINE, les Plaideurs, II, 6.

♦ **4** Fig. et littér. → **Empreindre, graver, indiquer, inscrire, marquer.** *Ses rides écrivent son grand âge sur son front.*

Son sang sur la poussière écrivait mon devoir (...)

15   CORNEILLE, le Cid, II, 8.

(Au passif). *La colère, la douleur est écrite sur son visage.* → **Peint, tracé ; évident, manifeste, visible.**

Mais l'exemple souvent n'est qu'un miroir trompeur.
Et l'ordre du destin qui gêne nos pensées
N'est pas toujours écrit dans les choses passées.

16   CORNEILLE, Cinna, II, 1.

Mon malheur n'est-il pas écrit sur son visage ?

17   RACINE, Bajazet, IV, 3.

(...) l'ennui me paraît écrit et gravé sur son visage (...)

18   Mᵐᵉ DE SÉVIGNÉ, 420, 26 juil. 1675.

Spécialt. *Être écrit par la Providence, le destin :* être fixé, tracé d'avance. *Cela était écrit au ciel* (Littré). Absolt. *C'était écrit,* formule fataliste. *Cf.* fam. *Cela devait arriver. Il est écrit que je ne réussirai pas.* → **Certain, sûr.**

(...) s'il est écrit qu'il faille que j'y passe (...)

19   MOLIÈRE, l'École des femmes, III, 4.

Ô Mystère ! ô tourment de l'âme forte et grave !
Notre mot éternel est-il : C'était écrit ?
— Sur le Livre de Dieu, dit l'Orient esclave ;
Et l'Occident répond : — Sur le Livre du Christ.

20   A. DE VIGNY, Poésies compl., «Destinées».

J'étais fait, en arrivant à Paris ; avant de quitter la Bretagne, ma vie était écrite d'avance.

21   RENAN, Souvenirs d'enfance..., II, p. 69.

♦ **5** Rédiger (un message destiné à être envoyé à qqn). *Écrire une lettre, une carte postale, un billet, une dépêche à qqn. Manière d'écrire les lettres.* → **Épistolaire** (genre). *Je lui ai écrit un petit mot pour l'informer, mais je ne l'ai pas envoyé. Écrivez-moi à mon adresse habituelle, chez M. Untel. On vous écrira.*

Vous avez pour Acaste écrit ce billet tendre ?

22   MOLIÈRE, le Misanthrope, V, 4.

Le soir de chaque jeudi, il écrivait une longue lettre à sa mère, avec de l'encre rouge et trois pains à cacheter (...)

23   FLAUBERT, Mᵐᵉ Bovary, I, I.

Informer par lettre. *Je lui ai écrit que j'étais malade. Je suis très étonné de ce que vous m'écrivez sur ses projets.* — REM. Le compl. est rarement nominal : *Je vous ai écrit mon idée sur la question.* Une phrase comme : *«Je lui ai écrit la mort de son père»* (Littré) n'est pas normale. On dirait : *Je lui ai annoncé par lettre...* → **Annoncer, mander.**

Rédiger et envoyer une lettre, des lettres à... → **Correspondre** (avec). *Il ne m'a pas écrit depuis un mois. Il m'écrit de Londres. Je vous écrirai si vous me donnez votre adresse. Je vous écris pour vous dire* (cit. 84) *que... Il m'a écrit, je dois lui répondre.* — Absolt. *Il est en train d'écrire.* → **Correspondance, courrier** (faire sa correspondance, son courrier). *Il écrit beaucoup* (→ **Épistolier**). *Il a horreur d'écrire.*

24   Oh ! je ne lui ai écrit qu'une fois, et même c'était, en partie, pour lui dire de ne plus m'écrire : mais malgré cela il m'écrit toujours (...)
          LACLOS, les Liaisons dangereuses, Lettre XXVII.

25   Ma mère ne me parle plus ; elle m'a ôté papier, plumes et encre ; je me sers d'un crayon, qui par bonheur m'est resté, et je vous écris sur un morceau de votre Lettre.
          LACLOS, les Liaisons dangereuses, Lettre LXIX.

♦ 6 Techn. Inscrire (des informations) dans une mémoire électronique. *Écrire qqch. sur bande magnétique.*

II ♦ 1 Composer* (un ouvrage scientifique, littéraire) par l'écriture. → **Rédiger.** *Personne qui écrit des livres.* → **Écrivain, écrivant, scripteur.** *Écrire un ouvrage, un livre, un roman, une nouvelle, un conte, une pièce de théâtre, un scénario de film, un dialogue* (cit. 5, 6). *Écrire une biographie* (cit. 3), *son autobiographie, ses mémoires. Écrire des annales* (cit. 3). *Écrire une satire, une charge. Écrire un feuilleton, un article de journal. Il n'a rien écrit cette année.* → **Produire, publier.** — *Écrire de la poésie, des vers, des poèmes.* — *Écrire des volumes* (→ fam. **Pondre**). *Écrire hâtivement un article.* — **Bâcler, brocher, pondre.** — *Finir d'écrire une œuvre.* → **Achever ;** → *Mettre la dernière main* ; faire la toilette* d'un texte. — *Ce qu'il écrit est beau, intéressant.*

26   Ce que Malherbe écrit dure éternellement.
          MALHERBE, Poésies, XCIII,
          «Sonnet au Roy» (Louis XIII).

27   Ce ne serait peut-être pas un conseil peu important à donner aux écrivains que celui-ci : n'écrivez jamais rien qui ne vous fasse un grand plaisir (...)
          Joseph JOUBERT, Pensées, XXIII, 58.

28   Mais, forcé de parler notre ignoble langage,
      J'ai du moins fait serment, tant que j'existerais,
      De ne jamais écrire un vil en bon français ;
      Tu me connais, tu sais si j'ai tenu parole.
          A. DE MUSSET, Poésies nouvelles,
          «Dupont et Durand».

29   J'ai commencé à écrire ces *Mémoires* à la Vallée-aux-Loups le 4 octobre 1811 ; j'achève de les relire en les corrigeant à Paris ce 25 septembre 1841 (...)
          CHATEAUBRIAND, Mémoires d'outre-tombe, t. VI,
          p. 313.

30   Il travaillait ainsi jusqu'à quatre ou cinq heures selon les jours écrivant la valeur d'une moitié de feuilleton.
          J. ROMAINS, les Hommes de bonne volonté, t. III,
          XVIII, p. 246.

Loc. *Voilà comme on écrit l'histoire,* se dit à propos d'un récit controuvé, falsifié.

31   (...) et voilà comme on écrit l'histoire : puis fiez-vous à messieurs les savants !
          VOLTAIRE, Correspondance, 2934, 24 sept. 1766.

♦ 2 Absolt. Composer un ouvrage (surtout en parlant d'écriture littéraire). *Cet auteur écrit beaucoup* (→ **Prolixe ; remplir**), *écrit peu. Il veut écrire, il se mêle d'écrire. L'acte d'écrire. Liberté d'écrire. Pour quel public écrivez-vous ? Sur quel sujet, de quel sujet écrit-il ?* → **Parler.** *Écrire dans un journal, une revue. Écrire sur les événements du jour* (→ **Commenter**). *Écrire sur commande* (cit. 4). *Écrire avec facilité, rapidement, sans brouillon* (cit. 1), *au courant* (cit. 17) *de la plume. Écrire trop vite.* → **Écrivailler, écrivasser.** *Écrire trop, sans mesure.* → **Salir** (du

papier), **tartiner** (fam.). *Écrire péniblement, en retouchant, en remaniant.*

(...) il faut qu'un galant homme ait toujours grand empire   32
Sur les démangeaisons qui nous prennent d'écrire (...)
          MOLIÈRE, le Misanthrope, I, 2.

Écrive qui voudra : chacun à ce métier   33
Peut perdre impunément de l'encre et du papier.
          BOILEAU, Satires, IX.

Avant donc que d'écrire apprenez à penser.   34
          BOILEAU, l'Art poétique, I.

Voulez-vous ressembler aux Muses ?   35
Inspirez, mais n'écrivez pas !
          ÉCOUCHARD-LEBRUN,
          Ode aux belles qui veulent écrire.

(...) comme il n'est pas nécessaire de tenir les choses pour   36
en raisonner, n'ayant pas un sou, j'écris sur la valeur de
l'argent et sur son produit net (...)
          BEAUMARCHAIS, le Mariage de Figaro, V, 3.

Pour écrire vite, il faut avoir beaucoup pensé, — avoir   37
trimbalé un sujet avec soi, à la promenade, au bain, au
restaurant, et presque chez une maîtresse.
          BAUDELAIRE, l'Art romantique, IV, 5.

On ne doit jamais écrire que de ce qu'on aime (...)   38
          RENAN, Souvenirs d'enfance..., Préface, p. 13.

Il y en a qui écrivent pour rechercher les applaudisse-   39
ments humains (...)
          LAUTRÉAMONT, les Chants de Maldoror, I, p. 14.

(...) écrire, est pour l'écrivain une fonction saine et néces-   39.1
saire dont l'accomplissement rend heureux, comme pour
les hommes physiques l'exercice, la sueur, le bain.
          PROUST, le Temps retrouvé, Pl., t. III, p. 902.

Mais devais-je me scandaliser de cette infidélité posthume   39.2
et que tel ou tel pût donner comme objet à mes sentiments
des femmes inconnues, quand cette infidélité, cette division de l'amour entre plusieurs êtres, avait commencé de
mon vivant et avant même que j'écrivisse ?
          PROUST, le Temps retrouvé, Pl., t. III, p. 902.

Il me semble parfois qu'écrire empêche de vivre, et qu'on   40
peut s'exprimer mieux par des actes que par des mots.
          GIDE, les Faux-monnayeurs, III, 5.

Il faut écrire, et moi me donne une plume, de l'encre, du   41
papier qui se conviennent à merveille. J'écris avec facilité
je ne sais quoi d'insignifiant. Mon écriture me plait. Elle
me laisse une envie d'écrire. Je sors. Je vais. J'emporte une
excitation à écrire qui se cherche une chose à écrire. Il
vient des mots, un rythme, des vers, et ceci finira par un
poème dont le motif, la musique, les agréments, et le tout,
— procéderont de l'incident matériel dont ils ne garderont
aucune trace.
          VALÉRY, Rhumbs, p. 174.

Il n'était non plus philosophe, ni rien de ce genre, ni même   42
littérateur ; et, pour cela, il pensait beaucoup, — car plus
on écrit, moins on pense.
          VALÉRY, Monsieur Teste, p. 105.

(...) il est vrai de dire que l'acte d'écrire est une sorte de   43
paternité (...) nos écrits, parce qu'ils sont nos fils, sont les
expressions de leurs pères (...)
          Charles DU BOS, Qu'est-ce que la littérature ?,
          p. 100.

Le prosateur écrit, c'est vrai, et le poète écrit aussi. Mais   44
entre ces deux actes d'écrire il n'y a de commun que le
mouvement de la main qui trace les lettres.
          SARTRE, Situations II, p. 70.

Spécialt. Faire métier d'écrivain*, d'auteur*. *Il écrit.* → **Publier.** — *Vivre de sa plume*.

Dans son métier (*celui de rédacteur en chef*), il ne s'agit pas   45
d'écrire, voyez-vous, mais de faire que les autres écrivent.
          BALZAC, Illusions perdues, Pl., t. IV, p. 671.

Tant de gens qui écrivent et si peu de gens qui lisent !   46
          GIDE, les Caves du Vatican, II, 13.

♦ 3 Absolt. Exprimer (de telle ou telle façon) sa pensée par le langage écrit. → **Style.** *Écrire bien, correctement* (cit. 2), *délicatement* (cit. 2), *avec charme, purement. Écrire avec énergie, vigueur* (→ **Buriner**), *avec concision, élégance, finesse, délicatesse* (→ **Ciseler**...). *Écrire avec son cœur* (cit. 156). *Écrire avec flamme, verve, passion* (cf. vieilli Brûler le papier). *Écrire avec humeur, amertume ; avec haine.* → *Tremper sa plume dans le fiel*. *Écrire de bonne* encre, d'un ton ferme et sévère, sans ménagement, vertement. *Écrire mal ; lourdement, incorrectement.*

47   La gloire ou le mérite de certains hommes est de bien écrire ; et de quelques autres, c'est de n'écrire point.
                 LA BRUYÈRE, les Caractères, I, 59.

48   Il n'a manqué à Molière que d'éviter le jargon et le barbarisme, et d'écrire purement (...)
                 LA BRUYÈRE, les Caractères de Théophraste,
                 De la flatterie.

49   Quelqu'un a dit autrefois qu'il faut écrire comme on parle ; le sens de cette loi est qu'on écrive naturellement.
                 VOLTAIRE, Dict. philosophique, Style.

50   (...) bien écrire, c'est tout à la fois bien penser, bien sentir et bien rendre ; c'est avoir en même temps de l'esprit, de l'âme et du goût (...)
                 BUFFON, Disc. sur le style.

51   Ceci explique la différence qu'il y a de l'homme qui parle à l'homme qui écrit : le premier est plus extérieur ; le jugement défend d'écrire comme on parle ; la nature ne permet pas de parler comme on écrit ; le goût marie les vivacités de la conversation aux formes méthodiques et pures du style écrit.   RIVAROL, Littérature, p. 125.

52   On devrait écrire comme on respire. Un souffle harmonieux, avec ses lenteurs et ses rythmes précipités, toujours naturel, voilà le symbole du beau style.
                 J. RENARD, Journal, 4 mai 1909.

53   Il n'est plus permis d'écrire au hasard et selon le caprice de la verve, de jeter ses idées par paquets, de s'interrompre par des parenthèses, d'enfiler l'enfilade interminable des citations et des énumérations. Un but est donné : il y a quelque vérité à prouver, quelque définition à trouver, quelque persuasion à produire ; pour cela, il faut marcher toujours, et toujours droit. Ordonnance, suite, progrès, transitions ménagées, développement continu, tels sont les caractères de ce style.
                 TAINE, les Origines de la France contemporaine,
                 I, t. I, p. 299.

54   Je n'écris bien que si j'écris à la diable. Si je veux m'appliquer je ne fais rien de bon.
                 Paul LÉAUTAUD, Passe-temps, p. 231.

55   Connaître la valeur juste des mots est le grand secret de bien écrire. Le mot le plus nu, mis en bonne place, fait bien plus d'effet que le terme rare.
                 J. DE LACRETELLE, *in* A. MAUROIS,
                 Études littéraires, II, p. 221.

(Avec un compl., rare). *Écrire un texte bien ou mal.* — Au p. p. *Texte bien écrit, mal écrit.*

56   Ainsi, d'un texte «bien écrit» je puis supposer que l'auteur n'avait en tête que grammaire et que règles.
                 J. PAULHAN, les Fleurs de Tarbes, II, 5, p. 81.

Absolt. *Bien écrire. Savoir écrire.* L'art d'écrire (→ **Stylistique**). *Donner des règles pour écrire. Il parle fort bien mais ne sait pas écrire.*

57   Qui ne sait se borner ne sut jamais écrire.
                 BOILEAU, l'Art poétique, I.

58   Mais dans l'art dangereux de rimer et d'écrire,
Il n'est point de degrés du médiocre au pire.
                 BOILEAU, l'Art poétique, IV.

59   (Lamotte-Houdard) prouva que, dans l'art d'écrire, on peut être encore quelque chose au second rang.
                 VOLTAIRE, le Siècle de Louis XIV, XXXII.

60   (...) avec quelque talent qu'on puisse être né, l'art d'écrire ne s'apprend pas tout d'un coup.
                 ROUSSEAU, les Confessions, VIII.

61   Il ne suffit pas pour écrire d'attirer l'attention et de la retenir ; il faut encore la satisfaire.
                 Joseph JOUBERT, Pensées, XXIII, 130.

62   La première condition pour écrire, c'est une manière de sentir vive et forte.
                 Mᵐᵉ DE STAËL, De l'Allemagne, II, 1.

63   Le secret d'écrire aujourd'hui, c'est de se méfier des mots dont le sens est usé et d'une syntaxe qu'on a mal apprise.
                 J. RENARD, Journal, 18 juin 1898.

64   (...) comme c'est en écrivant que l'auteur se forge ses idées sur l'art d'écrire, la collectivité vit sur les conceptions littéraires de la génération précédente (...)
                 SARTRE, Situations II, p. 240.

♦ 4 **ÉCRIRE QUE...** : exposer dans un ouvrage littéraire, scientifique. *Kant écrit que...* → **Exposer,**

montrer ; dire... ; **affirmer, avancer, soutenir...** — REM. On emploie presque toujours *dire* dans ce sens, avant le XIXᵉ s.

Les Arabes ont écrit que la plus grande *(pyramide)* fut   65 élevée par Saurid, plusieurs siècles avant Abraham.
                 VOLTAIRE, Essai sur les mœurs.

Rare. *Écrire qqch.* (le compl. désignant un contenu conceptuel, les idées). «*Un homme* (Schopenhauer) *qui écrivait un mal atroce des femmes*» (Zola, *la Joie de vivre, in* T. L. F.). — REM. Comme dans tous les emplois où *écrire*, transitif, a comme compl. des noms désignant un contenu et non une expression formelle, un signe, on préfère utiliser le verbe *dire**.

♦ 5 Par anal. Composer* (une œuvre, notamment musicale) en notant par une suite de signes graphiques. *Écrire une partition. Écrire une sonate, une symphonie.*

◆ **S'ÉCRIRE** v. pron.

♦ 1 Correspond à I., 2. (Passif). Être écrit. *Cela se dit, mais ne s'écrit pas. Appeler s'écrit avec deux p. Un cri qui ne pourrait s'écrire.*

Spécialt (vx). *S'écrire chez qqn,* inscrire son nom pour attester qu'on est venu le voir (équivalant à *déposer sa carte*).

♦ 2 Correspond à I., 5. (Récipr.). *S'écrire* (des lettres). → **Correspondre.**

C'est un de mes principes : qu'il ne faut pas s'écrire.   66
                 FLAUBERT, Correspondance, t. III, p. 80.

♦ 3 (Réfl.). Rare. Écrire sur soi-même.

Je ne puis *m'écrire.* Quel est ce moi qui s'écrirait ? Au   66. fur et à mesure qu'il entrerait dans l'écriture, l'écriture le dégonflerait, le rendrait vain ; il se produirait une dégradation progressive, dans laquelle l'image de l'autre serait, elle aussi, peu à peu entraînée (écrire *sur* quelque chose, c'est le périmer), un dégoût dont la conclusion ne pourrait être que : *à quoi bon ?*
                 R. BARTHES, Fragments d'un discours amoureux,
                 p. 114.

◆ **ÉCRIT, ITE** p. p. adj.

♦ 1 Tracé par l'écriture. → **Écrire** (I., 1.). *Lettres, caractères bien écrit(e)s, mal écrit(e)s. Vous recopierez ce devoir, il est trop mal écrit. Épreuves où l'on rencontre plusieurs phrases écrites de la main de l'auteur.* → **Autographe.** — *Il y a quelque chose d'écrit, d'écrit là, mais je ne peux pas lire. — Iota écrit à côté* (→ **Adscrit**), *sous une voyelle* (→ **Souscrit**).

— Veux-tu lire ce qu'il y a d'écrit au-dessus de ta partition ?   66. demanda la dame.
                 M. DURAS, Moderato cantabile, p. 11.

♦ 2 Exprimé par l'écriture. *Le droit* écrit,* dérivant de la loi, par oppos. au *droit coutumier* (cit. 6, 7). *Documents, monuments écrits* (→ Civilisation, cit. 2). *La langue écrite, le langage écrit* : langue littéraire*, par oppos. à la *langue parlée. L'arabe écrit ou littéraire, et l'arabe parlé, dialectal. Langue écrite scientifique, publicitaire, littéraire.*

(1900). *Les épreuves écrites d'un examen.* → **Écrit** (n.).

♦ 3 Couvert de signes d'écriture. *Feuille écrite des deux côtés. Papier écrit. Une feuille aux trois quarts écrite.* — REM. On ne dit pas : *écrire une feuille.* — Page écrite.

Puis m'ont montré un parchemin écrit,   67
Où n'y avait seul mot de Jésus-Christ :
Il ne parlait tout que de plaiderie,
De conseillers et d'emprisonnerie.
                 Clément MAROT, Épître au Roi, t. I, p. 143.

♦ 4 Exprimé (de telle ou telle façon) par l'écriture (→ ci-dessus, cit. 56 et *supra*).

♦ 5 Fig. Inscrit, marqué (→ ci-dessus, I., 4.).

CONTR. Barrer, biffer, effacer, gommer, raturer, rayer... — Laisser (en blanc). — Oral, verbal. — Coutumier (droit); parlé (langue parlée). — Invisible. — Blanc, vierge (papier). ◊ **DÉR.** Écrit, écrivant, écriveur. — (Du lat. *scribere*) Écriteau, écritoire, écriture, écrivain. — V. aussi **Circonscrire, conscrit, décrire, inscrire, manuscrit, post-scriptum, prescrire, proscrire, rescrit, scriptural, scribe, souscrire, suscription, transcrire.** ➝ **COMP.** Récrire (réécrire).

ÉCRIT [ekʀi] n. m. — XIIᵉ; p. p. substantivé de *écrire*.

♦ **1** Ce qui est écrit (sur du papier, du parchemin...). ➝ **Manuscrit; imprimé.** *Sortir un écrit de sa poche.* ➝ **Feuille, papier.** *Texte, teneur d'un écrit. Additions, apostille, post-scriptum à un écrit. Écrit réduit à l'essentiel.* ➝ **Abrégé.** *Un écrit anonyme, signé. Écrit autographe; reproduction, copie d'un écrit. Écrits classés en dossiers. Lieu où sont déposés des écrits.* ➝ **Archives** (cit. 3), **bibliothèque, greffe.** *Envoyer, recevoir un écrit.* ➝ **Billet, épître, lettre, mot.** *En-tête d'un écrit. Écrit provenant du pape* (➝ **Bref, bulle, encyclique, rescrit**), *d'un évêque.* ➝ **Instruction** (pastorale), **mandement.** — *Écrit chiffré.* ➝ **Cryptogramme.** — *Écrit informant le public.* ➝ **Affiche, appel, écriteau, étiquette, inscription, manifeste, placard, proclamation, programme, prospectus, publicité, tract.** *Écrit périodique.* ➝ **Bulletin, feuille, journal, périodique, publication, revue.**

Loc. (Vx.) *Un mot d'écrit :* une courte lettre, un billet.

Dr. *Écrit constatant un acte juridique. Original* (➝ **Original, minute**), *copie* (➝ **Copie, double, duplicata**), *extrait*, *expédition* (➝ **Expédition, grosse**) *d'un écrit. Écrit inauthentique, apocryphe.* ➝ **Faux.** *Écrit attestant une qualité.* ➝ **Attestation, brevet, certificat, diplôme, parchemin, titre; carte** (5.). *Écrit de constatation, de reconnaissance.* ➝ **Acquit, bulletin, constat, récépissé, reconnaissance, reçu.** *Écrit portant une autorisation.* ➝ **Autorisation, congé, laissez-passer, passeport, permis, permission.** *Écrit portant assignation.* ➝ **Exploit.** *Écrit relatant un fait.* ➝ **Acte, procès-verbal, protocole, rapport.** *Écrit établissant un droit.* ➝ **Acte, charte, diplôme** (1.), **patente.** *Écrit constatant un accord.* ➝ **Contrat, convention, pacte, traité; charte, document, note** (diplomatique). **Absolt.** *Faire, signer un écrit,* une convention écrite. *Écrit sous seing privé.* — *Écrit exprimant une demande.* ➝ **Demande, doléance, pétition, placet.** *Écrit portant une décision officielle.* ➝ **Arrêté, circulaire, décision, décret, édit, instruction, loi, ordonnance, règlement.** *Écrit contenant une série de noms, de chiffres.* ➝ **Dénombrement, description, état, inventaire, liste, statistique, tableau; facture, note.**

1   (...) Allons vite en dresser un écrit *(de la donation).*
          MOLIÈRE, Tartuffe, III, 7.

Prov. *Les paroles s'envolent, les écrits restent* (➝ Verba* volant, scripta manent).

2   Les écrits contiennent quelque chose de plus permanent que les paroles (...)
          MONTESQUIEU, l'Esprit des lois, XII, 13.

♦ **2** Ouvrage de l'esprit, composition littéraire, scientifique. ➝ **Composition, œuvre, ouvrage, production, travail; livre, publication, volume.** *Petit écrit.* ➝ **Brochure, notice, plaquette, opuscule.** *Publier un écrit. Écrit théorique.* ➝ **Essai, étude, mémoire, traité.** *Écrit narratif.* ➝ **Anecdote, récit, relation.** *Écrit sous forme de dialogue, d'entretien. Écrit confus, inintelligible.* ➝ **Amphigouri, grimoire.** *Écrit à sujets variés.* ➝ **Mélange, pot-pourri.** *Écrit méprisable, sans valeur.* ➝ **Chiffon** (de papier), **torche-cul** (fam.), **torchon.** — *Éditer les écrits de... Les écrits de Montesquieu, de Baudelaire. Écrit posthume.* ➝ 2. **Mémoires** (mémoires). *Ses écrits ont été perdus, n'ont jamais été publiés. Diffusion* (cit. 2) *des écrits de qqn. De*

petits écrits polémiques, diffamatoires (➝ ci-dessous, spécialt).

3   Aimez donc la raison : que toujours vos écrits
   Empruntent d'elle seule et leur lustre et leur prix.
          BOILEAU, l'Art poétique, I.

4   Mais je lui disais, moi, qu'un froid écrit assomme (...)
          MOLIÈRE, le Misanthrope, I, 2 (➝ Dire, cit. 39).

5   (...) j'ai vu un écrit que vous avez publié (...)
          PASCAL, les Provinciales, XI.

6   Il y a d'ailleurs une certaine simplicité de goût qui va au cœur, et qui ne se trouve que dans les écrits des anciens.
          ROUSSEAU, Émile, IV.

7   (...) pourvu que je ne parle en mes écrits ni de l'autorité, ni du culte, ni de la politique (...) je puis tout imprimer librement, sous l'inspection de deux ou trois censeurs.
          BEAUMARCHAIS, le Mariage de Figaro, V, 3.

8   (...) il n'y a que les petits hommes qui redoutent les petits écrits.   BEAUMARCHAIS, le Mariage de Figaro, V, 3.

9   (...) la guerre vagabonde
   Régnait sur nos aïeux. Aujourd'hui, c'est l'écrit.
   L'écrit universel, parfois impérissable,
   Que tu graves au marbre ou traces sur le sable,
   Colombe au bec d'airain ! Visible Saint-Esprit !
          A. DE VIGNY, Poèmes philosophiques,
          «L'esprit pur».

Spécialt (en parlant d'ouvrages de circonstance). *Écrit polémique, diffamatoire, satirique.* ➝ **Diatribe, facétie, factum, libelle, pamphlet** (cit. 1), **satire.** *Écrit apologique.* ➝ **Apologie.** *Écrit politique, écrit séditieux. Censure* des écrits. Écrit licencieux, pornographique.*

10   (...) cette abondance insurmontable des écrits que l'occasion a fait produire, la quantité éblouissante de documents et de jugements (...) qui viennent à chaque instant enrichir l'image de Gœthe, déjà formée depuis un siècle, et agiter ce qui reposait dans l'eau du miroir du Temps.
          VALÉRY, Variété IV, p. 97.

♦ **3** Ensemble d'épreuves écrites d'un examen ou d'un concours comportant aussi un oral. *L'écrit et l'oral* (cit. 1) *du baccalauréat. Passer l'écrit. L'écrit n'est pas encore corrigé. Résultats de l'écrit. Cet examen comporte un écrit et un oral. L'écrit de l'agrégation. Avoir de bonnes notes à l'écrit. Échouer à l'écrit. Réussir à l'écrit.* ➝ **Admissible.**

♦ **4** Loc. adv. **EN ÉCRIT** (rare), **PAR ÉCRIT :** sur le papier, par un document écrit; par l'écriture, par oppos. à *de vive voix, oralement, verbalement. Mettre en écrit* (rare), *par écrit.* ➝ **Écrire; consigner, noter.** *Exposer, expliquer, mentionner qqch. par écrit. Mettez-moi tout cela par écrit. Je veux que vous m'en donniez l'ordre par écrit. Il refuse de s'engager par écrit. Autoriser par écrit. Témoigner par écrit. Coucher par écrit.* ➝ **Coucher** (I., 4.).

11   (...) une autre fois je mettrai mes raisonnements par écrit, pour disputer avec vous.   MOLIÈRE, Dom Juan, I, 2.

12   Ils commencèrent à publier leurs prophéties par écrit.
          BOSSUET, Hist., I, 6.

13   (...) l'ordre que je lui avais donné par écrit de tuer Philoclès (...)   FÉNELON, Télémaque, XI.

Par plaisanterie :

14   *(Des verres)* Où les doigts des laquais, dans la crasse tracés, Témoignaient par écrit qu'on les avait rincés.
          BOILEAU, Satires, III.

Procéd. *Instruction* par écrit. Instruire une affaire par écrit. L'antichrèse s'établit par écrit* (➝ Antichrèse, cit. 2). — *Preuve* par écrit* ou *preuve littérale* (par oppos. à *preuve testimoniale*).

CONTR. Discours, parole. — Oral. ◊ **DÉR.** Écriteau.

ÉCRITEAU [ekʀito] n. m. — 1391, *escriptiau,* au sens 2; sens 1, mil. XIVᵉ selon G. L. L. F.; de *écrit,* et suff. *-eau.*

♦ **1** Vx. Petit écrit, billet.

1   La nuit ils emplissaient son tribunal (...) de petits billets et écriteaux dont la plupart était de telle substance : Tu dors, Brutus (...)   AMYOT, César, 62.

♦ 2 (1391). Mod. Surface (de papier, carton, bois, toile, métal... en forme d'affiche) portant une inscription en grosses lettres destinée à faire connaître qqch. au public. → **Affiche, enseigne, pancarte, placard.** *Écriteau publicitaire. Petit écriteau sur un sac.* → **Étiquette.** *Écriteau portant une annonce; une indication.* → **Indicateur** (poteau indicateur; borne, plaque indicatrice). Vx. *Exposer un condamné avec un écriteau. L'écriteau de la croix* (cit. 3) *du Christ, du bûcher de Jeanne d'Arc.* — *Mettre un écriteau pour annoncer qu'une chose est à vendre, à louer. Enlever, desceller un écriteau.*

2   Elle était restée meublée de ses vieux meubles et toujours à vendre ou à louer, et les dix ou douze personnes qui passent par an rue Plumet en étaient averties par un écriteau jaune et illisible accroché à la grille du jardin depuis 1810.   HUGO, les Misérables, IV, III, I.

3   Nous avions rencontré par hasard un écriteau portant «Passage interdit». Mon père a tranquillement arraché l'écriteau. Il disait en souriant : «Ce passage n'est plus interdit, marchez mes enfants.»
G. DUHAMEL, Chronique des Pasquier, IV, XI, p. 354.

Loc. fig. Vx. *Mettre un écriteau à une femme,* afficher ses relations intimes avec elle.

ÉCRITOIRE [ekʀitwaʀ] n. f. — Av. 1250; *escritorie* «cabinet d'étude», v. 1175; du bas lat. *scriptorium* «style en métal pour écrire sur la cire», puis «cabinet d'étude», du supin de *scribere* «écrire».

♦ 1 (Av. 1250). Sorte d'étui ou coffret de nécessaire à écrire. *L'écritoire contenait de l'encre, un canif, des plumes, un sablier, un bâton à cacheter. Écritoire portative. Écritoire de métal, d'ivoire.* — *Écritoire de bureau, comprenant un encrier, un plumier...* — REM. *Écritoire* s'est dit abusivement pour *encrier.* «L'encrier, à proprement parler, n'est qu'une partie de l'écritoire, comme la poudrière ou le porte-plumes» (Littré). → cit. 3.

1   Et portait ordinairement un gros escriptoire pesant plus de sept mille quintaux, duquel le gualimart *(étui pour les plumes et le canif)* était aussi gros et grand que les gros piliers de Enay *(vieille église de Lyon),* et le cornet *(encrier)* y pendait à grosses chaînes de fer (...)
RABELAIS, Gargantua, XIV.

2   Il a un grand registre sous son bras, une écritoire pendue à sa ceinture et une guitare sur le dos.
A.-R. LESAGE, le Diable boiteux, XVII.

3   Il était paresseux, à ce que dit l'histoire,
Il laissait trop sécher l'encre dans l'écritoire.
NERVAL, Poésies diverses, Épitaphe.

4   (...) sur la table était posée une magnifique écritoire en or et en malachite, don, sans doute, de quelque admirateur étranger.
Th. GAUTIER, Portraits contemporains, Balzac, p. 86.

♦ 2 Par métonymie. Petit meuble qui contient le nécessaire à écrire.

(V. 1175). Cabinet d'étude, pièce où on écrit.

ÉCRITURE [ekʀityʀ] n. f. — V. 1050, *escriture;* lat. class. *scriptura,* du supin de *scribere* «écrire».

A ♦ 1 (Av. 1150). Système de représentation de la parole et de la pensée par des signes conventionnels tracés et destinés à durer. *L'antiquité attribuait aux Phéniciens la découverte de l'écriture. Système d'écriture.* → **Graphie, graphisme.** *Relatif à l'écriture.* → **Grapho-; -graphie.** *Écriture pictographique, idéographique, représentant les idées par des signes* (→ **Idéogramme; hiéroglyphe).** *Les écritures chinoise, égyptienne, cunéiforme sont idéographiques. Écriture phonétique,* représentant les mots ou les sons par syllabes *(écriture syllabique)* ou par phonèmes isolés *(écriture alphabétique).* → **Alphabétisme;** → Alphabétique, cit. 2.

Adopter une écriture alphabétique. → **Alphabétiser** (s'). *Les écritures phénicienne, hébraïque, grecque, romaine sont alphabétiques. Signes de l'écriture alphabétique.* → **Alphabet, lettre; consonne, voyelle; majuscule, minuscule.** *Écriture dont les signes sont tracés de gauche à droite* (égyptien, sanscrit, latin, langues européennes modernes), *de droite à gauche* (hébreu, chaldéen, syrien, arabe, persan, turc). *Écriture grecque primitive* (→ **Boustrophédon). Déchiffrement des écritures anciennes.** → **Paléographie.** *Passage d'une écriture à une autre.* → **Transcription, translittération.** *Écriture universelle.* → **Pasigraphie.** *Système d'écriture des aveugles.* → **Braille, cécographie.** *Écriture secrète, chiffrée.* → **Chiffre, cryptographie; code.**

1   Lorsque les nations germaines conquirent l'empire romain, elles y trouvèrent l'usage de l'écriture (...)
MONTESQUIEU, l'Esprit des lois, XXVIII, 11.

2   L'architecture commença toute écriture. Elle fut d'abord alphabet. On plantait une pierre debout, et c'était une lettre, et chaque lettre était un hiéroglyphe et sur chaque hiéroglyphe reposait un groupe d'idées comme le chapiteau sur la colonne.
HUGO, Notre-Dame de Paris, V, II.

2.1   (...) Séil-kor remit la large feuille de papier couverte par lui de mots étranges mais parfaitement lisibles, dont la périlleuse prononciation se trouvait fidèlement reproduite au moyen de l'écriture française; c'était la *Bataille du Tez,* transcrite à l'instant par le jeune noir sous la dictée de l'empereur.
Raymond ROUSSEL, Impressions d'Afrique, p. 431-432.

3   Depuis au moins un millénaire avant qu'Abraham vînt au monde, les hommes du Sinéar savaient fixer leur pensée. Tour à tour, suivant une évolution traditionnelle, leur écriture avait été pictographique, c'est-à-dire figurative, chaque dessin désignant l'objet; puis idéographique, le signe correspondant non plus à une figure, mais à une idée; stylisée peu à peu, elle était devenue syllabique; c'est seulement plus tard que l'alphabet naîtra.
DANIEL-ROPS, Histoire sainte, I, III, p. 76.

3.1   En même temps que l'étrusque, et sans doute avec une influence de celui-ci, les langues indo-européennes italiques non écrites auparavant ont emprunté l'écriture grecque : ce sont, outre le latin, l'ombrien, l'osque et le falisque (qui ont été ensuite éliminés par lui). La direction de l'écriture a été diverse. Le latin a connu la direction droite-gauche, puis le boustrophédon, et n'est fixé en gauche-droite qu'au IVᵉ siècle av. J.-C., sans doute sous l'influence du grec littéraire.
M. COHEN, l'Écriture, p. 75.

L'ensemble des caractères, dans un système d'écriture (dans les écritures syllabiques → **Syllabaire;** alphabétique; alphabet). *Manuscrit couvert d'écriture grecque. Banderole ornée d'écriture chinoise. Manuscrit couvert d'écriture au recto et au verso.* → **Opisthographe.**

4   *(Un élément de l'ornementation mauresque)* c'est l'emploi de l'écriture comme motif de décoration; il est vrai que l'écriture arabe avec ses formes contournées et mystérieuses se prête merveilleusement à cet usage.
Th. GAUTIER, Voyage en Espagne, p. 167.

Didact. (anthropol.). Tout «système de communication humaine au moyen de signes spatio-visuels fixes et conventionnels à deux ou trois dimensions qui articulent des messages analysables» (J. Rey-Debove, *Sémiotique*). *Les quipous* sont une écriture.*

♦ 2 (1311). Type de caractères adopté dans tel ou tel système d'écriture. *Écriture égyptienne* (démotique, hiératique), *grecque, cyrillique, arabe, coufique, karmatique, hébraïque, gothique, romaine. Écriture ammonéenne*. Transcrire l'arabe en écriture romaine.* → **Romaniser.** *Écriture syriaque* (→ **Estranghela). Écriture romaine en grands caractères.** → **Onciale.** *Écriture usuelle du sanscrit* (→ **Devanâgari; brâhmi).** — Ensemble de caractères (manuscrits) d'un style particulier, dans une écriture donnée (notamment l'écriture latine). *Principales écritures employées en calligraphie**. → **Anglaise, bâtarde** (→ Bâtard, cit. 7), **gothique, moulée, ronde.** *Écriture en caractères d'imprimerie.* → **Script.** *Écriture courante, cursive, expédiée. Éléments d'écriture.* → **Délié; plein; jambage, liaison, paraphe, trait.**

♦ **3** Ensemble des caractères (appartenant à une écriture, 1.) tels qu'ils sont tracés par une personne en écrivant. *L'écriture de qqn. Une écriture. Avoir une belle écriture.* → *Avoir une belle main*. Écriture large, grasse; grosse écriture.* → **Grosse.** *Écriture fine, serrée; petite écriture.* → **Minute.** *Écriture chancelante* (cit. 4), *tremblée; illisible.* → **Gribouillage, gribouillis, griffonnage, patarafe.** *Écriture petite et peu lisible.* → *Pattes* de mouche, d'araignée. Une écriture pleine de paraphes* (cit. 1.1). *Étude du caractère par l'analyse de l'écriture.* → **Graphologie.** *Expert en écritures :* graphologue assermenté. **Forme de l'écriture** : *écriture anguleuse, arrondie, ronde, calligraphique, filiforme, jointoyée, simplifiée.* **Dimension** : *écriture dilatée, grande, petite, serrée, surélevée.* **Direction** : *écriture droite, descendante, inclinée, montante, progressive, régressive, renversée, sinueuse.* **Pression** : *écriture épaisse, fine, maigre, pâteuse.* **Vitesse** : *écriture lente, rapide, lancée, dynamogéniée.* **Ordre** : *écriture enchevêtrée, ordonnée.* **Continuité** : *écriture inégale, inhibée, juxtaposée, liée, suspendue, groupée.* — *Écriture inversée de certains aphasiques.* → **Spéculaire** (écriture). *Reconnaître l'écriture de qqn sur l'enveloppe d'une lettre. Je ne parviens pas à lire son écriture. Déchiffrer* (cit. 3) *une écriture. Imiter l'écriture de qqn.* — Prov. (vx). *Il est bien âne de nature qui ne sait lire son écriture.*

5   (...) cette bonne vieille écriture de prêtre, droite, ferme, un peu grosse, qui dit tant de choses à la pensée, et qu'un mondain hâté et convulsif ne saurait voir.
                       Th. GAUTIER, *Voyage en Espagne*, p. 34.

6   Il écrivait rapidement, d'une écriture déliée, symétrique, très nette à l'œil, et semblait se dicter à lui-même à demi-voix.
                       E. FROMENTIN, *Dominique*, III.

7   (...) soixante-dix-sept lettres, toutes de la main de Huet, de cette petite écriture, nette, fine, serrée, minutieuse et distincte jusque dans les abréviations (...)
            SAINTE-BEUVE, *Causeries du lundi*, 3 juin 1850,
                                t. II, p. 182.

8   La prose lui était facile et négligeable; sa véloce écriture inclinée couvrait en quelques minutes des pages et des pages. L'alexandrin envahissant (...) s'élançait en pattes d'insectes, en mandibules aiguës (...) Active, sensible, joyeuse écriture, qui me transmit combien de messages affectueux (...)
                 COLETTE, *l'Étoile Vesper*, p. 119.

9   L'écriture est un dessin, souvent un portrait, presque toujours une révélation. Celles des poètes du dernier demi-siècle valent des motifs décoratifs, et je me divertis aux graphismes importants d'Henri de Régnier, de Pierre Louÿs (...) roulés, déferlants comme la vague, annelés, comme les vrilles de la viorne. Les messages de Robert de Montesquiou sont des labyrinthes de calligraphie (...)
               MARTIN DU GARD, *les Thibault*, p. 180.

10   Les feuillets étaient épars sur le lit. Ils étaient au nombre de cinq, couverts de sa bizarre écriture hiéroglyphique où chaque lettre était isolée, — habitude qui datait de l'époque où il faisait des thèmes grecs.
             MARTIN DU GARD, *les Thibault*, t. IX, p. 12.

11   Mais l'écriture le surprenait. Une mauvaise écriture, irrégulière, épaisse, avec des parties tracées à la hâte, et d'autres inutilement appuyées.
              J. ROMAINS, *les Hommes de bonne volonté*, t. II,
                                  VI, p. 68.

12   Pitteaux saisit la lettre avec répugnance, cette sale petite écriture irrégulière, pointue, avec des ratures et des taches (...)
                   SARTRE, *le Sursis*, p. 115.

♦ **4** Façon dont un texte est écrit (II.). Voir ci-dessous, B., 2.

♦ **5** (XXᵉ). Manière dont une œuvre graphique est exécutée, réalisée par son auteur; style* graphique. *L'écriture d'un dessin, d'un tableau, d'une décoration.* → **Graphisme; dessin** (cit. 2). *L'écriture de Matisse, de Dufy.*

13   Et il existait à Venise un goût plutôt qu'un style, anguleux, un peu oriental, où s'unirent le Tintoret et Bessano, et que le Greco retrouva : il n'y prend d'abord qu'une écriture souple et forte dont les lignes s'emmêlent comme des algues sur des rochers (...)
          MALRAUX, *les Voix du silence*, p. 419.

14   (...) l'écriture de l'affiche, de la caricature, des albums destinés à la jeunesse n'est pas sans unité; et celle des dessins de fous est parfois aussi rigoureuse que celle des maîtres.
          MALRAUX, *les Voix du silence*, p. 449.

B Action d'écrire. ♦ **1** (Au sens I de *écrire*). Rare. *L'écriture d'une lettre, d'un mot, d'un signe graphique.* — Par anal. → **Notation.** «*Franco de Cologne inventa l'écriture des sons par carrés, cercles et points...*» (Kastner, 1837, *in* T. L. F.).
Spécialt (plus cour.). Le fait d'écrire (I., 5.) des lettres. *L'écriture d'une lettre. Aimer l'écriture plus que la conversation.* → **Correspondance.**

15   Je ne réponds point à tout ce que vous dites sur l'écriture : croyez-vous que je prenne moins de plaisir que vous à notre conversation? Je me repose des autres lettres quand je vous écris.   Mᵐᵉ DE SÉVIGNÉ, 1085, 10 nov. 1688.

♦ **2** (1465; au sens II de *écrire*). Le fait, l'action d'écrire, de créer en langage; l'activité de l'écrivain.

16   *Écrire* me paraissait donc un travail très différent de l'expression immédiate, comme le traitement par l'analyse d'une question de physique diffère de l'enregistrement des observations (...) Je trouvais de même que les recherches de forme auxquelles devait conduire cette conception de *l'écriture*, demandaient une manière de voir les choses, et une certaine idée du langage, plus subtiles, plus précises, plus conscientes que celles qui suffisent à l'usage naturel.
          VALÉRY, *Variété V*, p. 87.

17   Il (*l'écrivain du XIXᵉ siècle*) parle volontiers de sa *solitude* et, plutôt que d'assumer le public qu'il s'est sournoisement choisi, il invente qu'on écrit pour soi seul ou pour Dieu, il fait de l'écriture une occupation métaphysique, une prière, un examen de conscience, sauf une communication.
          SARTRE, *Situations II*, p. 166.
Rare (avec un compl.). *L'écriture d'un roman, d'un poème*, sa production.
Loc. (1920). **ÉCRITURE AUTOMATIQUE** : une des techniques surréalistes visant à traduire instantanément la «pensée parlée», et consistant à rédiger «un monologue de débit aussi rapide que possible, sur lequel l'esprit critique du sujet ne puisse porter aucun jugement, qui ne s'embarrasse par suite d'aucune réticence, et qui soit aussi exactement que possible la *pensée parlée*» (A. Breton, *Premier manifeste du surréalisme*). → **Automatisme** (cit. 4.1, C. Rochefort).

17.1   On a pu penser de l'écriture automatique qu'elle rendait les poèmes inutiles. Non : elle augmente, développe seulement le champ de l'examen de conscience poétique, en l'enrichissant.
          ÉLUARD, *Donner à voir*, Pl., t. I, p. 980.

18   (...) l'écriture automatique est avant tout la destruction de la subjectivité : lorsque nous nous y essayons, nous sommes traversés spasmodiquement par des caillots qui nous déchirent, dont nous ignorons la provenance, que nous ne connaissons pas avant qu'ils aient pris leur place dans le monde des objets et qu'il faut percevoir alors avec des yeux étrangers.   SARTRE, *Situations II*, p. 215.

18.1   Les phénomènes bizarres de l'inconscient — l'écriture automatique etc. doivent s'interpréter ainsi : Certains mécanismes généraux ou fonctions ont *appris* de la conscience à exécuter certains actes après de nombreuses répétitions.
          VALÉRY, *Cahiers*, t. II, Pl., p. 206.

Manière d'écrire (emploi quasi syn. de *style**, au XIXᵉ s., mais que l'on peut interpréter aujourd'hui selon les concepts ci-dessous). *L'écriture artiste** (cit. 14, Goncourt).

Didact. Action de produire du discours écrit, correspondant sur le plan graphique à l'énonciation*. *L'écriture* (production) *s'oppose au texte* (produit). (1953, Barthes). **Spécialt** La pratique de l'écrivain quant à l'«usage social de la forme» qu'il utilise, au delà de la langue ; le système signifiant spécifique (→ ci-dessus le sens A, 4) que cette pratique engendre (dans cet emploi, *écriture* s'oppose à *style*, → cit. ci-dessous ; il peut être quasi synonyme de *langage littéraire*).

18.2   Mérimée et Lautréamont, Mallarmé et Céline, Gide et Queneau, Claudel et Camus, qui ont parlé ou parlent le même état historique de notre langue, usent d'écritures profondément différentes ; tout les sépare, le ton, le débit, la fin, la morale, le naturel de leur parole (...)

Placée au cœur de la problématique littéraire, qui ne commence qu'avec elle, l'écriture est donc essentiellement la morale de la forme, c'est le choix de l'aire sociale au sein de laquelle l'écrivain décide de situer la nature de son langage.
       R. BARTHES, le Degré zéro de l'écriture, p. 17-18.

REM. Le sommaire de cet ouvrage fournit de nombreux exemples de l'emploi : «*écritures politiques ; l'écriture du roman ; y a-t-il une écriture poétique ; triomphe et rupture de l'écriture bourgeoise ; écriture et révolution*».

18.3   Or, ce style (de Chateaubriand) sert à lever une valeur nouvelle, l'écriture, qui est, elle, débordement, emportement du style vers d'autres régions du langage et du sujet, loin d'un code littéraire *classé* (code périmé d'une classe condamnée) (...) le style est en quelque sorte le commencement de l'écriture : même timidement (...) il amorce le règne du signifiant.
       R. BARTHES, Roland Barthes, p. 80.

Loc. *Écriture blanche* : écriture neutre, poursuivant le «degré zéro de l'écriture» (appliqué par Barthes à Camus, Blanchot, Cayrol).

♦ **3** Fig. Création artistique au moyen de signes spatiaux (arts plastiques) ou temporels (arts du temps : musique, danse, cinéma, etc.), selon des modalités propres (à un genre, à un moyen d'expression, à une finalité collective, à un individu...).

18.4   Le gothique, le roman même connurent toujours deux écritures : la première est celle du détail monumental, depuis la colonne jusqu'à la pureté ; la seconde est l'écriture à volutes de maintes miniatures, tapisseries et figures de vitraux (...)   MALRAUX, les Voix du silence, p. 249.

18.5   L'écriture filmique ou littéraire prend pour référence la quotidienneté, mais dissimule avec soin la référence.
       Henri LEFEBVRE, la Vie quotidienne dans le monde moderne, p. 21.

Ⓒ (V. 1128). Ce qui est écrit. ♦ **1** Cour. (*Une, des écritures*). *Manuscrit dont on a effacé la première écriture.* → **Palimpseste** (et cit. 3).

19   Votre dernier mot m'a si touché que je veux vous le dire ainsi que je le sens, au risque de vous lasser de mes écritures.   SAINTE-BEUVE, Correspondance, t. I, p. 374.

♦ **2** Dr. Ce qui, étant écrit selon certaines normes, a valeur probatoire. → **Preuve.** *Écritures privées*, émanant de particuliers (ex. : *actes sous seing privé*). *Écritures publiques*, émanant d'officiers publics. *La dénégation d'écriture privée donne lieu à un examen judiciaire* (vérification d'écritures). *Contestation des écritures publiques.* → **Faux** (inscription de faux). *Faux en écriture privée, publique, de commerce ou de banque.*

N. f. pl. ÉCRITURES : actes de procédure nécessaires à la soutenance d'un procès. *Les faits énoncés par les écritures.*

20   *Le Commissaire :* — (...) qui me payera mes écritures ?
       MOLIÈRE, l'Avare, V, 6.

♦ **3** (1723). Comm. **LES ÉCRITURES** : ensemble des comptes, de la correspondance commerciale d'une entreprise, d'un commerçant. → **Comptabilité.** *Tenir les écritures. Écritures servant de vérification.* → **Contrepartie. UNE ÉCRITURE** : inscription au journal ou sur un compte correspondant à une opération déterminée. → **Article** (*supra* cit. 16). *Passer une écriture. Cette opération ne nécessite pas de mouvements de capitaux ; elle se réduit à un jeu d'écritures.*

On adopterait le taux de 4 %, qui n'avait en fait aucune importance, puisque tout se ramenait à un jeu d'écritures.   21
       J. ROMAINS, les Hommes de bonne volonté, t. V, XVIII, p. 125.

Admin., comm. *Commis aux écritures, employé aux écritures :* employé de bureau chargé de travaux n'exigeant pas de compétence technique comptable. → **Bureaucrate, copiste, expéditionnaire, rond-de-cuir, scribe.**

♦ **4** (V. 1050). D'après le lat. chrét. *scriptura.* (Avec É majuscule). *L'Écriture sainte, les Saintes Écritures*, et, absolt, *L'Écriture, les Écritures* : les Livres Saints. → **Bible, livre.** *Comparaison, concordance, conformité des Écritures. Livres poétiques des Écritures* (→ **Hagiographe**). *Prêtre, docteur qui interprétait les Écritures.* → **Hiérogrammate.** *Sens littéral et sens spirituel de l'Écriture.*

Les chrétiens disent à la vérité que leur Écriture a été inspirée par le Saint-Esprit ; mais (...) elle est regardée comme un livre dangereux pour le plus grand nombre des fidèles.   22
       VOLTAIRE, Dict. philosophique, Livres.

Je vous avoue aussi que la majesté des Écritures m'étonne, que la sainteté de l'Évangile parle à mon cœur.   23
       ROUSSEAU, Émile, IV.

ÉCRIVAILLER [ekʀivaje] v. intr. — 1611 ; de *écrivain*, et *-ailler.*

Péj. Composer rapidement sur divers sujets et en divers genres des écrits sans valeur. *Il écrivaille dans un petit journal.*

Explique-moi. Écrivailler comme tu fais du matin au soir, ça te remplit vraiment l'existence ?
— Quand j'écris, oui, ça me remplit l'existence, dit-il.
       S. DE BEAUVOIR, les Mandarins, p. 92.

On dit aussi *écrivasser* [ekʀivase].

DÉR. Écrivailleur, écrivaillon, écrivassier.

ÉCRIVAILLEUR, EUSE [ekʀivajœʀ, øz] n. — 1580, Montaigne ; de *écrivailler.*

Péj. et vieilli. Homme ou femme de lettres médiocre, aux activités dispersées. → **Écrivaillon, plumitif.**

(...) la famille de la belle veuve (madame Hanska) s'opposait à son remariage avec «l'écrivailleur français» (Balzac) pour des raisons d'intérêts (...)   1
       Émile HENRIOT, Portraits de femmes, p. 346.

C'est étrange, ces individus qui se chargent eux-mêmes, par leur orgueil, leur absence de faculté d'observation et leurs poses majestueuses, de vous avertir qu'ils ne sont que de toutes petites choses. C'est le jugement que je suis tenté de porter sur cet important écrivailleur.   2
       J.-R. BLOCH, Deux hommes se rencontrent, p. 216.

ÉCRIVAILLON [ekʀivajɔ̃] n. m. — 1885 ; de *écrivailler.*

Péj. Écrivain médiocre, sans qualité. → **Écrivailleur.**

Il a pris du poil de la bête en apprenant que j'écrivais :
— Les écrivaillons de Saint-Germain-des-Prés, j'en fais un chaque matin.
— Ça, lui ai-je dit, c'est un jugement littéraire.
       A. BLONDIN, Monsieur Jadis, p. 20.

ÉCRIVAIN [ekʀivɛ̃] n. m. — Av. 1150, *escrivein*, au sens 1 ; du lat. pop. *scribane(m)*, accusatif de *scriba* «greffier», de *scribere* «écrire».

Ⅰ ♦ **1** Vx. Personne qui, par profession, écrit pour autrui. → **Scribe, greffier.**

Mod. ÉCRIVAIN PUBLIC : personne qui écrit des lettres, des actes... pour ceux qui ne savent pas écrire. **Littér.** *L'Écrivain public*, recueil d'essais de Lacretelle.

1 Il y avait deux hommes dans Patru, celui des jours solennels, des plaidoyers et des harangues, à qui l'on s'adressait quand on avait besoin d'une belle épître dédicatoire, d'une belle préface, d'une belle inscription laudative, d'un placet à la reine ; on allait alors à Patru comme on irait à un écrivain public, à un calligraphe qui a une belle main : il avait une belle langue.
SAINTE-BEUVE, Causeries du lundi, 5 janv. 1852, t. V, p. 283.

Spécialt. *Écrivain apostolique* : secrétaire à la chancellerie du pape. *Écrivain qui copiait les bulles.* → **Bullaire.**

Écrivain lithographe : dessinateur, graveur de caractères.

Mar. *Écrivain de navire* : agent du service général, chargé des écritures à bord d'un navire (manifestes, soldes...).

♦ **2** (V. 1275). **Cour.** Personne qui compose des ouvrages littéraires. → **Auteur** (cit. 23). *Il, elle est écrivain. Colette est un grand écrivain. Les débuts, le premier livre d'un écrivain. Métier d'écrivain. Cet écrivain n'est qu'un amateur, qu'un dilettante* (cit. 2). *Le rôle social de l'écrivain. Le public, l'influence de l'écrivain. Écrivain traduit en plusieurs langues. L'œuvre, le bagage d'un écrivain.* — *Écrivain médiocre, surfait ; mauvais écrivain.* → **Cacographe, écrivailleur, écrivassier ;** fam. **barbouilleur.** *Bon, éminent, brillant écrivain. Écrivain célèbre ; grand écrivain. Écrivain méconnu. Écrivain classique, romantique, naturaliste, symboliste. Genre d'un écrivain. Cet écrivain a des dons de descripteur*, d'ironiste*. Cet écrivain n'est qu'un amuseur. Écrivain intimiste*. C'est un bon écrivain mais il manque de force, de vigueur, de souffle. Le style* ; la griffe, la touche d'un écrivain.*

2 Mais il devrait y avoir quelque coërc(i)tion des lois contre les écrivains ineptes et inutiles, comme il y a contre les vagabonds et fainéants. On bannirait des mains de notre peuple et moi et cent autres.
MONTAIGNE, Essais, III, ix.

3 Qui dit froid écrivain dit détestable auteur.
BOILEAU, l'Art poétique, IV (→ aussi Auteur, cit. 34).

4 Le grand art des bons écrivains français est précisément celui des femmes de cette nation, qui se mettent mieux que les autres femmes de l'Europe, et qui sans être plus belles le paraissent par l'art de leur parure. Les agréments nobles et simples qu'elles se donnent si naturellement (...) Les bons écrivains sont attentifs à combattre les expressions vicieuses que l'ignorance du peuple met d'abord en vogue, et qui, adoptées par les mauvais auteurs, passent ensuite dans les gazettes et font les écrits publics.
VOLTAIRE, Dict. philosophique, Langues.

5 Dans tout grand écrivain il doit y avoir un grand grammairien (...) Pascal contient Vaugelas (...)
HUGO, Littérature et philosophie mêlées, But de cette publication.

6 Il fallait, pour les écrivains, se soumettre à cette convention (*la monarchie absolue*), ou s'en aller écrire hors de France. — Les écrivains ont fini par rester ; et les rois absolus sont partis.
NERVAL, Faux saulniers, IV.

7 Le plus beau triomphe de l'écrivain est de faire penser ceux qui peuvent penser (...)
E. DELACROIX, Écrits, p. 98.

8 Le jour où le jeune écrivain corrige sa première épreuve, il est fier comme un écolier qui vient de gagner sa première vérole.
BAUDELAIRE, Journaux intimes, Mon cœur mis à nu, XLIX.

9 Je me figure par un indéracinable sans doute préjugé d'écrivain, que rien ne demeurera sans être proféré (...)
MALLARMÉ, Variations sur un sujet, Crise du vers.

10 (...) les grands écrivains n'ont jamais été faits pour subir la loi des grammairiens mais pour imposer la leur.
CLAUDEL, Positions et propositions, p. 84.

11 Dépouillons l'écrivain du lustre que lui conserve encore la tradition et regardons-le dans la réalité de sa vie d'artisan d'idées et de praticien du langage écrit.
VALÉRY, Regards sur le monde actuel, p. 210.

12 — Somme toute, un bon prote est tenu, selon vous, de savoir le français mieux que l'écrivain lui-même.
— Son métier de correcteur l'y oblige.
— Pourtant vous considérez Proust comme un grand écrivain.
— Très grand et des plus importants.
— Ce qui implique, selon vous, que l'on peut être un grand écrivain sans être un écrivain correct.
— De fait, l'un ne va pas nécessairement avec l'autre.
GIDE, Attendu que..., p. 51.

13 La seconde partie de mon ouvrage est consacrée à la déontologie ou science des devoirs. Qu'on n'y cherche pas un traité, mais des réflexions jaillissantes sur la vie des écrivains, sur les rapports de l'écrivain avec son œuvre et son métier.
G. DUHAMEL, la Défense des lettres, Préface, p. 13.

14 (...) je suis auteur d'abord par mon libre projet d'écrire. Mais tout aussitôt vient ceci : c'est que je deviens un homme que les autres hommes considèrent comme écrivain, c'est-à-dire qui doit répondre à une certaine demande et que l'on pourvoit (...) d'une certaine fonction sociale (...) Aussi le public intervient (...) il cerne l'écrivain, il l'investit et ses exigences (...) ses refus, ses fuites sont les données à partir de quoi l'on peut construire une œuvre.
SARTRE, Situations II, p. 125.

15 Un écrivain garde un espoir même s'il est méconnu. Il suppose que ses œuvres témoigneront de ce qu'il fut.
CAMUS, le Mythe de Sisyphe, p. 108.

15.1 JULES VERNE, dernier écrivain voyant. Ce qu'il imaginait est devenu réalité (...)
E. IONESCO, Journal en miettes, p. 27.

Absolt. *Un écrivain* : une personne qui écrit bien, qui est douée pour le métier d'écrivain, qui a le don du style. *C'est un excellent orateur mais ce n'est pas un écrivain : son dernier livre le prouve. Il, elle a un tempérament d'écrivain.*

16 Un «écrivain», en France, est autre chose qu'un homme qui écrit et publie. Un auteur, même du plus grand talent, connût-il le plus grand succès, n'est pas nécessairement un «écrivain». Tout esprit, toute la culture possible, ne lui font pas un «style».
VALÉRY, Regards sur le monde actuel, p. 186.

Par appos. (pour suppléer l'absence de forme féminine). *Une femme écrivain.* — **REM.** Au féminin, on dit *écrivain* (*George Sand, Emily Brontë sont de grands écrivains*), mais le féminin *écrivaine* (1885, *in* D. D. L.) est revendiqué par certaines (Colette, ironiquement, Benoîte Groult).

17 Vite mes savates ! je sens le poème ! s'écriait une écrivaine.
COLETTE, Trois... six... neuf..., p. 34, *in* GREVISSE.

On trouve aussi, mais rarement : *une écrivain* (Barrès, *in* T. L. F.).

II (1863). **Fig. Entomol.** Parasite de la vigne qui ronge les feuilles en formant des découpures comparables à des caractères écrits. → **Eumolpe, gribouri.**

18 Cet insecte est celui que l'on désigne en Bourgogne sous le nom d'*Écrivain*, parce qu'il laisse sur les feuilles et les tiges de la vigne, des traces qui forment des lignes assez régulières, offrant un peu l'aspect d'une sorte d'écriture.
L. FIGUIER, l'Année scientifique et industrielle 1864, p. 458 (1863).

DÉR. Écrivailler, écrivasser.

ÉCRIVANT, ANTE [ekʀivɑ̃, ɑ̃t] adj. et n. — V. 1120 ; p. prés. de *écrire.*

I Adj. ♦ **1** Qui écrit, s'exprime par écrit. *Une «créature écrivante»* (Gide) : un écrivain.
Qui écrit beaucoup, facilement (des lettres).

♦ **2** (1839). Qui fait écrire. *«Humeur écrivante»* (Stendhal).

II N. (Déb. XIIIᵉ, «scribe»). ♦ **1** (XVIᵉ). Rare. Écrivain (Moréas, *in* T. L. F.).

♦ **2** Didact. (opposé à *écrivain*). Personne qui écrit sans préoccupation d'écriture littéraire. → **Auteur.** *Un écrivant polygraphe.*

♦ **3** Didact. Personne qui écrit. *Les écrivants et les lisants.* → **Scripteur.**

L'écriture, de même que le dessin, fait connaître à la fois le modèle et l'homme. Seulement, parce que le modèle d'écriture est commun à tous, ici c'est la nature de l'écrivant qui saute aux yeux en quelque sorte.
ALAIN, Propos, 20 oct. 1923.

ÉCRIVASSER [ekʀivase] v. intr. — V. 1800 ; de *écrivain*, et *-asser*.

Péj. Écrire mal. → **Écrivailler.**

DÉR. Écrivasserie, écrivassier.

ÉCRIVASSERIE [ekʀivasʀi] n. f. — 1842 ; de *écrivasser*.

Action d'écrivasser.

ÉCRIVASSIER, IÈRE [ekʀivasje, jɛʀ] n. et adj. — 1745 ; de *écrivasser*.

Péj. Mauvais écrivain. → **Écrivailleur, plumitif.**

Adj. *Manie écrivassière.*

1 (...) c'est bien toujours la race écrivassière, l'affreuse peste moderne qui sacrifie tranquillement un peuple à des idées de cerveau malade.
E. DELACROIX, Journal, 5 avr. 1849.

2 Souvent, relayant mon écœurement — transposé Dieu sait comme ! — face aux occupations jugées presque toutes rebutantes des journées qui viennent, l'obsession écrivassière hante mon louche demi-sommeil.
Michel LEIRIS, Frêle bruit, p. 283.

ÉCRIVEUR, EUSE [ekʀivœʀ, øz] adj. et n. — Déb. XIVᵉ, «copiste, scribe» ; de *écrire*, d'après le rad. de *écrivain*, et *-eur*.

Fam. (Personne) qui aime écrire, qui écrit facilement. «*Les peuples de la Gaule, contrairement aux Romains et aux Grecs, n'étant pas de grands écriveurs...*» (*Science et Vie*, mai 1974, p. 75).

ÉCROTAGE [ekʀɔtaʒ] n. m. — 1755 ; de *écroter*.

Techn. Action d'écroter le sel ; terre enlevée en écrotant.

ÉCROTER [ekʀɔte] v. tr. — 1832, mais antérieur (→ Écrotage) ; de l'anc. franç. *escroter* (XIIIᵉ) «sortir d'un lieu, d'une cachette» (avec infl. probable de *écroûter*, pour le sens) ; de *é-, es-* (lat. *ex-*), et anc. franç. *crot* «trou, cachette», *klotton* «cavité».

Techn. anc. Enlever la terre de (un bloc de sel).

DÉR. Écrotage.

1. ÉCROU [ekʀu] n. m. — 1611 ; *escroue*, fin XIIᵉ ; *escroe*, v. 1171 ; du francique **skrôda* «morceau coupé, lambeau».

♦ **1** Vx. → **Écroue.**

♦ **2** (XVIIᵉ). Dr. Acte, procès-verbal constatant qu'un individu a été remis à un directeur de prison (→ **Emprisonnement, incarcération**). *L'écrou mentionne la date et la cause de l'emprisonnement ; il est consigné sur un registre (registre des emprisonnements ou registre d'écrou). Ordre d'écrou :* ordre d'incarcération. — S'emploie surtout dans la loc. **LEVÉE D'ÉCROU :** constatation de la remise en liberté d'un détenu. → **Élargissement, libération.**

Élisa, était enfin habillée en détenue, avec sur le bras le double numéro de son écrou et de son linge.
Ed. DE GONCOURT, la Fille Élisa, 1877, p. 166,
in T. L. F.

DÉR. Écrouer. ◊ **HOM. 2. Écrou, écroue.**

2. ÉCROU [ekʀu] n. m. — 1567 ; *écroue*, fém., 1752 ; *escroue*, 1542 ; *escroe*, fin XIIIᵉ ; du lat. *scrofa* «truie», par une métaphore sexuelle, analogue de celle qui a donné *porcellana*. → Porcelaine.

Pièce de métal, de bois, etc., percée d'un trou fileté dans lequel s'engage une vis, un boulon. *Écrou de mouvement,* transformant le mouvement circulaire d'une vis en mouvement rectiligne. *Écrou de serrage* (→ **Assemblage**). *Écrou carré, cylindrique, à six pans, à chapeau, à oreilles. Filet* d'un écrou. Écrou fileté, taraudé. Écrou brasé,* où la partie filetée est soudée à l'intérieur. *Serrer, desserrer un écrou à l'aide d'une clef. Écrou qui foire,* dont le pas de vis est usé et ne prend plus. — *Écrou de direction :* pièce qui actionne le levier de direction d'une automobile. *Industrie des boulons et des écrous.* → **Boulonnerie.**

1 *(Le)* chef de pièce (...) avait négligé de serrer l'écrou de la chaîne d'amarrage (...)
HUGO, Quatre-vingt-treize, I, II, 4 (→ Caronade, cit. 1).

2 Alors les couchettes, le hublot, les têtes d'écrou peintes en jaune qui hérissaient les parois, tout lui serait familier, intime.
SARTRE, le Sursis, p. 101.

Par métaphore. «*La tête vissée sur l'écrou de sa guimpe*» (H. Bazin).

COMP. Contre-écrou. ◊ **HOM. 1. Écrou, écroue.**

ÉCROUE [ekʀu] n. f. — Fin XIIᵉ, *escroue.* → 1. Écrou.

Vx (hist.). Morceau de parchemin, registre.

Spécialt. **a** Liste, rôle des receveurs de la taille.

b (1611). *Écroues de la maison du roi,* états de dépense.

HOM. 1. Écrou, 2. écrou.

ÉCROUELLES [ekʀuɛl] n. f. pl. — V. 1245, *escroiele* ; du lat. pop. *scrofellae,* var. de *scrofulae* (→ Scrofule), rac. *scrofa* «truie», par anal. avec les tumeurs ganglionnaires du porc.

Vx. Adénopathie cervicale chronique d'origine tuberculeuse. *Avoir les écrouelles. On appelait parfois les écrouelles «humeurs froides».*

Anciennt (hist.). Abcès du cou, cicatrices provenant d'une adénite tuberculeuse cervicale. *Le roi de France, le jour du sacre, touchait les écrouelles des malades ; on pensait qu'il avait le pouvoir de les guérir.*

1 *(Mᵐᵉ de Soubise)* avait eu beaucoup d'enfants, dont quelques-uns étaient morts des écrouelles (...)
SAINT-SIMON, Mémoires, t. III, I.

2 On prétend que cette maladie *(les écrouelles)* fut traitée de divine, parce qu'il n'était pas au pouvoir humain de la guérir (...) Il y a quelque apparence que quelque songe-creux de Normandie, pour rendre l'usurpation de Guillaume-le-Bâtard plus respectable, lui concéda de la part de Dieu la faculté de guérir les écrouelles avec le bout du doigt (...) On ne pouvait gratifier les rois d'Angleterre de ce don miraculeux, et le refuser aux rois de France leurs suzerains.
VOLTAIRE, Dict. philosophique, *Écrouelles.*

Loc. (Vx ou régional). *Herbe aux écrouelles.* → **Scrofulaire.**

DÉR. Écrouelleux.

ÉCROUELLEUX, EUSE [ekʀuɛlø, øz] adj. — 1575, *escrouelleux* ; de *écrouelles,* et *-eux.*

Méd. anc. Qui est atteint des écrouelles. *Malade écrouelleux.* N. *Un écrouelleux, une écrouelleuse.* — Relatif aux écrouelles. *Diathèse écrouelleuse.*

ÉCROUER [ekʀue] v. tr. — 1642, *escrouer;* de 1. *écrou,* et *-er.*

♦ **1** Dr. Inscrire sur le registre d'écrou*. *Il a été arrêté et écroué.*

1   Il se loue fort du procédé de ces messieurs; on ne saurait être écroué avec plus de civilité, interrogé plus sagement, ni élargi plus promptement qu'il n'a été (...)
    P.-L. COURIER, Collection d'articles, 1ᵉʳ nov. 1823.

2   Cet homme était écroué sous le nᵒ 9430 et se nommait Jean Valjean.   HUGO, les Misérables, II, II, III.

♦ **2** Cour. Emprisonner, enfermer dans une prison. → **Incarcérer.**

3   (...) le débiteur est écroué à la prison où l'on incarcère les inculpés, les prévenus, les accusés et les condamnés.
    BALZAC, Illusions perdues, Pl., p. 730, *in* T. L. F.

CONTR. Élargir, libérer, relâcher.

ÉCROUES [ekʀu] n. f. pl. → **Écroue.**

ÉCROUIR [ekʀuiʀ] v. tr. — 1704; *escrouir,* 1676; de *é-,* probabIt de *crou,* forme wallonne de *cru,* au sens de «brut», et *-ir.*

Techn. Traiter (un métal, un alliage) en le soumettant à l'écrouissage.

♦ **ÉCROUI, IE** p. p. adj. *Acier, métal écroui.*

  Il en était d'elle, intimement, comme d'un métal écroui devenu sous le battement répété du marteau plus dense et plus dur.
    Raymond ABELLIO, Ma dernière mémoire, p. 107.

ÉCROUISSAGE [ekʀuisaʒ] ou **ÉCROUISSE-MENT** [ekʀuismã] n. m. — 1797, *écrouissage; écrouissement,* 1690; de *écrouir,* et *-age, -ment.*

Techn. Opération consistant à travailler (en le frappant, laminant, étirant) un métal à une température inférieure à sa température de recuit; effet ainsi obtenu (résistance à la déformation).

ÉCROULEMENT [ekʀulmã] n. m. — 1587; *ecrolle-ment* «action d'ébranler», 1561; de *écrouler.*

♦ **1** (1587). Fait de s'écrouler; chute soudaine. → **Affaissement, chute, dégringolade** (fam.), **effon-drement.** *L'écroulement d'un mur, d'un édifice. L'écroulement d'un rocher, d'une montagne.* → **Ébou-lement.** *Écroulement d'un échafaudage.*

1   L'eau s'infiltrait dans de certains terrains sous-jacents, par-ticulièrement friables; le radier (...) n'ayant plus de point d'appui, pliait. Un pli dans un plancher de ce genre, c'est une fente, c'est l'écroulement.
    HUGO, les Misérables, V, III, V.

2   Il se dressa sur sa chaise pour mieux voir et posa sa semelle sur le bord de la table pour soutenir son équilibre. Son équilibre!... Fatale idée! La table y laissa immédiate-ment le sien, et, en moins de temps qu'il n'en faut pour le dire, ce fut l'écroulement général et de la table, et de la chaise, et de Bourdon (...)
    COURTELINE, Messieurs les ronds-de-cuir, 6ᵉ tableau, III.

♦ **2** (Av. 1742). Fig. Destruction soudaine et complète. → **Anéantissement, chute, culbute** (fam.), **désagréga-tion, destruction, disparition, renversement, ruine.** *L'écroulement d'un empire, d'une puissance.* → **Chute** (cit. 11), **dissolution** (→ Disloquer, cit. 3). *L'écroule-ment d'une fortune. — Écroulement d'un projet, d'une entreprise. Ce fut l'écroulement de ses espérances. L'écroulement d'un système. — L'écroulement de la santé, de la raison.*

3   Que de fois, depuis qu'ils cheminent, la vieille monarchie est tombée à leurs pieds! À peine échappés à ces écroule-ments successifs, ils sont obligés d'en traverser de nouveau les décombres et la poussière.
    CHATEAUBRIAND, Mémoires d'outre-tombe, t. V, p. 412.

Journée fulgurante, en effet, écroulement de la monarchie militaire qui, à la grande stupeur des rois, a entraîné tous les royaumes, chute de la force, déroute de la guerre.   4
    HUGO, les Misérables, II, I, XVI.

L'écroulement de ma vie sur elle-même me laissait un sen-timent de vide comme celui qui suit un accès de fièvre ou un amour brisé.   5
    RENAN, Souvenirs d'enfance..., VI, II, p. 238.

Avec ça, un symptôme plus grave à lui seul que l'ensemble de tous les autres attestait l'écroulement final de cette intelligence sombrée; l'écriture du pauvre garçon allait s'altérant de jour en jour!   6
    COURTELINE, Messieurs les ronds-de-cuir, 5ᵉ tableau, I.

♦ **3** (En parlant d'une personne). Fait de s'affaler, de s'écrouler physiquement, de s'effondrer.

Quand le bateau fut au milieu du détroit et qu'il com-mença à danser sérieusement, tout (...) disparut pour laisser place à cette abominable sueur froide qui précé-dait l'écroulement physique de Lucas, victime négligeable du mal de mer.   7
    P. MAC ORLAN, la Bandera, XIX, p. 233.

CONTR. Construction, élévation, érection. — Création, éta-blissement, renforcement...

ÉCROULER (S') [ekʀule] v. pron. — 1690, Furetière; *trans.,* déb. XIIᵉ; de *é-,* et *crouler.*

♦ **1** (Sujet n. de chose concrète). Tomber soudaine-ment de toute sa masse. → **Abattre** (s'), **abîmer** (s'), **affaisser** (s'), **choir, crouler, culbuter, dégringoler, ébouler** (s'), **effondrer** (s'), **tomber.** *Mur, édifice, écha-faudage qui s'écroule. Le plafond s'écroula sur les occupants. S'écrouler avec bruit, avec fracas. Maison délabrée (cit. 4), près de s'écrouler. Poutre qui s'écroule sous une charge.* → **Céder, craquer.**

D'admirables édifices dont la perte sera irréparable, et qui avaient été conservés jusqu'alors dans l'intégrité la plus minutieuse, vont se dégrader, s'écrouler (...)   1
    Th. GAUTIER, Voyage en Espagne, p. 33.

Les battants des portes éclatent. Des pans de murs s'écrou-lent. Des architraves tombent.   2
    FLAUBERT, la Tentation de saint Antoine, II, p. 25.

Une bûche s'écroula dans les cendres.   3
    MARTIN DU GARD, les Thibault, t. III, p. 267.

Par extension :

Sa robe exagérée, en sa royale ampleur,   4
S'écroule abondamment sur un pied sec que pince
Un soulier pomponné, joli comme une fleur.
    BAUDELAIRE, Tableaux parisiens, «Danse macabre».

♦ **2** (1790). (Sujet n. de chose abstraite). Subir une destruction, une fin brutale. → **Anéantir** (s'), **dés-agréger** (se), **sombrer, tomber.** *Empire, puissance qui s'écroule.* → **Renverser** (être renversé). *Gouverne-ment qui s'écroule* (→ Asseoir, cit. 45). *Sa fortune s'écroula brusquement. — Ses derniers espoirs se sont écroulés.* → **Dissoudre** (se), *disparaître. Tous leurs projets s'écroulèrent. Système qui s'écroule* (→ Base, cit. 11).

Et les choses qu'on crut éternelles s'écroulent   5
Avant qu'on ait le temps de compter jusqu'à vingt.
    HUGO, la Légende des siècles, XXII, IV.

Vous allez dire que je détruis l'édifice de notre amour (...) Ce que je vais détruire se fût écroulé bientôt et eût enseveli sous les décombres ce que nous possédons encore en commun.   6   A. MAUROIS, Terre promise, p. 288.

(...) le contraste, tous les jours plus criant, de cette misère générale avec la débauche dorée qui, plus que jamais, s'étalait. Des fortunes énormes s'élevaient et s'écroulaient en un an (...)   7
    Louis MADELIN, Hist. du Consulat et de l'Empire, Ascension de Bonaparte, XIII, p. 181.

♦ **3** (1880). (Sujet n. de personne). Se laisser tomber lourdement. → **Affaler** (s'), **effondrer** (s'). *Il s'écroula sur un siège, sur son lit, dans un fauteuil. S'écrouler de tout son long.*

8 (...) il y a, devant des guérites grises, entre un haut mur et un fossé, des sentinelles qui vacillent sur leurs jambes, et luttent de toutes leurs forces pour ne pas s'écrouler dans ce sommeil dont d'autres ne veulent plus.
J. ROMAINS, les Hommes de bonne volonté, t. III, XVII, p. 229.

Sports. Connaître une défaillance totale et brutale. *Longtemps en tête, il s'est écroulé dans la ligne d'arrivée.*

(1842). Fig. S'effondrer. *À l'annonce de ce malheur, il s'écroula.*

♦ **4** (Sujet n. de personne ; abstrait). **S'ÉCROULER DE... :** être accablé de... *S'écrouler de fatigue, d'ennui, de désespoir.* — Fam. *S'écrouler de rire :* n'en plus pouvoir à force de rire. → **Tordre** (se).

♦ **ÉCROULÉ, ÉE** p. p. adj.

♦ **1** Tombé en ruines. *Débris, décombres d'une maison écroulée. Mur à demi écroulé.*

9 Tous ces vieux pans de murs écroulés, Salonique.
HUGO, la Légende des siècles, XVI, I.

10 Elle aimait les grottes perdues dans les bois, les ruines des vieux châteaux, les temples écroulés aux colonnes festonnées de lierre (...)
NERVAL, Promenades et souvenirs, VIII.

♦ **2** Fig. Détruit, anéanti. *L'histoire d'un empire écroulé. Des fortunes écroulées.*

♦ **3** (Personnes). Affalé, accablé (de fatigue, par un malheur). *Un homme écroulé dans un fauteuil. Il était complètement écroulé.*

11 Enfin, au pied de ces reliques, écroulé dans le voltaire, Fernand, la tête ballante, pris par le sommeil à la gorge (...)
F. MAURIAC, Génitrix, VII, p. 88.

Fam. *Écroulé (de rire). On était tous écroulés, avec ses pitreries.*

CONTR. Élever (s'), ériger (s'). — Dresser (se), lever (se). — Debout, droit. ◊ DÉR. Écroulement.

ÉCROÛTAGE [ekʀutaʒ] ou **ÉCROÛTEMENT** [ekʀutmã] n. m. — 1755, *écroûtage ; écroûtement,* 1611 ; de *écroûter,* et *-age, -ment.*
Agric. Action d'écroûter (une terre).

ÉCROÛTER [ekʀute] v. tr. — V. 1180, *escrouster ;* XIIᵉ ; de *é-, croûte,* et suff. verbal.

♦ **1** Dégarnir de sa croûte. *Écroûter le pain.* — *Écroûter une plaie.*

♦ **2** (1845). Agric. Labourer* superficiellement (une terre).

DÉR. Écroûtage ou écroûtement. — Écroûteuse.

ÉCROÛTEUSE [ekʀutøz] n. f. — 1907 ; de *écroûter,* et *-euse ;* cf. Écroûteur, 1861.
Techn. (agric.). Herse destinée à émietter la croûte superficielle d'une terre.

ÉCRU, UE [ekʀy] adj. — 1260, *escru ;* de *é-* (*es-*) intensif, et *cru.*

♦ **1** Vx. Qui est à l'état naturel, brut. → **Brut** (2.), 2. **cru** (2.).

♦ **2** Mod. *Toile écrue,* qui n'a pas été blanchie. → **Blanchiment.** *Coton écru. Soie écrue,* qui n'a pas été décruée*. *Fil écru.*

1 Sa robe de foulard écru collait à ses épaules un peu tombantes (...)
FLAUBERT, l'Éducation sentimentale, III, I.
N. m. Étoffe écrue. *Des écrus.*

Par anal. Qui a une teinte jaunâtre analogue à celle d'une toile ou de la soie écrue. — N. m. Cette teinte.

2 (...) le monde était devenu lentement une drôle de symphonie de flanelles, les unes grises, les autres rouges, ou brunes, ou bleuâtres, qui s'irritaient et se grattaient mutuellement. La laine des murs contre l'écru de l'air ; la broderie orange, toute seule, un point rond, de l'ampoule électrique (...)   J.-M. G. LE CLÉZIO, la Fièvre, p. 76.

♦ **3** (1762, *in* D. D. L.). Techn. *Fer écru,* qui a été mal corroyé. — *Cuir écru,* qui n'a pas été corroyé à l'eau. — *Pâte (à papier) écrue :* pâte obtenue par cuisson de bois, de végétaux et qui n'a pas été blanchie.

CONTR. Blanchi, préparé, décrué ou décreusé. — Corroyé. ◊ HOM. Écrues.

ÉCRUES [ekʀy] n. f. pl. — XVIᵉ, *escrue ; écrues, in* Littré ; de l'anc. franç. *escroitre,* de *es-* (*é-*), et *croistre* (*croître**).
Agric. et régional. Broussailles poussant dans une terre labourable. *Nettoyer les écrues.*

HOM. Écru.

ECSTASY [ɛkstazi] n. f. — V. 1988 ; mot angl., proprt « extase », appliqué depuis 1985 aux États-Unis et MDMA.
Anglic. Drogue dérivée de l'amphétamine (méthylènedioxy-méthamphétamine, ou MDMA), hallucinogène, qui a un effet désinhibiteur. *Être sous ecstasy.* — Abrév. : *ecsta* [ɛksta] n. f.
On écrit parfois *ectasy.*

ECTASIE [ɛktazi] n. f. — 1824 ; *ectasis,* 1792 ; du grec *ektasis* « dilatation », de *ekteinein* « étendre, allonger ».

♦ **1** Méd. Dilatation anormale d'un organe creux. *Ectasie bronchique.*

♦ **2** Didact. Fait d'allonger une syllabe qui est normalement brève, en prosodie grecque. (On a dit aussi *ectase* [ɛktaz] n. f.).

DÉR. Ectasier.

-ECTASIE Élément de mots de médecine, du grec *ektasis* « dilatation ». → **Atélectasie, bronchectasie.**

ECTASIER [ɛktazje] v. tr. — 1896, p. p. ; de *ectasie,* et *-er.*
Méd. Dilater (un organe creux). — REM. Ne pas confondre avec le paronyme *extasier.*

ECTHYMA [ɛktima] n. m. — 1824, Nysten, *in* D. D. L. ; *ecthymate,* 1808 ; grec *ekthuma* « bouton d'échauffement ».
Méd. Affection cutanée microbienne, caractérisée par des pustules dont le centre se recouvre d'une croûte masquant une ulcération.

ECTO- Élément tiré du grec *ektos* « au dehors » et servant à former des mots savants. → **Ectoderme, ectogenèse, ectomorphe, ectoparasite, ectophyte, ectoplasme, ectozoaire.** — Spécialt, en biol., sert à former des comp. avec le sens de « d'origine ectodermique » (ex. : *ectomésenchyme*).

ECTOBLASTE [ɛktɔblast] n. m. — 1905, *in Rev. gén. des sc.,* nᵒ 8, p. 383 ; de *ecto-,* et *-blaste.*
Biol. → **Ectoderme.**

DÉR. Ectoblastique.

ECTOBLASTIQUE [ɛktɔblastik] adj. — Déb. XXᵉ ; de *ectoblaste.*
Biol. → **Ectodermique.**

ECTODERME [ɛktɔdɛʀm] n. m. — 1855, *in* D.D.L.; formé comme contr. de *endoderme* à l'aide de l'élément *ecto-*, et *-derme*.

(1901). Biol. Feuillet superficiel ou externe du troisième stade de développement de l'embryon (→ **Gastrula**), dont dérivent l'épiderme (et ses annexes : phanères et glandes ; → **Épiblaste**) et le système nerveux (→ **Neuroblaste**). → aussi **Endoderme, mésoderme.** — REM. L'usage scientifique mod. préfère le syn. *ectoblaste.*

DÉR. **Ectodermique.**

ECTODERMIQUE [ɛktɔdɛʀmik] adj. — 1877 ; de *ectoderme*, et *-ique.*

Biol. Qui a rapport à l'ectoderme. *Tissus d'origine ectodermique. Formations ectodermiques* (opposé à *endodermique*).

ECTOGENÈSE [ɛktɔʒɛnɛz] n. f. — Mil. xxᵉ ; de *ecto-*, et *genèse.*

Biol. Développement complet de l'embryon des mammifères placentaires en dehors du corps maternel.

ECTOLÉCITHE [ɛktɔlesit] adj. — 1904, *in Rev. gén. des sc.*, n° 3, p. 144 ; de *ecto-*, et *-lécithe.*

Biol. Se dit des œufs dont le vitellus se trouve à la périphérie.

-ECTOMIE Élément, du grec *ektomê* «ablation». → **Amygdalectomie, appendicectomie, artériectomie, gastrectomie, hystérectomie, mastectomie, méniscectomie, néphrectomie, omphalectomie, orchidectomie, ovariectomie, parotidectomie, pharyngectomie, phlébectomie, vasectomie.** REM. Les composés de ce suffixe ont des dérivés verbaux en *-ectomiser* (*gastrectomiser, laryngectomiser*).

ECTOMISER [ɛktɔmize] v. tr. — xxᵉ ; de *-ectomie.*

Didact. Faire l'ablation de. — Au p. p. adj. Dont on a fait l'ablation.

(...) lui est mort, et elle (...) épouse tardive, à la maternité rendue impossible par ses organes douloureux, stériles et finalement ectomisés, elle n'a sans doute jamais espéré d'autre joie, parmi celles du mariage, que de pouponner l'enfant d'une autre (...)

A. SARRAZIN, la Traversière, p. 15 (1966).

ECTOMORPHE [ɛktɔmɔʀf] adj. et n. — V. 1950 ; de *ecto-*, et *-morphe.*

Anthrop. Un des trois biotypes* de la classification établie par W. H. Sheldon, et qui est caractérisé par un physique longiligne.

Comme M. Martiny en France, William H. Sheldon, de l'Université Columbia (New York), a eu l'originalité de rattacher les *trois types* choisis par lui (outre un type moyen), au développement relativement plus grand, selon les individus, de tel ou tel des trois feuillets de l'embryon, feuillets appelés *endoderme, mésoderme et ectoderme,* et qui chacun, au cours de l'organogenèse (ou croissance embryonnaire) donne naissance à un groupe de tissus distincts : on a ainsi l'*endomorphe* (= digestif), le *mésomorphe* (= musculaire) et l'*ectomorphe* (= cérébral).

Pierre GRAPIN, l'Anthropologie criminelle, p. 57-58.

ECTOMORPHIQUE [ɛktɔmɔʀfik] adj. — V. 1950 ; de *ecto-*, et *-morphique.*

Anthrop. Qui correspond à l'ectomorphe. «*La composante que Sheldon appelle ectomorphique*» (Pierre Grapin, *l'Anthropologie criminelle,* p. 60).

ECTOMORPHISME [ɛktɔmɔʀfism] n. m. — V. 1950 ; de *ecto-*, et *-morphisme.*

Anthrop. Morphologie de l'ectomorphe.

ECTOPARASITE [ɛktɔpaʀazit] n. m. et adj. — 1878, *in* D.D.L.; de *ecto-*, et *parasite.*

Zool. Parasite externe. *Insectes ectoparasites* (opposé à *endoparasite*). — N. m. *Ectoparasites des végétaux, des animaux.* → **Ectophyte, ectozoaire.**

Les Lamproies et les Myxines peuvent être considérées comme des parasites externes (...) On trouve d'autres ectoparasites parmi les Poissons-Chats d'Amérique du Sud ; les uns, qui ont en tous points les mœurs des Lamproies, se fixent sur la peau de divers animaux, qu'ils perforent pour sucer le sang ; d'autres, beaucoup plus petits, s'insinuent entre les lamelles branchiales des grands poissons d'eau douce et leur font de cruelles saignées.

R. et M.-L. BAUCHOT, les Poissons, p. 101.

ECTOPHYTE [ɛktɔfit] adj. et n. m. — 1910 ; de *ecto-*, et *-phyte.*

Biol. (végétal) Qui vit à la surface d'un hôte, en symbiose ou en tant que parasite. → **Endophyte.** — N. m. *Un ectophyte.*

ECTOPIE [ɛktɔpi] n. f. — Av. 1837 ; «luxation», 1808 ; du grec *ektopos* «éloigné de sa place», et suff. *-ie.*

Anat., méd. Situation (d'un organe) hors de sa place habituelle. *Ectopie des testicules* (cryptorchidie). *Ectopie du cœur, du rein. Dent en ectopie,* qui n'a pas évolué vers sa place normale.

Parmi les traits tératologiques dont la transmission est plus ou moins bien éclaircie, nous citerons l'ectopie du cristallin (...)

L. CUÉNOT et Jean ROSTAND, Introd. à la génétique, 1936, p. 110, *in* T.L.F.

DÉR. **Ectopique.**

ECTOPIQUE [ɛktɔpik] adj. — 1894, *in* D.D.L.; de *ectopie.*

Anat., méd. (en parlant d'un organe). Qui n'occupe pas sa place normale. *Testicules ectopiques. Rein ectopique.*

ECTOPLASME [ɛktɔplasm] n. m. — 1890 ; de *ecto-*, et *-plasme.*

♦ **1** Biol. Couche superficielle de la cellule animale, surtout visible chez certains protozoaires (amibes). Opposé à *endoplasme.*

♦ **2** (1922). Occultisme et cour. Émanation visible du corps du médium.

Une espèce d'ectoplasme translucide se formait tout autour, une espèce de visage, mon visage.

B. CENDRARS, Moravagine, *in* Œ. compl., t. IV, p. 169.

♦ **3** Personne (et, par ext., chose) sans consistance, qui ne se manifeste pas avec une vivacité normale. *Qu'est-ce que c'est que cet ectoplasme ? On ne l'entend jamais, il ne bouge pas...* → **Zombie.**

Elle (*une banane écrasée*) ne ressemblait pas à un fruit écrasé, ce qui n'a rien d'étonnant, puisque la banane est un ectoplasme végétal.

Jacques LAURENT, les Bêtises, p. 93.

DÉR. **Ectoplasmie, ectoplasmique.**

ECTOPLASMIE [ɛktɔplasmi] n. f. — 1922 ; de *ectoplasme*, 2.

Don attribué à certains médiums de produire des ectoplasmes (2.).

ECTOPLASMIQUE [ɛktɔplasmik] adj. — 1903, *in Rev. gén. des sc.*, n° 21, p. 1102 ; de *ectoplasme*, 1.

Biol. Relatif à l'ectoplasme (1.). *Membrane ectoplasmique.*

ECTOTHERME [ɛktɔtɛʀm] adj. et n. — Av. 1981 (*la Recherche*, juin 1981, p. 690); de *ecto-*, et *-therme*.

Didact. Se dit des animaux qui, ne produisant pas de chaleur interne (→ Endotherme), dépendent des sources extérieures de chaleur pour augmenter leur température. **→ Poïkilotherme.**

ECTOZOAIRE [ɛktɔzɔɛʀ] n. m. — 1898, *Nouveau Larousse illustré*; de *ecto-*, et *-zoaire.*

Biol. Parasite animal qui vit sur le corps de son hôte. *Les poux sont des ectozoaires.* **→ Dermatozoaire.**

ECTRO- Préfixe tiré du mot grec *ektrosis* «avortement», entrant dans la composition de quelques termes récents de médecine. **→ Ectrodactylie, ectromèle.**

ECTRODACTYLIE [ɛktʀodaktili] n. f. — 1855, Nysten; comp. du grec *ektro*; de *ectro-*, et *-dactylie.*

Physiol. Absence congénitale d'un ou plusieurs doigts.

ECTROMÈLE [ɛktʀɔmɛl] adj. et n. — 1864, Littré; de *ectro-*, et *-mèle*, de *mélos* «membre».

Méd. Dont les membres sont atrophiés ou absents. → Phocomèle.

ECTROPION [ɛktʀɔpjɔ̃] n. m. — V. 1577; du grec *ektropion*, de *ektrepein* «détourner», de *ek-*, et *tropein* «tourner».

Médecine.

♦ 1 Renversement des paupières en dehors. **→ Éraillement.** *Ectropion de la paupière supérieure.*

♦ 2 (1878). Éversion de la muqueuse du col utérin.

ECTYPE [ɛktip] n. m. et f. — 1661, *in* D. D. L.; empr. au lat. impérial *ectypus* «qui est relatif, saillant», du grec *ek-*, et *tupos* «empreinte». → Type.

Didactique.

♦ 1 N. m. Philos. Idée provenant de la représentation.

♦ 2 N. f. Empreinte d'une médaille, d'un cachet.

ÉCU [eky] n. m. — V. 1080, *escut* «bouclier»; du lat. *scutum* «bouclier».

Ⅰ ♦ 1 Anciennt. Bouclier des hommes d'armes, au moyen âge. **→ Bouclier.** *Écu oblong, triangulaire, quadrangulaire. Écu en bois recouvert de cuir. Écu en métal. Combattre avec la lance et l'écu. Porter l'écu d'un chevalier.* **→ Écuyer.** *Emblèmes, armoiries qui décorent un écu.*

1   Comme pour exprimer les détours du destin
Dont le héros triomphe, un graveur florentin
Avait sur son écu sculpté le labyrinthe (...)
           HUGO, la Légende des siècles, XVIII,
           «La confiance du marquis Fabrice», I.

♦ 2 (1254). Blason et cour. Champ en forme de bouclier où sont représentées les pièces des armoiries. **→ Armoirie** (cit. 2), **écusson.** *Formes de l'écu* (triangulaire, en amande, ovale, carré, rond, en losange). *Position ou points dans l'écu, état de l'écu. Amades de l'écu. Barres et bandes de l'écu. Écu barré...* **→ Blason.** — Par ext. *Armoiries* représentées dans l'écu. L'écu de France: écu marquant la juridiction d'un seigneur.* **→ Panonceau.**

2   (...) un héraut d'armes même, en cette conjoncture, n'aurait pas discerné les émaux et couleurs d'un écu, encore moins ses partitions, figures et pièces honorables.
           Th. GAUTIER, le Capitaine Fracasse, t. II, XI, p. 73.

♦ 3 Zool. Pièce en triangle derrière le corselet, entre la base des élytres (d'un insecte). **→ Écusson.**

Ⅱ (1336). **♦ 1** Hist. Ancienne monnaie qui portait, à l'origine, l'écu de France sur une de ses faces. *Premiers écus d'or, frappés sous saint Louis. Écu d'or au soleil*, frappé sous Louis XI et Charles VIII. — (1641). *Écu blanc* ou *petit écu*: pièce d'argent de trois livres. «*En 1641, le Roi ordonna la fabrication d'une nouvelle monnaie d'argent sous le nom de Louis d'argent, ou de pièce de 60 sous. C'est ce qu'on nomme communément écu blanc* (...) *ainsi, partout où il est parlé d'écu avant 1641, il faut l'entendre de l'écu d'or* (...) *Il y a aussi des écus de 6 francs*» (Trévoux). *Double écu, demi écu, quart d'écu.* **→ Seizain.** *L'écu républicain de l'an II*, dernier écu d'argent. *L'Homme aux quarante écus*, conte de Voltaire.

3   — (...) Vous dites qu'il y avait dans cette cassette...? — Dix mille écus bien comptés. — Dix mille écus! — Dix mille écus. — Le vol est considérable.
           MOLIÈRE, l'Avare, V, 1.

4   L'homme aux quarante écus s'étant beaucoup formé, et ayant fait une petite fortune, épousa une jolie fille qui possédait cent écus de rente.
           VOLTAIRE, l'Homme aux quarante écus, VII.

Par anal. Ancienne pièce de cinq francs en argent.

4.1   On ne découvrit pas un écu d'argent sonnant.
           ZOLA, le Ventre de Paris, 1873, p. 650, *in* T. L. F.

Loc. Vx. *Avoir des écus*, de l'argent. — (1690, Furetière). Vx. *Avoir des écus moisis*: être riche et avare. — *N'avoir pas un écu vaillant*: être démuni d'argent. **→ Sou.** — (Déb. XIXᵉ). *Mettre écu sur écu*: thésauriser. — (Fin XVIIᵉ). *Remuer les écus à la pelle*: être très riche.

(1690, Furetière, les avocats ayant au XVIIᵉ s. une réputation d'avidité bien établie). *Cela ne lui fait non plus de peur qu'un écu à un avocat*: «il n'en a aucune frayeur; il aime assez cela» (Furetière). — (XVIIᵉ-XIXᵉ). Fig. *Le reste, le restant de mon (notre) écu*: ce qui arrive de désagréable après une série d'ennuis.

Loc. prov. Vx. *«Écu changé, écu mangé»*: une somme entamée risque d'être entièrement dépensée.

♦ 2 (1765). Techn. Papier de petit format (0,40 m × 0,52 m), ainsi nommé parce qu'il portait un écu (monnaie) en filigrane. — En appos. (après le nom d'un format):

5   J'ai les *Fêtes Galantes* de Verlaine, un joli in-12 écu.
           RIMBAUD, Lettre à Georges Izambard,
           25 août 1870, Pl., p. 243.

DÉR. Écuage ou écuiage, écusson, écuyer. ◊ HOM. E. C. U.

E. C. U. [eky] n. m. invar. — 1978; sigle de *European Currency Unit*, utilisé en franç. grâce à l'homonymie avec *écu.*

Unité de compte du système monétaire européen. **→** aussi **Euro.** «*On évaluera chaque monnaie européenne en E. C. U.*» (le Nouvel Obs., 16 oct. 1978).

HOM. Écu.

ÉCUAGE [ekyaʒ] ou **ÉCUIAGE** [ekyijaʒ] n. m. — 1215; de *écu*, ou de *écuyer*, et suff. *-age.*

Histoire.

♦ 1 État d'écuyer; service féodal auquel était tenu un écuyer.

♦ 2 (1690, Furetière). Droit payé par l'écuyer pour s'exempter de ce service.

ÉCUANTEUR [ekɥ̃ãtœʀ] n. f. — 1795, in D.D.L.; orig. incert., soit à rapprocher du dial. du Haut-Maine *équanter* «donner aux raies d'une roue l'inclinaison nécessaire sur le moyeu», de *cant*, forme normande de 2. *chant*; soit à rapprocher du dial. du Centre *écuer*, même sens.

Techn. Inclinaison des rayons d'une roue de véhicule sur l'axe du moyeu, pour augmenter la résistance. → **Déport.**

Aux IVᵉ-IIIᵉ siècle se répand en Chine de donner aux rayons une légère obliquité par rapport au plan de la roue *(écuanteur)* qui augmente la résistance aux chocs latéraux.
 Jacques GERNET, le Monde chinois, p. 68.

ÉCUBIER [ekybje] n. m. — V. 1602, *escubbier; escumier*, 1553; *esquenbieu, esquembieu*, v. 1383; orig. incert., p.-ê. adaptation du port. *escouvem*.

Mar. Chacune des ouvertures ménagées à l'avant d'un navire, de chaque côté de l'étrave, pour le passage des câbles ou des chaînes. *Écubier de bâbord* (→ Roder, cit. 2). *Bouchon d'écubier.* → 2. **Tape.**

1 L'examen burlesque de l'avant d'un bâtiment pourrait faire considérer les écubiers comme étant les deux yeux et la guibre un nez retourné.
 Jules LECOMTE et P. LUCO,
 Dict. pittoresque de marine (1836), art. *Écubiers.*

2 (...) on entendit un bruit de chaînes qui couraient en grinçant à travers les écubiers.
Le navire venait de mouiller en vue de Granite-House!
 J. VERNE, l'Île mystérieuse, t. II, p. 609 (1874).

ÉCUEIL [ekœj] n. m. — 1604; *escueil*, 1538; empr. à l'anc. provençal *escueyll*, du lat. pop. *scoclus*, du lat. *scopulus*, du grec *skopelos* «rocher».

♦ **1** Rocher, banc de sable, de corail, à fleur d'eau ou caché sous l'eau, contre lequel un navire risque de se briser ou de s'échouer. → **Brisant, chaussée, récif.** *Contour d'un écueil.* → (vx) 2. **Accore.** *Mer semée d'écueils* (→ Argenté, cit. 6). *Les écueils qui bordent une côte dangereuse. Rencontrer, heurter un écueil; donner sur un écueil. Navire qui se brise sur un écueil, contre un écueil.*

1 Les Turcs ont passé là. Tout est ruine et deuil.
Chio, l'île des vins, n'est plus qu'un sombre écueil.
 HUGO, les Orientales, XVIII.

2 (...) les écueils connus de là-bas, les feux de la côte, la pointe du Finistère avec ses grandes roches sombres; et les approches dangereuses d'Ouessant les soirs d'hiver (...)
 LOTI, Mon frère Yves, LXXV, p. 178.

3 L'escadre, qui venait de Toulon et qui se dirigeait vers Brest, se trouva tout à coup, au milieu d'un beau jour, saisie par la brume, dans les parages dangereux de l'île de Sein, semés de roches : six cuirassés, une trentaine de bâtiments légers, de sous-marins, tout à coup aveuglés et stoppant, à la merci du vent et des courants, au milieu d'un champ d'écueils. VALÉRY, Variété III, p. 197.

Par métaphore (même sens global que le sens fig.; → ci-dessous, 2. :)

4 Combien à cet écueil se sont déjà brisés (...)
 CORNEILLE, Cinna, I, 2.

♦ **2** (1604). **Fig.** Obstacle dangereux (pour la vertu, la réputation, la fortune...), cause d'échec. → **Achoppement** (pierre d'achoppement), **chausse-trappe, danger, obstacle, péril, piège; cactus** (fig. et fam.). *La vie est pleine d'écueils. Les écueils d'une carrière, d'une politique.* — Rare. *L'écueil de...* (et inf.) : l'obstacle qu'il y a à... (→ ci-dessous, cit. 7). *Rencontrer, éviter un écueil.*

5 Un ouvrage satirique (...) qui est donné en feuilles sous le manteau (...) s'il est médiocre, passe pour merveilleux; l'impression est l'écueil.
 LA BRUYÈRE, les Caractères, I, 5.

6 Les premiers jours du mariage sont un écueil pour les petits esprits comme pour les grands amours.
 BALZAC, Béatrix, Pl., t. II, p. 394.

(...) l'écueil d'être beau, c'est d'être fade (...) 7
 HUGO, l'Homme qui rit, II, I, III, 1.

Le vers libre, qui favorise les talents originaux et qui est 8
l'écueil des autres.
 R. DE GOURMONT, Livre des masques, p. 225.

ÉCUELLE [ekɥɛl] n. f. — V. 1119, *escüelle;* du lat. pop. *scutella* (u long), «écuelle», dimin. (u bref) du lat. class. *scuta*, p.-ê. d'après *scutum* (u long). → **Écu.**

♦ **1** Assiette large et creuse, sans rebord, destinée à contenir une portion d'un aliment liquide. *Écuelle en bois, en terre, en métal. Écuelle à couvercle, à oreilles.* → **Orillon.** *Manger sa soupe dans une écuelle.* — **REM.** Au moyen âge, on se servait de l'écuelle dans les plus grands dîners; dans l'usage actuel, le mot connote la campagne, la rusticité.

Les bourgeois de Loches lui envoyaient à dîner et à souper 1
dans une petite écuelle qui faisait le tour de la ville.
 SAINT-SIMON, Mémoires, I, 133, in LITTRÉ.

Mon cher maître, répondit Cacambo, Cunégonde lave les 2
écuelles sur le bord de la Propontide, chez un prince qui
a très peu d'écuelles (...) VOLTAIRE, Candide, XXVII.

Spécialt. *L'écuelle d'un chien, d'un chat.*

Par ext. L'écuelle et son contenu; le contenu lui-même. → **Écuellée.** *Manger une écuelle de soupe.*

Elle s'avançait vers eux, portant sur un plateau, une 3
écuelle de porridge, des pruneaux cuits, une timbale de
lait, qu'elle déposa sur la table de jardin.
 MARTIN DU GARD, les Thibault, t. IX, p. 30.

Loc. fig. Vx. *Il a bien plu dans son écuelle :* il a fait un gros héritage. — **Vieilli.** *Manger à la même écuelle :* avoir les mêmes sources de profits, les mêmes intérêts. — (XVIᵉ-XIXᵉ). **Vx.** *Mettre (jeter) tout par écuelles :* tout dépenser en mangeailles.

♦ **2** (Emplois techn., par anal.). **Archit.** Calotte formée par la face interne d'un voussoir de voûte sphérique.

Mar. *Écuelle de cabestan :* plaque de fer concave, dans laquelle est fixé le dé sur lequel tourne le pivot d'un cabestan (Gruss).

♦ **3** *Écuelle d'eau :* plante amphibie, ombellifère, qui croît dans les marécages et dont les feuilles forment godet. → **Hydrocotyle.**

DÉR. Écuellée, écuellier.

ÉCUELLÉE [ekɥele; ekɥɛle] n. f. — XIIIᵉ, *escüelee;* de *écuelle*, et *-ée.*

Rare. Contenu d'une écuelle. *Une écuellée de soupe* (→ Chenil, cit. 2). — **Syn. :** *écuelle.*

Les Rémonencq payaient (...) un centime et demi une écuellée de pommes de terre (...)
 BALZAC, le Cousin Pons, Pl., t. VI, p. 616.

Par anal. Petite quantité (→ Écrabouiller, cit. 3).

ÉCUELLIER [ekɥelje; ekɥɛlje] n. m. — 1260; de *écuelle.*

Vx (ou hist. du mobilier). Meuble où l'on rangeait la vaisselle ordinaire. → **Vaisselier.**

ÉCUISSAGE [ekɥisaʒ] n. m. — 1864, in Littré; de *écuisser.*

Techn. Rare. Action d'écuisser (un arbre).

ÉCUISSER [ekɥise] v. tr. — V. 1179, *escuisser;* de é-, *cuisse*, et suff. verbal.

♦ **1** **Vx.** Estropier en rompant la cuisse.

♦ **2** (1571). **Techn.** Faire éclater (le tronc d'un arbre) en l'abattant. → **Arbre** (cit. 18). *Écuisser un arbre, un tronc.*

DÉR. Écuissage.

ÉCULER [ekyle] v. tr. — 1564, *esculer; de é-, cul* (au sens fig., «partie postérieure d'un objet»), et *-er*.

Rare. Déformer, user (une chaussure) à l'endroit du talon. *Enfant qui écule ses souliers en marchant.* — Pron. *Les talons se sont très vite éculés.*

◆ **ÉCULÉ, ÉE** p. p. adj. Cour.

◆ **1** (1611). Dont le talon est usé, déformé. → **Déformé, usé.** *Des chaussures, des sandales éculées.*

1   Elles traînaient leurs pieds dans des savates éculées (...)
       P. MAC ORLAN, Quai des brumes, VIII, p. 125.

◆ **2** (Mil. XIXᵉ). Fig. Qui est usé, défraîchi, qui n'a plus de pouvoir à force d'avoir servi. → **Usé; ressassé.** *Expression éculée* (→ Démagogue, cit. 3). — *Des plaisanteries, des jeux de mots éculés qui ne font plus rire.*

2   Un peu plus et nous traînerons
     Notre rauque idylle éculée
     Dans le ruisseau des Porcherons.
       HUGO, la Légende des siècles, LVI.

3   Rabâchage de séculaires rengaines (...) parodies éculées depuis deux mille ans, on n'imagine rien de plus.
       Léon BLOY, le Désespéré, p. 138.

CONTR. Neuf, nouveau, original.

ÉCUMAGE [ekymaʒ] n. m. — 1838; de *écumer*.

Action d'écumer, d'épurer. *L'écumage du bouillon, des confitures. Écumage de l'effluent urbain* (épuré des huiles et des graisses).

ÉCUMANT, ANTE [ekymã, ãt] p. prés. adj. — 1480; p. prés. de *écumer*.

◆ **1** Littér. Qui écume. → **Spumescent.** *Mer, vague écumante* (→ Bondir, cit. 12).

1   (...) l'onde était écumante sous les coups de rames (...)
       FÉNELON, Télémaque, II.

2   Ici gronde le fleuve aux vagues écumantes (...)
       LAMARTINE, Premières méditations, «L'isolement».

2.1   Des vaguelettes écumantes remontaient le courant et venaient crachoter contre la berge.
       B. CENDRARS, Moravagine, *in* Œ. compl., t. IV,
       p. 129.

Couvert d'écume. *Un rocher écumant.*

◆ **2** Cour. Couvert de bave. *Cheval, chien écumant.* — *Sa bouche était écumante.*

3   (...) il était grotesque et repoussant plus encore que pitoyable, avec sa face empourprée et ruisselante, son œil égaré, sa bouche écumante de colère et de souffrance, et sa langue à demi tirée.
       HUGO, Notre-Dame de Paris, VI, IV.

Fig. *Être écumant de colère, de rage...* → **Furieux.**

4   Là bornant son discours, encor toute écumante,
     Elle souffle *(la Sibylle)* aux guerriers l'esprit qui la tourmente.
       BOILEAU, le Lutrin, V.

ÉCUME [ekym] n. f. — V. 1160, *escume;* probablt issu du germanique occidental **skum*.

A ◆ **1** (Déb. XIIIᵉ). Mousse blanchâtre, chargée ou non d'impuretés, qui se forme à la surface des liquides agités, chauffés ou en fermentation. → **Mousse.** *Les bulles* de l'écume. Écume d'un bouillon; d'une confiture qu'on vient de faire. Écume d'un liquide organique.* → **Spume.** *Écume d'un torrent, d'une cascade* (→ Bouillon, cit. 2). *Écume de la mer. Mer blanche d'écume. Écume à la crête des vagues.* → **Mouton** (→ Crinière, cit. 3). *Paquets d'écume laissés sur le rivage quand la mer se retire; sur la rive, par un cours d'eau qui serpente.*

1   L'écume jette aux rocs ses blanches mousselines (...)
       HUGO, les Châtiments, VI, V.

Ouessant apparaît; toutes ses roches sombres, tous ses 2 écueils se dessinent en grisailles obscures, battus par de hautes gerbes d'écume blanche, sous un ciel qui paraît lourd comme un globe de plomb.
       LOTI, Mon frère Yves, LXXII, p. 173.

Quel pur travail de fins éclairs consume 3
Maint diamant d'imperceptible écume (...)
       VALÉRY, Poésies, «Le cimetière marin».

Il nageait régulièrement. Le battement de ses pieds laissait 4 derrière lui un bouillonnement d'écume (...)
       CAMUS, la Peste, p. 278.

◆ **2** Par anal. **ÉCUME (DE MER).** **ⓐ** Plantes marines laissées sur le sable par la marée descendante, et utilisées comme engrais.

ⓑ Par anal. (de couleur, de légèreté). Magnésite (silicate).

Cour. Faïence imitant cette magnésite. *Pipe en écume de mer* (→ Culotté, cit. 1). — Ellipt. *Pipe en écume, d'écume.*

(...) une pipe d'écume qui figurait une sirène, et qui, au 5 râtelier, sans qu'on s'en aperçût, s'était brisée comme dans un vulgaire tir forain (...)
       ARAGON, le Paysan de Paris, p. 31.

◆ **3** Par métaphore. Ce qui reste du temps écoulé, et qui est sans valeur. *L'Écume des jours,* ouvrage de Boris Vian.

Toutes *(ces pages écrites)* ne sont que la vaine écume d'une 6 vie agitée, mais qui maintenant se calme.
       PROUST, les Plaisirs et les Jours, Dédicace, p. 14.

Qu'importe au véritable amour l'écume injuste de la vie! 7
       M. BARRÈS, Un jardin sur l'Oronte, p. 127.

◆ **4** (1770). Vieilli. *L'écume d'un peuple, d'une société,* le ramassis de gens qui en forment la partie la plus vile. → **Lie, populace, ramas, ramassis, rebut** (opposé à **élite, crème, gratin**).

Contenson, un des plus curieux produits de l'écume qui 8 surnage au bouillonnements de la cuve parisienne, où tout est en fermentation (...)
       BALZAC, Splendeurs et Misères des courtisanes,
       Œ., Pl., t. V, p. 746.

(...) il y avait une quantité de valets et de porteurs d'eau, 9 hâves, jaunis par les fièvres et tout sales de vermine, écume de la plèbe carthaginoise, qui s'attachait aux Barbares.
       FLAUBERT, Salammbô, II, p. 24.

Juifs, Musulmans, Italiens du Sud, Siciliens ou Maltais, 10 écume accumulée et comme rejetée en marge du courant des eaux claires, capable toutefois de remous inquiétants (...)
       GIDE, Journal, 27 avr. 1943.

B (V. 1160). Bave mousseuse (de certains animaux échauffés ou irrités). *Écume d'un chien, d'un cheval harassé. Taureau qui a l'écume à la bouche.*

(...) il *(le taureau)* se mit à courir çà et là, à beugler affreu- 11 sement. Son mufle noir blanchissait d'écume, et, dans l'enivrement de sa rage (...)
       Th. GAUTIER, Voyage en Espagne, p. 58.

Bave mousseuse qui vient aux lèvres d'une personne sous l'effet d'une maladie (comme l'épilepsie), de la souffrance, de l'agonie, ou d'une violente émotion (colère, etc.). — Loc. *Avoir l'écume à la bouche, aux lèvres.* → **Écumant, écumer** (I., 2.).

Aussi pâle qu'elle, l'écume aux lèvres, Évariste s'enfuit et 12 courut chercher auprès d'Élodie l'oubli, le sommeil, l'avant-goût délicieux du néant.
       FRANCE, Les dieux ont soif, p. 193.

Le sourire que Tarrou essaya encore de former ne put 13 passer au-delà des maxillaires serrés et des lèvres cimentées par une écume blanchâtre.
       CAMUS, la Peste, p. 309.

Par ext. Sueur qui s'amasse sur le corps (d'un cheval, d'un taureau). → Beugler, cit. 2.

C (V. 1288). Impuretés, scories* qui flottent à la surface des métaux en fusion. → **Chiasse, crasse.** — *Écume de défécation :* résidu de sucrerie provenant de la clarification et utilisé pour l'amendement des terres.

DÉR. Écumer, écumeux.

ÉCUMÈNE [ekymɛn] n. m., **ÉCUMÉNIQUE** [eky
menik] adj. → **Œcumène, œcuménique.**

ÉCUMER [ekyme] v. — V. 1135, *escumer;* de *écume,*
et *-er.*

I ♦ **1** V. intr. (V. 1165). Se couvrir d'écume. → **Mousser.**
Mer agitée qui écume. → **Moutonner.**

1   Les brises fraîchissaient, la vague écumait et nous trempait souvent de ses jaillissements.
             LAMARTINE, Graziella, Épisode, VII.

2   La mer monte, prend les rochers un à un, ensevelit celui-
ci, lèche celui-là, écume sur cet autre (...)
             J. RENARD, Journal, 9 août 1887.

3   «Ton beau lac, il écume aujourd'hui comme une mauvaise
mer», constata Antoine.
             MARTIN DU GARD, les Thibault, t. IV, p. 63.

♦ **2** (V. 1135). Baver. *Animal qui écume de rage.*

4   Le quadrupède écume, et son œil étincelle ;
Il rugit : on se cache, on tremble à l'environ (...)
             LA FONTAINE, Fables, II, 9.

(V. 1230). Fig. *Écumer (de rage)* : être au dernier
degré de l'exaspération (→ Boire, cit. 32). *Il écumait
de rage, de colère.* — Absolt. *Il écumait.*

5   Le dit sieur recteur suait, tempêtait, écumait et frappait
du pied (...)   la Satire Ménippée, p. 96, *in* LITTRÉ.

6   Cette réponse le fit écumer de rage. Il fit mine d'appeler
ses gens pour me faire, dit-il, jeter par la fenêtre.
             ROUSSEAU, les Confessions, VII.

II V. tr. ♦ **1** (V. 1200). Débarrasser de l'écume, des
impuretés de l'écume (une matière). *Écumer le
pot-au-feu. Écumer des confitures. Écumer le sucre,
le sirop. Ustensile qui sert à écumer.* → **Écumoire.**
Écumer l'étain fondu.

Par métaphore ou fig. (Vx). Débarrasser de toute
impureté (→ Bouillonnant, cit.).

7   Vous aimer, penser à vous (...) m'occuper de vos affaires,
m'inquiéter de ce que vous pensez (...) écumer votre cœur,
comme j'écumais votre chambre des fâcheux dont je la
voyais remplie (...)
             Mᵐᵉ DE SÉVIGNÉ, 150, 1ᵉʳ avr. 1671.

8   Épurer son goût, en écumant son esprit, est un des avantages de la bonne compagnie et de la société des lettres, à
Paris. Les idées médiocres s'y dépensent en conversation ;
on garde les exquises pour les écrire.
             Joseph JOUBERT, Pensées, VIII, XXXIV.

Par ext. (Vx). Débarrasser de l'écume (un récipient).
Écumer une marmite.

8.1   (...) elle met le pot-au-feu pour le bouillon ; et, pendant
qu'elle écume le pot, la lampe s'éteint.
             A. GALLAND, les Mille et une Nuits, t. III, p. 291.

Loc. fig. (1677, *in* D. D. L.). Vx ou régional. *Écumer le pot,
la marmite de qqn* : vivre en parasite.

♦ **2** Parcourir en pillant, en raflant. *Écumer les
mers, les côtes, y exercer la piraterie*. Brigands
qui écument les chemins.* → **Brigandage, écumeur.**

9   Les corsaires ne cessaient d'écumer toutes les côtes et de
faire mille ravages (...)
             VAUGELAS, Trad. QUINTE-CURCE, VIII, 8, *in* LITTRÉ.

♦ **3** (1460, Villon). Piller (en raflant tout ce qui est profitable ou intéressant). *Écumer les richesses d'un
endroit, écumer un héritage, écumer les affaires. Les
antiquaires ont écumé la région.*

10   Monsieur de Vendôme arrivera affamé, et fort bien intentionné d'écumer ce qui reste d'argent dans cette province (...)   Mᵐᵉ DE SÉVIGNÉ, 867, nov. 1680.

Par ext. Ramasser çà et là, recueillir. *Écumer des
nouvelles.*

♦ **ÉCUMÉ, ÉE** p. p. adj. *Pot-au-feu écumé.* — Fig. et littér.
Ramassé comme une écume, une impureté.

11   Il n'est pas un bandit écumé dans nos villes,
Pas un forçat hideux blanchi dans les prisons (...)
             HUGO, les Chants du crépuscule, X.

DÉR. Écumage, écumant, écumeur, écumoire.

ÉCUMEUR, EUSE [ekymœʀ, øz] n. — 1351 ; de
écumer.
Personne qui écume (inusité au sens concret
d'*écumer*).

♦ **1** N. m. **a** Celui qui écume les mers. *Écumeur (de
mer).* → **Corsaire, flibustier, pirate.**

1   Nous emmenions en esclavage
Cent chrétiens, pêcheurs de corail ;
Nous recrutions pour le sérail
Dans tous les moutiers du rivage.
En mer, les hardis écumeurs !
             HUGO, les Orientales, VIII.

2   Descendant des vieux Normands, Childe-Harold, ce type
de toute la jeunesse dorée d'Albion, est sorti un matin de
son île comme un écumeur des mers son ancêtre, comme
un pirate avide de toutes les sensations.
             SAINTE-BEUVE, Chateaubriand..., t. I, p. 300.

b Par ext. Pillard. → **Bandit, détrousseur.** *Un écumeur de grands chemins.*

2.1   Son passé de coureur et d'écumeur de brousse était connu
depuis la côte de l'océan Indien jusqu'aux grands lacs
d'Afrique.   J. KESSEL, le Lion, p. 71.

2.2   Pomposa donne un exemple achevé de colonisation avant
la lettre. Ses magasins, ses entrepôts, ses établissements
commerciaux et financiers couvrent le pays d'un réseau
d'écumeurs. Les richesses sont exploitées avec science.
         Jean D'ORMESSON, la Gloire de l'Empire, t. I, p. 38.

c Fig. et vieilli. *Écumeur littéraire* : écrivain qui
exploite sans scrupule les œuvres d'autrui. → **Pillard** (fig.), **plagiaire.**

3   (...) un fripon de libraire,
Des beaux esprits écumeur mercenaire (...)
             VOLTAIRE, le Temple du goût, t. XII, p. 303.

4   On sent bien que je ne parle pas de ces écumeurs littéraires qui vendent leurs bulletins ou leurs affiches à tant
de liards le paragraphe. Ceux-là, comme l'abbé Bazile, peuvent calomnier : ils médiraient, qu'on ne les croirait pas.
       BEAUMARCHAIS, le Mariage de Figaro, Préface.

♦ **2** Vx. *Écumeur de marmites, de tables.* → **Écornifleur, parasite.**

ÉCUMEUX, EUSE [ekymø, øz] adj. — Déb. XIVᵉ ; de
écume, et *-eux.*

♦ **1** Qui écume, qui mousse ; couvert d'écume.
→ **Écumant, mousseux.** *Flots écumeux* (→ Avant,
cit. 46). *Soupe écumeuse* (→ Caramélé, cit.). *Sang écumeux. Bouche écumeuse.*

  (...) des ruisseaux de sang soyeux coulaient sur l'épaisse
toile du tablier (...)   Léon BLOY, le Désespéré, p. 129.

♦ **2** Qui évoque l'écume. *Des dentelles écumeuses.*

ÉCUMOIRE [ekymwaʀ] n. f. — 1372, *escumoire*, fém. ;
escumoir, masc., 1333 ; de *écumer,* et suff. *-oire.*

♦ **1** Ustensile de cuisine composé d'un disque
aplati, percé de trous, monté sur un manche, et
qui sert à écumer. *Écumoire en cuivre, en aluminium. Écumoire à manche en bois. Écumer des
confitures, un bouillon avec une écumoire. Écumoire
pour ôter la crème.* → **Écrémoir.**

Spécialt. *Écumoire à friture,* servant à retirer des
beignets, des pommes de terre frites, etc.

Techn. *Écumoire pour ôter les scories des métaux en
fusion.*

♦ **2** Loc. *Comme une écumoire, en écumoire* : criblé,
percé de nombreux trous (se dit d'un visage
marqué par la petite vérole). — Par extension :

Et il entendait déjà les détonations irrégulières des soldats couchés dans les broussailles, tandis que lui, debout au milieu d'un champ, s'affaissait, troué comme une écumoire par les balles qu'il sentait entrer dans sa chair.

MAUPASSANT, Contes de la Bécasse, «L'aventure de Walter Schnaffs».

Fam. *Avoir une mémoire comme une écumoire* : ne rien retenir. → **Passoire.**

ÉCURAGE [ekyʀaʒ] n. m. — 1611 ; de *écurer*.

Techn. Action d'écurer. → **Récurage.** — **Spécialt.** Action de nettoyer la tôle destinée à la fabrication du fer blanc.

ÉCUREMENT [ekyʀmɑ̃] n. m. — XIIIᵉ ; de *écurer*.

Agric. Sillon tracé dans un champ pour faciliter l'écoulement des eaux.

ÉCURER [ekyʀe] v. tr. — V. 1223, *escurer* ; de *é-*, et *curer*.

♦ **1** Vx, techn. ou régional. Curer complètement. → **Curer, nettoyer.** *Écurer un puits. Écurer des ustensiles de cuisine.* → **Récurer** (→ Balayer, cit. 1).

1 Mais est-il bien possible que ma sœur soit en Turquie ? disait-il. Rien n'est si possible, reprit Cacambo, puisqu'elle écure la vaisselle chez un prince de Transylvanie.
VOLTAIRE, Candide, XXVII.

2 (...) cette porte (...) dont le bouton de cuivre écuré au tripoli reluit comme s'il était d'or (...)
Th. GAUTIER, la Toison d'or, III.

Au p. p. :

3 Je marchais parmi les bosses d'une terre écurée, les haleines secrètes, les plantes sans mémoire.
René CHAR, les Matinaux, p. 64 (1950).

♦ **2** Techn. *Écurer des cardes, des chardons*, les débarrasser de la bourre dont ils se remplissent lors du grattage des draps.

CONTR. Salir. ◊ **DÉR. Écurage, écurement, écureur.**

ÉCUREUIL [ekyʀœj] n. m. — Av. 1250, *escural* ; *escuriax*, v. 1178 ; issu, à travers différentes formes (*escureul, escuriel, escuriel, escuriuel*), d'un lat. pop. *scuriolus*, du lat. class. *sciurus*, grec *skiouros*.

♦ **1** Petit mammifère rongeur *(Sciuridés)* au pelage généralement roux, à la queue longue et en panache, et qui vit dans les bois. *L'écureuil, animal très agile, à la queue longue et touffue en panache, au pelage variant du roux au noir, se nourrit de noisettes, de faînes, de bourgeons ; sa chair est comestible, sa fourrure très recherchée. Nid d'écureuils* (→ Bas, cit. 77). *Petit écureuil d'Afrique et d'Asie.* → **Xérus.** — *Petite cage tournante pour les écureuils apprivoisés.* → **Tournette.**

1 L'écureuil : Du panache ! du panache ! oui, sans doute ; mais mon petit ami, ce n'est pas là que ça se met.
J. RENARD, Histoires naturelles, «L'écureuil».

2 (...) l'écureuil Guerriot, une faîne entre les dents, sautait de branche en branche, les petites oreilles droites à peine pointant, l'œil vif, la queue en traîne retroussée ou relevée en panache s'épanouissant juste au-dessus de sa tête comme un parasol gracieux.
L. PERGAUD, De Goupil à Margot, Fatal étonnement de Guerriot.

(Qualifié ; désignant d'autres mammifères). *Écureuil des palmiers* (→ Palmiste, cit. 2).

Écureuil volant : petit mammifère muni d'une membrane parachute grâce à laquelle il peut franchir certaines distances en vol plané. → **Anomalure, polatouche.**

Fourrure de l'écureuil. *Une veste en écureuil.* → **Petit-gris, vair.**

Par compar. *Être vif, agile comme un écureuil. C'est un écureuil ! Tourner comme un écureuil en cage.*

♦ **2** Vx. Ouvrier, forçat qui faisait tourner une roue actionnant une machine.

J'ai travaillé dans les carrières de Montrouge. Mais au bout de deux ans ça m'a scié de faire toujours l'écureuil dans les grandes roues pour tirer la pierre.
Eugène SUE, les Mystères de Paris, t. I, 1842-1843, p. 90, *in* T. L. F.

(1897, *in* Petiot). **Sports.** Cycliste qui court sur piste circulaire ou qui fait partie d'une tournée.

Électr. *Cage** (II., 3.) *d'écureuil.*

ÉCUREUR, EUSE [ekyʀœʀ, øz] n. — 1260, *escuriere* ; de *écurer*.

Vx. Personne qui écure. → **Éboueur.** — **Spécialt.** Personne qui écure les cardes, les chardons.

ÉCURIE [ekyʀi] n. f. — 1317, *escuierie* ; *escurie*, 1285 ; *esqüierie*, du rad. de *écuyer*, et *-erie*.

♦ **1** Vx ou hist. Fonction d'écuyer. → **Écuyer.**

♦ **2** (V. 1200). Par ext. Ensemble des écuyers, des pages, des chevaux, des voitures, des carrosses... (d'un seigneur, d'un prince). *La petite écurie du roi.* — **Spécialt.** *La Musique de l'écurie, l'Écurie (royale)* : orchestre de plein air, dépendant du grand écuyer.

Local pour les écuyers et leurs chevaux. *Les Grandes, les Petites Écuries de Versailles.*

♦ **3** (Fin XVIᵉ). **Mod.** Bâtiment destiné à loger des chevaux ou autres équidés (ânes, mulets). *Écurie de ferme. Écurie industrielle. Écurie d'élevage, d'entraînement. Logement réservé à chaque animal dans une écurie.* → **Box, stalle.** *Paille de l'écurie.* → **Litière.** *Écurie à une, deux rangées de stalles. Aménagements, accessoires d'une écurie.* → **Abat-foin, auge, bat-flanc, fosse** (à purin), **mangeoire, piscine, râtelier** ; aussi **cheval** (dressage, élevage, traitement du cheval). *Mode d'attache des bat-flanc, chaînes, cordes d'une écurie.* → **Sauterelle.** *Cour d'écurie. Garçon, valet d'écurie.* → **Lad, palefrenier.** *Mettre un cheval à l'écurie* (→ **Établage**). *Fumier d'une écurie. Hygiène de l'écurie* (→ Crottin, cit. 2).

1 On m'éleva jusqu'à quatorze ans dans un palais auquel tous les châteaux de vos barons allemands n'auraient pas servi d'écurie (...)
VOLTAIRE, Candide, XI.

2 (...) Ruy, qui sortait de table,
Était dans l'écurie avec Babieça (...)
Et le bon Cid, prenant dans l'auge un peu d'avoine,
La lui faisait manger dans le creux de sa main.
HUGO, la Légende des siècles, XI, v.

Allus. myth. *Les écuries d'Augias* : écuries très sales dont le nettoiement compte au nombre des travaux d'Hercule. **Fig., littér.** *Nettoyer les écuries d'Augias* : porter l'ordre, la propreté dans un milieu corrompu, une affaire malhonnête.

Loc. *Cheval qui sent l'écurie*, qui accélère son allure à l'approche de l'écurie (→ Charge, cit. 31 ; approche, cit. 5). **Fig.** *Sentir l'écurie* : accélérer, être plus vif à l'approche du but, du retour.

Fig. *C'est une vraie écurie*, se dit d'une maison, d'une chambre particulièrement sale. — *Entrer quelque part comme dans une écurie*, sans saluer, d'une façon cavalière et impolie. *Vous vous croyez dans une écurie !*

♦ **4** Par ext. Ensemble des bêtes logées dans une écurie (3.). *Toute l'écurie est malade.*

(1854, *in* Petiot). *Écurie de courses, écurie* : ensemble des chevaux qu'un propriétaire fait courir. **Spécialt.** Chevaux appartenant à un même propriétaire et s'alignant dans la même course. *L'écurie X a gagné le Grand Prix. Les couleurs d'une écurie.*

Par anal. **a** Ensemble des voitures, des motos de courses courant pour une même marque. (1913, *in* Petiot). Cyclistes courant dans la même équipe.

b Ensemble des candidats préparant un concours sous la direction d'un même patron.

Littér. (Par plais.). Ensemble des candidats mis en compétition dans la course des prix littéraires. *L'écurie Gallimard, Grasset.*

♦ **5** Régional (notamment Suisse ; impropre dans l'usage normal). Étable (à vaches).

3   Par moments, seulement, venait de l'écurie le bruit de chaînes d'une vache qui changeait de place sur sa litière.
C.-F. RAMUZ, Aimé Pache, peintre vaudois,
in Œ. compl., t. IV, p. 295.

ÉCUSSON [ekysɔ̃] n. m. — 1760 ; *escusson*, 1538 ; *escuchon*, 1274 ; de *écu*, et *-on*, avec *-ss-* consonnes d'appui, d'après *caisson, chausson*, etc.

♦ **1** Petit écu figuré comme meuble dans l'écu armorial. (1274). Par ext. Écu armorial. → **Écu.** *L'écusson de France. Écusson peint ; écusson en cartouche*. Écusson monté en broche. En forme d'écusson.* → **Scutiforme.**

1   Il nous fut difficile de distinguer les détails de l'écusson écartelé, qui avait été repeint postérieurement en bleu et en blanc. Au 1 et au 4, c'étaient d'abord des oiseaux que le fils du garde appelait des cygnes (...) Au 2 et au 3, ce sont des fers de lance, ou des fleurs de lis, ce qui est la même chose. Un chapeau de cardinal recouvrait l'écusson et laissait tomber des deux côtés ses résilles triangulaires ornées de glands (...)
NERVAL, les Filles du feu, «Angélique», Xᵉ lettre.

2   Et de grands écussons, aux murailles cloués,
Brillent, et maints drapeaux où l'oiseau noir s'étale
Pendent de çà de là, vaguement remués !...
VERLAINE, Poèmes saturniens, Mort de Philippe II.

Fig. Ce qui symbolise l'illustration d'une race, d'un nom. → **Blason** (fig.).

3   C'est déjà lui (*Chateaubriand*), homme politique ; c'est son écusson politique qu'il nous décrit, avec ces mots en lettres d'or : Honneur et Liberté !
SAINTE-BEUVE, Chateaubriand..., t. II, p. 87.

♦ **2** (XVIIᵉ). Plaque blasonnée servant d'enseigne à un marchand (→ **Enseigne**), qui indique l'office d'un notaire, d'un huissier... (→ **Panonceau**), ou plaque simplement décorative.

Archit. Cartouche décoratif destiné à porter des emblèmes, des inscriptions. Petit morceau d'étoffe cousu sur le col de l'uniforme d'un soldat, qui indique l'arme et l'unité ou le service auxquels il appartient (→ Coudre, cit. 1). Morceau de satin, de taffetas rond ou ovale fixé au fond d'un chapeau pour servir de marque.

♦ **3** Mar. Partie du tableau qui porte le nom du navire, son port d'attache et quelquefois un emblème.

♦ **4** (1660). Techn. Petite plaque métallique (à l'origine et encore souvent en forme d'écu) protégeant l'ouverture d'une serrure.

♦ **5** (1760). Zool. Pièce dorsale du thorax de certains insectes. → **Écu.** Plaque calcaire sur le corps de certains poissons. — Disposition du poil de la vache, à l'arrière du pis, dont la forme variable indique sa valeur laitière. *Écusson de vache flandrine, liserine.*

♦ **6** Histol. *Écusson embryonnaire.* → **Blastoderme.**

♦ **7** (1538). Arbor. Fragment d'écorce portant un œil ou bourgeon, qu'on introduit sous l'écorce d'un sujet pour le greffer. → **Greffe, greffon.**

DÉR. Écussonner.

ÉCUSSONNAGE [ekysɔnaʒ] n. m. — 1870 ; de *écussonner*.

Action d'écussonner ; type de greffe. *Écussonnage à œil* dormant, à œil poussant.* → **Greffe.**

ÉCUSSONNER [ekysɔne] v. tr. — 1600, *escussoner* ; au p. p., *escucené*, 1297 ; de *écusson*, et *-er*.

♦ **1** Arbor. Greffer* en écusson. *Écussonner un poirier.*

Ainsi écussonne-t-on les jeunes arbres au tronc et les vieux   1
aux branches.   O. DE SERRES, 669, *in* LITTRÉ.

♦ **2** Orner d'un écusson. *Écussonner une automobile.*

♦ **ÉCUSSONNÉ, ÉE** p. p. adj. (1297, *escucené*).

Orné d'un écusson. *Manteau écussonné.*

Il jeta sur son lit son grand manteau réglementaire, moitié   2
djellaba, moitié manteau de paysan andalou écussonné
sur la poitrine aux armes de la Légion (...)
P. MAC ORLAN, la Bandera, V, p. 62.

Côté écussonné d'une pièce de monnaie.

Arbre fruitier écussonné, greffé en écusson.

DÉR. Écussonnage, écussonnoir.

ÉCUSSONNOIR [ekysɔnwaR] n. m. — 1721 ; de *écussonner*.

Agric. Petit couteau servant à écussonner.

ÉCUYER, YÈRE [ekɥije, jɛR] n. — 1549, *escuyer* ; *escuier*, v. 1100 ; lat. *scutarius* «celui qui porte l'écu, le bouclier», de *scutum* (→ **Écu**) ; les sens I, 3 et I, 4 manifestent l'infl. probable de *equus* «cheval» ; l'idée de «cheval» semble dominante aujourd'hui.

I ♦ **1** N. m. Ancienn. Au moyen âge, Gentilhomme qui accompagnait un chevalier, pour lui porter son écu* et le servir. → **Ordonnance, page.**

Au sortir de page on devenait écuyer (...) Le service de   1
l'écuyer consistait en paix, à trancher à table, à servir
lui-même les viandes, comme les guerriers d'Homère, à
donner à laver aux convives (...) L'écuyer suivait le chevalier à la guerre, portait sa lance et son heaume élevé sur
le pommeau de la selle, et conduisait ses chevaux en les
tenant par la droite (...) Son devoir, dans les duels et les
batailles, était de fournir des armes à son chevalier, de
le relever quand il était abattu, de lui donner un cheval
frais, de parer les coups qu'on lui portait, mais sans pouvoir combattre lui-même.
CHATEAUBRIAND, le Génie du christianisme, IV,
V, IV.

Par ext. (du fait des offices divers remplis par l'écuyer). *Écuyer tranchant :* officier qui découpait les viandes. — *Écuyer de bouche,* qui servait à la table du prince. — *Écuyer de cuisine :* premier officier de la cuisine du prince.

♦ **2** N. m. (Déb. XIIIᵉ). Hist. Titre porté par les jeunes nobles jusqu'à l'adoubement*.

Titre que portaient les gentilshommes des derniers rangs, les anoblis... (au-dessous du chevalier). *«On a fait la recherche des Nobles et on a fait des taxes sur ceux qui avaient usurpé la qualité d'écuyer»* (Trévoux).

(...) on vous contesterait après cela le titre d'écuyer.   2
MOLIÈRE, Monsieur de Pourceaugnac, III, 2.

♦ **3** N. m. (1265). Ancienn. Intendant des écuries* d'un prince. *Le grand écuyer de France,* qui commandait l'écurie du roi. — *Écuyer cavalcadour.*

Par ext. Membre du personnel de cet intendant (→ Condition, cit. 18.1). *Écuyer de main,* qui aide un prince, une grande dame à monter à cheval, en voiture.

♦ 4 N. (1636). Mod. Personne qui sait monter à cheval. → **Amazone, cavalier.** *Une bonne écuyère. Un écuyer remarquable. — Bottes à l'écuyère :* hautes bottes souples à revers.

(1636). Spécialt. Professeur d'équitation*, et, spécialt, instructeur d'équitation militaire. *Les écuyers du Cadre noir de Saumur.*

(1842, Balzac, au fém.). Personne qui fait des exercices d'équitation dans un cirque.

3 «tout ce qui règne ou régna sur les planches ne me semble pas digne de délier les cothurnes de Malaga qui sait descendre et remonter sur un cheval au grandissime galop, qui se glisse dessous à gauche pour remonter à droite, qui voltige comme un feu follet blanc autour de l'animal le plus fougueux, qui peut se tenir sur la pointe d'un seul pied et tomber assise les pieds pendants sur le dos de ce cheval toujours au galop, et qui, enfin, debout sur le coursier sans bride, tricote des bas, casse des œufs ou fricasse une omelette, à la profonde admiration du peuple, du vrai peuple, les paysans et les soldats !...» Dans son récit, il n'y avait de vrai que le moment d'attention obtenu par l'illustre Malaga, l'écuyère de la famille Bouthor, à Saint-Cloud, et dont le nom venait de frapper ses yeux le matin dans l'affiche du cirque.
BALZAC, la Fausse Maîtresse, Pl., t. II, p. 38.

4 L'écuyer Urbain fit alors son apparition, en veste bleue, culotte de peau et bottes à revers, conduisant un magnifique cheval noir plein de sang et de vigueur (...)
Urbain fit quelques pas sur la scène et plaça de face le splendide coursier, qu'il présenta sous le nom de Romulus, appelé en argot de cirque le *cheval à platine*.
Raymond ROUSSEL, Impressions d'Afrique, p. 95.

II N. m. (du sens I, 1, avec l'idée de «suite» ou d'«aide»). Techn. **♦ 1** Vén. Jeune cerf qui en suit un plus vieux.

♦ 2 Agric. Faux bourgeon qui croît au pied d'un cep de vigne.

♦ 3 Techn. Main courante soutenue par des supports le long du mur d'un escalier (→ **Rampe**) et qui sert d'appui. *«Une corde servant d'écuyer et luisante par le frottement»* (P. Borel, 1833, *in* T. L. F.).
DÉR. Écurie.

ECZÉMA [ɛgzema] n. m. — 1747 ; lat. médical *eczema*, du grec médical *ekzema* «éruption cutanée, eczéma», de *ekzein* «bouillonner».

Méd. et cour. Affection cutanée caractérisée par des rougeurs, des vésicules suintantes et la formation de croûtes et de squames. *Eczéma dû à des agents irritants ou allergisants. Vives démangeaisons provoquées par l'eczéma.*

C'étaient des têtes mangées par l'eczéma, des fronts couronnés de roséole (...)   ZOLA, Lourdes, p. 149.

Par métaphore (en parlant de ce qui enlaidit ou démange, fait souffrir, comme une éruption, une maladie de peau). *Un «eczéma moral»* (Saint-Exupéry).

DÉR. Eczémateux, eczématiser (s'). ◊ **COMP.** Eczématogène.

ECZÉMATEUX, EUSE [ɛgzematø, øz] adj. — 1838, *in* D.D.L. ; de *eczéma*, et *-eux*, *-t-* de liaison.

Médecine.

♦ 1 Propre à l'eczéma. *Affection eczémateuse. Éruption eczémateuse.*

♦ 2 Atteint d'eczéma. *Malade eczémateux.* — N. *Un eczémateux, une eczémateuse.* — *Visage eczémateux.*

ECZÉMATISATION [ɛgzematizasjɔ̃] n. f. — 1901 ; de *eczématiser* (s').
Méd. Le fait de s'eczématiser.

ECZÉMATISER (S') [ɛgzematize] v. pron. — xxᵉ ; de *eczéma*, et suff. *-iser*.
Méd. Devenir eczémateux. *Prurigo qui s'eczématise.*

♦ ECZÉMATISÉ, ÉE p. p. adj.
Devenu eczémateux. *Psoriasis eczématisé.*
DÉR. Eczématisation.

ECZÉMATOGÈNE [ɛgzematɔʒɛn] adj. — xxᵉ ; de *eczéma*, et *-gène*, avec un élément de liaison.
Méd. (en parlant d'une substance). Qui peut provoquer l'eczéma.

ÉDACITÉ [edasite] n. f. — 1801 ; lat. class. *edacitas, -atis* «voracité», de *edax* «vorace», de *edere* «manger».
Didact. et vx. Force qui détruit, dévore **(fig.)**.

ÉDAM [edam] n. m. — xxᵉ ; de *Edam*, ville de Hollande.
Fromage de Hollande, à pâte cuite, à croûte rouge. *Une tranche d'édam. Manger de l'édam. Les variétés d'édams. L'édam s'appelait couramment en France* tête de Maure (*ou :* de mort).

ÉDAPHIQUE [edafik] adj. — 1907, *in Rev. gén. des sc.*, nᵒ 7, p. 297 ; du rad. du grec *edaphos* «sol», et *-ique*.
Didact. Relatif au sol. *Facteurs édaphique et climatique en viticulture.* *«(...) en laboratoire, on sait faire pousser beaucoup de champignons recherchés pour leurs qualités gastronomiques : on sait reconstituer l'environnement climatique, "édaphique" (sol et voisinage) nécessaire à leur développement, leur reproduction»* (*Sciences et Avenir*, déc. 1983, p. 85).

EDELWEISS [edɛlvajs ; edɛlvɛs] n. m. invar. — 1861 ; mot allemand, de *edel* «noble», et *weiss* «blanc», emprunté au suisse alémanique.
Plante alpine (*Composacées*), en forme d'étoile, couverte d'un duvet blanc et laineux, appelée aussi *immortelle des neiges* ou *pied-de-lion.*

Un guide nous apporta quelques edelweiss, les pâles fleurs des glaciers. Berthe s'en fit un bouquet de corsage.
1   MAUPASSANT, Au soleil, «Aux eaux».

Image de cette fleur.

(...) elle en croisa un (*soldat allemand*) qui, revêtu de l'uniforme vert clair des troupes de montagne et coiffé d'une casquette de drap ornée d'un edelweiss, prenait un enfantin plaisir à faire craquer sous ses semelles les feuilles mortes des platanes dont l'avenue des Bains était jonchée.   F. CARCO, les Belles Manières, p. 7.
2

ÉDEN [edɛn] n. m. — 1547 ; *eden*, v. 1235 ; mot hébreu, nom du Paradis terrestre dans la Genèse.

♦ 1 (1547). Didact. (en général employé avec l'art. déf.). Le Paradis terrestre. *Le jardin d'Éden. L'Éden, berceau des humains* (→ Berceau, cit. 13).

(...) il ne manque à l'amour que la durée pour être à la fois l'Éden avant la chute et l'Hosanna sans fin.
1   CHATEAUBRIAND, Mémoires d'outre-tombe, t. II,
p. 96.

Il semblait avoir vu l'éden, l'âge d'amour,
Les temps antérieurs, l'ère immémoriale.
2   HUGO, la Légende des siècles, IX,
«L'an neuf de l'hégire».

♦ 2 (1794). Littér. (en général employé avec l'art. indéf. ou au plur.). Lieu de délices ; séjour agréable. → **Paradis** (fig.). *Ce pays est un véritable éden. Nous passâmes dans cet éden deux jours paradisiaques* (cit.).

La pluie, la bienfaisante pluie inconnue au désert, tambourine sur nos tentes, arrose abondamment cet éden de verdure où nous sommes.
3   LOTI, Jérusalem, III, p. 16.

CONTR. Enfer. ◊ **DÉR.** Édénien, édénique, édéniser, édénisme.

ÉDÉNIEN, IENNE [edenjɛ̃, jɛn] adj. — D. i. ; de *éden* et suff. *-ien, ienne.*
Vieilli. → **Édénique** (1.).

ÉDÉNIQUE [edenik] adj. — 1865, Proudhon ; de *éden*, et suff. *-ique*.

♦ **1** Littér. ou didact. Qui est propre à l'Éden, évoque le paradis terrestre et l'état d'innocence.

1 Les juges punissaient, les accusés expiaient et moi, libre de tout devoir, soustrait au jugement comme à la sanction, je régnais, librement, dans une lumière édénique.
N'était-ce pas cela, en effet, l'Éden, cher monsieur : la vie en prise directe ? Ce fut la mienne.
　　　　　　　　　　　　　　CAMUS, la Chute, p. 34.

2 On voit que Jeanne Guyon accepte une marge de risque beaucoup plus considérable que Fénelon, son optimisme édénique l'y aide.
　　　　　F. MALLET-JORIS, Jeanne Guyon, p. 270.

3 La découverte d'îles polynésiennes, le mythe du «bon sauvage», ont contribué à renforcer encore cette vue édénique.
　　　　　　A. SAUVY, Croissance zéro ?, p. 33.

♦ **2** Plus cour. Agréable comme un éden. → **Paradisiaque.** *Cet endroit est édénique.*

4 (...) cette oasis édénique où tout est fait pour le plaisir de l'homme.
　　　J. GREEN, Journal, La terre est si belle, 13 oct. 1977.

DÉR. **Édéniquement.**

ÉDÉNIQUEMENT [edenikmã] adv. — 1887 ; de *édénique*.

Littér. D'une manière édénique. *Vivre édéniquement. Une île édéniquement tranquille.*

ÉDÉNISATION [edenizasjɔ̃] n. f. — 1862, Hugo ; de *édéniser.*

Littér. Action d'édéniser, de s'édéniser. «*L'édénisation du monde, le Progrès*» (Hugo, *les Misérables*).

ÉDÉNISER [edenize] v. tr. — 1866 ; de *éden.*

Littér. (création de Hugo). Transformer en éden.

DÉR. **Édénisation.**

ÉDÉNISME [edenism] n. m. — 1843, Proudhon ; de *éden*, et *-isme.*

Didact. ou littér. Période de bonheur qui aurait formé la première période de l'humanité, précédant l'état «sauvage».

Vx. État édénique. «*L'édénisme dont jouit le Tagal sous la domination des Blancs*» (Itier, *Voyage en Chine*, 1848).

ÉDENTATION [edãtasjɔ̃] n. f. — xxᵉ ; de *édenter.*

Méd. État d'un individu édenté. → **Édentement.**

ÉDENTEMENT [edãtmã] n. m. — 1860 ; de *édenter.*

Fait d'être édenté ; état d'une personne, d'un animal, d'une bouche, d'une mâchoire édentée.

Son menton tout écourté et ravalé par l'édentement a un perpétuel tremblotement. Il semble mâcher des restes d'idées, de souvenirs, de mots.
　　Ed. et J. DE GONCOURT, Journal, t. I, p. 262 (1860).

ÉDENTER [edãte] v. tr. — V. 1200, intrans., «ébrécher, se casser les dents» ; de *é-, dent*, et suff. verbal.

Priver (qqn) de ses dents. *La vieillesse nous édente tour à tour* (Littré). — Par ext. Rompre les (ou des) dents de (qqch.). *Édenter un engrenage.*

♦ **S'ÉDENTER** v. pron. (réfl.).

Perdre ses dents.

♦ **ÉDENTÉ, ÉE** p. p. adj.

Plus cour. Qui a perdu une partie ou la totalité de ses dents. → **Brèche-dent** (vx). *Vieillard édenté. Un vieux chien édenté.* — *Bouche édentée.*

1 Notre parent a peur qu'étant édenté il ne puisse plus mâcher (...)
　　Charles SOREL, Histoire comique de Francion,
　　　　　　　　　　　　p. 428, *in* HATZFELD.

2 (...) elle dessinait sur le mur une ombre étrange : sa bouche édentée et véloce remuait.
　　　　　　F. MAURIAC, Génitrix, p. 72.

3 C'était vrai qu'il l'avait vue déformée par la fluxion, battue par la souffrance et que, maintenant, après une semaine, ces accidents avaient disparu. Mais cette bouche complètement édentée il ne pouvait plus la reconnaître, et le souvenir de ce qu'elle avait été la lui faisait paraître épouvantable.
　　　　　Léon BLOY, le Désespéré, p. 131.

N. *Un édenté. Une vieille édentée.*

Par métonymie. *Un sourire édenté.*

Par ext. *Un peigne édenté, une scie édentée.*

DÉR. **Édentation, édentement, édentés.** ◊ HOM. **Édentés.**

ÉDENTÉS [edãte] n. m. pl. — 1829 ; p. p. substantivé de *édenter*, lat. sav. *edentata.*

Ordre de mammifères placentaires à incisives réduites ou absentes (seuls les fourmiliers sont dépourvus de dents). *Familles d'édentés actuels représentées en Amérique.* → **Fourmilier** (myrmécophagidæ), **paresseux** (bradypodidæ), **tatou** (dasypodidæ). — *Édentés fossiles : Palæonodonta*, petits animaux de l'éocène, *Pilosa* (paresseux géants et arboricoles, fourmiliers, gros animaux comme le *Mégathérium**), *Cingulata* (glyptodontes*, tatous). On distingue les édentés *xénarthres* (paresseux : aï ou bradype, unau ; fourmilier, tamandua, tamanoir ; tatou, priodonte) et *les édentés pholidotes* (pangolin).

Au sing. *Un édenté.* Animal (espèce ou individu) de cet ordre.

HOM. **Édenter.**

E.D.F. [ədeɛf] n. f. — 1946 ; sigle de *Électricité de France.*

Électricité de France (entreprise d'État). *Il travaille à l'E.D.F.*

Avouez qu'on ne peut rien trouver de plus laid que le paysage ferroviaire d'autrefois, dit-il. Maintenant la S.N.C.F. et l'E.D.F. font un remarquable effort pour sauvegarder la beauté des sites français.
　　　　　S. DE BEAUVOIR, les Belles Images, p. 55.

ÉDICTER [edikte] v. tr. — 1619 ; *éditer*, 1399 ; dér. savant du supin *edictum*, du lat. class. *edicere*, pour servir de verbe à *édit**, et suff. verbal.

♦ **1** Établir, prescrire par un édit, par une loi, par un règlement. → **Décréter, promulguer, publier.** *Édicter des peines, des mesures d'exception. Édicter une loi, un statut.* — Figuré :

1 Sans doute la société édicte une loi moyenne, mais presque toute l'humanité vit en-deçà ou au-delà de cette frontière.
　　　A. MAUROIS, Études littéraires, Martin du Gard,
　　　　　　　　　　　　　　t. II, p. 191.

♦ **2** Exprimer, prononcer d'une manière péremptoire (→ Défense, cit. 12). *Édicter une règle, sa volonté.*

2 Ainsi, c'est du haut d'une foi que Tolstoï édicte ses jugements artistiques.
　　　　　R. ROLLAND, Vie de Tolstoï, p. 122.

ÉDICTION [ediksjɔ̃] n. f. — 1896 ; lat. class. *edictio* «ordre, ordonnance», de *edictum*, supin de *edicere.*

Didact., admin. Action d'édicter une loi, un règlement. → **Promulgation, publication.**

ÉDICULE [edikyl] n. m. — 1863; lat. *œdicula*, dimin. de *œdes* «chambre; maison». → Édifier, édile.

♦ **1** Rare (à cause du sens 3). Petit temple, chapelle ou dépendance d'un édifice religieux.

1 Aux abords immédiats de la mosquée, où les dalles sont plus intactes, où l'herbe est moins haute et plus rare, il y a une morne réverbération de soleil sur le pavage blanc et sur les édicules secondaires, portiques ou mirhabs, dont le sanctuaire est entouré.
LOTI, Jérusalem, XXII, p. 257.

2 (...) l'aiguille de bronze servant à friser les cheveux d'une vieille Tanit, dans le troisième édicule, près de la vigne d'émeraude. FLAUBERT, Salammbô, Pl., t. I, p. 906.

♦ **2** (1876). Vx ou rare. Petite construction édifiée sur la voie publique. → **Kiosque**. *Édicule servant d'abri aux voyageurs.* → **Reposoir** (vx).

♦ **3** Cour. Urinoir. → **Chalet** (de nécessité), **pissotière, vespasienne.**

3 Il *(le maître d'hôtel)* croyait que ce que M. de Rambuteau avait été si froissé un jour d'entendre appeler par le duc de Guermantes «les édicules Rambuteau» s'appelait des pistières.
Sans doute dans son enfance n'avait-il pas entendu l'o, et cela lui était resté.
PROUST, le Temps retrouvé, Pl., t. III, p. 749-750.

4 Je trottais (...) jusqu'à la pissotière de la place des Fêtes. Premier abri. Dans l'édicule, à hauteur des jambes, je trouvais justement Bébert.
CÉLINE, Voyage au bout de la nuit, Pl., p. 322.

ÉDIFIANT, ANTE [edifjɑ̃, ɑ̃t] p. prés. adj. — V. 1190; p. prés. de *édifier*.

♦ **1** (V. 1190). Qui édifie; qui porte à la vertu, à la piété. → **Exemplaire, moral.** *Lectures édifiantes; littérature édifiante.* → **Moralisateur, pieux.** *Conduite, vie édifiante.* → **Modèle, vertueux.** *Son attitude est peu édifiante. Lettres édifiantes et curieuses, écrites des missions étrangères,* publiées tout au long du XVIIIᵉ siècle.

1 Le prince, dont les péchés sont plus éclatants, doit les expier aussi par une pénitence plus édifiante.
BOSSUET, Politique..., VII, VI, 13.

2 Il s'agit pour lui *(Chateaubriand)* d'achever le *Génie du Christianisme* (...) qu'il va (...) finir dans ce tête-à-tête amoureux, bien curieusement aménagé pour la mise au point d'un si édifiant ouvrage : Pauline de Beaumont sur ses genoux pour compulser à deux les Pères de l'Église (...)
Émile HENRIOT, Portraits de femmes, p. 267.

♦ **2** (1713). Iron. Qui est particulièrement instructif quant au comportement moral. *Voilà un témoignage édifiant sur les mœurs de l'époque. Je peux vous fournir des détails édifiants sur sa façon de procéder.*

CONTR. (Du sens 1.) Déshonorant, scandaleux.

ÉDIFICATEUR, TRICE [edifikatœr, tris] n. et adj. — Av. 1517; lat. *œdificator*, du supin de *œdificare*. → Édifier.

Rare.

♦ **1** (Personne) qui édifie, qui construit ou fait construire un édifice. → **Architecte, bâtisseur, constructeur.**

♦ **2** (Personne) qui établit, crée (une œuvre importante, un vaste ensemble).

(...) nous autres beaux esprits nous ne sommes pas grands édificateurs. VOITURE, Lettres, 125.

♦ **3** Adj. Qui édifie. *L'œuvre édificatrice d'un grand urbaniste.*

Fig. *L'activité édificatrice des cellules embryonnaires.*

ÉDIFICATION [edifikasjɔ̃] n. f. — V. 1200; lat. *œdificatio*, du supin de *œdificare*. → Édifier.

I ♦ **1** (V. 1380). Action d'édifier*, de construire (un édifice). *L'édification d'un temple, d'un palais, d'un monument. L'édification d'une ville nouvelle.*

Par métaphore :

(...) si on dit que les amours, les chagrins du poète (...) l'ont aidé à construire son œuvre, que les inconnues qui s'en doutaient le moins, l'une par une méchanceté, l'autre par une raillerie, ont apporté chacune leur pierre pour l'édification du monument qu'elles ne verront pas (...)
PROUST, À la recherche du temps perdu, t. XV, p. 54.

♦ **2** Fig. Organisation, création (d'un vaste ensemble). → **Constitution** (3.), **création.** *Édification d'un empire.* → **Établissement, fondation.** *Édification d'une œuvre.* → **Composition, élaboration...** *Édification d'une science* (→ Discipline, cit. 6).

Édification de l'homme. — Ne peut se concevoir que par deux voies : primo — par le choix des *Idéaux*; secundo — par *l'exercice*, développement, *travail.*
VALÉRY, Mélange, III, p. 82.

II ♦ **1** (V. 1200; → Édifier, II.). Action de porter à la vertu, à la piété; sentiments de vertu inspirés par la parole, l'exemple. → **Éducation, moralisation, perfectionnement.**

3 Je recevrai bonne édification de votre vertu (...)
BOSSUET, Perfection des religieuses.

4 (...) vos vertus ont des suites plus étendues pour l'utilité de l'Église et pour l'édification des fidèles (...)
MASSILLON, Petit carême, Vices.

♦ **2** Par ext. Action d'éclairer, d'instruire. → **Instruction.** *Sachez, pour votre édification, que...*

5 Avec lui *(Goethe)* tout est instruction, édification, moyen de culture; tout conspire à mener à perfection l'affirmation de soi-même et de tout être.
GIDE, Attendu que..., p. 106.

Iron. Le fait d'instruire sur un comportement moral critiquable.

CONTR. Démolition, destruction. — Corruption, scandale.

ÉDIFICE [edifis] n. m. — Av. 1150; lat. class. *œdificium*, de *œdificare*. → Édifier.

♦ **1** Bâtiment important. → **Bâtiment, bâtisse, construction, monument;** amphithéâtre, château (cit. 1), église, habitation, hôtel, immeuble, maison, 1. **palais** (et cit. 4), **salle** (de spectacle...), temple. *Bâtir*, construire, élever un édifice. Superbe, vaste, immense édifice. Édifice monumental, somptueux. Les proportions d'un édifice. Le plan, l'élévation d'un édifice. Assises, bases, fondations, fondements d'un édifice. Les murs, la couverture, la voûte, les travées d'un édifice. Façade; couronnement, faîte, frontispice, fronton d'un édifice. Édifice soutenu par des colonnes* (→ Appui, cit. 15), entouré de colonnes (→ suff. -ptère). Édifice en rotonde, à plan carré... Édifice surmonté d'une tour, d'un belvédère, d'un clocher...; d'une coupole, d'un dôme. Pierres, matériaux d'un édifice. Poser la première pierre d'un édifice; inaugurer un édifice. Détruire, démolir un édifice. Édifice qui tombe en ruine, croule, s'écroule, s'effondre...*

1 À partir de François II, la forme architecturale de l'édifice s'efface de plus en plus et laisse saillir la forme géométrique (...) Un édifice n'est plus un édifice, c'est un polyèdre (...) L'art n'a plus que la peau sur les os.
HUGO, Notre-Dame de Paris, I, V, II.

2 La silhouette de l'édifice *(un casino)* offrait une grande simplicité : une assez vaste coupole, d'un dessin très pur, posée sur un bâtiment quadrilatère d'un seul étage, tout fait de lignes horizontales, et raccordée à lui par deux bases en gradins.
J. ROMAINS, les Hommes de bonne volonté, t. V, XXVII, p. 285.

3   Un édifice accompli nous remonte dans un seul regard
une somme des intentions, des inventions, des connaissances et des forces que son existence implique ; il manifeste à la lumière l'œuvre combinée du vouloir, du savoir
et du pouvoir de l'homme. Seule entre tous les arts (...)
l'architecture charge notre âme du sentiment total des
facultés humaines.   VALÉRY, Variété III, p. 81.

4   Ceux des édifices qui ne parlent ni ne chantent, ne méritent que le dédain ; ce sont choses mortes, inférieures dans
la hiérarchie à ces tas de moellons que vomissent les chariots des entrepreneurs, et qui amusent, du moins, l'œil
sagace, par l'ordre accidentel qu'ils empruntent de leur
chute (...)
        VALÉRY, Eupalinos, p. 35 (→ Chanter, cit. 11).

Dr. admin. et cour. *Édifices publics ; édifices cultuels,*
faisant partie du domaine public.

♦ **2 Dr. Construction*.**

5   Par «édifice», il faut comprendre non seulement les *bâtiments proprement dits,* tels que les maisons d'habitation,
magasins, ateliers, hangars, granges, etc., mais aussi les
travaux d'art de toute espèce (...) Par conséquent, il faut
définir ici les édifices : *tout assemblage de matériaux consolidés à demeure, soit à la surface du sol, soit à l'intérieur.*
        M. PLANIOL, Traité de droit civil, t. I, p. 748.

Spécialt. *Édifices et superficies :* constructions élevées par le preneur et qui restent sa propriété,
dans le bail à domaine congéable (→ Congé, 5. ;
congéable).

♦ **3 Par anal.** Assemblage résultant d'un arrangement. → **Architecture, arrangement, assemblage.** *Un
édifice de cheveux.* → **Échafaudage.**

6   Et qu'une main savante, avec tant d'artifice,
Bâtit de ses cheveux le galant édifice.
        BOILEAU, Satires, X.

7   N'y avait-il pas dans ces édifices de cheveux quelque chose
de lourd, de vulgaire à la fois et de cossu, où semblait
se perpétuer le goût de la bourgeoisie de 1889 ou même
l'emphase épaisse du Second Empire?
        J. ROMAINS, les Hommes de bonne volonté, t. III,
                                           X, p. 135.

(Abstrait). Ensemble vaste et organisé. → **Arrangement, assemblage, combinaison, ensemble.** *L'édifice
social.* → **Organisation.** *L'édifice de la religion, de
l'État. L'édifice de l'Empire romain.* — *Apporter*
(cit. 19) *sa pierre à l'édifice :* contribuer à une
œuvre. → **Entreprise, œuvre ; ouvrage.** *«L'édifice
immense du souvenir»* (→ 2. Souvenir, cit. 3,
Proust).

8   *(Lui seul)* De la religion soutient tout l'édifice.
        RACINE, Esther, Prologue.

9   Il est difficile à la cour que de toutes les pièces que l'on
emploie à l'édifice de sa fortune, il n'y en ait quelqu'une
qui porte à faux.
        LA BRUYÈRE, les Caractères, VIII, 28.

10 Il faut admirer (...) le livre écrit par l'architecture ; mais,
il ne faut pas nier la grandeur de l'édifice qu'élève à son
tour l'imprimerie. Cet édifice est colossal (...) Depuis la
cathédrale de Shakespeare jusqu'à la mosquée de Byron,
mille clochetons s'encombrent pêle-mêle sur cette métropole de la pensée universelle (...) Du reste, le prodigieux
édifice demeure toujours inachevé (...) Le genre humain
tout entier est sur l'échafaudage. Chaque esprit est maçon.
        HUGO, Notre-Dame de Paris, II, V, II.

11 Si d'autres peuples ont été plus heureux, si, à l'étranger,
plusieurs habitations politiques sont solides et subsistent
indéfiniment, c'est qu'elles ont été construites d'une façon
particulière, autour d'un noyau primitif et massif, en s'appuyant sur quelque vieil édifice central plusieurs fois
raccommodé mais toujours conservé, élargi par degrés,
approprié par tâtonnements et rallonges aux besoins des
habitants.
        TAINE, les Origines de la France contemporaine,
                                     I, t. I, Préface.

12 (...) il *(l'esprit humain)* a essayé de reconstruire l'édifice sur
de meilleures proportions, mais sans y réussir (...)
        RENAN, l'Avenir de la science, Œ. compl., t. III,
                                                 p. 752.

Je venais d'achever l'édifice de dix ans *(Jean-Christophe)*, je   13
me sentais vainqueur et apaisé, bien moins par le succès
que par le contentement de la tâche accomplie et de la vie
secrète arrachée au néant.
        R. ROLLAND, le Voyage intérieur, p. 137.

REM. Dans certains emplois, *édifice* peut avoir la valeur
active de «action d'édifier» (→ ci-dessus, cit. 9).

Sc. Structure complexe. *L'édifice atomique, moléculaire. Un édifice cristallin :* un cristal.

ÉDIFIER [edifje] v. tr. — Av. 1150 ; lat. *œdificare* «construire», de *œdes* «maison», et *facere* «faire» ; sens moral
repris au lat. chrétien.

I ♦ **1** (Av. 1150). Élever (un édifice*, un ensemble
architectural). → **Bâtir, construire, élever ; édificateur, édification.** *Édifier un temple, une cathédrale,
un palais. Édifier des villes, des cités* (→ Architecte,
cit. 2 et 4).

Voilà comment la brique a dû servir à édifier les villes   1
industrielles modernes (...)
        Jean BRUNHES, la Géographie humaine, t. I, p. 222.

L'architecte est celui qui a vocation par son art d'édifier   2
quelque chose de nécessaire et de permanent. Non pas
pour être regardé seulement ou compris, mais pour que
l'on vive dedans (...)
        CLAUDEL, Feuilles de saints, L'architecte, p. 47.

À cinquante mètres, ils avaient fait édifier un vaste bâti-   3
ment à usage de collège.
        J. ROMAINS, les Hommes de bonne volonté, t. V,
                                           IX, p. 74.

♦ **2 Fig.** Créer (un vaste ensemble). → **Arranger, combiner, constituer, créer, organiser.** *Édifier un empire.*
→ **Établir, fonder.**

Abstrait. *Édifier une œuvre, un système, une théorie.*
→ **Composer, échafauder, élaborer, élever.** *Édifier sa
vie, son bonheur sur une base fragile, inébranlable.*
→ **Bâtir, construire ; baser.** *Détruire, démolir* (cit. 6)
ce qui a été édifié. — Emploi pron. *Les bases sur lesquelles s'édifie sa théorie.*

En moi aussi bien des choses ont été détruites que je   4
croyais devoir durer toujours, et de nouvelles se sont édi-
fiées, donnant naissance à des peines et à des joies nouvelles que je n'aurais pu prévoir alors (...)
        PROUST, À la recherche du temps perdu, t. I, p. 55.

(...) on ne peut rien édifier de durable, sans le cimenter   5
de ses larmes et de son sang.
        R. ROLLAND, Jean-Christophe, VII, p. 50.

Que m'importe un bonheur édifié sur l'ignorance.   6
        GIDE, les Nouvelles Nourritures, p. 64.

Vouloir édifier l'avenir à l'imitation du passé, quelle cou-   7
pable folie !...   GIDE, Journal, 14 févr. 1932.

Il a fallu vingt ans à Wagner pour construire la *Tétralogie,*   8
une vie à Littré pour édifier son dictionnaire.
        G. DUHAMEL, Scènes de la vie future, III, p. 59.

Absolt. Élever, créer, construire (par oppos. à
détruire).

Le temps a deux pouvoirs ; d'une main il renverse, de   9
l'autre il édifie.
        CHATEAUBRIAND, Mémoires d'outre-tombe, t. VI,
                                                 p. 149.

(...) les peuples s'entendront, non pour détruire, mais pour   10
édifier (...)
        PASTEUR, Disc. du 27 déc. 1892,
                in THAMIN et LAPIE, Lectures morales.

II (Fin XIIᵉ ; du lat. ecclés. *œdificare*). Compl. n. de personne. ♦ **1** Porter (qqn) à la vertu, à la piété,
par l'exemple ou par le discours (→ **Édifiant**). *Ce
sermon, cette lecture l'a beaucoup édifié. Il édifie
ses proches par sa piété, sa dévotion, ses qualités...*
(→ Donner l'exemple*).

Nous sommes fort édifiés de sa dévotion (...)   11
        Mᵐᵉ DE SÉVIGNÉ, 388, in LITTRÉ.

Cette union si douce, et presque fraternelle,   12
Édifiait tous les voisins.
        LA FONTAINE, Fables, XII, 8.

12.1 Mademoiselle, continua la bergère, allez vous édifier dans cette sainte solitude, et vous ne reviendrez que meilleure.
SADE, Justine ou les Malheurs de la vertu, I, 136 (Presses du Livre français, 1950).

13 (...) ces pieuses gens édifiaient les habitants de la ville au point que ceux-ci, qui étaient sur leurs portes, se levaient par respect et faisaient grand silence pendant qu'ils passaient.
F. MAURIAC, Vie de Jean Racine, p. 11.

Par ext. Impressionner favorablement. *Édifier qqn par des discours savants.*

♦ **2** Mettre (qqn) à même d'apprécier, de juger sans illusion. → **Éclairer, instruire, renseigner** (→ Mettre au courant*). — REM. À la différence du dér. *édification*, *édifier* est alors presque toujours iron. et péj. — *Je vais vous édifier sur le compte de cet homme.* — Passif et p. p. *Je suis tout à fait édifié sur ce qu'il sait faire, sur ses intentions. Après son dernier discours, nous voilà édifiés !* → **Édifiant.**

14 (...) vous allez être bien édifié : ils vous diront en latin que votre fille est malade.
MOLIÈRE, l'Amour médecin, II, 1.

CONTR. (Du sens I.) **Abattre, démolir, renverser, ruiner.** — **Anéantir, défaire, détruire*.** — (Du sens II.) Choquer, scandaliser ; corrompre, démoraliser (1.), dépraver, pervertir. ◊ DÉR. **Édifiant.**

ÉDILE [edil] n. m. — 1213 ; lat. *ædilis*, de *ædes* «maison». → Édifier.

♦ **1** Hist. rom. Magistrat chargé de l'inspection des édifices et des jeux et du soin de l'approvisionnement de la ville. *Il y avait à Rome quatre édiles, deux édiles plébéiens et deux édiles patriciens ou édiles curules.*

1 Les deux chaises d'ivoire ont reçu les édiles.
HUGO, Odes, IV, 11.

♦ **2** (1754). Magistrat municipal d'une grande ville (en style officiel ou de journalisme). *Les édiles de la ville de Paris.*

2 La chronique locale (...) est maintenant occupée tout entière par une campagne contre la municipalité : «Nos édiles se sont-ils avisés du danger que pouvaient présenter les cadavres putréfiés de ces rongeurs *(les rats)* ?».
CAMUS, la Peste, p. 39.

3 Le lieutenant reçoit des ordres : le maire du village sera convoqué au milieu du camp, avec ses adjoints, les conseillers municipaux, les édiles, les citoyens influents. Ils sont huit en tout. On leur fait visiter les chambres à gaz, sans rien leur épargner.
Alain BOSQUET, les Bonnes Intentions, p. 28.

ÉDILITAIRE [edilitɛʀ] adj. — 1875 ; du rad. de *édilité* (2.), et *-aire*.

Admin. ou hist. Relatif à l'édilité (2.), à la magistrature municipale. *Des travaux édilitaires. Une décision édilitaire.*

ÉDILITÉ [edilite] n. m. — XVᵉ, au sens 1 ; lat. class. *ædilitas*, de *ædilis*. → Édile.

Didactique ou administratif.

♦ **1** Hist. rom. Magistrature de l'édile* ; exercice de cette magistrature.

♦ **2** (1838). Mod. Rare. Magistrature municipale. Service municipal chargé de l'entretien des rues, des édifices, dans les grandes villes. — Loc. adj. *D'édilité :* qui concerne ce service municipal. *Travaux d'édilité.*

Après une bonne heure d'attente, au moment de monter dans la voiture, voilà que la petite se sent une de ces envies furieuses qui ne pardonnent à personne, et comme l'édilité parisienne n'a pas multiplié les chalets inodores à l'infini, force est d'aller jusqu'à la gare du Havre, où l'on arrive. Il était temps.
Germain NOUVEAU, Petits tableaux parisiens, «Le bois de Boulogne», Pl., p. 460-461.

DÉR. **Édilitaire.**

ÉDIT [edi] n. m. — XIVᵉ, *esdit* ; empr. lat. *edictum*, supin de *edicere*, de *e-* (*ex-*) intensif, et *dicere* «dire». → Édicter.

♦ **1** Hist. Règlement fait par un magistrat (édile, préteur, consul...) pour être observé durant sa magistrature. *Édit du préteur :* proclamation par laquelle le préteur faisait connaître les principes qui devaient régler sa conduite en matière juridique. *Codification de l'Édit perpétuel,* par Julien sous l'empereur Hadrien.

Constitution* impériale relative surtout au droit public. *L'édit de Dioclétien.*

1 Galérius (...) le contraignit *(Dioclétien)* à faire ce sanglant édit qui ordonnait de persécuter les chrétiens plus violemment que jamais (...)
BOSSUET, Hist., I, 10, *in* LITTRÉ.

♦ **2** Hist. Acte législatif émanant des rois francs. → **Capitulaire.** *L'édit de Clotaire II,* relatif aux maires du palais ; *l'édit de Théodoric.*

En France, sous l'Ancien Régime, Disposition législative statuant sur une matière spéciale (alors que l'ordonnance* avait un caractère général). → **Loi, règlement.** *Édit de Moulins* (1566), proclamant le domaine royal inaliénable. *Édit de Nantes* (1598), par lequel Henri IV reconnaissait aux protestants la liberté de conscience. *Révocation de l'édit de Nantes par Louis XIV : édit de Fontainebleau* (1685). *Porter, faire, renouveler ; enregistrer un édit.* → **Enregistrement, jussion ; lit** (de justice). *Établir par un édit.* → **Édicter.**

2 (...) c'est là (...) ce combat singulier
(...) pour qui les édits n'ont point fait de défense.
MOLIÈRE, le Dépit amoureux, V, 8.

♦ **3** Ordonnance rendue par un souverain. *Édit du tsar.* → **Ukase.**

3 Et le Roi, trop crédule, a signé cet édit.
RACINE, Esther, I, 3.

COMP. **Contre-édit.**

ÉDITER [edite] v. tr. — 1784, Restif, au p. p. ; le v. est formé sur *édité*, du p. p. latin *editus*, de *edere* «produire, faire paraître au jour» ; cf. l'adj. *edit* «publié», déb. XIVᵉ, de même origine. → aussi Éditeur, édition.

♦ **1** Didact. Établir et présenter (un texte, un manuscrit) pour la publication, parfois en le présentant et en l'annotant. → **Éditeur** (1.), **édition** (1.) ; **procurer** (une édition). *Éditer un manuscrit ancien. Éditer un texte inconnu, un classique avec les variantes, avec des notes critiques.* — Au p. p. *Œuvres de X..., éditées par le professeur Y..., avec une préface et des notes. Texte inédit édité par un philologue.*

REM. Cet emploi est proche du sens anglais du verbe *to edit* «préparer matériellement (un texte) pour la publication», qui donne lieu à un anglicisme en français. On dira plutôt : *préparer (le texte, la copie).*

♦ **2** Cour. Publier et faire circuler (un texte reproduit : imprimé, etc.) ; par ext., organiser l'édition (d'ouvrages imprimés). → **Publier ; paraître** (faire). *Éditer un livre, un texte, un ouvrage. Éditer des romans, de la poésie, des traductions, des ouvrages techniques. Il ne trouve personne pour éditer son livre.* — *Cette société compose, imprime* et édite des livres, mais ne les diffuse* pas. Cet atelier compose et imprime, mais n'édite pas.* — (Au passif) *Son livre vient d'être édité par (tel éditeur).* → Vient de paraître*, de sortir*. *Livre édité à compte d'auteur.*

Par anal. *Éditer des cartes géographiques, des partitions musicales, des estampes, des gravures, des cartes postales, des reproductions d'œuvres d'art.*

Par ext. Reproduire pour la vente. «*La robe du grand couturier éditée à plusieurs exemplaires*» (Proust, 1922, *in* T. L. F.).

Par métonymie. *Éditer un auteur. Personne ne veut l'éditer.* «*Vous ferez la même remise à tous ceux que nous éditons*» (Gide).

♦ **3** Inform. (angl. *to edit*). Préparer (un ensemble d'informations) pour le traitement.

◆ **S'ÉDITER** v. pron.

(Passif). Être édité. *Les livres qui s'éditent chaque année en France.* — (Réfl.). Éditer son propre, ses propres livres. *Il s'édite à compte d'auteur.*

◆ **ÉDITÉ, ÉE** p. p. adj. *Manuscrit bien, mal édité.* — *Livres édités et textes inédits.* — Nom :

Mais il y a tant d'inédit que tout le monde connaît d'avance, il y a tant d'édité que tout le monde ignore.
Ch. PÉGUY, la République..., p. 16.

CONTR. (Du p. p.). **Inédit.** ◊ **COMP. Coéditer, rééditer.**

ÉDITEUR, TRICE [editœʀ, tʀis] n. — 1732; lat. impérial *editor,* de *editum.* → Éditer, édition.

♦ **1** (1732). Didact. Personne qui fait paraître un texte après l'avoir établi. → **Éditer** (1.). *Joseph Bédier, éditeur de la Chanson de Roland. Marot a été l'éditeur de Villon. Notes de l'éditeur. L'éditrice d'un texte grec, médiéval.*

1 (...) les éditeurs de Kehl eux-mêmes, auxquels elle (*cette lettre*) était parvenue trop tard pour être insérée à sa véritable place, ont eu soin, dans les *additions et corrections* qui terminent le dernier volume de l'édition in-12, d'inviter les lecteurs à en prendre connaissance.
Avis des éditeurs des œuvres de Voltaire
(en 42 vol. in-8°, dite : Édition de Kehl).

REM. Cet emploi est ancien et normal en français. En revanche, au sens de «personne qui prépare un texte pour l'impression», *éditeur* est un anglicisme (angl. *editor*). On dit en français *préparateur de copie,* ou *réviseur, correcteur-réviseur,* selon les cas. → aussi le sens 3, ci-dessous.

♦ **2** (Fin XVIIIᵉ). Cour. Personne ou société qui assure la publication et la mise en vente (d'ouvrages imprimés). → **Éditer** (2.), **édition** (2.). *Les premiers éditeurs étaient des libraires.* → **Libraire,** 1. (cit. 3). *L'éditeur d'un livre. Contrat entre l'auteur et l'éditeur : contrat d'édition. L'éditeur doit publier loyalement l'œuvre cédée et s'acquitter de la rémunération convenue* (forfait ou pourcentage). *Elle fut libraire, avant d'être éditrice* (cit. 1 ci-dessous; → ci-dessous, REM.). — Par ext. *Maison, société d'édition.* → **Édition** (2.), absolt. *Un grand éditeur. Les principaux éditeurs européens. Cet éditeur est en relation avec plusieurs imprimeurs. La librairie Hachette, éditeur du dictionnaire d'Émile Littré.* — Adj. *Société éditrice.*

2 (...) ces maudits éditeurs veulent imprimer tout : ce sont des corbeaux qui s'acharnent sur les morts, comme l'envie sur les vivants.
VOLTAIRE, Lettre à M. de la Visclède, 1775.

3 En publiant le premier roman d'un auteur, un libraire doit risquer seize cent francs d'impression et de papier (...) J'ai cent manuscrits de romans chez moi, et n'ai pas cent soixante mille francs dans ma caisse (...) On ne fait donc pas fortune au métier d'imprimer des romans.
BALZAC, Illusions perdues, Pl., t. IV, p. 643.

4 (...) notre monument construit avec notre sang devient pour les éditeurs une affaire bonne ou mauvaise. Les libraires vendront ou ne vendront pas votre manuscrit, voilà pour eux tout le problème. Un livre, pour eux, représente des capitaux à risquer.
BALZAC, Illusions perdues, Pl., t. IV, p. 705.

5 Monsieur Vanier, éditeur neuf
Venu pour subjuguer la foule
Habite numéro dix-neuf
Quai Saint-Michel, où de l'eau coule.
MALLARMÉ, Vers de circonstance, CXXVII.

Appos. *Libraire-éditeur. Auteur-éditeur.*

Par anal. *Éditeur de musique, de gravures, de photographies, de reproductions d'œuvres d'art.*

Par ext. *Éditeur de films.*

Éditeur, éditeur responsable : personne qui fait paraître sous sa responsabilité un journal, une revue, un périodique (→ **Gérant**). — Fig., vieilli. Personne qui est responsable d'une opinion, d'une nouvelle... «*Il est l'éditeur responsable des sottises qui se font chez lui*» (Littré).

Spécialt. Directeur politique (d'une publication périodique); celui qui rédige l'éditorial*.

REM. Dans ces emplois, le fém. *éditrice* est peu employé (mais on dit, adjectivement : *la société éditrice*) : on dira plutôt *Mᵐᵉ X, éditeur. Elle est éditeur.*

♦ **3** Anglicisme (angl. *editor,* de *to edit* «préparer»). Inform. *Éditeur de texte(s) :* programme qui permet la composition de textes sur ordinateur. «*Le TO7 possède un éditeur de texte plein écran, un mode graphique haute résolution (64 000 points)*» (Publicité, in *Sciences et Avenir,* n° 441, nov. 1983, p. 20).

DÉR. 2. **Éditorial.** V. 1. **Éditorial.**

ÉDITION [edisjɔ̃] n. f. — XVIᵉ, *edicion;* lat. impérial *editio,* du lat. class. *editum.* → Éditer.

♦ **1** Didact. Action d'éditer (1.), d'établir et de faire paraître (un texte, qu'on peut présenter, annoter, etc.). *Ce chartiste prépare l'édition d'un manuscrit grec, arabe... Le philologue, le spécialiste qui fournit l'édition de ce manuscrit. L'édition de ce texte lui a coûté de nombreuses recherches. Édition avec préface et notes de X... Appareil* critique d'une édition (→ Discrimination, cit. 2). *Édition variorum :* édition d'un texte publié avec les notes de plusieurs commentateurs. Les Pensées de Pascal, édition Havet, édition Brunschwicg.

Le texte* ainsi édité. *Une édition correcte, fautive de Montaigne. Édition expurgée, complète. Comparaison d'une édition ancienne avec le manuscrit.* → **Recension.** *Édition critique. Donner, procurer une édition avec la collation* (cit. 2) *des manuscrits. Édition savante. Édition définitive.*

1 (...) c'est à leurs travaux (*des littérateurs du XVIᵉ et du XVIIᵉ siècles*) que nous devons les dictionnaires, les éditions correctes, les commentaires des chefs-d'œuvre de l'antiquité.
VOLTAIRE, Dict. philosophique, Gens de lettres.

♦ **2** (Mil. XVIIᵉ). Cour. Le fait d'éditer (2.), de reproduire et de diffuser (une œuvre écrite). → **Publication.** *C'est un libraire, c'est l'auteur même, c'est une société* (→ **Éditeur,** 2.) *qui s'est chargée de l'édition de cet ouvrage. Procéder à la première édition, à une nouvelle édition* (→ **Réédition**) *d'un livre. Souscrire à l'édition d'un livre d'art, d'un dictionnaire. Contrat d'édition. Édition à compte d'auteur d'un recueil de poèmes.*

Par anal. *Édition de partitions musicales, de cartes géographiques, de jeux. Édition de gravures, de cartes postales.* — Par ext. *L'édition d'un film, d'un disque.*

Loc. fig. *Une, la nouvelle édition de... :* la reprise, la répétition de...

2 Avec ses chambellans, sa pompe et ses réceptions aux Tuileries, il (*l'empereur Napoléon*) a donné une nouvelle édition de toutes les niaiseries monarchiques. Elle était corrigée, elle eût pu passer encore un siècle ou deux.
STENDHAL, le Rouge et le Noir, II, I.

Absolt. *L'édition :* l'ensemble des activités économiques par lesquelles les textes et les graphismes sont reproduits et distribués le plus souvent sous la forme de livres*. — **REM.** Le mot *édition, stricto sensu,* exclut la fabrication des objets imprimés (composition*, impression*, façonnage, etc.), comme il peut exclure la diffusion, la commercialisation et la vente au public (→ Diffusion, librairie) ; cependant, en cas d'intégration de ces diverses activités, c'est le concept d'édition qui est le plus large. → aussi **Livre**. — *Les métiers de l'édition. Travailler dans l'édition. L'édition française, allemande, japonaise, soviétique. Syndicats de l'édition. Convention collective de l'édition.*

◆ **3** Ensemble des exemplaires d'un ouvrage publié ; série des exemplaires édités en une fois. *Édition à 5 000, à 100 000 exemplaires.* → **Tirage.** *Édition de luxe, hors commerce, à tirage restreint, limité. Édition illustrée. Édition courante, ordinaire, populaire, à bon marché. Édition reliée, brochée. Édition de poche. Édition originale, en partie originale, édition princeps, première édition. Édition collective. Édition particulière. Édition posthume. Les Pensées de Pascal, édition de Port-Royal* (1670). *Les Contes et Nouvelles de La Fontaine, édition des Fermiers Généraux. Les bibliophiles recherchent les éditions originales, les éditions rares. Nouvelle édition. Édition revue et corrigée, augmentée* par l'auteur* (→ **Augmentation,** 3. ; → Addition, cit. 2). *Édition définitive, ne varietur. Édition épuisée.*

3 Oui, c'est la bonne édition ;
Voilà bien, page douze et seize,
Les deux fautes d'impression
Qui n'étaient pas dans la mauvaise.
PONS DE VERDUN, Contes et poésies, p. 9.

4 (...) les renseignements qu'on m'avait adressés des pays du Nord indiquaient seulement des traductions hollandaises du livre, sans donner aucune indication sur l'édition originale, imprimée à Francfort, avec l'allemand en regard.
NERVAL, les Filles du feu, «Angélique», XII.

5 *(Il)* va publier un livre (...) édition de luxe, vignettes, culs-de-lampe et fesses de quinquet, portrait de l'auteur, vers latins en tête à sa louange, éloge critique et papier blanc ?
FLAUBERT, Correspondance, 36, À É. Chevalier, 20 oct. 1839.

(Une, des éditions). Exemplaire (de telle ou telle édition). → **Exemplaire, livre.** *Avoir Racine dans une édition du XVIIᵉ siècle ; du XVIIIᵉ siècle ; dans une édition romantique, moderne* (cf. Un Racine du XVIIIᵉ siècle, etc.). *Acheter l'édition originale de Madame Bovary. Il achète des éditions rares. Édition numérotée. Je l'ai lu dans mon édition de la Bible...* (→ Authenticité, cit. 7).

6 Il s'était interrompu de découper avec les ciseaux maternels des maximes dans une édition populaire d'Épictète.
F. MAURIAC, Génitrix, II, p. 16.

◆ **4** Spécialt. *Édition d'un journal :* ensemble des exemplaires imprimés en une fois. *(Une, des éditions). Édition de Paris, édition de province. Édition de midi, édition du soir* (aussi en expression exclamative, pour vendre). *Première, cinquième, sixième et dernière édition. Édition spéciale* (→ Camelot, cit. 2).

◆ **5** Inform. **(Anglic.).** Matérialisation des informations traitées.

DÉR. Éditionner. ◇ COMP. Coédition, réédition.

ÉDITIONNER [edisjɔne] v. tr. — 1967 ; de *édition,* et *-er.*

T. de librairie, d'édition. Marquer (les exemplaires d'une édition) d'une mention de tirage.

1. **ÉDITORIAL, ALE, AUX** [editɔrjal, o] adj. et n. m. — 1852 ; angl. *editorial,* adj. «propre à un éditeur», et n. «article de journal écrit sous la responsabilité d'un rédacteur en chef», de *editor* «directeur de journal, rédacteur en chef», de même orig. que le franç. *éditeur.*

◆ **1** Adj. Vieilli. Qui émane de la direction politique d'un journal, d'une revue. *Article éditorial.*

◆ **2** N. m. (1870, *in* Höfler). Article qui émane de la direction d'un journal, d'une revue et qui définit ou reflète une orientation générale (politique, littéraire, etc.). *Lire l'éditorial en première page.*
Abrév. fam. : *un édito* (1939, *in* D. D. L.).

DÉR. Éditorialiste.

2. **ÉDITORIAL, ALE, AUX** [editɔrjal, o] adj. — 1939 ; du rad. de *éditeur.*

Qui concerne l'activité d'édition. *La politique éditoriale d'une maison d'édition. Des projets éditoriaux. Le travail éditorial sur un manuscrit.*

ÉDITORIALISTE [editɔrjalist] n. — 1934, *in* Höfler ; de 1. *éditorial,* et *-iste.*

Personne qui écrit l'éditorial d'un journal, d'une revue. *C'est le directeur politique qui est l'éditorialiste de cette revue.* → **Éditeur** (responsable). «*L'éditorialiste de "Combat" estime que c'est la question de la presse qui surtout nous divise*» (Mauriac, *in* T. L. F.).

-ÈDRE Élément tiré du grec *hedra* «siège, base», et qui sert à former des termes de géométrie. → **Décaèdre, dièdre, dodécaèdre, hémièdre, heptaèdre, hexaèdre, icosaèdre, isoédrique, octaèdre, pentaèdre, polyèdre, rhomboèdre, tétraèdre, trapézoèdre, trièdre.**

ÉDREDON [edrədɔ̃] n. m. — 1700 ; empr. au danois *ederduun,* de *eder* (→ Eider), et *duun* «duvet».

◆ **1** Vx. Duvet de l'eider*. *Couvre-pied d'édredon.*

1 Un lit mollet, où l'on s'ensevelit dans la plume ou dans l'édredon, fond et dissout le corps pour ainsi dire.
ROUSSEAU, Émile, II.

Par métaphore :

1.1 Au même instant du moins le spectre menaçant se dissipa en flocons légers comme ceux que le souffle du matin roule sur l'onde invisible, et qu'on prendrait de loin pour un nuage d'édredon enlevé au nid des grands oiseaux qui habitent ses rivages.
Charles NODIER, Contes, p. 86.

◆ **2** (1830). Par métonymie. Couvre-pied fait avec le duvet de l'eider. — Par ext. Couvre-pied d'un duvet quelconque (oie, etc.), de plume, de fibres synthétiques. *Un édredon moelleux. Édredon américain :* couvre-pied formé de deux tissus juxtaposés et piqués entre lesquels se trouve une couche de duvet. → **Matelassé.** *Dormir avec deux couvertures* et un édredon.* → **Couette.**

2 Outre les lits de plumes, il y avait un édredon. J'étais dans les plumes de tous côtés.
NERVAL, les Nuits d'octobre, XXIV.

Par compar. ou métaphore. *Coussin, matelas* **(fig.).** *Un édredon de neige.*

3 (...) l'édredon du ciel gris qui se vide de toute sa neige (...)
J. RENARD, Poil de carotte, L'aveugle (→ aussi Crever, cit. 42, Colette).

(Abstrait). Ce qui protège et amollit. *L'*«*édredon parlementaire, administratif*» (le Nouvel Obs., *in* Banque des mots).

ÉDUCABILITÉ [edykabilite] n. f. — 1855, Sand ; de *éducable.*

Didact. Aptitude à être éduqué, formé par l'éducation.

Mes pensées avaient pris ce cours, et je ne m'apercevais pas que cette confiance dans l'éducabilité de l'homme était fortifiée en moi par les influences extérieures.
G. SAND, la Mare au diable, II, p. 18.

ÉDUCABLE [edykabl] adj. — 1831; du rad. de *éduquer*, et *-able*.

Apte à recevoir l'éducation. *Cet enfant est arriéré mais il est éducable. La mémoire est éducable.*

(...) les animaux (...) Dieu ne les a point faits éducables dans le sens complet du mot; à quoi bon ?
HUGO, les Misérables, I, V, V.

CONTR. et COMP. Inéducable. ◊ **DÉR.** Éducabilité.

ÉDUCATEUR, TRICE [edykatœʀ, tʀis] n. et adj. — 1527, au sens I; lat. *educator*, du supin de *educare*. → Éduquer.

I N. Personne qui s'occupe d'éducation, qui donne l'éducation (→ **Instructeur, maître, pédagogue**). *Ce professeur*, cet instituteur* est un excellent éducateur. L'éducateur d'un prince.* → **Gouverneur, mentor, précepteur.** *«Il n'y a pas d'éducateurs plus rigides que les parents dévergondés»* (Merleau-Ponty).

1 Le rôle des professeurs de Faculté pourrait être immense, s'ils prenaient conscience et de la grandeur de leur tâche, et de leur autorité sur les étudiants (...) On va répétant que le rôle du professeur de Faculté diffère essentiellement de celui du professeur de lycée. Ce dernier est avant tout un éducateur. Le premier est un savant. Au dernier d'agir sur l'âme de l'enfant, de la modeler, s'il le peut; au premier la sereine indifférence du chercheur qui n'a d'autre souci que la vérité. De telles assertions sont monstrueuses (...)
Jules PAYOT, l'Éducation de la volonté, p. 252.

2 *(L'attitude)* de récents éducateurs, qui condamnent l'étude des humanités gréco-latines (...)
Julien BENDA, la Trahison des clercs, Préface de la nouvelle éd., p. 67.

Spécialt. Personne qui a reçu une formation spécifique et qui est chargée de l'éducation de certaines catégories de jeunes. *Éducateur spécialisé. Éducateur de rue. Les éducateurs qui travaillent dans cette cité. «Son goût pour la vie communautaire, le contact, l'entraîne vers le métier d'éducateur. Il passe quelques mois à animer des camps de vacances»* (Sciences et Avenir, nov. 1983, p. 25).

Fig. → **Initiateur; guide** (→ Éducation, cit. 12).
3 La douleur est la grande éducatrice des hommes.
FRANCE, Pierre Nozière, II, p. 18.
4 (...) nous nous en remettons à la vie qui connaît, il est vrai, son métier d'éducatrice.
F. MAURIAC, le Jeune Homme, p. 68.

Spécialt. Personne qui élève, soigne (des animaux). → **Éleveur.** *Éducateur de vers à soie.*

II Adj. (1805). Relatif à l'éducation; qui donne, contribue à l'éducation. *Rôle éducateur du maître, des parents. Méthodes éducatrices.* → **Pédagogique.** *Ouvrages, livres éducateurs; cinéma éducateur.* → **Éducatif.** *«La fonction éducatrice de l'art n'existe que dans la mesure où l'intention éducatrice est absente»* (Thierry Maulnier).

COMP. Ludoéducatif.

ÉDUCATIF, IVE [edykatif, iv] adj. — 1488; sens mod., 1866; du rad. de *éducation*, et *-(a)tif.*

Qui a l'éducation pour but; qui éduque, forme efficacement. → **Didactique, pédagogique.** *Méthode éducative. Caractère éducatif d'un livre, d'un auteur, d'un exercice. Littérature éducative. Film éducatif. Jeux, jouets éducatifs* (→ **Ludoéducatif**). *Atelier* éducatif.*

1 Il n'y eut jamais poésie plus éducative que l'Iliade pour l'éducation d'énergie, qui est celle de la Grèce.
MICHELET, in P. LAROUSSE.

2 Ajoutez (...) les conseils de la radio, des correspondances dans les journaux et surtout l'action des innombrables associations dont le but est presque toujours éducatif. Vous voyez que le citoyen américain est bien encadré.
SARTRE, Situations III, p. 80.

Mais il s'est dégagé autre chose encore de ces réunions. 3
C'est le facteur «éducatif», pour nous comme pour vous.
L.-H. LYAUTEY, Paroles d'action, p. 161.

Sports. *Mouvements éducatifs,* et, n. (1934, *in* Petiot), *l'éducatif de la course, du saut :* mouvements destinés à préparer les muscles à un exercice déterminé.

Dr. *Assistance éducative* (*Code civil,* art. 377) : mesures ordonnées par la Justice dans les cas où «la santé, la sécurité ou la moralité d'un mineur non émancipé sont en danger, ou si les conditions de son éducation sont gravement compromises».

CONTR. Ludoéducatif.

ÉDUCATION [edykasjɔ̃] n. f. — 1527; lat. *educatio, de educatum,* supin de *educare.* → Éduquer.

A ◆1 Mise en œuvre des moyens propres à assurer la formation et le développement d'un être humain. → **Formation, institution** (vx), **nourriture** (vx). *Ces moyens. Résultats obtenus grâce à eux* (→ **Connaissance, culture**). *L'éducation des enfants* (→ **Pédagogie**), *des adultes* (→ **Andragogie**). *L'éducation a pour objet non seulement le développement intellectuel* (→ **Instruction**), *mais encore la formation physique et morale, l'adaptation sociale... Système, traité d'éducation. Philosophie de l'éducation. Les moyens, les méthodes de l'éducation moderne. Sciences de l'éducation.* → **Pédagogie.** *Système d'auto-éducation. — Éducation méthodique, progressive; éducation laissée au hasard. Faire l'éducation d'un enfant, d'un adolescent...* → **Éducateur; éduquer, élever, former.** *La première éducation. Recevoir une bonne, une forte, une solide éducation. Éducation familiale. Devoir d'éducation des parents* (des enfants par les parents). *Éducation religieuse, puritaine; laïque. Éducation conformiste* (cit. 2), *conventionnelle* (→ Danger, cit. 12), *libérale. Système d'éducation. Sentiments acquis, imposés par l'éducation. Éducation scolaire, universitaire.* → **Enseignement** (→ Dépourvoir, cit. 5). *Établissement, institution, maison d'éducation.* → **École.** *Ministère de l'Éducation* (en France) : ancien ministère de l'*Éducation nationale,* autrefois «ministère de l'Instruction publique». — *De l'éducation,* ouvrage de Milton (1544). *Émile ou De l'éducation,* œuvre de J.-J. Rousseau (1762). *Traité de l'éducation des filles,* de Fénelon (1687). *L'Éducation,* ouvrage de Dupanloup (1851). *De l'éducation intellectuelle, morale et physique,* de Spencer (1861). *Psychologie de l'éducation,* ouvrage de Gustave Lebon (1902). — *L'éducation d'Achille,* sujet de tableaux célèbres (Rubens, Champaigne, Delacroix...).

J'accuse toute violence en l'éducation d'une âme tendre (...) 1
ce qui ne se peut faire par la raison, et par prudence et adresse, ne se fait jamais par la force.
MONTAIGNE, Essais, II, VIII.

C'est un excès de confiance dans les parents d'espérer tout 2
de la bonne éducation de leurs enfants (...)
LA BRUYÈRE, les Caractères, XII, 84.

Rien n'est plus négligé que l'éducation des filles. La cou- 3
tume et le caprice des mères y décident souvent de tout;
on suppose qu'on doit donner à ce sexe peu d'instruction.
L'éducation des garçons passe pour une des principales affaires par rapport au bien public; et, quoiqu'on n'y fasse guère moins de fautes que dans celles des filles, du moins on est persuadé qu'il faut beaucoup de lumières pour y réussir.
FÉNELON, l'Éducation des filles, I.

Les lois de l'éducation seront donc différentes dans chaque 4
espèce de gouvernement : dans les monarchies, elles auront pour objet l'honneur; dans les républiques, la vertu; dans le despotisme, la crainte.
MONTESQUIEU, l'Esprit des lois, IV, 1.

5   (*L'ex-jésuite*) — (...) J'ai fait ce que j'ai pu pour vous bien
    élever. — Vraiment, vous m'avez donné là une plaisante
    éducation (...) je ne connaissais ni les lois principales, ni
    les intérêts de ma patrie : pas un mot de mathématiques,
    pas un mot de saine philosophie ; je savais du latin et des
    sottises (...) Je vis qu'on m'avait donné une éducation très
    inutile pour me conduire dans le monde (...)
                        VOLTAIRE, Dict. philosophique, Éducation.

6   On façonne les plantes par la culture, et les hommes par
    l'éducation (...) Tout ce que nous n'avons pas à notre nais-
    sance et dont nous avons besoin étant grands, nous est
    donné par l'éducation. Cette éducation nous vient de la
    nature, ou des hommes ou des choses...
    L'éducation n'est certainement qu'une habitude.
                                            ROUSSEAU, Émile, I
                        (→ aussi Approprier, cit. 3 ; babillard,
                        cit. 5 ; condition, cit. 15 ; désobéir,
                        cit. 6 ; correspondance, cit. 2).

7   (...) l'*éducation* a pour objets, 1° la santé et la bonne con-
    formation du corps ; 2° ce qui regarde la droiture et l'ins-
    truction de l'esprit ; 3° les mœurs, c'est-à-dire la conduite
    de la vie et les qualités sociales.
                        DU MARSAIS, *in* Encycl. (DIDEROT), art. *Éducation*.

8   L'éducation doit être tendre et sévère et non pas froide et
    molle (...) l'éducation ne consiste pas seulement à orner
    la mémoire et à éclairer l'entendement ; elle doit surtout
    s'occuper à diriger la volonté (...) L'éducation se compose
    de ce qu'il faut dire et de ce qu'il faut taire, de silences et
    d'instructions.
                        Joseph JOUBERT, Pensées, XIX, 5-12-19.

9   (...) après le pain, l'éducation est le premier besoin du
    peuple.   DANTON, *in* BARTHOU, Danton, p. 307.

10 Ombres qui habitez les cavernes de ces montagnes, je dois
    à vos soins silencieux l'éducation cachée qui m'a si forte-
    ment nourri, et d'avoir, sous votre garde, goûté la vie toute
    pure, et telle qu'elle me venait sortant du sein des dieux !
                        M. DE GUÉRIN, Poèmes, «Le centaure».

11 L'éducation sociale bien faite peut toujours tirer d'une
    âme, quelle qu'elle soit, l'utilité qu'elle contient.
                        HUGO, les Misérables, I, V, V.

12 L'éducation ne se borne pas à l'enfance et à l'adolescence.
    L'enseignement ne se limite pas à l'école. Toute la vie, notre
    milieu est notre éducation, et un éducateur à la fois sévère
    et dangereux.   VALÉRY, Variété III, p. 281.

12.1 L'éducation consiste à acquérir des réflexes nouveaux qui
    engendrent par leurs répétitions des habitudes, c'est ainsi
    que la plupart des actes de notre vie quotidienne qui ont
    commencé par exiger l'intervention de l'intelligence et de
    l'attention, ont fini par s'accomplir automatiquement. Mais
    sous un autre aspect, l'éducation consiste à acquérir des
    réflexes conditionnels capables d'inhiber les réflexes innés.
                        Jean DELAY, la Psycho-physiologie humaine, p. 105.

    (Avec un déterminatif). → **Formation, initiation**. *Édu-
    cation générale*, opposée aux *spécialisations*.

13 Delacroix était (...) un homme d'éducation générale, au
    contraire des autres artistes modernes, qui (...) ne sont
    guère que (...) de tristes spécialistes (...)
                        BAUDELAIRE, Curiosités esthétiques,
                        Œuvre et vie de Delacroix, II.

    *Éducation littéraire, scientifique. Éducation sexuelle.
    Éducation politique, civique. — Éducation artistique.
    Éducation professionnelle*, fournissant aux jeunes
    gens la connaissance d'un métier, d'une tech-
    nique. → **Apprentissage**, 1. — (1958). *Éducation per-
    manente* : formation continue destinée à main-
    tenir ou accroître les connaissances profession-
    nelles (→ **Recyclage**), intellectuelles ou culturelles
    aux divers niveaux. — (1819, *in* Petiot). *Éducation
    surveillée*. — *Éducation physique* : ensemble des
    exercices physiques, des sports propres à favoriser
    le développement harmonieux du corps. → **Gym-
    nastique, sport**.

    Par ext. (le compl. désigne une collectivité). *Faire l'édu-
    cation politique d'un peuple. L'éducation artistique
    d'une nation. — De l'éducation du genre humain*,
    œuvre de Lessing (1780).

14 Le spectacle est la seule forme d'éducation morale ou artis-
    tique d'une nation.   GIRAUDOUX, Littérature, p. 233.

Fig. → **Apprentissage, formation, initiation**. *L'Éducation sentimentale*, roman de Flaubert (1869).

15 Il manque à ces malheureuses victimes, qu'on nomme
    filles à marier, une honteuse éducation, je veux dire la
    connaissance des vices d'un homme.
                        BAUDELAIRE, la Fanfarlo.

♦**2** Développement méthodique donné à une
faculté, un organe... → **Exercice**. *Éducation des
réflexes. Éducation de l'œil, de l'oreille. Éducation
des sens. Éducation de la mémoire. L'Éducation de
la volonté*, ouvrage de Payot (1893). *Éducation du
sens artistique. Éducation du goût*.

16 (...) il ne définit pas bien cela, car son sens d'artiste et
    de voyant, qu'aucune éducation n'a affiné, est demeuré
    rudimentaire (...)   LOTI, Ramuntcho, I, XIII, p. 121.

♦**3** Art d'élever (certains animaux). → **Élevage**.
L'éducation des abeilles, des vers à soie (1763, *in*
D.D.L). — *L'éducation du chien, du cheval*. → **Domes-
tication, dressage**.

Soins que les animaux donnent à leurs petits.

17 (...) l'autruche (...) n'ayant jamais besoin du secours de
    ses père et mère, vit isolée (...) et se prive ainsi des avan-
    tages de leur société qui (...) est la première éducation des
    animaux et celle qui développe le plus leurs qualités natu-
    relles (...)
                        BUFFON, Hist. nat. des oiseaux, Le solitaire.

Rare. Soins donnés à une plante.

B Par métonymie (de A., 1.) ; au sing. ; non qualifié. *L'éducation* : connaissance et pratique des usages* de
la société. → **Bienséance, distinction, politesse, savoir-
vivre** (→ Chic, cit. 5). *Avoir de l'éducation. Il est sans
éducation, il manque d'éducation. Il a du tact* et de
l'éducation*.

18 Cette chose qu'on est convenu d'appeler éducation, cette
    espèce de vernis, appliqué d'ailleurs assez grossière-
    ment sur tant d'autres, manquait tout à fait à mon frère Yves ;
    mais il avait par nature un certain tact, une délicatesse
    beaucoup plus rares et qui ne se donnent pas.
                        LOTI, Mon frère Yves, LXVIII, p. 162.

**CONTR. Grossièreté, impolitesse, inéducation, rudesse, rus-
ticité. ◊ DÉR. Éducatif, éducationnel.**

ÉDUCATIONNEL, ELLE [edykasjɔnɛl] adj. — 1873 ;
de *éducation*, et *-el*.

Didact., rare. Relatif à l'éducation. → **Éducatif**. *Le
système éducationnel*. — REM. Semble un calque de
l'anglais *educational*.

ÉDULCORANT, ANTE [edylkɔrɑ̃, ɑ̃t] adj. et n. m.
— V. 1900 : p. prés. de *édulcorer*.

Se dit d'une substance qui donne une saveur
douce. — N. m. *Édulcorant de synthèse* : produit
sucrant sans sucre, pauvre en calories. *L'aspar-
tame, la saccharine sont des édulcorants de synthèse*.

ÉDULCORATION [edylkɔrasjɔ̃] n. f. — 1620 ; de *édulcorer*, et *-ation*.

(1620). Didact. Action d'édulcorer ; son résultat. —
Spécialt. Action de rendre doux (une préparation
médicamenteuse dont on désire masquer le goût
désagréable) par adjonction d'un édulcorant ; son
résultat.

(Av. 1868). Fig. Action d'adoucir l'âpreté, la vigueur
de qqn, de qqch. *L'édulcoration d'un roman*.

ÉDULCORER [edylkɔre] v. tr. — 1690 ; lat. médiéval
edulcorare, de *ex-*, et bas lat. *dulcorare*, de *dulcis*.
→ Doux.

♦**1** (1704). Pharm. Adoucir (un breuvage, un médicament) par addition d'une substance sucrée (sucre,
miel, sirop, saccharose...). *Édulcorer une tisane*.

♦2 (1872, Goncourt). Fig., cour. Adoucir, affaiblir, dans l'expression. *Rapporter des propos violents en les édulcorant.* → **Atténuer, envelopper.** *Édulcorer un blâme, une menace.* → **Mitiger.**

1 (...) l'homme aura toujours les *formules* heureuses qui, sans rien *édulcorer,* envelopperont les volontés du maître.
Louis MADELIN, Talleyrand, II, IX, p. 109.

2 Partout flotte d'ailleurs une indulgence préalable qui édulcore les péchés possibles et prépare une aimable absolution (...)
H. BOSCO, Un rameau de la nuit, p. 305.

♦ ÉDULCORÉ, ÉE p. p. adj. *Médicament édulcoré.* — (1836, Barbey). Fig. *Un compte rendu très édulcoré.*

3 (...) en dictant à l'adresse de personnages plus puissants que lui des projets de lettres qui ne parviendront jamais à leurs destinataires — sinon sous une forme très édulcorée.
P. DANINOS, Un certain Monsieur Blot, p. 36.

CONTR. Corser, renforcer. ◊ **DÉR. Édulcorant, édulcoration.**

ÉDUQUER [edyke] v. tr. — 1385, p. p.; rare av. 1746; mot mal reçu jusqu'au XIXᵉ (→ REM.ci-dessous); lat. *educare,* fréquentatif de *educere,* de *e-* (*ex-*), et *ducere* «conduire».

♦1 Diriger le développement, la formation de (qqn) par l'éducation*. → **Cultiver, développer, dresser, élever, former, nourrir** (vx). *Éduquer des enfants. Éduquer une personne en lui apprenant*, en lui enseignant* qqch. Cet enfant a reçu une bonne instruction, mais il n'a pas été éduqué.* → **Conduire, guider.** — Par anal. (Sujet n. de chose). *Le malheur, l'infortune l'a éduqué durement.* → **Former.**
Par anal. *Éduquer le cœur, l'esprit, la volonté, les sens de qqn.* → **Discipliner, façonner.**
Par ext. (vieilli). *Éduquer une classe, une collectivité sociale; éduquer le peuple.* — Au p. p. *Peuple éduqué.* → **Civilisé, policé.**

REM. *Éduquer,* malgré sa formation régulière (lat. *educare*) est mal reçu jusqu'au XIXᵉ s. Littré écrit en 1864 qu'*éduquer* «qui est correct, et qui répond à *éducation,* n'obtient point, malgré tout cela, droit de bourgeoisie»; le *Dictionnaire général,* v. 1900, le qualifie de «populaire» et certains dictionnaires de «familier». Bien au contraire, le mot est aujourd'hui plus recherché et moins courant qu'*élever.* De bons écrivains l'emploient dès le XIXᵉ s.

1 La langue d'ailleurs s'embellit tous les jours : on commence à *éduquer* les enfants au lieu de les élever (...) Notre jargon deviendra ce qu'il pourra.
VOLTAIRE, Lettres, 3456, À M. Linguet,
15 mars 1769.

2 Éduquer (...) terme nouveau, qu'on a voulu mettre à la mode : c'est un vrai barbarisme de mots, qui figurerait très bien dans le Dictionnaire Néologique des petits Maîtres, et des Précieuses ridicules.
Dict. de Trévoux (1771).

3 (...) M. de Maugiron (...) lui proposa (*à Julien Sorel*) d'entrer chez un fonctionnaire qui avait des enfants à *éduquer* (...) Leur précepteur jouirait de huit cents francs d'appointement (...)
STENDHAL, le Rouge et le Noir, I, XXII.

Au participe passé :

4 (...) je me trouve assez grand garçon maintenant pour me considérer comme éduqué.
FLAUBERT, Correspondance, II, p. 375.

Pron. *S'éduquer* : recevoir une éducation.

5 (...) plus d'une épouse de nos socialistes intransigeants pourrait venir avec fruit s'éduquer dans les harems, pour ensuite traiter sa femme de chambre, où son institutrice, comme les dames turques traitent leurs esclaves.
LOTI, les Désenchantées, III, X, p. 87.

(Factitif). *Faire éduquer qqn.* — *Se faire éduquer par un maître.*

6 C'est vraiment du cœur de la collectivité que jaillit cette tendance éducative : chaque Américain se fait éduquer par d'autres Américains et il en éduque d'autres à son tour.
SARTRE, Situations III, p. 81.

♦2 Par ext. Élever (un animal). → **Apprivoiser, dresser; éducation,** 3.

♦ ÉDUQUÉ, ÉE p. p. adj.

(Sens général. → ci-dessus, cit. 4). — (1763). Spécialt (vieilli ou régional). *Personne bien éduquée, mal éduquée,* qui a, qui n'a pas d'éducation. → **Éducation** (4.); **élevé** (bien, mal), **poli, distingué;** (vx) **appris** (bien, mal); **grossier, vulgaire.**

Il était devenu un joli garçon entre les quatorze et les quinze ans, pas bien fort, mais si vif à plaisir et si bien éduqué qu'on n'en avait jamais que des paroles d'honnêteté et d'amitié.
G. SAND, François le Champi, XVIII, p. 126.   7

CONTR. (Du p. p.) Grossier, inéduqué, vulgaire. ◊ **DÉR. Éducable.**

-ÉE Élément (tiré du suff. d'adj. latin *-ea,* fém. de *-eus*), utilisé pour former des noms de plantes. Ex. : *centaurée* (lat. sc. : *centaurea*). — Au plur. **-ÉES** : suffixe taxinomique (lat. scient. *-eæ*) de noms féminins plur. de familles et de tribus de plantes (réservé dans l'usage moderne aux noms de tribus).

-(É)EN, -(É)ENNE Élément tiré du lat. *-eum* et servant à former :
a des noms et des adjectifs indiquant l'appartenance, la propriété. — REM. Il prend la forme *-en, -enne* après une voyelle. Ex. : *herculéen; quotidien.*
b des noms et des adjectifs indiquant l'appartenance géographique. Ex. : *européen; méditerranéen, pyrénéen.*

ÉFAUFILER [efofile] v. tr. — 1701; de *é-,* et *faufiler.* Techn. Défaire (la trame d'un tissu) en tirant des fils. → **Défaufiler, effiler, effilocher.** *Éfaufiler une étoffe pour faire de la charpie.* — Pron. (passif). *Ruban qui s'éfaufile.* → **Effiler** (s'), **effilocher** (s').

EFENDI (rare) ou **EFFENDI** [efɛdi; efɛndi] n. m. — 1624, in D.D.L.; mot turc signifiant «maître», du grec mod. *afendis* «maître», du grec anc. *authentès* «qui agit de sa propre autorité». → **Authentique.**
Titre de dignitaires civils ou religieux, chez les Turcs (→ Cadi, cit.). *Des efendis ou des effendis.*

(...) l'autorité, malgré mon langage encore hésitant, se laisse prendre à mon chapelet et à mon costume; me voilà pour tout de bon un indiscutable effendi.
LOTI, Aziyadé, III, LXIV.

EFFAÇABLE [efasabl] adj. — 1549, *effassable; de effacer.*
Rare. Qui peut être effacé. *Un dessin effaçable. Une tache effaçable.* — Fig. *Une impression difficilement effaçable.*
Spécialt, cour. *Ruban effaçable de machine à écrire :* ruban présentant une possibilité d'effacement.

CONTR. Indélébile, ineffaçable.

EFFAÇAGE [efasaʒ] n. m. — 1866; de *effacer.*
Action d'effacer, de faire disparaître (ce qui était écrit). → **Effacement** (1.). — Techn. *L'effaçage des pierres lithographiques.*

EFFACEMENT [efasmã] n. m. — XIIIᵉ, *esfacement; de effacer.*

♦1 (XIIIᵉ). Action d'effacer* (qqch.). → **Effaçage.** Fait de s'effacer; résultat de cette action. → **Biffage, gommage.** *L'effacement des lettres, des lignes d'un manuscrit, d'un palimpseste. Cette inscription est peu lisible à cause de son effacement partiel.* — *Touche d'effacement d'une machine à écrire.*

Par métaphore :

1 L'oubli n'est autre chose qu'un palimpseste. Qu'un accident survienne, et tous les effacements revivent dans les interlignes de la mémoire étonnée.
HUGO, l'Homme qui rit, II, IV, I.

Fig. Destruction, suppression (→ Effacer, 2.). *L'effacement des péchés par la contrition. L'effacement des caractères d'un peuple, d'une civilisation. Effacement d'une impression, d'un souvenir, sous l'action du temps.* → **Affaiblissement, disparition, évanouissement.**

2 (...) le souvenir d'un rêve de la dernière nuit, qui peut nous paraître plus lointain dans son imprécision et son effacement qu'un événement qui date de plusieurs années.
PROUST, À la recherche du temps perdu, t. XIII, p. 147.

Didact. (ling.). Suppression (d'un constituant d'une phrase) dans des conditions définies (par la grammaire transformationnelle).

♦ **2** (1839). **Fig.** Action de s'effacer (2.), attitude effacée (3.). *Effacement de soi-même :* état de qqn qui s'efface, qui tient à rester dans l'ombre (→ Anéantissement, cit. 7). *Rester, vivre dans l'effacement,* sans se manifester, par modestie, discrétion, prudence.

3 (...) ils avaient manqué de cette modestie, de cet effacement de soi, de cet art sobre qui se contente d'un seul trait juste et n'appuie pas, qui fuit plus que tout le ridicule de la grandiloquence (...)
PROUST, À la recherche du temps perdu, t. IV, p. 137.

4 Tous nos invités furent conquis par la grandeur si simple du Général, par la noblesse de son esprit, par le volontaire effacement — qu'on pourrait dire pudique — avec lequel il parlait des actions militaires qu'il avait combinées (...)
Georges LECOMTE, Ma traversée, p. 568.

EFFACER [efase] v. tr. [CONJUG.: *placer.*] — Av. 1150; de *é, face,* et *-er.*

♦ **1** [a] Faire disparaître sans laisser de trace (ce qui était marqué, écrit). → aussi **Biffer.** *Effacer un mot, une ligne* (→ **Enlever, supprimer**) *en frottant avec une gomme* (→ **Gommer**). *Effacer une tache d'encre avec un grattoir* (→ **Gratter**), *un produit chimique. Effacer légèrement un trait.* → **Estomper.** *Laver, essuyer, brosser pour effacer. Effacez ce qui est écrit au tableau.* — Par ext. Supprimer (une trace). *Effacer les rides par des massages. La neige qui tombe efface les empreintes des pas. L'assassin avait effacé soigneusement toute trace de sang. Le voleur a effacé ses empreintes, toute trace de son passage. Effacer un pli sur un vêtement.*

1 Et d'autres réflexions survinrent, tandis qu'il effaçait avec sa manche une rebroussure dans la soie de son chapeau.
J. ROMAINS, les Hommes de bonne volonté, t. V, VI, p. 44.

[b] Par métonymie. Faire disparaître ce qui était marqué, tracé sur (une surface). *Un chiffon pour effacer le tableau.*

[c] Faire disparaître (ce qui était écrit) en raturant, en corrigeant. → **Annuler, barrer, biffer, canceller** (vx), **caviarder, censurer, couper, détruire, radier, raturer, rayer, sabrer, supprimer** (→ Critique, cit. 9). *Effacer un nom sur une liste, un article d'un compte, un paragraphe dans un exposé, une clause de contrat... Absolt. Il efface sans cesse.* → **Enlever.**

2 Ajoutez quelquefois, et souvent effacez.
BOILEAU, l'Art poétique, I.

Par métaphore. *Conquérant qui cherche à effacer un pays, un royaume de la carte.*

[d] Par ext. Littér. (Sujet n. de chose). Rendre moins net, moins visible. *Le soleil efface les couleurs.* → **Affaiblir, éteindre, faner, passer** (faire), **ternir.** *L'usure avait effacé l'empreinte des médailles. Ellipt. L'usure avait effacé la médaille. Le temps efface les vestiges du passé. Une inscription que le temps a effacée.* → **Détruire, oblitérer.**

3 (...) quelle étrange pâleur
De son teint tout à coup efface la couleur?
RACINE, Esther, II, 7.

4 Je me souviendrai toute ma vie d'avoir vu (...) cet air superbe et menaçant, que la mort même n'avait pu effacer.
FÉNELON, Télémaque, II.

5 Quand le râteau de la peste ou le soc de la guerre, quand le génie des déserts a passé sur un coin du globe en y effaçant tout, qui a eu raison du sauvage de Nubie ou du patricien de Thèbes?
BALZAC, Séraphita, Pl., t. X, p. 542.

♦ **2** Fig. (Abstrait). Faire disparaître, faire oublier. *Effacer le souvenir d'un événement. Effacer un souvenir de sa mémoire. Effacer le passé.* → **Oublier** (faire); → Faire tomber dans l'oubli*, faire table* rase. *Le temps efface les chagrins, les humiliations. L'absence efface-t-elle l'amour?* (→ Attiédir, cit. 7). *Effacer un affront, une offense. L'excuse n'efface pas la faute.* → **Couvrir, racheter, réparer** (→ Apostat, cit. 2). *Dieu efface les péchés.* → **Absoudre, pardonner;** → Passer l'éponge* sur. *Familiarité, politesse qui efface les distances.* → **Abolir** (→ Critique, cit. 9). *Politique qui s'efforce d'effacer les distinctions entre les classes.* → **Confondre.**

6 Je t'ai fait une offense, et j'ai dû m'y porter
Pour effacer ma honte et pour te mériter (...)
CORNEILLE, le Cid, III, 4.

7 Que l'embrassement d'un ami peut effacer de torts! Quel ressentiment peut après cela rester dans le cœur?
ROUSSEAU, les Confessions, IX.

8 J'écoute : —
Tout fuit,
Tout passe;
L'espace
Efface
Le bruit.
HUGO, les Orientales, «Les djinns».

9 Efface ce séjour, ô Dieu! de ma paupière,
Ou rends-le moi semblable à celui d'autrefois.
LAMARTINE, Cours familier de littérature, «La vigne et la maison», II.

10 La nuit voluptueuse monte,
Apaisant tout, même la faim,
Effaçant tout, même la honte.
BAUDELAIRE, les Fleurs du mal, «La mort», CXXIV.

11 Les haines effaçaient dans le cœur tout sentiment d'humanité.
FUSTEL DE COULANGES, la Cité antique, p. 402.

12 (...) effaçant son passé pour repartir à zéro.
CAMUS, la Peste, p. 301.

Effacer de la terre, de la surface du globe. On veut effacer la variole de la surface du globe.

Argot. [a] (Compl. n. de personne). Tuer. → **Éliminer.**

12 Je venais de penser qu'au cas où Riton se ferait effacer, elles seraient tout entières pour mézigue, les cinquante briques de notre planque.
A. SIMONIN, Touchez pas au grisbi, p. 143.

[b] Absorber totalement en buvant ou mangeant. *Effacer un verre de vin, un plat.*

[c] Recevoir (un coup, un projectile). → **Encaisser.**

♦ **3** Fig. Empêcher (qqch., qqn) de paraître, de se manifester, par sa propre existence, par ses propres manifestations.

[a] Concret. «*La lune effaçait la clarté des étoiles*» (G. Sand, *in* T.L.F.).

13 (...) une tunique d'une laine fine dont la blancheur effaçait celle de la neige (...)
FÉNELON, Télémaque, I.

b Abstrait :

14　Tout ce qui vous efface blesse votre orgueil.
　　　　MASSILLON, Carême, Confessions, *in* LITTRÉ.

15　Un jeune homme qui en éclipse un autre par sa parure, a quelquefois la douleur de voir cet autre l'effacer par son esprit.　ROUSSEAU, *in* LAFAYE, Dict. des synonymes.

16　Parmi ces peintres, il en est un *(Rubens)* qui semble effacer tous les autres ; en effet, dans l'histoire de l'art aucun nom n'est plus grand, et il n'y en a que trois ou quatre aussi grands.　TAINE, Philosophie de l'art, t. II, p. 50.

♦ **4** (1670, Molière). **Escrime.** Tenir de côté ou en retrait (une partie du corps, un membre), de manière à présenter le moins de surface ou de saillie. *Effacer le corps, une épaule, le ventre. — Alignez-vous, effacez l'épaule droite* (ci-dessous v. pron., 2.).

◆ **S'EFFACER** v. pron.

♦ **1** (Sujet n. de chose ; passif). Être effacé ; disparaître plus ou moins. — (D'une trace). *Crayon qui s'efface facilement.* → **Partir.** *L'inscription s'est effacée. Effigie d'une médaille qui s'efface.* → **Estomper** (s'). — (Choses visibles). *Les couleurs s'effacent. Lumière, jour qui s'efface.* → **Obscurcir** (s').

17　Une fresque du Dominiquin ou du Titien, qui s'efface ; un palais de Michel-Ange ou de Palladio, qui s'écroule mettent en deuil le génie de tous les siècles.
　　　　CHATEAUBRIAND, Mémoires d'outre-tombe, t. VI,
　　　　　　　　　　　　　　　　　　　　p. 132.

18　La pâle nuit levait son front dans les nuées ;
　　Les choses s'effaçaient, blêmes, diminuées,
　　Sans forme et sans couleur (...)
　　　　HUGO, les Contemplations, III,
　　　　　　　　　　«Magnitudo parvi», I.

19　Heureux les hommes dont le cœur, comme une glace où glissent et s'effacent les reflets, oublie tout ce qu'il a contenu (...)　MAUPASSANT, la Morte.

20　Sur sa figure ronde où rien d'autre ne bouge, un petit pli, entre les sourcils, se forme et disparaît, reparaît et s'efface, seul indice du débat intérieur.
　　　　MARTIN DU GARD, les Thibault, t. III, p. 168.

Fig. (Abstrait). *Souvenir qui s'efface difficilement.* → **Disparaître, obscurcir** (s') ; → **Décliner,** cit. 9 ; demeurer, cit. 23. *Les haines s'effacent peu à peu.* → **Assoupir** (s'). *Le charme s'efface.* → **Cesser, évanouir** (s').

21　Le ciel de l'Attique a produit en moi un enchantement qui ne s'efface point ; mon imagination est encore parfumée des myrtes du temple de la *Vénus aux jardins* et de l'iris du Céphise.
　　　　CHATEAUBRIAND, Mémoires d'outre-tombe, t. II,
　　　　　　　　　　　　　　　　　　　　p. 387.

22　Durant cet intervalle, le peu que je savais s'est presque entièrement effacé de ma mémoire, et bien plus rapidement qu'il ne s'y était gravé.
　　　　ROUSSEAU, les Rêveries..., 7ᵉ promenade.

23　Triste à peine tant s'efface
　　Ces apparences d'automne.
　　　　VERLAINE, Romances sans paroles, «Bruxelles».

24　Les jours heureux qui furent ne s'effacent pas d'un coup ; leur rayonnement persiste longtemps encore après qu'ils ne sont plus.　R. ROLLAND, Vie de Beethoven, p. 16.

25　Je croyais que tout s'oubliait, que tout s'effaçait ; quelque chose résiste donc au temps ? Quoi, l'amour, la gloire, la fidélité ? Non, non ! mais quelques simples douleurs, mais les souvenirs qui ne pardonnent pas.
　　　　Edmond JALOUX, Fumées dans la campagne,
　　　　　　　　　　　　　　　XXVII, p. 228.

26　(...) l'Empire d'Occident, inoubliable et brillant modèle, qui, malgré ses vices et ses convulsions, avait laissé un regret qui ne s'effaçait pas.
　　　　J. BAINVILLE, Hist. de France, III, p. 34.

Les intérêts privés doivent s'effacer devant l'intérêt général (cet exemple peut être senti et compris au sens 3).

♦ **2** (Réfl.). Sujet n. de personne. Se tenir de façon à paraître le moins possible, à présenter le moins de surface ou de saillie. → **Dérober** (se), **retirer** (se). *S'effacer pour éviter un coup. Ils s'effacèrent pour le laisser entrer.* → **Écarter** (s').

27　Il se couchait, puis se redressait, s'effaçait dans un coin de porte, puis bondissait, disparaissait, reparaissait, se sauvait, revenait, ripostait à la mitraille par des pieds de nez (...)　HUGO, les Misérables, V, I, XV.

28　Il arrive toujours le premier à la porte du restaurant, s'efface, laisse passer sa femme (...) et entre alors (...)
　　　　CAMUS, la Peste, p. 39.

♦ **3** Fig. *S'effacer devant qqn,* lui laisser la première place, le laisser agir. → **Incliner** (s') ; → **Absorption,** cit. 2. — *Il s'effaçait pour faire briller* (cit. 22) *son ami. S'effacer par humilité, par politesse, par timidité :* ne pas vouloir se faire remarquer. → Se faire tout petit*.

29　Sympathique d'ailleurs, discret, et cherchant plus à s'effacer qu'à épater, ni même qu'à paraître ou qu'à plaire.
　　　　GIDE, Journal, 7 févr. 1902.

30　On connaît mal l'homme que fut Moïse, cette personnalité puissante, mais qui s'efface devant son œuvre.
　　　　DANIEL-ROPS, le Peuple de la Bible, II, II, p. 109.

◆ **EFFACÉ, ÉE** p. p. adj.

♦ **1** Qui a disparu par effacement. *Écriture effacée. Dessin effacé.*

Par métonymie. *Tableau effacé,* dont l'inscription qu'il portait a été effacée. *Une médaille effacée par l'usure,* dont l'empreinte a disparu. → **Fruste.**

Par ext. Rendu moins net, moins visible. → **Flou.** *Sentier effacé* (→ Appuyer, cit. 43).

Qui a peu d'éclat, qui a passé. *Couleur, teinte effacée.* → **Éteint, pâli, passé.**

Abstrait. *Souvenirs, regrets effacés. Tradition effacée.* → **Oublié ; amorti.**

Éliminé. *Pays effacé de la carte, de la terre.*

♦ **2** (XVIIᵉ). Qui paraît en retrait, qui n'est pas saillant. *Épaules effacées. Menton effacé. Corps effacé. Poitrine effacée* (→ Atténuer, cit. 3). *Ventre effacé.*

31　Quand vous portez la botte, Monsieur, il faut que l'épée parte la première, et que le corps soit bien effacé.
　　　　MOLIÈRE, le Bourgeois gentilhomme, II, 2.

Techn. (chemin de fer). *Signal effacé :* signal de profil qui indique que la voie est libre.

♦ **3** (XIXᵉ). Fig. Qui ne se fait pas voir, reste dans l'ombre. → **Falot, humble, ignoré, insignifiant, modeste, terne.** *Caractère effacé. Attitude effacée. Mener une vie effacée* (→ Cheville, cit. 3). *Jouer un rôle effacé.*

32　(...) une vieille fille, toute petite, et si menue, si effacée, que l'on remarque seulement ses doigts noueux sur le fond noir de sa jupe.
　　　　J. CHARDONNE, les Destinées sentimentales, I, IV,
　　　　　　　　　　　　　　　　　　　　p. 163.

CONTR. Écrire ; ajouter, remplir. — Accentuer, aviver, exalter, raviver, renforcer, ressortir (faire). — Demeurer, résister, rester. — Montrer (se). — Renaître, reparaître, revenir. — (Du p. p.) Brillant, distingué, dominateur, vif, vivant. ◊ DÉR. Effaçable, effaçage, effacement, effaceur, effaçure.

EFFACEUR, EUSE [efasœʀ, øz] adj. et n. — XIVᵉ, *effaiceur ;* de *effacer.*

♦ **1** Rare. (Personne) qui efface. — Au fig. «*La main effaceuse du temps*» (Peladan, *in* T. L. F.).

♦ **2** N. m. *Effaceur :* feutre qui efface l'encre.

EFFAÇURE [efasyʀ] n. f. — 1238, *effaceure ;* de *effacer.*

Rare. Action d'effacer. — (1800). Fig. Ce qui est effacé. → **Rature.**

EFFANAGE [efanaӡ] n. m. — 1791; de *effaner*.
Agric. Action d'effaner. *L'effanage du blé.*

EFFANER [efane] v. tr. — 1732, Trévoux; de *é-, fane,* et *-er.*
Agric. Débarrasser (une plante) de ses fanes, de ses feuilles superflues. *Effaner les blés.* → **Effeuiller.**
DÉR. Effanage, effanure.

EFFANURE [efanyʀ] n. f. — 1798; de *effaner.*
Agric. Ce qui provient d'une plante effanée (fane, feuille, etc.). *Effanures de maïs.*

EFFARADE [efaʀad] n. f. — Av. 1848, Chateaubriand; de *effarer.*
Vx. État d'une personne effarée. → **Effarement.**
«L'effarade du gouvernement était à mourir de rire» (Chateaubriand, *Mémoires d'outre-tombe,* t. V, p. 336).

EFFARANT, ANTE [efaʀɑ̃, ɑ̃t] adj. — 1895; p. prés. de *effarer.*
♦ **1** Littér. Qui effare, plonge dans une stupeur mêlée d'effroi ou d'indignation. → **Effrayant, stupéfiant.** *Une nouvelle effarante.* — Par exagér. *Un pédantisme effarant* (→ **Brillant,** cit. 14).
(...) cette effarante imputation de «haine» *(...)* était assimilable à une émission de billets faux, tant elle trouvait peu de crédit et d'assentiment dans mon cœur.
GIDE, *Journal,* 19 août 1927.

♦ **2** Par exagér. Cour. *C'est effarant!,* inouï, incroyable. *Rouler à une vitesse effarante,* extrême. *Il a un aplomb effarant.* → **Étonnant.**

EFFARÉ, ÉE [efaʀe] adj. → **Effarer.**

EFFAREMENT [efaʀmɑ̃] n. m. — Av. 1790; de *effarer.*
♦ **1** État d'une personne, d'un animal effaré. → **Agitation, ahurissement, effroi, égarement, stupeur, trouble.** *L'effarement de qqn. Son effarement était complet. Il y eut dans la foule un moment d'effarement.*

1   Mademoiselle Baptistine se retourna, aperçut l'homme qui entrait et se dressa d'effarement, puis, ramenant peu à peu sa tête vers la cheminée, elle se mit à regarder son frère, et son visage redevint profondément calme et serein.   HUGO, les Misérables, I, II, III.

2   *(...)* le malheureux petit Chose, arraché à son rêve, tombé de son ciel, promenait autour de lui de grands yeux étonnés où se peignait un effarement si naturel, si comique que toute la salle partait d'un gros éclat de rire.   Alphonse DAUDET, le Petit Chose, XII, p. 333.

3   *(...)* très malade, avec un effarement d'esprit qui ne la laisse reconnaître personne.
GIDE, *Journal,* janv. 1890.

4   Montage de textes, ce à quoi, dans mon amour des citations, se sont toujours réduites mes critiques. Il se trouve seulement que ces textes sont de moi. Leur ancienneté me permet de les utiliser comme s'ils étaient d'un autre. À quelques rares attendrissements et fréquents effarements près.
Claude MAURIAC, le Temps immobile, p. 116-117.

♦ **2** Rare. Action d'effarer (qqn, un groupe).

5   Lions volants, serpents ailés, guivres palmées,
Faits pour l'effarement des livides armées *(...)*
HUGO, la Légende des siècles, t. I, 1859, p. 358, *in* T. L. F.

EFFARER [efaʀe] v. tr. — 1611; *effaree,* XIIIᵉ; *effere* «troublé», v. 1200; orig. obscure; p.-ê. doublet, avec métathèse du *r* d'*esfreer, esfraer.* → **Effrayer.**

Troubler en provoquant un effroi mêlé de stupeur. → **Affoler, effaroucher, effrayer, stupéfier, troubler.** *Cette politique hardie effarait les vieux parlementaires.* — **REM.** Sans être littéraire, cet emploi est du style soutenu, moins courant que le p. p. *effaré.*

1   Tes grandes visions étranglaient ta parole
— Et l'Infini terrible effara ton œil bleu!
RIMBAUD, Poésies, «Ophélie», II.

2   Louisa passait ses journées dans sa chambre; et, le soir, Christophe s'obligeait, quand il le pouvait, à lui tenir compagnie, pour la forcer à prendre un peu l'air. Seule, elle ne fût point sortie; le bruit de la rue l'effarait.
R. ROLLAND, Jean-Christophe, l'adolescent, II.

Par anal., littér. *«Les candélabres, dont une croisée ouverte effarait les flammes, allumaient les pièces d'argenterie et les cristaux»* (Zola, *Pot-Bouille,* 1882, p. 188).

♦ **S'EFFARER** v. pron.
(Réfl.). Devenir effaré.

3   L'on chercha en s'éveillant, comme à tâtons, les lois : l'on ne les trouva plus; l'on s'effara, l'on cria, l'on se les demanda; et dans cette agitation *(...)*   RETZ, Mémoires, II, p. 72.

4   Il *(Javert)* s'adressait des questions, et il se faisait des réponses, et ses réponses l'effrayaient *(...)* qu'ai-je fait? Mon devoir. Non. Quelque chose de plus. Il y a donc quelque chose de plus que le devoir? Ici, il s'effarait; sa balance se disloquait *(...)*   HUGO, les Misérables, V, IV.

Par ext. (Réfl.). Le sujet est personnalisé :
5   *(...)* certains bruits sournois, à peine perceptibles, l'affolent, et tout son pelage s'effare, se moire d'épis nerveux *(...)*
COLETTE, la Paix chez les bêtes, «La shah».

♦ **EFFARÉ, ÉE** p. p. adj.
♦ **1** Qui ressent un effroi mêlé de stupeur. → **Effarouché, effrayé, étonné, hagard, inquiet, interdit, stupéfait, troublé.** *Personne effarée* (→ **Anxiété,** cit. 6; **crier,** cit. 1; **démarche,** cit. 7). *Les Effarés,* poème de Rimbaud.

6   Comme il les écarquille *(les yeux)* et paraît effaré.
MOLIÈRE, Amphitryon, III, 2.

7   *(...)* ceux qui se vantaient des plus hardis descendirent les premiers, mais ils revinrent bientôt, leurs torches éteintes, tremblants, pâles, effarés, et ceux qui pouvaient parler racontaient qu'ils avaient été effrayés par une épouvantable vision.
Th. GAUTIER, Voyage en Espagne, p. 124.

(Avec une valeur atténuée). Ahuri. *Des badauds complètement effarés de, par l'événement.*

Dont l'expression trahit ce sentiment. → **Égaré, hagard, inquiet;** (par ext.) **ahuri.** *Visage, air effaré. Rouler des yeux effarés.*

8   Il en sortit courbé en deux, avec l'air effaré des bêtes fauves quand on les rend libres tout à coup.
FLAUBERT, Salammbô, XV, p. 347.

9   Soudain un choc formidable, un cri, un seul cri, un cri immense, des bras tendus, des mains qui se cramponnent, des regards effarés où la vision de la mort passe comme un éclair *(...)*
Alphonse DAUDET, Lettres de mon moulin, «Agonie de la Sémillante».

10 L'on voit des fenêtres s'ouvrir sur le boulevard et une figure effarée, une lumière à la main, après avoir jeté les yeux sur la chaussée, refermer le volet avec impétuosité.
LAUTRÉAMONT, les Chants de Maldoror, II, p. 61.

Par anal., littér. (Qualifiant une abstraction) :
11 Tout l'univers était contre moi et m'accablait, je connus l'isolement effaré et superbe de l'assassin. Je me pliais naturellement à l'opinion du monde, et pourtant il y avait au fond de moi-même une retraite sombre où quelque chose ne se rendait pas.
Claude MAURIAC, le Temps immobile, p. 405.

♦ **2** Blason. Cabré. *Cheval effaré. Licorne effarée.* → **Effrayé, rampant, saillant.**

CONTR. Rassurer. — (Du p. p.) **Calme, serein.** ◊ **DÉR. Effarade, effarant, effarement.**

EFFAROUCHABLE [efaʀuʃabl] adj. — D. i.; de *effaroucher, et -able.*

Susceptible d'être effarouché. → **Craintif, ombrageux, timide.** *Un cheval facilement effarouchable.*

EFFAROUCHANT, ANTE [efaʀuʃɑ̃, ɑ̃t] adj. — Av. 1778, J.-J. Rousseau; p. prés. de *effaroucher.*

Rare. Qui effarouche; propre à effaroucher.

1 Elles *(les jeunes femmes)* passaient vite (...) leurs oreilles accrochaient au passage des fragments d'histoires effarouchantes (...) qui leur faisaient peur.
      Ed. et J. DE GONCOURT, Manette Salomon, 1867, p. 50, *in* T. L. F.

2 C'est ainsi que la vieille et pudique Angleterre, patrie du *cant* et du *shocking*, terre des miss rougissantes et des ladies pudibondes, devint le pays le plus *shocking* du globe, le plus effarouchant au point de vue de la morale continentale (...)
      A. ROBIDA, le Vingtième Siècle, p. 328.

EFFAROUCHEMENT [efaʀuʃmɑ̃] n. m. — 1559, *effarouchemens*; de *effaroucher.*

♦ 1 Action d'effaroucher; fait de s'effaroucher.

(...) si par malchance le fil de la ligne ou l'hameçon se prenait, on en avait pour une heure, sans parler de l'effarouchement définitif du poisson.
      GIDE, Si le grain ne meurt, I, III, p. 76.

♦ 2 État d'une personne effarouchée. — Par ext. *«Le prude effarouchement des vertus de provinces»* (S. de Beauvoir, *in* T. L. F.).

EFFAROUCHER [efaʀuʃe] v. tr. — 1495; de *é-, farouche,* et suff. verbal.

♦ 1 Effrayer (un animal) de sorte qu'on le fait fuir. *Effaroucher le gibier, des volailles. Attention, pas de bruit, vous allez effaroucher le poisson.*

1 Les cris effrayants de l'armée ennemie, joints à une grêle de traits et de pierres (...) les troublaient *(les éléphants),* les effarouchaient, les mettaient en fureur et souvent les obligeaient de se tourner contre leurs propres troupes.
      ROLLIN, Hist. ancienne, t. XI, p. 389, *in* LITTRÉ.

♦ 2 (1585). Mettre (qqn) dans un état de crainte, de défiance, de gêne tel qu'il s'éloigne ou a envie de fuir. → **Effrayer, épouvanter, intimider; ombrage** (donner de l'), **peur** (faire peur). *Cette proposition l'effarouchera. Cet examinateur effarouche les candidats.* → **Affoler.**

2 Il faut, si vous m'en croyez, n'effaroucher personne (...)
      MOLIÈRE, l'Avare, I, 1.

3 Prenez-moi dans le calme, je suis l'indolence et la timidité même : tout m'effarouche, tout me rebute; une mouche en volant me fait peur; un mot à dire, un geste à faire épouvante ma paresse; la crainte et la honte me subjuguent à tel point que je voudrais m'éclipser aux yeux de tous les mortels.
      ROUSSEAU, les Confessions, I.

Effaroucher l'âme, l'esprit. — (Le compl. désigne un sentiment). *Effaroucher la modestie, la pudeur, la timidité de qqn.* → **Alarmer, blesser.**

4 (...) je devenais une portion de sa vie, sans qu'elle s'en aperçût elle-même, tant j'avais souci de ne pas effaroucher cette âme, en train de se prendre, par un mot qui lui fît sentir le danger.
      Paul BOURGET, le Disciple, IV, p. 220.

Spécialt (plus cour.). Troubler (qqn) dans son équilibre, sa quiétude (→ **Inquiéter**), notamment en choquant les habitudes morales (→ **Choquer, offusquer, troubler**). *Il ne faut pas effaroucher le client par des prix excessifs. Effaroucher les bourgeois par un langage cru.*

5 Ce païen *(Gautier)* qu'aucune nudité n'effarouchait, éprouvait une honte extraordinaire d'une effusion sentimentale, et à force de s'en défendre il a fini par persuader beaucoup de gens qu'il était un homme impassible.
      Émile HENRIOT, les Romantiques, p. 200.

♦ 3 Argot anc. Voler.

Qu'est-ce qu'a effarouché ma veste?
      Henri MONNIER, Scènes populaires, L'exécution, t. I, p. 102.   5.1

♦ **S'EFFAROUCHER** v. pron. (réfl.).

♦ 1 Rare. Devenir effarouché. *Un cheval qui s'effarouche.*

♦ 2 Vx. Avoir peur. *Il s'effarouchait de ces projets.*

♦ 3 Être choqué, troublé (notamment, dans ses habitudes morales). *S'effaroucher de qqch., pour un rien.*

Par métonymie. *Sa pudeur s'est effarouchée* (→ ci-dessous, cit. 7, 8).

Les Marquis, les Précieuses, les Cocus et les Médecins ont souffert doucement qu'on les ait représentés (...) mais les Hypocrites n'ont point entendu raillerie; ils se sont effarouchés d'abord, et ont trouvé étrange que j'eusse la hardiesse de jouer leurs grimaces (...)   6
      MOLIÈRE, Tartuffe, Préface.

Je connais sa vertu prompte à s'effaroucher.   7
      RACINE, Bajazet, I, 4.

Rien ne peindra jamais les angoisses que me fit sentir le malheur de mon ami. Ma funeste imagination, qui porte toujours le mal au pis, s'effaroucha.   8
      ROUSSEAU, les Confessions, VII.

Vous adressez des galanteries (...) à des dames que j'estime assez pour croire qu'elles doivent parfois s'en effaroucher.   9
      BAUDELAIRE, la Fanfarlo.

♦ **EFFAROUCHÉ, ÉE** p. p. adj.

♦ 1 (En parlant d'un animal). Qui est effrayé et s'enfuit. *Cheval* (cit. 2) *effarouché.* → **Effrayé.**

Par comparaison :

Il revoyait, sous la suspension, le petit front jaune entre les bandeaux gris, les petites mains d'ivoire qui tremblotaient sur la nappe, les petits yeux de lama effarouché (...)   10
      MARTIN DU GARD, les Thibault, t. VIII, p. 201.

♦ 2 Vx. Frappé de peur. → **Apeuré.**

Ici nous avons pensé être perdus tous les deux : la petite fille, toute effarouchée, a voulu crier (...)   11
      LACLOS, les Liaisons dangereuses, Lettre XCVI.

♦ 3 Fig. Alarmé, troublé, choqué. *Des allures de vierge effarouchée. Elle rougit, toute effarouchée. — Un air effarouché.*

(...) il avait entendu ses cris effarouchés, mêlés de rires étouffés et de défis (...)   12
      COURTELINE, Messieurs les ronds-de-cuir, 2ᵉ tableau, I, p. 62.

CONTR. Apprivoiser, enhardir, rasséréner, rassurer, tranquilliser. ◊ **DÉR. Effarouchable, effarouchant, effarouchement.**

EFFARVATTE [efaʀvat] n. f. — 1775; altér. dial. de *fauvette.*

Rousserolle des roseaux. — REM. La var. *effervatte* est attestée.

EFFECTEUR, TRICE [efɛktœʀ, tʀis] adj. et n. m. — 1791, *in* D.D.L.; du rad. du lat. *effectus,* et *-eur;* de l'angl. *effector* (sens 2).

♦ 1 Philos. Vx. *Cause effectrice.* → **Efficient.**

♦ 2 (Mil. XXᵉ; de l'angl. *effector* (1906), de *to effect.* → Effectuer).

a Physiol. Se dit des organes d'où partent les réponses aux stimulations reçues par les organes récepteurs.

Une voie ou arc réflexe renferme au moins deux neurones,   1
un sensitif qui transmet l'excitation au centre et un moteur ou effecteur pour la réponse (...)
      Paul CHAUCHARD, le Système nerveux et ses inconnues, p. 26.

b Biochim. Substance capable d'activer ou d'inhiber l'activité d'une enzyme.

2 (...) les enzymes allostériques reconnaissent en s'y associant un substrat spécifique, et activent sa conversion en produits. Mais en outre, ces enzymes ont la propriété de reconnaître électivement un ou plusieurs *autres* composés dont l'association (stéréospécifique) avec la protéine a pour effet de modifier, c'est-à-dire, selon les cas, d'*accroître* ou d'*inhiber son activité à l'égard du substrat*.
La fonction régulatrice, coordinatrice, des interactions de ce type (dites interactions allostériques) est aujourd'hui prouvée par d'innombrables exemples. On peut classer ces interactions en un certain nombre de «modes régulatoires», d'après les relations existant entre la réaction considérée et l'origine métabolique des «effecteurs allostériques» qui l'asservissent.
         Jacques MONOD, le Hasard et la Nécessité, p. 88-89.

1. **EFFECTIF, IVE** [efɛktif, iv] adj. — 1464; lat. *effectivus*, de *effectum*, supin de *efficere*. → Effet.

◆ **1** Qui se traduit par un effet, par des actes réels. → **Concret, efficace, réel, tangible, vrai**. *Accord, traité effectif. Avantage effectif.* → **Certain, concret, positif**. *Pouvoir effectif* (→ Anathème, cit. 3). *Autorité effective. S'appuyer sur des raisons effectives.* → **Solide**. *Apporter une aide effective. Rendre un projet effectif en le réalisant*. Différence effective, et non formelle. Valeur effective d'une monnaie.* — Techn. *Puissance effective d'un moteur.*

1   C'est ce glorieux titre, à présent effectif,
   Que je viens ennoblir par celui de captif (...)
         CORNEILLE, Pompée, IV, 3.

2   Les grandeurs naturelles sont celles qui sont indépendantes de la fantaisie des hommes, parce qu'elles consistent dans les qualités réelles et effectives de l'âme ou du corps, qui rendent l'une ou l'autre plus estimable, comme les sciences, la lumière de l'esprit, la vertu, la santé, la force.   PASCAL, II⁰ disc. sur la condition des Grands.

3   Ne semble-t-il pas que Dieu n'ait mis cette merveilleuse idée de vertu dans l'esprit d'un philosophe *(Socrate)* que pour rendre cette idée effective dans la personne de son fils?   BOSSUET, Hist., II, 6, in LITTRÉ.

   Théol. *Amour effectif*: amour de Dieu qui se traduit par des actes.

   (D'une chose concrète). Réel, qui existe réellement. — **Spécialt** (au XVII⁰). Se dit des soldats effectivement présents. → **2. Effectif**.

4   (...) les plus grands rois ont eu rarement à la fois trois cent mille combattants effectifs.   VOLTAIRE, Essai sur les mœurs, Introd., Des Juifs...

   N. m. *L'effectif*: ce qui est effectif.

5   Mais ma volonté est fatiguée. Je ne puis me décider à rien d'effectif.   FLAUBERT, Correspondance, IV, p. 210.

◆ **2** Vx. *Homme effectif*: homme qui ne promet rien qu'il ne tienne.

   CONTR. Abstrait, apparent, chimérique, fictif, hypothétique, illusoire, imaginaire, ineffectif, irréel, nominal, possible, potentiel, virtuel. ◇ **DÉR. 2. Effectif, effectivement.**

2. **EFFECTIF** [efɛktif] n. m. — 1792; de 1. *effectif (supra* cit. 4).

◆ **1** Nombre de combattants réels (dans une unité).

1   Un an plus tard, 100 000 maquisards, au moins, tiennent la campagne. Dès le début de la bataille de France, leur nombre dépassera 200 000. En fait, l'effectif des soldats de l'intérieur dépend directement de l'armement qui leur est donné.   Ch. DE GAULLE, Mémoires de guerre, 1956, p. 252, in T. L. F.

◆ **2** Nombre réglementaire des hommes qui constituent théoriquement une formation (→ Armée, cit. 14). *L'effectif d'une compagnie, d'un bataillon. Avoir son effectif au complet.*

◆ **3** Au plur. Troupes considérées dans leur importance numérique. *Les effectifs en temps de paix, en temps de guerre. Grossir les effectifs* (→ Augmenter, cit. 7). *Les effectifs engagés* (→ Accrocher, cit. 4).

2   (...) la moitié des effectifs est en déroute et l'autre cernée sur place (...)   SARTRE, la Mort dans l'âme, p. 48.

◆ **4** (1819). Par anal. Nombre des personnes (constituant un groupe défini). *L'effectif d'une classe, d'une administration, d'un parti. Les effectifs d'une entreprise.*

   COMP. Sureffectif.

EFFECTIVEMENT   [efɛktivmã] adv. — 1495; de 1. *effectif*.

◆ **1** Didact. D'une manière effective. → **Réellement, véritablement, vraiment; bon** (tout de bon). *C'est effectivement arrivé* (→ Contre-carrer, cit. 4). *Il paraît moins touché qu'il ne l'est effectivement* (Académie).

1   Mais, lui dit le malade, ai-je toute la force nécessaire pour m'en servir *(des jambes)*? Non certainement, dit le médecin; et vous ne marcherez jamais effectivement, si Dieu ne vous envoie un secours extraordinaire pour vous soutenir et vous conduire.
         PASCAL, les Provinciales, II.

◆ **2** (1797). Cour. S'emploie pour confirmer une affirmation. *Il m'avait annoncé son départ; effectivement, j'ai trouvé sa maison fermée* (→ Décoction, cit. 1). → **Effet** (en), **fait** (de). Pour renforcer une affirmation. *Oui, effectivement.*

2   (...) effectivement, quand l'artiste crée, c'est d'après sa fantaisie qui est personnelle.
         TAINE, Philosophie de l'art, Préface (→ Arbitraire, cit. 10).

   CONTR. Apparemment, apparence (en).

EFFECTUALITÉ [efɛktɥalite] n. f. — Fin XIX⁰; de *effectuer*.
Didact. et rare. Capacité de réaliser.

EFFECTUATION [efɛktɥasjɔ̃] n. f. — 1545, Godefroy; de *effectuer*, et suff. *-ation*.
Didact. Action d'effectuer qqch.; son résultat. → **Actualisation, réalisation.**

Il me plaît, pour ne pas me supprimer toute raison d'être et d'aimer être, de considérer l'humanité comme l'effectuation des rapports possibles.
         GIDE, Littérature et morale, *in* Journal 1889-1939, Pl., p. 91.

EFFECTUER [efɛktɥe] v. tr. — XV⁰, *affecturer*; au sens 1, 1588; lat. médiéval *effectuare*, de *effectus*. → Effet.

◆ **1** Vx. Mettre à effet, à exécution. *Il a effectué ses promesses* (Académie). → **Accomplir, tenir.**

1   Allez, cruelle sœur, vous me désespérez,
   Si vous effectuez vos desseins déclarés.
         MOLIÈRE, le Dépit amoureux, II, 3.

◆ **2** (1818). Mod. Mener à bien, faire, exécuter (une opération complexe ou délicate, technique, etc.). → **Accomplir, faire, réaliser.** *Effectuer une retraite, une sortie, une reconnaissance, une manœuvre, une levée de troupes* (→ Arrière-ban, cit. 10). — *Effectuer une opération mathématique, une conversion.* — *Effectuer une expérience, des réformes. Effectuer un paiement, une dépense, un échange* (→ Débouché, cit. 7), *un trajet* (→ Circuit, cit. 3).

2   (...) la plupart effectuaient des pèlerinages délicats aux lieux où ils avaient souffert.   CAMUS, la Peste, p. 319.

   REM. L'extension du sens de *effectuer* à des emplois non didactiques a été jugée abusive par certains (cf. Thérive, *Querelles de langage*, III, 117); elle semble en effet très rare avant le XIX⁰ s. (→ Faire). Au XVI⁰ s., *effectuer* signifiait «produire», et, absolt, «avoir de l'action, de l'effet».

◆ **S'EFFECTUER** v. pron. (passif).

◆**1** Être mis à exécution.

3   Mais enfin mes projets pourront s'effectuer (...)
      MOLIÈRE, le Dépit amoureux, III, 7.

◆**2** Être accompli, réalisé. *L'entrée s'effectua sans désordre* (→ Désordre, cit. 25).

4   Je sais bien que la représentation raccourcit la durée de l'action, et qu'elle fait voir en deux heures, sans sortir de la règle, ce qui souvent a besoin d'un jour entier pour s'effectuer (...)   CORNEILLE, Examen de Mélite.

5   Pendant ce temps, le passage du Borysthène s'effectua sur plusieurs points.
      Ph. P. SÉGUR, Hist. de Napoléon, VI, 7.

DÉR. Effectualité, effectuation.

EFFÉMINATION [efeminasjɔ̃] n. f. — 1503 ; de *efféminer*.

Rare. Action d'efféminer, de s'efféminer ; résultat de cette action.

1   On recherche les causes de la corruption des Romains et du bouleversement de la République ; il n'y en a pas d'autre que l'abâtardissement et l'effémination des races Romaines à la Ville.
      RESTIF DE LA BRETONNE, la Vie de mon père, p. 90.

2   L'histoire des civilisations nous montre les moyens mis en œuvre par les hommes pour se défendre contre l'avachissement et l'effémination. Arts, religions, doctrines, lois, immortalité ne sont que des armes inventées par les mâles pour résister au prestige universel de la femme. Hélas, cette vaine tentative est et sera toujours sans résultat aucun, car la femme triomphe de toutes les abstractions.
      B. CENDRARS, Moravagine, Œ. compl., t. V, p. 117.

EFFÉMINEMENT [efeminmɑ̃] n. m. — Fin XVIᵉ, Amyot ; de *efféminer* ou *efféminé*.

◆**1** Fait de devenir efféminé.

◆**2** Caractère efféminé (d'un homme).

(M. de Charlus) qui, à force de ne voir dans son imagination qu'un beau jeune homme, croit devenir lui-même beau jeune homme et trahit de plus en plus d'efféminement dans ses risibles affectations de *virilité* (...)
      PROUST, la Prisonnière, p. 345 (*in* T. L. F.).

EFFÉMINER [efemine] v. tr. — 1170 ; lat. class. *effeminare* «féminiser, efféminer», de *ex-*, et *femina* «femme».

Littér., souvent péj. Donner les caractères physiques et moraux qu'on prête traditionnellement aux femmes à (un homme, un groupe humain). → aussi **Féminiser**. *Le luxe efféminé une nation* (Académie). → **Affaiblir, amollir** (cit. 3), **émasculer, ramollir.**

1   Les spectacles du théâtre ne sont propres qu'à amollir et à efféminer la jeunesse.
      SAINT-ÉVREMONT, *in* Dict. de Trévoux.

Oisiveté qui efféminе les mœurs, l'énergie, la volonté.

2   (...) l'exagération et les recherches affectées, qui efféminent et trahissent la pensée.
      R. ROLLAND, Musiciens d'autrefois, p. 169.

◆ **S'EFFÉMINER** v. pron. (réfl.).
Prendre des caractères féminins.

◆ **EFFÉMINÉ, ÉE** p. p. adj. et n.
Cour. Qui a les caractères physiques et moraux qu'on prête traditionnellement aux femmes.
Homme efféminé. → **Amolli, douillet, mou.** — *Cœur, air, caractère, naturel efféminé.* → **Délicat, féminin.** — Vx. *Mœurs efféminées.* → **Mou, voluptueux** (cit. 3).

3   Il y avait à Tyr un jeune Lydien nommé Malachon, d'une merveilleuse beauté, mais mou, efféminé, noyé dans les plaisirs.   FÉNELON, Télémaque, III.

4   Toutes les passions sensuelles logent dans des corps efféminés ; ils s'en irritent d'autant plus qu'ils peuvent moins les satisfaire.   ROUSSEAU, Émile, I.

Spécialt (d'un homme). Qui se comporte comme une femme, sur le plan érotique ; propre aux hommes qui se comportent ainsi. *Les allures efféminées des mignons de Henri III.*

5   (...) à cause de son extraordinaire beauté surtout, certains lui trouvaient même un air efféminé, mais sans le lui reprocher, car on savait combien il était viril et qu'il aimait passionnément les femmes.
      PROUST, À la recherche du temps perdu, t. IV, p. 160.

N. m. Souvent péj. *C'est un efféminé.* → **Femmelette.** — Par euphém. *Homosexuel efféminé.*

6   C'est le propre d'un efféminé de se lever tard, de passer une partie du jour à sa toilette, de se voir au miroir, de se parfumer, de se mettre des mouches, de recevoir des billets et d'y faire réponse.
      LA BRUYÈRE, les Caractères, I, 52.

(En parlant des choses). Mou, sans énergie, sans virilité. *Un art efféminé. Une musique efféminée.*

CONTR. Viriliser. — (Du p. p.) **Énergique, mâle, viril** (→ aussi Hommasse, virago). ◊ **DÉR. Effémination, efféminement.**

EFFENDI [efɛ̃di; efɑ̃di] n. m. → **Efendi.**

EFFÉRENCE [eferɑ̃s] n. f. — 1586 ; du lat. médiéval *efferentia* «orgueil, arrogance», du lat. class. *(se) efferre* «s'enorgueillir, se gonfler».
Didact. (anat.). Caractère de ce qui est efférent*.

EFFÉRENT, ENTE [eferɑ̃, ɑ̃t] adj. — 1805 ; lat. *efferens*, de *efferre* «porter hors».
Didact. (anat.). Qui conduit hors d'un organe, qui va du centre vers la périphérie. *Vaisseaux, nerfs efférents. Canaux* (ou *cônes*) *efférents* : fins canaux spermatiques qui partent du réseau testiculaire vers l'épididyme.

CONTR. Afférent.

EFFERVESCENCE [efɛrvesɑ̃s] n. f. — 1644 ; lat. *effervescens*, de *effervescere* «bouillonner».

◆**1** Bouillonnement d'un liquide produit par un dégagement de bulles gazeuses, lorsqu'on y introduit certaines substances (dites *effervescentes*).
→ **Ébullition, fermentation.** *L'effervescence d'une substance.* — Vieilli. *Les alcalis font effervescence avec les acides.* — *En effervescence. Chaux vive qui entre, qui est en effervescence au contact de l'eau. Calcaire en effervescence.*

1   On les distingue *(certaines pierres)* des pierres purement vitreuses ou calcaires en leur faisant subir l'action des acides ; ils ne font d'abord aucune effervescence avec ces matières, et cependant elles se convertissent à la longue en une forte gelée.
      BUFFON, Hist. nat. des minéraux, t. VIII, 139, *in* LITTRÉ.

(1689). Par anal. Anc. méd. → **Bouillonnement, échauffement.** *L'effervescence du sang, des humeurs.*

2   (...) cela s'appelle donc, comment dites-vous, ma fille ? des *effervescences* d'humeur. Voilà un mot dont je n'avais jamais entendu parler ; mais il est de votre *père* Descartes, je l'honore à cause de vous.
      Mᵐᵉ DE SÉVIGNÉ, 1202, 2 août 1689.

3   Une effervescence subite, un bouillon de sang peut-il à ce point mater les résolutions les plus superbes ? et la voix du corps parle-t-elle plus haut que la voix de l'esprit ?
      Th. GAUTIER, Mˡˡᵉ de Maupin, V, p. 95.

◆**2** (1772). Fig. Agitation, émotion vive mais passagère. *L'effervescence de l'âme, des esprits, des passions.* → **Agitation, ardeur, bouillonnement, embrasement, émoi, exaltation, excitation, fermentation, fougue, incandescence, mouvement, tumulte.**
— Spécialt (dans le domaine social). *Une grande effervescence régnait dans la ville. La ville était en effervescence.*

4   L'effet des *Lettres de la Montagne*, à Neuchâtel, fut d'abord
     très paisible (...) Cependant la rumeur commençait ; on
     brûla le livre je ne sais où. De Genève, de Berne, et de Ver-
     sailles peut-être, le foyer de l'effervescence passa bientôt
     à Neuchâtel, et surtout dans le Val-de-Travers, où (...) on
     avait commencé d'ameuter le peuple par des pratiques
     souterraines.   ROUSSEAU, les Confessions, XII.

5   En ce moment où les mots se pressaient sur la langue de
     Wilfrid, aussi vivement que les idées abondaient dans sa
     tête, il vit Séraphîta sortant du château suédois, suivie de
     David. Cette apparition calma son effervescence.
                              BALZAC, Séraphîta, Pl., t. X, p. 562.

6   Dans la galerie tout à l'heure houleuse et pareille à une
     ruche en effervescence, l'immobilité s'établit soudain.
                      Georges LECOMTE, Ma traversée, p. 475.

6.1 Or, le lendemain, chacun eut comme un ressouvenir de
     ce qui s'était passé la veille. En effet, à l'un manquait
     son chapeau, perdu dans la bagarre, à l'autre un pan
     de son habit, déchiré dans la mêlée ; à celle-ci, son fin
     soulier de prunelle, à celle-là sa mante des grands jours.
     La mémoire revint à ces honnêtes bourgeois, et, avec la
     mémoire, une certaine honte de leur inqualifiable effer-
     vescence. Cela leur apparaissait comme une orgie dont ils
     auraient été les héros inconscients !
                              J. VERNE, le Docteur Ox, p. 59-60.

7   (...) trois souverains pareillement inquiets de l'efferves-
     cence révolutionnaire qui couvait en Europe.
                      MARTIN DU GARD, les Thibault, t. VII, p. 11.

     Rare. *(Une, des effervescences).*

8   Il est passionné de vos œuvres. Et la vie de Tolstoï a mis
     le comble à ses effervescences.
                      J.-R. BLOCH, Deux hommes se rencontrent, p. 69.

     CONTR. Défervescence. — Calme, quiétude, tranquillité.

EFFERVESCENT, ENTE   [efɛʀvesɑ̃, ɑ̃t] adj.

— 1755 ; lat. *effervescens* «bouillonnant», de *effervescere* (→ Effervescence), de *ex-*, et *fervescere*, inchoatif
de *fervere* «bouillir».

♦ **1** Qui est en effervescence* ou susceptible d'en-
trer en effervescence. *Matières effervescentes.
Liquide effervescent. Boisson effervescente,* gazeuse.
— *Comprimés médicamenteux effervescents.*

♦ **2** (1835). Fig. Agité, bouillonnant. *Foule effervescente. — Avoir l'esprit effervescent. Caractère effervescent.* → **Ardent, bouillonnant, fougueux.** *Âme effervescente.*

Ainsi, passons-nous du froid au chaud (...) tantôt bouillants d'ardeur, effervescents, tantôt froids (...)
          BERNANOS, Sous le soleil de Satan, p. 301, *in* T. L. F.

EFFET   [efɛ] n. m. — 1430 ; *effect,* XIIIᵉ ; *aifalt,* 1272 ; lat.

impérial *effectus* «exécution, réalisation», de *effectum,*
supin de *efficere,* de *ex-,* et *facere* «faire». → Efficace.

I ♦ **1** Événement, fait produit par une cause*.
→ **Conséquence, contrecoup, réaction, résultat, retentissement, suite.** *Effet direct, immédiat, nécessaire de
qqch., d'une cause. Effet indirect.* → **Choc** (en retour),
contrecoup, éclaboussure, rejaillissement, retour,
ricochet. *Effet boomerang*. Il n'y a pas d'effet sans
cause.* → **Causalité, déterminisme.** *Rapport de cause
à effet* (→ aussi **Corrélation, correspondance, dépendance, filiation**). *Enchaînement des effets et des
causes* (cit. 7 et 10). — Prov. *À petite cause grands
effets* : des événements insignifiants peuvent être
à l'origine d'événements essentiels. *Remonter de
l'effet à la cause. Déduire l'effet de la cause.* → Analyse, cit. 5. *Ce vice, effet de l'oisiveté.* → **Enfant,
fils, fruit, produit.** *C'est l'effet du destin.* → **Main**
(→ Ciel, cit. 54). *L'effet, un effet du hasard. L'effet
de l'âge* (cit. 50). *Effet de l'art* (cit. 50). *Effet nerveux.* → Pisser, cit. 2.1. — *Accomplir, avoir, produire
son effet* : produire le résultat attendu. → **Efficace, efficient, valable.** *Faire de l'effet, faire son effet.*
→ **Agir, opérer.** *Le remède a fait son effet. Avoir*

pour effet de (et inf.)... → **Causer, déterminer, engen-
drer, entraîner, produire.** *Découlement des effets.*
→ **Découler, ensuivre** (s'), **résulter.** *Sans effet actuel.*
→ **Potentiel, puissance** (en puissance), **virtuel.** *Sans
grand effet.* → **Portée.** *Mesures qui restent sans
effet. Efforts qui ne sont pas suivis d'effets* (→ **Inefficace, inopérant, nul, vain**). *Produire un effet décisif.*
→ Frapper* un grand coup. *Les effets se font sentir.
Ressentir les effets. Mauvais effets d'une doctrine.
Arme à double tranchant qui peut avoir deux effets
opposés. Atténuer les effets d'un mal* (→ Cause,
cit. 23).

(...) j'ai tâché de trouver en général les principes ou pre-   1
mières causes de tout ce qui est ou qui peut être dans
le monde (...) j'ai examiné quels étaient les premiers et
les plus ordinaires effets qu'on pouvait déduire de ces
causes (...)   DESCARTES, Disc. de la méthode, VI.

Cette préférence est peut-être en moi un effet de ces incli-   2
nations aveugles qu'ont beaucoup de pères pour quelques-
uns de leurs enfants plus que pour les autres (...)
               CORNEILLE, Examen de Rodogune.

Quand nous voyons un effet arriver toujours de même,   3
nous en concluons une nécessité naturelle, comme qu'il
sera demain jour, etc.   PASCAL, Pensées, II, 91.

Il y a donc des effets immédiats produits par les causes   4
finales, et des effets en très grand nombre qui sont des
produits éloignés de ces causes.
               VOLTAIRE, Dict. philosophique, Causes finales, III.

Si ce sont là des effets de l'amitié, quels seront donc ceux   5
de la haine ?   ROUSSEAU, les Confessions, IX.

L'homme aujourd'hui sème la cause,   6
Demain Dieu fait mûrir l'effet.
          HUGO, les Chants du crépuscule, V, Napoléon, II,
                              2 (→ Cause, cit. 6).

La sensation cesse avec l'organe qui la produit, l'effet dis-   7
paraît avec la cause.
          RENAN, Dialogues et fragments philosophiques,
                              p. 142.

Il en percevait les effets jusque dans son travail, dont sa   8
liaison, au début, avait un moment troublé le cours (...)
          MARTIN DU GARD, les Thibault, t. III, p. 46.

La véritable grandeur n'est point affaire de dimensions   9
absolues, c'est l'effet de proportions heureuses.
          G. DUHAMEL, Scènes de la vie future, VII, p. 110.

(XXᵉ). *Biol. Effets génétiques* : modifications héréditaires produites par les rayonnements ionisants.
Effets somatiques : effets produits sur un individu
irradié par les rayonnements ionisants, mais qui
ne se transmettent pas à sa descendance.

Spécialt (dr.). *Les effets d'une loi, d'un jugement, d'un
acte juridique,* les conséquences qu'ils comportent.
Effet rétroactif d'une loi.* → **Rétroactivité.** — *Effet
déclaratif,* produit par un acte déclaratif. *Effet
dévolutif,* qui résulte d'une dévolution*. *Effet suspensif* de l'appel.* — *Effets civils* : droits découlant
de la loi civile.

Mécan. (dans des expr.). Puissance transmise par
une force, une machine. *Machine à simple effet,
à double effet. Effet utile.* → **Rendement.**

♦ **2 Spécialt.** Phénomène particulier (acoustique,
électrique, etc.) apparaissant dans certaines conditions. *Effet électro-acoustique.* — (Qualifié par un
nom propre). *Effet Doppler-Fizeau, Compton, Joule,
Edison.* — effet découvert, décrit par... *Effet Möss-
bauer.* — Par plais. *L'Effet Glapion,* pièce d'Audiberti.
— (Avec un nom commun en appos.). *Effet sol* (en
aérodynamique), *effet tunnel* (en électronique),
etc.

♦ **3** **a** Au billard, Rotation que l'on imprime à la
bille en la frappant d'une manière qui modifie son
mouvement normal. *Effet ou effet de queue. Calculer, combiner un effet de recul* (→ Billard, cit. 4).
Effets de bande. Mettre trop d'effet. — Par anal.
*Donner de l'effet à une balle de tennis, de ping-pong.
Balle qui a de l'effet.*

b (1690, Furetière). **Équit.** Action de la main ou de la jambe du cavalier, qui sert à conduire un cheval. *Effets de rênes* : les cinq principaux mouvements de la main sur les rênes.

♦ **4** Acte effectif; réalisation d'une chose. → **Exécution, réalisation.** *J'attends l'effet de ses promesses. Mettre qqch., une intention à effet.* → **Effectuer.** — Vx. *En venir à l'effet.* → **Acte, action, fait.** — *Ses promesses sont restées sans effet.*

10 Et le désir s'accroît quand l'effet se recule (...)
CORNEILLE, Polyeucte, I, 1.

11 Il me faut des effets et non pas des promesses.
CORNEILLE, Suréna, II, 3.

12 (...) il faut faire et non pas dire, et les effets décident mieux que les paroles. MOLIÈRE, Dom Juan, II, 4.

13 Ce n'était là que des paroles mais on en vint aux effets.
BOSSUET, Avert., 5, *in* LITTRÉ.

14 Je crains qu'un prompt effet n'ait suivi la menace.
RACINE, Phèdre, IV, 4.

Loc. *Prendre effet* : devenir effectif, applicable, exécutoire... *La loi du 23 mars 1855 sur la transcription hypothécaire n'a pris effet que le 1ᵉʳ janvier 1856.* → **Application, vigueur** (entrer en vigueur).

♦ **5** Loc. adv. (1536). **a** EN EFFET. Vx. En réalité, en fait, effectivement. → **Effectivement, réellement, vraiment.** *Ce n'est pas une invention, cela est arrivé en effet.*

15 (...) tous ceux qui sont en effet vertueux, et non point par faux semblant ni seulement par opinion (...)
DESCARTES, Disc. de la méthode, VI.

16 (...) enchantés de ce projet en apparence, mais au fond le prenant tous pour un pur château en Espagne, dont on cause en conversation sans vouloir l'exécuter en effet.
ROUSSEAU, les Confessions, II.

Mod. *En effet,* employé pour confirmer ce qui est dit (→ **Assurément, effectivement, véritablement,** pour introduire un argument, une preuve (→ **Car, parce** [que]), ou pour simplement servir de liaison.

17 En effet, les hommes ne peuvent comprendre que des sentiments analogues à ceux qu'ils éprouvent.
TAINE, Philosophie de l'art, t. I, p. 61.

b À CET EFFET, POUR CET EFFET : en vue de cela, dans cette intention, pour cet usage.

.1 Il descendit vers la Seine qu'il traversa, grâce au pont disposé à cet effet. R. QUENEAU, Loin de Rueil, p. 75.

c Loc. prép. À L'EFFET DE. → **Afin** (de), **pour; but** (dans le but de), **intention** (dans l'intention de), **vue** (en vue de). *À effet de vendre, de répartir* : en vue de vendre, de répartir. — REM. Cette locution n'est guère usitée qu'en style juridique (Académie).

♦ **6** Impression produite (sur qqn, par qqch. ou par qqn). → **Impression, sensation.** *Ce médicament a eu sur lui un effet salutaire. — Sous l'effet de... Le malade est encore sous l'effet de la morphine. Agir sous l'effet de la menace, de la violence, de la colère, de la passion...* → **Action, empire, influence.** — *L'effet que produisit ce discours. Produire un effet de surprise. Son arrogance a produit un mauvais effet.*

8 Malgré sa perspicacité habituelle, Nofré n'avait pas remarqué l'effet produit sur ma maîtresse par le dédaigneux inconnu (...)
Th. GAUTIER, le Roman de la momie, III, p. 73.

9 (...) j'avais peur de l'effet que produirait la visite de ce monsieur imposant, des propos qui risquaient de l'échapper.
J. ROMAINS, les Hommes de bonne volonté, t. V, XXII, p. 180.

) (...) sous l'effet des plus terribles menaces, toutes les portes se fermeraient devant l'homme pourchassé.
Louis MADELIN, Hist. du Consulat et de l'Empire, Avènement de l'Empire, V, p. 51.

1 L'homme commence par vous répondre qu'il ne parlera qu'en présence de son avocat. Vous lui donnez le temps

d'en choisir un. Cela lui laisse cinq ou six jours de répit pendant lesquels il a tout le temps de réfléchir. Et surtout, vous devez laisser son avocat prendre communication du dossier au moins vingt-quatre heures avant l'interrogatoire. Vous ne bénéficiez plus de l'effet de surprise.
René FLORIOT, La vérité tient à un fil, p. 74.

Faire tel ou tel effet sur qqn, produire telle ou telle impression sur lui. *Ce médicament me fait un drôle d'effet. Son intervention a fait très mauvais effet sur l'auditoire.*

21 (...) ses paroles n'ont fait aucun effet sur vous.
MOLIÈRE, Dom Juan, IV, 7.

22 Ce discours éloquent ne fit pas grand effet :
L'auditoire était sourd aussi bien que muet.
LA FONTAINE, Fables, X, 10.

Absolt. *Faire un bon, un bel, un mauvais, un vilain effet; faire bon, bel, mauvais, vilain effet* : avoir une belle, une vilaine apparence.

23 (...) il y a quelque chose à son nez et à son front (de la Dauphine) qui est trop long, à proportion du reste : cela fait un mauvais effet d'abord (...)
Mᵐᵉ DE SÉVIGNÉ, 789, 13 mars 1680.

24 (...) votre clocher que vous avez paré d'une balustrade qui doit faire un très bel effet (...)
Mᵐᵉ DE SÉVIGNÉ, 835, 24 juil. 1680.

25 Les manches du Chevalier font un bel effet à table (...)
Mᵐᵉ DE SÉVIGNÉ, 195, 19 août 1671.

Faire effet, faire de l'effet : produire une vive impression (en frappant l'esprit du spectateur, du lecteur, de l'auditeur...). *Cela fera grand effet.* → **Frapper, sensation** (faire). — Fam. *Faire un effet bœuf, un effet monstre* (1841). — *Faire de l'effet à qqn. Ça lui fait de l'effet.*

26 Lorsque la danse sera mêlée avec la musique, cela fera plus d'effet encore (...)
MOLIÈRE, le Bourgeois gentilhomme, II, I.

27 Il faut que je prenne du punch, et que je danse beaucoup, se dit-elle; je veux choisir ce qu'il y a de mieux, et faire effet à tout prix.
STENDHAL, le Rouge et le Noir, II, IX.

28 Steinbock ne voulut pas se laisser éclipser par son camarade, il déploya son esprit, il eut des saillies, il fit de l'effet, il fut content de lui; madame Marneffe lui sourit à plusieurs reprises en lui montrant qu'elle le comprenait bien.
BALZAC, la Cousine Bette, Pl., t. VI, p. 334.

29 (...) le personnage semblerait affecté, arrangé pour faire effet (...) TAINE, Philosophie de l'art, t. II, p. 161.

♦ **7** Impression esthétique recherchée par l'emploi de certaines techniques. — *(L'effet). Recherche de l'effet. Viser à l'effet. — (Un, des effets).* Impression en effet. — (1821). *Effets de lumière,* dans un tableau (→ Clair-obscur, cit. 3). *Effets littéraires. Effet théâtral, musical, oratoire. Effet de contraste. Préparer, ménager ses effets. Tirer des effets comiques d'une situation. Pousser les effets* (→ Diapason, cit. 3). *Manquer, rater son effet.*

30 L'union, les concerts, et les tons de couleurs.
Contrastes, amitiés, ruptures et valeurs,
Qui font les grands effets (...)
MOLIÈRE, la Gloire du Val-de-Grâce, 157.

31 (...) désaccord dont l'artiste habile peut tirer des effets comiques.
Th. GAUTIER, le Capitaine Fracasse, I, VIII, p. 279.

32 Ce n'est pas la faute de l'art si certains amateurs ou artistes d'une intelligence bornée et d'un goût trivial lui demandent des effets qui ne lui appartiennent point, et prétendent découvrir dans la phrase, *la plus simplement musicale,* des intentions que tous les gens de quelque bon sens trouveront toujours niaises ou grotesques.
BERLIOZ, Beethoven, p. 41.

33 (...) il demande à l'art des sensations imprévues et fortes, des effets nouveaux de couleurs, de physionomies et de sites, des accents qui à tout prix le troublent, le piquent ou l'amusent, bref, un style qui tourne à la manière, au parti pris et à l'excès.
TAINE, Philosophie de l'art, t. II, p. 160.

34   (...) les ténors et les basses soignent leurs effets, se mirent dans l'eau plus ou moins ridée de leur voix (...)
          HUYSMANS, En route, p. 17.

35   L'ordre logique de la phrase française permet de beaux effets à nos écrivains, à condition qu'ils sachent en sortir.
          A. THIBAUDET, Gustave Flaubert, p. 242.

36   Toute bonne exécution doit être une *explication* du morceau. Mais le pianiste cherche l'effet, comme l'acteur; et l'effet n'est obtenu d'ordinaire qu'aux dépens du texte.
          GIDE, Journal, 3 juin 1921.

37   (...) M. Charles Floquet ménage son effet, comme l'on dit au théâtre (...)
          Georges LECOMTE, Ma traversée, p. 180.

37.1 Prêts à fournir un sujet touffu et animé, quinze ou vingt spectateurs, sur la prière de Louise, allèrent se grouper à courte distance, dans le champ embrassé par la plaque. Cherchant un effet de vie et de mouvement, ils se posèrent comme les passants d'une rue fréquentée (...)
          Raymond ROUSSEL, Impressions d'Afrique, p. 207.

Loc. *À effet* : destiné à produire de l'effet, prétentieux. *Morceau à effet. Mot à effet* (→ Captivant, cit. 8).

(1912, *in* D. D. L.). Cin., télév. *Effets spéciaux* : procédés destinés à produire une illusion (*effets de prise de vue* : trucages*, etc.; *effets de laboratoire*, au cours du traitement du film).

♦ 8 Plur. Attitude affectée par ostentation, désir de mettre en valeur quelque avantage. *Faire des effets de mains en parlant. Faire des effets de jambes, de torse.* → Étalage (faire étalage), **étaler, montre.** *Effets de voix, d'autorité* (→ Autorité, cit. 36). → **Coup, éclat.** — Loc. *Réussir, manquer, rater son effet, son petit effet.*

♦ 9 FAIRE L'EFFET DE... : avoir l'apparence, l'air de, ressembler à, donner l'impression de. *Faire à qqn l'effet de... Cela me fait l'effet d'un reproche. Cette robe me fait l'effet d'être trop longue. Il nous a fait l'effet d'un revenant* (→ Apparition, cit. 13).

38   Quand tu vas balayant l'air de ta jupe large,
      Tu fais l'effet d'un beau vaisseau qui prend le large.
          BAUDELAIRE, Spleen et Idéal, LII.

39   Je t'aime. Tu me fais l'effet d'une harmonie
      Éclose où ne sait quelle harpe infinie.
          HUGO, la Légende des siècles, XXXIX, «En Grèce».

[II] (Ce que quelqu'un possède sous une forme effective). ♦ 1 (XIVᵉ). Fin. EFFET DE COMMERCE, EFFET : titre à ordre ou au porteur, négociable et transmissible par le créancier, et donnant droit au paiement d'une somme d'argent à une échéance* généralement prochaine. → **Papier, titre, valeur.** *Principaux effets de commerce.* → **Billet, chèque, lettre** (de change) ou **traite, warrant; mandat.** *Effet bancable*, négociable* (→ Agent, cit. 13; banque, cit. 2). *Effet de complaisance*. Souscrire, avaliser, endosser, escompter (→ **Escompte**), payer, encaisser, négocier, protester (→ **Protêt**) un effet. Recouvrement d'un effet. Circulation des effets. Bordereau des effets présentés à l'escompte. Les effets de commerce, instruments de crédit. Effets en portefeuille.* → **Portefeuille.** *Effet de cavalerie.* → **Cavalerie,** 5.

40   (...) les *effets de commerce* (...) sont des instruments employés pour régler des opérations commerciales et procurer du crédit à ceux que ces opérations ont rendu créanciers.
          Léon LACOUR, Précis de droit commercial, nᵒ 391.

41   (...) *escompter un effet de commerce, c'est faire immédiatement au porteur de l'effet non échu l'avance du montant de l'effet, sauf déduction d'une certaine somme. Le porteur de la lettre de change ou du billet à ordre l'endosse au profit d'un banquier et le lui remet : en échange, celui-ci paie au porteur ou inscrit au crédit de son compte une somme égale à celle qui figure sur l'effet de commerce* (...)
          Paul REBOUD, Précis d'économie politique, nᵒ 573.

Effets publics : rentes, obligations, bons du Trésor... émis et garantis par l'État, les départements, les établissements publics, et côtés en bourse (→ Agent, cit. 13).

♦ 2 Dr. civ. Rare. EFFETS. Syn. de *biens. Les effets de la communauté* (→ Divertir, cit. 3). *Les effets d'une succession.*

Chaque cohéritier est censé avoir succédé seul et immédiatement à tous les effets compris dans son lot, ou à lui échus sur licitation, et n'avoir jamais eu la propriété des autres effets de la succession.   Code civil, art. 883.

Effets mobiliers, et, absolt, *effets* : les biens meubles (→ Demeure, cit. 15).

♦ 3 (XVIIᵉ). Cour. Le linge et les vêtements. → **Affaire** (affaires), **défroque, fringue, frusque, habit, harde, nippe, trousseau, vêtement.** *Mettre ses effets dans une valise. Ballot d'effets.* → **Bagage.** *Les effets d'un militaire.* → **Paquetage.** *Effets civils, militaires.*

Maintenant il ramassait ses effets par terre, les époussetait et se rhabillait sans rien dire (...)
          LOTI, Mon frère Yves, XLVIII, p. 125.

Alors que je laissais traîner, où qu'ils se trouvent, mes effets, Stilitano, la nuit, déposait les siens sur une chaise, arrangeant bien le pantalon, la veste, la chemise, afin que rien ne soit froissé.
          Jean GENET, Journal du voleur, p. 67.

CONTR. (De I.) Cause.

EFFEUILLAGE [efœjaʒ] n. m. — 1763; de *effeuiller*.

♦ 1 (1763). Arbor. Action d'enlever une partie des feuilles (d'un arbre) pour exposer les fruits à l'action solaire et favoriser leur maturation.

♦ 2 (1970). Strip-tease*.

Les danseuses exécutent leur effeuillage sur une estrade, au milieu de la cave, visibles de cette façon sous toutes les coutures.   Pierre ACCOCE, le Polonais, p. 95.

EFFEUILLAISON [efœjɛzɔ̃] n. f. — 1763; de *effeuiller*, et suff. *-aison.*

♦ 1 Vx. Action d'effeuiller. → **Effeuillage.** *L'effeuillaison de la vigne.*

♦ 2 Chute naturelle des feuilles ou des pétales (→ **Défoliation**). *L'effeuillaison des arbres en automne* (Larousse). «*Des pétales en cuivre rougeâtre sembleraient être la vivante effeuillaison de la fleur*» (Proust, *le Temps retrouvé*, 1922, p. 710, *in* T. L. F.).

Par métaphore (poét.). Chute.

Je pleure quand le soleil se couche parce qu'il te dérobe à ma vue et parce que je ne sais pas m'accorder avec ses rivaux nocturnes. Bien qu'il soit au bas et maintenant sans fièvre, impossible d'aller contre son déclin, de suspendre son effeuillaison, d'arracher quelque envie encore à sa lueur moribonde.
          René CHAR, les Matinaux, p. 120.

EFFEUILLEMENT [efœjmɑ̃] n. m. — 1546; de *effeuiller.*

♦ 1 Vx. Action d'effeuiller. → **Effeuillage.**

♦ 2 Chute des feuilles, des pétales. → **Effeuillaison.**

EFFEUILLER [efœje] v. tr. — V. 1300, *esfeuiller*; de *é-, feuille*, et suff. verbal.

♦ 1 Dépouiller de ses feuilles. → **Défeuiller, effaner.** *Effeuiller une branche* (→ Courant, cit. 2), *une tige, un arbre* (→ Arracher, cit. 8). — Au p. p. *Un rameau effeuillé par l'hiver* (→ Cristallisation, cit. 4). — Arbor. Pratiquer l'effeuillage de. — Enlever les feuilles de (un légume). *Effeuiller des artichauts.*

1 Il pleuvait à verse, ce matin-là, et des rafales effeuillaient le jardin des Grosgeorge avec une sorte de joie furieuse, secouant les buissons, fauchant les fleurs (...)
J. GREEN, Léviathan, I, V, p. 37.

♦ **2** (1784). **Par ext.** Dépouiller (une fleur) de ses pétales. *Effeuiller une fleur* (→ Abandonner, cit. 18).

2 (...) le geste romantique de Gise, effeuillant les roses à cette place où ils s'étaient donné ce timide gage d'amour (...)
MARTIN DU GARD, les Thibault, t. IV, p. 80.

Spécialt. *Effeuiller la marguerite*, en détacher l'un à un les pétales jusqu'au dernier, par jeu ou superstition, en disant successivement, pour savoir si l'on est aimé : il (ou elle) m'aime, un peu, beaucoup, passionnément, à la folie, pas du tout.

♦ **3** (1416). **Régional (Suisse).** Épamprer (la vigne).
→ **Effeuilles. — Absolument :**

3 Il fait partie de la caravane des mille bons enfants nés au pays du vin (...) des grosses savoyardes venues effeuiller et danser aussi sur la terre battue de nos rives.
E. GARDAZ, le Vin vaudois, p. 39.

♦ **4 Fig.** Détruire progressivement. → **Anéantir, enlever, ôter.** *Le temps effeuille nos illusions.*

◆ **S'EFFEUILLER** v. pron. (passif).
Perdre ses feuilles, ses pétales (→ Automne, cit. 6).
Une rose fanée qui s'effeuille.

DÉR. Effeuillage, effeuillaison, effeuillement, effeuilles, effeuilleur, effeuillure.

EFFEUILLES [efœj] n. f. pl. — 1758; de *effeuiller* (régional).
Régional (Suisse). Épamprage de la vigne; saison où cette opération se fait.
À Lavaux les Savoyardes, pour les effeuilles, traversent cette autre plaine du Rhône, cette plaine d'eau qu'est le lac.
C.-F. RAMUZ, Vendanges, Œ. compl., t. XVII, p. 186.

EFFEUILLEUR, EUSE [efœjœR, øz] n. — Fin XIVᵉ, *effeuilleur, sens général; de *effeuiller.*

I ♦ **1** (1783). **Agric.** Personne qui effeuille les plantes, la vigne.

♦ **2 N. f.** Appareil utilisé pour effeuiller les épis de maïs, les tiges de houblon. *Une effeuilleuse de maïs.*

II N. f. (1949). **Fam.** Femme qui pratique le strip-tease.
→ **Strip-teaseuse.**

On devine que ce n'est pas la première fois, que cela fait partie de leur rituel érotique (...) Ici, Martial interrompit la projection. Delphine en effeuilleuse, c'était grotesque, impensable... La mère de ses enfants ! C'était même blasphématoire.
Jean-Louis CURTIS, le Roseau pensant, p. 177.

EFFEUILLURE [efœjyR] n. f. — 1636; de *effeuiller.*
Rare. Feuilles détachées d'un arbre.

1. EFFICACE [efikas] adj. — XIVᵉ; lat. *efficax, -acis,* de *efficere.* → Effet.

♦ **1** Qui produit l'effet* qu'on en attend. → **Actif, agissant, bon, énergique, infaillible, puissant, sûr.** *Moyen efficace.* → **Certain** (cit. 5). *Remède efficace.* → **Souverain.** *Ce remède n'est pas très efficace, ce n'est qu'un palliatif. Discours efficace,* qui atteint son but. *Aide, appui, volonté efficace. Tir efficace.*

1 — (...) on s'avisa de lui donner de l'émétique (...) il mourut. — L'effet est admirable. — (...) cela le fit mourir tout d'un coup. Voulez-vous rien de plus efficace ?
MOLIÈRE, Dom Juan, III, 1.

2 C'est un vieux préjugé, dit M. Bergeret, que de croire à la nécessité des peines et d'estimer que les plus fortes sont les plus efficaces.
FRANCE, le Mannequin d'osier, in Œ., t. XI, p. 362.

Si je n'affirme pas davantage, c'est que je crois l'insinuation plus efficace. 3
GIDE, Pages de journal, p. 110.

Telle eau est efficace pour les dermatoses, pour la peau... et 4 telle autre, d'une formule toute voisine, ne s'adresse qu'aux muqueuses (...)
J. ROMAINS, les Hommes de bonne volonté, t. V, XIV, p. 105.

♦ **2** (1834). **Personnes.** Dont la volonté, l'activité sont efficaces. → **Efficient,** 2. **(anglic.), valable; agressif** (3.). *Défenseur, protecteur efficace. Un ministre efficace. Un homme efficace est celui qui remplit avec succès sa tâche, qui obtient* effectivement *les résultats auxquels tend sa volonté* (→ **Efficacité; capable, compétent, réalisateur).**

Trois choses contribuent ordinairement à rendre un ora- 5 teur agréable et efficace : la personne de celui qui parle, la beauté des choses qu'il traite, la manière ingénieuse dont il les explique (...)
BOSSUET, Panégyrique de saint Paul.

Ceux-là seuls sont d'efficaces défenseurs de la religion qui 6 en même temps professent la foi chrétienne et acceptent la liberté.
GUIZOT, in P. LAROUSSE.

(...) une classe dirigeante et efficace (...) 7
MALRAUX, les Voix du silence, IV, p. 482 (→ Dirigeant, cit.).

♦ **3 Spécialt.** **a** (1656). **Théol.** *Grâce efficace,* qui fournit la réalisation même du bien (alors que la *grâce suffisante* ne fournit que la possibilité de faire le bien). → Déterminer, cit. 10.

(...) les Jésuites prétendent qu'il y a une grâce donnée géné- 8 ralement à tous les hommes, soumise de telle sorte au Libre Arbitre, qu'il la rend efficace ou inefficace à son choix, sans aucun nouveau secours de Dieu, et sans qu'il manque rien de sa part pour agir effectivement ; ce qui fait qu'ils l'appellent *suffisante,* parce qu'elle seule suffit pour agir, et que les Jansénistes, au contraire, veulent qu'il n'y ait aucune grâce actuellement suffisante, qui ne soit aussi efficace, c'est-à-dire que toutes celles qui ne déterminent point la volonté à agir effectivement sont insuffisantes pour agir, parce qu'ils disent qu'on n'agit jamais sans *grâce efficace.*
PASCAL, les Provinciales, II.

Cette grâce, qui tourne les cœurs comme il lui plaît, qu'on 9 appelle par cette raison «la grâce efficace», parce qu'elle agit efficacement en nous et qu'elle nous fait effectivement croire en Jésus-Christ (...)
BOSSUET, Défense de la tradition des Saints Pères, II, X, VI.

b **Math.** *Grandeur efficace :* quantité dont le carré est égal à la valeur moyenne du carré de la variable, pendant une période.

c **Électr.** Se dit de la valeur moyenne de la tension, de l'intensité d'un courant alternatif comparable à celle d'un courant continu.

CONTR. Inefficace. — Anodin, impuissant, inopérant, inutile, palliatif, stérile, vain. ◇ **DÉR. Efficacement.**

2. EFFICACE [efikas] n. f. — V. 1160; lat. impérial *efficacia,* de *efficax, -acis.* → 1. Efficace.
Littér. ou didact. Efficacité. *Avec une remarquable efficace, une grande efficace. L'efficace d'une mesure.*

(...) sa grâce *(de Dieu)* 1
Ne descend pas toujours avec même efficace (...)
CORNEILLE, Polyeucte, I, 1.

Je crois devoir admirer davantage l'efficace et la vertu du 2 sacrifice religieux.
BOURDALOUE, Œuvres, t. II, p. 424, in LITTRÉ.

(...) elle s'ingéniait, grâce à quelques oraisons jaculatoires 3 dont elle connaissait l'efficace, à retrouver l'équilibre de son esprit.
F. MAURIAC, la Pharisienne, XII, p. 175.

Mais, que la médecine ne l'oublie pas, elle doit rester indé- 4 pendante à peine de s'avilir et de perdre l'efficace en même temps que l'autorité.
G. DUHAMEL, Paroles de médecin, p. 40.

Elle ne s'adresse pas aux hommes, elle s'adresse à Dieu, 5 elle emploie un langage en quelque sorte convenu, contractuel, des mots pénétrés d'une vertu et d'une efficace propres.
CLAUDEL, Journal, t. II, Pl., p. 8.

6 L'humanité eût pu demeurer dans la stagnation et prolonger sa durée si elle ne se fût composée que de brutes et de sceptiques ; mais, éprise d'efficace, elle a promu cette foule haletante et positive, vouée à la ruine par excès de labeur et de curiosité.
E. M. CIORAN, Précis de décomposition, p. 172-173.

EFFICACEMENT [efikasmɑ̃] adv. — 1309 ; de 1. *efficace*.

D'une manière efficace. *Travailler efficacement à la paix. Se soigner efficacement. Il n'est pas intervenu très efficacement.*

Ne frapper qu'efficacement, à coup sûr.
MAURRAS, Kiel et Tanger, p. 105, *in* T. L. F.

CONTR. **Inefficacement, inutilement.**

EFFICACITÉ [efikasite] n. f. — 1495 ; rare jusqu'en 1675 ; lat. class. *efficacitas* «force, vertu», de *efficax, -acis.* → 1. Efficace.

♦ **1** Caractère de ce qui est efficace. → **Action, énergie, force, pouvoir, propriété, puissance.** *L'efficacité d'un remède, d'un moyen, d'une loi, d'une méthode.*

1 Laissez-moi vous indiquer un moyen qui ne serait certainement pas une panacée, mais dont l'efficacité m'inspire toute confiance.
PASTEUR, *in* Henri MONDOR, Pasteur, VII, p. 122.

2 Je ne serais pourtant pas étonné si cette source se révélait à l'usage comme d'une efficacité non négligeable pour combattre l'*encrassement organique* et les manifestations très variées qui s'y rattachent.
J. ROMAINS, les Hommes de bonne volonté, t. V, XXII, p. 176.

3 Je n'ai jamais, moi, rationaliste, mis en doute l'efficacité de la prière. Un jour, les savants, mes confrères, découvriront qu'une certaine tension de notre esprit peut se manifester à distance et modifier la marche des événements, la vie du monde humain, peut-être la structure du monde matériel. Il ne faut rien rejeter : nous avons vu les hommes renier presque tous leurs reniements...
G. DUHAMEL, le Voyage de Patrice Périot, X, p. 188.

♦ **2** Capacité de produire le maximum de résultats avec le minimum d'effort, de dépense. → **Productivité, rendement.** *L'efficacité d'une machine, d'une organisation commerciale, industrielle. Recherche de l'efficacité* (→ Discipliner, cit. 3).

4 (*l'Occidental*) mesure exactement la valeur et l'efficacité des instruments dont il dispose et il sait notamment que son outillage, s'il n'est pas entretenu, périclitera : il faut donc le soigner, ce qui demande de l'attention et de l'esprit de prévision.
André SIEGFRIED, l'Âme des peuples, Conclusion, III, p. 213.

♦ **3** Relig., théol. Caractère de ce qui est efficace (3., a). *L'efficacité de la grâce, de la prière.*

5 (...) On entend toujours que de soi il est beau d'être fécond et d'engendrer de soi-même et de sa propre substance un autre soi-même. Qu'on laisse cette féconde efficacité dans sa pureté primitive et originaire, elle pourra cesser quand Dieu voudra (...)
BOSSUET, Élévation sur tous les mystères..., II, 1.

♦ **4** (1861). Cour. Caractère d'une personne efficace, d'un comportement, d'une action efficace. *Il est compétent, mais il manque un peu d'efficacité. Avoir le culte de l'efficacité et du pragmatisme.*

6 Notons essentiellement (*parmi les traits caractéristiques de l'Américain*) l'initiative, et avec elle l'efficacité, vertus résultant de la conscience, du respect de l'effort, de l'absence de routine.
André SIEGFRIED, l'Âme des peuples, p. 180.

7 En attendant, avec des dons merveilleux, avec une dépense étonnante de talent, et du reste aussi de dévouement, ce qui nous frappe surtout en France, c'est l'inefficacité de la vie publique faisant contraste avec l'efficacité de l'individu.
André SIEGFRIED, l'Âme des peuples, III, IV, p. 72.

CONTR. **Inefficacité ; impuissance, inanité, stérilité, vanité.**

EFFICIENCE [efisjɑ̃s] n. f. — 1893 ; angl. *efficiency* ; du lat. *efficientia* «faculté de produire un effet», qui avait donné l'anc. franç. *effisance.*

♦ **1** Philos. Capacité de produire un effet. — Psychol. Rendement de l'intelligence. *L'efficience au cours d'un test se précise par rapport à des critères convenablement choisis* (temps, nombre de résultats, bons ou mauvais, fréquence, etc.).

1 Si *efficient* est ancien dans la langue, *efficience* est venu de l'anglais ; il fait riche avec son suffixe abstrait pour exprimer l'effet utile, l'efficacité d'une mesure.
René GEORGIN, Pour un meilleur français, p. 92.

♦ **2** (1923, *in* Höfler). Anglic. Efficacité, capacité de rendement. *«Le profit mobilise le meilleur et le pire au profit de l'efficience économique»* (Perroux).

2 On dit que le judo contient une part secrète de symbolique ; même dans l'efficience, il s'agit de gestes retenus, précis mais courts, dessinés juste mais d'un trait sans volume.
R. BARTHES, Mythologies, p. 14.

REM. Cet emploi est considéré comme abusif : on dira *efficacité.*

EFFICIENT, ENTE [efisjɑ̃, ɑ̃t] adj. — 1290 ; lat. *efficiens*, de *efficere* «accomplir, réaliser» ; angl. *efficient*, au sens 2.

♦ **1** Philos. Qui produit un effet. *Cause efficiente* (opposé à *cause finale*). → Cause, cit. 16.

1 Les expressions *cause efficiente* et *cause finale* sont seules demeurées en usage de nos jours, la première pour désigner le phénomène qui en produit un autre (...) ou quelquefois l'être qui produit une action ; la seconde pour désigner le but en vue duquel s'accomplit un *acte.*
A. LALANDE, Voc. de la philosophie, art. *Cause.*

2 (...) le créateur éprouvé, mûri, a le plus souvent conscience d'être, avec douleur, l'agent efficient de l'œuvre (...)
G. DUHAMEL, Défense des lettres, II, IV, p. 147.

♦ **2** (1948 ; angl. *efficient*). Anglic. Efficace, dynamique, capable de rendement. *Un travailleur efficient.*

3 Que signifie une telle attitude en politique ? Et d'abord est-elle efficace ? Il faut répondre sans hésiter qu'elle est seule à l'être aujourd'hui. Il y a deux sortes d'efficacité, celle du typhon et celle de la sève. L'absolutisme historique n'est pas efficace, il est créateur ; il a pris et conserve le pouvoir. Une fois muni du pouvoir, il détruit la seule réalité créatrice.
CAMUS, l'Homme révolté, p. 696.

REM. Cet emploi, comme celui d'*efficience*, est considéré comme abusif. On dira : *efficace.*

CONTR. **Inefficient.** ◊ DÉR. **Efficience.** ◄ COMP. **Cœfficient.**

EFFIGIE [efiʒi] n. f. — V. 1468, «forme, apparence décrite» ; aussi, «aspect, stature (d'une personne)» ; lat. class. *effigies* «représentation, portrait», de *effingere* ; de *ex-,* et *fingere* «façonner».

♦ **1** (1510). Littér. Représentation, en peinture, sculpture... (d'une personne). → **Figure, image, portrait, représentation.** *On exposait l'effigie des rois défunts. Effigie de cire, effigie funéraire.*

1 À la tête du tombeau, une effigie d'Osiris, la barbe nattée, semblait veiller sur le sommeil du mort.
Th. GAUTIER, le Roman de la momie, p. 32.

2 Que si j'étais placé devant cette effigie
Inconnu de moi-même, ignorant de mes traits,
À tant de plis affreux d'angoisse et d'énergie
Je lirais mes tourments et me reconnaîtrais.
VALÉRY, Mélange, p. 36.

2 L'hiératisme des costumes donne à chaque acteur comme un double corps, de doubles membres, — et dans son costume l'artiste engoncé semble n'être plus à lui-même que sa propre effigie.
A. ARTAUD, le Théâtre et son double, Sur le théâtre balinais, Idées/Gallimard, p. 87-88.

En effigie : représenté en effigie.

♦ **2** Fig. Image, représentation sous forme humaine de (une abstraction, une entité). *C'était la vivante effigie du malheur.* → **Symbole.**

3   Or, le Verbe, en entrant dans le sein d'une femme, a daigné se faire semblable à nous. D'un côté, il touche à son Père par sa spiritualité, de l'autre, il s'unit à la chair par son effigie humaine.
     CHATEAUBRIAND, le Génie du christianisme, I, I, VII.

4   Les domestiques sont roides et perpendiculaires, inertes et se ressemblant tous ; c'est toujours l'effigie monotone et sans relief de la servilité, ponctuelle, disciplinée (...)
     BAUDELAIRE, Curiosités esthétiques, XVI, XIII.

Littér. Image sensible (d'une abstraction). «*L'effigie de la grandeur romaine* (en Italie)» (Vidal de la Blache, *in* T. L. F.).

♦ **3** (1669). Spécialt. Représentation du visage (d'une personne, sur une monnaie, une médaille...). → **Empreinte, marque, sceau.** *Monnaie, médaille à l'effigie d'un souverain. L'effigie représente généralement le visage de profil.*

5   (...) une épingle sur laquelle était montée une pièce d'or à l'effigie du pape Clément XIII.
     J. ROMAINS, les Hommes de bonne volonté, t. III, XI, p. 147.

♦ **4** (1611). Dr. anc. Représentation grossière (tableau, mannequin) d'un condamné, à laquelle on fait subir fictivement la peine prononcée par contumace. Loc. *Exécution en effigie, par effigie. Brûler, pendre, exécuter un criminel en effigie.* → **Effigier** (vx).

6   L'exécution par effigie a deux objets : l'un d'imprimer une plus grande ignominie sur l'accusé ; l'autre est afin que cet appareil inspire au peuple plus d'horreur du crime.
     Encyclopédie (DIDEROT), art. *Effigie.*

7   (...) il ressemble aux honnêtes gens qui pendent les autres en effigie : ils ne s'embarrassent pas que le portrait soit ressemblant.
     VOLTAIRE, Lettre à Le Clerc, 2624, 10 févr. 1765.

7.1   Mais, à l'heure où la belle jeunesse française dépense son énergie à casser les carreaux des Juifs et à brûler Zola en effigie sur un bûcher d'exemplaires de l'*Aurore* (...)
     CLEMENCEAU, Iniquité, 1899, p. 152, *in* T. L. F.

Représentation humaine jouant un rôle propitiatoire.

8   (...) plus singulièrement accoutré que l'effigie de Mardi-Gras, quand on la mène brûler au mercredi des Cendres (...)
     Th. GAUTIER, le Capitaine Fracasse, t. II, XI, p. 67.

DÉR. Effigier.

EFFIGIER [efiʒje] v. tr. — 1549, «représenter en effigie» ; de *effigie.*

(1676). Vx. Exécuter en effigie (un condamné).

EFFILAGE [efilaʒ] n. m. — Av. 1780 ; de *effiler.*

Techn. Action d'effiler (un tissu). — (1845). État de ce qui est effilé.

Spécialt. En coiffure, Action d'effiler (les cheveux).

EFFILÉ [efile] n. m. — 1718 ; de *effiler.*

♦ **1** Frange* formée en effilant les fils de la chaîne d'un tissu, et qui sert à border une étoffe. *Effilé de soie.* → **Grenadine.** *Les effilés d'un châle, d'une serviette. Le linge bordé d'effilé se portait autrefois pendant le deuil.* — *L'effilé :* ce linge. *Être en effilé. Porter l'effilé.*

1   La jupe, garnie de trois rangs d'effilés, faisait des plis charmants, et annonçait par sa coupe et sa façon la science d'une couturière de Paris.
     BALZAC, le Député d'Arcis, Pl., t. VII, p. 687.

♦ **2** Cuis. Émincé.

2   (...) des effilés de pommes de terre qui étaient mêlés à des truffes.
     FLAUBERT, l'Éducation sentimentale, II, IV (1869).

EFFILEMENT [efilmã] n. m. — 1796 ; de *effiler.*

Qualité, état de ce qui est effilé.

   (...) mais des roches escarpées, de sécrétions pointues dont les herbages cachaient de terribles appétits, de fosses, avec une végétation molle et détendue, parfois semblable à des torches enflammées dont les boursouflures, les effilements, les franges, les effluves se réveillaient à la moindre pression.
     Jean CAYROL, Histoire de la mer, p. 38 (1973).

EFFILER [efile] v. tr. — 1526, au p. p. «aiguisé» ; attestation isolée, fin XIᵉ, *s'esfiler* «se défaire fil à fil» ; de é-, *fil*, et suff. verbal.

I (1611). Défaire (un tissu) fil à fil. → **Défiler, détisser, éfaufiler, effilocher, effranger, érailler, parfiler.** *Effiler une étoffe. Effiler de la toile pour en faire de la charpie,* et, par ext., *effiler de la charpie.*

Figuré :

1   (...) la lune effilait entre les branches une pluie de rayons fins qui glissaient jusqu'à terre en mouillant les feuilles et se répandait sur le chemin par petites flaques de clarté jaune.
     MAUPASSANT, Fort comme la mort, p. 202.

2   (...) le vent d'est effilait les fumées des toits et des herbes brûlées.
     F. MAURIAC, Souffrances et bonheur du chrétien, p. 154.

Par anal. *Effiler des haricots verts,* en enlever les fils.

II Amincir* ; rendre allongé et fin ou pointu. *Effiler la pointe d'un crayon.*

3   (...) avec quelle élégante fierté Moréas, tout en parlant, en effilait les pointes *(de ses moustaches)* !
     Georges LECOMTE, Ma traversée, p. 204.

4   (...) toute la laideur morale de l'individu paraissait, résumée dans son nez que la nature avait effilé en bec d'oiseau (...)   J. GREEN, Léviathan, I, X, p. 87.

Effiler (les cheveux), les couper de manière que les mèches s'amincissent à leur extrémité et à diminuer l'épaisseur des cheveux.

III Chasse. *Effiler les chiens,* les épuiser de fatigue.

♦ **S'EFFILER** v. pron. (passif).

♦ **1** (1606, *in* D.D.L.). Se défaire, en parlant d'une étoffe, d'un tissu. *Le bord de cette étoffe s'effile.* — Spécialt. *Fil de laine qui s'effile,* qui laisse échapper des brins lorsque sa torsion est insuffisante. — Fig. *Fumée qui s'effile au vent* (→ Brouillard, cit. 7).

♦ **2** (1781). S'amincir, se rétrécir en s'allongeant. → **Amincir** (s'); **allonger** (s'). *Visage qui s'effile en lame de couteau. Salle qui s'effile en ogive* (→ Côte, cit. 6).

5   Le visage s'effile en avant comme une lame.
     MARTIN DU GARD, Jean Barois, II, II, p. 217.

♦ **EFFILÉ, ÉE** p. p. adj.

♦ **1** Dont le fil est défait. *Linge effilé. Toile effilée.*

♦ **2** (1654). Qui va en s'amincissant. → **Aigu, allongé, délié, étroit, long, mince.** *Crayon effilé. Taille effilée.* → **Élancé, svelte.** *Visage effilé. Doigts effilés.*

6   L'encolure d'un cygne, effilée et bien droite (...)
     MOLIÈRE, les Fâcheux, II, 6.

7   Sa longue figure effilée, son petit visage de pomme cuite, son air mou, sa démarche nonchalante, excitaient les enfants à se moquer de lui.
     ROUSSEAU, les Confessions, I.

8   (...) comme le bout de ses doigts est admirablement effilé !
     Th. GAUTIER, Mⁱˡᵉ de Maupin, III, p. 43.

9   Du visage et du corps, également effilés, on ne savait lequel était le plus spirituel.
     Maurice CLAVEL, le Tiers des étoiles, p. 23.

(1680). Techn. *Cheval effilé*, à l'encolure fine et déliée. *Amandes effilées*, coupées en lamelles très fines. *Volaille effilée, poulet effilé*, dont seuls les intestins ont été enlevés, mais qui garde le gésier.

♦ 3 Chasse. *Chien effilé*, épuisé par la course ou qui a couru trop jeune.

♦ 4 N. m. → Effilé.

CONTR. Filer. — Élargir, épaissir, grossir. — (Du p. p.) Épais, gros, large. ◊ **DÉR.** Effilage, effilé, effilement, effileur, effilure.

EFFILEUR, EUSE [efilœʀ, øz] n. — 1870; de *effiler*. Techn. Ouvrier, ouvrière dont le métier est d'effiler la toile.

EFFILOCHAGE [efilɔʃaʒ] n. m. — 1761; de *effilocher*. Action d'effilocher (des étoffes, des chiffons) pour en faire de la charpie, du papier, etc.; résultat de cette action. → **Défilage**. — Figuré :

Rien de plus démoralisant que l'effilochage des heures, un jour de vacances, chez les Allégret.
                                        GIDE, Journal, 30 déc. 1922.

REM. On rencontre aussi la forme *effiloquage*.

EFFILOCHE [efilɔʃ] n. f. — 1838; déverbal de *effilocher*. Technique.

♦ 1 Soie trop légère que l'on met au rebut. — Fil sur la lisière d'une étoffe.

♦ 2 Au pluriel. Soies non torses, appelées aussi *soies folles*.

Fig. et littér. *«Des effiloches de brume»* (J. Renard). **REM.** On rencontre aussi la forme *effiloque*. → **Effilocher**.

EFFILOCHEMENT [efilɔʃmã] n. m. — 1901; de *effilocher*. Action d'effilocher; état de ce qui est effiloché.

1 Tout doucement, il quittait cet univers impalpable et trompeur, plongeait dans un effilochement de fumée aux lents tourbillons et soudain surgit la surface ondulée du désert, son ocre.   Jean CAYROL, Histoire d'un désert, p. 185.

REM. On rencontre aussi la forme *effiloquement*. → **Effilocher**.

2 Il voyait les tanks ténébreux et muets dans l'effiloquement des minces flocons de brumes et l'angoisse se coulait dans sa poitrine au sentiment de toute cette fièvre matinale qui dressait alentour les hommes dégingandés.
                                        P. GRAINVILLE, les Flamboyants, p. 159.

EFFILOCHER [efilɔʃe] ou **(régional) EFFILO-QUER** [efilɔke] v. tr. — 1761; de é-, de l'anc. franç. *filoche* (dér. de *fil*), et *-er*; le verbe est admis par l'Académie en 1798, sous la forme *effiloquer*. Effiler (des tissus) pour réduire en bourre, en ouate, en charpie. — Techn. *Effilocher les chiffons*, pour en faire de la pâte à papier. → **Défiler**.

♦ S'EFFILOCHER ou

♦ S'EFFILOQUER v. pron.
(1851). S'effiler, en parlant d'un tissu usagé. → **Effranger** (s'). *Une étoffe usée qui s'effiloche. Bougier* le bord d'un tissu pour éviter qu'il ne s'effiloche.*

0.1 Le petit Quenu allait avec des culottes percées, des blouses dont les manches s'effilochaient (...)
                                        ZOLA, le Ventre de Paris, t. I, p. 62 (1875).

Fig. S'allonger comme un fil. *Fumée qui s'effiloche au vent.*

1 La D.C.A. s'était tue; les nuages s'effilochaient; on n'entendait plus qu'un ronronnement glorieux et régulier.
                                        SARTRE, la Mort dans l'âme, I, p. 38.

♦ **EFFILOCHÉ, ÉE** p. p. adj. et n.

♦ 1 Adj. *Vêtement effiloché*, qui s'effiloche, par l'effet de l'usure.

REM. On rencontre aussi la forme *effiloqué, ée* (1858, *in* D.D.L.).

La lueur du soleil couchant qui frappait en plein son   2
visage pâlissait le lasting de sa soutane, luisante sous les coudes, effiloquée par le bas.
                                        FLAUBERT, Mᵐᵉ Bovary, II, VI, p. 75.

Il était lamentable, avec son pantalon noir, sa redingote   3
noire, tout effiloqués, montrant les sécheresses des os.
                                        ZOLA, le Ventre de Paris, t. I, p. 7.

♦ 2 N. m. (1657). Laine obtenue par l'effilochage des chiffons pour être refilée.

N. f. (1845). Techn. Matière obtenue par effilochage pour être transformée en pâte à papier.

DÉR. Effilochage, effiloche, effilochement, effilocheur, effilochure.

EFFILOCHEUR, EUSE [efilɔʃœʀ, øz] n. — 1761; de *effilocher*. Technique.

♦ 1 Personne dont le métier est d'opérer l'effilochage (des chiffons). — Par appos. *Cylindre effilocheur.*

♦ 2 N. f. (Av. 1870). **EFFILOCHEUSE** : machine à effilocher (syn. : *défileuse*).

REM. La var. *effiloqueur* est attestée. → **Effilocher**.

EFFILOCHURE [efilɔʃyʀ] n. f. — 1870; de *effilocher*. Technique.

♦ 1 Produit de l'effilochage.

♦ 2 Partie effilochée d'une étoffe.

Par métaphore et fig. *«Effilochures d'ombre»* (Valéry).

EFFILOQUE [efilɔk], **EFFILOQUEMENT** [efilɔkmã], **EFFILOQUER** [efilɔke], etc. → **Effiloche, effilochement, effilocher.**

EFFILURE [efilyʀ] n. f. — 1685; de *effiler*. Techn. Fil qui tombe d'un tissu qu'on effile (surtout au pluriel).

EFFLANQUÉ, ÉE [eflãke] adj. — 1573, *esflanqué* (→ Rage); *efflanchée* (d'un animal) «qui fait maigrir à l'extrême», 1390; de é-, es-, *flanc*, et suff. -é.

♦ 1 (En parlant des animaux, et particulièrement du cheval). Dont les flancs sont creusés par la maigreur. → **Décharné, maigre, squelettique.** *Un mauvais cheval* (cit. 27) *efflanqué.* → **Haridelle.**

(...) petites rosses barbes à tous crins, efflanquées, hale-   1
tantes, ayant la maigreur, la coupe aiguë et la vive allure des hirondelles.
                                        E. FROMENTIN, Une année dans le Sahel, p. 34.

♦ 2 Par ext. (en parlant des personnes). Maigre, décharné. → **Maigre, mince, sec** (→ Décoller, cit. 4). *Un grand garçon efflanqué.*

Devant ce petit homme maigre *(Bonaparte)*, efflanqué   2
dans un uniforme porté à la diable, la figure blême sous les cheveux en désordre, «un vrai parchemin», dit un témoin, on s'esclaffa; c'était donc, «ce gringalet», l'homme que le Directoire imposait comme chef à un Masséna, à un Augereau (...)
                                        Louis MADELIN, Hist. du Consulat et de l'Empire, L'ascension de Bonaparte, IV, p. 51.

Fig. *Un meuble, un objet efflanqué*, allongé et mince (avec une idée de maigreur excessive).

Par métaphore :

3 (...) vous avez longtemps courtisé la muse, vous avez essayé de la dévirginer ; mais vous n'avez pas assez de vigueur pour cela ; l'haleine vous a manqué, et vous êtes retombés pâles et efflanqués au pied de la sainte montagne.
> Th. GAUTIER, Préface de Mlle de Maupin, éd. critique MATORÉ, p. 17.

CONTR. **Gras, gros, rebondi.** ◊ DÉR. **Efflanquer.**

EFFLANQUER [eflãke] v. tr. — 1611, *esflanquer;* de *efflanqué.*

Rare. Rendre maigres des flancs, par un excès de fatigue, par privation de nourriture. *Efflanquer un cheval. L'excès de travail a efflanqué la pauvre bête.* → **Efflanqué, adj.**

EFFLEURAGE [eflœraʒ] n. m. — 1723; de *effleurer.*

♦ **1** Techn. Action d'effleurer (les peaux, les cuirs); résultat de cette action (→ Chamoisage*).

♦ **2** (1901). Méd. Massage léger de tout ou partie de la main, agissant sur les tissus superficiels.

EFFLEUREMENT [eflœrmã] n. m. — 1578; de *effleurer, et -ment.*

Action d'effleurer; résultat de cette action. → **Atteinte, attouchement, caresse** (cit. 14), **frôlement.** *L'effleurement d'une robe.* → Platonisme, cit. 3. *L'effleurement de la peau par une caresse. Mise en route d'une machine par simple effleurement digital.* — *L'effleurement d'une caresse.*

Par métaphore :

1 Avait-elle subi une de ces imperceptibles émotions dont l'effleurement a été si fugitif que la raison ne s'en souvient point, mais dont la vibration demeure aux cordes du cœur les plus sensibles.
> MAUPASSANT, Fort comme la mort, p. 222.

1.1 L'envie de devenir une vraie dame du grand monde, avec un titre de noblesse devant son nom, ne l'avait jamais pénétrée. À peine, achevant un roman d'amour, en avait-elle rêvassé quelques minutes sous l'effleurement de ce joli désir, qui s'était aussitôt envolé de son âme, comme s'envolent les chimères.
> MAUPASSANT, Mont-Oriol, p. 260.

L'effleurement d'un sujet, d'une question (le compl. désigne ce qui est effleuré). *L'effleurement d'un soupçon* (le compl. désigne ce qui effleure).

2 Il y avait dans ses livres un art consommé de l'effleurement des idées et des problèmes les plus graves.
> A. MAUROIS, Études littéraires, Valéry, t. I, p. 27.

EFFLEURER [eflœre] v. tr. — 1549; *esflourée,* p. p., av. 1236; de *é-, fleur,* et suff. verbal.

♦ **1** Vx. Dépouiller (une plante) de ses fleurs.

♦ **2** (1611). Par anal. Entamer (qqch.) en n'enlevant que la partie superficielle. → **Égratigner, érafler.** *La balle lui effleura la peau.*

1 Le dieu qui fait aimer prit son temps; il tira
Deux traits de son carquois : de l'un il entama
Le soldat jusqu'au vif ; l'autre effleura la dame.
> LA FONTAINE, Contes, «Matrone d'Éphèse».

2 (...) un coup de corne qui effleura le bras d'un *capeador,* blessure qui n'avait rien de dangereux, et ne l'empêcha pas de reparaître le lendemain dans le cirque.
> Th. GAUTIER, Voyage en Espagne, p. 209.

(1723). Techn. (tannerie). *Effleurer une peau, un cuir,* en enlever une couche très mince du côté de l'épiderme (pour faire disparaître les défauts superficiels).

Spécialt (vieilli). Entamer légèrement. *«Il effleurait à peine chaque plat»* (A. Dumas, *in* T. L. F.). → **Toucher** (à).

♦ **3** (1578). Toucher légèrement. → **Friser, frôler, lécher, raser;** (littér.) **attoucher.** *Rocher qu'effleure la vague. La barque effleura le rivage. Effleurer quelque chose de la main* (→ Bruyère, cit. 1; dissimuler, cit. 8). *Une brise légère effleure à peine les feuillages.*

Qui ne sait que la nuit a des puissances telles   3
Que les femmes y sont, comme les fleurs, plus belles,
Et que tout vent du soir qui les peut effleurer
Leur enlève un parfum plus doux à respirer ?
> A. DE MUSSET, Premières poésies, «Portia».

Le vase où meurt cette verveine   4
D'un coup d'éventail fut fêlé ;
Le coup dut l'effleurer à peine (...)
> SULLY PRUDHOMME, Poésies, «Le vase brisé».

(...) un pas qui ne fait qu'effleurer la terre.   5
> M. BARRÈS, la Colline inspirée, p. 101.

Antoine sentit une main légère effleurer son épaule (...)   6
> MARTIN DU GARD, les Thibault, t. III, p. 44.

(Sujet n. de personne). *Il effleura doucement son bras.* → **Caresser, chatouiller.** *Effleurer de ses lèvres le front, la main de qqn.*

Se penchant un peu plus, elle effleura son front, puis   7
ses yeux, puis ses joues de baisers lents, légers, délicats comme des soins.
> MAUPASSANT, Fort comme la mort, p. 362.

Je profitais de son faux sommeil pour respirer ses cheveux,   8
son cou, ses joues brûlantes, et en les effleurant à peine pour qu'elle ne se réveillât point (...)
> R. RADIGUET, le Diable au corps, p. 60.

Littér. *Effleurer du regard.*

♦ **4** (1693). Fig. et littér. Blesser, faire une atteinte légère à (→ ci-dessus, 2.). → **Écorcher, égratigner;** atteinte (porter). *Critique qui effleure sa vanité* (→ Dauber, cit. 2). *Aucun soupçon n'a effleuré sa réputation.*

(...) j'ai mis votre choix à tel prix, que je n'ai pas osé en   9
blesser, pas même en effleurer la liberté (...)
> LA BRUYÈRE, Disc. de réception à l'Acad. franç.

Au milieu de cette vie qui s'écoulait le matin avec des   10
savants et le soir dans des bals d'ambassadeurs, l'amour n'effleura jamais le cœur de la riche héritière.
> STENDHAL, Mina de Vanghel.

Leurs coutumes sont restées rudimentaires. Notre civilisa-   11
tion glisse sur eux sans les effleurer.
> MAUPASSANT, Au soleil, Le Zar'ez, p. 128.

♦ **5** Abstrait. (Sujet n. de chose). Toucher légèrement (→ ci-dessus, 3.); faire une impression légère et fugitive sur (qqn). *Ce désir l'avait à peine effleuré* (→ Blottir, cit. 7). *Cette idée n'a fait qu'effleurer son esprit,* lui est venue à l'esprit, sans être suivie d'une réflexion (→ Complication, cit. 5; détourner, cit. 21).

(...) je possède un dossier (...) La pensée ne m'avait jamais   12
effleuré que je dusse m'en servir.
> F. MAURIAC, le Nœud de vipères, II, XII.

(1611). Toucher à peine à (un sujet); examiner superficiellement (un problème, une question...). → **Aborder, glisser** (sur). *Effleurer rapidement son sujet* (→ Dire, cit. 70).

L'art de penser n'est pas étranger aux femmes, mais elles   13
ne doivent faire qu'effleurer les sciences de raisonnement.
> ROUSSEAU, Émile, V.

Écoutez, monsieur : il est de ces questions brûlantes qu'un   14
galant homme ne saurait effleurer d'une main trop légère et trop souple.
> COURTELINE, Boubouroche, Nouvelle, II.

♦ **6** Vieilli. Goûter à peine, user à peine de. *Effleurer seulement un plat. Effleurer les plaisirs.*

(...) je me vis déjà sur le déclin de l'âge (...) sans avoir   15
donné l'essor aux vifs sentiments que j'y sentais en réserve, sans avoir savouré, sans avoir effleuré du moins cette enivrante volupté que je sentais dans mon âme en puissance (...)
> ROUSSEAU, les Confessions, IX.

CONTR. Pénétrer. — Presser. — Approfondir, traiter (à fond).
◊ DÉR. Effleurage, effleurement, effleurure.

EFFLEURIR v. intr. ou **EFFLEURIR (S')** [eflœRiR]
v. pron. — 1755, *effleurir; s'effleurir*, 1783; de *é-*, et *fleurir*.

Chim. et minér. Devenir efflorescent (en parlant des minéraux). *Pierre qui effleurit, qui s'effleurit. Corps qui effleurit après avoir cristallisé.*

EFFLEURURE [eflœRyR] n. f. — 1755; de *effleurer*.

Techn. Vx. Débris qui provient de l'effleurage des peaux.

EFFLORAISON [eflɔRezɔ̃] n. f. — 1876, *Journal officiel*; de *é-*, et *floraison*.

Littér. Action de commencer à fleurir; résultat de cette action. → **Floraison.**

Amoureuse beauté de la terre, l'effloraison de ta surface est merveilleuse.
                              GIDE, les Nourritures terrestres, I, III.

EFFLORER (S') [eflɔRe] v. pron. — 1842; var. de *effleurer*, d'après les dér. du lat. *flor.*

Littér. et rare. Perdre ses fleurs.

EFFLORESCENCE [eflɔResɑ̃s] n. f. — V. 1562, «surface, croûte»; du lat. sav. *efflorescere* «fleurir», et *-ence.*

♦ **1** Bot. (vieilli). Début de la floraison.

1 Malgré ces derniers jeux de l'hiver, quelques bouffées d'air tiède chargées des senteurs du bouleau, déjà paré de ses blondes efflorescences (...) attestaient le beau printemps du Nord, rapide joie de la plus mélancolique des natures.
                              BALZAC, Séraphîta, Pl., t. X, p. 563.

♦ **2** (1834). Fig. et littér. Apparition, commencement, éveil, naissance (de qqch.). *Efflorescence sexuelle* (→ **Puberté**).

2 Les réunions syndicales ont été tolérées. Les meetings publics, interdits. Le gouvernement craint moins l'émeute que l'efflorescence çà et là, d'une malveillance sournoise.
                              J. ROMAINS, les Hommes de bonne volonté, t. V, XXVIII, p. 300.

2.1 L'efflorescence des absurdités dévoile une existence devant laquelle toute netteté de vision apparaît d'une indigence dérisoire. C'est l'agression perpétuelle de l'Imprévisible.
                              E. M. CIORAN, Précis de décomposition, p. 102.

♦ **3** Floraison épanouie, luxuriante. → **Épanouissement, luxuriance.**

3 Un volume in-8 de description, un atlas de deux mille planches, vingt salles remplies de plâtres moulés, ne donneraient pas encore une idée complète de cette prodigieuse efflorescence de l'art gothique *(dans la cathédrale de Burgos)*, plus touffue et plus compliquée qu'une forêt vierge du Brésil.
                              Th. GAUTIER, Voyage en Espagne, p. 21.

4 Aux étalages débordait une efflorescence de mousselines et de dentelles, des touffes de plumes, des fleurs de soie. Un peu grisée, Pauline s'arrêtait aux vitrines.
                              J. CHARDONNE, les Destinées sentimentales, p. 359.

♦ **4** (1755). Chim. Transformation de certains sels qui perdent à l'air une partie de leur eau de cristallisation et deviennent superficiellement pulvérulents; couche pulvérulente ainsi produite. *Des efflorescences salines* (→ Délétère, cit. 2).

Par anal. Poussière fine qui recouvre certains fruits, certaines feuilles. → **Fleur, pruine.**

♦ **5** (1755). Méd. Lésion élémentaire de la peau, offrant de légères boursouflures, quelle que soit leur nature (bulle, papule, pustule, vésicule).
→ **Exanthème.**

EFFLORESCENT, ENTE [eflɔRezɑ̃, ɑ̃t] adj. — 1755, au sens 2; lat. *efflorescens* (→ Efflorescence), p. prés. de *efflorescere*, inchoatif de *florere* «fleurir», de *flos, floris* «fleur».

♦ **1** (1845). Bot. Qui est en pleine floraison. → **Luxuriant.** *Végétation, nature efflorescente.* — (1832). Fig. Qui s'épanouit.

Notre-Dame de Paris (...) n'est pas, comme la cathédrale de Bourges, le produit magnifique, léger, multiforme, touffu, hérissé, efflorescent de l'ogive.
                              HUGO, Notre-Dame de Paris, III, I.

♦ **2** (1755). Chim. En efflorescence; couvert de sels en efflorescence. *Couche efflorescente. Sels efflorescents. Mur efflorescent.*

Couvert de pruine. *Raisins efflorescents.*

EFFLUENCE [eflyɑ̃s] n. f. — 1747; de *effluent*, et *-ence.*

Littér. Émanation. → **Effluve, émanation.** *Les effluences des marais.* → **Miasme.**

1 Des légumes tristes, des fleurs navrées y végètent à l'ombre de quelques fruitiers avares, «dans une terre grasse et pleine d'escargots» d'où s'exhalent des effluences de putréfaction ou de moisissure (...)
                              Léon BLOY, la Femme pauvre, I, XXVIII, p. 152.

2 Notre-Dame s'est lavée de son stupre et, bien qu'elle soit relativement jeune, elle est aujourd'hui saturée d'émanations, injectée d'effluences angéliques, pénétrées de sels divins (...)
                              HUYSMANS, En route, p. 76,

Vx. *Effluences électriques.* → **Effluve.**

3 (...) le *Nautilus*, s'enfonçant peu à peu, disparut sous la nappe liquide.
(...) sa puissante lumière éclairait les eaux transparentes, tandis que la crypte redevenait obscure. Puis, ce vaste épanchement d'effluences électriques s'effaça enfin, et bientôt le *Nautilus*, devenu le cercueil du capitaine Nemo, reposait au fond des mers.
                              J. VERNE, l'Île mystérieuse, t. II, p. 823-824 (1874).

EFFLUENT, ENTE [eflyɑ̃, ɑ̃t] adj. et n. m. — Av. 1475; du lat. *effluens*, p. prés. de *effluere* «s'écouler», de *ex-*, et *fluere* «couler».

♦ **1** Adj. (Av. 1475). Didact. Qui s'écoule d'une source.

♦ **2** N. m. (1953). Géogr. Cours d'eau issu d'un lac ou d'un glacier. → 2. **Émissaire.**

(1961). Techn. et cour. *Effluent urbain :* ensemble des eaux (eaux de ruissellement, eaux usées) à évacuer de la ville et des matières qu'elles sont susceptibles d'entraîner.

(1957). *Effluents radioactifs :* matériaux radioactifs résiduels produits par la génération d'énergie nucléaire.

DÉR. **Effluence.**

EFFLUER [eflye] v. tr. — 1404, intrans., «découler»; repris 1895, trans., Huysmans; lat. *effluere* «couler de, s'écouler; laisser couler», de *ex-*, et *fluere*.

Littér. Rare. Produire une émanation de, une odeur de (...).

(...) l'église, devenue vide, effluait, mélangée à son odeur naturelle de tombe, le sédatif et le joyeux parfum des encens consumés et des cires mortes (...)
                              HUYSMANS, l'Oblat, t. II, 1903, p. 155, *in* T.L.F.

EFFLUVATION [eflyvasjɔ̃] n. f. — 1908, *in* D.D.L.; de *effluver.*

Méd. Traitement par des effluves d'électricité statique au moyen d'électrodes placées sur la peau d'une région déterminée (effet calmant général, effet cicatrisant dans les plaies torpides).

EFFLUVE [eflyv] n. m. — 1755, n. m. pl., *Encyclopédie*; lat. *effluvium* «écoulement», de *effluere*. → Effluent.

♦ **1** Émanation qui se dégage (des corps organisés, de matières organiques, de certaines substances, altérées ou non). → **Émanation, exhalaison, haleine, transpiration, vapeur.** *Un effluve* (rare). *Les effluves des marais passaient pour produire des fièvres.* → **Effluence, miasme.** — *Effluves qui s'exhalent des fleurs.* → **Odeur, parfum.** *Effluves subtils d'un parfum. Effluves enivrants. Les effluves du pressoir* (→ Capiteux, cit. 3). *Les effluves du printemps.*

1   Fouché (...) avait l'air d'une hyène habillée; il haleinait les futurs effluves du sang (...)
> CHATEAUBRIAND, Mémoires d'outre-tombe, t. II, I, 7.

2   (...) je me dirigeais par le sentier sinueux d'un couloir tout embaumé à distance des essences précieuses qui exhalaient sans cesse du cabinet de toilette leurs effluves odoriférants.
> PROUST, À la recherche du temps perdu, t. III, p. 104.

3   (...) cette odeur d'herbe fauchée enivrait et les effluves des tilleuls paraissaient avoir la mortelle douceur des fleurs monstrueuses qui endorment et qui tuent (...)
> F. MAURIAC, l'Enfant chargé de chaînes, p. 181.

Effluves qui se dégagent d'un mets. → **Arôme, fumet.**

4   Il trempa ses lèvres dans le whisky qu'on venait d'apporter, et, soulevant lui-même le couvercle de la soupière, il huma les effluves généreux qui montaient vers lui.
> MARTIN DU GARD, les Thibault, t. III, p. 224.

REM. Sans être exclusivement littéraire, le mot appartient plutôt au registre écrit ou au style soutenu. Il est rare au singulier et son genre, dans l'usage relâché, est flottant. → ci-dessous, cit. 9.

♦ **2** (1884, *in Année sc. et industr.* 1885, p. 176). Spécialt. *Effluve électrique* : décharge électrique à faible luminescence. *Air chargé d'effluves avant l'orage.* — (1834). *Effluve magnétique* : émanation de fluide (d'après les partisans du magnétisme* animal). — (1904, *in Rev. gén. des sc.*, n° 12, p. 581). *Effluve radioactif.*

5   Un effluve de l'ouragan divin se détache et vient passer à travers ces hommes, et ils tressaillent, et l'un chante le chant suprême et l'autre pousse le cri terrible.
> HUGO, les Misérables, II, I, XV.

♦ **3** (Déb. XIXᵉ). Fig. et littér. Émanation, influence d'ordre moral, psychologique. → **Souffle.** *Les effluves du passé* (→ Dégager, cit. 21).

6   (...) ces subtiles émanations, ces effluvions *(effluves)* invisibles, qui entretiennent des courants perpétuels entre les différents êtres.   Joseph JOUBERT, Pensées, XI, XL.

7   La religion est l'effluve divin qui pénètre et anime la création entière.   F. DE LAMENNAIS, *in* P. LAROUSSE.

8   (...) le ciel était bleu, des cantharides bourdonnaient autour des lis en fleur, et Charles suffoquait comme un adolescent sous les vagues effluves amoureux qui gonflaient son cœur chagrin.
> FLAUBERT, Mᵐᵉ Bovary, III, XI.

REM. *Effluve* est donné comme masculin par tous les dictionnaires. Cependant, en raison de sa terminaison féminine, plusieurs auteurs l'emploient au féminin (cf. Grevisse, n° 273, 6°, citant notamment Verlaine, Giraudoux, Guéhenno, etc., *in* T. L. F.).

9   D'ailleurs, le salut
Viendra d'un Messie
Dont tu ne sens plus
Depuis bien des lieues
Les effluves bleues.   VERLAINE, Sagesse, III, 2.

DÉR. Effluver. ◊ COMP. Effluviothérapie.

EFFLUVER (S') [eflyve] v. pron. — 1945, Cendrars; de *effluve.*

Rare. Émettre des effluves électriques. — **REM.** On trouve aussi *effluver*, v. intr.

DÉR. Effluvation.

EFFLUVIOTHÉRAPIE [eflyvjoteʀapi] n. f. — Mil. xxᵉ; de *effluv(e)*, et *-thérapie*; le segment *-io-* n'est pas normal.

Didact. Effluvation.

EFFLUX [efly] n. m. — 1883, le mot existe en 1792, «expulsion du fœtus»; du lat. *effluere* (→ Effluer), d'après *flux.*

Rare. Écoulement (d'un liquide). — **Fig.** *Les anges, «efflux éternisés de la nécessité divine»* (Villiers de l'Isle-Adam, *in* T. L. F.).

EFFONDREMENT [efɔ̃dʀəmɑ̃] n. m. — Av. 1562; de *effondrer.*

♦ **1** Agric. Action d'effondrer, de creuser (la terre); résultat de cette action.

♦ **2** (1848). Cour. Le fait de s'effondrer, de s'écrouler. → **Éboulement, écroulement.** *Un effondrement de rochers. L'effondrement d'un bâtiment.*

1   L'effondrement du toit obstruait toute la partie nord de la plate-forme; les gravats et les poutres bouchaient la trappe; une barre de fer pendait du plafond béant (...)
> SARTRE, la Mort dans l'âme, I, p. 193.

(1862). Spécialt (géol.). Affaissement brusque du sol provoqué par l'action des eaux d'infiltration, par les secousses volcaniques, etc. → **Affaissement, dépression; boulance.** *Cratères, lacs, vallées d'effondrement.*

♦ **3** (Av. 1862, *in* Littré). Abstrait. Chute, fin brutale. → **Chute, écroulement.** *L'effondrement d'un empire, d'une puissance.* → **Anéantissement, décadence, destruction, disparition, fin.**

2   L'ensemble, emmêlé, fait de pièces et de morceaux, formidable encore dans sa vieillesse millénaire, raconte le néant humain, l'effondrement des civilisations et des races (...)
> LOTI, Jérusalem, VIII, p. 88.

L'effondrement d'un ministère, d'un homme politique. L'effondrement de ses espérances (→ Avenir, cit. 24). *L'effondrement de sa fortune l'a laissé anéanti.* → **Ruine.**

3   (...) évidemment la mort de papa entraîne l'effondrement de notre fortune (...)
> GIDE, Si le grain ne meurt, I, V, p. 132.

L'effondrement de sa résistance, de ses facultés mentales. L'effondrement de son courage.

♦ **4** (1864; personnes). État d'abattement extrême. *Il est dans un état d'effondrement total.* → **Abattement, accablement, anéantissement.**

4   (...) les pauvres parents ont eu la permission de venir à l'enterrement *(de leur fils)*. Le pauvre père était dans un tel état que je l'assure que (...) je ne pouvais pas me contenir en voyant l'effondrement du pauvre Vaugoubert qui n'était plus qu'une espèce de loque.
> PROUST, À la recherche du temps perdu, t. XIV, p. 73.

♦ **5** (1891). Fin. et cour. (en parlant d'une valeur, d'une monnaie). Baisse importante et brutale. *L'effondrement des prix, des cours, des valeurs.* → **Baisse, chute** (→ Cours, cit. 21).

Par métaphore :

5   J'ai parlé, il me semble, de la baisse et de l'effondrement qui se fait sous nos yeux, des valeurs de notre vie (...)
> VALÉRY, Regards sur le monde actuel, p. 227.

CONTR. Prospérité, puissance, relèvement. — Vigueur. — Hausse.

EFFONDRER [efɔ̃dʀe] v. tr. — V. 1150, *esfondrer;* du lat. pop. *exfunderare* «défoncer», de *ex-*, et *fundus* «fond», au plur. *fundi* en lat. class., mais **fundora* en lat. pop. (**fundus, -oris*).

◆ **1** Défoncer, faire crouler. → **Briser, défoncer, détruire, rompre.** *Effondrer une caisse, une armoire, un plancher.*

1   Dans ces contrées, les neiges séjournent longtemps sur les terres ; elles filtrent au travers de leus parties les moins solides, qu'elles pénètrent profondément, qu'elles délavent et effondrent (...)
    Ph. P. SÉGUR, Hist. de Napoléon, V, 1.

1.1 (...) si ce bloc se fût retourné deux minutes plus tard, il se précipitait sur le brick et l'effondrait dans sa chute.
    J. VERNE, Un hivernage dans les glaces, p. 244.

2   Il *(Haverkamp, constructeur d'immeubles)* efface les monticules. Il est la substance qui fait fermenter les quartiers. Il effondre les tas de masures. Il prend comme avec des pincettes les locataires moisis, et les dépose plus loin.
    J. ROMAINS, les Hommes de bonne volonté, t. IV,
    IV, p. 24.

3   (...) l'éclat d'obus lui avait effondré la face. Il ne restait rien de son visage qu'une immense plaie barbare (...)
    G. DUHAMEL, Récits des temps de guerre, t. I, II,
    p. 165.

Fig. Faire s'écrouler ; détruire.

3.1 C'est un homme d'environ quarante ans, qui porte haut une tête au vaste front, découverte par une calvitie due moins au ravage des ans qu'aux veilles pénibles sur les documents, aux travaux acharnés qui ont bouleversé le champ de l'histoire, effondré tant d'antiques erreurs et révélé au monde des vérités longtemps ensevelies sous la poussière des siècles.
    A. ROBIDA, le Vingtième Siècle, p. 196.

◆ **2** (1704). Agric. Creuser, remuer, fouiller profondément (la terre), en y mêlant de l'engrais (→ **Labourer**).

◆ **3** Cuis. *Effondrer une volaille*, la vider.

◆ **S'EFFONDRER** v. pron. (1690, Furetière).

◆ **1** (Choses). Cour. **Crouler sous le poids ou faute d'appui.** → **Abattre** (s'), **abîmer** (s'), **affaisser** (s'), **briser** (se), **crouler, ébouler** (s'), **écraser** (s'), **tomber.** *Plancher, voûte, toit qui s'effondre. Voiture trop chargée qui s'effondre.*

4   Le sol s'était effondré, le dallage avait croulé, l'égout s'était changé en puits perdu (...)
    HUGO, les Misérables, IV, II, IV.

5   Il avait cru que la galerie s'effondrait derrière son dos.
    ZOLA, Germinal, t. I, p. 209.

Par métaphore. Littér. Tomber brusquement (avec des sujets comme : *le ciel, l'orage, la lueur...* ; *in* T. L. F.).

(Sujet n. de personne). Tomber, s'écrouler comme une masse. *S'effondrer dans un fauteuil,* s'y laisser tomber. — (1915). **Spécialt.** Tomber mort ou blessé. *Soldats blessés qui s'effondrent.*

6   Le canon tonnait moins fort, mais, par les soupiraux, des mitrailleuses fauchaient le village. Des hommes s'effondraient, pliés en deux, comme emportés par le poids de leur tête. R. DORGELÈS, les Croix de bois, XI, p. 212.

◆ **2** (1862). Fig. (Personnes). **S'écrouler sous l'effet d'une émotion.** *S'effondrer dans la douleur, le désespoir.* → **Abandonner** (s'). *S'effondrer de chagrin.*

(Choses). *Empire qui s'effondre.* → 1. **Agoniser** (2.), **écrouler** (s'), **tomber.** — (1856). *Espérances, projets qui s'effondrent.* → **Anéantir** (s'). — *Le cours de l'or s'est effondré.*

7   (...) vivre, voir le soleil, être en pleine possession de la force virile, avoir la santé et la joie (...) et tout à coup, le temps d'un cri, en moins d'une minute, s'effondrer dans un abîme, tomber, rouler, écraser, être écrasé (...)
    HUGO, les Misérables, II, I, XIX.

8   En fait *(à la veille de la Révolution)*, il n'y avait plus de gouvernement ; l'édifice artificiel de la société humaine s'effondrait tout entier ; on rentrait dans l'état de nature. Ce n'était pas une révolution, mais une *dissolution.*
    TAINE, les Origines de la France contemporaine,
    t. III, I, p. 4.

Toute son histoire, péniblement reconstruite, s'effondre :   9
rien ne reste de cette confession préparée.
    F. MAURIAC, Thérèse Desqueyroux, IX, p. 155.

(...) j'ai appris que j'étais condamné (...) Devant une pareille   10
révélation, tous les points d'appui s'effondrent.
    MARTIN DU GARD, les Thibault, t. IX, p. 144.

Tant de conjectures, tant de rêveries n'avaient meublé que   11
le pourtour de ce grand mystère : au milieu, il s'effondrait
dans le vide.
    J. ROMAINS, les Hommes de bonne volonté, t. III,
    IX, p. 132.

◆ **3** (1901, *in* Petiot). **Sports.** **Avoir une défaillance soudaine lors d'un effort.** *Il s'est effondré dans la ligne droite.*

◆ **EFFONDRÉ, ÉE** p. p. adj.

◆ **1** (Choses). *Tonneau effondré. Toits effondrés* (→ Brasier, cit. 1).

Il est difficile d'imaginer une malle plus rapiécée, plus   12
vermoulue et plus effondrée. C'est à coup sûr la doyenne
des malles du monde (...)
    Th. GAUTIER, Voyage en Espagne, p. 24.

(...) pauvre manoir délabré, effondré, tombant en ruine au   13
milieu du silence et de l'oubli (...) près de s'écrouler sur son
maître désastreux qui l'avait quitté au dernier moment,
pour ne pas être écrasé sous sa chute.
    Th. GAUTIER, le Capitaine Fracasse, t. I, V, p. 123.

◆ **2** Fig. et cour. (Personnes). **Très abattu, prostré** (après un malheur, un échec). → **Abattu, anéanti, découragé, miné, prostré.** *Depuis qu'il a appris cette nouvelle, il est effondré. Nous étions tous effondrés.*

CONTR. Dresser (se), **raidir** (se), **résister.** ◊ **DÉR. Effondrement.** — V. **Effondrilles.**

EFFONDRILLES [efɔ̃dʀij] n. f. pl. — 1564 ; *fondrille*, fin XIᵉ ; réfection d'après *effondrer**, de *fondrille*, dér. du type *fundus*, et *-ille*.

Techn. ou régional. **Dépôt*** qui reste au fond d'un récipient dans lequel on a fait bouillir ou infuser quelque chose. *Les effondrilles d'un bouillon.*

EFFORCER (S') [efɔʀse] v. pron. [CONJUG.: *placer*.] — V. 1050, *se esforcier* ; de *é-*, et *forcer.*

Faire tous ses efforts, employer toute sa force, toute son énergie, toute son adresse ou son intelligence pour atteindre un but, vaincre une résistance. → **Appliquer** (s'), **attacher** (s'), **escrimer** (s'), **essayer, évertuer** (s'), **faire** (faire tout au monde pour), **forcer** (se), **lutter** (pour), **tâcher, tendre, tenter, travailler, viser** ; → Faire effort* pour, prendre à tâche* de...

◆ **1** S'EFFORCER DE... (et inf.). *S'efforcer de soulever un fardeau* (→ Commande, cit. 7). *S'efforcer de repousser, de refouler l'ennemi* (→ Attroupement, cit. 7). *S'efforcer d'atteindre* (→ **Courir**), *de trouver* (→ **Chercher**). *S'efforcer de dépasser ses adversaires, au terme d'une course.*

Le long d'un clair ruisseau buvait une colombe,   1
Quand, sur l'eau se penchant, une fourmis *(sic)* y tombe ;
Et dans cet océan l'on eût vu la fourmis
S'efforcer, mais en vain, de regagner la rive.
    LA FONTAINE, Fables, II, 12.

Quand un autre à l'instant s'efforçant de passer (...)   2
    BOILEAU, Satires, VI.

(Il) s'efforçait de se dérober aux regards fixés sur lui de   3
tous côtés (...) HUGO, Notre-Dame de Paris, I, I.

S'efforcer de plaire, d'être aimable (→ Agréer, cit. 4), *de sourire* (→ Appliquer, cit. 28). *S'efforcer de contenter qqn* (→ Prendre soin* de...). *S'efforcer de comprendre* (→ Crise, cit. 3), *de croire...* (→ Diable, cit. 5). *S'efforcer de paraître calme. Il ne s'efforce que de dénigrer* (cit. 2). *Elle s'est efforcée par tous moyens d'obtenir gain de cause.*

4 Le juste ne devrait donc plus espérer en Dieu, car il ne doit
pas espérer, mais s'efforcer d'obtenir ce qu'il demande.
PASCAL, Pensées, VII, 514.

5 Efforcez-vous ici de paraître fidèle,
Et je m'efforcerai, moi, de vous croire telle.
MOLIÈRE, le Misanthrope, IV, 3.

6 Dans chacune de mes trois carrières, je m'étais proposé
un but important : voyageur, j'ai aspiré à la découverte du
monde polaire, littérateur, j'ai essayé de rétablir le culte
sur ses ruines ; homme d'État, je me suis efforcé de donner
aux peuples le système de la monarchie pondérée (...)
CHATEAUBRIAND, Mémoires d'outre-tombe, t. VI,
p. 334.

7 Si elle avait cherché à tromper, elle se serait efforcée de
coordonner ses propos, de leur donner au moins un air
de vérité et je n'ai jamais vu qu'elle s'en donnât la peine.
A. MAUROIS, Climats, I, VIII, p. 65.

Vieilli. **S'EFFORCER À...** (et inf.).

8 Et ce lâche attentat n'est qu'un trait de l'envie
Qui s'efforce à noircir une si belle vie.
CORNEILLE, Nicomède, III, 8.

9 Cependant le petit frère pleure, porte une main à ses yeux ;
et, pendu au bras droit de son grand frère, il s'efforce à
l'entraîner hors de la maison.
DIDEROT, Salons, «Le fils ingrat».

.0 Là, l'écume s'efforce à se faire visible (...)
VALÉRY, Poésies, «La jeune Parque».

♦ **2** (V. 1165). **Absolt et littér.** Faire effort sur soi,
prendre sur soi, se contraindre. → **Contraindre** (se),
forcer (se). *Efforcez-vous, soyez aimable! Ne vous
efforcez pas à ce point, cela se voit trop.*

.1 Feignez, efforcez-vous : songez qu'il est mon père.
RACINE, Mithridate, IV, 2.

12 Elle s'efforça, mais l'effort n'est pas la force !
BARBEY D'AUREVILLY, Une histoire sans nom,
p. 200.

S'efforcer pour... : se faire violence pour...

13 On sentait le chiqué, comme dans les livres des auteurs
qui s'efforcent pour parler argot.
PROUST, À la recherche du temps perdu, t. XIV,
p. 161.

♦ **3** Littér. (Suivi d'un subst. compl. de but). *S'efforcer
vers...* : vouloir atteindre... *S'efforcer vers un idéal,
une victoire* (→ Ascétisme, cit. 3 ; dédoublement, cit. 2).

14 C'est vers la volupté que s'efforce toute la nature.
GIDE, les Nouvelles Nourritures, III, I.

.1 La vérité est un idéal inaccessible, comme tout idéal. On
ne peut demander aux meilleurs des hommes que de
s'efforcer vers elle, avec amour et loyauté, sans tricherie
d'orgueil ou d'intérêt.
R. ROLLAND, Deux hommes se rencontrent, p. 358.

S'efforcer à... : s'appliquer à... *S'efforcer à un travail minutieux. S'efforcer à une cordialité* (cit. 2) *qui
sonne faux.*

15 (...) s'efforcer au langage clair pour ne pas épaissir le mensonge universel (...)
CAMUS, l'Homme révolté, p. 352.

CONTR. Laisser (se laisser aller), **renoncer, reposer** (se).
◊ **DÉR. Effort.**

EFFORT [efɔʀ] n. m. — 1547 ; *esforz,* 1080 ; déverbal de
efforcer.

♦ **1** Activité d'un être conscient qui utilise ses forces
pour résister ou vaincre une résistance, extérieure
ou intérieure ; en général *(l'effort)* ou par un acte
particulier *(un, des efforts).*
a (Au physique). *Effort physique* (caractérisé par
une contraction musculaire qui produit un certain
travail, développe une certaine force). *Sentiment de
l'effort* (donnée élémentaire du sens intime, fondement de la conscience de soi, selon Maine de
Biran). *Effort musculaire. Les efforts de l'accouchement. Faire un grand, un gros, un violent effort.*
→ **Suer** (suer sang et eau). *Entraînement à l'effort.*

*Être fatigué par l'effort accompli. Soulever un far-
deau sans effort apparent, sans le moindre effort*
(→ Coque, cit. 4). *Déplacer par un effort.* → **Pousser.**
Effort de l'épaule pour pousser. → **Épaulée.** *Effort
fait avec un levier.* → **Pesée.**

1 Pour que je sente le passage d'une modification à une
autre, il faut qu'il y ait quelque chose qui reste et ce qui
reste, *moi,* est différent de ce qui est changé. Ce qui reste,
c'est l'effort continu que j'exerce sur mon corps tant que
la veille dure ou que j'existe pour moi-même.
MAINE DE BIRAN, Œuvres inédites, II, p. 323.

2 Lorsque le prêtre lui approcha des lèvres le crucifix en
vermeil pour lui faire baiser le Christ, il *(le père Grandet)*
fit un épouvantable geste pour le saisir, et ce dernier effort
lui coûta la vie (...)
BALZAC, Eugénie Grandet, Pl., t. III, p. 626.

3 (...) le râle épais d'un blessé qu'on oublie
Au bord d'un lac de sang, sous un grand tas de morts,
Et qui meurt, sans bouger, dans d'immenses efforts.
BAUDELAIRE, les Fleurs du mal, Spleen et idéal,
«La cloche fêlée».

3.1 Je prends de plus en plus au tipoye, où l'on
est inconfortablement secoué et où je ne puis perdre un
instant le sentiment de l'effort des porteurs.
GIDE, Voyage au Congo, in Souvenirs, Pl., p. 763.

*Faire un effort, des efforts. Il fit un effort désespéré
pour...*

4 *(Jean Valjean)* soulevait toujours Marius, et, avec une
dépense de force inouïe, il avançait ; mais il enfonçait (...)
il renversa sa face en arrière pour échapper à l'eau et pouvoir respirer (...) il fit un effort désespéré et lança son pied
en avant ; son pied heurta on ne sait quoi de solide (...)
HUGO, les Misérables, V, III, VI.

(1547). **Par ext.** Action énergique, effet produit par
cette action. → **Force.** *L'effort de ses coups* (→ Approcher, cit. 54). *L'effort de la digestion* (→ Assoupir,
cit. 9).

5 Le traître, quel qu'il soit, n'aura pas l'avantage
De dérober sa vie à l'effort de ma rage.
MOLIÈRE, Dom Garcie, IV, 8.

b (Domaine psychique). *Effort (intellectuel)* : tension
dynamique et généralement volontaire de l'esprit
cherchant à résoudre une difficulté, à vaincre une
résistance intérieure. → **Application, concentration.**

6 (...) à mesure que l'état de concentration intellectuelle se
complique, il devient plus solidaire de l'effort qui l'accompagne. Il y a des travaux de l'esprit dont on ne conçoit
pas qu'ils s'accomplissent avec aisance et facilité. Pourrait-
on, sans effort, inventer une nouvelle machine ou même
simplement extraire une racine carrée ? L'état intellectuel
porte donc ici imprimée sur lui (...) la marque de l'effort.
H. BERGSON, l'Énergie spirituelle,
Effort intellectuel, p. 154.

7 La vie moderne tend à nous épargner l'effort intellectuel comme elle fait l'effort physique. Elle remplace, par
exemple, l'imagination par les images, le raisonnement
par les symboles et les écritures, ou par des mécaniques ;
et souvent par rêve.
VALÉRY, Variété IV, Discours de l'histoire, p. 141.

Effort de... (suivi du nom d'une faculté). *Un effort
de mémoire, d'imagination, d'intelligence. Faites un
petit effort d'imagination. Effort d'adaptation, de
compréhension* (→ Adaptation, cit. 2). *Un effort de
l'esprit.* — *Effort* (et adj.). *Effort intellectuel, mental,
psychologique.*

8 (...) depuis cinquante ans qu'il *(le Cid)* tient sa place sur
nos théâtres, l'histoire ni l'effort de l'imagination n'y ont
rien fait voir qui en ait effacé l'éclat.
CORNEILLE, Examen du Cid.

9 Encore maintenant, il admettait comme un dogme que
la science médicale était l'aboutissement de tout l'effort
intellectuel, et constituait le plus clair profit de vingt siècles
de tâtonnements dans toutes les voies de la connaissance,
le plus riche domaine ouvert au génie de l'homme.
MARTIN DU GARD, les Thibault, t. III, p. 226.

10 (...) tandis qu'il accomplissait un effort de mémoire,
ordonné et rapide, en simuler un autre, beaucoup plus
tâtonnant.
J. ROMAINS, les Hommes de bonne volonté, t. II,
XIII, p. 136.

11   J'avoue que je prenais très au sérieux les affaires de mon esprit, et que je me préoccupais de son salut comme d'autres font celui de leur âme. Je n'estimais rien et ne voulais rien retenir de ce qu'il pouvait produire sans effort, car je croyais que l'effort seul nous transforme et nous change notre facilité première qui suit de l'occasion, et s'épuise avec elle, en une facilité dernière qui la sait créer et la domine.
VALÉRY, Variété V, Mémoires d'un poème, p. 80.

L'effort de l'écrivain, de l'artiste. — Par ext. *L'effort d'un art, d'une science, qui tend vers son but. L'effort du drame* (→ Consommer, cit. 4).

12   L'effort de la grande littérature semble être de créer des univers clos ou des types achevés.
CAMUS, l'Homme révolté, p. 320.

L'effort (avec une nuance un peu péjorative, par oppos. à *naturel*). *Style tourmenté où l'effort se fait sentir. La poésie de Vigny trahit souvent l'effort.* → **Volonté.** *Un ouvrage laborieux qui sent l'effort.*

L'effort, dans l'ordre moral, considéré comme une ascèse (→ Ascèse, cit. 2), comme une valeur morale. *Effort de vertu. La vertu est toute dans l'effort. Glorifier l'effort. Provoquer qqn à l'effort.*

13   (...) il n'y a pas de création sans effort et sans souffrance.
Gustave LANSON, l'Art de la prose, p. 290.

14   Gringalet n'a pas assez considéré que le mal est nécessaire au bien, comme l'ombre à la lumière; que la vertu est toute dans l'effort et que, si l'on n'a plus de diable à combattre, les saints seront aussi désœuvrés que les pécheurs.
FRANCE, le Livre de mon ami, p. 177.

15   L'effort excitant à l'effort. Tel est le nom de ce qui a fait toutes les grandes choses. *Sudare jucunde.*
VALÉRY, Mélange, p. 191.

16   L'effort, c'est dans l'action qu'il faut le porter; dans la sensation ou les sentiments il fausse tout.
GIDE, Pages de journal, 9 juil. 1940, p. 68.

17   (...) je fais toujours des efforts qui m'élèvent au-dessus de moi-même et qui comptent parmi les plus joyeuses victoires de ma vie.
G. DUHAMEL, Scènes de la vie future, III, p. 61.

Loc. *Faire effort sur soi-même* : se déterminer à..., se faire violence, s'obliger à... *Se faire effort pour être calme.*

18   Quels efforts à moi-même il a fallu me faire!
CORNEILLE, Polyeucte, V, 3.

19   *(Je doute)* Si vous pourriez vous faire ce grand effort.
MOLIÈRE, Dom Garcie, I, 3.

20   (...) on se cache de la pitié, de peur qu'elle ne ressemble à la faiblesse; on se fait effort pour dissimuler le sentiment divin de la compassion (...)
A. DE VIGNY, Servitude et grandeur militaires, II, XIII, p. 167 (→ Durcir, cit. 2).

[c] (Sans précision quant au domaine : syntagmes). *Un, des efforts. L'effort de qqn. Un effort soutenu, constant, continu* (cit. 2). → **Application, attention, concentration, contention, tension.** *La persévérance de son effort* (→ Dignité, cit. 6). *Un long effort de patience. Un effort désespéré, dramatique* (cit. 9), *surhumain. Dans un suprême effort.* → **Sursaut, tentative** (→ Bagne, cit. 1; concevoir, cit. 15). *Un effort mesuré* (→ Apathie, cit. 8). *Des efforts touchants d'amabilité. Des efforts impuissants, stériles, vains.* → Coup d'épée* dans l'eau. *S'épuiser en efforts inutiles. Faire de grands efforts* (→ Blanc, cit. 13). *Son effort n'est pas sans mérite.* — *Au prix de quels efforts! Se décider à fournir un effort énergique.* → Donner un coup de collier*. *Faites un petit effort, un dernier effort* : un peu de courage*, manifestez votre bonne volonté. *Il n'y a pas de réussite sans un certain effort.* → **Difficulté, mal, peine, travail.** — *Cet élève n'a fait aucun effort,* ne travaille pas. *Faire un effort exceptionnel.* → pop. **Arracher** (s'). *Poursuivre, soutenir, relâcher son effort. Ouvrage qui coûte de longs efforts.* → **Haleine, patience.** *Après bien des efforts. Déployer tous ses efforts pour se tirer d'affaire.* → **Accrocher** (s'), **débattre** (se), **lutter.** *Multiplier*

ses efforts (→ Cinq, cit. 9). *Soutenir l'effort, les efforts d'un ennemi, d'un adversaire. Consacrer tous ses efforts à... Unir ses efforts.* → **Coaliser** (se). *Unis dans un même effort, dans un effort commun. Un effort de coopération. Avec un gros effort* (→ D'arrache*-pied; à l'arraché*).

21   Tout le monde va faire des efforts pour remporter le prix de cette course.
MOLIÈRE, la Princesse d'Élide, II, 4.

22   Je n'entre point dans la politique (...) la politique n'est pas mon affaire : je me suis toujours borné à faire mes petits efforts pour rendre les hommes moins sots et plus honnêtes.
VOLTAIRE, Correspondance au roi de Prusse, 244, nov. 1769.

23   La Dauphine faisait des efforts touchants, mais visibles, pour être gracieuse, elle adressait un mot à chacun.
CHATEAUBRIAND, Mémoires d'outre-tombe, t. VI, p. 104.

24   En littérature, il n'y a que des bœufs. Les génies sont les plus gros, ceux qui peinent dix-huit heures par jour d'une manière infatigable. La gloire est un effort constant.
J. RENARD, Journal, 1887, p. 8.

25   (...) l'assurance que l'œuvre que je n'avais plus aucune hésitation à entreprendre méritait l'effort que j'allais lui consacrer (...)
PROUST, À la recherche du temps perdu, t. XV, p. 73.

Le moindre effort. C'est un partisan du moindre effort. → **Paresseux.**

26   Il n'est pas de doctrine plus funeste que celle du moindre effort. Cette sorte d'idéal qui invite les objets à venir à nous au lieu que nous allions vers les objets (...)
GIDE, Journal, 27 sept. 1942.

Faire un, des efforts pour... → **Efforcer** (s'); → Remuer ciel* et terre. — *Faire effort* : se donner du mal. *Il a dû faire effort pour y parvenir.*

27   Quelque effort qu'il fit ensuite pour obtenir de la vieille dame au moins une bienveillante neutralité, il n'y parvint pas.
CAMUS, la Peste, p. 250.

Collectif. *L'effort. L'effort, ça fatigue. Après l'effort, il faut se reposer. Après l'effort, le réconfort.*

[d] Spécialt. Fam. *Faire un effort* (en matière d'argent, de dépense). *Faire un effort pour qqn,* lui apporter une aide financière dépassant les limites prévues. *Sa banque a fait un gros effort pour le soutenir. Demander à qqn de faire un effort* (dans un marchandage). → **Rabais, sacrifice.** *Un généreux effort* (→ Avaricieux, cit. 1).

28   (...) le mari et la femme étaient d'avis de réserver leur effort pour quelques réceptions assez fastueuses qu'ils donnaient l'été dans leur château, et pour quelques chasses que le marquis y organisait au cours de l'automne.
J. ROMAINS, les Hommes de bonne volonté, t. III, XI, p. 146.

[e] Loc. adv. SANS EFFORT : sans peine. → **Facilement.** *Travailler sans effort. On n'obtient rien sans effort.* → **Peine** (sans). *Écrire sans effort,* au courant de la plume (→ Abondant, cit. 5). *Atteindre son but sans effort* (→ Assigner, cit. 8). — *Avec effort :* difficilement (→ Atteindre, cit. 48; bras, cit. 14; dilater, cit. 6).

♦ **2** (1559). Par métonymie. Résultat de l'effort; chose produite par une activité. *C'est un bel effort. Ce barrage est un magnifique effort de la technique.* → **Réalisation.**

29   (...) si je souhaite quelque durée pour cet heureux effort de ma plume, ce n'est point pour apprendre mon nom à la postérité (...)
CORNEILLE, Dédicace du Cid, À Mme de Combalet.

30   Quant aux chefs magnanimes, Bonchamps, Lescure, La Rochejaquelein, ils se trompaient. La grande armée catholique a été un effort insensé; le désastre devait suivre (...)
HUGO, Quatre-vingt-treize, III, I, VI.

♦ **3** (1678). Vieilli. Vive douleur musculaire ou articulaire due à une tension excessive des muscles. — Spécialt. Fam. Hernie. *Attraper, se donner un effort.* —

Vétér. Entorse, distension. *Effort de boulet :* entorse et tuméfaction de l'articulation du boulet. → **Bouleture.** *Effort de genou, de couronne. Effort de tendon.* → **Nerf-férure.** *Effort de reins :* entorse des vertèbres lombaires. → **Tour** (de reins, de bateau). *Effort d'épaule.* → **Écart.** *Effort de cuisse, de hanche :* écart du membre postérieur.

♦ **4** Sc. (phys. et mécan.). Force exercée par un corps. → **Force, poussée, pression, travail.** *Effort normal, effort tranchant,* d'un couple décomposé en deux composantes, l'une d'axe normal au plan de la section, l'autre dont l'axe est dans le plan de la section. *Effort de torsion, de traction, de compression, de tension, de cisaillement. Indicateur d'effort.* → **Résistance.**

Effort de traction (d'un véhicule à moteur) : charge qui peut être tirée sur un plan horizontal.

Force de résistance qu'oppose (une pièce) aux forces extérieures. *Effort du bois, du fer. L'effort des arches d'un pont, d'une voûte.*

♦ **5** Manifestation (d'une force). *Les efforts du vent. Le vent redouble ses efforts* (→ Arbre, cit. 7). *L'effort du vent sur un bâtiment produit un décentrement de la résultante des charges* (→ Déchirer, cit. 11). *L'effort de la tempête* (→ Arrêter, cit. 9). *L'effort de l'eau, des eaux a rompu la digue.*

Fig. *Être soumis à des efforts contraires.* → **Force, influence, tendance** (→ Déchirer, cit. 26).

CONTR. Détente, relâchement, repos. — Aisance, facilité. — Abandon, naturel. ◊ **HOM.** Éphore.

EFFRACTION [efʀaksjɔ̃] n. f. — 1404; lat. pop. **effractio, -onis,* du lat. *effractura* «vol avec effraction», de *effractum,* supin de *effringere* «rompre», de *ex-,* intensif, et *frangere* «rompre». → Fraction.

♦ **1** Dr. (et cour.). Bris de clôture fait en vue de s'introduire sur une propriété publique ou privée; fracture de serrures à l'intérieur de ce lieu (hors les cas prévus par la loi). *Effraction extérieure, intérieure* (ci-dessous, cit. 2). *Pénétrer par effraction dans une maison, un musée. Trace d'effraction. Il y a eu effraction. Vol avec effraction.*

1 Est qualifié *effraction,* tout forcement, rupture, dégradation, démolition, enlèvement de murs, toits, planchers, portes, fenêtres, serrures, cadenas, ou autres ustensiles ou instruments servant à fermer ou à empêcher le passage, et de toute espèce de clôture, quelle qu'elle soit.
Code pénal, art. 393.

2 Les effractions extérieures sont celles à l'aide desquelles on peut s'introduire dans les maisons, cours (...)
Les effractions intérieures sont celles qui, après l'introduction dans les lieux mentionnés à l'article précédent, sont faites aux portes ou clôtures du dedans, ainsi qu'aux armoires ou autres meubles fermés.
Code pénal, art. 395-396.

3 Il délibéra en lui-même pour savoir s'il n'attaquerait pas la porte (...) à grands coups de pavé. Une réflexion l'arrêta : «Pas d'effraction, pas de dégradation; il vaut mieux aller trouver mon ami le préfet de police».
NERVAL, les Nuits d'octobre, IV.

4 Il est arrivé qu'un grand nombre de Français, réagissant violemment, sont sortis de l'Église en quelque sorte par effraction et en adversaires, mais la plupart y sont restés, en vertu d'un *modus vivendi* ménageant leur liberté d'esprit.
André SIEGFRIED, l'Âme des peuples, III, III, p. 64.

♦ **2** Fig. et didact. Violation (d'un domaine mental, artistique...).

5 Le mécanisme de son action *(narco-analyse)* donne lieu à des interprétations diverses, mais, à ce sujet, on est obligé de rappeler les problèmes (...) relatifs aux méthodes d'effraction de la personnalité (...) La crainte de la prise du moi est particulièrement marquée dans certaines psychoses à leur début.
H. BARUK, Psychoses et névroses, p. 115.

Par effraction, sans effraction : avec violence, sans violence.

DÉR. Effractionnaire.

EFFRACTIONNAIRE [efʀaksjɔnɛʀ] adj. — 1828, *in* D. D. L.; de *effraction.*
Dr. Coupable d'effraction. *Voleur effractionnaire.*

EFFRAIE [efʀɛ] n. f. — 1553, *effraye;* formation obscure; p.-ê. altér. de *orfraie,* par attr. de *effrayer,* ou apparenté au lat. *praesagus* (→ Fresaie).
Espèce de chouette au plumage clair, destructrice de rongeurs. → **Chouette, fresaie** (→ Chevêche, cit. 1).

1 Les effraies empaillées, sous leur masque de velours blanc percé d'yeux en étui de peigne, ouvrent leur bec de ciseaux.
A. JARRY, les Minutes de sable mémorial, V, Pl., t. I, p. 209.

2 Un peu plus haut, juste à la fourche de ce hêtre, une effraie au ventre neigeux lissera ses plumes à la pointe de son bec. Elle ne s'envolera pas, chantera doucement sa chanson du soir.
M. GENEVOIX, Forêt voisine, VIII, p. 91.

3 Et ce fut au couchant, dans les premiers frissons du soir encombré de viscères, quand (...) l'esprit sacré s'éveille aux nids d'effraies (...)
SAINT-JOHN PERSE, Amers, VI, in Poètes d'aujourd'hui, p. 194.

EFFRANGEMENT [efʀɑ̃ʒmɑ̃] n. m. — 1869; de *effranger.*
Rare. Action d'effranger; état de ce qui est effrangé. *L'effrangement d'une jupe.*

Un méchant complet bleu sombre dont le pantalon tirebouchonne, dont la mauvaise teinture vire au violâtre, sous un lustre d'usure à la limite de l'effrangement.
M. GENEVOIX, L'aventure est en nous, 1952, p. 68, in T. L. F.

EFFRANGER [efʀɑ̃ʒe] v. tr. [CONJUG.: *bouger.*] — 1863, Goncourt; de *é, frange,* et suff. verbal.
Effiler* (un tissu...) sur les bords de manière que les fils pendent comme une frange. *Effranger un foulard, un châle.*

♦ **S'EFFRANGER** v. pron. (passif).
S'effilocher (en parlant d'un tissu, d'un vêtement usagé).

1 Mais un complet de quinze cents francs, ou un complet de sept cents, s'effrangent au talon après le même nombre de mois.
MONTHERLANT, Pitié pour les femmes, p. 206.

Par métaphore. *Les nuages s'effrangent.*

♦ **EFFRANGÉ, ÉE** p. p. adj.
Effiloché.

2 Leurs petits chevaux étaient caparaçonnés de vieilles tapisseries, dont les lambeaux effilés et effrangés traînaient presque jusqu'à terre.
Th. GAUTIER, in P. LAROUSSE.

3 (...) un vieux pantalon soigneusement plié qu'il examina, le tournant et le retournant, regardant d'un œil navré le revers effrangé, le fond de culotte presque transparent (...)
Claude SIMON, le Vent, p. 199.

DÉR. Effrangement.

EFFRAYAMMENT [efʀɛjamɑ̃] adv. — 1636, *effroiement;* repris 1860, Goncourt; de *effrayant.*
Littér. et rare. D'une manière effrayante.

EFFRAYANT, ANTE [efʀɛjɑ̃, ɑ̃t] adj. — 1539; p. prés. de *effrayer.*

♦ **1** Qui inspire ou peut inspirer de la frayeur, de l'effroi. → **Affreux, atroce, effroyable, épouvantable, horrible, ignoble, laid, monstrueux, redoutable, sinistre, terrible.** *Des bruits, des cris effrayants. Un spectacle effrayant* (→ Désespérant, cit. 1). *Mystère* *effrayant.* → **Affolant** (→ Côté, cit. 15). *Il a fait un rêve effrayant, un cauchemar effrayant. Visage d'une laideur effrayante.* → **Repoussant.** *Elle était d'une pâleur effrayante. Calme effrayant* (→ Colère, cit. 16). *Silence effrayant.* → **Inquiétant.** *Liberté effrayante* (→ Choix, cit. 10).

1 Le roi d'un noir chagrin paraît enveloppé.
Quelque songe effrayant cette nuit l'a frappé.
RACINE, Esther, II, 1.

2 Horloge! dieu sinistre, effrayant, impassible,
Dont le doigt nous menace et nous dit : «Souviens-toi!»
BAUDELAIRE, les Fleurs du mal, Spleen et idéal, «L'horloge».

3 Elle était inquiétante à voir (...) et si effrayée qu'elle était effrayante.
HUGO, Quatre-vingt-treize, III, IV, 3 (→ Anxiété, cit. 6).

Par ext. Qui, par sa force, son intensité, fait naître un sentiment voisin de l'effroi. → **Terrible.** *Énergie effrayante* (→ Atome, cit. 18). *C'est effrayant. Il est effrayant d'ambition.*

4 Il était très difficile de croire, il y a environ cent ans, que les corps agissaient les uns sur les autres, non seulement sans se toucher et sans aucune émission, mais à des distances effrayantes (...)
VOLTAIRE, Dict. philosophique, Feu.

5 Il y avait un homme qui, à douze ans, avec des *barres* et des *ronds,* avait créé les mathématiques (...) cet effrayant génie se nommait *Blaise Pascal.*
CHATEAUBRIAND, le Génie du christianisme, III, II, VI.

N. m. *L'effrayant de l'affaire, c'est que... Il adore l'effrayant, les films d'épouvante.*

♦ **2** Par exagér. Fam. → **Extraordinaire, formidable, immense, terrible.** *Il a un appétit effrayant. Sa capacité de travail est effrayante. Il fait une chaleur effrayante. Des prix effrayants.*

6 Les snobs *(au XVIIIᵉ s.)* voulant parler et juger quand même, lançaient des mots vides ou ridicules : une jolie femme était «effrayante»; c'est presque notre *formidable* (...)
BRUNOT, Hist. de la langue franç., VI, I, II, p. 771.

CONTR. Attirant, rassurant, séduisant. — Infime, ridicule.
◊ **DÉR.** Effrayamment.

EFFRAYER [efʀeje] v. tr. [CONJUG.: *payer.*] — Déb. XIVᵉ, *effroyer; esfreier,* v. 1155, au sens 1 ; *esfreer,* v. 1100; *esfreder,* fin Xᵉ; du lat. pop. *exfridare* «faire sortir de la paix», de *ex-,* et francique **fridu* «paix». Cf. all. *Friede* «paix».

♦ **1** Frapper de frayeur, d'effroi. → **Affoler, alarmer, angoisser, apeurer, effarer, effaroucher, épouvanter, inquiéter, terrifier, tourmenter; peur** (faire); → Glacer* le sang; faire dresser les cheveux* sur la tête. *Effrayer un enfant. Épouvantail qui effraie les oiseaux. Ses cris ont effrayé tout le monde. Être facile à effrayer.* → **Farouche, ombrageux, timide.** *Spectacle qui effraie tout le monde. L'événement a effrayé toute la population* (→ Alarme, cit. 4; chimère, cit. 10). *Ce silence nous effrayait* (→ Accalmie, cit. 3). *L'avenir, la mort l'effraie* (→ Attrister, cit. 2).

1 Nous troublons la vie par le soin de la mort, et la mort par le soin de la vie. L'une nous ennuie, l'autre nous effraie.
MONTAIGNE, Essais, III, XII.

2 Le silence éternel de ces espaces infinis m'effraie.
PASCAL, Pensées, III, 206.

3 La solitude effraye une âme de vingt ans.
MOLIÈRE, le Misanthrope, v, 4.

4 On ne les avait jamais effrayés en leur disant que Dieu réserve des punitions terribles aux enfants ingrats; chez eux, l'amitié filiale était de l'amitié maternelle.
BERNARDIN DE SAINT-PIERRE, Paul et Virginie, p. 27.

Les *picadores* montaient des chevaux dont les yeux étaient 5 bandés, parce que la vue du taureau pourrait les effrayer et les jeter dans des écarts dangereux.
Th. GAUTIER, Voyage en Espagne, p. 53.

La mort l'effrayait moins que les tentations de la vie. 6
MONTHERLANT, la Relève du matin, p. 42.

Par exagér. Provoquer de l'appréhension, de l'inquiétude chez (qqn). *L'oral du concours l'effraie.* **Absolt.** *Une chose terrible, qui effraie.*

♦ **2** Choquer; mettre en défiance (qqn). → **Effaroucher.** *Les obscénités l'effrayent. J'aime cette robe, mais le prix m'effraie un peu.* → **Effrayant, 2.**

♦ **S'EFFRAYER** v. pron.

Éprouver de la frayeur. → **Peur** (avoir peur); **craindre, redouter.** *Il s'effraie de peu de chose, pour rien, facilement.* → Avoir peur de son ombre*. *S'effrayer à la vue de... Il s'effraie de cette démarche à accomplir. S'effrayer de soi-même* (→ Contempler, cit. 1).

(...) je m'effraie et m'étonne de me voir ici plutôt que là (...) 7
PASCAL, Pensées, III, 205 (→ Durée, cit. 2).

Mon sang commence à se glacer 8
Et je crois qu'à moins on s'effraie.
LA FONTAINE, Fables, I, 12.

Le père Barbeau inclinait à suivre ce conseil, mais la mère 9 Barbeau s'en effraya.
G. SAND, la Petite Fadette, XXXI, p. 208.

(...) la bourgeoisie possédante s'effraie plus de l'armement 10 général du peuple que du droit de coalition.
JAURÈS, Hist. socialiste..., II, p. 266.

(Récipr.). *Ils se sont effrayés l'un l'autre.*

♦ **EFFRAYÉ, ÉE** p. p. adj.

Qui éprouve une grande peur. → **Affolé, angoissé, anxieux, apeuré, craintif** (cit. 1), **épouvanté.** *Un enfant, un animal effrayé. Effrayé de sa responsabilité. Effrayé devant la colère de Dieu* (→ Angoisser, cit. 2). *Effrayé à l'apparition* (cit. 11) *de... Effrayé d'apprendre qqch.* (→ Affiler, cit. 2). — **Par métonymie.** *Un visage, un air effrayé.*

On ne rencontrait dans les rues que des figures effrayées 11 ou farouches, des gens qui se glissaient le long des maisons afin de n'être pas aperçus, ou qui rôdaient cherchant leur proie : des regards peureux et baissés se détournaient de vous, ou d'âpres regards se fixaient sur les vôtres pour vous deviner et vous percer.
CHATEAUBRIAND, Mémoires d'outre-tombe, t. II, p. 10.

Il se passait peu de jours qu'il ne pleurât sa femme en 12 secret et, quoique la solitude commençât à lui peser, il était plus effrayé de former une union nouvelle que désireux de se soustraire à son chagrin.
G. SAND, la Mare au diable, IV, p. 39.

Mais la Commune, effrayée de sa responsabilité, ne parlait 13 à Paris que d'une voix un peu basse et sourde.
JAURÈS, Hist. socialiste..., VII, p. 458.

Blason. *Cheval effrayé,* représenté dressé sur les pattes de derrière. → **Effaré.**

Qui éprouve de l'inquiétude, de l'appréhension. *Être effrayé d'un changement.*

Choqué; défiant. *Pudeur effrayée.*

CONTR. Apaiser, apprivoiser, calmer, enhardir, rassurer, tranquilliser. ◊ **DÉR.** Effrayant, effroi.

EFFRÉNÉ, ÉE [efʀene] adj. — V. 1200; lat. *effrenatus* «débridé», p. p. de *effrenare,* de *ex-,* et *frenare.* → Freiner.

Qui est sans frein*.

♦ **1** Blason. *Cheval effréné,* représenté sans frein, sans bride. **Syn.** : *cheval gai.*

♦ **2** Fig., cour. Qui est sans retenue, sans mesure. → **Déchaîné, délirant, démesuré, désordonné, échevelé, exagéré, excessif, fou, illimité, immodéré,** *passionné. Torrent effréné. Hordes effrénées ravageant un pays. Un agitateur effréné* (→ Démagogue, cit. 2). *Une course effrénée. Débauche, licence effrénée* (→ Dénoncer, cit. 2). *Ambition, passion, jalousie, joie effrénée* (→ Ardeur, cit. 38; bacchante, cit. 2). *Aspirations, convoitise, désirs effrénés* (→ Allumer, cit. 10). *Luxe effréné. Concurrence, spéculation effrénée. Poète d'une inspiration effrénée. Mysticisme effréné.*

1 Parvenus au point culminant de la crête, effrénés, tout à leur furie et à leur course d'extermination sur les carrés et les canons, les cuirassiers venaient d'apercevoir entre eux et les Anglais un fossé (...)

    HUGO, les Misérables, II, I, IX.

2 Je deviens fou de désirs «effrénés» (j'écris le mot et le souligne).   FLAUBERT, Correspondance, t. II, p. 53.

CONTR. Contenu, mesuré, modéré, réservé, retenu, sage, tempéré. ◊ **DÉR.** Effrénément.

EFFRÉNÉMENT [efʀenemɑ̃] adv. — XVᵉ; de *effréné.*
Vx. D'une manière effrénée, sans frein.

    Sans Justice, le peuple effrénément vivrait,
    Comme un navire en mer qui en poupe n'aurait
    Un pilote rusé pour ses voies conduire.
    RONSARD, Hymne de la justice.

EFFRIT [efʀi] n. m. → **Efrit.**

EFFRITEMENT [efʀitmɑ̃] n. m. — 1846, au sens 1; de *effriter,* et *-ment.*

♦ **1** Agric. (vieilli). Épuisement d'une terre.

♦ **2** (1879). Fait de s'effriter, état de ce qui est effrité. → **Dégradation, désagrégation, usure...** *L'effritement d'un bas-relief antique. Effritement de l'épiderme.* → **Desquamation.** — Fig. *Effritement des cours* (en bourse).

    Si au contraire nous donnons en bourse des ordre d'achat, les coupons touchés ne nous consoleront pas de l'effritement ininterrompu des valeurs.
    F. MAURIAC, le Nœud de vipères, XX, p. 250.

EFFRITER [efʀite] v. tr. — 1611; au sens I, *esfruite,* 1213; au sens II, 1801; de *é-, fruit,* et suff. verbal; le sens II semble dû à l'influence de *friable.*

I Vx. Épuiser, user (une terre); rendre stérile. → **Effruiter.** *Effriter un champ.* — Pronominal :

1 Toutes les terres s'usent, ou, pour me servir du terme de jardinage, s'effritent avec le temps.
    Louis LIGER, Nouvelle maison rustique, II, I, 1,
    in HATZFELD.

II (1801, Bloch-Wartburg). Mod. ♦ **1** Rendre friable*; réduire en poussière. *Effriter des mottes de terre. Essayer d'effriter un croûton, un gâteau sec.*
Par métaphore :

2 L'intelligence est un îlot, que les marées humaines rongent, effritent et recouvrent.
    R. ROLLAND, Jean-Christophe, Buisson ardent, I,
    p. 1265.

♦ **2** Fig. Faire perdre ses éléments à; affaiblir en désagrégeant. *Il essayait d'effriter la majorité, le pouvoir du ministère.*

♦ **S'EFFRITER** v. pron. (1852). Plus cour.

♦ **1** Se désagréger progressivement, tomber en poussière. *Ces vieilles pierres s'effritent.* → **Écailler** (s'). — *Bas-reliefs qui s'effritent et se dégradent*. *Le bois vermoulu s'effrite. Fleurs séchées qui s'effritent* (→ Bruyère, cit. 1).

3 Le toit penche, le mur s'effrite,
    Le seuil de la porte est moussu.
    Th. GAUTIER, Émaux et Camées, «Fumée».

♦ **2** S'affaiblir en perdant ses éléments, en se dissociant (→ Drame, cit. 1).

♦ **EFFRITÉ, ÉE** p. p. adj.

Désagrégé, en poussière.

(...) des masses énormes de roches calcaires, rugueuses, 4
lépreuses, effritées, fendillées, pulvérulentes, en pleine
décomposition sous l'implacable soleil.
    Th. GAUTIER, le Roman de la momie, p. 15.

DÉR. Effritement.

EFFROI [efʀwa] n. m. — V. 1210, *esfroi; esfrei, effrei,* 1140; déverbal de *effrayer.*

Littéraire.

♦ **1** Grande frayeur, souvent mêlée d'horreur, qui glace et qui saisit. → **Affolement** (cit. 2), **affres, alarme, angoisse, anxiété** (cit. 5), **crainte, effarement, épouvante, frayeur, horreur, peur, terreur, transe, trouble, trouille** (fam.). *Inspirer, jeter, porter, répandre, semer l'effroi. Vivre dans l'effroi* (→ Affreux, cit. 6). *Remplir les méchants d'effroi* (→ Bon, cit. 134). *Attendre, regarder qqch. avec effroi. Des yeux, un regard plein d'effroi. Glacer qqn d'effroi* (→ Approche, cit. 20). *Être saisi d'effroi, d'un effroi sans nom. Pâlir, trembler d'effroi. Ses cheveux, ses poils se hérissèrent d'effroi.* → **Horripilation** (→ Abominable, cit. 1). *Un effroi mortel. Cri d'effroi* (→ Détresse, cit. 5). *Hurlement d'effroi. L'effroi du mystère,* qu'inspire le mystère (→ Attraction, cit. 14). *L'effroi de qqn, son effroi,* celui qu'il éprouve.

En voyant l'aveuglement et la misère de l'homme; en 1
regardant tout l'univers muet, et l'homme sans lumière,
abandonné à lui-même, et comme égaré dans ce recoin
de l'univers (...) j'entre en effroi comme un homme qu'on
aurait porté endormi dans une île déserte et effroyable (...)
    PASCAL, Pensées, XI, 693.

Quand les périls sont passés (...) on pâlit de la peur qu'on 2
aurait pu avoir; on s'applaudit de ne s'être laissé surprendre à lui-même, et l'on sent une sorte d'effroi
réfléchi et calculé auquel on n'avait pas songé dans l'action.
    A. DE VIGNY, Servitude et grandeur militaires, II,
    XIII, p. 165.

Comme d'autres par la tendresse, 3
Sur ta vie et sur ta jeunesse,
Moi, je veux régner par l'effroi.
    BAUDELAIRE, les Fleurs du mal, Spleen et idéal,
    «Le revenant».

Il se jeta sur elle, ardent, les bras avides. Elle, les yeux 4
pleins d'effroi, le repoussa avec une horreur glaciale.
    FRANCE, le Lys rouge, XXI, p. 159.

Je regardais mon père avec effroi, et je crus voir passer 5
sur son visage le frisson d'angoisse et de terreur qui venait
de m'envahir.
    Alphonse DAUDET, le Petit Chose, III, p. 32.

Loc. Vén. *Partir d'effroi* (en parlant d'un animal qui a été surpris et effrayé) : s'enfuir.

Par exagér. Appréhension, peur (surtout dans des loc.). *Envisager l'avenir, un examen avec effroi. À son grand effroi, il devait parler en public sans préparation.*

♦ **2** (1553). *L'effroi de (qqn) :* ce qui cause de l'effroi, de la frayeur (à qqn). *Ce tyran est l'effroi de son peuple.*

Le grand nom de Pompée assure sa conquête : 6
C'est l'effroi de l'Asie (...)   RACINE, Mithridate, III, 1.

Au dieu persécuteur, effroi du genre humain (...) 7
    VOLTAIRE, Mahomet, I, 4.

Par exagér. «M. Beauchamp, terrible journaliste, effroi du gouvernement et délices de ses amis» (A. Dumas père, *in* T. L. F.).

CONTR. Assurance, calme, courage, quiétude, sérénité, tranquillité. — Délice (délices, II.). ◊ **DÉR.** Effroyable.

EFFRONTÉ, ÉE [efʀɔ̃te] adj. et n. — V. 1278, *esfrontez*; de *é-*, *front*, et *-é*, étymologiquement «sans front».

♦ **1** Qui ne rougit, qui n'a honte de rien, qui se conduit de façon impudente. → **Audacieux, cynique, éhonté, grossier, hardi, impertinent, impudent, impudique, insolent, malappris, outrecuidant;** → Mal élevé*, sans gêne*, sans vergogne*. — *Il est naturellement effronté* (→ Complexion, cit. 1). *Un homme effronté. Domestique effronté* (→ Bord, cit. 14). *Menteur effronté.* — **(En parlant des pensées et de la parole).** *Une idée effrontée. Des paroles effrontées.* **Spécialt et vx (d'un genre littéraire).** → cit. 1, Boileau.

1 Au mépris du bon sens, le burlesque effronté
Trompa les yeux d'abord, plut par sa nouveauté.
BOILEAU, l'Art poétique, I.

2 Un homme que l'avarice rend effronté ose emprunter une somme d'argent à celui à qui il en doit déjà, et qu'il lui retient avec injustice.
LA BRUYÈRE, les Caractères de Théophraste, «De l'effronterie causée par l'avarice».

Loc. (Vx.) *Être effronté comme un page, comme un moineau.*

Spécialt (dans le domaine du comportement érotique, notamment en parlant des femmes). Qui manifeste sans honte sa liberté de mœurs. → **Dévergondé.**

3 Ô ciel! disais-je, est-il possible qu'une personne qui se montre si réservée soit capable de vivre dans le libertinage? Je m'imaginais que toutes les femmes galantes devaient être effrontées.
A. R. LESAGE, Gil Blas, IV, VII.

4 Dorine, la soubrette effrontée, peut très bien étaler devant moi sa gorge rebondie (...)
Th. GAUTIER, Préface de Mⁱˡᵉ de Maupin, p. 5 (éd. critique MATORÉ).

N. *Un effronté, une effrontée* : une personne qui ne manque pas de toupet*, qui n'a pas froid* aux yeux, qui n'a pas les yeux* dans sa poche... (→ Chicaneur, cit. 2; continuer, cit. 3). *Petit effronté!* → **Galopin.** *Quelle effrontée!*

5 Avez-vous vu cette effrontée, comme elle le regarde?
LOTI, Pêcheur d'Islande, I, v, p. 49.

6 Nous étions une bande d'effrontés, de jeunes roués (entre seize et dix-neuf ans) qui mettions notre honneur à tout oser en fait d'indiscipline et d'insolence.
Valéry LARBAUD, Fermina Marquez, I, p. 10.

REM. Le mot tend à vieillir, sauf dans l'usage soutenu et écrit.

♦ **2** (Choses). Qui indique l'effronterie. → **Impertinent.** *Un air, un regard effronté. Visage effronté* (→ Couvrir, cit. 7). *Une attitude effrontée* (→ Cafard, cit. 1). *Un mensonge effronté.*

7 (Ciel) qui mêle à nos vils désastres,
À nos deuils, aux éclats de rires effrontés,
À nos méchancetés, à nos rapidités,
La douceur profonde des astres.
HUGO, la Légende des siècles, I.

8 Il est impossible de parcourir une gazette quelconque (...) sans y trouver, à chaque ligne, les signes de la perversité humaine la plus épouvantable, en même temps que les *vanteries* les plus surprenantes de probité (...) les affirmations les plus effrontées relatives au progrès et à la civilisation.
BAUDELAIRE, Journaux intimes, LXXXI.

Spécialt (avec une connotation sexuelle). *Des désirs effrontés. Mœurs effrontées.* → **Licencieux.**

CONTR. Confus, craintif, décent, délicat, honteux, humble, intimidé, modeste, pudibond, pudique, réservé, timide, timoré. ◊ **DÉR. Effrontément, effronterie.**

EFFRONTÉMENT [efʀɔ̃temã] adv. — Fin XIIᵉ, *effronteyment*; de *effronté*, et *-ment*.

D'une manière effrontée; sans honte, sans vergogne*. *Mentir, répondre effrontément* (→ Échantillon, cit. 12). *Regarder qqn effrontément. Louer qqn effrontément. Il est effrontément menteur.*

(...) il y avait un jeune homme blond et frais, à figure joyeuse, qui embrassait, avec de grands éclats de rire, une jeune fille fort effrontément parée (...) 1
HUGO, Notre-Dame de Paris, IX, I.

Moi, je répondais de mon mieux à toutes leurs questions, donnant sur mon ami les détails que je savais, inventant effrontément ceux que je ne savais pas (...) 2
Alphonse DAUDET, Lettres de mon moulin, «Les vieux».

EFFRONTERIE [efʀɔ̃tʀi] n. f. — Mil. XIVᵉ, *enfronterie*; de *effronté*, et *-erie*.

Caractère, attitude d'une personne effrontée ou d'un acte effronté. → **Audace, hardiesse, impudence, insolence, outrecuidance, sans-gêne; aplomb, culot, toupet.** *Audacieux, hardi jusqu'à l'effronterie. Regarder qqn avec effronterie. Nier avec effronterie. Un masque d'effronterie* (→ Abjection, cit. 2). *Il a l'effronterie de soutenir ce mensonge.*

Un insolent qui a eu l'effronterie d'entreprendre (...) 1
MOLIÈRE, l'Amour médecin, III, 2.

(...) celui qui préférant une sorte d'effronterie aux bienséances et à la pudeur (...) 2
LA BRUYÈRE, les Caractères, VII, 19.

Serait-ce par un effet de la pudeur et du mortel ennui qu'elle doit imposer à plusieurs femmes, que la plupart d'entre elles n'estiment rien tant dans un homme que l'effronterie? ou prennent-elles l'effronterie pour du caractère? 3
STENDHAL, De l'amour, XXVI.

Victurnien avait cette effronterie de page qui aide beaucoup à l'aisance. 4
BALZAC, le Cabinet des antiques, Pl., t. IV, p. 382.

Il la regardait avec une familiarité cynique, avec une effronterie audacieuse qui la fit rougir. 5
FRANCE, Jocaste, Œ., t. V, p. 58.

(Une, des effronteries). **Littér.** Action d'un effronté. *Ses effronteries continuelles le font détester de tous.*

CONTR. Modestie, réserve, timidité.

EFFROYABLE [efʀwajabl] adj. — XVᵉ-XVIᵉ; de *effroi*, et *-able*.

♦ **1** Qui remplit d'effroi, de terreur. → **Effrayant; affreux, atroce, épouvantable, horrible, terrible, tragique.** *Spectacle, vision effroyable.* → **Dantesque.** *Un bruit, des cris effroyables* (→ Brusque, cit. 5; débâcle, cit. 1). *Une mêlée effroyable* (→ Combat, cit. 6). *Un événement effroyable* (→ Désastreux, cit. 1). *Déluge* (cit. 3) *effroyable. D'effroyables convulsions. Un effroyable tremblement de terre.* → **Catastrophique.** *Une nuit effroyable* (→ Désastreux, cit. 1). *Un crime effroyable. Un châtiment effroyable. Vivre dans une misère effroyable* (→ Affamé, cit. 4). *D'effroyables menaces.*

Que Dieu ne nous impute pas nos péchés, c'est-à-dire toutes les conséquences et suites de nos péchés, qui sont effroyables (...) PASCAL, Pensées, VII, 506. 1

Je frémissais, Doris, et d'un vainqueur sauvage
Craignais de rencontrer l'effroyable visage. 2
RACINE, Iphigénie, II, 1.

On dit, maîtres, on dit qu'alors votre sourcil,
En voyant cette lune, et plus fort que le cil,
Prit l'effroyable aspect d'un accent circonflexe! 3
A. DE MUSSET, Premières poésies, «Les secrètes pensées de Rafaël».

(...) supplier leur Allah qu'il me prenne aussi en pitié, qu'il me fasse grâce (...) de cet effroyable avenir de désespérance, de fer, de feu et de sang, vers lequel des vertiges nous emportent. 4
LOTI, Suprêmes visions d'Orient, p. 103.

(Il) me montra sa face de démon (...) Effroyable vision! 4.1
La hideur et la douleur s'étaient réunies pour faire de ce masque la chose la plus tragique et la plus épouvantable à regarder qui se pût concevoir!...
G. LEROUX, Rouletabille chez Krupp, p. 141.

Qui est d'une laideur repoussante. → **Laid, monstrueux, repoussant.** *Un visage effroyable.*

♦ **2** (1647). Fam. Énorme, effrayant. → **Effrayant, excessif, incroyable.** *Faire des dépenses effroyables. L'effroyable distance qui nous sépare des autres astres. Un embouteillage effroyable. C'est effroyable, le temps qu'il faut pour traverser Paris.*

5 J'ai eu une peine effroyable à la faire venir ici.
MOLIÈRE, le Bourgeois gentilhomme, III, 16.

CONTR. Admirable, attirant, charmant, délicieux, magnifique, ravissant, superbe. ◊ DÉR. Effroyablement.

EFFROYABLEMENT [efʀwajabləmã] adv. — 1554; de *effroyable.*

D'une manière effroyable.

♦ **1** (Au sens fort). *Il hurlait effroyablement.*

♦ **2** (1659). Fam. Excessivement, terriblement. → **Incroyablement.** *Une affaire effroyablement compliquée.*

REM. Dans la langue moderne, l'adverbe conserve une valeur sémantique précise (désagrément, etc.); l'emploi comme simple intensif était courant dans la langue précieuse au XVIIᵉ s. (Molière s'en rit) :

1 — Comment les trouvez-vous ? — Effroyablement belles.
MOLIÈRE, les Précieuses ridicules, 9.

2 Plusieurs de ces adverbes sont entrés dans les textes littéraires :
(...) Mon mari a des idées effroyablement rétrogrades (...)
F. BRUNOT, la Pensée et la Langue, XVII, v, p. 690.

EFFRUITER [efʀɥite] v. tr. — 1213, *esfruitie*; de *é*, *fruit*, et suff. verbal.

♦ **1** → **Effriter.**

♦ **2** (1611). Régional. Dépouiller (un arbre, un verger) de ses fruits. → **Défruiter.**

EFFULGENCE [efylʒãs] n. f. — 1863, Baudelaire; du lat. *effulgens*, p. prés. de *effulgere*. → Effulger.

Littér. et rare. Lueur, clarté.

Ses retraites du bois se remplissent (...) de rayons jaunes, d'effulgences rosées.
BAUDELAIRE, le Peintre de la vie moderne, 1863, XIII, Pl., p. 919.

EFFULGENT, ENTE [efylʒã, ãt] adj. — 1860; lat. *effulgens*, p. prés. de *effulgere*. → Effulger.

Littér. et rare. Qui luit.

EFFULGER [efylʒe] v. intr. [CONJUG.: *bouger.*] — 1898; lat. class. *effulgere* «briller, éclater, luire», de *ex-*, intensif, et *fulgere* «luire».

Littér. et rare. Jeter une vive lueur.

La muraille insensiblement devenait d'une clarté solaire, de son centre, des rayons comme d'immenses cimeterres effulgeaient plus terriblement (...)
G. KAHN, le Conte de l'or et du silence, 1898, p. 241-242, *in* T. L. F.

EFFUMER [efyme] v. tr. — 1676, peint.; «s'évaporer», au fig., 1608; de *é-*, et *fumer.*

Peint. Atténuer les teintes, les lignes de (une peinture) pour lui donner de la légèreté. → **Voiler.**

♦ **S'EFFUMER** v. pron.

(En parlant d'une peinture). Perdre ses contours, ses couleurs.

Fig. S'évanouir, disparaître.

Voyage à Philadelphie. Inauguration du Musée Rodin donné par les Mastbaum. La Porte de l'Enfer. Grand froid. Désillusion de tout cet art en grande partie périmé, violent et faible, plutôt mesquin et tortillé. Tout cela s'effrange et s'effume.
CLAUDEL, Journal, 29 nov. 1929.

EFFUSANT, ANTE [efyzã, ãt] adj. — Attesté XXᵉ; p. prés. de *effuser.*

Littér. et rare. Qui effuse, s'épanche.

(...) entendant ma voix il accourt et tout aussitôt son effusante amabilité me submerge; il me traite avec une subite intimité qui ne s'encombre pas d'estime et qui, ma foi, est sa façon de dominer.
GIDE, Journal, janv. 1907.

EFFUSER [efyze] v. tr. — XVᵉ, repris 1898; du lat. *effusum*, supin de *effundere* «répandre en dehors», de *ex-*, et *fundere* «répandre». → Fondre.

Littér. Faire jaillir au dehors.

Le temps des lilas approchait de sa fin; quelques-uns effusaient encore en hauts lustres mauves les bulles délicates de leurs fleurs (...)
PROUST, À la recherche du temps perdu, t. I, p. 185.

Fig. Laisser jaillir, laisser s'épancher (un sentiment).

♦ **S'EFFUSER** v. pron.

Jaillir au dehors.

DÉR. Effusant.

EFFUSIF, IVE [efyzif, iv] adj. — 1929; du rad. de *effusion.*

♦ **1 Géol.** Se dit de roches consolidées à la suite d'éruptions volcaniques.

♦ **2 Littér.** Qui constitue une effusion (3.). *Les épanchements effusifs des romantiques.*

EFFUSION [efyzjõ] n. f. — Av. 1150; lat. *effusio*, du supin de *effundere*, de *ex-*, et *fundere* «répandre».

♦ **1 Vx.** Action de répandre (un liquide). *L'effusion du vin dans les libations, dans les sacrifices.*

1 Lucullus (...) lui fit les effusions funérales accoutumées aux enterrements.
AMYOT, Lucullus, 29.

2 Votre ami vous mandera la joie éclatante de toute la cour *(à la naissance du duc de Bourgogne)* quel bruit, quels feux de joie, quelle effusion de vin (...)
Mᵐᵉ DE SÉVIGNÉ, 896, 7 août 1682.

Mod. EFFUSION DE SANG : action de faire couler le sang (dans une action violente). — (Surtout avec *sans*). *S'emparer d'une ville sans effusion de sang. L'ordre a été rétabli sans effusion de sang.*

3 Le propre corps et le propre sang dont l'immolation et l'effusion nous ont sauvés sur la croix (...)
BOSSUET, His. des variations, IV, 8.

Méd. anc. Effusion du sang. → **Hémorragie.** — **Mod.** Épanchement.

Littér. *Effusion de larmes.*

4 (...) dans l'effusion des plus tendres larmes.
André SUARÈS, Trois hommes, «Dostoïevski», v, p. 246.

♦ **2 Théol.** Action de communiquer (un don) avec abondance. *L'effusion de la grâce; effusion de grâces.*

5 L'Église tient que le Père produit continuellement le Fils et maintient l'éternité de son essence par une effusion de sa substance.
PASCAL, Lettre à Mᵐᵉ Périer, 5 nov. 1648.

♦ **3** (1648). **Fig. Littér.** ou style soutenu. Le fait de donner libre cours (à un sentiment profond); manifestation sincère (d'un sentiment). → **Épanchement.** *Une effusion d'amour, de charité, de tendresse* (→ Déchaînement, cit. 4). *Effusion du cœur.* → **Élan.** *Effusions cordiales* (cit. 6). *Amis qui s'abandonnent aux effusions après une longue séparation. Effusions lyriques, mystiques.* — *Effusion de paroles, de mots.* → **Flot.**

(L'effusion). Loc. cour. *Avec effusion. Parler avec effusion.* → **Abandon, confiance**; → À cœur* ouvert. *Besoin d'effusion.* → **Confidence.** *Remercier avec effusion.* → **Ferveur.** *Manifester sa joie avec effusion.* → **Transport.** *Accueillir qqn avec effusion.* → À bras* ouverts.

6   Les bras étendus vers son gendre, il lui parle avec une effusion de cœur qui enchante (...)
    DIDEROT, Salon de 1761, Greuze.

7   Quel accent profond et nouveau! quelles aspirations éthérées, quels élancements vers l'idéal, quelles pures effusions d'amour, quelles notes tendres et mélancoliques, quels soupirs et quelles postulations de l'âme que nul poète n'avait encore fait vibrer!
    Th. GAUTIER, Portraits contemporains, Lamartine, p. 172.

8   Comme elle l'embrasse! comme elle l'étreint! comme elle l'étouffe! (...) Au milieu de ces effusions, l'homme du comptoir se réveille.
    Alphonse DAUDET, le Petit Chose, I, IV, p. 48.

9   (...) plusieurs de ces dames se retirèrent, non pas déçues, comme elles auraient dû l'être, mais remerciant avec effusion Mᵐᵉ de Guermantes de la délicieuse soirée qu'elles avaient passée (...)
    PROUST, À la recherche du temps perdu, t. VIII, p. 196.

10 Comme j'exagérais ma sympathie, j'ai dû essuyer des effusions assez gênantes.
    GIDE, les Faux-monnayeurs, III, XII, p. 426.

CONTR. Dissimulation, froideur, refoulement, réserve, retenue. ◊ **DÉR. Effusionniste.**

EFFUSIONNISTE [efyzjɔnist] adj. — XXᵉ; de *effusion,* et *-iste.*
Littér. (iron.). Qui a rapport à l'effusion (érotique). *Sentiments, penchants effusionnistes.* — N. *Un, une effusionniste.*

(...) trouvant donc sa femme occupée à mettre en pratique ces principes naturistes et effusionnistes dont n'avaient pas voulu les Espagnols (...)
    Claude SIMON, la Route des Flandres, p. 280.

È FINITA LA COMMEDIA [ɛfinitalakɔ(m)medja] Mots italiens signifiant «la comédie est finie», par lesquels les acteurs italiens annonçaient la fin de la représentation (cf. la loc. lat. *Acta est fabula* «la pièce est jouée»). S'emploie par plaisanterie en manière de conclusion à une histoire, un récit qui fait penser à une comédie astucieusement jouée. → **Comédie.**

ÉFOURCEAU [efuʀso] n. m. — 1752, Trévoux; probablt de é-, du lat. class. *furcilla* «petite fourche» et suff. *-eau.*
Techn. Chariot à deux roues, servant au transport de masses allongées et très pesantes (troncs, poutres, etc.). → **Triqueballe.**

EFRIT ou **EFFRIT** [efʀi] n. m. — 1910, Claudel; mot arabe.
Génie* malfaisant (dans la mythologie arabe). *Les effrits* ou *les efrits.* → **Afrite** (vx).
Contre la large poitrine vient se rompre la charge de l'efrit et du diable sanglotant.
    CLAUDEL, Grandes odes, p. 286, in T. L. F.

E. G. — XXᵉ; abrév. du lat. *exempli gratia* «par l'effet, par la grâce de l'exemple», réemprunté à l'anglais.
Par exemple*.

ÉGAGROPILE ou **ÆGAGROPILE** [egagʀɔpil] n. m.
— 1752, *égagropile*; du grec *aigagros* «chèvre sauvage», de *aiks, aigos* «chèvre», *agrios* «sauvage», et *pilos* «boule».
Didact. Concrétion de poils et de débris agglomérés, que l'on trouve dans l'estomac de ruminants. → **Bézoard.**

ÉGAIEMENT [egɛmɑ̃] ou **ÉGAYEMENT** [egɛjmɑ̃] n. m. — V. 1175, *esgaiement*; de *égayer*, et *-ment.*
Rare. Action d'égayer; fait de s'égayer. *Pour l'égaiement de la société.*

ÉGAILLEMENT [egajmɑ̃], cour. [egɛjmɑ̃] n. m. — 1870, Erckmann-Chatrian; de *égailler.*
Rare. Fait de s'égailler; dispersement, éparpillement (d'une troupe).
CONTR. Regroupement. ◊ **HOM. Égayement** (éventuel).

ÉGAILLER (S') [egaje], cour. [egɛje; egeje] v. pron. et tr. — 1829, Balzac; *esgailler*, trans., «éparpiller», 1474; *esguaillied* «niveler», 1155; mot dial. de l'Ouest (en Vendée, il servait à caractériser la manœuvre des insurgés qui fuyaient la bataille rangée), probablt du lat. pop. *œgueliare*, du lat. *œqualis* «égal, uni»; selon Guiraud, avec influence de dérivés de *gai.*

♦ **1** V. pron. Se disperser*, s'éparpiller **(en parlant de plusieurs personnes, de plusieurs animaux).** *Les soldats s'égaillèrent dans un bois pour ne pas être vus.* → **Déployer** (se), **disséminer** (se), **éparpiller** (s').

Ces deux officiers devaient prendre à propos les Chouans   1
en flanc et les empêcher de s'égailler. Ce mot du patois de ces contrées exprime l'action de se répandre dans la campagne, où chaque paysan allait se poster de manière à tirer les Bleus sans danger (...)
    BALZAC, les Chouans, Pl., t. VII, p. 793.

Nous nous égaillions par groupes dans les taillis et nous   1.1
saccagions, après tant d'autres trésors, le trésor sylvestre du pays.
    DRIEU LA ROCHELLE, la Comédie de Charleroi, p. 130.

Par ext. Être répandu, dispersé **(en parlant de plusieurs choses).**

La figure était dévorée de taches de rousseur qui s'accu-   2
mulaient sur le nez et sur les pommettes puis s'égaillaient jusqu'aux paupières (...)
    F. MAURIAC, la Pharisienne, XIII, p. 202.

♦ **2** V. tr. (1474, repris XXᵉ). Disperser, éparpiller.

Pareils à des flèches, presque invisibles, les animaux jail-   3
lissent, se coagulent en un fuseau tendu, lancé à une allure de train express à la poursuite du lièvre; le premier tournant les couche sur le côté, les égaille (...)
    Paul MORAND, Londres, 1933, p. 144, in T. L. F.

CONTR. Grouper (se), **masser** (se), **réunir** (se). ◊ **DÉR. Égaillement.** ← **HOM. Égayer** (éventuel).

ÉGAL, ALE, AUX [egal, o] adj. — V. 1160; *igal*, v. 1150; réfect. de l'anc. franç. *evel, ivel*, d'après le lat. *œqualis* «égal (par l'âge, la grandeur, etc.); régulier, égal à soi-même; uni», de *œquus.* → **Équi-.**

♦ **1** ⓐ Qui est de même quantité, dimension ou valeur. → **Identique, même, pareil, semblable, similaire; équivalent** (et les comp. des préf. **équi-, iso-**). *Chose égale à une autre. Choses égales, égales en grandeur, en hauteur, de hauteur, par la hauteur. Être égal, rendre égal à...* → **Égaler, égaliser; égalité.** *À peu près égal* (→ **Approchant**).
Géom. et cour. *Deux quantités égales à une même troisième sont égales entre elles. La somme des angles d'un triangle est égale à deux droits. Qui a deux côtés égaux* (→ **Isocèle**), *trois côtés égaux* (→ **Équilatéral**). *Figures à angles égaux.* → **Équiangle, isogone.** *Des cercles égaux ont leurs diamètres égaux. Deux triangles égaux ont leurs trois côtés respectivement égaux. Figures égales*, exactement superposables (→ **Coïncidence; superposable**).

Ce terme (*égal*) exprime, dit-on, un rapport entre deux ou   1
plusieurs choses qui ont la même grandeur, la même quantité, ou la même qualité. Wolf définit les choses *égales*, celles dont l'une peut être substituée à l'autre sans aucune altération dans leur quantité. Je crois pour moi

que toutes ces définitions ne sont pas plus claires que la chose définie et que le mot *égal* présente à l'esprit une idée plus précise et plus nette que tout autre mot ou phrase synonyme qu'on voudrait faire servir à l'expliquer.

> D'ALEMBERT, Encyclopédie, art. *Égal.*

Qui a même mesure. *Quantités, dimensions égales. Hauteur, distance égale à une autre. Des volumes, des prix égaux. Arbres plantés à intervalles égaux.* → **Équidistant.** *Poids égaux. Le jour est égal à la nuit pendant l'équinoxe. De température égale.* → **Isotherme.** *D'égale pression.* → **Isobare.** *Mouvements qui se font en temps égaux.* → **Isochrone** (→ Course, cit. 1). — (Dans un partage, dans la division d'un tout). *Diviser un tout en parties égales. Parts égales d'une succession* (→ **Équilibre**).

Spécialt. *Troupes égales en nombre* (→ Bataille, cit. 18). (Choses non mesurables). Qui est de même nature ou qualité, qui est estimé identiquement. *Beautés égales. Sa peur était au moins égale à la mienne,* au moins aussi forte, intense. — (Avec un compl. spécifiant le champ de comparaison). *Sentiments égaux en force, en intensité, en pureté, égaux par leur caractère inconscient.*

2   Hélas! Seigneur, quel trouble au mien peut être égal?
> RACINE, Phèdre, I, 2.

3   Depuis qu'à Pharaon ce peuple est échappé,
Une égale terreur ne l'avait point frappé.
> RACINE, Athalie, III, 7.

Œuvres égales, de valeur égale.

Qui obtient le même résultat, produit les mêmes effets. *Des forces égales.* — Loc. *Combattre à armes égales,* en disposant de moyens égaux ou analogues.

(Au sing., qualifiant en fait une pluralité d'états égaux). — REM. Lorsque la valeur temporelle l'emporte, il s'agit du sens 1, ci-dessous.

3.1   Notre nombre est toujours égal; les arrangements sont pris de manière à ce que nous soyions toujours seize, huit dans chaque chambre (...)
> SADE, Justine..., t. I, p. 162.

4   Le génie d'ailleurs sait employer avec un égal succès les moyens les plus divers.
> E. DELACROIX, Écrits, Journal, 15 janv. 1857.

5   Si j'allais vite pour le dépasser, elle courait presque pour maintenir la distance égale; mais si je ralentissais le pas pour qu'il y eût un intervalle de chemin assez grand entre elle et moi, alors, elle me ralentissait aussi (...)
> LAUTRÉAMONT, les Chants de Maldoror, II, p. 64.

Loc. *Être d'égale force, de force égale* : avoir des forces égales.

6   Tant qu'Achille vivait, Ajax et lui, d'égale force, d'égal mérite, d'égal orgueil, se balançaient; l'un maintenait en respect l'autre.
> GIDE, Théâtre, Ajax, 1.

Une quantité, une proportion égale de... et de..., identique (les deux compl. sont *égaux*).

7   Prélevez n'importe où le même nombre d'individus, en les entourant des mêmes soins, vous obtiendrez une proportion égale de valeurs et de déchets.
> J. CHARDONNE, l'Amour du prochain, p. 172.

b   Qui ne crée pas de différence entre les personnes (→ ci-dessous, 2.). *La justice doit être égale pour tous. Un partage égal.* → **Équitable.** *Une répartition égale des bénéfices.* → **Égalitaire.**

Qui met sur un pied d'égalité. *La partie est égale* : les adversaires sont de même force (→ Détruire, cit. 14).

Sports. *Faire jeu égal,* se dit d'adversaires qui se montrent de force égale.

Loc. *Tenir la balance* (supra cit. 20) *égale.* — *Toutes choses égales d'ailleurs,* ou (vx) *par ailleurs* : en supposant que tous les autres éléments de la situation restent les mêmes.

♦ **2** (1155). **Personnes.** Qui est sur le même rang; qui a les mêmes avantages ou désavantages, les mêmes droits ou charges. *Les hommes naissent-ils égaux?* (→ Apporter, cit. 24; domination, cit. 1). *Français égaux devant la loi. Être égaux en richesse, par la richesse, quant à la richesse.* — *Être égaux par le destin,* par la cause du destin.

8   Le moyen de choisir de deux grandes beautés,
Égales en naissance et rares qualités?
> MOLIÈRE, Mélicerte, I, 5.

9   Les hommes sont tous égaux dans le gouvernement républicain; ils sont égaux dans le gouvernement despotique : dans le premier, c'est parce qu'ils sont tout; dans le second, c'est parce qu'ils ne sont rien.
> MONTESQUIEU, l'Esprit des lois, VI, II.

10   Les mortels sont égaux : ce n'est point la naissance
C'est la seule vertu qui fait leur différence.
> VOLTAIRE, Ériphyle, II, 1.

11   Égaux par la nature, égaux par le malheur,
Tout mortel est chargé de sa propre douleur (...)
> VOLTAIRE, l'Orphelin de la Chine, II, 3.

12   Soutenir vaguement que les deux sexes sont égaux, et que leurs devoirs sont les mêmes, c'est se perdre en déclamations vaines (...)
> ROUSSEAU, Émile, V.

Loc. *Libres et égaux en droits.*

13   Les hommes naissent et demeurent libres et égaux en droits. Les distinctions sociales ne peuvent être fondées que sur l'utilité commune.
> Déclaration des droits de l'homme et du citoyen (Constitution du 3 sept. 1791), art. 1 (→ Admissible, cit. 2).

Être égaux devant la loi, devant la mort, aux yeux de qqn.

14   Ainsi tous seront égaux devant la loi; nulle personne, famille ou classe, n'aura de privilège; nul ne pourra réclamer un droit dont un autre serait privé; nul ne devra porter une charge dont un autre serait exempt.
> TAINE, les Origines de la France contemporaine, II, t. II, p. 48.

Être égal, égale à qqn (dans un domaine, à un certain point de vue).

N. *L'égal, l'égale de...; son égal* : personne égale (à une autre, à d'autres) par le mérite ou par la condition. *Être l'égal de qqn en mérite, par l'intelligence.* → **Valoir.** *Il a trouvé son égal. Il est mon égal* (→ **Camarade, compagnon; citoyen, collègue, confrère**). *La femme est l'égale de l'homme.* — *Les égaux de qqn.* → **Pair.** *Il ne supporte pas d'égaux.*

15   Ne nous associons qu'avecque nos égaux (...)
> LA FONTAINE, Fables, V, 2.

16   (...) une personne de cette qualité, qui (...) me traite comme si j'étais son égal?
> MOLIÈRE, le Bourgeois gentilhomme, III, 3.

17   Lucile aime mieux user sa vie et se faire supporter de quelques égaux, que d'être réduit à vivre familièrement avec ses égaux.
> LA BRUYÈRE, les Caractères, IX, 14.

18   En entrant là *(au couvent),* celui qui était riche se fait pauvre. Ce qu'il a, il le donne à tous. Celui qui était ce qu'on appelle noble, gentilhomme et seigneur, est l'égal de celui qui était paysan. La cellule est identique pour tous.
> HUGO, les Misérables, II, VII, IV.

19   C'est la faiblesse de la volonté de puissance de ne pouvoir supporter un égal (...)
> J. CHARDONNE, l'Amour du prochain, p. 23.

♦ **3** Loc. (où *égal* est substantif).

a (1637). Vx. *Traiter d'égal avec qqn. Il traitait d'égal avec les plus grands personnages* (Académie). — Mod. **D'ÉGAL À ÉGAL.** *Traiter d'égal à égal avec qqn,* sur un pied d'égalité. — REM. Ce dernier tour, le plus souvent invariable, ne l'est pas toujours. *Elles ont traité d'égale à égale. Il a traité avec elle d'égal à égale.*

20   Je ne dois qu'à moi seul toute ma renommée,
Et pense, toutefois, n'avoir point de rival
À qui je fasse tort en le traitant d'égal.
> CORNEILLE, Poésies, «Excuse à Ariste».

21   *(Abraham) traitait d'égal avec les rois (...)*
            BOSSUET, Hist., II, II, *in* LITTRÉ.

22   *(La Hollande) traitait d'égale avec l'Angleterre (...)*
            RACINE, les Campagnes de Louis XIV.

   b N. m. (1641). *L'égal de, son égal* : ce qui est égal à la chose désignée. *N'avoir point d'égal, n'avoir pas son égal* : être seul, unique en son genre, ne pouvoir être égalé.

23   Et moi, par un malheur qui n'eut jamais d'égal (...)
            CORNEILLE, Cinna, III, 1.

   c SANS ÉGAL : incomparable ; par ext., extrême.

24   Mais ce serait pour vous un bonheur sans égal
            CORNEILLE, le Menteur, I, 1.

25   Une tendresse qui ne saurait avoir d'égale (...)
            Mᵐᵉ DE SÉVIGNÉ, 14, *in* LITTRÉ.

26   Les faucons voient d'une hauteur et d'une rapidité sans égales.
            BUFFON, Hist. nat. des oiseaux, Le faucon, t. V, p. 132.

   Vieilli. *Il n'est rien d'égal à...* → Rien n'égale*...

27   (...) jamais il ne s'est rien vu d'égal à ma disgrâce.
            MOLIÈRE, George Dandin, II, 8.

   d *N'avoir d'égal que...* : n'être égalé que par une seule chose, n'avoir rien d'égal que..., n'avoir d'autre égal que... (→ Assemblée, cit. 6). *Sa bêtise n'a d'égale que sa méchanceté.* — REM. Grevisse (nᵒ 395) observe que «lorsque les noms mis en rapport par cette expression sont de genres différents, l'accord de l'adjectif substantivé *égal* se fait avec le premier nom ou avec le second : l'usage est indécis.» On écrirait donc aussi bien *son talent n'a d'égal que sa modestie* que *son talent n'a d'égale que sa modestie* (seule sa modestie est égale à son talent). Cependant, l'accord avec l'un ou l'autre des deux termes semble bien difficile quand leur nombre comme leur genre est différent. Le neutre paraît dans tous les cas préférable. *Ses talents n'ont d'égal que sa modestie. Sa vanité n'a d'égal que sa bêtise* (n'a rien d'égal que...).

   e Loc. prép. (1595). À L'ÉGAL DE : autant que. → Autant, comme, même (de même que, au même titre que). *Aimer qqn à l'égal de soi-même* (→ Aimer, cit. 27). *Admirer une œuvre à l'égal d'une autre* (→ Discipline, cit. 11). *Redouter, haïr qqch. à l'égal de la peste* (→ Dur, cit. 12).

28   Le nom *(du grand Louis)* se faisait craindre à l'égal du tonnerre.   CORNEILLE, Poésies diverses, 50.

28.1   Sa voix est de miel lorsqu'elle lui demande — sa voix en est changée — s'il aime ça, à l'égal d'elle.
   — On le trouvera tout à l'heure, dit Maria, dans quatre heures. Pour le moment, il est toujours dans le blé.
            M. DURAS, Dix heures et demie du soir en été, p. 158.

   ♦ **4** (1580). Par anal. **a** (Temporel). Qui est toujours le même ; qui ne varie pas. → Constant, invariable, régulier, uniforme. *Les produits que vend ce commerçant sont de qualité égale. Un mouvement égal. Aller d'un train, d'un pas égal. Le bruit égal des eaux* (→ Monotone ; → Averse, cit. 3.) *Parler d'une voix égale. Climat égal. Un pouls égal. Respiration égale* (→ Dormir, cit. 8). *Mener une vie égale.*

29   (...) Ce train toujours égal dont marche l'univers ?
            LA FONTAINE, Fables, II, 13.

30   La brise longue et égale courait à travers les arbres avec un murmure de rivière.   COLETTE, la Chatte, p. 184.

   REM. Quand le substantif désigne une quantité, ce sens ne se distingue pas de celui qui est indiqué *supra* cit. 3.1, 4 et 5.

   b (V. 1165). Spatial. → Plain, plan, plat, ras, uni. *Un terrain égal. Une allée bien égale,* aplanie, de niveau*.

31   (...) ou leur superficie est toute égale et unie, ou raboteuse et inégale (...)   DESCARTES, la Dioptrique, I.

Une lumière, une teinte égale. Rendre égal. → **Égaliser.**

   c Fig. *Style égal.*
Un style trop égal et toujours uniforme
En vain brille à nos yeux, il faut qu'il nous endorme.
            BOILEAU, l'Art poétique, 1.   32

♦ **5** (1671). Dont la nature reste toujours la même (en parlant du caractère humain). → **Tranquille.** *Avoir un caractère égal. Être d'une humeur égale.* → **Calme.**

33   (...) pour son humeur, je puis vous assurer qu'il n'y en a point de plus égale ni de plus douce.
            A. R. LESAGE, Gil Blas, IV, VII.

34   (...) il était moins capable d'envisager d'une âme égale les revers et les succès, car il passait facilement de l'enthousiasme à l'abattement (...)
            Louis MADELIN, Hist. du Consulat et de l'Empire, Le Consulat, I, p. 11.

   Loc. *Égal à lui-même* : dont le caractère, la valeur, les qualités, le talent sont ce qu'ils ont toujours été. — *Se montrer égal à soi-même* : avoir un comportement prévisible.

   (1641). Vx. (Personnes). Qui est dans les mêmes sentiments, les mêmes dispositions à l'égard de personnes ou de choses diverses ; qui ne fait pas de différence, est impartial. → **Impartial, neutre.**

35   Je crains pour l'une et l'autre, en ce dernier effort,
Et serai du parti qu'affligera le sort.
Égale à tous les deux jusques à la victoire (...)
            CORNEILLE, Horace, I, 1.

   (1641). Spécialt. Qui est indifférent. *Voir qqch., voir tout d'un œil égal.* → **Détaché, indifférent.** *Voir d'un œil égal le succès ou l'échec d'un projet.*

♦ **6** (1663). Qui est objet d'indifférence. → **Indifférent.**

   a Vieilli ou littér. *La chose est égale* : cela revient au même, cela importe peu. *Cela lui paraît, lui semble égal, absolument égal.*

35.   La reine alors :
   — Qu'est-ce que cela vous fait ? me dit-elle. Et cela me parut soudain tellement égal que je fus bien forcé d'en convenir. Et les jours s'en allaient ainsi ; en promenades ou en fêtes.
            GIDE, le Voyage d'Urien, *in* Romans, Pl., p. 36.

   b Cour. *Être égal à qqn, lui être égal* : lui être indifférent, revenir au même pour lui. *Tout lui est égal. Il lui est égal d'être ici ou là* (→ Apathique, cit. 2). — (1814, *in* D.D.L.). *Cela m'est égal, parfaitement égal* (cf. Je m'en moque, je m'en fiche, ça ne m'intéresse pas, c'est tout un, c'est bonnet blanc et blanc bonnet, etc.). *Cela (ça) m'est égal qu'elle vienne. Cela lui est égal de partir. Tout ça, c'est égal.*

36   Que je vive avec vous ou chez nos citoyens,
La chose m'est égale (...)
            CORNEILLE, Sophonisbe, IV, 5.

37   (...) tout lui est égal, pourvu qu'il accable ses ennemis.
            FÉNELON, Télémaque, IX.

37.   Étant donc simplement nulle part ou quelque part, ce qui est égal, j'ai trouvé de quoi fabriquer un morceau de verre, ayant rencontré divers démons, dont le Distributeur de Maxwell.
            A. JARRY, Gestes et opinions du Dʳ Faustroll, Pl., p. 726.

38   — Te casse pas la tête. La guerre, la paix, c'est égal. — C'est égal ? dit Jacques, étonné. Va donc dire ça aux millions d'hommes qui se préparent à se faire tuer.
            SARTRE, le Sursis, p. 168.

   Ça m'est (complètement, parfaitement, tout à fait) égal. Ça lui est égal que vous veniez. — Moins cour. (avec un sujet n. de personne ou de chose). *Les privations lui sont égales.* → **Indifférent.**

   Loc. fam. (1779, *in* D.D.L.). C'EST ÉGAL : quoi qu'il en soit, quand même, tout de même, malgré tout, cela ne fait rien. *C'est égal, j'aimerais mieux être ailleurs.*

39   Mais c'est égal, je pars en guerre et je tuerai tout le monde. Gare à qui ne marchera pas droit !
            A. JARRY, Ubu Roi, III, 8.

CONTR. Inégal. — **Différent, dissemblable, disproportionné, divers.** — **Mouvementé, tourmenté; accidenté, raboteux.** — **Capricieux, lunatique.** ◊ **DÉR. Également, égaler, égaliser.** ◄ **COMP.** V. **Inégal.**

ÉGALABLE [egalabl] adj. — XVIᵉ; «égal», fin XIIIᵉ; de *égaler.*

Qui peut être égalé. *Une «équipe poétique difficilement égalable»* (*Arts et littérature*, 1936, in T. L. F.).

CONTR. Inégalable (plus cour.).

ÉGALEMENT [egalmã] adv. — V. 1150, *egalment;* de *égal.*

◆ **1** D'une manière égale, au même degré, au même titre. → **Pareillement.** *Aimer également tous ses enfants. Les citoyens sont également admissibles à toutes dignités* (→ Aptitude, cit. 8). *Ces terres ne sont pas également fertiles* (→ Capacité, cit. 5). *J'aime également les chats et les chiens.* → **Autant.** *Deux hypothèses également angoissantes.*

1   Il y a deux vérités (...) aussi constantes l'une que l'autre, et dont je puis vous assurer également.
           MOLIÈRE, la Princesse d'Élide, II, 4.

2   Et le riche et le pauvre, et le faible et le fort
   Vont tous également des douleurs à la mort (...)
           VOLTAIRE, 1ᵉʳ disc.

◆ **2** (Cour. à partir du XIXᵉ). De même, aussi; en outre, en plus. → **Aussi.** *Vous avez vu ce film, je l'ai vu également. Il est professeur de latin, mais il enseigne également l'histoire.* → **Outre** (en), **plus** (en). — REM. Critiqué lors de son apparition, cet emploi est absent de Littré; il est fréquent à partir du mil. du XIXᵉ s. (→ Création, cit. 9, Balzac; cit. 2, Flaubert; couvrir, cit. 30, Gide; désoler, cit. 3, Giraudoux).

CONTR. Inégalement.

ÉGALER [egale] v. tr. — Fin XVᵉ; au sens 1, 1470; *ygaillier,* v. 1260; *soi egailler à,* v. 1225; de *égal.*

◆ **1** Vx. Rendre égal*, mettre sur le même pied, au même niveau. → **Égaliser.** *Égaler les parts, les portions* (Académie). — Fig. *La mort qui égale tout.* → **Niveler** (→ Anéantissement, cit. 1; dominer, cit. 13). (1558). Par ext. *Égaler qqn à qqn d'autre,* le considérer comme égal, le mettre au même niveau, sur le même rang. → **Assimiler, comparer.** *Il n'y a personne qu'on puisse lui égaler* (Académie). *Égaler qqn à soi-même* (→ Approuver, cit. 20). — *Vouloir égaler le vice à la vertu* (→ Artifice, cit. 7).

1   Et ceux qui méprisent le plus les hommes, et les égalent aux bêtes (...)
           PASCAL, Pensées, VI, 404.

◆ **2** (1643). Être égal à, valoir autant que... → **Équivaloir, équipoller** (vx), **valoir.** *Force qui en égale une autre et lui fait équilibre.* → **Balancer, compenser, contrebalancer, équilibrer.** *La recette égale la dépense. Deux multiplié par trois égale six. Deux plus trois égalent cinq* (2 + 3 = 5).

2   *(La grenouille)* Envieuse s'étend, et s'enfle, et se travaille
   Pour égaler l'animal *(le bœuf)* en grosseur (...)
           LA FONTAINE, Fables, I, 3.

Atteindre en degré. *Égaler qqn en beauté, en intelligence, en vertu, en talents, en importance... Sa prudence égale son courage. Chercher à égaler qqn.* → **Rivaliser** (avec). *Ville qui prétend égaler Paris* (→ Circuit, cit. 1). *Cet auteur a égalé les anciens. Rien ne peut égaler une telle perfection.* → **Atteindre** (cit. 26), **parvenir.** *Un génie qui ne saurait être égalé* (→ Discerner, cit. 5).

3   Corneille ne peut être égalé dans les endroits où il excelle : il a pour lors un caractère original et inimitable (...)
           LA BRUYÈRE, les Caractères, I, 54.

Je n'ai pas encore vu la *casbah* de la Mecque, mais je doute qu'elle égale en magnificence et en étendue la mosquée espagnole.   4
           Th. GAUTIER, Voyage en Espagne, p. 237.

Rien n'égale la douceur et la majesté nue de ses cloîtres.   5
           M. BARRÈS, la Colline inspirée, p. 42.

(...) une page magnifique de passion désolée et déçue, d'un tragique profond, qu'aucune invention romanesque ne peut égaler à nos yeux.   6
           Émile HENRIOT, Portraits de femmes, p. 286.

Être comparable à... :
Sa saleté égalait sa paresse et sa voracité.   6.1
           R. QUENEAU, le Chiendent, p. 385.

◆ **3** Sports. Faire une performance égale à... *Égaler le record.*

◆ **S'ÉGALER** v. pron.

(V. 1225). Se rendre égal à, rivaliser avec.

L'autre (...) dès sa première bataille, s'égale aux maîtres les plus consommés (...)   7
           BOSSUET, Oraison funèbre du prince de Condé.

Se prétendre égal à... *Imitateur qui s'égale aux maîtres.*

CONTR. Dépasser, surpasser. — Inférieur (être inférieur à). — (Du p. p.). Inégalé. ◊ DÉR. Égalable.

ÉGALISABLE [egalizabl] adj. — Attesté XXᵉ; de *égaliser.*

Qui peut être rendu égal (à qqch.), qui peuvent être rendus égaux.

Le suprême en ce genre est atteint quand on arrive à la quantification — à la substitution au donné d'un ensemble d'éléments égaux ou égalisables.
           VALÉRY, Cahiers, t. I, Pl., p. 779.

ÉGALISATEUR, TRICE [egalizatœr, tʀis] adj. et n. m. — 1870; de *égaliser.*

◆ **1** Adj. Qui égalise. *Système égalisateur. Un règlement qui a sur les prix une action égalisatrice.* — Sports. *Le but égalisateur.*

◆ **2** N. m. Dispositif permettant d'égaliser une surface. *L'égalisateur d'une moissonneuse-batteuse.*

ÉGALISATION [egalizasjɔ̃] n. f. — Av. 1593; de *égaliser.*

Action d'égaliser; son résultat.

(...) il faut remarquer que beaucoup de socialistes n'admettent pas comme idéal une égalisation matérielle aussi grande que possible; ils veulent seulement ajouter à l'égalité formelle la plus complète le degré d'égalité matérielle nécessaire pour assurer à chacun l'indépendance et un minimum de bien-être.
           RAUH, cité par A. LALANDE,
           Voc. de la philosophie, p. 269.

(1904, in Petiot). Sports. *Égalisation en fin de match.*

ÉGALISER [egalize] v. tr. — XVIᵉ; *egaliser,* 1539; *equaliser,* pron., XVᵉ; de *égal,* et suff. *-iser.*

◆ **1** Rendre égal (complément n. de chose). → **Ajuster, égaler, équipollrer.** *Égaliser les lots pour faire un partage équitable.* — Fig. *La mort égalise les conditions.*

1   Il ne faudrait pas non plus que la religion encourageât les dépenses des funérailles. Qu'y a-t-il de plus naturel que d'ôter la différence des fortunes dans une chose et dans les moments qui égalisent toutes les fortunes ?
           MONTESQUIEU, l'Esprit des lois, XXV, 7.

2   (...) la concurrence doit avoir une action égalitaire (...) en nivelant les profits qui dépassent le niveau commun, en égalisant les revenus tout comme elle égalise les prix.
           Charles GIDE, Cours d'économie politique, t. I,
           p. 214.

(1900, in Petiot). Sports. *Égaliser le score en marquant un point.* — Absolt. Obtenir le même nombre de points, de buts que l'adversaire. *Ils ont égalisé une minute avant la fin du match.*

Rendre uni, égal, en coupant. *Égaliser les cheveux, les mèches de qqn.*

♦ **2** (1834). Rendre égal (4., b), uni, plan. → **Aplanir, niveler, polir, régaler, unir.** *Égaliser un terrain, une allée.*

3 (...) il piocha la terre, la pelleta, la lissa, l'égalisa et pataugea dans l'eau boueuse qui s'étalait comme une crème sous le rouleau asthmatique.
P. MAC ORLAN, la Bandera, XVIII, p. 219.

Rendre égal. *Égaliser sa voix, son souffle.*

♦ **3** Fig. Rendre plus homogène en rendant les éléments égaux.

4 (...) ce n'est pas seulement d'égaliser la condition humaine, c'est de la hausser que se préoccupait Condorcet (...)
JAURÈS, Hist. socialiste..., VIII, p. 379.

CONTR. **Différencier. — Baisser, rabaisser; hausser.** ◊ DÉR. **Égalisable, égalisateur, égalisation, égaliseur.**

ÉGALISEUR, EUSE [egalizœʀ, øz] n. — 1792; au sens 1; de *égaliser.*

♦ **1** Vx. Partisan de l'égalitarisme.

♦ **2** (XXᵉ). Techn. Technicien qui vérifie la précision de l'accord des pianos et des orgues.

♦ **3** N. m. Techn. *Égaliseur de potentiel :* appareil qui ramène le potentiel d'un conducteur à une valeur de référence. «*Les égaliseurs (...) permettent d'obtenir des effets sonores originaux*» (*Sciences et Avenir,* mars 1978, p. 94).

♦ **4** N. f. Techn. Machine servant à égaliser une surface.

ÉGALITAIRE [egalitɛʀ] adj. et n. — 1836; de *égalité,* et *-aire.*

Qui tend, qui vise à l'égalité* absolue en matière politique et sociale (→ Démocrate, cit. 2). *Doctrine, système égalitaire. Socialisme égalitaire. Répartition égalitaire. Lois égalitaires.*

1 Le socialisme du XVIIIᵉ siècle est essentiellement égalitaire; ce qui le choque, c'est l'inégalité de jouissance et de bien-être et les distinctions sociales dont il rend la propriété responsable.
GIDE et RIST, Hist. des doctrines économiques, p. 237.

2 Le rationnement s'efforce d'appliquer le principe : à chacun selon ses besoins (...) nous avons appris (...) combien, pour faire fonctionner ce système égalitaire, il fallait de règlements, de contrôle, de sanctions, et combien il comportait de fraudes.
Charles GIDE, Cours d'économie politique, t. II, p. 177.

N. (1857). *Un, une égalitaire :* un partisan de l'égalité. → **Égalitariste, niveleur** (péj.).

3 Ne pas payer comme tout le monde : rêve de tous nos Français, de tout homme distingué. Avoir un privilège, rêve de tout égalitaire, particulièrement de tout égalitaire français. Ch. PÉGUY, la République..., p. 189.

CONTR. **Inégalitaire.** ◊ DÉR. **Égalitairement, égalitarisme.**

ÉGALITAIREMENT [egalitɛʀmɑ̃] adv. — 1870; de *égalitaire.*

Rare. D'une manière égalitaire.

ÉGALITARISME [egalitaʀism] n. m. — 1863; du rad. de *égalitaire.*

Doctrine selon laquelle les personnes sont et doivent être considérées comme égales en droit. *L'égalitarisme de certaines doctrines socialistes.*

1 (...) l'égalité ne peut être que le fruit de la contrainte sociale, car d'elle, en tout cas, on peut dire qu'elle ne résulte jamais du jeu des actions individuelles livrées à elles-mêmes. Si donc c'est l'égalitarisme qui fait le fond de la manière de penser socialiste, le socialisme libéral paraît

bien n'être qu'une *contradictio in terminis.* Le socialisme logique, c'est le socialisme autoritaire.
René GONNARD, Hist. des doctrines économiques, p. 445.

(Une) réalité que la démocratie viole cyniquement avec son romantique égalitarisme. 2
Julien BENDA, la Trahison des clercs, p. 19.

Voilà où ça mène la démagogie, l'égalitarisme! 3
F. MALLET-JORIS, le Jeu du souterrain, p. 187.

DÉR. **Égalitariste.**

ÉGALITARISTE [egalitaʀist] adj. et n. — 1927; de *égalitarisme.*

♦ **1** Adj. Inspiré par l'égalitarisme.

♦ **2** N. *Un, une égalitariste :* partisan de l'égalitarisme.

ÉGALITÉ [egalite] n. f. — Av. 1450; var. *equalité,* 1549; nombreuses var. en anc. franç.; lat. *æqualitas,* de *æqualis.* → Égal.

A ♦ **1** Qualité de ce qui est égal. → **Concordance, conformité, équipollence, équivalence, parité.** *L'égalité de deux lignes, de deux angles. Égalité de deux figures exactement superposables* (→ **Congruence**)*. Cas d'égalité des triangles.*
Math. Rapport existant entre des grandeurs égales; formule qui l'exprime. *Égalité de deux nombres.* — Par métonymie. *Égalité algébrique :* ensemble d'expressions algébriques réunies par le signe =. → **Équation, identité, proposition.** *Le signe* = (égal à) *sépare les deux membres de l'égalité. Égalité de rapports par différence ou par quotient.* → **Proportion.**

(...) il vous réduira les égalités de l'algèbre les plus com- 1
posées avec une facilité surprenante.
MALEBRANCHE, Entretiens philosophiques, V.

Philos. *Égalité logique :* le fait pour des propositions, des classes, des concepts de s'impliquer mutuellement ou d'avoir la même extension.

Mots qui marquent un rapport d'égalité. → **Aussi, autant, comme, même;** et les préf. **équi-, iso-.** *Comparatif d'égalité* (aussi, autant... que). *Égalité des forces en présence.* → **Équilibre.** *Égalité dans un partage, une répartition.* → **Péréquation** (→ Distribution, cit. 2). *Égalité de prix. Égalité d'âge. À égalité de mérite, le plus âgé doit avoir la préférence* (Académie)*. Joueurs qui sont à égalité de points,* et, absolt, *à égalité. Arriver, être à égalité.* → **Ex æquo.** — Turf. *Parier à égalité sur un cheval,* de telle sorte que le bénéfice soit égal à la mise.

♦ **2** (1647). Le fait pour les humains d'être égaux devant la loi, de jouir des mêmes droits. *Le concept d'égalité. Idéal d'égalité* (→ Bastille, cit. 2; cœur, cit. 10)*. Principe d'égalité. L'Égalité ou la mort,* devise des *Égaux,* partisans de Babeuf (1796). *Liberté, égalité, fraternité,* devise de la République française. *Être sur un pied** (cit. 50.1) *d'égalité avec qqn.*

L'égalité, madame, est la loi de la nature. 2
NIVELLE DE LA CHAUSSÉE, l'École des mères, III, 3.

Il est faux que l'égalité soit une loi de la nature. La nature 3
n'a rien fait d'égal; la loi souveraine est la subordination et la dépendance. VAUVENARGUES, Maximes, 227.

Autant que le ciel est éloigné de la terre, autant le véritable 4
esprit d'égalité l'est-il de l'esprit d'égalité extrême. Le premier ne consiste point à faire en sorte que tout le monde commande ou que personne ne soit commandé, mais à obéir et à commander à ses égaux. Il ne cherche pas à n'avoir point de maîtres, mais à n'avoir que ses égaux pour maîtres.
MONTESQUIEU, l'Esprit des lois, VIII, 3.

Dans l'état de nature, les hommes naissent bien dans l'éga- 5
lité; mais ils n'y sauraient rester. La société la leur fait perdre, et ils ne redeviennent égaux que par les lois.
MONTESQUIEU, l'Esprit des lois, VIII, 3.

6   L'égalité est donc à la fois la chose la plus naturelle, et en même temps la plus chimérique.
> VOLTAIRE, Dict. philosophique, Égalité.

7   L'égalité, partage naturel des hommes, subsiste encore en Suisse autant qu'il est possible. Vous n'entendez pas par ce mot cette égalité absurde et impossible par laquelle le serviteur et le maître, le manœuvre et le magistrat, le plaideur et le juge, seraient confondus ensemble ; mais cette égalité par laquelle le citoyen ne dépend que des lois, et qui maintient la liberté des faibles contre l'ambition du plus fort.   VOLTAIRE, Essai sur les mœurs, LXVII.

8   Avoir les mêmes droits à la félicité,
C'est pour nous la parfaite et seule égalité.
> VOLTAIRE, Disc., De l'égalité des conditions.

9   Si l'on recherche en quoi consiste précisément le plus grand bien de tous, qui doit être la fin de tout système de législation, on trouvera qu'il se réduit à deux objets principaux, la *liberté* et l'*égalité* : la liberté, parce que toute dépendance particulière est autant de force ôtée au corps de l'État ; l'égalité, parce que la liberté ne peut subsister sans elle.   ROUSSEAU, Du contrat social, II, XI.

(Qualifié par un compl. de nom ou un adj.). *L'égalité des droits, des chances, des conditions* (→ Compensation, cit. 8). *Égalité formelle ou extérieure,* définie, réglementée par le législateur. *Égalité devant la loi, égalité des droits* (égalité juridique). *Égalité civile,* au regard de la loi civile, pénale et administrative. *Égalité politique,* au regard de la loi politique (droits du citoyen dans le gouvernement de l'État). *Égalité des citoyens des deux sexes. Égalité sociale, égalité des richesses, des fortunes.*

Égalité naturelle ; égalité matérielle, réelle.

10   (...) les maximes actuelles ne tendent qu'à détruire. Elles ont déjà ruiné les riches, sans enrichir les pauvres ; et au lieu de l'égalité des biens, nous n'avons encore que l'égalité des misères et des maux.
> RIVAROL, Politique, Journ. polit. nation., II.

11   (...) à mesure que l'égalité politique devenait un fait plus certain, c'est l'inégalité sociale qui heurtait le plus les esprits.   JAURÈS, Hist. socialiste..., VII, p. 13.

12   Ce à quoi il faudrait viser c'est moins à l'égalité des fortunes qu'à l'*égalité des chances,* c'est-à-dire procurer à chacun les mêmes possibilités de faire fortune.
> Charles GIDE, Cours d'économie politique, t. II, p. 135.

13   Ce qu'elle (*G. Sand*) demandait pour les femmes, ce n'était pas le droit de suffrage et d'élection, c'était l'égalité civile et l'égalité sentimentale. Elle pensait que la servitude où l'homme tient la femme détruit le bonheur du couple, qui n'est possible que dans la liberté.
> A. MAUROIS, Lélia, p. 367.

Spécialt (jeux de cartes). Ancienn (pendant la révolution de 1789). Carte remplaçant le valet.

B ◆ **1** Qualité de ce qui est constant, régulier.
→ **Continuité, régularité, uniformité.** *L'égalité d'un mouvement, du pouls, de la respiration. — Fig. Égalité d'humeur, de caractère.* → **Calme, pondération, sociabilité.** *Égalité d'âme*.* → **Équanimité, sérénité, tranquillité.**

14   Qu'est-ce que la sagesse ? une égalité d'âme
Que rien ne peut troubler, qu'aucun désir n'enflamme (...)
> BOILEAU, Satires, VIII.

15   Les qualités de son âme, la franchise et l'égalité naturelle de son caractère (...)   CONDORCET, Bertin, *in* LITTRÉ.

◆ **2** (1835). Rare. Qualité d'un terrain plat, uni. *Égalité d'un sol, d'un terrain bien nivelé.*

CONTR. Inégalité. — Disparité, diversité, variété. — Infériorité, supériorité. — Hiérarchie. — Aspérité, irrégularité.
◇ **DÉR.** Égalitaire. — **COMP.** V. Inégalité.

ÉGARD [egaʀ] n. m. — 1549 ; *esquar,* v. 1165 ; *esgart,* v. 1140 ; déverbal de l'anc. franç. *esguarder* «veiller sur, avoir soin», de *é-,* et *garder.*

◆ **1** Action de considérer (une personne ou une chose) avec une particulière attention. → **Considération.** — REM. S'emploie surtout comme complément

du verbe *avoir,* et dans diverses locutions prépositives et adverbiales. — *Il a eu quelque égard, il n'a eu aucun égard à ce que je lui ai dit. Il m'a condamné sans aucun égard, sans le moindre égard pour mes explications. — Avoir égard à... Avoir égard aux circonstances. Avoir égard à une prière, à une requête.*

1   Contre la médisance il n'est point de rempart.
À tous les sots caquets n'ayons donc nul égard (...)
> MOLIÈRE, Tartuffe, I, 1.

2   (...) l'inclination d'une fille est une chose sans doute où l'on doit avoir de l'égard (...)   MOLIÈRE, l'Avare, I, 5.

3   Qu'ils s'abstiennent de toute colère, de tout égard aux différentes conditions des personnes, et de tout jugement injuste (...)
> RACINE, Traductions, Appendice, Ép. saint Polycarpe.

4   Les jugements humains ne sont si médiocres et si injustes même, que parce qu'ils n'ont jamais égard au bien dans le mal, ni au mal dans le bien.
> André SUARÈS, Trois hommes, «Pascal», p. 35.

◆ **2** (Avec un sens atténué, dans des loc.). — **Loc. prép.** (1549). **EU ÉGARD À** : en tenant compte de. → **Attendu, considération** (en considération de) ; **raison** (en raison de), **vu.** *Il a été dispensé eu égard à son âge. Eu égard à sa situation difficile. Eu égard à la saison* (→ Autoriser, cit. 23).

5   (...) si je veux bien me rendre à vos ordres, eu égard à votre état d'exaltation, vous ne sauriez moins faire, convenez-en, que de céder à ma prière.
> COURTELINE, Boubouroche, II, 3.

À L'ÉGARD DE : pour ce qui concerne, regarde (qqn). → **Envers** (→ Agressivité, cit. 2 ; bienséance, cit. 10 ; adulte, cit. 6 ; aiguiser, cit. 10 ; crédit, cit. 14). *Il a été injuste à votre égard.*

6   (*Sainte-Beuve*) s'est quelquefois trompé, à l'égard des contemporains, pour avoir trop souvent nourri de ressentiments personnels les dessous de ses jugements.
> Émile HENRIOT, les Romantiques, p. 160.

Pour ce qui concerne (qqch.). → **Quant** (à), **relativement** (à). *À l'égard de cette affaire,* sous ce rapport, de ce côté, sur ce point, de ce point de vue. — Vx. *À l'égard de* : en comparaison de, en proportion de, au regard de. → **Regard** (au).

7   Car, enfin, qu'est-ce que l'homme dans la nature ? Un néant à l'égard de l'infini, un tout à l'égard du néant, un milieu entre rien et tout.   PASCAL, Pensées, II, 72.

SANS ÉGARD POUR : en ne tenant pas compte de...
Il a persévéré sans égard pour les difficultés. → **Nonobstant.**

Loc. adv. (Av. 1606). **À CET ÉGARD** : sous ce rapport, de ce point de vue. *N'ayez aucun souci à cet égard.*

(1740). **À TOUS (LES) ÉGARDS** : sous tous les rapports. *Il est de bon conseil à tous égards* (→ Coulant, cit. 2).

8   Peu de maximes sont vraies à tous égards.
> VAUVENARGUES, Maximes, 111.

(Dans le même sens). *À différents égards, à divers égards, à quelques égards, à certains égards, à beaucoup d'égards, à maints égards.* → **Point de vue** (→ Anarchiste, cit. 1 ; démocratie, cit. 1).

◆ **3** Au sens fort (→ ci-dessus 1.), dans des loc.

Loc. prép. PAR ÉGARD À..., ou, **POUR ÉGARD À...** : en prenant en considération, eu égard à. *Il y a consenti par égard pour votre situation.*

9   Illustres chevaliers, vengeurs de la Sicile,
Qui daignez, par égard au déclin de mes ans,
Vous assembler chez moi (...)
> VOLTAIRE, Tancrède, I, 1.

SANS ÉGARD POUR... : en ne tenant aucun compte, en n'ayant pas d'égard. *Il a quitté son poste sans égard pour ses protecteurs.*

10   (...) vous revenez ici sans y être rappelé ; sans égard pour
      mes prières, pour mes raisons ; sans avoir même l'atten-
      tion de m'en prévenir.
                        LACLOS, les Liaisons dangereuses, Lettre LXXVIII.

10.1 (...) il est au contraire très-essentiel que l'homme ne jouisse
      qu'aux dépens de la femme, qu'il prenne d'elle (quelque
      sensation qu'elle en éprouve) tout ce qui peut donner de
      l'accroissement à la volupté dont il veut jouir, sans le plus
      léger égard aux effets qui peuvent en résulter pour la
      femme, car ces égards le troubleront (...)
                        SADE, Justine..., I, p. 193.

♦ **4** Par ext. (généralt au plur. : *les, des égards*). Marque
de considération, d'estime, de ménagements dus
à la politesse. → **Attention, considération, déférence,
ménagement, respect.** *Je le fais uniquement par
égard pour vous. Marque d'égards. Avoir de grands
égards pour qqn* (→ Déclin, cit. 6). *Témoigner à qqn
beaucoup d'égards. Ils l'ont reçu avec les égards dus
à son rang.* → **Distinction, honneur.** *Traiter qqn avec
beaucoup d'égards. Les hommes en société se doivent des égards réciproques. Elle est attentionnée
et pleine d'égards pour autrui. Une critique pleine
d'égards.* → **Ménagement** (→ 2. Critique, cit. 3). *Manquer d'égards envers qqn. Manquer aux égards*, à
la bienséance* (→ **Politesse**). *Un manque d'égards
inexcusable* (→ Attendre, cit. 13).

11   Les grands seigneurs sont pleins d'égards pour les
      princes (...)   LA BRUYÈRE, les Caractères, VIII, 76.

12   Jamais époux n'a eu tant d'égards pour une femme, et
      jamais amant n'a fait voir tant de complaisance pour une
      maîtresse.   A. R. LESAGE, Gil Blas, I, XI.

13   (...) honoré moi-même de ses éloges (de d'Alembert), un
      juste retour d'honnêteté m'oblige à toutes sortes d'égards
      envers lui ; mais les égards ne l'emportent sur les devoirs
      que pour ceux dont toute la morale consiste en appa-
      rences.   ROUSSEAU, Lettres à d'Alembert, Préface.

14   (...) ces esprits sans culture et sans lumières, qui ne con-
      naissent d'autre objet de leur estime que le crédit, la puis-
      sance et l'argent, sont bien éloignés même de soupçonner
      qu'on doive quelque égard aux talents, et qu'il y ait du
      déshonneur à les outrager.
                        ROUSSEAU, les Confessions, XII.

15   Les hommes d'aujourd'hui ont si peu d'égards et de savoir-
      vivre qu'il faut se montrer toujours sévère. C'est vraiment
      le règne de la goujaterie.
                        MAUPASSANT, Contes, «Correspondance».

16   La timidité de cet homme se communiquait à elle et la
      gênait ; elle n'était pas accoutumée à ce silence, à cette
      attitude pleine d'égards et de soumission.
                        J. GREEN, Léviathan, p. 78.

**CONTR. Indifférence. — Dédain, grossièreté, impertinence,
impolitesse, inconvenance, insolence, mépris.**

ÉGARÉ, ÉE [egaʀe] adj. → **Égarer.**

ÉGAREMENT [egaʀmɑ̃] n. m. — V. 1175, *esgarement* ;
de *égarer.*

♦ **1** Sens propre (rare). Action de s'égarer ; fait de
s'égarer.

1   Elle (*l'âme*) fait la même chose qu'une personne qui, dési-
      rant arriver en quelque lieu, ayant perdu le chemin, et
      connaissant son égarement, aurait recours à ceux qui sau-
      raient parfaitement ce chemin (...)
                        PASCAL, Sur la conversion du pécheur.

♦ **2** Fig. et littér. Action de s'écarter de ce qui est défini
par la morale, la raison, de la norme ; état qui
en résulte. → **Aberration, dérèglement, désarroi, désordre, erreur, fourvoiement.** *L'égarement de l'âme,
des mœurs. Être dans l'égarement de l'ivresse, de
la colère, de la douleur.* — Absolt. *L'égarement* (→ ci-
dessous, cit. 3, 4) : le fait de s'écarter du comportement admis par la morale, la religion. — (*Un,
des égarements*). Acte qui dénote cet état. → **Dérèglement.**

2   (...) si quelques-uns de ces hommes qui, par une vocation
      extraordinaire, ont fait profession de sortir du monde et
      de prendre l'habit de religieux pour vivre dans un état
      plus parfait que le commun des chrétiens, sont tombés
      dans des égarements qui font horreur au commun des
      chrétiens et sont devenus entre nous ce que les faux pro-
      phètes étaient entre les Juifs, c'est un malheur particulier
      et personnel (...)   PASCAL, Pensées, XIV, 889.

3   Je parvins jusqu'à l'âge de quarante ans, flottant entre l'in-
      digence et la fortune, entre la sagesse et l'égarement, plein
      de vices d'habitude sans aucun mauvais penchant dans le
      cœur, vivant au hasard sans principes bien décidés par
      ma raison, et distrait sur mes devoirs sans les mépriser,
      mais souvent sans les bien connaître.
                        ROUSSEAU, Rêveries..., 3ᵉ promenade.

4   La faiblesse commence l'égarement, la passion entraîne
      dans la mauvaise voie, le vice, qui est une habitude, y
      embourbe ; et l'homme ne fait aucun progrès vers les états
      meilleurs.   BALZAC, Séraphita, Pl., t. X, p. 573.

*Égarement du cerveau, de l'esprit ; de la conduite,
des sens.* → ci-dessous les emplois absolus. *Égarement
moral.* → **Aveuglement.**

Spécialt. État où l'on perd le contrôle de soi, parfois la conscience, par excès d'émotion, de plaisir,
de douleur... → **Absence, aliénation, délire, démence,
dérangement, divagation, folie, frénésie.** *Être dans
un égarement total.* → **Affolement.** *Un égarement de
bonheur.* → **Éblouissement, trouble, vertige.**

5   De tous leurs égarements, c'est sans doute celui qui les
      convainc le plus de folie et d'aveuglement, et dans lequel
      il est le plus facile de les confondre par les premières vues
      du sens commun et par les sentiments de la nature.
                        PASCAL, Pensées, III, 195.

5.1   (...) il paraissait très enflammé ; une sorte d'égarement se
      peignait dans ses yeux (...)
                        SADE, Justine..., t. I, p. 205.

Action qui exprime, témoigne de l'égarement.

6   (...) elle fut amenée à une incroyable aberration. Que veux-
      tu ! ces pauvres folles prouvent par leurs égarements les
      saintes lois de la nature et leur inévitable fatalité.
                        RENAN, Souvenirs d'enfance..., I, IV, p. 48.

Spécialt (souvent au plur.). Dérèglement de la conduite, des mœurs. → **Abandon, débauche, dérèglement, écart, faute, perversion** (→ Dépraver, cit. 5). *Des
égarements de jeunesse. Revenir de ses égarements.
Les égarements de mon cœur.* → Recoin, cit. 3. — *Les
Égarements du cœur et de l'esprit*, roman de Crébillon fils (1736).

7   Ô haine de Vénus ! Ô fatale colère !
      Dans quels égarements l'amour jeta ma mère !
                        RACINE, Phèdre, I, 3.

8   Ce ne sera qu'après cette expiation préliminaire, que
      j'oserai déposer à vos pieds l'humiliant aveu de mes longs
      égarements.   LACLOS, les Liaisons dangereuses, Lettre CXX.

CONTR. Calme, lucidité, ordre, prudence, tranquillité.

ÉGARER [egaʀe] v. tr. — V. 1120, *esguarer* ; de *é-*, et
du germanique *warôn* «faire attention à». → Garer.

♦ **1** (V. 1120). Mettre (qqn) hors du droit chemin.
→ **Dérouter, désorienter, dévoyer, fourvoyer, perdre.**
Notre guide nous a égarés (→ Chien, cit. 8 ; détour,
cit. 2).

1   (...) des vaisseaux qu'il envoyait (...) le vent en a égaré et
      séparé cinq ou six.
                        Mᵐᵉ DE SÉVIGNÉ, 1074, 20 oct. 1688.

2   Le général Lagercron, qui marchait devant avec cinq mille
      hommes et des pionniers, égara l'armée vers l'orient, à
      trente lieues de la véritable route.
                        VOLTAIRE, Charles XII, IV.

♦ **2** (V. 1397). Mettre (qqch.) à une place qu'on oublie
et où on ne la retrouve pas par la suite ; perdre
momentanément. *Égarer son mouchoir, ses clefs*
(→ Bois, cit. 43). *Égarer un papier, un dossier. Égarer
une pièce.* → **Adirer** (dr.). — Par plais. *Égarer une personne. J'ai égaré mon mari, vous ne l'auriez pas vu ?*

3 Pour ne pas les égarer, mets les choses toujours où tu les
mettrais spontanément. On n'oublie pas ce qu'on ferait
toujours. VALÉRY, Analecta, p. 169.

♦ **3** Faire errer, laisser errer. *Égarer ses pas dans
la campagne.* — Fig. *Égarer son regard sur la foule*
(→ Cloître, cit. 4). *Égarer ses pensées dans une rêverie
lointaine.*

4 Par ces chemins de fleurs (...)
Qu'il est doux d'égarer ses désirs et ses pas.
C. DELAVIGNE, le Paria, II, 2.

5 Nous n'irons plus dans les prairies,
Égarer, d'un pas incertain,
Nos poétiques rêveries.
LAMARTINE, Premières méditations, «Adieu».

♦ **4** Fig. Détourner, écarter (qqn) de la vérité,
du bien. → **Abuser, aveugler, dérouter, détourner,
dévier, tromper, troubler.** *Difficultés qui égarent la
réflexion* (→ Complexité, cit. 1). *Lecture qui égare
la curiosité sans la satisfaire* (→ Dénicher, cit. 4).
Égarer la jalousie, les soupçons de qqn (→ Donner
le change*). *Ses conseils risquent de vous égarer.
Mauvais guides, faux prophètes, doctrines subver-
sives qui égarent le peuple, les esprits. Campagne
de presse qui égare l'opinion. Faux bruits qui
égarent le public.* → **Confusion** (jeter la confusion),
désordre (cit. 17). *Les mauvais exemples l'ont égaré.*
→ **Dévoyé.** *La colère, la douleur, la joie vous égare.*
→ **Tête** (tourner la tête).
(Passif et p. p.). *Être égaré par la passion.*

6 Le plaisir, de lui-même, est un trompeur, et, quand l'âme
s'y abandonne sans raison, il ne manque jamais de
l'égarer.
BOSSUET, Traité de la connaissance de Dieu, III, 8.

7 Ne nous laissons point égarer par l'imagination qui
embellit tout, par le sentiment qui aime à se créer des
illusions et réalise tout ce qu'il espère.
G.-T. RAYNAL, Hist. philosophique, XVIII, 52,
in LITTRÉ.

8 Il ne faut pas trop s'appesantir sur ces idées de tristesse
et de misanthropie; c'est un poison qui s'irrite et s'aigrit
dans le cœur et finit par égarer la raison.
CHATEAUBRIAND, in SAINTE-BEUVE,
Chateaubriand, t. II, p. 410, n. 273.

9 Aucune hypocrisie ne venait altérer la pureté de cette
âme naïve, égarée par une passion qu'elle n'avait jamais
éprouvée.
STENDHAL, le Rouge et le Noir, I, XI, p. 66.

10 Le goût vindicatif de la destruction peut-il à ce point égarer
votre jugement et vous détourner de votre propre intérêt?
G. DUHAMEL, Récits des temps de guerre, IV, XX.

Pathol. Troubler l'esprit, la raison de qqn. → **Aliéner,
désaxer.** *Cet accident lui a égaré l'esprit.*

♦ **S'ÉGARER** v. pron.

♦ **1** Se fourvoyer, se perdre. → **Fourvoyer** (se). *S'égarer
dans un labyrinthe, un dédale. S'égarer de plusieurs
kilomètres.* → **Écarter** (s'). *Nous nous sommes égarés,
je ne reconnais pas le chemin. Animal qui s'égare
loin du troupeau* (→ Brebis, cit. 3). — *Lettre, colis qui
s'égare en route,* qui prend une mauvaise direction.

11 Les voilà *(le Petit Poucet et ses frères)* bien affligés; car plus
ils s'égaraient, plus ils s'enfonçaient dans la forêt.
Ch. PERRAULT, Contes, «Le petit Poucet».

12 Le chemin de la vérité! j'y ai fait un long détour; aussi le
pays où vous vous égarez m'est bien connu.
Joseph JOUBERT, Pensées, Titre préliminaire.

(Le sujet désigne ce qui est à une place anormale).
Sa main s'égarait... Spécialt. *Plusieurs votes se sont
égarés sur un candidat peu sérieux,* se sont portés
inutilement sur lui. → **Disperser** (se).

Par métaphore. → **Errer.** *Rêverie qui s'égare*
(→ Aplanir, cit. 2).

13 Mon esprit est un vagabond qui se plaît à s'égarer (...)
Lâchons-lui donc encore une fois la bride (...)
DESCARTES, Méditations métaphysiques, II.

Vous pleurez cependant, et votre œil qui s'égare, 14
Parcourt avec horreur cette enceinte barbare (...)
VOLTAIRE, les Scythes, III, 4.

Mon esprit tourmenté s'égarait dans le rêve (...) 15
MAUPASSANT, Contes, «L'épave», p. 171.

♦ **2** Fig. (dans l'ordre intellectuel ou moral). Faire fausse
route, sortir du sujet. *S'égarer à force de digressions.* → Se perdre, se noyer dans les détails*. *Orateur qui s'égare dans son discours* (→ Perdre le fil*).
S'égarer dans la recherche d'une solution. → Faire
fausse route*. *La discussion s'égare.* — *Désir, amour
qui s'égare.*

La raison agit avec lenteur, et avec tant de vues, sur tant 16
de principes (...) qu'à toute heure elle s'assoupit ou s'égare,
manque d'avoir tous ses principes présents.
PASCAL, Pensées, IV, 252.

Insensée, où suis-je? et qu'ai-je dit? 17
Où laissé-je égarer mes vœux et mon esprit?
Je l'ai perdu : les dieux m'en ont ravi l'usage.
RACINE, Phèdre, I, 3.

Cette méthode me paraît utile pour empêcher un auteur 18
qui se défie de lui, de s'égarer dans des visions (...)
ROUSSEAU, Émile, I.

Il lui est arrivé de se tromper (...) mais il (...) ne faisait 19
aucune difficulté pour reconnaître la mauvaise route et le
temps parfois perdu à s'y égarer.
Henri MONDOR, Pasteur, p. 56.

Et il *(le soldat)* continue de parler, s'égarant dans une sur- 19.1
abondance de précisions inutile, dans une confusion sans cesse croissante, s'en rendant compte tout à fait, s'arrêtant presque
à chaque pas pour repartir dans une direction différente,
persuadé maintenant, mais trop tard, de s'être fourvoyé
dès le début (...)
A. ROBBE-GRILLET, Dans le labyrinthe, p. 151.

S'écarter du bon sens. → **Divaguer.** *Cerveau qui
s'égare. Je sens ma tête s'égarer. Ma raison s'égare.*
→ Poison, cit. 3.

Que veux-tu? Je suis folle, et mon esprit s'égare. 20
CORNEILLE, le Cid, II, 5.

(...) ma tête s'égare; voilà mes idées qui se bouleversent. 21
A. DE MUSSET, On ne badine pas avec l'amour, I, 5.

♦ **ÉGARÉ, ÉE** p. p. adj. et n.

♦ **1** Qui s'est égaré, qui a perdu son chemin. *Voyageur égaré. Animal égaré* (→ Bouger, cit. 1). *Soldat
égaré après un combat* (→ Bagage, cit. 2). *Nageur
égaré* (→ Courant, cit. 5). *Colis égaré.*

(...) imitant en ceci les voyageurs qui, se trouvant égarés 22
en quelque forêt, ne doivent pas errer en tournoyant tantôt
d'un côté, tantôt d'un autre (...) mais marcher le plus droit
qu'ils peuvent vers un même côté (...)
DESCARTES, Disc. de la méthode, III.

(...) l'homme sans lumière, abandonné à lui-même, et 23
comme égaré dans ce recoin de l'univers (...)
PASCAL, Pensées, III, 693
(→ Aveuglement, cit. 9; détourner, cit. 24).

Relig. Qui s'est éloigné de l'Église. *La brebis égarée,
que le Bon Pasteur ramène au troupeau* (→ **Hérétique, pécheur**). *Ramener au bercail la brebis égarée.*

Insensé! Que t'a fait Jésus que tu fuis opiniâtrement sa 24
douce présence? D'où vient que la brebis égarée ne reconnaît plus la voix du pasteur qui l'appelle et lui tend le
bras (...)?
BOSSUET, Sermons, 3ᵉ dimanche après la Pentecôte.

Viens donc (...) viens faire une paix durable avec ton 25
ancien maître; il te recevra comme un fils égaré, et ne
s'apercevra point de l'énorme quantité de culpabilité que
tu as (...)
LAUTRÉAMONT, les Chants de Maldoror, VI, p. 256.

L'Église n'a été si dure pour les hérétiques que parce qu'elle 26
estimait qu'il n'est pas de pire ennemi qu'un enfant égaré.
CAMUS, le Mythe de Sisyphe, p. 153.

N. *Un, une égarée. Les égarés.*

L'épreuve ramène à Dieu. On en est quitte pour prier pour 26.1
les égarés. Rien n'empêche de les voir.
J. RENARD, Journal, 5 août 1899.

Vx. (Choses). Éloigné, écarté. *Village, chemin égaré.* Qui paraît égaré, qui est dispersé. *Deux ou trois grappes égarées sur une vaste treille. Quelques rares lumières égarées dans la Grand-Rue en pleine nuit. Voix égarées dans une élection sur des candidats peu sérieux.*

Qui paraît égaré, qui est déplacé. *Voir en Corneille un ancien Romain égaré dans le siècle de Louis XIV* (→ Avenant, cit. 5). *Un collégien égaré dans un bal musette.*

27 Comme, en outre, ce charmant camarade avait de la fantaisie et de la verve, dans tous les services du Ministre, il passait pour un véritable artiste égaré dans la paperasse.
Georges LECOMTE, Ma traversée, p. 122.

♦ **2** Rare. (Personnes). **Qui est en proie à l'égarement, comme fou, qui trahit le désordre mental.** — N. (plus cour.). *Un égaré. Une gesticulation d'égaré. Pauvre égaré !*

28 En rentrant dans ces lieux, nous l'avons rencontrée
Qui courait vers le temple, inquiète, égarée.
RACINE, Andromaque, v, 5.

28.1 Levez-vous, nous dit-il alors en reprenant des verges, oui, levez-vous et craignez-moi : ses yeux étincellent, il écume : également menacées sur tout le corps, nous l'évitons (...), nous courons comme des égarées dans toutes les parties de la chambre, il nous suit, frappant indifféremment et sur l'une et sur l'autre (...)
SADE, Justine..., t. I, p. 185-186.

Qui porte la marque de l'égarement. *Un air égaré. Des yeux égarés.* → **Hagard** (→ Affairé, cit. 1 ; aliéné, cit. 8).

29 Près de trois ans après la fin de ses épreuves, il apparaissait encore prodigieusement maigre et montrait un regard égaré.
G. DUHAMEL, le Voyage de Patrice Périot, II, p. 36.

♦ **3** Qui a été égaré, perdu (→ Égarer, 1., par anal.). *Il cherchait fiévreusement son billet égaré. Un objet égaré n'est pas encore un objet perdu.*

CONTR. Diriger, orienter ; gouverner. — Retrouver. ◊ **DÉR.** Égarement.

ÉGAYANT, ANTE [egɛjã, ãt] adj. — 1870 ; p. prés. de *égayer.*

Rare. Amusant.

Aller se coucher ensuite était une chose très égayante, surtout avec la perspective du lendemain jeudi qui prédisposait à s'amuser de tout.
LOTI, le Roman d'un enfant, 1890, p. 149, *in* T.L.F.

1. ÉGAYEMENT [egɛjmã] n. m. → **Égaiement.**

2. ÉGAYEMENT [egɛjmã] n. m. — 1870 ; de l'anc. v. égayer, esgaier (1600), de *aigue* «eau».

Techn. Fossé d'écoulement pour les eaux d'irrigation.

HOM. 1. Égayement ou égaiement.

ÉGAYER [egɛje ; egeje] v. tr. [CONJUG.: *payer.*] — V. 1228, *agueer ; soi esgaier,* v. 1175 ; de é-, gai, et -er.

♦ **1** Rendre gai, plus gai. → **Amuser, dérider, désennuyer, distraire, divertir, réjouir.** *Égayer un malade. Il égayait les convives par ses bons mots* (→ **Bouffonner**). — Par ext. *Égayer la conversation.*

1 Mais quant aux discours de la philosophie, ils ont accoutumé d'égayer et réjouir ceux qui les traitent, non les renfrogner et contrister.
MONTAIGNE, Essais, I, XXVI.

2 Un roman, dites-vous, pourrait vous égayer ;
Triste chose à vous envoyer !
Que ne demandez-vous un conte à La Fontaine ?
C'est avec celui-là qu'il est bon de veiller (...)
A. DE MUSSET, Poésies nouvelles, «Silvia».

3 (...) au lieu de m'égayer, l'observation de Jacques me fit monter aux yeux un grand flot de larmes.
Alphonse DAUDET, le Petit Chose, II, XIV, p. 356.

(1821). Argot de théâtre (vx). *Égayer une pièce, égayer l'ours :* siffler une pièce.

♦ **2** (1547). Rendre agréable, plus agréable.

a (Sujet n. de personne). *Égayer un sujet, un ouvrage sérieux.* → **Orner.** *Égayer de, par quelques plaisanteries un entretien sérieux. Égayer son style. Égayer un tableau.* — *Égayer son deuil :* porter un deuil moins sévère.

b (Sujet n. de chose). Colorer (une chose) d'une certaine gaieté. *Un bon feu égayait la chambre. Fleurs, aquarelles qui égaient un appartement* (→ Capucine, cit. ; curiosité, cit. 21). *Il faudrait une peinture claire pour égayer ce rez-de-chaussée.* — *Rencontre qui égaie un séjour monotone* (→ Chimpanzé, cit.).

4 (...) il a fort égayé la tristesse du voyage.
Mᵐᵉ DE SÉVIGNÉ, 424, *in* LITTRÉ.

5 (...) ces jupons sont d'un jaune queue de serin très vif, égayé de broderies de plusieurs nuances, représentant des oiseaux et des fleurs.
Th. GAUTIER, Voyage en Espagne, p. 44.

6 Étonnants voyageurs ! (...)
Faites, pour égayer l'ennui de nos prisons,
Passer sur nos esprits, tendus comme une toile,
Vos souvenirs avec leurs cadres d'horizons.
BAUDELAIRE, les Fleurs du mal, «Le voyage».

♦ **3** Arbor. *Égayer un arbre.* → **Élaguer.**

◆ **S'ÉGAYER** v. pron.

Se divertir gaiement. → **Amuser** (s'), **réjouir** (se), **rire.**

7 Je voudrais qu'à l'utile on joignît l'agréable ;
J'aime à voir le bon sens sous le masque des ris ;
Et c'est pour m'égayer que je viens à Paris.
VOLTAIRE, le Russe à Paris.

8 Quand la maison n'est qu'une triste solitude, il faut bien aller s'égayer ailleurs.
ROUSSEAU, Émile, I.

9 (...) la divinité d'Empédocle alla échouer contre le scepticisme des rieurs, et la malicieuse légende s'égaya de ses sandales trouvées sur le mont Etna.
RENAN, l'Avenir de la science, *in* Œ. compl., t. III, p. 957.

10 Ah ça ! il est saoul ! se dit Lahrier, qui s'égayait à le voir faire.
COURTELINE, Messieurs les ronds-de-cuir, 6ᵉ tableau, II, p. 243.

S'égayer aux dépens de qqn, s'en moquer. → **Gausser** (se).

11 (...) au billard du *Casino* ou *Cercle Noble* de Verrières, quand quelque beau parleur interrompt la poule pour s'égayer aux dépens d'un mari trompé.
STENDHAL, le Rouge et le Noir, I, XXI.

Spécialt et vx. Donner libre cours à sa fantaisie, à sa moquerie... (notamment par la parole).

12 Ce Monsieur Fleurant-là et ce Monsieur Purgon s'égayent bien sur votre corps.
MOLIÈRE, le Malade imaginaire, I, 2.

13 Ainsi, dans cet amas de nobles fictions,
Le poète s'égaie en mille inventions (...)
BOILEAU, l'Art poétique, III.

◆ **ÉGAYÉ, ÉE** p. p. adj. Voir à l'article.

CONTR. Affliger, assombrir, attrister, chagriner, endeuiller, ennuyer, rembrunir. ◊ **DÉR.** Égaiement ou égayement, égayant, égayeur. — **HOM.** Égailler (éventuel).

ÉGAYEUR, EUSE [egɛjœʀ, øz] n. — Av. 1896, Goncourt ; de *égayer.*

Rare. Personne qui égaye (qqn, une compagnie).

ÉGÉEN, ENNE [eʒeɛ̃, ɛn] adj. et n. — 1914 ; surnom de Neptune, 1838 ; de *(mer) Égée,* et *-éen.*

(1914). Qui concerne les pays baignés par la mer Égée (notamment la Grèce antique). *La civilisation, les langues égéennes.* — N. *Un Égéen, une Égéenne :* personne qui habitait ces pays.

ÉGÉRIE [eʒeʀi] n. f. — 1846, Balzac ; du lat. *Egeria*, nymphe qui aurait été la conseillère de Numa Pompilius, roi légendaire de Rome.

Littér. Femme considérée comme la conseillère, l'inspiratrice d'un homme politique, d'un homme de lettres. *Madame Roland fut l'égérie des Girondins ; Madame de Caillavet, l'égérie d'Anatole France.*

1 Ma sœur jusqu'à présent fut ma seule Égérie :
Sur vos deux bras charmants maintenant, appuyé,
J'aurai deux confidents, l'amour et l'amitié.
A. DE MUSSET, Songe d'Auguste.

2 Son ambition *(de Mme de Staël)* visait à être l'Égérie des hommes d'État et, pour un maître de la France, une maîtresse dirigeante.
Louis MADELIN, Hist. du Consulat et de l'Empire,
De Brumaire à Marengo, IX, p. 135.

3 (...) cette jolie femme *(Hortense Allart)* d'esprit et de cœur, un peu trop reléguée, il me semble, au nombre des Égéries à tout faire, et qui, par le style et par la culture, valait beaucoup mieux que cela.
Émile HENRIOT, Portraits de femmes, p. 290.

Fig. (par plais.). *La bouteille est son égérie.*

ÉGERMAGE [eʒeʀmaʒ] n. m. — 1877, Littré, *Suppl. ; de égermer.*

Techn. (agric.). Action d'enlever les germes. *L'égermage des pommes de terre.* **Syn. :** *dégermage.*

ÉGERMER [eʒeʀme] v. tr. — 1897, *Nouveau Larousse illustré ; de é-, germe, et suff. -er.*

Techn. (agric.). → **Dégermer.**

DÉR. Égermage.

EGESTA [eʒɛsta] n. m. pl. — D. i. (XXᵉ) ; mot lat., plur. de *egestum*, p. p. neutre de *egere* «rejeter, évacuer».

Physiol. Ensemble de substances éliminées par le tube digestif : déchets de la digestion (**→ Excrément**) et matières non digérées ayant traversé le tube digestif.

ÉGIDE [eʒid] n. f. — 1512 ; lat. *ægis, -idis,* grec *aigis, -idos,* proprt «peau de chèvre», de *aix, aigos* «chèvre».

♦ **1** (1512). **Didact.** Bouclier ou cuirasse de Zeus qu'il confiait souvent à sa fille Athéna (Minerve, Pallas). *Sur l'égide, couverte de la peau de la chèvre Amalthée, était fixée la tête de Méduse.*

1 Sa cuirasse ressemblait dans le combat, à l'immortelle égide. FÉNELON, Télémaque, I.

2 Il *(Cupidon)* tira de son carquois d'or la plus aiguë de ses flèches, il banda son arc, et allait me percer, quand Minerve se montra soudainement pour me couvrir de son égide. FÉNELON, Télémaque, IV.

♦ **2** (1569). **Fig.** (littér. ou didact., sauf dans l'expression usuelle *sous l'égide de...*). Ce qui défend, protège. **→ Appui, auspice, bouclier, bras, patronage, protection, sauvegarde, tutelle.** *Prendre qqn sous son égide. Se mettre sous l'égide de qqn. Être sous l'égide des lois. Servir d'égide à qqn.*

3 Ce sera dessous cette égide *(la paix),*
Qu'invincible de tous côtés,
Tu verras ces peuples sans bride
Obéir à tes volontés (...)
MALHERBE, Ode à la Reine sur les heureux succès
de sa régence.

4 Ce généreux appui, le seul qui m'est resté,
Me servirait d'égide et serait respecté.
VOLTAIRE, Sophonisbe, 1769, III, 3.

4.1 (...) un nouveau délit pouvait seul me sauver : la Providence voulut que le crime servît au moins une fois d'égide à la vertu, qu'il la préservât de l'abîme où l'allait engloutir l'imbécillité des juges. SADE, Justine..., t. I, p. 34.

5 Ma fierté est une trompeuse égide, je suis sans défense contre la douleur. BALZAC, Béatrix, Pl., t. II, p. 567.

(Concret). Littéraire :

6 (...) elle se coula, sous l'égide des haies, vers la forêt où se trouvait sa demeure.
Louis PERGAUD, De Goupil à Margot,
Fin de Fusel, p. 91.

ÉGIPAN [eʒipã] n. m. **→ Ægipan.**

ÉGLANTIER [eglãtje] n. m. — 1080, *églenter ;* de l'anc. franç. *aiglent,* et suff. *-ier ;* du lat. pop. *æquilentum,* pour *aculentum ;* du lat. class. *aculeatus* «qui a des piquants», de *acus* «aiguille, pointe».

Rosier sauvage *(Rosacées).* Baie (cit. 1) *d'églantier. Branche, buisson d'églantier. Fruit de l'églantier.* **→ Cynorrhodon, gratte-cul.** *Galle de l'églantier :* bédégar. *Fleur de l'églantier.* **→ Églantine.**

1 La fleur de l'églantier sent ses bourgeons éclore.
A. DE MUSSET, Poésies nouvelles, «La nuit de mai».

2 Dans le taillis touffu, les églantiers fleuris tendaient leurs bouquets blancs.
R. DORGELÈS, les Croix de bois, VII, p. 148.

L'églantier mystique, représenté, dans l'iconographie chrétienne, aux pieds de la Vierge Marie (**→ 1. Rose**).

ÉGLANTINE [eglãtin] n. f. — 1600 ; *englantine,* 1560 ; de l'anc. franç. *aiglantin* (adj.), de *aiglent.* **→ Églantier.**

♦ **1** Fleur de l'églantier. *Un bouquet d'églantines.*

1 Je lui demandai mon chemin
Il tenait un luth d'une main,
De l'autre un bouquet d'églantine.
A. DE MUSSET, Poésies nouvelles,
«La nuit de décembre».

2 Ce poète *(Musset)* blessé au cœur, et qui crie avec de si vrais sanglots, a des retours de jeunesse et comme des ivresses de printemps. Il se retrouve plus sensible qu'auparavant (...) à la verdure, aux fleurs (...) et il porte aussi frais qu'à quinze ans son bouquet de muguet et d'églantine.
SAINTE-BEUVE, Causeries du lundi, Musset, t. I,
p. 303.

3 (...) était-ce qu'ayant vu auparavant de l'épine blanche, la vue d'une épine rose et dont les fleurs ne sont plus simples mais composées, le frappa à la fois de ces deux prestiges de l'analogie et de la différence qui ont tant de pouvoir sur notre esprit ? Mais pourtant il avait peut-être vu des églantines avant de voir des roses et n'aima jamais beaucoup les unes ni les autres.
PROUST, Jean Santeuil, Pl., p. 331.

Par métonymie. *Couleur d'églantine* ou *églantine* (adj. invar.) : rose pâle. *Des tuniques églantine.*

Vx (hist.). *Les églantines rouges :* les socialistes et communistes, qui portaient (v. 1900-1910) une églantine rouge à la boutonnière et s'opposaient aux «œillets blancs» (on a parlé des *«églantinards»,* Barrès, *in* T. L. F.).

♦ **2** (1560). **Hist.** Églantine (1.) d'or décernée aux *Jeux Floraux* de Toulouse.

ÉGLEFIN [egləfɛ̃] ou **AIGLEFIN** [egləfɛ̃] n. m. — 1554 ; *egreffin, esclefin,* v. 1300 ; var. *aiglefin, aigrefin ;* du moy. néerl. *schelvich,* avec infl. probable de *aigle.*

Poisson de mer *(Gadidés),* proche de la morue, dont il se distingue notamment par une tache noire sur chaque flanc. *Églefin fumé.* **→ Haddock.** *Une tranche, un filet d'églefin.* **→ Cabillaud.** — REM. On trouve aussi la variante *aigrefin.* **→ 2. Aigrefin.**

ÉGLISE [egliz] n. f. — V. 1050 ; du lat. *eclesia* ou *ecclesia,* grec *ekklésia* «assemblée».

Ⅰ (Avec un É majuscule, sauf, quelquefois, aux sens 5 et 6).
♦ **1** Assemblée réunissant les premiers chrétiens. *L'Église d'Éphèse, d'Antioche. L'Église primitive ; la primitive Église* (**→ Altruisme, cit. 3 ; baptême, cit. 7**).

L'Église des apôtres. Les diacres*, les archidiacres, les diaconesses de l'Église primitive.

1   C'est Jésus-Christ lui-même qui nous a appris à croire l'Église en ce sens. Car pour fonder cette Église, il est sorti du sein invisible de son Père, et s'est rendu visible aux hommes ; il a assemblé autour de lui une société d'hommes qui le reconnaissait pour maître : voilà ce qu'il a appelé son Église. C'est à cette Église primitive que les fidèles qui ont cru depuis se sont agrégés, et c'est de là qu'est née l'Église que le Symbole appelle *universelle*. Jésus-Christ a employé le mot d'*Église* pour signifier cette société visible, lorsqu'il a dit lui-même qu'il fallait écouter l'Église : «Dites-le à l'Église»; et encore lorsqu'il a dit : «Tu es Pierre, et sur cette pierre je bâtirai mon Église, et les portes d'enfer n'auront point de force contre elle.»

BOSSUET, Conférence avec M. Claude, I.

2   Un germe d'Église commençait dès lors à paraître. Cette idée féconde du pouvoir des hommes réunis *(ecclesia)* semble bien une idée de Jésus.

RENAN, Vie de Jésus, Œ. compl., t. IV, p. 269.

♦ **2** (1135). *L'Église chrétienne* ou *l'Église :* assemblée de tous ceux qui ont la foi en Jésus-Christ (→ Assemblée, cit. 7). *L'Église catholique* (cit. 1), *universelle, œcuménique.* → **Chrétienté, communauté** (chrétienne), **communion** (des fidèles, des saints), **corps** (de l'Église ; → Autel, cit. 22 ; corps, cit. 42. — *Les membres de l'Église* (→ Avouer, cit. 2). *L'Église visible, invisible. L'Église du Christ. Histoire de l'Église. Les Pères, les Docteurs de l'Église* (→ **Patrologie**). *L'Église chrétienne,* ouvrage de Renan.

L'Église militante : l'ensemble des fidèles sur la terre. *L'Église souffrante :* les justes qui souffrent au purgatoire. *L'Église triomphante :* les bienheureux qui connaissent Dieu dans le ciel. *L'éternité, la sainteté de l'Église.*

3   Alors Jésus-Christ vient dire aux hommes qu'ils n'ont point d'autres ennemis qu'eux-mêmes, que ce sont leurs passions qui les séparent de Dieu, qu'il vient pour les détruire, et pour leur donner sa grâce, afin de faire d'eux tous une Église sainte, qu'il vient ramener dans cette Église les païens et les Juifs, qu'il vient détruire les idoles des uns et la superstition des autres.

PASCAL, Pensées, XII, 783.

♦ **3** (1546). Ensemble de fidèles unis, au sein du christianisme, dans une communion particulière. → **Communion, confession, croyance, culte, religion.** *L'Église latine* (→ ci-dessous, 4.). *L'Église orthodoxe grecque, russe. L'Église d'Occident, d'Orient. Église grecque romanisante, latinisante. Églises réformées* ou *protestantes*; évangélique ; anglicane ; presbytérienne ; baptiste, méthodiste... Les sectes d'une Église. Église schismatique.* → **Schisme** (→ Antiquité, cit. 2). *Histoire des variations des Églises protestantes,* ouvrage de Bossuet.

4   Pour ce qui est de la vraie Église, elle est, dit-il, représentée par saint Pierre, lorsque Jésus-Christ ayant demandé à ses disciples : «Ne voulez-vous point aussi vous retirer ? cet apôtre lui répondit au nom de tous : Seigneur, à qui irions-nous ? Vous avez des paroles de vie éternelle» nous montrant par cette réponse, poursuit le saint martyr, que qui que ce soit qui quitte Jésus-Christ, «l'Église ne le quitte pas, et que ceux-là sont l'Église qui demeurent dans la maison de Dieu» de sorte que le caractère des novateurs est de la quitter, ainsi que le caractère des vrais fidèles est d'y demeurer toujours.

BOSSUET, Première instruction pastorale sur les promesses de J.-C. à l'Église, XXVI.

(Au plur.). Confessions chrétiennes. *Séparation des Églises et de l'État, en Belgique, en France* (→ **Laïcité**). *Adversaire de l'intervention de l'Église dans les affaires publiques.* → **Anticlérical.**

♦ **4** Spécialt. *L'Église catholique romaine.* → **Catholicité.** *Le Pape, chef visible de l'Église. L'autorité de l'Église* (→ Baisser, cit. 11). *Pouvoir temporel* (→ Ascendant, adj., cit. 1), *juridiction temporelle de l'Église.* → **For** (ecclésiastique). *Les biens de l'Église.* → **Aumône,**

3. (→ Assignation, cit.). *Les États de l'Église* ou *États pontificaux,* restés jusqu'en 1870 sous la souveraineté du Pape. *Le siège de l'Église.* → **Siège** (Saint-Siège). *Les privilèges de l'Église* (→ Asile, cit. 13). — *L'enseignement de l'Église.* → 2. **Canon** (cit. 1); **bulle, croyance, décret, doctrine, dogme; définition; encyclique; magistère.** *La discipline, les commandements de l'Église. Problème de l'évolution de l'Église.* → **Modernisme.** *Croire ce que l'Église enseigne. Le pouvoir spirituel, l'infaillibilité de l'Église* (→ Associer, cit. 3). «*Hors de l'Église, pas de salut*». — *Notre mère, la sainte Église. L'Église, la mère des fidèles* (→ Allaiter, cit. 4). *La France, la fille aînée* (cit. 1) *de l'Église.* — *Les enfants de l'Église. Se marier devant l'Église, en face de l'Église* (vieilli) *: se marier religieusement. Mourir dans l'Église, en paix avec l'Église, muni des sacrements de l'Église.*

L'Église et l'État. Luttes entre le pouvoir spirituel (Église) *et le pouvoir temporel* (État). *Église tendant à gouverner et absorber l'État.* → aussi **Théocratie.** *Les rois de France s'efforcèrent de défendre leur autorité contre les empiétements de l'Église. Union de l'Église et de l'État, avant 1789. Accord réglant les rapports entre l'Église et l'État.* → **Concordat.**

La discipline de l'Église. Les condamnations, les foudres de l'Église. → **Anathème, censure, excommunication, index, interdit, monition, sentence, suspens.** *Retrancher qqn de l'Église, du sein de l'Église,* l'excommunier. *Publication qui reçoit l'approbation de l'Église* (→ Imprimatur, nihil obstat). *Indulgences accordées par l'Église. Entrer, rentrer* (→ Abjurer, cit. 2) *dans l'Église, dans le giron de l'Église* (→ Bercail). *Adjurer qqn de se soumettre aux décisions de l'Église. Luttes de la Réforme contre l'Église* (→ **Papisme**).

La prière, les prières, les cérémonies, les offices, les pompes, les chants de l'Église. → **Office** (divin); **antiphonaire, bréviaire, cérémonial, heure, missel, rituel; culte, liturgie.** *Les fêtes de l'Église.* → **Annonciation, Ascension, Assomption, Chandeleur, Circoncision, Épiphanie, Exaltation** (de la Sainte Croix), **Noël, Pâques, Pentecôte, rogation, Trinité, vendredi saint), Visitation.** *Le calendrier* des offices de l'Église.* → **Ordo.** *Fête d'un saint, commémoration d'un saint, vigile d'une fête, célébrées dans l'Église. Béatification, canonisation des saints, par l'Église.* — *Les sacrements de l'Église.* → **Sacrement** (→ Appeler, cit. 13).

5   (...) il faut dire (...) que le renouvellement des sciences, des arts et des lettres, est dû à l'Église ; que la plupart des grandes découvertes modernes (...) lui appartiennent ; que l'agriculture, le commerce, les lois et le gouvernement lui ont des obligations immenses ; que ses missions ont porté les sciences et les arts chez des peuples civilisés, et les ont chez des peuples sauvages ; que sa chevalerie a puissamment contribué à sauver l'Europe d'une invasion de nouveaux Barbares ; que le genre humain lui doit (...) une plus grande humanité chez les hommes (...)

CHATEAUBRIAND, le Génie du christianisme, IV, VI, XII.

6   Que l'Église veuille tout faire et tout être, c'est une loi de l'esprit humain.

BAUDELAIRE, Journaux intimes, «Fusées», II.

7   (...) les titres de l'Église valent les titres de l'État. C'est pourquoi, s'il est juste qu'il soit indépendant et souverain chez lui, il est juste qu'elle soit chez elle indépendante et souveraine ; si l'Église empiète quand elle prétend régler la constitution de l'État, l'État empiète quand il prétend régler la constitution de l'Église, et si, dans son domaine, il doit être respecté par elle, dans son domaine, elle doit être respectée par lui.

TAINE, les Origines de la France contemporaine, III, t. I, p. 274.

8   Dans une Église fondée sur l'autorité divine, on est aussi hérétique pour nier un seul point que pour nier le tout.

Une seule pierre arrachée de cet édifice, l'ensemble croule fatalement. RENAN, Souvenirs d'enfance..., V, III.

9 Je suis très assuré que l'Église doit tout surmonter à la fin des fins et que rien ne prévaudra contre elle (...) Mais Elle peut tomber, demain, dans le mépris absolu, dans l'ignominie la plus excessive. Elle peut être conspuée, fouettée, crucifiée, comme Celui dont elle se nomme l'Épouse.
Léon BLOY, le Désespéré, p. 177.

L'autorité ecclésiale (dans un lieu donné). *L'Église de Rome* : le Vatican. *L'Église de France. L'Église latino-américaine. L'Église gallicane*. *De l'Église gallicane dans ses rapports avec le Souverain Pontife*, traité de Joseph de Maistre.

♦ **5** (1549). L'état ecclésiastique, l'ensemble des ecclésiastiques. ➜ **Clergé.** — REM. Dans cet emploi, on écrit aussi *église* avec une minuscule. Le mot s'emploie surtout en parlant de l'Église catholique romaine. — *Se faire, être d'Église, appartenir à l'Église. Un homme d'Église. Les gens d'Église. L'Église, l'Épée, la Robe* : les trois états, sous l'Ancien Régime (➜ Amphibie, cit. 2). *Il fut destiné de bonne heure à l'Église. Entrer dans l'Église. Cérémonie qui introduit un homme dans l'Église.* ➜ **Tonsure ; ordre ; consécration, ordination.** *La hiérarchie, dans l'Église.* ➜ **Clerc, ecclésiastique, prêtre.** *Dignitaires, prélats de l'Église.* ➜ **Archiprêtre, chanoine ; cardinal, évêque...** *Les conciles, les consistoires réunissent les princes de l'Église. Cour d'Église* : juridiction de l'Évêque.

10 Rien n'est plus sagement ordonné que ces cercles qui partant du dernier chantre de village, s'élèvent jusqu'au trône pontifical qu'ils supportent, et qui les couronne. L'Église ainsi, par ses différents degrés, touchait à nos divers besoins (...) Si jadis l'Église fut pauvre, depuis le dernier échelon jusqu'au premier, c'est que la chrétienté était indigente comme elle. Mais on ne saurait exiger que le clergé fût demeuré pauvre, quand l'opulence croissait autour de lui.
CHATEAUBRIAND, le Génie du christianisme, IV, III, II.

11 D'autre part, dans un État qui peu à peu se dépeuplait, se dissolvait et fatalement devenait une proie, il *(le clergé)* avait formé une société vivante, guidée par une discipline et des lois, ralliée autour d'un but et d'une doctrine, soutenue par le dévouement des chefs et l'obéissance des fidèles, seule capable de subsister sous le flot de barbares que l'Empire en ruine laissait entrer par toutes ses brèches : voilà l'Église.
TAINE, les Origines de la France contemporaine, t. I, I, p. 4.

12 Je me demande ce que vous avez dans les veines aujourd'hui, vous autres jeunes prêtres ! De mon temps, on formait des hommes d'Église... oui, des hommes d'Église, prenez le mot comme vous voudrez, des chefs de paroisse, des maîtres, quoi, des hommes de gouvernement.
BERNANOS, Journal d'un curé de campagne, I, p. 17.

♦ **6** (1862). Fig. (avec un *é* minuscule). Ensemble de personnes professant une même doctrine, se ralliant aux mêmes principes (➜ Adepte, cit. 2 ; communiste, cit. 3). ➜ **Chapelle, clan, congrégation** (cit. 3), **coterie, école...** *Une petite église très fermée.*

12.1 (...) le surréalisme avec son aspect ambigu de chapelle littéraire, de collège spirituel, d'église et de société secrète n'est qu'un des produits de l'après-guerre.
SARTRE, Situations II, p. 226.

II *Une, des églises* (avec un *é* minuscule). Édifice consacré au culte de la religion chrétienne. ➜ **Basilique, cathédrale, chapelle** (cit. 2), **lieu** (saint), **maison** (de Dieu), **oratoire, temple.** *Bâtir* (cit. 13), *consacrer, bénir une église. La consécration d'une église.* ➜ **Dédicace.** *Église cathédrale, épiscopale, métropolitaine. Le chapitre d'une église cathédrale. Église abbatiale* (➜ **Abbaye**), *collégiale, conventuelle* (➜ **Prieuré**), *paroissiale* (➜ **Paroisse**). *La cure, le presbytère, le cimetière d'une église paroissiale*

(➜ Attenant, cit. 4 ; disséminer, cit. 1). *Les églises au moyen âge servaient de lieu d'asile* (➜ aussi **Ambitus**). *La succursale d'une église paroissiale.* ➜ **Annexe.** *Le desservant d'une église* (➜ Curé, cit. 3).

Église dédiée à un martyr. ➜ **Martyrium.** *Église désignée comme lieu de pèlerinage* (➜ **Station**). *Église placée sous le vocable de Notre-Dame, de saint Pierre. Titres et privilèges d'une église* (➜ **Cartulaire**). *Profanation d'une église. Réconcilier une église* : bénir de nouveau une église qui a été profanée.
L'architecture et le décor d'une église. ➜ **Baptistère, cloître ; clocher** (➜ Beffroi, cit. 1), **clocheton, pinacle, tour ; flèche ; coupole, dôme ; façade, narthex, parvis, porche, portail, porte, portique, tympan ; chœur, sanctuaire ; chapelle ; nef, vaisseau ; bas-côté, collatéral, transept** (bras et croisée) ; **abside, absidiale, chevet, choréa, déambulatoire ; étage, galerie, tribune, triforium ; ambon, jubé ; caveau, crypte ; arc, arcade, chapiteau, cintre** (plein cintre), **colonne, ogive, pilier, voûte ; travée ; rosace, rose, vitrail.** — *Le plan d'une église* : croix latine (†), croix grecque (✝). — *Église fortifiée. Église byzantine* (➜ **Iconostase**), *carolingienne, préromane, romane*, *gothique**. *Église Renaissance, classique, jésuite, baroque, rococo, Empire, moderne. L'horloge* (➜ Blutoir, cit. 1), *les cloches, le carillon d'une église.*

13 (...) madame de Villeparisis nous mena à Carqueville où était cette église couverte de lierre (...) Dans le bloc de verdure devant lequel on me laissa, il fallait pour reconnaître une église faire un effort qui me fit serrer de plus près l'idée d'église (...) cette idée d'église (...) j'étais obligé d'y faire perpétuellement appel pour ne pas oublier, ici, que le cintre de cette touffe de lierre était celui d'une verrière ogivale, là, que la saillie des feuilles était due au relief d'un chapiteau. Mais alors un peu de vent soufflait, faisait frémir le porche mobile que parcouraient des remous propagés et tremblants comme une clarté ; les feuilles déferlaient les unes contre les autres ; et frissonnante, la façade végétale entraînait avec elle les piliers onduleux, caressés et fuyants.
PROUST, À la recherche du temps perdu, t. IV, p. 142.

Le trésor d'une église (➜ **Monstrance, reliquaire**) ; *les vases sacrés d'une église.* ➜ **Calice, ciboire, custode, ostensoir, patène.** *L'autel, le maître-autel d'une église.* ➜ **Autel.** *Signaux réglant les cérémonies dans une église.* ➜ **Claquette, clochette, crécelle.** *Instruction, prône, sermon prononcé de la chaire** d'une église.* ➜ aussi **Bannière** (cit. 7), **bénitier, candélabre, confessional, croix, dais, ex-voto, fonts** (baptismaux), **harmonium, lampe, luminaire, lustre, lutrin, orgue, portechape, prie-Dieu, stalle** (stalle de miséricorde), **tronc.** *Ornements servant au clergé pour célébrer les offices dans une église.* ➜ **Ornement.** *Personnes attachées au service d'une église.* ➜ **Bedeau, cérémoniaire, chaisier, enfant** (de chœur), **gardien, sacristain, sacristine, suisse.** *Faire la quête dans une église. Revenus servant à entretenir une église.* ➜ **Œuvre.** *Les bénéfices d'une église* (➜ 1. Bénéficier, cit.). *Administration des biens d'une église.* ➜ **Fabrique ; fabricien, marguillier.** *Archives d'une église.* ➜ **Marguillerie.**

D'église : propre à une église, aux églises. *Argenterie, linges d'église. Chants d'église.* ➜ **Cantique ; chapelle** (et maître de chapelle), **maîtrise, psallette.**

Entrer dans une église (➜ Apaisement, cit. 1). *Visiter une église* (➜ Bénédiction, cit. 7 ; dévot, cit. 3). *Les fidèles, le troupeau d'une église. Faire le signe de la croix en entrant dans une église. Prier dans une église. Aller à l'église. C'est un pilier d'église. Il est toujours fourré à l'église.* ➜ **Bigot** (cit. 4). — *Se marier à l'église, religieusement.* — Par plais. *Se marier derrière l'église* : vivre en concubinage. *Publier les bans à l'église. Se faire enterrer à l'église. Les honneurs de* *l'église*, réservés aux fondateurs et patrons d'une église. — *Balayer l'église*, en sortir le dernier.

14 Je ne remarque point qu'il hante les églises.
MOLIÈRE, Tartuffe, II, 2.

15 Et toi que les fenêtres observent la honte te retient
D'entrer dans une église et de t'y confesser ce matin (...)
APOLLINAIRE, Alcools, «Zone».

16 L'enfant de chœur n'est pas venu, je me croyais seul dans l'église. À cette heure, en cette saison, à peine le regard porte-t-il un peu plus loin que les marches du chœur, et le reste est dans l'ombre. J'ai entendu tout à coup, distinctement, le faible bruit d'un chapelet glissant le long d'un banc de chêne, sur les dalles.
BERNANOS, Journal d'un curé de campagne, II, p. 146.

ÉGLOGUE [eglɔg] n. f. — 1375; *églogue*, XIIᵉ; lat. *ecloga* «choix, recueil» d'où «pièce de vers», grec *eklogê* «pièce choisie», de *eklegein* «choisir».

Petit poème pastoral où l'on met en scène des bergers. → **Bergerie, bucolique, idylle, pastorale.** *Églogues de Théocrite, de Virgile, de Ronsard.* — Genre littéraire qui caractérise de tels poèmes. *L'églogue est une forme poétique de la pastorale.*

1 Mais souvent dans ce style un rimeur aux abois
Jette la, de dépit, la flûte et le hautbois;
Et, follement pompeux, dans sa verve indiscrète,
Au milieu d'une églogue entonne la trompette.
De peur de l'écouter, Pan fuit dans les roseaux,
Et les nymphes, d'effroi, se cachent sous les eaux.
BOILEAU, l'Art poétique, II.

2 Je veux, pour composer chastement mes églogues,
Coucher auprès du ciel, comme les astrologues (...)
BAUDELAIRE, Tableaux parisiens, LXXXVI, «Paysage».

Par métaphore. Genre de vie qui rappelle l'atmosphère des églogues. → **Idylle.**

3 (...) les sages du temps supposeront toujours qu'ils vivent en pleine églogue, et qu'avec un air de flûte ils vont ramener dans la bergerie la meute hurlante des colères bestiales et des appétits déchaînés.
TAINE, les Origines de la France contemporaine, II, I, II, p. 56.

Par ext. Œuvre musicale ou picturale utilisant les thèmes de l'églogue.

ÉGLOMISATION [eglɔmizasjɔ̃] n. f. — XIXᵉ; de *églomiser*.

Techn. Action d'églomiser; son résultat.

ÉGLOMISER [eglɔmize] v. tr. — 1825; de *é-*, *Glomy*, nom d'un décorateur du XVIIIᵉ, et suff. verbal.

Techn. Décorer (un objet) de verre au moyen d'une dorure intérieure. — P. p. adj. *Un presse-papiers en verre églomisé.* «*C'est surtout sous l'Empire et la Restauration que des plaques de verre églomisé revêtiront le plateau de petites tables*» (*Terminologie du mobilier*, in *la Banque des mots*, nº 24, 1982, p. 227).

DÉR. Églomisation.

EGNOT [ɛgno] adj. et n. m. Var. anc. de *huguenot**.

EGO [ego] n. m. — 1886; le mot est attesté fin XVIIIᵉ en angl. et en all.; mot latin «je» par l'allemand.

Philos. Le sujet, l'unité transcendantale du moi (depuis Kant). → **Ipse, je, moi.**

Psychan. Le moi*.

Ethnol. Nom conventionnel retenu pour désigner l'individu choisi comme point de référence quand on décrit un système de parenté.

HOM. Égaux.

ÉGO-ALTRUISME [egoaltryism] n. m. — XXᵉ; *égo-altruiste*, 1922, Larousse; de *égoïsme*, et *altruisme*, d'après l'angl. *ego-altruistic* (H. Spencer, 1855).

Philos. Égoïsme qui se réalise dans l'altruisme.

ÉGOCENTRIQUE [egosɑ̃trik] adj. — V. 1880; du lat. *ego* «moi», et *centre*, d'après *géocentrique*, *anthropocentrique*.

♦1 Qui manifeste de l'égocentrisme. *Une attitude égocentrique. — Elle est un peu trop égocentrique.* → **Égocentriste.** — N. *C'est un égocentrique, une égocentrique.*

♦2 Didact. a (Psychol.). *Langage égocentrique* (d'un enfant), qui ne se réfère pas de façon explicite à autrui.

b Ethnol. *Groupe égocentrique*, formé autour d'un individu vivant. → **Ego.**

DÉR. Égocentriquement, égocentrisme.

ÉGOCENTRIQUEMENT [egosɑ̃trikmɑ̃] adv. — 1940; de *égocentrique.*

De manière égocentrique.

ÉGOCENTRISME [egosɑ̃trism] n. m. — Déb. XXᵉ; du rad. de *égocentrique*, et suff. *-isme*.

♦1 Tendance à être centré sur soi-même et à ne considérer le monde extérieur qu'en fonction de l'intérêt qu'on se porte. → **Égoïsme, égotisme.**

Je n'irai pas jusqu'à l'accuser d'être communiste (...) les idées qu'il affiche sont ou peu plus particulières. Plus dangereuses, plus subtiles et témoignant en tout cas d'un égocentrisme guère admissible chez un marxiste.
Pierre GASCAR, les Bêtes, p. 181.

♦2 Psychol. Caractère individuel, non social, de la pensée enfantine, se traduisant par l'absence d'objectivité. *Égocentrisme persistant chez l'adulte* (opposé à *allocentrisme*).

CONTR. Altérocentrisme. ◊ DÉR. Égocentriste.

ÉGOCENTRISTE [egosɑ̃trist] adj. et n. — 1923; du rad. de *égocentrisme*, et *-iste*.

Qui a un comportement, une personnalité égocentrique (1.). → **Égoïste.** *C'est l'être le plus égocentriste que je connaisse.* — N. *Un, une égocentriste.*

Je me laisse aller, je m'écoute, je suis un effroyable égocentriste.
Robert SABATIER, le Marchand de sable, p. 197.

ÉGOÏNE [egɔin] n. f. — 1676; *egohine*, altér. de *escohine*, 1344; du lat. *scobina* «lime, râpe» (→ Écouane); l'élément *ego* est p.-ê. induit par le lat. *ego* «je», la scie étant utilisable par une seule personne.

Petite scie à main, composée d'une lame terminée par une poignée. — Appos. *Scie égoïne.*

REM. On trouve encore la graphie *égohine.*

La fabrication d'une scie à main, du genre de celles qu'on appelle égohines, coûta des peines infinies.
J. VERNE, l'Île mystérieuse, t. I, p. 261 (1874).

ÉGOÏSME [egɔism] n. m. — 1743, in D.D.L.; du lat. *ego* «moi», et *-isme*.

♦1 Disposition à parler trop de soi, à se citer sans cesse, à rapporter tout à soi. → **Amour-propre** (sens 1, vieilli), **égocentrisme, égotisme, vanité.**

1 MM. de Port-Royal ont également banni de leurs écrits l'usage de parler d'eux-mêmes à la première personne, dans l'idée que cet usage, pour peu qu'il fût fréquent, ne procédait que d'un principe de vaine gloire et de trop bonne opinion de soi-même. Pour en marquer leur éloignement, ils l'ont tourné en ridicule sous le nom d'*égoïsme*, adopté depuis dans notre langue, et qui est une espèce

de figure inconnue à tous les anciens rhéteurs (...) On est fâché de trouver perpétuellement l'*égoïsme*, dans Montaigne ; il eût sans doute mieux fait de puiser ses exemples dans l'histoire, que d'entretenir ses lecteurs de ses inclinations, de ses fantaisies, de ses maladies, de ses vertus et de ses vices.   Encycl. (DIDEROT), art. *Égoïsme*.

♦ **2** Attachement excessif à soi-même qui fait que l'on subordonne l'intérêt d'autrui à son propre intérêt. → **Intérêt** (personnel) ; **individualisme, narcissisme ; moi, soi.** *Chacun pour soi et Dieu pour tous, formule de l'égoïsme. Les calculs, la muflerie de l'égoïsme. L'inconscience de l'égoïsme* (cf. le prov. : À qui a la panse pleine, il semble que les autres sont soûls). *Un sot, un vil égoïsme* (→ Blasphème, cit. 4). *L'égoïsme est un vice presque général* (→ Apathie, cit. 4). *Un égoïsme raffiné* (→ Célibataire, cit. 1 ; dureté, cit. 6). *C'est un monstre d'égoïsme. Geste, action dénuée d'égoïsme. S'élever au-dessus de l'égoïsme* (→ Douleur, cit. 20). *Lutter contre son égoïsme* (→ Ascèse, cit. 3 ; dépensier, cit. 2). *Agir par égoïsme. Être aveuglé par son égoïsme.*

Par ext. Tendance, chez les membres d'un groupe, à tout subordonner à leur intérêt. *L'égoïsme familial. L'égoïsme d'une classe sociale.*

«*L'amour est un égoïsme à deux*», aphorisme attribué à Mme de Staël.

2   (...) que l'on aille, peu importe au prétendu sage, pourvu qu'il reste en repos dans son cabinet. Ses principes ne font pas tuer les hommes, mais ils les empêchent de naître, en détruisant les mœurs qui les multiplient, en les détachant de leur espèce, en réduisant toutes leurs affections à un secret égoïsme, aussi funeste à la population qu'à la vertu.   ROUSSEAU, Émile, IV (note).

3   Ma foi, pas si bête ! chacun pour soi dans ce désert d'égoïsme qu'on appelle la vie.   STENDHAL, le Rouge et le Noir, p. 522.

4   (...) l'amour, qui est l'égoïsme à deux, sacrifie tout à soi, et vit de mensonges.   R. RADIGUET, le Diable au corps, p. 83.

5   Comment voulez-vous que ne périsse pas celui qui par un aveugle égoïsme, voudra lutter seul contre les intérêts réunis des autres.   SADE, Justine..., t. I, p. 51.

♦ **3** Spécialt (psychan.). Intérêt porté par le moi* à lui-même.

6   (...) l'égoïsme ou «intérêt du moi» (...) se définit comme investissement par les pulsions du moi, le narcissisme comme investissement du moi par les pulsions sexuelles.   J. LAPLANCHE et J.-B. PONTALIS, Voc. de la psychanalyse, art. *Égoïsme*.

CONTR. Abandon, abnégation, altruisme, bienfaisance, bonté, charité, désintéressement, dévouement, don (de soi), **générosité.** ◊ **DÉR.** V. **Égoïste.**

ÉGOÏSTE [egɔist] adj. et n. — 1721, *in* D.D.L. ; du lat. *ego* «moi», et *-iste.*

Ⅰ Adj. ♦ **1** Vx. Égotiste. — Philos. et vx. Solipsiste.

♦ **2** Qui fait preuve d'égoïsme, est caractérisé par l'égoïsme. → **Dur, égocentrique, égocentriste, indifférent, ingrat, insensible, intéressé, mufle, personnel, sans-cœur, soi** (plein de soi, satisfait de soi)... *L'homme, né égoïste* (→ Cynique, cit. 6). *Un bonheur* (→ But, cit. 12), *une souffrance* (→ Accabler, cit. 15) *égoïste.*

0.1   Les jouissances isolées ont donc des charmes, elles peuvent donc en avoir plus que toutes autres ; eh ! s'il n'en était pas ainsi, comment jouiraient tant de vieillards, tant de gens ou contrefaits ou pleins de défauts ; ils sont bien sûrs qu'on ne les aime pas ; bien certains qu'il est impossible qu'on partage ce qu'ils éprouvent, en ont-ils moins de volupté ? Désirent-ils seulement l'illusion ? Entièrement égoïstes dans leurs plaisirs, vous ne les voyez occupés que d'en prendre, tout sacrifier pour en recevoir.   SADE, Justine..., t. I, p. 194.

1   (...) comme si l'amour n'était pas de tous les sentiments le plus égoïste, et, par conséquent, lorsqu'il est blessé, le moins généreux.   B. CONSTANT, Adolphe, VI, p. 60.

Je ne sais si tu comprends ce qu'il y a d'égoïste dans l'expression «faire son salut». Ça sent le «chacun pour soi», le «sauve qui peut», l'«après moi le déluge».   2
       G. DUHAMEL, Chronique des Pasquier, VII, II.

♦ **3** Didact. (psychol.). *Instincts, penchants égoïstes,* qui poussent l'individu à se conserver.

Psychan. Qui concerne l'égoïsme* (cit. 6 et *supra*).

Ⅱ N. (1721). Celui, celle qui fait preuve d'égoïsme. *Un grand égoïste* (→ Dévot, cit. 12). *Vivre en égoïste ; se conduire en égoïste. — Par ext. Un, une égoïste à deux.*

3   Impassibles égoïstes qui pensez que ces convulsions du désespoir et de la misère passeront comme tant d'autres (...)   MIRABEAU, Collection, t. II, p. 185, *in* LITTRÉ.

4   Chez les égoïstes, les préjugés, les ténèbres de l'éducation riche, l'appétit croissant par l'enivrement, un étourdissement de prospérité qui assourdit, la crainte de souffrir qui, dans quelques-uns, va jusqu'à l'aversion des souffrants, une satisfaction implacable, le moi si enflé qu'il ferme l'âme (...)   HUGO, les Misérables, IV, VII, IV.

5   L'enfant n'est que lui, ne voit que lui, n'aime que lui, et ne souffre que de lui : c'est le plus énorme, le plus innocent et le plus angélique des égoïstes.   Éd. et J. DE GONCOURT, Journal, t. II, p. 204.

CONTR. Altruiste, bienfaisant, bon, charitable, désintéressé, dévoué, généreux, large. ◊ **DÉR. Égoïstement.**

ÉGOÏSTEMENT [egɔistəmã] adv. — 1785 ; de *égoïste.* D'une manière égoïste (I., 2.). *Agir, réagir égoïstement. Profiter égoïstement de qqch. Il est égoïstement intéressé. Il a refusé de partager.*

Je lui gardais donc foi et hommage pour ce qui regardait cette santé à laquelle il prenait égoïstement tant d'intérêt, mais sur tout le reste je me crus permis de faire à peu près tout ce qui me procurerait de l'argent.   SADE, les 120 Journées de Sodome, I, 1 (1785), *in* D.D.L., II, 14.

CONTR. Charitablement, généreusement.

ÉGOMORPHISME [egomɔrfism] n. m. — xxe ; du lat. *ego* «moi», et *-morphisme,* d'après *anthropomorphisme.* Didact. (psychol.). Tendance à attribuer aux autres personnes ses propres désirs, besoins et intérêts.

ÉGORGEMENT [egɔrʒəmã] n. m. — 1538 ; de *égorger.*

Action d'égorger.

♦ **1** Action de tuer en tranchant la gorge. *L'égorgement d'un mouton.*

Par ext. Meurtre sauvage, massacre de personnes sans défense. → **Assassinat, carnage, tuerie.**

♦ **2** Fig. (vieilli ou littér.). Action de mettre (qqn) dans une situation intenable, de faire disparaître (qqch.) par des moyens violents. *Cette loi permet l'égorgement des paysans pauvres.*

(...) égorgement de la liberté, étranglement du droit, viol des lois, souveraineté du sabre, massacre, trahison.   HUGO, Napoléon le Petit, p. 198.

Action d'attaquer violemment (une œuvre). → **Éreintement.** *L'égorgement d'une pièce par la critique.*

ÉGORGEOIR [egɔrʒwar] n. m. — 1773 ; de *égorger.*

Technique ou littéraire.

♦ **1** Mar. Cargue servant à serrer les huniers.

♦ **2** (1845). Littér. Lieu où l'on égorge.

♦ **3** (1857). Techn. Machine à égorger les porcs (aux États-Unis).

ÉGORGER [egɔʀʒe] v. tr. [CONJUG.: *bouger*.] — 1450, *esgorger; esgorgeter* plus fréquent au XVIᵉ; de *é-, gorge,* et suff. verbal.

◆ **1** Tuer (un animal) en lui coupant la gorge. → **Juguler, saigner.** *Égorger un poulet, un mouton, un bœuf* (→ Biche, cit. 3; cuisinier, cit. 1).

Spécialt. Égorger (une victime) pour l'offrir en sacrifice. → **Immoler, sacrifier.** *Les prêtres hébreux égorgeaient des brebis et des génisses.*

◆ **2** Tuer (un être humain, généralement sans défense) en lui tranchant la gorge, et, par ext., avec une arme tranchante. → **Abattre, assassiner, égorgiller** (fam. et vx), **massacrer, poignarder, tuer.** *Égorger qqn avec un rasoir, un poignard. On l'a égorgé au coin d'un bois. Les prisonniers égorgèrent les sentinelles. Se faire égorger.* — Absolt. *On n'égorge plus pour cela.*

1   Je ne crois que les histoires dont les témoins se feraient égorger.   PASCAL, Pensées, IX, p. 593.

2   Nous payons vingt francs par domestique afin qu'un jour ils ne nous égorgent pas.
       STENDHAL, le Rouge et le Noir, I, XVII.

◆ **3** Fig. (Vieilli). Ruiner (qqn) par des exigences impitoyables. → **Assassiner, écorcher, exploiter.**

3   J'ai pour moi la justice, et je perds mon procès !
Un traître, dont on sait la scandaleuse histoire,
Est sorti triomphant d'une fausseté noire !...
(...) Il trouve, en m'égorgeant, moyen d'avoir raison.
       MOLIÈRE, le Misanthrope, V, 1.

Faire payer trop cher une marchandise à (qqn). → pop. **Estamper, saigner.** *Cet hôtelier, ce restaurateur égorge ses clients.* → **Rançonner.**

◆ **4** Fig. (Vieilli). Attaquer violemment (qqn). → **Dénigrer.** — Spécialt. Attaquer violemment (un auteur). → **Éreinter.**

3.1   Ces messieurs *(de la critique)* sont toujours très surpris, quand un auteur qu'ils égorgent se fâche et les étrangle.
       ZOLA, Renée, p. 13.

Détruire (des valeurs, une institution) par la violence. *Égorger la liberté.*

Vx. Défigurer (une œuvre littéraire, musicale) par une mauvaise exécution. *On a égorgé sa musique.* — Par métonymie. *Égorger un compositeur.*

◆ **S'ÉGORGER** v. pron.

Se couper la gorge. — (Récipr.). S'entr'égorger (→ Bouger, cit. 8).

4   On vit sous Claude (...) dix-neuf mille hommes s'égorger sur le lac Fucin pour l'amusement de la populace romaine (...)
       CHATEAUBRIAND, le Génie du christianisme, IV, VI, XIII.

◆ **ÉGORGÉ, ÉE** p. p. adj. *Bêtes égorgées.* — *Victime sauvagement égorgée.* — Fig. *«Les lois égorgées»* (Hugo). — N. *Un égorgé, une égorgée. Pousser des cris d'égorgé. Les égorgeurs et les égorgés.*

5   Souvent ils sortaient couteaux et rasoirs et alors ça valait les estafilades. On comptait en moyenne deux égorgés par semaine.   R. QUENEAU, Loin de Rueil, p. 214.

DÉR. Égorgement, égorgeoir, égorgeur, égorgiller.

ÉGORGEUR, EUSE [egɔʀʒœʀ, øz] n. — 1606; adj., XVIᵉ; de *égorger.*

◆ **1** Celui, celle qui égorge (des animaux, des êtres humains). → **Assassin, massacreur, meurtrier, tueur.**

— (...) pouah ! la vieille avec son fusil, son imperméable et ses bottes — mon cousin par ci, mon cousin par là... c'est qu'elle sent le carnier, l'égorgeuse !
       BERNANOS, Monsieur Ouine, p. 23.

◆ **2** (1837). Fig. (Vieilli). Commerçant qui fait payer trop cher sa marchandise; homme d'affaires

impitoyable à l'égard de ses débiteurs. *Les égorgeurs du commerce.*

◆ **3** Fig. et littér. Personne qui anéantit une institution par la violence.

ÉGORGILLEMENT [egɔʀʒijmɑ̃] n. m. — 1871; de *égorgiller.*

Vx et fam. Action d'égorgiller.

Fig. Machination pour éliminer quelqu'un.

ÉGORGILLER [egɔʀʒije] v. tr. — Av. 1799; de *égorger.*

Vx et fam. Égorger (qqn).

(...) est-ce bien sérieusement que vous croyez faire un exemple quand vous égorgillez misérablement un pauvre homme dans le recoin le plus désert des boulevards extérieurs ? En Grève, en plein jour, passe encore; mais à la barrière Saint-Jacques ! mais à huit heures du matin !
       HUGO, le Dernier Jour d'un condamné, p. 15 (1829).

Fig. Nuire à (qqn).

DÉR. Égorgillement.

ÉGOSILLEMENT [egozijmɑ̃] n. m. — 1802; «action d'égosiller», 1606; de *égosiller.*

◆ **1** Fait de s'égosiller.

◆ **2** Chant prolongé et très haut (d'un oiseau). *Un égosillement de rossignol.*

ÉGOSILLER (S') [egozije] v. pron. — 1653, Scarron; «égorger», 1488; de *é-,* du rad. de *gosier,* suff. *-iller.*

◆ **1** Se fatiguer la gorge à force de parler, de crier, de chanter. → **Crier, époumoner** (s'), **gueuler, hurler.** *S'égosiller à discuter, à expliquer quelque chose.*

1   Parlez bien haut, messieurs, de grâce (...)
Vérifions un peu ma surdité d'oreille.
(Tous font semblant de parler, et ne font qu'ouvrir la bouche sans prononcer.)
Hélas ! on s'égosille, et je n'entends non plus
Que si l'on me voulait emprunter mes écus.
       SCARRON, Don Japhet d'Arménie, III, 16.

2   Anne criait à la sourde d'inutiles paroles de bienvenue : «Ne t'égosille pas, chérie, elle comprend tout au mouvement des lèvres (...)»
       F. MAURIAC, Thérèse Desqueyroux, III, p. 45.

◆ **2** Chanter longtemps et très haut, en parlant des oiseaux (→ Douteux, cit. 5).

3   (...) des enfants qui piaillaient, des oiseaux qui s'égosillaient dans leurs cages.
       GIDE, Si le grain ne meurt, I, IV, p. 106.

CONTR. Parler (bas). ◊ DÉR. Égosillement.

ÉGOSOME [egozom] n. m. → Ægosome.

ÉGOTIQUE [egɔtik] adj. — Fin XIXᵉ; du rad. de *égotisme.*

Littér. Qui se rapporte à l'égotisme, manifeste de l'égotisme. *Des discours, des sentiments égotiques.*

ÉGOTISME [egɔtism] n. m. — 1823, Stendhal, cf. les *Souvenirs d'égotisme;* attestation isolée, 1726; de l'angl. *egotism,* par lequel Addison, dans *The Spectator,* nº 562 de 1714, traduit le franç. *égoïsme* au premier sens du mot.

Anglicisme.

◆ **1** Littér. Disposition à parler de soi, à faire des analyses détaillées de sa personnalité physique et morale. → **Égoïsme** (1.). *L'égotisme de Montaigne, de Rousseau, de Chateaubriand, d'Amiel,* leur propension à l'autobiographie, aux confessions, au journal intime.

REM. Le mot est d'abord employé par Stendhal seul, et très souvent appliqué à lui.

1 (...) s'il (ce livre) n'ennuie pas, on verra que l'égotisme, mais sincère, est une façon de peindre ce cœur humain dans la connaissance duquel nous avons fait des pas de géant depuis 1721, époque des Lettres persanes de ce grand homme que j'ai tant étudié, Montesquieu.
STENDHAL, Souvenirs d'égotisme, p. 81.

1.1 Or ces secrets personnels ont pour l'intéressé trop de gravité (je songe aux miens, dans mon Journal à moi, où j'évite désormais autant que je puis l'égotisme) pour que l'on risque de les voir moquer.
Claude MAURIAC, le Temps immobile, p. 266.

♦ 2 Didact. (philos., psychol.). Mode de connaissance, de comportement où le moi constitue la référence essentielle.

2 Empruntant un mot à Stendhal, qui l'a introduit dans notre langue, et le détournant un peu pour mon usage, je dirai que la vraie Méthode de Descartes devrait se nommer l'égotisme, le développement de la conscience pour les fins de la connaissance. VALÉRY, Variété IV, p. 228.

3 L'égotisme juvénile (...) est cette incessante référence à soi qu'on observe à ce moment dans l'amitié, dans l'amour, dans la rêverie, dans les rapports avec l'entourage, dans l'aperception des valeurs...
M. DEBESSE, Situation de l'adolescence, in Revue de métaphysique et de morale, avr. 1941 (in LALANDE, Voc. de la philosophie).

♦ 3 Tendance à rapporter à son moi toute la vie mentale ; culte du moi, poursuite trop exclusive de son développement personnel (→ Égocentrisme). Un égotisme complaisant. → Narcissisme, suffisance, vanité.

4 Il (Guizot) ne doute pas un instant qu'il ne possède en lui la vérité (...) Ce qu'il y a de beau (...) dans son cas, c'est l'ardeur dépensée à la poursuite, au dégagement profond de cette vérité (...) On s'étonne (...) qu'un Barrès, au temps de ses premières curiosités psychologiques, ne se soit pas intéressé à cette forme d'égotisme et de culte de soi avant la lettre (...)
Émile HENRIOT, les Romantiques, p. 424.

DÉR. V. Égotique, égotiste.

ÉGOTISTE [egɔtist] adj. et n. — 1825 ; attestation isolée, 1726 ; du rad. de égotisme, suff. -iste.

♦ 1 Littér. Qui est pénétré d'égotisme (1.). Écrivain, littérature, œuvre égotiste. — N. Celui, celle qui pratique l'égotisme. Un, une égotiste.

Malgré le manque de documents, il est facile de faire une vie très détaillée de Villon ; c'est un poète égotiste : le moi, le je reviennent très souvent dans ses vers.
Th. GAUTIER, les Grotesques, p. 13.

♦ 2 Philos., psychol. Relatif à l'égotisme (2.). Tendances égotistes.

♦ 3 Égocentrique. → Égoïste. Sacrifier ses aspirations égotistes. — N. Celui, celle qui fait preuve d'égotisme.

ÉGOUT [egu] n. m. — XIIIᵉ, esgor ; déverbal de égoutter (esgouter).

Ⅰ Vx ou littér. Action de s'égoutter ; eau, liquide qui s'égoutte. Recueillir l'égout de plusieurs sources. — Spécialt. Chute et écoulement des eaux de pluie. → Écoulement.

0.1 Ici, dans la forêt marécageuse, sous l'égout des arbres, avec le dégel qui commence, on finira par mariner tout autant. Roger VERCEL, Capitaine Conan, I, p. 11.

Dr. Servitude d'égout : servitude conventionnelle consistant à supporter l'égout des toits d'un immeuble voisin.

1 De l'égout des toits. — Art. 681. Tout propriétaire doit établir des toits de manière que les eaux pluviales s'écoulent sur son terrain ou sur la voie publique ; il ne peut les faire verser sur le fonds de son voisin.
Code civil, art. 681.

Ⅱ Mod. ♦ 1 Techn. Canal qui permet l'écoulement des eaux de pluie. → Chéneau, gouttière. — Spécialt. Rangée d'ardoises, de tuiles formant saillie hors d'un toit (→ Avant-toit, battellement). L'égout d'un toit. Un solement, ravalement soutenant l'égout d'un toit.
Versant (d'un toit). Toit en bâtière, à deux égouts. → Comble (à deux égouts).

♦ 2 Vétér. Égout nasal d'un cheval, d'un âne : orifice étroit où débouche le canal lacrymal, et qui conduit les larmes jusque dans les nasaux.

♦ 3 (1538). Cour. Canalisation, généralement souterraine, servant à l'écoulement et à l'évacuation des eaux ménagères et industrielles des villes. → Canalisation, conduit, puisard. Un égout, les égouts. Les eaux d'égout : eaux pluviales, eaux des services publics, eaux sales, eaux-vannes ou eaux de vidange, boues des rues, ordures ménagères. Évacuation des eaux d'égouts dans la mer, dans les fleuves. Épuration biologique naturelle (→ Épandage), artificielle (→ Nitrification [par lits bactériens]) des eaux d'égouts. — Réseau d'égouts (→ Dédaléen, cit.). Égout élémentaire. Égouts collecteurs* (→ Chemise, cit. 6). Branchement d'un égout. La galerie, la cunette ou cuvette, la banquette ou trottoir d'un égout. Curage, dragage, nettoyage des égouts au moyen d'une raclette (dite rabot), de chasses d'eau, de siphons intermittents. — Loc. Système du tout-à-l'égout, conduisant les eaux usées directement dans les égouts. → Tout-à-l'égout. — Bouche d'égout : orifice pratiqué sur le bord d'une chaussée pour permettre l'écoulement des eaux. Plaque d'égout. Regard, siphon obturateur d'un égout. — Au plur. Les égouts de Rome, construits par les Tarquins. → Cloaque. Les égouts de Paris. Visiter les égouts.

2 Tortueux, crevassé, dépavé, craquelé, coupé de fondrières, cahoté par des coudes bizarres, montant et descendant sans logique, fétide, sauvage, farouche, submergé d'obscurité, avec des cicatrices sur ses dalles et des balafres sur ses murs, épouvantable, tel était, vu rétrospectivement, l'antique égout de Paris. Ramifications en tous sens, croisements de tranchées, branchements, pattes d'oie, étoiles comme dans les sapes, cæcums, culs-de-sac, voûtes salpêtrées, puisards infects, suintements dartreux sur les parois, gouttes tombant des plafonds, ténèbres ; rien n'égalait l'horreur de cette vieille crypte exutoire, appareil digestif de Babylone, antre, fosse, gouffre percé de rues, taupinière titanique où l'esprit croit voir rôder à travers l'ombre, dans l'ordure qui a été de la splendeur, cette énorme taupe aveugle, le passé. Ceci, nous le répétons, c'était l'égout d'Autrefois.
HUGO, les Misérables, V, II, IV.

3 (...) le ruisseau, lit funèbre où s'en vont les billets doux et les orgies de la veille, charriait en bouillonnant ses mille secrets aux égouts (...) BAUDELAIRE, la Fanfarlo.

3.1 Jeter le paquet, sans le défaire, constituerait de tous les points de vue la solution la plus simple. Le soldat, qui traverse une rue latérale, avise précisément une bouche d'égout, devant lui, près de l'angle arrondi du trottoir. Il s'en approche et, surmontant ses courbatures, se baisse, de manière à contrôler que la boîte n'est pas trop haute pour passer par l'ouverture arquée, taillée dans la bordure de pierre.
A. ROBBE-GRILLET, Dans le labyrinthe, p. 156.

Rat d'égout : gros rat fréquentant les égouts. — (Terme d'insulte). Espèce de petit rat d'égout !

♦ 4 Fig. Lieu où viennent aboutir les gens les plus vils, les souillures, les vices. → Bourbier, cloaque.

4 Le goût, l'exemple et la faveur de feu roi avaient fait de Paris l'égout des voluptés de toute l'Europe (...)
SAINT-SIMON, Mémoires, 453, 112.

5 (...) le monde n'est qu'un égout sans fond où les phoques les plus informes rampent et se tordent sur des montagnes de fange ; mais il y a au monde une chose sainte et sublime, c'est l'union de deux de ces êtres si imparfaits et

si affreux. ¡
> A. DE MUSSET, On ne badine pas avec l'amour, II, 5.

6 Née dans un port breton, d'une ribaude à matelots malencontreusement fruitée par un cosmopolite inconnu, nourrie on ne savait comment, dans cet égout, polluée dès son enfance (...) Léon BLOY, le Désespéré, p. 52.

Réceptacle où l'on dépose les choses dont on veut se débarrasser. → Exutoire.

7 Pons était d'ailleurs partout une espèce d'égout aux confidences domestiques, il offrait les plus grandes garanties dans sa discrétion connue et nécessaire (...)
> BALZAC, le Cousin Pons, Pl., t. VI, p. 557.

DÉR. Égoutier. ◊ COMP. Tout-à-l'égout.

ÉGOUTIER, IÈRE [egutje, jɛʀ] n. m. et adj. — 1824; de égout.

♦ **1** Personne qui travaille à l'entretien, au curage des égouts. *Bottes d'égoutier.*

1 L'instinct populaire ne s'y est jamais trompé. Le métier d'égoutier était autrefois presque aussi périlleux, et presque aussi répugnant au peuple, que le métier d'équarrisseur, frappé d'horreur et si longtemps abandonné au bourreau. HUGO, les Misérables, V, II, VI.

2 Il sortait de la nuit comme un égoutier de sa caverne avec ses bottes lourdes, son cuir et ses cheveux collés au front (...)
> SAINT-EXUPÉRY, Courrier sud, III, I, p. 159.

REM. Le fém. *égoutière* est virtuel.

♦ **2** Adj. (Rare). Qui est relatif aux égouts. *Les miasmes égoutiers.*

ÉGOUTTAGE [egutaʒ] n. m. — 1778; de égoutter.

Action d'égoutter, de faire égoutter. *L'égouttage des fromages. — L'égouttage des terres,* action d'en ôter l'humidité excessive par drainage. → **Assainissement, égouttement.**

ÉGOUTTEMENT [egutmɑ̃] n. m. — 1330; de égoutter.

Fait de s'égoutter. → **Égout** (I.). *L'égouttement des feuilles après la pluie.* — Spécialt. Action d'égoutter (des terres). → **Égouttage.**

ÉGOUTTER [egute] v. — XIIIe; de é-, et goutte.

A V. tr. Débarrasser (qqch.) du liquide contenu en faisant s'écouler ce liquide goutte à goutte. *Égoutter de la vaisselle, du linge, des légumes. Égoutter du lait caillé, du fromage*, du beurre. — Égoutter un terrain, des terres basses,* en y ménageant des rigoles, des canaux de drainage. → **Drainer, écouler** (faire).

♦ **S'ÉGOUTTER** v. pron.

Perdre son eau goutte à goutte. *La vaisselle s'égoutte sur un évier. Laisser s'égoutter des fromages dans un clayon* (→ **Égouttoir**). *Couler goutte à goutte* (en parlant d'un liquide). *L'eau s'égouttait de ses cheveux.* → **Dégoutter.**

1 Des prairies qui s'égouttent un ruisselet se forme et se débrouille vivement dans les rides entrecoupées du terrain. M. BARRÈS, la Colline inspirée, p. 9.

2 (...) des paquets de neige saturée d'eau s'égouttaient des grands arbres comme le linge d'une immense lessive (...)
> L. PERGAUD, De Goupil à Margot,
> L'horrible délivrance.

3 (...) Non, laisse, que je goûte
Ce bruit voluptueux d'un orme qui s'égoutte :
Tel est le pleur furtif d'un plaisir effacé.
> P.-J. TOULET, Contrerimes, «Coples», CXLVII.

B V. intr. (Mêmes sens que *s'égoutter*). *Faire égoutter qqch. Laisser égoutter un liquide de quelque chose.*

4 Elle acheva de rincer le filtre à café qu'elle tenait à la main, le mit à égoutter, et s'essuya vivement les doigts (...)
> MARTIN DU GARD, les Thibault, t. V, p. 28.

DÉR. Égouttage, égouttement, égouttis, égouttoir, égoutture.

ÉGOUTTIS ou **ÉGOUTIS** [eguti] n. m. — Déb. XXe; *égouttis,* Troyes, 1887; de *égoutter.*

Régional. Fait de s'écouler goutte à goutte. — Quantité accumulée d'un liquide qui s'égoutte ou qui s'est égoutté. — Par ext. Bruit d'un liquide qui s'égoutte.

L'égouttis de la pluie enveloppait leur sommeil.
> M. GENEVOIX, Raboliot, p. 128.

ÉGOUTTOIR [egutwaʀ] n. m. — 1554; de *égoutter.*

Appareil, ustensile servant à faire égoutter quelque chose. *Égouttoir à vaisselle, à bouteilles* (→ **Hérisson, porte-bouteilles**), *à légumes* (→ **Panier** [à salade]), *à fromages* (→ **Cagerotte, caget, caserel, claie, clayon, clisse, couloire, éclisse, faisselle**).

ÉGOUTTURE [egutyʀ] n. f. — Fin XVIIe; de *égoutter.*

Liquide provenant de ce qui s'égoutte; dernières gouttes au fond d'un récipient.

ÉGRAIN ou **ÉGRIN** [egʀɛ̃] n. m. — 1864; var. graphique de *aigrir.*

Techn. (hortic.). Jeune pommier ou jeune poirier issu de graine, et destiné à être greffé. → **Aigrin.**

ÉGRAINAGE [egʀɛnaʒ] n. m. → **Égrenage.**

ÉGRAINER [egʀɛne; egrene] v. tr. → **Égrener.**

ÉGRAINOIR [egʀɛnwaʀ] n. m. → **Égrenoir.**

ÉGRAPPAGE [egʀapaʒ] n. m. — 1831; de *égrapper.*

Action d'égrapper; résultat de cette action. *Égrappage des raisins au trident, à la claie, à l'aide d'un égrappoir* mécanique. «L'égrappage est pratiqué de temps immémorial dans les vignobles à vins fins»* (Omnium agricole).

ÉGRAPPER [egʀape] v. tr. — 1732; de é-, *grappe* et suff. verbal.

♦ **1** Détacher (les fruits) de la grappe. *Égrapper le raisin. Égrapper des groseilles.* — Au p. p. *Raisins égrappés.*

Au départ de Newcastle, Jérôme s'était fait servir un souper de fruits et de champagne frappé. Il égrappa quelques raisins, vida la bouteille.
> Maurice BEDEL, Jérôme 60e latitude Nord, I, p. 10.

♦ **2** Techn. Séparer (le minerai de fer) de la grappe (gravois, sable, pierres) à laquelle il est mêlé.

DÉR. Égrappage, égrappeur, égrappoir.

ÉGRAPPEUR, EUSE [egʀapœʀ, øz] n. — 1761; de *égrapper.*

Techn. Celui, celle dont le métier est d'égrapper (du raisin, du houblon, du minerai de fer...).

ÉGRAPPOIR [egʀapwaʀ] n. m. — 1761; de *égrapper.*

Technique.

♦ **1** Agric. Outil, appareil servant à égrapper les raisins. *Égrappoir mécanique.*

♦ **2** Mines. Lavoir où l'on égrappe le minerai de fer.

ÉGRATIGNEMENT [egʀatiɲmɑ̃] n. m. — 1532, *esgratinemens;* de *égratigner.*

Action d'égratigner; son résultat. *«Les doigts se crispaient, avec des égratignements de griffes»* (Zola, in T. L. F.). Fig. *L'égratignement d'un auteur par la critique. Des égratignements sans gravité.*

ÉGRATIGNER [egʀatiɲe] v. tr. — XIIIᵉ; *égratiner*, XIIᵉ; de *é-*, et de l'anc. franç. *gratiner*, dér. de *gratter*.

♦ **1** Écorcher, en déchirant superficiellement la peau (peut s'opposer à *couper*, *entamer*). → **Écorcher, effleurer, érafler, grafigner** (régional), **gratter, rifler** (vx). *Égratigner avec les ongles, les griffes* (→ **Griffer**). *Le chat l'a égratigné.*

♦ **2** Par anal. Dégrader légèrement par des rayures. *Égratigner un meuble, en le transportant. Égratigner une peinture. La plume égratigne le papier. Égratigner un fruit en le cueillant* (→ Cueillette, cit. 1).

♦ **3** Techn. ⓐ Travailler une étoffe avec la pointe d'un fer pour lui donner une forme particulière. *Égratigner la soie.*

ⓑ Labourer superficiellement. *Égratigner le sol.*

♦ **4** Fig. Blesser légèrement par un mot piquant, par quelque trait ironique. → **Blesser, piquer.** *Égratigner qqn de ses railleries* (→ Caresser, cit. 20). *Les critiques l'ont quelque peu égratigné.* — Spécialt. Médire légèrement. — Absolt. *S'il ne peut mordre, il égratigne.*

1 Toutes ces pauvres petites injustices égratignaient Mirabeau et le faisaient souffrir au milieu de sa puissance et de ses triomphes.
HUGO, Littérature et Philosophie mêlées, Sur Mirabeau, II.

Porter légèrement atteinte à (qqch.). *Égratigner la morale, la réputation de quelqu'un.*

◆ **S'ÉGRATIGNER** v. pron. (Réfl.). *S'égratigner en cueillant des mûres. S'égratigner à des épines.*

(Récipr.). Se blesser réciproquement, par des railleries, des vexations.

2 Mettez trois Français aux déserts de Libye, ils ne seront pas un mois ensemble sans se harceler et égratigner (...)
MONTAIGNE, Essais, II, XXVII.

3 (...) ce sont des lâches, qui ne s'égratignent qu'avec des injures.
HUGO, Notre-Dame de Paris, I, IV.

◆ **ÉGRATIGNÉ, ÉE** p. p. adj. *Jambes égratignées (par les ronces). Meuble au vernis égratigné.* — Spécialt. Arts. *Trait égratigné,* qui paraît accrocher la lumière par ses irrégularités. *Manière égratignée :* procédé (de fresquiste...) qui consiste à dessiner en découvrant un fond noir par grattage de l'enduit blanc qui le recouvre.

DÉR. **Égratignement, égratigneur, égratignoir, égratignure.**

ÉGRATIGNEUR, EUSE [egʀatiɲœʀ, øz] adj. et n. — 1558; de *égratigner.*

♦ **1** (Personne, animal). Qui égratigne. *Chat égratigneur, une égratigneuse.* Fig. *«Égratigné par les journaux, il s'ingénue à faire savoir à l'égratigneur qu'il ne lui en veut nullement»* (Léon Daudet, *in* T. L. F.).

♦ **2** Techn. Ouvrier, ouvrière qui utilise l'égratignoir.

ÉGRATIGNOIR [egʀatiɲwaʀ] n. m. — 1755; de *égratigner.*

Techn. Fer tranchant utilisé par les passementiers pour égratigner (3., a) les étoffes de soie.

ÉGRATIGNURE [egʀatiɲyʀ] n. f. — XIIIᵉ, *esgratineuré;* de *égratigner.*

♦ **1** Blessure superficielle faite en égratignant. → **Blessure, déchirure, écorchure, éraflure, griffure.** *Se faire recevoir des égratignures.*

La figure portait quelques fortes égratignures, et la gorge était stigmatisée par des meurtrissures noires et de profondes traces d'ongles (...)
BAUDELAIRE, Trad. E. POE, Histoires extraordinaires, «Double assassinat dans la rue Morgue».

Par ext. Blessure superficielle et sans gravité. *En être quitte pour des égratignures. Il s'en est tiré (de l'accident) sans une égratignure.*

2 (...) moi, qui me suis mesuré avec les plus fines lames du temps, et qui suis toujours revenu du pré sans une égratignure (...)
Th. GAUTIER, le Capitaine Fracasse, t. II, X, p. 2.

Par anal. Dégradation légère, rayure (d'un meuble, d'un objet). *La carrosserie a quelques égratignures.* → **Rayure.**

Vén. Trace légère laissée par un cerf sur la terre dure.

♦ **2** (1844). Fig. Légère blessure d'amour-propre. → **Vexation** (→ Baume, cit. 11). — Atteinte légère à l'honneur, à la réputation.

ÉGRAVILLONNER [egʀavijɔne] v. tr. — 1700; de *é-, gravillon,* et suff. verbal.

Hortic. Débarrasser les racines de (un arbre qu'on veut transplanter) d'une partie de la terre qui les entoure.

ÉGRÉGORE [egʀegɔʀ] n. m. — 1870, *in* G. L. L. F.; grec ecclés. *egrêgoros* «qui veille, vigilant».

Didact. Chacun des anges qui s'unirent aux filles de Seth, qui veillèrent sur le mont Hermon avant de les posséder (Bible, livre d'Énoch).

ÉGRENAGE [egʀənaʒ] n. m. — 1835; de *égrener.*

♦ **1** Action d'égrener. *L'égrenage du blé, du coton, du lin. Égrenage du raisin.* → **Égrappage.**

♦ **2** Techn. Opération par laquelle on enlève les aspérités granuleuses. *L'égrenage du plâtre. L'égrenage sur fer, sur fonte.*

♦ **3** Pêche. Action de lancer quelques grains de chènevis ou de blé sur un coup amorcé pour appâter le poisson (d'après Pollet, *in* T. L. F.).

REM. On emploie aussi *égrainage* [egʀɛnaʒ].

ÉGRÈNEMENT [egʀɛnmã] n. m. — 1606, *esgrenement;* de *égrener.*

♦ **1** Fait de s'égrener. *Éviter l'égrènement du raisin.* — Action d'égrener (un chapelet). *L'égrènement du rosaire.*

♦ **2** Fig. Succession (de choses semblables et distinctes) dans le temps. *Un égrènement de notes. L'égrènement des heures.* — Dispersion (de choses semblables et distinctes) dans l'espace. *Un égrènement de maisons sur les plages.*

1 C'est le Musette Tonnerre de Dieu !... Et l'égrènement des cent mille morts, des mille oiseaux piaillants, piaulants au vol autour, tramant les airs...
CÉLINE, Guignol's band, p. 16 (1951).

2 Cela n'avait pas de nom, détresse inconnue qui rebondissait entre les murailles froides, qui sonnait le glas, longuement, par égrènements traînant loin à l'intérieur de la terre, cela n'avait rien qu'on pût connaître ou dire.
J.-M. G. LE CLÉZIO, le Déluge, p. 199.

REM. On écrit aussi *égrainement.*

ÉGRENER [egʀəne] v. tr. [CONJUG.: *lever.*] — XIIᵉ, «perdre son grain»; de *é-, grain,* et suff. verbal.

♦ **1** (1600). Dégarnir de ses grains (un épi, une gousse, une cosse; → **Écosser**), une capsule, une grappe (→ **Égrapper**). *Égrener du blé, des pois, du* *coton, des raisins. Machine à égrener.* → **Batteuse, égrappoir, égreneuse.**

♦ **2** (V. 1830). Par anal. *Égrener son chapelet* (cit. 1), en faire passer successivement chaque grain entre ses doigts. → **Dire, dévider.**

1   Dans mon chemin isolé, je ne croise qu'un groupe de vieux
     Turcs, en longues robes, barbes blanches et turbans verts,
     qui se racontent des choses sombres et anciennes, en égre-
     nant des chapelets d'ambre.
                                    LOTI, Jérusalem, XIX, p. 220.

Loc. fam. *Égrener un chapelet d'injures, égrener son chapelet :* débiter une série d'injures (ou de paroles violentes).

♦ **3** (1842). Par ext. Présenter un à un, de façon détachée (des éléments semblables et distincts, le plus
souvent des sons). *L'horloge égrène les heures. Boîte
à musique égrenant ses notes. Égrener des projectiles.*

2   Aux reliefs de la voûte et aux aspérités du roc pendaient de
     longues et fines végétations baignant probablement leurs
     racines à travers le granit dans quelque nappe d'eau supé-
     rieure, et égrenant, l'une après l'autre, à leur extrémité, une
     goutte d'eau, une perle.
                               HUGO, les Travailleurs de la mer, II, I, XII.

3   (...) chaque chèvre qui passe égrène en trottinant la note
     unique de sa clochette.
                                    GIDE, Journal, mars-avr. 1910.

♦ **4** Techn. Aplanir (une surface), en enlever les
aspérités. *Égrener une paroi de plâtre avant de la
peindre.*

◆ **S'ÉGRENER** v. pron.

♦ **1** Tomber en grains. *Le blé trop mûr s'égrène.*
Par ext. Se décomposer (en éléments semblables
et distincts). *Les derniers groupes de manifestants
s'égrènent sur la place.* → **Éparpiller** (s'). *S'égrener en...*
(poussière, fragments, etc.).

4   Les enfants et les chiens se couchaient les premiers. Les
     groupes s'égrenaient.
                         R. ROLLAND, Jean-Christophe, L'adolescent, II,
                                                           p. 275.

♦ **2** Fig. Présenter (dans l'espace ou plus souvent
dans le temps) une série d'éléments semblables et
distincts ; se présenter en une telle série. *Les voitures s'égrènent sur l'autoroute. Les notes s'égrènent
lentement.* — (Sujet au sing.). *Un rire qui s'égrène.*

◆ **ÉGRENÉ, ÉE** p. p. adj.

♦ **1** *Grappe égrenée.* — Fig. (→ Arrosage, cit. 1 ; 1. diane,
cit. 3).

♦ **2** Techn. *Un mur égrené.* — *Plâtre égrené.*

REM. On emploie aussi *(s')égrainer, égrainé* [egʀɛne].

DÉR. Égrenage, égrènement, égreneur, égrenoir.

ÉGRENEUR, EUSE [egʀənœʀ, øz] n. — 1876 ; *égreneuse* «machine», 1870 ; de *égrener.*

♦ **1** Celui, celle qui travaille à l'égrenage de certaines plantes.

♦ **2** N. f. (Agric.). ÉGRENEUSE : machine servant à
égrener (le maïs, les plantes textiles). → **Égrenoir.**
REM. On emploie aussi *égraineuse* [egʀenøz] (attesté
1874).

ÉGRENOIR [egʀənwaʀ] n. m. — 1785 ; de *égrener,* et
-oir.

Techn. (Agric.). Machine servant à égrener les épis,
certaines plantes fourragères (→ Égreneur, 2. : égreneuse).
REM. On emploie aussi *égrainoir* [egʀɛnwaʀ].

ÉGRÉSER [egʀeze] v. tr. → **Égriser.**

ÉGRILLARD, ARDE [egʀijaʀ, aʀd] n. et adj. — V.
1580 «voleur», d'où (1640) «personne libertine» ; p.-ê.
de *griller* «glisser», altér. de *écriller, escriller* (1170-1174),
d'orig. germanique, anc. nordique *skridla* «glisser».

♦ **1** N. (Vx). Personne d'une humeur gaillarde
dont l'allure et les propos peuvent effaroucher.
→ **Coquin, fripon, gaillard, luron.**

1   *(Julie.)* [...] que je suis contente d'avoir un tel époux ! Souf-
     frez que je l'embrasse, et que je lui témoigne... — *(Oronte.)*
     Doucement, ma fille, doucement. — *(M. de Pourceaugnac.)*
     Tudieu, quelle galante ! Comme elle prend feu d'abord !
     [...] *(Julie s'approche de M. de Pourceaugnac, le regarde d'un
     air languissant, et lui veut prendre la main.)* — *(M. de Pour-
     ceaugnac.)* Ho, ho, quelle égrillarde !
                            MOLIÈRE, M. de Pourceaugnac, II, 6.

2   C'est un jeune égrillard, beau, bien fait, de bonne mine,
     un peu étourdi, beaucoup libertin.
                          DANCOURT, les Fées, I, 9, in LITTRÉ.

♦ **2** Adj. (1668). En parlant d'une personne. Qui se complaît dans des propos ou des sous-entendus licencieux. → **Dessalé, grivois, libertin.** *Il devient égrillard
avec l'âge. Ce n'est pas un pornographe, c'est seulement un auteur égrillard.*

(1656). En parlant d'une chose. Un peu libre, qui a une
tendance à la gauloiserie. → **Décolleté** (vx), **épicé,
gaulois, libre, osé, salé, vert.** *Histoire, chanson égril-
larde. Propos égrillards. Il la regardait d'un air égrillard.*

3   Leurs maris sont revenus sur ce même bâtiment qui a
     ramené Yves, et elles sont là postées ; soutenues déjà par
     quelque peu d'eau-de-vie, elles font le guet, l'œil moitié
     égrillard, moitié attendri.
                            LOTI, Mon frère Yves, IV, p. 20.

4   Molinier affecte avec moi un ton plaisantin, parfois même
     égrillard, qu'il pense sans doute de nature à plaire à un
     artiste. Certain souci de se montrer encore vert.
                    GIDE, les Faux-monnayeurs, III, I, p. 287.

5   À partir du XVIIe siècle, l'art d'assouvissement envahira
     tous les lieux où la chrétienté se désagrégera, jusqu'à pro-
     clamer enfin son triomphe par la gravure égrillarde, la
     déclamation sentimentale et la peinture pieuse.
                     MALRAUX, les Voix du silence, IV, II, p. 528.

CONTR. **Austère, modeste, pudibond, pudique, puritain,
réservé, sérieux.** ◊ DÉR. **Égrillardise.**

ÉGRILLARDISE [egʀijaʀdiz] n. f. — 1867 ; de *égrillard.*

Rare. Caractère égrillard, propos égrillard. → **Gaillardise, gauloiserie.** — REM. On trouve aussi, avec le
même sens, *égrillarderie* [egʀijaʀdəʀi] n. f. :

Le vénérable Mogul *(est)* représenté fort dodûment et fort
chinoisement par (...) Moëssard, dont la pudicité aura dû
souffrir plus d'une fois de l'égrillarderie de certains passages de son rôle.
                  Th. GAUTIER, Hist. de l'art dramatique en France,
                               II, p. 335-336, in D. D. L., II, 9 (1843).

ÉGRIN [egʀɛ̃] n. m. → **Égrain.**

ÉGRISAGE [egʀizaʒ] n. m. — 1774 ; de *égriser.*

Techn. Action d'égriser ; son résultat. *Égrisage du
marbre.* → **Polissage.** — REM. La var. *égrésage* semble
archaïque.

ÉGRISÉ n. m. ou **ÉGRISÉE** [egʀize] n. f. — 1845,
égrisé ; égrisée, 1776 ; de *égriser.*

Techn. Poudre de diamant obtenue à partir de
l'égrisage de diamants bruts qui, mêlée d'huile
végétale, sert à la taille des pierres précieuses. —
REM. La forme *égrisée* est plus fréquente.

ÉGRISER [egʀize] v. tr. — 1601 ; empr. au néerl. *gruizen* «broyer», préfixé en *-é.*

Techn. Polir par frottement (une gemme, une glace, du marbre) avec un abrasif en poudre (égrisée, émeri, etc.). *Égriser une glace pour en dresser l'épaisseur.*

(...) les orientaux ne taillent ni le diamant ni le rubis, soit qu'ils ne connaissent pas la poudre à égriser, soit qu'ils craignent de diminuer le nombre de carats en abattant les angles des pierres (...)
　　　　　Th. GAUTIER, Constantinople, p. 129.

REM. Égréser (XXᵉ ; var. de *égriser*) s'emploie plutôt quand on parle d'une pierre dure, d'un marbre.

DÉR. **Égrisage, égrisé, égrisoir.**

ÉGRISOIR [egʀizwaʀ] n. m. — 1676 ; de *égriser.*

Techn. Petit récipient dans lequel on recueille l'égrisée.

ÉGROTANT, ANTE [egʀɔtɑ̃, ɑ̃t] n. et adj. — XIIIᵉ ; latin *ægrotans*, p. prés. de *ægrotare* «être malade», de *ægrotus* «malade».

♦ **1** Vx ou littér. Malade.

1　— Hé ! ce n'est pas lui qui est malade, c'est sa fille. — (...) Monsieur Gorgibus, y aurait-il moyen de voir de l'urine de l'égrotante ?　MOLIÈRE, le Médecin volant, 4.

♦ **2** (1834). Littér. Qui vivote en un état maladif permanent. → **Cacochyme, maladif, souffreteux, valétudinaire ; patraque.**

2　Là vivait son frère qui était de cinq ans plus âgé que lui, célibataire et pauvre. C'était un homme de caractère sombre à qui tout avait manqué : les vertus et la chance. Deux fois par mois, Patrice lui rendait visite. Il le trouvait au lit, égrotant et amer.
　　　G. DUHAMEL, le Voyage de P. Périot, III, p. 66.

3　Le docteur Lajoie conseille un peu de tisane après dîner et un petit régime pas trop sévère.
— Pas de purée de marrons alors ? demande le souffreteux.
— Pas de purée de marrons.
— Vous me privez de tout ce qui est bon dans la vie, dit l'égrotant.　　　R. QUENEAU, le Vol d'Icare, p. 42.

4　Il en avait de bonnes, Pascal ! Qu'il parlât pour lui ! Peut-être, en effet, n'avait-il pas, lui, grand-chose à perdre ; son pauvre corps égrotant de valétudinaire ne pouvait faire un usage bien agréable du monde ; et son génie inquiet aspirait à un Amour qui ne fût pas de la terre.
　　　Jean-Louis CURTIS, le Roseau pensant, p. 266-267.

ÉGRUGEAGE [egʀyʒaʒ] n. m. — 1888 ; *égrugement*, 1606 ; de *égruger*, et suff. *-age.*

Techn. Action d'égruger ; résultat de cette action. → **Écrasement, pulvérisation.**

ÉGRUGEOIR [egʀyʒwaʀ] n. m. — 1611 ; var. vieillie *égrugeoire* «tâpe», 1660 ; de *égruger.*

♦ **1** Petit récipient dans lequel on égruge (le sel, le sucre...). → **Mortier, moulin.** *Égrugeoir de table. Égrugeoir à engrenage, à pilon.*

♦ **2** (1752). Techn. Instrument servant à égrener le lin, le chanvre.

♦ **3** (1965). Techn. → **Grésoir, grugeoir.**

ÉGRUGER [egʀyʒe] v. tr. [CONJUG.: *bouger.*] — 1556 ; *s'esgruger* ; de *é-,* et *gruger.*

♦ **1** Réduire en granules, en poudre. → **Concasser, écraser, émietter, piler, pulvériser, triturer.** *Égruger du sel, du sucre, du poivre.* Fig. Écraser.

La grande aire de Bohême où pendant un siècle le fléau hussite égruge toute la chevalerie d'Allemagne.
　　　CLAUDEL, Journal, avr. 1910.

♦ **2** (1617). Techn. Détacher les graines du lin, du chanvre. → **Égrener.**

♦ **3** Fig. et pop. (Vx). Infl. probable de *gruger.* «*Filou ! t'as osé dire filou ! tu veux donc que je t'égruge ?*» (Paul de Koch, *in* T. L. F.).

♦ **S'ÉGRUGER** v. pron.

Littér. S'user, s'effriter.

♦ **ÉGRUGÉ, ÉE** p. p. adj. *Saupoudrer qqch. de sel égrugé.*

DÉR. **Égrugeage, égrugeoir, égrugeur, égrugeure.**

ÉGRUGEUR, EUSE [egʀyʒœʀ, øz] adj. — 1888 ; de *égruger.*

Techn. Qui égruge. *Cylindres égrugeurs.*

Rare et figuré :

Ah ! çà ! depuis que je ne t'ai vu, tu es donc devenu un ravageur de femmes, un égrugeur de cœurs ?
　　　E. LABICHE, Un gros mot, 6.

ÉGRUGEURE [egʀyʒyʀ] n. f. — 1680 ; de *égruger.*

Techn. Parcelle d'un corps dur détachée par le frottement.

ÉGUEULÉ, ÉE [egœle] adj. → 1. **Égueuler,** 2. **égueuler** (s').

ÉGUEULEMENT [egœlmɑ̃] n. m. — 1798 ; «égorgement», 1617 ; de 1. *égueuler.*

Rare. Fait d'égueuler, de s'égueuler, d'être égueulé. *Égueulement d'une bouche de canon.*

(...) la forme du cratère, l'égueulement creusé à son bord supérieur devaient projeter les matières vomies à l'opposé des portions fertiles de l'île.
　　　J. VERNE, l'Île mystérieuse, t. II, p. 780.

1. ÉGUEULER [egœle] v. tr. — 1690, au p. p. ; de *é-, gueule* (III.), et suff. verbal.

Rare. Détériorer, déformer (un récipient) par le bord, l'orifice. → **Ébrécher.** — Milit. *Égueuler la bouche d'un canon,* l'endommager soit par un accident, soit par un long usage. — Pron. *S'égueuler.* Se déformer, être déformé à l'ouverture.

♦ **ÉGUEULÉ, ÉE** p. p. adj. Plus cour. *Bocal égueulé, seau égueulé,* dont le pourtour de l'ouverture est ébréché. — Spécialt (géol.). *Cône égueulé d'un volcan.*

1　(...) dans lequel à peau égueulé dans lequel trempait une botte de myosotis.　FRANCE, Jocaste, Œ., t. II, p. 89.

2　Au type strombolien correspondent principalement des *cônes de débris,* formés exclusivement d'entassements de bombes et de lapilli (...) Les cratères, à parois abruptes, sont d'ordinaire *égueulés* sur l'un des côtés. C'est par cette dépression que s'épanchent des coulées de laves plus ou moins étroites. Les volcans éteints à cratères de la chaîne des Puys (...) et du Vivarais ont conservé encore ces divers caractères, souvent avec une netteté et une fraîcheur qui révèlent leur âge récent.
　　　Émile HAUG, Traité de géologie, t. I.

DÉR. **Égueulement.**

2. ÉGUEULER (S') [egœle] v. pron. — 1564, au p. p. ; de *é-, gueule* (II.), et suff. verbal ; cf. *égueuler* «égorger», 1396 (jusqu'au XVIᵉ) ; aussi «vomir» (→ Dégueuler).

Pop. et vx. Se fatiguer la gorge, la voix à force de crier.

1　Je m'égueule de rire, écrivant d'une broche
En mots de Pathelin ce grotesque sonnet.
　　　SAINT-AMANT, Sonnet, Œuvres poétiques, p. 94.

♦ **ÉGUEULÉ, ÉE** p. p. adj. Pop. et vx. Qui a la voix cassée à force de crier. — (1656). Qui se fait à gueule ouverte, en ouvrant la gueule. *Rire égueulé.*

N. *Un égueulé, une égueulée.* Personne criarde. → **Gueulard** (mod.).

2　(...) la fille de la duchesse de la Ferté qui ne me le pardonnerait point si j'y manquais, et qui était une égueulée sans aucun ménagement.
　　　SAINT-SIMON, Mémoires, t. I, IX.

ÉGYPTIAC [eʒiptjak] adj. et n. m. — 1560 ; lat. *Ægyptiacus* «d'Égypte». → Égyptiaque.

Vx. *Onguent égyptiac* ou *égyptiac* : onguent composé de miel, de vinaigre et de sous-acétate de cuivre.

HOM. Égyptiaque.

ÉGYPTIANISER [eʒipsjanize] v. tr. — 1887, Renan ; de *égyptien*.

Donner un caractère égyptien à quelqu'un, quelque chose.

Pron. *Peuple qui s'égyptianise.*

Ce que nous rapporte un correspondant à l'Associated Press en Égypte : «Toutes nos firmes sont sous séquestre, toutes les actions des compagnies passent aux Égyptiens. Plus de films ni de livres franco-britanniques (...) Cent cinquante écoles et instituts vont être "égyptianisés".»
     F. MAURIAC, Bloc-notes 1952-1957, p. 287.

ÉGYPTIAQUE [eʒiptjak] adj. — 1488 ; lat. *Ægyptiacus* «d'Égypte» (→ Égyptiac), de *Ægyptus* «Égypte».

♦ **1** Vx et parfois péj. Égyptien. *Idole égyptiaque.* — REM. Attesté aussi au sens 2 de *égyptien* : *de l'égyptiaque* (Hugo), du gitan (langue).

(...) le corps de Georgette, à la taille d'anguille, aux reins serpentins, l'idéal dans un type égyptiaque de la ligne de beauté professée par Hogarth (...)
     Ed. et J. DE GONCOURT, Manette Salomon, p. 32.

♦ **2** Didact. *Jours, heures égyptiaques* : jours, heures néfastes dont la liste a été dressée par les astrologues de l'ancienne Égypte.

HOM. Égyptiac.

ÉGYPTIEN, IENNE [eʒipsjɛ̃, jɛn] adj. et n. — Déb. XIIIᵉ, n. m. pl. ; de *Égypte*.

♦ **1** De l'Égypte (ancienne ou moderne). *Le Nil fertilise le delta égyptien. Les déserts égyptiens, refuge des anciens anachorètes* (→ **Thébaïde**)*. Le fellah, paysan égyptien. La sakièh, noria égyptienne. Le sultanin, ancienne monnaie égyptienne. Livre égyptien,* monnaie actuelle de l'Égypte. — *L'arabe égyptien,* parlé en Égypte. *La civilisation égyptienne antique* (→ **Pharaonique**)*, les dynasties* égyptiennes. Symboles de l'ancienne civilisation égyptienne* (→ **Ansé** [croix ansée], **bœuf** [Apis], **ibis, lotus, scarabée**)*. Dieux égyptiens. Momie égyptienne. Prêtres, scribes égyptiens* (→ **Hiérogrammate**)*. Écriture hiératique* (→ **Hiéroglyphe**)*, écriture démotique égyptiennes. Monuments, tombeaux* (→ **Mastaba, pyramide**)*, statues colossales* (→ **Sphinx**)*, temples* (→ **Hypostyle** [salle], **obélisque, pylône**)*, bijoux, objets d'art* (→ **Canope, pectoral**)*, objets des antiquités égyptiennes.* → **Égyptologie, égyptologue.**

N. *Un Égyptien, une Égyptienne* : celui, celle qui est originaire de l'Égypte. *Égyptien de religion chrétienne, jacobite.* → **Copte.** *Gouverneurs, commandants militaires des Égyptiens.* → **Soudan, khédive, sirdar.** *Un Égyptien du Caire* (→ **Cairote**)*, d'Alexandrie, de Nubie* (Nubien).

1   Une des choses qu'on imprimait le plus fortement dans l'esprit des Égyptiens, était l'estime et l'amour de leur patrie. Elle était, disaient-ils, le séjour des dieux : ils y avaient régné durant des milliers d'années. Elle était la mère des hommes et des animaux, que la terre d'Égypte arrosée du Nil avait enfantée pendant que le reste de la nature était stérile.
     BOSSUET, Disc. sur l'hist. universelle, III, III.

N. m. *L'égyptien ancien* : la langue des anciens Égyptiens.

1.1   Le savant Jean-François Champollion, armé de la connaissance du copte et de tous les documents possibles — en particulier d'un texte en trois versions (incomplètes) en égyptien hiéroglyphique, égyptien démotique, grec, qui

permettait d'identifier des noms propres, — doué de persévérance et d'ingéniosité, a réussi (moment essentiel, 1822) à percer le mystère du système orthographique complexe de l'égyptien avec son mélange d'idéogrammes et de phonogrammes. Il a pu lire les textes et reconstituer les grandes lignes de la grammaire.
     Marcel COHEN, l'Écriture, p. 31.

L'Égyptien (moderne) : l'arabe parlé en Égypte.

♦ **2** N. Vx. → **Bohémien, gipsy.**

2   (...) une bande de ces personnes qu'on appelle Égyptiens, et qui, rôdant de province en province, se mêlent de dire la bonne fortune (...)
     MOLIÈRE, les Fourberies de Scapin, III, 3.

♦ **3** N. f. Nom donné à un caractère d'imprimerie (→ Caractère, cit. 6), à empattements acérés.

♦ **4** N. f. Étoffe de soie à rayures, à la mode dans la seconde moitié du XVIIIᵉ siècle.

DÉR. Égyptianiser.

ÉGYPTO- Élément de mots didactiques tiré de *Égypte* (→ **Égyptologie, égyptologique, égyptologue**) et qui signifie «égyptien» dans des adjectifs composés (ex. : *texte égypto-araméen ; frontière égypto-libyenne ; accord égypto-israélien*).

ÉGYPTOLOGIE [eʒiptɔlɔʒi] n. f. — Mil. XIXᵉ ; de *égypto-*, et *-logie*.

Connaissance de l'ancienne Égypte, de son histoire, de sa langue, de sa civilisation. *Chaire d'égyptologie.*

DÉR. Égyptologique.

ÉGYPTOLOGIQUE [eʒiptɔlɔʒik] adj. — 1851 ; de *égyptologie*.

Relatif à l'égyptologie. «*L'institution américaine dispose d'ailleurs de la bibliothèque égyptologique la mieux fournie d'Égypte : c'est l'une des plus riches du monde. Tous les chercheurs y sont accueillis.*» (*Sciences et Avenir,* nᵒ spécial, nᵒ 30, mai 1980, la Nouvelle Égypte ancienne, p. 59).

ÉGYPTOLOGUE [eʒiptɔlɔg] n. — 1827 ; de *égypto-*, et *-logue*.

Spécialiste d'égyptologie ; archéologue qui s'occupe des antiquités égyptiennes. *Champollion, Mariette, Maspero, célèbres égyptologues. Une égyptologue de l'école française, anglaise, américaine.*

EH [e ; ɛ] interj. — XIᵉ, *e* ; onomatopée.

I → **Hé.** ♦ **1** (Sert à interpeller, à attirer l'attention d'autrui). *Eh! vous. Eh! Pierre! Eh! la vieille. Eh! là-bas. Eh! Reviens. Eh! Attention. Eh! Faites attention!*

REM. *Eh* n'est pas toujours suivi d'un point d'exclamation ; *Eh!* n'est pas toujours suivi d'une majuscule. *Eh, là-haut...*

Eh! mon ami, tire-moi de danger :   1
Tu feras après ta harangue.
     LA FONTAINE, Fables, I, 19.

Eh! doucement, de grâce : un peu de charité (...)   2
     MOLIÈRE, les Femmes savantes, IV, 2.

Eh! Monsieur Ubu, êtes-vous remis de votre terreur (...)?   3
     A. JARRY, Ubu sur la butte, II, 4, Pl., p. 649.

Eh! je suis encore là, mademoiselle! Ouvrez-moi...   4
     A. JARRY, l'Amour en visites, IX, Chez la Muse, Pl., p. 890.

(Suivi de *dis, dites*). *Eh, dites-donc, où allez-vous? Eh dis! Fais attention.*

(Dans une question). → **Hein, être** (n'est-ce pas). «*Ça ne va pas fort, eh?*» (Montherlant).

(Pour apostropher, suivi d'un nom). *Eh! ballot! Eh! pauv' mec!*

EH, LÀ! (Vise à modérer, à arrêter qqch. d'excessif).

5 — J'aime Ike et sa Mamie qui lui fait bouillir sa marmite.
J'aime Charlotte ma petite.
— Oh! ça, je n'y crois pas beaucoup.
— Ce n'est pas tout! J'aime Aphrodite...
— Eh! là, là, mais vous aimez tout!
Paul FORT, Chansonnette de «N'aimez plus rien».

♦ **2** Marque une émotion, un état émotif de celui qui parle,
le plus souvent la surprise, l'étonnement.

6 Eh, qu'as-tu? Elle pâlit, elle tombe, au secours!
A. JARRY, Ubu sur la butte, I, 2, Pl., p. 638.

(Suivi de *mais* : note qqch. d'inattendu qui vient à l'esprit
ou revient à la mémoire de celui qui parle). *Eh, mais,
j'y pense...*

(Interrogatif). *Eh?* → **Comment, hein, quoi.**

♦ **3** Sert à renforcer le mot qu'il précède. *Eh oui! Eh!
non. Eh! si. Eh parbleu!*

7 — Mais enfin, Père Ubu, quel roi tu fais, tu massacres tout
le monde.
— Eh! merde! Dans la trappe! Amenez tout ce qui reste
de personnages considérables!
A. JARRY, Ubu sur la butte, I, 4, Pl., p. 641.

♦ **4** (Sert à souligner une opposition, à introduire une
digression, une incidente). *Eh! ne le savait-il pas? Eh!
à qui le dites-vous!*

8 — Ah! Mère Ubu, vous me faites injure et vous allez tout
à l'heure passer par la casserole.
— Eh! pauvre malheureux, si je passais par la casserole,
qui te raccommoderait tes fonds de culotte?
A. JARRY, Ubu roi, I, 2, Pl., p. 354.

EH QUOI! (Sert à introduire un argument contraire à ce
qui précède, situation ou discours). *Eh quoi! J'aurai fait
tout cela pour rien! Eh quoi! déjà?*

♦ **5 EH! EH!** (Indique un sous-entendu).

9 — (...) Que dis-tu de cela?
— Ce que j'en dis?
— Oui.
— Eh, eh.
— Quoi?
— Je dis que dans le fond je suis de votre sentiment; et que
vous ne pouvez pas que vous n'ayez raison. Mais aussi n'a-
t-elle pas tort tout à fait (...) MOLIÈRE, l'Avare, I, 5.

II EH BIEN. ♦ **1** (Sert à introduire une information, une
digression, une opposition, une conclusion par rapport
à un contexte donné (situation, discours), à marquer une
transition stylistique).

Exclamatif :

10 — Vous chantiez? j'en suis fort aise :
Eh bien! dansez maintenant.
LA FONTAINE, Fables, I, 1.

Dans une question. → **Alors.**

Eh bien oui (marque une concession).

♦ **2** (Marque l'émotion du locuteur. → ci-dessus I., 2.). —
REM. On écrit aussi *Hé bien!* → Hé. Noter les déformations
familières *eh ben, eh bé...* (méridional).

♦ **3** *Eh bien* (sert à faire une remarque à autrui sur son
comportement).

III Répété, sert à noter un rire (plus souvent : *Hé!*). → **Ah,
hi.**

ÉHANCHÉ, ÉE [eɑ̃ʃe] adj. — XVIIe; *eshanch(i)é,*
v. 1360; de *é-,* et *hanche.*
Rare. → **Déhanché.**

ÉHONTÉ, ÉE [eɔ̃te] adj. — V. 1361; de *é-,* et *honte.*
Qui commet des actes réprouvés par la morale
(du locuteur), sans en éprouver de honte. → **Impu-
dent, vergogne** (sans). *Quémandeur éhonté; fripon,
criminel éhonté.* → **Audacieux.** *Personne éhontée.*
→ **Effronté, hardi, impudique, osé.** — Par métonymie.
Action éhontée. → **Scandaleux.** *Un mensonge éhonté.
Propos éhontés.* → **Cynique.**

(...) cette scène éhontée où la parodie de la douleur
s'étale (...)
André SUARÈS, Voyage du condottiere, I, IX, p. 53.

**CONTR. Confus, décent, honteux, modeste, pudibond,
pudique, réservé.** ◊ **DÉR. Éhontément.**

ÉHONTÉMENT [eɔ̃temɑ̃] adv. — XVIe; de *éhonté.*
Littér. et rare. D'une manière éhontée. → **Impudemment.**

ÉHOUPER [eupe] v. tr. — 1669; de é-, *houppe* «cime
d'arbre» et suff. verbal.
Techn. Couper le sommet de la cime d'un arbre (le
houppier). → **Écimer, étêter.**

EIDER [ɛdɛʁ] n. m. — 1755; *edre* «duvet», XIIe; anc.
nordique et islandais *oedur, aedar.*
Genre de grand canard (*Anatidés*) des pays du
Nord, recherché pour son duvet. *Le duvet de l'eider
est appelé édredon. Le vol des eiders.*

C'est cet oiseau qui donne ce duvet si doux, si chaud et si 1
léger, connu sous le nom d'*eider-don* ou *duvet d'eider,* dont
on a fait ensuite *edre-don* (...)
BUFFON, Hist. nat. des oiseaux, L'eider, Œ. compl.,
t. VIII.

Sous le nom d'eider, les cygnes aidèrent à l'édredon. Et cela 2
ne lui va pas mal. On appelle hommes-cygnes ou hommes
insignes les hommes qui ont le cou long comme Fénelon,
cygne de Cambrai. Etc.
Max JACOB, le Cornet à dés, p. 91.

DÉR. V. Édredon.

ÉIDÉTIQUE ou **EIDÉTIQUE** [eidetik] adj. et n.
— 1925; all. *eidetisch,* adj., sens 2, 1913, Husserl; sens 1,
1920, Jaensch; du grec *eidos* «forme, essence», d'après
le grec *eidêtikos* «qui concerne la connaissance, la
représentation».

♦ **1** Psychol. *Image éidétique,* vive, détaillée, d'une
netteté hallucinatoire. — N. (fém. non attesté) *Les
éidétiques,* ceux qui ont des images de ce genre.
Caractér. *Type éidétique,* qui se représente le réel tel
qu'il se donne (sans l'intégrer à son psychisme).

♦ **2** (1936). Philos. (phénoménologie). Qui concerne les
essences, abstraction faite de l'existence (abstraction dite *réduction éidétique*). — N. f. (all. *Eidetik,* Husserl, 1913). *L'éidétique,* partie de la phénoménologie
qui traite des essences universelles.
On doit chercher à construire une éidétique de l'image,
c'est-à-dire à fixer et à décrire l'essence de cette structure
psychologique telle qu'elle apparaît à l'intuition réflexive.
SARTRE, l'Imagination, p. 143.

DÉR. Éidétisme.

ÉIDÉTISME ou **EIDÉTISME** [eidetism] n. m.
— 1952; de *éidétique.*
Psychol. Aptitude particulière à évoquer avec une
très grande précision des faits, des objets vus antérieurement.
L'éidétisme a été découvert par les frères Jaensch, de Mar-
bourg, pour lesquels il serait relativement fréquent chez
les enfants, avec point culminant vers l'âge de 6 ans, s'atténuant par la suite.
J. SUTTER, in A. POROT, Manuel alphabétique de
psychiatrie, éd. 1952, art. *Éidétisme.*

EIDOPHORE [ejdɔfɔʁ; ɛidɔfɔʁ] n. m. — V. 1962; n.
déposé; formation savante, du grec *eidos* «image» et
-phore.
Télév. Procédé de télévision permettant la projection de l'image sur grand écran, un rayon cathodique commandant la réflexion de la lumière par
un miroir concave.

EINSTEINIEN, IENNE [ajnʃtajnjɛ̃, jɛn; ɛnʃtɛnjɛ̃, jɛn] adj. — 1922; du n. propre *Einstein*.

Relatif aux théories de Einstein. *La théorie einsteinienne de la gravitation.* — N. *Les einsteiniens.*

REM. On trouve aussi la graphie *einsténien, ienne.*

EINSTEINISME [ajnʃtajnism; ɛnʃtɛnism] n. m. — 1922, Vanderem, *in* D.D.L.; du n. propre *Einstein*.

Théories de Einstein.

EINSTEINIUM [ajnʃtajnjɔm; ɛnʃtɛnjɔm] n. m. — 1955, A. Ghiorso, *Physical Review*; du n. propre *Einstein*.

Élément chimique de numéro atomique 99 (symb. *Es*), de la série des actinides.

ÉJACULATEUR, TRICE [eʒakylatœr, tʀis] adj. — 1732; *vertu éjaculatrice* «faculté d'émettre, d'influencer (par la vue)», 1580, Montaigne, calque de Pline, *Histoire naturelle*, IX, 20; de *éjaculer*.

♦ **1** Qui sert à l'éjaculation. *Conduits, canaux, muscles éjaculateurs.*

♦ **2** N. m. *Éjaculateur précoce :* homme qui éjacule prématurément.

ÉJACULATION [eʒakylasjɔ̃] n. f. — 1552, Rabelais; de *éjaculer*.

♦ **1** Rare. Action d'éjaculer; résultat de cette action. → Jet. — (1611). Cour. Émission du sperme par la verge en érection. *L'orgasme coïncide avec l'éjaculation. Éjaculation précoce, prématurée,* qui survient après le début de l'érection ou après quelques mouvements copulatoires.

On avoue sa sodomie et on en parle à table d'hôte. Quelquefois on nie un petit peu, tout le monde alors vous engueule et cela finit par une éjaculation. Voyageant pour notre instruction et chargés d'une mission par le gouvernement, nous avons regardé comme de notre devoir de nous livrer à ce mode d'éjaculation. L'occasion ne s'en est pas encore présentée, nous la cherchons pourtant. C'est aux bains que cela se pratique.

FLAUBERT, Lettre à L. Bouilhet, 15 janv. 1850, *in* Correspondance, t. I, Pl., p. 572.

♦ **2** Fig. et vx (souvent au plur.). Prières brèves, dites avec ferveur.

ÉJACULATOIRE [eʒakylatwaʀ] adj. — 1611; n. m., XVIe, Paré; de *éjaculer*.

Didact. Qui se rapporte à l'éjaculation. *Fonction éjaculatoire.*

ÉJACULER [eʒakyle] v. tr. — 1835; «lancer une arme de trait», XVIe; lat. *ejaculari* «lancer», de *ex-* et *jaculari* «lancer», de *jaculum* «javelot», de *jacere* «lancer».

♦ **1** Rare. Lancer hors de soi avec force (un liquide secrété par l'organisme). *Certains reptiles éjaculent une humeur caustique* (Académie). → Projeter.

Absolt et cour. Émettre le sperme. → Cit. 2.

Je m'en rappelle une, à cheveux noirs crépus, qui avait une branche de jasmin dans les cheveux et qui m'a semblé sentir bien bon (de ces odeurs qui portent au cœur) au moment où j'éjaculai en elle.

FLAUBERT, Lettre à L. Bouilhet, 20 août 1850, *in* Correspondance, t. I, Pl., p. 668.

♦ **2** Fig. et littér. Exprimer avec force (des propos). *Éjaculer des injures.* — REM. Cet emploi est rarissime, à cause du sens 1.

DÉR. Éjaculateur, éjaculation, éjaculatoire.

ÉJARRAGE [eʒaʀaʒ] n. m. — 1845; de *éjarrer*.

Techn. Opération pour laquelle on éjarre une fourrure.

ÉJARRER [eʒaʀe] v. tr. — 1753; de *e-*, 2. *jarre* et suff. verbal.

Techn. Dépouiller (une fourrure) de ses jarres.

Une peau de loutre, d'otarie, ne prend sa beauté que lorsqu'elle a été éjarrée. Ailleurs, comme dans une peau de renard, les deux éléments sont conservés, le jarre ayant la plupart du temps des couleurs plus brillantes, cependant que le duvet, pour fin qu'il soit, est terne et gris.

René THÉVENIN, les Fourrures, p. 28.

DÉR. Éjarrage, éjarreur.

ÉJARREUR, EUSE [eʒaʀœʀ, øz] n. — 1753, n. m.; de *éjarrer*.

Techn. Ouvrier, ouvrière qui arrache à la machine les jarres des fourrures.

EJECTA [eʒɛkta] n. m. pl. — Mil. XXe; mot lat. attesté en 1886 en anglais des États-Unis; plur. neutre du p. p. (*ejectum*) de *ejicere* «jeter hors».

Géol. Matières projetées en l'air lors d'une éruption volcanique, de l'impact d'un météorite. *«Il s'agit de la topographie du cratère (...) de la couverture d'éjectas* (sic)*, des débris du projectile»* (la Recherche, nov. 1978, p. 1015).

N. B. La francisation du *u* en *é* est acceptable, mais le *s* au plur. suppose une lexicalisation au sing. (le sing. lat. serait un *éjectum*).

ÉJECTABLE [eʒɛktabl] adj. — 1956; de *éjecter*.

Siège, cabine éjectable : dans un avion, Siège, cabine qui peut être éjecté(e) hors de l'appareil avec son occupant en cas de perdition. → **Largable.** — REM. On a dit *siège éjecteur.*

Cabine éjectable : dans un vaisseau spatial, Cabine qui peut être éjectée en vue de l'atterrissage.

Le début de l'épopée cosmique remonte au 15 mai 1960. C'est en effet à cette date que les Russes lançaient avec succès leur premier vaisseau cosmique (korabl spoutnik) dont ils récupéraient le satellite proprement dit et la cabine éjectable qu'il contenait.

Louis GUILBERT, le Vocabulaire de l'astronautique, p. 73.

ÉJECTER [eʒɛkte] v. tr. — Fin XIXe; *ejecter, esjetter,* du XVe au déb. XVIIe, dans divers sens; lat. *ejectare* «rejeter», de *ex-* intensif et *jactare,* fréquentatif de *jacere* «jeter».

♦ **1** Rejeter au dehors, hors de (qqch.). → **Projeter.** *La douille est éjectée quand le tireur réarme.* — Par ext. (Rare). Projeter au loin.

Petit-Pouce, qui avait fini sa cigarette, en écrasa la braise contre son talon, et du pouce et de l'index éjecta le mégot à distance appréciable.

R. QUENEAU, Pierrot mon ami, éd. L. de Poche, p. 8 (1942).

Réfl. *S'éjecter :* se projeter au dehors en utilisant un dispositif éjectable. *Le pilote s'est éjecté.*

♦ **2** Fam. Expulser, renvoyer. *Il s'est fait éjecter avec perte et fracas.* → **Jeter** (dehors).

DÉR. Éjectable, éjecteur, éjectif.

ÉJECTEUR [eʒɛktœʀ] n. m. — 1874; de *éjecter*.

♦ **1** Appareil qui sert à rejeter (un objet, un fluide...). *Éjecteur de vapeur, d'un réservoir. Éjecteur hydraulique. Éjecteur d'un fusil :* pièce qui projette hors de l'arme la douille des cartouches tirées. → **Éjection.**

♦ **2** Appos. ou adj. (vieilli). *Siège éjecteur* (calque de l'angl. des États-Unis *ejector seat,* 1945). → **Éjectable.**

ÉJECTIF, IVE [eʒɛktif, iv] adj. et n. f. — Déb. xxᵉ; attestation isolée, 1649, «qui concerne l'éjection»; de *éjecter*.

♦ **1** (V. 1917). Géol. *Plissement de style éjectif* : plissement des anticlinaux étroits sont séparés par de larges synclinaux.

♦ **2** (1946). Psychol. Dans lequel la personne, la conscience se projette en autrui ou vers l'extérieur.

♦ **3** (1950). Phonét. Se dit d'une consonne glottalisée produite sans expiration grâce à la pression de l'air contenu dans la bouche (opposé à *implosive,* 1.). — N. f. *Une éjective.*

ÉJECTION [eʒɛksjɔ̃] n. f. — xiiiᵉ; lat. *ejectio*, de *ejectum*, supin de *ejicere.* → Ejecta.

A ♦ **1** Physiol. (Vieilli). Évacuation, déjection. *Éjection d'excréments.*

♦ **2** (xixᵉ). Action d'éjecter, fait d'être éjecté. *Éjection d'une douille*, rejet par l'éjecteur. *L'éjection d'un pilote*, sa projection hors d'un avion au moyen d'un siège éjectable.

♦ **3** (1951). Phonét. Processus articulaire des consonnes éjectives*.

♦ **4** Fam. Expulsion, action de congédier sans ménagement. *L'éjection d'un contestataire.*

B Par métonymie. Matières éjectées. *Éjections volcaniques.* → Ejecta, projection.

ÉJOINTER [eʒwɛ̃te] v. tr. — 1756; de *é-*, anc. franç. *jointe* «articulation», de *joindre*, et suff. verbal.

Fauconn. (Rare). *Éjointer un oiseau* : casser l'articulation extérieure de l'aile (pour l'empêcher de voler). *Éjointer un faucon.*

ÉJOUIR [eʒwiʀ] v. tr. — Déb. xiiᵉ; de *é-*, et *jouir.*

Vx et littér. Rendre (qqn) joyeux. *Le jeu des comédiens, la finesse des réparties l'éjouissaient.*

♦ **S'ÉJOUIR** v. pron.

(Déb. xiiᵉ). Vx ou littér. Éprouver, manifester de la joie. → **Divertir** (se). — REM. S'emploie absolument, ou avec un compl. introduit par *à, de.*

♦ **ÉJOUI, IE** p. p. adj.

(xiiᵉ). Littér. Qui éprouve ou manifeste la gaieté.

Blaud est un gros garçon bien en chair, le teint frais, la face joyeuse (...) il accuse quarante-deux ans, mais ne paraît pas son âge.
GIDE, Voyage au Congo, *in* Souvenirs, Pl., p. 774.

DÉR. **Éjouissance.**

ÉJOUISSANCE [eʒwisɑ̃s] n. f. — 1867, F. Fabre; de *éjouir.*

Vx et littér. Impression de joie; divertissement.

EJUSDEM FARINÆ [eʒysdɛmfarine] loc. adj. Mots latins signifiant «de la même farine» et toujours pris en mauvaise part pour marquer une communauté de vice, de défaut, etc. *Deux escrocs ejusdem farinæ.* → **Farine**, 4. (de la même farine).

ÉKISTIQUE [ekistik] n. f. — 1974; grec mod. *ê oikistikê*, A. Doxiadis, 1942, de *oikos* «maison, habitat». → Éco-.

Didact. Étude de l'habitat humain. *Centre d'ékistique d'Athènes.*

EKKLESIASTERION [eklezjasteʀjɔ̃] n. m. — D. i. (mil. xxᵉ); mot grec *ekklêsiastêrion*, de *ekklêsia* «assemblée» (→ Ecclésiaste).

Archéol. En Grèce et dans les colonies grecques, Lieu où se réunissait l'assemblée de tous les citoyens ayant le droit de vote. *L'ekklesiasterion de Paestum.*

EKTACHROME [ɛktakʀom; ɛktakʀɔm] n. m. — Mil. xxᵉ; nom déposé (1942) par la firme Kodak (suff. *-chrome*).

Photogr. Film pour la photographie en couleurs par trichromie. — Photographie en couleurs sur ce film. — Abrév. fam. (1980 (1974, n. f.), *in* D.D.L.) : *ekta* [ɛkta] n. m. *Un ekta, des ektas.*

-EL, -ELLE Suffixe (du lat. *-alis*) d'adjectifs généraux, tels que *fraternel, traditionnel.*

ÉLABORATEUR, TRICE [elabɔʀatœʀ, tʀis] adj. et n. — 1864, Littré; de *élaborer.*

Qui élabore (qqch.). *Fonction élaboratrice d'un organe.* — N. *L'élaborateur, l'élaboratrice d'un plan.* → **Organisateur.**

Est décelé comme le plus dangereux l'homme aux pensées élaboratrices d'un seul crime.
Henri MICHAUX, Ailleurs, p. 246.

ÉLABORATION [elabɔʀasjɔ̃] n. f. — 1478, *ellaboration;* lat. *elaboratio*, du supin de *elaborare.* → Élaborer.

Action d'élaborer, de s'élaborer. → **Formation**, œuvre (mise en), préparation, transformation, travail.

♦ **1** Physiol. Production, dans un organisme vivant, de substances nouvelles, qu'il s'agisse de sécrétions ou d'excrétions. *Élaboration des aliments.* → **Assimilation**, digestion. *L'élaboration de la bile par le foie, de l'urine par le rein.* → **Production.** — *Élaboration de la sève.* Par métaphore :

Elle *(l'œuvre)* une floraison préparée profondément et   1
de loin par une élaboration de la sève, conformément à la structure acquise et à la nature primitive de la plante qui l'a portée.   TAINE, Philosophie de l'art, t. I, p. 226.

Techn. (textile). *Élaboration du fil* : opérations qui, à partir de la fibre brute, permettent de produire un fil destiné à la fabrication des étoffes.

♦ **2** (1845). Abstrait. Travail de l'esprit sur des données, des matériaux qu'il utilise à certaines fins. → **Composition, constitution, construction, création, élucubration, préparation, travail.** *Élaboration d'un plan, d'un projet, d'un ouvrage, d'une œuvre. La conception* (cit. 2) *et l'élaboration. L'élaboration d'un diagnostic* (→ Aggravation, cit.).

(...) un dictionnaire de la langue française, même lorsqu'il   2
porte le moins le caractère d'une *élaboration* originale et le plus celui d'une compilation, est toujours une œuvre et bien longue et bien lourde (...)
LITTRÉ, Dict., Préface.

Il *(Bonaparte)* interroge, il écoute, il lit aussi avec une *atten-*   3
tion prodigieuse et son incroyable mémoire aidant, tout se grave, je le répète, en son cerveau comme sur le bronze. Mais ce ne sont là que simples aliments à la réflexion, simples éléments de méditation. Le voici qui *élabore* et c'est là qu'il faudrait le voir. *L'élaboration !* Le mot implique, chez l'homme, le *labeur* le plus magnifique, mais, à ce labeur, il se complaît, sans repos.
Louis MADELIN, Hist. du Consulat et de l'Empire,
De Brumaire à Marengo, VI, p. 87.

L'élaboration de ses découvertes fut un extraordinaire   4
enchaînement de prévisions, de perceptions, de solutions admirables.   Henri MONDOR, Pasteur, p. 161.

Psychol. *Fonctions d'élaboration.*

On appelle ainsi *(élaboration)*, par opposition à   5
l'*Acquisition* et à la *Conservation* de la connaissance, l'ensemble des opérations par lesquelles nous transformons les données immédiates qui sont considérées comme formant la matière de cette connaissance. Elle comprend l'association des idées et l'imagination en tant que créatrices *(élaboration spontanée)*, l'attention, la conception, le jugement et le raisonnement *(élaboration réfléchie)*. On y joint parfois quelquefois la mémoire, en tant qu'elle sélectionne et modifie les souvenirs.
LALANDE, Voc. de la philosophie, art. *Élaboration.*

Psychan. *Élaboration psychique* (all. *psychische Verarbeitung* (ou *Bearbeitung*)) : travail accompli par l'appareil psychique pour intégrer et associer les excitations dont l'accumulation est dangereuse pour l'équilibre.

Élaboration secondaire (all. *sekundäre Bearbeitung*) : remaniement des éléments d'un rêve destiné à le présenter sous la forme d'un récit à peu près cohérent et compréhensible.

6   Enlever au rêve son apparence d'absurdité et d'incohérence, en bouchant les trous, effectuer un remaniement partiel ou total de ses éléments en y opérant un tri et des adjonctions, chercher à créer quelque chose comme une rêverie diurne (...) voilà en quoi consiste l'essentiel de ce que Freud a nommé élaboration secondaire (...)
        J. LAPLANCHE et J.-B. PONTALIS, Voc. de la psychanalyse, art. *Élaboration secondaire*.

ÉLABORER [elabɔʀe] v. tr. — Av. 1650; *elabouré*, p. p., 1534, Rabelais; *élabourer* encore au XVIIIᵉ, dans Trévoux qui le donne comme inusité; Littré note que «ce mot, sous la forme *élaborer*, a repris faveur»; lat. *elaborare* «produire par le travail, perfectionner», de *ex-* intensif et *laborare* «travailler», de *labor* «travail». → Labeur.

♦ **1** Façonner par un long labeur, selon un programme. → **Façonner, ouvrer, travailler.**

1   Ne pilier, ne terme Dorique
    D'histoires vieilles decoré,
    Ne marbre tiré de l'Afrique
    En colonnes elaboré (...)   RONSARD, Odes, I, 8.

♦ **2 Physiol.** Soumettre à ou produire par une transformation généralement complexe et soumise à des règles. → **Former, transformer.** *L'appareil digestif rend les aliments assimilables en les élaborant* (→ **Assimiler**). *Les cellules hépatiques élaborent la bile avec les substances que leur fournit le sang. Les globules blancs élaborent les antitoxines* (cit. 2). → **Produire.**

2   Le lait, bien qu'élaboré dans le corps de l'animal, est une substance végétale (...)   ROUSSEAU, *Émile*, I.

3   (...) les veines pulmonaires aboutissant à l'oreillette gauche récoltent le sang rouge nouvellement élaboré aux poumons.   P. VALLERY-RADOT, *Notre corps...*, p. 38.

♦ **3** Préparer mûrement, par un lent travail de l'esprit. *Élaborer un plan, un projet, un système.* → **Construire, créer, échafauder, faire, former, préparer** (→ Dénouement, cit. 4). *Élaborer des vers, un ouvrage.* → **Composer, fabriquer.**

4   (...) nous élaborions d'ineptes gloses, des paraphrases qui me feraient rougir aujourd'hui si je les revoyais.
        GIDE, Si le grain ne meurt, I, VI, p. 176.

5   *En tant que créateur*, l'artiste n'appartient pas à la collectivité qui subit une culture, mais à celle qui l'élabore (...)
        MALRAUX, les Voix du silence, p. 414.

♦ **S'ÉLABORER** v. pron.

Être élaboré. *La sève s'élabore. Son ouvrage s'élabore lentement.*

6   (...) elle (*la sève brute*) subit des modifications profondes, elle s'*élabore* et devient capable de fournir aux diverses parties de la plante les matériaux nécessaires à leur édification (...) La sève élaborée est appelée aussi quelquefois *descendante*.   P. POIRÉ, Dict. des sciences, art. *Sève*.

7   C'est (...) dans l'Europe du centre et du Nord-ouest que s'est élaboré le système industriel qui caractérise aujourd'hui l'Occident (...)
        André SIEGFRIED, l'Âme des peuples, Conclusion, II, p. 199.

♦ **ÉLABORÉ, ÉE** p. p. adj. (XIXᵉ).

♦ **1** Qui est le résultat d'un long travail. *Un art élaboré. Des plats très élaborés, une cuisine élaborée.*

♦ **2** Que des transformations ont rendu assimilable par l'organisme. *Aliments élaborés. — Sève élaborée,*

enrichie en matières protéiques par l'activité des feuilles.

DÉR. Élaborateur. — **V.** Élaboration.

ELÆGNACÉES [elɛgnase] n. f. pl. → **Éléagnacées.**

ELÆIS [eleis] → **Éléis.**

ÉLÆO-, ÉLAI-, ÉLAIO-, ÉLÉO- Premier élément de mots savants, du grec *elaion* «huile»*.

ÉLAGAGE [elagaʒ] n. m. — 1755; de *élaguer*.

A ♦ **1** Action d'élaguer (les arbres), résultat de cette action. → **Ébranchage, émondage, étêtage, taille.**

1   (...) l'élagage judicieusement opéré (*dans les taillis sous futaie*), en supprimant les branches en excès, en raccourcissant les branches trop longues, permet au jeune arbre de prendre une forme régulière.
        Omnium agricole, Élagage.

2   (...) il se mit, en criant, à invoquer tous les Baals. Ce n'était pas sa faute ! il n'y pouvait rien ! il avait observé les températures, les terrains, les étoiles, fait les plantations au solstice d'hiver, les élagages au décours de la lune, inspecté les esclaves, ménagé leurs habits.
        FLAUBERT, Salammbô, Pl., t. I, p. 858.

Par métaphore :

3   L'instruction obligatoire aboutit au plus bel élagage de la personnalité.
        B. CENDRARS, Moravagine, *in* Œ. compl., t. IV, p. 233.

♦ **2** (XIXᵉ). Fig. Action de débarrasser (un texte, une œuvre, etc.) de ce qui est superflu. *L'élagage d'un reportage.*

REM. En ce sens, on trouve aussi *élaguement*, n. m. (1722).

B ♦ Par métonymie et collectif. Branches coupées en élaguant.

ÉLAGUEMENT [elagmã] n. m. → **Élagage.**

ÉLAGUER [elage] v. tr. — 1535, *eslaguer; eslaguees* au p. p., XVᵉ; *eslaver* en 1425; *alaguer*, 1373; de *é-, es-* (lat. *ex-*) et anc. scandinave *laga* «arranger».

♦ **1 Arbor.** Retrancher (d'un arbre) les branches que l'on juge superflues. → **Couper, ébrancher, écimer, éclaircir, égayer, émonder, étêter, tailler.** *Élaguer les branches mortes. Élaguer un arbre. Se servir d'une cisaille, d'un croissant, d'une serpe pour élaguer.* Absolt. *«Voici venu le moment d'élaguer»* (Académie).

1   Les arbres de la route, toujours élagués à la mode du pays, ne donnaient presque aucune ombre (...)
        ROUSSEAU, les Confessions, VIII.

2   Quelques tilleuls élagués cachaient mal leur villa au fond du jardin.   R. RADIGUET, le Diable au corps, p. 17.

♦ **2** (XVIIIᵉ). Fig. Débarrasser (qqch.) des détails ou développements inutiles. *Élaguer un discours, un écrit.* — Enlever de qqch. (ce qu'on juge superflu). *Élaguez ces détails superflus* (→ Amphigouri, cit. 2). *Il y a beaucoup à élaguer dans cet article.* → **Couper, retrancher, supprimer.**

CONTR. Compléter, développer. ◊ **DÉR.** Élagage, élaguement, élagueur.

ÉLAGUEUR, EUSE [elagœʀ, øz] n. — 1756; de *élaguer*.

Technique.

♦ **1** Ouvrier, ouvrière spécialisé(e) dans l'élagage des arbres. — Par appos. *Ouvrier élagueur.*

♦ **2 N. m.** Instrument servant à élaguer, sorte de sécateur à long manche et à démultiplication, permettant de couper les branches et les jeunes arbres.

ÉLAIOMÈTRE [elajɔmɛtʀ] n. m. → **Oléomètre.**

ÉLAMITE [elamit] adj. et n. — 1870; lat. *Elamita*, p.-ê. de *Elamtu*, nom assyrien de l'Élam.

♦ **1 Adj.** Relatif à l'Élam, ancien pays d'Asie Mineure. — N. Personne originaire de ce pays.

Le peuple élamite qui a joué un rôle important dans l'histoire ancienne de l'Asie Mineure habitait la région montagneuse qui va de la plaine mésopotamienne au plateau iranien, et qui compend le Zagros, le Louristan et le Khouzistan actuels.

> A. MEILLET et M. COHEN, les Langues du monde, p. 195.

♦ **2 N. m.** Langue autrefois parlée en Élam. *L'élamite a été une des langues de l'empire achéménide.*

1. **ÉLAN** [elɑ̃] n. m. — 1409; déverbal de *élancer.*

♦ **1** Mouvement par lequel on s'élance, on s'apprête à lancer qqch. **Spécialt.** Mouvement progressif préparant l'exécution d'un saut, d'un exercice. *L'acrobate a mal calculé son élan* (→ Calculer, cit. 7). *Prendre son appel* (III., 3.) *après une course d'élan. Prendre son élan sur un tremplin* (→ Bondir, cit. 4). *Perdre son élan. Prendre, reprendre de l'élan.* — **Loc.** *D'un seul élan* : d'un seul effort ou en une seule fois. — Par métaphore, en parlant des choses. *L'élan tumultueux des vagues, du torrent* (→ Déjection, cit. 3), *des cloches* (→ Cloche, cit. 4).

1   (...) cette eau folle et bondissante (...) quand elle se recueille, en frémissant, dans une conque de rochers, pour un élan plus furieux et pour une chute plus irrémédiable.
> Léon BLOY, le Désespéré, p. 65.

2   (...) et tout d'un coup, par un brusque élan, il se jeta sur la terre (...)   J. GREEN, Léviathan, XIII, p. 117.

3   (...) redevenir celui qui, au début de l'épidémie, voulait courir d'un seul élan hors de la ville (...)
> CAMUS, la Peste, p. 316.

(1907). **Philos.** *L'élan vital,* selon Bergson, Mouvement vital, créateur, qui traverse la matière en se diversifiant.

3.1   L'élan vital dont nous parlons consiste, en somme, dans une exigence de création. Il ne peut créer absolument, parce qu'il rencontre devant lui la matière, c'est-à-dire le mouvement inverse du sien. Mais il se saisit de cette matière, qui est la nécessité même, et tend à y introduire la plus grande somme possible d'indétermination.
> H. BERGSON, l'Évolution créatrice, p. 252.

Par ext. Mouvement d'une chose lancée. *Camion, skieur emporté par son élan. Rien ne peut arrêter, briser, ralentir l'élan des troupes,* leur progression. — **Fig.** *Donner, apporter un élan, de l'élan à quelque chose,* lui transmettre une impulsion. → **Essor, impulsion.** *L'aide gouvernementale a donné de l'élan à l'exportation. Briser l'élan de quelqu'un,* le décourager.

♦ **2** Mouvement brusque vers l'avant. → **Bond** (→ Arriver, cit. 12). *Ce cheval n'avance que par élans.*

Par anal. Mouvement par lequel la voix reprend, s'élance. *Mélopée coupée* (cit. 32) *d'élans.*

4   Aux élans redoublés de sa voix douloureuse (...)
> BOILEAU, le Lutrin, IV.

5   Il eut (*le rire*) des soubresauts, des rebondissements, des à-coups, des reculs (...) de soudaines reprises, des élans, des bonds furieux (...)
> Léon BLOY, la Femme pauvre, II, XXII, p. 277.

♦ **3 Fig.** Mouvement* ardent, subit, qu'un vif sentiment inspire. → **Ardeur, impulsion, poussée.** *Brusque élan. Élan impétueux. Élans de jeunesse, de passion**. → **Entraînement, fougue.** *Ne pas savoir contenir, maîtriser, réfréner, refouler ses élans. Irrésistible élan. Élan du cœur.* → **Effusion.** *Élan de*

sympathie, de générosité, de solidarité. Élan patriotique* (→ Ardeur, cit. 37), *de fraternité* (→ Conquête, cit. 2). *Élans de zèle, d'enthousiasme* (→ **Transport;** → Don, cit. 5). *Élan de foi* (→ Agir, cit. 13; électriser, cit. 4). *Dans les élans de la passion, de la colère...* → **Emportement.** *Élans de l'espérance. Élan vers...* → **Aspiration, élancé** (élancée). *Élan de l'âme vers Dieu. Élan vers l'avenir. Élan capricieux, passager.* → **fam. Foucade, toquade.** *Avoir de l'élan.* → **Ardeur.** *Parler avec élan.* → **Chaleur, vivacité.** *Un bel élan* (dans un discours). → **Envolée.**

La jeunesse a perdu l'élan qui la gonflait (...)   6
> HUGO, la Légende des siècles, XX, II.

Même élan de foi, d'espérance et d'enthousiasme, même   7
esprit de propagande et de domination, même raideur et
même intolérance, même ambition de refondre l'homme
et de modeler toute la vie humaine d'après un type préconçu.
> TAINE, les Origines de la France contemporaine, II, t. II, p. 2.

(...) des passions violentes, de grands élans de tout leur   8
être qui les poussaient aux choses les plus exaltées, aux
dévouements fanatiques, même aux crimes.
> MAUPASSANT, Clair de lune, «Une veuve».

J'ai été plus d'une fois victime de ces crises et de ces élans,   9
qui nous autorisent à croire que des Démons malicieux
se glissent en nous et nous font accomplir, à notre insu,
leurs plus absurdes volontés.
> BAUDELAIRE, le Spleen de Paris, IX.

Alors il eut un élan, comme jadis dans son enfance, vers   10
ce refuge très doux qu'était pour lui sa mère (...)
> LOTI, Ramuntcho, II, IV.

Mes premiers élans vers lui, du temps que je ne connaissais   11
pas la retenue, ne m'ont valu que des rebuffades, qui
m'ont instruit.
> GIDE, les Faux-monnayeurs, I, IV, p. 56.

2. **ÉLAN** [elɑ̃] n. m. — 1609, *ellan; eslams,* plur., 1519; *hellent,* 1414; *ellend,* 1564; haut all. *elend,* du baltique *elnis.*

Grand cerf (*Cervidés;* n. sc. *Alces*) des pays du Nord, à grosse tête, aux bois aplatis en éventail. *Élan du Canada.* → **Orignal.** *Andouiller d'élan. Une troupe d'élans.*

Nous vîmes la petite île d'Aland, à quarante milles de   1
Stockholm : cette île est très fertile, on dit se retraite aux
élans (...)   J.-F. REGNARD, Voyage en Laponie, p. 79.

Élan gris, élan rouge. → **Wapiti.**

De la distance à laquelle ils se trouvaient, Jasper Hobson,   2
Mrs Paulina Barnett et leurs compagnons pouvaient facilement
distinguer le groupe des wapitis. C'étaient de magnifiques
échantillons de cette famille de daims, que l'on
connaît sous les noms variés de cerfs à cornes rondes,
cerfs américains, biches, élans gris et élans rouges.
> J. VERNE, le Pays des fourrures, t. I, p. 72.

ÉLANCÉ, ÉE [elɑ̃se] adj. et n. f. — 1549; p. p. de *élancer.*

I ♦ **1 Vx.** Maigre. → **Crête.** *Cheval élancé.* → **Efflanqué.**

♦ **2** (1636). **Mod.** Mince et svelte. *Taille élancée.* → **Délié, fin, svelte.** *Cou élancé.* → **Long.** Développé en hauteur et de forme légère. *Arbre au tronc élancé. Clocher* (cit. 1) *élancé. Colonnes élancées* (→ Campanile, cit. 1).

Le prince de Léon était un grand garçon élancé, laid et   1
vilain au possible (...)
> SAINT-SIMON, Mémoires, t. I, LVI.

Vous avez vu, chez les artistes florentins, le type allongé,   2
élancé, musculeux, aux instincts nobles, aux aptitudes
gymnastiques, tel qu'il peut se dégager dans une race
sobre, élégante, active (...)
> TAINE, Philosophie de l'art, t. II, p. 279.

II ♦ **1** (1690). **Blason.** *Cerf élancé,* représenté au galop.

♦ **2 N. f.** (XXᵉ). **Rare. ÉLANCÉE** : mouvement plein d'élan. *Une élancée vers l'avenir.*

CONTR. (Du sens I) **Court, massif, rabougri, ramassé, rata-
tiné, trapu.**

ÉLANCEMENT [elɑ̃smɑ̃] n. m. — 1549 ; de *élancer.*

♦ **1** Vx. Action de s'élancer. — Fig. et littér. Mouvement
de ce qui s'élance.

♦ **2** Caractère de ce qui est élancé.

1   Nous redescendîmes pour voir la chapelle ; c'est une
merveille d'architecture. L'élancement des piliers et des
nervures, l'ornement sobre et fin des détails, révélaient
l'époque intermédiaire entre le gothique fleuri et la Renaissance.   NERVAL, les Filles du feu, Angélique, X.

Techn. (Mar.). Angle que forme l'étrave ou l'étambot
avec le prolongement de la quille. *Élancement
avant, élancement arrière.*

♦ **3** (1587). Littér. Mouvement ardent de l'âme (vers
Dieu, vers l'infini). → 1. **Élan.** *Un élancement de pitié.*

2   Il faisait des soupirs, de grands élancements (...)
         MOLIÈRE, Tartuffe, I, 5.

3   De notre temps, où tout est sacrifié à je ne sais quel
bien-être grossier et stupide, l'on ne comprend plus ces
sublimes élancements de l'âme vers l'infini, traduits en
aiguilles, en flèches, en clochetons, en ogives, tendant au
ciel leurs bras de pierre, et se joignant, par-dessus la tête
du peuple prosterné, comme de gigantesques mains qui
supplient.   Th. GAUTIER, Voyage en Espagne, p. 254.

4   (...) retrouvant au milieu d'un apaisement extraordinaire
la volupté perdue de ces premiers élancements mystiques (...)   FLAUBERT, Mᵐᵉ Bovary, III, VIII, p. 206.

♦ **4** Douleur* brusque, aiguë, lancinante (→ Courbature, cit. 5 ; coup, cit. 3 ; méralgie, cit.)

5   (...) il avait sommeil et des élancements violents lui
trouaient le crâne ; il aurait aimé dormir et ne plus
penser à rien.   SARTRE, la Mort dans l'âme, p. 96.

Sensation brusque, proche de la douleur. *« Un élancement au cœur »* (Simone de Beauvoir).

ÉLANCER [elɑ̃se] v. [CONJUG.: *lancer.* → Placer.] — XIIᵉ ;
rare jusqu'au XVIᵉ ; de é-, et *lancer.*

♦ **1** V. tr. (XVIᵉ). Vx. Lancer avec force. *Le bouquet
élance une forte odeur.* — Vx et fig. Pousser avec force
(des cris, des regards).

1   Et les yeux vers le ciel de fureur élancés (...)
         BOILEAU, Satires, IV, 1.

2   Thésée est arrivé, Thésée est en ces lieux.
Le peuple, pour le voir, court et se précipite.
Je sortais par votre ordre, et cherchais Hippolyte ;
Lorsque jusques au ciel mille cris élancés (...)
         RACINE, Phèdre, III, 3.

Mod. Dresser, élever. *La salle élançait à des hauteurs de cathédrale les arceaux de sa voûte* (Huysmans, → Côte, cit. 6 ; crypte, cit. 1).

♦ **2** V. intr. (XVIᵉ ; fin XIIIᵉ, «palpiter»). Causer des élancements* (4.). *La blessure est refermée, mais le doigt
lui élance encore.*

2.1 Son abcès si douloureux qui l'élançait de plus en plus.
       CÉLINE, Mort à crédit, éd. Denoël et Steel,
            p. 370 (1936).

♦ **S'ÉLANCER** v. pron.

♦ **1** (XIIᵉ). Se lancer en avant impétueusement.
→ **Bondir, jeter** (se), **porter** (se), **précipiter** (se), **ruer**
(se), **voler** (vers). *Je n'eus que le temps de m'élancer*
(→ Arracher, cit. 27). *S'élancer le sabre à la main*
(→ Abordage, cit. 1). *S'élancer d'un seul bond hors
de sa chambre. S'élancer à travers les flammes.
S'élancer vers quelqu'un, à sa poursuite, derrière lui.
Le chien s'élança sur lui.* → **Foncer** (fam.). *S'élancer
dans l'abîme* (→ **Piquer**, fam. ; **sauter**).

3   Vendôme, que soutient l'orgueil de sa naissance,
Au même instant dans l'onde impatient s'élance (...)
         BOILEAU, Épîtres, IV.

Entrer, voler vers nous, s'élancer sur Gusman,   4
L'attaquer, le frapper, n'est pour lui qu'un moment.
         VOLTAIRE, Alzire, V, 2.

Nous nous attendions tous les deux, très naturellement,   5
à voir le docteur s'élancer hors de sa chambre ; car généralement, s'il entendait remuer une souris, il bondissait
comme un mâtin hors de sa niche.
        BAUDELAIRE, les Paradis artificiels,
            «Mangeur d'opium», II.

Fi du chien bellâtre (...) si enchanté de lui-même qu'il   6
s'élance indiscrètement dans les jambes ou sur les genoux
du visiteur (...)   BAUDELAIRE, le Spleen de Paris, L.

On dirait (*ce combat*) un ballet guerrier, une figure de car-   7
rousel. Les deux partis sont face à face. L'un d'eux s'élance
ventre à terre, derrière ses porte-étendards, décharge ses
fusils, tourne bride, et toujours à fond de train s'enfuit,
ses drapeaux déployés.
      Jérôme et Jean THARAUD, Marrakech, XVI, p. 258.

Par métaphore : *« La calomnie (...) s'élance, étend son
vol. »* → Calomnie, cit. 5, Beaumarchais.

♦ **2** (XVIIIᵉ). Sujet n. de chose. Vieilli ou littér. Surgir,
jaillir. *L'eau s'élance du rocher* (→ Bouillonner,
cit. 1). → **Échapper** (s'). *Les vagues s'élancent contre
le navire. Le bateau s'élance dans la nuit.*

♦ **3** Par métaphore ou fig. Littér. Se lancer dans une
entreprise hasardeuse. *S'élancer à la conquête de la
gloire.* → **Lancer** (se), **marcher, partir.** — *En s'élançant
trop haut, on risque la chute* (cit. 13).

Se tourner (vers un but élevé). *Son âme s'élance
vers Dieu, vers l'avenir* (→ Contemplation, cit. 2 ; chercher, cit. 24). *Pensée qui s'élance.* → **Envoler** (s'), **voler.**

Dans ce voyage de Vevay, je me livrais, en suivant ce beau   8
rivage, à la plus douce mélancolie. Mon cœur s'élançait
avec ardeur à mille félicités innocentes : je m'attendrissais,
je soupirais, et pleurais comme un enfant.
         ROUSSEAU, les Confessions, IV.

Derrière les ennuis et les vastes chagrins   9
Qui chargent de leur poids l'existence brumeuse,
Heureux celui qui peut d'une aile vigoureuse
S'élance vers les champs lumineux et sereins (...)
        BAUDELAIRE, les Fleurs du mal, Spleen et idéal,
            «Élévation».

♦ **4** Littér. Avoir une forme, une silhouette élancée
(→ **Élancé**). *Ce clocher s'élance vers le ciel.* → **Dresser**
(se).

Elle n'était pas grande, mais elle le semblait, tant sa fine   10
taille s'élançait hardiment.
        HUGO, Notre-Dame de Paris, II, III.

Devenir élancé. *Sa taille s'élance,* gagne en hauteur
sans épaissir.

CONTR. Cabrer (se), reculer. — Épaissir, ramasser (se).
◊ DÉR. Élan, élancé, élancement.

1. **ÉLAPHE** [elaf] ou **ELAPHUS** [elafys] n. m.
— 1807, *élaphe ; élaphus,* 1870 ; lat. sc., grec *elaphos*
«cerf, biche».

Didact. *Cerf élaphe,* ou *cerf noble* : cerf* commun
d'Europe.

2. **ÉLAPHE** [elaf] n. m. — D. i. (*in* Quillet, 1969) ; var.
élaphé (*in* Larousse, 1961) ; lat. mod. *élaphe,* du grec.

Zool. Serpent de la famille des *Colubridés* (ex : couleuvre à quatre raies, couleuvre d'Esculape).

ÉLAPS [elaps] n. m. invar. — 1839, Boiste ; lat. mod., grec
elaps, pour *ellops, ellopos,* adj. «muet» et «écailleux», n.
d'un poisson (esturgeon ?) et d'un serpent.

Zool. Serpent très venimeux d'Amérique du Sud
(*Élapidés* ; n. sc. *Elaps*). *Une espèce d'élaps est
appelée couramment* serpent corail*.

ÉLARGIR [elaʀʒiʀ] v. tr. — xiiᵉ; de é-, *large*, et suff. verbal.

I V. tr. ♦ **1** Rendre plus large. *Élargir une rue, un chemin, un trottoir, une porte.* → **Agrandir.** *Élargir un orifice, un conduit, un tuyau.* → **Dilater, évaser.** *Élargir une plaie. Élargir des chaussures. Élargir une jupe, une veste, la ceinture d'une robe. Cet exercice élargit les épaules.*

(Sujet n. de chose). Faire paraître plus large. *Cette veste l'élargit. Cette coiffure élargit son visage.* — Littér. **(Sujet n. de personne).** *Les explorateurs, les savants ont élargi le monde.*

1 L'ombre, où se mêle une rumeur,
Semble élargir jusqu'aux étoiles
Le geste auguste du semeur.
    HUGO, Chansons des rues et des bois, II, I, III.

♦ **2** Par ext. Rendre plus ample; augmenter la surface. → **Agrandir.** *Élargir son domaine, sa propriété.* Fig. Étendre le domaine, la portée de (une activité, un phénomène). → **Accroître, augmenter, étendre.** *Élargir son action, son influence. Élargir son horizon, ses vues, sa façon de voir. Élargir un débat,* lui donner un caractère plus général. *Élargir le cercle de ses connaissances, son instruction. Ces études élargissent l'intelligence.* → **Développer.**

2 (...) la méditation avait aiguisé sa pensée, les sciences avaient élargi son entendement.
    BALZAC, Séraphîta, Pl., t. X, p. 522.

3 (...) songer avant tout aux foules déshéritées et douloureuses, les soulager, les aérer, les éclairer, les aimer, leur élargir magnifiquement l'horizon, leur prodiguer sous toutes les formes l'éducation (...)
    HUGO, les Misérables, IV, VII, IV.

4 Elle attend de la vie future tout ce qui lui manque ici-bas (...) ceci lui permet d'élargir indéfiniment ses espoirs.
    GIDE, les Faux-monnayeurs, III, II, p. 303.

Accroître l'importance de (qqch.). *Le gouvernement cherche à élargir sa majorité.*

♦ **3** (xivᵉ). Mettre en liberté, au large (un détenu). → **Libérer, relâcher, relaxer, sortir** (faire). *Élargir un prisonnier.*

5 Je ne doutais pas qu'on ne vous élargît bientôt : les choses que j'avais dites au corrégidor à votre décharge suffisaient pour cela.
    A. R. LESAGE, Gil Blas, I, XIV.

6 (...) on ne saurait être écroué avec plus de civilité, interrogé plus sagement, ni élargi plus promptement qu'il n'a été.
    P.-L. COURIER, Art. du 1ᵉʳ nov. 1823.

II V. intr. (Par infl. de *grandir, grossir*). Fam. *Il a beaucoup élargi* : sa carrure s'est élargie. → **Forcir.**

♦ **S'ÉLARGIR** v. pron.
♦ **1** (xiiiᵉ). Devenir plus large. → **Augmenter.** *La route s'élargit. Le fleuve s'élargit vers son embouchure. Sa face s'élargit.* → **Enfler, gonfler.** *Chaussures qui s'élargissent à l'usage.* → **Avachir** (s').

7 Vous m'avez envoyé des bas de soie si étroits, que j'ai eu toutes les peines du monde à les mettre (...) — Ils ne s'élargiront que trop.
    MOLIÈRE, le Bourgeois gentilhomme, II, 5.

8 Le sentier s'élargissait de nouveau pour aboutir à une clairière où s'offrait un banc, entre deux chênes mangés de chenilles.
    MARTIN DU GARD, les Thibault, t. II, p. 261.

♦ **2** Devenir plus étendu.

8.1 L'espace scénique est alors restauré dans sa dignité première, rendu à sa liberté, à ses vraies dimensions, à sa fonction. Délivré de sa rigide enveloppe, l'espace n'est plus momie vivante, mais substance vivante, élastique. Il peut s'élargir ou se rétrécir, se resserrer ou se dilater, respirer au rythme du drame.
    Marie-Thérèse SERRIÈRE, le T. N. P. et nous, p. 72,
    in T. L. F.

Vieilli. Agrandir ses propriétés. *Ses terres ne lui suffisent plus, il veut s'élargir.*

Fig. (→ *supra,* 2.; converger, cit. 3; communauté, cit. 2; agrandir, cit. 9). *Le débat s'élargit.*

9 Quel que soit le souci que ta jeunesse endure,
Laisse-la s'élargir, cette sainte blessure
Que les noirs séraphins t'ont faite au fond du cœur (...)
    A. DE MUSSET, Poésies nouvelles, «Nuit de mai».

Morale, idées qui s'élargissent, qui perdent leur rigueur. → **Relâcher** (se).

10 (...) la perception du bien et du mal s'obscurcit à mesure que l'intelligence s'éclaire; la conscience se rétrécit à mesure que les idées s'élargissent.
    CHATEAUBRIAND, Mémoires d'outre-tombe, t. VI,
    p. 321.

11 Si l'épidémie s'étend, la morale s'élargira aussi. Nous reverrons les saturnales milanaises au bord des tombes.
    CAMUS, la Peste, p. 136.

♦ **ÉLARGI, IE** p. p. adj.
♦ **1** Qui a été rendu ou est devenu plus large. *Route élargie. Souliers élargis. Plaie élargie* (→ Aviver, cit. 10).

12 (...) le visage pâle de la mère qui avait mis un mouchoir sur sa bouche et suivait les gestes du docteur avec des yeux élargis.
    CAMUS, la Peste, p. 230.

♦ **2** Qui a été rendu ou qui est devenu plus important. *Une majorité élargie. La famille élargie.*

♦ **3** Libéré, relâché.

13 Je me sentais, pareil au prisonnier brusquement élargi, pris de vertige, pareil au cerf-volant dont on aurait soudain coupé la corde, à la barque en rupture d'amarre, à l'épave dont le vent et le flot vont jouer.
    GIDE, Si le grain ne meurt, II, II, p. 308.

CONTR. Amincir, étrécir, resserrer, rétrécir. — Borner, circonscrire, restreindre. — Arrêter, écrouer, emprisonner, incarcérer. ◊ DÉR. Élargissement, élargisseur, élargissure.

ÉLARGISSEMENT [elaʀʒismɑ̃] n. m. — 1314; de *élargir.*

♦ **1** Action d'élargir, de s'élargir; résultat de cette action. → **Agrandissement.** *Les travaux d'élargissement d'une voie publique. Élargissement d'un tissu.* → **Distension.** — Fait de devenir plus large (dans l'espace, selon la longueur). *Élargissement d'une jupe vers le bas.* → **Évasement.**

1 Le bras du Pô de Venise a absorbé le bras de Ferrare (...) sans aucun élargissement de son lit.
    FONTENELLE, Guglielmini.

2 Il était de taille assez haute, les épaules bien carrées, la tête plutôt enfoncée, grosse, sans être énorme, et d'une forme très singulière : peu de menton, peu de crâne; entre les deux un élargissement progressif (...)
    J. ROMAINS, les Hommes de bonne volonté, t. V,
    XXIII, p. 203.

♦ **2** Action de rendre plus grand; fait de devenir plus grand, plus important. *Élargissement d'un domaine.* → **Extension.** — Fig. → **Accroissement, augmentation, développement, dilatation, extension.**

3 (...) ils sentent confusément qu'il pourrait y avoir peut-être pour l'homme un élargissement de l'âme et de la sensation.
    MAUPASSANT, la Vie errante, «La nuit».

4 C'est un plaisir des plus vifs (...) que de suivre avec eux les sens mots dans leurs enchaînements, leurs rayonnements, leurs élargissements, leurs restrictions, leurs métaphores, leurs allusions, leurs sous-entendus.
    G. PARIS, Compte rendu du dict. général de la
    langue franç., Journal des savants, oct.-nov. 1890.

Ling. Addition d'un morphème à un mot ou à un élément de formation.

♦ **3** (1333). Mise en liberté (d'un détenu). → **Écrou** (levée d'écrou), **libération, relâchement, relaxation.** *L'élargissement d'un prisonnier.*

5 Mais c'était dans un sentiment tout différent que cette enquête était lue par toutes les personnes qui désiraient

l'élargissement de Dreyfus s'il était innocent, l'élargissement de Picquart, et qui ne voulaient aucun mal à du Paty de Clam ni au général de Boisdeffre.

PROUST, Jean Santeuil, Pl., p. 652.

CONTR. Amincissement, étrécissement, rétrécissement. — Diminution ; compression, rapetissement, restriction. — Emprisonnement, incarcération.

ÉLARGISSEUR [elaʀʒisœʀ] n. m. — 1888 ; attestation isolée, 1568, «celui qui élargit» ; de *élargir*.

Techn. Trépan spécial qui permet d'augmenter le diamètre d'un puits en forage. — Appareil utilisé pour augmenter la largeur des tissus.

ÉLARGISSURE [elaʀʒisyʀ] n. f. — 1690 ; de *élargir*.

Vx. Ce qu'on ajoute à (une chose) pour l'élargir. *L'élargissure d'une robe, d'un meuble.*

ÉLASMOBRANCHES [elasmɔbʀɑ̃ʃ] n. m. pl. — 1907, in *Rev. gén. des sc.*, n° 9, p. 376 ; de *elasmos* «lame métallique», et de *branchie*.

Zool. Sous-classe de poissons cartilagineux (→ Sélaciens) qui comprend les raies et les requins. — Au sing. *Un élasmobranche.*

ÉLASTANCE [elastɑ̃s] n. f. — Mil. xxᵉ ; probablt de l'anglo-américain *elastance* (Bayliss, Robertson, 1939) ; 1885, en électricité ; de *elastic*, et *-ance*.

Méd., physiol. Rapport entre la pression d'un fluide et le volume du réservoir élastique qui le contient (syn. : *coefficient d'élasticité*). *L'élastance du thorax.*

ÉLASTICIMÈTRE [elastisimɛtʀ] n. m. — 1895, Frémont ; du rad. de *élasticité*, et *-mètre*. → Élasticimétrie.

Appareil destiné à mesurer les déformations subies par un corps.

ÉLASTICIMÉTRIE [elastisimetʀi] n. f. — Mil. xxᵉ ; du rad. de *élasticité*, et *-métrie*. → Élasticimètre.

Sc. Mesure des contraintes subies par un corps et des déformations qui en résultent.

ÉLASTICITÉ [elastisite] n. f. — 1687 ; lat. sc. mod. *elasticitas*, de *elasticus*. → Élastique.

♦ **1** Sc. et cour. Propriété qu'ont certains corps de reprendre (au moins partiellement) leur forme et leur volume primitifs quand la force qui s'exerçait sur eux cesse d'agir. *Élasticité des métaux : élasticité de traction, de torsion, de fluxion. Grande élasticité des gaz* (→ **Compressibilité, détente**). *L'élasticité du caoutchouc. Limite d'élasticité, au delà de laquelle les corps restent déformés. Coefficient d'élasticité.* → **Élastance.** *Module d'élasticité,* quotient de la contrainte exercée sur un corps par la déformation qui en résulte. *Élasticité d'un ressort ; bonne élasticité d'un sommier, d'un siège.* → **Souplesse.** *Élasticité d'un textile, d'un tissu, d'un tricot.* (1798). Physiol. *Élasticité de la peau* (→ Derme, cit. 1), *de la chair, des artères* (→ Caoutchouteux, cit. 2). *Élasticité des muscles.* → **Ton, tonicité, tonus** (musculaire).

1   Cette propriété se trouve à un degré plus ou moins grand dans presque tous les corps, il y a même dont l'*élasticité* est presque parfaite, c'est-à-dire qui paraissent reprendre exactement la même figure qu'ils avaient avant la compression... Cependant il paraît impossible qu'il se trouve des corps absolument doués d'une parfaite élasticité.   D'ALEMBERT, Encycl., art. *Élasticité.*

2   Au milieu se trouvait un sofa en forme de trône. Quelques passants s'y asseyaient pour en éprouver l'*élasticité* (...)   NERVAL, Aurélia, p. 384.

L'on ne distinguait que le craquement saccadé des fragments de la cage qui, en vertu de l'élasticité du bois, reprenait en partie la position primordiale de leur construction.   3

LAUTRÉAMONT, les Chants de Maldoror, VI, p. 251.

♦ **2** Cour. Souplesse, aisance (de l'allure, des mouvements). *Élasticité des jambes, du pas, des reins, de la démarche.* → **Agilité, souplesse** (→ Aplomb, cit. 2).

Allant toujours du même pas, par longues enjambées, avec cette élasticité du genou qui est l'art des grands marcheurs (...)   4

E. FROMENTIN, Un été dans le Sahara, I, p. 90.

Il marchait en éprouvant à chaque pas, soigneusement, l'élasticité du jarret et du cou-de-pied (...)   5

COLETTE, la Fin de Chéri, p. 15.

L'air de Florence me paraît être la chose du monde la plus grisante que je connaisse. Nous y vivons dans un état de légèreté et d'élasticité que je n'avais jamais trouvé.   5.1

J.-R. BLOCH, Deux hommes se rencontrent, p. 216.

♦ **3** (1767). Abstrait. Aptitude à réagir vivement, à se redresser. → **Ressort.** *Élasticité de l'esprit.*

(...) il ne faut jamais, dans aucun art, travailler contre son propre sentiment (...) l'esprit mis à la gêne perd toute son élasticité.   6

VOLTAIRE, Lettre à Chauvelin, 3048, 23 févr. 1767.

♦ **4** Fig. Aptitude à se plier, à s'adapter (intellectuellement, moralement). → **Souplesse.** *C'est un homme tout d'une pièce, qui manque d'élasticité. L'élasticité d'un régime politique.*

Impitoyable dictature que celle de l'opinion dans les sociétés démocratiques ; n'implorez d'elle ni charité, ni indulgence, ni élasticité quelconque dans l'application de ses lois.   7

BAUDELAIRE, Edgar Poe, sa vie et ses œuvres, in E. POE, Œ., Pl., p. 1043.

Ce que la vie et la société exigent de chacun de nous, c'est une attention constamment en éveil, qui discerne les contours de la situation présente, c'est aussi une certaine élasticité du corps et de l'esprit, qui nous mette à même de nous y adapter. *Tension et élasticité,* voilà deux forces complémentaires l'une de l'autre que la vie met en jeu.   8

H. BERGSON, le Rire, p. 14.

Péj. *L'élasticité d'une conscience, d'une morale,* son manque de rigueur.

Possibilité de s'interpréter, de s'appliquer de façons diverses. *Élasticité d'un mot, d'une expression.* → **Extensibilité.** *Élasticité d'une loi, d'un règlement.*

Spécialt. Possibilité de s'élargir. *Élasticité d'un budget. Élasticité d'une majorité parlementaire.*

Écon. *Élasticité d'un phénomène* (par rapport à un autre), le quotient de leur variation relative. *L'élasticité de l'offre et de la demande.*

CONTR. Dureté, inélasticité, rigidité, rigueur.

ÉLASTINE [elastin] n. f. — 1901 ; angl. *elastine* (1875), de *elastic*, de même orig. que *élastique.*

Chim., biol. Protéine caractéristique des fibres élastiques de l'organisme (ligaments, parois artérielles), résistante aux acides et à la plupart des enzymes protéolytiques. *«Prenons un exemple concret : le vieillissement du tissu conjonctif élastique de la peau et des vaisseaux sanguins. Avec l'âge, la souplesse de ces tissus diminue (...) Cette souplesse provient surtout de l'élastine, qui tapisse les parois des artères et la peau»* (*Science et Vie,* p. 55, mai 1973). — On a dit aussi *élasticine* (1855).

ÉLASTIQUE [elastik] adj. et n. — 1674 ; lat. sc. *elasticus* (1651, Pecquet), du grec *elasis* «action de pousser, de chasser devant soi», de *elaunein* «pousser».

I Adj. ♦ **1** Phys. Qui a de l'élasticité*. → **Compressible, extensible.** *Les gaz sont très élastiques. L'acier est le plus élastique des métaux.* → **Flexible.**

Relatif à l'élasticité. *Déformation élastique.*

Vx. *Force, vertu élastique,* pression (de l'air, d'un gaz).

♦ 2 Cour. Qui est fait d'une matière douée d'élasticité. *Gomme élastique.* → **Caoutchouc.** *Balle élastique* (→ **Bondir,** cit. 5). *Tissu élastique.* → **Étirable, extensible.** *Bretelles, jarretelles, jarretières élastiques. Bandage, gaine élastique.*

Qui présente de l'élasticité ; qui tend, sous une action déformante, à reprendre sa forme. *Tricot élastique. Sommier, siège élastique.* → **Moelleux, souple.** — *Chair d'une fermeté élastique* (→ Céder, cit. 24).

1 Lorsque mes doigts caressent à loisir
   Ta tête et ton dos élastique,
   Et que ma main s'enivre du plaisir
   De palper ton corps électrique (...)
   BAUDELAIRE, les Fleurs du mal, Spleen et idéal,
   XXXIV, «Le chat».

Anat. *Fibres élastiques :* fibres du tissu conjonctif constituées surtout d'élastine*, qui leur confère de la souplesse et une grande résistance à la traction. *Tissu élastique :* variété de tissu conjonctif formé essentiellement de fibres* élastiques. *Les cartilages, les ligaments sont élastiques. Tunique élastique des artères. Muscles élastiques.*

♦ 3 Souple. *Démarche. Démarche, pas élastique. Foulée élastique* (→ Démarche, cit. 1). *La démarche élastique de la panthère, du chat.*

2 Tous ces hommes pouvaient se comparer à des loups, dont
   ils avaient le pas élastique et tenace.
   P. MAC ORLAN, Quai des brumes, p. 90.

♦ 4 Fig. Dont les dimensions, le sens, l'application... peuvent varier. → **Variable.** *Règlement élastique.*

3 Ce mot (*représentant du peuple* français...) était élastique,
   pouvait dire peu ou beaucoup.
   MICHELET, Hist. de la Révolution franç., t. I, I, III,
   p. 103.

4 Le temps dont nous disposons chaque jour est élastique ;
   les passions que nous ressentons le dilatent, celles que
   nous inspirons le rétrécissent, et l'habitude le remplit.
   PROUST, À la recherche du temps perdu, t. IV,
   p. 18.

Qui a de la souplesse, qui change, se plie facilement. *Esprit élastique.* → **Changeant, malléable, mobile.**

5 (...) nous sommes un peuple si fantasque et si élastique
   qu'il ne faut jurer de rien.
   SAINTE-BEUVE, Correspondance, t. IV, 1227 bis,
   4 août 1841.

Péj. *Morale, conscience élastique,* sans rigueur, très accommodante. → **Lâche.**

♦ 5 Milit. *Défense élastique :* défense qui, au lieu d'opposer à l'ennemi un front continu et rigide, évite la percée et l'enveloppement par une série de replis successifs. *Repli élastique.*

5.1 (...) les communiqués annonçaient que les forces euro-
    péennes effectuaient un repli élastique afin de «raccourcir»
    le front (...)
    S. DE BEAUVOIR, la Force de l'âge, p. 568.

Ⅱ N. ♦ 1 N. m. (1783). **Vx.** *Les élastiques d'un sommier,* ses ressorts. — *Une balle en élastique,* en caoutchouc.

Mod. Tissu souple contenant des fils de caoutchouc. *Bretelles, porte-chaussettes en élastique.* — **Spécialt.** Ruban plus ou moins large de caoutchouc, de textile tissé avec des fils de caoutchouc... → **Caoutchouc.** *Tirer sur un élastique. Élastique trop tendu qui se rompt. Élastique extra-souple. Élastique circulaire. Élastique rond, plat, à boutonnières. Culotte à élastique. Mettre des élastiques à des chaussettes. Bottines, souliers à élastiques.*

(Ces soirs) Où, rimant au milieu des ombres fantastiques, 6
Comme des lyres, je tirais les élastiques
De mes souliers blessés, un pied près de mon cœur !
   RIMBAUD, Poésies, XXIII, «Ma bohème».

Saut à l'élastique : exercice sportif qui consiste à s'élancer dans le vide d'une grande hauteur en étant seulement retenu par un élastique.

Loc. fam. *Il les lâche avec un élastique :* il paie, donne son argent avec beaucoup de réticence.

Syn. fam. : *élastoche,* n. m. (attesté chez Montherlant).

♦ 2 N. f. (1865). **Didact.** *Une élastique,* ou adj., *une courbe élastique :* courbe constituée d'une lame métallique que l'on fixe à une de ses extrémités à un plan vertical et que l'on charge à l'autre extrémité d'un poids qui la fait ployer.

CONTR. Dur, ferme, incompressible, inélastique, inerte, raide, rigide. — Rigoureux, strict. ◊ DÉR. Élastiqué, élastiquement.

ÉLASTIQUÉ, ÉE [elastike] adj. — 1986 ; de *élastique.*

Muni d'un élastique. *Pantalon à taille élastiquée.*

ÉLASTIQUEMENT [elastikmɑ̃] adv. — 1860 ; de *élastique,* et -*ment.*

D'une manière élastique. *Se déformer élastiquement. Rebondir élastiquement sur ses pieds.*

ÉLASTO- Élément de composition, du rad. de *élastique.*

ÉLASTOBLASTE [elastoblast] n. m. — 1930 ; de *élasto-,* et -*blaste* «cellule-mère».

Biol. Cellule qui produit les fibres élastiques (→ **Élastine**).

ÉLASTOCHE [elastɔʃ] n. m. (Fam.). → **Élastique.**

ÉLASTOMÈRE [elastɔmɛʀ] n. m. — 1953 ; de *élasto-,* et (*poly*)*mère.*

Chim. Caoutchouc synthétique obtenu par polymérisation. — **REM.** L'appellation courante de *caoutchouc synthétique* est impropre.

ÉLATÉ [elate] n. m. — 1814, sens 2 ; *élate,* n. f., sens 1, 1829 ; du grec *élatê* «spathe enveloppant le fruit du palmier».

Didactique.

♦ 1 Palmier des Indes, proche du dattier.

♦ 2 Gaine enveloppant les grappes de fleurs femelles du dattier.

ÉLATER [elatɛʀ] n. m. — 1864 ; lat. sc. *elater,* Linné (av. 1778), du grec *élatêr* «qui pousse, chasse devant soi».

Zool. Coléoptère (*Élatéridés*) dont les larves vivent dans les bois vermoulus. → **Taupin.**

HOM. Élatère.

ÉLATÈRE [elatɛʀ] n. m. — 1846 ; grec *elatêr* «qui meut, pousse devant soi».

♦ 1 Bot. Organe hygroscopique de dissémination des spores (de certains cryptogames). *Les élatères sont des cellules stériles chez les hépatiques, les mousses et les fougères, des appendices spiralés de la spore chez les prêles.*

♦ 2 (1877, Littré, *Suppl.*). **Zool.** (Vx.) *Élatéridé*.*

HOM. Élater.

ÉLATÉRIDÉS [elateʀide] n. m. pl. — 1806, *élatérides; élatéridés,* 1901; du lat. sc. *elater* (→ Élater), et suff. *-ides, -idés.*

Zool. Famille de coléoptères qui peuvent sauter, étant sur le dos, en s'aidant de leur tête et de leur abdomen. *L'agriote*, l'élater, le lacon,* types principaux *des élatérides.* — Au sing. *Le taupin est un élatéridé.*

ÉLATÉRITE [elateʀit] n. f. — 1819; du grec *elatêr* «qui meut, pousse devant soi», et suff. *-ite.*

Didact., techn. Bitume élastique appelé aussi caoutchouc fossile ou caoutchouc minéral. → **Bitume, caoutchouc.**

ÉLATIF [elatif] n. m. — 1933; du lat. *elatus* «élevé, relevé», du verbe *effero* «porter hors de» (sens 1) et «élever, soulever» (sens 2).

Grammaire, linguistique.

♦ **1** Dans les langues finno-ougriennes, cas qui exprime le mouvement de l'intérieur vers l'extérieur.

♦ **2** Procédé grammatical qui exprime la qualité à un degré intensif. — Spécialt. En arabe, Procédé qui correspond à peu près au comparatif et au superlatif français.

REM. Certains auteurs (Marouzeau, etc.) emploient *élatif* comme syn. de *superlatif absolu,* d'autres, comme syn. de *superlatif relatif.*

Terme qui exprime un degré intensif de la qualité. *Excellent est un élatif par rapport à bon.* — Adj. *Adjectif élatif.*

ÉLATION [elasjɔ̃] n. f. — XIIIᵉ; lat. class. *elatio* «action d'élever; orgueil; grandeur, noblesse», du supin de *efferre* «relever».

♦ **1** Vx. Noblesse exaltée du sentiment; orgueil naïf.

♦ **2** Psychan., psychol. (angl. *elation*). Exaltation provenant d'un sentiment d'auto-satisfaction narcissique.

(...) tout en ayant gardé la vitesse du quadrupède et son élation, je suis portée par mon corps humain (...)
Hélène CIXOUS, Souffles, p. 127.

ÉLAVAGE [elavaʒ] n. m. — 1870; de *élaver.*
Techn. Action d'élaver.

ÉLAVER [elave] v. tr. — XIIᵉ, *eslaver;* de é-, et *laver.*

♦ **1** Vx ou dial. Effacer à force de mouiller, de laver (des traces, une couleur).

♦ **2** (1870). Techn. Laver à grande eau (les chiffons, les vieux papiers, dans une papeterie).

♦ **ÉLAVÉ, ÉE** p. p. adj.

(1561). Détrempé. — (1665). Vén. De couleur pâle, blafarde, en parlant du poil des chiens, de la bête. *Un chien au poil élavé.*

DÉR. Élavage.

ELBEUF [ɛlbœf] n. m. — 1730; du nom de la ville.

Drap* fin qui se fabrique principalement à Elbeuf, ville de Normandie. *Un costume en elbeuf. Un choix d'elbeufs.*

ELBOT [ɛlbo] n. m. — 1563, *helbot;* du néerl. *helbot,* même sens; cf. angl. *hallibut* et all. *Heilbutt.*
Régional (Belgique). Flétan.

ELDORADO [ɛldɔʀado] n. m. — 1579, *dorado; eldorado* en 1640; de l'esp. *eldorado,* proprt «le doré», pays de l'or.

♦ **1** N. pr. Pays imaginaire qui aurait été découvert par un lieutenant de Pizarre en Amérique du Sud, et qu'on disait abonder en or et en pierres précieuses. *Séjour de Candide, héros de Voltaire, au pays de l'Eldorado* (ou *dans le Dorado*).

♦ **2** (1835). Pays merveilleux, lieu d'abondance et de délices. → **Eden, paradis; cocagne** (pays de); → aussi Californie (vx). *Un Eldorado* ou *un eldorado. Des eldorados.*

Tu vois quel est mon Eldorado, ma terre promise : c'est un rêve comme un autre; mais il a cela de spécial que je n'y introduis jamais aucune figure connue; que pas un de mes amis n'a franchi le seuil de ce palais imaginaire (...)
Th. GAUTIER, Mⁿᵉ de Maupin, IV, p. 64.

Chaque îlot signalé par l'homme de vigie
Est un Eldorado promis par le Destin;
L'imagination qui dresse son orgie
Ne trouve qu'un récif aux clartés du matin.
BAUDELAIRE, les Fleurs du mal, La mort, CXXVI, «Le voyage».

ÉLÉAGNACÉES ou **ELÆAGNACÉES** [eleagnase] n. f. pl. — XXᵉ; *éléagnées,* 1867, P. Larousse; lat. sc. *Elæagnaceae,* probablt J. Lindley, déb. XIXᵉ; de *elæagnus,* nom sc. du genre Chalef, type de la famille, du grec *elaia* «olivier, olive», et *agnos* «pur, chaste», suff. *-acées.*

Bot. Famille de plantes dicotylédones dialypétales appartenant à l'ordre des Myrtales, composée d'arbres, d'arbustes ou d'arbrisseaux souvent épineux, aux feuilles alternes ou opposées couvertes, surtout à leur face inférieure, de poils argentés ou brunâtres. *Les Éléagnacées comprennent les genres chalef** (*Elæagnus*), *argousier** (*Hippophae*), *canulée* et *shépherdie.* — Au sing. *Une éléagnacée, une elæagnacée.*

ÉLÉATE [eleat] n. et adj. — 1838; lat. *Eleates* ou grec *Eleatês,* même sens, de *Elea,* nom de la ville d'«Élée».

Didactique.

♦ **1** Adj. D'Élée, ville de l'Italie ancienne, dans la Grande-Grèce. — N. Habitant ou originaire de cette ville (REM. → Éléen).

♦ **2** N. m. (1854). Hist. de la philos. Philosophe de l'école d'Élée (le plus souvent au pluriel). *Réfuter les Éléates.* — Adj. De l'école d'Élée. *Philosophie éléate.* → **Éléatique.**

ÉLÉATIQUE [eleatik] adj. — 1755, *Encyclopédie;* lat. *eleaticus,* grec *eleatikos,* de *Elea* «Élée».

Hist. de la philos. Qui concerne les doctrines de l'école philosophique représentée surtout par Parménide et Zénon, natifs d'Élée. *La métaphysique et la physique éléatiques.* → **Éléate.**

DÉR. Éléatisme.

ÉLÉATISME [eleatism] n. m. — 1755; de *éléatique.*
Didact. Doctrine des philosophes d'Élée.

ÉLECTEUR, TRICE [elɛktœʀ, tʀis] n. — V. 1350; lat. *elector* «qui choisit», du supin de *eligere.* → Élire.

Personne qui élit, qui a le droit de vote dans une élection. *Les électeurs d'un candidat à l'Académie. Il s'est assuré au moins dix électeurs.*

♦ **1** Spécialt. Hist. Chacun des princes et évêques de l'Empire germanique qui avaient le droit d'élire l'empereur. *Les électeurs du Saint-Empire étaient originairement au nombre de sept* (quatre laïques et trois ecclésiastiques). *L'Électeur de Bavière, l'Électeur Palatin* (→ Architrésorier), *l'Électrice de Saxe...*

L'Électeur de Brandebourg (→ Arrondir, cit. 8) ou *Grand Électeur* (nom donné particulièrement à Frédéric-Guillaume, créateur de l'État prussien). La majuscule est fréquente, mais non obligatoire.

REM. *Électrice* peut désigner aussi la femme d'un électeur de l'Empire.

♦ **2** (1790; *électrice*, v. 1890, cit. 1.1 ci-dessous). Personne qui participe aux élections* politiques ou administratives. → **Votant**. *Conditions pour être électeur* (→ ci-dessous, cit. 2). *Électeur censitaire*. → **Cens**. *Inscription qui électeur sur une liste électorale*. *Carte d'électeur. Ensemble des électeurs d'une circonscription électorale.* → **Collège** (électoral). *Sur 500 électeurs inscrits, il y eut 420 votants* et 80 abstentionnistes*. Candidat qui sollicite le suffrage des électeurs. Électeur qui donne sa voix* à un candidat, un parti. Promesses faites aux électeurs* (→ **Électoral**). *Visites faites périodiquement par un député à ses électeurs. Comparaître devant les électeurs.* — (Au sing. collectif). *L'électeur a voté massivement :* il y a eu peu d'abstentions.

1 En 1849, ayant vingt et un ans, j'étais électeur et fort embarrassé; car j'avais à nommer quinze ou vingt députés, et de plus, selon l'usage français, je devais non seulement choisir des hommes, mais opter entre des théories. On me proposait d'être royaliste ou républicain, démocrate ou conservateur, socialiste ou bonapartiste : je n'étais rien de tout cela, ni même rien du tout, et parfois j'enviais tant de gens convaincus qui avaient le bonheur d'être quelque chose.
TAINE, les Origines de la France contemporaine, I, t. I, Préface, p. 1.

1.1 — Comment, tu ne comprends pas? Maman me dit que te voilà devenue une femme sérieuse et tu ne sais pas ce que c'est qu'un comité de surveillance?
— Non!
— Et tu seras bientôt électrice! tu m'étonnes!
A. ROBIDA, le Vingtième Siècle, p. 122 (1883; roman d'anticipation).

2 Sont électeurs, dans les conditions déterminées par la loi, tous les nationaux et ressortissants français majeurs des deux sexes, jouissant de leurs droits civils et politiques.
Constitution du 27 octobre 1946, Titre Iᵉʳ.

3 Dès l'installation de la municipalité ou de la délégation spéciale l'administration communale entreprend la révision ou la reconstitution des listes électorales et procède à l'inscription sur ces listes des femmes devenues électrices.
Ch. DE GAULLE, Mémoires de guerre, t. II, p. 572.

DÉR. **Électoral, électorat.** — REM. Péguy a forgé les dérivés iron. *électoroculteur, électoroculture* (1900, *in* T.L.F.).

ÉLECTIF, IVE [elɛktif, iv] adj. — V. 1361; lat. *electivus* «qui marque le choix», du supin de *eligere*. → Élire.

I Vx ou littér. Qui élit, choisit.

1 Le franc arbitre est une vertu élective.
CALVIN, Institution de la religion chrétienne, II, II, IV.

Chim. anc. *Affinité* ou *attraction élective* : propriété que possède un corps simple de déterminer la décomposition d'un corps composé pour s'unir à l'un de ses composants.

Fig. *Les affinités électives de deux personnes, de deux pays...* → **Affinité** (cit. 7).

Physiol. *Sensibilité élective* : affinité naturelle de certains organes pour certaines substances. *Propriété élective.* → **Électivité**.

Méd., pathol. *Trouble électif,* qui n'affecte pas l'ensemble d'une fonction. *Amnésie élective.*

II (1404). Qui est nommé par élection. *Chef électif. Roi électif. Le pape est électif. Aristocratie* (cit. 2) *élective.*

Qui est conféré par élection. *Royauté, couronne élective. Charge élective.*

2 Aussitôt que la couronne, d'abord élective, fut devenue héréditaire au dixième siècle (...)
G.-T. RAYNAL, Hist. philosophique, VI, II.

Qui implique une procédure d'élection. *Constitution élective. Système électif.*

DÉR. **Électivement, électivité.**

ÉLECTION [elɛksjɔ̃] n. f. — 1135; lat. *electio*, de *electum,* supin de *eligere* «choisir, élire». → Élire.

I ♦ **1** Vieilli. Faculté de choisir, choix. *De l'élection de son sépulcre,* ode de Ronsard.

1 S'il n'était, disent-ils, en notre élection de faire le bien ou le mal (...)
CALVIN, Institution de la religion chrétienne, II, p. 44.

2 Telle est l'humeur du sexe : il aime à contredire (...) Et n'est jamais d'accord de nos élections.
CORNEILLE, l'Illusion comique, III, 2.

♦ **2** Loc. adj. D'ÉLECTION : choisi, digne d'être choisi pour ses qualités. → **Choix** (de), **élite** (d'). *Pays, terre d'élection* (ne pas confondre avec l'emploi II, 2). *L'Italie fut pour Stendhal la patrie d'élection. Enfant, sujet d'élection.*

Théol. Choix fait par Dieu (→ Devoir, cit. 16). — Loc. *Vase d'élection :* créature choisie par Dieu pour l'accomplissement de ses desseins. *Le peuple d'élection :* le peuple élu, c'est-à-dire les Juifs*.

3 L'élévation des deux grands rois *(David et Salomon)* et de la famille royale fut l'effet d'une élection particulière; David célèbre lui-même la merveille de cette élection par ces paroles : Dieu a choisi les princes dans la tribu de Juda.
BOSSUET, Hist., II, 4, *in* LITTRÉ.

3.1 (...) il a parlé d'une façon très surnaturelle de ceux qui refusent l'amour parce qu'ils le craignent et le blasphèment jusqu'au jour où cet amour les foudroie, parce que ce sont des violents et parfois des âmes d'élection (...)
J. GREEN, Journal, Vers l'invisible, 21 janv. 1959.

Signe d'élection, censé indiquer le choix fait par Dieu d'un être humain qui l'aidera dans son œuvre.

Sc. *Lieu* (ou *point*) *d'élection,* auquel un phénomène pathologique, un animal, un végétal est attaché par une affinité naturelle.

Méd. *Médicament d'élection,* efficace pour une affection précise.

♦ **3** Dr. *Élection de domicile :* choix d'un domicile légal en vue d'un acte juridique déterminé. → **Domicile**. *Faire élection de domicile.*

4 Lorsqu'un acte contiendra, de la part des parties ou de l'une d'elles, élection de domicile pour l'exécution de ce même acte dans un autre lieu que celui du domicile réel, les significations, demandes et poursuites relatives à cet acte, pourront être faites au domicile convenu, et devant le juge de ce domicile.
Code civil, art. 111.

II Plus cour. ♦ **1** (1155). Choix, désignation* d'une ou plusieurs personnes par voie de suffrages. → **Vote**. *Faire une élection. L'élection de (qqn). L'élection du président d'une assemblée, d'une société; l'élection d'un bureau. Élection d'une personne au poste de... Élection d'un académicien. Élection du pape* (→ **Conclave**). *Élection d'un homme d'État, d'une assemblée.* — *Élection d'une miss.* — Loc. *Élection de maréchal,* acquise d'avance par la notoriété, de la personnalité du candidat.

Spécialt. *Élections administratives :* élections *départementales,* qui désignent les membres du Conseil général; *élections municipales,* qui désignent ceux du Conseil municipal. *Élections politiques :* élections *sénatoriales,* qui désignent les sénateurs; *élections législatives,* celles qui désignent les députés de l'Assemblée nationale. → **Législatif** (législatives, n. f. pl.). *Élection présidentielle* ou *élection du président de la République* (→ **Présidentiel** [présidentielle, n. f. pl.]) *par le parlement en France sous la IVᵉ République, par le Congrès* aux États-Unis, au suffrage universel.* — *Élections européennes,* ou, ellipt, n. f. pl., *les européennes,* qui désignent les membres du parlement européen.

Ellipt. *Les élections* (le plus souvent *élections législatives*). *Se porter candidat aux élections* (→ **Candidat,** cit. 1). *Se présenter aux élections. Régime des élections.* → **Représentation** (des minorités ; majoritaire, proportionnelle). *Candidat, parti qui a triomphé aux dernières élections. Se faire blackbouler* (cit. 1) *aux élections.*

Ensemble des procédures par lesquelles des électeurs accordent leurs suffrages (souvent au plur.). *Aptitude juridique au vote dans une élection* (→ **Électeur, électorat**), *à la candidature à une élection* (→ **Éligible, éligibilité**). *Cautionnement* versé par les candidats à une élection. Nombre de sièges* à pourvoir dans une élection. Modes d'élection.* → **Cooptation, plébiscite, suffrage** (capacitaire, censitaire, universel, direct, indirect). *Élections au suffrage indirect* (→ **Primaire**). *Élections au scrutin uninominal, au scrutin de liste...* → **Scrutin ; liste, panachage, préférentiel** (vote). *Élections à un..., plusieurs tours de scrutin.* → **Ballottage.** *Alliance de deux ou plusieurs listes déclarée avant les élections.* → **Apparentement.** *En France, à l'échelon national, les élections ont généralement lieu le dimanche. Fixer la date des élections, du premier tour d'une élection. Ajourner les élections. Prendre part à une élection, voter aux élections.* → **Vote ; voix.** *Résultats des élections :* dépouillement* du scrutin, recensement des votes, détermination des élus. *Procès-verbal d'élection. Élections frauduleuses.* — *Élections partielles* (cit. 2).

Fait d'avoir été élu. Ses amis l'ont félicité de son élection. Propagande pour une élection (→ **Électoral**). *Proclamer une élection. Valider* une élection. Contester, casser, invalider une élection.*

5   (...) les maîtres (...) ordonnent que la force qui est entre leurs mains succèdera comme il leur plaît ; les uns la remettent à l'élection des peuples, les autres à la succession de naissance, etc.   PASCAL, *Pensées*, V, 304.

6   A l'égard des élections du prince et des magistrats, qui sont, comme je l'ai dit, des actes complexes, il y a deux voies pour y procéder, savoir, le choix et le sort. L'une et l'autre ont été employées en diverses républiques, et l'on voit encore actuellement un mélange très compliqué des deux dans l'élection du doge de Venise.
                ROUSSEAU, *Du contrat social*, IV, III.

7   L'élection eut lieu ; je passai au scrutin à une assez forte majorité.
                CHATEAUBRIAND, *Mémoires d'outre-tombe*, t. III, p. 23.

8   Quelques habitants humiliés (...) se joignirent aux démocrates, quoique ennemis de la démocratie. En France, au scrutin des élections, il se forme des produits politico-chimiques où les lois des affinités sont renversées.
                BALZAC, *le Député d'Arcis*, Pl., t. VII, p. 646.

9   Tout citoyen qui aura, dans les élections, acheté ou vendu un suffrage à un prix quelconque, sera puni d'interdiction des droits de citoyen (...)   *Code pénal*, art. 113.

10 Parvenu à la vie consciente au lendemain de la crise boulangiste, j'ai, durant toute mon enfance, entendu les grandes personnes soupirer après de «bonnes élections».
                F. MAURIAC, *Bloc-notes 1952-1957*, p. 53.

♦ **2** (1469). Anc. dr. Avant la Révolution de 1789, Circonscription financière administrée par des élus*. *Pays d'élection* (par oppos. à *pays d'État**) : pays qui ne possédaient pas d'États provinciaux et qui étaient directement imposés à la taille et aux aides. — Par ext. Juridiction, tribunal des élus.

COMP. Réélection. — V. aussi **Élire**, et dér.

ÉLECTIVEMENT [elɛktivmɑ̃] adv. — 1515 ; de *électif.*

♦ **1** Par voie d'élection. *Désigner qqn électivement.*

♦ **2** (V. 1960). Chim., biol. Par affinité naturelle (→ Chromosome, cit.). *L'éosine colore électivement certains leucocytes. Réaction provoquée électivement par une protéine* (→ Électivité, cit. 2).

ÉLECTIVITÉ [elɛktivite] n. f. — 1808, sens I ; de *électif,* et suff. *-ité.*

Didactique.

I Fait d'être désigné, constitué par voie d'élection. *L'électivité d'un fonctionnaire, d'une assemblée.*

II (1877). Biol. Propriété qu'ont certaines substances de se fixer sur un élément cellulaire plutôt que sur un autre.

(...) les virus se caractérisent par leurs tropismes électifs   1
(...) toutefois, l'électivité virale n'est pas rigoureuse (...)
                Victor VIC-DUPONT, *la Maladie infectieuse*, p. 53.

Parmi les milliers de réactions chimiques qui contribuent   2
au développement et aux performances d'un organisme, chacune est provoquée électivement par une protéine-enzyme particulière. On peut, en ne simplifiant qu'à peine, admettre que chaque enzyme, dans l'organisme, n'exerce son activité catalytique qu'en un seul point du métabolisme. C'est avant tout par leur extraordinaire électivité d'action que les enzymes se distinguent des catalyseurs non biologiques employés au laboratoire ou dans l'industrie.
                Jacques MONOD, *le Hasard et la Nécessité*, p. 71.

ÉLECTORAL, ALE, AUX [elɛktɔral, o] adj. — 1571 ; de *électeur,* d'après le lat. *elector.*

♦ **1** Ancienn. Propre ou relatif à un électeur du Saint-Empire (→ Électeur, 1.). *Altesse électorale. Prince électoral :* fils aîné d'un électeur. *Collège électoral* (Richelet).

Mod. Propre ou relatif à des électeurs. *Corps, collège* électoral. Liste électorale :* catalogue alphabétique officiel des personnes qui exercent le droit de vote dans la commune. *Se faire inscrire sur une liste électorale. Révision annuelle des listes électorales. Comportement électoral.*

♦ **2** (XVIIIᵉ). Mod. Qui est relatif au droit d'élire, aux élections. *Droit électoral, lois électorales* (→ Droit, cit. 22), *réforme électorale* (→ Réalisation, cit. 1). *Cautionnement* électoral. Circonscription, section électorale. Consultation électorale.* → **Élection.** *Période électorale. Propagande électorale faite par les candidats. Campagne* (→ Panneau, cit. 11), *tournée, réunion électorale,* au cours desquelles le candidat à une élection expose son programme. *Discours électoraux. Promesses électorales. Plateforme* électorale. Comité électoral :* ensemble des personnes qui se groupent pour aider un candidat à une élection. *Manœuvres électorales. Corruption, cuisine, surenchère électorale. Bataille électorale. Position électorale d'un candidat. Le fief électoral d'un candidat, d'un parti ; agent électoral. Affichage électoral. Validité, régularité des opérations électorales. Contentieux électoral.*

Le médecin, dans les bourgs et les villages, est un utile   1
instrument électoral, un levier d'influence, un propagateur d'opinion qui pénètre dans toutes les demeures.
                G. DUHAMEL, *Inventaire de l'abîme*, XII, p. 170.

De là à supposer que le chanoine a servi d'intermédiaire,   2
qu'il y a eu des tractations occultes, des promesses de soutien électoral, des subsides (...)
                J. ROMAINS, *les Hommes de bonne volonté*, t. II, p. 147.

DÉR. Électoralement, électoralisme, électoraliste.

ÉLECTORALEMENT [elɛktɔralmã] adv. — Av. 1850 ; de *électoral*.

Rare. Du point de vue électoral ; d'une manière électorale.

M. André Siegfried a montré qu'électoralement, elle *(la France)* ne change pas, qu'après un siècle et demi, la répartition géographique des voix est restée la même.
F. MAURIAC, Bloc-notes 1952-1957, p. 54.

ÉLECTORALISME [elɛktɔralism] n. m. — 1922, *in* D. D. L. ; de *électoral*.

Polit. Tendance d'un parti à subordonner sa politique à la recherche de succès électoraux. *« Les anarchistes crurent trouver (...) un moyen d'arracher le prolétariat à l'électoralisme en faisant du syndicalisme un instrument révolutionnaire détaché des partis »* (in *le Figaro littéraire*, sept. 1968).

Le flux vous a portés, le reflux vous remporte. Vous êtes à la remorque des événements, et passer en un mois de l'insurrectionnalisme le plus effréné à l'électoralisme le plus insipide montre bien que vous n'avez su corriger une déviation opportuniste de gauche que par une nouvelle flambée d'opportunisme de droite.
Régis DEBRAY, les Indésirables, p. 252.

ÉLECTORALISTE [elɛktɔralist] n. et adj. — Mil. XXᵉ ; de *électoral*.

Polit. Partisan de l'électoralisme. — **Adj.** *Une politique électoraliste.* *« L'opposition pourrait admettre ces mesures si elles étaient appliquées de manière permanente. Présentées ainsi, elles sont trop circonstancielles et électoralistes »* (le Figaro, 18 nov. 1966, *in* Gilbert).

ÉLECTORAT [elɛktɔRa] n. m. — 1601 ; de *électeur*, et suff. *-at*, d'après le lat. *elector* «électeur», et *electoratus* «dignité d'électeur impérial».

♦ **1** Vx. Dignité d'électeur, dans l'ancien empire allemand. **Par ext.** Le pays gouverné par un électeur. *L'électorat de Bavière.*

♦ **2** (Fin XVIIIᵉ). **Didact.** ou **admin.** Qualité d'électeur, usage du droit d'électeur. *La constitution de 1946 accorde l'électorat aux femmes. Être privé de l'électorat pour cinq ans.*

♦ **3** (1847). Collège électoral, ensemble des électeurs. *L'électorat français.* — Sous-groupe de cet ensemble ou ensemble des électeurs constituant une fraction, géographiquement ou socialement définie, de la totalité des électeurs. *Aucun candidat n'ignore l'importance de l'électorat féminin. L'électorat fidèle de ce parti. Électorat flottant,* qui ne suit pas les consignes d'un parti.

ÉLECTR-, ÉLECTRO- Élément tiré du rad. du lat. sc. *electricus*, d'après la forme *êlektr(o)-*, en composition, du grec *êlektron* «ambre» (→ **Électrique)** et qui entre, avec le sens «électricité» ou «électrique», dans la composition de nombreux mots scientifiques et techniques (d'abord *électromètre*, 1749). REM. Les composés sont généralement écrits avec trait d'union lorsque le deuxième terme commence par une voyelle, sans trait d'union quand il commence par une consonne. C'est la règle adoptée ici, et l'on n'a signalé les variantes graphiques portant sur ce seul aspect ni dans l'entrée, ni dans la rubrique étymologique. Les graphies non retenues (ex. : *électroaffinité, électro-positif*) ne sont pas pour autant fautives.

ÉLECTRET [elɛktRɛ] n. m. — 1905, *in Rev. gén. des sc.*, n° 2, p. 85 ; angl. *electret* (1885), mot-valise, de *electr(icity)* et *(magn)et* «aimant».

Techn. Diélectrique qui reste électrisé d'une façon permanente, après avoir été soumis à un champ électrique. *Microphone, casque à électrets.* *« L'électret est le produit d'une technologie très largement employée dans la fabrication des microphones. Il a la faculté de pouvoir garder sa charge électrique de la même manière qu'un aimant conserve ses propriétés magnétiques »* (le Figaro, 28 janv. 1978, p. 23).

L'électret permanent. — Un savant japonais, M. Mototaro Eguchi, vient de décrire de très curieuses expériences (*Philos. Magazine*, janvier 1925) qui l'ont amené à la préparation d'un diélectrique qui reste électrisé d'une façon permanente ; à ce corps il a donné le nom d'*électret* (par analogie avec le mot *magnet* qui, en anglais, désigne l'aimant permanent).
Revue générale des sciences pures et appliquées, 30 mai 1925, p. 290.

ÉLECTRICIEN, IENNE [elɛktRisjɛ̃, jɛn] n. — 1861 ; «physicien s'occupant d'électricité», 1754 ; du rad. de *électricité**.

♦ **1** **Cour.** Technicien ou ouvrier spécialisé dans le matériel et les installations électriques. *L'électricien d'un cinéma, d'une usine.*

Voilà un langage d'ingénieur ambitieux — d'électricien devant un torrent alpestre —, où se mêlent la volonté personnelle de puissance, l'ardeur créatrice, le goût désintéressé du nouveau (...)
J. ROMAINS, les Hommes de bonne volonté, t. V, p. 236.

Mais à ce moment l'électricien venant pour arranger les lampes pour une soirée qu'il devait donner, il cessa complètement de s'occuper de Jean.
PROUST, Jean Santeuil, Pl., p. 731.

Appos. *Ingénieur électricien. Ouvrier électricien.*

♦ **2** **Didact.** Physicien, physicienne spécialiste en électricité. *Un électricien éminent, dont on parle pour le prix Nobel de physique.*

ÉLECTRICITÉ [elɛktRisite] n. f. — 1720, trad. Newton ; angl. *electricity*, 1646, de *electric*, et *-ity* ; le lat. sc. *electricitas* est postérieur.

♦ **1** Une des formes de l'énergie, mise en évidence, à l'origine par ses propriétés attractives ou répulsives, plus tard par la structure de la matière elle-même ; ensemble des phénomènes causés par une charge électrique. → **Électrique ; électromagnétisme, magnétisme.** *Électricité positive* (ou, vx, *électricité vitrée*, vitreuse*), celle du noyau de l'atome. *Électricité négative* (ou, vx, *résineuse**), celle des électrons. *Électricité statique* : électricité en équilibre sur les conducteurs (phénomènes d'électrisation par frottement, par influence ou par piézo-électricité). → **Électrostatique.** *Électricité dynamique* : courant électrique. → **Électrocinétique ; électrodynamique ; électromagnétisme.** *Électricité affluente,* qui se porte dans une direction déterminée. *Grain élémentaire d'électricité, structure granulaire de l'électricité.* → **Électron** (→ cit. 1), **électronique, neutron, positon, proton.** *Faire apparaître de l'électricité sur un corps.* → **Électriser.** *Quantité d'électricité d'un corps électrisé* (→ **Charge*** électrique). *Corps bons conducteurs, mauvais conducteurs d'électricité* (→ **Isolant**). *L'électricité est localisée à la surface extérieure d'un conducteur isolé. Voltage* d'une source d'électricité. Déperdition d'électricité.* → ci-dessous, les cit. 4 et 5.

L'électricité atmosphérique, produite par le champ électrique terrestre. → **Éclair, effluve, foudre, orage, tonnerre.** *L'air, le temps est chargé d'électricité.* → **Orageux** (→ Accablant, cit. 2). — **Fig. Loc.** *Il y a de l'électricité dans l'air* : l'atmosphère est tendue, les gens sont énervés, excités... — Par métaphore. Tension nerveuse, surexcitation.

1 Mais la colère, la haine, le désespoir abaissaient lentement sur ce visage hideux un nuage de plus en plus sombre, de plus en plus chargé d'électricité qui éclatait en mille éclairs dans l'œil du cyclope.
> HUGO, Notre-Dame de Paris, VI, IV.

2 Cependant, des nuages s'amoncelaient ; le ciel orageux chauffant l'électricité de la multitude, elle tourbillonnait sur elle-même, indécise, avec un large balancement de houle (...)
> FLAUBERT, l'Éducation sentimentale, III, I.

L'électricité cérébrale.

3 Dès 1875 le physiologiste anglais Caton avait démontré l'existence de *l'électricité cérébrale*. Après avoir enfoncé des électrodes dans la substance grise cérébrale d'un singe trépané, il avait vu s'inscrire sur le galvanomètre relié à ces électrodes des oscillations rythmiques traduisant la présence d'un courant électrique.
> Jean DELAY, l'Électricité cérébrale, p. 6.

Spécialt. Cette énergie dans ses applications techniques, industrielles, domestiques. *L'essor de l'électricité.* → **Électrotechnique ; communication, transmission** (télégraphe, téléphone, T.S.F.) ; **chauffage, éclairage** (lumière, arc voltaïque...), **travail** (moteur, traction électrique. → Artisanat, cit. 3) ; **électrochimie, électrométallurgie.** *Les applications thérapeutiques de l'électricité.* → **Électrologie** (médicale) ; **électrodiagnostic, électrographie, électrothérapie ; diathermie.** *Accidents dus à l'électricité.* → **Électrocuter, électrocution.** *L'électricité qui tue.* → Mixer, cit.

La force de l'électricité. → **Électromotrice** (force). *Électricité d'origine hydraulique* (→ **Hydro-électricité ; houille* blanche, bleue, thermique, nucléaire** [→ **Électronucléaire**]). *Production de l'électricité.* → **Centrale, générateur ; électrogène** (groupe). *La production, la consommation d'électricité dans le monde* (évaluée en millions de kWh). *Nationalisation des entreprises d'électricité. — Alimentation en électricité d'une ville, d'un secteur*, d'une usine, d'un hôpital.* → **Distribution, installation ; pointe** (2. Panne, cit. 5), *coupure d'électricité. — L'électricité domestique.* → **Électrodomestique, électroménager.** *Avoir l'électricité. Faire poser, installer l'électricité* (→ Ligne). *Se chauffer à l'électricité. Payer sa note d'électricité. Compteur d'électricité. Allumer, fermer, éteindre, couper l'électricité, le courant électrique. Interrupteur automatique d'électricité.* → **Disjoncteur.**

3.1 Il y a, à côté des villes, sur des plateaux arides, des endroits oubliés où vit l'électricité. C'est là que sont ses demeures. Connaissez-vous ces endroits ? Ce sont comme des villes, faites seulement de pylônes et de fils, dans des régions où personne ne va. C'est beaucoup plus terrible à voir que les cimetières, les abattoirs, les casernes, les prisons et ces choses-là. Personne n'y va jamais. Dans ces endroits, il n'y a que l'électricité, et la mort. Les pylônes sont géants, ils portent des douzaines de câbles d'acier qui sifflent dans le vent.
Les câbles reposent sur des isolateurs de verre et de porcelaine, sur des supports de bakélite et de caoutchouc. Et sur cette aire déserte, où ne vivent jamais personne, ni un homme, ni une femme, ni un chien, rien, l'électricité règne tout le temps. Elle vibre jour et nuit, elle chantonne son chant d'abeilles, elle tournoie sur elle-même à l'intérieur des condensateurs grands comme des églises, elle va et vient le long des câbles d'acier épais comme des arbres, d'un pylône à l'autre, comme cela, invisiblement, infatigablement. Elle n'arrête pas, elle n'en finit pas de naître (...) Dans les endroits où naît l'électricité, il n'y a jamais personne. Quelquefois les oiseaux s'y aventurent, et ils tombent foudroyés. Il ne faut pas y aller, non. Si on approche de ces endroits, on entend le bruit mortel des abeilles, et on sent le corps qui est attiré vers les réseaux bleutés.
> J.-M. G. LE CLÉZIO, les Géants, p. 199-201.

Loc. vieillie. *La fée* électricité.

Histoire de la notion d'électricité (→ aussi **Galvanisme, mesmérisme**).

4 Les sentiments des Physiciens sont partagés sur la cause de l'électricité ; tous cependant conviennent de l'existence d'une matière électrique plus ou moins ramassée autour des corps électrisés, et qui produit par ses mouvements les effets d'électricité que nous apercevons (...) Comme on ne connaît point encore l'essence de la matière électrique, il est impossible de la définir autrement que par ses principales propriétés. Celle d'attirer et de repousser les corps légers, est une des plus remarquables, et qui pourrait d'autant mieux servir à caractériser la matière électrique, qu'elle est jointe à presque tous ses effets, et qu'elle en fait reconnaître aisément la présence, même dans les corps qui en contiennent la plus petite quantité.
> Encyclopédie, art. *Électricité.*

4.1 Les gens adonnés à la haute science pensaient comme lui, que la lumière, la chaleur, l'électricité, le galvanisme et le magnétisme étaient les différents effets d'une même cause, que la différence qui existait entre les corps jusquelà réputés simples devait être produite par les divers dosages d'un principe inconnu. La peur de voir trouver par un autre la réduction des métaux et le principe constituant de l'électricité, deux découvertes qui menaient à la solution de l'Absolu chimique, augmenta ce que les habitants de Douai appelaient une folie, et porta ses désirs à un paroxysme que concevront les personnes passionnées pour les sciences, ou qui ont connu la tyrannie des idées.
> BALZAC, la Recherche de l'absolu, Pl., t. IX, p. 588.

5 Comme les électricités s'appellent et s'accumulent entre les deux plaques du condensateur d'où l'on fera jaillir l'étincelle, ainsi, par la seule mise en présence des hommes entre eux, des attractions et des répulsions profondes se produisent, des ruptures complètes d'équilibre, enfin cette électrisation de l'âme qui est la passion.
> H. BERGSON, le Rire, p. 121.

6 Mieux que le dieu Protée de la fable, l'électricité se métamorphose avec souplesse pour les usages les plus divers. Elle se fait lumière dans les lampes, chaleur dans les radiateurs d'appartement, les cuisinières électriques, les fours d'aciérie, les pinces à souder... ; elle se transforme en énergie mécanique dans les moteurs, en énergie chimique dans les accumulateurs, en énergie rayonnante dans les antennes de T.S.F. ; elle assainit l'air que nous respirons, grâce à la formation d'ozone, elle purifie l'eau que nous buvons, par l'intermédiaire des rayons ultra-violets. En Amérique, on l'utilise pour tuer les condamnés (...)
L'électricité est une des formes «nobles» de l'énergie ; les physiciens entendent par ce terme lyrique qu'elle se transforme presque sans pertes (...) Étincelante, parée de perles de feu et de mortels prestiges, claire et terrible comme la foudre, sa sœur jumelle, intouchable comme ces princesses hindoues qu'on ne saurait effleurer sans mourir, l'Électricité est la pure noblesse de notre civilisation mécanique. Nous l'appelons moderne, mais il faudrait la dire «Immortelle» : cette force fulgurante que nous avons libérée de la matière, rien ne donne mieux l'idée du divin.
> P. DEVAUX, Hist. de l'électricité, p. 6 et 10.

Spécialt. **ⓐ** Lumière électrique. *Allumer, éteindre l'électricité, un appareil (ou des appareils) d'éclairage.* → Congédier, cit. 4.

7 Quoi, vous êtes dans le noir ! Il fallait allumer l'électricité. À ces mots la lumière se fait dans le corridor, une lumière jaune qui tombe d'une ampoule nue suspendue au bout de son fil.
> A. ROBBE-GRILLET, Dans le labyrinthe, p. 61.

ⓑ Appareillage, matériel électrique. *Bazar d'électricité.*

Installation électrique. *Toute l'électricité est à refaire dans la maison qu'ils ont achetée.*

♦ 2 Partie de la physique étudiant les phénomènes électriques. *Cours, traité d'électricité.*

DÉR. et COMP. Électricien. Bioélectricité, ferroélectricité, hydro-électricité, photoélectricité, piézoélectricité, pyroélectricité, radioélectricité, thermoélectricité, tribo-électricité.

ÉLECTRIFICATION [elɛktʀifikasjɔ̃] n. f. — 1875 ; de *électrifier.*

♦ 1 Vx. Production d'électricité ; fait de s'électriser.
→ **Électrisation.**

♦ **2** (1907). Mod. Action d'électrifier ; résultat de cette action. *L'électrification des campagnes. L'électrification des chemins de fer.*

(...) à l'Est de Marrakech il y a un semblable front qui permet à notre industrie de tirer parti des forces hydrauliques qui doivent servir à l'électrification de Casablanca et assurer son avenir économique.
L.-H. LYAUTEY, Paroles d'action, p. 331.

ÉLECTRIFIER [elεktʀifje] v. tr. — Fin XIXᵉ ; de *électrique*, et suff. *-(i)fier*.

♦ **1** Pourvoir d'énergie électrique. *Électrifier un village, une exploitation agricole.*

En 1931, nous électrifiâmes d'un coup quatre-vingt-quatorze communes de montagne. La réception des travaux fut l'occasion d'une grande fête avec ripaille énorme de gibier.
Raymond ABELLIO, Ma dernière mémoire, t. II, p. 196.

♦ **2** Faire fonctionner en utilisant l'énergie électrique. *Électrifier une ligne de chemin de fer.* — **P. p. adj.** *Ligne électrifiée.*

DÉR. Électrification.

ÉLECTRIQUE [elεktʀik] adj. — 1660 (*in* Bloch et Wartburg) ou 1678 (cf. angl. *electrick*, 1646) ; lat. sc. *electricus*, W. Gilbert, 1600, du lat. *electrum*, grec *êlektron* «ambre jaune» ; sens mod. après Newton. → Électricité.

♦ **1 a** Vx. Qui peut (comme l'ambre jaune) recevoir ou communiquer l'électricité.

b Mod. Propre ou relatif à l'électricité. *L'énergie* électrique. Phénomènes électriques. Effluves* électriques. Loi des attractions et des répulsions électriques (loi de Coulomb). Ondes* électriques. Radiations électriques. Écran électrique. Fluide, influence, tension électrique. Décharge, secousse, commotion électrique. Décharge électrique du gymnote, du poisson torpille. Plateau électrique, électrisé par frottement. Effet photoélectrique.* → **Photoélectrique.** *Charge électrique portée par un corps électrisé. Mesure de la charge électrique d'un corps.* → **Électromètre, électroscope** (à feuilles d'or). *Pendule* électrique. Unité de charge électrique.* → **Coulomb.** *Action de la masse électrique d'un corps électrisé* (→ **Diélectrique**). *Densité électrique d'un corps. Balance électrique de Coulomb. Champ* électrique (→ **Magnétisme ; aimant**). *Lignes de forces, intensité d'un champ électrique* (→ **Dyne, gauss**). *Travail accompli par les forces électriques d'un champ.* → **Potentiel.** *Propriétés du potentiel électrique. Différence de potentiel électrique.* → **Volt.** *Mesure de la différence de potentiel entre deux points d'un champ électrique à l'aide de l'électroscope, de l'électromètre, de l'ampèremètre, du potentiomètre, du voltmètre* (→ **Électrométrie**). *Accumuler de la force électrique dans un condensateur.* → **Condensateur ; accumulateur, électrophore ; bobine** (d'induction). *Capacité* électrique d'un condensateur. Oscillations électriques produites par un condensateur* (→ **Ondes hertziennes***).

Le courant électrique : écoulement de charges électriques dans une chaîne de conducteurs.* → **Courant ; extra-courant ; conducteur, circuit, générateur ; farad ; collecteur, coupleur, excitateur ; induit ; inducteur, induction ; balai, bobine, contact ; pôle ; polarisation ; plan** (d'épreuve), **rupteur, serre-fils.** *Résistance électrique.* → **Résistance ; résistivité ; conductance ; ohm ; fil, enroulement, montage, solénoïde.** *Génératrices électriques de type compound, série, shunt, séparé. Le sens d'un courant électrique. Intensité d'un courant électrique.* → **Ampère ; ampèremètre, galvanomètre ; rhéostat ; self-induction ;**

charge. *Production de courant électrique.* → **Accumulateur, batterie, dynamo, électrogène** (groupe), **lampe** (à deux électrodes), **magnéto, pile.** *Arc* électrique. Décomposition chimique due au courant électrique.* → **Électrolyse ; électrolyte ; anode, cathode ; anion, cation, ion ; polarisation.** *Les effets calorifiques du courant électrique* (cf. Effet Joule). *Action d'un courant électrique sur un aimant.* → **Rémanence ; électro-aimant.** *Courant électrique continu. Action d'un courant continu sur un aimant* (cf. la règle du «bonhomme d'Ampère»). *Courant alternatif.* → **Alternateur** (monophasé, diphasé..., polyphasé) ; **bobine** (d'induction), **bouteille** (de Leyde), **condensateur, convertisseur, inverseur, redresseur, transformateur ; fréquence ; oscillographe.**

Relatif à l'électricité dans ses applications techniques ; qui utilise l'électricité comme source d'énergie. *L'énergie électrique. Production de l'énergie électrique* (usines hydrauliques, thermiques ; houille [blanche, bleue]). *Puissance électrique, force électromotrice d'un générateur* (→ **Joule, volt, voltampère, watt**). *L'équipement, le réseau électrique d'un pays. Distribution, transport de l'énergie électrique.* → **Branchement, canalisation, circuit, dérivation, ligne ; câble, isolateur, jonction, moulure, tube.** *Station électrique.* → **Centrale** (centrale électrique). *Tableau de distribution électrique. Transformation de l'énergie électrique en énergie mécanique.* → **Moteur** (moteur électrique, synchrone, asynchrone). *Allumage électrique d'un moteur* (→ **Bougie, distributeur, vis** [platinée]). *Étincelle électrique.* — (1864). *Éclairage électrique. Lumière électrique.* → **Ampoule, arc, fil, filament, lampe, phare, projecteur** (→ Abat-jour, cit. 1 ; brancher, cit. 2). *Fil électrique. Installation électrique.* → **Bouton, commutateur, compteur, coupe-circuit, disjoncteur, douille, fiche, interrupteur, minuterie, plot, poire, prise** (de courant), **rosace** (de plafond), **suspension, trembleur, va-et-vient.** *Chauffage électrique.* — *Appareils électriques* (→ **Électroménager**). *Cireuse, cuisinière, fer à repasser, réfrigérateur, four, radiateur, rasoir, sonnerie... électrique* (→ **Appareil ; chauffage ; éclairage**). *Traction électrique. Locomotive, machine électrique. Train, tramway électrique. Train électrique miniature. Jouer au train électrique. Voiture électrique. Ligne électrique de chemin de fer.* — *Télégraphe* électrique.* — *Chaise* électrique.* → **Électrocution.** — *Billard* (cit. 5 et 6) *électrique.* — *Traitement électrique,* en médecine. *Rayons électriques. Bain électrique.*

(...) j'attends l'effet d'une belle expérience à laquelle les autres n'ont pas songé. Voici trois jours que nous guettons un rayon de soleil. J'ai les moyens de soumettre les métaux dans un vide parfait, aux feux solaires concentrés et à des courants électriques. Vois-tu, dans un moment, l'action la plus énergique dont puisse disposer un chimiste va éclater (...).
BALZAC, la Recherche de l'absolu, Pl., t. IX, p. 598. `0.1`

La voiture électrique de M. Paul Pouchain et celle du comte Joseph Carli montrent que l'installation d'un moteur électrique et des accumulateurs dont l'entretien n'a pas présenté de difficultés particulières. Il est donc à croire que dans les villes la voiture électrique et surtout le fiacre électrique ne tarderont pas à faire leur apparition (...) Au lieu de donner l'avoine aux chevaux pendant le cours de leur travail, on donnera de l'électricité à leurs succédanés de fer, des dispositifs de chargement étant installés aux stations de voitures.
L. FIGUIER, l'Année scientifique et industrielle 1895, p. 99 (1894). `0.2`

Son mignon petit hôtel (...) était un véritable bijou de maison électrique, où tous les services étaient combinés de façon à donner vraiment le dernier mot du confortable moderne : ascenseurs électriques, éclairage et chauffage électriques, communications électriques, réservoir électrique dans la cave, et serviteurs presque électriques, que `0.3` l'on ne voyait pour ainsi dire pas, leur service s'effectuant presque complètement par l'électricité.

                A. ROBIDA, le Vingtième Siècle, p. 78 (1883).

0.4   Quand on touche les moteurs électriques, les parois des ascenseurs, les postes de télévision, les douilles, les fers à repasser, et les fers à souder : on sent le tremblement léger qui entre dans le corps et dilue les forces de la vie. L'électricité est comme ça, elle tremble toujours. Un jour, peut-être, elle retrouvera ses véritables demeures, qui sont à la fois dans le ciel et dans les troncs des arbres. Il y aura de terribles orages électriques, et le monde se débarrassera de la tension douloureuse, en expulsant de grands éclairs.
            J.-M. G. LE CLÉZIO, les Géants, p. 205-206.

1   (...) de nombreux chercheurs ont étudié l'activité électrique du cerveau, précisé la technique de l'électro-encéphalographie et la description des électro-encéphalogrammes, et ils ont étendu ses applications tant à la psycho-physiologie qu'à la médecine nerveuse et mentale.   Jean DELAY, l'Électricité cérébrale, p. 8.

2   (...) la *lumière froide* fulgure sur les façades, pénètre dans les lieux publics sous forme de *tubes luminescents*; dans nos appartements, nous en sommes encore à la lampe à incandescence à filament chaud, hérésie technique qui disparaîtra devant les tubes perfectionnés à lumière synthétique ; nous vivrons alors dans un bain de lumière. Les *ondes ultra-courtes*, dirigées par projecteurs, établissent un pont des plus curieux entre la radio et la lumière [...] (*elles*) sont probablement les seules qui puissent prêter un essor définitif à la *télévision*, type de l'invention «en panne», qui piétine après des débuts prometteurs. N'oublions pas, parmi les réalisations de la très haute fréquence électrique, les *instruments d'ondes* Martenot, nouveauté artistique saisissante (...) et les *fièvres artificielles* et autres thérapeutiques électrotechniques, qui s'enrichissent chaque jour de quelque application nouvelle.
        P. DEVAUX, Hist. de l'électricité, p. 121 (1948).

3   Le sourire possède depuis l'origine du monde une propriété que les physiciens ont découverte depuis au courant électrique. (...) il passe sur un visage, le visage d'en face est traversé tout aussitôt par une espèce de sourire induit qu'il n'est pas question d'empêcher.
        J. ROMAINS, les Hommes de bonne volonté, t. IV, XVIII, p. 197.

Fam. Chargé d'électricité statique. *Des cheveux électriques.*

♦ **2** Fig. Qui produit une impression vive, excitante. *Un effet, une impression électrique. Un contact; un baiser électrique* (→ 2. Baiser, cit. 16; élastique, cit. 1). *Tressaillement électrique.*

4   L'invasion (*en 1214*) produisait déjà l'effet électrique qu'on a vu par les volontaires de 1792 et par la mobilisation de 1914.   J. BAINVILLE, Hist. de France, v, p. 62.

Bleu électrique, bleu assez clair, très vif.

DÉR. Électrifier, électriquement, électriser. ◊ **COMP.** Bioélectrique, diélectrique, dynamo-électrique, ferroélectrique, hydro-électrique, isoélectrique, magnétoélectrique, nucléoélectrique, photoélectrique, piézoélectrique, pyroélectrique, radioélectrique, thermoélectrique, tribo-électrique.

ÉLECTRIQUEMENT [elɛktʀikmɑ̃] adv. — 1832; de *électrique.*

♦ **1** Au point de vue électrique. *Atome électriquement neutre.*

♦ **2** Par un procédé électrique. *Jouet actionné électriquement. Sucre purifié électriquement.*

1   (...) des masses confuses de maisons se déroulaient, coupées par les raies lumineuses des rues, et striées soudain par des éclats de lumière, par l'étincellement des places et le flamboiement des monuments électriquement éclairés de la base au faîte.   A. ROBIDA, le Vingtième Siècle, p. 96 (1883).

♦ **3** Fig. À la façon de l'électricité.

2   J'ai rarement vu la vie se dégager aussi électriquement d'une femme.
      Ed. et J. DE GONCOURT, Journal, t. II, p. 237.

ÉLECTRISABLE [elɛktʀizabl] adj. — 1746; de *électriser.*

Sc. Qui peut être électrisé.

1   (...) lorsqu'on veut simplement transmettre l'électricité d'un corps à un autre, il faut employer les substances les plus électrisables par communication qu'il est possible, comme l'eau, les métaux, etc. L'eau même a cet avantage, que toutes sortes de substances, comme pierres, bois, etc. qui sont bien imbues, peuvent devenir par-là de fort bons *conducteurs*, quelque peu électrisables par communication qu'elles soient d'ailleurs (...)
        Encyclopédie, art. *Conducteur.*

2   Un vieux chat musculeux (...) fait signe à un chien cagneux, qui se précipite. Le noble animal de la race féline attend son adversaire avec courage, et dispute chèrement sa vie. Demain quelque chiffonnier achètera une peau électrisable.
      LAUTRÉAMONT, les Chants de Maldoror, 1869, p. 329, *in* T. L. F.

ÉLECTRISANT, ANTE [elɛktʀizɑ̃, ɑ̃t] adj. — 1834; p. prés. de *électriser.*

Qui électrise.

♦ **1** Qui produit de l'électricité, qui rend électrique.

♦ **2** Fig. Qui électrise, mobilise et excite l'énergie. *Des paroles électrisantes.*

ÉLECTRISATION [elɛktʀizasjɔ̃] n. f. — 1738; de *électriser.*

♦ **1** Sc. Action d'électriser, de s'électriser; résultat de cette action. *Électrisation positive d'un corpuscule.*

♦ **2** Fig. et rare. *L'électrisation de la foule* (→ Électricité, cit. 5).

(...) cette vie incidentée du théâtre, cette camaraderie entre hommes et femmes, ce potinage des coulisses, et l'intérêt fiévreux aux chutes et aux succès des pièces représentées, et l'électrisation par les bravos du public.
      Ed. et J. DE GONCOURT, Journal, t. I, p. 285.

ÉLECTRISER [elɛktʀize] v. tr. — 1732, au p. p.; de *électrique.*

♦ **1** Communiquer à (un corps) des propriétés, des charges électriques*. *Électriser positivement, négativement un corps,* faire apparaître sur lui de l'électricité positive ou négative.

(1731). Au p. p. **ÉLECTRISÉ, ÉE.** *Atomes, corpuscules, particules électrisés. Corps électrisé par contact, par influence, par frottement, par la chaleur* (→ Pyroélectricité), *par la pression* (→ Piézoélectricité). *Fil de fer électrisé.*

0.1   (...) on peut décharger la bouteille la plus électrisée ou la plus chargée sans crainte, lorsqu'en la tenant d'une main (...) on en approche une pointe de métal, cette pointe tirant successivement l'électricité de la bouteille, et par-là la déchargeant insensiblement.
        Encyclopédie, art. *Coup Foudroyant.*

0.2   (...) un corps ne peut être dit électrisé que par rapport à un autre.
      ALAIN, Hegel, *in* les Passions et la Sagesse, Pl., p. 1006.

Vx. *Électriser quelqu'un,* produire en lui une commotion électrique.

♦ **2** (1772). Fig. Produire sur (qqn) une impression vive, exaltante. → **Animer, enflammer, enthousiasmer, exalter, exciter, passionner, saisir, soulever, transporter.** *Électriser son auditoire. Vos promesses l'ont électrisé. Ce roman a électrisé son imagination. Être électrisé par l'éloquence de quelqu'un.* → **Entraîner, galvaniser, remonter** (→ Boire, cit. 33).

1   Bernadotte répétait sans cesse à madame Récamier qu'elle était faite pour électriser le monde et pour créer des séides.
      CHATEAUBRIAND, Mémoires d'outre-tombe, t. IV, p. 285.

2   Oscar dit alors à son escadron : — Messieurs, c'est aller à la mort, mais nous ne devons pas abandonner notre colonel (...) Il fondit le premier sur les Arabes, et ses gens électrisés le suivirent.
     BALZAC, Un début dans la vie, Pl., t. I, p. 742.

3   L'espoir de pouvoir bientôt aller rejoindre André Benjamin-Constant à Alger, électrise toutes mes pensées.
     GIDE, Journal, 14 févr. 1912.

4   Il éprouve le même transport, le même tumulte du sang, le même surpassement de soi, qui l'électrisaient naguère, quand un subit élan de foi, de colère et d'amour, un fougueux besoin de convaincre et d'entraîner, le projetaient à la tribune d'un meeting, et l'élevaient soudain au-dessus des foules, et de lui-même, dans l'ivresse de l'improvisation.   MARTIN DU GARD, les Thibault, t. VIII, p. 109.

◆ **S'ÉLECTRISER** v. pron. **(Passif)**. *Le verre s'électrise par frottement.*

(1795). Fig. **(Réfléchi)** *La foule s'électrisait en écoutant le leader.*

◆ **ÉLECTRISÉ, ÉE** p. p. adj. (→ ci-dessus à l'article).

CONTR. Calmer, endormir, ennuyer, lasser. ◊ DÉR. et COMP. Électrisable, électrisant, électrisation, électriseur. Déséléctriser.

ÉLECTRISEUR, EUSE [elɛktRizœR, øz] n. — 1846; de *électriser.*

Vieux.

◆ **1** Médecin qui a recours à l'électricité comme thérapeutique.

◆ **2** N. m. Appareil permettant de s'électriser soi-même.

ÉLECTRO [elɛktRo] adj. invar. — 1925; de *électro-* ou de *électrolyse.*

Chim. industr. Produit par électrolyse. *Fabrication du zinc électro.*

ÉLECTRO- → Électr-.

ÉLECTRO-ACOUSTICIEN, IENNE [elɛktRoakustisjɛ̃, jɛn] adj. et n. — 1948; de *électro-acoustique*, suff. *-ien.*

Techn. Spécialisé en électro-acoustique. *Une équipe d'ingénieurs électroniciens et électro-acousticiens.* — N. *Des électro-acousticiens.*

ÉLECTRO-ACOUSTIQUE ou ÉLECTROACOUSTIQUE [elɛktRoakustik] adj. et n. f. — 1904, adj., in *Rev. gén. des sc.*, n° 16, p. 758; de *électro-* et *acoustique.*

Technique.

◆ **1** Adj. Relatif à l'électro-acoustique; produit par ses méthodes. *Musique électro-acoustique. Studios électro-acoustiques de Gravesano, fondés par Scherchen en 1954.* — *Chaîne électro-acoustique :* système de circuits qui transmet un signal sonore de la prise de son (microphone) à sa restitution (haut-parleur). *Appareils électro-acoustiques.*

◆ **2** N. f. (1948). Étude et technique de la production, de l'enregistrement, de la transmission et de la restitution du son par des procédés électriques (→ Écouteur, enregistrement, haute-fidélité, haut-parleur, microphone). *Amateur d'électro-acoustique.* → **Audiophile.**

DÉR. Électro-acousticien.

ÉLECTRO-AFFINITÉ [elɛktRoafinite] n. f. — 1903, in *Rev. gén. des sc.*, n° 4, p. 224; de *électro-*, et *affinité.*

Chim. Aptitude plus ou moins grande d'un élément chimique à exister sous une forme ionisée. *Échelle d'électro-affinité. «Le potassium, le calcium et le sodium possèdent l'électro-affinité la plus marquée»* (Manuila, *Dict. de médecine et de biologie*).

ÉLECTRO-AIMANT [elɛktRoɛmɑ̃] n. m. — 1849; de *électro-*, et *aimant.*

Sc. et cour. Aimant artificiel, composé d'un barreau de fer doux sur lequel sont fixées deux bobines parcourues par un courant. → Manipulateur, cit. 1. *Les pôles et l'entrefer d'un électro-aimant. La puissance magnétique d'un électro-aimant* (force portante) *est proportionnelle au nombre de spires...* → Électromagnétisme. *Applications de l'électro-aimant :* sonnerie, télégraphie, dynamo... *Électro-aimants employés comme relais, comme appareils de levage.*

Quant au récepteur et au manipulateur, ils furent très simples. Aux deux stations, le fil s'enroulait sur un électro-aimant, c'est-à-dire sur un morceau de fer doux entouré d'un fil. La communication était-elle établie entre les deux pôles, le courant, partant du pôle positif, traversait le fil, passait dans l'électro-aimant, qui s'aimantait temporairement, et revenait par le sol au pôle négatif.
     J. VERNE, l'Île mystérieuse, t. II, p. 560-561.

ÉLECTRO-AIMANTATION [elɛktRoɛmɑ̃tasjɔ̃] n. f. — 1932, attestation isolée; de *électro-* dans *électro-aimant*, et *aimantation.*

Sc. Phénomènes physiques engendrés par un ou des électro-aimants.

(...) la plaque brune mettait tout en mouvement par un système basé sur le principe de l'électro-aimantation.
     Raymond ROUSSEL, Impressions d'Afrique, p. 204.

ÉLECTRO-ANALYSE [elɛktRoanaliz] n. f. — Mil. XXᵉ; cf. angl. *electro-analysis*, 1903; de *électro-*, et *analyse.*

Chim., techn. Méthode d'analyse où l'on utilise l'électricité. → **Polarographie.** — Spécialt. Méthode qui consiste à provoquer le dépôt électrolytique d'un élément, pour déterminer en quelle quantité il apparaît dans la solution électrolysée. *Des électro-analyses.*

ÉLECTRO-ANESTHÉSIE [elɛktRoanɛstezi] n. f. — 1959, sens 1; de *électro-*, et *anesthésie.*

Médecine.

◆ **1** Anesthésie générale ou locale obtenue par l'application de courants électriques. (On dit aussi *anesthésie électrique.*) *Des électro-anesthésies.*

◆ **2** (1971). Insensibilité cutanée à une stimulation électrique.

ÉLECTROBIOGENÈSE [elɛktRobjoʒɛnɛz] n. f. — Mil. XXᵉ; de *électro-*, et *biogenèse.*

Biol. Production autogène de phénomènes électriques au sein des structures vivantes. (On dit aussi *électrogenèse**, *électrogénie**.)

ÉLECTROBIOLOGIE [elɛktRobjɔlɔʒi] n. f. — 1845; de *électro-*, et *biologie.*

◆ **1** Vx. Étude des phénomènes électriques observés chez les êtres vivants.

◆ **2** (1900). Mod. et sc. Emploi de l'électricité dans les études biologiques (notamment en physiologie). → **Électrophysiologie.**

DÉR. Électrobiologique.

ÉLECTROBIOLOGIQUE [elɛktRobjɔlɔʒik] adj. — 1854; de *électro-*, et *biologique.*

Sciences.

◆ **1** Vx. Relatif aux phénomènes électriques observés chez les êtres vivants.

◆ **2** (1900). Mod. Relatif à l'électrobiologie (2.). *Des études électrobiologiques.*

ÉLECTROBUS [elɛktʀobys] n. m. inv. — 1908 ; probablt de l'angl. *electrobus*, 1906, de *électro-* et *(omni)bus*.

Vx. Autobus électrique. → **Trolleybus.**

ÉLECTROCAPILLAIRE [elɛktʀokapi(l)lɛʀ] adj. — 1877 ; de *électro-*, et *capillaire*.

Phys. Relatif à l'électrocapillarité. *Phénomènes électrocapillaires.*

ÉLECTROCAPILLARITÉ [elɛktʀokapi(l)laʀite] n. f. — 1877 ; de *électro-*, et *capillarité*. → Électrocapillaire.

Phys. Phénomènes de variation qui apparaissent, dans la tension superficielle d'une cathode constituée par un ménisque de mercure, quand on modifie son état de polarisation par une force électromotrice extérieure. — Étude de ces phénomènes.

ÉLECTROCARDIOGRAMME [elɛktʀokaʀdjɔgʀam] n. m. — 1916 ; *électrocardiagramme*, 1903, in *Rev. gén. des sc.*, n° 18, p. 968 ; de *électro-*, *cardio-*, et *-gramme*, d'après l'all. *Elektrocardiogramm*, W. Einthoven, 1894.

Méd. et cour. Tracé obtenu par électrocardiographie*. *Appareil pour la surveillance automatique des électrocardiogrammes.* → **Moniteur.**

Figuré :

Il sismographie seulement son œuvre complète : dessinant sans relâche la bande dessinée de sa vie, l'électrocardiogramme de ses sentiments.

Claude ROY, Nous, p. 368.

ÉLECTROCARDIOGRAPHE [elɛktʀokaʀdjɔgʀaf] n. m. — 1930 ; de *électro-*, *cardio-*, et *-graphe*, d'après *électrocardiographie*.

Méd. Appareil destiné à l'électrocardiographie. — Abrév. fam. : *électro*, n. m. (1981, in D.D.L.). « "Mon électro fonctionne encore" s'écrie l'assistant cardiologue » (*Actuel*, janv. 1981, in Dico-Plus, n° 17, p. 19, in D.D.L.).

ÉLECTROCARDIOGRAPHIE [elɛktʀokaʀdjɔgʀafi] n. f. — 1912 ; de *électro-*, et *cardiographie*.

Méd. Exploration de la fonction cardiaque au moyen de la traduction graphique des phénomènes électriques qui se produisent au cours de la révolution cardiaque.

DÉR. Électrocardiographique.

ÉLECTROCARDIOGRAPHIQUE [elɛktʀokaʀdjɔgʀafik] adj. — 1919 ; de *électrocardiographie*.

Méd. Relatif à l'électrocardiographie. → **Électrocardiogramme, électrocardiographie.**

ÉLECTROCAUTÈRE [elɛktʀokotɛʀ] n. m. — 1946 ; *électro-*, et *cautère*.

Méd. Cautère composé d'un fil conducteur porté au rouge par le passage d'un courant électrique.

ÉLECTROCAUTÉRISATION [elɛktʀokoteʀizasjɔ̃] n. f. — 1925 ; de *électro-*, et *cautérisation*.

Méd. Cautérisation par des moyens électriques (→ **Électrocautère**).

ÉLECTROCHIMIE [elɛktʀoʃimi] n. f. — 1826 ; de *électro-*, et *chimie*.

Sciences, technique.

♦ **1** Branche de la chimie étudiant les transformations réciproques de l'énergie électrique et de l'énergie chimique.

♦ **2** Physiol. Étude des réactions chimiques provoquées dans un tissu vivant par les courants électriques.

♦ **3** Techn. Étude et technique des applications industrielles de l'électricité, spécialt de l'électrolyse. → **Électrolyse, électrométallurgie, métalloplastie.** *Usine d'électrochimie.*

DÉR. V. (antérieur) **Électrochimique.**

ÉLECTROCHIMIQUE [elɛktʀoʃimik] adj. — 1813 ; de *électro-*, et *chimique*, ou de *électrochimie* (attesté plus tard).

Sciences, technique.

♦ **1** Relatif aux échanges réciproques de l'énergie chimique et de l'énergie électrique. *Réaction électrochimique. Théorie électrochimique de Berzelius. Générateur électrochimique* (→ **Électromoteur**).

♦ **2** Relatif à l'électrochimie (3.) ; produit par ses techniques. *Procédé électrochimique.*

DÉR. Électrochimiquement.

ÉLECTROCHIMIQUEMENT [elɛktʀoʃimikmɑ̃] adv. — 1844 ; de *électrochimie*.

Sc., techn. Par un procédé électrochimique. *Décomposer un corps électrochimiquement.*

ÉLECTROCHIRURGICAL, ALE, AUX [elɛktʀoʃiʀyʀʒikal, o] adj. — Mil. xxᵉ (1956, in T.L.F.) ; de *électrochirurgie*, et *chirurgical*.

Qui est relatif à l'électrochirurgie. *Des matériels électrochirurgicaux.*

ÉLECTROCHIRURGIE [elɛktʀoʃiʀyʀʒi] n. f. — V. 1935 ; de *électro-*, et *chirurgie*.

Didact. Utilisation de l'électricité dans les traitements chirurgicaux.

DÉR. V. **Électrochirurgical.**

ÉLECTROCHOC [elɛktʀoʃɔk] n. m. — 1938 ; de *électro-*, et *choc*.

Méd. et cour. Procédé de traitement psychiatrique consistant à provoquer une perte de conscience, suivie de convulsions, par le passage d'un courant alternatif à travers la boîte crânienne. → **Convulsivothérapie.**

L'électro-choc est une épilepsie électrique expérimentale, appliquée par Cerletti au traitement des maladies mentales. Il entraîne d'une part des modifications psychologiques de l'humeur et de la conscience (...) d'autre part des modifications biologiques, neuro-végétatives et humorales, que nous avons individualisées avec A. Soulairac sous le nom de syndrome neuro-humoral de l'électro-choc (1943).

Jean DELAY, Introd. à la médecine psychosomatique, Notes et observations, p. 62.

ÉLECTROCINÉTIQUE [elɛktʀosinetik] n. f. et adj. — 1888 ; de *électro-*, et *cinétique*.

Didactique.

♦ **1** N. f. Sc. Partie de la science qui étudie la propagation des courants électriques.

♦ **2** Adj. (1933). *Potentiel électrocinétique* : différence de potentiel existant, dans un électrolyte, entre les couches avoisinant les électrodes et celles qui en sont le plus éloignées.

CONTR. (Du sens 1) **Électrostatique.**

ÉLECTROCOAGULATION [elɛktʀokɔagylasjɔ̃] n. f.
— 1922; de *électro-*, et *coagulation*.

♦ **1** Méd. Coagulation de tissus vivants par la chaleur, obtenue au moyen de courants électriques et provoquant soit leur destruction soit leur section (→ Bistouri* électrique). → **Électrocautère, électropuncture, galvanocautère.**

♦ **2** (1974). Techn. Traitement des eaux polluées qui consiste à en précipiter les déchets solides en faisant passer un courant électrique dans les cuves d'épuration.

ÉLECTROCOPIE [elɛktʀokɔpi] n. f. — Mil. xxᵉ (v. 1965); de *électro-*, et *copie*.

Techn. Procédé de reproduction des documents fondé sur l'électrostatique. → **Reprographie, xérographie.** — REM. On dit aussi *copie électrostatique*.

ÉLECTROCOPIEUR [elɛktʀokɔpjœʀ] n. m. — Mil. xxᵉ (attesté 1964); de *électro-*, et *copieur*. → Photocopieur.

Techn. Appareil de reprographie utilisant des procédés électrostatiques. — REM. On dit aussi *copieur* électrostatique*.

ÉLECTROCULTURE [elɛktʀokyltyʀ] n. f. — 1918; de *électro-*, et *culture*.

Techn. (agric.). Ensemble des procédés d'utilisation de l'électricité pour la culture des plantes (charrue électrique, chauffage, lumière, etc.).

ÉLECTROCUTER [elɛktʀokyte] v. tr. — 1891; aussi *électro-exécuter*, 1892; anglais des États-Unis *to electrocute*, 1889, de *électro-*, et *(to exe)cute «exécuter»*.

♦ **1** Exécuter (un condamné à mort) par une décharge électrique (→ Chaise* électrique). *On électrocute les condamnés dans certains états des États-Unis.*

1　Électrocutera-t-on? N'électrocutera-t-on pas? Le point d'interrogation se dresse devant les amateurs de la peine de mort. On sait qu'aux États-Unis les premières exécutions électriques avaient donné un piteux résultat.
　　　　P. GIRARD, *in* le Charivari, 10 juil. 1891, p. 1.

♦ **2** Tuer ou faire perdre connaissance à (un homme, un animal) par une décharge électrique. *Se faire électrocuter accidentellement.*

2　Parmi ses fournitures, l'architecte possédait un paratonnerre du plus récent modèle, qu'il destinait au château du baron Ballesteros. Il était facile, au prochain orage suffisamment direct, de mettre Djizmé en contact avec le fil conducteur de l'appareil et de la faire ainsi électrocuter par les nuages.
　　　　Raymond ROUSSEL, Impressions d'Afrique, p. 415.

◆ **S'ÉLECTROCUTER** v. pron.

(1954). Recevoir une décharge électrique qui entraîne la mort ou une mort apparente.

◆ **ÉLECTROCUTÉ, ÉE** p. p. adj. et n. (1900, in Höfler). *Ranimer une personne électrocutée. Pratiquer la respiration artificielle sur un électrocuté.*

DÉR. Électrocuteur. — V. aussi **Électrocution** (anglic.).

ÉLECTROCUTEUR, TRICE [elɛktʀokytœʀ, tʀis] adj. — 1905, in Höfler; de *électrocuter*.

Rare. Qui provoque l'électrocution. *Courant électrocuteur.* — Par exagér. (Céline, in T. L. F.). Qui donne des décharges électriques.

ÉLECTROCUTION [elɛktʀokysjɔ̃] n. f. — 1890; aussi *électro-exécution*, 1892; anglais des États-Unis *electrocution*, 1890 (*electricution*, 1889), de *to electrocute*. → Électrocuter.

♦ **1** Exécution (d'un condamné à mort) par le passage d'un courant électrique; mort ainsi causée. *Partisans et ennemis de l'électrocution. Dans certains états des États-Unis, l'électrocution des condamnés se fait au moyen d'une chaise* électrique.*

♦ **2** Fait d'électrocuter, d'être électrocuté; ensemble des effets provoqués dans un organisme vivant par les courants électriques, surtout par les courants de haute tension (mort instantanée, perte de connaissance brutale, convulsions, brûlures au point de contact). *Électrocution produite par une ligne à haute tension.*

Particulièrement séduit par l'idée de faire périr Djizmé sous une étincelle céleste, Talou avait pleinement approuvé le projet de Chènevillot. Mise au courant du genre de supplice qu'on lui réservait, la malheureuse avait obtenu de l'empereur deux suprêmes faveurs : celle de mourir sur la natte blanche aux multiples dessins (...) Chènevillot s'était servi de la natte en question pour tapisser un appareil d'électrocution que la foudre seule devait actionner.
　　　　Raymond ROUSSEL, Impressions d'Afrique, p. 418.

DÉR. V. Hydrocution.

ÉLECTRODE [elɛktʀɔd] n. f. — 1836; angl. *electrode*, Faraday, 1834, de *electric*, et *-ode*, grec *hodos* «chemin». → Anode, cathode.

Didactique et courant.

♦ **1** Électr. Conducteur par lequel le courant arrive (*électrode positive* ou *anode*) ou sort (*électrode négative* ou *cathode*) dans un électrolyseur, un tube à gaz raréfié et, en général, un milieu où il doit être utilisé. *Électrode soluble*, qui se décompose pendant l'électrolyse. *Électrodes d'un tube cathodique.* — Chacune des tiges (de graphite, de métal) entre lesquelles on fait jaillir un arc* électrique.

♦ **2** (1890). Phys., méd. Conducteur électrique appliqué sur une partie de l'organisme. *Électrode cutanée, interne. Appliquer, fixer, implanter des électrodes.*

En électrophysiologie, M. D'Arsonval a imaginé de nouvelles électrodes impolarisables, n'exerçant aucune influence nuisible sur les tissus vivants.
　　　　L. FIGUIER, l'Année scientifique et industrielle
　　　　　　　　　　　　　　1891, p. 519 (1890).

COMP. Microélectrode.

ÉLECTRODÉPOSITION [elɛktʀodepozisjɔ̃] n. f. — 1930; de *électro-*, et *déposition*, de *se déposer*.

Techn. Plaquage métallique par procédé électrolytique. *Bain d'électrodéposition. Électrodéposition du nickel. Une entreprise britannique a (...) mis au point un appareil de récupération* (de l'argent des solutions de fixage, en photo). *Formée essentiellement d'une cellule d'électrodéposition sur laquelle la solution arrive par pompage, la machine peut être réglée automatiquement de façon à s'arrêter quand la totalité de l'argent a été extraite» (Sciences et Avenir, mars 1982, p. 28).*

ÉLECTRODIAGNOSTIC [elɛktʀodjagnɔstik] n. m. — 1890, P. Larousse, *Deuxième Suppl.*; de *électro-*, et *diagnostic*.

Méd. Méthode de diagnostic au moyen de l'électricité (exploration utilisant l'action stimulante des courants électriques; enregistrement des phénomènes électriques liés à la perturbation des diverses fonctions de l'organisme). → **Électrocardiographie, électro-encéphalographie, électromyographie.**

ÉLECTRODIALYSE [elɛktʀodjaliz] n. f. — V. 1920;
de électro-, et dialyse.

Chim. Séparation des électrolytes d'un système colloïdal par électrolyse à travers une membrane
semi-perméable qui retient des particules colloïdales, alors que les ions des électrolytes sont
déplacés vers la cathode ou vers l'anode.

La variété des procédés utilisés *(pour le dessalement de
l'eau de mer)* : distillation (deux méthodes), congélation,
ionisation par électro-dialyse, osmose inverse, suffirait à
montrer que nous sommes en période expérimentale et
qu'aucune méthode ne l'emporte.
A. SAUVY, Croissance zéro?, p. 247.

DÉR. V. Électrodialyseur.

ÉLECTRODIALYSEUR [elɛktʀodjalizœʀ] n. m.
— 1974; de électrodialyse, et dialyseur.

Chim. Dialyseur équipé d'électrodes, destiné à
l'électrodialyse. *Membranes cationiques, anioni-
ques d'un électrodialyseur.*

ÉLECTRODIALYTIQUE [elɛktʀodjalitik] adj.
— 1974; de électrodialyse, et dialytique.

Chim., techn. Relatif à l'électrodialyse; qui utilise l'électrodialyse. *Préparation électrodialytique
d'émulsions photographiques.*

ÉLECTRODOMESTIQUE [elɛktʀodɔmɛstik] adj. et
n. m. — 1957; de électro-, et domestique.

Techn., comm. Relatif aux applications de l'électricité pour l'amélioration des travaux et du confort
domestique. → **Électroménager** (cour.). *Civilisation
électrodomestique. Matériel électrodomestique.*

N. m. (1966). *«L'activité a fléchi dans le secteur de
l'électrodomestique»* (*le Monde*, 2 janv. 1966, *in* Gilbert).

ÉLECTRODYNAMIQUE [elɛktʀodinamik] adj. et
n. f. — 1823; de électro-, et dynamique.

♦ **1** Adj. Relatif aux effets de l'électricité en mouvement, à l'action des courants électriques les uns
sur les autres. *Énergie, attraction électrodynamique.*
→ **Électrocinétique.**

♦ **2** N. f. (1837). Partie de la physique qui traite de
l'électricité dynamique, de l'action des courants
électriques.

Adj. Relatif à cette science. *Théorie électrodynamique.*

DÉR. Électrodynamisme.

ÉLECTRODYNAMISME [elɛktʀodinamism] n. m.
— 1856; de électrodynamique, et suff. -isme.

Sc. Ensemble des phénomènes étudiés par l'électrodynamique.

ÉLECTRODYNAMOMÈTRE [elɛktʀodinamɔmɛtʀ]
n. m. — 1883, *in* D.D.L.; de électrodynamique, et -mètre,
d'après l'all. *Elektrodynamometer.*

Phys., techn. Galvanomètre basé sur l'action magnétique exercée par un courant fixe sur un courant
mobile.

ÉLECTRO-ENCÉPHALOGRAMME [elɛktʀoã
sefalɔgram] n. m. — 1929; de électro-, encéphale
et -gramme, d'après l'angl. *electro-encephalogram,*
lui-même d'après l'all. *Elektrenkephalogramm,* Berger,
1929.

Méd. Tracé obtenu par les procédés de l'électro-
encéphalographie (abrév. : *E.E.G.*). *Des électro-
encéphalogrammes.* — Abrév. fam. : *un électro-
encéphalo.*

Jean passa un électro-encéphalo de contrôle.   1
Claude COURCHAY,
La vie finira bien par commencer, p. 89.

(Le sommeil paradoxal). Sommeil caractérisé par sa pro-   2
fondeur, mais par un EEG de veille, un affaissement du
tonus musculaire et des mouvements rapides des yeux.
Denise VAN CANEGHEM,
Agressivité et Combativité, p. 10.

ÉLECTRO-ENCÉPHALOGRAPHIE [elɛktʀoãsefa
lɔgʀafi] n. f. — 1929; de électro-, encéphale, et -graphie.

Méd. Enregistrement de l'activité électrique
du cerveau, le plus souvent par l'application
d'électrodes sur le cuir chevelu intact. → **Électro-
encéphalogramme.**

L'électro-encéphalographie, méthode toute récente puisque
la découverte d'Hans Berger date de 1924, s'est révélée
déjà riche de réalisations. Grâce aux oscillographes cathodiques et aux oscillographes électro-magnétiques il est
possible d'enregistrer les ondes électriques du cerveau
humain et d'étudier leurs modifications dans divers processus psychiques.
Jean DELAY, la Psycho-physiologie humaine, p. 10.

DÉR. Électro-encéphalographique.

ÉLECTRO-ENCÉPHALOGRAPHIQUE [elɛ
ktʀoãsefalɔ gʀafik] adj. — 1929; de électro-
encéphalographie.

Méd. Qui se rapporte à l'électro-encéphalographie.
Des examens électro-encéphalographiques.

ÉLECTRO-ENDOSMOSE [elɛktʀoãdɔsmoz] n. f.
— 1914; de électro-, et endosmose.

Sc., techn. → **Électro-osmose.**

ÉLECTROFAIBLE [elɛktʀofɛbl] adj. — 1985; de
électro-, et faible par calque de l'angl. *electroweak*
(1978), de *electromagnetic* (→ Électromagnétique), et
weak «faible».

Phys. *Théorie électrofaible :* théorie unifiée rendant
compte à la fois des interactions électromagnétiques (→ **Électromagnétisme**) et des interactions
atomiques «faibles» (forces unissant le noyau atomique aux électrons).

ÉLECTROFONDU [elɛktʀofɔdy] n. m. et adj. — 1972,
adj.; de électro-, et fondre au p. p. passif.

Techn. Oxyde réfractaire qui se prête à la fusion
électrique. *Forte conductibilité des électrofondus.* —
Adj. *«Produits électrofondus utilisés pour doubler les
fours dans la verrerie et la sidérurgie»* (*l'Express*,
23 oct. 1972, p. 109).

ÉLECTROGALVANIQUE [elɛktʀogalvanik] adj.
— 1856; de électro-, et galvanique.

Vieilli. Se dit d'un courant produit par une pile voltaïque.

DÉR. Électrogalvanisme.

ÉLECTROGALVANISME [elɛktʀogalvanism] n. m.
— 1864; de électrogalvanique, et suff. -isme ou de
électro-, et galvanisme (Littré).

♦ **1** Électr. Vieilli. Phénomènes produits par les piles
voltaïques; leur étude.

♦ **2** (Mil. XXᵉ). Méd. *Électrogalvanisme buccal :* phénomène électrolytique qui se produit dans la bouche
entre deux pôles métalliques (par exemple, couronne, obturation).

ÉLECTROGÈNE [elɛktrɔʒɛn] adj. — 1847; n. m. «cause inconnue des phénomènes de l'électricité», 1834; de *électro-*, et *-gène*.

Qui produit de l'électricité (naturellement ou artificiellement). *L'appareil électrogène du gymnote.*

1 Qui invente? Qui dit quelque chose? Les hommes croient que c'est eux, mais ce n'est pas vrai. C'est seulement l'usine électrogène qui émet ses ondes pour les cerveaux de filaments de tungstène. Personne ne sait cela. Personne ne veut le croire. Mais c'est ainsi : ils sont ligotés les uns aux autres, ils sont tout à fait pareils aux petites lampes qui s'allument sur le fronton des banques, aux carrefours, et qui écrivent ce que dicte la voix inaudible.
J.-M. G. LE CLÉZIO, les Géants, p. 205.

(1900). Cour. *Groupe électrogène* : ensemble formé par un moteur (à vapeur, à explosion) et un système dynamo-électrique qui transforme son travail en électricité. → **Génératrice.** — N. m. Ellipt. «*Les électrogènes pétaradant sur le trottoir*» (Cendrars, *in* T. L. F.).

2 Des bâtiments plus solidement construits abritaient un groupe électrogène, un atelier de réparation, la réserve d'essence, un entrepôt de vivres et de vêtements.
J. KESSEL, le Lion, p. 63.

ÉLECTROGENÈSE [elɛktrɔʒənɛz] ou **ÉLECTRO-GÉNIE** [elɛktrɔʒeni] n. f. — 1856; de *électro-*, et *genèse*, *-génie*.

Biol. (Rare). Production d'électricité par les tissus vivants. → **Électrobiogenèse.** — REM. D'abord employé à propos des phénomènes observés chez le gymnote, le poisson torpille...

ÉLECTROGRAMME [elɛktrɔgram] n. m. — 1971; de *électro-*, et *-gramme*.

Méd. Tracé obtenu par électrographie. → **Électrocardiogramme, électro-encéphalogramme, électromyogramme, électrorétinogramme.**

ÉLECTROGRAPHE [elɛktrɔgraf] n. m. — 1864, Littré, sens 1; de *électro-*, et *-graphe*.

Vieux.

◆ 1 Auteur qui traite d'électricité.

◆ 2 Techn. Appareil télégraphique inscripteur.

ÉLECTROGRAPHIE [elɛktrɔgrafi] n. f. — 1843; de *électro-*, et *-graphie**.

◆ 1 Vx. Ouvrage sur l'électricité.

◆ 2 Reproduction (d'un texte, d'un tracé) à l'aide d'un électrographe.

◆ 3 Physiol., méd. Enregistrement des variations des potentiels électriques existant dans un tissu, un organe au repos ou au cours d'une activité physiologique ou d'un dérèglement pathologique. → **Électro-cardiographie, électro-encéphalographie, électro-myographie, électrorétinographie.** *Tracé obtenu par électrographie.* → **Électrogramme.**

ÉLECTROLEPSIE [elɛktrɔlɛpsi] n. f. — 1901; de *électro-*, et *-lepsie*. → *-leptique*.

Méd. (Rare). Affection de l'enfance caractérisée par des contractions musculaires involontaires qui se produisent à intervalles réguliers. → **Chorée.**

ÉLECTROLOGIE [elɛktrɔlɔʒi] n. f. — 1843; de *électro-*, et *-logie*.

Didact. et vx. Partie de la physique qui étudie tout ce qui se rapporte à l'électricité. → **Électricité.** — *Électrologie médicale* : étude des applications médicales de l'électricité. → **Électrodiagnostic, électrothérapie.**

ÉLECTROLUMINESCENCE [elɛktrɔlyminesãs] n. f. — 1930; de *électro-*, et *luminescence*.

Phys. Propriété qu'ont certains corps de devenir lumineux sous l'action d'un courant, d'une décharge, d'un champ électrique.

DÉR. Électroluminescent.

ÉLECTROLUMINESCENT, ENTE [elɛktrɔlyminesã, ãt] adj. — V. 1932; *électrolumineux*, 1910 (de *électro-*, et *lumineux*); de *électroluminescence*.

Phys. Qui est doué d'électroluminescence.

ÉLECTROLYSABLE [elɛktrɔlizabl] adj. — 1838; de *électrolyser*.

Sc., techn. Qui peut être électrolysé. *Composé non électrolysable.*

ÉLECTROLYSE [elɛktrɔliz] n. f. — 1845; *électrolysation*, 1837; de *électro-*, et *-lyse*, grec *lusis* «action de délier, de dissoudre», d'après *analyse* et l'angl. *electrolysis*, 1834. → Électrolyser. REM. Ce mot est le premier composé où apparaît l'élément *-lyse*.

Sciences.

◆ 1 Décomposition chimique de certaines substances en fusion ou en solution, obtenue par le passage d'un courant électrique. *Cuve d'électrolyse* (ou *cuve électrolytique*). → **Électrolyseur, voltamètre.** *Corps décomposé par une électrolyse.* → **Électrolyte.**

◆ 2 Réaction chimique des produits de cette décomposition sur les électrodes (dépôts métalliques sur la cathode, utilisés dans l'argenture, le chromage, le nickelage). → **Électrodéposition.**

COMP. Diélectrolyse.

ÉLECTROLYSER [elɛktrɔlize] v. tr. — 1838; de l'angl. *to electrolyze*, 1834, Faraday, de *électro-*, et *(to ana)lyze*. → Électrolyte.

Sc. Décomposer par électrolyse.

Pron. (Passif). «*Il ne paraît pas que l'eau absolument pure s'électrolyse*» (Wurtz, *Dict. de chimie*, art. *Électricité*).

DÉR. Électrolysable, électrolyseur.

ÉLECTROLYSEUR [elɛktrɔlizœr] n. m. — 1890; de *électrolyser*, et suff. *-eur*.

Techn. Appareil destiné à effectuer des électrolyses. *Électrode d'entrée du courant* (→ **Anode**)*, de sortie du courant* (→ **Cathode**)*, dans un électrolyseur.*

ÉLECTROLYTE [elɛktrɔlit] n. m. — 1838; angl. *electrolyte*, 1834, Faraday; de *électro-*, et grec *lutos* «qui peut être décomposé» de *luein* «décomposer, dissoudre».

Sc. Corps qui, à l'état liquide, peut se décomposer sous l'action d'un courant électrique (→ **Électrolyse**; → Condensateur, cit. 0.1). *Dans l'électrolyse, la molécule de l'électrolyte est dissociée en deux ions, l'un porteur de charge positive* (→ **Cation**)*, l'autre de charge négative* (→ **Anion**)*.*

ÉLECTROLYTIQUE [elɛktrɔlitik] adj. — 1838; de *électrolyte*, suff. *-ique*; cf. angl. *electrolytical*, 1834, *electrolytic*, 1842.

◆ 1 Chim. Qui a les caractères d'un électrolyte, renferme un électrolyte. *Solution électrolytique.*

♦2 (1864; de *électrolyse*, d'après *analyse/analytique*). Chim. Relatif à l'électrolyse. *Procédés électrolytiques*, employés dans les industries électrochimiques. *Cellule* électrolytique. Cuve électrolytique.* → **Électrolyseur, voltamètre.** *Condensateur* (cit. 0.1) *électrolytique.*

(...) pour chaque molécule d'acide sulfurique (...) qui s'électrolyse, une double molécule d'eau subit la décomposition. M. Bourgoin interprète ce fait d'après une hypothèse soutenue d'abord par Graham, à savoir que les molécules liquides, celles sur lesquelles s'exerce l'action électrolytique, sont beaucoup plus complexes que les molécules gazeuses.
G. SALET, *in* WURTZ, Dict. de chimie, art. *Électricité.*

Qui se fait par électrolyse. *Argenture électrolytique. Décomposition électrolytique. Préparation électrolytique des métaux.*

DÉR. **Électrolytiquement.**

ÉLECTROLYTIQUEMENT [elɛktrɔlitikmɑ̃] adv.
— 1870; de *électrolytique*, 2.
Chim. Par électrolyse.

ÉLECTROMAGNÉTIQUE [elɛktromaɲetik] adj.
— 1781; de *électro-*, et *magnétique.*

♦1 Phys. Relatif à l'action réciproque des champs électriques et magnétiques. → **Magnétoélectrique.** *Énergie, vibration, induction électromagnétique. Phénomènes électromagnétiques* (→ **Électromagnétisme**), *où l'on utilise l'électromagnétisme. Appareil électromagnétique. Séparation électromagnétique* (→ Électrotrieur). *Prospection électromagnétique, en géophysique.* — REM. On écrit encore parfois *électro-magnétique.*

La seule manière d'apprivoiser l'ordinateur était donc de pouvoir en avoir un contrôle manuel (...) un assemblage de machines dont un mini-ordinateur, une table à dessin spéciale et un stylo électro-magnétique (...) Reste à dessiner la musique, à apprendre la signification graphique face aux sons produits; et un beau dessin ne donnera pas forcément de la belle musique! En outre, en fonction des possibilités de l'ordinateur, on peut désormais avoir une écoute directe des graphiques inventés. L'UPIC est «conversationnel».
Iannis XÉNAKIS, *in* Diapason, mars 1981, p. 27-28.

♦2 Relatif à la science de l'électromagnétisme. *Unités électromagnétiques*, définies à partir des phénomènes électromagnétiques (symb. *Uem* C. G. S. → **Gauss, gilbert, maxwell, œrsted**). *La théorie électromagnétique de la lumière, de Maxwell.*

ÉLECTROMAGNÉTISME [elɛktromaɲetism] n. m.
— 1781; de *électro-*, et *magnétisme.* → Électromagnétique.
Sciences, technique.

♦1 Ensemble des phénomènes résultant de l'action réciproque des courants et des champs électriques, ainsi que des champs magnétiques (→ Aimant; magnétisme).

♦2 Partie de la physique qui étudie ces phénomènes. *«L'Électro-magnétisme a laissé entrevoir la cause des Aurores Boréales (...)»* (Bailly de Merlieux, *Résumé complet de météorologie*, p. 38, 1830).

— (...) L'homme, qui représente le plus haut point de l'intelligence et qui nous offre le seul appareil d'où résulte un pouvoir à demi créateur, *la pensée!* est, parmi les créations zoologiques, celle où la combustion se rencontre dans son degré le plus intense (...) L'électricité ne se manifesterait-elle pas en lui par des combinaisons plus variées qu'en tout autre animal? N'aurait-il pas des facultés plus grandes que toute autre créature pour absorber de plus fortes portions du principe absolu (...) Je le crois. L'homme est un matras. Ainsi, selon moi, l'idiot serait celui dont le cerveau contiendrait le moins de phosphore ou tout autre produit de l'électro-magnétisme, le fou celui dont le cerveau en contiendrait trop, l'homme

ordinaire celui qui en aurait peu, l'homme de génie celui dont la cervelle en serait saturée à un degré convenable. L'homme constamment amoureux, le portefaix, le danseur, le grand mangeur, sont ceux qui déplaceraient la force résultante de leur appareil électrique.
BALZAC, la Recherche de l'absolu, Pl., t. IX, p. 537 (1834).

ÉLECTROMANOMÈTRE [elɛktromanɔmɛtʀ] n. m.
— Mil. XXᵉ; de *électro-*, et *manomètre.*
Méd. Manomètre muni d'un amplificateur électrique, utilisé en cardiologie pour l'enregistrement très précis des pressions systoliques et diastoliques à l'intérieur du cœur et des vaisseaux.

ÉLECTROMASSAGE [elɛktromasaʒ] n. m. — Mil. XXᵉ; de *électro-*, et *massage.*
Méd. Massage réalisé au moyen d'un appareil électrique.

ÉLECTROMÉCANICIEN, IENNE [elɛktromekanisjɛ̃, jɛn] n. — 1928; de *électro-*, et *mécanicien.*
Techn. Technicien de l'électromécanique; personne compétente à la fois en électricité et en mécanique. — Appos. *Ouvrier électromécanicien.*

ÉLECTROMÉCANIQUE [elɛktromekanik] adj. et n. f. — 1894; de *électro-*, et *mécanique.*
Technique.
♦1 Adj. Se dit d'un dispositif mécanique (de commande, de contrôle...) en liaison avec des organes électriques. *Commande, tête électromécanique.*
♦2 N. f. Technique des dispositifs et appareils électromécaniques.

ÉLECTROMÉDICAL, ALE, AUX [elɛktromedikal, o] adj. — 1867; de *électro-*, et *médical.*
Techn. Se dit d'un appareil électrique à usage médical.

ÉLECTROMÉNAGER, ÈRE [elɛktromenaʒe, ɛʀ] adj. et n. m. — 1949; de *électro-*, et *ménager.*
Cour. Adj. m. Se dit de divers appareils ménagers (fers, aspirateurs, réfrigérateurs, etc.) utilisant l'énergie électrique. *L'appareillage électroménager.* → **Électrodomestique.**
N. m. (1965). *L'électroménager,* l'ensemble de ces appareils; l'industrie qui les produit. *Petit électroménager, gros électroménager. Magasin, exposition d'électroménager.*
Adj. Relatif à l'industrie de l'électroménager. *La «filiale "électro-ménagère" (sic) de H.»* (le Monde, 16 mars 1967, *in* Gilbert).

L'électro-ménager *(sic)* rend la vie de famille plus agréable : ce ne sont que lave-vaisselle, ce ne sont que machines à laver.
Alain BOSQUET, les Bonnes Intentions, p. 127 (1975).

DÉR. **Électroménagiste.**

ÉLECTROMÉNAGISTE [elɛktromenaʒist] n.
— 1958; de *électroménager*, et suff. *-iste.*
Comm. Vendeur de matériel électroménager. *«Des électroménagistes et des lessiviers qui me lavent le cerveau avec la mousse de leurs shampooings à moquette, le jet de leurs vaporisateurs à four et le programme spécial casseroles de leurs lave-vaisselle»* (le Nouvel Obs., nᵒ 643, p. 52, 7 mars 1977).

ÉLECTROMÉTALLURGIE [elɛktʀometalyʀʒi] n. f.
— 1858 ; de *électro-*, et *métallurgie*.
Techn. Étude et technique des applications à la métallurgie de procédés électrothermiques et électrolytiques. → **Électrosidérurgie.**
DÉR. Électrométallurgique, électrométallurgiste.

ÉLECTROMÉTALLURGIQUE [elɛktʀometalyʀʒik] adj. — 1858 ; de *électrométallurgie*.
Techn. Qui est relatif à l'électrométallurgie. → Électrométallurgiste, cit.

ÉLECTROMÉTALLURGISTE [elɛktʀometalyʀʒist] n. — 1894 ; de *électrométallurgie*, et suff. *-iste*.
Technique.
♦**1** Spécialiste, chercheur en électrométallurgie. *Une électrométallurgiste.*
Parmi les électrométallurgistes qui se sont le plus signalés, on peut citer MM. Thomson et de Benardos, qui ont imaginé les dispositifs les plus intéressants pour le soudage ; mais voici que trois ingénieurs belges (...) viennent d'inventer un système électrométallurgique des plus intéressants.
      L. FIGUIER, l'Année scientifique et industrielle 1895, p. 269-271 (1894).
♦**2** Fondeur de four d'aciérie électrique. — **Appos.** *Ouvrier électrométallurgiste.*

ÉLECTROMÈTRE [elɛktʀɔmɛtʀ] n. m. — 1749 ; du rad. de *électrique* (grec *élektro-* ; → Électro-), et *-mètre*.
REM. Ce mot est le premier où apparaît l'élément *électro-*.
Sc. et techn. Instrument destiné à mesurer des grandeurs électriques (charge électrique d'un corps, force électromotrice), spécialt, des différences de potentiel (→ Balance* de Coulomb, électroscope). *Électromètre capillaire.* — **Appos.** *Lampe, tube électromètre* : triode permettant de mesurer des courants de très faible intensité.
Par ext. Appareil servant à mesurer de faibles doses de radio-activité.
DÉR. V. Électrométrie.

ÉLECTROMÉTRIE [elɛktʀɔmetʀi] n. f. — 1845 ; de *électro-*, et *métrie*, d'après *électromètre*.
Sc., techn. Ensemble des méthodes de mesure de grandeurs électriques (tensions, charges, différences de potentiel...).
DÉR. Électrométrique.

ÉLECTROMÉTRIQUE [elɛktʀɔmetʀik] adj. — 1843 ; de *électrométrie*.
Sc., techn. Relatif à l'électrométrie.

ÉLECTROMOTEUR, TRICE [elɛktʀɔmɔtœʀ, tʀis] adj. et n. m. — 1801 ; de *électro-*, et *moteur*.
Sciences, technique.
♦**1** Adj. Qui développe de l'électricité sous l'action d'un agent mécanique ou chimique. *Appareil électromoteur* (→ **Générateur**).
N. m. (Vx). Appareil transformant l'énergie mécanique ou chimique en énergie électrique.
Physiol. *Centres électromoteurs de l'encéphale.*
♦**2** Adj. Qui maintient une différence de potentiel électrique ou qui entretient un courant électrique. *Champ électromoteur.* **FORCE ÉLECTROMOTRICE** (abrév. : *f. é. m.*) : force exprimée par le quotient de la puissance électrique empruntée à la source et dirigée dans le circuit, par l'intensité du courant qui traverse celui-ci. *L'unité de f. é. m. est le volt* (→ Contre-électromotrice). *La force électromotrice d'une pile.*
DÉR. Contre-électromotrice.

ÉLECTROMUSCULAIRE [elɛktʀomyskylɛʀ] adj.
— 1849, *in* D. D. L. ; de *électro-*, et *musculaire*.
Physiol. Se dit des phénomènes de sensibilité et de contractilité provoqués dans les muscles par une excitation électrique. *La sensibilité électromusculaire.*

ÉLECTROMYOGRAMME [elɛktʀomjɔgʀam] n. m.
— 1959 ; de *électro-*, et *myogramme*.
Méd. Tracé obtenu par électromyographie (abrév. : *emg*). → **Myogramme.**

ÉLECTROMYOGRAPHIE [elɛktʀomjɔgʀafi] n. f.
— 1960 ; de *électro-*, et *myographie*.
Méd. Enregistrement des variations de potentiel électrique dans les muscles au repos ou en activité. → **Myographie.**

1. ÉLECTRON [elɛktʀɔ̃] n. m. — 1902 ; «matière électrique», 1808 (du grec *élektron*) ; angl. *electron*, v. 1902, Larmor, «particule électrique élémentaire», d'abord «charge électrique élémentaire», 1891, Stoney, du rad. de *electric*, et p.-ê. *-on* de *ion*, *anion*, *cation*, d'après grec *élektron* «ambre». → Électrique.
Particule élémentaire stable possédant la plus petite charge d'électricité, négative (*électron négatif* → Négaton, rare) ou positive (*électron positif* ou *positon* → Positon, cit. 1, 2). *Les électrons sont l'un des constituants de la matière.* → **Atome** (cit. 17) ; → Matière, cit. 4, 5. *Masse, vitesse de l'électron. Mouvements de rotation* (→ **Spin**), *mouvements circulaires* (→ **Magnéton**) *de l'électron. Corpuscule lourd de même charge que l'électron* (→ **Méson**).
Cour. Électron négatif, élément constitutif de l'atome*, autour du noyau (opposé à *nucléon*). **Syn.** : *négaton. Orbite* (vieilli), *orbitale** (cit.) *d'un électron. Nombre d'électrons d'un atome au repos.* → **Atomique** (numéro). *L'aptitude des électrons de l'atome à s'échanger explique les propriétés chimiques de celui-ci* (→ **Covalence, électrovalence, valence**). *Émission d'électrons. Électron émettant un photon. Représentation de l'électron dans la théorie corpusculaire, ondulatoire. Électron célibataire. Électrons appariés. Électrons suprathermiques*. *Électrons relativistes, électrons accélérés*, animés d'une vitesse voisine de la vitesse de la lumière. — *Production de faisceaux d'électrons. Canon* à électrons. Méthodes d'usinage par faisceau d'électrons.*

(...) l'électricité consiste en grains, en corpuscules. Le grain d'électricité, le corpuscule d'électricité a reçu (1891) le nom d'*électron* : hypothèse d'abord vague, mais qui est devenue elle aussi, l'expression même de la réalité, puisque ces électrons, *qui sont tous identiques*, on les a recensés, et qu'on a dépisté leurs effets *individuels*. L'électron est *négatif*. Deux électrons, mis en présence, *se repoussent*, avec une force d'autant plus grande que la distance, qui les sépare, est plus petite.   [1]
      Marcel BOLL, Électricité, Magnétisme, p. 11.
La découverte, en 1932, d'un électron positif ou positon exactement symétrique de l'électron négatif ou négaton, c'est-à-dire ayant la même masse et une charge exactement égale et de signe contraire (...)   [2]
      A. BOUTARIC, Physique de la vie, p. 736.

Électron libre : électron ayant échappé aux forces qui le tiennent lié au noyau d'un atome. — **Loc. fig.** *Électron libre* : personne qui agit de manière indépendante (par rapport à un ensemble, une institution). *L'électron libre d'un parti.* «L'électron libre du ciel politique» (*le Nouvel Obs.*, 13 oct. 1994).

CONTR. (Du sens 2) **Positon.** ◊ **DÉR.** Électronique. → **COMP.** Électron-gramme, électron-volt. → **HOM.** 2. Électron.

2. ÉLECTRON ou **ÉLEKTRON** [elɛktʀɔ̃] n. m.
— 1953; p.-ê. de l'all., d'après le grec *élektron*. → Électrum.

Techn. Alliage ultra-léger à base de magnésium principalement et d'aluminium, souvent avec addition de zinc.

HOM. 1. Électron.

ÉLECTRONARCOSE [elɛktʀonaʀkoz] n. f. — 1953; Quillet; de *électro-*, et *narcose*.

Psychiatrie. Sommeil (de quelques minutes) provoqué par le passage prolongé d'un faible courant électrique à travers le cerveau. *L'électronarcose provoque un état comateux entretenu par le passage du courant, alors qu'il n'existe qu'après l'arrêt du courant dans l'électrochoc. Traitement de certaines psychoses par électronarcose.*

ÉLECTRONÉGATIF, IVE [elɛktʀonegatif, iv] adj.
— 1813; de *électro-*, et *négatif*.

Sciences.

♦ **1** Qui est chargé d'électricité négative.

♦ **2** Se dit des éléments chimiques qui, dans l'électrolyse, se portent à l'anode, et dont les atomes peuvent capter des électrons.

CONTR. Électropositif. ◊ **DÉR.** Électronégativité.

ÉLECTRONÉGATIVITÉ [elɛktʀonegativite] n. f.
— 1911, in *Rev. gén. des sc.*, n° 10, p. 432; de *électronégatif, ive*.

Sc. Attraction que possède un atome d'un élément donné pour le doublet électronique mis en commun dans la liaison avec un autre atome. *Coefficient d'électronégativité d'un élément. Échelle d'électronégativité* (présentant les coefficients des éléments).

ÉLECTRON-GRAMME [elɛktʀɔ̃gram] n. m. — 1961; de *électron*, et *gramme*, d'après *atome-gramme*.

Sc. Masse totale d'une mole* d'électrons (masse des électrons que contient une mole d'atomes d'hydrogène). *Des électrons-grammes.* — On écrit aussi *électrongramme*.

ÉLECTRONICIEN, IENNE [elɛktʀɔnisjɛ̃, jɛn] n.
— 1955; de *électronique*, et suff. *-ien*.

Spécialiste de l'électronique. *Elle veut être électronicienne.*

1   Il portait un gros sac de simili-cuir marron, évoquant le médecin et même le faiseur d'anges plutôt que l'électronicien.   Vladimir VOLKOFF, le Retournement, p. 254.

Par appos. *Ingénieur électronicien.*

2   Plus tard, lorsqu'il eut passé son baccalauréat, ses parents l'accompagnèrent à Paris et il devint ingénieur électronicien spécialisé dans la recherche.
     Daniel ODIER, l'Année du lièvre, p. 15.

COMP. Radio-électronicien.

ÉLECTRONIQUE [elɛktʀɔnik] adj. et n. f. — 1903, in *Rev. gén. des sc.*, n° 8, p. 410; de *électron*, et suff. *-ique*, d'après l'angl. *electronic (theory)*, 1902, Fleming.

Sciences et courant.

♦ **1** Adj. **a** **Sc.** Propre ou relatif à l'électron. *Charge électronique. Théorie électronique de la valence** (→ aussi **Coordinance, covalence, électrovalence**). *Couches électroniques d'un atome. Émission, flux, faisceau électroniques.*

1   Les observations faites au moyen de l'appareil à détente de Wilson avec un champ magnétique, ont révélé la présence de trajectoires d'électrons rapides atteignant une énergie de $4{,}8 \times 10^6$ eV. On a observé, en même temps, des trajectoires électroniques courbées les unes en sens inverse des autres.
     F. JOLIOT et I. JOLIOT-CURIE,
     in Revue générale des sciences, 1934, n° 8, p. 230.

b **Cour.** Qui appartient à l'électronique (→ ci-dessous, n. f.), fonctionne suivant les lois de l'électronique. *Optique électronique. Microscope, télescope électronique. Tube électronique. Calculateur électronique. Flash électronique. Jeux** électroniques.

2   On voudrait passer, traverser. Pas moyen. Les rideaux d'aluminium ferment leurs paupières électroniques si vite qu'à peine une étincelle de lumière a le temps de sortir. Paupière de métal, qui retombe avec un claquement sec, et décapite les idées.
     J.-M. G. LE CLÉZIO, les Géants, p. 115.

3   Dans le domaine musical, il convient de dissocier ce qui est électronique de ce qui n'est qu'électrique (...) une guitare ne saurait être dite électronique parce qu'elle utilise un micro et un amplificateur; à ce titre, combien de chanteurs électroniques n'aurions-nous pas déjà entendus?
N'est électronique au sens strict, en musique, que ce qui fait appel à une source électronique (par exemple une lampe triode) pour produire des oscillations électriques, qui seront transformées en vibrations mécanoacoustiques par le truchement d'une membrane (haut-parleur).
     Jean-Étienne MARIE, Musique électronique,
     expérimentale et concrète, in Encycl. Pl.,
     Hist. de la musique, t. II, p. 1420.

Qui est fait par des procédés électroniques, au moyen d'appareils électroniques. *Musique électronique* (→ ci-dessus, cit. 3). *Tri électronique du courrier. — Annuaire électronique.* «L'annuaire électronique consiste à remplacer chez l'abonné volontaire les annuaires téléphoniques en papier par un petit terminal (le minitel)» (*Sciences et Avenir*, n° 44, oct. 1983, p. 37). *Monnaie* électronique.* «À partir des mêmes terminaux, les commandes directes d'articles sur les ordinateurs de gestion (...) associées au paiement électronique, apportent un certain confort à l'usager (...) l'utilisation de la "monnaie électronique" grâce, en particulier, à la "carte à mémoire", sont la préfiguration de ce que certains appellent la banque à domicile» (*Sciences et Avenir*, n° 44, oct. 1983, p. 22). — *Traitement électronique de l'information. Jeux électroniques. Adresse* électronique. Courrier* électronique.* → **E-mail.** *Commerce* électronique.* — (1962). Par métonymie. *Compositeur, musicien, chanteur électronique.* — **REM.** Ces emplois sont abusifs.

Relatif à l'électronique, en tant que technique, industrie.

4   Ô paysages électroniques! Le paysage, cela commence avant les poètes. Au sud de Paris, à partir de Châtillon, les mathématiques modernes et la physique atomique règnent au-dessus des pavillons d'hiver.
     ARAGON, Blanche ou l'Oubli, III, II, p. 383.

♦ **2** N. f. (1930). **L'ÉLECTRONIQUE** : partie de la physique étudiant les phénomènes où sont mis en jeu des électrons à l'état libre; technique dérivant de cette science (fondée sur le déplacement des électrons dans des circuits comportant des tubes électroniques, des transistors, etc.).

Électronique spatiale, aérospatiale, appliquée aux techniques spatiales, aéronautiques (→ **Avionique**).

DÉR. Électronicien, électroniquement, électronisation.
◊ **COMP.** Bioélectronique, microélectronique, optoélectronique, radioélectronique, thermoélectronique.

ÉLECTRONIQUEMENT [elɛktʀɔnikmɑ̃] adv.
— 1936; de *électronique*, et suff. *-ment*.

Sc., techn. et cour. Par un procédé électronique. *Système contrôlé électroniquement.* — Sur le plan de l'électronique.

L'espace circumterrestre se trouve actuellement occupé par plusieurs centaines de «satellites-épaves» très gênants. Les réseaux de poursuite doivent en effet les suivre quotidiennement. Question de sécurité : il faut produire des éphémérides les concernant. Un travail fastidieux, dont les centres de surveillance seront dispensés le jour où les satel-lites électroniquement morts, et donc devenus inutiles, pourront être retirés du cosmos.

Albert DUCROQ, Des robots dans le cosmos, *in* Sciences et Avenir, n° 421, mars 1982, p. 48.

ÉLECTRONISATION [elɛktrɔnizasjɔ̃] n. f. — 1964; du rad. de *électronique*, et suff. *-isation*. REM. Le verbe *électroniser* semble plus rare (*in* Sciences et Avenir, n° 43, 1983, p. 18).

Techn. Action d'équiper en machines électroniques, de faire fonctionner électroniquement. *L'électroni-sation d'un central téléphonique; de la composition* (en imprimerie). → **Informatisation.**

ÉLECTRONOTHÉRAPIE [elɛktrɔnoterapi] n. f. — 1973; *électronthérapie*, 1971; de *électron*, et *-thérapie*, d'après l'angl. *electron therapy*.

Méd. Traitement (d'un cancer) au moyen d'élec-trons de très haute énergie produits par des accé-lérateurs linéaires (→ Radiothérapie). — REM. Ne pas confondre avec *électrothérapie*.

ÉLECTRONUCLÉAIRE [elɛktrɔnykleɛr] adj. et n. m. — 1962; de *électro-*, et *nucléaire*.

Didact. Qui produit des électrons, de l'électricité par la fission nucléaire. *L'énergie électronucléaire. Le développement du programme électronucléaire, de la politique électronucléaire d'un pays. Une cen-trale électronucléaire.* — N. m. *L'électronucléaire.* → **Nucléaire.**

Aux États-Unis, au Canada, au Japon, en Europe occiden-tale et dans les pays de l'Est, les années 1960 ont vu la réalisation de nombreux prototypes et le démarrage d'im-portants programmes de constructions de centrales élec-tronucléaires. La contribution de l'énergie nucléaire restait cependant faible puisque, en 1973, elle ne représentait que 3 % de la production électrique mondiale.

Syndicat C. F. D. T. de l'énergie atomique, l'Électronucléaire en France, p. 8-9 (1975).

DÉR. Électronucléarisation.

ÉLECTRONUCLÉARISATION [elɛktrɔnyklearizasjɔ̃] n. f. — 1972; de *électronucléaire*.

Didact. Fait d'équiper, de s'équiper en sources d'énergie électronucléaires. *L'électronucléarisation d'une région.*

ÉLECTRON-VOLT [elɛktrɔ̃vɔlt] n. m. — 1938; de *électron*, et *volt*.

Phys. Unité d'énergie employée en physique nucléaire (symb. *eV*), égale à l'énergie acquise dans un champ électrique, sous l'effet d'une dif-férence de potentiel de un volt, par un électron en mouvement dans le vide. *Des électrons-volts* ou *des électrons-volt. Un million d'électrons-volts* (un méga-électron-volt). — REM. On trouve aussi la graphie *électronvolt*, plur. *électronvolts*.

COMP. **Méga-électron-volt.**

ÉLECTRO-OPTIQUE [elɛktrɔɔptik] n. f. et adj. — 1903, *in* Rev. gén. des sc., n° 10, p. 575; aussi *élec-troptique*, 1923; de *électro-*, et *optique*.

♦ **1** N. f. Partie de la physique qui étudie les rela-tions existant entre les phénomènes électriques et lumineux.

♦ **2** Adj. (1936). Relatif à la modification de pro-priétés optiques sous l'action d'un champ élec-trique. *Effets électro-optiques de certaines phases des cristaux liquides.*

ÉLECTRO-OSMOSE [elɛktrɔɔsmoz] n. f. — V. 1920; aussi *électrosmose*, 1945; de *électro-*, et *osmose*.

Sc., techn. Passage de fluides à travers des parois capillaires ou poreuses, des membranes semi-perméables, sous l'action d'un champ électrique. *Consolidation de terrains argileux par électro-osmose, en géotechnie.*

REM. On dit aussi *électro-endosmose*.

ÉLECTRO-OSMOTIQUE [elɛktrɔɔsmɔtik] adj. — 1961; de *électro-*, et *osmotique*, d'après *électro-osmose*, angl. *électroosmotic*, 1967.

Sc. et techn. Relatif à l'électro-osmose; qui utilise ses propriétés. *Drainage électro-osmotique d'un terrain.*

ÉLECTROPERMÉABILITÉ [elɛktrɔpɛrmeabilite] n. f. — 1972; de *électro-*, et *perméabilité*.

Électr., physiol., méd. Perméabilité à l'électricité. «*Les importantes recherches du Dr. Niboyet de Marseille, ont montré qu'il existait une différence d'électroper-méabilité entre les points utilisés traditionnellement par les acupuncteurs et d'autres points choisis au hasard sur la peau*» (la Recherche, nov. 1972, *in* la Clef des mots, oct. 1973). — REM. L'adj. *électroper-méable* semble plus rare.

ÉLECTROPHILE [elɛktrɔfil] adj. — Mil. XX°; de *électro(n)*, et *-phile*.

Chim., phys. *Particules électrophiles*, que leur con-figuration électronique rend capables d'accepter une paire d'électrons.

(...) nous avons été frappés de ce que la plupart des hap-tènes sont des substances *électrophiles*, c'est-à-dire des sub-stances avides d'électrons. Elles peuvent donc se lier à des substances qui leur en fournissent (...).

Claude BENEZRA et Gilles DUPUIS, l'Allergie de contact, *in* la Recherche, n° 147, sept. 1983, p. 1070.

ÉLECTROPHONE [elɛktrɔfɔn] n. m. — 1888; de *électro-*, et *-phone*.

♦ **1** Vx. Récepteur téléphonique servant à ampli-fier les sons par l'intermédiaire de petits électro-aimants agissant sur une plaque vibrante.

♦ **2** (1929, *in* D.D.L.). Mod. et cour. Appareil de repro-duction d'enregistrements phonographiques sur disque. → **Chaîne** (II., A., 6.); **phono, phonographe** (vx), **pick-up, platine, tourne-disque.**

Des élèves de sixième, nuls en calcul et médiocres en géo-graphie, implorent un mot de toi qui hâterait leurs progrès et permettrait à leur père de leur payer un électrophone avant les vacances (...)

P. GUTH, Lettre ouverte aux idoles, Sheila, p. 96.

Abrév. fam. : *électro*. «*Premier acide, premier voyage : "Il faisait noir, tu comprends, sur l'électro, il y avait les Pink Floyd. Je ne sentais plus rien"*» (le Nouvel Obs., 3 mars 1975, p. 42, *in* D.D.L.).

REM. Depuis la diffusion des «chaînes» de reproduction acoustique, le mot, après *phono* et *pick-up*, a vieilli.

ÉLECTROPHORE [elɛktrɔfɔr] n. m. — 1783; du lat. *electrophorus*, Volta, v. 1776, de *électro-* et *-phorus*, du grec *phorein*. → **-phore.**

Hist. des techn. Appareil qui permet de conserver, de condenser de l'électricité. *Le disque, le plateau, le collecteur d'un électrophore.*

ÉLECTROPHORÈSE [elɛktrɔfɔrɛz] n. f. — 1923; de *électro-*, et *-phorèse*, du grec *phorêsis* «transport».

Sc., techn. Migration de molécules ou de particules ayant une charge électrique (par ex.,
micelles d'une suspension colloïdale) sous l'effet
d'un champ électrique créé en plaçant deux électrodes dans la solution. → **Anaphorèse, cataphorèse.**
*Peinture des carrosseries d'automobiles par électro-
phorèse.*

Méthode d'analyse fondée sur ce phénomène. *Électrophorèse pour la séparation des fractions protidi-
ques du sérum sanguin. Électrophorèse sur papier.*

DÉR. Électrophorétique.

ÉLECTROPHORÉTIQUE   [elɛktʀɔfɔʀetik] **adj.**
— 1961 ; de *électrophorèse.*

Sc., techn. Relatif à l'électrophorèse. *Mobilité électrophorétique des enzymes. «Le principe de la technique
électrophorétique est le suivant : différentes protéines d'un mélange seront séparées sur un gel selon
leurs charges électriques ; dans la mesure où des
variants individuels d'une protéine donnée (ou ceux
concernant des individus appartenant à des espèces
voisines) diffèrent par leurs charges, ils seront discri-
minés par électrophorèse» (*Sciences et Avenir*, n° 38,
1982, p. 67).*

ÉLECTROPHYSIOLOGIE   [elɛktʀofizjɔlɔʒi] **n. f.**
— 1852 ; de *électro-*, et *physiologie.*

Sc. Étude des réactions des êtres vivants à des excitations électriques. → **Électrobiologie.**

DÉR. Électrophysiologique.

ÉLECTROPHYSIOLOGIQUE   [elɛktʀofizjɔlɔʒik]
adj. — 1868 ; de *électrophysiologie.*

Sc. Relatif à l'électrophysiologie. *Exploration électrophysiologique d'un organe. «Les principes du
codage olfactif sont étudiés grâce aux techniques
électrophysiologiques. Celles-ci consistent à mesurer,
à l'aide de microélectrodes, l'activité d'un seul neurone stimulé par des qualités odorantes testées
à diverses concentrations» (*la Recherche*, n° 121,
avr. 1981, p. 412).*

ÉLECTROPNEUMATIQUE   [elɛktʀopnømatik] **adj.**
— 1904, in *Rev. gén. des sc.*, n° 3, p. 110 ; de *électro-*,
et *pneumatique.*

Techn. Qui fonctionne à l'air comprimé, la
manœuvre des valves de commande étant
déterminée par électro-aimants. *Perforatrice électropneumatique.*

DÉR. Électropneumatiquement.

ÉLECTROPNEUMATIQUEMENT   [elɛktʀopnøma
tikmã] **adv.** — Déb. xxᵉ ; de *électropneumatique.*

Techn. Avec une installation électropneumatique.
*«Les portes d'accès du type pliant et pivotant à deux
vantaux inégaux ouvrent vers l'extérieur. Elles sont
disposées en retrait de la face. Leur fermeture est
réalisée : manuellement, sans effort excessif ; électropneumatiquement (...)» (*la Vie du rail*, n° 1527,
25 janv. 1976, p. 4).*

ÉLECTROPOMPE   [elɛktʀopɔ̃p] **n. f.** — 1953 ; de
électro-, et *pompe.*

Techn. Ensemble formé par une pompe rotative et
le moteur électrique qui l'entraîne.

ÉLECTROPONCTURE   [elɛktʀopɔ̃ktyʀ] **n. f.** → **Électropuncture.**

ÉLECTROPOSITIF, IVE   [elɛktʀopozitif, iv] **adj.**
— 1834 ; de *électro-*, et *positif.*

Sciences.

♦ **1** Qui est chargé d'électricité positive.

♦ **2** Se dit des éléments chimiques qui, dans l'électrolyse, se portent à la cathode, et dont les atomes
peuvent céder des électrons.

Voici pourtant, dit-il en s'arrêtant devant une capsule dans
laquelle plongeaient les deux fils d'une pile de Volta, une
expérience dont le résultat devrait être attendu. (...) Voilà
une combinaison de carbone et de soufre (...) dans laquelle
le carbone joue le rôle de corps électropositif ; la cristallisation doit commencer au pôle négatif ; et, dans le cas de
décomposition, le carbone s'y porterait cristallisé (...)
     BALZAC, la Recherche de l'absolu, Pl., t. IX, p. 623.

CONTR. Électronégatif.

ÉLECTROPTIQUE   [elɛktʀɔptik] **adj.** → **Électro-
optique.**

ÉLECTROPUNCTURE ou **ÉLECTROPONC-
TURE**   [elɛktʀopɔ̃ktyʀ] **n. f.** — 1834 ; de *électro-*,
et *-puncture*, 2ᵉ élément de *acupuncture.*

Méd. Emploi thérapeutique (pour la volatilisation,
la carbonisation, la coagulation de tissus) d'une
électrode pointue, rendue incandescente par un
courant galvanique. → **Électrocautère, électrocoagulation, galvanocautère.** — **Syn.** : *galvanopuncture.*

DÉR. Électropuncturer.

ÉLECTROPUNCTURER ou **ÉLECTROPONC-
TURER**   [elɛktʀopɔ̃ktyʀe] **v. tr.** — 1834 ; de *électropuncture* ou *électroponcture.*

Méd. Pratiquer l'électropuncture sur (un malade).
— Au p. p. *Patient électropuncturé.*

ÉLECTROPYREXIE   [elɛktʀopiʀɛksi] **n. f.** — 1953 ; de
électro-, et *pyrexie* «état fébrile».

Méd. Élévation artificielle de la température du
corps humain, par le moyen d'ondes courtes électriques, dans un but thérapeutique (→ Diathermie).
— **Syn.** : *fièvre artificielle.*

ÉLECTRORADIOLOGIE   [elɛktʀoʀadjɔlɔʒi] **n. f.**
— 1945, in *D. D. L.* ; de *électro-*, et *radiologie.*

Méd. Ensemble des applications de l'électricité et
de la radiologie à la médecine, pour le diagnostic
et le traitement (→ Électrologie* médicale).

DÉR. Électroradiologique, électroradiologiste.

ÉLECTRORADIOLOGIQUE   [elɛktʀoʀadjɔlɔʒik]
adj. — Mil. xxᵉ ; de *électroradiologie.*
Méd. De l'électroradiologie.

ÉLECTRORADIOLOGISTE   [elɛktʀoʀadjɔlɔʒist] **n.**
— V. 1950 ; de *électroradiologie*, et suff. *-iste.*
Méd. Médecin spécialiste d'électroradiologie.

ÉLECTRORÉTINOGRAMME   [elɛktʀoʀetinɔgʀam]
n. m. — 1961 ; de *électro-*, *rétine* et *-gramme.*
Méd. Tracé obtenu par électrorétinographie.
(Abrév. : *erg* [əɛʀʒe].)

ÉLECTRORÉTINOGRAPHIE   [elɛktʀoʀetinɔgʀafi]
n. f. — 1959 ; de *électro-*, *rétine* et, *-graphie*, d'après
électro-encéphalographie.
Méd. Méthode d'enregistrement graphique des
variations du potentiel électrique de la cornée et
de la rétine à la suite d'une stimulation lumineuse.
Tracé obtenu par électro-rétinographie. → **Électrorétinogramme.**

ÉLECTROSCOPE [elɛktrɔskɔp] n. m. — 1753; de *électro-*, et *-scope*.

Sc., techn. Instrument permettant de déceler les charges électriques et d'en déterminer le signe. *Électroscope à feuilles d'or. Électromètres et électroscopes.*

DÉR. Électroscopie, électroscopique.

ÉLECTROSCOPIE [elɛktrɔskɔpi] n. f. — 1846; de *électroscope*, et suff. *-ie*.

Phys. Partie de la physique qui traite des électroscopes, de leurs applications.

ÉLECTROSCOPIQUE [elɛktrɔskɔpik] adj. — 1843; de *électroscope*, et suff. *-ique*.

Phys. Relatif à l'électroscope, à l'étude de l'électricité par l'électroscopie.

ÉLECTROSIDÉRURGIE [elɛktrɔsideryrʒi] n. f. — 1907, in *Rev. gén. des sc.*, n° 21, p. 899; de *électro-*, et *sidérurgie*.

Techn. Traitement du fer, de l'acier..., par des procédés électriques (→ Électrométallurgie). *Ferroalliages obtenus en électrosidérurgie.*

DÉR. Électrosidérurgique.

ÉLECTROSIDÉRURGIQUE [elɛktrɔsideryrʒik] adj. — 1911; de *électrosidérurgie*.

Techn. Relatif à l'électrosidérurgie. → **Électrométallurgique.** *Fours électrosidérurgiques à arc, à résistances.*

ÉLECTROSMOSE [elɛktrɔsmoz] n. f. → **Électroosmose.**

ÉLECTROSOUDURE [elɛktrɔsudyr] n. f. — 1922; de *électro-*, et *soudure*.

Techn. Soudure faite à l'aide de procédés électriques. — Syn : *soudure électrothermique.*

ÉLECTROSTATIQUE [elɛktrostatik] adj. et n. f. — Av. 1827, Ampère; de *électro-*, et *statique*.

Sciences, technique.

♦ **1 Adj.** Propre ou relatif à l'électricité statique. *Charge électrostatique. Champ électrostatique. Gradient électrostatique. Produit qui empêche l'accumulation de charges électrostatiques.* → **Antistatique.**
Qui utilise les propriétés de l'électricité statique. *Voltmètre, générateur électrostatique. Machines électrostatiques.*

(...) on pourrait dire en conséquence que le schème de fonctionnement de la tétrode n'est pas parfaitement complet par lui-même, si l'on conçoit l'écran comme un simple blindage électrostatique, c'est-à-dire comme une enceinte portée à une tension continue quelconque (...)
      Gilbert SIMONDON,
      Du mode d'existence des objets techniques, p. 29.

Relatif à l'électrostatique (→ ci-dessous, n. f.). *Unités électrostatiques.*

♦ **2 N. f.** Partie de la physique traitant des phénomènes d'électricité statique, étudiant les charges électriques en équilibre.

ÉLECTROSTRICTION [elɛktrostriksjɔ̃] n. f. — 1930; de *électro-*, et *striction*, probablt d'après l'angl. *electrostriction*, 1909. → **Magnétostriction.**

Phys. Déformation d'un diélectrique soumis à un champ électrique.

ÉLECTROTECHNICIEN, IENNE [elɛktroteknisjɛ̃, jɛn] n. — 1948; de *électrotechnique*, et suff. *-ien*.
Spécialiste d'électrotechnique. — **Appos.** *Ingénieur électrotechnicien.*

ÉLECTROTECHNIQUE [elɛktroteknik] adj. et n. f. — 1882; de *électro-*, et *technique*.

Didactique (sciences, technique).

♦ **1 Adj.** Qui concerne les applications techniques de l'électricité. *Institut électrotechnique.*

♦ **2 N. f.** (1907). Étude de ces applications.

DÉR. Électrotechnicien.

ÉLECTROTHÉRAPEUTIQUE [elɛktroterapøtik] adj. → **Électrothérapique.**

ÉLECTROTHÉRAPIE [elɛktroterapi] n. f. — 1857; de *électro-*, et *-thérapie*.

Méd. Emploi des courants électriques continus ou alternatifs (bains statiques, courants de basse, moyenne ou haute fréquence) comme moyen thérapeutique. → **Diathermie, électrologie** (médicale).

DÉR. Électrothérapique.

ÉLECTROTHÉRAPIQUE [elɛktroterapik] ou **ÉLECTROTHÉRAPEUTIQUE** [elɛktroterapøtik] adj. — 1860, *électrothérapique*; *électrothérapeutique*, 1864; de *électrothérapie*, et suff. *-ique*, ou de *électro-*, et *thérapeutique*.

Méd. Relatif à l'électrothérapie.

ÉLECTROTHERMIE [elɛktrotɛrmi] n. f. — 1870; de *électro-*, et *-thermie*.

♦ **1 Vx.** Utilisation médicale de la chaleur produite par l'électricité.

♦ **2** (1923). **Mod.** (Sc. et techn.). Étude des transformations de l'énergie électrique en chaleur et de leurs applications.

DÉR. Électrothermique.

ÉLECTROTHERMIQUE [elɛktrotɛrmik] adj. — 1877, sens méd.; 1922, techn.; de *électrothermie*.
Relatif à l'électrothermie. *Chauffage électrothermique* (par arc électrique, par induction, résistance, rayonnement infrarouge, bombardement électronique).

REM. Ne pas confondre avec *thermo-électrique.*

ÉLECTROTONIQUE [elɛktrotɔnik] adj. — Av. 1890; de *électro-*, et *tonique*, d'après *électrotonus*, et *tonique*.
Didact. (électrophysiol.). Relatif à l'électrotonus.

ÉLECTROTONUS [elɛktrotɔnys] n. m. — Av. 1890; de *électro-*, et *tonus*.
Didact. (électrophysiol.). «État électrique d'un nerf parcouru dans une partie de sa longueur par un courant constant» (du Bois-Reymond).

ÉLECTROTRIEUR [elɛktrotrijœr] n. m. ou **ÉLECTROTRIEUSE** [elɛktrotrijøz] n. f. — 1908, *électrotrieur*; *électrotrieuse*, 1870; de *électro-*, et *trieur, trieuse*.
Techn. Machine utilisant les propriétés des électroaimants pour trier les minerais ferrugineux.

ÉLECTROTROPISME [elɛktrotrɔpism] n. m. — 1907; de *électro-*, et *tropisme*.
Biol. (Vx). Propriété du protoplasme d'être attiré ou repoussé par l'électricité. → **Galvanotaxie.** — **REM.** On a dit aussi *galvanotropisme*, 1899.

ÉLECTROTYPE [elɛktʀotip] n. m. — 1870; «appareil d'électrotypie», 1864; de *électro-*, et *-type*, d'après *électrotypie*.

Techn. Cliché obtenu par électrotypie.

ÉLECTROTYPIE [elɛktʀotipi] n. f. — 1842; de *électro-*, et *-typie*, d'après *-type*, grec *tupos* «empreinte». REM. Ce mot est le premier où apparaît l'élément *-typie*.

Techn. Typographie (cliché, gravure...) exécutée en utilisant les propriétés de l'électrolyse. → **Galvanotypie** (→ Clichage, galvanoplastie). *Cliché obtenu par électrotypie.* → **Électrotype.**

ÉLECTROVALENCE [elɛktʀovalãs] n. f. — 1936; de *électro-*, et 2. *valence*.

Chim. Liaison chimique due à l'attraction électrostatique entre ions chargés dans une solution, un cristal, etc.

ÉLECTROVANNE [elɛktʀovan] n. f. — 1972; de *électro-*, et *vanne*.

Technol. Vanne commandée par un électro-aimant. *L'électrovanne d'un lave-linge.*

ÉLECTRUM [elɛktʀɔm] n. m. — 1549; *électron*, av. 1530; *electres*, v. 1200; lat. *electrum*, grec *êlektron*, même sens, par analogie de couleur avec l'ambre. → 2. Électron.

Didact. Alliage naturel d'or et d'argent estimé dans l'Antiquité et ayant la couleur de l'ambre jaune.

1   L'électrum des anciens, outre l'ambre qu'il désigne dans Virgile, signifie dans Pline (...) un mélange d'or et d'argent, qui est cette espece d'*orichalque*, qui, selon Homere, brilloit à la lumiere beaucoup plus que l'argent.
        Encycl. (DIDEROT), art. *Orichalque* (1765).

2   Il versa un parfum sur sa tête; il passa autour de son cou un collier d'électrum, et il le chaussa de sandales à talons de perles, — les propres sandales de sa fille!
        FLAUBERT, Salammbô, Pl., t. I, p. 974.

ÉLECTUAIRE [elɛktɥɛʀ] n. m. — V. 1300; *lettuaire* et variantes au XIIᵉ; bas lat. *electuarium*, altér. d'après *electus* «choisi», du grec *ekleikton*, même sens.

Didact. et vieilli. Préparation pharmaceutique de consistance molle, formée de poudres mélangées à du sirop, du miel, des pulpes végétales. → 2. **Bol, catholicon, confection, diascordium, mithridate, opiat, orviétan, thériaque** (→ Dictame, cit. 3). *Électuaire astringent.*

ÉLÉEN, ENNE [eleɛ̃, ɛn] adj. et n. — 1765; du n. propre *Élis*; cf. lat. *Eleus* et *Elidensis*.

Didactique.

♦ 1 Adj. Propre ou relatif à l'Élide, région de la Grèce ancienne, ou à sa capitale Élis. — N. Habitant de cette région, de cette ville.

Pausanias raconte que les Arcadiens ayant fait une grande irruption en Élide, les Éléens s'avancèrent contr'eux pour éviter la prise de leur capitale. Comme ils étoient sur le point de livrer bataille, une femme se présenta aux chefs de l'armée, portant entre ses bras un enfant à la mamelle, et leur dit, qu'elle avoit été avertie en songe que cet enfant combattroit pour eux. Les généraux éléens crurent que l'avis n'étoit pas à négliger; ils mirent cet enfant à la tête de l'armée, et l'exposerent tout nud; au moment du combat cet enfant se transforma tout-à-coup en serpent, et les Arcadiens furent si effrayés de ce prodige, qu'ils se sauverent; les Éléens les poursuivirent, en firent un grand carnage, et remporterent une victoire signalée.
        Encycl. (DIDEROT), art. *Sosipolis* (1765).

(REM. Parfois défini comme synonyme de *éléate*).

♦ 2 N. m. (Déb. XXᵉ). Dialecte du grec ancien.

ÉLÉGAMMENT [elegamã] adv. — 1373; de *élégant*.

D'une manière élégante; avec élégance. — (Concret). *Bijou élégamment ciselé. Il est élégamment vêtu.* → **Bien.** *Un appartement élégamment meublé, décoré.*

Écrire, parler, élégamment.

Phèdre sur ce sujet dit fort élégamment :   1
Il n'est pour voir que l'œil du maître (...)
        LA FONTAINE, Fables, IV, 21.

Je parle assez élégamment d'amour, parce que j'ai lu beau-   2
coup de belles choses là-dessus.
        Th. GAUTIER, Mᴸˡᵉ de Maupin, IV, p. 60.

Avec élégance, moralement ou intellectuellement. *Il s'en est tiré assez élégamment.* → **Adroitement, habilement.** *Il n'a pas agi très élégamment dans cette affaire.* → **Correctement.**

CONTR. Grossièrement, inélégamment, lourdement, mal.

ÉLÉGANCE [elegãs] n. f. — Fin XIVᵉ; lat. *elegantia*, de *elegans, elegantis*. → Élégant.

♦ 1 Qualité esthétique qu'on reconnaît à certaines formes (naturelles ou créées par l'homme) dont la perfection est faite de grâce et de simplicité. → **Agrément, beauté; grâce, harmonie.** *Élégance des formes, des contours, des proportions. Élégance de la tournure, de la taille.* → **Finesse, sveltesse.** *L'élégance d'un corps.* → 2. **Charme** (→ Bijou, cit. 9). *L'élégance d'un animal, d'une fleur. L'élégance d'une œuvre d'art. Les œuvres de ce peintre ont plus d'élégance que de vigueur.* — Par ext. *L'élégance de Boucher, de Fragonard.* — *L'élégance d'un bibelot, d'un meuble. Décor d'une rare élégance. Intérieur d'une élégance simple, sans apprêt; d'une élégance raffinée.* — *L'élégance d'un geste, d'un mouvement, d'une danse...*

L'élégance n'est pas fondée sur la correction du dessin (...)   1
Elle se fait sentir dans les ouvrages peu châtiés et négligés d'ailleurs, comme dans le Corrège, où malgré les fautes contre la justesse du dessin, l'élégance se fait sentir dans le goût du dessin même, dans le tour que ce peintre donne aux actions (...) L'élégance du dessin est une manière d'être qui embellit les objets, ou dans la forme, ou dans la couleur, ou dans tous les deux, sans en détruire le vrai.
        R. DE PILES, *in* TRÉVOUX.

La ligne oblique et soutenue, qui descend de la nuque à   2
l'extrémité de l'étoffe, est superbe; et le mouvement de la marche y produit des frissonnements et des ondulations de la plus grande élégance.
        E. FROMENTIN, Un été dans le Sahara, p. 147.

De toutes les villes du département du Nord, Douai est,   2.1
hélas! celle qui se modernise le plus. Le ton, les modes, les façons de Paris y dominent; et de l'ancienne vie flamande, les Douaisiens n'auront plus bientôt que la cordialité des soins hospitaliers, la courtoisie espagnole, la richesse et la propreté de la Hollande. Les hôtels de pierre blanche auront remplacé les maisons de briques. Le cossu des formes bataves aura cédé devant la changeante élégance des nouveautés françaises.
        BALZAC, la Recherche de l'absolu, Pl., t. IX, p. 478.

Contemplons ce trésor de grâces florentines;   3
Dans l'ondulation de ce corps musculeux
L'Élégance et la Force abondent, sœurs divines.
        BAUDELAIRE, les Fleurs du mal, «Le masque».

Vx. (*Une, des élégances*). Éléments formels, motifs décoratifs considérés comme possédant cette qualité. *Les élégances d'une chapelle gothique.*

♦ 2 (XVIIIᵉ). Bon goût manifesté dans un style personnel dans l'habillement, la parure, les manières. → **Chic, classe** (fam.), **distinction** (cit. 15), **propreté** (vx; langue class.). *Se présenter, évoluer avec élégance dans un salon, une société.* → **Aisance, savoir-vivre.** *Élégance aristocratique.* → **Aristocratie** (cit. 8). — *S'habiller, se vêtir, être mis avec élégance.* → **Chic, goût** (→ Costumer, cit.). *Élégance masculine, féminine. Il est vêtu avec une grande élégance, à la dernière* mode* (→ **Dandysme**). *Élégance de bon ton*; élégance recherchée, tapageuse, voyante. Une élégance de gravure de mode.* → Nouer, cit. 2. *Élégance affectée* (→ Afféterie, cit. 4), *fausse élégance. Être habillé richement, mais sans élégance. Cette femme a de l'élégance, du cachet*. — Élégance d'une parure, d'une toilette, de la mise, du costume. Élégance d'une robe, d'un manteau, d'un habit* (→ Complet-veston, cit.).

4　Il était ce jour-là revêtu d'un costume de soie vert-pomme brodé d'argent, d'une élégance et d'un luxe extrêmes (...)
　　Th. GAUTIER, Voyage en Espagne, p. 211.

5　Enfin, j'aimais ma mère pour son élégance. J'étais donc un dandy précoce.
　　BAUDELAIRE, Journal intime, Fusées, XVIII.

6　J'allais vers l'allée des Acacias (...) ils *(les arbres)* m'évoquaient la dryade, la belle mondaine rapide et colorée qu'au passage ils couvrent de leurs branches (...) ils me rappelaient le temps heureux de ma croyante jeunesse, quand je venais avidement aux lieux où des chefs-d'œuvre d'élégance féminine se réaliseraient pour quelques instants entre les feuillages inconscients et complices.
　　PROUST, À la recherche du temps perdu, t. II, p. 276.

7　Elle aimait les vêtements de coupe sobre, strictement pratiques. Élégante, pourtant : mais d'une élégance un peu sèche et sévère, faite surtout de simplicité, de naturelle distinction.
　　MARTIN DU GARD, les Thibault, t. VI, p. 266.

8　— Il était beau ? — Pas mal. Avec ça, un certain chic dans la façon de s'habiller, une élégance un peu négligée.
　　M. AYMÉ, la Tête des autres, I, 1.

Par ext. Qualité d'une assemblée, d'une société composée de personnes élégantes. *L'élégance d'un public, d'une assistance. L'élégance d'une réunion, d'une soirée mondaine.*

(Une, des élégances). Trait, détail où se manifeste cette qualité. *Les élégances raffinées d'une mode.* — Loc. *Être l'arbitre* des élégances.*

♦ **3** Qualité de style, consistant en un choix heureux des expressions, une langue harmonieuse, une discrétion dans les effets. → **Bien-dire, style.** *L'élégance d'une strophe, d'une phrase, d'une tournure. Récit d'une grande, d'une rare élégance. Élégance d'un discours. S'exprimer, parler, écrire avec élégance. Langue correcte mais sans élégance. Élégance d'un auteur. L'élégance et la force de Racine.*

9　(...) la science de Talon et l'élégance et les grâces de Racine, y étaient toutes déployées.
　　SAINT-SIMON, Mémoires, t. I, IX.

10　Il est à remarquer que si l'élégance a toujours l'air facile, tout ce qui est facile et naturel n'est cependant pas élégant. Il n'y a rien de si facile, de si naturel que,
　　La cigale ayant chanté
　　　　Tout l'été,
et,
　　Maître corbeau, sur un arbre perché...
Pourquoi ces morceaux manquent-ils d'élégance ? C'est que cette naïveté est dépourvue de mots choisis et d'harmonie.
　　Amants, heureux amants, voulez-vous voyager ?
　　Que ce soit aux rives prochaines (...)
et cent autres traits ont, avec d'autres mérites, celui de l'élégance.
　　VOLTAIRE, Dict. philosophique, Élégance.

Spécialt. *(Une, des élégances).* Surtout au plur. Tournures plus ou moins convenues considérées comme des marques de l'élégance du style *(souvent péj.). Des élégances inutiles.* → **Fioriture, ornement.** *Les élégances de la langue post-classique* (→ Décréditer, cit. 3).

11　Pendant la première partie du cours, Jerphanion s'était simplement ennuyé. De temps à autre, il notait une phrase d'Honoré en la débarrassant de vaines élégances et de ses redites ; ce qui parfois la réduisait à peu de chose.
　　J. ROMAINS, les Hommes de bonne volonté, t. IV, XV, p. 146.

♦ **4** Bon goût, distinction accompagnés d'aisance et de style dans l'ordre moral ou intellectuel. → **Délicatesse.** *Il est arrivé à ses fins mais ses procédés manquent d'élégance. Il a fait cela pour l'élégance du geste. Charité qui a l'élégance de se cacher. Savoir perdre avec élégance. Élégance d'une démonstration, d'un raisonnement. Défendre une hypothèse, un point de vue avec élégance.* → **Adresse, aisance, habileté.** *L'élégance d'une époque, d'une civilisation...* → **Raffinement.** *L'élégance grecque* (→ Attique, cit. 2, 4 et 8).

(Une, des élégances). Action, pensée, opinion manifestant cette qualité *(souvent péj.).* → Ancien, cit. 3 ; attifer, cit. 6.

CONTR. Grossièreté, inélégance, laisser-aller, lourdeur, négligence, vulgarité.

ÉLÉGANT, ANTE [elegɑ̃, ɑ̃t] adj. — 1150 ; rare jusqu'au XVe ; lat. *elegans, elegantis* «distingué, de bon goût ; exquis ; pur (style)», forme de p. prés. qui fait supposer un intensif duratif de *eligere* (→ Élire), **elegare* «savoir choisir, bien choisir», de *ex-* (→ É-, 1. ex-) et **legare*, intensif duratif correspondant à *legere* «ramasser, cueillir ; choisir ; lire» (→ Lire).

Qui a de l'élégance*.

♦ **1** *(Choses).* Qui a de l'élégance, de la grâce. → **Agréable, charmant, délicat, gracieux, joli ; beau, chouette** (fam.). *Tournure, taille élégante.* → **Fin ; élancé, svelte ;** et aussi **bien** (bien fait, bien pris, bien tourné). *Formes minces et élégantes. Mains élégantes. Le galbe élégant d'un vase* (→ Albâtre, cit. 3). *Dessin élégant ; écriture élégante ; élégantes arabesques. Élégante architecture, colonne* (cit. 1), *sculpture élégante* (→ Corinthien, cit. 2). *Un petit appartement élégant.* → **Bonbonnière.** — En parlant du vêtement. → **Chic, propre** (vx), **smart** (vieilli). *Costume élégant. Toilette, parure, robe élégante et pimpante*.* — *Élégant mobilier ; élégant équipage* (→ Contraster, cit. 2). — *Gestes, mouvements élégants. Manières élégantes.* → **Aisé, dégagé, distingué, poli, raffiné.** *Allure vive et élégante* (→ Fringant). *Vie élégante.* → **Raffiné ;** → Beau, cit. 107. *Traité de la vie élégante,* opuscule de Balzac.

1　Il a tout à fait la taille élégante.
　　MOLIÈRE, les Précieuses ridicules, 12.

2　Elle savait ce que l'élégante minceur de ses formes donnait de grâce à sa beauté.
　　FRANCE, Histoire comique, VI, p. 86.

3　Souriante, heureuse du beau temps (...) ayant l'air d'assurance et de calme du créateur qui a accompli son œuvre et ne se soucie plus du reste, certaine que sa toilette (...) était la plus élégante de toutes, elle *(Mme Swann)* la portait pour soi-même et pour ses amis, naturellement, sans attention exagérée, mais aussi sans détachement complet (...)
　　PROUST, À la recherche du temps perdu, t. IV, p. 48.

♦ **2** (XVIIIe). *Personnes.* Qui a de l'élégance, du chic ; dont la toilette, les manières sont élégantes. *Il est toujours très élégant.* → **Bichonné, chic, coquet, pomponné, soigné ;** → Bien habillé, bien mis ; fam. bien ficelé, bien fringué, tiré à quatre épingles*, sur son trente-et-un. *Femme élégante.* — *Assistance, clientèle, réunion élégante ; public élégant,* composé de personnes élégantes. → **Choisi, distingué, sélect.**

4　Il est en habit du matin, chapeau à trois cornes, debout dans une des allées de Versailles ; beau, fin, délicat de visage, élégant de taille, de port, de geste, la jambe bien faite.
　　SAINTE-BEUVE, Causeries du lundi, 15 mars 1852, t. V, p. 485.

5　Un milieu élégant est celui où l'opinion de chacun est faite de l'opinion des autres.
　　PROUST, les Plaisirs et les Jours, p. 82.

Par ext. *Restaurant, dancing élégant*, fréquenté par un public élégant. *Un magasin, un quartier élégant.*

6   Ils essayèrent aussi de plusieurs restaurants ; mais ils eurent l'impression qu'un guide leur manquait, qui leur eût enseigné les maisons les plus élégantes.
> J. ROMAINS, les Hommes de bonne volonté, t. V, XXVI, p. 262.

♦ **3** (Av. 1486). Qui a de l'élégance, de la pureté dans l'expression. *Discours, parler, style* élégant. Un style élégant et simple, élégant et brillant. Phrase élégante* (→ Bien tourné). *Traduction élégante. Parler d'une manière élégante* (→ Disert, cit. 2). *Dire des choses grossières d'un ton élégant* (→ Badin, cit. 4). *Élégant badinage* (cit. 2). — Par ext. *Auteur élégant.* — *Élégante ironie, scepticisme élégant* (→ Discret, cit. 6). *Les mensonges élégants d'un diplomate* (cit. 2). *Opinions élégantes* (→ À la mode*, de bon ton*, dans le vent* ; anglic. in).

♦ **4** Qui a de l'élégance morale, intellectuelle. *Procédé peu élégant*, qui manque de délicatesse.

Spécialt. *Démonstration, solution élégante*, ingénieuse, simple et claire. *Il existe plusieurs solutions correctes, dont l'une est plus élégante que les autres.*

♦ **5** N. (1771, masc. et fém.). **UN ÉLÉGANT, UNE ÉLÉGANTE** : personne élégante ou qui affecte l'élégance. *Les élégantes s'étaient réunies pour la présentation des modèles de X. Bijoux* (cit. 7) *portés par une élégante. Noms portés par les élégants à différentes époques* (XVIIIᵉ-XXᵉ siècle). → **Beau** (cit. 107), **crevé** (petit crevé), **dandy, fashionable, gandin, gommeux, incroyable, lion, merveilleux, mirliflor, muguet, muscadin, petit-maître, zazou.**

REM. Élégant, n. m., est moins usité aujourd'hui qu'*élégante* ; il a généralement une nuance péjorative.

7   Après avoir consacré de longues veilles à l'étude du derme et de l'épiderme chez les deux sexes (...) le sieur Birotteau, parfumeur (...) a découvert une pâte et une eau à juste titre nommées, dès leur apparition, merveilleuses par les élégants et par les élégantes de Paris.
> BALZAC, César Birotteau, Pl., t. V, p. 352.

8   À l'*incroyable*, au *merveilleux*, à l'*élégant*, ces trois héritiers des *petits-maîtres* dont l'étymologie est assez indécente, ont succédé le *dandy*, puis le *lion.*
> BALZAC, Albert Savarus, Pl., t. I, p. 755.

9   (...) l'élégant qui tient le haut du pavé n'a plus la même sorte d'élégance ; il étale d'autres gilets et d'autres cravates (...) nous avons eu tour à tour le petit-maître, l'incroyable, le mirliflor, le dandy, le lion, le gandin, le cocodès et le petit crevé. Il suffit de quelques années pour balayer et remplacer le nom et la chose (...)
> TAINE, Philosophie de l'art, t. II, p. 247.

CONTR. Commun, crapoussin, épais, grossier, inélégant, lourd, plat, vulgaire. ◊ DÉR. Élégamment, élégantiser. V. Élégance.

ÉLÉGANTISER   [elegãtize] v. tr. — 1840 ; de *élégant.*

Littér. Rare. Rendre élégant. — REM. On trouve aussi avec le même sens *élégantifier* [elegãtifje] v. tr. (Goncourt, *in* T. L. F.).

Mᵐᵉ Mégard *(une actrice)* a un peu élégantisé — est-ce un tort ? — la rusticité de la Rabouilleuse.
> A. JARRY, Critiques de théâtre, la Rabouilleuse, Œ. compl., t. VII, p. 258.

ÉLÉGIAQUE   [elezjak] adj. — 1480 ; bas lat. *elegiacus*, grec *elegeiakos*, de *elegeia.* → Élégie.

Littérature.

♦ **1** Relatif à l'élégie*. *Genre élégiaque ; poésies élégiaques.* — *Poète, auteur élégiaque*, qui écrit des élégies. — N. *Un élégiaque* : un poète élégiaque. *Ovide, Properce sont de grands élégiaques. Les élégiaques français de la fin du XVIIIᵉ siècle.*

Métrique anc. *Distique élégiaque*, composé d'un hexamètre et d'un pentamètre. *Poème élégiaque*, composé d'hexamètres et de pentamètres alternés.

♦ **2** Fig. Qui est dans le ton mélancolique, tendre de l'élégie. *Accents élégiaques.* — Par ext. → **Mélancolique, tendre, triste.** *Soupirs, plaintes élégiaques.*

En parlant d'une personne :

Tu ne pêches pas. Les poissons te semblent des êtres   1
animés, qui intéressent comme d'autres bêtes, qui ont des
ailes pour voler dans l'eau, qui luttent, qui rusent, qui existent. Tu te fais élégiaque.
> J. RENARD, Journal, 31 juil. 1889.

Poét. En parlant de choses visibles. *Un paysage élégiaque.*

(...) mais il y a dans l'esprit de certains hommes je ne sais   2
quelle brume élégiaque toujours prête à se répandre en
pluie sur leurs idées.
> E. FROMENTIN, Dominique, p. 10.

ÉLÉGIE   [elezi] n. f. — 1500 ; lat. *elegia*, grec *elegeia*, de *elegos* «chant de deuil».

♦ **1** Dans la poésie gréco-latine, Poème lyrique exprimant une plainte douloureuse, des sentiments mélancoliques, composé de distiques élégiaques. → **Élégiaque.** *Les élégies de Catulle, de Properce, de Tibulle. Élégies de l'Arioste. Élégies de Ronsard, de Chénier. Élégie aux nymphes de Vaux*, poème de La Fontaine. *Élégies romaines*, de Goethe. *Élégies de Duino*, de R.-M. Rilke. — *Élégie plaintive, tendre. Élégie fade* (→ Assoupissant, cit. 1).

La plaintive élégie, en longs habits de deuil,   1
Sait, les cheveux épars, gémir sur un cercueil.
Elle peint des amants la joie et la tristesse ;
Flatte, menace, irrite, apaise une maîtresse.
Mais, pour bien expliquer ses caprices heureux,
C'est peu d'être poète, il faut être amoureux.
> BOILEAU, l'Art poétique, II.

Mais la tendre élégie et sa grâce touchante   2
M'ont séduit : l'élégie à la voix gémissante,
Au ris mêlé de pleurs, aux longs cheveux épars,
Belle, levant au ciel ses humides regards (...)
> André CHÉNIER, Élégies, «À Le Brun».

(...) l'Élégie vraiment moderne, inaugurée par Lamar-   3
tine (...)
> SAINTE-BEUVE, Causeries du lundi, 4 sept. 1854, t. X, p. 452.

♦ **2** Par ext. Œuvre poétique dont le thème est la plainte. *La «Bérénice» de Racine est une admirable élégie.*

Mus. Morceau composé sur le mode mineur (pour exprimer la tristesse).

♦ **3** Au plur. Fig. Vx. Plaintes, lamentations répétées. *Il nous fatigue avec ses perpétuelles élégies.*

ÉLÉGIR   [eleziʀ] v. tr. — 1694 ; de l'anc. franç. *eslegier* «alléger», XIIIᵉ, de é-, et bas lat. *leviare*, de *levis* «léger». → Alléger ; léger.

Techn. Réduire les dimensions de (une pièce de bois). → **Alléger.**

ÉLÉIDINE   [eleidin] n. f. — D. i. (XXᵉ) ; du rad. lat. mod. *elei-*, correspondant au grec *elaiô-* «d'olive, d'huile» (*elaiôn* «huile» ; *elaiôeidés* «huileux»), suff. *-ine* ; cf. *élaïdine*, 1819, Poutet. → aussi Éléis.

Biochim. Substance protéique contenue dans les couches moyennes de l'épiderme, considérée comme un précurseur de la kératine.

ÉLÉIS   ou   ÉLÆIS   [eleis] ou   ÉLAIS   [elais] n. m. — 1839, Boiste ; mot du lat. bot., grec *elaiêeis* «huileux» de *elaia* «olivier ; olive».

Bot. Techn. Genre de palmiers dont on tire de l'huile, cultivé en Afrique tropicale et en Indo-Malaisie.

ÉLÉMENT [elemã] n. m. — Xᵉ; fin IXᵉ «doctrine» lat. *elementum*, dont le premier sens paraît avoir été «lettre de l'alphabet» (cf. Lucrèce).

Partie constitutive (d'une chose).

▮ ♦ 1 Chacune des choses dont la combinaison, la réunion forme une autre chose. → **Composante, détail, morceau, partie***. *Les éléments d'un assemblage, d'une combinaison, d'un ensemble, d'une masse, d'une réunion. Comporter plusieurs éléments. Élément constitutif, formateur. Éléments qui composent, forment une chose; éléments qui se combinent, s'assemblent pour former une chose. Les éléments qui entrent dans la fabrication d'un objet, dans la construction d'un édifice* (→ Architecture, cit. 3), *dans la composition, la constitution, la contexture, la structure d'un ensemble. Agencer, arranger, coordonner, combiner divers éléments. Rassembler, réunir, grouper les éléments d'un ensemble* (→ **Synthèse**). *S'assimiler* (cit. 5, 6) *des éléments extérieurs. Séparer, dissocier, décomposer les éléments de qqch. Faire l'analyse des éléments.* → **Analyse** (cit. 6). *Élément séparé d'un tout.* → **Division** (2.), *morceau. Éléments différents, disparates* (cit. 3), *contraires* (cit. 5), *contradictoires, hétéroclites. Chose complexe, hétérogène, formée d'éléments divers. Éléments nécessaires, indispensables pour provoquer un phénomène, pour constituer une chose.* → **Condition.** *Élément déterminant, capital, fondamental* (→ Assise, cit. 4). *Éléments de base* (cit. 18). *Élément de déséquilibre, de trouble.* → **Cause, facteur, principe.** *Éléments d'anarchie* (cit. 7). *Éléments d'appréciation, de comparaison.* → **Critère.** — *Éléments nécessaires pour la rédaction d'un rapport. Vous trouverez là tous les éléments dont vous avez besoin.* → **Donnée, matériau.** *Éléments de documentation. Éléments matériels, concrets.* → **Détail.** *Éléments affectifs, sentimentaux, psychologiques, intellectuels. Éléments d'une personnalité. Les éléments d'un ouvrage, d'un plan, d'un projet. Les éléments d'un problème. Éléments d'une définition* (cit. 9), *d'une démonstration, d'une théorie. La famille, élément de la société.* → **Cellule.**

— REM. L'expression *élément de...*, signifie soit *élément* entrant dans la composition de...*, soit *élément constitué par...* Ainsi on dira : *l'élément de la couleur est capital dans un tableau; l'élément du temps est essentiel au roman.*

1   Jean Valjean voyait-il distinctement, après leur formation, et avait-il vu distinctement, à mesure qu'ils se formaient, tous les éléments dont se composait sa nature morale ?

         HUGO, les Misérables, I, II, VII.

2   (...) un bon tableau *(est)* exactement comme un bon plat composé des mêmes éléments qu'un mauvais : l'artiste fait tout.

         E. DELACROIX, Écrits, Journal, 8 juin 1850, p. 45.

3   (...) il arrive souvent qu'à partir d'un certain âge, l'œil d'un grand chercheur trouve partout les éléments nécessaires à établir les rapports qui seuls l'intéressent.

         PROUST, À la recherche du temps perdu, t. V, p. 119.

4   (...) loin des êtres on oublie leurs défauts, leurs manies (...) l'on découvre qu'ils apportent dans notre vie un élément précieux, indispensable, élément que nous n'avions pas remarqué parce qu'il était trop intimement mêlé à nous.

         A. MAUROIS, Climats, II, XVI, p. 228.

Spécialt. Géom. *Éléments d'une ligne, d'une surface d'un solide.*

Math. Un des «objets» qui constituent un ensemble*. *La relation «a est élément de l'ensemble A», ou «l'élément a appartient à l'ensemble A», s'écrit* a∈A *(relation d'appartenance*). Couple* d'éléments d'un ensemble, couple d'éléments pris dans deux ensembles. Relations* portant sur les*

éléments d'un ensemble (relation d'ordre, d'équivalence...). *Élément supérieur ou égal, inférieur ou égal à tous les éléments d'une partie d'un ensemble.* → **Majorant, minorant.** *Plus grand élément, plus petit élément d'un ensemble ordonné.* → **Maximum, minimum.** *Élément neutre** (pour une loi de composition sur un ensemble). *Le symétrique* d'un élément par une loi de composition.*

Techn. *Éléments de tir :* données préalables à la préparation du tir. *Éléments de lancement d'une fusée.* → **Donnée.**

Techn. Partie (d'un mécanisme, d'un appareil composé de séries semblables). *Les éléments d'un radiateur. Éléments d'une pile voltaïque, d'un accumulateur. Éléments de série pour des meubles de rangement. Éléments prédécoupés. Objet manufacturé vendu en éléments prêts pour le montage.* → **Kit.** *Éléments préfabriqués* (construction). —
Techn. (électronique). *Éléments discrets :* composants électroniques (transistors, résistances, etc.) fabriqués séparément puis reliés entre eux dans un montage, par câblage ou circuit imprimé. — Dr. *Élément d'infraction :* partie des conditions nécessaires pour qu'un fait constitue une infraction. — Anat. *Éléments organiques des tissus. Éléments anatomiques* (→ Artériel, cit. 1). — Méd. *Éléments d'une maladie :* ensemble des phénomènes constants qui la caractérisent.

Mus. *Éléments musicaux :* les composantes d'une composition musicale. *Éléments rythmiques, thématiques, mélodiques.* — Ling. Partie (d'un énoncé, d'un discours) isolable par l'analyse. *Élément vocalique, consonantique d'un radical. Élément de formation d'un mot.* → **Formant, morphème.** *Élément verbal, nominal, dans une phrase.* — Philos. et log. *Éléments de connaissance :* les concepts et les jugements. *Éléments d'une classe :* les individus* appartenant à cette classe.

Inform. *Élément binaire :* symbole choisi dans un ensemble de deux éléments pour représenter des données.* → 2. **Bit.**

Les objets techniques (...) peuvent s'intégrer dans un individu; une lampe à cathode chaude est un élément technique plutôt qu'un individu technique complet; on peut la comparer à ce qu'est un organe dans un corps vivant.

         Gilbert SIMONDON, Du mode d'existence des objets techniques, p. 65.

4.1

♦ 2 (Au plur.). Premiers principes sur lesquels on fonde une science, une technique. → **Notion, principe, rudiment; base, fondement.** *Enseigner à des enfants les éléments de l'algèbre. Connaissance des éléments* (→ **Élémentaire**). *En être aux premiers éléments.* → **Abc, b.a.-ba, balbutiement, bégaiement, commencement, début.** *Il n'en connaît pas même les premiers éléments* (→ Le premier mot*, un traître mot). *Il n'en est plus aux éléments.*

Tu veux te mêler de raisonner, et tu ne sais pas seulement les éléments de la raison.

         MOLIÈRE, le Mariage forcé, 4.

5

Ce début eut un grand succès. Les gens adroits parmi les séminaristes virent qu'ils avaient affaire à un homme qui n'en était pas aux éléments du métier.

         STENDHAL, le Rouge et le Noir, I, XXVI, p. 175.

6

Les mathématiques sont très difficiles ou très faciles, suivant que les éléments ont été mal ou bien enseignés.

         A. MAUROIS, Un art de vivre, III, 4, p. 122.

7

(Par métonymie). *Éléments :* livre, manuel qui expose les rudiments, les principes d'une science, d'une discipline. *Éléments d'algèbre, de géométrie... Les Éléments d'Euclide* (→ Base, cit. 9). *Éléments de philosophie,* de Hobbes. *Éléments de la philosophie de Newton,* œuvre de Voltaire (1738). *Éléments d'économie politique pure,* de L. Walras. *Éléments d'une doctrine radicale,* ouvrage d'Alain.

♦ **3** (Surtout au plur.). Personne appartenant à un groupe. *Il y a dans cette classe quelques bons éléments.* → **Sujet.** *C'est un excellent élément. Les éléments actifs de ce groupe, de ce parti. Réunir, rassembler de bons éléments* (→ Commander, cit. 7). — Collectif. *L'élément masculin, féminin.*

8 La princesse de Caprarola, qui avait fait la connaissance de Mme Verdurin (...) avait bien été rendre à celle-ci une longue visite, dans l'espoir de débaucher quelques éléments intéressants du petit clan et de les agréger à son propre salon (...)
PROUST, À la recherche du temps perdu, t. IX, p. 185.

Milit. (Au plur.). Formation militaire appartenant à un ensemble plus important. *Les éléments de la 4e division progressent sur X... Des éléments ennemis ont été signalés près de nos positions. Éléments blindés, motorisés.*

9 Les divers éléments de cette colonne devaient opérer leur jonction dans la vallée, à deux cents mètres de Bir Djedid, sous la protection du poste.
P. MAC ORLAN, la Bandera, XIII, p. 154.

II Substance considérée comme indécomposable (→ Atome, 1.); un des corps simples dont les autres sont formés. ♦ **1** (1119). Ancient. *Les quatre éléments :* la terre, l'eau, l'air et le feu, considérés comme principes constitutifs de tous les corps de l'univers (→ Atome, cit. 7) et parfois associés à des signes astrologiques ou à une symbolique (en alchimie. → **Tétrasomie**.). — *Les trois éléments imaginés par Descartes* (*Principes de la philosophie*, III, §52).

10 La matière en général est composée de quatre substances principales, qu'on appelle *éléments*; la terre, l'eau, l'air et le feu entrent tous quatre en plus ou moins grande quantité dans la composition de toutes les matières particulières.
BUFFON, Introd. à l'hist. des minéraux, Des éléments, I.

11 Les cinq principes des chimistes étaient si peu reconnus, qu'ils les réduisirent eux-mêmes à trois, puis à deux. Ils revinrent ensuite au feu, à l'eau, à la terre. Il a bien fallu enfin admettre le tout. Ainsi les quatre éléments d'Aristote sont rentrés dans tout leur honneur. Mais ces éléments de quoi sont-ils faits eux-mêmes? S'ils sont composés de parties, ils ne sont pas éléments.
VOLTAIRE, Des singularités de la nature, XXVIII.

Par ext. Poét. et littér. *L'élément liquide,* ou (langue class.) *le liquide élément :* l'eau, la mer. *Le feu, élément destructeur. L'air, élément mouvant* (→ Avion, cit. 2). *L'élément solide :* la terre.

12 Si près de l'Océan, que faut-il davantage
Que d'aller me montrer à ce fier élément?
RACINE, Alexandre, V, 1.

13 Si tout le tableau (*d'Elstir*) donnait cette impression des ports où la mer entre dans la terre, où la terre est déjà marine, et la population amphibie, la force de l'élément marin éclatait partout.
PROUST, À la recherche du temps perdu, t. V, p. 89.

(1450). Mod. **LES ÉLÉMENTS :** l'ensemble des forces naturelles qui agitent la terre, la mer, l'atmosphère. *Le déchaînement, le chaos des éléments. Avoir les éléments contre soi. Lutter contre les éléments déchaînés. Les éléments qui désolent* (cit. 2) *la terre.*

14 Élie aux éléments parlant en souverain,
Les cieux par lui fermés et devenus d'airain,
Et la terre trois ans sans pluie et sans rosée.
RACINE, Athalie, I, 1.

♦ **2** (1588). Littér. Le milieu dans lequel vit un organisme, une espèce. → **Air, eau.** *L'eau est l'élément du poisson.* — Loc. *Remettre un poisson dans son élément.*
Spécialt. Entourage habituel, convenable; occasion, activité familière dans laquelle on est à l'aise*. *L'étude, la solitude est son élément.*

O que j'aime la solitude!
Cest l'élément des bons esprits (...)
SAINT-AMANT, Poèmes, «La solitude».

De ses pareils la guerre est l'unique élément (...)
CORNEILLE, Don Sanche, I, 1.

Ma joie tient à ce que je rentre dans mon élément, et l'on est toujours mal hors de son élément. L'eau ne convient pas aux oiseaux non plus que l'air aux poissons.
Th. GAUTIER, le Capitaine Fracasse, t. I, VIII, p. 259.

Loc. cour. *Être dans son élément :* être à l'aise (dans une situation, une activité).

(...) il aime tant son métier et son art, il y est si bien dans son élément, que ce qui mettrait un autre hors de combat ne fait que le mettre, lui, plus en train et en haleine.
SAINTE-BEUVE, Causeries du lundi, 13 oct. 1851, t. V, p. 23.

♦ **3** Sc. Corps simple. — REM. *Corps simple* s'emploie généralement pour désigner la substance effective, isolable par l'analyse (→ Molécule); *élément* se dit plutôt de la substance théorique, entrant dans la composition des corps simples ou constituant l'élément commun au corps simple et à ses composés (→ Atome, 2.). *L'oxygène* (O_2) *et l'ozone* (O_3), *corps simples constitués par l'élément oxygène* (O). *L'eau* (H_2O), *corps composé formé des éléments hydrogène* (H) *et oxygène* (O). *Éléments classés d'après leur numéro atomique* (le nombre de leurs électrons planétaires); *classsification* (ou *tableau*) *périodique* des éléments. Masse, poids atomique d'un élément. Éléments radioactifs* (*naturels, artificiels*). → **Radioélément.** *Élément marqué* (radioactif). → **Indicateur** (radioactif), **marqueur** (B., 3.), **radio-indicateur, radiotraceur, traceur** (I., 3.). — *Éléments chimiques présents dans l'organisme humain.* → **Bioélément;** **oligo-élément.**

CONTR. Ensemble, réunion, synthèse, tout. ◊ DÉR. Élémental. ➤ COMP. Bioélément, oligo-élément, radioélément, sous-élément.

ÉLÉMENTAIRE [elemãtɛʀ] adj. — V. 1380; lat. *elementarius; de elementum.* → Élément.

♦ **1** Vx. Qui constitue un des quatre éléments; qui appartient à l'élément. *Corps élémentaire.* → **Élément** (II., 1.), **élémental.** *Esprits élémentaires,* ou, n. m., *élémentaires :* esprits qui vivaient dans un des quatre éléments*.

Je te donne le choix de trois ou quatre morts :
Je vais, d'un coup de poing, te briser comme verre (...)
Ou te jeter si haut au-dessus des éclairs,
Que tu sois dévoré des feux élémentaires.
CORNEILLE, l'Illusion comique, III, 9.

Chim. Mod. Qui se rapporte à un élément. *Analyse élémentaire :* recherche des éléments constituant un corps composé. — **Phys. nucl.** *Particules élémentaires.*

Littér. Qui participe du caractère des substances, des forces primordiales. *Le chaos élémentaire. Des tendances élémentaires.*

♦ **2** Qui contient, qui concerne les premiers éléments (d'une science, d'un art...). *Traité de géométrie élémentaire. Livre, ouvrage élémentaire. Notions élémentaires :* premières* notions. *Vérités élémentaires. Principe élémentaire.* → **Fondamental.** *Mathématiques élémentaires :* première partie d'un cours complet de mathématiques*.
Spécialt. *Classe de mathématiques élémentaires,* ou, fam., *de math-élem* [matelɛm] : classe terminale où l'enseignement des mathématiques est prépondérant. *Classes élémentaires :* autrefois, classes de 8e et de 7e dans les lycées. *Cours élémentaire :* classe intermédiaire entre le cours préparatoire et le cours moyen dans les écoles primaires.

♦ 3 Par anal. Réduit à l'essentiel, au minimum. → **Essentiel, primitif, rudimentaire, simple.** *Formes organiques élémentaires* (→ Animal, cit. 1). *Sensations élémentaires* (→ Centre, cit. 8). *Installation élémentaire. Besoin élémentaire. Soins, précautions élémentaires. — La plus élémentaire des politesses voulait que... Manquer de la plus élémentaire discrétion* (cit. 11).

2 J'ai eu la douleur de perdre, à votre sujet, bien des illusions déjà. Mais je ne croyais pas qu'il me faudrait un jour vous rappeler à votre plus *élémentaire* dignité d'homme.
MARTIN DU GARD, Jean Barois, III, La fêlure, I.

3 Mais la critique, qui pense le voir à tout instant, c'est à la condition de négliger les précautions élémentaires que prend, en pareil cas, un observateur scrupuleux.
J. PAULHAN, les Fleurs de Tarbes, p. 84.

♦ 4 Très simple, facile. *C'est élémentaire, vous ne pouvez pas ne pas comprendre. L'explication était élémentaire et évidente.* — En interj. *«Élémentaire, mon cher Watson»* : évident (formule de Sherlock Holmes présentant une de ses fameuses déductions).

CONTR. Composé. — Complet, supérieur; difficile, transcendant. — Compliqué, évolué.

ÉLÉMENTAL, ALE, AUX ou ALS [elemãtal, o] adj. et n. m. — 1562; de *élément*.

Didactique.

♦ 1 Adj. (Repris XXᵉ). Qui participe de la nature des éléments (→ **Élémentaire**, 1.); de l'élément premier. *Des faits élémentaux.*

♦ 2 N. m. (1891). Au plur. *Des élémentals, ou des élémentaux* : dans la tradition occultiste, Esprits qui habitent les quatre éléments et peuvent exercer une influence (bonne ou mauvaise) sur les êtres vivants.

(...) des êtres immatériels, des élémentals comme on les nomme. HUYSMANS, Là-bas, p. 128.

ÉLÉMI [elemi] n. m. — 1573; arabe class. (*'āl-lāmāi* «gomme élémi».

Techn. Résine extraite de l'écorce de certains arbres exotiques (Malaisie, Antilles, Brésil), utilisée dans la fabrication des laques et des vernis et, en médecine, dans la préparation de baumes décongestionnants. *L'élémi des Antilles. Élémi en pains.* — En appos. *Onguent élémi.*

Musc, myrrhe, élémi,
Chants de toute sorte,
Je m'endors parmi
Votre âcre cohorte.
Charles CROS, le Coffret de santal, Pl., p. 115.

ÉLÉMOSINAIRE [elemozinɛʀ] adj. et n. m. — 1418, «aumônier»; du bas lat. *elecmosynarius*, de *elemosyna* «aumône», grec *eleêmosunê* «don charitable», de *eleêmon* «charitable». → Aumône.

♦ 1 Adj. (1863). Littér. Rare. Qui a rapport à l'aumône.

1 De tout son corps on ne voyait que les mains qui sortaient tremblotantes par l'ouverture du manteau pour agiter l'écuelle élémosinaire.
Th. GAUTIER, le Capitaine Fracasse, t. II, XV, p. 157.

♦ 2 N. m. Hist. Officier du palais qui distribuait les aumônes. → **Aumônier.**

2 Fra Angelo s'approcha de l'élémosinaire du palais avec autant de retenue et de discrétion que ses confrères y avaient mis d'ardeur et d'insistance.
G. SAND, in P. LAROUSSE.

ÉLÉOMÈTRE [eleɔmɛtʀ] n. m. → Oléomètre.

ÉLÉPHANT [elefã] n. m. — XIIᵉ, *élefant;* surtout *olifant* jusqu'au XVᵉ; lat. *elephantus*, du grec *elephas, elephantos.*

♦ 1 Mammifère ongulé (famille des *Proboscidiens*, ancien ordre des *Pachydermes*), herbivore, vivant par bandes dans les forêts humides et chaudes ou dans la savane, remarquable par sa masse pesante, sa peau rugueuse, ses grandes oreilles plates, son nez allongé en trompe* et ses défenses* dont on tire l'ivoire. *L'éléphant d'Afrique est plus grand que l'éléphant d'Asie. Éléphant gris, noir. Éléphant blanc*, variété albinos vénérée dans certains pays d'Asie. *Troupeau d'éléphants. Éléphant rogue*, devenu méchant parce qu'il a perdu ses compagnons. *Éléphant domestique, conduit par son cornac.* → **Cornac; mahout.** *Éléphant caparaçonné. Éléphant de guerre des anciens* (→ Cataphracte, cit.; développer, cit. 15), *porteur d'une tour*. Les éléphants d'Hannibal, de Pyrrhus. Dent d'éléphant.* → 1. **Morfil** (vx). *Défenses d'éléphant. Troupe d'éléphants. Éléphants de cirque. Éléphant dressé. Cri de l'éléphant.* → **Barrissement, barrit.** *L'éléphant barète ou barrit. Le caractère doux* (→ Compter, cit. 1), *la docilité, l'intelligence, le pas lent et pesant de l'éléphant. — Un éléphant mâle, un éléphant femelle* (ou *une éléphante*).

Pareils appétits agitent un ciron et un éléphant. 1
MONTAIGNE, Essais, II, XII, p. 161.

Un rat des plus petits voyait un éléphant 2
Des plus gros, et raillait le marcher un peu lent
De la bête de haut parage (...).
LA FONTAINE, Fables, VIII, 15.

Dans l'état de sauvage, l'éléphant (...) est d'un naturel doux, 3
et jamais il ne fait abus de ses armes ou de sa force (...)
il ne les exerce que pour se défendre lui-même ou pour
protéger ses semblables; il a les mœurs sociales, on le voit
rarement errant ou solitaire; il marche ordinairement de
compagnie (...)
BUFFON, Hist. nat. des animaux, L'éléphant, Œ.,
t. III, p. 177.

(...) sylphide au jarret triomphant, 4
Qui voulez enseigner la walse à l'éléphant (...)
BAUDELAIRE, les Épaves, «Bouffonneries», XXI.

Mais un cri, un cri épouvantable éclata, un rugissement de 5
douleur et de colère : c'étaient les soixante-douze éléphants
qui se précipitaient sur une double ligne (...)
FLAUBERT, Salammbô, VIII, p. 174.

Les éléphants rugueux, voyageurs lents et rudes, 6
Vont au pays natal à travers les déserts (...)
L'oreille en éventail, la trompe entre les dents,
Ils cheminent, l'œil clos.
LECONTE DE LISLE, Poèmes barbares,
«Les éléphants».

Animal proboscidien apparenté à l'éléphant. *Les éléphants fossiles.* → **Mammouth.**

♦ 2 (V. 1560). **ÉLÉPHANT DE MER** ou **ÉLÉPHANT MARIN** : phoque (cit. 2) à trompe, de grande taille.

(...) trois ou quatre éléphants marins, d'un gris bleuâtre, 7
et longs de vingt-cinq à trente pieds. Ces énormes amphibies, paresseusement étendus sur d'épais lits de laminaires
géantes, dressaient leur trompe érectile et agitaient d'une
grimaçante façon les soies rudes de leurs moustaches longues et tordues (...)
J. VERNE, les Enfants du capitaine Grant, t. III,
1868, p. 92, *in* T.L.F.

♦ 3 Par compar. (En parlant des humains). *Être gros comme un éléphant. Il a l'air d'un éléphant.*

Par métaphore, fig. *Un éléphant* : une personne très grosse, à la démarche pesante. → **Baleine.** *Qu'est-ce que c'est que ce gros éléphant?*

(1849). Loc. fam. *Un éléphant dans un magasin de porcelaine*, se dit d'un lourdaud qui intervient dans une affaire délicate. — *Il a une mémoire d'éléphant* : il a une mémoire exceptionnelle, d'où, par ext., il n'oublie jamais le mal qu'on lui a fait, il est rancunier (*l'éléphant* passant pour vindicatif). — *Faire d'une mouche un éléphant* : exagérer une faute légère.

Avoir une peau d'éléphant, très dure, impénétrable.

Fig. :

8 (...) elle essuie les coups en souriant. Tout glisse sur elle, n'est-ce pas, ils doivent se dire cela, «elle a une peau d'éléphant»... Jamais un mot quand les autres, ainsi, sans préavis, passent à l'attaque...
N. SARRAUTE, le Planétarium, p. 43.

(1933, *in* D.D.L.). **Spécialt.** *Pantalon à pattes d'éléphant*, (vieilli) *pantalon (à l') éléphant*, dont le bas des jambes est très large.

DÉR. Éléphante, éléphanteau, éléphantesque, éléphantin. — V. Éléphantiasis.

ÉLÉPHANTE [elefãt] n. f. — 1856, La Châtre ; de *éléphant*.

Femelle de l'éléphant. *Une éléphante et ses petits.*

REM. Le mot ne s'emploie que lorsque la prise en considération du sexe est essentielle ; en l'ignorance du sexe, on emploie *éléphant*.

ÉLÉPHANTEAU [elefãto] n. m. — XVIᵉ ; de *éléphant*.

Jeune éléphant (mâle ou femelle). — Petit (de l'éléphant). *Éléphante suivie de son éléphanteau. Des éléphanteaux.*

ÉLÉPHANTESQUE [elefãtɛsk] adj. — 1890 ; de *éléphant*, et *-esque*.

D'une grosseur inhabituelle et monstrueuse (en parlant des humains ou de choses de taille humaine). → **Énorme, gigantesque, immense, monstrueux.** *Un bonhomme éléphantesque, de taille, de proportion éléphantesque.* — (Choses). *Un fauteuil énorme, éléphantesque.* — **REM.** On trouve (rarement) la variante *éléphantique.*

(...) l'acteur Charles Laughton : lippu, bouffi, éléphantesque, avec une expression candide de gosse.
Claude MAURIAC, le Temps immobile, p. 302-303.

CONTR. Microscopique, minuscule.

ÉLÉPHANTIASIQUE [elefãtjazik] adj. — 1808 ; de *éléphantiasis*.

Méd. Atteint d'éléphantiasis ; ressemblant à l'éléphantiasis. — N. *Un éléphantiasique.* (Le syn. *éléphantiaque* (1864) est vieilli).

ÉLÉPHANTIASIS [elefãtjazis] n. f. — 1538 ; lat. *elephantiasis*, mot grec «lèpre tuberculeuse» du v. *elephantian*, de *elephas, elephantos*. → Éléphant.

Méd. Augmentation considérable de volume d'un membre ou d'une partie du corps, causée par un œdème dur des téguments (→ Pachydermie). *Éléphantiasis des pays chauds* : œdème énorme des membres inférieurs et des organes génitaux provoqué par les filaires. *Éléphantiasis des Grecs.* → **Lèpre.**

DÉR. Éléphantiasique.

ÉLÉPHANTIN, INE [elefãtɛ̃, in] — XIIIᵉ ; lat. *elephantinus*.

Didact. Qui ressemble à l'éléphant (en parlant d'un animal voisin, d'une représentation).

(1837). Par ext. *Une corpulence éléphantine.* → **Éléphantesque.**

Relatif à l'éléphant. *Statue éléphantine*, faite d'ivoire d'éléphant.

COMP. V. **Chryséléphantin.**

ÉLEVAGE [elvaʒ ; ɛlvaʒ] n. m. — 1836 ; de *élever*.

A (De *élever*, III.) ◆ **1** **ⓐ** Rare. Action d'élever [III.] (un animal, des animaux). → **2. Élève** (vx). *L'élevage de ces lapins a été difficile. L'élevage d'un hamster par un enfant.*

ⓑ Techniques par lesquelles on élève (des animaux domestiques ou utiles) en les faisant naître et se développer dans de bonnes conditions, en contrôlant leur entretien et leur reproduction, de manière à obtenir un résultat économique. *L'élevage des chevaux, du bétail* (→ ci-dessous), *des vers à soie, etc.* → **Apiculture** (abeilles), **aquaculture** (poissons), **astaciculture** (écrevisses), **aviculture** (volaille), **carpiculture** (carpes), **colombophilie** (pigeons), **conchyliculture** (coquillages), **cuniculiculture** (lapins), **héliciculture** (escargots), **hirudiniculture** (sangsues), **mytiliculture** (moules), **ostréiculture** (huîtres), **pisciculture** (poissons), **sériciculture** (vers à soie) ; aussi **-culture**. *Lieux spécialement aménagés pour l'élevage de certains animaux.* → **Arche** (d'élevage), **autrucherie, basse-cour, chenil, clapier, écurie, escargotière, étable, faisanderie, haras, limaçonnière, magnanerie, nourricerie, poulailler, visonnière, vivier, volière...** — Absolt. *Parcs* (cit. 3) *d'élevage* (pour les huîtres).

Spécialt (plus cour.). *L'élevage du bétail*, des vaches, des moutons... Soins et travaux que nécessite l'élevage du bétail.* → **Affenage, appareillement, castration, croisement, engraissement, herbagement, nourrissage, reproduction, sélection.**

ⓒ Absolt. Élevage du bétail. *Faire de l'élevage.* → **Éleveur.** *Pays d'élevage* (→ Appoint, cit. 3 ; bocage, cit. 3). *Produits de l'élevage. Élevage extensif, intensif. Élevage hors-sol. Qui concerne à la fois l'agriculture et l'élevage.* → **Agropastoral.** *Élevage et industries agro-alimentaires*.*

1 La même évolution transforme les produits de l'élevage (...) au XVIIᵉ siècle, le Limousin se livrait surtout à l'engraissement des bœufs pour Paris ; de nos jours, il s'oriente vers la production de bêtes jeunes. Jadis, on entretenait beaucoup de bêtes à cornes pour le travail des champs ; de nos jours on préfère les vaches laitières. Jadis, on élevait les moutons pour leur laine ; de nos jours (...) on en fait des animaux de boucherie, ou bien des bêtes jeunes. Jadis on laissait souvent les bêtes en plein air chercher leur maigre pitance dans les pacages ; de nos jours elles séjournent longtemps à l'étable, pourvues d'une abondante provende.
DEMANGEON, Géographie économique et
humaine de la France, t. I, p. 109.

◆ **2** Didact. (pédiatrie) ou stylistique. Le fait d'élever [III.] (des enfants, des êtres humains). «*L'élevage de la jeune fille au couvent*» (Goncourt, *in* T.L.F.). «*Les charges, si lourdes, de l'élevage de l'enfant*» (A. Sauvy, *Croissance zéro ?*, p. 89).

2 Susceptible d'élevage, comme les autres espèces, l'humanité y répugne parce qu'elle révoque toujours en doute ses valeurs et ses fins.
Emmanuel BERL, le Virage, p. 161.

◆ **3** Rare. Techniques par lesquelles on amène (des plantes) à leur développement. *L'élevage des jeunes plants par les pépiniéristes.*

◆ **4** Techn. *Élevage des vins* : ensemble des opérations qui permettent de donner aux vins toutes leurs qualités (→ Éleveur, 3.).

B Par métonymie. ◆ **1** Ensemble des animaux élevés ensemble. *Un élevage de sangliers. Il a perdu tout son élevage.*

◆ **2** Installation où des animaux sont élevés. «*Alban désirait être invité à l'élevage* (de taureaux) *du duc*» (Montherlant, *les Bestiaires*, p. 46).

ÉLÉVATEUR, TRICE [elevatœr, tʀis] adj. et n.
— XIVᵉ, *eslevateur* «celui qui pousse à la révolte»; bas
lat. *elevator* «qui élève», du supin de *elevare*. → Élever.
Qui sert à élever qqch.

♦ **1** Anat. Se dit de certains muscles qui élèvent,
relèvent (certaines parties du corps). *Muscle élévateur de la paupière, de la lèvre supérieure.* — On dit
aussi *releveur. Le deltoïde, muscle élévateur du bras.*
— N. m. *L'élévateur de la lèvre supérieure.*

♦ **2** (1801). Techn. *Appareil élévateur, machine élé-
vatrice,* ou, n. m., *un élévateur,* appareil destiné à
prendre un corps à un niveau donné pour l'élever
à un niveau supérieur. → **Levage** (appareils de); **élévatoire**; **ascenseur, chèvre, levier, monte-charge, noria,
tapis** (roulant), **treuil, vérin.**

1   Depuis longtemps, tous ces exténuants portages à dos
d'hommes ont été remplacés par des machines élévatrices
qui accélèrent et simplifient le travail.
             Georges LECOMTE, Ma traversée, p. 19.

Élévateur d'eau. → **Chadouf** (cit.), **pompe.** *Élévateur
de paille,* qui édifie automatiquement les meules
avec la paille qui sort des batteuses. *Élévateur de
grains,* à godets ou pneumatique. — Mar. *Élévateur
destiné à soulever les navires dans les bassins de
radoub.*

Élévateur dentaire : instrument destiné à faciliter
l'extraction d'une dent, sa pointe étant engagée
entre l'os et la racine de la dent qui doit être
extraite.

REM. Le mot reste technique et ne s'emploie pas spécifiquement pour désigner les appareils ayant un nom
courant, comme *ascenseur, monte-charge.*

a (1871, Littré, *Suppl.;* de l'angl. des États-Unis *elevator*).
Spécialt. Silo* à grains permettant le chargement
et le déchargement rapide des céréales.

2   Parlerai-je des *élévateurs,* ces immenses édifices où le blé
arrive d'un côté en wagon et est envoyé de l'autre dans les
navires (...)
             L. SIMONIN, le Far-West américain,
             in le Tour du monde, 1868, t. I, p. 231.

b Électr. *Élévateur de tension :* transformateur* qui
élève la tension du courant.

CONTR. Abaisseur.

ÉLÉVATION [elevasjɔ̃] n. f. — XIIIᵉ; lat. *elevatio,* du
supin de *elevare.* → Élever.

Action de lever, d'élever, de s'élever; résultat de
cette action.

I ♦ **1** (XIVᵉ, Mondeville). Action de lever, de soulever
(une partie du corps). *Mouvement d'élévation de
l'épaule. Élévation horizontale, verticale du bras.*

1   En même temps que l'omoplate bascule, la clavicule élève
son extrémité externe. Cette élévation se produit dès le
début du mouvement pour atteindre son point culminant
lorsque le bras est vertical.
             Paul RICHER, Nouvelle anatomie artistique, III,
             p. 90.

2   L'élévation de l'épaule peut être produite par la contraction
isolée d'un assez grand nombre de muscles ou de portions
musculaires qui vont du tronc à l'omoplate (...)
             L. TESTUT, Traité d'anatomie, t. I, p. 595.

Danse. Mouvement circulaire, perpendiculaire au
sol, décrit par les bras ou par les jambes.

♦ **2** Action de lever, d'élever (un objet). — Liturgie.
Élévation de l'hostie (par le prêtre). — Absolt. Le
moment de la messe où le prêtre élève l'hostie et
la montre aux fidèles. → **Lever-Dieu** (vx). *On en était
à l'élévation.* — Morceau de musique, de chant exécuté à ce moment.

3   Dans ces fronts qui se baissaient avec un mouvement de
ferveur soumise, à l'Élévation (...)
             Paul BOURGET, le Disciple, p. 127.

Rare. Action de transporter plus haut. *Élévation des
fardeaux au moyen d'appareils de levage*.*

♦ **3** Action de bâtir, de construire. *Travailler à
l'élévation d'un mur, d'un monument.* → **Construction, édification, érection.** — Spécialt. Œuvre d'art qui
représente l'érection de la croix du Christ. *L'Élévation de la Croix,* tableau de Rubens.

♦ **4** Vx. Hauteur, altitude. *Il faut donner plus d'élévation à ce plancher, à cette muraille* (Académie).
*Élévation d'une montagne au-dessus du niveau de
la mer.* → **Altitude.** *Un rocher de trois cents pieds
d'élévation* (→ Déchirure, cit. 6).

4   L'élévation de cet escarpement peut encore être mesurée
aujourd'hui par la hauteur des deux tertres des deux
grandes sépultures qui encaissent la route de Genappe
à Bruxelles (...)   HUGO, les Misérables, III, I, VII.

Astron. Mod. *Élévation du pôle dans un lieu :* la distance du pôle à l'horizon du lieu. *Angle d'élévation.*

Par ext. *(Une, des élévations).* Terrain élevé. → **Bosse,
butte, éminence, hauteur, tertre.** *Élévation de terrain,*
ou, absolt, *élévation. Une élévation nous dérobe la
vue. Une petite élévation qui leur servait d'épaulement* (Erckmann-Chatrian, in T. L. F.).

Spécialt. Géom. Représentation graphique d'une des
faces d'un corps sur un plan vertical parallèle à
cette face. — Archit. *Élévation perspective. Coupe* ou
élévation d'un bâtiment.

II ♦ **1** Action de s'élever; fait de s'élever. *L'élévation
de l'eau dans le corps de la pompe. L'élévation du
niveau des eaux. L'élévation d'un ballon dans les
airs.*

Par métonymie. Hauteur dont on s'élève (saut).

♦ **2** Fig. *L'élévation du prix des denrées, du coût de
la vie.* → **Accroissement, hausse.** *Élévation de température* (→ Crise, cit. 7). *Augmentation, élévation
du pouls :* augmentation du nombre de pulsations. → **Accélération.** — *Élévation d'un nombre à
la seconde, à la troisième puissance*.* — (1549). *Élévation de la voix,* son passage à un ton plus haut et
souvent à une intensité plus forte; ton plus haut
que celui qu'on prend habituellement.

III Fig. (Abstrait). ♦ **1** (1666). Action d'élever, de s'élever
à un rang supérieur. → **Accession, ascension.** *L'élévation de qqn à une dignité. L'élévation d'un prince
au trône, à l'empire. Élévation d'un officier au grade
supérieur.* → **Avancement, promotion.** *Son élévation
au grade d'officier de la Légion d'honneur. L'élévation de son rival au poste qu'il convoitait.* → **Nomination**; → Apprivoiser, cit. 6; balance, cit. 11.

5   (...) l'élévation du duc d'Anjou sur le trône de Charles-
Quint remplit l'Europe d'inquiétudes et la replongea dans
les horreurs d'une guerre universelle (...)
             G.-T. RAYNAL, Hist. philosophique, XV, 11,
             in LITTRÉ.

6   S'il souhaitait de s'élever et s'il le répétait sans cesse, il avait
l'horreur des servitudes bureaucratiques et n'eût pas considéré comme une élévation de travailler à heures fixes,
derrière des portes closes, même au prix d'un traitement
princier.
             G. DUHAMEL, Chronique des Pasquier, II, V, p. 267.

Par ext. Vx ou littér. Rang auquel qqn est élevé.

7   Considérez ces grandes puissances que nous regardons
de si bas; pendant que nous tremblons sous leur main,
Dieu les frappe pour nous avertir; leur élévation en est la
cause (...)
             BOSSUET,
         Oraison funèbre de la Duchesse d'Orléans.

7.1   L'un de ces hommes, celui qui se prêtait, était âgé de vingt-
quatre ans, assez bien mis pour faire croire à l'élévation
de son rang, l'autre à peu près du même âge, paraissait
un de ses domestiques.   SADE, Justine..., t. I, p. 66.

8   Ce sera plus tard (*Jeanne Poisson*), par la faveur du roi, la marquise de Pompadour. En son élévation, la favorite n'aura pas oublié sa compagne du temps de l'Hôtel des Invalides (...)
                    Émile HENRIOT, *Portraits de femmes*, p. 169.

♦ **2** Relig. Mouvement (de l'âme, du cœur) vers Dieu. *Élévations de l'âme vers Dieu.* → **Mouvement, prière.** *Élévations à Dieu sur tous les mystères de la religion chrétienne*, ouvrage de Bossuet.

9   Là, tout en me promenant, je faisais ma prière qui ne consistait pas en un vain balbutiement de lèvres, mais dans une sincère élévation de cœur à l'auteur de cette aimable nature dont les beautés étaient sous mes yeux.
                    ROUSSEAU, *les Confessions*, VI.

♦ **3** (1665). Qualité qui élève moralement l'homme. → **Noblesse; distinction, grandeur.** *L'élévation de son caractère et de son esprit. Une grande élévation de sentiments, de pensée. Manquer d'élévation.* → **Hardiesse, hauteur** (de vues), **largeur** (de vues).

10 La première et la plus considérable source du sublime est une certaine élévation d'esprit qui nous fait penser heureusement les choses.   BOILEAU, *Longin*, VI.

11 L'étude n'a point émoussé ta vivacité ni appesanti ta personne : la fade galanterie n'a point rétréci ton esprit ni hébété ta raison. L'ardent amour, en t'inspirant tous les sentiments sublimes dont il est le père, t'a donné cette élévation d'idées et cette justesse de sens qui en sont inséparables.
                    ROUSSEAU, *Julie ou la Nouvelle Héloïse*, II, XI.

12 (...) l'élévation du caractère est une qualité qui élève le caractère au-dessus des choses basses; la hauteur est un défaut qui, dans notre idée ou dans nos manières, nous place au-dessus des autres.
                    LITTRÉ, *Dict.*, art. *Élévation*.

Absolument :

13 (...) cette élévation que le véritable humanisme inspire à tout homme bien né (...)
                    STROWSKI, *Montaigne*, p. 36.

♦ **4** Noblesse de l'expression. *L'élévation du style.*

CONTR. Abaissement, affaiblissement, baisse, chute, dépression, diminution. — Bassesse.

ÉLÉVATOIRE [elevatwaʀ] adj. — 1861 : «instrument de chirurgie», n. m., 1561 ; dér. sav. du lat. *elevare* «élever». Techn. Qui sert à élever, au levage. → **Élévateur; levage** (appareil de). *Machine, pompe élévatoire*, destinée à élever des liquides.

1. ÉLÈVE [elɛv] n. — 1653 ; déverbal de *élever*, d'après ital. *allievo.*

♦ **1** Personne qui reçoit, ou suit l'enseignement d'un maître (dans un art, une science). *Raphaël fut l'élève du Pérugin.* → **Disciple.**

1   Combien de fresques attribuées naguère à l'Angelico ont été peintes par ses élèves ?
                    MALRAUX, *les Voix du silence*, p. 363.

Par ext. Personne, enfant qui reçoit, ou a reçu, les leçons d'un précepteur. *Ce précepteur ne quitte jamais son élève. Le duc de Bourgogne, élève de Fénelon* (→ *Copie*, cit. 1).

2   J'ai donc pris le parti de me donner un élève imaginaire, de me supposer l'âge, la santé, les connaissances et tous les talents convenables pour travailler à son éducation, de le conduire depuis le moment de sa naissance jusqu'à celui où, devenu homme fait, il n'aura plus besoin d'autre guide que lui-même.   ROUSSEAU, *Émile*, I.

Spécialt. Celui, celle qui reçoit l'enseignement donné dans un établissement d'enseignement. *Un élève, une élève des écoles primaires* (→ **Écolier**), *des collèges* (→ **Collégien**), *des lycées* (→ **Lycéen**), *des facultés* (→ **Étudiant**), *des grandes écoles. Élève des classes* préparatoires aux grandes écoles. Élève de l'École des chartes*. Élève du Conservatoire. Élève,*

ancien* élève de l'École normale* supérieure, de l'École polytechnique*, de l'École des hautes études commerciales (H. E. C.), de l'Institut national agronomique*... Élève-maître, élève-maîtresse : élève d'une école normale d'instituteurs, d'institutrices. *Élève-ingénieur. — Élève boursier; externe, interne, demi-pensionnaire, pensionnaire. Élève de première année.* → **Bizut.** *Brimade imposée à un nouvel élève* (→ Bizutage). *Élèves d'une même classe.* → **Condisciple.** *Cour où se rassemblent les élèves* (→ Dévisager, cit. 5). *Compositions, devoirs, notes, classement des élèves. Un bon, un brillant élève.* → **Excellence** (prix d'), **fort** (en thème), **sujet** (bon sujet). *Mauvais élève.* → **Cancre.** *Élève qui recommence sa classe.* → **Redoubler; vétéran.** *Élève qui prend des leçons particulières* (→ **Tapir**). *Consigner, punir des élèves. — Les parents des élèves. Une association de parents d'élèves.*

2   Ce sont eux pourtant, ces quarante-sept petits élèves-maîtres qui portent dans leurs faibles mains ce feu que le Fils de l'Homme est venu jeter sur la terre.
                    F. MAURIAC, *Bloc-notes 1952-1957*, p. 100.

Milit. Candidat à un grade, suivant un peloton ou les cours d'une école. *Élève caporal. Élève officier d'active* (E. O. A.), *de réserve* (E. O. R.). → **Aspirant** (cit. 3), **cadet; pilotin** (mar.).

3   De temps en temps la voix monotone d'un élève récitant sa leçon, une exclamation de professeur en colère (...) puis tout rentrait dans le silence, le collège avait l'air de dormir.
                    Alphonse DAUDET, *le Petit Chose*, Les petits.

4   Oh ! je déteste maintenant le temps où les élèves étaient comme de grosses brebis suant dans leurs habits sales, et dormaient dans l'atmosphère empuantie de l'étude, sous la lumière du gaz, dans la chaleur fade du poêle !
                    RIMBAUD, *Un cœur sous une soutane.*

♦ **2** (1801). Par anal. Vieilli. *Jeune animal dont l'élevage est en cours; jeune plante dont on dirige la croissance.*

5   Incessamment, ils parlaient de la sève et du cambium, du palissage, du cassage, de l'éborgnage. Ils avaient au milieu de leur salle à manger, dans un cadre, la liste de leurs élèves, avec un numéro pour se répéter dans le jardin, sur un petit morceau de bois, au pied de l'arbre.
                    FLAUBERT, *Bouvard et Pécuchet*, II, Pl., p. 747.

HOM. 2. Élève.

2. ÉLÈVE [elɛv] n. f. — 1615, en bot. ; 1770, «élevage». Vx. Action d'élever (les animaux, les plantes). → **Élevage.** *L'élève des chevaux, des bestiaux. L'élève du melon* (→ Cantaloup, cit. 1).

HOM. 1. Élève.

ÉLEVÉ, ÉE [elve; ɛlve] p. p. adj. → **Élever.**

ÉLEVER [elve; ɛlve] v. tr. [CONJUG.: *lever.*] — Fin XIᵉ ; de *é-*, et *lever.*

I ♦ **1** Mettre, placer, porter, transporter (qqch.) plus haut. *Élever des pierres au moyen d'une grue. Appareils de levage* pour élever les fardeaux.* → **Hisser, lever, soulever.** *Élever de l'eau au moyen d'une pompe. Élever les bras au-dessus de sa tête. Élever un étendard.* → **Arborer.** *Le prêtre élève le calice pour la consécration.*

Faire monter à un niveau supérieur. *Il faut élever ce mur encore plus haut.* → **Exhausser, hausser, rehausser, relever, surélever, surhausser.** *La fonte des neiges a élevé le niveau de la rivière.* → **Monter** (faire). — (Avec un compl. en de). *Élever la crémaillère d'un cran, la maison d'un étage, le mur d'un mètre.*

REM. En parlant d'objets que l'on doit porter à une hauteur plus grande on peut dire *élever* ou *lever plus haut : Élevez davantage cette lampe* (Académie) ou *Levez la lampe plus haut* (Académie). Quand il s'agit d'objets à *soulever*, «*Élever* suppose plus d'efforts et une opération plus difficile (que *lever*), ou bien une hauteur plus considérable à laquelle l'objet arrive en parcourant progressivement différents degrés. On lève quelque chose de terre sans peine et avec la main» (Lafaye, p. 128).

1   On les suspendait *(les corps)*à de longues bascules qu'on élevait et qu'on baissait tour à tour.
VOLTAIRE, *Philosophie*, II, 24.

2   Un machiniste, il y a quelques années, présenta à l'hôtel de ville de Paris le modèle en petit d'une pompe, par laquelle il assurait qu'il élèverait à cent trente pieds de hauteur cent mille muids d'eau par jour.
VOLTAIRE, *Dict. philosophique*, Force mécanique.

3   (...) des vapeurs que le soleil élève au-dessus de la surface des mers.   BUFFON, *Théorie de la terre*. Introd.

4   Vingt marteaux pesants, et retombant avec un bruit qui fait trembler le pavé, sont élevés par une roue que l'eau du torrent fait mouvoir.
STENDHAL, *le Rouge et le Noir*, I, I.

5   Hélène, pour dénouer les brides de son chapeau, éleva les bras comme deux anses d'amphore, avec un mouvement plein de grâce dont le spectacle donna à René une minute délicieuse.   FRANCE, *Jocaste*, XI, Œ., t. II, p. 108.

Par anal. Faire monter l'âme de (qqn) au ciel.

6   Le coup à l'un et à l'autre en sera précieux,
Puisqu'il t'assure en terre en m'élevant aux cieux.
CORNEILLE, *Polyeucte*, V, 5.

Tenir haut (le sujet désigne une chose qui semble porter son sommet à une grande hauteur). → **Dresser.**

7   (...) la mer, quelquefois claire et unie comme une glace, quelquefois follement irritée contre les rochers, où elle se brisait en gémissant, et élevant ses vagues comme des montagnes.   FÉNELON, *Télémaque*, I.

8   (...) un rocher qui élevait vers le ciel deux pointes semblables à deux têtes (...)   FÉNELON, *Télémaque*, XII.

9   (...) les cyprès élevaient leurs quenouilles noires et les oliviers moutonnaient sur les pentes.
FRANCE, *le Lys rouge*, V, VIII, p. 86.

♦**2** Construire (qqch.) en hauteur. → **Bâtir, construire.** *Élever un mur, une cloison, une maison, un bâtiment, un château, des fortifications. Élever un monument, une statue, un autel, un temple.* → **Dresser, édifier, ériger; érection.** *Élever un mât pour arborer* un drapeau. Élever les colonnes d'un temple.*

10   (...) nous vîmes cette belle façade du Louvre qui fait tant désirer l'achèvement de ce palais.
VOLTAIRE, *le Siècle de Louis XIV*, XXXIII.

Fig. Littér. → **Créer, établir, fonder.** *Élever sa fortune sur la ruine d'autrui. Élever des systèmes.*

11   J'ai vu sur ma ruine élever l'injustice (...)
RACINE, *Britannicus*, III, 7.

12   Sur ces débris du monde élevons l'Arabie.
VOLTAIRE, *Mahomet*, II, 5.

13   Je ne serais pas étonné de m'entendre répondre : Fonder la société sur un *devoir*, c'est l'élever sur une fiction ; la placer dans un *intérêt*, c'est l'établir dans une réalité.
CHATEAUBRIAND, *Mémoires d'outre-tombe*, t. IV, p. 116.

Fig. Élever des digues, un rempart contre... → **Opposer.** — Loc. *Élever autel* contre autel.*

Élever des obstacles, des difficultés. → **Soulever, susciter.** *Élever des objections, des doutes, des soupçons.* → **Objecter.**

14   Il était impossible d'élever le moindre doute.
Pierre BENOÎT, *l'Atlantide*, p. 234, in T. L. F.

♦**3** Géom. *Élever une perpendiculaire :* tracer d'un point pris sur une ligne ou un plan une droite qui lui soit perpendiculaire.

II *Fig.* **A** ♦ **1** (Compl. n. de personne). Porter plus haut ; porter (qqn) à un rang plus haut, à un rang supérieur. → **Promouvoir.** *Élever qqn aux premiers rangs, au trône, au pouvoir, aux honneurs* (→ Capitaine, cit. 2), *aux plus hautes dignités...*

15   Enfin vous l'emportez, et la faveur du Roi
Vous élève en un rang qui n'était dû qu'à moi (...)
CORNEILLE, *le Cid*, I, 3.

16   Dans l'espoir d'élever Bérénice à l'Empire (...)
RACINE, *Bérénice*, II, 2.

17   Une fois de plus, il *attendait* la France qui, nous venons de le voir, se portait, d'un grand élan, vers lui pour l'élever au pouvoir suprême, — au plus haut des trônes.
Louis MADELIN, *Hist. du Consulat et de l'Empire*, Avènement de l'Empire, VII, p. 86.

18   Sa vie *(de Lamartine)* est belle, noble, contrastée ; elle est celle d'un génie inspiré, tombé pour vivre dans la fabrication (...) élevé au faîte du pouvoir par le consentement unanime de la France qu'il représentait, et précipité un jour dans le discrédit et l'oubli.
Émile HENRIOT, *les Romantiques*, p. 101.

(Compl. n. de chose). Vx. Rendre éminent, supérieur. *Élever la gloire, la fortune de qqn.*

19   Soit qu'il élève les trônes, soit qu'il les abaisse (...)
BOSSUET, *Oraison funèbre de la reine d'Angleterre*.

20   Ai-je donc élevé si haut votre fortune
Pour mettre une barrière entre mon fils et moi ?
RACINE, *Britannicus*, I, 2.

Élever une chose au rang d'une autre, lui donner ou lui attribuer une importance égale. *Il a, par ses découvertes, élevé cette science au rang des sciences exactes* (Académie). *Élever le mariage à la dignité de sacrement* (→ Conjugal, cit. 3).

Par plais. Élever qqch. à la hauteur d'une institution* : pratiquer de manière systématique ; illustrer.

♦ **2** Porter à un degré supérieur ; rendre plus grand, plus considérable (une quantité, un prix, une valeur...). → **Accroître, augmenter, relever.** *Élever le prix des denrées, le taux de l'intérêt, la valeur d'une monnaie, la température d'un liquide. Élever le degré, le niveau du savoir, des connaissances* (cit. 21).

Spécialt. Math. *Élever un nombre au carré, au cube, à une puissance quelconque*, le multiplier* par lui-même autant de fois que l'indique l'exposant.

B (Le compl. désigne l'âme, l'esprit, un être humain...). Rendre moralement ou intellectuellement supérieur. *Élever son âme, son cœur, son esprit, ses pensées vers Dieu, vers un noble idéal.*

21   À de plus hauts objets élevez vos désirs (...)
MOLIÈRE, *les Femmes savantes*, II, 1.

Inspirer des sentiments élevés ; rendre plus noble. → **Ennoblir, fortifier, grandir.** *Cette lecture élève l'esprit. Sermon qui élève l'âme.* → **Édifier** ; → Action, cit. 19. *Exemple qui élève le courage jusqu'à l'héroïsme.* → **Exalter** ; → Courage, cit. 16. *Son geste l'éleva dans notre estime.* → **Grandir.**

22   Malgré la vue de toutes nos misères, qui nous touchent, qui nous tiennent à la gorge, nous avons un instinct que nous ne pouvons réprimer, qui nous élève.
PASCAL, *Pensées*, VI, 411.

23   Quand une lecture vous élève l'esprit, et qu'elle vous inspire des sentiments nobles et courageux, ne cherchez pas une autre règle pour juger l'ouvrage ; il est bon, et fait de main d'ouvrier.   LA BRUYÈRE, *les Caractères*, I, 31.

24   Il est des sortes d'adversités qui élèvent et renforcent l'âme, mais il en est qui l'abattent et la tuent : telle est celle dont je suis la proie.
ROUSSEAU, *Rêveries...*, 6e promenade.

25   (...) une terreur secrète qui loin d'abaisser l'âme, donne du courage et réveille le génie.
CHATEAUBRIAND, *Mémoires d'outre-tombe*, t. II, p. 373.

26   (...) la piété a une valeur, ne fût-elle que psychologique. Elle nous moralise délicieusement et nous élève au-dessus des misérables soucis de l'utile ; or là où finit l'utile commence le beau, Dieu, l'infini, et l'air pur qui vient de là est la vie.   RENAN, *Souvenirs d'enfance..., Appendice.*

27   (...) cette pureté (...) élève, auréole, et grandit l'enfantine Marie.
                                    Émile HENRIOT, *Portraits de femmes, p. 444.*

Rendre (qqn) supérieur aux autres. *La générosité élève l'homme au-dessus de lui-même* (→ Cornélien, cit.).

28   Conte-moi tes vertus, tes glorieux travaux (...)
      Et tout ce qui t'élève au-dessus du vulgaire.
                                    CORNEILLE, *Cinna, V, 1.*

29   Le rang de sa maîtresse semblait l'élever au-dessus de lui-même.   STENDHAL, *le Rouge et le Noir, I, XVI.*

Déclarer supérieur. → Exalter, prôner, vanter. — Par hyperb. *Élever qqn sur un piédestal. Élever qqn aux nues, jusqu'aux nues,* lui donner des louanges excessives. **→ Louer ; déifier, porter** (aux nues).

30   (...) le peuple élevant vos vertus jusqu'aux nues (...)
                                    RACINE, *Bérénice, IV, 6.*

31   (...) les combats d'Ulysse et sa sagesse furent élevés jusqu'aux cieux.   FÉNELON, *Télémaque, I.*

Élever le niveau d'un débat, d'une discussion.

C Faire entendre, émettre plus fortement (la voix, des paroles). *Élever la voix :* parler plus haut, plus fort. *Il n'ose plus élever la voix :* il n'ose plus parler. *Élever la voix dans une discussion. Élever le ton :* prendre un ton de menace ou de supériorité. — *Élever la voix en faveur de qqn,* prendre hautement sa défense. *Élever la voix contre qqn,* l'accuser. — *Élever une protestation.* **→ Protester.**

32   Plus haut que les acteurs élevant ses paroles.
                                    MOLIÈRE, *les Fâcheux, I, 1.*

33   Les contre-révolutionnaires plus modérés étaient eux-mêmes si terrifiés par le sort d'un Barbe-Marbois ou d'un Portalis, que, ni dans la Nation, ni dans les Conseils, ils n'osaient plus élever la voix.
                                    Louis MADELIN, *Hist. du Consulat et de l'Empire,
                                    Ascension de Bonaparte, XIII, p. 181.*

34   Il avait élevé le ton ; sa voix vibrait de plaisir et de défi.
                                    MARTIN DU GARD, *les Thibault, t. V, p. 58.*

35   Le scandale n'est pas qu'on dise de votre femme qu'elle a des amants. Le scandale est qu'on m'ait emprisonné, jugé, condamné, et qu'elle n'ait pas élevé la voix pour m'innocenter.   M. AYMÉ, *la Tête des autres, I, XII.*

Fig. *Élever un cri, une plainte, une prière... vers Dieu.*

35.1 Qui de nous vers le ciel n'élève pas des cris
      Pour les jours d'un époux, ou d'un père, ou d'un fils ?
                                    VOLTAIRE, *l'Orphelin de la Chine, I, 1.*

Spécialt. Mus. *Élever le ton d'un morceau :* transposer un morceau afin qu'il soit exécuté sur un ton plus haut que celui dans lequel il a été composé.

III ♦ 1 (XIIIᵉ ; rare av. XVIᵉ). Amener (un être vivant) à son développement physique, intellectuel ou moral. **→ Entretenir, nourrir, soigner ; soin** (prendre). *Obligation des parents d'élever leurs enfants* (→ Contracter, cit. 2 ; dispenser, cit. 9). *Elle a élevé les enfants de sa sœur comme les siens propres. Ils ont été élevés ensemble* (→ Double, cit. 14). *Enfant facile à élever. Élever un bébé au sein.* **→ Allaiter.** *Élever un enfant dans du coton*, à la dure*.*

36   On m'élevait alors, solitaire et cachée.
                                    RACINE, *Esther, I, 1.*

(Le compl. désigne un animal). *Élever des chevaux, des lapins.*

37   Il m'est, disait-elle, facile
      D'élever des poulets autour de ma maison (...)
                                    LA FONTAINE, *Fables, VII, 10.*

(Plantes). *J'ai eu de la peine à élever ces plantes, ces fleurs, ces arbres* (Académie).

Faire l'éducation* de (un être humain). **→ Éduquer, former, instruire ;** et aussi **conduire, cultiver, dresser** (péj.), **gouverner.** *On a mal élevé cet enfant, il a été mal élevé* (→ ci-dessous Mal élevé). *Élever une jeune fille au couvent. Être élevé dans la religion chrétienne. On l'a élevé dans de bons principes, dans le sentiment du devoir.* **→ Nourrir ; →** Consacrer, cit. 6.

— Songe avec quel amour j'élevai ta jeunesse.   38
— Il éleva la vôtre avec même tendresse (...)
                                    CORNEILLE, *Cinna, V, 2.*

Fille chaste et pudique, élevée dans la maison paternelle,   39
dans une retenue incroyable.
                                    BOSSUET, *Honneur du monde, 1.*

Il est bien étrange que, depuis qu'on se mêle d'élever   40
des enfants, on n'ait imaginé d'autre instrument pour les
conduire que l'émulation, la jalousie, l'envie, la vanité,
l'avidité, la vile crainte, toutes les passions les plus dangereuses, les plus promptes à fermenter, et les plus propres
à corrompre l'âme, même avant que le corps soit formé.
                                    ROUSSEAU, *Émile, II.*

♦ 2 Amener (des vins) à leur état optimal. **→ Élevage, éleveur** (3.).

♦ S'ÉLEVER v. pron. **A** Réfl. **♦ 1** Concret (spatial). Monter ; aller plus haut. *Le mercure s'élève dans le thermomètre sous l'action de la chaleur. Le niveau du fleuve s'est encore élevé. L'aigle s'élève dans les airs.* **→ Voler.** *L'avion s'élève de terre* (→ Décoller, cit. 2), *prend de la hauteur. S'élever à une grande altitude* (→ Ascension, cit. 5). *Astre qui s'élève au-dessus de l'horizon* (→ Ascendance). *Fumée, nuage de poussière qui s'élève en tourbillon. Le lierre s'élève jusqu'au premier étage.* **→ Grimper ; aller, arriver** (jusqu'à). *Le cyprès s'élève très haut.* — (Êtres animés). *S'élever d'un bond.* (Personnes). → ci-dessous, cit. 41, 43.1. *S'élever dans l'air, les airs. S'élever très haut en sautant, en dansant.* **→ Bondir** (cit. 7), **sauter.**

Puis sur tes cornes m'élevant,   41
À l'aide de cette machine,
De ce lieu-ci je sortirai (...)
                                    LA FONTAINE, *Fables, III, 5.*

Comme un liège emplumé qui bondit sur la raquette, il   42
(mon esprit) s'élève, il retombe, il égaye mes yeux, repart
en l'air, y fait la roue, et revient encore.
                                    BEAUMARCHAIS, *le Barbier de Séville,
                                    Lettre sur la critique.*

Du port obscur montèrent les premières fusées des réjouis-   43
sances officielles (...) les gerbes multicolores s'élevaient
plus nombreuses dans le ciel (...)
                                    CAMUS, *la Peste, p. 331.*

Et Narcense s'éleva dans l'ascenseur, s'interrogeant sur   43.1
l'avenir qui s'annonçait.
                                    R. QUENEAU, *le Chiendent, p. 325.*

Loc. Spécialt. Mar. *S'élever à la lame :* céder à l'action de la lame qui soulève le navire. — *S'élever en latitude, en longitude :* s'écarter de l'équateur, du premier méridien. — *S'élever au vent, dans le vent :* avancer dans la direction d'où souffle le vent.

Le Bonadventure se conduisait parfaitement. Il s'élevait   43.2
facilement à la lame et faisait une route rapide. Pencroff
avait gréé sa voile de flèche, et, ayant tout dessus, il marchait suivant une direction rectiligne, relevée à la boussole.
                                    J. VERNE, *l'Île mystérieuse, t. II, p. 486.*

Se dresser. *Des falaises s'élèvent à pic au-dessus des flots* (→ Arc, cit. 7). *Montagnes qui s'élèvent en pente douce, en gradins. La ville s'élève en amphithéâtre. Une maison s'élève sur la colline* (→ Château, cit. 4). *Quelques sapins s'élèvent au milieu des pins. Le clocher s'élève à une hauteur de vingt mètres.* **→ Atteindre.**

(...) édifier une tour qui s'élève à l'infini (...)   44
                                    PASCAL, *Pensées, II, 72.*

Et les Alpes de loin, s'élevant dans la nue   45
D'un long amphithéâtre enferment les coteaux.
                                    VOLTAIRE, *Épîtres, CCII, « À Horace. »*

46 Sur le côté oriental de la montagne qui s'élève derrière le Port-Louis de l'île de France, on voit, dans un terrain jadis cultivé, les ruines de deux petites cabanes.
BERNARDIN DE SAINT-PIERRE, Paul et Virginie, p. 13.

47 (...) il me conduisit sur le bord de la Seine, jusqu'à l'île aux Cygnes, qui s'élevait au milieu du fleuve comme un navire de feuillage.
FRANCE, la Rôtisserie de la reine Pédauque, Œ., t. VIII, p. 106.

♦ **2** Par anal. (sons). **a** Devenir plus fort. *Sa voix s'éleva avec force. Le ton de la discussion s'élève.*
→ **Monter.**

b Devenir plus aigu. *La voix s'élève du grave à l'aigu.*

♦ **3** Fig. → **Naître, surgir, survenir.** *Le vent s'élève,* commence à souffler avec force. → **Lever** (se); → Démonter, cit. 12. *Une brise fraîche s'éleva. Un orage s'est élevé tout à coup.* Commencer à se manifester. *Bruits, cris, clameurs* (cit. 2), *murmures, protestations, qui s'élèvent dans une assemblée* (→ Bramement, cit. 2). *Une voix s'éleva* (→ Autoritaire, cit. 3). *Des discussions s'élèvent sans cesse sur...* (→ Académie, cit. 4). *Des doutes, des soupçons s'élevèrent dans son esprit* (→ Droiture, cit. 3). — Impers. *Il s'éleva une dispute dans l'assemblée* (→ Délibératif, cit.).

48 Il s'élève un grand bruit, et mille cris confus (...)
CORNEILLE, Héraclius, V, 6.

49 Un trouble s'éleva dans mon âme éperdue (...)
RACINE, Phèdre, I, 3.

50 Quelle effroyable voix dans mon âme s'élève !
VOLTAIRE, Mahomet, IV, 4.

51 Un tumulte s'éleva sous la porte. On introduisait une file de mules blanches, montées par des personnages en costume de prêtres.
FLAUBERT, Trois contes, «Hérodias», II.

♦ **4** (Sujet n. de personne). **S'ÉLEVER CONTRE (qqn)**, intervenir, prendre fortement parti contre lui, porter témoignage contre... → **Accuser ;** → Crier haro* sur... *S'élever contre qqch. Je m'élève contre cette interprétation abusive.* → **Protester ; inscrire** (s'inscrire en faux). *S'élever contre les abus.* → **Combattre.**

52 Il est temps de s'élever contre de tels désordres.
PASCAL, les Provinciales, I.

53 Voilà des nouveautés contre lesquelles on ne peut assez s'élever.
BOSSUET, 3ᵉ Écrit.

54 (...) la raison classique, contre laquelle s'élèvent aujourd'hui les surréalistes (...) au nom de tout ce qui dans l'homme échappe à la raison.
Émile HENRIOT, les Romantiques, p. 469.

♦ **5** Fig. (sujet n. de personne). Se hausser, être porté à un rang élevé, supérieur. *S'élever au-dessus de sa condition sociale, de sa classe* (→ Contenter, cit. 13). *S'élever aux honneurs, à la gloire* (→ Corbeau, cit. 6). *S'élever aux premières charges de l'État. S'élever au rang des grandes puissances.* → **Arriver, atteindre, parvenir** (à). — Absolt. *S'élever par son travail, par ses propres moyens, aux dépens de qqn.*

55 (...) les paysans qui veulent s'élever au-dessus de leur condition (...)
MOLIÈRE, George Dandin, I, 1.

56 Il est assez naturel aux hommes de vouloir s'élever aux lieux éminents pour étaler de loin, avec pompe, l'éclat d'une superbe grandeur.
BOSSUET, Panégyrique de saint François de Sales.

57 Il n'y a au monde que deux manières de s'élever, ou par sa propre industrie, ou par l'imbécillité des autres.
LA BRUYÈRE, les Caractères, Pl., VI, 52.

58 Il (Fouché) s'éleva, sous le Directoire, à la hauteur d'où les hommes profonds savent voir l'avenir en jugeant le passé (...)
BALZAC, Une ténébreuse affaire, Pl., t. VII, p. 498.

(Dans l'ordre intellectuel). *S'élever à la connaissance de Dieu. L'esprit humain ne peut s'élever jusque-là, il ne peut comprendre cela* (→ Bourgeois, cit. 12).

59 C'était une âme naïve, qui jamais ne s'était élevée même jusqu'à juger son mari, et à s'avouer qu'il l'ennuyait.
STENDHAL, le Rouge et le Noir, I, III, p. 14.

60 Louis XI est une nature moyenne, qui n'est ni au-dessus ni au-dessous du niveau moyen auquel s'élèvent les intelligences et les consciences à son époque.
FUSTEL DE COULANGES, Leçons à l'Impératrice..., p. 218.

61 (Michelet) s'élève aux grandes vues générales, aux prosopopées, aux rêveries, tâche de se tirer de la poussière des notes et des petits faits par de belles envolées lyriques.
Émile HENRIOT, les Romantiques, p. 404.

(Dans l'ordre moral). Devenir plus grand, plus noble. *L'esprit s'élève par la contemplation de la nature.* → **Ennoblir** (s'). *L'intelligence et le cœur s'élèvent ensemble* (→ Agrandir, cit. 9). *S'élever au sublime. S'élever dans la douleur* (cit. 20). *Âmes qui s'élèvent dans la prière, dans la communion* (→ Cime, cit. 4).

62 Pour t'élever de terre, homme, il te faut deux ailes, La pureté du cœur et la simplicité.
CORNEILLE, Imitation de J.-C., II, 4.

S'élever au-dessus de... : se hausser au-dessus de, se rendre inaccessible à... *S'élever au-dessus des intérêts humains, des passions, des préjugés...*

63 C'est là (dans les hôpitaux) que, s'élevant au-dessus des craintes et des délicatesses de la nature, pour satisfaire à sa charité au péril de sa santé même (...)
FLÉCHIER, Oraison funèbre de Marie-Thérèse.

64 Je vois, monsieur, que vous vous élevez au-dessus des préjugés.
FRANCE, la Rôtisserie de la reine Pédauque, Œ., t. VIII, p. 156.

Spécialt. Vieilli. Se mettre au-dessus des autres par orgueil. → **Enorgueillir** (s') ; → Applaudir, cit. 17. *«Quiconque s'élève sera abaissé»* (cit. 15). *S'abaisser* (cit. 18) *pour mieux s'élever.*

65 Du même orgueil dont on s'élève fièrement au-dessus de ses inférieurs, l'on rampe vilement devant ceux qui sont au-dessus de soi.
LA BRUYÈRE, les Caractères, VI, 57.

♦ **6** (Sujet n. de chose). Parvenir à un degré supérieur. → **Augmenter.** *Les prix s'élèvent chaque jour* (→ Chute, cit. 15). *La température s'élève à mesure que l'on s'approche des tropiques.*

S'élever à... : atteindre* une certaine quantité (avec un compl. de mesure). → **Chiffrer** (se), **monter** (se). *La foule s'élevait à dix mille personnes. La succession s'élève à plusieurs millions. Votre compte s'élève à peu de chose.*

66 Les rentrées ne s'y élevaient guère qu'à soixante-cinq mille francs dont une cinquantaine de mille fournis par M. de Montech, et le reste par les revenus de la dot.
J. ROMAINS, les Hommes de bonne volonté, t. III, XI, p. 145.

B Passif. ♦ **1** Être bâti, construit, fondé. *Les maisons, en éléments préfabriqués s'élèvent rapidement.*

67 Divers quartiers de Paris, tels que ceux de Sainte-Geneviève et de Saint-Germain-l'Auxerrois, se sont élevés en partie aux frais des abbayes du même nom.
CHATEAUBRIAND, in P. LAROUSSE.

♦ **2** Être nourri, instruit, éduqué. *Cet enfant s'élève facilement.*

Animaux, plantes qui s'élèvent difficilement. — *Ce vin s'élève bien.*

♦ **ÉLEVÉ, ÉE** p. p. adj.

♦ **1** Qui est situé à une certaine hauteur, sur une hauteur. → **Altier** (vx), **haut ; grand, imposant.** *Terrain élevé qui borne la vue.* → **Élévation** (→ Dérober, cit. 7). *Plafond peu élevé. Pic très élevé. Hauteur peu élevée* (→ Atteindre, cit. 11). *Construction en un lieu élevé.* → **Belvédère.** *De ce point élevé on domine toute la vallée.* — Fig. *Arriver au point le plus élevé, au degré le plus élevé de sa carrière.* → **Apogée, cime,** comble, faîte, sommet. — *Taille élevée.* → **Haut.** *Il est d'une taille élevée : il est grand.*

♦ **2** Qui atteint une grande importance. *Le prix des denrées est très élevé.* → **Considérable, excessif.** *Tarif peu élevé. Prêter de l'argent à un taux élevé. — Température élevée. — D'un ton très élevé.* → **Aigu, pointu.** *Chanter dans les notes élevées* (→ Accent, cit. 1). — *Pouls très élevé.* → **Rapide.** *Vitesse de rotation élevée.*

♦ **3** Qui a atteint un haut niveau (dans un ensemble hiérarchisé). → **Éminent, supérieur.** *Les dignités les plus élevées. Rang social très élevé. L'officier le plus ancien dans le grade le plus élevé.*

♦ **4** (Personnes ; facilités humaines). Noble, supérieur moralement ou intellectuellement. *Esprit élevé. Caractère élevé. — Âme très élevée.* → **Sublime.** *Avoir des pensées, des vues élevées. Un sentiment très élevé du devoir.*

68   (...) ayez un cœur plus grand, plus élevé.
                            VOLTAIRE, Triumvirat, IV, 4.

69   (...) les âmes élevées doivent être presque toujours malheureuses, et d'autant plus malheureuses qu'elles méprisent l'obstacle qui s'oppose à leur félicité.
                            STENDHAL, Souvenirs d'égotisme, p. 167.

Style élevé : style noble et soutenu. *Conversation élevée* (→ Banalité, cit. 6). *Avoir un langage élevé,* dépouillé de toute expression triviale ou familière.

70   Y a-t-il un style plus délicat, plus élégant, plus nombreux, plus élevé que celui de Platon ?
                            ROLLIN, Traité des Études, III, 3, *in* LITTRÉ.

71   Si l'on s'est élevé aux idées les plus générales, et si l'objet en lui-même est élevé, le ton paraîtra s'élever à la même hauteur ; et si en le soutenant à cette élévation, le génie fournit assez pour donner à chaque objet une forte lumière (...) le ton sera non seulement élevé, mais sublime.
                            BUFFON, Disc. sur le style, Œ., t. XII, p. 329.

Nom masculin :

71.1 La lettre était rédigée de telle façon, que si l'officier eût compris tant soit peu le beau et l'élevé, il serait certainement venu chez moi pour me sauter au cou et m'offrir son amitié.   GIDE, Dostoïevsky, p. 110.

Par ext. → **Inaccessible.** *Ce raisonnement est trop élevé pour moi.*

72   Les choses abstraites ou trop élevées pour moi ne m'ennuient pas à entendre ; j'y trouve un enchantement presque musical.   VALÉRY, M. Teste, p. 37.

♦ **5** (Personnes). **BIEN ÉLEVÉ, MAL ÉLEVÉ,** qui a reçu une bonne, une mauvaise éducation, est poli, impoli. *Un enfant bien élevé, mal élevé. Elle n'a pas été bien élevée* (→ Cire, cit. 3). *Les gens les mieux élevés s'y bousculaient* (→ Bousculer, cit. 4).

73   (...) très bien élevées, trop bien élevées, si bien élevées qu'elles passent inaperçues comme deux jolies poupées.
                            MAUPASSANT, Contes, «Mˡˡᵉ Perle», p. 174.

74   Le caractère violent et parfois injurieux de Napoléon froisse toutes les fibres de son être, et il *(Talleyrand)* exprimera, après une scène atroce (...) son opinion de toujours : «Il est dommage qu'un si grand homme soit si mal élevé».
                            Louis MADELIN, Hist. du Consulat et de l'Empire,
                            Vers l'Empire d'Occident, III, p. 40.

75   Pourquoi aussi ces intonations toujours traînantes, ou gouailleuses, comme s'il y avait plaisir à parler mal, à se faire prendre pour encore moins instruit et moins bien élevé qu'on n'est ?
                            J. ROMAINS, les Hommes de bonne volonté, t. IV,
                            XIX, p. 212.

N. Fam. *C'est un mal élevé. Il s'est conduit comme un mal élevé.*

Fam. *C'est très mal élevé de dire, de faire cela :* c'est très impoli. → **Incorrect.**

Loc. fam. *Être élevé comme un rez-de-chaussée,* très mal élevé.

CONTR. Abaisser, abattre, affaisser, baisser, coucher, déprimer, descendre, détruire, ravaler, renverser, surbaisser. — Abêtir, pervertir. ◊ DÉR. Élevage, élève, éleveur, élevure. ◆ COMP. Surélever.

ÉLEVEUR, EUSE [elvœR, øz ; ɛlvœR, øz] ; n. — 1611 ; XIIᵉ, «celui qui élève moralement» ; de *élever.*

♦ **1** Personne qui élève des animaux domestiques. → **Élevage** (cit. 1). *Un agriculteur éleveur. Éleveur de chevaux, de bestiaux* (→ **Herbager**). *Éleveur de coqs de combat.* → **Coqueleux.** — *Une éleveuse d'abeilles :* une apicultrice.

Les éleveurs ont fait de grands efforts pour conserver les caractères utiles ou rares, et ensuite pour mettre en évidence, par sélection, chez le plus grand nombre possible de sujets, certaines propriétés remarquables.
                G. DUHAMEL, Manuel du protestataire, II, p. 56.

(1883). **Vieilli. Fam.** *Éleveuse d'enfants.* → **Nourrice.**

♦ **2 N. f.** (Déb. XXᵉ). **ÉLEVEUSE :** couveuse, ou parquet chauffé qui fournit aux poussins nouvellement éclos la chaleur nécessaire à leur développement. → **Couveuse.**

♦ **3 N. m.** (XXᵉ). Celui qui surveille le vieillissement des vins, après la récolte. *Propriétaire éleveur. Négociant éleveur.*

ÉLEVON [elvɔ̃ ; ɛlvɔ̃] n. m. — XXᵉ ; contraction de *élév(ateur),* et *(aller)on.*

Techn. Gouverne d'avion utilisée comme gouverne de profondeur ou comme gouverne de roulis. «*Les portances élevées nécessaires au décollage et à l'atterrissage (...) ne peuvent être obtenues qu'en braquant vers le haut les "élevons" qui garnissent le bord de fuite de l'aile*» (*Sciences et Avenir,* août 1978, L'avion demain, p. 70).

ÉLEVURE [elvyR ; ɛlvyR] n. f. — XIIIᵉ ; de *élever.*

Vieilli. Petite saillie qui s'élève sur la peau, due ou non à une irritation. *Des élevures et des boutons.*

ELFE [ɛlf] n. m. — 1561, *les Elves ;* repris 1822, Nodier, *elf,* d'après l'angl. *elf ;* anc. scandinave *âlf,* de l'anc. nordique *alfr,* mot répandu dans les langues germaniques.

Génie qui symbolise les forces de l'air, du feu, dans certaines mythologies (scandinaves, gaéliques). → **Génie, lutin, sylphe.** *Les Elfes,* poème de Leconte de Lisle (→ Couronner, cit. 18).

C'est la nuit que les Elfes sortent   1
Avec leur robe humide au bord,
Et sous les nénuphars emportent
Leur valseur de fatigue mort (...)
                Th. GAUTIER, Émaux et Camées,
                «Vieux de la vieille».

Il avait toujours eu l'étonnant pouvoir de s'évanouir dans   2
les airs comme un Elfe.   A. MAUROIS, Ariel, p. 82.

ÉLIDER [elide] v. tr. — 1548 ; lat. *elidere,* proprt «expulser, écraser», de *ex-,* et *lædere* «blesser».

Didactique.

♦ **1 Prosodie.** Supprimer, dans la prononciation et le compte des syllabes, la voyelle finale d'un mot devant la voyelle initiale du mot suivant. *Les Latins élidaient les différentes voyelles. — Élider une voyelle, le e muet.*

♦ **2 Gramm.** Supprimer, dans la prononciation et l'écriture (une voyelle finale) devant un mot commençant par une voyelle (ou un *h* muet) en la remplaçant par une apostrophe (*l'âme* au lieu de : *la âme ; l'homme* au lieu de : *le homme*). → **Élision.** — **Pron.** *Une voyelle qui s'élide. — Article élidé,* qui présente une élision de la voyelle (*l'*).

ÉLIER [elje] v. tr. — 1856, Lachâtre ; de *é-, lie* et suff. verbal.

Techn. Soutirer (le vin) en laissant la lie. → **Clarifier.**

ÉLIGIBILITÉ [eliʒibilite] n. f. — 1721, Trévoux, en dr. canon; de *éligible*.

Qualité de celui, de celle qui est éligible. *La dégradation* (cit. 1) *prive du droit d'éligibilité. Les conditions d'éligibilité sont déterminées par la loi.*

CONTR. Inéligibilité.

ÉLIGIBLE [eliʒibl] adj. — V. 1300; lat. *eligibilis*, même sens; de *eligere*. → **Élire.**

Qui est dans les conditions requises pour pouvoir être élu, et, spécialt, pour être élu député. *Personne éligible.* — N. *Les éligibles.*

Monsieur le Maire (...) avait déclaré qu'il nommerait le premier inscrit sur la liste des éligibles d'Arcis, plutôt que de donner sa voix à Charles Keller (...)
          BALZAC, le Député d'Arcis, Pl., t. VII, p. 647.

CONTR. Inéligible. ◊ **DÉR. Éligibilité.**

ÉLIMER [elime] v. tr. — XVIIᵉ; 1225, fig. «polir»; 1580, fig. «user»; de *é-*, et *limer.*

User (une étoffe) par le frottement, à force de s'en servir. → **Amincir, râper, user.** *Élimer ses vêtements.* — Pron. *Cette veste s'élime aux coudes et aux poignets.*
Fig. Littér. *L'intérêt élime, atténue* (cit. 4) *les véritables passions.* → **Affaiblir.**

♦ **ÉLIMÉ, ÉE** p. p. adj. Plus cour. *Chemise élimée aux poignets.* → **Usé.** *Tapisserie élimée* (→ Découche, cit. 4). *Linge élimé. Une vieille veste tout élimée aux coudes.*
Fig. *Il est élimé jusqu'à la corde,* fatigué, usé.

ÉLIMINABLE [eliminabl] adj. — XXᵉ (1964, F. Perroux in T. L. F.); de *éliminer.*

Qui peut être éliminé. *Les erreurs éliminables.* → **Corrigeable.**

ÉLIMINATEUR, TRICE [eliminatœR, tRis] adj. et n. — 1856, Lachâtre; de *éliminer.*

Qui élimine, sert à éliminer. *Action éliminatrice.* — N. *L'éliminateur le plus sévère.*

Si la peine capitale, en effet, est d'un exemple douteux et d'une justice boiteuse, il faut convenir, avec ses défenseurs, qu'elle est éliminatrice. La peine de mort élimine définitivement le condamné.
          CAMUS, Réflexions sur la guillotine, *in* Essais, Pl., p. 1 047.

ÉLIMINATION [eliminasjɔ̃] n. f. — 1765, *Encyclopédie,* t. d'algèbre; répandu XIXᵉ; de *éliminer.*

A ♦**1** Le fait d'éliminer (A.); son résultat. ♦ **1** (1765). Math. Opération qui consiste à faire disparaître d'un système d'équations une ou plusieurs inconnues. — REM. D'Alembert, dans l'*Encyclopédie,* emploie encore dans ce sens le mot *évanouissement. Méthode d'élimination entre deux équations algébriques.*

♦ **2** (1842, Sainte-Beuve). Action de faire disparaître (qqn, qqch.) d'un ensemble (→ **Éliminer,** A., 1.). *L'élimination de plusieurs dirigeants.* → **Expulsion.** *L'élimination d'un nom dans une liste, des fautes d'un texte.*

Procéder par élimination : retrancher peu à peu tout ce qui ne paraît pas satisfaisant. → **Rejet.** *Éliminations auxquelles se livre un écrivain* (→ Discours, cit. 20).

1   S'il (*Flaubert*) travaillait tant, entassant tant de ratures et de brouillons, c'est que, pour arriver à cette création et à cette peinture, il procédait par élimination.
          A. THIBAUDET, Gustave Flaubert, p. 220.

Didact. «Procédé de recherche qui consiste à aboutir à la vérité par la négation de toutes les hypothèses que le raisonnement ou l'expérience ne permettent pas d'admettre» (Lalande).

♦ **3** Spécialt. Le fait d'éliminer (A., 3.) qqn, dans un concours, une compétition. *L'élimination des candidats jugés les plus faibles, après une première épreuve. Élimination, dans une compétition sportive, d'un concurrent au premier tour; élimination en huitième de finale. Course par éliminations successives,* où, à chaque tour, le coureur arrivé en dernière position se retire. *Élimination par accident, par crevaison.* → **Abandon.** *Élimination par décision des commissaires.* → **Disqualification.**

B ♦ **1** Le fait de supprimer l'existence (→ **Éliminer,** B.). *Élimination, du fait de la concurrence vitale, des espèces ou des individus mal armés.* → **Sélection** (naturelle). *Élimination des inadaptés* (→ Darwinien, cit. 1). — *L'élimination des causes de guerre. — L'élimination d'un sentiment, d'un souvenir.*

Notre représentation de la matière est la mesure de notre action possible sur les corps; elle résulte de l'élimination de ce qui n'intéresse pas nos besoins et plus généralement nos fonctions.   2
          H. BERGSON, Matière et Mémoire, p. 25.

♦ **2** Spécialt. Par euphém. (Souvent précisé, pour éviter l'ambiguïté, par un adj. comme *physique*). Le fait de mettre à mort. *L'élimination d'un gangster par une bande rivale.*

C (1844; probablt antérieur, → Éliminatoire, étym.). Physiol. et cour. (C.) les toxines, les déchets de l'organisme. *L'élimination est une fonction essentielle des organismes vivants. Élimination des toxines, des matières non assimilables, des résidus de substances mal assimilées...* → **Évacuation, excrétion, expulsion.** *Principaux organes d'élimination :* reins, intestin, poumons, peau. *Agents actifs de l'élimination :* foie, glandes... *Élimination excessive de substances minérales.* → **Déminéralisation.**

CONTR. Inclusion, incorporation, intégration. — Admission, réception. — (Du sens C) Assimilation. ◊ **DÉR. Éliminatoire.**

ÉLIMINATOIRE [eliminatwaR] adj. et n. f. — 1875, *Journ. off., in* Littré, *Suppl.,* au sens 1; 1836, physiol. (*organe éliminatoire*); du rad. de *élimination.*

♦ **1** Adj. Qui sert à éliminer (A.). *Procédé, travail éliminatoire. Épreuve éliminatoire,* destinée à écarter des dernières épreuves d'un concours les candidats d'une valeur insuffisante. *Note éliminatoire,* qui élimine un concurrent quelles que soient ses notes dans les autres matières. *Le zéro n'est pas toujours éliminatoire.*

♦ **2** N. f. (1886, in Petiot). *Une éliminatoire* (par ellipse de *épreuve éliminatoire*) : épreuve sportive dont l'objet est de sélectionner les sujets les plus qualifiés en éliminant les autres. *Les éliminatoires d'un championnat. Procéder aux éliminatoires,* aux rencontres préliminaires. *Il a franchi le cap des éliminatoires.*

ÉLIMINER [elimine] v. tr. — Attestation isolée fin XIVᵉ, «écarter (qqn)»; repris au XVIIIᵉ (1726), où on le considère (*Encyclopédie, Dict. de Trévoux*) comme un néologisme inutile; remis en honneur par les mathématiciens (1777, *Encyclopédie*); lat. *eliminare* «mettre dehors», de *e-* (*ex-*), et *limen, liminis* «seuil». → **Liminaire.**

A Faire disparaître (qqch.) d'un ensemble, sans supprimer l'existence. ♦ **1** Faire disparaître, supprimer (ce qui est considéré comme gênant, inutile ou nuisible). → **Écarter, exclure, rejeter, supprimer.** — Éliminer (un élément) de (un ensemble).

Éliminer un nom d'une liste. → **Rayer.** *Éliminer la moitié des collaborateurs d'un projet, d'une équipe.* → **Évincer, exclure.** — (Au passif). *Être éliminé d'un comité de direction.* — (Sans compl. en de). *Éliminer qqch., qqn. Éliminer un incapable.* — (Au passif). *Être éliminé* (d'un groupe, d'une activité, etc.).

1 Le monde de Paris se renouvelle vite ; et l'on est éliminé avant le temps par les nouvelles mœurs (...)
   SAINTE-BEUVE, Correspondance, 1385,
   3 déc. 1842, t. IV, p. 327.

Rejeter en tant que superflu, erroné, étranger à un programme. *Éliminer les erreurs* (dans un texte, un calcul, un raisonnement). *Éliminer divers projets après examen.* → **Repousser.** *Éliminer les faiblesses, les ambiguïtés, les hésitations* (dans un texte, un raisonnement). — Pron. *Cette imperfection s'éliminera facilement.*

2 La première édition de mon *Histoire générale des langues sémitiques* contient (...) des faiblesses pour les opinions traditionnelles que j'ai depuis successivement éliminées.
   RENAN, Souvenirs d'enfance..., VI, III.

Ne pas inclure. *Dictionnaire qui élimine les provincialismes* (→ Définition, cit. 7), *les termes techniques.*

♦ **2** (1777). Spécialt. Alg. Faire disparaître (une inconnue, des inconnues) d'un ensemble d'équations, de manière à obtenir une équation à une seule inconnue.

♦ **3** Spécialt. Écarter (qqn) du nombre des personnes sélectionnées, reçues (dans un concours, une compétition). *Le jury a éliminé le tiers des candidats.* — *Note qui élimine* (les candidats). → **Éliminatoire.**

(1861, *in* Petiot). Sports. Écarter (qqn) du nombre des vainqueurs possibles (dans une compétition). *Ce joueur a éliminé successivement quatre adversaires.* — (Au passif et au p. p.). *Être éliminé en quarts de finale.*

B Faire disparaître en supprimant l'existence de (qqch., qqn). ♦ **1** (Compl. non humain). *Espèce animale qui en élimine une autre par le jeu de la sélection. Renard a éliminé goupil. Régime qui vise à éliminer une classe sociale. Filtres éliminant les parasites* (cit. 16). — (Sujet n. de personne). *Éliminer inconsciemment certains souvenirs.* → **Refouler;** → 1. Causer, cit. 7.

♦ **2** (Compl. humain). Tuer. → **Détruire.** *Le dictateur a éliminé, a fait éliminer ses adversaires politiques.*

C Faire disparaître en faisant sortir concrètement, et, spécialt, réaliser l'élimination (C.) physiologique de. *Éliminer les toxines, les déchets de l'organisme. Éliminer un poison.* — Absolt. *Il élimine mal.*
Spécialt. Transpirer.

3 Éliminer. — Transpirer en bonne société.
   Pierre DANINOS, le Jacassin, p. 134.

Éliminer les impuretés (d'une substance, d'un mélange, de l'eau). → **Épurer, filtrer, tamiser, tirer.**

♦ **ÉLIMINÉ, ÉE** p. p. adj. *Candidats éliminés,* et, n. m. ou f., *les éliminés.* — *Erreurs éliminées.* — *Déchets éliminés.*

CONTR. Inclure, incorporer, intégrer. — Admettre, recevoir.
◊ DÉR. Éliminable, éliminateur, élimination.

ÉLINGUE [elɛ̃g] n. f. — 1322; XIIᵉ, *eslinge* «fronde»; du francique *slinga*, ou, d'après P. Guiraud, d'un gallo-roman *exlinica*, du lat. *linum.* → Ligne.

a Mar. Cordage dont on entoure les fardeaux pour les soulever et que l'on accroche au palan ou à la chaîne d'un mât de charge ; filin garni de crocs servant à mettre à la mer un canot léger. *Élingue à griffes, à pattes.*

(...) nous prenons place à cinq ou six dans une sorte de balancelle qu'on suspend par un crochet à une élingue, et qu'une grue soulève et dirige à travers les airs, au-dessus des flots (...)
   GIDE, Voyage au congo, *in* Souvenirs, Pl., p. 686.

b Techn. Cordage employé dans les corderies pour le commettage.

DÉR. Élinguer.

ÉLINGUER [elɛ̃ge] v. tr. — 1771; «lancer avec l'élingue», XIVᵉ; de *élingue.*
Mar. Entourer d'une élingue pour soulever.

ÉLINVAR [elɛ̃var] n. m. — 1920; de *él(asticité)*, et *invar(iable).*
Techn. Alliage de fer, de nickel, de chrome et de tungstène, insensible aux variations de température (entre –50° et +100°) et, pour cette raison, employé en horlogerie.

ÉLIRE [elir] v. tr. [CONJUG.: *lire.*] — 1080, *eslire*; du lat. pop. *exlegere,* réfection du lat. class. *eligere* «choisir» d'après *legere* (→ Lire).

♦ **1** Vx ou littér. Choisir. *Élire un plan, un projet.* → **Adopter.** *Dame élue par un chevalier* (cit. 4). — REM. *Élire* était déjà vieilli en ce sens par le P. Bonhours au XVIIᵉ s.; encore employé à l'époque classique, il réapparaît au XXᵉ s. dans la langue littéraire. *Élire son destin.* — Absolt. «*Qu'il est cruel d'élire et d'exclure!*» (Ricœur, *in* T. L. F.).

Le roi doit à son fils élire un gouverneur (...)   1
   CORNEILLE, le Cid, I, 1.
Ma fille, vous devez approuver mon dessein (...) 2
Croire que le mari (...) que j'ai su vous élire (...)
   MOLIÈRE, Tartuffe, II, 2.
La nécessité de l'option me fut toujours intolérable ; choisir 3
m'apparaissait non tant élire, que repousser ce que je n'élisais pas. GIDE, les Nourritures terrestres, IV, I.
Mais les plus délicieux abris étaient ceux qu'élurent les 4
colombes. Francis JAMMES, le Roman du lièvre, I.
Le Tintoret est un de ces colosses épars de la Renaissance 5
(...) qui tentent tout, et atteignent le plus haut, sans élire
rien. MALRAUX, les Voix du silence, p. 442.

Dr. Mod. *Élire domicile* (cit. 4 et *supra*). — *Élire un arbitre,* le désigner.

♦ **2** Théol. (le sujet désigne Dieu). Prédestiner (qqn) à l'accomplissement d'un dessein, et, spécialt, à la vie éternelle. *Dieu élut le peuple juif pour se révéler aux hommes.*

Comment Dieu qui t'avait élu t'a-t-il oublié (...)? 6
   BOSSUET, Disc. sur l'hist. universelle, II, XXIV.

♦ **3** (XIIIᵉ). Mod. Cour. (Le sujet désigne une collectivité, le compl., une personne). Nommer (qqn) à une dignité, à une fonction par voie de suffrage (→ **Élection, vote**). *Élire qqn, un candidat à la pluralité des voix, à l'unanimité, à la majorité absolue, relative. Élire qqn au premier, au second tour de scrutin. Élire les députés au scrutin* de liste. *Élire une tête de liste. Élire qqn par voie de plébiscite.* → **Plébisciter.** *Élire un pape* (→ fam. Papifier). *Les moines élisaient leur supérieur* (→ Abbé, cit. 1). *Élire un académicien. Élire qqn par cooptation.* → **Coopter.** *Ville qui élit ses représentants, ses conseillers municipaux. Le Congrès avait élu le Président de la République.*

Le Président de la République est élu par le Parlement. Il 7
est élu pour sept ans. Il n'est rééligible qu'une fois.
   Constitution de 1946, Titre V, art. 29.

♦ **ÉLU, UE** p. p. adj. et n. (XIIᵉ).

♦ **1** Spécialt. Vx ou littér. Choisi. *Le moyen d'expression élu par une société. Un langage élu.* — Dr. *Domicile élu.* — *Produit élu par un magazine,* choisi, recommandé.

(Personnes). Choisi affectivement. *Une famille, un milieu élu.*

N. Plus cour. (souvent iron.). Personne choisie par le sentiment. → **Aimé.** *C'est l'élu de son cœur. L'heureux élu :* l'homme aimé d'une femme (notamment l'homme choisi comme amant ou mari). *Vous allez vous marier ? Peut-on connaître l'heureux élu ? — Choix des élues,* roman de Giraudoux.

7.1 Entre les bras de l'élu, la pure jeune fille se change allègrement en une claire jeune femme.
S. DE BEAUVOIR,
Mémoires d'une jeune fille rangée, p. 289.

♦ **2 Relig.** Choisi par Dieu. *Le peuple élu :* le peuple juif (→ Armature, cit. 7).

N. *Les élus de Dieu :* les êtres prédestinés à la vie éternelle. — Loc. prov. *Il y a beaucoup d'appelés mais peu d'élus* (→ Appeler, cit. 46).

8 Mais ces secrets pour vous sont fâcheux à comprendre :
Ce n'est qu'à ses élus que Dieu les fait entendre.
CORNEILLE, Polyeucte, V, 2.

9 On me dit cependant qu'une joie infinie
Attend quelques élus. — Où sont-ils, ces heureux ?
A. DE MUSSET, Poésies nouvelles, «Espoir en Dieu».

Par anal. *La race élue,* celle qui se prétend supérieure, appelée à un destin supérieur.

N. Personne qui a reçu en naissant une inspiration quasi divine, ou une chance, un don spécial. *Les élus de la fortune.* → **Privilégié.** *«Josué, l'élu du Tout-Puissant»* (Vigny).

10 L'imagination de Delacroix ! (...) Voilà bien le type du peintre-poète ! il est bien un des rares élus (...)
BAUDELAIRE, Salon de 1859, V.

♦ **3** Soumis à élection, désigné par élection. *Les corps élus. Député élu et réélu dans la même circonscription. Député mal élu.*

N. *Un élu, une élue. Les électeurs* et les élus. Les élus du peuple,* ses représentants (→ Branche, cit. 5 ; cens, cit. 4). *Le premier élu de la cité :* le maire. *Les nouveaux élus d'une assemblée. Recevoir un nouvel élu dans une académie* (→ Appariteur, cit.).

CONTR. Éliminer, refuser, rejeter, repousser. — Blackbouler.
◊ **DÉR.** Élisant, élite. ← **COMP.** Réélire.

ÉLISABÉTHAIN, AINE [elizabetɛ̃, ɛn] adj. — 1922 ; angl. *elizabethan,* de *Elizabeth.*

Didact. Hist. Relatif au règne d'Élizabeth Iʳᵉ (1533-1603), reine d'Angleterre. *Le théâtre élisabéthain* (Ben Jonson, Shakespeare...).

ÉLISANT, ANTE [elizɑ̃, ɑ̃t] adj. et n. — 1373, p. prés. de *élire.*

Vx. Qui est chargé d'élire. → **Électeur.** — N. Relig. *Un élisant :* membre du clergé qui avait droit de vote autrefois pour l'élection des évêques. — Se dit aussi des trois cardinaux chargés par le Sacré Collège de l'élection du pape quand le conclave ne peut aboutir à un scrutin définitif. — *Une élisante :* religieuse du Calvaire qui a droit de vote au chapitre général.

ÉLISION [elizjɔ̃] n. f. — 1548 ; lat. *elisio,* de *elisum,* supin de *elidere.* → **Élider.**

Gramm. Action d'élider* ; résultat de cette action. *Élision d'une voyelle devant un h muet. Il n'y a pas d'élision devant un h aspiré* (→ Aspirer, cit. 22). *Rencontre de deux voyelles sans élision.* → **Hiatus.** *Apostrophe* qui marque l'élision. L'aphérèse, l'apocope, l'élision et la syncope constituent différents métaplasmes* par suppression.*

— Et vous n'êtes pas horripilé par cette systématique élision des *e* muets ? — Cette élision est naturelle et va dans le sens de notre parler. Donner une valeur métrique égale

aux sons creux de notre langue et aux syllabes pleines, c'est au contraire là qu'est l'artifice.
GIDE, Attendu que..., p. 59.

REM. Les noms propres ne font pas exception à la règle d'élision : *il est originaire d'Amiens, une symphonie d'Hector Berlioz.* Mais, quand on emploie un style juridique ou administratif, dans un souci de précision et pour les besoins de la classification, l'élision n'est pas faite et, contrairement à l'usage de la langue courante, le patronyme précède le prénom : *Untel, fils de Indy (Vincent d').*

ÉLITAIRE [elitɛʀ] adj. — Mil. XXᵉ (1968, cit.) ; de *élite.*

Qui appartient à une élite.

Il faudrait un volume pour relater cette faillite *(en matière de politique culturelle),* la dégradation de tout effort populaire, même sincère au départ, en luxe élitaire et ségrégatif.
Morvan LEBESQUE, in le Canard enchaîné,
21 févr. 1968.

ÉLITE [elit] n. f. — XIVᵉ ; «choix, action d'élire (1.)», au XIIᵉ (1176) ; substantivation du fém. de *élit,* anc. p. p. de *élire* «choisir».

♦ **1** Ensemble des personnes considérées comme les meilleures, dans un groupe, une communauté, formant une minorité caractérisée par sa supériorité (le choix des critères étant ou non exprimé). — (Avec un compl. de n. désignant le milieu, le groupe auquel appartient ou dont se distingue l'élite). *L'élite de la population, d'une nation. L'élite de la bourgeoisie, de la cour, de la haute société.* → **Aristocratie** (4.), **fleur** (5.) ; fam. **crème, gratin ;** → Le dessus du panier*. *L'élite d'une profession.* — REM. Certains compléments, désignant un groupe considéré comme «bas», ne sont pas usuels («*l'élite de la roture*», in T. L. F.) ou entraînent un effet stylistique (ironique, etc.). En outre, le mot a aujourd'hui une valeur abstraite qu'il n'avait pas dans la langue classique.

L'élite de leurs troupes était là (...)
RACINE, les Campagnes de Louis XIV. 1

Une élite de... (compl. au plur.) : un groupe supérieur parmi les... *Une élite d'artistes, de connaisseurs.*

(Qualifié par un adj. désignant le groupe). *L'élite ouvrière, syndicaliste. L'élite rurale.* — (Qualifié par un adj. désignant le domaine de supériorité). *L'élite, une élite intellectuelle, morale, artistique.* «*L'élite intellectuelle militaire d'alors*» (Joffre, *in* T. L. F.).

Nous nous trouvons donc là en présence d'une élite politique, religieuse et économique qu'il serait insensé d'ignorer, de méconnaître et de ne pas utiliser car, associée étroitement à l'œuvre que nous avons à réaliser au Maroc, elle peut et doit l'aider puissamment.
L.-H. LYAUTEY, Paroles d'action, p. 173. 1.1

(Qualifié par un adj. qualificatif). *L'élite, une élite brillante, cultivée. Une petite élite. Une minuscule élite.* — Iron. *L'élite pensante.* — *Fausse élite :* groupe qui se considère ou est considéré comme une élite, mais ne le mérite pas (selon le locuteur). *Une soi-disant élite.*

On doit en finir avec cette idée des chefs-d'œuvre réservés à une soi-disant élite, et que la foule ne comprend pas ; et se dire qu'il n'y a pas dans l'esprit de quartier réservé comme il y en a pour les rapprochements sexuels clandestins.
A. ARTAUD, le Théâtre et son double, En finir
avec les chefs-d'œuvre, Idées/Gallimard, p. 103. 1.2

(Non qualifié). *Une élite, l'élite. Opposer l'élite à la masse, au peuple.* → **Élitisme.** «*Il n'y a que l'élite qui compte*» (Léautaud). *Une culture réservée à l'élite.* → **Élitaire.**

(...) dans une société, ceux qui ont des lumières, de l'aisance et de la conscience, ne sont qu'une petite élite ; la grosse masse, égoïste, ignorante, besogneuse, ne lâche son argent que par contrainte (...)
TAINE, les Origines de la France contemporaine,
III, t. I, p. 110. 2

3   Et n'est-ce pas faire tort à Normale, dont le tamis sans
    pareil extrait de l'élite même une poignée, que de la com-
    parer à Polytechnique, où l'on est bien forcé de croire qu'il
    se glisse, dans le tas, pas mal de tout venant ?
                J. ROMAINS, les Hommes de bonne volonté, t. IV,
                                              XVIII, p. 200.

♦ **2** Milit. Régional (**Suisse**). Troupe composée des
hommes âgés de vingt à trente-deux ans. *Être
incorporé dans l'élite. Troupes d'élite. Cours d'élite :*
période de service correspondant à cette classe
d'âge. → **Landsturm, landwehr.**

♦ **3** (1928). Au plur. **LES ÉLITES** : les personnes qui,
dans tous les domaines, occupent le premier rang.
Le recrutement des élites (→ Cellule, cit. 10). *La responsabilité des élites.* — (Qualifié) *Les élites locales.*
→ **Notable.** *Les élites ouvrières. Favoriser la formation des élites, plutôt que la culture populaire.*

4   On a dit souvent que les peuples valent ce que valent leurs
    élites. C'est vrai. Encore faut-il s'entendre sur le sens de ce
    mot. Trop longtemps l'élite a été définie comme une classe
    pourvue d'un droit. Elle le tint d'abord de la naissance
    (...) Elle le tint ensuite de la richesse (...) Ou enfin elle le
    tint de l'intelligence (...) Si nous assistons aujourd'hui à la
    disparition de ces anciennes élites, ce dont il est de bon ton
    de se désoler, c'est parce qu'elles auraient cessé d'assumer
    le rôle qui doit être celui d'une aristocratie véritable ; de
    provoquer la marche en avant de la société tout entière.
                DANIEL-ROPS, Ce qui meurt et qui naît, I, p. 28.

♦ **4** Vx. *L'élite de...* (compl. n. de chose) : la partie la
meilleure.

♦ **5** D'ÉLITE : qui appartient à l'élite ; distingué,
éminent, supérieur. *Soldat d'élite. Tireur d'élite. Un
corps d'élite* (→ Créer, cit. 18). *Troupes d'élite.* — *Âme,
caractère, créature, nature, sujet d'élite* (→ Donner,
cit. 57). — REM. *Élite* ne se dit plus en parlant des choses
matérielles. On dira par exemple : *Les cuisiniers d'élite
n'emploient que des produits de choix.* Cf. cependant «*ce
vignoble d'élite*» (Maupassant, *in* T.L.F.).

5   (...) la bonne société, la société délicate, la société d'élite,
    la société fine et maniérée qui, d'ordinaire, a les nausées
    devant le peuple qui peine et sent la fatigue humaine.
                MAUPASSANT, la Vie errante, Lassitude.

6   (...) chacun a les aventures qu'il mérite ; et, pour les âmes
    d'élite, il y a des situations privilégiées, des souffrances
    de choix, dont précisément sont incapables les âmes vul-
    gaires.   GIDE, Journal, 20 juil. 1921.

CONTR. Déchet, écume, lie, rebut.

ÉLITISME [elitism] n. m. — V. 1967 ; de *élite.*

Didact. ou littér. Le fait (dans un système d'enseignement, de gestion, etc.) de n'attacher d'importance
qu'à la formation d'une élite intellectuelle (sans se
soucier du niveau moyen). → **Mandarinat.**

Il faut renverser l'esprit de notre enseignement, qui souffre
de la maladie de «l'élitisme»; au lieu de subordonner
notre système scolaire à la sélection des brillants sujets
que l'on force comme des plantes de serre, il conviendrait d'adapter la pédagogie au niveau et aux besoins de
la majorité des élèves qui suivent mal un enseignement
trop conceptuel.
                A. PEYREFITTE, *in* le Figaro, 13 oct. 1967.

ÉLITISTE [elitist] adj. — V. 1968 ; de *élitisme.*

Qui sacrifie à l'élitisme. *Une conception élitiste de
l'enseignement, de la culture* (→ **Mandarinat**). *Caractère élitiste d'une discipline. Une filière scientifique
élitiste.* — N. *C'est un élitiste.*

Créer est l'acte le plus quotidien de l'homme.
Celui qui définit l'homme. Chaque homme. Il ne s'agit
pas d'une conception élitiste de la création qui serait seulement invention scientifique ou technique, œuvre d'art ou
génie politique, mais de ce qu'il y a de plus simple et de
plus humain de chaque femme et de chaque
homme.
                Roger GARAUDY, Parole d'homme, p. 54 (1975).

ÉLIXIR [eliksiʀ] n. m. — XIVᵉ ; *eslissir,* XIIIᵉ ; arabe
(')âl-'îksâir «pierre philosophale (chez les alchimistes
arabes) ; médicament» ; grec *ksêrion* «médicament de
poudre sèche».

♦ **1** Vx. Substance la plus pure que l'on tirait de
certains corps. → **Essence.**
Fig. La quintessence (d'une chose).

De tous ces catholiques de salons et d'assemblées, on pour-   1
rait faire un élixir et on n'y trouverait pas assurément
l'âme d'un seul bon chrétien (...)
                SAINTE-BEUVE, Correspondance, t. II, p. 155.

♦ **2** (1685). Mod. Préparation médicamenteuse
liquide destinée à être prise par la bouche, composée d'un mélange d'un sirop ou de glycérine
avec un alcool renfermant des substances aromatiques. → **Baume** (cit. 7), **magistère.** — REM. En
pharmacie, on dit aussi *teinture composée. Élixir paré-
gorique*. Élixir dentifrice, pectoral.* — *Élixir de
longue vie :* teinture d'aloès composée. *L'Élixir de
longue vie,* nouvelle de Balzac.

Par ext. Liqueur digestive (à base de plantes macé-
rées dans de l'alcool). — Drogue censée posséder
des vertus magiques. *Un élixir d'amour.*

Voici un élixir que j'ai composé ce matin des sucs de cer-   2
taines plantes distillées à l'alambic (...)
                A. R. LESAGE, Gil Blas, VII, IX.

Un pêcheur accroupi sous des rochers arides   3
Tire dans ses filets le flacon précieux (...)
Et, sans l'oser ouvrir, demande qu'on lui dise
Quel est cet élixir noir et mystérieux.
Quel est cet élixir ! Pêcheur, c'est la science,
C'est l'élixir divin que boivent les esprits (...)
                A. DE VIGNY, Poèmes philosophiques,
                                «La bouteille à la mer».

C'est la Mort qui console, hélas ! et qui fait vivre ;   4
C'est le but de la vie, et c'est le seul espoir
Qui, comme un élixir, nous monte et nous enivre (...)
                BAUDELAIRE, les Fleurs du mal, La mort, CXXII,
                                «La mort des pauvres».

ELLE [ɛl] pron. pers. f. — Xᵉ, *ele ;* lat. *illa* «celle, celle-là».

ELLE employé comme sujet. *Elle arrive, elles arrivent.*

Hier au soir, Madame n'a pas soupé : elle n'a pris que du   1
thé. Elle a sonné de bonne heure ce matin ; elle a demandé
ses chevaux tout de suite, et a été, avant neuf heures,
aux Feuillans, où elle a entendu la Messe.
                LACLOS, les Liaisons dangereuses, Lettre CVII.

REM. Le code de la «civilité puérile et honnête» recommandait aux enfants de ne pas dire «elle» en parlant de
leur mère.

Fam. Désignant la chose dont on parle. *Elle est bien
bonne*. Elle est raide, celle-là !*

Ah ! non, elle est trop drôle ! bégayait Loubet, la bouche   2
pleine, en agitant sa cuiller. Comment ! c'est là l'ennemi
qu'on nous menait combattre ? Il n'y avait personne (...)
                ZOLA, la Débâcle, I, I.

Employé comme complément. — REM. *Elle* n'est complément d'objet direct qu'accompagné ; seul, il est remplacé
par le pronom *la* devant le verbe : *Je la chéris.* — *Je
n'aime qu'elle. Je veux la voir, elle. Le lion la dévora,
elle et ses petits.*

Je n'aimais qu'elle au monde, et vivre un jour sans elle   3
Me semblait un destin plus affreux que la mort.
                A. DE MUSSET, Poésies nouvelles, Nuit d'octobre.

Quand j'écris «nous», je la mets à part, elle, de qui me   4
vient le don de secouer les années comme un pommier
ses fleurs.   COLETTE, la Naissance du jour, p. 154.

Employé comme complément du verbe et de l'adjectif et
introduit par une préposition. — REM. Avec les prépositions
avec, après, en, par, pour, vers..., elle s'emploie indifféremment pour les personnes et les choses (animées ou
inanimées). *Les ruines que la guerre accumule derrière elle.*

Je trouvais du plaisir à me perdre pour elle.   5
                RACINE, Andromaque, II, 5.

Avec les prépositions *à* et *de*, la construction de *elle* est une question d'usage, quand il s'agit de personnes (ou de choses personnifiées). *Je ne suis pas content d'elle. Je songe à elle. Elle ne pense qu'à elle. Ces gants sont à elle. Des sœurs à elle* (→ Bourgeoisement, cit. 1). *Adressez-vous à elle. Parlez-lui* (et non «parlez à elle»). *C'est à elle que vous devez parler. Dites-lui, à elle.* → **Lui.** *Dites-le leur, à elles.* → **Leur.** — REM. On ne dira pas : *il est désagréable, facile, pénible... à elle de...;* mais : *il lui est désagréable, facile, pénible... de...* En revanche, on dira : *il est honteux à elle de s'afficher ainsi;* et non pas : *il lui est honteux de...*

Quand il s'agit de choses, les pronoms *en* et *y*, aujourd'hui réservés aux choses, doivent être préférés à *elle. Cette maison menace ruine, ne vous en approchez pas,* plutôt que *ne vous approchez pas d'elle. Il aime la musique, il s'y adonne depuis l'enfance,* plutôt que *il s'adonne à elle..*

C'est à elle que... C'est à elle (une science, une technique...) *que nous devons consacrer le plus d'efforts.* Absolt. La femme aimée, l'éternel féminin... *Elle et Lui,* roman de George Sand, inspiré par sa liaison avec Musset.

ELLE-MÊME (plur., *elles-mêmes*), forme renforcée. *Elle-même l'a déclaré :* elle, en personne.

REM. On note parfois des prononciations populaires du pronom comme [al] ou [e] :

6   Mam'zelle Jeannette Laurier, s'il vous plaît ?
— Sortie. — Ah ! Où qué déjeune ? — Où qué déjeune ?
Est-ce que je sais, moi ! Où qué déjeune ? Ah ! bien !
           Germain NOUVEAU, Œuvres en prose,
           «Le manouvrier» (1878), Pl., p. 445.

HOM. Aile, ale.

ELLÉBORE [ɛ(l)lebɔr; elebɔr] n. m. — Mil. XIIIᵉ; lat. *helleborus* (ou *helleborum*), grec *helleboros*.

Plante dicotylédone (*Renonculacées*), herbacée, vivace, dangereuse par le principe toxique qu'elle contient (*elléborine*), et dont la racine a des propriétés purgatives et vermifuges. *L'ellébore passait autrefois pour guérir la folie. Ellébore fétide* (syn. : *patte d'ours, pied de griffon*), à odeur repoussante. *Ellébore noir* ou *rose de Noël,* cultivé pour ses belles fleurs blanches qui s'épanouissent en hiver. *Ellébore blanc.* → **Vératre.**
Fig. Vx. *Avoir besoin d'ellébore, de quelques grains d'ellébore :* être fou. *L'ellébore d'Anticyre était renommé* (d'où *avoir besoin d'un voyage à Anticyre :* être fou).

1   Ma commère, il vous faut purger
   Avec quatre grains d'ellébore.
           LA FONTAINE, Fables, VI, 10.

2   Elle a besoin de six grains d'ellébore,
   Monsieur, son esprit est tourné.
           MOLIÈRE, Amphitryon, II, 2.

REM. La graphie *hellébore* est didactique (en botanique).

1. ELLIPSE [elips] n. f. — 1573; lat. *ellipsis,* grec *elleipsis,* proprt «manque», de *elleipsein* «laisser de côté».

♦ **1** Figure de rhétorique, procédé de discours consistant à ne pas exprimer un ou plusieurs mots que l'esprit doit suppléer. *L'ellipse peut être le fait soit de l'usage, soit d'une hardiesse de langage.* — *Ellipse intervenant dans la formation de certains mots et expressions* (→ Abrégement, cit.; composer, cit. 34). *Ellipse du sujet* (fais ce que dois), *du verbe* (à chacun son métier; à quand votre visite ?), *du sujet et du verbe à la fois* (loin des yeux, loin du cœur; bon voyage; faites pour moi comme pour vous). *Ellipse des mots qui feraient la liaison régulière entre deux membres de phrase.* → **Anacoluthe.** *Ellipse caractérisée par la suppression dans la phrase de certaines conjonctions.* → **Asyndète.** *Tour présentant une ellipse.* → **Elliptique.**

Il est incontestable que dans un certain nombre de phrases 1 où manque un élément, le verbe par exemple, on se trouve en présence de phrases incomplètes que volontairement on a abrégées. Il y a alors *ellipse,* une ellipse que l'esprit supplée.   F. BRUNOT, la Pensée et la Langue, p. 18.

Sa langue passe pour la plus belle de la littérature scan- 2 dinave; elle est brève, forte, précise; tendue à l'excès, d'une trempe métallique; elle abonde en ellipses, en raccourcis rapides (...)
    André SUARÈS, Trois hommes, «Ibsen», p. 75.

♦ **2** Par ext. Se dit de procédés de style tendant à raccourcir le discours, de l'art de sous-entendre, l'écrivain faisant appel à l'esprit et à l'imagination du lecteur. → **Sous-entendu.** *L'art de l'ellipse dans la poésie de Mallarmé. Ellipse pratiquée par certains romanciers modernes.* — Par ext. *Fait de ne pas tout exprimer.*

Même si le propos de l'auteur est de donner la représen- 3 tation la plus complète de son objet, il n'est jamais question qu'il raconte *tout,* il sait plus de choses encore qu'il n'en dit. C'est que le langage est ellipse.
    SARTRE, Situations II, p. 117.

Omission dans une suite logique, narrative. Les ellipses d'un récit. Les ellipses de son raisonnement rendent la lecture difficile.

Dans les arts narratifs autres que ceux du langage (notamment au cinéma) :

Comme en littérature, l'ellipse est, au cinéma, une figure 3.1 narrative consistant à supprimer du récit un certain nombre d'éléments, tels que plans, scènes, etc., faisant partie du déroulement logique de la fiction, mais jugés inessentiels à sa compréhension. L'ellipse est classiquement utilisée pour «alléger» le récit, en éliminant ce qui est considéré comme des temps morts.
    Encyclopædia Universalis, vol. 18, p. 616, a.

2. ELLIPSE [elips] n. f. — 1625; lat. sc. *ellipsis,* grec *elleipsis* (Apollonius de Perga, *Coniques*), métaphore de *manque,* comme *huperbolé* de «excès».

Didact. (géom.) et cour. Courbe plane fermée dont chaque point est tel que la somme de ses distances à deux points fixes appelés *foyers** est constante. → aussi **Ovale** (II.). *Centre, foyers d'une ellipse; excentricité d'une ellipse. Axes** (*axe focal ou grand axe, axe non focal ou petit axe*) *d'une ellipse. L'ellipse est la conique* résultant de la section d'un cône de révolution par un plan oblique. Le cercle est une ellipse dont les foyers sont confondus. Équation cartésienne, équation paramétrique d'une ellipse. Surface à trois dimensions dont toutes les sections planes sont des ellipses.* → **Ellipsoïde,** I. *Un astre qui gravite autour d'un autre astre décrit une ellipse. Comète qui décrit autour du soleil une ellipse allongée. On peut tracer une ellipse en maintenant tendu un fil retenu à deux points fixes.* → aussi **Ellipsographe.** — Par ext. *Surface plane limitée par une ellipse.*

L'ellipse est une de ces courbes fameuses dans la Géomé- 3.2 trie ancienne et moderne, sous le nom de *sections coniques.* Il est facile de la décrire, en fixant à deux points invariables que l'on appelle *foyers,* les extrémités d'un fil tendu sur un plan, par une pointe qui glisse le long de ce fil. L'ellipse tracée par la pointe dans ce mouvement, est visiblement allongée dans le sens de la droite qui joint les foyers, et qui, prolongée de chaque côté jusqu'à la courbe, forme le grand axe (...). Le petit axe est la droite menée par le centre, perpendiculairement au grand axe, et prolongée de chaque côté jusqu'à la courbe; la distance du centre à l'un des foyers, est l'*excentricité* de l'ellipse (...) L'ellipse solaire est peu différente qui nous (...)
    LAPLACE, Exposition du système du monde, I, I,
                     t. I, p. 17.

Le nombre trois est le seul qui ait un centre. Les autres 4 nombres sont des ellipses et ont deux foyers.
    HUGO, Post-Scriptum de ma vie, Tas de pierres, IV.

4.1 La terre ne décrit pas un cercle autour du soleil, mais bien une ellipse, ainsi que le veulent les lois de la mécanique rationnelle. La terre occupe un des foyers de l'ellipse (...)
J. VERNE, L'île mystérieuse, t. II, p. 775.

5 Je vais, je viens, je te dépasse, je t'environne, en cercles, en ellipses, en huit (...)
COLETTE, la Paix chez les bêtes, La chienne jalouse.

6 L'ellipse diffère du cercle en ce qu'elle possède la variété des formes. P. CLAUDEL, Journal, t. I, Pl., p. 54.

DÉR. et COMP. Ellipsographe, ellipsoïde. — V. Elliptique.
◊ HOM. 1. Ellipse.

ELLIPSOGRAPHE [elipsɔgraf] n. m. — 1817, *in* D.D.L., II, 2; de 2. *ellipse*, et *-graphe*.
Didact. Instrument qui permet d'effectuer le tracé continu d'une ellipse dont on connaît les axes (on dit aussi *compas elliptique*).

ELLIPSOÏDAL, ALE, AUX [elipsɔidal, o] adj. — XIXᵉ; de *ellipsoïde*.
Géom. Qui a la forme d'un ellipsoïde.

ELLIPSOÏDE [elipsɔid] n. m. et adj. — 1705; de 2. *ellipse*, et *-oïde*.
Didactique (géométrie).

I N. m. Surface quadrique dont les sections planes sont des ellipses. *Ellipsoïde de révolution :* ellipsoïde engendré par une ellipse tournant autour d'un de ses axes (*allongé*, autour du grand axe; *aplati*, autour du petit axe). *La sphère est un ellipsoïde de révolution particulier, engendré par un cercle. La forme normale d'un corps fluide en rotation est un ellipsoïde de révolution. Aplatissement* d'un ellipsoïde de révolution* (planète, etc.). *La Terre peut se représenter par un ellipsoïde de révolution aplati aux pôles.* → **Géoïde.** *En forme d'ellipsoïde.* → **Ellipsoïdal.**

II Adj. (1845). Qui a la forme d'une ellipse. → 2. **Elliptique.** *Figure ellipsoïde. Saillie ellipsoïde* (→ Condyle, cit.).

DÉR. Ellipsoïdal, ellipsoïdique.

ELLIPSOÏDIQUE [elipsɔidik] adj. — Mil. XXᵉ; de *ellipsoïde*.
Didact. Relatif à un ellipsoïde. *Coordonnées ellipsoïdiques.*

1. ELLIPTICITÉ [eliptisite] n. f. — 1864, *in* Littré; de 1. *elliptique*.
Didact. Caractère de ce qui présente une ou plusieurs ellipses* (1. Ellipse). *L'ellipticité d'un récit, d'une variation.*

2. ELLIPTICITÉ [eliptisite] n. f. — 1755, *Encyclopédie*; de 2. *elliptique*.
Géom. Caractère d'une figure elliptique. *L'ellipticité de l'orbite terrestre.*

1. ELLIPTIQUE [eliptik] adj. — 1655; grec *elleiptikos*, de *elleipsis*. → 1. Ellipse.

♦ **1** Qui présente une ellipse, des ellipses. *Construction elliptique* (→ Dialogue, cit. 5). *Expression, proposition elliptique.*

Dans une phrase *elliptique*, les mots exprimés doivent réveiller l'idée de ceux qui sont sous-entendus, afin que l'esprit puisse par analogie faire la construction de toute la phrase, et apercevoir les divers rapports que les mots ont entre eux...
DU MARSAIS, *in* Encycl. (DIDEROT), art. *Ellipse.*

Style elliptique.

♦ **2** Par ext. Qui fait des ellipses, ne développe pas sa pensée. *Une façon de parler elliptique. L'auteur est trop elliptique dans ce chapitre.*

DÉR. 1. Ellipticité, elliptiquement.

2. ELLIPTIQUE [eliptik] adj. — 1634; lat. sc. *ellipticus,* de *ellipsis*. → 2. Ellipse.
Géom. Propre à l'ellipse; qui a la forme d'une ellipse. → **Ellipsoïde** (II.). *Figure, forme elliptique. Arc elliptique. Orbite* (cit. 3) *elliptique. Courbure elliptique des arcs en architecture.* → **Cintre.**

(...) les verres elliptiques et hyperboliques sont les meilleurs de tous pour rassembler les rayons.
BUFFON, Hist. nat. des minéraux, Introd., Œ. compl., t. IX.

Compas elliptique. → **Ellipsographe.**

DÉR. 2. Ellipticité.

ELLIPTIQUEMENT [eliptikmã] adv. — 1737; de 1. *elliptique*.
D'une façon elliptique. *S'exprimer elliptiquement.*

ELME [ɛlm] n. pr. → **Feu** (feu Saint-Elme).

ÉLOCHER [elɔʃe] v. tr. — XIIᵉ; de *é-*, et *locher*.
Régional ou rare. Ébranler (un arbre, une plante).

ÉLOCUTION [elɔkysjɔ̃] n. f. — 1520; lat. *elocutio,* de *elocutum*, supin de *eloqui* (→ Éloquent); de *ex-*, et *loqui* «parler».

♦ **1** Manière dont on exprime les sons en parlant. → **Articulation, débit, diction.** *Une élocution nette, lente, rapide.* → **Parole, prononciation.** *Facilité d'élocution. Élocution pénible, cacophonique.*

(...) sa dureté d'oreille augmentait depuis peu; elle avait cru d'abord à un défaut d'élocution chez ceux qui lui parlaient et puis elle s'était rendue à l'évidence (...)
J. GREEN, Léviathan, II, I, p. 134.

♦ **2** Manière de choisir et d'arranger les mots, les phrases par lesquels on exprime sa pensée. → **Style.** *Élocution peu harmonieuse* (→ Disgracieux, cit. 1). *Talent d'élocution.* → **Éloquence.**

Cette nouvelle idée fut développée avec des prestiges d'élocution encore plus étonnants : c'étaient vraiment des paroles de féerie. RIVAROL, Rivaroliana, III.

Partie de la rhétorique qui traite du choix et de l'arrangement des mots.

Par anal. Manière d'organiser un «discours» (musical, etc.).

DÉR. Élocutoire.

ÉLOCUTOIRE [elɔkytwar] adj. — 1893; dér. sav. de *élocution*.
Didact. Qui a rapport à l'élocution (comme moyen de communication de l'homme).

L'œuvre pure implique la disparition élocutoire du poète, qui cède l'initiative aux mots (...)
MALLARMÉ, Variations, Crise de vers, Pl., p. 366.

ÉLODÉE [elɔde] n. f. — 1839; lat. sc. *elodes,* du grec *helôdês* «qui fréquente les marais».
Bot. Plante monocotylédone, dioïque (famille des *Hydrocharidacées*), aquatique, originaire d'Amérique, dont seul l'organisme femelle est présent en Europe. *Se développant par bouturage, l'élodée se reproduit très rapidement, et peut gêner la navigation dans les étangs, les canaux.* — On écrit aussi *hélodée.*

ÉLOGE [elɔʒ] n. m. — Fin XVIᵉ, *euloge;* bas lat. *eulogium,* du grec *eulogia* «louange», de *eulogos* «celui qui parle bien», de *eu-* «bien», et *logos*. → *-logie.*

♦ **1** Littér. Discours pour célébrer qqn ou qqch. *Éloge funèbre*, louant les mérites d'un défunt. → **Oraison.** *Éloge académique :* discours fait par un membre récipiendaire, évoquant la vie et les mérites d'un académicien décédé. *Éloge d'un saint.* → **Panégyrique.** *L'Éloge de la folie,* d'Érasme. *Prononcer un éloge.* — *L'éloge,* genre littéraire en honneur au XVIIIe siècle.

1 Vous auriez pu bien mieux que moi, Monsieur *(Thomas Corneille),* lui rendre ici les justes honneurs qu'il mérite, si vous n'eussiez peut-être appréhendé avec raison qu'en faisant l'éloge d'un frère, avec qui vous avez d'ailleurs tant de conformité, il ne semblât que vous faisiez votre propre éloge.
   RACINE, Disc. prononcé à l'Acad. franç. à la réception de Thomas Corneille, 2 janv. 1685.

♦ **2** Cour. Jugement favorable exprimé (au sujet de qqn, et, plus rarement, de qqch.). → **Compliment, congratulation, félicitation.** *Une conduite digne d'éloges. Recevoir des éloges. Décerner, donner des éloges.* Combler (cit. 15), *couvrir, accabler qqn d'éloges. Ne pas tarir* en éloges sur qqn.* → **Reconstitution** (cit. 1). *C'est un concert d'éloges.* → **Applaudissement, approbation.** *Les éloges de la critique.* → **Encouragement.** *C'est tout à son éloge :* cela porte témoignage de son mérite. → **Honneur** (à son). *Faire l'éloge de qqn,* le louer, dire du bien de lui. *Parler de qqn, de qqch. avec éloge.* → **Approuver, dire** (dire du bien), **louer.** *Je souscris à ces éloges. Parler ainsi, c'est faire l'éloge du crime.* → **Apologie, apothéose, plaidoyer** (pour). *Éloge objectif, mesuré. Un éloge tout sec* (→ Payer, cit. 18). *Éloge exagéré, dithyrambique.* → **Dithyrambe, fanfare, réclame ;** → Faire l'article (péj.). *Éloges bas et intéressés.* → **Flagornerie, flatterie.** *Fuir les éloges.*

2 Quel avantage a-t-on qu'un homme vous caresse,
   Vous jure amitié, foi, zèle, estime, tendresse,
   Et vous fasse de vous un éloge éclatant,
   Lorsqu'au premier faquin il court en faire autant ?
   MOLIÈRE, le Misanthrope, I, 1.

3 Ne vous enivrez point des éloges flatteurs
   Qu'un amas quelquefois de vains admirateurs
   Vous donne en ces Réduits (...)
   BOILEAU, l'Art poétique, IV.

4 (...) cette autre plume (...) avec laquelle nous écrivons ici son éloge *(de l'oie).*
   BUFFON, Hist. nat. des oiseaux, L'oie.

5 Il est peut-être un peu louangeur ; mais c'est avec tant de délicatesse, qu'il accoutumerait la modestie même à l'éloge. LACLOS, les Liaisons dangereuses, Lettre XI.

6 (...) sans la liberté de blâmer, il n'est point d'éloge flatteur (...)
   BEAUMARCHAIS, le Mariage de Figaro, V, 3 (cf. Blâmer, cit. 7).

7 Voilà tout ce que j'avais à vous dire en fait de critique ; quant aux éloges, ils ne tariraient pas.
   SAINTE-BEUVE, Correspondance, I, p. 228.

8 Mes adversaires, pour me refuser d'autres qualités qui contrarient leur apologétique, m'accordent si libéralement du talent, que je puis bien accepter un éloge qui dans leur bouche est une critique.
   RENAN, Souvenirs d'enfance..., VI, IV.

9 Celui qui est sûr, absolument sûr, d'avoir produit œuvre viable et durable, celui-là n'a plus que faire de l'éloge, et se sent au-dessus de la gloire, parce qu'il est créateur, parce qu'il le sait, et parce que la joie qu'il en éprouve est une joie divine.
   A. MAUROIS, Études littéraires, Bergson, III, t. I, p. 172.

Loc. *Être au-dessus de tout éloge,* si remarquable qu'on n'en peut dire la valeur.

CONTR. Affront, blâme, censure, condamnation, critique, dénigrement, diatribe, moquerie, observation, reproche, satire. ◊ **DÉR.** Élogieux, élogiste.

ÉLOGIEUSEMENT [elɔʒjøzmã] adv. — 1876 ; de *élogieux.*

D'une manière élogieuse. *Parler élogieusement d'un spectacle, d'un acteur. Il s'est exprimé élogieusement à votre égard. Des jugements élogieusement positifs.*

ÉLOGIEUX, IEUSE [elɔʒjø, jøz] adj. — 1836 ; de *éloge.*

♦ **1** (Personnes). Qui fait des éloges. *Une personne élogieuse, peu élogieuse. Elle a été très élogieuse à son égard, à son propos, à son sujet, quant à lui. Un critique généralement élogieux.* — (Comportements). *Une attitude élogieuse.*

♦ **2** (Discours). Qui renferme un éloge, des éloges. → **Flatteur, laudatif, louangeur.** *Des discours élogieux. Parler de qqn en termes élogieux. Paroles élogieuses, exagérément élogieuses.* → **Dithyrambique.** *Ce n'est pas très élogieux pour lui, à son égard.*

CONTR. Caustique, critique, désapprobateur, injurieux, moqueur, réprobateur, sarcastique. ◊ **DÉR.** Élogieusement.

ÉLOGISTE [elɔʒist] n. m. — 1740, Trévoux ; de *éloge.*

Didact. ou vx. Auteur d'éloges littéraires. → **Laudateur.**

ÉLOHINAIRE [elɔinɛʀ] adj. — 1876 ; du rad. de *élohisme.*

Didact. et rare. Relatif au dieu des juifs, à Élohim.

Henri Favre, commentateur méthodique, fonctionnel, distributif et pratique de la Bible, médiateur éternel de l'Uni-Totalité absolue, conférencier élohinaire et médecin aliénisateur.
   Charles CROS, Œuvres diverses, «L'église des totalistes», Pl., p. 384.

ÉLOHISME [elɔism] n. m. — XXe ; de *Élohim,* n. pr. hébreu désignant Dieu.

Didact. Rare. Religion d'Israël. → **Judaïsme.** Cf. L'*Élohiste,* désignant l'une des sources du Pentateuque.

DÉR. (Du même rad.) **Élohinaire.**

ÉLOIGNEMENT [elwaɲmã] n. m. — 1155 ; de *éloigner.*

A (Spatial). ♦ **1** Action d'éloigner* de soi (qqn, qqch.). — Rare. *L'éloignement d'une chose (par qqn).* — Plus cour. *L'éloignement des personnes suspectes. Prendre contre qqn des mesures d'éloignement.*

1 Je voulais gagner temps, pour ménager ta vie
   Après l'éloignement d'un flatteur de Décie (...)
   CORNEILLE, Polyeucte, V, 2.

2 L'exil n'était pas seulement l'interdiction du séjour de la ville et l'éloignement du sol de la patrie : il était en même temps l'interdiction du culte ; il contenait ce que les modernes ont appelé l'ex-communication.
   FUSTEL DE COULANGES, la Cité antique, p. 234.

Action de s'éloigner. *L'éloignement progressif d'un coureur, d'une voiture.*

3 On peut dire que le respect que l'on a pour les héros augmente à mesure qu'ils s'éloignent de nous : *major e longinquo reverentia* [de loin le respect est plus grand, Tacite, *Annales*]. L'éloignement des pays répare en quelque sorte la trop grande proximité des temps (...) C'est ce qui fait, par exemple, que les personnages turcs, quelque modernes qu'ils soient, ont de la dignité sur notre théâtre.
   RACINE, Bajazet, 2e préface.

Fait d'être éloigné ; distance importante. *Son éloignement allait croissant.*

♦ **2** (Choses). → **Distance, intervalle.** *L'éloignement d'une chose et d'une autre, par rapport à une autre. L'immense éloignement du Soleil. L'éloignement de nos demeures.* → **Écart, séparation.**

Absolt. Grande distance. *Bruit étouffé par l'éloignement* (→ Canon, cit. 6).

Par métaphore. Différence importante.

4 (...) il y a entre elles *(la jalousie et l'émulation)* le même éloignement que celui qui se trouve entre le vice et la vertu. LA BRUYÈRE, les Caractères, XI, 85.

Géom. *Éloignement d'un point,* distance de ce point au plan vertical de projection.

Loc. *En éloignement* (vx), *dans l'éloignement :* dans le lointain.

5 (...) *un rocher à travers duquel on voit la mer en éloignement (...)*
La scène (...) fait voir en éloignement une grotte effroyable.
MOLIÈRE, *Psyché*, Prologue et 1er intermède, Décors.

Ce tableau doit être regardé avec un certain éloignement. → **Recul** (avec).

♦ **3** (Personnes). Fait d'être loin, d'être séparé par la distance. → **Absence, départ, disparition, exil, fuite, retraite.** *Nous souffrons de l'éloignement de ceux que nous aimons. Son éloignement a été de courte durée. — Depuis son éloignement de Paris, je ne l'ai pas revu.*

6 *Le long éloignement d'un enfant qu'on ne connaît pas encore affaiblit, anéantit enfin les sentiments paternels et maternels et jamais on n'aimera celui qu'on a mis en nourrice comme celui qu'on a nourri sous ses yeux.*
ROUSSEAU, *les Confessions*, XI.

7 *Mais si éloignés qu'ils fussent l'un de l'autre, et à cause même de cet éloignement, ils aimaient à se rapprocher (...) Tous deux, d'ailleurs, étant fort lettrés et doués d'un remarquable esprit de sociabilité, ils se rencontraient sur le terrain commun de l'érudition.*
BAUDELAIRE, *Curiosités esthétiques*, Œuvre et vie de Delacroix, VI.

8 *Toujours pleine des livres de Costals, elle se rappelait une phrase de l'un d'eux : «L'éloignement rapproche».*
MONTHERLANT, *les Jeunes Filles*, p. 133.

B (Temporel). Fait d'être éloigné dans le temps. *L'Antiquité bénéficie du prestige de l'éloignement. Avec l'éloignement, l'événement prend tout son sens.*

9 *Soit que, jeune, on craigne moins la mort, par l'instinct de son éloignement, ou qu'à cet âge, riche de jours et prodigue de tout, on prodigue sa vie comme les riches leur fortune (...)*   Ph.-P. SÉGUR, *Hist. de Napoléon*, IX, 2.

C Fig. ♦ **1** (1585). Fait de se tenir à l'écart. *Vivre dans l'éloignement du monde.* → **Retraite.** *Être dans l'éloignement de Dieu, des pratiques religieuses.* → **Négligence, oubli** (→ Débonder, cit. 5).

♦ **2** Vieilli ou littér. Antipathie que l'on éprouve à l'égard de qqn ou de qqch. → **Aliénation, antipathie, aversion, dégoût, répugnance, répulsion.** *Éprouver, ressentir un profond éloignement pour qqn* (→ Dévot, cit. 7). *Cette doctrine m'inspire un éloignement invincible.*

10 *La faveur de la reine qu'elles partageaient ne leur avait point donné d'envie, ni d'éloignement l'une de l'autre (...)*
Mme DE LA FAYETTE, *la Princesse de Clèves*, IV.

11 *Naturellement timide et honteux, je n'eus jamais plus d'éloignement pour aucun défaut que pour l'effronterie.*
ROUSSEAU, *les Confessions*, I.

12 *Car, au fond, il partageait l'impression générale, et le conventionnel lui inspirait, sans qu'il s'en rendit clairement compte, ce sentiment qui est comme la frontière de la haine et qu'exprime si bien le mot éloignement.*
HUGO, *les Misérables*, I, I, X.

CONTR. Contact, contiguïté, proximité, rapprochement, voisinage. — **Plan** (premier plan). — **Attraction, correspondance, indifférence, sympathie.**

ÉLOIGNER [elwaɲe] v. tr. — XIe ; de *é-, loin,* et suff. verbal.

A Spatial. ♦ **1** Mettre ou faire aller loin, à distance. *Éloigner (qqn, qqch.) de (qqn, qqch.).* → **Écarter, pousser, reculer, repousser, retirer.** *Éloignez cette lampe de mes yeux, de moi. Éloigner du front une mèche rebelle* (→ Accompagner, cit. 11). *Éloigner sa chaise de la table. Il faut éloigner vos enfants de la ville. Il s'est efforcé de les éloigner l'un de l'autre.* → **Séparer.**

1 *J'avouerai même que M. de Valmont doit être en effet infiniment dangereux (...) Quoi qu'il en soit, puisque vous*

l'exigez, je l'éloignerai de moi ; au moins j'y ferai mon possible (...)
LACLOS, *les Liaisons dangereuses*, Lettre XXXVII.

2 *Le blanc troupeau de mes tranquilles tombes,*
Éloignes-en les prudentes colombes,
Les songes vains, les anges curieux !
VALÉRY, *Poésies*, «Le cimetière marin».

Par anal. *Éloigner qqn d'un projet, de la vie publique.*
— (Sans compl. second). *Envoyer (qqn) au loin. Éloigner les importuns.* → **Chasser, congédier, éconduire, rejeter, reléguer.** *Roi, prince, ministre qui éloigne un conseiller, un favori* (→ Bois, cit. 39).

3 *Cette tolérance lui valut d'ailleurs à la fin des difficultés à la cour, d'où le connétable de Montmorency la fit éloigner. Elle se retira à Nérac (...) et Michelet réprouve cet exil (...)*
Émile HENRIOT, *Portraits de femmes*, p. 29.

♦ **2** (Sujet n. de chose). Faire paraître lointain. *Les verres concaves éloignent les objets.*

B (1267). Temporel. Séparer par un intervalle de temps. *Chaque jour nous éloigne de notre jeunesse.* → **Emporter** (loin de). — Repousser à une date ultérieure. → **Différer, reculer, retarder.** *De nouvelles difficultés ont éloigné la signature de l'armistice. Éloigner un payement.*

C (Fin XIIe). Fig. Écarter, détourner (qqn). *Éloigner qqn d'un projet.* → **Évincer, rejeter.** *Son indépendance l'éloigne du mariage.* → **Détacher, détourner.** *Éloigner de soi la sympathie.* → **Aliéner.** *Les distractions qui l'éloignent de son travail.* → **Dégoûter, distraire.** *Philosophie qui éloigne de la religion.* → **Écarter.** *C'est un livre qui vous éloignera de la vérité* (→ Conduire, cit. 10). *Un lieu capable d'éloigner du renoncement* (→ Détachement, cit. 5). *Dégoût qui éloigne du monde.* → **Désabuser.** *Éloigner qqn d'une occasion de mal faire* (→ Axiome, cit. 7). *Éloignez de vous ces mauvaises pensées.* → **Repousser.** *Prier Dieu qu'il éloigne de nous le malheur.* — (Sans compl. second). *L'action éloigne l'ennui.* → **Chasser.** *Attitude propre à éloigner tous les soupçons,* à empêcher qu'ils se manifestent.

4 *(...) jugez (...) de ce que j'ai pu sentir pour ce qui m'a éloignée très injustement de votre cœur.*
Mme DE SÉVIGNÉ, 146, 18 mars 1671.

5 *Éloigne ce calice impur et plus amer*
Que le fiel, ou l'absinthe, ou les eaux de la mer.
A. DE VIGNY, *Poèmes philosophiques*, Le mont des Oliviers.

6 *(...) j'ai l'impression d'être parti pour une série de vagabondages de l'esprit qui m'éloignent de plus en plus du travail scolaire.*
J. ROMAINS, *les Hommes de bonne volonté*, t. IV, VII, p. 56.

Leurs travaux les éloignent l'un de l'autre, les séparent. → **Distinguer.**

Vieilli. ÉLOIGNER **(qqn) DE...** (suivi d'un infinitif) :

7 *Les prophéties citées dans l'Évangile, vous croyez qu'elles sont rapportées pour vous faire croire ? Non, c'est pour vous éloigner de croire.*
PASCAL, *Pensées*, VIII, 568.

8 *(...) une grande modestie, qui l'éloigne de penser qu'il fasse le moindre plaisir aux princes s'il se trouve sur leur passage (...)*
LA BRUYÈRE, *les Caractères*, II, 14.

◆ **S'ÉLOIGNER** v. pron.

♦ **1** (Dans l'espace). Se mettre, se porter loin de...
→ **Aller** (s'en), **écarter** (s'), **fuir, partir.** *Il s'éloigna du groupe. S'éloigner d'un endroit dangereux, peu recommandable* (→ Canaille, cit. 5). *S'éloigner de la route.* → **Écarter** (s'), **éviter.** *S'éloigner de son pays.* → **Exiler** (s'), **quitter.** *S'éloigner du rivage. Qui s'éloigne du centre.* → **Centrifuge.**

(Sans compl. en *de*). *Navire qui s'éloigne en haute mer.* → **Disparaître, évanouir** (s'). *Le bruit* (cit. 19) *s'éloigne et meurt. L'orage s'est éloigné. Ne vous éloignez pas !* Il *s'éloignait à pas lents* (→ Abat-jour, cit. 3 ; dague, cit. 4). *S'éloigner furtivement.* → **Évader** (s').

9 C'est peu pour mon inhumaine de ne pas répondre à mes Lettres, de refuser de les recevoir, elle veut me priver de sa vue, elle exige que je *m'éloigne.*
LACLOS, les Liaisons dangereuses, Lettre XL.

10 La tempête *s'éloigne,* et les vents sont calmés.
A. DE MUSSET, Premières poésies, «Le saule».

11 Nous étions tombés sur les cuirassés allemands, et nous nous *éloignâmes* à force de rames ; les fusils des hommes de garde nous tenaient en joue.
LOTI, Aziyadé, I, XXI.

12 Hâtivement lavé, raidi de courbatures, je franchis le seuil, tous les soirs à la même heure, et je *m'éloigne,* tête basse, moins en élu qu'en banni (...)
COLETTE, la Paix chez les bêtes, «Le matou».

13 Tandis que *s'éloignait* dans les vignes rhénanes
Sur un fifre lointain un air de régiment.
APOLLINAIRE, Alcools, «Mai».

14 Et il ne reste plus (...) qu'une petite dame sur un refuge qui rapetisse, qui *s'éloigne,* qui disparaît.
COCTEAU, les Enfants terribles, p. 228.

♦ **2** (Dans le temps). Devenir lointain*. *S'éloigner du présent.* — Absolt. *Époque qui commence à s'éloigner* (→ Création, cit. 2). *Image, souvenir qui s'éloigne.* → **Effacer** (s'). *Barrès s'éloigne,* essai de Montherlant (où l'auteur marquait la désaffection de la jeunesse envers Barrès). *Éventualité qui s'éloigne de plus en plus...*

♦ **3** Fig. S'écarter, se détourner. → **Séparer** (se). *Rêves qui s'éloignent de la réalité, du concret* (→ Abstrait, cit. 3 ; ambitieux, cit. 8). *S'éloigner de son devoir, de la vertu.* → **Déserter, manquer** (à). *Sa conduite s'éloigne de la bienséance. S'éloigner du respect dû à qqn. Vous vous éloignez du sujet, de la question.* → **Sortir.** *S'éloigner des vues, des intentions de qqn. S'éloigner des occasions de mal faire* (→ Droit, cit. 17). *La civilisation romaine s'éloigne de celle d'Athènes* (→ Athénien, cit. 3). *S'éloigner de qqn, d'un ami en peine.* → **Dos** (tourner le dos [cit. 16] à) ; → Accrocher, cit. 4 ; clair, cit. 18.

15 Ceux qui sont dans le dérèglement disent à ceux qui sont dans l'ordre que ce sont eux qui *s'éloignent* de la nature, et ils la croient suivre : comme ceux qui sont dans un vaisseau croient que ceux qui sont au bord fuient.
PASCAL, Pensées, VI, 383.

16 (...) comme si j'étais femme à (...) *m'éloigner* jamais de la vertu que mes parents m'ont enseignée.
MOLIÈRE, George Dandin, II, 8.

17 Celles *(les mœurs)* qui approchent des nôtres nous touchent, celles qui *s'en éloignent* nous étonnent ; mais toutes nous amusent.
LA BRUYÈRE, Disc. sur Théophraste.

18 Plus nous nous *éloignons* de l'état de nature, plus nous perdons de nos goûts naturels ; ou plutôt l'habitude nous fait une seconde nature que nous substituons tellement à la première, que nul d'entre nous ne connaît plus celle-ci.
ROUSSEAU, Émile, II.

19 Pour bien juger de quelque chose il faut *s'en éloigner* un peu, après l'avoir aimé. Cela est vrai des pays, des êtres *et de soi-même.*
GIDE, Journal, 27 mars 1924.

(Récipr.). *Ces conceptions s'éloignent l'une de l'autre.* → **Différer, diverger, opposer** (s').

♦ **ÉLOIGNÉ, ÉE** p. p. adj. (Déb. XIIIe).

♦ **1** (Dans l'espace). Qui est à une certaine distance. → **Distant, loin, reculé, séparé.** *Être seul, éloigné de sa famille.* — Absolt. *Pays éloigné.* → **Étranger, lointain, perdu.** *Habiter un quartier éloigné.* → **Désert, écarté** (→ Cheik, cit. 2). *Écailles, feuilles éloignées* (l'une de l'autre). — Qui provient d'un endroit éloigné, se dirige vers un endroit éloigné. *Faire une promenade éloignée.*

20 (...) des globes éloignés de notre terre d'une distance si effroyable ?
MOLIÈRE, les Amants magnifiques, III, 1.

Éloigné de ses yeux, j'ordonne, je menace (...) 21
RACINE, Britannicus, II, 2.

Les ganglions du cou étaient douloureux au toucher et le concierge semblait vouloir tenir sa tête le plus possible éloignée du corps. 22
CAMUS, la Peste, p. 32.

♦ **2** (Dans le temps). *Des souvenirs éloignés.* → **Lointain, vieux.** *Cela remonte à un temps bien éloigné. Événements assez éloignés* (→ Créance, cit. 5). *C'est un passé peu éloigné* (→ Anciennement, cit. 2). *Des ouvrages écrits à deux périodes éloignées* (l'une de l'autre), séparées par un long espace de temps. — *Remettre un voyage à une date plus éloignée.* → **Ultérieur.** *Échéance éloignée.*

(...) des faits qui sont (...) éloignés de nous par plusieurs siècles ? 23
LA BRUYÈRE, les Caractères, XVI, 22.

Le jour est moins avancé que je ne croyais. L'heure à laquelle elle a coutume de se montrer derrière sa jalousie est encore éloignée. 24
BEAUMARCHAIS, le Barbier de Séville, I, 1.

♦ **3** (Personnes ; abstrait). Qui se situe loin de l'origine d'une filiation. *Des parents éloignés. Oncle, cousin éloigné. Éloigné de... :* différent. *Récit bien éloigné de la vérité. Cela est fort éloigné de ma pensée, de mon intention. Doctrines éloignées l'une de l'autre.* → **Différent, divergent** (→ Déisme, cit.). *Conséquence éloignée d'un principe* (→ Base, cit. 12). *Rechercher les causes éloignées d'un phénomène.*

(...) son humilité *(de Turenne),* éloignée de toute sorte d'affectation (...) 25
Mme DE SÉVIGNÉ, 431, 16 août 1675.

Les preuves de Dieu métaphysiques sont si éloignées du raisonnement des hommes, et si impliquées, qu'elles frappent peu (...) 26
PASCAL, Pensées, VII, 543.

Il s'y était fait le défenseur chaleureux du christianisme exigeant, également éloigné du libertinage moderne et de l'obscurantisme des siècles passés. 27
CAMUS, la Peste, p. 107.

Être éloigné de... (suivi d'un inf.). *Je ne suis pas éloigné de croire, de penser que... Je suis bien éloigné d'y consentir.* — REM. Avec des verbes autres que des verbes d'opinion ou de volonté, cet emploi est vieilli : *Je suis bien éloigné de me conduire de la sorte.* → Loin (loin de).

(...) il *(Onuphre)* ne cajole point sa femme (...) Il est encore plus éloigné d'employer pour la flatter et pour la séduire le jargon de la dévotion (...) 28
LA BRUYÈRE, les Caractères, XIII, 24.

Qui n'est rattaché que par des liens imprécis. *Une ressemblance éloignée.*

CONTR. **Approcher, joindre, juxtaposer, rapprocher, réunir. — Allécher, appâter, apprivoiser, attirer, gagner. — Accointer** (s'), **accoler** (s'), **concorder, confluer.** — **Adjacent, approchant, attenant, avoisinant, conjoint, contemporain, contigu, direct, environnant, immédiat, imminent, proche, rapproché, récent, tangent, voisin.** ◊ DÉR. **Éloignement.**

1. **ÉLONGATION** [elɔ̃gasjɔ̃] n. f. — 1360 ; bas lat. *elongatio,* de *e- (ex-),* et *longus* «long».
Didactique.

♦ **1** Astron. Distance angulaire d'un astre au Soleil, telle qu'elle apparaît de la Terre. *Angle d'élongation. Les élongations maximales de Mercure, de Vénus.*

♦ **2** Mécan. Abscisse d'un mobile animé d'un mouvement oscillatoire.

♦ **3** Phys. *Élongation d'un pendule,* l'angle que fait, à un instant donné, le pendule avec la verticale. → **Amplitude.**

2. **ÉLONGATION** [elɔ̃gasjɔ̃] n. f. — 1478 ; de *élonger.*

♦ **1** Étirement excessif, accidentel (d'un muscle, d'un ligament), en particulier au niveau d'une articulation, sans qu'il y ait déboîtement ou luxation complète. → **Claquage, entorse, foulure.**

Je me raccroche par les mains, j'évite la chute, mais une fulgurante douleur me fait comprendre que je viens de m'abîmer la cheville gauche. Élongation du tendon d'Achille avec rupture de nombreux ligaments secondaires !   R. FRISON-ROCHE, Nahanni, p. 147.

Élongation des nerfs : intervention chirurgicale qui consiste à soumettre un nerf à une traction énergique en vue de supprimer les douleurs dont il est le siège. → **Allongement, étirage.** *Table d'élongation. Élongation vertébrale.*

♦ **2** (Déb. XXᵉ, *in* Petiot). Cour. Mouvement de gymnastique, qui cherche à assouplir les muscles par étirement. *Effectuer des élongations au sol.*

ÉLONGER [elɔ̃ʒe] v. tr. [CONJUG.: *bouger*.] — Fin XIIᵉ ; de *é-, long,* et suff. verbal.

♦ **1** Vx ou littér. Allonger. → **Augmenter.** — Pron. Se distendre, s'allonger.

1   En pinçant avec deux doigts un fragment de ces délicates enveloppes et en ramenant lentement sa main à lui, le jeune homme créait un lien extensible pareil aux fils de la Vierge qui, à l'époque du renouveau, s'élongent dans les bois.
                Raymond ROUSSEL, Impressions d'Afrique, p. 4.

Au p. p. *« Une sorte de double courbe dont le balancement élongé et calme était un plaisir sans bornes »* (J.-M. G. Le Clézio, *la Fièvre,* p. 120).

♦ **2** (1797). Mar. Étendre tout au long (un câble, une chaîne, un cordage...). *Élonger une amarre,* en faire porter le bout à l'endroit où on doit le fixer. *Élonger une ancre,* la faire porter à l'endroit voulu.

2   Les hommes, debout autour de l'énorme paquet de cordages qui allait suivre, se mettaient à quatre, à six, pour le dérouler, l'élonger à bout de bras, donner du mou, à temps.   Roger VERCEL, Remorques, p. 89.

♦ **3** (1704). Mar. Rare. Longer*. *Élonger le rivage, le quai.*

3   Le *San Jurjo* élongea lentement le quai et jeta ses amarres.
                P. MAC ORLAN, la Bandera, IV, p. 44.

DÉR. 2. **Élongation, élongis.**

ÉLONGIS [elɔ̃ʒi] n. m. — 1792 ; de *élonger,* et suff. *-is.* Mar. Pièce de bois ou de fer placée de chaque côté d'un mât, dans le sens de la longueur du navire. *Les élongis fixés sur les jottereaux supportent les barres traversières et les hunes.*

À leur partie supérieure, ces poutres furent réunies par des élongis qui, étant bien encastrés dans les mortaises, consolidèrent ainsi l'ensemble de la construction.
                J. VERNE, le Pays des fourrures, t. I, p. 170.

Pièce de bois ou de fer supportant les barres de perroquet.

ÉLOQUEMMENT [elɔkamɑ̃] adv. — XIVᵉ ; de *éloquent.*

♦ **1** Littér. ou style soutenu. D'une manière éloquente ; avec éloquence. *Parler, prêcher, plaider, raconter éloquemment.*

1   L'Allemagne a conquis l'hégémonie du monde en reniant hautement les principes de moralité politique qu'elle avait autrefois si éloquemment prêchés.
                RENAN, Souvenirs d'enfance..., II, VII.

2   Exprimer le plus succinctement sa pensée, et non le plus éloquemment.   GIDE, Pages de journal, p. 125.

♦ **2** De manière expressive. *Les chiffres montrent éloquemment que cette société est mal gérée.*

ÉLOQUENCE [elɔkɑ̃s] n. f. — XIIᵉ ; lat. *eloquentia,* de *eloquens, -entis.* → Éloquent.

♦ **1** Manière de s'exprimer par le langage avec aisance et habileté, capacité à toucher, à émouvoir, à persuader, par le discours. *Éloquence naturelle.* → **Facilité** (d'expression). *Manquer d'éloquence.*

Parler avec éloquence. → **Parler ; adresse** (cit. 7), **chaleur** (cit. 7), **feu, flamme, force, habileté, pathétique, verve, vigueur ; passion, véhémence.** *Éloquence facile, abondante, bagout* (fam.). → **Abondance, bagout** (fam.), **faconde, loquacité, volubilité.** *Discours plein d'éloquence. Éloquence véhémente, persuasive, entraînante d'un tribun* (→ Persuader, cit. 7). *Le pouvoir, l'arme, les charmes de l'éloquence. L'éloquence de qqn. Déployer toute son éloquence, user de toute son éloquence pour...* (→ Capter, cit. 1 ; défaite, cit. 2 ; démordre, cit. 4). — Spécialt. (Littér.). Genre littéraire qui correspond aux textes destinés à être lus en public (sermon, discours, éloge, etc.). *L'art de l'éloquence.* → **Déclamation ; dialectique, diction, élocution,** 2. **oratoire** (art oratoire ; cit. 2), **rhétorique.** *Calliope, la muse de l'éloquence. Mercure, le dieu de l'éloquence. Les formes, les règles de l'éloquence.* → **Discours.** *Les trois genres de l'éloquence, chez les anciens :* genre délibératif, démonstratif, judiciaire. *Maître d'éloquence.* → **Rhéteur.** — *Les cinq genres «modernes» de l'éloquence : éloquence du barreau ou éloquence judiciaire* (→ Avocat, cit. 5) ; *éloquence de la tribune ou éloquence politique ; éloquence de la chaire* (cit. 2) ou *éloquence religieuse, sacrée* (→ Homélitique) ; *éloquence académique ; éloquence militaire. L'éloquence entraînante de Mirabeau. L'éloquence révolutionnaire. Un foudre d'éloquence.* → **Orateur.** *La grande éloquence* (→ Déclamer, cit. 4). *La véritable, la vraie ; la fausse éloquence* (→ Ambitieux, cit. 11 ; art, cit. 54 ; chaleur, cit. 7). *Éloquence emphatique, pompeuse* (→ **Emphase, enflure, pompe**). *Les fleurs de l'éloquence. Un morceau d'éloquence* (→ Doctrinaire, cit.). *Tournoi d'éloquence entre deux orateurs. Un assaut* (cit. 19) *d'éloquence. — Dialogues sur l'éloquence,* œuvre de Fénelon.

1   La vraie éloquence se moque de l'éloquence (...)
                PASCAL, Pensées, I, 4.

2   L'éloquence continue ennuie.
                PASCAL, Pensées, VI, 355.

3   (...) et chacun, étonné,
    Admire le grand cœur, le bon sens, l'éloquence
    Du sauvage ainsi prosterné (...)
                LA FONTAINE, Fables, XI, 7.

4   Le peuple appelle éloquence la facilité que quelques-uns ont de parler seuls et longtemps (...) Il semble que la logique est l'art de convaincre de quelque vérité ; et l'éloquence un don de l'âme, lequel nous rend maîtres du cœur et de l'esprit des autres ; qui fait que nous leur inspirons ou que nous leur persuadons tout ce qui nous plaît.
                LA BRUYÈRE, les Caractères, I, 55.

5   L'éloquence est née avant les règles de la rhétorique, comme les langues se sont formées avant la grammaire.
                VOLTAIRE, Dict. philosophique, Éloquence.

6   (...) elle ne voulait plus sortir (...) il me fallut toute mon éloquence pour la décider (...)
                LACLOS, les Liaisons dangereuses, Lettre LIV.

7   (...) l'éloquence, ennemie de l'exactitude, née pour émouvoir ou séduire, accoutumée à la marche impétueuse des passions, et dans ses moments les plus calmes, moins occupée de la vérité que de la vraisemblance, est étrangère à tout ouvrage où il ne s'agit pas de persuader, mais de convaincre (...)
                P.-L. COURIER, Éloge de Buffon (1799), Pl., p. 566.

8   Il (*Balzac*) avait une éloquence débordée, tumultueuse, entraînante, qui vous emportait quoi qu'on en eût : pas d'objection possible avec lui ; on s'y noyait aussitôt dans un tel déluge de paroles qu'il fallait bien se taire.
                Th. GAUTIER, Portraits contemporains, Balzac, p. 88.

9   Il y eut dans l'Assemblée constituante des orateurs plus puissants, plus impétueux, plus tonnants, et qui donnaient plus l'idée de la grande éloquence (*que Barnave*) ; il n'en est peut-être aucun qui eût plus que lui « la facilité de discuter, de lier des idées, de parler sur la question sans avoir écrit ».
                SAINTE-BEUVE, Causeries du lundi, 8 avr. 1850, t. II, p. 24.

10 De temps en temps, aux moments les plus «énergiques» du réquisitoire, dans ces instants où l'éloquence, qui ne peut se contenir, déborde dans un flux d'épithètes flétrissantes et enveloppe l'accusé comme un orage, il remuait lentement la tête de droite à gauche et de gauche à droite (...)
HUGO, les Misérables, I, VII, IX.

11 (...) on croirait volontiers que ces réunions populaires se plaisaient à cette fausse éloquence qui n'est que dans la forme, à la rhétorique, aux belles phrases (...)
FUSTEL DE COULANGES, Leçons à l'Impératrice, p. 63.

12 Prends l'éloquence et tords-lui son cou !
VERLAINE, Jadis et Naguère, «Art poétique».

13 Je crois que je suis éloquent ; que je puis l'être. La vraie éloquence. Pas cette lamentable facilité d'élocution de Leroux, hier, quand il faisait sa conférence ; le piano mécanique.
J. ROMAINS, les Hommes de bonne volonté, t. III, I, p. 14.

14 Elle a subi vingt-cinq ans de suite, sans souffler mot, le flux de l'éloquence paternelle (...)
MARTIN DU GARD, les Thibault, t. III, p. 121.

L'éloquence des grandes circonstances, celle qu'elles inspirent.

14.1 (...) je lui détaillai tous mes maux, la difficulté de rencontrer une place, peut-être même un peu la peine que j'éprouvais à en prendre une, n'étant pas née pour cet état. Le malheur, toujours rapide dans une âme sensible, manger le peu que j'avais (...) Le défaut d'ouvrage, l'espoir où j'étais, qu'il me faciliterait les moyens de vivre ; tout ce que dicte enfin l'éloquence du malheur, toujours rapide dans une âme sensible, toujours à charge d'éloquence (...)
SADE, Justine..., t. I, p. 21 (1791).

Didact. Vx. Littérature en prose (→ Don, cit. 8). *Cours d'éloquence latine.*

◆ **2** (Mil. XVIIe). Qualité de ce qui peut entraîner l'adhésion du cœur ou de l'esprit. *L'éloquence du cœur, de l'âme, de la passion...,* force de persuasion qui s'inspire du sentiment et provoque l'émotion.

15 Croyais-tu que son cœur, contre toute apparence,
Pour la persuader trouvât tant d'éloquence ?
RACINE, Bajazet, III, 3.

16 La plupart des grands personnages ont été les hommes de leur siècle les plus éloquents. Les auteurs des plus beaux systèmes, les chefs de partis et de sectes, ceux qui ont eu dans tous les temps le plus d'empire sur l'esprit des peuples, n'ont dû la meilleure partie de leurs succès qu'à l'éloquence vive et naturelle de leur âme.
VAUVENARGUES, Réflexions et maximes, 275.

◆ **3** Caractère de ce qui, sans parole, est expressif, révélateur. *Regard, geste, mouvement plein d'éloquence. L'éloquence d'une mimique.* → **Expression.**

17 Il n'y a pas moins d'éloquence dans le ton de la voix, dans les yeux, et dans l'air de la personne, que dans le choix des paroles. LA ROCHEFOUCAULD, Maximes, 249.

18 En amour un silence vaut mieux qu'un langage. Il est bon d'être interdit ; il y a une éloquence de silence qui pénètre plus que la langue ne saurait faire.
PASCAL, Disc. sur les passions de l'amour.

19 (...) enfin le discours moins suivi amène plus aisément cet air de trouble et de désordre qui est la véritable éloquence de l'amour (...)
LACLOS, les Liaisons dangereuses, Lettre XXXIII.

Par anal. Caractère probant de ce qui n'a pas besoin de discours. *L'éloquence des chiffres* (→ Les chiffres parlent* d'eux-mêmes). *Les faits ont leur éloquence.*

Spécialt. Qualité rhétorique d'un art (notamment la musique). *L'éloquence symphonique de Berlioz.*

ÉLOQUENT, ENTE [elɔkã, ãt] adj. — 1213 ; lat. *eloquens,* p. prés. de *eloqui* «exprimer», de *ex-,* et *loqui* «parler».

◆ **1** Qui a, qui montre de l'éloquence*. → **Disert.** *Homme éloquent. Avocat, parlementaire, prédicateur, orateur* éloquent. *Une bouche éloquente* (→ Bouche* d'or ; langue dorée*).

(...) l'homme le plus simple qui a de la passion persuade mieux que le plus éloquent qui n'en a point. **1**
LA ROCHEFOUCAULD, Maximes, 8.

La nature rend les hommes éloquents dans les grands **2** intérêts et dans les grandes passions. Quiconque est vivement ému voit les choses d'un autre œil que les autres hommes. Tout est pour lui objet de comparaison rapide et de métaphore : sans qu'il y prenne garde, il anime tout, et fait passer dans ceux qui l'écoutent une partie de son enthousiasme.
VOLTAIRE, Dict. philosophique, Éloquence.

◆ **2** Qui est dit ou écrit avec éloquence. *Ton, discours éloquent.* → **Convaincant, émouvant, enflammé, enthousiaste, entraînant, impressionnant, pathétique, persuasif, puissant, touchant.** *Parler, s'exprimer en termes éloquents. — Un raisonnement éloquent. — Une page éloquente.*

Il ne pouvait pas être persuadé de ce qu'il disait ; or ce **3** qui n'est pas vrai n'est pas éloquent.
CHATEAUBRIAND, Mémoires d'outre-tombe, t. IV, p. 50.

◆ **3 Littér.** Qui rend éloquent. *La colère, la passion... sont éloquentes* (→ Arracher, cit. 23).

De tels hommes, leur joie est toujours muette, tant elle **4** compte peu. La douleur seule est éloquente.
André SUARÈS, Trois hommes, «Dostoïevski», IV, p. 234.

◆ **4** (1639). Qui, sans discours, est expressif, révélateur. *Geste, regard, silence éloquent.* → **Expressif, parlant.** *Des yeux éloquents.* → **Bavard.** *Des larmes éloquentes. Grâces éloquentes* (→ Déployer, cit. 14).

(...) avec des regards éloquents, pleins d'amour (...) **5**
RACINE, Bajazet, III, 2.

(...) de muettes étreintes, plus éloquentes que les cris et **6** les pleurs.
ROUSSEAU, Julie ou la Nouvelle Héloïse, III, Lettre XIV.

Par anal. Qui est probant, parle de lui-même. *Un témoignage éloquent. Ces chiffres sont éloquents.*

DÉR. Éloquemment.

ÉLU, ÉLUE [ely] adj. et n. → **Élire** (p. p. adj.).

ÉLUANT [elɥã] n. m. — Mil. XXe ; du lat. *eluens, -entis,* p. prés. de *eluere,* de *ex-* intensif, et *luere* «laver».
Chim. Solvant utilisé pour pratiquer une élution.

DÉR. V. **Éluat.**

ÉLUAT [elɥa] n. m. — Av. 1973, *la Clé des mots* ; du rad. de *éluant, élution.*
Chim. Produit d'une élution.

ÉLUCIDATION [elysidasjɔ̃] n. f. — 1512 ; de *élucider.*
Action d'élucider ; résultat de cette action. → **Éclaircissement, explication** (→ Attitude, cit. 24).

(...) si la science était, comme elle devrait l'être, cultivée par de grandes masses d'individus et exploitée dans de grands ateliers scientifiques, les points les moins intéressants pourraient comme les autres recevoir leur élucidation. RENAN, l'Avenir de la science, Œ., t. III, p. 922.

ÉLUCIDER [elyside] v. tr. — XIVe ; bas lat. *elucidare* «rendre clair», de *ex-* intensif, et *lucidus* «lumineux». → **Lucide.**

◆ **1** Rendre clair (ce qui présente des difficultés dans l'expression par le langage). → **Clarifier, débrouiller, éclaircir, expliquer.** *Le traducteur a réussi à élucider tous les passages obscurs.*

◆ **2** Rendre compréhensible, plus clair (un objet de pensée). *Élucider une question embrouillée, difficile. L'enquête a permis d'élucider l'affaire.* → **Lumière** (faire la lumière). — *Élucider les lois d'une science.*

1 J'étais présent comme une odeur,
Comme l'arôme d'une idée
Dont ne puisse être élucidée
L'insidieuse profondeur !
VALÉRY, Poésies, « Ébauche d'un serpent ».

2 Ces monstres sont sortis tout armés d'une tête de fille
de vingt-cinq ans, et nul de ses commentateurs n'a pu
élucider l'inquiétant problème de cette invention épouvantable. Émile HENRIOT, Portraits de femmes, p. 418.

♦ 3 Littér. Mettre en lumière par d'autres moyens
que le langage.

3 Cette idée de théâtre pur qui est chez nous uniquement
théorique, et à qui personne n'a jamais tenté de donner
la moindre réalité, le théâtre balinais nous en propose
une réalisation stupéfiante en ce sens qu'elle supprime
toute possibilité de recours aux mots pour l'élucidation
des thèmes des plus abstraits (...)
A. ARTAUD, le Théâtre et son double,
Sur le théâtre balinais, Idées/Gallimard, p. 92.

4 Je sais bien d'ailleurs que le langage des gestes et attitudes, que la danse, que la musique sont moins capables
d'élucider un caractère, de raconter les pensées humaines
d'un personnage, d'exposer des états de conscience clairs
et précis que le langage verbal.
A. ARTAUD, le Théâtre et son double, La mise en
scène et la métaphysique, Idées/Gallimard, p. 59.

CONTR. Embrouiller, obscurcir. ◊ DÉR. Élucidation.

ÉLUCUBRATEUR, TRICE [elykybʀatœʀ, tʀis] n.
— 1839, in Boiste ; de élucubrer.

Rare. Celui, celle qui se livre à des élucubrations*. Un élucubrateur, une élucubratrice de théories incompréhensibles.

ÉLUCUBRATION [elykybʀasjɔ̃] n. f. — 1750 ; lucu-
brations, 1594 ; du bas lat. elucubratio, du supin de elucubrare « travailler, exécuter en veillant », de lucubrum
« veille ».

Surtout au pluriel.

♦ 1 Vx. Action d'élucubrer* ; travail consacré à un
ouvrage de l'esprit. → **Élaboration**. Un travail d'élucubration. Voilà le fruit de ses élucubrations.
Résultat de ce travail prolongé, ouvrage ainsi composé. → **Construction** (de l'esprit). De savantes élucubrations.

♦ 2 Mod. (Péj.). Œuvre ou théorie laborieusement
édifiée et peu sensée ou très obscure. → **Divagation**.

1 Il n'eût tenu qu'à moi de mettre M. le cardinal d'accord
avec lui-même, en laissant disparaître les traces des rapports qui me concernaient : il m'eût suffi de retirer des
cartons, lorsque j'étais ministre des Affaires étrangères, les
élucubrations de l'ambassadeur (...)
CHATEAUBRIAND, Mémoires d'outre-tombe, t. II,
p. 282.

2 (...) je m'étais entouré des livres à la mode dans ce temps-
là ; je veux parler des livres où il est traité de l'art de
rendre les peuples heureux, sages et riches, en vingt-quatre
heures. J'avais donc digéré – avalé, veux-je dire, – toutes
les élucubrations de tous ces entrepreneurs de bonheur
public (...) BAUDELAIRE, le Spleen de Paris, XLIX.

ÉLUCUBRER [elykybʀe] v. tr. — 1832 ; lat. elucubrare
« travailler en veillant », de ex-, et lucubrum « veille ».

♦ 1 Vx. Produire (une œuvre) à force de veilles et
de labeur. → **Élucubration**.

L'artiste (...) élucubre, dit-on, sa peinture avec la volonté
infatigable d'un alchimiste.
BAUDELAIRE, Salon de 1846, in T. L. F.

♦ 2 Mod. (Péj.). Élaborer, produire (des idées, un
contenu mental) de manière compliquée et peu
claire. → **Élucubration** (2.).

DÉR. Élucubrateur.

ÉLUDABLE [elydabl] adj. — 1846, Bescherelle ; dans
Richard de Radonvilliers, 1845 ; de éluder.

Rare. Qui peut être éludé. La difficulté est sans
doute éludable.

CONTR. et COMP. Inéludable.

ÉLUDER [elyde] v. tr. — 1426 ; lat. eludere « se jouer
de », de ex- intensif, et ludere « jouer », de ludus « jeu ».
→ Ludique.

♦ 1 Vx. Tromper (qqn).

(...) songez, si vous voulez (...) à trouver quelque belle ruse   1
pour éluder ici les gens et paraître innocente (...)
MOLIÈRE, George Dandin, III, 6.

♦ 2 Mod. (à partir du XVIIᵉ). Éviter (qqch., un acte à
accomplir, une difficulté...) avec adresse, s'y soustraire par un artifice. → **Dérober** (se), **détourner**
(se), **échapper** (s'), **passer** (par-dessus) ; **côté** (laisser de),
tangente (prendre la). Éluder d'un geste évasif une
question embarrassante. → **Esquiver, fuir**. Éluder
une promesse par une mauvaise excuse. Éluder
une difficulté par une échappatoire, un faux-fuyant.
→ **Tourner** (la difficulté) ; **escamoter** ; → botter en touche.
Éluder un problème en détournant la question
(→ Détourner, cit. 4). Éluder la loi (→ Constitution,
cit. 6). Éluder le problème religieux, ne pas en tenir
compte*. Action d'éluder. → **Élusion**.

Comme la partie n'est pas égale, il faut user de stratagème,   2
et éluder adroitement le malheur qui me cherche.
MOLIÈRE, Dom Juan, II, 5.

Mais le traité ne fut pas plus tôt signé qu'il chercha tous   3
les moyens d'en éluder l'exécution.
RACINE, Explication des médailles.

Dès que je crus voir que Thérèse cherchait quelquefois des   4
prétextes pour éluder les promenades que je lui proposais,
je cessai de lui en proposer, sans lui savoir mauvais gré
de ne pas s'y plaire autant que moi.
ROUSSEAU, les Confessions, IX.

Laissant planer un mystère autour de lui-même, il élu-   5
dait ainsi chaque fois, par une phrase d'insouciance ou
de bravade, tout ce qui semblait une question sur sa vie
première. LOTI, Matelot, XXXIII.

Le roi ne s'enferma pas dans cette fin de non recevoir et,   6
par sa lettre du 18 septembre adressée à l'Assemblée, il
essaie d'éluder les arrêtés du 4 août, en multipliant les
objections du détail.
JAURÈS, Hist. socialiste..., I, p. 348.

REM. La construction avec l'infinitif était courante à
l'époque classique. Il éluda avec adresse d'expliquer son refus.

Absolt. → **Esquiver**.

(...) la femme fuit, elle élude, mais un mot plus doux la   7
blesse au cœur (...)
E. FROMENTIN, Un été dans le Sahara, p. 34.

(...) la façon chaleureuse dont le pourtant si réservé Jean-   8
Pierre Vivet me parle du Dîner en ville, et les commentaires
subtils qu'il fait de mon roman me mettent en confiance.
Si bien que non seulement je réponds sans éluder aux
questions qui me sont posées (...) mais encore je me laisse
aller à des confidences qui me surprennent moi-même.
Claude MAURIAC, le Temps immobile, p. 30.

CONTR. Affronter, assumer, faire (faire face à). ◊ DÉR. Éludable.

ÉLUER [elɥe] v. tr. — Attesté xxᵉ ; du lat. eluere « laver,
rincer », de ex-, et luere.

Chim. Séparer (une substance) par élution*.

ÉLUSIF, IVE [elyzif, iv] adj. — 1801 ; de elusus,
supin de eludere, ou angl. elusive (1719), « fuyant, insaisissable ».

Didact. ou littéraire.

♦ **1** Qui élude, esquive. *Réponse élusive,* évasive.

♦ **2** Changeant ; qui présente une apparence trompeuse.

(...) l'élusive architecture des nuages, des flammes ou des cascades (...)
Roger CAILLOIS, Esthétique généralisée, I, p. 11.

ÉLUSION [elyzjɔ̃] n. f. — 1332, «tromperie» ; du lat. *elusio* «tromperie», du supin de *eludere*. → Éluder.

Rare. Fait d'éluder.

Prudence difficile à déchiffrer, où l'on ne sait si le désir de «ne pas voir la mort» exprime la crainte de la voir, l'élusion et la fuite devant l'inconcevable, ou, au contraire, la profonde intimité qui fait silence (...)
M. BLANCHOT, l'Espace littéraire, p. 193.

ÉLUTION [elysjɔ̃] n. f. — Fin XIXᵉ ; du bas lat. *elutio* «action de laver», de *elutum*, supin de *eluere* «laver, rincer». → Éluer.

Chim. Remise en solution d'une substance précédemment concentrée par adsorption. *Procéder à l'élution d'une substance.* → **Éluer.** *L'élution se pratique en chromatographie.*

DÉR. V. **Éluat.**

ÉLUVIAL, ALE, AUX [elyvjal, o] adj. — 1927 ; de *eluvium.* → Éluvion.

Didact. (géol.). Qui appartient aux éluvions. *Formations éluviales. Horizons éluviaux,* appauvris par éluviation*.

ÉLUVIATION [elyvjasjɔ̃] n. f. — Mil. XXᵉ ; de *eluvium,* d'après *illuviation.*

Didact. (géol., pédol.). Processus provoquant l'appauvrissement d'un horizon* éluvial par décomposition et entraînement de certains de ses constituants. → **Lessivage.** *Éluviation mécanique, chimique.*

ÉLUVION [elyvjɔ̃] n. f. — Mil. XXᵉ ; francisation, d'après *alluvion,* de *eluvium,* 1927, formé d'après *diluvium.*

Géol., géogr. Produit de la désagrégation des roches resté en place. → **Alluvion.**

DÉR. **Éluvionnaire.**

ÉLUVIONNAIRE [elyvjɔnɛʀ] adj. — Mil. XXᵉ ; de *éluvion.*

Géol., géogr. Qui se rapporte aux éluvions.

ÉLYME [elim] n. m. — 1778 ; du lat. sc. *elymus,* grec *elumos* «millet».

Bot. Plante monocotylédone (*Graminées*), vivace, à fortes racines, à larges feuilles allongées, qui pousse dans les sables mouvants. *L'élyme europœus* ou *orge d'Europe,* employé à fixer les dunes. → **Oyat.**

HOM. Formes du v. **élimer.**

ÉLYSÉE [elize] n. m. et adj. — 1372, *champs elisies ; élysée* seul, XVIᵉ ; lat. *elysii campi,* grec *elusia pedia.*

♦ **1** **Myth.** Région des enfers où les héros, les hommes vertueux séjournaient après leur mort, et où régnait un printemps éternel. *L'Élysée, le séjour des heureux.*

1   Dans un coin de l'espace inaccessible aux hommes,
Il est un autre monde, un Élysée, un ciel (...)
LAMARTINE, la Mort de Socrate.

(1794). **Poét.** Lieu agréable ; séjour délicieux. → **Éden, paradis ; ciel.**

Il y a là des moulins, des cabarets et des tonnelles, des   2
élysées champêtres et des ruelles silencieuses, bordées de
chaumières, de granges et de jardins touffus (...)
NERVAL, Promenades et souvenirs, I.

♦ **2** (1864). **Spécialt.** *L'Élysée,* palais situé à Paris près des Champs-Élysées, résidence du président de la République. *Être reçu à l'Élysée.* — Par métonymie. Services du président de la République. *L'Élysée a publié un démenti.*

♦ **3** Adj. *Les champs Élysées :* le séjour des bienheureux, décrit par Homère et par Virgile. — On trouve aussi *champs élyséens*.*

(...) les bons rois jouissaient, dans les champs Élysées,   3
d'un bonheur infiniment plus grand que celui du reste
des hommes qui avaient aimé la vertu sur la terre.
FÉNELON, Télémaque, XIV.

Spécialt. *Les Champs-Élysées,* à Paris, Large avenue reliant la place de la Concorde à l'arc de triomphe de l'Étoile.

DÉR. V. **Élyséen.**

ÉLYSÉEN, ENNE [elizeɛ̃, ɛn] adj. — 1512, *élysien,* encore au XVIIᵉ ; de *Élysée(s),* n. propre.

♦ **1** **Myth.** Qui appartient, qui est relatif à l'Élysée (1.). *Repos élyséen. Ombres élyséennes. Champs élyséens* (→ Asphodèle, cit. 1).

Hélas ! dans l'avenue des Acacias — l'allée des Myrtes — j'en   1
revis quelques-unes, vieilles, et qui n'étaient plus que des
ombres terribles de ce qu'elles avaient été, errant, cherchant désespérément on ne sait quoi dans les bosquets
virgiliens (...) La nature recommençait à régner sur le Bois
d'où s'était envolée l'idée qu'il était le Jardin élyséen de la
Femme (...)
PROUST, À la recherche du temps perdu, t. II,
p. 280.

♦ **2** Qui se rapporte au palais de l'Élysée, à la présidence de la République.

Comment ce peuple supporte-t-il encore l'espèce de ballet   2
dansé autour de l'Élysée sur le thème de la Crise (...) Oui,
le destin du monde est suspendu à cette chorégraphie élyséenne, à ce quadrille dansé par des bourgeois de Labiche
qui s'appellent «président» (...)
F. MAURIAC, le Nouveau Bloc-notes 1958-1960,
p. 50.

ÉLYTRAL, ALE, AUX [elitral, o] adj. — 1893 ; de *élytre.*

Zool. Relatif aux élytres* des insectes. *Rebord élytral.*

ÉLYTRE [elitʀ] n. m. — 1762 ; du lat. sc. *elytra,* grec *elutron* «étui» et aussi «élytre».

Aile antérieure (des coléoptères), dure et cornée, qui recouvre l'une des ailes postérieures à la façon d'un étui. → **Épaulière.** *Un élytre. Les élytres du hanneton. Élytres fasciés*.*

(...) le scarabée est un scarabée d'or, d'or massif, d'un bout   1
à l'autre, dedans et partout, excepté les ailes (...) Vous
n'avez jamais vu un éclat métallique plus brillant que celui
de ses élytres (...)
BAUDELAIRE, Trad. E. POE, le Scarabée d'or.

Comme une mouche qui se brosse le ventre puis se passe   2
les pattes sur les élytres (...)
B. CENDRARS, la Main coupée, in Œ. compl., t. X,
p. 8.

DÉR. **Élytral.**

ÉLYTRITE [elitʀit] n. f. — 1864 ; du grec *elutron* «gaine» (→ Élytre), et *-ite.*

Méd. Inflammation du vagin.

ÉLYTRO- Premier élément de divers mots savants, tiré du grec *elutron* «fourreau, vagin».

ELZÉVIR [ɛlzeviʀ] n. m. — Fin XVIIᵉ; de *Elzévir* ou *Elzevier* [elzevir], nom d'une célèbre famille d'imprimeurs hollandais.

Didact. ou technique.

♦ **1** Livre imprimé en Hollande par les Elzévir, depuis la fin du XVIᵉ siècle jusqu'au début du XVIIIᵉ siècle, et, par ext., volume imprimé par les imitateurs des Elzévir. *Un bel elzévir. La collection des elzévirs.*

♦ **2** (1883). Par ext. Caractère d'imprimerie à empattements triangulaires, proche du type employé par les Elzévir. *De l'elzévir de sept, de dix points* (→ Caractère, cit. 6).

Dès le début, Monmerqué nous donna l'amour de l'elzévir et, d'abord, la façon de le distinguer. «Ce n'est peut-être pas, disait-il, le plus lisible de tous, mais c'est le moins grossier. Il fait des pages plus grises que le caractère romain, mais il est plus délié, plus aristocratique. Il appuie moins. C'est, de tous les caractères, celui qui donne le plus d'air et d'aisance à l'esprit.»

G. DUHAMEL, Chronique des Pasquier, V, VIII, p. 107.

DÉR. Elzévirien.

ELZÉVIRIEN, IENNE [ɛlzeviʀjɛ̃, jɛn] adj. — 1820; de *elzévir.*

Didact. ou techn. Qui est relatif aux elzévirs. *Édition elzévirienne. Format elzévirien :* petit in-douze. *Caractère elzévirien. Bibliothèque elzévirienne,* nom donné à une collection d'ouvrage imprimés dans ce format et dans ces caractères.

ÉMACIATION [emasjasjɔ̃] n. f. — 1564; de *émacié.* Littér. Amaigrissement, maigreur extrême. → **Cachexie, maigreur.**

1 Dante et Béatrix, saint Augustin et sainte Monique continuent ce système d'émaciation et d'allongement où le corps disparaît sous des draperies à plis droits pour laisser toute sa valeur à une tête d'une beauté maladive et frêle levant les yeux au ciel (...)

Th. GAUTIER, Portraits contemporains, A. Scheffer, p. 310.

2 Ces symboles, qui indiquent ce que l'on pourrait appeler des états philosophiques de la matière, mettent déjà l'esprit sur la voie de cette purification ardente, de cette unification et de cette émaciation dans un sens horriblement simplifié et pur, des molécules naturelles (...)

A. ARTAUD, le Théâtre et son double, Œ. compl., t. IV, p. 60.

REM. On a dit aussi *émaciement* [emasimɑ̃] n. m.

3 (...) je pensais au danger qu'il y aurait à rencontrer trop souvent cette femme : j'avais fait tout entier de l'immatérialité de la personne, du caractère surnaturel de ses yeux, de cet émaciement de ses traits d'une finesse presque psychique (...)

Ed. et J. DE GONCOURT, Journal, t. II, p. 137.

ÉMACIÉ, ÉE [emasje] adj. — 1560; lat. *emaciatus,* p. p. de *emaciare,* de *ex-,* et *macies* «maigreur».

Littér. Qui est très amaigri. → **Étique, maigre, sec, squelettique.** *Un corps émacié.* — Spécialt, plus cour. Aminci à l'extrême par l'amaigrissement. *Figure pâle et émaciée. Ascète au visage émacié.*

1 Peu à peu, vous arrivez aux mosaïques et aux peintures de l'art byzantin, aux Christs et aux Panagias émaciés, étriqués, raidis (...)

TAINE, Philosophie de l'art, t. II, p. 302.

2 Les visages bruns, cuits par le soleil, les visages émaciés par la fatigue ruisselaient de sueur sous le bonnet à passepoils rouges.

P. MAC ORLAN, la Bandera, VI, p. 66.

CONTR. Bouffi, boursouflé, gras, gros. ◊ DÉR. Émaciation.

ÉMACIEMENT [emasimɑ̃] n. m. → **Émaciation.**

ÉMACIER [emasje] v. tr. — 1870; du lat. impérial *emaciare* «rendre maigre». → Émacié.

Rare. Rendre très maigre. *Les privations l'avaient émacié.* — Fig. (Sujet n. de chose). Au passif ou p. p. «*Un arbre assez malingre, émacié par les vents*» (J. Verne, *l'Île mystérieuse,* p. 67, *in* T. L. F.).

◆ **S'ÉMACIER** v. pron.

Devenir très maigre, très mince (opposé à *engraisser, grossir*). *Son visage s'est émacié.*

◆ **ÉMACIÉ, ÉE** p. p. adj. → **Émacié.**

E-MAIL [imɛl] n. m. — 1994; angl. des États-Unis *e-mail,* abrév. de *electronic mail* «courrier électronique».

Anglic. Courrier* électronique. *Communiquer par e-mail. Envoyer un document par e-mail. Recevoir des e-mails.* — Appos. *Avoir une adresse e-mail.* — REM. *Courriel,* contraction de *courrier électronique,* est utilisé au Québec et en Belgique. *Mél,* recommandé à l'écrit, ne s'emploie pas.

ÉMAIL, AUX [emaj, o] n. m. — XIIIᵉ; *esmal,* 1140; du francique **smalt* (cf. all. Schmelz, de schmelzen «fondre»); P. Guiraud rapproche le mot du lat. *maltha* «espèce de bitume», d'où **esmalt,* d'un roman **exmalthare.*

♦ **1** Vernis constitué par un produit vitreux incolore, appelé *fondant* (mélange de calcine, de sable et de sel), coloré par des oxydes métalliques et qui, après avoir été porté à la température convenable et fondu (→ **Parfondre**), se solidifie et devient inaltérable. *De l'émail. Émail artistique. Émail cloisonné*. Émail champlevé* ou *en taille d'épargne. Émail translucide sur reliefs, de basse taille ou d'applique. Émaux niellés ou de niellure*.* — *Émaux des peintres ou émail peint,* appliqué sur des plaques métalliques planes et non gravées. *Peintre en émail. Portrait en émail.* — *Émail mixte. Émaux des orfèvres. Bijou en émail. Émail usé,* que l'on a usé pour le rendre poli. *Les couleurs de l'émail. Émail bleu d'azur* (cit. 1). *Les altérations des émaux* (boursouflure, écaille, œillet). *L'art de l'émail.* → aussi **Céramique.**

Mais quel est ce bijou que le sort me présente? L'émail en est fort beau, la gravure charmante.

MOLIÈRE, Sganarelle, 5.   1

(*Un émail, des émaux*). Ouvrage d'orfèvrerie fait en émail (dans ce sens, on emploie surtout le plur.). *Les émaux de Bernard Palissy. Une collection d'émaux. Émaux de Limoges. Émaux et Camées,* recueil de vers de Théophile Gautier.

Ses enlumineurs, par conséquent, avaient l'éclat et la consistance lumineuse des émaux.   2

Léon BLOY, la Femme pauvre, p. 134.

♦ **2** Matériau vitreux recouvrant des objets de métal à usage domestique, et empêchant l'oxydation. *Appliquer une couche d'émail. L'émail d'un cadran d'horloge.* — Par ext. *Baignoire, cuvette, fourneau en émail, en fonte ou en tôle émaillée* (→ Cuisine, cit. 4). *Casserole en émail.*

Peut-être avant que l'heure en cercle promenée   3
Ait posé sur l'émail brillant,
Dans les soixante ans où sa route est bornée
Son pied sonore et vigilant (...)

André CHÉNIER, Iambes, XII.

La porte d'entrée, vitrée comme toujours, montrant en lettres d'émail blanc, collées sur le verre, le mot «café» et le nom du propriétaire en deux lignes incurvées se présentant leur côté concave.   3.1

A. ROBBE-GRILLET, Dans le labyrinthe, p. 48.

Par anal. Matière vitreuse dont on enduit la faïence, la porcelaine. → **Glaçure** (→ Porcelaine, cit. 21). *L'émail des poteries.*

♦ **3** Substance transparente extrêmement dure contenant plus de 95 % de matières minérales, qui recouvre l'ivoire de la couronne des dents. *Relatif à l'émail dentaire.* → **Adamantin** (II.). *Les adamantoblastes*, cellules génératrices de l'émail.*

4 Vois-tu les amoureux, sur leurs grabats prospères,
De leur bouche en dormant montrer le frais émail ?
BAUDELAIRE, la Lune offensée.

Vernis qui revêt l'intérieur de certaines coquilles.

♦ **4** (1681). *Blason.* Se dit de certaines couleurs de l'écu. *Les métaux et les émaux* (azur, carnation, gueules, orangé, pourpre, sable, sinople). *Écu à sept couleurs, dont deux métaux et cinq émaux. Combinaison d'émaux représentant les fourrures* (hermine, vair). → **Fourrure, panne.**

♦ **5** *Fig. Vx. Littér.* Coloris éclatant et varié (des fleurs). *L'émail des prés* (→ Botanique, cit. 3). *L'émail des fleurs.*

5 Toutes les cousines et les sœurs avaient de beaux habits tout neufs, de différentes couleurs, avec beaucoup de pierreries : cela faisait le plus bel effet du monde, comme l'émail d'un parterre. Mᵐᵉ DE SÉVIGNÉ, 1374, 1694.

6 On découvre de loin une grande prairie toute parée de l'émail des fleurs (...)
MONTESQUIEU, le Temple de Gnide, 1.

DÉR. Émailler. ◊ **COMP.** Contre-émail.

ÉMAILLAGE [emajaʒ] n. m. — 1870; du rad. de *émailler.*

♦ **1** Action d'émailler; résultat de cette action. *L'émaillage de la fonte.*

♦ **2** Couche d'émail (2.). *L'émaillage de ce fourneau a presque entièrement disparu.* → **Émaillure.**

ÉMAILLER [emaje] v. tr. — XIIIᵉ; de *émail.*

♦ **1** Recouvrir d'émail (1.). → Émailleur, cit. *Émailler un bracelet.* — (Au sens 2). *Émailler de la porcelaine.*

♦ **2** *Par métaphore ou fig. Vieilli ou poét.* Orner de points de couleur vive. → **Diaprer, embellir, orner, parer, parsemer, semer.**

1 (...) mille fleurs naissantes émaillaient les tapis verts dont la grotte était environnée. FÉNELON, Télémaque, I.

2 Arrêtez-vous dans une prairie émaillée à examiner successivement les fleurs dont elle brille (...)
ROUSSEAU, Rêveries..., 7ᵉ Promenade.

Par anal. Étoiles qui émaillent le ciel.

3 Et vous, brillantes sœurs, étoiles mes compagnes,
Qui du bleu firmament émaillez les campagnes (...)
LAMARTINE, Nouvelles méditations, «Les étoiles».

4 Tout reposait dans Ur et dans Jérimadeth (...)
Les astres émaillaient le ciel profond et sombre (...)
Le croissant fin et clair parmi ces fleurs de l'ombre
Brillait à l'occident (...)
HUGO, la Légende des siècles, II, VI.

♦ **3** *Fig. (Abstrait).* Orner, semer (un ouvrage) d'ornements divers. → **Enrichir.** *Émailler un texte de citations.*

5 Comme on voit l'or et l'azur sur la peau des serpents, vous émaillez, avec les plus vives couleurs de l'éloquence, des paroles venimeuses (...) VOITURE, Lettres, 50.

Par antiphr., iron. Cet élève a émaillé son devoir de fautes grossières. Un voyage émaillé d'incidents désagréables.

◆ **S'ÉMAILLER** v. pron.

Devenir émaillé.

6 (...) il n'eut que le temps de recueillir le dernier frisson de cette commençante vie, le dernier regard sans lumière de ces yeux charmants dont l'azur clair se faïença, s'émailla d'une *vitre* laiteuse qui les éteignit (...)
Léon BLOY, la Femme pauvre, p. 224.

7 En continuant la route qui contourne le Sarbonnet, on gagnait les prés verdoyants que baigne la Fontaine d'Eure. Les plus mouillés d'entre eux s'émaillaient au printemps de ces gracieux narcisses blancs dits «du poète», qu'on appelle là-bas des *courbadonnes.*
GIDE, Si le grain ne meurt, I, II, p. 53.

◆ **ÉMAILLÉ, ÉE** p. p. adj. *Faïence, fonte émaillée* (→ Cheminée, cit. 2). — Fig. (→ ci-dessus, cit. 2). — (Abstrait). *Discours émaillé d'images; style émaillé de figures.* → **Fleuri.**

DÉR. Émaillage, émaillerie, émailleur, émaillure.

ÉMAILLERIE [emajʁi] n. f. — 1417, *esmaillerie* «objet émaillé»; de *émailler.*

Technique.

♦ **1** (1622). Art de fabriquer de l'émail, des émaux. *L'art de l'émaillerie.*

♦ **2** Lieu où l'on émaille.

La maison s'embarque aujourd'hui pour visiter l'émaillerie du Bourget.
Ed. et J. DE GONCOURT, Journal, 1874, p. 1011,
in T. L. F.

ÉMAILLEUR, EUSE [emajœʁ, øz] n. — XIIIᵉ, *esmailleur;* de *émailler.*

Personne qui travaille dans l'émaillerie, fabrique des émaux. *Lampe, couperet d'émailleur.*

Que n'ai-je les ciseaux sonores du tailleur
Pour couper votre robe !
Et que n'ai-je le four qu'allume l'émailleur !
J'émaillerais le globe (...)
G. NOUVEAU, la Doctrine de l'amour,
Cantique à la Reine, Pl., p. 487.

ÉMAILLURE [emajyʁ] n. f. — 1328, «revêtement d'émail»; de *émailler.*

Techn. Travail d'émailleur. → **Émaillage.** *Émaillure artistique, délicate, grossière.*

EMAKI-MONO [emakimono] n. m. — XXᵉ; mot japonais.

Didact. (arts). Rouleau pictural narratif déroulé horizontalement. → aussi **Makémono.** *Les emaki-monos les plus célèbres sont de l'époque Kamakura* (XIIᵉ-XIIIᵉ siècles).

ÉMANATION [emanasjɔ̃] n. f. — 1579; lat. *emanatio* (Vulgate, Sapientia, 7, 25), du supin de *emanare.* → Émaner.

Action d'émaner*; chose qui émane.

♦ **1** *Théol.* Manière dont le Fils procède du Père, et le Saint-Esprit du Père et du Fils. → **Mystère, procession, trinité.**

Philos. Processus par lequel les êtres et le monde seraient produits par la nature divine (opposé à *création*). *L'émanation est une idée essentielle à la philosophie néoplatonicienne, à la cabale, et à certains mystiques comme Eckhart. Théorie panthéiste de l'émanation. Émanation dans le devenir*.*

1 Premier principe. *De rien il ne se fait rien,* c'est-à-dire qu'aucune chose ne peut être tirée du néant. Voilà le pivot sur lequel roule toute la Cabale philosophique, et tout le système des émanations, selon lequel il est nécessaire que toutes choses émanent de l'essence divine, parce qu'il est impossible qu'aucune chose de non-existante devienne existante. Encycl. (DIDEROT), art. *Cabale.*

♦ **2** [a] (1755). Vieilli en sc. Émission ou exhalaison de particules impalpables, de corpuscules subtils qui se détachent de certains corps. → **Bouffée, dégagement, émission, exhalaison, odeur, transpiration, vapeur.**

2 Il ouvrait les narines pour mieux humer le parfum s'exhalant de sa personne. C'était une émanation indéfinissable, fraîche, et cependant qui étourdissait comme la fumée d'une cassolette.　　　　　　FLAUBERT, Salammbô, p. 221.

3 Les émanations des liqueurs répandues se mêlaient à l'odeur des corps et à celle des parfums violents dont la peau des marchandes d'amour est pénétrée et qui s'évaporaient dans cette fournaise.
　　　　　　MAUPASSANT, la Femme de Paul, p. 13.

4 J'aspirais, à travers la pluie, ces émanations presque tièdes du charbon de terre. Elles s'élevaient lourdement à mon passage et je devais, pour les franchir, tirer tout le poids de mon corps derrière moi. Elles me suivaient longtemps dans la brume, et, plus longtemps encore, dans mon âme alourdie par la viscosité de leurs vapeurs.
　　　　　　H. BOSCO, Un rameau dans la nuit, p. 47.

[b] Cour. Odeur d'une émanation. *Émanations pestilentielles, fétides, puantes.* → **Effluence, miasme, relent.** *L'émanation d'un gibier.* → **Vent.** *Émanation d'un mets.* → **Fumet, odeur, parfum.**

4.1 Caché dans la coulisse, Darriand répétait lui-même, comme un écho, le nom des fleurs appelées, débouchant quelques secondes à l'avance tel flacon rempli d'un composé extrêmement volatil, dont les émanations iraient soudain frapper de tous côtés l'odorat des spectateurs.
　　　　　　Raymond ROUSSEL, Impressions d'Afrique, p. 345-346.

[c] Hist. des sc. *Émanation de la lumière,* dans la théorie de Newton.

5 Plusieurs auteurs, à la tête desquels est M. Newton, veulent que la lumière soit produite par une *émanation* de corpuscules qui s'élancent du corps lumineux. Si ce système, qui est appuyé sur des preuves très fortes, était vrai, il servirait à prouver combien les *émanations* peuvent être subtiles et à quelles distances énormes elles peuvent s'étendre.
　　　　　　D'ALEMBERT, Encycl., art. *Émanation.*

[d] (1904, *Rev. gén. des sc.,* p. 60). Phys. mod. Se dit de gaz radio-actifs, produits par la décomposition spontanée de substances radio-actives. → **Radiation.** — On dit aussi *émanon. Émanation de radium* (→ **Radon**), *du thorium* (→ **Thoron**), *de l'actinium* (→ **Actinon**)... — Géol. *Émanations volcaniques.* → **Fumerolle.**

5.1 Ainsi le radium produit un gaz, appelé *émanation* du *radium* ou *niton* (pour rappeler qu'il luit dans l'obscurité) qui, par ses caractères chimiques, se rapproche des gaz rares de l'air : hélium, argon, néon, xénon, krypton (...)
　　　　　　A. BOUTARIC, la Vie des atomes, p. 167.

♦ **3** Par ext. Ce qui sort, procède de qqch. ou de qqn. → **Aura, dérivation, émission, expression, manifestation.** *L'âme, émanation de Dieu. Émanation de la beauté idéale* (→ Apparence, cit. 4).

6 Il y a dans les élus de Dieu différentes espèces de sainteté ; mais (...) il n'y en a pas une qui ne soit une émanation de cette sainteté originale et exemplaire, qui est Dieu (...)
　　　　　　BOURDALOUE, Sermon sur la récompense des saints.

Spécialt. *Émanation de l'autorité, du pouvoir,* ce qui en vient et qui l'exprime.

7 (...) cette splendeur usurpée *(par les ministres)* sur tout le reste de l'État dura autant que dura le règne de Louis XIV. Il en tirait vanité (...) il n'en était pas moins jaloux qu'eux (...) il ne voulait de grandeur que par émanation de la sienne.　　　　SAINT-SIMON, Mémoires, t. IV, LI.

8 Si les assemblées parlementaires étaient une émanation supérieure du pays, si l'État était un représentant éminent de la nation, on ne s'y battrait même pas.
　　　　　　Ch. PÉGUY, la République..., p. 56.

8.1 (...) le parti qui est l'émanation du chef et l'outil de sa volonté d'expression.
　　　　　　CAMUS, l'Homme révolté, p. 227, in T.L.F.

L'émanation subtile d'une ambiance*. → **Atmosphère, aura.** — Poét. → **Souffle.**

9 En la tenant sous mon regard, dans mes mains, j'avais l'impression de la posséder tout entière, que je n'avais pas quand elle était réveillée. Sa vie m'était soumise, exhalait vers moi son léger souffle. J'écoutais cette murmurante émanation mystérieuse, douce comme un zéphyr marin, féerique comme ce clair de lune, qu'était son sommeil.
　　　　　　PROUST, À la recherche du temps perdu, t. XI, p. 84.

Spécialt. (Spiritisme). *Émanations d'un médium.* → **Ectoplasme.**

DÉR. (Du même rad.) **Émanon.**

ÉMANCHE [emɑ̃ʃ] n. f. — 1721 ; altér. de *emmanche,* 1671 ; de *emmanché,* de *en-,* et *manche.*

Blason. Pièce de l'écu en forme de pointe triangulaire. — REM. On dit aussi *émanchure* [emɑ̃ʃyʀ] n. f.

ÉMANCIPATEUR, TRICE [emɑ̃sipatœʀ, tʀis] n. et adj. — 1836 ; bas lat. *emancipator,* du supin de *emancipare,* ou de *émanciper.*

Littér. Personne ou principe qui provoque l'émancipation intellectuelle ou morale. → **Libérateur.** *Descartes fut l'émancipateur de la philosophie.* — Adj. *Influence émancipatrice. Des idées émancipatrices.*

(...) Moïse, émancipateur de l'homme au milieu des nations esclaves de l'ignorance et de la force (...)
　　　　　　CHATEAUBRIAND, in LÉGOARANT, Dictionnaire.

ÉMANCIPATION [emɑ̃sipasjɔ̃] n. f. — 1312 ; lat. *emancipatio,* de *emancipatum,* supin de *emancipare.* → Émanciper.

Action d'émanciper (qqn), de s'émanciper ; résultat de cette action.

♦ **1** Dr. Acte par lequel un mineur est affranchi de la puissance paternelle ou de la tutelle et acquiert, avec le gouvernement de sa personne, une capacité limitée par la loi. *Émancipation tacite,* légale par le mariage (Code civil, art. 476). *Émancipation expresse, volontaire,* par déclaration du père ou de la mère (Code civil, art. 477). *L'émancipation substitue la curatelle* à l'administration légale ou à la tutelle.*

♦ **2** Action de s'affranchir d'une domination, d'une servitude. — (1808, in D.D.L.) *Émancipation des esclaves, des serfs.* → **Affranchissement.**

♦ **3** (1796). Cour. Action de s'affranchir, de se dégager d'une autorité, d'une domination, de servitudes... → **Libération.** *Mouvement d'émancipation des races de couleur, des colonies. Émancipation de la femme.* → **Indépendance.**

0.1 Cette guerre était d'une part une guerre de libération nationale et d'autre part une guerre contre l'esclavage et pour l'émancipation de l'homme noir.
　　　　　　Jean ZIEGLER, Main basse sur l'Afrique, p. 12.

Action de se libérer d'une dépendance morale, de préjugés traditionnels. *L'émancipation de l'esprit, de l'intelligence. Émancipation des idées. L'émancipation sexuelle.*

1 (...) quand l'émancipation philosophique vient ensuite, cela produit des esprits très ouverts.
　　　　　　RENAN, Souvenirs d'enfance..., III, III, p. 139.

2 Gautier représentait pour moi, comme pour tant d'autres écoliers d'alors, le dédain du convenu, l'émancipation, la licence.　　　GIDE, Si le grain ne meurt, I, VII, p. 200.

CONTR. **Tutelle** (mise en). — **Asservissement, assujettissement, dépendance, enchaînement, esclavage, servitude, soumission.**

ÉMANCIPER [emãsipe] v. tr. — XIVᵉ; lat. jurid. *emancipare*, de *ex-*, et *mancipare* «vendre», de *mancipium* «propriété, puissance», de *manus* «main», et *capere* «prendre».

♦ **1** Dr. rom. Affranchir (une personne) de la puissance *(mancipium)* que le chef de famille exerce sur elle.

Dr. mod. Affranchir (un mineur) de la puissance parentale ou de la tutelle. → **Émancipation.** *Il a été émancipé par sa mère, après le décès de son père. Le mineur émancipé ne peut faire certains actes sans l'assistance* de son curateur ou l'autorisation du conseil de famille.*

1   Le mineur est émancipé de plein droit par le mariage.
            Code civil, art. 476.

2   Le mineur, même non marié, pourra être émancipé lorsqu'il aura atteint l'âge de seize ans révolus. Cette émancipation sera prononcée, s'il y en a de justes motifs, par le juge des tutelles, à la demande des père et mère ou de l'un deux.   Code civil, art. 477 (loi du 5 juil. 1974).

3   On avait émancipé mademoiselle de Watteville, qui d'ailleurs atteignait bientôt à l'âge de vingt et un ans.
            BALZAC, Albert Savarus, Pl., t. I, p. 855.

♦ **2** Libérer (qqn) d'un état de dépendance juridique. *Émanciper un esclave, un serf.* → **Affranchir.**

♦ **3** Fig. Cour. Affranchir (qqn) de la tutelle d'une autorité supérieure. → **Libérer.** *Émanciper la femme. Émanciper les esprits.*

4   La liberté, en les frappant, les émancipa, elle en fit des hommes libres.
            MICHELET, Hist. de la révolution franç., II, p. 99.

5   (...) impatiente de toute autorité masculine *(George Sand)* lutta pour en émanciper les femmes et leur assurer la franchise de leurs corps et de leurs sentiments.
            A. MAUROIS, Lélia, p. 11.

♦ **S'ÉMANCIPER** v. pron.

S'affranchir (d'une tutelle, d'une sujétion, de servitudes). — (Avec un compl. introduit par de). *«Le prolétariat (...) la classe qui, en s'émancipant, émancipera l'humanité du travail servile»* (P. Éluard, *Donner*, p. 159, *in* T. L. F.). — Absolt. *Il a commencé à s'émanciper dès le collège.* → **Voler** (de ses propres ailes); **volée** (prendre sa). — Fam., souvent péj. Prendre des libertés, trop de licence dans sa conduite, rompre avec les contraintes morales et sociales.

6   (...) ils s'émancipent un peu trop, et s'attachent, en étourdis, à conter des fleurettes à tout ce qu'ils rencontrent.
            MOLIÈRE, le Sicilien, 13.

7   Ninon fut des premières à s'émanciper comme femme, à professer qu'il n'y a au fond qu'une seule morale pour les hommes et pour les femmes (...)
            SAINTE-BEUVE, Causeries du lundi, 26 mai 1851, t. IV, p. 175.

8   (...) l'humanité s'est définitivement émancipée, elle s'est constituée personne libre, voulant se conduire elle-même, et supposé qu'on profite d'un instant de sommeil pour lui imposer de nouvelles chaînes, ce sera un jeu pour elle de les briser.
            RENAN, l'Avenir de la science, Œ. compl., t. III, p. 751.

9   Tu me rappelles certains Anglais : plus leur pensée s'émancipe, plus ils se raccrochent à la morale; c'est au point qu'il n'y a pas plus puritain que certains de leurs libres-penseurs.   GIDE, les Faux-monnayeurs, I, VII, p. 81.

S'émanciper avec qqn : prendre des libertés avec qqn.

♦ **ÉMANCIPÉ, ÉE** p. p. adj.

Qui a été émancipé; qui s'est émancipé.

Fig. Qui a rompu avec les préjugés. *Une personne un peu trop émancipée*, qui prend trop de liberté, qui manque de retenue. → **Affranchi.** *La sœur est plus émancipée que le frère. Des manières émancipées.*

— Comment! les femmes sont donc...   10
— Émancipées, tout à fait émancipées... Comme partout!
            A. ROBIDA, le Vingtième Siècle, p. 378.

DÉR. V. **Émancipateur.**

ÉMANER [emane] v. intr. — XIVᵉ, rare jusqu'au XVIIᵉ; lat. *emanare* «couler de, provenir de», de *ex-*, et *manare* «couler, se répandre».

ÉMANER DE... : venir de, tirer sa source de...

♦ **1** Provenir d'une source physique. *Lumière qui émane d'une source lumineuse, du soleil. La chaleur qui émane d'un four.* → **Provenir** (de). *Corps d'où émane une odeur. Fleurs d'où émane un parfum.*

(...) elle étincelle comme si la lumière fût émanée d'elle   1
au lieu d'être simplement réfléchie, et on l'eût plutôt prise pour une production merveilleuse du pinceau que pour une créature humaine faite de chair et d'os.
            Th. GAUTIER, Mˡˡᵉ de Maupin, VI, p. 125.

Au plafond, et si proches du crâne qu'on peut les atteindre   2
avec la main, s'alignent les tuiles du toit, chauffées par le soleil, et d'où émane, jour et nuit, une température de plaque de four.
            MARTIN DU GARD, les Thibault, t. VIII, p. 114.

Se détacher, s'échapper d'un corps (en parlant d'un gaz, de corpuscules, etc.). *Gaz qui émane d'une substance radio-active.* → **Émanation** (2., c), **radiation.** — *Corpuscules qui émanent des corps odorants.* → **Exhaler** (s').

♦ **2** Théol. Sortir de la substance une et universelle qui est Dieu, par émanation* (1.). → **Procéder.** *Le Verbe émane de Dieu le Père. Le Saint-Esprit émane du Père et du Fils.*

(Dieu) n'a pas créé la matière du néant (...) rien ne vient de   3
rien, rien ne retourne à rien : je conçois que l'universalité des choses est émanée de ce Dieu, qui seul est par lui-même, et dont tout est l'ouvrage (...)
            VOLTAIRE, Dialogues d'Évhémère, IV.

♦ **3** Cour. Provenir comme de sa source naturelle. → **Découler, dériver, descendre, partir, procéder, provenir, sortir, venir.** *L'autorité* (cit. 15) *émane de la nation. Décret* (cit. 2) *qui émane du chef du gouvernement. Mandat d'amener émanant du juge d'instruction* (→ Arrestation, cit. 3). *La loi émane de Dieu.*

La loi morale, commandement impératif, émane, non de   4
la raison, mais d'une autorité supérieure, différente par son essence, et la transposition qu'en fera le Christ, en la déjudaïsant, n'en changera pas au fond le caractère (...)
            André SIEGFRIED, l'Âme des peuples, Conclusion, I.

♦ **4** Fig. Provenir comme par rayonnement. *Charme qui émane d'une femme* (→ Auréole, cit. 8). *L'autorité, la force qui émane de toute sa personne.* → **Rayonner.**

Alors je connus cet appartement d'où dépassait jusque   5
dans l'escalier le parfum dont se servait Mᵐᵉ Swann, mais qu'embaumait bien plus encore le charme particulier et douloureux qui émanait de la vie de Gilberte.
            PROUST, À la recherche du temps perdu, t. III, p. 95.

Un extraordinaire rayonnement émanait de tout son être.   6
            GIDE, les Faux-monnayeurs, III, V, p. 348.

COMP. (Du même rad.) **Émanométrie, émanothérapie.**

ÉMANOMÉTRIE [emanɔmetri] n. f. — 1973, *Encyclopædia Universalis*; du rad. de *émaner*, et *-métrie*.

Phys., techn. Mesure de l'intensité du rayonnement α émis par certains gaz radioactifs (*émanations** ou *émanons**). → aussi **Radiométrie.**

L'émanométrie consiste à étudier les concentrations de radon dans le sol par mesure du rayonnement α qu'il émet. Cette technique est particulièrement utile dans le cas de gisements aveugles, non décelables par radiométrie classique.
            Encyclopædia Universalis, t. XVI, art. *Uranium*.

ÉMANON [emanɔ̃] n. m. — 1964, *Dictionnaire de l'Atome*; du rad. de *éman(ation)*, et suff. *-on*.

Phys. nucl. Émanation radioactive. — REM. On dit plutôt aujourd'hui *radon**. → aussi **Actinon, thoron.**

ÉMANOTHÉRAPIE [emanoteʀapi] n. f. — 1946, Quillet; du rad. de *émaner*, et *-thérapie*.

Didact. (méd.). Utilisation thérapeutique des émanations de corps radioactifs : radon* (du radium) et thoron* (du thorium).

ÉMARGEMENT [emaʀʒəmɑ̃] n. m. — 1721, Bloch; de *émarger*.

♦ **1** Apposition d'une mention, et, spécialt, d'une signature en marge d'un acte, d'un compte, d'un état de répartition... *Émargement d'un contrat. Feuille d'émargement* : feuille sur laquelle doivent signer les personnes qui ont à justifier de leur présence (cf. Feuille de présence), qui perçoivent leurs appointements...

(...) après avoir, hier, chez moi, signé d'une main fiévreuse la feuille d'émargement, il m'a presque jeté au visage la plume dont il venait de se servir (...)
COURTELINE, Messieurs les ronds-de-cuir, 3ᵉ tableau, I.

(1842). Par métonymie. Fait de toucher un traitement.

♦ **2** (1890). Techn. Action de diminuer la marge (d'un livre).

ÉMARGER [emaʀʒe] v. tr. [CONJUG.: *bouger*.] — 1611, au p. p.; de *é-*, *marge*, et suff. verbal.

♦ **1** Rare ou admin. Annoter, et, spécialt, signer à la marge un compte, un état... *Émarger un état d'appointements, de traitement*, cette signature servant de reçu.

Absolt, plus cour. Toucher le traitement affecté à un emploi. *Fonctionnaire qui émarge au budget.*

1 Ah! le jour où ils émargent tout une belle journée pour les surnuméraires!
BALZAC, les Employés, Pl., t. VI, p. 915.

2 Quoi! ce n'est pas le professeur qui professe? — Jamais. — Que fait-il? — Il émarge. — Qu'entendez-vous par ces paroles? — Il touche son traitement.
Alphonse KARR, les Guêpes, déc. 1843, *in* LITTRÉ.

♦ **2** (1805). Techn. Priver de sa marge ou d'une partie de sa marge (une feuille, un livre...). *Le relieur de l'époque a fâcheusement émargé le frontispice.* → **Rogner.** — Au p. p. *Estampe émargée.*

DÉR. **Émargement.**

ÉMARGINÉ, ÉE [emaʀʒine] adj. — 1774; lat. *emarginatus*, p. p. de *emarginare* «élargir (les plaies)», de *ex-*, et *margo, marginis* «rebord». → **Marge.**

Bot. Qui est légèrement échancré à l'extrémité. *Feuilles émarginées. Pétales émarginés.*

ÉMASCULATION [emaskylɑsjɔ̃] n. f. — 1755, *Encyclopédie*; de *émasculer*.

Didactique.

♦ **1** Action d'émasculer; résultat de cette action. → **Castration, stérilisation.**

1 Des objets difficiles à nommer, mais qui prouvent qu'autrefois l'émasculation était pratiquée sur les vaincus.
Maxime DU CAMP, Nil, 1854, p. 241, *in* T. L. F.

♦ **2** Fig. Littér. Abâtardissement, affaiblissement.

2 Émasculation systématique de l'enthousiasme religieux par médiocrité d'alimentation spirituelle (...)
Léon BLOY, le Désespéré, p. 38.

ÉMASCULER [emaskyle] v. tr. — XIVᵉ, repris 1707; lat. *emasculare*, de *ex-* privatif, et *masculus* «mâle».

♦ **1** Priver (un mâle) des organes de la reproduction. → **Castrer, châtrer, stériliser.**

1 (...) il y a trois ou quatre cadavres nus entassés par terre au fond de la cave on les a tous flagellés, émasculés, égorgés, barbouillés de peinture (...)
Tony DUVERT, Paysage de fantaisie, p. 62.

♦ **2** (Av. 1865). Fig. Enlever sa force à (qqn), rendre efféminé. → **Abâtardir, affaiblir, diminuer, efféminer, énerver, mutiler.** *Émasculer la volonté de qqn.*

2 Il avait ruiné, émasculé l'idée de parti et l'idée de chef.
J. ROMAINS, les Hommes de bonne volonté, t. IV, XVI, p. 175.

3 Si Colette le regardait boucler son sac sans émotion, c'est qu'elle avait décidé de le suivre; ou plus exactement de partir en sa compagnie. Il refusait parce qu'il tenait à préserver l'exceptionnel de son entreprise (...) Gilles craignait d'émasculer son exploit en le partageant avec Colette.
Jacques LAURENT, les Bêtises, p. 62.

◆ **ÉMASCULÉ, ÉE** p. p. adj. *Homme émasculé.* → **Eunuque.** *Animal émasculé. — Des idées, des théories émasculées*, sans vigueur.

CONTR. **Viriliser.**

ÉMAUX [emo] n. m. pl. → **Émail.**

EMBABOUINER [ɑ̃babwine] v. tr. — Fin XIIIᵉ; de *em- (en-)*, *babouin*, et suff. verbal.

♦ **1** Vx et fam. Tromper (qqn), convaincre en trompant. → **Abuser, amadouer, attraper, duper, emberlificoter, embobeliner, embobiner, enjôler, entortiller, leurrer.**

1 Sa femme morte, il *(M. de Soubise)* brusqua un superbe enterrement, embabouina le curé (...) tellement que Mᵐᵉ de Soubise fut portée droit de chez elle à la Mercy (...)
SAINT-SIMON, Mémoires, t. III, II.

Figuré :

2 Il n'y a si fin d'entre nous qui ne se laisse embabouiner de cette contradiction et éblouir tant les yeux internes que les externes insensiblement.
MONTAIGNE, Essais, I, XLIX.

♦ **2** Pron. Mar. Vx. Se mettre dans une situation difficile (dans des écueils, des hauts-fonds, etc.). *Le navire s'est embabouiné sur des récifs.*

EMBÂCLE [ɑ̃bɑkl] n. m. — 1755, *Encyclopédie*; «embarras», 1640; cf. anc. franç. *embacler* «embarrasser»; d'après *débâcle*. → **Bâcler.**

Obstruction d'un cours d'eau. — (1836). Obstruction par amoncellement de glaçons.

Nous trouvâmes Paris dans les affres d'un terrible hiver. La Seine était gelée, l'embâcle déjà parfait. Les promeneurs intrépides cheminaient d'une rive à l'autre sur la surface tourmentée du fleuve.
G. DUHAMEL, Inventaire de l'abîme, XIII, p. 191.

CONTR. **Débâcle.**

EMBALLAGE [ɑ̃balaʒ] n. m. — XVIᵉ; de *emballer*.

♦ **1** Action d'emballer; résultat de cette action. → **Conditionnement, empaquetage.** *Frais de port et d'emballage. Technique de l'emballage. L'emballage des fruits nécessite une main-d'œuvre spécialisée. Station de traitement et d'emballage des fruits.*

♦ **2** Comm. Ce qui sert à emballer; enveloppes de matière et de forme diverses dans lesquelles on emballe. → **Ampoule, bâche, balle, ballot, banne, bannette, baril, berlingot, bidon, billot, blister** (anglic.)**, brique** (1., b)**, bocal, boîte, bonbonne, bourriche, bouteille, cabas, cadre, cageot, cagette, caisse** (pleine, à claire-voie), **caissette, cantine, caque, carton, cartouche, châssis, cloyère, colis, contenant, conteneur, corbeille, cornet, couffe, couffin, estagnon, étui, flacon, flein, foudre, fût, futaille, group, harasse, housse, layette, malle, mallette, manne, mannequin, mannette, pack** (anglic.), **palette** (cit. 3), **panier** (rectangulaire, rond), **paquet, paquetage, plateau, poche, pochette, pot, sac, sachet, scouffin, toile, toilette, tonneau, tonnelet, touque, tourie, tube, valise.** *Caisse d'emballage* (→ Bandage, cit. 2 ; corps, cit. 13). — *Papier d'emballage. Standardisation des emballages. Fabricant d'emballages.* → **Emballeur, layetier.** *Fabrique d'emballages.* → **Caisserie, layeterie.** *Emballages de protection, de présentation, de décoration. Emballages sous vide. Emballages des produits destinés au transport, à la vente. Emballages à retourner. Emballage consigné*. Emballages vides.* — (1935, in D. D. L.). *Emballages perdus,* que l'expéditeur ne reprend pas (→ A jeter*). — *Emballage visible,* représentant (par des dessins ou des images) la nature du produit contenu à l'intérieur. *Emballage au mètre. Marchandises sans emballage.* → **Pêle-mêle, vrac** (en vrac). — *Emballage en fer, à armature métallique ; en bois* (liteaux, bois tranché); *en osier, en jonc, en roseau; en toile; en jute; en carton* (carton plat, ondulé, goudronné); *en papier* (fort, papier-toile goudronné, acétate de cellulose, d'étain, d'aluminium, sulfurisé); *en matière plastique, en plastique. Le capitonnage des emballages,* au moyen d'un revêtement intérieur (copeau, fibre de bois, foin, fougère, frisure, hypne, liège, mousse, ouate, paille, paillon, sciure). *Le cerclage, le cloutage, le plombage d'un emballage.* → **Agrafeuse, pince, tendeur.** — *Accessoires d'emballage :* agrafe, attache, bande, barre, bouchon, capsule, coin (protecteur), corde, cornière, crampon, étiquette, feuillard, ficelle, muselet, plaque... — Cour. *Caisse, carton, enveloppe de papier fort servant à emballer. Jeter des emballages vides.*

1   Il y a plusieurs manières d'emballer les marchandises ; les unes s'emballent seulement avec de la paille et de la grosse toile ; les autres dans des bannes ou bannettes d'osier ou de bois de châtaignier, ou dans des caisses de bois de sapin qu'on couvre d'une toile cirée grasse, toute chaude (...) dans tous ces emballages on coud la toile avec de la ficelle et une grosse aiguille et on la serre par-dessus avec une forte corde, qui faisant plusieurs tours de divers sens autour du ballot, aboutit à un des coins, où elle est enfin liée et arrêtée.
        Encyclopédie (DIDEROT), art. *Emballer.*

2   On jette, au mendiant de la vitre, un festin.
    Et quand tu sors, vieux dieu, grelottant sous tes toiles
    D'emballage (...)   MALLARMÉ, Poésies, «L'aumône».

3   Par suite d'emballages insuffisants, défectueux, les trois quarts des objets envoyés de France arrivent ici détériorés, brisés.
        GIDE, Voyage au Congo, in Souvenirs, Pl., p. 855.

4   La lutte contre les *emballages perdus* est commencée, en divers pays. Pour certains usages, il s'agit d'interdictions simples. Comme les *verboten* ne peuvent pas suffire, une taxe sur les emballages et récipients en verre, en plastique, etc., rendra général le retour (*récipient consigné*), qui a été abandonné plus encore par négligence qu'en raison de son coût.   A. SAUVY, Croissance zéro ?, p. 244.

♦ 3 Argot. Rafle de police. → **Emballer** (2.).

♦ 4 (1884, in Petiot ; de s'emballer). Sports. Se dit, en parlant de coureurs, spécialement de cyclistes (qui semblent alors s'emballer), de l'effort décisif qu'ils produisent à la fin d'une course et qui se termine par le sprint*. *Il a été lâché à l'emballage.*

CONTR. Déballage. ◊ DÉR. Emballagiste.

EMBALLAGISTE   [ãbalaʒist] n. — 1988; de emballage.

Professionnel, professionnelle qui conçoit, fabrique et commercialise des emballages.

EMBALLANT, ANTE   [ãbalã, ãt] adj. — 1895; p. prés. de *emballer* (3.).

Fam. Enthousiasmant. *Ce livre n'a rien d'emballant. C'est un bonhomme emballant, extraordinaire.*

EMBALLEMENT   [ãbalmã] n. m. — 1629; de *emballer.*

♦ 1 Rare. Action d'emballer (1.) qqch. «*Le soigneux emballement de son nécessaire de toilette*» (Zola, l'Argent, in T. L. F.).

♦ 2 (1880). Fait de s'emballer (3.), enthousiasme irréfléchi. → **Emportement, enthousiasme, entraînement, exaltation, passion.** *Méfiez-vous des emballements. Avoir un emballement soudain pour qqch.* — Spécialt. Inclination puissante, coup de foudre. → **Passion.**

Avant de vous aimer comme je vous aime, j'ai pu croire un moment, en effet, que j'aurais pour vous plus de..., plus de... plus d'emballement.
        MAUPASSANT, Notre cœur, p. 427, in T. L. F.

♦ 3 (1888). Action de s'emballer, en parlant d'un cheval. — Par anal. Régime anormal d'un moteur, d'une machine qui s'emballe. — Fig. En économie, Brusque montée (des prix, des cours). *L'emballement de l'indice des prix, du taux d'inflation.*

EMBALLER   [ãbale] v. tr. — XIVe ; de em- (en-), 2. balle, et suff. verbal.

♦ 1 Mettre en balle (une marchandise), et, par ext., mettre (qqch.) dans un emballage*, soit pour transporter, soit pour présenter à la vente. → **Conditionner, emboîter, empaqueter, encaisser, encaquer, ensacher, entoiler, envelopper, pacquer** (→ Emballage, cit. 1). *Emballer des marchandises, des meubles, des effets, des livres, des verres. Emballer des fruits avec précaution.*

♦ 2 Fig. Fam. *Emballer qqn,* le mettre dans une voiture (→ **Embarquer**), le faire partir.

Emballez avec tous vos dieux   1
Flore et l'Aurore aux doigts de rose (...)
            BÉRANGER, Pauvres amours, in LITTRÉ.

Argot, puis fam. Mettre qqn en état d'arrestation. *Les policiers sont venus l'emballer ce matin.* → **Arrêter, écrouer.**

Et puis les coqueurs vont passer, il y a là un grivier   2
qui porte gaffe ; nous allons nous faire emballer icicaille.
(Trad. de l'auteur : Et puis les gens de police vont passer, il y a là un soldat qui fait sentinelle. Nous allons nous faire arrêter ici.)   HUGO, les Misérables, IV, VI, III.

As-tu pensé, lui demanda-t-il après plusieurs minutes de   2.1
réflexion, que si j'allais demain tout raconter à la police, on t'emballerait?
        Francis CARCO, les Belles Manières, p. 101.

♦ 3 (XXe). Fig. Fam. Ravir d'admiration, d'enthousiasme (qqn). → **Enthousiasmer, entraîner.** *Son discours nous a emballés* (Académie). *Cette perspective ne l'emballait pas tellement.* → **Enchanter, plaire.** *Cette fille m'emballe.* — Par ext. Fam. et vx. *Emballer une fille, un garçon,* la, le séduire.

♦ 4 (1862, «emporter, entraîner rapidement»). *Emballer un moteur,* le faire tourner à un régime exagéré. *Il a emballé son moteur.*

(1884, in Petiot). Absolt, spécialt. En parlant de coureurs ou de cyclistes, Fournir un effort maximum à l'approche du but. → **Emballage** (4.).

J'aperçois la banderole. J'emballe. J'ai gagné !   2.2
        l'Auto, 6 juil. 1903, in LAPAILLE, p. 27 (in D.D.L., II, 9).

♦ **5** Fam. Gronder. → **Engueuler, réprimander.** *Il s'est fait emballer par ses parents.*

◆ **S'EMBALLER** v. pron.

♦ **1** (1900, *in* D. D. L.). Vieilli, fam. Se mettre en voiture, partir. *Allons, il est temps de s'emballer !*

♦ **2** (1867). En parlant d'un cheval, S'emporter, prendre le mors aux dents, échapper à la main du cavalier ou du cocher. *Le cheval s'emballa et jeta à terre son cavalier.*

(1900, *in* Petiot). Par anal. *Le moteur s'emballe,* prend un régime de marche trop rapide.

♦ **3** (1846). Personnes. Se laisser emporter par un mouvement irréfléchi (d'enthousiasme ou de colère, d'indignation). → **Emporter** (s'), **enthousiasmer** (s'), **exalter** (s'), **exciter** (s'), **passionner** (se). *Ne nous emballons pas et regardons de plus près. Tu t'emballes !*

3   Il reconnut qu'il s'était emballé et très gentiment il en demanda pardon, expliquant qu'il était bien excusable de perdre quelquefois patience, tant son personnel l'assommait de ses perpétuelles réclamations.
COURTELINE, Messieurs les ronds-de-cuir,
3ᵉ tableau, III.

◆ **EMBALLÉ, ÉE** p. p. adj. et n.

Qui a été emballé ; qui s'est emballé. → **Emballer** (1. et 2.).

Fam. Ravi d'admiration. → **Emballer** (3.). *Il est tout à fait emballé.* — N. *Un emballé* : un exalté. « *Ça doit être un petit va-de-l'avant (...) un petit emballé* » (Gyp, *Docteur*, p. 71, *in* T. L. F.).

Spécialt. *Cheval emballé,* qui a échappé au contrôle de celui qui le dirigeait. *Se jeter à la tête d'un cheval emballé.* — Sports. *Coureur qui finit, qui gagne emballé,* avec une supériorité irrésistible. → **Emballer** (4.).

CONTR. et COMP. **Déballer, désemballer.** ◊ COMP. **Réemballer, remballer.** — (Du p. p.). **Préemballé.** – DÉR. **Emballage, emballant, emballement, emballeur.**

EMBALLEUR, EUSE [ɑ̃balœʀ, øz] n. — 1520; de *emballer.*

♦ **1** Personne spécialisée dans l'emballage des marchandises. → **Layetier** (→ 2. Balle, cit. 1). — En appos. *Layetier emballeur. Ouvrier emballeur.*

Dans la cour vitrée, une équipe d'emballeurs clouaient des caisses.   ZOLA, Pot-Bouille, p. 121, *in* T. L. F.

♦ **2** Argot. Vx. ⓐ Agent de police.

ⓑ (1901). *Emballeur de refroidis* : croque-mort.

EMBALUCHONNER [ɑ̃balyʃɔne] v. tr. — V. 1836, Esnault ; de *em- (en-)*, *baluchon*, et suff. verbal.

Pop. Empaqueter. → **Emballer.**

J'avais embaluchonné l'ampoule dans un sac de papier rose, et la lumière chantonnait en même temps que le poste sur l'étalage de la table (...)
A. SARRAZIN, la Cavale, p. 472.

EMBALUSTRER [ɑ̃balystʀe] adj. — V. 1895; de *em- (en-)*, *balustre*, et suff. verbal.

Rare. Entourer de balustres. — Au p. p. :

Sur les longues pelouses embalustrées de marbre blanc, décorées de vases et de statues, deux rangées de faneurs se courbaient.
Alphonse DAUDET, la Petite Paroisse,
p. 417 (1895), *in* D. D. L., II, 9.

EMBARBOUILLER [ɑ̃baʀbuje] v. tr. — Fin XVIIᵉ; «barbouiller», 1530; de *em- (en-)*, et *barbouiller.*

♦ **1** Vieilli. Barbouiller* complètement.

♦ **2** Fig. et fam. Embarrasser, troubler (qqn) dans ses idées. — V. pron. Se troubler, perdre le fil de ses idées. → **Emberlificoter, embrouiller.** *S'embarbouiller dans des explications confuses.* → **Empêtrer** (s').

Les conférences continuaient à Rastadt ; Villars s'y embar-   1
bouilla si mal à propos, qu'il fallut le désavouer (...)
SAINT-SIMON, Mémoires, t. IV, XVII.

« Les circonstances sont variables, les principes sont fixes.   2
Les principes sont le pivot sur lequel marchent les aiguilles
du baromètre politique. » Tous les rédacteurs partirent
d'un éclat de rire (...) — Enfin, reprit Finot, ne nous embar-
bouillons pas dans les métaphores (...)
BALZAC, Illusions perdues, Pl., t. IV, p. 766.

CONTR. **Dégager, dépêtrer.**

EMBARCADÈRE [ɑ̃baʀkadɛʀ] n. m. — 1689; esp. *embarcadero*, de *barca* «barque».

♦ **1** Lieu spécialement aménagé dans un port, sur une rivière pour permettre l'embarquement et le débarquement des voyageurs et des marchandises. → **Appontement,** 2. **cale, débarcadère, digue, gare** (maritime), **jetée, môle, ponton, quai.**

Près de la fosse, il y avait un embarcadère, des bateaux   1
amarrés que les berlines des passerelles emplissaient
directement.   ZOLA, Germinal, t. I, p. 77.

♦ **2** (V. 1845). Vx. Gare (de chemin de fer). — REM. Ce
sens a disparu dès la fin du XIXᵉ s. *Embarcadère* se dit
encore parfois du quai* d'embarquement (et de débarquement) des voyageurs ou des marchandises dans une
gare. → **Débarcadère ; quai.**

Toute une famille arrivait pour se livrer aux douceurs d'un   1.1
voyage en chemin de fer. Arrivée à l'embarcadère, cette
famille si unie commençait à se perdre.
Charles PAUL DE KOCK, la Grande Ville. t. I,
p. 189 (éd. 1842).

Au contraire, *embarcadère* paraissait bien approprié à l'en-   2
droit où on allait prendre le train, il a cédé à *gare*, qui
désignait l'endroit où se garaient les trains.
F. BRUNOT, la Pensée et la Langue, p. 76.

CONTR. **Débarcadère.**

EMBARCATION [ɑ̃baʀkasjɔ̃] n. f. — 1762; *embar-
quation*, XVIIᵉ, Voiture ; esp. *embarcacion*, de *barca*
«barque». → **Embarcadère.**

Bateau de petite dimension. → **Barque, bateau, canot ;** et aussi **allège, bac, bachot, balancelle** (cit. 1), **balandre, baleinière** (cit.), **barcasse, barque, barquerolle, berthon,** 2. **bette, bib, caïque, canoë, chaland, chaloupe, chalutier, coquille** (de noix), **corailleur** (2.), **coraline, dinghy, doris, esquif, flette, gabare, houari, kayak, nacelle, péniche, périssoire, pinasse, plate, pointu, pousse-pied, quaiche, rafiot, sampang, sauvetage** (bateau de), **traille, vedette, wager-boat, yole, youyou ; navigation.** *Embarcation plate, pontée* (→ Abriter, cit. 3). *Ponter une embarcation. Bossoir*, drome*, coque*, dame*, tille*, tolet* d'une embar-cation. Déborder* une embarcation. Aviron, gaffe, godille, pagaie, rame d'une embarcation. Embarcation auxiliaire.* → **Annexe.** *Embarcation d'assaut :* toute embarcation (vedette rapide porte-torpilles) conçue pour l'attaque des unités de combat abritées dans les bases navales.

Les huit rameurs qui faisaient rapidement glisser la   1
longue et mince embarcation sur le flot tranquille relevèrent leurs rames blanches en signe de respect avec une
précision militaire.   G. SAND, Elle et lui, IX, p. 204.

Des flottes de yoles, de skifs, de périssoires, de podosca-   2
phes, de gigs, d'embarcations de toute forme et de toute
nature, filaient sur l'onde immobile (...)
MAUPASSANT, la Femme de Paul, p. 9.

3 Il ne s'agissait pas d'établir un canot avec membrure et bordage, mais tout simplement un appareil flottant, à fond plat, qui serait excellent pour la navigation de la Mercy, surtout aux approches de ses sources, où l'eau présenterait peu de profondeur. Des morceaux d'écorce, cousus l'un à l'autre, devaient suffire à former la légère embarcation.

J. VERNE, l'Île mystérieuse, t. I, p. 303 (1874).

Spécialt. Bateau de petite taille embarqué sur un bateau plus grand et utilisé pour le service, pour le sauvetage. → **Annexe** (mar.), **canot, chaloupe.** *Hisser les embarcations au moyen d'un porte-manteau. Ensemble des embarcations d'un navire.* → **Drome.** *Mettre une, les embarcations à la mer.*

EMBARDÉE [ɑ̃baʀde] n. f. — 1694 ; p. p. de *embarder*, substantivé au féminin.

♦ **1** Mar. Mouvement brusque de rotation, changement de direction (d'un bateau) sous l'effet du vent, du courant ou d'un coup de barre involontaire.

1 Le coq se leva de son matelas pour venir nous trouver, quand une embardée, si effroyable que je crus qu'elle allait emporter la mâture, lui fit piquer une tête contre la porte d'une des cabines de bâbord (...)

BAUDELAIRE, Trad. E. POE,
les Aventures d'Arthur Gordon Pym, p. 581.

1.1 De temps en temps, Harbert le relayait au gouvernail, et la main du jeune garçon était si sûre, que le marin n'avait pas une embardée à lui reprocher.

J. VERNE, l'Île mystérieuse, t. II, p. 487-488 (1874).

♦ **2** (1833, *in* D.D.L.). Cour. Écart* brusque (d'une automobile, d'un véhicule terrestre). *La voiture a fait une embardée.*

2 De temps en temps, Mrs Lytton ébauche un geste pour m'expliquer quelque chose et fait aussitôt une large et négligente embardée.

G. DUHAMEL, Scènes de la vie future, VI, p. 90.

3 (...) l'autocar fit une embardée pour éviter un Arabe à bicyclette qui portait une grosse musulmane voilée sur le cadre de son vélo.

SARTRE, le Sursis, p. 67.

Par métaphore. *Sa pensée fait des embardées bizarres.* → **Écart, saut.** *Les embardées de sa politique.*

HOM. Embarder.

EMBARDER [ɑ̃baʀde] v. — 1694 ; provençal mod. *embardá* «embourber», de l'anc. provençal *bart* «boue», lat. pop. *barrum*.

Vieilli.

♦ **1** V. tr. Mar. Faire tourner légèrement (un navire) en vue de le remettre sur la bonne voie, après qu'il a fait une embardée.

♦ **2** V. intr. Mar. En parlant d'un navire, S'écarter de sa route en suivant une ligne courbe et irrégulière ; faire une embardée (→ 1. Barrer, cit. 3.2).

C'est une splendeur de voir ce bateau courir avec le vent, guidé par le petit génie infatigable caché dans la girouette, qui tient la barre depuis le départ sans embarder à plus de 15° dans les cas extrêmes, la moyenne se situant autour de 10°.

Bernard MOITESSIER, Cap Horn à la voile, p. 106.

DÉR. et HOM. Embardée.

EMBARGO [ɑ̃baʀgo] n. m. — 1626 ; esp. *embargo*, subst. verbal de *embargar* «embarrasser» ; cf. lat. pop. *imbarricare*, de *barra* «barre». REM. S'emploie surtout avec les verbes mettre, lever et quelques synonymes.

♦ **1** Dr. mar. Interdiction faite par un gouvernement de laisser partir les navires étrangers mouillés dans ses ports. → **Arrêt** (de puissance, de prince) ; et aussi **angarie.** *Mettre l'embargo sur les bateaux ennemis. Décréter l'embargo. Frapper d'embargo les navires ennemis. Lever l'embargo.*

(...) avant même que la guerre ne fût officiellement 1 déclarée, l'embargo avait été mis, le 16 mai (*1803*), sur tous les bateaux français dans les ports d'Angleterre, et la chasse déchaînée, sans avis préalable, contre les bâtiments alors en mer.

Louis MADELIN, Hist. du Consulat et de l'Empire,
L'avènement de l'Empire, I, p. 7.

(*En cas de représailles dirigées par un État lésé contre* 2 *l'État coupable*) Sont compatibles avec l'état de paix et, par suite, avec les obligations contractuelles des États, les mesures suivantes (...) l'«embargo» des navires sous ses deux formes de l'arrêt du prince (défense faite aux navires étrangers de quitter le port) ou de l'angarie (réquisition des navires étrangers).

DELBEZ, Manuel de droit international public,
éd. Dalloz, p. 240.

♦ **2** Par ext. Mesure de contrainte tendant à empêcher la libre circulation d'un objet. → **Confiscation, saisie.** *Mettre l'embargo sur des livres, sur une publication.*

Une diatribe que vous ne recevrez point, vu l'embargo mis 3 à la poste sur tout ce qui vient de moi.

P.-L. COURIER, Lettres, II, 28.

Spécialt. En matière de presse, Fait de ne pas autoriser la diffusion d'une information pendant un certain temps. *L'agence d'informations a mis l'embargo sur la dépêche. — Levée de l'embargo :* autorisation de diffuser une nouvelle.

♦ **3** Fig. Ce qui empêche l'exercice de qqch. → **Interdit.**

(...) il m'est intolérable de sentir que les gens ont sur moi 4 une opinion arrêtée. C'est comme s'ils essayaient de me limiter, de mettre l'embargo sur ma pensée.

MARTIN DU GARD, les Thibault, t. VII, p. 236.

EMBARILLAGE [ɑ̃baʀijaʒ] n. m. — 1810 ; de *embariller.*

Vx. Action de mettre en barils.

EMBARILLER [ɑ̃baʀije] v. tr. — 1741 ; de em- (en-), *baril*, et suff. verbal.

Vx. Mettre dans des barils. *Embariller du hareng, de la poudre. — Au p. p. «Un chargement complet de pétrole est arrivé à New York, en 1882, embarillé dans des fûts de papier, cerclés de fer»* (*Année sc. et industr.*, 1883, p. 464).

DÉR. Embarillage.

EMBARQUEMENT [ɑ̃baʀkəmɑ̃] n. m. — 1533 ; de *embarquer.*

♦ **1** Action d'embarquer (qqn, qqch.). *L'embarquement des passagers, des troupes pour une destination. — L'embarquement des marchandises, d'une cargaison.* → **Chargement.**

♦ **2** (Sans compl.). Fait d'embarquer (qqch., qqn). *Manœuvres, formalités d'embarquement. Carte d'embarquement. Quai d'embarquement.*

(Personnes). Action de s'embarquer. *Embarquement immédiat, porte nº 9* (dans un aéroport). *Quai* d'embarquement d'une gare de chemin de fer.

Une barque attendait au pied de la jetée où l'embarquement se fit sans gaieté.

BALZAC, Béatrix, Pl., t. II, p. 485.

(Avec un compl. de destination). *Embarquement pour New York. — L'Embarquement pour Cythère,* célèbre tableau de Watteau.

♦ **3** Mar. Inscription d'un marin sur un rôle d'équipage ou d'un passager sur le registre de bord. *Ordre d'embarquement,* d'embarquer sur tel bâtiment.

Par ext. Durée d'un service de navigation. *Un embarquement de trois ans.*

CONTR. Débarquement. ◊ COMP. Rembarquement.

EMBARQUER [ãbaʀke] v. — 1511; *embarchier*, 1418; de *em-* (*en-*), *barque*, et suff. verbal.

Ⅰ V. tr. ♦ **1** Monter, mettre (qqn, qqch.) à bord d'un navire. → **Embarcadère, embarquement.** *Embarquer des passagers, des troupes sur un bateau, à bord d'un bateau* (→ Cargo, cit.). *Embarquer des voyageurs pour telle destination.* — *Embarquer des marchandises, des provisions, du matériel, une cargaison de bois.* → **Charger, emporter.**

1 Le docteur allait passer dans la partie du navire réservée à la seconde classe, quand il se souvint qu'on avait embarqué la veille au soir un grand troupeau d'émigrants, et il descendit dans l'entrepont.
MAUPASSANT, Pierre et Jean, p. 287.

2 Un officier, connu à bord de la *Résolue*, lui avait promis de la faire embarquer dans la quinzaine sur le *Navarin* pour un *tour du monde* de dix mois.
LOTI, Matelot, XXVII, p. 106.

♦ **2** Recevoir par-dessus bord (un paquet de mer). *Embarquer une lame, un coup de mer.* — Absolt. *La mer est mauvaise, le navire embarque.*

3 Nous embarquions beaucoup d'eau : nous ne pouvions suffire à la vider aussi vite qu'elle nous envahissait.
LAMARTINE, Graziella, Épisode X.

♦ **3** Par ext. Faire monter dans un véhicule. *Embarquer des marchandises dans un wagon.* → **Charger.** — Fam. *Embarquer un passager dans sa voiture. Embarquer un ami dans le train,* l'accompagner et l'installer.

3.1 Bernard Ancelot, que sa présence au déjeuner fatal avait encore rapproché de la famille, s'était laissé embarquer dans une voiture au sortir du cimetière.
M. AYMÉ, Travelingue, p. 19.

Spécialt. *Embarquer un malfaiteur.* → **Arrêter** (5.), **emballer, emprisonner.** *Les inspecteurs l'ont embarqué ce matin.*

Fam. Entraîner (qqn) avec soi comme partenaire érotique. *Elles se sont fait embarquer par des matelots en bordée.*

Fam. Emporter avec soi (une chose) avec ou sans l'intention de voler. *Il a embarqué tous mes romans policiers en partant.*

♦ **4** Fig. **EMBARQUER (qqn) DANS...** : entraîner (qqn) dans une affaire difficile (dont il ne peut se tirer, comme en mer un passager embarqué ne peut quitter le navire). → **Engager, entraîner, pousser.** *Embarquer qqn dans une affaire, une aventure. Ses amis l'ont embarqué dans ce procès.* — Absolt. *Être embarqué :* être engagé sans retour.

4 — Oui; mais il faut parier; cela n'est pas volontaire, vous êtes embarqué.
PASCAL, Pensées, III, 233.

5 Je me trouve dans un engagement qui m'embarrasse : je suis embarquée dans la vie sans mon consentement : il faut que j'en sorte, cela m'assomme; et comment en sortirai-je?
Mᵐᵉ DE SÉVIGNÉ, 257, 16 mars 1672.

6 Je sais le ton que vous prenez (...) et surtout quand vous me demandez s'il est possible que (...) je veuille vous embarquer dans une excessive dépense, qui peut donner un grand ébranlement au poids que vous soutenez déjà avec peine (...)
Mᵐᵉ DE SÉVIGNÉ, 364, 28 déc. 1673.

7 Je ne me crois pas embarqué pour une noce avec Jésus-Christ pour beau-père.
RIMBAUD, Une saison en enfer, «Mauvais sang».

7.1 — Allons dans le parc!
— Quel besoin de moi?
— Vous verrez!
— J'aimerais mieux m'effacer, lui dis-je.
— Trop tard! dit-elle, bourrue, mutine (...)
J'étais donc embarqué. De plus, elle avait une idée en tête. Laquelle?
Maurice CLAVEL, le Tiers des étoiles, p. 64.

♦ **5** Engager, commencer (une chose). *Il a bien embarqué, mal embarqué son affaire.*

Pour moi, j'arrivai ici samedi. Je trouvai l'affaire de la Mère   8
d'Agréda embarquée.
BOSSUET, Lettre sur le quiétisme, LXI.

Ⅱ V. intr. ♦ **1** Monter à bord d'un bateau pour un voyage. *Il a embarqué hier pour le Maroc. Nous embarquerons à Marseille, la semaine prochaine.* — Monter à bord d'un bateau comme membre d'équipage. → **Embarquement** (3.). *Marin qui embarque pour une campagne de pêche.* — Par ext. *Embarquer dans un train, un avion.*

♦ **2** Mar. Passer et se répandre par-dessus bord. *La mer embarque.*

8.1 Ils s'effrayaient de la pensée de flotter à la surface de cette immense mer, sur un plancher de bois qui serait soumis à tous les caprices de la houle. Même par les temps moyens, les lames y embarqueraient et rendraient la situation très pénible.   J. VERNE, le Pays des fourrures, t. II, p. 294.

♦ **S'EMBARQUER** v. pron.

♦ **1** Monter à bord d'un bateau. → **Embarquer** (II., 1.). *Il s'est embarqué à Bordeaux. S'embarquer sur un cargo mixte* (→ Brigantin, cit.; cœur, cit. 62; coquille, cit. 8).

9 J'espère partir de Rome dans trois semaines, et, si je trouve un vaisseau, je m'embarquerai pour Marseille.
VOITURE, Lettres, 96, *in* LITTRÉ.

10 De même qu'autrefois nous partions pour la Chine,
Les yeux fixés au large et les cheveux au vent (...)
Nous nous embarquerons sur la mer des Ténèbres
Avec le cœur joyeux d'un jeune passager.
BAUDELAIRE, les Fleurs du mal, La mort, CXXVI, «Le voyage».

Loc. fig. *S'embarquer sans biscuit** (*supra* cit. 1).

Par ext. Fam. *S'embarquer dans une voiture, en chemin de fer, en avion :* monter (en voiture, etc.).

♦ **2** Fig. S'engager, s'aventurer (dans une affaire qui comporte de grands risques). → **Entreprendre, lancer** (se). *S'embarquer dans un procès interminable, une intrigue, un complot. S'embarquer dans un long discours...*

11 Et dans un fol amour ma jeunesse embarquée (...)
RACINE, Phèdre, I, 1.

12 Je me garderai bien de m'embarquer dans les réflexions philosophiques qu'il y aurait à faire sur les avantages et les inconvénients de cette institution des langues (...)
ROUSSEAU, De l'inégalité parmi les hommes, Note m.

13 (...) dès à présent, si je pouvais suivre ma volonté, au lieu de m'embarquer dans un mariage qui ne me sourit pas, je choisirais une fille à mon gré (...)
G. SAND, la Mare au diable, X, p. 87.

Absolt. Vx. *Il faut bien s'embarquer.* → **Engager** (s').

♦ **EMBARQUÉ, ÉE** p. p. adj. Voir ci-dessus à l'article.

CONTR. Débarquer. ◊ DÉR. Embarquement. → COMP. Rembarquer.

EMBARRAS [ãbaʀa] n. m. — 1552; déverbal de *embarrasser*.

Ce qui embarrasse; état de ce qui est embarrassé.

Ⅰ ♦ **1** Vx. Obstacle causé par la rencontre, l'amas (de plusieurs choses) et qui barre le passage, gêne la circulation. → **Obstacle, obstruction.** *Un embarras de voitures.* → **Embouteillage, encombre, encombrement.** *Un embarras de colis, de malles.* — Absolt. *Un embarras* (dans la circulation). *Les Embarras de Paris,* satire de Boileau.

Six chevaux attelés à ce fardeau pesant
Ont peine à l'émouvoir sur le pavé glissant.
D'un carrosse en tournant il accroche une roue :
Et du choc le renverse en un grand tas de boue :
Quand un autre à l'instant, s'efforçant de passer,
Dans le même embarras se vient embarrasser.
BOILEAU, Satires, VI, «Les embarras de Paris».

1

2 Je finis ma toilette, et montai en voiture. Malheureusement mon cocher me fit passer devant l'Opéra, et je me trouvai dans l'embarras de la sortie (...) la seule idée qui m'occupait était le désir que ma voiture avançât.
LACLOS, les Liaisons dangereuses, Lettre CXXXV.

♦ **2** Encombrement des voies digestives, troubles gastro-intestinaux provoqués par des infections, des intoxications diverses. → **Crise, dérangement, engorgement, indigestion, indisposition, infection, obstruction.** *Embarras gastrique, intestinal. Souffrir d'un embarras.*

♦ **3** Obstacle qui s'oppose à l'action, difficulté qui arrête, qui gêne la réalisation de qqch. → **Accroc, achoppement, anicroche, bouillon, cactus, caillou, casse-bras** (vx), **chiendent, complication, difficulté, embêtement, emmerde, emmerdement** (fam.), **empêchement, ennui, entrave, inconvénient, malencontre** (vx), **malheur.** *Embarras qui résultent d'une situation, de circonstances* (→ Détail, cit. 1). *Susciter des embarras à qqn* (→ Tailler des croupières* à). *Un nouvel embarras!* (→ C'est encore une autre chanson*).

3 Rien que pour recevoir vos lettres, c'est un embarras (...) et pour vous écrire, c'est plus difficile encore.
LACLOS, les Liaisons dangereuses, Lettre LXXXII.

4 Mais cette fois, le voilà *(Balzac)* qui bute, et donnant du nez sur l'obstacle, semble rudement sortir de son rêve pour apercevoir devant lui la réalité. Il est seul, il se tue de travail, sa santé l'inquiète, il n'a que des difficultés, des embarras et des ennuis (...)
Émile HENRIOT, les Romantiques, p. 350.

♦ **4** Ce qui cause du désagrément à qqn. → **Charge, contrariété, dérangement, désagrément, ennui, gêne, incommodité, poids, souci, tintouin, tracas.** *Je ne voudrais pas être un embarras pour vous. — L'embarras, de l'embarras.*

5 Votre mère (...) craint de vous donner de l'embarras.
RACINE, Lettres, 243.

6 Il emportait je ne sais quel embarras dans sa tête, causé par ce qu'il venait d'entendre : quelque chose qu'il ne pouvait arriver ni à penser, ni à oublier.
VALÉRY, Autres rhumbs, p. 211.

II ♦ **1** Vx ou littér. Confusion résultant d'affaires nombreuses et difficiles à débrouiller. → **Complication, confusion, difficulté, embrouillement, enchevêtrement, involution.** *Un, des embarras. Un embarras inextricable.*

7 Des embarras du trône effet inévitable !
De soins tumultueux un prince environné
Vers de nouveaux objets est sans cesse entraîné (...)
RACINE, Esther, II, 3.

♦ **2** (1561). *L'embarras*, position gênante, situation difficile et ennuyeuse (surtout sous la forme *dans l'embarras*, avec quelques verbes, *mettre, être*...). *Être, mettre qqn dans l'embarras. Le voilà dans l'embarras.* → Être dans de beaux draps*, dans le pétrin*, aux abois*, aux cent coups*, sur les charbons* (vx), dans les choux*; tenir le loup* par les oreilles. *Nous voilà dans un bel embarras!* (→ Nous voilà bien*!). *Se tirer d'embarras* (→ Défaire, cit. 3).

8 (...) l'embarras où il est d'accommoder les conduites de l'Église dans les premiers siècles avec celles d'aujourd'hui.
Mme DE SÉVIGNÉ, 836, 28 juil. 1680.

♦ **3** *Embarras d'argent,* et, absolt, *embarras.* → **Manque, pénurie** (d'argent); **pauvreté.** *Embarras financiers. — Être, se trouver dans l'embarras.* → **Pétrin.** *Tirer d'embarras un ami momentanément gêné.* → **Aider.**

9 (...) ce fut le commencement des embarras pécuniaires où j'ai été plongé le reste de ma vie. La fortune et moi nous nous sommes pris en grippe aussitôt que nous nous sommes vus.
CHATEAUBRIAND, Mémoires d'outre-tombe, t. I, p. 338.

Toute sa vie, il *(Balzac)* a lutté contre la meute acharnée 10
de ses créanciers, à ses trousses depuis sa jeunesse, et le désastre financier de son imprimerie, origine de tous les embarras qui suivirent.
Émile HENRIOT, les Romantiques, p. 287.

«Ce sont des embarras financiers qui vous ont contraint à 11
vous déplacer?» Il avait en posant ces questions l'air d'assurance du riche à qui l'argent donne le droit d'interroger le pauvre.
J. GREEN, Léviathan, p. 52.

♦ **4** (1660). Dans quelques expr. Incertitude de l'esprit devant une décision à prendre. → **Embarrasser.** *Avoir l'embarras, n'avoir que l'embarras du choix* (cit. 9). *Cette nouvelle proposition me met dans l'embarras.* → **Hésitation, incertitude, indécision, irrésolution, perplexité.**

(Il) m'a mis dans l'embarras 12
De ne savoir lequel garder de mes deux as.
MOLIÈRE, les Fâcheux, II, 2.

La Catherine a de quoi attirer les épouseurs, et elle n'aura 13
que l'embarras du choix.
G. SAND, la Mare au diable, XII, p. 103.

(...) il faisait effort pour résoudre l'embarras où venait de 14
le mettre une question de Marie (...)
J. ROMAINS, les Hommes de bonne volonté, t. V, XXIII, p. 208.

♦ **5** État d'une personne qui éprouve une sorte de malaise pour agir ou parler; gaucherie dans le maintien. → **Confusion, émotion, gaucherie, gêne, honte, malaise, timidité, trouble.** *Ne pouvoir dissimuler son embarras. Tout le monde vit son embarras, s'aperçut de son embarras. Sa contenance trahit son embarras. Baisser les yeux avec embarras. Embarras d'une personne devant une autre* (→ Déclin, cit. 3).

La timidité tient au caractère; l'embarras aux circons- 15
tances.
D'ALEMBERT, Œuvres, t. III, p. 330.

Quelquefois à la vue de Paul, elle allait vers lui en folâ- 16
trant; puis tout à coup, près de l'aborder, un embarras subit la saisissait; un rouge vif colorait ses joues pâles, et ses yeux n'osaient plus s'arrêter sur les siens.
BERNARDIN DE SAINT-PIERRE, Paul et Virginie, p. 61.

La seconde avait quinze ans : même embarras dans la con- 16.1
tenance, l'air de la pudeur avilie, mais une figure enchanteresse, beaucoup d'intérêt dans l'ensemble.
SADE, Justine..., t. I, p. 144-145.

Je ne lui déplus pas et je n'ai point à m'en cacher, car cette 17
inclination pour moi ne peut que donner une idée avantageuse de cette dame, tant ma gaucherie, ma timidité, mon embarras, ma défiance de moi-même me communiquaient les apparences de la vertu et les dehors de l'innocence.
FRANCE, la Vie en fleur, XXV, p. 280.

Loc. *Faire de l'embarras; faire des embarras :* chercher à se faire remarquer, affecter des airs prétentieux, faire des manières, manquer de naturel. → **Affectation, façon, histoire, manière.** *Ne faites pas tant d'embarras. Un faiseur*, une faiseuse d'embarras.*

CONTR. **Débarras.** — Aisance, aise, aplomb, assurance, commodité, désinvolture, facilité, simplicité.

EMBARRASSANT, ANTE [ãbaʀasɑ̃, ɑ̃t] adj.
— 1642; p. prés. de *embarrasser.*

♦ **1** Qui embarrasse, encombre. *Colis, bagages embarrassants.* → **Encombrant, incommode, lourd, volumineux.**

♦ **2** Fig. Qui met dans l'embarras, qui trouble. *Situation, position embarrassante.* → **Délicat, ennuyeux, gênant, pénible; compromettant, scabreux.** *Un silence embarrassant.* → **Gênant.** — *Choix embarrassant à faire. C'est un cas embarrassant à résoudre.* → **Difficile.**

(Personnes). *C'est un personnage embarrassant.* → **Encombrant, importun.**

(...) que cette visite m'embarrasse à l'heure qu'il est! — Il est vrai que la dame est un peu embarrassante de son naturel (...)
MOLIÈRE, la Critique de l'École des femmes, 2.

(Sur le plan intellectuel). *Objection embarrassante,* à laquelle il est difficile de répondre.

Question embarrassante. → **Colle.** *Plusieurs passages de ce texte sont très embarrassants.* → **Énigmatique.** *Une étymologie embarrassante.*

CONTR. Léger, maniable. — Apaisant, calmant. — Facile. — Discret.

EMBARRASSER [ɑ̃baʀase] v. tr. — 1570; esp. *embarazar,* ou ital. *imbarazzare; rac.* lat. *barra* «barre».

♦ **1** Vieilli. Arrêter, gêner par un obstacle. *Embarrasser la rue, le passage, la circulation...* → **Congestionner, embouteiller, encombrer, gêner, obstruer.** *Glaçons, icebergs qui embarrassent la navigation.*

1   Il eut à combattre un grand nombre de nations qui embarrassaient la navigation avec leurs canots, et qui, du rivage, l'accablaient de flèches (...)
G.-T. RAYNAL, Hist. philosophique..., IX, 11, *in* LITTRÉ.

Mod. Priver (qqn) de sa liberté de mouvement. → **Gêner.** *Ce colis volumineux vous embarrasse. Laissez votre manteau au vestiaire, il ne vous embarrassera plus. Liens, entraves qui embarrassent la marche.*

2   *Son fils, ce faible enfant qu'il porte entre ses bras,*
D'un cher et doux obstacle embarrasse ses pas (...)
DUCIS, Oscar, III, 5, in LITTRÉ.

Gêner le fonctionnement de (un organe; spécialt, le système digestif). *Aliments qui embarrassent l'estomac. — Rhume de cerveau qui embarrasse le nez.* → **Enchifrener.**

♦ **2** Fig. (En parlant de choses de l'esprit). Gêner par des complications, des surcharges. *Embarrasser son style par l'abus des épithètes.* → **Alourdir.** *Ces détails oiseux embarrassent le récit. Incidents qui embarrassent l'action dramatique.* → **Ralentir.** — Rendre plus difficile à résoudre. *Embarrasser une question, un problème de (par des) considérations étrangères au sujet.* → **Brouiller, compliquer, embrouiller, enchevêtrer; confus** (rendre confus).

3   Puisque M. Jurieu, pour embarrasser la matière, veut nous parler du divorce, ayons la patience de l'entendre (...)
BOSSUET, Hist. des Variations, 4ᵉ avertissement, 6.

♦ **3** Fig. (Sujet n. de personne). Encombrer (qqn) de sa personne, de sa présence. → **Contrarier, déranger, embêter, empoisonner, encombrer, engeancer** (vx) **ennuyer, gêner, incommoder, importuner; obstacle** (mettre obstacle à); **emmerder** (fam.). *Je crains de vous embarrasser en restant chez vous plus longtemps. Il embarrasse tout le monde.* → **Fâcheux** (→ Contraint, cit. 12).

4   Ce qu'on appelle un fâcheux est celui qui, sans faire à quelqu'un un fort grand tort, ne laisse pas de l'embarrasser beaucoup (...)
LA BRUYÈRE, les Caractères de Théophraste, «D'un homme incommode».

♦ **4** (Sujet n. de chose). Gêner (qqn) en dérangeant les projets, en troublant les idées. → **Arrêter, déconcerter, décontenancer, dépayser, dérouter, désorienter, entraver, gêner, intriguer; troubler; fil** (donner du fil à retordre); → Bourbier, cit. 1; déclencher, cit. 5. *Cette affaire, cette histoire m'embarrasse un peu.*

5   On servit, pour l'embarrasser,
En un vase à long col et d'étroite embouchure.
LA FONTAINE, Fables, I, 18.

Une fois ou deux il (Barnave) parut embarrasser Mirabeau, et il eut l'honneur de le tenir en échec.   6
SAINTE-BEUVE, Causeries du lundi, 8 avr. 1850, t. II, p. 23.

C'est surtout de la taquinerie. Il s'agit de nous embarrasser pour se divertir ensuite de notre gêne (...)   7
Paul BOURGET, Un divorce, III, p. 124.

♦ **5** (Sujet n. de personne ou de chose). Jeter (qqn) dans une incertitude embarrassante (par une question difficile, un choix délicat, un cas douteux...). → **Coller, interdire, interloquer; quia** (réduire à). *Examinateur qui embarrasse un candidat. Vous m'embarrassez beaucoup par une telle proposition. Choix qui embarrasse.* → **Embarrassant.**

Une telle déclaration (...) ne laisse pas d'embarrasser (...) et de jeter dans une vraie perplexité (...)   8
SAINTE-BEUVE, Causeries du lundi, 8 avr. 1850, t. II, p. 37.

Quand on obligeait les chefs des prêtres à s'expliquer nettement sur ce point, on les embarrassait fort.   9
RENAN, Vie de Jésus, VI, p. 149.

♦ **S'EMBARRASSER** v. pron.

I *S'embarrasser de...* ♦ **1** S'encombrer, se gêner dans ses mouvements, dans le train de la vie. *S'embarrasser d'un paquet volumineux, d'un manteau, d'un parapluie. — Absolt. Il n'aime pas (à) s'embarrasser inutilement.*

Vieilli. *S'embarrasser de dettes.*

L'actrice (Florine), qui n'avait pas besoin d'être excitée, s'embarrassa de trente mille francs de dettes.   10
BALZAC, Une fille d'Ève, Pl., t. II, p. 132.

S'embarrasser de qqn. → **Charger** (se). *Il s'est embarrassé d'un compagnon de voyage. Je ne vais pas m'embarrasser de ces marmots!*

Et moi, je ne veux plus m'embarrasser de femme (...)   11
MOLIÈRE, le Dépit amoureux, IV, 2.

♦ **2** (1663). Prendre souci, tenir compte exagérément de... → **Inquiéter** (se), **préoccuper** (se), **soucier** (se). *S'embarrasser des goûts, des préférences des autres. Il s'embarrasse peu de ses devoirs, de son travail.*

Quoi qu'il en soit, le public m'a été trop favorable pour m'embarrasser du chagrin particulier de deux ou trois personnes (...)   12
RACINE, 1ʳᵉ préface d'Andromaque.

La France apprenait le gouvernement représentatif: comme j'avais la sottise de le prendre à la lettre et d'en faire, à mon dam, une véritable passion, je soutenais ceux qui l'adoptaient, sans m'embarrasser s'il n'entrait pas dans leur opposition plus de motifs humains que d'amour pur comme celui que j'éprouvais pour la Charte (...)   13
CHATEAUBRIAND, Mémoires d'outre-tombe, t. IV, p. 109.

Le malheur des écrivains est qu'ils s'embarrassent peu de dire vrai, pourvu qu'ils disent.   14
A. DE VIGNY, Journal d'un poète, p. 90.

Je commence à voir qu'il faut très peu s'embarrasser de l'avenir pour être heureux ou seulement raisonnable.   15
STENDHAL, Journal, p. 285.

S'embarrasser de tout : se faire un grand souci des moindres choses (→ Se faire une montagne* de, se noyer dans un verre* d'eau).

(...) de mille soucis mon esprit s'embarrasse (...)   16
MOLIÈRE, l'École des femmes, IV, 1.

II *S'embarrasser dans...* ♦ **1** S'empêtrer, se prendre dans. *La mariée s'embarrasse dans sa traîne. Animal qui s'embarrasse dans un fourré* (→ Bélier, cit. 1), *dans un piège. Cheval qui s'embarrasse dans sa stalle* (→ **Embarrer** [s']), *dans la longe de son licou.* → **Enchevêtrer** (s'). — Vx (en parlant d'un véhicule). → Embarras, cit. 1.

♦ **2** Fig. *S'embarrasser dans ses mensonges, dans ses propres ruses.* → **Perdre** (se), **prendre** (se).

Comme en sa propre fourbe un menteur s'embarrasse.   17
CORNEILLE, le Menteur, V, 7.

S'embarrasser dans ses discours, dans ses explica-
tions. → **Embarbouiller** (s'), **patauger.** *S'embarrasser*
dans ses propres subtilités, en être la victime*. —
S'embarrasser dans ses habitudes, dans ses prin-
cipes moraux, dans les liens sociaux (→ Captif, cit. 6).
S'embarrasser dans des mécanismes compliqués.

III (1580). Absolt, vieilli. **S'EMBARRASSER :** se troubler,
perdre le pouvoir de se mouvoir, de fonctionner.
Sa langue s'est embarrassée depuis son attaque, elle
ne lui permet plus d'articuler distinctement. Sa
poitrine s'embarrasse. → **Congestionner** (se).

18 Sur les six heures du soir, sa tête s'est embarrassée,
et insensiblement il est tombé dans le délire le plus
effrayant (...)
        Mme DE GENLIS, Adèle et Théodore, t. III, lettre 67,
                                p. 94, *in* LITTRÉ.

Son saisissement fut tel qu'il s'embarrassa.
→ **Bafouiller, balbutier** (→ Blanc, cit. 22).

◆ **EMBARRASSÉ, ÉE** p. p. adj.

♦ **1** Où règne l'encombrement. *Rue embarrassée.*

♦ **2** Encombré, gêné dans ses mouvements. *Avoir*
les mains embarrassées. Écolier embarrassé dans
sa longue pèlerine. — Dont le fonctionnement est
gêné. *Cerveau, estomac embarrassé. Langue embar-*
rassée. — *Prononciation embarrassée.*

19 Et le premier mot ma langue embarrassée
Dans ma bouche vingt fois a demeuré glacée.
                        RACINE, Bérénice, II, 2.

20 Nous avons suivi à toutes les stations de la voie douloureuse ce pauvre Edmond qui, aveuglé de larmes et soutenu
sous les bras par ses amis, butait à chaque pas comme
s'il eût eu les pieds embarrassés dans un pli traînant du
linceul fraternel.
        Th. GAUTIER, Portraits contemporains, p. 196.

♦ **3** [a] (En parlant du discours). Qui manque d'aisance
ou de clarté. *Paroles embarrassées.* → **Ambages, cir-**
conlocution. *Discours embarrassé* (→ Couper, cit. 33).
Se lancer dans des explications embarrassées.
→ **Compliqué, confus, emberlificoté, obscur.** *Rai-*
sonnement embarrassé. Style embarrassé. → **Lourd,**
pénible (→ Davantage, cit. 10).

21 (...) la langue française est embarrassée de mots louches
et synonymiques, de constructions timides et traînantes,
de locutions oiseuses et serviles : il faut l'en affranchir.
        TALLEYRAND, *in* JAURÈS, Hist. socialiste..., III,
                                p. 428.

22 La langue qui lui *(Sainte-Beuve)* vient directement sous la
plume est gauche, lourde, embarrassée ; le vocabulaire
chétif et pauvre ; c'est une langue d'avare et de grippe-
sou (...)   Émile HENRIOT, les Romantiques, p. 253.

[b] Qui est compliqué. *Situation embarrassée.*
Affaires embarrassées. → **Complexe, compliqué,**
embrouillé.

Spécialt. *Pièce de théâtre embarrassée. Action embar-*
rassée, par la complication de l'intrigue.

23 C'est l'incommodité des pièces embarrassées, qu'en termes
de l'art on nomme implexes, par un mot emprunté du
latin, telles que sont *Rodogune* et *Héraclius* (...)
                        CORNEILLE, Examen de Cinna.

♦ **4** (Personnes). Qui sent une gêne. *Il est embarrassé*
de ses mains, de sa personne. — *Il est embarrassé*
de sa fortune, il n'en trouve pas l'emploi. *Il est un*
peu embarrassé (financièrement). → **Gêné.**

24 *(Virgile)* se dérobait très souvent, en rougissant, à la multitude qui accourait pour le voir. Il était embarrassé de sa
gloire (...)   VOLTAIRE, Essai sur la poésie épique, III.

25 Ainsi la puissance d'attirer magnétiquement la fortune fut
adjugée à l'héritier unique d'une famille très riche, qui,
n'étant doué d'aucun sens de charité, non plus que d'aucune convoitise pour les biens les plus visibles de la vie,
devait se trouver plus tard prodigieusement embarrassé
de ses millions.
                BAUDELAIRE, le Spleen de Paris, XX,
                                «Les dons des fées».

Car la vie spirituelle s'oppose dans l'homme à la vie corpo-   26
relle (...) il se regarde comme une âme embarrassée d'un
corps (...)   TAINE, Philosophie de l'art, t. II, p. 300.

Qui éprouve une impression d'inaptitude ou d'incertitude. → **Incertain, indécis, perplexe** (cf. Être entre
deux selles* ; ne savoir sur quel pied danser, à quel
saint se vouer). *Être bien embarrassé pour répondre*
(→ Ciel, cit. 2). *Traducteur embarrassé* (→ Déchiffrer, cit. 1). *Je ne suis pas embarrassé pour choisir.*
Je serais bien embarrassé de... (suivi d'un infinitif).
→ **Peine** (en peine de) ; → Asseoir, cit. 8. *Cruellement*
embarrassé.

Ma main de se donner n'est pas embarrassée (...)   27
                        MOLIÈRE, le Misanthrope, V, 4.

(...) je serais bien embarrassé de donner tort ou raison à   28
quelqu'un, car ce sont tous de bons partis.
                G. SAND, la Mare au diable, XII, p. 102.

Être embarrassé de, pour qqch. → **Inquiet, préoc-**
cupé, soucieux. *Voyageur embarrassé de son loge-*
ment (→ Couvert, cit. 2). *Il est embarrassé pour bien*
peu de chose, il se noie dans un verre d'eau (→ Bagatelle, cit. 6).

♦ **5** (Personnes ; comportements). Qui, dans sa contenance, trahit une gêne, un malaise. → **Confus,**
dépaysé, désorienté, gêné, honteux, humble, interdit,
penaud, quinaud, timide, troublé (→ Être dans ses
petits souliers*). *Le voilà tout embarrassé, le malheu-*
reux ! — Air embarrassé. → **Constipé** (fam.), **contraint,**
empoté, emprunté, forcé.

Corneille était d'une bonté et d'une douceur excellentes,   29
timide et embarrassé dans le monde, d'une parole
bégayante et basse.
                Émile FAGUET, Études littéraires, XVIIᵉ siècle,
                                p. 138.

CONTR. Débarrasser. — Aider, aise (mettre à l'aise), **alléger,**
dégager, éclaircir, faciliter. — Moquer (se), négliger. —
Décidé, dégagé, hardi, libre, naturel, net, résolu. ◊ **DÉR.**
Embarras, embarrassant.

1. EMBARRER [ɑ̃baʀe] v. — 1838 ; «enfoncer», XIIᵉ ; de
em- (en-), barre, et suff. verbal.

♦ **1** V. tr. Vx. Fermer (qqch.) avec des barres.

♦ **2** V. intr. Techn. Engager un levier sous un fardeau
pour le soulever.

♦ **3** V. intr. Mar. Mal agir sur la barre.

COMP. Rembarrer.

2. EMBARRER (s') [ɑ̃baʀe] v. pron. — 1690, Furetière ;
→ 1. Embarrer ; p.-ê. infl. de l'ital. *imbarrare.*

Techn. (hippol.). Se dit d'un cheval qui s'empêtre en
passant une jambe de l'autre côté de la barre ou
du bat-flanc à l'écurie.

DÉR. Embarrure.

EMBARRURE [ɑ̃baʀyʀ] n. f. — V. 1560 ; de 2. embarrer
(s').

Technique.

♦ **1** Hippol. Contusion du membre postérieur d'un
cheval qui s'est embarré.

♦ **2** Méd. Vx. Fracture par enfoncement de la voûte
du crâne.

♦ **3** (1762). Maçonnerie qui scelle les bords d'une
faîtière aux tuiles de la couverture.

EMBASE [ɑ̃baz] n. f. — 1676 ; *embasse*, XVIᵉ ; de *em-*
(en-), et *base* ou *bas, basse.*

Techn. Partie, élément (d'un instrument, d'une
pièce, etc.) servant de base, de support. *L'em-*
base d'une enclume ; d'un percuteur (d'arme à feu).
L'embase d'une figurine, d'un soldat de plomb.

EMBASEMENT [ɑ̃bazmɑ̃] n. m. — 1676; *embasse-ment*, v. 1380; de *em* (*en-*), *bas(se)* ou *base*, et suff. *-ment*.

Techn. Base continue, formant saillie au pied d'un bâtiment. → **Soubassement.**

EMBASTILLEMENT [ɑ̃bastijmɑ̃] n. m. — Av. 1794; de *embastiller*.

♦ **1** Hist. Action d'enfermer (qqn) à la Bastille, et, par ext. (plais.), action d'emprisonner.

♦ **2** (1838). Vx. Action d'entourer (une ville) de bastilles*, de fortifications.

EMBASTILLER [ɑ̃bastije] v. tr. — 1429; de *em-* (*en-*), *bastille* «château fort, prison», et suff. verbal.

♦ **1** Vx. Établir (des troupes) dans une bastille*.

♦ **2** (1717, Voltaire). Mod. (Hist.). Enfermer à la Bastille. — (1795). Par ext. (plais.). Emprisonner.

1   Me voici donc en ce lieu de détresse,
     Embastillé, logé fort à l'étroit,
     Ne dormant point, buvant chaud,
     Mangeant froid.
                   VOLTAIRE, la Bastille, *in* LITTRÉ, Dict.,
                                        art. *Embastillé.*

2   Censurée par l'Église, embastillée par le pouvoir, écartée de l'histoire littéraire, passée pudiquement sous silence par ses coreligionnaires, calomniée par habitude, tournée en dérision par ignorance, Jeanne-Marie de La Mothe Guyon a vécu et raconté, avec une outrageante simplicité, une des plus curieuses expériences religieuses et poétiques où jamais une femme s'engageât.
                   F. MALLET-JORIS, Jeanne Guyon, p. 482.

Au p. p. *Prisonnier embastillé.* → **Bastillé.**

♦ **3** Vx. Entourer (une ville) de bastilles. → **Embastionner, fortifier.**

CONTR. Libérer. — Démanteler. ◊ DÉR. **Embastillement.**

EMBASTIONNEMENT [ɑ̃bastjɔnmɑ̃] n. m. — V. 1870; de *embastionner*.

Techn. Action d'embastionner; son résultat. → **Embastillement** (3.).

EMBASTIONNER [ɑ̃bastjɔne] v. tr. — 1853; de *em-* (*en-*), *bastion*, et suff. verbal.

Techn. (milit.). Entourer (une ville) de bastions, de fortifications. → **Embastiller** (3.).

DÉR. **Embastionnement.**

EMBÂTAGE [ɑ̃bataʒ] n. m. — V. 1870; de *embâter*.

Techn. Action d'embâter; son résultat. *L'embâtage d'une bête de somme.*

EMBÂTER [ɑ̃bate] v. tr. — XVᵉ; de *em-* (*en-*), *bât*, et suff. verbal.

♦ **1** Techn. Charger (un âne, un mulet) d'un bât. — Au p. p. *Un âne embâté.* → **Bâté.**

1   — À qui est le cheval qui hersait l'autre matin?
     — C'est un mulet, dit l'homme qui avait eu le fusil.
     — Embâte-le et sors-le, dit Angélo. Pauline, surveillez la manœuvre (...)
     On amena très vite le mulet embâté sur lequel la jeune femme chargea le bagage.
                   J. GIONO, le Hussard sur le toit, p. 330 (1951).

♦ **2** Fig. Vx. Charger qqn d'une personne, d'une affaire désagréable. → **Embarrasser, ennuyer.**

2   Le chancelier déclara à M. de Chevreuse qu'il pouvait (...) embâter le roi de ses beaux raisonnements.
                   SAINT-SIMON, Mémoires, *in* LITTRÉ.

Vx, fam. *S'embâter de* (qqn, qqch.) : se charger de (qqn ou qqch.) qui embarrasse, importune.

3   J'avais bien affaire vraiment de m'embâter de lui et de son frère.
                                        E. SUE, *in* G. L. L. F.

DÉR. **Embâtage.**

EMBÂTONNER [ɑ̃batɔne] v. tr. — 1447, *embastonner*; de *em-* (*en-*), *bâton*, et suff. verbal.

♦ **1** Vx. Armer (qqn) d'un bâton. — Au p. p. «*Quatre-vingts de ses parents, tous bien embâtonnés*» (A. Theuriet, *in* T. L. F.).

♦ **2** Arch. Garnir de moulures cylindriques les cannelures de (une colonne). — Au p. p. *Colonne embâtonnée.*

EMBATTAGE ou **EMBATAGE** [ɑ̃bataʒ] n. m. — 1556; de *embat(t)re*.

Techn. Action d'embattre; son résultat. *L'embatage d'une roue.*

EMBATTRE ou **EMBATRE** [ɑ̃batʀ] v. tr. — XIᵉ; de *em-* (*en-*), et *battre*.

Techn. Encercler (une roue, la jante d'une roue de wagon) d'une bande de fer. *Roue, charrette embatue* (ou *embattue*) *par le charron.*

DÉR. **Embattage** ou *embatage*.

EMBAUCHAGE [ɑ̃boʃaʒ] n. m. — 1752; de *embaucher*.

♦ **1** Action d'embaucher (un ouvrier); résultat de cette action. — Dr. *L'embauchage est le fait, de la part d'un patron, de passer un contrat de travail avec un ouvrier. Principe de la liberté d'embauchage. Limites apportées à la liberté d'embauchage : embauchage des mineurs, des femmes, des étrangers; embauchage obligatoire de pensionnés et mutilés de guerre, dans certaines entreprises.*

1   Toutes ces mesures limitent singulièrement le droit d'embauchage de l'employeur; elles aboutissent par contrecoup à réduire pour le salarié le choix d'une place de travail. Cette liberté se trouve atteinte également par les mesures de réquisition de la main-d'œuvre imposée par l'état de guerre et la politique d'économie dirigée, ainsi que par les textes relatifs à l'aide aux travailleurs sans emploi.
                   DALLOZ, Nouveau répertoire, Contrat de travail,
                                        n° 71.

2   (...) l'emploi de copiste qui avait été le prétexte et le moyen de son embauchage pour la lutte parisienne, à laquelle il était merveilleusement impropre; il le perdit au bout de quelques mois.   Léon BLOY, le Désespéré, p. 38.

♦ **2** Vx. Action d'embaucher (1.) des soldats. → **Enrôlement, recrutement.**

♦ **3** Par ext. Action d'entraîner (qqn) dans une activité. — Action d'enrôler (qqn) dans un parti, un groupement.

REM. On trouve aussi dans ces emplois (vx) *embauchement* [ɑ̃boʃmɑ̃] n. m.

EMBAUCHE [ɑ̃boʃ] n. f. — 1660; rare av. XXᵉ; déverbal de *embaucher*.

Possibilité d'embauchage, de travail. *Il n'y a pas d'embauche sur le chantier. Offre d'embauche. — Bureau d'embauche,* où l'on trouve du travail.

EMBAUCHER [ɑ̃boʃe] v. — 1564; de *em-* (*en-*), et du rad. de *débaucher*.

A V. tr. ♦ **1** Engager (un ouvrier) en vue d'un travail. *Embaucher des maçons, des moissonneurs. — Embaucher qqn, un ouvrier à un autre employeur,* le débaucher à son profit. — Absolt. *Ici, on embauche :* on engage des ouvriers.

♦ **2** (1797, *in* D. D. L.). Vx. Enrôler (des hommes) dans l'armée de métier. → **Enrôler, recruter.** *Embaucher des soldats, dans les anciennes armées.* — Par ext. Attirer dans son armée les soldats de l'ennemi. *Embaucher des soldats,* les faire déserter. — Factitif.

Se faire embaucher. «*Tu t'es fait embaucher comme simple ouvrier dans une filature*» (Duhamel, *in* T. L. F.).

♦ **3** Mod. Entraîner (qqn) dans une activité (le plus souvent une corvée). *Embaucher un ami pour repeindre son appartement.*
Attirer (qqn) dans un parti, un groupement.

B V. intr. Rare. *Il embauche tous les matins à 6 heures :* il commence son travail à 6 heures.
Dans la masse, des cols blancs aussi, c'est-à-dire des employés, des fonctionnaires (...) Après tout, Hugo se sent semblable à tous ces gens. Lui aussi, il embauche!
                    Pierre ACCOCE, le Polonais, p. 77.

♦ **S'EMBAUCHER** v. pron. *Il s'est embauché comme mécanicien.*

CONTR. **Débaucher, licencier.** ◊ DÉR. **Embauchage, embauche, embaucheur.**

EMBAUCHEUR, EUSE [ɑ̃boʃœʀ, øz] n. — 1670; de *embaucher.*

♦ **1** Personne qui embauche, engage (qqn) pour un travail. → **Recruteur.**

♦ **2** Vx. Personne qui embauche (1.) des soldats, et, par ext., personne qui attire (qqn) dans un parti, un groupement.

EMBAUCHOIR [ɑ̃boʃwaʀ] n. m. — 1755, *Encyclopédie*; altér. de *embouchoir**, de *emboucher.*
Instrument servant à élargir les bottes, les chaussures, ou à les empêcher de se déformer. → **Embauchoir** (1.). *Embauchoir en bois, métallique, à ressort.* → **Forme.**

EMBAUMANT, ANTE [ɑ̃bomɑ̃, ɑ̃t] adj. — 1800, *in* T. L. F.; p. prés. de *embaumer**.

♦ **1** Didact. Qui a des propriétés balsamiques, antiseptiques. *Des remèdes embaumants.*

♦ **2** Littér. Qui a, qui répand une odeur suave. *Fleurs embaumantes.*
De même, vous parlez tout le temps de parfums exquis, d'odeurs embaumantes. Qu'est-ce que cela dit à l'imagination? C'est l'écœurante marchandise des petits parfumeurs de lettres. Laissez-la leur. Vous avez sans doute éprouvé, comme tout le monde, la noble volupté que donnent certains parfums : tâchez de nous la rendre, et ce sera mille fois plus intéressant.
                    PROUST, Jean Santeuil, Pl., p. 263.

EMBAUMEMENT [ɑ̃bomɑ̃] n. m. — 1575; *embalsement*, XIIIᵉ; de *embaumer.*

♦ **1** Action d'embaumer (un cadavre); résultat de cette action. → **Momification.** *La pratique de l'embaumement était générale chez les anciens Égyptiens. Opérations de l'embaumement :* extraction des viscères, élimination des graisses organiques dans un bain de natron (carbonate de sodium), dessiccation à l'air ou à l'étuve. → **Momie.** — Par ext. Conservation artificielle des cadavres (notamment en vue des études d'anatomie) par injection d'antiseptiques (phénol, etc.).
Ordinairement, la cervelle se vidait par le nez; les intestins, par une incision dans le flanc; le corps était alors rasé, lavé et salé; on le laissait ainsi reposer quelques semaines, puis commençait, à proprement parler, l'opération de l'embaumement.
                    BAUDELAIRE, Trad. E. POE, Petite discussion avec une momie.

♦ **2** Par métaphore ou fig. Littér. Action de préserver de toute dégradation; résultat de cette action (cf. Hugo, *in* T. L. F.).

♦ **3** (1834). Action d'embaumer (2.), de sentir bon; fait d'être odorant.

EMBAUMER [ɑ̃bome] v. tr. — XIIIᵉ; *embasmer*, XIIᵉ; de *em-* (*en-*), *basme, boume* (→ Baume), et suff. verbal.

♦ **1** Remplir (un cadavre) de substances balsamiques, dessiccatives et antiseptiques destinées à en assurer la conservation (→ Cadavre, cit. 3). *Les Égyptiens embaumaient leurs morts.* → **Embaumement.**
Mais quel bien fait le bruit, et qu'importe la gloire?   1
Est-on plus ou moins mort quand on est embaumé?
                    A. DE MUSSET, Poésies nouvelles,
                                «Après une lecture».

(XVIIIᵉ). Fig. Littér. Préserver de l'oubli, rendre immuable.
(...) tout l'immense et compliqué palimpseste de la   2
mémoire (...) avec toutes ses couches superposées de sentiments défunts, mystérieusement embaumés dans ce que nous appelons l'oubli.
                    BAUDELAIRE, les Paradis artificiels,
                                «Mangeur d'opium», VIII.
Le peuple arabe a ceci d'admirable que, son art, il le vit,   3
il le chante et le dissipe au jour le jour; il ne le fixe point et ne l'embaume dans aucune œuvre.
                    GIDE, l'Immoraliste, p. 238.

♦ **2** Remplir, imprégner (qqch.) d'une odeur suave. → **Parfumer.** *Les fleurs embaument le jardin, la cour, la plaine...* (→ Absinthe, cit. 2). — *Au p. p. Air embaumé, brise embaumée* (→ Aspirer, cit. 17). *Église embaumée d'encens* (→ Cierge, cit. 2). — *Embaumer son linge à la lavande, à la menthe* (→ Cueillir, cit. 3). — Pron. (Passif). *L'air s'embaumait du parfum des lilas.*
Que les parfums légers de ton air embaumé,   4
Que tout ce qu'on entend, l'on voit ou l'on respire,
Tout dise : «Ils ont aimé!»
                    LAMARTINE, Premières méditations poétiques,
                                «Le lac».
Au printemps, ce désert se couvre, dit-on, d'un riche tapis   5
de verdure tout émaillé de fleurs sauvages. Le genêt, la lavande, le thym embaument l'air de leurs émanations aromatiques.
                    Th. GAUTIER, Voyage en Espagne, p. 269.
Fig. Emplir d'une impression agréable. «*Quelque chose à leur insu émane d'eux, qui embaume et attire*» (Sainte-Beuve, *Volupté, in* T. L. F.). → **Émaner,** cit. 5.

♦ **3** Absolt. Exhaler, répandre une odeur agréable. → **Sentir** (bon). *Cette rose embaume* (→ Cueillette, cit. 2).
Et il embaume, s'écria Durtal, humant l'odeur d'un pétu-   6
lant pot-au-feu qu'éperonnait une pointe de céleri affiliée aux parfums des autres légumes.
                    HUYSMANS, Là-bas, p. 57.
Fam. Répandre une bonne odeur de (qqch.). *Cela embaume le jasmin, la rose.* → **Fleurer.**
Ils prirent un couloir, puis un escalier qui embaumait   7
l'encaustique.
                    MARTIN DU GARD, les Thibault, t. II, p. 231.
Fam. (négatif). *Ça n'embaume pas* (*la rose*, etc.) : ça sent mauvais.

♦ **4** (1842, Reybaud, *Jérôme Paturot, in* T. L. F.). Vx, fam. Prodiguer (à qqn) des flatteries abusives. → **Encenser, flagorner.**

♦ **EMBAUMÉ, ÉE** p. p. adj. Voir ci-dessus à l'article.

CONTR. **Empester, empuantir, infecter, puer.** ◊ DÉR. **Embaumant, embaumement, embaumeur.**

EMBAUMEUR, EUSE [ɑ̃bomœʀ, øz] n. — 1556; de *embaumer.*

♦ **1** Celui, celle dont le métier est d'embaumer les morts. → **Taricheute.**
(...) le corps n'avait pas été englué et durci dans ce bitume   1
noir qui pétrifie les cadavres vulgaires et tout l'art des embaumeurs, anciens habitants des Memnonia, semblait s'être épuisé à conserver cette dépouille précieuse.
                    Th. GAUTIER, le Roman de la momie, p. 38.

2 Une troupe d'embaumeuses dorait des cadavres dans la nuit bleue.
M. SCHWOB, le Livre de Monelle, 1894, p. 144, *in* T. L. F.

♦ **2** Vx. Fam. Personne qui entoure (qqn) d'hommages outranciers.

EMBECQUER [ɑ̃beke] v. tr. — 1611; de *em-* (*en-*), *bec*, et suff. verbal.

♦ **1** Vx. Nourrir en donnant la becquée. → **Abecquer**. (1870). Techn. Gaver (une volaille). *Embecquer des oies.*

♦ **2** (1827). Pêche. *Embecquer l'hameçon*, y fixer l'appât.

♦ **3** Rare. Garnir le bec (et fig., la bouche) de... — Au p. p. :

(...) Madame (...) née Daroux, au Perraux, de parents natifs de Bourges, banlieusarde typique, embecquée et ongulée de carmin (...)
Hervé BAZIN, Cri de la chouette, p. 30.

EMBÉGUINER [ɑ̃begine] v. tr. — Av. 1544; de *em-* (*en-*), *béguin*, et suff. verbal.

♦ **1** Vx. Coiffer (qqn) d'un béguin ou d'une étoffe en forme de béguin. — Au p. p. :

1 D'un crêpe noir Hécube embéguinée (...)
RACINE,
Sonnet sur la Troade (tragédie de Pradon, 1679).

2 Et la petite nonne, si embéguinée à la manière du moyen âge, baisse encore plus la tête pour se maintenir les yeux cachés dans l'ombre de la coiffe austère.
LOTI, Ramuntcho, II, XIII, p. 307.

♦ **2** (1593). Fig. Vx et fam. Entêter sottement. → **Coiffer**, **infatuer**. *Esprit faible qui se laisse embéguiner.* → **Endoctriner**. — Au p. p. :

3 Est-il possible que vous serez toujours embéguiné de vos apothicaires et de vos médecins (...)
MOLIÈRE, le Malade imaginaire, III, 3.

◆ **S'EMBÉGUINER** v. pron.

Vx et fam. Se prendre d'une passion déraisonnable pour qqn. → **Amouracher** (s'), **enticher** (s'), **éprendre** (s'), **toquer** (se).

◆ **EMBÉGUINÉ, ÉE** p. p. adj. Voir ci-dessus à l'article.

EMBELLE [ɑ̃bɛl] n. f. — 1694; de *em-* (*en-*), et *belle*.
Mar. Partie comprise entre le gaillard d'avant et le gaillard d'arrière.

EMBELLIE [ɑ̃beli; ɑ̃bɛli] n. f. — 1753; p. p. de *embellir*, substantivé au féminin.

♦ **1** Mar. Amélioration momentanée du temps, de l'état de la mer au cours d'une bourrasque. → **Accalmie**. *Grain coupé d'embellies.*

1 Elle voulut aller sur les flots de la mer,
Et comme un vent bénin soufflait une embellie,
Nous nous prêtâmes tous à sa belle folie (...)
VERLAINE, Romances sans paroles, «Beams».

♦ **2** (1862). Cour. Brève amélioration du temps. → **Éclaircie**. *Embellie au cours d'un orage.*

2 Dans la soirée, il se fit une embellie qui nous permit de sortir.
E. FROMENTIN, Dominique, XIV, p. 211.

Par métaphore ou fig. Amélioration momentanée (d'une situation).

3 (...) pour eux (*les ivrognes*), la boisson introduit une dimension supplémentaire dans l'existence, surtout s'il s'agit d'un pauvre bougre d'aubergiste comme moi, une sorte d'embellie, dont tu ne dois pas te sentir exclue d'ailleurs, et qui n'est sans doute qu'une illusion (...)
A. BLONDIN, Un singe en hiver, p. 170.

CONTR. Grain, tempête.

EMBELLIR [ɑ̃beliʀ; ɑ̃bɛliʀ] v. — XIIᵉ; de *em-* (*en-*), *bel*, *beau*, et suff. verbal.

A V. tr. ♦ **1** Rendre beau ou plus beau (une personne, un visage). *Ce peintre embellit son modèle.* — (Sujet n. de chose). *Cette coiffure embellit même un visage ingrat.* → **Arranger, flatter**. *Expression qui embellit les traits* (→ Douceur, cit. 33). — *Orner, décorer de manière à rendre beau. Embellir un intérieur en l'ornant de fleurs* (→ **Fleurir**), *de dessins, de peintures* (→ **Décorer**, égayer). *Motif gracieux qui embellit un fronton.* → **Enjoliver, ornementer**. — Passif et p. p. *Être embelli par... Objet embelli de matières précieuses.* → **Émailler, enrichir, rehausser**. — Absolt. *Un discret maquillage embellit. L'amour embellit.*

1 (...) cette charmante figure, embellie encore par l'attrait puissant des larmes.
LACLOS, les Liaisons dangereuses, Lettre XXIII.

2 (...) la gloire est pour un vieil homme ce que sont les diamants pour une vieille femme; ils la parent et ne peuvent l'embellir.
CHATEAUBRIAND, Mémoires d'outre-tombe, t. II, p. 136.

3 Le temps, qui change si malheureusement les figures à traits fins et délicats, embellit celles qui, dans la jeunesse, ont les formes grosses et massives (...)
BALZAC, le Petit Bourgeois, Pl., t. VII, p. 137.

♦ **2** Fig. Faire apparaître sous un plus bel aspect. *Cette rencontre embellit son existence. L'imagination embellit la réalité. Embellir son héros*, en parlant d'un auteur. → **Idéaliser, poétiser** (→ Amoindrir, cit. 3). *Embellir un récit, une histoire*, en l'agrémentant de fictions. → **Agrémenter, émailler**. — Rendre trop beau. *Embellir la vérité. Embellir la situation*, en dissimulant les dangers (cf. Semer de fleurs le bord du précipice). — Absolt. *Vous embellissez toujours! Auteur qui dénature sous prétexte d'embellir.* → **Broder**.

4 La vie des héros a enrichi l'histoire, et l'histoire a embelli les actions des héros (...)
LA BRUYÈRE, les Caractères, I, 12.

5 Ma mauvaise tête ne peut s'assujettir aux choses. Elle ne saurait embellir, elle veut créer. Les objets réels se peignent tout au plus tels qu'ils sont; elle ne sait parer que les objets imaginaires.
ROUSSEAU, les Confessions, IV.

6 (...) notre enfance laisse quelque chose d'elle-même aux lieux embellis par elle, comme une fleur communique un parfum aux objets qu'elle a touchés.
CHATEAUBRIAND, Mémoires d'outre-tombe, t. I, p. 92.

7 (...) j'étais obligé d'embellir de misérables aventures (...)
F. MAURIAC, le Nœud de vipères, I, p. 18.

B V. intr. Devenir beau, plus beau. — REM. Dans ce sens, on emploie les auxiliaires *être* ou *avoir* selon la nuance à traduire (l'action ou l'état). *Cette jeune fille a beaucoup embelli ces derniers temps; elle est maintenant très embellie.*

8 Votre enfant embellit tous les jours; elle rit, elle connaît; j'en prends beaucoup de soin.
Mᵐᵉ DE SÉVIGNÉ, 139, 25 févr. 1671.

Loc. *Ne faire que croître** (cit. 5 et 6) *et embellir*. → **Amplifier** (s').

◆ **S'EMBELLIR** v. pron.

♦ **1** (Réfl.). Se rendre plus beau. *Chercher à s'embellir par la parure.*

9 Tel est le sentiment qu'avait nourri l'éducation, et qui (...) lui donnait pour but la formation de la beauté. Certainement la race était belle, mais elle s'était embellie par système; la volonté avait perfectionné la nature (...)
TAINE, Philosophie de l'art, t. II, p. 198.

♦ **2** (Passif). Être embelli; devenir plus beau (→ ci-dessus, B.).

10 (...) son esprit s'ouvre et se forme de jour à autre, comme sa taille, qui s'embellit extraordinairement (...)
LA BRUYÈRE, Lettre à Condé.

11 En l'écoutant, la face épaisse et suante de l'abbé Godard se transfigurait d'une bonté exquise, ses petits yeux colères s'embellissaient de charité, sa bouche grande prenait une grâce douloureuse. ZOLA, la Terre, p. 54.

12 Ce n'est point que le souvenir de ces lieux s'embellisse (...) GIDE, Si le grain ne meurt, I, III, p. 69.

CONTR. Enlaidir. — Déparer, désembellir, désenchanter, gâter. — Amoindrir (cit. 3). ◊ DÉR. Embellie. — Embellissement.

EMBELLISSEMENT [ābelismã; ābɛlismã] n. m. — 1228; de *embellir*.

◆ **1** Action ou manière d'embellir; fait d'être embelli. *Ses parures contribuent à son embellissement. L'embellissement d'une maison, d'une salle (par un décorateur; par une décoration).* → Décoration, ornementation. *L'embellissement d'une ville.* → Urbanisme.
Par métonymie. Chose qui embellit. *Que d'embellissements depuis notre dernière visite.* → Amélioration.

Les embellissements de la ville de Cachemire (...) On parlait cependant beaucoup de rendre la capitale plus commode, plus propre, plus saine et plus belle qu'elle ne l'était : on en parlait, et on ne faisait rien.
VOLTAIRE, Dialogues, I.

◆ **2** Fig. Action de rendre (plus) beau. *L'embellissement moral, intellectuel de... L'embellissement d'un héros, d'une situation, d'un caractère, d'une époque.* → Idéalisation.
Modification tendant à embellir la réalité. *Il y a des embellissements dans son récit.* → Enjolivement.

CONTR. Enlaidissement. — Avilissement, dégradation.

EMBERLIFICOTER [ābɛrlifikɔte] v. tr. — 1755; terme champenois aux variantes multiples, *embirellicoquier* (XIVᵉ), *embrelicoquer, emberloquer*, etc., ou, d'après P. Guiraud, de *em-* (en-), et *berloque, breloque*, anc. franç. *berele* «menu objet»), et une combinaison des suff. *-ique* et *-oque*.

◆ **1** Fam. Rare. Gêner (qqn) dans ses mouvements. → Empêtrer, entortiller. *Être emberlificoté dans une corde.*

◆ **2** Fig. Entortiller, embrouiller (qqn pour le tromper). → Désorienter, embarrasser. *Il a réponse à tout; ne cherchez pas à l'emberlificoter. — Amener (qqn) à ses propres vues, par des paroles ou des promesses. Emberlificoter ses juges, ses créanciers.* → Circonvenir, embobeliner, embobiner (fam.).

◆ **S'EMBERLIFICOTER** v. pron.
(Concret). S'embarrasser. — (Abstrait). *Il commence à s'emberlificoter dans ses explications.* → Embrouiller (s').

Il s'avança vers Gervaise, les bras ouverts, très ému.
— T'es une bonne femme, bégayait-il. Faut que je t'embrasse. Mais il s'emberlificota dans les jupons, qui lui barraient le chemin et faillit tomber.
ZOLA, l'Assommoir, 1877, p. 509, in T. L. F.

◆ **EMBERLIFICOTÉ, ÉE** p. p. adj. *Réponse, discussion, explication emberlificotée.* → Compliqué. *Sa lettre est tellement emberlificotée que je ne sais pas ce qu'il me demande.* → Embarrassé, gêné.

CONTR. Débarrasser (se), dépêtrer (se). ◊ DÉR. Emberlificoteur.

EMBERLIFICOTEUR, EUSE [ābɛrlifikɔtœR, øz] n. — 1867; de *emberlificoter*.
Personne qui emberlificote, gêne, empêtre, et, fig., trompe habilement ou emmêle.

EMBERLUCOQUER (s') [ābɛrlykɔke] v. pron. — XVIᵉ; var. de *emberloquer (s')*, de *em-* (en-), et *berloque*, anc. forme de *breloque*.
Vx. Fam. *S'emberlucoquer de :* s'entêter ridiculement de (une idée). → Coiffer (se), enticher (s'). — REM. On trouvait aussi les formes (1721) *emberloquer (s')*, (1732) *emberlicoquer (s')*, (1674) *embrelicoquer (s')*.

EMBESOGNÉ, ÉE [ābəzɔɲe] adj. — XIIᵉ (v. 1175); de *em-* (en-), *besogne*, et *-é*.
Vx. Occupé par une besogne absorbante (→ Araignée, cit. 1).
CONTR. Inoccupé, oisif.

EMBESOGNER [ābəzɔɲe] v. tr. — XIVᵉ; au p. p. (→ Embesogné), v. 1175; de *em-* (en-), *besogne*, et suff. verbal.
Vx. Occuper par un travail absorbant.

EMBÊTANT, ANTE [ābɛtã, ãt] adj. — 1788, sens 2; sens 1, 1826; p. prés. de *embêter*.

◆ **1** Fam. Qui embête (1.), engendre l'ennui. → Ennuyeux. *Ce garçon est embêtant.* → Importun.

◆ **2** Fam. Qui cause des ennuis, contrarie. *On m'a dit sur vous des choses embêtantes.* → Fâcheux. *Toutes ces histoires, c'est embêtant.*

Dieu! qu'il est embêtant, celui-là! Tout le temps à se mêler des affaires des autres. GIDE, Œdipe, I.
N. m. *L'embêtant, c'est que je dois partir bientôt.* → Ennui, inconvénient.

REM. *Embêtant*, en français contemporain, est essentiellement un euphémisme pour *emmerdant**.

EMBÊTEMENT [ābɛtmã] n. m. — Fin XVIIIᵉ; de *embêter*.
Familier.

◆ **1** (*Un, des embêtements*). Chose, circonstance qui donne du souci. → Contrariété, ennui, souci, tracas. *Il a toujours des embêtements.* → Emmerdement (fam.).

(...) son besoin d'être heureuse lui faisait tirer tout le bonheur possible de ses embêtements.
ZOLA, l'Assommoir, t. II, p. 55. 1

J'ai assez d'embêtements dans ma propre vie, je ne veux pas m'appuyer ceux des autres.
SARTRE, la P... respectueuse, I, 1. 2

◆ **2** (*L'embêtement*). Fait d'embêter (qqn, un groupe); état de qui est embêté (ennuyé ou dans l'ennui). *L'embêtement de qqn par qqn (rare).* «*L'embêtement radical des villes d'eau*» (Flaubert, *in* T. L. F.). «*Les embêtements bleuâtres du lyrisme poitrinaire*» (cit. 2).

EMBÊTER [ābɛte; ābete] v. tr. — 1794, Hébert, *le Père Duchesne*, nº 312; de *em-* (en-), *bête*, et suff. verbal.

◆ **1** Fam. *Ce spectacle m'embête*, me semble dépourvu d'intérêt. → (fam.) Emmerder; raser.

◆ **2** Contrarier fortement. *Cette affaire l'embête*, lui cause du souci. *Ne l'embête pas! :* laisse-le tranquille. → Agacer, contrarier, importuner. *Il m'embête avec ses questions.* → Assommer, empoisonner.

Allons-nous nous laisser *embêter* par des brigands? — Le verbe par lequel nous remplaçons ici l'expression dont se servit le brave commandant, n'est est qu'un faible équivalent; mais les vétérans sauront y substituer le véritable, qui certes est d'un plus haut goût soldatesque.
BALZAC, les Chouans, Pl., t. VII, p. 796. 1

(...) tâche de venir vers la Toussaint, nous serons plus ensemble et je n'aurai pas le collège pour m'embêter (...)
FLAUBERT, Correspondance, 23, 11 oct. 1838. 2

3   Les ouvriers étaient encore là. Je leur dis : «C'est pour embêter qui ?» Ils ne répondent pas. «Si c'est pour embêter le gouvernement, vous perdez votre peine, car il n'y a guère de chance qu'il se balade par ici (...)»
>J. ROMAINS, les Hommes de bonne volonté, t. V, XXVIII, p. 293.

♦ **3** Régional (Canada). Embarrasser. *Je suis bien embêté pour vous répondre.*

♦ **S'EMBÊTER** v. pron.

Éprouver un ennui morne. → (fam.) **Emmerder** (s'); **ennuyer** (s').

4   (...) ce vieux Rouen où je me suis embêté sur tous les pavés, où j'ai bâillé de tristesse à tous les coins de rue.
>FLAUBERT, Correspondance, 93, 1ᵉʳ mai 1845.

5   Je m'embête; cueillez-moi des jeunes filles
et des iris bleus à l'ombre des charmilles (...)
Ces vers que je fais m'embêtent aussi,
et mon chien se met à loucher, assis,
en écoutant la pendule
qui l'embête comme je m'embête.
>Francis JAMMES, l'Angélus de l'aube..., «Je m'embête».

6   Les blancs retenus ici par leurs fonctions s'embêtent et rongent leur frein.
>GIDE, Voyage au Congo, in Souvenirs, Pl., p. 824.

Par litote. Fam. *Ne pas s'embêter : avoir une vie agréable* (→ Ne pas s'en faire*). *Avec sa fortune, il ne doit pas s'embêter. Venez passer la soirée avec nous, on ne s'embêtera pas.*

7   J'ouvris les yeux. Le gendarme dénouait le cordon du sac. Je regardais Michel, j'implorais Michel. Il était impassible. Le gendarme enfonça une main.
— Du cho-co-lat-a-mé-ri-cain ! Eh bien mes cocos..., vous ne vous embêtez pas !
>Violette LEDUC, la Folie en tête, p. 110-111.

REM. Jugé «très trivial» par Littré, le mot est aujourd'hui un euphémisme à peine familier de *emmerder.*

♦ **EMBÊTÉ, ÉE** p. p. adj. *Des gens embêtés, très embêtés* (au sens 2). *Nous étions bien embêtés. — Un air embêté.* — N. Rare. *Des embêtés.*

CONTR. Amuser, distraire, intéresser. — Arranger, servir.
◊ DÉR. Embêtant, embêtement, embêteur.

EMBÊTEUR, EUSE [ãbɛtœʀ, øz] n. — 1901; de *embêter.*

Rare. Fâcheux, importun. — REM. Ce mot, moins courant que *embêter, embêtant,* est parfois utilisé pour éviter *emmerdeur* (cf. J. Renard : *«C'est un em...bêteur»*, in *Journal,* 14 nov. 1901).

Il m'embête ! répondit Levadoux (...)
— C'est vraiment un embêteur ! approuve Emmanuel (...)
— Oui, il nous embête, conclut avec énergie Victor, dont les lèvres pures n'eussent, malgré cette énergie, pu éjaculer un mot plus indécent.
>Boris VIAN, Vercoquin et le plancton, p. 86.

EMBIELLAGE [ãbjelaʒ] n. m. — 1922, in D.D.L.; de *embieller.*

♦ **1** Techn. Ensemble des bielles (d'un moteur, d'une machine à vapeur). *Refaire, réparer l'embiellage.*

1   À deux heures de Dakar, où le déjeuner se prépare, l'embiellage saute (...)
>SAINT-EXUPÉRY, Terre des hommes, p. 188, in T.L.F.

2   Il avait donné des ordres aux machines, mais l'embiellage trop neuf manquait de souplesse.
>Maurice DENUZIÈRE, Louisiane, p. 445.

♦ **2** Techn. Montage et ajustage des bielles (d'un moteur). *L'embiellage du moteur fait partie du montage.*

EMBIELLER [ãbjele] v. tr. — xxᵉ; de em- (en-), bielle, et suff. verbal.

Techn. Ajuster les bielles de (un moteur, une machine à vapeur).

DÉR. Embiellage.

EMBLAVAGE [ãblavaʒ] n. m. — 1845; attestation isolée, xvIIIᵉ; de *emblaver.*

Agric. Action d'emblaver; son résultat. *L'emblavage d'un champ.* → **Emblavement** (1.).

EMBLAVE [ãblav] n. f. — 1755; déverbal de *emblaver.*

Agric. Terre récemment emblavée. → **Emblavure.** *«Les vieux murs et les emblaves»* (A. Arnoux, in T.L.F.).

EMBLAVEMENT [ãblavmã] n. m. — 1613, «récolte de blé»; de *emblaver,* et suff. *-ure.*

Agriculture.

♦ **1** (1878). Action d'emblaver. → **Emblavage.**

♦ **2** (1932). Terre emblavée. → **Emblave, emblavure.**

EMBLAVER [ãblave] v. tr. — 1242; de em- (en-), et *blé,* avec changement de timbre de la voyelle radicale atone, et développement d'une consonne d'appui (var. anc. *emblaer, embleer*).

Agric. Ensemencer (une terre) en blé, ou, par ext., en toute céréale. → **Bléer.** — Au p. p. *Terre emblavée.* → **Emblave, emblavure.**

1   Quelques arpents qu'Edmond avait emblavés (...) produisirent de bon grain, en suffisante quantité pour nourrir la Famille, en triant l'orge de l'avoine.
>RESTIF DE LA BRETONNE, la Vie de mon père, p. 49.

Emblaver une jachère, une friche. Emblaver d'anciens prés, des champs.

Absolt. Semer les céréales.

2   Les paysans sont contents : ils vont pouvoir emblaver «mou». Le temps à mal au cœur.
>J. RENARD, Journal, 10 oct. 1903.

DÉR. Emblavage, emblave, emblavement, emblavure.

EMBLAVURE [ãblavyʀ] n. f. — 1732; *emblaveure* «récolte», 1509; *emblaûre*; de *emblaver.*

Agric. Terre ensemencée de blé, et, par ext., d'une autre céréale. → **Emblave, emblavement** (2.).

EMBLÉE (D') [dãble] loc. adv. — Av. 1453, «attaque par surprise»; *à (en) emblée* «en cachette», xIIᵉ; du v. *embler*.

Du premier coup, au premier effort fait pour obtenir le résultat en question. → **Abord** (d'), **entrée** (d'entrée de jeu); **aussitôt.** *Il a emporté le marché d'emblée. Conquérir d'emblée son auditoire, son public* (→ À-propos, cit. 6). *Adopter d'emblée un projet, un plan* (→ Amphithéâtre, cit. 1). *Il fut d'emblée élu président. Marquer d'emblée un but.*

(...) je venais de m'installer parmi les amis du grand écrivain, d'emblée et tranquillement, comme quelqu'un qui, au lieu de faire la queue avec tout le monde pour avoir une mauvaise place, gagne les meilleures, ayant passé par un couloir fermé aux autres.
>PROUST, À la recherche du temps perdu, t. III, p. 180.

EMBLÉMATIQUE [ãblematik] adj. — 1564; bas lat. *emblematicus* «plaqué», de *emblema.* → **Emblème.**

Didact. Qui présente un emblème, qui se rapporte à un emblème. → **Allégorique, symbolique.** *Dessin, décoration emblématique. La colombe, figure emblématique de l'innocence, de la paix.* → **Représentatif.** *Reliure ancienne à décor emblématique.*

1 Ces mots (...) disposent l'esprit à chercher un sens moral dans tout le récit développé antérieurement. Le lecteur commence dès lors à considérer le Corbeau comme emblématique ; — mais ce n'est que juste au dernier vers de la dernière stance qu'il lui est permis de voir distinctement l'intention de faire du Corbeau le symbole du *Souvenir funèbre et éternel.*
> BAUDELAIRE, Trad. POE, Histoires grotesques et
> sérieuses, Genèse d'un poème.

2 (...) un selam d'Orient, un de ces bouquets emblématiques que les Bach'agas offrent à leurs amoureuses, et auxquels ils savent faire exprimer toutes les nuances de la passion.
> Alphonse DAUDET, le Petit Chose, p. 242.

DÉR. Emblématiquement.

EMBLÉMATIQUEMENT [ãblematikmã] adv.
— 1847 ; de *emblématique.*

Didact. De manière emblématique. → **Symboliquement.** *Le poisson figure emblématiquement le Christ, dans l'iconographie chrétienne.*

EMBLÈME [ãblɛm] n. m. — 1560 ; lat. *emblema,* du grec *emblēma* «ornement rapporté, mosaïque».

♦ 1 Figure symbolique, généralement accompagnée d'une devise. *Composer, expliquer un emblème. L'emblème de Louis XIV comportait un soleil* (→ Devise, cit. 1).

♦ 2 Par ext. Figure, attribut destinés à représenter symboliquement (un personnage, une autorité, un métier, un parti...). → **Insigne, symbole.** *Les fleurs de lis, emblèmes ornant les armoiries des rois de France. Le bonnet phrygien* (cit.), *emblème de la liberté. La femme au bonnet phrygien, emblème de la République. La tiare et les clefs de saint Pierre, emblèmes de la Papauté. Le sceptre et la couronne, emblèmes de la royauté. La croix, emblème des chrétiens. Emblèmes figurant sur des drapeaux, des décorations* (cit. 8). *Emblème politique.* → **Cocarde.** *Emblèmes militaires.* → **Drapeau.** *Emblèmes maçonniques :* ornements qui indiquent les grades des francs-maçons.

1 (...) le groupe des anges portant les emblèmes des arts : la houlette des pasteurs, la gerbe du laboureur, les grappes de la vigne, les fruits des jardins précèdent les figures qui tiennent les symboles de la musique, de l'architecture et de l'art céramique.
> Th. GAUTIER, Portraits contemporains, p. 276.

2 (...) le crâne ou la tête de mort est l'emblème bien connu des pirates. Ils ont toujours, dans tous leurs engagements, hissé le pavillon à tête de mort.
> BAUDELAIRE, Trad. POE, Histoires
> extraordinaires, «Le scarabée d'or», p. 102.

3 Qu'est-ce qu'un thyrse ? Selon le sens moral et poétique, c'est un emblème sacerdotal dans la main des prêtres et des prêtresses célébrant la divinité dont ils sont les interprètes et les serviteurs.
> BAUDELAIRE, le Spleen de Paris, «Le thyrse».

Spécialt. Signe typique représentant un personnage. *L'emblème mythologique d'un héros.* → **Attribut.** *Diane a pour emblème le croissant ; Mercure, le caducée ; Hercule, la massue ; Neptune, le trident.*

♦ 3 Être ou objet concret, consacré par la tradition comme représentatif d'une chose abstraite (idée, sentiment, vertu...). → **Symbole.** *La violette est l'emblème de la modestie ; le lis, de la pureté ; le lion, du courage.*

4 La fauvette fut l'emblème des amours volages, comme la tourterelle de l'amour fidèle ; cependant, la fauvette, vive et gaie, n'en est ni moins aimante ni moins fidèlement attachée et la tourterelle, triste et plaintive, n'en est que plus scandaleusement libertine.
> BUFFON, Hist. nat. des oiseaux, Fauvette, Œ., t. VI.

Par ext. Vieilli. Image.
Ces folles robes sont l'emblème
De ton esprit bariolé (...)
> BAUDELAIRE, les Fleurs du mal,   5
> «À celle qui est trop gaie».

DÉR. Emblématique.

EMBLER [ãble] v. tr. — V. 980 ; du lat. class. *involare* «voler dans», d'où «se précipiter sur», «se saisir de», de *in-,* et *volare.* → Voler.

Vx. Voler, enlever avec violence.
Embler les joyaux de l'électeur de Bavière ! les truands ne respectent rien (...)
> BALZAC, Maître Cornélius, p. 236, *in* T. L. F.

DÉR. Emblée (d').

EMBOBELINAGE [ãbɔblinaʒ] n. m. — Fin XIXᵉ, A. Daudet ; de *embobeliner.*

Rare. Action d'embobeliner, d'être embobeliné. — Concret :
(...) la petite comtesse de Foder, son bout de nez pointu tout affairé de curiosité dans un embobelinage de dentelles.
> Alphonse DAUDET, l'Immortel, p. 279.

EMBOBELINER [ãbɔbline] v. tr. — 1585, «rapiécer» ; de *em-* (en-), anc. franç. *bobelin* «chaussure grossière», probablt de l'onomat. *bob-,* exprimant une idée de difformité, et suff. verbal.

♦ 1 Vx. Envelopper (qqn, qqch.) dans qqch. *Embobeliner un bébé dans une couverture.* → **Embobiner** (2.), **emmitoufler.** — Pron. *Ils s'embobelinèrent dans leurs manteaux.*

Puis, en attendant les voitures, on s'embobelina dans les   1
capelines et les manteaux.
> FLAUBERT, l'Éducation sentimentale, p. 157.

Figuré. Entourer, envelopper.
L'âme est embobelinée d'Amour qui ressemble en tout à   1.1
une gaze couleur du temps, et prend la figure masquée
d'une chrysalide.
> A. JARRY, Gestes et Opinions du Dʳ Faustroll, Pl.,
> p. 716.

♦ 2 Fig. Fam. Circonvenir* (qqn) par des paroles captieuses. → **Emberlificoter, embobiner, enjôler, envelopper, séduire.**

Si vous arrivez à embobeliner le juge, je l'aurai d'une autre   2
façon, c'est tout.   SARTRE, l'Âge de raison, p. 302.

CONTR. Aliéner (s'), indisposer. ◊ DÉR. Embobelinage, embobelineur.

EMBOBELINEUR, EUSE [ãbɔblinœr, øz] adj. et n.
— Déb. XXᵉ ; de *embobeliner.*

Vx. (Personne) qui embobeline, trompe. → **Trompeur.**

EMBOBINAGE [ãbɔbinaʒ] n. m. — 1945, Cendrars, au fig. ; de *embobiner.*

Action d'embobiner ; son résultat.

EMBOBINER [ãbɔbine] v. tr. — 1839, au fig. ; altér. de *embobeliner,* d'après *bobine ;* ou (sens 1.), de *em-* (en-), *bobine,* et suff. verbal.

♦ 1 (1876). Rare. Enrouler (du fil) sur une bobine. → **Bobiner, enrouler.** *Embobiner un câble.*

♦ 2 Envelopper (qqn, qqch.) dans (qqch.). → **Embobeliner** (1.), **emmitoufler.** *Embobiner un enfant dans une couverture.* — REM. Cet emploi est senti aujourd'hui comme une métaphore stylistique du sens 1, mais il est antérieur.

♦ **3** Fig., fam. Tromper par des paroles captieuses.
→ **Baratiner** (2.), **emberlificoter**, **embobeliner** (2.),
enjôler. *Il, elle s'est fait, laissé embobiner. Le ven-*
deur l'a facilement embobiné.

1   «Il y a un type à nous dans la piaule du curé ?» «Oui !» «Il
     est dégourdi ?» «Encore assez.» «Qu'il se laisse embobiner,
     qu'il fasse semblant d'être convaincu, nous avons besoin
     d'un informateur.»
                                   SARTRE, la Mort dans l'âme, p. 241.

2   Le soleil tourne autour de la terre, déclama l'astrologue,
     et bien fol et bien malicieux celui qui prétend le contraire
     (...) Ils cherchent tous à m'embobiner, dit le duc d'un air
     ronchon.   R. QUENEAU, les Fleurs bleues, p. 151.

DÉR. Embobinage. ◊ COMP. Rembobiner.

EMBOIRE [ãbwaʀ] v. tr. [CONJUG.: *boire.*] — XIIᵉ ; du lat.
imbibere «s'imprégner de». → Imbiber.

Techn. Imbiber, imprégner. *Emboire un moule,* l'enduire de cire fondue pour empêcher toute adhérence.

♦ **S'EMBOIRE** v. pron. réfl.

Peint. *Tableau qui s'emboit,* dont les couleurs
deviennent ternes et confuses, parce que la toile
ou le bois a bu l'huile, l'essence. — Récipr. *Couleurs*
qui s'emboivent.

♦ **EMBU, UE** p. p. adj. et n. m.

Peint. *Toile embue,* devenue terne, le support
ayant absorbé l'huile. *Couleurs embues.* — N. m.
Ce tableau a de l'embu, des embus. — Mar. *Voile*
embue, alourdie par l'eau.
Yeux embus de larmes. → **Embué, mouillé.**

1   Quand Valmajour *(le tambourinaire)* eut fini, des acclama-
     tions folles éclatèrent. Les chapeaux, les mouchoirs étaient
     en l'air. Roumestan appela le musicien sur l'estrade et lui
     sauta au cou : «Tu m'as fait pleurer, mon brave.» Et il mon-
     trait ses yeux, de grands yeux bruns dorés, tout embus de
     larmes.   DAUDET, Numa Roumestan, I, p. 24.

2   (...) il fallait suivre un long couloir mal éclairé dont les
     murs embus laissaient, de-ci de-là, rouler avec lenteur une
     larme couleur de café.
                    G. DUHAMEL, Chronique des Pasquier, IX, I, p. 16.

N. m. Fig. et rare :

3   Elle se nommait Vervin, et claire elle était, dans l'embu
     d'un chagrin inexpliqué.   Claude ROY, Nous, p. 34.

CONTR. Assécher, dessécher. ◊ HOM. (Du p. p.) Embut.

EMBOISER [ãbwaze] v. tr. — 1680 ; semble s'être
employé jusqu'au mil. du XIXᵉ ; de *em- (en-),* et anc.
franç. *boiser* «tromper» (XIIᵉ), du francique **bansjan*
«dire des sottises, dénaturer».

Vx. Tromper par de petites flatteries, des promesses. *Le «petit traquenard où nous serons tôt ou*
tard emboisés» (Balzac, les Proscrits).

EMBOÎTABLE [ãbwatabl] adj. — XXᵉ ; attestation
isolée, 1845, Radonvilliers ; de *emboîter.*

Qui peut s'emboîter. *Éléments, pièces emboîtables.*
Cubes emboîtables.

De salle en salle, ils voyaient des personnes se passionner
devant des éléments géométriques, des cylindres emboîtables, des jouets mécaniques, des pistes, des damiers
étranges.
                    Robert SABATIER, les Enfants de l'été, p. 150.

EMBOÎTAGE [ãbwataʒ] n. m. — 1787 ; de *emboîter.*

♦ **1** Action d'emboîter (un livre, qqch.) ; résultat de
cette action. *Il n'y a aucun jeu à craindre dans l'em-*
boîtage des diverses pièces. — (D'un ancien sens de
emboîter, aujourd'hui disparu). Mise en boîte. → **Boî-**
tage. «*Triage, emboîtage, empaquetage des plumes*
métalliques» (*J. O.,* 18 août 1875, *in* Littré).

♦ **2** Action de fixer par collage les cahiers cousus
dans une couverture destinée à cet usage.

Par métonymie. Enveloppe d'un livre, généralement constituée d'une chemise et d'un étui, parfois aussi
en forme de boîte. *Emboîtage d'une édition de*
luxe en feuilles, en cahiers non cousus. Somptueux
emboîtage décoré par l'illustrateur. Emboîtage de
l'éditeur, livré avec l'édition.

EMBOÎTANT, ANTE [ãbwatã, ãt] adj. — Attesté
XXᵉ ; p. prés. de *emboîter.*

Qui emboîte. *Pièce emboîtante et pièce emboîtée.*
— Qui enveloppe étroitement. *Chaussures emboî-*
tantes, qui emboîtent la cheville.

EMBOÎTEMENT [ãbwatmã] n. m. — 1611 ; de
emboîter.

♦ **1** Assemblage de deux pièces qui s'emboîtent
l'une dans l'autre. *Emboîtement des mortaises, des*
abouts d'une charpente. → **Assemblage.** *Emboîte-*
ment d'un os dans un autre. → **Articulation, jointure**
(→ Chignon, cit. 1).

1   Les *surfaces articulaires* sont concaves et convexes en sens
     inverse : la concavité de l'une correspond à la convexité
     de l'autre. Les deux pièces osseuses en présence rappellent
     exactement la disposition d'un cavalier sur sa selle, d'où
     le nom d'*articulations en selle,* qu'on donne parfois à l'ar-
     ticulation par emboîtement réciproque (...)
                    L. TESTUT, Traité d'anatomie, t. I, p. 505.

♦ **2** Fig., didact. Inclusions successives ; objets de
connaissance abstraits présentant une relation
d'inclusion.

2   Ces structures sont constituées par des classes et des
     emboîtements de classes (inclusion d'une sous-classe dans
     une classe)...
                    J. PIAGET, Logique et Connaissance scientifique,
                                              Encycl. Pl., p. 3.

Ling. Enchâssement*.

♦ **3** Élément qui s'emboîte. *Tuyaux à emboîtements,*
munis d'un emboîtement.

EMBOÎTER [ãbwate] v. tr. — 1328 ; de *em- (en-), boîte,*
et suff. verbal.

♦ **1** Faire entrer (une chose dans une autre ; plusieurs choses l'une dans l'autre). → **Accoupler,**
ajuster, assembler. *Emboîter un tuyau dans un*
autre ; emboîter des tuyaux. → **Aboucher.** *Emboîter*
un tenon dans une mortaise. → **Embrever** (2.), **encas-**
trer, enchâsser. *Emboîter dans un manche un outil,*
un instrument. → **Emmancher.** *Emboîter un pignon*
dans une roue dentée. → **Engrener.** *Emboîter les*
disques, les cônes d'un embrayage. → **Embrayer.**
Emboîter des tuiles, des ardoises. → **Embroncher,**
imbriquer.

Reliure. *Emboîter un livre :* fixer un livre cousu, par
simple collage, dans une couverture toute prête.
Au p. p. *Pièces emboîtées.* — Par ext. Pris comme dans
un emboîtement.

1   Ces deux piliers, c'étaient les Douvres. L'espèce de masse
     emboîtée, entre eux, comme une architrave entre deux
     chambranles, c'était la Durande.
                    HUGO, les Travailleurs de la mer, II, I, I.

2   Les matelots de quart, en vêtements de toile, dorment à
     plat pont, par rangées, couchés sur le même côté tous,
     emboîtés les uns dans les autres, comme des séries de
     momies blanches.
                    LOTI, Mon frère Yves, LXXXIV, p. 199.

Envelopper* exactement à la façon d'une boîte. *Ces*
souliers emboîtent bien le pied.

3   (...) des souliers sans talon, qui n'emboîtent que les doigts
     du pied, brodés de paillettes d'argent (...)
                    LAMARTINE, Graziella, III, Épisode XIV.

♦ **2** Loc. (1825). **EMBOÎTER LE PAS À QQN :** marcher
juste derrière qqn de telle sorte que le pied se

pose à la place où était le pied de la personne qui précède. — **Par ext.** Suivre qqn de très près, pas à pas.

4   Et, comme on rattache un fil à un autre fil, emboîtant le pas de son mieux dans l'itinéraire que l'homme avait dû suivre, il se mit en marche à travers le taillis.
                         HUGO, les Misérables, V, V, I.

5   (...) pliée en deux, le nez à terre, épiant les bruits, elle errait de pièce en pièce comme un chien perdu, emboîtant le pas à tous ceux qui passaient à sa portée (...)
                  MARTIN DU GARD, les Thibault, t. IV, p. 150.

Par ext. Suivre.

5.1   Tout prend un sens dans ce boulevard, tout va dans un sens. On emboîte le pas à une vie ramassée et raccourcie qui sait où elle va, à la mort. L'œil fixé sur ton but, tu trouves ton rythme. Un rythme, c'est énorme.
               DRIEU LA ROCHELLE, la Comédie de Charleroi,
                                   p. 175.

Fig. Suivre qqn en tout docilement. → **Imiter, modeler** (se modeler sur); → Abri, cit. 6.

6   Sa surprise n'était qu'excessive : il n'en connut plus les limites, à voir Adèle lui emboîter carrément le pas, à l'entendre abonder bruyamment dans son sens, lui crier qu'il avait raison (...)
               COURTELINE, Boubouroche, Nouvelle, V, p. 74.

◆ **S'EMBOÎTER** v. pron. **(Récipr.).**

S'ajuster exactement. *Pièces d'un puzzle qui s'emboîtent facilement.* → **Ajuster** (s').

7   Nous divisons un tout en parties. Et nous nous étonnons que les pièces découpées par nous s'emboîtent exactement les unes dans les autres quand nous les rapprochons.
              Alexis CARREL, l'Homme, cet inconnu, p. 238.

Anat. *Les os s'emboîtent. Tête du fémur qui s'emboîte dans la cavité cotyloïde.*

8   Les os ont des jointures où ils s'emboîtent les uns dans les autres.   FÉNELON, Traité de l'existence de Dieu, 31.

Fig. *Des corps étroitement embrassés, qui semblent s'emboîter l'un dans l'autre.*

9   Ils étaient tassés, les épaules s'emboîtant les unes les autres (...)   LOTI, Matelot, LI, p. 197.

◆ **EMBOÎTÉ, ÉE** p. p. adj. et n.

◆ **1** Voir à l'article.

◆ **2 Danse.** *Pas emboîté,* et, n. m., *l'emboîté :* marche talon contre pointe.

10   L'emboîté (...) c'est une marche légère et agile caractérisée par le passage des pieds l'un devant l'autre, talon contre pointe, soit pour avancer, soit pour reculer.
            Marcelle BOURGAT, Technique de la danse, p. 67.

◆ **3 Inform.** *Boucles emboîtées,* dont l'une (boucle d'instruction) contient l'autre (boucle intérieure).

CONTR. Déboîter, démonter, disjoindre, disloquer. ◊ **DÉR. Emboîtable, emboîtage, emboîtant, emboîtement, emboîteuse, emboîture. – COMP. Remboîter.**

EMBOÎTEUSE [ãbwatøz] n. f. — Mil. XXe; de *emboîter* «mettre en boîte» (vx).

Techn. Machine mettant automatiquement en conserve des aliments additionnés de jus. *Emboîteuse-juteuse pour fruits et légumes.*

EMBOÎTURE [ãbwatyʀ] n. f. — 1547; de *emboîter.*
Technique.

◆ **1** Insertion d'une chose dans une autre; endroit où se fait cette insertion. *L'emboîture du tibia.*

◆ **2** Traverse de bois à rainure dans laquelle entrent les extrémités de plusieurs planches assemblées. *Les emboîtures d'une porte :* les ais transversaux où s'emboîtent les autres ais.

EMBOLE [ãbɔl] ou **EMBOLUS** [ãbɔlys] n. m. — 1870, *embole; embolus,* 1857; du grec *embolê* «action de jeter dans; inversion», de *emballein* «jeter dans, sur».

Pathol. Tout corps étranger qui peut provoquer une embolie. *«Le thrombus peut aussi se fragmenter en plusieurs amas cellulaires : les emboles qui, véhiculés par le sang, peuvent oblitérer une artériole, entraînant un infarctus du tissu normalement irrigué. L'embole peut aussi être constitué uniquement d'un agrégat de plaquettes»* (Sciences et Avenir, n° 22, p. 37).

Ce professeur a vu une dame qui tout à coup avait éprouvé un engourdissement de la main suivi plus tard de la gangrène des doigts. C'était un embolus qui avait oblitéré l'artère brachiale (...) Les autopsies ont démontré qu'un embolus, c'est-à-dire une concrétion fibrineuse développée sur les valvules du cœur ou flottant dans le système artériel, peut fermer la lumière d'un vaisseau, et devenir ainsi une cause d'asphyxie locale.
         Journal de médecine et de chirurgie pratiques,
                XXVIII, p. 446, 1857, *in* D. D. L.

EMBOLIE [ãbɔli] n. f. — 1845-1856, Virchow, *in* Garnier; du grec *embolê* «action de jeter dans, sur», et suff. *-ie.*

◆ **1 Pathol. et cour.** Oblitération* brusque d'un vaisseau par un corps étranger (→ **Embole**), caillot entraîné par le sang (→ **Thrombose**), amas de bactéries ou de cellules cancéreuses, bulles gazeuses *(embolie gazeuse). Caillot, fragment de tumeur qui provoque une embolie* (→ Artérite, cit.). *Embolie qui entraîne l'anémie, la gangrène d'un membre. Embolie cérébrale, pulmonaire. Mourir d'une embolie.*

1   (...) une embolie pulmonaire, c'est-à-dire une obstruction de l'artère pulmonaire par un caillot sanguin, prive de circulation toute une partie du territoire pulmonaire (...)
             P. VALLÉRY-RADOT, Notre corps..., p. 75.

◆ **2 Embryol.** Processus d'invagination d'une partie de l'hémisphère végétatif de l'embryon, un des types de gastrulation, notamment chez l'oursin. → aussi **Épibolie.**

2   Les lèvres qui bordent ce dernier *(le blastopore)* s'invaginent à l'intérieur et donnent le plafond de l'intestin embryonnaire primitif (archentéron), et ainsi prend naissance la gastrula, dont la formation est donc une combinaison d'épibolie et d'embolie.
            Jean GUIBÉ, les Batraciens, p. 75.

DÉR. Embolique. ◊ **COMP.** (Du sens 1) **Aéroembolisme.**

EMBOLIQUE [ãbɔlik] adj. — 1864; de *embolie.*
Méd. Relatif à l'embolie (1.).

L'éventualité d'un accident embolique, d'une infection pulmonaire, d'une défaillance circulatoire, d'une insuffisance rénale, ne peut jamais être exclue des risques opératoires (...)
       Pr J. GOSSET, *in* le Figaro littéraire, 18-24 sept. 1967.

EMBOLISME [ãbɔlism] n. m. — 1119; bas lat. *embolismus,* grec *embolimos* ou *embolismos* «(jour) intercalaire», de *embolê.* → **Embole.**

Didact. (antiq.). Intercalation d'un mois lunaire (les troisième, cinquième et huitième années d'une période de dix-huit ans) destinée à faire concorder les années solaires et lunaires.

DÉR. Embolismique.

EMBOLISMIQUE [ãbɔlismik] adj. — XVe; de *embolisme.*

Didact. Relatif à l'embolisme. *Mois, année embolismique.*

EMBOLOLALIE [ãbɔlɔlali] n. f. — XXᵉ ; du grec *imbolê* «invasion», et *-lalie*.

Didact. Introduction involontaire et répétée de mots ou interjections sans valeur sémantique précise dans le langage parlé («euh», «ben», «n'est-ce pas», etc.).

EMBOLOMÈRES [ãbɔlɔmɛʀ] n. m. pl. — XXᵉ ; *embolomériens*, 1893 ; du grec *embolon*, lat. *embolus* «piston», et suff. *-mère*.

Didact. (zool., paléont.). Famille d'amphibiens fossiles (*Stégocéphales*) du permien et du carbonifère, comprenant des formes à corps allongés, à l'aspect de salamandre. — Au sing. *Un embolomère.*

EMBONPOINT [ãbɔ̃pwɛ̃] n. m. — 1528 ; *en bon point* «en bonne situation, condition», 1164 ; de *em-* (*en-*), *bon*, et *point* «en bon état».

♦ **1** Vx. État d'une personne en bonne santé ; éclat que donne la santé à telle ou telle partie du corps.

1   Je veux mourir pour tes beautés, Maîtresse (...)
     Je veux mourir pour cette blonde tresse (...)
     Pour l'embonpoint de ce trop chaste sein (...)
                    RONSARD, Cassandre, I, 46.

2   On le prendrait pour vous : il a votre air, votre âge,
     Vos yeux, votre action, votre maigre embonpoint (...)
                    CORNEILLE, la Suite du Menteur, I, 3.

Par métaphore :

3   La France, à la mort du feu roi, était un corps accablé de mille maux : (*Noailles*) prit le fer à la main, retrancha les chairs inutiles (...) mais il restait toujours un vice intérieur à guérir. Un étranger (*Law*) est venu qui a entrepris cette cure. Après bien des remèdes violents, il a cru lui avoir rendu son embonpoint, et il l'a seulement rendue bouffie.
                    MONTESQUIEU, Lettres persanes, CXXXVIII.

♦ **2** Mod. État d'un corps bien en chair, un peu gras. *Un léger embonpoint. Excès d'embonpoint.* → **Adiposité, corpulence, grosseur, réplétion, rotondité** (fam.). *Avoir, prendre de l'embonpoint.* → **Arrondir** (s'), **engraisser, grossir, remplumer** (se) ; **dodu, gras, gros, potelé, rebondi, replet, rondelet.** *Femme qui a beaucoup d'embonpoint.* → **Dondon.** *Avoir tendance à l'embonpoint. Prendre de l'embonpoint. Embonpoint qui vient avec l'âge. Chairs avachies par l'embonpoint. Perdre de son embonpoint. C'est plus que de l'embonpoint, c'est un début d'obésité*.

4   Elle n'avait pas dans ses mouvements la pesanteur des femmes trop grasses ; son embonpoint ni sa gorge ne l'embarrassaient pas.
                    MARIVAUX, le Paysan parvenu, IV.

5   (...) le chasseur était un gros homme court dont le ventre proéminent accusait un embonpoint véritablement ministériel.
                    BALZAC, Adieu, Pl., t. IX, p. 750.

6   Il n'était pas grand ; il avait quelque embonpoint, et, pour le combattre, il faisait volontiers de longues marches à pied (...)
                    HUGO, les Misérables, I, I, XIII.

7   Elle est forte et grasse, mais il y a loin de son embonpoint, potelé et soutenu, aux avalanches de chair humaine du peintre d'Anvers (...)
                    Th. GAUTIER, Portraits contemporains, p. 383.

7.1 (...) comment le trouvez-vous ?
     — Bien portant surtout !
     — Il prend du ventre... et il m'est arrivé maigre comme un clou ! Notez ceci, quand un criminel prend du ventre, c'est que la régénération commence ! Quand mes pensionnaires prennent de l'embonpoint, je suis tranquille sur leur santé physique et morale.
                    A. ROBIDA, le Vingtième Siècle, p. 139.

(En parlant d'animaux, généralement comestibles). *L'embonpoint d'un chapon.*

Fig. et vieux :

8   Quant à l'ouvrage, il est maigre, mais il est aisé de lui donner de l'embonpoint dans une seconde édition (...)
                    D'ALEMBERT, Lettre à Voltaire, 25 juin 1766.

CONTR. Amaigrissement, émaciation, étisie, maigreur.

EMBOQUER [ãbɔke] v. tr. — 1864, in Littré ; de *emboque*, forme dial. de *bouche*, et suff. verbal.

Régional. Gaver* pour engraisser (un animal).

EMBOSSAGE [ãbɔsaʒ] n. m. — 1792 ; de *embosser.*

Mar. Action d'embosser un navire ; position d'un navire embossé. — *Ligne d'embossage*, formée par des navires (de guerre) embossés.

EMBOSSER [ãbɔse] v. tr. — 1752 ; pron., 1688 ; de *em-* (*en-*), *bosse* «sorte de cordage», et suff. verbal.

Mar. Amarrer (un navire) de façon à le maintenir dans une direction déterminée malgré le vent et le courant. — Au p. p. *Navire embossé cap à l'est.*

1   — Arrive Paul, on n'a pas encore attaqué la dinde !
     Henry lui envoie un lance-amarres et Paul embosse son petit *Vénus* sur l'arrière de *Pheb.*
                    Bernard MOITESSIER, Cap Horn à la voile, p. 101.

♦ **S'EMBOSSER** v. pron.

♦ **1** Mar. S'amarrer de manière à présenter le travers. *L'escadre s'embossa en rade.*

2   La route suivie précédemment par les embarcations lui avait permis de reconnaître le chenal, et il s'y était effrontément engagé. Son projet n'était que trop compréhensible : il voulait s'embosser devant les Cheminées et, de là, répondre par des obus et des boulets aux balles qui avaient jusqu'alors décimé son équipage.
                    J. VERNE, l'Île mystérieuse, t. II, p. 638.

3   L'escadre s'approche avec précaution, en sondant, mouille le plus près possible, et s'embosse, en hissant les pavillons français, pour commencer le bombardement.
                    LOTI, Figures et choses...,
                    Trois journées de guerre, p. 207.

♦ **2** Mar. Fam. S'installer dans une position défensive. *Les marins s'embossèrent contre le pied du grand mât.* — Par ext. Se fixer dans une position stable, solide.

4   Comme toujours, il y avait un fourgon d'agents embossé au carrefour et une voiture pie toute vibrante d'antennes, poisson pilote de cette baleine échouée.
                    A. BLONDIN, Monsieur Jadis..., p. 13.

Passif et p. p. :

5   (...) la plupart des rideaux bougent aux fenêtres. Quelques vieilles sont carrément embossées derrières ces portillons bipartis, dont le haut ne se ferme que le soir et qui laissent dépasser leurs têtes comme celles des chevaux dans un box.
                    Hervé BAZIN, Cri de la chouette, 1972, p. 165.

♦ **3** (Mil. XIXᵉ). Fig. S'abriter, se mettre à couvert.

6   Il rabattit son chapeau sur les yeux, s'embossa à l'espagnole dans un manteau de couleur sombre.
                    Th. GAUTIER, le Capitaine Fracasse, p. 239.

DÉR. Embossage, embossure.

EMBOSSURE [ãbɔsyʀ] n. f. — 1687 ; de *embosser.*
Marine.

♦ **1** Amarre fixant le navire embossé.

♦ **2** (1864). Nœud fixant le navire sur une amarre.

EMBOTTELER [ãbɔtle] v. tr. — 1600 ; de *em-* (*en-*), et *botteler.*

Techn., agric. Mettre en botte(s). *Embotteler le chanvre.*

EMBOUAGE [ãbwaʒ] n. m. — Déb. XXᵉ ; de *embouer.*
Techn. Procédé de lutte contre l'incendie dans les houillères, qui consiste à injecter un mélange d'eau et de matériaux stériles fins. *L'embouage d'un puits de mine.*

EMBOUCANER [ãbukane] v. — 1878, Rigaud; de *em-* (*en-*), et *boucaner*, de *bouc*; cf. *emboconner*, in Wartburg.

Vx et populaire.

◆ **1** V. intr. Sentir mauvais. → **Puer.**

◆ **2** V. tr. Gêner par une odeur infecte.

EMBOUCHE [ãbuʃ] n. f. — 1837; de 2. *emboucher*. Engraissement du bétail dans les prés. *Élevage d'embouche, régions d'embouche.* — Par métonymie. *Pré d'embouche,* ou, ellipt., *embouche* (n. m.) : pré où les bestiaux s'engraissent rapidement. *Les embouches du Charolais.* — REM. La variante *embauche* [ãboʃ] est vieillie ou régionale (Centre).

1. EMBOUCHÉ, ÉE (MAL) [malãbuʃe] adj. et n. — 1573; de *mal,* adv., et *emboucher* «mettre en bouche», proprt «mal appris*, mal endoctriné».

Qui parle de manière grossière; mal élevé en matière de langage. *Une gamine particulièrement mal embouchée.*

1 Il attrapa sa femme et l'enfant, avec des raisons d'ivrogne, des mots dégoûtants (...) D'ailleurs, Nana elle-même mal embouchée, au milieu des conversations sales qu'elle entendait continuellement. Les jours de dispute, elle traitait très bien sa mère de chameau et de vache.
> ZOLA, l'Assommoir, t. II, X, p. 114.

N. *Un, une mal embouchée.*

2 (...) je sortis de ma voiture dans l'intention de frotter les oreilles de ce mal embouché. Je ne pense pas être lâche (mais que ne pense-t-on pas!), je dépassais d'une tête mon adversaire, mes muscles m'ont toujours bien servi.
> CAMUS, la Chute, p. 62.

HOM. 2. **Embouché,** 1. **emboucher,** 2. **emboucher.**

2. EMBOUCHÉ, ÉE [ãbuʃe] adj. — 1690; de *embouche* «embouchure», et -*é*.

Blason. Figuré avec une embouchure d'un émail différent du corps (en parlant d'un instrument à embouchure).

HOM. 1. **Embouché,** 1. **emboucher,** 2. **emboucher.**

1. EMBOUCHER [ãbuʃe] v. tr. — 1273; de *en-, bouche,* et suff. verbal.

I ◆ **1** (XVIᵉ). Mus. Mettre à sa bouche (un instrument à vent) afin de produire des sons. *Emboucher un cor* (cit. 2), *une flûte, une clarinette, une trompette.*

1 Alors un vieil homme, tout couturé, tout basané, qui attendait ce signal, emboucha son clairon, — son ancien clairon des zouaves d'Afrique, — et sonna «aux champs».
> LOTI, Ramuntcho, I, XVII, p. 149.

Par métaphore :

2 Il y a du feu dans l'âtre, mais le vent a embouché la cheminé et il souffle sa musique avec de la fumée, des cendres volantes et en aplatissant la flamme.
> J. GIONO, Regain, p. 47.

Loc. Vieilli. *Emboucher la trompette :* prendre un ton élevé, épique. — (1864). Vieilli et fam. Clamer à grand bruit, divulguer. → **Claironner, trompeter.** *Emboucher la trompette en l'honneur de qqn.*

3 Les gens de lettres, bien ou mal accueillis chez la gouvernante des enfants du duc d'Orléans (Mᵐᵉ de Genlis), embouchaient la trompette de la renommée, pour exalter ou déprécier cette femme auteur.
> RIVAROL, Rivaroliana, *in* Œ., p. 364.

◆ **2** Munir (un animal) de qqch. qu'on introduit dans la bouche. — (1525). *Emboucher un cheval,* lui mettre le mors.

Fig., vieilli. *Emboucher qqn,* lui faire la leçon, lui dicter ce qu'il a à dire. *On l'a bien mal embouché.* → 1. **Embouché.**

II (1415). Mar. En parlant d'un bateau, Entrer dans l'embouchure de... *Emboucher une rivière, un canal, un détroit.* → **Embouquer.**

◆ **S'EMBOUCHER** v. pron.

◆ **1** Mar. S'engager dans une passe resserrée. *Bateau qui s'embouche.*

◆ **2** (1680). Vieilli. Se déverser, en parlant d'un cours d'eau qui se jette dans un autre ou dans la mer. *La Seine va s'emboucher dans la Manche.* → 2. **Déboucher, jeter** (se).

◆ **EMBOUCHÉ, ÉE** p. p. adj.

Mar. *Bateau embouché,* qui s'est engagé dans une passe.

DÉR. **Embouchoir, embouchure.** ◊ HOM. 1. **Embouché,** 2. **embouché,** 2. **emboucher.**

2. EMBOUCHER [ãbuʃe] v. tr. — XIXᵉ; altér., sous l'infl. de *bouche,* de *embaucher** dans le sens dial. de «mettre à l'engrais».

Placer (un animal) sur une embouche* pour l'engraisser.

DÉR. **Embouche, emboucheur.** ◊ HOM. 1. **Embouché,** 2. **embouché,** 1. **emboucher.**

EMBOUCHEUR [ãbuʃœʀ] n. m. — 1920, *emboucheur*; de 2. *emboucher.*

Techn. Professionnel qui engraisse des bestiaux, des volailles. *Emboucheur de bovins, d'ovins, de porcs.* → **Herbager.** — REM. Le fém. *emboucheuse* [ãbuʃøz] est virtuel.

EMBOUCHOIR [ãbuʃwaʀ] n. m. — 1629; *embauchoir,* 1558; de 1. *emboucher.*

◆ **1** Forme pour élargir les chaussures ou empêcher qu'elles ne déforment. → **Embauchoir.**

◆ **2** (XVIIᵉ). Mus. Partie mobile d'un instrument à vent qui porte l'embouchure* et qu'on adapte à l'instrument quand on veut en jouer.

◆ **3** (1777, Encyclopédie, *Suppl.*). Techn. Douille qui joint le canon d'un fusil au fût.

EMBOUCHURE [ãbuʃyʀ] n. f. — 1328, au sens 3; de 1. *emboucher.*

◆ **1** (1636). Partie (d'un instrument à vent) qu'on met à la bouche pour en jouer. *L'embouchure d'un clairon, d'un cor, d'une trompette. Embouchure ordinaire, moderne, rayée, nickelée. Embouchure de clarinette, de hautbois.* → **Bec.**

1 Les instruments à anche se distinguent (...) des instruments à embouchure où ce sont les lèvres de l'exécutant qui font office d'anche.
> Initiation à la musique, p. 162.

Trou latéral, dans certaines flûtes.

Par ext. Manière dont on embouche certains instruments à vent. *Avoir une bonne embouchure.*

◆ **2** (1611). Partie du mors placée dans la bouche du cheval. → **Canon.** — (1596). Par ext. Manière dont le cheval est sensible au mors. *Cheval délicat d'embouchure.*

◆ **3** (1328). Ouverture extérieure. *L'embouchure d'un bocal, d'un tuyau.* — *Embouchure de canon :* bouche d'un canon.

2 En un vase à long col et d'étroite embouchure.
> LA FONTAINE, Fables, I, 18.

3 On est venu m'apporter un énorme «goliath» que j'ai le plus grand mal à faire entrer dans mon flacon de cyanure, si large que soit mon embouchure.
> GIDE, Voyage au Congo, *in* Souvenirs, Pl., p. 770.

◆ **4** [a] Géogr. Ouverture constituant une entrée. *L'embouchure d'une plaine, d'un vallon.* — *Embouchure d'un volcan.* → **Cratère.**

ⓑ Cour. Ouverture par laquelle un cours d'eau se jette à la mer (→ **Bouche, estuaire, grau**) ou dans un autre cours d'eau. *Embouchures fluviales, marécageuses. Embouchure en delta*. Barre* à l'embouchure d'un fleuve. Alluvions* (cit. 1) *à l'embouchure d'un fleuve. Embouchure qui s'ensable. Aller vers l'embouchure.* → **Aval** (en aval, vers l'aval). *Envahisseurs entrant par l'embouchure des rivières* (→ Dévaster, cit. 1). *Aborder, débarquer à l'embouchure d'un fleuve. Ville bâtie à l'embouchure d'un fleuve.* — Par ext. *L'embouchure d'un détroit, d'un golfe, d'une baie.*

ⓒ Par anal. *L'embouchure d'un sentier*, la partie qui s'élargit avant d'aboutir à un carrefour. — Anat. *L'embouchure des sinus, du canal excréteur.* — Techn. *Embouchure des trous d'une filière*, par où entre le fil à étirer.

EMBOUER [ãbwe] v. — XIIe; de *em-* (*en-*), *boue,* et suff. verbal.

◆ 1 V. tr. Vx. Salir, couvrir de boue. — Au p. p. *Chaussures embouées.*

◆ 2 V. intr. Techn. Dans une houillère, Procéder à un embouage. *Embouer un puits de mine en feu.*

DÉR. Embouage.

EMBOUQUEMENT [ãbukmã] n. m. — 1792; de *embouquer.*

Marine.

◆ 1 Entrée d'une bouque*.

◆ 2 Action d'embouquer.

EMBOUQUER [ãbuke] v. — 1687; de *em-* (*en-*), *bouque,* et suff. verbal.

◆ 1 Mar. **ⓐ** V. intr. S'engager dans une bouque*. *Le navire a embouqué dans le détroit.*

ⓑ V. tr. *Le navire a embouqué le canal* (cit. 11), *la passe.* → 1. **Emboucher.**

◆ 2 V. tr. Par ext. S'engager dans (un lieu).

(...) il pénétra dans le bel immeuble à tapis et ascenseur, s'abstint, par humilité, de prendre l'ascenseur, et embouqua l'escalier en saluant poliment la concierge derrière sa vitre.   Roger IKOR, les Fils d'Avrom, p. 407.

CONTR. Débouquer. ◊ DÉR. Embouquement.

EMBOURBEMENT [ãbuʀbəmã] n. m. — 1611; de *embourber.*

Rare. Action d'embourber ou de s'embourber; résultat de cette action. *L'embourbement d'une voiture dans un mauvais chemin.*

EMBOURBER [ãbuʀbe] v. tr. — V. 1220; de *em-* (*en-*), *bourbe,* et suff. verbal.

◆ 1 Engager dans un bourbier, dans la boue. → **Enliser, envaser.** *Embourber une voiture.*

1   Je trouvai les chemins et les postes en grand désarroi, et, entre autres aventures, je fus mené par un postillon sourd et muet, qui m'embourba une nuit auprès du Quesnoy.   SAINT-SIMON, Mémoires, t. I, VII.

◆ 2 Fig. Engager (qqn) dans une situation difficile. *Embourber qqn* (dans une mauvaise affaire, dans le vice...).

2   La faiblesse commence l'égarement, la passion entraîne dans la mauvaise voie, le vice, qui est une habitude, y embourbe; et l'homme ne fait aucun progrès vers les états meilleurs.   BALZAC, Séraphita, Pl., t. X, p. 573.

◆ S'EMBOURBER v. pron.

◆ 1 S'enfoncer dans la boue, dans un bourbier. → **Enliser** (s'), **envaser** (s'). *La voiture s'embourba jusqu'aux essieux. Nous nous sommes embourbés.*

3   Pour venir au chartier embourbé dans ces lieux, Le voilà qui déteste et jure de son mieux (...) Ôte d'autour de chaque roue Ce malheureux mortier, cette maudite boue, Qui jusqu'à l'essieu les enduit.   LA FONTAINE, Fables, VI, 18.

◆ 2 Fig. S'engager dans une situation difficile. → **Embarrasser** (s'), **emberlificoter** (s'), **empêtrer** (s'); (fam.) **fourrer** (se). *S'embourber dans des explications confuses.*

4   Jamais art véritable n'a connu pareil engouement. Les intellectuels qui fréquentent et patronnent le cinéma lui demandent de lâches récréations, mais le regardent s'embourber dans la pire sottise avec une admirable désinvolture.   G. DUHAMEL, Scènes de la vie future, III, p. 63.

◆ EMBOURBÉ, ÉE p. p. adj.

Enfoncé, engagé dans la boue (d'une manière telle qu'il est difficile de se dégager seul). *Roues embourbées. Charrette, voiture embourbée. Le Chartier* (charretier) *embourbé*, fable de La Fontaine. Fig. *Être embourbé,* dans une situation difficile, mauvaise, dont on ne peut sortir (→ Dette, cit. 5).

CONTR. Débourber, désembourber. ◊ DÉR. Embourbement. — COMP. Désembourber.

EMBOURGEOISEMENT [ãbuʀʒwazmã] n. m. — 1867; de *embourgeoiser.*

Action d'embourgeoiser ou de s'embourgeoiser; résultat de cette action. *Le refus de l'embourgeoisement. Un embourgeoisement progressif.*

EMBOURGEOISER [ãbuʀʒwaze] v. tr. — 1831; *s'embourgeoiser* «s'abaisser à fréquenter des bourgeois», 1777; de *em-* (*en-*), *bourgeois,* et suff. verbal.

◆ 1 Littér. Revêtir d'un caractère bourgeois ou commun; dépouiller de toute grandeur. → **Banaliser.**

1   Raphaël, Michel-Ange, n'ont pas, comme Horace Vernet, la prétention ou le malheur d'enjoliver et d'embourgeoiser le drame biblique en essayant de le renouveler, de l'habiller en costume moderne.   G. PLANCHE, Salon de 1831, Delaroche.

2   Comment, ma chère, dans l'intérêt de ta vie à la campagne, tu mets tes plaisirs en coupes réglées, tu traites l'amour comme tu traiteras tes bois! Oh! j'aime mieux périr dans la violence des tourbillons de mon cœur, que de vivre dans la sécheresse de ta sage arithmétique (...) Tiens, Renée, j'ai ta lettre sur le cœur, tu m'as embourgeoisé la vie.   BALZAC, Mémoires de deux jeunes mariées, Pl., t. I, p. 190-196.

◆ 2 Vx. Faire entrer dans la bourgeoisie (par une alliance).

◆ S'EMBOURGEOISER v. pron.

◆ 1 Vx. S'allier à une famille bourgeoise.

◆ 2 Cour. Prendre les habitudes, l'esprit, les préjugés de la classe bourgeoise (goût de l'ordre, du confort, respect des conventions). *S'embourgeoiser en prenant de l'âge. — Un socialisme qui s'est embourgeoisé,* qui a perdu son caractère révolutionnaire.

◆ EMBOURGEOISÉ, ÉE p. p. adj. *Des anciens prolétaires embourgeoisés. Un révolutionnaire, un maoïste embourgeoisé. — Une morale embourgeoisée.* — N. *Les embourgeoisés.*

3   (...) nous condamnions froidement à mort tous ceux qui, de près ou de loin, étaient entrés en pourparlers avec la police, tous ceux qui nous paraissaient avoir flanché, tous les délateurs, les tiédis, les fatigués, les embourgeoisés.   B. CENDRARS, Moravagine, Œ. compl., t. IV, p. 123.

DÉR. Embourgeoisement.

EMBOURRER [ãbuʀe] v. tr. — XIIᵉ-XIIIᵉ ; de *em-* (*en-*), *bourre*, et suff. verbal.

Vx. Garnir de bourre. → **Bourrer, rembourrer.** — Techn. Dissimuler les défauts de (une céramique) au moyen d'un mélange de terre et de chaux.

DÉR. Embourrure.

EMBOURRURE [ãbuʀyʀ] n. f. — XVIᵉ ; de *embourrer*.

Techn., vx. Ce qui sert à embourrer. *L'embourrure d'un fauteuil.* → **Bourre.** — *Toile d'embourrure, embourrure :* grosse toile qui couvre la matière dont le tapissier embourre certains meubles.

Ceux qui ont le corps grêle le grossiront d'embourrures.
MONTAIGNE, Essais, I, XXVI.

EMBOURSER [ãbuʀse] v. tr. — XIIᵉ ; de *em-* (*en-*), 1. *bourse*, et suff. verbal.

Vx ou littér. Mettre dans sa bourse, toucher (de l'argent).

0.1 Des plongeurs happent et emboursent dans leurs joues des piécettes qu'on leur jette du pont de l'Asie.
GIDE, Voyage au Congo, *in* Souvenirs, Pl., p. 686.

Figuré :

1 (...) et si dans la province
Il se donnait en tout vingt coups de nerfs de bœuf,
Mon père, pour sa part, en emboursait dix-neuf.
RACINE, les Plaideurs, I, 5.

2 Cet homme a manié des millions, dit Norbert, et je ne conçois pas qu'il vienne ici embourser les épigrammes de mon père, souvent abominables.
STENDHAL, le Rouge et le Noir, II, IV.

CONTR. Débourser. ◊ **COMP. Rembourser.**

EMBOUT [ãbu] n. m. — 1838 ; déverbal de *embouter*.

Garniture qui se place à l'extrémité (de certains objets allongés). *Embout d'une canne, d'un parapluie. Embout en caoutchouc, en cuivre,* adapté au bout d'une canne. *Embout isolant,* placé à l'extrémité d'un conducteur électrique. *Embout d'une seringue,* où s'emboîte l'aiguille.

REM. La graphie *en-bout* est étymologique, mais anormale :

Il est habillé avec élégance. Il allume un de ces cigarillos à en-bout de plastique que mon père fume le dimanche.
Yanny HUREAUX, la Prof, p. 288.

EMBOUTEILLAGE [ãbutɛjaʒ] n. m. — 1845 ; de *embouteiller.*

♦ **1** Mise en bouteilles. *L'embouteillage du lait.*

♦ **2** (1906). Mar. Action d'embouteiller (des navires).

♦ **3** (Av. 1916, Barbusse). Cour. Encombrement qui arrête la circulation (des voitures, des piétons...). → **Bouchon, embarras.**

1 Je ne veux pas attendre l'heure de l'embouteillage du métro, je pense. COLETTE, la Fin de Chéri, p. 85.

2 Il s'est fait prendre sur la route dans des embouteillages inextricables.
SAINT-EXUPÉRY, Pilote de guerre, I, p. 13.

Par anal. Fait d'être rempli à l'excès, de façon gênante. *« L'"explosion" du nombre des étudiants et ses conséquences : l'embouteillage des facultés »* (*Entreprise,* 11 mai 1968, *in* P. Gilbert). — Fait de ne plus pouvoir fonctionner par une accumulation excessive. *L'embouteillage des lignes téléphoniques.*

EMBOUTEILLEMENT [ãbutɛjmã] n. m. — 1878 ; de *embouteiller.*

Rare.

♦ **1** Action d'embouteiller (2.). → **Embouteillage** (2.).

♦ **2** Action d'obstruer (une voie) par excès de circulation. → **Embouteillage** (3.).

EMBOUTEILLER [ãbuteje] v. tr. — 1864 ; de *em-* (*en-*), *bouteille*, et suff. verbal.

♦ **1** Mettre en bouteilles. *Embouteiller du vin, de la bière, de l'eau minérale.*

♦ **2** (1906 ; métaphore angl., 1898). Mar. Bloquer (des navires) dans un port, une rade à *goulet* étroit, obstruant ainsi les passes. *Embouteiller une flotte.* — *Navires qui embouteillent un port, une rade,* qui les obstruent.

♦ **3** (XXᵉ). Obstruer (une rue, une voie de communication) en provoquant un encombrement. *Les camions embouteillent cette rue.* — Par anal. Empêcher le fonctionnement de (qqch.) par une accumulation excessive.

Chaque camion qui progresse (*durant l'exode de 1940*), ou qui tente de progresser, risque de condamner un peuple. Car, en progressant contre le courant, il embouteille inexorablement une route entière.
SAINT-EXUPÉRY, Pilote de guerre, p. 130.

◆ **EMBOUTEILLÉ, ÉE** p. p. adj. *Rue embouteillée. Gare de triage embouteillée.* — *Lignes, circuits téléphoniques embouteillés.*

DÉR. Embouteillage, embouteillement, embouteilleur, embouteilleuse. ◊ **COMP. Désembouteiller.**

EMBOUTEILLEUR, EUSE [ãbutɛjœʀ, øz] n. — 1870 ; de *embouteiller.*

Techn. Personne qui met le vin en bouteilles.

EMBOUTEILLEUSE [ãbutɛjøz] n. f. — XXᵉ ; de *embouteiller.*

Techn. Machine qui met (un liquide) en bouteilles. *Des embouteilleuses automatiques.*

EMBOUTER [ãbute] v. tr. — 1535 ; de *em-* (*en-*), *bout,* et suff. verbal.

Techn. Garnir d'un bout, d'un embout. *Embouter un parapluie.*

DÉR. Embout.

EMBOUTIR [ãbutiʀ] v. tr. — XIVᵉ ; d'abord «façonner en bout, étirer» ; de *em-* (*en-*), *bout* «coup», et suff. verbal. → **Bouter.**

♦ **1** Techn. Travailler au marteau ou au repoussoir (un métal) pour y former le relief d'une empreinte. *Emboutir l'argent.* — Travailler une plaque de métal (dite *flan*) pour la courber, l'arrondir. *Emboutir du fer-blanc. Presse à emboutir.*

♦ **2** (1694 ; pour *embouter*). Techn. Revêtir d'une garniture métallique de protection. *Emboutir une corniche, une moulure.*

♦ **3** (1907). Cour. Enfoncer en heurtant violemment. → **Défoncer, démolir, enfoncer.** *Un camion a embouti l'arrière de ma voiture. Il s'est fait emboutir par un camion.* — Pron. *Aller s'emboutir contre un arbre.*

◆ **EMBOUTI, IE** p. p. adj. *Argent embouti. Bassine en tôle emboutie.*

Sous-douane, cigarettes, whisky, poufs, cuivres emboutis (...)
Claude COURCHAY,
La vie finira bien par commencer, p. 197.

Sa voiture est complètement emboutie.

DÉR. Emboutissage, emboutisseur, emboutisseuse, emboutissoir.

EMBOUTISSAGE [ãbutisaʒ] n. m. — 1856, La Châtre ; de *emboutir*.

♦ **1** Techn. Action d'emboutir (une plaque de métal). *L'emboutissage des flans. Emboutissage à la main, mécanique. L'emboutissage permet d'obtenir des récipients sans soudure.*

♦ **2** (1901). Techn. Travail en relief sur étoffe, pour faire ressortir les décorations.

♦ **3** (1907). Cour. Choc d'un véhicule (contre un autre véhicule ou contre un obstacle). *L'emboutissage de l'aile d'une voiture par un camion.*

EMBOUTISSEUR, EUSE [ãbutisœʀ, øz] n. — 1838, au masc. ; de *emboutir*.

Techn. Ouvrier, ouvrière chargé(e) de l'emboutissage.

EMBOUTISSEUSE [ãbutisøz] n. f. — Fin xixᵉ ; de *emboutir*.

Techn. Machine-outil qui sert à emboutir.

EMBOUTISSOIR [ãbutiswaʀ] n. m. — 1803 ; «poinçon d'acier qui sert à faire les têtes de clous», 1676 ; de *emboutir*.

Techn. Marteau ou poinçon permettant d'emboutir les plaques de métal.

EMBRANCHEMENT [ãbʀãʃmã] n. m. — 1494 ; de *em- (en-)*, et *branche*.

♦ **1** Division du tronc d'un arbre en branches. — Par anal. Subdivision d'une chose principale (voie de communication, conduit) en une ou plusieurs autres secondaires ; point de jonction* de deux ou plusieurs de ces choses. *Plaque indicatrice à l'embranchement de deux chemins.* → **Bifurcation, carrefour, croisement, fourche, intersection.** *Embranchement d'une voie ferrée principale et d'une ligne secondaire.* → **Branchement, nœud.** — *Quitter la voie principale pour l'embranchement.*

1 Il y a sous la rue Saint-Denis un vieil égout en pierre (...) qui va droit à l'égout collecteur dit Grand Égout, avec un seul coude, à droite (...) et un seul embranchement, l'égout Saint-Martin, dont les quatre bras se coupent en croix.
HUGO, les *Misérables*, V, III, 1.

2 Quelquefois des stations, Larsac, Le Raynou, dont je ne lui avais jamais entendu parler, et l'air, le sol m'étaient dans cette zone sans saveur ; mais arrivait soudain Saint-Sulpice-Laurière, embranchement vers les trois villes d'Universités, où il dormait sur un banc dans ses voyages d'examens (...)
GIRAUDOUX, *Siegfried et le Limousin*, p. 295.

♦ **2** (1805). Fig. Sc. nat. Grande division* du monde animal ou végétal. → **Classification.** *Les quatre embranchements du règne animal selon Cuvier* (articulés*, mollusques*, rayonnés*, vertébrés*). *Embranchement des mollusques, des vertébrés..., en zoologie ; des cryptogames, des phanérogames, en botanique. On compte actuellement une vingtaine d'embranchements réunis en clades*.*

♦ **3** Par métaphore et fig. (du sens 1). *Les embranchements de sa pensée, d'une décision.*

DÉR. **Embrancher.** ◊ COMP. (Du sens 2) **Sous-embranchement.**

EMBRANCHER [ãbʀãʃe] v. tr. — 1773 ; de *embranchement ;* le verbe dérivé de *em-, branche,* et suff. verbal a existé au xiiiᵉ, au sens de «suspendre aux branches». → Brancher (I. et II., 1.).

♦ **1** Relier (une voie de communication, une canalisation...) à une ligne déjà existante. → **Brancher,**

raccorder. *Embrancher une voie ferrée à la ligne principale.* — Pron. :

Les chemins de ses quatre fermes pouvaient tous aboutir à une grande avenue qui de Clochegourde irait en droite ligne s'embrancher sur la route de Chinon. 1
BALZAC, le *Lys dans la vallée*, Pl., t. VIII, p. 366.

De temps en temps un vieux chemin recouvert de cette herbe d'été blanche comme la craie s'embranchait à la route et, tournant tout de suite dans le petit bois, dissimulait ses avenues, mais avait en tout cas l'intention d'aller quelque part. 1.1
J. GIONO, le *Hussard sur le toit*, p. 15.

♦ **2** Fig. Relier à qqch. → **Allier, associer.**

Tandis que pour moi la course du lift chez Saint-Loup avait été le moyen commode de lui faire porter une lettre et d'avoir sa réponse, pour lui cela avait été le moyen de faire la connaissance de quelqu'un qui lui avait plu (...) Sur l'acte le plus insignifiant que nous accomplissons un autre homme embranche une série d'actes entièrement différents (...) 2
PROUST, À *la recherche du temps perdu*, t. XIII, p. 318.

EMBRAQUER [ãbʀake] v. tr. — 1694 ; de *em- (en-),* et *braquer*.

Mar. Tendre, raidir (un cordage).

CONTR. Lâcher, relâcher.

EMBRASEMENT [ãbʀazmã] n. m. — xiiᵉ ; de 1. *embraser*.

Action d'embraser ; résultat de cette action.

♦ **1** Vx. Action d'embraser ; incendie qui en résulte. → **Feu, incendie.** *L'embrasement de la ville de Troie. La lueur de l'embrasement.*

Dieu détruira le siècle au jour de sa fureur ;
Un vaste embrasement sera l'avant-coureur. 1
LA FONTAINE, *Ode*, VI.

(...) un embrasement qui (...) s'épand au loin dans une forêt (...) 2
LA BRUYÈRE, les *Caractères*, I, 29.

♦ **2** Grande lumière, clarté ardente. *L'embrasement du couchant, de l'horizon.* → **Clarté, lumière.**

(...) les lointains apparaissaient, le grand décor incomparable : tout Stamboul et son golfe, dans leur plein embrasement des soirs purs. 3
LOTI, les *Désenchantées*, I, III, p. 37.

Éclairement général (au moyen de feux de Bengale, de projecteurs). → **Illumination.** *L'embrasement du château de Versailles.*

Les enseignes électriques de toutes couleurs ne resplendissaient pas encore au-dessus des magasins (...) Quelle différence avec les embrasements et les flamboiements d'aujourd'hui, avec l'amusante publicité aérienne à éclipses (...) 4
Georges LECOMTE, *Ma traversée*, p. 67.

♦ **3** Fig. Agitation qui conduit à des troubles sociaux importants. → **Conflagration, désordre, effervescence, trouble** (→ Contagion, cit. 2). *L'embrasement d'un pays par la guerre, par la révolution.*

Un coup de canon en Amérique peut être le signal de l'embrasement de l'Europe (...) 5
VOLTAIRE, *Essai sur les mœurs, in* LITTRÉ.

Ardeur de la passion. → **Attisement, excitation, passion.** *L'embrasement des sens.*

Elle ne m'accorda rien qui pût la rendre infidèle, et j'eus l'humiliation de voir que l'embrasement dont ses légères faveurs allumaient mes sens n'en porta jamais aux siens la moindre étincelle. 6
ROUSSEAU, les *Confessions*, IX.

Embrasement des esprits. → **Exaltation.**

CONTR. Apaisement, refroidissement. — Calme.

1. EMBRASER [ãbʀaze] v. tr. — 1100 ; de *em- (en-), braise,* et suff. verbal.

Littéraire ou style soutenu.

♦1 Vx. Mettre en feu. → **Allumer, enflammer, incendier.** *Embraser des charbons, un fagot, des bûches. Feu qui embrase la forêt* (→ Brande, cit. 2).

1 Peut-être dans nos ports nous le verrons descendre,
Tel qu'on a vu son père embraser nos vaisseaux (...)
RACINE, Andromaque, I, 2.

♦2 Rendre très chaud. → **Brûler, chauffer.** *Le soleil embrase l'air* (→ Chaleur, cit. 2).

2 Malheureuse la terre de malédiction que ces trois fleuves de feu embrasent plutôt qu'ils n'arrosent!
PASCAL, Pensées, VII, 458.

3 Une chaleur pénétrante brûlait nos yeux; un air dévorant, des cendres étincelantes, des flammes détachées embrasaient notre respiration courte, sèche, haletante et déjà presque suffoquée par la fumée (...)
Ph. P. SÉGUR, Hist. de Napoléon, VIII, 7.

♦3 Rendre très lumineux. → **Éclairer, illuminer.** *Ciel qu'embrase le soleil couchant.*

4 Un beau soleil couchant, empourprant le taudis,
Embrasait la fenêtre et le plafond (...)
HUGO, les Contemplations, III, XVIII.

♦4 Fig. et littér. Livrer à la ruine, au désordre, à la guerre. → **Brûler, détruire, ravager.**

5 Embrasez par nos mains le couchant et l'aurore (...)
RACINE, Mithridate, III, 1.

♦5 Fig. et littér. Emplir d'une passion ardente. → **Agiter, allumer, échauffer, enflammer, exalter, exciter, passionner** (→ Ardeur, cit. 10). *L'amour embrase les cœurs* (cit. 78). — (Avec un compl. second). *Embraser qqn d'amour.* — *Embraser les convoitises, les désirs.* → **Attiser.**

6 (...) elle m'a tout à coup embrasé d'amour; la foudre est moins prompte que le trait qu'elle a lancé dans mon cœur.
A.-R. LESAGE, Gil Blas, X, VIII.

7 (...) voilà d'où se répandit dans mes premiers livres ce feu vraiment céleste qui m'embrasait, et dont pendant quarante ans il ne s'était pas échappé la moindre étincelle, parce qu'il n'était pas encore allumé.
ROUSSEAU, les Confessions, IX.

8 Pour l'embraser du feu dont je suis dévoré (...)
LAMARTINE, Harmonies, III, 3.

9 *(Thaïs)* embrasait ainsi tous les spectateurs du feu de la luxure (...)
FRANCE, Thaïs, p. 11.

♦ S'EMBRASER v. pron.

♦1 Vx. Prendre feu. → **Brûler.** *Poutre qui s'embrase. Le phosphore s'embrase facilement. Feu prêt à s'embraser* (→ Cendre, cit. 6).

♦2 S'illuminer, s'éclairer d'une lueur vive.

10 Le couchant s'embrasa, des étincelles tremblaient sur la rivière; puis le ciel et l'eau s'éteignirent; une brise fraîche s'éleva dans la verdure sombre.
FRANCE, Jocaste, XI, Œ., t. II, p. 109.

11 Le sable se veloute délicatement dans l'ombre; s'embrase au soir et paraît de cendre au matin.
GIDE, les Nourritures terrestres, p. 173.

♦3 Se passionner, s'exalter. *S'embraser d'amour* (→ Brûlant, cit. 10).

12 Si votre cœur ainsi s'embrase en un moment (...)
CORNEILLE, le Menteur, I, 3.

♦ EMBRASÉ, ÉE p. p. adj.

♦1 Mis en feu. *Poutre embrasée. Vaisseaux embrasés* (→ Brûlot, cit. 1).

♦2 Rendu brûlant. *Air, vent, souffle embrasé.* → **Brûlant, chaud** (→ Carré, cit. 4).

13 Je défie votre Provence d'être plus embrasée que ce pays (...)
Mᵐᵉ DE SÉVIGNÉ, 552, 26 juin 1676.

14 Ils *(des laboureurs)* relevaient tant bien que mal leurs reins faussés, et découvraient de grands fronts frisés de cheveux courts, bizarrement blancs, dans un visage embrasé de soleil.
E. FROMENTIN, Dominique, p. 29.

♦3 Par anal. Éclatant de lumière. *Ciel, horizon embrasé.*

♦4 Fig. Soumis à une passion extrême. *Cœur embrasé d'amour* (→ Amant, cit. 9). → **Ardent.** *Être embrasé de colère.*

(...) l'ardeur dont je suis embrasée?
RACINE, Phèdre, III, 3. 15

CONTR. Éteindre. — **Amortir, apaiser, freiner, modérer, refroidir. ◊ DÉR. Embrasement.**

2. EMBRASER [ɑ̃bʀaze] v. tr. — XVIᵉ; peut-être de *1. embraser* au sens de «mettre le feu au canon, à la charge du canon», puis «élargir». → Embrasure.

Vx. *Ébraser* (en termes d'architecture).

DÉR. Embrasure.

EMBRASSADE [ɑ̃bʀasad] n. f. — 1500; de *embrasser.*

Fam. Action d'embrasser, de s'embrasser, de (se) serrer dans les bras; situation de personnes qui s'embrassent. → **Accolade, étreinte** (→ Amitié, cit. 25; caresser, cit. 18). *Accabler qqn d'embrassades* (→ Bienvenu, cit. 4). *Se faire mille embrassades. Rendre à qqn son embrassade. Assister à des embrassades.*

Ah! que cette embrassade est pleine de tendresse. 1
MOLIÈRE, l'École des femmes, V, 7.

Ces affables donneurs d'embrassades frivoles (...) 2
MOLIÈRE, le Misanthrope, I, 1.

Les hommes m'accablèrent d'embrassades; et les femmes 3
à leur tour, appliquant leur visage enluminé sur le mien,
le couvrirent de rouge et de blanc.
A.-R. LESAGE, Gil Blas, VII, 8.

REM. Par suite de l'évolution de sens de *embrasser (2.)*, *embrassade* prend le sens complexe de «action de serrer dans ses bras en donnant des baisers», et même de «fait de se donner réciproquement des baisers», en français contemporain.

EMBRASSANT, ANTE [ɑ̃bʀasɑ̃, ɑ̃t] adj. — D. i. (XIXᵉ); p. prés. de *embrasser.*

♦1 Vieilli. Qui embrasse (cf. A. France, *in* T.L.F.).

♦2 Bot. Se dit d'organes qui entourent un axe. *Pétioles embrassants.*

♦3 Rare. Qui englobe, embrasse (II.). *Un raisonnement embrassant.* → **Englobant.**

EMBRASSE [ɑ̃bʀas] n. f. — 1831; «embrassement», XIVᵉ; déverbal de *embrasser.*

♦1 Vx. Action d'embrasser. → **Embrassement.**

♦2 Mod. Ce qui sert à entourer, à embrasser. — Spécialt. Bande d'étoffe, cordelière, ganse fixée à une patère et servant à retenir un rideau. *Embrasse à glands de soie, de velours. Rideaux à embrasses.*

Devant la fenêtre, un rideau de peluche rouge était retenu par une embrasse en torsade qui se terminait par un gland. A. MAUROIS, Terre promise, I, p. 8.

EMBRASSÉ, ÉE [ɑ̃bʀase] adj. et n. m. — 1690; p. p. de *embrasser.*

♦1 Blason. Se dit d'un écu dont la partition présente un triangle sur un axe horizontal. *Écu embrassé à dextre, à senestre.*

N. m. *Un embrassé.*

♦2 *Rimes embrassées :* rimes masculines et féminines se succédant dans l'ordre abba, cddc...

EMBRASSEMENT [ãbʀasmã] n. m. — 1160; de *embrasser*.

Littéraire.

♦ **1** Action d'embrasser (I., 1.), de serrer dans ses bras; résultat de cette action. → **Accolade, embrassade, enlacement, étreinte** (→ Âme, cit. 37; bras, cit. 6; déborder, cit. 6). *Un long, un tendre embrassement. Embrassements qui scellent la concorde, la paix, l'union. Étouffer qqn de, sous ses embrassements. Ardeur, tiédeur d'un embrassement.*

1   De vos embrassements on se passerait fort.
                                MOLIÈRE, l'Étourdi, V, 11.
2   Dans cet embrassement recevez mes adieux.
                                RACINE, Mithridate, III, 1.
3   Et hors de lui le vannier éperdument vient se jeter sur le corps de Mireille, et l'infortuné dans ses embrassements frénétiques serre la morte.
                                MISTRAL, Mireille, Chant XII, 3ᵉ strophe.

♦ **2** Spécialt (au plur.). Vx. Union charnelle. → **Accouplement, étreinte**. *De voluptueux embrassements.*

4   Toutefois, ne croyez pas désormais recevoir impunément les caresses d'un autre homme; ne croyez pas que de faibles embrassements puissent effacer de votre âme ceux de René.
                                CHATEAUBRIAND, les Natchez.
5   Pendant que la nature entière sommeillait dans sa chasteté, lui, il s'est accouplé avec une femme dégradée, dans des embrassements lascifs et impurs.
                                LAUTRÉAMONT, les Chants de Maldoror, III, p. 138.

♦ **3** Littér. Fait d'entourer (en parlant de choses). → **Union.**

6   Un mur très bas va d'une case à l'autre et rattache dans un embrassement circulaire toutes les constructions d'une même communauté.
                                GIDE, le Retour du Tchad, I, *in* Souvenirs, Pl., p. 881.

♦ **4** Rare. Action de s'attacher à qqch., de s'y consacrer. *L'embrassement d'une croyance, d'une erreur.*

♦ **5** Littér. Action de saisir (par le regard, par l'esprit, la mémoire, etc.) qqch.

7   Germinie regarda un moment tout autour d'elle : elle enveloppa la pièce d'un embrassement suprême et qui semblait vouloir emporter les choses.
                                Ed. et J. DE GONCOURT, Germinie Lacerteux, p. 253, 1864, *in* T. L. F.

EMBRASSER [ãbʀase] v. tr. — 1080; le sens «donner un baiser» (sans «prendre dans ses bras») est encore signalé comme «néologisme» par Hatzfeld à la fin du XIXᵉ; de *em- (en-), bras*, et suff. verbal.

Ⅰ Prendre et serrer entre ses bras. → **Accoler, enlacer, entourer, étreindre, serrer.** ♦ **1** Vieilli (compl. n. de chose). *Cet arbre est si gros, que deux personnes ne sauraient l'embrasser* (Académie). — Au p. p. *Tenir qqch. embrassé.*

1   Ensanglantant l'autel qu'il tenait embrassé»
                                RACINE, Andromaque, III, 8.
     (Compl. n. de pers.). Étreindre avec les deux bras. *Embrasser étroitement qqn* (→ Châtier, cit. 3).
2   J'embrasse mon rival, mais c'est pour l'étouffer.
                                RACINE, Britannicus, IV, 3.
3   Il embrasse un homme qu'il trouve sous sa main, il lui presse la tête contre sa poitrine; il demande ensuite qui est celui qu'il a embrassé.
                                LA BRUYÈRE, les Caractères, IX, 48.
     Spécialt. Serrer entre ses bras, en démonstration d'amitié, d'amour, d'affection, de tendresse («caresse qui est souvent accompagnée d'un baiser», note Littré). → Approcher, cit. 58; attendre, cit. 42; bas, cit. 10; caresser, cit. 4; congratuler, cit. — REM. Ce sens devient archaïque ou ambigu au cours du XIXᵉ s., avec l'évolution du sens 2. *Il l'embrassa tendrement, avec effusion. Sauter au cou* de qqn pour l'embrasser. — Je vous embrasse tendrement, mille*

fois, de tout mon cœur..., formules finales d'une lettre.

4   (...) j'estime tous les hommes mes compatriotes et embrasse un Polonais comme un Français (...)
                                MONTAIGNE, Essais, III, IX.
5   Lorsqu'un homme vous vient embrasser avec joie (...)
                                MOLIÈRE, le Misanthrope, I, 1.
6   Je sentis aussitôt que la jolie prêcheuse ne pourrait se défendre d'être embrassée à son tour. Cependant, elle voulut fuir; mais elle fut bientôt dans mes bras (...)
                                LACLOS, les Liaisons dangereuses, Lettre XXIII.
7   (...) comme elle l'embrasse! comme elle l'étreint! comme elle l'étouffe! (...) Au milieu de ces effusions, l'homme du comptoir se réveille.
                                Alphonse DAUDET, le Petit Chose, IV, p. 48.

Embrasser les pieds, les genoux de qqn, se jeter à ses pieds, serrer ses genoux pour l'implorer. → **Implorer, supplier** (→ Auparavant, cit. 6).

8   Je me jetterai à ses pieds, j'embrasserai ses genoux, je ne le laisserai point aller qu'il ne m'ait accordé de vous suivre.
                                FÉNELON, Télémaque, IV.

♦ **2** Donner un baiser, des baisers à (qqn). → **1. Baiser.** — *Embrasser qqn au front* (→ Dérober, cit. 12), *sur le front, sur les deux joues, sur les lèvres, sur la bouche. Embrasser qqn à bouche que veux-tu* (cf. fam. Rouler une galoche, un patin, une pelle). — *Embrasser la bouche, les lèvres de qqn.*

REM. Ce sens, aujourd'hui admis par l'Académie (huitième éd., 1932), était jugé abusif par P. Larousse (1870) et condamné par Littré. L'évolution érotique du verbe *baiser* explique l'extension moderne de *embrasser.*

9   On lit parfois dans les auteurs contemporains : il lui embrasse la main. C'est mal dire : il faut dire : il lui baise la main. Embrasser c'est non appliquer la bouche, mais serrer dans les bras.
                                LITTRÉ, Dict., art. *Embrasser.*
10   Viens m'embrasser, François, dit la meunière en asseyant l'enfant sur ses genoux et en l'embrassant au front avec beaucoup de sentiment.
                                G. SAND, François le Champi, IV, p. 54.
11   (...) à propos d'un rien vous embrassant à pleine bouche, avec ses grosses lèvres ballantes qui mouillent un peu, mais qui sont bien fraîches, bien rouges (...)
                                LOTI, Mᵐᵉ Chrysanthème, XIV, p. 91.
12   (...) ayant souvent embrassé, sans grand plaisir, des lèvres de petites filles, et oubliant que c'était parce que je ne les aimais pas, je désirais peu les lèvres de Marthe.
                                R. RADIGUET, le Diable au corps, p. 43.
13   Il plie le journal, embrasse Juliette, qui s'arrange pour dérober ses lèvres; puis il se hâte de sortir.
                                J. ROMAINS, les Hommes de bonne volonté, t. II, I, p. 9.

(À la fin d'une lettre amicale). *En attendant de vous revoir, je vous embrasse. Ton père qui t'embrasse. Embrasse les enfants pour moi. Embrasse la main de qqn*, lui faire le baisemain*.

♦ **3** (Par anal. du sens 1; sujet n. de chose). Littér. Enserrer, entourer. → **Ceindre, ceinturer, environner.** *Les draperies qui embrassent le corps.* → **Épouser** (→ Caresser, cit. 12). *Le lierre embrasse l'ormeau. L'océan embrasse toute la terre.*

13.   En voyant sa fille s'approcher d'elle avec son compagnon, l'excellente femme, reconnaissant pour toutes les attentions de Séïl-kor, se tourna en souriant vers le jeune nègre, et dit d'une voix douce, en lui montrant Nina : «Embrasse-la!»
      Séïl-kor, pris de vertige, entoura son amie de ses bras et déposa sur ses joues fraîches deux chastes baisers qui la laissèrent ivre et chancelant.
                                Raymond ROUSSEL, Impressions d'Afrique, p. 226.
13.   Ce baiser dans son lit, c'était le don attendu avec une impatience fiévreuse dont le merveilleux pouvoir calmait comme un enchantement, comme l'huile sur la mer, son cœur agité. Le geste de sa mère qui se baissait pour l'embrasser exterminait aussitôt l'inquiétude et l'insomnie.
                                PROUST, Jean Santeuil, Pl., p. 206.

♦ **4** (Sujet n. de personne). S'attacher à, commencer à pratiquer... *Embrasser une carrière.* → **Choisir, prendre.** *Embrasser une religion* (→ Courtoisie, cit. 1). *Embrasser la profession des armes ; la vie religieuse.*

14   Quel qu'eût été le motif de son changement de religion, elle fut sincère dans celle qu'elle avait embrassée.
> ROUSSEAU, les Confessions, II.

Accepter (une idée, une opinion). → **Accepter, adopter, partager, prendre, suivre ; sien** (faire sien). *Embrasser la cause, le parti de qqn. Embrasser une opinion, des idées, des principes* (→ Détacher, cit. 6). *Embrasser la cause de la paix.*

15   Non, non, n'embrassez pas de vertu par contrainte (...)
> CORNEILLE, Horace, II, 4.

16   Quel est le grand reproche que les prédicateurs du XVIIᵉ siècle adressent aux libertins ? C'est d'avoir embrassé ce qu'ils désiraient, c'est d'être arrivés aux opinions irréligieuses parce qu'ils avaient envie qu'elles fussent vraies.
> RENAN, Souvenirs d'enfance..., V, III, p. 215.

Prendre à cœur (qqch.). *Embrasser l'intérêt, le parti, la défense de qqn,* s'y attacher avec ardeur, le faire sien, le défendre. → **Épouser.**

17   Vous saurez embrasser bien mieux son intérêt.
> CORNEILLE, Horace, V, 3.

Vouloir entreprendre, s'engager dans (qqch.). *Il embrasse trop d'affaires, de choses à la fois.* → **Charger** (se). *Il veut trop embrasser.* — Prov. *Qui trop embrasse mal étreint :* qui veut trop entreprendre risque de ne rien réussir (→ Avoir les yeux* plus grands que le ventre).

18   Dans les grandes affaires, il faut tout envisager, et se contenter de ce qu'on peut exécuter avec succès, sans vouloir embrasser tout à la fois (...)
> ROLLIN, Hist. anc., Œ., t. VIII, p. 320, *in* POUGENS.

II ♦ **1** (Sujet n. de chose). Contenir en soi (concrètement, dans l'espace). → **Comprendre, couvrir, recouvrir.** *Royaume qui embrasse plusieurs provinces. Son domaine embrasse une grande partie de la commune.* → **Occuper, renfermer, tenir.** *Embrasser un grand espace* (→ Agrandir, cit. 1).

♦ **2** (Sujet n. de personne). Saisir par la vue, par le regard (qqch. dans toute son étendue). → **Apercevoir, voir.** *Embrasser d'un coup d'œil, d'un regard tout l'espace parcouru* (→ Côte, cit. 9 ; cabinet, cit. 6 ; dépouiller, cit. 27). — *Regard, œil qui embrasse tout l'horizon.*

19   De là, il embrassait d'un coup d'œil tout le pays.
> ZOLA, la Faute de l'abbé Mouret, p. 31.

♦ **3** (XVIIᵉ). Saisir* par la pensée. → **Comprendre, concevoir, connaître.** *Embrasser l'ensemble d'une question* (→ Appréhension, cit. 2 ; circonscrire, cit. 5 ; cycle, cit. 5). *L'esprit d'un seul homme ne peut embrasser tant de questions complexes* (→ Affaire, cit. 57). *Embrasser un sujet dans son ensemble, sous tous ses aspects. Son intelligence embrasse tout d'un coup d'œil.*

20   L'esprit plane sur les sommets comme s'il avait des ailes ; d'un regard, il embrasse les plus vastes horizons, toute la vie humaine, toute l'économie du monde, le principe de l'univers, des religions, des sociétés.
> TAINE, les Origines de la France contemporaine, t. II, II, p. 121.

21   Si votre pensée s'élance dans l'espace et dans le temps ; si elle embrasse l'infinie simultanéité des faits qui se passent sur toute la surface de la terre (...)
> LOTI, Aziyadé, III, XL, p. 132.

22   C'est Littré (...) qui, pour la première fois, a essayé de rattacher la langue française actuelle dans son ensemble à ses états anciens depuis mille ans, et non seulement du premier coup d'œil il a réuni en vue de ce noble but une telle masse de matériaux qu'on a peine à croire qu'un seul homme ait pu les recueillir, mais il a su les mettre en œuvre sans embarras, les utiliser avec attention et finesse, les embrasser d'une vue constamment claire et souvent

étonnamment pénétrante.
> G. PARIS, Journal des Savants, oct.-nov. 1890.

23   (...) ce qui lui manquait (*à Villeneuve*) c'était l'intelligence supérieure qui permet d'embrasser de grands desseins (...)
> Louis MADELIN, Hist. du Consulat et de l'Empire, Avènement de l'Empire, XII, p. 173.

♦ **4** (1580 ; sujet n. de chose). Contenir, englober (abstraitement). *C'est une question complexe qui embrasse bien des matières.* → **Comprendre, toucher** (à). *Les êtres, les choses qu'embrasse un concept.* → **Compréhension, extension.** — *Ce dictionnaire* (cit. 6) *embrasse la langue classique et la langue moderne. Science qui embrasse l'univers* (→ Astronomie, cit. 3).

24   La foi embrasse plusieurs vérités qui semblent se contredire (...)
> PASCAL, Pensées, XIV, 862.

25   Une histoire des *Origines du Christianisme* devrait embrasser toute la période obscure et, si jose le dire, souterraine, qui s'étend depuis les premiers commencements de cette religion jusqu'au moment où son existence devient un fait public, notoire, évident aux yeux de tous.
> RENAN, Vie de Jésus, Introd., p. 41.

♦ **S'EMBRASSER** v. pron. (Récipr.).

♦ **1** Se serrer dans les bras l'un de l'autre (→ Attendre, cit. 42 ; convulsif, cit. 2).

26   (...) le Destin, pour lui faire plaisir, fit embrasser en bonne amitié ceux qui un moment auparavant ne s'embrassaient que pour s'étrangler.
> SCARRON, le Roman comique, II, 6, p. 184.

27   Ça s'est éteint, ils se sont trouvés dans la nuit. Ils se sont embrassés de l'emplein des bras pour se sentir le gros du corps.
> J. GIONO, le Grand Troupeau, *in* Œ. roman., Pl., t. I, p. 596.

♦ **2** Se donner mutuellement un baiser* (cf. fam. Se sucer le caillou, la pomme, la poire...). → **Brinder,** cit. *S'embrasser sur la bouche, sur les deux joues. Allons, la dispute est finie, embrassez-vous !*

♦ **EMBRASSÉ, ÉE** p. p. adj. Voir à l'article. → aussi **Embrassé, adj.**

CONTR. Repousser. ◇ **DÉR.** Embrassade, embrassant embrasse, embrassé, embrassement, embrasseur, embrassure.

EMBRASSEUR, EUSE [ɑ̃bʀasœʀ, øz] n. et adj. — 1537 ; de *embrasser.*

Personne qui aime à embrasser, qui embrasse à tout propos.

1   L'embrasseur était un maniaque, relativement inoffensif, dont le faible consistait à embrasser le plus possible de jeunes mariées en blanc.
> A. ALLAIS, Contes et chroniques, p. 37.

Adj. *Elle n'est pas très embrasseuse.*

2   (...) cheveux châtain caressés yeux noisette et l'écureuil affectueux qui me les grignote puis ma bouche aussi ils sont embrasseurs (...)
> Tony DUVERT, Paysage de fantaisie, p. 224.

EMBRASSURE [ɑ̃bʀasyʀ] n. f. — 1782 ; *embraceure*, XIIIᵉ ; de *embrasser.*

Techn. Bande de fer servant à maintenir un tuyau de cheminée, une poutre. — En serrurerie, Grande bande qui entoure, réunit.

EMBRASURE [ɑ̃bʀazyʀ] n. f. — 1522, «action d'embraser, de mettre le feu» ; de 2. *embraser* ; l'histoire du mot n'est pas claire, le sens 1 semblant postérieur au sens 2, à moins que ce dernier ne provienne d'une métaphore sur *embraser* «donner de la lumière».

♦ **1** (1616). Fortif. Ouverture pratiquée dans un parapet pour pointer et tirer le canon. → **Créneau.**

Après avoir pointé le canon dans l'embrasure, les canonniers mettaient le feu au canon au moyen d'une mèche. Dans les embrasures des fortifications modernes, l'ébrasement* est tantôt intérieur, tantôt extérieur.

1   Les embrasures doivent être distantes entre elles de douze pieds, ouvertes par dehors de six à neuf pieds, et par dedans de deux ou trois. On les appelle aussi *canonnières*, lorsque les ouvertures sont assez grandes pour passer la bouche du canon ; et *meurtrières* ou créneaux, lorsqu'elles sont petites, en sorte qu'on n'y passe que le fusil. Afin que le canon puisse tirer, il faut que le parapet ait des *embrasures*, dont les merlons soient de bonne terre, pour pouvoir résister au canon de l'ennemi.
    TRÉVOUX, *Dict.* (1771), art. *Embrasure.*

2   Je trouvai quelques vieux canons de vingt-quatre, placés aux embrasures d'un bastion gothique (...)
    CHATEAUBRIAND, *Itinéraire...*, II, 291.

♦ **2** (1539). Ouverture pratiquée dans l'épaisseur d'un mur pour recevoir une porte, une fenêtre. *L'embrasure d'une porte, d'une fenêtre. Embrasure profonde. Il faut lambrisser cette embrasure* (Académie).

3   La ronce fait sortir ses cercles bruns de l'embrasure d'une fenêtre (...)
    CHATEAUBRIAND, *le Génie du christianisme*, III, v, 5.

REM. *Embrasure se disait particulièrement de l'élargissement que présente le mur du dehors au dedans. Quand le mur est taillé en biais, on dit plutôt aujourd'hui* ébrasement *(intérieur quand le mur s'élargit du dehors au dedans,* extérieur *dans le cas contraire).*

Par ext. Espace vide compris entre les parois du mur. *Il m'a parlé dans l'embrasure de la fenêtre.*

4   Nos petits soupers à la croisée de ma fenêtre, assis en vis-à-vis sur deux petites chaises posées sur une malle qui tenait la largeur de l'embrasure.
    ROUSSEAU, *les Confessions*, VIII.

5   On voyait cependant s'ouvrir toutes les petites portes byzantines, rongées de vétusté, et dans leurs embrasures massives apparaissaient des jeunes filles, vêtues comme des Parisiennes, qui jetaient aux musiciens des piastres de cuivre.
    LOTI, *Aziyadé*, III, XXXI, p. 117.

6   Non seulement elle n'aurait pas été saisie de le voir brusquement surgir dans l'embrasure de la porte, mais presque à tout instant, elle s'attendait à le voir paraître devant elle (...)
    MARTIN DU GARD, *les Thibault*, t. III, p. 164.

7   Le soldat lève la tête vers la façade grise aux rangées de fenêtres uniformes, sans balcon, soulignées d'un trait blanc au bas de chaque embrasure, pensant voir peut-être le gamin, quelque part derrière un carreau.
    A. ROBBE-GRILLET, *Dans le labyrinthe*, p. 47.

Par ext. Espace ouvrant sur l'extérieur.

8   Louis-Philippe des Cigales se gratta le côté droit de la poitrine à travers sa chemise, l'avant-bras posé dans l'embrasure de sa robe de chambre.
    R. QUENEAU, *Loin de Rueil*, p. 80.

Mar. *Embrasure pratiquée dans la muraille d'un navire.* → Sabord.

EMBRAYAGE [ãbʀɛjaʒ] n. m. — 1856, La Châtre ; de *embrayer.*

♦ **1** Rare. Action d'embrayer. — Mécanisme permettant d'établir la communication entre un moteur et une machine ou de les désaccoupler sans arrêter le moteur. *Progressivité d'un embrayage.*

1   (...) pour démarrer à la 1re vitesse, il suffit au conducteur de tourner lentement son volant (...) jusqu'à ce qu'il sente un arrêt complet qui lui indique que l'embrayage est total (...) le même appareil comporte donc embrayage et débrayage aussi progressifs que désire les faire le conducteur.
    L. BAUDRY DE SAULNIER,
    l'Automobile théorique et pratique, p. 102 (1900).

♦ **2** Par métonymie, plus cour. Organe permettant de relier le moteur au changement de vitesse pour l'entraînement de la transmission. *Pédale d'embrayage. Faire patiner l'embrayage. Embrayage qui broute*. Embrayage à cônes de frictions, à griffes, à manchons, à disques. Embrayage automatique. Embrayage par courroies et poulies. Poulie d'embrayage. Embrayages électromagnétiques ou hydrauliques.*

2   Chaque combinaison d'engrenages est munie de son embrayage particulier *(dans la De Dion-Bouton).*
    L. BAUDRY DE SAULNIER,
    l'Automobile théorique et pratique, p. 102 (1900).

EMBRAYER [ãbʀeje] v. [CONJUG.: *payer*] — 1858 ; *rembrayer*, 1783, «serrer la braie» ; de *em-* (*en-*), *braie* «pièce de bois mobile dans un moulin à vent», et suff. verbal.

♦ **1** V. tr. Mettre en communication (une pièce mobile) avec l'arbre moteur. *Embrayer une hélice, une courroie.* — Absolt. Mettre en communication un moteur avec les organes qu'il doit mettre en mouvement. → **Engrener.** *Débrayez, changez de vitesse et embrayez.*

1   Vous vous rendez compte, dit-il sévèrement. Freiner, déraper, embrayer tous les vingt mètres. Changer de vitesse cent fois par heure, c'est ça qui arrange une voiture !
    SARTRE, *la Mort dans l'âme*, p. 18.

2   (...) au moment où je me préparais à doubler, il en vient deux *(motos)* par derrière, trois par devant (...) une locomobile qui montait le remblai. C'était délicat. J'accélère à fond, j'embraye, je braye *(sic)*, je débraye, je vire au frein, je bloque, je lâche tout et je passe de justesse.
    M. AYMÉ, *Travelingue*, p. 214.

♦ **2** V. intr. (1927). Fam. Prendre ou reprendre le travail (dans une usine). *On embraye à 7 heures.* — (1927). Fam. Commencer un travail, entreprendre une action.

3   Ça dégèlerait le public, ça encouragerait les philosophes *(des voyeurs)* et, une fois embrayée, la soirée n'aurait plus qu'à rouler de séance en séance jusque vers le minuit (...)
    R. QUENEAU, *Pierrot mon ami*, éd. L. de Poche, p. 10.

♦ **3** Fig. et fam. (Sujet n. de personne). *Embrayer sur* (qqch., qqn) : commencer à discourir sur. *Il embraye sur le film qu'il vient de voir et on ne peut plus l'arrêter.* — (Sujet n. de chose). *Embrayer sur qqch. :* être en rapport avec qqch. qui fonctionne, être efficace, mener à une action efficace (même image dans l'antonyme *tourner à vide*).

4   (...) mais que dire de cette dialectique tranchante et inefficace des hommes de gauche qui n'embraye sur rien ?
    F. MAURIAC, *le Nouveau Bloc-notes 1958-1960*, p. 299.

5   Mon père chantonne un air de *Manon* sur un beau jour et une belle promenade (je ne note plus pour ne pas lui faire renoncer à ces citations ; ce n'est pas un jeu pour moi, c'est une façon d'embrayer sur sa bibliothèque intérieure, afin d'en sauver ce qui peut l'être).
    Claude MAURIAC, *le Temps immobile*, p. 241.

Par ext. Avoir de l'influence, de l'autorité sur... « *Rien n'est plus grave, au fond, qu'une pensée qui n'embraye plus sur l'événement* » (*l'Express*, 17 mars 1969, *in* Gilbert).

CONTR. Débrayer *ou* désembrayer. ◊ DÉR. Embrayage, embrayeur.

EMBRAYEUR [ãbʀejœʀ] n. m. — 1878 ; de *embrayer.*

♦ **1** Techn. Levier permettant d'embrayer un moteur. *Embrayeur électrique.*

L'embrayeur électrique appliqué aux machines à vapeur, par M. Aug. Trève (...) un embrayeur électrique pour commander la valve d'admission de la vapeur dans les grands cylindres des machines à vapeur qui actionnent le navire.
    L. FIGUIER, *in* l'Année sc. et industr. 1879, p. 151 (1878).

♦ 2 (V. 1960). Ling. Classe de mots dont le sens varie selon la situation de communication (par ex. : *je, hier*). *Les déictiques**, *les pronoms, les temps verbaux jouent dans la phrase le rôle d'embrayeurs.*

EMBRÈNEMENT [ãbʀɛnmã] n. m. — 1676; de *embrener.*

Vx. Action d'embrener, de s'embrener.

EMBRENER [ãbʀəne] v. tr. — 1532, Rabelais; de *em-* (*en-*), et *bren*, anc. forme de *bran.*

Vx et familier.

♦ 1 Salir d'excréments. → **Souiller.** — Pron. *Enfant qui s'embrène.*

♦ 2 Fig. Ennuyer qqn. → **Emmerder** (fam.).

1   L'esprit protestant embrène tout en Amérique, pareil à cette ignoble mayonnaise qui couvre tous les plats de sa masse insipide et gluante. Quelque chose de gras, de composite et de vaguement sucré. Une cochonnerie sans nom.
CLAUDEL, Journal, août 1931.

2   (...) tu commences à m'embrener avec tes méchantes questions.   R. QUENEAU, les Fleurs bleues, p. 18.

DÉR. **Embrènement.**

EMBRÈVEMENT [ãbʀɛvmã] ou **EMBREUVE-MENT** [ãbʀœvmã] n. m. — 1676; de *embrever, embreuver.*

Techn. Assemblage oblique de deux pièces de bois et dont la pénétration forme un prisme triangulaire. *Embrèvement à simple, à double languette; à feuillure. Embrèvement carré; d'encastrement. Former un embrèvement.*

Ça va, mais ne lâche pas la corde pour cracher dans tes mains, ni pour te gratter. Là, voilà; dans l'embrèvement du poinçon, ça rentre tout seul.
Jean PRÉVOST, les Frères Bouquinquant, p. 152.

EMBREVER [ãbʀəve] ou **EMBREUVER** [ãbʀœve] v. tr. — XIIᵉ, *embevrer*; du lat. pop. **imbiberare.* → Abreuver, imbiber.

♦ 1 Vx. Abreuver, imbiber.

♦ 2 (1223, «enfoncer»). Techn. Assembler deux pièces de bois, dont l'une a l'extrémité taillée en forme de prisme triangulaire et pénètre obliquement dans l'autre. → **Emboîter.** *Embrever deux pièces à rainure, à languette.*

DÉR. **Embrèvement** ou **embreuvement.**

EMBRIGADEMENT [ãbʀigadmã] n. m. — 1793; de *embrigader.*

♦ 1 Vx. Action d'embrigader (1.); résultat de cette action.

♦ 2 Action d'embrigader (2.). → **Recrutement.** *L'embrigadement des agents, des gardes champêtres. L'embrigadement de partisans dans une association, une ligue politique.*
Fig. *L'embrigadement des esprits, des volontés.*

Les paysans (...) une fois sortis de leur monde, sont réfractaires à tout embrigadement dans un autre monde, à toute répression de leur propre personnalité (...)
Jacques RIVIÈRE, Correspondance avec Alain Fournier, p. 365, *in* T. L. F.

EMBRIGADER [ãbʀigade] v. tr. — 1792; de *em-* (*en-*), *brigade*, et suff. verbal.

♦ 1 Vx. Réunir (des régiments) pour en former une brigade*.

Faire entrer (des hommes) dans le cadre d'une brigade. → **Incorporer.** *Embrigader des soldats.*

♦ 2 (1864). Mod. Rassembler, réunir (un certain nombre de personnes) sous une même autorité et en vue d'une action commune. → **Enrégimenter, enrôler, mobiliser; recruter.** *Il a réussi à embrigader beaucoup de gens dans son nouveau parti. Il n'a pas voulu se laisser embrigader.*
Fig. *Embrigader les esprits, les volontés.*
Pron. Se placer sous l'autorité de qqn, d'un groupe. *S'embrigader dans une organisation politique.*

(...) comme si l'individu ne pouvait pas s'embrigader, participer au groupe, à la force collective, sans abdiquer d'abord sa valeur (...)
MARTIN DU GARD, les Thibault, t. V, p. 102.

♦ EMBRIGADÉ, ÉE p. p. adj.

Vx. *Des mercenaires embrigadés.* — Mod. *Des militants embrigadés.* — *Des opinions publiques embrigadées par une idéologie.*

CONTR. Démobiliser, libérer. ◊ DÉR. **Embrigadement.**

EMBRINGUER [ãbʀɛ̃ge] v. tr. — 1915, pron.; *imbringuer* «charger de dettes, hypothéquer», XIVᵉ; *embringuer* «embarrasser», XVIᵉ; mot dial., de *em-* (*en-*), *bringue* ou *brigue* «morceau», et suff. verbal.

♦ 1 Fam. Engager (qqn) de telle sorte qu'il soit mécontent, embarrassé, qu'il ait des regrets. → **Embarquer, embrigader.** *Il l'a embringué dans une collaboration qui ne lui plaît qu'à moitié. Il s'est laissé embringuer dans cette affaire. Nous voilà bien embringués!* — Pron. *Il s'est embringué dans un travail interminable.*

L'homme se laisse embringuer : c'est la règle.   1
MONTHERLANT, Pitié pour les femmes, p. 201.

Après l'École des Chartes, j'aurais mieux fait de continuer,   2
au lieu de me laisser embringuer dans la politique.
J. ROMAINS, les Hommes de bonne volonté,
t. XXII, p. 106.

(...) il était à peu près décidé à ne pas se laisser embringuer   3
dans un cirque ambulant.
R. QUENEAU, Pierrot mon ami, éd. L. de Poche,
p. 124.

♦ 2 Passif et p. p. *Être embringué* : être embarrassé* par ce qu'on porte sur soi, avec soi.

Je les évoque *(les fantassins portugais du XVIᵉ siècle)*... souf-   4
flant, suant sous la cuirasse et le haubert (...) inextricablement embringués (...) dans la brousse de la côte qui monte de Santos à Sao-Paulo (...)
B. CENDRARS, Bourlinguer, p. 361.

Gustin s'assombrissait, non qu'il fût peiné de passer si près   5
du poste où dormait Rougioux, qu'il commençait à oublier au profit de sa petite Anglaise, mais parce qu'il souffrait d'être embringué dans un nouveau printemps.
Jacques LAURENT, les Bêtises, p. 47.

EMBROCATION [ãbʀɔkasjɔ̃] n. f. — XIVᵉ; lat. médiéval *embrocatio*, du bas lat. *embrocha* «enveloppe humide», grec *embrokhê* «action d'arroser».

♦ 1 Méd. Action de verser lentement un liquide huileux et calmant sur une partie malade. → **Fomentation.**

♦ 2 Ce liquide lui-même. → **Liniment, onguent.** *Embrocations utilisées pour le massage des athlètes, dans le traitement des foulures.*

La foule s'est un peu animée, mais c'est encore une politesse. Elle respire avec gravité l'odeur sacrée de l'embrocation.   CAMUS, l'Été, *in* Essais, Pl., p. 821.

Abrév. (argot sportif) : *embroc* [ãbʀɔk].

EMBROCHAGE [ɑ̃bʀɔʃaʒ] n. m. — Fin XIXᵉ; de *embrocher.*

◆ **1** Techn. Dispositif qui permet à plusieurs bureaux télégraphiques d'être joints par un seul fil de ligne.

◆ **2** Chir. Réunion, selon un axe longitudinal, des deux fragments d'un os fracturé, au moyen d'une broche spéciale.

EMBROCHEMENT [ɑ̃bʀɔʃmɑ̃] n. m. — XVIᵉ; de *embrocher.*

Action d'embrocher (1., 2.).

EMBROCHER [ɑ̃bʀɔʃe] v. tr. — XIIᵉ; de em- (en-), *broche,* et suff. verbal.

◆ **1** Enfiler (une viande, des morceaux de viande) sur une broche, sur des brochettes. → **Brocheter.** *Embrocher un gigot, une volaille* (→ Cuire, cit. 3). — P. p. *Morceaux embrochés.* → **Brochette.**

1 Le moine *(Watteville)* se fâche, et dit (...) qu'il a assez bon appétit pour tout manger. L'hôte n'ose répliquer et embroche. SAINT-SIMON, Mémoires, t. II, II.

◆ **2** Fam. Transpercer (qqn) d'un coup d'épée. → **Enfiler.** *Embrocher son adversaire.*

2 — Misérable! — m'écriai-je d'une voix enrouée par la rage (...) tu ne me harcèleras pas jusqu'à la mort! Suis-moi, ou je t'embroche sur place! BAUDELAIRE, Trad. POE, Nouvelles histoires extraordinaires, «W. Wilson».

◆ **3** Techn. Raccorder (un appareil) sur une ligne à haute tension, téléphonique, déjà existante.

CONTR. **Débrocher.** ◊ DÉR. **Embrochage, embrochement.**

EMBRONCHEMENT [ɑ̃bʀɔ̃ʃmɑ̃] n. m. — 1900; *embranchement,* 1690; de *embroncher.*

Techn. Action, manière d'embroncher; assemblage de pièces embronchées. *Un embronchement d'ardoises.*

EMBRONCHER [ɑ̃bʀɔ̃ʃe] v. tr. — 1845; *embrunchier* «recouvrir», 1080; *embruncher,* 1690; de em- (en-), anc. franç. *bronc* «saillie, nœud», du lat. pop. *bruncus* «souche», et suff. verbal.

Technique.

◆ **1** (1864). Disposer (des tuiles, des ardoises) de manière que chacune d'elles recouvre en partie la suivante. → **Emboîter.**

◆ **2** Charpent. Disposer (des pièces de bois, poutres, lattes...) de manière que chacune s'ajuste avec les pièces voisines.

DÉR. **Embronchement.**

EMBROUILLAGE [ɑ̃bʀujaʒ] n. m. — 1768; de *embrouiller.*

◆ **1** Rare et fam. Action d'embrouiller; confusion, embarras de ce qui est embrouillé. → **Embrouillement.**

Les femmes vont et viennent, et parlent, et sont comme bouillantes d'une nouvelle passion. Les jeunes recherchent les plus âgées. Il y a eu un moment d'embrouillages. On les voyait aller les unes chez les autres, entrer, sortir, revenir, repartir, à deux, à trois. Maintenant, c'est tout en ordre. J. GIONO, les Vraies Richesses, p. 154.

◆ **2** Techn. (télécommunications). «Opération destinée à transformer un signal numérique en un signal numérique aléatoire ou pseudoaléatoire, de même signification et de même débit binaire, en vue d'en faciliter la transmission ou l'enregistrement» (recomm. off.). → **Brouillage** (déconseillé officiellement).

EMBROUILLAMINI [ɑ̃bʀujamini] n. m. — 1688; de *brouillamini,* d'après *embrouiller.*

Fam. Désordre, confusion extrême qui induit en erreur. → **Brouillamini** (fam.), **embrouillage, imbroglio.**

(...) il y a au troisième acte un embrouillamini qui me déplaît, et au cinq il y a deux poignards qui me font de la peine. VOLTAIRE, Lettre à d'Argental, 1842, 26 nov. 1760. 1

Rien ne bougera, rien ne changera. Les rocs sont impassibles, en équilibre, les arbres et les herbes sont plantés droit dans le sol, et le silence peuplé règne. C'est un embrouillamini de tissage avec des nœuds, des couleurs placées, des pâtés noirâtres. J.-M. G. LE CLÉZIO, la Fièvre, p. 183. 2

EMBROUILLARDER [ɑ̃bʀujaʀde] v. tr. — Déb. XXᵉ; «s'enivrer», 1867; de em- (en-), *brouillard,* et suff. verbal.

Rare. Rendre trouble, brumeux. — Au p. p. *Paysage embrouillardé.* — Fig. Obscurcir. *L'alcool embrouillarde l'esprit.*

EMBROUILLE [ɑ̃bʀuj] n. f. — 1747, repris XXᵉ; déverbal de *embrouiller.*

Fam. Action ou manière d'embrouiller les gens, de les tromper; situation embrouillée (→ **Embrouillamini, imbroglio**) de nature à tromper. — (Rare en emploi libre).

Il y a des stigmates imperceptibles pour qui n'a pas connu la taule : une façon de parler sans s'accompagner des lèvres, cependant que les yeux expriment, pour l'embrouille, l'indifférence ou la chose opposée (...) A. SARRAZIN, l'Astragale, p. 35. 1

Je préfère l'eau qui court, qui s'enfuit : comme le temps, précisément. On est dans le vrai avec elle. Pas d'embrouille. Pas de tricherie. Francis CARCO, Ombres vivantes, p. 219. 2

Plus cour. *Sac d'embrouilles* : affaire confuse, compliquée (→ Sac de nœuds*).

EMBROUILLÉ, ÉE [ɑ̃bʀuje] adj. → **Embrouiller.**

EMBROUILLEMENT [ɑ̃bʀujmɑ̃] n. m. — 1546; de *embrouiller.*

◆ **1** Action, fait d'embrouiller. → **Emmêlement, enchevêtrement.** *L'embrouillement d'une pelote de laine, de fils, des cheveux.* — État de ce qui est embrouillé. → **Embarras.** *Un embrouillement inextricable de lignes. Des embrouillements de lianes, de cordes.*

Ici le graveur voudrait peindre; il ne le peut point. Rien ne peut effacer la ligne; et l'embrouillement des lignes n'offre qu'incertitude et dénonce l'insuffisance de l'idée. ALAIN, Propos, 13 mars 1924, Vertu du dessin. 0.1

On voyait les étirements des bulles, les rides longiformes, la texture filante des fibres et d'embrouillements qui circulaient sur place. J.-M. G. LE CLÉZIO, le Déluge, p. 171. 0.2

◆ **2** Par métaphore ou fig. État de ce qui est embrouillé, complexe, peu compréhensible. → **Désordre, embrouillamini.** *Un embrouillement inextricable de circonstances.* → **Imbroglio.**

Quelle chimère est-ce donc que l'homme? Quelle nouveauté, quel monstre, quel chaos, quel sujet de contradiction, quel prodige! (...) Qui démêlera cet embrouillement? La nature confond les pyrrhoniens, et la raison confond les dogmatiques. PASCAL, Pensées, VII, 434. 1

Ces idées, dont Dostoïevsky, dans chacun de ses grands livres, forme comme une tresse épaisse, il est souvent malaisé d'en démêler l'embrouillement. GIDE, Dostoïevsky, p. 78. 2

◆ **3** Fig. et vieilli. *Embrouillement du cerveau, de l'esprit* : manque de lucidité, perte de la clarté des idées. — *Être dans un embrouillement d'idées total.*

EMBROUILLER [ãbʀuje] v. tr. — XIVᵉ ; de *em- (en-),* et *brouiller.*

♦ **1** Mêler (des choses longues et fines), enrouler en désordre (une chose longue et fine). *Embrouiller un écheveau.* → **Emmêler, enchevêtrer, mêler.** *Le petit chat embrouille des fils en jouant avec la boîte à ouvrage.* → **Entortiller.** *Embrouiller des cordons* (→ Délacer, cit. 2). — Mar. *Embrouiller les voiles,* les ferler, les joindre ensemble.

♦ **2** Fig. Compliquer, rendre obscur, confus. *Embrouiller les choses au lieu de les simplifier. Embrouiller une affaire, une situation.* → **Troubler.** *Embrouiller un sujet, des notions,* les rendre obscures. *Embrouiller un récit, une histoire.*

1   Cela suffit pour embrouiller au moins la matière (...)
             PASCAL, Pensées, VI, 392.

1.1 (...) choisir pour spectateur le peuple le plus fourbe et le plus visionnaire ; pour substitut, le plus vil artisan, le plus absurde, et le plus fripon ; embrouiller si bien la doctrine, qu'il est impossible de la comprendre (...)
             SADE, Justine..., t. I, p. 81.
    Embrouiller ses phrases, son style.

2   Il avait, dans les entretiens publics et singuliers, une étonnante manière d'enrouler, d'embrouiller et d'entortiller la phrase (...)
          G. DUHAMEL, le Temps de la recherche, XII, p. 170.

♦ **3** *Embrouiller le cerveau, la cervelle (de qqn).* — Passif et p. p. *Avoir l'esprit embrouillé par l'alcool.* → **Obscurcir, troubler.** — REM. L'idée de «brouillard» est ici plus présente que l'idée de «mélange».

3   Des marauds, dont le vin embrouillait la cervelle,
    Vidaient à coups de poing une vieille querelle (...)
          CORNEILLE, Suite du Menteur, IV, 6.

♦ **4** *Embrouiller qqn,* le troubler, lui faire perdre le fil de ses idées (→ Clair, cit. 13), et, par ext., tromper. *Embrouiller un adversaire.*

4   Je ne m'y reconnais plus ; vous m'avez embrouillée ; vous pensez trop vite pour moi.
          SARTRE, la P... respectueuse, II, 1.
    Loc. fam. *Ni vu ni connu je t'embrouille* : cela se fait (s'est fait) secrètement, sans qu'on y comprenne rien, de façon à tromper.

4.1 (...) ça se passerait très bien, on vous ouvre le ventre, on sort tout, on recoud, cric-crac, ni vu ni connu je t'embrouille.
          J. DUTOURD, Pluche, XI, p. 157.

4.2 — Jacques n'est pas embarrassé ? Jacques n'est jamais embarrassé. Ses gestes sont feutrés. Le calcul est parfait entre lui et l'objet.
    — ...
    — Vous dites qu'un chemisier lui a peut-être livré une échelle en soie ?
    — ...
    — Il la sort de sa poche... ni vu ni connu je t'embrouille.
    — ...
    — Il entre dans le grenier par la trappe. Par où entrerait-il ? Le principal se tait.
         Violette LEDUC, la Chasse à l'amour, p. 31.

◆ **S'EMBROUILLER** v. pron.

♦ **1** Être embrouillé. *Les fils se sont embrouillés* (→ Corde, cit. 6). — Passif. *S'embrouiller de* : être chargé de (qqch. qui nuit à la clarté, à la lisibilité). *Le dessin s'embrouille d'ornements superflus.* — Mar. *Le temps s'embrouille,* il se couvre de nuages, de brume. → **Brouiller** (se). — Abstrait. *Esprit, idées qui s'embrouillent.*

5   Je n'y comprends rien ; mes idées s'embrouillent tout à fait.
         A. DE MUSSET, Comédies et proverbes,
         On ne badine pas avec l'amour..., II, 4.

♦ **2** Devenir confus. → **Emmêler** (s'). *L'affaire commence à s'embrouiller.* — (Sujet n. de personne). *S'embrouiller dans une affaire confuse* : ne plus s'y reconnaître (→ Démêler, cit. 3).

♦ **3** Se perdre (dans qqch., une opération mentale). *S'embrouiller dans ses explications, dans son discours.* → **Bafouiller, bredouiller, embarbouiller** (s'), **embarrasser** (s'), **empêtrer** (s'), **enferrer** (s'), **patauger, perdre** (se perdre, perdre le fil). — Se tromper. *Il note tout pour ne pas s'embrouiller. S'embrouiller dans ses calculs.*

◆ **EMBROUILLÉ, ÉE** p. p. adj.

♦ **1** Mêlé dans un grand désordre. *Écheveau embrouillé.*

♦ **2** Fig. Qui manque de clarté, de netteté. → **Obscur.** *Discours, calcul, raisonnement embrouillé. Explications embrouillées. Question embrouillée.* → **Compliqué, confus, difficile.** *Esprit embrouillé.* → **Brouillon.** — *Des affaires embrouillées,* en désordre, et, par ext., peu prospères.

6   Jamais assassinat si mystérieux, si embrouillé, n'a été commis à Paris (...)
         BAUDELAIRE, Trad. POE, le Double Assassinat...

7   Leurs combinaisons étaient innombrables comme la poussière, compliquées à l'infini, tramées, tressées, imbriquées, repliées les unes dans les autres, entrelacées et embrouillées à toutes les profondeurs.
         Léon BLOY, le Désespéré, p. 101.

CONTR. **Débrouiller.** — **Classer, clarifier, démêler, éclairer, éclaircir.** — **Clair, lumineux.** ◊ DÉR. **Embrouillage, embrouille, embrouillement, embrouilleur.** — V. **Embrouillamini.**

EMBROUILLEUR, EUSE [ãbʀujœʀ, øz] n. — Déb. XVIIᵉ, Oudin, d'après Littré ; de *embrouiller.*

♦ **1** Personne qui embrouille (qqch.).

Jamais embrouilleur de péripéties inextricables imagina-t-il plus exhilarante confusion que celle du scaphandre et de l'armure !
         A. JARRY, Critiques
         de théâtre, La fiancée du scaphandrier,
         in Œ. compl., t. VII, p. 239.

♦ **2** Techn. Appareil permettant l'embrouillage (2.), en télécommunications. (Recomm. off.). — REM. Le terme *brouilleur* est déconseillé dans ce contexte.

EMBROUSSAILLEMENT [ãbʀusajmã] n. m. — 1895 ; de *embroussailler.*

♦ **1** Rare. Ensemble de plantes, et, par ext., de choses embroussaillées. *L'inextricable embroussaillement des taillis.*

(...) à travers l'embroussaillement des solives, des brindilles et du paillis.
         GIDE, le Retour du Tchad, IV, in Souvenirs, Pl.,
         p. 937.

Par anal. (En parlant des cheveux, de la barbe). Emmêlement à la façon des broussailles. *L'embroussaillement de son épaisse chevelure.*

♦ **2** Fig. et littér. Embrouillement* de choses confuses.

EMBROUSSAILLER [ãbʀusaje] v. tr. — 1854 ; de *broussaille.*

♦ **1** (Sujet n. de plante). Couvrir de broussailles. *Bruyères et genêts embroussaillaient le sol.*

Par anal. Couvrir, à la manière des broussailles. *Sa barbe lui embroussaillait le visage.*

♦ **2** (1874). Fig. Embarrasser d'éléments disparates. → **Encombrer.**

1   Je crois que le majeur défaut des littérateurs et des artistes d'aujourd'hui c'est l'impatience : s'ils savaient attendre, leur sujet se composerait lentement de lui-même dans leur esprit ; de lui-même il se dépouillerait de l'inutile et de ce qui l'embroussaille, il croîtrait à la manière d'un arbre dont les maîtresses branches se développent (...)
         GIDE, Feuillets, in Journal, 1889-1939, Pl., p. 716.

Pron. *Ce terrain s'embroussaille.*

◆ **EMBROUSSAILLÉ, ÉE** p. p. adj.

Couvert de broussailles. → **Broussailleux**. *Terre embroussaillée.*

Fig. Qui ressemble à une broussaille. *Cheveux embroussaillés*, épais et emmêlés. *Barbe embroussaillée.* → **Inculte.**

2   La porte, enfin, s'entrebâilla. Une tête passa, un masque embroussaillé de barbe (...)
                      COURTELINE, Messieurs les ronds-de-cuir,
                                              2ᵉ tableau, 2.

CONTR. Ordonné, soigné. ◊ **DÉR. Embroussaillement.**

EMBRUINÉ, ÉE [ãbʀɥine] adj. — XIXᵉ; fig., «embrouillé», v. 1460; de *em-* (*en-*), *bruine*, et suff. *-é.*

Littér. Qui est couvert de bruine*. → **Brumeux, embrumé.** *Paysage embruiné.*

EMBRUMER [ãbʀyme] v. tr. — Fin XIIIᵉ, p. p.; de *em-* (*en-*), *brume*, et suff. verbal.

◆ **1** Couvrir de brume*. *L'automne embrumait déjà les prés le long de la rivière.*

Par ext. Couvrir, envelopper d'une matière qui estompe les formes. *La fumée embrumait la pièce.*

◆ **2** Fig. Rendre moins net, estomper. → **Embuer.** *Le temps avait embrumé ses souvenirs.*

Spécialt. *Embrumer les idées, la tête, le cerveau*, y mettre de la confusion. → **Troubler.** *L'alcool lui avait embrumé le cerveau. — Embrumer le regard*, le rendre terne.

◆ **3** (1837). Fig. Rendre triste. → **Assombrir, attrister, obscurcir.**

1   Ce spectacle m'avait embrumé le paysage, et la joie calme où s'ébaudissait mon âme avant d'avoir vu ces petits hommes avait totalement disparu (...)
                      BAUDELAIRE, le Spleen de Paris, XV, «Le gâteau».

2   (...) des fronts qu'embrume le souci d'une préoccupation commune.
                      COURTELINE, Messieurs les ronds-de-cuir,
                                              5ᵉ tableau, 1.

◆ **S'EMBRUMER** v. pron.

◆ **1** Se couvrir de brume. *L'horizon commence à s'embrumer.*

◆ **2** Fig. Devenir triste, sombre.

3   (...) tout mon chagrin s'embrume des subtiles particules qui se lèvent de nos amours réunies, mais quelle effroyable limpidité sèche, peu après ton départ !
                      M. BARRÈS, Un jardin sur l'Oronte, p. 183.

◆ **EMBRUMÉ, ÉE** p. p. adj.

◆ **1** Couvert de brume. *Horizon, ciel embrumé.* → **Embrun.**

4   L'orbe de la lune tout rouge se levait, dans un horizon embrumé, d'une grandeur démesurée (...)
                      BERNARDIN DE SAINT-PIERRE, Paul et Virginie.

5   (...) un océan sauvage, des syrtes embrumées (...) c'est tout ce qui s'offre aux regards.
                      CHATEAUBRIAND, le Génie du christianisme, III,
                                              V, 5.

Par ext. *Yeux embrumés*, couverts d'un voile de larmes. → **Embué, humide.**

6   Les légionnaires gelés, le visage raide, le nez rouge et les yeux embrumés par des larmes de froid se groupaient autour de Gilieth.
                      P. MAC ORLAN, la Bandera, XVII, p. 202.

◆ **2** Fig. Qui manque de netteté. → **Confus, nébuleux.** *Des rêveries embrumées. — Une voix embrumée*, qui a perdu sa clarté.

CONTR. Éclaircir, ensoleiller.

EMBRUN [ãbʀœ̃] n. m. — 1828; *anbrun*, 1521; du provençal *embrun*, de *embruma* «bruiner, embrumer».

◆ **1** Vx. Ciel embrumé, couvert de brouillard.

◆ **2** Mod. (Surtout au plur.). LES EMBRUNS, pluie fine formée par l'eau de la mer emportée en une poussière de gouttelettes dans la direction du vent. → **Poudrin; bruine** (→ Brouillard, cit. 5). *Avoir le visage fouetté par les embruns. Des embruns froids, glacés.*

1   Jasper Hobson regarda à travers les embruns qui passaient au-dessus de lui comme des nappes liquides.
                      J. VERNE, le Pays des fourrures, t. II, p. 81-82.

(Au singulier) :

2   Il se promena en faisant craquer ses phalanges, et huma l'embrun douceâtre que la lourde pluie vaporisait en frappant le balcon.   COLETTE, la Fin de Chéri, p. 69.

EMBRUNIR [ãbʀyniʀ] v. — XIIIᵉ; de *em-* (*en-*), *brun*, et suff. verbal. → Brunir.

◆ **1** V. tr. Vx. Rendre brun, sombre. → **Assombrir.** — Pron. *S'embrunir* (même sens que l'intrans.; → ci-dessous, 2.).

(1552). Fig. et littér. Rendre triste. → **Attrister.**

◆ **2** V. intr. Devenir brun, sombre (même sens que le pron.; → ci-dessus, 1.). *À la tombée de la nuit, les vergers s'embrunissaient.*

◆ **EMBRUNI, IE** p. p. adj.

(Au sens 1). «*Un endroit de la place déjà bien embruni par la nuit tombante*» (G. Sand, les Maîtres sonneurs, in T. L. F.).

Arts. *Tableau embruni*, aux couleurs trop sombres ou trop assombries.

EMBRYO- Élément, du grec *embruon* «embryon».

EMBRYOCARDIE [ãbʀijokaʀdi] n. f. — 1890; de *embryo-*, et *-cardie*, grec *kardia* «cœur».

Pathol. Augmentation du nombre des battements cardiaques, dont le rythme rapide est analogue à celui du cœur fœtal.

DÉR. Embryocardique.

EMBRYOCARDIQUE [ãbʀijokaʀdik] adj. — XXᵉ; de *embryocardie.*

Pathol. Relatif à l'embryocardie. *Rythme embryocardique.*

Le 26 novembre 1916, sans raison apparente, se manifestent à nouveau des phénomènes cardiovasculaires analogues à ceux que nous avons vus précédemment. Les battements cardiaques se précipitent et le pouls bat à 136 par minute; on note un rythme embryocardique typique avec affaiblissement des bruits du cœur.
                      B. CENDRARS, Moravagine, in Œ. compl., t. IV,
                                              p. 257-258.

EMBRYOGENÈSE [ãbʀijoʒɛnɛz] n. f. — 1905; de *embryo-*, et *-genèse.*

Sc. (embryol.). Formation et développement de l'œuf jusqu'à l'éclosion ou à la naissance. — Étude des formes successives de l'embryon (*stades embryonnaires**).

EMBRYOGÉNIE [ãbʀijoʒeni] n. f. — 1839; de *embryo-*, et *-génie.*

Didactique.

◆ **1** Vieilli. Embryogenèse (surtout humaine).

◆ **2** Étude des stades embryonnaires, faisant partie de l'embryologie.

Les études récentes sur la «vie» — embryogénie, chimie... organisatrice — les actions que l'on peut exercer sur l'œuf etc. (...) — font bien voir quelle blagologie ont dépensée les philosophes depuis *x* siècles — sur ces choses (...).
VALÉRY, Cahiers, t. II, Pl., p. 766.

♦ **3** Fig. et littér. Genèse (de ce qui naît et se développe). *«L'embryogénie des peuples»* (Hugo, *in* T. L. F.).

DÉR. Embryogénique.

EMBRYOGÉNIQUE [ãbʀijoʒenik] adj. — 1839; de *embryogénie.*

Didact. De l'embryogénie. *Développement, processus embryogénique.*

EMBRYOGRAPHIE [ãbʀijoɡʀafi] n. f. — 1864; de *embryo-,* et *-graphie.*

Didact. (Vieilli). Description des embryons.

EMBRYOLOGIE [ãbʀijɔlɔʒi] n. f. — 1762, Académie, «traité sur l'embryon (humain)»; de *embryo-,* et *-logie.*

Didactique.

♦ **1** Vx. Étude de l'embryon humain et de son développement (élément des études médicales). *«La science du mouvement, de l'embryologie»* (Flaubert, *Souvenirs...,* 1841, *in* T. L. F.).

♦ **2** Mod. (le concept se dégage au mil. du XIXᵉ s.; *embryology,* en angl., est employé par Darwin, 1851). Science faisant partie de la biologie*, qui étudie le développement (ontogenèse) des organismes animaux depuis l'apparition de structures reconnaissables jusqu'à l'éclosion ou la naissance. → **Morphogenèse; ébauche, embryon, feuillet, œuf.** *Embryologie descriptive des oursins, des batraciens. Embryologie des cténophores,* par Agassiz (1874). *Embryologie comparée : étude des analogies et des différences dans la morphogenèse de types zoologiques voisins. Embryologie causale. Embryologie expérimentale,* modifiant les conditions normales du développement. → **Chimère; tératologie.** *Embryologie générale. Embryologie moléculaire.*
Ensemble des phénomènes évolutifs étudiés par cette science.

«L'embryologie n'est autre chose que l'histoire des transformations par lesquelles l'œuf fécondé donne naissance à un embryon et finalement à l'organisme complètement différencié. Pour chaque type du règne animal, cette histoire a ses particularités précises et son déterminisme strict, aboutissant à la réalisation stéréotypée de l'adulte; l'embryologie descriptive a donc un contenu extrêmement vaste et divers, qui a donné lieu, depuis trois quarts de siècle, à des travaux quasi innombrables.»
CAULLERY, L'embryologie, p. 9.

DÉR. Embryologique, embryologiste.

EMBRYOLOGIQUE [ãbʀijɔlɔʒik] adj. — 1832; de *embryologie.*

Didact. Relatif à l'embryologie, aux phénomènes étudiés par cette science (morphogenèse, ontogenèse). *Études embryologiques sur les vers et les arthropodes,* de A. Kovalevski (1871). — *Processus embryologiques.*

DÉR. Embryologiquement.

EMBRYOLOGIQUEMENT [ãbʀijɔlɔʒikmã] adv. — D. i. (XXᵉ); de *embryologique.*
Du point de vue de l'embryologie.

EMBRYOLOGISTE [ãbʀijɔlɔʒist] n. — 1846; *embryologue,* 1846; de *embryologie.*

Didact. Spécialiste de l'embryologie.

(...) le champ de recherche de l'embryologie expérimentale s'est prodigieusement étendu; les embryologistes ont été obligés d'avoir recours à de nombreuses techniques variées. Parmi celles-ci, la culture d'organes s'annonçait comme un outil de choix, car les expériences d'isolement représentent une des méthodes principales d'investigation embryologique.
Michel SIGOT, la Culture d'organes, p. 26-27.

EMBRYOME [ãbʀijom] n. m. — XXᵉ; de *embryo-,* et *-ome.*

Pathol. Tumeur qui résulte d'une malformation congénitale. *«Les embryomes, que l'on trouve fréquemment dans le testicule, donnent naissance à des structures aberrantes en cette place, mais qui ressemblent à celles d'un embryon normal»* (la Recherche, sept. 1970, p. 313).

EMBRYON [ãbʀijɔ̃] n. m. — V. 1361, Oresme; grec *embruon,* de *embruos,* adj. «qui se développe à l'intérieur», de *en-* «dans», et *bruein* «croître»; écrit *embrion* jusqu'au XIXᵉ.

A (Concret). ♦ **1** Cour. Œuf des animaux vivipares, notamment des mammifères et de l'homme, depuis le moment où il est conçu dans l'organisme maternel jusqu'à un certain stade (conventionnellement, la huitième semaine, chez l'Homme).

Puis d'une femme morte avec son embryon   1
Il faut chez Du Verney voir la dissection.
BOILEAU, Satires, X.

D'où vient-il *(l'homme)*? Sombre-t-il dans l'Océan profond   2
Des Germes, des Fœtus, des Embryons, au fond
De l'immense Creuset d'où la Mère-Nature
Le ressuscitera, vivante créature (...)
RIMBAUD, Poésies, V, «Soleil et chair», III.

La période des feuillets durera trois semaines. À ce   3
moment le nouvel être — qui ne mesure que deux à trois millimètres et pèse quatre centigrammes — sera devenu l'*Embryon.* Sa forme est celle d'un petit animal sans pattes, et pourvu d'une queue. Il ne se distingue guère de n'importe quel autre Mammifère considéré à ce stade. — Cinq semaines plus tard, l'embryon est devenu le *Fœtus.* Les membres lui ont poussé; la tête s'est modelée, ainsi que le visage. Bien qu'il ne mesure que trois centimètres et ne pèse que trois grammes, dans l'ensemble, il a revêtu, la forme qui caractérise le type adulte de son espèce. Encore sept mois, et le fœtus sera le *Nouveau-né.*
Jean ROSTAND, l'Homme, II, p. 33.

Par ext. Œuf fécondé des animaux ovipares, jusqu'à l'éclosion. *Embryon de poulet.*

♦ **2** Sc. (Le concept moderne se dégage au milieu du XIXᵉ s., avec l'embryologie*). Organisme en développement des animaux; œuf* (II.) à partir de la segmentation*, et, spécialt, quand apparaissent des structures reconnaissables, pendant la différenciation des tissus et leur mise en place, jusqu'à la séparation des membranes enveloppantes (éclosion ou naissance). *Développement de l'embryon.* → **Embryogenèse, ontogenèse.** *Stades du développement de l'embryon* (stades embryonnaires). → **Blastula, gastrula, morula.** *Annexes, membranes de l'embryon.* → **Allantoïde, amnios, chorion, placenta; vitelline.** *Embryon d'insecte, de ver, de poisson, de batracien, de mammifère. Embryon des oiseaux.* → **Œuf,** I. (et → ci-dessus, 1., par ext.). *Embryon humain* (→ ci-dessus, 1.). *Études expérimentales sur des embryons d'oursins, de grenouilles.*

♦ **3** Bot. Ensemble de cellules issues de l'œuf et donnant naissance à une plante au sein de la graine. → **Germe; graine; plantule; semence; sporange, spore.** *Partie de l'embryon végétal qui se développe à la germination.* → **Blaste; radicule,**

tigelle; gemmule. *Réserve alimentaire de l'embryon.*
→ **Albumen; aleurone.** *La secondine, enveloppe de l'embryon.* → **Périsperme.**

B Par métaphore et fig. ♦ **1** Fam. et vx. Homme insignifiant. → **Avorton.** *«Ce n'est qu'un petit embrion* (sic), *un avorton, un homme de néant»* (Furetière, 1690).

♦ **2** (1654). Littér. Ce qui commence d'être, mais qui n'est pas achevé. → **Germe; commencement, origine.**

4   Quelque important qu'il soit, pour bien juger de l'état naturel de l'homme, de le considérer dès son origine et de l'examiner, pour ainsi dire, dans le premier embryon de l'espèce (...)
ROUSSEAU, De l'inégalité parmi les hommes, I.

Spécialt (dans un contexte intellectuel). *L'embryon d'une idée, d'un projet, d'une œuvre.*

5   Tantôt l'embryon de l'idée est de vous *(Marcelin Berthelot)* et le développement m'appartient; tantôt le germe est venu de moi, et c'est vous qui l'avez fécondé.
RENAN, Dialogues et Fragments philosophiques, Œ. compl., t. I, p. 1.

6   (...) il y a une différence incalculable, *un intervalle indéterminé,* entre l'embryon d'une idée et l'entité intellectuelle qu'elle peut enfin devenir.   VALÉRY, Analecta, p.17.

♦ **3** Loc. *À l'état d'embryon,* d'ébauche. → **Embryonnaire,** 2.

DÉR. Embryonnaire, embryonné. — V. aussi les comp. en embryo-.

EMBRYONNAIRE [ɑ̃bʀijɔnɛʀ] adj. — 1834; de embryon.

Sc. et courant.

♦ **1** Relatif ou propre à l'embryon. *Vie, période embryonnaire. Développement, ébauche embryonnaire. Sac* embryonnaire. Feuillets* embryonnaires. Annexes* embryonnaires. — Stades embryonnaires.* → **Blastula, gastrula, morula.**

♦ **2** (1855). Fig. Qui n'est qu'en germe, à l'état rudimentaire. *Un dialogue embryonnaire. Un plan encore embryonnaire. À l'état embryonnaire,* d'ébauche (→ À l'état d'embryon*).

Je ne voyais aucun moyen d'attraper la trace du meurtrier. — Nous ne devons pas juger des moyens possibles, dit Dupin, par une instruction embryonnaire.
BAUDELAIRE, trad. POE, Histoires extraordinaires, «Double assassinat dans la rue Morgue».

EMBRYONNÉ [ɑ̃bʀijɔne] adj. m. — 1908, Encyclopédie universelle; de embryon.

Didact. *Œuf embryonné,* dans lequel l'embryon est bien visible (chez les ovipares).

L'embryon est devenu bien visible : on aperçoit surtout très nettement ses yeux sous l'aspect de deux points noirs. Les praticiens disent que l'œuf est *embryonné.*
Paul VIVIER, la Pisciculture, p. 16.

EMBRYOPATHIE [ɑ̃bʀijɔpati] n. f. — V. 1960; de embryo-, et -pathie.

Méd. Maladie qui atteint l'embryon au cours des deux à trois mois de son développement dans l'utérus, et qui aboutit à des malformations. *Embryopathie due à la rubéole* (provoquant surtout des malformations oculaires). *Embryopathie par exposition aux radiations.*

EMBRYOTOME [ɑ̃bʀijɔtɔm; ɑ̃bʀijotom] n. m. — 1845; de embryotomie.

Chir. Instrument chirurgical servant à pratiquer l'embryotomie.

EMBRYOTOMIE [ɑ̃bʀijɔtɔmi] n. f. — 1707; de embryo-, et -tomie.

Chir. Opération qui consiste à réduire chirurgicalement dans l'utérus le fœtus mort pour en faciliter l'extraction.

DÉR. Embryotome.

EMBU, UE [ɑ̃by] p. p. adj. et n. m. → **Emboire.**

EMBÛCHE [ɑ̃byʃ] n. f. — 1360, enbusque; déverbal de l'anc. franç. embuschier «mettre en embuscade». → Embûcher.

♦ **1** Vx. Embuscade, guet-apens. *Faire tomber qqn dans une embûche. Craindre une embûche* (→ Chevaucher, cit. 1). → **Piège.**

(...) on cherche à vous monter quelque coup de Jarnac ou   1
à vous faire tomber en quelque embûche (...)
Th. GAUTIER, le Capitaine Fracasse, t. II, XI, p. 74.

♦ **2** (XVᵉ). Mod. (au plur.). Ruse, machination organisée en vue de nuire à qqn. → **Filet, machination, piège, rets, traquenard.** *Dresser, semer, tendre des embûches à qqn. Échapper aux embûches de ses ennemis. Questions pleines d'embûches.* → **Insidieux.** *Triompher de toutes les embûches.*

Toutes ces larmes, tous ces soupirs, tous ces hommages,   2
tous ces respects sont des embûches qu'on tend à notre cœur, et qui souvent l'engagent à commettre des lâchetés.
MOLIÈRE, la Princesse d'Élide, II, 1.

Mes malheurs n'avaient pas encore détruit cette confiance   3
naturelle à mon cœur, et l'expérience ne m'avait pas encore appris à voir partout des embûches sous les caresses.
ROUSSEAU, les Confessions, XII.

Par ext. Obstacle qui compromet la réussite d'une entreprise. → **Difficulté.**

C'est moi qui ait tranché cette vie, qui ait réduit à néant ce   4
monument d'amour, de larmes, d'embûches surmontées qu'est une existence humaine.
Pierre BENOÎT, l'Atlantide, p. 272.

♦ **3** Spécialt (théol.). Tentation du démon. *Les embûches de Satan.*

EMBÛCHER [ɑ̃byʃe] v. tr. — XIIᵉ; de em- (en-), bûche «bois, forêt», et suff. verbal.

♦ **1** (1636). T. de vén. Faire entrer une bête dans le bois, dans son gîte. *Embûcher le cerf. — Pron. La bête s'embûche lorsque, poursuivie, elle entre dans le bois.*

♦ **2** (1838). Techn. Commencer la coupe de (un bois).

CONTR. Débucher. ◊ COMP. Rembucher.

EMBUER [ɑ̃bɥe] v. tr. — 1877; de em- (en-), buée, et suff. verbal.

♦ **1** Couvrir d'une buée. *La vapeur embuait la vitre.* — Pron. → littér. **Buer.** *Le pare-brise s'embue.*

♦ **2** Par anal. Voiler (les yeux) de larmes. — Pron. *Son regard s'embua.*

Et maintenant, quand il pensait à Gilieth, les larmes   1
embuaient ses yeux.
P. MAC ORLAN, la Bandera, XVIII, p. 221.

Ses gros yeux ronds s'étaient embués de larmes, il avait   2
levé les sourcils, il regardait Horace et Neville d'un air interrogateur.   SARTRE, le Sursis, p. 9.

◆ **EMBUÉ, ÉE** p. p. adj.

♦ **1** Couvert de buée. *Vitres embuées. Pare-brise embué.*

♦ **2** Par anal. Voilé de larmes (en parlant des yeux). *Regard embué. Yeux embués de larmes.* → **Embu.**

CONTR. Clair, net.

EMBUISSONNÉ, ÉE [ãbɥisɔne] adj. — xvᵉ, repris 1758; de em- (en-), buisson, et suff. -é.

Rare et littér. Qui est dans les buissons, au milieu des buissons. «*Une petite maison embuissonnée de roses grimpantes*» (Goncourt, *Journal*, t. I, p. 57, 1854).

EMBUSCADE [ãbyskad] n. f. — 1425; ital. *imboscata*, p. p. subst. de *imboscare*, de *bosco* «bois».

♦ **1** Manœuvre par laquelle on dissimule une troupe, en vue de surprendre et d'attaquer l'ennemi, et, par métonymie, lieu de la manœuvre. → **Aguet, embûche** (vx), **piège** (→ Capture, cit. 2). *Dresser, faire, préparer une embuscade. Découvrir, éviter une embuscade. — En embuscade. Troupe en embuscade.* → **Embusquer.** *Se cacher, se mettre, se poster, se tenir, être en embuscade* : se dissimuler pour surprendre qqn (à l'endroit où il doit passer). — *Tomber dans une embuscade.* → **Guet-apens, traquenard.**

1　Comme il (*le moucheron*) sonna la charge, il sonne la victoire,
　Va partout l'annoncer, et rencontre en chemin
　L'embuscade d'une araignée;
　Il y rencontre aussi sa fin.
　　　　　　　LA FONTAINE, Fables, II, 9.

2　La guerre civile (...) prenait un caractère de gravité tout nouveau, du moment où les Chouans concevaient le dessein d'attaquer une si forte escorte (...) il (*Hulot*) crut apercevoir, dans l'apparition de Marche-à-terre, l'indice d'une embuscade habilement préparée (...)
　　　　　　　BALZAC, les Chouans, Pl., t. VII, p. 780.

3　(...) il me surprenait comme un voleur en embuscade, comme l'ennemi sauvage, couché à terre, qu'on prendrait de loin pour un broussaille, et qui se relève inopinément.
　　　　　　　SAINTE-BEUVE, Volupté, XXII, p. 225.

♦ **2** Troupe, hommes qui sont en embuscade. *Poster une embuscade.*

4　Le jour, il cheminait le plus souvent à pied, au-devant du chariot, en éclaireur, surtout lorsque près de la route quelques buissons, taillis, pans de murs ou chaumines ruinées, pouvaient servir de retraite à une embuscade.
　　　　　　　Th. GAUTIER, le Capitaine Fracasse, t. II, XI, p. 42.

♦ **3** Fig. Embûches. *Les embuscades d'un examen* (→ Concours, cit. 12).

DÉR. On trouve chez Barrès (les Barbares) le dér. verbal **s'embuscader** pour s'embusquer.

EMBUSQUAGE [ãbyskaʒ] n. m. — Av. 1918, *in* D.D.L.; de *embusquer*.

Action de s'embusquer (2.), de se mettre à l'abri du danger; situation qui résulte de cette action, de cette attitude.

Aussi faisait-elle toutes les démarches pour qu'ils restassent, ce qui lui donnerait le double plaisir de les avoir à dîner et, quand ils n'étaient pas encore arrivés ou déjà partis, de flétrir leur inaction. Encore fallait-il que le fidèle se prêtât à cet embusquage, et elle était désolée de voir Morel s'y montrer récalcitrant; aussi lui avait-elle dit longtemps et vainement : «Mais si, vous servez dans ce bureau, et plus qu'au front. Ce qu'il faut, c'est être utile, faire vraiment partie de la guerre, en être».
　　　　　　　PROUST, le Temps retrouvé, Pl., t. III, p. 768.

EMBUSQUER [ãbyske] v. tr. — xvᵉ; réfection de *embûcher* (XIIᵉ), de *bûche*, d'après l'ital. *imboscare*, de *bosco* «bois».

♦ **1** Mettre (une troupe, des hommes) en embuscade*, poster en vue d'une agression. *Il embusqua ses hommes derrière un petit bois* (→ Détour, cit. 3).

1　(...) nous conduisons au gibet un malheureux que l'indigence embusque sur un grand chemin (...) et l'on fera grâce à un brigand infiniment plus dangereux (...)
　　　　　　　G.-T. RAYNAL, Hist. philosophique..., XVIII, 14, *in* LITTRÉ.

♦ **2** (1914-1918). Affecter par faveur (un mobilisé) à un poste non exposé, à une unité non combattante de l'arrière (rare, sauf en emploi factitif et au pron.; → ci-dessous). *Avoir assez de protections pour se faire embusquer.* — Par ext. Soustraire par faveur un civil à la mobilisation et en général à ses obligations militaires.

♦ **S'EMBUSQUER** v. pron.

♦ **1** Se cacher, se poster en embuscade, pour surprendre qqn. *Les assaillants s'embusquèrent derrière un taillis.*

Fig. Se dissimuler. → **Enfermer** (s'); → Agitation, cit. 15.

Aucune expérience n'avait enseigné à Thérèse que derrière 　2
toute bizarrerie, qu'à l'abri d'une outrance, d'une affectation, souvent des vices s'embusquent.
　　　　　　　F. MAURIAC, le Mal, p. 20.

♦ **2** Se faire affecter à un poste sans danger. → **Planquer** (se). *Militaire qui a réussi à s'embusquer.*

♦ **EMBUSQUÉ, ÉE** p. p. adj. et n. m.

♦ **1** En embuscade. *Troupe embusquée au fond d'un ravin.*

Aimons-nous doucement. L'Amour dans sa guérite, 　3
Ténébreux, embusqué, bande son arc fatal.
　　　　　　　BAUDELAIRE, Spleen et idéal, LXIV,
　　　　　　　　　　　　　«Sonnet d'automne».

♦ **2** Par ext. Caché, dissimulé.

Je ne suis pas de ces démons pusillanimes, terrés dans la 　4
cave, embusqués sous l'auvent du toit, ou grelottants dans le puits.
　　　　　　　COLETTE, la Paix chez les bêtes, «Poum», p. 5.

♦ **3** N. m. *Un embusqué*, militaire ou civil qui s'est fait embusquer en temps de guerre, militaire qui bénéficie d'un poste facile en temps de paix. — REM. Le fém. est virtuel.

Le producteur sera déifié, le mercanti prendra dans la 　5
haine publique la place de l'embusqué (...)
　　　　　　　A. MAUROIS, les Discours du Dʳ O'Grady, XIV,
　　　　　　　　　　　　　p. 147.

(...) c'est d'un hochement de tête philosophe, sans haine, 　6
que, prêt à repartir pour la guerre, il disait en voyant se bousculer les embusqués retenant leurs tables : «On ne dirait pas que c'est la guerre ici».
　　　　　　　PROUST, le Temps retrouvé, Pl., t. III, p. 735.

CONTR. Découvrir, exposer, montrer. ◊ **DÉR.** Embusquage.

EMBUT [ãby] n. m. — XIVᵉ, «entonnoir», probablt du lat. *imbuere* «abreuver; imbiber», de *im-* (in-), et *bibere* «boire», par une forme pop. *imbutum* «entonnoir».

♦ **1** Vx. Puisard en entonnoir.

♦ **2** (Attesté xxᵉ). Géogr. ou régional. Gouffre, aven (dans un terrain calcaire).

HOM. Embu (p. p. de *emboire*), **en-but.**

-ÈME Élément de mots savants, tiré de *phonème** (grec *phônêma*), utilisé en linguistique et en sémiotique pour former des noms masculins désignant une unité minimale distinctive, dans le domaine exprimé par la base nominale. → **Graphème, lexème, monème, morphème, sème, sémème, tonème.** REM. Cet élément est très productif dans la terminologie sémiotique (cf. *in* Josette Rey-Debove, *Sémiotique* : *dan-sème, idéologème, mythème, phème, pictème, proxème, virtuème...*).

ÉMÉCHER [emeʃe] v. tr. [CONJUG.: *céder*.] — 1576; de é-, *mèche*, et suff. verbal.

♦ **1** Vx. Débarrasser (une bougie, une lampe à pétrole...) des extrémités charbonnées de la mèche. *Émécher une chandelle.* → **Moucher.**

1 — On va allumer les lampes, dit l'épicier. Il se leva en gémissant, émécha les lampes, en essuya les verres avec son mouchoir, et les alluma.
M. DURAS, les Petits Chevaux de Tarquinia, p. 226.

♦ **2** (1826). Mettre en mèches. *Émécher des cheveux.*

♦ **3** (1859). Fig. et fam. Rare à l'actif. Rendre légèrement ivre. → **Enivrer**. *Deux ou trois verres suffisent à l'émécher.*

◆ **ÉMÉCHÉ, ÉE** p. p. adj. (1859). Fam. et cour.
Un peu ivre. *Il était légèrement éméché.* → **Gai, gris** ; et aussi **pompette**.

2 Les noctambules du Boul «Mich» aphones, poisseux, éméchés, puant l'absinthe.
B. CENDRARS, Bourlinguer, *in* T. L. F.

ÉMENDATION [emɑ̃dasjɔ̃] n. f. — XIIIᵉ ; du lat. *emendatio* «action de corriger», de *emendatum*, supin de *emendare*. → Émender.

Didactique.

♦ **1** Rare. Action d'émender (1.). *L'émendation d'un texte par un archiviste paléographe.*

♦ **2** Spécialt (sc. nat.). Modification intentionnelle de l'orthographe (d'un nom savant).

ÉMENDER [emɑ̃de] v. tr. — 1547 ; «améliorer», XIIᵉ ; lat. *emendare*. → Amender.

♦ **1** Vx. Corriger (un texte). → **Émendation**.

♦ **2** (1554). Dr. Amender, réformer un jugement. → **Corriger, réformer**. «*La Cour, émendant la sentence dont est appel...*», formule utilisée par une juridiction d'appel lorsqu'elle veut infirmer la sentence de la juridiction inférieure.

CONTR. Confirmer, ratifier.

ÉMERALDINE [emʁaldin] n. f. — 1872 ; de *émeraude*.
Chim., techn. Matière colorante bleu-vert.

ÉMERAUDE [emʁod] n. et adj. invar. — XVIIᵉ ; *esmaragde, esmeraulde,* v. 1120 ; *esmeraude,* v. 1130 ; du lat. *smaragdus,* grec *smaragdos,* d'orig. orientale.

♦ **1** N. f. Pierre précieuse, diaphane, généralement de couleur verte, de poids spécifique 2,7 ; silicate double d'alumine et de glucine (Al₂O₃, 3GlO, 6SiO₂). *Émeraude cylindroïde, fibreuse. L'émeraude noble, verte et limpide. L'émeraude orientale,* variété verte du corindon*. Émeraude bleuâtre du Brésil.* → **Aigue-marine**. *Émeraude rose, jaune, pierreuse.* → **Béryl**. *L'émeraude se rencontre dans diverses roches* (gîtes stannifères, gneiss, granites, pegmatites, micaschistes). *L'émeraude utilisée dans la préparation du glucinium*. Émeraudes brutes* (→ **Morillon**), *taillées. Diamant taillé en émeraude* (→ Diamant, cit. 8). *Bracelet, collier d'émeraudes* (→ Albâtre, cit. 2). *Émeraude montée en bague.*

1 Jadis, un directeur de théâtre dépensait des centaines de mille francs pour consteller de vraies émeraudes le trône où la diva jouait un rôle d'impératrice.
PROUST, À la recherche du temps perdu, t. XI, p. 11.

La limpidité, la pureté de l'émeraude. Ciel limpide comme l'émeraude (→ Descendre, cit. 27).
Le vert de l'émeraude (→ Cornaline, cit. 1). *Yeux couleur de l'émeraude. Un vert de la plus pure émeraude.*

2 (...) le banc émerge du courant en talus, et s'élève par une haute pente très douce, formant une large pelouse de gazon, qui ressemble parfaitement à un tissu de velours, et d'un vert si brillant, qu'il pourrait soutenir la comparaison avec celui de la plus pure émeraude.
BAUDELAIRE, Trad. POE, Histoires grotesques, «Le domaine d'Arnheim».

(Mil. XVIIIᵉ). Par métonymie. Couleur verte de l'émeraude. → **Smaragdin, vert** (→ Coq, cit. 11). *L'émeraude des vagues. L'émeraude des feuillages.* — *Côte d'Émeraude :* côte nord de la Bretagne où la Manche est d'une couleur verte. *L'Île d'Émeraude :* l'Irlande, ainsi appelée en raison de la richesse de sa végétation. — Adj. (invar.). *Vert émeraude. Courtine* (cit. 2) *de soie émeraude.*

3 Le crépuscule ami s'endort dans la vallée
Sur l'herbe d'émeraude et sur l'or du gazon (...)
A. DE VIGNY, les Destinées, «La maison du berger».

4 Un clair croissant perdu par une blanche nue
Trempe sa corne calme en la glace des eaux,
Non loin de trois grands cils d'émeraude, roseaux.
MALLARMÉ, Poésies, «Las de l'amer repos».

♦ **2** N. m. Oiseau paradisier (Nouvelle-Guinée) dont la gorge est verte.
Émeraude-améthyste : colibri de Guyane au plumage bleu et vert.

DÉR. Émeraldine, émeraudine.

ÉMERAUDINE [emʁodin] n. f. — 1762 ; de *émeraude*.
Insecte du genre cétoine*, de couleur verte.

ÉMERGEMENT [emɛʁʒəmɑ̃] n. m. — 1865 ; de *émerger*.
Rare.

♦ **1** Fait d'apparaître au-dessus du niveau de la mer. *L'émergement d'un récif, d'une île.* → **Émersion ; affleurement**.

♦ **2** (Abstrait). Apparition, manifestation.
(...) comment vous expliquez-vous ce... cet émergement des côtés fâcheux du caractère ?
J. ROMAINS, les Hommes de bonne volonté, t. XXII, p. 57.

ÉMERGENCE [emɛʁʒɑ̃s] n. f. — 1720 ; dr., «dépendance», 1498 ; de *émergent*.

♦ **1** Phys. Sortie d'un rayonnement. *Point d'émergence d'un rayon lumineux,* le point où il sort d'un milieu qu'il traverse. *Les conditions d'émergence d'un rayon réfracté.*

♦ **2** (1846). Anat. *Émergence d'un nerf,* point où il se détache du centre nerveux. — Géol. *Émergence d'une source,* l'endroit où elle sort de terre. *Émergence d'un geyser.* → **Apparition, sortie**.

1 Il y aurait intérêt à faire procéder à une étude géologique du terrain jusqu'à une certaine distance du point d'émergence.
J. ROMAINS, les Hommes de bonne volonté, t. V, XXII, p. 176.

♦ **3** Fig. (Biol., philos.). *Théorie de l'émergence* (de G.-H. Lewes, 1874) : théorie «selon laquelle la combinaison d'unités d'un certain ordre réalise une entité d'ordre supérieur dont les propriétés sont entièrement nouvelles» (P. Ostoya, *in* Foulquié, *Dict. de la langue philosophique*). *Relation de l'émergence et de l'évolution de l'espèce, de la pensée.*

2 Il convient de rechercher (...) les *innovations* qu'apporte au monde chaque nouveau palier évolutif. C'est ce fait que l'on désigne parfois par le terme d'*émergence.*
A. VANDEL, l'Homme et l'Évolution, *in* FOULQUIÉ, Dict. de la langue philosophique, art. *Émergence.*

3 Ces trois grands types *(de structuration)* sont ceux de la composition additive (la société conçue comme une somme d'individus possédant déjà les caractères à expliquer) de l'émergence (le tout comme tel engendre des propriétés nouvelles s'imposant aux individus) et de la totalité relationnelle (système d'interactions modifiant dès le départ les individus et expliquant par ailleurs les variations du tout).
J. PIAGET, Épistémologie des sciences de l'homme, p. 56.

♦ 4 Fig. Apparition soudaine, dans une suite d'événements, d'idées. *L'émergence d'un fait historique. Émergence d'une solution* (à un problème), *d'une signification* (cf. J. Ricardou, *in* Cl. Simon, *la Route des Flandres*).

4 L'espérance est anticipation militante de l'avenir. L'homme naît avec l'émergence du projet.
 Roger GARAUDY, Parole d'homme, p. 164.

♦ 5 Rare. (Philos.). Action ou fait d'émerger, de faire irruption dans. «*L'émergence de l'être dans le non-être*» (Sartre, *l'Être et le Néant*).

ÉMERGENT, ENTE [emɛʀʒɑ̃, ɑ̃t] adj. et n. m.
— Déb. XVIᵉ; dr., «dépendant», 1471; lat. *emergens, -entis*, p. prés. de *emergere.* → Émerger.

Didactique.

♦ 1 Chronologie. *Année émergente*, à partir de laquelle on compte les années d'une ère. *L'an émergent de l'ère chrétienne, de l'Église.*

♦ 2 (1720; angl. *emergent*, de même orig. que le franç.). Opt. *Rayons émergents*, qui sortent d'un milieu après l'avoir traversé. *Source lumineuse émergente.* Minér. *Cristal émergent*, composé de six prismes rhomboïdes, dont l'un paraît se détacher des cinq autres.

♦ 3 (XIXᵉ). Rare. Qui émerge. *Île, terre émergente. Terrain émergent*, qui se trouve découvert pendant la marée basse.

1 (...) au delà, les îles sont encore des échines et des têtes de montagnes émergentes.
 TAINE, Philosophie de l'art, t. II, p. 91.

♦ 4 Biol., philos. Qui se rapporte à la théorie de l'émergence. *Synthèse émergente constitutive de chaque palier évolutif.* — N. m. *Un émergent :* un élément émergent.

2 Alexander, qui voit dans la Divinité le prochain émergent appelé à se produire sur le niveau psychologique le plus élevé des êtres conscients, n'admet pas que ce Dieu soit intervenu comme créateur de l'Espace-Temps primitif, ni des émergents qui s'y sont ajoutés.
 LALANDE, Voc. de la philosophie, art. *Émergence.*

CONTR. Immergent (phys.). ◊ DÉR. Émergence.

ÉMERGER [emɛʀʒe] v. intr. [CONJUG.: *bouger.*] — XIVᵉ; rare jusqu'au XIXᵉ, Chateaubriand; lat. *emergere* «sortir de l'eau», de *ex-*, et *mergere* «plonger, enfoncer».

♦ 1 Sortir d'un milieu liquide (où qqch., qqn est plongé) de manière à apparaître* à la surface. *L'îlot émerge à marée basse. Les roches émergeaient à peine.* → **Affleurer.** *Sous-marin qui émerge dans un port.* → **Flotter.** *Plongeur qui émerge à la surface de l'eau.* — Par anal. Sortir* d'un milieu quelconque et apparaître (se). *Le soleil émerge à l'horizon. La lune émergea au-dessus des nuages. Une silhouette émerge de l'ombre* (→ Dégradation, cit. 3). *Émerger à la lumière.* → **Paraître.** *Tête d'un dormeur qui émerge du drap.*

1 Le soleil émergeant d'une nuit sombre éclairait le fleuve.
 CHATEAUBRIAND, les Natchez, p. 230.

2 Çà et là émerge, comme une pointe d'écueil, le haut d'une colonne engloutie à moitié ou aux trois quarts, indiquant un édifice, un temple peu à peu recouvert.
 Th. GAUTIER, Souvenirs de théâtre..., p. 322.

3 Brusquement, très à gauche du point vers lequel il était tourné, une silhouette émergea en plein milieu de ce halo qui marquait la naissance du jour.
 MARTIN DU GARD, les Thibault, t. III, p. 101.

♦ 2 Fig. Se manifester, se produire, apparaître plus clairement. → **Jour** (se faire jour). *De tant de dépositions contradictoires, la vérité finissait par émerger peu à peu. Peu à peu, ses souvenirs émergeaient du*

fond de la conscience. *Mérite, réputation qui commence à émerger.* → **Imposer** (s'), **percer.** *Il émerge à peine du sommeil.* → **Sortir.** — Fam. Sortir d'un état d'inconscience, d'incertitude...; devenir actif, attentif. *Émerger après une anesthésie. Il a du mal à émerger le matin.*

4 (...) le passé ne peut être saisi par nous comme passé que si nous suivons et adoptons le mouvement par lequel il s'épanouit en image présente, émergeant des ténèbres au grand jour.
 H. BERGSON, Matière et Mémoire, p. 145.

5 L'acte qui, durant le déjeuner, était déjà en elle à son insu, commença alors d'émerger du fond de son être, — informe encore, mais à demi-baigné de conscience.
 F. MAURIAC, Thérèse Desqueyroux, VIII, p. 147.

6 (...) un Rembrandt nouveau nous est à l'avance familier alors qu'une œuvre byzantine nouvelle se dégage mal de la confusion dont elle émerge (...)
 MALRAUX, les Voix du silence, p. 315.

7 Dans un tout autre domaine, la sociologie de Durkheim procédait de façon analogue en voyant dans le tout social une totalité nouvelle, émergeant à une échelle supérieure de la réunion des individus et réagissant sur eux en leur imposant des «contraintes» diverses.
 J. PIAGET, Épistémologie des sciences de l'homme, p. 280.

CONTR. **Immerger** (être immergé). — **Abîmer** (s'), **couler, enfoncer** (s'), **plonger.** — **Disparaître, voiler** (se). ◊ DÉR. **Émergement.**

ÉMERI [emʀi] n. m. — XVIIᵉ; *esmerill*, v. 1200; *esmery*, 1440; var. *emeril*, XVIᵉ-XVIIIᵉ; du bas lat. *smyris*, grec class. *smuris.*

♦ 1 Variété granulaire très dure du corindon* (alumine), contenant des oxydes de fer, et qui, réduit en poudre, sert à polir les pierres, le cristal, les métaux, etc. → **Abrasif.** *Polir un diamant avec de la poudre d'émeri.* — *Potée d'émeri :* matière contenant de la poudre d'émeri, qui tombe de la meule des lapidaires. — (1866). Cour. *Papier* ou *toile (d') émeri*, obtenu(e) en saupoudrant de poudre d'émeri une feuille de papier ou de toile recouverte de colle forte. — Loc. (1818, *in* D.D.L.). *(Flacon) bouché à l'émeri*, dont le bouchon poli à l'émeri s'adapte parfaitement au goulot.

C'était (...) un tohu-bohu de fioles. Il empoigna résolument les flacons de parfums, débarbouilla les goulots et les bouchons à l'émeri, frotta les étiquettes (...)
 HUYSMANS, Là-bas, X, p. 151.

♦ 2 (1897). Fam. *Bouché à l'émeri :* particulièrement borné et fermé. → **Bouché** (3.). *Ce type est bouché à l'émeri, il ne comprend rien.*

DÉR. **Émeriser.**

ÉMERILLON [emʀijɔ̃] n. m. — XIIᵉ; *esmerillon;* de l'anc. franç. *esmeril*, du francique **smeril*, de sens incertain.

[I] Oiseau rapace diurne *(Falconidés)*, dressé autrefois pour la chasse de perdrix, de la caille.

(...) c'est le véritable émerillon dont on se sert tous les jours dans la fauconnerie et que l'on dresse au vol pour la chasse; cet oiseau est, à l'exception des pies-grièches, le plus petit de tous les oiseaux de proie (...) On peut en faire un bon oiseau de chasse pour les alouettes, les cailles et même les perdrix (...)
 BUFFON, Hist. nat. des oiseaux, *in* Œ., t. V.

[II] **♦ 1** Anciennt. Petite pièce d'artillerie, en usage du XVIᵉ siècle au XVIIIᵉ siècle.

♦ 2 (1680). Techn. Anneau ou croc rivé par une petite tige dans une bague de façon à pouvoir tourner librement. *Émerillon d'affourche*, servant à réunir deux chaînes. *Croc, poulie à émerillon*, tournant sur eux-mêmes (pour défaire les cordages). — Outil du cordier, du boutonnier. — (Pêche).

Attache métallique tournante empêchant la ligne de vriller.

DÉR. (Du I.) **Émerillonné.** — (Du II.) **Émerillonner.**

ÉMERILLONNÉ, ÉE [emʀijɔne] adj. — V. 1479 ; de *émerillon* (I.), à cause du regard perçant de l'oiseau.

Littér. Dont le regard est vif, gai. *Des yeux émerillonnés* (→ **Brillant, éveillé**).

1 Vous voilà bien émerillonnée, mademoiselle Geneviève ? lui dis-je en la voyant.
MARIVAUX, le Paysan parvenu, p. 14.

2 Assez grand, dodu sans obésité, le teint fleuri, la lèvre gaie et vermeille, la moustache fine, relevée en croc, une mouche au menton, de grosses joues sous des yeux émerillonnés (...)
J. ROMAINS, les Hommes de bonne volonté, t. III, v, p. 90.

3 (...) les unes la joue dans la main, le coude sur la table ; les autres, renversées au dossier des chaises, l'éventail déplié sur la bouche ; le fusillant toutes de leurs yeux émerillonnés et inquisiteurs.
BARBEY D'AUREVILLY, les Diaboliques, « Le plus bel amour de Don Juan ».

ÉMERILLONNER [emʀijɔne] v. tr. — D. i. (xxᵉ) ; de *émerillon* (II., 2.).

Techn. Tordre (un câble, une corde) à l'aide d'un outil qui comporte un crochet rotatif.

ÉMERISAGE [emʀizaʒ] n. m. — Mil. xxᵉ ; de *émeriser*.

Techn. Procédé permettant d'adoucir les tissus de coton en les mettant au contact d'un cylindre garni d'émeri, très fin et tournant à grande vitesse.

ÉMERISER [emʀize] v. tr. — 1868 ; de *émeri*.

Technique.

◆ **1** Couvrir de poudre d'émeri. — Au p. p. *Papier émerisé*.

◆ **2** (Mil. xxᵉ). Procéder à l'émerisage de (un tissu).

DÉR. Émerisage, émeriseuse.

ÉMERISEUSE [emʀizøz] n. f. — Mil. xxᵉ ; de *émeriser*.

Techn. Machine servant à émeriser les tissus.

ÉMÉRITAT [emeʀita] n. m. — 1824 ; de *émérite*.

◆ **1** Rare et vx. État du professeur émérite ; prérogatives propres à cet état.

◆ **2** Mod. En Belgique, État d'un professeur honoraire d'université ou du magistrat sorti de charge ; privilège accordé à ces personnes. → **Retraite.** *Les pensions relevant du régime de l'éméritat ont été réduites.*

ÉMÉRITE [emeʀit] adj. — 1355, repris xviiiᵉ ; lat. *emeritus* « (soldat) qui a fait son temps, son service, vétéran », de *emereri* « achever le service militaire », de *emerere*, même sens, et aussi « mériter, gagner », de *ex-*, et *merere*, *mereri*.

◆ **1** Vx. Qui, ayant exercé un emploi pendant un certain temps, a pris sa retraite et jouit des honneurs de son titre. → **Honoraire, retraité.** — *Auguste établit des récompenses pour les soldats qu'on appelait émérites, c'est-à-dire, qui avaient bien servi pendant un certain nombre d'années* (Trévoux). — *Professeur émérite*, *un émérite*, se disait autrefois des professeurs après un certain temps de service. *En quittant leur chaire, les Émérites ont une pension* (Trévoux).

En Belgique, Professeur honoraire d'université ou magistrat sorti de charge et ayant obtenu l'éméritat.

◆ **2** Fig. Vx. Qui a une longue pratique, une longue habitude de qqch., a vieilli dans son emploi. → **Chevronné.** — Par plais. *Buveur émérite.* → **Invétéré.** *Menteur émérite.* « *Trois ou quatre femmes, adultères émérites* » (Mérimée, *in* T. L. F.).

1 Du fond de sa bergère, que sa robe remplissait entièrement, la coquette émérite, tout en causant avec un diplomate qui la recherchait afin de recueillir les anecdotes qu'elle contait si bien, s'admirait elle-même dans la jeune coquette (...)
BALZAC, la Paix du ménage, Pl., t. I, p. 1010.

◆ **3** (Fin xixᵉ). Mod. Qui, par une longue pratique, a acquis une compétence, une habileté remarquable. → **Distingué, éminent, éprouvé, expérimenté, habile, remarquable, supérieur.** *Philologue émérite* (Académie).

2 J'ai, pendant la fin de mes études, suivi parfois la consultation de Doleris, accoucheur émérite.
G. DUHAMEL, Biographie de mes fantômes, p. 187.

REM. L'emploi de *émérite* est abusif quand il ne s'agit pas d'une qualité acquise par une longue pratique.

CONTR. Apprenti, novice. — Maladroit. ◊ **DÉR. Éméritat.**

ÉMERSION [emɛʀsjɔ̃] n. f. — 1694 ; lat. sc. *emersio*, du lat. class. *emersus*, de *emergere*. → Émerger.

◆ **1** Astron. Brusque réapparition d'un astre qui était éclipsé. *Arc d'émersion. Émersion de la Lune.*

Si la terre était immobile, l'observateur verrait, en trente fois 42 heures et demie, 30 émersions de ce satellite (*de Jupiter*).
VOLTAIRE, Éléments de la philosophie de Newton, II, 1.

◆ **2** (1755). Didact. Action ou état d'un corps qui émerge d'un fluide, d'un milieu. → **Émergement, émergence.** *Émersion d'un corps solide plongé dans un fluide plus pesant. L'émersion d'un rocher à marée basse, d'une île.*

◆ **3** Rare et didact. (philos.). Apparition soudaine, irruption. → **Émergence** (3.). « *L'émersion du microscopique hors du moléculaire* » (Teilhard de Chardin, *in* T. L. F.).

CONTR. Immersion, plongeon. — Disparition, éclipse.

ÉMÉRUS [emeʀys] n. m. — 1694, *emerus*, mot lat. sc., orig. incert., p.-ê. du grec *hêmeros* « apprivoisé ; cultivé ».

Bot. Séné bâtard (arbrisseau ornemental).

ÉMERVEILLABLE [emɛʀvejabl] adj. — Déb. xiiᵉ, *esmervillable* ; *esmerveillable*, v. 1265, *Roman de la rose* ; de *émerveiller*.

Vx (langue class.). Admirable ; qui suscite l'émerveillement.

ÉMERVEILLANT, ANTE [emɛʀvejã, ãt] adj. — V. 1220 ; p. prés. de *émerveiller*.

Rare et littér. Qui provoque l'émerveillement.

L'émerveillante beauté de ce monde vient de ceci précisément que rien n'y dure (...)
GIDE, Journal, 10 mai 1940, Pl., p. 20.

ÉMERVEILLEMENT [emɛʀvejmã] n. m. — Fin xiiᵉ ; de *émerveiller*.

Fait de s'émerveiller, d'être émerveillé ; état d'une personne émerveillée. → **Admiration, étonnement, enchantement.** *L'émerveillement de qqn devant qqch., à la vue de qqch. L'émerveillement de l'enfance. Découvrir qqch. avec émerveillement. Être plongé* dans l'émerveillement. *Pousser un cri d'émerveillement. C'était pour lui un émerveillement constant. Son savoir-faire faisait mon émerveillement. L'émerveillement d'un spectacle* (→ Divette, cit. 1), *que cause, que procure un spectacle.*

(...) une longue tragédie qui a commencé avec le premier homme et ne se terminera sans doute qu'avec l'espèce. Ce personnage reflétera au fond de ses yeux l'émerveillement des premières eaux et la terreur du dernier rayon.
Jacques DE LACRETELLE, cité par A. MAUROIS, Études littéraires, t. II, p. 250.

ÉMERVEILLER [emɛrveje] v. tr. — XIIᵉ; de é-, *merveille,* et suff. verbal.

Frapper d'étonnement et d'admiration. → **Éblouir, enchanter, étonner, fasciner.** *Émerveiller qqn, plusieurs personnes, le public. Le jeune Mozart émerveilla la cour par son génie précoce. Ce film m'a émerveillé.* — *Absolt. Il est toujours soucieux d'émerveiller.*

0.1   Sanglé dans son uniforme de tzigane qu'il ne quittait jamais, l'habile virtuose exécutait d'étourdissants morceaux, qui avaient le don d'émerveiller les indigènes.
Raymond ROUSSEL, Impressions d'Afrique, p. 382.

♦ **S'ÉMERVEILLER** v. pron.

Éprouver un étonnement agréable (devant qqch. d'inattendu qu'on juge merveilleux). → **Admirer.** *S'émerveiller de la beauté d'un spectacle. Il s'émerveillait de voir...* (→ Docile, cit. 5; doubler, cit. 8). *Enfant qui s'émerveille devant un objet* (→ Accord, cit. 24). *Les moindres choses dont elle ne cessait de s'émerveiller.*

1   Quand vous serez bien vieille, au soir à la chandelle,
Assise auprès du feu, dévidant et filant,
Direz chantant mes vers, en vous émerveillant :
Ronsard me célébrait du temps que j'étais belle.
RONSARD, Sonnets pour Hélène, II, XLIII.

2   La mère Barbeau ne pouvait assez s'émerveiller de l'habileté de la petite Fadette, et, le soir, elle disait à son homme (...)
G. SAND, la Petite Fadette, XL, p. 251.

3   La terre tendre et sombre,
Ô Platane, jamais ne laissera d'un pas
S'émerveiller ton ombre !
VALÉRY, Poésies, «Au platane».

♦ **ÉMERVEILLÉ, ÉE** p. p. adj.

Qui montre l'admiration, la surprise. *Un sourire, un regard émerveillé. Des yeux émerveillés* (→ Clocheton, cit.).

CONTR. Décevoir, désenchanter, désillusionner, lasser. ◊ **DÉR.** Émerveillable, émerveillant, émerveillement.

ÉMÉTICITÉ [emetisite] n. f. — 1771; de *émétique.*
Méd. Propriété vomitive (d'un médicament). *Éméticité de l'ipéca, de l'émétine.*

ÉMÉTINE [emetin] n. f. — 1817; du rad. de *émétique.*
Méd., chim. Alcaloïde extrait de l'ipéca, et utilisé comme émétique ou contre la dysenterie amibienne (→ 1. Asclépiade, cit. 1). *L'émétine s'administre par voie sous-cutanée. Sirop d'émétine, chlorhydrate d'émétine.*

Moi aussi, j'ai de la dysenterie, lui dit le toubib, et je n'ai rien pour me soigner, il faudrait de l'émétine.
Jean LARTÉGUY, les Centurions, p. 80.

ÉMÉTIQUE [emetik] adj. et n. m. — V. 1560; lat. *emeticus,* grec *emetikos,* de *emeïn* «vomir».
Didact. (méd., pharmacie).
♦ 1 Adj. Qui provoque le vomissement. → **Vomitif.** *Vin émétique. Tartre émétique. Poudre, préparation émétique. Racines émétiques.* → **Ipéca, vératre;** émétine.

♦ 2 N. m. Vomitif composé de tartrate double d'antimoine et de potassium. *Donner, prendre de l'émétique* (→ Aviser, cit. 23). *Prescrire un émétique* (→ Aller, cit. 65).

DÉR. Éméticité. — V. Émétine, émétisant, émétiser. ◊ **COMP.** Antiémétique.

ÉMÉTISANT, ANTE [emetizɑ̃, ɑ̃t] adj. — 1835; du rad. de *émétique* ou de *émétiser.* → **Émétiser.**
Méd. Qui provoque un vomissement. *Toux émétisante.* → **Émétique.**
Par anal. (Littér.). *«La chaleur émétisante que lui avait communiquée sa plume»* (Balzac, in T. L. F.).

ÉMÉTISER [emetize] v. tr. — 1760; du rad. de *émétique.*
Méd., vieilli.
♦ 1 Mettre un émétique dans (une boisson). *Émétiser une tisane.* — *Au p. p. Eau émétisée.*
♦ 2 Traiter (un malade) par un émétique.
J'ai eu les intestins brouillés (...) je devois être émétisé aujourd'huy.
DIDEROT, Lettre à Sophie Volland, 21 nov. 1760, *in D. D. L.*, II, 1.

DÉR. V. Émétisant.

ÉMETTEUR, TRICE [emetœr, tris] n. et adj. — 1792, *émetteur de billets,* in Brunot, H. L. F., t. IX, p. 1079; de *émettre.*

♦ 1 **Fin. et banque.** Personne, organisme qui émet (des billets, des effets). *L'émetteur d'un chèque, d'un effet de commerce.* → **Signataire, tireur.** — **Adj.** *Bureau émetteur. Banque émettrice.*

♦ 2 (1910, *poste émetteur d'ondes*). *Poste émetteur,* ou *émetteur :* ensemble des dispositifs et appareils destinés à produire des oscillations électriques, dont l'énergie est rayonnée à distance sous forme d'ondes électromagnétiques capables de transmettre des messages télégraphiques, des sons ou des images. *Émetteurs radiotélégraphiques, radiotéléphoniques, radioélectriques, radiophoniques, de télévision. Émetteur de brouillage. Émetteur-récepteur.* — Par ext. (cour.). *Station qui effectue des émissions* radiophoniques, de télévision. *Un émetteur peu puissant. Émetteur clandestin. Canal* (III., 3.) *réservé à un émetteur.* — **Adj.** *Poste émetteur,* par oppos. *à poste récepteur. Antenne* émettrice. — *Émetteur de radar.*

1   Le bouton tourné, le poste émetteur repéré, l'appareil au point voulu, toute la société prête l'oreille.
G. DUHAMEL, Manuel du protestataire, VI, p. 153.

2   Le poste récepteur radiophonique et le poste émetteur avaient travaillé toute la nuit.
P. MAC ORLAN, la Bandera, XV, p. 184.

♦ 3 **Phys.** Radioélément qui se désintègre en projetant un rayonnement. *Émetteur de radiations dangereuses, de rayons bêta.* — **Adj.** *Noyau émetteur, substance émettrice de radiations.*

♦ 4 **Sc.** *L'émetteur :* celui qui émet un message, par rapport à celui ou à ceux qui le reçoivent (théorie de la communication). → **Destinateur.** *L'émetteur d'un message en langue naturelle.* → **Locuteur.** *L'émetteur et le destinataire.*

♦ 5 **Littér.** Personne qui émet (une idée, un jugement, une influence...).

3   Il y aurait à dénoncer une série de bonnes blagues, inventées par de prétendus émetteurs d'idées (...)
Éd. et J. DE GONCOURT, Journal, t. VI, p. 223.

CONTR. Bénéficiaire, preneur (d'un effet). — Récepteur. — Destinataire. ◊ **COMP.** Photoémetteur.

ÉMETTRE [emetʀ] v. tr. [CONJUG.: *mettre*.] — 1790; dr., 1476; lat. *emittere* «lancer hors de», de *ex-*, et *mittere* «envoyer»; d'après *mettre*.

♦ **1** Dr. anc. Interjeter. *Émettre appel comme d'abus.*

♦ **2** Produire (une matière) en envoyant hors de soi. → **Jeter, lancer.** *Les étoiles émettent des radiations. Émettre des rayons brûlants.* → **Darder.** *Émettre un gaz, une odeur caractéristique.* → **Dégager, exhaler, répandre.** — Spécialt (phys.). Projeter spontanément hors de soi, par rayonnement (des radiations, des ondes). *Substance qui émet un rayonnement, des radiations. Émettre un courant électrique, des ondes.*

1   Il semble que certaines réalités transcendantes émettent autour d'elles des rayons auxquels la foule est sensible.
        PROUST, À la recherche du temps perdu, t. III,
                             p. 30.

2   On croyait que l'énergie s'écoulait de façon continue, pareille à l'eau d'un torrent. En 1901, l'Allemand Planck a établi que, lumineuse ou électrique, elle est émise sous forme de corpuscules (...)
        Pierre GAXOTTE, Hist. des Français, t. II, p. 547.

Techn. (télécommunications). Envoyer (des signaux, des images) sur ondes électromagnétiques. *Bateau en détresse qui émet un S. O. S.* — Absolt. *Faire des émissions. Émettre de Paris, de Lyon. Émettre sur une longueur d'ondes donnée, sur telle fréquence. Poste émetteur qui émet sur ondes courtes, sur modulation de fréquence.*

♦ **3** Produire au dehors, mettre en circulation, offrir au public (le compl. désigne un instrument de paiement, monnaie, titre...). *Émettre des effets de commerce* (→ Chèque, cit. 1). *Émettre un chèque.* → **Tirer.** *Émettre de faux billets, une nouvelle pièce de monnaie. La Banque de France émet de nouvelles coupures. Émettre un timbre.*

3   Ce sont donc les besoins du public et nullement les désirs de la banque qui règlent l'émission. *La quantité des billets qu'elle émettra dépendra du nombre des effets qu'on présentera à l'escompte, et la quantité de ces effets eux-mêmes dépendra du mouvement des affaires.*
        Charles GIDE, Cours d'économie politique, t. I,
                             p. 574.

♦ **4** Par ext. Faire sortir de soi (un son). *Émettre un vague grognement* (→ **Grogner**), *un cri* (→ **Lâcher**; **crier**), *des injures* (→ **Proférer**), *un gémissement* (→ **Gémir**), *un hurlement* (→ **Hurler**). — Spécialt. Produire une suite de sons articulés. → **Articuler, prononcer; avancer, dire, énoncer, exprimer, formuler, hasarder, manifester, prononcer, publier.** *Émettre un jugement, son opinion, son avis, des vœux. Émettre l'idée, l'hypothèse que... Émettre un doute, une objection, des réserves. Il a émis le souhait que nous partions rapidement.*

4   — Venez avec moi, monsieur, et en présence du geôlier et surtout des surveillants du dépôt de mendicité, veuillez n'émettre aucune opinion sur les choses que nous verrons.
        STENDHAL, le Rouge et le Noir, I, III.

5   Voilà ce qu'eût été le jugement de Guillaume s'il avait été capable d'en émettre un.
        F. MAURIAC, le Sagouin, I, p. 40.

(Relig.). *Émettre des vœux :* s'engager dans la vie religieuse. → **Prononcer.**

♦ **ÉMIS, ISE** p. p. adj. *Lumière émise par le soleil. Les particules émises par un corps radioactif.* — (Au sens 3). *Actions, obligations émises par une société. Emprunt émis par l'État* (→ Dette, cit. 9). — (Au sens 4). *Jugement tout récemment émis.*

DÉR. Émetteur. — V. Émittance.

ÉMEU [emø] ou **ÉMOU** [emu] n. m. — 1605, en lat. zool.; *Eeme*, 1598; mot des îles Moluques.

Oiseau coureur, ratite* *(Casuaridés)* de grande taille, aux ailes très réduites, appelé scientifiquement *Dromaeus. Les émeus sont incapables de voler. L'émeu vit en petites bandes de quelques individus dans les plaines australiennes.*

(...) ils *(les chasseurs)* entrevirent, mais sans pouvoir l'approcher, un couple de ces grands oiseaux qui sont particuliers à l'Australie, sorte de casoars, que l'on nomme émeus, et qui, hauts de cinq pieds et bruns de plumage, appartiennent à l'ordre des échassiers *(sic).*
        J. VERNE, l'Île mystérieuse, t. II, p. 736 (1874).

ÉMEUTE [emøt] n. f. — 1326; *esmote, esmuete,* XIIᵉ, «émoi; mouvement, explosion (d'une guerre)»; encore *émute* au XVIIᵉ; anc. p. p. de *émouvoir.*

♦ **1** Vx. Émoi. → **Émotion.**

1   L'écrevisse en hâte s'en va
    Conter le cas : grande est l'émeute
    On court, on s'assemble, on députe
    À l'oiseau : «Seigneur Cormoran,
    D'où vous vient cet avis?
    Quel est votre garant?»   LA FONTAINE, Fables, X, 3.

♦ **2** Mod. Soulèvement populaire, généralement spontané et non organisé, pouvant prendre la forme d'un simple rassemblement tumultueux, accompagné de cris et de bagarres. → **Agitation, insurrection, révolte, sédition, soulèvement, trouble.** *Une atmosphère d'émeute. Émeute sanglante. Les émeutes de la faim. Une émeute de paysans. Les émeutes de 1830, de 1848. Émeute qui fermente, gronde, se déchaîne.* → **Anarchie.** *Déchaîner une émeute.* → **Ameuter** (→ Doré, cit. 5). *Juguler, réprimer une émeute. Enrayer une émeute en dispersant les attroupements* (cit. 2). *Loi martiale en vue de prévenir toute nouvelle émeute. Émeute qui dégénère en insurrection**, *qui renverse le régime* (→ Abdiquer, cit. 3). *Gouvernement fondé sur l'émeute* (→ Baïonnette, cit. 4; barricade, cit. 6 et 7). — *Émeute dirigée contre les Juifs.* → **Pogrom.**

2   Tout ainsi qu'il advient quand une tourbe *(foule)* émue,
    Qui deçà, qui delà, ardente se remue,
    De courroux forcenée, et d'un bras furieux
    Pierres, flammes et dards fait voler jusqu'aux cieux,
    Si de fortune *(par hasard)* alors un grave personnage
    Survient en telle émeute (...)   RONSARD, Élégies, XV.

3   De cette barrière *(du Trocadéro)* on découvre Paris. J'aperçus le drapeau tricolore flottant; je jugeai qu'il ne s'agissait pas d'une émeute, mais d'une révolution.
        CHATEAUBRIAND, Mémoires d'outre-tombe, V,
                            p. 184.

4   (...) au point de vue du pouvoir un peu d'émeute est souhaitable. Système : l'émeute raffermit les gouvernements qu'elle ne renverse pas. Elle éprouve l'armée; elle concentre la bourgeoisie; elle étire les muscles de la police; elle constate la force de l'ossature sociale. C'est une gymnastique; c'est presque de l'hygiène. Le pouvoir se porte mieux après une émeute comme l'homme après une friction.
        HUGO, les Misérables, IV, X, I.

5   (...) contre l'émeute qui grondait le gouvernement n'avait pas pris de précautions extraordinaires. Pour se défendre et pour défendre le régime, il comptait surtout sur la garde nationale (...) des barricades se dressaient le 22 février (1848)... Les gardiens de l'ordre, au lieu de combattre l'émeute, la renforçaient.
        J. BAINVILLE, Hist. de France, XIX, p. 474.

5   Là où l'esclave se révolte contre le maître, il y a un homme dressé contre un autre (...) Le résultat est seulement le meurtre d'un homme. Les émeutes serviles, les jacqueries, les guerres de gueux, les révoltes des rustauds, mettent en avant un principe d'équivalence, vie contre vie (...)
        CAMUS, l'Homme révolté, p. 138.

Par ext. Tapage, désordre. → **Chahut.** *La salle sifflait les acteurs, cela tournait à l'émeute.* — Loc. (Vieilli) *Faire émeute :* produire un effet vif sur le public, émouvoir à l'extrême. — REM. L'expression se rattache étymologiquement au sens 1, mais ne peut plus être comprise dans ce sens.

6 Claude eut le cœur serré, en le voyant jeter un coup d'œil à son tableau solitaire, puis à celui de Fagerolles, qui faisait émeute. ZOLA, l'Œuvre, p. 388.

DÉR. Émeutier.

ÉMEUTIER, IÈRE [emøtje, jɛʀ] n. et adj. — 1834; de *émeute*.

Personne qui excite à une émeute ou qui y prend part. *Des bandes d'émeutiers. Disperser, arrêter les émeutiers.*

Adj. *Une «populace émeutière»* (Renan, *Apôtres, in* T. L. F.).

Par ext. (Littér.). Personne qui exerce le pouvoir de manière illégitime.

La révolte (...) est quelquefois dans le pouvoir. Polignac est un émeutier; Camille Desmoulins est un gouvernant. HUGO, les Misérables, IV, X, II.

-ÉMIE Suffixe, du grec *aimia*, de *haima* «sang», qui entre dans la composition de nombreux mots savants indiquant la présence (normale ou anormale), dans le sang, de la substance désignée par le premier terme. — Ex. : *acétonémie, adrénalinémie, albuminémie, alcoolémie, anémie, anoxémie, calcémie, cholémie, glycémie, hydrémie, hyperémie, ischémie, leucémie, mélanémie, plombémie, septicémie, toxémie, typhoémie, urémie, uricémie...* → aussi **Oligohémie, toxinhémie...**; héma-, hémat(o)-, hémo-.

ÉMIER [emje] v. tr. [conjug.: *prier*.] — V. 1170, *esmier*; de *é-*, *mie*, et suff. verbal.

Vx ou littér. Réduire (qqch.) en petits fragments, mettre en miettes. → **Émietter.** *Émier de la cassonade* (Académie), *du pain.*

ÉMIETTEMENT [emjɛtmã] n. m. — 1611; de *émietter*.

♦1 Action d'émietter, de réduire en miettes; résultat de cette action. *Émiettement d'un sablé, d'une tranche de pain.*

♦2 (1870). Fig. Action de diviser, d'éparpiller; résultat de cette action. *L'émiettement du pouvoir, de la richesse, des responsabilités. Émiettement d'un groupe* (→ Conglomérat, cit.).

(...) cet émiettement d'énergies, cette dispersion de la force publique en faiblesses particulières, — la grande misère moderne, dont la Révolution française est en partie responsable. R. ROLLAND, Jean-Christophe, Le buisson ardent, I, p. 1285.

ÉMIETTER [emjete] v. tr. — 1572; de *é-*, *miette*, et *-er*. → Mie.

♦1 Réduire en miettes. *Émietter de la terre, du fumier. Le gel émiette les pierres.* — Au p. p. → **Désagréger, émier** (vx), **fragmenter.** *Émietter du pain pour les oiseaux, le désagréger en petits morceaux. Roche émiettée par l'érosion.*

1 Le pauvre homme n'est plus qu'un petit tas d'ossements émiettés dont personne ne se soucie. LÉON BLOY, la Femme pauvre, p. 239.

2 Elle emplit la tasse de lait chaud; et, tandis qu'Antoine y émiettait un peu de pain, elle recula d'un pas, attentive, les mains dans les poches de son tablier. MARTIN DU GARD, les Thibault, t. IX, p. 22.

♦2 (1838). Fig. Diviser, morceler à l'excès. *Émietter un domaine, une fortune.*

3 La cause du mal gît dans le Titre des Successions du Code civil, qui ordonne le partage égal des biens. Là est le pilon dont le jeu perpétuel émiette le territoire, individualise les fortunes (...) Si le Titre des Successions est le principe du mal, le paysan en est le moyen (...) La valeur insensée que le paysan attache aux moindres parcelles, rend impossible la recomposition de la Propriété. BALZAC, le Curé de village, Pl., t. VIII, p. 713-714.

♦3 (1818). Disperser, éparpiller. *Émietter ses activités, son temps, son existence, son inspiration.*

4 (...) obligé pour vivre à multiplier les articles, à «émietter» comme il *(Sainte-Beuve)* dit, son effort, en collaborations diverses (...) Émile HENRIOT, les Romantiques, p. 254.

♦ **S'ÉMIETTER** v. pron.

Tomber en miettes. — Fig. Se disperser. *La foule s'émietta.* — Se morceler.

5 Le patrimoine était menacé de s'émietter, la propriété de se morceler à l'infini. Louis MADELIN, Hist. du Consulat et de l'Empire, XII, p. 185.

CONTR. Agglomérer, agréger. ◊ **DÉR. Émiettement, émietteur, émietteuse.**

ÉMIETTEUR [emjetœʀ] n. m. — Mil. xxᵉ; de *émietter*. Techn. Instrument servant à émietter le fumier.

ÉMIETTEUSE [emjetøz] n. f. — V. 1980; de *émietter*. Techn. Instrument agricole pour émietter les mottes de terre.

ÉMIGRANT, ANTE [emigʀã, ãt] n. — 1770; p. prés. substantivé de *émigrer*.

Personne qui émigre. — Hist. Émigré*, sous la Révolution. *Loi de 1791 sur les émigrants* (→ Assemblée, cit. 12). — Mod. *Des émigrants de tous pays ont peuplé l'Amérique. Convoi, navire d'émigrants. Les émigrants constituent une catégorie spéciale de passagers sur certains bateaux.*

1 Tu regardes les yeux pleins de larmes ces pauvres émigrants
Ils croient en Dieu ils prient les femmes allaitent des enfants
Ils emplissent de leur odeur le hall de la gare Saint-Lazare
Ils ont foi dans leur étoile comme les rois-mages
Ils espèrent gagner de l'argent dans l'Argentine
Et revenir dans leur pays après avoir fait fortune (...) APOLLINAIRE, Alcools, «Zone».

2 Chaque progrès nous a chassés un peu plus loin hors d'habitudes que nous avions à peine acquises, et nous sommes véritablement des émigrants qui n'ont pas fondé encore leur patrie. SAINT-EXUPÉRY, Terre des hommes, p. 59.

Adj. (Vieilli). Zool. *Troupe émigrante d'oiseaux. Grue émigrante* (→ Brise, cit. 1). → **Migrateur.**

CONTR. Immigrant.

ÉMIGRATION [emigʀasjɔ̃] n. f. — 1752; lat. *emigratio*, du supin de *emigrare*. → Émigrer.

♦1 Action d'émigrer*. → **Expatriation, migration, transplantation.** *Les conditions économiques, la misère, les persécutions, facteurs d'émigration. Pays à forte émigration. Émigration à l'étranger. Émigration de colons.* → **Colonisation.** *Émigration d'un peuple.* → **Exode.** *Réglementation de l'émigration. Émigration obligatoire,* imposée, par exemple, aux Grecs d'Asie Mineure en 1923, à certaines populations de Russie ou d'Allemagne. → **Déportation.**

1 Les guerres, qui sont le plus horrible fléau du genre humain, laissent en vie l'espèce femelle qui le répare (...) Les émigrations des familles sont plus funestes. La révocation de l'édit de Nantes et les dragonnades ont fait à la France une plaie cruelle (...) VOLTAIRE, Dict. philosophique, art. *Population.*

2 L'émigration est un phénomène démographique, c'est-à-dire spontané : il se manifeste très souvent sans colonisation, toutes les fois que l'émigration se déverse dans un pays déjà constitué et indépendant. C'est le cas non seulement des émigrations inter-européennes qui font entrer en France, par exemple, de nombreux Italiens et Belges, mais surtout du grand courant européen qui depuis un siècle vient peupler l'Amérique. Charles GIDE, Cours d'économie politique, t. I, p. 141.

Ensemble de personnes qui émigrent. *L'émigration italienne aux États-Unis.*

Hist. Départ hors de France des adversaires de la Révolution. *L'émigration des nobles fuyant la France pendant la Révolution.* — Absolt et par métonymie. L'ensemble des émigrés. — Temps de cet exil des nobles hors de France durant l'émigration. *Pendant, après l'émigration.*

3 Et cependant, mon zèle surpassait ma foi ; je sentais que l'émigration était une sottise et une folie (...) Mon peu de goût pour la monarchie absolue ne me laissait aucune illusion sur le parti que je prenais : je nourrissais des scrupules, et bien que résolu à me sacrifier à l'honneur, je voulus avoir sur l'émigration l'opinion de M. de Malesherbes.
CHATEAUBRIAND, Mémoires d'outre-tombe, t. II, p. 23.

4 Bruxelles était le quartier général de la haute émigration : les femmes les plus élégantes de Paris et les hommes les plus à la mode, ceux qui ne pouvaient marcher par comme aides de camp, attendaient dans les plaisirs le moment de la victoire.
CHATEAUBRIAND, Mémoires d'outre-tombe, p. 34.

5 Il *(Brissot)* demanda qu'on distinguât entre l'émigration de la haine et l'émigration de la peur, qu'on eût de l'indulgence pour celle-ci, de la sévérité pour l'autre.
MICHELET, Hist. de la Révolution franç., VI, I.

♦ **2** (Sujet n. de chose). Fait de quitter un pays. *Émigration de capitaux.*

♦ **3** (1778). **Zool.** Action de changer de contrée selon la saison. → **Migration.** *Émigration des cigognes, des hirondelles.*

CONTR. Immigration.

ÉMIGRÉ, ÉE [emigʁe] n. et adj. — 1791 ; p. p. de *émigrer.*

♦ **1 Hist.** Personne qui se réfugia hors de France sous la Révolution. *Mesures dirigées contre les émigrés entre 1791 et 1802. Vente des biens des émigrés. Sentiments des Patriotes envers les émigrés* (→ Anathématiser, cit. 2 ; clouer, cit. 6). *Le milliard des émigrés,* indemnité votée en 1825 pour les dédommager.

1 Ne sachant où porter leurs pas dans cette ville où le nom d'émigré et celui de proscrit étaient synonymes, le désespoir était au comble pour ces infortunés.
RIVAROL, Rivaroliana, *in* Œ., p. 363.

2 De temps en temps, la Révolution nous envoyait des émigrés d'une espèce et d'une opinion nouvelles ; il se formait diverses couches d'exilés (...)
CHATEAUBRIAND, Mémoires d'outre-tombe, t. II, p. 116.

Adj. Les prêtres émigrés. → **Réfugié.**

♦ **2** Personne qui s'est expatriée pour des raisons politiques. → **Réfugié** (politique). *L'accueil des émigrés allemands, espagnols en France, lors de la montée du nazisme, pendant la guerre d'Espagne. — Émigrés chassés de leur pays par des persécutions racistes.*

Adj. Prince russe émigré. Communistes espagnols émigrés en France.

♦ **3** Personne qui a émigré, vit hors de son pays. *Des Français émigrés* (en Amérique latine, etc.). *Travailleurs émigrés et travailleurs immigrés.*

ÉMIGRER [emigʁe] v. intr. — V. 1780 ; lat. *emigrare,* de *ex-,* et *migrare.* → **Migrer.**

♦ **1** (Sujet n. de personne). Quitter son pays pour aller s'établir dans un autre, momentanément ou définitivement. → **Exiler** (s'), **expatrier** (s'), **partir, réfugier** (se) ; **émigration.** *Émigrer pour des raisons politiques, économiques. Les protestants français émigrèrent en masse après la révocation de l'édit de Nantes.*

Des millions d'Hindous ont émigré du Pakistan après la constitution de ce pays en État indépendant. — Émigrer dans un pays neuf pour améliorer son existence. Juifs de tous pays qui ont émigré en Israël.

(1791). **Hist.** Quitter la France (en parlant des adversaires de la Révolution). *Sous la Révolution, le comte d'Artois fut le premier à émigrer le 16 juillet 1789. Familles nobles qui durent émigrer.*

Les lois les plus tyranniques sur les émigrations n'ont jamais eu d'autre effet que de pousser le peuple à émigrer, contre le vœu de la nature, le plus impérieux de tous, qui l'attache à son pays.
MIRABEAU, *in* BUCHEZ, Hist. de l'Assemblée constituante, t. IV, p. 415.

♦ **2** (1827). En parlant de certaines espèces animales. Quitter périodiquement et par troupes une contrée pour séjourner ailleurs. → **Migrateur, migration.** *Les hirondelles émigrent à l'automne vers des climats plus doux. Bisons qui émigrent* (→ Défiler, cit. 1).

♦ **3 Fig.** (Choses). Quitter un pays. *Pendant la crise économique, beaucoup de capitaux ont émigré.*

CONTR. Immigrer. — **Rapatrier** (se). ◇ **DÉR. Émigrant, émigré, émigrette.**

ÉMIGRETTE [emigʁɛt] n. f. — 1827 ; de *émigrer,* et suff. *-ette.*

Hist. Jouet en vogue pendant l'émigration de 1790, formé d'un double disque autour duquel s'enroule et se déroule un cordonnet attaché à un axe. → **Yo-yo.**

ÉMILIEN, ENNE [emiljɛ̃, ɛn] adj. et n. — XXᵉ ; de *Émilie,* région d'Italie.

De l'Émilie. *La peinture émilienne.* — N. *Les Émiliens, une Émilienne.*

ÉMINCÉ, ÉE [emɛ̃se] adj. et n. m. — 1750 ; *une émincée,* 1762 ; p. p. de *émincer.*

I Cuis. ♦ **1 Adj.** Coupé en tranches très minces. *Oignons, champignons émincés. Du fromage émincé.*

♦ **2 N. m.** Fine tranche de viande. *Des émincés de gigot.* — Plat composé de viande en sauce cuite en fines tranches. *Un émincé de foie de veau, de poularde.* — Conserve où les champignons sont présentés coupés en lamelles fines.

II Adj. Rare et littér. Devenu mince, plus mince. → **Émincer** (2.) ; **aminci.** «*Des flèches gothiques émincées*» (T'Serstevens, *in* T. L. F.).

ÉMINCER [emɛ̃se] v. tr. [CONJUG.: *placer.*] — V. 1560 ; de *é-, mince,* et suff. verbal.

♦ **1 Cuis.** Couper en tranches minces. *Émincer de la viande, des légumes. Appareil à émincer.*

Ses doigts s'étaient boudinés, tordus (...)
À quoi bon des doigts quand ils étaient incapables de guider la lame du couteau pour émincer les oignons.
Paul FOURNEL, les Grosses Rêveuses, p. 163.

♦ **2** (1701). Rare. Rendre mince, plus mince.

M. Wasselin se rongeait en effet les ongles, avec des mines, des délicatesses d'incisives, de légers grognements de plaisir quand il découvrait un coin d'ongle oublié, une infime bribe de corne (...) Au moyen d'un petit canif crasseux mais tranchant, il attaquait en outre les régions de l'ongle inaccessibles aux dents, s'éminçait l'épiderme, se sculptait la pulpe à vif.
G. DUHAMEL, Chronique des Pasquier, I, VI.

DÉR. Émincé, éminceur.

ÉMINCEUR [emɛ̃sœʀ] n. m. — V. 1980; de *émincer*.

Cuis. Petit rabot pour couper (le fromage, etc.) en tranches minces. *«On s'en fait tout un fromage, de couper en fines lamelles le gruyère. Et pourtant c'est chose facile avec cet éminceur, étudié pour débiter des tranches minces à glisser dans un croque-monsieur entre le pain et le jambon, ou pour décorer des hors-d'œuvre»* (*le Point*, nº 575, 26 sept. 1983, p. 195).

ÉMINEMMENT [eminamɑ̃] adv. — 1587; de *éminent*.

♦ **1** À un degré éminent, supérieur. → **Particulièrement, supérieurement.** *Il est éminemment généreux. Œuvre éminemment française.*

1   On est éminemment malheureux quand on a des goûts opposés à ses besoins. Par exemple, moi, j'ai le goût du repos et le besoin du mouvement.
           RIVAROL, Notes, pensées et maximes, II, p. 77.

2   M. Le Hir était un savant et un saint; il était éminemment l'un et l'autre. Cette cohabitation dans une même personne de deux entités qui ne vont guère ensemble se faisait chez lui sans collision trop sensible; car le saint l'emportait absolument et régnait en maître.
           RENAN, Souvenirs d'enfance, V, I.

♦ **2** (1647). **Philos.** De manière essentielle, fondamentale. → **Éminent** (3.).

3   La cause contient éminemment l'effet, disaient jadis les philosophes.
           H. BERGSON, les Deux Sources de la morale et de la religion, p. 152 (1932).

ÉMINENCE [eminɑ̃s] n. f. — 1314; lat. *eminentia*, de *eminens, -entis*. → Éminent.

Qualité de ce qui est éminent.

A ♦ **1** Anat. Saillie, protubérance. → **Apophyse, tubercule, tubérosité.** *Éminence osseuse, cartilagineuse, charnue.*

♦ **2** Cour. Élévation de terrain relativement isolée et d'où l'on peut voir de tous côtés. → **Bosse, butte, colline, hauteur, mamelon, montagne, monticule, motte, pic, piton, pli** (de terrain), **sommet, tertre.** *Éminence escarpée, peu élevée. Au sommet, en haut d'une éminence. Escalader une éminence. Belvédère, calvaire, observatoire établi sur une éminence. Camoufler une batterie derrière une éminence.*

1   (...) les blessés gagnèrent le haut de l'éminence qui flanquait la route à droite, et y furent suivis par la moitié des Chouans qui la gravirent lestement pour en occuper le sommet (...)   BALZAC, les Chouans, Pl., t. VII, p. 797.

2   Le tas de déblais faisait au bord de l'eau une sorte d'éminence qui se prolongeait en promontoire jusqu'à la muraille du quai.   HUGO, les Misérables, V, III, III.

B Fig. ♦ **1** (1570). Vx. Degré élevé de (une qualité), situation, état remarquable de (une personne, une chose). → **Élévation, supériorité.** *L'éminence d'un rang* (→ Anoblir, cit. 5). *L'éminence de sa valeur.*

Loc. adv. (Vx). PAR ÉMINENCE, EN ÉMINENCE. → Éminemment, excellence (par).

3   Pitié qui n'est point vague ni fumeuse; elle ne comporte aucune faiblesse, ne se tient pas au larmoiement : elle est la vertu humaine par éminence, la vertu des vertus, la charité sans quoi tout reste mort et vide.
           André SUARÈS, Trois hommes, «Dostoïevski», V, p. 262.

♦ **2** (Mil. XVIIᵉ). **Spécialt.** (Avec un É majuscule). Titre d'honneur qu'on donne aux cardinaux. — En abrégé : *É.* ou *Ém. Son Éminence le cardinal.* — Par ext. Personne qui porte ce titre. — Hist. *L'Éminence grise :* le Père Joseph de Tremblay, célèbre capucin qui fut le confident de Richelieu et son ministre occulte. — Fig. Conseiller intime qui, dans l'ombre, manœuvre un personnage officiel ou un parti.

Comment savoir si, derrière tel vieillard à bout de course, 4 ne se dissimule pas une robuste Éminence grise, et si cette faiblesse n'est pas en réalité plus redoutable que la vigueur de tel autre rival bâti en force?
           F. MAURIAC, Bloc-notes 1952-1957, p. 51.

CONTR. Abîme, bas-fond, creux, dépression, gouffre, précipice.

ÉMINENT, ENTE [eminɑ̃, ɑ̃t] adj. — 1216; lat. *eminens, -entis,* p. prés. de *eminere* «faire saillie», de *ex-,* et *minere* «s'élever au-dessus».

I Vx (en parlant d'un lieu). Élevé.

Son élévation ne servira qu'à faire voir à tout l'univers, 1 comme du lieu le plus éminent qu'on découvre dans son enceinte, cette importante vérité (...)
           BOSSUET,
           Oraison funèbre de Marie-Thérèse d'Autriche.

II Fig. et mod. ♦ **1** (1559; personnes). Qui est remarquable, supérieur aux autres. → **Distingué, remarquable, supérieur.** *Un juriste éminent.* → **Sommité.** *Personnage éminent par le savoir, éminent en richesse, en puissance* (→ Après, cit. 62). *Artiste éminent. Œuvre d'un maître éminent* (→ Connaisseur, cit. 2). *Les savants les plus éminents. Mon éminent collègue, confrère.*

2   C'est de beaucoup le sujet le plus éminent que j'aie eu pour condisciple dans mon éducation ecclésiastique.
           RENAN, Souvenirs d'enfance, III, III.

3   Les hommes éminents des spécialités les plus différentes finissent toujours par s'y rencontrer (*à Paris*) et faire échange de leurs richesses.
           VALÉRY, Regards sur le monde actuel, Présence de Paris, p. 152.

(Choses). Qui est au-dessus du niveau commun, d'ordre supérieur. → **Prééminent, supérieur.** *Degré éminent* (→ Couronnement, cit. 2). *Faveur éminente.* → **Insigne.** *Service éminent. Avantage éminent* (→ Dieu, cit. 2). *Un poste éminent. Éminentes dignités* (→ Après, cit. 64). *Mérite, qualité, vertu éminente.* → **Élevé** (→ Apparaître, cit. 9). *Ce qu'il y a de plus éminent, partie éminente en qqn* (→ Âme, cit. 43). *Un savoir éminent. De l'éminente dignité des pauvres dans l'Église,* titre d'un sermon de Bossuet. — *À un degré éminent.* → **Éminemment.**

4   En 1789, trois sortes de personnes, les ecclésiastiques, les nobles et le roi, avaient dans l'État la place éminente avec tous les avantages qu'elle comporte, autorité, biens, honneurs, ou, tout au moins, privilèges, exemptions, grâces, pensions, préférences et le reste. Si depuis longtemps ils avaient cette place, c'est que pendant longtemps ils l'avaient méritée.
           TAINE, les Origines de la France contemporaine, t. I, I, p. 3.

♦ **2** Philos. «Chez Descartes, qui suit en cela l'usage des scolastiques, *éminent* s'oppose à la fois à *formel* et à *objectif.* Une entité peut exister de trois façons : *objectivement* dans l'idée que nous en avons; *formellement* dans l'être que représente cette idée; *éminemment* dans le principe d'où cet être tire sa réalité» (Lalande). → **Essentiel, fondamental.**

CONTR. Abject, inférieur, infime, médiocre, nul. ◊ **DÉR. Éminemment. ← COMP. Prééminent, proéminent, suréminent.**

ÉMINENTISSIME [eminɑ̃tisim] adj. — 1680; ital. *eminentissimo;* lat. *eminentissimus,* superl. de *eminens.* → Éminent.

Très éminent. — Titre parfois donné à des cardinaux. — (1864). Titre du grand maître de l'ordre de Malte.

Depuis trente ans, tous les Boccanera, les enfants, les femmes, et jusqu'à l'éminentissime cardinal lui-même, ne passaient que par ses mains prudentes.
           ZOLA, Rome, p. 365.

ÉMIR [emiʀ] n. m. — XIIIe, rare jusqu'au XVIe ; arabe *'ămĭr* «prince, commandant». → Amiral.

◆ **1** Hist. Titre honorifique du chef du monde musulman (→ **Calife**), puis des descendants de Mahomet.

1 Ce titre ne se donnait d'abord qu'aux califes (...) Dans la suite, les califes ayant pris le titre de *sultans*, celui d'*émir* demeura à leurs enfants, comme celui de *césar* chez les Romains. Ce titre d'*émir*, par succession de temps, a été donné à tous ceux qui sont censés descendre de Mahomet par sa fille Fatima, et qui portent le turban vert.
Encycl. (DIDEROT), art. *Émir*.

◆ **2** Prince, gouverneur, chef militaire. *L'émir Abd-el-Kader.* — Spécialt. Chef d'État d'un émirat (2.).

2 Le cheik-ul-islam en manteau vert, les émirs en turban de cachemire, les ulémas en turban blanc à bandelettes d'or (...) LOTI, *Aziyadé*, II, XIII, p. 54.

DÉR. **Émirat.**

ÉMIRAT [emiʀa] n. m. — 1938 ; de *émir*.

◆ **1** Dignité, fonctions d'un émir.

◆ **2** Territoire administré, gouverné par un émir. — Spécialt. État musulman indépendant, gouverné par un émir. *L'émirat de Bahreïn, de Koweït.* — Absolt. *Les Émirats* : les États musulmans de l'ancienne «côte des pirates» (golfe d'Arabie), les principautés du golfe Persique. *Les Émirats arabes unis* (E. A. U.). «*Koweït, petit émirat de 800 000 habitants, qui est déjà un vieux producteur* (de pétrole)» (*l'Express*, 2 avr. 1973, p. 86).

DÉR. V. **Émirati.**

ÉMIRATI, IE [emiʀati] n. et adj. — 1990 ; de *émirat* (2.), d'après l'angl.

◆ **1** N. Habitant, habitante d'un émirat, des Émirats. *Les Émiratis.*

◆ **2** Adj. D'un émirat, des Émirats. *Le pétrole émirati. Les riches familles émiraties.*

ÉMIS, ISE [emi, iz] p. p. adj. → **Émettre.**

1. ÉMISSAIRE [emiseʀ] n. m. et adj. — 1519 ; rare jusqu'à la fin du XVIIe ; lat. *emissarius* «envoyé» et *emissarium* «déversoir», du supin de *emittere*. → Émettre.

N. m. Agent chargé d'une mission secrète. *Envoyer, dépêcher des émissaires* (→ Couvert, cit. 9). *C'est un simple émissaire et non pas un ambassadeur officiel.* — Adj. (rare). *J'ai reçu la visite de votre agent émissaire.*

1 L'émissaire (...) diffère bien de l'espion : il joue un rôle moins odieux, plus étendu et plus actif. L'émissaire fait des propositions et des ouvertures, sème des bruits et des alarmes, sonde la disposition des esprits, cherche à les gagner, les tourne, les excite, les soulève, et se tient prêt à tout événement.
LAFAYE, *Dict. des synonymes*, Émissaire, espion.

2 Je suis fou ! Infâmes suborneurs, émissaires du diable, dont vous faites ici l'office, et qui puisse vous emporter tous (...)
BEAUMARCHAIS, *le Barbier de Séville*, III, 14.

3 Partout nous avons résisté à la poussée des tribus, auxquelles les émissaires allemands racontaient tous les jours que nous étions battus en Europe, et qu'elles n'avaient qu'un suprême effort à donner pour nous expulser du pays.
Jérôme et Jean THARAUD, *Marrakech...*, II, p. 40.

2. ÉMISSAIRE [emiseʀ] n. m. — 1611 ; lat. *emissarium*. → 1. Émissaire au sens de «déversoir».

◆ **1** (1814). Anat. *Veine émissaire* : chacune des veines qui relient les sinus veineux intracrâniens et le réseau veineux exocrânien en traversant les trous de la base du crâne.

◆ **2** Techn. Canal d'évacuation, cours d'eau évacuant les eaux d'un lac. → **Effluent.** — *Émissaire d'évacuation* : déversoir d'eaux usées reliant directement une agglomération au lieu de traitement ou de rejet.

3. ÉMISSAIRE [emiseʀ] adj. m. — 1690 ; lat. de la Vulgate *(caper) emissarius*, trad. du grec *apopompaios* (septante) «qui écarte (les fléaux)», mauvaise interprétation de l'hébreu «destiné à Azazel (démon du désert)». *Bouc émissaire.* → **Bouc.**

ÉMISSIF, IVE [emisif, iv] adj. — 1834 ; du lat. *emissum*, supin de *emittere*. → Émettre.

Phys. Qui a la faculté d'émettre (de la chaleur, de la lumière...). *Filament émissif*, utilisé dans les tubes fluorescents. — (1903, in *Rev. gén. des sc.*, n° 7, p. 398). *Pouvoir émissif* : énergie rayonnée, dans une bande de longueur d'onde, par unité d'aire et unité de temps.

(...) dans les tubes électroniques, la découverte du pouvoir émissif élevé de certains oxydes ou de métaux comme le thorium a permis de construire des cathodes à oxydes qui fonctionnent à température plus basse et absorbent moins d'énergie de chauffage pour une même densité du flux électronique.
Gilbert SIMONDON,
Du mode d'existence des objets techniques, p. 38.

DÉR. **Émissivité.**

ÉMISSION [emisjɔ̃] n. f. — 1390 ; lat. *emissio*, de *emissum*, supin de *emittere*. → Émettre.

◆ **1** Physiol. Action de projeter au dehors (un liquide). → **Écoulement, éruption.** *Émission d'urine ; de sperme.* → **Éjaculation.** *Émission sanguine*, produite par une saignée.

◆ **2** (XVe). Production de sons vocaux. *L'émission de la voix par le chanteur. Émission d'un son articulé, musical. Syllabe musicale prononcée d'une seule émission de voix*, sans reprendre sa respiration. *Émission d'une voyelle, d'une consonne.*

◆ **3** Dr. canon. *Émission des vœux* : prononciation solennelle des vœux.

◆ **4** (1789). Fin. et cour. Mise en circulation (de monnaie, titres, effets, etc.). *Émission de billets de banque. Banque d'émission*, qui a le privilège d'émettre des billets* (→ Banque, cit. 3). *Émission surabondante de papier-monnaie.* → **Inflation, surémission.** *Limite d'émission d'une banque.* → **Plafond.** *Émission de nouvelles pièces. Émission de chèques.* — Action d'offrir au public (des emprunts, des actions, des obligations). *Émission d'actions, d'obligations, de titres*. Souscription à une émission. Prime à l'émission.*

1 L'émission d'assignats, en même temps qu'elle est un étai moral et infaillible de notre Révolution (...)
MIRABEAU, *Collection*, t. IV, p. 67, *in* LITTRÉ.

2 (...) il y a lieu de penser qu'une banque occupant une situation unique dans un pays, forte de son histoire et de sa majesté, ayant le sentiment de sa responsabilité, apportera dans l'émission des billets toute la prudence désirable (...) Il semble donc (...) que la meilleure solution c'est le monopole d'émission confié à une banque privée, sous le contrôle de l'État (...)
Charles GIDE, *Cours d'économie politique*, t. I, p. 578.

3 Nous allons prochainement quintupler le capital dans ce but et les porteurs d'actions anciennes auront droit à quatre actions nouvelles au cours d'émission : c'est un cadeau (...)
A. MAUROIS, *Bernard Quesnay*, XXIV, p. 158.

Par anal. *Émission de timbres-poste.*

♦ **5** (1720, angl. *emission*; «envoi, par les corps, d'espèces visibles», XVIIᵉ). Phys. (Vx). «Action par laquelle un corps lance hors de lui des corpuscules» (d'Alembert). *Ancienne théorie de l'émission de particules lumineuses. — Émission de corpuscules odorantes.* → **Émanation.**

(Mod.). Production en un point donné et rayonnement dans l'espace (d'ondes électromagnétiques, de particules élémentaires, de chaleur, de vibrations mécaniques ou gazeuses, etc.). *Émission de chaleur, de gaz. Émission d'ondes radio-électriques. Émission électronique, lumineuse.*

Techn. (télécommunications) et cour. Transmission à l'aide d'ondes électromagnétiques, de signaux, de sons et d'images. *Émission sur diverses longueurs d'ondes. Appareillage d'émission et de réception. Utilisé au moment de l'émission ou de la réception, l'antifading permet d'obtenir une meilleure écoute. Antenne*, station, poste d'émission.*

♦ **6** Cour. Ce qui est transmis par les ondes. *Émission radiophonique, télévisée; de radio, de télévision. Programme des émissions de la soirée. Émission musicale, théâtrale. Émission de variétés. Nos émissions sont terminées.* → **Diffusion, transmission.** *Émission en direct. Émission en différé. Brouiller* une émission de radio.* — Absolt (selon les contextes). Émission de radio. *Écouter une émission sur France Inter, sur France Culture. Faire une émission* (→ *Être sur l'antenne**). — *Émission de télévision. Regarder une bonne émission.*

4   Lorsque les ondes émises par un poste émetteur, sont découpées au rythme des signaux Morse, pour passer des messages, on dit que l'on a affaire à une station *radiotélégraphique.* Au contraire si les ondes émises sont porteuses d'un langage parlé, il s'agit d'une émission *radiotéléphonique.* Enfin, si au langage parlé vient se joint de la musique, il s'agit de *radiodiffusion... (Ces émissions)* sont les seules qui soient suivies par l'auditeur privé.
André DE SAINT-ANDRIEU,
les Stations de radiodiffusion, p. 7.

5   (...) *Huis-clos,* une de mes pièces, interdite en Angleterre par la censure théâtrale, a été diffusée à quatre reprises par la B. B. C. Sur une scène londonienne elle n'eût, même dans l'hypothèse improbable d'un succès, pas trouvé plus de vingt à trente mille spectateurs. L'émission théâtrale de la B. B. C. m'en a fourni automatiquement un demi-million.   SARTRE, Situations II, p. 269.

CONTR. Réception, souscription. ◊ COMP. Surémission.

ÉMISSIVITÉ [emisivite] n. f. — 1905; de *émissif*, in Rev. *gén. des sc.*, nº 12, p. 586.

Phys. Rapport entre le pouvoir émissif d'un corps incandescent et celui d'un corps noir de forme et de température identiques.

ÉMISSOLE [emisɔl] n. f. — 1753; ital. *mussolo*, du lat. *mustela.*

Petit squale commun en Méditerranée, un des poissons comestibles appelés *chiens de mer.*

ÉMITTANCE [emitãs] n. f. — Mil. XXᵉ; du rad. de *émettre*, probablt par l'anglais.

Phys. Flux d'énergie émis par unité de surface d'une source. *L'émittance s'exprime en watts par centimètre carré.*

EMMAGASINAGE [ãmagazinaʒ] n. m. — 1781; de *emmagasiner.*

♦ **1** Action de mettre (des marchandises) en magasins; son résultat. → **Emmagasinement.** *Frais d'emmagasinage.* — Par métonymie. Droits acquittés à

cette occasion. *Payer l'emmagasinage de marchandises.*

L'approvisionnement de fourrures était considérable et il devenait nécessaire d'établir un local spécialement destiné à l'emmagasinage des pelleteries.
J. VERNE, le Pays des fourrures, t. I, p. 308.

♦ **2** Accumulation, mise en réserve. → **Stockage.** *Emmagasinage de provisions, de chaleur, d'énergie.* «Par suite d'un emmagasinage d'air, la glace avait formé voûte au-dessous de l'eau» (J. Verne, le Pays des fourrures, t. II, p. 52).

♦ **3** Spécialt (bibliothéconomie, documentation). Action de recueillir et d'accumuler des connaissances enregistrées sous une forme quelconque (livre, index, calculateur) en vue de leur traitement.

EMMAGASINEMENT [ãmagazinmã] n. m. — Av. 1781; de *emmagasiner.*

♦ **1** Action de mettre (des marchandises) en magasin. → **Emmagasinage** (1.). *L'emmagasinement de fournitures dans un entrepôt.*

Par anal. Accumulation, mise en réserve. *Emmagasinement de chaleur, d'énergie. Capacité d'emmagasinement d'un accumulateur.*

♦ **2** Fig. Action de conserver (qqch.) par la pensée. *L'emmagasinement des souvenirs, des connaissances par la mémoire.*

EMMAGASINER [ãmagazine] v. tr. — 1762, Académie; de *en-, magasin*, et suff. verbal.

♦ **1** Mettre en magasin, entreposer (des marchandises). *Emmagasiner des marchandises. Emmagasiner des vivres dans un entrepôt.* → **Entreposer, stocker.**

On devrait encourager (...) la culture d'un blé qu'on ne   1
peut emmagasiner.
BERNARDIN DE SAINT-PIERRE, in P. LAROUSSE.

(1834). Accumuler, mettre en réserve. *Emmagasiner des provisions, des richesses. Ce collectionneur emmagasine des œuvres d'art.* → **Amasser, entasser.**

Ce garçon emmagasine dans sa chambre un tas de curio-   2
sités achetées à bon marché.
BALZAC, in P. LAROUSSE.

Vous saurez, cependant, Madame, qu'on n'avait jamais   2.1
d'autre lumière dans l'appartement de M. du *Harpin* que
celle qu'il dérobait au réverbère heureusement placé en
face de sa chambre; jamais ni l'un ni l'autre n'usaient de
linge; on emmagasinait celui que je faisais, on n'y touchait de la vie (...)   SADE, Justine..., t. I, p. 29-30.

Par anal. *Emmagasiner de la chaleur, de la lumière, de l'énergie.* — Au p. p. *Électricité emmagasinée dans une batterie. Pétrole emmagasiné dans des réservoirs.* → **Accumuler.**

♦ **2** (1807). Fig. Conserver par la pensée, garder en mémoire. *Emmagasiner des idées, des connaissances, des souvenirs* (→ Choisir, cit. 7).

(...) une image saisit dans mon cœur, une image tenue   3
en réserve pendant tant d'années que, même si j'avais pu
deviner, en l'emmagasinant jadis, qu'elle avait un pouvoir
nocif, j'eusse cru qu'à la longue elle l'avait entièrement
perdu (...)
PROUST, À la recherche du temps perdu, t. X,
p. 318.

DÉR. Emmagasinage, emmagasinement, emmagasineur.

EMMAGASINEUR, EUSE [ãmagazinœr, øz] n. — 1795, «celui qui met en magasin»; de *emmagasiner.* Rare et littér. Celui qui accumule, qui met en réserve.

J'ai pensé toujours, d'accord avec la cohorte serrée des savants modernes (...) que la vérité conçue non dans quelques vaines universalités, mais dans un volume immense et confus, n'est abordable partiellement qu'aux gratteurs,

rogneurs, fureteurs, commissionnaires et emmagasineurs de faits réels, constatables, indéniables (...)
Charles Cros, le Collier de griffes (1874), «La science de l'amour», Pl., p. 223.

EMMAILLER [ɑ̃maje] v. tr. — V. 1160; de em- (en-), *maille*, et suff. verbal.

Prendre dans les mailles d'un filet. *Emmailler des poissons.* — Pron. (1832). S'entrelacer comme des mailles, s'enchevêtrer.

(...) immense entassement de baillages et de seigneuries se croisant sur la ville, se gênant, s'enchevêtrant, s'emmaillant de travers (...)
Hugo, Notre-Dame de Paris, 1832, p. 468, *in* T. L. F.

EMMAILLOTAGE [ɑ̃majɔtaʒ] ou **EMMAILLO-TEMENT** [ɑ̃majɔtmɑ̃] n. m. — 1896, *emmaillotage; emmaillotement*, 1580; de *emmailloter*.

Action ou manière d'emmailloter. *L'emmaillotement d'un nourrisson.*

Aucune, en tous cas, ne résiste à la tentation de l'infirmerie, du dévouement, de l'emmaillotage.
Geneviève Dormann, le Chemin des Dames, p. 75.

Par métonymie. Ce qui emmaillote. → **Maillot.**

Par ext. Ce qui enveloppe comme un maillot. «(L')emmaillotage de la culasse (d'un fusil)» (Barbusse, *le Feu*).

REM. La forme *emmaillotement* paraît plus fréquente que *emmaillotage.*

EMMAILLOTER [ɑ̃majɔte] v. tr. — XIIᵉ; de em- (en-), *maillot*, et suff. verbal.

♦ **1** Vieilli. Envelopper (un enfant) d'un maillot, d'un lange. → **Langer.** *Autrefois, on emmaillotait les nouveaux-nés.* — Au p. p. *Enfant emmailloté.*

1 Les pays où l'on emmaillote les enfants sont ceux qui fourmillent de bossus, de boiteux, de cagneux, de noués, de rachitiques, de gens contrefaits de toute espèce.
Rousseau, Émile, I.

♦ **2** Envelopper complètement (un membre, le corps). *Bandelettes qui emmaillotent une momie. Emmailloter un doigt blessé. S'emmailloter les pieds dans une couverture.*

2 (...) console-toi, tu auras pour linceul les bandelettes tachetées d'or d'une peau de serpent, dont je t'emmailloterai comme une momie.
Aloysius Bertrand, Gaspard de la nuit, Scarbo.

3 Des bandages les emmaillotent, et elles sont garrottées, des genoux aux chevilles, par des éclisses arrachées sans doute à quelque ancienne caisse d'emballage (...)
Martin du Gard, les Thibault, t. VIII, p. 160.

Au participe passé :

3.1 Ce pauvre Verlaque, comme le nommait Gavard, était un petit homme pâle, toussant beaucoup, emmailloté de flanelle, de foulards, de cache-nez, se promenant dans l'humidité fraîche et dans les eaux courantes de la poissonnerie, avec des jambes maigres d'enfant maladif.
Zola, le Ventre de Paris, t. I, p. 147-148 (1875).

Envelopper* (un objet). → Bouillotte, cit. 3.

4 (...) tout ce qui d'abord protégeait le tendre germe le gêne aussitôt que la germination s'accomplit; et aucune croissance n'est possible qu'en faisant éclater ces gaines, ce qui l'emmaillotait d'abord.
Gide, les Nouvelles Nourritures, p. 155.

♦ **3** (1800). Fig. Entourer de toutes parts, et, par ext., rendre incapable d'agir (qqn). → **Emprisonner, garrotter.** — Au p. p. :

5 Comparez l'homme moderne emmailloté de milliers d'articles de loi, ne pouvant faire un pas sans rencontrer un sergent ou une consigne, à Antar, dans son désert, sans autre loi que le feu de sa race, ne dépendant que de lui-même, dans un monde où n'existe aucune idée de pénalité ni de coercition exercée au nom de la société.
Renan, l'Avenir de la science, Œ. compl., t. III, p. 1068.

♦ **S'EMMAILLOTER** v. pron.

S'envelopper (dans des vêtements). *Par crainte du froid, elle s'était emmaillotée dans une couverture.*

6 Nos magistrats ont bien connu ce mystère. Leurs robes rouges, leurs hermines, dont ils s'emmaillotent en chats fourrés (...)
Pascal, Pensées, II, 82.

7 Le Provençal est trop vif pour s'emmailloter du manteau espagnol.
Michelet, Extraits historiques, p. 89.

♦ **EMMAILLOTÉ, ÉE** p. p. adj. Voir ci-dessus à l'article.

CONTR. Démailloter. — Libérer. ◊ DÉR. Emmaillotage ou emmaillotement.

EMMANCHAGE [ɑ̃mɑ̃ʃaʒ] n. m. — 1874; de *emmancher.*

Techn. Action d'emmancher (un outil); liaison du manche et de l'outil. → **Emmanchement.** *L'emmanchage d'une bêche. Emmanchage à férule et capuchon.*

L'emmanchage d'un balai posait bien des problèmes.
R. Sabatier, Trois sucettes à la menthe, p. 152.

EMMANCHEMENT [ɑ̃mɑ̃ʃmɑ̃] n. m. — 1636; de *emmancher.*

♦ **1** Action, manière d'emmancher (un outil). → **Emmanchage.** *La gaine d'emmanchement d'une hache.*

♦ **2** (1684). Vx. Arts. Manière dont les membres sont attachés au corps (dans une peinture ou une sculpture). → **Attache.**

1 Et puis j'ai suivi au hasard une très jolie fille court vêtue qui passait devant moi, et dont la cheville me paraissait un chef-d'œuvre d'emmanchement.
G. Sand, Elle et lui, X, p. 216.

2 Ces belles paupières turques, ce regard limpide et profond, cette chaude couleur d'ambre pâle, ces longs cheveux noirs lustrés, ce nez d'une coupe fine et fière, ces emmanchements et ces extrémités déliées et sveltes à la manière du Parmeginiano (...)
Th. Gautier, Mˡˡᵉ de Maupin, III, p. 43.

3 C'était toute une foule de Lisa, montrant la largeur des épaules, l'emmanchement puissant des bras, la poitrine arrondie (...) Zola, le Ventre de Paris, t. I, p. 103.

♦ **3** Techn. Assemblage bloqué d'une tige dans une pièce massive.

EMMANCHER [ɑ̃mɑ̃ʃe] v. tr. — V. 1160, *emmanchier*; de em- (en-), *manche*, et suff. verbal.

♦ **1** Ajuster dans ou sur un manche; engager et fixer dans un support. *Emmancher un balai, une faux.* → **Emboîter.**

1 Un bûcheron venait de rompre ou d'égarer
Le bois dont il avait emmanché sa cognée.
La Fontaine, Fables, XII, 16.

(XXᵉ). Techn. Emboîter (une pièce dans une autre). *Emmancher un tuyau à une conduite d'eau.*

♦ **2** (1682). Fig. et fam. Engager, mettre en train. → **Commencer, entreprendre.** *Emmancher adroitement une affaire. Il a bien emmanché les négociations.*

2 Enfin on avait dû le prévenir (...) Ça se sentait à la manière furtive dont il emmanchait sa palabre.
Céline, Voyage au bout de la nuit, XXX, p. 305.

♦ **S'EMMANCHER** v. pron.

♦ **1** Se fixer sur un manche. → **Ajuster** (s'). *Cet outil s'emmanche mal.*

♦ **2** Fig. et fam. Se présenter. *L'affaire s'est mal emmanchée.* → **Débuter, ébaucher** (s').

♦ **3** (1828). Vx. Arts. Se joindre (bien ou mal) au corps (en parlant d'un membre).

◆ **EMMANCHÉ, ÉE** p. p. adj. et n. m.

♦ **1** Blason. Qui a un manche d'un émail différent. *Hache, faux emmanchée. — Pièces emmanchées,* qui s'enclavent les unes dans les autres en pyramide triangulaire.

♦ **2** Vx. Arts. Se dit d'un membre joint au tronc. *Membre bien, mal emmanché.*

3 — Viens donc voir !... Hein ? est-elle plantée ? en a-t-elle, des muscles emmanchés finement ?
ZOLA, l'Œuvre, p. 338.

Par ext. *«Le héron au long bec emmanché d'un long cou»* (cit. 1).

Une affaire mal emmanchée, mal engagée.

4 Que dites-vous de cette affaire ? comment vous paraît-elle emmanchée ? Mᵐᵉ DE SÉVIGNÉ, 895, 28 juil. 1682.

♦ **3** N. m. Fam. et vulg. Personne peu intelligente, abrutie. → **Con** (fam. et vulg.), **idiot, imbécile.**

5 — Regarde-moi ces emmanchés, ils viennent de gauche, ils ont un stop, et tu crois qu'ils s'arrêteraient ?
Claude COURCHAY,
La vie finira bien par commencer, p. 166.

CONTR. **Déboîter, démancher, désemmancher.** ◊ DÉR. **Emmanchage, emmanchement, emmancheur.** ‒ COMP. **Remmancher.**

EMMANCHEUR [ãmãʃœʀ] n. m. — 1660; «fabricant de manches de couteaux», 1260; de *emmancher.*

Techn. Ouvrier qui emmanche des outils, des couteaux. *Un emmancheur de couteaux.* ‒ REM. Le fém. *emmancheuse* [ãmãʃøz] est virtuel.

EMMANCHURE [ãmãʃyʀ] n. f. — Fin XVᵉ; de *em-* (en-), *manche,* et suff. *-ure.*

Chacune des deux ouvertures d'un vêtement faites pour adapter une manche. *Échancrer les emmanchures d'une robe. Cette veste me gêne aux emmanchures.* → **Entournure.**

(...) un costume tailleur noir médiocrement coupé, étroit aux emmanchures, et la chemisette de batiste blanche, très fine, un peu bridée à la hauteur des seins.
COLETTE, la Fin de Chéri, p. 81.

Dans les vêtements sans manches, Ouverture pour laisser passer le bras. *Tenir les pouces dans l'emmanchure de son gilet.*

EMMANTELER [ãmãtle] v. tr. [CONJUG.: *appeler.*] — XIIIᵉ; de *em-* (en-), et anc. franç. *mantel,* du lat. *mantellus.* → Manteau.

Littér. et rare. Envelopper d'un manteau. *Elle s'était emmantelée d'une longue cape.* — Figuré :

Des fumées lourdes coulent le long des toits et emmantellent les maisons.
J. GIONO, Un roi sans divertissement, p. 13.

◆ **EMMANTELÉ, ÉE** p. p. adj.

Littér. Enveloppé d'un manteau. *Une personne bien emmantelée.* — Spécialt. *Corneille emmantelée* (ou *mantelée*) : espèce de corneille dont une partie du corps est noire et le reste grisâtre.

EMMARCHEMENT [ãmaʀʃəmã] n. m. — 1769; de *em-* (en-), *marche,* et suff. *-ement.*

Technique.

♦ **1** Entaille faite dans le limon d'un escalier pour recevoir les marches.

♦ **2** (1838). Disposition ou ensemble des marches d'un escalier.

♦ **3** (1928). Largeur d'un escalier. *Emmarchement très étroit.*

♦ **4** Techn. Système de marches qui donne accès à une voiture de voyageurs. → **Marchepied.** *«Sur les voitures ANF, les portes ouvertes ne débordent pas en courbe (...) tout en autorisant un emmarchement aisé à gravir»* (la Vie du rail, nº 892, 14 avr. 1963, p. 20).

EMMARQUISER [ãmaʀkize] v. tr. — 1652; de *em-* (en-), *marquis,* et suff. verbal.

Vx et plais. Élever (qqn) au rang de marquis. — Pron. Prendre le rang de marquis, marquise.

Vous avez voulu vous emmarquiser, vous encanailler de noblesse (...)
Jules SANDEAU, Sacs et Parchemins, 1851, p. 60,
in T. L. F.

EMMÊLEMENT [ãmɛlmã] n. m. — Fin XIIIᵉ; de *emmêler.*

Action d'emmêler; résultat de cette action. → **Confusion, embrouillamini, enchevêtrement, fouillis.** *Un emmêlement de tourelles, de gargouilles* (→ Clocheton, cit.).

(...) dans ces haleines de trois cent mille bouches soufflant le relent de leurs nourritures, dans le coudoiement, dans le frôlement, dans l'emmêlement de toute cette chair échauffée (...) MAUPASSANT, la Vie errante, p. 6.

REM. On trouve parfois, plus rarement, *emmêlage* [ãmɛlaʒ] n. m., et *emmêlure* [ãmɛlyʀ] n. f.

EMMÊLER [ãmele] v. tr. — XIIᵉ; de *em-* (en-), et *mêler.*

♦ **1** Mêler ensemble, enrouler en désordre (des choses longues et fines). → **Brouiller, embrouiller, enchevêtrer, mêler.** *Emmêler les fils d'un écheveau, une pelote de laine.*

1 (...) on a pu croire que, dans ces pages ardentes, désolées, le vieil amoureux (Chateaubriand) avait emmêlé diverses figures de femmes autour de la rapide silhouette de l'Occitanienne (...)
Émile HENRIOT, Portraits de femmes, p. 284.

♦ **2** (1611). Fig. Embrouiller. *Il emmêle tout, c'est un brouillon ! Emmêler une affaire.* — *S'emmêler les pieds, les pédales, les pinceaux :* s'embrouiller (dans une explication, une affaire).

◆ **EMMÊLÉ, ÉE** p. p. adj.

♦ **1** Mêlé ensemble, embrouillé. *Nœuds dans un cordage emmêlé. Cheveux emmêlés.*

2 Les jambes emmêlées, les hanches et les poitrines jointes, ils avançaient avec des oscillations cadencées et des visages impassibles.
J. CHARDONNE, les Destinées sentimentales, III, IV.

♦ **2** Mélangé, embrouillé. — *Éléments emmêlés, étroitement liés* (→ Démographie, cit. 1). *Une intrigue terriblement emmêlée,* embrouillée. → **Embrouille, imbroglio.**

3 (...) un chien à poil gris emmêlé de noir et de blanc (...)
G. SAND, François le Champi, XV, p. 116.

DÉR. **Emmêlement.**

EMMÉNAGEMENT [ãmenaʒmã] n. m. — 1493; de *emménager.*

♦ **1** Action d'emménager; résultat de cette action. *Mon emménagement ne m'a pas coûté bien cher.* → **Déménagement** (à la fois contr. et quasi syn., dans certains contextes).

Le jour de mon emménagement était déjà marqué, et j'avais écrit à Thérèse de me venir joindre (...)
ROUSSEAU, les Confessions, XII.

♦ **2** (1793). Mar. (Au plur.). Logements et compartiments pratiqués dans un navire.

EMMÉNAGER [ɑ̃menaʒe] v. [CONJUG.: *bouger*.] — 1424; de em- (en-), *ménage*, et suff. verbal.

[I] V. tr. **♦ 1** Installer dans un logement. — (Choses). *Il convient d'emménager ses meubles.* — (Personnes). *Les parents ont emménagé les jeunes mariés.*

Pron. (1425). Vieilli. S'installer*; se pourvoir d'un mobilier. *Il lui a fallu huit jours pour s'emménager* (Académie).

1   Les révolutionnaires enrichis commençaient à s'emménager dans les grands hôtels vendus du faubourg Saint-Germain.
CHATEAUBRIAND, Mémoires d'outre-tombe, t. II, p. 175.

♦ 2 V. tr. (1794). Mar. Compartimenter l'intérieur de (un navire). *Emménager un bâtiment, un navire.* → **Emménagement** (2.).

[II] V. intr. (1694). Cour. S'installer dans un nouveau logement. *Nous emménageons la semaine prochaine. Dès que nous aurons emménagé, nous pendrons la crémaillère*.

2   Tenez, voilà dix écus pour payer votre ferme ou pour emménager ailleurs, si on s'obstine à vous chasser de chez nous.
G. SAND, François le Champi, III, p. 45.

♦ EMMÉNAGÉ, ÉE p. p. adj. et n. *Locataire récemment emménagé.* — N. (vx). Personne qui vient d'emménager.

3   Pauline Fredais, y est-elle? — (La concierge) C'est-il une des trois emménagées d'hier soir?
Henri MONNIER, Scènes populaires, p. 29.

CONTR. Déloger, déménager. ◊ DÉR. Emménagement.

EMMÉNAGOGUE [ɑ̃menagɔg] adj. et n. m. — 1720; du grec *emména* «menstrues», et *agôgos* «qui amène». Méd. Qui provoque ou régularise le flux menstruel. *Tisane emménagogue.* — N. m. *Un emménagogue :* un médicament emménagogue.

1   Les médicaments emménagogues sont fort nombreux; citons : la rue, la sabine, l'armoise, l'absinthe, l'apiol (...)
A. BINET, Vie sexuelle de la femme, p. 133.

2   À ma connaissance celles *(les pilules)* de Bertille, jusqu'ici, étaient bleues et, pas plus que les emménagogues, ne traînaient dans la salle.
Hervé BAZIN, Cri de la chouette, p. 101.

EMMENER [ɑ̃mne] v. tr. [CONJUG.: *mener* (→ **Lever**).] — 1080; de em- (en-), et *mener*.

♦ 1 Faire aller, mener* avec soi (qqn, un animal) en allant d'un lieu à un autre; prendre avec soi en partant, en allant ailleurs.

[a] (Sans compl. second). *Emmener qqn. J'emporte peu de bagages, mais j'emmène mon chien, le chien. Emmener qqn contre son gré.* → **Enlever, ravir.** *Emmener un condamné, un prévenu* (syn. → Croix, cit. 3). *Deux gendarmes l'ont arrêté* et *emmené* (cf. Il est parti entre deux gendarmes). *Nous vous emmenons : vous partez* avec nous. — *Emmener qqn avec soi* (pléonasme cour.). — Par métaphore (le sujet désignant un agent abstrait, humanisé). *La mort l'a emmené.*

1   (...) la rapidité du temps, qui travaille autant contre nous que pour nous, en emmenant nos chères créatures comme il nous amène (...)
Mᵐᵉ DE SÉVIGNÉ, 1289, juil. 1690.

2   Est-ce que vous croyez que vous allez rester ici ? Nous vous emmenons. Ah ! mon Dieu ! quand je pense que c'est par hasard que j'ai appris tout cela ! Nous vous emmenons. Vous faites comme de vous-mêmes. Voici être son père et le mien. Vous ne passerez pas dans cette affreuse maison un jour de plus. Ne vous figurez pas que vous serez demain ici.
HUGO, les Misérables, IX, v.

Spécialt. *Des voleurs ont emmené les chevaux, le bétail.* → **Voler.**

Faire partir, s'en aller. *Son associé, en se séparant de lui, a emmené toute sa clientèle.*

[b] (Avec un compl. prépositionnel ou adverbial). Mener (qqn, etc.) avec soi en allant (quelque part). *Emmener qqn quelque part, dans un lieu, à la campagne.* → **Conduire.** *Elle l'emmena chez ses parents. Il faut l'emmener d'urgence chez le médecin.* → **Accompagner.** — *Emmener des amis au cinéma, au théâtre.* — (Le compl., construit avec en, désigne une activité). *Il doit l'emmener en vacances, en voyage. J'emmène le chien en promenade. Emmener des copains en vadrouille.* — (Avec un adv.). *Emmène-moi là-bas, ailleurs, loin. Emmenez-les loin d'ici, je ne veux plus les voir.*

3   La belle saison venue, mon père aimait à nous emmener, mes frères et moi, dans de longues promenades.
R. RADIGUET, le Diable au corps, p. 28.

(Avec un compl. prépositionnel de moyen). *On l'emmena dans une voiture* (→ Cidre, cit. 4), *en voiture.*

[c] (Suivi d'un inf.). Conduire, accompagner (qqn) dans l'exercice d'une activité. *Je l'emmène boire avec moi. Viens, je t'emmène manger. Il a emmené les enfants se baigner.*

REM. 1. Alors que *emmener* correspond à «éloigner (qqn) d'un point de départ», *amener* correspond à «approcher, rapprocher (qqn) d'un point d'arrivée» : *Amenez-le vers moi, ici,* etc. En outre, *emmener* suppose que l'accompagnateur reste avec l'accompagné. Cf. *Je t'amène au cinéma,* jusqu'au cinéma (syn. : conduire), différent de : *je t'emmène au cinéma,* j'y vais avec toi.

2. *Emmener* s'oppose à *emporter* (et *remmener* à *remporter*), dont le compl. désigne un objet sans mouvement. *Emporter les valises* différe de *emmener les enfants.* Cependant *emmener* s'emploie pour *emporter,* dans le style familier et dans la langue parlée. *Est-ce qu'il a emmené tous les bagages?* Cet emploi est condamné par la norme.

4   J'emmène tout le pèze dans ma poche.
CÉLINE, Mort à crédit, p. 516.

En revanche *emmener* peut se construire avec des noms désignant des véhicules, lorsque *emporter* ne se dit pas (→ Emporter). *Cette année, ils n'emmènent pas leur caravane.*

Enfin, lorsque le compl. désigne une personne ou un animal incapable de se mouvoir, *emporter* est possible et *emmener* peut devenir stylistique, ou insister sur l'aspect volontaire de l'accompagnement. *On l'a emporté inconscient. Emmener un paralytique, un grand malade.*

Loc. fam. (V. 1888, Verlaine). *Emmener (qqn) à la campagne, à pied et à cheval :* envoyer promener, ne tenir aucun compte de. → **Emmerder** (fam.).

5   J'insistai, toujours poli (...) on me fit savoir aussitôt que, de toute manière, on m'emmenait à pied et à cheval.
CAMUS, la Chute, in Récits et nouvelles, Pl., p. 1500 (1956).

♦ 2 (1853). Fig. Transporter par la pensée, l'imagination.

6   La nouveauté d'une douleur errante qui ne savait encore où se poser, emmenait Michel... vers la jeunesse d'Alice et la sienne.
COLETTE, Duo, p. 82.

♦ 3 (1831). Milit. et sports. Conduire, entraîner en avant avec élan. *Emmener l'attaque. Les avants étaient bien emmenés par le capitaine.*

♦ 4 (Sujet n. de chose). Conduire, transporter (spécialt, au loin). *L'avion qui les emmène en Amérique. Le bateau qui les emmène.*

CONTR. Amener. — Laisser. ◊ COMP. Remmener.

EMMENOTTER [ɑ̃m(ə)nɔte] v. tr. — XVIᵉ; de em- (en-), *menotte,* et suff. verbal.
Vieilli. Mettre des menottes, des fers aux mains. *Emmenotter un voleur.*

EMMENTHAL ou **EMMENTAL** [emɛtal] n. m.
— 1880, in D.D.L.; all. *Emmenthaler*, du n. de la vallée *(-thal)* de l'*Emme*, en Suisse.

Fromage à pâte cuite, analogue au gruyère, présentant de plus gros trous. *Faire une fondue avec de l'emmenthal. — Des emmenthals, des emmentals.*

EMMERDANT, ANTE [ɑ̃mɛʀdɑ̃, ɑ̃t] adj. et n. m.
— Fin XIXᵉ; de *emmerder*.

Familier.

♦ **1** Qui importune, dérange fortement (qqn). *Des voisins emmerdants. Ce gosse est vraiment emmerdant.* → **Chiant** (vulg.), **gênant.**

1 Elle avait une voix fausse mais agréable. Je sentais l'âme qui s'ennuie vite et n'achève jamais rien, qui est de toutes peut-être la moins emmerdante.
       S. BECKETT, Premier amour, p. 19.

(Avec un complément) :

2 — Ce que tu peux être emmerdant avec la nourriture, dit Sara, c'est incroyable.
       M. DURAS, les Petits Chevaux de Tarquinia, p. 79.

Qui cause de la contrariété. *Il est toujours malade, c'est emmerdant, on ne pourra pas sortir. C'est bien emmerdant, cette histoire!*

♦ **2** Qui cause un ennui profond. → **Ennuyeux.** *Un spectacle emmerdant. Ce livre est emmerdant au possible.* → **Barbant, rasant; chiant** (vulg.).

N. m. (Personnes.) → **Emmerdeur, euse,** REM.). *L'emmerdant* (toujours précédé ou suivi du verbe *être*), la chose emmerdante, le fait emmerdant. *Ce n'est pas encore ça le plus emmerdant dans l'histoire!*

3 L'emmerdant, c'est qu'un pèdezouille mâle dans la quarantaine et une jeune fille pèdezouille ne s'amadouent pas avec les mêmes méthodes.
       Roger IKOR, les Fils d'Avrom, Les eaux mêlées, p. 474.

EMMERDE [ɑ̃mɛʀd] n. f. — Fin XIXᵉ; déverbal de *emmerder*, ou abrév. de *emmerdement*.

Fam. Gros ennui. → **Emmerdement** (1.). *Il v'a s'attirer des emmerdes, de grosses emmerdes.* → **Merde** (fig.).

— Je n'aurais probablement pas envie d'occasionner à un ami le genre d'emmerde qui m'arrive en ce moment (content d'avoir dit «emmerde» à ce type). Mais après tout, pourquoi pas?
       Colette AUDRY, l'Autre Planète, p. 163.

EMMERDEMENT [ɑ̃mɛʀdəmɑ̃] n. m. — 1839, Flaubert, *Correspondance* (11 oct.), «ennui, fait d'ennuyer»; de *emmerder*.

Familier.

♦ **1** (*Un, des emmerdements*). Gros ennui*, vive contrariété. *Je n'ai eu cette année que des emmerdements.* → **Embêtement, empoisonnement.** *Il n'arrête pas d'avoir des emmerdements avec sa voiture.* → **Emmerde.** *Quel emmerdement!* (→ Quelle merde*, quelle chiotte*, quelle chierie*). *Des emmerdements d'argent.*

♦ **2** *L'emmerdement* (de qqn). Rare. Action d'emmerder (qqn). — Plus cour. Fait d'être emmerdé.

1 Je rouvre ma lettre pour te demander qu'est-ce qui a le plus de moyens, de Pigny ou de Defodon. Le prix de Discours français a dû trancher la question définitivement. Il n'y a pas à y revenir. C'est un fait qu'il faut accepter comme la république. Mais vois-tu mon emmerdement si un des deux était crevé avant que l'épreuve n'eût lieu.
       FLAUBERT, Lettre à Louis Bouilhet, 20 août 1850,
       in Correspondance, Pl., t. I, p. 669.

Fait de s'emmerder, de s'ennuyer fortement.

2 Eh bien, non, celle-ci fait semblant de vivre; elle rit, elle se plaint de ceci ou de cela comme si sa vie en bloc n'était pas un immense emmerdement. Je suppose qu'avec l'âge

---

vous vient une grâce d'état, un brouillard qui fait oublier comme le bonheur était bon et comme la mort est proche.
       Benoîte et Flora GROULT, Journal à quatre mains, p. 88.

DÉR. V. **Emmerde.**

EMMERDER [ɑ̃mɛʀde] v. tr. — XIVᵉ; de *em- (en-), merde,* et suff. verbal.

Familier.

A Vx. Salir, couvrir (qqn, qqch.) de merde. → **Conchier.**

B (Fin XVIIIᵉ). Fig. ♦ **1** Importuner (qqn). → **Agacer, embêter, empoisonner;** (fam. et par euphém.) **emmieller, emmouscailler, enquiquiner; chier** (faire chier). *Dites-lui que je ne peux pas le recevoir, il commence à m'emmerder avec ses histoires. Vous emmerdez le monde. Emmerder qqn jusqu'à la gauche, le plus possible.* — Pron. *S'emmerder avec qqch., pour qqch.* (ou avec l'inf.), *à* (avec l'inf.) : se donner (sans succès) beaucoup de peine pour (qqch.). *Il s'emmerde pour régler les histoires de son frère. On ne va pas s'emmerder à démonter ce moteur. On ne va pas s'emmerder avec ça, à faire ça.*

Contrarier, embarrasser. *La montée du dollar m'emmerde, parce que je dois aller souvent à New York.*

Pron. (Emploi négatif). *Il s'emmerde pas* : il ne s'en fait* pas; il a de la chance. *Il a dit merde au patron; il s'emmerde pas, lui! Tu pars pour Honolulu? Tu t'emmerdes pas!*

♦ **2** Ennuyer. *Je n'ai pas pu m'empêcher de bâiller devant lui; que voulez-vous, il m'emmerde. Ce genre de littérature m'emmerde. La politique, l'opéra m'emmerde.* — Pron. *On s'emmerde ici* (→ Crémerie, cit. 1). — vulg. Se faire chier*. *S'emmerder avec qqn, tout seul.*

1 — Ça t'amuse, les articles de Maurras?
Et *(Bernard entendait)* le premier répondre :
— Ça m'emmerde ; mais je trouve qu'il a raison.
Puis un quatrième, dont Bernard ne reconnaissait pas la voix :
— Toi, tout ce qui ne t'embête pas, tu crois que ça manque de profondeur.
       GIDE, les Faux-monnayeurs, *in* Romans, Pl., p. 936.

2 Bertrande dit à Cidrolin :
— Tu devrais lui acheter une tévé. Elle va s'emmerder toute seule avec toi. Surtout le soir.
       R. QUENEAU, les Fleurs bleues, p. 219.

3 Je me sentais contre et je m'emmerdais. Il faudrait avoir la force de rester chez soi lorsqu'on sait qu'on va s'emmerder (...)
       Benoîte et Flora GROULT, Journal à quatre mains, p. 182.

♦ **3** (En manière de défi). Tenir pour inexistant, négligeable. *Je vous emmerde, tous tant que vous êtes! Oh! il n'en saura rien, et puis d'ailleurs on l'emmerde.* — Loc. *Emmerder (qqn) à pied, à cheval** (cit. 23. 1) *et en voiture* (→ Chier, foirer dans les bottes de qqn).

4 — Vous en faites pas! répliqua Turpin. Ils ne m'emmerderont jamais autant que je les emmerde.
       J. ROMAINS, les Hommes de bonne volonté, t. V, XXVII, p. 291.

5 Les gens du quartier? Je les emmerde.
       R. QUENEAU, le Dimanche de la vie, p. 152.

REM. Par souci de correction, on trouvait parfois dans les textes littéraires, *emm...* pour *emmerder* et ses dérivés, qui étaient moins bien tolérés qu'aujourd'hui.

♦ **EMMERDÉ, ÉE** p. p. adj.

Fam. Embarrassé, ennuyé. → **Emmiellé, emmouscaillé.** *Je commençais à être emmerdée. Le type avait l'air un peu emmerdé. Il était rudement, drôlement, salement emmerdé.*

DÉR. Emmerdant, emmerdement, emmerdeur. V. Emmerde.

EMMERDEUR, EUSE [ãmerdœr, øz] n. — 1866; de *emmerder.*

Fam. Personne particulièrement embêtante, ennuyeuse. → **Fâcheux, gêneur, raseur.** *Je le fuis comme la peste, c'est un emmerdeur. C'est la reine des emmerdeuses.* — Spécialt. Personne chicanière, tatillonne à l'excès. *Je ne peux plus supporter le contremaître, c'est un emmerdeur fini.*

— Et les perroquets, dit Cidrolin, ils ne parlent pas? — Ils ne comprennent pas ce qu'ils disent. — Prouvez-le, dit Cidrolin. — Quel emmerdeur! Il n'y a pas de conversation possible avec un emmerdeur comme vous.
R. QUENEAU, les Fleurs bleues, p. 46.

REM. Un renforcement plaisant du fém. est *emmerderesse* [ãmerd(ə)res] n. f. (cf. Brassens, opposant les *emmerdantes*, les *emmerdeuses* et les *emmerderesses*, in Cellard et Rey).

EMMÉTRAGE [ãmetraʒ] n. m. — 1838; de *emmétrer.* Techn. Action d'emmétrer (des matériaux).

EMMÉTRER [ãmetre] v. tr. [CONJUG.: *céder.*] — 1845; «métrer», 1808; de *em- (en-)*, *mètre*, et suff. verbal. Techn. Disposer en vue de faciliter le métrage.

DÉR. Emmétrage.

EMMÉTROPE [ãmetrɔp] adj. et n. — 1865; du grec *emmetrôs* «bien proportionné» (de *emmetros* «proportionné», de *en-* «dans», et *metron* «mesure», → -mètre), et *-ôpos* «qui voit». → -ope.

Physiol. Se dit d'un œil bien conformé, dont l'accommodation est normale. *Œil, vision emmétrope.* → **Hypermétrope, myope, presbyte.**

CONTR. Amétrope. ◊ **DÉR. Emmétropie.**

EMMÉTROPIE [ãmetrɔpi] n. f. — 1865; de *emmétrope.*

Physiol. Qualité de l'œil emmétrope.

CONTR. Amétropie.

EMMI [ãmi] prép. ou adv. — 1080; *en me*, Xᵉ; de *en-*, et *mi*.

Vx. Au milieu (de). — Mod. (Par archaïsme de style). «*Emmi les champs de chardons*» (Cendrars, *Bourlinguer*, in T. L. F.).

EMMIASMER [ãmjasme] v. tr. — 1851; de *em- (en-)*, *miasme*, et suff. verbal.

Rare et littér. Rempli de miasmes, d'émanations nocives.

Figuré:

Je cherchais la Rome de Néron et je n'ai trouvé que celle de Sixte-Quint. L'air-prêtre emmiasme d'ennui la ville des Césars. La robe du jésuite a tout recouvert d'une teinte morne et séminariste.
FLAUBERT, Lettre à Louis Bouilhet, 9 avr. 1851, in Correspondance, Pl., t. I, p. 772.

EMMIELLER [ãmjele] v. tr. — XIIIᵉ; de *em- (en-)*, *miel*, et suff. verbal.

♦ **1** Vx. Enduire ou mêler de miel. *Emmieller une tisane, une tartine.* — Par métaphore:

1 (...) aujourd'hui: toute bouche de savant qui complimente un autre savant est un vase de fiel emmiellé.
HUGO, Notre-Dame de Paris, I, V, I.

Fig. Envelopper (qqch.) d'une douceur forcée. *Emmieller un reproche, un refus.* → **Édulcorer.**

Ne pouviez-vous exprimer les mêmes vérités en les énon- 2 çant avec moins de crudité? «Oui, oui, en délayant, tournoyant, emmiellant, chevrotant, tremblotant (...)»
CHATEAUBRIAND, Mémoires d'outre-tombe, t. VI, p. 145.

♦ **2** Fam. (Par euphémisme). Emmerder* (qqn).

Coupeau cria qu'on était chez soi, qu'il emmiellait les voi- 2. sins. ZOLA, l'Assommoir, 1877, p. 577, in T. L. F.

◆ **EMMIELLÉ, ÉE** p. p. adj.

Fig. et vieilli.

♦ **1** (Choses). Mielleux. *Un ton emmiellé*, doucereux, sucré (cf. Être tout sucre, tout miel). *Paroles emmiellées*: paroles flatteuses, d'une douceur affectée.

Au nom de l'amitié, soyez moins épineux dans la société 3 (...) la vie a tant d'amertume, qu'il ne faut pas que ceux qui peuvent l'adoucir y versent du poison. L'humeur est de tous les poisons le plus amer. Les fripons sont emmiellés. Faut-il que les honnêtes gens soient difficiles?
VOLTAIRE, Lettre à d'Argens, 1100, août 1752.

(...) elle accommode leurs différends, et ne leur marque 4 pas l'affabilité de son caractère par des paroles emmiellées et sans effet, mais par des services véritables et par de continuels actes de bonté.
ROUSSEAU, Julie ou la Nouvelle Héloïse, IV, Lettre X.

♦ **2** (Personnes). Emmerdé (par euphémisme).

Même que j'étais passablement emmiellé, passez-moi l'ex- 5 pression. GIONO, Un de Baumugnes, Pl., t. I, p. 251.

DÉR. Emmiellure.

EMMIELLURE [ãmjelyr] n. f. — 1445; de *emmieller.*

Méd. vétér. Topique à base de miel utilisé pour assouplir le sabot d'un cheval en cas de foulure, d'enflure.

EMMITONNER [ãmitɔne] v. tr. — 1580, Montaigne; de *em- (en-)*, *miton*, de l'anc. franç. *mite* «caresse de la chatte», et suff. verbal.

Fam. et vx. Envelopper* dans qqch. de moelleux. → **Emmitoufler.** *Emmitonner un convalescent dans une robe de chambre.*

Fig. Circonvenir.

EMMITOUFLEMENT [ãmituflǝmã] n. m. — 1904, Huysmans; de *emmitoufler.*

Rare. Action d'emmitoufler; résultat de cette action.

(...) dans l'emmitouflement de son manteau fourré de grèbe, aussi duveteux que les blanches fourrures qui tapissaient ce salon (...)
PROUST, À l'ombre des jeunes filles en fleurs, Pl., t. I, p. 601.

EMMITOUFLER [ãmitufle] v. tr. — 1547, p. p.; de *en-*, et *mitoufle*, altér. de *mitaine*, d'après *moufle*, et anc. franç. *emmoufler.*

Fam. Envelopper dans des vêtements chauds et moelleux. → **Couvrir.** *On l'emmitoufla dans un gros manteau. S'emmitoufler les mains, le cou dans une écharpe.* — Passif et p. p. *Emmitouflé jusqu'au cou dans un châle* (cit. 1). *Être emmitouflé dans des fourrures, de fourrures.* — P. p. adj. *Des enfants emmitouflés.*

(...) je reste jusqu'à neuf heures et demie ou dix heures, 1 emmitouflé de trois pantalons, dont deux de pyjamas — deux sweaters.
GIDE, Voyage au Congo, in Souvenirs, Pl., p. 848.

Pron. *Elle s'était frileusement emmitouflée d'un gros chandail de laine.*

Fig. S'envelopper.

2 Le soleil s'est couvert d'un crêpe. Comme lui,
Ô Lune de ma vie ! emmitoufle-toi d'ombre ;
Dors ou fume à ton gré ; sois muette, sois sombre,
Et plonge tout entière au gouffre de l'Ennui (...)
    BAUDELAIRE, les Fleurs du mal, Spleen et idéal,
                           XXXVII.

DÉR. Emmitouflement.

EMMITRÉ, ÉE [ɑ̃mitʀe] adj. — Av. 1848, Chateaubriand ; de em- (en-), mitre, et -é.
Littér. Coiffé d'une mitre, surmonté de qqch. que
l'on compare à une mitre. «*Tour emmitrée d'un
clocher*» (Chateaubriand). — REM. Le verbe *emmitrer*
est virtuel.

EMMORTAISER [ɑ̃mɔʀteze] v. tr. — 1289 ; de em-
(en-), mortaise, et suff. verbal.
Techn. Introduire dans une mortaise. → **Assembler ;
assemblage.** *Emmortaiser le tenon.* — Au p. p. *Poutre
solidement emmortaisée.*

1 Vers le 15 mai, la quille du nouveau bâtiment s'allongeait
sur le chantier, et bientôt l'entrave et l'étambot, emmor-
taisés à chacune de ses extrémités, s'y dressèrent presque
perpendiculairement.
    J. VERNE, l'Île mystérieuse, t. II, p. 771-772.

Par métaphore :

2 Une chèvre dormait en travers du seuil, son petit emmor-
taisé contre elle.
    G. CESBRON, Je suis mal dans ta peau, p. 49.

EMMOTTER [ɑ̃mɔte] v. tr. — 1690 ; de em- (en-),
motte, et suff. verbal.
Agric. Entourer d'une motte de terre la racine de
(un plant, un arbre qui doit être replanté).

◆ **EMMOTTÉ, ÉE** p. p. adj. (1620). Dont la racine est
entourée d'une motte de terre. *Plant emmotté.*
REM. Le p. p. adj. est plus courant que le verbe.

EMMOUSCAILLEMENT [ɑ̃muskajmɑ̃] n. m. — Fin
XIXᵉ ; de emmouscailler.
Fam. Ennui, embêtement. *N'avoir que des emmous-
caillements.* → **Emmerdement.**

Ça m'a fait penser qu'on était un jeudi, puis instantanément que les événements cascadaient un peu vite depuis
lundi, jour où avaient débuté tous ces emmouscaillements.
    Albert SIMONIN, Touchez pas au grisbi, p. 129.

EMMOUSCAILLER [ɑ̃muskaje] v. tr. — Fin XIXᵉ ; de
em- (en-), mouscaille, et suff. verbal.
Fam., fig. Euphémisme pour *emmerder.* → **Embêter,
ennuyer.**

◆ **EMMOUSCAILLÉ, ÉE** p. p. adj.
Fig. Gêné, ennuyé.
Après le souper, la Martine jolie me file son œillade 17 *bis*,
modifiée par l'arrêté du 3 avril dernier. Je lui réponds par
un regard en cinémascope-couleur... Très emmouscaillé, le
petit San-Antonio radieux. C'est toujours idiot de décevoir
une dame.
    SAN-ANTONIO, le Secret de Polichinelle, p. 97.

DÉR. Emmouscaillement.

EMMURAGE [ɑ̃myʀaʒ] n. m. — → **Emmurement.**

EMMURÉ, ÉE [ɑ̃myʀe] adj. et n. — V. 1180 ; de em-
(en-), mur, et -é. → Emmurer.

A Adj. ◆ **1** Vx. (Choses). Entouré de murs. *Ville, cour
emmurée.*

◆ **2** (Personnes). Enfermé à vie. *Prisonnier emmuré
dans un cachot. Religieuses emmurées dans un
cloître.*

◆ **3** Fig. (Personnes). Isolé, coupé des autres. *Emmuré
dans le silence.* → **Muré.**

Pas un seul jour, pas un instant, je n'ai su oser lui parler.
L'un et l'autre nous restions emmurés dans notre silence.
    GIDE, Et nunc manet in te, p. 102. 1

Emmuré dans son matérialisme.
    F. MAURIAC, le Mystère Frontenac, 1933, p. 26,
                        in T.L.F. 2

B N. ◆ **1** Vieilli. Personne enfermée dans un cachot
qu'on murait ensuite. *Une emmurée vivante. Les
emmurés de Carcassonne,* Albigeois ainsi suppliciés.
Par ext. Personne accidentellement enfouie sous un
éboulement, des décombres. *Venir en aide à des
emmurés.*

◆ **2** Personne enfermée de façon définitive. *Les
emmurées de Rouen,* religieuses dominicaines qui
vivaient strictement cloîtrées.

DÉR. Emmurement.

EMMUREMENT [ɑ̃myʀmɑ̃] n. m. — XXᵉ ; de emmurer.
Emprisonnement perpétuel prononcé par l'Inquisition. *Être condamné à l'emmurement.* — REM. La
forme *emmurage* [ɑ̃myʀaʒ] est plus rare.

EMMURER [ɑ̃myʀe] v. tr. — Mil. XVIᵉ, Amyot, probablt
antérieur (→ Emmuré) ; de em- (en-), mur, et suff. verbal.

◆ **1** Vx. Entourer de murailles. *Emmurer (ou emmu-
railler) une ville.*

◆ **2** (XVIᵉ). Enfermer (un condamné) dans un cachot
que l'on murait ensuite. *Au moyen âge on emmu-
rait parfois les hérétiques. Être emmuré dans un
in-pace.*

◆ **3** Enfermer, emprisonner de façon définitive.
Emmurer dans un cloître.

◆ **4** (Déb. XXᵉ). Isoler du monde. → **Enfermer.**
Là où la vie emmure, l'intelligence perce une issue (...)
    PROUST, À la recherche du temps perdu, t. XV,
                          p. 55.

Pron. *S'emmurer dans le silence.*

DÉR. Emmuré, emmurement.

EMMUSELER [ɑ̃myzle] v. tr. — 1416 ; de em- (en-),
musel (→ Museau), et -er.

◆ **1** Vx. → **Museler.**

◆ **2** Fig. et littér. (langue class.). Museler (fig.), empêcher
de parler.

ÉMOI [emwa] n. m. — XIIIᵉ, répandu XVIᵉ ; *esmai,* XIIᵉ ;
déverbal de l'anc. franç. *esmaier* «troubler» ; germanique *magan* «pouvoir», et *ex-* privatif ; cf. lat. pop.
exmagare, que Meyer-Lübke rattachent à *magus* «sorcier», hypothèse reprise par Guiraud.

◆ **1** Littér. ou vieilli. Émotion, trouble, agitation qui
s'empare d'êtres sensibles. → **Commotion, choc** (nerveux), **ébranlement, effervescence, excitation, saisissement, surexcitation.** *L'arrivée inattendue du Président avait causé un grand émoi. Le médecin légiste
considérait sans émoi le cadavre à autopsier. — Être,
mettre... en émoi.*

(...) durcissant et femmes et enfants, par long usage, à
ne sentir et plaindre plus vos maux. Les soupirs de ma
colique (*néphrétique*) n'apportent plus d'émoi à personne.
    MONTAIGNE, Essais, III, IX. 1

(...) elle eut peine à se retenir de pleurer et tourna vivement
le nez d'un autre côté pour qu'il ne la vit dans cet émoi.
    G. SAND, François le Champi, XX, p. 143. 2

Grand émoi dans le village intarissable sujet de conversations pour les baigneurs de la table d'hôte.
    MARTIN DU GARD, les Thibault, t. III, p. 216. 3

4　(...) sur vos joies, vos tristesses, vos colères, vos frayeurs, bref sur les émois de votre âme (...)
　　　　　　Julien BENDA, Lettres à Mélisande, p. 116.

◆ **2** Spécialt. Émotion considérée sous son aspect affectif, sous l'angle du plaisir ou de la douleur. *En émoi, en grand émoi, avec émoi.* Émotion mêlée de crainte, d'appréhension. *Semer l'émoi chez qqn.*

5　(...) moi-même, qui suis Dieu,
　　Tremble et frémis de frayeur et d'émoi,
　　Voyant la terre et la mer dessous moi.
　　　　　　Clément MAROT, les Métamorphoses d'Ovide, II.

Émotion mêlée d'inquiétude, de tristesse. → **Contrariété, ennui, souci, tracas.** *L'émoi des candidats, un jour d'examen. L'émoi d'un jour d'examen. L'émoi du départ.*

6　Vous n'entendez procès non plus que moi ;
　　Ne plaidons point : ce n'est que tout émoi.
　　　　　　Clément MAROT, Épître au Roi, 1527.

◆ **3** Plus cour. Trouble agréable, sensuel. *L'émoi d'un adolescent auprès d'une jolie femme. Émoi amoureux. L'émoi du printemps. Ne ressentir aucun émoi.*

7　(...) afin que sa candeur de plume
　　Se teignit à l'émoi de sa sœur qui s'allume (...)
　　　　　　MALLARMÉ, Poèmes, «L'après-midi d'un faune».

◆ **4** Fig. et poét. (en parlant de choses dont le mouvement est assimilé à une émotion humaine). *Un éternel émoi* (→ Apprivoiser, cit. 19). *Tressaillir d'émoi* (→ Bondir, cit. 4).

REM. Très employé au XVIᵉ s., le mot *émoi* tombe en désuétude à l'époque class., et Trévoux le définit «vieux mot»; il sera remis en honneur au XIXᵉ s. par le romantisme et le symbolisme, mais restera littéraire.

CONTR. Calme, froideur, insensibilité, placidité, sérénité.

ÉMOLLIENT, ENTE [emɔljã, ãt] adj. — 1549; lat. *emolliens*, p. prés. de *emollire* «amollir», de *ex-* et *mollire*, de *mollis* «souple, flexible». → Mou.

◆ **1** Méd. Qui a pour effet d'amollir, de relâcher des tissus enflammés. *Remèdes émollients. Pansement, cataplasme, emplâtre émollient. Boissons, eau de son, tisanes émollientes. Farines émollientes* (graine de lin, seigle, orge, avoine... → Avoine, cit. 1). *Gargarisme, lavement émollient* (→ Anodin, cit. 2). *L'action émolliente des eaux d'un fleuve.* → 2. Porter, cit.

1　Et ce n'est qu'une fois à bord que nous nous sommes rendu compte de la préexcellence curative de l'Angleterre, de son climat émollient et de son ambiance d'innocence, de l'admirable correction de ses habitants (...)
　　　　　　B. CENDRARS, Moravagine, *in* Œ. compl., t. IV, p. 179.

N. m. Remède calmant, adoucissant. *Faire usage d'émollients.*

◆ **2** (XIXᵉ). Fig. Doux, doucereux. → **Apaisant.** *Atmosphère émolliente. Prononcer des paroles émollientes. Présence émolliente.*

2　On aurait dit que les journalistes étaient devenus quakers (...) — Jamais on ne les avait vus si fondants, si émollients ; — c'était de la crème et du petit-lait.
　　　　　　Th. GAUTIER, Préface de Mˡˡᵉ de Maupin, éd. critique MATORÉ, p. 21.

REM. On trouve chez Proust la forme *émollié, ée*, adj. «ramolli».

CONTR. Excitant, irritant.

ÉMOLUMENT [emɔlymã] n. m. — 1265; lat. *emolumentum* «profit», d'abord «somme payée au meunier pour moudre le grain», du supin de *emolere*, de *ex-* intensif, et *molere* «moudre».

◆ **1** Vx. Avantage*, profit* revenant légalement à quelqu'un.

Mod. (Dr.). Actif que recueille un héritier, un légataire universel ou un époux commun en biens. *Celui qui a l'émolument est tenu de payer les charges* (cf. l'adage latin *Ubi est emolumentum, ibi onus*). *Émolument d'une succession. Bénéfice d'émolument :* droit établi au profit de la femme dans le partage de la communauté.

La femme n'est tenue des dettes de la communauté, soit à　　　1
l'égard du mari, soit à l'égard des créanciers, que jusqu'à concurrence de son émolument, pourvu qu'il y ait eu bon et fidèle inventaire, et en rendant compte tant du contenu de cet inventaire que de ce qui lui est échu par le partage.
　　　　　　Code civil, art. 1483.

◆ **2** (Au plur.). Revenu casuel d'une charge, constitué par les rétributions tarifiées allouées à un officier ministériel pour un acte de son ministère (→ **Honoraires**). *Émoluments de notaires.* → **Vacation.**

◆ **3** Admin. Au plur. Rétribution représentant un traitement fixe ou variable. → **Rétribution; rémunération; appointement, cachet, gain, honoraire, indemnité, salaire, traitement.** — Spécialt. Ensemble des sommes perçues par un fonctionnaire comprenant le traitement proprement dit (soumis à la retenue) augmenté des indemnités ou allocations.

Mopse, pour tous émoluments, longtemps vécut　　　　2
De coups de pied au cul.
　　　　　　P.-J. TOULET, Contrerimes, «Coples», LII.

DÉR. Émolumentaire.

ÉMOLUMENTAIRE [emɔlymãtɛr] adj. — 1829; de *émolument*.
Dr. Relatif à un émolument. *Portion émolumentaire.*

ÉMONCTOIRE [emɔ̃ktwar] n. m. — 1314; du lat. *emunctus*, p. p. de *emungere* «moucher», de *ex-* et *mungere*, même sens; et suff. *-oire*.

◆ **1** Physiol. Organe destiné à éliminer les substances inutiles formées au cours des processus de désassimilation. *Émonctoires naturels* (anus, foie, méat urinaire, narine, poumon, pore de la peau, rein, uretère, vessie...). *Émonctoires artificiels* (cautère, exutoire, vésicatoire; abcès de fixation).

Amor conduit sur-le-champ les amants à l'intimité physio-　　0.
logique et il n'y a plus rien de dégoûtant-relatif entre eux. Tous les secrets du corps et des émonctoires sont mis en commun.　　　　VALÉRY, Cahiers, t. II, Pl., p. 490.

◆ **2** (XIXᵉ). Fig. Moyen d'éliminer ce qui est gênant, nuisible. → **Exutoire.**

Mademoiselle Cormon était, sans s'en douter, très heu-　　1
reuse de ces petites querelles qui servaient d'émonctoire à ses acrimonies.
　　　　　　BALZAC, la Vieille Fille, Pl., t. IV, p. 264.

La plupart des grandes puissances ont été déterminées,　　2
depuis plus de cinquante ans, par le besoin impérieux de trouver des émonctoires, de se procurer à toute force des clients, d'écouler les produits de leur activité, même quand les acheteurs de la veille doivent, de toute évidence, se révéler comme les ennemis du lendemain.
　　　　　　G. DUHAMEL, Manuel du protestataire, II, p. 64.

ÉMONDAGE [emɔ̃daʒ] n. m. — 1572, mais rare av. le XIXᵉ; de *émonder*.

◆ **1** Arbor. Action d'émonder (1.); résultat de cette action. → **Ébranchage, élagage, émondement, taille.** *L'émondage d'une charmille, d'une vigne vierge.* — Spécialt. Mode d'exploitation des arbres forestiers, qui consiste à couper les branches latérales, et parfois le tronc (→ **Têtard**) pour faire naître des rejets dont on utilise le bois.

◆ **2** Fig. Action de débarrasser (qqch.) du superflu. *Émondage d'un texte. Émondage des effectifs d'une administration sur des critères politiques, judiciaires ou de moralité.* → **Épuration.**

♦3 Chir. Excision (à l'aide de ciseaux) des tissus très endommagés d'une plaie, afin d'en accélérer la guérison.

ÉMONDATION [emɔ̃dasjɔ̃] n. f. — 1864; 1523, «purification morale»; du lat. *emundatio* «purification», du supin de *emondare*. → Émonder.

Méd. Épuration des substances médicamenteuses.

ÉMONDE [emɔ̃d] n. f. — 1214; déverbal de *émonder*.

Arboriculture.

♦1 Enlèvement des branches mortes ou inutiles de (un arbre). → **Émondage**. *Arbre d'émonde*, qui a subi l'émondage.

♦2 (1214). Par métonymie (au plur.). Branches inutiles ou nuisibles ou retranchées (d'un arbre). *Fagots faits avec des émondes.*

ÉMONDEMENT [emɔ̃dmɑ̃] n. m. — 1538; de *émonder.*

Arbor. Action d'émonder (1.); résultat de cette action. → **Ébranchage, élagage, émondage, taille.**

ÉMONDER [emɔ̃de] v. tr. — Fin XIIᵉ; du lat. impérial *emundare* «nettoyer», de *ex-*, et *mundare* (→ Monder), plutôt que composé de *monder*.

♦1 Débarrasser (un arbre) des branches mortes, inutiles, nuisibles, des plantes parasites... → **Ébrancher, élaguer, monder.** *Émonder des chênes, des peupliers, des rosiers* (→ Amputer, cit. 4; arbre, cit. 11). → **Tailler.** *Outil servant à émonder.* → **Émondoir.**

1   Que ne l'émondait-on sans prendre la cognée ?
LA FONTAINE, Fables, x, 1.

2   La serpe qui émonde les rameaux faibles ne fait que donner aux autres plus de force.
RENAN, Avenir de la science, Œ. compl., t. III, p. 1017.

3   On voyait Mus, un peu plus bas, qui émondait une vigne grimpante. Choisissant avec soin le rejet nuisible, le sarment fatigué, il faisait claquer son gros sécateur, d'un air compétent et sans hâte.
H. BOSCO, Un rameau de la nuit, p. 163.

Au p. p. *Arbres émondés.*

4   (...) nos ombres équestres marchaient à notre gauche maintenant épousant la forme de la haie taillée à l'équerre : comme c'était le printemps elles n'avaient pas encore beaucoup poussé et la campagne avait l'air d'un jardin bien émondé.
Claude SIMON, la Route des Flandres, p. 78.

Par ext. Soigner (une plante) en enlevant certains éléments; tailler, enlever (les éléments inutiles d'une plante).

5   Il descendait au jardin et courait dire bonjour au jardinier qui, son chapeau de paille sur les yeux, était en haut d'une échelle adossée aux treillages du mur, émondant les feuilles des capucines.
PROUST, Jean Santeuil, Pl., p. 297.

♦2 Par anal. Nettoyer et trier (des graines). — Techn. Tailler (une pierre). — Spécialt (cuis.). Retirer l'enveloppe d'un aliment. *Émonder des amandes, une cervelle.*

♦3 Fig. Débarrasser du superflu. → **Couper, élaguer, raccourcir.** *Émonder un article, le texte d'un discours. Émonder un article, un texte de diverses fautes.* → **Corriger.**

6   Habitué par une bonne éducation suprême à émonder sa conduite de toute apologie, de toute invective, de toute phrase, il avait évité devant l'ennemi, comme au moment de la mobilisation, ce qui aurait pu assurer sa vie, par cet effacement de soi devant les autres que symbolisaient toutes ses manières (...)
PROUST, le Temps retrouvé, Pl., t. III, p. 847.

CONTR. Amplifier, augmenter, grossir. ◊ **DÉR. Émondage, émonde, émondement, émondeur, émondoir.**

ÉMONDEUR, EUSE [emɔ̃dœʀ, øz] n. — 1542; de *émonder.*

♦1 Arbor. Personne qui émonde les arbres. → **Élagueur.**

Plus loin, s'épaississait un bois, et, contenu par la ligne de ses cimes que l'émondeur avait creusée comme une coupe, un bateau imperceptible semblait arrêté sur la mer, d'un bleu solide, vif et clair.
PROUST, Jean Santeuil, Pl., p. 363.

(...) j'ai trop peu d'ouvriers. Comment atteindront-ils les hautes branches? Il faudrait des émondeurs. Je n'en connais que deux dans le pays.
Deux, lui dis-je, c'est déjà quelque chose. Ils s'occuperont des hautes branches. D'autres, moins habiles, se serviront d'échelles.
ALAIN, Propos, 5 mai 1909, Les ormeaux.

Par métaphore (poét.) :
Tu es l'émondeur de ta vie.
ÉLUARD, le Jugement originel, Pl., t. I, p. 353.

♦2 Fig. Personne qui épure un texte.

ÉMONDOIR [emɔ̃dwaʀ] n. m. — 1873; de *émonder.*

Arbor. Outil servant à émonder les arbres (→ Croissant, échenilloir, sécateur, serpe, serpette, vouge).

ÉMORFILAGE [emɔʀfilaʒ] n. m. — 1870; de *émorfiler.*

Techn. Action d'émorfiler; résultat de cette action.

ÉMORFILER [emɔʀfile] v. tr. — 1808; de é-, *morfil* et suff. verbal.

Techn. Enlever le morfil de (une lame); supprimer les arêtes vives de (un objet).

DÉR. Émorfilage.

ÉMOTICON [emɔtikɔn] n. m. — 1996; empr. à l'angl. *emoticon* (1990), de *emotion* «émotion» et *icon* «icône, image».

Anglic. Inform. Petit symbole formé d'une suite de caractères alphanumériques, utilisé dans un message électronique pour former un visage stylisé exprimant une émotion, une humeur ou une appréciation et représentant un trait physique, une action ou un personnage. — REM. 1. On écrit aussi *émoticône* [emɔtikon] n. m.

2. *Emoticon* s'emploie en concurrence avec l'angl. *smiley.* Le terme officiellement recommandé, *frimousse*, est rarement employé.

Justement, les *smileys*, qu'on appelle aussi emoticons (icônes des émotions), et aussi plein de petites images proposées sur certains serveurs, que l'on trouve depuis longtemps dans la BD, comme une bombe ou une tête de mort, servent à mettre les points sur les «i», à éviter les malentendus ou simplement à en mettre plein la vue !
Libération, 28 févr. 2001, p. 29.

ÉMOTIF, IVE [emɔtif, iv] adj. — 1877, Littré, *Suppl.*; de *emotum*, supin de *emovere*. → Émouvoir.

♦1 Didact. Relatif aux émotions, à l'émotion. *Troubles émotifs. Choc émotif* : «émotion brusque et intense provoquant un ébranlement de l'affectivité du sujet» (Lalande). → **Émotionnel.** *Comportement, geste émotif. Réaction, tension émotive.* — *Crise émotive* ou (cour.) *crise de nerfs.*

♦2 (1898). Plus cour. Personnes. Qui réagit vivement aux émotions. *Un enfant très émotif. Caractère, tempérament émotif.* → **Émotionnable, impressionnable, nerveux, sensible.** *Constitution émotive*, qui se caractérise par l'amplitude et la vivacité des différents réflexes et par une certaine instabilité psychique.

Je sais qu'elle avoua plus tard à Cottard qu'elle me trouvait bien enthousiaste et; il lui répondit que j'étais trop émotif et que j'aurais eu besoin de calmants et de faire du tricot.
PROUST, À la recherche du temps perdu, Pl., t. X, p. 48.

2 Sans doute l'individu est-il génétiquement plus ou moins émotif, riche en affectivité, capable de convertir ses tendances égoïstes en tendances sociales (...)

Jean ROSTAND, l'Homme, v, p. 82.

N. *Un émotif, une émotive :* personne chez qui domine l'émotivité.

3 L'émotif se distingue, en effet, non seulement par la sensibilité de ses réactions affectives, mais par leur intensité et leur violence (...) il est émotif parce que l'état d'émotion revient chez lui avec une fréquence remarquable et sous des sollicitations insignifiantes.

E. MOUNIER, Traité du caractère, p. 232.

4 (...) l'émotion est un problème de psycho-physiologie générale, mais c'est un problème de psycho-physiologie individuelle que celui de l'émotif.

Jean DELAY, la Psycho-physiologie humaine, p. 25.

CONTR. Amorphe, apathique, blasé, ferme, flegmatique, froid, impassible, indifférent, inébranlable, insensible, placide. ◊ DÉR. Émotivité.

ÉMOTION [emosjɔ̃; ɛmɔsjɔ̃] n. f. — En 1534, *esmotion;* de *émouvoir,* d'après *motion* «mouvement», XIIIᵉ. → Motion, émouvoir.

Action d'émouvoir; résultat de cette action.

◆ **1** Vx. Mouvement (du corps, d'un corps). — Spécialt. Mouvement (par oppos. à l'état normal de calme) d'un corps collectif, agitation et fermentation populaire à l'occasion d'un événement inquiétant, pouvant dégénérer en troubles civils; par ext., ces troubles. → **Conspiration, émeute, révolte, sédition.** *«L'émotion de Catilina»* (Montaigne). *Calmer l'émotion populaire. Une grande émotion se dessinait dans l'armée.*

1 Rome autrefois a vu de ces émotions (...)
Quand il fallait calmer toute une populace,
Le sénat n'épargnait promesse ni menace (...)

CORNEILLE, Nicomède, v, 2.

2 On ne parle que de la guerre (...) toute l'Europe est en émotion.

Mᵐᵉ DE SÉVIGNÉ, Lettres, 259, 23 mars 1672.

Mouvement affectant un individu et ayant pour effet de le soustraire à l'état de repos et d'équilibre. *Émotion d'esprit* (→ Coquetterie, cit. 3).

3 *La définition des passions de l'âme* (...) On les peut nommer des perceptions (...) On les peut aussi nommer des sentiments (...) mais on peut encore mieux les nommer des émotions de l'âme, non seulement à cause que ce nom peut être attribué à tous les changements qui arrivent en elle, c'est-à-dire à toutes les diverses pensées qui lui viennent, mais particulièrement pour ce que, de toutes les sortes de pensées qu'elle peut avoir, il n'y en a point d'autres qui l'agitent et l'ébranlent si fort que font ces passions.

DESCARTES, les Passions de l'âme, I, 27-28.

Ce mouvement, considéré dans ses effets physiologiques. → **Malaise, trouble.** *Sentir un peu d'émotion. Émotion du pouls. Émotion de fièvre :* mouvement fébrile.

4 Nous-mêmes, pour bien faire, ne devrions jamais mettre la main sur nos serviteurs, tandis que la colère nous dure. Pendant que le pouls nous bat et que nous sentons de l'émotion, remettons la partie (...) c'est la passion qui commande alors (...) ce n'est plus nous.

MONTAIGNE, Essais, II, 437.

5 (...) le printemps vous fait toujours quelque émotion (...)

Mᵐᵉ DE SÉVIGNÉ, Lettres 961, 29 avr. 1685.

6 (...) le bon abbé ne se porte pas bien; il a mal à un genou, et un peu d'émotion tous les soirs.

Mᵐᵉ DE SÉVIGNÉ, Lettres 504, 19 févr. 1676.

Mouvement plus complexe, intéressant le «cœur» autant que la vie organique.

7 La tendresse visible de leurs mutuelles ardeurs me donna de l'émotion; j'en fus frappé au cœur et mon amour commença par la jalousie (...) le dépit alarma mes désirs (...)

MOLIÈRE, Dom Juan, I, 2.

8 Je ne répondrai point, Madame, à toute l'émotion que vous a donnée le gain d'une bataille *(Neerwinde)* qui nous coûte si cher. Nous avons passé par ces tristes réflexions (...)

Mᵐᵉ DE SÉVIGNÉ, Lettres 1362, 26 août 1693.

◆ **2** Mod. Psychol. et cour. État de conscience complexe, généralement brusque et momentané, accompagné de troubles physiologiques (pâleur ou rougissement, accélération du pouls, palpitations, sensation de malaise, tremblements, incapacité de bouger ou agitation). *Les théories physiologiques, intellectualistes de l'émotion* (→ ci-dessous, cit. 10 et 11).

9 Il n'y a, ce me semble, émotion que là où il y a un choc, secousse. On devrait, par suite, appeler émotion l'action exercée sur la volonté *(au sens large)* par une représentation ou une affection simple, action qui provoque ensuite la réaction de la volonté.

J. LACHELIER, cité par LALANDE.

10 J'entends par émotion un choc brusque, souvent violent, intense, avec augmentation ou arrêt des mouvements : la peur, la colère, le coup de foudre en amour, etc. En cela, je me conforme à l'étymologie du mot «émotion» qui signifie surtout mouvement.

Th. RIBOT, Logique des sentiments, p. 67.

11 L'émotion est une cause dont les manifestations physiques sont les effets, disent les uns; les manifestations physiques sont la cause dont l'émotion est l'effet, disent les autres. Selon moi, il y aurait un grand avantage à éliminer de la question toute notion de cause et d'effet (...) et substituer à la position dualiste une conception unitaire (...) Aucun état de conscience ne doit être dissocié de ses conditions physiques : ils composent un tout (...) Chaque espèce d'émotion doit être considérée de cette manière : ce que les mouvements de la face et du corps, les troubles vaso-moteurs, respiratoires, sécrétoires expriment objectivement, les états de conscience corrélatifs (...) l'expriment subjectivement.

Th. RIBOT, Psychologie des sentiments, p. 113.

Par ext. Sensation (agréable ou désagréable), considérée du point de vue affectif. → **Affection, douleur, plaisir, sentiment; émoi, excitation, impression.** *Émotions simples, composées. Émotion sexuelle. Émotions religieuses, morales, esthétiques, intellectuelles. Émotions stimulantes, sthéniques* (→ Asthénique, cit.). *L'émotion tendre.* → **Sympathie.** *Émotions fondamentales :* amour, chagrin, colère, désir, frayeur, haine, jalousie, joie, peur, plaisir, tristesse. *Les racines de l'émotion.* → **Attraction, aversion, désir, inclination, instinct, répulsion, tendance.**

(Syntagmes didact.). *L'émotion-choc,* brusque et brève. → cour. ou littér. **Affolement, agitation, bouleversement, commotion, désarroi, ébranlement, effervescence, enthousiasme, frisson, saisissement, transe, trouble.** — *L'émotion-sentiment,* progressive et stable. → **Sentiment.**

Conditions intérieures et extérieures de l'émotion. Modifications organiques qui accompagnent l'émotion (→ Cœur, cit. 6). *L'expression des émotions. L'émotion étouffée, coupe* (cit. 18) *le souffle, affaiblit* (→ Amollir, cit. 2), *paralyse, annihile* (cit. 2) *la volonté.* — *Causer une grande émotion à qqn.* → **Bouleverser, émotionner, émouvoir, suffoquer.** *Être brisé* (cit. 5) *d'émotion. Frémir, frissonner, trembler, tressaillir, s'évanouir d'émotion* (→ Angoisse, cit. 2). *Le cœur, la gorge se serre d'émotion. Frapper, saisir d'émotion. Idées qui suscitent une émotion. Éprouver, ressentir beaucoup d'émotions* (→ **Émotif**). *La qualité, l'intensité d'une émotion. Une émotion contenue* (cit. 18). *Dissimuler* (cit. 6), *maîtriser son émotion. Simuler une émotion. Une émotion forte, intense, poignante, vive; délicate, légère, douce, tendre* (→ Aube, cit. 10). *Des émotions enivrantes* (→ Annoncer, cit. 17). *Le charme d'une émotion. Être avide d'émotions. Le monde des émotions. Il était plein, vibrant d'émotion. Un cri d'émotion. Parler avec émotion.* → **Balbutier** (→ Balbutiement, cit. 1). *Être égaré par une émotion violente.* → Perdre ses esprits*; être éperdu*; être hors de soi. *S'abandonner à une émotion* (→ Caresse, cit. 3; dessécher, cit. 15).

→ **Attendrir** (s'). *Ne pouvoir cacher son émotion.*
Trahir son émotion. Rougir d'émotion, devenir cra-
moisi, rouge d'émotion. Sa voix se brisa d'émotion.
Devenir blanc, vert d'émotion. Cf. Changer de couleur, de visage. *Ne ressentir aucune émotion* (→ **Apa-**
thique). *Accueillir sans émotion une mauvaise nou-*
velle (→ Devoir, cit. 30), *avec indifférence* ; → *Sans*
sourciller*. — Fam. *On n'a pas eu d'émotion :* on n'a
eu aucune inquiétude.

11.1 (...) un physionomiste eût sans peine reconnu que le
bourgmestre van Tricasse était le flegme personnifié.
Jamais — ni par la colère, ni par la passion —, jamais une
émotion quelconque n'avait accéléré les mouvements du
cœur de cet homme n'avait rougi sa face ; jamais ses pupilles
ne s'étaient contractées sous l'influence d'une irritation, si
passagère qu'on voudrait la supposer.
          J. VERNE, le Docteur Ox, p. 10, Hachette 1966.

12 Si le goût est une chose de caprice, s'il n'y a aucune règle
du beau, d'où viennent donc ces émotions délicieuses qui
s'élèvent si subitement, si involontairement, si tumultueusement au fond de nos âmes, qui les dilatent ou qui les serrent, et qui forcent de nos yeux les pleurs de la joie, de la
douleur, de l'admiration, soit à l'aspect de quelque grand
phénomène physique, soit au récit de quelque grand trait
moral ? *Apage, Sophista !* tu ne persuaderas jamais à mon
cœur qu'il a tort de frémir ; à mes entrailles, qu'elles ont
tort de s'émouvoir.   DIDEROT, Sur la peinture, VII.

13 J'avoue que, pour ma part, j'avais le cœur serré comme
par une main invisible ; les tempes me sifflaient, et des
sueurs chaudes et froides me passaient dans le dos. C'est
une des plus fortes émotions que j'aie jamais éprouvée.
          Th. GAUTIER, Voyage en Espagne, p. 55.

14 Car l'amour est un art, comme la musique. Il donne des
émotions du même ordre, aussi délicates, aussi vibrantes,
parfois peut-être plus intenses (...)
          Pierre LOUŸS, Aphrodite, I, Chrysis.

15 (...) l'émotion presque religieuse qu'inspire un passé très
lointain.   Ch. MAURRAS, Anthinéa, p. 51.

16 Nathanaël, que toute émotion sache te devenir une ivresse.
Si ce que tu manges ne te grise pas, c'est que tu n'avais pas
assez faim.   GIDE, les Nourritures terrestres, p. 41.

(Sens affaibli). État affectif, plaisir ou douleur, nettement prononcé. *L'émotion dans l'art. Problème*
de l'émotion chez l'artiste. → **Sensibilité.** *Émotion*
créatrice. → **Délire, enthousiasme, fureur** (vx), **inspi-**
ration. *Émotion esthétique,* ressentie par le lecteur,
l'auditeur, le spectateur. → **Sentiment.** *Émotion ou*
insensibilité de l'acteur, de l'exécutant.

17 Quel jeu plus parfait que celui de la Clairon ? cependant suivez-la, étudiez-la, et vous serez convaincu qu'à la
sixième représentation elle sait par cœur tous les détails
de son jeu comme tous les mots de son rôle (...) Je ne doute
point que la Clairon n'éprouve le tourment du Quesnoy
dans ses premières tentatives ; mais la lutte passée, lorsqu'elle s'est une fois élevée à la hauteur de son fantôme,
elle se possède, elle se répète sans effort.
          DIDEROT, Paradoxe sur le comédien.

18 En un mot, la poésie ne peut exister sans l'émotion, ou, si
l'on veut, sans un mouvement de l'âme qui règle celui des
paroles.   CLAUDEL, Positions et Propositions, p. 97.

19 L'émotion créatrice est la seule et véritable connaissance.
          André SUARÈS, Trois hommes, «Dostoïevski», III,
          p. 223.

CONTR. **Calme, paix, sérénité ; apathie, froideur, indiffé-**
rence, insensibilité, sang-froid. ◊ DÉR. **Émotionnel, émo-**
tionner.

ÉMOTIONNABLE [emɔsjɔnabl] adj. — 1870 ; de
émotionner.
Rare. Qui s'émeut facilement. → **Émotif, impression-**
nable, sensible. *Cet enfant est émotionnable, trop*
émotionnable.

ÉMOTIONNANT, ANTE [emɔsjɔnɑ̃, ɑ̃t] adj.
— 1890 ; p. prés. de *émotionner.*
Fam. Qui cause une vive émotion. → **Impression-**
nant. *Scène émotionnante.*

ÉMOTIONNEL, ELLE [emɔsjɔnɛl] adj. — 1875 ; de
émotion.
Psychol. Relatif à l'émotion. *Activité, vie émotion-*
nelle. État émotionnel.
Qui provoque l'émotion. *Un art émotionnel.*

1 Quel est le plus émotionnel de tous les arts ? La musique
(...) Aucun art n'a une puissance de pénétration plus profonde, aucun ne peut traduire des nuances si ténues de
sentiment qu'elles échappent à tout autre mode d'expression.   Th. RIBOT, Psychologie des sentiments, p. 104.

2 En ce sens, on pourrait presque dire que les nombres d'un
usage journalier ont chacun leur équivalent émotionnel.
Les marchands le savent bien, et au lieu d'indiquer le prix
d'un objet par un nombre rond de francs, ils marqueront
le chiffre immédiatement inférieur, quittes à intercaler
ensuite un nombre suffisant de centimes.
          H. BERGSON, Essai sur les données immédiates de
          la conscience, p. 91.

ÉMOTIONNER [emɔsjɔne] v. tr. — 1823 ; de *émotion.*
Fam. Toucher, agiter par une émotion. *Cette scène*
l'avait un peu émotionné. → **Impressionner.**

1 Florent, toujours perdu dans son rêve humanitaire, se
prétendait socialiste et s'appuyait sur Alexandre et sur
Lacaille. Quant à Gavard, il ne répugnait pas aux idées
violentes ; mais, comme on lui reprochait quelquefois sa
fortune, avec d'aigres plaisanteries qui l'émotionnaient, il
était communiste.
          ZOLA, le Ventre de Paris, t. I, p. 224.

Pron. *Il s'émotionne pour peu de chose.*

REM. Ce verbe, ainsi que ses dérivés, a été souvent condamné par les puristes, qui y voient un doublet inutile et
barbare de *émouvoir.*

2 Émotionner est du style familier ; émouvoir est de tous
les styles. Puis émouvoir s'applique à ce qui est touchant,
triste, etc. Émotionner se dit des petites perturbations de la
vie habituelle (...) Ce verbe nouveau est d'un assez mauvais
style ; cependant il est régulièrement fait, comme *affec-*
tionner d'affection.   LITTRÉ, Dict., art. Émotionner.

◆ **ÉMOTIONNÉ, ÉE** p. p. et adj.
(Fin XIXᵉ ; de *émotionner*). Fam. Troublé par l'émotion.
Un air tout émotionné. → **Ému.**

3 Landry fut, je ne sais comment, émotionné de la manière
dont la petite Fadette parlait humblement et tranquillement de sa laideur.
          G. SAND, la Petite Fadette, XIX, p. 130.

4 N'est-ce pas que j'ai du flair ? J'avais vu du premier coup
que la petite ferait de l'effet ! J'en suis encore tout émotionné !   A. ROBIDA, le Vingtième Siècle, p. 109.

Nom :
Un choc émotionnel violent peut sensibiliser le sujet à
des événements insignifiants comme s'il s'était produit une
véritable anaphylaxie : l'émotionné est devenu un émotif.
          Jean DELAY, la Psycho-physiologie humaine, p. 28.

DÉR. **Émotionnable, émotionnant.**

ÉMOTIVITÉ [emɔtivite] n. f. — 1877 ; de *émotif.*
Capacité de ressentir des émotions. — Caractère
d'une personne émotive. *C'est un enfant d'une*
grande émotivité. → **Impressionnabilité, sensibilité.**

1 La femme est plus émotive que l'homme ou tout au moins
manifeste davantage son émotivité. Chez elle, certaines
stimulations donneront des réactions inexistantes chez
l'homme.   A. BINET, Vie sexuelle de la femme, p. 42.

Caractér. Un des éléments essentiels du caractère
(opposé à *l'activité*). *L'émotivité est l'une des bases*
essentielles de l'affectivité.

2 (...) aucun événement subi par nous (...) ne peut se produire sans nous émouvoir à quelque degré, c'est-à-dire
sans provoquer dans notre vie organique et psychologique
un ébranlement plus ou moins fort (...) Dans l'ordre de la
connaissance l'émotivité doit entraîner (...) l'attachement
du sujet ému à ce qui l'émeut.
          René LE SENNE, Traité de caractérologie, p. 63.

CONTR. **Inémotivité.** ◊ COMP. **Hyperémotivité.**

ÉMOTTAGE [emɔtaʒ] n. m. — 1835; de *émotter*.
Agric. Action d'émotter (un champ labouré);
résultat de cette action. — REM. On a dit aussi *émot-tement*.

ÉMOTTER [emɔte] v. tr. — 1551, *esmotter*; de *é-,
motte*, et suff. verbal.
Agric. Débarrasser (un champ labouré) des mottes
de terre restées entières, en les brisant (en vue
d'ameublir la terre et de la préparer à recevoir les
semences). → **Herser, rouler.**
DÉR. Émottage, émotteur, émotteuse, émottoir.

ÉMOTTEUR, EUSE [emɔtœʀ, øz] n. — 1606; 1531,
esmoteur; de *émotter*.
Agric. Qui émotte. *Rouleau émotteur, herse émotteuse.* → **Émotteuse.** *Émotteur-cribleur.*
N. m. (1922). Agric. et techn. Rouleau servant à
émotter la terre. — Rouleau servant à concasser
le sucre. → **Concasseur.**

ÉMOTTEUSE [emɔtøz] n. f. — 1880; de *émotter*.
Agric. Herse servant à émotter un champ labouré.

ÉMOTTOIR [emɔtwaʀ] n. m. — 1836; XIVᵉ, *esmotouer*;
de *émotter*.
Agric. Outil servant à émotter la terre.

ÉMOU [emu] n. m. → **Émeu.**

ÉMOUCHER [emuʃe] v. tr. — 1611; XIIIᵉ, *esmochier*;
de *é-, mouche*, et suff. verbal.

♦ **1** Rare. Débarrasser (un animal) des mouches, en
les chassant. *Émoucher un cheval.* — Pron. *Les chevaux s'émouchent avec leur queue.*
— Vous voyez cette jument, Steeny ? Hé bien ! vous la
retrouverez ici-même, elle n'aura pas remué une patte,
sinon pour s'émoucher. On ne l'attache jamais.
                    BERNANOS, Monsieur Ouine, p. 16.

♦ **2** (1690; 1549 «ombelle»). Vx. Débarrasser (un
fleuret) de la mouche, du bouton. → **Démoucheter.**
DÉR. Émouchette, émoucheur, émouchoir, émouchure.

ÉMOUCHET [emuʃɛ] n. m. — 1740; *esmouchet*, 1558;
é- d'après *épervier, émerillon*; de l'anc. franç. *moschet,
mouchet* «mâle de l'épervier», proprt «petite mouche»,
en raison de la petite taille de l'oiseau.
Rapace de petite taille. → **Autour, épervier, faucon,
hobereau.** *Émouchet rouge.* → **Crécerelle** (→ Circulairement, cit. 1).

1   Rien que le cri des émouchets qui planent et tournoient (...)
                    Jérôme et Jean THARAUD, Marrakech..., IV, p. 86.
2   Un clocher grêle planait en forme d'émouchet déployé,
     immobile comme l'ombre de sa proie.
                    A. JARRY, les Jours et les Nuits, Pl., p. 764.

ÉMOUCHETAGE [emuʃtaʒ] n. m. — 1892; de *émoucheter*.
Techn. Action d'émoucheter (2.). *Émouchetage du
lin. Déchet d'émouchetage.* → **Émouchure.**

ÉMOUCHETER [emuʃte] v. tr. — [CONJUG.: *jeter.*] — 1838;
esmoucheter, XVIᵉ; de *é-, mouche*, et suff. verbal *-eter*.

♦ **1** Rare. Débarrasser (un fleuret) de sa mouche.
(On dit plutôt *démoucheter*). — Casser la pointe d'un
instrument aigu. *Émoucheter un poinçon.*

♦ **2** (1845). Techn. Débarrasser (les fibres de lin, les
rubans) de leurs impuretés.
CONTR. (Du sens 1) Moucheter. ◊ DÉR. Émouchetage.

ÉMOUCHETTE [emuʃɛt] n. f. — 1690; 1549,
«ombelle»; de *émoucher*, et suff. *-ette*.
Caparaçon fait d'un réseau de cordelettes pendantes et servant à protéger un cheval contre les
mouches.

ÉMOUCHEUR, EUSE [emuʃœʀ, øz] n. — XVIIᵉ; de
émoucher.
Vx. Celui, celle qui émouche. *Un émoucheur de chevaux.*

ÉMOUCHOIR [emuʃwaʀ] n. m. — XVIIᵉ; *esmecheor*
au XIIIᵉ; de *émoucher*.
Techn. Queue de cheval attachée à un manche et
qui sert à émoucher. → **Chasse-mouches.**

ÉMOUCHURE [emuʃyʀ] n. f. — Fin XIXᵉ; de *émoucher*,
2.
Techn. (le plus souvent au plur.). Déchet provenant de
l'émouchetage du lin. *Des émouchures.*

ÉMOUDRE [emudʀ] v. tr. [CONJUG.: *moudre.*] — 1636;
esmoldre, v. 1155; *esmoudre*, XIIIᵉ; du lat. pop. *exmo-
lere*, du lat. impérial *emolere* «moudre entièrement», de
ex-, et *molere*. → Moudre.
Rare et techn. Aiguiser* sur la meule. → **Affiler,
repasser.** *(Faire) émoudre un couteau, des ciseaux.
Meule à émoudre.* → aussi **Émoulu.**
DÉR. Émoulage, émouleur, émoulu.

ÉMOULAGE [emulaʒ] n. m. — 1611, *esmoulage*; de
émoudre.
Rare et techn. Action d'émoudre; résultat de cette
action. *Émoulage d'une lame de couteau.*

ÉMOULEUR, EUSE [emulœʀ, øz] n. — 1313; de
émoudre.
Rare et techn. Artisan, personne qui aiguise les instruments tranchants. → **Rémouleur, repasseur.**
COMP. Rémouleur.

ÉMOULU, UE [emuly] adj. — Déb. XIIᵉ; p. p. de
émoudre.

♦ **1** Vx. Qui est bien aiguisé. *Lame émoulue.*
Loc. (littér.). *Se battre à fer émoulu :* combattre dans
un tournoi avec des armes affilées, contrairement
à l'usage ordinaire suivant lequel les armes étaient
émoussées et rabattues.
Ce pas d'armes n'était pas dangereux; on n'y combattait   1
pas à fer émoulu.
                    VOLTAIRE, Essai sur les mœurs, XCIX.

♦ **2** (Av. 1615). Fig. et cour. **ÊTRE FRAIS, FRAÎCHE
ÉMOULU(E) DE :** être fraîchement, récemment sorti
de... *Jeune fille fraîche émoulue du collège. Ingénieur
frais émoulu de l'école. Il est frais émoulu de sa province* (→ Dégourdir, cit. 4).
— Vous avez beau raisonner : Monsieur est frais émoulu   2
du collège, et il vous donnera toujours votre reste.
                    MOLIÈRE, le Malade imaginaire, II, 6.

ÉMOUSSAGE [emusaʒ] n. m. — 1838; de 2. *émousser*.
Arbor. Action d'émousser (un arbre); résultat de
cette action. *L'émoussage d'un arbre, des tuiles d'un
toit.*

ÉMOUSSEMENT [emusmã] n. m. — 1641; de
1. *émousser.*

◆ **1** Action de rendre moins tranchant, moins
pointu. *L'émoussement d'une épée, d'un rasoir,
d'un couteau. L'émoussement des dents, des griffes
d'un animal.*

◆ **2** (1851). Fig. Action de rendre moins incisif,
moins sensible; résultat de cette action. → **Affaiblissement, atténuation.** *L'émoussement du désir, de
la curiosité.*

---

1. ÉMOUSSER [emuse] v. tr. — XIVᵉ; de é-, et de
3. *mousse.*

◆ **1** (XVIᵉ). Rendre moins coupant, moins aigu;
rendre mousse*. *Émousser la pointe d'un couteau.*
→ **Désappointer, épointer.** *Émousser une épée en la
rabattant. Émousser un fleuret avec une mouche**
(→ **Moucheter**), *un bouton*; émousser une lance avec
une morne.* — Par métaphore :

1 La force blesse. Le regard qui pénètre les cœurs est un
poignard pour eux : on lui en veut de la piqûre, fût-il
de la pointe la plus fine, et quand il l'émousserait dans
l'effusion des plus tendres larmes.
André SUARÈS, Trois hommes, «Dostoïevski», v,
p. 246.

◆ **2** Fig. Rendre moins vif, moins pénétrant, moins
incisif. → **Abattre, affaiblir, amortir, atténuer, diminuer, endormir.** *Émousser la sensibilité, la curiosité de qqn. Émousser les sens.* → **Blaser.** *L'oisiveté
émousse le goût de l'effort, l'intelligence.* → **Hébéter.**
*Les délices de Capoue émoussèrent le courage des
soldats d'Hannibal.* → **Énerver** (VX).

2 Le mariage a pour sa part l'utilité, la justice, l'honneur et
la constance (...) L'amour se fonde au seul plaisir, et l'a de
vrai plus chatouillant, plus vif et plus aigu (...) la libéralité des dames est trop profuse au mariage et émousse la
pointe de l'affection et du désir.
MONTAIGNE, Essais, III, v.

3 L'étude n'a point émoussé ta vivacité ni appesanti ta personne : la fade galanterie n'a point rétréci ton esprit ni
hébété ta raison.
ROUSSEAU, Julie ou la Nouvelle Héloïse, II, Lettre XI.

4 (...) quand l'amour perd de sa vivacité, c'est-à-dire de
ses craintes, il acquiert le charme d'un entier abandon,
d'une confiance sans bornes; une douce habitude vient
émousser toutes les peines de la vie (...)
STENDHAL, De l'amour, VI.

5 (...) je les accueillis *(les adulations)* comme la naïve expression du jugement public, à une époque où l'abondance du
médiocre avait rendu le goût indulgent et émoussé le sens
acéré des choses supérieures.
E. FROMENTIN, Dominique, p. 253.

6 À quel point l'accoutumance émousse la sensation (...) Il
suffit, pour s'en rendre compte, de l'émerveillement que
nous cause un paysage familier, inopinément retourné
dans un miroir.
GIDE, Journal, 14 août 1929.

◆ **S'ÉMOUSSER** v. pron.

◆ **1** Devenir moins aigu, moins tranchant. *La lame
de ce rasoir s'est émoussée.*

◆ **2** Fig. Devenir moins vif, moins fort. *Violence,
sentiment, douleur, force qui s'émousse. Notre sensibilité semble s'émousser avec l'âge.* → **Rêve,** cit. 3.

7 C'est une femme belle et de riche encolure,
Qui laisse dans son vin traîner sa chevelure.
Les griffes de l'amour, les poisons du tripot,
Tout glisse et tout s'émousse au granit de sa peau.
BAUDELAIRE, les Fleurs du mal, «Allégorie».

8 Le rayon de midi dans nos fraîcheurs s'émousse.
HUGO, la Légende des siècles, XII, II.

9 (...) ce regard de myope, aigu et décidé, s'était comme
émoussé (...)
MARTIN DU GARD, les Thibault, t. III, p. 206.

◆ **ÉMOUSSÉ, ÉE** p. p. et adj.

◆ **1** Qui est devenu moins pointu, moins tranchant.
→ 3. **Mousse, obtus.** *Rasoir émoussé. Lame émoussée.
Pointe émoussée. Armes émoussées.* → **Arme** (armes
courtoises, *infra* cit. 40). *Griffes émoussées.* — Par métaphore :

10 La justice et la vérité sont deux pointes si subtiles que
nos instruments sont trop émoussés pour y toucher exactement. PASCAL, Pensées, II, 83.

Blason. *Instruments émoussés,* figurés sans pointe
sur l'écu.

◆ **2** Fig. Devenu moins sensible, moins incisif. *Sen-
sations émoussées* (→ **Blaser,** cit. 4). *Goût émoussé.*
→ **Usé** (→ **Breuvage,** cit. 2). *Esprit émoussé.* → **Hébété.**
Intérêt émoussé. Sensibilité, curiosité émoussée.
→ **Atténué, affaibli.**

11 (...) mais sa sensibilité était émoussée autant que son
énergie, et le spectacle de cette détresse, au lieu d'exalter
la sienne, la paralysait.
MARTIN DU GARD, les Thibault, t. IV, p. 180.

**CONTR. Acérer, aiguiser, appointer, appointir; affiner, déve-
lopper.** ◇ **DÉR. Émoussement.**

---

2. ÉMOUSSER [emuse] v. tr. — 1549, *esmousser;* de
1. *mousse.*

Arbor. Débarrasser (un arbre) des mousses, des
lichens dont il est recouvert. — Par anal. *Émousser
un toit, un gazon.*

DÉR. Émoussage, émoussoir.

ÉMOUSSOIR [emuswar] n. m. — 1761; de 2. *émousser.*
Arbor. Outil servant à émousser les arbres.
Émousser l'écorce d'un arbre avec un émoussoir.

ÉMOUSTILLANT, ANTE [emustijã, ãt] adj. — 1854,
Flaubert; p. prés. de *émoustiller.*
Qui émoustille. *Vin émoustillant.* — Fig. Excitant.
Sourire émoustillant. Beauté émoustillante. → **Capi-
teux.**

ÉMOUSTILLER [emustije] v. tr. — 1705; *amoustiller,*
1534, Rabelais; de *moustille* «moût, vin nouveau», de
moust, «vin nouveau, pétillement du vin». → 1. **Mousse.**
Exciter à la gaieté, mettre de bonne humeur.
→ **Animer, exciter, fouetter, réveiller.** *Émoustiller ses
convives par des histoires drôles.* — Absolt. *Le champagne émoustille.*

1 En lui faisant apprendre à chanter, en lui donnant un
jeune maître, elle faisait de son mieux pour l'émoustiller; mais cela ne réussit point.
ROUSSEAU, les Confessions, V.

Par ext. Mettre en excitation. *Émoustiller les sentiments, la jalousie (de qqn).* → **Provoquer.**

2 Il les amusait par ses boutades, les émoustillait par sa
bonne humeur (...)
J. ROMAINS, les Hommes de bonne volonté, t. V,
VIII, p. 68.

◆ **ÉMOUSTILLÉ, ÉE** p. p. adj. Mis en gaieté, excité.
Avoir l'air tout émoustillé.

3 (...) c'étaient les cris de joie, les éclats de rire des petits-
cousins et des petites-cousines qui commençaient à se
sentir très émoustillés par le cidre.
LOTI, Pêcheur d'Islande, p. 247.

CONTR. Assoupir, calmer, refroidir. ◇ **DÉR. Émoustillant.**

ÉMOUVANT, ANTE [emuvã, ãt] adj. — 1834;
«effectif», fin XVIᵉ; p. prés. de *émouvoir.*

Qui émeut, qui fait naître une émotion d'espèce supérieure (compassion, admiration...). → **Attendrissant, dramatique, impressionnant, navrant, pathétique, saisissant, tragique, troublant.** *Un récit, un spectacle émouvant. Discours émouvant.* → **Éloquent.** *Une émouvante cérémonie* (→ Caserner, cit. 2). *Scène émouvante. Découvrir la trace émouvante des civilisations* (→ Couche, cit. 9). *Un paysage émouvant; une nudité émouvante.* → **Touchant.** *C'est très émouvant.* → **(plus forts) Poignant, bouleversant.**

1 Nous étions seul à seule et marchions en rêvant,
Elle et moi, les cheveux et la pensée au vent;
Soudain, tournant vers moi son regard émouvant (...)
VERLAINE, Poèmes saturniens, «Nevermore».

2 Sous cette meurtrière ironie, la petite maison de Marie-Anne Sellier restait les volets clos, émouvante de silence et de tristesse.
M. BARRÈS, la Colline inspirée, p. 198.

CONTR. Calmant, froid.

ÉMOUVOIR [emuvwar] v. tr. [CONJUG.: *mouvoir*, mais le p. p. *ému* ne prend pas l'accent circonflexe.] — XVIᵉ; 1080, *esmoveir; esmouvoir,* XIIIᵉ; du lat. pop. **exmovere,* du lat. class. *emovere* «mettre en mouvement», de *ex-,* et *movere.* → Mouvoir.

A ♦ **1** Vx. ou littér. Mettre en mouvement. *Émouvoir une porte,* l'ébranler. → **Agiter, ébranler, mouvoir** (→ Durée, cit. 5).

1 Six chevaux attelés à ce fardeau pesant
Ont peine à l'émouvoir sur le pavé glissant.
BOILEAU, Satires, VI.

2 J'erre; un vent tiède émeut les bois (...)
HUGO, la Légende des siècles, XXXIX, «L'amour».

3 Aucun souffle n'émouvait le maigre platane.
F. MAURIAC, la Pharisienne, I, p. 10.

4 Trois ou quatre images, s'ébranlant l'une l'autre, comme le pendule émeut le pendule synchrone (...)
MONTHERLANT, la Relève du matin, VII, p. 118.

♦ **2** (1196). Vx. Faire naître, susciter (une querelle, un débat). → **Provoquer, soulever.** — *Émouvoir une question,* la soulever.

♦ **3** (XIIIᵉ). Vieilli. Faire sortir du calme (une collectivité); pousser au soulèvement. → **Exciter.** *Ces bruits de guerre ont ému les esprits.*

5 M. de Beaufort ne savait pas que qui assemble le peuple l'émeut toujours.
RETZ, Mémoires, IV, 169.

♦ **4** (1673). Vieilli. Agiter, troubler (en parlant des fonctions organiques d'un individu). → **Déranger, dérégler, ébranler; sang** (tourner le sang). *Émouvoir les humeurs. Émouvoir le pouls. Émouvoir la bile, la colère de quelqu'un.*

6 Et je vais lui dicter une lettre d'un style
Qui de madame Argante émouvra bien la bile.
J.-F. REGNARD, le Légataire universel, II, 6.

7 — Un coup d'épée dans le cœur, ajouta-t-elle, m'aurait moins ému le sang.
Abbé PRÉVOST, Manon Lescaut, I, p. 47.

B ♦ **1** (Fin XIIᵉ, *émouvoir le cœur*). Cour. Agiter par une émotion, ébranler les fonctions psychiques ou les sensations de (qqn). → **Affecter, émotionner, troubler; alarmer, apitoyer, attendrir, atteindre, attrister, blesser, bouleverser, consterner, déchirer, empoigner, enflammer, exciter, fléchir, froisser, impressionner, inquiéter, intéresser, piquer** (au vif), **remuer, retourner, révolutionner, saisir, suffoquer, surexciter, toucher, troubler, vibrer** (faire); **cœur** (aller au cœur; allumer le cœur; parler au cœur, trouver le chemin du cœur). *Émouvoir le cœur, l'âme, la sensibilité de qqn* (→ Commun, cit. 21). — Spécialt. Éveiller l'érotisme, la sensibilité amoureuse de. *Émouvoir les sens. Émouvoir charnellement quelqu'un.*

Ces yeux que n'ont émus ni soupirs ni terreur (...) 8
RACINE, Britannicus, V, 1.

Combien peu de chose il faut pour émouvoir le cœur d'un 9
homme, d'un homme vieillissant, chez qui le souvenir se fait regret (...)
MAUPASSANT, Fort comme la mort, p. 128.

♦ **2** Toucher en éveillant une sympathie profonde, un intérêt puissant. *Émouvoir qqn* (→ Ardeur, cit. 21; chagriner, cit. 1). *Émouvoir la femme que l'on aime* (→ Croire, cit. 44). *Écrivain qui réussit à émouvoir ses lecteurs. Rien ne peut l'émouvoir. Facile à émouvoir.* → **Émotif** (→ 1. Aimant, cit. 1).

Mademoiselle Ida représente le calme. Elle a, du reste, si 10
peu à faire pour émouvoir une salle! Il lui suffit presque de la regarder; sa beauté est le plus grand moyen d'action à la scène comme à la ville.
Th. GAUTIER, Portraits contemporains, Ida Ferrier, p. 406.

Les anciens vers que vous m'envoyez m'ont tellement ému 11
que j'en ai pleuré comme un veau.
FLAUBERT, Correspondance, IV, p. 343.

Car enfin, pour émouvoir l'homme, il faut bien quelque 12
chose : désir, ou plaisir, ou besoin.
GIDE, Journal, 25 févr. 1943.

Il ne faut jamais avoir peur de la banalité d'un sujet s'il 13
vous émeut réellement.
A. MAUROIS, Bernard Quesnay, XXII, p. 146.

Loc. *Émouvoir les pierres,* en parlant d'une personne capable de toucher ce qui est réputé insensible. *Récit à émouvoir les pierres. Il serait capable d'émouvoir un caillou.*

Émouvoir de (suivi d'un complément désignant un sentiment) : porter à un sentiment. *Cette injustice l'avait ému d'indignation. Le spectacle l'émut de compassion.*

Absolt. *L'art d'émouvoir* (→ Briser, cit. 14; civilisateur, cit. 1). *Ce livre émeut agréablement* (→ Charmer, cit. 8). *On n'émeut pas sans être ému.*

Au lieu d'une horreur sérieuse et profonde, il *(Lamartine)* 14
n'a produit par ses descriptions *(de la Révolution),* comme dans un roman, qu'un genre d'impression presque nerveuse (...) Je ne dirai pas que cet ouvrage des *Girondins* émeut, mais il *émotionne* : mauvais mot, mauvaise chose.
SAINTE-BEUVE, Causeries du lundi, 4 août 1851, t. IV, p. 392.

♦ **S'ÉMOUVOIR** v. pron.

♦ **1** Vx. Être agité, se mettre en mouvement; accélérer le mouvement.

Puis, obéissant à la mesure qui devient plus vive, elle *(la* 15
danseuse) s'émeut, son pas s'anime, son geste s'enhardit.
E. FROMENTIN, Un été dans le Sahara, I, p. 33.

La mer s'émeut. Je l'entends qui gronde au large, sous une 16
nuit sans lune, sans étoiles, écrasée de nuages, et rendue plus épaisse encore par les flots de la pluie.
E. FROMENTIN, Une année dans le Sahel, p. 104.

♦ **2** Vx. (Choses). Être soulevé, naître. → **Élever** (s').

Entre deux bourgeois d'une ville 17
S'émut jadis un différend.
LA FONTAINE, Fables, VIII, 19.

♦ **3** Vieilli ou littér. Sortir de son calme ; être poussé à la révolte. → **Agiter** (s'), **insurger** (s').

À ce spectacle, le peuple s'émut : les statues de l'empereur 18
furent renversées en divers endroits (...)
BOSSUET, Disc. sur l'hist. universelle, I, 11.

♦ **4** Vx. Se troubler, se dérégler (en parlant des fonctions organiques). *Sa bile s'est émue.*

♦ **5** Mod. Se troubler (le sujet désigne les sentiments, l'équilibre psycho-physiologique) ; être ému. *Les sentiments s'émeuvent. Sa colère, sa rage, son désir* (→ Chair, cit. 54) *s'émeut.*

Sans doute à cet objet sa rage s'est émue. 19
RACINE, Andromaque, V, 5.

(...) que de sentiments s'émouvaient en lui ! 20
Paul BOURGET, Un divorce, X, p. 364.

Vx. *S'émouvoir contre...* → **Emporter** (s'), **exciter** (s'), **irriter** (s').

Absolt :

21 — Le Comte. Jeune présomptueux !
— D. Rodrigue. Parle sans t'émouvoir.
CORNEILLE, le Cid, II, 2.

S'émouvoir de (qqch.). → **Alarmer** (s'), **frapper** (se), **inquiéter** (s'). *Il ne s'en émeut pas le moins du monde.*

22 Tout ce qui concernait la sûreté civile gardait à ses yeux trop peu de mystère pour qu'il ne lui parût pas légèrement naïf de s'en émouvoir.
J. ROMAINS, les Hommes de bonne volonté, t. IV, XIX, p. 205.

S'émouvoir à l'idée, au souvenir, à la pensée de, à la vue de... S'émouvoir à propos de tout et de rien. Ne s'émouvoir de rien.

23 Bien des cœurs s'émouvaient, en France, en Europe, à cette image tragique du royal *Ecce homo*, montré sous le bonnet rouge, ferme pourtant sous les outrages, disant : «Je suis votre roi».
MICHELET, Hist. de la révolution franç., I, p. 923.

24 Il s'émouvait au souvenir d'une phrase de Beethoven ou d'un vitrail de Notre-Dame.
J. ROMAINS, les Hommes de bonne volonté, t. V, XXV, p. 240.

S'émouvoir sur qqch. : considérer quelque chose avec émotion. *Il s'émeut sur son enfance. — S'émouvoir en faveur de qqn,* parler, faire qqch. pour lui.
— Absolt. *Il s'émeut facilement.* → **Exalter** (s')...

25 Au lieu de ces sages réflexions, l'âme de Julien, exaltée par ces sons si mâles et si pleins, errait dans les espaces imaginaires. Jamais il ne fera ni un bon prêtre, ni un grand administrateur. Les âmes qui s'émeuvent ainsi sont bonnes tout au plus à produire un artiste.
STENDHAL, le Rouge et le Noir, I, XXVIII.

♦ **ÉMU, UE** p. p. et adj.

♦ **1** Vx ou littér. Mis en mouvement, agité.

26 (...) nos mers sont tout émues; il n'y a que votre Méditerranée qui soit tranquille.
Mᵐᵉ DE SÉVIGNÉ, Lettres, 1128, 26 janv. 1689.

27 (...) tu vois au moins que tout est ému et dérangé de sa place (...)
CLAUDEL, l'Annonce faite à Marie, I, 1.

♦ **2** Vx. Troublé, agité (en parlant d'un peuple, d'une foule).

28 Tout est calme, Seigneur : un moment de ma vue
A soudain apaisé la populace émue.
CORNEILLE, Nicomède, V, 9.

♦ **3** Vx. Dérangé, déréglé (en parlant des fonctions organiques).

29 Quelquefois on se représente si vivement un accident ou une maladie (...) que la machine en est tout émue, et qu'on a peine à l'apaiser.
Mᵐᵉ DE SÉVIGNÉ, Lettres, 941, 15 nov. 1684.

♦ **4** Mod. Touché par une émotion, une passion. *Être, paraître ému* (→ Altéré, cit. 12). *Il se sentait ému : était-ce la joie, la tristesse, l'inquiétude* (→ Anxieux, cit. 2), *la compassion* (cit. 1)? *Âme émue, cœur ému* (→ Allumer, cit. 20). *Il était plus ému qu'il n'en avait l'air. Je n'étais pas seulement ému, j'étais bouleversé*.* — *Qui manifeste une émotion. Parler d'une voix émue. Regrets, remerciements émus. Garder de qqch. (de qqn) un souvenir ému.*

30 Quoique très ému lui-même, il affecta jusqu'au dernier moment la plus grande gaieté. Jusqu'au dernier moment aussi il me montra la générosité de son âme et l'ardeur admirable qu'il mettait à m'aimer (...)
Alphonse DAUDET, le Petit Chose, II, IX, p. 291.

31 Un moment Robespierre parut ému, presque troublé (...)
JAURÈS, Hist. socialiste..., VI, p. 226.

Loc. *Cuisse de nymphe émue,* d'une couleur rose tendre.

Allus. plais. «*Je suis ému... Vive zému !*»... (parodie des allocutions ridicules).

CONTR. Apaiser, calmer, glacer, refroidir; laisser (laisser froid, indifférent; cf. aussi Ne faire ni chaud, ni froid); calme, froid, imperturbable, indifférent, insensible. ◊ DÉR. Émouvant.

EMPAILLAGE [ɑ̃pajaʒ] n. m. — 1811, au sens 3; de *empailler.*

♦ **1** Action d'empailler (1.). *L'empaillage d'une chaise, d'un fauteuil.* → **Cannage, rempaillage.**

♦ **2** (Mil. XIXᵉ). Action d'empailler (des végétaux). *Empaillage d'arbres fruitiers.*

♦ **3** Action d'empailler (des animaux). *L'empaillage des oiseaux.* → **Naturalisation, taxidermie.**

EMPAILLÉ, ÉE [ɑ̃paje] adj. → **Empailler.**

EMPAILLEMENT [ɑ̃pajmɑ̃] n. m. — 1838; de *empailler.*

♦ **1** Action d'empailler (1., 2. et 3.). → **Empaillage.**

♦ **2** (1842). Agric. Pailles provenant de la récolte des céréales. *L'empaillement d'une ferme,* son approvisionnement en paille.

♦ **3** (1864). Agric. Action de mettre de la litière dans le fumier pour la faire pourrir.

EMPAILLER [ɑ̃paje] v. tr. — 1660; *empaillé* «mêlé de paille», 1543; de *en-, paille,* et suff. verbal.
Garnir de paille*.

♦ **1** Garnir, couvrir de paille (un siège). *Empailler des chaises, des fauteuils.* → 1. **Canner, rempailler.**

♦ **2** (1680). Envelopper, entourer de paille (pour protéger des chocs). *Empailler de la verrerie, de la porcelaine. Empailler des bouteilles* (dans des paillons).

♦ **3** Hortic. Mettre de la paille autour de jeunes arbres, de jeunes plantes, en vue de les garantir des intempéries. — *Empailler une couche, un semis.* — Par anal. *Empailler une conduite d'eau, une fontaine,* pour la protéger de la gelée.

♦ **4** Remplir, bourrer de paille (la peau d'animaux morts que l'on veut conserver). → **Naturaliser; taxidermie.** *Empailler un renard, une effraie.*

♦ **EMPAILLÉ, ÉE** p. p. adj.
Rempli de paille. *Oiseau empaillé* (→ Cage, cit. 1).

1 (...) dans l'ombre, un renard, un loup empaillé, ouvraient une gueule de carton, vestiges des chasses de sa jeunesse.
J. CHARDONNE, les Destinées sentimentales, p. 11.

Fig., fam. *Avoir l'air empaillé :* avoir l'air niais*, peu dégourdi. → **Empoté, gauche, maladroit.**

Nom : *Quel empaillé !* → **Emplâtre, empoté.**

2 I's appellent la baïonnette Rosalie, pas?
— Oui, ces empaillés-là. Mais pendant l'dîner, ces messieurs parlaient surtout d'eux.
H. BARBUSSE, le Feu, t. I, I, IX, p. 52.

CONTR. Dépailler; dégourdi. ◊ DÉR. Empaillage, empaillement, empailleur. ◄ COMP. Rempailler.

EMPAILLEUR, EUSE [ɑ̃pajœr, øz] n. — 1860; de *empailler.*

♦ **1** Artisan, personne qui empaille les sièges. *Empailleur de chaises.* → **Canneur, rempailleur.**

♦ **2** (1801). Personne qui empaille les animaux. → **Naturaliste, taxidermiste.** *Un empailleur d'oiseaux.*

1. EMPALEMENT [ɑ̃palmɑ̃] n. m. — Fin XVIᵉ; de *empaler*.

Action d'empaler, de s'empaler; état de celui qui est empalé. Spécialt. Supplice du pal*. *L'empalement était l'un des supplices les plus cruels.*

2. EMPALEMENT [ɑ̃palmɑ̃] n. m. — 1704; *empellement*, 1584; de em- (en-), 1. *pale*, et *-ement*.

Techn. Petite vanne d'une écluse, d'un moulin. — REM. On trouve parfois la variante *empellement* (p.-ê. sous l'influence de *pelle*).

On en réglait le cours des eaux vers les bassins de tri (...) par un jeu d'empellements de fer, de portes grillagées. (...)
M. GENEVOIX, Raboliot, 1925, p. 18, *in* T.L.F.

EMPALER [ɑ̃pale] v. tr. — V. 1265, «mettre entre des poteaux»; de em- (en-), *pal*, et suff. verbal.

♦ **1** Transpercer d'un pal*, d'un pieu. — (1515). Spécialt. Faire subir le supplice du pal* à (qqn), en transperçant d'un pieu dont on fait entrer la pointe par le fondement. *Les Turcs empalaient les condamnés à mort.*

1   (...) un troisième *(derviche)* vous déférera au petit divan d'une petite province, et vous serez légalement empalé.
VOLTAIRE, Dict. philosophique, Sens commun.

♦ **2** (XVIIIᵉ). Par ext. Fixer (qqch., un animal) sur un objet pointu en le traversant de part en part. *Empaler un mouton pour le faire rôtir.* → **Embrocher.** — *Empaler des insectes.*

2   (...) je passerais ma vie à me mettre hors d'haleine pour courir après des papillons, à empaler de pauvres insectes (...)
ROUSSEAU, Rêveries..., 7ᵉ promenade.

3   (...) on les apporte *(les moutons rôtis)* empalés dans de longues perches et tout frissonnants de graisse brûlante (...)
E. FROMENTIN, Un été dans le Sahara, p. 20.

Par métaphore et littér. *Être empalé sur...* : se tenir (debout, assis) dans une attitude raide et guindée (comme si on était empalé).

4   Elle devint un symbole bien droit et bien net, clair ou sombre, une espèce d'I triomphal sur quoi il était empalé tout entier.
J.-M. G. LE CLÉZIO, la Fièvre, p. 75.

♦ **S'EMPALER** v. pron.

Se blesser en tombant sur un objet pointu qui s'enfonce dans le corps à la manière d'un pal. *S'empaler sur une grille, une fourche.*

DÉR. 1. *Empalement.*

EMPALMAGE [ɑ̃palmaʒ] n. m. — 1870; de em- (en-), lat. *palma* «paume», et suff. *-age*.

Techn. Manipulation d'un illusionniste consistant à escamoter un objet (carte, boule, pièce, etc.), la main paraissant vide.

EMPALMER [ɑ̃palme] v. tr. — 1907; de em- (en-), et *palm-*, dans *empalmage*.

Techn. Escamoter (qqch.) par un empalmage.

EMPAN [ɑ̃pɑ̃] n. m. — 1532, Rabelais; altér. de l'anc. franç. *espan*, XIIᵉ, de *espane*, francique *spanna*; cf. all. *Spanne*; P. Guiraud y voit plutôt la forme *expannus* «étendue (de la main)», du lat. *pannus* «étendue», par croisement éventuel avec *espanir* «épanouir».

♦ **1** Vx. ou littér. Mesure de longueur qui représentait l'intervalle compris entre l'extrémité du pouce et celle du petit doigt, lorsque la main est ouverte le plus possible.

1   (...) Et toi qui me suis en rampant
    Dieu de mes dieux morts en automne
    Tu mesures combien d'empans
    J'ai droit que la terre me donne
    Ô mon ombre ô mon vieux serpent (...)
APOLLINAIRE, Alcools,
«La chanson du mal-aimé», p. 28.

Par ext. (Vx). Intervalle compris entre l'extrémité des deux bras lorsqu'ils sont écartés.

2   (...) elle prenait de l'eau avec un capuchon d'avoine, a *(elle)* tirait sa moue d'un empan a faisait voir ses belles dents, branlait du croupion comme pomme au vent.
J. GIONO, Colline, Pl., t. I, p. 142.

♦ **2** Fig. et littér. Ampleur, envergure.

3   Où que je tourne la tête j'envisage l'immense octave de la création ! le monde s'ouvre et, si large qu'en soit l'empan, mon regard le traverse d'un bout à l'autre.
CLAUDEL, Cinq grandes odes, p. 240.

♦ **3** Psychol. *Empan de mémoire* : nombre maximal d'éléments constituant une série qui peut être mémorisée en une seule fois.

EMPANACHAGE [ɑ̃panaʃaʒ] n. m. — 1870; de *empanacher*.

Littér. Action d'empanacher, d'être empanaché; résultat de cette action. *L'empanachage du style.* — REM. On trouve parfois *empanachement* : «Sous l'empanachement de grandes plumes» (Ed. de Goncourt, *in* T.L.F.).

EMPANACHER [ɑ̃panaʃe] v. tr. — 1636; *empennaché*, v. 1500; de em- (en-), *panache*, et suff. verbal.

REM. S'emploie surtout au participe passé.

♦ **1** Garnir, orner d'un panache*. *Empanacher un chapeau, un casque.* — Par métaphore. Garnir d'un ornement qui surmonte une chose à la façon d'un panache.

0.1   Depuis ce jour, les vapeurs ne cessèrent d'empanacher la cime de la montagne, et l'on put même reconnaître qu'elles gagnaient en hauteur et en épaisseur, sans qu'aucune flamme se mêlât à leurs épaisses volutes.
J. VERNE, L'Île mystérieuse, t. II, p. 781 (1874).

♦ **2** (XIXᵉ). Orner de fioritures, de redondances. *Empanacher son style, son discours.*

♦ **EMPANACHÉ, ÉE** p. p. adj.

♦ **1** Garni d'un panache. *Feutre empanaché.* — Par ext. *Tête empanachée.*

1   Une tête empanachée
    N'est pas petit embarras (...)
LA FONTAINE, Fables, IV, 6.

2   (...) les cinq Directeurs, dans leur costume tintamarresque, sous les chapeaux empanachés et les manteaux rouges brodés d'or (...)
Louis MADELIN, Hist. du Consulat et de l'Empire,
L'ascension de Bonaparte, XV, p. 212.

Par métaphore. Garni, surmonté comme par un panache.

3   (...) dans le parc empanaché de gigantesques ramées, sur de larges pelouses d'émeraude (...)
Aloysius BERTRAND, Gaspard de la nuit, Le maçon.

4   Le grand Atlas aux longues lignes paisibles d'où surgissaient des pics éblouissants, de hauts cimiers empanachés de neige (...)
Jérôme et Jean THARAUD, Marrakech, p. 61.

♦ **2** (En parlant du style, de l'écriture). Littér. Très orné. *Style empanaché. Des compliments empanachés.*

DÉR. *Empanachage.*

EMPANNAGE [ɑ̃panaʒ] n. m. — XXᵉ; de *empanner*.

Mar. Action d'empanner. *Un empannage involontaire. L'empannage est une manœuvre délicate.*

EMPANNER [ɑ̃pane] v. — 1703; de en-, 2. *panne*, et suff. verbal.

Marine.

♦ **1** Trans. Mettre (un navire) en panne* (2. Panne).

Pronominal :

Un des petits torpilleurs qui s'étaient empannés près de la côte, démarra brutalement, piqua vers le large (...)
Robert MERLE, Week-end à Zuydcoote, p. 86.

Au p. p. *Navire empanné.*

♦ **2** (1870). Intrans. Faire passer la grand-voile d'un bord à l'autre, volontairement ou non, en virant de bord vent arrière. *Le navire empanne. Attention, on va empanner !*

DÉR. **Empannage.**

EMPANNON [ɑ̃panɔ̃] n. m. — 1676 ; de *em-* (*en-*), de l'anc. franç. *panne* «pièce de charpente qui porte les chevrons», et suff. *-on.*

Techn. Chevron reposant sur la sablière et assemblé obliquement depuis l'arêtier, dans la charpente d'un comble. *Empannon de long pan,* placé sur le plus grand côté d'une toiture.

EMPANSEMENT [ɑ̃pɑ̃smɑ̃] n. m. — Fin XIXᵉ, in P. Larousse ; de *em-* (*en-*), *panse,* et suff. *-ement.*

Vétér. Météorisme* des bestiaux.

EMPAQUETAGE [ɑ̃paktaʒ] n. m. — 1813 ; de *empaqueter.*

♦ **1** Action d'empaqueter ; résultat de cette action. → **Emballage.** *L'empaquetage d'un colis. Poids net à l'empaquetage.*

♦ **2** Par métonymie (fam.). Ce qui est empaqueté. → **Ballot, colis, paquet ; paquetage.**

EMPAQUETER [ɑ̃pakte] v. tr. [CONJUG.: *jeter.*] — XVᵉ-XVIᵉ ; de *em-* (*en-*), *paquet,* et suff. verbal.

Mettre en paquet*. *Empaqueter du linge, des effets, des livres.* → **Emballer.**

Par ext. Envelopper (qqn) comme un paquet. *Empaqueter un malade, un défunt* (→ 1. Bien, cit. 31).

♦ **S'EMPAQUETER** v. pron.

Fig. et fam. S'envelopper soigneusement (dans des vêtements). → **Emmitoufler** (s'). *Il s'empaqueta dans son manteau* (Académie).

(...) le second, mis beaucoup plus simplement, engouffre ses petites jambes dans un grand pantalon à la mameluk, retombant sur ses babouches microscopiques, et s'empaquette dans un benich à manches traînantes (...)
Th. GAUTIER, Constantinople, p. 317.

♦ **EMPAQUETÉ, ÉE** p. p. adj.

Fig. (Personnes). Niais. — N. *Espèce d'empaqueté !*

CONTR. **Dépaqueter.** ◊ DÉR. **Empaquetage, empaqueteur, empaqueteuse.** – COMP. **Rempaqueter.**

EMPAQUETEUR, EUSE [ɑ̃paktœʀ, øz] n. — XXᵉ ; de *empaqueter.*

Ouvrier, ouvrière qui fait des paquets, remplit des boîtes à la main. *Pour toute réclamation, veuillez rappeler le numéro de l'empaqueteuse.*

C'est Hagelstroem qui parle, l'inventeur des allumettes suédoises. Johann August Suter est garçon livreur, empaqueteur et comptable chez lui.
B. CENDRARS, l'Or, in Œ. compl., t. II, p. 145.

EMPAQUETEUSE [ɑ̃paktøz] n. f. — Mil. XXᵉ ; de *empaqueter.*

Techn. Machine qui fait les paquets.

EMPARADISEMENT [ɑ̃paʀadizmɑ̃] n. m. — 1866 ; de *emparadiser.*

Rare et littér. Action d'emparadiser ; fait d'être dans un bonheur paradisiaque.

EMPARADISER [ɑ̃paʀadize] v. tr. — 1833 ; attestation isolée, 1599, fig., *de em-, paradis,* et suff. verbal.

Rare et littér. Donner à (qqn) un état de bonheur comparable à celui dans lequel on vit au paradis, un état paradisiaque*.

DÉR. **Emparadisement.**

EMPAREMENT [ɑ̃paʀmɑ̃] n. m. — 1611 ; de (*s'*) *emparer.*

Rare. Action de s'emparer (de qqch. ou de qqn) ; résultat de cette action.

(...) il *(le duc d'Enghien)* n'était point prisonnier de guerre (...) c'était un emparement violent de la personne, comparable aux captures que font les pirates de Tunis et d'Alger.
CHATEAUBRIAND, Mémoires d'outre-tombe, t. II, 1848, p. 146, in T. L. F.

EMPARER (S') [ɑ̃paʀe] v. pron. — 1514 ; «munir, fortifier», 1323 (→ Rempart) ; anc. provençal *amparar* «protéger» ; du lat. pop. **anteparare* «se protéger devant», de *ante* et *parare* «préparer, arranger».

♦ **1** Prendre violemment ou indûment possession de (quelque chose).

Prendre par les armes, par la conquête. → **Assurer** (s'), **capturer, conquérir, enlever, envahir, occuper, prendre ;** → Se rendre maître* de. *S'emparer d'une ville* (→ Algarade, cit. 1). *Les soldats se sont emparés de tout le pays* (→ Blanc, cit. 35). *S'emparer d'une place forte. L'action de s'emparer d'une ville.* → **Prise, rapt.**

Autre événement, lointain celui-là, riche, lui aussi, de conséquences. En 1453, les Turcs s'emparent de Constantinople.   J. BAINVILLE, Hist. de France, VI, p. 119.   **1**

Prendre (le bien d'autrui en général, privé ou public). → **Accaparer, approprier** (s'), **attribuer** (s'), **emporter, escroquer, intercepter, prendre, usurper, voler ;** fam. **allonger** (s'), **appuyer** (s'), **enlever, faucher, rafler, soulever...** ; → Mettre le grappin* sur ; mettre la main* sur. *S'emparer du bien d'autrui, d'un héritage, d'un trésor. S'emparer de papiers importants. S'emparer du poste, de l'emploi de qqn* (→ Croc-en-jambe, cit. 3). *S'emparer des postes-clés d'un État, d'un régime, du pouvoir. S'emparer d'un secret* (→ Confier, cit. 7).

Du palais d'un jeune lapin   **2**
Dame belette, un beau matin
S'empara : c'est une rusée.
LA FONTAINE, Fables, VII, 16.

En somme, devant l'histoire et devant le peuple français,   **3** la grande gloire de Napoléon III aura été de prouver que le premier venu peut, en s'emparant du télégraphe et de l'imprimerie nationale, gouverner une grande nation.
BAUDELAIRE, Journal intime, «Mon cœur mis à nu», XLIV.

S'emparer de ce qui ne peut se défendre, c'est une lâcheté.   **4**
GIDE, la Symphonie pastorale, p. 78.

♦ **2** Fig. (Le compl. désigne des personnes ou des qualités humaines). Se rendre maître (d'un esprit, d'une personne), au point d'exercer une domination entière, de recouvrir de son autorité, de son influence. *S'emparer du cœur, de la confiance, de la volonté, de l'attention de qqn.* → **Capter, forcer** (→ Avance, cit. 30). *S'emparer de qqn,* ne pas lui laisser de liberté, l'accaparer. *Orateur qui s'empare de son auditoire.* → **Subjuguer.** *Comédien, virtuose qui s'empare du public dès les premiers moments.* → **Conquérir.**

Personne ne conspire avec la pauvre Julie pour s'emparer   **5** de ta volonté et la lui amener pieds et poings liés.
E. FROMENTIN, Dominique, p. 234.

Elle sentait, de seconde en seconde, qu'il s'emparait d'elle   **6** davantage : et, réciproquement, qu'il lui appartenait davantage, dans la mesure même où il cédait à son amour.
MARTIN DU GARD, les Thibault, t. VI, p. 162.

(Sujet n. de chose). → **Envahir, gagner.**

7 *(...)* l'ombre s'empare du côté du pays que la chaleur a fatigué pendant l'autre moitié du jour ; tout semble un peu soulagé.

      E. FROMENTIN, *Un été dans le Sahara*, p. 192.

(Le sujet désigne un état, un sentiment, une idée). Prendre possession de *(qqn). Le sommeil s'empara de lui.* → **Gagner** (→ Défaillir, cit. 7). *La rêverie s'empara de toute son âme* (→ Contemplateur, cit. 7). → **Envahir.** *Émotion, colère, hilarité, peur... qui s'empare de qqn. Idée, doctrine, manie qui s'empare d'un esprit.* → **Occuper.** *Spectacle qui s'empare des yeux, de l'attention.* → **Capter, fasciner.**

8 *(La première figure)* Riche d'un agrément, d'un brillant de grandeur
Qui s'empare d'abord des yeux du spectateur *(...)*
      MOLIÈRE, *la Gloire du Val-de-Grâce*, 94.

9 Les vertus devraient être sœurs,
Ainsi que les vices sont frères.
Dès que l'un de ceux-ci s'empare de nos cœurs,
Tous viennent à la file, il ne s'en manque guère.
      LA FONTAINE, *Fables*, VIII, 25.

10 Un vertige s'emparait de lui *(...)*
      RENAN, *Souvenirs d'enfance...*, IV, II.

11 L'idée, d'ailleurs plausible, d'une embolie provoquée par les troubles phlébitiques, s'était immédiatement emparée de son esprit.
      MARTIN DU GARD, *les Thibault*, t. III, p. 194.

12 Le démon de la vitesse et du joyeux vagabondage ne s'était pas encore emparé du monde.
      Georges LECOMTE, *Ma traversée*, p. 91.

♦ **3** Se saisir de *(qqch.)* en vue d'une utilisation, d'une jouissance. *Le joueur, le gardien de but s'empare du ballon.* — Fig. *Cet intrigant s'empare de toutes les occasions* (→ Faire flèche* de tout bois). — Abstrait. *C'est un esprit qui s'empare d'une idée et l'exploite jusqu'au bout. Son imagination, son intelligence s'emparait du moindre fait pour en tirer des idées brillantes.*

13 La nuit, quand de si loin le monde nous sépare,
Quand je rentre chez moi pour tirer mes verrous,
De mille souvenirs en jaloux je m'empare ;
Et là, seul devant Dieu, plein d'une joie avare,
J'ouvre, comme un trésor, mon cœur tout plein de vous.
      A. DE MUSSET, *Poésies nouvelles*, «À Ninon».

14 Le critique ne doit pas s'emparer méchamment des faiblesses que présentent souvent les plus beaux talents, de même que l'histoire ne doit point abuser des petitesses qui se rencontrent dans presque tous les grands caractères.
      HUGO, *Littérature et philosophie mêlées,
Fantaisies satiriques et morales.*

15 Tout ce que j'écris ce matin, j'aurais dû le noter aussitôt ; le temps m'a manqué. Ce travail de simplification, d'ordonnance, auquel se livre malgré moi mon esprit sur tout ce dont il s'empare, travail excellent s'il aboutit à l'œuvre d'art, est déplorable ici où le particulier importe plus que l'essentiel.   GIDE, *Journal*, 19 mai 1913.

Figuré :

16 La puissante lumière de l'été s'empare *(...)* du moindre objet, l'exhume, le glorifie ou le dissout.
      COLETTE, *la Naissance du jour*, p. 119.

S'approprier (une chose abstraite) comme un dû exclusif.

17 Les grands croient être seuls parfaits, n'admettent qu'à peine dans les autres hommes la droiture d'esprit, l'habileté, la délicatesse, et s'emparent de ces riches talents comme de choses dues à leur naissance.
      LA BRUYÈRE, *les Caractères*, IX, 19.

CONTR. Abandonner, laisser, négliger, perdre ; rendre, restituer ; choquer, rebuter. ◊ **DÉR.** Emparement.

EMPÂTAGE [ɑ̃pataʒ] n. m. — 1838 ; de *empâter.*
Technique.

♦ **1** Action de mélanger la lessive caustique avec un corps gras dans la fabrication du savon.

♦ **2** (Brasserie). Action de mélanger le malt moulu et l'eau avant le brassage.

♦ **3** Action de mélanger de la semoule de blé et de l'eau, dans la fabrication des pâtes.

REM. Ne pas confondre avec le paronyme *empattage* [ɑ̃pataʒ].

EMPÂTÉ, ÉE [ɑ̃pate] adj. → **Empâter.**

EMPÂTEMENT [ɑ̃pɑtmɑ̃] n. m. — 1600 ; «action d'embarrasser», v. 1355 ; de *empâter.*

♦ **1** Action d'empâter, de couvrir de pâte ; résultat de cette action. — (Souvent au plur.). Amas de pâte ou d'une matière analogue. *Des empâtements de boue, de glace.*

♦ **2** (1752). Peint. *Empâtement* (de couleurs) : couches épaisses de couleurs (pour produire un relief).

Il y a un défaut *(...)* spécialement dans la femme attachée au cheval ; cela manque de vigueur et d'empâtement.
      E. DELACROIX, *Journal*, 11 avr. 1824.

Gravure. Effet du même ordre obtenu en augmentant la densité des tailles et des hachures.

Imprim. Obstruction de l'œil d'une lettre (par un défaut d'encrage ou de papier).

Par ext. (Péj.). Surcharge dans l'écriture. *Empâtement du style.*

♦ **3** (1798). Épaississement diffus du tissu sous-cutané, produisant un effacement des traits (→ Bouffissure). *L'empâtement des joues, du menton.* — *Empâtement de la bouche, de la langue,* surcharge provoquée par la salive, par une matière pâteuse. — Par ext. Manque de netteté dans la voix. *Empâtement de la parole.*

♦ **4** Agric. Action d'engraisser (des volailles). → **Engraissement.**

REM. Ne pas confondre avec le paronyme *empattement* [ɑ̃patmɑ̃].

EMPÂTER [ɑ̃pate] v. tr. — Déb. XIIIᵉ, *empaster,* intr. ; de em- (en-), *pâte,* et suff. verbal.

♦ **1** Techn. Couvrir, remplir *(qqch.)* de pâte, de matière pâteuse. *Empâter les plaques d'un accumulateur* (d'une pâte de minium). *Empâter un moule.*

♦ **2** (1694). Cour. Surcharger *(qqch., la bouche...)* d'une matière épaisse, rendre pâteux. → **Encombrer.** *Alcool qui empâte la langue.* Par ext. *Empâter la voix,* lui faire perdre sa netteté.

♦ **3** Techn. Enduire de plâtre ou d'une matière similaire (des éléments pour les unir). — Mélanger (un produit solide) avec de l'eau pour obtenir une pâte homogène (→ Empâtage, 2.).

(1669). Peint. Peindre en posant des couleurs en couches épaisses (→ Empâtement). *Empâter un premier plan.* — Intransitif :

Elle *(cette main)* prend les pinceaux, trace, étend la couleur, Empâte, adoucit, touche, et ne fait nulle pose *(...)*
      MOLIÈRE, *la Gloire du Val-de-Grâce*, 315.

Gravure. Donner un effet d'épaisseur par l'emploi de tailles et de pointes.

♦ **4** (1752). Engraisser (de pâtée) les volailles. *Empâter des chapons.* — (1795, in D.D.L.). Par anal. Vx. Nourrir abondamment *(qqn).* → Traiter comme un coq* en pâte.

Je serais un excellent mari ! Je vous soignerais, je vous empâterais.
      Cᵗᵉ DE SÉGUR, *l'Auberge de l'Ange Gardien*, 1863, p. 266, *in* T.L.F.

◆ **S'EMPÂTER** v. pron.

◆ **1** Devenir pâteux, épais. *J'ai la langue qui s'empâte.* → **Embarrasser** (s'). — Par ext. Perdre de sa netteté. *Sa voix s'empâte.*

◆ **2** (1808). Devenir gras, prendre de l'embonpoint. → **Épaissir, grossir.** *Il commence à s'empâter. Visage qui s'empâte. Articulation qui s'empâte.* → **Gonfler** (→ Dessous, cit. 14).

3   (...) un corps un peu gras, des joues qui s'empâtaient, une beauté orientale qui se fanait (...)
SARTRE, l'Âge de raison, IX, p. 156.

◆ **EMPÂTÉ, ÉE** p. p. adj.

◆ **1** Peint. Se dit de couleurs mêlées sur la toile et, par ext., d'une toile recouverte de couches de peinture épaisses. *Des touches empâtées.* — N. :

4   Voilà ce que j'ai cherché si longtemps, cet empâté ferme et pourtant fondu.
E. DELACROIX, Journal, 11 avr. 1824.

◆ **2** *Bouche, langue empâtée,* chargée comme par une sorte de pâte. — Par ext. *Voix empâtée,* sans netteté.

(D'une partie du corps, d'une personne). Bouffi par un excès de graisse. *Des traits empâtés.*

5   (...) toujours sous l'empire de ses charmes — cependant bien empâtés, car elle tournait à l'obésité.
Louis MADELIN, Talleyrand, V, XXXIV, p. 373.

◆ **3** *Volaille empâtée,* gavée avec de la pâtée.

REM. Ne pas confondre avec le paronyme *empatter* [ãpate].

CONTR. Amaigrir, maigrir. ◊ DÉR. Empâtage, empâtement, empâteur.

EMPÂTEUR, EUSE [ãpatœʀ, øz] n. — 1838 ; de *empâter.*

◆ **1** Agric. Personne qui engraisse les volailles.

◆ **2** N. m. Techn. Appareil qui recouvre de pâte ou qui débite de la pâte.

EMPATHIE [ãpati] n. f. — D. i. (XXᵉ) ; de *em-* (en-) «dedans», et *-pathie,* d'après *sympathie.*

Didact. (philos., psychol.). Capacité de s'identifier à autrui, de ressentir ce qu'il ressent.

(...) une espèce de capacité de sentir par l'intérieur qui dépasse la simple compréhension. C'est en quelque sorte une démarche qui consiste à se mettre à la place de l'autre. La philosophie aristotélicienne avait d'ailleurs admirablement décrit ce phénomène avant que la psychologie invente le mot empathie pour le décrire (...)
François CLOUTIER, la Santé mentale, p. 53.

DÉR. Empathique.

EMPATHIQUE [ãpatik] adj. — D. i. (XXᵉ) ; de *empathie.*

Didact. Relatif à l'empathie.

(...) un psychiatre qualifié dont l'écoute patiente et empathique lui permettra d'exposer ses difficultés existentielles (...)
A. POROT, Manuel alphabétique de psychiatrie,
1975, art. Suicide, p. 627 b.

EMPATTAGE [ãpataʒ] n. m. — 1764 ; de *empatter.*

Techn. Action d'empatter ; son résultat. → **Étayage, renforcement, soutien.** *Empattage d'un mur, d'une grue.*

REM. Ne pas confondre avec le paronyme *empâtage* [ãpataʒ].

EMPATTEMENT   [ãpatmã] n. m. — 1499 ; de *empatter.*

◆ **1** Archit. Maçonnerie en saillie à la base d'un mur. — (Archit. romane). Griffe à la base d'une colonne. Arbor. Base épaisse (du tronc, d'une branche).

Un fromager énorme, au monstrueux empattement, que l'on contourne ; de dessous le tronc, jaillit une source.
GIDE, Voyage au Congo, in Souvenirs, Pl., p. 691.

(1930). Typogr. Trait horizontal plus ou moins épais au pied et à la tête d'un jambage. — Par ext. Plein. *Empattements d'une lettre. Empattements obliques.*

◆ **2** (XIXᵉ). Techn. Pied, base, partie plus large. *Empattement d'un rail. Machines à empattement rigide.* Spécialt. Pièce de bois servant à soutenir une grue à sa base. — (1873). Distance séparant les essieux d'une voiture (automobile). *Cette voiture a un empattement insuffisant.*

◆ **3** Mar. Joint servant à unir les torons de deux cordages.

REM. Ne pas confondre avec le paronyme *empâtement* [ãpatmã].

EMPATTER [ãpate] v. tr. — 1327 ; de em- (en-), *patte,* et suff. verbal.

Techn. Joindre, fixer, maintenir avec des pattes*. → **Étayer, renforcer, soutenir.** — Spécialt. Soutenir une grue au moyen de pièces de bois. Archit. Soutenir (un mur) par une maçonnerie plus large à la base. *Empatter la base d'un mur.*

(1736). Mar. Tordre ensemble les torons de deux cordages.

REM. Ne pas confondre avec le paronyme *empâter* [ãpate].

DÉR. Empattage, empattement, empatture.

EMPATTURE [ãpatyʀ] n. f. — 1634 ; de *empatter.*

Techn. Assemblage de deux pièces de bois à l'aide de pattes, de tenons.

EMPAUMER [ãpome] v. tr. — 1611 ; «saisir (une lance) avec la paume», av. 1440 ; de en-, *paume,* et suff. verbal.

◆ **1** Techn. (Jeux). Recevoir (une balle, une pelote...) dans la paume de la main (ou dans tout instrument tenu à la main) et la relancer.

Chir. Prendre dans la paume de la main.

(...) on peut non seulement exposer le cœur (...) mais aussi le toucher, l'empaumer, y poser des points de suture.   0.1
Cl. D'ALLAINES, la Chirurgie du cœur, p. 16.

Vx et fig. *Empaumer la balle :* saisir avec à-propos l'occasion. → Saisir l'occasion au vol*.

◆ **2** (1661). Chasse (le sujet désigne des chiens). *Empaumer la voie, la piste :* trouver la piste du gibier et la suivre.

Une part de mes chiens se sépare de l'autre,   1
Et je les vois, Marquis, comme tu peux penser,
Chasser tous avec crainte, et Finaut balancer.
Il se rabat soudain, dont j'eus l'âme ravie ;
Il empaume la voie (...)   MOLIÈRE, les Fâcheux, II, 6.

Empaumer le change : suivre une fausse piste.

◆ **3** (1694). Vx. *Empaumer une affaire,* la prendre en main et la diriger avec adresse et énergie. — Au p. p. Argot vieilli. *C'est empaumé !* : c'est chose faite (→ C'est dans la poche*).

◆ **4** (1659). Mod. (Fam.). *Empaumer qqn,* se rendre maître de son esprit en le séduisant. → **Conquérir, enjôler, séduire.**

Prendre un avantage sur (qqn) en le trompant. → **Duper, tromper, voler.** *Se faire, se laisser empaumer :* se faire, se laisser duper (par un concurrent, un adversaire, etc.). *Il s'est laissé empaumer comme un enfant.* → **Rouler.**

2 (...) il me suffira d'un café noir mieux tassé que d'habitude, et je me charge d'empaumer tous les commissaires et juges d'instruction de la terre.
J. ROMAINS, les Hommes de bonne volonté, t. II, XII, p. 128.

EMPAUMURE [ɑ̃pomyʀ] n. f. — 1550; de *em-* (*en-*), et *paumure* (XIVᵉ), même sens, de *paume.*

Technique.

♦ **1** Chasse. Partie supérieure de la tête du cerf, qui s'élargit comme la paume de la main et porte les andouillers.

Tandis que le bois droit était celui d'un dix-cors jeunement avec un merrain qui portait six andouillers, dont trois groupés en trident au sommet formaient une empaumure de belle venue, le gauche atrophié, mince et de matière friable était celui d'un daguet de deux ans, simple tige droite, terminée par une amorce de fourche.
M. TOURNIER, le Roi des Aulnes, p. 226.

♦ **2** (1680; de *em-* (*en-*), *paume*, et *-ure*). Partie du gant qui recouvre la paume de la main.

EMPÊCHÉ, ÉE [ɑ̃peʃe] adj. → **Empêcher.**

EMPÊCHEMENT [ɑ̃pɛʃmɑ̃] n. m. — Fin XIIᵉ; de *empêcher.*

♦ **1** Cour. Ce qui empêche d'agir, de faire ce qu'on voudrait. → **Accroc, achoppement, barrière, complication, contrariété, contretemps, difficulté, embarras, entrave, gêne, obstacle, opposition, rémora, traverse.** *Empêchement d'agir* (→ Confusion, cit. 7), *de prononcer certaines syllabes* (→ Balbutiement, cit. 1). *Il est parvenu à ses fins sans empêchement.* — Spécialt. *Ce qui empêche d'être présent ou disponible. Un empêchement, survenu au dernier moment, a contrarié ses projets. Il est retenu par un empêchement* (→ Absence, cit. 11.2). *En cas d'absence ou d'empêchement. Avoir un empêchement de dernière minute.*

1 Ordinairement les biographies d'artistes commencent par le récit des obstacles qu'élève la famille contre la vocation. Le père qui désire un notaire, un médecin, ou un avocat, brûle les vers, déchire les dessins et cache les pinceaux. Ici, point d'empêchement de ce genre : chose rare! le projet du fils se trouva d'accord avec le vœu paternel.
Th. GAUTIER, Portraits contemporains, Ingres, p. 283.

2 (...) quel empêchement majeur peut-il bien trouver (*Chateaubriand*) pour que son René soit véritablement exclu de la voie ordinaire (...)
Émile HENRIOT, Portraits de femmes, p. 261.

Empêchement de mariage : absence d'une des conditions que la loi met au mariage. *Signifier à l'officier de l'état civil un empêchement au mariage* (→ **Opposition**). *Empêchement dirimant,* qui entraîne la nullité du mariage, s'il a été passé outre à cet empêchement. *Empêchement prohibitif,* qui met obstacle à la célébration du mariage, mais ne l'annule pas s'il a été célébré.

♦ **2** Rare. Action d'empêcher. *L'empêchement de qqch. par qqn. — Mettre (un) empêchement aux projets de qqn.*

CONTR. Autorisation, encouragement, permission.

EMPÊCHER [ɑ̃peʃe] v. tr. — XIIᵉ, *empeschier;* du bas lat. *impedicare* «prendre au piège», de *in-,* et *pedica* (→ Piège), de *pes, pedis* (→ Pied).

♦ **1** Vx. Entraver, obstruer (un passage, etc.).

1 (...) si on refuse aliments (*à cet appétit, il*) empêche les conduits, arrête la respiration, causant mille sortes de maux (...)   MONTAIGNE, Essais, III, 5.

Vx. Encombrer, gêner (quelqu'un).

2 La raison nous commande assez de nous dépouiller quand nos robes nous chargent et empêchent.
MONTAIGNE, Essais, II, 8.

3 Et dit en soupirant que la nuit de sa vue
Ne l'empêche pas tant que la nuit de son cœur.
MALHERBE, Larmes de saint Pierre, Au Roy.

♦ **2** Mod. EMPÊCHER qqch. : mettre obstacle*, s'opposer* à (une chose) de sorte qu'elle n'a pas lieu, ne se produit pas. → **Éviter.** *Il faut à tout prix empêcher cela. Faire de vains efforts pour empêcher qqch. Mal qu'on ne peut empêcher.* → **Conjurer, écarter** (→ Arrêt, cit. 10). *Accepter, tolérer ce qu'on ne peut empêcher. Empêcher un mariage. Empêcher un crime* (→ Criminel, cit. 9), *un délit* (cit. 4). *Empêcher un complot* (→ **Déjouer**), *une révolte* (→ **Étouffer, prévenir**). *Empêcher la vente d'une marchandise.* → **Défendre, interdire, prohiber.** *Empêcher la manifestation d'un phénomène* (→ Déterminisme, cit. 1), *la déperdition de chaleur, le développement des microbes* (→ Antisepsie, cit.). *Empêcher les progrès d'une idée.* → **Enrayer** (→ Aristocratie, cit. 7). — (Sujet n. de chose) *Digue qui empêche les inondations* (→ **Endiguer**). *Isthme qui empêche la communication des mers. L'effondrement du pont empêche tout passage, toute circulation sur cette route.* → **Arrêter, barrer, bloquer, condamner, couper, fermer, interdire, supprimer.** *Cette muraille empêche la vue* (Académie). → **Barrer, cacher, dérober, masquer, offusquer.**

4 Nos sens n'aperçoivent rien d'extrême (...) trop de distance et trop de proximité empêche la vue (...)
PASCAL, Pensées, II, 72 (→ Apercevoir, cit. 11).

5 Si le tourment empêche le sommeil les larmes sont un narcotique.
Alphonse DAUDET, le Petit Chose, II, XIV, p. 358.

6 J'ai tout fait pour empêcher ce mariage inepte.
MARTIN DU GARD, les Thibault, t. II, p. 215.

7 Car que sert d'interdire ce qu'on ne peut pas empêcher?
GIDE, les Faux-monnayeurs, I, II, p. 20.

♦ **3** Cour. Entraver* (qqn), arrêter* (qqch.) dans son action, dans son évolution.

EMPÊCHER (qqn) DE FAIRE (qqch.) : faire en sorte qu'il, elle ne puisse pas. → **Détourner, retenir** (qqn de...). *Empêcher qqn d'agir comme il l'entend, d'aller où il lui plaît* (→ **Brider, contraindre, contrecarrer, enchaîner, enfermer, gêner**). *Empêcher qqn de s'enfuir* (→ Accusé, cit. 1), *de sortir* (→ **Consigner**), *de passer* (→ Barrer* la route). *Empêcher qqn de parler, le faire taire*, l'interrompre, *lui couper* la parole... (→ **Bâillonner, museler**). *Empêcher qqn de travailler* (→ Besogne, cit. 9), *de vivre en paix* (→ Achever, cit. 17), *de se disputer* (→ Chamailler, cit. 3). *Soutenir qqn pour l'empêcher de tomber.* — *Pétition à la Chambre des députés pour les villageois que l'on empêche de danser,* pamphlet de P.-L. Courier (1822).

8 (...) l'amour que vous lui donnez (...) l'empêche d'avoir des yeux que pour vous.
MOLIÈRE, la Comtesse d'Escarbagnas, II.

9 Ce guerrier franc (...) qui fendit le vase à coups de hache, sans que le chef osât l'en empêcher.
VOLTAIRE, Essai sur les mœurs, 18.

10 En occupant les gens de leur propre intérêt, on les empêche de nuire à l'intérêt d'autrui.
BEAUMARCHAIS, le Barbier de Séville, I, 4.

11 — Ne venez pas ici, pour empêcher les autres de travailler (...)   P. MAC ORLAN, la Bandera, XV, p. 183.

(Sujet n. de chose). *Circonstances, obstacles qui empêchent qqn de faire qqch.* (→ Contretemps, cit. 2; coupure, cit. 2). *Rien ne peut l'empêcher d'accomplir* (cit. 8) *ce qu'il a décidé* (→ Décision, cit. 3). *Ces difficultés ne l'ont pas empêché de réussir* (→ **Nonobstant**). *Le bruit l'empêche de travailler. La maturité* *ne l'empêche pas d'être désirable* (cit. 4). *Sa timidité l'empêche de s'exprimer. Sa colère l'empêche de penser, d'y voir clair* (→ Aveugler, fig.). *Une paralysie l'empêche de parler, l'asthme de respirer. Cette haie, ces arbres nous empêchent de voir. Les soucis ne l'empêchent pas de dormir.*

12　(...) Cette crainte maudite
　　M'empêche de dormir, sinon les yeux ouverts.
　　　　　　　　　　LA FONTAINE, *Fables*, II, 14.

13　Deux obstacles presque invincibles nous empêchent d'être les maîtres de nos volontés, l'inclination et l'habitude (...)
　　　　　　　　BOSSUET, *Sermon pour le carême*, IV, Pénitence, 2.

14　(...) qu'est-ce qui nous empêche d'être des hommes comme eux *(les Romains et les Grecs)?*
　　　　　　　　ROUSSEAU, *le Gouvernement de Pologne*, II.

15　*(Un amour tel qu')* un Sultan peut le ressentir pour sa Sultane favorite, ce qui ne l'empêche pas de lui préférer souvent une simple Odalisque.
　　　　　　　　LACLOS, *les Liaisons dangereuses*, Lettre, CXLI.

16　Comme l'amour d'une femme ne l'a jamais empêché non plus *(B. Constant)* d'en aimer une autre dans le même instant (...)
　　　　　　　　Émile HENRIOT, *les Romantiques*, p. 473.

17　Rien ne l'empêchait de se confesser avant (...)
　　　　　　　　J. ROMAINS, *les Hommes de bonne volonté*, t. V, II, p. 19.

(Sans compl. dir.). *Écrire empêche de vivre* (→ Acte, cit. 3). *Sa robe n'empêche pas de deviner ses formes. La passion empêche de voir la réalité* (→ **Aveugler**). Absolt. *La discipline* ne se borne pas à empêcher.* → **Interdire.**

Empêcher qqch. de (avec l'inf.). *Un secret pour empêcher la terre de trembler* (→ Autodafé, cit. 3). *Presse-papiers qui empêche les feuilles de s'envoler. Rien n'empêche le temps de courir. Empêcher une illusion de naître, la colère d'éclater* (→ **Comprimer**), *les larmes de couler* (→ **Contenir**).

18　La nature soutient la raison impuissante et l'empêche d'extravaguer jusqu'à ce point.
　　　　　　　　PASCAL, *Pensées*, VII, 434.

19　Quand la pierre, opprimant ta poitrine peureuse
　　Et tes flancs d'assouplit un charmant nonchaloir,
　　Empêchera ton cœur de battre et de vouloir,
　　Et tes pieds de courir leur course aventureuse.
　　　　　　　　BAUDELAIRE, *Spleen et Idéal*, XXXIII.

EMPÊCHER QUE (avec le subj.). *Élever des digues pour empêcher qu'un fleuve ne déborde. Empêcher que la vérité ne soit connue. Détruire les installations pour empêcher que l'ennemi n'en profite.* — REM. Après *empêcher que*, on met ordinairement *ne* (→ Affranchir, cit. 1; ange, cit. 19; carnation, cit. 3; contenter, cit. 7). Cependant l'Académie admet qu'on dise : avec la négation *je n'empêche pas qu'il ne fasse* ou *qu'il fasse ce qu'il voudra.* De même Littré : *je n'empêche pas qu'il ne sorte* ou *qu'il sorte.*

20　(...) qu'on empêche qu'il ne sorte.
　　　　　　　　MOLIÈRE, *le Médecin malgré lui*, III, 8.

21　Faut-il tuer pour empêcher qu'il n'y ait de méchants ?
　　　　　　　　PASCAL, *Pensées*, XIV, 911.

22　Elles avaient les yeux baissés en terre et le visage couvert d'un voile qui n'empêchait pas qu'on n'entrevît la rougeur que répandait sur leurs joues une pudeur virginale (...)
　　　　　　　　ROLLIN, *Traité des Études*, VI, II, 5.

23　La lecture des journaux empêche qu'il n'y ait de vrais savants et de vrais artistes (...)
　　　　　　　　Th. GAUTIER, Préface de M^le de Maupin, éd. critique MATORÉ, p. 49.

24　Rambert luttait pour empêcher que la peste le recouvrît.
　　　　　　　　CAMUS, *la Peste*, p. 156.

Cela n'empêche pas que (suivi de l'indicatif quand on constate un fait). *Cela n'empêche pas que vous avez tort.*

25　Sa gaieté n'empêche que Voltaire eut un véritable chagrin de la mort de sa vieille amie (...)
　　　　　　　　Émile HENRIOT, *Portraits de femmes*, p. 182.

REM. L'emploi du subjonctif est cependant possible. *Cela n'empêche pas que vous puissiez partir.*

♦ **4** Loc. (de coordination). (IL) N'EMPÊCHE QUE, N'EMPÊCHE QUE : cependant, malgré cela (→ Copte, cit. 2 ; creux, cit. 6). Avec le verbe au conditionnel, pour exprimer une éventualité. *N'empêche que tu pourrais venir, si tu le voulais bien. N'empêche que j'aurais bien aimé le voir.*

26　Dans notre langue actuelle, nous avons des formes qui ont pu être jadis des propositions, mais qui en réalité sont réduites au rôle d'éléments lexicologiques ; *tu dis qu'il ne va pas dans cette maison*, n'empêche *qu'on l'y a encore vu hier soir.*
　　　　　　　　F. BRUNOT, *la Pensée et la Langue*, p. 29.

27　Raisonnablement, ces drames *(de Hugo)* sont plus discutables (...) N'empêche que cela se lit, et ne vous lâche plus, une fois qu'on y a mis le nez.
　　　　　　　　Émile HENRIOT, *les Romantiques*, p. 15.

Fam. *N'empêche :* ce n'est pas une raison.

27.1　— Et mariée, elle, dit-elle, trois enfants, et ivrogne, c'est à se demander. — N'empêche, peut-être ?
　　　　　　　　M. DURAS, *Moderato cantabile*, p. 37.

♦ **S'EMPÊCHER** v. pron.

♦ **1** Vx. S'abstenir, se dispenser de.

♦ **2** Mod. (Souvent dans un contexte négatif). S'EMPÊCHER DE (avec l'inf.) : se retenir de. *Il ne put s'empêcher de parler, de répondre, de trembler* (→ Carcasse, cit. 5), *de pleurer. Se mordre les lèvres pour s'empêcher de rire. Je ne puis m'empêcher de penser qu'il aurait pu en être autrement. Je n'ai pas pu m'en empêcher.*

28　Aussitôt que je vous vis, je ne pus m'empêcher de vous aimer.
　　　　　　　　SCARRON, *le Roman comique*, I, XIII, p. 70.

♦ **EMPÊCHÉ, ÉE** p. p. adj.

♦ **1** Vx et littér. Embarrassé.

29　Les mystères de cour souvent sont si cachés
　　Que les plus clairvoyants y sont bien empêchés.
　　　　　　　　CORNEILLE, *Nicomède*, III, 4.

30　*(Le pauvre loup)* Empêché par son hoqueton,
　　Ne peut ni fuir ni se défendre.
　　　　　　　　LA FONTAINE, *Fables*, III, 3.

♦ **2** Loc. (vx). *Être empêché de sa personne, de sa contenance :* ne savoir comment se tenir. → **Emprunté, gauche.**

31　(...) vous dites que vous avez peur des beaux esprits. Hélas ! ma chère, si vous saviez qu'ils sont petits de près, et combien ils sont quelquefois empêchés de leur personne (...)
　　　　　　　　Mme DE SÉVIGNÉ, *Lettres* 237, 13 janv. 1672.

Mod. (rare). *Un air empêché.* → **Emprunté.**

32　(...) les airs un peu empêchés que prenaient les gens (...)
　　　　　　　　J. ROMAINS, *les Hommes de bonne volonté*, t. V, XXII, p. 190 (→ Colloque, cit. 2).

♦ **3** Littér. *Être empêché de*, incapable de. *Je serais bien empêché de vous répondre* (→ **Incapable**).

33　(...) on serait bien empêché de dire ce qui arrivera de ce nuage répandu partout *(sur toute l'Europe).*
　　　　　　　　Mme DE SÉVIGNÉ, *Lettres* 1168, 22 avr. 1689.

♦ **4** Cour. Retenu par des occupations. → **Occupé.** *M. X..., directeur du cabinet, représentait le ministre empêché. Juré régulièrement empêché.* → **Excusé** (→ Assesseur, cit. 2).

34　Dis-lui que je suis empêché, et qu'il revienne une autre fois.
　　　　　　　　MOLIÈRE, *l'Avare*, III, 8.

♦ **5** Arrêté, entravé dans son action.

35　Tout ce qui n'est pas défendu par la Loi ne peut être empêché (...)
　　　　　　　　Déclaration des droits de l'homme, Constitution du 3 sept. 1791, art. 5.

CONTR. **Aider, autoriser, consentir, encourager, exciter, faciliter, favoriser, laisser, permettre, pousser, seconder.** ◊ DÉR. **Empêchement, empêcheur.**

EMPÊCHEUR, EUSE [ɑ̃peʃœʀ, øz] n. — V. 1265, *empescheor*; disparu au XVIIᵉ, repris au XIXᵉ ; de *empêcher*.

♦ **1** Vieilli. Personne qui empêche autrui de faire qqch. → **Gêneur, importun.**

Adj. (rare). Gênant.

1   Quand on a promis, faut tenir et tout de suite, sans quoi il se mêle dans le mitan de ce qu'on veut faire et soi-même un tas de choses bien gentilles mais bien empêcheuses.
J. GIONO, *Un de Baumugnes*, Pl., t. I, p. 240.

♦ **2** Loc. (V. 1860 ; p.-ê. empr. au pamphlet de P.-L. Courier, *Pétition (...) pour les villageois que l'on empêche de danser*, juil. 1822 ; → Empêcher, *supra* cit. 8). *Empêcheur, empêcheuse de danser en rond* : ennemi(e) de la gaieté, trouble-fête. → (fam.) **Rabat-joie.**

2   Celui aux yeux de qui j'espère malgré tout être un ami un peu balourd, plutôt qu'un sinistre empêcheur de danser en rond, est un boxer fauve, que nous appelons Puck mais dont le nom officiel est Pyrex.
Michel LEIRIS, *Frêle Bruit*, p. 161.

EMPEIGNAGE [ɑ̃pɛɲaʒ] n. m. — XXᵉ; de *empeigner*. Techn. Manière dont les fils sont empeignés sur le métier à filer. — Largeur maximale du tissu pouvant être fabriqué sur un métier donné.

REM. On trouve parfois *empeignement* [ɑ̃pɛɲmɑ̃] n. m. (*in* Littré).

EMPEIGNE [ɑ̃pɛɲ] n. f. — Mil. XVᵉ; *empeine, enpeigne*, XIIIᵉ ; *enpeigne*, XIᵉ, en judéo-franç.; de *em-* (*en-*), et *peigne*, qui eut en anc. franç. le sens de «métatarse», par anal. de forme.

♦ **1** Dessus d'une chaussure*, du cou-de-pied jusqu'à la pointe. → **Claque.** *Chaussure à empeigne montante, découpée.*

M. Hannequin portait son complet sport, avec sa musette en bandoulière ; il avait chaussé des souliers neufs, dont les empeignes le blessaient.
SARTRE, *le Sursis*, p. 110.

♦ **2** (V. 1900). Loc. fig. et fam. (terme d'injure). *Gueule (face) d'empeigne* : visage laid et désagréable, et, par ext., individu désagréable, antipathique. — *Avoir une gueule d'empeigne*, très mauvais caractère.

EMPEIGNER [ɑ̃pɛɲe] v. tr. — 1877; de *em-* (*en-*), et *peigne*.

Techn. Disposer en tissu plus ou moins serré, au moyen du peigne.

DÉR. Empeignage.

EMPELLEMENT [ɑ̃pɛlmɑ̃] n. m. → 2. **Empalement.**

EMPELOTER [ɑ̃p(ə)lɔte] v. tr. — XVIᵉ; de *em-* (*en-*), *pelote*, et suff. verbal.

Technique.

Mettre en pelote*. *Empeloter du fil.*

Une fois le chanvre filé et mis en échevette, on le lavait à grande eau chaude et, sec, on l'empelotait.
Jean FOLLONIER, *Valais d'autrefois*, p. 126.

♦ **S'EMPELOTER.** v. pron.

(En parlant d'un oiseau de fauconnerie). Ne pas digérer ce qui a été avalé, les aliments formant une pelote dans le gosier.

EMPÊNAGE [ɑ̃pɛnaʒ] n. m. — 1890; «état d'une serrure empênée», 1836; de *empêner*.

Techn. Mortaise destinée à recevoir le pêne d'une fermeture.

REM. Ne pas confondre avec le paronyme *empennage* [ɑ̃pe-].

EMPÊNER [ɑ̃pene] v. tr. — 1836; de *em-* (*en-*), *pêne*, et suff. verbal.

Techn. Fixer le pêne de (une serrure) sur le pilastre.

REM. Ne pas confondre avec le paronyme *empenner* [ɑ̃pe-].

DÉR. Empênage.

EMPENNAGE [ɑ̃penaʒ] n. m. — 1832; de *empenner*.

♦ **1** Action d'empenner. *L'empennage d'une flèche.* — Ensemble des plumes qui empennent (quelque chose, quelqu'un).

Ces piquants furent ajustés solidement à l'extrémité des flèches, dont la direction fut assurée par un empennage de plumes de kakatoès.
J. VERNE, *l'Île mystérieuse*, t. I, p. 166.

♦ **2** (1904, *in Rev. gén. des sc.*, nº 18, p. 838). Aéron. Surfaces placées (comme une empenne) à l'arrière des ailes ou de la queue (d'un avion, d'un dirigeable) et destinées à lui donner de la stabilité en profondeur et en direction.

♦ **3** (Mil. XXᵉ). Par anal. Ailettes (d'une bombe d'avion). — Ailettes (d'un projectile) destinées à assurer la stabilité de la trajectoire. *L'empennage d'un obus; empennage d'obus.*

REM. Ne pas confondre avec le paronyme *empênage* [ɑ̃pɛ-].

EMPENNE [ɑ̃pen] n. f. — 1701 (certainement antérieur, → Empennelle); déverbal de *empenner*.

Techn. Partie du talon d'une flèche munie de plumes ou d'ailerons destinés à régulariser sa direction.

DÉR. Empennelle.

EMPENNÉ, ÉE [ɑ̃pene] adj. → **Empenner.**

EMPENNELAGE [ɑ̃pɛnlaʒ] n. m. — 1773; de *empenneler*.

Mar. Action de mouiller une empennelle* devant une ancre. *Nœud d'empennelage*, amarrant l'empennelle à l'autre ancre.

EMPENNELER [ɑ̃pɛnle] v. intr. — 1701; de *empennelle*.

Mar. Mouiller une empennelle avec une autre ancre.

DÉR. Empennelage.

EMPENNELLE [ɑ̃pɛnɛl] n. f. — 1691; de *empenne*.

Mar. Petite ancre amarrée à une ancre plus grosse, et que l'on mouille devant celle-ci pour en améliorer la tenue. — On emploie aussi *empenelle* [ɑ̃pənɛl].

DÉR. Empenneler. ◊ HOM. Formes du v. **empenneler.**

EMPENNER [ɑ̃pene] v. tr. — 1080; de *em-* (*en-*), *penne*, et suff. verbal.

Garnir (une flèche) de plumes, d'une empenne*.

La nièce de Chactas empennait des flèches avec des   1
plumes de faucon (...)
CHATEAUBRIAND, *les Natchez*, II, p. 105.

Figuré et rare :

Il chancela, le cri des femmes l'empenna de deux dards au   1.1
long desquels son sang et toute sa vie chaude coulèrent.
J. GIONO, *Naissance de l'Odyssée*, Pl., t. I, p. 93.

◆ **EMPENNÉ, ÉE** p. p. adj. *Flèche empennée* (→ Atteindre, cit. 1).

2 Cette flèche empennée et armée d'une pointe d'or, toujours en l'air et n'arrivant jamais au but, faisait l'effet le plus singulier, était comme un triste et douloureux symbole de la destinée humaine, et plus je la regardais, plus j'y découvrais de sens mystérieux et sinistres.
Th. GAUTIER, Mlle de Maupin, VII, p. 151.

Blason. Dont l'empenne est d'un émail particulier. *Flèche d'or, empennée d'argent.*

Par plais. → **Emplumé.**

3 (...) on le convia à suivre les obsèques du capitaine de La Hure qui eurent lieu discrètement dans une chapelle de la cathédrale. Le colonel de service n'avait mis que le tiers de ses décorations. Madame de La Hure et les cinq filles du capitaine de La Hure étaient là, empennées de noir.
Jacques LAURENT, les Bêtises, p. 56.

REM. Ne pas confondre avec le paronyme *empêner* [āpε-].

DÉR. Empennage, empenne.

EMPEREUR [āprœr] n. m. — 1080, au sens I, 3, *Chanson de Roland*; *empeedre*, 1050, cas sujet; du lat. *imperatorem*, accusatif de *imperator*, de *imperatum*, supin de *imperare* «commander, ordonner» (→ Imperator, impératrice; empire), de *in-*, et *parare* (→ Parer; préparer).

I ◆ **1** Antiq. rom. (vx). Général commandant en chef une armée (investi de l'*imperium* «pouvoir suprême»).

1 (...) ce que advint à L. Paulus Æmylius, lorsque par le sénat romain fleut esleu Empereur, c'est-à-dire chef de l'armée qu'ilz envoyoient contre Persés, roy de Macédonie.
RABELAIS, le Quart Livre, XXXVII.

◆ **2** Hist. Titre donné depuis Auguste au détenteur du pouvoir suprême dans l'Empire romain. → **César.** *Les empereurs romains. Empereur romain divinisé* (→ Apothéose, cit. 1; asile, cit. 11). *Tunique portée par certains empereurs.* → **Dalmatique.**

2 Les Empereurs tiraient excuse à la superfluité de leurs jeux et montres *(spectacles)* publiques de ce que leur autorité dépendait aucunement *(dans une certaine mesure)*, au moins par apparence, de la volonté du peuple romain, lequel avait de tout temps accoutumé d'être flatté par telle sorte de spectacles et excès.
MONTAIGNE, Essais, III, VI.

3 La transformation des institutions politiques, réalisée par Auguste, n'a pas été une révolution brisant avec le passé. Auguste a pris pour lui à titre viager un certain nombre de magistratures, l'*imperium* proconsulaire, la puissance tribunicienne, le souverain pontificat (...) Le Sénat est associé par l'empereur au gouvernement, et c'est le Sénat qui gouverne les anciennes provinces, tandis que les nouvelles provinces dites «impériales» sont gouvernées par des commissaires de l'empereur.
GIFFARD, Précis de droit romain, t. I, n° 66.

(Après le partage de l'Empire). *L'empereur d'Occident. L'empereur d'Orient.*

◆ **3** (Depuis Charlemagne). Chef de l'Empire d'Occident, du Saint-Empire romain germanique. *Charlemagne, empereur d'Occident. L'empereur à la barbe* (cit. 19) *fleurie. Le palais des empereurs. Les empereurs et les rois. Le couronnement d'un empereur.*

◆ **4** (XIIᵉ). Mod. ou hist. Chef souverain de certains États. → **Monarque.** *Empereur d'Allemagne* (→ **Kaiser**), *de Chine* (→ **Ciel** [fils du]), *du Japon* (→ **Mikado**), *de Russie* (→ **Tsar**), *des Turcs* (→ **Padischa, sultan**)... *Le roi d'Angleterre, naguère empereur des Indes. Titre donné à un empereur.* → **Majesté, sire.** *Couronne d'empereur.* — **Spéciat** (en France). *L'Empereur* : Napoléon Iᵉʳ, puis Napoléon III (dans ce cas écrit avec une majuscule). *Napoléon Iᵉʳ, Empereur des Français. Vive l'Empereur !*

Tout à coup le maréchal des logis cria à ses hommes : — Vous ne voyez donc pas l'Empereur, s...! Sur-le-champ l'escorte cria *vive l'Empereur!* à tue-tête. On peut penser si notre héros regarda de tous ses yeux, mais il ne vit que des généraux qui galopaient, suivis, eux aussi, d'une escorte.
STENDHAL, la Chartreuse de Parme, III.

5 L'empereur mort tomba sur l'empire détruit.
Napoléon alla s'endormir sous le saule.
Et les peuples alors, de l'un à l'autre pôle,
Oubliant le tyran, s'éprirent du héros.
HUGO, les Châtiments, «L'expiation», IV.

6 Il *(Cambacérès)* termina par les mots attendus : «*Pour la gloire comme pour le bonheur de la République, le Sénat proclame à l'instant même Napoléon, Empereur des Français.*»
Louis MADELIN, Hist. du Consulat et de l'Empire, L'avènement de l'Empire, VIII, p. 102.

◆ **5** (1643). Vx. Titre donné, dans certains établissements scolaires, à un élève qui avait la première place en classe. «*On appelle aussi dans les collèges, Empereur d'Orient, Empereur d'Occident, les écoliers qui ont les premières places de la classe*» (Furetière, 1690).

II (Nom donné à quelques animaux). ◆ **1** Grand poisson des mers occidentales (dit aussi *espadon, épée de mer*) au museau prolongé par un rostre, à la nageoire dorsale en forme de voile, pouvant mesurer 3 mètres de long et peser une centaine de kilos. *L'empereur est apprécié pour sa chair.*

7 Le grand art consiste à pêcher plusieurs bonites à la fois, afin de les garder vivantes comme appâts pour l'«empereur des mers», le marlin.
l'Express, 28 avr. 1981, p. 153.

◆ **2** Régional. Roitelet. — Papillon diurne.

◆ **3** En appos. *Boa empereur.*

EMPERLER [āpεrle] v. tr. — Mil. XVIᵉ, repris XIXᵉ; de *em-* (*en-*), *perle*, et suff. second.

◆ **1** Rare. Orner de perles*. *Emperler une coiffure.* — Fig. *Emperler son style.* → **Embellir.**

◆ **2** Fig. Couvrir de gouttelettes. *La sueur commençait à emperler son front* (→ **Perler**).

1 Rien n'était plus charmant à voir. Ses belles épaules, fermes et polies, tout emperlées de gouttes d'eau, luisaient comme un marbre submergé; l'onde amoureuse frissonnait de plaisir en touchant son beau corps et suspendait à ses bras des bracelets d'argent.
Th. GAUTIER, Fortunio, XX, p. 136.

◆ **S'EMPERLER** v. pron.
Se couvrir de gouttelettes.

2 Un duvet blanc, à peine visible d'ordinaire, s'emperlait, autour de la bouche, d'une rosée d'émotion.
COLETTE, la Naissance du jour, p. 124.

◆ **EMPERLÉ, ÉE** p. p. adj.
Littér. Orné de perles. *Diadème emperlé.*
Fig. Couvert de gouttelettes. *Prés emperlés de rosée.*

EMPERRUQUÉ, ÉE [āperyke] adj. — 1842; «qui appartient à la chevelure», 1571; de *em-* (*en-*), *perruque*, et suff. *-é*.

Fam. et rare. Qui porte une perruque. *Des courtisans emperruqués.*

1 Diane-Saphir, ou Saphir-Diane emperruqué, nu, le corps poudré, remettait du rimmel, la verge dressée, sa verge dirigeant le raccord et la petite brosse avec les oscillations.
Violette LEDUC, la Chasse à l'amour, p. 121.

N. (1855, *in* D.D.L.).

2 Ses occupations sévères de chef baron ne l'empêchent pas de revenir quelquefois à la littérature. Le grave emperruqué met alors à son esprit «des bas couleur de rose».
GONCOURT, Quelques créatures de ce temps, p. 52-53, *in* D.D.L., II, 22.

EMPESAGE [ɑ̃pəzaʒ] n. m. — 1650; de *empeser*.

♦ 1 Action d'empeser; résultat de cette action. → **Amidonnage**. *L'empesage du linge est suivi du lissage ou repassage.* — *Un bel empesage.*

♦ 2 Fig. et littér. Manières empesées.

Il prenait avec sa Femme un air de considération; mais sans apprêt et sans empesage. Son Épouse de son côté lui parlait avec respect.
RESTIF DE LA BRETONNE, la Vie de mon père, p. 235.

EMPESER [ɑ̃pəze] v. tr. [CONJUG.: *lever*.] — Fin XIᵉ; de *empoise* «poix, empois», du lat. *impensa* «dépense», puis «ustensiles, matériaux», d'où «ingrédients pour quelque chose».

♦ 1 Apprêter (du linge) avec de l'empois. → **Amidonner**. *Empeser de la dentelle. Vous empèserez légèrement le col.*

♦ 2 (1691). Mar. *Empeser les voiles*, les mouiller en vue de resserrer le tissu des fils.

♦ EMPESÉ, ÉE p. p. adj.

♦ 1 (Fin XIᵉ). Qu'on a empesé. *Linge empesé* (→ Apprêté, cit. 1). *Chemise empesée. Col empesé.* → **Dur.**

1 (...) cinq ou six chemises d'hommes, placées à la devanture, offraient aux regards les surfaces miroitantes du linge fraîchement empesé.
J. GREEN, Léviathan, I, p. 7.

N. *L'empesé de la chemise* (→ 1. Basque, cit. 3).

♦ 2 (Fin XVIIᵉ). Fig. Qui a quelque chose de raide et de compassé dans l'attitude, les manières. → **Apprêté, gourmé, guindé,...** *Dignité, démarche empesée. Avoir un air empesé.* — Par anal. *Style empesé*, qui manque de naturel. → **Recherché.**

2 (...) il a l'air empesé du pays d'où il vient. Il est sérieux et froid (...)
ROUSSEAU, Julie ou la Nouvelle Héloïse, VI, Lettre I.

3 (...) peut-être ma démarche eût-elle eu quelque chose d'empesé, comme celle d'un fat timide qui entre dans un salon.
STENDHAL, le Rouge et le Noir, II, XLIV.

4 (...) cet homme dont la solennité, la raideur empesée était encore présente à mon souvenir (...)
PROUST, À la recherche du temps perdu, t. XV, p. 75.

CONTR. Désempeser. — (Du p. p.) **Souple.** — **Aisé, naturel, simple.** ◊ **DÉR. Empesage, empeseur, empois.**

EMPESEUR, EUSE [ɑ̃pəzœʀ, øz] n. — 1616; de *empeser*.

Techn. Celui, celle qui empèse le linge, dont le métier est d'empeser le linge.

EMPESTANT, ANTE [ɑ̃pɛstɑ̃, ɑ̃t] adj. — Fin XIXᵉ; p. prés. de *empester*.

Rare. Qui empeste. *Vapeur empestante* (Maupassant, *in* T. L. F.).

Que ça soye en Correctionnelle, sous les coups «d'attendus» farouches, ou dans l'antichambre des patrons, je me trouve à l'instant bouleversé, décapé, racorni infect, au rang des larves empestantes (...)
CÉLINE, Guignol's band, p. 28.

EMPESTER [ɑ̃pɛste] v. tr. — 1575; de em- (en-), peste, et suff. verbal.

♦ 1 Rare. Infecter de la peste ou d'une autre grave maladie contagieuse (peste au sens ancien). *Les cadavres en décomposition ont empesté le champ de bataille. Les rats ont empesté la ville.*

♦ 2 (1584). Cour. Infecter de mauvaises odeurs. → **Empoisonner, 3., empuantir.** *L'odeur de cigare empeste ce compartiment.*

Croiriez-vous qu'il avait pris l'habitude de manger constamment de l'ail et qu'il empestait de cette infâme odeur mon appartement (...)
Léon BLOY, le Désespéré, p. 22.

Sentir mauvais en dégageant (une odeur désagréable). → **Puer.** *Ses vêtements empestent le parfum à bon marché. Son bureau empeste le tabac.*

La salle d'attente était une glacière et empestait le moisi.
MARTIN DU GARD, les Thibault, t. IV, p. 284.

Absolt. Sentir très mauvais. *Ses vêtements empestent. Ça empeste ici.* → **Puer** (→ fam. ou pop. Cogner, corner...).

Eh! vous empestez, Père Ubu. Vous ne vous lavez donc jamais?
A. JARRY, Ubu Roi, I, 4.

♦ 3 Fig. et vx. Souiller, corrompre (les esprits, les cœurs) par des idées jugées néfastes. → **Empoisonner, 4., gâter, vicier.** *Les hérésies qui empestaient l'Église.*

(...) sa bonté et la délicatesse de son cœur (...) empesteraient de remords et de honte la joie de ces amours coupables (...)
PROUST, les Plaisirs et les Jours, p. 127.

♦ EMPESTÉ, ÉE p. p. adj.

♦ 1 Rare. Qui est infecté de la peste ou d'une autre maladie contagieuse. *Ville empestée. Champs de bataille empestés* (→ Confusément, cit. 1).

Enfin les ondes jaunes du Tibre, des marais empestés, des habitants hâves (...)
VOLTAIRE, la Princesse de Babylone, IX.

(...) Tarrou entreprenait la description assez minutieuse d'une journée dans la ville empestée (...) «Au petit matin, des souffles légers parcourent la ville encore déserte. À cette heure (...) il semble que la peste suspende un instant son effort et reprenne son souffle. Toutes les boutiques sont fermées. Mais sur quelques-unes, l'écriteau "Fermé pour cause de peste" atteste qu'elles n'ouvriront pas tout à l'heure avec les autres.»
CAMUS, la Peste, p. 134.

♦ 2 Cour. Qui sent mauvais ou répand une odeur désagréable. *Air empesté. Atmosphère empestée. Appartement empesté. Haleine empestée.* → **Infect, puant** (→ Approcher, cit. 13).

♦ 3 Fig. et vx. Qui est corrompu. *«Empesté d'hérésie»* (Ronsard). — Loc. *Bouche empestée* : personne qui répand le poison de l'erreur, du mensonge, de la calomnie (→ Attrait, cit. 7).

CONTR. Assainir, désempester, désinfecter; embaumer. ◊ **DÉR. Empestant.**

EMPÊTRE [ɑ̃pɛtʀ] ou **EMPETRUM** [ɑ̃petʀɔm] n. m. — XIXᵉ, empêtre; empetrum, XVIIIᵉ; du lat. class. empetros, grec empetron «(plante) qui croît dans les rochers».
Bot. Type principal de la famille des *Empétrées.* — Syn. : *camarine.*

DÉR. Empétrées.

EMPÉTRÉES [ɑ̃petʀe] n. f. pl. — XIXᵉ; de *empêtre*.
Famille de plantes phanérogames angiospermes, classe des dicotylédones apétales, comprenant notamment des arbustes à feuilles coriaces et persistantes. — Au sing. *Une empétrée.*

HOM. Empêtrer.

EMPÊTRER [ɑ̃petʀe] v. tr. — XVᵉ; empaistrier, XIIᵉ; du lat. pop. *impastoriare*, du bas lat. *pastoria* «entrave à bestiaux», du lat. class. *pastus* «pâturage».

♦ 1 Vx. ou régional. Entraver* (un cheval) que l'on met en pâture. *Empêtrer un cheval.*

♦ 2 Mod. (techn.). Engager (généralement les pieds, les jambes) dans des entraves, des liens, un filet, dans quelque chose qui retient, embarrasse. — Cour. *S'empêtrer les jambes dans les ronciers.*

1   *(Sa toison) Était d'une épaisseur extrême (...)*
Elle empêtra si bien les serres du corbeau
Que le pauvre animal ne put faire retraite.
         LA FONTAINE, Fables, II, 16.

2   Il secoua les épaules, comme un animal au filet, que chaque soubresaut empêtre davantage.
         MARTIN DU GARD, les Thibault, t. IV, p. 151.

Par analogie :

3   Puis elle prenait à travers des champs en labour, où elle enfonçait, trébuchait et empêtrait ses bottines minces.
         FLAUBERT, Mᵐᵉ Bovary, II, IX, p. 107.

♦ **3 Fig.** Engager (qqn) dans une difficulté, dans une situation embarrassante. → **Compromettre, embarrasser, gêner.** *Il m'a empêtré dans une méchante affaire. Vous m'avez empêtré d'un propre à rien ; je préférerais travailler seul.*

◆ **S'EMPÊTRER v. pron.**

♦ **1** Se prendre dans un lien, un obstacle. *Cheval qui s'empêtre dans ses traits. L'oiseau s'est empêtré dans un filet.* — **Par ext.** S'engager dans un lieu d'où l'on ne peut se sortir qu'à grand-peine. *S'empêtrer dans la boue ; dans la neige.* → **Embourber** (s'), **patauger.**

4   Dans la neige et la boue il allait s'empêtrant (...)
         BAUDELAIRE, les Fleurs du mal,
         Tableaux parisiens, XC, «Les sept vieillards».

♦ **2 Fig.** S'engager dans une situation difficile. *S'empêtrer dans une liaison. S'empêtrer dans un discours, dans des explications.* → **Embarrasser** (s') ; et aussi (**fam.**) **emberlificoter** (s'), **embrouiller** (s'). *S'empêtrer dans ses souvenirs. Il s'empêtre dans ses mensonges.* → **Enferrer** (s').

5   L'amant même une bête, et bête qui s'empêtre
Dans les liens d'amour (...)
         RONSARD, le Second Livre des amours, I, XVIII.

6   (...) le *Cromwell* de Balzac est beaucoup moins mauvais qu'on ne l'assurait de confiance, et malgré ses longueurs, qui tiennent à la lourdeur des monologues où le dramaturge s'empêtre, témoigne par instant de réelles qualités dramatiques.
         Émile HENRIOT, les Romantiques, p. 317.

Absolt. S'embarrasser.

7   Or, plus je m'en défie *(de ma mémoire),* plus elle se trouble (...) car, si je la presse, elle s'étonne ; et, depuis qu'elle a commencé à chanceler, plus je la sonde, plus elle s'empêtre et *(s')* embarrasse (...)   MONTAIGNE, Essais, II, XVII.

S'empêtrer de... (par...). S'empêtrer d'un importun, d'un incapable. → **Embarrasser** (s').

8   Un homme de ma connaissance s'était empêtré comme vous, d'une femme qui lui faisait peu d'honneur. Il avait bien, par intervalle, le bon esprit de sentir que, tôt ou tard, cette aventure lui ferait tort ; mais quoiqu'il en rougît il n'avait pas le courage de rompre. Son embarras était d'autant plus grand (...)
         LACLOS, les Liaisons dangereuses, Lettre CXLI.

◆ **EMPÊTRÉ, ÉE** p. p. adj.

♦ **1** Qui est pris dans des liens, dans un obstacle. *Cheval empêtré. Clown empêtré dans une longue redingote.*

9   C'était d'abord des familles en promenade, deux petits garçons en costume marin, la culotte au-dessous du genou, un peu empêtrés dans leurs vêtements raides (...)
         CAMUS, l'Étranger, II, p. 35.

Absolument :

10   Quel gros chignon !
Et ces souliers tout blancs, ça doit vous coûter bon ;
Pas moins, vous devez bien être un brin empêtrée.
         A. DE MUSSET, Comédies et proverbes, Louison, I, 4.

♦ **2 Fig.** *Empêtré de...* → **Encombré, gêné.**

11   Je vois un dessous de cartes funeste ; je vois encore l'embarras de son fils, déchiré d'amitié, de reconnaissance pour sa mère (...) empêtré d'une jeune femme (...)
         Mᵐᵉ DE SÉVIGNÉ, Lettres, 817, 9 juin 1680.

---

12   (...) il était empêtré de ses grandes mains et de sa dignité d'inspecteur.   SAINT-EXUPÉRY, Vol de nuit, p. 44.

13   Tous ces hommes s'étaient fait violence pour partir les yeux secs, tous avaient soudain vu la mort en face et tous, après beaucoup d'embarras ou modestement, s'étaient déterminés à mourir. À présent ils restaient hébétés, les bras ballants, empêtrés de cette vie qui avait reflué sur eux, qu'on leur laissait encore pour un moment, pour un petit moment et dont ils ne savaient plus que faire.
         SARTRE, le Sursis, p. 348.

13.1   La vie amoureuse de Félix, notamment, plongeait ces jeunes gens dans une joie constante. On le savait très salace, mais en même temps, gêné avec les femmes, empêtré de gaucherie.
         Jean-Louis CURTIS, le Roseau pensant, p. 21.

Empêtré dans... : embarrassé, enfoncé dans... *Empêtré dans des paquets.*

14   (...) on est quelquefois empêtré dans son orgueil (...)
         Mᵐᵉ DE SÉVIGNÉ, 832, 17 juil. 1680.

15   Lorsque la guerre éclata en 1866 entre la Prusse et l'Autriche soutenue par les États de l'Allemagne du Sud, Napoléon III était empêtré dans une aventure d'Amérique.
         J. BAINVILLE, Hist. de France, XX, p. 496.

16   (...) nous voyons, exemplairement, comment un vigoureux esprit peut rester empêtré dans le dogme.
         GIDE, Journal, 18 févr. 1943.

CONTR. Débarrasser, dégager, dépêtrer. ◊ **HOM. Empétrées.**

EMPETRUM [ᾶpetrɔm] n. m. → **Empêtre.**

EMPHASE [ᾶfaz] n. f. — 1543 ; lat. *emphasis,* du grec *emphasis* «expression forte».

♦ **1 Vx.** (**Rhét.**). Énergie, force expressive (dans la manière de s'exprimer, dans le ton). — (1588). **Mod. Péj.** Emploi abusif ou déplacé du style élevé, du ton déclamatoire. → **Affectation, air** (de grands airs), **boursouflure, déclamation, enflure, grandiloquence, pathos, pédantisme, phrase** (faire des phrases), **prétention** (→ Ambitieux, cit. 9). *Parler avec emphase.* → **Pontifier, pérorer** (→ Arme, cit. 29). *Discours, style plein d'emphase.* → **Ampoulé, ronflant.** *Écrire avec emphase. Parler sans emphase,* simplement. *Avoir horreur de l'emphase. Cette tournure marque une certaine emphase* (→ Celui-ci, cit. 3). *Prononcer avec emphase une phrase banale. Avocat qui fait voler ses manches avec emphase.*

1   Quel supplice que celui d'entendre (...) prononcer de médiocres vers avec toute l'emphase d'un mauvais poète !
         LA BRUYÈRE, les Caractères, I, 7.

2   L'emphase de *(Guez de)* Balzac n'est qu'un jeu, car il n'en est jamais la dupe. Ceux qui le censurent avec amertume et gravité sont des gens qui n'entendent pas la plaisanterie sérieuse, et qui ne savent pas distinguer l'hyperbole de l'exagération, l'emphase de l'enflure, la rhétorique d'un homme de la sincérité de son personnage, enfin ce qui tient à l'art de ce qui tient à l'artiste.
         Joseph JOUBERT, Pensées, XXIV, x.

3   (...) tout le monde nous faisait des récits merveilleux de l'Andalousie avec cette emphase un peu fanfaronne dont les Espagnols ne se déshabitueront jamais, pas plus que les Gascons de France.
         Th. GAUTIER, Voyage en Espagne, p. 132.

4   Il parla à son tour d'un ton doctrinaire, avec l'emphase apprise dans les proclamations qu'on collait chaque jour aux murs, et il finit par un morceau d'éloquence où il étrillait magistralement cette «crapule de Badinguet».
         MAUPASSANT, Boule de suif, p. 28.

5   Remarquable discours de Valéry. D'une gravité, d'une ampleur, d'une solennité admirables, sans emphase aucune, d'une langue des plus particulières, mais noble et belle au point de n'être comme dépersonnalisée. S'élève loin au-dessus de tout ce qu'on écrit aujourd'hui.
         GIDE, Journal, 24 janv. 1931.

Par anal. Manque de simplicité dans l'expression d'un art. → **Outrance.** *L'emphase dans la peinture, la musique.*

6   Ses deux paysages (sont) d'une native et sévère mélancolie. Les eaux y sont plus lourdes et plus solennelles qu'ailleurs, la solitude plus silencieuse, les arbres eux-mêmes plus monumentaux. On a souvent ri de l'emphase de M. Clésinger (...)
> BAUDELAIRE, Curiosités esthétiques, Salon de 1859.

♦ **2** Ling. Accent particulier, affectif, porté sur un constituant de la phrase. *L'emphase peut se situer au niveau phonologique* (intonation) *ou syntaxique. Transformation d'emphase* (→ Emphatique).

♦ **3** Exagération dans la manifestation des émotions, des sentiments. → **Affectation, cérémonie.** *Porter le deuil avec une certaine emphase. Poignée de main pleine d'emphase scellant une réconciliation. La réserve et la pudeur sont le contraire de l'emphase.*

7   Figurez-vous une personne incapable de commettre une erreur de sentiment ou de calcul ; figurez-vous une sérénité désolante de caractère ; un dévouement sans comédie et sans emphase ; une douceur sans faiblesse (...)
> BAUDELAIRE, le Spleen de Paris, XLII.

CONTR. **Naturel, simplicité. — Discrétion, réserve.** ◊ DÉR. **Emphatique.**

EMPHATIQUE [ɑ̃fatik] adj. — 1579 ; grec *emphatikos,* de *emphasis.* → Emphase.

♦ **1** Rhét. Qui donne de la force par exagération. *Tour emphatique. Sens emphatique d'un terme. Forme emphatique du pronom personnel* (moi, toi...). *Pluriel emphatique.*

♦ **2** (En parlant du discours, du ton, de la voix...). Qui est empreint d'emphase, qui s'exprime avec emphase. → **Académique, affecté, apprêté, boursouflé, déclamatoire, guindé, pédantesque, pompeux, prétentieux, sentencieux, solennel.** *Discours, voix, paroles emphatiques. Prendre un ton emphatique.* → Employer de grands mots*, faire des phrases*, emboucher la trompette*. *Prononciation emphatique. Style emphatique.* → **Ampoulé** (cit. 2). *Geste, mouvement emphatique. Qualification emphatique* (→ Cacao, cit. 1).

1   — Monsieur, moi j'ai lu Swedenborg en entier, reprit monsieur Becker en laissant échapper un geste emphatique.
> BALZAC, Séraphita, Pl., t. X, p. 503.

2   (...) la pièce est dans ce genre roide, rude, tendu et emphatique, qui rappelle parfois le ton et le tic, mais non le génie de Corneille.
> SAINTE-BEUVE, Causeries du lundi, 6 oct. 1851, t. V, p. 5.

3   Salut aux gens de bien ! reprit enfin le fou dont on devinait le large mouvement emphatique, distributeur de justes palmes.
> COURTELINE, Messieurs les ronds-de-cuir, 3ᵉ tableau, II.

3.1   Sur un dernier vers emphatique, dont chaque syllabe fut hurlée isolément d'une voix enrouée par l'effort, la géniale tragédienne s'en alla d'un pas lent, tenant sa tête à deux mains, non sans répandre jusqu'à la fin ses pleurs limpides et abondants.
> Raymond ROUSSEL, Impressions d'Afrique, p. 104.

Personnes. *Personnage emphatique,* qui adopte un ton, des gestes emphatiques. *Un orateur emphatique.*

4   N'est-ce pas, madame, que voici un madrigal vraiment méritoire, et aussi emphatique que vous-même ? En vérité, j'ai eu tant de plaisir à broder cette prétentieuse galanterie, que je ne vous demanderai rien en échange.
> BAUDELAIRE, le Spleen de Paris, XVI.

N. m. (au sing.). Caractère de ce qui est exprimé avec emphase. *Détester l'emphatique.*

♦ **3** Ling. Relatif au procédé d'emphase. *Transformation emphatique.*

♦ **4** Phonét. *Consonne emphatique,* articulée avec une pharyngalisation. *Le t emphatique de l'arabe.* —

N. f. (*Une, des emphatiques*). Consonne(s) emphatique(s).

CONTR. **Naturel, simple, sobre.** ◊ DÉR. **Emphatiquement. —** V. **Emphatiser.**

EMPHATIQUEMENT [ɑ̃fatikmɑ̃] adv. — XVIᵉ ; de *emphatique.*

D'une manière emphatique. *Parler, s'exprimer emphatiquement.*

EMPHATISER [ɑ̃fatize] v. intr. et tr. — Mil. XXᵉ ; du rad. de *emphati(que).*

♦ **1** V. intr. Rare et littér. S'exprimer avec emphase, être emphatique.

Me réclamer d'Oreste, ce ne sera toutefois qu'emphatiser burlesquement tant que, tête moins brûlée que déboussolée, je ne saurai pas de qui — ou de quoi — je pourrais dire, m'abandonnant sans marchander :
«Et je lui porte enfin mon cœur à dévorer.»
> Michel LEIRIS, Frêle Bruit, t. IV, p. 219.

♦ **2** V. tr. Ling. *Emphatiser une phrase,* lui faire subir une transformation emphatique (3.).

EMPHYSÉMATEUX, EUSE [ɑ̃fizematø, øz] adj. et n. — 1755 ; de *emphysème.*
Pathologie.

♦ **1** Adj. Relatif à l'emphysème. *Gonflement emphysémateux. Tumeur emphysémateuse.*

♦ **2** N. (1852). Malade atteint d'emphysème. *Une emphysémateuse.*

EMPHYSÈME [ɑ̃fizɛm] n. m. — 1628 ; grec médical *emphusēma* «gonflement».

Pathol. Gonflement produit par une infiltration gazeuse dans le tissu cellulaire. *Emphysème de l'intestin. — Emphysème pulmonaire :* dilatation anormale et permanente des alvéoles pulmonaires pouvant entraîner la rupture de leurs parois et l'infiltration gazeuse du tissu cellulaire.

DÉR. **Emphysémateux.**

EMPHYTÉOSE [ɑ̃fiteoz] n. f. — 1271 ; lat médiéval *emphyteosis,* lat. jurid. *emphyteusis,* grec *emphuteusis,* de *phuteuein* «planter», de *phuton.* → Phyto-.

Dr. Bail de longue durée (18 à 99 ans) qui confère au preneur un droit réel susceptible d'hypothèque.

EMPHYTÉOTE [ɑ̃fiteɔt] n. — 1596 ; lat. médiéval *emphyteota,* du grec tardif *emphuteeutēs.* → Emphytéose.

Dr. Personne qui jouit d'un fonds par bail emphytéotique. → **Emphytéose.**

EMPHYTÉOTIQUE [ɑ̃fiteɔtik] adj. — XIVᵉ ; lat. médiéval *emphyteoticus,* de même orig. que *emphythéose*.

Dr. Relatif à l'emphytéose*. *Bail emphytéotique,* d'une durée de 18 à 99 ans.

EMPIÈCEMENT [ɑ̃pjɛsmɑ̃] n. m. — 1870 ; de *em-* (en-), *pièce,* et suff. *-ment.*

Pièce rapportée constituant le haut d'un corsage, d'un chemisier, d'une robe et couvrant les épaules. — Partie plate d'une jupe, de la taille aux hanches, qui maintient les plis de l'ampleur du bas. *Empiècement d'une chemise, d'un corsage, d'un tablier. Empiècement de guipure, de broderie.*

(...) l'empiècement de dentelle qui engainait la gorge et le col et se maintenait jusque sous les oreilles au moyen de ces tiges plates que l'on appelait des baleines (...)
> G. DUHAMEL, Inventaire de l'abîme, XV, p. 224.

EMPIÉGER [ɑ̃pjeʒe] v. tr. [CONJUG.: *céder* et *bouger*.] — V. 1380; de *em- (en-)*, *piège*, et suff. verbal.

♦ **1** Vx. Prendre au piège.

♦ **2** Fig. et littér. Embarrasser, empêtrer, et, fig., tromper (Lamartine, A. Arnoux, *in* T. L. F.). → **Piéger**.

Pronominal :

En de tels passages, où l'on soupçonne que l'esprit humain s'empiège lui-même, comme dit Montaigne, on connaît le prix d'un auteur auquel on puisse se fier tout à fait.
　　　　　ALAIN, Descartes, *in* les Passions et la Sagesse,
　　　　　　　　　　　　　　　Pl., p. 962.

EMPIERRAGE [ɑ̃pjeʀaʒ] n. m. — 1836; de *empierrer*.
Action d'empierrer; résultat de cette action. *L'empierrage d'un chemin*. → **Empierrement**.

EMPIERREMENT [ɑ̃pjeʀmɑ̃] n. m. — 1750; de *empierrer*.

♦ **1** Action d'empierrer; résultat de cette action. *Faire l'empierrement d'une route*. → **Empierrage**. *Un bel empierrement*.

♦ **2** (1829). Couche de pierres cassées, destinées à recouvrir une route, un chemin.

EMPIERRER [ɑ̃pjeʀe] v. tr. — 1636; attestation p.-ê. isolée, 1323; «changer en pierre», 1552; de *em- (en-)*, *pierre*, et suff. verbal.
Garnir de pierres, de caillasse. *Empierrer un chemin, une route**. → **Caillouter, macadamiser, recharger**. *Empierrer un fossé, un bassin* (pour faciliter l'écoulement des eaux).

♦ **EMPIERRÉ, ÉE** p. p. adj.
(...) une tache verte dans le vert crépuscule, allant se rétrécissant puis cessant à l'endroit où le chemin empierré débouchait sur la route (...)
　　　　　Claude SIMON, la Route des Flandres, p. 241 (1960).

DÉR. **Empierrage, empierrement.**

EMPIÈTEMENT [ɑ̃pjɛtmɑ̃] ou **EMPIÉTEMENT** [ɑ̃pjetmɑ̃] n. m. — 1376; «base», 1490; de *empiéter*.

♦ **1** Action d'empiéter; résultat de cette action. *Ils avaient étendu leurs domaines par empiétements successifs sur les terres voisines*.

♦ **2** Extension (d'une chose sur une autre). *Empiétement de la mer sur le rivage*.

♦ **3** Fig. Fait d'usurper les droits de qqn. *Les empiétements du pouvoir* (→ Assujettir, cit. 9). *Nous ne devons pas tolérer ces empiétements*. → **Abus, excès** (de pouvoir), **usurpation**.

(...) ce qu'elle appelait nos empiétements, c'étaient nos droits.　　　　　HUGO, les Misérables, IV, I, I.

EMPIÉTER [ɑ̃pjete] v. [CONJUG.: *céder*.] — XIVᵉ; trans., «saisir, occuper», XVIᵉ; de *em- (en-)*, *pied*, et suff. verbal.

A V. tr. Vx. ♦ **1** Fauconn. Prendre, tenir entre ses serres. *Le faucon empiète sa proie*.

1　Un pigeon blanc empiété d'un autour (...)
　　　　　RONSARD, *in* HATZFELD.

♦ **2** Rare. Gagner (qqch.) pied à pied. *Ce laboureur empiète tous les ans quelques sillons sur la terre de son voisin* (Académie).

B V. intr. Mod. **EMPIÉTER SUR**. ♦ **1** (1636). Mettre le pied, gagner pied à pied (sur le terrain du voisin). → **Gagner, grignoter**. *J'ai dû poser des bornes pour qu'il n'empiète pas sur mon chemin. État qui empiète sur ses voisins*.

(...) cet État (*Rome*) fondé sur la guerre, et par là naturel-　2
lement disposé à empiéter sur ses voisins (...)
　　　　　BOSSUET, Disc. sur l'hist. universelle, III, VII.

♦ **2** Sujet n. de chose. S'étendre, déborder sur. *La mer empiète de plus en plus sur le rivage*. → **Gagner, mordre**. *Lignes qui empiètent l'une sur l'autre*. → **Chevaucher**.

Au pied on aperçoit une multitude de tombes serrées,　3
accumulées, empiétant les unes sur les autres; la foule des morts s'y presse; c'est qui dormira le plus près du saint.　　　E. FROMENTIN, Un été dans le Sahara, p. 99.

Par anal. *Vers qui empiète sur le suivant* (→ **Enjambement**).

♦ **3** (1690). Abstrait. Usurper les droits de qqn. *Empiéter sur les attributions de qqn*. → **Anticiper, entreprendre; dépasser, outrepasser; et, fam., marcher** (sur les plates-bandes de quelqu'un).

Vous dites qu'il faut être modeste; les gens bien nés ne　4
demandent pas mieux : faites seulement que les hommes n'empiètent pas sur ceux qui cèdent par modestie (...)
　　　　　LA BRUYÈRE, les Caractères, XI, 71.

Il ne m'est pas permis de m'introduire auprès des souve-　5
rains; ce serait empiéter sur les droits de Léviathan, de Belphégor et d'Astaroth.
　　　　　A. R. LESAGE, le Diable boiteux, XVIII.

(...) mon passé me suit et empiète sur mon présent, et　6
presque sur mon avenir (...)
　　　　　Th. GAUTIER, Mˡˡᵉ de Maupin, III, p. 37.

Un prince accompli, remplissant ses devoirs avec discré-　7
tion (...) n'empiétant sur la liberté de personne (...)
　　　　　RENAN, Questions contemporaines, *in* Œ. compl.,
　　　　　　　　　　　　　　　t. I, p. 56.

(...) les garanties parlementaires sont indispensables, car　8
sans elles tout gouvernement est amené par la force des choses à empiéter sur ce qui ne le concerne pas (...)
　　　　　RENAN, Questions contemporaines, *in* Œ. compl.,
　　　　　　　　　　　　　　　t. I, p. 64.

CONTR. **Abandonner, céder concéder. — Respecter.** ◊ DÉR. **Empiètement.**

EMPIFFRER [ɑ̃pifʀe] v. tr. — XVIᵉ; de *em- (en-)*, *piffre* «homme ventru», vx ou dial., du rad. expressif. *piff-*, et suff. verbal.
Fam. et rare. Faire manger avec excès. → **Bourrer, gaver, gorger**. *Empiffrer un enfant de friandises*.

♦ **S'EMPIFFRER** v. pron.
(1669). Cour. Manger* avec excès, gloutonnement. → **Dévorer**. *Dès qu'il est à table, il s'empiffre. S'empiffrer de gâteaux* (→ Se flanquer une ventrée* de...).

Il s'imaginait servir un affamé et il avait effectivement　1
sujet de penser que j'allais m'empiffrer par la force des choses (...)
　　　　　A. R. LESAGE, Gil Blas, IX, IV.

On posait devant lui les innombrables plats qui compo-　2
sent l'ordinaire d'un grand seigneur marocain; il s'empiffrait de nourriture, car il était vorace; et repu, s'endormait sur place (...)
　　　　　Jérôme et Jean THARAUD, Marrakech, p. 81.

CONTR. **Affamer, priver (de), rationner; jeûner.**

EMPILABLE [ɑ̃pilabl] adj. — XXᵉ; de 1. *empiler*.
Que l'on peut empiler. *Verres, chaises empilables*.

1. EMPILAGE [ɑ̃pilaʒ] n. m. — 1679; de 1. *empiler*.
Action d'empiler; résultat de cette action. → **Empilement**. *Empilage et séchage du bois. L'empilage de la vaisselle sale dans l'évier*.
Fig. Aviat. → 1. **Empiler**.

2. EMPILAGE [ɑ̃pilaʒ] n. m. — 1769; de 2. *empiler*.
Techn. (pêche). Action d'attacher un hameçon à une empile.

EMPILE [ãpil] n. f. — 1769; de 2. *empiler*.

Techn. (pêche). Petit fil ou crin auquel on attache l'hameçon.

HOM. Formes des v. 1. **empiler**, 2. **empiler**.

EMPILEMENT [ãpilmã] n. m. — 1548; de 1. *empiler*.

♦ **1** Action d'empiler; son résultat. → **Empilage**. *L'empilement de dossiers les uns sur les autres.*

♦ **2** Ensemble de choses entassées. → **Entassement, superposition.** *Un empilement invraisemblable de caisses.* — Par ext. (fam.). Le fait d'être entassé (personnes, êtres vivants). *L'empilement des voyageurs dans un wagon.*

♦ **3** (1973). Sc. Phénomène par lequel des impulsions trop rapprochées dans le temps produisent le même effet qu'une impulsion unique.

---

1. **EMPILER** [ãpile] v. tr. — Fin XIIᵉ; de em- (en-), pile, et suff. verbal.

♦ **1** Mettre en pile, entasser. *Empiler du bois, des livres, des vêtements, de la vaisselle. Empiler du linge dans une armoire.*

1   Sur la petite table du kiosque il y a les journaux du soir pliés et empilés.
     J. ROMAINS, les Hommes de bonne volonté, t. IV, XV, p. 153.

Loc. fig. et vx. *Empiler des écus* : amasser de l'argent.

♦ **2** Par ext. Entasser (des êtres vivants) dans un espace exigu. *Empiler des voyageurs dans un wagon.* → **Presser.**

Argot techn. (aviat.). Faire attendre (des avions) à des altitudes différentes au-dessus d'un aérodrome (*l'Express*, 14 juil. 1971).

♦ **3** (Fin XIXᵉ). Fam. Tromper (qqn), voler. → **Avoir** (fam.), **duper, posséder** (fam.), **refaire** (fam.). *Il s'est fait empiler.*

1.1 (...) il s'agit de l'état de santé de M. d'Espivant, qui est assez gravement atteint pour...
     — Pour qu'il t'empile, dit Coco Vatard.
     COLETTE, Julie de Carneilhan, p. 104.

♦ **S'EMPILER** v. pron. passif.

Être mis en pile. *Les livres s'empilent sur la table.* — (Sujet n. de personne). S'entasser. *Aux heures d'affluence, les Parisiens s'empilent dans les voitures du métro.*

2   Il prépare ainsi vingt dessins à la fois avec une pétulance et une joie charmantes, amusantes même pour lui; les croquis s'empilent et se superposent par dizaines, par centaines, par milliers.
     BAUDELAIRE, Curiosités esthétiques,
     «Le peintre de la vie moderne», V.

3   Là, des Levantins de toute race (et quelques jeunes Turcs aussi, hélas!) [...] s'empilaient dans les brasseries, des «beuglants» ineptes, ou autour des tables de poker, dans les cercles de la haute élégance pérote [...]
     LOTI, les Désenchantées, XVII, p. 124.

♦ **EMPILÉ, ÉE** p. p. adj. *Livres empilés,* formant une pile. — *Des voyageurs empilés dans l'autobus.*

DÉR. Empilable, 1. empilage, empilement, empileur.

---

2. **EMPILER** [ãpile] v. tr. — 1769; de em- (en-), pile «petites cordes en pile sur la ligne», 1765, et suff. verbal.

Techn. (pêche). Attacher (un hameçon) à l'empile*.

DÉR. 2. Empilage, empile.

EMPILEUR, EUSE [ãpilœʀ, øz] n. — 1715; de 1. *empiler*.

♦ **1** Celui, celle qui empile (des objets). *Empileur de bois.*

Elle a la figure résignée, presque mauvaise. Lui, empileur, il gagne de bonnes journées. Elle aurait pu être heureuse chez elle, mais il boit et il la bat. Elle ne voit rien de ce qu'il gagne.   J. RENARD, Journal, 7 sept. 1907.

♦ **2** (V. 1900). Fam. et rare. Escroc, voleur.

EMPIRE [ãpiʀ] n. m. — 1080; *empirie,* v. 1050; du lat. *imperium* «pouvoir suprême», de *imperare*. → *Empereur.*

♦ **1** Littér. Autorité, domination absolue (de qqn sur qqch.). → **Commandement, gouvernement, souveraineté.** *Détenir l'empire des mers.* → **Contrôle, maîtrise.** *L'empire du monde* (→ Abhorrer, cit. 3; acheminer, cit. 3).

Cet empire absolu sur la terre et sur l'onde (...)   1
     CORNEILLE, Cinna, II, 1.

(*Aux mains*) À qui Rome a commis l'empire des humains.   2
     RACINE, Britannicus, II, 3.

L'homme a établi son empire sur la nature. → **Pouvoir, puissance** (→ Découverte, cit. 11).

(Abstrait). *Exercer sur les siens un empire despotique.* → **Autorité, tyrannie.** *Elle a pris beaucoup d'empire sur lui.* → **Ascendant** (cit. 7 et 8), **emprise, influence.** *Exercer sur qqn empire absolu.* → **Assujettir, subjuguer.** *User de son empire.* → **Autorité, crédit, prestige.** *Avoir de l'empire sur soi, sur ses passions,* rester maître de soi. → **Contrôle, maîtrise, sang-froid.**

Hé bien! je me suis tu, malgré ce que je voi(s),   3
Et j'ai laissé parler tout le monde avant moi :
Ai-je pris sur moi-même un assez long empire,
Et puis-je maintenant (...)
     MOLIÈRE, le Misanthrope, V, 4.

Henriette me tient sous son aimable empire (...)   4
     MOLIÈRE, les Femmes savantes, I, 4.

Depuis cette explosion (*du règne de Louis XIV*), la France   5
a continué de donner un théâtre, des habits, du goût, des
manières, une langue, un nouvel art de vivre et des jouissances inconnues aux États qui l'entourent : sorte d'empire
qu'aucun peuple n'a jamais exercé.
     RIVAROL, Littérature,
     De l'universalité de la langue franç., *in* Œ., p. 20.

♦ **2** Fig. Influence, domination exercée (par une chose). *L'empire de la mode, de la beauté.* — Pouvoir, forte influence morale (de qqch.) sur une personne. *L'empire des sens. L'empire du cœur* (→ Délire, cit. 5), *de la raison* (→ Âge, cit. 28; délectation, cit. 3), *des passions, de l'amour* (→ Assujettir, cit. 26; cuisant, cit. 4). *Cette doctrine exerce, a pris un grand empire sur la jeunesse. Agir sous l'empire des circonstances* (→ **Pression**), *de la nécessité, de la terreur. Il était sous l'empire de la boisson quand il a commis ce crime.*

Comme l'esprit a grand empire sur le corps (...)   6
     MOLIÈRE, l'Amour médecin, III, 6.

Une grande façon qui tenait à sa naissance, une obser-   7
vation rigoureuse des bienséances, un air froid et dédaigneux contribuaient à nourrir l'illusion autour du prince
de Bénévent. Ses manières exerçaient de l'empire sur les
petites gens et sur les hommes de la société nouvelle, lesquels ignoraient la société du vieux temps.
     CHATEAUBRIAND, Mémoires d'outre-tombe, t. VI,
     p. 301.

La religion prit de plus en plus d'empire dans cette âme   8
toute faite pour l'accueillir et si bien ordonnée.
     SAINTE-BEUVE, Causeries du lundi, 1ᵉʳ déc. 1851,
     t. V, p. 188.

Expliquerai-je comment, sous l'empire du poison, mon   9
homme se fait bientôt centre de l'univers?
     BAUDELAIRE, les Paradis artificiels,
     «Le poème du haschisch», IV.

♦ 3 (1668). Vx. ou littér. Lieu, domaine où s'exerce une domination, un empire (1.). *L'empire des morts :* les enfers. *L'empire de Neptune :* la mer.

10　Celui de qui la tête au ciel était voisine,
Et dont les pieds touchaient à l'empire des morts.
　　　　　　　　　　LA FONTAINE, Fables, I, 22.

11　L'empire des femmes est beaucoup trop grand en France,
l'empire de la femme beaucoup trop restreint.
　　　　　　　　　　STENDHAL, De l'amour, p. 288.

♦ 4 Mod. Autorité souveraine (d'un chef d'État qui porte le titre d'empereur). *Appeler* (cit. 16), *associer* (cit. 1 et 2) *qqn à l'empire* (→ Association, cit. 2). *Dioclétien abdiqua...* (cit. 2) *l'empire.*

12　J'ai souhaité l'empire et j'y suis parvenu.
　　　　　　　　　　CORNEILLE, Cinna, II, 1.

13　Là, consul jeune et fier, amaigri par des veilles
Que des rêves d'empire emplissaient de merveilles,
Pâle sous ses longs cheveux noirs.
　　　　　　　　　　HUGO, les Orientales, XL, I.

14　L'Empire! Le mot avait toujours couronné une hégémonie. Il s'était forgé à Rome à l'heure où, par la conquête des Gaules, après celle de toute la Méditerranée, la grande République avait complété son système de domination universelle (...)
Les grands princes de France, d'un Philippe le Bel à un François 1er, avaient, eux aussi, ambitionné, aux heures de grandeur, ce titre prestigieux. Il était allé tout naturellement à un Charles-Quint, maître de la moitié de l'Europe.
L'aigle s'était ainsi promené de Rome à Aix-la-Chapelle, de Madrid à Francfort et à Vienne ; elle venait, en ce printemps de 1804, se poser sur les tours de Notre-Dame parce que, pour la France, les temps étaient révolus.
　　　　　　　　　Louis MADELIN, Hist. du Consulat et de l'Empire,
　　　　　　　　　L'avènement de l'Empire, VIII, p. 106-107.

♦ 5 L'État ou l'ensemble des États soumis à cette autorité. *Capitale, frontières d'un empire. L'Empire romain* (→ Auguste, cit. 1; désunir, cit. 3). *L'Empire byzantin. L'Empire romain d'Occident et le Saint-Empire romain germanique,* ou, absolt, *l'Empire* (→ Corps, cit. 37). *Mettre qqn au ban de l'Empire* (→ 1. Ban, 4.). — *L'empire du Milieu, le Céleste Empire,* noms donnés anciennement à la Chine. *L'Empire du Soleil-Levant :* le Japon. *L'Empire chérifien :* le Maroc. — *Le Premier Empire* (absolt *l'Empire*) : le régime fondé en France par Napoléon Ier. *Les guerres de l'Empire* (absolt), de l'Empire de Napoléon Ier. *Le Second Empire,* de Napoléon III.

15　Comme Cyrus dans Babylone,
Il voulait, sous sa large main,
Ne faire du monde qu'un trône
Et qu'un peuple du genre humain (...)
Et bâtir, malgré les huées,
Un tel empire sous son nom,
Que Jéhovah dans les nuées
Fût jaloux de Napoléon !
　　　　　　　　　　HUGO, les Châtiments, V, XIII, 5.

16　Aussi bien la conception même du Grand Empire était-elle (...) assez scabreuse (...) disons dès maintenant qu'en renonçant, en 1806, au simple système d'un Empire français enfermé dans des limites assez larges, mais fort de son unité (...) l'Empereur, — si surhumain que fût son génie, —s'exposait non point à se fortifier, mais, en se surmenant, à affaiblir son action.
　　　　　　　　　Louis MADELIN, Hist. du Consulat et de l'Empire,
　　　　　　　　　Vers l'Empire d'Occident, X, p. 137.

Par métonymie. La période du Premier Empire, en France. *Histoire du Consulat et de l'Empire,* de Thiers, de Madelin. — Appos. *Avoir un salon Empire, des meubles Empire. — Le Second Empire :* le règne de Napoléon III. — Appos. *Des mobiliers Second Empire.*

17　(...) J'étais au lit ;
Mon pied nu dépassait, et sur le bois poli
Posé comme ces pieds que cisèle Thomire,
Du meuble Médicis faisait un meuble Empire.
　　　　　　　　　Edmond ROSTAND, l'Aiglon, IV, 7.

♦ 6 Ensemble d'États, de territoires relevant d'un gouvernement central. *Empire colonial. L'Empire français,* l'Empire britannique (→ Colonie ; commonwealth). *L'empire universel rêvé par les dictateurs.*

Déjà, d'ailleurs, la puissance ne se rassemblait plus à l'échelle des nations mais des empires. Vastes et soudés comme des continents, les U. S. A. et la Russie étaient spontanément des empires.
　　　　　　　　　Raymond ABELLIO, Ma dernière mémoire, t. II,
　　　　　　　　　　　　　　　　　p. 8.　　　17.1

♦ 7 État puissant et dominateur ; son territoire. *Le partage de l'empire d'Alexandre. Celui de qui relèvent tous les empires* (→ Appartenir, cit. 20). *Fonder un empire* (→ Arme, cit. 20). *Apogée, décadence, chute des empires* (→ Couler, cit. 23). *Veillons au Salut de l'Empire,* chant de guerre composé sous la première République. — Loc. *Pour un empire* (après une proposition négative comprenant un verbe d'action ou d'intention au conditionnel ou au subjonctif, au sens de «en aucune façon»). *Je ne céderais pas ma place pour un empire,* pour rien au monde.

18　Je n'en eusse quitté ma part pour un empire.
　　　　　　　　　　LA FONTAINE, Fables, XII, 12.

19　Si vous croyez que je vais dire
Qui j'ose aimer,
Je ne saurais, pour un empire,
Vous la nommer.　　A. DE MUSSET, le Chandelier, I, 4.

DÉR. V. Empereur, impératrice, impérial, impérialisme.
◊ HOM. Formes du v. Empirer.

EMPIREMENT [ɑ̃piʀmɑ̃] n. m. — Mill. XIIe ; de *empirer.*
Rare. Action d'empirer ; état d'une chose qui empire. *L'empirement d'une maladie, d'une situation.*

EMPIRER [ɑ̃piʀe] v. — XIIIe ; réfection d'après *pire,* de *empeirier,* XIe, du lat. pop. **impejorare,* du bas lat. *pejorare* «aggraver», de *pejor* «pire».

[I] V. tr. Vieilli ou littér. Rendre pire*. → Aggraver, augmenter. *Le traitement qu'il a suivi n'a fait qu'empirer son mal. Le souvenir du passé empirait la misère présente* (→ Abrutissement, cit. 3).

Pour vouloir fuir le mal, quelquefois on l'empire (...)　　1
　　　　　　　Thomas CORNEILLE, la Comtesse d'Orgueil, I, 2,
　　　　　　　　　　　　　　　　　in LITTRÉ.

Il faut surtout ne pas empirer son mauvais sort en regim-　　2
bant contre.　　G. SAND, François le Champi, X, p. 89.

Les dons qu'elle *(la nature)* accorde, on ne s'en sert d'abord　　3
que pour le mal, pour empirer ce qu'elle semblait vouloir
améliorer (...)
　　　　　　　MAETERLINCK, la Vie des abeilles, XII, p. 251.

[II] V. intr. Cour. Devenir pire. — REM. *Empirer* s'emploie dans ce cas avec l'auxiliaire *avoir* ou *être,* suivant que l'on veut indiquer l'action ou l'état. *Son état empire, a beaucoup empiré depuis hier. Son état est empiré. Le mal empire, ne fait qu'empirer chaque jour.* → Progresser. *Ses affaires empirent.* → Péricliter, mal (aller de mal en pis). *La situation empire à vue d'œil.* — Par ext. (rare). Devenir plus malade. *Il empire à vue d'œil. Son moral empire.* → Dégrader (se).

(...) ce mal, qui pourrait empirer par le retardement.　　4
　　　　　　　MOLIÈRE, le Médecin malgré lui, III, 6.

(...) elle *(la mère Barbeau)* demandait qu'on fît d'abord　　5
l'essai de garder Landry quinze jours à la maison, pour
savoir si son frère, le voyant à toute heure, ne se guérirait
point. S'il empirait, au contraire, elle se rendrait à l'avis
du père Caillaud.
　　　　　　　G. SAND, la Petite Fadette, XXXI, p. 208.

Pourtant nous n'avons pas craint d'en parler ; mais plus　　6
encore de sa prochaine convalescence, alors qu'il semble
que son état, si déjà si pitoyable, ne puisse qu'empirer
bientôt.　　　　　　　GIDE, Journal, 18 août 1930.

◆ **S'EMPIRER** v. pron.

Vieilli ou rare. Devenir pire.

7   Leur état allait s'empirant (...)

BOSSUET, Hist., II, 1, *in* LITTRÉ.

**CONTR. Améliorer, amender; mieux (aller mieux). ◊ DÉR.
Empirement. → HOM. Empyrée.**

EMPIRICITÉ [ɑ̃piʀisite] n. f. — XXᵉ; de *empirique*.

Didact. et rare. Caractère de ce qui est empirique.
L'empiricité des connaissances. — Ensemble de connaissances empiriques.

Ces domaines (...) se sont tous constitués sur fond d'une
science possible de l'ordre (...) Ainsi sont apparues la
grammaire générale, l'histoire naturelle, l'analyse des
richesses, sciences de l'ordre dans le domaine des mots,
des êtres et des besoins; et toutes ces empiricités, neuves
à l'époque classique (...) n'ont pu se constituer sans le rapport que toute l'*épistémè* (art) de la culture occidentale a
entretenu alors avec une science universelle de l'ordre.

Michel FOUCAULT, les Mots et les Choses, p. 71.

EMPIRIE [ɑ̃piʀi] n. f. — 1866, Amiel; 1585, «empirisme»;
du grec *empeiria*, d'après *empirique*.

Philos. et rare. Réalité empirique, expérience. *L'empirie et la théorie.*

CONTR. Science.

EMPIRIOCRITICISME   [ɑ̃piʀjokʀitisism] n. m.
— 1897, Avenarius, Esquisse de l'empiriocriticisme, par
H. Delacroix; de *empirio-* (élément formé sur *empirique*),
et *criticisme*, d'après l'allemand.

Philos. Doctrine de la fin du XIXᵉ siècle, issue du
criticisme* kantien, qui critique la valeur objective
de la science. *Matérialisme et Empirio-Criticisme,*
ouvrage de Lénine.

REM. S'écrit aussi *empirio-criticisme.*

Contre la philosophie digestive de l'empirio-criticisme, du
néo-kantisme, contre tout «psychologisme», Husserl ne se
lasse pas d'affirmer qu'on ne peut pas dissoudre les choses
dans la conscience.   SARTRE, Situations, I, p. 32.

EMPIRIQUE [ɑ̃piʀik] adj. — 1314; lat. *empiricus*, grec
empeirikos, de *empeiros* «expérimenté».

Didact. Qui se guide seulement par l'expérience*;
qui résulte de l'expérience et ne se déduit d'aucune
loi ou système (→ **Expérimental**).

◆ **1** Vx. ou didact. (en parlant d'une pratique médicale).
Qui s'appuie principalement sur l'expérience et
non pas sur les données scientifiques et rationnelles. → **Empirisme** (1.). *Médecine thérapeutique
empirique. — La secte empirique,* qui, au IIIᵉ siècle
av. J.-C., prétendit se passer systématiquement de
tout raisonnement en médecine. *Médecin empirique.* — N. *Les empiriques. Sextus Empiricus,* ou
l'Empirique, médecin et philosophe grec.

1   Toute la science des empiriques se réduisait donc à
avoir vu, à se ressouvenir et à comparer (...) Ajoutons
qu'ils rejetaient toutes les causes diversifiées, occultes, ou
cachées des maladies, toute hypothèse (...)

Encycl. (DIDEROT), art. *Empirique.*

(XVIIᵉ). Péj. (Du fait que cette expérience se réduisait trop
souvent à une expérience personnelle, secrète et infor-
mulable). *Médecine empirique,* qui ne tient aucun
compte des données de la science. *Médication
empirique.* — N. (vx). *Un empirique :* un médecin qui
n'applique qu'une médecine empirique. → **Charlatan, guérisseur, rebouteux.**

2   C'était un Italien *(Caretti)* [...] qui gagnait de l'argent en
faisant l'empirique.

SAINT-SIMON, Mémoires, I, XXXV.

3   (...) M. Fagon n'aura pas fait beaucoup de grâce aux empiriques; ces sortes de médecins, d'autant plus accrédités
qu'ils sont moins médecins, et qui ordinairement se font
un titre et d'un savoir incompréhensible et visionnaire ou

même de leur ignorance, ont trop souvent puni la crédulité de leurs malades (...)

FONTENELLE, Fagon, *in* LITTRÉ.

(...) elle ne laissa pas de prendre le goût que son père avait   4
pour la médecine empirique et pour l'alchimie : elle faisait
des élixirs, des teintures, des baumes, des magistères; elle
prétendait avoir des secrets.

ROUSSEAU, les Confessions, II.

Un marchand d'orviétan passa dans le village; mon père,   5
qui ne croyait point aux médecins, croyait aux charlatans :
il envoya chercher l'empirique, qui déclara me guérir en
vingt-quatre heures.

CHATEAUBRIAND, Mémoires d'outre-tombe, t. I,
p. 87.

◆ **2** Mod. Qui reste au niveau de l'expérience spontanée ou commune, n'a rien de rationnel ni de
systématique. *Morale, précepte empirique. Procédés
purement empiriques. Politique empirique.* → **Pragmatique.**

Péj. Approximatif. *Des recettes empiriques.*

◆ **3** (1808). Philos. Qui résulte de l'expérience, de l'empirisme (2.). *Connaissance empirique* par oppos. à
connaissance rationnelle et, dans un sens plus particulier, à *connaissance expérimentale. La connaissance
empirique est a posteriori*. Intuition empirique.
Formule empirique. Procédés empiriques. Méthode
empirique. Une science empirique. Psychologie empirique. Philosophie empirique,* qui professe l'empirisme. → **Empirisme.** — *Stade empirique d'une
science :* première étape d'une démarche scientifique (avant l'étape de l'abstraction, de la théori-
sation). → **Expérimental.**

(Sujet n. de personne). Qui fait des découvertes spontanées, fortuites, ne reposant sur aucun système
ou théorie. *Chercheur empirique.* — N. *Les empiriques.* → **Empiriste.**

On peut s'instruire, c'est-à-dire acquérir de l'expérience sur   6
ce qui nous entoure, de deux manières, empiriquement et
expérimentalement. Il y a d'abord une sorte d'instruction
ou d'expérience inconsciente et empirique, que l'on obtient
par la pratique de chaque chose. Mais cette connaissance
que l'on acquiert ainsi n'en est pas moins nécessairement
accompagnée d'un raisonnement expérimental vague que
l'on fait sans se rendre compte (...)

Cl. BERNARD, Introd. à l'étude de la médecine
expérimentale, p. 47.

**CONTR. Déductif, dogmatique, méthodique, rationnel, scien-
tifique, systématique, théorique. ◊ DÉR. Empiricité, empiriquement.**

EMPIRIQUEMENT [ɑ̃piʀikmɑ̃] adv. — 1593; de
empirique.

D'une manière empirique* (cit. 6). *Résultats
obtenus empiriquement.*

EMPIRISME [ɑ̃piʀism] n. m. — 1732, méd.; dér. sav.
du grec *empeiria* «expérience». → Empirie.

◆ **1** Vx. Médecine empirique*. — Péj. Pratique de
la médecine sans connaissance médicale. *L'empirisme des charlatans.* → **Charlatanisme.**

Ainsi tous ceux qui ont réduit l'expérience à l'empirisme   1
particulier de chaque praticien, c'est-à-dire à quelques
connaissances insuffisantes, obscures, équivoques, sédui-
santes, dangereuses, n'ont pas compris que la véritable
expérience, la seule digne de ce nom, est l'expérience générale qui résulte des découvertes physiques, chimiques,
anatomiques et des observations particulières des médecins de tous les temps et de tous les pays; que cette
expérience est renfermée dans la théorie (...)

Encycl. (DIDEROT), art. *Empirisme.*

◆ **2** (1782). Méthode, procédé de pensée qui ne s'appuie que sur l'expérience. *Empirisme moral, politique.* → **Pragmatisme.**

2   *Empirisme* représente très bien l'habitude ou la manière de procéder d'un esprit qui se contente de l'expérience. La philosophie qui n'admet rien en dehors de l'expérience devrait s'appeler *empiricisme.*
        LACHELIER, *in* LALANDE, Voc. de la philosophie,
        art. *Empirisme.*

2.1 J'ai appris à redouter chez les hommes politiques, même chez les grands, un empirisme qui les soumet à l'événement.
        F. MAURIAC, le Nouveau Bloc-notes 1958-1960,
        p. 98.

♦ **3** (Déb. XIXᵉ). **Philos.** Système philosophique suivant lequel les connaissances de l'esprit ne sont que le fruit de l'expérience (→ **Associationnisme, évolutionnisme, sensualisme**). *Dans l'empirisme, l'esprit est comparé à une table rase. L'empirisme anglais* (Locke, Hume, Mill). *Empirisme logique.* → **Logico-positivisme, néo-positivisme.** *Empirisme et pragmatisme*.*

3   L'empirisme moderne (...) est allé parfois jusqu'à nier toute activité propre de l'esprit. Son premier grand représentant est l'Anglais Locke qui, dans son *Essai concernant l'entendement humain* (1690), combat la théorie cartésienne des «idées innées». D'après lui, rien n'est inné, ni les principes, ni les idées dont ils sont composés, ni les règles de morale. La preuve en est que les enfants, les idiots, les sauvages n'en ont point connaissance. L'âme est, à l'origine, une table rase, une tablette de cire «vide de tout caractère, sans aucune idée quelle qu'elle soit».
        CUVILLIER, Philosophie, I, p. 540.

4   J'appelle empirisme logique un courant philosophique dont les trois manifestations principales furent l'atomisme logique en Grande-Bretagne, le néo-positivisme ou positivisme logique issu du Cercle de Vienne, et la philosophie logique contemporaine qui, particulièrement florissante aux États-Unis, tend à reconquérir l'Europe continentale. Ces philosophies présentent des traits communs : attachement à l'expérience sensible, défiance à l'égard de la spéculation et des prétendues évidences du sens intime, goût de la rigueur logique dans les inférences, effort vers la clarté et la netteté dans l'exposé.
        Louis VAX, l'Empirisme logique, p. 5.

CONTR. Dogmatisme, innéisme, rationalisme. ◊ **DÉR.** Empiriste.

EMPIRISTE [ɑ̃piʀist] adj. et n. — Av. 1842; de *empirisme.*

♦ **1** Adj. Relatif à l'empirisme. *L'école empiriste anglaise. Les philosophes empiristes. Théorie, thèse, explication empiriste.*

♦ **2** N. Vx. Mauvais médecin, charlatan. → **Empirique.**

♦ **3** N. Philosophe partisan de l'empirisme. *Les empiristes anglais.*

EMPLACEMENT [ɑ̃plasmɑ̃] n. m. — 1611; «assignation, donation», 1422; du moy. franç. *emplacer* «placer», XVIᵉ; de *em- (en-),* et *placer.*

♦ **1** (1694). Lieu, endroit choisi pour y édifier une construction, y exercer une activité. → **Place; terrain.** *Choisir un bon emplacement. Arrêter l'emplacement d'un camp* (→ **Campement; castramétation).** *Emplacement aménagé* (cit. 2) *pour un terrain de sport. Emplacement destiné à une maison de commerce* (→ 2. Bourse, cit. 2). — *Emplacement à louer.*

1   Pour Yves, c'était là une question très sérieuse, arrêter l'emplacement de cette petite maison, où il entrevoit, au fond d'un lointain mélancolique et étrange, sa retraite, sa vieillesse et sa mort.   LOTI, Mon frère Yves, LXX, p. 168.

2   Il notera l'emplacement du terrain (à droite ou à gauche de la rue; à un angle); ses dimensions approximatives (...)
        J. ROMAINS, les Hommes de bonne volonté, IV, II,
        p. 13.

3   Le petit capital souscrit jusqu'à ce jour a surtout servi à rétribuer quelques voyages d'études dans le Bas-Congo, pour fixer l'emplacement des usines.
        A. MAUROIS, Bernard Quesnay, XXIV, p. 158.

♦ **2** Place effectivement occupée (par qqch.). *L'emplacement d'une troupe sur le front.* → **Secteur.** *Occuper un emplacement.* — **Par ext.** Place à laquelle une chose a été mise par l'homme. *L'emplacement d'un chantier. C'était ici l'emplacement de la Bastille. Fouilles exécutées sur l'emplacement d'une ville ancienne. Discuter de l'emplacement des meubles.* → **Position, situation.** *Reconnaître l'emplacement d'une chose.* → **Localiser** (→ Déshabiller, cit. 8).

4   Il ne reconnaissait plus l'emplacement des meubles. Il trouva enfin son veston et craqua une allumette.
        P. MAC ORLAN, la Bandera, I, p. 8.

5   Au loin, un noir rougeoiement indiquait l'emplacement des boulevards et des places illuminées.
        CAMUS, la Peste, p. 330.

Spécialt. Lieu de stationnement (d'un véhicule). *Emplacement réservé aux livraisons, aux visiteurs, au personnel de l'entreprise. Louer un emplacement dans un garage.*

EMPLAFONNER [ɑ̃plafɔne] v. tr. — 1953, *in* Cellard et Rey; de *em- (en-), plafond,* et suff. verbal.

Fam. (En parlant de véhicules). Heurter violemment (un autre véhicule ou un obstacle). → 2. **Emplâtrer,** 3. — Foncer dans (quelqu'un).
    Ça ne roule pas vite mais on a tout le temps de lire le numéro. On file au premier rond-point, demi-tour; un camion de déménagement manque de nous emplafonner.
        Martin ROLLAND, la Rouquine, p. 153.

♦ **S'EMPLAFONNER** v. pron. Se heurter violemment, entrer en collision.

EMPLANTURE [ɑ̃plɑ̃tyʀ] n. f. — 1773; de *emplanter* «planter», XVᵉ; de *em- (en-),* et *planter;* suff. *-ure.*

♦ **1** Mar. Encaissement destiné à supporter le pied d'un bas-mât.
    Elle *(la remorque)* avait encore écorché la lisse, rongé le mât de misaine au ras de l'emplanture, là où ils l'avaient tournée.   Roger VERCEL, Remorques, p. 150.

♦ **2** Aviat. Ligne de raccordement de l'aile au fuselage.

EMPLASTIQUE [ɑ̃plastik] adj. — 1538; *emplastrique,* 1478; du grec *emplastikos* «propre à servir d'emplâtre», de *emplastos* «moule», de *emplassein* «façonner».
Méd. Employé comme emplâtre, qui a les caractères de l'emplâtre. → **Emplâtre.**

EMPLÂTRE [ɑ̃plɑtʀ] n. m. — XIIᵉ, *emplastre;* masc. ou fém. jusqu'au XVIIIᵉ; lat. *emplastrum,* grec *emplastron,* de *emplassein* «façonner».

♦ **1** Méd. Topique, onguent glutineux se ramollissant à la chaleur, ce qui le fait adhérer à la partie du corps sur laquelle on l'applique. → **Cataplasme** (cit. 1), **compresse, diachylon, magdaléon, sparadrap.** *Emplâtre adhésif, agglutinant, calmant, dessiccatif, épispastique, fondant, résolutif, révulsif, sédatif. Emplâtre fait avec de la cire, des corps gras, de la résine. Appliquer, mettre, lever, ôter un emplâtre.*

1   (...) un(e) emplâtre qui me défigure (...)
        RACINE, Lettres, 95, 21 mai 1692.

2   (...) il s'était mis un emplâtre sur le visage à la sortie de Tours pour se rendre méconnaissable à son ennemi (...)
        SCARRON, le Roman comique, I, XII, p. 53.

Emplâtre pour les chevaux. → **Brouillamini** (vieux).

Vx. Remède, pansement. — Fig. Remède (→ Combat, cit. 24).

3   (...) un mari est un(e) emplâtre qui garit *(guérit)* tous les maux des filles.
        MOLIÈRE, le Médecin malgré lui, II, 1.

Loc. fig. *Un emplâtre sur une jambe* de bois.*

♦ **2** Par métaphore. Aliment lourd, épais. → **Cataplasme.** *Ce plat est un véritable emplâtre, c'est un emplâtre sur l'estomac.*

♦ **3** (1932). Techn. Pièce collée sur l'enveloppe d'un pneumatique et servant à réparer une déchirure. *L'emplâtre d'une affiche.* → **Colle** (→ 2. Décoller, cit. 1).

♦ **4** (1852). Fig. et fam. (vieilli). Gifle, coup violent. *Appliquer un emplâtre sur la figure de quelqu'un.*

♦ **5** (1690). Fig. et fam. (infl. probable d'*empêtrer*). Personne incapable d'agir, inutile. *Espèce d'emplâtre ! tu n'es bon à rien !*

4 Tu as raison, lui dit-il, brusquement, je ne suis qu'un vieil emplâtre et je n'ai rien à dire sur cette guerre, puisque je ne la fais pas.   SARTRE, le Sursis, p. 79.

DÉR. 1. **Emplâtrer,** 2. **emplâtrer.**

1. **EMPLÂTRER** [ɑ̃platʀe] v. tr. — 1260; de *emplâtre.*
Recouvrir d'un emplâtre, et, par ext., d'une substance consistante comme un emplâtre.

2. **EMPLÂTRER** [ɑ̃platʀe] v. tr. — 1864; de *emplâtre.*
Populaire.

♦ **1** Rare. Embarrasser, encombrer. *Emplâtrer qqn de colis.* Pron. *S'emplâtrer :* s'embarrasser (au propre et au figuré).

♦ **2** (1876, «cacher (un objet volé) pour le reprendre par la suite»). Voler. — Recevoir (un objet volé).

Je me suis donc rabattue sur les mignardises de la trousse mais là non plus... au retour du gars, je n'avais pu emplâtrer qu'une petite fiole de truc à endormir les gencives.
                    A. SARRAZIN, la Cavale, p. 35.

♦ **3** (1870). Heurter avec violence. *La voiture est allée emplâtrer un platane.* — Syn. : *emplafonner.*

EMPLETTE [ɑ̃plɛt] n. f. — XIVᵉ; *emploite,* fin XIIᵉ; du lat. pop. **implicita,* de *implicita,* p. p. subst. au fém., de *implicare.* → Employer («emploi de l'argent en achats»).

♦ **1** Achat* (d'objets d'usage ordinaire, d'une marchandise courante). → **Acquisition.** *Une emplette intéressante.* — *Faire l'emplette d'un objet.* → **Acheter** (→ Ciseau, cit. 2). *Faire des emplettes, quelques emplettes.* — Vieilli. *Faire emplette de... :* acheter.

1 J'ai su là-bas que, pour quelques emplettes,
   Éliante est sortie, et Célimène aussi (...)
                    MOLIÈRE, le Misanthrope, I, 2.

2 Il revint au bazar, et pour un franc quarante-cinq fit l'emplette d'un porte-monnaie.
                    J. ROMAINS, les Hommes de bonne volonté, t. II,
                    IX, p. 99.

Loc. vieillie. *Faire une mauvaise emplette :* se tromper en engageant une personne en vue de lui confier un travail, une responsabilité. → **Acquisition.** — Iron. *Nous avons fait là une belle emplette !*

♦ **2** 1610. (Souvent au plur.). L'objet que l'on a acheté. → **Achat.** *Montrer ses emplettes.*

EMPLIR [ɑ̃pliʀ] v. tr. — Déb. XIIᵉ; du lat. pop. **implire,* lat. class. *implere* «rendre plein».

♦ **1** (Sujet n. de personne ou de chose; compl. n. de chose). Vieilli ou littér. (le verbe courant est *remplir**). Faire occuper (par quelque chose d'autre que soi) la capacité d'un contenant. → **Bourrer; bonder, combler, remplir, saturer.** *Emplir un sac, une valise, un tiroir. Emplir d'eau un verre. Emplir un récipient jusqu'au bord, à ras bords. Emplir un vase, une bouteille, un tonneau, un réservoir* (→ Abreuvoir, cit.). *Emplir un bateau de marchandises.* → **Charger** (→ 1. Coco, cit. 1). *Le glouton ne songe qu'à s'emplir la panse.*

(...) un berceau vide, qu'on emplit d'un petit enfant rond   1
et rose comme un radis (...)
                    COLETTE, la Naissance du jour, p. 232.

Loc. fig. *Emplir ses poches d'argent; emplir ses poches :* gagner de l'argent, tirer profit d'une situation (→ Après, cit. 75). — REM. On dit plus couramment *(se) remplir les poches.*

On ne lui (*Mazarin*) a pas pardonné d'avoir aimé l'argent   2
et d'avoir empli ses poches. Des services qu'il rendait, il
se payait lui-même.
                    J. BAINVILLE, Hist. de France, XII, p. 219.

Le vent emplit le ciel de nuages (→ Bourre, cit. 2). *Le plat emplit de son fumet tout l'appartement* (→ Bouillotter, cit.). *Emplir un lieu de son odeur. Emplir la maison de ses cris, de ses chants.*

(...) cette sinistre salle à manger que la flamme de la   3
bougie emplissait de fantastiques ombres (...)
                    COURTELINE, Boubouroche, Nouvelle, IV.

Passé minuit, quand tout enfin se tait, le silence apparaît   4
aux rossignols, qui emplissent l'oasis d'une exquise et grêle
musique de cristal.   LOTI, Jérusalem, XV, p. 187.

Le soleil encore invisible emplissait tout le ciel d'une blancheur   5
de perle, diffuse et multicolorée.
                    MARTIN DU GARD, les Thibault, t. II, p. 225.

Le soleil emplissait maintenant les rues d'ombre.   6
                    MALRAUX, l'Espoir, III, I.

Par ext. *Emplir une maison de son activité.*

De son activité turbulente de petit chien, elle emplissait le   7
bureau, au contraire; follement amusée, et galopant d'un
mur à l'autre avec de brusques et admiratifs temps d'arrêt
devant les rangées superposées de cartons verts (...)
                    COURTELINE, Messieurs les ronds-de-cuir,
                    4ᵉ tableau, II.

Fig. *Emplir qqn de joie.* → **Combler.** *Ce spectacle nous a emplis de dégoût, de pitié. Son succès l'a empli d'orgueil.* → **Gonfler.**

Il eût voulu que l'ombre dans la pièce fût encore plus   8
épaisse pour mieux cacher le sentiment âpre et tragique
dont l'emplissait cette scène.
                    M. BARRÈS, Leurs figures, p. 328.

♦ **2** (1580). Sujet n. de personne ou de chose. Occuper complètement (un espace). *Meubles qui emplissent une pièce* (→ Chambre, cit. 5). → **Garnir; encombrer.** *La foule emplit les rues, les terrasses des cafés.* → **Occuper;** → Congé, cit. 4; craquer, cit. 4. — *Son corps amaigri n'emplit plus ses vêtements.*

Dans la dernière image qu'on a prise de lui (*Tolstoï*),   9
courbé, sur les genoux, maigre et chétif, ravagé, la taille
réduite, les épaules obliques, le corps n'emplissait plus
les vêtements presque vides de chair (...)
                    André SUARÈS, Trois hommes, «Ibsen», VII, p. 159.

La brume emplit la vallée (→ Doux, cit. 2). *L'odeur qui emplissait la cuisine.* → **Envahir, répandre** (se répandre dans). *Le froid emplit l'église* (→ Catacombe, cit. 5). *Des lumières emplissent le ciel.*

Par ext. *Les grands mots qui lui emplissent la bouche. Joie, tristesse qui emplit l'âme, le regard. L'amour emplit son cœur.*

Que croire ? — La pitié me prend, m'emplit, m'enivre,   10
Me donne le dégoût formidable de vivre.
                    HUGO, la Légende des siècles, LV.

Au moment qu'elle en parle, il est trop clair que l'uniforme   11
de ces jeunes messieurs lui emplit le regard.
                    J. ROMAINS, les Hommes de bonne volonté, t. IV,
                    XVIII, p. 200.

♦ **3** Régional (Centre, Normandie). Rendre (une femelle) pleine. *Faire emplir une chienne, une jument.* — Par anal. (pop. et vx). Rendre enceinte.

♦ **4** (Déb. XIIIᵉ). Intrans. (vieilli). *Le navire emplit,* il a une voie d'eau. → **Embarquer.**

♦ **S'EMPLIR** v. pron. (1680).

Devenir plein (au propre et au figuré). *Le réservoir s'emplit rapidement. Le canal s'emplit d'eau* (→ Courant, cit. 2). *Le navire s'emplissait à chaque vague. — Ses yeux s'emplissent de larmes. La salle s'emplit rapidement de spectateurs. — Le ciel s'emplit rapidement de nuages.* → **Couvrir** (se). *La nuit s'emplissait de la clarté des étoiles. — La campagne s'emplissait de chants d'oiseaux* (→ Airain, cit. 6). *La nuit s'emplit de rumeurs* (→ Désir, cit. 16).

12   L'ombre autour d'eux s'emplit de sinistres clartés.
>   HUGO, la Légende des siècles, X,
>   «Mariage de Roland».

13   Peu à peu la nuit était venue; mais la lune était si lumineuse que la chambre s'emplissait de clarté bleue.
>   Pierre LOUŸS, Aphrodite, I, I, p. 25.

14   Le ciel s'emplit alors de millions d'hirondelles.
>   APOLLINAIRE, Alcools, «Zone».

15   La rue vide s'emplit peu à peu du bruit régulier des pas.
>   MALRAUX, l'Espoir, I, II.

16   Mais je pensais tellement à une femme, aux femmes, à toutes celles que j'avais connues, à toutes les circonstances où je les avais aimées, que ma cellule s'emplissait de tous les visages et se peuplait de mes désirs.
>   CAMUS, l'Étranger, II, II, p. 111.

◆ **EMPLI, IE** p. p. adj.
Verre empli jusqu'au bord. → **Plein.** — Figuré :

17   Il est midi. La canicule tombe des ormeaux bleus et noirs où éclate le cri d'une cigale. L'air tremble et sue. Un souffle chaud, empli d'âmes, de fleurs lourdes se traîne.
>   Francis JAMMES, Clara d'Ellébeuse, I.

N. m. *(Empli).* Opération qui consiste à remplir les moules avec le sirop cuit, en sucrerie. — Remplissage des formes, dans les savonneries, les sucreries...

REM. *Emplir* semble lentement éliminé par le composé *remplir,* qui peut dans tous les cas lui être substitué, alors que l'inverse n'est pas toujours possible (on ne peut que *remplir* sa tâche, sa mission, etc.).

CONTR. Désemplir, vider. ◊ DÉR. Emplissage, emplisseur. → COMP. Remplir. → HOM. (Du p. p.). Ampli.

EMPLISSAGE [ɑ̃plisaʒ] n. m. — 1596; de *emplir.*

◆ **1** Vieilli. Action d'emplir; résultat de cette action. *L'emplissage d'un tonneau, d'une bouteille.* → **Remplissage.** — *Dépôt d'emplissage :* lieu où s'effectuent le conditionnement des produits pétroliers et le chargement des camions-citernes.

◆ **2** (1816). Techn. Manière dont on emplit un récipient.

EMPLISSEUR, EUSE [ɑ̃plisœʀ, øz] n. — 1606; de *emplir.*

Techn. Personne employée dans un atelier d'emplissage.

EMPLOI [ɑ̃plwa] n. m. — XVIe, *emploite* (→ Emplette); *employ,* 1538, R. Estienne; déverbal de *employer.*

◆ **1** Action ou manière d'utiliser (une chose); ce à quoi une chose est utilisée, destination. → **Usage, utilisation; mise** (en jeu, en œuvre). *L'emploi des substances toxiques, en pharmacie. L'emploi de certains outils pour un ouvrier, dans une profession. L'emploi du béton, de la brique, du bois dans la construction. L'emploi du pétrole, de l'électricité a diminué l'importance du charbon dans l'économie mondiale. Cet outil, cet instrument est d'un emploi délicat.* → **Maniement.** *Quels sont les emplois de cette substance? Être d'un emploi courant, rare.* → **Application.** *Emploi thérapeutique du charbon. Exiger, nécessiter, déconseiller l'emploi de qqch. — Mode d'emploi :* notice expliquant la manière de se servir d'un objet, d'une substance... *Trouver son emploi*

(dans qqch.). *Changer d'emploi. Ceci est demeuré, est resté sans emploi,* inutilisé. *Emploi d'un moyen, d'un procédé, d'une recette. L'emploi de la violence, de la ruse. Des qualités restées sans emploi. Faire un bon, un mauvais emploi de son temps, de son argent, de son intelligence, de ses connaissances. Moments sans emploi* (→ Dîner, cit. 6). *Avoir l'emploi de qqch.,* avoir l'occasion de s'en servir. — *Faire emploi de qqch., de moyens,* employer.

1   Tous ces défauts humains nous donnent dans la vie
Des moyens d'exercer notre philosophie :
C'est le plus bel emploi que trouve la vertu (...)
>   MOLIÈRE, le Misanthrope, V, 1.

2   (...) souvent on l'a détournée *(la philosophie)* de son emploi, et (...) on l'a occupée publiquement à soutenir l'impiété.
>   MOLIÈRE, Tartuffe, Préface.

3   Buffon et Jean-Jacques ont une prose noble, juste, vigoureuse, souple et brillante, qui suffit à tous les emplois, qui triomphe dans plusieurs, qui ne paraît ni déplacée ni gênée dans aucun.
>   SAINTE-BEUVE, Chateaubriand, X[e] leçon, t. I, p. 204.

4   Parmi les drogues les plus propres à créer ce que je nomme l'*Idéal artificiel* (...) celles dont l'emploi est le plus commode et le plus sous la main, sont le haschisch et l'opium.
>   BAUDELAIRE, les Paradis artificiels,
>   Le poème du haschisch, I.

5   Je ne veux plus comprendre une morale qui ne permette et n'enseigne pas le plus grand, le plus beau, le plus libre emploi et développement de nos forces.
>   GIDE, Journal, 1894, p. 52.

5.1   (...) Monsieur Jadis passait difficilement les portes de la France sans une appréhension irraisonnée. Ignorant la plupart des mots, des mœurs, des monnaies, suspectant partout une police dont il n'avait pas le mode d'emploi, il circulait sur la pointe des pieds.
>   A. BLONDIN, Monsieur Jadis, p. 103.

Utilisation, rôle (d'un animal). *L'emploi de l'éléphant comme animal de trait. L'emploi du cheval* (cit. 3) *à diverses fins.*

Façon dont une personne occupe son temps, une partie de son temps. *Emploi de la journée, de la semaine.*

Loc. **EMPLOI DU TEMPS :** répartition dans le temps de tâches à effectuer, d'exercices. → **Horaire, programme.** *Rendre compte de son emploi du temps. Avoir un emploi du temps chargé, rigide, rigoureux. L'emploi du temps des élèves d'une classe. —* Tableau portant la répartition des tâches. *L'emploi du temps est affiché dans le couloir.*

Ling. Le fait de se servir (d'une forme de la langue). → **Usage.** *Emploi d'un mot, d'une locution, d'une expression, de formules* (→ Ce, cit. 13). *Emploi libre d'un mot; emploi en locution.* — Signification (d'un mot) selon le contexte. *L'emploi d'un mot au sens figuré. Ces mots diffèrent non par le sens mais par l'emploi* (→ Courroux, cit. 1). *Emploi rare, correct, incorrect, abusif. Évitez cet emploi* (→ Appui, cit. 36). *L'exemple des bons écrivains autorise cet emploi* (→ Coûter, cit. 20). *Les différents emplois du verbe* avoir...

6   Les mots ne sont immuables ni dans leur orthographe, ni dans leur forme, ni dans leur sens, ni dans leur emploi. Ce ne sont pas des particules inaltérables, et la fixité n'en est qu'apparente.
>   LITTRÉ, Dict., Préface, p. 37.

L'emploi d'une somme d'argent. Justifier l'emploi des fonds alloués. Quittance d'emploi.

7   La manufacture lui avait versé, à plusieurs reprises, d'assez fortes sommes, dont, paraît-il, il ne parvenait pas à justifier l'emploi.
>   MARTIN DU GARD, les Thibault, t. V, p. 260.

Dr. Achat d'un bien déterminé, fait avec des capitaux disponibles (→ **Remploi**). *Clauses d'emploi dans un contrat de mariage. Défaut d'emploi. Emploi par anticipation :* achat d'un bien au moyen de fonds qui seront touchés plus tard par l'acquéreur. — Comptab. Action de porter une somme en recette ou en dépense. *Faux emploi* : inscription sur un compte d'une dépense qui n'a pas été faite.

DOUBLE EMPLOI : somme inscrite deux fois. — Fig. (cour.). *Faire double emploi* : comporter une répétition inutile, superflue. *Ces deux hypothèses font double emploi. — N. m. Un double emploi.*

8   (...) *si (ces principes sont) semblables c'est comme s'il n'y en avait qu'un ; c'est un double emploi.*
    VOLTAIRE, Principes d'action, I.

♦ **2** (Déb. XVIIᵉ). Vx. Ce à quoi une personne est occupée, employée. → **Occupation, rôle** (→ Bannir, cit. 12). *Avoir, se donner pour emploi de, faire son emploi de qqch.,* s'y occuper.

9   Le ciel (...)
    Pour différents emplois nous fabrique en naissant.
    MOLIÈRE, les Femmes savantes, I, 1.

10 Et que je fasse enfin mes plus fréquents emplois
    De parcourir nos monts, nos plaines et nos bois (...)
    MOLIÈRE, la Princesse d'Élide, I, 3.

Mod. Ce à quoi s'applique l'activité rétribuée d'une personne. → **Charge, état, fonction, ministère, office, place, poste, profession, service, situation, travail ; gagne-pain.** *En matière de législation industrielle, emploi ne désigne que la profession exercée en sous-ordre par un salarié. Rétribution attachée à un emploi.* → **Appointement, émolument, salaire.** *Chercher un emploi. Briguer, postuler, solliciter un emploi. Être admissible (cit. 2) à un emploi. Les candidats à un emploi. Trouver un emploi à qqn ; pourvoir d'un emploi ; installer dans un emploi.* → **Caser** (fam.). *Nommer brusquement à un emploi* (→ **Bombarder, parachuter**). *Prendre un emploi. Avoir, exercer un emploi.* (→ **Faire*** quelque chose ; travailler*). *Un emploi de secrétaire, de vendeur. Emploi stable. Emploi précaire. Emploi à durée limitée* (→ **C.D.D.**). *Être en fin d'emploi. Chercher un nouvel emploi. Garder, conserver son emploi ; demeurer longtemps dans un emploi* (→ **Vieillir*** dans...). *Renvoyer d'un emploi.* → **Casser** (aux gages), chasser, congédier, dehors (mettre), **destituer** (cit. 3), **licencier, pied** (mettre à) ; fam. **balayer, bourlinguer** (vx), **dégommer, lourder, vider, virer.** *Retrait d'emploi. Quitter un emploi* (→ **Démissionner**) ; *changer d'emploi* (→ **Permuter**). *Perdre son emploi. Être sans emploi.* → **Chômage** (en) ; → *Être sur le pavé*, être à pied*. *Emploi stable, solide.* → **Position.** *Emploi amovible, inamovible. — Vx. Haut emploi ; bas* (cit. 21) *emploi. — Emploi subalterne. Emploi ne demandant aucun travail.* → **Sinécure.** *Emploi de commis* (cit. 5). *Emplois publics* (→ **Capacité,** cit. 8). *Emplois réservés, en faveur d'anciens victimes ou victimes de la guerre. Emplois civils, militaires, industriels, commerciaux. Titre, brevet, commission* conférant autrefois un emploi dans l'armée.* — (Dans le contexte social et politique). *Créations, suppressions d'emplois. Chercher à développer les emplois pour les jeunes.* → ci-dessous, L'emploi. *La précarité des emplois.*

11 Ceux qui sont nés en un rang élevé peuvent se proposer l'honneur de servir Votre Majesté dans les grands emplois (...)   MOLIÈRE, les Fâcheux, Épître au roi.

12 *(Réduit)* à vous revêtir de l'emploi de domestique de mon père.   MOLIÈRE, l'Avare, I, 1.

13 Il faut en France beaucoup de fermeté et une grande étendue d'esprit pour se passer des charges et des emplois (...)   LA BRUYÈRE, les Caractères, II, 12.

14 Je me dois d'autant plus, continua la petite vanité de Julien, de réussir auprès de cette femme, que si jamais je fais fortune, et que quelqu'un me reproche le bas emploi de précepteur, je pourrai faire entendre que l'amour m'avait

jeté à cette place.
    STENDHAL, le Rouge et le Noir, I, XIII.

15 Obligés d'obéir aux princes ou aux Chambres qui leur imposent des parties prenantes au budget et forcés de garder des travailleurs, les ministres diminuaient les salaires et augmentaient les emplois, en pensant que plus il y aurait de monde employé par le gouvernement, plus le gouvernement serait fort.
    BALZAC, les Employés, Pl., t. VI, p. 874.

15. Heureusement que, pour épancher sa bile, l'enragé petit homme avait près de lui son ami Delobelle, vieux comédien en retrait d'emploi, qui l'écoutait avec sa physionomie placide et majestueuse des grands jours.
    Alphonse DAUDET, Fromont jeune et Risler aîné, p. 6.

16 C'était (...) pour se marier qu'il avait interrompu ses études et pris un emploi.   CAMUS, la Peste, p. 96.

Absolt. *Chercher, trouver un emploi.* → **Travail.** *Demandeur d'emploi* : personne qui cherche de l'emploi (notamment *chômeur**). *La demande d'emploi s'accélère, se ralentit. Demandes ; offres d'emploi.* Dans les petites annonces d'un journal. *Feuille d'emploi. — Emploi-jeune* : en France, emploi réservé aux jeunes gens (18-30 ans) dans le secteur public ou associatif. «(...) neuf sites prioritaires où seront affectés la majorité des 10 000 emplois-jeunes à pourvoir dans les collèges et lycées professionnels» (*Libération,* 1ᵉʳ oct. 1997, p. 13).

17 (...) il semblait avoir été mis au monde pour exercer les fonctions discrètes mais indispensables d'auxiliaire municipal temporaire... C'était en effet la mention qu'il disait faire figurer sur les feuilles d'emploi, à la suite du mot «qualification».   CAMUS, la Peste, p. 57.

Dans le contexte politique et social. **L'EMPLOI.** *Politique de l'emploi et lutte contre le chômage.* (En France). *Le ministère de l'Emploi* (1983). *L'Agence nationale pour l'emploi* (A. N. P. E.). *Bourse* nationale de l'emploi. — L'effet sur l'emploi des mesures contre le chômage, de la réduction de la durée du travail, du développement des entreprises. L'emploi à mitemps, à temps partiel. L'emploi des femmes, des jeunes.*

Écon. (trad. angl. *employment*). La somme du travail humain effectivement employé et rémunéré, dans un système économique. *Le volume de l'emploi. Marché de l'emploi. Théorie générale de l'Emploi,* ouvrage de Keynes. *Théorie du plein emploi. Le Plein Emploi dans une Société libre,* ouvrage de Beveridge (1944). → **Plein-emploi ; sous-emploi, suremploi.**

♦ **3** (1775). Spécialt. Genre de rôle dont est chargé un acteur, au théâtre. *Avoir, tenir l'emploi de valet de comédie, de jeune premier. Avoir le physique (la tête, la gueule) de l'emploi* : (au fig.) avoir bien l'air de ce qu'on fait (→ 1. Physique, cit. 7).

18 (...) Par exemple, on sait que les comédiens ont multiplié chez eux les emplois à l'infini : emplois de grande, moyenne et petite amoureuse ; emplois de grands, moyens et petits valets, emplois de niais ; d'important, de croquant, de paysan, de tabellion, de bailli ; mais on sait qu'ils n'ont pas encore appointé celui de bâillant.
    BEAUMARCHAIS, le Barbier de Séville, Lettre sur la critique.

19 (...) souvent nous ne revoyons jamais ces figures grotesques ou belles que nous avons vues dans un lieu public, souvent dans un wagon de chemin de fer, un omnibus chargé de monde, véritables chariots de Thespis où nous nous amusons, comme Jean venait de le faire tout à l'heure, à reconnaître l'Isabelle, le pédant, la Zerbinette, acteurs tout grimés, ayant déjà sur la figure la mine de leur emploi, sur la langue des bouts de leur rôle.
    PROUST, Jean Santeuil, Pl., p. 380.

— Enlève donc tes lunettes, dit Tortose à Pierrot, enlève   20
donc tes lunettes, si tu veux avoir la gueule de l'emploi.
    R. QUENEAU, Pierrot mon ami, éd. L. de Poche, p. 7.

Fig. → **Rôle.** *Tenir son emploi avec conviction* (cit. 6).

**CONTR. Inaction, inactivité, inemploi, inoccupation; chô-
mage. ◊ COMP. Contre-emploi, plein-emploi, remploi, sous-
emploi, suremploi.**

EMPLOYABILITÉ   [ãplwajabili] n. f. — 1987;
1981 au Canada; de *employable,* pour traduire l'angl.
employability (1926).

Capacité individuelle à acquérir et à maintenir
les compétences nécessaires pour trouver et conserver un emploi.

Une notion, empruntée à «nos cousins québécois» et lancée
par Développement et Emploi il y a deux ans environ,
commence à faire fortune dans le jargon des ressources
humaines, bien que ce ne soit pas une réussite linguistique à proprement parler : l'employabilité. Elle désigne
la capacité individuelle à se maintenir en état de trouver
un autre emploi que le sien (...). Cette capacité fait appel
à la fois au bagage accumulé d'expériences et de compétences utiles dans son métier actuel ou ailleurs, à la volonté
d'anticipation et à l'autonomie que chacun doit manifester
pour prendre le dessus d'une situation de changement, à
la largeur de l'information et du champ de vision dont il
dispose pour orienter ses choix.
                                 Le Monde, 5 oct. 1994, p. IV.

Le sens général, «caractère de ce qui est employable»
(→ **Utilisabilité**) est virtuel.

EMPLOYABLE   [ãplwajabl] adj. — XVIᵉ; de *employer.*
Qu'on peut employer. *Matériaux, instruments
employables.* → **Utilisable.**

(Avec un nom de personne). Qu'on peut employer (à
qqch.). *Il n'est employable à rien.*

Que penseriez-vous d'une reluisante annonce dans les
journaux : *«Jeune homme de grand avenir, employable à
n'importe quoi».*
                       GIDE, les Faux-monnayeurs, III, XIV.

CONTR. Inemployable. ◊ DÉR. V. Employabilité.

EMPLOYÉ, ÉE   [ãplwaje] n. — 1723; p. p. subst. de
employer.

Auxiliaire salarié du commerce ou de l'industrie,
et, par ext., Salarié, préposé à un travail d'ordre
plutôt intellectuel que matériel (opposé à *ouvrier**)
mais sans rôle d'encadrement ou de direction.
→ **Adjoint, agent, auxiliaire, commis** (cit. 1), **préposé, salarié, subordonné;** et aussi **métier.** *Employé
subalterne* (→ **Suppôt,** vx). *Employé non titularisé.*
→ **Surnuméraire.** *Les employés d'une entreprise,
d'une société, d'une administration. Employé de
commerce, de magasin, de banque. Employé de
bureau*.* → **Bureaucrate** (3., cit.). *Employé aux écritures. Les employés des administrations publiques.
Employé d'un ministère.* → **Fonctionnaire; auxiliaire.**
*Une employée des postes. Employé de mairie, d'état
civil. Employé de chemin de fer* (→ **Cheminot**). *Un
bon* (→ **Note,** cit. 31), *un excellent employé. Employé
assidu, consciencieux, scrupuleux. Des employés
modèles. Les Employés,* roman (inachevé) de
Balzac.

1   *Employé,* adj. pris subst. signifie quelquefois *commis.* Les
directeurs des fermes du roi ont inspection sur les receveurs, contrôleurs et autres *employés.*
                       Abbé MALLET, *in* Encycl. (DIDEROT), 1755.

2   Autrefois sous la monarchie, les armées bureaucratiques
n'existaient point. Peu nombreux, les employés obéissaient
à un premier ministre toujours en communication avec
le souverain (...) Dans les parties d'administration que
le roi ne régissait pas lui-même, comme les Fermes, les
employés étaient à leurs chefs ce que les commis d'une
maison de commerce sont à leurs patrons : ils apprenaient
une science qui devait leur servir à se faire une fortune
(...) Depuis 1789, l'État, la *patrie* si l'on veut, a remplacé le
Prince. Au lieu de relever directement d'un premier magistrat politique, les commis sont devenus (...) *des employés
du gouvernement,* et leurs chefs flottent à tous les vents

d'un pouvoir appelé *Ministère* qui ne sait pas la veille s'il
existera le lendemain.
                      BALZAC, les Employés, Pl., t. VI, p. 872.

Or, la Nature, pour l'employé, c'est les Bureaux; son   3
horizon est de toutes parts borné par des cartons verts;
pour lui, les circonstances atmosphériques, c'est l'air des
corridors, les exhalaisons masculines contenues dans des
chambres sans ventilateurs (...) son terroir est un carreau,
ou un parquet émaillé de débris singuliers, humecté par
l'arrosoir du garçon de bureau; son ciel est un plafond
auquel il adresse ses bâillements et son élément est la
poussière.   BALZAC, les Employés, Pl., t. VI, p. 954.

Elle dut user de la même tenace lenteur qu'un employé   4
de ministère qui veut changer sa place près de la fenêtre
contre un coin douillet près du poêle.
              J. ROMAINS, les Hommes de bonne volonté, t. II,
                                                 XI, p. 107.

EMPLOYÉ(E) DE MAISON : personne au service
d'une famille, d'une autre personne (appellation
officielle des travailleurs autrefois appelés *domestiques*).
→ **Domestique.**

CONTR. Chef, directeur, patron, supérieur.

EMPLOYER   [ãplwaje] v. tr. [CONJUG.: *noyer.*] — Fin XIIᵉ;
empleier, 1080; du lat. *implicare* «plier dedans», d'où
«mêler à, engager dans». → **Impliquer.**

♦ 1 **Compl. n. de chose.** Faire servir à une fin; faire
emploi*, usage de (qqch.). → **Appliquer** (2.), **disposer** (de), **servir** (se servir de), **user, utiliser;** mettre
(en œuvre, en pratique...). *Employer utilement, efficacement une chose.* → **Profit** (mettre à profit), **profiter.**
Employer qqch. pour la première fois. → **Essayer,
étrenner.** *Employer un matériel avec économie,
mesure, parcimonie.* → **Ménager.** *Employer un outil,
un instrument, des matériaux. Employer la pierre,
le béton pour une construction. Employer du combustible.* → **Consommer.** — *Employer qqch. à...,
en... Employer l'électricité à l'éclairage. Employer
tout son argent à des distractions, en distractions.*
→ **Dépenser.** *J'emploierai cette somme à l'achat d'un
piano.* → **Destiner.** — Au p. p. *Somme d'argent bien,
mal employée.* — Comptab. *Employer une somme en
recette, en dépense,* l'inscrire en recette, en dépense
dans un compte. — *Employer tous les moyens,
toutes les ressources dont on dispose. Employer
par précaution certains moyens.* → **Prendre** (prendre
des mesures). — (Le compl. désigne une abstraction,
une réalité psychologique). *Employer la force, l'autorité* (cit. 12). → **Recourir** (à). *Employer la douceur.*
→ **Agir** (avec). *Employer toute son activité, toute
son énergie, tout son zèle à une tâche.* → **Appliquer, apporter, consacrer, dépenser, déployer, vouer.**
*Employer tout son talent à une œuvre. Employer ses
efforts, ses soins à l'exécution d'un projet. Employer
son crédit en faveur de qqn.* → **User** (de). *Employer
sa verve à ridiculiser qqn.* → **Exercer.** *Employer un
ton peu naturel.* → **Adopter, affecter.**

L'intelligence que nous a été donnée pour notre plus grand   1
bien l'emploierons-nous à notre ruine, combattant le dessein de nature, et l'universel ordre des choses, qui porte
que chacun use de ses outils et moyens pour sa commodité?   MONTAIGNE, Essais, I, XIV.

Vous n'avez pas le temps de faire aucun usage de la beauté   2
et de l'étendue de votre esprit; vous ne vous servez que
du bon et du solide (...) mais c'est dommage que tout ne
soit pas employé.
                  Mᵐᵉ DE SÉVIGNÉ, Lettres, 1127, 24 janv. 1689.

Tous ceux qui emploient de l'argent pour obtenir les minis-   3
tères ecclésiastiques (...)
                 PASCAL, Réfutation de la réponse à la 12ᵉ lettre.

Dieu (...) qui, fécond en moyens, emploie toutes choses à   4
ses fins cachées (...)
                 BOSSUET, Oraison funèbre de la reine d'Angleterre.

(...) dans l'*Antigone* il *(Sophocle)* emploie autant de vers à   5
représenter la fureur d'Hémon (...) que j'en ai employé aux

imprécations d'Agrippine (...)
RACINE, Britannicus, 1ᵉ Préface.

6 J'employais les soupirs, et même la menace.
RACINE, Britannicus, II, 2.

7 (...) il fallait employer le pouvoir que cette princesse avait sur lui pour l'engager à servir Mˡˡᵉ de Chartres auprès du roi (...)
Mᵐᵉ DE LA FAYETTE, la Princesse de Clèves, I, p. 254.

8 (...) il faut nous séparer. J'essaie déjà depuis quinze jours, et j'ai employé, tour à tour, la froideur, le caprice, l'humeur, les querelles ; mais le tenace personnage ne quitte pas prise ainsi (...)
LACLOS, les Liaisons dangereuses, Lettre CXIII.

9 Il vint chez Moïse, chez moi, chez ceux qu'il savait connus ou chéris, de Bella, employant des ruses d'enfant pour voir les photographies que j'avais prises d'elle à Évry et dont chacune devenait pour lui un souvenir.
GIRAUDOUX, Bella, IX, p. 215.

Occuper (un intervalle de temps). *Employer une heure, l'après-midi, huit jours à faire qqch.* → **Mettre, passer.** *Employer tout son temps, sa vie entière à travailler.* → **Consacrer, consumer** (4.), **donner.** *Employer son temps inutilement.* → **Perdre.** *Ne pas savoir employer son temps* (→ Couler, cit. 17).

10 C'est une précieuse chose que la santé, et la seule chose qui mérite à la vérité qu'on y emploie, non le temps seulement, la sueur, la peine, les biens, mais encore la vie à sa poursuite (...) MONTAIGNE, Essais, II, XXXVII.

11 (...) je crois être d'autant plus obligé à ménager le temps qui me reste, que j'ai plus d'espérance de le pouvoir bien employer (...)
DESCARTES, Discours de la méthode, VI.

12 La plupart des hommes emploient la meilleure partie de leur vie à rendre l'autre misérable.
LA BRUYÈRE, les Caractères, XI, 102.

13 Excellente est l'attitude de celui qui a bien employé le temps qu'on lui octroie et ne s'est pas mêlé d'être son propre juge. COCTEAU, la Difficulté d'être, p. 137.

Au p. p. *Bien, mal employé. Une vie pleine, bien employée.*

Employer un mot, une tournure, une locution, s'en servir en parlant, en écrivant. *Employer des mots grossiers, vulgaires. Employer le terme exact, des termes impropres, un mot pour un autre. Employer couramment, fréquemment une interjection, une locution. Employer des comparaisons, des antithèses. Se servir d'un dictionnaire* (cit. 11) *pour bien employer les mots. Ce mot n'est plus employé.* → **Usité.** *On emploie le verbe* employer *avec les prépositions* à *et* pour.

14 Je n'emploierai point pour vous rassurer les grandes phrases d'honneur et de dévouement dont on abuse à la journée ; je n'ai qu'un mot : mon intérêt vous répond de moi (...) BEAUMARCHAIS, le Barbier de Séville, I, 4.

15 Michels employait à chaque instant les mots de chef, de meneur, de guide, par lesquels tour à tour il traduisait un même mot qu'il avait dans l'esprit, et qui était celui de «führer».
J. ROMAINS, les Hommes de bonne volonté, t. IV, XVI, p. 176.

Loc. prov. Employer toutes les herbes de la Saint-Jean : avoir recours à tous les moyens dont on dispose.

♦2 Compl. n. de personne. Faire travailler* (qqn) pour son compte en échange d'une rémunération, donner de l'emploi à... *Société qui emploie plusieurs milliers d'ouvriers. Employer de nouveaux ouvriers.* → **Embaucher, engager, recruter.** *Son patron l'emploie à toutes sortes de travaux.* → **Charger, commettre, préposer.** *On ne sait à quoi l'employer.* → **Occuper.** — *Employer* (qqn) *à l'heure, à la journée.*

16 Ta mère est une brave femme (...) Tu lui diras (...) que je compte t'employer au restaurant (...) Est-elle satisfaite des gages que je te donne ? J. GREEN, Léviathan, p. 61.

Par ext. Employer qqn, se servir de son crédit, de son action.

17 Monsieur (...) Faites-moi la grâce de m'employer. Soyez persuadé que je suis entièrement à vous.
MOLIÈRE, l'Impromptu de Versailles, 3.

(Passif). *Être employé dans les bureaux* (→ **Employé**). *Être employé dans une société comme comptable.*

♦ S'EMPLOYER v. pron.

♦ 1 (Passif). Être employé, être utilisé. *Ce remède doit s'employer avec prudence.* — *Ce mot ne s'emploie pas dans ce sens, ne s'emploie pas dans le langage courant.* → **Usité** (être usité). *Ce terme ne s'emploie qu'au figuré.*

♦ 2 (Réfl.). S'occuper avec ardeur ou dévouement. → **Appliquer** (s'), **consacrer** (se), **donner** (se). *S'employer à chercher* (cit. 8) *Dieu. S'employer entièrement à...* → *Se donner corps* et âme ; payer* de sa personne ; se mettre en quatre* pour... *S'employer activement.* → **Dépenser** (se), **multiplier** (se). — *S'employer pour qqn, en faveur de qqn :* user de son crédit, de son influence en faveur de qqn. *S'employer pour qqn en appuyant* (cit. 7) *sa demande, en faisant des démarches en sa faveur. S'employer au bien* (cit. 17) *de qqn.*

18 Sauvez ce malheureux, employez-vous pour lui (...)
CORNEILLE, Polyeucte, IV, 5.

19 Je n'aime pas à manquer de parole quand j'ai promis de m'employer pour quelqu'un.
RACINE, Lettres, t. VI, 502.

20 Vous verrez (...) quel médiateur j'avais choisi pour me rapprocher de ma Belle, et avec quel zèle le saint personnage s'est employé pour nous réunir.
LACLOS, les Liaisons dangereuses, Lettre CXXV.

21 Ils s'employaient, au hasard, dans les besognes obscures et mal payées, qu'ils abandonnaient dès qu'ils avaient un peu d'argent en poche.
MARTIN DU GARD, les Thibault, t. V, p. 13.

(1880, *in* Petiot). **Sports.** Se donner dans un effort soutenu.

♦ EMPLOYÉ, ÉE p. p. adj. et n. Voir ci-dessus à l'article et → **Employé.**

CONTR. Dédaigner, laisser (de côté), **négliger ; dérober** (se). — **Licencier, renvoyer.** — (Du p. p.). **Inemployé.** ◊ **DÉR. Emploi, employable, employé, employeur.** ◆ **COMP. Inemployable, inemployé, sous-employer.**

EMPLOYEUR, EUSE [ɑ̃plwajœʀ, øz] n. — 1794 ; «celui qui emploie son argent à», 1304 ; de *employer.*
Dr. du travail. Personne, entreprise ayant à son service un ou plusieurs salariés. → **Patron, patronne.** *L'employeur doit à ses employés une rétribution* (→ **Salaire**). *L'employeur et les salariés. Certificat, adresse de l'employeur. Les employeurs et leur personnel* (employés*, ouvriers, cadres, etc.).
REM. Le fém. est rare, le mot ayant surtout une valeur abstraite.

EMPLUMER [ɑ̃plyme] v. tr. — XIIᵉ ; de *em-* (*en-*), *plume,* et suff. verbal.

♦ 1 Garnir de plumes*. *Emplumer une flèche.* → **Empenner.**

♦ 2 Orner de plumes. *Emplumer un chapeau.*

♦ S'EMPLUMER v. pron.
Se garnir de plumes. *Oisillon qui s'emplume.*

♦ EMPLUMÉ, ÉE p. p. adj.
Couvert, orné de plumes. *Bête emplumée.* → **Oiseau.** *La gent emplumée. Têtes emplumées.*

On ne put se défendre d'être fasciné par les arabesques, les trèfles de galon qui escaladaient son dolman et le casque étincelant emplumé de faisanneries, sous lequel on vit un

très pur et très grave visage.
> J. GIONO, le Hussard sur le toit, p. 112.

CONTR. Déplumer.

EMPOCHER [ɑ̃pɔʃe] v. tr. — 1611 ; «mettre dans un sac», 1580 ; de *em- (en-)*, *poche*, et suff. verbal.

♦ **1** Vieilli. Mettre dans sa poche* (un objet).

1 (...) quand j'avais empoché mon livre, je ne songeais plus à rien.   ROUSSEAU, les Confessions, I.

♦ **2** Toucher, recevoir (de l'argent). *Empocher de l'argent.* → **Encaisser, gagner, percevoir, recevoir, toucher.** *Combien avez-vous empoché dans cette affaire ? Il a empoché tous les bénéfices.*

2 D'abord avancer l'heure de votre petite fête, pour épouser plus sûrement (...) empocher l'or et les présents (...)
> BEAUMARCHAIS, le Mariage de Figaro, I, 2.

3 Mon cousin (...) vient d'hériter ; si l'on ne découvre pas de testament vendredi prochain, mon homme empoche environ 700 000 francs et plus.
> FLAUBERT, Correspondance, 52, 25 nov. 1841, t. I, p. 87.

♦ **3** Fam. et vx. → **Encaisser, recevoir.** *Empocher des coups.*
Supporter, subir. *Empocher des humiliations, des injures.*

4 Mesnard avait, hier, une bonne occasion de se servir de son flegme ; il lui fallait empocher sans sourciller ce que je lui ai dit et nous montrer *par des actes* (...) qu'il n'avait pas été insensible à mon algarade.
> J. DUTOURD, Pluche, XII, p. 207.

CONTR. Débourser.

EMPOICRER [ɑ̃pwakʀe] v. tr. — Fin XIXᵉ, *in* Huysmans, t. régional (Vendômois) ; de *em- (en-)*, *poicre*, et suff. verbal, du lat. *podagra*. → **Podagre.**

Littér. et rare. Salir extrêmement. — Pron. :

1 (...) lorsqu'un peu plus tard je veux sortir de ma baleinière, je m'empoicre dans une immonde fondrière. Forcé de changer de souliers, de pantalons, de chaussettes.
> GIDE, Retour du Tchad, III, *in* Souvenirs, Pl., p. 906.

REM. On trouve le mot écrit *empouacrer.*

2 Une fumée épaisse empouacrait la station.
> Félix VALLOTTON, Corbehaut, p. 25.

EMPOIGNADE [ɑ̃pwaɲad] n. f. — 1836 ; de *s'empoigner.*

Altercation, discussion violente (où l'on en vient facilement aux mains).

Mais les choses semblaient se passer plutôt pacifiquement. Les coups de poing et les empoignades n'étaient guère que de personne à personne.
> M. AYMÉ, Travelingue, p. 37.

EMPOIGNANT, ANTE [ɑ̃pwaɲɑ̃, ɑ̃t] adj. — 1853 ; p. prés. de *empoigner.*

Rare. Qui empoigne, émeut fortement. → **Émouvant.**

7 (*février*). Reprise au Théâtre-Français de *L'otage* avec l'ancienne distribution. Impression du public : le 1ᵉʳ acte est long et ennuyeux. Le 2ᵉ acte empoignant. Le 3ᵉ acte : on ne comprend pas.   CLAUDEL, Journal, 7 févr. 1939.

EMPOIGNE [ɑ̃pwaɲ] n. f. — 1773 ; déverbal de *empoigner.*

(1864). Rare. Action d'empoigner. → **Empoignement.** «*Des embrassades à pleine empoigne*» (Goncourt).
(1867 au sens moderne ; *être à la foire d'empoigne* «être porté aux attouchements grossiers à l'égard des femmes*», 1773). Cour. **FOIRE D'EMPOIGNE** : mêlée, affrontement d'intérêts et de spéculations malhonnêtes. → **Crabe** (panier de crabes). *La foire d'empoigne d'un commerce. C'est une vraie foire d'empoigne, c'est la foire d'empoigne* (→ 1. Manier, cit. 20). — Loc., vieilli. *Acheter qqch. à la foire d'empoigne,* le voler.

EMPOIGNEMENT [ɑ̃pwaɲmɑ̃] n. m. — 1582 ; de *s'empoigner.*

Rare. Action d'empoigner (qqch., qqn) ; action de s'empoigner (→ **Empoignade**). «*Un geste d'empoignement*» (Goncourt, *in* T. L. F.).

EMPOIGNER [ɑ̃pwaɲe] v. tr. — XIVᵉ ; *enpuignier*, v. 1175 ; de *em- (en-)*, *poing*, et suff. verbal.

♦ **1** Prendre* en serrant dans la main ; saisir fortement. → **Saisir.** *Empoigner le manche d'une hache. Empoigner qqn par le bras, par les cheveux. Il l'empoigna par le fond de sa culotte* (cit. 3). *Empoigner un pavé* (→ Casser, cit. 5).

1 L'un s'attachait aux racines d'un bois,
L'autre essayait d'empoigner une branche (...)
> RONSARD, la Franciade, II.

2 (...) Legrand, poussant un terrible juron, sauta sur Jupiter et l'empoigna au collet.
> BAUDELAIRE, Trad. E. POE,
> Histoires extraordinaires, «Le scarabée d'or».

3 Il empoigna son pardessus, son chapeau et tira derrière lui la porte de l'appartement.
> MARTIN DU GARD, les Thibault, t. III, p. 126.

Fam. (Compl. n. de personne). Retenir (qqn que l'on vient de rencontrer). → **Accrocher, agripper.** *Il m'a empoigné à la sortie du spectacle ; il ne voulait plus me quitter.* → **Main** (mettre la main dessus ; → Débarquer, cit. 2).

♦ **2** Vx. et fam. Se saisir de (qqn) pour mettre en état d'arrestation. → **Arrêter.**

4 (*Un gendarme*) ne gagne point de batailles, il empoigne les gens (...)   P.-L. COURIER, II, 263, *in* LITTRÉ.

♦ **3** Fig. Saisir (une occasion) avec énergie et empressement.

5 Jusques aux moindres occasions de plaisir que je puis rencontrer, je les empoigne.
> MONTAIGNE, Essais, III, 5.

♦ **4** Abstrait. (Sujet n. de chose, compl. n. de personne). Émouvoir, intéresser profondément (qqn). → **Passionner.** *Le dernier acte empoigna tous les spectateurs* (→ **Empoignant**).

6 Parfois, cependant, la lecture d'un paragraphe l'empoignait assez pour qu'il eût envie d'en connaître les lignes suivantes.
> J. ROMAINS, les Hommes de bonne volonté, t. III, XVIII, p. 244.

♦ **S'EMPOIGNER** v. pron.

(*Récipr.*). Se saisir l'un l'autre pour se battre. → **Colleter** (se). *Ils s'empoignèrent et tombèrent à terre.* — Fig. Se quereller, s'injurier. *Ils se sont sérieusement empoignés* (→ **Empoignade**).

♦ **EMPOIGNÉ, ÉE** p. p. adj.

Spécialt (blason). *Flèche empoignée,* tenue à la main.

CONTR. Lâcher. ◊ **DÉR. Empoignade, empoignant, empoigne, empoignement, empoigneur.**

EMPOIGNEUR, EUSE [ɑ̃pwaɲœʀ, øz] n. — V. 1220 ; de *empoigner* ; cf. anc. franç. *poigneor* «combattant».

Rare. Personne qui empoigne (qqch., qqn). — Fig. et vx (Balzac). Personne qui saisit, arrête (quelqu'un).

EMPOILER [ɑ̃pwale] v. tr. — 1914, Gide ; de *em- (en-)*, *poil*, et suff. verbal.

Littér. et par plais. Couvrir de poils.

Aux approches de la puberté le facies de Gaston s'obombra, on eût dit que la sève allait empoiler tout son corps (...)
> GIDE, les Caves du Vatican, III, II, *in* Romans, Pl., p. 761.

EMPOINTAGE [ɑ̃pwɛtaʒ] n. m. — 1825, *in* D.D.L.; de *empointer.*

Techn. Action d'empointer (1. Empointer); son résultat.

1. EMPOINTER [ɑ̃pwɛte] v. tr. — XIVᵉ; de em- (en-), *pointe,* et suff. verbal.

Techn. Aiguiser* la pointe de (une aiguille, une épingle). → **Acérer, appointer, appointir.**

CONTR. Émousser, épointer. ◊ DÉR. Empointage.

2. EMPOINTER [ɑ̃pwɛte] v. tr. — XVIIᵉ; *empointier,* fin XIIᵉ; de em- (en-), *point,* et suff. verbal.

Techn. (cout.). Retenir par quelques points d'aiguille (les plis d'une étoffe). → **Bâtir, coudre, faufiler** (→ fam. Taquiner).

EMPOINTURE [ɑ̃pwɛtyʀ] n. f. — 1792; de em- (en-), *point,* et suff. -ure. → Pointure.

Mar. Angle supérieur d'une voile carrée.

EMPOIS [ɑ̃pwa] n. m. — XIIIᵉ; de *empeser,* d'après l'ancien présent *j'empoise.*

Substance gluante et épaisse (→ Colle) obtenue en faisant macérer des grains d'amidon* dans de l'eau. *L'empois est généralement destiné à donner de la raideur au linge* (→ **Empeser**). *Col raide d'empois* (→ Calotte, cit. 2). *Empois des blanchisseuses.*
— *Empois additionné de formol,* servant au collage des épreuves photographiques.

Ses larges manchettes, roides d'empois, laissaient tomber des mains pâles et maigres.
André SUARÈS, Trois hommes, «Ibsen», p. 153.

Par métaphore. «*Un empois héréditaire d'orgueil*» (J. Lemaître, *in* T.L.F.). → **Empeser.**

EMPOISONNANT, ANTE [ɑ̃pwazɑ̃nɑ̃, ɑ̃t] adj. — 1900; «toxique», par plais., 1676; p. prés. de *empoisonner.*

Fam. Très ennuyeux, embêtant*. *Un problème empoisonnant. Tu es vraiment empoisonnant avec tes questions. C'est empoisonnant, cette histoire.*

— Voui, dit Tirette, mais vous d'venez empoisonnants avec vos histoires d'embusqués.
H. BARBUSSE, le Feu, p. 139.

EMPOISONNÉ, ÉE [ɑ̃pwazɔne] adj. → **Empoisonner.**

EMPOISONNEMENT [ɑ̃pwazɔnmɑ̃] n. m. — 1230; «poison», 1175; de *empoisonner.*

♦ 1 Ensemble de troubles consécutifs à l'introduction d'un poison dans l'organisme. → **Intoxication.** *Empoisonnement par des acides, par des alcalins, par des substances végétales* (aconit, belladone, cantharide, digitale, morphine, strychnine, etc.), *par un gaz* (asphyxie). *Empoisonnement alimentaire* (→ **Botulisme**), *par des toxines* (→ **Toxémie**), *par l'alcool* (→ **Alcoolisme**), *par le tabac* (→ **Nicotinisme**). *Empoisonnement dû à des champignons. Empoisonnement qui n'agit* (cit. 33) *qu'après un certain temps. Symptômes d'empoisonnement* (abattement, collapsus, salivation, constipation ou diarrhée, convulsions, faiblesse des battements cardiaques). *Vomitifs, purgatifs, remèdes immédiats à l'empoisonnement.*

1 (...) il est acquis depuis longtemps, il est indéniable que l'alcoolisme est un empoisonnement (...) l'empoisonnement le plus menaçant, le plus dangereux pour l'avenir du monde civilisé.
Ch. PÉGUY, la République, p. 55.

Meurtre par le poison. *L'empoisonnement était un crime puni de mort* (→ Assassinat, cit. 3). *Un empoisonnement par l'arsenic. — Empoisonnement accompagné de sortilège.* → **Vénéfice.**

Est qualifié empoisonnement tout attentat à la vie d'une 2
personne, par l'effet de substances qui peuvent donner la mort plus ou moins promptement, de quelque manière que ces substances aient été employées ou administrées, et quelles qu'en aient été les suites.
Code pénal, art. 301.

Par anal. *L'empoisonnement de l'air, des eaux...* → **Corruption, pollution.**

Chim. Altération d'un catalyseur, qui en diminue l'activité. *Empoisonnement dû à une altération d'ordre mécanique, d'ordre chimique. Empoisonnement par altération de la surface* (d'un catalyseur solide). → **Poison** (*infra* cit. 8).

♦ 2 Figuré :

(...) puis le mariage, ses blessures et ses rancunes, la 3
patience qu'il fallait déployer pour vivre tous les jours avec un être dont il était las depuis des années, l'empoisonnement graduel de sa vie entière.
J. GREEN, Léviathan, IV, p. 31.

Spécialt, vieilli. Fait de corrompre (les esprits, les mœurs). *L'empoisonnement de la jeunesse par des doctrines pernicieuses.*

♦ 3 (1946). Fam. Ennui*. → **Embêtement, emmerdement.** *Un tas d'empoisonnements lui ont gâché ses vacances.*

J'avais déjà suffisamment d'empoisonnements comme ça, 4
vous comprenez, depuis que j'étais arrivé, et même depuis que j'avais reçu cette lettre du notaire (...)
Claude SIMON, le Vent, p. 75.

Mᵐᵉ Pradonet racontait de vagues choses de sa vie quoti- 5
dienne, le propriétaire qui était discourtois, le chat qui était foirard, la clientèle enfantine qui avait du goût pour la mystification et la chapardise; bref, tous les petits empoisonnements d'une vie tranquille.
R. QUENEAU, Pierrot mon ami, p. 78.

EMPOISONNER [ɑ̃pwazɔne] v. tr. — V. 1130; de em- (en-), *poison,* et suff. verbal.

♦ 1 Faire mourir ou mettre en danger de mort en faisant absorber du poison. *Empoisonner un chien. Boulette pour empoisonner un animal.* → **Gobbe.** — *Empoisonner qqn. Le bruit court qu'on l'a empoisonné.*

(...) souvent on en a fait (de la médecine) un art d'empoi- 1
sonner les hommes. MOLIÈRE, Tartuffe, Préface.

Madame, je m'appelle Oloferno Vitellozzo, neveu d'Iago 2
d'Appiani, que vous avez empoisonné dans une fête, après lui avoir traîtreusement dérobé sa bonne citadelle de Piombino. HUGO, Lucrèce Borgia, I, 5.

Par exagér. (fam.). *Une gargote où on nous a empoisonnés.*

Je sors de chez un fat, qui, pour m'empoisonner, 2.1
Je pense, exprès chez lui m'a forcé de dîner.
BOILEAU, Satires, III.

(Sujet n. de chose). Intoxiquer. «*Cette substance dont se décharge le ver à soie l'empoisonnerait s'il la gardait en lui*» (Gide). *Ces cigarettes t'empoisonnent.*

♦ 2 (Compl. n. de chose). Mêler, infecter de poison. *Empoisonner une boisson, un puits, un étang. Empoisonner des flèches avec du curare.*

Par extension :

Jamais elle ne passait près de Germaine sans contenir 3
sa respiration, pour ne pas absorber l'air que, dans son esprit, la vieille fille empoisonnait de son souffle malade.
J. GREEN, Adrienne Mesurat, IX, p. 80.

Cette odeur de moisissure et d'eau morte qui sort ici des 4
murs mêmes, empoisonne jusqu'à l'air du jardin.
BERNANOS, Monsieur Ouine, Pl., p. 1362.

Par métaphore :

5   Aucun fiel n'a jamais empoisonné ma plume.
CRÉBILLON, Disc. de réception à l'Acad. franç.

♦ **3** Empuantir, empester. *Ces relents empoisonnent tout le quartier. Elle empoisonne toute la pièce, elle nous empoisonne avec son parfum.* → **Incommoder.**

♦ **4** Fig. et littér. Altérer, dégrader.

a Altérer dans sa qualité, son agrément. → **Gâter, troubler.** *Votre lettre a empoisonné ma joie. Vous empoisonnez son bonheur. La colère* (cit. 11), *la passion empoisonne tous les mouvements de l'âme. Des plaisirs que le remords empoisonne* (→ Amer, cit. 4).

6   (...) aucun de mes goûts dominants ne consiste en choses qui s'achètent. Il ne me faut que des plaisirs purs, et l'argent les empoisonne tous.
ROUSSEAU, les Confessions, I.

7   Songeons que nous pouvons, avec un attachement profond, n'en pas moins empoisonner les jours que nous rachèterions au prix de tout notre sang.
CHATEAUBRIAND, Mémoires d'outre-tombe, t. III, p. 358.

8   (...) elle voulait ne pas empoisonner la vie de ce qu'elle aimait.   STENDHAL, le Rouge et le Noir, I, XIX.

9   J'ai passé toute ma vie à accomplir des sacrifices dont le souvenir m'empoisonnait, nourrissait, engraissait ces sortes de rancunes que le temps fortifie.
F. MAURIAC, le Nœud de vipères, p. 15.

10   À ce point de mes réflexions, je sentis que l'inquiétude allait empoisonner ma joie.
G. DUHAMEL, Chronique des Pasquier, III, III, p. 39.

b Vieilli. Corrompre moralement. → **Pervertir.** *Doctrine qui empoisonne la jeunesse.*

11   Il n'est chose qui empoisonne tant les Princes que la flatterie, ni rien par où les méchants gagnent plus aisément crédit autour d'eux (...)   MONTAIGNE, Essais, II, XVI.

c Vx. Dénaturer* par la parole; présenter par les plus mauvais côtés. → **Dénaturer, dénigrer.** *La médisance empoisonne tout.*

12   Tandis que vos concurrents, que vos amis prétendus peut-être (...) empoisonnent vos discours et vos démarches les plus innocentes (...)
MASSILLON, Carême, Injustice du monde, *in* LITTRÉ.

♦ **5** Mod. et fam. Ennuyer, importuner. → **Barber, embêter, raser, tanner; emmerder.** *Les visiteurs l'ont empoisonné toute la matinée. Empoisonner un ministre de ses sollicitations. Il nous empoisonne.*

13   (...) ce Prussien de malheur, qui nous empoisonne, qui nous souille (...)   Léon BLOY, le Désespéré, p. 250.

♦ **S'EMPOISONNER** v. pron.

♦ **1** Se tuer en absorbant du poison. *Elle a voulu s'empoisonner avec des barbituriques.* — REM. *S'intoxiquer, dans le même contexte, désigne une action involontaire; s'empoisonner a aussi cette valeur.*

14   Julie apprit cette mort peu de jours après, et bien qu'elle ait pu s'y attendre, le coup fatal l'atterra. Elle voulut s'empoisonner; quelqu'un la prévint, l'obligea à vivre.
Émile HENRIOT, Portraits de femmes, p. 201.

♦ **2** Fig. Se troubler, s'altérer*.

15   (...) car le bonheur de le revoir s'empoisonne à présent de tristesses, d'inquiétudes surtout, d'inquiétudes affreuses (...)   LOTI, Ramuntcho, II, 1, p. 205.

16   *(Il)* s'empoisonnait l'existence dès qu'il estimait n'avoir pas obtenu du voisin ou du gouvernement ce qui lui était dû.
GIDE, Journal, 1ᵉʳ août 1930.

Devenir mauvais, comme sous l'effet d'un poison. *Tout ce qu'il dit, tout ce qu'il rapporte s'empoisonne dans sa bouche.*

♦ **3** Vieilli ou littér. Se corrompre l'esprit, le cœur. *S'empoisonner de, par* (des influences...).

17   (...) quand les passions sont les maîtresses, elles sont vices, et alors elles donnent à l'âme de leur aliment, et l'âme s'en

nourrit et s'en empoisonne.
PASCAL, Pensées, VII, 502.

18   Son caractère enfin n'est pas toujours très généreux, et il entretenait, pour s'en empoisonner, beaucoup de ressentiments et de rancunes (...)
Émile HENRIOT, les Romantiques, p. 268.

♦ **4** Fam. S'ennuyer. *On s'empoisonne à son cours.*

♦ **EMPOISONNÉ, ÉE** p. p. adj.

♦ **1** *Flèche, dard* (cit. 4) *empoisonné. Coupe empoisonnée* (→ Avaler, cit. 22). — *Grenouille empoisonnée par le curare* (cit.). *Mourir empoisonné.*

19   Non, non, Britannicus est mort empoisonné.
RACINE, Britannicus, V, 6.

Intoxiqué.

20   Elle mourait, au propre, consumée de phtisie, empoisonnée d'opium, désespérée (...)
Émile HENRIOT, Portraits de femmes, p. 204.

♦ **2** Fig. et littér. *Trait empoisonné, cadeau empoisonné.* → **Perfide.** *Cœur empoisonné.* → **Corrompu.** *Propos empoisonnés par la médisance, les allusions perfides.* → **Venimeux.**

21   D'abord un bruit léger, rasant le sol comme hirondelle avant l'orage, *pianissimo*, murmure et file, et sème en courant le trait empoisonné.
BEAUMARCHAIS, le Barbier de Séville, II, 8 (→ Calomnie, cit. 5).

22   Une passion vraie et malheureuse est un levain empoisonné qui reste au fond de l'âme et qui gâterait le pain des anges.
CHATEAUBRIAND, Mémoires d'outre-tombe, t. II, p. 99.

23   Il y a dans les actions honteuses quelque chose d'empoisonné qui se fait sentir aux lèvres d'un homme de cœur sitôt qu'il touche les bords du vase de perdition.
A. DE VIGNY, Servitude et grandeur militaires, III, VI, p. 234.

24   Parfois ainsi, au fond de mon cœur vieilli, empoisonné d'incrédulité, se réveille, pendant quelques instants, mon petit cœur naïf de jeune garçon.
MAUPASSANT, la Vie errante, p. 34.

♦ **3** Fam. Ennuyé, embêté. *Je l'ai trouvé bien empoisonné.*

CONTR. Assainir. ◊ DÉR. Empoisonnant, empoisonnement, empoisonneur.

EMPOISONNEUR, EUSE [ãpwazɔnœʀ, øz] n. et adj. — XIIIᵉ; de *empoisonner.*
Personne qui empoisonne.

I N. ♦ **1** Criminel qui use du poison. → **Assassin, criminel** (→ Ardent, cit. 12). *Locuste, la Brinvilliers, fameuses empoisonneuses. Le procès de l'empoisonneuse* (→ Reconnaissance, cit. 17).

Par exagér. (fam). Mauvais cuisinier.

1   Car Mignot, c'est tout dire, et dans le monde entier Jamais empoisonneur ne sut mieux son métier.
BOILEAU, Satires, III.

♦ **2** Fig. Corrupteur (→ Empoisonner, 4.).

2   Un faiseur de romans et un poète de théâtre est un empoisonneur public, non des corps, mais des âmes des fidèles, qui se doit regarder comme coupable d'une infinité d'homicides spirituels, ou qu'il a causés en effet ou qu'il a pu causer par ses écrits pernicieux.
NICOLE, les Visionnaires, *in* RACINE, Œuvres diverses en prose, t. IV, p. 260.

3   (...) vous voilà vous-mêmes au rang des empoisonneurs.
RACINE, Lettres à l'auteur des hérésies imaginaires (NICOLE).

4   Ah! sorcière maudite, empoisonneuse d'âmes (...)
MOLIÈRE, l'École des femmes, II, 5.

5   Cet empoisonneur a osé mettre en circulation, sous forme de *Contes* pour les jeunes filles, de dissolvants et inexorables toxiques.   Léon BLOY, le Désespéré, p. 183.

♦ 3 Fam. Personne qui empoisonne (5.), ennuie tout le monde. → **Poison; (fam.) emmerdeur.**

Ⅱ Adj. Rare. Qui empoisonne (au propre et au fig.). *Un breuvage empoisonneur. — Un luxe empoisonneur.* → **Corrupteur.**

EMPOISSER [ɑ̃pwase] v. tr. — 1539; de *em-* (*en-*), *poix*, et suff. verbal.

♦ 1 Techn. Enduire de poix.

♦ 2 (1870). Par ext. (rare). Enduire de matière gluante, collante. → **Poisser; barbouiller.**

(Le sujet désigne la substance). *La colle empoissait ses mains.*

♦ EMPOISSÉ, ÉE p. p. adj.
Enduit d'une substance gluante.

EMPOISSONNAGE [ɑ̃pwasɔnaʒ] n. m. — xxᵉ; «alevin pour empoissonner», 1908; de *empoissonner.*

Techn. Action d'empoissonner (un cours d'eau, un étang...). → **Empoissonnement.**

L'empoissonnage rationnel d'un cours d'eau ou d'un étang, c'est-à-dire la quantité d'alevins qu'on peut introduire pour obtenir le meilleur rendement (...) une œuvre très délicate (...)　　　Paul VIVIER, la Pisciculture, p. 109 (1954).

EMPOISSONNEMENT [ɑ̃pwasɔnmɑ̃] n. m. — 1531; de *empoissonner.*

Action d'empoissonner (syn. : *empoissonnage*); fait de devenir peuplé de poissons. → **Alevinage.** — État de ce qui est peuplé de poissons. *L'empoissonnement de cette rivière est insuffisant.*

EMPOISSONNER [ɑ̃pwasɔne] v. tr. — 1374; de *em-* (*en-*), *poisson*, et suff. verbal.

Peupler de poisson (→ **Pisciculture**). *Empoissonner un canal, un étang, un lac, une rivière. Empoissonner avec de l'alevin.* → **Aleviner.**

CONTR. Désempoissonner. ◊ DÉR. Empoissonnage, empoissonnement.

EMPOITRAILLÉ, ÉE [ɑ̃pwatʀaje] adj. — Déb. XVIIIᵉ; de *em-* (*en-*), *poitrail*, et suff. *-é.*

Techn. (hippisme). Qui a un poitrail développé.

EMPORIUM [ɑ̃pɔʀjɔm] n. m. — 1755; mot lat. «marché, entrepôt», grec *emporion* «marché».
Didactique.

♦ 1 Comptoir commercial à l'étranger, dans l'antiquité grecque et romaine. — Au plur. : *des emporia* ou *des emporiums.*

1　(...) à la fin du IXᵉ et dès la première moitié du Xᵉ siècle — c'est-à-dire à l'époque où florissaient les grands *emporia* scandinaves.
　　　Georges DUBY, Guerriers et Paysans, p. 142.

♦ 2 Mod. Lieu d'échanges commerciaux importants (port, marché, etc.). — Au plur. : *des emporiums.*

2　Ainsi, écrit Paul Adam, la plupart des Juifs et des Yankees bibliques s'évertuent dans les shops, la boutique, le bazar, le magasin et le dock pour fonder un de ces emporiums pareils à ceux des Tyrs, des Sidons et des Carthages, cités originelles des espérances ancestrales.
　　　Paul MORAND, New York, p. 160.

EMPORT [ɑ̃pɔʀ] n. m. — V. 1950; en droit, 1507; «influence», 1280; déverbal de *emporter.*

Techn. (aéron.). *Capacité d'emport* : charge susceptible d'être emportée par un avion.

EMPORTEMENT [ɑ̃pɔʀtəmɑ̃] n. m. — 1634; «action d'emporter», XIIIᵉ; de *emporter.*

♦ 1 Vieilli ou style soutenu. Élan, transport. → **Ardeur, effervescence, élan, exaltation, folie, fougue, frénésie, impétuosité, transport, véhémence.** *Adorer une femme avec emportement.* → **Délire** (cit. 8), *égarement. Se jeter avec emportement dans une étude* (→ Bras, cit. 25). *Les emportements de la passion* (→ Amant, cit. 12), *de l'imagination* (→ Chimère, cit. 7; délire, cit. 5). → **Débordement, dérèglement.**

(...) une passion qui n'est qu'erreur, que faiblesse et qu'emportement (...)　　　MOLIÈRE, la Princesse d'Élide, II, 1.　　1

Je vous le dis encor, ces bouillants mouvements,　　2
Ces ardeurs de jeunesse et ces emportements
Nous font trouver d'abord quelques nuits agréables;
Mais ces félicités ne sont guère durables,
Et notre passion alentissant son cours,
Après ces bonnes nuits, donne de mauvais jours.
　　　MOLIÈRE, l'Étourdi, IV, 3.

(...) l'emportement de la jeunesse nous entraîne (...)　　3
　　　MOLIÈRE, l'Avare, I, 2.

Il y a de certains biens que l'on désire avec emportement,　　4
et dont l'idée seule nous enlève et nous transporte (...)
　　　LA BRUYÈRE, les Caractères, XI, 29.

Comme je n'ai encore aimé aucun homme, l'excès de ma　　5
tendresse s'est en quelque sorte épanché dans mes amitiés
avec les jeunes filles et les jeunes femmes; j'y ai mis la
même emportement et la même exaltation que je mets à
tout ce que je fais (...)
　　　Th. GAUTIER, Mᵁᵉ de Maupin, VII, p. 163.

♦ 2 Mod. Violent mouvement de colère*. *Parler, discuter avec emportement.* → **Animation, animosité, fureur, furie, passion, vivacité.** *Il est sujet à des emportements, à l'emportement* (Académie).

De trop d'emportement votre faute est suivie.　　6
　　　CORNEILLE, le Cid, II, 1.

Et ne voyais-tu pas, dans mes emportements,　　7
Que mon cœur démentait ma bouche à tous moments?
　　　RACINE, Andromaque, V, 3.

Dans les caractères hardis et fiers il n'y a qu'un pas de la　　8
colère contre soi-même à l'emportement contre les autres;
les transports de fureur sont dans ce cas un plaisir vif.
　　　STENDHAL, le Rouge et le Noir, II, xx.

Les emportements des hommes comme Phœbus sont des　　9
soupes au lait, dont une goutte d'eau froide affaisse l'ébullition.　　　HUGO, Notre-Dame de Paris, II, VII, 7.

CONTR. Calme, sang-froid.

EMPORTE-PIÈCE [ɑ̃pɔʀtəpjɛs] n. m. invar. — 1690; «cautère», 1611; de *emporter*, et *pièce.*

♦ 1 Techn. Outil dont on se sert pour découper et enlever d'un seul coup des pièces de forme déterminée dans des feuilles de métal, de cuir, de carton, etc. → **Pince; pastilleuse, poinçonneuse.** *Pièces découpées à l'emporte-pièce.*

Par comparaison :

Seuls restent les bords, comme découpés à l'emporte-pièce　　0.1
dans le velours moelleux de l'ombre.
　　　J.-M. G. LE CLÉZIO, le Déluge, p. 46.

Chir. Pince métallique servant à morceler ou à sectionner un tissu, généralement un tissu osseux.

♦ 2 (1740). Fig. Vx. Personne ou satire mordante.

♦ 3 Loc. adj. (Av. 1870). Mod. À L'EMPORTE-PIÈCE : mordant, incisif. — REM. Les premiers emplois sont des métaphores du sens 1.

Les maximes, sentences, apophtegmes doivent unir la précision à la concision; il faut que, par leur netteté, leur correction, ces phrases semblent, pour ainsi dire, découpées à l'emporte-pièce.　　1
　　　E. CLÉMENT, *in* P. LAROUSSE.

(*Saint-Simon*) a le don et comme le génie du mot à　　2
l'emporte-pièce (...)
　　　Louis BERTRAND, Louis XIV, Prologue, p. 24.

EMPORTER [ãpɔʀte] v. tr. — XIIIᵉ; de *em- (en-)*, lat. *inde* «de là, de ce lieu», et *porter*.

◆ **1** Prendre avec soi et porter hors d'un lieu (un objet, un être inerte). *On l'emporta inanimé.* → **Emmener.** *Emporter des livres, du linge, des bibelots dans ses bagages* (→ Arsenal, cit. 5; chemise, cit. 4). *N'oublie pas d'emporter ta serviette.* → **Prendre.** *Faire emporter ses meubles. Partir sans rien emporter* (→ Déguerpir, cit. 3). — *Les voleurs ont emporté tout ce qui leur est tombé sous la main.* → **Embarquer** (fam.), **piller, rafler, ravir, soustraire, voler.**

1 (...) au fond des forêts
Le loup l'emporte (*l'agneau*), et puis le mange
Sans autre forme de procès.
LA FONTAINE, Fables, I, 10.

2 Lorsqu'on rencontre, vêtues de haillons, des créatures semblables, que ne peut-on les saisir et les emporter, quand ce ne serait que pour les parer, leur dire qu'elles sont belles et les admirer!
MAUPASSANT, la Vie errante, III, p. 61.

Loc. *Vous ne l'emporterez pas en paradis :* vous ne jouirez pas longtemps du bien, du succès actuel; je me vengerai tôt ou tard.

2.1 Ils le traitèrent longtemps de faillot (*sic : fayot*) et de pédale et se réjouirent à la pensée qu'il ne l'emporterait pas en paradis et qu'à force de vivre sous la griffe du capitaine de La Hure il serait déchiré. Cela leur donna du cœur.
Jacques LAURENT, les Bêtises, p. 132.

Que le diable l'emporte, t'emporte! *Que le diable m'emporte si...!*

Comm. *Plat à emporter* (opposé à *à consommer sur place*). *Vente à emporter* (opposé à *à livrer*). — **Loc. adj. Régional** (Suisse). *À l'emporter. Vin à l'emporter. Vente à l'emporter. Prix à l'emporter.*

(Compl. n. de choses abstraites). *Il a emporté son secret dans la tombe. Emporter d'un lieu, d'un séjour, le plus agréable souvenir. Il aurait voulu emporter toutes ces images dans son regard* (→ Classe, cit. 17). → **Conserver, garder.** *En nous quittant, il a emporté tous nos vœux, il a emporté tous les cœurs* (Académie).

3 Toi-même tu l'a vu courir dans les combats,
Emportant après lui tous les cœurs des soldats (...)
RACINE, Bajazet, I, 1.

4 J'emporte de ce château et du philosophe qui l'habitait, un souvenir heureux qui ne s'effacera jamais de ma mémoire et de mon cœur (...)
Mᵐᵉ DE GENLIS, les Veillées du château, t. II, p. 435.

5 Si je vous le disais, que j'emporte dans l'âme
Jusques aux moindres mots de nos propos du soir!
A. DE MUSSET, Poésies nouvelles, «À Ninon».

6 (...) j'emporte de vous ces bonnes paroles qui consolent de vos ennuyeux silences et réparent bien des oublis qui blessent sans que vous le sachiez.
E. FROMENTIN, Dominique, p. 121.

7 Après quoi, je descendis lentement, regardant attentif autour de moi, comme pour emporter dans mes yeux l'image, toute l'image, de ces lieux que je ne devais plus jamais revoir.
Alphonse DAUDET, le Petit Chose, I, XIII.

7.1 Vous n'emportez tous nos regrets, Joseph!...
Hélas! Joseph n'emportait pas que des regrets... il emportait aussi l'argenterie!...
O. MIRBEAU, le Journal d'une femme de chambre, p. 406.

8 Que chaque instant emporte tout ce qu'il avait apporté!
GIDE, l'Immoraliste, p. 238.

9 Mais c'est son honneur immortel d'avoir fait à l'invitation de partir la sublime réponse qui a traversé les âges : *On n'emporte pas la patrie à la semelle de ses souliers.*
Louis BARTHOU, Danton, p. 362.

Fig. → **Transporter.** *Son rêve l'emporte à mille lieues* (→ Ahurissement, cit. 1).

10 (...) la jeunesse et la fortune l'emportent (*Alexandre*) victorieux jusqu'au fond des Indes.
RACINE, Alexandre, Épître.

11 Il écrit, et les vents emportent sa pensée,
Qui va dans tous les lieux vivre et s'entretenir (...)
LAMARTINE, Harmonies..., II, 10.

Loc. *Autant en emporte le vent :* rien n'en restera, tout en sera emporté comme par le vent; titre français d'un roman américain de M. Mitchell (en angl. *Gone with the wind*).

◆ **2** Sujet n. de chose. Enlever* avec rapidité, violence. *Un obus lui emporta la jambe.* → **Arracher, couper.** *Le typhon, le torrent emporte tout sur son passage.* → **Balayer, détruire, dévaster, submerger** (→ Bourrasque, cit. 3; déborder, cit. 24). *L'inondation a emporté la rive.* — *La maladie l'a emporté en quelques heures* (→ Croup, cit. 1).

12 (...) une fièvre violente emporta ma chère épouse après quatorze mois de mariage.
A. R. LESAGE, Gil Blas, XI, 1.

Fig. et fam. (D'un mets). *Emporter la bouche :* causer une sensation de brûlure.

Fig. *Le temps a emporté toutes ses illusions.* → **Anéantir.**

Loc. fig. (Vx). *Emporter la pièce, le morceau* (→ Emporte-pièce, 2) : railler d'une manière mordante, cruelle.

13 Il avait l'esprit enjoué, un peu railleur; mais il raillait agréablement, sans emporter la pièce (...)
A. R. LESAGE, Hist. d'Estevanille Gonzales, XXXVI.

14 Il (*Chateaubriand*) excelle dans la polémique; il a des traits qui percent, il emporte la pièce.
SAINTE-BEUVE, Chateaubriand, t. I, p. 205.

Mod. *Emporter le morceau :* réussir, avoir gain de cause.

15 (...) aujourd'hui, il faut profiter de la secousse pour emporter le morceau. Énergie! Énergie!
J. ROMAINS, les Hommes de bonne volonté, t. II, IV, p. 33.

◆ **3** Par ext. S'emparer de (qqch.) par la force. → **Conquérir, enlever.** *Emporter une place d'assaut,* s'en rendre maître de vive force (→ Assaut, cit. 2). *Emporter une tranchée à la baïonnette, à la pointe de la baïonnette.* — **Fig.** *Emporter qqch. de haute lutte,* avec de grands efforts, malgré la résistance. → **Conquérir, obtenir, vaincre.**

16 Les esprits entêtés regimbent contre l'insistance; auprès d'eux on gâte tout en voulant tout emporter de haute lutte.
CHATEAUBRIAND, Mémoires d'outre-tombe, t. VI, p. 61.

17 Il sait qu'il est certaines âmes qu'il n'emportera pas de vive lutte et qu'il importe de persuader.
GIDE, Feuillets, in Journal 1889-1939, Pl., p. 608.

Vx. *Emporter un avantage* (cit. 19), *le prix.* → **Gagner, obtenir** (→ Agréer, cit. 2; course, cit. 6). — **REM.** Dans ce sens, on dit aujourd'hui *remporter.*

◆ **4** Sujet en général n. de chose. Entraîner avec force, rapidité, sans pouvoir être contrôlé. *La rivière emporte des glaçons.* → **Charrier.** *Le courant nous emporte vers le rivage. Son cheval prit le mors aux dents et l'emporta à travers champs* (Académie). *La voiture nous emporte vers une destination inconnue.* → **Emmener, transporter.** *Se laisser emporter.*

18 La terre elle-même est emportée avec une rapidité inconcevable autour du soleil (...)
LA BRUYÈRE, les Caractères, XVI, 43.

19 (...) la rapidité excessive des moyens de transport ôte tout charme à la route : vous êtes emporté comme dans un tourbillon, sans avoir le temps de rien voir.
Th. GAUTIER, Voyage en Espagne, p. 233.

20 Emporte-moi, wagon! enlève-moi, frégate!
Loin! loin (...)
BAUDELAIRE, les Fleurs du mal, Spleen et Idéal, LXII.

21 Il se sent emporté comme un fétu dans une avalanche : impossible de s'accrocher à rien : tout a chaviré, tout

sombre avec lui (...)

MARTIN DU GARD, les Thibault, t. IV, p. 124.

22 (...) tandis qu'une voiture les emportait vers le Luxembourg, l'homme répétait avec une sorte de frénésie : «*Nous tenons la place, il faut y faire une fortune immense, une immense fortune.*»

Louis MADELIN, Talleyrand, I, VI, p. 75.

23 Le train m'emporte (...) Et ce mélange d'appréhension et d'attrait, comme dans celui qui m'emportait pour la première fois vers le front.

MONTHERLANT, le Démon du bien, p. 102.

Fig. (Le sujet désigne une passion, une force). Entraîner, pousser. *Un je ne sais quoi qui nous emporte* (→ Amour, cit. 9, Corneille). *La passion emportait son cœur à l'abîme* (→ Arracher, cit. 35). *Son imagination l'emporte. Se laisser emporter par la colère, la haine, la générosité* (→ Couvrir, cit. 30), *l'éloquence* (→ Aiguille, cit. 11), *l'orgueil. Se laisser emporter à la vengeance, aux plaisirs.*

24 Le souvenir des siens, l'orgueil de sa naissance,
L'emporte à tous moments à braver ma puissance.

CORNEILLE, Héraclius, I, 2.

25 À des charmes si doux je me laisse emporter.

MOLIÈRE, l'École des femmes, V, 2.

26 La fureur m'emportait, et je venais peut-être
Menacer à la fois l'ingrate et son amant.

RACINE, Andromaque, III, 1.

27 (*Antiochus*) exerce des cruautés inouïes : son orgueil l'emporte aux derniers excès (...)

BOSSUET, Hist. des variations, II, 5.

28 (...) le tourbillon nous emporte, nous n'avons pas le loisir de nous arrêter si longtemps sur une même chose (...)

Mᵐᵉ DE SÉVIGNÉ, Lettres, 785, 28 févr. 1680.

29 (...) tandis que l'amour-passion nous emporte au travers de tous nos intérêts, l'amour-goût sait toujours s'y conformer.

STENDHAL, De l'amour, I.

30 (...) cet effroyable avenir de désespérance, de fer, de feu et de sang, vers lequel des vertiges nous emportent.

LOTI, Suprêmes visions d'Orient, p. 103.

31 Nombre de bons narrateurs continuent de penser que leur objet essentiel étant de nous emporter, de nous entraîner au fil des événements, de nous associer pour une heure au destin des personnages fictifs, il y a péril à s'arrêter pour goûter les agréments du détail.

G. DUHAMEL, Défense des lettres, p. 265.

Loc. (Concret). *Emporter la balance,* entraîner, faire pencher l'un des plateaux, en parlant d'un poids.

— Par métaphore.

32 Le sot est *automate*, il est machine, il est ressort ; le poids l'emporte, le fait mouvoir (...)

LA BRUYÈRE, les Caractères, XI, 142.

Fig. Déterminer la préférence. → **Balance** (cit. 21, 22).

Fig. Le sujet désigne un argument. *Emporter la conviction, la détermination,* l'obtenir par sa seule action, son évidence. *Cela emporte la décision.*

33 (...) de ces arguments qui emportent conviction.

LA BRUYÈRE, les Caractères, XVI, 10.

34 D'autres facteurs, impondérables et soudainement accumulés, avaient dû emporter l'extravagante détermination.

MARTIN DU GARD, les Thibault, t. IV, p. 37.

♦ **5** (XIVᵉ). Sujet n. de personne. L'EMPORTER : avoir le dessus, se montrer supérieur. → **Gagner, triompher, vaincre.** *L'emporter sur qqn, sur son adversaire.* → **Damer** (le pion), **dépasser, dominer ; prévaloir, surpasser.** *Son concurrent pourrait bien l'emporter* (→ Compétiteur, cit.). *L'emporter dans un procès.* → **Gain** (obtenir gain de cause). *L'emporter dans une discussion, un conflit.* → **Mot** (avoir le dernier mot).

35 Enfin vous l'emportez, et la faveur du Roi
Vous élève en un rang qui n'était dû qu'à moi (...)

CORNEILLE, le Cid, I, 3.

36 Sur le plus honnête homme on le voit l'emporter.

MOLIÈRE, le Misanthrope, I, 1.

37 (...) ils (*ces individus groupés dans un bataillon d'infanterie*) vont acquérir rapidement (...) un commun désir de l'emporter soit par la force sur un groupe ennemi, soit par

le courage et l'excellence technique sur d'autres bataillons de la même armée.

A. MAUROIS, Études littéraires, Jules Romains, t. II, p. 124.

(Sujet n. de chose). Être supérieur, plus fort. → **Prédominer, prévaloir, primer, surmonter, triompher.** *Le courage l'emporta finalement sur la peur. Ce sentiment l'emporte dans son cœur* (→ Affection, cit. 5).

38 Sa table l'emporte sur celle d'un ministre pour la délicatesse et l'abondance (...)

A. R. LESAGE, le Diable boiteux, XVIII.

39 Il est vrai que la démocratie finit par l'emporter dans Rome ; mais, alors même, les procédés et ce qu'on pourrait appeler les artifices du gouvernement restèrent aristocratiques.

FUSTEL DE COULANGES, la Cité antique, p. 436.

40 (...) sa raison sans cesse lutte et souvent l'emporte contre son cœur.

GIDE, la Symphonie pastorale, p. 22.

41 Mais lorsque, aujourd'hui, je me penche sur notre passé commun, les souffrances qu'elle endura me paraissent l'emporter de beaucoup (...)

GIDE, Et nunc manet in te, p. 22.

♦ **6** Vieilli. Avoir comme conséquence, entraîner par corrélation. *Ce droit emporte un devoir.* → **Comporter, impliquer.** *Ce crime emporte la peine capitale. Ce partage* (d'avis) *emporte consentement* (→ Dissentiment, cit. 3 ; désistement, cit. 1). *Ce terme emporte avec lui une idée de...* (→ Adulation, cit. 1 ; agreste, cit. 1 ; arroger, cit. 1).

42 (...) le droit de la défense naturelle n'emporte point avec lui la nécessité de l'attaque.

MONTESQUIEU, l'Esprit des lois, X, 2.

43 (...) il fallut faire vite, et donc assumer tout ce qu'emporte de risques, d'imprudences et d'impuretés, la précipitation dans le travail.

VALÉRY, l'Idée fixe, p. 9.

44 Au lieu qu'une opinion subtile et nuancée emporte toujours quelque vague soupçon d'hypocrisie.

J. PAULHAN, Entretien sur des faits divers, IV, p. 41.

Dr. *La forme emporte le fond,* elle prévaut sur le fond ; un vice de forme fait perdre la meilleure cause.

45 Selon moi les Gravelot ont raison, mais il ne suffit pas d'être fondé en Droit et en Fait, il faut s'être mis en règle par la Forme, et ils ont négligé la Forme qui toujours emporte le Fond.

BALZAC, les Paysans, Pl., t. VIII, p. 122.

♦ **S'EMPORTER** v. pron.

Se laisser aller à des mouvements de colère, à des actes de violence. → **Cabrer** (se), **déchaîner** (se), **éclater, emballer** (s'), **fulminer, monter** (monter sur ses grands chevaux), **sortir** (sortir de ses gonds). *S'emporter violemment.* → Casser les vitres* ; ne plus se connaître*, jeter feu et flamme, prendre le mors* aux dents, prendre la mouche*. *Il s'emporte facilement. S'emporter contre qqn.* → Faire une sortie*. *S'emporter contre le sort.* → **Maudire, maugréer.** *Discuter sans s'emporter* (→ Doux, cit. 37).

46 Il est vrai, je suis prompt, et m'emporte parfois (...)

MOLIÈRE, l'Étourdi, II, 11.

47 — Ah ! vous êtes dévot, et vous vous emportez ?
— Oui, ma bile s'échauffe à toutes ces fadaises (...)

MOLIÈRE, Tartuffe, II, 2.

REM. *S'emporter* avait dans la langue du XVIIᵉ s. un sens plus étendu. Il se disait absolument d'une personne qui s'abandonne au désespoir, aussi bien que de celle qui se laisse gagner par la colère.

48 Mon père, retenez des femmes qui s'emportent,
Et de grâce empêchez surtout qu'elles ne sortent.

CORNEILLE, Horace, II, 8.

♦ **EMPORTÉ, ÉE** p. p. adj.

♦ **1** Vx. Qui se laisse entraîner par les passions dans le dérèglement.

♦ **2** Mod. Qui est prompt aux mouvements de colère*. *Un homme emporté, violent. Caractère* emporté. → **Bouillant, brutal, chaud** (cit. 9), **difficile** (cit. 25), **fougueux, impétueux, irascible, irritable, prompt, vif, violent.** — N. *C'est un emporté, une emportée.* → **Coléreux.** → Avoir la tête* près du bonnet, la tête un peu chaude; être comme une soupe* au lait.

49 Naturellement emporté, j'ai senti la colère, la fureur même dans les premiers mouvements; mais jamais un désir de vengeance ne prit racine au-dedans de moi.
ROUSSEAU, les Confessions, XI.

CONTR. Apporter, rapporter. — Laisser; arrêter. — Calmer. — (Du p. p.) Calme, doux, flegmatique, pacifique, paisible. ◊ **DÉR. Emport, emportement. ◄ COMP. Remporter. — Emporte-pièce.**

EMPOTAGE [ɑ̃pɔtaʒ] n. m. — 1735; de *empoter*.
Technique.

♦ **1** Hortic. Action de mettre une plante en pot. — REM. On dit aussi *empotement*.

♦ **2** (xxᵉ). Opération qui consiste à remplir un conteneur* de marchandises.

EMPOTÉ, ÉE [ɑ̃pɔte] adj. — 1867; de *em- (en-)*, et anc. adj. franç. ou dial. *pot* «engourdi, gros», d'où *main pote* «main gauche», d'un lat. pop. *pautta* «patte».
Fam. Maladroit, lent. *Des enfants empotés. Ce qu'elle peut être empotée! —* N. *Quel empoté! Remuez-vous, bande d'empotés!*

1 L'amour des niais (empotés), des tièdes, des fades, des réservés, des muets, n'est pas l'amour.
Paul LÉAUTAUD, Propos d'un jour, p. 16.

(Choses). Rare :

2 Quoi de plus empoté qu'une lanterne? On l'allume — elle ne s'allume pas toute seule (...)
J. GREEN, Journal, 18 févr. 1960, Vers l'invisible, p. 180.

HOM. Formes du v. empoter.

EMPOTEMENT [ɑ̃pɔtmɑ̃] n. m. — 1824; de *empoter*.

♦ **1** → **Empotage.**

♦ **2** (1870). Dr. Action de mesurer la contenance des futailles à des fins de vérification.

EMPOTER [ɑ̃pɔte] v. tr. — 1690; *empotter*, 1651; de *em- (en-)*, *pot*, et suff. verbal.
Techn. Mettre en pot*. *Empoter une plante pour la mettre en serre. Empoter des confitures.*

CONTR. Dépoter. ◊ **DÉR. Empotage, empotement. ◄ HOM. V. Empoté.**

EMPOUACRER [ɑ̃pwakʀe] v. → **Empoicrer.**

EMPOUILLES [ɑ̃puj] n. f. pl. — 1752; de *empouiller* «ensemencer», de *em- (en-)*, et *(dé)pouiller.*
Hist., dr. Récoltes sur pied (opposé aux *dépouilles*, récoltes.)

EMPOURPRER [ɑ̃puʀpʀe] v. tr. — 1552; de *em- (en-)*, *pourpre*, et suff. verbal.
Colorer de pourpre, de rouge par l'effet de phénomènes naturels. → **Rougir.** *Le soleil couchant empourprait l'horizon* (→ Agonie, cit. 10).

1 (...) le soleil allait se coucher et dorait, empourprait, émaillait de feu une multitude de petits nuages, détachés du grand rideau noir étendu sur nos têtes (...)
E. FROMENTIN, Un été dans le Sahara, I, p. 8.

2 Ô douceur de survivre à la force du jour,
Quand elle se retire enfin rose d'amour,
Encore un peu brûlante, et lasse, mais comblée,
Et de tant de trésors tendrement accablée
Par de tels souvenirs qu'ils empourprent sa mort,
Et qu'ils la font heureuse agenouiller dans l'or (...)
VALÉRY, Poésies, Charmes, «Fragments du Narcisse».

Spécialt. (Le compl. désigne le visage). *La colère empourpra son visage.*

C'est de la démence!... Quel fichu caractère! rugit le chef 3 de bureau dont l'indignation et la fureur empourprèrent le visage.
Georges LECOMTE, Ma traversée, p. 128.

L'espace du retentissement, c'est le corps — ce corps ima- 3.1 ginaire, si «cohérent» (coalescent) que je ne peux le vivre que sous les espèces d'un émoi généralisé. Cet émoi (analogue à une rougeur qui empourpre le visage, de honte ou d'émotion) est un trac.
R. BARTHES, Fragments d'un discours amoureux, p. 238.

♦ **S'EMPOURPRER v. pron.**

(Choses). Devenir pourpre. *L'horizon s'empourprait* (→ Couleur, cit. 4; dorer, cit. 5).

(Personnes). Vieilli. Rougir.

(...) elle s'empourpra, lorsqu'elle voulut, elle aussi, envoyer 3.2 son mot de tendresse au blessé.
ZOLA, Paris, t. I, p. 165.

Spécialt. (Avec un compl.). *S'empourprer de colère, de honte.*

♦ **EMPOURPRÉ, ÉE p. p. adj.**

♦ **1** Qui a pris une teinte pourpre. *Ciel, horizon empourpré* (→ Doré, cit. 2). *Tunique empourprée de sang.* → **Rouge, rougi.**

Spécialt. *Visage empourpré.* → **Cramoisi, rouge.** *Joues empourprées de fièvre.*

Peindrons-nous une vierge à la joue empourprée, 4
S'en allant à la messe, un page la suivant (...)
A. DE MUSSET, Poésies nouvelles, «La nuit de mai».

(...) j'aperçus couché dans un grand fauteuil un jeune 5 homme d'une physionomie régulière et fine, avec des yeux étincelants, les joues empourprées de ce ton maladif qui donne aux poitrinaires je ne sais quelle perfide apparence de santé.
Th. GAUTIER, Portraits contemporains, p. 219.

♦ **2** Vx. Qui est revêtu de la pourpre*. *Prélats empourprés.* → **Cardinal.**

Archevêques, abbés, empourprés cardinaux (...) 6
VOLTAIRE, Stances, I.

EMPOUSSIÈREMENT [ɑ̃pusjɛʀmɑ̃] n. m. — Déb. xxᵉ; de *empoussiérer.*
Rare. État de ce qui est empoussiéré.

(...) n'en pouvant plus de tout cet obscurcissement, de tout cet empoussièrement, de toute cette dégradation de moi-même (...)
Michel BUTOR, l'Emploi du temps, p. 216 (1957).

EMPOUSSIÉRER [ɑ̃pusjeʀe] v. tr. [CONJUG.: *céder.*] — 1888; de *em- (en-)*, *poussière*, et suff. verbal, d'après *dépoussiérer.*
Recouvrir de poussière. *Les voitures qui passent sur le chemin de terre battue empoussièrent le jardin.* — Au p. p. *Meubles empoussiérés.* → **Poussiéreux.**

(...) il flanquait de grands coups de mouchoir pour épousseter ses souliers (...) Il se releva, jeta dans un coin de la chambre le mouchoir empoussiéré (...)
GIDE, Isabelle, IV, p. 635.

CONTR. Dépoussiérer. ◊ **DÉR. Empoussièrement.**

EMPREINDRE [ɑ̃pʀɛ̃dʀ] v. tr. [CONJUG.: *peindre.*] — 1213; d'un lat. pop. *impremere*, du lat. class. *imprimere.* → Imprimer.

♦ **1** (Rare à l'actif). Marquer (une forme, un dessin) par pression sur une surface. → **Imprimer.** *Empreindre un sceau dans de la cire, sur une médaille, une monnaie.* → **Frapper.** *Empreindre des caractères. Empreindre ses pas sur la neige.*

Fig. et littér. Laisser (une trace, un signe) dans ou sur (qqch., qqn).

1   Dieu avait déjà empreint au dedans de lui les caractères de la mort.
> MASSILLON, Oraison funèbre de Louis XIV,
> *in* LITTRÉ.

2   De son pieux espoir son front gardait la trace,
> Et sur ses traits, frappés d'une auguste beauté,
> La douleur fugitive avait empreint sa grâce,
> La mort sa majesté.
> LAMARTINE, Nouvelles méditations, «Le crucifix».

3   L'homme qui peut empreindre perpétuellement la pensée dans le fait est un homme de génie (...)
> BALZAC, Une fille d'Ève, Pl., t. II, p. 80.

♦ 2 **Littér.** Marquer (qqch.) en y traçant, en y laissant l'empreinte à... *Empreindre un pays «d'un caractère (...) de civilisation»* (Michelet).

♦ **S'EMPREINDRE** v. pron.

Être marqué. *Leurs pas s'étaient empreints dans le sable.*

Fig. Porter l'empreinte de.

4   Image fidèle des libres mouvements de l'esprit humain, cette longue histoire que je vous raconte doit s'élever, s'abaisser, s'empreindre de mille couleurs, ou riantes ou sévères (...)
> VILLEMAIN, Littérature française, XVIIIe siècle, II,
> III.

5   De même Luigi gardait un noir chagrin au fond de son cœur en exprimant à Ginevra le plus tendre amour. Ils cherchaient une compensation à leurs maux dans l'exaltation de leurs sentiments, et leurs paroles, leurs joies, leurs jeux s'empreignaient d'une espèce de frénésie.
> BALZAC, la Vendetta, Pl., t. I, p. 917.

6   (...) chaque littérature s'empreint plus ou moins profondément du ciel, des mœurs et de l'histoire du peuple dont elle est l'expression.
> HUGO, Odes et Ballades, Préface de 1824.

♦ **EMPREINT, EINTE** p. p. adj.

♦ 1 *Sceau empreint dans la cire.*

7   *(Les)* monnaies où la croix était empreinte.
> RACINE, Notes historiques.

♦ 2 Marqué par une empreinte. *Poème empreint de mélancolie. Chaque détail demeure empreint dans sa mémoire. Intérêt empreint de curiosité.* → **Coloré.** *Ton empreint de douceur. La majesté empreinte sur son visage* (→ Auguste, cit. 7).

8   Le caractère de la Divinité est empreint sur son visage (...)
> PASCAL, Pensées, V, 308.

9   C'est peut-être pour cela même que l'image de cette aimable femme est restée empreinte au fond de mon cœur en traits si charmants.
> ROUSSEAU, les Confessions, II.

10   Tes réponses, dit-elle, sont toujours empreintes de je ne sais quelle profondeur. Près de toi, je comprends tout sans effort.
> BALZAC, Séraphita, Pl., t. X, p. 469.

11   (...) ce sentiment exquis d'élégance, de pureté, de bon goût, véritable noblesse native, dont les titres sont empreints sur les êtres privilégiés.
> CHATEAUBRIAND, Mémoires d'outre-tombe, t. IV,
> p. 269.

12   Les beaux ouvrages ne vieilliraient jamais s'ils n'étaient empreints que d'un sentiment vrai.
> E. DELACROIX, Journal, 26 mars 1854.

REM. Il convient de ne pas confondre *empreindre* et *imprégner,* encore qu'au sens figuré, le premier semble parfois proche du second ; ainsi dans ces vers de Vigny :

13   Puis, recueillant le fruit tel que de l'âme il sort,
> Tout empreint du parfum des saintes solitudes (...)
> A. DE VIGNY, Poèmes philosophiques,
> «La bouteille à la mer», XXVI.

CONTR. Effacer. ◊ **DÉR.** Empreinte. - **HOM.** (Du p. p.) **Emprunt.** — Formes du v. **emprunter.** — V. aussi **Empreinte.**

EMPREINTE [ɑ̃pʀɛ̃t] n. f. — V. 1200, *emprainte;* p. p. subst. (au fém.) de *empreindre.*

♦ 1 Marque en creux ou en relief laissée par un corps qu'on presse sur une surface. → **Application, figure, gravure, impression, marque, trace.** *Empreinte en creux, en relief; en filigrane. L'empreinte d'un cachet sur la cire. Empreinte d'un sceau* (→ **Seing**). *Empreinte imitant une signature.* → **Griffe.** *Empreinte d'une médaille.* → **Ectype** 2., **effigie, frappe.** *Empreinte d'une monnaie; empreinte sur la tranche d'une monnaie.* → **Cordonnet.** *Empreinte portée sur un acte, sur un objet.* → **Estampille.** *Empreinte sur métal, au moyen d'une étampe** (→ **Gravure**). *Les bavures d'une empreinte. Empreinte sur étoffe* (→ **Gaufrure**). *Empreinte laissée par les fils de laiton dans la pâte du papier.* → **Filigrane; vergeure, pontuseau.** *Empreinte laissée sur la plaque sensible.* → **Photographie.** *Donner une empreinte.* → **Frapper, imprimer; mouler; moulage.** *Pièce servant à reproduire des empreintes.* → **Modèle, type.** *L'empreinte d'une serrure, d'une clef.* → **Moulage.**

1   Elle appartient à ce peuple de Paris que la sottise bourgeoise a plus profondément pénétré qu'aucun autre, et qui la reproduit en relief, comme l'empreinte du cachet reproduit le creux de l'intaille.
> Léon BLOY, le Désespéré, p. 262.

Spécialt (prothèse dent.). Marque laissée par les dents sur une substance plastique, dite *pâte à empreintes. Prendre des empreintes avant l'exécution d'un appareil de prothèse.*

Par métaphore :

2   L'histoire n'est pour lui *(Voltaire)* qu'une longue galerie de médailles à double empreinte.
> HUGO, Littérature et philosophie mêlées,
> Journ. des idées...

Typogr. Matrice constituée par un flan, obtenue par la frappe d'une brosse ou par la pression d'une platine, d'un cylindre. *Prise de l'empreinte.* → **Clichage.** *Empreinte prise sur une première empreinte* (contre-empreinte).

Trace naturelle.

3   (...) le vent se garde d'effacer sur le sable la délicate empreinte de ton adorable pied (...)
> Th. GAUTIER, Mlle de Maupin, IV, p. 68.

3.   Heureusement la neige fraîche du trottoir garde ses empreintes (...) empreintes bien nettes malgré la rapidité de la marche, peu enfoncées dans la mince couche nouvelle (...) des empreintes de semelles en caoutchouc à chevrons, avec sur le talon une croix au milieu d'un cercle.
> A. ROBBE-GRILLET, Dans le labyrinthe, p. 116-117.

Les empreintes d'un animal sur le sol. Laisser des empreintes. Reconnaître les empreintes d'un renard (→ Discerner, cit. 1).

(1905). **EMPREINTES DIGITALES** : traces laissées par les doigts, dont le dessin est dû aux crêtes papillaires des pulpes des doigts ; ce dessin anatomique, propre à chaque individu et permettant une identification précise. → **Dactyloscopie.** — **Absolt.** *Mettre ses empreintes sur une carte d'identité. Le criminel n'a pas laissé d'empreintes.*

Par anal. *Empreinte génétique* : patrimoine génétique inscrit dans l'A. D. N. des cellules, propre à chaque individu, et qui permet l'identification à partir d'un échantillon organique.

Anat. Nom de diverses dépressions à la surface d'un organe, ou surface rugueuse d'un os.

Géol. *Empreintes animales, végétales.* → **Fossile.** *Empreintes de fougères, de feuilles sur des roches.*

4   Il n'est pas défendu au poète et au philosophe d'essayer sur les faits sociaux ce que le naturaliste essaye sur les faits

zoologiques, la reconstruction du monstre d'après l'empreinte de l'ongle ou l'alvéole de la dent.
HUGO, la Légende des siècles, Préface 1857.

♦ **2** (1605). Par métaphore et fig. Marque profonde, durable.

5 Les poèmes qui composent ce volume ne sont donc autre chose que des empreintes successives du profil humain, de date en date, depuis Ève, mère des hommes, jusqu'à la Révolution, mère des peuples (...)
HUGO, la Légende des siècles, Préface 1857.

L'empreinte de la douleur sur un visage. — Les empreintes des maladies, de la vie. → **Marque, stigmate, trace.** *Recevoir l'empreinte d'un milieu, d'une société, d'un pays, d'une civilisation. Il a conservé l'empreinte de son milieu familial, son entourage. L'Empreinte, roman d'Estaunié (évoquant la marque ineffaçable laissée par l'éducation des Jésuites dans une âme).*

6 J'ai appris le style en écrivant des lettres de tendresse ou d'amitié, et, quand je relis celles qui ont été conservées, j'y retrouve fortement tracée l'empreinte de mes lectures d'alors, surtout de Diderot, de Rousseau et de Sénancour.
NERVAL, Promenades et Souvenirs, III.

7 Aussi, chez les Sauvages, le cerveau reçoit-il pour ainsi dire peu d'empreintes, il appartient alors tout entier au sentiment qui l'envahit, tandis que chez l'homme civilisé, les idées descendent sur le cœur qu'elles transforment (...)
BALZAC, la Cousine Bette, Pl., t. VI, p. 165.

8 Un peuple reçoit toujours l'empreinte de la contrée qu'il habite (...)   TAINE, Philosophie de l'art, t. II, p. 87.

9 (...) âmes jeunes, malléables, susceptibles de recevoir et de conserver des empreintes.
G. DUHAMEL, Défense des lettres, IV, p. 304.

L'homme met son empreinte sur tout ce qu'il fait. L'empreinte d'un écrivain, d'un artiste, du génie. Œuvre marquée à l'empreinte du génie. → **Accent** (cit. 7), **cachet, coin** (au coin de...), **sceau.** *Écrit qui porte une empreinte d'authenticité.* → **Caractère.** — *L'empreinte de Dieu sur les âmes.*

10 Chaque geste, chaque air de tête, chaque aspect différent de votre beauté, se gravent sur le miroir de mon âme avec une pointe de diamant, et rien au monde n'en pourrait effacer la profonde empreinte ; je sais à quelle place était l'ombre, à quelle place était la lumière, le méplat que lustrait le rayon du jour, et l'endroit où le reflet errant se fondait avec les teintes plus assouplies du cou et de la joue.   Th. GAUTIER, Mᵐᵉ de Maupin, VIII, p. 187.

11 Selon l'usage, la canaille marche en tête et marque à son empreinte toute l'insurrection.
TAINE, les Origines de la France contemporaine, t. III, I, p. 96.

12 (...) toutes les grandes et principales parties de l'ouvrage sont de Buffon ; il y a partout la haute main ; chaque volume porte son cachet et son empreinte par quelque page immortelle (...)
SAINTE-BEUVE, Causeries du lundi, 21 juil. 1851.

13 (...) Danton avait laissé en beaucoup d'esprits l'empreinte de sa force et l'élan de sa volonté.
JAURÈS, Hist. socialiste, IV, p. 110.

HOM. Formes des v. **empreindre** et **emprunter.**

EMPRESSANT, ANTE [ɑ̃pʀɛsɑ̃, ɑ̃t] adj. — Mil. XVIᵉ, «empressé»; repris fin XVIIᵉ, Bossuet; p. prés. de s'empresser.

Vx. (langue class.). Qui presse, exige. → **Pressant.**

EMPRESSÉ, ÉE [ɑ̃pʀese] adj. — 1664 ; «affairé», 1611 ; de (s') empresser.

♦ **1** Qui s'empresse, qui est zélé ; qui est plein de prévenances. → **Attentif, attentionné, complaisant, dévoué, prévenant.** *Il paraît fort empressé auprès d'elle, autour d'elle.* → **Galant.** *Des admirateurs empressés.* → **Ardent.** *Il ne se montre pas très empressé à son égard. Un confident empressé* (→ **Carte,** cit. 11). *Être empressé jusqu'à l'humilité*

(→ **Attentif,** cit. 18). *On ne peut pas dire qu'il soit très empressé.* — N. *Faire l'empressé.* → (vx) **Ardélion.** *Il fait l'empressé, mais bien inutilement.* → **Importun** (→ **Mouche*** du coche).

Ainsi certaines gens, faisant les empressés,   1
S'introduisent dans les affaires.
Ils font partout les nécessaires,
Et, partout importuns, devraient être chassés.
LA FONTAINE, Fables, VII, 9.

Tous ces gentilshommes si affairés, si empressés, si bour-   2
donnants autour du royal, ces courtisans qui meurent
de désespoir pour une rebuffade, qui perdent la tête de
joie pour un sourire (...)
Th. GAUTIER, les Grotesques, p. 82.

♦ **2** Littér. *Empressé à... Il est empressé à suivre ses conseils, à le suivre.* → **Impatient** (de). → **Cheval,** cit. 12. *Empressé à rendre de bons offices* (→ **Officieux**). *Il ne s'est guère montré empressé à nous aider.*

Ne cherchons tous les jours qu'à nous plaire,   3
Soyons-y l'un et l'autre empressés (...)
MOLIÈRE, la Pastorale comique, 15.

Et Beethoven se hâte, comme une terre fertile, empressée   4
à produire.
Ed. HERRIOT, la Vie de Beethoven, p. 103.

Vieilli. *Empressé de... Il se montre empressé de réussir, empressé d'apprendre, de connaître, de savoir.* → **Avide** (de).

(Croyez-vous) que de vous avoir on soit tant empressée ?   5
MOLIÈRE, le Misanthrope, V, 4.

M. de Jonville devint peu à peu si empressé de m'avoir qu'il   6
en devint même gênant, et, quoique nous logeassions dans
des quartiers fort éloignés, il y avait du bruit entre nous
quand je passais une semaine entière sans aller dîner chez
lui.   ROUSSEAU, les Confessions, X.

♦ **3** Qui marque de l'empressement. *Accueil empressé.* → **Chaud ; chaleureux.** *Des vœux, des désirs empressés. Cour empressée. Des soins empressés. Un air empressé.*

Il semble que le trop grand empressement est une   7
recherche importune, ou une vaine affectation de marquer aux autres de la bienveillance par ses paroles et par
toute sa conduite.
LA BRUYÈRE, les Caractères de Théophraste,
De l'air empressé.

(Dans une formule de politesse). *Salutations empressées.*

CONTR. Froid, indifférent, négligent.

EMPRESSEMENT [ɑ̃pʀɛsmɑ̃] n. m. — 1647 ; «excitation», 1608 ; «pression», 1225 ; de (s') empresser.

♦ **1** Littér. ou style soutenu. Action, fait de s'empresser* auprès de qqn. → **Ardeur, complaisance, zèle.** *Manifester, marquer, montrer, témoigner de l'empressement, beaucoup, peu d'empressement (auprès, à l'égard de qqn). L'empressement d'un homme auprès des femmes.* → **Assiduité** (supra cit. 4) ; **galanterie.** *Accueillir qqn avec empressement. Un empressement servile. L'empressement des clients, des électeurs* (→ **Brutalité,** cit. 5). *Saisir une occasion avec empressement.* → **Avidité.**

(...) d'aimables demoiselles bien parées m'attendent, me   1
reçoivent avec empressement (...)
ROUSSEAU, les Confessions, V.

Je n'ose plus me flatter d'une réponse ; l'amour l'eût écrite   2
avec empressement, l'amitié avec plaisir, la pitié même
avec complaisance : mais la pitié, l'amitié et l'amour sont
également étrangers à votre cœur.
LACLOS, les Liaisons dangereuses, Lettre XXVIII.

La sévérité dont on use envers moi est un gage de l'em-   3
pressement avec lequel on réparera ce tort quand la vérité
sera enfin connue.   STENDHAL, Armance, t. I, p. 561.

Legrand nous attendait avec une vive impatience. Il   4
me serra la main avec un empressement nerveux qui
m'alarma et renforça mes soupçons naissants.
BAUDELAIRE, Trad. E. POE,
Histoires extraordinaires, «Le scarabée d'or».

♦ 2 Hâte qu'inspire le zèle. → **Ardeur, diligence.** *Obéir avec empressement.*

Vx. Empressement de..., pour (et l'inf.). *L'empressement de faire qqch., pour faire quelque chose.*

5　(...) ce qui augmente l'empressement que j'ai de vous voir, c'est pour ne point penser en aveugle sur des vérités qui me sont si sensibles.
　　　　　　　Mᵐᵉ DE SÉVIGNÉ, *Lettres*, 856, 25 sept. 1680.

6　Et cet empressement pour s'en aller dans l'ombre
　Pêcher vite à tâtons quelque sinistre encombre !
　　　　　　　MOLIÈRE, *le Dépit amoureux*, V, 2.

6.1　Mesrour chargea le coffre sur ses épaules, par l'ordre de son maître, qui, dans l'empressement de savoir ce qu'il y avait dedans, retourna au palais en diligence.
　　　　　　　A. GALLAND, *les Mille et Une Nuits*, t. I, p. 275.

Mod. Empressement à (et l'inf.). *Mettre beaucoup d'empressement à aider quelqu'un.*

7　J'ai lieu de croire qu'on fût un peu piqué du peu d'empressement que je mettais à profiter du temps qui me restait (...)
　　　　　　　LACLOS, *les Liaisons dangereuses*, Lettre XLIV.

8　(...) il perdit soudainement patience, à voir comme son amoureuse apportait de l'empressement à venir le retrouver.
　　　　　　　COURTELINE, *Messieurs les ronds-de-cuir*,
　　　　　　　　　　　　4ᵉ tableau, II, p. 133.

8.1　Olivier, loin d'aider à la joie d'Édouard en lui disant l'empressement qu'il avait mis à venir à sa rencontre, crut séant de parler de quelque course que précisément il avait eu à faire dans le quartier ce matin même, comme pour s'excuser d'être venu.
　　　　　　　GIDE, *les Faux-monnayeurs*, in *Romans*, Pl., p. 991.

♦ 3 Vx ou littér. (Au plur.). *Actions qui manifestent de l'empressement, du zèle.*

9　Lorsqu'un homme vous vient embrasser avec joie,
　Il faut bien le payer de la même monnoie *(monnaie)*
　Répondre, comme on peut, à ses empressements (...)
　　　　　　　MOLIÈRE, *le Misanthrope*, I, 1.

10　L'amour n'est pas toujours l'effet des empressements ni du mérite connu.　　A. R. LESAGE, *Gil Blas*, IV, X, p. 269.

11　(...) comme l'opinion obéissait alors à des empressements souvent désordonnés, il pensa qu'en général le devoir de l'homme d'État devait être de résister à l'opinion.
　　　　　　　RENAN, *Questions contemporaines*, Œ., t. I, p. 55.

CONTR. Froideur, indifférence, lenteur, mollesse, négligence.

EMPRESSER (S') [ɑ̃pʀese] v. pron. — 1580; «se rassembler», XIIᵉ; v. tr. «presser, serrer», v. 1160; de *em-* (en-), et *presser.*

♦ 1 (1609). Littér. ou style soutenu. *Faire preuve d'ardeur et de zèle au service de qqn, ou pour lui plaire. S'empresser auprès des jolies femmes. S'empresser autour d'un personnage puissant* (→ Caresse, cit. 3 ; caresser, cit. 19). *S'empresser au secours de qqn.* — Vieilli. *S'empresser pour quelqu'un, pour quelque chose.*

1　On voit cent belles ici
　Auprès de qui je m'empresse :
　À leur vouer ma tendresse
　Je mets mon plus doux souci (...)
　　　　　　　MOLIÈRE, *le Sicilien*, 4.

2　Pour votre amitié seule Alexandre se presse (...)
　　　　　　　RACINE, *Alexandre*, I, 1.

♦ 2 Vieilli. *S'empresser à, pour* (et l'inf.). *Il s'empresse à prévoir, à deviner ses désirs. Il s'empresse à le convaincre* (→ Boue, cit. 7). *S'empresser à rendre service.*

3　Narcisse, plus hardi, s'empresse pour lui plaire.
　　　　　　　RACINE, *Britannicus*, V, 8.

4　(...) l'on n'a (...) nul besoin de s'empresser ou de se donner le moindre mouvement pour épargner ses revenus (...)
　　　　　　　LA BRUYÈRE, *les Caractères*, XI, 113.

5　Adrienne, pendant que sa sœur s'expliquait, changeait l'assiette d'Antoine, avançait la corbeille à pain, s'empressait, par habitude, à faire le service.
　　　　　　　MARTIN DU GARD, *les Thibault*, t. III, p. 195.

Mod. S'empresser de... (et l'inf.) : *se hâter.* → **Affairer** (s'), **démener** (se), **dépêcher** (se), **presser** (se). *S'empresser de parler, de prendre la parole. Il s'empressa d'ajouter que... S'empresser d'avertir qqn, de l'aider* (→ Délester, cit. 2). — **REM.** Dans ce sens, l'idée de vitesse, de célérité l'emporte sur celle de prévenance, de zèle.

6　Un coup de pistolet mit le feu à une petite provision de chanvre en *poupées*, placée sur une claie, au plafond. Cet incident fit diversion, et, tandis que les uns s'empressaient d'étouffer ce germe d'incendie (...)
　　　　　　　G. SAND, *la Mare au diable*, Appendice, III, p. 168.

Absolt. et vieilli. *Se presser.* → **Précipiter** (se); **courir.**

7　(...) il arrive ordinairement que plus l'on s'empresse moins l'on avance (...)
　　　　　　　SCARRON, *le Roman comique*, III, 4, p. 323.

8　(...) un peu d'or fait accourir la multitude, comme les pigeons d'une ferme s'empressent sous la main qui leur jette le grain.
　　　　　　　CHATEAUBRIAND, *Mémoires d'outre-tombe*, t. V,
　　　　　　　　　　　　p. 341.

CONTR. V. **Négliger**, et les fam. **traîner, traînasser. ◊ DÉR.** Empressant, empressé, empressement.

EMPRÉSURER [ɑ̃pʀezyʀe] v. tr. — 1922; au p. p., 1568; de *em-* (en-), *présure*, et suff. verbal.

Techn. Additionner de présure (le lait), pour faire cailler (*emprésurage*, n. m.). — Au p. p. *Lait emprésuré.*

EMPRISE [ɑ̃pʀiz] n. f. — V. 1160; p. p. subst. au fém. de l'anc. v. *emprendre* «entreprendre», 1080; du lat. pop. **imprendere*, lat. class. *prehendere, prendere.* → Prendre.

Ⅰ Vx. *Entreprise, prouesse* (d'un chevalier).

1　Aussi les demi-dieux, comme Hercule et Thésée,
　Allant en quelque emprise ou longue ou malaisée,
　S'accompagnaient de chiens, qui mieux aimaient mourir
　Qu'au besoin leurs seigneurs, hardis, ne secourir.
　　　　　　　RONSARD, *Poèmes*, L, I, «La chasse».

Ⅱ ♦ 1 (1868). Dr. admin. *Mainmise de l'Administration sur une propriété privée, à titre temporaire ou définitif, à son profit ou au profit d'un tiers. Régularité, irrégularité de l'emprise* (compétence des tribunaux judiciaires).

2　La jurisprudence distingue de la voie de fait l'emprise irrégulière sur la propriété privée immobilière résultant d'un acte administratif illégal. Le tribunal judiciaire est alors compétent pour connaître de la demande d'indemnité; mais l'illégalité de l'acte administratif doit être constatée d'abord par le juge administratif.
　　　　　　　Louis ROLLAND, *Précis de droit administratif*,
　　　　　　　　　　　　nᵒ 74 bis (éd. Dalloz).

Spécialt. *Achat d'un ou de terrains nécessaires à l'exécution de travaux d'utilité publique.* — Par métonymie. *Surface couverte par une voie routière et ses dépendances, incorporée au domaine public.*

♦ 2 (1886). Cour. *Domination intellectuelle ou morale.* → **Ascendant, autorité, empire, influence, mainmise.** *Avoir de l'emprise, exercer son emprise sur qqn. L'emprise de cet écrivain sur la jeunesse. Être sous l'emprise de qqn.* → **Dépendance.** *Subir l'emprise de quelqu'un.*

3　(...) c'est que l'auteur de lieux communs cède à la puissance des mots, au verbalisme, à l'emprise du langage, et le reste.
　　　　　　　J. PAULHAN, *les Fleurs de Tarbes*, I, p. 48.

4　Une forme de coopération, quelle qu'elle soit, s'impose; on souhaite qu'elle ménage l'individu, mais c'est le plus souvent au collectivisme pur que l'on aboutit. La vie privée elle-même n'échappe pas à cette emprise, car la standardisation de la production entraîne logiquement celle de la consommation (...)
　　　　　　　André SIEGFRIED, *l'Âme des peuples*, I, III, p. 24.

5 (...) j'ai vivement insisté sur cette idée que l'emprise des groupes sur l'individu ne se justifiait que dans la mesure où elle s'exprimait dans, et par, la spontanéité de l'individu.
J. ROMAINS, cité par A. MAUROIS,
Études littéraires, II, p. 127.

6 Sur le Chevalier, ces philosophes avaient alors moins d'emprise que les poètes.
A. MAUROIS, Chateaubriand, I, III, p. 33.

EMPRISONNÉ, ÉE [ɑ̃pʀizɔne] adj. → Emprisonner.

EMPRISONNEMENT [ɑ̃pʀizɔnmɑ̃] n. m. — 1275; de *emprisonner.*

♦ **1** Action d'emprisonner* (qqn), de mettre en prison. → **Incarcération, internement.** *L'emprisonnement de qqn par qqn. Son emprisonnement est imminent. Registre des emprisonnements.* → **Écrou** (registre d'écrou). *Arrestations illégales et emprisonnement de personnes.* → **Séquestration.** *Ordre d'emprisonnement ou d'incarcération.* → **Mandat** (d'arrêt, de dépôt).

1 Ce grand triomphe des idées modernes a donné le signal d'une foule de réformes et d'améliorations dans le régime des bagnes et des prisons (...) les mots emprisonnement et prison furent supprimés comme attentatoires à la dignité humaine.
A. ROBIDA,
le Vingtième Siècle (roman d'anticipation), p. 102.

Fait d'être, de séjourner en prison; durée d'un séjour en prison. → **Captivité, détention, prison, réclusion.** *Un emprisonnement à temps, à vie. Condamner qqn à l'emprisonnement* (→ Condamnation, cit. 2). *La peine de l'emprisonnement, une peine d'emprisonnement* (→ Arrêt, cit. 6; déférer, cit. 5). *Emprisonnement correctionnel, de simple police. Emprisonnement sans assujettissement au travail; emprisonnement cellulaire.*

♦ **2** *Par ext.* Le fait d'être privé d'une partie de sa liberté. *Le couvre-feu, la mise en quarantaine, la consigne constituent de relatifs emprisonnements. Emprisonnement volontaire.* → **Claustration.**

2 (...) ils étaient condamnés, pour un crime inconnu, à un emprisonnement inimaginable. Et alors que les uns continuaient leur petite vie et s'adaptaient à la claustration, pour d'autres, au contraire, leur seule idée fut dès lors de s'évader de cette prison.   CAMUS, la Peste, p. 115.

CONTR. Délivrance, élargissement, écrou (levée d'), **libération.**

EMPRISONNER [ɑ̃pʀizɔne] v. tr. — V. 1135; de *em-* (en-), *prison,* et suff. verbal.

♦ **1** Mettre, enfermer* (une personne) dans une prison*, *spécialt,* enfermer par une décision légale. → **Enfermer, incarcérer;** (fam.) **boucler;** (hist.) **embastiller,** (rare) **encelluler** (→ Jeter aux fers*; mettre sous les verrous*; fam. mettre, foutre dedans*, mettre à l'ombre*, au trou*). — (Avec un compl. de lieu). *On l'a emprisonné à telle prison, dans un fort.* — (Sans compl. second). *On l'a emprisonné sans jugement, arbitrairement. Emprisonner, faire emprisonner un assassin, un cambrioleur, un malfaiteur. On a jugé, condamné et emprisonné les coupables. Le dictateur a fait emprisonner tous ses adversaires politiques. Il a été condamné par contumace mais on ne parvient pas à l'emprisonner.* → **Arrêter;** fam. **emballer, embarquer.**

1 Toute l'antiquité disputa sur la liberté; mais personne ne persécuta sur ce sujet jusqu'à nos jours; quelle horreur absurde d'avoir emprisonné, exilé pour cette dispute, un Arnauld, un Saci, un Nicole et tant d'autres (...)
VOLTAIRE, Politique et législation, *in* LITTRÉ.

(Au passif). *Être emprisonné, retenu en prison.* → **Détenir** (p. p.). *Il est emprisonné depuis cinq ans, pour cinq ans.* → ci-dessous, *emprisonné,* participe passé.

♦ **2** Retenir (qqn) comme dans une prison. → **Enfermer; cloîtrer, séquestrer.** *Emprisonner un enfant dans un collège* (→ Abandonner, cit. 10). — (Sujet n. de chose). *Les eaux nous emprisonnent sur une île de sable.* → **Cerner, entourer, environner.** *Le mauvais temps nous a emprisonnés toute la journée à la maison.* → **Consigner, retenir.**

♦ **3** (1806). *Par ext.* (Compl. n. de chose). Contenir, tenir à l'étroit. → **Comprimer, renfermer.** *Emprisonner un gaz, un liquide. Emprisonner sa taille dans une large ceinture.* → **Serrer.** — *Au p. p.* → cit. 3 et 4.

2 Par lui l'homme rompit le joug du préjugé;
Des liens du maillot l'enfant fut dégagé;
La baleine cessa d'emprisonner les belles (...)
Abbé DELILLE, l'Imagination, V.

3 (...) quand elle traînait languissamment ses pieds emprisonnés dans ses babouches (...)
LAMARTINE, Graziella, III, XV, p. 101.

4 (...) un beau monsieur ganté, verni, cruellement cravaté et emprisonné dans des habits tout neufs (...)
BAUDELAIRE, Spleen de Paris, «Un plaisant».

5 Elle était vêtue de taffetas noir, le buste serré dans un corsage qui emprisonnait le cou jusqu'au menton mais laissait libres, sous les volants de guipure, des poignets ronds et potelés.   J. GREEN, Léviathan, p. 16.

→ **Envelopper, serrer.** *Le père emprisonnait la petite main de l'enfant* (→ Clouter, cit. 2).

♦ **4** (Av. 1842). *Par métaphore. La chair, le corps emprisonne l'esprit de l'homme* (→ Contenir, cit. 6). — *Fig. Emprisonner un contradicteur dans un dilemme.* → **Enfermer.** *Des préjugés qui emprisonnent l'intelligence.*

♦ **S'EMPRISONNER** v. pron. (Réfl.). *S'emprisonner dans sa chambre.* → **Cadenasser** (se), **claquemurer** (se), **cloîtrer** (se).

♦ **EMPRISONNÉ, ÉE** p. p. adj. → **Captif, prisonnier.** *Suspects, coupables; innocents emprisonnés. Il est resté emprisonné deux ans avant d'être jugé.* — *Par ext. Défenseurs emprisonnés dans une place forte, une forteresse.* → **Assiégé.** — *Par ext. Liquide, substance emprisonné(e). Cou emprisonné dans un carcan* (→ ci-dessus, cit. 3 et 4). — *Fig. Intelligence emprisonnée.* → **Captif.**

CONTR. Délivrer, élargir, libérer. — **Dégager.** ◊ **DÉR. Emprisonnement.**

EMPRUNT [ɑ̃pʀœ̃] n. m. — V. 1095; déverbal de *emprunter.*

♦ **1** Action d'obtenir une chose, et, *spécialt,* une somme d'argent, à titre de prêt; ce qui est ainsi reçu. *Faire l'emprunt de qqch. à qqn.* «Par un simple emprunt de chevaux fait à ses fermiers» (Balzac, *Eugénie Grandet*). — *Faire, contracter un emprunt, un emprunt d'argent. Emprunt de cent mille francs. Obligation résultant d'un emprunt.* → **Dette** (1.). *Signer une reconnaissance de dette après avoir contracté un emprunt. Recourir à un emprunt, aux emprunts. Vivre à force d'emprunts;* (loc.) *vivre d'emprunt. Rembourser, restituer un emprunt.*

1 Pour empêcher les emprunts, d'où naissent la fainéantise, les fraudes et la chicane, l'ordonnance du roi Asychis ne permettait d'emprunter qu'à condition d'engager le corps de leur père à celui dont on empruntait.
BOSSUET, Disc. sur l'hist. universelle, III, 3.

2 Ce qu'ils trouvaient le plus lâche, après le mensonge, était de vivre d'emprunt (...)
BOSSUET, Disc. sur l'hist. universelle, III, 8.

3   (...) il se rencontrait peu de bonheurs, à Paris, qui ne fussent assis sur la base vacillante de l'emprunt.
> BALZAC, les Comédiens sans le savoir, Pl., t. VII, p. 29.

4   Puis elle avait reçu une lettre de Jérôme : lettre confuse et pressante, où il la suppliait de contracter pour lui un nouvel emprunt sur la villa de Maisons dont elle était seule propriétaire.
> MARTIN DU GARD, les Thibault, t. V, p. 260.

Emprunt d'une société, d'une entreprise privée. Emprunt par émission d'obligations.

Spécialt. *Emprunt public,* et, absolt, *Emprunt :* acte par lequel l'État ou une collectivité publique demande les fonds nécessaires pour financer des dépenses publiques, en offrant certains avantages en contrepartie ; les sommes ainsi reçues. *Emprunt communal, départemental. Emprunt d'État. Émettre, lancer, ouvrir ; clore un emprunt. Les différents emprunts émis par l'État constituent la dette publique.* → **Dette** (cit. 9). *Les emprunts émis par l'État doivent être autorisés par une loi. Inscription d'un emprunt au Grand livre de la dette publique. Montant de l'emprunt : emprunt à montant limité, illimité* (en période de crise, de guerre). *Plafond d'un emprunt. Intérêt de l'emprunt. Emprunt à 5 %, à 10 %. Souscrire à un emprunt ; couvrir un emprunt. Emprunt à court, à long terme. Emprunt perpétuel,* dont on ne peut jamais exiger le remboursement. *Emprunt obligatoire, forcé* (forme de prélèvement fiscal temporaire). → **Impôt.** *Consolidation d'un emprunt :* ajournement du remboursement par conversion de la dette à court terme en dette à long terme. *Emprunt consolidé,* à long terme ou perpétuel. *Conversion d'un emprunt.* → **Conversion** (de rente). *Remboursement d'un emprunt. Emprunt amortissable.* → **Amortissement.** — *Emprunt international,* négociable sur plusieurs marchés internationaux. *Emprunt extérieur.* — *Emprunt indexé,* relié à une cote fixe. *Emprunt indexé sur l'or ; emprunt or.* — *Procédés extraordinaires d'emprunt : emprunt volontaire patriotique,* sans intérêt ni remboursement assuré (→ Contribution volontaire, patriotique).

5   L'emprunt met une pièce aux déficits (...)
> HUGO, les Années funestes, XXXIX, I.

6   (...) l'emprunt n'apparaît pas dans la science des finances comme une *fin,* mais comme un *moyen* de répartition des charges publiques (...) lorsqu'un Gouvernement choisit de faire supporter certaines dépenses par l'emprunt, il n'y a rien de définitif dans ce choix : celui-ci permet bien, pour un exercice envisagé, d'équilibrer le budget grâce aux fonds remis à l'État par ses prêteurs ; mais cet équilibre n'est obtenu qu'au détriment des budgets futurs, sur lesquels seront reportées les charges d'intérêt et d'amortissement de cet emprunt.
> L. TROTABAS, Précis de science et législation financière, p. 355.

7   Dans les *Finances classiques,* l'opposition est fondamentale entre l'emprunt et l'impôt. Deux caractères essentiels les séparent irréductiblement : le fait que l'emprunt est volontaire, d'une part, le fait qu'il entraîne une charge corrélative, d'autre part (...) Dans les *Finances modernes,* l'opposition (...) est beaucoup moins tranchée (...) En théorie, certes, l'emprunt reste volontaire (...) Mais la marge de liberté tend à se resserrer chaque jour (...) Parallèlement, le caractère de charge corrélative s'estompe (...)
> Maurice DUVERGER, les Finances publiques, p. 79.

♦ 2 (XVIᵉ). **ⓐ** Fig. Action de s'approprier chez un auteur un thème ou des expressions pour en tirer parti ; thème, expression ainsi utilisés. *Les emprunts que les poètes de la Pléiade font à Pétrarque.*

8   Car je fais dire aux autres ce que je ne puis si bien dire tantôt par faiblesse de mon langage, tantôt par faiblesse de mon sens. Je ne compte pas mes emprunts, je les pèse.
> MONTAIGNE, Essais, II, 10.

ⓑ (1826, *in* D. D. L.). Ling. Acte par lequel une langue s'incorpore un élément étranger ; l'élément ainsi incorporé. *Emprunt phonétique, auditif. Emprunt graphique, visuel. Emprunt de syntaxe.* — *Emprunt de vocabulaire. Mot d'emprunt.*

Spécialt. Unité lexicale ou terminologique (d'une langue) provenant d'une autre langue. *Emprunts de l'anglais, à l'anglais* (→ **Anglicisme**), *de l'allemand, à l'allemand* (→ **Germanisme**), *en français. Emprunts et calques*. Emprunt à, de* (une langue). *Algarade est un emprunt de l'espagnol ; obus, sabre, de l'allemand ; chèque, wagon, de l'anglais. Il faut distinguer en français les emprunts du latin, du grec* (mots savants) *des mots du fonds populaire, dérivés du latin. Le fonds primitif et les emprunts.*

9   Il existe, au point de vue psychologique, deux sortes d'emprunts (...) *l'emprunt nécessaire* et *l'emprunt de luxe* (...) Une chose nouvelle exige une appellation nouvelle ; l'établissement des chemins de fer devait amener une série de créations, ou d'emprunts, pour désigner les *tunnels,* les *locomotives* (...) L'emprunt de luxe, au contraire, est logiquement inutile.
> F. BRUNOT et Ch. BRUNEAU, Grammaire historique, p. 180.

♦ 3 Loc. adj. (1695). **D'EMPRUNT :** qui n'appartient pas en propre au sujet, mais provient d'un emprunt. → **Artificiel, emprunté.** *Science, érudition d'emprunt. Beauté d'emprunt, vertu d'emprunt. Prendre un nom d'emprunt, voyager sous un nom d'emprunt.*

10 (...) l'une paraît gentille
Pour savoir se servir d'une beauté d'emprunt,
Mettre un visage blanc sur un visage brun (...)
> J.-F. REGNARD, le Bal, 7.

CONTR. Apport, avance (d'argent), **prêt. Restitution.**

EMPRUNTABLE [ɑ̃prœ̃tabl] adj. — Attesté XXᵉ (1951, *in* D. D. L.) ; de *emprunter.*

Qui peut être emprunté. *Sommes empruntables.* — *Trait de civilisation empruntable.*

EMPRUNTER [ɑ̃prœ̃te] v. tr. — V. 1150 ; «prêter», v. 1125 ; du lat. pop. *impromutuare,* VIIᵉ ; du lat. jurid. *promutuari* «avance d'argent», de *pro-* «à l'avance», et lat. class. *mutuum* «réciprocité, emprunt». → **Mutuel.**

♦ 1 Obtenir, recevoir (qqch.) à titre de prêt ou pour un usage momentané. *Emprunter un livre, un parapluie à un ami. Je vous emprunte votre stylo pour noter ceci.* → **Prendre.** *Rendre, restituer ce que l'on a emprunté.* — *Emprunter de l'argent à un ami. Emprunter mille francs à qqn.* — *Emprunter une chose, une somme d'argent de qqn* (vx), *à qqn* (→ **Taper,** fam.). *Emprunter de l'argent aux banques.* — (Sans compl. ind.). *Emprunter dix mille francs.* — (Sans compl. dir.). *Emprunter sur gages, sur hypothèque. Emprunter sans intérêts, à gros intérêts. Il emprunte à tous ses amis* (→ Dette, cit. 10).

1   Il se vit (...) obligé à en emprunter *(de l'argent)* de ses amis.
> RACINE, Hist. de Port-Royal.

2   (...) ce qui l'acheva, ce fut d'apprendre que Daniel, en son nom, avait emprunté de l'argent à l'imprimeur.
> Alphonse DAUDET, le Petit Chose, II, XIII.

3   J'étais un peu étourdi parce qu'il a fallu que je monte chez Emmanuel pour lui emprunter une cravate noire et un brassard. Il a perdu son oncle, il y a quelques mois.
> CAMUS, l'Étranger, I, p. 10.

Absolt. Contracter* des emprunts, des dettes.

4   Ceux qui empruntent sont bien malheureux (...)
> MOLIÈRE, l'Avare, II, 1.

5   (...) il avait fallu emprunter, hypothéquer le bien de campagne, les orangers hérités de famille et les champs de roses.
> LOTI, Matelot, IV, p. 16.

♦ **2** Fig. Prendre ailleurs et faire sien. → **Devoir, prendre, puiser** (dans), **tirer** (de). *Civilisation qui emprunte une coutume à l'Europe. Le français a emprunté de nombreux mots au grec, à l'anglais,* etc. *Mot emprunté du latin, au latin.* → **Emprunt.** *Emprunter une idée, un thème. Emprunter une pensée en la transposant* à un auteur. Emprunter à une légende populaire le thème d'une œuvre.* → aussi **Copier, imiter, répéter, reproduire.** — REM. Certains grammairiens puristes se rangent encore à l'avis de Littré, qui écrit : «Quand le régime indirect d'*emprunter* est un nom de chose, il faut *de*». Cette règle, conforme à l'usage classique (→ ci-dessous, cit. 7 et 8, et aussi Comparaison, cit. 12, La Bruyère) n'est plus guère suivie, depuis le XIXᵉ s. La plupart des écrivains modernes y compris Littré lui-même (→ ci-dessous, cit. 12) emploient *emprunter à...,* avec un nom de chose (→ Appel, cit. 14 ; chant, cit. 3 ; divertir, cit. 15), comme avec un nom de personne pour complément. *Emprunter de...* est vieilli, avec un nom de personne (→ Accise, cit. 1, Montesquieu ; Ce, cit. 1, Racine).

6   La vérité et la raison sont communes à un chacun, et ne sont non plus à qui les a dites premièrement qu'à qui les dit après (...) Les abeilles pillotent de çà, de là les fleurs ; mais elles en font après le miel, qui est tout leur : ce n'est plus thym ni marjolaine. Ainsi les pièces empruntées d'autrui, il les transformera et confondra pour en faire un ouvrage tout sien, à savoir son jugement.
               MONTAIGNE, Essais, I, XXV.

7   La lune empruntant du soleil la clarté qu'elle rend (...)
               D'AUBIGNÉ, Création, 7.

8   C'est un ajustement des mouches emprunté.
               LA FONTAINE, Fables, IV, 3.

9   Aimez donc la raison ; que toujours vos écrits
    Empruntent d'elle seule et leur lustre et leur prix.
               BOILEAU, l'Art poétique, I.

10   Virgile a emprunté d'Homère quelques comparaisons, quelques descriptions.
               VOLTAIRE, Essai sur la poésie, III.

11   Sa muse *(de Voltaire)* qui eût été si belle de sa beauté, emprunta souvent ses prestiges aux enluminures du fard et aux grimaces de la coquetterie (...)
          HUGO, Littérature et Philosophie mêlées, Sur Voltaire.

12   Mon dictionnaire à moi a pour éléments fondamentaux un choix d'exemples empruntés à l'âge classique et aux temps qui l'ont précédé (...)
               LITTRÉ, Dict., Préface, p. 5.

13   Elle *(la muse de Gautier)* emprunte au poème (...) la pompe ou l'énergie concise de son langage.
            BAUDELAIRE, Art romantique, Gautier.

14   Quelle distillation nous donnera l'essence, toujours la même, à laquelle tant de produits divers empruntent ou leur indiscrète odeur ou leur parfum original ?
               H. BERGSON, le Rire, p. 1.

15   Seules, les passions fécondent l'intelligence du poète ; et c'est aux passions seulement que les idées empruntent la vie.   André SUARÈS, Trois hommes, «Ibsen», p. 98.

(Sans compl. indirect) :

16   L'esprit le plus sec ne parle pas sans métaphores, et s'il paraît s'en garantir à dessein c'est que les images qu'il emprunte, étant vieilles et usées, ne frappent ni lui, ni les lecteurs.   RIVAROL, Pensées et maximes, I.

17   Mes façons de penser, je les emprunte volontiers : je ne tiens qu'à mes façons de sentir.
               J. RENARD, Journal, avr. 1898.

♦ **3** Vx. ou littér. Recourir* à (une aide étrangère). → **Employer, recourir** (à), **servir** (se), **user.** *Emprunter l'aide, le secours, le crédit de qqn. Emprunter la voix de qqn,* s'exprimer par sa bouche.

18   Ne saurait-il rien voir qu'il n'emprunte vos yeux ?
               RACINE, Britannicus, I, 2.

19   C'était le désir et l'espoir de pouvoir vous répondre moi-même, qui me faisait différer chaque jour ; et vous voyez qu'encore aujourd'hui, je suis obligée d'emprunter la main de ma femme de chambre.
          LACLOS, les Liaisons dangereuses, Lettre CXII.

---

20   Trop souvent (...) les artistes empruntent les ailes de la circonstance, ils croient se grandir en se faisant les hommes d'une chose, en devenant les souteneurs d'un système, et ils espèrent changer une coterie en public.
       BALZAC, les Comédiens sans le savoir, Pl., t. VII, p. 47 (→ Célébrité, cit. 6).

21   Gardons tout, par respect pour les voies qu'empruntent la dispersion et le retour.
            COLETTE, l'Étoile Vesper, p. 96.

♦ **4** Mod. Prendre (une voie réservée à d'autres, ou à d'autres usages). *«Le conducteur ne peut emprunter la moitié gauche de la chaussée...»* (Code de la route). — REM. Cet emploi est courant dans la langue administrative, technique, journalistique.

21.1   (...) au retour de Logone-Birni, nous avons «emprunté» le bras profond du Logone.
       GIDE, le Retour du Tchad, III, in Souvenirs, Pl., p. 916.

♦ **5** Vx. ou littér. Revêtir (une apparence étrangère), imiter. *Emprunter le masque de l'indifférence. Emprunter les apparences du courage.* → **Revêtir.** *Emprunter l'allure, l'aspect de qqn.* → **Imiter, modeler** (se modeler sur), **singer.**

22   Il faut d'un suppliant emprunter le visage (...)
          RACINE, Mithridate, III, 1.

♦ **EMPRUNTÉ, ÉE** p. p. adj.

♦ **1** *Argent emprunté.* — Fig. et vx. Qui n'est pas sien. *Nom emprunté.* → **Emprunt** (d').

23   Moi-même, revêtu d'un pouvoir emprunté (...)
          RACINE, Britannicus, IV, 4.

24   Qu'on ne se moque donc plus de ceux qui se font honorer pour des charges et des offices, car on n'aime personne que pour des qualités empruntées.
          PASCAL, Pensées, V, 323.

Ling. *Mots empruntés au grec, à l'anglais,* ou *du grec, de l'anglais.* → **Emprunt.**

♦ **2** Mod. Qui manque d'aisance ou de naturel. → **Contraint, embarrassé, gauche.** *Un air, un comportement emprunté.* — *Il est tout emprunté.*

25   Chacun chercha pour plaire un visage emprunté.
          BOILEAU, Épîtres, IX.

26   Même elle avait encor cet éclat emprunté
    Dont elle eut soin de peindre et d'orner son visage.
          RACINE, Athalie, II, 5.

27   Mᵐᵉ la duchesse de Chartres se trouvait tout empruntée à Saint-Cloud, comme en pays inconnu.
          SAINT-SIMON, Mémoires, 93, 229.

28   Le père, timide, emprunté dans la vie, effaré à l'idée des démarches à faire pour se procurer un permis (...)
      Alphonse DAUDET, Contes du lundi, «Les mères».

29   C'est tout ce que je pus trouver à dire, de la manière la plus banale et la plus empruntée.
       GIDE, les Faux-monnayeurs, III, X, p. 404.

CONTR. Avancer, céder, prêter. — (Du p. p.) Authentique, personnel. — Aisé, naturel. ◊ DÉR. Emprunt, empruntable, emprunteur. — HOM. V. Empreindre, empreinte.

EMPRUNTEUR, EUSE [ɑ̃pRœ̃tœR, øz] n. — V. 1255, *empromptieres ; de emprunter.*

♦ **1** Personne qui fait un emprunt d'argent. → **Débiteur.** *Le prêteur et l'emprunteur.* — Adj. *Banque, société emprunteuse.*

1   La fourmi n'est pas prêteuse :
    C'est là son moindre défaut.
    «Que faisiez-vous au temps chaud ?»
    Dit-elle à cette emprunteuse.
          LA FONTAINE, Fables, I, 1.

2   Ne recourez pas au mont-de-piété, c'est la perte de l'emprunteur. J'ai toujours vu les nécessiteux manquant, lors du renouvellement, de l'argent nécessaire au service de l'intérêt, et tout est perdu.
       BALZAC, la Cousine Bette, Pl., t. VI, p. 325.

♦ **2** Adj. Fig. (→ Emprunter, 2.). *«Mon esprit emprunteur»* (Regnard, *Sérénade*, 11).

Spécialt. Qui fait un emprunt (linguistique, littéraire, culturel...).

3 Il y a emprunt *direct* quand Hugo décide de transplanter sur la scène française le drame shakespearien ; *indirect* quand des épigones de Hugo reprennent la formule. Plus on s'éloigne du premier emprunteur, moins l'emprunt est vérifiable.
Marius-François GUYARD, la Littérature comparée, p. 20.

Adj. *La langue emprunteuse,* qui emprunte à une autre langue (un élément linguistique).

EMPUANTIR [ɑ̃pɥɑ̃tiʀ] v. tr. — 1495 ; de *em-* (*en-*), *puant,* et suff. verbal.

Remplir d'une odeur infecte. → **Empester, puer.** *Eaux souillées, égouts qui empuantissent tout un quartier.* — **Pron.** *Eau croupissante qui commence à s'empuantir.*

Par métaphore et fig. Salir, souiller (→ Couvreur, cit. 8, Rousseau).

◆ **EMPUANTI, IE** p. p. adj. *Un air empuanti.*

CONTR. Embaumer, parfumer. ◊ **DÉR.** Empuantissement.

EMPUANTISSEMENT [ɑ̃pɥɑ̃tismɑ̃] n. m. — 1636 ; de *empuantir.*

Rare. Action d'empuantir, de s'empuantir.

EMPUSE [ɑ̃pyz] n. f. — 1605 ; grec *empousa* «espèce de monstre femelle».

Didactique.

◆ **1 Myth.** Spectre dont Hécate inspirait la vision.

Apollonius. — Enfin, nous sortîmes de Babylone ; et au clair de la lune, nous vîmes tout à coup une empuse.
Damis. — Oui-da ! Elle sautait sur son sabot de fer ; elle hennissait comme un âne ; elle galopait dans les rochers. Il lui cria des injures ; elle disparut.
FLAUBERT, la Tentation de saint Antoine (1874), Pl., t. I, p. 130.

(XVIᵉ et XVIIᵉ). **Par ext.,** **vx.** Conception purement imaginaire.

◆ **2** (1825). **Zool.** Insecte orthoptère marcheur, voisin de la mante.

◆ **3** (1890 ; lat. sc. *empusa,* 1855). **Bot.** Champignon siphomycète, parasite de certains insectes. *Empuse de la mouche.*

EMPYÈME [ɑ̃pjɛm] n. m. — 1520 ; *empeime,* fin XIVᵉ ; grec *empuêma,* même sens, de *puon* «pus».

Méd. Amas de pus dans une cavité naturelle. *Empyème du sinus maxillaire.* — **Spécialt.** Pleurésie purulente. *Opération de l'empyème,* destinée à évacuer le liquide de la pleurésie purulente. → **Thoracentèse.**

EMPYRÉE [ɑ̃piʀe] n. m. — 1544 ; *cieulx empirées,* XIIIᵉ ; de l'adj. lat. ecclés. *empyrius,* grec *empur(i)os* «en feu, de feu».

◆ **1 Didact.** (myth.). La plus élevée des quatre sphères célestes, qui contenait les feux éternels, c'est-à-dire les astres, et qui était le séjour des dieux. — **Adj.** *Le ciel empyrée.*

1 Minerve s'en retourne au ciel empyrée.
RACINE, Remarques sur l'Odyssée.

◆ **2 Fig. et littér.** Séjour des bienheureux ; monde supra-terrestre. → **Ciel** (→ aussi Septième ciel, fig.). *Être dans l'empyrée.*

2 Que regretterais-je en ces lieux ? Pour moi je suis dans l'empyrée.
VOLTAIRE, Lettres en vers et en prose, XL.

3 Mes idées étaient paisibles et douces, non célestes et ravissantes (...) Je donnais de l'attention aux paysages (...) En un mot, je n'étais plus dans l'empyrée, j'étais tantôt où j'étais, tantôt où j'allais, jamais plus loin.
ROUSSEAU, les Confessions, IV.

4 C'est l'empyrée immense et profond qu'il me faut, La terre n'offrant rien de ce que je réclame (...)
HUGO, la Légende des siècles, LV, III, «Ire, non ambire».

5 Ces paroles qui recommandaient aux intellectuels des deux camps de poursuivre leur entretien dans l'empyrée, ces paroles ne devaient ni me surprendre ni me heurter.
G. DUHAMEL, la Pesée des âmes, V, p. 131.

6 (...) avec à l'arrière-plan ce paysage de paravent japonais sans perspective, vieil empyrée, vieux bateau qui nous mène comme des écoliers navrés (...)
Robert PINGET, Passacaille, p. 114.

HOM. Formes du v. **empirer.**

EMPYREUMATIQUE [ɑ̃piʀømatik] adj. — 1728 ; du rad. de *empyreume.*

Didact. Qui tient de l'empyreume ; fort et âcre. *Goût, odeur empyreumatique. Huile empyreumatique.*

1 (...) parce que l'ébullition prolongée d'un goût empyreumatique et désagréable qui provient de quelques parties de parenchyme dont il est très difficile de la débarrasser et qui se charbonnent.
A. BRILLAT-SAVARIN, Physiologie du goût, t. I, Méditation VII.

2 Dès que la liqueur commença à s'épaissir, Nab eut soin de la remuer avec une spatule de bois, — ce qui devait accélérer son évaporation et l'empêcher en même temps de contracter un goût empyreumatique.
J. VERNE, l'Île mystérieuse, 1874, t. I, p. 291.

EMPYREUME [ɑ̃piʀøm] adj. — 1579 ; grec *empureuma* «charbon, braise», de *pûr* «le feu».

Chim. anc. Saveur, odeur forte et âcre que prennent certaines substances organiques soumises à l'action d'un feu violent.

Étourdie, ivre d'empyreumes,
Ils m'ont, au murmure des neumes,
Rendu des honneurs souterrains.
VALÉRY, Charmes, «La Pythie».

DÉR. V. **Empyreumatique.**

ÉMU, UE [emy] adj. → **Émouvoir.**

ÉMULATEUR [emylatœʀ] n. m. — 1972 ; empr. à l'angl. *emulator,* même sens ; en moy. franç. «qui incite à l'émulation», 1495 ; lat. *aemulator* «celui qui cherche à imiter, à égaler», de *aemulari.* → **Émuler.**

Inform. Ordinateur équipé pour émuler un autre ordinateur. «*Un émulateur universel qui permettrait de lire n'importe quel support sans se soucier du temps»* (*le Monde,* 2 juin 1999, p. 2).

Métrol. Appareil de test de systèmes informatiques utilisant l'émulation.

ÉMULATION [emylasjɔ̃] n. f. — 1532 ; «rivalité, jalousie», XIIIᵉ ; lat. *aemulatio* «rivalité», du supin de *aemulari* «rivaliser», de *aemulus.* → **Émule.**

◆ **1** Sentiment qui porte à égaler ou à surpasser qqn, en vertu, en mérite, en savoir, en travail. → **Amour-propre, zèle.** *L'aiguillon, le stimulant de l'émulation.* → **Compétition, concurrence** (cit. 9). *Il y a entre eux de l'émulation, une grande émulation.* → **Antagonisme, rivalité.** *Lutter avec émulation. Belle, noble, généreuse, honnête émulation. Objets, circonstances qui éveillent l'émulation* (→ Dessin, cit. 2). *Exciter, encourager l'émulation chez les enfants, les élèves* (→ Conduire, cit. 15). *Donner de l'émulation à qqn. Assauts*, combats*, luttes**

d'émulation, dus à l'émulation. Émulation qui dégénère en jalousie. Absence d'émulation* (→ Ressentir, cit. 11).

1 La jalousie et l'émulation s'exercent sur le même objet, qui est le bien ou le mérite des autres : avec cette différence, que celle-ci est un sentiment volontaire, courageux, sincère, qui rend l'âme féconde, qui la fait profiter des grands exemples et la porte souvent au-dessus de ce qu'elle admire ; et que celle-là au contraire est un mouvement violent et comme un aveu contraint du mérite qui est hors d'elle (...) LA BRUYÈRE, les Caractères, XI, 85.

2 L'esprit de l'homme est si faible, si imitateur, si enclin aux contagions, que l'exemple de Saint-Just, le croirait-on ? est devenu pour plusieurs une émulation et un culte. Il y a de jeunes fous et de vieux philosophes qui ont mis dans leur oratoire, au nombre de leurs saints, ce jeune homme atroce et théâtral, auquel on se même embarrassé, quand on embrasse sa courte et sinistre carrière, d'appliquer une seule fois le mot humain de pitié.
SAINTE-BEUVE, Causeries du lundi, 26 janv. 1852, t. V, p. 357.

3 L'émulation au collège est la forme ingénue d'une ambition que vous connaîtrez plus tard.
E. FROMENTIN, Dominique, VI, p. 100.

4 (...) en France l'émulation devient vite une sorte de furie qui pousse chaque citoyen à l'abnégation héroïque.
GIDE, Journal, 29 juil. 1914.

(En parlant d'animaux). *Il y a de l'émulation à la course* (cit. 5) *entre ces chevaux, ces lévriers.*

REM. Dans ce sens, il n'y a pas d'adj. usuel correspondant à *émulation* ; on rencontre cependant *émulatif, ive* (Fourier, *in* T.L.F.) et *émulateur, trice* (Mounier, *in* T.L.F.). → aussi **Émuler.**

♦ **2** (V. 1972 ; angl. *emulation*, de *to emulate.* → Émuler). **Inform.** Mode de fonctionnement qui consiste à simuler (→ Émuler) un systeme informatique, un logiciel ou un composant électronique à l'intérieur d'un autre. *Émulation de terminaux.*

ÉMULE [emyl] n. — Déb. XIVe ; «rival», XIIIe ; lat. *œmulus* «qui cherche à imiter ; rival».

♦ **1** Littér. Personne qui cherche à égaler ou à surpasser qqn en qqch. de louable et de grand. → **Adversaire, compétiteur, concurrent.** *Un, une émule. Être l'émule de qqn, d'un grand homme. Se conduire en émule de qqn.* → **Émuler** (rare). *Il a surpassé tous ses émules. Émule n'ont rival** (→ Cohésion, cit. 4). «*Le disciple, l'émule et le rival de Debureau*» (Léautaud, *in* T.L.F.).

1 Des Anglais en secret gagnez l'illustre reine.
Je sais qu'entre eux et nous une immortelle haine
Nous permet rarement de marcher réunis,
Que Londres est de tout temps l'émule de Paris (...)
VOLTAIRE, la Henriade, I.

♦ **2** Personne d'un mérite égal. → **Égal, équivalent.** *Carthage, la digne émule de Rome. Racine est l'émule de Virgile.*

2 Au lieu de mépriser et d'affecter d'ignorer ses grands émules ou devanciers d'outre-Manche et d'outre-Rhin, il eût pris plaisir à s'en informer, à les mieux connaître (...) SAINTE-BEUVE, Chateaubriand, t. II, p. 351.

♦ **3** Personne qui imite (qqn). «*Cette émule charmante de Frégoli*» (Colette, *Claudine en ménage, in* T.L.F.).

HOM. Formes du v. **émuler.**

ÉMULER [emyle] v. tr. — 1584 ; v. intr., 1526 ; lat. *œmulari* (→ Émuler), de *œmulus.* → **Émule.**

♦ **1** Rare et littér. Essayer de surpasser ou d'égaler (qqn), se faire l'émule* de (qqn).

♦ **2** (V. 1972 ; adapt. de l'angl. *to emulate* «imiter, essayer d'égaler»). **Inform.** Simuler, sur un ordinateur, le fonctionnement d'un terminal, d'un système d'exploitation.

DÉR. V. **Émulateur, émulation.**

ÉMULGENT, ENTE [emylʒɑ̃, ɑ̃t] adj. — 1541 ; lat. *emulgens*, p. prés. de *emulgere* «traire».

Anat. (vx). Se dit des artères, des vaisseaux qui portent le sang dans les reins, et des veines qui le rapportent au cœur. → **Rénal.**

ÉMULSEUR [emylsœʁ] n. m. — 1886, *in Année sc. et industr.* 1887, p. 535 ; de *émuls(ion).*

Techn. Appareil destiné à préparer des émulsions.

ÉMULSIF, IVE [emylsif, iv] adj. — 1755 ; du rad. du lat. *emulsum.* → **Émulsion.**

Pharm. Qui contient de l'huile sous forme d'émulsion. — Chim. Qui facilite (ou stabilise) une émulsion. → **Émulsifiant, émulsionnant.**

N. *(Un, des émulsifs).* — Syn. : *émulsifiant, émulsionnant.*

ÉMULSIFIABLE [emylsifjabl] adj. — 1960 ; du rad. de *émulsion*, suff. *-ifiable.*

Chim. Qu'on peut mettre en émulsion.

ÉMULSIFIANT [emylsifjɑ̃, ɑ̃t] n. m. — 1932 ; du rad. de *émulsion.*

Techn. Produit qui favorise et stabilise une émulsion. — Syn. : *émulsionnant, émulsif.*

Entre les micelles et le milieu dispersant il y a comme de petits aimants dont un pôle a une affinité pour la phase dispersée et l'autre pour la phase dispersante ; c'est l'émulsifiant qui joue ce rôle, essentiel pour obtenir une émulsion stable.
François LÉRY, Technique de la cuisine, p. 48.

ÉMULSIFIER [emylsifje] v. tr. → **Émulsionner.**

ÉMULSINE [emylsin] n. f. — 1837 ; all. *Emulsine* ; du rad. lat. *emulsum.* → **Émulsion.**

Biochim. Enzyme contenu dans les amandes, ayant la propriété d'émulsionner l'huile.

ÉMULSION [emylsjɔ̃] n. f. — 1560 ; du rad. lat. *emulsum*, supin ou *emulsus*, p. p.) de *emulgere* «traire».

♦ **1** Préparation liquide d'apparence laiteuse tenant en suspension une substance huileuse ou résineuse (ex. : lait d'amandes).

♦ **2** Chim. Milieu hétérogène constitué par la dispersion, à l'état de particules très fines, d'un liquide dans un autre liquide en phase continue (phase dispersante). *Émulsions naturelles* (lait, latex), *émulsions artificielles. Phase dispersée d'une émulsion* (globules de très faible diamètre).

♦ **3** (1878). Photogr. et cour. *Émulsion (photographique)* : mélange sensible à la lumière, composé de sels d'argent à l'état de cristaux microscopiques en suspension dans la gélatine, le collodion, etc., qu'on applique en couche très mince sur la plaque ou le film. *La sensibilité d'une émulsion* (→ **Film, pellicule**).

On appelle *émulsion photographique* la suspension dans un liquide approprié, d'un sel d'argent insoluble très divisé et sensible à l'impression de la lumière.
L. FIGUIER, l'Année scientifique et industrielle 1879, p. 206 (1878).

DÉR. **Émulseur, émulsif, émulsifiable, émulsifiant, émulsionner** (et **émulsionnant**).

ÉMULSIONNANT [emylsjɔnɑ̃] n. m. → **Émulsif.**

ÉMULSIONNER [emylsjɔne] v. tr. — 1690; de *émulsion*.

♦ **1** Additionner (une boisson) d'une émulsion.

♦ **2** (1856). Mettre à l'état d'émulsion (une substance dans un milieu où elle n'est pas soluble). *Émulsionner une sauce.* — On dit aussi *émulsifier.*

(...) aidée de la bile, elle *(la lipase)* sert à attaquer les graisses, dont une partie est émulsionnée et l'autre saponifiée, c'est-à-dire réduite en fines gouttelettes graisseuses, ou transformée en acide gras et glycérine.
> P. VALLERY-RADOT, Notre corps..., p. 93.

♦ **3** (Fin XIXᵉ). Couvrir (le support photographique) de l'émulsion sensible.

DÉR. Émulsionnant.

ÉMYDE [emid] ou **EMYS** [emis] n. f. — 1839; du grec *emus* «tortue».

Zool. Tortue d'eau douce. → **Cistude.**

1. EN [ɑ̃] prép. — Xᵉ; *in*, 842; lat. *in* «dans, sur».

▮ (Devant un nom sans déterminant, ou avec un déterminant autre que l'article défini). Préposition marquant en général la position à l'intérieur de limites spatiales, temporelles ou notionnelles.

1   Dans la langue littéraire contemporaine, *en* est de mode. On a été jusqu'à l'employer avec *le* et *les* : en *les poèmes.* Cet affreux barbarisme, contraire à la fois à l'usage et à la tradition, se rencontre fréquemment.
> F. BRUNOT, la Pensée et la Langue, p. 425.

1.1 J'ai traversé de grandes landes, de vastes plaines, d'interminables étendues; même en les collines très basses, la terre à peine soulevée y semblait encore endormie.
> GIDE, Paludes (Journal de Tityre), in Rom., Pl., p. 108.

♦ **1** (Lieu). → **Dans, sur.** *Genou en terre. Christ en croix. Portrait en pied. Casque en tête.*

2   Le magistrat l'avait reçu debout (...) toque en tête.
> FLAUBERT, Mᵐᵉ Bovary, p. 95.

Dans. *Être en mer. Partir en province. Aller en classe. Dîner en ville. Au ciel ou en enfer. Être porté en terre. Mettre qqn en prison, qqch. en lieu sûr. Ne pouvoir rester en place. Être comme un oiseau en cage. Monter en avion, en voiture, en* (ou *à*) *bicyclette*, et, par ext. (moyen), voyager en avion, en train.* → **Par.** *Avoir de l'argent en poche, en banque* (→ Banque, cit. 2).

3   Le pauvre en sa cabane où le chaume le couvre.
> MALHERBE, Poésies, 11.

4   En ce monde, il se faut l'un l'autre secourir.
> LA FONTAINE, Fables, VI, 16.

5   J'aime : je viens chercher Hermione en ces lieux,
La fléchir, l'enlever, ou mourir à ses yeux.
> RACINE, Andromaque, I, 1.

6   Berthe ouvrit le petit portail de bois, qui se décrocha et qu'elle remit en place.
> J. CHARDONNE, l'Épithalame, II, 4.

Spécialt. *En* (introduisant un nom propre de lieu). Devant les noms de pays, de région on emploie *à* avec le masculin, *en* avec le féminin ou un masculin commençant par une voyelle. *En Allemagne et en Russie, en Iran et au Pakistan* (mais on dit facultativement *au, en Portugal*). —Devant les noms de provinces on emploie *en*, en concurrence avec *dans* au masculin. *En Alsace, en Lorraine, en* ou *dans le Périgord.* Devant les noms de département *dans* s'emploie pour les noms simples masculins ou féminins, *en* en concurrence avec *dans* et en pour les noms féminins composés. *Dans l'Ain, dans le Cher, dans la Marne; dans la* ou *en Seine-Maritime.* → **Dans** (cit. 4). — Devant les noms de villes commençant par une voyelle, on employait encore par *à* au XVIIᵉ s. De nos jours *en Avignon, en Arles, en Alger...* sont des provençalismes ou des tournures affectées. Cependant certains écrivains

les utilisent par souci de couleur locale, ou d'euphonie (→ **À**).

7   Et le roi et la reine entrèrent en Calais.
> FROISSART, Œuvres, t. V, p. 216.

8   (...) on t'emmène esclave en Alger.
> MOLIÈRE, les Fourberies de Scapin, II, 7.

9   Irène se transporte à grands frais en Épidaure (...)
> LA BRUYÈRE, les Caractères, XI, 35.

10 (...) les poètes provençaux publient en Avignon un joyeux petit livre (...)
> Alphonse DAUDET, Lettres de mon moulin, «Le curé de Cucugnan».

11 Rose (...) s'était, depuis quelque temps, installée en Amiens.
> G. DUHAMEL, Pesée des âmes, VII, p. 173.

12 Il eut cette chance, en Alger, de voir naître le printemps.
> H. BOSCO, Sites et mirages, p. 124.

13 Avec les noms de ville, *en* a cessé de se dire depuis le XVIIᵉ s. En Avignon est un provençalisme dont s'amuse A. Daudet.
> F. BRUNOT, la Pensée et la Langue, p. 425.

(Lieu abstrait, moral). *Être en bonnes mains. Avoir qqch. en tête. Croire en Dieu. En toutes choses, en tout cas, en l'occurrence... La personne en qui j'ai confiance* (on dit aussi : *dans laquelle j'ai confiance*). — Spécialt (devant un pronom personnel). *Il y a en lui le désir de réussir. La chose en soi.*

14 En toute chose il faut considérer la fin.
> LA FONTAINE, Fables, III, 5.

15 Un cœur noble ne peut soupçonner en autrui
La bassesse et la malice
Qu'il ne sent point en lui.
> RACINE, Esther, III, 9.

16 L'Église, en cela dissemblable des autres mères qui mettent hors d'elles-mêmes les enfants qu'elles produisent (...)
> BOSSUET, Oraison funèbre du R. P. Bourgoing.

17 (...) je sens pourtant, mais confusément, quelque chose s'agiter en moi.
> FLAUBERT, Correspondance, 28, 24 févr. 1839, t. I, p. 42.

18 Je comprends l'origine de la fraternité des hommes. Les hommes étaient frères en Dieu. On ne peut être frère qu'en quelque chose (...) Mes camarades et moi sommes frères «en» le Groupe 2/33. Les Français «en» la France.
> SAINT-EXUPÉRY, Pilote de guerre, XXVI, p. 225.

18 Tout le monde se réconcilie en de Gaulle.
> F. MAURIAC, le Nouveau Bloc-notes 1958-1960, p. 104.

Vx. ou littér. (latinisme). Pour. «*Le peuple se soulève; on s'arme en ma défense...*» (Voltaire, *Mahomet*, V, 2).

♦ **2** (Temps). Dans, pendant (un temps). *On laboure en automne. C'était en décembre. En quelle année? En ce beau jour.* → aussi **À**. (Espace de temps). *J'ai fait ma lettre en dix minutes. En moins de temps qu'il ne faut pour le dire.*

19 (...) et les chiens et les gens
Firent plus de dégât *en* une heure de temps
Que les lièvres de la province.
> LA FONTAINE, Fables, IV, 4.

20 Nous voulons qu'avec art l'action se ménage;
Qu'en un lieu, qu'en un jour, un seul fait accompli
Tienne jusqu'à la fin le théâtre rempli.
> BOILEAU, l'Art poétique, III.

21 Et en moins de deux, il nous a flanqué la fessée.
> SARTRE, la Mort dans l'âme, p. 275.

♦ **3** (Notion : état, forme, manière). Dans des syntagmes formés de *en* + nom sans déterminant. *La France était en guerre. Il est en voyage. Ne vous mettez pas en colère. Je suis en faute. On l'envoya en hâte. Être en avance, en retard. Une descente en vrille. — Un homme en veston. Les arbres sont en fleurs. Du sucre en poudre ou en morceaux. De l'or en barres. Carte postale en couleur. Cassé en mille miettes. Une tragédie en cinq actes.*

22 Elle pleure en secret le mépris de ses charmes.
> RACINE, Andromaque, I, 1.

23 En habit d'amazone, au fond de mes déserts
   Je te vois arriver (...)
   VOLTAIRE, Épîtres, 106, *in* LITTRÉ.

24 (...) ils *(les cheveux)* allaient se confondre par derrière en
   un chignon abondant (...)
   FLAUBERT, Mme Bovary, II, p. 15 (→ Cheveu, cit. 24).

25 Il faut qu'on le foute en colère.
   J. ROMAINS, les Hommes de bonne volonté, t. V,
   XXIV, p. 216 (→ Colère, cit. 13).

Fam. (avec ellipse du nom dans un syntagme nominal).
*Carte postale en couleurs ; agent en bourgeois,
habillé en bourgeois. Je t'en enverrai des en noir et
des en couleurs. Un en bourgeois, un en-bourgeois.*

5.1 Il y en avait des en costumes de bain et des habillés.
   R. QUENEAU, le Chiendent, p. 236.

(Introduisant un nom qui fait fonction d'attribut du sujet ou
du complément). → **Comme.** *Agir en homme. Parler
en maître. Juger en connaisseur. Obéissez en enfant
bien élevé. Le livre que j'ai reçu en cadeau. En tant*
que...*

26 Qu'il triomphe en vainqueur, et périsse en coupable (...)
   CORNEILLE, Horace, V, 2.

27 Je souffre en damné.
   MOLIÈRE, l'École des femmes, II, 5.

28 Je veux qu'on soit sincère, et qu'en homme d'honneur
   On ne lâche aucun mot qui ne parte du cœur.
   MOLIÈRE, le Misanthrope, I, 1.

29 Si vous avez voulu me parler en ami (...)
   VOLTAIRE, Catilina, I, 5.

Locution :

30 Ils se regardent en chiens de faïence.
   J. PRÉVERT, Paroles, p. 128.

♦ **4 (Matière).** Fait de... → **De.** *Sculpture en bois (ou
de bois). Maison en briques. Table en acajou. Veste
en laine. Reliure en cuir. Chaussures en daim noir.
Sac en papier.*

REM. 1. L'emploi de *en* pour *de* date du XVIe s. et a été critiqué depuis lors jusqu'à nos jours par les puristes. Cependant cet usage est bien établi.

2. *En* ne s'emploie jamais au figuré : *un cœur de pierre.*

31 Un magnifique buste en marbre (...)
   STENDHAL, le Rouge et le Noir.

32 Les manches des couteaux, tous en corne travaillée, représentaient des figures bizarres.
   BALZAC, le Médecin de campagne, Pl., t. VIII,
   p. 432.

33 (...) un peigne en écaille blonde d'une transparence rare.
   LOTI, Mme Chrysanthème, XLIV, p. 222.

34 (...) l'usage de cette signification est très fréquent et (...) on
   entend dire tous les jours une statue en marbre, une table
   en chêne (...)
   LITTRÉ, Dict. En (rem. 1).

35 *De* est en concurrence avec *en* : une armoire en chêne. Avec
   les verbes, *en* est courant : On fera le cadre en chêne, et les
   panneaux en sapin ; — construire en maçonnerie, en pisé.
   Les puristes ont prétendu que *en* ne devait pas rattacher
   le complément de matière à un nom. Mais Littré n'a pas
   adopté leur avis...
   F. BRUNOT, la Pensée et la Langue, p. 662.

36 Si le nom est qualifié ou déjà déterminé, on trouve plutôt
   en que *de.* Des bas *de* soie neufs, mais des bas neufs *en
   soie* ; une table *d'acajou*, mais une table massive *en* acajou.
   DURRIEU, Parlons correctement, En, p. 152.

Par anal. (Domaine, point de vue, dans le domaine de).
*Il est fort en mathématiques. Docteur en droit. Le
premier en date. C'est bien beau en théorie.*

37 (...) je suis le premier en date.
   MOLIÈRE, l'Avare, IV, 3 (→ Date, cit. 9).

♦ **5 (En corrélation avec de, pour marquer la progression).** *Compter de dix en dix. Courir de ville en ville.
Butiner de fleur en fleur. S'assombrir d'année en
année. D'heure en heure. De Charybde en Scylla :
d'écueil en écueil. Être de plus en plus pauvre. Aller
de mieux en mieux, de mal en pis. De fil en aiguille.*
— (Périodicité). *Prendre un remède de trois jours en
trois jours.* → **Tout** (tous les trois jours).

De deux en deux heures, il faisait prendre à Olivier un 38
bol de lait (...)
   GIDE, les Faux-monnayeurs, III, x, p. 397.

Je les vis *(les singes)* d'arbre en arbre sauter, comme un 39
ramoneur surgir de chaque cocotier, se poursuivre chacun
comme le dénonciateur, disparaître.
   GIRAUDOUX, Suzanne et le Pacifique, VI, p. 102.

II **Devant un indéfini, un adjectif neutre, un adverbe, pour
former des locutions adverbiales.** *Cela fait en tout dix
mille francs. Cela ne me concerne en rien. En général,
en particulier. C'est vrai en gros. Faire les choses en
grand. En vain. En avant ou en arrière. En plein
dedans.*

III **Devant le verbe ou p. prés. (gérondif).** *L'appétit vient
en mangeant. Ronfler en dormant. Sourire en se
rappelant qqch. En entrant, il trouva sa maison
en désordre. La situation va en s'améliorant, ou va
s'améliorant. En attendant.*

La tragédie, informe et grossière en naissant, 40
N'était qu'un simple chœur (...)
   BOILEAU, l'Art poétique, III.

Les blanches clartés des bougies (...) passaient à travers ses 41
boucles soyeuses en les brillantant et y faisant resplendir
quelques fils d'or.   BALZAC, Béatrix, Pl., t. II, p. 424.

On a dit beaucoup de mal de Rousseau et de ses Confes- 42
sions tout en les goûtant.
   SAINTE-BEUVE, Causeries du lundi, 29 oct. 1849,
   p. 74.

Ce n'est qu'à partir du XVIIIe siècle que le gérondif a pris 43
régulièrement *en.* En ancien français il était invariable,
et se distinguait par là du participe, variable en nombre.
Au XVIIe siècle quand le participe fut déclaré invariable,
on ne se décida pas tout de suite à présenter *en* comme
nécessaire. Vaugelas le recommandait seulement.
   F. BRUNOT, la Pensée et la Langue, p. 668.

COMP. En-avant, en-but, en-cas. ◊ **HOM. An, 2. en.**

---

2. EN [ã] pron., adv. — XIe ; *ent,* X^e ; lat. *inde.*

Pronom adverbial représentatif d'une chose, d'un énoncé,
et quelquefois (sauf en fonction de compl. du nom) d'une
personne. De ce, de ces, de cette, de cela, de lui,
d'elle. → **De.**

I **(Compl. de verbe).** ♦ **1 (Indique le lieu d'où l'on vient, la
provenance, l'origine).** *Vous allez à Paris ? J'en viens.
Il entrait dans le magasin comme j'en sortais.*

De ce lieu-ci je sortirai. 1
Après quoi je t'en tirerai.
   LA FONTAINE, Fables, III, 5.

Dans le sein paternel je me vis rappelée, 2
Un malheur inouï m'en avait exilée (...)
   VOLTAIRE, Tancrède, I, 4.

Pour représenter *de* et son complément, on se sert de *en* 3
et de *dont* : j'en arrive ; la maison dont je sors, d'où je
sors (...)   F. BRUNOT, la Pensée et la Langue, p. 432.

*Il en tirera un joli bénéfice. On en ferait un roman.
Qu'est-ce qu'on en fera de cet enfant ?*

(Indique l'instrument). *Prenez cette couverture et
couvrez-vous en.*

(Elle) Se saisit du poignard, et de sa propre main 4
À nos yeux comme lui s'en traverse le sein (...)
   CORNEILLE, Œdipe, V, 8.

♦ **2 (Indique un objet).** «*Posséder un objet, c'est pouvoir
en user*» (Sartre). *Ces meubles sont encombrants, il
faut vous en défaire. La leçon était cruelle, il s'en
souviendra. Dites-le, il faut en parler. Je m'en contenterai. Passez, je vous en prie. N'en doutez pas,
il acceptera.* — *S'il y a encore du rôti, j'en repren-
drai !* «*J'ai déchiré bien plus de feuillets que je n'en
ai gardés*» (Barrès), *ou gardé.*

Monsieur, je suis mal propre à décider la chose ; 5
Veuillez m'en dispenser.
   MOLIÈRE, le Misanthrope, I, 2.

La douleur qui se tait n'en est que plus funeste. 6
   RACINE, Andromaque, III, 3.

7 Si tu vois quelque chose qui te donne à penser, tu m'en avertiras tout doucement.
> G. SAND, la Mare au diable, VI, p. 51 (→ Doucement, cit. 7).

♦ **3** Fig. (Cause, agent). *La maladie est grave, il risque d'en mourir. J'ai trop de soucis, je n'en dors plus. Je viens de l'apprendre, j'en ai été étonné.*

8 Au complément introduit par *de* peut être substitué un représentant ; *en* prend ainsi le sens d'à cause de cela : je n'en dors plus (...)
> F. BRUNOT, la Pensée et la Langue, p. 808.

9 Ainsi celui-ci qui anéantit son ennemi. Et il vivait de lui. Donc il en meurt.
> SAINT-EXUPÉRY, Citadelle, p. 773, *in* T.L.F.

Vieilli. *Voici un nouvel élève, occupez-vous-en ; nous n'avons pas à nous en plaindre. Il vit sans sa femme, il en est séparé depuis un an. Il en a gardé un mauvais souvenir.*

10 Peignez donc, j'y consens, les héros amoureux ;
Mais ne m'en formez pas des bergers doucereux (...)
> BOILEAU, l'Art poétique, III.

11 Heureux roi qui aime son peuple, qui en est aimé (...)
> FÉNELON, Télémaque, II.

12 (...) si mon prince le désirait, moi, barbier du roi et médecin, qui en approche tous les jours, je pourrais (...)
> GIDE, Saül, III, 2.

♦ **4** (Dans diverses locutions verbales ; voir le verbe). *On s'en va. Je m'en tiens là. On n'en finit pas. Je m'en remets à vous.*

Ⅱ (Compl. de nom, ou servant d'appui à des quantitatifs et des indéfinis). *Ce tissu est beau, j'en aime la couleur. Donnez ces notes que j'en paie le montant. Si vous connaissez cette chanson, chantez m'en le refrain. Prenez soin de la maison, n'en abîmez pas les peintures. C'est un bon hôtel : en voici* l'adresse. Le prix en est-il intéressant ?*

13 Autre est de savoir en gros l'existence d'une chose, autre d'en connaître les particularités.
> CHATEAUBRIAND, Mémoires d'outre-tombe, III, I, I, éd. Levaillant, p. 16.

14 (...) ce mouvement *(la danse)* provient d'un instinct, un des plus puissants de notre physiologie. Pour en saisir l'origine, il faudrait remonter au delà de toute histoire (...)
> Francis DE MIOMANDRE, la Danse, Introduction (→ Danse, cit. 7).

REM. Depuis le XVIIᵉ s., il a été convenu que *son, sa, ses, leur, leurs* s'emploient pour les personnes, *en* pour les choses. Ex. : *Pierre apparut : je vis* SA *pâleur*, mais *le visage de Pierre apparut :* j'EN *vis la pâleur.* Certaines règles précisent cet usage : 1. *En* ne s'emploie que lorsque l'objet possédé est dans une autre proposition que l'objet possesseur. *L'église est à droite, on* EN *aperçoit le clocher au-dessus des toits,* mais *l'église dresse* SON *clocher au-dessus des toits.* — 2. On doit employer le possessif : *a)* Si le nom de l'objet possédé est précédé d'une préposition. *Cette maison est éloignée mais j'apprécie la beauté de* SON *site* (et non j'EN *apprécie la beauté du site*) ; *b)* Si l'objet possédé n'est pas sujet d'un verbe d'état : *la maison est bien située :* SES *fenêtres donnent toutes sur la mer* (et non *les fenêtres* EN *donnent sur la mer*). — 3. On peut employer le possessif quand le possesseur est un objet personnifié, animé ou si l'on veut qu'il soit considéré comme tel : *Plantez un saule au cimetière, j'aime* SON *feuillage éploré ; la pâleur* m'EN *est douce et chère* (Musset). — 4. Mais *en* est obligatoire lorsque la chose possédée est sujet du verbe être : *lisez cette lettre ; le ton* EN *est insolent.*

Il y a du pain, prenez-en. Mettez m'en pour cent francs. En voulez-vous encore ? Il en reste assez pour moi. Y a-t-il des trams ? Il y en a pour toutes les directions. Il y en a beaucoup, plusieurs, un grand nombre, quelques-uns... Combien avez-vous d'enfants ? J'en ai deux. Vient-il du monde ? Il en

vient pas mal. En est-il parmi vous qui accepteraient ? Avez-vous des ennuis ? J'en ai de très graves. Quel travail ! En voilà pour une semaine ! Je fais du tennis, en faites-vous ? Ce sont des champignons comestibles ? C'en est (pour c'en sont, par euphonie). — En avez-vous déjà cueilli ? (REM. Le p. p. est invariable avec en). — Armez-vous de patience, car il en faut.*

15 (...) entre tous ceux *(les divertissements)* que le monde a inventés, il n'y en a point qui soit plus à craindre que la comédie.
> PASCAL, Pensées, XXIV, 65 (→ Dangereux, cit. 2).

16 (...) vous avez commis plus de meurtres qu'il n'en faudrait pour damner tous les saints du Paradis.
> A. JARRY, Ubu Roi, III, 5.

17 Je n'ai jamais pensé à accepter votre argent : vous n'en aurez pas trop pour monter votre ménage.
> SARTRE, l'Âge de raison, p. 270.

EN ÊTRE. → 1. **Être** (cit. 77 à 79).

17 Mais si, vous servez dans ce bureau, et plus qu'au front. Ce qu'il faut, c'est être utile, faire vraiment partie de la guerre, en être. Il y a ceux qui en sont, et les embusqués. Eh bien vous, vous en êtes (...)
> PROUST, le Temps retrouvé, Pl., t. III, p. 768.

Spécialt. Être homosexuel(le). → 1. **Être** (cit. 80 et 81).

18 Quand il *(le baron de Charlus)* avait découvert qu'il «en était», il avait cru par là apprendre que son goût, comme dit Saint-Simon, n'était pas celui des femmes.
> PROUST, À la recherche du temps perdu, t. XII, p. 17.

REM. 1. *En* se met toujours avant le verbe, sauf à la forme affirmative de l'impératif. *J'en prends, prends-en, n'en prends pas.* Quand le verbe est du 1ᵉʳ groupe, on ajoute par euphonie un *s* à la 2ᵉ personne du singulier. *Parle, parles-en.*

2. *En* se construit avec un pronom se met après lui : *Il nous a donné, donnez-nous-en, ne nous en donnez pas. Moi, toi* se changent en *m', t'* devant *en* à l'impératif. *Donnez-moi cela, donnez-m'en.*

3. *En* peut se trouver exceptionnellement dans la même proposition que le nom qu'il remplace pour insister sur l'idée, rendre la tournure plus alerte. Ce pléonasme se rencontrait déjà au XVIIᵉ s. ; il est très employé de nos jours dans la langue familière. *On s'en souviendra de cette aventure ! De l'argent, on n'en a jamais trop. J'en ai connu de ces gens-là ! Il en fait des manières ! En voilà des histoires ! Tu en as, toi, un frère ?*

19 (...) il en faut de la volonté et de la tension pour ne jamais être distrait.
> CAMUS, la Peste, p. 274.

Ⅲ (Compl. d'adjectif). *Il ne sait plus où mettre ses livres, sa maison en est pleine. Montrez-vous en digne. Il l'aime, il en est fou. Nous en sommes heureux. Venez me voir, j'en serai ravi. Lui, faire cela ? Il en est bien incapable. Elle a réussi et n'en est pas peu fière (→ aussi Douleur, cit. 14).*

20 (...) devenant aussi avare de regards agaçants que j'en avais jusqu'alors été prodigue.
> A. R. LESAGE, Gil Blas, VII, 7.

COMP. Qu'en-dira-t'on, je m'en foutisme. ◊ HOM. An, 1. en.

EN- ou **EM-** (devant b, m, p) Élément, du lat. *in-* et *im-*, de *in* «dans», servant, avec le radical substantif qu'il précède, essentiellement à la formation de verbes composés (ex. : *emboîter, emmancher, emprisonner, enterrer*) pour marquer l'aspect inchoatif, l'entrée dans un état, l'acquisition d'une qualité. Ces composés sont en général «parasynthétiques», et formés sur un substantif, avec le préfixe *em-, en-* et un suffixe verbal (du 1ᵉʳ ou du 2ᵉ groupe : *-er, -ir*).

ÉNALLAGE [enalaʒ] n. f. — Av. 1618 ; bas. lat. *enallage* ; grec *enallagê* «substitution».

Didact. Figure qui consiste dans l'emploi d'une construction verbale à l'infinitif, au lieu d'une forme personnelle. «*Ainsi dit le renard, et flatteurs d'applaudir*», La Fontaine, *Fables*, VII, 1 («et les flatteurs applaudirent»).

EN ALLER (S') [ᾱnale] v. pron. → Aller.

ÉNAMOUREMENT [enamuʀmᾱ] n. m. — 1881, Goncourt; de *enamourer (s')*.

Littér. et rare. Fait de s'énamourer. — REM. On trouve chez Barthes le doublet savant (sur le lat. *amor*) *énamoration* (n. f.).

L'énamoration est un drame, si l'on veut bien rendre à ce mot le sens archaïque que Nietzsche lui donne : «Le drame antique avait en vue de grandes scènes déclamatoires, ce qui excluait l'action (celle-ci avait lieu *avant* ou *derrière* la scène)». Le rapt amoureux (pur moment hypnotique) a lieu *avant* le discours et *derrière* le proscenium de la conscience.
R. BARTHES, Fragments d'un discours amoureux, p. 114.

ENAMOURER (S') [ᾱnamuʀe] ou ÉNAMOURER (S') [enamuʀe] v. pron. — 1280; v. tr., «rendre amoureux», XIIe; de en-, amour, et suff. verbal.

Vieilli ou par plais. S'éprendre. *Elle s'est énamourée d'un acteur de cinéma.*

1 Un séraphin, une fée, qui s'étaient enamourés naguère l'un de l'autre au chevet d'une jeune mourante (...)
Aloysius BERTRAND, Gaspard de la nuit, «L'ange et la fée».

2 Dois-je la charité d'amour à toutes les pécores et donzelles qui un tas de fantaisie de s'enamourer de moi ?
Th. GAUTIER, le Capitaine Fracasse, t. I, VIII, p. 253.

2.1 Les humains savent tant de jeux l'amour la mourre (...)
Seigneur faites Seigneur qu'un jour je m'enamoure.
APOLLINAIRE, Alcools, p. 93.

♦ ÉNAMOURÉ, ÉE p. p. adj.

Amoureux. *Des jeunes lycéens énamourés.* — Langoureux. *D'un air énamouré. Regards énamourés.*

3 (...) le long crépuscule tiède de mai qui la retenait à sa fenêtre, seule, songeuse et enamourée !
LOTI, Pêcheur d'Islande, I, IV, p. 39.

4 (...) à retrouver une façon de vivre qui me rappelait des temps très anciens, où j'avais aimé danser, engouffrer tous les films, mais dans la main d'un compagnon énamouré (...)
F. GIROUD, Si je mens, p. 250.

DÉR. Énamourement.

ÉNANTHÈME [enᾱtɛm] n. m. — 1856; de (ex)anthème, par substitution du préf. grec en- «dans».

Méd. Taches rouges que l'on observe sur les muqueuses dans certaines maladies infectieuses.
→ Exanthème.

ÉNANTIOBIOSE [enᾱtjobjoz] n. f. — Mil. XXe; du grec enantios «opposé», et biôsis «mode de vie», de bioô «je vis».

Biol. État d'organismes qui vivent dans un même milieu, mais dont le développement est réciproquement défavorable.

CONTR. Symbiose.

ÉNANTIOMÈRE [enᾱtjɔmɛʀ] n. m. — D. i. (fin XIXe ?); du grec enantios «opposé» et -mère.

Chim. Chacun des deux composés formant une paire d'inverses* optiques.

ÉNANTIOMORPHE [enᾱtjomɔʀf] adj. — 1894; du grec enantios «opposé», et -morphe.

Didact. Formé de parties identiques disposées dans un ordre inverse par rapport à un point, un axe ou un plan de symétrie. *La main droite et la main gauche sont énantiomorphes. Formes énantiomorphes d'un objet et de son image dans un miroir.*
→ Chiral, symétrique (2.).

ÉNANTIOTROPE [enᾱtjotʀɔp] adj. — 1956; du grec enantios «opposé», et -trope.

Chim. Qui existe sous deux formes physiques différentes (l'une stable au-dessus d'un point de transformation, l'autre au-dessous).

ÉNARCHIE [enaʀʃi] n. f. — 1967, l'Énarchie ou les mandarins de la société bourgeoise, ouvrage de J. Mandrin; de énarque, d'après synarchie.

En France. (Souvent péj.).

♦ 1 Ensemble des énarques. *De nombreux fonctionnaires français appartiennent à l'énarchie.*

♦ 2 Pouvoir des énarques.

On rencontre aussi l'adj. *énarchique* [enaʀʃik].

ÉNARGITE [enaʀʒit] n. f. — XXe; 1852, en angl.; du grec enarges «clair» (à cause du clivage), et -ite.

Minér. Arséniosulfure de cuivre naturel, de couleur noire, facilement fusible, que l'on trouve au Mexique, au Pérou, etc.

ÉNARQUE [enaʀk] n. m. — 1967; de E. N. A., et -arque, d'après monarque.

Fam. En France, Ancien élève de l'École nationale d'administration (E. N. A.), considéré comme détenteur du pouvoir (→ Technocrate). «*Les «énarques», fils de la dernière-née de nos écoles, l'E. N. A.*» (l'Express, 4 déc. 1967).

Il a trente-deux ans, mais il y a longtemps déjà qu'il a commencé à être impeccable : dès son entrée à l'E. N. A. Avec ses lunettes d'écaille, ses cheveux soigneusement collés et son visage aux traits acérés (...) il a une présence agréable dont je le soupçonne fortement de mesurer les dosages et l'impact selon les interlocuteurs et les résultats à obtenir. Je crois que c'est un futur Premier ministre, pour peu que ça dure... Il a un flair psychologique assez effrayant, une rapidité de jugement qui ne néglige jamais les facteurs personnels. «J'ai signé avec vous», m'avait dit un jour Bonnet, qui m'avait pourtant mené la vie dure, «parce que j'aime travailler avec votre fils. Il n'est pas de ces énarques qui croient qu'ils n'ont rien à apprendre et veulent brûler les étapes.»
R. GARY, Au-delà de cette limite votre ticket n'est plus valable, p. 79.

On trouve aussi l'adj. *énarchien, ienne* [enaʀkjɛ̃, jɛn], parfois écrit *énarquien, ienne*.

DÉR. Énarchie.

ÉNARTHROSE [enaʀtʀoz] n. f. — 1560; grec enarthrôsis «action d'articuler», de en «dans», et arthron «articulation».

Anat. Articulation mobile à surfaces sphériques, l'une convexe et l'autre concave, qui permet aux os des mouvements dans trois directions principales. *Énarthrose coxofémorale. Les articulations des membres avec le tronc sont des énarthroses. L'énarthrose, genre de diarthrose*.

ÉNASER (S') [enaze] v. pron. — XVIe, La Curne; anc. franç. énaser «couper, aplatir le nez à», de é- (lat. ex-), nas forme anc. de nez, et suff. verbal.

Rare. S'aplatir le nez, se heurter; (par ext.) se trouver nez à nez avec (quelqu'un).

EN-AVANT [ɑ̃navɑ̃] n. m. invar. — 1897, *in* Petiot; substantivation de *en*, et *avant*.

Au rugby, Faute commise par un joueur qui lâche ou envoie le ballon face au camp adverse, ou le passe à un partenaire situé en avant de lui (dans le jeu à la main).

EN-BUT [ɑ̃by(t)] n. m. invar. — 1932; «en but», 1909, *in* Petiot; de *en*, et *but*.

Sport. Partie du terrain de rugby située derrière la ligne des buts. *Ballon qui tombe dans l'en-but adverse. En-but et essai**.

Le terrain proprement dit mesure 95 à 100 m de long; deux surfaces dites «en-but» se trouvant derrière les buts qui sont constitués par deux poteaux aussi hauts que possible placés au milieu de la ligne de but à 5 m 65 l'un de l'autre. Ils sont reliés, à 3 m du sol, par une barre transversale. La ligne extérieure de l'en-but est appelée ligne du *ballon mort*.
    Jean DAUVEN, Technique du sport, Le rugby,
                  p. 91 (1948).

HOM. V. Embut.

ENCABANAGE [ɑ̃kabanaʒ] n. m. — 1856; de *encabaner*.

Techn. Action d'encabaner (les claies).

ENCABANER [ɑ̃kabane] v. tr. — 1845; «mettre en prison», 1581; provençal *encabana*, de *cabana* «cabane».

Techn. Former des sortes de cabanes (sur les claies d'élevage des vers à soie) en disposant des rameaux sur lesquels les vers à soie montent pour filer leurs cocons.

DÉR. Encabanage.

ENCABLURE ou **ENCÂBLURE** [ɑ̃kablyʀ] n. f. — 1758; de *en-*, *câble* ou *câbler*, et suff. *-ure*.

Mar. et cour. La dixième partie du mille marin, ancienne mesure de longueur utilisée pour estimer les petites distances, et correspondant à la longueur moyenne d'un câble d'ancre. *L'encablure vaut cent quatre-vingt-cinq mètres; elle équivaut aussi parfois à cent vingt brasses (deux cents mètres environ). À deux encablures du rivage.*

1 Nous découvrîmes une petite felouque grecque à demi submergée, et à laquelle nous ne pûmes donner aucun secours. Elle passa à une encablure de notre poupe.
    CHATEAUBRIAND, Itinéraire..., VI, p. 417.

2 À quelle distance de la côte la nacelle a-t-elle, selon vous, reçu ce coup de mer qui a emporté notre compagnon (...) À deux encablures, au plus. — Mais qu'est-ce qu'une encablure? demanda Gédéon Spilett. — Cent vingt brasses environ ou six cents pieds.
    J. VERNE, l'Île mystérieuse, 1874, t. I, p. 74-75.

ENCADRÉ [ɑ̃kadʀe] n. m. — xxᵉ; du p. p. de *encadrer*.

Journal. Texte mis en valeur (dans une page, une colonne) par un filet qui l'isole du texte environnant. *Cette encyclopédie contient des encadrés sur l'économie.*

Alors j'ai fait quelques articles, des encadrés, des petites choses (...)   F. GIROUD, Si je mens..., p. 88.

ENCADREMENT [ɑ̃kadʀəmɑ̃] n. m. — 1756; de *encadrer*.

♦ **1** Action d'encadrer, d'orner d'un cadre. *L'encadrement d'un tableau.* — Ce qui encadre. → **Cadre**. *Ce tableau a un bel encadrement. L'encadrement d'une glace. Baguette pour encadrement.* → **Listel**. *Encadrement qui porte des inscriptions, des ornements.* → **Cartel, cartouche.** — Typogr. *Encadrement en filets.* — Archit. *L'encadrement d'une porte, d'une*

fenêtre. → **Chambranle, châssis.** *Encadrement d'une grille* (→ Desceller, cit. 1).

♦ **2** Fig. Ce qui entoure comme un cadre. → **Cadre (fig.).** *Encadrement de verdure. Parc qui sert d'encadrement à un château.* → **Cadre, entourage.**

À la villa Médicis, dont les jardins sont déjà une parure et où j'ai reçu la grande-duchesse Hélène, l'encadrement du tableau est magnifique (...)
    CHATEAUBRIAND, Mémoires d'outre-tombe, t. V,
                p. 129.

♦ **3** Par ext. Action d'encadrer (un objectif de tir).

♦ **4** (Av. 1795). Action d'encadrer un groupe. *L'encadrement des recrues. Le personnel d'encadrement.* Ensemble des personnes qui encadrent (un groupe). → **Cadre** (III.); **agent** (de maîtrise). *L'encadrement est insuffisant.* — Spécialt. Ensemble des cadres qui assurent le commandement d'une troupe.

♦ **5** (1969). Écon. *Encadrement du crédit* : limitation des crédits accordés aux entreprises par les banques.

ENCADRER [ɑ̃kadʀe] v. tr. — 1752; de *en-*, *cadre*, et suff. verbal.

♦ **1** Sujet n. de personne. Mettre dans un cadre; entourer d'un cadre. *Faire encadrer une gravure, un tableau. Encadrer de rouge un article de journal.*

Nous étions en peine d'ornements pour notre chambre (...) Je fais encadrer nos dessins; je les fais couvrir de beaux verres, afin qu'on n'y touche plus (...) 1
        ROUSSEAU, Émile, II.

Fam. *C'est à encadrer*, se dit ironiquement d'une déclaration, d'une «perle» qui mérite qu'on lui fasse un sort.

Fam. *Ne pas pouvoir encadrer qqn*, le détester (→ Encaisser, sacquer).

Et d'abord, les flics, elle peut pas les encadrer. 1.
    CAVANNA, les Ritals, p. 225.

♦ **2** Sujet n. de chose. Entourer* à la manière d'un cadre qui orne ou limite. *Des favoris encadrent son visage* (→ Collier, cit. 8). *Moulure, guirlande qui encadre un panneau.* — *Des montagnes encadrent et limitent le paysage* (→ Compartiment, cit. 5). — **Passif et p. p.** *Le jardin est encadré de haies; jardin encadré de haies.*

(...) les fenêtres *(à Madrid)* sont encadrées d'ornements et 2
d'architectures simulés avec force volutes, enroulements, petits Amours et pots à fleurs (...)
    Th. GAUTIER, Voyage en Espagne, p. 74.

(...) des cheveux nattés, qui se perdent dans le voile en 3
flots obscurs, en encadrant un visage mièvre (...)
    E. FROMENTIN, Un été dans le Sahara, II, p. 147.

Par anal. Se placer de part et d'autre de (qqn). *Encadrer un prisonnier pour l'empêcher de s'évader.*

Je me suis assis et les gendarmes m'ont encadré. 4
    CAMUS, l'Étranger, II, II, p. 118.

♦ **3** Artill. *Encadrer son objectif* : régler le tir en amenant les trajectoires de plus en plus près de l'objectif, au-delà comme en deçà.

♦ **4** (1839). Pourvoir de cadres (une troupe). *Encadrer une formation militaire.*

(...) ils sont encadrés par cinquante types du Corps franc 5
qui ont passé la frontière hier soir et qui sont massés sur la place.   SARTRE, le Sursis, p. 11.

Faire entrer dans le cadre d'une formation militaire. *Encadrer les recrues.*

Diriger, organiser pour le travail. *Il n'a pas su encadrer ses collaborateurs.*

Tant qu'il n'aura pas fait ses preuves, un administrateur 5
encore jeune demande à être très étroitement encadré.
    GIDE, Voyage au Congo, *in* Souvenirs, Pl., p. 693.

♦ **5** (Surtout au passif et au p. p.). Insérer (dans un ouvrage, une composition). *Cette anecdote est mal encadrée. Digression habilement encadrée entre deux épisodes. — Passage encadré* (typographiquement). → **Encadré** (n. m.).

6   Il ne manque à ces pages, pour avoir tout leur prix, que d'être encadrées dans un texte d'histoire ferme, exact, soutenu.
SAINTE-BEUVE, Causeries du lundi, 4 août 1851,
t. IV, p. 404.

♦ **S'ENCADRER** v. pron.

Apparaître comme dans un cadre.

7   La silhouette de Meynestrel s'encadrait en ombre chinoise dans la porte de la chambre éclairée.
MARTIN DU GARD, les Thibault, t. V, p. 120.

♦ **ENCADRÉ, ÉE** p. p. adj.

Muni d'un cadre. *Diplôme* (cit. 4) *encadré.*

Par anal. *Il arriva, encadré de ses deux fils.* → **Entouré.**

(Sens 4). *Des soldats, des employés bien, mal encadrés.*

(Sens 5). → ci-dessus, 5.

CONTR. Désencadrer. ◊ DÉR. et COMP. Encadré, encadrement, encadreur. Désencadrer, réencadrer.

ENCADREUR, EUSE [ãkadRœR, øz] n. — 1843; de *encadrer.*

Artisan qui exécute et pose des cadres (de tableaux, de gravures, photos, etc.). *Un encadreur, une encadreuse* (rare). — N. m. Entreprise qui fait exécuter des encadrements.

ENCAGEMENT [ãkaʒmã] n. m. — 1905; *ancagement,* 1636; de *encager.*

Rare. Mise en cage; état de l'animal encagé.

ENCAGER [ãkaʒe] v. tr. [CONJUG.: *bouger.*] — Fin XIIIᵉ; de *en-, cage,* et suff. verbal.

Mettre en cage (un animal). *Encager un oiseau* (→ Amusette, cit. 1).

Fig. Mettre en prison, enfermer.

Libérer l'homme de toute entrave pour ensuite l'encager pratiquement dans une nécessité historique revient en effet à lui enlever d'abord ses raisons de lutter pour enfin le jeter à n'importe quel parti, pourvu que celui-ci n'ait d'autre règle que l'efficacité.
CAMUS, Actuelles II (Lettres sur la révolte), Œ.,
Pl., p. 770.

DÉR. Encagement.

ENCAGOULÉ, ÉE [ãkagule] adj. — Mil. XXᵉ; de *en-,* et *cagoule.*

Qui porte une cagoule (pour se protéger du froid, se dissimuler). *«Des bandits encagoulés ont attaqué une banque»* (G. L. L. F.).

REM. Le verbe *encagouler* est virtuel à l'actif, comme *s'encagouler,* pron. (→ Encapuchonner); le passif est attesté.

Les paysannes (...) étaient encagoulées de châles sombres.
R. SABATIER, les Noisettes sauvages, p. 17.

ENCAISSABLE [ãkɛsabl] adj. — 1870; de *encaisser.*

Qui peut être encaissé. *Somme immédiatement encaissable.*

ENCAISSAGE [ãkɛsaʒ] n. m. — 1803; de *encaisser.*

Rare. Mise en caisse. — Spécialt, hortic. Mise en caisse de plantes, d'arbustes.

ENCAISSANT, ANTE [ãkɛsã, ãt] adj. — 1847; de *encaisser.*

Géol. Qui forme un encaissement. *Roches encaissantes.*

ENCAISSE [ãkɛs] n. f. — 1845; déverbal de *encaisser.*

Sommes, valeurs qui sont dans la caisse ou en portefeuille. *Encaisse d'une maison de commerce, d'une banque. L'encaisse métallique :* les valeurs en or et en argent, qui, dans les banques d'émission, servent de garantie aux billets émis.

Un traité n'est-il pas comme un billet de banque qui vaut ce que vaut l'encaisse métallique?
VALÉRY, Cahiers, t. II, Pl., p. 1402.

ENCAISSÉ, ÉE [ãkɛse] adj. → **Encaisser.**

ENCAISSEMENT [ãkɛsmã] n. m. — 1701; *enquaissement* «emballage», 1645; de *encaisser.*

♦ **1** Rare. Emballage, mise en caisse. *L'encaissement d'une marchandise.* → **Caisse, emballage.**

Spécialt. Action de planter dans une caisse. *Encaissement d'un oranger.*

♦ **2** (1832). Action d'encaisser (de l'argent, des valeurs). *L'encaissement de valeurs.* — Absolt. *Remettre un chèque, une traite à l'encaissement. Traites remises à l'encaissement ou à l'escompte. Encaissement de sommes dues.* → **Perception, recouvrement.** *Clause sauf encaissement :* clause par laquelle les effets ne sont pris à l'escompte que sous la condition d'encaissement à l'échéance. *Commission prélevée pour frais d'encaissement.*

1   S'il réalisait la fusion promise, il lui serait accordé, bien sûr, toutes facilités pour s'acquitter. Mais, s'il se dérobait, Darteau remettrait le chèque à l'encaissement et porterait plainte.
René FLORIOT, La vérité tient à un fil, p. 14.

♦ **3** (1762). État d'un lieu encaissé*. *Encaissement d'une vallée, d'une cuvette, du lit d'une rivière.*

2   *(Les Alpes)* dans l'encaissement des roches éboulées Cachent les lacs profonds et les noires vallées.
LAMARTINE, Jocelyn, II, 72.

Encaissement artificiel d'un fleuve, entre des digues. — Techn. (trav. publ.). *Encaissement d'un chemin. Faire un chemin par encaissement,* en faisant une tranchée qu'on remplit de cailloux.

♦ **4** Techn. Enceinte de charpente. → **Caisse.** *Encaissement d'un mât.* → **Emplanture.**

ENCAISSER [ãkɛse] v. tr. — 1510; de *en-, caisse,* et suff. verbal.

I ♦ **1** Rare. Mettre dans une caisse. *Encaisser des marchandises.* → **Emballer.**

Spécialt. Planter dans une caisse remplie de terre. *Encaisser des orangers, des palmiers.*

Vx. Mettre dans sa caisse, dans sa cassette.

♦ **2** Mod. Recevoir, toucher (de l'argent, le montant d'une facture).

1   (...) il vint un assez grand nombre de personnes (...) les uns pour conclure des marchés (...) les autres pour payer des fermages ou recevoir de l'argent (...) Nanon encaissait les redevances dans sa cuisine.
BALZAC, Eugénie Grandet, Pl., t. III, p. 584.

Toucher la valeur de (un effet de commerce). → **Recouvrer.** *Encaisser une traite.* — Absolt. *Remettre à la banque des effets à encaisser.* — Syn. : *à l'encaissement.*

♦ **3** (1867). Fig. et fam. Recevoir (des coups) sans chercher à les parer. *Encaisser un direct.* — Absolt. *Boxeur qui encaisse bien, qui sait encaisser,* qui sait recevoir des coups sans être ébranlé.

2   Il (...) place une série à son tour. J'encaisse comme un accumulateur de coups, et au moment où il croit avoir fini, je commence, je me décharge sur lui, je me soulage des coups reçus par les coups portés.
Jean PRÉVOST, Plaisir des sports, p. 86.

3   Ce coup final, le monde va l'«encaisser», notre monde, boxeur exténué que la fatalité presse et harcèle sans répit.
G. DUHAMEL, Récits des temps de guerre, XLII.

(1913). **Par ext.** Recevoir sans sourciller, supporter.

3.1   Il allait encaisser quelle innombrable injure.
Ch. PÉGUY, Ève, 1913, in D. D. L., II, 9.

Absolt. *On ne peut pas encaisser sans réagir.*

3.2   Si le pays encaisse et se tait, le Parlement, lui, se prépare à s'ériger en juge.
F. MAURIAC, Bloc-notes 1952-1957, p. 266.

♦ **4** Compl. n. de personne. Supporter, aimer. *Il ne peut encaisser ce genre d'individus.* → **Sentir; encadrer, sacquer.** — REM. Ne s'emploie guère que dans des contextes restrictifs ou négatifs.

3.3   Au fond il *(Péguy)* n'acceptait pas, il ne comprenait pas, il n'encaissait pas les bourgeois.
A. MAUROIS, Études littéraires, I, Ch. Péguy, p. 234.

II (1791). ♦ **1** (Sujet n. de chose). Resserrer en bordant de deux côtés. *Les montagnes qui encaissent cette vallée.*

4   Ils examinaient alors à la dérobée les bois, les sentiers et les rochers qui encaissaient la route (...)
BALZAC, les Chouans, Pl., t. VIII, p. 768.

♦ **2** Techn. *Encaisser une rivière,* la contenir en élevant des digues. *Encaisser une route,* en la creusant. — Pron. *«Le Bosphore s'encaisse (...) entre deux caps de rochers»* (Lamartine).

◆ **ENCAISSÉ, ÉE** p. p. adj. **A** (Au sens I). *Sommes encaissées.* → **Encaisse.** *Argent encaissé.* — *Coups encaissés.*

B (Au sens II). ♦ **1** Resserré entre de hautes parois. *Route encaissée. Gorges encaissées* (→ Cluse, cit. 1). *Fleuve profondément encaissé* (→ Arène, cit. 4). — *Village encaissé au fond d'une vallée. Rues encaissées.*

5   Quant au Chéliff (...) ici *(à Boghari)* c'est un ruisseau tortueux, encaissé, dont l'hiver fait un torrent, et que les premières ardeurs de l'été épuisent jusqu'à la dernière goutte.   E. FROMENTIN, Un été dans le Sahara, p. 40.

6   Aux endroits encaissés, où pied des falaises ardentes qui réverbéraient le soleil, la végétation était si luxuriante que l'on avait peine à passer.
GIDE, Si le grain ne meurt, I, II, p. 39.

♦ **2** Par métaphore et fig. Sans horizon.

7   Vie difficile, douloureuse, encaissée, obscure, mais qui conduit tout droit à une plaine battue par les balles.
A. MAUROIS, Études littéraires, I, Ch. Péguy, p. 246.

CONTR. Décaisser. — Acquitter, débourser, payer, rembourser, rendre, solder. — Escompter. ◊ DÉR. Encaissable, encaissage, encaissant, encaisse, encaissement, encaisseur.

ENCAISSEUR, EUSE [ãkɛsœʀ, øz] n. m. et f. — 1870; de *encaisser.*

♦ **1** Employé qui va à domicile encaisser des sommes, recouvrer des effets. → **Recette** (garçon de recettes).

♦ **2** (1904, in Petiot). Vieilli. Boxeur qui sait encaisser, supporter les coups qu'il n'a pas parés.

REM. Le fém. *encaisseuse* est virtuel, dans ces deux emplois.

♦ **3** N. f. (1973, C. I. L. F.). Machine d'empaquetage et de conditionnement* dans des caisses.

ENCALMINER (S') [ãkalmine] v. pron. — XXᵉ; au p. p., 1856; de *en-, calme,* et suff. verbal.

Mar. (En parlant d'un bateau à voiles). S'immobiliser à l'abri ou sous l'effet d'un temps calme. — Trans. Rare. Sujet n. de chose :

Dehors, c'est du grand beau temps, alizé force 3 qui semble vouloir tenir et *Joshua* court vers le large, les voiles bien pleines pour s'éloigner le plus vite possible et se

soustraire, avant la nuit, à l'effet des brises solaires qui risqueraient de l'encalminer en contrariant l'alizé.
Bernard MOITESSIER, Cap Horn à la voile, p. 91.

◆ **ENCALMINÉ, ÉE** p. p. adj.
Se dit d'un bateau à voiles immobilisé par un temps calme, ou à l'abri. → **Accalminé** (VX).

ENCAN [ãkã] n. m. — Déb. XVIIᵉ; *encant,* 1400; du lat. médiéval *inquantum,* du lat. *in quantum* «pour combien ?».

♦ **1** Vx. Vente aux enchères. *Les encans et les ventes à la criée.*

♦ **2** Loc. adv. (Fin XIVᵉ, *à l'enchant*). Mod. **À L'ENCAN.**
a En vente aux enchères publiques.

La papauté *(en 1034)* était à l'encan, ainsi que presque tous les évêchés.   VOLTAIRE, Essai sur les mœurs, XXXVI.   1

(...) il valait mieux que l'épée du colonel eût été criée à l'encan, vendue au fripier, jetée aux ferrailles, que de faire aujourd'hui saigner le flanc de la patrie.   2
HUGO, les Misérables, IV, XIII, III.

(...) on put voir, entre le cheptel et les bâtiments des granges, les reliques de la sainte patronne de l'Alsace livrées à l'encan.   3
M. BARRÈS, la Colline inspirée, p. 40.

b Fig. Au plus offrant, comme un objet de trafic. *Mettre sa conscience à l'encan. Justice, honneur à l'encan.*

Napoléon était instruit, dès le début, *des revenants bons* de son ministre. Il dira, plus tard, de Talleyrand : «Avec lui, mes affaires étaient *à l'encan !».*   4
Louis MADELIN, Talleyrand, II, XIII, p. 142.

ENCANAILLEMENT [ãkanajmã] n. m. — 1858; de *encanailler.*

Fait de s'encanailler, état d'une personne encanaillée. → **Avilissement.**

L'encanaillement, prélude aristocratique, commençait ce que la révolution devait achever.   1
HUGO, l'Homme qui rit, II, I, 3.

En dehors de la scène *(en parlant de Sophie Arnould),* un démon d'esprit, de cet esprit parisien (...) qui avait en lui, à cette époque, un arome aristocratique qu'il a perdu dans l'encanaillement de ses divers argots!   2
Alphonse DAUDET, in LITTRÉ, Supplément.

ENCANAILLER [ãkanaje] v. tr. — 1697; v. pron., 1660; de *en-, canaille,* et suff. verbal.

Vieilli. Faire déchoir (qqn) en lui faisant fréquenter la canaille. *Encanailler une société en y introduisant des éléments douteux.*

◆ **S'ENCANAILLER** v. pron.

♦ **1** Vieilli. Frayer avec la canaille; en prendre les habitudes. → **Avilir** (s'), **déchoir.** *Il s'encanaille à fréquenter de mauvais sujets.*

Il est vrai que le goût des gens est étrangement gâté là-dessus, et que le siècle s'encanaille furieusement. — Celui-là *(ce mot)* est joli encore, *s'encanaille!* Est-ce vous qui l'avez inventé, Madame?   1
MOLIÈRE, Critique de l'École des femmes, 6.

Si Corneille en trouvait un *(un mot bas)* blotti dans son vers,
Il le gardait, trop grand pour dire : qu'il s'en aille;
Et Voltaire criait : Corneille s'encanaille!   2
HUGO, les Contemplations, I, VII.

♦ **2** Mod. Fréquenter des gens vulgaires de mœurs douteuses. *Les bourgeois qui allaient s'encanailler dans des bistrots.* — REM. Les signes de la transgression sociale et des hiérarchies s'étant déplacés, la notion de *canaille* étant archaïque, le mot est le plus souvent employé par plaisanterie.

Fig. Se dégrader, se mêler à des choses ou à des personnes viles.

3   Il en était de même de la plupart de nos légendes héroïques, avant que, répudiées par la partie cultivée de la nation, elles fussent allées s'encanailler dans la *Bibliothèque bleue.*
RENAN, l'Avenir de la science, Œ., t. III, p. 887.

◆ **ENCANAILLÉ, ÉE** p. p. adj.
Des gens du monde encanaillés.

CONTR. Élever, ennoblir, épurer. ◊ **DÉR.** Encanaillement.

ENCAPER [ãkape] v. intr. — 1694 ; de *en-, cap,* et suff. verbal.

Mar. (vx). Passer entre deux caps, dans un bras de mer, une baie étroite.

◆ **ENCAPÉ, ÉE** p. p. adj. (1704).
Entre ou contre des caps.

ENCAPRICER (S') [ãkapʀise] v. pron. — XVIᵉ, *in* Huguet ; repris XIXᵉ ; de *en-, caprice,* et suff. verbal.
Littér. et rare. Avoir un caprice*, un goût subit pour. *S'encapricer de..., pour... «Elle s'encapriça d'un beau visage»* (Barbey d'Aurevilly, *le Cachet d'onyx, in* D. D. L.).

ENCAPSULATION [ãkapsylasjɔ̃] n. f. — Après 1950 ; de *encapsuler.*
Techn. et sc. Action d'encapsuler ; fait de s'encapsuler. *Les «problèmes d'encapsulation des cellules solaires»* (*la Recherche,* mai 1979, p. 495).

ENCAPSULER [ãkapsyle] v. tr. — 1889, Renan, au fig. ; de *en-,* et *capsule.*
Techn. Enfermer dans une capsule. — **Fig.** et rare :
1   (...) les pétrifiés en eux-mêmes, qu'un vieux sentiment encapsula il y a vingt ans et dont ils ne peuvent plus se débarrasser (...)   Henri MICHAUX, Ailleurs, p. 252.

◆ **S'ENCAPSULER** v. pron.
(Sc. nat.). S'enfermer, se développer à l'intérieur d'une capsule.

◆ **ENCAPSULÉ, ÉE** p. p. adj. *Œufs encapsulés.* — Figuré :
2   Marx est encapsulé dans le marxisme, Engels dans la dialectique.
Vladimir VOLKOFF, le Retournement, p. 156.

DÉR. Encapsulation.

ENCAPUCHONNER [ãkapyʃɔne] v. tr. — 1571 ; de *en-, capuchon,* et suff. verbal.

◆ 1 (Rare à l'actif). Mettre un capuchon à (qqn). *Encapuchonner un enfant.* — (Sujet n. de chose). Couvrir d'un capuchon ; couvrir comme d'un capuchon. — **Cour.** (au passif et au p. p.) :
1   (...) les riches paysannes de la Frise, la tête encapuchonnée dans un bonnet tuyauté (...)
TAINE, Philosophie de l'art, t. I, p. 232.
1   Après l'homme dont le visage est encapuchonné dans un pan de la grossière étoffe brune, le dormeur suivant a un de ses bras qui dépasse hors des couvertures (...)
A. ROBBE-GRILLET, Dans le labyrinthe, p. 128.

Par métaphore ou figuré :
2   Nous distinguions parfaitement la forme de ces escarpements et sa cime encapuchonnée de nuages, malgré la sérénité de tout le reste du ciel.
Th. GAUTIER, Voyage en Espagne, p. 279.

◆ 2 **Fam.** et vx. Faire entrer dans un ordre monastique où le port du capuchon est en usage.

◆ **S'ENCAPUCHONNER** v. pron.
Se couvrir d'un capuchon.

(1755). **Fig.** (Hippol.). *Cheval qui s'encapuchonne :* cheval qui ramène la tête contre le poitrail pour se dérober à l'action du mors.

◆ **ENCAPUCHONNÉ, ÉE** p. p. adj. *Des têtes encapuchonnées.* — *Des bergers encapuchonnés dans de vastes capes.* — N. *Un encapuchonné* (spécialt et vx) : un moine.

CONTR. Décapuchonner.

ENCAQUEMENT [ãkakmã] n. m. — 1772 ; de *encaquer.*
Techn. Mise en caque. *L'encaquement des harengs.* → **Caque ; caquage.**

ENCAQUER [ãkake] v. tr. — Fin XVIᵉ ; de *en-, caque* et suff. verbal.

◆ 1 **Techn.** Mettre en caque. *Encaquer des harengs.* → **Caquer.**

◆ 2 (1740). **Fig.** et vx. Entasser, presser (des personnes, des choses) dans un petit espace. — **Pron.** :
1   Dix théâtres et établissements publics seront pleins, chaque soir, de masques qui s'y encaqueront par milliers.   A. KARR, les Guêpes, *in* LITTRÉ.

◆ **ENCAQUÉ, ÉE** p. p. adj. *Harengs encaqués.* — *Être encaqués comme des harengs.* → **Serré.**
2   Trois cent soixante passagers se trouvèrent encaqués dans un entrepont où il n'y avait certes pas place convenable pour deux cents.
Jean RAY, les Derniers Contes de Canterbury, p. 186.

DÉR. Encaquement, encaqueur.

ENCAQUEUR, EUSE [ãkakœʀ, øz] n. — 1781 ; de *encaquer.*
Techn. (vx). Personne qui encaque. *Un encaqueur de harengs.*

ENCART [ãkaʀ] n. m. — 1810 ; déverbal de *encarter.*
Fraction de feuille en page isolée que l'on place à l'intérieur d'un cahier. — (1930). Feuille volante ou petit cahier que l'on insère dans une brochure. *Un encart publicitaire.*

ENCARTAGE [ãkaʀtaʒ] n. m. — 1810 ; de *encarter.*

◆ 1 Action d'encarter (un encart, un tissu, des boutons).

◆ 2 Encart*.

REM. On dit aussi *encartation* (1864, Littré) au sens 1.

ENCARTATION [ãkaʀtasjɔ̃] n. f. → **Encartage** (1.).

ENCARTER [ãkaʀte] v. tr. — 1642 ; de *en-, carte,* et suff. verbal.

◆ 1 Insérer (un encart ou un carton [9.]) entre les feuillets d'un volume (on dit parfois *encartonner*). — Insérer (un dépliant, un prospectus...) en encart dans un livre, une revue.

◆ 2 **Techn.** Placer entre des feuilles de carton (les plis de la pièce d'étoffe que l'on veut catir à chaud). — On dit aussi *encartonner.*
Fixer avec des cartes, des cartons. *Encarter des boutons, des épingles.*

◆ 3 (1845). Inscrire (une prostituée) sur les registres de la police. → **Carte** (mettre en).

◆ **ENCARTÉ, ÉE** p. p. adj. Spécialt. *Prostituée encartée.*
→ **Carte** (en); **cartée** (régional). — N. f. (1895, Esnault).
Vx. *Une encartée.*

DÉR. Encart, encartage ou encartation, encarteur.

ENCARTEUR, EUSE [ãkaʀtœʀ, øz] n. — XIXᵉ; de
encarter.

◆ **1** Ouvrier, ouvrière qui assure la mise sur carton
d'objets divers (boutons, agrafes, etc.).

◆ **2** N. f. (1890). *Encarteuse* : machine pour encarter
les boutons, les agrafes.

ENCARTONNER [ãkaʀtɔne] v. tr. — 1823; de *en-,
carton,* et suff. verbal.

Technique.

◆ **1** (1864). Techn. Mettre entre des cartons (les
feuilles imprimées) afin de les satiner en les
passant à la presse.

◆ **2** Vieilli. Encarter (1.). *Encartonner une publicité
dans une revue.*

◆ **3** (xxᵉ). Emballer dans des cartons, des boîtes en
carton.

DÉR. Encartonneuse.

ENCARTONNEUSE [ãkaʀtɔnøz] n. f. — 1973; de
encartonner.

Techn. Machine pour emballer (des produits) dans
des boîtes en carton.

EN-CAS ou **ENCAS** [ãka] n. m. invar. — 1798; substantivation de *en cas (d'imprévu, de besoin).*

◆ **1** Objet préparé à l'avance pour être utilisé dans
des circonstances imprévues; personne tenue en
réserve, en prévision de quelque éventualité.

1   Il *(Dumouriez)* voyait dans le jeune duc de Chartres
comme un *encas* monarchique, si Louis XVI tombait.
         MICHELET, Hist. de la Révol. franç., I, p. 886.

◆ **2** (XVIIᵉ). Spécialt. Repas léger tenu prêt à tout
heure. — (1835). Mod. Mets, plat que l'on peut servir
immédiatement.

2   Ce n'est qu'un simple encas que l'on me tient toujours prêt
le jour comme la nuit, afin que si la faim me prend à une
heure ou à une autre, l'on ne soit pas obligé de descendre
dans la basse-cour couper le cou à un poulet, le plumer
et le mettre à la broche.
         Th. GAUTIER, Fortunio, XVI, p. 118.

(XVIIIᵉ). Par métonymie. Petit meuble conçu pour
servir un repas léger dans la chambre.

◆ **3** (1863). Ombrelle pouvant servir aussi de parapluie.

ENCASERNEMENT [ãkazɛʀnəmã] n. m. — 1899; de
encaserner.

Action d'encaserner; état de ceux qui sont enca-
sernés. *Mal supporter son encasernement.*

ENCASERNER [ãkazɛʀne] v. tr. — 1832; au p. p., fin
XVIIIᵉ; de *en-, caserne,* et suff. verbal.

Mettre, loger dans une caserne. *Encaserner les
recrues.* → **Caserner.**

Nos administrations municipales, qui dépensent tant d'argent pour encaserner les abandonnés, les orphelins, —
quand elles ont cessé de les emprisonner, — ne pourraient-
elles imiter ce qui se fait en Suisse, où l'adoption dans les
familles devient un honneur, une récompense pour celles
que la commune juge dignes de faire l'éducation de ses
pupilles?   Louise MICHEL, la Misère, t. I, p. 149.

Au p. p. (1790, *in* D.D.L.). Par métaphore. «*La France
encasernée par la centralisation*» (Vallès), soumise
à une discipline quasi militaire.

DÉR. Encasernement.

ENCASTELER (S') [ãkastəle] v. pron. [CONJUG.: *geler.*]
— 1606; adapt. ital. *incastellare* «fortifier», du lat. *castellum.* → Château.

Vétér. Se dit d'un cheval atteint d'encastelure*.
Cheval qui commence à s'encasteler.

ENCASTELURE [ãkastəlyʀ] n. f. — 1611; adapt. ital.
incastellatura, de *incastellare.* → Encasteler (s').

Vétér. Maladie du pied du cheval caractérisée par
un rétrécissement du sabot qui comprime la base
de la fourchette.

ENCASTILLAGE [ãkastijaʒ] n. m. — 1740, Trévoux;
de *en-,* et *(ac)castillage.*

Syn. vieilli de *accastillage.*

(...) l'unique vapeur qui fait du cabotage sur ce fleuve.
C'est une machine flottante à trois étages, peinte en blanc
et bariolée de rouge et de bleu. Point d'œuvres vives, tout
en encastillage, le fond est plat comme celui d'une toue.
         B. CENDRARS, Moravagine, *in* Œ. compl., t. IV,
                               p. 212.

ENCASTRABLE [ãkastʀabl] adj. — Mil. xxᵉ; de
encastrer.

Qui peut être inséré très exactement dans un objet
ou une surface taillés ou creusés à cet effet. «*C'était
il y a dix ans, la naissance des appareils encastrables. Une idée neuve, intelligente. Faire des cuisines des pièces à part entière, vivantes, agréables.
Aujourd'hui (...) les encastrables prennent un nouveau visage*» (l'Express, 20 mars 1978). *Cuisinière
encastrable.*

N. *Un, des encastrables* (→ cit. ci-dessus).

ENCASTREMENT [ãkastʀəmã] n. m. — 1607; de
encastrer.

◆ **1** Action, manière d'encastrer.

◆ **2** Entaille d'une pièce destinée à recevoir une
autre pièce. «*Des encastrements de portes et de fenêtres en bois d'érable*» (Goncourt, *in* T.L.F.).

ENCASTRER [ãkastʀe] v. tr. — 1694; *incastrer,* 1580;
au p. p., *incastré,* v. 1560; ital. *incastrare* «emboîter,
enchâsser», et refait d'après l'anc. franç. *enchâtrer;* du
bas lat. *incastrare* «enchâsser»; ou plus probablt du lat.
class. *castrum* «forteresse».

Insérer (un objet) dans un autre objet ou une surface exactement entaillés de façon à le recevoir.
→ **Emboîter, enchâsser, enclaver.** *Encastrer un panneau dans son cadre. Encastrer une serrure dans
une pièce de bois. Encastrer un diamant dans le
chaton d'une bague.* → **Chatonner, sertir.** *Encastrer
des éléments de cuisine* (→ Encastrable). — Au p. p. :

(...) encastrée dans le mur en face de nous, une grande
glace (...)
         PROUST, À la recherche du temps perdu, t. IX,
                               p. 259.

Sujet n. de chose :

(...) un divan confortable qu'encastrent des rayons de
bibliothèque.
         J. ROMAINS, les Hommes de bonne volonté, t. I,
                              III, p. 39.

◆ **S'ENCASTRER** v. pron.

(...) entre de vieux murs sans fenêtres, faits de débris de
toutes les époques de l'histoire et où, çà et là, s'encastrent
une pierre hébraïque, un marbre romain.
         LOTI, Jérusalem, VIII, p. 86.

♦ **ENCASTRÉ, ÉE** p. p. adj. *Miroir encastré* (dans un panneau). → ci-dessus, cit. 1. *Zone encastrée dans une autre. Motif musical encastré dans un développement.*

Spécialt et absolt. (Meuble) conçu pour être encastré. *Armoire encastrée. Four encastré. Appareils* (ménagers) *encastrés* (→ **Encastrable**). — *Baignoire encastrée* (dans un massif rectangulaire, généralement orné de carreaux de faïence).

4   Le signe baignoire *(dans le guide touristique)* a la forme des baignoires d'il y a trente ans, et la gardera sans doute, parce que la généralisation des baignoires encastrées ne fait pas plus lisible l'idéogramme qui la représenterait rectangulaire.   ARAGON, Blanche..., III, II, p. 384.

DÉR. Encastrable, encastrement.

ENCAUSTIQUAGE [ãkostikaʒ] n. m. — 1907; de *encaustiquer.*

Action d'encaustiquer; son résultat. *Un encaustiquage reluisant.*

ENCAUSTIQUE [ãkostik] n. f. — 1515; mais rare jusqu'au XVIIIᵉ; lat. *encaustica* «art de peindre à l'encaustique», grec *enkaustikê (tekhnê)*, même sens, du v. *enkalein* «faire brûler dans; peindre à la cire fondue».

♦ 1 Techn. (arts). Procédé de peinture où l'on employait des couleurs délayées dans de la cire fondue que l'on chauffait avant de s'en servir. *Peinture à l'encaustique.*

♦ 2 (1845). Mélange de cire et d'essence de térébenthine qu'on utilise pour entretenir et faire reluire les meubles, les parquets. → **Cire.** *Encaustique jaune, rouge. Passer à l'encaustique* (→ par plais. Boucané, cit. 3).

Une odeur d'encaustique monte du parquet luisant et les ravit.   SAINT-EXUPÉRY, Courrier Sud, I, IV, p. 37.

Techn. Préparation dont on imprègne les statues de marbre ou de plâtre.

Adj. Vx. *Préparation encaustique.*

DÉR. Encaustiquer.

ENCAUSTIQUER [ãkostike] v. tr. — 1864; de *encaustique.*

Passer à l'encaustique. → **Cirer.** *Encaustiquer un meuble. Frotteur qui encaustique et fait briller les parquets.* — Au p. p. *Parquet encaustiqué. Pièce encaustiquée.*

DÉR. Encaustiquage.

ENCAVAGE [ãkavaʒ] n. m. — 1636; de *encaver.*

Régional (Suisse). Action de mettre en cave des aliments pour les y conserver. *Fromages, légumes d'encavage.*

Spécialt. Action d'amener le vin à maturité dans une cave. — Par ext. *Vin mis en cave.*

ENCAVEMENT [ãkavmã] n. m. — 1635; de *encaver.*

Techn. Action d'encaver. *L'encavement de bonnes bouteilles.* → aussi **Encavage.**

ENCAVER [ãkave] v. tr. — 1295, *enquaver*; de en-, et *1. cave.*

Mettre en cave. *Encaver du vin.*

(1668). Par plais. Enfermer dans une cave.

(...) Ils sont, sur ma parole,
L'un et l'autre encavés (...)
      RACINE, les Plaideurs, II, 11.

DÉR. Encavage, encavement, encaveur.

ENCAVEUR [ãkavœr] n. m. — 1571; de *encaver.*

Personne dont le métier est d'encaver les vins. — (1592, *in* D.D.L.). Régional (Suisse). Personne, société qui encave et élève sa production. → **Éleveur.** *Vigneron-encaveur.* — REM. Le fém. *encaveuse* est virtuel.

1. ENCEINDRE [ãsɛ̃dr] v. tr. [CONJUG.: *ceindre.*] — XIIIᵉ; lat. *incingere*, de *in* «en», et *cingere.* → Ceindre.

Rare. Entourer d'une enceinte*. → **Ceindre, ceinturer, enclore, enfermer, entourer.** *Enceindre une ville de murailles, de fortifications.*

(...) elle *(la ville)* serait seulement *enceinte* de l'armée, et 1 plutôt investie qu'assiégée dans les formes (...)
      BOSSUET, Hist. universelle, II, 22.

(Sujet n. de chose). Entourer, fermer une enceinte autour de (un lieu).

(...) regardez ces quatre arbres, Thérèse, regardez le ter- 2 rain qu'ils enceignent (...)   SADE, Justine..., t. I, p. 70.

♦ **ENCEINT, EINTE** p. p. adj. *Ville enceinte de murailles.* — Absolt (vx et rare en raison de l'homonymie avec *2. enceinte*). *Ville enceinte.*

DÉR. 1. Enceinte. ◇ HOM. 2. Enceindre; (du p. p. fém.). **1. enceinte, 2. enceinte.**

2. ENCEINDRE [ãsɛ̃dr] v. tr. — XXᵉ; de *2. enceinte,* d'après *1. enceindre.*

Rare. Rendre (une femme) enceinte. → **Enceinter.**

Elle ne va pas tomber pour un maître-nageur. Le préposé ne va pas l'enceindre, on dit comme ça?
      ARAGON, Blanche..., I, I, p. 14.

HOM. 1. Enceindre.

1. ENCEINT [ãsɛ̃] adj. masc. → **1. Enceindre.**

2. ENCEINT [ãsɛ̃] adj. masc. → **2. Enceinte**, *infra* cit. 4.

1. ENCEINTE [ãsɛ̃t] n. f. — 1284; p. p. fém. subst. de *1. enceindre.*

♦ 1 Ce qui entoure un espace à la manière d'une clôture et en défend l'accès. → **Ceinture, clôture.** *Enceinte de murailles, de fossés, de haies. Mur d'enceinte. Enceinte de pieux, de branchages.* → **Claie, clayonnage, palis, palissade; bordigue.** *Double, triple enceinte. Enceintes concentriques* (cit.). *Enceinte continue d'un château*, d'une place forte* : les fortifications, les remparts. *Enceinte d'une ville.* → **Barrière**, I, 2. (→ Cité, cit. 9). *Entourer d'une enceinte.* → **1. Enceindre.** *Autour de l'enceinte.* → **Périmètre.** *Hors de l'enceinte* (extra-muros), *à l'intérieur de l'enceinte* (intra-muros). *Une enceinte de gradins, de roches* (→ Borner, cit. 21).

(...) dans les bases, des pierres cyclopéennes, vestiges 1 encore debout des enceintes de Salomon (...)
      LOTI, Jérusalem, VIII, p. 87.

Un mur d'enceinte, large de vingt-cinq mètres, hérissé, 2 tous les dix-huit, d'une tour cavalière, lui faisait *(à Baby-lone)* une cuirasse inviolable (...)
      DANIEL-ROPS, le Peuple de la Bible, IV, 1, p. 265.

♦ 2 (1611). L'espace ainsi entouré. *Le bûcheron est maître dans l'enceinte de sa chaumière.* → **Habitation, pourpris** (vx). *Animaux vivant dans l'enceinte d'un parc, d'un jardin.* → **Enclos.** — *Être déporté dans une enceinte fortifiée* (→ Attentat, cit. 9). *Enceinte destinée aux jeux publics.* → **Amphithéâtre, arène, champ, cirque, stade.** *Pénétrer dans l'enceinte du pesage. Enceinte réservée aux personnes officielles,* dans une fête, une cérémonie.

L'amour des nouveautés, le faux zèle, la crainte, 3
De la Mecque alarmée ont désolé l'enceinte (...)
      VOLTAIRE, Mahomet, I, 1.

Absolt. Salle plus ou moins vaste et fermée. *L'enceinte d'un tribunal. Sa parole remplissait l'enceinte. Chapelles, autels particuliers dans l'enceinte d'une église. L'enceinte la plus sacrée du temple de Salomon.* → **Saint** (des Saints).

4 Cétait une assez vaste enceinte, à peine éclairée, tantôt pleine de rumeurs, tantôt pleine de silence, où tout l'appareil d'un procès criminel se développait avec sa gravité mesquine et lugubre au milieu de la foule.
HUGO, les Misérables, I, VII, IX.

Chasse. Partie du bois où est cerné le gibier pourchassé.

Fig. et vx. Domaine.

5 Je veux lui faire voir là-dedans *(dans un ciron)* un abîme nouveau. Je lui veux peindre non seulement l'univers visible, mais l'immensité qu'on peut concevoir de la nature, dans l'enceinte de ce raccourci d'atome.
PASCAL, Pensées, II, 72.

6 Je me représente la vaste enceinte des sciences, comme un grand terrain parsemé de places obscures et de places éclairées.
DIDEROT, De l'interprétation de la nature, n° 14.

♦ **3** (V. 1960). *Enceinte, enceinte acoustique* : dans une chaîne* de reproduction sonore, Ensemble de plusieurs haut-parleurs et d'un filtre de coupure, incorporés (→ l'anglic. **Baffle**).

7 Écoutez : une bonne enceinte, sur mono, vaut de six cent mille au million. En stéréo, comptez deux millions.
S. DE BEAUVOIR, les Belles Images, p. 14 (1966).

Techn. *Enceinte de confinement**, autour d'un réacteur nucléaire.

HOM. 2. **Enceinte** ; p. p. fém. de 1. **enceindre**, 2. **enceindre**.

---

2. ENCEINTE [ãsɛ̃t] adj. f. — V. 1165 ; du bas lat. *incincta* «entourée d'une ceinture» ; lat. class. *incingere* «ceindre, se ceindre». → 1. **Enceindre**.

Qui est en état de grossesse. → **Gros** (grosse), **prégnant** (prégnante). *Être enceinte.* → Attendre* un enfant, un heureux événement, être dans un état (une situation) intéressant(e)*, et, régional, attendre famille*, de la famille, être en espoir de famille... ; fam. avoir le ballon*, être en cloque*, avoir avalé un pépin*, avoir un polichinelle* dans le tiroir. *Rendre une femme enceinte.* → **Engrosser** ; 2. **enceindre, enceinter** ; → fam. Mettre en cloque*. *Elle est enceinte pour la seconde fois. Être enceinte de trois mois* : être à la fin du troisième mois de sa grossesse. *Elle est enceinte de six mois et demi.* Fam. *Elle est enceinte jusqu'au cou, jusqu'aux yeux, jusque-là* : elle approche du terme de sa grossesse. — *Priorité réservée aux femmes enceintes. Législation en faveur des femmes enceintes. Elle était enceinte mais elle a avorté, elle a eu une interruption de grossesse. Quand elle était enceinte* : avant son accouchement. *Magasin de vêtements pour femmes enceintes.*

(Avec un compl. n. de personne). **a** *Elle est enceinte de deux jumeaux. Quand elle était enceinte de sa première fille.*

b *Elle est enceinte de son mari, de son amant.* Vx ou plais. *Elle est enceinte des œuvres** de *(son mari,* etc.).

1 Nous étions, Scipion et moi, des maris trop galants et trop chéris de nos femmes pour n'avoir pas bientôt la satisfaction d'être pères ; elles devinrent enceintes presque en même temps. Béatrix accoucha la première, mit au monde une fille ; et, peu de jours après, Antonia nous combla tous de joie, en me donnant un fils.
A. R. LESAGE, Gil Blas, XI, I.

2 *(Il)* refusa même de lui assurer une subsistance pour un enfant dont il l'avait laissée enceinte.
BERNARDIN DE SAINT-PIERRE, Paul et Virginie, p. 16.

3 Elle était largement et pleinement enceinte et elle avait serré sa robe blanche dessus et dessous son ventre pour

le faire bien ressortir.
J. GIONO, Jean le Bleu, VIII, p. 253.

Un jour elle eut le culot de m'annoncer qu'elle était enceinte, et cela de quatre ou cinq mois, de mes œuvres. Elle se mit de profil et m'invita à regarder son ventre. Elle se déshabilla même, sans doute pour me prouver qu'elle ne cachait pas un coussin sous sa jupe, et puis évidemment pour le pur plaisir de se déshabiller. C'est peut-être un simple ballonnement, dis-je, pour la réconforter (...) Regardez, dit-elle, se courbant sur ses seins, l'auréole *(sic)* fonce déjà. Je rassemblai mes dernières forces et lui dis, Avortez, avortez, comme ça elle ne foncera plus.
S. BECKETT, Premier amour, p. 52.

Par métaphore (littér.). «*Barcelone était enceinte de tous les rêves de sa vie*» (Malraux, *l'Espoir*).

REM. On emploie parfois la forme masculine *enceint* (*ventre enceint*, en anc. franç.).

Mais une autre leçon de l'homme enceint apparaît (...) A partir du XIe siècle, une iconographie inédite représente la naissance d'Ève en s'inspirant du texte de la Genèse. Elle le fait de façon très réaliste, sous la forme d'un accouchement masculin. Contemporaine d'une nouvelle théologie du mariage (...) elle rappelle visuellement l'antériorité d'Adam dans l'ordre de la création et les droits imprescriptibles de l'homme sur la femme. Elle détourne aussi au profit d'un homme le premier pouvoir social de la femme : celui de donner la vie.
Jacques REVEL, *in* le Nouvel Observateur, n° 1013, 6 avr. 1984, p. 86.

Ce sont les hommes qui veulent être des femmes, c'est bien connu... Qui ne pensent qu'à être enceints... Qui rêvent de sentir l'infinie réserve de la gestation, les jouissances ineffables de l'accouchement...
Ph. SOLLERS, Femmes, p. 50.

Par comparaison :

(...) le Père *Sagoma* qui volait les enfants, leur jetant un capuchon sur la figure et les ligotant comme saucisson, les fourrant dans son bissac, sous sa robe, qu'il en paraissait enceint, le cochon !
B. CENDRARS, Bourlinguer, p. 155.

Par métaphore :

J'étais enceint d'un sentiment qui pouvait, sans que je m'en étonne, me faire accoucher dans quelques jours d'un être étrange, mais viable, beau à coup sûr (...)
J. GENET, Pompes funèbres, p. 21.

En quoi les menstrues sont-elles considérées comme honteuses : parce qu'elles prouvent que l'on n'est pas enceint (de quelque œuvre).
Oui, mais, en même temps, elles prouvent que l'on est encore capable d'être enceint. De produire, d'engendrer.
Francis PONGE, le Parti pris des choses, p. 203.

DÉR. 2. **Enceindre, enceinter**. ◊ **HOM**. 1. **Enceinte** ; p. p. fém. de 1. **enceindre**, 2. **enceindre**.

ENCEINTER [ãsɛ̃te] v. tr. — XIIIe ; de 2. *enceinte*.

Fam. et rare. Rendre (une femme) enceinte ; faire un enfant à (une femme). → 2. **Enceindre**.

REM. Le mot est courant et non familier en français d'Afrique.

Par métaphore. Fertiliser (une chose).

Planter, c'est enceinter la terre ; ensuite il faut rester immobile, épier.
SARTRE, Situations III, p. 265.

ENCELLULEMENT [ãselylmã] n. m. — 1846 ; *encelluler*.

Rare. Action d'encelluler ; son résultat.

ENCELLULER [ãselyle] v. tr. — 1846 ; de *en-*, et *cellule*.
Rare. Mettre en cellule. → **Emprisonner, incarcérer**.

♦ **ENCELLULÉ, ÉE** p. p. adj.
Qui est en cellule.

Je suis encellulée. Désintoxiquée de force. On me tend une main de bon aloi, on m'invite à franchir la passerelle des bontés (...)
A. SARRAZIN, la Cavale, p. 459.

DÉR. **Encellulement**.

ENCENS [ãsã] n. m. — V. 1135; lat. ecclés. *incensum*, proprt «ce qui est brûlé», de *incendere* «brûler».

◆ **1** Substance résineuse aromatique, de saveur âcre, qui brûle en répandant une odeur pénétrante. *Encens indien* ou *encens mâle :* l'oliban, provenant de la *botwellia*, plante d'Éthiopie. *Encens d'Arabie* ou *encens femelle*, provenant d'une espèce de genévrier. *Encens utilisé en médecine. Encens brûlé dans les cérémonies religieuses des Anciens, des Orientaux, de l'Église catholique. Offrir de l'encens à la divinité. Vase où est déposée la réserve d'encens.* → **Navette**. *Réchaud, vases où l'on brûle l'encens.* → **Brûle-parfum, cassolette** (cit. 2). *L'encens* (→ Autel, cit. 7). *Parfum de l'encens* (→ Chapelle, cit. 2).

1 (...) l'invention des encens et parfums aux églises, si ancienne et espandue *(répandue)* en toutes nations et religions, regarde à cela de nous réjouir, éveiller et purifier le sens pour nous rendre plus propres à la contemplation.
MONTAIGNE, Essais, I, LV.

2 Mais j'ai fait trop d'injure à nos Dieux tout-puissants :
Choisis de leur donner ton sang ou de l'encens.
CORNEILLE, Polyeucte, V, 2.

3 Lecteur, as-tu quelquefois respiré
Avec ivresse et lente gourmandise
Ce grain d'encens qui remplit une église (...)
BAUDELAIRE, les Fleurs du mal, XXXVIII,
«Le parfum».

4 En même temps, des odeurs de baume et d'encens; on brûlait des baguettes dans un réchaud, et une fumée alanguissante se répandait comme un nuage bleu.
LOTI, Mon frère Yves, XXV, p. 81.

5 C'est de l'encens, mais pas de l'encens vulgaire, de l'encens de boutique. C'est de l'encens indien, de l'encens mâle, de l'oliban, cueilli au pays des rois, chez le dernier héritier de Salomon. Là-dedans tu ne trouverais pas une miette de sandaraque ou de résine de pin.
H. BOSCO, l'Âne Culotte, p. 61.

Littér. *Parfum, odeur suave; fumée odorante ou comparée à celle de l'encens.*

6 Non, le jour rayonnait dans un azur sans bornes
Sur la terre étendu,
L'air était plein d'encens et les prés de verdures.
HUGO, les Rayons et les Ombres, XXXIV.

7 À travers l'encens bleu des horizons pâlis.
MALLARMÉ, Poésies, «Les fleurs», Pl., p. 34.

◆ **2** (XVIIᵉ). Par métaphore ou fig. **Littér.** *Témoignages d'admiration, flatteries ou louanges excessives.* → **Compliment, éloge, hommage; encenser**. *Donner de l'encens à qqn. Respirer avec volupté l'encens des flatteries. Un grain d'encens :* un peu de flatterie. *L'encens l'a grisé.*

8 Iris, je vous louerais, il n'est que trop aisé,
Mais vous avez cent fois notre encens refusé.
LA FONTAINE, Fables, IX, 20.

9 Au reste, j'interpelle tous ceux qui m'ont vu durant cette époque, s'ils se sont jamais aperçus que cet éclat m'ait un instant ébloui, que la vapeur de cet encens m'ait porté à la tête (...)
ROUSSEAU, les Confessions, X.

10 Lettres de femmes, pour la plupart, les unes signées, les autres non, apportant à l'écrivain l'encens des gentilles adorations intellectuelles.
LOTI, les Désenchantées, I, I, p. 9.

DÉR. Encenser, encensier.

ENCENSEMENT [ãsãsmã] n. m. — V. 1215; de *encenser*.

◆ **1** *Action d'encenser* (qqch., qqn).

1 Et l'encensement commença avec des aromates (résine, charbons, nard, galbanum, encens, etc.) composés selon l'art du parfumeur dans une cuve d'airain.
Jean CAYROL, Histoire d'un désert, p. 216.

◆ **2** Fig. *Le fait de flatter, d'encenser* (2.) qqn.

2 Il lui fallait seulement autour d'elle l'admiration de tous, des hommages, des agenouillements, un encensement de tendresse.
MAUPASSANT, Notre cœur, I, II, p. 39.

ENCENSER [ãsãse] v. tr. — 1080; de *encens*.

◆ **1** *Honorer* (qqch., qqn) *en brûlant de l'encens, en agitant l'encensoir. Encenser un autel. Prêtre qui encense un cercueil* (→ Catafalque, cit. 1). — **Absolt**. *Agiter l'encensoir.*

1 (...) on nous apprenait à servir la messe du grand et du petit côté, à chanter les antiennes, à faire des génuflexions, à encenser élégamment, ce qui est très difficile.
Alphonse DAUDET, le Petit Chose, I, II.

◆ **2** (XVIIᵉ). Fig. *Honorer* (qqn, qqch.) *d'une sorte de culte, d'hommages excessifs. Encenser le veau d'or* (→ Debout, cit. 19).

2 Ma fantaisie et ma paresse, les seuls dieux dont j'aie jamais encensé les autels (...)
MUSSET, Comédies et Proverbes,
«La nuit vénitienne», I, 2.

Accabler (qqn) *de louanges et de flatteries.* → **Flagorner, flatter; louer**. *Encenser un personnage influent. Les courtisans qui vous encensent* (→ Adorateur, cit. 3).

Par ext. *Encenser les défauts de quelqu'un* (→ Applaudir, cit. 6). *Encenser le pouvoir.*

3 Autre part que chez moi cherchez qui vous encense.
MOLIÈRE, le Misanthrope, I, 2.

◆ **3** Par anal. du mouvement de l'encensoir. *Cheval qui encense :* cheval qui fait avec sa tête un mouvement de bas en haut.

4 Je savais que le petit cheval, martingalé, essayait en vain d'encenser et détendait sans cesse une jambe de devant, avec un geste ataxique.
COLETTE, la Paix chez les bêtes, p. 74.

DÉR. Encensement, encenseur, encensoir.

ENCENSEUR, EUSE [ãsãsœʀ, øz] n. — 1372; de *encenser*.

Rare. *Personne chargée de l'encensoir.* → **Thuriféraire**. *«Deux encenseurs se retournaient à chaque pas vers le saint sacrement»* (Flaubert).

(1690). Fig., vx (correspond à *encenser*, 2.). *Flatteur.*

Jules Isaac, compagnon de Péguy, a aujourd'hui quatre-vingts ans. J'en demande mille pardons à tous les encenseurs de notre sainte jeunesse!
F. MAURIAC, le Nouveau Bloc-notes 1958-1960,
p. 195.

ENCENSIER [ãsãsje] n. m. — 1842; *incensaire*, 1544, in D.D.L.; de *encens*.

Romarin officinal.

ENCENSOIR [ãsãswaʀ] n. m. — 1388; de *encenser*.

◆ **1** *Cassolette suspendue à des chaînettes dans laquelle on brûle l'encens (notamment dans les cérémonies religieuses). Encensoir de cuivre, d'argent. Clerc qui tient l'encensoir.* → **Thuriféraire**. *Balancer l'encensoir devant les personnes, les choses que l'on encense.*

1 Les fabriciens, les chantres, les enfants se rangèrent sur les trois côtés de la cour. Le prêtre gravit lentement les marches, et posa sur la dentelle son grand soleil d'or qui rayonnait. Tous s'agenouillèrent. Il se fit un grand silence. Et les encensoirs, allant à pleine volée, glissaient sur leurs chaînettes.
FLAUBERT, Trois contes, «Un cœur simple», V.

2 Voici venir les temps où vibrant sur sa tige
Chaque fleur s'évapore ainsi qu'un encensoir;
Les sons et les parfums tournent dans l'air du soir (...)
BAUDELAIRE, Spleen et Idéal, XLVII,
«Harmonie du soir».

Fig. *Le ministère sacerdotal.*

3 Il *(Pierre le Grand)* ne touchait point à l'encensoir, mais il dirigeait les mains qui le portaient.
VOLTAIRE, Hist. de l'Empire de Russie, I, 10.

♦ 2 Loc. fig. (1680). *Manier, prendre l'encensoir :* louer excessivement (→ Âne, cit. 15). → Manier la brosse* à reluire **(fam.).**

(1798). **Fam. et vieilli.** *Donner de l'encensoir par le nez, au travers du visage à qqn ; casser l'encensoir sur le nez de qqn :* faire sa louange en sa présence de manière outrée, maladroite ou volontairement exagérée.

4 Le bonhomme ne sentit point que je lui donnais de l'encensoir par le nez ; au contraire, il s'applaudit de mes paroles : tant il est vrai qu'un flatteur peut tout risquer avec les grands ! ils se prêtent jusqu'aux flatteries les plus outrées. A. R. LESAGE, *Gil Blas,* IV, VII.

(1834, Landais). *Coup d'encensoir :* flatterie outrée.

ENCÉPAGEMENT [ãsepaʒmã] n. m. — 1922 ; de *en-, cépage,* et suff. *-ment.*

Agric. Cépages qui composent un vignoble.

L'originalité, la diversité et la richesse de l'encépagement du vignoble français sont le reflet des conditions géographiques, climatiques et historiques qui ont présidé à sa genèse.
Louis LEVADOUX, *la Vigne et sa culture,* p. 34.

ENCÉPHAL-, ENCÉPHALO- Élément de comp. didact. (anat., méd.), du grec *egkephalos* «cerveau» (→ Encéphale). Voir les suivants et, **par ex.,** *encéphalomyocardite,* n. f. «maladie virale associant des troubles du système nerveux central et du myocarde (dans certaines espèces animales)».

ENCÉPHALALGIE [ãsefalalʒi] n. f. — 1856 ; de *encéphal-,* et *-algie.*

Rare. Douleur de tête très forte. → Céphalalgie, céphalée. *L'encéphalalgie dans la syphilis cérébrale.*

ENCÉPHALE [ãsefal] n. m. et adj. — 1700, au sens I ; grec *egkephalos* «cerveau», littéral «ce qui est dans (en-) la tête (kephalê)». → *-céphale,* céphal(o)-.

I Adj. Vx. Qui prend naissance dans la tête. *Vers encéphales.* — N. *Les encéphales.*

II N. m. (1755). **Mod. Anat.** Ensemble des centres nerveux contenus dans la cavité crânienne, comprenant le cerveau, le cervelet* et le tronc cérébral (bulbe* rachidien, protubérance* annulaire et mésencéphale*). → **Cerveau.** *Isthme de l'encéphale,* qui réunit le cerveau et le cervelet au bulbe rachidien. *Le liquide céphalo-rachidien* remplit les cavités ou ventricules de l'encéphale.*

1 Le cerveau, le bulbe et le cervelet logés dans la boîte crânienne, font partie de ce qu'on appelle l'encéphale, qui constitue avec la moelle le système nerveux central (...) De l'encéphale se détachent les douze paires de nerfs crâniens destinés à la face et aux organes des sens (...)
P. VALLERY-RADOT, *Notre corps,* p. 109.

Fam. et plais. Cerveau (dans quelques expressions).

2 Mais l'autre jour qu'elle me galopait sur l'encéphale avec ses vers libres, je lui ai demandé de m'en réciter.
M. AYMÉ, *Maison basse,* p. 121.

DÉR. (Du sens II) Encéphalique, encéphalisation, encéphalite, encéphalose. ◊ **COMP.** Anencéphale, diencéphale, mésencéphale, métencéphale, myélencéphale, prosencéphale, rhombencéphale, télencéphale. Électro-encéphalogramme, électro-encéphalographie. V. Néencéphale.

ENCÉPHALINE [ãsefalin] n. f. → **Enképhaline.**

ENCÉPHALIQUE [ãsefalik] adj. — 1771 ; de *encéphale.*

Anat. Qui appartient à l'encéphale. *La cavité encéphalique.* — Qui concerne l'encéphale. *Lésion encéphalique.*

Mais ne remue pas tes membres ; tu es encore aujourd'hui sous notre magnétique pouvoir, et l'atonie encéphalique persiste : c'est pour la dernière fois.
LAUTRÉAMONT, *les Chants de Maldoror,* p. 212.

ENCÉPHALISATION [ãsefalizasjɔ̃] n. f. — Mil. XXᵉ ; du rad. de *encéphale.*

Biol. Développement du cerveau chez l'embryon.

ENCÉPHALITE [ãsefalit] n. f. — 1803 ; de *encéphale.*

Méd. Inflammation de l'encéphale, touchant spécialement la substance grise *(polioencéphalite)* ou la substance blanche *(leucoencéphalite).* — (1928, Netter). *Encéphalite léthargique :* maladie infectieuse et épidémique grave, d'origine virale, caractérisée par la somnolence et divers troubles nerveux.

Lorsque le virus de l'encéphalite léthargique attaque les noyaux centraux, il détermine des troubles profonds de la personnalité... En somme, les manifestations de la vie mentale sont solidaires de l'état de l'encéphale.
Alexis CARREL, *l'Homme, cet inconnu,* p. 166.

REM. Le mot entre dans plusieurs composés (avec ou sans trait d'union) : *méningoencéphalite* (n. f.) : inflammation de l'encéphale et des méninges, *leucoencéphalite, polioencéphalite* (→ ci-dessus).

ENCÉPHALO- → **Encéphal-.**

ENCÉPHALOGRAMME [ãsefalɔgʀam] n. m. → **Électro-encéphalogramme.**

ENCÉPHALOGRAPHIE [ãsefalɔgʀafi] n. f. — 1927 ; de *encéphalo-,* et *(radio)graphie.*

Méd. Exploration radiographique de l'encéphale.
Encéphalographie gazeuse : examen des ventricules cérébraux par injection de gaz dans les régions sous-occipitale ou lombaire.

ENCÉPHALOMYÉLITE [ãsefalomjelit] n. f. — 1971 ; de *encéphalo-,* et *myélite.*

Méd. Inflammation du cerveau et de la moelle épinière. — **REM.** On écrit aussi *encéphalo-myélite.*

ENCÉPHALOPATHIE [ãsefalopati] n. f. — 1839 ; de *encéphalo-,* et *-pathie.*

Méd. Affection du cerveau, de nature non inflammatoire (à la différence de l'encéphalite*). *Les affections dégénératives et les lésions cérébrales qui compliquent certaines intoxications sont des encéphalopathies.* — *Encéphalopathie spongiforme bovine,* à l'origine d'une épizootie très grave survenue dans la 2ᵉ moitié des années 1990. → **ESB** → maladie de la vache folle.

ENCÉPHALOSE [ãsefaloz] n. f. — Mil. XXᵉ (in *Grand Larousse encycl.*) ; de *encéphale,* et 2. *-ose.*

Méd. Affection cérébrale (surtout de nature dégénérative).

ENCERCLEMENT [ãsɛʀkləmã] n. m. — 1909, pour traduire l'all. *Einkreisung* ; «fait d'entourer», 1579 ; de *encercler.*

Action d'encercler, fait d'être encerclé (diplomatiquement ou militairement). *L'encerclement de l'ennemi* (→ Communiqué, cit.), *par l'ennemi. L'encerclement d'un pays par un réseau d'alliances. Rompre l'encerclement* (→ Chiper, cit. 3). *Des encerclements menaçants.*

L'ennemi est d'ores et déjà *coupé de Vienne.* Il ne s'agit plus que de resserrer l'étreinte (...) Napoléon s'installait de sa personne à Augsbourg, pour diriger l'opération d'encerclement par le Sud-Est; déjà, de ce fait, Mack se trouvait dans la position de Mélas la veille de Marengo. Il n'avait plus qu'une voie possible de retraite, au Sud, vers le Tyrol; il fallait lui fermer cette voie encore à Memmingen (...)
     Louis MADELIN, Hist. du Consulat et de l'Empire, Avènement de l'Empire, XXII, p. 277.

ENCERCLER [ãsɛrkle] v. tr. — 1160, «entourer d'un cercle»; repris déb. xxᵉ (1914), pour traduire l'all. *einkreisen;* de *en-, cercle,* et suff. verbal.

♦ **1** Rare. Entourer d'un cercle*. *Encercler un tonneau.* → **Cercler.** — *Encercler un dessin, une gravure dans un filet d'or.* → **Entourer.** — **(Le sujet désigne ce qui entoure) :**

1 Des narcisses! voilà bien leur petite couronne d'or qui encercle un anneau de rubis.
     Mᵐᵉ DE GASPARIN, Voyages, Bande du Jura, I, *in* LITTRÉ, *Supplément.*

♦ **2** (Déb. xxᵉ). Cour. Enfermer, emprisonner dans un cercle* d'alliances (un pays qui se juge menacé).

2 Ainsi fut achevée «la Triple entente» qui apparut comme un contrepoids à la Triple Alliance. Elle donna à l'Allemagne l'impression d'être «encerclée» par les autres puissances (...)
     Ch. SEIGNOBOS, Essai d'une hist. comparée des peuples..., XIX, p. 410.
3 (...) l'Allemagne commercialement encerclée, et qui se cherche des expansions nouvelles (...)
     MARTIN DU GARD, les Thibault, t. V, p. 125.

Cerner de toutes parts à la suite de manœuvres d'enveloppement. *Encercler l'ennemi.*

4 (...) Mack étant encerclé dans Ulm, le cabinet autrichien en étant encore à croire que l'armée russe de Kutusof, venant à la rescousse, allait marcher sur le Rhin (...)
     Louis MADELIN, Hist. du Consulat et de l'Empire, Avènement de l'Empire, XXII, p. 281.

◆ **ENCERCLÉ, ÉE** p. p. adj. *Troupes encerclées* (→ ci-dessus, cit. 3).

CONTR. Dégager, rompre (le cercle). ◊ **DÉR.** Encerclement.

ENCHAÎNÉ, ÉE [ãʃene] adj. → **Enchaîner.**

ENCHAÎNEMENT [ãʃɛnmã] n. m. — 1611; «chaîne», 1396; de *enchaîner.*

♦ **1** (1864). Action d'enchaîner* (qqn); état de personnes enchaînées. *L'enchaînement des forçats.*
Fig. État d'une personne enchaînée. → **Assujettissement, chaîne.** *Il n'est pire enchaînement que celui qui laisse une apparence de liberté.*

♦ **2** (Av. 1678). Série* de choses enchaînées ou qui sont entre elles dans un certain rapport de dépendance*. → **Chaîne, succession, suite, train.** *L'enchaînement des vertèbres.* — Temporel. *L'enchaînement des heures, des jours, des saisons.* → **Cours.** — *L'enchaînement des faits, des événements, des circonstances, des calamités.* → **Destin** (→ Avis, cit. 19; certain, cit. 6; désoler, cit. 4).

1 (...) vous verrez aussi l'enchaînement des affaires humaines, et par là vous connaîtrez avec combien de réflexion et de prévoyance elles doivent être gouvernées.
     BOSSUET, Hist. universelle, Avant-propos.

Spécialt. Suite de pas de danse (→ Coupé, cit. 4; danseur, cit. 4).

Mus. Juxtaposition d'accords musicaux successifs selon les lois harmoniques.

♦ **3** (Av. 1662). Caractère lié, rapport de successivité (entre des éléments). → **Liaison, suite.** *Un enchaînement de belles actions, de nobles occupations.* → **Chaîne, tissu.** *L'enchaînement des causes* (cit. 7) *et des effets.* → **Déterminisme.** — *L'enchaînement des idées.* → **Association, filiation.** *Enchaînement logique de vérités.* → **Connexion** (→ Chaîne, cit. 28; élaboration, cit. 4). — (Sans compl.). *Déduire qqch. par enchaînement. Par voie d'enchaînement.* → **Conséquence.** — *L'enchaînement des sens d'un mot* (→ Élargissement, cit. 4). *Enchaînement des mots dans une phrase.* → **Agencement.** *Discours qui manque d'enchaînement,* d'ordre.

2 Je m'applique à bien développer partout les premières causes pour faire sentir l'enchaînement des effets.
     ROUSSEAU, les Confessions, IV.
3 Ce à quoi Buffon tenait avant tout en écrivant, c'était la suite, au lien du discours, à son enchaînement continu. Il ne pouvait souffrir ce qui était haché, saccadé (...)
     SAINTE-BEUVE, Causeries du lundi, 21 juil. 1851.
4 (...) Mariolle s'agitait, entraîné comme un homme qui glisse sur une pente par l'enchaînement de ses suppositions.
     MAUPASSANT, Notre cœur, II, IV, p. 157.
5 Plus on remonte haut, plus on a de chance de trouver le sens premier, et, par lui, l'enchaînement des significations.
     LITTRÉ, Dictionnaire, Préface, p. 17.
6 (...) la longue suite des effets et l'enchaînement des conséquences.
     F. MAURIAC, le Nœud de vipères, V, p. 62.
7 L'ensemble, l'enchaînement seuls comptent pour lui *(l'Indien).* Et le sujet importe peu. Qu'il s'agisse de livres de religion ou de traités de l'amour, toujours des 20-30 propositions avec réenchaînements partiels.
     Henri MICHAUX, Un barbare en Asie, p. 33.

ENCHAÎNER [ãʃene] v. tr. — 1080; de *en-, chaîne,* et suff. verbal.

♦ **1** Attacher (qqn, qqch.) avec une chaîne*, des chaînes. → **Attacher, lier; charger** (de chaînes...). *Enchaîner un chien méchant. Enchaîner un esclave, un prisonnier. Les captifs étaient enchaînés au char du triomphateur.* → **Atteler** (cit. 3). *Jupiter fit enchaîner Prométhée sur un sommet du Caucase.*

1 (...) mon oncle levait les épaules quand il lisait dans Rollin que Xerxès avait fait donner trois cents coups de fouet à la mer; qu'il avait fait jeter dans l'Hellespont une paire de menottes pour l'enchaîner (...)
     VOLTAIRE, Défense de mon oncle, IX.

Par anal. *Lianes qui enchaînent des arbres déracinés* (→ Cimenter, cit. 2).

♦ **2** (1640). Par métaphore ou fig. Asservir, mettre sous une dépendance (sujet n. de personne ou d'abstraction). → **Assujettir, soumettre, subjuguer.** *Enchaîner un peuple, la liberté. Enchaîner la presse.* → **Museler.** *Enchaîner les forces de la nature.* → **Dompter, maîtriser.** *Enchaîner les mauvais instincts* → **Bête,** cit. 23; caractère, cit. 41). → **Contenir, contraindre, dominer.** *Enchaîner qqn à une discipline, à un travail.* → **Astreindre, plier** (à). *Enchaîner qqn à sa promesse. Enchaîner sa destinée, sa vie à celle de qqn.* → **Lier, unir** (à). — Spécialt (surtout dans la langue classique). Soumettre à son pouvoir, en matière amoureuse. *Enchaîner tous les cœurs.* → **Captiver** (vx). — Vx. *Enchaîner qqn* (amoureusement). → ci-dessus, cit. 9. Mod. (passif ou p. p.). *Des êtres enchaînés l'un à l'autre* (→ ci-dessous, cit. 2, 3).

2 Mais par sa destinée on se trouve enchaîné (...)
     MOLIÈRE, Mélicerte, I, 5.
3 Un prétexte à briser les nœuds d'un hyménée
Qui me tient à vous enchaînée.
     MOLIÈRE, Amphitryon, II, 2.
4 Le Roi, jusqu'à ce jour, ignore qui je suis.
Celui par qui le ciel règle ma destinée

Sur ce secret encor tient ma langue enchaînée.
RACINE, Esther, I, 1.

5   Nous gémissons quand on lie nos mains, et nous portons sans peine ces fers invisibles dans lesquels nos cœurs sont enchaînés.   BOSSUET, Sermon, Ambition, I.

6   L'inclination nous enchaîne et nous jette dans une prison ; l'habitude nous y enferme (...)
BOSSUET, 4ᵉ Sermon, 1ᵉʳ dimanche de carême, 2.

7   L'homme, en ses passions toujours errant, sans guide,
A besoin qu'on lui mette et le mors et la bride :
Son pouvoir malheureux ne sert qu'à le gêner ;
Pour le rendre libre, il le faut enchaîner.
BOILEAU, Satires, X.

8   Maudit soit le premier dont la verve insensée
Dans les bornes d'un vers renferma la pensée,
Et, donnant à ses mots une étroite prison,
Voulut avec la rime enchaîner la raison !
BOILEAU, Satires, II.

9   Je serais femme à vous enchaîner de nouveau, à vous faire oublier votre Présidente (...)
LACLOS, les Liaisons dangereuses, Lettre XX.

10   N'aurait-il pas été plus commode pour les Bourbons d'adopter en arrivant le gouvernement établi, un corps législatif muet, un sénat secret et esclave, une presse enchaînée ?
CHATEAUBRIAND, Mémoires d'outre-tombe, t. III, p. 299.

11   On ne peut enchaîner ensemble les volontés de deux êtres qu'en mutilant l'une d'elles, sinon toutes les deux (...)
R. ROLLAND, Jean-Christophe, X, p. 51.

(1690). Sujet n. de chose ; compl. n. de personne. Attacher, retenir en un lieu. *Les souvenirs qui nous enchaînent au sol natal.* → **Attacher.** *La destinée* (cit. 4) *nous enchaîne ici.* → **Fixer, immobiliser, maintenir, retenir, river.**

12   La patrie est aux lieux où l'âme est enchaînée.
VOLTAIRE, Mahomet, I, 2.

13   La fraîcheur de leurs lits, l'ombre qui les couronne,
M'enchaînent tout le jour sur le bord des ruisseaux (...)
LAMARTINE, Premières méditations, «Le vallon».

♦ **3** (1636). Compl. n. de chose. Unir par l'effet d'une succession naturelle ou le rapport de liens logiques. → **Allier, associer, coordonner, lier, relier.** *Enchaîner des idées, des mots, des propositions, des phrases, les parties d'un discours* (→ Alliance, cit. 14 ; bloc, cit. 7). — *Au passif* : → ci-dessous, cit. 14.

14   Les malheurs sont souvent enchaînés l'un à l'autre.
RACINE, Esther, III, 1.

15   Les lois générales enchaînent les uns aux autres les phénomènes qui semblent les plus disparates (...)
LAPLACE, Exposition du système du monde, IV, 14.

Enchaîner la conversation, la continuer, ne point la laisser s'interrompre.

Absolt. Théâtre. Reprendre la suite des répliques après une interruption. *On enchaîne !*

(Déb. XXᵉ). Passer d'une séquence à une autre, au cinéma.

♦ **S'ENCHAÎNER** v. pron.

♦ **1** Réfléchi. Se mettre soi-même à la chaîne. → **Attacher** (s').

16   Moi-même à votre char je me suis enchaînée.
RACINE, Iphigénie, II, 5.

Fig. et littér. *S'enchaîner à une dure besogne.* → **Atteler** (s'). *S'enchaîner à quelqu'un par les liens du mariage, d'une promesse.* → **Lier** (se).

♦ **2** Réciproque et passif. Être lié l'un à l'autre. *Les événements s'enchaînent les uns aux autres* (→ Décanter, cit. 2). *Ces idées s'enchaînent logiquement.* → **Associer** (s'), **découler, déduire** (se), **succéder** (se), **suivre** (se), **unir** (s'). *Le raisonnement s'enchaîne bien. Tout s'enchaîne.*

17   Ici-bas, la douleur à la douleur s'enchaîne,
Le jour succède au jour, et la peine à la peine.
LAMARTINE, Premières méditations, «L'homme».

♦ **ENCHAÎNÉ, ÉE** p. p. adj. *Captifs, esclaves* enchaînés. Forçats enchaînés les uns aux autres. Prométhée enchaîné. Prométhée mal enchaîné,* œuvre de Gide (1899). — *Ubu enchaîné,* œuvre de Jarry. — *Le Canard** (cit. 7) *enchaîné* (nom d'un journal satirique).

Par métaphore ou fig. (→ ci-dessus, cit. 2 à 5).

Mots enchaînés (dans une phrase). — *Réplique enchaînée* (au théâtre).

Cin. *Fondu* enchaîné.* — N. (1945). *Un enchaîné.*

CONTR. Déchaîner, désenchaîner. — Dégager, délivrer, détacher. ◊ **DÉR. Enchaînement. ◆ COMP. Désenchaîner, renchaîner.**

ENCHANTEMENT [ɑ̃ʃɑ̃tmɑ̃] n. m. — Déb. XIIᵉ ; de *enchanter.*

Action d'enchanter, résultat de cette action.

♦ **1** Opération magique consistant à enchanter, effet de cette opération. → **Charme, ensorcellement, envoûtement, incantation, sort, sortilège.** *Jeter, pratiquer, faire, défaire, détruire, rompre, briser un enchantement. Conjuration, talisman, pour se défendre des enchantements. Hallucination, illusion résultant d'un enchantement. L'enchantement du Vendredi saint,* scène du Parsifal de Wagner.

1   (...) les arbres et les plantes
Sont devenus chez moi créatures parlantes.
Qui ne prendrait ceci pour un enchantement ?
LA FONTAINE, Fables, II, 1.

2   (...) aimer est un mauvais sort comme ceux qu'il y a dans les contes contre quoi on ne peut rien jusqu'à ce que l'enchantement ait cessé.
PROUST, À la recherche du temps perdu, t. XIV, p. 20.

3   En ce temps-là, on appelait fées toutes les femmes qui s'entendaient aux enchantements (...) Elles savaient la vertu des paroles, des pierres et des herbes, et par là elles se maintenaient en jeunesse, beauté et richesse à leur volonté. Et tout cela fut établi au temps de Merlin (...)
J. BOULENGER, les Enfances de Lancelot du Lac, VII.

4   (...) c'était la fumée du pays défendu, où vivait un vieux magicien, un voyageur venu des îles, qui faisait par enchantement pousser les arbres et les fruits, qui captivait les bêtes, et à qui l'eau, le feu, le vent lui-même obéissaient.
H. BOSCO, le Jardin d'Hyacinthe, p. 214.

Loc. *Comme par enchantement :* d'une manière inattendue. → Comme par magie*. *Disparaître comme par enchantement* (→ Dextérité, cit. 3).

5   (...) sa parole donnait la vie, comme par enchantement, aux choses les plus étranges.
A. DE MUSSET, Comédies et Proverbes, Fantasio, II, 1.

6   (...) la tempête s'est bientôt éloignée, s'est évanouie comme par enchantement, après une petite ondée.
GIDE, Journal, 14 juin 1914.

♦ **2** (Mil. XVIᵉ). Charme irrésistible. *Les enchantements de la poésie, de l'amour. Ce spectacle est une succession d'enchantements, un véritable enchantement* (→ Une pure merveille*).

7   Ce sont les enchantements de l'esprit et non les bonnes intentions qui produisent les beaux ouvrages (...) Il ne suffit pas d'être clair et d'être entendu ; il faut plaire, il faut séduire, et mettre des illusions dans tous les yeux (...)
Joseph JOUBERT, Pensées, XXIII, v.

8   (...) il fallait appeler tous les enchantements de l'imagination et tous les intérêts du cœur au secours de cette même religion contre laquelle on les avait armés.
CHATEAUBRIAND, le Génie du christianisme, I, I, I.

9   Il avait attendu sa cinquantième année pour souffrir à cause d'un autre être. Ce que la plupart des hommes découvrent adolescents, il le savait, ce soir, enfin ! Un enchantement amer l'enchaînait à ce cadavre.
F. MAURIAC, Génitrix, VI, p. 67.

♦ **3** (1674). **a** *L'enchantement :* état d'une personne qui est enchantée (2.) ; joie extrêmement vive. *L'enchantement de qqn. Un enchantement absolu.* — *Être* *dans l'enchantement.* → **Ange** (être aux anges), **bonheur, ciel** (être au septième ciel), **ivresse, ravissement.** *Cette nouvelle l'a mis dans l'enchantement.*

10   Il y a des êtres qui nous procurent à la fois un enchantement des sens par leur beauté et une parfaite satisfaction de l'esprit par la grâce de leurs propos.
            A. MAUROIS, *Un art de vivre,* II, 1, p. 53.

b *Un, des enchantements.* Sujet de joie, chose qui fait un immense plaisir. *Ce spectacle est un enchantement.*

CONTR. Désenchantement.

ENCHANTER [ãʃɑte] v. tr. — Déb. XIIᵉ; du lat. *incantare* «prononcer des formules magiques», de *in-* marquant l'effet, le résultat, et *cantare.* → Chanter.

♦ **1** Soumettre à une action surnaturelle, par l'effet d'une opération magique. → **Charmer, ensorceler.** *Enchanter qqn au moyen d'un philtre, d'une formule, d'un rite, d'un sortilège. Enchanter les yeux de fantasmagories. — Enchanter un objet. — Au p. p.* → ci-dessous, cit. 1, 3, et *supra* cit. 12.1.

1   Je faux *(me trompe) :* l'amour qu'on charme est de peu de séjour.
    Être beau, jeune, riche, éloquent, agréable,
    Non les vers enchantés, sont les sorciers d'Amour.
            RONSARD, *Sonnets pour Hélène,* XXIV.

2   Quelque divinité ennemie avait enchanté mes yeux; je croyais voir Ithaque.
            FÉNELON, *Télémaque,* IX.

3   Tristan, dit la reine, les gens de mer n'assurent-ils pas que ce château de Tintagel est enchanté et que, par sortilège, deux fois l'an, en hiver et en été, il se perd et disparaît aux yeux?   J. BÉDIER, *Tristan et Iseult,* VI, p. 65.

4   Je compris tout à coup qu'elle ne pouvait pas s'échapper. Il l'avait enchantée comme une bête.
            H. BOSCO, *l'Âne Culotte,* p. 166.

(V. 1190). Soumettre à un charme irrésistible et inexplicable. *Enchanter les cœurs.* → **Captiver, conquérir, envoûter, subjuguer. Par ext.** *Il a perdu la femme qui enchantait sa vie. La musique qui enchante nos soirées.*

5   S'il faut des coups de surprise à nos cœurs enchantés de l'amour du monde (...)
            BOSSUET,
            Oraison funèbre de la duchesse d'Orléans.

6   (...) les traîtres appas dont je fus enchanté.
            MOLIÈRE, *Don Garcie,* II, 5.

7   (...) ce peintre est à peu près en peinture ce que l'Arioste est en poésie. Celui qui est enchanté de l'un est inconséquent s'il n'est pas fou de l'autre.
            DIDEROT, *Salons, Boucher.*

8   Enchanté, tourmenté et comme possédé par le démon de mon cœur.
            CHATEAUBRIAND, *René* (→ Démon, cit. 11).

♦ **2** (Av. 1648). **Par ext.** Remplir (qqn) d'un vif plaisir, satisfaire au plus haut point. *Cette solution m'enchante,* me satisfait au plus haut point. *Il ne s'y attendait pas, cela l'enchante.* → **Ravir. — (Passif et p. p.).** *Il a été enchanté de cette soirée, il en est revenu enchanté* (→ ci-dessous, cit. 9, et Enchanté).

9   Une conversation ingénieuse avec un homme est un unisson; avec une femme, c'est une harmonie, un concert. Vous sortez satisfait de l'une; vous sortez de l'autre enchanté. Joseph JOUBERT, *Pensées,* VIII, LXVIII.

10   J'aimais sortir avec mon père; et, comme il s'occupait de moi rarement, le peu que je faisais avec lui gardait un aspect insolite, grave et quelque peu mystérieux qui m'enchantait. GIDE, *Si le grain ne meurt,* I, I, p. 17.

11   La sagesse serait de dormir jusqu'à cette gare terminus *(la mort).* Mais, hélas, le trajet nous enchante, et nous prenons un intérêt si démesuré à ce qui nous sert à nous servir que de passe-temps qu'il est dur, le dernier jour, de boucler nos valises. COCTEAU, *le Grand Écart,* IX, p. 172.

♦ **S'ENCHANTER** v. pron.

♦ **1** Se parer d'un charme poétique.

12   (...) toutes ces petites choses, rattachées à quelques souvenirs, s'enchanteront des mystères de mon bonheur ou de la tristesse de mes regrets.
            CHATEAUBRIAND, *Mémoires d'outre-tombe,* t. V, p. 394.

♦ **2** Littér. Se plaire, se délecter à une idée. *S'enchanter d'une idée* (→ Arbitre, cit. 15), *de fictions* (→ Arracher, cit. 47).

♦ **ENCHANTÉ, ÉE** p. p. adj.

♦ **1** (1661). Soumis à un enchantement, frappé par un sortilège. *La princesse enchantée de la Belle au bois dormant. Château enchanté.* → ci-dessus, cit. 3. *Cercle enchanté. — Par anal. L'Âme enchantée,* roman de Romain Rolland.

12.1   Cependant, la nuit étant fort avancée, le sultan prit quelque repos. Pour le jeune prince, il la passa à son ordinaire dans une insomnie continuelle (il ne pouvait dormir depuis qu'il était enchanté) mais avec quelque espérance néanmoins d'être bientôt délivré de ses souffrances. A. GALLAND, *les Mille et Une Nuits,* t. I, p. 85.

(Av. 1648). Qui détient un pouvoir d'enchantement (après l'avoir reçu). → **Magique.** *Le cor enchanté des légendes allemandes. La Flûte enchantée,* titre français d'un opéra de Mozart. — *Des vers enchantés.* → ci-dessus, cit. 1. — **N. (Rare).** *Un, une enchantée.*

♦ **2** (1669). **Vieilli.** Qui produit, transmet un effet irrésistible, inexplicable. *Un séjour enchanté.* → **Enchanteur.** *Des lieux enchantés.*

13   Ô terre, ô mer, ô nuit, que vous avez de charmes !
    Miroir éblouissant d'éternelle beauté,
    Pourquoi, pourquoi mes yeux se voilent-ils de larmes
    Devant ce spectacle enchanté?
            LAMARTINE, *Harmonies,* I, 10.

♦ **3** (Déb. XIIIᵉ). **Personnes.** Qui ressent un grand plaisir, une intense satisfaction (→ ci-dessus, cit. 9). *Ils étaient, ils paraissaient tous enchantés, enchantés de cette soirée. Je suis enchanté que vous veniez, de votre venue, de vous recevoir.*

(Avec une valeur conventionnelle). *Je suis enchanté de faire votre connaissance.* **Ellipt.** *Enchanté !*

14   Quand on le présentait, il s'inclinait à la fois avec un sourire de scepticisme et un respect exagéré, et si c'était à un homme, disait : «Enchanté, Monsieur», d'une voix qui se moquait des mots qu'elle prononçait, mais avait conscience d'appartenir à quelqu'un qui n'était pas un mufle.
            PROUST, *À la recherche du temps perdu,* Pl., t. I, p. 881.

Par ext. *Un air enchanté.*

CONTR. et COMP. Désenchanter. ◊ DÉR. Enchantement, enchanteur.

ENCHANTEUR, ERESSE [ãʃɑtœʀ, (ə)ʀɛs] n. et adj. — 1080; de *enchanter.*

I N. ♦ **1** Personne qui pratique des enchantements. → **Mage, magicien, nécromant, sorcier.** *Les enchanteresses de la mythologie, Médée, Circé. L'enchanteur Maugis,* cousin des Quatre Fils Aymon. *Merlin l'Enchanteur, les enchanteresses Viviane, Morgane* (→ Fée), personnages des romans de la Table ronde. *Armide, l'enchanteresse de la «Jérusalem délivrée». — Les tours, les sortilèges d'un enchanteur. — L'Enchanteur pourrissant,* œuvre d'Apollinaire (1909).

1   Sur les tréteaux l'arlequin blême
    Salue d'abord les spectateurs
    Des sorciers venus de Bohême
    Quelques fées et les enchanteurs.
            APOLLINAIRE, *Alcools,* «Crépuscule».

◆2 (1632). Fig. Personne douée d'un charme irrésistible (par sa beauté, son talent, etc.). *Défiez-vous de cet enchanteur! Le charme de son style a fait surnommer Chateaubriand «l'Enchanteur».*

2 Il avait surtout de l'enchanteur et du fascinateur. Il s'est peint avec ses philtres et sa magie, comme aussi avec ses ardeurs, ses violences de désirs et ses orages (...)
SAINTE-BEUVE, Causeries du lundi, 27 mai 1850.

3 Suis-je, pour vous aimer, ô blonde enchanteresse,
Un timide écolier qui rêve de vos yeux (...)
BAUDELAIRE, Premiers poèmes, «Sonnet cavalier».

Ⅱ Adj. **◆1** (V. 1160). Qui enchante (1.). *Un talisman enchanteur.*

◆2 (Av. 1589). Vx. Qui séduit jusqu'à égarer, qui charme.

4 (...) et des lâches flatteurs la voix enchanteresse.
RACINE, Athalie, IV, 3.

◆3 Mod. Qui séduit beaucoup. — REM. Selon les contextes et les usages, le mot garde plus ou moins d'écho de sa valeur forte «qui captive, ravit, charme». Il reste plus significatif que *enchanter* et *enchanté*. *Un séjour enchanteur.* → **Charmant, paradisiaque.** *Sous un ciel enchanteur.* → **Merveilleux, rêve** (de rêve). *Spectacle enchanteur.* → **Enchanté** (2.), **ravissant.** *Des songes enchanteurs* (→ Défilé, cit. 7). *Attraits* (cit. 6) *enchanteurs. Sourire enchanteur.* → **Charmeur, séduisant.** *La voix enchanteresse des sirènes.* → **Ensorceleur.** *Créature enchanteresse. Musique enchanteresse.*

5 Ne tâchez pas d'imaginer les charmes et les grâces de cette fille enchanteresse, vous resteriez trop loin de la vérité. Les jeunes vierges des cloîtres sont moins fraîches, les beautés du sérail sont moins vives, les houris du paradis sont moins piquantes.   ROUSSEAU, les Confessions, VII.

6 (...) il fallait faire la part à son organe enchanteur *(la voix de Séraphita)*, à sa beauté séduisante, à son geste fascinateur (...)   BALZAC, Séraphita, Pl., t. X, p. 561.

7 C'est *(la femme)* une espèce d'idole, stupide peut-être, mais éblouissante, enchanteresse, qui tient les destinées et les volontés suspendues à ses regards.
BAUDELAIRE, Curiosités esthétiques, XVI, X.

CONTR. Désagréable.

ENCHAPÉ, ÉE [ãʃape] p. p. adj. — XVᵉ; *enchaper*, XIIᵉ; de *en-*, *chape*, et suff. *-é*.

Littér. Recouvert comme d'une chape, encapuchonné.

Écoute-moi, dit-il, tu te souviens de ces belles îles enchapées de pinèdes entre lesquelles nous courions?
J. GIONO, Naissance de l'Odyssée, p. 15.

ENCHAPERONNER [ãʃapʀɔne] v. tr. — V. 1160; de *en-*, *chaperon*, et suff. verbal.

Rare. Coiffer, envelopper d'un chaperon*. → **Encapuchonner.** *Enchaperonner un enfant.* Fauconn. *Enchaperonner l'oiseau.*

ENCHARGER [ãʃaʀʒe] v. tr. — Mil. XIIᵉ, *enchargier*; de *-en*, et *charger*.

Vx (langue class.). Charger (qqn).

ENCHÂSSEMENT [ãʃasmã] n. m. — 1611; «châssis, cadre» (→ 2.), 1385; de *enchâsser*.

◆1 Action d'enchâsser (qqch.); manière dont une chose est enchâssée. *L'enchâssement de brillants dans un diadème.*
Fig. *L'enchâssement d'une citation dans un texte.*
Ling. Inclusion d'une suite d'éléments dans une autre (notamment en grammaire générative). *Transformation d'enchâssement par relativisation. Grammaire à enchâssements récursifs* (par oppos. aux *grammaires à états finis* et aux *grammaires à dépendances emboîtées consécutives*).

◆2 Par métonymie. Ce qui enchâsse (qqch.). *L'enchâssement de plomb des verres d'un vitrail.* → aussi **Châssis.**

ENCHÂSSER [ãʃase] v. tr. — V. 1120, *encassé*, au sens 2; de *en-*, *châsse*, et suff. verbal.

◆1 (1226). Relig. Mettre (des reliques) dans une châsse. *Enchâsser des reliques, la dépouille d'un saint religieux.*
Fig., vx. Conserver précieusement, avec piété.

1 (...) enchâssons ces reliques dans nos cœurs (...)
BOSSUET, Panégyrique de saint François de Paule, II, *in* LITTRÉ.

Ironique :

2 (...) Est-ce la mode
Que baudet aille à l'aise et meunier s'incommode?
Qui de l'âne ou du maître est fait pour se lasser?
Je conseille à ces gens de le faire enchâsser.
LA FONTAINE, Fables, III, 1.

◆2 Mettre dans une monture. → **Monter; encastrer, sertir.** *Enchâsser un rubis dans une boucle, un diamant, un brillant dans le chaton d'une bague* (→ **Enchatonner**). — Par métaphore :

3 Le soleil tomba derrière ce rideau; un rayon glissant à travers le dôme d'une futaie scintillait comme une escarboucle enchâssée dans le feuillage sombre (...)
CHATEAUBRIAND, Mémoires d'outre-tombe, t. I, p. 320.

Encastrer, fixer (dans une entaille, un châssis, un encadrement). → **Fixer.** *Enchâsser une mine de crayon dans sa gaine, un tableau dans un lambris.* → **Assembler.** *Enchâsser les pièces d'une machine, les panneaux d'une porte.* — *Enchâsser un tenon dans une mortaise, une pièce de bois dans une autre.* → **Emboîter, endenter.**

◆3 (Sujet n. de chose). Constituer la monture, l'enchâssement de... *Le cadre, la monture qui enchâsse qqch.*
Fig. *Des yeux qu'enchâsse un cercle noir.* → **Encadrer, entourer.**

4 (...) c'était bien ces petits yeux vifs, enchâssés par des cercles de rides et surmontés d'épais sourcils grisonnants (...)
BALZAC, Séraphita, Pl., t. X, p. 487.

5 Ses doux yeux d'ardoise étaient exténués; les paupières gonflées enchâssaient le regard d'une lumière pâle.
André SUARÈS, Trois hommes, «Ibsen», VI, p. 153.

◆4 (Av. 1559). Abstrait. → **Insérer, intercaler.** *Enchâsser un trait, une citation, une pensée dans un discours* (→ Distinguer, cit. 32). *Enchâsser un mot, une expression dans une phrase.*

6 Nous savons tous les mots dont ils *(les écrivains de Port-Royal)* se servent; mais jamais, ce me semble, nous ne les avons vus si bien placés ni si bien enchâssés.
Mᵐᵉ DE SÉVIGNÉ, Lettres, 473, 1ᵉʳ déc. 1675.

7 Le prédicateur a enchâssé dans son avant-propos, le plus agréablement du monde, l'histoire d'Artémise sur les cendres de son époux.
FÉNELON, Œuvres, t. XXI, *in* LITTRÉ.

Spécialt, ling. Faire subir à (une suite) un enchâssement* (dans une autre suite). → ci-dessous, cit. 10.

◆ S'ENCHÂSSER v. pron.
Être enchâssé.

8 (...) la patte redoutable et nerveuse où s'enchâssent des griffes courbes (...)
COLETTE, la Paix chez les bêtes, Prrou, p. 25.

Figuré :

9 Mais c'est dans Racine que l'élégie, discrètement et adroitement ménagée (...), vient s'enchâsser le plus souvent dans les discours des personnages.
Émile FAGUET, Études littéraires, XVIIᵉ siècle, p. 334.

◆ **ENCHÂSSÉ, ÉE** p. p. adj. *Reliques enchâssées.* — *Diamant enchâssé.* — Ling. *Phrase, proposition enchâssée.*

10 On peut (...) enchâsser 2 («l'homme est arrivé hier») dans 1 («l'homme est mort») pour obtenir 4 («l'homme qui est arrivé hier est mort») [...] la phrase enchâssée est dite phrase-constituante, et la phrase à l'intérieur de laquelle elle est enchâssée est dite phrase-matrice.
Nicolas RUWET,
Introd. à la grammaire générative, p. 210.

CONTR. Désenchâsser, sortir. ◊ DÉR. Enchâssement, enchâssure. ◀ COMP. Désenchâsser.

ENCHÂSSURE [ɑ̃ʃasyʀ] n. f. — Fin XIVᵉ, *enchasseure*; de *enchâsser*.
Techn. Ce dans quoi une chose est enchâssée. *Une solide enchâssure. Enchâssure de pierre.*

ENCHATONNEMENT [ɑ̃ʃatɔnmɑ̃] n. m. — 1832; de *enchatonner*.
◆ **1** Techn. Action d'enchatonner, manière dont une pierre est enchatonnée.
◆ **2** Mod. *Enchatonnement du placenta* : rétention totale (incarcération) ou partielle du placenta après l'expulsion du fœtus, due à une contraction spasmodique de l'utérus.

ENCHATONNER [ɑ̃ʃatɔne] v. tr. — V. 1160; de *en-*, et 1. *chaton*.
Techn. Enchâsser (une pierre) dans un chaton*. ➙ Sertir. *Enchatonner un rubis, un brillant.*

◆ **S'ENCHATONNER** v. pron.
(1836; en parlant d'une tumeur du placenta). S'incruster dans les chairs.

◆ **ENCHATONNÉ, ÉE** p. p. adj. — *Diamant enchatonné.* — Mod. *Calcul enchatonné, tumeur enchatonnée,* incrustée dans les chairs. — (1865). Spécialt. (Méd.). *Placenta enchatonné,* retenu par l'utérus après l'expulsion du fœtus.

DÉR. Enchatonnement.

ENCHAUSSAGE [ɑ̃ʃosaʒ] n. m. — 1930, Larousse; de 2. *enchausser*.
Techn. Opération par laquelle on enchausse (le velours).

1. ENCHAUSSER [ɑ̃ʃose] v. tr. — 1752; de *en-*, et *chausser*.
Technique.
◆ **1** Hortic. Couvrir (des plantes, des légumes, le pied d'un arbre...) de paille, de fumier en vue de les faire blanchir ou de les garantir de la gelée. ➙ Chausser (5.), pailler.
◆ **2** Garnir (une roue) de rayons.

HOM. 2. Enchausser.

2. ENCHAUSSER [ɑ̃ʃose] v. tr. — 1835; de *en-*, chaux, et suff. verbal.
Techn. Imbiber (le velours de coton) de lait de chaux, pour durcir la trame.

DÉR. Enchaussage. ◊ HOM. 1. Enchausser.

ENCHEMISAGE [ɑ̃ʃmizaʒ] n. m. — 1930, Larousse; de *enchemiser*.
Techn. Action d'enchemiser (un livre); chemise (d'un livre).

ENCHEMISER [ɑ̃ʃmize] v. tr. — 1901, in D.D.L.; de *en-, chemise,* et suff. verbal.
Technique.
◆ **1** Garnir (qqch.) d'une chemise, d'une enveloppe protectrice. *Enchemiser un livre.*
◆ **2** (1948). Chemiser* (un projectile).

DÉR. Enchemisage.

ENCHÈRE [ɑ̃ʃɛʀ] n. f. — 1259; déverbal de *enchérir*.
◆ **1** Rare ou dr. (Sing. et plur.). Action d'enchérir; offre d'achat, de bail, etc. d'une somme supérieure à la somme antérieurement fixée ou proposée, dans une vente au plus offrant. *Faire, mettre, porter une enchère (sur qqch.). Mettre enchère (sur qqch.). Première enchère* (après mise à prix). *Couvrir une enchère* : mettre une enchère supérieure à celle qui vient d'être faite («dire mieux»). *Celui qui porte l'enchère la plus haute, la plus élevée, est déclaré adjudicataire.* ➙ **Adjudication.** *Enchère faite après coup.* ➙ **Surenchère.** *Enchères successives. Pousser les enchères. Il n'y a pas eu d'enchère, d'enchères. Faute d'enchères, à défaut d'enchères, la vente aura lieu sur une mise à prix abaissée.*

Les banquiers amateurs de ce temps-ci font courir des enchères au lieu de faire courir des chevaux, sur n'importe quoi, sur une porcelaine, une toile, un morceau de papier. Ce qu'ils font en achetant? Ils parient seulement qu'ils sont plus riches les uns que les autres.
Ed. et J. DE GONCOURT, Journal, 11 avr. 1866.

0.1

(XVᵉ). Loc. (dr.). **FOLLE ENCHÈRE** : enchère faite par l'adjudicataire dernier enchérisseur qui ne remplit pas les obligations qui lui incombent (notamment le paiement du prix d'adjudication). *Procédure de la folle enchère. Adjudication sur folle enchère.* (1641). Vx (langue class.). *Porter la folle enchère* : supporter les inconvénients d'une situation.

Loc. *Mettre, porter qqch. à l'enchère, aux enchères* (→ ci-dessous, 2.).

◆ **2** (1549). Cour. (Plur.). **a** **AUX ENCHÈRES** : par le moyen d'enchères successives. *Vendre qqch. aux enchères, à la criée.* ➙ **Criée.** *Vente* aux enchères. Estimation*, mise à prix* des biens vendus aux enchères. Vente aux enchères d'un bien indivis, soit à l'audience soit à la barre du tribunal.* ➙ **Licitation.** *Vente d'immeubles aux enchères publiques devant un juge du tribunal à l'audience des criées* ou devant un notaire commis. Vente publique de meubles aux enchères, volontaire ou forcée* (→ **Encan, saisie),** par officier public* (→ **Commissaire-priseur, greffier, huissier, notaire).** Mettre des lots aux enchères dans une vente de charité.*

b *Les enchères* : la suite d'enchères qui constituent l'essentiel d'une vente au plus offrant. ➙ **Vente.** *Les enchères sont ouvertes. Pendant les enchères... Les enchères ont été vives, animées* (→ cit. 3). *Enchères à l'américaine*. Dans les enchères d'immeubles, l'adjudication ne peut être prononcée qu'après l'extinction successive de trois bougies* (→ Adjudication, cit.).

Aussitôt que les enchères sont ouvertes *(à l'audience des saisies immobilières),* il est allumé successivement des bougies préparées de manière que chacune ait une durée d'environ une minute (...)
Code de procédure civile, art. 705.

1

(L'adjudication sur saisie mobilière) se fait aux enchères, portées directement par les enchérisseurs, sans intermédiaire d'avoué, à la différence de ce qui se passe dans la saisie immobilière. C'est l'officier public qui apprécie lui-même le temps qu'une enchère doit rester sans être couverte, pour aboutir à l'adjudication. Aucun procédé de chronométrage, tel que l'emploi de bougies, n'est imposé par la loi.
Paul CUCHE, Voies d'exécution (nᵒ 57, éd. Dalloz).

2

3   Les enchères étaient vives. Un volume isolé parvint jusqu'à
     six cents francs. À dix heures moins un quart, l'*Histoire de
     l'abbé de Bucquoy* fut mise sur table à vingt-cinq francs...
     À cinquante-cinq francs, les habitués et M. Techener
     lui-même abandonnèrent le livre : une seule personne
     poussait contre moi. À soixante-cinq francs, l'amateur a
     manqué d'haleine. Le marteau du commissaire-priseur
     m'a adjugé le livre pour soixante-six francs.
                           NERVAL, les Filles du feu, Angélique, XIIᵉ lettre.

     Au feu des enchères (par allusion aux bougies allu-
     mées à l'audience des saisies immobilières). → ci-
     dessus, cit. 1.

4   Après sa mort, les tableaux et les objets d'art amassés avec
     tant de soins, d'amour et de passion devront s'éparpiller
     au feu des enchères.
                           Th. GAUTIER, *in* LITTRÉ, *Suppl.*, art. *Enchère*.

♦ **3** Par anal. (avec les v. *être*, *mettre*...). *À l'enchère* (vx) ;
aux enchères : offert à celui qui paye, qui est dis-
posé à payer le plus (s'agissant de biens qui ne
sont pas normalement monnayés). «*Mettre son
amour à l'enchère*» (Zola, *in* T. L. F.). *Être à l'enchère*
(vx), *aux enchères* : se vendre, être prêt à se vendre
au plus offrant. *Un électeur influent qui met sa voix
aux enchères. Mettre des titres, des décorations aux
enchères.*

♦ **4** (Fin XIXᵉ). À certains jeux de cartes, Demande
supérieure à celle de l'adversaire. *Manille aux
enchères. Le système des enchères au bridge. Faire
une enchère* (→ aussi **Annonce**).

COMP. Surenchère.

ENCHÉRIR   [ɑ̃ʃeʀiʀ] v. — XIIᵉ ; de *en-*, *cher*, et suff.
verbal.

I V. intr. ♦ **1** Vieilli. Devenir plus cher, plus coûteux.
→ **Augmenter, renchérir.** *Les blés ont beaucoup
enchéri, sont enchéris. Tout a enchéri depuis la
guerre. La viande enchérit de jour en jour.* — REM.
Dans ce sens, la langue moderne substitue de plus en
plus *renchérir* à *enchérir*.

♦ **2** Dans une vente au plus offrant, Mettre une
enchère*. *Enchérir sur qqn* : faire une enchère
plus élevée. *Enchérir après l'adjudication.* → **Surenchérir.**

♦ **3** (1580). Fig. (littér. ou didact.). Aller au delà de ce
qu'un autre a dit ou fait. → **Ajouter, aller** (aller plus
loin), **dépasser.**

1   Phèdre enchérit souvent (*sur Ésope*) par un motif de
     gloire (...)
                           LA FONTAINE, Fables, IV, 18.

2   Quand l'absurde est outré, l'on lui fait trop d'honneur
     De vouloir par raison combattre son erreur :
     Enchérir est plus court, sans s'échauffer la bile.
                           LA FONTAINE, Fables, IX, 1.

3   Les hommes (...) ont (...) enchéri de siècle en siècle sur la
     manière de se détruire réciproquement.
                           LA BRUYÈRE, les Caractères, X, 9.

4   Enchérissant, d'ordinaire, sur les devoirs tracés par la Loi
     et les anciens, il voulait la perfection.
                           RENAN, Vie de Jésus, V, Œuvres, t. IV, p. 137.

5   Souvent ne sachant plus comment enchérir, on lâche une
     phrase marquant qu'on ne doute pas : je ne vous dis qu'ça :
     Elle était mise! je ne vous dis qu'ça.
                           F. BRUNOT, la Pensée et la Langue, p. 688.

Ce mot enchérit sur tel autre, il ajoute à l'idée
exprimée. *Approfondir* enchérit sur creuser,
réprouver *sur* improuver.

II V. tr. ♦ **1** (V. 1265). Vieilli. Rendre plus cher. → **Renchérir.** «*La guerre a tout enchéri*» (Académie).
Enchérir les loyers. → **Augmenter.**

♦ **2** (1549). Proposer une enchère supérieure pour
(qqch.). «*Deux femmes (...) enchérissaient, par clins
d'œil au crieur, un lot de trente-six paniers de rou-
geots.*» (P. Hamp, *Marée, in* T. L. F.).

Quand le vizir Saouy eut attendu quelque temps et qu'il   6
vit qu'aucun des marchands n'enchérissait : «Eh bien,
qu'attends-tu ? » dit-il à Hagi Hassan.
                           A. GALLAND, les Mille et Une Nuits, t. II, p. 233.

♦ **3** (1580). Vx (langue class.). Rendre meilleur. → **Améliorer.**

♦ **4** Littér. *Enchérir qqch. de...* : compléter (de manière
désagréable). → Renchérir* sur... (ex. de H. Bazin, *in*
T. L. F.). *Il enchérissait ses prétentions de demandes
extravagantes.*

**CONTR. Baisser, diminuer, rabattre. ◊ DÉR. Enchère, enché-
rissement, enchérisseur.**

ENCHÉRISSEMENT   [ɑ̃ʃeʀismɑ̃] n. m. — 1213,
enchierissement ; de *enchérir*.
Vieilli. Augmentation de prix. *L'enchérissement des
légumes, de la viande.*

ENCHÉRISSEUR   [ɑ̃ʃeʀisœʀ] n. m. — 1325, *ancheris-
seur* ; de *enchérir*.
Personne qui fait une enchère. *Vendre au plus
offrant et dernier enchérisseur. — Fol enchérisseur :*
personne qui fait une folle enchère.
REM. Le fém. *enchérisseuse* est virtuel.

ENCHEVALEMENT   [ɑ̃ʃ(ə)valmɑ̃] n. m. — 1755; de
enchevaler (XVᵉ, vx) «étayer»; de *en-*, *cheval*, et suff.
-ement.
Techn. Travaux destinés à étayer un mur, une construction avant de faire des reprises en sous-œuvre.
→ **Chevalement.**

ENCHEVAUCHER   [ɑ̃ʃ(ə)voʃe] v. tr. — 1771; de *en-*,
et *chevaucher*, p.-ê. antérieur. → Enchevauchure.
Techn. Faire joindre par recouvrement (des planches, des ardoises, des tuiles...).

ENCHEVAUCHURE   [ɑ̃ʃ(ə)voʃyʀ] n. f. — 1690; de *en-*,
chevaucher (→ Enchevaucher), et suff. *-ure*.
Techn. Disposition de planches, de tuiles enchevau-
chées.

ENCHEVÊTRÉ, ÉE   [ɑ̃ʃ(ə)vetʀe] adj. → **Enchevêtrer.**

ENCHEVÊTREMENT   [ɑ̃ʃ(ə)vetʀəmɑ̃] n. m. — 1564;
de *enchevêtrer*.

♦ **1** Disposition de choses enchevêtrées. — Amas,
réseau de choses enchevêtrées. *L'enchevêtrement
d'un écheveau.* → **Embrouillement.** *Enchevêtrement
d'objets de toute sorte.* → **Confusion, désordre,
mélange.** *Un enchevêtrement inextricable de ronces
et de lianes. Un enchevêtrement de couloirs, de
ruelles, de canaux.* → **Labyrinthe, réseau.**

Ces constructions sont multiformes. Elles ont l'enchevêtre-   1
ment du polypier (...)
                           HUGO, les Travailleurs de la mer, II, I, XI.

À mesure qu'on s'éloigne de l'enchevêtrement des ruelles   2
qui forment le cœur de la cité, des chemins plus larges
s'en vont entre des murs de vergers (...)
                           Jérôme et Jean THARAUD, Marrakech, p. 143.

Prendre quelques organes choisis parmi les principaux   3
rouages de cette étonnante mécanique, en montrer les
aspects merveilleux au milieu d'un prodigieux enchevêtrement de vaisseaux et de nerfs, telle est l'idée maîtresse
de cet exposé.   P. VALLERY-RADOT, Notre corps, p. 7.

♦ **2** (Av. 1850). Abstrait. Complication, désordre (d'éléments nombreux qu'on distingue mal). *Un enchevêtrement de mots, de phrases, d'idées.* → **Galimatias.**
Se perdre dans l'enchevêtrement de ses mensonges
(→ Tissu). — (Compl. au sing.). *Enchevêtrement d'une
situation, d'une intrigue.* → **Complication, imbroglio.**

ENCHEVÊTRER [ɑ̃ʃ(ə)vetʀe] v. tr. — V. 1175; de *en-*, *chevêtre*, et suff. verbal.

I ♦ **1** Vx. Attacher (un cheval) avec un chevêtre*, un licou.

♦ **2** (XIVᵉ). Techn. Assembler (des solives) avec un chevêtre*.

II ♦ **1** (XVIᵉ). Cour. Engager les unes dans les autres (les différentes parties d'une chose); mettre (ces parties) en désordre. → **Embrouiller, emmêler.** *Enchevêtrer les fils d'un écheveau.*

(Abstrait). *Enchevêtrer les phrases, les éléments de son discours.*

1 (...) et sa fantaisie, et sa verve, et son art d'enchevêtrer les situations, de brouiller l'intrigue, de filer la scène, de tenir le lecteur en suspens.
Émile HENRIOT, les Romantiques, p. 210.

♦ **2** (Compl. au sing.). *Enchevêtrer une intrigue,* les éléments de l'intrigue. → **Compliquer.**

♦ **S'ENCHEVÊTRER** v. pron.

♦ **1** Vieilli. Être enchevêtré. *Cheval qui s'enchevêtre,* qui engage son pied dans la longe de son licou.

♦ **2** Mod. *Branches, ronces, arbres qui s'enchevêtrent* (→ Chevaucher, cit. 5).

2 Au dehors le front de la barricade, composé de piles de pavés et de tonneaux reliés par des poutres et des planches qui s'enchevêtraient dans les roues de la charrette Anceau et de l'omnibus renversé, avait un aspect hérissé et inextricable. HUGO, les Misérables, III, XII, V.

Fig., vx. *S'enchevêtrer dans un raisonnement.* → **Embarrasser** (s'), **embrouiller** (s').

3 Chacun peut voir, dans les chapitres 3 et 4 du premier livre de Grotius, comment ce savant et son traducteur Barbeyrac s'enchevêtrent, s'embarrassent dans leurs sophismes (...) ROUSSEAU, Du contrat social, II, 2.

(Sujet n. de chose). Mod. :

4 Vingt idées contradictoires s'enchevêtraient dans sa cervelle. MARTIN DU GARD, les Thibault, t. III, p. 62.

♦ **ENCHEVÊTRÉ, ÉE** p. p. adj. (au sens II).

♦ **1** *Arbres, fils enchevêtrés.*

♦ **2** Fig. *Style, discours enchevêtré.* → **Confus, filandreux.** *Affaires enchevêtrées.* → **Complexe, embarrassé.**

5 (...) cet art qu'il avait, dans les problèmes sociaux les plus enchevêtrés, de dégager aussitôt l'essentiel et de le résumer en quelques formules frappantes (...)
MARTIN DU GARD, les Thibault, t. V, p. 33.

CONTR. Classer, dégager, démêler. ◊ DÉR. Enchevêtrement, enchevêtrure.

ENCHEVÊTRURE [ɑ̃ʃ(ə)vetʀyʀ] n. f. — 1328; de *enchevêtrer.*

♦ **1** Techn. Assemblage de solives disposées de façon à laisser entre elles un vide, une trémie. *Cheminée, escalier construit dans l'enchevêtrure.*

♦ **2** (1678). Vétér. Blessure du cheval au pli du paturon.

ENCHEVILLEMENT [ɑ̃ʃ(ə)vijmɑ̃] n. m. — 1935; de *encheviller.*

Chir. Insertion d'un greffon osseux ou d'une pièce allongée métallique (cheville) dans la cavité médullaire des deux fragments d'un os fracturé.

ENCHEVILLER [ɑ̃ʃ(ə)vije] v. tr. — Attesté XXᵉ; *suture enchevillée,* 1732; «assembler avec des chevilles» (→ Cheviller), 1425; de *en-, cheville,* et suff. verbal.

Chir. Immobiliser (deux fragments d'os) par des chevilles.

DÉR. Enchevillement.

ENCHIFRENÉ, ÉE [ɑ̃ʃifʀəne] adj. — 1611; «asservi, dompté», XIIIᵉ; de *en-,* et une altér. *cha(n)frener,* XIIIᵉ, de *chanfrein.*

Fam. Qui a le nez embarrassé par un rhume de cerveau.

1 Je suis enrhumée du cerveau, dit-elle, je suis enchifrenée (...)
Mᵐᵉ DE GENLIS, le Théâtre de l'éducation, «La lingère», I, 5.

2 Joly, enchifrené, avait un fort coryza que Laigle commençait à partager. HUGO, les Misérables, III, XII, II.

DÉR. V. Enchifrènement.

ENCHIFRÈNEMENT [ɑ̃ʃifʀɛnmɑ̃] n. m. — 1680; de *enchifrener* ou de *enchifrené.*

Rare. Embarras de la respiration nasale par suite du rhume de cerveau; fait d'être enchifrené.

ENCHIFRENER [ɑ̃ʃifʀəne] v. tr. — 1611; fig., «d'amours enchifrené», propr «pris comme dans un chanfrein», v. 1275; de 1. *chanfrein.*

Vx. Le sujet désigne un mal : rhume, etc. Gêner la respiration de (qqn), embarrasser le nez de (qqn).

DÉR. V. Enchifrènement.

ENCHIRIDION [ɑ̃kiʀidjɔ̃] n. m. — XVIᵉ; mot grec *enkheiridion* «manuel».

Didact. Manuel (d'un auteur ancien). *L'Enchiridion d'Épictète.*

ENCHONDRAL, ALE, AUX [ɑ̃kɔ̃dʀal, o] adj. — Mil. XXᵉ; dér. sav. du grec *egkhondros* «cartilagineux».

Physiol. Qui se forme, ou se produit à l'intérieur du tissu cartilagineux. *Ossification enchondrale. Squelette enchondral.* → **Endosquelette.**

ENCHONDROME [ɑ̃kɔ̃dʀom] n. m. — 1855; lat. sc. *enchondroma* (J. Müller, 1801-1858); du grec *egkhondros* «cartilagineux», de *en-,* et *khondros* «cartilage».

Méd. Tumeur bénigne cartilagineuse.

ENCHYMOSE [ɑ̃kimoz] n. f. — 1752; grec *egkhumôsis* «diffusion des sucs à travers le corps», de *en* «dans», et *khumos* «suc, humeur».

Méd. anc. Afflux non pathologique de sang (rougissement de colère, de honte, etc.).

REM. Ne pas confondre avec *ecchymose.*

ENCLAVE [ɑ̃klav] n. f. — Mil. XVᵉ; *encleve,* 1312; déverbal de *enclaver.*

♦ **1** Dr. État, situation d'un terrain entouré par des fonds appartenant à d'autres propriétaires et qui n'a sur la voie publique aucune issue ou qu'une issue insuffisante pour son exploitation. → **Enclavement.** *L'enclave donne naissance à un droit de passage sur les fonds des voisins* (Code civil, art. 682). *Servitude d'enclave.*

♦ **2** Par métonymie. (Plus cour.). **a** Terrain enclavé. *Supprimer une enclave.*

b Territoire, pays enfermé dans un autre. *Le comtat Venaissin était une des enclaves de la France.* — Territoire obéissant à des lois morales ou sociales différentes des régions alentour.

Vous avez peut-être entendu ou vous entendez regretter que des traités anciens aient laissé cette enclave marocaine au milieu de nos possessions, et qu'une occasion n'ait pas été saisie de nous l'annexer.
L. H. LYAUTEY, Paroles d'action, p. 38.

♦ **3** (1611). Partie d'un dégagement (escalier, soupente) qui empiète sur une pièce habitable. → **Empiètement.**

♦ **4** (Av. 1893, Lacroix, in *Année sc. et industr.* 1894, p. 479). **Géol.** Fragment de roche étranger à la masse où il est englobé.

ENCLAVÉ, ÉE [ɑ̃klave] adj. → **Enclaver.**

ENCLAVEMENT [ɑ̃klavmɑ̃] n. m. — 1549; «territoire enclavé», av. 1453; de *enclaver.*

Fait d'être enclavé. **Spécialt, méd.** Blocage d'un corps étranger dans un tissu ou organe. *Enclavement d'un calcul.*

Immobilisation de la tête du fœtus, en cours d'accouchement. *Dans l'enclavement, la tête du fœtus trop serrée, ne peut plus ni descendre, ni remonter.* **Physiol.** *Enclavement de l'utérus :* immobilisation de l'utérus en rétroversion dans le petit bassin. *Troubles de fonctionnement des organes du bassin dans l'enclavement de l'utérus.*

ENCLAVER [ɑ̃klave] v. tr. — V. 1283; lat. pop. *inclavare* «fermer avec une clé», de *in-*, et *clavis* «clef».

♦ **1** Fixer (qqch.) au moyen d'une clé, de boulons. *Enclaver une poutre.* — (1409). **Par ext.** Engager (une pièce dans une autre). → **Encastrer.** *Enclaver une pierre, des tuiles. Enclaver des ardoises dans la couverture d'un toit.*

♦ **2** Contenir, entourer (une autre terre) comme enclave. *La conquête a enclavé ce territoire dans un empire.* — **Plus cour., au passif.** *Cette parcelle est enclavée dans sa propriété.* → **Enclave.** — **Pron.** *Le territoire espagnol de Llivia s'enclave dans le département des Pyrénées-Orientales.*

1 Une partie des terres de la commanderie est enclavée dans celle de notre gendre Dupuits.
VOLTAIRE, Lettre à d'Argental, 29 oct. 1764.

2 Ce département (*l'Ain*) comprend les pays de Bresse, Bugey, Valromey, Gex et la principauté de Dombes. Au temps des romains, ces différentes provinces faisaient partie de la première Lyonnaise; plus tard elles furent enclavées dans le royaume de Bourgogne.
Th. GAUTIER, Souvenirs de théâtre..., p. 1.

Par ext. Enclore, enfermer.

♦ **ENCLAVÉ, ÉE** p. p. adj. *Pierre enclavée. Tuiles, ardoises enclavées.* — *Parcelle de terre enclavée. Fonds enclavé.*

3 Le soir approchant, nous revenions au petit pas, par des chemins pierreux enclavés entre des champs fraîchement remués dont la terre était brune.
E. FROMENTIN, Dominique, II, p. 27.

4 (...) une mignonne cour, enclavée comme un petit lac alpestre au milieu des buissonnets prévenants.
MONTHERLANT, la Relève du matin, p. 93.

(Wailly, 1809). **Méd.** *Fœtus, utérus enclavé.* → **Enclavement.** *Tumeur enclavée :* tumeur bloquée entre le rectum et la vessie, ou l'utérus chez la femme.

CONTR. Dégager; désenclaver. ◊ **DÉR.** Enclave, enclavement.

ENCLENCHE [ɑ̃klɑ̃ʃ] n. f. — 1870; déverbal de *enclencher.*

Techn. Entaille ménagée dans une pièce en mouvement, et dans laquelle pénètre le bouton d'une autre pièce que la première doit entraîner.

ENCLENCHEMENT [ɑ̃klɑ̃ʃmɑ̃] n. m. — 1864; de *enclencher.*

♦ **1** Action d'enclencher*, de s'enclencher. — **Fig.** *Le processus d'enclenchement de la crise.*

♦ **2** (1890). **Par métonymie.** Dispositif qui enclenche un mécanisme. Dispositif mécanique, électrique, destiné à rendre solidaires diverses pièces d'un

mécanisme ou divers appareils (le fonctionnement de l'un étant subordonné à l'état ou à la position de l'autre). — **Régional (Belgique, Suisse).** *Poste d'enclenchement :* poste d'aiguillage*.

ENCLENCHER [ɑ̃klɑ̃ʃe] v. tr. — 1870; de *en-, clenche,* et suff. verbal.

♦ **1** Faire fonctionner (un mécanisme) en faisant intervenir l'enclenchement, en rendant les pièces solidaires. *Enclencher un aiguillage. Enclencher les vitesses d'une voiture* (→ **Passer**).

Et ensuite quand le mécanisme est enclenché, il faut, vous 1
l'avez vu, un mal du diable pour faire le décrochage (...)
J. ROMAINS, les Hommes de bonne volonté, t. V,
XXVI, p. 257.

Au participe passé :

Débrayage, point mort, frein, stop, première enclenchée 2
bien avant le vert pour démarrer plus vite.
Geneviève DORMANN, Fleur de péché, p. 16.

Fig. *Une fois le mécanisme enclenché, il est difficile de se dégager* (→ **Engager, engrener**).

♦ **2** (1964, in T. L. F.; sous l'infl. de *déclencher*). Engager, faire commencer (un processus). *Enclencher une évolution irréversible.* — **Pron.** *Le processus s'est enclenché.*

CONTR. Déclencher. ◊ **DÉR.** Enclenche, enclenchement.

ENCLIN, INE [ɑ̃klɛ̃, in] adj. — Fin XIIe; «baissé», 1080; de l'anc. v. *encliner* «saluer (qqn) par une inclinaison profonde»; lat. *inclinare,* de *inclinis* «incliné». → **Incliner.**

Porté, par un penchant naturel et permanent, à... → **Inclination, penchant; disposé, porté, prédisposé, sujet** (à).

(Suivi d'un subst.). *Être enclin au mal, au bien, à la bienveillance, à la paresse, à la nonchalance, à l'insolence...* (→ Bienveillance, cit. 4; déployer, cit. 18; discussion, cit. 7). *Esprit enclin à un jugement rapide* (→ Desservir, cit. 5). *Il est naturellement, spontanément enclin, peu enclin à l'indulgence.*

(...) un âge naturellement enclin à l'avarice (...) 1
MONTAIGNE, Essais, I, XIV.

(*Certain animal*) de qui la nature est fort encline au 2
mal (...) MOLIÈRE, le Dépit amoureux, IV, 2.

(...) jouir de ce doux rien-faire auquel je sens avec effroi 3
que je suis plus enclin que jamais.
SAINTE-BEUVE, Correspondance, 6 déc. 1828.

(...) je suis un galant homme, enclin de nature aux pensées 4
honnêtes (...)
FRANCE, le Mannequin d'osier, Œuvres, t. XI,
p. 370.

(Suivi d'un verbe à l'inf.). *Il est enclin, elle est encline à se fâcher, à blâmer* (cit. 5). → Admonition, cit.; ascendant, cit. 3. *Nature encline à mal faire* (→ Confrère, cit. 3).

(...) à jouer on dit qu'il est enclin (...) 5
MOLIÈRE, Tartuffe, II, 2.

J'ai toujours été tellement plus enclin à regarder, à enre- 6
gistrer, qu'à juger, qu'à conclure (...)
MARTIN DU GARD, les Thibault, t. V, p. 107.

CONTR. Rebelle, réfractaire.

ENCLIQUETAGE [ɑ̃kliktaʒ] n. m. — 1734; de *encliqueter.*

Techn. Dispositif mécanique destiné à entraîner dans un sens un organe de rotation et à empêcher la rétrogradation du mouvement. *Encliquetage à cliquet simple, à rochet. Un encliquetage de roue libre.*

ENCLIQUETER [ãklikte] v. intr. [CONJUG.: *jeter*.] — 1755; de en-, *cliquet* et suff. verbal.

Techn. Bloquer (un mécanisme) en faisant jouer l'encliquetage.

DÉR. Encliquetage.

ENCLISE [ãkliz] n. f. — 1904, Vendryes; grec *egklisis* «inclinaison», d'après *enclitique*.

Didact. Existence, apparition d'un enclitique*.

ENCLITIQUE [ãklitik] adj. et n. m. — 1798; *encliticque*, 1533; bas lat. *encliticus*, grec *egklitikos* «penché», de *egklinein* «incliner». → Clin(o)-.

Ling. Se dit d'un mot qui s'appuie sur le mot pré-cédent et qui, du point de vue phonétique, s'y intègre. *Je et ce sont enclitiques dans «Que vois-je?; qu'est-ce?».* — N. f., puis (Académie, 1874) m. *Un enclitique* : élément signifiant (considéré comme un morphème ou comme un mot) joint au mot précédent pour constituer une unité syntactique et sémantique. *Dans le grec ancien, l'accent tonique des enclitiques se reporte sur le mot qui précède.*

Ainsi, en japonais, la prolifération des suffixes fonction-nels et la complexité des enclitiques supposent que le sujet s'avance dans l'énonciation à travers des précautions, des reprises, des retards et des insistances (...)
R. BARTHES, l'Empire des signes, p. 15.

DÉR. V. **Enclise.**

ENCLOÎTRER [ãklwatRe] v. tr. — XIIe-XIIIe; de en-, *cloître*, et suff. verbal.

Vx. Cloîtrer. — **Pron.** *«Je voudrais pouvoir m'encloîtrer dans quelque abbaye...»* (Martin du Gard).

ENCLORE [ãklɔR] v. tr. [CONJUG.: *clore*; 3E pers. du sing. *il enclôt* ou, Acad., *il enclot*.] — V. 1050; du lat. pop. *inclaudere*, de *includere*. → Clore, inclure.

♦ 1 (V. 1170). Entourer d'une clôture, d'une enceinte. → **Ceindre, clore, clôturer, enceindre, fermer.** *Enclore un terrain. Enclore un jardin d'une haie, d'un grillage, d'une palissade. Enclore une ville de murailles, un château de fossés.*

(Sujet n. de chose). Entourer* en tant que clôture, d'une manière continue. → **Enceindre.**

1 Cet après-midi nous allons à la Mosquée des Derviches. Un jardin clos l'entoure; faisant face à l'entrée de la mosquée, une suite de petites salles, qui sont je crois les chambres des derviches, ouvrent sur le jardin, qu'elles enclosent.
GIDE, Journal, 1914, La marche turque, p. 413.

♦ 2 (1690). Comprendre* dans un clos, dans une enceinte. → **Enclaver, inclure.** *Enclore un bois dans son parc. Enclore les faubourgs dans la ville.*

Littér. → **Contenir, enfermer.**

2 À ceux qu'enclôt la tombe noire.
LA FONTAINE, Fables, III, 7.

♦ 3 Par métaphore et fig. **Littér.** Enfermer de façon rigoureuse.

3 (...) il pensait qu'il n'oserait plus jamais bouger, qu'il lui fallait enclore sa vie dans les bornes les plus strictes.
G. DUHAMEL, Chronique des Pasquier, IX, X, p. 120.

(Sujet n. de chose). *Une notion qui en enclôt une autre.* → **Comprendre, subsumer.**

♦ S'ENCLORE v. pron.

Clore sa propriété (de murs, de haies...). *Il faudra qu'il s'enclose pour empêcher les promeneurs de traverser le parc.*

♦ ENCLOS, OSE p. p. adj.

♦ 1 Ceint d'une clôture. *Champ enclos de treillages* (→ Barbelé, cit. 2).

Il se développe dans l'air enclose du jardinage, d'où viennent les plantes tinctoriales et le raisin, et dans les espaces encore sauvages où paissent les animaux à viande et à laine.
GEORGES DUBY, Guerriers et Paysans, p. 284. 3.1

♦ 2 Enfermé étroitement. Fig. *Idée enclose dans un mot* (→ Accompagnement, cit. 2). → **Compris, enfermé, inclus, renfermé.**

Quand viendra pour moi cet instant
Où tant de douceurs sont encloses? 4
CORNEILLE, l'Imitation de J.-C., III, 3646.

Elle vivait enclose dans son univers. 5
MARTIN DU GARD, les Thibault, t. VI, p. 271.

CONTR. Déclore. ◊ DÉR. Enclos, enclôture. ← HOM. (Du p. p.) **Enclos.**

ENCLOS [ãklo] n. m. — 1283; p. p. de *enclore*, sub-stantivé.

♦ 1 Espace de terrain entouré d'une clôture (cit. 1). → **Clos, parc, plessis.** *Enclos servant de potager. Enclos pour le bétail* (corral, parc), *pour les poules* (poulailler), *pour les poulains* (paddock)... *Enfermer qqn dans un enclos.*

Quant aux prisonniers, ils allaient être parqués dans quelque enclos où, maltraités, à peine nourris, exposés à toutes les intempéries du climat, ils attendraient le bon plaisir de Féofar. J. VERNE, Michel Strogoff, p. 268. 0.1

Par ext. (littér., vx). Espace borné.

Terre, que ton enclos tout entier retentisse
Des louanges de ton seigneur. 1
CORNEILLE, Office de la Vierge, I.

Spécialt. Espace (souvent clos auprès d'une église) enfermant un cimetière. *Enclos sacré, bénit. Les enclos paroissiaux de Bretagne.*

Les sentiers qui traversaient l'enclos bénit aboutissaient à l'église (...) 2
CHATEAUBRIAND, le Génie du christianisme, IV, II, 7.

Un petit mur croulant dessinait autour un enclos enfermant des croix. 3
LOTI, Pêcheur d'Islande, II, III, p. 87.

Petit domaine. → **Clos, pourpris** (VX).

♦ 2 (1460). Par ext. Enceinte, clôture. → **Clôture.** *Un enclos de murailles, de haies, de planches. Réparer son enclos.*

♦ 3 Géogr. *Pays, paysage d'enclos,* où les parcelles sont encloses. → **Enclosure.**

DÉR. V. **Enclosure. ◊ HOM.** P. p. de **enclore.**

ENCLOSURE [ãklozyR] n. f. — D. i. (XXe); 1804, comme terme de course; mot angl., *enclosure* (1538) «action d'enclore», de l'anc. franç. *enclosure* (1270), de *enclore*, *enclos*.

Hist., géogr. En Grande-Bretagne, Parcelle de terre enclose (de haies, de murs). → **Enclôture.**

ENCLÔTURE [ãklotyR] n. f. — XIIIe, *enclosture*; de *enclore*, d'après *clôture*.

Techn. (agric., géogr.). Action d'enclore (les parcelles de terrain). — Clôture qui enclôt. *«Les enclôtures des magasins...»* (Chateaubriand, in T. L. F.). → **Enclosure.**

ENCLOUAGE [ãklua3] n. m. — 1755; de *enclouer*. Action d'enclouer.

♦ 1 Ancient. Mise hors de service d'un canon par enfoncement d'un clou spécial dans la lumière.

♦ 2 (1930). Chir. Enfoncement d'un clou dans les fragments d'un os fracturé, afin de les maintenir en bonne position.

ENCLOUER [ãklue] v. tr. — Fin XIIe; de *en-*, *clou*, et suff. verbal.

♦ **1** Blesser avec un clou (un animal quand on le ferre). → **Enclouure.**

1   Ou il m'envoie une compagnie qui me retient, ou il encloue mes chevaux, ou il me démet une jambe (...)
GUEZ DE BALZAC, Œuvres, livre VII, lettre 33.

♦ **2** (XVe). Mettre (un canon) hors d'usage en enfonçant un clou dans la lumière. *Enclouer des canons avant de les abandonner à l'ennemi.* → **Enclouage, 1.**

Par anal. Interdire (une serrure) en bouchant l'orifice.

2   Enlevez ce crayon qui bloque votre serrure. Je ne peux pas introduire ma clef (...)
Le lendemain matin, *(ils)* se retrouvaient devant ma porte, dont la serrure était toujours enclouée d'un crayon.
Hervé BAZIN, Vipère au poing, p. 186 et 190.

♦ **3** Fermer, tenir fermé par des clous. *Enclouer une porte, une trappe.*

♦ **4** (1948). **Chir.** Maintenir (des os fracturés) par le procédé de l'enclouage* (2.).

CONTR. Désenclouer. ◊ **DÉR. Enclouage, enclouure.**

ENCLOUURE [ãkluyR] n. f. — 1175; de *enclouer.*
Vétér. Blessure d'un cheval encloué.

ENCLUME [ãklym] n. f. — XIIe; du lat. pop. *includo, altér.* (p.-ê. par attr. de *includere* «enfermer») du bas lat. *incudo, incudinis,* du lat. class. *incus, incudis* «enclume».

♦ **1** Masse de fer aciéré sur laquelle le forgeron bat les métaux, à froid ou à chaud. → **Enclumeau, enclumette.** *L'enclume repose sur un billot, sur une javotte. Parties d'une enclume.* → **Bigorne, estomac, table.** *Un trou carré sur la table de l'enclume reçoit le tranchet, l'étampe. Battre, frapper sur l'enclume.* → **Forger** (→ **Cogner,** cit. 1; **coup,** cit. 71). *Enclume de maréchal, de serrurier* (fixée à un établi), *d'orfèvre* (→ DÉ* d'orfèvre). *Le bruit du marteau sur l'enclume.*

1   On ouït sonner les armes,
On ouït par les alarmes
Rompre harnois et couteaux,
Et les lames acérées
Sur les enclumes ferrées
S'amollir sous les marteaux.
RONSARD, Odes, livre I, XIX.

2   (...) on n'entendit plus *(dans l'Etna)* les coups des terribles marteaux qui, frappant l'enclume, faisaient gémir les profondes cavernes de la terre et les abîmes de la mer (...)
FÉNELON, Télémaque, II.

3   (...) Bèze et sa magnifique comparaison de l'Église avec une enclume, qui n'était faite que pour recevoir des coups et non pas pour en donner, mais qui aussi, en les recevant, brisait souvent les marteaux dont elle était frappée.
BOSSUET, 5e avertissement, 4.

4   Partout où il entendait résonner une enclume littéraire, il arrivait. Il y mettait ses idées, il les laissait marteler à plaisir par la discussion, et souvent, à force de les reforger ainsi sans cesse, il les déformait.
HUGO, Littérature et Philosophie mêlées, p. 94.

(1676). Outil ou pièce d'un instrument destiné à recevoir un choc. *Enclume de cordonnier, de couvreur.*

Loc. fig. *Mettre, remettre sur l'enclume* (en parlant d'un ouvrage de l'esprit), le travailler, le corriger, le reprendre.

5   (...) ses fortes phrases qu'il forgeait, essayait, remettait encore sur l'enclume pour qu'elles ne lui manquassent pas dans la bataille.
M. BARRÈS, Leurs figures, p. 136.

6   M. d'Indy met sur l'enclume des styles et des pensées divers; il forge avec vigueur. Il est naturel qu'on y sente, çà et là, la marque du marteau, l'empreinte de la volonté.
R. ROLLAND, Musiciens d'aujourd'hui, p. 112.

Se trouver entre l'enclume et le marteau : être engagé entre deux partis, entre deux intérêts, sans pouvoir éviter les coups d'un côté ni de l'autre.

7   *(Le pape Clément VII)* écrivait qu'il était entre l'enclume et le marteau *(entre Charles-Quint et François Ier...)*
VOLTAIRE, Essai sur les mœurs, 135.

Prov. *Il vaut mieux être marteau qu'enclume :* il est préférable de battre que d'être battu.

Il faut être enclume ou marteau, opprimé ou oppresseur.

Il faut être, en France, enclume ou marteau : j'étais né enclume.

8   VOLTAIRE, Mémoires..., Œ. compl., t. I, p. 350.

Il s'est fait marteau pour n'être pas enclume.

9   STENDHAL, le Rouge et le Noir, t. I, p. 251.

♦ **2** (1611). **Anat.** L'un des osselets de l'oreille, servant de trait d'union entre le marteau et l'étrier.

DÉR. Enclumeau, enclumette.

ENCLUMEAU ou **ENCLUMOT** [ãklymo] n. m. — Fin XIVe; de *enclume.*
Techn. Petite enclume portative; **spécialt** Enclume de faucheur. → Enclumette.

ENCLUMETTE [ãklymɛt] n. f. — 1755; de *enclume.*
Techn. Petite enclume (d'emballeur, de faucheur), pour battre la faux. → Enclumeau.

ENCLUMOT [ãklymo] n. m. → **Enclumeau.**

ENCOCHE [ãkɔʃ] n. f. — 1542; déverbal de *encocher.*

♦ **1** **Techn.** et **cour.** Petite entaille ou découpure. → 1. **Coche.** *Pratiquer, tailler une encoche sur, dans. Faire une encoche dans, sur un morceau de bois. Tailler des encoches dans la glace.*

Spécialt. Entaille, servant à un mécanisme fabriqué. *Les encoches d'une clé, d'une gâchette* (→ **Cran**), *d'un caractère d'imprimerie* (→ Composteur, cit.). *Encoche* (ou *coche*) *d'une flèche* (→ **Encocher,** 2.). — *Entaille servant de marque. Les encoches d'une fiche, d'un répertoire.*

♦ **2** **Géol.** *Encoche marine :* découpure le long d'un littoral calcaire, due à la dissolution de la roche par la mer.

ENCOCHEMENT [ãkɔʃmã] ou **ENCOCHAGE** [ãkɔʃaʒ] n. m. — 1669, *encochement; encochage,* XXe; de *encocher.*
Techn. Action d'encocher; son résultat.

ENCOCHER [ãkɔʃe] v. tr. — V. 1160; de *en-*, 1. *coche,* et suff. verbal.
Technique.

♦ **1** Faire une encoche à (une pièce métallique, une clé, etc.). *Encocher le pêne d'une serrure.* — *Encocher les tranches d'un répertoire,* y découper des cavités correspondant à un classement et permettant une consultation rapide.

♦ **2** *Encocher une flèche,* l'appliquer par la coche du talon à la corde de l'arc.

♦ **ENCOCHÉ, ÉE** p. p. adj. *Trait encoché.* — *Flèche encochée.*

CONTR. Décocher. ◊ **DÉR. Encoche, encochement.**

ENCOCONNER [ãkɔkɔne] v. tr. — 1877, «mettre les vers à soie sur la bruyère»; de *en-*, *cocon,* et suff. verbal.
Techn. Enfermer dans un cocon.

◆ **S'ENCOCONNER** v. pron.

Rare, fig. S'enfermer comme dans un cocon protecteur.

1   On s'encoconnait là dans une liberté réduite, mais neuve.
       Hervé BAZIN, Un feu dévore un autre feu, p. 152.

◆ **ENCOCONNÉ, ÉE** p. p. adj.

◆ **1** Techn. Enfermé dans un cocon protecteur. *Chrysalide encoconnée.*

◆ **2** Fig. Enfermé, isolé dans un cocon* (fig.) protecteur.

2   Il sera encore temps, hélas ! de reprendre la bagarre après le jugement : le verdict sera un nouveau coup de boule, je rebondirai (...) Pour l'instant, j'hiberne, encoconnée dans la bienveillance et la loyauté.
       A. SARRAZIN, la Cavale, p. 197.

ENCODAGE [ɑ̃kɔdaʒ] n. m. — V. 1960 ; de *encoder*.

Didact. Processus de production d'un message selon un système de signes commun aux participants de la communication (code*) et susceptible de transmettre de l'information. — Spécialt (ling.). Production de messages (énoncés, phrases) dans une langue naturelle. → **Parole, phonation ; écriture.** S'oppose à *décodage*.

1   Lorsque les biologistes emploient le terme de «mémoire» dans le premier des trois sens que nous avons distingués, ils soulèvent en réalité le grand problème de l'organisation de l'acquis, et, en parlant de la conversation de l'information non héréditaire, ils nous font espérer la découverte d'organisations analogues, mais sur le terrain phénotypique, à celles des encodages de l'information héréditaire.
       J. PIAGET, Épistémologie des sciences de l'homme, p. 199.

2   Toute parole, même dans la fonction phatique, se veut signifiante à l'encodage. «Parler pour ne rien dire» est un jugement du décodeur, jamais de l'encodeur. De la même manière, la parole fausse (au sens de «erroné» et non «mensonger») est vraie pour celui qui la construit.
       Josette REY-DEBOVE, le Sens de la tautologie, *in* le Français moderne, oct. 1978, p. 327.

CONTR. **Décodage.**

ENCODER [ɑ̃kɔde] v. tr. — V. 1960 ; de *en-, code,* et suff. verbal.

Didact. Constituer, produire selon un code*. — Inform. Coder* (une information) au moment de la saisie. — Ling., sémiol. Produire (un discours, un message) selon les règles d'un code (langue, etc.). → **Encodage.** Au p. p. *Message encodé.* — S'oppose à *décoder*.

CONTR. **Décoder.** ◊ DÉR. **Encodage, encodeur.**

ENCODEUR, EUSE [ɑ̃kɔdœʀ, øz] n. — V. 1960 ; de *encoder*.

◆ **1** N. m. Didactique. Système fonctionnel (machine ou organisme) effectuant une opération d'encodage* (→ Emetteur, récepteur). — S'oppose à *décodeur.*

◆ **2** Personne qui encode (un message).

CONTR. **Décodeur.**

ENCOFFRER [ɑ̃kɔfʀe] v. tr. — 1382 ; de *en-, coffre,* et suff. verbal.

Vieux.

◆ **1** Enfermer dans un coffre*. *Encoffrer son argent.*

Le duc de Gramont et sa vilaine épouse (...) encoffrèrent leur belle et magnifique vaisselle (...)
       SAINT-SIMON, Mémoires, t. III, XI.

◆ **2** Par ext. Mettre à l'abri, s'approprier (qqch.).

ENCOIGNER [ɑ̃kwaɲe] v. tr. — V. 1275, pron. ; de *en-, coin,* et suff. verbal.

Vx ou régional. Serrer comme dans un coin, un angle (surtout pron. et p. p.). *S'encoigner, être encoigné dans un angle.* → Rencoigner, rencogner (régional).

REM. L'Académie préconise l'orthographe *encogner* [ɑ̃koɲe].

DÉR. **Encoignure.**

ENCOIGNURE [ɑ̃kwaɲyʀ] n. f. — 1504 ; de *encoigner*.

◆ **1** Angle* intérieur formé par la rencontre de deux pans de mur. → **Coin.** *Pierre d'encoignure ou pierre d'angle. Lit placé dans l'encoignure* (→ Démolisseur, cit. 2). *Se dissimuler dans une encoignure. Encoignure d'un comble.* → **Arêtier.**

1   (...) une maison de pierre de taille, raffermie dans les encoignures par des mains de fer (...)
       LA BRUYÈRE, les Caractères, XI, 124.

2   (...) un château du temps de Henri IV avec ses toits pointus couverts d'ardoises et sa face rougeâtre aux encoignures dentelées de pierres jaunies (...)
       NERVAL, les Filles du feu, «Sylvie», II.

3   Elle *(la chambre)* était sombre, à cause des rideaux tirés et d'un papier peint à ramages couleur de bois. Le lit était placé dans l'encoignure.
       H. BOSCO, Un rameau de la nuit, p. 250.

4   Au bout de cinq ou six marches, l'escalier semble tourner, vers la droite. Le soldat distingue à présent le mur du fond. Là, collée le plus qu'elle peut dans l'encoignure (...) il y a une femme (...)
       A. ROBBE-GRILLET, Dans le labyrinthe, p. 55.

Spécialt. Angle formé par les maisons à l'intersection de deux rues.

5   À l'encoignure de ces rues, ils arrivèrent à ce petit bar, où les garçons et le patron reçurent amicalement l'inconnu (...)
       PROUST, Jean Santeuil, Pl., p. 881.

◆ **2** (1750). Petit meuble servant d'armoire, d'étagère, fait de manière à être placé dans un coin, dans un angle d'appartement. *Une encoignure de bois de cerisier* (Académie). → **Écoinçon** (meuble en écoinçon).

6   Aux quatre angles de cette salle, se trouvaient des encoignures, espèces de buffets terminés par de crasseuses étagères.   BALZAC, Eugénie Grandet, éd. 1838, p. 51.

REM. L'Académie préconise désormais l'orthographe *encognure* [ɑ̃koɲyʀ].

ENCOLÉRER [ɑ̃kɔleʀe] v. tr. — 1836 ; de *en-, colère,* et suff. verbal.

Vieilli ou régional. Mettre en colère (qqn). — Donner le ton de la colère à. *Sa véhémence encolère ses propos.*

◆ **S'ENCOLÉRER** v. pron.

S'emporter.

Ce n'était nullement un misanthrope à l'Alceste. Il ne s'indignait pas vertueusement. Il ne s'encolérait pas. Non ! il méprisait l'homme aussi tranquillement qu'il prenait sa prise de tabac (...)
       BARBEY D'AUREVILLY, les Diaboliques, «Le bonheur dans le crime».

ENCOLLAGE [ɑ̃kɔlaʒ] n. m. — 1771 ; de *encoller*.

Technique.

◆ **1** Action d'encoller ; son résultat. *L'encollage d'une pièce de bois. Un encollage bien fait.*

J'ai été distrait, ou fatigué, ou maladroit, sans tenir compte des taches de résine dans le bois qui ne se révèlent qu'à découvert que j'ai réussi à masquer avec le vernis, ou des imperceptibles fentes que l'encollage le plus habile n'empêchera pas de filer ou de s'élargir à la longue.
       Herbert LE PORRIER, le Luthier de Crémone, p. 104.

Spécialt. *L'encollage du papier.* — Préparation de la chaîne (d'un tissu).

◆ **2** (1903 ; *in* Rev. gén. des sc., n° 2, p. 111). Apprêt qui sert à encoller.

ENCOLLER [ãkɔle] v. tr. — 1324; de *en-*, *colle*, et suff. verbal.

♦ **1** Techn. Enduire (du papier, des tissus, du bois) de colle, de gomme, d'apprêt. *Encoller le dos d'un livre pour le relier. Encoller un mur que l'on va tapisser de papier. Encoller une toile.* — *Encoller une étoffe, en vue d'augmenter la résistance des fils* (encollage). — *Encoller un livre,* tremper les feuillets dans un apprêt qui donne au papier plus de résistance et le préserve des rousseurs. — Au p. p. *Exemplaire lavé et encollé.*

♦ **2** Par anal. *Encoller ses cheveux de pommade.* — (Au p. p.). *Cheveux encollés de pommade.* Fig. *«Tignasse brune, encollée de sueur»* (Martin du Gard).

♦ **3** Fig., rare. Envahir, saisir (le sujet désigne une substance quelconque).

Un crépuscule gris encolle les vitres.
H. TROYAT, les Héritiers de l'avenir, t. II, p. 109.

DÉR. **Encollage, encolleur.** ◊ COMP. (Du p. p.). **Préencollé.**

ENCOLLEUR, EUSE [ãkɔlœʀ, øz] n. — 1832; de *encolleur.*

Technique.

I Personne travaillant à l'encollage des tissus.

II N. f. (1877). Machine à encoller les tissus.

ENCOLURE [ãkɔlyʀ] n. f. — 1580; «isthme», 1554; de *en-*, *col*, anc. forme de *cou*, et suff. *-ure.*

I ♦ **1** (En parlant de certains animaux, et, spécialt, du cheval). Partie du corps qui s'étend entre la tête, le garrot, les épaules et le poitrail. *L'encolure d'un cheval. Encolure droite, renversée* (dite *encolure de cerf*), *rouée. Encolure bien sortie. Cheval à encolure de cygne. Encolure chargée, fausse ou mal sortie, tombante. Cheval* (cit. 5) *à encolure contournée. Cheval chargé d'encolure. Pli de l'encolure. La crinière flotte sur l'encolure. Flatter l'encolure d'un cheval. Se pencher sur l'encolure.*

1   (...) un volume, qu'il tapota plusieurs fois du plat de la main, comme on flatte l'encolure d'un cheval.
MARTIN DU GARD, les Thibault, t. VII, p. 146.

2   Les chevaux sont obligés de se mettre au pas; et ils tirent par saccades, de toute l'encolure, en faisant des étincelles sur le pavé.
J. ROMAINS, les Hommes de bonne volonté, t. I, XVII, p. 174.

(1855, *in* Petiot). Turf. Longueur de cette partie du corps du cheval. *Il a gagné d'une encolure.*

♦ **2** (1611). Cou de l'homme (considéré dans sa grosseur, sa force). *Mesurer l'encolure de qqn. Homme de robuste, de forte encolure. Reconnaître qqn à son encolure.*

3   Celui qui tâchait d'échapper avait peu d'encolure et une chétive mine, celui qui tâchait d'empoigner, gaillard de haute stature, était de rude aspect et devait être de rude rencontre.
HUGO, les Misérables, V, III, III.

Fig. (fam., vx). Apparence générale (d'une personne).
→ **Allure, tournure.**

4   Certain homme dont l'encolure
Ne me présage rien de bon.
MOLIÈRE, Amphitryon, I, 2.

♦ **3** (1829). Dimension du col (d'un vêtement, et, spécialt, d'une chemise d'homme). *Chemise d'encolure 39. Quelle est votre encolure?*

♦ **4** (1845). Partie (d'un vêtement) qui entoure et dégage le cou. → **Col.** *Encolure d'une chemise. Encolure carrée, en pointe, encolure bateau. Robe à encolure dégagée.* → aussi **Décolleté.**

Anne Desbaresdes releva ses mains vers son cou nu dans   5
l'encolure de sa robe d'été.
M. DURAS, Moderato cantabile, p. 121.

III (1845). Mar. *Encolure d'une varangue :* hauteur du milieu de cette varangue au-dessus de la quille. *Ligne d'encolure :* ligne passant par le milieu de toutes les varangues.

ENCOMBRANT, ANTE [ãkɔbʀã, ãt] adj. — 1642; *encombreux*, XIIIe; p. prés. de *encombrer.*

♦ **1** Qui encombre. → **Embarrassant.** *Se charger de colis, de paquets encombrants.* → **Volumineux** (→ Coltiner, cit. 1). *Marchandises encombrantes. Objets inutiles et encombrants* (→ Dilemme, cit. 1). *Ôte-toi du passage! que tu es encombrant!*

Un éléphant, c'est très encombrant. Chez moi, c'est tout   1
petit.   SAINT-EXUPÉRY, le Petit Prince, Pl., p. 416.
Il me parle de M. Pouget qui était «encombrant», qu'on   2
voyait dans les couloirs avec sa machine à écrire.
J. GREEN, Journal, Vers l'invisible, 25 févr. 1965.

♦ **2** (Av. 1850). Fig. Importun, pesant. *Un personnage encombrant.* → **Fâcheux, parasite.** *Des gens particulièrement encombrants. — Des scrupules, des souvenirs encombrants. Une encombrante richesse* (→ Accumuler, cit. 10). *Sa présence est encombrante.* → **Indiscret.** *Un passé encombrant.*

CONTR. **Léger, mince.** — **Agréable, discret, effacé.**

ENCOMBRE [ãkɔbʀ] n. m. — Fin XIIe; «malheur», v. 1165; déverbal de *encombrer.*

♦ **1** Vx. Accident ou incident fâcheux, obstacle. → **Traverse.** *Il y eut divers encombres.*

(...) quelque sinistre encombre.   1
MOLIÈRE, le Dépit amoureux, V, 2.

♦ **2** Loc. adv. (Av. 1526). Mod. **SANS ENCOMBRE :** sans rencontrer d'obstacle, sans ennui. *Arriver au port sans encombre* (→ Coussinet, cit. 1).

Il venait de subir sans encombre son dernier examen.   2
FLAUBERT, l'Éducation sentimentale, I, V.
(...) les trois petites Turques avaient réussi, par des che-   3
mins détournés, à gagner sans encombre une des échelles
de la Corne-d'Or et à prendre un caïque (...)
LOTI, les Désenchantées, III, XI, p. 99.

Littér. (Avec un adj.). *Sans autre encombre que... Sans encombre important.* — (Avec un adv.). *«Sans trop d'encombre»* (Gide).

ENCOMBREMENT [ãkɔbʀəmã] n. m. — Fin XIIe; «embarras, difficulté», v. 1172; de *encombrer.*

♦ **1** (1762). Actif. Rare. Action d'encombrer; fait de s'encombrer. *L'encombrement progressif d'un couloir par les passants.*

♦ **2** État de ce qui est encombré. *L'encombrement des rues aux heures de sortie d'usine.* → **Embarras; affluence.**

(Fin XIIe). Amas de choses qui encombrent; spécialt Embouteillage* de véhicules. *Un encombrement de voitures. Essayer d'éviter l'encombrement. Profiter de l'encombrement pour disparaître. Il y a des encombrements sur l'autoroute.* → **Bouchon** (II., A., 4.).

Cette multitude immense entassée sur la rive *(de la Béré-*   1
zina), pêle-mêle avec les chevaux et les chariots, y formait
un épouvantable encombrement (...)
Ph. P. SÉGUR, Hist. de Napoléon, XI, 9.
Sitôt qu'il s'était vu délié, et pendant que Javert verbalisait,   2
il avait profité du trouble, du tumulte, de l'encombrement,
de l'obscurité, et d'un moment où l'attention n'était pas
fixée sur lui, pour s'élancer par la fuite.
HUGO, les Misérables, III, VIII, XXI.
S'il espère traverser la rue à la faveur d'un encombrement,   3
il lui faudra se faufiler entre vingt machines, entre vingt
volontés qui ne sont presque jamais de bonne volonté.
G. DUHAMEL, Manuel du protestataire, IV, p. 132.

L'encombrement d'un magasin, d'un bureau. Quel encombrement! → **Désordre.** *Dans l'encombrement de ses papiers.* → **Amas, entassement.**

4 (...) les quatre couples attablés autour d'un joyeux encombrement de plats, d'assiettes, de verres et de bouteilles (...)
HUGO, les Misérables, I, III, V.

5 Il avait avancé la main. Il prit un crayon qui traînait dans l'encombrement de la table (...)
COURTELINE, Messieurs les ronds-de-cuir, 6ᵉ tableau.

Spécialt (méd.). *Encombrement des fosses nasales.* → **Enchifrènement, obstruction.**

6 (...) la présence de gaz toxiques (...) l'encombrement des alvéoles pulmonaires par des sécrétions abondantes (pneumonie, broncho-pneumonie) peuvent conduire à l'asphyxie. P. VALLERY-RADOT, Notre corps, p. 75.

♦ **3** (1930). Dimensions, volume qui font qu'un objet encombre plus ou moins. *Déterminer l'encombrement d'un véhicule, d'un meuble.*

♦ **4 Fig.** (des sens 1 et 2). *L'encombrement du marché.* → **Surabondance, surproduction.** *L'encombrement d'une profession. L'encombrement des candidats.* → **Foule, multitude.**

7 Les jurandes, au moins, en limitant le nombre des apprentis, empêchaient l'encombrement des travailleurs, et le sentiment de la fraternité se trouvait entretenu par les fêtes, les bannières.
FLAUBERT, l'Éducation sentimentale, II, II.

Ce qui encombre d'un point de vue moral, intellectuel. *L'encombrement de la mémoire* (→ Cérébral, cit. 1).

CONTR. Dégagement, désencombrement. ◊ **COMP. Surencombrement.**

ENCOMBRER [ãkɔ̃bʀe] v. tr. — Fin XIᵉ; de *en-*, anc. franç. et dial. *combre* «barrage de rivière», bas lat. d'orig. gaul. *combrus* «abattis d'arbres», et suff. verbal.

♦ **1** (Sujet n. de chose). Remplir en s'entassant et en faisant obstacle à la circulation, au libre usage des choses. → **Embarrasser, gêner; boucher, obstruer.** *Un flot de voitures encombrait la chaussée* (→ Coucou, cit. 5). *Les bagages qui encombrent le couloir d'un wagon. Des dépôts* (cit. 16), *des alluvions ont encombré le lit, l'embouchure du fleuve. Un amas* (cit. 5) *de livres et de papiers encombrait son bureau. Les meubles qui encombrent le salon. Marchandises qui encombrent un magasin.*

1 Une troupe de chameaux sans gardien encombrait la rue dans toute sa largeur.
E. FROMENTIN, Un été dans le Sahara, p. 260.

2 C'était l'heure du premier déjeuner. Des bols de café au lait encombraient un guéridon auprès du feu. Des savates traînaient sur le tapis, des vêtements sur les fauteuils.
FLAUBERT, l'Éducation sentimentale, II, III.

3 (...) tout ce qui ne vaut rien et qu'on garde chez soi par habitude, par négligence, parce qu'on ne sait qu'en faire, tout ce qui encombre, tout ce qui gêne!...
Alphonse DAUDET, le Petit Chose, II, VI, p. 226.

(Sujet n. de personne). **a** *Les voyageurs encombraient le passage. La foule encombre la place. N'encombrez pas le trottoir, circulez!*

b (Av. 1833). **Sens actif.** *Encombrer un lieu de paquets.*

♦ **2** (1080). **Fig.** Remplir ou occuper à l'excès, en gênant. *Trop de nouveaux venus encombrent cette profession.* — (Valeur active). Gêner, causer de l'embarras par qqch. qui encombre. *Encombrer les autres de son bavardage, de ses aventures... N'as-tu pas fini de nous encombrer de ta petite personnalité! Encombrer sa vie de préoccupations inutiles* (→ Adventice, cit. 2). *Il encombre sa mémoire de détails futiles.* → **Surcharger.**

Quel enfant je suis resté longtemps, pour chercher, pour inventer des points de sympathie — *quelle que soit la personne avec qui je me trouve.* Cela put me servir, il est vrai, à comprendre plus subtilement les autres, mais cela m'a encombré ma vie de pseudo-amitiés dont aujourd'hui je ne peux me dépêtrer sans peine. La complaisance envers autrui n'est pas beaucoup moins ruineuse que celle envers soi-même. GIDE, Journal, 25 nov. 1905. 4

♦ **S'ENCOMBRER** v. pron.

♦ **1** Devenir encombré. *Dès midi, la rue s'encombre de voitures, de bicyclettes...* — Être encombré. *S'encombrer de gros bagages. S'encombrer inutilement d'un parapluie.*

Pour des gens si pauvres, ils s'encombraient vraiment de beaucoup d'inutiles bagages. 5
LOTI, Matelot, XVI, p. 59.

S'encombrer de qqn : s'embarrasser d'un compagnon inutile ou gênant. *Je me suis encombré d'un bel empoté! Elle s'est encombrée d'un mari insupportable.*

♦ **2 Fig.** (en parlant de choses d'ordre moral).

Et puis à quoi bon s'encombrer de tant de souvenirs, le passé nous mange trop, nous ne sommes jamais au présent qui seul est important dans la vie. 6
FLAUBERT, Correspondance, II, p. 292.

♦ **ENCOMBRÉ, ÉE** p. p. adj.

♦ **1** Où il y a de l'encombrement, trop de choses ou trop de gens. *Chantier, rue, appartement encombré* (→ Bibliothèque, cit. 7; chantier, cit. 1; croiser, cit. 4; déménagement, cit. 1).

Il l'introduisit dans le salon, encore encombré et sens dessus dessous, et qui avait l'air du champ de bataille des joies de la veille. 7
HUGO, les Misérables, V, VII, I.

Quelle différence entre cet intérieur si net, si propre, si facilement compréhensible, et la chambre d'une jeune fille française, toujours encombrée de chiffons, de papier de musique, d'aquarelles commencées (...) 8
Th. GAUTIER, la Toison d'or, III.

Spécialt (méd.). *Estomac, intestins encombrés.*

L'architecture de chaque organe est dominée par la nécessité, où se trouvent les cellules, d'être immergées dans un milieu toujours riche en matières alimentaires, et jamais encombré par les déchets de la nutrition. 9
Alexis CARREL, l'Homme, cet inconnu, p. 88.

♦ **2 Fig.** *Marché encombré.* → **Saturé.** *C'est une carrière très encombrée.* — *Mémoire encombrée* (→ Dénonciation, cit. 2). *Discours encombré de rhétorique* (→ Amplification, cit. 2).

Elle en parlait *(du voyage)* dans le premier désordre d'une mémoire encombrée de souvenirs tumultueux, avec la volubilité d'un esprit impatient de répandre en quelques minutes cette multitude d'acquisitions faites en deux mois. 10
E. FROMENTIN, Dominique, p. 102.

J'ai la tête encombrée de mon œuvre; elle se démène dans ma tête; je ne peux plus lire, non plus qu'écrire; elle s'interpose toujours entre le livre et mes yeux. 11
GIDE, Journal, 18 mars 1890.

CONTR. Décombrer (vx), **désencombrer; débarrasser, dégager; libérer.** ◊ **DÉR. Encombrant, encombre, encombrement.** — **COMP. Désencombrer, surencombrer.**

ENCOMIASTIQUE [ãkɔmjastik] adj. — D. i. (attesté XXᵉ); grec *egkômiastikos*, de *egkômiastês* «panégyriste», (→ franç. *encomiaste*, déb. XVIIᵉ, *Satire Ménippée in* Littré), de *egkômios* «éloge».

Didact. Qui relève de l'éloge, du panégyrique (en parlant d'un genre ou d'un texte littéraire). *L'hagiographie, l'hymne au XVIᵉ siècle ont un caractère encomiastique.*

ENCONTRE (À L') [alãkɔ̃tʀ] loc. adv. — V. 1145; *encontre*, prép. «vers», Xᵉ; du bas lat. *incontra.*

Vieilli ou littéraire (style soutenu).

♦ 1 Contre cela ; en s'opposant à (qqch.). *Je n'ai rien à dire à l'encontre. Je n'irai pas à l'encontre :* je ne ferai aucune opposition.

Rare. Au contraire.

♦ 2 Loc. prép. (xvᵉ ; surtout avec des verbes de mouvement et d'action). **ⓐ** Vx. À la rencontre de, en sens contraire à celui que... → **Vers.** — Mar. *Navires qui vont à l'encontre l'un de l'autre.*

1 (...) l'héroïne (...) s'avança courageusement à l'encontre des douleurs (...)   CHATEAUBRIAND, René.

ⓑ Mod. À l'opposé de, contre (soit en s'opposant, soit en contredisant). *Cet écrivain va à l'encontre de la pensée de tout son siècle.* → **Contre-courant** (à). *À l'encontre de notre honorable confrère, nous sommes d'avis que...* → **Contraire** (au), **contrairement** (à), **opposé** (à l'opposé). *Cette opinion va à l'encontre des idées reçues.* → **Paradoxe.** *Agir à l'encontre des conseils reçus.* → **Rebours** (au rebours de) ; → **Prendre** le contrepied*. *Aller à l'encontre des projets de qqn.* → **Contrarier, contredire, obstacle** (faire), **opposer** (s').

2 «Une certaine littérature d'édification», dit Mauriac, «falsifie la vie. Ici le parti pris de faire du bien va à l'encontre du but cherché».   A. MAUROIS, Études littéraires, t. II, p. 34.

3 Il faut admettre que les conditions modernes de la production industrielle vont à l'encontre des initiatives individuelles et des libertés personnelles.   SIEGFRIED, l'Âme des peuples, I, II, p. 12.

REM. La loc. est rare avec le possessif (*à son, à leur encontre, in* T. L. F.).

DÉR. Encontrer (anc. franç.) d'où **rencontrer**.

ENCOR [ãkɔʀ] adv. → **Encore.**

ENCORBELLÉ, ÉE [ãkɔʀbele] v. tr. — 1870 ; de *encorbell(ement)*.

Archit. Construit en encorbellement, orné d'un encorbellement.

1 (...) une masse d'architecture moitié gothique, moitié sarrasine, qui a l'air de se soutenir dans les airs comme par miracle, — faisant étinceler sous la rouge clarté du soleil ses fenêtres encorbellées, ses miradors, ses minarets et ses tourelles (...)   BAUDELAIRE, Trad. E. POE, Histoires grotesques et sérieuses, «Le domaine d'Arnheim».

2 De-ci de-là on aperçoit d'anciennes maisons à colombages, aux fenêtres encorbellées, décorées de bois sculpté (...)   S. DE BEAUVOIR, Tout compte fait, p. 250.

REM. Le verbe *encorbeller* (1892, Guérin) semble inusité.

ENCORBELLEMENT [ãkɔʀbɛlmã] n. m. — 1394 ; de *en-, corbel, bel.* forme de *corbeau*, II., 2., et suff. *-ement*.

Archit. Position d'une construction (balcon, corniche, tourelle...) en saillie sur un mur, et soutenue par des corbeaux*, des consoles (→ Cul-de-lampe, cit. 22) ; cette construction. *L'encorbellement d'une tourelle, d'un escalier. Perron* (cit. 2) *à encorbellement.*

1 La petite maison de Crevel, car il en était propriétaire, avait un appendice à toiture vitrée, bâti sur le terrain voisin, et grevé de l'interdiction d'élever cette construction, entièrement cachée à la vue par la loge et par l'encorbellement de l'escalier.   BALZAC, la Cousine Bette, Pl., t. VI, p. 309.

1.1 (...) des éléments de tranchées soigneusement faites, cloisonnées et en forme d'encorbellements.   B. CENDRARS, la Main coupée, in Œ. compl., t. X, p. 57.

Plus cour. **EN ENCORBELLEMENT.** *Fenêtre, échauguette, perron en encorbellement.* → **Surplomb.** *Galerie, escalier en encorbellement.*

Par analogie :

Dans l'ombre, sous l'encorbellement rectiligne des arcades, une paire d'yeux clairs et précis (...)   2
     MARTIN DU GARD, Jean Barois, p. 44.

DÉR. **Encorbellé.**

ENCORDAGE [ãkɔʀdaʒ] n. m. — 1870 ; de *encorder*.

Techn. anc. Ensemble des cordes et ficelles utilisées pour le montage d'un métier à tisser.

ENCORDEMENT [ãkɔʀdəmã] n. m. — Déb. xxᵉ ; «lien», déb. xivᵉ ; de *encorder*.

Alpin. Action de s'encorder. *Distance d'encordement, entre deux alpinistes encordés.*

ENCORDER [ãkɔʀde] v. tr. — V. 1160 ; de *en-, corde,* et suff. verbal.

Rare ou littér. Lier par une corde. — Attacher comme avec une corde.

Les squelettes de grands sapins (...) encombraient le lit   1 étroit d'un torrent (...) D'énormes clématites défeuillées encordaient de lianes blanches ces entassements de branches mortes et de troncs décharnés.   J. GIONO, le Hussard sur le toit, p. 278.

(1870). Techn. anc. Garnir (un métier à tisser) de ses cordes et ficelles.

♦ S'ENCORDER v. pron.

(1889, *in* Petiot). S'attacher avec une même corde pour constituer une cordée*. *Les alpinistes se sont encordés.*

♦ ENCORDÉ, ÉE p. p. adj. *Alpinistes encordés.*

Ce col n'avait rien de précisément périlleux, mais tout de   2 même nous étions encordés, et suivis par des guides (...)   GIDE, Et nunc manet in te, p. 49.

DÉR. **Encordage, encordement.**

ENCORE ou (vx ou poét.) **ENCOR** [ãkɔʀ] adv. — xiiᵉ ; *uncor(e),* xiᵉ ; du lat. pop. **hinc ad horam* ou *hanc ad horam* «d'ici jusqu'à l'heure». → **Or(e).**

♦ 1 Adverbe de temps. Marque la persistance d'une action ou d'un état au moment considéré. *Vous êtes encore là ?* → **Toujours.** *Il est encore en vie. C'est encore l'hiver. Nous en avons encore pour longtemps. La veille encore, il me disait... On en parlera encore dans dix ans. Vous n'êtes encore qu'un enfant.* Péj. *Il en est encore là !*

(En tour négatif). Marque que ce qui doit se produire ne s'est pas, pour le moment, produit (→ ci-dessous, cit. 2 et 3). *Il ne fait pas encore jour. Je ne l'ai encore jamais rencontré.*

(...) maître loup s'enfuit, et court encor.   1
     LA FONTAINE, Fables, I, 5.

Mᵐᵉ la princesse de Conti est tombée en apoplexie. Elle n'est   2 pas encore morte, mais elle n'a aucune connaissance (...)   Mᵐᵉ DE SÉVIGNÉ, Lettres, 245, 3 févr. 1672 (→ Apoplexie, cit. 2).

Je ne l'ai point encore embrassé d'aujourd'hui.   3
     RACINE, Andromaque, I, 4.

(...) on veut haïr et on veut aimer, mais on aime encore   4 quand on hait, et on hait encore quand on aime.   LA ROCHEFOUCAULD, Réflexions diverses, De l'incertitude...

Et si alors un nom lu par hasard nous donne un sentiment   4.1 de jalousie, nous sommes contents de penser que nous aimons encore (...)   PROUST, Jean Santeuil, Pl., p. 759.

Quand l'action atteint un point, on a le choix entre *encore*   5 et *toujours : Il ne s'agit plus de la révolte dure* encore, toujours ; *— j'ai beau attendre, elle ne vient* toujours *pas.*   F. BRUNOT, la Pensée et la Langue, p. 444.

Loc. (vx). *Pour encore :* pour l'instant.

♦ **2** Marquant une idée de répétition ou de supplément. → **Nouveau** (de); et préf. **re-**. *Vous vous êtes encore trompé. Il nous a encore répondu la même chose. Que se passe-t-il encore? Encore vous?*

6   Je le ferais encor, si j'avais à le faire.
                CORNEILLE, le Cid, III, 4.

7   Il ne pouvait confesser sa faute sans glisser malgré lui au besoin la commettre encore en pensée.
         ZOLA, la Faute de l'abbé Mouret, III, IX, p. 367.

8   (...) ça a coulé, clair, puis épais, puis clair encore, la lie et le vin mélangés.
         J. GIONO, Colline, p. 110-111 (→ Bonde, cit. 2).

(Avec un nombre). *Pardonnez-lui encore une fois.* → **Plus** (une fois de plus). *Prenez encore un gâteau.* → **Autre** (un autre gâteau). *J'en ai acheté encore cinq.* — Exclam. *Encore! encore!* Ellipt. *Encore une fois, encore un coup* (vieilli) : *je vous le dis encore une fois. Encore une fois, vous devriez vous méfier!*

9   Mettons encore un coup toute la Grèce en flammes (...)
         RACINE, Andromaque, IV, 3.

10   Laissez donc tout cela (...) Prenez encore une assiettée de soupe.   M. BARRÈS, la Colline inspirée, p. 241.

(Avec un verbe marquant accroissement ou diminution). *Davantage. L'incident va encore aggraver la situation. Outre ses propriétés en province, il possède encore des appartements à Paris.* → **Aussi.** *Vous n'êtes pas content? Que vous faut-il encore? Et puis quoi encore? Non seulement* il est égoïste, mais encore il est avare.* → **Même.** *Vous l'aidez et il se moque de vous encore!* → **Surcroît** (par).

11   (...) je suis médecin; apothicaire encore, si vous le trouvez bon.   MOLIÈRE, le Médecin malgré lui, I, 5.

12   Roscius entre sur la scène de bonne grâce (...) et j'ajoute encore qu'il a les jambes bien tournées (...)
         LA BRUYÈRE, les Caractères, III, 33.

13   Les menées de M. le duc du Maine (...) vinrent encore approfondir sa chute.
         SAINT-SIMON, ACADÉMIE,
         Dict. historique (→ Approfondir, cit. 5).

14   Pour ajouter, on se sert d'autres expressions, d'adverbes tels que : encore : Je dois encore vous avouer ; — celle-ci s'était mariée sur le tard avec Pierron, un veuf encore, qui avait une gamine d'un huit ans — par surcroît, un fils, il était borgne ; — en outre il a réussi à passer son examen.
         F. BRUNOT, la Pensée et la Langue, p. 714.

(Avec un comparatif). Marquant un renchérissement. *Il est encore plus grand que je ne l'imaginais. Vous êtes encore moins patient que moi. Parlez encore plus bas. C'est encore pis.*

15   Quand on pense sortir d'une mauvaise affaire,
     On s'enfonce encor plus avant (...)
         LA FONTAINE, Fables, V, 6.

16   La famille antique est une association religieuse plus encore qu'une association de nature.
         FUSTEL DE COULANGES, la Cité antique, p. 41.

17   Je me sentis connue encor plus que blessée (...)
         VALÉRY, Poésies, «la Jeune Parque».

Mais encore?, s'emploie pour demander plus d'éclaircissements que l'interlocuteur n'en donne. *C'est à vous d'agir prudemment. — Mais encore?* (que faut-il faire?). *Nous vous donnerons certains avantages. — Mais encore?* (lesquels?).

18   Chemin faisant il vit le col du chien pelé.
     Qu'est-ce là? lui dit-il. — Rien. — Quoi rien? — Peu de chose.
     — Mais encor? — Le collier dont je suis attaché
     De ce que vous voyez est peut-être la cause.
         LA FONTAINE, Fables, I, 5.

19   Mais encore, quelle est ta pensée là-dessus?
         MOLIÈRE, Dom Juan, I, 2.

Loc. Vx. *D'encore en encore :* de plus en plus.

♦ **3** Particule introduisant une restriction.

En tête d'une proposition (avec inversion du sujet). → **Cependant, mais.** *La route est directe, encore est-elle impraticable en hiver. Ce mot existait déjà au XVIᵉ siècle ; encore n'était-il employé que dans la langue littéraire. Vous vouliez venir? Encore fallait-il nous le dire!*

20   Encore est-il plus raisonnable que je ne pensais (...)
         MOLIÈRE, le Mariage forcé, 8.

21   Encore s'est-il trouvé des gens qui se sont plaints qu'il s'emportât contre Andromaque (...)
         RACINE, Andromaque, 1ʳᵉ Préface.

Avec une proposition conditionnelle, par une ellipse équivalant à une tournure telle que : *cela serait encore convenable, admissible si...* (sans inversion du sujet). → **Moins** (du moins), **seulement** (si seulement). *Encore, si nous pouvions lui parler, cela faciliterait les choses.* — Exclam. *Si encore il comprenait ce qu'on fait pour lui!* → **Seulement** (si).

22   Encor si vous naissiez à l'abri du feuillage
     Dont je couvre le voisinage
         LA FONTAINE, Fables, I, 22.

23   Encore si l'on m'avait donné du temps, j'aurais pu (...)
         MOLIÈRE, les Précieuses ridicules, Préface.

Et encore, se dit pour modifier ce qui vient d'être évalué (en plus ou en moins). *On vous en donnera cinq cents francs, et encore!,* au plus cinq cents francs. *Je l'ai bien payé cinq cents francs, et encore!,* au moins cinq cents francs. *Il pourra s'en tirer tout juste, et encore!*

♦ **4** Loc. conj. (XIVᵉ). Littér. **ENCORE QUE** : bien que, quoique. *Nous l'aiderons, encore qu'il ne le mérite pas.* (Avec ellipse du verbe). *Encore que très riche, il vit très simplement.*

REM. *Encore que* s'emploie régulièrement avec le subjonctif ; mais on rencontre parfois le conditionnel pour marquer l'éventualité, et (rarement) au XVIIᵉ s. l'indicatif pour marquer la réalité de la chose concédée.

24   Encor que je vous sois, peu s'en faut, inconnue (...)
         CORNEILLE, Mélite, IV, 2.

25   Mon deuil est raisonnable, encor qu'il soit extrême (...)
         MOLIÈRE, Psyché, II, 1.

26   (...) encore que cela est vrai en un sens pour quelques âmes (...)   PASCAL, Pensées, IV, 244.

27   (...) rien de ce qui pousse à la révolte n'est définitivement dangereux — encore que la révolte puisse fausser le caractère (...)
         GIDE, les Faux-monnayeurs, I, XII,
         p. 146 (→ Cabrer, cit. 2).

28   Encore qu'un tel souci trouverait à se justifier.
         G. DUHAMEL, Chronique des Pasquier, I, p. 121.

29   *Encore que* avait apparu vers le XVᵉ siècle. Il était très usité dans la langue classique : *Va-t-en, ne montre plus à ma douleur extrême, Ce qu'il faut que je perde, encore que je l'aime... — Ces femmes croient souvent aimer, encore qu'elles n'aiment pas... — Ne dites-vous pas... que le ciel et les oiseaux prouvent Dieu?... Car encore que cela est vrai en un sens... néanmoins cela est faux à l'égard de la plupart...* — De nos jours la locution a un air archaïque.
         F. BRUNOT, la Pensée et la Langue, p. 863.

CONTR. Déjà (temps), plus (négation).

ENCORNER [ãkɔrne] v. tr. — V. 1250 ; de *en-, corne,* et suff. verbal.

♦ **1** Garnir de cornes.

(Fin XVIᵉ). Fig. et plais. *Encorner un homme, son mari,* lui faire porter des cornes, le faire cocu. → **Tromper.**

♦ **2** (1530). Frapper, blesser à coups de cornes. *Le taureau a encorné le cheval du picador.*

♦ **ENCORNÉ, ÉE** p. p. adj.

♦ **1** Rare. Qui a des cornes. → **Cornu.** *Animal encorné. Un bouc des plus haut encornés* (→ Compagnie, cit. 2).

(V. 1585). **Fig. et plais.** Cocu.

Le mot d'encorné l'humilie plus que les autres.
M. AYMÉ, la Jument verte, p. 137.

♦ **2 Vétér.** *Javart encorné* : javart qui vient sous la corne du sabot du cheval.

DÉR. V. **Encornure.**

ENCORNET [ɑ̃kɔRnɛ] n. m. — 1612; *cornet,* 1542; de *en-,* et *cornet.*

Régional. Calmar*. → aussi **Chipiron.**

REM. *Encornet* est le terme normalisé au Québec (n. sc. *Loligo*). — *Encornet nordique,* au Québec, appellation normalisée de (n. sc.) *Illex illecebrosus.*

ENCORNURE [ɑ̃kɔRnyR] n. f. — 1611; de *en-, corne,* et suff. *-ure.*

Techn. Implantation, forme de disposition des cornes.

1 (...) elle *(la vache)* utilisait son encornure particulière pour appuyer des pointes sur les blessures de sa rivale (...)
R. FRISON-ROCHE, Premier de cordée, p. 247.

2 La perspective des images isolées a été atteinte dès le style III et Lascaux en offre de nombreux exemples. Elle se traduit par une convention de fuite dans le dessin des encornures, dans l'implantation des oreilles, dans le modelé des masses corporelles et des membres.
A. LEROI-GOURHAN, le Geste et la Parole, II, p. 245.

ENCOTONNER [ɑ̃kɔtɔne] v. tr. — 1555, Ronsard; de *en-, coton,* et suff. verbal.

♦ **1 Rare.** Garnir de coton, de duvet.

♦ **2 Fig., littér.** Entourer dans du coton (**fig.**). *«Ceux que la fortune n'a pas totalement abrutis et encotonnés»* (Arnoux, *in* T. L. F.).

ENCOUBLER (S') [ɑ̃kuble] v. pron. réfl. — 1528, *encoblez* «entravés»; de *en-,* et du lat. *copula* «lien».

Régional (Jura, Haute-Savoie, Suisse). S'empêtrer dans, trébucher.

(...) ils titubent sur ces déserts de lichen rougeâtre, de cailloux blancs, ils s'encoublent dans des épaves (...)
Corinna BILLE, Juliette éternelle, p. 140.

ENCOURAGEANT, ANTE [ɑ̃kuRaʒɑ̃, ɑ̃t] adj. — 1707; p. prés. d'*encourager.*

Qui encourage, est propre à encourager. → **Stimulant.** *Paroles, nouvelles encourageantes. Un sourire, un geste encourageant.* **Syn. :** *d'encouragement.* — Qui constitue un encouragement. *Début, résultat encourageant. La perspective n'est guère encourageante.*

Personnes :

C'était toujours la femme confiante, encourageante que l'on connaît, et personne n'aurait pu deviner sous son humeur égale les vives préoccupations dont elle ne pouvait être exempte.
J. VERNE, le Pays des fourrures, t. II, p. 231.

CONTR. Décourageant, désespérant, rebutant.

ENCOURAGEMENT [ɑ̃kuRaʒmɑ̃] n. m. — 1564; «courage», fin XIIe; de *encourager.*

♦ **1** Action d'encourager. *L'encouragement (de qqn par qqn) au travail, à la vertu, à bien faire.* → **Exhortation, incitation.** *Les éloges sont pour lui le meilleur des encouragements.* → **Aiguillon, stimulant.** *L'émulation est un encouragement au bien. Geste d'encouragement.* → **Encourageant.** *Les arts et les lettres auraient besoin d'encouragement* (→ Dater, cit. 4). *Société d'encouragement,* nom de sociétés fondées pour encourager une activité. *Prix, accessit d'encouragement.* → **Récompense.**

(Une religion) qui offrirait aux hommes plus d'encouragement aux vertus sociales que d'expiations pour les perversités ? 1
VOLTAIRE, Dict. philosophique, Religion.

(...) ma vanité n'est pas encore résignée à n'avoir que des prix d'encouragement. 2
FLAUBERT, Correspondance, II, p. 11.

(...) des enfants qui déjà naïvement leur ressemblent *(à leurs parents)* et qui trouvent en eux l'exemple et l'encouragement de leurs secrètes dispositions (...) 3
GIDE, Journal, Feuillets, 1921, p. 718.

En matière de signes d'encouragement, l'amoureux n'est pas difficile. 4
A. MAUROIS, Un art de vivre, p. 58.

♦ **2** (1764). *Un, des, encouragements.* Acte, parole qui encourage. → **Aide, appui, soutien, stimulant.** *Il a reçu peu d'encouragements. Apporter des encouragements à un malheureux.* → **Appui** (cit. 34), **réconfort.** *Mériter des encouragements. Les encouragements de l'État à l'épargne.* **Scol.** *Encouragement du conseil de classe,* récompense inférieure aux félicitations de ce conseil, mais supérieure au tableau d'honneur.

CONTR. Découragement.

ENCOURAGER [ɑ̃kuRaʒe] v. tr. [**CONJUG.:** *bouger.*] — 1160; de *en-, courage,* et suff. verbal.

♦ **1** Inspirer du courage à (qqn); donner du courage, de l'assurance à (qqn). → **Aiguillonner, animer, exciter, stimuler.** *Encourager une équipe, un groupe de travail. Encourager une personne désespérée.* → **Conforter, réconforter.** *On encourageait les comédiens, on faisait chorus.* → **Applaudir, approuver, appuyer** (→ Clabauder, cit. 2). *Encourager un débutant* (→ Commençant, cit. 1). — *Encourager qqn de..., par... Encourager les chiens du geste et de la voix. Encourager qqn de la voix et du geste. Elle l'encouragea d'un clin d'œil* (→ Approcher, cit. 59), *par des signes de connivence.*

Secondez-moi bien tous. — Laissez-moi, j'aurai soin 1
De vous encourager, s'il en est de besoin.
MOLIÈRE, les Femmes savantes, V, 2.

(**Le sujet désigne la chose qui inspire du courage**). *Cette pensée m'encourage.* → **Soutenir.** *Les applaudissements encouragent les acteurs. Ces premiers résultats nous encouragent.*

(Cette immortalité) dont l'espérance les piquait, les encourageait, les emportait au travers de tous les obstacles. 2
BOURDALOUE, Sermon pour la Toussaint, III.

Son exemple encourageait quiconque avait du mérite sans naissance *(noblesse).* 3
VOLTAIRE, Hist. de l'Empire de Russie, I, 12, *in* LITTRÉ.

(...) nos scélérats n'apprirent pas plutôt mes résolutions, qu'ils se décidèrent à faire de moi une victime, n'en pouvant faire une complice; leurs principes, leurs mœurs, le sombre réduit où nous étions, l'espèce de sécurité dans laquelle ils se croyaient, leur ivresse, mon âge, mon innocence, tout les encouragea. 4
SADE, Justine..., t. I, p. 38.

(**Au passif**). *Être encouragé par qqn, par qqch.*

(...) bientôt il *(Germain)* s'aperçut qu'il était lui-même encouragé d'une manière particulière et qu'on souhaitait qu'il se livrât davantage. 5
G. SAND, la Mare au diable, XII, p. 105.

(1636). **ENCOURAGER (qqn) À** (suivi de l'inf.). *Encourager qqn à travailler.* → **Déterminer, disposer, engager, exhorter, inciter, incliner, porter, pousser.** — (**Sans compl. dir.**). *«Encourager à la vertu»* (Voltaire).

Mais toutes les divinités mythologiques me regardaient avec un charmant sourire, comme pour m'encourager à supporter patiemment le sortilège (...) 6
BAUDELAIRE, les Paradis artificiels, «Poème du haschisch», III.

(En mauvaise part). *Encourager quelqu'un au mal, à la désobéissance.* → **Exciter, inciter.**

7   Le méchant par le prix au crime encouragé (...)
               CORNEILLE, *Cinna*, I, 3.

8   À de nouveaux mépris ma bonté l'encourage.
               VOLTAIRE, *Alzire*, IV, 1.

(Avec d'autres constructions). *Encourager qqn dans de mauvaises habitudes* (→ Borner, cit. 25). — *Encourager le crime, le vice.*

9   (...) je ne connais point de plus grand ennemi des hommes que l'ami de tout le monde, qui, toujours charmé de tout, encourage incessamment les méchants, et flatte, par sa coupable complaisance, les vices d'où naissent tous les désordres de la société.   ROUSSEAU, *Lettre à d'Alembert*.

♦ **2** (Av. 1778). Aider ou favoriser par une protection spéciale, par des récompenses, des subventions. *Encourager les jeunes talents* (→ Académie, cit. 6). *Encourager les artistes et les savants. Encourager le mérite, le talent, le zèle. Encourager l'industrie, le commerce, une culture. Mécène qui encourage les arts et les lettres. Encourager un projet,* l'approuver et l'aider à se réaliser.

10   (...) que vous encouragiez, plutôt que de contrarier, le projet qu'elle paraît avoir formé; et que dans l'attente de son exécution, vous n'hésitiez pas à rompre le mariage que vous aviez arrêté.
         LACLOS, *les Liaisons dangereuses*, Lettre CLXXII.

11   (Napoléon) s'intéressait passionnément à la production et savait apprécier, encourager et récompenser l'ingéniosité dans l'entreprise et le succès après l'effort.
      Louis MADELIN, *Hist. du Consulat et de l'Empire*,
             Vers l'Empire d'Occident, v, p. 91.

12   La finance encourage les entreprises privées, mais les surveille; elle précipite la ruine des faibles ou s'empare de l'exploitation.
        J. CHARDONNE, *l'Amour du prochain*, p. 109.

(En mauvaise part). *Encourager des agissements* (cit.) louches. *Encourager la révolte, le vice, les mauvais instincts.* → **Flatter.** *L'impunité encourage le crime. Les honneurs encouragent l'ambition, la jalousie.*

13   S'il existait un gouvernement qui eût intérêt à corrompre ses gouvernés, il n'aurait qu'à encourager l'usage du haschisch.
        BAUDELAIRE, *Du vin et du haschisch*, VI.

CONTR. Décourager, dégoûter, désespérer, lasser, rebuter; blâmer, châtier, punir; brider, contrarier, détourner, empêcher. ◊ DÉR. Encourageant, encouragement.

1. ENCOURIR [ãkuRiR] v. tr. [CONJUG.: *courir*.] — XIVᵉ; *encorre*, déb. XIIᵉ; du lat. *incurrere* «courir sur»; au fig. «s'exposer à», d'après *courir*.

Littér. Se mettre dans le cas de subir (quelque chose de fâcheux). → **Exposer** (s'exposer à). — Être passible de, tomber sous le coup de... *Encourir les peines édictées par la loi. Encourir la sentence d'excommunication* (→ Coupable, cit. 4).

1   S'attirer une peine ou toute autre chose, c'est la subir présentement parce qu'on l'a *encourue*; et *l'encourir*, c'est seulement se mettre dans le cas de la subir, s'y exposer.
      LAFAYE, *Dict. des synonymes*, Suppl., S'attirer,
                   encourir.

Encourir le blâme, la critique, la censure, le mépris, la disgrâce, l'indignation, la haine, la vengeance. Je ne veux point encourir de tels reproches (→ Commentaire, cit. 4). — REM. *On encourt* toujours quelque chose de fâcheux, de dangereux. Par ironie, Chateaubriand écrit «*qu'il est aussi dangereux d'encourir sa faveur* (du tyran) *que de mériter sa disgrâce*» (→ Abjection, cit. 1) et ailleurs (*Mémoires d'outre-tombe*, II, p. 620) qu'il a «*encouru l'amitié de M. de Talleyrand*».

2   (...) je vous ordonne (...) de ne point célébrer, sans mon consentement, vos noces avec lui, sur peine d'encourir la disgrâce de la Faculté (...)
      MOLIÈRE, *Monsieur de Pourceaugnac*, II, 2.

(...) Mᵐᵉ de Staël commençait à encourir la défaveur ou du moins le déplaisir marqué de celui qui devenait le maître.   3
      SAINTE-BEUVE, *Chateaubriand*, t. I, p. 155.

Passavant voudrait que, dans le premier numéro, paraisse   4
quelque chose de très libre et d'épicé, parce qu'il estime que le plus mortel reproche que puisse encourir une jeune revue, c'est d'être pudibonde; je suis assez de son avis.
      GIDE, *les Faux-monnayeurs*, II, VI, p. 271.

À repousser la main qu'il (*Bonaparte*) tendait au nom de la   5
France, quelle effroyable responsabilité le pontife encourrait!
      Louis MADELIN, *Hist. du Consulat et de l'Empire*,
             le Consulat, VIII, p. 111.

◆ **ENCOURU, UE** p. p. adj. *Peines encourues. Blâmes encourus. Les reproches encourus ne sont pas bien graves.*

CONTR. Mériter.

2. ENCOURIR (S') [ãkuRiR] v. pron. — XIIᵉ; de *en-*, et *courir*.

Vx. Aller en courant.

1   (...) le pauvre homme
    S'encourut chez celui qu'il ne réveillait plus.
        LA FONTAINE, *Fables*, VIII, 2.

2   Haletant comme un homme qui se sauve, je mis une heure (...) à déverrouiller la porte de la rue (...) et après l'avoir refermée avec les précautions d'un voleur, je m'encourus comme un fuyard, chez mon colonel.
      BARBEY D'AUREVILLY, *les Diaboliques*,
            «Le rideau cramoisi» (1874).

EN-COURS ou **ENCOURS** [ãkuR] n. m. inv. — XXᵉ; de 1. *en* (prép.), et *cours*.

Fin. Montant des effets escomptés par une banque, non arrivés encore à échéance. *Encours de crédit,* ou *encours :* montant des crédits utilisés par un client auprès de sa banque; (pour une banque) montant de l'ensemble des crédits utilisés par sa clientèle.

ENCRAGE [ãkRaʒ] n. m. — 1838; de *encrer*.

♦ **1** Opération consistant à encrer (un rouleau de presse, une planche gravée) dans une machine d'impression. *L'encrage du rouleau est fait. Son résultat. L'encrage est bon, est inégal.*

♦ **2** Par métonymie. Ensemble des mécanismes servant à encrer.

CONTR. Désencrage. ◊ HOM. **Ancrage.**

ENCRASSAGE [ãkRasaʒ] n. m. — 1905, in *Rev. gén. des sc.*, nº 8, p. 393; de *encrasser*.

Encrassement. — Par métonymie. (Plur.). Matières qui encrassent. «*Le tabac est une cause de cancer, d'angine de poitrine, d'encrassage artériel*» («Fumeur» ou «Non Fumeur»?, in Falkenstein 5, 1963, p. 63).

ENCRASSEMENT [ãkRasmã] n. m. — 1860, *Année sc. et industr.* 1861, p. 127; de *encrasser*.

Fait de s'encrasser; état de ce qui est encrassé. *L'encrassement d'une arme. Un encrassement, des encrassements nuisant au bon fonctionnement d'une machine.* — Fig. *L'encrassement de l'esprit. L'encrassement de qqn dans la routine.*

Chim. *Encrassement d'un catalyseur* :* perte d'activité ou de sélectivité d'un catalyseur, provoquée par l'action d'un des produits d'une réaction secondaire.

ENCRASSER [ãkʀase] v. tr. — 1580; de *en-*, *crasse*, et suff. verbal.

♦ **1** Couvrir de crasse*, de saleté. (Sujet n. de personne). *Encrasser un instrument, ses vêtements.* (Sujet n. de ce qui encrasse). *La poussière qui encrasse les vêtements.* → **Maculer, salir.** *Mains encrassées par le cambouis.* — Pron. (1680). *Moteur, arme qui s'encrasse.* — Au participe passé :

1 La paresse (...) l'empêchait de souffrir du désordre de sa chambre, de son linge et de ses cheveux encrassés et emmêlés à l'excès.   BAUDELAIRE, la Fanfarlo.

♦ **2** Couvrir d'un dépôt (suie, rouille, saletés) qui empêche le bon fonctionnement. *La poudre, la rouille qui encrasse un fusil.* — Pron. *Cylindre, piston qui s'encrasse.* — Au p. p. *Cheminée encrassée* (par la suie).

2 Les salauds vous foutent une essence qui encrasse les bougies au bout de trente kilomètres.
    J. ROMAINS, les Hommes de bonne volonté, t. V, XXVII, p. 288.

Fig. *«Les copies, qui encrassent (...) la vision du monde où l'on vit»* (Zola, *in* T.L.F.). — Pron. *Sa mémoire s'est encrassée.*

Au p. p. adj. :

3 S'il (*l'âge administratif*) ne se rationalise pas, comme l'a su faire l'âge mécanique, l'organisme social encrassé ne peut que péricliter.
    André SIEGFRIED, l'Âme des peuples, I, II, p. 14.

♦ **3** (1740). Vx. Rendre vil, grossier (s'oppose à *décrasser*, fig.). → **Avilir.** Pron. *«Il s'est encrassé par ce mariage»* (Académie, 1878).

CONTR. **Décrasser, désencrasser.** — **Curer, dérouiller.** ◊ DÉR. **Encrassage, encrassement.** ‒ COMP. **Désencrasser.**

ENCRATIQUE [ãkʀatik] adj. — xxᵉ; dér. sav. du grec *egkratês* «maître de soi».

Didact. et rare. Qui provient du pouvoir, exprime une position de pouvoir (langage, discours).

Or le langage encratique (celui qui se produit et se répand sous la protection du pouvoir) est statutairement un langage de répétition; toutes les institutions officielles de langage sont des machines ressassantes.
    R. BARTHES, le Plaisir du texte, p. 66.

ENCRE [ãkʀ] n. f. — 1160; *enque*, xiᵉ; du bas lat. *encau(s)tum* «encre de pourpre réservée à l'empereur»; du grec *egkauston*. → Encaustique.

♦ **1** Liquide, noir ou coloré, qui laisse une trace sur un support, et est utilisé notamment pour écrire. *Acheter une bouteille d'encre. Encres de couleur. Encre bleue, noire, rouge* (dite *rosette*)*, verte, violette. Encre épaisse, pâteuse. Délayer* (cit. 2) *son encre. Encre à stylo. Remplir d'encre un encrier, le réservoir d'un stylo. Bouteille, flacon d'encre.* → **Encrier.** *Écrire à l'encre. Tremper sa plume dans l'encre.* → **Encrier.** *Écrire à l'encre. Biffer à l'encre noire un texte censuré.* → **Caviar; caviarder.** *Buvard pour sécher l'encre. Mauvais papier qui boit l'encre* (cit. 6) *l'encre. Plume qui crache* (cit. 6) *l'encre. Tache d'encre.* → **Pâté** (cit. 6, 6.1). *Gomme à encre. Pupitres couverts d'encre* (→ Briller, cit. 21). *Doigts maculés, visage barbouillé d'encre.*

1 (...) je soutiendrai mon opinion jusqu'à la dernière goutte de mon encre.   MOLIÈRE, le Mariage forcé, 4.

2 Ma mère ne me parle plus; elle m'a ôté papier, plumes et encre; je me sers d'un crayon, qui par bonheur m'est resté, et je vous écris sur un morceau de votre lettre.
    LACLOS, les Liaisons dangereuses, Lettre LXIX, p. 147.

3 Elle relut cette lettre et, à défaut d'un buvard, l'agita un instant pour en sécher l'encre (...)
    J. GREEN, Adrienne Mesurat, III, I, p. 205.

Encres d'imprimerie : mélanges d'huile cuite et de noir de fumée (→ **Ponce**) ou de matières colorantes. *Impression à l'encre.* → **Encrage.** *Encres typographiques, lithographiques. Feuilles de journal qui sentent l'encre. Encre autographique ou à report,* employée en lithographie. *Encre à copier ou communicative,* pour obtenir des copies. *Encre réticulable,* séchant aux ultra-violets. — *Encre sympathique,* dont la trace invisible apparaît sous l'action d'un réactif ou d'une température élevée. *Encre aveugle*.* *Encre indélébile,* dont on se sert pour marquer le linge. *Encre noire émise par la seiche.* → **Sépia.** *Encre de Chine,* composition employée pour les dessins au pinceau, à la plume... *Encres de couleur utilisées par les peintres.*

4 M. Sucre, avec mille grâces, du bout de son fin pinceau trempé dans l'encre de Chine, a tracé sur une jolie feuille de papier de riz deux cigognes charmantes et me les a offertes de la manière la plus aimable, comme un souvenir de lui.
    LOTI, Mᵐᵉ Chrysanthème, XXXIII, p. 154.

Loc. *Noir** (cit. 15) *comme de l'encre :* très noir, d'un noir intense. *C'est la bouteille à l'encre.* → **Bouteille.**

D'ENCRE : très noir, sombre. *Nuit d'encre. Se faire un sang d'encre,* du souci, du mauvais sang*.

4 Le commandant, un secrétaire du bataillon et le lieutenant Soubeyrac marchaient en silence. La lune semblait voyager très vite dans la nuit d'encre. Entre les sautes de vent et les périodes d'obscurité intense, elle baignait le village d'une lueur maternelle, découpait des ombres d'un feutre couleur de prune, et frottait la campagne d'un sirop épais.
    Armand LANOUX, le Commandant Watrin, p. 65.

4 Le regard fixe, dans une solitude d'encre.
    ÉLUARD, Défense de savoir, Pl., t. I, p. 217.

(L'encre, symbole de l'écriture). *Faire couler** (cit. 9.1) *beaucoup d'encre.* Fam. *Un buveur* d'encre.* — (1585, *in* D.D.L.). *Manière d'écrire* (dans des loc.). *Un récit de très bonne encre. Écrire de sa meilleure encre. Ces deux œuvres sont de la même encre,* du même style, de la même inspiration.

5 (...) je me mis à écrire le livre d'un bout à l'autre, et, comme on dit, d'une seule encre.
    A. DE VIGNY, Journal d'un poète, p. 240.

6 Mon éminent confrère Elie Faure m'a, lors de ce dernier deuil, écrit une lettre admirable, de sa meilleure encre.
    G. DUHAMEL, Chronique des Pasquier, I, Prologue, p. 23.

7 (...) un certain marquis de Silly, dont Saint-Simon a tracé le portrait d'une encre virulente (...)
    Émile HENRIOT, Portraits de femmes, p. 132.

♦ **2** (1870). Liquide noir émis par certains céphalopodes, qui trouble l'eau et les dérobe à la vue (→ **Sépia**). — Cuis. *Calmars à l'encre,* cuits dans une sauce comportant ce liquide.

♦ **3** Bot. Mycose du châtaignier.

8 Les châtaigneraies dépérissent surtout à cause de la maladie de l'encre (*Endothia parasitica*).
    Henri BOULAY, Arboriculture et Production fruitière, p. 27.

DÉR. **Encrer, encrier.** ◊ HOM. **Ancre.**

ENCRÊPER [ãkʀepe] v. tr. — 1864; au p. p., 1673; de *en-*, 1. *crêpe,* et suff. verbal.

Littér., vieilli. Garnir d'un crêpe, d'un voile noir, en signe de deuil. *Encrêper un chapeau de femme.*

Fig., littér. Rendre noir (avec une idée de tristesse, de deuil). → **Endeuiller.**

Après une soirée difficile (...) la nuit était venue, encrêpant la maison.   Hervé BAZIN, Qui j'ose aimer, p. 201.

ENCRER [ãkʀe] v. tr. — 1530; de *encre.*

Charger, enduire d'encre (typographique, lithographique). *Encrer un rouleau, un tampon. Encrer une planche gravée en taille douce, une pierre lithographique à l'aide d'un tampon.*

(...) il avait une véritable anxiété à suivre la main noire du tireur encrant et chargeant sa planche sur la boîte, l'essuyant avec la paume, la tamponnant avec de la gaze, la bordant et la margeant avec du blanc d'Espagne, la passant sous le rouleau, serrant la presse, tournant la roue et la retournant.
Ed. et J. DE GONCOURT, Manette Salomon, p. 355.

Pron. *Ce papier s'encre mal.*

♦ **ENCRÉ, ÉE** p. p. adj. *Forme trop encrée. Feuille bien, mal encrée.*

DÉR. **Encrage, encreur.** ◊ **HOM.** Ancrer.

ENCREUR, EUSE [ãkRœR, øz] adj. — 1856; de *encrer.*

Techn. Qui sert à encrer. *Rouleau encreur d'une presse.* → **Toucheur** (3.).

ENCRIER [ãkRije] n. m. — 1380; de *encre.*

♦ **1** Petit récipient destiné à mettre de l'encre. *Encrier d'argent, de porcelaine, de verre. Encrier portatif, inversable. Encrier d'une écritoire* (→ Écritoire, REM.). *Tremper la plume dans l'encrier.*

1 Mais en même temps il avait rapidement saisi un porteplume qui se trouvait au coin du guichet, couché dans la rainure d'un encrier de verre, et il parut griffonner quelque chose à l'abri du carton.
J. ROMAINS, les Hommes de bonne volonté, t. IV, XVI, p. 169.

Par plais. Symbole de l'activité de l'écrivain.

2 Je fis une tempête au fond de l'encrier (...)
HUGO, Réponse à un acte d'accusation, I, 7.

♦ **2** (1864). **Techn.** Réservoir alimentant les rouleaux encreurs (d'une presse, d'une rotative).

ENCRINES [ãkRin] n. m. pl. — 1801; *encrinus* ou *encrinute,* 1755; lat. sc. *encrinus,* 1729 (Harenberg); du grec *en* «dans», et *krinon* «lis», à cause de leur forme en fleur de lis.

Zool., paléont. Échinodermes (classe des crinoïdes) que l'on rencontre surtout à l'état de fossiles (trias). — Au sing. *Un encrine.*

ENCROISAGE [ãkRwazaʒ] ou **ENCROISEMENT** [ãkRwazmã] n. m. — Mil. xxᵉ, *encroisage; encroisement,* 1829; de *encroiser.*

Techn. Action d'encroiser les fils; état des fils encroisés.

ENCROISER [ãkRwaze] v. tr. — 1755; *encroisier* «croiser, mettre en croix», xiiᵉ; de *en-,* et *croiser.*

Techn. Croiser, disposer en croix (les fils d'une partie ourdie).

DÉR. Encroisage.

ENCROTTER [ãkRɔte] v. tr. — 1877, in Littré, Suppl.; de *en-, crotte,* et suff. verbal.

Fam., vieilli. Salir de boue, de crotte (1.). → **Crotter.**

ENCROUÉ, ÉE [ãkRue] adj. — 1376; de l'anc. v. *encrouer* «fixer, attacher à», 1155; du bas lat. *incrocare,* t. de droit, du francique **krok.* → Croc.

Sylv. *Arbre encroué :* arbre qui, en tombant, est resté embarrassé dans les branches d'un autre.

REM. On trouve aussi le v. au pron. : *arbre qui s'encroue.*

ENCROÛTEMENT [ãkRutmã] n. m. — 1546; de *encroûter.*

♦ **1** Fait de s'encroûter; dépôt sur une surface encroûtée.

♦ **2** (1848, Flaubert). Action, état de qqn qui s'encroûte (2.). — (1848). **Fig.** «*L'encroûtement dans les habitudes héréditaires*» (Gide).

ENCROÛTER [ãkRute] v. tr. — 1538; de *en-,* et *croûte.*

♦ **1** Couvrir (qqch., une surface) d'un dépôt, d'une croûte*. *Sédiments qui encroûtent un terrain* (→ Dépôt, cit. 16).

Techn. Enduire (un mur) de mortier.

♦ **2** (1782). **Fig.** Enfermer comme dans une enveloppe qui interdit toute vie, toute spontanéité. *La routine qui l'encroûte.*

♦ **S'ENCROÛTER** v. pron. → **Abêtir** (s'), **abrutir** (s'), **croupir, dégénérer, encrasser** (s'), **végéter.** *S'encroûter dans des habitudes de paresse, d'indolence, dans une vie médiocre, routinière.*

1 (...) cela a vingt-deux ans et il y en a près de deux qu'elle est mariée. Croyez-moi, Vicomte, quand une femme s'est encroûtée à ce point, il faut l'abandonner à son sort (...)
LACLOS, les Liaisons dangereuses, Lettre V.

2 (...) elle s'était encroûtée dans les habitudes de la province, elle n'en était jamais sortie, elle en avait les préjugés, elle en épousait les intérêts, elle l'adorait.
BALZAC, la Vieille Fille, Pl., t. IV, p. 262.

Absolt. *Il commence à s'encroûter.*

♦ **ENCROÛTÉ, ÉE** p. p. adj. *Terre encroûtée,* qui forme une croûte. *Un vieux mur encroûté. Neige encroûtée.* — *Encroûté de boue.* — **Fig.** *Être encroûté de préjugés, dans des préjugés. Il est complètement encroûté. Un vieux professeur encroûté.*

N. «*C'est un vieil encroûté*» (Gyp, *in* T. L. F.).

CONTR. et COMP. Désencroûter. ◊ **DÉR. Encroûtement.**

ENCULAGE [ãkylaʒ] n. m. — 1936; de *enculer.*
Vulg. Action d'enculer.

Loc. fam. *Enculage de mouches :* histoire, affaire sans importance, sans intérêt, qui porte sur des détails et qu'on voudrait faire prendre au sérieux.

On t'oblige à apprendre toutes les âneries, toutes les théories périmées, tous les enculages de mouche *(sic)* officiels.
André SOUBIRAN, les Hommes en blanc, t. II, p. 48.

ENCULÉ [ãkyle] n. m. — Mil. xixᵉ; p. p. de *enculer.*
Vulgaire (souvent en appellatif).

♦ **1** Homosexuel passif.

1 (...) pédé fous le camp enculé (...)
Tony DUVERT, Paysage de fantaisie, p. 108.

♦ **2** T. d'injure à l'adresse d'un homme (sans préjuger de ses mœurs sexuelles). *Cet enculé de X. Quel enculé !*

2 Ce petit enculé, dit Alexandre, je lui aurais volontiers botté les fesses.
— Ce salaud de petit planqué, dit Maillat.
Robert MERLE, Week-end à Zuydcoote, p. 65 (1949).

3 Dès qu'il était au volant, il ne se connaissait plus et traitait chaque piéton, pour le moins, d'enculé.
Roger IKOR, les Fils d'Avrom, Les eaux mêlées, p. 466.

ENCULER [ãkyle] v. tr. — 1734, Piron, *in* Cellard et Rey; de *en-, cul,* et suff. verbal.
Vulg. Sodomiser.

1 Que dis-tu de ceci : des brigands grecs ont un jour une riotte avec la gendarmerie. Ils s'emparent de l'officier et de trois gendarmes, les enculent à outrance et les renvoient ensuite sans leur avoir fait autre chose. Quelle ironie de l'ordre !
FLAUBERT, À Louis Bouilhet, 10 févr. 1851, *in* Correspondance, Pl., t. I, p. 755.

(Dans des injures et insultes). *Va te faire enculer! Je l'encule, celui-là!* → **Emmerder.**

2   Je tourne une page, et, l'air détaché, je me mets à fredonner : «Va t'faire enculer, va t'faire enculer. Avec la balaye-è-è-è-te.»   A. SARRAZIN, la Cavale, p. 294.

Par ext. Pénétrer sexuellement (une femme).
→ **Baiser.** — REM. Le verbe *enconner*, attesté dans le discours érotique, n'est pas entré dans l'usage général.

DÉR. **Enculage, enculé, enculeur** (d'autres dér. sont attestés).

ENCULEUR [ãkylœʀ] n. m. — 1790, *in* D.D.L.; de *enculer.*

Vulg. Celui qui encule. — *Loc. fam. Enculeur de mouches* : celui qui cherche la petite bête, fait des histoires pour des riens.

ENCUVAGE [ãkyvaʒ] ou **ENCUVEMENT** [ãkyvmã] n. m. — 1845, *encuvage; encuvement,* 1680; de *encuver.*

Techn. Action d'encuver.

ENCUVER [ãkyve] v. tr. — V. 1400; de *en-,* et *cuve.*

Mettre dans une cuve. *Encuver la vendange. Encuver le linge.*

CONTR. **Décuver.** ◊ DÉR. **Encuvage.**

ENCYCLIQUE [ãsiklik] n. f. — 1832; adj. *lettre encyclique,* 1798; lat. ecclés. *litteræ encyclicæ;* du lat. *encyclios* «circulaire, total»; du grec *egkuklios* «circulaire».

Lettre envoyée par le pape à tous les évêques (ou parfois à ceux d'une seule nation), généralement pour rappeler la foi de l'Église à propos d'un problème d'actualité. *L'encyclique* Pacem in terris.

(...) Rome, aveuglée elle aussi par la montée des problèmes matériels et la déchristianisation des masses, prenait le tournant catastrophique des Encycliques dites sociales, par lesquelles elle admettait pour la première fois au rebours de son génie et de son essence, qu'il ne fallait pas seulement s'intéresser à l'esprit mais aussi au corps, c'est-à-dire à l'espèce et pas seulement à l'homme (...)
Raymond ABELLIO, Ma dernière mémoire, t. I, p. 43.

ENCYCLOPÉDIE [ãsiklɔpedi] n. f. — 1532, Rabelais; lat. érudit *encyclopædia,* 1508; du grec *egkuklios paideia* «instruction circulaire», c'est-à-dire «embrassant le cercle *(kuklos)* entier des connaissances» (→ Cycle); le mot latin désigne au XVIe et au XVIIe des manuels et des traités, mais le sens moderne (2) est plus tardif.

♦ **1** Vx. Ensemble de toutes les connaissances. *Encyclopédie du savoir humain.*

1   En quoi je vous peux assurer qu'il *(Panurge)* m'a ouvert le vrai puits et abîme de encyclopédie, voyre en une sorte que je ne pensoys trouver homme qui en sceut les premiers éléments seulement (...)
RABELAIS, Pantagruel, II, xx.

♦ **2** (1750). **Mod.** Ouvrage où l'on traite d'un ensemble de connaissances à intention universelle, selon un classement conceptuel *(encyclopédie méthodique)* ou formel *(encyclopédie alphabétique).* → **Dictionnaire.** *La Grande Encyclopédie,* publiée de 1885 à 1902. *L'Encyclopédie française de Monzie.* **Absolt.** *L'Encyclopédie, ou Dictionnaire raisonné des Sciences, des Arts et des Métiers :* œuvre, composée au XVIIIe siècle, en France, par les Encyclopédistes* sous la direction de Diderot et d'Alembert, et publiée à partir de 1751. *Discours préliminaire de l'Encyclopédie,* par d'Alembert. *Les doctrines de l'Encyclopédie.*

2   (...) le but d'une *Encyclopédie* est de rassembler les connaissances éparses sur la surface de la terre, d'en exposer le système général aux hommes avec qui nous vivons, et de le transmettre aux hommes qui viendront après nous

(...) Quand on vient à considérer la matière immense d'une *Encyclopédie,* la seule chose qu'on aperçoive distinctement, c'est que ce ne peut être l'ouvrage d'un seul homme. Et comment un seul homme, dans le court espace de sa vie, réussirait-il à connaître et à développer le système universel de la nature et de l'art?
Encyclopédie (DIDEROT), art. Encyclopédie.

3   L'*Encyclopédie* est un monument qui honore la France; aussi fut-elle persécutée dès qu'elle fut entreprise. Le discours préliminaire qui la précéda était un vestibule d'une ordonnance magnifique et sage, qui annonçait le palais des sciences; mais il avertissait la jalousie et l'ignorance de s'armer. On décria l'ouvrage avant qu'il parût; la basse littérature se déchaîna; on écrivit des libelles diffamatoires contre ceux dont le travail n'avait pas encore paru. Mais à peine l'*Encyclopédie* a-t-elle été achevée que l'Europe en a reconnu l'utilité; il a fallu réimprimer en France et augmenter cet ouvrage immense qui est de vingt-deux volumes *in-folio* (...)
VOLTAIRE, Dict. philosophique, Introd. aux questions sur l'Encyclopédie.

Par ext. Ouvrage qui traite de toutes les matières d'un domaine. *Une encyclopédie des sciences médicales. Encyclopédie du Droit romain* (→ 1. Digeste, cit.). → **Somme, traité.** *Encyclopédie des jeux, des vins. Une encyclopédie en dix volumes. Acheter une encyclopédie, une encyclopédie de* (un domaine). *Consulter diverses encyclopédies. Une grande encyclopédie anglaise, allemande. Une petite encyclopédie en un volume. Lire un article* dans une encyclopédie.
La partie encyclopédique (d'un texte). L'encyclopédie et les noms propres, et la langue, dans un dictionnaire.

Didact. Le texte encyclopédique, dans sa structure.
→ Polygraphie, cit. Barthes.

♦ **3** Fig. *Une encyclopédie vivante :* une personne aux connaissances extrêmement étendues en toute espèce de matière. *Sa tête est une véritable encyclopédie.*

4   Tous ces goûts, tous ces talents divers, tous ces arts d'agrément, tous ces métiers (car elle n'omettait pas même les métiers), faisaient d'elle (Mme *de Genlis)* une Encyclopédie vivante, qui se piquait d'être la rivale et l'antagoniste de l'autre *Encyclopédie* (...)
SAINTE-BEUVE, Causeries du lundi, 14 oct. 1850, t. III, p. 20.

DÉR. **Encyclopédique, encyclopédisme, encyclopédiste.**

ENCYCLOPÉDIQUE [ãsiklɔpedik] adj. — 1755, «qui recouvre toutes les connaissances»; de *encyclopédie.*

♦ **1** Qui embrasse l'ensemble des connaissances. *Un savoir encyclopédique. Une culture encyclopédique.* → **Universel.**

♦ **2** Qui concerne l'encyclopédie (2.). *Dictionnaire encyclopédique,* qui fait connaître les choses et analyse les concepts (opposé à *dictionnaire de langue).* **Par ext.** *Partie encyclopédique et partie linguistique d'un article de dictionnaire* (encyclopédique). *Discours encyclopédique et discours lexicographique.*

1   Qu'il consulte seulement le *Journal encyclopédique* du mois d'avril 1758, journal que je regarde comme le premier des cent soixante-treize journaux qui paraissent tous les mois en Europe (...)
VOLTAIRE, l'Écossaise, À MM. les Parisiens.

Didact. Qui a le caractère rationnel et référentiel descriptif des encyclopédies (par oppos. au caractère formel et sémantique du dictionnaire de langue). *Cette définition est trop encyclopédique.*
→ aussi **Terminologique.**

♦ **3** (Mil. XIXe). Fig. D'un savoir extrêmement étendu.

2   Ziegler avait un cerveau encyclopédique, comme la plupart des artistes de la Renaissance. Il touchait à tout dans les choses de l'esprit, et sa curiosité vagabonde profitait,

peut-être un peu au détriment de son art, des loisirs que lui faisait une médiocrité dorée.
Th. GAUTIER, Portraits contemporains, p. 277.

3 (...) séduit par les grâces de ce génie encyclopédique, de ce génie qui a failli perdre la France et qui finira peut-être par la sauver un jour.
G. DUHAMEL, le Temps de la recherche, VIII, p. 111.

Par plais. *Une ignorance encyclopédique,* totale, universelle.

4 En dehors de ce que, parait-il, les Français ne savent pas un mot de géographie (...) on reproche également à nos compatriotes leur ignorance véritablement encyclopédique en matière de langues étrangères.
A. ALLAIS, Contes et Chroniques, p. 275 (1890).

ENCYCLOPÉDISME [ãsiklɔpedism] n. m. — 1801; de *encyclopédie.*

♦ **1** Vx. Système des encyclopédistes*.

♦ **2** (1864). **Mod.** Tendance à l'accumulation systématique des connaissances dans diverses branches du savoir. «*L'encyclopédisme qui caractérisait l'enseignement primaire*» (*le Monde,* 6 avr. 1969). *L'encyclopédisme est par définition polytechnique* (cit. 1).

ENCYCLOPÉDISTE [ãsiklɔpedist] n. — 1683; de *encyclopédie.*

♦ **1** Vx. Personne qui possède des connaissances étendues dans tous les domaines.

♦ **2** (1755). **Mod.** Auteur, collaborateur d'une encyclopédie. **Spécialt,** n. m. pl. Se dit des philosophes et écrivains du XVIIIᵉ siècle qui collaborèrent à l'*Encyclopédie* de Diderot et d'Alembert ou en partageaient les idées.

1 Criaillez tant que vous voudrez contre les encyclopédistes.
VOLTAIRE, Lettre à Richelieu, 23 août 1765.

2 (...) les jésuites ne m'aimaient pas, non seulement comme encyclopédiste, mais (...)
ROUSSEAU, les Confessions, XI.

3 On rationalisa de plus en plus les problèmes artistiques — comme les encyclopédistes rationalisaient les problèmes religieux. MALRAUX, les Voix du silence, p. 88.

Adj. (1870). *L'école encyclopédiste du XVIIIᵉ siècle.*

4 Il appartenait à cette cohorte de praticiens illustres dont j'ai parlé déjà dans mes cahiers et qui, frappés par les erreurs de la France encyclopédiste et par sa défaite en 1870, s'étaient jetés d'abord dans la spécialisation avec une sorte de rigueur furieuse.
G. DUHAMEL, la Pesée des âmes, VIII, p. 195.

ENDAUBER [ãdobe] v. tr. — 1836; de *en-, daube,* et suff. verbal.

Cuis. Mettre en daube. *Endauber une volaille.*

-ENDE → -ande.

ENDÉANS [ãdeã] prép. — 1387, à Tournai; de *en-, de,* et anc. franç. *enz* «dedans».

Vx ou régional (Belgique), et **didact. (droit, admin.).** Dans l'intervalle, le délai de... «*Nos pralines (...) doivent être consommées endéans la huitaine*» (Publicité belge, janv. 1976). «*Il faut proscrire* endéans *et* dire : dans les vingt-quatre heures, dans le délai d'un mois, etc.» (G. Hanse, *Nouveau dict. des difficultés du franç. mod.,* 1983, p. 391).

EN-DEÇÀ [ãd(ə)sa] loc. prép. → Deçà.

EN-DEHORS [ãdəɔʀ] n. m. invar. — D. i. (attesté XXᵉ); de *en,* et *dehors.*

Danse. Position des jambes et des pieds, produite par la rotation de l'articulation de la hanche vers l'extérieur. *L'en-dehors, position artificielle, élimine les déplacements disgracieux de la ligne des hanches et donne une plus grande liberté de mouvement aux danseurs.*

ENDÉMICITÉ [ãdemisite] n. f. — 1844; du rad. de *endémique.*

Didact. Caractère d'une maladie endémique.

ENDÉMIE [ãdemi] n. f. — 1495; du grec *endêmon nosêma,* proprt «maladie indigène», d'après *épidémie.*
Didact. Présence habituelle d'une maladie dans une région déterminée, soit d'une façon constante, soit à des époques particulières (→ **Épidémie**).
DÉR. Endémique.

ENDÉMIQUE [ãdemik] adj. — 1586; de *endémie.*

♦ **1** Qui a un caractère d'endémie. *Cette affection, cette fièvre est endémique dans ce pays, dans cette région.*

♦ **2** (1808). **Fig.** Qui sévit constamment dans un pays, un milieu. *Un chômage* (cit. 3) *endémique. La violence devient endémique. — À l'état endémique.*
(...) jalousie (maladie endémique du monde littéraire...)
A. THIBAUDET, Gustave Flaubert, p. 66.

♦ **3** Biol. *Espèce endémique,* et, ellipt., *une endémique :* espèce (animale ou végétale) localisée sur une aire restreinte.
DÉR. Endémicité, endémisme.

ENDÉMIQUEMENT [ãdemikmã] adv. — 1952, *in* T. L. F.; de *endémique.*
Didact. D'une manière endémique, constante.
Je sens déjà une espèce de lassitude constante qui s'est endémiquement emparée de moi.
Henri CHARRIÈRE, Papillon, p. 257.

ENDÉMISME [ãdemism] n. m. — 1908; de *endémique.*
Didact. Caractère d'une maladie endémique (1.). — **Spécialt (biol.).** Caractère d'une espèce endémique (3.).

ENDENTÉ, ÉE [ãdãte] adj. — Av. 1134, Ph. de Thaon; de *endenter.*

♦ **1** Rare. (Choses ou personnes). Pourvu de dents. «*Les mâchoires vigoureusement endentées*» (Baudelaire). — (1668). **Fig. et vx.** (Personnes). *Bien endenté :* pourvu d'un solide appétit.

♦ **2** (V. 1234). **Blason.** Composé de triangles de couleurs alternées. *Écu endenté.*

♦ **3** (Fin XVIIIᵉ). **Mar.** Se dit des navires, lorsqu'ils sont disposés en deux lignes parallèles, ceux de la première ligne se trouvant au milieu des intervalles séparant ceux de la seconde. — *Ligne endentée* (ou *endentement*).
CONTR. Édenté. ◊ HOM. Endenter.

ENDENTEMENT [ãdãtmã] n. m. — 1792; de *endenter.*

♦ **1** (1864). **Rare.** Action d'endenter; état de ce qui est endenté. *L'endentement d'une fourche.*

♦ **2** Techn. Assemblage de deux pièces de bois à parties saillantes et rentrantes (dents). **Syn. vx** (1701) : *endente,* n. f.

♦ **3** Mar. anc. Ligne endentée (de navires).

ENDENTER [ɑ̃dɑ̃te] v. tr. — V. 1119, «garnir de saillies semblables à des dents»; de en-, et dent.

Technique.

♦ **1** (1690). Garnir de dents (une roue, une machine...).

♦ **2** (1792). Assembler (deux pièces) au moyen de dents. → **Emboîter, encastrer, enchâsser; endentement, 2.**

♦ **3** Mar. Disposer (des navires) en ligne endentée*.

CONTR. Édenter. ◊ DÉR. Endenté, endentement. → HOM. Endenté.

ENDERMIQUE [ɑ̃dɛrmik] adj. — 1833, méthode endermique; de en-, derme, et suff. -ique.

Méd. Se dit d'un médicament qui, appliqué sur la peau, la traverse et agit en profondeur.

ENDETTÉ, ÉE [ɑ̃dete] adj. → **Endetter.**

ENDETTEMENT [ɑ̃dɛtmɑ̃] n. m. — 1611, endebtement; de endetter.

Fait de s'endetter ou d'être endetté. L'endettement de qqn, son endettement. Avoir un endettement important auprès d'une banque, d'un prêteur. → **Dette.** Un endettement de plusieurs millions.

Spécialt. Endettement (public) : total de tous les emprunts contractés par l'État, les collectivités publiques, les entreprises nationalisées.

CONTR. Désendettement. ◊ COMP. Surendettement.

ENDETTER [ɑ̃dete] v. tr. — V. 1180; de en-, dette, et suff. verbal.

Charger (qqn) de dettes*, engager dans des dettes. — (Sujet n. de personne). Rare. Endetter qqn, l'endetter de telle somme. Endetter son ménage, son entreprise (s'endetter). — (Sujet n. de chose, désignant la dépense qui endette). L'achat de sa voiture l'a endetté.

◆ **S'ENDETTER** v. pron.

Contracter, faire des dettes. Il s'endette chaque jour davantage. S'endetter par des achats à crédit*. État qui s'endette pendant une guerre. Cette société s'est endettée de plusieurs millions.

1   Or, n'ayant un endetté, de qui proche est le terme
De payer à son maître ou l'usure ou la ferme,
Et n'ayant ni argent ni biens pour secourir
Sa misère au besoin, désire de mourir (...)
     RONSARD, les Amours diverses, Pl., t. I, p. 282.

2   Elle s'endettait, elle payait : l'argent faisait la navette et tout allait (...)   ROUSSEAU, les Confessions, III.

◆ **ENDETTÉ, ÉE** p. p. adj.

Qui a des dettes. Être endetté de dix mille francs, envers qqn. Il est très endetté. Des industriels endettés. Entreprises endettées. — N. «Les endettés parmi leurs huissiers» (Saint-Exupéry, Citadelle, Œ., Pl., p. 652).

3   Les Rognes-Bouqueval, ruinés, endettés, après avoir laissé crouler la dernière tour du château, abandonnaient depuis longtemps à leurs créanciers les fermages de la Borderie, dont les trois quarts des cultures demeuraient en jachères.
     ZOLA, la Terre, p. 38 (1887).

DÉR. Endettement. ◊ COMP. Surendetté.

ENDEUILLER [ɑ̃dœje] v. tr. — 1887; de en-, deuil, et suff. verbal.

♦ **1** Plonger (qqn) dans le deuil. La mort, le décès qui vient de l'endeuiller. Cette catastrophe a endeuillé tout le pays. — Rare, sujet n. de personne :

1   Ils m'ont endeuillé en un tour de main. Ils ont tout fait à ma place, de sorte que j'osais à peine avoir du chagrin, par souci de ne pas forcer la dose.
     Geneviève DORMANN, le Chemin des dames, p. 155.

♦ **2** Fig. et littér. Emplir de tristesse, produire une impression de deuil.

Éclat et parfum purs de fleurs rouges et bleues,
Par quoi l'âme, qu'endeuille un ennui morfondu (...)
     VERLAINE, Liturgies intimes, XV, «Dévotions».

♦ **3** (Sujet n. de chose). Revêtir d'une apparence de tristesse. Quelques cyprès endeuillaient le paysage. — La brume, le soir endeuille la plaine (→ Clair, cit. 3).

Sans fin donner naissance
À des passions sans corps
À des étoiles mortes
Qui endeuillent la vue.
     ÉLUARD, les Mains libres, I, Pl., t. I, p. 559.

◆ **S'ENDEUILLER** v. pron. — (Réfl.). Le pays tout entier s'est endeuillé après la catastrophe. — (Passif). Fig. Le ciel, le paysage s'endeuille en hiver.

◆ **ENDEUILLÉ, ÉE** p. p. adj.

♦ **1** Qui éprouve ou manifeste la douleur du deuil. Des orphelins endeuillés. — Un pays endeuillé après une catastrophe. → **Deuil** (en).

♦ **2** Empreint de tristesse. Un paysage sombre* et endeuillé.

CONTR. Égayer.

ENDÊVER [ɑ̃deve] v. intr. — XIIᵉ, enderver, endesver; de en-, et anc. franç. desver «être fou», d'origine incertaine, peut-être apparenté à resver «rêver».

Vx ou régional (fam.). Avoir un violent dépit (de qqch.). → **Rager.** Il endêve de voir les succès de son rival. Faire endêver quelqu'un. → **Enrager** (faire); fâcher, tourmenter.

1   (...) la bonne servante Perrine, qui était si bonne fille et que les enfants de chœur faisaient tant endêver (...)
     ROUSSEAU, les Confessions, III.

2   Cependant, la bonne créature (...) rappelait en souriant mes espiègleries; disait combien je la faisais endêver soit en cachant ses balais, soit en mettant des poids trop lourds dans son panier quand elle s'apprêtait pour aller au marché.   FRANCE, le Petit Pierre, XXX, p. 216.

REM. L'adj. endévé «endiablé, enragé» ne peut être considéré comme le p. p. du verbe, qui est intransitif. — La documentation atteste le p. prés. et adj. endévant : «Qu'il est endévant de n'oser pas dire tout ce qu'on pense...» (Jacquot et Colas duellistes, 15 (Cailleau), 1783, in D.D.L.).

ENDIABLÉ, ÉE [ɑ̃djable] adj. — V. 1460; de en-, diable, et suff. -é.

♦ **1** Vx. Possédé du diable. → **Démoniaque.**

1   Puis si tost que vostre moyne endiablé fut parti (...)
     Satire MÉNIPPÉE, p. 445, in LITTRÉ.

2   Les chrétiens (...) adoptèrent les possessions du démon, et se vantèrent de chasser le diable (...) Peu à peu l'opinion s'établit que tous les hommes naissent endiablés et damnés; étrange idée, sans doute, idée exécrable, outrage affreux de la Divinité (...)
     VOLTAIRE, Dialogues entre A, B, C, XXIV, III.

(Choses). Soumis à un sortilège. «On nous a jeté un sort, c'est bien sûr, et nous ne sortirons d'ici qu'au grand jour. Il faut que cet endroit soit endiablé» (Sand, la Mare au diable, 1846, p. 100). → **Ensorcelé.**

(Personnes). Qui est comme possédé d'un démon qui égare l'esprit. Il faut que vous soyez vraiment endiablé pour soutenir cela !

♦ **2** Mod. Qui est d'une vivacité excessive ou fatigante. Un enfant endiablé. → **Diable; infernal.** Être endiablé après quelque chose, la rechercher avec fureur. → **Enragé.**

C'est être bien endiablé après mon argent.

3   MOLIÈRE, l'Avare, V, 3.

Qui a une vivacité, une activité exceptionnelle. → **Ardent, impétueux.** *Un esprit endiablé.* — *La verve endiablée des romans de Voltaire. Quelle allure endiablée!*

4 C'est *(le cardinal Dubois)* un homme d'affaires vif et passionné, entraînant, endiablé, terrible pour aller à son but (...)　　　　　MICHELET, la Régence, *in* LITTRÉ.

N. *Un, une endiablée. Cette endiablée de fille.*

♦ **3** Qui est d'une vivacité entraînante (musique, rythme). *Une danse endiablée.* → Charleston, cit. 1. *Ronde endiablée. Un ragtime endiablé. Le rythme endiablé d'un air de jazz.*

5 *(Liszt)* improvisa une csardas endiablée de son pays, fermant les yeux, faisant courir ses doigts, plaquant les accords, changeant de rythmes (...)
　　　　　CENDRARS, Bourlinguer, p. 397, *in* T.L.F.

CONTR. (Des sens 2 et 3) **Calme, doux; endormant, lent.**
◊ **DÉR. et HOM. Endiabler.**

ENDIABLER [ɑ̃djable] v. — 1579; de *endiablé,* ou de *en-, diable,* et suff. verbal.

♦ **1** V. tr. Vx. Posséder du démon; soumettre à un sortilège (→ **Enchanter**) diabolique.

Par ext. Rendre ardent, furieux comme un démon. → **Enrager.** Spécialt (avec la valeur érotique de *diable** au corps). *Lui, qu'une fougue de sang endiablait près des autres filles...»* (H. Pourrat, *in* T.L.F.).

♦ **2** V. intr. Vx ou régional. Enrager. → **Endêver.** *Faire endiabler qqn.* → **Enrager.**

Et puis, c'est convenu, si l'on vient, je me nomme.
Ah! vous endiablerez, mon vieux cousin maudit!
　　　　　HUGO, Ruy Blas, IV, 2.

HOM. Endiablé.

ENDIAMANTÉ, ÉE [ɑ̃djamɑ̃te] adj. — 1611; v. tr. «orner de diamants», 1584; de *en-, diamant,* et suff. adjectival -*é.*

♦ **1** Qui est paré de bijoux en diamants. — Orné de diamants. *Mains, épaules endiamantées.*

1 C'était un lourd collier de cuivre, d'ambre et d'os, un bijou exotique sans valeur marchande qui ferait sourire de mépris des femmes endiamantées.
　　　　　S. DE BEAUVOIR, les Mandarins, p. 341.

2 Les bustes endiamantées se multipliaient à l'infini, dans des paravents de miroirs.
　　　　　Edmonde CHARLES-ROUX, l'Irrégulière, p. 501.

♦ **2** Fig. Orné de choses qui brillent comme des diamants. *L'herbe était endiamantée de gouttes de rosée.* → **Constellé.**

3 (...) nous lancions des poignées de petites sauterelles dans la toile endiamantée des grandes araignées de velours noir (...)
　　　　　M. PAGNOL, la Gloire de mon père, I, p. 145.

ENDIGUEMENT [ɑ̃digmɑ̃] ou **ENDIGAGE** [ɑ̃digaʒ] n. m. — 1827, *endiguement; endigage,* 1829; de *endiguer.*

♦ **1** Action d'endiguer; son résultat. *L'endiguement des eaux, du courant. «La concession d'endigage portuaire accordée par l'administration»* (le Nouvel Obs., 9 avr. 1973, p. 56). — *Un endiguement de terre.*

♦ **2** Fig. Action de refréner; son résultat. *L'endiguement des passions, de la violence.*

ENDIGUER [ɑ̃dige] v. tr. — 1827; de *en-, digue,* et suff. verbal.

♦ **1** Contenir au moyen de digues. *Endiguer un fleuve.*

Par métaphore. Contenir comme entre des digues.

a (Le sujet désigne des choses immobiles).

La colonne, endiguée entre de sombres façades, avançait toujours, d'un glissement lent, implacable.　　　　　1
　　　　　MARTIN DU GARD, les Thibault, t. VII, p. 65.

b (Av. 1890). Sujet animé. *Un barrage d'agents endiguait le flot des manifestants.* → **Barrer** (le passage), **contenir, opposer** (à), **retenir; obstacle** (faire).

c Arrêter, interrompre (une expression assimilée à un flot). *Endiguer le flot des paroles.*

♦ **2** (1870). Abstrait. Retenir, réprimer (un courant, une force qui tend à déborder). *Endiguer la révolution, la marche des événements, du progrès.* → **Arrêter, empêcher, enrayer.**

Le courant *(de l'opinion royaliste)* était trop fort pour qu'une poignée d'hommes raisonnables pussent, même pour l'instant, l'endiguer, à plus forte raison le faire reculer.　　　　　2
　　　　　Louis MADELIN, Talleyrand, IV, XXXIII, p. 359.

(...) de même qu'ils avaient évité, d'un tacite accord, et jusqu'à la minute de la séparation, tout geste, toute parole, qui eût pu rompre leurs volontés, et faire crever ce chagrin qu'ils endiguaient avec tant de peine.　　　　　3
　　　　　MARTIN DU GARD, les Thibault, t. III, p. 103.

♦ **S'ENDIGUER** v. pron.

(...) le cours de l'esprit humain s'endigue entre deux murailles qu'on ne franchira plus : l'industrie et la vente.　　　　　4
　　　　　MAUPASSANT, la Vie errante, I, p. 8.

CONTR. Lâcher, libérer. ◊ **DÉR. Endiguement.**

ENDIMANCHÉ, ÉE [ɑ̃dimɑ̃ʃe] adj. — 1611; p. p. de *endimancher.*

♦ **1** Qui a mis des habits réservés pour le dimanche, pour les jours où l'on ne travaille pas. *Paysans, ouvriers, bourgeois endimanchés. Une foule endimanchée.* — REM. Ce mot, comme le verbe *endimancher,* suppose un jugement social négatif, au moins condescendant, à l'égard de ceux qui éprouvent le besoin de changer d'apparence — et de tenter de s'identifier aux classes jugées supérieures — les jours de repos. Il s'applique surtout aux hommes et aux enfants, toujours à des classes (relativement) inférieures. C'est contre ces connotations que réagit Proust (→ **Endimanchement,** cit. 2).

Dans la rue, des couples de gens du peuple passaient, endimanchés, s'en allant sur les routes et dans les bois comme au printemps.　　　　　1
　　　　　LOTI, Mon frère Yves, LXXVIII, p. 181.

Je sais maintenant pourquoi il *(Dufferein-Chautel)* a l'air serin! C'est qu'il porte ses vêtements un peu comme des «habits de fête», avec une gaucherie indélébile et sympathique, en beau paysan endimanché.　　　　　1.1
　　　　　COLETTE, la Vagabonde, p. 145.

Par métonymie. «*Dans la cour endimanchée, les types ont leurs têtes des jours de sortie»* (Sartre, *la Mort dans l'âme,* p. 244).

(1818, Stendhal). Qui est mal à l'aise, gêné dans des vêtements inhabituels et apprêtés. *Être endimanché, avoir l'air endimanché.* → Merde, cit. 2.

(...) ce costume ne te va pas, as-tu été le pêcher? C'est terrible comme ta vulgarité ressort quand tu es endimanché.　　　　　2
　　　　　SARTRE, l'Âge de raison, p. 140.

N. (Rare). *Des endimanchés.*

♦ **2** Fig. Sans naturel, gauche ou maladroitement maniéré. *«Une bêtise endimanchée»* (Goncourt). *Un style endimanché.*

Vous avez trouvé le moyen de remplir six pages en restant constamment en dehors du sujet. Mais le plus insupportable est ce ton endimanché que vous avez cru devoir adopter.　　　　　3
　　　　　M. AYMÉ, le Passe-muraille, p. 145 (1943).

♦ **3** Vieilli. (Du vêtement). Du dimanche. *Une tenue endimanchée et ridicule.*

ENDIMANCHEMENT [ãdimãʃmã] n. m. — 1843; de *endimancher.*

Rare. Action d'endimancher; fait de s'endimancher. — Costume d'une personne endimanchée.

1   (...) l'endimanchement des uns réagit si bien sur les autres, que les gens les plus habitués à porter des habits convenables ont l'air d'appartenir à la catégorie de ceux pour qui la noce est une fête comptée dans leur vie.
       BALZAC, la Cousine Bette, Pl., t. VI, p. 260.

2   Ainsi allait (*Mme Laudet*) de table en table (...) dans cette robe verte qui n'était qu'une des fleurs de ce joyeux printemps social, de (*cette*) floraison de l'humanité heureuse aux mille couleurs, qui s'appelle l'endimanchement. Mot que prononcera sûrement avec une nuance de mépris la femme du monde qui ce jour-là croit devoir mettre sa robe la plus simple, avec une irritation même qui trahit simplement le malaise qu'elle éprouve, ne daignant pas, ne pouvant pas s'associer à la joie universelle du dimanche, à subir pourtant son influence, qui lui fait sentir par le besoin et l'absence de plaisir quelque chose de presque insultant dans le plaisir des autres.
       PROUST, Jean Santeuil, Pl., p. 350.

ENDIMANCHER [ãdimãʃe] v. tr. — 1572; de *en-, dimanche,* et suff. verbal.

♦ 1   Habiller (qqn) avec des habits de fête. *Des enfants que leurs parents avaient endimanchés pour l'occasion.*
Habiller de façon pompeuse, apprêtée. → **Affubler, costumer.**

1   (...) pour nous habiller, on nous endimanchait; l'austérité des coiffures, les couleurs violentes ou sucrées des satins et des taffetas éteignaient tous les visages.
       S. DE BEAUVOIR,
       Mémoires d'une jeune fille rangée, p. 152.

(Le sujet désigne le vêtement). *Un superbe costume à gilet et une cravate l'endimanchaient.*

♦ 2   (1831, Balzac). Parer, orner d'une manière apprêtée, un peu ridicule. *Endimancher un lieu, une salle.* — (Abstrait). *Endimancher son style.*

♦ **S'ENDIMANCHER** v. pron. (plus cour. que l'actif). *Ils se sont tous endimanchés pour aller au baptême, à la réception.* → Se mettre sur son trente*-et-un.

2   Toute cette famille s'endimancha autant que ses moyens le lui permettent; souvent un petit fichu en madras et un tablier neuf sont tout ce que la femme a pu ajouter à son costume de la semaine; le mari a du linge blanc, et ce jour-là il met une cravate; ses enfants ont des bas et des souliers, ce qui ne leur arrive pas tous les jours.
       Charles PAUL DE KOCK, la Grande Ville, t. I,
       p. 233 (éd. 1842).

Par métaphore :

3   Quand le maître se néglige et quand le disciple se soigne et s'endimanche ils se ressemblent (...)
       SAINTE-BEUVE,
       Chateaubriand jugé par un ami intime en 1803.

CONTR. Laisser aller (se), négliger (se). ◊ DÉR. **Endimanché, endimanchement.**

ENDIVE [ãdiv] n. f. — Déb. XIVe, *indivie, endivi;* probablt du lat. impérial *intibum* «chicorée sauvage, endive», grec *entubion.*

♦ 1   Bot. *Endive* (ou *chicorée endive*) : espèce de chicorée comprenant la chicorée frisée et la scarole.

♦ 2   (1878, *endive de Bruxelles*). Cour. Pousse blanche de la chicorée de Bruxelles (*witloof*) obtenue par forçage et étiolement. → **Chicon.** *Endives braisées, endives en salade. Endives au gratin; gratin d'endives.*

Ses endives auraient été lavées, épointées, avec le cœur taillé en cône pour éviter l'amertume; elle les aurait mises à braiser, tout simplement.
       Paul FOURNEL, les Grosses Rêveuses, p. 164-165.

Par compar. *Cet enfant relève de maladie, il est blanc comme une endive. Un teint d'endive,* pâle, maladif.

ENDIVISIONNEMENT [ãdivizjɔnmã] n. m. — 1838; de *endivisionner.*

Techn. (milit.). Action d'endivisionner; son résultat.

ENDIVISIONNER [ãdivizjɔne] v. tr. — 1871; de *en-, division,* et suff. verbal.

Techn. (milit.). Organiser en division (des unités militaires).

DÉR. **Endivisionnement.**

ENDO- Élément, du grec *endon* «en dedans», entrant dans la composition de nombreux mots savants (voir à l'ordre alphab.). On peut signaler en outre les adj. : *endocellulaire* (qui se trouve à l'intérieur de la cellule); *endocentrique* (se dit d'une construction grammaticale dont la fonction est identique à celle de l'un au moins de ses constituants); des subst. → **Endolymphe, endophlébite.**

CONTR. Ecto-, exo-.

ENDOBLASTE [ãdoblast] n. m. — 1905, in *Rev. gén. des sc.,* n° 8, p. 383; de *endo-,* et *-blaste.*

Biol. → **Endoderme** (2.). — REM. Ce mot tend à être plus utilisé que son synonyme.

ENDOCARDE [ãdokaʀd] n. m. — 1841; de *endo-,* et *-carde.*

Anat. Tunique interne du cœur.

DÉR. **Endocardite.**

ENDOCARDITE [ãdokaʀdit] n. f. — 1836; de *endocarde.*

Méd. Inflammation de l'endocarde, aiguë ou chronique.

ENDOCARPE [ãdokaʀp] n. m. — 1808; de *endo-,* et *-carpe.*

Bot. Partie interne du fruit la plus proche de la graine. *Endocarpe noir; lignifié* (→ **Noyau**).

ENDOCRÂNE [ãdokʀan] n. m. — 1912, in T. L. F.; de *endo-,* et *crâne.*

Anat., méd. Intérieur du crâne.

DÉR. **Endocrânien.**

ENDOCRÂNIEN, IENNE [ãdokʀanjɛ̃, jɛn] adj. — 1964, in T. L. F.; de *endocrâne.*

Anat., méd. Qui concerne l'intérieur du crâne. *Tumeur endocrânienne.*

La considération de moulages endocrâniens de l'Australopithèque, du Pithécanthrope, du Néanderthalien ou de l'homme actuel montre entre les différentes parties des différences de proportions qui affectent surtout les lobes frontaux.
       A. LEROI-GOURHAN, le Geste et la Parole, t. I, p. 118.

ENDOCRINE [ãdɔkʀin] adj. — 1897, Laguesse, in Cottez; de *endo-,* et *-crine,* du grec *krinein* «sécréter».

Biol. Se dit des glandes à sécrétion interne dont les produits sont déversés directement dans le sang (ex. : *l'hypophyse, la thyroïde*).

1   D'autres glandes, désignées celles-là sous le nom de glandes à sécrétion interne ou glandes endocrines, parce qu'elles sont dépourvues de canal excréteur, déversent dans le sang leurs produits de sécrétion appelés hormones.
       P. VALLERY-RADOT, Notre corps..., p. 102.

2   Il est probable que les activités nerveuses et psychologiques dépendent simultanément de l'état du cerveau et des substances libérées dans l'appareil circulatoire par les glandes endocrines, et que le sang porte aux cellules de l'encéphale.
       Alexis CARREL, l'Homme, cet inconnu, p. 185.

CONTR. Exocrine. ◊ DÉR. et COMP. **Endocrinien. Endocrinologie.**

ENDOCRINIEN, IENNE [ãdɔkʀinjɛ̃, jɛn] adj. — 1922; de *endocrine*.

Biol. Relatif aux glandes endocrines. *Le système endocrinien. Troubles endocriniens.*

COMP. **Neuro-endocrinien.**

ENDOCRINOLOGIE [ãdɔkʀinɔlɔʒi] n. f. — 1915; de *endocrine*, et *-logie*.

Didact., sc. Partie de la physiologie et de la médecine qui étudie les glandes endocrines et leurs maladies.

Leur découverte *(des hormones)* et leur étude, qui ne datent que du début du XXᵉ siècle, a créé toute une branche de la physiologie, qui en forme aujourd'hui un des domaines les plus féconds et les plus importants, l'*endocrinologie*.
Maurice CAULLERY, les Étapes de la biologie, p. 93.

DÉR. et COMP. **Endocrinologue. V. Neuro-endocrinologie.**

ENDOCRINOLOGUE [ãdɔkʀinɔlɔg] ou **ENDO-CRINOLOGISTE** [ãdɔkʀinɔlɔʒist] n. — 1965, *endocrinologue; endocrinologiste*, 1925; de *endocrinologie*.

Didact. (sc.). Médecin spécialiste de l'endocrinologie, des glandes endocrines. *Une endocrinologue, une endocrinologiste de l'hôpital de Lyon.*

ENDOCTRINEMENT [ãdɔktʀinmã] n. m. — 1452; «enseignement, doctrine», v. 1170; de *endoctriner*.

Vx. Instruction, enseignement. — **Mod.** Action, manière d'endoctriner.

La radio, qui pénètre dans l'intimité de presque toutes les maisons, est, pour un gouvernement, et quel que soit ce gouvernement, un très puissant moyen de pression ou même d'endoctrinement.
G. DUHAMEL, Manuel du protestataire, VI, p. 161.

ENDOCTRINER [ãdɔktʀine] v. tr. — V. 1165; de *en-, doctrine*, et suff. verbal.

♦ 1 Vx. Mettre (qqn) en possession d'un enseignement, lui enseigner une science, des connaissances. → **Instruire.**

1 Je m'étais imaginé que les pédagogues dont j'avais fait choix pour endoctriner le fils de la Génoise y perdraient leur latin, le croyant à son âge un sujet peu disciplinable; néanmoins, je me trompai.
A. R. LESAGE, Gil Blas, XII, VI.

2 Écoutez un petit bonhomme qu'on vient d'endoctriner; laissez-le jaser, questionner, extravaguer à son aise, et vous allez être surpris du tour étrange qu'ont pris vos raisonnements dans son esprit (...)
ROUSSEAU, Émile, II.

Vx. Munir (qqn) d'instructions précises, de renseignements et d'indications nécessaires. *Endoctriner soigneusement un messager, un enfant qu'on charge d'une commission.*

3 (...) je vais vous envoyer le chérubin; coiffez-le, habillez-le; je le renferme et l'endoctrine (...)
BEAUMARCHAIS, le Mariage de Figaro, II, 2.

♦ 2 (1743). **Mod.** Chercher à gagner (qqn) à une doctrine, à une opinion, à un point de vue. → **Catéchiser, chambrer, circonvenir; leçon** (faire la leçon). *Endoctriner les futurs citoyens* (→ Assigner, cit. 9). *Endoctriner des électeurs.*

4 Il était naturel que les *utilitaires* fissent appel aux écrivains et aux artistes dont le prestige était considérable, et qu'ils tentassent de les endoctriner.
Th. GAUTIER, Préface de Mˡˡᵉ de Maupin, éd. critique MATORÉ, p. 33.

♦ ENDOCTRINÉ, ÉE p. p. adj. *Une personne, une population endoctrinée.* — N. *«Les bourgeois, les endoctrinés et les soi-disant lettrés»* (V. Larbaud).

DÉR. **Endoctrinement, endoctrineur.** — **REM.** L'adj. *endoctrinant, ante* est attesté (Lacan, *Écrits*, p. 264).

ENDOCTRINEUR, EUSE [ãdɔktʀinœʀ, øz] n. — Fin XIIᵉ; de *endoctriner*.

Rare. Personne qui endoctrine, cherche à endoctriner.

ENDODERME [ãdodɛʀm] n. m. — 1855; de *endo-*, et *-derme*.

♦ 1 Bot. Couche la plus interne de l'écorce.

♦ 2 (1890; all., 1877). **Biol.** Couche ou feuillet interne du troisième stade de développement de l'embryon (→ **Gastrula**), dont le développement donne l'intestin primitif et la vésicule ombilicale (→ aussi **Ectoderme, mésoderme**). — **REM.** L'usage scientifique moderne préfère le synonyme *endoblaste*.

DÉR. **Endodermique.**

ENDODERMIQUE [ãdodɛʀmik] adj. — 1877; de *endoderme*.

Biol. Qui appartient à l'endoderme. *Tissus d'origine endodermique.*

ENDODONTE [ãdodɔ̃t] n. m. — XXᵉ; de *endo-*, et suff. *-odonte*, du grec *odous, odontos*.

Didact. (histol.). «Ensemble des tissus propres à la dent : émail, dentine et pulpe» (*Dict. odontostomatologique*, Suppl. nᵒ 19, juil. 1967).

DÉR. **Endodontie.**

ENDODONTIE [ãdodɔ̃si] n. f. — XXᵉ; de *endodonte*.

Didact. (méd. dentaire). Traitement interne de la dent (opposé à *exodontie*).

DÉR. **Endodontique.**

ENDODONTIQUE [ãdodɔ̃tik] adj. — XXᵉ; de *endodontie*.

Didact. De l'endodontie. *Thérapeutique endodontique.*

ENDOGAME [ãdɔgam] adj. et n. — 1893; de *endo-*, et *-game*.

Sociol. Qui pratique l'endogamie. *Les peuples endogames.*

CONTR. **Exogame.**

ENDOGAMIE [ãdɔgami] n. f. — 1893; angl. *endogamy*, 1865, de *endo-*, et *-gamy*. → **Endo-**, et *-game, -gamie.*

♦ 1 Sociol. Obligation, pour les membres de certaines tribus, de se marier dans leur propre tribu.

♦ 2 Biol. Mode de reproduction sexuée par fécondation entre deux gamètes provenant d'un même individu *(autogamie)*, ou entre individus apparentés (par oppos. à *allogamie*). → **Consanguin.**

CONTR. **Exogamie.** ◊ **DÉR.** **Endogamique.**

ENDOGAMIQUE [ãdɔgamik] adj. — 1893 (→ Exogamique); de *endogamie*.

Didact. (ethnol.). Relatif à l'endogamie. *Mariage endogamique.*

CONTR. **Exogamique.**

ENDOGÉ, ÉE [ãdɔʒe] adj. — 1965; de *endo-*, et grec *gê* «terre».

Écol. Se dit d'un organisme qui vit sous terre. → **Hypogé.** *La faune endogée.*

CONTR. **Épigé.**

ENDOGÈNE [ãdɔʒɛn] adj. — 1813; de endo-, et -gène.
Didactique.

♦ **1** Qui prend naissance à l'intérieur d'un corps, d'un organisme; qui est dû à une cause interne. *Intoxication endogène. Pigment endogène. Affection, agression endogène.* — Qui se développe à l'intérieur de l'organisme, d'un organe. — Bot. *Organes endogènes* : organes nés de cellules situées dans la profondeur des tissus.

♦ **2** Géol. *Roche endogène* : roche dont la matière vient des profondeurs de l'écorce terrestre; «roche d'origine interne ou éruptive» (Haug).

♦ **3** Qui vient de l'intérieur. → **Interne.** *Causes endogènes,* en économie.

CONTR. Exogène.

ENDOGLOBULAIRE [ãdoglɔbylɛr] adj. — 1904, in *Rev. gén. des sc.,* n° 3, p. 159; de endo-, et globulaire.
Biochim. Qui est situé à l'intérieur d'un globule.

ENDOGNATHIE [ãdognati] n. f. — XXᵉ; de endo-, et -gnathie.
Didact. Déformation de la mâchoire par étroitesse du maxillaire. *«Endognathie bi-maxillaire»* (P.-L. Rousseau, *les Dents*).

CONTR. Exognathie.

ENDOLORI, IE [ãdɔlɔri] adj. — 1762; p. p. de endolorir.

Qui souffre, éprouve une douleur (en général, une douleur répandue mal délimitée). → **Douloureux.** *Être tout endolori, endolori dans tous ses membres, des pieds à la tête.* → **Perclus.** *Tête endolorie.*

1   Elle éprouvait le besoin de changer de place ses jambes, toujours endolories par la galopade forcenée de la veille.
         MONTHERLANT, les Jeunes Filles, p. 122.

(1862). Par métaphore ou fig. Qui éprouve une douleur morale. *Les âmes endolories.*

2   Je n'étais plus un adolescent que le moindre chagrin cloue tout endolori sur les pentes molles de la jeunesse.
         E. FROMENTIN, Dominique, p. 247.

3   Jacques cessa d'écouter; il se sentait endolori, triste.
         MARTIN DU GARD, les Thibault, Pl., p. 833.

ENDOLORIR [ãdɔlɔrir] v. tr. — 1762; réfection, d'après le lat. dolor, de l'anc. v. endoulourir (1503); de en-, et douleur.

(Rare). Rendre douloureux. *La marche avait endolori ses pieds.* — Pronominal :

1   (...) tous ses membres s'endolorissaient, il avait les muscles froissés, la peau meurtrie, comme au sortir des bras d'une amante de pierre.   ZOLA, l'Œuvre, p. 300.

REM. Le v. est surtout employé aux temps composés, au passif *(être endolori par qqch.)* et au p. p. → Endolori.

(1862). Fig. *Attrister, faire souffrir.*

2   Vous avez endolori mon âme.
         GIDE, les Nourritures terrestres, in Romans, Pl.,
         p. 215.

3   Toujours endoloris par la défaite de 1870, les innombrables deuils causés par la guerre et toutes les ruines qui se relèvent lentement, beaucoup de gens ne trouvent de consolation que dans le sentiment religieux et d'espoir que dans la prière.

         Georges LECOMTE, Ma traversée, p. 20.

♦ **S'ENDOLORIR** v. pron. — Figuré :

4   Mon regard, mon esprit, ne se posaient nulle part, qu'ils ne trouvassent à s'égratigner et s'endolorir (...)
         GIDE, Journal, 14 janv. 1929.

CONTR. Calmer, panser, soulager. ◊ DÉR. Endolori, endolorissement.

ENDOLORISSEMENT [ãdɔlɔrismã] n. m. — 1833; de endolorir.
Littér. ou rare. État du corps, d'un membre endolori.

1   Il ne restait qu'une fatigue générale et qu'un endolorissement léger du côté souffrant.
         GIDE, Journal, 3 mai 1916.

Figuré :

2   (...) sa voix, par moments, se faisait tremblante en exprimant par un mot ou seulement par une intonation l'endolorissement de son cœur.
         MAUPASSANT, Fort comme la mort, p. 35.

ENDOLYMPHE [ãdolɛ̃f] n. f. — 1855; de endo-, et lymphe.
Anat. Liquide albumineux, clair, contenu dans le labyrinthe de l'oreille interne.

ENDOMÈTRE [ãdomɛtr] n. m. — 1922; de endo-, et grec *mêtra* «matrice». → Endométrite.
Anat. Tissu qui tapisse la cavité utérine et dont les couches moyennes et superficielles sont éliminées par la menstruation si l'ovule n'est pas fécondé.

La phase cataméniale ou menstruation est essentiellement constituée par une hémorragie utérine. Pendant que l'organisme se débarrasse des hormones sexuelles, sur la paroi interne de l'utérus le sang commence à suinter par diapédèse, c'est-à-dire en s'insinuant à travers les parois des vaisseaux sanguins; ceux-ci ne tardent pas à être rompus et bientôt l'endomètre lui-même se désagrège. La plus grande partie de la membrane est emportée par cette débâcle (...)
         Jules CARLES, la Fécondation, p. 42.

COMP. Endométriose.

ENDOMÉTRIOSE [ãdometrijoz] n. f. — 1926; du rad. de endomètre, et 2. -ose.
Méd. Prolifération de la muqueuse utérine (l'endomètre) dans des sites anormaux de l'abdomen (ovaires, trompes, péritoine).

ENDOMÉTRITE [ãdometrit] n. f. — 1867; de endo-, et métrite.
Méd. Inflammation de l'endomètre. *L'endométrite est une cause de stérilité.*

ENDOMMAGEMENT [ãdomaʒmã] n. m. — XIIIᵉ; de endommager.
Rare. Action d'endommager; son résultat. *L'endommagement des récoltes par la grêle. Des endommagements assez graves.*

ENDOMMAGER [ãdomaʒe] v. tr. [CONJUG.: bouger.] — V. 1165, endamagier; de en-, dommage, et suff. verbal.
Mettre en mauvais état; faire subir des dégâts, des dommages à (qqch.). → **Abîmer, altérer, attaquer, avarier; briser, dégrader, détériorer, écorcher, gâter, ravager.** *La grêle a endommagé les blés.* → **Hacher.** *La gelée a endommagé les fruits.* → **Atteindre; meurtrir.** *La guerre a endommagé sa fortune.* — *Cette perte a endommagé sa fortune.* → **Ébrécher, entamer.**

1   Nous étions à table; ils ont dîné miraculeusement sur notre dîner, qui était déjà un peu endommagé.
         Mᵐᵉ DE SÉVIGNÉ, Lettres, 1116, 3 janv. 1689.

2   On ne s'élève point à cette importante fonction sans endommager sa fortune (...)
         DIDEROT,
         Essai sur les règnes de Claude et de Néron.

Rare. (Compl. n. de personne). Faire subir des dommages à (qqn), blesser, faire souffrir (souvent iron.).
Il «endommagerait des voyageurs sur la grande route» (Hugo).

3   J'ai connu autour de moi beaucoup de souffrances qui n'étaient pas littéraires ou figurées : elles endommageaient leurs hommes ainsi que la morve endommage un cheval.
         Ch. PÉGUY, la République..., p. 27.

Fig. *Les scandales qui ont un peu endommagé sa réputation.*

◆ **ENDOMMAGÉ, ÉE** p. p. adj. *Récoltes endommagées (par la grêle). Voiture endommagée dans un accident* (→ **Accidenté**). *Acheter une maison, une ferme assez endommagée*, en mauvais état. — **Fam., plais.** Entamé, mis à mal (→ ci-dessus, cit. 1). — **Fig.** *Une réputation endommagée.* — **Plais. (de personnes) :**

4   Nous assistons à l'extraction de deux dames pas trop endommagées, mais pantelantes, de dessous l'auto retournée.
GIDE, Carnets d'Égypte, *in* Souvenirs, Pl., p. 1049.

CONTR. Refaire, réparer, restaurer ; respecter. — (Du p. p.) **Indemne, sauf. ◊ DÉR. Endommagement.**

ENDOMORPHE [ãdɔmɔʀf] adj. — 1893 ; de *endo-*, et *-morphe*.
Didactique.

◆ **1** Géol. Qui a le caractère de l'endomorphisme (1.).

Il semble plus conforme aux faits d'expérience de supposer une différenciation des parties fluides alcalines et des parties lourdes basiques par simple *rochage*. Chacun des magmas (alcalins et ferro-magnésiens) suivrait ensuite ses voies propres, en modifiant sa composition par des actions endomorphes, suivant la nature des roches traversées.
Émile HAUG, Traité de géologie, t. I, Structure et composition des roches d'origine interne, p. 312 (1927).

◆ **2** (V. 1950 ; angl. *endomorph*, W. H. Sheldon). Qui est caractérisé par des formes rondes et trapues.
N. *Un, une endomorphe. Les endomorphes constituent l'un des trois biotypes* de Sheldon.* → aussi Ectomorphe, mésomorphe.

CONTR. (Du sens 1) **Exomorphe.**

ENDOMORPHINE [ãdɔmɔʀfin] n. f. → **Endorphine.**

ENDOMORPHIQUE [ãdɔmɔʀfik] adj. — 1903, *in Rev. gén. des sc.*, n° 2, p. 106 ; de *endo-*, et *-morphique*.
Didactique.

◆ **1** Géol. De caractère endomorphe. *«Modifications endomorphiques du granite»* (*la Terre*, 1959).

◆ **2** Du type endomorphe (2.).

CONTR. (Du sens 1) **Exomorphique.**

ENDOMORPHISME [ãdɔmɔʀfism] n. m. — 1893, *in* Encycl. Berthelot ; de *endo-*, et *-morphisme*.
Didactique.

◆ **1** Géol. Changement de nature d'une roche endogène au contact d'une roche qu'elle traverse. → **Métamorphisme.**

1   On appelle exomorphisme l'étude du métamorphisme de contact, et endomorphisme l'étude des anomalies constatées à l'intérieur du granite.
P. LAFFITTE, Roches plutoniques, *in* Encycl. Pl., la Terre, p. 749.

◆ **2** (V. 1950 ; angl. *endomorphism*, W. H. Sheldon). Morphologie de l'endomorphe (2.).

2   Enfin, Sheldon a établi la corrélation de ces trois types morphologiques avec trois types psychophysiologiques dégagés statistiquement de cinquante traits de cette nature : il a trouvé ainsi que l'*endomorphisme* allait avec la *viscérotonie*, le *mésomorphisme* avec la *somatotonie* et l'*ectomorphisme* avec la *cérébrotonie*.
Pierre GRAPIN, l'Anthropologie criminelle, p. 59-60.

◆ **3** Math. Homomorphisme* d'un ensemble dans lui-même. *Endomorphisme bijectif.* → **Automorphisme.** *«Un endomorphisme dans E est un homomorphisme de E vers E pour la même opération»* (P. Longuet, *les Mathématiques en terminale*, p. 32).

CONTR. (Du sens 1) **Exomorphisme.**

ENDONÉPHRITE [ãdonefʀit] n. f. — XIXᵉ ; de *endo-*, et *néphrite*.
Méd. Inflammation de la membrane qui tapisse le bassinet du rein.

ENDOPARASITE [ãdopaʀazit] n. m. — 1877 ; de *endo-*, et *parasite*.
Didact. Parasite végétal ou animal vivant dans l'intérieur de l'organisme : tube digestif, appareil circulatoire, etc. (opposé à *ectoparasite*). → **Endophage, endophyte.** — Adj. *Organismes endoparasites.*

CONTR. Ectoparasite. ◊ DÉR. Endoparasitisme.

ENDOPARASITISME [ãdopaʀazitism] n. m. — 1903, *in Rev. gén. des sc.*, n° 14, p. 779 ; de *endoparasite*.
Didact. Mode de vie des endoparasites.

ENDOPHAGE [ãdɔfaʒ] adj. et n. m. — XXᵉ ; de *endo-*, et *-phage*.
Biol. Se dit d'un parasite qui se développe dans le corps de son hôte, ou d'un insecte qui pénètre dans une plante pour en tirer sa nourriture. — N. *Un endophage.* → **Endoparasite.**

ENDOPHASIE [ãdɔfazi] n. f. — XXᵉ ; de *endo-*, et *phasie*.
Psychol., ling. Langage* (I., 1.) intérieur.

ENDOPHLÉBITE [ãdoflebit] n. f. — 1905, *in Rev. gén. des sc.*, n° 8, p. 400 ; de *endo-*, et *phlébite*.
Pathol. Inflammation de la tunique interne des veines.

ENDOPHYTE [ãdɔfit] n. m. et adj. — 1904, *in Rev. gén. des sc.*, n° 5, p. 273 ; de *endo-*, et *-phyte*.
Biol. Parasite végétal qui vit dans le corps de son hôte. → **Ectophyte.**
Adj. (1904, *in Rev. gén. des sc.*, n° 6, p. 320). *Des champignons endophytes.*

ENDOPLASME [ãdɔplasm] n. m. — 1903, *in Rev. gén. des sc.*, n° 21, p. 1102 ; de *endo-*, et *-plasme*.
Biol. Portion centrale du cytoplasme, chez les amibiens.

CONTR. Ectoplasme (1.). **◊ DÉR. Endoplasmique.**

ENDOPLASMIQUE [ãdɔplasmik] adj. — 1897 ; de *endoplasme*.
Biol. De l'endoplasme. *Réticulum endoplasmique.*

ENDORÉIQUE [ãdɔʀeik] adj. — Mil. XXᵉ (1956) ; de *endoréisme*.
Géogr. Se dit des régions où le réseau hydrographique ne se raccorde pas au niveau de la mer et où les eaux se perdent dans les terres (plaine d'épandage, lac intérieur).

CONTR. Exoréique.

ENDORÉISME [ãdɔʀeism] n. m. — Mil. XXᵉ (1956) ; de *endo-*, et grec *rhein* «couler».
Géogr. Caractère d'une région endoréique*.

CONTR. Exoréisme. ◊ DÉR. Endoréique.

ENDORMANT, ANTE [ɑ̃dɔRmɑ̃, ɑ̃t] adj. — 1558 ;
p. prés. de *endormir.*

♦ **1** Qui endort. *Balancement, bruit endormant.*
→ **Berçant.** — (Vx). *Médicament endormant, drogue
endormante.* → **Assoupissant, somnifère, soporifique.**

1   Ce ne sera pas une petite affaire pour moi que la prise des
eaux, qui sont, dit-on, fort endormantes et avec lesquelles
néanmoins il faut absolument s'empêcher de dormir.
               BOILEAU, Lettre à Racine, IV.

♦ **2** (1845). Mod. Qui donne envie de dormir à force
d'ennui. → **Ennuyeux, fastidieux.** *Discours, sermon
endormant. Il est endormant avec sa manie de vouloir tout expliquer* (→ fam. **Casse-pied, rasoir**).

2   M. Ponto avait un faible pour les pièces endormantes,
en ce siècle, les pièces endormantes se font de plus en
plus rares, non que la prose de nos auteurs dramatiques soit moins chargée de qualités soporifiques que celle
des vieux écrivains du siècle dernier, mais parce que nos
dramaturges actuels ont soin de garnir leurs pièces de
clous nombreux et de semer leur prose — ou leurs vers —
de coups de fusil, pistolet et mitrailleuse, de pendaisons,
guillotinades, dissections et autres attractions qui tiennent
forcément l'esprit en éveil.
               A. ROBIDA, le Vingtième Siècle, p. 93.

CONTR. **Excitant, stimulant. — Intéressant, passionnant.**

ENDORMEMENT [ɑ̃dɔRməmɑ̃] n. m. — V. 1355, repris
XIXᵉ ; de *endormir.*

♦ **1** Vx. Le fait de s'endormir ; état de celui qui s'endort. → **Endormissement.**

0.1   Wagner a dépeint l'endormement par une musique qui
devient *régulière,* répétée et dont le son s'approche peu à
peu en descendant, d'un son non proférable et qui va de
l'articulé à l'inarticulé.
               VALÉRY, Cahiers, t. II, Pl., p. 22.

Par extension :

0.2   Dans son attitude *(de Mᵐᵉ Sand),* il y a une gravité, une placidité, quelque chose du demi-endormement d'un rumi-
nant.   Ed. et J. DE GONCOURT, Journal, t. II, p. 23.

♦ **2** Mod. (fig. et littér.).

0.3   J'assiste encore au coucher des grives, au croule des
bécasses, à l'endormement du bois.
               J. RENARD, Journal, mars 1889.

1   Elle *(la neige)* tombait maintenant, du matin jusqu'au soir,
par larges étoiles tourbillonnantes, avec un enveloppement, un endormement de tout le paysage, et, dans les
pièces tièdes du château, c'était un charme silencieux d'intimité (...)   Paul BOURGET, le Disciple, p. 193.

2   (...) ce voluptueux endormement dans la nature.
            R. ROLLAND, Musiciens d'autrefois, p. 177.

ENDORMEUR, EUSE [ɑ̃dɔRmœR, øz] n. — 1297 ; de
endormir.

Rare.

♦ **1** Personne qui peut endormir à volonté qqn.
→ **Hypnotiseur.** — Malfaiteur qui endort ses victimes.

♦ **2** (1835). Personne qui cherche à endormir l'opinion, à bercer les gens d'illusions. — (1791). Hist.
Partisan, sous la Révolution française, du recours
à la douceur plutôt qu'à la terreur (dans le langage
polémique de ses adversaires).

♦ **3** Fig. et littér. Ce qui procure l'oubli, la paix.
«*Endormeur des soucis...*» (Moréas, *in* T. L. F.).

ENDORMIR [ɑ̃dɔRmiR] v. tr. [CONJUG.: *dormir.*] — 1080 ;
du lat. *indormire* «dormir sur ; être négligent», d'après
dormir.

♦ **1** Faire dormir* (qqn), provoquer le sommeil* de
(qqn). *Endormir un enfant ; cet enfant est difficile à
endormir, il faut le bercer* (cit. 1). *Le balancement
de la voiture l'endormait peu à peu.* → **Assoupir.**

(Mil. XIXᵉ). Spécialt. Provoquer artificiellement le
sommeil. *Endormir un malade à l'aide du chloroforme, de l'éther.* → **Anesthésier, chloroformer.**
Endormir un malade avant de l'opérer. Absolt. *Pour
cette opération, il n'est pas nécessaire d'endormir.*
— *Endormir par suggestion.* → **Hypnotiser.**

1   Il répliqua faiblement (...) : «Oui, je désire être magnétisé»
(...) Pendant qu'il parlait, j'avais commencé les passes que
j'avais déjà reconnues les plus efficaces pour l'endormir
(...) avec quelques passes latérales rapides, je fis palpiter
les paupières, comme quand le sommeil nous prend, et
en insistant un peu je les fermai tout à fait.
             BAUDELAIRE, Trad. E. POE,
             Histoires extraordinaires,
        La vérité sur le cas de M. Valdemar.

2   (...) ça ressemblait à l'odeur de chloroforme quand on vous
endort sur la grande table.   SARTRE, le Sursis, p. 29.

(Sujet n. de la substance qui endort). *Le narcotique, le
chloroforme l'endormit rapidement.* → **Anesthésier.**

♦ **2** (1660). Donner envie de dormir à (qqn)
par ennui. → **Assommer, ennuyer, fatiguer, lasser**
(→ Affadir, cit. 3). *Il nous endort avec ses histoires.
Ce livre, cette pièce m'endort. Endormir son audi-
toire* (cit. 5) *par un débit monotone* (→ Égal, cit. 32).
Ce jeu m'endort ; les cartes (cit. 3) *l'endorment.*

3   Allez de vos sermons endormir l'auditeur !
                 BOILEAU, Satires, I.

4   Cette chanson me semble un peu lugubre, elle endort (...)
       MOLIÈRE, le Bourgeois gentilhomme, I, 2.

5   Voilà votre portier et votre secrétaire :
     Vous en ferez, je crois, d'excellents avocats ;
     Ils sont fort ignorants. — Non pas, Monsieur, non pas.
     J'endormirai Monsieur tout aussi bien qu'un autre.
           RACINE, les Plaideurs, II, 14.

♦ **3** (1580). Rendre insensible ou moins sensible (un
membre, un organe). → **Anesthésier, insensibiliser.**
Endormir un membre avant de l'amputer. — Par
ext. → **Ankyloser, engourdir.** *Endormir un bras, un
membre par une attitude forcée, par une décharge
électrique.* — (Le sujet désigne ce qui insensibilise). *La
piqûre a endormi le membre.*

6   (...) la torpille a cette condition *(cette propriété),* non seulement d'endormir les membres qui la touchent, mais au
travers des filets et de la scène *(seine, filet à trainer),* elle
transmet une pesanteur endormie aux mains de ceux qui
la remuent et manient.   MONTAIGNE, Essais, II, XII.

♦ **4** (1580). Fig. et littér. Atténuer jusqu'à faire disparaître (une sensation, un sentiment pénible).
→ **Adoucir, apaiser, attiédir, calmer, engourdir, soulager.** *Endormir la douleur, le chagrin de qqn par
des paroles de consolation*.* → **Consoler.** *Endormir
un souci, une peine,* les rendre moins cuisants, les
faire oublier momentanément.

7   Le monde endort les chagrins mais il ne les guérit pas.
        MASSILLON, Avent, Des afflictions.

8   Il *(le christianisme)* endort la douleur, il fortifie la résolution chancelante (...)
       CHATEAUBRIAND, le Génie du christianisme, II,
                 III, 4.

Rendre moins vif, moins agissant (un sentiment,
une disposition d'esprit). → **Amuser, bercer, leurrer,
tromper.** *Endormir la clairvoyance, la perspicacité,
la prudence, la vigilance de quelqu'un* (→ Baguette,
cit. 5). → **Émousser.** *Il a fallu endormir ses scrupules,
ses apprehensions, ses soupçons...* → **Surmonter,
vaincre.**

9   Les caresses du jeune bey qui lui étaient devenues de plus
en plus douces, avaient peu à peu endormi ses projets de
rébellion.   LOTI, les Désenchantées, III, VIII, p. 81.

10   (...) quand il se trouvait mêlé à la foule, il éprouvait,
malgré toutes les résolutions préalables, une sorte d'ivresse
chaude et lucide qui ne lui était pas désagréable, au contraire, qui l'étonnait et finissait par endormir en lui les
regrets qu'éprouve toujours un esprit scrupuleux quand il

est distrait de ses tâches majeures.
> G. DUHAMEL, le Voyage de Patrice Périot, II, p. 36.

11 C'est à l'homme de savoir vaincre, ou endormir, les pudeurs qu'il rencontre, si singulières soient-elles.
> J. ROMAINS, les Hommes de bonne volonté, t. V, I, p. 7.

♦ **5** (V. 1160). Littér. (Compl. n. de personne). *Endormir quelqu'un.* → **Tromper; embobeliner, enjôler.** *Endormir quelqu'un en le berçant d'illusions. Il est méfiant et on ne l'endort pas facilement. Endormir ses ennemis par des manœuvres, un simulacre de réconciliation, de belles paroles, de belles promesses. Des discours destinés à endormir l'opinion publique.*

12 Il fallait l'endormir avec des paroles caressantes.
> FRANCE, le Lys rouge, XIX, p. 151.

13 On ne peut l'expliquer, ou que par une prodigieuse action de séduction exercée, presque à l'esbrouffe, par Talleyrand, sur l'envoyé russe, ou que par une manœuvre machiavélique, le baron n'ayant peut-être mission que d'endormir le gouvernement français.
> Louis MADELIN, Hist. du Consulat et de l'Empire, Vers l'Empire d'Occident, XIII, p. 168.

(Passif). *L'opinion a été endormie par la propagande.* → ci-dessous Endormi, p. p. adj.

◆ **S'ENDORMIR** v. pron.

♦ **1** Commencer à dormir, glisser dans le sommeil. *S'endormir à demi.* → **Appesantir** (s'), **assoupir** (s'), **somnoler** (→ Âtre, cit. 6; calme, cit. 12; dodeliner, cit. 1). *Il ferma les yeux, les paupières s'endormir. S'endormir aussitôt la tête sur l'oreiller* (→ Peu, cit. 45). *Se coucher et s'endormir. S'endormir avec peine, après de longues insomnies. S'endormir d'un sommeil pesant. S'endormir tard, au milieu de la nuit* (→ Assoupir, cit. 1). *Brisé de fatigue, il s'était endormi au volant de sa voiture. S'endormir sur un livre, par ennui, par fatigue. S'endormir au théâtre, au cinéma.*

14 Il s'endort, il s'éveille au son des instruments; Son cœur nage dans la mollesse.
> RACINE, Esther, II, 8.

15 Qui s'endort dans le sein d'un père n'est pas en souci du réveil.
> ROUSSEAU, Julie ou la Nouvelle Héloïse, VI, Lettre XI.

16 À propos du sommeil, aventure sinistre de tous les soirs, on peut dire que les hommes s'endorment journellement avec une audace qui serait inintelligible si nous ne savions qu'elle est le résultat de l'ignorance du danger.
> BAUDELAIRE, Journaux intimes, Fusées, IX.

17 Je m'étais endormi la nuit, près de la grève. Un vent frais m'éveilla, je sortis de mon rêve, J'ouvris les yeux, je vis l'étoile du matin.
> HUGO, les Châtiments, VI, «Stella».

18 Telle était la fatigue de son long voyage qu'il s'endormit, malgré le trouble extrême de sa pensée, de ce sommeil obscur de la bête recrue, où il n'y a plus place même pour le rêve.
> M. BARRÈS, la Colline inspirée, IV, p. 71.

19 Parmi les adultes, surtout parmi ceux qui habitent les grandes villes, il en est peu qui aient le bonheur de s'endormir «aussitôt la tête sur l'oreiller».
> J. ROMAINS, les Hommes de bonne volonté, t. III, XVII, p. 224.

Littér. (Choses). Entrer dans le repos de la nuit.

20 Salamanque en riant s'assied sur trois collines, S'endort au son des mandolines, Et s'éveille en sursaut aux cris des écoliers.
> HUGO, les Orientales, «Grenade».

21 Les soleils couchants Revêtent les champs, Les canaux, la ville entière, D'hyacinthe et d'or; Le monde s'endort Dans une chaude lumière.
> BAUDELAIRE, les Fleurs du mal, «Invitation au voyage».

♦ **2** Devenir moins actif, moins vivace... — (Choses). → **Assoupir** (s'). *Vigilance, clairvoyance qui s'endort. Avec le temps ses peines, ses remords, ses scrupules se sont endormis.* → **Apaiser** (s'), **effacer** (s'), **estomper** (s').

22 (...) ce langage affété Où s'endort un esprit de mollesse hébété.
> BOILEAU, Satires, IX.

23 Le remords s'endort durant un destin prospère, et s'aigrit dans l'adversité.
> ROUSSEAU, les Confessions, II.

24 Avec l'habitude de la continence, les sens aussi s'endorment pendant des périodes bien longues (...)
> LOTI, Pêcheur d'Islande, I, VI, p. 62.

(Personnes). *S'endormir dans les plaisirs, dans l'oisiveté, la mollesse.* → **Amollir** (s'), **oublier** (s'). *S'endormir dans une morne stupidité* (→ Détruire, cit. 28). *S'endormir sur ses succès* (→ Se reposer sur les lauriers*).

Spécialt. *S'endormir dans l'illusion, dans l'erreur, dans une trompeuse quiétude.* → **Illusionner** (s'), **fier** (se fier à), **leurrer** (se). — (Personnes et abstractions). *S'endormir sur (des illusions, des erreurs).* → Se laisser bercer* par...

25 De peur que, faute de rivaux, son amour ne s'endorme sur trop de confiance.
> MOLIÈRE, la Comtesse d'Escarbagnas, 2.

Loc. fig. *S'endormir sur une affaire,* ne pas s'en occuper (→ Laisser courir*, laisser tomber*). Fam. *S'endormir sur le rôti :* négliger l'occasion propice. Absolt. *Il ne s'endort pas :* il agit.

26 Votre belle-mère ne s'endort point, et c'est sans doute quelque conspiration contre vos intérêts où elle pousse votre père.
> MOLIÈRE, le Malade imaginaire, I, 8.

♦ **3** Poét. (Choses). Diminuer de force, d'intensité; aller en s'affaiblissant. → **Atténuer** (s'), cit. 10; **mourir.**

27 (Leurs voix) Ressemblaient à ces chants qu'on entend dans les rêves, Aux bruits confus du flot qui s'endort sur les grèves, Du vent qui s'endort dans les bois.
> HUGO, les Orientales, III, 2.

28 (Vois...) Le soleil moribond s'endormir sous une arche.
> BAUDELAIRE, Nouvelles Fleurs du mal, «Recueillement».

29 Oh! pourtant, la belle soirée enjôleuse qui se prépare, quel ravissement d'être étendu dans ce caïque, sur cette eau qui s'apaise et s'endort.
> LOTI, Suprêmes visions d'Orient, p. 50.

♦ **4** Littér. (loc. concernant la mort). *S'endormir du sommeil de la mort, de la tombe; du dernier sommeil.* → **Mourir.** — Relig. *S'endormir au Seigneur, dans le Seigneur :* mourir en état de grâce.

30 (...) le pauvre M. de Saintes s'est endormi cette nuit au Seigneur d'un sommeil éternel.
> Mme DE SÉVIGNÉ, 553, 1er juil. 1676.

31 Laissez-moi m'endormir du sommeil de la terre!
> A. DE VIGNY, Livre mystique, «Moïse».

◆ **ENDORMI, IE** p. p. adj. **A** Adj. (1080). ♦ **1** Qui est en train de dormir. *Enfant endormi, à moitié endormi. On vient de le réveiller; il est encore tout endormi.* → **Ensommeillé, somnolent** (→ Appesantissement, cit. 2). *Bêtes endormies.*

32 Jésus, voyant tous ses amis endormis et tous ses ennemis vigilants, se remet tout entier à son Père.
> PASCAL, Pensées, VII, 553.

33 Les conducteurs, à moitié endormis, dodelinaient de la tête, les jambes pendantes presque au ras du sol.
> P. MAC ORLAN, la Bandera, XIII, p. 160.

34 Des vendeurs de journaux encore endormis ne crient pas encore les nouvelles, mais, adossés au coin des rues, offrent leur marchandise aux réverbères dans un geste de somnambules.
> CAMUS, la Peste, p. 135.

Par métonymie (lieux). Où chacun dort, où tout semble en sommeil. *Ville, cité endormie. Ruelle endormie.* → **Silencieux.** *Campagne endormie...* (→ Aguet, cit. 4 ; cortège, cit. 3).

35 Il leur sembla meilleur de marcher dans les rues transversales, tout à fait endormies et muettes, où leurs propos, aussi protégés qu'entre les murs d'une chambre, recevaient de l'air nocturne une liberté de plus.
J. ROMAINS, les Hommes de bonne volonté, t. IV, x, p. 98.

♦ **2** (Choses). Qui trahit le sommeil, l'ensommeillement. → **Ensommeillé.** *Gestes endormis* (→ Apathique, cit. 2). *Yeux endormis, regard endormi* (→ Assoupir, cit. 16). *Démarche endormie.*

♦ **3** Fig. Dont l'activité est en sommeil, momentanément suspendue. → **Assoupi.** *Méfiance, vigilance endormie ; soupçons endormis. Peines, remords, scrupules endormis. Passion endormie.* → **Apaisé, calmé.**

36 Quelle passion endormie se réveilla dans son cœur, et avec quelle violence !
Mme DE LA FAYETTE, la Princesse de Clèves, IV, p. 380.

37 Il pensait à part lui qu'il n'était pas impossible qu'elle eût une petite lésion tuberculeuse, endormie depuis l'enfance et que la fin de la puberté réveillait, sans danger imminent.
J. ROMAINS, les Hommes de bonne volonté, t. III, VIII, p. 124.

♦ **4** (1580). Comportement psychique, intellectuel. Lent, paresseux. → **Appesanti, inactif, indolent, lent, lourd, mou, paresseux.** *Esprit endormi, intelligence endormie. Enfant apathique et endormi.* → **Inerte.**

38 (...) quoique j'eusse la santé ferme et entière (...) j'étais (...) si pesant, mou et endormi, qu'on ne me pouvait arracher de l'oisiveté, non *(même)* pas pour me faire jouer.
MONTAIGNE, Essais, I, XXVI.

39 (...) la plupart de nos facultés restent endormies parce qu'elles se reposent sur l'habitude qui sait ce qu'il y a à faire et n'a pas besoin d'elles.
PROUST, À la recherche du temps perdu, t. IV, II, p. 71.

B N. *Un, une endormie :* une personne molle et inactive. — *Faire l'endormi :* simuler le sommeil ou l'inintelligence.

CONTR. Éveiller, réveiller. — **Intéresser, passionner ;** dégourdir, dérouiller, électriser. — **Aggraver, augmenter, exalter, exciter, renforcer, stimuler.** — **Désabuser, détromper.** — Veiller. — (Du p. p.) **Éveillé, veilleur ; bruyant, vivant ; actif, alerte, ardent, courageux, pétulant, rapide, vif, vigilant.** ◊ DÉR. **Endormant, endormement, endormeur, endormissement.**

ENDORMISSEMENT [ãdɔʀmismã] n. m. — 1478 ; de *endormir.*

Fait de s'endormir ; moment où l'on s'endort. *Le mécanisme de l'endormissement.*

ENDORPHINE [ãdɔʀfin] n. f. — 1977, dans *bêta-endorphine ;* angl. *endorphin,* 1974 (Eric Simon), de *endo(genous),* et *(mor)phin.* → Entréphaline.

Sc. Substance endogène (polypeptide) mise en évidence dans l'hypophyse, qui joue dans l'inhibition de la douleur un rôle analogue à celui de la morphine.

Depuis la découverte, il y a cinq ans, des endorphines, ces «morphines naturelles» du cerveau, les chercheurs nourrissent l'espoir de mettre au point des analgésiques nouveaux, aussi puissants que la morphine mais dénués de ses effets secondaires.
Sciences et Avenir, août 1980, p. 10.

On trouve parfois la forme francisée (non tronquée) *endomorphine* [ãdomɔʀfin] n. f.

ENDOS [ãdo] n. m. — 1583 ; déverbal de *endosser.*

I Comm., fin. Mention portée au dos d'un titre à ordre, d'un effet de commerce afin de le transmettre. *Par l'endos, le porteur du titre* (endosseur) *enjoint celui qui doit le payer* (souscripteur ou tiré) *d'effectuer le paiement à son ordre ou à celui d'une tierce personne* (endossataire). *Mettre son endos à une lettre de change. Endos comportant une simple signature. Libellé complet de l'endos :* «Payez à l'ordre de M..., Paris, le 10 janvier 1955, Signé X...».

(...) mais toutes *(les tombes)* montraient des noms connus, des noms bien parisiens, notaires, magistrats, commerçants notables (...) et même de doubles noms alliant deux familles, association de richesse ou de situation, signatures prospères disparues du Bottin, des en-dos *(sic)* de banque et se retrouvant immuables sur les caveaux.
Alphonse DAUDET, l'Immortel, p. 160.

Par ext. → **Endossement.**

II Agric. Terre rejetée par la charrue. → **Ados.**

ENDOSCOPE [ãdɔskɔp] n. m. — 1852 ; de *endo-,* et *scope.*

Méd. Instrument servant à examiner les cavités profondes du corps en les éclairant. → **Bronchoscope, cystoscope, gastroscope, rectoscope.** *Endoscope à lentilles, endoscope à fibres optiques.*

DÉR. Endoscopie.

ENDOSCOPIE [ãdɔskɔpi] n. f. — 1866 ; de *endoscope.*

Méd. Examen de l'intérieur des organes ou cavités de l'organisme au moyen d'un tube optique muni d'un système d'éclairage (→ Endoscope). *Endoscopie des organes du petit bassin.* → **Cœlioscopie.** *Endoscopie des bronches* (→ Bronchoscopie), *de la vessie* (→ Cystoscopie), *de l'estomac* (→ Gastroscopie), *du rectum* (→ Rectoscopie), *etc. Endoscopie du larynx.*

DÉR. Endoscopique.

ENDOSCOPIQUE [ãdɔskɔpik] adj. — 1865 ; de *endoscopie.*

Méd. Qui concerne, utilise l'endoscopie. *Examens endoscopiques. Exploration endoscopique.*

ENDOSMOMÈTRE [ãdɔsmɔmɛtʀ] n. m. — Av. 1845, Dutrochet ; de *endosmose,* et *-mètre.*

Phys. Instrument destiné à mesurer l'intensité des phénomènes d'endosmose.

ENDOSMOSE [ãdɔsmoz] n. f. — 1826 ; de *endo-,* et adapt. du grec *ôsmos* «poussée». → Osmose.

Phys. Pénétration d'un liquide à l'intérieur d'un compartiment fermé, à travers une membrane semi-perméable, lorsque le liquide contenu dans ce compartiment est de densité plus faible. → **Osmose.**

Méd. *Endosmose électrique :* pénétration d'un médicament par action d'un courant électrique. — Syn. : *électro-endosmose.*

Par métaphore :

1 Mais ici encore un phénomène d'endosmose se produit, un mélange entre la sensation purement intensive de mobilité et la représentation extensive d'espace parcouru.
H. BERGSON, Essai sur les données immédiates de la conscience, p. 83.

2 Ces deux actes, perception et souvenir, se pénètrent donc toujours, échangent toujours quelque chose de leurs substances par un phénomène d'endosmose.
H. BERGSON, Matière et Mémoire, p. 60.

3 Dans la vie à deux il y a endosmose. Si l'un s'ennuie, il force l'autre à s'ennuyer. Si l'un souffre d'une incommodité quelconque, il force l'autre à en souffrir.
MONTHERLANT, le Démon du bien, p. 233.

CONTR. Exosmose. ◊ DÉR. et COMP. Endosmomètre, endosmotique. — COMP. Électro-endosmose.

ENDOSMOTIQUE [ãdɔsmɔtik] adj. — 1864; du rad. de *endosmose*.

Phys. Relatif à l'endosmose.

ENDOSPERME [ãdɔspɛʀm] n. m. — 1808; de *endo-*, et *-sperme*.

Bot. Réserve nutritive de la graine végétale, riche en amidon, en matières oléagineuses ou cornées (selon les espèces). **S'oppose à** *périsperme*.

ENDOSPORE [ãdɔspɔʀ] n. f. — 1906, in *Rev. gén. des sc.*, n° 5, p. 216; de *endo-*, et *spore*.

Biol. Spore qui se développe à l'intérieur d'un organisme unicellulaire animal ou végétal ou à l'intérieur d'un réceptacle spécial chez des organismes végétaux pluricellulaires.

ENDOSQUELETTE [ãdɔskəlɛt] n. m. — 1903, in *Rev. gén. des sc.*, n° 14, p. 795; de *endo-*, et *squelette*.

Biol., zool. Tissu conjonctif chondrifié des mollusques céphalopodes, entourant notamment le système nerveux central. — Chez les vertébrés, Squelette profond, enchondral ou cartilagineux.

CONTR. Exosquelette.

ENDOSSABLE [ãdɔsabl] adj. — 1960; de *endosser*. Qui peut être endossé (3.; d'un chèque). *Chèque barré non endossable*. — **REM.** L'adj. est rare, mais virtuellement utilisable, dans d'autres emplois de *endosser* : *une veste difficilement endossable*.

ENDOSSAGE [ãdɔsaʒ] n. m. — 1870; de *endosser*.

◆ **1** Action d'endosser (un vêtement).

◆ **2** Reliure. → **Endossure.**

ENDOSSATAIRE [ãdɔsatɛʀ] n. — 1935; du rad. de *endosser*.

Dr. Personne au profit de laquelle est endossé un effet. *L'endosseur et l'endossataire*.

1. ENDOSSE [ãdɔs] n. f. — 1680; déverbal de *endosser*. **Vx.** Responsabilité d'une chose, charge pénible qui retombe sur quelqu'un. *Avoir l'endosse, porter l'endosse d'une vilaine affaire*. → **Endosser.**

HOM. 2. Endosse.

2. ENDOSSE [ãdɔs] n. f. — V. 1470, A. Gréban; mil. XVᵉ, «vêtement»; déverbal de *endosser*. **Vx.** Dos. — (XIXᵉ). Mod. Argot et pop. (Au plur.). *Les endosses* : les épaules, les reins.

1 Ah! plus du lourd! volumineux!... finis les sainfrusquins crevants... Assez les tonnes aux endosses!... Non, que du léger, de l'agréable!...
     CÉLINE, le Pont de Londres, p. 236-237.

2 (...) pour que le juge ordonne une saisie, c'est qu'il va nous fiche le casse *(cambriolage)* de la bijouterie sur les endosses. A. SARRAZIN, la Cavale, p. 40.

HOM. 1. Endosse.

ENDOSSEMENT [ãdɔsmã] n. m. — 1596; «action de mettre sur le dos», XIVᵉ; de *endosser*.

◆ **1** Transmission (des titres à ordre, des effets de commerce) au moyen de l'endos*. *L'endossement d'un billet à ordre, d'un chèque, d'un effet de commerce, d'une lettre de change, d'une traite. On peut transférer, au moyen de l'endossement : la propriété du titre (endossement translatif), les droits et délégations de mandataire (endossement de procuration), ou encore un droit de gage sur le titre (endossement pignoratif).* — Cf. Code de commerce, art. 91.

Endossement en blanc, consistant dans la seule signature de l'endosseur (loi du 8 févr. 1922; Code de commerce, art. 137).

Le payement d'une lettre de change peut être garanti par l'endossement, par l'acceptation* ou par l'aval*. La propriété d'une lettre de change se transmet par la voie de l'endossement. — L'endossement n'a besoin, en la forme, que de la signature de l'endosseur. — L'endossement opère le transport; il n'est une procuration que si telle a été la volonté clairement exprimée des parties contractantes.
     Code de commerce, art. 136-137-138.

Par ext. → **Endos.**

◆ **2** (1810). Techn. (reliure). → **Endossure.**

◆ **3** Littér., rare. Le fait d'endosser (2.). «*L'endossement d'une situation*» (Claudel, *in* T. L. F.).

ENDOSSER [ãdose] v. tr. — Déb. XIIᵉ; de *en-*, *dos*, et suff. verbal.

◆ **1** Mettre sur son dos (un vêtement). → **Mettre, revêtir.** *Endosser un manteau, un pardessus, un imperméable avant de sortir. Endosser une robe de chambre.*

1 J'avais chaussé mes pantoufles et endossé ma robe de chambre.
    FRANCE, le Crime de Sylvestre Bonnard, Œ., t. II, p. 267.

Loc. (Vieilli). *Endosser la soutane* : devenir prêtre. *Endosser la soie et l'hermine* (→ Décorum, cit. 3). *Endosser la livrée de domestique. Endosser le harnais*, les vêtements de sa profession, et, fig., prendre un métier, un travail. — *Endosser la cuirasse* (vx), *l'uniforme* : entrer dans l'armée, dans la carrière militaire.

2 On vit les cardinaux de Richelieu, de la Valette et de Sourdis endosser la cuirasse (...)
    VOLTAIRE, Essai sur les mœurs, CLXXVI.

3 (...) l'âge était venu du travail et des distractions forcées. Il lui fallait endosser le premier harnais de la vie et se préparer aux études classiques.
    BAUDELAIRE, les Paradis artificiels, «Un mangeur d'opium», VII.

Rare. Mettre sur le dos de qqn (un vêtement). *Endosser un vêtement à quelqu'un*. → **Enfiler.**

4 (...) les garçons du café voisin endossaient les pardessus aux derniers habitués (...)
    VILLIERS DE L'ISLE-ADAM, Contes cruels, «Le désir d'être un homme».

◆ **2** (1829). Prendre ou accepter la responsabilité de... → **Assumer, charger** (se charger de). *Endosser une affaire délicate. Endosser les maladresses de ses collègues. J'en endosse toutes les suites, toutes les conséquences* (→ Catégoriquement, cit.). *Faire endosser à quelqu'un toutes les erreurs que l'on commet.* → **Décharger** (se décharger sur). — *Endosser la paternité d'un enfant* (→ Reconnaître).

5 Il ne sied pas de faire endosser à la vertu les lassitudes de la vieillesse. GIDE, Journal, 25 juil. 1934.

Par ext. Prendre à son compte. → **Prétendre** (à). *Endosser une œuvre.* → **Signer** (→ Créer, cit. 10).

6 Mais, bourrée de lecture, elle reste au contraire parfaitement naturelle, dénuée de la moindre pose, alors qu'il y en a tant, de ces femmes à lectures, qui endossent, plus ou moins inconsciemment, des sentiments qu'elles trouvent qui «font bien».
    MONTHERLANT, les Jeunes Filles, p. 178.

◆ **3** (1600). Comm., fin. et cour. Procéder à l'endossement de (un effet, un chèque). *Endosser un billet, une lettre de change*, y mettre une mention, une signature au dos (→ Endos) afin d'en transmettre la propriété. → **Endossement.** *Endosser un chèque, une traite.* — Au p. p. *Lettre de change endossée par un banquier* (→ Banquier, cit. 2).

7 Abruti ! c'est malin ce que tu as inventé là ! de faire
endosser ton chèque par un maladroit qui n'a même pas
de passeport et que je vais devoir tenir à l'œil.
GIDE, les Caves du Vatican, II, 11.

♦ 4 (1755). Techn. Reliure. Cambrer le dos de (un
livre), après couture des cahiers. → **Endossure.**
Endosser un livre. Poinçon à endosser. — Agric.
Relever les sillons en labourant.

CONTR. Enlever, ôter ; dépouiller. — Décharger (se), refuser ;
fuir (une responsabilité). ◊ DÉR. Endos, endossable, endossage, endossataire, 1., 2. endosse, endossement, endosseur,
endossure.

ENDOSSEUR [ãdosœʀ] n. m. — 1664 ; de *endosser.*
Personne qui endosse (un effet, un chèque). *L'en-
dosseur et l'endossataire d'un effet.* — (1864). Fig.
Personne qui accepte la responsabilité de (qqch.).
Le fém. *endosseuse* est virtuel.

ENDOSSURE [ãdosyʀ] n. f. — 1845 ; « ce qu'on met
sur le dos, vêtement », v. 1260 ; « toit, revêtement », 1535,
Rabelais ; de *endosser.*
Techn. (reliure). Opération par laquelle le relieur
endosse un livre. On dit aussi *endossage, endossement.*

ENDOTHÉLIO- Élément, de *endothélium,* servant
à former des adj. en anatomie (*virus endothélio-
mésodermique,* in T. L. F.).

ENDOTHÉLIAL, ALE, AUX [ãdɔteljal, o] adj.
— 1878 ; de *endothélium.*
Anat. Relatif à l'endothélium ; qui en a la structure.
Cellules endothéliales.

ENDOTHÉLIUM [ãdɔteljɔm] n. m. — 1869 ; de *endo-,*
et rad. de *épithélium.*
Anat. Lame de tissu constituée par une seule
couche de cellules, qui tapisse l'intérieur des vaisseaux et du cœur. → **Épithélium.**
DÉR. et COMP. Endothélial, endothélio-.

ENDOTHERME [ãdotɛʀm] adj. et n. — Déb. XXᵉ ; de
endo-, et *-therme.*
Didact. Se dit des animaux capables de produire
de la chaleur interne (opposé à *ectotherme**). — REM.
Les termes (et les notions) d'*endotherme* et *ectotherme*
tendent à remplacer *homéotherme** et *poïkilotherme**,
moins conformes aux données actuelles.

ENDOTHERMIQUE [ãdotɛʀmik] adj. — 1865, *Rev.
des cours sc.,* t. II, p. 547 ; de *endo-,* et *thermique.*
Sc. Accompagné d'une absorption de chaleur.
Réactions, combinaisons endothermiques.
CONTR. Exothermique.

ENDOTHORACIQUE [ãdotɔʀasik] adj. — Mil. XXᵉ ;
de *endo-,* et *thoracique.*
Anat., méd. Qui concerne l'intérieur du thorax, a
lieu à l'intérieur du thorax. *Épanchement, opération endothoracique.*

ENDOTOXINE [ãdotɔksin] n. f. — 1906, in *Rev. gén.
des sc.,* n° 7, p. 343 ; de *endo-,* et *toxine.*
Physiol. Toxine contenue dans un germe (bactérie)
qui reste à l'intérieur du cytoplasme au lieu de
diffuser à l'extérieur, et qui n'est libérée qu'à la
destruction de ce dernier (opposé à *exotoxine*). *Les
endotoxines sont très actives, et le plus souvent mortelles pour les mammifères.*
DÉR. Endotoxinique.

ENDOTOXINIQUE [ãdotɔksinik] adj. — Mil. XXᵉ ; de
endotoxine.
Physiol. Dû à une endotoxine. «*Le choc endotoxinique a été très étudié en pathologie expérimentale*»
(V. Vic-Dupont, *la Maladie infectieuse,* p. 44).

ENDOTRACHÉAL, ALE, AUX [ãdotʀakeal, o] adj.
— XXᵉ ; de *endo-,* et *trachéal.*
Anat., méd. Qui concerne l'intérieur de la trachée.
Intubation endotrachéale. Tube endotrachéal, pour
pratiquer l'intubation de la trachée.

ENDRIAGUE [ãdʀijag] n. m. — 1542 ; repris 1838
(*endiraque*) ; esp. *endriago* ; p.-ê. de **hidriago,* de *hidria*
«hydre», et *drago* «dragon».
Didact. (myth.). Monstre chevauché (par un héros
de légende). — On trouve aussi la graphie *andriague*
(1866).

ENDROIT [ãdʀwa] n. m. — 1160 ; prép. «vers», XIᵉ ; de
en-, et *droit.*

I ♦ **1** Partie déterminée d'un espace. → **Lieu, place.** *Le
plus bel endroit de la ville, de la région, du pays.
Nous nous sommes retrouvés au même endroit.
J'étais en cet endroit, dans cet endroit. Trouver un
endroit agréable pour faire halte, pour camper, pour
coucher.* → **Coin.** *Un bon endroit pour dormir* (→ Crécher, cit. 1). *Un bel endroit pour bâtir.* → **Emplacement, situation.** *Je vais vous montrer l'endroit sur
la carte, sur le plan. À quel endroit de la ville
habitez-vous ? Il y a sur cette route un endroit
très dangereux : les accidents y sont fréquents. Un
endroit désert, sauvage, dangereux,* un coupe-gorge.
Endroit désolé, calciné (cit. 3) *par le soleil. Attirer*
(cit. 3) *qqn dans un endroit isolé. Se cacher dans
un endroit sûr* (→ **Planque**). *Dans quel endroit de
la maison couche-t-il ?* → **Pièce.** — *À quel endroit ?*
→ **Où.** *En différents endroits. Au même endroit. En
cet endroit* (vx). *À quel endroit a-t-il mis mon chapeau ? J'ai mis cela à un endroit où il n'ira pas
le chercher. Je vais vous montrer l'endroit, l'endroit
exact, précis.*

J'étais en cet endroit, où j'ai pu tout entendre (...)   1
MOLIÈRE, Tartuffe, III, 4.

(*Je vais*) chercher sur la terre un endroit écarté   2
Où d'être homme d'honneur on ait la liberté.
MOLIÈRE, le Misanthrope, V, 4.

Il est certain que nous voyons en plusieurs endroits du   3
monde un peuple particulier, séparé de tous les autres
peuples du monde, qui s'appelle le peuple juif.
PASCAL, Pensées, IX, 619.

(...) il dit que la ville a des endroits faibles et mal forti-   4
fiés (...)
LA BRUYÈRE, les Caractères, X, 11.

Du petit doigt, elle désignait un endroit sur la carte.   5
J. ROMAINS, les Hommes de bonne volonté, t. V,
XXIII, p. 200.

Il n'y avait plus (...) un seul lieu public qui ne fût trans-   6
formé en hôpital ou en lazaret, et si l'on respectait la
préfecture, c'est qu'il fallait bien garder un endroit où se
réunir.   CAMUS, la Peste, p. 257.

Fam. *Le petit endroit,* désigne, par euphémisme, les
lieux d'aisance (→ **Cabinet** ; → Le petit coin).

Quand Mᵐᵉ Loisillon vantait autrefois les charmes de son   6.1
logement à l'Institut, elle ne manquait jamais d'ajouter
avec emphase : «J'y ai reçu jusqu'à des souverains. — Oui,
dans le petit endroit...» ripostait acidement la bonne Adé-
laïde dressant son long cou.
Alphonse DAUDET, l'Immortel, p. 257.

♦ **2** (1851). Localité. → **Bourg, village.** *Les gens, les
paysans de l'endroit sont très aimables, très accueillants. Il habite un petit endroit près d'Orléans. Un
endroit perdu.* → Perdre, cit. 66. *Que faites-vous dans
cet endroit perdu ?* → **Trou.**

7   Ces Messieurs comptent-ils faire un long séjour dans notre endroit ?   PICARD, la Petite Ville, I, 4.

♦ **3** (1580). Place déterminée, partie localisée (de qqch.). *L'endroit du mur où il y a une tache. La pluie transperce ses vêtements à l'endroit des bras* (→ Dégouliner, cit.). *Je cherche un endroit propre sur ce banc. — À quel endroit de la page faut-il signer ?*

8   Elle se tournait et se retournait dans son lit, cherchant sur le traversin un endroit que le poids de sa tête n'eût pas encore creusé.   J. GREEN, Adrienne Mesurat, p. 106.

Spécialt. *L'endroit sensible. Le bon endroit. Il a reçu un coup de pied au bon endroit* (par euphémisme : l'endroit qu'on ne veut pas nommer), au derrière.

9   Elle peut, tombant sur la tête,
Montrer quelque endroit déshonnête.
     SCARRON, Virgile travesti, 4.

10   Il n'y a qu'une seule chose qui m'a choqué : c'est l'endroit du foie et du cœur. Il me semble que vous les placez autrement qu'ils ne sont ; que le cœur est du côté gauche (...)
     MOLIÈRE, le Médecin malgré lui, II, 4.

11   La pudeur a été très perfectionnée (...) Moi qui n'ai pas l'habitude de regarder les statues à de certains endroits, je trouvais, comme les autres, la feuille de vigne découpée par les ciseaux de M. le chargé des beaux-arts, la chose la plus ridicule du monde.
     Th. GAUTIER, Préface de Mlle de Maupin, éd. critique MATORÉ, p. 4.

(Abstrait). Partie de la personne morale. *Vous avez touché l'endroit sensible.* → Point ; | Mettre le doigt sur la plaie*. *Endurcir les endroits sensibles de son cœur. Attaquer* (cit. 22) qqn à l'endroit sensible. *Flatter qqn à l'endroit sensible, au bon endroit. — Endroit faible.* → Défaut, faiblesse. *Chercher l'endroit faible de qqn* (→ Ascendant, cit. 6). *Donner prise par ses endroits faibles. — Se montrer par ses meilleurs endroits, par ses mauvais endroits.* → Côté.

12   (...) la vue d'un demandeur lui donne des convulsions. C'est le frapper par son endroit mortel.
     MOLIÈRE, l'Avare, II, 4.

13   Télèphe (...) passe outre, il se jette hors de sa sphère ; il trouve lui-même son endroit faible, et se montre par cet endroit (...)   LA BRUYÈRE, les Caractères, XI, 141.

14   Je ne comprends pas comment un mari qui (...) se montre par ses mauvais endroits (...) peut espérer de défendre le cœur d'une jeune femme contre les entreprises de son galant (...)   LA BRUYÈRE, les Caractères, III, 74.

15   (...) quand une femme frappe dans le cœur d'une autre, elle manque rarement de trouver l'endroit sensible, et la blessure est incurable.
     LACLOS, les Liaisons dangereuses, Lettre CXLV.

16   (...) ce qui ne me flatte pas au bon endroit, me hérisse ; et plutôt que d'être mal loué, je préfère ne l'être point.
     GIDE, Si le grain ne meurt, IX, p. 251.

♦ **4** (XIIIᵉ). Vieilli. Aspect particulier (que l'on considère dans une personne, une chose). → Aspect, côté. *À considérer la chose par cet endroit...*

17   Et voyons l'homme enfin par l'endroit le plus beau.
     BOILEAU, Satires, VIII.

Loc. prép. (Fin XVIᵉ ; *endroit de*, XIIIᵉ). Littér. À L'ENDROIT DE (qqn) : envers qqn (→ Adorer, cit. 9 ; animosité, cit. 10 ; aventure, cit. 33 ; canaillerie, cit. 1). *Il a mal agi à son endroit.* → Avec. *Son attitude à mon endroit, en mon endroit* (vx). *Son animosité à votre endroit. Éprouver certains sentiments à l'endroit de quelqu'un.*

18   (...) Jacquemin, à l'endroit duquel il professait la plus profonde admiration (...)
     Th. GAUTIER, le Capitaine Fracasse, II, XII, p. 96.

♦ **5** (Av. 1559). Passage déterminé (d'un ouvrage). → Passage ; → (didact.) Lieu, topos. *Les meilleurs endroits d'un roman, d'un poème, d'une pièce de théâtre. Il y a plusieurs endroits assez faibles dans cet essai. L'écriture dit en plusieurs endroits que...* (→ Chercher, cit. 7). *Cet endroit n'est pas clair, pas intelligible* (→ Amphithéâtre, cit. 3 ; détromper, cit. 5).

19   (...) vous verrez notés en marge tous les endroits qu'il a pillés.   MOLIÈRE, les Femmes savantes, IV, 4.

20   (...) ce sens spirituel est si clairement expliqué en quelques endroits, qu'il fallut un aveuglement pareil à celui que la chair jette dans l'esprit (...) pour ne le pas reconnaître.
     PASCAL, Pensées, VIII, 571.

Par ext. *À cet endroit de l'histoire, du récit, du film.* → Moment. *À cet endroit de la conversation... Rire au bon endroit, au mauvais endroit. C'est l'endroit délicat de son histoire, de sa confidence.*

♦ **6** Vx. Lieu d'où une chose provient. → Origine, provenance, source.

21   La conjuration d'Amboise, qui est l'endroit par où ont commencé toutes les guerres.
     BOSSUET, Hist. des variations..., 5ᵉ avertissement, 5.

♦ **7** Loc. adv. PAR ENDROITS : à certains endroits ; de place en place (→ De ci de là ; çà et là). *Plaine plantée par endroits de bosquets. Son veston est taché par endroits. Par endroits, ce mur s'écroule. — Ce roman, ce film est bon, par endroits.*

22   Le livre de Ransome me paraît bon — et même très bon par endroits.   GIDE, Journal, 29 juin 1913.

II ♦ **1** (1209). Côté destiné à être vu, dans un objet à deux faces (par oppos. à *envers*). *L'endroit d'une étoffe, d'un tapis.* → Dessus. *Ne pas reconnaître l'endroit de l'envers. Étoffe à deux endroits :* étoffe réversible*. *L'endroit d'un feuillet.* → Recto. *L'endroit d'un tableau, d'une gravure.* → Devant.

Loc. adv. À L'ENDROIT : du bon côté. *Remettre à l'endroit un gant retourné. Mettre ses chaussettes, sa culotte à l'endroit.*

(Av. 1841). Par métaphore. *Ne voir que l'endroit du décor, des événements.* → Apparence.

23   Je vous fais voir l'envers des événements que l'histoire ne montre pas ; l'histoire n'étale que l'endroit.
     CHATEAUBRIAND, Mémoires d'outre-tombe, t. IV, p. 1.

24   À l'ombre des journaux délirants d'appels aux sacrifices (...) la vie (...) continuait (...) Tels sont l'envers et l'endroit, comme la lumière et l'ombre, de la même médaille.
     CÉLINE, Voyage au bout de la nuit, p. 71.

♦ **2** Régional (Suisse). Côté (d'une vallée) exposé au soleil. → Adret.

CONTR. (Du sens II) Envers ; verso.

ENDUCTION [ɑ̃dyksjɔ̃] n. f. — 1955 ; formation savante et hybride, de *enduire* (cf. l'ancien mot *enduisson*, 1538) et de *induction*, qui a eu ce sens, en ancienne pharmacie, 1746.

Techn. Action d'étendre un produit spécial sur la surface d'un support textile, afin de le protéger, d'en masquer les irrégularités, ou bien de lui donner des qualités particulières.

(...) le 17 décembre 1903, lors de leur premier vol, les frères Wright utilisèrent un appareil dont les ailes et une partie de la carlingue étaient tendues d'un tissu de fin par enduction.
     J.-C. DESJEUX et J. DUFLOS, les Plastiques renforcés, p. 95.

ENDUIRE [ɑ̃dɥir] v. tr. [CONJUG.: *conduire*.] — 1175 ; du lat. *inducere* «mettre dans, sur...» ; a signifié «absorber, digérer» et «inciter». → Induire.

♦ **1** Recouvrir (une surface) d'une matière plus ou moins molle qui imprègne. → Appliquer, barbouiller, 1. coucher (I., A., 4.), couvrir, étaler, étendre, frotter, plaquer, recouvrir, revêtir, tapisser ; badigeonner, beurrer, bitumer, blanchir, braquer, brayer, chauler (chaux), cimenter, cirer, coaltarer, coller, crépir, emboire (cire fondue, etc.), emmieller, empoisser (poix), encaustiquer, encoller, encrer, encroûter (mortier), engluer, engourmer, ensoufrer,

ensuifer, farter, galipoter, glacer, glaiser, gluer, glycériner, gommer, goudronner, graisser, huiler, lubrifier, luter, noircir, oindre, paraffiner, peindre, peinturer, plâtrer, poisser, pommader, soufrer, stéariner, stuquer, vermillonner, vernir, vernisser. *Enduire un mur de plâtre, de chaux, de ciment. Enduire une barque de goudron. Enduire qqch. de gélatine* (→ **Gélatiné**). *Enduire ses mains de crème. — Couteau à enduire : couteau de peintre... — Enduire d'apprêt* une étoffe, un tissu* (→ **Apprêtage, apprêter**). *Enduire une tartine de beurre* (→ **Tartiner**).

1 La pommade dont il avait enduit ses cheveux répandait une écœurante odeur (...)
                                   J. GREEN, Léviathan, p. 91.
2 Il (...) coupa une tranche de pain, qu'il enduisit soigneusement de rillettes appétissantes.
                                   P. MAC ORLAN, Quai des brumes, p. 33.
(Faux pron.). S'enduire la peau, les mains de crème.

◆ **2** (1668). Le sujet désigne la matière qui recouvre (une surface, une objet). *La boue, la vase qui enduit un canal, un bassin.*

3 Ôte d'autour de chaque roue
   Ce malheureux mortier, cette maudite boue,
   Qui jusqu'à l'essieu les enduit.
                                   LA FONTAINE, Fables, VI, 18.
4 Regardez la vase fauve qui enduit le canal et le bord des claires (...)
                                   J. CHARDONNE, les Destinées sentimentales, III,
                                                                   p. 372.

◆ **3** Fig. Imprégner, empreindre.

5 Marthe se leva, comme quelqu'un qui, après la sieste, le visage encore enduit de sommeil, secoue ses rêves.
                                   R. RADIGUET, le Diable au corps, p. 41.

◆ **S'ENDUIRE** v. pron.
Enduire son corps. S'enduire de crème solaire.

◆ **ENDUIT, ITE** p. p. adj. *Corps enduit de crème. Mur enduit de crépi.* → Boire, cit. 25. *Maison enduite de chaux* (cit. 1).

CONTR. Décaper, découvrir, enlever ; nu (mettre à nu).
◊ **DÉR.** Enduction, enduisage, enduiseur, enduit.

ENDUISAGE [ɑ̃dɥizaʒ] n. m. — 1927 ; de *enduire*.
Techn. Action d'enduire* (un textile, du cuir...) avec certains produits ; son résultat.

ENDUISEUR, EUSE [ɑ̃dɥizœʀ, øz] adj. et n. — 1337 ; de *enduire*.

◆ **1** Adj. Qui sert à appliquer un enduit. *Rouleau enduiseur.*

◆ **2** N. Ouvrier qui pose les enduits (→ **Maçon, peintre**).

ENDUIT [ɑ̃dɥi] n. m. — V. 1165 ; p. p. substantivé de *enduire*.

◆ **1** Préparation molle ou semi-fluide qu'on applique en une ou plusieurs couches continues à la surface de certains objets pour les protéger, les garnir. → **Revêtement**. *Recouvrir, revêtir une surface d'un enduit ; étaler, étendre, plaquer un enduit sur une surface. Enduit gras, liquide. Enduit de goudron, de graisse, de poix. Enduit calorifuge, protecteur. Enduit destiné à donner de l'éclat, du brillant.* → **Vernis, vernissure**. *Enduit dont on garnit un creuset, un fourneau* (→ **Brasque**), *dont on revêt les parois d'un bassin, d'un canal* (→ **Braye, corroi**). *Enduit utilisé pour boucher un récipient.* → **Lut**. *Enduit vitreux, vitrifiable sur une poterie.* → **Glaçure**. *— Enduit pierreux, naturel, déposé par des sels calcaires.* → **Dépôt, incrustation**.

Peint. *Préparation destinée à isoler le support (pierre, toile, bois...) de la couche de peinture. Enduit pour la fresque, formé d'un crépi, de revêtements plus fins et d'un enduit final frais sur lequel on peint. Enduit pour la détrempe, le badigeon. Enduits pour la peinture à l'huile : enduits à l'eau* (colle, carbonate, sulfate de calcium ou oxyde de zinc), *enduits à l'huile* (huile et carbonate de plomb). *Enduit à la colle, de colle* (cit. 1). *Passage de l'enduit.*

Photogr. *Enduit antihalo : enduit absorbant appliqué au dos d'une plaque photographique.*
Couche de plâtre, de chaux, de ciment, de mortier, dont on revêt une construction pour obtenir des surfaces unies et pour protéger les murs de l'humidité. Enduit au plâtre* : enduit simple, où le plâtre est étalé à la truelle ; enduit au crépi (→ **Crépi**). *Enduit à la chaux. Enduit hydrofuge, formé d'un mélange de cire, de résine, de corps gras, de bitume, d'huile de lin cuite. Enduit au balai ou enduit tyrolien, exécuté par projection de mortier. Enduit à la brosse ou enduit peigné. Enduit bretté ; enduit rustique. Enduit imitant les briques* (→ **Briquetage**), *le marbre* (→ **Stuc**). *Enduit de plâtre sur les lattes d'un grenier.* → **Lambris**.

1 Une bombe était tombée sur la boutique voisine de la sienne, dont la façade crépie à la chaux avait elle-même été arrachée, mais le plâtre, en s'effritant, avait dévoilé une belle maison de bois qui cachait depuis des siècles, sous cet enduit misérable, la splendeur de ses poutres sculptées.
                            A. MAUROIS, les Discours du Dr O'Grady, III, p. 36.
Par anal. Littér. Couche recouvrant qqch. → **Pellicule**.
Ses bottes étaient recouvertes d'un enduit de boue. Ville couverte d'un enduit de poussière.

2 Le sang sur les parois fait un rougeâtre enduit (...)
                            HUGO, la Légende des siècles, XV, Eviradnus, 15.
3 Après de longs mois où pas une goutte d'eau n'avait rafraîchi la ville, elle s'était couverte d'un enduit gris qui s'écailla sous le souffle du vent.
                                   CAMUS, la Peste, p. 185.
Par métaphore (et péj.). *Un enduit de sentimentalité, de bonne conscience.*

◆ **2** (1805). Sécrétion visqueuse à la surface de certains organes. *Enduit muqueux sur la langue. Enduit fœtal, qui recouvre parfois le corps des nouveau-nés.*

ENDURABLE [ɑ̃dyʀabl] adj. — 1571 ; de *endurer*.
Qu'on peut endurer. → **Supportable**. *Une douleur difficilement endurable.*

ENDURANCE [ɑ̃dyʀɑ̃s] n. f. — XIVᵉ ; dial. jusque vers 1870 ; (→ ci-dessous, REM., et cit. 4) ; de *endurer*.

◆ **1** Aptitude à résister à la fatigue, à la souffrance. → **Fermeté, résistance, trempe**. *Endurance physique.* → **Force ; énergie**. *L'endurance d'un coureur de fond, d'un cycliste. Son endurance est le résultat d'un entraînement progressif. Avoir de l'endurance, une remarquable endurance. Manquer d'endurance. — Endurance morale, endurance à la douleur. Supporter mille maux avec calme et endurance.*

1 (...) son âme résistait, ancrée dans l'endurance (...)
                            V. BÉRARD, Trad. d'Homère, Odyssée, p. 333.
2 (...) une sorte d'endurance presque irrésistible à la longue, parce qu'elle ne tente pas de se mesurer avec la douleur, elle se glisse au dedans, elle en a fait peu à peu une habitude (...)
                            BERNANOS, Journal d'un curé de campagne, II,
                                                                   p. 283.
3 (...) parlez-moi, pour un long mal, de l'enfant et du vieillard, qui sont égaux dans l'endurance, quand ils s'aperçoivent, de bonne foi, que ce qu'on nomme couramment «un martyre» se supporte plus aisément qu'une épine sous l'ongle ou qu'un mauvais panaris (...)
                            COLETTE, l'Étoile Vesper, p. 10.

REM. *Endurance*, signalé dès le XIVe s. (*Secret d'Aristote*, in Godefroy) est d'un usage général récent. Jusqu'à la fin du XIXe s., il est considéré comme un «mot normand, qui manque en français» (P. Larousse), comme «vieilli et dialectal» (Hatzfeld). Littré, après avoir écrit en 1864 «qu'il mériterait de passer dans la langue littéraire», constate en 1877 que son vœu s'est réalisé :

4 J'ai dit à propos de ce mot si français de forme qu'il méritait de passer dans la langue littéraire. Postérieurement à mon conseil, mais non sans doute par mon conseil, car rien de plus naturel que de former avec *endurant, endurance*, j'en trouve des exemples : (...) Journ. off., 23 mars 1872 ; Temps, 20 août 1875.
LITTRÉ, Dict., Suppl., art. *Endurance*.

♦ **2** Capacité (d'un mécanisme) à fonctionner longtemps. *L'endurance d'un moteur.*

Autom., moto. *Épreuve d'endurance :* compétition sur longue distance destinée à éprouver la résistance mécanique des véhicules. → **Enduro.** *Faire des essais d'endurance. — L'endurance :* la compétition d'endurance. *Moto préparée pour l'endurance.*

CONTR. **Abandon, faiblesse, fatigue, fragilité, lassitude, mollesse ; impatience.**

ENDURANT, ANTE [ɑ̃dyrɑ̃, ɑ̃t] adj. — Fin XIIe ; p. prés. de *endurer.*

♦ **1** (Mil. XVIe). Vx. Qui a de la patience. *«N'être pas endurant, être peu endurant,* ne pas supporter ce qui offense, blesse, impatiente» (Littré). → **Patient.**

1 (...) vous savez que je n'ai pas l'âme endurante, et que j'ai le bras assez bon.
MOLIÈRE, le Médecin malgré lui, I, 1.

♦ **2** (Après 1870 ; → Endurance, REM.). **Mod.** Qui endure, a de l'endurance*, supporte avec courage la fatigue, la souffrance. → **Dur, résistant.** *Il faut être endurant pour faire cette ascension longue et pénible. Une race sobre et endurante.*

2 C'est un climat sain qui rend l'homme endurant.
DANIEL-ROPS, le Peuple de la Bible, II, 2, p. 12.

♦ **3** (Mécanismes). Qui résiste à l'usage, à l'usure, fonctionne longtemps. *Un moteur peu endurant.*

CONTR. **Délicat, fragile.**

ENDURCIR [ɑ̃dyrsir] v. tr. — Déb. XIIe ; de *en-*, et *durcir.*

♦ **1** (1690). Rare. Rendre dur. *Le froid, le gel endurcissent le sol.* → **Durcir.**

0.1 (...) mais quand le froid a si fort endurci la neige qu'elle est aussi dure que la glace même ; les rennes mangent pour lors une certaine mousse faite comme une toile d'araignée, qui pend des pins (...)
J.-F. REGNARD, Voyage en Laponie, p. 116.

1 *Durcir* signifie proprement rendre dur, et *endurcir* faire devenir dur ; car celui-ci marque plus particulièrement le passage à un état de dureté. Comme il est ordinairement difficile de marquer le passage dans les choses physiques, il faut d'ordinaire se servir de *durcir* dans le sens propre : *durcir* le fer, le bois, etc. Ce n'est que dans le cas où ce passage peut s'observer que *endurcir* est préférable : la plante des pieds s'endurcit à force de marcher.
CONDILLAC, Dict. de synonymes, art. *Durcir.*

♦ **2** (Compl. humain). Rendre moins sensible physiquement ; rendre plus dur au mal, rendre résistant. → **Aguerrir, cuirasser.** *Endurcir le corps à la fatigue, aux travaux de force. Ce climat les a endurcis aux intempéries, aux grands froids. Endurcir un enfant contre la fragilité, contre la maladie.* Absolt. *Il n'y a rien qui endurcisse comme le travail des champs.* → **Fortifier, tremper.**

2 Endurcissez-le (*l'enfant*) à la sueur et au froid, au vent, au soleil et aux hasards qu'il lui faut mépriser ; ôtez-lui toute mollesse et délicatesse au vêtir et coucher, au manger et au boire ; accoutumez-le à tout. Que ce ne soit pas un beau garçon et dameret, mais un garçon vert et vigoureux.
MONTAIGNE, Essais, I, XXVI.

La chasse endurcit le cœur aussi bien que le corps (...) 3
ROUSSEAU, Émile, IV (→ Chasse, cit. 1).

♦ **3** Rendre moins sensible moralement. → **Bronzer** (3.), **cuirasser, dessécher, durcir.** *L'ambition, l'amour du gain lui ont endurci le cœur, l'ont endurci. Endurcir qqn aux misères d'autrui.* Absolt. *L'habitude endurcit.*

La multitude des malheureux vous endurcit à leurs 4 misères.
MASSILLON, Carême, Aumône.

(...) la tendresse de cœur se perd souvent, parce que les 5 passions et le commerce des hommes politiques endurcissent insensiblement les jeunes gens qui entrent dans le monde.
FÉNELON, l'Éducation des filles, V.

Les jurons, les râles, le canon, tous les bruits de notre 6 pauvre vie de bêtes, cela ne pouvait pas endurcir notre âme et flétrir sa tendresse infinie.
R. DORGELÈS, les Croix de bois, VI, p. 135.

En emploi absolu :

Il n'est malheureusement que trop commun de voir le 6.1 libertinage éteindre la pitié dans l'homme ; son effet ordinaire est d'endurcir (...) SADE, Justine..., t. I, p. 68.

Endurcir le cœur, son cœur. S'endurcir le cœur (cit. 82), *l'âme.*

Loc. relig. *Dieu endurcit le cœur des pécheurs* (Académie), il les ferme à la grâce. *N'endurcissez pas votre cœur,* ne le fermez pas à la charité.

Il est donc vrai qu'il fait miséricorde à qui il lui plaît, et 7 qu'il endurcit qui il lui plaît.
BIBLE (SACY), Épître aux Romains, IX, 18.

◆ **S'ENDURCIR** v. pron.

♦ **1** (XVIIIe). Devenir dur. *«La plante des pieds s'endurcit à force de marcher»* (→ ci-dessus, cit. 1).

Ce sont (*d'abord*) deux dagues qui croissent, s'allongent et 8 s'endurcissent à mesure que l'animal prend de la nourriture (...)
BUFFON, Hist. nat. des animaux, Cerf, Œ., t. II, p. 517.

♦ **2** Devenir plus résistant (en parlant du corps, de la peau, des muscles...).

Son corps (...) s'endurcissait chaque jour (...) 9
FÉNELON, Télémaque, XIII.

Il importe que la peau s'endurcisse aux impressions de 10 l'air et puisse braver ses altérations ; car c'est elle qui défend tout le reste. ROUSSEAU, Émile, II.

(1636). Devenir plus endurant, plus robuste, plus vigoureux ; s'accoutumer à la fatigue, à la douleur, aux privations.

Montrez-lui comme il faut s'endurcir à la peine, 11
Dans le métier de Mars se rendre sans égal,
Passer les jours entiers et les nuits à cheval,
Reposer tout armé, forcer une muraille (...)
CORNEILLE, le Cid, I, 3.

Ils (...) mangent peu et vite, vivent plus mal à la ville qu'au 12 camp : c'est qu'un futur soldat doit s'endurcir.
TAINE, Philosophie de l'art, t. II, p. 186.

♦ **3** (1647). Devenir moins sensible, plus dur*. *Son cœur s'est endurci. — S'endurcir dans le vice, dans le crime :* s'accoutumer à vivre dans le vice, n'en plus éprouver ni remords, ni honte.

(...) les hommes corrompus s'endurcissent bientôt contre 13 tout ce qui pourrait les toucher.
FÉNELON, Télémaque, XV.

Jamais un seul instant de sa vie Jean-Jacques n'a pu être un 14 homme sans sentiment, sans entrailles, un père dénaturé. J'ai pu me tromper, mais non m'endurcir.
ROUSSEAU, les Confessions, VIII.

Faites que mon cœur ne s'endurcisse point ! 15
G. DUHAMEL, Récits des temps de guerre, IV, XIX, p. 74.

◆ **ENDURCI, IE** p. p. adj.

♦ **1** Rare. Devenu plus dur. → **Dur, durci.** *Mains endurcies de calus* (cit. 1).

♦ **2** Devenu endurant, résistant par l'entraînement, l'habitude. → **Résistant; endurant, éprouvé, rompu.** *Être endurci au travail, à la fatigue. Il est très endurci, il n'est pas assez endurci aux intempéries.* Absolt. *Il n'est pas assez endurci pour supporter ce climat.*

16 (...) mes mains, endurcies au travail, me donnent facilement la nourriture qui m'est nécessaire (...)
FÉNELON, Télémaque, XI.

17 (...) le soleil blanc, chargé de pluie, ne gêne pas leurs visages endurcis au froid et au chaud (...)
M. BARRÈS, la Colline inspirée, p. 102.

♦ **3** (XIIᵉ). Devenu moralement insensible. → **Dur** (4.), **impitoyable, insensible, sec.** *Égoïste endurci aux malheurs d'autrui.* → **Indifférent.** — *Âme endurcie; cœur endurci* (→ Cicatrice, cit. 8). *Haine endurcie.* → **Implacable, inflexible.**

18 Pour ce peuple endurci que rien ne peut gagner?
RACINE, la Thébaïde, II, 3.

19 Je n'ai jamais vu d'âme aussi endurcie que la vôtre. Les criminels qui sont venus devant moi ont toujours pleuré devant cette image de la douleur.
CAMUS, l'Étranger, II, 1, p. 100.

♦ **4** Qui, avec le temps, s'est fortifié, figé dans son opinion, son occupation. → **Invétéré.** *Criminel endurci.*

20 (...) mais pour ces francs pécheurs, pécheurs endurcis, pécheurs sans mélange, pleins et achevés (...)
PASCAL, les Provinciales, IV.

21 Un tyran dans le crime endurci dès l'enfance.
RACINE, Britannicus, V, 7.

Iron. → **Avéré, confirmé.** *Célibataire endurci. Rond-de-cuir endurci* (→ Délecter, cit. 4). *Fumeur, bridgeur endurci.*

N. *Les endurcis.*

CONTR. Amollir, attendrir, émouvoir, fléchir, ramollir, toucher. — (Du p. p.) Amolli, aveuli, contrit, efféminé, ramolli.
◊ DÉR. Endurcissement.

ENDURCISSEMENT [ãdyʀsismã] n. m. — 1495; de endurcir.

♦ **1** (1864). Rare. Le fait de s'endurcir, de devenir plus dur au mal, plus résistant. → **Accoutumance, endurance, entraînement, habitude, résistance.** *Endurcissement à la fatigue. Endurcissement d'un organe à la douleur :* perte de la sensibilité.

1 Il s'aperçut (...) d'un certain endurcissement, d'un manque de sensibilité dans l'estomac, qui semblait présager quelque affection squirreuse.
BAUDELAIRE, les Paradis artificiels, «Un mangeur d'opium», V.

Spécialt (agric.). Accroissement de la résistance du blé au froid, par adaptation préalable.

♦ **2** Diminution ou perte de la sensibilité morale. → **Dessèchement, dureté, insensibilité.** *L'endurcissement du cœur, de l'âme. — Endurcissement au péché.* → **Impénitence.** *Endurcissement au malheur, à l'infortune.* → **Accoutumance** (cit. 1).

2 Dom Juan, l'endurcissement au péché traîne une mort funeste (...)
MOLIÈRE, Dom Juan, V, 6.

3 Dieu a voulu racheter les hommes et ouvrir le salut à ceux qui le cherchaient; mais les hommes s'en rendent si indignes qu'il est juste que Dieu refuse à quelques-uns, à cause de leur endurcissement, ce qu'il accorde aux autres par une miséricorde qui ne leur est pas due.
PASCAL, Pensées, VII, 430.

4 On a dit que les dissolus sont compatissants, que ceux qui sont portés à l'incontinence paraissent d'ordinaire chatouilleux et fort tendres à pleurer, mais que les âmes qui travaillent à demeurer chastes n'ont pas une si grande tendresse. Cela ne contredit nullement, mon ami, ce que je vous dénonce de l'endurcissement et de la facilité de violence qui suit les plaisirs.
SAINTE-BEUVE, Volupté, XXI, p. 213.

5 (...) j'ai peur de quelque chose qui serait pire que la mort et qui serait l'endurcissement de notre cœur.
G. DUHAMEL, Récits des temps de guerre, IV, XIX, p. 72.

6 (...) je regrette de ne pas lui avoir dit, hier soir, que le terme d'«endurcissement» dont je me suis servi à son propos et qui l'a peiné, je crois, trahit ma pensée, car il est péjoratif. C'est «durcissement» que je voulais dire. Mitterrand s'est durci et non endurci.
F. MAURIAC, le Nouveau Bloc-notes 1958-1960, p. 269.

CONTR. Amollissement, attendrissement, sensibilité; contrition, pénitence.

ENDURER [ãdyʀe] v. — XIᵉ; du lat. médiéval *indurare* «rendre dur, devenir dur», ext. de sens du lat. class. «se durcir».

I V. tr. ♦ **1** Supporter avec patience (ce qui est dur, pénible, désagréable). → **Pâtir** (de), **souffrir, subir.** *Endurer la faim, le froid, la soif.* → **Éprouver, ressentir.** *Endurer les pires souffrances, le martyre. Ils ont enduré beaucoup de peines* (→ Ahan, cit. 2). *Les tourments qu'il endure* (→ Dénier, cit. 4). *Endurer la fatigue, les privations, les mauvais traitements, les coups. Endurer la torture sans rien avouer.* → **Soutenir.** *Tout endurer sans se plaindre, avec constance, résignation. Faire endurer qqch. à qqn. Après ce qu'il lui a fait endurer, il est normal qu'elle le haïsse.*

Souffrir est le terme général applicable à tous les maux (...) *Endurer,* du latin *durare,* durer, persévérer, patienter, emporte l'idée de patience, de longanimité, de soumission (...) Les maux que vous *endurez* ne vous causent pas de colère ou d'emportement, ne vous font pas sortir de votre calme, vous trouvent *dur* ou *endurci* contre, persistent dans votre état.
LAFAYE, Dict. des synonymes, p. 961. 1

(...) toutes les misères
Que durant notre enfance ont enduré(es) nos pères.
CORNEILLE, Cinna, I, 3. 2

Quand Dieu nous exerce par les souffrances, si nous l'endurons chrétiennement, notre patience tient lieu de martyre.
BOSSUET, *in* LAFAYE, p. 961. 3

(...) au milieu des supplices et des tortures, au milieu des feux et des déboîtements de membres que l'on leur faisait endurer (...)
RACINE, Appendices, traductions, Des Esséniens. 4

(...) endurer la question extraordinaire sans dire une parole.
BALZAC, Une ténébreuse affaire, Pl., t. VII, p. 487. 5

(...) cette malheureuse est là pour servir de plastron à tous les caprices qui peuvent passer dans la tête de ce libertin; soufflets, fustigations, mauvais propos, jouissances, il faut qu'elle endure tout (...)
SADE, Justine..., t. I, p. 169. 5.1

Théophile, errant de retraite en retraite, fut arrêté le 28 septembre suivant, et transporté à la Conciergerie, dans la tour dite de Montgommery, où il eut à endurer toutes les souffrances imaginables.
Th. GAUTIER, les Grotesques, p. 90. 6

Il ne mesurait la privation qu'il avait endurée qu'au moment où il s'avisait d'y mettre fin.
J. ROMAINS, les Hommes de bonne volonté, t. V, VII, p. 60. 7

Pour désirer la souffrance il faut l'aimer. Qui n'est pas capable de l'aimer, fait mieux de l'endurer humblement, aveuglément et même de se plaindre tout son saoul.
BERNANOS, le Scandale de la vérité, p. 8. 8

♦ **2** (V. 1260). Tolérer (ce qui est désagréable). → **Permettre, supporter;** fam. **avaler, boire, digérer.** *Endurer les insolences, la mauvaise conduite, les débauches* (cit. 9) *de qqn. Endurer les injures, des affronts, des outrages.* → **Essuyer.** *Il endure tout, il endurerait tout de son fils. Il nous a fallu endurer ses mauvaises manières par politesse. Endurer avec patience, par bonté, avec longanimité. — Je n'en endurerai pas plus.* → *La mesure* est comble, *ça suffit*. *N'endurez plus ses insolences, vous êtes trop indulgent.*

9   Endurer un affront comme celui-là, en notre présence !
                   MOLIÈRE, les Précieuses ridicules, 14.

10   (...) il disait du ton le plus élégant les choses les plus gros-sières, et les faisait passer. Les femmes même les plus modestes s'étonnaient de ce qu'elles enduraient de lui.
                   ROUSSEAU, les Confessions, III.

REM. *Endurer que....* se construit avec le subjonctif ; *endurer de...* avec l'infinitif.

11   Mais haïr un rival, endurer d'être aimée (...)
     N'est-ce point dire trop ce qui sied mal à dire ?
                   CORNEILLE, Attila, II, 6.

12   Mais as-tu vu mon père et peut-il endurer
     Qu'ainsi dans sa maison tu t'oses retirer ?
                   CORNEILLE, Horace, I, 3.

13   Comment, Mesdames, nous endurerons que nos laquais soient mieux reçus que nous ?
                   MOLIÈRE, les Précieuses ridicules, 15.

♦ **3 Absolt. (Vieilli).** *Endurer :* avoir de la constance à supporter, souffrir avec patience.

14   Hélas ! s'il est ainsi, quel malheur est le mien !
     Je soupire, j'endure, et je n'avance rien (...)
                   CORNEILLE, l'Illusion comique, II, 3.

15   Il veut me voir souffrir : je me tais et j'endure.
                   Thomas CORNEILLE, Ariane, IV, 3.

     'Proverbe :

16   Qui veut durer, doit endurer.
                   R. ROLLAND, Jean-Christophe, VII, p. 11.

Vx. → **Souffrir.**

17   Qui a enduré sous Ponce-Pilate.
                   CORNEILLE, l'Office de la Vierge.

II V. intr. (1870). Mar. Diminuer l'effort que l'on exerce sur les avirons. *Endure tribord !,* sur ce bord.

CONTR. Dérober (se), **fuir.** — **Impatienter** (s'). ◊ **DÉR. Endurable, endurance, endurant.**

ENDURISTE [ɑ̃dyʀist] n. — 1978; de *enduro,* et suff. *-iste.*
Moto. Motocycliste qui participe à une épreuve d'enduro.

ENDURO [ɑ̃dyʀo] n. m. et f. — 1970; mot angl., du rad. de *endurance,* de même orig. que le franç. *endurance.*
N. m. Moto. Épreuve de régularité tout-terrain dis-putée sur un circuit fléché de 40 à 120 km, à parcourir plusieurs fois à une moyenne imposée (30 à 40 km/h). → aussi **Moto** (verte). *Des enduros. L'« English Six Days Trial » (1913) et l'« International Six Days Trial » (1920) furent à l'origine de l'enduro.* — Au fém. (1977, *in* D.D.L.). *Une enduro :* une moto conçue pour l'enduro.
DÉR. Enduriste.

ENDYMION [ɑ̃dimjɔ̃] n. m. — 1870, *in* P. Larousse ; nom du jeune chasseur aimé de Diane, personnage mytho-logique.
Rare. Jacinthe des bois (*Liliacées*).

-ÈNE Élément choisi par Dumas (1833) pour noter en chimie les carbures d'hydrogène et réservé après 1866 aux hydrocarbures non saturés (alors opposé à *-ane*). Ex. : *acétylène, alcène, benzène, méthy-lène.*

ÉNÉOLITHIQUE [eneɔlitik] adj. et n. m. — 1914; du lat. *œneus* « airain », et grec *lithos* « pierre ».
Se dit de la période préhistorique marquée par les premières apparitions du cuivre et qui corres-pond à la fin de l'époque néolithique. Syn. : *chal-colithique* (du grec *khalkhos* « cuivre, bronze »). *Période énéolithique. Civilisation de l'énéolithique.*

La période énéolithique n'est pas caractérisée par une civi-lisation particulière. Stade final de l'époque néolithique ou, si l'on veut, transition entre le Néolithique et l'âge des Métaux, l'on y trouve à la fois l'usage partiel de la pierre polie, un outillage en pierre taillée et l'apparition du métal. De plus, les caractéristiques de cette période sont loin de coïncider dans le temps et dans l'espace.
         Fernand NIEL, Dolmens et Menhirs, p. 26.

ÉNERGÉTICIEN, IENNE [enɛʀʒetisjɛ̃, jɛn] n. — V. 1970; de *énergétique.*
Sc., techn. Spécialiste de l'énergétique.

ÉNERGÉTIQUE [enɛʀʒetik] adj. et n. f. — 1895, sans doute antérieur, le n. f. (II.) étant attesté en 1868 (→ cit. 3) ; « qui paraît avoir une énergie innée », 1755 ; angl. *energetic,* grec *energêtikos.*

I Adj. ♦ **1** Relatif à l'énergie, aux grandeurs, aux unités, liées à l'énergie (sous toutes ses formes). *Puissance énergétique. Théorie énergétique :* système remplaçant en mécanique la notion de force par celle d'énergie.

1   Les difficultés soulevées par la mécanique classique ont conduit certains esprits à lui préférer un système nouveau qu'ils appellent *énergétique.* Le système énergétique a pris naissance à la suite de la découverte du principe de la conservation de l'énergie. C'est Helmhöltz qui lui a donné sa forme définitive.
         H. POINCARÉ, la Science et l'Hypothèse, VIII, p. 139.

Matérialisme énergétique : théorie (de Bache-lard) d'après laquelle la matière se réduit à l'énergie. Syn. : *énergétisme restreint* (par opposi-tion à l'*énergétisme absolu d'Ostwald*). → ci-dessous, II.

2   Du point de vue philosophique, le matérialisme énergé-tique s'éclaire en posant un véritable existentialisme de l'énergie. Dans le style ontologique où le philosophe aime à dire : l'être *est,* il faut dire : l'énergie *est.* Elle est abso-lument (...) l'énergie joue désormais le rôle de la *chose en soi* (...)
Si l'énergétisme est si fondamental, il convient de mettre au rang des notions organiquement premières la notion d'énergie.
         G. BACHELARD, le Matérialisme rationnel, p. 177-178.

♦ **2** Relatif à l'énergie utilisée industriellement. *Les ressources énergétiques d'un pays. L'équilibre éner-gétique mondial. La crise énergétique.*

♦ **3** Physiol. *Dépense énergétique :* énergie qu'uti-lise l'organisme pour une action ou une fonction déterminée. *Aliments énergétiques,* qui fournissent beaucoup d'énergie à l'organisme.

II N. f. (1868; angl. *energetics,* Rankine, 1852). ♦ **1** Sys-tème de mécanique remplaçant la notion de force par celle d'énergie. Par ext. Étude des différentes formes sous lesquelles se manifeste l'énergie. *Meyer, Carnot et Joule furent les pionniers de l'éner-gétique.*

3   On s'est attaché à présenter cette théorie indépendam-ment de toute hypothèse sur la nature des phénomènes calorifiques. C'est ainsi que Rankine abandonnant les sup-positions ordinaires d'atomes et de force par lesquels on explique tous les phénomènes physiques a cherché à éta-blir un système ne renfermant plus rien d'hypothétique, où il présente avec une généralité absolue les lois des phé-nomènes de la chaleur. À la considération ordinaire des forces il substitue celle d'une nouvelle quantité, l'énergie, qui existe dans les corps en partie à l'état actuel, en partie à l'état potentiel, et crée une nouvelle science qu'il nomme *énergétique,* dont la mécanique rationnelle ne serait qu'un cas particulier.
                   E. VERDET,
         Théorie mécanique de la chaleur (cours), 1868.

♦ **2** Système de cosmologie soutenu par Ostwald qui fait de l'énergie la substance du monde phy-sique (on dit aussi *énergétisme*).

DÉR. Énergéticien, énergétiquement, énergétisme.

ÉNERGÉTIQUEMENT [enɛʀʒetikmã] adv. — 1933 ; de *énergétique*.

Didact. Sous le rapport de l'énergie.

1 Il suffit, pour cela, d'une abolition des associations psycho-cardio-organiques —, ces relations bizarres qui font la foi, l'amour, les fureurs, etc. en annexant énergétiquement et irrationnellement les images aux appareils vitaux essentiels.   VALÉRY, *Cahiers*, t. II, Pl., p. 221.

2 (...) le moteur de la locomotive, en s'adaptant énergétiquement et en fréquence au réseau de distribution d'énergie (...)

         Gilbert SIMONDON,
      Du mode d'existence des objets techniques, p. 52.

ÉNERGÉTISME [enɛʀʒetism] n. m. — 1901, *Nouveau Larousse illustré* ; de *énergét(ique)*, et *-isme*.

Didact. Théorie réduisant la matière à l'énergie (en phys., opposé à *atomisme* ; en philos., à *matérialisme*).

Les communistes condamnaient la psychanalyse ; Politzer (...) la définit comme un énergétisme, donc un idéalisme inconciliable avec le marxisme.

      S. DE BEAUVOIR, la Force de l'âge, p. 133.

Spécialt. Syn. de *matérialisme énergétique**, de *énergétique* (II., 2.).

DÉR. Énergétiste.

ÉNERGÉTISTE [enɛʀʒetist] adj. et n. — 1909, *in* D. D. L. ; de *énergétisme*.

Didact. De l'énergétisme. Adj. et n. Partisan de l'énergétisme, en sciences ou en philosophie.

(...) le conflit des énergétistes et des atomistes dans la physique de la fin du XIXᵉ siècle était davantage une opposition de caractère épistémologique qu'une manifestation d'écoles (...)

      J. PIAGET, Épistémologie des sciences de l'homme,
                         p. 118.

ÉNERGIDE [enɛʀʒid] n. m. — 1903, in *Rev. gén. des sc.*, nᵒ 1, p. 51 ; all. *energid* (J. Sachs), 1892 ; du grec *energ(os)* «actif» (→ Énergie), et *-ide* sur le modèle de l'allemand.

Biol. Unité biologique formée d'un noyau entouré de cytoplasme. *La réunion de plusieurs énergides dans une seule membrane forme une structure cœnocytique ou syncytiale.* → **Plasmode.**

ÉNERGIE [enɛʀʒi] n. f. — V. 1500 ; bas lat. *energia*, grec *energeia* «force en action».

Ⅰ Cour. ♦ **1** Vieilli. Pouvoir, efficacité (d'un agent quelconque) ; principe actif. — Mod. *Énergie vitale.*

1 L'homme a une somme donnée d'énergie (...) La quantité d'énergie ou de volonté, que chacun de nous possède, se déploie comme le son : elle est tantôt faible, tantôt forte ; elle se modifie selon les octaves qu'il lui est permis de parcourir. Cette force est unique, et bien qu'elle se résolve en désirs, en passions, en labeurs d'intelligence ou en travaux corporels, elle accourt là où l'homme l'appelle. Un boxeur la dépense en coups de poing, le boulanger à pétrir son pain, le poète dans une exaltation qui en absorbe et en demande une énorme quantité, le danseur la fait passer dans ses pieds ; enfin, chacun la distribue à sa fantaisie (...) presque tous les hommes consument en des travaux nécessaires ou dans les angoisses de passions funestes, cette belle somme d'énergie et de volonté dont leur a fait présent la nature (...)

      BALZAC, la Physiologie du mariage, Pl., t. X, p. 717.

(1829). **Mod.** et cour. Force, vitalité physique. *Se sentir plein d'énergie. Frotter un meuble avec énergie.* **Par ext.** *L'énergie d'un effort. Il y a mis un peu trop d'énergie.* → Il n'y est pas allé de main* morte.

2 (...) je le battis (le vieillard) avec l'énergie obstinée des cuisiniers qui veulent attendrir un beefsteak.

      BAUDELAIRE, le Spleen de Paris, XLIX.

3 Se retenir à une touffe d'herbe : contraste émouvant entre l'énergie extraordinaire de la prise et ce brin de graminée si fragile.

      VALÉRY, Rhumbs, p. 86 (→ Contraste, cit. 6).

Par ext. Force dont l'action a un effet concret. *L'énergie d'un remède.* → **Action, efficacité, vertu.**

♦ **2** Force, vigueur* (dans l'expression, dans l'art). *L'énergie d'un dessin* (→ Coloris, cit. 5), *d'un mot, d'un style* (→ Argot, cit. 2 ; discours, cit. 20). → **Véhémence, vie.** *L'énergie du rythme, en musique.*

4 Mais quand vous avez fait ce charmant *quoi qu'on die*, Avez-vous compris, vous, toute son énergie ?

      MOLIÈRE, les Femmes savantes, III, 2.

5 Si pour les fixer je m'amuse à les décrire en moi-même, quelle vigueur de pinceau, quelle fraîcheur de coloris, quelle énergie d'expression je leur donne !

      ROUSSEAU, les Confessions, IV.

Force, efficacité (d'un fait psychique).

6 Le véritable orgueil d'une femme ne devrait-il pas se placer dans l'énergie du sentiment qu'elle inspire ?

      STENDHAL, De l'amour, XXVIII.

7 (...) ce n'est pas la qualité des objets qui fait la jouissance, mais l'énergie de l'appétit.

      BAUDELAIRE, Projets de théâtre, I.

8 Nous retrouverons, peut-être, *par accident,* le souvenir de la *figure* de ces états critiques ; mais non plus la morsure, la chaleur, l'espèce particulière de douceur ou de vigueur infinie qui leur donnèrent en leur temps une importance incomparable. Notre passé se représente, mais il a perdu son *énergie.*   VALÉRY, Suite, p. 166.

Spécialt, psychan. *Énergie d'investissement*.*

♦ **3** (Fin XVIIIᵉ). Force et fermeté dans l'action, qui rend capable de grands effets. → **Dynamisme, ressort, volonté.** *L'énergie qui l'anime. Agir avec énergie* (→ N'avoir pas froid aux yeux*). *Apporter toute son énergie à un travail difficile. Déployer de l'énergie.* → **Activité.** *Concentrer son énergie. Il a horreur des demi-mesures, il décide, il tranche avec énergie.* → *Aux grands maux* les grands remèdes. Il lui a fallu beaucoup d'énergie pour ne pas se laisser abattre. Une énergie indomptable, farouche. Ayez assez d'énergie pour poursuivre le but que vous vous êtes assigné.* → **Constance, entêtement, persévérance.** *Protester avec énergie, avec la dernière énergie.* → **Véhémence.** *Manquer d'énergie. Briser l'énergie de qqn. Redonner de l'énergie à qqn.* → **Ranimer, remonter, retremper. Sursaut, regain d'énergie.** — **Loc.** *L'énergie du désespoir*. Stendhal ou le culte de l'énergie,* titre d'un essai de Barrès. *L'Énergie spirituelle,* œuvre de Bergson (1919).

9 Si c'est l'énergie qui conçoit les plans les plus vastes, c'est la réflexion qui doit les mûrir et les diriger.

      DANTON, in BARTHOU, Danton, p. 309.

10 Je ne suis pas du bois dont on fait les grands hommes, puisque je crains que huit années passées à me procurer du pain m'enlèvent cette énergie sublime qui fait faire les choses extraordinaires.

      STENDHAL, le Rouge et le Noir, I, XII.

11 L'homme qui, s'étant livré longtemps à l'opium ou au haschisch, a pu trouver, affaibli comme il l'était par l'habitude de son servage, l'énergie nécessaire pour se délivrer, m'apparaît comme un prisonnier évadé.

      BAUDELAIRE, les Paradis artificiels,
                «Poème du haschisch», IV.

11.1 Christ ! ô Christ, éternel voleur des énergies.

      RIMBAUD, Poésies, Les premières communions, IX.

12 Il gagnait de l'énervement, à peser le pour et le contre sans trouver l'énergie d'une détermination.

      COURTELINE, Messieurs les ronds-de-cuir,
                2ᵉ tableau, II.

13 (...) il était naturel que le vieux Castel mît toute sa confiance et son énergie à fabriquer des sérums sur place, avec du matériel de fortune.

      CAMUS, la Peste, p. 150.

Par métonymie. *Galvaniser* les énergies* (→ Affaiblir, cit. 8).

Manifestation, témoignage, signe de l'aptitude à agir. *Un regard plein d'énergie.* → **Énergique.**

♦ **4** (Considérée dans son efficacité* sociale). *L'énergie du prolétariat* (→ Confisquer, cit. 3). *Le Roman de l'énergie nationale,* trilogie romanesque de Barrès.

14　(...) l'individualisme infécond, cet émiettement d'énergies, cette dispersion de la force publique en faiblesses particulières, — la grande misère moderne, dont la Révolution française est en partie responsable.
　　　　　R. ROLLAND, Jean-Christophe, Le buisson ardent,
　　　　　I, p. 1285.

15　L'idée d'organisation a pour objet de faire produire le maximum du rendement dont il est capable, en supprimant les dissipations d'énergie dues aux libertés personnelles, à l'ensemble qui s'y inféode...
　　　　　Julien BENDA, la Trahison des clercs, p. 36.

II Sc. ♦ **1** Phys. (Mil. XIXᵉ, → REM., ci-dessous; autres emplois en phys. : 1717, J. Bernoulli; 1725, Varignon; le lat. *energia* a des emplois en sc. depuis le déb. du XVIIᵉ, l'ital. *energia* est déjà chez Galilée). Caractéristique que possède un système s'il est capable de produire du travail. *Les différentes formes de l'énergie et leurs transformations. Énergie mécanique potentielle d'un corps :* travail pouvant être produit en raison de la position d'un corps. *Énergie cinétique d'un corps* (acquise du fait de sa vitesse). *Énergie thermique.* → **Chaleur, thermodynamique.** *Énergie électrique, solaire* (→ **Rayonnement**), *chimique, nucléaire* (→ **Radiation; fission, fusion**). *Principe de la conservation de l'énergie. Énergie interne :* en thermodynamique, somme des énergies potentielle et cinétique inhérentes à un système. *Les variations de l'énergie interne d'un système ne dépendent que de ses états initial et final.*

REM. Le concept moderne d'énergie se dégage au milieu du XIXᵉ s. (angl. *energy,* Thomson (Lord Kelvin), 1851 ; Rankine, 1852) ; le mot apparaît en français dans une trad. de Thomson (1854) qui contient les syntagmes *énergie totale, actuelle, potentielle.* → aussi Énergétique, cit. 3.

16　Nous vivons sans être obligés de savoir que cela exige un cœur, des viscères, tout un labyrinthe de tubes et de fils, tout un matériel vivant de cornues et de filtres, grâce auquel se fait en nous un échange perpétuel entre tous les ordres de grandeur de la matière et toutes les formes de l'énergie, depuis l'atome jusqu'à la cellule, et depuis la cellule jusqu'aux masses visibles et tangibles de notre corps.　　　　　VALÉRY, Variété V, p. 52.

17　Et voici maintenant que le noyau de l'atome (...) libère son effrayante énergie interne.
　　　　　Marcel PESCHARD, Cours de chimie, t. I,
　　　　　p. 28 (→ Atome, cit. 18).

Cour. *L'énergie physique,* telle qu'elle est produite industriellement et utilisée par l'homme. → **Charbon, hydroélectricité, pétrole.** *L'énergie atomique, nucléaire* (→ **Nucléaire,** n. m.). — *La crise de l'énergie. Les problèmes d'énergie. Gaspiller l'énergie, gaspillage d'énergie.*

Énergies nouvelles : les énergies non traditionnelles (en particulier l'énergie atomique et les énergies renouvelables). *Énergies renouvelables :* les énergies provenant de sources naturelles qui ne s'épuisent pas (soleil, vent, marée...) et non de matières telles que charbon ou pétrole. — *Énergie solaire*. Énergies douces* (→ **Doux**). *Énergie verte :* transformation de l'énergie solaire par les plantes (envisagée par les écologistes comme «*énergie douce*» parmi d'autres). — *Énergie fossile* (pétrole, charbon...).

♦ **2** (1903, in *Rev. gén. des sc.,* n° 2, p. 105). Énergie chimique potentielle de l'être vivant. *Énergie physiologique minimale* (ou *métabolisme** *de base*) : dépense énergétique de l'organisme au repos complet.

CONTR. (Du sens I) **Indolence, inertie, mollesse, paresse.**
◊ DÉR. **Énergique.**

ÉNERGIQUE [enɛʀʒik] adj. — 1584; de *énergie.*

♦ **1** (Mil. XIXᵉ). Qui a de la force, de la puissance physique. *Un effort, une détente énergique.* → **Fort, violent** (→ Détente, cit. 1). *Coup de collier énergique* (→ Assiduité, cit. 2). *Donner une poignée de main énergique.*

1　Ayant ensuite, par un coup de pied lancé dans le dos, assez énergique pour briser ses omoplates, terrassé ce sexagénaire (...)
　　　　　BAUDELAIRE, le Spleen de Paris, XLIX.

Par ext. *Remède énergique.* → **Actif, agissant, efficace, puissant** (→ Remède de cheval*).

♦ **2** Plein d'énergie (dans l'expression). *Style, dessin énergique.* → **Robuste, vif, vigoureux.** *Vers énergique.* → **Frappé** (bien frappé).

2　Et déjà le notaire a, d'un style énergique,
Griffonné de ton joug l'instrument authentique.
　　　　　BOILEAU, Satires, X.

♦ **3** (Fin XVIIIᵉ). Qui a de l'énergie morale. → **Audacieux, courageux, décidé, ferme, fort, hardi, mâle, résolu, trempé** (bien trempé), **viril.** *C'est une personne, un caractère, une nature énergique* (→ Une femme énergique; maîtresse* femme). *Homme d'État, médecin énergique. Pour bien élever vos enfants, soyez énergique.*

3　Un homme énergique n'a jamais peur en face du danger pressant
　　　　　MAUPASSANT, la Peur, Pl., t. I,
　　　　　p. 600. (→ Anxieux, cit. 2).

4　Les gens toujours énergiques, ça n'existe pas. À moins que ce ne soient des brutes, ou des fous.
　　　　　J. ROMAINS, les Hommes de bonne volonté, t. VII,
　　　　　p. 21.

Par ext. *Un visage, une physionomie énergique,* qui exprime l'énergie (→ Brave, cit. 12).

5　(...) le futile jeu de l'artiste n'adoucissait en aucune façon ce qu'il y avait d'énergique et de batailleur dans cette carrure aux lignes puissantes.
　　　　　J. GREEN, Adrienne Mesurat, I, I, p. 7.

♦ **4** (1864). Qui témoigne d'énergie dans l'action et agit avec force (actes, décisions). *Une décision, une solution énergique.* → **Draconien, dur.** *Trancher une affaire par des moyens énergiques. Prendre des mesures énergiques. Commandement* (cit. 9) *énergique d'une armée. Intervention énergique de la police* (→ Agitation, cit. 20). → **Violent.** *Une politique énergique.* — REM. Le mot est souvent un euphémisme pour des adj. plus forts.

CONTR. **Faible, indolent, languissant, mollasse, mou, pusillanime, timide, veule.** ◊ DÉR. **Énergiquement.** ← COMP. V. **Adrénergique** (de l'anglais).

ÉNERGIQUEMENT [enɛʀʒikmɑ̃] adv. — 1584; de *énergique.*

D'une manière énergique. *Frapper, serrer énergiquement.* → **Dur, fortement, vigoureusement, violemment** (→ Argile, cit. 4). — *Il ne travaille pas très énergiquement. Agir énergiquement.* → **Courageusement, fermement, hardiment, résolument.** *Il lui parla énergiquement. Soutenir énergiquement une opinion. Protester, résister énergiquement.*

Gémir, pleurer, prier est également lâche.
Fais énergiquement ta longue et lourde tâche,
Dans la voie où le sort a voulu t'appeler;
Puis après, comme moi, souffre et meurs sans parler.
　　　　　A. DE VIGNY, les Destinées, «La mort du loup», III.

CONTR. **Faiblement, indolemment, mollement, timidement.**

ÉNERGISANT, ANTE [enɛʀʒizɑ̃, ɑ̃t] adj. et n. — V. 1970; calque de l'angl. *energizing,* p. prés. de *to energize,* de *energy* «énergie».

Médecine.

♦ **1** Adj. Qui stimule, donne de l'énergie. *L'action énergisante d'un médicament.*

♦ **2** N. m. Médicament qui stimule l'activité psychique. *Prendre des énergisants.* → **Antidépresseur, psychotonique, psychotrope.**

ÉNERGUMÈNE [enɛʀgymɛn] n. — 1579; lat. ecclés. *energumenus (-os)* «possédé du démon», grec *energoumenos*, de *energein* «agir», et «inspirer» au figuré.

♦ **1** Vx. Personne possédée du démon. → **Démoniaque, possédé.** *Exorciser un, une énergumène.* — Loc. mod. (où le mot est compris au sens 2). *Crier, s'agiter comme un énergumène.*

1   *(Il)* marchait hors de Paris, sur les routes et par les chemins déserts, en criant vers Dieu dans d'interminables perambulations solitaires. Mais la Tentation ne le lâchait pas (...) Des frénésies soudaines le saisissaient, le rendant vraiment énergumène. Il se jetait, en mugissant comme un buffle pourchassé, dans les taillis (...) se roulait sur l'herbe en écumant à la façon des épileptiques, appelant à son secours, indistinctement, les puissances de tous les abîmes.   Léon BLOY, le Désespéré, p. 225.

Littér. *Éros énergumène*, texte de Denis Roche.

♦ **2** (1734). Mod. Personne exaltée qui se livre à des cris, à des gestes excessifs dans l'enthousiasme ou la fureur. → **Agité, exalté, excité, fanatique, forcené.** *C'est un violent, mais non pas un énergumène.*

2   À droite, c'est un contemplatif étendu sur une natte, qui attend, le nombril en l'air, que la lumière céleste vienne investir son âme. À gauche, c'est un énergumène prosterné qui frappe du front contre la terre, pour en faire sortir l'abondance. Là, c'est un saltimbanque qui danse sur la tombe de celui qu'il invoque.
            VOLTAIRE, Dict. philosophique, art. *Fanatisme.*

3   En voilà, un énergumène, qui entre ici comme un boulet, pousse les portes, tire les rideaux, emplit la maison de ses cris, me traite comme la dernière des filles, va jusqu'à lever la main sur moi !...
            COURTELINE, Boubouroche, II, II.

(Déb. XXᵉ). Par ext. Personne qui paraît dangereuse. *Des extrémistes, des énergumènes. Une bande d'énergumènes qui criaient des slogans racistes.*

4   Elle n'est conduite à ses grands destins douloureux que forcée par une poignée de facteurs, une *minorité agissante*, une bande d'énergumènes et de fanatiques, une bande de forcenés, groupés autour de quelques têtes...
            Ch. PÉGUY, la République..., p. 239.

ÉNERVANT, ANTE [enɛʀvã, ãt] adj. — 1586; p. prés. de *énerver.*

Qui a la propriété d'énerver*.

♦ **1** Vx ou littér. Qui prive de nerf, abat les forces. → **Amollissant.** *Une chaleur énervante. Par ext. Des habitudes, des plaisirs énervants* (→ Céder, cit. 11; confort, cit. 2).

1   Les sons d'une musique énervante et câline (...)
            BAUDELAIRE, les Fleurs du mal, Le vin, CVII.

♦ **2** (1867). Mod. Qui excite désagréablement les nerfs. → **Agaçant, exaspérant, excédant, irritant;** régional agonant. *Un bruit énervant, une présence énervante. C'est énervant d'avoir à attendre si longtemps.* → **Ennuyeux.**

1.1 J'ai été plus sensible que tout autre à l'énervante sottise, à l'irritante médiocrité des femmes.
            BAUDELAIRE, Poèmes en prose, Pl., p. 191 (1867).

2   Et très haut, dans le ciel pur, on devinait une présence hostile, un bruit énervant et fin, comme si un moustique invisible avait bourdonné dans les étoiles.
            A. MAUROIS, les Discours du Dr O'Grady, XI, p. 114.

(Personnes). *Il est énervant avec ses rengaines. Vous êtes énervant d'arriver toujours en retard.*

CONTR. Stimulant, vivifiant. — Apaisant, reposant.

ÉNERVATION [enɛʀvasjɔ̃] n. f. — 1401; bas lat. *enervatio* «épuisement, fatigue», du supin de *enervare.* → Énerver.

♦ **1** (1611). Vx. Abattement des forces par relâchement des nerfs. → **Affaiblissement.**

L'orgie n'est plus la sœur de l'inspiration : nous avons cassé cette parenté adultère. L'énervation rapide et la faiblesse de quelques belles natures témoignent assez contre cet odieux préjugé.
            BAUDELAIRE, l'Art romantique, IV, 6.

♦ **2** (1752, à propos du moyen âge). Supplice consistant à brûler les tendons (nommés *nerfs*) des jarrets et des genoux.

(XXᵉ). Chir. Ablation ou section d'un nerf, d'un groupe de nerfs. (On dit aussi *dénervation*.)

ÉNERVEMENT [enɛʀvəmã] n. m. — 1413, «action d'affaiblir (qqch.)»; rare jusqu'au XVIIIᵉ; de *énerver.*

♦ **1** (Av. 1747). Vx. Diminution d'énergie, de force. → **Affaiblissement, énervation.**

La paix nous reproche l'énervement des courages et la   1
corruption des esprits (...)
            VAUVENARGUES, Éloge de Louis XV, *in* LITTRÉ.

Un, des énervements : moment, accès de faiblesse.

♦ **2** (1867). Mod. (→ Énerver, II.). État d'une personne incapable de maîtriser ses nerfs. → **Agitation, excitation, surexcitation.** *Il était dans un état d'énervement indescriptible.* → **Irritabilité, nervosité.** *Être mort d'énervement et de fatigue* (→ Claquer, cit. 7). *Mots prononcés dans un moment d'énervement. Pleurer d'énervement.* → **Agacement, impatience, irritation.** *Maîtriser son énervement* (→ Déguiser, cit. 12).

2   Ils font d'abord rire, puis ricaner; à la fin, leur comique est pareil à la chatouille interminable de la pensée : on crève d'ennui et d'énervement à ce rire.
            André SUARÈS, Trois hommes, «Dostoïevski», p. 253.

3   Il avait aussi de ces énervements terribles, douloureux, et extrêmement rares comme en ont les éléphants lorsque, quittant une tranquillité qui a coûté des années de surveillance, ils s'abandonnent à la colère pour une bagatelle.
            Henri MICHAUX, Plume, Difficultés, p. 109.

Un, des énervements : occasion, cause d'énervement; moment où l'on est énervé. *Un énervement passager.*

CONTR. Calme, impassibilité, placidité, sérénité.

ÉNERVER [enɛʀve] v. tr. — Déb. XIIIᵉ au sens I, 2 et en emploi pron. *(soi esnerver);* lat. *enervare,* proprt «couper les nerfs» de *ex-,* et *nervus.* → Nerf.

Ⅰ ♦ **1** (1594, *squelette esnervé*). Vx. Priver de «nerfs» (tendons).

(1690). Faire subir le supplice de l'énervation* à (qqn).

Cuis. Enlever les tendons de. *Énerver un lapin. Énerver les chairs.*

♦ **2** Fig. (vieilli ou littér.). Priver de nerf, de force. → **Affaiblir, amollir.** *Le climat lourd et humide finit par énerver les habitants.* → **Déprimer, fatiguer.** — Absolt. *Chant qui énerve et alanguit.* → **Alanguir,** cit. 2. *Les plaisirs, les voluptés énervent l'âme.* → **Aveulir, efféminer.** *L'inaction a énervé son courage.*

1   Toute l'éloquence de Démosthène ne put jamais ranimer un corps que le luxe et les arts avaient énervé.
            ROUSSEAU, Disc. sur les sciences et les arts, I.

2   Mais, en route, le bercement du fiacre et la chaleur du soleil matinal l'énervèrent. Son énergie était retombée. Il ne distinguait même plus où il en était.
            FLAUBERT, l'Éducation sentimentale, II, IV.

3   (...) l'égoïsme des mères et des pères, en général, énerve toutes les vertus au profit d'une seule.
            André SUARÈS, Trois hommes, «Ibsen», p. 148.

Par ext. *Des méthodes qui énervent les ressorts de l'État* (→ Dictateur, cit. 4). — *Énerver le style par des répétitions, des images faciles.* → **Affadir.**

II (1882, Zola; *énervant* est antérieur). Mod. Agacer, exciter, en provoquant la nervosité. → **Échauffer, exciter, surexciter.** *L'alcool qu'il a bu l'a énervé.* — Absolt. *Le bruit fatigue et énerve.* — *Cette attente l'a énervé. Sa mauvaise foi m'énerve. Vous m'énervez avec vos perpétuelles allusions!* → **Agacer, crisper, impatienter, nerf** (porter sur les nerfs), **obséder, tourmenter.** *Tu commences à nous énerver!* → **Énervant.**

4   Elle entendait (...) les cailloux crissant sous les pas réguliers de sa sœur, dans l'allée. Ces sons l'énervaient (...)
            J. GREEN, Adrienne Mesurat, I, IV, p. 31.

◆ **S'ÉNERVER** v. pron.

     ♦ **1** Vx ou littér. S'affaiblir, s'amollir.

5   (...) le siècle embourgeoisé s'énerve et les mœurs deviennent d'une fadeur qui me dégoûte.
            Th. GAUTIER, le Capitaine Fracasse, t. II, XII, p. 98.

     ♦ **2** Mod. Être dans une agitation nerveuse qui va en augmentant. *S'énerver à attendre. Il ne peut rien faire sans s'énerver. Du calme! Ne vous énervez pas pour si peu.* → **Affoler** (s').

6   Il s'énervait dangereusement, Raymond, à ces contacts prolongés qu'elle ne défendait pas.
            LOTI, Ramuntcho, I, XXIII, p. 183.

7   (...) ne t'énerve pas. Assieds-toi. Mets les mains sur les genoux, tes poignets te feront moins mal. Et puis tais-toi. Essaye de dormir ou réfléchis.
            SARTRE, Morts sans sépulture, I, 1.

◆ **ÉNERVÉ, ÉE** p. p. adj.

     ♦ **1** Ancienn. Qui a subi le supplice de l'énervation*. — Subst. *Les Énervés de Jumièges :* nom donné aux deux fils de Clovis II qui après avoir subi ce supplice furent abandonnés dans un bateau et recueillis par les moines de Jumièges.

7.1   Je tombai en arrêt devant un tableau dont j'avais vu, enfant, une reproduction sur la couverture du Petit Français illustré et qui m'avait fait grande impression : «Les énervés de Jumièges».
     J'avais été troublée par le paradoxe du mot énervé (...)
            S. DE BEAUVOIR, la Force de l'âge, p. 210.

     Fig. Affaibli, privé de force (→ Affadi, cit. 8; dépeuplé, cit. 10).

8   Je parais énervé, sans vigueur, sans courage;
     Mais je suis né robuste (...)
            André CHÉNIER, Bucoliques, «Le mendiant».

     ♦ **2** (1864, *in* Littré). Mod. Qui se trouve dans un état de nervosité inhabituel. *Elle est très énervée : elle attend les résultats de son examen. Pardonnez-lui le ton brutal, il était énervé, en colère*.* — N. (Fam.). *C'est un énervé, une énervée.* → **Nerveux.** — Qui marque l'énervement. *Un geste énervé. Une réponse énervée.*

9   Les menues difficultés qu'elle rencontre lui sont un prétexte à câlineries, à rires énervés, à émerveillements, à effusions.
            J. ROMAINS, les Hommes de bonne volonté, t. II, X, p. 105.

10   — Comme vous êtes triste, dit Odette.
     — Pas plus que les autres. Nous sommes tous un peu énervés par ces menaces de guerre.
            SARTRE, le Sursis, p. 27.

CONTR. Animer, fortifier. — **Abattre, apaiser, calmer, détendre, reposer.** — (Du p. p.) **Calme.** ◊ **DÉR. Énervant, énervement.** — V. **Énervation.**

ENFAÎTEAU [ɑ̃fɛto] n. m. — 1402, *enfestau*; de *enfaîter.*
Techn. Faîtière (tuile).

ENFAÎTEMENT [ɑ̃fɛtmɑ̃] n. m. — 1638; de *enfaîter.*
Techn. Faîtage (feuille de plomb repliée sur le faîte d'un toit).

ENFAÎTER [ɑ̃fɛte; ɑ̃fete] v. tr. — 1402, *enfester*; de *en-,* et *faîte*.*
Technique.

     ♦ **1** Couvrir le faîte de (un toit) avec du plomb, des tuiles spéciales. → **Enfaîtement.**

     ♦ **2** Rare. Remplir (un récipient) par-dessus bord. Accumuler, tasser dans (un récipient). — Au p. p. :
     Et Maheu se mit à engloutir (sic) la pâtée de pain, de pommes de terre, de poireaux et d'oseille, enfaîtée dans la jatte qui lui servait d'assiette.
            ZOLA, Germinal, t. I, p. 123.

DÉR. Enfaîteau, enfaîtement.

ENFANCE [ɑ̃fɑ̃s] n. f. — XIIᵉ; lat. *infantia* «bas âge», de *infans, infantis.* → Enfant.

     ♦ **1** Première période de la vie humaine, de la naissance à l'adolescence. → **Âge** (le premier âge, l'âge tendre, l'âge innocent, être en bas âge). *L'enfance s'étend de la naissance jusqu'autour de la treizième année, où commence l'adolescence* (→ **Adolescence, jeunesse, puberté**). *Au sortir de l'enfance. L'enfance, apprentissage* (cit. 10) *de la vie. Avoir eu une enfance troublée, malheureuse, heureuse, choyée, comblée. Une enfance parisienne, qui se passe, s'est passée à Paris. C'est le berceau de mon enfance,* le lieu où elle s'est écoulée (→ Attendre, cit. 14). *Les bruits dont son enfance a été bercée* (→ Barbouiller, cit. 9; cadre, cit. 9). *Souvenirs d'enfance* (→ Barbouiller, cit. 9; cadre, cit. 9). *Souvenirs d'enfance et de jeunesse,* œuvre de Renan (1883). — *Être amis, camarades d'enfance. Principes reçus dès la première, dès la plus tendre enfance.* → Dès berceau*; sucés avec le lait*. *Goûts, ambitions, sentiments, habitudes que l'on a contractés dès l'enfance, dès sa première enfance, dans son enfance, depuis son enfance* (→ Adonner, cit. 1; approcher, cit. 6; attacher, cit. 98; déchirement, cit. 10; décorer, cit. 7; documenter, cit. 1; dragon, cit. 9).

1   Je trouve que nos plus grands vices prennent leur pli de notre plus tendre enfance, et que notre principal gouvernement est entre les mains des nourrices.
            MONTAIGNE, Essais, I, XXIII.

2   Nous nous aimions tous deux dès la plus tendre enfance (...)
            RACINE, la Thébaïde, II, 1.

3   (...) notre enfance laisse quelque chose d'elle-même aux lieux embellis par elle, comme une fleur communique un parfum aux objets qu'elle a touchés.
            CHATEAUBRIAND, Mémoires d'outre-tombe, t. I, p. 92.

4   Oui, je reviens à toi, berceau de mon enfance,
     Embrasser pour jamais tes foyers protecteurs.
            LAMARTINE, Nouvelles méditations, «Préludes».

5   Suis-je tellement changé que vous ne puissiez reconnaître en moi un camarade d'enfance, avec qui vous avez daigné jouer à cache-cache et faire l'école buissonnière?
            BAUDELAIRE, la Fanfarlo.

6   (...) tous deux *(Proust et Ruskin)* avaient eu des enfances couvées par des familles trop tendres (...)
            A. MAUROIS, Études littéraires, t. I, p. 105.

7   En somme, nous n'étions jamais sortis de l'enfance, nous inventions sans cesse, nous inventions nos peines, nos joies, nous inventions la Vie, au lieu de la vivre.
            BERNANOS, Journal d'un curé de campagne, p. 52.

7.1   Facteurs et filiation répondent au principe même de la psychologie enfantine, s'il est vrai que l'enfance a dans la vie de l'individu une valeur fonctionnelle, comme période où s'achève de se réaliser en lui le type de l'espèce.
            Henri WALLON, l'Évolution psychologique de l'enfant, p. 8.

     Hist. littér. (au plur.). *Les enfances de Tristan, de Lancelot, de Vivien* (ou avec la syntaxe médiévale : les enfances Tristan, les enfances Lancelot) : les actions et exploits accomplis durant leur enfance et leur première jeunesse par ces héros de romans ou chansons de geste du moyen âge.

♦ 2 (Av. 1650). Sing. collectif. Les enfants. *L'avenir d'un pays réside dans son enfance. L'enfance est espiègle. La tendresse, les grâces, l'enjouement de l'enfance* (→ Cupidon, cit.). *Les premiers développements* (cit. 2), *le caractère* (cit. 36) *de l'enfance. S'occuper de l'enfance. L'enfance malheureuse, abandonnée, délinquante. La protection de l'enfance.*

8   Tout était juste alors : la vieillesse et l'enfance
    En vain sur leur faiblesse appuyaient leur défense (...)
                            RACINE, *Andromaque*, I, 2.

9   L'enfance a des manières de voir, de penser, de sentir, qui
    lui sont propres ; rien n'est moins sensé que de vouloir y
    substituer les nôtres (...)   ROUSSEAU, *Émile*, II.

10 (...) cette réalité de l'enfance, réalité grave, héroïque, mys-
    térieuse, que d'humbles détails alimentent et dont l'inter-
    rogatoire des grandes personnes dérange brutalement la
    féerie.   COCTEAU, *les Enfants terribles*, p. 24.

♦ 3 (V. 1260). Mentalité infantile réapparaissant dans le cas d'affaiblissement sénile des facultés (dans des expressions, notamment *en enfance*). → **Imbécillité, inconscience.** *Vieillard qui tombe, qui est retombé en enfance.* → **Gâtisme, sénilité** (→ Arguer, cit. 1). *Être en enfance.* → **Gâteux.**

11 L'imbécile *(faible)* Ibrahim (...)
    Traîne, exempt de périls, une éternelle enfance.
                                RACINE, *Bajazet*, I, 1.

11.1 «Messieurs, je deviens vieux et tombe en enfance. Traitez-
    moi comme un enfant.»
            J. GREEN, *Journal*, 1ᵉʳ avr. 1962, Vers l'invisible,
                                                      p. 312.

♦ 4 (Av. 1613). Fig. Première période d'existence (d'une chose). → **Commencement, début.** — *L'enfance de qqch. La divine enfance du cœur.* → **Fraîcheur, ingénuité** (→ Athénien, cit. 5). *L'enfance du monde.* → **Origine.** *L'enfance de Rome, de l'humanité* (→ Développement, cit. 9 ; distinguer, cit. 16). — *Dans l'enfance, en enfance. Science, art qui est encore dans l'enfance.* → **Lange** (dans les langes) ; → Cinéma, cit. 3.

12 Dans les temps bienheureux du monde en son enfance (...)
                                BOILEAU, *Satires*, V.

13 À cette époque (...) l'agriculture, le commerce, étaient dans
    l'enfance, et l'économie politique n'était pas encore née.
            A. BRILLAT-SAVARIN, *Physiologie du goût*, t. I,
                                                      p. 141.

14 (...) mais quand il s'agit d'une science dans l'enfance,
    comme la médecine, où existent des questions complexes
    ou obscures non encore étudiées, l'idée expérimentale ne
    se dégage pas toujours d'un sujet aussi vague.
            Claude BERNARD, Introd. à l'étude de la médecine
                                        expérimentale, p. 56.

Fam. *C'est l'enfance de l'art :* c'est la première chose que l'on apprend dans un art, la plus élémentaire, la plus facile pour réussir (→ Corrupteur, cit. 3).

CONTR. **Maturité, vieillesse. — Épanouissement ; déclin.**

ENFANÇON, ONNE [ɑ̃fɑ̃sɔ̃, ɔn] n. — Fin XIIᵉ ; mot courant dans la littérature du XVIᵉ, puis archaïque, sauf régionalement ; du lat. pop. *infantio, infantionis*, dimin. du lat. *infans, infantis* «enfant», d'après *enfant.*

Vx ou archaïsme littér. **Très petit enfant.** → **Bébé.**

1   Elle ouvre son tablier à largeur de bras et l'enfançon est
    là-dedans, couché tout nu sur une poignée d'herbe.
            J. GIONO, le Grand Troupeau, Pl., t. I, p. 723.

Par ext. Littér. et rare. **Personne innocente et sans défense ; petit enfant** (fig.).

2   Toute la souffrance créée dans le monde par la guerre,
    ne pèse pas plus que ne pèseraient les larmes de cette
    enfançonne.
            MONTHERLANT, Pitié pour les femmes, p. 155.

ENFANT [ɑ̃fɑ̃] n. m. — XIᵉ ; du lat. *infans*, à l'accusatif *infantem* «qui ne parle pas», de *in-*, préf. négatif, et *fari* «parler», mot désignant d'abord «l'enfant en bas âge», puis «le jeune enfant», avant de remplacer en bas lat. les mots *puer* «l'enfant de six à quatorze ou quinze ans» et *liberi* «les enfants (au sens II)» par rapport aux parents».

[I] ♦ 1 Jeune être humain, dans l'âge de l'enfance* (indépendamment de son sexe). *Toutes les grandes personnes ont été des enfants* (→ 1. Personne, cit. 6, Saint-Exupéry).

Un, des enfants. → **Petit ; fille, fillette, garçon, garçonnet ;** fam. **bambin, chiard, drôle** (régional), **galopin, gamin, gnard** (pop.), **gone** (régional), **gosse, lardon, loupiot, marmot, merdeux,** 3. **minot** (régional), **minouche, minouchet, mioche, miston** (régional), **môme, mômichon** (et **mômignard, mômillon**), **morveux, mouflet, moutard.** *Un enfant qui vient de naître ; un enfant en bas âge, au berceau,* (vx) *à la mamelle, au biberon.* → **Bébé, nourrisson, nouveau-né, poupard, poupon ;** 2. **salé** (petit) ; (vx) **enfançon, enfantelet.** *Enfant qui apprend à parler, à marcher* (→ Développement, cit. 2, Rousseau). *Les premières sensations des enfants* (→ Affectif, cit. 1, Rousseau). *Saisir l'enfant au berceau* (→ Assigner, cit. 9, Duhamel). *Enfant à l'étroit dans ses langes* (→ Amnios, cit., Rousseau). *Un enfant* (valeur relative, en général entre l'âge de la parole et six ou sept ans). *Un jeune enfant. Cet enfant grandit, est déjà grand, grandelet.* — REM. Après le premier âge, *enfant* au sing. désigne plus souvent un garçon qu'une fille, à cause du genre grammatical. — *Savoir parler aux enfants. Noms d'affection* donnés aux enfants :* amour, ange, petit bonhomme, petite bonne femme, chat, chou, coco, poussin, rat... *Représentation des enfants* (→ **Amour, ange, angelot, chérubin, cupidon, putto** ; → Cupidon, cit. Fénelon). — *Un enfant blond* (→ **Blondinet ;** → Chère tête blonde*), *roux* (→ **Rouquin**), *brun... Joli enfant qui a des joues comme une pomme* (cit. 9). — *L'enfant était cramponné à sa jupe* (→ Arracher, cit. 26, Sand). *Un pauvre enfant vêtu de noir* (→ Asseoir, cit. 27, Musset). — *Enfant maladif, fort* (→ Battre, cit. 3, La Bruyère).

Enfant câlin, charmant, doux, gentil. Un enfant calme et obéissant. Enfant bruyant, capricieux, espiègle, mutin (→ Choquant, cit. 3, Rousseau), *terrible, turbulent* (→ **Babouin** (vx)), **coquin, diable, diablotin, garnement, polisson, vaurien).** *Enfant vif comme un papillon* (→ Causeur, cit. 1, Sand). *Enfant gâté*, mal élevé, insupportable, difficile. Les caprices* (cit. 4, Rousseau) *des enfants. Enfant attentif* (cit. 14, Bossuet). *Enfant candide, naïf. Candeur, fraîcheur, innocence, naïveté des enfants. La bienveillance* (cit. 4, Rousseau), *l'application* (cit. 5, La Bruyère), *l'indifférence* (→ Adulte, cit., Mauriac), *la paresse* (→ Appliquer, cit. 36, La Bruyère) *des enfants* (→ aussi Ascendant, cit. 6, La Bruyère). *L'air innocent d'un enfant* (→ Bégayer, cit. 6, Boileau). *Cet enfant est gai, équilibré. Enfants à problèmes. Enfants anormaux, arriérés* (cit. 3, Duhamel ; cit. 4, Mauriac), *inadaptés, psychotiques, autistes, mongoliens. Enfant abandonnique*.* — *S'occuper d'un enfant. Élever plusieurs enfants* (→ ci-dessous, le sens II). *Soins donnés aux enfants.* → **Puériculture ; crèche, garderie, jardin** (d'enfants), **maternelle, nursery, pouponnière.** *Personnes chargées de s'occuper des enfants.* → **Gouvernante, jardinière** (d'enfants), **nurse ;** (anglic.) **baby-sitter.** — (Vieilli) *Bonne* d'enfants. Soigner les enfants. Médecine des enfants :* médecine infantile (→ **Pédiatre, pédiatrie**). *Éduquer un enfant* (→ **Pédagogie ; instruction ; école**). *Instituteur*, institutrice, pédagogue* qui s'occupe* *de nombreux enfants. Guider un enfant* (→ Affectueusement, cit., Rolland). *L'éducation d'un enfant* (→ Amas, cit. 13, Rolland). *De l'institution des enfants,* chapitre des *Essais* de Montaigne. — *Relations entre adultes et enfants. Attirance sexuelle pour les enfants.* → **Pédophilie.** — *Choyer, aduler, cajoler un enfant. Maltraiter un enfant. Bourreau* d'enfants* (→ ci-dessous Enfant martyr). — *Kidnapper* un enfant.*

1 Laissez venir à moi les petits enfants, et ne les empêchez point, car le royaume de Dieu est pour ceux qui leur ressemblent.
BIBLE (SACY), Évangile selon saint Marc, X, 14.

2 Mais un fripon d'enfant (cet âge est sans pitié) [...]
LA FONTAINE, Fables, IX, 2.

3 L'enfant sent ses besoins, et ne les peut satisfaire, il implore le secours d'autrui par des cris : s'il a faim ou soif, il pleure ; s'il a trop froid ou trop chaud, il pleure ; s'il a besoin de mouvement et qu'on le tienne en repos, il pleure ; s'il veut dormir et qu'on l'agite, il pleure.
ROUSSEAU, Émile, I.
N. B. Cette citation concerne aussi l'emploi collectif ci-dessous.

4 Lorsque l'enfant paraît, le cercle de famille
Applaudit à grands cris. Son doux regard qui brille
Fait briller tous les yeux (...)
Il est si beau, l'enfant, avec son doux sourire,
Sa douce bonne foi, sa voix qui veut tout dire,
Ses pleurs vite apaisés (...)
HUGO, les Feuilles d'automne, XIX.

5 (...) je crois que la plupart des enfants sont des inspirés, des moyens pris par Dieu pour s'exprimer.
MONTHERLANT, la Relève du matin, p. 8.

Spécialt (l'emploi du lat. class. *infans,* opposé à *puer,* reste vivant). Enfant à la naissance et peu après. → **Nouveau-né.** *Naissance d'un enfant* (→ Accouchement, naissance). *Enfant né* viable. Enfant prématuré*, élevé en couveuse*. Enfant mort-né. Enfants jumeaux* (→ Jumeau ; gémellité). *Enfants nés d'une même grossesse.* (→ Triplés, quadruplés, quintuplés...). *Nourrir un enfant au sein, au biberon.* → **Allaitement, biberon** (cit. 1), **tétée ; nourrice, nourrir.** *Sevrer* un enfant. Bercer un enfant pour l'endormir* (→ Assoupir, cit. 11, Lamartine ; berceau, cit. 1, Rousseau). → **Bercement.** *Nettoyer, baigner, changer un enfant. Peser un enfant* (→ **Pèsebébé**). *Promener un enfant dans un landau*, une poussette*. Porter un enfant* (→ Baller, cit. 3, Colette). *La layette* d'un enfant.* → aussi **Barboteuse, bavette, brassière, chausson, couche, grenouillère, maillot ; bonnet, bourrelet** (vx). *Aliments pour enfant.* → Babyfood (anglic.).

5.1 Éternité du cri
De l'enfant qui semble
Naître de la douleur
Qui se fait lumière.
Yves BONNEFOY, Poèmes, «La Terre», p. 283.

... d'enfant : pour enfant. *Chaise, lit d'enfant.*

(Syntagmes figés). *Enfant terrible,* particulièrement difficile à élever et à supporter (→ ci-dessous, les valeurs figurées).

6 Les enfants malheureux sont souvent, par dépit et ressentiment, des enfants terribles.
A. MAUROIS, Lélia, I, IV, p. 43.

Enfant martyr, qui est soumis régulièrement à de mauvais traitements.

6.1 (...) tous ces horribles faits divers : enfants martyrs, enfants noyés par leur propre mère.
S. DE BEAUVOIR, les Belles Images, p. 73.

Enfant prodige, d'une précocité extraordinaire. *Mozart fut un enfant prodige.*

Enfant sauvage : enfant élevé hors de tout groupe humain (par des animaux, etc.). *Les enfants-loups.*

6.2 La littérature sur les enfants-loups fortement teintée de légende, ne livre guère de données scientifiques sur ce

que serait l'homme vivant sur son seul fonds génétique.
A. LEROI-GOURHAN, le Geste et la Parole, t. II, p. 28.

En comp. (→ aussi ci-dessous Enfant-Dieu) :

6.3 (...) comme dans Shakespeare quand le jeune héritier du trône, l'enfant-roi aux cheveux coupés en frange, a été égorgé malgré les aboiements affolés du petit épagneul entendant approcher les pas des meurtriers.
Claude SIMON, le Palace, p. 89.

6.4 Les enfants m'ont touché. La voix de l'enfant-homme est bien autrement pénétrante que celle des femmes que j'ai toujours trouvée criarde et peu expressive (...).
E. DELACROIX, Journal, 7 sept. 1854.

Collectivt. *L'enfant :* l'ensemble des enfants. → **Enfance,** 2. (→ aussi ci-dessus, cit. 3). *L'imagination, la personnalité de l'enfant. Étapes de la vie de l'enfant. Développement* (cit. 2), *croissance de l'enfant. Morphologie, physiologie de l'enfant. Les maladies de l'enfant. — L'apprentissage du langage par l'enfant. Le babil, les cris de l'enfant* (→ Acéré, cit. 3). → **Babil, babiller** (cit. 6, Duhamel) ; **balbutiement, balbutier ; gazouillement, gazouiller** (→ Bêler, cit. 1, Lamartine) ; **lallation ; préverbal ; vagir, vagissement.** *Le langage, la syntaxe, le vocabulaire de l'enfant. — La psychologie, l'affectivité de l'enfant.*

6.5 L'enfant n'est que lui, ne voit que lui, n'aime que lui, et ne souffre que de lui : c'est le plus énorme, le plus innocent et le plus angélique des égoïstes.
Éd. et J. DE GONCOURT, Journal, t. II, p. 204.

6.6 L'enfant, Victor Hugo et bien d'autres l'ont vu ange. C'est féroce et infernal qu'il faut le voir. D'ailleurs la littérature sur l'enfant ne peut être renouvelée que si l'on se place à ce point de vue. Il faut casser l'enfant en sucre que tous les Droz ont donné jusqu'ici à sucer au public. L'enfant est un petit animal nécessaire. Un chat est plus humain.
J. RENARD, Journal, 18 févr. 1890.

L'enfant Jésus : Jésus dans son enfance ; image le représentant. *Beau, sage comme l'enfant Jésus :* très beau, très sage. — *Le divin enfant* [divinãfã] : Jésus. — En comp. *L'Enfant-Dieu.* — **ENFANT DE CHŒUR :** enfant qui se tient dans le chœur pendant les offices pour servir le prêtre (→ Cristallin, cit. 2). *Apprendre le chant aux enfants de chœur* (→ Manécanterie, psallette). *Il n'a pas l'air d'un enfant de chœur :* ce n'est pas un naïf.

7 Et ces enfants de chœur plus beaux que rien qui soit au monde,
Leurs soutanelles écarlates, leurs surplis jolis,
Et les lourds encensoirs bercés de leurs mains apâlies (...)
VERLAINE, Dédicaces, «Laurent Thailhade».

8 Bien que plus d'un soit chenu et habillé de vert, je vous dis que ce sont des enfants de chœur.
J. ROMAINS, les Hommes de bonne volonté, t. V,
XVII, p. 124.

Loc. *C'est un jeu d'enfant :* cela ne présente aucune difficulté. → **Enfance** (c'est l'enfance de l'art), **enfantin, facile.**

Il n'y a plus (y a plus) d'enfants, se dit à propos d'enfants dont les paroles, les actes ne sont pas de leur âge.

9 Ah ! Il n'y a plus d'enfants.
MOLIÈRE, le Malade imaginaire, II, 8.

Innocent (pur...) comme l'enfant qui vient de naître (souvent iron.).

Adj. *Lorsque j'étais enfant,* tout jeune, tout petit. *Tout enfant que j'étais* (→ 1. Canon, cit. 1). — Ellipt. *Ce que j'ai fait, enfant, encore enfant* (→ Apprendre, cit. 23).

10 Enfant, j'aimais comme eux à suivre dans la plaine
Les agneaux pas à pas, égarés jusqu'au soir (...)
LAMARTINE, Nouvelles méditations, «Préludes».

(Après un n. propre). *Un portrait de Louis XIV enfant.*

♦2 **Homme, femme très jeune** (par rapport à la norme implicite du contexte en matière de maturité). → **Adolescent.** *C'est encore un enfant, une enfant. Coquette qui affole* (cit. 1) *un enfant.*

11 J'avais donc dix-huit ans ! j'étais donc plein de songes ! (...)
J'étais un dieu pour toi qu'en mon cœur seul je nomme :
J'étais donc cet enfant, hélas, devant qui l'homme
Rougit presque aujourd'hui !
HUGO, les Feuilles d'automne, XIV.

REM. Cet emploi est rare, en parlant d'une femme. *Elle
est encore un enfant* (→ ci-dessous le n. f.). *«Le commencement d'une femme dans la fin d'un enfant»*
(→ Adolescence, cit. 1, Hugo).

♦ **3** N. f. UNE **ENFANT** : une jeune femme, une jeune
fille (avec une connotation condescendante). *C'est une
charmante enfant. Une pauvre enfant, malheureuse
et délaissée* (→ Compatissant, cit. 2).

12 Excusez ma tendresse pour une enfant dont je n'ai jamais
eu aucun sujet de plainte.
RACINE, Lettre à sa tante, *in* LITTRÉ.

♦ **4** N. et adj. Personne qui a conservé dans l'âge
adulte des sentiments, des traits propres à l'enfance ou qui se comporte comme un enfant dans
certaines circonstances. *C'est un enfant, un grand
enfant, un vieil enfant* (→ Coloriage, cit.). *Il sera toute
sa vie un enfant.* — Adj. *Il a un côté enfant* (→ Civiliser, cit. 3). → **Gamin, gamine.** *Il, elle est très enfant.
Une femme* enfant.* — REM. Alors que l'emploi subst.
est souvent métaphorique (ci-dessous, cit. 15, 16 et 17),
l'emploi adj. (cit. 13 et 14) est mieux lexicalisé.

13 Elle a grand besoin de cet exemple pour se former ; elle est
enfant au delà de ce qu'on peut imaginer, et Madame la
Dauphine est une merveille d'esprit, de raison et de bonne
éducation.
Mme DE SÉVIGNÉ, Lettres, 799, 12 avr. 1680.

14 (...) nous lisions tour à tour sans relâche et passions les
nuits à cette occupation (...) quelquefois mon père, entendant le matin les hirondelles, disait tout honteux : Allons
nous coucher ; je suis plus enfant que toi.
ROUSSEAU, les Confessions, I.

15 Pardonnez-moi, ô grands poètes, qui êtes maintenant un
peu de cendre et qui reposez sous la terre ! pardonnez-
moi ! Vous êtes des demi-dieux, et je ne suis qu'un enfant
qui souffre.
A. DE MUSSET,
la Confession d'un enfant du siècle, II.

16 Heureux et confiant, cet homme est un enfant qui joue :
il ne croit pas à sa mort ; il ne la pense même pas.
André SUARÈS, Trois hommes, «Ibsen», V, p. 141.

17 Je ne suis, hélas ! qu'un vieil enfant chargé d'inexpérience, et vous n'avez pas grand'chose à craindre de moi.
Redoutez ceux qui vont venir, qui vous jugeront, redoutez
les enfants innocents car ils sont aussi des enfants terribles
(...) redevenez vous-mêmes des enfants, retrouvez l'esprit
d'enfance.
BERNANOS, les Grands Cimetières sous la lune,
p. 262.

Loc. *Vous le prenez pour un enfant,* pour plus
naïf qu'il n'est. *Traiter qqn en enfant,* ne pas le
prendre au sérieux (→ Babiole, cit. 1). — *Faire l'enfant :* badiner comme un enfant ; s'amuser à des
choses puériles, futiles ou, encore, s'entêter dans
un caprice, affecter l'ignorance, l'innocence.

18 Ils me rient au nez, me disent que je fais l'enfant (...)
MARIVAUX, la Double Inconstance, II, 1.

19 Pendant que les philosophes radotent et font les
enfants (...)
ROUSSEAU, Émile, III.

20 — Elle a dix-huit ans, César ! Dix-huit ans ! Elle finira
comme sa tante Zoé ! (...) Qui l'aurait dit ? Une petite Sainte-
N'y-Touche, qui faisait la pudeur, qui faisait l'enfant ! —
Pourvu qu'elle ne le fasse pas pour de bon !
M. PAGNOL, Marius, IV, 4.

Les enfants s'amusent, se dit plaisamment
d'adultes qui se livrent à une occupation puérile.

Un enfant gâté : une personne qui a l'habitude de
voir tous ses caprices satisfaits. *Caprices d'enfant
gâté.*

Un enfant terrible : celui qui, par une sincérité
imprudente, par des incartades, des coups de tête,
compromet les siens. *L'enfant terrible d'un parti,
d'un groupe :* un membre qui aime à manifester
son indépendance d'esprit.

Bon enfant, n. et adj. → **Bon** (cit. 54, 54.1 et 55). *Cadet
Rousselle est bon enfant* (chanson populaire). *Le
commissaire est bon enfant,* pièce de Courteline.

II ♦ **1** Être humain (généralement jeune) à l'égard
de la filiation ; fils* ou fille* (soit dans des contextes particuliers, soit avec un compl. de nom ou un possessif). *Femme qui donne la vie à un enfant.* → **Conception ; génération ; concevoir, engendrer.** *Attendre
un enfant :* être enceinte*. → **Porter ; grossesse.**
Avoir (→ ci-dessous, cit. 26), *mettre au monde un
enfant, donner le jour à un enfant.* → **Accoucher,
enfanter.** Péj. *Les pondeuses* (cit.) *d'enfants. Elle pon-
dait* (cit. 4) *un enfant tous les ans. Mal d'enfant.*
→ **Accouchement, parturition** (→ Accoucher, cit. 2 ; clinique, cit. 2).

Les femmes mettaient les enfants au monde, simplement   2
accroupies dans l'ombre de la tente, soutenues par deux
femmes, le ventre serré par la grande ceinture de toile.
J.-M. G. LE CLÉZIO, Désert, p. 23.

Loc. fam. **FAIRE UN ENFANT.** **[a]** (Le sujet désigne une
femme). Concevoir, porter, mettre au monde un
enfant.

[b] (Le sujet désigne un homme). *Faire un enfant à une
femme,* la rendre enceinte.

*Les parents d'un enfant ; un enfant et ses parents.
Les parents de l'enfant ; l'enfant et ses parents.*
→ **Ascendance, famille, parenté ; père** (et cit. 2, 5),
mère. *Prépondérance des caractères maternels,
paternels chez un enfant.* → **Matroclinie, patroclinie.**
*Il, elle a eu un enfant, deux... enfants, de nom-
breux enfants.* → **Descendance, fils, fille ; héritier,
rejeton ; lignée, postérité, progéniture.** (Loc. vieillie)
Être chargé d'enfants. Une ribambelle d'enfants.
→ **Couvée, marmaille.** *Enfants mineurs ; enfants
majeurs. Enfant unique.* — *Enfant de famille* ;
enfant de bonne, de grande famille. Cet enfant a
perdu ses parents.* → **Orphelin.** — *Enfant légitime*,*
né de parents unis par le mariage. *Enfants du
premier lit, du second... lit*. Désavouer* un enfant.*
→ **Désaveu.** *Déshériter un enfant.* → **Exhérédation.**
Enfant adoptif. → **Adoption.** *Enfants nés hors du
mariage.* → **Illégitime, naturel ; adultérin, incestueux.**
Un enfant de l'amour : un enfant naturel. → **Bâtard.**
Reconnaître un enfant naturel. → **Reconnaissance.**
*Déclarer un enfant en mairie. Légitimer un enfant
naturel.* → **Légitimation.** *Abandonner, exposer un
enfant.* → **Abandon, exposition.** *Enfant de père et de
mère inconnus. Enfant trouvé** (→ **Champi**), *qu'on a
trouvé alors qu'il était abandonné par ses parents,
par sa mère. Enfants assistés.* → **Assistance, assisté,
pupille.** — *Enfant putatif*. Supposition* d'enfant.* —
Enfant à charge* (peut s'interpréter aussi au sens I).

*L'enfant, les enfants de qqn, son enfant, ses enfants.
L'enfant unique d'un couple. Les enfants d'Édouard.*
— (Avec le poss.). *Une mère et ses enfants. C'est son
enfant préféré, le préféré de, parmi ses enfants. Ils
sont venus avec, sans leurs enfants. Le plus âgé*
(→ **Aîné**), *les plus jeunes* (→ **Benjamin, cadet, dernier-
né, puîné**) *de leurs enfants. M. et Mme X et leurs
enfants. M. X, sa femme et ses enfants ; Mme Y, son
mari et ses enfants.*

Les époux contractent ensemble, par le seul fait du   21
mariage, l'obligation de nourrir, entretenir et élever leurs
enfants.
Code civil, art. 203.
L'enfant, à tout âge, doit honneur et respect à ses père et   22
mère. Il reste sous leur autorité jusqu'à sa majorité ou son
émancipation.
Code civil, art. 371, 372.

23　Les enfants peut-être seraient plus chers à leurs pères, et
réciproquement les pères à leurs enfants, sans le titre d'héritiers.　　　　　　　　　LA BRUYÈRE, les Caractères, I, 67.

24　Voyez-vous, nos enfants nous sont bien nécessaires,
Seigneur ; quand on a vu dans sa vie, un matin,
Apparaître un enfant, tête chère et sacrée,
Petit être joyeux,
Si beau, qu'on a cru voir s'ouvrir à son entrée
Une porte des cieux (...)
Lorsqu'on a reconnu que cet enfant qu'on aime
Fait le jour dans notre âme et dans notre maison,
Que c'est la seule joie ici-bas qui persiste
De tout ce qu'on rêva,
Considérez que c'est une chose bien triste
De le voir qui s'en va !
　　　　　　　　　HUGO, les Contemplations, «À Villequier».

25　Quand elle eut un enfant, il le fallut mettre en nourrice.
Rentré chez eux, le marmot fut gâté comme un prince.
La mère le nourrissait de confitures ; son père le laissait
courir sans souliers, et, pour faire le philosophe, disait
même qu'il pouvait bien aller tout nu, comme les enfants
des bêtes.　　　　　　　　FLAUBERT, Mme Bovary, I, 1.

26　Te rappelles-tu cette époque, mon doux maître, où nous
faisions les vœux, pour avoir un enfant, dans lequel nous
renaîtrions une seconde fois, et qui serait le soutien de
notre vieillesse ?
　　　　　　　　　LAUTRÉAMONT, les Chants de Maldoror, I.

27　Enfant perdu, trouvé, sans état civil, sans papiers, je suis
surtout heureux de ne devoir rien qu'à moi-même.
　　　　　　　　　　　　　GIDE, Œdipe, I.

28　Mademoiselle de Lespinasse était un enfant de l'amour. Si
le nom de sa mère est connu (...) celui de son père a été
longtemps ignoré (...)
　　　　　　　　　Émile HENRIOT, Portraits de femmes, p. 197.

28.1　(...) elle venait tout le temps m'assassiner avec *notre* enfant,
me montrant son ventre et ses seins, et me disant qu'il
allait naître d'un moment à l'autre, elle le sentait qui bondissait déjà.　　　　　S. BECKETT, Premier amour, p. 53.

L'enfant prodigue (par allusion au fils qui, dans une
parabole de l'Évangile, Luc, xv, 11-32, dissipe sa part
et revient repentant au foyer où il est chaleureusement
accueilli) : enfant que l'on accueille avec joie à son
retour au foyer qu'il avait depuis longtemps abandonné. *Tuer le veau gras pour le retour de l'enfant
prodigue. — Le Retour de l'enfant prodigue,* œuvre
d'André Gide.

L'enfant chéri. → Chérir, cit. 14 et 16.

Traiter qqn comme l'enfant de la maison
(→ Apprenti, cit. 2).

REM. 1. Par rapport au sens I, cette valeur — sauf avec le
possessif — n'est pas toujours distincte hors contexte. Les
phrases *«les enfants, venez à table»; «les enfants, fini de
jouer»* peuvent correspondre aux deux sens, selon qu'il
s'agit des enfants d'une même famille appelés par leurs
parents, ou non. *Les X viendront avec les enfants* correspond à : *avec leurs enfants.*
2. Par rapport à *fils* et à *fille,* le mot *enfant,* au sens II, subit
des contraintes du fait du sens I. On dira plus facilement :
son fils, sa fille a dépassé cinquante ans, est déjà âgé,
que : *son enfant...* L'emploi des adj. est lui aussi moins
libre (cf. *son fils aîné, son grand fils,* etc., impossibles avec
enfant).
3. Les traits sémantiques communs aux sens I et II sont
«être humain» et «considéré indépendamment du sexe».
Enfant, sur ce plan, s'apparente à *homme* (I.) et s'oppose
à *femme.* Mais *homme,* possédant aussi (II.) le trait «sexe
déterminé», est dans une situation différente.

♦ **2** Appellatif. **a** Au masc. sing., avec le possessif. *Mon
enfant,* se dit à une personne plus jeune que le
locuteur (qu'il s'agisse d'un enfant assez grand
ou d'un adulte) et marque une bienveillance condescendante ou affectueuse. → Mon fils*, ma fille*;
adieu, cit. 6 ; assiette, cit. 8 ; boire, cit. 43.

b Au fém., s'adressant à une femme (le locuteur est en
général un homme). *Mon enfant, ma belle enfant,*

ma chère enfant (légèrement archaïque ou ironique).
→ Mon petit*, ma petite.

(...) Va-t'en, ma pauvre enfant (...)　　　　　　28.2
　　　　　　　　　MOLIÈRE, les Femmes savantes, II, 6.

Mon enfant, ma sœur,　　　　　　　　　　　28.3
Songe à la douceur
D'aller là-bas vivre ensemble !
　　　　　　　BAUDELAIRE, le Spleen de Paris, XVIII,
　　　　　　　　　　　　　　　«L'invitation au voyage».

c Au plur., avec ou sans possessif. *Bonjour, mes
enfants, les enfants ! Dites-donc, les enfants, on
ne s'ennuie pas ici ! Eh bien, mes enfants.* → Mes
agneaux*, mes cocos, etc.

♦ **3** ENFANT(S) DE... : descendance de... → **Descendant, petits-enfants.** *Une grande fête familiale a
réuni les enfants de notre voisine pour son quatre-
vingtième anniversaire. Les enfants d'Adam, d'Israël...* → **Postérité, race.**

Des enfants de Japet toujours une moitié　　　　29
Fournira des armes à l'autre.
　　　　　　　　　LA FONTAINE, Fables, II, 6.

Partez, enfants d'Aaron, partez.　　　　　　　30
　　　　　　　　　　RACINE, Athalie, IV, 6.

Sans complément :

Et les fautes des pères retomberont sur les enfants jusqu'à　31
la troisième et la quatrième génération.
　　　　　　A. DUMAS père, P. Jones, V, 2, *in* T. L. F.

Personnes rattachées par leurs origines à qqn ou
à qqch. *Les enfants de France :* les enfants légitimes du roi de France et ceux qui descendent
des aînés (→ Baptismal, cit. 2). *Les enfants de Dieu,*
par la grâce. *Les enfants de l'Église :* les chrétiens.
— Au sing. *Un enfant égaré* (cit. 26) *de l'Église.*

On appelle figurément les *enfans de Dieu,* les *enfans de*　32
l'Église, les bons chrestiens ; les *enfants du Diable,* les mes-
chants, et sur tout les menteurs.
　　　　　　　FURETIÈRE, Dictionnaire, art. *Enfant.*

Mais il *(le Verbe)* a donné le pouvoir de devenir enfants　33
de Dieu à tous ceux qui l'ont reçu, à ceux qui croient en
son nom, qui ne sont point nés du sang, ni de la volonté
de la chair, ni de la volonté de l'homme, mais de Dieu
même.
　　　　　　BIBLE (SACY), Évangile selon saint Jean, I, 12-13.

ENFANTS DE MARIE : congrégation catholique de
jeunes filles qui ont une dévotion particulière à
la Vierge Marie. Au sing. *Une enfant de Marie.* Fig.
Jeune fille chaste et naïve. *C'est une enfant de Marie
et son frère un boy-scout.*

Les enfants de la patrie.

Ainsi la Grèce en vous trouve un enfant rebelle ?　　34
　　　　　　　　　RACINE, Andromaque, I, 2.

Allons, enfants de la patrie,　　　　　　　　　35
Le jour de gloire est arrivé !
　　　　　　　ROUGET DE LISLE, la Marseillaise, I.

Littér. et vx. *Les enfants de la Louve :* les Romains.
Les enfants de Mars, de Bellone : les guerriers. *Les
enfants d'Apollon :* les poètes (le sing. est possible).

Loc. fam. *Il ne faut pas prendre les enfants du bon
Dieu pour des canards* sauvages.*

♦ **4** Loc. (le sing. est normal). Anciennt. **ENFANT DE
TROUPE :** fils de militaire élevé dans une caserne,
dans une école militaire.

(...) j'ai commencé par être enfant de troupe, — gagnant　36
ma demi-ration et mon demi-prêt dès l'âge de neuf ans,
mon père était soldat aux gardes.
　　　　　　A. DE VIGNY, Servitude et Grandeur militaires, I, V.

Il a d'abord été enfant de troupe à La Flèche, comme fils　37
d'officier (...) tu vois (...) Seulement il s'est foulé un genou
en faisant des exercices.
　　　　　　J. ROMAINS, les Hommes de bonne volonté, t. IV,
　　　　　　　　　　　　　　　　　　　V, p. 40.

Un enfant de la balle. → **Balle** (cit. 5 et 6).

38   Et le plus amer de tout, c'était que Suzanne était une vraie
      femme de théâtre, presque une enfant de la balle.
                    G. DUHAMEL, *Chronique des Pasquier*, IX, xx,
                                                      p. 253.

♦ **5** Celui, celle qui est originaire de (un pays, un
milieu). → **Citoyen, natif.** *Un enfant du midi. Un
enfant de Paris, de Belleville. Un titi parisien, enfant
des faubourgs* (→ Gavroche, poulbot). *Celui qui porte
l'empreinte de sa classe d'origine, de son temps... Un
enfant du peuple. Un enfant du siècle.* — *La Confession d'un enfant du siècle,* roman d'Alfred de
Musset.

39   Moins dominé que les autres par la question religieuse, en
      sa qualité d'enfant du dix-neuvième siècle, le magistrat eut
      au cœur une féroce épouvante, car il put alors contempler
      le drame de la vie intérieure de Véronique (...)
                    BALZAC, *le Curé de village*, Pl., t. VIII, p. 761.

40   Olivier Patru (...) était un enfant de Paris, un des enfants
      les mieux doués de cette bourgeoisie la plus aimable de
      l'univers : avec les qualités il en eut aussi plus d'un défaut,
      et tout d'abord le trop de mollesse.
                    SAINTE-BEUVE, *Causeries du lundi*, 5 janv. 1852,
                                                      t. V, p. 276.

41   Chacun (...) ne ressemble qu'à lui-même, selon sa nature et
      sa condition, aristocrate comme Octave, enfant du peuple
      comme Julien (...)
                    Émile HENRIOT, *les Romantiques*, p. 362.

♦ **6** Fig. et littér. Produit, ce qui provient de. *Les personnages d'un romancier sont les enfants de ses
rêves. Le succès, enfant de l'audace* (cit. 6). *La vengeance, enfant de la colère.*

42   Impatients désirs d'une illustre vengeance (...)
      Enfants impétueux de mon ressentiment (...)
                    CORNEILLE, *Cinna*, I, 1.

43   (...) si je n'avais pour vous qu'un goût ordinaire, que ce
      goût léger, enfant de la séduction et du plaisir, qu'au-
      jourd'hui pourtant se nomme amour (...)
                    LACLOS, *les Liaisons dangereuses*, Lettre LXVIII.

44   Ce livre est enfant de la hâte.
                    VALÉRY, *l'Idée fixe*, p. 9.

**CONTR. Adulte, vieillard. Parent(s); auteur, père, mère.
— Étranger (à). ◊ DÉR. Enfançon, enfantelet, enfanter,
enfantin. — V. Enfantillage.**

ENFANTELET, ETTE [ɑ̃fɑ̃tlɛ, ɛt] n. — XIIIᵉ, repris
comme archaïsme au mil. du XIXᵉ; de *enfantel* «petit
enfant», de *enfant.*

Vx ou archaïsme littér. Petit enfant. → Enfançon.

    La vieille vit l'enfantelet tout nu, qui dormait bien au
    chaud sur le poil roux des deux mignonnes bêtes endor-
    mies comme lui.
                    Jean AICARD, *Maurin des Maures*, 1908, IX, p. 98,
                                                      in D.D.L., II, 9.

ENFANTEMENT [ɑ̃fɑ̃tmɑ̃] n. m. — Déb. XIIᵉ; de
enfanter.

♦ **1** Vx. Action d'enfanter, de mettre au monde
un enfant. → **Accouchement.** *Les douleurs de
l'enfantement. Un enfantement laborieux. L'enfantement d'une femme :* le fait d'enfanter, pour une
femme. — (En parlant des animaux, avec une métaphore humaine) :

1   (...) avez-vous observé l'enfantement des biches? Avez-
      vous compté les mois de leur conception, et savez-vous
      le temps de leur délivrance? Elles se courbent pour se
      délivrer; elles enfantent, et elles jettent des cris de dou-
      leur.   BIBLE (SACY), Job, XXXIX, 1, 2, 3.

2   Qu'ont-ils à dire contre la résurrection, et contre l'enfante-
      ment de la Vierge? qu'est-il plus difficile, de produire un
      homme ou un animal, que de le reproduire?
                    PASCAL, *Pensées*, III, 223.

Par métaphore. «*Le prodigieux enfantement du blé*»
(Estaunié, *in* T. L. F.).

♦ **2** (Fin XVIᵉ). Littér. *La genèse et l'enfantement d'une
œuvre littéraire, d'un monde nouveau.* → **Création,
production.**

    La peine, le supplice, la torture de la vie littéraire : c'est   3
    l'enfantement.
                    Ed. et J. DE GONCOURT, *Journal*, p. 30.

    (...) des hommes ont souffert, des hommes sont morts,   4
    tout un peuple a vécu pour que le dernier des imbéciles
    aujourd'hui ait le droit d'accomplir cette formalité truquée
    (les élections). Ce fut un terrible, un laborieux, un redou-
    table enfantement.
                    Ch. PÉGUY, *la République...*, p. 230.

ENFANTER [ɑ̃fɑ̃te] v. tr. — V. 1130; de *enfant.*

♦ **1** Littér. Mettre au monde (un enfant). → **Accoucher**
(de), **engendrer.** *Ève enfanta Caïn et Abel.* — Absolt.
*Une femme qui enfante pour la première fois, qui a
enfanté plusieurs fois.* → suff. **-pare** (primipare, multi-
pare).

    Engendrer est relatif à la génération ; enfanter, à l'enfant   1
    qui est mis au monde. De là la différence de sens entre ces
    deux mots : d'abord engendrer se dit également du mâle
    et de la femelle, de l'homme et de la femme ; enfanter ne
    se dit que de la femme seule.
                    LITTRÉ, *Dict.*, art. *Enfanter.*

    À la femme, il dit : «Je multiplierai tes souffrances et spé-   2
    cialement celles de ta grossesse ; tu enfanteras des fils dans
    la douleur (...)»   BIBLE (CRAMPON), Genèse, III, 16.

    Pourquoi une vierge ne peut-elle enfanter? une poule ne   3
    fait-elle pas des œufs sans coq? qui les distingue par
    dehors d'avec les autres ?   PASCAL, *Pensées*, III, 222.

    Elle *(la femme)* doit aimer et enfanter, c'est là son devoir   4
    sacré.   MICHELET, *la Femme*, p. 120.

    Est-ce que tu sais ce que c'est que de se déchirer en deux   5
    et de mettre au dehors ce petit être qui crie? Et la sage-
    femme m'a dit que je n'enfanterai plus.
                    CLAUDEL, *l'Annonce faite à Marie*, III, 3.

(D'un animal). Littér. (et par métaphore humaine). Mettre
bas.

    (La chatte) Nonoche aux trois couleurs avait enfanté   5.1
    l'avant-veille, Bijou, sa fille.
                    COLETTE, *la Maison de Claudine*, p. 81.

REM. On trouve chez Flaubert un emploi anormal de
enfanter avec le nom d'un homme pour sujet et la construction en *à de faire* («*il lui enfanta deux enfants*», la
Tentation de saint Antoine, Pl., p. 258).

Fig. *La montagne enfanta une souris :* les grands
projets, les belles promesses n'ont abouti à rien.
→ **Accoucher** (cit. 2).

    Que produira l'auteur après tous ces grands cris?   6
    La montagne en travail enfante une souris.
                    BOILEAU, *l'Art poétique*, III.

Par métaphore (langue class.). Faire sortir de soi.

    Ce peuple que la terre enfantait tout armé (...)   7
                    CORNEILLE, *Médée*, I, 1.

♦ **2** (Déb. XIIIᵉ). Littér. Créer, produire. *Une terre
qui enfante des héros.* → **Produire.** *Le XIIIᵉ siècle
a enfanté presque toutes les cathédrales* (cit. 4).
Enfanter une œuvre, un projet. → **Jour** (mettre au),
préparer. — Au p. p. *Chimères* (cit. 4) *enfantées
par l'imagination.* → **Créer.** — *Les maux qu'enfante
la guerre.* → **Engendrer, naître** (faire). — *La colère
enfante le crime, l'injustice enfante la révolte.*

    Bienheureux Scudéri, dont la fertile plume   8
    Peut tous les mois sans peine enfanter un volume!
                    BOILEAU, *Satires*, II.

    Nous avons beau enfler nos conceptions, au delà des   9
    espaces imaginables, nous n'enfantons que des atomes,
    au prix de la réalité des choses.
                    PASCAL, *Pensées*, II, 72 (→ Atome, cit. 9).

    Et quel affreux projet avez vous enfanté   10
    Dont votre cœur encor doive être épouvanté?
                    RACINE, *Phèdre*, I, 3.

11   (...) une intelligence supérieure n'enfante pas le mal sans douleur, parce que ce n'est pas son fruit naturel, et qu'elle ne devait pas le porter.
          CHATEAUBRIAND, Mémoires d'outre-tombe, t. II, p. 288.

12   C'est son passé même *(de la France)* qui doit enfanter son avenir.   GIDE, Pages de journal, p. 51.

  ♦ **S'ENFANTER** v. pron. *Une œuvre considérable ne s'enfante pas en un jour.*

DÉR. Enfantement.

ENFANTILLAGE [ãfãtijaʒ] n. m. — Déb. XIIIᵉ; de l'anc. adj. *enfantil* «enfantin» (XIIᵉ). → Infantile; du lat. *infans.* → Enfant.

(En parlant de personnes qui ont dépassé l'âge de l'enfance). Manière d'agir, de s'exprimer peu sérieuse, qui ne convient qu'à un enfant; puérilité. *Raisonner de la sorte, c'est de l'enfantillage.*

1   Pourquoi n'allais-je point à Neuchâtel? c'est un enfantillage qu'il ne faut pas taire (...)
          ROUSSEAU, les Confessions, XII.

2   Il faut qu'une femme soit capable de sérieux et d'enfantillage.   A. MAUROIS, Climats, II, X, p. 200.

2.1 (...) une femme sans enfantillage est un monstre affreux.
         MONTHERLANT, Pitié pour les femmes, p. 24.

Dire un enfantillage, des enfantillages. → **Baliverne, bêtise, sottise.** *C'est un enfantillage sans conséquence.* → **Futilité.**

3   Gamaches n'avait pu se contraindre de reprendre en face et en public les enfantillages qui échappaient à monseigneur le duc de Bourgogne (...)
         SAINT-SIMON, Mémoires, 214, 139, *in* LITTRÉ.

4   Eh oui, des enfantillages, des redites, des rires pour rien, des inutilités, des niaiseries (...)
         HUGO, les Misérables, IV, VIII, I.

CONTR. Maturité, sérieux.

ENFANTIN, INE [ãfãtɛ̃, in] adj. — V. 1200; de *enfant.*

Ⓐ ♦ **1 Qui appartient à l'enfant, a le caractère de l'enfance.** *Visage enfantin. Une âme enfantine* (→ Argentin, cit. 3). *Le langage enfantin. Grâce, insouciance, joie enfantine. Innocence enfantine* (→ Attendrir, cit. 17). *La logique enfantine.*

1   (...) tous ces petits jeux que l'on nomme enfantins.
         MOLIÈRE, le Malade imaginaire, II, 5.

2   La jolie mine de la petite personne, sa bouche si fraîche, son air enfantin, sa gaucherie même (...)
         LACLOS, les Liaisons dangereuses, Lettre XCVI.

3   Sur le palais doré des amours enfantines!
         A. DE MUSSET, Poésies nouvelles, «Rolla», V.

4   Mais le vert paradis des amours enfantines (...)
         BAUDELAIRE, Spleen et Idéal, LXII, «Mœsta et Errabunda».

Digne d'un enfant.

5   L'ingénuité de ses amusements, la puérilité de ses manières et la maladresse enfantine de ses gestes (...)
         FRANCE, le Petit Pierre, XXXII, p. 229.

6   (...) nous méconnaissons ce qu'il y a d'encore enfantin, pour ainsi dire, dans la plupart de nos émotions joyeuses.
         H. BERGSON, le Rire, p. 68.

♦ **2** (Déb. XXᵉ). Péj., en parlant d'adultes. **Qui ne convient guère qu'à un enfant.** → **Puéril** (→ Chose, cit. 33). *Faire des remarques enfantines.*

7   À côté de réflexions enfantines — qui auraient pu d'ailleurs être dans la bouche de n'importe quel garçon de douze ans — il en avait d'autres qui montraient du sérieux, et une sorte de maturité précoce.
         J. ROMAINS, les Hommes de bonne volonté, t. V, XXIII, p. 205.

♦ **3** (Déb. XXᵉ). **Qui est du niveau de l'enfant.** *C'est d'une simplicité enfantine. Un problème enfantin, très facile.* → **Élémentaire** (→ Enfance* de l'art, jeu d'enfant*).

Ⓑ (Comme déterminatif). **Formé d'enfants; destiné aux jeunes enfants.** *Un auditoire enfantin. Classe enfantine.* (En Suisse). *École enfantine.* → **Maternelle.** *Maîtresse enfantine :* institutrice de maternelle. — *Chanson, ronde enfantine.*

CONTR. Sénile. — (Du sens A, 3) **Difficile. ◊ DÉR. Enfantinement.**

ENFANTINEMENT [ãfãtinmã] adv. — 1611; de *enfantin.*

Littér. ou style soutenu. D'une manière enfantine, comme un enfant. → **Puérilement.**

1   (...) elle s'occupait enfantinement à pelotonner des rubans (...)
         GIDE, Isabelle, VII, *in* Romans, Pl., p. 668.

2   Oh oui! dit-elle enfantinement, en tournant le visage vers lui.   MONTHERLANT, Pitié pour les femmes, p. 89.

ENFARINEMENT [ãfaʀinmã] n. m. — 1879, Goncourt; de *enfariner.*

Rare. Action d'enfariner; son résultat.

1   Dans le visage d'un clown entouré de clarté, l'enfarinement met la netteté, la régularité et le découpage presque cassant d'un visage de pierre.
         Ed. DE GONCOURT, les Frères Zemganno, 1879, *in* D.D.L., II, 4.

Fig. par allus. au «*bloc* (cit. 2) *enfariné*» de La Fontaine :

2   Mais, grâce à l'enfarinement du Bloc national, on avait aussi repêché les vieilles canailles de la politique, qui sont toujours réélues.
         PROUST, le Temps retrouvé, Pl., t. III, p. 854.

ENFARINER [ãfaʀine] v. tr. — V. 1393; de en-, *farine** et suff. verbal.

♦ **1 Vieilli. Couvrir, poudrer de farine.** *Enfariner une planche à pâtisserie.* Pron. :

1   Le lendemain notre amant se déguise,
   Et s'enfarine en vrai garçon meunier (...)
         LA FONTAINE, Contes, «La mandragore».

♦ **2** (1550). **Couvrir d'une substance analogue, d'une poudre blanche.** *Enfariner ses cheveux, sa peau de poudre, de talc.*

Fam. *S'enfariner le visage.* → **Blanchir.**

2   Toujours l'hiver de neiges blanches
   Des pins n'enfarine les branches (...)
         RONSARD, Odes, IV, 25.

♦ **3 Pron. Fig. Vx.** *S'enfariner de grec,* en prendre une légère teinture. *S'enfariner de qqn,* s'enticher.

♦ **ENFARINÉ, ÉE** p. p. adj.

♦ **1 Couvert de farine.** *Le visage enfariné d'un Pierrot.* «*Ce bloc enfariné ne me dit rien qui vaille*» (La Fontaine, → Bloc, cit. 2).

Par ext. *Enfariné de poussière.* → **Blanc.**

♦ **2 Fig. et fam.** *Venir la bouche, le bec, la gueule enfarinée,* avec une sotte confiance, de naïves illusions (par allusion aux types de niais de l'ancien théâtre, au visage enfariné).

3   Il a fait un grand bruit (...) de l'amitié qu'il a pour moi (...) je hais ce style de dire toujours que tout est de nos amis : c'est un air de gueule enfarinée, qui n'appartient qu'à qui vous savez (...)   Mᵐᵉ DE SÉVIGNÉ, 478, 18 déc. 1675.

♦ **3 N. Fam. et rare. Niais, Pierrot.**

4   — Qu'est-ce qu'il dit? me demanda le général.
   — C'est que l'enfariné, mon général, il ne veut rien dire. Il dit comme ça qu'il est fantassin, qu'il ne connaît rien à l'artillerie et qu'il n'a jamais vu un canon. (...) Il se fout de nous, mon général.
         B. CENDRARS, la Main coupée, *in* Œ. compl., t. X, p. 174.

DÉR. Enfarinement.

ENFER [ãfεʀ] n. m. — 1080; *enfern*, Xᵉ; lat. classique *inferna*, n. plur., «demeures des dieux» (sens I, 1) et lat. ecclés *infernus* «enfer» (sens II, 1), l'un et l'autre par substantivation de l'adj. *infernus* «d'en bas, d'une région inférieure», doublet de *inferus* → Infère.

I ♦ **1** (Au plur.). Dans la mythologie gréco-latine, Lieu souterrain habité par les morts, séjour des ombres. → **Abîme**, 2. **tartare** (cit.); → Les sombres bords, le sombre empire, les sombres rivages, le séjour des ombres, des morts, le ténébreux séjour. *Le Styx, l'Achéron, le Léthé, l'Éridan, le Cocyte, le Phlégéton, fleuves des enfers. La barque de Charon conduisait aux enfers les âmes des morts. Hadès ou Pluton, dieu des enfers. Minos, Eaque et Rhadamante, juges des enfers. Cerbère*, gardien de l'entrée des enfers. La descente aux enfers d'Ulysse* (Odyssée), *d'Énée* (Énéide), *d'Hercule, d'Orphée...* (→ Centaure, cit. 1). *Orphée aux enfers,* toile de Rubens. — Au sing. (rare). *Filles d'enfer* (→ ci-dessous, cit. 2). → **Euménides, furie.**

1   Minos juge aux enfers tous les pâles humains.
                                        RACINE, Phèdre, IV, 6.

2   Hé bien! filles d'enfer, vos mains sont-elles prêtes?
    Pour qui sont ces serpents qui sifflent sur vos têtes?
                                        RACINE, Andromaque, V, 5.

3   Je vais chercher son ombre *(d'Ulysse)* jusque dans les enfers.
                                        FÉNELON, Télémaque, XIV.

4   (...) il précipite dans les enfers une foule de combattants (...)
                                        FÉNELON, Télémaque, XV.

♦ **2** (Sing. ou plur.). Séjour des morts chez les Juifs de l'Ancien Testament. *De l'enfer. Jésus-Christ est descendu aux enfers après sa mort. L'enfer des Hébreux.* → **Géhenne, schéol.** — Fig. *Les portes de l'enfer :* la mort et le mal.

5   Et moi je vous dis que vous êtes Pierre, et que sur cette pierre je bâtirai mon Église, et les portes de l'enfer ne prévaudront point contre elle.
                                        BIBLE (SACY), Évangile selon saint Matthieu, XVI, 18.

5.1   À quelques lieues d'ici, par ce beau soir paisible
      Les portes de l'enfer s'ouvrent pour des vivants.
                                        A. MAUROIS, les Silences du colonel Bramble, p. 224.

II ♦ **1** (Au sing.). Dans la religion chrétienne, Lieu destiné au supplice des damnés. *De l'enfer.* → **Infernal.** *Satan fut précipité du ciel en enfer* (→ Ange, cit. 11). *Aller, descendre, tomber en enfer.* Loc. *Croix de bois, croix de fer, si je mens je vais en enfer.* — *Avoir peur de l'enfer. Châtiment, peines, horreurs de l'enfer.* → **Dam, sens** (peine du). *Réprouvés condamnés aux flammes* éternelles, au feu*, aux ténèbres de l'enfer* (→ Chaudière, cit. 1). *Cris, lamentations des damnés* de l'enfer. Les démons, les diables de l'enfer* (→ **Démon, diable**). *Vestibule de l'enfer* (→ Antre, cit. 5). *Gouffre de l'enfer* (→ Barathre; aussi littér. *averne*). *Les bouches de l'enfer. Les portes de l'enfer,* sculpture de Rodin. *Capitale imaginaire de l'enfer.* → **Pandémonium.** — *L'Enfer de Dante,* première partie de la Divine Comédie*, où l'enfer est matérialisé par neuf cercles concentriques s'enfonçant jusqu'au centre de la terre. *Les cercles de l'Enfer.* — Par ext. *Les suggestions de l'enfer.* → **Démon, mal.** — Prov. *L'enfer est pavé de bonnes intentions.* → **Intention.**

6   (...) je t'apprends (...) que tu vois en Dom Juan, mon maître, le plus grand scélérat que la terre ait jamais porté, un enragé, un chien, un diable, un Turc, un hérétique, qui ne croit ni Ciel ni Enfer (...)
                                        MOLIÈRE, Dom Juan, I, 1.

7   Ceux qui espèrent leur salut sont heureux en cela, mais ils ont pour contrepoids la crainte de l'enfer. — Qui a plus de sujet de craindre l'enfer, ou celui qui est dans l'ignorance s'il y a un enfer, et dans la certitude de damnation, s'il y en a; ou celui qui est dans une certaine persuasion qu'il

y a un enfer, et dans l'espérance d'être sauvé, s'il est?
                                        PASCAL, Pensées, III, 239.

8   Ce qu'il y avait de bizarre était que, sans croire à l'enfer, elle ne laissait pas de croire au purgatoire. Cela venait de ce qu'elle ne savait que faire des âmes des méchants, ne pouvant ni les damner ni les mettre avec les bons jusqu'à ce qu'ils le fussent devenus, et il faut avouer qu'en effet, ni dans ce monde et dans l'autre, les méchants sont toujours bien embarrassants.   ROUSSEAU, les Confessions, VI.

9   Ayez de la pitié, gouffres, prisons, géhenne,
    Sépulcre, chaos, nuit, désolation, haine,
    Ayez de la pitié, si le ciel n'en a pas!
    Sur Satan, de si haut précipité si bas,
    Ô voûtes de l'enfer, laissez tomber des larmes!
                                        HUGO, la Fin de Satan, III, XII.

10 C'est le Diable qui tient les fils qui nous remuent!
    Aux objets répugnants nous trouvons des appas;
    Chaque jour vers l'Enfer nous descendons d'un pas,
    Sans horreur, à travers les ténèbres qui puent.
                                        BAUDELAIRE, les Fleurs du mal, Au lecteur.

11 C'est ainsi que sur nous Dieu fait tonner Sa grâce.
    Ne force pas qui veut les portes de l'enfer.
                                        P.-J. TOULET, les Contrerimes, «Coples», IX.

12 Il sous-entendait par là qu'il n'y avait pas de demi-mesures, qu'il n'y avait que le Paradis et l'Enfer, et qu'on ne pouvait être que sauvé ou damné, selon ce qu'on avait choisi.
                                        CAMUS, la Peste, p. 245.

Par métonymie. *Les puissances de l'enfer :* les démons. *Faire un pacte avec l'enfer.*

Loc. Vx. *Porte d'enfer, tison d'enfer :* personne méchante.

Situation des damnés, d'un damné, ou situation analogue. *L'enfer de qqn, son enfer. C'est un enfer.* — REM. Cette valeur reste métaphorique du sens religieux. → aussi le sens fig., ci-dessous, 2.

13 Je devrais avoir mon enfer pour la colère, mon enfer pour l'orgueil, — et l'enfer de la caresse; un concert d'enfers.
                                        RIMBAUD, Une saison en enfer, Nuit de l'enfer.

14 On juge l'enfer d'après les maximes de ce monde et l'enfer n'est pas de ce monde. Il n'est pas de ce monde, et moins encore du monde chrétien. Un châtiment éternel, une éternelle expiation — le miracle est que nous puissions en avoir l'idée ici-bas, alors que la faute à peine sortie de nous, il suffit d'un regard, d'un signe, d'un muet appel pour que la faute fonce dessus, du haut des cieux, comme un aigle (...) L'enfer, madame, c'est de ne plus aimer.
                                        BERNANOS, Journal d'un curé de campagne, p. 180.

15 Alors, c'est ça l'enfer. Je n'aurais jamais cru... Vous vous rappelez : le soufre, le bûcher, le gril... Ah! quelle plaisanterie. Pas besoin de gril, l'enfer, c'est les Autres.
                                        SARTRE, Huis clos, V.

Loc. (allus. à Rimbaud). *Une saison en enfer :* un moment terrible, infernal.

Par métaphore. Le mal absolu, métaphysique. *Le ciel et l'enfer dans l'homme.*

♦ **2** Fig. Lieu, situation qui évoque l'enfer, par son caractère douloureux, insupportable, ignoble.

a (Au physique). Lieu de supplices, de tortures.

15 Si elles perdent l'équilibre, elles risquent, ou de tomber sur des épines qui sont placées près de là ou se casser un membre, ou même de se tuer (...) — Oh Ciel! dis-je à ma compagne en frémissant d'horreur, peut-on se porter à de tels excès! Quel enfer!
                                        SADE, Justine..., t. I, p. 170.

(Évoquant la chaleur, le feu...). *C'est un enfer, c'est l'enfer ici. La ville en flammes, le brasier était un enfer.*

L'enfer de... «*L'enfer des sables*» (Balzac). *Un enfer de pierres volcaniques. L'enfer des usines, des fonderies.*

15 Dans cet enfer de pierre, de brique et de métal, où pas une feuille d'arbre ne vient rafraîchir la vue.
                                        J. GREEN, Journal (1950-1954), p. 17.

b (Au moral). Lieu ou situation de souffrances intenses. *Sa vie est un enfer. Quel enfer! C'est l'enfer sur la terre. L'enfer des pauvres.* → Paradis, cit. 4, Hugo. *L'attente est un enfer pour les amoureux*

(→ Attendre, cit. 28). *Ce travail est un enfer* (→ Difficile, cit. 25).

16 (...) j'abhorre des nœuds
Qui deviendraient sans doute un enfer pour tous deux.
MOLIÈRE, Dom Garcie, I, 1.

17 Combien n'a-t-on point vu de belles aux doux yeux,
Avant le mariage anges si gracieux,
Tout à coup se changeant en bourgeoises sauvages,
Vrais démons, apporter l'enfer dans leurs ménages (...)
BOILEAU, Satires, X.

18 C'est dans vos cœurs insatiables, rongés d'envie, d'avarice
et d'ambition, qu'au sein de vos fausses prospérités les passions vengeresses punissent vos forfaits. Qu'est-il besoin
d'aller chercher l'enfer dans l'autre vie ? il est dès celle-ci
dans le cœur des méchants. ROUSSEAU, Émile, IV.

19 Les remords restèrent, et ils furent ce qu'ils devaient être
dans un cœur si sincère. Sa vie fut le ciel et l'enfer : l'enfer
quand elle ne voyait pas Julien, le ciel quand elle était à
ses pieds. STENDHAL, le Rouge et le Noir, I, XIX.

20 Non, il n'est pas vrai que la vieillesse soit un enfer à la
porte duquel on doive écrire : «Vous qui entrez ici, laissez
toute espérance».
A. MAUROIS, Un art de vivre, p. 231.

Avoir l'enfer dans le cœur, l'âme : être tourmenté
par le remords, la haine, les ressentiments... *Porter
son enfer en soi* : être la cause de ses propres souffrances.

Enfer de... (le compl. qualifie les souffrances). *Un enfer
d'ennui, de tristesse.*

C Lieu, situation où règne le mal. *L'enfer de l'argent.*

(Fin XIXᵉ). Spécialt, vx. Maison de jeu, tripot.

Département (d'une bibliothèque) où sont déposés
les livres interdits au public. *L'Enfer de la Bibliothèque nationale.*

♦ 3 Loc. adj. (1802). D'ENFER : qui évoque l'enfer.
C'était une vision d'enfer, affreuse, horrible. — Par
ext. (sans aspect pénible). Très intense (dans quelques
contextes). → Infernal. *Aller un train d'enfer,* dangereusement vite (→ Brio, cit. 3). — *Jouer un jeu d'enfer,*
un très gros jeu. — *Un feu d'enfer,* très violent.

21 Nous allions un train d'enfer, nous dévorions le terrain,
et les vagues silhouettes des objets s'envolaient à droite et
à gauche avec une rapidité fantasmagorique.
Th. GAUTIER, Voyage en Espagne, p. 37.

22 Un appétit d'enfer, figure-toi, de ces faims terribles qui ne
peuvent attendre.
Alphonse DAUDET, Numa Roumestan, XI, p. 220.

CONTR. Ciel, paradis. ◊ DÉR. (Du lat. *infernum*) V. Infernal.

ENFERMEMENT [ãfɛʀməmã] n. m. — 1549, Estienne ;
de *enfermer.*

Fait d'enfermer (qqn ou qqch.) ou d'être enfermé.
*L'enfermement des opposants au régime dans des
hôpitaux psychiatriques. «Il fallait bien tirer tous
ces petits objets de leurs plis de deuil et d'enfermement»* (Daudet, in T. L. F.).

1 Dès les premiers mois de l'enfermement, les vénériens
appartiennent de plein droit à l'Hôpital général. Les
hommes sont envoyés à Bicêtre ; les femmes à la Sal-
pêtrière. Défense à même été faite aux médecins de
l'Hôtel-Dieu de les recueillir et de leur donner des soins.
Michel FOUCAULT,
Histoire de la folie à l'âge classique, p. 97.

Le fait de s'enfermer. «*... un enfermement dans mon
jardin et mes bibelots*» (Goncourt, in T. L. F.).

Figuré ►

2 Parallèlement aux règles contraignantes de l'enfermement
dans le mariage, et pour alléger les frustrations des jeunes
hommes astreints au célibat par la politique du lignage,
on assiste à la mise en place, de rites sociaux que les
historiens appellent l'«amour courtois».
L'Express, n° 1560, 29 mai 1981, p. 73.

ENFERMER [ãfɛʀme] v. tr. — XIIᵉ ; de *en-,* et *fermer.*

I ♦ 1 Mettre, en général de force, (qqn) en un lieu
d'où il est impossible de sortir. *Enfermer qqn dans
une pièce, une maison* (→ Chambrer, claustrer, cloîtrer, confiner, séquestrer), *dans des murs* (→ Claquemurer, emmurer, murer, parquer). *Enfermer, mettre
qqn sous clef*, sous les verrous.* → Boucler, verrouiller (→ Drôlement, cit. 1). *Enfermer un oiseau
dans une cage. Enfermer qqn dans une prison.*
→ Coffrer ; écrouer, emprisonner (→ Cage, cit. 1). —
Vx. *Enfermer qqn dans la tombe.*

Avant qu'un peu de terre, obtenu par prière, 1
Pour jamais sous la tombe eût enfermé Molière (...)
BOILEAU, Épîtres, VII.

(...) ils demandèrent deux grâces : l'une, de me faire sortir 2
sur-le-champ du Châtelet ; l'autre, d'enfermer Manon pour
le reste de ses jours ou de l'envoyer en Amérique.
Abbé PRÉVOST, Manon Lescaut, II, p. 186.

Torquemada a été condamné par son ordre à être enfermé 3
dans un *in pace,* pour quelque infraction à la règle. On
le voit en scène descendre vivant dans sa tombe, y être
muré. Émile HENRIOT, les Romantiques, p. 54.

Il lui semblait qu'elle avait, pour ainsi dire, touché le fond 4
de son désespoir lorsqu'elle s'était aperçue que son père
fermait la grille à clef tous les matins (...) Maintenant on
l'enfermait, on la gardait à vue.
J. GREEN, Adrienne Mesurat, p. 65.

*Enfermer un malade dans un asile, une maison
d'aliénés.* → Interner. Absolt. *Faire enfermer qqn. Il
est bon à enfermer, il faut l'enfermer* : il est fou*.

Elle est folle à tel point qu'on ne peut l'exprimer ; 5
Travaillez au plus tôt à la faire enfermer (...)
J.-F. REGNARD, les Ménechmes, V, 3.

Le lendemain, il alla consulter un médecin aliéniste qui 5.1
ne put rien dire de précis, sinon qu'il ne demandait pas
mieux que de l'enfermer.
M. AYMÉ, Maison basse, p. 56.

(1851). Fig. *Enfermer qqn dans un dilemme* (cit. 2,
3), *dans ses contradictions. — La douleur enferme*
(cit. 20) *les médiocres dans l'égoïsme.*

(...) Mirabeau lui disant de la tribune, à propos de je ne 6
sais quelle fausseté de raisonnement, qu'il allait l'enfermer
dans un *cercle vicieux* : «Vous allez donc m'embrasser ?»
répliqua l'abbé Maury.
SAINTE-BEUVE, Causeries du lundi, 23 juin 1851.

Le cogito assure l'homme de son existence comme être 7
pensant, mais il l'enferme en lui-même.
Émile FAGUET, Études littéraires, XVIIᵉ s., p. 69.

♦ 2 Mettre, placer (qqch.) dans un lieu clos (pour
ranger, retrouver, protéger). → Renfermer, serrer.
*Enfermer de l'argent dans un coffre-fort. Enfermer
des vêtements dans une armoire, des provisions
dans un buffet.* → Clef (mettre sous clef). *Enfermer
dans un emballage.* → Emballer.

Fig. et littér. *Enfermer sa peine, son chagrin,* le cacher.
— Par métaphore du sens 1 (*enfermer dans la tombe*) :

Dans la nuit du tombeau j'enfermerai ma honte (...) 8
RACINE, Iphigénie, II, 1.

♦ 3 (Fin XIXᵉ). Abstrait. Limiter. *Enfermer une notion
dans une définition, un système entier en une seule
formule.* → Entrer (faire) ; circonscrire.

(...) nous ne viserons pas à enfermer la fantaisie comique 9
dans une définition. Nous voyons en elle, avant tout,
quelque chose de vivant. H. BERGSON, le Rire, p. 2.

Enfermer qqn dans un rôle, une fonction. → Limiter.
— (Par métaphore du sens 1). → Emprisonner.

La théologie des laïcs enferme les mœurs dans une étroite 10
prison de préjugés et de pratiques.
André SUARÈS, Trois hommes, II, «Ibsen», p. 100.

II Entourer complètement. → Entourer. ♦ 1 (1640). Vx.
Enfermer qqn. → Cerner, encercler. *Être enfermé de,
par qqn* : être encerclé.

Près d'être enfermé d'eux (*les Curiaces*), sa fuite l'a sauvé. 11
CORNEILLE, Horace, III, 6.

♦ **2** (1538). Mod. *Enfermer qqch.* → **Ceindre, clore, environner.** *Enfermer un terrain de haies, de fossés...* → **Clore, enclore.** *Enfermer un territoire dans un autre.* → **Enclaver, enserrer.** *Enfermer une ville de, par des murailles.* → **Ceindre, enceindre.**

♦ **3** (1910). Sports (dans une course). *Enfermer un concurrent, le serrer à la corde, ou à l'intérieur du peloton, de façon à briser son élan et à l'empêcher de se dégager. Il s'est laissé stupidement enfermer au moment du sprint. Être enfermé à la corde.* Cf. Être dans la boîte.

♦ **4** (Le sujet désigne ce qui enferme). *Les murs qui enferment qqn, qqch. La boîte enfermait des trésors.* → **Contenir.**

12   (...) ces allées de pierre, ces allées de menues colonnes enfermant un petit jardin (...)
                    MAUPASSANT, la Vie errante, La Sicile,
                    p. 105 (→ Cloître, cit. 4).

Vieilli. Avoir en soi, renfermer. → **Comprendre, comporter, contenir.** *Cette page enferme des conseils dangereux. Son âme n'enferme pas de pareils desseins. L'idée d'homme enferme l'idée de liberté et de raison.* → **Impliquer.** *Elle se demanda si le compliment* (cit. 5) *n'enfermait pas quelque ironie.*

13   Ce corps n'enferme pas une âme si commune (...)
                    CORNEILLE, Médée, III, 3.

14   Contre quoi les pyrrhoniens opposent en un mot l'incertitude de notre origine, qui enferme celle de notre nature; à quoi les dogmatistes sont encore à répondre depuis que le monde dure.   PASCAL, Pensées, VII, 434.

♦ **S'ENFERMER** v. pron.

♦ **1** Se mettre en un lieu clos. *S'enfermer dans un cloître* (→ Dérèglement, cit. 8). *Armée qui s'enferme dans une place forte.*

15   J'irai m'enfermer dans des murs plus terribles pour moi que pour les femmes qui y sont gardées (...)
                    MONTESQUIEU, Lettres persanes, CLV.

Loc. fig. *S'enfermer dans son cocon*.*

♦ **2** Fermer la porte sur soi pour s'isoler. → **Barricader** (se), **cadenasser** (se), **calfeutrer** (se), **cantonner** (se), **confiner** (se), **isoler** (s'). *S'enfermer dans sa chambre pour travailler, s'enfermer à double tour pour ne pas être dérangé. Artiste qui s'enferme dans la solitude, dans sa tour d'ivoire.*

(Sans compl.). *Il voudrait pouvoir s'enfermer pour travailler.*

16   (...) je convins, avec candeur, que j'avais bien un escalier dérobé qui conduisait très près de mon boudoir; que je pouvais y laisser la clef, et qu'il lui serait possible de s'y enfermer (...)
                    LACLOS, les Liaisons dangereuses, Lettre LXXXV.

17   Letondu, à vrai dire, venait encore à l'Administration; il y venait même régulièrement. Mais, arrivé à l'heure précise, il s'enfermait en son bureau, s'y verrouillait à double tour et y demeurait de longues heures sans que l'on pût savoir ce qu'il y fabriquait.
                    COURTELINE, Messieurs les ronds-de-cuir,
                    5ᵉ tableau, I.

(Av. 1778). Fig. *S'enfermer dans une attitude, un rôle, ne pas en sortir.* → **Garder; maintenir** (se); **rester.** *S'enfermer dans le silence.*

18   Le seul moyen de n'être pas malheureux c'est de t'enfermer dans l'Art et de compter pour rien tout le reste; l'orgueil remplace tout quand il est assis sur une large base.
                    FLAUBERT, Correspondance, 13 mai 1845.

19   Aussi bien Dorothée elle-même n'était pas femme à renoncer, pour son oncle, aux attraits du pouvoir; elle les subissait comme lui et ne se figurait certainement pas son grand homme s'enfermant, pour le reste de ses jours, dans le rôle d'un Cincinnatus.
                    Louis MADELIN, Talleyrand, V, XXXIV, p. 374.

20   À la suite de quoi ma mère s'enfermait dans le mutisme. Je lanternais quelque temps encore, puis commençais à me pressurer le cerveau au-dessus de mon papier blanc.
                    GIDE, Si le grain ne meurt, I, II, p. 48.

♦ **ENFERMÉ, ÉE** p. p. adj.

♦ **1** Qui est en un lieu fermé, à l'intérieur* (de). *Personne enfermée en prison* (→ **Détenu**; captif, emprisonné), *dans un hôpital psychiatrique* (→ **Interné**), *un cloître* (→ Cloîtré). *Personne enfermée chez elle. Corps* (cit. 13) *enfermé dans un cercueil. Argent enfermé dans un coffre.*

21   (...) le commencement de l'hiver m'arrêta en un quartier, où ne trouvant aucune conversation qui me divertît, et n'ayant d'ailleurs par bonheur aucuns soins ni passions qui me troublassent, je demeurais tout le jour enfermé seul dans un poêle, où j'avais tout le loisir de m'entretenir de mes pensées.
                    DESCARTES, Discours de la méthode, II.

22   Me trouver ici seule avec vous enfermée (...)
                    MOLIÈRE, Tartuffe, IV, 5.

23   (...) un homme enfermé dans une chambre qui transforme toute sa vie en littérature et toute son expérience en style.
                    A. THIBAUDET, Gustave Flaubert, p. 71.

Par métaphore :

24   Je plongerai ma tête amoureuse d'ivresse
      Dans ce noir océan, où l'autre est enfermé (...)
                    BAUDELAIRE, Spleen et Idéal, «La chevelure», XXIII.

♦ **2** N. m. (1690). Spécialt (vx). *Odeur d'enfermé :* odeur désagréable de ce qui est resté longtemps enfermé, sans aération. → **Renfermé** (mod.). — Contr. : aéré.

♦ **3** (En parlant d'un creux). Entouré, environné.

25   (...) une très petite commune (...) enfermée de marais, acculée contre la mer (...)
                    E. FROMENTIN, Dominique, II, p. 28 (→ Dévorer, cit. 22).

Abstrait. Contenu, inclus*. *Conséquence enfermée dans un principe.*

CONTR. Délivrer, élargir, libérer. — Extraire, sortir. ◊ DÉR. **Enfermement.**

ENFERRER [ɑ̃fere] v. tr. — XIVᵉ; *enferer* «garnir de fers», v. 1170; de *en-, fer,* et suff. verbal. Rare.

♦ **1** Traverser, percer (qqn) avec le fer de son arme. *Enferrer son adversaire.*

♦ **2** Techn. *Enferrer un bloc de pierre, d'ardoise,* y enfoncer des coins de fer pour le débiter.

♦ **S'ENFERRER** v. pron.

♦ **1** Rare. Tomber, se jeter sur l'épée de son adversaire. *S'enferrer jusqu'à la garde.* — (Récipr.). *Ils se sont enferrés l'un l'autre.*

1   Quand elle s'enferrerait d'elle-même par désespoir en voyant son frère l'épée à la main (...)
                    CORNEILLE, Examen d'Horace.

♦ **2** Fig., cour. Se prendre à ses propres mensonges, ses propres pièges. → **Embrouiller** (s'), **enfoncer** (s'), **nuire** (se). *Il essaya de se justifier mais ne réussit qu'à s'enferrer.* — (Avec un compl.). *Il s'est enferré dans ses contradictions, dans ses mensonges.*

2   Tu t'enferres, Aronte, et, pris au dépourvu,
      En vain tu veux cacher ce que nous avons vu.
                    CORNEILLE, la Galerie du palais, IV, 2.

3   (...) l'auteur oublie à chaque page ce qu'il vient de dire dans l'autre, s'enferrant lui-même à l'aveugle dans ses propres raisonnements (...)
                    MICHELET, Hist. de la Révolution franç., t. I, p. 440.

DÉR. **Enferreur.**

ENFERREUR, EUSE [ɑ̃fɛrœr, øz] n. — XXᵉ; de *enferrer.*

Rare. Personne qui enferre.

(...) l'animal laisse jaillir son sang d'un jet gros comme le bras, il perd ses forces aussitôt et tombe aux pieds de l'enferreur.   Paul VIALAR, la Grande Meute, p. 321.

ENFEU [ãfø] n. m. — 1482 ; déverbal de *enfouir*.

Archéol. Niche funéraire à fond plat pratiquée dans les murs des églises pour y abriter un tombeau. *Des enfeus.*

ENFICHABLE [ãfiʃabl] adj. — Mil. xxᵉ ; de *enficher*.

Électr. Qu'on peut introduire dans une fiche (d'alimentation ou de standard téléphonique). *Coffret, boîtier enfichable.*

Spécialt (électron.). Qui peut être enfiché. *«Première machine à modules enfichables, ce qui lui confère une performance intéressante malgré un langage peu économique»* (*Sciences et Avenir*, «La science des jeux», nᵒ 35, août 1981, p. 34).

ENFICHER [ãfiʃe] v. tr. — Mil. xxᵉ ; de *en-*, 1. *fiche*, et suff. verbal.

Techn. Insérer (un module électrique ou électronique) dans un ensemble par une prise ou un connecteur. *Enficher une prise mâle dans une prise femelle. Une machine qui «offre la possibilité d'enficher jusqu'à trois modules logiciels de 16 K chacun»* (*Contact*, Revue mensuelle de la F. N. A. C., nᵒ 220, janv. 1983, p. 11).

DÉR. Enfichable.

ENFIELLER [ãfjele] v. tr. — V. 1220 ; de *en-*, *fiel*, et suff. verbal.

Rare.

◆ 1 Emplir de fiel, de haine. → **Fiel** (fig.).

◆ 2 (V. 1570). Vx ou littér. → **Empoisonner, envenimer** (qqch.) ; **aigrir, exciter** (qqn).

1 Ô monde, que m'as-tu fait pour que je haïsse ainsi ? Qui m'a donc enfiellé de la sorte contre toi ? qu'attendrais-je donc de toi pour te conserver tant de rancœur de m'avoir trompé ?   Th. GAUTIER, Mˡˡᵉ de Maupin, III, p. 40.

◆ **ENFIELLÉ, ÉE** p. p. adj.

Plein de fiel, venimeux. → **Haineux, méchant.** *Une langue, une plume enfiellée.*

2 Éclairé dès 1792 par l'affaire du testament, Gaubertin avait su sonder la ruse que contenait la figure enfiellée de cet habile hypocrite ; aussi s'en était-il fait un compère en communiant avec lui devant le Veau d'or.
   BALZAC, les Paysans, Pl., t. VIII, XIII, p. 212.

ENFIÈVREMENT [ãfjɛvrəmã] n. m. — 1876 ; de *enfiévrer*.

Rare. Surexcitation (des sens, de l'imagination).

ENFIÉVRER [ãfjevre] v. tr. [CONJUG.: *céder*.] — 1588 ; de *en-*, *fièvre*, et suff. verbal.

◆ 1 Vx. Rendre fiévreux. *Enfiévrer le pouls, la tête.*

◆ 2 (1775). Fig. Mod. Animer (qqn) d'une sorte de fièvre, d'une vive ardeur. → **Agiter, animer, exciter, surexciter.** *La présence de cette inconnue l'enfiévrait.* → **Troubler.** *La passion l'enfiévre.* → **Brûler, enflammer, exalter.** — *L'allégresse enfiévrait la foule.*

1 (...) il exhale un tel feu qu'il m'a presque enfiévré de sa passion (...)
   BEAUMARCHAIS, le Barbier de Séville, II, 4.

2 On eût dit les cris espagnols autour d'une danseuse qu'il s'agit d'enfiévrer.   M. BARRÈS, Leurs figures, p. 262.

3 (...) une sorte d'excitation hagarde, une liberté maladroite qui enfiévre tout un peuple.   CAMUS, la Peste, p. 138.

Par ext. *Enfiévrer l'âme, l'imagination de qqn.*

◆ **S'ENFIÉVRER** v. pron.

Fig. → **Enthousiasmer** (s'), **passionner** (se).

Il serait facile de noter les petits ridicules de Barrès. Aucun auteur de mon âge ne m'exaspère à ce point, ou ne me fait si souvent sourire. Remarquez d'abord la manie qu'il a de s'enfiévrer à tout propos.   3.1
   J. RENARD, Journal, 27 avr. 1894.

Dans la cour et les couloirs de l'École de Droit, sur les travées des amphithéâtres, je me lie avec des camarades qui, au milieu des luttes parlementaires d'alors, s'enfièvrent pour la politique, brûlent de s'y mêler et, en attendant, se plaisent à des simulacres qui leur en donnent l'illusion.   4
   Georges LECOMTE, Ma traversée, p. 160.

◆ **ENFIÉVRÉ, ÉE** p. p. adj.

◆ 1 Vx. Qui a de la fièvre. → **Fiévreux.** — Qui marque la fièvre. *Une voix enfiévrée.*

◆ 2 Qui est dans un état d'exaltation, d'excitation. *Des gens enfiévrés ; une foule enfiévrée. Enfiévré d'héroïsme, de passion.* — Qui dénote l'exaltation. *Une voix enfiévrée (de, par la passion).* Spécialt. Passionné. *Une étreinte enfiévrée.*

Guillaume, lui, sentait renaître son soupçon, cette inquiétude d'avoir vu Marie enfiévrée et changée par un sentiment nouveau, ignoré d'elle-même.   4.1
   ZOLA, Paris, t. II, p. 139.

◆ 3 Empreint d'exaltation. → **Fébrile.**

Sous la profusion des images, l'heureuse vivacité du coloris, la musique enfiévrée du rythme lyrique ou la mollesse de l'élégie, c'est là son thème essentiel (...)   5
   Émile HENRIOT, Portraits de femmes, p. 450.

◆ 4 Qui est le siège d'une activité fiévreuse, fébrile. *Une époque enfiévrée. «Ce chantier enfiévré de travail»* (Zola).

CONTR. Apaiser, calmer. (Du p. p.) **Calme.** ◊ DÉR. Enfièvrement.

ENFILADE [ãfilad] n. f. — 1611 ; de *enfiler*.

◆ 1 Ensemble de choses situées à la suite l'une de l'autre, en file*. → **Rangée, suite.** *Une enfilade de colonnes. Une enfilade de chambres.*

Langlée a fait tendre son beau lit *(de la nouvelle mariée, fille de Louvois)* dans la chambre de la Courtenvaux, qui est ouverte pour allonger l'enfilade (...)   1
   Mᵐᵉ DE SÉVIGNÉ, 1374, 19 avr. 1694.

Elle souleva la tenture et poussa les battants d'une porte qui s'ouvrit lentement sur une enfilade de pièces. Sept ou huit pièces pour le moins, larges, profondes, hautes, communiquant entre elles par des baies (...)   2
   H. BOSCO, Un rameau de la nuit, p. 104.

Une enfilade de phrases, d'images, d'arguments.

Ce n'est pas une enfilade de strophes isolées dont on puisse sans inconvénient augmenter ou diminuer le nombre (...)   3
   DIDEROT, Lettre à Galiani, in LITTRÉ.

Il arrive quelquefois que des gens tout à fait impropres aux jeux de mots improvisent des enfilades interminables de calembours (...)   4
   BAUDELAIRE, Du vin et du hachisch, IV.

◆ 2 EN ENFILADE [ãnãfilad]. *Pièces en enfilade* (→ Comprendre, cit. 3).

(...) un Stamboul vu en raccourci, en enfilade, les dômes, les minarets chevauchent les uns sur les autres en profusion confuse et superbe (...)   5
   LOTI, les Désenchantées, III, p. 95.

Rare. *À l'enfilade.*

Patios, salons de marbre, couloirs de cristal, jardins suspendus, boudoirs et antichambres se succèdent à l'enfilade (...)   6
   Robert PINGET, Graal flibuste, p. 18.

◆ 3 (1688). Milit. *Tir d'enfilade*, dirigé dans le sens de la plus grande dimension de l'objectif. — *En enfilade. Le détachement fut pris en enfilade*, soumis à un tir d'enfilade.

Je vois très bien qu'il y a une mitrailleuse turque dans le ravin en avant de moi avec sa flamme, et maintenant   7

sur la pente opposée à celle où finit notre tranchée. C'est ça, ils s'installent en contre-haut et ils vont nous arroser et nous prendre en enfilade.
> DRIEU LA ROCHELLE, la Comédie de Charleroi, p. 223.

ENFILAGE [ãfilaʒ] n. m. — 1697, terme de cristallerie ; de *enfiler*.

Action d'enfiler. *L'enfilage des perles.* → **Enfilement.**

ENFILE-AIGUILLES [ãfileɡɥij] n. m. invar. — 1870 ; de *enfiler*, et *aiguille*.

Techn. Petit instrument qui permet d'enfiler les aiguilles.

ENFILEMENT [ãfilmã] n. m. — 1577 ; de *enfiler*.

Vx. Action d'enfiler. → **Enfilage.**

ENFILER [ãfile] v. tr. — XIIIᵉ ; de *en-*, *fil*, et suff. verbal.

♦ **1** Traverser par un fil, mettre autour d'une ficelle, d'une tringle. *Enfiler une aiguille* (cit. 7). *Enfiler des perles,* et, par ext., *enfiler un collier, un chapelet. Enfiler des éponges avec une ficelle. Enfiler des anneaux sur une tringle. Enfiler une bague à son doigt. Enfiler des harengs sur une broche*, *des rognons sur une brochette*.*

1 La fourmi ne perd pas sa peine à discuter et elle se hâte de rejoindre ses sœurs qui suivent toutes le même chemin, semblables à des perles noires qu'on enfile.
> J. RENARD, Histoires naturelles, p. 147.

Fam. *Nous ne sommes pas là pour enfiler des perles,* pour perdre notre temps à des futilités.

2 Est-il temps d'enfiler des perles
Et d'aller à la chasse aux merles ?
> SCARRON, Virgile travesti, IV, in LITTRÉ.

♦ **2** Par anal. Vx. Traverser le corps de (qqn) avec une lame, une épée. *Enfiler son adversaire au cours d'un duel.* → **Embrocher.**

3 (...) Macartney, qui lui servait de second, enfila sur-le-champ le duc d'Hamilton par derrière, et s'enfuit.
> SAINT-SIMON, Mémoires, t. IV, IV.

REM. Comme le sens 6 et tous les emplois où le compl. est un nom de personne, ce sens a vieilli, à cause du sens 7.

♦ **3** (1680). Par ext. S'engager* tout droit dans (une voie). *Enfiler une rue, un chemin.* → **Prendre.** *Enfiler la venelle.* → **Venelle.** — *Le vent enfile le boulevard.*

4 Vous enfiliez tout droit, sans mon instruction,
Le grand chemin d'enfer et de perdition.
> MOLIÈRE, l'École des femmes, III, 1.

5 Lorsque ces courbes se trouvent situées de manière à être enfilées par les vents froids et humides (...)
> BUFFON, Expériences sur les végétaux, 2ᵉ mém., in LITTRÉ.

6 Nous enfilâmes à droite, au rez-de-chaussée, un long corridor qu'éclairaient de loin en loin des lanternes de verre accrochées aux parois du mur, comme dans une caserne ou dans un couvent.
> CHATEAUBRIAND, Mémoires d'outre-tombe, t. VI, p. 50.

7 J'enfilai prudemment une ruelle voisine (...)
> FRANCE, le Crime de S. Bonnard, Œ., t. II, p. 306.

Milit. Prendre en enfilade*, battre dans le sens de la longueur. *Le tir enfile la tranchée.* → **Enfilade.**

♦ **4** Fam. Mettre, passer (un vêtement). *Enfiler un pantalon, une jupe, une veste, un polo* (cit. 4). *Enfiler des bas, des bottes, des gants.*

8 (...) il ne lui fallait guère plus de cinq minutes pour passer sous la douche, se raser, enfiler la chemise glacée (...)
> MARTIN DU GARD, les Thibault, t. VI, p 10.

♦ **5** Débiter sans discontinuer, mettre à la suite. *Enfiler un discours, une histoire, des phrases interminables.* Vx. *Enfiler qqch. à qqn* (→ ci-dessous, cit. 10).

Quand un plaideur s'en vient m'enfiler son procès,
Quelque excuse aussitôt m'épargne un mal de tête (...)
> LA FONTAINE, l'Eunuque, V, 2.

9

Il m'enfila de longs raisonnements où je ne compris rien du tout ; puis en conséquence de sa sublime théorie, il commença *in anima vili* la cure expérimentale qu'il lui plut de tenter.
> ROUSSEAU, les Confessions, VI.

10

♦ **6** Vieilli. Engager (un joueur) dans une partie désavantageuse, ou truquée. — REM. Par suite de l'évolution du mot au sens 7, *enfiler* n'est plus d'usage normal en ce sens ou serait pris pour une métaphore érotique. → **Abuser, enjôler, rouler, tromper.**

Le comte *à part* : Il veut rester. J'entends (...) Suzanne m'a trahi.
— Figaro : Je l'enfile, et je le paye en sa monnaie.
> BEAUMARCHAIS, le Mariage de Figaro, III, 8.

11

♦ **7** (XVIIᵉ). Fam. et vulg. Posséder sexuellement (une femme).

Elle est jolie, et elle mérite bien qu'on l'enfile.
> RICHELET, Dict. (1680), art. *Enfiler* (Remarques sur la lettre E).

11

Qu'est-ce qu'il espérait ? qu'après ça elle ne coucherait plus qu'avec lui, qu'elle allait se priver de se faire enfiler par le premier venu (...)
> Claude SIMON, la Route des Flandres, p. 154.

11

Spécialt. Pénétrer (qqn, homme ou femme) par sodomie.

C'est aux bains que cela se pratique. On retient le bain pour soi (5 francs, y compris les masseurs, la pipe, le café, le linge) et on enfile son gamin dans une des salles.
> FLAUBERT, À Louis Bouilhet, 15 janv. 1850, in Correspondance, Pl., t. I, p. 572.

11

◆ **S'ENFILER** v. pron.

(1859, in D.D.L.). Fam. → **Envoyer** (s'), **taper** (se). *S'enfiler un bon dîner,* le manger. *S'enfiler un grand verre d'eau,* le boire. — Avoir à supporter (une corvée). → **Taper** (se). *S'enfiler tout le travail, s'enfiler le chemin à pied,* le faire (avec une nuance de mécontentement).

(...) pendant que vos vieux cocos s'enfileront dans le gésier vos verres d'eau de bidet, l'air de la forêt de Rambouillet leur entrera dans le système respiratoire.
> J. ROMAINS, les Hommes de bonne volonté, t. V, XXVII, p. 288.

12

◆ **ENFILÉ, ÉE** p. p. adj.

Traversé d'un fil ou de quelque chose de semblable. *Aiguille enfilée* (→ Brochette, cit. 1 ; chapelet, cit. 4 ; collier, cit. 3).

Figuré :

Ce sont des notes sur des contemporains, des choses vues, enfilées à la diable, sans suite, comme des anecdotes viennent à l'esprit quand on les enfile.
> Émile HENRIOT, Portraits de femmes, p. 128.

13

CONTR. Désenfiler ; ôter. ◊ DÉR. Enfilade, enfilage, enfilement, enfileur. ← COMP. Désenfiler, renfiler. — Enfile-aiguilles.

ENFILEUR, EUSE [ãfilœr, øz] n. — 1542 ; de *enfiler*.

♦ **1** (1755). Techn. Personne chargée d'enfiler (des perles, des lices de métier à tisser). *Enfileuse de perles.*

♦ **2** Fig. *Un enfileur de grands mots, de belles phrases.*

ENFIN [ãfɛ̃] adv. — 1119 ; de *en*, et *fin*, n. f.

I (Valeur chronologique et emplois dérivés). ♦ **1** (Sans contenu affectif). Servant à introduire le dernier terme d'une série, ou d'une énumération. *Tous arrivèrent, d'abord la mère, puis (ensuite) les enfants, enfin le père, qui était allé fermer la voiture.* → **Fin** (à la fin), **finalement.** «*Avec lui j'appris vite l'hébreu, le sanscrit, et* *enfin le persan et l'arabe»* (Gide, *l'Immoraliste, in* T. L. F.).

♦ **2** Servant à marquer le terme d'une longue attente (avec une valeur affective de soulagement). *Le printemps arriva enfin. Ce travail est enfin terminé. Après avoir cherché partout, il trouva enfin un hôtel.* → **Fin** (à la fin), **finalement.** *Il resta longtemps sans parler, et enfin, il se décida à lui dire...* — REM. *Enfin* est indéterminé et peut se rapporter à une attente non exprimée dans la phrase ; *à la fin, finalement* s'emploient plutôt lorsque les motifs de l'attente sont donnés.

1 Voulez-vous que je dise ? il faut qu'enfin j'éclate (...)
MOLIÈRE, les Femmes savantes, II, 7.

2 Enfin Malherbe vint, et, le premier en France,
Fit sentir dans les vers un juste cadence (...)
BOILEAU, l'Art poétique, I.

3 (...) le livre de Mademoiselle s'était enfin retrouvé sous un fauteuil (...)
DIDEROT, le Neveu de Rameau, Pl., p. 448 (→ Doguin, cit.).

4 Lorsqu'il fut de retour enfin
Dans sa patrie le sage Ulysse (...)
APOLLINAIRE, Alcools, «La chanson du mal aimé».

5 Enfin, après mille atermoiements, au printemps dernier, Mlle de Waize avait consenti à la séparation.
MARTIN DU GARD, les Thibault, t. III, p. 173.

(En interj.), la valeur affective l'emportant sur le sens analysable). Exprime le soulagement. *Enfin, les voilà ! Enfin une lettre d'elle ! Vous êtes arrivé, enfin ! — Enfin seuls !*

♦ **3** (Marquant la résignation). *Enfin, on verra bien ! Enfin, puisqu'il faut y aller, allons-y ! Enfin, que voulez-vous ! —* Employé seul :

5.1 Si l'on ne sait quoi ajouter ou répondre à ce que le parleur vient de dire, il n'est pas désavantageux de soupirer «Enfin»...
P. DANINOS, Un certain monsieur Blot, p. 232.

♦ **4** (Marquant la colère ou l'impatience, avec une exclamative ou une interrogative). *Enfin ! quoi ! vous vous décidez ? Mais enfin, dépêchez-vous ! — Rends-moi ça, enfin ! M'écouterez-vous enfin ?*

5.2 Enfin, c'est inadmissible : qu'est-ce que vous fabriquez ici à cette heure.
MONTHERLANT, la Ville dont le prince est un enfant, II, 7.

♦ **5** (Marquant la perplexité, l'inquiétude, l'étonnement, souvent avec une interrogative). *Enfin (mais enfin) qu'est-ce qu'il y a ? —* Abrév. fam. (d'une bande dessinée connue des enfants). *M'enfin... :* mais enfin...

II (Valeur logique). ♦ **1** (Marquant le dernier terme d'une suite, dans le discours). → **Dernièrement, ultimo.** *Il est trop vieux ; il n'est pas très intelligent ; enfin, il n'a pas envie de travailler.*

6 Rome enfin que je hais, parce qu'elle t'honore !
CORNEILLE, Horace, IV, 5 (→ Anaphore, cit. 2).

♦ **2** (Servant à conclure, à résumer ce qui vient d'être dit). → ci-dessous, cit. 8. *Il y avait les parents, les oncles, les frères, enfin toute la famille. Il est timide, étourdi, paresseux, enfin incapable de quoi que ce soit. Il nous a donné des vêtements, des vivres, enfin tout ce qu'il fallait. Enfin, voilà... Enfin bref.* → **Bref.** *Enfin, passons. Enfin, ils sont vivants, c'est le principal.*

(En apposition ou en incise). *Enfin, vous comprenez... Enfin, s'il est content, c'est l'essentiel. Enfin ! prenons patience* (→ Artificiel, cit. 24 ; arbitrairement, cit. 2).

REM. Les valeurs de *enfin* dépendent largement du contexte ; l'adverbe en apposition ou en incise sert à introduire une information supplémentaire, à titre d'explication (exprimant une connaissance assurée) ou d'approximation (impliquant le doute : *enfin, quelque chose de ce genre*). Dans ce dernier emploi, il sert de stéréotype dans

la recherche du mot propre, pour y suppléer (→ cit. 7, ci-dessous). → Euh !, hem !

C'est un homme... qui... ha !... un homme... un homme 7 enfin.
MOLIÈRE, Tartuffe, I, 5.

Vous l'abhorriez ; enfin vous ne m'en parliez plus. 8
RACINE, Andromaque, I, 1.

Ce que je peux te promettre, c'est d'être discret, invisible, 9 de me comporter enfin, comme un parfait gentleman (...)
G. DUHAMEL, Chronique des Pasquier, II, XIX, p. 411 (→ Comporter, cit. 8).

Ellipt. *Enfin..., enfin bon...,* sert de conclusion provisoire souvent désabusée.

♦ **3** (XXe). Servant à rectifier ou à préciser ce qui vient d'être dit. → C*est-à-dire, du moins*. *Il n'a pas d'enfants, enfin, je crois. Ils sont tous là, enfin, tous ceux qui ne sont pas malades. Bon, c'est parfait ! Enfin, ça ira...*

♦ **4** (Après *mais, car, et...*). **Tout bien considéré.** → **Compte** (tout compte fait), **somme** (somme toute), **tout** (après tout). *Mais enfin, que fallait-il faire ? C'était à vous de vous en occuper, car enfin, vous êtes son père.*

J'ai le cœur aussi bon, mais enfin je suis homme (...) 10
CORNEILLE, Horace, II, 3.

On sait que la chair est fragile quelquefois, 11
Et qu'une fille enfin n'est ni caillou ni bois.
MOLIÈRE, le Dépit amoureux, III, 9.

(...) Les Français arrivent tard à tout, mais enfin ils arri- 12 vent.
VOLTAIRE, Lettres, 2 avr. 1764 (→ Arriver, cit. 58).

Mais enfin, après une négation, exprime une rectification par opposition. → Cependant, néanmoins, toutefois.

ENFLAMMER [ɑ̃flame] v. tr. — Fin X^e ; var. *enflamber* ; du lat. *inflammare* «mettre le feu à (qqn, qqch.)» ; d'après *flamme*. → Flamber, flamme.

♦ **1** Mettre en flamme*. *Enflammer une allumette, une bûche.* → **Allumer.** *L'incendie enflamma tout l'entrepôt.* → **Embraser.** *Enflammer un bûcher, un tas de charbon, du pétrole. Enflammer du papier à l'aide d'une lentille, d'un miroir ardent.*

Par ext. (Sujet n. de chose). *Éclairer vivement. Un éclair enflamma le ciel.* → **Éclairer, illuminer.** *La lueur rouge des incendies enflammait l'horizon.* → **Empourprer.**

(...) Ah ! quels coups de tonnerre 1
Ont enflammé le ciel et fait trembler la terre !
VOLTAIRE, Sémiramis, V, 5.

L'aurore, paraissant derrière les montagnes, enflammait 2 l'orient ; tout était d'or ou de rose dans la solitude.
CHATEAUBRIAND, Atala, Les laboureurs, p. 109.

Chauffer fortement. *Un vent brûlant enflammait l'air, l'atmosphère. Un alcool qui enflamme le sang.*

♦ **2** Fig. Colorer, éclairer vivement d'une lueur de flamme. *Une violente rougeur enflammait ses pommettes.* → **Enluminer, rougir.** *La colère, la haine, la peur enflammait ses yeux, son visage.* → **Animer** (→ Dédaigneux, cit. 4). — Passif et p. p. *Ses yeux étaient enflammés par la colère. Des joues enflammées.* → ci-dessous, p. p. adj.

(...) le rouge (du maquillage), qui enflamme la pommette, 3 augmente encore la clarté de la prunelle et ajoute à un beau visage féminin la passion mystérieuse de la prêtresse.
BAUDELAIRE, Curiosités esthétiques, «Le peintre de la vie moderne», XI.

Mais, comme par l'amour une joue enflammée (...) 4
VALÉRY, Poésies, «La jeune Parque».

♦ **3** Mettre dans un état inflammatoire (→ **Inflammation**). *Cette pommade ne fera qu'enflammer la blessure, la plaie.* → **Envenimer, irriter.** *Enflammer un bouton* (cit. 6), *une piqûre d'insecte en se grattant. «Une piqûre lui enflamma le doigt»* (Littré).

5   Je me suis fait faire une jambe de bois très légère (...) je l'ai mise il y a quelques jours et ai essayé de me traîner en me soulevant encore sur des béquilles, mais je me suis enflammé le moignon et ai laissé l'instrument maudit de côté.   RIMBAUD, Correspondance, 10 juil. 1891.

♦ **4** Remplir (qqn) d'ardeur, de passion. → **Animer, échauffer, embraser, enfiévrer, exalter, passionner.** *Le zèle l'enflamme et le dévore* (cit. 31). La colère l'enflamma brusquement.* → **Échauffer.** *Orateur qui enflamme son auditoire, tribun qui enflamme les foules.* → **Électriser, enlever, enthousiasmer, galvaniser.** *L'approche* (cit. 23) *de grands événements enflamme l'orateur. L'ambition enflammait son cœur. Se laisser enflammer par la colère, la haine.* → **Emporter, entraîner.**

6   Ça, je veux étouffer le courroux qui m'enflamme (...)   MOLIÈRE, Amphitryon, II, 1.

7   L'homme est ainsi bâti : quand un sujet l'enflamme, L'impossibilité disparaît de son âme.   LA FONTAINE, Fables, VIII, 25.

8   J'enflammerai son jeune cœur de tous les sentiments d'amitié, de générosité, de reconnaissance que j'ai déjà fait naître et qui sont si doux à nourrir.   ROUSSEAU, Émile, IV.

9   Depuis trois quarts d'heure, cet homme avait dans le geste et dans le regard une autorité despotique, irrésistible, puisée à la source commune et inconnue où puisent leurs pouvoirs extraordinaires et les grands généraux sur le champ de bataille où ils enflamment les masses, et les grands orateurs qui entraînent les assemblées (...)   BALZAC, Une ténébreuse affaire, Pl., t. VII, p. 475.

10   J'ai vu parfois, au fond d'un théâtre banal, Qu'enflammait l'orchestre sonore (...)   BAUDELAIRE, Spleen et idéal, «L'irréparable».

Faire naître, augmenter (une passion, un désir...). → **Attiser, exciter, provoquer, stimuler.** *Enflammer l'ardeur, le courage, le zèle d'un soldat. Enflammer la haine, la colère.* → **Attirer, irriter.**

11   Ah! que vous enflammez mon désir curieux!   RACINE, Esther, II, 7.

Vx. Animer (qqn, son cœur, son sang...) d'une vive passion amoureuse (→ **Flamme**). *L'ardeur, la passion qui l'enflamme. Son imagination l'enflamme, enflamme son sang* (→ Amant, cit. 3). *Se laisser enflammer. Il a suffi d'un regard pour l'enflammer.* → **Affoler.** *Enflammer les désirs de qqn.* → **Allumer.**

12   Quand l'amour à vos yeux offre un choix agréable, Jeunes beautés, laissez-vous enflammer; Moquez-vous d'affecter cet orgueil indomptable Dont on vous dit qu'il est beau de s'armer : Dans l'âge où l'on est aimable, Rien n'est si beau que d'aimer.   MOLIÈRE, la Princesse d'Élide, 1ᵉʳ intermède, 1.

13   Non, ce n'est pas par choix ni par raison d'aimer Qu'en voyant ce qui plaît on se laisse enflammer (...)   Thomas CORNEILLE, Ariane, I, 1.

♦ **S'ENFLAMMER** v. pron.

♦ **1** (1690). Prendre feu. → **Brûler.** *Ce bois s'enflamme difficilement. Qui peut s'enflammer.* → **Inflammable.** *S'enflammer en explosant.* → **Déflagrer.**

Littér. Devenir d'une couleur de flammes.

14   Le soleil penchait à l'horizon. Les pointes des cimes s'éteignaient l'une après l'autre tandis que les nuées s'enflammaient dans le ciel.   FRANCE, le Lys rouge, VIII, p. 87.

Fig. *Son visage s'enflamma de colère, de honte...*

15   — Est-ce qu'on a maltraité mon fils? s'écria Germain dont les yeux s'enflammèrent.   G. SAND, la Mare au diable, XIII, p. 113.

16   N'as-tu pas, en fouillant les recoins de ton âme, Un beau vice à tirer comme un sabre au soleil, Quelque vice joyeux, effronté, qui s'enflamme Et vibre, et darde rouge au front du ciel vermeil?   VERLAINE, Sagesse, III.

♦ **2** (1640). Se passionner, s'animer. *S'enflammer de haine, de colère.* → **Emporter** (s'). *Il est prompt à s'enflammer.* — *Imagination qui s'enflamme,* qui s'exalte.

17   Tout mon sang de colère et de honte s'enflamme.   RACINE, Esther, III, 4.

18   Mon imagination, déjà moins vive, s'enflamme plus comme autrefois à la contemplation de l'objet qui l'anime; je m'enivre moins du délire de la rêverie (...)   ROUSSEAU, Rêveries..., 2ᵉ promenade.

19   «Allons à la chapelle mourir tous ensemble», s'écria l'excellent M. ..., prompt à s'enflammer.   RENAN, Souvenirs d'enfance..., IV, I, p. 159.

Spécialt. *S'enflammer d'amour. S'enflammer pour une femme. Tempérament qui s'enflamme facilement.* → **Combustible.**

20   Quand je brûle et que tu t'enflammes (...)   VERLAINE, Fêtes galantes, «Les coquillages».

♦ **ENFLAMMÉ, ÉE** p. p. adj.

♦ **1** (XIᵉ). Qui est en flamme. → **Allumé, brûlant, ignescent; feu** (en), **ignition** (en). *Brandon, tison enflammé; torche enflammée.* — *Littér. Les flèches enflammées du soleil* (→ Cribler, cit. 7).

21   (Il) se roule, et leur présente une gueule enflammée, Qui les couvre de feu, de sang et de fumée.   RACINE, Phèdre, V, 6.

Éclairé par des flammes. *Nuit enflammée.*

22   Les commandements du chef *(Hitler),* dressé dans le buisson enflammé des projecteurs, sur un Sinaï de planches et de drapeaux (...)   CAMUS, l'Homme révolté, p. 227.

(1695). Dont la chaleur est intense. → **Brûlant.** *L'air enflammé d'une après-midi d'été* (→ Atmosphère, cit. 7).

♦ **2** Fig. → **Empourpré, rouge.** *Joues, pommettes enflammées.* → **Feu** (en). *Visage enflammé de honte* (→ Cacher, cit. 5), *de concupiscence* (cit. 4). → aussi Démon, cit. 11.

23   Le lion (...) me montre ses dents et ses griffes, ouvre une gueule sèche et enflammée.   FÉNELON, Télémaque, II.

♦ **3** (1690). Qui est dans un état inflammatoire. *Plaie, blessure enflammée. Peau enflammée.* → **Irrité.**

♦ **4** Rempli d'ardeur, de passion. → **Animé, ardent, embrasé, enfiévré, passionné, surexcité.** *Orateur, discours enflammé.* → **Éloquent.** *Enflammé d'ardeur, de courage, d'enthousiasme.* → **Enthousiasme.** *Enflammé de colère* (→ **Furieux, irrité...**), *de dépit* (→ Chasser, cit. 8). *C'est une nature enflammée.* → **Emporté.**

Spécialt. *Enflammé d'amour.* → **Amoureux, passionné...** *Un cœur enflammé.* — *Lettre, déclaration enflammée.*

24   — (...) un cœur bien enflammé? — Un cœur bien plein de flamme (...)   MOLIÈRE, Amphitryon, II, 6.

25   L'objurgation amoureuse recommença, plus enflammée, plus véhémente (...)   Léon BLOY, le Désespéré, p. 125.

CONTR. Éteindre, refroidir. — Calmer; apaiser, lénifier. — (Du p. p.) Éteint, blême, livide; calme, froid, tranquille.
◊ **DÉR.** V. Inflammation. ‒ **COMP.** Désenflammer.

ENFLÉ, ÉE [ɑ̃fle] adj. et n. → Enfler.

ENFLÉCHURE [ɑ̃fleʃyʀ] n. f. — 1606; de en-, flèche, et suff. -ure.

Mar. Échelons de cordage tendus horizontalement entre les haubans pour monter dans la mâture.

1   Dans ses haubans, depuis le bas jusqu'en haut, à chaque enfléchure, pendaient des fanons de baleine pareils à de longues franges noires (...)   LOTI, Mon frère Yves, LXXXV, p. 203.

2   Appuyé contre le bordage, une main posée sur une enfléchure, le grêlé, tout en sifflotant, surveillait le quai toujours désert.
     P. MAC ORLAN, l'Ancre de miséricorde, p. 109.

ENFLER [ãfle] v. — V. 980 ; du lat. *inflare* «souffler dans»,
de *in-*, et *flare* «souffler».

I V. tr. ♦ **1** (1538). Vieilli. Remplir d'air, de gaz qu'on
insuffle. → **Gonfler.** *Enfler un ballon, une cornemuse. Enfler ses joues, les narines.* → **Dilater.** *Le vent
enfle les voiles.*

1   Le génie qui m'inspirait m'abandonna ; mon esprit et mon
âme tombèrent languissants comme les voiles d'un navire
auquel tout à coup manque le vent qui les enflait.
     MARMONTEL, Mémoires, III, *in* LITTRÉ.

2   Toutes sortes d'intumescences déformaient la brume et
se gonflaient à la fois sur tous les points de l'horizon,
comme si des bouches qu'on ne voyait pas étaient occupées à enfler les outres de la tempête.
     HUGO, l'Homme qui rit, I, II, 5.

3   Pendant que le parfum des verts tamariniers
Qui circule dans l'air et m'enfle la narine (...)
     BAUDELAIRE, Spleen et idéal, XXII,
     Parfum exotique.

Poét. *Enfler ses chalumeaux.*

4   Viendrai-je, en une églogue, entouré de troupeaux,
Au milieu de Paris enfler mes chalumeaux (...)
     BOILEAU, Satires, IX.

Par métaphore :

5   Le poète a un souffle qui enfle les mots, les rend légers et
les colore. Il sait en quoi consiste le charme des paroles
et par quel art on bâtit avec elles des édifices enchantés.
     Joseph JOUBERT, Pensées, XXI, 51.

♦ **2** Grossir, rendre plus important en volume.
→ **Augmenter, gonfler.** *Les pluies ont enflé les cours
d'eau.* Intrans. *Les rivières enflent à la fonte des
neiges.* → **Croître.**

6   Quand la neige fondue enfle un torrent fameux (...)
     MOLIÈRE, le Malade imaginaire, Prologue.

7   L'œil est rentré sous l'arcade sourcilière qu'enfle un
buisson de poils.
     GIDE, les Faux-monnayeurs, I, IV, p. 57.

♦ **3** Provoquer l'enflure de (une partie du corps).
→ **Enflure ; bouffir, boursoufler.** *L'hydropisie enfle le
corps.* → **Ballonner, distendre.** *Les engelures enflent
les doigts.*

8   Les efforts que le petit homme avait faits pour tirer son
pied hors du pot l'avaient enflé (...)
     SCARRON, le Roman comique, II, 8.

9   *Champagne*, au sortir d'un long dîner qui lui enfle l'estomac (...)   LA BRUYÈRE, les Caractères, VI, 18.

0   Comme il enflait la poitrine d'un soupir (...)
     M. AYMÉ, la Jument verte, p. 302, *in* T.L.F.

♦ **4** (En parlant de sons). Faire augmenter de volume.
Enfler un son, en renforcer graduellement l'intensité. *Enfler sa voix.* → **Amplifier** (cit. 5).

1   Qu'importe la fanfare enflant ses voix de cuivre (...)
     HUGO, l'Année terrible, Décembre, IX.

♦ **5** (1587). Vieilli. Exagérer, grossir. → **Agrandir, gonfler.** *Enfler un texte, un développement,* le développer exagérément. *L'imagination enfle les choses.*
→ **Exagérer, surfaire.** *Enfler ses prétentions.* → **Augmenter.**

2   Dès l'abord il sut vaincre, et j'ai vu la victoire
Enfler de jour en jour sa puissance et sa gloire.
     CORNEILLE, Sertorius, V, 1.

3   M. Adam ignorait et cachait son mérite avec même soin
que tant d'autres se donnent pour étaler et pour enfler le
leur.   D'ALEMBERT, Éloges, Jacques Adam.

Enfler la dépense : porter comme dépensée une
somme supérieure à la dépense réelle. → **Majorer.**
Enfler une note, un compte.

(...) chacun n'aurait que cinq louis d'or par an ? — Pas   13.1
davantage, suivant notre calcul, que j'ai un peu enflé.
     VOLTAIRE, l'Homme aux quarante écus.

♦ **6** Fig. (Vx). Enorgueillir, gonfler de vanité. *Avoir
la tête enflée par la fortune, par une soudaine
richesse. Ses succès l'ont changé et ridiculement
enflé.* → **Exalter.**

(...) le nouvel éclat de votre dignité   14
Lui doit enfler le cœur d'une autre vanité.
     CORNEILLE, le Cid, I, 3.

Vous allez donc voir (...) la force confondue par la fai-   15
blesse, la science qui enfle céder à la simplicité qui édifie.
     MASSILLON,
     Panégyrique de saint François de Paule.

II V. intr. (XIIᵉ). Augmenter anormalement de volume
par suite d'une enflure. *Les ganglions ont cessé d'enfler* (→ Dur, cit. 4).

Bomston, à demi ivre, se donna en courant une entorse   16
qui lui força de s'asseoir. Sa jambe enfla sur-le-champ, et
cela calma la querelle (...)
     ROUSSEAU, Julie ou la Nouvelle Héloïse, I,
     Lettre LVI.

♦ **S'ENFLER** v. pron. *La voile s'enfle. La rivière, la mer
s'enfle* (→ Bourrasque, cit. 1). *La grenouille s'enfle et
crève* (cit. 2).

L'onde s'enfle dessous *(les navires),* et d'un commun effort   17
Les Maures et la mer montent jusques au port.
     CORNEILLE, le Cid, IV, 3.

Tout à coup la flamme engourdie   18
S'enfle, déborde, et l'incendie
Embrase un immense horizon !
     LAMARTINE, Secondes méditations, VI.

Mon cœur bat ! mon cœur bat ! (...) Mon sein brûle et m'en-   19
traîne (...) Ah ! qu'il s'enfle, se gonfle et se tende (...)
     VALÉRY, Poésies, «La jeune Parque».

Subir une enflure (syn. : *enfler,* II.).

Ses jambes *(de Louis XIV)* s'enflèrent ; la gangrène com-   20
mença à se manifester.
     VOLTAIRE, le Siècle de Louis XIV, XXVIII.

Par anal. Devenir plus fort (d'un son). *Voix, bruit...
qui s'enfle.*

La conversation, d'abord grêle et menue, s'enfla, se pro-   21
longea en un murmure confus sur lequel s'éleva la voix
de Garain (...)   FRANCE, le Lys rouge, III, p. 35.

(...) les senteurs devenaient plus pénétrantes et le tinte-   22
ment monotone des cigales s'enflait comme un crescendo
d'orchestre.   LOTI, Mᵐᵉ Chrysanthème, II, p. 5.

Fig. → **Augmenter, grossir.**

Il y a tant d'hommes naturellement outrés et dans la   23
bouche desquels tout s'enfle, tout grossit, tout sort de la
vérité simple et naturelle.
     MASSILLON, Carême, Pardon des offenses.

Dans l'établissement des prix de revient, la place de la   24
fabrication proprement dite diminue, cependant que celle
de l'administration s'enfle d'autant.
     André SIEGFRIED, l'Âme des peuples, III, p. 212.

La charité (cit. 1) *ne s'enfle point d'orgueil.*

Ne vous enflez donc point d'une si grande gloire.   25
     MOLIÈRE, le Misanthrope, III, 4.

♦ **ENFLÉ, ÉE** p. p. adj.

♦ **1** Atteint d'enflure. → **Gonflé, volumineux.** *Mer
enflée par la tempête* (→ Abaissement, cit. 1). *Organe
enflé.* → **Bouffi, boursouflé, hypertrophié, intumes-
cent, tuméfié, tumescent, turgescent.** *Joue, paupière
enflée. Main enflée.* → **Pote** (→ Dedans, cit. 17 ; diabète, cit.). *Ventre enflé.* → **Ballonné.**

J'ai la tête plus grosse que le poing et si *(pourtant)* elle   26
n'est pas enflée.
     MOLIÈRE, le Bourgeois gentilhomme, III, 5.

Tant de visages défaits, bouffis, enflés de boutons : une   27
pâleur livide, tigrée de pustules.
     André SUARÈS, Voyage du condottiere, p. 84.

N. m. (1749). *Un gros enflé* : un gros homme. — Par ext. Gros lourdaud, imbécile. *Quel enflé! Regardez-moi cet enflé!* → **Niais.**

28 C'est ce gros enflé de conseiller (...)
BEAUMARCHAIS, le Mariage de Figaro, III, 16.

28.1 Garnéro releva la tête : «Je crois que ça va fonctionner», dit-il en rangeant son tournevis dans la trousse à outils. «Non, mais tu le vois cet enflé qui fume sa pipe sur la mélinite : Pas de ça, mon vieux, tu vas nous faire sauter».
B. CENDRARS, la Main coupée, *in* Œ. compl., t. X, p. 109.

◆ **2** Fig. → **Amplifié, exagéré, grossi.** *Incident considérablement enflé. Description enflée. Compte exagérément enflé.* → **Plein, rempli.**

◆ **3** (Personnes). ENFLÉ DE... *Enflé d'orgueil, de suffisance :* rempli d'un sentiment d'orgueil, de suffisance. — *Enflé de ses succès.* → **Bouffi, enorgueilli, fier.**

29 On dit que le Printemps, pompeux de sa richesse,
Orgueilleux de ses fleurs, enflé de sa jeunesse,
Logé comme un grand Prince en ses vertes maisons,
Se riant le plus beau de toutes les saisons,
Et se glorifiant le contait à Zéphyre.
RONSARD, Sonnets et madrigaux...,
Élégie du printemps.

30 Cet orgueilleux esprit, enflé de ses succès (...)
CORNEILLE, Nicomède, II, 4.

31 Enflés d'une si belle origine, ils se croyaient saints par nature et non par grâce.
BOSSUET, Disc. sur l'hist. universelle, II, 5.

◆ **4** *Style enflé.* → **Ampoulé, boursouflé, emphatique, redondant.**

32 Le défaut du style enflé c'est de vouloir aller au delà du grand.
BOILEAU, le Longin, Sublime, 2.

CONTR. **Désenfler.** ◊ DÉR. **Enflure.** → COMP. **Désenfler, renfler.**

ENFLEURAGE [ɑ̃flœraʒ] n. m. — 1845; de *enfleurer*.
Techn. Opération de parfumerie consistant à enfleurer* un corps gras, une huile.

ENFLEURER [ɑ̃flœre] v. tr. — 1845; *enflorer* «orner de fleurs», v. 1220; de *en-, fleur*, et suff. verbal.
Techn. Charger (un corps gras, une huile de toilette) du parfum de certaines fleurs par macération.
DÉR. **Enfleurage.**

ENFLURE [ɑ̃flyr] n. f. — V. 1150, *enfleüre*; de *enfler*.

◆ **1** État d'un organisme, d'une partie du corps qui subit une augmentation anormale de volume par suite d'une maladie, d'un coup, d'un accident musculaire, etc. → **Ballonnement, bouffissure, boursouflure, congestion, dilatation, empâtement, gonflement, intumescence, œdème, tuméfaction;** (littér.) **apostume;** (régional) **2. gonfle.** *Enflure de la cheville provoquée par une entorse. — Enflure du ventre, l'enflure :* ballonnement de l'abdomen (→ **Flatulence, météorisme**).

1 (...) une vache au père Caillaud, qui avait pris l'enflure pour avoir mangé trop de vert (...)
G. SAND, la Petite Fadette, XXVI, p. 172.

2 Et lui (le médecin) relevant drap et chemise, contemplait en silence les taches rouges sur le ventre et les cuisses, l'enflure des ganglions. CAMUS, la Peste, p. 105.
Une enflure : partie enflée.

◆ **2** Fig. Exagération; expression redondante et excessive. → **Bouffissure, boursouflage, emphase** (cit. 2). — Vieilli. Style ampoulé. → **Boursouflure.** *Se garder de l'enflure et des grands airs* (→ **Ballon,** cit. 3).

Les Espagnols ont, dans leurs sentiments, l'enflure qu'on trouve dans leurs livres; enflure d'autant plus déplorable qu'elle couvre une force de caractère et une grandeur réelles (...) Joseph JOUBERT, Pensées, XVI, LXXXVI. 3

«Cinquante mille personnes au moins!» disait le *Forum* dans sa chronique du lendemain; mais on doit tenir compte de l'enflure méridionale.
Alphonse DAUDET, Numa Roumestan, I, p. 9. 4

◆ **3** Vx et littér. *L'enflure du cœur :* l'orgueil, la vanité, la prétention.
L'orgueil est une enflure du cœur.
NICOLE, Essais, I, 1. 5

J'ai même pardonné (à Nicole) «l'enflure du cœur» en faveur du reste, et je maintiens qu'il n'y a point d'autre mot pour expliquer la vanité et l'orgueil, qui sont proprement du vent; cherchez un autre mot.
Mᵐᵉ DE SÉVIGNÉ, 205, 23 sept. 1671. 6

◆ **4** Pop. Terme d'injure. → **Enflé; crétin.**
Tu vas pas changer de gueule, un jour? Et l'autre rombière, la guenon, l'enflure, la dignité en gélatine avec ses trois mentons de renfort et ses gros nichons en saindoux qui lui dévalent sur la brioche.
M. AYMÉ, le Vin de Paris, «La traversée de Paris», p. 56. 7

CONTR. **Désenflure. — Simplicité.**

ENFOIRÉ, ÉE [ɑ̃fware] adj. et n. — Déb. XXᵉ; p. p. de *enfoirer* «salir (d'excrément)», v. 1585; de *en-*, et *2. foire.*

◆ **1** Adj. (Vulg.). Souillé d'excrément.

◆ **2** (1905). Fam. et vulg. Idiot. *Ce qu'il est enfoiré!* — N. Imbécile, maladroit. *Enfoiré mondain! C'est une enfoirée.*

(...) on peut grommeler tout le temps des injures contre ceux qui vous dépassent, ou ceux qui traversent la route. On dit : «... Et toi, tu veux mon poing dans la gueule? Imbécile, va! Et lui, alors? Il traverse ou il traverse pas? Enfoiré, va! Espèce de vérolé!»
J.-M. G. LE CLÉZIO, le Déluge, XII, p. 236. 1

Quel est l'enfoiré qui a dit que j'allais foutre le feu? Qu'il se nomme si c'est pas un lâche!
P. GUTH, le Naïf sous les drapeaux, II, II, p. 86. 2

ENFONCÉ, ÉE [ɑ̃fɔ̃se] p. p. adj. → **Enfoncer.**

ENFONCEMENT [ɑ̃fɔ̃smɑ̃] n. m. — XVᵉ; de *enfoncer.*

A ◆ **1** (1690). Action d'enfoncer; fait de s'enfoncer. *L'enfoncement d'un pieu en terre, d'un clou dans le mur. Enfoncement progressif dans l'eau.* → **Immersion.**

Lorsque nous nous sentons enfoncer dans l'eau et dans les corps mous, ce qui nous fait sentir cet enfoncement, c'est que le froid ou le chaud que nous ne sentions qu'à une partie s'étend plus avant.
BOSSUET, Traité de la connaissance de Dieu, III, 8. 1

Torsion du nez et des dents, extraction de la langue et enfoncement du petit bout de bois dans les oneilles (oreilles). A. JARRY, Ubu roi, III, 8. 2

◆ **2** Action de rompre, de forcer; son résultat. *Enfoncement des murailles à coups de bélier.*

◆ **3** Fig. Le fait d'être enfoncé **(fig.)**. *L'enfoncement d'une armée, d'un candidat.*

B *(Un, des enfoncements).* ◆ **1** (1690). Partie enfoncée, creuse (de qqch.). → **Cavité, creux.** *Enfoncement du sol. Le terrain présente un enfoncement.* → **Baissière, bas-fond.** *Enfoncements d'une palette, pour y loger les couleurs* (cit. 19). *Dans un enfoncement.*

(...) une maison (...) située dans un enfoncement qui la tient à l'abri des vents (...)
ROUSSEAU, les Confessions, XII. 3

♦2 (XVᵉ). Partie en retrait*, située vers le fond (horizontalement). *Enfoncement d'un mur. Enfoncements dans une pièce.* → **Alcôve, niche, réduit, renfoncement.** *Se cacher dans l'enfoncement d'un mur.* → **Angle** (rentrant). *Enfoncement d'une fenêtre, d'une cheminée. Enfoncement dans un pilastre.* → **Ravalement.**

4 Le porche est profond, avec des enfoncements ménagés dans l'épaisseur des tours latérales (...)
E. FROMENTIN, Un été dans le Sahara, p. 259.

5 Des enfoncements de culs-de-sac déserts abritaient ces entrevues (...)
COURTELINE, Messieurs les ronds-de-cuir,
2ᵉ tableau, III.

Spécialt. Échancrure* (d'un rivage). → **Baie.** *Les enfoncements d'une côte rocheuse.* → **Abri-sous-roche.**

Vx. Partie la plus reculée, la plus éloignée. → **Fond, lointain, profondeur.** *Les enfoncements d'un paysage.*

6 La scène représente sur le devant un lieu champêtre, et dans l'enfoncement un rocher (...)
MOLIÈRE, Psyché, Prologue (jeu de scène).

♦3 Méd. Fracture incomplète (en particulier du crâne, des côtes, du bassin).

CONTR. **Extraction.** — **Bosse, élévation, hauteur, relief, saillie.**

ENFONCER [ɑ̃fɔ̃se] v. [CONJUG.: *placer*.] — 1278; de en-, fonds, sous la forme *fons*, et suff. verbal.

I V. tr. **A** ♦ **1** Faire aller avec effort vers le fond; faire pénétrer profondément. *Enfoncer qqch., qqn dans la boue, dans le sable, dans la terre, la vase.* → **Embourber, enliser, enterrer, envaser.** *Enfoncer qqch. dans l'eau.* → **Engloutir, immerger, plonger, submerger.** *Enfoncer un pieu en terre.* → **Ficher, planter.** *Enfoncer un clou* dans le mur; enfoncer une cheville, un coin, une épingle, une fiche dans qqch. Enfoncer des pitons d'escalade dans le rocher.* → **Pitonner** (alpin.). *Enfoncer les ongles, les griffes dans la chair. Enfoncer des clous dans le sabot d'un cheval.* → **Brocher** (4.). *Il enfonça sa cuiller dans le plat* (→ Croquer, cit. 3). *Il enfonça son mouchoir dans sa poche.* → **Mettre; fourrer, introduire.** — (Sans compl. de lieu). *Enfoncer des pavés avec une demoiselle, une hie. Frapper, cogner* pour enfoncer un clou. Enfoncer le bouchon d'une bouteille :* boucher ou reboucher la bouteille.

1 Il ne regarde que son but. S'il veut enfoncer un clou, il le frappe avec une pierre, ou avec un marteau qui est de fer, ou de bronze, ou même de bois très dur; et il l'enfonce à petits coups, ou d'un seul plus énergique, ou parfois par une pression; qu'importe à lui?
VALÉRY, Eupalinos, p. 91.

2 J'étais, je suis encore comme quelqu'un qui s'enlise dans un marais puant, cherchant autour de lui que ce soit de fixe, de solide, où prendre appui, mais entraînant avec lui et enfonçant dans cet enfer boueux tout ce à quoi il se raccroche.
GIDE, Et nunc manet in te, 21 août 1938.

3 (...) il (...) arracha de l'oreiller la taie qui le recouvrait et l'enfonça dans la poche de son veston.
J. GREEN, Léviathan, I, XI, p. 106.

Plante qui enfonce ses racines dans le sol, dont les racines poussent profondément. — Fig. *Civilisation qui enfonce ses racines dans le passé.*

4 Si j'ai voulu ces analogies au début de l'œuvre, c'était afin d'affirmer le lignage beethovenien de mon héros et d'enfoncer ses racines dans le passé de l'Occident rhénan.
R. ROLLAND, Jean-Christophe, Introd., p. XVI.

Enfoncer une épée, un couteau dans le corps de son ennemi. → **Passer, plonger.** *Il lui enfonça un couteau* (cit. 10, 13) *dans le cœur, dans le sein.*

5 (...) il y en eut plusieurs qui m'apportèrent de petits clous fort jolis, pour m'enfoncer dans les bras et dans les cuisses en l'honneur de Brama.
VOLTAIRE, Bababec et les fakirs.

Figuré :

Enfonçons dans son cœur le trait qui le déchire.   6
VOLTAIRE, Brutus, II, 3.

Par exagér. *Mon voisin n'a cessé durant tout le voyage de m'enfoncer ses coudes dans les côtes.* → **Rentrer.**

Mettre (un chapeau) de telle façon que la tête y entre profondément.

Enfoncez bien votre bonnet jusque sur vos oreilles (...)   7
MOLIÈRE, le Malade imaginaire, I, 6.

Ce particulier, enfonçant son chapeau sur sa tête, lui   8
répondit qu'il ne s'entendait point en bas-reliefs.
DIDEROT, Salon de 1767.

Loc. fig. *Enfoncer qqch. dans le crâne, dans la tête de qqn,* l'en persuader ou le lui faire entendre de force. → **Apprendre, convaincre, expliquer.** *Il a eu toutes les peines du monde à lui enfoncer ça dans la tête.* → **Mettre.**

Vx. *Enfoncer qqch. à qqn* (même sens).

(...) Mᵐᵉ la duchesse d'Orléans n'aurait ni la grâce ni la 9
force nécessaire pour le lui bien enfoncer *(convaincre la duchesse de Bourgogne de l'importance du mariage du duc de Berry avec Mademoiselle)...*
SAINT-SIMON, Mémoires, t. III, XXXII.

Fam. *Enfoncer le clou :* recommencer une explication, une argumentation sans craindre la répétition, afin de se faire bien entendre. → **Insister, répéter.**

(...) on lit vite, mal et (...) on juge avant d'avoir compris.   10
Donc, recommençons. Cela n'amuse personne, ni vous, ni moi. Mais il faut enfoncer le clou.
SARTRE, Situations II, p. 58.

♦2 Fig. Entraîner, pousser dans une situation comparable à un fond, un abîme. *Enfoncer qqn dans le mal, le vice. Cela n'a fait que l'enfoncer dans ses défauts* (→ Conseil, cit. 12). *Sa prodigalité l'enfonce peu à peu dans la misère.* — Absolt. *Il était au bord de la banqueroute; ses concurrents ont fini de l'enfoncer.*

Quand les Juifs eurent vu par expérience que tous les mes-   11
sies qu'ils avaient suivis, loin de les tirer de leurs maux, n'avaient fait que les y enfoncer (...)
BOSSUET, Hist., II, 10.

(...) j'espérais, à force de travail, arriver à sauvegarder   12
notre fortune; mais le démon s'en mêle! Je n'ai réussi qu'à nous enfoncer jusqu'au cou dans les dettes et dans la misère (...) À présent, c'est fini, nous sommes embourbés (...)
Alphonse DAUDET, le Petit Chose, I, IV, p. 42.

(...) ses spéculations l'enfonçaient *(Lamartine)* chaque jour 13
un peu plus.
Émile HENRIOT, les Romantiques, p. 107.

B (Sans compl. de lieu). **♦ 1** (1635). Briser, faire plier en poussant, en pesant. → **Défoncer, forcer.** *Enfoncer une porte, une grille. Enfoncer un mur.* → **Abattre, renverser.** *Enfoncer le plancher. Une bombe enfonça la voûte de l'abri.* → **Crever.** *Enfoncer une côte.* → **Briser, rompre.**

(...) il alla avec cinq ou six gardes (...) enfoncer la grille   14
du couvent avec une bûche (...)
Mᵐᵉ DE SÉVIGNÉ, 534, in LITTRÉ.

Et nous convînmes qu'au premier cri, j'enfoncerais la   15
porte (...)
LACLOS, les Liaisons dangereuses, Lettre LXXI.

Loc. fig. *Enfoncer une porte* ouverte.*

♦2 (1580). Par anal. Forcer (une troupe) à plier sur toute la ligne. → **Culbuter.**

(...) enfin le nombre l'emporta; les Suédois furent rompus,   16
enfoncés, et poussés jusqu'à leur bagage.
VOLTAIRE, Charles XII, Livre IV.

À peine on est un peu tranquille dans ce creux : pan.   16.1
Le 2ᵉ bataillon vient de se faire enfoncer : il faut contre-attaquer.
DRIEU LA ROCHELLE, la Comédie de Charleroi,
p. 213.

♦ 3 (1820). Fam. *Enfoncer quelqu'un*, se montrer très supérieur à lui. → **Battre, surpasser.** *Il a enfoncé tous ses adversaires. Cette équipe de football s'est fait enfoncer.* → fam. **Piler, rosser; battre** (à plate couture).

17 Darcet pioche comme un enragé pour le concours du bureau central. Mais il se fera probablement enfoncer.
FLAUBERT, Correspondance, 76, fin mars 1843,
t. I, p. 133.

17.1 Oréa et Koukla vont faire un numéro de danses orientales. Tu viendras voir ça. Très original. Grande nouveauté. Ça enfonce les nègres.
R. QUENEAU, le Chiendent, p. 197.

II V. intr. (1690). Aller vers le fond, pénétrer jusqu'au fond. — (Sujet n. de personne). *Enfoncer dans le sable, dans la vase, dans la neige. On y enfonce jusqu'aux genoux.* — (Sujet n. de chose). *Ce navire enfonce dans l'eau de tant de mètres.* → **Caler.** — (1544). Absolt. *La barque enfonça brusquement.* → **Couler.**

18 Il ne pouvait déjà plus reculer. Il enfonçait de plus en plus. Cette vase, assez dense pour le poids d'un homme, ne pouvait évidemment en porter deux.
HUGO, les Misérables, V, III, VI.

19 Puis elle prenait à travers des champs en labour, où elle enfonçait, trébuchait et empêtrait ses bottines minces.
FLAUBERT, Mᵐᵉ Bovary, II, IX.

20 La route était si mauvaise que ces huit kilomètres exigèrent deux heures. Les chevaux enfonçaient jusqu'aux paturons dans la boue, et faisaient pour en sortir de brusques mouvements des hanches; ou bien ils butaient contre les ornières; d'autres fois, il leur fallait sauter.
FLAUBERT, Trois contes, «Un cœur simple», II.

♦ S'ENFONCER v. pron.

♦ 1 (1724). Aller vers le fond, vers le bas. — (Sujet n. de personne). *S'enfoncer dans un marais, dans la vase, dans le sable, dans la neige.* → **Embourber** (s'), **enliser** (s'). *S'enfoncer dans un abîme*. → **Abîmer** (s'), **engouffrer** (s'). — (Sujet n. de chose). *Navire qui s'enfonce dans les flots.* → **Couler, engloutir** (s'), **sombrer.**

21 À la seconde journée deux de leurs moutons s'enfoncèrent dans des marais (...)   VOLTAIRE, Candide, XIX.

22 Le sol devenait de plus en plus sablonneux, et les roues de la calessine s'enfonçaient jusqu'aux moyeux dans les terrains mouvants. Nous comprîmes alors pourquoi notre voiturin s'inquiétait si fort de notre pesanteur spécifique.
Th. GAUTIER, Voyage en Espagne, p. 242.

Pénétrer profondément. *La vis s'enfonce dans le bois.* → **Mordre, percer.** *Le fer s'était profondément enfoncé dans la plaie.*

23 Et lorsque tu sentis s'enfoncer les épines
Dans ton crâne où vivait l'immense Humanité (...)
BAUDELAIRE, les Fleurs du mal, «Révolte», CXVIII.

(Av. 1848). Par anal. Disparaître progressivement. *Le soleil s'enfonça derrière un nuage, derrière la montagne.*

24 Le soir vient. Sur nos têtes le ciel est resté bleu, mais devant nous s'étale une nuée violette, opaque, derrière laquelle le soleil s'enfonce.
MAUPASSANT, la Vie errante, p. 189.

(Sujet n. de personne). S'installer trop au fond. *S'enfoncer dans un fauteuil* (→ Asseoir, cit. 17). *S'enfoncer dans son lit, sous les couvertures.* → **Enfouir** (s').

25 Il s'enfonça dans son lit et ne tarda guère à se rendormir.
A. R. LESAGE, Gil Blas, III, 8.

26 Charlotte m'a dit : «Je suis en deuil de ma mère; mon père est mort depuis plusieurs années. Voilà mes enfants». À ces mots, elle a retiré sa main et s'est enfoncée dans son fauteuil, en couvrant ses yeux de son mouchoir.
CHATEAUBRIAND, Mémoires d'outre-tombe, t. II, p. 101.

(1671). Fig. Être entraîné de plus en plus bas. *S'enfoncer dans l'ignorance, dans l'erreur, dans les préjugés.* → **Enferrer** (s').

27 Ils n'ont fait que s'enfoncer de plus en plus dans l'ignorance (...)   BOSSUET, Hist., II, 10.

En ce sens il pouvait dans la fièvre du combat, crier la joie amère qu'il avait à voir la société ennemie s'enfoncer ainsi dans sa pourriture et précipiter sa propre ruine.   28
Ch. PÉGUY, la République..., p. 21.

S'enfoncer dans le passé, dans le néant. Les années s'enfoncent dans l'abîme des temps (→ Détruire, cit. 6).

Cependant, avec lenteur, la journée s'enfonçait dans le néant.   29
G. DUHAMEL, Chronique des Pasquier, VII, VII.

Il est assis au Luxembourg, sur une chaise de fer, il regarde pour toujours les marronniers en fleurs, la guerre s'est enfoncée dans le passé (...)   30
SARTRE, le Sursis, p. 53.

♦ 2 Absolt. (Sujet n. de chose ou de personne). Se perdre dans une situation dangereuse. *Cette affaire s'enfonce de plus en plus.* → **Péricliter.** — *Avec de telles dépenses, il finira par s'enfoncer.* → **Ruiner** (se); → **Boire la tasse**.

♦ 3 (Sujet n. de chose). Être situé dans un fond. *Les fondations s'enfoncent à plus de dix mètres. Ravin qui s'enfonce profondément. Ici, la terre s'enfonce de deux mètres,* forme un enfoncement de deux mètres. — Être dans un retrait.

Un jardin fort élevé dans lequel la maison s'enfonçait sur le derrière (...)   ROUSSEAU, les Confessions, I.   31

(...) l'on nous fit entrer sous un vestibule fort obscur, et dans lequel s'enfonçait, suivant l'usage, un divan en maçonnerie élevé de quatre pieds au-dessus du sol.   32
E. FROMENTIN, Un été dans le Sahara, III, p. 242.

La tête immobile s'enfonçait mollement dans l'oreiller; l'ombre des cils s'allongeait sur les joues, et les lèvres laissaient passer une haleine égale.   33
MARTIN DU GARD, les Thibault, t. I, p. 65.

♦ 4 (1695). Pénétrer bien avant; s'engager dans. — (Êtres animés). → **Avancer** (s'). *S'enfoncer dans une forêt, dans un bois, dans un chemin creux. S'enfoncer dans une gorge, un tunnel.* — Se dérober aux regards. *Silhouette qui s'enfonce et disparaît* (→ Décroître, cit. 2). *S'enfoncer dans le lointain, dans l'horizon.* → **Disparaître** (→ Amoindrissement, cit. 2). — (Inanimés). Aller, se situer dans, à l'intérieur de (qqch.). *Route, rue qui s'enfonce entre les arbres, les maisons* (→ Cime, cit. 2; desservir, cit. 2). *Golfe qui s'enfonce dans les terres.*

(...) je m'enfonçai dans une sombre forêt (...)   34
FÉNELON, Télémaque, II.

Ici gronde le fleuve aux vagues écumantes;   35
Il serpente, et s'enfonce en un lointain obscur (...)
LAMARTINE, Premières méditations, «L'isolement».

Une allée sablonneuse, douce aux pieds, s'enfonçait dans l'ombre du taillis (...)   36
MARTIN DU GARD, les Thibault, t. II, p. 258.

(...) comme elle allait s'enfoncer dans une rue obscure (...) 37
MARTIN DU GARD, les Thibault, t. II, p. 122.

Fig. → **Avancer.**

(...) plus ils sentent, et plus ils souffrent; plus ils s'enfoncent dans la vie, et plus ils sont malheureux.   38
ROUSSEAU, Julie ou la Nouvelle Héloïse, III, Lettre XXI.

Fig. S'adonner, s'abandonner à (qqch. qui absorbe entièrement). → **Absorber** (s'), **livrer** (se). *S'enfoncer dans l'étude, dans la dévotion.* → **Plonger** (se). *S'enfoncer dans une rêverie, dans le mutisme, dans le sommeil. S'enfoncer dans ses mauvaises habitudes.* → **Encroûter** (s'). *S'enfoncer dans de mauvaises pensées* (→ Cœur, cit. 60), *dans le désespoir* (→ **Sombrer**).

(...) Lantier n'écoutait plus, s'enfonçait dans une idée fixe. 39
ZOLA, l'Assommoir, t. I, p. 11.

(...) il avait résolu de s'enfoncer, comme il pourrait, dans ce silence, dans cette contemplation, dans ce crépuscule d'argent de l'oraison (...)   40
Léon BLOY, le Désespéré, p. 68.

1 À mesure qu'une âme s'enfonce dans la dévotion, elle perd le sens, le goût, le besoin, l'amour de la réalité.
    GIDE, le Faux-monnayeurs, I, XII, p. 138.

2 Et il s'enfonça dans une rêverie qui dura longtemps.
    SAINT-EXUPÉRY, le Petit Prince, p. 16.

♦ **5 Fam. S'enfoncer qqch. → Envoyer** (s'), **farcir** (se).

1 Bourlinguer un cochon du boulevard de l'Hôpital à la rue Caulaincourt, s'enfoncer au pas de chasseur toute la traversée de Paris en plein noir, huit kilomètres au raccourci avec la montée de Montmartre en finale (...)
    M. AYMÉ, le Vin de Paris, «La traversée de Paris»,
    p. 30.

♦ **ENFONCÉ, ÉE** p. p. adj.

♦ **1** *Pieu à demi enfoncé dans la terre. Clou enfoncé jusqu'à la tête. Poings enfoncés dans les poches* (→ **Déformer**, cit. 8). — *Épine enfoncée dans le pied. Épée enfoncée jusqu'à la garde.* — Par ext. *Je l'ai trouvé enfoncé dans un fauteuil.*

Fig. *Homme enfoncé dans le vice, dans l'ignorance.*

Spécialt. *Avoir l'esprit enfoncé dans la matière :* être épais, borné, terre à terre.

3 Mon Dieu! ma chère, que ton père a la forme enfoncée dans la matière! que son intelligence est épaisse, et qu'il fait sombre dans son âme!
    MOLIÈRE, les Précieuses ridicules, 5.

4 Il te faut du positif, Jeanne, et tu as l'esprit un peu enfoncé dans la matière.
    Th. GAUTIER, le Capitaine Fracasse, t. I, V, p. 147.

♦ **2** (Personnes). Occupé complètement. → **Absorbé, plongé.** *Être enfoncé dans une lecture passionnante, dans la méditation. Enfoncé dans ses préjugés.* → **Entêté.** *Être enfoncé jusqu'au cou dans les affaires.* → **Engagé.**

5 L'introduction représente Don Quichotte enfoncé dans la lecture des romans de chevalerie (...)
    R. ROLLAND, Musiciens d'aujourd'hui, p. 133.

6 Je retrouve Degas vieilli, mais toujours ressemblant; à peine un peu plus buté, plus enfoncé dans son opinion, exagérant sa hargne et grattant toujours la même endroit de son cerveau où le prurit se localise toujours plus.
    GIDE, Journal, 4 juil. 1909, p. 274.

7 Archimède est trop enfoncé dans sa méditation pour prendre garde au soldat qui lui porte le coup mortel.
    G. DUHAMEL, Récits des temps de guerre, IV, p. 123.

♦ **3** (Choses). → **Bas, profond; dedans** (en), **retrait** (en). *Une alcôve* (cit. 2) *enfoncée. Terrain enfoncé.* → **Bas-fond.**

Qui rentre dans le visage, dans le corps. (1690). *Avoir les yeux enfoncés.* → **Cave, creusé, creux.** *Lèvres enfoncées.* (1714). *Avoir la tête enfoncée entre les épaules, la tête enfoncée.* → **Rentré.**

8 (...) un petit homme haut de trois pieds et demi, extraordinairement gros, avec une tête enfoncée entre les deux épaules : voilà mon oncle.
    A. R. LESAGE, Gil Blas, I, I.

9 Dom Claude écoutait en silence. Tout à coup son œil enfoncé prit une telle expression sagace et pénétrante, que Gringoire se sentit, pour ainsi dire, fouillé jusqu'au fond de l'âme par ce regard.
    HUGO, Notre-Dame de Paris, II, I, II.

10 Il était de taille assez haute, les épaules bien carrées, la tête plutôt enfoncée, grosse, sans être énorme (...)
    J. ROMAINS, les Hommes de bonne volonté, t. V,
    XXIII, p. 203.

♦ **4** Rompu, défoncé. → **Brisé, crevé.** *Plafond enfoncé. Porte enfoncée.* — *Côte enfoncée.* → **Rompu.** — Par ext. *Troupe, armée enfoncée par les ennemis.* → **Battu, vaincu; déroute** (en).

1 Les Parthes, au combat par les nôtres forcés,
Tantôt presque vainqueurs, tantôt presque enfoncés (...)
    CORNEILLE, Rodogune, I, 4.

Fam. *La partie est perdue, nous voilà enfoncés.*

52 C'est encore un nouveau mot, mais il est adopté : maintenant les jeunes gens de la haute société, les petits maîtres, les lions, disent : Je suis floué! comme ils auraient dit autrefois : Je suis pris pour dupe! et dans le style plus familier : Je suis enfoncé!
    Charles PAUL DE KOCK, la Grande Ville,
    p. 81 (éd. 1842).

53 Garnotelle connaît le préfet de police, il vient de faire son portrait... Il nous aura une permission... Nous aurons un municipal à la porte... C'est ça qui aura de l'œil! Enfoncés les bourgeois!
    Ed. et J. DE GONCOURT, Manette Salomon, p. 226.

♦ **5** N. f. *Une enfoncée :* partie en retrait dans une surface. → **Enfonçure.** *Une enfoncée de terrain.* → **Cavité.**

54 (...) et maintenant Georges et Blum se tenaient debout sur le seuil de la grange, à l'abri de l'enfoncée du mur, en train de regarder (...)
    Claude SIMON, la Route des Flandres, p. 59.

CONTR. Arracher, enlever, extirper, sortir, tirer. — Remonter, surnager. — Apparaître, arriver, paraître, surgir, venir. — (Du p. p.) Élevé, haut, saillant. ◊ DÉR. Enfoncement, enfonceur, enfonçoir, enfonçure. ◄ COMP. Renfoncer.

ENFONCEUR, EUSE [ɑ̃fɔ̃sœʀ, øz] n. — 1565; «personne qui approfondit», av. 1555; de *enfoncer.*

Personne qui enfonce (qqch.). — Vieilli. Personne qui triomphe (de qqn).

Ça te la coupe, monsieur l'enfonceur, reprit le forçat en regardant le célèbre directeur de la police judiciaire.
    BALZAC, le Père Goriot, 1834, Pl., t. II, p. 1014.

(1718). Spécialt. *Enfonceur, enfonceuse de porte* ouverte, de portes ouvertes :* personne qui démontre des évidences.

ENFONÇOIR [ɑ̃fɔ̃swaʀ] n. m. — 1839; de *enfoncer.*
Techn. Outil servant à enfoncer un objet.

ENFONÇURE [ɑ̃fɔ̃syʀ] n. f. — V. 1365, *enfosseure;* de *enfoncer.*

♦ **1** (V. 1560). Rare ou régional. Creux, dépression. → **Enfoncement.**

Le vieillard couchait en une enfonçure de roches.
    LA FONTAINE, Psyché, II. 1

Au sifflement de la première flèche, tous les cerfs à la fois tournèrent la tête. Il se fit des enfonçures dans leur masse; des voix plaintives s'élevaient, et un grand mouvement agita le troupeau. 2

    FLAUBERT,
    la Légende de saint Julien l'Hospitalier, I.

♦ **2** Techn. (Vieilli). *Les enfonçures;* (collectif) *l'enfonçure :* pièces qui forment le fond d'un tonneau. → **Fonçailles.**

ENFORCIR [ɑ̃fɔʀsiʀ] v. — Fin XIIe; de l'anc. franç. *enforcier,* v. 1130 (→ **Renforcer**), de *en-, force,* et suff. verbal (par substitution de suffixe).
Vieux.

♦ **1** V. tr. Rendre plus fort. → **Consolider, fortifier, renforcer.**

♦ **2** V. intr. Devenir plus fort, plus vigoureux. → **Forcir, renforcir.**

ENFORMER [ɑ̃fɔʀme] v. tr. — 1564; de *en-, forme,* et suff. verbal.
Techn. Mettre sur la forme*. *Enformer un chapeau, une chaussure.*

ENFOUIR [ɑ̃fwiʀ] v. tr. — XIIIe; enfodir, v. 1050; du lat. pop. *infodire, du lat. class. infodere «creuser», de in-, et fodere. → Fouir.

♦ **1** Mettre en terre, sous terre, après avoir creusé ou labouré le sol. → **Enterrer**. Enfouir des graines, des plantes, du fumier, un cadavre, une charogne. Enfouir un trésor*, une cassette pleine d'or (→ **Cacher**; → Avec, cit. 94).

1   Ils vont enfouir le trésor.   LA FONTAINE, Fables, x, 4.

2   (...) dans les endroits qui sont cultivés on ne trouve point de vivres, les paysans enfouissent dans la terre tous leurs grains, et tout ce qui peut s'y conserver (...)
         VOLTAIRE, Charles XII, Livre IV.

3   Soutenir les voûtes de ces galeries, contre l'énorme pesanteur des terres qui tendent à enfouir sous leur chute les hommes avares et audacieux qui les ont construites.
         G.-T. RAYNAL, Hist. philosophique, VI, 19.

♦ **2** (1636). Par ext. Enfoncer*, mettre dans un lieu recouvert et caché. Enfouir une bûche sous la cendre.

Enfouir ses mains dans ses poches. → **Plonger**. Enfouir des livres, des documents au fond d'une armoire.

Abstrait. Enfouir ses griefs, sa rancune. → **Dissimuler** (→ Déterrer, cit. 4). Enfouir sa douleur au fond de son âme. → **Taire**; **secret** (garder secret).

Enfouir ses dons, ses talents, les laisser en friche.

♦ **S'ENFOUIR** v. pron.

♦ **1** (1835). Se blottir, se cacher, se tapir. Lapin qui s'enfouit dans son terrier. — Figuré :

4   Chacun n'a qu'une pensée : se faire le plus plat possible, s'enfouir dans la terre, comme s'ensablent les soles à marée basse.
         MARTIN DU GARD, les Thibault, t. VIII, p. 181.

♦ **2** → **Enfoncer** (s'). S'enfouir sous ses couvertures. — Fig. S'enfouir dans son travail, dans ses livres. → **Plonger** (se). S'enfouir au fond d'une province. S'enfouir dans un monastère. — S'enfouir en soi-même. → **Réfugier** (se), **retirer** (se).

5   (...) il pouvait s'enfouir profondément en lui-même (Boris) et s'occuper des petites pensées plaisantes qui lui venaient.
         SARTRE, l'Âge de raison, II, p. 29.

♦ **ENFOUI, IE** p. p. adj.

♦ **1** Mis dans un trou creusé en terre. Trésor enfoui dans la terre. Graines enfouies dans le sol (→ Déchaumage, cit.). — Braise (cit. 1) enfouie sous les cendres.

♦ **2** Caché, enfoncé. Document, papier enfoui sous une montagne de livres (→ Archive, cit. 6). — Yeux enfouis au fond des orbites.

6   Son père riait, ses petits yeux de macaque malicieusement enfouis au-dessus de ses pommettes plissées.
         P. MAC ORLAN, la Bandera, V, p. 57.

Mains enfouies dans les poches (→ Douillette, cit. 2). Enfoui sous ses couvertures (→ Boyard, cit.). Un gros homme enfoui dans un fauteuil.

7   Les maraîchers accroupis dans leurs voitures parmi les salades et les légumes, à demi assoupis, enfouis jusqu'aux yeux dans leurs roulières à cause de la pluie battante, ne regardaient même pas ces étranges passants.
         HUGO, les Misérables, IV, VI, II.

Maison enfouie sous la verdure.

8   C'était une habitation ancienne, entièrement enfouie dans de grands bois de châtaigniers et de chênes.
         E. FROMENTIN, Dominique, p. 131.

♦ **3** Réfugié dans (un lieu, une occupation).
Fig. Enfoui dans ses livres (→ Armer, cit. 25). — Moines enfouis au fond d'un monastère. Enfoui dans le silence, la solitude.

Je resterai enfoui dans le silence et dans l'obscurité; je fuirai le monde.   9
         Valery LARBAUD, Fermina Marquez, XVIII, p. 185.

CONTR. Déterrer, extraire, sortir. ◊ **DÉR.** Enfeu, enfouissement, enfouisseur.

ENFOUISSEMENT [ɑ̃fwismɑ̃] n. m. — 1539; de enfouir.

♦ **1** Action d'enfouir; son résultat. L'enfouissement du fumier, de l'engrais vert dans le sol. Enfouissement des cadavres d'animaux. Fosses d'enfouissement.

Tout était blanc autour d'eux; l'enceinte était comblée; le   1 toit de la maison et ses murs se confondaient en un égal enfouissement, et sans deux tourbillons de fumée bleuâtre qui se tordaient dans l'air, un étranger n'aurait pu soupçonner en cet endroit l'existence d'une maison habitée.
         J. VERNE, le Pays des fourrures, t. I, p. 210.

La collectivité paie l'évacuation et la destruction éventuelle   2 ou l'enfouissement des déchets, mais son débours n'est pas compté dans l'opération. Il est cependant de plus en plus élevé.   A. SAUVY, Croissance zéro ?, p. 214.

♦ **2** Par ext. Action de placer (qqch.) dans un endroit gardé secret, par hasard ou volontairement.

L'histoire des manuscrits d'Aristote si étrange; le catalogue   3 de la bibliothèque d'Alexandrie, leur trouvaille après un siècle et demi d'enfouissement en Troade.
         CLAUDEL, Journal, juin 1910.

ENFOUISSEUR, EUSE [ɑ̃fwisœʀ, øz] n. — 1627; de enfouir.

♦ **1** Rare. Personne qui enfouit.

♦ **2** N. m. (1890). Agric. Appareil adapté à la charrue, servant à enfouir du fumier, des fanes.

ENFOURCHEMENT [ɑ̃fuʀʃəmɑ̃] n. m. — XIIIe; de en-, fourche, et suff. -ement, et de enfourcher (sens 2 et 3).

♦ **1** (1676). Techn. Archit. Angle formé à la rencontre de deux douelles, dans une voûte d'arête. — Menuis. Angle formé par l'assemblage de deux chevrons d'un toit, de deux pièces unies à tenons et à mortaises ouvertes.

♦ **2** Action d'enfourcher (2.).

♦ **3** (1906, in Petiot). Spécialt. Prise de lutte où l'adversaire est maintenu entre les jambes.

ENFOURCHER [ɑ̃fuʀʃe] v. tr. — 1553; de en-, fourche, et suff. verbal.

♦ **1** Vx. Blesser avec une fourche, percer d'une fourche.

♦ **2** (Le compl. désigne une monture, qqch. sur quoi on peut monter). Monter (un cheval) à califourchon, une jambe d'un côté, une jambe de l'autre.

Le divin Mahomet enfourchait tour à tour   1
Son mulet Daïdol et son âne Yafour;
Car le sage lui-même a, selon l'occurrence,
Son jour d'entêtement et son jour d'ignorance.
         HUGO, la Légende des siècles, IX.

Il enfourche pesamment sa grande jument blanche, dont   2 la croupe et les pieds sont teints de rose (...)
         E. FROMENTIN, Un été dans le Sahara, I, p. 82.

Par anal. Enfourcher une bicyclette (cit. 1). — Enfourcher une chaise, une branche.

Sur le trottoir d'en face, le marchand de tabac a sorti une   3 chaise, l'a installée devant sa porte et l'a enfourchée en s'appuyant des deux bras sur le dossier.
         CAMUS, l'Étranger, II, p. 36.

♦ **3** Fig. Enfourcher son dada, enfourcher une idée, une opinion : se complaire à exposer, à développer son sujet favori.

DÉR. Enfourchement (2., 3.).

ENFOURCHURE [ɑ̃fuʀʃyʀ] n. f. — XIIᵉ, *enforcheüre*; de *en-, fourche*, et suff. *-ure*.

♦ **1** Vieilli. Disposition en fourche*. → **Bifurcation.** — (Mil. XVIIIᵉ). *L'enfourchure d'un arbre* : le point au niveau duquel le tronc bifurque en deux rameaux.

L'enfourchure, placée fort bas, en était déformée par une grossière cicatrice, pareille à la tête d'un saule, couverte d'écailles grises, et d'une espèce de lichen desséché par l'hiver. BERNANOS, la Joie, in Œ. roman., Pl., p. 686.

(1675). *L'enfourchure du cerf*, en parlant du bois qui se divise en deux pointes.

♦ **2** Partie du corps humain où les jambes se réunissent au tronc. *L'enfourchure des jambes.*

(1832, in D.D.L.). *L'enfourchure d'un pantalon.* → **Entre-deux, fourche.**

ENFOURNAGE [ɑ̃fuʀnaʒ] ou **ENFOURNEMENT** [ɑ̃fuʀnəmɑ̃] n. m. — 1763, *enfournage*; *enfournement*, 1559; de *enfourner*.

Technique.

♦ **1** Action, manière d'enfourner (le pain, les poteries).

♦ **2** (1864). Opération de verrerie précédant l'affinage.

ENFOURNER [ɑ̃fuʀne] v. tr. — V. 1200; de *en-, fo(u)rn*, anc. forme de *four*, et suff. verbal.

♦ **1** Mettre dans un four* (du pain, un aliment, des poteries). *Enfourner du pain; de la pâtisserie* (→ 1. Boulanger, cit. 1). — *Enfourner des poteries, des briques.*

Absolt. Mettre la pâte (du pain, etc.) à cuire dans le four.

C'était le nettoiement du four sur la place. Il était tout en feu au milieu de la nuit. On avait retiré les braises et nettoyé pour enfourner. J. GIONO, les Vraies Richesses, p. 159.

♦ **2** (1849). Fam. Avaler rapidement (qqch.). *Enfourner un gâteau.* → **Engloutir, ingurgiter.** — Faux pron. *S'enfourner qqch.*

(...) porte le bol à ses lèvres et enfourne tout ce riz, en le poussant avec ses deux baguettes jusqu'au fond de son gosier. LOTI, Mᵐᵉ Chrysanthème, XXII, p. 109.

♦ **3** Fam. (Compl. n. de personne). Introduire sans ménagement dans. *Enfourner qqn quelque part, dans...* → **Emballer, fourrer.**

Il l'enfourna dans un taxi où elle se confondit avec l'ombre et cessa d'exister. COLETTE, la Fin de Chéri, p. 117.

Spécialt. Ancienn. Attacher (le condamné) sur l'échafaud.

— Monsieur Sanson? dit-elle.
— Mademoiselle? dit le bourreau.
— Comment fait-on, quand l'homme est sur l'échafaud? comment l'attache-t-on?
Le bourreau lui expliqua cette chose affreuse et lui dit : Nous appelons cela *enfourner.*
— Eh bien, Monsieur Sanson, dit la jeune fille, je désire que vous m'enfourniez. Francis CARCO, Nostalgie de Paris, p. 69.

♦ **4** (Compl. n. de chose). Introduire (dans une ouverture). → **Fourrer.** *Enfourner une cuiller dans la bouche de qqn.*

♦ **S'ENFOURNER** v. pron.

(Réfl.). Entrer avec force (dans un lieu fermé, étroit, obscur...). *Ils se sont enfournés dans ce petit cinéma.*

DÉR. **Enfournage** ou **enfournement, enfourneur.**

ENFOURNEUR, EUSE [ɑ̃fuʀnœʀ, øz] n. — 1763; de *enfourner.*

Technique.

♦ **1** Ouvrier, ouvrière chargée des opérations d'enfournage.

♦ **2** N. f. (1851). Machine qui alimente en charbon les chambres de distillation des usines à gaz.

ENFREINDRE [ɑ̃fʀɛ̃dʀ] v. tr. [CONJUG.: *feindre.*] — XIIIᵉ; *enfraindre*, fin XIᵉ; du lat. pop. **infrangere*, du lat. class. *infringere*, d'après *frangere* «briser, rompre, mettre en pièces». → Infraction.

Littér. Ne pas respecter (un engagement, une loi). → **Contrevenir, désobéir** (à); **transgresser, violer.** *Les lois qu'il a enfreintes. Enfreindre un règlement. Celui qui enfreindra la règle paiera une amende* (→ Contrevenant, infracteur).

Enfreindre un ordre, une défense. → **Passer** (passer outre). *Ils ont enfreint la consigne.* → **Forcer.** *Enfreindre les prescriptions du médecin* (→ Diète, cit. 3). *Enfreindre une convention, un traité.* → **Rompre.** *Enfreindre un vœu, une promesse, un serment...* → **Manquer** (à); **fausser** (vx).

Quand on craint d'être injuste, on a toujours à craindre; 1
Et qui veut tout pouvoir doit tout oser enfreindre (...)
CORNEILLE, Pompée, I, 1.

Si quelque transgresseur enfreint cette promesse, 2
Qu'il éprouve, grand Dieu, ta fureur vengeresse (...)
RACINE, Athalie, IV, 3.

(...) une prêtresse parjure a enfreint ses vœux, trahi sa 3
patrie, outragé les dieux de ses pères!
Th. GAUTIER, Souvenirs de théâtre..., V, p. 165.

♦ **ENFREINT, EINTE** p. p. adj. *Consigne enfreinte.*

CONTR. Observer, respecter, suivre. ◊ DÉR. (Du lat. *infractio*, de *infringere*.) V. Infraction.

ENFROQUÉ, ÉE [ɑ̃fʀɔke] adj. et n. m. — 1552, Rabelais, au fig.; de *en-, froc*, et suff. verbal.

Péj. et vx. Vêtu d'un froc*.

(...) il est accueilli à coups d'escopette par des moines enfroqués et fanatiques. William DE BAZELAIRE, l'Or de la Bérézina, p. 178.

N. m. Moine.

ENFUIR (S') [ɑ̃fɥiʀ] v. pron. [CONJUG.: *fuir.*] — 1080, pour *s'en fuir*; de 1. *en*, et *fuir*.

♦ **1** S'en aller, s'éloigner en fuyant, ou en hâte. → **Aller** (s'en); **décamper, déguerpir, déloger, dérober** (se), **détaler, disparaître, échapper** (s'), **éclipser** (s'), **envoler** (s'), **esquiver** (s'), **évader** (s'), **filer, fuir, partir, sauver** (se); → (vx)Se carrer, escamper, tirer ses chausses, se grègues, tirer chemin; (fam.) se barrer, caleter, se carapater, se cavaler, mettre la clef* sous la porte, se débiner, se décaniller, se défiler, s'esbigner, se déguiser en cerf*, en courant* d'air, prendre la poudre d'escampette*, fausser compagnie*, foutre le camp*, gagner le large*, prendre ses jambes* à son cou, jouer des jambes, jouer la fille* de l'air, mettre les adjas*, les mettre, mettre les bouts, lever le pied*, montrer, tourner les talons, se tirer, tricoter des pincettes, se trisser; et les loc. fig. (vieilli) faire un trou à la lune*, enfiler la venelle*; courir, cit. 22; danser, cit. 4; démordre, cit. 5; desserrer, cit. 2. *S'enfuir à toutes jambes, à toute vitesse, rapidement, au galop. Gibier qui s'enfuit* (→ Chasse, cit. 5; défaut, cit. 15). *Il parvint à s'enfuir. S'enfuir à l'étranger.* → **Réfugier** (se). *S'enfuir devant le danger, s'enfuir de peur* (→ Chameau, cit. 1). *S'enfuir sur le champ de bataille.* → **Déserter** (→ Capitaine, cit. 1; désemparer, cit. 1). — *S'enfuir de... S'enfuir d'un lieu où l'on était retenu.* → **Évader** (s'). *S'enfuir de la maison*

paternelle. → **Abandonner, quitter.** — *S'enfuir vers...,*
dans...

1   La vraie épreuve de courage
    N'est que dans le danger que l'on touche du doigt.
    Tel le cherchait, dit-il, qui, changeant de langage,
    S'enfuit aussitôt qu'il le voit.
                              LA FONTAINE, Fables, VI, 2.

2   Elle n'eut plus qu'une pensée, s'enfuir; s'enfuir à toutes
    jambes, à travers bois, à travers champs, jusqu'aux mai-
    sons, jusqu'aux fenêtres, jusqu'aux chandelles allumées.
                              HUGO, les Misérables, II, III, V.

3   (...) le voleur, qui s'enfuit au galop de son cheval après
    avoir commis un crime (...)
                       LAUTRÉAMONT, les Chants de Maldoror, I, p. 21.

♦ **2** Par anal. S'échapper, s'écouler (le sujet désigne un
fluide). → **Fuir, sauver** (se). *La fumée s'enfuit. Le vin*
s'enfuit du tonneau. Le ruisseau s'enfuit au travers
de la prairie (→ Bouillon, cit. 2).

Figuré :

4   (...) Adraste, d'un coup de lance, le rendit immobile, et
    son âme s'enfuit d'abord avec son sang.
                              FÉNELON, Télémaque, XV.

5   Beaux yeux de mon enfant, par où filtre et s'enfuit
    Je ne sais quoi de bon, de doux comme la Nuit !
                              BAUDELAIRE, les Épaves, IX.

♦ **3** (Sujet n. de chose). Passer rapidement en s'éloignant. *Les nuages s'enfuient.*

♦ **4** Fig. (Poét.). S'écouler rapidement. → **Disparaître,**
évanouir (s'), **passer** (dans le temps). — *Le temps s'en-*
fuit et coule.

Disparaître. *Les beaux jours se sont enfuis. Souve-*
nirs qui s'enfuient. → **Envoler** (s').

6   (...) la vie s'enfuit, ne te montre donc point si difficile
    envers le bonheur qui se présente, hâte-toi de jouir.
                       STENDHAL, la Chartreuse de Parme, t. II, p. 42.

7   (...) Qu'est-ce donc que des jours pour valoir qu'on les
    pleure ?
    Un soleil, une seule, une heure, et puis une heure;
    Celle qui vient ressemble à celle qui s'enfuit (...)
                              LAMARTINE, Méditations, II, 5.

8   Le mal dont j'ai souffert s'est enfui comme un rêve (...)
                       A. DE MUSSET, Nouvelles poésies,
                                      «La nuit d'octobre».

9   Je t'aime surtout quand la joie
    S'enfuit de ton front terrassé (...)
                       BAUDELAIRE, Nouvelles fleurs du mal,
                                      Madrigal triste.

♦ **ENFUI, IE** p. p. adj. *Les jours enfuis,* passés. *Rêves*
enfuis.

CONTR. Demeurer, durer, rester; faire (face, front), résister,
tenir.

ENFUMAGE [ãfymaʒ] n. m. — 1846; de *enfumer.*

♦ **1** Action d'enfumer; son résultat.

(...) le poêle bourré de papiers brûlés et responsable d'un
dernier enfumage (...)
                       Hervé BAZIN, Cri de la chouette, p. 288.

♦ **2** Spécialt. Techn. **a** Défaut provoqué par la fumée,
au cours de la cuisson de la porcelaine.

b (1922). Procédé par lequel l'apiculteur neutralise
les abeilles en enfumant la ruche.

c Chauffage préalable des produits (briques,
tuiles) à chauffer dans un four, pour éviter la
condensation de vapeur d'eau au début de la
cuisson.

ENFUMER [ãfyme] v. tr. — V. 1150; de en-, et *fumer.*

♦ **1** Emplir, ou environner de fumée*. *Poêle qui*
enfume un appartement.

♦ **2** (1636). Incommoder par la fumée. *Enfumer qqn*
avec la fumée d'une pipe. Ce bois vert nous enfumait.
— Spécialt. *Enfumer un renard dans son terrier,* pour

l'en faire sortir. *Enfumer des abeilles dans leur*
ruche, pour les neutraliser (→ **Enfumoir**).

(...) le prince tout à l'heure   1
Veut qu'on aille enfumer renard dans sa demeure (...)
                              LA FONTAINE, Fables, VIII, 3.

♦ **3** (1674). Fig. et vx. Troubler l'esprit de (qqn), par
des vapeurs d'alcool, des bouffées d'orgueil, etc.

Mais pour un vain bonheur qui vous a fait rimer,   2
Gardez qu'un sot orgueil ne vous vienne enfumer.
                              BOILEAU, l'Art poétique, II.

♦ **4** (Vieilli à l'actif). Noircir ou ternir par la fumée.
Enfumer des verres de lunettes. — Spécialt. Peint.
Enfumer un tableau, lui donner par certains pro-
cédés l'apparence d'une vieille toile.

Par ext. Noircir de fumée, de suie.

◆ **S'ENFUMER** v. pron.

S'entourer de fumée. *S'enfumer près d'un feu de bois*
vert.

Les Lapons n'ont point d'autre remède contre ces maudits   3
animaux *(moucherons)* que d'emplir de fumée le lieu où
ils demeurent (...) nous fîmes la même chose et nous nous
enfumâmes (...)
                       J.-F. REGNARD, Voyage en Laponie, t. IV, p. 206.

Fig. *La vallée s'enfume de brouillard* (cit. 7).

◆ **ENFUMÉ, ÉE** p. p. adj.

♦ **1** *Salles basses et enfumées* (→ Bistrot, cit. 3;
dancing, cit. 1). *Chaumine* (cit. 1) *enfumée. Gare*
enfumée. — *Chapelle* (cit. 3) *enfumée d'encens.*

(...) la petite gare enfumée d'où l'on partait pour Saint-   4
Maur. Il n'y avait plus qu'un seul train, vers une heure et
demie. J'étais crotté jusqu'à l'âme, sale, farouche, irrité.
                       G. DUHAMEL, Chronique des Pasquier, III, V, p. 62.

♦ **2** Vx. *Verres enfumés.* → **Fumé; noir.**

Mur enfumé, couvert de suie*. — Fig. *Teint enfumé,*
gris, terne, couleur de fumée.

CONTR. Désenfumer; aérer; éclaircir. ◊ **DÉR.** Enfumage,
enfumoir.

ENFUMOIR [ãfymwaʀ] n. m. — 1845, Bescherelle; de
enfumer.

Techn. Appareil utilisé pour enfumer les ruches.

(...) l'apiculteur amateur avait encore fait charger à bord
deux enfumoirs, l'un à l'air froid, l'autre à pipes, système
Dathe.   Maurice DENUZIÈRE, Louisiane, t. II, p. 87.

ENFÛTAGE [ãfytaʒ] n. m. — 1870; de *enfûter.*

Techn. Action d'enfûter; son résultat.

ENFUTAILLER [ãfytaje] ou ENFÛTER [ãfyte] v. tr.
— 1722, enfutailler; enfûter, 1285; au fig., v. 1250; de en-,
futaille ou *fût,* et suff. verbal.

Techn. Mettre en fût, en futaille (du vin, du cidre).

DÉR. (De *enfûter.*) **Enfûtage.**

ENGADINOIS, OISE [ãgadinwa, az] adj. et n. — D. i.;
de *Engadine,* nom d'une région de Suisse.

De l'Engadine (vallée de l'Inn). — N. *Un Engadinois,*
une Engadinoise. — N. m. Ling. *L'engadinois.* → **Ladin.**

ENGAGEABLE [ãgaʒabl] adj. — 1843; de *engager.*

Rare. Qui peut être engagé. *Des objets engageables.*

Vous prendrez un prête-nom à qui je déléguerai pour
trois ans la quotité engageable de mes appointements,
elle monte à vingt-cinq mille francs par an, c'est soixante-
quinze mille francs.
                       BALZAC, la Cousine Bette, Pl., t. VI, p. 256.

(Personnes). Susceptible d'être engagé, recruté.

ENGAGEANT, ANTE [ãgaʒã, ãt] adj. — XVIIe; de engager.

♦ **1** Qui engage, attire, séduit (en parlant des comportements, des caractéristiques humaines). → **Agréable, aguichant, alléchant, appétissant, attirant, attrayant, plaisant, séduisant.** *Douceur engageante. Sourire engageant. Manières engageantes.* → **Bienveillant, doux; insinuant.** *Paroles, propositions engageantes.*

1 Un air tout engageant, je ne sais quoi de tendre (...)
MOLIÈRE, l'École des femmes, I, 4.

2 (...) en vérité, me dit-il d'un air gai, vous êtes bien séduisant, seigneur Gil Blas; vous me faites faire tout ce qu'il vous plaît. Vous avez des manières engageantes et qui m'ôtent jusqu'à la crainte d'abuser de votre humeur bienfaisante.
A. R. LESAGE, Gil Blas, VII, XII.

(En parlant des personnes). Qui donne envie d'entrer en relations. → **Avenant, charmant.**

3 (...) je vous trouve la plus engageante personne du monde (...)
MOLIÈRE, Critique de l'École des femmes, 3.

(Choses). *Un petit air de musique très engageant. Son intérieur n'est pas bien engageant; il est même sinistre.*

♦ **2** Vieilli. Qui engage (à faire qqch.).

4 Je vois que vous avez fait beaucoup de places... beaucoup trop de places, même... À votre âge, comme c'est engageant!... Enfin, laissez-moi vos certificats... je verrai...
O. MIRBEAU, le Journal d'une femme de chambre, p. 322.

CONTR. Désagréable, rébarbatif, repoussant. ◊ **DÉR. Engageantes.**

ENGAGEANTES [ãgaʒãt] n. f. pl. — 1694; substantivation de *engageant.*

Hist. de la mode. Manchettes de dentelles portées par les femmes (ex. du XIXe, *in* T.L.F.)

(...) une large robe de chambre ou comme un domino étoffé qui laisserait échapper les bras nus d'engageantes de dentelles.
Ed. et J. DE GONCOURT, la Femme au XVIIIe siècle, II, p. 51.

ENGAGEMENT [ãgaʒmã] n. m. — 1183; de *engager.*
Action d'engager; résultat de cette action.

I ♦ **1** Dr. Action de mettre (qqch.) en gage*. *Engagement d'effets à un usurier. Engagement de bijoux au mont-de-piété.* → **Dépôt.** *Reçu d'un engagement.* → **Reconnaissance.**

♦ **2** (V. 1283). Action de lier (qqn), de se lier par une promesse ou une convention *(l'engagement de qqn envers, à l'égard de qqn)*; cette promesse, cette convention *(un engagement). Engagement formel* (→ **Promesse, serment; contrat, convention),** *engagement moral, tacite. Engagement envers soi-même. Engagement mutuel. — Engagement religieux.* → **Vœu.** *— Accepter, contracter, prendre un engagement, l'engagement de faire qqch. Honorer ses engagements.* → **Parole, signature.** *Faire face, faire honneur à ses engagements.* → **Acquitter** (s'). *Observer, remplir, respecter ses engagements. Satisfaire à ses engagements.* → Prévoyance, cit. 3. *Fidèle aux engagements pris. Un engagement antérieur le tient, le lie, l'empêche d'agir* (→ **Empêchement).** *Un engagement accepté doit être tenu* (→ Quand le vin est tiré, il faut le boire*). *Être lié par ses engagements* (→ Chaîne, cit. 7). *Sortir, délier quelqu'un d'un engagement. Manquer à ses engagements; rompre, violer un engagement.* → **Dédire** (se), **reprendre** (sa parole). *— Dr. Action d'engager, de s'engager par un acte.* → **Obligation;** 2. aval, bail (cit. 7), **billet, dette, reconnaissance, souscription.** *Engagement*

solidaire. *Cause d'un engagement, d'une obligation.* → **Cause** (cit. 42). *Garantie d'un engagement.* → **Antichrèse, assurance, caution, gage, garantie, hypothèque, nantissement.** *Il n'a pu tenir ses engagements envers ses créanciers.* → **Banqueroute, faillite.** *Exécution d'un engagement.* → **Échéance.** *Contraindre un débiteur à remplir ses engagements.* → Contrainte, cit. 10.

1 Bien que j'aie toujours très bien opéré, l'accumulation des stocks d'une part, la mévente d'autre part, me mettent dans l'impossibilité de tenir mes engagements avec autant de rigueur que je souhaiterais pouvoir le faire.
A. MAUROIS, Bernard Quesnay, XXIV, p. 156.

2 Au reste, quand ce devoir de tenir ses engagements ne serait pas affermi dans l'esprit de l'enfant par le poids de son utilité, bientôt le sentiment intérieur, commençant à poindre, le lui imposerait comme une loi de la conscience, comme un principe inné qui n'attend pour se développer que les connaissances auxquelles il s'applique.
ROUSSEAU, Émile, II.

3 (...) je lui offris la main pour sceller l'engagement : elle y mit la sienne en répétant mes derniers mots.
SAINTE-BEUVE, Volupté, XIV, p. 131.

4 (...) manquer (...) à tant d'engagements profonds pris avec lui-même (...)
HUGO, les Misérables, III, VIII, XX.

5 Cet engagement, passé entre nous deux, nous l'avons tenu.
Paul BOURGET, Un divorce, VI, p. 215.

6 La première communion est tardive dans notre religion, parce que nous voulons que l'enfant ait conscience de ses actes et de ses engagements.
J. CHARDONNE, les Destinées sentimentales, p. 468.

Dr. publ. *Engagement de dépenses publiques* : acte qui rend l'État débiteur. *L'engagement est le point de départ de toute dépense publique, qui se développe ensuite par la liquidation, l'ordonnance et le paiement* (Capitant, *Vocabulaire juridique*).

Dr. internat. *Engagement diplomatique.* → **Protocole, traité.** *Union par engagement mutuel.* → **Alliance.**

Féod. *Engagement du vassal au seigneur.* → **Aveu** (cit. 1).

♦ **3** État où l'on est engagé (→ Embarquer, cit. 5). Spécialt. *Engagement de cœur.* → **Affaire** (de cœur); **liaison; mariage.**

7 (...) cet engagement mutuel de leur foi (...)
MOLIÈRE, le Dépit amoureux, I, 4.

8 (...) l'engagement ne compatit point avec mon humeur. J'aime la liberté en amour (...)
MOLIÈRE, Dom Juan, III, 5.

9 (...) un engagement qui doit durer jusqu'à la mort ne se doit jamais faire qu'avec de grandes précautions.
MOLIÈRE, l'Avare, I, 5.

10 L'amitié elle-même, ce sentiment grave, qui ne semble pas poétique, qui a inspiré très peu de belles pages, que Montaigne seul chez nous a exprimé avec une profondeur émouvante, La Fontaine lui donne tout le charme que d'autres savent donner à de plus tendres engagements (...)
Émile FAGUET, Études littéraires, XVIIe s., La Fontaine, p. 243.

Vx. *Les engagements du monde.* → **Obligation, occupation.**

♦ **4** (XVIIIe). Recrutement par accord entre l'administration militaire et un individu qui n'est pas soumis à l'obligation du service actif. *Prime d'engagement. Engagement de deux ans. Engagement dans l'armée de l'air, dans l'infanterie. Engagement par devancement d'appel. Engagement volontaire.*

Par anal. Contrat par lequel certaines personnes louent leurs services. *L'engagement d'un employé, d'un collaborateur. Engagement à l'essai, pour une durée déterminée. — Spécialt. Engagement d'un artiste* (pour un spectacle, le tournage d'un film...), *d'un sportif* (dans un club, pour une compétition). *Acteur, coureur professionnel qui se trouve sans engagement.*

II ♦ **1** État (d'une chose) engagée dans une autre. *L'engagement d'une roue dentée dans une crémaillère.* — **Méd.** Descente de la tête du fœtus dans l'excavation pelvienne.

♦ **2** Introduction (d'une unité) dans la bataille ; combat localisé et de courte durée. *Blessé au cours d'un engagement de patrouilles.*

Spécialt (escr.). Action de toucher le fer de son adversaire. *Engagement corps à corps.*

♦ **3** (Déb. xxᵉ). **Sports.** Action d'engager (la partie), coup d'envoi d'un match.

(1858, *in* Petiot). Inscription sur la liste des concurrents qui doivent participer à une épreuve sportive. *Les engagements seront reçus jusqu'à telle date.*

Spécialt (turf). L'épreuve elle-même.

10.1 «Est-ce qu'il a les grands engagements ? — Tous, monsieur, voyez....» On vous tend la feuille aux noms mirifiques : Prix Lupin, Derby d'Epsom, Jockey Club, Grand Prix.
P. DANINOS, Un certain monsieur Blot, 1960, p. 260.

♦ **4** (V. 1945). Acte ou attitude de l'intellectuel, de l'artiste qui, prenant conscience de son appartenance à la société et au monde de son temps, renonce à une position de simple spectateur et met sa pensée ou son art au service d'une cause. → **Engager** (engagé).

11 (...) les clercs trahissent présentement leur fonction (...) En ne conférant de valeur à la pensée que si elle implique chez son auteur un «engagement», exactement un engagement politique et moral (...) un engagement dans la bataille du moment (...) — l'écrivain doit «s'engager dans le présent» (Sartre) —, une prise de position, dans l'actuel *en tant qu'actuel* (...)
Julien BENDA, la Trahison des clercs, Préface de l'éd. 1946, p. 65.

12 Si tout homme est embarqué, cela ne veut point dire qu'il en ait pleine conscience (...) Je dirai qu'un écrivain est engagé (...) lorsqu'il fait passer pour lui et pour les autres l'engagement de la spontanéité immédiate au réfléchi.
SARTRE, Situations II, p. 123-124 (→ Embarquer, cit. 4, Pascal).

CONTR. Dégagement. — **Parjure, refus, reniement.** — **Congé, renvoi ; démission.** — **Désengagement.** ◊ **COMP.** Nonengagement.

ENGAGER [ãgaʒe] v. tr. [**CONJUG.**: *bouger*.] — V. 1150 ; de *en-*, *gage*, et suff. verbal.

I ♦ **1** Mettre en gage ; donner en gage (qqch.). *Engager ses bijoux au mont-de-piété* (cit.). *Engager ses meubles.*

1 Hé ! que diable engager ? que vendre ? pour tout meuble et immeuble vous n'avez que votre habit et le mien ; encore le tailleur n'est-il pas payé.
J.-F. REGNARD, Sérénade, 11.

2 (...) il n'y a plus rien dans la maison (...) tout ce qui valait deux sous a été porté au mont-de-piété (...) toutes les reconnaissances ont été engagées pour avoir du pain.
Léon BLOY, la Femme pauvre, p. 14.

Assigner pour gage. *Engager ses meubles, sa maison à ses créanciers* (→ Emprunt, cit. 1).

3 Robert (...) lui engagea *(à Guillaume-le-Roux)* la Normandie pour subvenir aux frais de son armement.
VOLTAIRE, Essai sur les mœurs, LIV.

♦ **2** Donner pour caution (sa parole, etc.). *Engager son honneur, sa responsabilité. Engager sa parole.* → **Jurer, promettre ; serment.** *Engager à Dieu sa foi, son amour* (→ Divin, cit. 1). *Engager son cœur, son amour à une femme,* lui jurer fidélité.

4 Engagé n'avais ni mon cœur ni ma foi ;
De ma volonté j'étais Seigneur et Roi.
RONSARD, Odes, V, XXXIV.

5 Je lui prête mon bras sans engager mon âme (...)
CORNEILLE, Sertorius, III, 1.

6 J'engageai mon honneur engageant ma parole (...)
ROTROU, Venceslas, III, 5.

Engager l'avenir. → **Hypothéquer** (fig.).

7 À plusieurs reprises, il avait laissé percer sa préoccupation et hasardé un mot qui cherchait à engager l'avenir (...)
MARTIN DU GARD, les Thibault, t. II, p. 176.

♦ **3** (Mil xvıᵉ). Sujet n. de chose. Lier (qqn) par une promesse, une convention. *Engager qqn.* → **Lier, obliger, tenir.** *Cette signature, ce contrat vous engage. Les paroles n'engagent personne,* on peut parler en restant libre de ses décisions. *Il évite tout ce qui peut l'engager.* → **Contraindre.**

8 Outre mon intérêt ma parole m'engage.
ROTROU, Bélisaire, I, 2.

9 Songez-vous quel serment vous et moi nous engage ?
RACINE, Iphigénie, V, 2.

10 (...) la manière dont vous venez de m'obliger m'engage toute ma vie à la plus vive reconnaissance dont je puisse être capable.
LA BRUYÈRE, Lettre à Bussy, 9 déc. 1691.

11 L'essence, ou plutôt le ressort du style Norpois, c'est que le diplomate ne veut rien dire qui puisse l'engager ou le compromettre.
A. MAUROIS, À la recherche de Marcel Proust, VIII, III, p. 250.

Spécialt. *Engager qqn par le mariage.* → **Fiancer, marier.** — Vx. *Engager sa fille à un jeune homme.* — (Au passif). *Être engagé à qqn.*

12 (...) c'est elle qui me témoignait une envie d'être ma femme, et je lui répondais que j'étais engagé à vous.
MOLIÈRE, Dom Juan, II, 4.

13 Les dernières paroles de ces messieurs sont que d'engager un enfant *(Jacqueline Pascal)* à un homme du commun, c'est une espèce d'homicide.
PASCAL, Lettre à Mᵐᵉ Périer.

14 Je vais, en recevant sa foi sur les autels,
L'engager à mon fils par des nœuds immortels.
RACINE, Andromaque, IV, 1.

♦ **4** (xvıᵉ). Recruter par engagement. — (1835). Par anal. Attacher à son service, prendre à gages. → **Embaucher.** *Engager un collaborateur, un jardinier, un chauffeur. Engager un secrétaire.* — *La direction du théâtre a engagé une excellente troupe, un orchestre.*

15 Il *(Sandeau)* a déçu aussi Balzac, qui l'avait connu chez George Sand et, sans sympathie pour elle, en avait montré beaucoup au jeune écrivain — au point (...) de payer ses dettes, et de l'engager comme secrétaire.
Émile HENRIOT, les Romantiques, p. 418.

Spécialt. → **Enrôler, recruter.** *Engager des soldats, des mercenaires.* — *Engager dans un parti, une association.*

II ♦ **1** (Mil. xvıᵉ). Faire entrer, faire pénétrer dans (qqch. qui retient, qui ne laisse pas libre). → **Enclencher, enfoncer, introduire, mettre.** *Engager la clef dans la serrure. Avoir le pied engagé dans l'étrier. Engager une barre, un levier sous une pierre.* → **Glisser.** *Joindre et engager des pierres ensemble.* → **Enlier.** *Engager une roue dentée dans un pignon, une crémaillère.* → **Engrener.** — Mar. *Engager un navire dans une passe, un chenal.*

Escr. *Engager le fer* : mettre son arme au contact de celle de l'adversaire.

(1660). Faire entrer (dans un lieu resserré ou difficile). *Engager le vaisseau dans une passe. Le lieutenant engagea sa section dans un chemin creux.* — (Sans compl. de lieu). *Il a mal engagé sa voiture pour la garer.*

16 Malheur donc à celui qu'une affaire imprévue
Engage un peu trop tard au détour d'une rue !
BOILEAU, Satires, VI.

♦ **2** (Fin xvıᵉ). Fig. Mettre en train, commencer. *Engager la partie** (III., 2.).

17 (...) l'homme de guerre intelligent, non en ambitieux, mais en artiste, l'*art de la guerre,* tout en le jugeant

de haut et en le méprisant maintes fois, comme ce Monte-cuculli qui, Turenne étant tué, se retira, ne daignant plus engager la partie contre un joueur ordinaire.

> A. DE VIGNY, Servitude et grandeur militaires, III, VI, p. 231.

18 Ne trouvez-vous pas, justement, qu'un franc-tireur peut risquer certaines parties que le chef d'une armée régulière hésiterait à engager ?

> J. ROMAINS, les Hommes de bonne volonté, t. III, XXII, p. 296.

Par ext. → **Entamer, entreprendre.** *Engager des négociations. Engager des poursuites contre qqn. Engager le jeu. Engager une affaire délicate, une entreprise... Engager un pari.* — **Spécialt.** *Engager la conversation, l'entretien, la discussion, une polémique...*

19 Ma sœur, auparavant, engagez l'entretien (...)

> CORNEILLE, Agésilas, I, 2.

20 Durant la longue route, j'avais essayé d'engager la conversation, mais n'avais pu tirer d'elle quatre paroles.

> GIDE, la Symphonie pastorale, p. 10.

21 Mais à quoi sert d'engager la discussion sur ce point ?

> GIDE, Journal, 1ᵉʳ févr. 1916.

Engager les dépenses nécessaires.

♦ 3 (Fin XVIᵉ). Faire entrer (dans une entreprise ou une situation qui ne laisse pas libre). → **Aventurer, embarquer, entraîner;** (fam.) **embarquer, embringuer, fourrer.** *Il a réussi à l'engager dans cette entreprise. Il l'a engagé dans une vilaine affaire, dans un beau pétrin. Engager son pays dans une aventure militaire.*

22 Si dans quelque attentat il osait l'engager (...)

> CORNEILLE, Œdipe, I, 4.

23 Dans quel emportement la douleur vous engage (...)

> RACINE, Britannicus, III, 4.

24 Quoi (...) vous n'avez pas su l'engager dans vos intérêts !

> FÉNELON, Télémaque, IX.

Engager des capitaux dans une affaire. → **Investir.** (1859, *in* Petiot). **Turf.** *Il a engagé deux chevaux dans le Grand Prix.* → **Engagement** (II., 2.).

Mettre dans une situation qui crée des responsabilités et implique certains choix.

25 Je veux éprouver de grandes émotions, à ce spectacle où une partie de mon être est engagée.

> LAUTRÉAMONT, les Chants de Maldoror, III, p. 130.

26 (...) vous savez bien, monseigneur, que les baisers de théâtre n'engagent pas une seule fibre de la chair.

> G. DUHAMEL, Chronique des Pasquier, IX, III, p. 38.

27 Je crois, je suis sûr que beaucoup d'hommes n'engagent jamais leur être, leur sincérité profonde. Ils vivent à la surface d'eux-mêmes (...)

> BERNANOS, Journal d'un curé de campagne, p. 123.

28 (...) l'on a vu des écrivains, blâmés ou punis parce qu'ils ont loué leur plume aux Allemands, faire montre d'un étonnement douloureux. «Eh quoi ? disent-ils, ça engage donc, ce qu'on écrit ?» (...) Pour nous (...) l'écrivain (...) est «dans le coup», quoi qu'il fasse, marqué, compromis, jusque dans sa plus lointaine retraite.

> SARTRE, Situations II, p. 11-12.

▮▮▮ (Fin XVIᵉ). **ENGAGER (qqn) À...** *Engager qqn à l'action.* — (Avec l'inf.). Tenter d'amener (à une décision ou à une action). *Nous l'avons engagé à agir, à réagir.* → **Appeler, exhorter, inciter; presser; conseiller.** — (Sujet n. de chose). Amener, disposer. → **Inciter, porter.**

29 (...) des embûches qu'on tend à notre cœur, et qui souvent l'engagent à commettre des lâchetés.

> MOLIÈRE, la Princesse d'Élide, II, 1 (→ Embûche, cit. 2).

30 L'intérêt qui fait tout, les pourrait engager
> À vous donner retraite, et même à vous venger (...)

> VOLTAIRE, le Triumvirat, III, 2.

31 La pendule, sonnant minuit,
> Ironiquement nous engage
> À nous rappeler quel usage

Nous fîmes du jour qui s'enfuit (...)

> BAUDELAIRE, Nouvelles fleurs du mal, II.

32 J'ai presque fini les *Confessions* de Rousseau et je t'engage fort à lire cette œuvre admirable (...)

> FLAUBERT, Correspondance, 24, 28 oct. 1838, t. I, p. 33.

Loc. *Ça n'engage à rien* (→ Discipline, cit. 2). *Ça ne vous engage à rien, essayez ce costume.*

♦ S'ENGAGER v. pron.

♦ 1 (Passif). Être mis en gage. *Objets qui s'engagent facilement.*

(1666). **Réfl.** Contracter* un engagement. *Il s'est endetté, et il s'engage tous les jours de plus en plus* (Littré). — *S'engager pour qqn.* → **Caution; cautionner, prêter** (son crédit).

♦ 2 Se lier par une promesse, une convention; s'obliger à... *S'engager à faire, de faire* (vx) *qqch.* → **Fort** (se faire fort de...). *Il s'y est engagé sous la foi du serment*.* → **Jurer, promettre.** *S'engager sans retour. S'engager d'honneur. Il ne savait pas à quoi il s'engageait. Ne vous engagez à rien avant de consulter votre avocat. S'engager à fournir de l'argent pour une entreprise* (→ **Souscrire**).

33 Il n'est si bonne compagnie qui ne se quitte; mais je m'engage ici à prendre courtoisement mon congé.

> COLETTE, la Naissance du jour, p. 35.

34 (...) nous sommes en présence d'un monsieur — je parle de Benès — qui s'est formellement engagé à faire de la Tchécoslovaquie une fédération sur le modèle helvétique.

> SARTRE, le Sursis, p. 87.

Vieilli. *S'engager à quelqu'un,* s'obliger envers lui. *S'engager à une femme,* lui jurer fidélité. — **Absolument :**

35 Que deux époux se voient engagés pour toute une vie, quelle contrainte intolérable. Pourtant ce qu'exigeaient deux amoureux, avec force et dans leur vive liberté, c'était justement de s'engager pour toute une vie.

> J. PAULHAN, les Fleurs de Tarbes, p. 174.

♦ 3 (1580). Se lier par une convention; entrer au service de qqn ou dans une condition où l'on est tenu de rester. *S'engager comme chauffeur, comme commis, comme vendeur, comme secrétaire.*

Spécialt. *S'engager dans l'armée. S'engager en devançant l'appel* (cit. 7). *Il s'est engagé dans les blindés, dans l'aviation.*

Absolt. *Il veut s'engager. Engagez-vous, rengagez-vous.*

36 (...) je suis à Besançon ; là, je m'engage comme soldat, et, s'il le faut, je passe en Suisse.

> STENDHAL, le Rouge et le Noir, I, V.

37 Moi, je n'étais pas mobilisable. J'ai voulu m'engager.

> G. DUHAMEL, Récits des temps de guerre, IV, XXXI, p. 116.

38 Il y avait trois affiches. Deux en couleurs : «Engagez-vous, rengagez-vous dans l'armée coloniale» et une troisième toute blanche : «Rappel immédiat de certaines catégories de réservistes».

> SARTRE, le Sursis, p. 67.

♦ 4 (1671). Sujet n. de chose. Entrer, se loger (dans une pièce, un mécanisme). *Le pêne s'engage dans la gâche.*

(1669). **Personnes, véhicules.** Entrer, pénétrer (dans un lieu). *Véhicule, conducteur qui s'engage sur une route.* → **Prendre.** *S'engager dans une rue.* → **Enfiler.** *S'engager dans un couloir, dans un jardin.*

39 Au coin du bois, débouchait entre deux poteaux blancs, une allée où s'engage le chemin.

> ALAIN-FOURNIER, le Grand Meaulnes, p. 72.

40 Je sortis de l'ascenseur, mais au lieu d'aller vers ma chambre je m'engageai plus avant dans le couloir (...)

> PROUST, À la recherche du temps perdu, t. V, p. 48.

♦ 5 *S'engager dans une voie,* commencer à y pénétrer. *L'automobiliste s'était déjà engagé quand on l'a heurté par la droite.*

♦ 6 (Sujet n. de chose). Commencer à être, à se faire. *Querelle, discussion qui s'engage. La partie, le jeu s'engagea.*

41 (...) le jeu m'amuse et la partie s'engage.
> BEAUMARCHAIS, le Barbier de Séville,
> Lettre sur la critique.

42 Une grande bataille se prépare et s'engage.
> Georges LECOMTE, Ma traversée, p. 183.

♦ 7 (1580). S'aventurer, se lancer. *S'engager dans une entreprise. S'engager dans une affaire difficile.* → **Aventurer** (s'), **embarquer** (s'), **entreprendre, jeter** (se), **lancer** (se); **avant** (se mettre en avant). *Il s'y est engagé tête baissée, sans précautions.* — Absolt. *Il s'est trop engagé, il s'est engagé trop avant. S'engager dans de longues explications.* → **Entrer** (dans).

43 Y a-t-il quelque volupté qui me chatouille ? Je ne la laisse pas friponner aux sens, j'y associe mon âme, non pas pour s'y engager, mais pour s'y agréer, non pas pour s'y perdre, mais pour s'y trouver (...)
> MONTAIGNE, Essais, III, XIII.

44 Trouvez bon, Madame, que sans m'engager dans une énumération de vos perfections et charmes (...) je conclue (...) en vous faisant considérer (...)
> MOLIÈRE, la Comtesse d'Escarbagnas, 4.

45 Le vieil Autrichien Kœnigseck (*à Fontenoy*) conseillait de tâter, de ne pas trop s'engager à fond.
> MICHELET, Extraits historiques, p. 263.

46 Il (*Louis XI*) le voyait (*Charles le Téméraire*) s'engager dans des entreprises de plus en plus hasardeuses, affronter la Lorraine, l'Alsace, l'Allemagne, la Suisse.
> J. BAINVILLE, Hist. de France, VII, p. 126.

(En littérature, en arts). Réaliser, manifester un engagement (II., 3.). *Avoir peur de s'engager. Écrivain qui s'engage,* qui prend position devant les problèmes de son temps. → **Engagement,** II., 3.

47 Statuer que l'essentiel pour le penseur est de savoir s'engager conduit à lui assigner pour vertu capitale (...) le courage, l'acceptation de mourir pour la position adoptée (...)
> Julien BENDA, la Trahison des clercs,
> Préface de l'éd. 1946, p. 68.

48 L'écrivain contemporain se préoccupe avant tout de présenter à ses lecteurs une image complète de la condition humaine. Ce faisant, il s'engage. On méprise un peu, aujourd'hui, un livre qui n'est pas un engagement. Quant à la beauté, elle vient par surcroît, quand elle peut.
> SARTRE, Situations I, p. 310.

♦ 8 S'exhorter soi-même à (qqch.), à faire (qqch.).

49 (...) mais, quand je considère avec quelle rapidité ces trois premiers mois se sont écoulés, je m'engage à la patience (...)
> SAINTE-BEUVE, Correspondance, I, p. 26.

♦ ENGAGÉ, ÉE p. p. adj.

♦ 1 (1762). Qui a un engagement dans l'armée. *Soldats engagés* (→ ci-dessous, cit. 54). — N. m. *Un engagé volontaire*. *Ce bataillon comprend des engagés et des appelés. Un engagé par devancement d'appel.* — REM. Le fém. *engagée* est virtuel.

50 Engagé volontaire pour défendre la France, pendant la Révolution, il se plaisait, le soir, à raconter ses vieilles guerres.
> MISTRAL, Mes origines, p. 22.

♦ 2 (1845). Archit. *Colonne engagée, pilastre engagé :* colonne, pilastre en partie intégré dans la maçonnerie (mur, pilier, etc.). → **Demi-colonne.**

51 Le cloître n'a laissé qu'une longue galerie d'ogives qui relie l'abbaye à un premier monument, où l'on distingue encore des colonnes byzantines taillées à l'époque de Charles le Gros, et engagées dans de lourdes murailles du seizième siècle.
> NERVAL, les Filles du feu, «Angélique», X.

♦ 3 (V. 1945). Mis par son engagement au service d'une cause. *Littérature engagée. Auteur, écrivain engagé. Être politiquement engagé.*

52 (...) dans la «littérature engagée», l'*engagement* ne doit, en aucun cas, faire oublier la *littérature* (...) notre préoccupation doit être de servir la littérature en lui infusant un

sang nouveau, tout autant que de servir la collectivité en essayant de lui donner la littérature qui lui convient.
> SARTRE, Situations II, p. 30.

D'aucuns se demanderont si ma protestation contre une   5
école qui ne respecte que la pensée engagée n'impliquerait
pas mon adhésion à une autre qui n'estime que la pensée
non engagée résolue à ne jamais sortir de la «disponibilité».
Il n'en est rien (...)
> Julien BENDA, la Trahison des clercs,
> Préface de l'éd. 1946, p. 68.

(...) je suis engagé, au sens matériel du terme, comme   5
un soldat qui a signé son engagement. Que la passion
politique m'entraîne ou m'égare, il n'en reste pas moins
que je suis engagé dans ces problèmes d'en-bas, pour des
raisons d'en-haut.
> F. MAURIAC, Bloc-notes 1952-1957, p. 69.

♦ 4 (1864). Mar. (Choses). Entravé. *Cordage engagé,* bloqué. *Ancre engagée,* prise au fond. — *Navire engagé,* qui gîte fortement et sans pouvoir se relever (à cause du vent, des lames ou d'un déplacement de la cargaison).

♦ 5 (De *s'engager*). Personnes, véhicules. En train de pénétrer dans une voie. *J'étais déjà engagé dans le chemin, quand j'ai vu qu'il était coupé.*

CONTR. **Dégager, reprendre.** — Délier, libérer; quitte (tenir quitte de...). — **Débaucher; chasser, congédier, remercier, renvoyer.** — Enlever, retirer, sortir, tirer. — **Finir, terminer; conclure.** — Déconseiller, décourager, dégoûter, détourner, dissuader, repousser, retenir. — Dédire (se), reculer, renier. — Démissionner; partir; déserter. — **Sortir.** — Finir. — **Dégagé.** — Démissionnaire, déserteur. — **Disponible, libre.**
◊ DÉR. Engageable, engageant, engagement, engagiste.

ENGAGISTE [ãgaʒist] n. — 1648; de *engager.*
Dr. (Vx). Personne qui avait la possession d'un domaine par suite d'un engagement. «*L'argent fut rendu aux engagistes...*» (Chateaubriand).

ENGAINANT, ANTE [ãgɛnã, ãt] adj. — 1798; p. prés. de *engainer.*
Qui engaine. — Anat. Qui recouvre d'une gaine. — Bot. Qui enveloppe comme ferait une gaine. *Feuille engainante.*

ENGAINÉ, ÉE [ãgɛne] adj. — 1864, *in* Littré; p. p. de *engainer.*

♦ 1 Engagé dans une gaine.
Par métaphore. Gainé, serré dans (un vêtement) :
(...) cette affranchie serait-elle aujourd'hui une mince fille à ample chevelure, aux jambes et aux hanches engainées dans des jeans de cuir, avec une grosse ceinture placée très bas, sous le ventre plat dont on voit le nombril (...)
> Michel LEIRIS, Frêle bruit, p. 57.

♦ 2 Arts. Se dit d'une statue dont la partie inférieure est enfermée dans une gaine qui se rétrécit vers la base.

♦ 3 Bot. *Tige engainée,* dont la base est enveloppée de feuilles, de pétioles.

ENGAINER [ãgɛne] v. tr. — XIVᵉ; de *en-*, *gaine,* et suff. verbal.

♦ 1 Mettre dans une gaine. → **Rengainer.** *Engainer un poignard.*

♦ 2 (Av. 1665). Tenir serré. — Bot. *Feuilles qui engainent les tiges des graminées.* → **Engainant** (→ Calice, cit. 3). — *Robe qui engaine la taille.* → **Gainer.**

CONTR. Dégainer. ◊ DÉR. Engainant, engainé.

ENGAMER [ãgame] v. tr. — XVIᵉ; de *en-*, du mot régional *gâmo* «goître»; du francique **wamba,* et suff. verbal.
T. de pêche. Avaler (l'appât muni d'un hameçon), en parlant du poisson.

ENGANE [ãgan] n. f. — Fin XIXᵉ; provençal *engano* (Nice, *engana*) «salicorne», rattaché par Wartburg, comme *engano* «ruse, séduction, tromperie» (de *enganar* «tromper»), à un étymon latin *ingannare* «tromper».

Régional. Peuplement de salicornes*, au bord de la Méditerranée.

«*Si l'on ne cultive plus le riz, poursuit-il, on ne pourra plus rien cultiver du tout. Le sel reviendra et, avec lui, les enganes (...) La culture du riz s'étend, domine. Elle gagne sur les marais, les vignes, les enganes, terres parsemées de touffes d'herbe rares*» (*l'Express*, août 1979, p. 45-46).

ENGANTER [ãgãte] v. tr. — Mil. XIVᵉ; *engaunté*, v. 1300; de *en-*, *gant*, et suff. verbal.
Vieux.
♦ **1** → **Ganter.**
♦ **2** (1834). Séduire (qqn) en flattant, en trompant (Balzac, *et al.*).

ENGARDE [ãgaʀd] n. f. — 1811; de l'anc. v. *engarder* (XIIᵉ) «surveiller, préserver», de *en-*, et *garder*.
Techn. Sarment de vigne taillé long.

ENGAVER [ãgave] v. tr. — 1782; de *en-*, et *gaver*.
♦ **1** Vx. Gaver (une volaille).
♦ **2** Didact. (d'un oiseau). Nourrir (ses petits) par des aliments gardés et humectés dans le bec.

ENGAZONNEMENT [ãgazɔnmã] n. m. — 1856; de *engazonner*.
Techn. Action d'engazonner (une terre), de semer d'herbe; état d'un sol engazonné.

ENGAZONNER [ãgazɔne] v. tr. — 1554; de *en-*, et *gazon*.
Techn. Semer, couvrir de gazon. → **Enherber, gazonner.** *Terrain à engazonner.* — Au p. p. *Jardin, terrain engazonné.*
DÉR. **Engazonnement.**

ENGEANCE [ãʒãs] n. f. — 1539; de *enger*.
♦ **1** Vx. Race* (d'animaux). *Poules d'une belle engeance.* — Par anal. *L'engeance humaine.*

1　Du temps que les bêtes parlaient,
Les lions, entre autres, voulaient
Être admis dans notre alliance,
Pourquoi non, puisque leur engeance
Valait la nôtre en ce temps-là (...)
　　　　　　　LA FONTAINE, Fables, IV, 1.

♦ **2** (XVIIᵉ). Catégorie d'hommes méprisables ou détestables. *Ce sont tous des hypocrites! c'est une engeance que je ne peux pas supporter. Quelle sale engeance!* → **Graine** (mauvaise graine).

2　(...) cette canaille (*les crieurs d'eau-de-vie*), qui est à non avis la plus importune engeance qui soit dans la république humaine (...)
　　　　　　　SCARRON, le Roman comique, III, 2, p. 308.

3　Mais je hais les pleurards, les rêveurs à nacelles,
Les amants de la nuit, des lacs, des cascatelles,
Cette engeance sans nom, qui ne peut faire un pas
Sans s'inonder de vers, de pleurs et d'agendas.
　　　　　A. DE MUSSET, Premières poésies,
　　　　　«La coupe et les lèvres», Dédic. M. Alfred T.
DÉR. **Engeancer.**

ENGEANCER [ãʒãse] v. tr. [CONJUG.: *placer*.] — 1686; de *engeance* au sens 2; cf. *engeancer* «fournir d'animaux reproducteurs», 1571.
Vx. Embarrasser (qqn) par une engeance, par un importun. → **Enger** (vx).

ENGEIGNER [ãʒeɲe] v. tr. — XIIᵉ; de *engin*, en anc. franç. «tromperie, ruse».
Vx ou archaïsme littér. → **Tromper** (→ Cuider, cit., La Fontaine). Passif. «*Être engeigné, lui, meilleur que le pain...*» (Léon Cladel, *in* T. L. F.).
Pronominal :
(...) chaque an il allait passer un mois sur les bords de la Marne à pêcher. En attendant que l'animal s'engeigne, il réfléchissait.
　　　　　R. QUENEAU, les Enfants du limon, VI, CVI, p. 177.

ENGELURE [ãʒlyʀ] n. f. — XIIIᵉ; de l'anc. v. *engeler* «geler complètement», XIIᵉ; de *en-*, *gel*, et suff. *-ure.*
Lésion due au froid, caractérisée par une enflure douloureuse, rouge, violacée, accompagnée parfois d'ampoules ou de crevasses. → **Érythème** (érythème pernio), **froidure.** *Les engelures apparaissent aux doigts des mains et des pieds, aux talons, aux oreilles, au nez. Attraper des engelures.*

1　Le pauvre postillon, sous le dais de fer blanc,
Chauffant une engelure énorme sous son gant,
Suit son lourd omnibus parmi la rive gauche (...)
　　　　　RIMBAUD, Poésies, «État de siège».

2　(...) elle posa ses mains rougies par les engelures sur son tablier (...)
　　　　　J. CHARDONNE, les Destinées sentimentales, p. 236.

ENGENDREMENT [ãʒãdʀəmã] n. m. — V. 1130; de 1. *engendrer.*
Rare. Action d'engendrer. → **Génération.**
♦ **1** Action de donner, de produire la vie (en parlant d'un être humain). *L'engendrement d'un enfant.* — Absolt. «*Ces travaux frocés de l'engendrement...*» (Maupassant, *in* T. L. F.). → **Maternité.**
Par anal. Production de la vie, d'un être vivant.

♦ **2** Par métaphore et fig. Le fait de produire, de donner une réalité à qqch. *L'engendrement d'institutions, d'industries nouvelles.*
(Abstrait). *L'engendrement d'idées, de théories.*
Spécialt. Production indéfinie de messages au moyen des éléments finis d'un code.

1. ENGENDRER [ãʒãdʀe] v. tr. — 1135; du lat. *ingenerare* «faire naître, créer, enfanter», de *in-*, et *generare*. → **Génération.**
♦ **1** (Le sujet désigne un être humain). Produire, faire naître un enfant. → **Procréer.** *Abraham engendra Isaac* (→ Circoncision, cit. 1). *Elle n'a pas encore engendré d'enfant. Les fils qu'ils ont engendrés.* — Absolt. *Qui a le pouvoir d'engendrer.* → **Prolifique.**

1　(...) après la mort du patron, il répandit par le monde que ce défunt l'avait engendré, n'hésitant pas à déshonorer sa propre mère, que le progéniteur supposé ne connut peut-être jamais.　　　Léon BLOY, le Désespéré, p. 197.

2　À propos, qu'est-ce que Champcenais peut bien avoir, pour avoir engendré ce *minus habens*?
　　　　　J. ROMAINS, les Hommes de bonne volonté, t. V,
　　　　　XXVI, p. 271.

(1679). Théol. *Le Fils, engendré par le Père.*

3　(...) le nom de son fils est le nom de Verbe, Verbe qu'il (*Dieu*) engendre éternellement, en se contemplant lui-même, qui est l'expression parfaite de la vérité, son image, son fils unique, l'éclat de sa clarté et l'empreinte de sa substance.　　　BOSSUET, Disc. sur l'Hist. universelle, II, 6.

Par anal. Provoquer l'apparition de (un phénomène vital, un être vivant). *La matière a-t-elle engendré la vie? Engendrer des organismes, des individus nouveaux* (par un mécanisme de reproduction). *Animal qui engendre* (→ Copulation, cit. 1, 2).

Par anal. → **Créer.** — Au participe passé :

4 Malheureux qui se fie à femme après cela !
La meilleure est toujours en malice féconde ;
C'est un sexe engendré pour damner tout le monde.
J'y renonce à jamais, à ce sexe trompeur,
Et je le donne tout au diable de bon cœur.
MOLIÈRE, l'École des maris, III, 9.

♦ **2** (XIIIᵉ). Fig. (Sujet et compl. n. de chose). Avoir pour effet ; donner naissance à. → **Causer, créer, déterminer, entraîner, naître** (faire), **occasionner, produire.** *La cause engendre l'effet* (→ Créateur, cit. 7). *États, passions, sentiments qui en engendrent d'autres* (→ Contraire, cit. 1 ; croyance, cit. 4 ; différence, cit. 10). *L'excès de familiarité engendre le mépris. Mal qui engendre le mal* (→ Chômage, cit. 2). *Atmosphère qui engendre la rêverie* (→ Cloître, cit. 4).

5 Si l'indolente oisiveté n'engendre que la tristesse et l'ennui, le charme des doux loisirs est le fruit d'une vie laborieuse.
ROUSSEAU, Julie ou la Nouvelle Héloïse, Lettre XI.

6 Le besoin général de paix et de tranquillité que chacun éprouvait après de violentes commotions, engendrait un complet oubli des faits antérieurs les plus graves.
BALZAC, Une ténébreuse affaire, Pl., t. VII, p. 454.

7 L'amour naît d'un regard ; et un regard suffit pour engendrer une éternelle haine.
VALÉRY, Rhumbs, p. 91.

8 Les gens de ma génération ont vu le génie français engendrer de grandes œuvres.
G. DUHAMEL, Biographie de mes fantômes, XI, p. 215.

(1666). Loc. fam. *Ne pas engendrer la mélancolie :* être d'un naturel gai, répandre la bonne humeur autour de soi.

9 Allons, morbleu ! il ne faut point engendrer de mélancolie !
MOLIÈRE, le Médecin malgré lui, I, 5.

♦ **3** (1752). Géom. Décrire ou produire (une figure) en se déplaçant (→ **Génération**). *La révolution d'un demi-cercle autour de son diamètre engendre la sphère. Engendrer un cône* (→ Cône, cit. 2).

♦ **4** Produire en nombre indéterminé (des messages, des énoncés) par application des règles d'un code. → **Générer** (anglicisme).

♦ **S'ENGENDRER** v. pron.

10 Le phénix ce bûcher qui soi-même s'engendre.
APOLLINAIRE, Alcools, Zone.

11 Les visions qui, hier encore, se poussaient, s'engendraient confusément l'une l'autre comme les nuages au ciel, sont remplacées par des idées articulées l'une sur l'autre avec précision.
J. ROMAINS, les Hommes de bonne volonté, t. V, XV, p. 113.

♦ **ENGENDRÉ, ÉE** p. p. adj. *Enfants engendrés.* → **Né.** N. *Les générateurs, les géniteurs et les engendrés. Êtres, organismes engendrés.* → **Vivant.** Par métaphore. *Effets engendrés. Les soleils «engendrés dans l'espace»* (Sully-Prudhomme), *créés, formés.* — (Abstrait). *Idées engendrées dans l'esprit. Sentiments engendrés.* — *Messages engendrés.* → **Généré** (anglicisme).

12 Il y a des gens étincelants (...) qui vous étonnent par la suite infinie des propos inattendus (...) Et toutefois, ce jeu et cette création si variés, si abondants, donnent enfin l'étrange impression de l'automatisme (...) La suite de tant de trouvailles donne l'idée d'une série mécaniquement engendrée.
VALÉRY, Tel quel I, p. 29.

CONTR. (Du p. p.) **Inengendré.** ◊ **DÉR. Engendrement, engendreur.**

2. **ENGENDRER** [ɑ̃ʒɑ̃dʀe] v. tr. — XIIIᵉ ; de *en, gendre,* et suff. verbal.

Vx ou par plais. Pourvoir d'un gendre. Prendre pour gendre. — Pronominal :
Ma foi, je m'engendrais d'une belle manière (...)
MOLIÈRE, l'Étourdi, II, 5.

ENGENDREUR, EUSE [ɑ̃ʒɑ̃dʀœʀ, øz] adj. — XIIᵉ, *engendreur* (n. m.) «géniteur» ; *engendresse* (n. f. ; XVᵉ) «mère» ; de 1. *engendrer.*

Rare. Qui engendre (fig.), qui cause. → **Générateur.**
Et les domestiques, que sont-ils donc, eux, sinon des esclaves (...) Esclaves de fait, avec tout ce que l'esclavage comporte de vileté morale, d'inévitable corruption, de révolte engendreuse de haine (...)
O. MIRBEAU, le Journal d'une femme de chambre, p. 279.

ENGER [ɑ̃ʒe] v. tr. [CONJUG.: *bouger.*] — V. 1190, *engier* «augmenter, accroître (la force)» ; dér. normal du lat. *indicare* (→ Indiquer) ; mais le sens fait problème, on suppose que *index, -icis* ayant signifié «œuf pour inciter les poules à pondre», *indicare* aurait pris la valeur de «propager» ; P. Guiraud propose l'étymon lat. *ingignere* «faire pousser dans, implanter», d'où le fréquentatif *ingignicare* «faire propager».

Vx (langue class.). Pourvoir d'une progéniture. — (Mil. XVIᵉ). *Enger qqn de (qqn, qqch.),* l'embarrasser de (une personne, chose désagréable). → **Engeancer** (vx).
Votre père se moque-t-il de vouloir vous enger de son avocat de Limoges ?
MOLIÈRE, Monsieur de Pourceaugnac, I, 1.

DÉR. Engeance.

ENGERBAGE [ɑ̃ʒɛʀbaʒ] n. m. — 1835 ; de *engerber.*
Agric. Gerbage.

ENGERBEMENT [ɑ̃ʒɛʀbəmɑ̃] n. m. — 1870 ; de *engerber.*

♦ **1** Agric. Gerbage.

♦ **2** (1901). Milit. Disposition (des armes, des munitions) dans un arsenal.

ENGERBER [ɑ̃ʒɛʀbe] v. tr. — 1368 ; «remplir de gerbes», 1226 ; de *en-, gerbe,* et suff. verbal.
Agric. Mettre en gerbes. → **Gerber.**
(1803). Par ext. (Vx). Mettre en tas. *Engerber des tonneaux, des sacs.* → **Gerber.**

DÉR. Engerbage, engerbement.

ENGIN [ɑ̃ʒɛ̃] n. m. — Mil. XIIᵉ ; du lat. *ingenium,* en lat. class. «talent, intelligence ; invention», puis en bas lat. «ruse».

I (Du XIIᵉ au XVᵉ). Vx. Conservé dans certains dialectes et dans les formules figées : *engin vaut mieux que vigueur.* → **Ingéniosité.**

II A ♦ **1** (XIIIᵉ). Vx. Tout objet servant à faire une opération précise. → **Appareil, instrument, outil.**
(...) Un guichet
Qui n'avait pour serrure autre engin qu'un crochet.
Mathurin RÉGNIER, Satires, XI. 1

♦ **2** Mod. Instrument caractérisé par sa grosseur, sa complexité («*sa machine* [à écrire], *c'était un engin énorme*» Céline), ou son caractère dangereux, nuisible.
En effet, n'y a-t-il pas un très grand rapport entre Panurge et l'écolier Villon ? Panurge, avec son nez fait en manche de rasoir. Panurge, poltron, gourmand, hâbleur, ribleur, avec ses vingt-six poches pleines de pinces, de crocs, de ciseaux à couper les bourses, et mille autres engins nuisibles (...) 2
Th. GAUTIER, les Grotesques, François Villon, p. 31.

♦ **3** (1487). Fam. Objet (qu'on ne veut ou ne peut désigner). → **Bidule, instrument, machin, truc.** *Qu'est-ce que c'est que cet engin ? Un drôle d'engin.*
Chaque fois qu'il tournait la tête, elle en profitait pour chercher ses engins dans son sac, et asticoter sa beauté. 2.1
MONTHERLANT, les Lépreuses, in Romans, t. I, Pl., p. 1495.

Par euphém. Sexe de l'homme (surtout avec les adj. *gros, énorme*, etc.).

REM. Les emplois généraux modernes et les emplois spéciaux (B.) manifestent l'unité sémantique du mot, qui entraîne les idées de «force, puissance, grosseur» ou «faculté de nuire» (chasse, guerre... et les métaphores).

B (Emplois spéciaux). ◆ **1** Machine, pièce mécanique servant à lever, à tirer, à manipuler des fardeaux... *Imaginer, inventer des engins nouveaux* (→ Découverte, cit. 5). *Engins de levage, de manutention.*

3   M. Maelzel annonce alors à l'assemblée qu'il va exposer à ses yeux le mécanisme de l'*Automate* (...) Tout cet espace est en apparence rempli de roues, de pignons, de leviers et d'autres engins mécaniques, entassés et serrés les uns contre les autres (...)
> BAUDELAIRE, trad. d'E. POE,
> le Joueur d'échecs de Maelzel.

Spécialt. Machine mobile et puissante, servant à des opération diverses. *Engins de travaux publics :* pelleteuses, bulldozers, etc. *Engin de forage. Conduire un engin* (→ **Enginiste**).

◆ **2** (XIIᵉ). *Engins de guerre* (ancienn) : toute arme lançant des projectiles (en dehors du canon). → Arbalète, cit. 1 ; (mod.) *engins à tir courbe* (mortiers, obusiers). — *Compagnie d'engins* : unité d'infanterie équipée de mortiers, armes antichars et antiaériennes.

4   Le dernier soldat de la section d'engins chargé d'un socle de canon lance-grenade ayant franchi la porte de Dar Riffien, le tambour-major leva sa canne et la musique s'arrêta net (...)   P. MAC ORLAN, la Bandera, VIII, p. 99.

4.1   C'est une erreur de croire, comme je l'ai cru longtemps moi-même, que les usines d'Essen ne fabriquent que des canons, des obus, des cuirassés et tous autres engins de guerre ; en effet, une partie assez grande même des ateliers produit des articles des genres les plus variés, destinés à être échangés contre des victuailles ou des objets de première nécessité dans les pays neutres.
> G. LEROUX, Rouletabille chez Krupp, p. 42.

Engins blindés : véhicules blindés. → **Char.** *Engins blindés de reconnaissance :* automitrailleuses.

Engins ou *engins spéciaux :* projectiles autopropulsés et autoguidés ou téléguidés (dits, selon leur point de départ et leur objectif, *sol-sol, air-sol, air-air,* etc.). → **Missile.**

Dispositif explosif (grenade, bombe, mine...) complexe. *Engin à retardement.*

5   Les engins nouveaux tendent à supprimer indistinctement toute vie dans une aire toujours plus grande.
> VALÉRY, Variété, IV, p. 58.

6   N'a-t-on pas donné, pendant la dernière guerre, le nom de robot à certaines machines qui portaient la mort en un lieu donné, sans le secours d'une intelligence directrice, toutes les pièces de l'engin s'étant trouvées bien réglées au départ.
> G. DUHAMEL, Manuel du protestataire, IV, p. 123.

7   «Un engin d'une telle force explosive», se disait Meynestrel, que, ma foi, si on l'utilisait bien, l'effet pourrait dépasser toutes prévisions (...)
> MARTIN DU GARD, les Thibault, t. VII, p. 46.

7.1   Il était dans une tranchée sinueuse, dont le haut lui arrivait juste à hauteur du front ; il tenait à la main une sorte de grande explosive, de forme allongée, un engin à retardement dont il venait de mettre le mécanisme en marche. Sans perdre une seconde, il devait lancer la chose hors de la tranchée. Il entendait son mouvement d'horlogerie, comme le tic-tac d'un gros réveil.
> A. ROBBE-GRILLET, Dans le labyrinthe, p. 119.

◆ **3** (Fin XIIIᵉ). Dispositif servant à prendre, à tuer les animaux. *Engins de pêche* (→ Chalut, cit. 1), *de chasse* (→ Attraper, cit. 1 ; chausse-trape, cit. 5), destinés à prendre le poisson, le gibier. *Engins prohibés par la loi* (certains filets, les collets, panneaux, etc., à cause des ravages que feraient les chasseurs et les pêcheurs en les utilisant).

Il est interdit (...) de faire usage de tous engins, tels que foënes, harpons, fourches, tridents, grappins, crochets permettant de darder, harponner ou accrocher le poisson autrement que par la bouche (Décret 1939, art. 19) [...]   8
> DALLOZ, Nouveau répertoire, Pêche fluviale,
> art. 50.

On doit également considérer comme engins prohibés, les lacets, les collets, les filets, les panneaux, les raquettes ou sauterelles, les trébuchets, les traquenards, les maisonnettes à lièvre, la glu.   9
> DALLOZ, Nouveau répertoire, Chasse-louveterie,
> art. 94.

M. Bluette (grand chasseur devant l'éternel) fabriquait ces mille engins subtils qui servent à la vénerie ou à la pêche, tels que pièges, filets, bertavelles, nasses, rissoles, vredelles, tonnelles, bouquetouts, gluaux, éperviers, panneaux, sennes, drèges, pousaux, pantières, contre-bougres, libourets, gangueils, etc.   10
> A. ALLAIS, l'Affaire Blaireau, p. 30.

◆ **4** (Mil. XXᵉ). *Engin spatial :* «objet spatial de fabrication humaine» (in Journ. off.). *Amarrage d'un engin spatial à une station orbitale.*

◆ **5** Sports. Appareil utilisé pour les exercices de gymnastique (tel que barres fixe et parallèles, cheval-arçons, etc.). *Concours par engin. Travail aux engins.* → aussi **Agrès.**

DÉR. **Enginiste.** ◊ COMP. **Antiengin.**

ENGINEERING [inʒinirin; ãʒinərin] n. m. — 1949, *in* Höfler ; mot angl. «art de l'ingénieur». → Génie, III.

Anglic. Étude globale d'un projet industriel, qui est la synthèse d'études particulières faites par des spécialistes (aspects technique, économique, financier, monétaire, social). REM. On a proposé *ingénierie** ou *ingénieurie* pour remplacer cet emprunt dont l'assimilation est difficile. → aussi **Génie.**

(...) on risque de tomber d'un suréquipement apparent dans un sous-équipement trop réel.   1
Les inconvénients d'un tel empirisme pourraient être aisément écartés par un recours aux sociétés d'*engineering* et à leurs ingénieurs-conseils.
> L.-V. VASSEUR, J.-J. BIMBENET, M. HILLAIRET,
> les Industries de l'alimentation, p. 72.

(...) il est devenu ingénieur et enfin P.D.G. (...) d'un braintrust spécialisé dans l'engineering.   2
> Hervé BAZIN, Cri de la chouette, p. 26.

Engineering génétique, moléculaire (cf. J. Monod, *le Hasard et la Nécessité*, p. 103). → **Génie.**

ENGINISTE [ãʒinist] n. — Av. 1977 ; de *engin,* et *-iste.*

Techn. Conducteur, conductrice d'engins de travaux publics. «*Il existe au moins une catégorie de travailleurs manuels qui n'a pas à se plaindre de son sort. Ce sont les "enginistes", les conducteurs des gros engins de travaux publics (...) ils touchent des salaires de cadres»* (l'Express, 5 déc. 1977, p. 137).

ENGLACER [ãglase] v. tr. [CONJUG.: *placer.*] — XIIᵉ, *englacier,* v. intr. ; *englacer,* v. tr., XVᵉ ; de *en-, glace* «eau congelée», et suff. verbal.

◆ **1** Vx. Faire geler.

◆ **2** Rare. Recouvrir de glace, mettre dans la glace.

(...) quand vous collez votre poisson dans la glace, il est déjà mort. Ce qu'il faudrait, c'est l'englacer, ce cochon de poisson, alors qu'il est en pleine et vivace et grouillante existence.
> A. ALLAIS, Contes et chroniques (fin XIXᵉ s.), p. 176.

◆ **ENGLACÉ, ÉE** p. p. adj.
Régional. Recouvert de glace (en parlant d'un terrain). *Versants, sommets englacés.*

ENGLACIATION [ãglasjasjɔ̃] n. f. — xxᵉ ; de *en-*, et *glace*, d'après *glaciation*.

Didact. Envahissement progressif d'une région par les glaciers.

ENGLICHE [ãgliʃ] n. et adj. → **Angliche**.

ENGLOBANT, ANTE [ãglɔbã, ãt] adj. — Fin xixᵉ ; p. prés. de *englober*.

Qui englobe, inclut (qqch.) en soi. *Minéraux englobants.* — Abstrait. *Théorie englobante.*

ENGLOBEMENT [ãglɔbmã] n. m. — 1861, Proudhon ; de *englober*.

Fait d'englober ou d'être englobé.

ENGLOBER [ãglɔbe] v. tr. — 1611 ; de *en-*, *globe*, et suff. verbal.

♦ **1** ENGLOBER DANS…, EN… : faire entrer dans un ensemble déjà existant. *Englober un champ, plusieurs parcelles de terre dans un vaste domaine.* → **Annexer, enclaver, joindre, réunir.** *Englober différents comptes dans la dépense générale.* — Au p. p. *Hameaux englobés dans les limites de la commune.* → **Comprendre, contenir.**

1   Quand les Romains joignent la Syrie à leur vaste domination, et englobent le petit pays de la Judée dans leur empire (...)
          VOLTAIRE, Dict. philosophique, Histoire, II.

Englober plusieurs notions sous un nom, un terme.

♦ **2** (1764). Réunir en un tout (plusieurs choses ou personnes). *Le réquisitoire englobait tous les accusés. Exécutions sommaires qui englobent innocents et coupables. Englober tous les hommes dans le même mépris.* → *Mettre dans le même sac**. *Somme qui englobe toutes les autres.* → **Global.**

2   Jadis, avec mes idées calvinistes, j'englobais dans une même réprobation la magnificence des autels et celles des prêtres.   LOTI, Jérusalem, xix, p. 218.

♦ **3** (Le sujet désigne ce qui englobe). Intégrer, réunir en soi. *Ce recensement n'englobe que les étrangers.* → **Inclure.**

CONTR. Dissocier, séparer. ◊ DÉR. Englobant, englobement.

ENGLOUTIR [ãglutiʀ] v. tr. — Fin xiᵉ ; du bas lat. *ingluttire* «avaler», de *in*, et lat. class. *gluttire* «avaler», de *gluttus* «gosier». → Glouton.

♦ **1** (Fin xviᵉ). Avaler tout d'un coup, gloutonnement. → **Dévorer, enfourner, engouffrer.** *Engloutir les morceaux sans les mâcher* (→ Appétissant, cit. 1).

1   (...) il se trouva là un grand poisson qui engloutit Jonas ; il demeura trois jours et trois nuits dans le ventre de ce poisson.   BIBLE (SACY), Jonas, II, 1.

Absolt. S'empiffrer. *Il ne mange pas, il engloutit.*

2   Elle mangeait, mâchait, broyait, dévorait, engloutissait, mais avec l'air le plus léger et le plus insouciant du monde.
          BAUDELAIRE, le Spleen de Paris, XLII.

3   À huit heures on mangeait encore. Les hommes déboutonnés, en bras de chemise, la face rougie, engloutissaient comme des gouffres.
          MAUPASSANT, Contes de la bécasse,
                    «Farce normande».

Par métaphore. *Conquérant, empire qui engloutit de petits États.* → **Absorber, dévorer.**

♦ **2** (V. 1460). Fig. Dépenser* rapidement. → **Dévorer** (littér.), **dissiper, gaspiller.** *Il a englouti son héritage en moins d'un an. Engloutir des sommes considérables dans une entreprise.*

4   Pourquoi les quatre mille francs destinés à cette vaisselle ont-ils été engloutis encore dans cet équipage ?
          Mᵐᵉ DE SÉVIGNÉ, 1270, mars 1690.

Une de ces fameuses coquettes qui dévorent et engloutissent en peu de temps les plus gros patrimoines.   5
          A.-R. LESAGE, Gil Blas, X, 11.

(Sujet n. de chose). Absorber, épuiser.

Villa et château, par leurs frais d'entretien et de personnel   6
eussent englouti plus que le revenu total des Genillé.
          J. ROMAINS, les Hommes de bonne volonté, t. III,
                    XIII, p. 181.

♦ **3** (Sujet et compl. n. de chose). Faire disparaître brusquement, en noyant ou submergeant. → **Abîmer, détruire.** *Le déluge* (cit. 1) *engloutit les terres.* → **Noyer, submerger.** *La ville d'Ys aurait été engloutie par les flots. Séisme qui engloutit une ville.* → **Ensevelir, enterrer.**

J'entends le signal et les cris des matelots ; je vois fraîchir   7
le vent et déployer les voiles : il faut monter à bord, il faut partir. Mer vaste, mer immense, qui dois peut-être m'engloutir dans ton sein, puissé-je retrouver sur tes flots le calme qui fuit mon cœur agité.
          ROUSSEAU, Julie ou la Nouvelle Héloïse, III,
                    Lettre XXVI.

C'est d'un reflet pareil que la mer brille languissamment,   8
quand le dernier cercle de l'eau se ferme sur un navire englouti.
          André SUARÈS, Trois hommes, «Pascal», p. 30.

Fig. (poét.). *La mort nous engloutit. Le temps nous engloutit* (→ Abîme, cit. 8 ; cours, cit. 11). *L'homme est englouti dans l'immensité de l'univers* (→ Comprendre, cit. 1).

Et le Temps m'engloutit minute par minute,   9
Comme la neige immense un corps pris de roideur (...)
          BAUDELAIRE, les Fleurs du mal, Spleen et idéal,
                    LXXX.

♦ **S'ENGLOUTIR** v. pron. (Av. 1781). *Le navire s'est englouti dans les flots.* → **Abîmer** (s'), **couler, disparaître, sombrer.** *Le toit s'engloutit dans le brasier.* — Par métaphore :

Oh ! s'arracher les yeux pour ne plus le revoir !   1
S'engloutir dans la nuit solitaire et profonde
Dans l'oubli de la vie et de son désespoir !
          LECONTE DE LISLE, Poèmes tragiques,
                    «Le lévrier de Magnus», III.

♦ **ENGLOUTI, IE** p. p. adj. *Aliments engloutis.* — *Fortune engloutie en un instant.* — *Navire englouti* (→ ci-dessus, cit. 8). *La Cathédrale engloutie,* pièce pour piano de Debussy.

DÉR. Engloutissement, engloutisseur.

ENGLOUTISSEMENT [ãglutismã] n. m. — Déb. xvᵉ ; de *engloutir*.

Rare.

♦ **1** Action, fait d'engloutir.

Les engloutissements de l'abîme sans fond (...)
          HUGO, les Contemplations, VI, IV.

♦ **2** Le fait d'être englouti, de sombrer. *L'engloutissement d'un navire dans l'océan.*

ENGLOUTISSEUR, EUSE [ãglutisœʀ, øz] adj. et n. — xviᵉ ; de *engloutir*.

Rare. (Personne ou chose) qui engloutit.

Un mot que vous n'entendrez peut-être pas, et que je veux quand même confier au temps qui nous emporte comme des épaves, confier à l'espace qui nous sépare, au silence engloutisseur qui nous étreint, et qui nous étouffera.
          G. DUHAMEL, Récits des temps de guerre, IV, XLVI.

ENGLUAGE [ãglɥaʒ] n. m. — 1870 ; de *engluer*.

♦ **1** Rare. Action d'engluer ; fait d'être englué.

♦ **2** Techn. Enduit protecteur (mastic, coaltar) employé en arboriculture.

ENGLUANT, ANTE [ãglyã, ãt] adj. — Attesté xxᵉ ; p. prés. de *engluer*.

Qui englue.

(...) le désir est l'engluement d'un corps par le monde ; et le monde se fait engluant, la conscience s'enlise dans un corps qui s'enlise dans le monde.
SARTRE, l'Être et le Néant, p. 462.

ENGLUEMENT [ãglymã] n. m. — Fin xIIIᵉ ; de *engluer*.

◆ **1** → Engluage.

◆ **2** Fig. Le fait d'être englué, de s'engluer. → Enlisement ; → Engluant, cit.

ENGLUER [ãglye] v. tr. [CONJUG. : *j'engluais, nous engluïons, vous engluïez ; que j'englue.*] — Déb. xIIᵉ ; de *en-*, *glu*, et suff. verbal.

◆ **1** (xIVᵉ). Compl. n. de chose. Enduire de glu, d'une matière gluante. *Engluer un rameau pour prendre des oiseaux.*

1　(...) et comme il *(le merle)* allongeait
Le col pour s'abreuver, pauvret qui ne songeait
Qu'à prendre son plaisir ! se vit outre coutume
Engluer tout le col et puis toute la plume (...)
RONSARD, Églogues, I.

Par métaphore. Rendre poisseux, collant.

2　Dites toujours : *Préférer que*, et non pas *j'aime mieux que* qui englue les lèvres comme un morceau de collenbouche.
CLAUDEL, Positions et propositions, p. 84.

Par anal. (Le sujet désigne ce qui rend gluant). *Boue qui englue les chaussures.*

3　(...) une énorme botte de glaise qui englue nos chaussures, appesantit notre marche jusqu'à la rendre exténuante (...)
MAUPASSANT, la Vie errante, Vers Kairouan, 14 déc.

◆ **2** (Fin xIIᵉ). Compl. n. animé. Prendre à la glu. *Engluer des oiseaux.* — Prendre, retenir dans une matière gluante.

Au participe passé :

4　Les charrettes n'avançaient pas, elles avaient été engluées sur la route.
SARTRE, le Sursis, p. 66.

(Déb. xIIᵉ). Par métaphore. (Vieilli.) Prendre au piège. *Se laisser engluer par un aigrefin.*

5　La nouvelle n'est pas reçue avec un grand enthousiasme par les pauvres amants, qui se trouvent pris dans le piège qu'ils ont tendu, et englués de leurs propres finesses.
Th. GAUTIER, les Grotesques, p. 331.

6　(...) on n'englue pas le diable comme un merle à la pipée.
Aloysius BERTRAND, Gaspard de la nuit, Chroniques, VI, 1.

◆ **S'ENGLUER** v. pron.

Être retenu par de la glu, par une matière gluante. *Oiseaux qui s'engluent. Doigts qui s'engluent dans la résine* (→ Branche, cit. 4). — Fig. *«La France s'englua dans des complications italiennes»* (Bainville, *in* T. L. F.).

◆ **ENGLUÉ, ÉE** p. p. adj.

ⓐ Enduit d'une matière collante. *Chaussures engluées de boue.*

ⓑ Fig. et littér. Pris dans.

7　Tout le village était immobile, englué dans l'oubli de la sieste d'été.
M. DURAS, les Petits Chevaux de Tarquinia, p. 193.

ⓒ Vieilli. Mielleux. *«Des manières engluées»* (Pierre Hamp, *in* T. L. F.).

CONTR. Dégluer. ◇ DÉR. Engluage, engluant, engluement.

ENGOBAGE [ãgɔbaʒ] n. m. — 1845 ; de *engober*.

Techn. Action, manière d'engober.

ENGOBE [ãgɔb] n. m. — 1807 ; déverbal de *engober*.

Techn. Enduit terreux qu'on applique sur la pâte céramique pour en masquer la couleur naturelle (→ Couverte).

Je palpe cette céramique épaisse, d'une facture incontestablement tupi par son engobe blanc bordé de rouge et le fin lacis de traits noirs, labyrinthe destiné, dit-on, à égarer les mauvais esprits en quête des ossements humains jadis préservés dans ces urnes.
Claude LÉVI-STRAUSS, Tristes tropiques, p. 67.

ENGOBER [ãgɔbe] v. tr. — 1807 ; de *en-*, et *gobe*, dial. «motte de terre». → Écobuer.

Techn. Revêtir d'un engobe*.

DÉR. Engobage, engobe.

ENGOMMAGE [ãgɔmaʒ] n. m. — 1856 ; de *engommer*.

Techn. Action, manière d'engommer.

ENGOMMER [ãgɔme] v. tr. — 1581 ; de *en-*, *gomme*, et suff. verbal.

Techn. Enduire de gomme (un tissu, le support d'une poterie mise au four). *Engommer un tissu.*

DÉR. Engommage.

ENGONÇAGE [ãgɔ̃saʒ] n. m. — D. i. (1951, *le Monde*, *in* T. L. F.) ; de *engoncer*.

Rare. Action, fait d'engoncer. *«Un empiècement (...) qui évite tout engonçage»* (*le Monde*, *in* T. L. F.).

ENGONÇANT, ANTE [ãgɔ̃sã, ãt] adj. — 1895 ; p. prés. de *engoncer*.

Qui engonce. *Un col engonçant.*

Le nouveau venu, en pourpoint brodé, en culotte courte et en toquet de velours, portait une fraise engonçante et un loup mystérieux (...)
Raymond ROUSSEL, Impressions d'Afrique, p. 228.

ENGONCÉ, ÉE [ãgɔ̃se] p. p. adj. → Engoncer.

ENGONCEMENT [ãgɔ̃səmã] n. m. — 1803, Boiste ; de *engoncer*.

Le fait d'être engoncé (dans un vêtement). — Fig. *«L'engoncement dans le sérieux»* (Mounier, *in* T. L. F.).

ENGONCER [ãgɔ̃se] v. tr. [CONJUG. : *placer*.] — 1643 ; au p. p., 1611 ; de *en*, *gond*, et suff. verbal.

Se dit d'un vêtement qui habille d'une façon disgracieuse, en faisant paraître le cou enfoncé dans les épaules. *Cet habit vous engonce.* — Absolt. *Les cols de fourrure engoncent.*

Par métaphore :

Le tronc des arbres, que n'engonce plus le taillis, apparaît dans toute sa noblesse.　　0.1
GIDE, Voyage au Congo, *in* Souvenirs, Pl., p. 715.

REM. Le mot est littéraire à l'actif, plus courant au passif et au p. p. (voir ci-dessous).

◆ **S'ENGONCER** v. pron. réfl.

Enfoncer son cou (dans un vêtement qui paraît gêner).

Michel, qui vivait le plus souvent le col largement ouvert, s'était engoncé ce jour-là dans je ne sais quel col-carcan (...)　　0.2
GIDE, Journal, 7 août 1917.

◆ **ENGONCÉ, ÉE** p. p. adj.

◆ **1** *Nuque engoncée* (→ Cou, cit. 7).

(...) vêtu comme à son ordinaire, à l'ancienne mode, le cou engoncé dans l'énorme cravate de mousseline blanche (...)　　1
Louis MADELIN, Talleyrand, V, xxxvII, p. 403.

Qui paraît enfoncé dans les épaules.

♦ 2 Fig. *Avoir l'air engoncé,* gauche, contraint, comme lorsque le cou est gêné par le vêtement. — Par ext. → **Guindé, raide, rigide** (→ Collet* monté).

2   *(Elle)* avait la réputation d'une jeune personne fort engoncée et dévote.   F. MAURIAC, le Mal, I, p. 14.

Par analogie :

3   Ils devaient presque forcément se rabattre sur quelqu'un qui, sans être véreux, ne fût pas encore engoncé dans la respectabilité.
           J. ROMAINS, les Hommes de bonne volonté, t. V,
                                                     IX, p. 74.

CONTR. Dégager; libérer. ◊ DÉR. Engonçage, engonçant, engoncement, engonçure.

ENGONÇURE [ɑ̃gɔ̃syʀ] n. f. — Déb. XXᵉ selon G.L.L.F. qui cite Jules Romains; de *engoncer.*
Rare. Ce qui engonce (vêtement, partie de vêtement).

ENGORGEMENT [ɑ̃gɔʀʒəmɑ̃] n. m. — 1611; «action d'avaler, de gorger», XVᵉ; de *engorger.*

♦ 1 État d'un conduit engorgé. → **Engouement,** I. **(vx).** — (1707). **Méd.** Enflure et durcissement (d'un organe) provoqués par une accumulation de sang, de sérosité ou d'une sécrétion. *Engorgement mammaire.*

1   Rieux l'examina et fut surpris de ne découvrir aucun des symptômes principaux de la peste bubonique ou pulmonaire, sinon l'engorgement et l'oppression des poumons.
                                    CAMUS, la Peste, p. 253.

♦ 2 (XXᵉ). Par anal. Obstruction des voies de circulation par afflux incessant de voitures. → **Bouchon, encombrement.** *Engorgement aux embranchements importants. Engorgement à l'entrée, à la sortie des grandes villes.*

2   Les surfaces des quais plus que doublées en douze mois, les surfaces couvertes, les magasins, doublés également, vous garantissaient désormais contre l'engorgement et le désordre.   L. H. LYAUTEY, Paroles d'action, p. 110.

♦ 3 (1767). **Fig.** Encombrement du marché (par surproduction, fermeture des débouchés, etc.). *L'engorgement des capitaux.*

ENGORGER [ɑ̃gɔʀʒe] v. tr. [CONJUG.: *bouger.*] — 1611; «gorger, avaler», XIIᵉ; de *en-, gorge,* et suff. verbal.

I **♦ 1** (Sujet et compl. n. de chose). Obstruer (un conduit, un passage) par l'accumulation de matières étrangères. *Les immondices qui engorgent l'égout. Vase qui engorge un canal.* → **Envaser.**
Pron. *Tuyau d'évier qui s'engorge.* → **Boucher** (se). —
Au participe passé :

1   Ces honnêtes enfants,
Qui de Savoie arrivent tous les ans,
Et dont la main légèrement essuie
Ces longs canaux engorgés par la suie.
           VOLTAIRE, Pauvre diable, in LITTRÉ.

(1611). **Méd.** Provoquer l'engorgement de (un organe). *Le sang circule mal et engorge les vaisseaux.* → **Congestionner.** *Des végétations, des mucosités engorgeaient les voies respiratoires.*
Pron. *Les vaisseaux s'engorgent.*

♦ 2 (1864). **Techn.** (Sujet n. de personne). Empâter (une moulure) par une couche trop épaisse de peinture.

♦ 3 Par anal. Causer un embarras de circulation dans... *Le rassemblement des badauds engorge le trottoir.* — Pron. *La rue étroite s'engorge de voitures.*

II **♦ 1** Rare (d'après *dégorger,* I., 1.). Faire entrer en soi.

1.1   Les magasins engorgeaient et dégorgeaient des flots de badauds.   J.-M. G. LE CLÉZIO, le Déluge, p. 78.

♦ 2 Rare. Se remplir la gorge de (qqch.). → **Ingurgiter.** *Engorger qqch.* — Faux pron. «*Lui, s'engorgea précipitamment des rasades*» (Huysmans, *les Sœurs Vatard, in* T.L.F.).

♦ 3 Par ext. Obstruer la gorge de (qqn). → **Étrangler.** *Faire engorger qqn,* le faire s'étrangler.

♦ ENGORGÉ, ÉE p. p. adj.

♦ 1 Obstrué. *Tuyaux, canaux engorgés.*
De chaque côté, à gauche, des étangs sont là, qui communiquent avec le ruisseau par de minces canaux engorgés   2
d'herbes aquatiques, des canaux où parfois les brochets s'engagent.
           Pierre BENOIT, Mᴵˡᵉ de la Ferté, IV, p. 231.

Techn. *Moulin engorgé,* l'élévation du niveau de l'eau empêchant les roues de tourner. — **Méd.** *Glandes, tissus engorgés,* qui sont le siège d'un engorgement*. Cheval qui a les jambes engorgées,* la circulation s'y faisant mal. — Par anal. *Moulure engorgée,* dont les formes disparaissent dans l'empâtement de couches de peinture successives.

♦ 2 (1911, *in* D.D.L.). Bouché par un embarras de circulation.

(...) adroit et pressé, glissant chaque soir à travers la foule   3
sans jamais me laisser attarder dans ces rues engorgées et brillantes si bien disposées pour retenir le passant.
                            J. CHARDONNE, Éva, p. 18.

♦ 3 (Du sens propre de *gorge*). **Littér.** Qui paraît étranglé.
Cette voix engorgée, pâteuse, qui sortait par le coin des   4
dents, avait toujours une intention sardonique.
       M. DRUON, les Grandes Familles, IV, VII, p. 201.

CONTR. Désengorger. — Dégorger. ◊ DÉR. Engorgement.

ENGOUEMENT [ɑ̃gumɑ̃] n. m. — 1694; de *(s') engouer.*

I Rare. Obstruction* (d'un conduit, d'une cavité). → **Engorgement.** *Engouement de l'œsophage, du poumon.* — (1845). *Engouement intestinal,* dû à l'accumulation des matières fécales dans une anse intestinale herniée, et qui entraîne une constipation opiniâtre.

II (1694). **Cour.** Action de s'engouer; état d'une personne qui est engouée. → **Admiration, emballement, enthousiasme, infatuation** (vx), **toquade.** *Engouement pour un artiste, un spectacle, un ouvrage. Engouement factice, épidémique, dû au snobisme. Engouement pour une mode, une idée en vogue. Engouement du public pour le cinéma. La critique* (cit. 20) *succède à l'engouement du premier jour.*

Toute ma crainte, en voyant cet engouement, et me sentant   1
si peu d'agrément dans l'esprit pour le soutenir, était qu'il ne se changeât en dégoût, et malheureusement pour moi cette crainte ne fut que trop bien fondée.
                     ROUSSEAU, les Confessions, X.

Qui prévoirait les étranges bonds et écarts de la mobilité   2
de l'esprit français? Qui pourrait comprendre comment ses exécrations et ses engouements, ses malédictions et ses bénédictions se transmuent sans raison apparente?
          CHATEAUBRIAND, Mémoires d'outre-tombe, t. VI,
                                                     p. 271.

On a souvent peine à comprendre certaines vogues, certains engouements dont les écrits qui nous paraissent   3
maintenant de l'insipidité la plus nauséabonde (...)
           Th. GAUTIER, les Grotesques, Préface, p. 7.

(...) c'est là ce qui me fait, dans mes écrits, rechercher,   4
entre toutes qualités, celles sur qui le temps ait le moins de prise, et par quoi ils se dérobent à tous les engouements passagers.   GIDE, Journal, 27 juil. 1922.

CONTR. Dégoût, désenchantement.

ENGOUER [ãgwe] v. — XIVᵉ; mot dial.; de *en-*, rad. de *joue*, et suff. verbal.

I Vx. Étouffer en obstruant le gosier. *Il avale de trop gros morceaux qui l'engouent.*

V. pron. (1555). Vieilli. S'étouffer en avalant trop vite. *S'engouer en mangeant gloutonnement. Bébé qui s'engoue en tétant trop vite.*

1 Il ne mange pas, il dévore,
Et le fait tant avidement
Qu'il s'engoue ordinairement.
                SCARRON, Virgile travesti, 3.

2 (...) on était venu m'avertir que le petit Roger s'étouffait (...) Ce n'était rien de grave; tout simplement, il s'était engoué, comme il arrive aux bébés quelquefois.
                LOTI, Figures et choses..., p. 16.

Par ext. S'étouffer.

2.1 Un homme (...) était agité d'une sorte de transe hystérique (...) Les yeux lui sortaient de la tête. Il finit par s'engouer dans sa fureur et par tousser. Enfin, il cracha à la figure d'Angélo.   J. GIONO, le Hussard sur le toit, p. 98.

II V. pron. et passif. (V. 1680, Mᵐᵉ de Sévigné, Ménage, *in* Trévoux). **S'ENGOUER DE...** : se prendre de passion, d'enthousiasme exagéré et le plus souvent passager pour une personne ou une chose. → **Emballer** (s'), **éprendre** (s'), **entêter** (s'), **enthousiasmer** (s'), **enticher** (s'), **infatuer** (s'), **passionner** (se), **toquer** (se). *Je me demande bien comment il a pu s'engouer de cette femme à ce point! S'engouer d'une nouveauté (engoué de...).* Absolt et rare. *Il s'engoue facilement.*

ÊTRE ENGOUÉ DE..., pris d'enthousiasme. — Au p. p. (1672, Sorel). → **Entiché, féru, imbu, infatué (vx), toqué.** *Être engoué de musique baroque.*

3 Madame la Fayette vous a vue (...) elle est *engouée* de vous, c'est son mot (...)
              Mᵐᵉ DE SÉVIGNÉ, 951, 4 févr. 1685.

4 On conviendra, je m'assure, qu'après m'être engoué de M. Bâcle, qui tout compté n'était qu'un manant, je pouvais m'engouer de M. Venture, qui avait de l'éducation, des talents, de l'esprit, de l'usage du monde, et qui pouvait passer pour un aimable débauché.
              ROUSSEAU, les Confessions, III.

5 Le curé m'écrivit en 1790 une lettre qui prouva qu'il s'était un peu engoué de la Révolution : il doit être dégrisé, ou il est bien têtu.
              RIVAROL, Lettres, À F. de Rivarol, 18 août 1797.

6 Incapable de résister à une envie, elle s'engouait d'un bibelot qu'elle avait vu, n'en dormait pas, courait l'acheter (...)
              FLAUBERT, l'Éducation sentimentale, II, II.

CONTR. Dégoûter (se), **lasser** (se); **abandonner, mépriser.**
◊ **DÉR. Engouement.**

ENGOUFFREMENT [ãgufʀəmã] n. m. — 1866; de (s')*engouffrer*.

Rare. Le fait de s'engouffrer. *L'engouffrement du vent dans un couloir.*

ENGOUFFRER [ãgufʀe] v. tr. — Fin XVᵉ; *engoufler*, fin XIIᵉ; de *en-*, *gouffre*, et suff. verbal.

♦ **1** (Av. 1525). Littér. Jeter, entraîner dans un gouffre. → **Abîmer.** *La mer démontée a engouffré le navire. Il tomba du haut du rocher, l'abîme l'engouffra.*

♦ **2** Fam. Avaler, manger avidement et en grande quantité. → **Dévorer, enfourner, engloutir.** — Absolt. *Quel appétit! il engouffre!*

♦ **3** (1694). Fig. Engloutir. *Cette affaire a engouffré une dizaine de millions. Il a engouffré la fortune de sa famille.*

1 (...) si je me laissais dévorer, ton fils, ta fille, ton petit-gendre auraient bientôt fait d'anéantir ma fortune, de l'engouffrer dans leurs affaires.
              F. MAURIAC, le Nœud de vipères, III, p. 35.

Ressusciter l'établissement hydrominéral, engouffrer de l'argent là-dedans, pour s'apercevoir ensuite que grâce à vous les terrains, les immeubles dans tout le pays ont triplé de valeur (...) 2
          J. ROMAINS, les Hommes de bonne volonté, t. V, XXII, p. 182.

◆ **S'ENGOUFFRER** v. pron.

♦ **1** (1538). Se perdre, être entraîné dans un gouffre. *Rivière qui s'engouffre dans un ravin. Le Rhône s'engouffrait, à hauteur de Bellegarde, dans les vaux du Jura.* → **Perdre** (se).

♦ **2** (1541). Par ext. Se précipiter avec violence dans une ouverture, un passage. *Les flots s'engouffrèrent dans la brèche de la digue. Vent qui s'engouffre dans une rue, un passage, une cheminée...* → **Entonner** (s'); → **Bourrasque, cit. 4; couloir, cit. 5.**

Ces chambres n'ont qu'une porte (...) et pas de fermeture (...) Le vent qui s'y engouffre y pousse incessamment des flots de poussière. 3
          E. FROMENTIN, Un été dans le Sahara, I, p. 100.

La bise, qui nous frappait en plein visage, s'engouffrait dans nos manteaux, et faisait voltiger en arrière les cheveux de nos têtes jumelles. 4
          LAUTRÉAMONT, les Chants de Maldoror, III, p. 118.

♦ **3** (Sujet n. de personne). Entrer précipitamment (en un lieu profond, sombre...). → **Jeter** (se), **précipiter** (se). *S'engouffrer dans une bouche de métro. Dès l'ouverture des portes, la foule s'engouffra.*

Par peur d'être vue, elle ne prenait pas ordinairement le chemin le plus court. Elle s'engouffrait dans les ruelles sombres, et elle arrivait tout en sueur vers le bas de la rue Nationale, près de la fontaine qui tarissait. 5
          FLAUBERT, Mᵐᵉ Bovary, III, 5.

Tout cela (*le troupeau*) défile devant nous joyeusement et s'engouffre dans le portail, en piétinant avec un bruit d'averse (...) Il faut voir quel émoi dans la maison. 6
          Alphonse DAUDET, Lettres de mon moulin, «Installation».

Il avait l'habitude d'aller dans certains mauvais lieux, et, comme il aimait qu'on ne le vît ni y entrer, ni en sortir, il s'engouffrait pour offrir aux regards malveillants des passants hypothétiques le moins de surface possible, comme on monte à l'assaut. Et cette allure de coup de vent lui était restée. 7
          PROUST, À la recherche du temps perdu, t. XIV, I, p. 9.

DÉR. Engouffrement.

ENGOULEMENT [ãgulmã] n. m. — XIIᵉ; de *engouler*.
Vx. Fait d'avaler goulûment, d'engouler.

ENGOULER [ãgule] v. tr. — V. 1170; de *en-*, *goule*, forme anc. de *gueule*, et suff. verbal.

Vx ou régional. Avaler, engloutir, mettre dans la gueule.

La vie pour nous, ça ne doit pas être un but, c'est une proie (...) Une chose qui bouge, et tu sautes dessus (...) Tu peux la poursuivre ou l'attendre (...) Ou encore l'avaler au passage comme une truite, à contre-courant, qui engoule le frai.   BERNANOS, Monsieur Ouine, p. 45. 1

Figuré :

(...) on s'arrêta sous les platanes pour allumer notre lanterne : c'était tout simplement une bouteille crevée du cul et une bougie engoulée là-dedans. 2
          J. GIONO, le Serpent d'étoiles, p. 90.

DÉR. Engoulement. ◊ **COMP. Engoulevent.**

ENGOULEVENT [ãgulvã] n. m. — 1778; nom propre au moyen âge, et *in* Rabelais, I, 26, nom d'un géant de l'armée de Picrochole; «homme qui boit beaucoup», 1656; de *engouler*, et *vent*.

Oiseau coraciiforme *(Caprimulgidés)*, appelé scientifiquement *caprimulgus*, passereau brun-roux, au bec largement fendu, insectivore.

Lorsqu'il s'agit de nommer un animal, ou, ce qui revient presque au même, de lui choisir un nom parmi tous les noms qui lui ont été donnés, il faut, ce me semble, préférer celui qui présente une idée plus juste de la nature, des propriétés, des habitudes de cet animal, et surtout rejeter impitoyablement ceux qui tendent à accréditer de fausses idées et à perpétuer des erreurs. C'est en partant de ce principe que j'ai rejeté les noms de *tette-chèvre*, de *crapaud-volant*, de *grand merle*, de *corbeau de nuit* et d'*hirondelle à queue carrée*, donnés par le peuple ou par les savants à l'oiseau dont il s'agit ici (...) J'ai conservé à cet oiseau le nom d'*engoulevent* qu'on lui donne en plusieurs provinces, parce que ce nom, quoique un peu vulgaire, peint assez bien l'oiseau lorsque, les ailes déployées, l'œil hagard et le gosier ouvert de toute sa largeur, il vole avec un bourdonnement sourd à la rencontre des insectes, dont il fait sa proie et qu'il semble *engouler* par aspiration.

　　　　　BUFFON, Hist. nat. des oiseaux, L'engoulevent,
　　　　　　　　　　　　　　　　　　　t. VII.

ENGOURDIR [ãguʀdiʀ] v. tr. — xiiᵉ; de *en-*, *gourd*, et suff. verbal.

♦ **1** Priver en grande partie (un membre, le corps) de mobilité et de sensibilité. *Le froid engourdit les extrémités.* → **Transir**. *La torpille, poisson qui engourdit la main qui le touche.* → **Paralyser**. *Narcotique qui engourdit le cerveau.* → **Stupéfiant**.

1　On peut comparer les malheureuses productions de cette espèce à ces jours affligeants de l'hiver, où un brouillard épais, joint à une gelée pénétrante, semble à la fois engourdir et contrister tous les êtres vivants.
　　　　D'ALEMBERT, Éloges, Crébillon, *in* LITTRÉ.

♦ **2** (V. 1555). Par ext. Mettre dans un état général de ralentissement des fonctions vitales. *L'âge engourdit le corps.* → **Appesantir**. Absolt. *Somnolence, paresse qui engourdit* (→ Amollir, cit. 6).

2　Quelle interminable soirée! Quelque chose de stupéfiant comme une vapeur d'opium l'engourdissait.
　　　　　FLAUBERT, Mᵐᵉ Bovary, III, II.

3　(...) une sorte de torpeur, bienfaisante sous les souffles du matin vierge, engourdissait ma pensée en la laissant son esprit en demi-rêve.　　LOTI, Ramuntcho, I, II, p. 25.

4　(...) il s'abandonna lâchement au bien-être, mêlé de fatigue, qui peu à peu l'engourdissait.
　　　　　MARTIN DU GARD, les Thibault, t. III, p. 227.

Fig. (En parlant de l'activité intellectuelle). *L'oisiveté engourdit l'esprit.* → **Rouiller**. — (En parlant d'un sentiment). *Engourdir son cœur dans l'oubli* (→ 1. Pouvoir, cit. 32). *Les voyages, la fréquentation du monde finirent par engourdir son chagrin.* → **Endormir, étourdir**.

5　(...) cette peine que rien ne guérit, mais que le temps seul peut engourdir.
　　　　SAINTE-BEUVE, Correspondance, t. II, p. 117.

♦ **S'ENGOURDIR** v. pron. (1671).

♦ **1** Devenir engourdi. *Membres qui s'engourdissent* (→ Assoupir, cit. 13). *La nature s'engourdit.* — Spécialt. Entrer en hibernation. *Les animaux hibernants s'engourdissent en hiver et vivent au ralenti.* → **Assoupir** (s'), **endormir** (s').

6　La marmotte est sujette plus qu'un autre animal à s'engourdir par le froid.
　　　　BUFFON, Hist. nat. des animaux, La marmotte.

7　Maintenant je m'engourdis avec la nature jusqu'à ce qu'elle renaisse, je ne vis plus.
　　　　ROUSSEAU, Lettre à Mᵐᵉ de Suze, *in* LITTRÉ.

8　Puis ses jambes et ses bras se prirent d'une inertie atroce avec un fourmillement profond comme quand on s'est engourdi dans une position fausse (...)
　　　　　LOTI, Matelot, LXVII, p. 183.

♦ **2** Fig. *S'engourdir dans l'oisiveté. Ma pensée s'engourdit.* → **Assoupir** (s').

On perd l'habitude de réfléchir comme celle de marcher;　9
et l'âme s'engourdit et s'énerve comme le corps dans une stupide indolence.
　　　　MARMONTEL, Éléments de littérature, *in* LITTRÉ.

Car Édouard est un de ces êtres dont les facultés, qui　10
dans le tran-tran coutumier s'engourdissent, sursautent et se bandent aussitôt devant l'imprévu.
　　　　GIDE, les Faux-monnayeurs, I, XIV, p. 169.

♦ **ENGOURDI, IE** adj. p. p. adj.

♦ **1** Qui est dans un état d'engourdissement. *Mains engourdies; doigts engourdis.* → **Gourd, paralysé, raide, rigide** (→ Dégourdir, cit. 1). *Animal engourdi.* → **Inerte** (→ Dormir, cit. 6). *Mouvements engourdis* (→ Démarche, cit. 1).

L'animal engourdi sent à peine le chaud　　　　　　　11
Que l'âme lui revient avecque la colère.
　　　　　LA FONTAINE, Fables, VI, 13.

(...) il advenait que, quand la nécessité le contraignait de　12
parler, sa langue était engourdie, maladroite, et comme une porte dont les gonds sont rouillés.
　　　　HUGO, Notre-Dame de Paris, IV, III.

(...) ils avaient des heures de silence où, se laissant aller au　13
bercement des ressorts, ils demeuraient comme engourdis dans une ivresse tranquille.
　　　　FLAUBERT, l'Éducation sentimentale, III, I.

Par ext. → **Empoté, lent**.

Elle *(Fanchon Fadet)* ne fut point engourdie pour aller　14
ouvrir, et grande fut sa joie en se laissant serrer sur le cœur de son ami Landry.
　　　　G. SAND, la Petite Fadette, XXXII, p. 211.

Littér. (choses). *Campagne engourdie.* → **Endormi**.

(...) tout semblait engourdi par le désœuvrement du　15
dimanche et la tristesse des jours d'été.
　　　　FLAUBERT, Bouvard et Pécuchet, I.

(...) je regarde les coteaux engourdis.　　　　　　　16
　　　　F. MAURIAC, le Nœud de vipères, p. 212.

♦ **2** *Esprit engourdi.* → **Hébété, lent, léthargique** (→ Dormir, cit. 9).

Alors les livres les plus platement atroces, les plus stupide-　17
ment impies, les plus monstrueusement obscènes, étaient avidement dévorés par une société malade, dont les goûts dépravés et les facultés engourdies eussent rejeté tout aliment savoureux ou salutaire.
　　　　HUGO, Littérature et philosophie mêlées, W. Scott.

CONTR. Animer, dégourdir, dérouiller, réveiller. — Agile, alerte, ardent, dégourdi, fringant, vif... ◊ **DÉR.** Engourdissant, engourdissement.

ENGOURDISSANT, ANTE [ãguʀdisã, ãt] adj.
— 1845; p. prés. de *engourdir*.

Qui engourdit. *Chaleur engourdissante.* — Figuré :

Les premières révoltes calmées, la vie s'établit monotone, engourdissante et je finis par m'y habituer peu à peu, sans trop en souffrir moralement.
　　　　O. MIRBEAU, le Journal d'une femme de chambre,
　　　　　　　　　　　　　　　　　　　p. 134.

ENGOURDISSEMENT [ãguʀdismã] n. m. — 1539; de *engourdir*.

♦ **1** État d'un membre, du corps qui s'est engourdi. *Sentir au réveil un engourdissement du bras sur lequel a reposé le poids du corps endormi. L'engourdissement des doigts.* → **Onglée, raideur, rigidité**. *Engourdissement du corps.* → **Appesantissement, assoupissement, léthargie, somnolence, torpeur**. *Produits qui provoquent l'engourdissement.* → **Narcotique, somnifère, stupéfiant**. *Se laisser aller à l'engourdissement de la digestion* (cit. 3).

(...) nous entrâmes enfin dans Valladolid légèrement　1
moulus (...) Je ne parle pas des jambes, où l'engourdissement avait piqué toutes les aiguilles de l'Angleterre, et où grouillaient les pattes de cent mille fourmis invisibles.　　Th. GAUTIER, Voyage en Espagne, p. 40.

Elle n'avait pas envie de dormir; il lui semblait qu'un　2
engourdissement s'emparait de ses membres, et de même, son cerveau fatigué ne lui obéissait plus (...)
　　　　J. GREEN, Adrienne Mesurat, p. 205.

Spécialt. Sommeil prolongé (des animaux). → **Estivation, hibernation.**

3 Il faut savoir gré à M. de Buffon d'avoir recherché le premier la cause secrète de l'engourdissement de divers animaux, tels que la marmotte, le hérisson, le loir, la chauve-souris.
Charles BONNET, Contemplation de la nature, XII, 31, *in* LITTRÉ.

Par anal. *L'engourdissement de la nature quand vient l'hiver* (→ Arranger, cit. 19).

♦ **2 Fig.** Ralentissement, appesantissement (des activités mentales). *Engourdissement de l'esprit, des facultés intellectuelles.* → **Alourdissement, atonie, hébétude, stupeur, torpeur.** *Tirer qqn de son engourdissement.*

4 Je suis allé promener mes peines et mes remords tardifs dans la campagne, cherchant dans la marche et dans la fatigue l'engourdissement de la pensée, la certitude peut-être pour la nuit suivante d'un sommeil moins funeste.
NERVAL, Aurélia.

5 C'était l'engourdissement mortel, inévitable, de la routine.
ZOLA, la Terre, p. 145.

6 À une sorte d'engourdissement de mon âme répond un assourdissement de toutes choses et rien plus d'aigu ne me pénètre, ou mieux : rien ne pénètre plus vraiment en moi.
GIDE, Et nunc manet in te, Journal intime, 11 juil. 1923.

(Activités sociales, économiques, financières).

7 La spéculation, inactive pendant trois mois, s'est remise à l'œuvre avec une ardeur fiévreuse ; il y a chaque jour au moins six émissions d'actions de sociétés nouvelles. Les journaux financiers appellent cela sortir de l'engourdissement.
A. ROBIDA, le Vingtième Siècle, p. 209.

CONTR. Dégourdissement. — Activité, vivacité.

ENGRAINER [ãgʀəne; ãgʀene] v. → 1. **Engrener.**

ENGRAIS [ãgʀɛ] n. m. — 1510 ; déverbal de *engraisser*.

♦ **1 Loc. adv. et adj. (Animaux).** ... À L'ENGRAIS : de manière à engraisser. *Mettre des bovins à l'engrais, soit à l'herbage, soit à l'étable.* → **Engraissement.** *Les porcs à l'engrais ne doivent pas être isolés, mais logés deux par deux. Mettre des oies, des volailles à l'engrais.* → **Gaver.**

Loc. adj. (Techn.). ... D'ENGRAIS : apte à être engraissé. *Moutons d'engrais.*

♦ **2 (1690).** **a** *L'engrais* : substance que l'on mêle au sol pour la fertiliser en y introduisant des principes chimiques immédiatement utiles à la végétation (→ Comice, cit. 2 ; dépouille, cit. 10). → **Amendement, fertilisation.**

1 (...) l'engrais diffère de l'amendement, en ce que ce dernier est destiné à corriger les défauts d'un sol et non principalement à y introduire des principes immédiatement utiles à la végétation. Pour qu'un engrais soit efficace, il n'est pas nécessaire qu'il apporte des éléments manquant dans le sol ; il vient s'ajouter à ceux qui peuvent y être disponibles pour la végétation, en vue d'activer la vigueur de celle-ci.
Omnium agricole, p. 329.

b *(Un, des engrais).* Industrie, commerce des engrais. Emploi des engrais. → **Chaulage, écobuage, enfouissement, épandage, fumure, plâtrage.** *Principaux éléments apportés par les engrais* → azote, calcium, fer, magnésium, potassium, phosphate, soufre. *Engrais biologiques, catalytiques, radioactifs.*

Engrais végétaux. Engrais verts : légumineuses fourragères, fanes enfouies dans le sol (ex. : *colza, féverole, lupin, seigle, trèfle, vesce*). → aussi **Goémon, tourteau, varech, vinasse ; humus.**

Engrais animaux ou organiques : les déjections de l'homme *(engrais flamand, poudrette, eaux-vannes)* ; les débris animaux *(engrais organiques).* → **Colombine, gadoue, guano ; égout** (eaux d'égout) ; **falun, marne.** *Engrais mixtes :* mélange d'engrais végétaux et animaux. → **Compost, fumier** (froid ou chaud), **lisier, purin.** — *Terres utilisées comme engrais.* → **Limon, tangue, terramare, terreau.** *Engrais chimiques* (ou minéraux complémentaires, commerciaux). *Engrais potassiques :* carbonate, chlorure, sulfate de potassium ; kaïnite, sylvinite. *Engrais phosphatés.* → **Phosphate, scorie** (de déphosphoration) ; **superphosphate.** *Engrais nitriques ou azotés.* → **Crude ammoniac, cyanamide, nitrate** (de chaux, de soude), **urate.** *Engrais binaires, ternaires,* renfermant deux, trois éléments de base. *Engrais composés,* formés par mélange, et *engrais complexes,* formés par combinaison chimique (→ **Ammonitrate**).

2 Un peu de sel versé sur les terres glaiseuses est un des meilleurs engrais possibles (...)
VOLTAIRE, Correspondance, Turgot, 18 févr. 1776.

3 (...) le plus fécondant et le plus efficace des engrais, c'est l'engrais humain. Les Chinois (...) le savaient avant nous. Pas un paysan chinois (...) ne va à la ville sans rapporter, aux deux extrémités de son bambou, deux seaux pleins de ce que nous nommons immondices. Grâce à l'engrais humain, la terre en Chine est encore aussi jeune qu'au temps d'Abraham. Le froment chinois rend jusqu'à cent vingt fois la semence. Il n'est aucun guano comparable en fertilité au détritus d'une capitale (...) On expédie à grands frais des convois de navires afin de récolter au pôle austral la fiente des pétrels et des pingouins, et l'incalculable élément d'opulence qu'on a sous la main, on l'envoie à la mer. Tout l'engrais humain et animal que le monde perd, rendu à la terre au lieu d'être jeté à l'eau, suffirait à nourrir le monde.
HUGO, les Misérables, V, II, I.

ENGRAISSEMENT [ãgʀɛsmã] n. m. — Déb. XIIIᵉ ; de *engraisser.*

♦ **1** Action d'engraisser (les animaux) ; son résultat. *L'engraissement des bestiaux dans un emboûche*. Engraissement extensif* (herbages ou pâturages naturels), *intensif* (alimentation concentrée donnée à l'étable ; → Pouture). *Engraissement des veaux* (veaux blancs). *L'état d'engraissement d'un animal de boucherie* (→ **Maniement**).

♦ **2 Par anal. Vx** (ou stylistique). État d'une personne qui engraisse, qui grossit. *Suivre un régime pour lutter contre l'engraissement* (→ Empâtement).

Mais, sire, l'ouvrier veut manger. — Je le gave.
L'engraissement éteint la fierté dans l'esclave.
HUGO, les Années funestes, XXVI.

Techn. « Hypertrophie du foie (de l'huître) qui se surcharge d'une matière hydrocarbonée, le glycogène » (A. Boyer, *Pêches maritimes,* p. 80, nᵒ 199, 1967).

ENGRAISSER [ãgʀese ; ãgʀɛse] v. — Fin XIᵉ, *engraissier*; du lat. pop. **ingrassiare,* pour **incrassiare,* du bas lat. *incrassare* «engraisser», de *in-,* et lat. class. *crassus.* → **Gras.**

I V. tr. ♦ **1 Vx.** Enduire d'un corps gras ; souiller de graisse. → **Graisser.**

♦ **2 Mod.** Rendre gras ; faire grossir (des animaux). *Engraisser des bestiaux.* → **Appâter, gaver, gorger** (→ Brider, cit. 1). *Pâte dont on engraisse les volailles.* → **Pâtée, paton.** *Engraisser des animaux avec du grain.* → **Engrener.** *Engraisser du bétail pour la boucherie.* → **Nourrisseur.**

1 Il n'y en a que trop de ce caractère dans le siècle où nous sommes qui ne semblent vivre que pour nourrir et engraisser leur corps.
BOURDALOUE, 6ᵉ dimanche après Pentecôte, les Dominicales, t. III, p. 11.

2 — L'ennui me tue.
— Je le crois; il n'engraisse que les sots.
BEAUMARCHAIS, le Barbier de Séville, II, 2.

Prov. (vx). *L'œil du maître* engraisse le cheval.*

(1669). **Fig.** Rendre (qqn) prospère, florissant; l'enrichir. *Ils en ont assez d'engraisser les bourgeois, les riches.*

♦ **3** (XIIIᵉ). Enrichir (une terre) au moyen d'engrais. → **Améliorer, amender, fertiliser, fumer.** *Engraisser des terres, des pâturages.* — **Par ext.** *Paysan qui engraisse un champ de son travail, de sa sueur.*

3 Mille autres fleuves, tributaires du Meschacebé, le Missouri, l'Illinois, l'Akansa, l'Ohio, le Wabache, le Tenase, l'engraissent *(la Louisiane)* de leur limon et la fertilisent de leurs eaux. CHATEAUBRIAND, Atala, Prologue.

♦ **4** Techn. → **Élargir, épaissir.** *Engraisser l'arête d'une pièce de bois.*

II V. intr. (V. 1360). Devenir gras, prendre de l'embonpoint. → **Épaissir, forcir, grossir; lard** (faire du lard). → **Bouffissure,** cit. 1. — *Il a engraissé, il est engraissé* (suivant qu'on veut marquer l'évolution ou l'état).

4 Quant à elle, elle engraisse tous les jours; elle est devenue une beauté grasse, propre, lustrée et rosée, une espèce de lorette ministérielle. BAUDELAIRE, la Fanfarlo.

♦ **S'ENGRAISSER** v. pron.

♦ **1** Devenir gras. *Bétail qui s'engraisse dans le haut pâturage* (→ Coûter, cit. 4).

5 Ces richesses qui couvrent le sol, ces moissons, ces fruits, ces bestiaux orgueilleux qui s'engraissent dans les longues herbes sont la propriété de quelques-uns et les instruments de la fatigue et de l'esclavage du plus grand nombre.
G. SAND, la Mare au diable, II, p. 15.

Sujet n. de personne (→ II.). → **Arrondir** (s'), **empâter** (s'), **grossir.**

6 Ses chanoines, vermeils et brillants de santé, S'engraissaient d'une longue et sainte oisiveté (...)
BOILEAU, le Lutrin, I.

♦ **2** Fig. S'enrichir, devenir gras et prospère. *S'engraisser de la sueur du peuple* (→ 2. Champagne, cit. 1).

7 Les derniers changements politiques m'ont séparé du reste de mes amis : ceux-ci sont allés à la fortune et passent tout engraissés de leur déshonneur auprès de ma pauvreté (...)
CHATEAUBRIAND, Mémoires d'outre-tombe, t. V, p. 36.

8 (...) c'étaient les bourgeois qui s'engraissaient depuis 89, si goulûment, qu'ils ne lui laissaient même pas *(à l'ouvrier)* le fond des plats à torcher.
ZOLA, Germinal, t. I, p. 159.

9 L'homme qui, sciemment, froidement, accepte la rétribution de fonctions qu'il n'a pas remplies, est un mendiant de la plus basse espèce, un mendiant qui devient un voleur — je ne sais si je me fais bien comprendre — le jour où il pousse l'infamie jusqu'à s'engraisser comme un porc du légitime salaire des autres!
COURTELINE, Messieurs les ronds-de-cuir, 4ᵉ tableau, I.

CONTR. Dégraisser. — Amaigrir, maigrir. ◊ DÉR. Engraissement, engraisseur.

ENGRAISSEUR [ɑ̃gʀɛsœʀ] n. m. — 1636; *engresseur,* XVIᵉ; de *engraisser.*

Celui dont le métier est d'engraisser les bestiaux.
→ **Nourrisseur.**

REM. Le fém. *engraisseuse* est virtuel.

ENGRAMME [ɑ̃gʀam] n. m. — 1907, in *Rev. gén. des sc.,* nᵒ 5, p. 210; en all., 1902; du grec *en* «dans», et *gramma* «caractère, trait».

Psychol. Trace laissée dans le cerveau par un événement du passé individuel.

ENGRANGEMENT [ɑ̃gʀɑ̃ʒmɑ̃] n. m. — 1611; de *engranger.*

Action d'engranger. *L'engrangement de la moisson.* — **Fig.** *L'engrangement des données, des informations.*

ENGRANGER [ɑ̃gʀɑ̃ʒe] v. tr. [CONJUG.: *bouger.*] — V. 1260; de *en-, grange,* et suff. verbal.

♦ **1** Techn. Mettre dans une grange*. *Engranger le blé, la moisson, la récolte.* Mettre en réserve. → **Emmagasiner.**

♦ **2** (1939, Gide). Fig. et littér. Réunir (des éléments ponctuels : informations, connaissances, notes...) pour conserver. → **Glaner.**

Mes pensées intempestives, en attendant des jours meilleurs, je les veux engranger dans ce carnet. 1
GIDE, Pages de journal, 30 oct. 1939.

D'instinct, j'aime acquérir et engranger ce qui promet de 2
durer au delà de mon terme.
COLETTE, la Naissance du jour, p. 16.

DÉR. Engrangement, engrangeur.

ENGRANGEUR, EUSE [ɑ̃gʀɑ̃ʒœʀ, øz] n. — XXᵉ; de *engranger.*

♦ **1** N. m. Agric. Machine pour engranger le fourrage. *Engrangeur à ventilateur* ou *aéro-engrangeur.*

♦ **2** Rare. Celui, celle qui engrange (qqch.).

(...) cette vocation de Dieu nourricier, engrangeur, éleveur et boucher, Mimine la dans la peau.
Catherine PAYSAN, l'Empire du taureau, p. 116.

ENGRAULIS [ɑ̃gʀolis] n. m. — 1858; mot grec désignant l'anchois.

Zool. Anchois*.

ENGRAVEMENT [ɑ̃gʀavmɑ̃] n. m. — 1770; de 2. *engraver.*

Techn. État d'un bateau engravé.

1. ENGRAVER [ɑ̃gʀave] v. tr. — 1438; de *en-,* et *graver.*

♦ **1** Vx. → **Graver.**

♦ **2** (1617). Techn. Entailler (le plomb d'une gouttière, d'une lucarne). — (1864). Clouer par l'extrémité (une bande de plomb).

2. ENGRAVER [ɑ̃gʀave] v. — 1636; du rad. de 1. *grève, gravier,* et suff. verbal.

I V. tr. ♦ **1** Échouer (une embarcation) sur un fond de sable, de gravier. → **Ensabler.** — **Au p. p.** *Péniche engravée.*

Croisons devant cette barre naturelle, élevée par des 1
dépôts de sable, durcie par des carcasses de bateaux engravés ou coulés pour empêcher les escadres ennemies, — notamment les canonnières françaises — de forcer la voie du fleuve.
Paul MORAND, Rien que la Terre, p. 118.

Pron. (syn. de II., v. intr.). *S'engraver.*

Je prends une barque et vais courir le Rhône. Sur la Loire 2
on craint de manquer d'eau et de s'engraver, sur le Rhône on a à se méfier d'un courant terrible et puissant.
STENDHAL, Mémoires d'un touriste, t. I, p. 220.

♦ **2** (1817). Recouvrir de gravier. *Torrent qui déborde et engrave les terres.*

Par analogie :

(...) le métal a été graissé de frais. On n'a même pris ni 3
le soin ni le temps de gratter la rouille ancienne qui l'engravait. J.-R. BLOCH, la Nuit kurde, p. 94.

II V. intr. S'échouer sur un fond de sable, de gravier (syn. de *s'engraver*). *Le bateau engrava à l'entrée du port.*

DÉR. Engravement.

ENGRÊLER [ãgʀele] v. tr. — 1642, *engresler;* p. p., 1253; de *en-, grêle,* adj., et suff. verbal.

Orner (une dentelle) d'une engrêlure*.

◆ **ENGRÊLÉ, ÉE** p. p. adj.

Blason. Qui est bordé de petites dents. → **Dentelé.** *Pièces engrêlées. Chevron engrêlé d'argent.*

Regardez ce cachet... Trois lions de gueules accostés de six merlettes engrêlées de sable.
LABICHE, le Baron de Fourchevif, 16.

DÉR. Engrêlure.

ENGRÊLURE [ãgʀelyʀ] n. f. — 1680; «action de denteler», 1611; de *engrêler.*

◆ **1 Blason.** Bordure engrêlée.

◆ **2 Techn.** Petit entre-deux de dentelle, à jours étroits. *Engrêlure bordant une chemise.*

1. ENGRENAGE [ãgʀənaʒ] n. m. — 1709; de 2. *engrener.*

◆ **1** Système de roues dentées qui s'engrènent de manière à transmettre le mouvement d'un arbre* de rotation à un autre arbre (→ 1. Came, cit. 2); disposition, entraînement des roues de ce système. *Train d'engrenages :* l'ensemble des roues dentées d'un engrenage. *Le pignon*, la couronne, l'axe d'un engrenage. Système, jeu d'engrenages. Les engrenages d'une montre* (→ **Mécanisme**). *Turbine à engrenage. Engrenage différentiel.* → **Différentiel.** *L'engrenage de direction d'une automobile. — Engrenage ordinaire* (dont les axes des roues sont fixes), *épicycloïdal* (dont certains des axes sont mobiles). *— Engrenage droit, à biseau, conique, cylindrique, gauche, à vis oblique, d'angle, à lanterne, à chevron, à vis sans fin, à crémaillère, hélicoïdal, à onglet, intérieur, à chaîne. Avoir la main prise, broyée dans un engrenage.*

◆ **2** (1843). **Fig.** (Surtout dans des loc.). Enchaînement* de circonstances qui se déroulent avec quelque chose de mécanique et d'irrésistible (et généralement en aggravant la situation initiale). *Être pris, être saisi dans un engrenage, dans l'engrenage :* être entraîné et ne pas pouvoir se dégager. *Mettre le doigt dans l'engrenage :* entreprendre imprudemment une action où l'on se trouvera pris sans recul possible. *Un engrenage de difficultés, de mensonges. Un fatal, un redoutable engrenage. L'engrenage de la violence,* un premier emploi de la force en entraînant d'autres. → **Escalade.**

1 Un livre est un engrenage (...) Vous vous sentez tiré par le livre. Il ne vous lâchera qu'après avoir donné une façon à votre esprit.
HUGO, Post-Scriptum de ma vie, Du génie.

2 Quand on est pris dans l'engrenage d'une pareille passion ou d'un pareil vice, il faut y passer tout entier.
MAUPASSANT, les Sœurs Rondoli, Un sage.

3 «Un engrenage diabolique», murmura-t-il sans lever les yeux. «Un engrenage qui semble s'être embrayé tout seul (...)»
MARTIN DU GARD, les Thibault, t. VII, p. 96.

4 En vérité, quel homme, à condition qu'il réfléchisse un peu, ne se dira pas, lorsqu'il s'approche d'une femme, qu'il met le doigt dans un engrenage de malheurs ou tout au moins un engrenage de risques, et qu'il provoque le destin? MONTHERLANT, les Jeunes Filles, p. 175.

2. ENGRENAGE [ãgʀənaʒ] n. m. — 1876, «action de mettre du grain pour attirer le gibier»; de 1. *engrener.*

Agric. Action d'engrener (1. Engrener) le blé, de le mettre dans un grenier. → **Engrènement.** *«Ils ne restèrent pas sous le hangar mais entrèrent dans le cagibi de l'engrenage»* (J. Giono, *Un roi sans divertissement,* p. 33).

ENGRÈNEMENT [ãgʀɛnmã] n. m. — 1730; de 2. *engrener.*

◆ **1 Techn.** Réalisation d'un engrenage mécanique. — (1845). Action d'engrener (la trémie, la batteuse).

◆ **2** (1912). **Méd.** Pénétration de fragments d'un os fracturé les uns dans les autres. — **Chir. dent.** *Engrènement dentaire :* niveau de pénétration des cuspides dans l'arcade antagoniste, au moment de l'occlusion de la bouche. → aussi **Articulé** (dentaire).

1. ENGRENER [ãgʀəne] ou (rare) **ENGRAINER** [ãgʀene; ãgʀene] v. tr. [CONJUG.: *lever.*] — XIIᵉ; de *en-, grain,* et suff. verbal.

Technique (agriculture).

◆ **1** Emplir de grain. *Engrener la trémie d'un moulin,* l'emplir de blé pour le moudre. — **Prov.** *Il a engrené, c'est à lui de moudre. Qui bien engrène, bien finit.* **Par anal.** *Engrener une batteuse :* mettre les gerbes de blé dans la machine. — *Engrener une pompe,* y verser de l'eau avant de commencer à pomper. → **Amorcer.** — *Engrener des glaces,* introduire entre elles de la poudre de grès très fine pour les polir. *On engrène la surface d'un objet pour le frotter et le polir.*

◆ **2** (1690). Engraisser avec du grain. *Engrener de la volaille.*

J'aurais voulu crier ça par-dessus la colline pour que l'autre, là-haut, qui engrenait les porcs chez Esménard, laisse tomber son malheur.
J. GIONO, Un de Baumugnes, in Œ. roman., t. I, p. 73.

REM. L'orthographe ancienne *engrainer* est plus conforme à l'étymologie.

DÉR. 2. Engrenage.

2. ENGRENER [ãgʀəne] v. — 1660; de *en-,* et *grain* (→ 1. Engrener), p.-ê. sous l'influence de *encrené* «entaillé de crans» (1506).

I V. tr. ◆ **1** Faire entrer les dents d'une roue dans les espaces séparant les dents d'une autre roue, d'un pignon, de manière à réaliser un engrenage (→ **Emboîter, embrayer, engager**). — **Pron.** *Roues qui s'engrènent.*

1 Ils s'engrènent en quelque façon les uns dans les autres comme les roues d'une montre (...)
FONTENELLE, les Mondes, 5ᵉ soir, in LITTRÉ.

◆ **2** (1879). **Fig.** Entraîner dans un engrenage (1. Engrenage, 2.). → **Enchaîner, entraîner.**

2 Un des grands malheurs de la vie moderne, c'est le manque d'imprévu, l'absence d'aventures. Tout est si bien réglé, si bien engrené, si bien étiqueté, que le hasard n'est plus possible.
Th. GAUTIER, Voyage en Espagne, p. 196.

3 La civilisation vous absorbe; les mille et un rouages de la grande machine sociale vous engrènent (...)
LOTI, Aziyadé, III, XXIII.

(1690). Mettre en marche, en train, en route. → **Amorcer, commencer, enclencher, engager, entamer, entreprendre.** *Engrener une affaire, des relations.*

II V. intr. Être entraîné par un engrenage. — **Syn.** de *s'engrener.*

CONTR. Désengrener. ◊ DÉR. 1. Engrenage, engrènement, engreneur, engrenure.

ENGRENEUR [ãgʀənœʀ] n. m. — 1836; de 2. *engrener.*

◆ **1** (N. m.). **Techn.** Appareil qui engrène mécaniquement les batteuses. (On dit aussi *engreneuse* [ãgʀənøz]).

◆ **2** (1864). Ouvrier chargé d'engrener une batteuse. — Le fém. *engreneuse* est virtuel.

ENGRENEUSE [ãgrənøz] n. f. → **Engreneur.**

ENGRENURE [ãgrənyr] n. f. — 1640 ; de 2. *engrener.*

♦ **1** Techn. Disposition de roues engrenées.

♦ **2** (1803). Anat. Suture de certains os (soudés par des dentelures qui s'engrènent). *L'engrenure des os du crâne.*

ENGRISAILLER [ãgrizaje] v. tr. — Fin xixᵉ ; de *en-*, *grisaille*, et suff. verbal.

Rendre gris, terne.

1 Un soir qu'il était resté plus longtemps à la lisière du Chamboux, qu'il avait vu la nuit engrisailler la lande, l'en-ténébrer sous un ciel sans lune, il avait franchi le Beuvron.
M. GENEVOIX, Raboliot, p. 215.

Pron. (1896, Richepin). Devenir gris, se ternir.

2 Constantin Guys (...) a vieilli, s'est étriqué, estompé, engri-saillé.   Léon DAUDET, Idées esthétiques, *in* T. L. F.

ENGROIS [ãgrwa] n. m. — 1752, var. *angrois* ; subst. de l'anc. v. *engroissier* «rendre gros» ; lat. *ingrossiare*, de *grossus* «gros». → Engrosser.

Techn. Coin qu'on enfonce dans l'œil d'un marteau, d'un pic, pour en affermir le manche.

ENGROSSER [ãgrose] v. tr. — V. 1283 ; *engroissier*, xiiᵉ ; de *en-*, et anc. franç. *groisse* «grosseur» (xiiᵉ) ; du lat. pop. **grossia*, de *grossus*. → Gros.

♦ **1** Fam. Rendre (une femme) enceinte, grosse.

1 (...) est-ce que vous vous êtes fait tout seul, et n'a-t-il pas fallu que votre père ait engrossé votre mère (...) ?
MOLIÈRE, Dom Juan, III, 1.

2 Les vagabonds qui habitent les fossés
Avec leurs filles qu'ils engrossent.
VERHAEREN, Campagnes hallucinées, «Le péché».

♦ **2** Par métaphore et littéraire :

3 (...) l'esprit seul fertilise l'intelligence. Il l'engrosse de l'œuvre à venir. L'intelligence la conduira à terme.
SAINT-EXUPÉRY, Pilote de guerre, XXIV.

♦ **ENGROSSÉ, ÉE** p. p. adj. *Une jeune fille engrossée.*

DÉR. V. Engrois.

ENGRUMELER [ãgrymle] v. tr. [CONJUG.: *appeler.*] — 1549 ; de *en-*, *grumel*, forme anc. de *grumeau*, et suff. verbal.

Rare. Mettre en grumeaux*. *Cuisson trop rapide qui engrumelle une bouillie.* — Pron. *La crème s'est engru-melée.*

ENGUEULADE [ãgœlad] n. f. — 1846 ; de *engueuler.*

Fam. Vive réprimande. *Passer une engueulade à (qqn). Recevoir une engueulade, une bonne engueu-lade.* → Savon (→ Cellule, cit. 11). *Ils ont eu une engueulade, une dispute.*

1 (...) les deux femmes croisent au passage un regard froid, sans expression, plus redoutable que les plus violentes engueulades de bateau-lavoir.
Alphonse DAUDET, l'Immortel, p. 216.

2 Naturellement, vous êtes censé ne pas en savoir un traître mot. Vous me feriez ramasser une fière engueulade.
J. ROMAINS, les Hommes de bonne volonté, t. IV,
XVI, p. 169.

ENGUEULEMENT [ãgœlmã] n. m. — 1840 ; de *engueuler* ; var. *engueulage*, Mérimée, 1853.

Fam. et vieilli. Action d'engueuler, de s'engueuler. *L'engueulement de quelqu'un.*

Par métonymie. → **Engueulade.**

(...) c'étaient des engueulements avec le cocher à qui, non seulement elle ne donnait pas de pourboire, mais qu'elle trouvait encore le moyen de carotter (...)
O. MIRBEAU, le Journal d'une femme de chambre,
p. 370.

ENGUEULER [ãgœle] v. tr. — 1783 ; «mettre dans la gueule», xviᵉ ; *engueulé* «mal embouché», av. 1581 ; de *en-*, *gueule*, et suff. verbal.

Fam. Invectiver grossièrement et bruyamment (qqn). → **Injurier, insulter** (→ Courir, cit. 60). *Il entrait ivre, et engueulait sa femme. Engueuler qqn comme du poisson* (cit. 13) *pourri.*

1 La preuve qu'ils le savent très bien *(le flamand)*, c'est qu'ils engueulent leurs domestiques en flamand.
BAUDELAIRE,
Argumentaire du livre sur la Belgique, xv.

2 Et le poète soûl engueulait l'univers (...)
RIMBAUD, Poésies, «Bribes», 10.

Réprimander d'une manière plus ou moins vive. → **Admonester, attraper, enguirlander, savonner.** *Son patron l'a engueulé* (→ Dos, cit. 9). *Se faire engueuler par ses parents.*

3 (...) quand il a à vous engueuler, il vous engueule dur, mais il n'est jamais emmerdant.
J. ROMAINS, les Hommes de bonne volonté, t. IV,
II, p. 14.

♦ **S'ENGUEULER** v. pron.

(Réfl.). S'adresser violemment des reproches.

4 Tu t'engueules trop toi-même. Alors, tu cherches à te faire engueuler pour pouvoir te défendre.
MALRAUX, la Condition humaine, p. 243.

(Récipr.). Se dire réciproquement des injures. *Ils se sont engueulés comme du poisson pourri. — S'en-gueuler un bon coup (avec qqn).*

5 On s'engueulait à journée faite, mon petit, mais seulement devant les tiers (...) ça leur donnait l'idée que nous étions un ménage.
COLETTE, la Fin de Chéri, p. 115.

6 Vous m'excuserez, dit le collègue, mais je me sauve. C'est l'heure que j'aille m'engueuler avec ma femme. Elle va me réclamer mes jetons de présence.
M. AYMÉ, Travelingue, p. 41.

CONTR. Complimenter, féliciter. ◊ **DÉR.** Engueulade, engueulement.

ENGUICHÉ, ÉE [ãgiʃe] adj. — 1644 ; *enguigié* «doté d'une courroie», 1313 ; de *en-*, 1. *guiche*, et suff. -*é.*

Blason. Qui est recouvert d'un émail particulier, en parlant du cordon d'un cor.

DÉR. Enguichure.

ENGUICHURE [ãgiʃyr] n. f. — 1351 ; de *enguiché.*

Hist., chasse. Courroie servant à porter un cor de chasse, un bouclier.

ENGUIGNÉ, ÉE [ãgiɲe] adj. — Attesté xxᵉ en ce sens ; de *en-*, *guigne*, et suff. -*é.*

Fam. et vieilli. Qui a de la guigne, de la malchance. → **Enguignonné.**

(...) j'ai voulu savoir si, décidément, j'étais enguigné.
J. ROMAINS, les Hommes de bonne volonté,
t. XXIII, p. 169.

ENGUIGNONNÉ, ÉE [ãgiɲɔne] adj. — 1813 ; de *en-*, *guignon*, et suff. -*é.*

Vx. Qui a du guignon*. *Joueur enguignonné.*

ENGUIRLANDEMENT [ãgirlãdmã] ou **ENGUIR-LANDAGE** [ãgirlãdaʒ] n. m. — 1879 ; de *enguir-lander.*

Rare. Action d'enguirlander. — (Au sens II du verbe *enguirlander*). Fam. *Un enguirlandage soigné.* → **Engueulade.**

ENGUIRLANDER [ɑ̃giʀlɑ̃de] v. tr. — 1555; de *en-*, *guirlande*, et suff. verbal.

I ♦ **1** Orner de guirlandes, d'ornements analogues à des guirlandes. *Enguirlander qqch. de, par (qqch.). Enguirlander un arbre de Noël.* — Sujet n. de chose. *Le lierre qui enguirlande une fenêtre.* → **Orner.**

1 (...) le houblon, qu'il avait planté lui-même, enguirlandait maintenant les fenêtres jusqu'au toit.
Alphonse DAUDET, Contes du lundi, «Dernière classe».

♦ **2** (1819). Fig. et vx. (Sujet et compl. n. de personne). Couvrir d'éloges, en vue de plaire. *Enguirlander qqn, le nom de qqn.*

1.1 Avec des mots câlins, elle l'enguirlanda de nouveau, sachant bien, depuis longtemps, que rien n'a plus de puissance sur un artiste que la flatterie tendre et continue.
MAUPASSANT, Fort comme la mort, p. 30.

♦ **3** (Mil. XIXᵉ). Par métaphore. Orner (un discours : déclaration, compliment) d'éléments (comparés à des guirlandes). → **Enjoliver.** *Enguirlander un compliment, l'enguirlander d'éloges, de flatteries.*

2 (...) le tout enguirlandé de regrets, condoléances, chatteries, protestations d'amour filial.
FLAUBERT, l'Éducation sentimentale, I, V.

3 (...) des éloges dont on enguirlandait son nom dans les journaux du parti.
Alphonse DAUDET, Numa Roumestan, II, p. 39.

II (1922; plutôt par jeu sur *engueuler* que par antiphrase). **Fam.** Engueuler, attraper (qqn). *Il s'est fait enguirlander vertement.*

4 (...) celui-ci, très ferme, lui refuse le champagne qu'il demande, s'abritant derrière un règlement qui interdit de servir des consommations passé neuf heures, l'autre s'emporte et l'enguirlande.
GIDE, Voyage au Congo, in Souvenirs, Pl., p. 702.

♦ **ENGUIRLANDÉ, ÉE** p. p. adj. *Un arbre de Noël enguirlandé.* Fig. et par plais. *«Des dames enguirlandées»* (Maupassant), vêtues de manière apprêtée.

DÉR. Enguirlandement ou **enguirlandage, enguirlandeur.**

ENGUIRLANDEUR, EUSE [ɑ̃giʀlɑ̃dœʀ, øz] adj. — 1886, Verlaine; de *enguirlander.*
Rare. Qui enguirlande (I., ou, fam., II.).

ENHARDIR [ɑ̃aʀdiʀ] v. tr. — V. 1155; de *en-, hardi,* et suff. verbal.
Rendre hardi, plus hardi, donner de l'assurance à. → **Encourager.** (Sujet n. de personne). *Enhardir qqn à faire qqch.*

1 Vous ne craignez donc plus de trouver des esprits?
Et ce galant, la nuit, vous a donc enhardie?
MOLIÈRE, l'École des femmes, V, 4.

(Sujet n. de chose). *Ses premiers succès l'avaient enhardi* (→ Claire-voie, cit. 2).

2 Tu n'es qu'un conjuré paré d'un nom sublime,
Que l'impunité seule enhardissait au crime.
VOLTAIRE, Brutus, V, 2.

3 (...) elle passa dans son appartement, et nous laissa tête à tête, ma Belle et moi, dans un salon mal éclairé; obscurité douce, qui enhardit l'amour timide.
LACLOS, les Liaisons dangereuses, Lettre XXIII.

Fig. (Compl. n. de chose) :

4 *(Un art)* qui fait sentir aux gens de goût comment un écrivain supérieur sait à la fois enhardir et maîtriser une langue timide et minutieuse.
D'ALEMBERT, Éloge de Bossuet, 7.

♦ **S'ENHARDIR** v. pron.
Devenir hardi, prendre de l'assurance. → **Oser, permettre** (se). *S'enhardir jusqu'à...* (suivi d'un nom ou de l'inf.). *Je me suis enhardi à lui parler.* — (Rare). *S'enhardir à qqch., à l'action.*

Si je m'enhardis, en parlant, à me détourner tant soit peu 5
de mon fil, je ne faux *(manque)* jamais de le perdre (...)
MONTAIGNE, Essais, II, XVII.

(...) il s'enhardissait jusqu'à avancer son petit bec confiant, 6
pour recevoir une cerise ou une fraise.
LOTI, Figures et choses..., p. 19.

Il s'enhardit jusqu'à lui demander, sachant bien que sa 7
question était dangereuse (...)
J. ROMAINS, les Hommes de bonne volonté, t. IV, XX, p. 221.

Récipr. (Rare). *S'enhardir l'un l'autre.* — **Fig.** *Idées qui s'enhardissent* (→ Dialogue, cit. 3).

♦ **ENHARDI, IE** p. p. adj. — (Au p. p.). *Personnes enhardies par le succès, par l'approbation d'autrui.* — **Littér.** *Un espoir enhardi par un début de résultat.* — (Adj.). *Des timides un peu enhardis.*

CONTR. Décontenancer, décourager, effaroucher, effrayer, interloquer, interdire, intimider, saisir. ◊ **DÉR. Enhardissement.**

ENHARDISSEMENT [ɑ̃aʀdismɑ̃] n. m. — V. 1916, Gide; de *enhardir.*
Rare. Fait d'enhardir (qqn), de s'enhardir. *L'enhardissement de qqn.*

ENHARMONIE [ɑ̃naʀmɔni] n. f. — 1834; de *enharmonique,* d'après *harmonie.*

♦ **1** Mus. anc. Genre enharmonique*.

♦ **2** Mod. Rapport entre deux notes, deux tonalités enharmoniques.

ENHARMONIQUE [ɑ̃naʀmɔnik] adj. — XIVᵉ, Oresme; bas lat. *enharmonicus,* grec *enarmonios* «harmonieux; en accord».
Musique.

♦ **1** Mus. anc. Qui procède par quarts de ton. *Genre enharmonique,* et, n. m., *l'enharmonique :* l'un des genres de la musique grecque ancienne, caractérisé par un tétracorde de base dans lequel les intervalles successifs sont, par mouvement descendant : tierce majeure, quart de ton, quart de ton.

♦ **2** (1755). Mod. Se dit de notes de noms distincts et de caractères harmoniques différents qui sont représentées dans les instruments à son fixe par un son unique intermédiaire (on dit aussi *synonyme*). *Do dièse et ré bémol sont enharmoniques;* ils diffèrent réellement d'un comma (1/9 de ton) *mais sont représentés sur les instruments à clavier, à clefs ou à pistons par une même note* (→ **Tempérament**); *la voix, les instruments à cordes, les cuivres naturels et à coulisse peuvent seuls marquer la différence. Mi dièse et fa naturel, do bémol et si naturel, do double-dièse et ré, sont des notes enharmoniques. Gamme, ton enharmonique. Les gammes d'ut dièse et de ré bémol sont enharmoniques.*

C'est lui que nous devons cette extension des accords, soit plaqués, soit en arpèges, soit en batteries; ces sinuosités chromatiques et enharmoniques dont ses études offrent de si frappants exemples (...)
E. DELACROIX, Journal, 28 février 1851.

DÉR. Enharmonie.

ENHARNACHEMENT [ɑ̃aʀnaʃmɑ̃] n. m. — XVIᵉ; de *enharnacher.*

♦ **1** Techn. Action d'enharnacher. — Harnais, harnachement*.

♦ **2** Fig., littér. Action d'accoutrer. — Accoutrement ridicule.

Le travestissement, l'enharnachement, le façonnage presque fantastique de la Parisienne actuelle, qui lui semble comme d'un autre monde, aussi étrangère qu'une Hottentote.

> Ed. et J. DE GONCOURT, Journal, 1866, p. 302, *in* T.L.F.

ENHARNACHER [ãaʀnaʃe] v. tr. — XIIIᵉ, *enharneschier*; de en-, et *harnacher*.

♦ **1** Rare. Revêtir du harnais. → **Harnacher.**

1   Puis défilèrent les autres chevaliers sur leurs chevaux enharnachés de drap d'or gris et cramoisi, de drap brodé de clochettes d'or, de velours cramoisi fourré de martre, de velours violet, à franges d'or et de soie, de velours noir à larmes d'or (...)

> TAINE, Philosophie de l'art, t. II, p. 10.

Au participe passé :

1.1   (...) elle prit une bourse de mille pièces d'or, qu'elle tira de sa cassette, et sortit, un matin, du palais, montée sur une mule des écuries du calife, très richement enharnachée.

> A. GALLAND, les Mille et une Nuits, t. II, p. 391.

♦ **2** (1631). Fig. et fam. Revêtir (qqn) d'un costume ridicule. → **Accoutrer; habiller.** — Pron. *S'enharnacher. S'enharnacher d'un accoutrement bizarre.*

2   Vous moquez-vous du monde, de vous être fait enharnacher de la sorte ?

> MOLIÈRE, le Bourgeois gentilhomme, III, 3.

DÉR. Enharnachement.

EN-HAUT [ão] adv. et n. m. → Haut, cit. 130.3 et *supra*.

ENHERBER [ãnɛʀbe] v. tr. — 1798; de en-, *herbe*, et suff. verbal.

Agric. (Rare). Planter (un terrain) en herbe. *Enherber une terre défrichée pour y faire paître le bétail.*

♦ **ENHERBÉ, ÉE** p. p. adj.
Mis en herbe; envahi par l'herbe.

CONTR. Désherber.

ENHUCHÉ, ÉE [ãyʃe] adj. — 1678; de en-, *huche*, et suff. *-é*.

Mar. anc. *Navire enhuché*, dont l'arrière est haut sur l'eau.

ENHYDRE [ãnidʀ] adj. et n. — XVIIIᵉ; *enidre*, XIIIᵉ; du grec *enudros* «abondant en eau», de en «dans», et *hudôr* «eau».

Didactique.

♦ **1** Adj. Qui contient de l'eau (se dit d'un minéral). *Calcédoine enhydre.*

♦ **2** (1756). Minér. Calcédoine dont les cavités enferment des gouttes d'eau.

♦ **3** (1865; grec *enudris* «loutre»). Zool. Loutre* de mer (animal qui devient rare et dont l'espèce est protégée). — REM. On trouve le mot au fém., comme ellipse de *loutre enhydre* (adj.).

S'il est difficile de décider que telle ou telle fourrure est «la plus belle», on peut du moins affirmer que celle de la loutre de mer ou ENHYDRE marine peut prétendre à ce rang avec un certain nombre de chances de l'obtenir.

> René THÉVENIN, les Fourrures, p. 45.

ÉNIÈME [ɛnjɛm] adj. → Nième.

ÉNIGMATIQUE [enigmatik] adj. — XIIIᵉ; bas lat. *ænigmaticus* «d'une manière énigmatique», de *ænigma*. → Énigme.

♦ **1** Didact. Qui renferme une énigme, des énigmes. *Un texte, un passage énigmatique. Philosophie, doctrine énigmatique.* → **Ésotérique.** — Qui constitue une énigme.

Ensuite de cela le roi fit venir d'Héliopolis certains personnages d'esprit subtil et savants en questions énigmatiques.   1

> LA FONTAINE, Vie d'Ésope.

Sa philosophie *(de Pythagore)* était énigmatique et symbolique pour les uns, claire, expresse et dépouillée d'obscurités et d'énigmes pour les autres.   2

> DIDEROT,
> Opinions des anciens philosophes (Pythagorisme).

Par ext. Qui est difficile à déchiffrer (en parlant du discours). → **Impénétrable, indéchiffrable, insondable, obscur, sibyllin.** *Sens énigmatique d'un livre. Prononcer des paroles énigmatiques. Poésie énigmatique.* → **Hermétique.** — (Autres moyens d'expression). *Une œuvre d'art énigmatique.*

♦ **2** (1864). Dont on ne sait rien ou peu de chose ; difficile à comprendre, interpréter. *Geste, regard énigmatique.* → **Ambigu, équivoque, incompréhensible, inexplicable, mystérieux, secret.**

(...) elle lui lança ce regard énigmatique, ce regard à perfidies qui apparaît si vite au fond de l'œil de la femme.   3

> MAUPASSANT, la Femme de Paul, p. 24.

L'inconvénient de ces sortes d'erreurs, c'est qu'elles tendent à faire de Danton une sorte de sphinx, à donner à sa physionomie et à son rôle je ne sais quoi d'énigmatique.   4

> JAURÈS, Hist. socialiste..., VI, p. 331.

Un homme énigmatique, dont le comportement, le caractère sont impénétrables. → **Étrange.** *Le père Joseph, personnage énigmatique.*

À l'un des plus grands orateurs qui honorent l'Angleterre, succédait donc ce Philéas Fogg, personnage énigmatique, dont on ne savait rien, sinon que c'était un fort galant homme et l'un des plus beaux gentlemen de la haute société anglaise.   5

> J. VERNE, le Tour du monde en 80 jours, p. 1.

CONTR. Clair, évident, lumineux, significatif. ◊ **DÉR. Énigmatiquement.**

ÉNIGMATIQUEMENT [enigmatikmã] adv. — 1488; de *énigmatique*.

Rare. D'une manière énigmatique.

Hetzel parlait ainsi, dans un café flamand,
Par prudence, sans doute, énigmatiquement (...)

> BAUDELAIRE, Amœnitates Belgicæ, IX.

ÉNIGME [enigm] n. f. — 1529; *enigmat*, XIVᵉ; *ainigme*, XVᵉ-XVIᵉ; lat. *ænigma, -atis*, grec *ainigma* «parole obscure, équivoque», de *ainissesthai* «dire à mots couverts».

♦ **1** Élément de discours, énoncé proposant un sens ambigu ou obscur, sous forme de description ou de définition, et dont il faut trouver le sens intentionné. → **Charade, devinette, logographe.** *Jeu des énigmes. Proposer, poser une énigme. Déchiffrer, trouver une énigme. Le mot de l'énigme :* le mot à deviner, et, au fig., l'explication de ce qu'on ne comprenait pas. *Recueil d'énigmes. L'énigme du Sphinx* devinée par Œdipe.*

Et l'énigme du Sphinx fut moins obscur*(e)* pour moi (...)   1

> CORNEILLE, Œdipe, III, 4.

Celui-ci, d'une énigme ayant trouvé le mot,
Se croit un grand génie et souvent n'est qu'un sot (...)   2

> BOURSAULT, le Mercure galant, I, 1.

L'énigme proprement dite est une définition de choses en termes vagues et obscurs, mais qui, tous réunis, désignent exclusivement leur objet commun et laissent à l'esprit le plaisir de la deviner.   3

> MARMONTEL, Éléments de littérature, Énigme.

J'ai compris, moi seul (*Œdipe*) ai compris, que le seul mot de passe, pour n'être pas dévoré par le Sphinx, c'est : l'Homme. Sans doute fallait-il un peu de courage pour le dire, ce mot. Mais je le tenais prêt dès avant d'avoir entendu l'énigme (...)   4

> GIDE, Œdipe, II.

Est-ce que vous avez toujours envie de rivaliser avec Œdipe et de déchiffrer les énigmes sphingétiques de mon écriture ?   5

> PROUST, *in* A. MAUROIS,
> À la recherche de Marcel Proust, p. 140.

Discours ambigu, obscur, dont le sens est réservé à des initiés.

♦ **2** (XVIIᵉ). Ce qu'il est difficile de comprendre, d'expliquer, de connaître. → **Mystère, problème, secret.** *Ses paroles, sa conduite sont pour nous une énigme. Ce livre est incompréhensible*, c'est une véritable énigme* (→ Chimère, cit. 2). *Parler par énigmes,* d'une façon obscure, allégorique, allusive. *Énigme indéchiffrable. L'énigme humaine, l'énigme de l'Homme. La grande énigme de la vie.*

6   Ô Dieu, qu'est-ce donc que l'homme ? Est-ce un prodige ? est-ce un composé monstrueux de choses incompatibles ? ou bien est-ce une énigme inexplicable ?
            BOSSUET,
     Sermon pour la profession de Mᵐᵉ de La Vallière.

7   On ne comprend la terre que lorsqu'on a connu le ciel. Sans le monde religieux, le monde sensible offre une énigme désolante.   Joseph JOUBERT, Pensées, I, VII.

8   Révèle-moi, d'un mot de ta bouche profonde,
La grande énigme humaine et le secret du monde !
         HUGO, les Contemplations, I, «Aurore», X.

9   (...) qui ne s'est livré à des enquêtes sur sa famille, qui n'a lu ardemment de vieilles correspondances, dans l'espoir de découvrir, chez les morts, le mot de sa propre énigme ?
       F. MAURIAC, la Vie de J. Racine, p. 8.

ENIVRANT, ANTE [ɑ̃nivʀɑ̃, ɑ̃t; enivʀɑ̃, ɑ̃t] adj.
— XIIᵉ; p. prés. de *enivrer*.

♦ **1** Vieilli. Qui provoque l'ivresse. *Boisson enivrante. Enivrant comme du vin doux.* → **Capiteux** (→ Couler, cit. 35). — Par anal. *Vapeurs enivrantes. Breuvage, philtre enivrant* (→ Continuateur, cit.). *D'enivrants parfums.* → **Excitant, troublant.** — *Respirer un air enivrant et pur* (→ Aveuglant, cit. 2).

1   La joie des sens, plus douce et plus enivrante que le vin (...)
       BOSSUET, Disc. sur l'Hist. universelle, II, II.

2   (...) la sensation délicieuse, enivrante, qui s'est exhalée de toute la scène, arrive au comble dans son extase et dans sa pâmoison.   TAINE, Philosophie de l'art, t. II, p. 232.

♦ **2** (1679). Fig. Qui remplit d'une sorte d'ivresse (fig.), d'exaltation. *Une activité, une pensée enivrante.* → **Enthousiasmant, exaltant, passionnant.** *Succès enivrants. Gloire enivrante* (→ Cénacle, cit. 2). *Louanges enivrantes.* → **Grisant.**

3   Crains l'attrait spécieux du mensonge et les vapeurs enivrantes de l'orgueil.   ROUSSEAU, Émile, III.

4   Ses flatteries sont d'autant plus enivrantes qu'elles sont plus simples ; on dirait qu'elles lui échappent sans qu'elle y pense, et que c'est son cœur qui s'épanche, uniquement parce qu'il est trop rempli.
       ROUSSEAU, les Confessions, X.

Littér. Qui provoque une exaltation vive. *Une beauté enivrante.* → **Séduisant** (moins fort).

ENIVREMENT [ɑ̃nivʀəmɑ̃; enivʀəmɑ̃] n. m. — XIIᵉ; de *enivrer*.

♦ **1** Vieilli. Ivresse*. *Un enivrement par l'eau-de-vie.*

♦ **2** (Av. 1714). Mod. et littér. ou style soutenu. Ivresse agréable, d'exaltation voluptueuse. *L'enivrement des sens, du plaisir.* → **Griserie, transport, trouble, volupté.** *Un doux enivrement. Enivrement qui succède au plaisir* (→ Apaiser, cit. 27). *L'enivrement du succès, du triomphe, de la gloire, du pouvoir* (→ Besoin, cit. 29). *L'enivrement de l'âme.* → **Béatitude, bonheur, délectation, enthousiasme, extase.**

1   Dans le premier enivrement d'un succès, on se figure que tout est aisé ; on espère satisfaire toutes les exigences, toutes les humeurs, tous les intérêts ; on se flatte que chacun mettra de côté ses vues personnelles et ses vanités (...)
       CHATEAUBRIAND, Mémoires d'outre-tombe, t. V,
                   p. 267.

Et j'éprouve, au milieu des spasmes frénétiques,   2
L'atroce enivrement des vieux fakirs indous,
Les extases sans fin des brahmes fanatiques.
     BAUDELAIRE, Poèmes attribués, V, Pl., p. 270.

L'assurance de son amour le délectait comme un avant-   3
goût de la possession, et puis le charme de sa personne lui troublait le cœur plus que les sens. C'était une béatitude indéfinie, un tel enivrement, qu'il en oubliait jusqu'à la possibilité d'un bonheur absolu.
     FLAUBERT, l'Éducation sentimentale, III, VI.

(...) sur lui *(le poète)* d'abord se répand le charme, l'enivre-   4
ment de l'incantation qu'il prononce.
     J. ROMAINS, les Hommes de bonne volonté, t. IV,
                   XXII, p. 250.

CONTR. Calme, froideur, indifférence.

ENIVRER [ɑ̃nivʀe; enivʀe] v. tr. — XIIᵉ; de *en-, ivre,* et suff. verbal.
Littéraire ou style soutenu.

♦ **1** Rendre (qqn) ivre*. → **Griser, soûler.** *Ses amis avaient décidé de l'enivrer.* — Absolt. *Il est facile à enivrer. Vin capiteux qui enivre très vite* (→ Monter, porter à la tête* ; taper).

Spécialt. Droguer. → **Étourdir, griser.**

(...) l'opium (...) n'enivre pas ; si le laudanum, pris en quan-   1
tité trop grande, peut enivrer, ce n'est pas à cause de l'opium, mais de l'esprit qui y est contenu.
     BAUDELAIRE, les Paradis artificiels,
          «Un mangeur d'opium», III.

♦ **2** Fig. Remplir d'une sorte d'ivresse, d'une excitation ou d'une émotion agréable. → **Exciter ; exalter.** *L'air vif nous enivrait. La musique enivre l'âme.* → **Ravir, soulever, transporter.** *Le son de sa voix m'enivre* (→ Apsara, cit. 2). → **Troubler.**

(...) on ne voit plus que carnage ; le sang enivre le soldat (...)   2
     BOSSUET, Oraison funèbre du prince de Condé.

(...) je leur dis (...) qu'elles n'avaient pas besoin de vin pour   3
m'enivrer. Ce fut la seule galanterie que j'osai leur dire de la journée ; mais je crois que les friponnes voyaient de reste que cette galanterie était une vérité.
     ROUSSEAU, les Confessions, IV.

Oui, oui, n'en doutez pas, c'est un plaisir perfide   4
Que d'enivrer son âme avec le vin des sens (...)
Ah ! l'abîme est si grand ! la pente est si glissante !
Une maîtresse aimée est si près d'une sœur !
     A. DE MUSSET, Poésies nouvelles, «Namouna», LI.

Sa beauté m'enivrait, je n'aimais qu'elle au monde.   5
     A. DE MUSSET, Poésies nouvelles, «Lucie».

La fraîcheur embaumée des brises d'automne, la forte sen-   6
teur des forêts, s'élevaient comme un nuage d'encens et enivraient les admirateurs de ce beau pays *(la Bretagne)...*
     BALZAC, les Chouans, Pl., t. VII, p. 773.

La gloire n'est pas un vain mot pour moi. Le bruit des   7
éloges enivre d'un bonheur réel. La nature a mis ce senti- ment dans tous les cœurs. Ceux qui renoncent à la gloire ou qui ne peuvent y arriver font sagement de montrer, pour cette fumée, cette ambroisie des grandes âmes, un dédain qu'ils appellent philosophique.
     E. DELACROIX, Journal, 29 avr. 1824.

Derrière lui, tandis que l'extase l'enivre,   8
Les anges souriants se penchent sur son livre.
     HUGO, les Contemplations, «Aurore», XXIV.

L'air à ce point si élevé devenait d'une vivacité et d'une   9
pureté qui m'enivrait.
     PROUST, À la recherche du temps perdu, t. X, p. 47.

La vue de ces monuments antiques enivrait l'âme de Bona-   10
parte, naturellement ouverte à toute grandeur.
     Louis MADELIN, Hist. du Consulat et de l'Empire,
       L'ascension de Bonaparte, XVI, p. 239.

Par métaphore et fig. Exalter par un sentiment de supériorité, de puissance. *Enivrer qqn de louanges. Les louanges qui l'enivrent.* → **Enorgueillir, exalter.**

Le nectar que l'on sert au maître du tonnerre,   11
Et dont nous environs tous les dieux de la terre,
C'est la louange (...)
     LA FONTAINE, Fables, IX, Disc. à Mᵐᵉ de la Sablière.

12 Je devins à la mode. La tête me tourna : j'ignorais les jouissances de l'amour-propre, et j'en fus enivré. J'aimai la gloire, comme une femme, comme un premier amour.
CHATEAUBRIAND, Mémoires d'outre-tombe, t. II, p. 179.

13 Le pouvoir absolu enivre comme le génie, mais il a cela de redoutable qu'il enivre sans contrepoids.
HUGO, Post-scriptum de ma vie, IV, I.

14 L'ambition enivre plus que la gloire.
PROUST, les Plaisirs et les Jours, p. 185.

15 Suprême danger du succès ! Je songe (...) à ces grands peuples que leur gloire enivre tout d'un coup (...)
G. DUHAMEL, Scènes de la vie future, p. 212.

♦ S'ENIVRER v. pron.

◆ 1 Se mettre en état d'ivresse. → Ivre*; boire (I., 3.); émécher (s'), griser (se), soûler (se); boisson (se prendre de boisson). Cf. fam. Se beurrer, se biturer, se blinder, se bourrer, se camphrer (vx), se coiffer (vx), se cuiter, se noircir, se pinter, se piquer le nez, se pocharder, se poivrer, se poivroter, prendre une pistache (vieilli), une biture. *Il but tant qu'il s'enivra* (→ Donner, cit. 78).

16 Il hante la taverne, et souvent il s'enivre.
LA FONTAINE, Fables, XII, 9.

17 Un grand (...) s'enivre de meilleur vin que l'homme du peuple : seule différence que la crapule laisse entre les conditions les plus disproportionnées, entre le seigneur et l'estafier.
LA BRUYÈRE, les Caractères, IX, 28.

18 Il avait contracté l'habitude de s'enivrer; dans ces moments-là, quand il revenait à la maison, après avoir couru les comptoirs des cabarets, sa fureur devenait presque incommensurable, et il frappait indistinctement les objets qui se présentaient à sa vue.
LAUTRÉAMONT, les Chants de Maldoror, VI, p. 249.

◆ 2 (V. 1265). Fig. *S'enivrer d'un air pur, de parfums, d'amour...* → aussi Aspirer, cit. 15; cueillir, cit. 10.

19 On tend sa bouche ardente aux coupes de la chair,
À l'heure où l'on s'enivre aux lèvres d'une femme (...)
HUGO, les Contemplations, VI, XI.

20 L'aigle se grise de son vol. Le rossignol s'enivre des nuits d'été.
GIDE, les Nourritures terrestres, p. 41.

S'enivrer de ses succès, de ses victoires, de gloire.

21 (...) laissez-les (...) s'enivrer de leur propre mérite (...)
LA BRUYÈRE, les Caractères, XIII, 22.

22 Quand on est si facilement victorieux, on s'enivre de sa victoire (...)
FUSTEL DE COULANGES, Questions contemporaines, p. 45.

♦ ENIVRÉ, ÉE p. p. adj.

◆ 1 Vx. Ivre, soûl. *Enivré de vin, d'air pur.*

◆ 2 *Enivré de joie, d'enthousiasme, d'amour, de passion.* → Transporté, soulevé; enthousiaste, fou, passionné.

23 Enivré des douceurs de l'amour et du vin.
CORNEILLE, Pompée, IV, 1.

24 Il livra donc aux barbares cette ville enivrée du sang des martyrs, comme parle saint Jean (...)
BOSSUET, Disc. sur l'Hist. universelle, III, 1.

25 (...) mon cœur, enivré d'une folle passion, secouait presque toute pudeur (...)
FÉNELON, Télémaque, IV.

26 Ce cœur enflé d'orgueil, et de haine enivré (...)
VOLTAIRE, Oreste, III, 6.

27 Enivré du charme de vivre auprès d'elle (...)
ROUSSEAU, les Confessions, III.

28 J'étais réellement enivré de cet air vif et pur; je me sentais si léger, si joyeux et si plein d'enthousiasme, que je poussais des cris et faisais des cabrioles comme un jeune chevreau; j'éprouvais l'envie de me jeter la tête la première dans tous ces charmants précipices si azurés, si vaporeux, si veloutés; j'aurais voulu me faire rouler par les cascades, tremper mes pieds dans toutes les sources, prendre une feuille à chaque pin, me vautrer dans la neige étincelante, me mêler à toute cette nature, et me fondre comme un atome dans cette immensité.
Th. GAUTIER, Voyage en Espagne, p. 46.

Enivré de sa gloire, de ses succès. → Plein, rempli; troublé.

Néron de sa grandeur n'était point enivré.   29
RACINE, Britannicus, I, 1.

De l'encens des humains je vivais enivrée (...)   30
VOLTAIRE, Sémiramis, II, 7.

(...) il était jeune, enivré par ses succès, amoureux tout   31
frais de sa cause.   M. BARRÈS, Leurs figures, p. 352.

CONTR. Désenivrer, dégriser. ◊ DÉR. Enivrant, enivrement.

ENJABLER [ɑ̃ʒable] v. tr. — 1400; de en-, jable, et suff. verbal.

Techn. anc. Assembler (un tonneau) en réunissant les pièces de fond dans le jable. → Foncer.

ENJAMBÉE [ɑ̃ʒɑ̃be] n. f. — XIIe; de en-, jambe, et suff. -ée. → Enjamber.

◆ 1 Grand pas. *Faire de grandes enjambées. Marcher à grandes, à longues enjambées* (→ Accompagner, cit. 3).

Il faisait de si énormes enjambées qu'il était souvent obligé   1
de s'arrêter pour attendre le reste de la troupe (...)
Th. GAUTIER, le Capitaine Fracasse, t. I, II, p. 67.

Je le regardai descendre la rue Saint-Benoît à grandes   2
enjambées (...)
Alphonse DAUDET, le Petit Chose, II, IX.

D'une enjambée : en une seule fois, d'un coup. *En deux enjambées, en quelques enjambées :* vite.

(1862). **Par métaphore :**

(...) nous allons d'une enjambée franchir quatre ou cinq   3
années de sa vie.
Alphonse DAUDET, le Petit Chose, I, IV.

◆ 2 Vieilli. Distance représentée par l'écartement des jambes quand on marche.

Le réservoir n'a que deux enjambées de large.   4
E. FROMENTIN, Un été dans le Sahara, p. 84.

Comme l'écartement des semelles à chevrons correspond   5
à sa propre enjambée d'homme à bout de forces, il s'est mis tout naturellement à poser les pieds dans les marques déjà faites.
A. ROBBE-GRILLET, Dans le labyrinthe, p. 118.

ENJAMBEMENT [ɑ̃ʒɑ̃bmɑ̃] n. m. — 1562; de enjamber.

◆ 1 Vx. Action d'enjamber. *L'enjambement d'un fossé.*

◆ 2 (1680). Mod. Procédé rythmique consistant à reporter sur le vers suivant un ou plusieurs mots nécessaires au sens du vers précédent. → Rejet.

Dans les derniers drames de Shakespeare le principal instrument prosodique est l'enjambement, la rupture de la phrase au milieu d'un membre logique, l'introduction de blancs, comme pour laisser passer un autre sens à travers le discours disjoint.
CLAUDEL, Journal, janv.-févr. 1924.

◆ 3 Biol. *Enjambement des chromosomes :* entre-croisement des chromosomes lors de la méiose*, ayant pour résultat un échange de segments chromosomiques porteurs de gènes (traduit l'anglicisme crossing-over).

ENJAMBER [ɑ̃ʒɑ̃be] v. — Déb. XIIIe; de en-, jambe, et suff. verbal.

I V. tr. ◆ 1 Franchir (un espace, un obstacle) en étendant la jambe. → Passer (par-dessus), sauter. *Enjamber un fossé, un ruisseau, une haie, une barrière. Enjamber deux marches à la fois. Enjamber un corps couché par terre.*

Et calme, il l'enjambait, plein d'un superbe ennui,   1
Des cadavres gisants, peut-être faits par lui.
HUGO, la Légende des siècles, LVII, Guerre civile.

2 Leurs grands chevaux se cabraient, enjambaient les rangs, sautaient par-dessus les baïonnettes et tombaient, gigantesques, au milieu de ces quatre murs vivants.
HUGO, les Misérables, II, I, x.

3 Les sept hommes enjambèrent le petit mur et le maigre réseau de barbelés.
P. MAC ORLAN, la Bandera, XVII, p. 205.

Par ext. Parcourir en quelques enjambées. *Enjamber la rue.*

Absolt et vx. *Il suffit d'enjamber pour passer ce ruisseau.*

4 Quand on veut lire tout haut du Rabelais, même devant des hommes *(car devant les femmes cela ne se peut)*, on est toujours comme quelqu'un qui veut traverser une vaste place pleine de boues et d'ordures : il s'agit d'enjamber à chaque moment et de traverser sans trop se crotter : c'est difficile.
SAINTE-BEUVE, Causeries du lundi, 7 oct. 1850, t. III, p. 5.

◆ **2** (1870). Prendre appui aux deux extrémités d'un espace à franchir. *Le pont qui enjambe la rivière.*

5 La maison est sur un coteau, au milieu d'un parc en pente, jusqu'à la rivière qu'enjambe un pont de pierre en dos d'âne.
MAUPASSANT, Clair de lune, p. 260.

◆ **3** Fig. Franchir, passer rapidement. *Enjamber les années, la vie.* — Passer par dessus. *Enjamber les convenances* (→ Culbuter, cit. 4).

◆ **4** Fam. et vulg. (même métaphore que *chevaucher, sauter*). Posséder sexuellement (une femme).

II **V. intr.** ◆ **1** Rare. Empiéter, se superposer en se prolongeant. *Cette poutre enjambe sur le mur du voisin* (Académie).

◆ **2** (1857). Didact. *Vers qui enjambe sur le vers suivant* (→ Enjambement).

6 Enfin Malherbe vint (...)
Et le vers sur le vers n'osa plus enjamber.
BOILEAU, l'Art poétique, I.

7 De lourds alexandrins l'un sur l'autre enjambant
Comme des écoliers qui sortent de leur banc.
HUGO, les Voix intérieures, XXII.

◆ **ENJAMBÉ, ÉE** p. p. adj.
◆ **1** (Fin XIIᵉ). *Être haut enjambé, bien enjambé* : avoir les jambes très longues.

◆ **2** *Rime enjambée.* → Enjambement, 2.

DÉR. Enjambement, enjambeur.

ENJAMBEUR, EUSE [ãʒãbœʀ, øz] n. — Attesté XXᵉ; de *enjamber.*

◆ **1** Personne qui enjambe (un espace, un obstacle).

◆ **2** N. m. (1953, A. Simonin). Vulg. → **Baiseur.**

ENJAVELER [ãʒavle] v. tr. [CONJUG.: *appeler.*] — 1352, *engeveleir*; de *en-, javelle*, et suff. verbal.
Agric. Mettre (le blé) en javelles*.

ENJEU [ãʒø] n. m. — V. 1370, *engieu*; pour *en jeu*; de *en* prép., et *jeu.*

◆ **1** Argent que l'on met en jeu en commençant la partie et qui sera pris par le gagnant. → **Cave, mise, poule** (→ Clef, cit. 21; convenir, cit. 8). *Miser une somme supérieure à l'enjeu.* → **Renvier.** *Tenir seul l'enjeu contre la banque.* → **Banco** (faire). *Accepter l'enjeu.* → **Toper.** *Retirer son enjeu* : reprendre son argent en quittant la partie, et, au fig. (1798), retirer l'argent que l'on avait engagé dans une affaire.

1 En très peu de temps, il était devenu mon débiteur pour une forte somme, quand, ayant avalé une longue rasade d'oporto, il fit juste ce que j'avais froidement prévu — il proposa de doubler notre enjeu, déjà fort extravagant (...)

Le résultat fut ce qu'il devait être : (...) en moins d'une heure, il avait quadruplé sa dette.
BAUDELAIRE, trad. d'E. POE, Nouvelles histoires extraordinaires, W. Wilson.

◆ **2** (1834). Par ext. *L'enjeu d'un pari, d'une compétition* : ce que l'on peut gagner ou perdre. — *L'enjeu d'une guerre, d'une expédition. Être l'enjeu de... Avoir pour enjeu* (qqch.). *Enjeu économique, politique...*

2 (...) abandonner les ressources immenses que ce pays pouvait nous fournir dans la lutte qui commençait, renoncer enfin sans combattre à l'un des plus beaux enjeux de la guerre.
Jérôme et Jean THARAUD, Marrakech, p. 67.

3 Je ne crains pas la mort. C'est l'enjeu de la vie.
GIRAUDOUX, Amphitryon 38, II, 2.

ENJOINDRE [ãʒwɛ̃dʀ] v. tr. [CONJUG.: *joindre.*] — 1138; du lat. *injungere* «infliger, imposer», de *in-*, et *jungere* «lier, assembler», de *jugum* (→ Joug); d'après *joindre.*
Ordonner expressément.

◆ **1** Vieilli. Imposer, prescrire (qqch.). *Ce que la loi enjoint.* «*Il lui enjoignit la plus grande prudence*» (Balzac). — *Enjoindre qqch. à qqn.* «*Les formalités que la loi vous enjoint*» (Académie).

◆ **2** Mod. et littér. **ENJOINDRE À (qqn) DE...** (et inf.). *Il lui a enjoint de venir.* → **Commander, ordonner, prescrire.** *Le professeur, l'officier m'a, nous a enjoint de...* — (Sujet n. de chose). *Un ordre enjoignant aux jeunes gens de tel âge de se présenter à la mairie. Ce que l'honneur nous enjoint de faire.* → **Imposer.**

Impersonnel :
(...) je sais (...) que le Ciel les a faits *(nos parents)* les maîtres de nos vœux, et qu'il nous est enjoint de n'en disposer que par leur conduite (...)
MOLIÈRE, l'Avare, I, 2.

Rare. *Enjoindre à (qqn)...* (et subj.). — (Avec un compl. en discours direct). *Il leur enjoignit : allez-vous-en!*

ENJÔLEMENT [ãʒolmã] n. m. — 1585; de *enjôler.*
Rare. Action d'enjôler; son résultat.
La vie intime c'est le perpétuel enjôlement de celui qui agit sur celui qui critique.
FLAUBERT, Souvenirs, 1841, p. 50, *in* T. L. F.

ENJÔLER [ãʒole] v. tr. — Mil. XVIᵉ; *enjaoler* «emprisonner», déb. XIIIᵉ; de *en-, geôle* «prison», et suff. verbal.
Vieilli ou littér. Abuser par de belles paroles, des manières flatteuses, engageantes. → **Attraper, cajoler, captiver, conquérir, duper, embobeliner, empaumer** (fam.), **endormir, ensorceler, entortiller, envelopper, leurrer** (→ Attirer, cit. 25). **Spécialt.** *Elle essaye de l'enjôler par ses minauderies*, de le séduire*.

1 (...) toutes les caresses qu'il vous fait ne sont que pour vous enjôler.
MOLIÈRE, le Bourgeois gentilhomme, III, 3.

2 Il m'enjôla si bien par ses beaux discours, que j'acceptai.
A. R. LESAGE, Don Guzman..., II, 3.

3 (...) elle devait, toute sa vie, enjôler tout le monde : «Je ne puis assez prôner l'esprit, les grâces, l'enjouement, la naïveté et la douceur qu'elle possède», écrira plus tard un étranger. Il est impossible de ne pas être ravi de l'amabilité qu'elle met à tout ce qu'elle dit.
Louis MADELIN, Hist. du Consulat et de l'Empire, L'avènement de l'Empire, XIV, p. 196.

DÉR. Enjôlement, enjôlerie, enjôleur.

ENJÔLERIE [ãʒolʀi] n. f. — Attesté v. 1890, Maupassant; de *enjôler.*
Régional. Parole, manière qui enjôle (souvent au pluriel).

ENJÔLEUR, EUSE [ɑ̃ʒolœʀ, øz] n. et adj. — 1585; de *enjôler*.

♦ 1 N. Personne habile à enjôler les autres. **→ Agui-cheur, ensorceleur, séducteur, trompeur.**

1   (...) on m'a dit (...) que vous autres courtisans êtes des
enjôleurs (...)   MOLIÈRE, Dom Juan, II, 2.

2   Un seul de tes regards, une seule de tes paroles d'enjôleuse
fait fondre le plus fort de ses vouloirs.
        BALZAC, Mémoires de deux jeunes mariées, Pl.,
        t. I, p. 257.

♦ 2 Adj. (Av. 1870). Charmeur, séduisant. *Un sourire
enjôleur. — Il est enjôleur avec les femmes. Elle est
coquette et enjôleuse.*

3   Oh! pourtant, la belle soirée enjôleuse qui se prépare, quel
ravissement d'être étendu dans ce caïque, sur cette eau qui
s'apaise et s'endort.
        LOTI, Suprêmes visions d'Orient, p. 50.

4   Que vous êtes enjôleur, mon pauvre archange; c'est une
honte, vous ne pouvez pas vous empêcher de séduire les
gens.   SARTRE, l'Âge de raison, p. 160.

ENJOLIVEMENT [ɑ̃ʒɔlivmɑ̃] n. m. — 1611; de *enjo-liver.*

♦ 1 (1864). Action d'enjoliver. *L'enjolivement d'une
façade par l'architecte, par un décorateur.*

♦ 2 (*Un, des enjolivements*). Ornement destiné à
enjoliver. *Enjolivement d'écriture* (→ Calligraphie,
cit. 1).

1   De tous temps l'on a orné les livres d'enjolivements plus
ou moins riches.
        Th. GAUTIER, Portraits contemporains, p. 227.

Élément ajouté destiné à enjoliver.

1.1   La légende inventée par M. Thiers a reçu encore des enjolivements; par la suite, bien des écrivains se sont amusés
à la continuer et à broder des détails nouveaux.
        A. ROBIDA, le Vingtième Siècle, p. 200.

2   C'est une brève parole, c'est une courte histoire qui, dès le
début, s'est défendue seule contre les enjolivements, qui a
éliminé le merveilleux des Apocryphes.
        F. MAURIAC, Souffrances et bonheur du chrétien,
        p. 108.

ENJOLIVER [ɑ̃ʒɔlive] v. tr. — 1608; pron. «s'égayer»,
déb. XIVᵉ; de *en-*, et *jolif, -ive,* formes anc. de *joli.*

♦ 1 Orner de façon à rendre joli, plus joli*. **→ Agré-menter, embellir, orner, parer.** *Enjoliver qqch. par
des ornements.* — (Sujet n. de chose). *Les ornements
qui enjolivent qqch.*

1   La petite Fadette rougit beaucoup, ce qui l'embellit encore,
car jamais, jusqu'à ce jour-là, elle n'avait eu sur les joues
cette honnête couleur de crainte et de plaisir qui enjolive
les plus laides (...)
        G. SAND, la Petite Fadette, XXIII, p. 159.

2   (*le zagal*) porte un chapeau pointu enjolivé de bandes de
velours et de pompons de soie (...)
        Th. GAUTIER, Voyage en Espagne, p. 9.

♦ 2 (1608). Agrémenter. *Enjoliver une histoire,
un récit,* y ajouter des détails plus ou moins
exacts. **→ Amplifier.** *Enjoliver son style, ses phrases*
(→ Attifer, cit. 4). — Pron. *L'histoire s'enjolive sous sa
plume* (→ Courir, cit. 41). — Absolt. *Il a tendance à
enjoliver.* **→ Broder.**

CONTR. Défigurer, enlaidir. ◊ DÉR. Enjolivement, enjoliveur,
enjolivure.

ENJOLIVEUR, EUSE [ɑ̃ʒɔlivœʀ, øz] n. — 1740; adj.
«qui enjolive», déb. XVIIᵉ; de *enjoliver.*

♦ 1 Rare. Personne qui aime à enjoliver (le discours).

♦ 2 N. m. (1928). Garniture pour enjoliver une automobile.

(...) les calandres des Pontiac faisaient siffler dans l'air
leurs enjoliveurs en forme de baïonnette, et il fallait faire
un bond en arrière, vite, ou l'on était transpercé.
        J.-M. G. LE CLÉZIO, les Géants, p. 84.

Spécialt (cour.). Plaque métallique circulaire, généralement chromée, recouvrant les moyeux des
roues d'automobile.

ENJOLIVURE [ɑ̃ʒɔlivyʀ] n. f. — 1611; de *enjoliver.*
Ornement qui enjolive. **→ Enjolivement, 2.** *Des enjolivures architecturales.* «*Bois découpés, enjolivures
(...) fleurs en plume*» (Giono, in T. L. F.). — *Raconter
avec des enjolivures,* en enjolivant.

ENJONCER [ɑ̃ʒɔ̃se] v. tr. [CONJUG.: *placer.*] — 1922; de
en-, jonc, et suff. verbal.
Techn. Garnir de joncs (un sol) pour le fixer.
Enjoncer une dune.

ENJOUÉ, ÉE [ɑ̃ʒwe] adj. et n. f. — XIIIᵉ, *enjoé*; de *en-,
jeu* (forme atone), et suff. *-é.*

♦ 1 Adj. (Style soutenu). Qui a ou marque de l'enjouement. **→ Accort, aimable, badin, folâtre, gai, joyeux.**
*Il, elle est très enjoué(e). Un enfant enjoué. — Esprit,
caractère enjoué. Humeur enjouée* (→ Chapitre, cit. 3).
Voix enjouée (→ Chuchoter, cit. 1). *Sa conversation est
toujours enjouée.*

1   On a grand tort de la peindre (*la philosophie*) inaccessible aux enfants, et d'un visage renfrogné, sourcilleux et
terrible (...) Il n'est rien (*de*) plus gai, plus gaillard, plus
enjoué, et à peu que je ne dise folâtre. Elle ne prêche que
fête et bon temps. Une mine triste et transie montre que
ce n'est pas là son gîte.   MONTAIGNE, Essais, I, XXVI.

2   Le cinquième (*acte*) est trop sérieux pour une pièce si
enjouée (...)   CORNEILLE, Suite du Menteur, Examen.

3   (...) c'est un caractère enjoué, qui me paraît plein de bonne
humeur, de philosophie, et au-dessus de certains préjugés;
comme un homme qui se moquerait enfin des choses
humaines, après y avoir longtemps réfléchi.
        E. FROMENTIN, Un été dans le Sahara, p. 165.

Un récit, un air enjoué. Une petite musique enjouée.

♦ 2 N. f. (Au XVIIIᵉ). Mouche posée «dans le pli que
fait le rire» (Goncourt, *la Femme au XVIIIᵉ siècle*).

CONTR. Austère, chagrin, maussade, renfrogné, sérieux,
sévère, sombre, triste (cf. Bonnet de nuit, éteignoir, rabat-
joie). ◊ DÉR. Enjouement.

ENJOUEMENT [ɑ̃ʒumɑ̃] n. m. — 1659; de *enjoué.*
(Style soutenu). Disposition, tendance à la bonne
humeur, à une gaieté aimable, douce, souriante.
→ Alacrité, entrain, gaieté. *Un enjouement de bonne
compagnie* (→ Apporter, cit. 25). *L'enjouement de l'enfance. Enjouement d'un esprit léger et charmant.
Enjouement du style. Enjouement badin.* **→ Badinage.**

Enjouement. Caractère d'esprit qui fait qu'on est de bonne
compagnie, et qu'on satisfait autant ceux avec qui l'on se
trouve que soi-même. C'est l'opposé du sérieux.
        Dict. de Trévoux, éd. 1771.

2   Les plus mélancoliques sont capables de joie pour quelque
événement heureux; mais peu de personnes sont capables
d'enjouement.   Mˡˡᵉ DE SCUDÉRY, in Dict. de Trévoux.

3   Je vois bien que vous voulez attraper ce genre d'écrire
(des *Provinciales*) : l'enjouement de M. Pascal a plus servi
à votre parti que tout le sérieux de M. Arnauld. Mais
cet enjouement n'est point du tout votre caractère : vous
retombez dans les froides plaisanteries des *Enluminures.*
        RACINE, Lettre à l'auteur des Imaginaires.

4   Quoique mélancolique et méditatif, Platon avait cependant de la douceur et une sorte d'enjouement, et il se
plaisait à faire de petites railleries innocentes.
        FÉNELON, cité par LAFAYE, p. 627.

5   Né avec cet enjouement qui répand un coloris de finesse
sur la raison, et d'aménité sur les vertus.
        DIDEROT, À mon frère.

6   C'est là qu'avec grâce on allie
Le vrai savoir à l'enjouement,
Et la justesse à la saillie (...)
              VOLTAIRE, Temple du goût.

7   (...) ces lettres charmantes qui ouvrent le recueil de toutes celles de madame de Sévigné, et où elle nous montre si vivement son enjouement d'esprit jusque dans les plus grandes angoisses de son cœur.
         SAINTE-BEUVE, Causeries du lundi, 12 janv. 1852,
                         t. V, p. 306.

8   (...) c'est là sans doute (dans le monde) qu'il (Scarron) puisa cette liberté de badinage, cette heureuse facilité de plaisanterie, cet enjouement qui, s'il n'est pas toujours de bon goût, au moins n'est jamais forcé, et fait naître le sourire sur les lèvres les plus rebelles à la gaieté.
           Th. GAUTIER, les Grotesques, p. 343.

9   (...) Alphonse Daudet avait, durant les dernières années de sa vie, un grand mérite à prodiguer tant d'esprit, d'enjouement, de bonne grâce et de bonne humeur.
         Georges LECOMTE, Ma traversée, p. 281.

Rare. *(Un, des enjouements).* Acte, comportement enjoué.

CONTR. Austérité, gravité, maussaderie, sérieux, sévérité, tristesse.

ENJUGUER [ãʒyge] ou **ENJOUGUER** [ãʒuge] v. tr. — 1907, cit., *enjuguer; enjouguer,* 1958, Genevoix; de *en-,* lat. *jugum* (→ Joug), et suff. verbal.

Techn. (agric.) ou régional. Attacher au joug.

   (...) il enjuga soigneusement ses quatre meilleurs bœufs, avec les jougs à poignée rouge (...)
         R. BAZIN, le Blé qui lève, 1907, p. 286, *in* T.L.F.

ENJUIVER [ãʒɥive] v. tr. — 1883, Goncourt, au p. p.; de *en-, juif,* et suff. verbal.

Diffamatoire (terme raciste). Pénétrer de l'influence juive.

Par anal. (idée de mépris raciste).

Je suis sur le point de leur dire que de Gaulle a du sang noir, mais je me domine, je n'ai tout de même pas le droit d'enjuiver la France, enfin, vous voyez ce que je veux dire. Je me contente donc de les informer que de Gaulle avait été témoin à mon mariage à Bangui et qu'il est parrain de mon fils nègre communiste français.
         R. GARY, Chien blanc, p. 60.

◆ **ENJUIVÉ, ÉE** p. p. adj. (1883). *«La noblesse ancienne et nouvelle, toutes deux enjuivées...»* (Clemenceau, *in* T.L.F.). — N. (L. Daudet, *in* T.L.F.).

ENJUPONNEMENT [ãʒypɔnmã] n. m. — 1921, Proust; de *enjuponner.*

Rare. Le fait d'enjuponner, de s'enjuponner.

ENJUPONNER [ãʒypɔne] v. tr. — 1534; de *en-, jupon,* et suff. verbal.

Vêtir d'un jupon*.

◆ **S'ENJUPONNER** v. pron.

(1835). **Péj.** S'attacher à un jupon, à une femme. → **Éprendre** (s').

   (...) et alors, dans le grésillement des pipes, nous décrétions que jamais un artiste ne devait s'enjuponner sérieusement.
         HUYSMANS, Marthe, 1876, *in* D.D.L., II, 1.

◆ **ENJUPONNÉ, ÉE** p. p. adj.

◆ **1** *Femme enjuponnée.*

◆ **2** Péj. Attaché à une femme.

DÉR. Enjuponnement.

ENKÉPHALINASE [ãkefalinaz] n. f. — V. 1980; de *enképhaline,* et *-ase.*

Biochim. Enzyme supprimant l'action des enképhalines.

ENKÉPHALINE [ãkefalin] n. f. — 1977; angl. *enkephalin,* 1974, J. Hughes et H. W. Kosterlitz, d'Aberdeen; du grec *egkephalos* «qui est dans la tête», de *kephalê* «tête», et *-in* (français *-ine*) suffixe servant à nommer les alcaloïdes. *«Nous avons décidé d'appeler cette substance enképhaline, du grec "dans la tête"»* (J. Hughes, *in la Recherche,* n° 93, oct. 1978, p. 869).

Sc. Substance (pentapeptide) présente dans le cerveau et la moelle épinière, qui joue un rôle dans l'inhibition de la douleur. *«Les enképhalines (...) filtreraient les entrées des messages douloureux dans la moelle»* (la Recherche, n° 86, févr. 1978, p. 76).

On trouve parfois la forme *encéphaline* [ãsefalin], très antérieure dans une autre acception (1892).

DÉR. Enképhalinase.

ENKYSTÉ, ÉE [ãkiste] adj. — 1703; de *en-, kyste,* et suff. *-é.*

Pathol. Se dit d'une tumeur ou d'un corps étranger qui reste isolé dans l'organisme par suite d'un enkystement. *Calcul enkysté. Tumeur enkystée.*

Fig. Incrusté à la manière d'un kyste.

Si au contraire, l'infiltration *(de la pensée intérieure)* est plus accusée, envahissant une partie de la conscience avec toutefois une réaction de barrage suffisante pour protéger le reste de la personnalité, on a affaire à un véritable noyau étranger enkysté en quelque sorte dans la personnalité et attribué à une action extérieure.
         H. BARUK, Psychoses et névroses, p. 68.

DÉR. Enkyster.

ENKYSTEMENT [ãkistəmã] n. m. — 1823; de *enkyster.*

Biol. et pathol. Formation d'une couche de tissu conjonctif dense autour d'un corps étranger (ou d'une tumeur) qui se trouve ainsi isolé du tissu environnant.

ENKYSTER [ãkiste] v. tr. — Attesté 1845, v. pron. → Enkystement; de *enkysté.*

Enfermer dans un kyste.

◆ **S'ENKYSTER** v. pron.

Devenir enkysté.

Figuré :

Les mots qui nous ont humiliés (...) sont comme des projectiles qu'on n'a pas pu ou qu'on a négligé d'extraire aussitôt de la chair : ils restent enfoncés en nous, s'enkystent, risquent de former des tumeurs, des abcès où la haine peu à peu s'amasse.   N. SARRAUTE, Martereau, p. 32.

DÉR. Enkystement.

ENLAÇANT, ANTE [ãlasã, ãt] adj. → Enlacer.

ENLACEMENT [ãlasmã] n. m. — V. 1190; de *enlacer.*

◆ **1 Rare.** Action d'enlacer (1. ou 2.).

◆ **2** Disposition de choses enlacées. *Un enlacement de rubans, de motifs décoratifs.* → **Croisement, entrecroisement, entrelacement, nœud.**

Un enlacement inextricable de fleurons, de rinceaux, d'acanthes, de lotus, de fleurs aux calices ornés d'aigrettes et de vrilles, de feuillages dentelés et contournés (...)   1
         Th. GAUTIER, Voyage en Espagne, p. 27.

◆ **3** (1846). Étreinte de personnes qui s'enlacent, sont enlacées. → **Embrassement, étreinte.** *Des enlacements passionnés.*

Quand le bal fut passé, Pauline en rêva (...) elle voyait   2 des yeux troublés, des enlacements lâches secrètement resserrés, des galopades amusantes (...)
         J. CHARDONNE, les Destinées sentimentales, p. 32.

ENLACER [ãlase] v. tr. [CONJUG.: *placer.*] — Déb. XII⁰; de *en-,* et *lacer.*

◆ **1** (Compl. au plur.). Passer l'un dans l'autre, l'un autour de l'autre (des lacets, des cordons..., des objets longs et flexibles). → **Croiser, entrecroiser, entrelacer.** *Enlacer des rubans, des branches...* (Sujet n. de chose). *Constituer un enlacement de... L'arabesque* (cit. 4) *enlace ses rameaux.*

◆ **2** Entourer plusieurs fois en serrant. → **Entourer.** *Un lierre enlace le tronc de cet arbre. Serpent qui enlace sa proie.*

1   (...) des capucines mourantes et des liserons d'un incomparable bleu enlacent les barreaux des fenêtres.
                    LOTI, Suprêmes visions d'Orient, p. 155.

2   (...) il espérait que les plantes, les mousses enlaceraient ses jambes, qu'il ne pourrait se dépêtrer de cette eau bourbeuse (...)
                          F. MAURIAC, Désert de l'amour, III,
                                      p. 49 (→ Dépêtrer, cit. 2).

Par métaphore ou fig. → **Attacher, lier.** *Liens qui enlacent deux êtres.*

3   (...) les traîtres m'enlaçaient, en silence, de rets forgés au fond des enfers.
                    ROUSSEAU, Rêveries..., 3ᵉ promenade
                                      (→ Confiant, cit. 3).

4   Comprends-tu que dix ans ce lien nous enlace,
     Qu'il ne fasse dix ans qu'un seul être de deux,
     Puis tout à coup se brise (...)
                    A. DE MUSSET, Lettre à Lamartine.

5   Hommes, je ris des nœuds dont la peur vous enlace.
                    HUGO, la Légende des siècles, IV,
                                      «Paroles de géant».

◆ **3** (1718). Entourer ou maintenir serré (plusieurs choses une chose dans une autre). *Ils enlaçaient leurs doigts. «Une mince plante grimpante enlace l'un des poteaux»* (Barbusse, *le Feu*). — *Enlacer un objet par, dans des liens.*

◆ **4** (XII⁰). Serrer dans ses bras, ou en passant un bras autour de la taille. → **Embrasser, étreindre.** *Enlacer la taille de sa cavalière.*

6   (...) on lui montrait sa fosse béante et la mort prête à l'enlacer dans ses bras immondes.
                    G. SAND, la Mare au diable, I, p. 12.

7   Alors, les yeux fous, sombres, elle enlaça Durtal (...)
                    HUYSMANS, Là-bas, p. 265.

◆ **S'ENLACER** v. pron.

(Récipr.; av. 1813). S'entrelacer. *Rubans qui s'enlacent pour former une tresse.*

8   (...) les petites rues descendaient, montaient, s'enlaçaient comme pour égarer le passant attardé (...)
                    LOTI, les Désenchantées, XVII, p. 130 (→ Cœur,
                                      cit. 141).

Danseurs, lutteurs qui s'enlacent. — Figuré :

9   Les gerbes faites de blé dispersé s'enlacent, réunies debout, s'embrassent de tous leurs épis.
                    J. RENARD, Journal, 31 août 1901.

(Réfl.). *Liane qui s'enlace à un arbre.*

10   Elle *(la reine)* remarque sur le sol la branche de coudrier où le chèvrefeuille s'enlace fortement.
                    J. BÉDIER, Tristan et Iseult, XVII, p. 180.

11   L'une de ses jambes fines (...) était ramenée sur l'autre, la pointe en bas, comme un serpent qui s'enlacerait à un serpent.
                    Léon BLOY, le Désespéré, p. 188.

◆ **ENLAÇANT, ANTE** p. prés. et adj.
Rare. Qui enlace, attache, retient.

12   (...) il n'y a plus de magie enlaçante, les enchanteurs ont cessé (...)
                    SAINTE-BEUVE, Volupté, XIX, p. 202.

◆ **ENLACÉ, ÉE** p. p. adj.

◆ **1** *Rubans enlacés.* → **Entrelacé.** *Chiffres enlacés.*

13   Ces festons, où nos noms enlacés l'un dans l'autre (...)
                    RACINE, Bérénice, V, 5.

(...) les murailles *(de la salle des ambassadeurs à l'Alhambra)* disparaissent sous un réseau d'ornements si serrés, si inextricablement enlacés, qu'on ne saurait mieux les comparer qu'à plusieurs guipures posées les unes sur les autres.
                    Th. GAUTIER, Voyage en Espagne, p. 167.

◆ **2** (Personnes). → **Enlacer,** 3.

(...) il enjamba les corps enlacés sur le tapis.
                    HUYSMANS, Là-bas, p. 264.

Elles dormaient, enlacées comme des initiales (...)
                    COCTEAU, le Grand Écart, p. 135.

N. *Des enlacés.*

CONTR. **Dénouer.** — **Désenlacer.** ◊ DÉR. **Enlacement, enlaçure.** — COMP. **Désenlacer.**

ENLAÇURE [ãlasyʀ] n. f. — 1676; «enlacement», XII⁰; de *enlacer.*

Techn. Assemblage d'une mortaise et d'un tenon avec des chevilles.

ENLAIDIR [ãlediʀ; ãlɛdiʀ] v. — XII⁰; de *en-, laid,* et suff. verbal.

◆ **1** V. tr. Rendre ou faire paraître laid*. *Cette maladie de peau l'enlaidit.* → **Défigurer;** (fam.) **amochir.** *La maternité l'a déformée* et *enlaidie. Ce chapeau l'enlaidit.* → **Déparer.** *Les usines enlaidissent ce paysage.*

1   Une femme coquette (...) regarde le temps et les années comme quelque chose seulement qui ride et qui enlaidit les autres femmes (...)
                    LA BRUYÈRE, les Caractères, III, 7.

2   Ma mère en est la cause, et c'est qu'elle me dit
     Me brouille tout le teint, me sèche et m'enlaidit.
                    J.-F. REGNARD, le Distrait, III, 1.

3   (...) on eût un peu enlaidi cette pernicieuse beauté *(Cléopâtre),* et la face du monde y eût peut-être gagné.
                    VALÉRY, Variété V, Discours aux chirurgiens, p. 44.

Rendre vil. → **Avilir.** *Le vice enlaidit l'âme.*

4   Tous les vices de notre âge corrompaient notre innocence et enlaidissaient nos jeux.
                    ROUSSEAU, les Confessions, I.

Absolt. *La colère enlaidit.*

◆ **2** V. intr. Devenir laid. *Il enlaidit en vieillissant. J'ai trouvé qu'elle avait beaucoup enlaidi, qu'elle était beaucoup enlaidie.*

◆ **S'ENLAIDIR** v. pron.

Se rendre laid. *S'enlaidir en faisant des grimaces. Elle ne craint pas de s'enlaidir* (→ Déguisement, cit. 6).

◆ **ENLAIDI, IE** p. p. adj. *Je l'ai trouvée plutôt enlaidie.*

5   C'était quelque chose de hideux à voir que ces malades aux physionomies terreuses et verdâtres, encore enlaidies par la rapacité, allongeant avec lenteur leurs doigts convulsifs pour saisir leur proie.
                    Th. GAUTIER, Voyage en Espagne, p. 225.

6   Véronique, irréparablement enlaidie, deviendrait (...) cette quasi-sœur qu'on avait rêvée et que la jolie femme ne pouvait être.
                    Léon BLOY, le Désespéré, III, Le retour,
                                      p. 132 (→ Compagne, cit. 6).

CONTR. **Agrémenter, embellir, enjoliver, orner, parer.** ◊ DÉR. **Enlaidissant, enlaidissement.**

ENLAIDISSANT, ANTE [ãledisã, ãt; ãlɛdisã, ãt] adj. — Attesté 1922, Proust; p. prés. de *enlaidir.*
Qui enlaidit. *Un maquillage enlaidissant.*

ENLAIDISSEMENT [ãledismã; ãlɛdismã] n. m. — V. 1470; de *enlaidir.*

Action ou fait d'enlaidir. *L'enlaidissement progressif d'une personne, d'un quartier. Des enlaidissements irrémédiables.*

Le point de Paris où se trouvait Jean Valjean, situé entre le faubourg Saint-Antoine et la Râpée, est un de ceux qu'ont transformé de fond en comble les travaux récents, enlaidissements selon les uns, transfiguration selon les autres.
                    HUGO, les Misérables, II, V, III.

ENLEVAGE [ãlvaʒ] n. m. — 1838 ; de *enlever*.
Action d'enlever.
A ♦ **1** Techn. Opération de teinturerie qui consiste à détruire soit la teinture, soit le mordant.

♦ **2** Opération qui consiste à transférer une peinture sur un nouveau support.

B (1858 ; de *enlever*, 2., b). Aviron. Action de précipiter le mouvement des rames en fin de course ; cadence accélérée sur 10 ou 20 coups d'aviron. — Cyclisme. Action de commencer le sprint.

ENLÈVEMENT [ãlɛvmã] n. m. — 1551 ; de *enlever*.
Action d'enlever.
♦ **1** (1611). Choses. Action d'enlever (II., concrètement) ; opération par laquelle on enlève. *Enlèvement des ordures ménagères. Enlèvement de terre, de décombres.* → **Déblai.** *Enlèvement et transport de meubles. Enlèvement de vivres, de matériel par ordre de réquisition*. — Enlèvement des corps (morts).* → **Levée.**

1 (...) des saisies de terres et des enlèvements de meubles (...)
LA BRUYÈRE, les Caractères, XI, 127.

2 Demain, après l'enlèvement du corps, je ferai mettre les scellés partout (...)
LACLOS, les Liaisons dangereuses, Lettre CLXIII.

2.1 Il voulait manier lui-même, quand il les fallait déranger pour l'enlèvement des poussières, tel bibelot précieux (...)
G. RODENBACH, Bruges-la-Morte, I, p. 8.

Dr. *Enlèvement illégal d'objets. Enlèvement de pièces* (des dépôts publics). → **Vol.** *Enlèvement par violence* (→ **Rapine, ravissement**), *par ruse ou fraude* (→ **Soustraction**).

♦ **2** (Fin XVIᵉ ; de *enlever*, III., 2.). Action d'enlever (une position militaire). *Enlèvement d'une position. L'Enlèvement de la redoute,* nouvelle de Mérimée.

♦ **3** (1551 ; de *enlever*, III., 4.). Personnes. → **Rapt.** *Enlèvement des Sabines. Enlèvement de Déjanire, d'Europe, d'Hélène, de Proserpine. L'Enlèvement au sérail,* opéra de Mozart.

3 Thésée avec Hélène uni secrètement
Fit succéder l'hymen à son enlèvement.
RACINE, Iphigénie, V, 6.

Dr. *Enlèvement de mineur,* rapt par violence ou par fraude, ou rapt de séduction. → **Détournement.** *Enlèvement par violence, par séduction. Enlèvement suivi de mariage. Enlèvement d'un enfant pour se faire payer une rançon* (→ **Kidnappage**).

4 La paternité hors mariage peut être judiciairement déclarée : — 1° — Dans le cas d'enlèvement ou de viol, lorsque l'époque de l'enlèvement ou du viol se rapportera à celle de la conception (...)   Code civil, art. 340.

5 Ils ont douze femmes sûres et de confiance, uniquement chargées du soin de leur amener un sujet chaque mois, entre l'âge de douze ans, et celui de trente, ni au-dessous, ni au-dessus (...) Ces enlèvements bien payés, et toujours faits très loin d'ici, n'entraînent aucun inconvénient.
SADE, Justine..., t. I, p. 171 (1791).

♦ **4** (XXᵉ). Vieilli. Le fait de s'enlever. *L'enlèvement d'un ballon.*

♦ **5** (XXᵉ ; de *enlever*, II., 3.). Le fait d'enlever en supprimant, en effaçant.

ENLEVER [ãlve] v. tr. [CONJUG.: *lever*.] — XIIᵉ ; pour *en lever,* de *en*, adv. de lieu, et *lever.*

I ♦ **1** (XIIIᵉ). Déplacer, porter vers le haut. → **Soulever.** *Un plateau de la balance enlève l'autre. Enlever des fardeaux une grue.* → **Hisser, lever.** *Le vent enlève la poussière. L'avion nous enlève à huit mille mètres. Il enleva l'enfant dans ses bras.* — (1903). Sports. *Enlever un poids,* le soulever (haltères).

L'oiseau de Jupiter enlevant un mouton,
Un corbeau, témoin de l'affaire,
Et plus faible de reins, mais non pas moins glouton,
En voulut sur l'heure autant faire.   1
LA FONTAINE, Fables, II, 16.

Fortes tresses, soyez la houle qui m'enlève !   2
BAUDELAIRE, Spleen et idéal, «La chevelure».

(1759). *Enlever un cheval,* le faire bondir, partir à toute allure. Spécialt. Se dit du trotteur qui se met au galop.

Alors Raymond, seul au monde à présent, enlève d'un coup de fouet le petit cheval montagnard, qui file avec son bruit léger de clochettes (...)   3
LOTI, Ramuntcho, II, XIII, p. 324.

Par ext. *Enlever des troupes,* les stimuler, les envoyer contre l'ennemi. → **Entraîner.**

♦ **2** Fig. **a** (1878 ; au p. p., 1845). Exécuter parfaitement, avec aisance et rapidité. *Enlever un morceau de musique.*

b (1858, in Petiot). Sports. *Enlever la nage,* accélérer la cadence des coups d'aviron. → **Enlevage, B.** — (1869). *Enlever une côte,* l'escalader à vive allure (croisement avec le sens III, 2).

♦ **3** (XVIIᵉ). Compl. n. de personne. Ravir, transporter. → **Charmer, emballer, enthousiasmer.** *Son discours enlève l'auditoire.* — Absolt. *Éloquence qui enlève.*

Il en parla (...) avec (...) une éloquence qui entraîne, ou qui enlève, comme vous voudrez.   4
Mᵐᵉ DE SÉVIGNÉ, 1020, 25 avr. 1687.

Il y a de certains biens (...) dont l'idée seule nous enlève et nous transporte (...)   5
LA BRUYÈRE, les Caractères, XI, 29.

Son âme fut comme enlevée par ce bonheur charmant qui depuis quinze jours l'étonnait plus encore qu'il ne la séduisait.   6
STENDHAL, le Rouge et le Noir, XI, p. 66.

♦ **4** (1684). Obtenir vite et facilement (ce qui fait l'objet d'une compétition). → **Emporter, obtenir.** *Son programme a enlevé tous les suffrages, a enlevé l'adhésion.*

(...) prétendre, en écrivant (...) échapper à toute sorte de critique, et enlever les suffrages de tous ses lecteurs.   7
LA BRUYÈRE, Disc. sur Théophraste.

(...) le brave Lefèbvre, commandant les forces de Paris, dont Bonaparte se charge d'enlever, au dernier moment, le concours.   8
Louis MADELIN, Hist. du Consulat et de l'Empire, L'ascension de Bonaparte, XXIV, p. 336.

♦ **5** Fig. et fam. (Vx). *Enlever qqn,* lui faire des réprimandes, de violents reproches. → **Attraper, engueuler.** *S'il arrive en retard, il va se faire enlever.*

II (XIIIᵉ). Modifier la situation de (une chose) dans l'espace ; faire qu'une chose ne soit plus là où elle était. → **Ôter, retirer.** ♦ **1** (En déplaçant). → **Déplacer.** *Enlever qqch. de... (un lieu). Enlever les meubles pour les mettre ailleurs. Enlever les rideaux d'une fenêtre. Enlever le couvert. Enlever les ordures, la poussière avec un balai*. Enlever son chapeau pour saluer.* → **Découvrir** (se). — (Déb. XXᵉ). Spécialt (un vêtement). *Enlever ses habits.* → **Déshabiller** (se), quitter. — *Enlever qqch. d'un endroit fermé* (→ **Sortir**), *de ce qui retient, encombre, gêne* (→ **Débarrasser, dégager, extirper, extraire, tirer**).

(...) une vaste cheminée Renaissance dont on avait enlevé les chenets.   9
COURTELINE, Messieurs les ronds-de-cuir, 6ᵉ tableau, III, p. 260 (→ Chenet, cit. 1).

Je ne pouvais pourtant pas lui demander d'enlever sa rosette, de venir en chapeau mou, cet été en somme (...)   10
J. ROMAINS, les Hommes de bonne volonté, t. V, XXII, p. 180.

Elle enleva son chapeau, ses gants que la pluie collait à ses mains et les posa sur le guéridon.   11
J. GREEN, Adrienne Mesurat, XII, p. 101.

Fam. Faire sortir (une personne). *Allez, enlevez-le !*
→ **Sortir, vider.**

♦ **2** (En séparant). *Enlever qqch. ; enlever qqch.
à qqch., à qqn.* → **Séparer** (de) ; et préf. **é-, de.**
*Enlever une partie d'un corps. On lui a enlevé
les amygdales.* → **Arracher, couper, détacher, prélever.** *Enlever un membre à qqn.* → **Amputer.** *Enlever
les parties superficielles de qqch.* → **Gratter, peler,
racler, ratisser.** *Enlever ce qui enduit, recouvre.
Enlever ce qui tenait artificiellement à qqch.*
→ **Décoller, déclouer, décrocher, desceller, désemmancher, dévisser ; défaire.** — *Enlever une personne
à son milieu.*

♦ **3** (1690). (En supprimant). *Enlever une tache,* la
faire disparaître. → **Détacher, effacer, laver.** *Savon,
produit qui enlève les taches. Enlever un nom d'une
liste.* → **Éliminer, excepter.** *Enlever une somme d'un
compte.* → **Déduire, défalquer, soustraire.** *Enlever
une partie d'un texte ; une phrase, un mot d'une
lettre.* → **Retrancher, supprimer.**

12 (...) il faut savoir enlever de son œuvre, une fois qu'elle
est finie ce qui, souvent, nous plaît le plus.
FLAUBERT, Correspondance, III, p. 378.

♦ **4** (1655). Fig. *Enlever qqch à... :* priver de (qqch.).
*Enlever un poste, un titre, un avantage à qqn.
Enlever le courage, l'énergie à qqn* (→ Casser* bras et
jambes). *Cette expérience lui a enlevé le goût, l'envie
de recommencer.* → **Passer** (faire). → Donner, cit. 44.
(Sans compl. en à). *Le temps enlève les illusions.*
→ **Cesser** (faire), **détruire.**

13 Lorsqu'un rival s'éloigne, un autre plus funeste
S'en vient nous enlever tout l'espoir qui nous reste.
MOLIÈRE, l'Étourdi, IV, 7.

14 L'ignorance du clergé, son manque d'éducation, son inintelligence des milieux, son mépris de la mystique, son
incompréhension de l'art, lui ont enlevé toute influence
sur le patriciat des âmes.
HUYSMANS, En route, p. 186.

Ne rien enlever à qqch. : laisser intact, ne pas modifier. *Il est colérique, mais cela n'enlève rien à sa bonté
foncière.* — Péj. *Toutes ces parures n'enlèvent rien à
sa laideur.*

15 Cette préparation minutieuse assure la solidité du travail,
mais ne lui enlève rien de sa spontanéité.
R. ROLLAND, Vie de Tolstoï, p. 68.

16 L'éclat de ses erreurs n'enlevait rien à l'autorité de ses prophéties. A. MAUROIS, Bernard Quesnay, I.

III (XVIe). Prendre avec soi, pour soi. → **Emporter,
prendre.** ♦ **1** Emporter (qqch.). *La rivière a enlevé le
pont.* → **Arracher.** *Les déménageurs viennent enlever
les meubles. Il y a un colis à enlever à la gare.* —
(1651). Le compl. désigne un corps inanimé. *Enlever un
mort.* — Loc. fam. *Enlevez le bœuf :* la chose est prête,
vous pouvez l'emporter.

17 Si quelqu'un se hasarde de lui emprunter quelques vases,
il les lui refuse souvent ; ou s'il les accorde, il ne les laisse
pas enlever qu'ils ne soient pesés.
LA BRUYÈRE, les Caractères de Théophraste,
« De la défiance ».

18 Diagnostiquer la fièvre épidémique revenait à faire enlever
rapidement le malade. CAMUS, la Peste, p. 104.

Spécialt. Emporter (une marchandise qui se vend
facilement et rapidement). *Le tout pour mille
francs, à enlever !,* à prendre tout de suite.

19 Deux cents exemplaires furent enlevés dans l'espace de douze
heures.
Mme DE GENLIS, les Veillées du château, III, p. 223,
in LITTRÉ.

♦ **2** (1690). Le sujet désigne une force militaire. *Enlever
une place, un poste,* prendre d'assaut. → **Emparer**
(s'). *Enlever du butin*.*

Celui-ci *(Ney)* enleva, le 16, les hauteurs de Michelsberg (...) 20
Louis MADELIN, Hist. du Consulat et de l'Empire,
L'avènement de l'Empire, XXII, p. 278.

(1880, *in* Petiot). *Enlever une épreuve.* → **Gagner.**

♦ **3** (1534). Spécialt (sujet n. de personne). Priver de
(qqch.) en prenant avec soi. → **Prendre, voler.**
Enlever à qqn ce qui lui appartient. → **Déposséder,
dépouiller, priver.** *Enlever un pion à son adversaire
au jeu* (→ **Souffler**). *On lui a enlevé les phares de
sa voiture ; ils ont enlevé tous les objets de valeur.*
→ **Confisquer, dérober, rafler, ravir.**

Le malheureux cultivateur (...) qui se voit encore enlever 21
le dixième de sa récolte par son curé, ne le regarde plus
comme son pasteur (...)
VOLTAIRE, l'Homme aux 40 écus,
Les impôts payés à l'étranger.

(1684). Par ext. S'assurer de. *Enlever les suffrages, le
concours de qqn. Enlever une course,* la gagner.

♦ **4** (1640). Fam. Soustraire (une personne) pour un
temps (à son entourage, son occupation). *Je vous
enlève votre fils pour la soirée.* → **Accaparer, arracher, emmener.** — Ravir, par la force ou par la
ruse. *On lui a enlevé sa fille pour la mettre dans
une maison de santé. Enlever à qqn sa maîtresse,
le cœur de sa maîtresse.* → **Souffler** (→ Approprier,
cit. 8).

(...) vouloir d'un autre enlever la conquête (...) 22
MOLIÈRE, les Femmes savantes, I, 1.

Tantôt il vous quitte brusquement pour joindre un sei- 23
gneur ou un premier commis ; et tantôt, s'il les trouve avec
vous en conversation, il vous coupe et vous les enlève.
LA BRUYÈRE, les Caractères, IX, 50.

(...) jamais je ne me suis plainte d'avoir été enlevée à mes 24
enfants, à mes amis, à mon travail, à mes affections et à
mes devoirs (...) G. SAND, Lettres à Musset, p. 80.

(1538). Spécialt. *Enlever une femme,* partir avec elle
contre le gré de la famille.

Enlever Marthe ! Comme elle n'appartient à personne, qu'à 25
moi, ce serait me l'enlever, puisqu'on nous séparerait.
R. RADIGUET, le Diable au corps, p. 77.

REM. Le mot avait une connotation sociale précise.

Enlever, vous me faites rire (...) ce mot ne peut s'appliquer 26
à une petite créature de cet état (...) on enlève une fille de
qualité, mais on emmène une paysanne (...)
Mme DE GENLIS, Théâtre d'éducation, Vrai sage, II,
5, *in* LITTRÉ.

♦ **5** (1538). Emmener (qqn) avec soi en séparant de
qqn. — Dr. Soustraire (une personne) à l'autorité de
ceux qui en ont la garde. → **Détourner, ravir ; enlèvement** (3.). *Enlever un mineur. Enlever une jeune fille
par violence ou séduction. Se faire enlever par son
amant. Enlever un enfant pour exiger une rançon.*
→ **Kidnapper.** Fam. *Ne vous aventurez pas seule par
là, vous allez vous faire enlever !* — Emmener dans
une fugue amoureuse (→ Chercher, cit. 3).

Quiconque aura, par fraude ou violence, enlevé ou fait 27
enlever des mineurs, ou les aura entraînés, détournés ou
déplacés, ou les aura fait entraîner, détourner ou déplacer
des lieux où ils étaient mis par ceux à l'autorité ou à la
direction desquels ils étaient soumis ou confiés, subira la
peine de réclusion. Code pénal, art. 354.

Une belle qui se fait enlever tous les six mois, elle a tou- 28
jours quelque chose à vous raconter quand elle revient (...)
Alphonse DAUDET, Lettres de mon moulin,
« La diligence de Beaucaire ».

(...) qu'un petit musicien qui débute à peine, comme Liszt, 29
enlève avec éclat une grande dame, comme la comtesse
d'Agoult (...)
Émile HENRIOT, Portraits de femmes, p. 328.

(1635). Littér. (Le sujet désigne un mal, la mort.)
Emporter à jamais de ce monde ; faire mourir*.
*La mort nous l'a enlevé à la fleur de l'âge. Une
pneumonie l'enleva en quelques jours.*

30 La princesse leur échappait parmi des embrassements si tendres, et la mort, plus puissante, nous l'enlevait entre ces royales mains. Quoi donc, elle devait périr si tôt !
> BOSSUET,
> Oraison funèbre de Henriette-Anne d'Angleterre.

31 *(Madame)* ne tourna jamais son esprit du côté de la vie, jamais un mot de réflexion sur la cruauté de sa destinée, qui l'enlevait dans le plus beau de son âge.
> Mᵐᵉ DE LA FAYETTE, Hist. d'Henriette-Anne d'Angleterre, III, p. 183, *in* LITTRÉ.

32 Une véritable étude sur le romancier célèbre qui vient d'être enlevé, et dont la perte soudaine a excité l'intérêt universel, serait tout un ouvrage à écrire (...)
> SAINTE-BEUVE, Causeries du lundi, t. II, M. de Balzac, 2 sept. 1850.

◆ **S'ENLEVER** v. pron.

♦ **1** (1835). Monter* en l'air. → **Élever** (s'). *Hélicoptère qui s'enlève avec son passager. Oiseau qui s'enlève.* → **Envoler** (s'). — *Cheval qui s'enlève sur ses pattes de derrière.* → **Dresser** (se).

33 (...) son cou se renverse en arrière et se renfle en un pli superbe, puis la voilà qui s'enlève, emportant son cavalier avec ses grands mouvements de corps qu'on donne aux statues équestres des Césars victorieux.
> E. FROMENTIN, Un été dans le Sahara, I, p. 80.

34 Vous savez que les perdreaux vont par bandes et nichent ensemble aux creux des sillons, pour s'enlever à la moindre alerte, éparpillés dans la volée comme une poignée de grains qu'on sème.
> Alphonse DAUDET, Contes du lundi, «Émotions d'un perdreau rouge», p. 288.

♦ **2** Se déplacer, se retirer. *Meuble, décor qui s'en-lève.* → **Amovible.** — Fam. (Personnes). *Enlève-toi de là !* → **Ôter.** — Se détacher. *Écorce qui s'enlève aisément.*

♦ **3** (1864). Disparaître. *Les taches d'huile s'enlèvent mal.* → **Partir.**

♦ **4** (1771). Spécialt. Se vendre vite. *Marchandise qui s'enlève bien.* Fam. *Cela s'enlève comme des petits pains :* cela trouve de nombreux acquéreurs.

♦ **5** Peint. (Vieilli). Se détacher nettement sur le fond d'un tableau.

4.1 Ces peintures, quoique médiocres, sont une excellente leçon, que je lui appliquais à l'instant même, de ce principe, qui veut qu'un objet, même très clair, s'enlève presque toujours en brun sur un objet plus brun.
> E. DELACROIX, Journal, 20 juin 1847.

◆ **ENLEVÉ, ÉE** p. p. adj.

♦ **1** (Voir les emplois du verbe, ci-dessus).

♦ **2** (→ ci-dessus I., 2.). Exécuté largement, avec facilité, brio. *Morceau de piano bien enlevé.*

35 *(Elle)* commença à sautiller avec tant d'orgueil et de prestesse, que jamais bourrée ne fut mieux marquée ni mieux enlevée. G. SAND, la Petite Fadette, XIV, p. 105.

36 (...) profils enlevés à la pointe d'un crayon effilé (...)
> Émile FAGUET, Études littéraires, XVIIᵉ s., p. 491.

♦ **3** N. m. ENLEVÉ ou ENLEVER [a] (1906, *in* Petiot). Action du corps qui s'enlève dans le saut.
[b] Hipp. Action du trotteur qui prend le galop.

CONTR. Déposer, poser. — Laisser; appliquer, mettre; adjoindre, ajouter. ◊ DÉR. Enlevage, enlèvement, enleveur, enlevure.

ENLEVEUR, EUSE [ɑ̃lvœr, øz] n. et adj. — V. 1640; de *enlever.*
Rare. Personne qui enlève (qqch. ou qqn).
(V. 1780). Vx. Ravisseur, ravisseuse. *Une enleveuse d'enfants.*

ENLEVURE [ɑ̃lvyr] n. f. — XIIᵉ; de *enlever.*

Technique.
♦ **1** Relief d'une sculpture.
Les murs, les meubles, l'ensemble du décor était assez touffu, rococo, caparaçonné de très vieil or adouci et ouvragé de formes de fougères, rinceaux, enlevures, cimaises et lambris.
> Patrice GRAINVILLE, les Flamboyants, p. 28.

♦ **2** Matière enlevée (à un bloc, une masse).

ENLIASSER [ɑ̃ljase] v. tr. — XVIIIᵉ, Beaumarchais; de *en-, liasse,* et suff. verbal.
Rare. Mettre en liasse*. *Enliasser des lettres, des billets de banque.*

ENLIER [ɑ̃lje] v. tr. — 1676; «lier ensemble», XIIᵉ; de *en-,* et *lier.*
Techn. Lier (les pierres, les briques... d'une construction) en les engageant les unes dans les autres.

ENLIGNEMENT [ɑ̃liɲmɑ̃] n. m. — 1839; de *enligner.*
Techn. Action d'enligner; état de ce qui est enligné.

ENLIGNER [ɑ̃liɲe] v. tr. — 1676; de *en-, ligne,* et suff. verbal.
Techn. Placer bout à bout, sur une même ligne. *Enligner des briques, des poutres.*
DÉR. Enlignement.

ENLINCEULER [ɑ̃lɛ̃sœle] v. tr. — 1885; de *en-, linceul,* et suff. verbal.
Littér. et rare. Envelopper d'un linceul (au propre et au figuré).

ENLISE [ɑ̃liz] n. f. — Attesté 1831; déverbal de *enliser.*
Loc. *Corde d'enlise,* destinée à arracher qqn à l'enlisement*.

Je courus à l'endroit d'où le bruit parvenoit; mais à l'instant où j'eus lancé la corde d'enlise que nous portons toujours dans nos résilles, sur le point du gouffre où j'avois vu disparaître cette créature infortunée qui gémissoit encore (...) Charles NODIER, Contes, p. 169.

ENLISEMENT [ɑ̃lizmɑ̃] n. m. — 1862; de *(s')enliser.*

♦ **1** Fait de s'enliser (dans une matière molle qui retient : sable, vase, boue...).

1 (...) c'est fini, il est condamné à l'enlizement. Il est condamné à cet épouvantable enterrement long, infaillible, implacable, impossible à retarder ni à hâter, qui dure des heures, qui n'en finit pas, qui vous prend debout, libre et en pleine santé, qui vous tire par les pieds, qui, à chaque effort que vous tentez, à chaque clameur que vous poussez, vous entraîne un peu plus bas (...) L'enlizement, c'est le sépulcre qui se fait marée et qui monte du fond de la terre vers un vivant. Chaque minute est une ensevelisseuse inexorable. HUGO, les Misérables, V, III, v.

♦ **2** Figuré (correspond à *s'enliser,* 2.).

2 Le gaspillage et l'enlisement des forces dans la vie bureaucratique (...)
> Georges LECOMTE, Ma traversée, p. 294.

3 Une sorte de fatigue étrange empêchait la Nation de s'arracher à l'enlisement où elle sombrait.
> Louis MADELIN, Hist. du Consulat et de l'Empire, L'ascension de Bonaparte, XX, p. 289.

ENLISER [ɑ̃lize] v. tr. — XVᵉ, repris fin XVIIIᵉ; encore *enlizer* dans Hugo et Littré; mot dial., de l'anc. franç. et dial. *lise, lize* «sable mouvant», p.-ê. (d'après P. Guiraud) forme de *glaise;* orig. incertaine.

♦ **1** Enfoncer (qqn ou qqch.) dans une matière molle et qui retient (sable mouvant, boue, etc.). → **Embourber, ensabler, envaser.** *Enliser sa voiture en se garant dans un champ marécageux.*

♦ **2** (Déb. XXᵉ). Mettre, maintenir dans un état d'inaction, d'impuissance. *Enliser la volonté.*

◆ **S'ENLISER** v. pron.

◆**1** *S'enliser dans des sables. Voiture qui s'enlise dans un marécage. S'enliser dans la boue.* → **Patauger** (→ Combat, cit. 7).

1 Quelquefois le cavalier s'enlize avec le cheval ; quelquefois le charretier s'enlize avec la charrette ; tout sombre sous la grève. HUGO, les Misérables, V, III, V.

2 J'étais, je suis encore, comme quelqu'un qui s'enlise dans un marais puant, cherchant autour de lui quoi que ce soit de fixe, de solide, où prendre appui, mais entraînant avec lui et enfonçant dans cet enfer boueux tout ce à quoi il se raccroche.
GIDE, Et nunc manet in te, Journal intime, 21 août 1938.

◆**2** (Déb. XXᵉ). Fig. S'enfoncer ; se laisser aller (dans une situation mauvaise). *S'enliser dans la médiocrité, dans la misère. Intelligence qui s'enlise.* → **Sombrer**. *S'enliser dans les mensonges, dans les contradictions.* → **Persévérer**. *Bataille, guerre qui s'enlise.*

3 Cet omnibus sentait le renfermé, l'administration poussiéreuse, le vieux bureau où la vie d'un homme s'enlise.
SAINT-EXUPÉRY, Terre des hommes, p. 19.

◆ **ENLISÉ, ÉE** p. p. adj. *Voiture enlisée. — Situation enlisée.*

Par métaphore ; littéraire :

4 Des traîneaux passent avec une lenteur enlisée.
H. TROYAT, les Héritiers de l'avenir, t. II, p. 7.

DÉR. Enlise, enlisement.

ENLUMINER [ãlymine] v. tr. — XIIIᵉ ; «éclairer», 1080 ; du lat. *illuminare* «rendre lumineux, embellir», avec changement de préf. (→ En-) ; «rendre brillant», jusqu'au XVIᵉ.

◆**1** Vx. Rendre lumineux. → **Éclairer, illuminer.**

◆**2** Mod. Orner d'enluminures*. → **Colorier.** *Enluminer un livre d'heures, un missel, un manuscrit. Art d'enluminer.*

1 Nous aurons des couleurs, des pinceaux ; nous tâcherons d'imiter le coloris des objets et toute leur apparence aussi bien que leur figure. Nous enluminerons, nous peindrons, nous barbouillerons (...) ROUSSEAU, Émile, II.

◆**3** Colorer vivement. *La fièvre, l'ivresse enlumine ses joues, ses pommettes.* → **Enflammer.**

2 Un rouge vif enluminait son teint (...)
VOLTAIRE, Apologie du luxe.

3 (...) la trogne enluminée du gros buveur (...)
TAINE, Philosophie de l'art, t. II, p. 73.

Fig. *Enluminer son style,* l'orner d'images, de traits colorés. *Enluminer un récit, une description.*

◆ **S'ENLUMINER** v. pron.

Se peindre.

4 (...) c'est pour eux (*les hommes*) qu'elles (*les femmes*) se fardent ou qu'elles s'enluminent (...)
LA BRUYÈRE, les Caractères, III, 6.

Devenir coloré, rouge.

◆ **ENLUMINÉ, ÉE** p. p. adj. *Album enluminé. —* (Au sens 3). *Visage, nez enluminé. Trogne enluminée.*

CONTR. Assombrir. ◊ DÉR. Enlumineur, enluminure.

ENLUMINEUR, EUSE [ãlyminœʀ, øz] n. — V. 1260 ; de *enluminer.*

Artiste spécialisé dans l'enluminure. → **Miniaturiste. —** Figuré :

(...) des scènes pittoresques, propres à être décrites au pinceau, en leur mouvement et en leur couleur — ce qui a certainement son charme, étant donné la virtuosité de l'enlumineur et la truculence de la langue dont il dispose.
Émile HENRIOT, les Romantiques, p. 202.

ENLUMINURE [ãlyminyʀ] n. f. — XIIIᵉ ; de *enluminer.*

◆**1** Art d'enluminer*. *L'enluminure du XIVᵉ, du XVᵉ siècle.*

◆**2** (1690). Lettre peinte ou miniature ornant d'anciens manuscrits, des livres religieux. → (anglic.) **Illumination,** III. *L'enluminure d'un encadrement de page. Fraîches enluminures d'un manuscrit médiéval. Enluminures sur fond or. Orner d'enluminures.*

1 Des restes d'anciennes enluminures presque effacées teignaient les murailles de couleurs étranges (...)
Th. GAUTIER, Voyage en Espagne, p. 119.

1.1 J'aimais les peintures idiotes, dessus de portes, décors, toiles de saltimbanques, enseignes, enluminures populaires (...)
RIMBAUD, Une saison en enfer, Délires II, Alchimie du verbe, Pl., p. 218.

2 On trouve dans les vieux missels de naïves enluminures (...)
Alphonse DAUDET, le Petit Chose, I, IV, p. 36.

3 (...) son unique procédé consistait à peindre à la gouache, en pleine pâte, en exaspérant la violence de ses reliefs de couleur par l'application d'un certain vernis (...) Ses enluminures, par conséquent, avaient l'éclat et la consistance lumineuse des émaux. C'était une fête pour les yeux (...)
Léon BLOY, la Femme pauvre, p. 134.

◆**3** (1648). Littér. Coloration brillante (du visage). *L'enluminure des joues.*

◆**4** (1656). Fig. et vieilli. Faux éclat (du style). *L'enluminure de son style.*

4 Cette enluminure du style qu'on donne pour du coloris (...)
MARMONTEL, Essai sur le goût, in Œ., t. IV, p. 451, in POUGENS.

ENLUNÉ, ÉE [ãlyne] adj. — XXᵉ ; de *en-, lune,* et *-é,* d'après *ensoleillé.*

Rare. Éclairé par la lune. «*La plaine enlunée*» (Duhamel).

La traversée des carrefours est particulièrement dangereuse. Sur ces espaces enlunés, l'observateur le plus distrait accroche malgré lui la silhouette furtive du passant qui s'impose au regard comme une danseuse dans le rond lumineux d'un projecteur.
M. AYMÉ, le Vin de Paris, «La traversée de Paris», p. 48.

ENNÉA- Mot grec signifiant «neuf», et entrant dans la composition de mots savants tels que : *ennéacorde,* n. m., 1839, Boiste ; comp. avec *corde* «cithare* à neuf cordes». — Voir ci-dessous à l'ordre alphabétique.

ENNÉADE [enead] n. f. — 1839 ; bas lat. *enneas, -adis* «neuvaine, neuf jours» ; grec *enneas, -ados* «groupe de neuf, neuvaine».

Didact. Groupe de neuf personnes, de neuf choses semblables.

ENNÉAGONAL, ALE, AUX [eneagɔnal, o] adj. — 1864 ; de *ennéagone.*

Géom. Qui a neuf angles. *Prismes ennéagonaux,* dont la base est ennéagonale.

ENNÉAGONE [eneagɔn] n. m. — 1690 ; adj., 1561 ; du grec *ennea* «neuf», et *-gone.*

Géom. Polygone à neuf angles. — Adj. *Figure ennéagone.*

DÉR. Ennéagonal.

ENNÉATIQUE [eneatik] adj. — XXᵉ ; du grec *ennea* «neuf», *-t-* intervocalique, et *-ique.*

Didact. (astrol.). *Années ennéatiques,* qui se comptent par neuf.

ENNEIGÉ, ÉE [ɑ̃neʒe] adj. — V. 1160, *enneigié; de en-, neige,* et suff. *-é.*

♦ **1** Couvert de neige. *Pics, sommets enneigés.* → **Neigeux.** *Paysage enneigé. Chemin, col enneigé. Pentes enneigées.*

L'hiver est mort tout enneigé
On a brûlé les ruches blanches
Dans les jardins et les vergers (...)
    APOLLINAIRE, Alcools, p. 29.

♦ **2** Rempli de neige. *Ciel enneigé.*

DÉR. Enneiger.

ENNEIGEMENT [ɑ̃neʒmɑ̃] n. m. — 1873; de *enneiger.*
État d'une surface enneigée; hauteur de la neige sur un terrain. *Bulletin d'enneigement, publié dans les stations de sports d'hiver. Un enneigement d'un mètre cinquante. L'enneigement est satisfaisant, insuffisant* (pour le ski).

ENNEIGER [ɑ̃neʒe] v. tr. [CONJUG.: *bouger.*] — Attesté fin XIXᵉ (1895, pron., *in* T. L. F.), probablt très antérieur; de *enneigé.*
Couvrir de neige*. *L'hiver enneige les routes.* — Au passif et p. p. *Plaine enneigée par l'hiver.* → **Enneigé.**
Fig. Blanchir comme par la neige. *La lune enneigeait la plaine. «Une des pentes de leur toit était tout enneigée de lune»* (Ramuz, *in* T. L. F.).

CONTR. Déneiger. ◊ **DÉR. Enneigement.**

ENNEMI, IE [ɛnmi] n. et adj. — Déb. XIIIᵉ; *inimi,* Xᵉ; du lat. *inimicus,* qui avait le sens plus restreint de «ennemi particulier», contraire de *amicus* «ami», de *in-,* et *amicus.*

I ♦ **1** **a** N. Personne qui veut du mal à qqn, qui cherche à lui nuire. → **Adversaire, antagoniste, détracteur, rival;** contre. *L'ennemi déclaré, juré, mortel de qqn. Ils sont ennemis à mort.* → À couteaux* tirés. *Ce sont des ennemis acharnés, farouches, irréconciliables. Vivre en ennemis. C'est son pire ennemi. Avoir* (cit. 93) *des ennemis à combattre. Être entouré d'ennemis. Se faire, s'attirer* (cit. 36) *des ennemis, un monde d'ennemis. Être en butte* (cit. 5) *aux attaques de ses ennemis. Je saurai bien me défendre de mes ennemis* (→ **Ami,** cit. 18). *Il veut se venger de ses ennemis. Un ennemi des siens, de sa famille* (→ **Bassesse,** cit. 20). *Haïr ses ennemis. Désarmer ses ennemis à force de bons procédés. Des ennemis politiques, littéraires. Traiter qqn en ennemi.* — Loc. prov. *Ami* au prêter, ennemi au rendu.

1 Rien n'est si dangereux qu'un ignorant ami;
Mieux vaudrait un sage ennemi.
    LA FONTAINE, Fables, VIII, 10.

2 C'est par faiblesse qu'on hait un ennemi, et que l'on songe à s'en venger (...) LA BRUYÈRE, Les Caractères, IV, 70.

3 (...) on nous réconcilia, nous nous embrassâmes; et depuis ce temps-là nous sommes ennemis mortels.
    A. R. LESAGE, le Diable boiteux, III.

4 Hypocrites, ils comptent sur la gentillesse de leurs amis et ne ménagent que la méchanceté de leurs ennemis.
    J. RENARD, Journal, 30 avr. 1902.

5 (...) perdre ses forces dans un combat misérable contre les sots et une nuée d'absurdes ennemis.
    André SUARÈS, Trois hommes, «Ibsen», p. 88.

6 Le visage glacé d'un ennemi à terre, au milieu même du dégoût, fait pitié.
    André SUARÈS, Trois hommes, «Pascal», p. 34.

Spécialt. Rival amoureux.

Par métaphore (domaine amoureux). Littér. et vx. *Une belle ennemie,* en parlant d'une femme qu'on aime, mais qui ne répond pas à cet amour.

Vers ma belle ennemie 7
Portons sans bruit nos pas,
Et ne réveillons pas
Sa rigueur endormie.
    MOLIÈRE, les Amants magnifiques, 3ᵉ intermède, scène 4.

Être ennemi de soi-même : nuire à ses propres intérêts (→ **Déprimant,** cit.).
Quel caprice vous rend ennemi de vous-même? 8
    RACINE, Bérénice, I, 3.
Certes, l'homme est partout l'ennemi de lui-même, son 9
secret et sournois ennemi.
    BERNANOS, Journal d'un curé de campagne, p. 117.

b Personne ou groupe qui s'oppose, cherche à nuire sur le plan politique, social. *Des ennemis politiques; l'ennemi politique de... Un ennemi de l'État, de la patrie, du bien commun* (→ **Assassiner,** cit. 6; **conjurer,** cit. 2), *de la foi* (→ **Arracher,** cit. 10), *de l'Église* (→ **Déchirer,** cit. 23), *de Dieu* (cit. 27), *de la religion.* — *Les ennemis du régime,* l'opposition. *Les ennemis du peuple, de la classe ouvrière.*

Ainsi les deux preuves de la corruption et de la rédemp- 10
tion se tirent des impies, qui vivent dans l'indifférence de
la religion, et des Juifs, qui en sont les ennemis irréconciliables.
    PASCAL, Pensées, VIII, 560.
Des ennemis de Dieu percer la tête impie. 11
    RACINE, Athalie, III, 7.

L'Ennemi des lois, roman de Barrès.
Ennemi du genre humain : misanthrope (→ **Atrabilaire,** cit. 5). **Spécialt.** *L'ennemi du genre humain,* et, **ellipt.,** *l'ennemi :* le démon, le diable.

C'est là que se forgent ces traits de feu, selon les termes de 12
l'apôtre, dont l'ennemi se sert pour allumer les passions
dans ces âmes vaines qui sont les idoles du monde, et
dont le monde lui-même est l'idole.
    FLÉCHIER,
    Oraison funèbre de Marie-Thérèse d'Autriche.

Loc. (1901, Zola). **ENNEMI PUBLIC :** personne qui présente un danger pour la communauté, de par son hostilité à la société. *«Qui parle, sous prétexte qu'il pense, est un ennemi public»* (Clemenceau, *in* T. L. F.). — **Spécialt** (adapt. de l'angl.). *L'ennemi public numéro un :* le plus dangereux des malfaiteurs (s'est dit de gangsters* célèbres).

c Adj. *Des frères ennemis. Des familles ennemies. Des yeux ennemis* (→ **Critique,** cit. 16). *Ô vieillesse ennemie!* (→ **Affaiblir,** cit. 1; **désespoir,** cit. 11, Corneille). *Destins ennemis.* → **Contraire, hostile.** *Astre* (cit. 17) *ennemi.* → **Maléfique, malfaisant.**

Mais je ne vois partout que des yeux ennemis. 13
    RACINE, Iphigénie, II, 7.

♦ **2** **ENNEMI DE** (qqch.) : personne qui a de l'aversion, de l'éloignement (pour telle ou telle chose). → **Opposé** (à). *Être un ennemi du travail, de la contrainte.* → **Détester, haïr; condamner, réprouver.** — *Il est ennemi des cérémonies* (→ **Ballon,** cit. 3), *de la médisance, des persécutions, de toute violence, de tout plaisir* (→ **Côté,** cit. 47). — Adj. *Il est ennemi du tabac, de l'alcool.*

Nous vivons sous un prince ennemi de la fraude (...) 14
    MOLIÈRE, Tartuffe, V, 7.
(...) les habitants étaient ennemis du travail. 15
    FÉNELON, Télémaque, IV.
Et ma bouche et mes yeux, du mensonge ennemis (...) 16
    RACINE, Bajazet, II, 5.

♦ **3** Chose jugée contraire au bien (de qqn, d'un groupe). → **Nuisible.** *Ma vieille ennemie, la solitude* (→ **Découvrir,** cit. 47). *Le cléricalisme* (cit.) *voilà l'ennemi!* → **Mal.**

Ennemi(e) de... : chose qui s'oppose à une autre et lui nuit. *Le mieux est l'ennemi du bien. L'eau est l'ennemie du feu. L'orgueil est l'ennemi de la sainteté.* — Adj. ou appos. *La démagogie, ennemie de la démocratie.*

17 La raison et l'amour sont ennemis jurés (...)
CORNEILLE, la Veuve, II, 3.

18 La médisance est l'ennemi le plus mortel de la charité (...)
BOURDALOUE, Sermons,
11ᵉ dim. après la Pentecôte, Sur la médisance.

Ⅱ (Au plur. ou au sing. collectif). ◆ **1** Ceux contre lesquels on est en guerre, leur nation, leur armée. → **Adversaire** (cit. 7). *S'avancer* (cit. 44) *contre des milliers d'ennemis. Nos ennemis :* les ennemis que nous combattons.

19 Nos soldats *(à Moscou)* rencontraient ces vaincus sans animosité, soit qu'ils crussent la guerre finie, soit insouciance ou pitié et que, hors du combat, le Français se plaise à n'avoir plus d'ennemis (...)
Ph.-P. SÉGUR, Hist. de Napoléon, VIII, 8.

(L'ennemi). Se battre contre l'ennemi. Combattre l'ennemi sur le champ de bataille. Affronter l'ennemi (→ Dresser, cit. 26). *Aller, marcher à l'ennemi. Attaquer* (cit. 3 et 37), *charger l'ennemi. Fondre sur l'ennemi. Devant l'ennemi. À l'approche, à l'aspect* (cit. 10), *à la vue de l'ennemi. Contenir, chasser, poursuivre, repousser l'ennemi. Sus à l'ennemi! Battre, vaincre, culbuter, désarmer l'ennemi. Mettre l'ennemi en fuite. Couper les communications de l'ennemi. L'ennemi est coupé* (cit. 35) *de ses arrières. Un ennemi redoutable, supérieur en nombre* (→ Disputer, cit. 18). *L'ennemi est à nos portes. Être sous les canons* (cit. 2) *de l'ennemi. Tomber entre les mains de l'ennemi :* être fait prisonnier. *Passer à l'ennemi.* → **Déserter** (cit. 6); **désertion** (cit. 2), *transfuge. Jeter ses armes aux pieds de l'ennemi.* → **Capituler, rendre** (se). *La loi de l'ennemi. Être tué à l'ennemi.*

20 Le concept d'ennemi n'est pas à fait ferme et tout à fait clair que si l'ennemi est séparé de nous par une barrière de feu.
SARTRE, Situations III, p. 21.

Loc. fam. *C'est autant de pris sur l'ennemi,* autant de consommé, autant de soustrait à qqn d'hostile, à l'adversité, etc.

Par métaphore (→ Bataille, cit. 17) :

21 Se sachant trahie déjà dans le cœur de son fils, elle ne s'était pas étonnée qu'il passât à l'ennemi avec ses bagages et ses armes.
F. MAURIAC, Génitrix, VIII, p. 91.

◆ **2** Par anal. *L'ennemi intérieur, du dedans :* les agents de l'ennemi (1.), les espions. → Cinquième **colonne***.

REM. Un certain nombre d'emplois fig. (→ ci-dessus, I.) peuvent être sentis comme métaphoriques de ce sens *(ennemi militaire).*

Adj. *Nation ennemie. En pays ennemi. L'armée ennemie. Troupes ennemies. Le camp ennemi. Rangs ennemis. Canons ennemis. Flotte ennemie.*

Par ext. Pays contre lequel on a souvent et longtemps fait la guerre. *L'ennemi héréditaire.*

CONTR. Ami, allié.

ENNIAISER [ɑ̃njeze; ɑ̃njɛze] v. tr. — 1837; de en-, *niais,* et suff. verbal.

Vx. Rendre niais, sot.

1 Le marié avait un air moitié amoureux, moitié victime, qui rapetisse et enniaise la chose.
BARBEY D'AUREVILLY, Deuxième mémorandum,
1838, in D. D. L., II, 3.

2 Est-ce que le drame de Mascha l'avait complètement détraqué, abruti, enniaisé?
B. CENDRARS, Moravagine, in Œ. compl., t. IV,
p. 138.

CONTR. Déniaiser.

ENNIÈME [ɛnjɛm] adj. → **Nième.**

ENNOBLIR [ɑ̃nɔbliʀ] v. tr. — V. 1260; de en-, noble, et suff. verbal.

◆ **1** (Encore au XVIIᵉ). Vx. → **Anoblir.** — REM. Cet emploi est considéré comme une confusion erronée, en français moderne.

◆ **2** Mod. Donner de la noblesse, de la dignité, de la grandeur morale. → **Agrandir, anoblir, élever, grandir, idéaliser, rehausser, relever.** *De tels sentiments vous ennoblissent. Traits qui ennoblissent un caractère. Les vertus ennoblissent l'homme* (→ Charlatanisme, cit. 1). *Civilisation qui ennoblit le patrimoine de l'espèce* (→ Cœur, cit. 59).

(...) la sagesse (...) ennoblit l'esprit (...)   1
LA BRUYÈRE, les Caractères, III, 48.

(...) ce sentiment délicieux qui ennoblit l'amour (...) 2
LACLOS, les Liaisons dangereuses, Lettre CXXXII.

C'est le cœur qui ennoblit l'homme (...)   3
R. ROLLAND, Jean-Christophe, II, p. 198.

Dès que Camille était seule, elle ressemblait beaucoup 4
à la petite fille qui ne voulait pas dire bonjour, et son visage retournait à l'enfance par l'expression de naïveté inhumaine, d'angélique dureté qui ennoblit les visages enfantins.
COLETTE, la Chatte, p. 142.

◆ **3** (De *noble,* en publicité et en commerce). Comm. Améliorer les qualités de (un produit). «*Ennoblir une matière textile*» (*Découverte,* 1972).

◆ **S'ENNOBLIR** v. pron.

(...) dans les plus bas rangs les noms les plus abjects 5
Ont voulu s'ennoblir de si hauts projets.
CORNEILLE, Cinna, IV, 3.

(...) ses facultés s'exercent et se développent, ses idées 6
s'étendent, ses sentiments s'ennoblissent, son âme tout entière s'élève (...)
ROUSSEAU, Du contrat social, I, VIII.

CONTR. Abaisser, avilir, dégrader, déshonorer. ◊ DÉR. Ennoblissant, ennoblissement.

ENNOBLISSANT, ANTE [ɑ̃nɔblisɑ̃, ɑ̃t] adj. — Attesté XXᵉ (1923, in T. L. F.); p. prés. de *ennoblir.* Rare. Qui ennoblit.

ENNOBLISSEMENT [ɑ̃nɔblismɑ̃] n. m. — 1636; «embellissement», 1345; de *ennoblir.*

◆ **1** Rare. Action, fait de donner une grandeur morale à (qqn, qqch.). — Fait d'acquérir la grandeur morale.

L'ennoblissement d'une nature sans noblesse est possible. Il n'existe pas, pour le Fils de l'Homme, de cas désespéré; il n'est rien de trop bas lorsque Dieu s'abaisse.
F. MAURIAC, Souffrances et bonheur du chrétien,
p. 14.

◆ **2** Comm. Amélioration des qualités d'un matériau.

ENNOYAGE [ɑ̃nwajaʒ] n. m. — 1932; autre sens en 1870; de *ennoyer.*

Géographie.

◆ **1** Fait d'ennoyer, invasion d'une région continentale par la mer.

◆ **2** Disparition du relief dans les sédiments environnants. *L'ennoyage se fait par entassement du matériel détritique dans les dépressions.*

ENNOYER [ɑ̃nwaje] v. tr. — 1554, ennoier, au sens de «submerger», mot du Dauphiné; de en-, et *noyer.*

Géogr. Recouvrir une région continentale (en parlant de la mer). Submerger une zone terrestre (en parlant d'eau, d'éléments fluides). *Ennoyer une vallée pour faire un lac de barrage. Coulée pyroclastique ennoyant une vallée.*

REM. *Ennoyer* n'évoque pas, à la différence d'*inonder*, un phénomène temporaire. *Les fjords sont d'anciennes vallées ennoyées.* «*D'anciens reliefs continentaux ennoyés par affaissement*» (*Science et Vie*, nᵒ 592, p. 126).

DÉR. **Ennoyage.**

ENNUAGER [ɑ̃nɥaʒe] v. tr. — 1611 ; de *en-*, *nuage*, et suff. verbal.

♦ **1** Couvrir de nuages, d'un nuage.

♦ **2** (Av. 1890). Fig. et littér. Couvrir de choses vaporeuses.

1 Mᵐᵉ Henningsen, ennuagée de mousseline et de tulle (...)
G. DUHAMEL, Chronique des Pasquier, II, XVII, p. 390.

♦ **3** (XXᵉ). Fig. Assombrir, attrister. — Rendre brumeux, flou. «*Le cœur (...) ennuage (...) le regard*» (Amiel).

♦ **S'ENNUAGER** v. pron. (1920, Gide).

1.1 Le ciel s'était ennuagé dans la matinée, mais après-midi, à la première heure, il devint très bleu.
M. AYMÉ, la Vouivre, p. 244 (1943).

Fig. S'assombrir.

2 (...) comme la réputation de Wilde s'ennuageait (...)
GIDE, Si le grain ne meurt, II, 2, p. 332.

♦ **ENNUAGÉ, ÉE** p. p. adj. *Ciel ennuagé.* → **Nuageux.**
— Par analogie :

3 L'atmosphère étant très ennuagée car tout le monde fumait, Luce demanda à Jean si cela ne lui était pas désagréable et lui offrit une cigarette.
PROUST, Jean Santeuil, Pl., p. 562.

Fig. *Perspectives ennuagées*, assombries.
Brouillé comme par un nuage. «*Ses yeux ennuagés*» (Proust, À la recherche du temps perdu, Pl., t. III, p. 1018).

ENNUI [ɑ̃nɥi] n. m. — Déb. XIIᵉ ; déverbal de *ennuyer*.

♦ **1** Vx (langue class.). «Tourment de l'âme causé par la mort de personnes aimées, par leur absence, par la perte d'espérances, par des malheurs quelconques» (Littré). → **Affliction, chagrin, désespoir, désolation, douleur** (cit. 15), **peine, tourment** (→ Abîme, cit. 6 ; coûter, cit. 9). *L'ennui qui vous dévore* (Racine, *Bérénice*, II, 4).

1 Si d'une mère en pleurs vous plaignez les ennuis (...)
RACINE, Iphigénie, IV, 4.

♦ **2** (*Un, des ennuis*). Peine qu'on éprouve d'une contrariété ; cette contrariété. → **Anicroche, 1. aria, avanie, désagrément, embarras, préoccupation, souci, tracas ;** (fam.) **chiotte, embêtement, emmerde, emmerdement.** *Avoir des ennuis, toutes sortes d'ennuis. Chacun a ses ennuis. Causer* (cit. 5), *faire, susciter, attirer des ennuis à qqn.* → **Tracasserie.** *Se créer des ennuis. Vous vous préparez bien des ennuis.* → **Complication, difficulté ; déboire, déception, misère.** *Je sais les ennuis que cela m'a coûtés. C'est, pour lui, un sujet d'ennui.* → **Fardeau, mécontentement.** *Être accablé d'ennuis* (cf. En baver, en chier). *Ruminer ses ennuis. Confier des ennuis à qqn. Quel ennui !* (→ fam. **Barbe, poisse**). — (Qualifié). *Avoir des ennuis professionnels. Avoir des ennuis d'argent.* → (fam.) *Être dans la mélasse**, *dans la mouise**, *la purée**... *Ennuis de santé. Ennuis de famille. Les ennuis de la vieillesse. Les ennuis du métier.* → **Inconvénient, incommodité.** — Prov. *Un ennui ne vient jamais seul.* — *L'ennui, c'est que... :* ce qu'il y a d'ennuyeux, c'est que...

2 Je m'en tais, et ne veux leur causer nul ennui :
Ce ne sont pas là mes affaires.
LA FONTAINE, Fables, IV, 9.

Maintenant, mon enfant, je ne suis plus qu'une vieille 3
sœur, incapable peut-être de soulager vos ennuis, mais non pas de les partager.
A. DE MUSSET, les Caprices de Marianne, I, 2.

L'organiste songe à sa famille et rumine ses ennuis pen- 4
dant qu'il joue (...) HUYSMANS, En route, p. 17.

Des ennuis, tout le monde en a, mais on ne s'ennuie pas. 5
J. RENARD, Journal, 26 juil. 1894.

La plupart de nos ennuis sont notre création originale. 6
VALÉRY, Autres rhumbs, p. 184.

Elle assurait que la lettre d'amour en conserve ne fait 7
plaisir à personne, qu'elle peut engendrer mille ennuis, et que plutôt que de susciter des malheurs posthumes, elle avait détruit toutes les siennes (...)
COLETTE, l'Étoile Vesper, p. 185.

— Tu sais, je ne pars pas aujourd'hui, dit Mathieu. — Je 8
sais. Tu ne crains pas qu'on te fasse des ennuis ?
SARTRE, le Sursis, p. 86.

Spécialt. Mauvais fonctionnement (d'un objet nécessaire). *Des ennuis mécaniques, de chauffage.* — *J'ai des ennuis avec ma voiture* (même sens global, mais valeur normale de *ennui*).

♦ **3** (XIIIᵉ). *L'ennui ; un ennui* (qualifié). *Malaise, impression de vide, de lassitude causée par l'inaction* (→ **Désœuvrement,** cit. 1, 3), *par une occupation monotone ou dépourvue d'intérêt* (→ **Fatigue, lassitude**). *Éprouver de l'ennui.* → **Ennuyer** (s'). *L'ennui fait paraître le temps long. L'ennui le rend impatient* (→ **Impatience**). *Crever, mourir* (→ 1. Mourir, cit. 39), *périr, sécher d'ennui.* → Moutonnerie, cit. *Ils me feront mourir, périr d'ennui* (→ Assassiner, vx ; tuer). *L'ennui me tue. Un ennui mortel, pesant, profond* (→ fam. Assommement). *Ce travail monotone, fastidieux me remplit, m'accable d'ennui.* → **Monotonie** (→ Critique, cit. 7). *L'ennui de la vie quotidienne. L'ennui des mois d'hiver. Livre, spectacle qui distille, engendre, sécrète l'ennui, donne de l'ennui* (→ Dédommager, cit. 3). *Ce conférencier sue l'ennui. L'ennui pèse sur l'auditoire. Donner des signes d'ennui. Bâiller, s'étirer par ennui. Moue d'ennui. Bâiller d'ennui. S'avaler la langue d'ennui* (→ Bouder, cit. 6). *Savoir éviter l'ennui. Lutter contre l'ennui* (→ Asile, cit. 26). *Ne laisser aucune place à l'ennui.* (→ Plein, cit. 12). *Chasser, dissiper, tromper, tuer, vaincre l'ennui* (→ Tuer le temps* ; et aussi attente, cit. 3 ; boire, cit. 10). *Ne pas connaître l'ennui. N'avoir pas une minute d'ennui. Ce film est d'un ennui !* → **Ennuyeux.**

L'ennui est entré dans le monde par la paresse (...) 9
LA BRUYÈRE, les Caractères, XI, 101.

Je me meurs d'ennui quand je vous entends, vous autres 10
riches, parler de vos intérêts et de vos affaires.
RACINE, Traductions, Le banquet de Platon.

C'est un grand agrément que la diversité. 11
Nous sommes bien comme nous sommes.
Donnez le même esprit aux hommes,
Vous ôtez tout le sel de la société.
L'ennui naquit un jour de l'uniformité.
LA MOTTE-HOUDAR, Fables, «Les amis trop d'accord».

Un enfant oisif est sujet à l'ennui (...) 12
ROUSSEAU, Julie ou la Nouvelle Héloïse, Lettre 5.

L'ennui, ce fléau de la solitude (...) 13
ROUSSEAU, Julie ou la Nouvelle Héloïse, Entretiens sur les romans, p. 14.

(...) tous ces hommes du grand monde, sans esprit, qui 14
vont aux eaux promener leur ennui entouraient madame de Larçay (...) STENDHAL, Mina de Vanghel.

L'ennui est la grande maladie de la vie ; on ne cesse de 15
maudire sa brièveté, et toujours elle est trop longue, puisqu'on n'en sait que faire.
A. DE VIGNY, Journal d'un poète, p. 86.

(...) je ne puis travailler, et pourtant je travaille toujours 16
pour ne pas mourir d'ennui.
PROUDHON, in SAINTE-BEUVE, Proudhon..., p. 55.

(...) l'ennui n'est fait que pour les esprits vides et pour les 17
cœurs qui ne sauraient être blessés de rien (...)
E. FROMENTIN, Dominique, p. 111.

18   Elle fait une moue d'ennui, de dédain aussi un peu,
      comme regrettant d'être venue à un spectacle qui languit,
      qui n'est guère amusant.
                          LOTI, Mme Chrysanthème, IV, p. 47.

18.1 Mer des Sargasses; aube en larmes, et clartés tristes sur
      l'eau grise. Certes, si j'avais pu choisir, je n'aurais pas ramé
      vers ces parages. L'ennui! pourquoi le dire! Qui ne l'a
      pas connu ne le comprendra pas; qui l'a connu demande
      à s'en distraire. L'ennui! c'est donc vous, mornes études
      de notre âme, quand autour de nous les splendeurs, les
      rayons défendus se retirent. Les rayons sont partis, les
      tentations nous abandonnent; rien ne nous occupe plus,
      hors nous-mêmes, dans les aurores désenchantées.
                          GIDE, le Voyage d'Urien, in Romans, Pl., p. 41.

19   Qui n'a point de ressources en lui-même, l'ennui le guette
      et bientôt le tient.
                          ALAIN, Propos sur le bonheur, p. 126.

20   (...) il n'y a point d'affection qui ne périsse si l'ennui s'y
      met.   ALAIN, les Aventures du cœur, p. 61.

21   Les personnes valides croient toujours que l'immobilité
      forcée naît l'ennui.   COLETTE, l'Étoile Vesper, p. 9.

22   (...) presque tous les métiers sécrètent l'ennui à la longue.
                          J. ROMAINS, Knock, p. 29.

♦ 4 Mélancolie vague, lassitude morale qui fait
qu'on ne prend d'intérêt, de plaisir à rien. → **Abattement** (cit. 3, 7), **accablement** (cit. 9), **cafard** (fam.),
découragement (cit. 1), **dégoût** (de la vie, de tout), **hypo-
condrie, langueur, lassitude, mal** (du siècle), **mélancolie, morosité, neurasthénie, noir** (idées noires, papillons noirs), **spleen, tristesse, vide** (→ Araignée, cit. 10;
bas, cit. 6; brouillard, cit. 13; bruyant, cit. 4; défaillance,
cit. 2). *Être accablé d'ennui. Un ennui incurable, sans
cause. Son ennui vient du mal du pays.* → **Nostalgie.** *Tomber dans un profond, un immense ennui.
Dépérir, languir d'ennui. Traîner son ennui comme
un fardeau. Sauver qqn de l'ennui. Guérir de l'ennui.*

23   Mais, ôtez tout divertissement, vous les verrez se sécher
      d'ennui; ils sentent alors leur néant sans le connaître : car
      c'est bien être malheureux que d'être dans une tristesse
      insupportable, aussitôt qu'on en est réduit à se considérer, et
      à n'en être point diverti.   PASCAL, Pensées, II, 164.

24   Cattien, dans son ouvrage *De Institutis Cœnobiorum*, parle
      d'une maladie particulière, *acedia*, et en fait le sujet de
      son dixième livre. L'*acedia* est l'ennui propre au cloître,
      surtout dans le désert et quand le religieux vit seul; une
      tristesse vague, obscure, tendre, l'ennui des *après-midi*. Le
      besoin de l'infini vous prend; on s'égare en d'indéfinissa-
      bles désirs; c'est le moment où l'on se perdrait volontiers
      dans le tourbillon du désert avec Pharan, où l'on s'écrierait
      avec René : Levez-vous vite, Orages désirés (...)
                          SAINTE-BEUVE, Port-Royal, t. I, I, VIII. (Cf. aussi
                          Balzac, Un prince de la Bohème, Pl., t. VI, p. 829).

25   Connaissez-vous l'ennui? non pas cet ennui commun,
      banal, qui provient de la fainéantise ou de la maladie,
      mais cet ennui moderne qui ronge l'homme dans les
      entrailles et, d'un être intelligent, fait une ombre qui
      marche, un fantôme qui pense.
                          FLAUBERT, Correspondance, 87, 7 juin 1844.

26   Je crois, disait-il *(Chateaubriand),* que je me suis ennuyé
      dès le ventre de ma mère. Il a comme engendré cet ennui
      incurable, mélancolique, sans cause, si souvent doux et
      enchanteur dans son expression, sauvage et desséchant
      au fond, et mortel au cœur, mortel à la bonne et saine
      pratique familière des vertus, — le *mal de René*, qui a été
      celui de tout notre âge, maladie morale (...) Le voilà donc
      à sa source cet ennui qui va s'épancher à travers le monde,
      qui cherchera partout l'infini et l'indéterminé, le *désert* (...)
                          SAINTE-BEUVE, Chateaubriand, t. I, p. 81.

27   Dans la ménagerie infâme de nos vices,
      Il en est un plus laid, plus méchant, plus immonde!
      Quoiqu'il ne pousse ni grands gestes ni grands cris,
      Il ferait volontiers de la terre un débris
      Et dans un bâillement avalerait le monde;
      C'est l'Ennui!
                          BAUDELAIRE, les Fleurs du mal, Au lecteur.

28   On dira peut-être que le monde est depuis longtemps fami-
      liarisé avec l'ennui, que l'ennui est la véritable condition
      de l'homme. Possible que la semence en fût répandue par-
      tout et qu'elle germât çà et là, sur un terrain favorable.
      Mais je me demande si les hommes ont jamais connu cette

contagion de l'ennui, cette lèpre? Un désespoir avorté, une
forme turpide du désespoir, qui est sans doute comme la
fermentation d'un christianisme décomposé.
                    BERNANOS, Journal d'un curé de campagne, I,
                                                                p. 11.

Nous avions pensé d'abord que l'auto tuerait l'ennui. Rien   29
ne tue l'ennui. Si nous pressons la voiture, c'est que la
route est longue et que l'ennui nous poursuit.
                    G. DUHAMEL, Scènes de la vie future, VI, p. 99.

L'ennui de... (et inf.). *L'ennui de vivre.*

CONTR. **Allégresse, bonheur, divertissement, euphorie,
gaieté, joie, liesse, plaisir, récréation, réjouissance, satisfaction.**

ENNUYANT, ANTE [ɑ̃nɥijɑ̃, ɑ̃t] adj. — XIVe; *anoiant,*
XIIe; p. prés. de *ennuyer.*

Vieilli ou régional (notamment Canada). Qui
ennuie, importune, contrarie dans le moment.
→ **Ennuyeux; contrariant, fâcheux.** *Ce contretemps
est bien ennuyant.*

C'est à mon gré un métier assez ennuyant.   1
                    RACINE, Lettres, in Œ., t. VI, p. 504.

(...) tu regardes toujours dans la rue, tu ne sauras pas ta   2
leçon ce soir.
    — Dame! c'est ennuyant.
                    Henri MONNIER, Scènes populaires,
                    Le dîner bourgeois, sc. 1, éd. 1835, t. I, p. 127.

Ça ne paraît peut-être pas à première vue, mais c'est la   3
bonté même. Il est ennuyant peut-être, mais on ne peut
pas tout avoir.
                    Jean-Yves SOUCY, Un dieu chasseur, p. 75.

CONTR. **Agréable, heureux.**

ENNUYER [ɑ̃nɥije] v. impers. et tr. [CONJUG.: *appuyer.*]
— XIIIe; *enuier,* XIIe; du bas lat. *inodiare (in odio esse)*
«être un objet de haine», de *in-,* et *odium* «haine».
→ Odieux.

A V. impers. (Vx). Causer de l'ennui (1.), du désagrément. → **Déplaire.** *Il m'ennuie d'attendre. «J'ai cessé
de les fréquenter, il m'ennuyait d'entendre toujours
déraisonner»* (Académie).

Mon Dieu! qu'il m'ennuie de ne vous point voir (...)   1
                    Mme DE SÉVIGNÉ, 199, 2 sept. 1671.

Marquez-moi si je puis compter sur votre libraire, il m'en-   2
nuierait fort d'en chercher un autre (...)
                    P.-L. COURIER, Lettres, I, 58.

Nous avons perdu quelques impersonnels : *il m'ennuie,*   3
il me fâche (...) Mais ils ne sont morts qu'en apparence.
On les retrouve avec d'autres sujets : *Cela m'ennuie; ça me
fâche* (...)   F. BRUNOT, la Pensée et la Langue, p. 554.

B ♦ 1 (Sujet n. de chose; compl. n. de personne). Causer
du souci, de la contrariété, du tracas à (qqn).
→ **Contrarier, décevoir, désoler, mécontenter.** *Cette
absence de nouvelles, cette fièvre persistante commence à m'ennuyer.* → **Inquiéter, préoccuper, tra-
casser, tourmenter.** *La chose m'ennuie un peu.* → **Soucier.**

(...) c'était bien assez d'ennuyer son père par sa tristesse, 4
il ne voulait pas le fâcher en lui faire tort par sa lâcheté.
                    G. SAND, la Petite Fadette, XXVII, p. 181.

Cela, ça m'ennuie de... (et inf.). *Cela m'ennuie de vous
voir dans cet état.* → **Chagriner.** *Cela vous ennuierait-
il d'attendre un moment?* → **Déranger, gêner.** *Cela
m'ennuierait d'arriver en retard.*

♦ 2 (Sujet n. de personne). Importuner. *Il m'ennuie
avec ses questions, ses revendications perpétuelles.*
→ **Accabler, agacer, assassiner** (vx), **assommer,
assourdir** (vx), **énerver, excéder, obséder.** → aussi
(fam.) Barber, bassiner, braire (faire), briser, brouter,
canuler, casser (la tête, les pieds), cavaler, chier (faire),
courir (sur le ciboulot, sur le haricot), cramponner,
embêter, emmerder, empoisonner, enquiquiner, foirer*
dans les bottes de qqn, seriner, soûler, suer (faire),

tanner, tartir (faire) ; tuer (**fig.**). *Vous commencez à m'ennuyer* (→ Chaudronnée, cit. 1).

♦ 3 Engendrer la lassitude de (qqn). → **Accabler, endormir, fatiguer, lasser;** → fam. Barber, casser les pieds* à, faire chier*, raser. *Professeur, prédicateur, conférencier qui ennuie son auditoire. Ce spectacle nous ennuie à mourir.* — **Absolt.** *L'art d'ennuyer* (→ Dire, cit. 86). *Tout l'ennuie, il est blasé de tout.* → **Dégoûter.**

5 *(Cette chanson) Qui vous pourrait par sa longueur déplaire*
Vous ennuyant, ce que je ne veux faire,
Car vous avez à quoi passer le temps
D'autres plus grands et meilleurs passe-temps (...)
RONSARD, Pièces retranchées, «Prière à la fortune».

6 Nous pardonnons souvent à ceux qui nous ennuient, mais nous ne pouvons pardonner à ceux que nous ennuyons.
LA ROCHEFOUCAULD, Maximes, 304.

7 L'éloquence continue ennuie.
PASCAL, Pensées, VI, 355.

8 Le fat lasse, ennuie, dégoûte, rebute (...)
LA BRUYÈRE, les Caractères, XII, 46.

9 (...) tout les ennuie, tout les excède, tout les assomme ; ils sont rassasiés, blasés, usés, inaccessibles. Ils connaissent d'avance ce que vous allez leur dire ; ils ont vu, senti, éprouvé, entendu tout ce qu'il est possible de voir, de sentir, d'éprouver et d'entendre (...)
Th. GAUTIER, Préface de Mˡˡᵉ de Maupin, éd. critique MATORÉ, p. 41.

♦ S'ENNUYER v. pron.

♦ 1 Éprouver de l'ennui. → **Morfondre** (se) ; (fam.) **assommer** (s'), **barber** (se), **barbifier** (se), **embêter** (s'), **emmerder** (s') ; cf. Avoir le blues, le cafard ; se faire chier, suer.... Loc. *S'ennuyer à cent sous* de l'heure. S'ennuyer comme un rat mort*, beaucoup. *S'ennuyer quelque part, s'ennuyer partout* (→ Attendre, cit. 7 ; dégoûter, cit. 6 ; ennui, cit. 28). *S'ennuyer avec qqn, en sa compagnie. S'ennuyer à la lecture d'un roman* (→ Austérité, cit. 3). *S'ennuyer réciproquement, l'un l'autre.*

10 Seigneur, le Roi s'ennuie, et vous tardez longtemps.
CORNEILLE, Nicomède, III, 8.

11 (...) les gens qui ont eu le malheur de s'accoutumer aux plaisirs violents perdent le goût des plaisirs modérés, et s'ennuient toujours dans une recherche inquiète de la joie.
FÉNELON, De l'éducation des filles, V, p. 55.

12 Je dis quelquefois en moi-même : La vie est trop courte pour mériter que je m'en inquiète. Mais, si quelque importun me rend visite et qu'il m'empêche de sortir et de m'habiller, je perds patience, et je ne puis supporter une demi-heure.
VAUVENARGUES, Réflexions et maximes, 144.

13 (...) cette vie de petite ville lui pesait, l'étouffait. Le grand homme de Tarascon s'ennuyait à Tarascon.
Alphonse DAUDET, Tartarin de Tarascon, I, IV, p. 31.

14 On s'ennuie presque toujours avec ceux que l'on ennuie.
Antoine ALBALAT, la Formation du style, p. 221.

14.1 La vie est courte, mais on s'ennuie quand même.
J. RENARD, Journal, 24 mai 1902.

♦ 2 Vx ou régional. *S'ennuyer de qqn*, ressentir désagréablement son absence. → **Languir.** *S'ennuyer de qqch.*

15 (...) né inquiet et qui s'ennuie de tout, il *(l'homme)* ne s'ennuie point de vivre (...)
LA BRUYÈRE, les Caractères, XVI, 32.

16 On ne s'ennuie jamais de son état quand on n'en connaît point de plus agréable. ROUSSEAU, Émile, IV.

17 La lumière du Midi, elle aussi, n'est qu'un rêve. Là-bas, la vie est plus facile. Le malheur veut que les cœurs profonds s'ennuient de la facilité.
André SUARÈS, Trois hommes, «Ibsen», p. 103.

♦ 3 (1610). *S'ennuyer à... S'ennuyer de...* suivi d'un inf. *Il s'ennuie à l'attendre si longtemps. Il s'ennuie de voir que...*

On *s'ennuie à* attendre, c'est-à-dire en attendant ; on *s'ennuie* d'attendre, c'est-à-dire que l'attente elle-même est désagréable, qu'on ne peut plus la supporter.
LAFAYE, Dict. des synonymes, p. 65.
18

Ce qui fait que les amants et les maîtresses ne s'ennuient point d'être ensemble, c'est qu'ils parlent toujours d'eux-mêmes. LA ROCHEFOUCAULD, Maximes, 312.
19

On ne s'ennuie point de manger et dormir tous les jours, car la faim renaît, et le sommeil ; sans cela on s'ennuierait. PASCAL, Pensées, IV, 264.
20

(...) après s'être si longtemps ennuyée à sonder le vide de tout, madame du Deffand avait enfin trouvé sa raison de vivre (...)
Émile HENRIOT, Portraits de femmes, p. 152.
21

♦ ENNUYÉ, ÉE p. p. adj.
Préoccupé, contrarié. → **Mécontent.** *Je suis très ennuyé. Il a l'air ennuyé.*

(...) celui qui se retire, ennuyé et dégoûté de la vie (...)
MONTAIGNE, Essais, I, XXXIX.
22

Ennuyé de ce que je suis, je voudrais toujours être ce que je ne suis pas (...)
BOURDALOUE, Sur la récompense des saints, 1ᵉʳ avent.
23

Ennuyés de vivre dans un pays si inculte, et poussés par leur férocité naturelle, ils descendirent jusqu'aux environs de la Vistule (...) FLÉCHIER, Hist. de Théodose, I, 47.
24

(...) fatigué d'écrire, ennuyé de moi, dégoûté des autres, abîmé de dettes et léger d'argent ; à la fin convaincu que l'utile revenu du rasoir est préférable aux vains honneurs de la plume (...)
BEAUMARCHAIS, le Barbier de Séville, I, 2.
25

(...) il est doux de se croire malheureux, lorsqu'on n'est que vide et ennuyé.
A. DE MUSSET, la Confession d'un enfant du siècle, in Prose, Pl., p. 92.
26

Et, très ennuyé de ce tête-à-tête taciturne, presque hostile, il se remit à examiner la route par les carreaux de la voiture. HUYSMANS, Là-bas, XIX, p. 254.
27

CONTR. Amuser, charmer, désennuyer, distraire, divertir, égayer, enchanter, plaire, ravir, récréer, réjouir. — Heureux, satisfait. ◊ DÉR. Ennui, ennuyant, ennuyeux.

ENNUYEUSEMENT [ɑ̃nɥijøzmɑ̃] adv. — V. 1200, *anuieusement* ; de *ennuyeux.*
D'une manière ennuyeuse. *Il est ennuyeusement bavard ; il pérore ennuyeusement.*

(...) ils parlent proprement et ennuyeusement.
LA BRUYÈRE, les Caractères, I, 15.

ENNUYEUX, EUSE [ɑ̃nɥijø, øz] adj. — Fin XIIᵉ ; *annuus*, v. 1112 ; du bas lat. *inodiosus* «très désagréable», de *in-*, intensif, et *odiosus* (→ Odieux), de *odium* «haine».

♦ 1 Qui cause de la contrariété, du souci, du tracas. → **Ennuyer, 1.;** **contrariant, désolant, embêtant** (fam.), **ennuyant** (vieilli), **fâcheux, inquiétant.** *Cela est bien ennuyeux. Cette perte est ennuyeuse, mais non pas catastrophique. D'ennuyeux symptômes. Un contretemps bien ennuyeux.* — Qui cause une gêne. → **Désagréable, gênant, malencontreux.** *Quel temps ennuyeux ! Démarche ennuyeuse.* → **Corvée.** *L'ennuyeux, c'est qu'on ne peut y échapper. C'est bien ennuyeux à dire.* → **Difficile, embarrassant, pénible.**

(...) un service amusant à rendre ne saurait être ennuyeux à demander. GIDE, les Faux-monnayeurs, p. 11.
1

Berthe parut gênée, hésita... puis... «... le paraît (dit-elle) que Maman est venue la voir et lui a fait des reproches... C'est bien ennuyeux».
A. MAUROIS, le Cercle de famille, p. 63.
2

(...) des questions ennuyeuses (...) qu'elle se croyait en droit de lui poser parce qu'elle était sa femme.
J. GREEN, Léviathan, p. 32.
3

♦ 2 (Fin XIIᵉ). Qui cause de l'ennui (3.). → **Accablant, assommant, embêtant, fastidieux, fatigant, lassant, maussade, monotone ;** fam. **barbant, barbifiant**

(vieilli), **canulant, chiant, emmerdant, empoisonnant, enquiquinant, mortel, rasant, soûlant, suant, tannant.** *Cet homme est bien ennuyeux. Des gens horriblement ennuyeux.* → **Déplaisant, embarrassant, encombrant, fâcheux, importun**; fam. **barbe,** 2. **bassin** (vx), 2. **bassinoire, canule, casse-pieds, emmerdeur, raseur, sciant.** *Conférencier, professeur ennuyeux.* → **Endormeur.** *Être mortellement, souverainement ennuyeux* (→ Assommer, cit. 18). — *Ton, discours, livre, récit ennuyeux.* → **Endormant, fade, insipide, monotone, soporifique.** *Il me rebat les oreilles de ses histoires ennuyeuses.* → **Lancinant, obsédant.** *Bavardage ennuyeux* (→ Babillard, cit. 6; caquetage, cit. 1). *L'ennuyeuse monotonie du paysage* (→ Arbre, cit. 15). *Les ennuyeux devoirs* (cit. 3) *de classe.* → **Pensum.** *Quelle vie ennuyeuse!* → **Triste.** *«Travailler est moins ennuyeux que s'amuser»* (→ Désespoir, cit. 3, Baudelaire). — Loc. (1844, *in* D. D. L.). *Ennuyeux comme la pluie, un jour de pluie :* très ennuyeux. → ci-dessous, cit. 11.

4   La redite est partout ennuyeuse, fût-ce dans Homère (...)
MONTAIGNE, Essais, III, IX.

5   Le chemin étant long, et partant ennuyeux.
Pour l'accourcir ils disputèrent.
LA FONTAINE, Fables, IX, 14.

6   (...) livres froids et ennuyeux (...)
LA BRUYÈRE, les Caractères, Préface.

7   La vie est courte et ennuyeuse (...)
LA BRUYÈRE, les Caractères, XI, 19.

8   Je me souviens parfaitement que, durant mes courtes prospérités, ces mêmes promenades solitaires, qui me sont aujourd'hui si délicieuses, m'étaient insipides et ennuyeuses.
ROUSSEAU, Rêveries..., 8ᵉ promenade.

9   Tous les genres sont bons, hors le genre ennuyeux.
VOLTAIRE, l'Enfant prodigue,
Préface à l'édition de 1738.

10   Il y a des gens si ennuyeux qu'ils vous font perdre une journée en cinq minutes.
J. RENARD, Journal, 1ᵉʳ févr. 1903.

11   Toute «nouvelle recrue» à qui les Verdurin ne pouvaient pas persuader que les soirées des gens qui n'allaient pas chez eux étaient ennuyeuses comme la pluie, se voyait immédiatement exclue.
PROUST, À la recherche du temps perdu, I, p. 255.

12   Il faut, un jour d'énergie, prendre le livre que l'on tient pour ennuyeux, lui ordonner d'être, essayer de reconstituer l'intérêt qu'y a pris l'auteur.
VALÉRY, Rhumbs, p. 232.

13   (...) c'est un père mal commode, mais il n'est pas ennuyeux. Il est même divertissant.
G. DUHAMEL, Chronique des Pasquier, IV, VI, p. 310.

CONTR. Amusant, divertissant, drôle, folichon, intéressant, récréatif. ◊ DÉR. Ennuyeusement.

ÉNONÇABLE [enɔ̃sabl] adj. — 1845; de *énoncer*.
Didact. Qui peut être énoncé, formulé.

1   La foi, continua l'abbé, n'est pas un ensemble de vérités énonçables. Elle est d'abord un élan vers ce Dieu caché, dont nous ne savons rien (...)
Jean-Louis CURTIS, le Roseau pensant, p. 261.

N. m. *L'énonçable et l'indicible.*

2   (...) cette couche uniforme où s'entrecroisaient indéfiniment le *vu* et le *lu*, le visible et l'énonçable.
Michel FOUCAULT, les Mots et les Choses, p. 58.

ÉNONCÉ [enɔ̃se] n. m. — 1675; p. p. de *énoncer*, substantivé.

♦ **1** Cour. Action d'énoncer; énonciation, déclaration. *L'énoncé des faits. Un simple énoncé. L'énoncé de ses prétentions.* → **Énumération.**

1   Il importe peu que dans l'énoncé de la volonté générale, qu'il n'y ait pas de société partielle dans l'État, et que chaque citoyen n'opine que d'après lui : telle fut l'unique et sublime institution du grand Lycurgue.
ROUSSEAU, Du contrat social, II, III.

Le président du jury va lire les réponses. On ne vous fera   2
entrer que pour l'énoncé du jugement.
CAMUS, l'Étranger, II, IV, p. 151.

♦ **2** Formule, ensemble de formules exprimant qqch. *L'énoncé d'une loi, d'un problème* (1870). → **Texte; terme** (termes). *On va vous distribuer les énoncés des problèmes.*

♦ **3** Ling. Résultat de l'énonciation (opposé à *énonciation*). *Une linguistique de l'énoncé.* → **Discours.**
(Mil. XXᵉ). *Un énoncé* : segment de discours (oral : parole, ou écrit) produit par l'énonciation d'un locuteur et dont les limites sont variables selon les critères (phonétiques; syntactiques, etc.). *Énoncé minimum* (ou *minimal*) : unité fonctionnelle plus grande que le syntagme (phrase minimale, proposition...). *Énoncé simple; complexe. Énoncé qui constitue simultanément l'acte auquel il réfère.* → **Performatif.** *Énoncés, fragments d'énoncés utilisés dans les dictionnaires.* → **Citation, exemple.**

ÉNONCER [enɔ̃se] v. tr. [CONJUG.: *placer*.] — 1377; repris 1611; du lat. *enuntiare* «exposer», de *ex-* intensif, et *nuntiare* «faire savoir», de *nuntius* «messager, envoyé» (→ Nonce). → Annoncer.

Exprimer en termes nets, sous une forme arrêtée (ce qu'on pense, ce qu'on a à dire). → **Dire, écrire, expliciter, exposer, formuler.** *Bien énoncer ce que l'on pense.* → **Rendre.** *La manière d'énoncer oralement qqch.* → **Articuler, parler, prononcer.** *Énoncer quelques mots avec peine.* → **Balbutier.** *Énoncer son nom, ses titres.* → **Décliner.** *Énoncer des vœux.* → **Émettre, formuler.** *Énoncer ses prétentions, ses conditions.* → **Énumérer, préciser.** *Énoncer les faits.* — (1890). *Énoncer un problème, les chiffres, les données d'un problème. Énoncer une proposition.* → **Avancer.** *Énoncer un théorème, un axiome, une loi* (→ Débouché, cit. 10). *Énoncer un principe.* → **Établir, poser.** *Énoncer une vérité. Énoncer un faux. Énoncer une condition dans un acte.* → **Stipuler** (→ Assistance, cit. 6). *Acte* (cit. 12) *de l'état civil qui énonce l'année, le jour...* → **Mentionner.**

1   Notre philosophie ordonne de ne point énoncer de proposition décisive (...)
MOLIÈRE, le Mariage forcé, 5.

2   Ne pouviez-vous exprimer les mêmes vérités en les énonçant avec moins de crudité? Oui, oui, en délayant, tournoyant, emmiellant, chevrotant, tremblotant (...)
CHATEAUBRIAND, Mémoires d'outre-tombe, t. VI, p. 145.

3   De semblables hypothèses sont si hasardées que l'on ose à peine les énoncer.
Paul BOURGET, Un divorce, II, p. 57.

4   Rien n'est plus odieux que le faux art. Et c'est où arrivent fatalement les braves gens, intelligents, sincères, qui ont quelque chose à dire, et le diraient bien, s'ils se contentaient de l'énoncer justement. Mais la justesse ne leur suffit pas, ils veulent la beauté! Et c'est piteux.
Gustave LANSON, l'Art de la prose, p. 292.

5   Elle (*la science*) conduit à énoncer des propositions insupportables au sens commun, car elles sont extravagantes dans les formes du langage ordinaire, auxquelles le dit sens est étroitement attaché.
VALÉRY, Rhumbs, p. 131.

◆ **S'ÉNONCER** v. pron.

♦ **1** (Passif; 1674). Être énoncé.

6   Ce que l'on conçoit bien s'énonce clairement,
Et les mots pour le dire arrivent aisément.
BOILEAU, l'Art poétique, I.

7   Mais ce que nous savons de science certaine et par un long usage, se réduit à l'essentiel et s'énonce en peu de mots incompréhensibles à qui n'a pas le même savoir.
J. CHARDONNE, l'Amour du prochain, p. 126.

♦ **2** (Réfl.; 1659). Vx. S'exprimer, exposer. *S'énoncer en termes corrects, clairement, nettement.*

8   Apprenez, sotte, à vous énoncer moins vulgairement.
MOLIÈRE, les Précieuses ridicules, 6.

9   J'entendais presque tout ce qu'il disait, et j'étais le seul ; il ne pouvait s'énoncer que par signes avec l'hôte et les gens du pays. Je lui dis quelques mots en italien qu'il entendit parfaitement : il se leva, et vint m'embrasser avec transport.   ROUSSEAU, les Confessions, IV.

DÉR. Énonçable, énoncé, énonceur.

ÉNONCEUR, EUSE [enɔ̃sœʀ, øz] n. — XXᵉ ; de *énoncer.*

Rare. Personne qui énonce (qqch.). → **Énonciateur.**

(...) passé un certain âge, l'énonceur de dicton ne fournit plus d'explication (...)
Jacques PERRET, Bâtons dans les roues, p. 264.

ÉNONCIATEUR, TRICE [enɔ̃sjatœʀ, tʀis] n. et adj. — 1840, n. ; 1843, adj., Proudhon ; bas lat. *enuntiator*, du supin de *enuntiare*. → Énoncer.

Didactique.

♦ **1** N. Personne qui énonce (qqch.). → **Énonceur.** — N. m. Ling. Personne qui produit un énoncé. → **Locuteur ; énonciation (3.).**

♦ **2** Adj. Qui énonce (qqch.). «*Sciences (...) énonciatrices de phénomènes*» (Proudhon, *in* T. L. F.).

ÉNONCIATIF, IVE [enɔ̃sjatif, iv] adj. — 1386 ; lat. *enuntiativus* «qui énonce», du supin de *enuntiare.* → Énoncer.

(1789). **Didact.** Qui sert à énoncer*. *Terme énonciatif. Proposition énonciative*, qui exprime un fait, un jugement, sans implication affective.

ÉNONCIATION [enɔ̃sjɑsjɔ̃] n. f. — 1361 ; lat. *enuntiatio* «énoncé, proposition», du supin de *enuntiare.* → Énoncer.

♦ **1** Action d'énoncer. → **Énoncé ; déclaration.** *L'énonciation des faits par un témoin.* Dr. *L'énonciation d'une clause dans un contrat. L'énonciation d'un jugement.* → **Mention, proposition.** — *Énonciation affirmative, négative.*

1   L'émotion transforme l'intonation des moindres énonciations. Qu'on songe à ce que, dans certaines circonstances, devient la *c'est lui !*
F. BRUNOT, la Pensée et la Langue, p. 541.

♦ **2** Manière d'énoncer, d'exprimer sa pensée. *Avoir l'énonciation difficile.* → **Élocution, prononciation.**

2   Sa voix passait rapidement d'une indécision tremblante, — (...) à cette espèce de brièveté énergique, — à cette énonciation abrupte, solide, pausée et sonnant le creux, — à ce parler guttural et rude (...)
BAUDELAIRE, trad. E. POE, Nouvelles histoires extraordinaires, «La chute de la maison Usher».

♦ **3** (1906, in *Rev. gén. des sc.*, nᵒ 4, p. 162). Ling. Production individuelle d'un énoncé dans des circonstances données de communication (→ **Allocution,** 3.). *Le sujet de l'énonciation est je. Les traces de l'énonciation dans l'énoncé* (pronoms personnels, déictiques*...).*

ENOPHTALMIE [ɑ̃nɔftalmi] n. f. — 1898 ; du grec *en* «dans», et de *(ex)ophtalmie.*

Méd. Enfoncement anormal du globe oculaire dans l'orbite.

CONTR. Exophtalmie.

ENORGUEILLIR [ɑ̃nɔʀgœjiʀ] v. tr. — V. 1160 ; de *en-, orgueil*, et suff. verbal.

(1538). Rendre orgueilleux*, flatter (qqn) dans sa vanité. *Sa fortune, son succès, sa réussite l'enorgueillit.* → **Éblouir, gonfler** (→ Déesse, cit. 8).

1   Immolez, dis-je, Sire, au bien de tout l'État
Tout ce qu'enorgueillit un si grand attentat.
CORNEILLE, le Cid, II, 8.

2   M. Formey, qui ne veut pas enorgueillir ses semblables, nous donne modestement la mesure de sa cervelle pour celle de l'entendement humain.   ROUSSEAU, Émile, I.

3   De là des sympathies nombreuses et qui l'enorgueillissaient fort.
COURTELINE, Messieurs les ronds-de-cuir,
5ᵉ tableau, III, p. 195.

♦ **S'ENORGUEILLIR** v. pron.

(V. 1160). Devenir orgueilleux. → **Enfler** (s'), **gonfler** (se), **glorifier** (se). → Christianisme, cit. 4. *S'enorgueillir de qqch.* → **Prévaloir** (se). *S'enorgueillir d'avoir réussi, d'exercer son autorité. Il s'en enorgueillit sans en parler, sans se vanter*. S'enorgueillir de sa culture, de ses diplômes, s'en enorgueillir.* — Absolt. *Il ne faut pas s'enorgueillir exagérément.*

4   (...) cette hydre de l'Aristocratie qui se nourrit de la substance des peuples, et s'enorgueillit de leurs humiliations.
ROBESPIERRE, Discours, «Contre le Veto royal»,
t. 6, p. 95, in T. L. F.

5   Ce bonheur, je l'ai, moi qui vous parle ; j'en suis fier, et cependant je ne le dois qu'au hasard : mais c'est une faiblesse habituelle à l'homme qui trouve quelque chose de s'en enorgueillir, comme si ce n'était pas l'effet de quelque rencontre fortuite plutôt que de son habileté et de ses combinaisons (...)   Th. GAUTIER, les Grotesques, p. 41.

6   (...) sur cette haute Moulouya que les plus grands sultans du Maroc n'ont jamais réellement occupée, bien qu'ils se soient toujours enorgueillis dans leurs actes officiels du titre de princes moulouyens.
Jérôme et Jean THARAUD, Marrakech, p. 71.

♦ **ENORGUEILLI, IE** p. p. adj.

Rendu orgueilleux.

7   Les Espagnols (...) enorgueillis de la prise de Norden.
RACINE, les Campagnes de Louis XIV.

8   En somme, notre mépris de l'argent proclamé haut et fort, nous serions grandement enorgueillis si le premier numéro nous rapportait dix sous.
J. RENARD, Journal, 6 nov. 1889.

CONTR. Humilier, mortifier. — Abaisser, rabattre, rabaisser (l'orgueil).

ÉNORME [enɔʀm] adj. — 1340 ; lat. *enormis* «qui sort de la règle, qui est démesuré», de *ex-* (→ É-), et *norma* «règle». → Norme.

♦ **1** Qui excède les bornes habituelles, dépasse ce que l'on a l'habitude d'observer et de juger. → **Anormal, astronomique** (fam.), **démesuré, étonnant, extraordinaire, monstrueux ; colossal, considérable, cyclopéen, formidable, gigantesque, immense, incommensurable, monumental.** — REM. Dans les emplois où il fonctionne avec un substantif désignant une réalité non mesurable, *énorme* est un intensif pour *gros, grand*, pris abstraitement (→ Grand, gros, et les intensifs signalés à ces adj.). *Une faute, une erreur énorme,* très grande. En outre, *énorme* emporte souvent l'idée d'excès (→ Excessif, immodéré, outré), ce qui explique son emploi plus fréquent dans des contextes négatifs, péjoratifs. — *Une faute, un mensonge, un crime énorme. Commettre une énorme sottise* (→ Balourdise, cit. 1), *une énorme maladresse, une énorme bévue* (cit. 2). → **Phénoménal.** *Une injustice énorme* (→ Combine, cit. 11). *L'énorme accusation portée contre lui* (→ Agir, cit. 38). *Une énorme méchanceté* (→ Cataclysme, cit. 2).

(Contextes positifs). *Son succès a été énorme. Cela m'a fait un bien énorme.*

1   Son crime, quoique énorme et digne du trépas,
Étant mieux impuni que puni par ton bras.
CORNEILLE, Horace, V, 1.

Rare (qualifiant des abstractions, des sentiments). *Une énorme convoitise* (cit. 6).

2   Il faut que la justice de Dieu soit énorme comme sa miséricorde ; or, la justice envers les réprouvés est moins énorme et doit moins choquer que la miséricorde envers les élus.
    PASCAL, *Pensées*, III, 233.

(Sons, avec une valeur expressive). **Intense.**

3   Rabelais que nul ne comprit ;
    Il berce Adam pour qu'il s'endorme,
    Et son éclat de rire énorme
    Est un des gouffres de l'esprit (...)
    HUGO, les *Contemplations*, VI, XXIII.

4   On entendait de là l'énorme grondement de Paris, sa respiration géante de bête monstre, accroupie dans l'humidité, dévorant tout pour en faire du génie, de la beauté, du crime, de la misère, de la haine, de la mort et de l'immortalité.
    Edmond JALOUX, le *Jeune Homme au masque*, V, p. 87.

Spécialt (idée d'intensité). *Un travail, un effort énorme* (→ Appui, cit. 12).

(Qualifiant des réalités sociales, les idées d'importance et d'intensité étant réunies). *Un énorme mouvement social* (→ Balayer, cit. 16). *Une énorme évolution en profondeur. — Conflit, guerre énorme. Une énorme bataille* (→ Bagarre, cit. 3 ; carnage, cit. 4).

5   Cet énorme événement, la guerre, est fait de milliers d'acceptations.   ALAIN, *Propos*, p. 465, *in* T. L. F.

L'énorme, n. m.

6   Le colossal, l'énorme, le bizarre, tout ce qui est empreint d'une couleur étrange et splendide, attire Bouilhet, et c'est à la peinture de tels sujets qu'est surtout propre son hexamètre long, sonore et puissant, d'une facture vraiment épique, qui rappelle parfois la manière ample et forte de Lucrèce.
    Th. GAUTIER, *Portraits contemporains*, p. 184.

7   Il ne faut jamais craindre d'être exagéré. Tous les très grands l'ont été, Michel-Ange, Rabelais, Shakespeare, Molière (...) Cela est tout bonnement le génie dans son vrai centre, qui est l'énorme.
    FLAUBERT, *Correspondance*, À L. Colet, 14-15 juin 1853.

(Domaine quantitatif, mesurable ou estimable). *Une énorme quantité de...* → **Incalculable** (→ Assemblage, cit. 17). *Une énorme différence. — Assemblée composée à une énorme majorité de...* (→ Braquer, cit. 7). *Un monde, une foule énorme* (→ Déferler, cit. 4). *Une cohue énorme* (→ Chaos, cit. 5). *Un poids* énorme* (propre et fig.). — (Dans le contexte de l'argent). *Une énorme fortune. Ce tableau a une énorme valeur* (→ Couleur, cit. 21). *Gain, perte énorme. D'énormes bénéfices. Frais généraux énormes. Dettes énormes* (→ Appauvrissement, cit. 1).

REM. Pour la plupart, ces emplois peuvent être considérés aussi comme des métaphores du sens concret 2. → ci-dessous, cit. 12 et 13.

(Qualifiant l'expression par le langage). Qui dépasse les normes du bon goût, de la crédibilité, de la décence, etc. *Il nous raconte des choses énormes. Une histoire, une plaisanterie assez énorme.* — REM. Selon les contextes, cet emploi peut être péjoratif ou mélioratif, alors que le suivant est plutôt positif.

(Qualifiant une personne ou un phénomène humain). Remarquable par des caractères extrêmes (et généralement positifs) et les intensifs à la mode : **fabuleux, génial, super.** *Un bouquin énorme. Un type énorme.*

7.1   Qu'est-ce qu'on piston ? et ils rugissaient tous ensemble : « C'est un type énorme ! »   SARTRE, le *Mur*, p. 161.

REM. C'est dans cet emploi que Flaubert utilise la graphie fantaisiste *hénaurme,* souvent reprise depuis.

7.2   Petrus Borel, qui est hénaurme.
    FLAUBERT, *Correspondance*, À L. Colet, janv. 1856.

(Qualifiant un comportement souvent péj.). *Il a un culot, un aplomb énorme.*

Loc. *C'est énorme.* 〔a〕 (Sens général). C'est beaucoup*. *C'est déjà énorme qu'il ait reconnu ses torts.*

〔b〕 (Sens affectif). C'est extraordinaire (péj., excessif, ou, mélioratif, étonnant).

♦ **2** (XVIᵉ ; concret). Dont les dimensions sont considérables. → **Colossal, gigantesque, grand, gros, immense.** *Énormes proportions. Une énorme muraille de rochers* (→ Déchirure, cit. 6). *D'énormes constructions.* → **Cyclopéen.** *Des poutres énormes* (→ Bélier, cit. 5 ; bûche, cit. 1). *La masse énorme d'un monument* (→ Assise, cit. 3). *Un arbre au tronc énorme. Une énorme pile de livres et de cahiers* (cit. 5). *Un livre énorme, un énorme dictionnaire. Une tête, une poitrine* (→ Ballant, cit. 3), *une bouche énorme* (→ Bâiller, cit. 3). *Un énorme chignon* (→ Chevelure, cit. 3 ; cheveu, cit. 25). *Une énorme bosse* (cit. 4). *Un foie énorme.* → **Hypertrophié.** *Une personne énorme.* → **Éléphantesque ; éléphant, géant, hippopotame, mastodonte.** — (Qualifiant un subst. abstrait désignant la taille, les dimensions). *Grandeur, taille, hauteur... énorme.*

7.3   Je finis par comprendre qu'un homme énorme, extrêmement grand, extrêmement fort, avec des cheveux tout blancs, que je rencontrais un peu partout et dont je n'avais jamais su le nom était le mari de Mᵐᵉ de Saint-Euverte.
    PROUST, le *Temps retrouvé*, Pl., t. III, p. 1024.

8   (...) un sanglier d'une énorme grandeur (...)
    MOLIÈRE, la *Princesse d'Élide*, I, 2.

9   Les jambes, les gorges, énormes, pleines de suif (...) En général, une précocité d'embonpoint monstrueuse, un gonflement marécageux (...)
    BAUDELAIRE, *Argument du livre sur la Belgique*, VI.

10   Alors Tubalcaïn, père des forgerons,
    Construisit une ville énorme et surhumaine.
    HUGO, la *Légende des siècles*, II, La conscience.

11   J'ai vu fermenter les marais énormes, nasses
    Où pourrit dans les joncs tout un Léviathan !
    RIMBAUD, *Poésies*, « Le bateau ivre », XLI.

Par métaphore (→ les emplois ci-dessus, 1., domaine quantitatif). *Un énorme trésor, une énorme fortune.*

12   Le savoir-faire et l'habileté ne mènent pas jusqu'aux énormes richesses.
    LA BRUYÈRE, les *Caractères*, VI, 44.

13   — D'une façon générale, on oublie trop que les profits de l'industrie capitaliste, qui parfois semblent énormes, reposent sur des pointes d'épingle.
    J. ROMAINS, les *Hommes de bonne volonté*, t. III, XVI, p. 211.

CONTR. **Exigu, insignifiant, médiocre, menu, microscopique, minime, minuscule, modéré, normal, ordinaire, petit.** ◊ DÉR. **Énormément.** V. **Énormité.**

ÉNORMÉMENT   [enɔʀmemɑ̃] adv. — V. 1350 ; de *énorme.*

D'une manière énorme (sert de superlatif à *beaucoup*).

♦ **1** Beaucoup (avec un verbe) en quantité ou en intensité. *Il a souffert énormément. Il lit énormément* (→ Affût, cit. 5). *Il avait énormément spéculé* (→ Cours, cit. 21).

Très longtemps, très souvent. *Ils se sont vus énormément, cet été.*

♦ **2** (En fonction nominale). Beaucoup de choses. *Il y a énormément à faire.*

♦ **3** (Avec un adj.). Emploi limité en français normal, souvent fautif ou régional. *« Énormément intimidés »* (Barbusse, *in* T. L. F.). — REM. Ici, *énormément* serait un intensif de *très*.

♦ **4** (Avec un adv. tel que *plus, moins*). Emploi contestable. *Il y en a énormément plus. « C'est énormément trop déjà »* (Céline, *in* T. L. F.).

1 Le mélange de vrai et de faux est énormément plus toxique que le faux pur. VALÉRY, Cahiers, t. II, Pl., p. 1437.

♦ **5 ÉNORMÉMENT DE...** a Une très grande quantité de... *Passer énormément de temps à faire qqch.*

2 (...) il me faut de l'argent, il me faut beaucoup d'argent, il me faut énormément d'argent (...)
HUGO, les Misérables, III, VIII, xx.

b Un très grand nombre de... *Énormément de gens, d'amis, de spectateurs.* — (En emploi absolu). *Il y en a beaucoup ? Énormément.*

ÉNORMITÉ [enɔʀmite] n. f. — V. 1220, *ennormité* «crime énorme»; repris mil. XIVᵉ; lat. *enormitas* «grandeur, ou grosseur démesurée», de *enormis.* → Énorme.

♦ **1** *(L'énormité de...).* Caractère de ce qui est énorme; taille, dimension ou intensité hors du commun, et qui frappe. → **Énorme** (1. et 2.); **grandeur, immensité;** et aussi **excès.** *L'énormité d'une faute, d'un crime. L'énormité de son erreur, de ses maladresses.* — *L'énormité du travail, de l'effort fourni.*

1 Il n'y a point de supplice assez grand pour l'énormité de ce crime (...) MOLIÈRE, l'Avare, V, 1.

REM. L'emploi suivant est métonymique (→ ci-dessous, 2.), mais sans aucune des connotations du 2.; il correspond à «chose énorme, immense», et est archaïque.

2 (...) ce qui paraît une énormité, mesuré à la courte échelle des vieilles idées diplomatiques, n'était au fond rien du tout, dans l'ordre actuel de la société.
CHATEAUBRIAND, Mémoires d'outre-tombe, t. V, p. 120.

(En parlant de l'expression par le discours). *L'énormité d'une affirmation.*

3 Plus tard, quand je serai mieux au courant des choses japonaises, peut-être apprécierai-je moi-même l'énormité de ma demande : on dirait vraiment que j'ai parlé d'épouser le diable (...)
LOTI, Mᵐᵉ Chrysanthème, III, p. 36.

REM. Les emplois de *énormité* sont plus restreints que ceux de *énorme.*

(Quantitatif). *L'énormité de la somme, des bénéfices, des effectifs.*

3.1 Ses vœux tardifs *(pour la paix)* n'étant pas exaucés, il envisage l'énormité de ses forces (...)
Ph.-P. SÉGUR, Hist. de Napoléon, II, 5, *in* LITTRÉ.

(Au sens 2 de *énorme*). *L'énormité de sa taille.* — Rare. *Taille, corpulence énorme. Elle est d'une énormité effrayante.*

♦ **2** *(Une, des énormités).* — REM. Cette valeur sémantique, attestée dès 1220 : «crime énorme», est en fait une métonymie du sens 1, qui semble dater du déb. du XIXᵉ s. — Action ou propos jugé «énorme», en général en parlant d'une erreur, d'une maladresse. → **Bévue** (cit. 3), **gaffe.** *Un livre, un discours plein d'énormités,* d'invraisemblances, d'erreurs, de tromperies... énormes. *Commettre une énormité, un impair, une gaffe énorme. Il nous a sorti quelques énormités,* d'énormes sottises.

4 La loufoquerie de la conversation tenait parfois du fantastique et l'on doutait alors si vraiment l'hôtesse était inconsciente et dupe de certaines énormités; mais une sorte de bonhomie cordiale, dont elle ne se départait point, décourageait l'ironie.
GIDE, Si le grain ne meurt, I, x, p. 279.

CONTR. (Du sens 1.) **Insignifiance, petitesse.**

ÉNOSTOSE [enɔstoz] n. f. — 1824, *in* D.D.L.; du grec *en-* «dans», et de *(ex)ostose.*

Méd. Production osseuse circonscrite, formée dans la profondeur d'un os et pouvant faire saillie dans le canal médullaire ou même l'obstruer. → **Exostose, ostéophyte.**

ÉNOUAGE [enwaʒ] n. m. — 1870; de *énouer.*

Techn. Opération par laquelle on énoue le drap.

ÉNOUER [enwe] v. tr. — 1723; *ennouer,* XVIᵉ; de *é-,* et *nouer.*

Techn. Débarrasser (une étoffe, une toile) des nœuds, des fils qui apparaissent à sa surface. → **Épinceter, éplucher, époutir, noper.**

DÉR. Énouage, énoueur.

ÉNOUEUR, EUSE [enwœʀ, øz] n. m. — XVIIᵉ; de *énouer.*

Techn. Ouvrier, ouvrière chargé(e) de l'énouage.

ÉNOYAUTER [enwajote] v. tr. — 1910; de *é-, noyau,* et suff. verbal.

Techn. Enlever les noyaux de (un fruit). → **Dénoyauter.** — REM. Larousse (1910, repris dans G.L.L.F.) signale aussi les dér. *énoyautage* [enwajotaʒ] n. m. et *énoyauteur* [enwajotœʀ] n. m.

ENQUÉRIR [ãkeʀiʀ] v. [CONJUG.: *acquérir.*] — Mil. XVᵉ; v. tr., «demander», xᵉ; du lat. *inquirere* «chercher à découvrir» (→ Enquête), ou réfection de l'anc. verbe *enquerre* (→ Enquerre), d'après *quérir.*

I S'ENQUÉRIR v. pron. Chercher à savoir (en examinant, en interrogeant). → **Informer** (s'), **rechercher, renseigner** (se). *S'enquérir de qqn,* chercher à avoir de ses nouvelles. *Il s'est enquis de cela partout, il s'en est enquis avec soin. S'enquérir de la santé de qqn. S'enquérir du prix de qqch.* → **Demander.** — Vx. *S'enquérir à qqn de qqch. Je m'en suis enquis à lui.* — Mod. *S'enquérir de qqch. auprès de qqn. Je m'en suis enquis auprès de lui.* (Avec une interrogative indirecte). *S'enquérir si..., où..., comment... S'enquérir si une chose est vraie.* → **Voir.**

1 Ne vous enquérez pas si mes troupes sont fortes.
CORNEILLE, Poésies diverses, 22.

2 Je m'en suis enquis à M. l'avocat.
RACINE, Lettres, 9, 2 juin 1661.

3 Le savant tait à s'enquiert, dit un proverbe indien : mais l'ignorant ne sait pas même de quoi s'enquérir.
ROUSSEAU, Julie ou la Nouvelle Héloïse, V, Lettre III.

4 (...) afin de passer aux mystères chrétiens, commençons par nous enquérir de la nature des choses mystérieuses.
CHATEAUBRIAND, le Génie du christianisme, I, I, 1.

5 *(Bonaparte)* s'enquérait si les autres étaient habitées, quand elles seraient détruites par l'eau ou par le feu, comme s'il eût été chargé de l'inspection de l'armée céleste.
CHATEAUBRIAND, Mémoires d'outre-tombe, t. III, p. 97.

6 (...) il s'enquérait de tout le monde qu'il avait connu (...) et, de cette manière, il eut quelque nouvelle d'elle et de sa famille. G. SAND, François le Champi, XI, p. 97.

7 Il verrait, sonderait, s'enquerrait et, si, décidément, il ne pouvait encore agir, il s'en irait.
Louis MADELIN, Hist. du Consulat et de l'Empire, L'ascension de Bonaparte, XV, p. 211.

II ENQUÉRIR v. tr. ♦ **1** Vx. Interroger (qqn) sur qqch. Dr. Vx. *Enquérir un témoin; le témoin a été enquis s'il avait...* Absolt. «*On chargea un comité d'enquérir dans la conduite de Sa Majesté Britannique*» (Chateaubriand).

♦ **2** Blason. *Armes à enquérir.* → **Enquerre.**

◆ **ENQUIS, ISE** p. p. adj. Dr. Vx. Interrogé. *Témoins enquis.*

DÉR. **Enquête.** — V. **Enquerre** (à).

ENQUERRE (À) [aãkeʀ] loc. adj. — 1690; propᵗ «à vérifier», de *enquerre* (XIᵉ), du lat. *inquirere.* → Enquérir.

Blason. *Armes à enquerre :* armes qui présentent une singularité, une anomalie qui appelle une explication. (On dit aussi *armes enquerrées*).

ENQUÊTE [ãkɛt] n. f. — Déb. XIIᵉ, *enqueste ;* du lat. pop. **inquæsita,* lat. class. *inquisita,* p. p. subst. au fém. de *inquirere* «chercher à découvrir». → Enquerre, enquérir.

Recherche pour savoir (qqch., de qqn).

♦ **1** (Droit privé). Procédure destinée à permettre à une partie plaidante d'établir par l'audition de témoins l'exactitude des faits qu'elle allègue. *Faire, ouvrir une enquête ; procéder à une enquête. Ordonner l'enquête. Ouverture, clôture d'une enquête. Enquête faite devant, par devant tel juge. — Enquête ordinaire* ou *secrète,* effectuée à huis clos et dans laquelle les témoins sont interrogés par un juge-commissaire en présence des parties (ex. : *enquêtes en matière ordinaire devant les tribunaux civils* [*Code de procédure civile,* art. 255 et suivants]). *Procédure de l'enquête :* assignation* de la partie adverse et des témoins ; comparution* des témoins ; prestation de serment et dépositions* des témoins ; procès-verbal d'enquête ; déposition de la minute au greffe. *Le procès-verbal d'enquête est lu à l'audience et discuté dans les plaidoiries. — Enquête sommaire* ou *publique,* faite à l'audience par audition de témoins devant le tribunal tout entier (ex. : *enquêtes en justice de paix ; enquêtes en matière sommaire et devant les tribunaux de commerce* [*Code de procédure civile,* art. 407 et suivants]). — *Enquête par laquelle le défendeur entend nier les faits allégués par le demandeur* (contre-enquête) *ou prouver d'autres faits en sa faveur* (enquête respective). — *Enquête à futur, in futurum,* portant sur des faits susceptibles de devenir litigieux.

1 Le jugement qui ordonnera la preuve contiendra : 1° les faits à prouver ; 2° la nomination du juge devant qui l'enquête sera faite. Si les témoins sont trop éloignés, il pourra être ordonné que l'enquête sera faite devant un juge commis par un tribunal désigné à cet effet.
            Code de procédure civile, art. 255.

2 S'il y a lieu à enquête (en matière sommaire), le jugement qui l'ordonnera contiendra les faits sans qu'il soit besoin de les articuler préalablement, et fixera le jour et heure où les témoins seront entendus à l'audience.
            Code de procédure civile, art. 407.

Dr. crim. *Enquête préparatoire, préliminaire,* première phase de l'instruction. → **Information.** *Enquête officieuse,* effectuée par les officiers et agents de police sous la direction du procureur de la République. *L'enquête officieuse est faite par le ministère public avant l'information du juge d'instruction et parfois la remplace.* Absolt et cour. *L'enquête n'avance pas, n'a pas abouti. Inspecteur qui mène, conduit une enquête.*

3 Dans des investigations du genre de celle-ci, on commet assez fréquemment cette erreur, de limiter l'enquête aux faits immédiats et de mépriser absolument les faits collatéraux ou accessoires. C'est la détestable routine des cours criminelles de confiner l'instruction et la discussion dans le domaine du relatif apparent.
            BAUDELAIRE, trad. E. POE, Histoires grotesques et sérieuses, «Le mystère de Marie Roget».

4 (...) à midi (...) le quartier ne se doutait de rien. Ni la police non plus (...) Sans quoi il y aurait eu arrivée de policiers, et de magistrats ; enquête, et le reste ; remue-ménage dans le quartier.
            J. ROMAINS, les Hommes de bonne volonté, t. I, XIX, p. 213.

5 Avec la peste, plus question d'enquêtes secrètes, de dossiers, de fiches, d'instruc
tions mystérieuses et d'arrestation imminente (...) il n'y a plus de police, plus de crimes anciens ou nouveaux, plus de coupables, il n'y a que des condamnés (...)
            CAMUS, la Peste, p. 213.

♦ **2** Dr. publ. et cour. *Enquête administrative :* procédure par laquelle l'administration réunit des

informations, vérifie certains faits avant de prendre une décision. *Enquête dite «de commodo et incommodo»,* faite en vue de recueillir l'opinion du public sur un projet de certains travaux publics. *Enquête sur l'autorisation d'un établissement incommode, insalubre.*

Dr. parlementaire. *Enquête parlementaire,* faite au nom d'une assemblée par une commission*. *Commission d'enquête.*

♦ **3** Anc. dr. et hist. du dr. Preuve testimoniale. *Enquête par turbes.* → **Turbe.** *Chambre des enquêtes :* chambre du Parlement qui préparait les projets d'arrêts.

Dr. canon. *Enquêtes en matière de béatification, de canonisation.*

♦ **4** (XVIᵉ). Sc. et cour. Recherche méthodique reposant notamment sur des questions et des témoignages. → **Examen, investigation.** *Faire une enquête sur la moralité de qqn. Il a fait sa petite enquête auprès des commerçants du quartier. Après enquête, je pense qu'il a raison. Faire enquête. Enquête serrée, sévère. Élucider un fait par une enquête. Une enquête aux pays du Levant,* ouvrage de Barrès. *Enquête sur la monarchie,* de Maurras. — *Enquête auprès des lecteurs d'une revue.*

6 La guêpe, ne sachant que dire à ces raisons,
Fit enquête nouvelle, et, pour plus de lumière (...)
            LA FONTAINE, Fables, I, 21.

7 *(Il)* s'était d'abord convaincu par une enquête sur place que la source avait connu, il y a plus d'un demi-siècle, une période prospère (...)
            J. ROMAINS, les Hommes de bonne volonté, t. V, XXII, p. 173.

8 Les *Nouvelles littéraires* ne sont peut-être pas bien avisées en ouvrant une «grande enquête» sur l'influence des lettres françaises actuelles à l'étranger.
            GIDE, Journal, Cuverville, 1924, Pl., p. 793.

9 (...) pour parler d'amour aux amoureux, il faut avoir été amoureux, il ne faut pas avoir fait une enquête sur l'amour.
            MALRAUX, l'Espoir, p. 283.

(1870). Sc. Étude d'une question (sociale, économique, politique) par le rassemblement des avis, des témoignages des intéressés. → **Sondage.** *Enquête sur les opinions politiques de divers groupes sociaux. Enquête d'opinion publique. Enquête sociologique, statistique. Enquête par sondage. Enquête publicitaire, enquêtes d'une étude de marché. Pré-enquête, post-enquête* (avant et après la réalisation d'une campagne, d'un film publicitaire).

DÉR. Enquêter, enquêteur.

ENQUÊTER [ãkete] v. pron. et intr. — V. 1200 ; tr., *enquester quelqu'un,* encore au XVIᵉ, au sens de «interroger, questionner» ; de *enquête.*

♦ **1** V. pron. (1538). Vx. *S'enquêter (de...).* → **Enquérir** (s'), **informer** (s'), **renseigner** (se).

1 (...) ils ne s'enquêtent point de cela (...)
            MOLIÈRE, Monsieur de Pourceaugnac, III, 2.

2 Au surplus, mademoiselle, vous pouvez vous enquêter de mon humeur et de mon caractère, je suis sûr qu'on fera de bons rapports (...)
            MARIVAUX, Marianne, VI.

♦ **2** V. intr. (Fin XIXᵉ). Faire, conduire une enquête. *Enquêter en interrogeant, en cuisinant* (cit. 4) *des témoins. Enquêter sur une affaire embrouillée, obscure. Juge enquêtant sur une affaire. Il faut enquêter.*

3 (...) j'ai l'intention de remettre l'affaire entre les mains de mon ami, le procureur Déterne, et de lui demander, par la même occasion, si la justice ne ferait pas bien d'enquêter un peu sur l'origine des fonds du *Pacifiste.*
            SARTRE, le Sursis, p. 120.

REM. L'emploi du p. p. *enquêté, ée (les personnes enquê-tées*; subst., *l'enquêté* et *l'enquêteur*) suppose un emploi transitif, dont le T. L. F. atteste d'ailleurs l'existence, mais qui est rarissime.

ENQUÊTEUR, EUSE [ãketœR, øz] n. et adj. — V. 1282; de *enquête*.

♦ **1** N. m. Anc. dr. Commissaire envoyé par le roi pour surveiller l'administration des baillis et séné-chaux. *Enquêteurs royaux.*

♦ **2** Commissaire de l'Assistance publique chargé d'examiner les demandes de secours reçues par les bureaux de bienfaisance.

♦ **3** (Fin XIXᵉ). Mod. Personne qui mène une enquête (policière, sociologique). *Enquêteur de la police.* → **Détective, limier.** *Enquêteur parlementaire. Une enquêteuse.*

1   Les nobles enquêteurs qui, tout en mimant un véritable acharnement contre les chéquards, murmurèrent à la can-tonade (...)   M. BARRÈS, Leurs figures, p. 167.

2   (...) rien qui puisse se rapporter au crime, rien que l'en-quêteur le plus enclin à l'arbitraire soit tenté de considérer comme une pièce à conviction, ou un objet volé dans la baraque.
      J. ROMAINS, les Hommes de bonne volonté, t. II,
      II, p. 21.

Adj. *Commissaire, juge enquêteur.*

REM. La forme féminine *enquêtrice* est moins régulière et semble réservée aux professions de la publicité; en outre, on dira fréquemment : *elle est enquêteur. L'enquêteur désigné est Madame X. Enquêtrices dans le domaine des problèmes économiques, sociaux.* En appos. *Rédactrice enquêtrice.*

3   *Une rédactrice-enquêtrice :* compilation des données néces-saires aux analyses, établissement de graphiques et relevés statistiques, enquêtes auprès des consommateurs des pro-duits de l'entreprise avec le concours des services commer-ciaux.
      J. ROMEUF et J.-P. GUINOT, Manuel du chef
      d'entreprise, Étude du marché, «Organisation du
      service des études de marché», p. 461 (1960).

ENQUILLER (S') [ãkije] v. intr. et pron. — 1725, chanson *«j'enquille dans sa cabriole»*, Esnault; de *en-*, 1. *quille* (2.), et suff. verbal.

Argot ancien.

I V. intr. Entrer.

Pour enquiller dans ma chambre, Julien se faufile rapide-ment devant la Réception pendant que j'amuse le veilleur de nuit avec le bruit de ma clé (...)
      A. SARRAZIN, l'Astragale, p. 165.

II V. pron. (1874, Esnault). S'ENQUILLER : s'introduire. *S'enquiller dans la maison. S'enquiller au trottoir* (1953) : se poster sur le trottoir (pour observer, guetter).

DÉR. **Enquilleuse.**

ENQUILLEUSE [ãkijøz] n. f. — 1725; de *enquiller*.

Argot anc. Voleuse qui dissimulait ses larcins dans une poche ménagée sous ses jupes.

ENQUINAUDER [ãkinode] v. tr. — 1675, La Fontaine, in *le Florentin*, avec jeu de mots sur le nom du poète Quinault; de *en-, quinaud,* et suff. verbal.

Fam. et vx. Rendre; faire quinaud. → **Duper, tromper.**

ENQUIQUINANT, ANTE [ãkikinã, ãt] adj. — 1844; p. prés. de *enquiquiner.*

Fam. Qui enquiquine (euphémisme pour *emmerdant*).

Quelle belle invention que l'École de Droit pour vous   1
emmerder! C'est à coup sûr la plus enkikinante *(sic)* de la
création!   FLAUBERT, Correspondance, 7 juin 1844.

D'autant plus que je les connais, moi, ces fonctionnaires   2
tchèques, j'y ai été en Tchécoslovaquie : ce qu'ils peuvent
être enquiquinants.   SARTRE, le Sursis, p. 87.

ENQUIQUINEMENT [ãkikinmã] n. m. — 1883; de *enquiquiner.*

Fam. Le fait d'enquiquiner. — *(Un, des enquiquine-ments).* Ennui, tracas. *Des enquiquinements conti-nuels.* → **Emmerdement.**

ENQUIQUINER [ãkikine] v. tr. — 1830, in D.D.L.; p. prés., 1844; «insulter», 1858; formation expressive de *en-,* et *quiqui,* argot pour «gorge, cou».

Fam. Agacer, ennuyer, importuner, vexer. — REM. Il se dit par euphémisme pour *emmerder** dont il a tous les sens figurés. — *Il commence à nous enquiquiner, celui-là. On ne va pas s'enquiquiner avec ça.*

(Passif et p. p.). *On a été bien enquiquinés quand il nous a dit... Le plus enquiquiné, c'était moi.*

(En interj.). *Toi, je t'enquiquine !*

Mais non, mon petit gars, les ministres, je m'en sers quand j'en ai besoin. Et puis, je les enquiquine.
      G. DUHAMEL, Chronique des Pasquier, X, v, p. 370.

REM. On a écrit aussi *enkikiner.*

DÉR. **Enquiquinant, enquiquinement, enquiquineur.**

ENQUIQUINEUR, EUSE [ãkikinœR, øz] n. — 1940; de *enquiquiner.*

Fam. Personne qui enquiquine. *C'est un enquiqui-neur de première.* → **Emmerdeur.**

Ah! l'étonnante enquiquineuse qui chaperonne les Lyon-nais *(en voyage)* en Inde!
      Morvan LEBESQUE, in l'Express, 11-18 sept. 1967.

Adj. *Tu es vraiment enquiquineur !*

ENQUIS, ISE [ãki, iz] p. p. adj. → **Enquérir.**

ENRACINEMENT [ãRasinmã] n. m. — 1378; «racine, lignée», 1338; de *enraciner.*

♦ **1** Fait de s'enraciner. *L'enracinement d'un arbre.*

♦ **2** Fig. Fait (pour qqch.) de se fixer profondément dans l'esprit ou dans le cœur. *L'enracinement d'un souvenir, d'un sentiment.* — Fait (pour qqn) de res-sentir un attachement profond (pour qqch.). *L'en-racinement de l'individu dans le sol natal, dans les traditions morales ou religieuses. L'Enracinement,* essai philosophique et politique de Simone Weil.

Cette doctrine de l'enracinement qu'il *(Barrès)* préconise, je la crois bonne en effet pour les faibles, la masse; j'ac-corde que c'est d'eux qu'il se faut occuper, car les individus qui s'en échappent s'occupent très suffisamment d'eux-mêmes (...) Mais je prétends que ceux-ci trouvent profit au déracinement et que l'enracinement, tout au contraire, les empêche.   GIDE, Prétextes, La querelle du peuplier.

ENRACINER [ãRasine] v. tr. — V. 1175; aussi intr. «prendre racine», v. 1175; de *en-, racine,* et suff. verbal.

♦ **1** (V. 1265). Fixer au sol par les racines; faire prendre racine à (un arbre, une plante). *Enraciner un arbre.*

La joubarbe, la menthe, et ces fleurs parasites   1
Que la pluie enracine aux parois décrépites.
      LAMARTINE, Jocelyn, 6ᵉ époque, Lettre à sa sœur.

Par anal. *Piliers qui enracinent un édifice au sol.*

(1870). Par métaphore. *Enraciner (qqn) dans un pays,* le fixer dans son lieu d'origine.

2   (...) peut-être pourrait-on mesurer la valeur d'un homme au degré de dépaysement (physique ou intellectuel) qu'il est capable de maîtriser (...) Quant aux faibles : enracinez! enracinez!   GIDE, Prétextes, À propos des Déracinés.

♦ **2** (V. 1175). Fig. Fixer profondément (dans l'esprit, le cœur) par des attaches morales. *Enraciner de bons principes dans l'esprit d'un enfant.* → **Ancrer, implanter.** *Préjugés que le temps a enracinés.*

3   (...) ces tendres sentiments
Que l'amour enracine au cœur des vrais amants (...)
      CORNEILLE, la Toison d'or, III, 3.

4   Chez les uns, la peste avait enraciné un scepticisme profond dont ils ne pouvaient pas se débarrasser. L'espoir n'avait plus de prise sur eux.
      CAMUS, la Peste, p. 292.

♦ **S'ENRACINER** v. pron. (Fin XIIIᵉ).

♦ **1** Prendre racine. *Arbuste qui s'enracine dans le creux d'un rocher. Chêne qui s'enracine profondément, solidement.* — Par analogie :

5   Les murs ont par endroits des trous où s'enracine
Un poing de fer portant un cierge de résine.
      HUGO, la Légende des siècles, XXI, V.

♦ **2** Fig. (En parlant des personnes). → **Établir** (s'), **incruster** (s'), **installer** (s'), **prendre** (racine). *Visiteur importun qui s'enracine.*

6   Né à Paris, d'un père Uzétien et d'une mère Normande, où voulez-vous, Monsieur Barrès, que je m'enracine? J'ai donc pris le parti de voyager.
      GIDE, Prétextes, À propos des Déracinés.

7   Maud posa sa mallette sur le sol, elle essaya, pendant une seconde, de s'enraciner dans la cabine, de faire semblant d'y être depuis deux jours.   SARTRE, le Sursis, p. 101.

(En parlant des choses morales). → **Ancrer** (s'), **consolider** (se), **implanter** (s'). *Mauvaises habitudes qui s'enracinent peu à peu. Erreur qui va s'enracinant dans les esprits* (→ Dissiper, cit. 9). *La maladie s'est enracinée. Laisser s'enraciner les abus,* et, ellipt., *laisser enraciner les abus.*

8   La tristesse, l'ennui, les regrets, le désespoir, sont des douleurs peu durables qui ne s'enracinent jamais dans l'âme; et l'expérience dément toujours ce sentiment d'amertume qui nous fait regarder nos peines comme éternelles.
      ROUSSEAU, Julie ou la Nouvelle Héloïse, III,
      Lettre XXII.

9   Ça ne fait que croître et s'enraciner, sans même qu'on le sache!   MARTIN DU GARD, les Thibault, t. VI, p. 157.

♦ **ENRACINÉ, ÉE** p. p. adj.

♦ **1** Fixé par des racines. *Plantes enracinées dans le sable.*

♦ **2** Fig. Fixé profondément, de manière durable.

10   Plus j'ai de raisons de partir de ce monde, plus j'm'y trouve enracinée.
      Mᵐᵉ DE MAINTENON, Lettre au duc de Noailles,
      18 mars 1712.

11   Paysans, petits artisans, ces gens des villages étaient encore fortement enracinés dans l'humus originel (...)
      G. DUHAMEL, Inventaire de l'abîme, VI, p. 80.

12   Là vivait depuis des siècles une bonne et ancienne famille du pays, les Proust, solidement enracinée dans ce terroir.
      A. MAUROIS, À la recherche de Marcel Proust, p. 8.

Homme enraciné dans ses habitudes, ses vices. Préjugés, sentiments profondément enracinés. → **Tenace, vivace** (→ Coutume, cit. 3; créance, cit. 8).

13   Il faut que l'orgueil soit enraciné bien avant dans vos cœurs.   BOSSUET, Annonciation, III, 1, *in* LITTRÉ.

14   Les préjugés de race et de secte, ennemis directs de l'esprit de l'Évangile, y étaient trop enracinés.
      RENAN, Vie de Jésus, XXI, Œ., t. IV, p. 300.

15   Si j'étais plus jeune, les plis seraient moins marqués, les habitudes moins enracinées (...)
      F. MAURIAC, le Nœud de vipères, XVIII, p. 225.

CONTR. Arracher, déraciner, extirper. ◊ **DÉR. Enracinement.**

ENRAGÉ, ÉE [ɑ̃ʀaʒe] adj. → **Enrager** (p. p. adj.).

ENRAGEANT, ANTE [ɑ̃ʀaʒɑ̃, ɑ̃t] adj. — 1690; de *enrager.*

Rare. Qui fait enrager. → **Énervant, rageant.**

1   Se rappeler que le klaxon est utilisé au Japon de façon intensive et inutile. Cet instrument aux notes aiguës, les mettent dans le ravissement, fait de Tokyo une ville plus bruyante et enrageante que Rome ou New York.
      Henri MICHAUX, Un barbare en Asie, p. 205.

Nom masculin :

2   L'enrageant c'est de penser que la France est le pays des inventeurs! On en revient toujours à ceci : nous ne savons pas tirer parti de nos ressources.
      GIDE, Journal, 10 mai 1918.

ENRAGEMENT [ɑ̃ʀaʒmɑ̃] n. m. — Mil. XIVᵉ, Guillaume de Machaut; de *enrager.*

Vieilli. État d'une personne qui enrage. — REM. On trouve régionalement la forme *enragerie,* nom féminin.

ENRAGER [ɑ̃ʀaʒe] v. [CONJUG.: *bouger.*] — XIIᵉ; de *en-, rage,* et suff. verbal.

I V. intr. et tr. ind. ♦ **1** Vx. Avoir la rage. — REM. Ce sens propre n'est plus usité qu'au p. p. (→ *infra*).

♦ **2** (Mil. XXᵉ). Avoir une furieuse envie (→ ci-dessous, *Être enragé pour...*).

1   L'un enrage après les femmes : l'autre veut toujours avoir le ventre à table.
      MALHERBE, trad. SÉNÈQUE, les Bienfaits, VII, 26.

ENRAGER DE (v. tr. ind.)

2   Tentale enrage de manger;
De mets friands sa table on couvre.
      SCARRON, Virgile travesti, VI.

♦ **3** Vieilli. Être dans un état de désir, d'excitation (comparé à la rage). *Enrager de faim, de colère, de désir, de jalousie.*

♦ **4** (V. 1165). Mod. Éprouver un violent dépit (de qqch.). → **Bisquer, écumer, endiabler** (vx), **fulminer, fumer** (fam.), **rager, râler** (fam.). *Enrager de quelque chose, à cause de quelque chose. J'enrage d'avoir échoué de si peu!* — Vx. *Enrager que...* (→ ci-dessous, cit. 5.)

3   Plus j'y pense et plus j'en enrage.
      LA FONTAINE, Contes, «Joconde».

4   J'enrage de trouver cette place usurpée,
Et j'enrage de voir ma prudence trompée.
      MOLIÈRE, l'École des femmes, III, 5.

5   (...) j'enrage que mon père et ma mère ne m'aient pas fait bien étudier dans toutes les sciences, quand j'étais jeune.
      MOLIÈRE, le Bourgeois gentilhomme, II, 4.

6   J'enrageais d'avoir laissé perdre par le sommeil les dernières heures que nous avions à passer ensemble.
      R. RADIGUET, le Diable au corps, p. 132.

Faire enrager qqn. → **Endêver** (faire), **taquiner, tourmenter.** *Avez-vous fini de faire enrager cet enfant? Événement fâcheux qui fait enrager* (→ Bien, cit. 56). *Époux qui se font enrager l'un l'autre* (→ Complaisance, cit. 1).

7   Faire enrager le monde est ma plus grande joie (...)
      MOLIÈRE, Tartuffe, III, 7.

8   (...) je vous avais conseillé de vivre, uniquement pour faire enrager ceux qui vous paient des rentes viagères. Pour moi, c'est presque le seul plaisir que me reste.
      VOLTAIRE, Lettre à Mᵐᵉ du Deffand, 1202,
      23 avr. 1754.

9   (...) il ne faut jamais penser au bonheur, car c'est lui qui a inventé cette idée-là pour faire enrager le genre humain. La conception du paradis est au fond plus infernale que celle de l'enfer.
      FLAUBERT, Correspondance, II, p. 225.

Par ext. *Cet enfant fait enrager ses parents, ses maîtres, il est insupportable*.*

II V. tr. dir. (1870). ◆ **1** Mettre (qqn) dans un état de colère extrême, d'excitation ; rendre enragé. — Rare. *Enrager quelqu'un.* Cour. (sujet n. de chose ; compl. pron.). *Cela m'enrage. Cette attitude obstinée finit par l'enrager.*

Exciter sexuellement. *Elle fait plus que l'aguicher, elle l'enrage.*

◆ **2** (Compl. n. abstrait). Exciter. *Enrager la curiosité, la jalousie de quelqu'un.*

◆ **S'ENRAGER** v. pron. (réfl.). *Je m'enrage de le voir se pavaner ainsi.*

(Passif). *«Une lutte où son désir s'enrageait»* (Zola, *in* T.L.F.).

◆ **ENRAGÉ, ÉE** p. p. adj.

◆ **1** (XIIIᵉ). Qui a la rage. *Loup enragé. Tuer un chien enragé* (→ Assommer, cit. 4). *Cobaye enragé,* auquel on a inoculé le virus rabique. — Loc. fig. *Un chien enragé* : un criminel, un être que ses violences retranchent de la société.

10   Mais comment obtenir le vaccin contre un virus inconnu ? (...) Une moelle de lapin enragé, convenablement traitée, devint peu à peu inoffensive et puis permit de rendre réfractaire à la rage les animaux de laboratoire.
Henri MONDOR, Pasteur, p. 177.

Fig. *Des révoltes de mouton* (cit. 14) *enragé.*

(Personnes). *Le petit Meister fut le premier sujet enragé vacciné par Pasteur.* — N. *Un enragé, une enragée.* — Loc. fig. *Crier comme un enragé.*

0.1   Un cabanon crépi tout blanc, un lit de fer défait, les couvertures à bas, et, là-dessus, nu, luisant de sueur et d'écume, contracturé, tordu comme un clown, avec des bonds, des hurlements qui remplissaient tout le Parvis, un enragé au dernier paroxysme *(sic)*...
Alphonse DAUDET, l'Immortel, p. 230.

Fig. *Mener une vie enragée,* dure, difficile.

11   Votre frère (...) est entre Ninon et une comédienne (...) Nous lui faisons une vie enragée.
Mᵐᵉ DE SÉVIGNÉ, 146, 18 mars 1671.

Loc. fam. *Manger de la vache enragée* : avoir une vie de privations, d'épreuves (→ Faim, cit. 13 ; illusion, cit. 30). — *De la vache enragée* : des épreuves, une vie difficile.

12   (...) madame Balzac installa Honoré dans une mansarde, en lui allouant une pension suffisante à peine aux plus strictes besoins, espérant qu'un peu de vache enragée le rendrait plus sage.
Th. GAUTIER, Portraits contemporains, p. 60.

2.1   Non ! il faut que tu trimes, que tu connaisses la peine, le travail... Vois-tu, dans le corps de tous les hommes, écoute ça !... dans le corps de tous les hommes qui sont devenus remarquables... il y a un morceau de vache enragée.
LABICHE, les Petits Oiseaux, III, 8.

2.2   Elle a pleuré. Je ne sais pas si c'est de déception ou de joie.
Pourquoi veux-tu que ce soit de plaisir ? Tu lui proposes de la vache enragée. La sainteté honteuse, elle la partagera, oui, c'est probable, mais combien de temps ? Il arrivera un moment où il lui faudra des fourrures, des voyages.
Alain BOSQUET, les Bonnes Intentions, p. 79.

◆ **2** Fig. Qui est saisi d'une espèce de rage, d'un furieux désir ; qui agit sans mesure, sans jugement. → **Acharné, fou, furieux, violent.** *Il faut être enragé pour agir ainsi* (→ Avoir le diable* au corps). Spécialt. Atteint de passion pour quelque chose. *Un chasseur enragé,* passionné. → **Effréné.** *Être enragé au jeu. Un bavard enragé, un enragé bavard. Être enragé de musique, d'art abstrait.* → **Fanatique, mordu.** — N. *Un enragé de football, qui ne manque pas un match.* → **Fanatique.** *C'est une enragée de rock. Ils se sont battus comme des enragés.*

Mon maître est un vrai enragé d'aller se présenter à un   13
péril qui ne le cherche pas (...).
MOLIÈRE, Dom Juan, III, 3.

(...) prétendant que les montagnes sont plus curieuses d'en   14
bas que d'en haut, et qu'il fallait être enragé pour s'exposer
à se rompre les os cent mille fois, et se faire geler le nez et
les oreilles en plein mois d'août, en Andalousie, en vue de
l'Afrique.
Th. GAUTIER, Voyage en Espagne, p. 192.

J'avais été raisonnable pendant plus de quatre années et   15
je sentais, tout à coup, que j'allais devenir enragé.
G. DUHAMEL, la Pesée des âmes, XIV, p. 323.

Spécialt. hist. **a** *Les Enragés,* ultra-révolutionnaires (1793-1799).

b Étudiants ultra-révolutionnaires de mai 1968. *Les Enragés et les Situationnistes.*

◆ **3** (1552). Vieilli. (Choses). → **Excessif, violent.** *Une tempête enragée. Passion enragée. Vacarme enragé. Musique enragée,* bruyante, au rythme très vif.

Il a fait ici un temps enragé depuis trois jours (...)   16
Mᵐᵉ DE SÉVIGNÉ, 489, 8 janv. 1676.

Je suis monté (...) un jour d'orage, dans la pluie furieuse,   17
dans l'effort des vents enragés, dans l'ouragan de mon
espoir et le tourbillon de mes pensées (...)
Léon BLOY, la Femme pauvre, p. 76.

◆ **4** Personnes. Très irrité. *Être enragé d'un refus, d'un échec...* (→ Cran, cit. 1). *Une déception qui le rend enragé* (→ Dépenser, cit. 11). *Être enragé contre qqn.* → **Emporté, furieux.**

(...) toutes les dames de la cour étaient enragées contre   18
elle.
Mᵐᵉ DE SÉVIGNÉ, 799, 12 avr. 1680.

Il en était comme enragé en lui-même *(de la petite Fadette)*   19
quand il ne pouvait lui parler à son aise (...)
G. SAND, la Petite Fadette, XXV, p. 169.

DÉR. Enrageant, enragement.

ENRAIDIR   [ɑ̃redir ; ɑ̃Redir] v. tr. — XIIᵉ, *enredir ; enroidir,* 1660 ; repris au XVIIIᵉ ; de *en-, raide,* et suff. verbal.

Rare. Rendre raide. — Pron. *S'enraidir* : se raidir*.
DÉR. Enraidissement.

ENRAIDISSEMENT   [ɑ̃redismɑ̃ ; ɑ̃Redismɑ̃] n. m. — 1314, *enroidissement ;* de *enraidir.*

Rare. Action d'enraidir ; fait de devenir raide. *Un enraidissement du genou.* → **Raidissement.**

ENRAIEMENT   [ɑ̃remɑ̃] ou **ENRAYEMENT** [ɑ̃Rɛjmɑ̃] n. m. — 1808, *enraiement ; enrayement,* 1870 ; de 2. *enrayer.*

◆ **1** Vx. Action d'enrayer (un véhicule).

◆ **2** Mod. (Fig.). Fait d'arrêter (une progression dangereuse). *L'enraiement d'une épidémie.*

ENRAILLER   [ɑ̃raje] v. tr. — Mil. XXᵉ ; de *en-, rail,* et suff. verbal.

Techn. Mettre sur rails. *Enrailler un wagon.*
DÉR. Enrailleur.

ENRAILLEUR   [ɑ̃rajœr] n. m. — Mil. XXᵉ ; de *enrailler.*

Techn. Dispositif permettant de remettre (un véhicule) sur rails.

(...) dans certains points particuliers de la voie où il y aurait tendance à avoir des déraillements, on place des enrailleurs qui ont pour but de remettre les berlines sur les rails.   Michel CAZIN, les Mines, p. 100.

ENRAYAGE   [ɑ̃Rɛjaʒ] n. m. — 1826 ; de 2. *enrayer.*
Technique.

◆ **1** Opération par laquelle on enraye une roue. — Spécialt. *Chaîne d'enrayage,* pour les pièces d'artillerie.

◆ **2** (1932). Arrêt accidentel et momentané du fonctionnement d'une arme à feu.

ENRAYEMENT [ɑ̃ʀɛjmɑ̃] n. m. → **Enraiement.**

1. ENRAYER [ɑ̃ʀeje] v. tr. [CONJUG.: *payer*.] — 1680; enroier, XIIIᵉ; de en-, raie «sillon», et suff. verbal, d'après rayer.

Agric. *Enrayer un champ.* — (1864). *Enrayer les sillons* : former les sillons avec un ados*.

DÉR. 1. **Enrayure.**

2. ENRAYER [ɑ̃ʀeje] v. tr. [CONJUG.: *payer*.] — 1552; de en-, rai «rayon de roue», et suff. verbal. → Rayure.

A ◆ **1** Vieilli. Entraver le mouvement de (une roue, un véhicule). → **Freiner.** *Enrayer une roue avec un sabot, un frein, en barrant les rayons avec un bâton, une chaîne. — Enrayer une charrette.* — Absolt. *Cette descente est trop rapide, il faut enrayer* (Académie). Par métaphore et vx. *Enrayer qqn,* le retenir, l'arrêter.

1 Il faut faire à ces grands parleurs ce que l'on fait aux roues des carrosses (...) il faut les enrayer.
MÉNAGE, *in* Dict. de Trévoux.

◆ **2** (Fin XIXᵉ). Mod. Empêcher accidentellement de fonctionner (une arme à feu, un mécanisme). *L'encrassement, la rouille risque d'enrayer cette arme à feu quand on voudra s'en servir.* → **Bloquer.**

◆ **3** (1611). Fig. Arrêter dans son cours (une chose qui progresse rapidement et de façon menaçante). → **Juguler.** *Enrayer une maladie, une épidémie, les progrès du mal. Enrayer la dénatalité* (cit.). *Enrayer les progrès d'une propagande subversive. Mesures propres à enrayer une crise économique. Enrayer un mouvement d'insurrection* (→ Agitation, cit. 20). → **Briser.** — Milit. *Enrayer la marche de l'ennemi, une attaque ennemie.*

2 Un nouveau traitement, des soins énergiques, semblent avoir encore une fois enrayé la progression du mal.
MARTIN DU GARD, les Thibault, t. IX, p. 144.

(Rare). Arrêter (un processus quelconque). *Enrayer le progrès. Enrayer une évolution nécessaire.*

B (1680). Techn. Monter (une roue) en mettant les rayons dans les mortaises du moyeu et de la jante.

◆ **S'ENRAYER** v. pron.

Se bloquer (en parlant du mécanisme d'une arme automatique). *Le coup ne partit pas, son revolver s'était enrayé.*

3 Ce sont des engins terribles, en théorie, dans les stands de tir. Mais dans la pratique! Il paraît que ça s'enraye au moindre grain de sable (...)
MARTIN DU GARD, les Thibault, t. VI, p. 201.

CONTR. et COMP. Désenrayer; débloquer; aider, favoriser.
◊ DÉR. Enraiement ou enrayement, enrayage, enrayoir, 2. **enrayure.**

ENRAYOIR [ɑ̃ʀɛjwaʀ] n. m. — Fin XVIᵉ; de 2. *enrayer.*
Techn. et vieilli. Sabot d'enrayage.

1. ENRAYURE [ɑ̃ʀɛjyʀ; ɑ̃ʀejyʀ] n. f. — 1680; de 1. *enrayer.*

Agric. Premier sillon ouvert par la charrue.

Lorsqu'on laboure un champ (...) la première raie ouverte par la charrue s'appelle *l'enrayure*; l'enrayure est recouverte par les bandes suivantes, et la dernière raie qui reste ouverte porte le nom de *dérayure.* Ordinairement, au labour suivant on enraye dans la dérayure précédente.
Omnium agricol, Labour, p. 482.

2. ENRAYURE [ɑ̃ʀɛjyʀ; ɑ̃ʀejyʀ] n. f. — 1740; enrayeure, 1676; de 2. *enrayer,* B.
Techn. Assemblage de pièces de bois rayonnant autour d'un centre.

ENRÉGIMENTEMENT [ɑ̃ʀeʒimɑ̃tmɑ̃] n. m. — 1865, fig.; de *enrégimenter.*

◆ **1** (1877). Action d'enrégimenter (des hommes, de petites unités militaires).

◆ **2** Péj. Action de faire entrer ou d'entrer dans un groupe, un parti, de (se) soumettre à une discipline rigoureuse.

Malraux, qui adhère à un engagement politique, est un grand écrivain. On aimerait pouvoir en dire autant d'Aragon (...) Montherlant, qui se refuse à tout enrégimentement, demeure un des plus étonnants prosateurs du siècle.
CAMUS, «La Conspiration» de Paul Nizan, in Essais, Pl., p. 1396.

ENRÉGIMENTER [ɑ̃ʀeʒimɑ̃te] v. tr. — 1722; de en-, régiment, et suff. verbal.

◆ **1** Vieilli. Incorporer dans un régiment. *Enrégimenter des volontaires.* → **Enrôler, mobiliser, recruter.**

1 Tout cela fait, on armerait tous ces paysans devenus hommes libres et citoyens, on les enrégimenterait, on les exercerait, et l'on finirait par avoir une milice vraiment excellente, plus que suffisante pour la défense de l'État.
ROUSSEAU, le Gouvernement de Pologne, XIII.

◆ **2** (1864). Mod. Faire entrer dans un parti qui exige une obéissance quasi militaire. → **Embrigader.** *Conspirateur qui veut enrégimenter tous les mécontents. Électeurs dociles qui se laissent enrégimenter.*

2 Cet effort pour me mettre au pas ne réussit donc qu'à me différencier davantage, comme il advint chaque fois que je tentai de m'enrégimenter.
GIDE, Si le grain ne meurt, I, VIII, p. 209.

3 Viendra le temps où l'État, dans tous les pays, nous enrégimentera (...)
J. GREEN, Journal, 10 févr. 1970, Ce qui reste de jour, p. 219.

◆ **S'ENRÉGIMENTER** v. pron. (sens 1 et 2).

4 (...) les plus acharnés étaient ceux des nôtres qui tournaient carrément casaque et qui allaient s'enrégimenter dans les rangs de nos ennemis et menaient la police sur des pistes sérieuses et toutes fraîches.
B. CENDRARS, Moravagine, in Œ. compl., t. IV, p. 123.

◆ **ENRÉGIMENTÉ, ÉE** p. p. adj. (surtout au sens 2). *Des militants bien enrégimentés.*

5 Les seuls magasins du Trocadéro occupent quinze mille employés ou employées. Les employés masculins sont enrégimentés. Tous les mois, il y a grande revue et manœuvres militaires autour des magasins, spectacle très apprécié des Parisiens et des étrangers.
A. ROBIDA, le Vingtième Siècle, p. 92.

DÉR. **Enrégimentement.**

ENREGISTRABLE [ɑ̃ʀ(ə)ʒistʀabl] adj. — 1580; de enregistrer.

Qui peut être enregistré (2. ou 3.). *Image, son enregistrable, difficilement enregistrable.*

ENREGISTRANT, ANTE [ɑ̃ʀ(ə)ʒistʀɑ̃, ɑ̃t] adj. — 1898, in *Année sc. et industr.,* 1899, p. 170, «bascule enregistrante»; p. prés. de enregistrer.

Qui enregistre; qui correspond à un enregistrement.

(...) son arrivée au fond du Tez avait coïncidé avec la phase enregistrante survenue dans l'évolution de la première plante, qui aussitôt s'était emparée âprement des images situées en face d'elle.
Raymond ROUSSEL, Impressions d'Afrique, p. 367.

ENREGISTREMENT [ɑ̃ʀ(ə)ʒistʀəmɑ̃] n. m. — 1310;
de *enregistrer*.

◆ **1** Action d'inscrire (qqch.) sur un registre*. → **Inscription, transcription.** *Enregistrement d'une commande par un commerçant.*

a Dr. Transcription ou mention sur registre public,
moyennant le paiement d'un droit fiscal (d'actes,
de contrats, de déclarations de mutation) en
vue d'en constater l'existence et de leur conférer
date* certaine. *L'enregistrement d'un acte.* — Absolt.
*L'enregistrement est réglé par la loi organique du
22 frimaire an VII, complétée et codifiée par le
décret du 27 décembre 1934* (Code de l'enregistrement), *modifié par le décret du 6 avril 1950*
(Code général des impôts). *Actes soumis à l'enregistrement. Droits* d'enregistrement : droits fixes;
droits proportionnels et progressifs. Délai d'enregistrement. Quittance de l'enregistrement. Dispense
d'enregistrement.* — *Bureau de l'enregistrement.
Administration de l'enregistrement,* et, absolt, *l'Enregistrement :* l'Administration publique chargée
du service de l'enregistrement. *La direction de
l'Enregistrement dépend du ministère des Finances.
Receveur de l'Enregistrement. L'Enregistrement perçoit les droits de succession*, les impôts sur les
valeurs mobilières et le droit de timbre*.*

1 L'État rend au public un service réel quand il mentionne
ces actes (les actes auxquels les biens et les revenus donnent lieu) sur des registres publics : il assure la conservation d'une *analyse* de leur contenu; il leur donne *date
certaine* vis-à-vis des tiers (...) il assure à la transmission
des droits immobiliers la *publicité* indispensable pour la
sécurité des transactions. Il est naturel que le fisc perçoive
(...) la *rémunération* nécessaire pour couvrir les frais de
ce service, et qu'en outre il y ajoute un impôt modéré
(...) Les droits sur les actes et les mutations existaient
déjà sous l'Empire romain. L'ancienne monarchie percevait des droits de *contrôle* pour l'enregistrement de certains
actes, d'*insinuation* (...), de *centième denier* (...) On distingue en principe trois catégories de droits : 1° les droits
de *mutation*... 2° les droits d'*acte* (...) 3° les droits de *timbre*
(...) Ces droits (...) sont recouvrés par l'administration de
l'enregistrement... En dehors des contrats pour lesquels la
déclaration est prescrite parce que l'acte (la *mutation* qui est
taxée et non l'acte, l'enregistrement est *obligatoire, dans un
délai déterminé, pour tous les actes dressés par les officiers
ministériels et pour tous les actes judiciaires.*
Clément COLSON, *Cours d'Économie politique,*
livre v, p. 369-371.

Anc. dr. Copie d'une ordonnance royale, faite par
un parlement. *En cas de refus d'enregistrement par
un parlement* (remontrance*), *le roi ordonnait d'enregistrer l'ordonnance par des lettres de jussion* ou
la faisait enregistrer en sa présence par un lit de justice. L'enregistrement avait pour but de conserver le
texte de l'ordonnance et de la rendre exécutoire.*

Dr. internat. publ. *Enregistrement des traités,* par
les États membres de la société des Nations
(1919-1939) puis de l'Organisation des Nations
unies (Charte de San Francisco, art. 102). *L'enregistrement des traités se fait au secrétariat de
l'O. N. U., afin d'en assurer la publicité.*

b (Mil. xxᵉ). Cour. *Enregistrement des bagages* : opération par laquelle un transporteur enregistre les
bagages dont les voyageurs ne conservent pas la
garde. *Enregistrement des bagages par une compagnie de chemin de fer, une compagnie aérienne.*

c Inscription (d'un élément documentaire : livre,
etc.) sur un registre.

◆ **2** (1863). Action de consigner par écrit, de noter
comme réel ou authentique. *L'enregistrement d'une
observation, d'un fait.* — *Enregistrement d'un mot,
d'une locution dans un dictionnaire* (→ **Enregistrer,**
2.).

(...) un dictionnaire doit être, ou, si l'on veut, ce dictionnaire est un enregistrement très étendu des usages de la
langue, enregistrement qui, avec le présent, embrasse le
passé, partout où le passé jette quelque lumière sur le présent quant aux mots, à leurs significations, à leur emploi.
LITTRÉ, *Dict.,* Préface, p. 4.

◆ **3** (1870). Sc. et cour. Action ou manière d'enregistrer sur un support (des informations, signaux ou
phénomènes divers). *Enregistrement d'une image,
d'une pression.*

(Déb. xxᵉ). Spécialt. Cour. **a** *Enregistrement du son,*
permettant de le conserver et de le reproduire.
Enregistrement mécanique (gravure sur disque),
optique (film cinématographique), *magnétique*
(magnétophone, magnétoscope). *Enregistrement
sur cassette*. Cabine, studio d'enregistrement. Enregistrement d'une émission à transmettre en différé.
Enregistrement fractionné* (**équiv.** français de *recor-
ding, multiplay,* etc.; Journ. off., 18 janv. 1973). — *Un
bon, un excellent enregistrement. L'enregistrement
de ce disque est excellent, mais le pressage laisse à
désirer.*

b Support sur lequel a été effectué un enregistrement. *Cet enregistrement est en mauvais état.*

ENREGISTRER [ɑ̃ʀ(ə)ʒistʀe] v. tr. — XIIᵉ; de *en-,
registre,* et suff. verbal.

◆ **1** Inscrire (qqch.) sur un registre*. → **Registrer,
transcrire.** *Enregistrer une commande, une dépense.*
— *Enregistrer officiellement un record.* → **Homologuer.**

Les prophéties s'enregistraient dans les archives du 1
temple. BOSSUET, Hist. des variations, I, 6.

Dr. Inscrire, mentionner, transcrire (un acte) sur
un registre public; procéder à l'enregistrement
(→ **Enregistrement,** 1.). *Rendre un acte authentique
en l'enregistrant.* → **Authentifier, authentiquer.** *Faire
enregistrer un acte, un bail, un contrat, une donation. Les actes sous seing privé n'ont de date* (cit. 6)
certaine que du jour où ils ont été enregistrés.

Anc. dr. Procéder à l'enregistrement* de (une
ordonnance).

(Mil. xxᵉ). Spécialt. Cour. *Faire enregistrer des bagages*
(→ **Enregistrement,** 1., b.) *Le service, les employés qui
enregistrent les bagages.*

Le lendemain par un temps aussi bouché chacun reprend 1.1
le chemin de l'aéroport. après trois heures d'attente, et bien
que le plafond soit encore plus bas que la veille, on enregistre les bagages, on donne le signal du départ.
R. FRISON-ROCHE,
Peuples chasseurs de l'Arctique, p. 21.

Par métonymie. Confier (des bagages) à l'enregistrement. — Syn. : *faire enregistrer. Dépêche-toi d'enregistrer ta malle.*

*Enregistrer un livre, un périodique dans une biblio-
thèque.* → **Archiver.**

◆ **2** (V. 1360). Consigner par écrit; prendre note de
(qqch.). → **Inscrire, mentionner, noter.** *Enregistrer
un événement dans son journal, dans ses mémoires.
Enregistrer une observation, une remarque. Enregistrer ses songes* (→ Dicter, cit. 1).

Inclure dans une description. *Enregistrer un mot,
une locution, une tournure dans un dictionnaire. Les
bonnes grammaires n'enregistrent pas cette construction. Un dictionnaire doit enregistrer l'usage*
(→ Enregistrement, cit. 2, Littré). *Les définitions* (cit. 7)
enregistrent les sens des mots.

(...) il était indispensable d'enregistrer des façons de parler, 2
qui, bien que formées de fraîche date, sont déjà familières (...) Dict. de l'Acad., 1932, 8ᵉ éd., Préface.

Prendre bonne note de..., constater avec l'intention de se rappeler. → **Noter**. *L'institut de statistique enregistre un net progrès des exportations. La mémoire enregistre quotidiennement des milliers de faits*. → **Conserver, recueillir**. *Enregistrer qqch. dans sa mémoire. — L'histoire n'a enregistré que ses échecs*. → **Compte** (tenir compte).

3 *(Le)* grand festin parlementaire où s'assoient trente convives dont l'histoire officielle n'enregistre que les toasts.
M. BARRÈS, Leurs figures, p. 259.

4 Il est curieux que l'histoire, au lieu d'enregistrer les résultats, se laisse impressionner, même à longue distance, par des hommes qui n'ont pris la plume, comme c'est presque toujours le cas des auteurs de mémoires, que pour se plaindre ou se vanter.
J. BAINVILLE, Hist. de France, VIII, p. 153.

5 (...) c'était la perspective du bas des murs qui s'était le mieux enregistrée dans sa mémoire...
J. ROMAINS, les Hommes de bonne volonté, t. IV, VIII, p. 78.

6 Progrès professionnel, qu'il n'enregistrait pas sans satisfaction.
MARTIN DU GARD, les Thibault, t. III, p. 254.

7 À l'élection présidentielle (...) le vote national enregistrait la défaite du tribun *(Lamartine)*, qui n'obtenait que dix-sept mille voix (...)
Émile HENRIOT, les Romantiques, p. 106.

8 C'est un fait, voilà tout (...) Enregistrons-le et tirons-en les conséquences.   CAMUS, la Peste, p. 228.

Absolt. *J'enregistre* : je note.

Au p. p. C'est *enregistré*. → ci-dessous le p. p. adj.

Par ext. Fam. Remarquer (qqn, qqch.) de manière à s'en souvenir.

8.1 La première voiture qu'il carambola contenait également un couple ainsi serré. L'homme, qui se croyait habile, se retourna pour enregistrer l'audacieux qui lui avait manqué de respect.
R. QUENEAU, Pierrot mon ami, éd. L. de Poche, p. 24.

♦ **3** (1864). Transcrire et fixer sur un support matériel, à l'aide de techniques et appareils divers (un phénomène à étudier, une information à conserver et à reproduire). *Enregistrer les pulsations du cœur. Enregistrer des images sur film, sur bande vidéo*. → **Filmer**.

(Déb. XXe). Spécialt. *Enregistrer un son, de la musique sur disque, sur bande* (→ **Enregistrement**, 3., spécialt). *Faire enregistrer sa voix. Cette marque de disques a enregistré toutes les sonates de Beethoven*. → **Graver**. *Ingénieur du son qui enregistre un concert*.

9 Dira-t-on que je m'entends ? Pas tout à fait, puisque, si l'on enregistre ma voix, je ne la reconnais pas.
SARTRE, Situations I, p. 232.

Par ext. *Il a enregistré plusieurs chansons pour telle maison de disques*, il les a fait enregistrer.

♦ **ENREGISTRÉ, ÉE** p. p. adj. *Acte enregistré. Bagages enregistrés. — Événement enregistré dans un journal.* Spécialt (sens 3). *Musique, voix enregistrée*. → **Enregistrement** 3.; → fam. Musique en conserve*. *Programme enregistré* (radio, télé). → **Différé** (opposé à *en direct*).

DÉR. Enregistrable, enregistrant, enregistrement, enregistreur. ◊ COMP. Préenregistré. Réenregistrer.

ENREGISTREUR, EUSE [ɑ̃ʀ(ə)ʒistʀœʀ, øz] n. et adj. — 1864; «personne qui enregistre un acte», 1310; de *enregistrer*.

I N. ♦ **1** Vx. Personne qui enregistre.

♦ **2** N. m. (XIXe). Appareil qui enregistre automatiquement les variations de la quantité qu'il mesure. *Enregistreur de pression. —* Spécialt. Partie constitutive d'un récepteur télégraphique.

Aviat. *Enregistreur de vol* (dit *boîte* noire*). — *Enregistreur de temps* (pour le pointage du personnel). → **Pointeuse** (1.).

Appareil d'enregistrement sonore. *Enregistreur magnétique*. → **Magnétophone**. «*Chaque bande magnétique vendue a été véritablement enregistrée à la pièce, sur un enregistreur alimenté (...) par un magnétophone lecteur d'une bande mère*» (*Science et Vie*, 1975, no 105, p. 22).

II Adj. (XIXe; 1864, Littré). Qui enregistre (un phénomène). *Appareils enregistreurs*. → **Compteur**, et le suff. **-graphe** (anémographe, cardiographe, maréographe, myographe, sismographe, sphygmographe, thermographe, etc.); → aussi **caméra, photo** (appareil de). *Thermomètre enregistreur; baromètre*, anémomètre, altimètre enregistreur. Caisse enregistreuse.*

Cette parole me choqua comme méconnaissant la façon dont se forment en nous les impressions artistiques, et parce qu'elle semblait impliquer que notre œil est dans ce cas un simple appareil enregistreur qui prend des instantanés.
PROUST, À la recherche du temps perdu, t. VIII, p. 172.

ENRÊNEMENT [ɑ̃ʀɛnmɑ̃] n. m. — 1908; de *enrêner*. Technique.

♦ **1** Action d'enrêner; résultat de cette action. *Enrênement de la tête du cheval*. → **Harnachement**.

♦ **2** Équit. Système de rênes mobiles permettant de fixer le cheval dans une attitude de travail.

Le jeune cheval est débourré pendant deux ans d'abord à la longe, avec un enrênement peu serré (...)
Henri AUBLET, l'Équitation, p. 30.

ENRÊNER [ɑ̃ʀene] v. tr. — V. 1170, *enreignier*; de *en-*, *rêne*, et suff. verbal.

Vx. Harnacher (un cheval de carrosse) en nouant les rênes.

Fig. et littér. Retenir (qqn) dans son action.

DÉR. Enrênement.

ENRÉSINEMENT [ɑ̃ʀezinmɑ̃] n. m. — 1930, Larousse; de *enrésiner*.

Techn. Action de planter des résineux dans un taillis sous futaie.

ENRÉSINER [ɑ̃ʀezine] v. tr. — Déb. XXe; v. pron. «se couvrir de résine», 1905; de *en-*, *résine*, et suff. verbal.

Techn. Reboiser (une plantation, un taillis) en introduisant des essences résineuses.

DÉR. Enrésinement.

ENRHUMABLE [ɑ̃ʀymabl] adj. — Av. 1922, Proust; de *enrhumer*.

Qui s'enrhume facilement.

Docteur, je suis extrêmement rhumatisant et enrhumable, je viens de prendre trop d'exercice, et pendant que je me donnais bêtement chaud ainsi, mon cou était appuyé contre mes flanelles. (...) je suis sûr de prendre un torticolis et peut-être une bronchite.
PROUST, le Côté de Guermantes, éd. Folio, t. I, p. 366.

ENRHUMER [ɑ̃ʀyme] v. tr. — 1636; s'enrimer «contracter un rhume», 1492; au p. p., enrhumé, 1549; anrimé, v. 1180, Marie de France; de *en-*, *rhume*, et suff. verbal.

Causer le rhume de (qqn); provoquer un rhume chez (qqn). *La moindre humidité suffit à l'enrhumer. Elle est enrhumée tout l'hiver* (→ **Enchifrené, grippé**).

(...) il n'y a rien qui enrhume tant que de prendre l'air par les oreilles.   MOLIÈRE, le Malade imaginaire, I, 6.

0.1

◆ **S'ENRHUMER** v. pron.

Attraper un rhume. *Je me suis enrhumé en attendant dehors. Cet enfant s'enrhume tous les hivers.*

◆ **ENRHUMÉ, ÉE** p. p. adj.

◆ **1** Atteint de rhume. *Je suis très enrhumé. Un enfant enrhumé.*

1   Mais à grand-peine ce magot
A-t-il allumé le fagot
Que nous étranglons de fumée ;
Nous toussons d'un bruit importun,
Ainsi qu'une chatte enrhumée (...)
           SAINT-AMANT, la Chambre du débauché.

N. *Un enrhumé, une enrhumée chronique.* → **Catarrheux.**

◆ **2** Qui est symptomatique du rhume. *Des yeux enrhumés. Une voix enrhumée.*

2   *6 février.* Granier, *le Plaisir de rompre.* L'air d'un garçon rasé, frisé et roux. Une grave voix enrhumée.
— Moi, dit-elle, je ne suis pas une comédienne. Je joue comme ça.   J. RENARD, Journal, 6 févr. 1897.

Par plais. *Un violon, un harmonium enrhumé.*
→ **Nasillard.**

3   Le bourdon se lamente, et la bûche enfumée
Accompagne en fausset la pendule enrhumée.
       BAUDELAIRE, les Fleurs du mal., Spleen et Idéal, LXXV.

REM. Pour évoquer la voix enrhumée, on dit plaisamment [ɑ̃ʀybe] et on écrit parfois *enrhubé.*

DÉR. Enrhumable.

ENRICHI, IE [ɑ̃ʀiʃi] adj. — XIIᵉ ; du p. p. de *enrichir.*

◆ **1** (Généralement péj.). Qui s'est enrichi, qui n'a pas toujours été riche. → **Parvenu.** *Un commerçant enrichi.* — N. (1800). *Un enrichi, une enrichie de fraîche date.* → **Riche** (nouveau riche).

◆ **2** (V. 1946). Se dit d'un corps dont la proportion d'un des constituants a été augmentée. *Minerai enrichi. Uranium enrichi.* → **Enrichissement.** *Pain enrichi.*

CONTR. Ruiné. — Appauvri.

ENRICHIR [ɑ̃ʀiʃiʀ] v. tr. ; XIIᵉ ; de en-, *riche,* et suff. verbal.

◆ **1** Rendre riche ou plus riche. *Il a enrichi toute sa famille par son travail.* — (Sujet n. de chose). *Coup de bourse qui enrichit les spéculateurs* (→ 1. Agio, cit. 1). *Ce commerce l'a enrichi. Industrie qui enrichit une région, une ville. L'industrie enrichit l'agriculture* (cit. 2). — Absolt. *Le travail enrichit.*

1   De Romains que la guerre enrichit de nos pertes.
           RACINE, Mithridate, III, 1.

2   Quelques-uns allaient jusqu'à supposer que M. Ellison se dépouillerait lui-même au moins d'une moitié de sa fortune (...) et qu'il enrichirait toute la multitude de ses parents par le partage de cette surabondance.
       BAUDELAIRE, Trad. E. POE, Histoires grotesques et sérieuses, «Le domaine d'Arnheim.»

3   Il refusait de lier son destin à l'industrie qui l'enrichissait.
       J. ROMAINS, les Hommes de bonne volonté, t. III, XIII, p. 182.

Par extension et par plaisanterie :

4   La peste (puisqu'il faut l'appeler par son nom),
Capable d'enrichir en un jour l'Achéron (...)
           LA FONTAINE, Fables, VII, 1.

◆ **2** (XVᵉ). Par ext. Rendre plus riche (6.) ou plus précieux (qqch.) en ajoutant un ornement ou un élément de valeur. *Aigrette de diamants qui enrichit un diadème.* — *Enrichir qqch. de qqch. Enrichir un livre de figures, une édition originale d'autographes ou de documents précieux.* → **Truffer.** *Amateur qui enrichit sa collection de quelques pièces rares.*
→ **Augmenter, compléter.**

Fig. (en parlant de choses de l'art, de l'esprit). *Découvertes qui viennent enrichir la science.* → **Agrandir.** *Les expériences qui enrichissent notre connaissance des hommes. Des lectures qui enrichissent la culture, la mémoire, le goût, l'esprit* (→ **Meubler**), *qui enrichissent. Féconds échanges d'idées qui enrichissent les travaux des savants. Œuvre qui enrichit une littérature, le patrimoine national.*

5   (...) non qu'il faille ignorer les langues étrangères, je te conseille de les savoir parfaitement, et d'elles, comme d'un vieil trésor trouvé sous terre, enrichir ta propre nation (...)
           RONSARD, l'Art poétique.

6   La vie des héros a enrichi l'histoire, et l'histoire a embelli les actions des héros (...)
           LA BRUYÈRE, les Caractères, I, 12.

7   Tout ce qu'il *(l'enfant)* voit, tout ce qu'il entend le frappe, et il s'en souvient (...) tout ce qui l'environne est le livre dans lequel, sans y songer, il enrichit continuellement sa mémoire, en attendant que son jugement puisse en profiter.   ROUSSEAU, Émile, II.

8   Comme l'abeille butine et enrichit la ruche — de tous ses désirs qui le prennent dans la rue —, un amoureux enrichit son amour.   R. RADIGUET, le Diable au corps, p. 145.

Absolt. *Des lectures qui enrichissent.* → **Enrichissant.**
Enrichir un récit, un discours. → **Développer, embellir, étoffer.** *Enrichir une langue,* par l'introduction de mots, d'expressions ou de sens nouveaux (→ Codifier, cit. 1 ; dérivation, cit. 3). *Enrichir son style, sa palette.*

9   (...) d'autant que notre langue est encore pauvre, et qu'il faut mettre *(prendre la)* peine (...) de l'enrichir et cultiver.
           RONSARD, l'Art poétique.

10   (...) les ornant et enrichissant *(les alexandrins)* de figures, schèmes, tropes, métaphores, phrases et périphrases (...)
           RONSARD, Au lecteur apprentif.

11   Il *(Ronsard)* n'avait pas tort, ce me semble, de tenter quelque nouvelle route pour enrichir notre langue, pour enhardir notre poésie (...)
           FÉNELON, Lettre à l'Acad., V.

◆ **3** (Fin XIXᵉ). Augmenter la fertilité de (un sol). *Enrichir un sol par des engrais.* → **Améliorer, fertiliser.** Traiter (un minerai) de façon à augmenter la teneur de l'un de ses constituants.

◆ **S'ENRICHIR** v. pron.

◆ **1** (V. 1355). Devenir riche. → **Fortune** (faire fortune), **gagner** (de l'argent), et, fam., **engraisser** (s') ; → fam. Se bourrer, se remplir les poches*, s'en mettre plein les poches. S'enrichir dans un commerce* (→ Art, cit. 60). *Il s'est enrichi par son travail. S'enrichir aux dépens des autres ; des dépouilles d'autrui* (→ Douaire, cit.). *S'enrichir frauduleusement, en exploitant, en pressurant. Enrichissez-vous !,* formule du ministre Guizot. — Prov. *Qui paie ses dettes s'enrichit.*

12   (...) plus d'une fois il nous arrive de nous enrichir à rebours en achetant du beau bien à bas prix.
       G. SAND, François le champi, XIX, p. 137.

13   Un grand changement s'opère au dix-huitième siècle dans la condition du tiers état. Le bourgeois a travaillé, fabriqué, commercé, gagné, épargné, et tous les jours il s'enrichit davantage. On peut dater de Law ce grand essor des entreprises, du négoce, de la spéculation et des fortunes ; arrêté par la guerre, il reprend plus vif et plus fort à chaque intervalle de paix (...)
       TAINE, les Origines de la France contemporaine, t. II, II, p. 165.

◆ **2** (1680). Fig. *Collection qui s'enrichit de pièces curieuses. La langue s'enrichit tous les jours. La mémoire s'enrichit par l'exercice. S'enrichir de quelques vertus* (→ Corriger, cit. 18), *de nouvelles habitudes* (→ Automatisme, cit. 4).

14   (...) la patience, la douceur, la résignation, l'intégrité, la justice impartiale, sont un bien qu'on emporte avec soi, et dont on peut s'enrichir sans cesse, sans craindre que la mort même nous en fasse perdre le prix.
       ROUSSEAU, Rêveries, 3ᵉ promenade.

◆ **ENRICHI, IE** p. p. adj. (1580). *Collection enrichie de manuscrits rares.* → aussi **Enrichi,** adj.

CONTR. Appauvrir, dépouiller, épuiser, ruiner. ◇ **DÉR. Enrichi, enrichissant, enrichissement, enrichisseur.**

ENRICHISSANT, ANTE [ãʀiʃisã, ãt] adj. — 1845; p. prés. de *enrichir.*

Qui enrichit l'esprit, apporte des connaissances. *Une lecture enrichissante. Une expérience enrichissante.*

CONTR. Abêtissant, appauvrissant.

ENRICHISSEMENT [ãʀiʃismã] n. m. — 1530; attestation isolée, XIIIe; de *enrichir.*

◆ **1** Action, manière de rendre (qqch.) plus précieux ou plus riche. *L'enrichissement d'un pays. Son enrichissement fut rapide.* → **Fortune, richesse.**

1   (...) ce qu'il respire, ce n'est pas tant la richesse que l'enrichissement.
     J. ROMAINS, les Hommes de bonne volonté, t. V, XV, p. 113.

Travailler à l'enrichissement d'une collection, d'un ouvrage. — L'enrichissement de la langue française au XVIe siècle. — L'enrichissement d'une personnalité.

2   J'ai pris pour m'expliquer un style simple, et me contente d'une expression nue de mes opinions, bonnes ou mauvaises, sans y rechercher aucun enrichissement d'éloquence.
     CORNEILLE, Disc. du poème dramatique, I, 51, *in* LITTRÉ.

3   Alors qu'on allait lui devoir *(à Pasteur)* le plus bel enrichissement que la science médicale eût connu, il avait à subir (...) le sarcasme de ceux qui l'appelaient chimiatre (...)
     Henri MONDOR, Pasteur, p. 106.

4   (...) l'extraordinaire procédé de perfectionnement, de développement et d'enrichissement auquel Sainte-Beuve n'a pas cessé de se livrer, d'une page à l'autre de son œuvre, revenant sans fin sur tel chapitre, l'amendant, le corrigeant, y ajoutant un trait nouveau, l'éclairant d'une citation inédite (...)
     Émile HENRIOT, les Romantiques, p. 263.

◆ **2** *(Un, des enrichissements).* Élément qui enrichit, peut enrichir. *Les derniers enrichissements d'un musée.* → **Acquisition.** *Cette expérience sera pour vous un enrichissement.*

◆ **3** (Fin XVIIIe). Fait d'augmenter ses biens, de faire fortune. → **Enrichir** (s'). *L'enrichissement d'une classe, d'un pays.*

Dr. civ. *Enrichissement sans cause :* augmentation d'un patrimoine qui entraîne l'appauvrissement d'un autre sans que ce transfert de valeur soit légitimé par une juste cause. *L'enrichissement sans cause donne ouverture à l'action dite* de in rem verso (→ Quasi-contrat).

◆ **4** (XXe). Traitement ayant pour but d'enrichir (3.), d'augmenter la teneur (d'un minerai). *L'enrichissement d'un minerai.*

◆ **5 Phys. nucl.** Processus d'augmentation de la teneur isotopique d'un élément relative à un isotope déterminé. — Teneur isotopique relative à un isotope déterminé lorsque cette teneur est supérieure à la teneur isotopique naturelle.

CONTR. Appauvrissement, déperdition, dépouillement, déprédation, ruine.

ENRICHISSEUR [ãʀiʃisœʀ] n. m. — 1971, in *la Clé des mots;* de *enrichir,* 3.

Techn. Appareil permettant l'enrichissement (4.), et, **spécialt,** la concentration d'un produit extrait, après séparation du solvant.

ENROBAGE [ãʀɔbaʒ] n. m. — 1867; de *enrober.*

◆ **1** Action, manière d'enrober (un produit). → **Enrobement.** *L'enrobage d'un produit dans une substance protectrice.* — **Spécialt.** *Enrobage des produits alimentaires, des substances médicamenteuses, des cigares* (→ Robe).

◆ **2** Enveloppe, couche qui enrobe.
Spécialt. Partie extérieure (d'une électrode). — **Syn.** *Enrobement.*

ENROBANT, ANTE [ãʀɔbã, ãt] adj. et n. m. — 1973, comme n. m., in *la Clé des mots;* p. prés. de *enrober.*

Techn. Qui sert à enrober (un produit). *Matières enrobantes.* **N. M.** *Enrobants minéraux formant un enrobage. Enrobants pour produits de sol agglomérés.*

ENROBEMENT [ãʀɔbmã] n. m. — 1890; de *enrober.*

◆ **1** Action d'enrober (propre et fig.).

(...) l'enrobement spirituel (...) l'étude profonde et nuancée qui a présidé à l'élaboration de ces jeux d'expressions du théâtre balinais.
     A. ARTAUD, le Théâtre et son double, Sur le théâtre balinais, Idées/Gallimard, p. 82.

◆ **2 Techn.** → **Enrobage.**

ENROBER [ãʀɔbe] v. tr. — 1838; «vêtir», XIIe; de *en-, robe,* et suff. verbal.

◆ **1** Entourer (une marchandise, un produit) d'une enveloppe ou d'une couche protectrice. *Enrober des fûts, des caisses,* ce qui leur fait éviter la visite en douane. *Enrober* (de graisse, de papier d'argent ou de toute espèce de substance protectrice) *des produits alimentaires* (viande, fruits, œufs, chocolat...) *pour les conserver en les préservant de l'air.* — **Cuis.** *Enrober des fruits,* en les trempant dans du sucre filé, dans un sirop. → **Glacer.** — *Enrober le corps d'un cigare dans une feuille de tabac* (→ Robe). — **Pharm.** *Enrober des pilules, pour en masquer le goût.* — **Techn.** Recouvrir (une route, un trottoir) d'asphalte.

◆ **2** (Déb. XXe). **Fig.** Envelopper de manière à masquer ou adoucir. → **Déguiser, entourer, masquer.** *Il s'efforçait, en parlant avec douceur, d'enrober ses reproches.*

Dans la plupart des feuilles d'information, les dépêches officielles étaient enrobées de commentaires verbeux et contradictoires.
     MARTIN DU GARD, les Thibault, t. VI, p. 238.

◆ **ENROBÉ, ÉE** p. p. adj. et n.

◆ **1** *Produits enrobés de... Glace enrobée de chocolat. — Poutre métallique enrobée de béton. Pilules enrobées.*

Fig. *Des reproches enrobés,* dissimulés.

◆ **2 N. m.** Produits protégés ou agglomérés qui sont enrobés (→ **Enrobant**). *«Le tapis d'enrobé noir qui reliera la rue à la porte d'entrée»* (la Maison individuelle, févr.-mars 1975, p. 56).

DÉR. Enrobage ou **enrobement, enrobant, enrobeuse.**

ENROBEUSE [ãʀɔbøz] n. f. — V. 1960; de *enrober.*
Technique.

◆ **1** Machine servant à enrober les bonbons d'une couche dure de chocolat ou de caramel.

◆ **2** Machine appliquant à chaud une couche bitumineuse (en trav. publ.).

ENROCHEMENT [ɑ̃ʀɔʃmɑ̃] n. m. — 1729; de *en-*, *roche*, et suff. *-ement*.

Constr. Ensemble de quartiers de roche, de blocs de béton que l'on entasse sur un sol submergé ou mouvant, pour servir de fondations ou de protection à des ouvrages immergés.

ENROCHER [ɑ̃ʀɔʃe] v. tr. — 1838; «pétrifier», 1554; de *en-*, *roche*, et suff. verbal.

♦ **1** Constr. Établir sur un enrochement*. *Enrocher les piles d'un pont.*

♦ **2** Techn. *S'enrocher dans* : s'incruster (en parlant de la poudre).

ENRÔLEMENT [ɑ̃ʀolmɑ̃] n. m. — 1317; enroulement «enregistrement», 1285; de *enrôler*.

♦ **1** Action d'enrôler, ou de s'enrôler. → **Recrutement.** *Enrôlements forcés* (→ **Conscription,** cit. 1), *volontaires.* → **Engagement.** *Enrôlements frauduleux.* → **Racolage.** *Enrôlement d'un marin,* son inscription au rôle d'équipage. *Acte d'enrôlement,* et, ellipt., *signer son enrôlement.*

1 Les plus anciennes ordonnances de Louis XIV défendirent d'enrôler pour moins d'un an; c'était du moins un minimum connu. La loi accrut successivement la durée du service; il fut de trois ans et ensuite de huit. Cette durée prolongée rendit et plus difficile l'enrôlement et plus chers la prime et les pourboires; de là toutes les hideuses supercheries des racoleurs.
Gᵃˡ BARDIN, Dict. des armées de terre, *in* P. LAROUSSE.

(xxᵉ). Fig. Embrigadement. *Enrôlement dans un parti, dans une ligue.*

2 (...) cet autre *(ouvrage),* dépourvu de toute vraie pensée, voire de tout art, mais où l'auteur clame violemment son enrôlement sous un drapeau, est traité comme une œuvre de haut rang.
Julien BENDA, la Trahison des clercs, p. 66.

♦ **2** Dr. Action de comprendre une affaire dans le rôle (1. Rôle) général d'un tribunal ou dans le rôle particulier de la chambre qui doit en juger. — Action de dénombrer les pages de certains actes (acte notarié, cahier de charges, grosse de jugement).

ENRÔLER [ɑ̃ʀole] v. tr. — 1464; enrouler «enregistrer», 1174; de *en-*, *rôle*, et suff. verbal.

♦ **1** Vx. Inscrire (qqn, qqch.) sur un rôle* (→ 1. Rôle); enregistrer officiellement, soigneusement.

1 Pensons-nous qu'à chaque arquebusade qui nous touche, et à chaque hasard que nous courons, il y ait soudain un greffier qui l'enrôle?   MONTAIGNE, Essais, II, XVI.

♦ **2** Mod. Inscrire (qqn) sur les rôles de l'armée, et, par ext., amener à s'engager. → **Recruter; lever, mobiliser.** *Enrôler des soldats, des marins. On l'a enrôlé dans un régiment d'artillerie.* → **Enrégimenter, incorporer.** — Pron. *S'enrôler dans une formation militaire.* → **Engager** (s'). Absolt.

2 (...) l'Athénien Xénophon, n'étant qu'une jeune volontaire, s'enrôla sous un capitaine lacédémonien (...) au service d'un rebelle (...)
VOLTAIRE, Dict. philosophique, Xénophon.

3 (...) un cabaret fameux parmi les Islandais, où des capitaines et des armateurs viennent enrôler des matelots, faire leur choix parmi les plus forts, en buvant avec eux.
LOTI, Pêcheur d'Islande, III, XV, p. 205.

♦ **3** (1553). Fig. et fam. Amener (qqn) à entrer dans un groupe, à s'affilier à un parti. *On l'a enrôlé dans notre groupe. Refuser de se laisser enrôler* (→ Aveulir, cit. 2). Pron. *S'enrôler dans un parti, sous une bannière.* → **Embrigader** (s'), **enrégimenter** (s').

Telle conclusion est faussement jetée,   4
Car tous les bons esprits n'ensuivent point tes pas (...)
Telle injure redonde *(rejaillit)* aux plus grands de l'Europe,
Dont à peine de mille un s'enrôle en ta trope.
RONSARD, Réponse aux injures.

Voltaire (...) eut l'art funeste chez un peuple capricieux et   5
aimable, de rendre l'incrédulité à la mode. Il enrôla tous
les amours-propres dans cette ligue insensée (...)
CHATEAUBRIAND, le Génie du christianisme, I, 1, 1.

(...) je l'enrôlais dans ma comédie.   6
Alphonse DAUDET, le Petit Chose, I, I, p. 9.

Dostoïevsky ne se laisse pas plus facilement enrôler pour   7
ou contre le socialisme (...)   GIDE, Dostoïevski, p. 39.

♦ **ENRÔLÉ, ÉE** p. p. adj. et n. (XVIᵉ). *Être enrôlé dans une unité.* — Adj. (XVIᵉ). *Les hommes nouvellement enrôlés.* N. m. (Fin XVIIᵉ, Saint-Simon). *Les enrôlés volontaires.* — Fig. *Enrôlé dans un groupe.* — Rare. *Une enrôlée.*

DÉR. Enrôlement, enrôleur.

ENRÔLEUR [ɑ̃ʀolœʀ] n. m. — 1660; de *enrôler*.
Vx. Celui qui enrôlait des soldats. → **Recruteur.**

ENROUEMENT [ɑ̃ʀumɑ̃] n. m. — XVᵉ; de *enrouer*.
Altération du timbre de la voix consécutive à une inflammation du larynx. → **Extinction, graillement.**

On parlait très fort, avec des éclats de voix qui déchiraient   1
le murmure gras des enrouements.
ZOLA, l'Assommoir, t. I, p. 47.

(...) depuis la dernière représentation, le baryton Ardon-   2
ceau, surmené par le rôle écrasant de Dédale et atteint
d'un enrouement tenace, était dans l'impossibilité de se
produire en public (...)
Raymond ROUSSEL, Impressions d'Afrique, p. 269.

ENROUER [ɑ̃ʀwe] v. tr. — XIIᵉ; de *en-*, et anc. adj. *ro(i)* «rauque, enroué», du lat. *raucus.* → Rauque.
Altérer (la voix), rendre moins nette, moins libre (la voix) qu'à l'ordinaire. → **Enrouement; érailler, voiler.** *Enrouer la voix de qqn.* — (Compl. n. de personne). Rendre rauque la voix de... *Le brouillard l'a enroué.* — Passif, plus cour. *Il est tellement enroué par sa bronchite qu'on l'entend à peine.* → **Aphone;** et ci-dessous **enroué.**

(...) j'entendis une voix rauque et charmante, une voix hys-   1
térique et comme enrouée par l'eau-de-vie (...)
BAUDELAIRE, le Spleen de Paris,
«La soupe et les nuages».

Par métonymie. *«L'atmosphère glaciale (...) enrouait les gorges»* (Maupassant, *in* T. L. F.).

♦ **S'ENROUER** v. pron. (1549). *S'enrouer à force de crier. L'avocat parlait depuis deux heures, sa voix commençait à s'enrouer.*

Vous qui vous êtes enroué tant de fois à le louer.   2
RACINE, Lettres, t. VI, p. 599.

♦ **ENROUÉ, ÉE** p. p. adj. (XIIᵉ). *Un chanteur enroué,* atteint d'enrouement. *Voix enrouée.* → **Éraillé, rauque, sourd, terne, voilé; chat** (avoir un chat dans la gorge), **rogomme** (voix de rogomme).

— Vous êtes enroué, aussi.   2.1
— Enroué?
— Un peu enroué, oui. C'est pour cela que je ne reconnais pas votre voix.   IONESCO, Rhinocéros, p. 143.

Par anal. *Les sons enroués d'un vieux phono.*

Par métonymie. *Instrument de musique enroué.*

(La discorde) d'un cor enroué fait sonner en ces lieux   3
La fureur des Français et le courroux des cieux.
CORNEILLE, Poésies diverses, 211.

CONTR. Désenrouer, éclaircir. ◊ **DÉR.** Enrouement.

ENROUILLER [ɑ̃ʀuje] v. tr. — XIIᵉ; de *en-*, *rouille,* et suff. verbal.
Vx. → **Rouiller.**

ENROULAGE [ɑ̃rulaʒ] n. m. — XIXᵉ; de *enrouler.*

Action d'enrouler. *L'enroulage du fil.* — État de ce qui est enroulé; choses enroulées. *Un enroulage serré, lâche.* — *Défaire l'enroulage d'un fil électrique.*

ENROULEMENT [ɑ̃rulmɑ̃] n. m. — 1641; de *enrouler.*

♦ **1** (1671). Action d'enrouler, de s'enrouler. → **Enroulage.**

♦ **2** Disposition de ce qui est enroulé sur soi-même ou autour de quelque chose. *Enroulement des feuilles de la pomme de terre,* maladie de cette plante dont les feuilles s'enroulent en cornet.

♦ **3** (1641). Ornement en spirale, objet présentant des spires. — Archit. Motif d'ornement en spirale. → **Cartouche, coquille, volute.** *Un enroulement baroque.* — (1762). *Enroulement de ferronnerie.*

1 Souvenez-vous, quand vous les verrez, qu'ils ne sont que les capricieux enroulements tracés par un peintre à la voûte de son tombeau.
CHATEAUBRIAND, Mémoires d'outre-tombe, t. VI, p. 138.

2 (...) des messages (...) dans lesquels l'amplification amoureuse était remplacée par une broussaille d'arabesques, de feuillages impossibles, d'enroulements inextricables, de figures monstrueuses (...)
Léon BLOY, la Femme pauvre, p. 133.

(XXᵉ). Techn. Bobinage électrique à spires espacées ou jointives constituant une bobine de self (1.).

3 L'huile lubrifie la génératrice, isole l'enroulement, et conduit la chaleur de l'enroulement au carter, où elle est évacuée par l'eau (...)
Gilbert SIMONDON,
Du mode d'existence des objets techniques, p. 54.

ENROULER [ɑ̃rule] v. tr. — 1334; de *en-,* et *rouler.*

♦ **1** Rouler* une chose (sur, autour d'une autre). *Enrouler un drapeau autour de sa hampe. Singe qui enroule sa queue autour d'une branche. Dans l'antiquité, on enroulait les feuillets manuscrits autour d'un bâtonnet (→ Volume). Enrouler une fourrure autour de son cou (→ Boa, cit. 2). Enrouler du fil sur une bobine, un fuseau...* → **Bobiner, caneter, embobiner, envider, renvider.** *Enrouler en pelote.* → **Peloter.** — Au p. p. *Fil enroulé autour du fer doux d'un électro-aimant. Câble fait de torons enroulés autour d'une âme (→ Câble, cit. 1).*

1 Elle maintenait le front de la jeune fille sur son genou, et enroulait distraitement une mèche de cheveux blonds autour de son doigt (...)
MARTIN DU GARD, les Thibault, t. I, p. 250.

2 Il se plaça devant un cep, coupa et tira plusieurs sarments enroulés au fil de fer qui vibrait lorsque se rompaient les vrilles sèches.
J. CHARDONNE, les Destinées sentimentales, p. 95.

Par métaphore :

3 Le mouvement giratoire *(dans l'escalier)* est merveilleusement propice au recueillement. Il enroule toutes les pensées sur l'axe de l'être.
G. DUHAMEL, le Temps de la recherche, x, p. 134.

♦ **2** (XXᵉ). Envelopper dans quelque chose que l'on roule ou qui s'enroule autour. *Enrouler un bâton dans un papier.* → **Envelopper.** *Enrouler une momie dans des bandelettes.* → **Emmailloter.** — Par anal. *Enrouler qqn dans des couvertures pour le réchauffer.* → **Emmitoufler.** — Au p. p. *Un bonbon enroulé dans du papier.*

♦ **3** Rouler une chose sur elle-même, en rouleau ou en spirale. *Enrouler une pièce d'étoffe (→ Plier). Enrouler un parchemin, une toile.* — Au p. p. *Papier d'emballage enroulé.* → **Rouleau.** *Feuille, coquille enroulée en spirale (→ Convoluté, involuté).* — Abstrait :

Et la première phrase apparut, sûre de son élan, de sa courbe et de son but (...) enroula, déroula ses méandres, ses rugosités, ses mollesses et ses diaprures, avec une lenteur sacrée (...) 4
MONTHERLANT, le Démon du bien, p. 275.

♦ **S'ENROULER** v. pron.

♦ **1** (Av. 1850). Entourer en faisant des anneaux, des spires. *Liane qui s'enroule autour des arbres.* → **Entourer.**

Regardez cette route, là-bas, qui s'enroule à la colline 5 comme une plante grimpante.
G. DUHAMEL, Chronique des Pasquier, IX, XII, p. 150.

Figuré :

(...) cette espèce de jeu qui consistait à ne plus conduire sa 6 pensée et à la laisser librement s'enrouler et se dérouler autour d'un souvenir (...)
J. GREEN, Adrienne Mesurat, p. 31.

♦ **2** (XXᵉ). Par ext. S'envelopper dans (quelque chose qui entoure). *S'enrouler dans une couverture.* → **Rouler** (se).

Ils restent assis côte à côte pendant que les autres s'enrou- 7 lent dans leurs couvertures.
SARTRE, la Mort dans l'âme, p. 216.

♦ **3** (1834). *Copeau qui s'enroule en sortant du rabot. Chenille qui s'enroule.*

Ses cheveux, d'un blond chaud, s'enroulaient en boucles 8 mobiles, et encadraient presque gaiement une physionomie où le sourire indécis, le large regard un peu lent, exprimaient plutôt la mélancolie.
MARTIN DU GARD, les Thibault, t. III, p. 142.

♦ **ENROULÉ, ÉE** p. p. adj. Voir ci-dessus à l'article.

CONTR. Dérouler, développer, dévider. ◊ DÉR. Enroulage, enroulement, enrouleur, enrouloir.

ENROULEUR, EUSE [ɑ̃rulœr, øz] adj. et n. m. — 1870; de *enrouler.*

Techn. Qui sert à enrouler. *Cylindres enrouleurs. Tambour enrouleur,* pour les tuyaux d'arrosage. → **Dévidoir.** *Galet enrouleur :* galet facilitant l'enroulement d'une courroie autour d'une poulie.

N. M. *L'enrouleur d'un lecteur de cassettes. Ceinture de sécurité à enrouleur.* — Mar. *Enrouleur de foc,* permettant d'enrouler le foc sur l'étai. *Foc à enrouleur.* — Tissage. Dispositif d'enroulement destiné à présenter une matière textile en roules*. *Enrouleur à roule montant commandé.* → aussi **Rouleau.**

ENROULOIR [ɑ̃rulwar] n. m. — Mil. XXᵉ; de *enrouler.*

Techn. (tissage). Cylindre sur lequel les bandes d'étoffes sont enroulées.

ENRUBANNAGE [ɑ̃rybanaʒ] n. m. — Mil. XXᵉ; de *enrubanner.*

Techn. Action d'enrubanner, d'entourer d'un ruban; son résultat. *Enrubannage métallique.*
Spécialt. Bandelette de tissu, de gomme, placée en hélice autour d'une tige, dans un pneu.

ENRUBANNER [ɑ̃rybane] v. tr. — 1532, enrubanné; repris à la fin du XVIIIᵉ par Beaumarchais; de *en-, ruban,* et suff. verbal.

♦ **1** Garnir, orner de rubans. *Enrubanner de soie une boîte de chocolats. Enrubanner un chapeau, un mât.* — Iron. Orner du ruban d'une décoration. Techn. Entourer d'une matière protectrice en ruban.

♦ **2** (Le sujet désigne la chose qui entoure). *Banderole qui enrubanne quelque chose.*

◆ **ENRUBANNÉ, ÉE** p. p. adj.
Orné de rubans, et, par ext., de garnitures décoratives. *Des dentelles enrubannées.*

1　Il y a une petite voiture abandonnée dans le taillis, ou qui descend le sentier en courant, enrubannée.
　　　　RIMBAUD, Illuminations, Enfance, III.

Fam. Qui a reçu, porte le ruban d'une décoration. *Des messieurs enrubannés de rouge.*
Par métaphore, littér. Orné. *«La vallée (...) couloir de fraicheur enrubanné d'eaux vives»* (La Varende, *in* T. L. F.).

2　(...) la vérité est plus vivante en ses cruels dessous qu'en son extérieur enrubanné (...)
　　　　Émile HENRIOT, Portraits de femmes, p. 199.

DÉR. Enrubannage.

ENRUE [ɑ̃Ry] n. f. — 1703, *in* Trévoux; de *en-*, et *rue*.
Agric. Sillon formé de plusieurs raies parallèles.

E. N. S. [əɛnɛs] n. f. — Mil. XXᵉ; sigle.
École normale supérieure. *Un élève de l'E. N. S.*
→ Normalien.

ENSABLEMENT [ɑ̃sabləmɑ̃] n. m. — 1673, au sens 2; de *ensabler*.

◆ **1** (1864). Fait de s'ensabler (2.). *L'ensablement d'un port. L'ensablement progressif de la baie du Mont-Saint-Michel.*

◆ **2** Amas, dépôt de sable formé par l'eau ou par le vent; état d'une terre, d'un port recouvert ou engorgé par ces amas.
Un ramasseur de langoustes, disposant ses boutiques sur l'ensablement qui sépare le Port-Soif du Port-Enfer.
　　　　HUGO, les Travailleurs de la mer, p. 229, *in* T. L. F.

◆ **3** Fait de s'ensabler (1.), d'être ensablé. *L'ensablement d'une barque.*

ENSABLER [ɑ̃sable] v. tr. — 1585, v. intr., «s'ensabler»; de *en-*, *sable*, et suff. verbal.

◆ **1** (1636). Engager dans le sable (un bateau). *Ensabler une barque. Le batelier nous a ensablés.* — Pron. *Notre bateau s'est ensablé.* **→ Assabler** (s'), **échouer** (s'), **engraver** (s'), **enliser** (s'). — Par métaphore :

1　Croyant avoir par cette manœuvre délivré le bateau de ma fortune du péril de s'ensabler, je ne craignis plus rien.
　　　　A. R. LESAGE, Gil Blas, VIII, XII.

Fig. S'enliser.

1.1　Nous le verrons, chaque fois que Bossuet se lasse, ranimer son ardeur, le piquer au vif, de crainte que le conflit ne s'ensable, ce qui risque plusieurs fois d'arriver.
　　　　F. MALLET-JORIS, Jeanne Guyon, p. 396.

(XXᵉ). *Notre véhicule s'est ensablé jusqu'aux essieux.* **→ Enliser** (s').

◆ **2** (1585). Recouvrir, remplir, combler de sable. **→ Assabler.** *Les inondations ont ensablé la campagne.* — Pron. *Le port s'ensable graduellement.*

2　La Loire se déborda, inonda et ensabla beaucoup de pays.
　　　　SAINT-SIMON, Mémoires, 183, 202, *in* LITTRÉ.

◆ **3** *Ensabler une allée,* la couvrir de sable. **→ Sabler.**

◆ **ENSABLÉ, ÉE** p. p. adj. *Bateau ensablé. — Port, estuaire ensablé. — Allée ensablée.*
Fig. *Yeux ensablés de sommeil.*
CONTR. et COMP. Désensabler. ◊ DÉR. Ensablement.

ENSACHAGE [ɑ̃saʃaʒ] n. m. — 1848; de *ensacher*.
Techn. Action d'ensacher. — On dit aussi *ensachement.*

ENSACHEMENT [ɑ̃saʃmɑ̃] n. m. — 1829; *ensacquement,* XVIᵉ; de *ensacher*.
Techn. **→ Ensachage.**

ENSACHER [ɑ̃saʃe] v. tr. — V. 1220; de *en-*, *sac,* et suff. verbal.

◆ **1** Mettre (qqch.) en sac, dans un sac. *Ensacher du grain, des pommes, des noix.* — Spécialt. Mettre (les fruits qui sont encore sur l'arbre) dans des sachets (pour les préserver jusqu'à maturité).

◆ **2** Par anal. Enfermer comme dans un sac. — Au p. p. :
Dans les rues, ce n'était que fourmillement, va-et-vient incessant (...) soldats vêtus de cotonnades bleues à raies blanches et armés de fusil à percussion, hommes d'armes du mikado, ensachés dans leur pourpoint de soie, avec haubert et cotte de mailles (...)
　　　　J. VERNE, le Tour du monde en 80 jours, p. 189-190.

DÉR. Ensachage, ensachement, ensacheur.

ENSACHEUR, EUSE [ɑ̃saʃœR, øz] n. — 1800; de *ensacher*.

◆ **1** N. Techn. Personne chargée de l'ensachage à la main ou à la machine.

◆ **2** N. f. (1888). Machine à ensacher des matières pulvérulentes.

◆ **3** N. m. (1907). Dispositif facilitant le remplissage des sacs.

ENSAISINEMENT [ɑ̃sezinmɑ̃] n. m. — 1426; de *ensaisiner*.
Hist. Action d'ensaisiner; acte de mise en possession du fief.

ENSAISINER [ɑ̃sezine] v. tr. — XIIIᵉ, *ensaisiné de...* «qui est en possession de»; repris fin XIVᵉ; de *en-*, et *saisine*.
Hist. (et dr. féod.). Mettre (un nouveau tenancier) en possession d'un fief par un acte.
DÉR. Ensaisinement.

ENSANGLANTEMENT [ɑ̃sɑ̃glɑ̃tmɑ̃] n. m. — Fin XIIᵉ, «sang qui recouvre»; puis mil. XIVᵉ; de *ensanglanter*.
Rare. Action d'ensanglanter; fait d'être ensanglanté.

ENSANGLANTER [ɑ̃sɑ̃glɑ̃te] v. tr. — V. 1135; au p. p., 1080; de *en-*, *sanglant,* et suff. verbal.

◆ **1** Couvrir, tacher de sang. *Ensanglanter le sol.* — Au p. p. *Autel* (cit. 6) *ensanglanté par les sacrifices.*
Ensanglantant l'autel qu'il tenait embrassé?　　　1
　　　　RACINE, Andromaque, III, 8.

Au p. p. adj. (plus cour.). *Vêtements ensanglantés, visage ensanglanté.* **→ Sanglant.**

(...) il rassemble ses gens et vole à de nouveaux crimes.　1.1
Peu après nous entendons des cris, et ces scélérats ensanglantés reviennent triomphants et chargés de dépouilles. Décampons lestement, dit *Cœur-de-fer,* nous avons tué trois hommes (...)　　　SADE, Justine..., t. I, p. 48.

(...) une femme qui hurlait à la mort, les aines ensanglantées, se tournait vers lui.　CAMUS, la Peste, p. 64.　2

Par ext. *Les bienséances, les règles de la tragédie classique interdisaient d'ensanglanter la scène,* d'y porter une action sanglante.

◆ **2** (Av. 1848). Poét. et vieilli. Colorer de rouge. *Le soleil couchant ensanglantait l'horizon* (→ Couchant, cit. 1 et 3).

(...) à l'heure où le soleil tombant　　　　　　　　　3
Ensanglante le ciel de blessures vermeilles (...)
　　　　BAUDELAIRE, les Fleurs du mal,
　　　　「Tableaux parisiens」, XCI.

◆ **3** (1640). Couvrir, souiller de sang qu'on fait couler (le sujet désigne le meurtre, la guerre, etc.). *Les guerres qui ont ensanglanté l'Europe. Manifestations ensanglantées par un choc avec le service* d'ordre. *Les jeux furent ensanglantés*, dégénérèrent en rixe sanglante. *Troubles qui ensanglantent une région.*

4 Enfin, l'Ossa, l'Olympe, et les bois du Pénée
Voyaient ensanglanter les banquets d'hyménée (...)
André CHÉNIER, Bucoliques, «L'aveugle».

5 Des querelles et des jalousies ensanglantèrent dans la suite la terre de l'hospitalité.
CHATEAUBRIAND, Atala, Prologue.

(1643). Marquer par la violence, la mort, le sang répandu. *Ce crime cruel ensanglanta son règne.* → **Déshonorer.** *Soldats qui ensanglantent leur triomphe en ne faisant point de quartier. Époque ensanglantée* (→ Aveugle, cit. 10).

6 Jephté ensanglanta sa victoire par un sacrifice qui ne peut être excusé que par un ordre secret de Dieu.
BOSSUET, Disc. sur l'Hist. universelle, I, 4.

◆ **ENSANGLANTÉ, ÉE** p. p. adj. Voir ci-dessus à l'article.

DÉR. Ensanglantement.

ENSAQUER [ɑ̃sake] v. tr. — D. i. (1889, cit.); de *en-, sac,* et suff. verbal.
Fam. et rare. Mettre dans un sac (→ **Ensacher**); arranger, accoutrer (qqn) comme un sac. —
Au p. p. :

D'autres étaient petits, actifs, fluets ou trapus, cravatés d'un foulard, vêtus de vestons ou ensaqués en de singuliers costumes spéciaux à la classe des rapins.
MAUPASSANT, Fort comme la mort, p. 137.

ENSAUVAGER [ɑ̃sovaʒe] v. tr. [CONJUG.: *bouger.*] — 1792; de *en-, sauvage* et suff. verbal.
Littér. et rare. Rendre féroce, sauvage* (en parlant de l'homme, et des choses humaines). *L'anarchie, les guerres civiles ensauvagent les mœurs.*

1 Le duc de Lorraine (...) était bon et indulgent pour les jeux du soldat. Un de ces jeux, à Lagny, c'est de rôtir un enfant au four (...) Turenne n'aimait pas les gaietés excessives, non par souci du peuple, mais parce qu'elles ensauvagent le soldat et le rendent indisciplinable.
MICHELET, Hist. de France, t. XIV, p. 355.

2 Mais bientôt, c'est un deuxième flot qui arrive, le flot des troupes rendues libres par la prise de Strasbourg (...) Ces nouveaux venus sont plus redoutables que les premiers. Quelques semaines de campagne les ont ensauvagés (...) Ce sont des demi-brutes déchaînées, qui ont fait l'apprentissage du sang et de l'incendie.
M. BARRÈS, la Colline inspirée, p. 281.

◆ **S'ENSAUVAGER** v. pron. (XIXᵉ).
Littér. Devenir sauvage.

3 Un antre, une tanière, où il fait bon de s'ensauvager toute une journée.
Ed. et J. DE GONCOURT, Journal, 24 nov. 1866.

4 La figure de la petite fille, si confiante et si tendre un instant plus tôt, s'était refermée, durcie, ensauvagée.
J. KESSEL, le Lion, p. 202.

Le dér. *ensauvagement* n. m. s'emploie aussi.

ENSAUVER (S') [ɑ̃sove] v. pron. — 1821, mot normand; de *en* adv. de lieu, et *sauver,* d'après *s'en aller, s'enfuir.*
Régional (emploi rural ou plais.). Se sauver, s'enfuir.

1 (*D'autres*) s'ensauvaient par la voie du funiculaire et rejoignaient la Salita de San-Martino en faisant un grand détour mais non sans avoir saccagé le verger.
B. CENDRARS, Bourlinguer, p. 151.

2 Au bout de cinq jours la gamine lui a chipé un billet et s'est ensauvée.
Hervé BAZIN, Cri de la chouette, p. 79.

ENSE ET ARATRO [ɛ̃seɛtaratro] Mots latins signifiant «Par le fer et par la charrue». Devise du maréchal Bugeaud, colonisateur de l'Algérie.

ENSEIGNABLE [ɑ̃seɲabl] adj. — 1838; «docile à l'enseignement», v. 1265; de *enseigner.*
Rare. Qui est susceptible d'être enseigné.

ENSEIGNANT, ANTE [ɑ̃seɲɑ̃, ɑ̃t] adj. et n. — 1762; p. prés. de *enseigner.*

◆ **1** Adj. Qui enseigne.

Notre manie enseignante et pédantesque est toujours d'apprendre aux enfants ce qu'ils apprendraient beaucoup mieux d'eux-mêmes, et d'oublier ce que nous aurions pu seuls leur enseigner.	1
ROUSSEAU, Émile, II.

Mᵐᵉ de Genlis était quelque chose de plus encore qu'une	2
femme-auteur, elle était une femme enseignante; elle était née avec le signe au front.
SAINTE-BEUVE, Causeries du lundi, III,
Mᵐᵉ de Genlis, p. 20.

Spécialt. Qui enseigne au sein des institutions pédagogiques. — (1806). *Le corps enseignant,* ensemble des professeurs et instituteurs. *Le personnel enseignant,* d'un établissement scolaire.

Vous revoilà professeur. On se doit à la société, m'avez-	3
vous dit; vous faites partie des corps enseignants : vous roulez dans la bonne ornière.
RIMBAUD, Correspondance, XI, 13 mai 1871.

(...) C'est là que gîte *la congrégation* enseignante des Fidèles	4
Compagnes de Jésus.
HUYSMANS, De tout, «À la Glacière», p. 53.

(1771). *L'Église enseignante :* le pape et les évêques dans l'Église catholique.

◆ **2** N. (Av. 1865). *Un enseignant, une enseignante :* une personne appartenant au corps enseignant. → **Instituteur, professeur** (et les titres universitaires : **assistant, lecteur, maître-assistant**). *Les enseignants et les inspecteurs de l'enseignement, et le personnel administratif. Grève des enseignants. Relations entre enseignants. Les enseignants du secteur public et privé.* → **École.**

1. ENSEIGNE [ɑ̃seɲ] n. f. — 1080; *ensenna,* v. 980; lat. *insignia* «décorations, parure», pl. neutre de l'adj. *insignis* «remarquable» (→ Insigne), de *in-,* et *signum.* → Signe.

◆ **1** Vx. Marque, indice servant à faire reconnaître quelque chose. → **Indice, marque, preuve, signe.**

Il a feint de ne me connaître pas, encore que je lui aie dit	1
mon nom et donné des enseignes de l'avoir autrefois vu en Provence (...)
MALHERBE, Lettre à Peiresc, 70, *in* HATZFELD.

(...) l'empreinte (...) dont tous ses traits portent la divine	2
enseigne?
ROUSSEAU, Julie ou la Nouvelle Héloïse, I, Lettre V.

Loc. adv. (Vx). *À bonnes enseignes :* à bon titre, avec des garanties. (Au sing.). *À bonne enseigne,* même sens. *Il ne veut prêter son argent qu'à bonne enseigne.*

(...) vous êtes tout comme il faut pour n'être persuadé qu'à	3
bonnes enseignes.
Mᵐᵉ DE SÉVIGNÉ, 212, 18 oct. 1671.

Loc. conj. (Mod., littér.). *À telle enseigne, à telles enseignes que... :* la preuve en est que..., tellement* que..., à tel point que... → **Tellement.**

Oui, Madame, vous aurez de la musique, à telles enseignes	4
que j'ai ordre de commander cent bouteilles de Suresnes pour abreuver la symphonie (...)
A.-R. LESAGE, Turcaret, II, 4.

Très parfaitement, et à telles enseignes que, si vous aviez	5
la bonté de faire défendre votre porte, j'essayerais de vous le démontrer *(que je vous aime)* et, j'ose m'en flatter, d'une manière victorieuse.
Th. GAUTIER, Mˡˡᵉ de Maupin, II, p. 28.

◆ **2** (Déb. XVIᵉ). Cour. Tableau portant une inscription, un objet symbolique, un emblème..., qu'un commerçant, un artisan, un aubergiste, etc., met à son établissement pour se signaler au public. → **Pancarte, panonceau** (→ Aviser, cit. 5; caractère, cit. 4 ; chaussetier, cit. 2 ; cimetière, cit. 2 ; demain, cit. 6). *Vieilles enseignes en forme d'écusson, sur cartouches, pendues à un crochet. Botte, clef en métal servant d'enseigne à un cordonnier, un serrurier. Bouquet de feuillage qui servait d'enseigne dans les auberges de campagne.* → **Bouchon.** *Enseigne d'un bureau de tabac* → **Carotte.** *Enseigne d'une auberge. Auberge à l'enseigne du sanglier. Enseigne au-dessus d'une vitrine, sur le balcon d'un étage, sur le toit d'un bâtiment. L'enseigne lumineuse, à éclipses d'un café, d'un hôtel, d'un cinéma, d'une pharmacie. Enseigne publicitaire d'une marque.* → **Affiche, panneau.** — *L'enseigne de Gersaint,* peinture de Watteau.

6   Je suis des tiens, il faut que je t'enseigne
    Place à loger : va-t'en où pend l'enseigne
    Du Chevalier, le logis y est bon.
            RONSARD, le Bocage royal, II, «Amour logé».

7   L'enseigne fait la chalandise.
            LA FONTAINE, Fables, VII, 15.

8   (...) une enseigne, au bout d'une tringle de fer,
    Que balance le vent pendant les nuits d'hiver.
            BAUDELAIRE, Pièces condamnées,
            «Les métamorphoses du vampire».

9   Chaque building est une enseigne : celui du marchand de gomme, celui de ce fameux journal, celui de ce grand cinéma.
            G. DUHAMEL, Scènes de la vie future, VII, p. 107.
    Loc. prov. *À bon vin point d'enseigne :* les choses de qualité se passent de publicité.
    Loc. fig. *Être logé à la même enseigne que qqn,* être dans la même situation fâcheuse, dans la même embarras. *Ils ne sont pas logés à meilleure enseigne que nous,* leur sort n'est pas meilleur.
    Dr. Signe distinctif d'une maison de commerce, qui fait partie du fonds, et est cédé avec lui.

10 Le privilège du vendeur d'un fonds de commerce (...) ne porte que sur les éléments du fonds énumérés dans la vente et dans l'inscription, et à défaut de désignation précise, que sur l'enseigne et le nom commercial, le droit au bail, la clientèle et l'achalandage.
            Code de commerce, Loi du 17 mars 1909, art. 1er.
    Figuré :

11 On ne passe point dans le monde pour se connaître en vers si l'on n'a mis l'enseigne de poète, de mathématicien, etc. Mais les gens universels ne veulent point d'enseigne (...)
            PASCAL, Pensées, I, 34.
    Par ext. Cour. Raison sociale, marque d'une société commerciale. *Les enseignes de la grande distribution.* «*Voilà que le consommateur, de mieux en mieux informé quant au rapport qualité/prix, s'est littéralement entiché des produits-étiquette, ceux qui portent le nom du magasin*» (l'Express, 15 juin 1995, p. 148).

◆ **3** (1080). Symbole de commandement servant de signe de ralliement pour des troupes.
    Hist. (Antiq. rom.). Longue pique surmontée d'emblèmes de bronze, aigle, couronnes, médaillons..., de morceaux d'étoffe. → **Manipule.**

12 Vous marcherez vers Rome à communes enseignes.
            CORNEILLE, Sertorius, I, 3.
    Littér. → **Drapeau, étendard.** — *Enseigne féodale.* → **Bannière.** *Enseigne de cavalerie. Armée qui avance enseignes déployées.*

13 (...) tambour battant et enseignes déployées.
            RACINE, les Campagnes de Louis XIV.

14 Lorsqu'on discutait des *armes* de l'Empire, Napoléon avait, nous le savons, exigé l'Aigle, et, s'il s'agissait des nouvelles enseignes, l'avait érigé à leur cime «de la même manière que le portaient les Romains».
            Louis MADELIN, Hist. du Consulat et de l'Empire,
            Vers l'Empire d'Occident, XII, p. 152.
    Loc. fig. *Marcher, combattre sous les enseignes de qqn,* se mettre sous son autorité.

15 (...) tes maîtres séduits marchent sous tes enseignes (...)
            VOLTAIRE, Mahomet, II, 5.

Par anal. *Enseigne de gendarmerie.* → **Guidon.** — **Mar. Vx.** Marque (d'un amiral). — **Mod.** Pavillon national. → **Pavillon.**

COMP. Porte-enseigne.

2. **ENSEIGNE**   [ãsɛɲ] n. m. — 1515 ; pour *porte-enseigne.*

◆ **1** Ancienn. Officier qui portait le drapeau. — *Enseigne de port :* officier qui assistait le lieutenant de port.

◆ **2** (1691). *Enseigne de vaisseau, enseigne :* officier de la marine de guerre, d'un grade correspondant à sous-lieutenant (pour *l'enseigne de 2ᵉ classe*) et de lieutenant (pour *l'enseigne de 1ʳᵉ classe*). *Un jeune enseigne. Des enseignes de vaisseau.*

ENSEIGNEMENT   [ãsɛɲmã] n. m. — XIIᵉ, «précepte, leçon» ; de *enseigner.*

Action d'enseigner ; résultat de cette action.

◆ **1 Littér.** Précepte qui enseigne une manière d'agir, de penser. → **Avis, conseil** (cit. 4), **précepte.** *Un précieux enseignement.* — Surtout au plur. *Les enseignements de Dieu. Les enseignements que nous donnent les anciens. Se dégager* (cit. 30) *des enseignements du passé. Récit qui renferme des enseignements.* → **Apologue, fable, moralité.** — Leçon (qu'on tire de l'expérience). *Tirer d'utiles enseignements d'une expérience malheureuse.*

1   Mon fils, n'oublie pas mes enseignements,
    Et que ton cœur garde mes préceptes.
            BIBLE (CRAMPON), Proverbes, III, 1.

2   Je dis que les clercs modernes ont prêché que l'État doit être fort et se moquer d'être juste ; et, en effet, ils ont donné à cette affirmation un caractère de prédication, d'enseignement moral.
            Julien BENDA, la Trahison des clercs, p. 181.

3   Quant au socialisme, en dehors des enseignements, d'ailleurs contradictoires à ses doctrines, qu'il pouvait tirer des révolutions françaises, il était obligé d'en parler au futur, et dans l'abstrait.
            CAMUS, l'Homme révolté, p. 233.

◆ **2** (1771 ; «leçon d'un maître», XVᵉ). Action, art de transmettre des connaissances ; cette transmission. *L'enseignement d'une matière par un maître** (→ **Enseignant**). *Celui qui reçoit un enseignement* (→ **Disciple, élève**). *Enseignement par leçons* (→ **Conférence, cours, exposé, leçon**), *par lecture, par conversation, par correspondance* (→ **Téléenseignement**), *par audition de disques. Enseignement des langues vivantes, du dessin. Enseignement religieux. Enseignement de la grammaire, de la rhétorique et de la dialectique* (trivium, au moyen âge). *Enseignement de la philosophie au moyen âge.* → **Scolastique ; quadrivium, trivium.** — *Enseignement individuel par leçons particulières* (→ **Précepteur**). *Enseignement collectif donné dans des établissements.* → **Cours, école, institut.** *Méthodes d'enseignement.* → **Pédagogie.** *Le bourrage** de crâne ne peut se donner comme une méthode d'enseignement. Enseignement simultané*, mutuel* (→ **Moniteur**). *Enseignement théorique, pratique. Enseignement par méthodes audiovisuelles, audio-orales* (→ **Audiovisuel,** n. m.). *Enseignement audiotutoriel*. Enseignement clinique* (en médecine). *Enseignement acroamatique, ésotérique.* — *Enseignement privé* (dans les écoles libres ou privées) ; spécialt, en France, par rapport à *l'enseignement public.* → **École** (libre). *Enseignement religieux,* dans des établissements religieux. *La liberté d'enseignement* (loi Falloux, du 15 mars 1850). *Enseignement public* (organisé par l'État).

4   (...) au sujet de l'enseignement, que Marius voulait gratuit et obligatoire, multiplié sous toutes les formes, prodigué à tous comme l'air et le soleil, en un mot, respirable

au peuple tout entier, ils furent à l'unisson et causèrent presque.   HUGO, les *Misérables*, V, V, VIII.

5   L'influence qu'il exercera *(Claude Bernard)* sur les sciences médicales, sur leur enseignement, leur progrès, leur langage même, sera immense (...)
     PASTEUR, *in* Henri MONDOR, *Pasteur*, p. 88.

6   Le but de l'enseignement n'étant plus la formation de l'esprit, mais l'acquisition du diplôme, c'est le minimum exigible qui devient l'objet des études. Il ne s'agit plus d'apprendre le latin, ou le grec, ou la géométrie. Il s'agit d'*emprunter*, et non plus d'*acquérir*, d'emprunter ce qu'il faut pour passer le *baccalauréat*.
     VALÉRY, *Variété III*, p. 276.

Enseignement programmé (1963), méthode pédagogique de transmission des connaissances utilisant un programme divisé en courtes séquences (système «questions-réponses») et dont le déroulement est assuré par l'élève. — *Enseignement à la carte**. — *Enseignement assisté par ordinateur* (E. A. O.).
Spécialt. *Organisation de l'enseignement en France.* L'enseignement d'État. → **Éducation, instruction** (→ Concentration, cit. 2). *L'enseignement d'État est laïc et gratuit; obligatoire de 6 à 16 ans. Matières, programmes de l'enseignement. Bourses* (cit. 14) *d'enseignement données aux meilleurs élèves. Réformes de l'enseignement. Budget de l'enseignement. Organisation de l'enseignement. Enseignement général. École maternelle* (2 à 6 ans); *enseignement du premier degré* ou *enseignement primaire* ou *enseignement du premier cycle* (6 à 11 ans), qui donne les premiers éléments des connaissances et qui est subdivisé en *cycle préparatoire* (CP), *cycle élémentaire* (CE 1 et CE 2), *cycle moyen* (CM 1 et CM 2). *Diplômes de l'enseignement primaire.* → **Certificat; brevet** (anciennt). *Personnel de l'enseignement primaire.* → **Instituteur, maître** (d'école, d'études). *Enseignement secondaire, du second degré,* dispensé dans les collèges* *(cycle d'observation :* 6ᵉ-5ᵉ; *cycle d'orientation :* 4ᵉ-3ᵉ; sanctionné par un brevet* *des collèges*), puis dans les lycées* *(enseignement général long :* 2ᵉ, 1ʳᵉ et terminale; sanctionné par le baccalauréat*). *Professeurs de l'enseignement secondaire.* — *Enseignement technique* (sanctionné par le brevet de technicien et le baccalauréat de technicien). *Lycée d'enseignement professionnel,* délivrant en 2 ans le brevet d'études professionnelles (BEP), en 3 ans le certificat d'aptitude professionnelle (CAP). — *Enseignement pour la formation des maîtres.* → **Normal** (écoles normales). — *Enseignement supérieur,* le plus haut des degrés de l'enseignement, qui donne une formation dans les sciences, la philosophie, les lettres, les langues, la médecine, le droit (1ᵉʳ cycle : 2 ans; 2ᵉ cycle : licence et maîtrise; 3ᵉ cycle : doctorat). → **École** (grandes écoles), **faculté, institut, université.** *Diplômes, grades de l'enseignement supérieur.* → **Agrégation, diplôme, doctorat, licence, maîtrise.** *Personnel de l'enseignement supérieur.* → **Assistant, maître** (de conférences), **maître-assistant, professeur.** *Enseignement technique supérieur.*
Enseignement spécialisé, réservé aux enfants et adolescents gênés dans leur scolarité par des difficultés psychophysiologiques. — *Enseignement agricole.* — *Enseignement commercial, enseignement ménager.* — *Enseignement pour adultes.* → Formation* permanente, recyclage.
En Belgique (depuis la loi de 1968). *Enseignement subventionné* (libre); *enseignement officiel. Enseignement préscolaire* (2 ans et demi à 5 ans); *enseignement primaire* (3 cycles de 2 ans). *Enseignement secondaire* (2 cycles de 3 ans) : formation générale (humanités anciennes ou humanités modernes); *enseignement technique, professionnel; artistique. Enseignement secondaire rénové.*

Grades universitaires de l'enseignement supérieur : candidat, licencié, docteur, agrégé de l'enseignement supérieur. Établissement d'enseignement secondaire. → **Athénée.** — **Au Québec.** *Collège d'enseignement général et professionnel (CEGEP), entre l'école secondaire et l'université (à partir de 17 ans).* — **En Suisse.** *Enseignement primaire. Enseignement secondaire, secondaire supérieur (baccalauréat de maturité, préparé dans les gymnases*); «écoles nouvelles».*

♦ **3** Profession, carrière des enseignants; ensemble des enseignants. *Entrer dans l'enseignement. L'enseignement est divisé au sujet de la nouvelle réforme.*

COMP. Téléenseignement.

ENSEIGNER [ɑ̃seɲe] v. tr. — Fin XIᵉ; du lat. pop. **insignare,* du lat. class. *insignire* «indiquer», d'où «instruire», de l'adj. *insignis.* → Enseigne.

♦ **1** Vieilli ou régional. Faire connaître par un signe, une indication. → **Indiquer, montrer.** *Enseigner le chemin à quelqu'un. Enseigner un lieu, une maison; enseigner une personne à une autre.*

Enseignez-nous un peu le chemin qui mène à la ville.   1
     MOLIÈRE, *Dom Juan*, III, 2.

(...) le marquis de Marialva, dont elle m'enseigna la   2
demeure.   A.-R. LESAGE, *Gil Blas*, VII, VII.

Ils essayèrent aussi de plusieurs restaurants; mais ils   3
eurent l'impression qu'un guide leur manquait, qui leur
eût enseigné les maisons les plus élégantes.
     J. ROMAINS, *les Hommes de bonne volonté*, t. V, XXVI, p. 262.

— Monsieur Jules, dit-elle, je vas vous enseigner une belle   3.1
compagnie de perdrix.
— Où donc?
— Là, dans l'étaule.
     J. RENARD, *Journal,* 22 août 1909.

♦ **2** Cour. Transmettre à un élève de façon qu'il comprenne et assimile (des connaissances). *Enseigner les mathématiques, dans un collège.* → **Professer.** *Matière enseignée dans une école* (→ Discipline, cit. 6). *Enseigner le dessin à un jeune élève.* → **Apprendre.** *Enseigner qqch. en montrant, en rendant intelligible.* → **Démontrer, expliquer, inculquer, révéler.** — *Enseigner des dogmes.* → **Dogmatiser.** *Enseigner la parole de Dieu.* → **Prêcher** (→ Commandement, cit. 6). *Enseigner le catéchisme aux enfants.* → **Catéchiser.** *Personne qui enseigne.* → **Maître.**

Il comprenait et retenait aisément tout ce qu'on lui ensei-   4
gnait; ses maîtres en étaient très contents.
     A.-R. LESAGE, *Gil Blas*, XII, VI.

Il n'y a qu'une science à enseigner aux enfants : c'est celle   5
des devoirs de l'homme.   ROUSSEAU, *Émile*, I.

Absolt. *Il faut des diplômes pour enseigner.* — *Enseigner sur un sujet.*

Enseigner, c'est apprendre deux fois.   6
     Joseph JOUBERT, *Pensées*, XIX, LXVIII.

Il *(Comte)* donnait des leçons pour vivre, car sa vocation   7
était d'enseigner. À ce titre, il professait les mathématiques dans une institution libre, l'astronomie à la mairie du quatrième arrondissement, et exerçait à l'École polytechnique l'emploi d'examinateur d'admission.
     Émile HENRIOT, *Portraits de femmes*, p. 400.

♦ **3** Apprendre à qqn, par exemple, par une sorte de leçon. *Enseigner qqch. (à qqn). Enseigner une méthode, une recette* (→ Cuivre, cit. 5). *Enseigner le moyen, la manière... Certains animaux nous ont enseigné à bâtir des maisons. Enseigner la haine du mensonge, l'amour de son prochain.* — *Bayle enseigne à douter* (→ Balance, cit. 9). — (1690). *Il lui enseigna qu'il faut savoir se dominer* (→ Domination, cit. 6). *Ce philosophe enseigne que...* → **Professer, soutenir.** — *Enseigner (à qqn) comment..., pourquoi, de quelle manière...*

8   (...) la vertu que mes parents m'ont enseignée.
MOLIÈRE, George Dandin, II, 8.

9   Enseignez premièrement aux enfants à parler aux hommes, ils sauront bien parler aux femmes quand il faudra.
ROUSSEAU, Émile, I.

10   Je pense, pour moi, qu'il faut toujours enseigner la vérité aux hommes, et qu'il n'y a jamais d'avantage à les tromper.
D'ALEMBERT, Lettre au roi de Prusse, 18 déc. 1769.

11   Zénon enseigne à l'homme qu'il a une dignité, non de citoyen, mais d'homme (...)
FUSTEL DE COULANGES, la Cité antique, V, I, p. 423 (→ Dignité, cit. 10).

12   Un bon maître a ce souci constant : enseigner à se passer de lui.
GIDE, Journal, 22 mars 1922.

(Sujet n. de chose). → **Apprendre.** *La crainte nous enseigne le mensonge.* → **Suggérer.** *Son récent échec lui a enseigné qu'on ne réussit pas sans travail* (→ aussi Assise, cit. 5 ; chance, cit. 5). *Le christianisme enseigne qu'il faut aimer son prochain comme soi-même.*

13   (...) un de ces remèdes que mon art m'enseigne.
MOLIÈRE, l'Amour médecin, III, 6.

14   Il le faut avouer, l'amour est un grand maître :
Ce qu'on ne fut jamais il nous enseigne à l'être ;
Et souvent de nos mœurs l'absolu changement
Devient, par ses leçons, l'ouvrage d'un moment.
MOLIÈRE, l'École des femmes, III, 4.

15   Les grandeurs et les misères de l'homme sont tellement visibles, qu'il faut nécessairement que la véritable religion nous enseigne et qu'il y a quelque grand principe de grandeur en l'homme, et qu'il y a un grand principe de misère.
PASCAL, Pensées, VII, 430.

16   (...) la servitude et l'oppression enseignent la ruse.
SAINTE-BEUVE, Proudhon, p. 96.

17   Le malheur est notre plus grand maître et notre meilleur ami. C'est lui qui nous enseigne le sens de la vie.
FRANCE, le Lys rouge, X, p. 96.

♦ **4** Vx ou rare. Instruire. → **Éclairer, éduquer, former, initier.** *Enseigner la jeunesse. Les apôtres enseignèrent les nations.* → **Évangéliser.**

18   Allez donc, enseignez toutes les nations, les baptisant au nom du Père, du Fils et du Saint-Esprit, leur apprenant à observer tout ce que je vous ai commandé.
BIBLE (CRAMPON), Évangile selon saint Matthieu, XXVIII, 19.

19   J'ai souvent ouï en proverbe vulgaire qu'un fou enseigne bien un sage.
RABELAIS, Pantagruel, III, 37.

20   (...) les pères enseignaient eux-mêmes leurs enfants.
RACINE, Livres annotés, Plutarque.

21   Quiconque enseigne une femme à ces degrés supérieurs est son prêtre et son amant.
MICHELET, la Femme, p. 305.

◆ **S'ENSEIGNER** v. pron.

♦ **1** (Passif). Être enseigné. *Les langues vivantes s'enseignent à partir de la classe de 6e. La géographie ne peut s'enseigner sans cartes.*

22   Ces idées ne s'enseignaient à aucune école ; mais elles étaient dans l'air.
RENAN, Vie de Jésus, IV, p. 120 (→ Air, cit. 27).

♦ **2** (Réfl.). Rare. S'instruire, s'éclairer soi-même.

23   (...) toi donc, qui enseignes les autres, tu ne t'enseignes pas toi-même !
BIBLE (SEGOND), Épître aux Romains, II, 21.

24   (...) il faut savoir ce que l'on enseigne, c'est-à-dire qu'il faut avoir commencé par s'enseigner soi-même (...)
Ch. PÉGUY, la République..., p. 51.

◆ **ENSEIGNÉ, ÉE** p. p. adj. et n.

♦ **1** Qui fait l'objet d'un enseignement. *Matières enseignées.*

♦ **2** (1967). Qui reçoit un enseignement. — N. *Les enseignants et les enseignés.* → **Apprenant.**

25   Si l'enseigné avait, par exemple, le droit de demander des leçons particulières gratuites ou même de demander sans limitation des explications complémentaires, il faudrait un

nombre de maîtres si élevé que toute l'économie croulerait sous le fardeau.
A. SAUVY, Croissance zéro ?, p. 211.

REM. Cet emploi a été critiqué ; si l'on tient compte du sens 4, de *enseigner*, il est vrai archaïque, il est néanmoins normal.

(...) parler comme on le fait couramment des enseignants   26 et des enseignés me paraît sinon barbare, du moins archaïque. Il n'existe pas d'enseignés, car on enseigne quelque chose à quelqu'un, on n'enseigne pas quelqu'un. Par conséquent, il ne saurait exister d'enseignés. Il existe seulement des matières enseignées.
A. HERSAY, *in* le Nouvel Observateur, 30 déc. 1968, p. 33.

DÉR. Enseignable, enseignant, enseignement, enseigneur.
◊ COMP. Renseigner.

ENSEIGNEUR, EUSE [ɑ̃sɛɲœʀ, øz] n. — D. i. (mil. XXe) ; de *enseigner.*
Rare. Personne qui enseigne (qqch.) aux autres.
→ **Enseignant.**

Urgente en tout cas nous paraît la tâche de dégager dans des notions qui s'amortissent dans un usage de routine, le sens qu'elles retrouvent tant d'un retour sur leur histoire que d'une réflexion sur leurs fondements subjectifs. C'est là sans doute la fonction de l'enseigneur, d'où toutes les autres dépendent, et c'est elle où s'inscrit le mieux le prix de l'expérience.
J. LACAN, Écrits, p. 240.

ENSELLÉ, ÉE [ɑ̃sele] adj. — XIIe, «muni d'une selle» ; de *en-, selle,* et suff. -*é.*

♦ **1** Vx. Muni d'une selle. *Cheval ensellé.*

♦ **2** (1561). Mod. (techn.). *Cheval* (cit. 5) *ensellé,* dont le dos est exagérément concave au niveau des reins. Par anal. *Un dos (humain) ensellé, bien ensellé.* → **Ensellure.**

♦ **3** (1691). Mar. *Navire ensellé,* dont le milieu est bas et les extrémités très relevées.

DÉR. Ensellement, ensellure.

ENSELLEMENT [ɑ̃sɛlmɑ̃] n. m. — 1907 ; de *ensellé.*
Géol. Abaissement d'un pli long.

ENSELLURE [ɑ̃selyʀ] n. f. — 1856 ; de *ensellé.*
Courbure, concavité très prononcée de la région lombaire chez les quadrupèdes.

(Dans l'espèce humaine). Cambrure de la colonne vertébrale. «*L'ensellure s'exagère dans la grossesse et dans certains états pathologiques*» (Garnier et Delamare). *Ensellure marquée. Une belle ensellure.*

Dans la station debout, le corps vu de profil, dessine toujours chez la femme, au niveau des reins, une forte cambrure ou ensellure.
A. BINET, les Formes de la femme, p. 21.

1. **ENSEMBLE** [ɑ̃sɑ̃bl] adv. — 1050 ; du lat. pop. *insimul,* renforcement du lat. class. *simul* «ensemble».

♦ **1** L'un avec l'autre, les uns avec les autres. *Deux, plusieurs personnes ensemble.* → **Réuni.** *Nous sommes ensemble pour discuter. Faire quelque chose ensemble.* → **Collectivement, commun** (en), **concert** (de), **concordance** (en), **conjointement, conserve** (de), **coude** (coude à coude) ; et aussi les préf. **co-, con-** et **sy-.** *Vivre ensemble.* — Fam. *Être ensemble,* vivre en ménage ou avoir des relations personnelles (sexuelles, etc.). *Tu crois qu'ils sont ensemble ? Coucher* (cit. 13), *dormir ensemble. Partez-vous avec* lui ? Oui, nous partons ensemble. Venez tous ensemble. Nous parlerons, nous jouerons ensemble. Faire une démarche ensemble.* → **Corps** (en corps), **masse** (en masse). *Ils font ensemble ce travail.* → **Collaborer** (→ Collaborateur, cit. 1). *Composer, s'arranger ensemble ; reconnaître ensemble que...* → **Accord** (se mettre, tomber d'accord), **accorder** (s'). *Préparer, combiner ensemble.* → **Concerter.** — *Ces personnes sont bien* (cit. 18 et 24) *ensemble.* → **Entendre** (s'). *Être mal ensemble,* brouillé, fâché. — *Mettre ensemble des personnes, des choses.* → **Assembler, grouper, joindre, réunir, unir.** *Mettre ensemble, rapprocher des éléments, des aspects.* → **Synthèse.** *Choses qui vont ensemble.* → **Accorder** (s'), **assortir** (s'), **harmoniser** (s'), **pair** (aller de pair); **compatible.** *Faire aller ensemble en accordant.* → **Concilier.** *Cet objet est plus cher que tous les autres ensemble.* → **Réuni.**

1   À toute heure en tous lieux ensemble nous irons,
     Et dessous même loge ensemble dormirons.
                              RONSARD, Églogues, II.

2   Que vois-je? Mon rival et Trufaldin ensemble!
                              MOLIÈRE, l'Étourdi, II, 7.

3   En voici les morceaux que je vais mettre ensemble.
                              RACINE, les Plaideurs, II, 4.

4   Vous êtes là tous rangés au coin du feu (...) On joue aux dominos, on crie, on rit, on est tous ensemble.
                              FLAUBERT, Correspondance, 77, fin avr. 1843.

5   M. Teste, d'ailleurs, pense que l'amour consiste *à pouvoir être bêtes ensemble* (...)
                              VALÉRY, M. Teste, p. 49.

6   Ces types-là ne sont contents que quand ils peuvent gueuler ensemble (...) ils se réunissent là le dimanche, ils se mettent à chanter en chœur en buvant de la bière.
                              SARTRE, le Sursis, p. 252.

♦ **2** L'un avec l'autre et en même temps. → **Simultanément.** *Crier, chanter ensemble.* → **Chœur** (en). → *Canon,* cit. 5. *Ne parlez pas tous ensemble, la parole est à X.* (→ *Bourgeois,* cit. 7). *Voitures qui démarrent ensemble. Marcher ensemble.* → **Pas** (du même pas). *Coureurs qui arrivent ensemble. Mener plusieurs affaires ensemble.* → **Front** (de front). *Les malheurs arrivent souvent ensemble.*

7   Ses gens m'assaillirent tous ensemble, et me donnèrent tant de coups de bâton (...)
                              A.-R. LESAGE, Gil Blas, III, 7 (→ Assaillir, cit. 3).

8   Mais dans le plus riche jardin jamais deux roses n'éclatent ensemble.
                              J. ROMAINS, les Hommes de bonne volonté, t. IV,
                                                   xv, p. 166.

♦ **3** Vx. À la fois. → **Fois.**

9   Les Amours, ensemble le Cinquième des Odes.
                              RONSARD (titre d'une édition collective de 1552).

10   Cher et cruel espoir d'une âme généreuse,
     Mais ensemble amoureuse (...)
                              CORNEILLE, le Cid, I, 6.

11   *Ensemble* pour *à la fois* devient archaïque pour Féraud (fin XVIIIᵉ s.), notamment chez Bossuet. *Ils méprisaient ensemble le mariage, l'usage des viandes et les sacrements.*
                              F. BRUNOT, Hist. de la langue franç., t. VI, II, II,
                                                   p. 1513.

Mod. (littér.). *Tout ensemble. Nous sommes tout ensemble fâchés et ravis* (→ Drame, cit. 5). *Dieu est tout ensemble Père, Fils et Saint-Esprit* (→ Baptême, cit. 2). — (Dans le même sens). *Ensemble* (suivi de deux adj. ou de deux noms) : en même temps. *Il est ensemble agréable et difficile à vivre.*

12   (...) jamais tant de charmes n'ont frappé tout ensemble mes yeux et mes oreilles.
                              MOLIÈRE, la Princesse d'Élide, III, 2.

13   Une angoisse, qui est tout ensemble douleur, joie démesurée et désespoir, la tient serrée du haut au bas de son corps.
                              J. ROMAINS, les Hommes de bonne volonté, t. VI,
                                                   XVII (→ Délivrer, cit. 16).

CONTR. Individuellement, isolément, séparément. ◊ **DÉR.** 2. **Ensemble.**

2. **ENSEMBLE** [ãsãbl] n. m. — 1694; «tout ensemble», 1668; substantivation de 1. *ensemble.*

I Qualité d'un tout dont les parties sont harmonieusement unies. ♦ **1** Vx (arts). Unité (d'une œuvre

d'art), tenant à l'équilibre et à l'heureuse proportion des éléments. → **Cohésion, composition.** *Tableau, monument qui manque d'ensemble.*

L'ensemble est l'union des parties d'un tout. L'ensemble de   1 l'univers est cette chaîne presque entièrement cachée à nos yeux, de laquelle résulte l'existence harmonieuse de tout ce dont nos sens jouissent. L'ensemble d'un tableau est l'union de toutes les parties de l'art d'imiter les objets; enchaînement connu des artistes créateurs, qui le font servir de base à leurs productions (...)
                              WATELET, in Encycl. (DIDEROT) art. *Ensemble.*

Ensemble, en Architecture, *se dit de toutes les parties   2 d'un bâtiment qui, étant proportionnées les unes avec les autres, forment un beau tout* (...)
                              WATELET, in Encycl. (DIDEROT) art. *Ensemble.*

(...) *ce n'est pas assez que d'avoir bien établi l'ensemble, il   3 s'agit d'y introduire des détails, sans détruire la masse* (...)
                              DIDEROT, Essai sur la peinture, I, in LITTRÉ.

(...) *travaille, médite surtout, condense ta pensée, tu sais   4 que les beaux fragments ne font rien; l'unité, l'unité, tout est là. L'ensemble, voilà ce qui manque à tous ceux d'aujourd'hui, aux grands comme aux petits.*
                              FLAUBERT, Correspondance, t. I, p. 182.

Loc. vieillie. *Être d'ensemble :* être cohérent, harmonieux.

♦ **2** Mod. Unité tenant au synchronisme des mouvements et à la collaboration des divers éléments. *Les troupes ont manœuvré avec un ensemble impressionnant. Il y a beaucoup d'ensemble dans ce ballet. L'orchestre attaqua avec un ensemble parfait.* — Iron. *Mentir avec un ensemble touchant.*

L'ensemble, dans la tactique, c'est l'exacte exécution des   5 mêmes mouvements, de la même manière et dans le même temps.
                              LEBLOND, in Encycl. (DIDEROT), art. *Ensemble.*

... **D'ENSEMBLE.** *Mouvement* (cit. 22) *d'ensemble.*

II (XIXᵉ). ♦ **1** La totalité des éléments constituant un tout. — (Avec un compl., souvent au plur.). *L'ensemble des objets de cette pièce. Un ensemble de choses, de personnes. L'ensemble des médecins.* → **Corps.** *Ensemble de employés d'une entreprise.* → **Personnel.** *Ensemble du territoire national* (→ Armée, cit. 11). *L'ensemble des mots d'un dictionnaire :* la nomenclature. — *L'ensemble de son œuvre.* → **Somme.** *L'ensemble formé par...*

(...) *pour traiter l'ensemble du problème, nous devons le   6 plus possible partir de données exactes.*
                              J. ROMAINS, les Hommes de bonne volonté, t. V,
                                                   XI, p. 86 (→ Donnée, cit. 2).

(...) *je connais les hommes et je les reconnais à leur con-   7 duite, à l'ensemble de leurs actes* (...)
                              CAMUS, le Mythe de Sisyphe, p. 25 (→ Conduite,
                                                   cit. 18).

(Sans compl.). *Ne pas ôter un détail* * *à l'ensemble* (→ Crouler, cit. 4). *Ne s'intéresser qu'à l'ensemble.*

(...) *tout est là : faire rentrer le détail dans l'ensemble.*   8
                              FLAUBERT, Correspondance, t. II, p. 202.

Car, ce qui le fait artiste, c'est l'habitude de dégager dans   9 les objets le caractère essentiel et les traits saillants; les autres hommes ne voient que des portions, il saisit l'ensemble et l'esprit.
                              TAINE, Philosophie de l'art, t. I, p. 59.

Il y avait du Napoléon en lui par sa faculté de pénétrer   10 dans tous les détails sans perdre de vue l'ensemble.
                              FRANCE, la Vie en fleur, XXV, p. 284.

Tout se tient et je sens, entre tous les cas que m'offre la   11 vie, des dépendances si subtiles qu'il me semble toujours qu'on n'en saurait changer un seul sans modifier tout l'ensemble.
                              GIDE, les Faux-monnayeurs, I, XI, p. 116.

(...) *l'individu confère une personnalité mystique à l'en-   12 semble dont il se sent membre* (...)
                              Julien BENDA, la Trahison des clercs, p. 97.

... **D'ENSEMBLE.** → **Général, global; collectif, commun.** *Une vue, un effet d'ensemble. Étude d'ensemble sur un sujet. Se faire une idée d'ensemble.*

13 Les chefs ne s'étaient même pas (...) mis d'accord sur un plan tactique d'ensemble.
MARTIN DU GARD, les Thibault, VII, 7 (→ Accord, cit. 7).

14 Voyant de l'histoire, merveilleux à décrire ce qu'il imagine *(Michelet)*, jusqu'à créer l'illusion qu'il était là, qu'il a enregistré de ses yeux les spectacles qu'il réinvente ; donnant sans doute de ces choses la vue d'ensemble la plus juste, sinon toujours la plus fidèle.
Émile HENRIOT, les Romantiques, p. 401.

Dans son ensemble : dans sa totalité. → **Complètement, intégralement, totalement.** *Il a étudié la question dans son ensemble.*

15 Plus tard, on reconnut que le but de l'auteur *(Balzac)* n'était pas de tisser des intrigues plus ou moins bien ourdies, mais de peindre la société dans son ensemble du sommet à la base, avec son personnel et son mobilier, et l'on admira l'immense variété de ses types.
Th. GAUTIER, Portraits contemporains, Balzac, III, p. 79.

Loc. adv. **DANS L'ENSEMBLE,** en considérant plutôt l'ensemble que les divers composants. → **Gros** (en), **total** (au). *Bon travail dans l'ensemble, mais des faiblesses en mathématiques. La situation, dans son ensemble, s'est plutôt améliorée.*

16 Ce grand royaume de France, aristocrate dans ses parties ou ses provinces, était démocrate dans son ensemble (...)
CHATEAUBRIAND, Mémoires d'outre-tombe, IV, 2 (→ Aristocrate, cit. 5).

17 C'est un homme d'affaires, dont les affaires sont incertaines, mais qui dans l'ensemble gagne assez d'argent.
Edmond JALOUX, la Chute d'Icare, p. 64.

♦ **2** (Fin XIXᵉ). Groupe de plusieurs personnes, de plusieurs choses réunies en un tout. *Ensemble de personnes.* → **Assemblée, collectivité, collège, corps, groupe, groupement, réunion.** *Un ensemble de chanteurs, de musiciens ; ensemble vocal, instrumental.* → **Chœur, orchestre.** *Action collective* d'un ensemble de personnes. — Ensemble de choses.* → **Assemblage, assortiment, collection.** *Ensemble de deux*, de trois*... objets. L'ensemble du moteur et de la carrosserie ; l'ensemble moteur-carrosserie. Un ensemble de théories, d'idées...* → **Système.** *Ensemble de faits, de facteurs, de conditions. Un ensemble compact, homogène. — Ensemble d'organes.* → **Organisme.**

♦ **3** (1890 ; trad. all. *Menge,* 1883). **Math.** Collection d'éléments, en nombre fini ou infini, susceptibles de posséder certaines propriétés (notamment dont le critère d'appartenance à cette collection est sans ambiguïté), et d'avoir entre eux, ou avec des éléments d'autres ensembles, certaines relations. *Partie d'un ensemble.* → **Sous-ensemble.** *La puissance* d'un ensemble. Ensembles équipotents*. La théorie des ensembles* (→ **Ensembliste**). *Ensemble ordonné*. Ensembles disjoints,* sans élément commun. → **Coupure.** *Ensemble vide,* ne possédant aucun élément. *Réunion de deux ensembles. Inclusion d'un ensemble dans un autre. Intersection de deux ensembles,* leurs éléments communs. *Relation d'un ensemble vers un autre ensemble.* → **Application, correspondance, fonction, relation ; bijection, injection, surjection ; antécédent, image.** *Relations* (relations d'équivalence, relations d'ordre) *sur un ensemble. Loi de composition* (interne) *sur un ensemble. Ensemble de définition*. Ensemble référentiel. Ensemble quotient. Ensemble de départ* (source), *ensemble d'arrivée* (but) *d'une application, d'une fonction. Produit** (cartésien) *de deux ensembles.* → **Couple.** *Ensemble fini, infini. Ensemble dénombrable,* dont les éléments peuvent être mis en correspondance biunivoque avec les nombres entiers naturels. — *Complémentaire d'un ensemble. — Représentation graphique d'un ensemble.* → **Diagramme** (de Venn) ; fam. **patate.**

Un *ensemble* est formé d'*éléments* susceptibles de posséder certaines *propriétés,* et d'avoir entre eux, ou avec des éléments d'autres ensembles, certaines *relations.* 18
N. BOURBAKI, la Théorie des ensembles, I, 1.

♦ **4** Spécialt. **ⓐ** Groupe d'habitations ou de monuments. → aussi **Grand ensemble.**

C'était un de ces ensembles architecturaux vers lesquels, 19 dans une autre ville, les rues se dirigent, vous conduisent et le désignent.
PROUST, À la recherche du temps perdu, t. XIII, p. 281.

Nous sommes entrés dans l'ère de la philosophie des 19.1 ensembles des grands ensembles, et je ne parle pas hachélem[1]. ARAGON, Blanche..., III, II, p. 401.
1. Voir H. L. M.

ⓑ (1924, *in* D.D.L.). Pièces d'habillement assorties destinées à être portées ensemble. *Un ensemble de plage en toile blanche.*

(...) il lui demandait si les détacheurs ordinaires sont effi- 19.2 caces contre les traces de larmes, à moins qu'elle ne voulût les y laisser, comme souvenir, et que son ensemble ne prît dorénavant (...) le nom de Fontaines d'Italie.
MONTHERLANT, le Démon du bien, p. 249.

Je t'ai acheté un ensemble ce mois-ci, je te paye vingt francs 20 par jour, je te paye le loyer et toi, tu prends le café l'après-midi avec tes amies. CAMUS, l'Étranger, III, p. 47.

ⓒ Réunion de pièces de mobilier allant ensemble. *Un ensemble décoratif. Un ensemble Louis XVI, Empire.*

ⓓ *Ensemble de lancement* (appartenant à une base de lancement de fusées).

♦ **5** Chant simultané de plusieurs personnages dans un ouvrage lyrique (→ ci-dessus I., 2.). *Les airs et les ensembles.*

CONTR. Discordance ; détail, élément, partie. ◊ DÉR. Ensemblier, ensembliste. ▬ COMP. Grand ensemble, sous-ensemble.

ENSEMBLIER [ɑ̃sɑ̃blije] n. m. — 1920 ; de 2. *ensemble.*
Artiste qui crée des ensembles (2. Ensemble, II., 4., c) décoratifs.

L'ensemblier n'a sûrement pas consulté Mᵐᵉ Rezeau (...) Dans cette composition à la fois stricte et légère où chaque objet vaut par son volume, par sa tache de couleur (...)
Hervé BAZIN, Cri de la chouette, p. 214.

Au cinéma et à la télévision, Adjoint du décorateur.

ENSEMBLISTE [ɑ̃sɑ̃blist] adj. — Mil. XXᵉ ; de 2. *ensemble,* au sens mathématique.
Sc. Relatif aux ensembles, qui opère sur des ensembles (2. Ensemble, II., 3.). *Théorie, logique ensembliste. Explication, interprétation ensembliste. — Un mathématicien ensembliste.*

ENSEMENCEMENT [ɑ̃smɑ̃smɑ̃] n. m. — 1552 ; de *ensemencer.*

♦ **1** Action d'ensemencer ; son résultat. *Le labour et l'ensemencement d'un champ.*

♦ **2** Techn. et sc. Introduction de germes vivants dans un milieu. *Ensemencement d'un milieu, du sang. Ensemencement viral.*

Peuplement (d'un cours d'eau, d'une masse d'eau) au moyen de frai ou d'alevins.

Le fait d'ensemencer (un milieu). — Spécialt. Introduction d'iodure d'argent dans les formations nuageuses.

♦ **3** Fig. *Un ensemencement d'idées. L'ensemencement de la jeunesse par des influences.*

ENSEMENCER [ɑ̃smɑ̃se] v. tr. [CONJUG.: *placer*.] — 1355 ; de *en-*, *semence*, et suff. verbal.

♦ 1 Pourvoir de semences (un terrain propice à leur développement). *Ensemencer des terres.* → **Emblaver**, **mettre** (mettre en blé, en avoine...), **semailles** (faire les), **semer**. — REM. Pour des terrains peu étendus, on emploie de préférence *semer* et *faire des semis*. Absolt. *Il faut avoir ensemencé pour récolter.*

1 Il fallait labourer les tristes champs de Mars,
Et des dents d'un serpent ensemencer leur terre (...)
CORNEILLE, Médée, II, 2.

Par métaphore :

2 (...) il y a plus de mérite à ensemencer un désert qu'à butiner avec insouciance dans un verger fructueux (...)
BAUDELAIRE, la Fanfarlo.

Sc., techn. *Ensemencer un bouillon de culture, un milieu,* y introduire des bactéries, des germes microbiens.

3 On trouve quelquefois ensemencer des graines dans. Il prend des spores..., il les ensemence dans du moût... naturellement, en ensemençant le *penicillium*, vous avez ensemencé à côté les spores de levure, Pasteur, dans le *Compte rendu* de H. de Parville, *Journ. offic.*, 18 déc. 1873 (...) La locution n'est pas correcte. On *sème* des graines dans un champ ; mais on *ensemence* le champ avec des graines.
LITTRÉ, Dict., supplément, art. *Ensemencer.*

♦ 2 (1864). *Ensemencer une rivière, un étang,* y placer du menu poisson (alevin, frai). → **Aleviner**, **empoissonner**.

Par anal., sc., techn. Disposer dans (un milieu) des substances faisant office de «germe», cristaux, etc.

♦ 3 (Av. 1615). Fig. *Ensemencer un terrain* (moral, spirituel). → **Féconder**.

4 (...) il *(Talma)* avait encore cette sensibilité indispensable pour ensemencer les succès.
STENDHAL, Souvenirs d'égotisme, p. 93.

5 (...) dans le même pays, à deux époques différentes, il y a très probablement le même nombre d'hommes de talent et d'hommes médiocres (...) il en est pour les esprits comme pour les corps, et la Nature est une semeuse d'hommes qui (...) répand à peu près la même quantité, la même qualité, la même proportion de graines dans les terrains qu'elle ensemence régulièrement et tour à tour.
TAINE, Philosophie de l'art, t. I, p. 55.

CONTR. V. **Friche** (laisser en), **jachère** (mettre en). ◊ DÉR. **Ensemencement**. → COMP. **Réensemencer**.

1. ENSERRER [ɑ̃seʁe] v. tr. — 1549 ; «enfermer», v. 1120 ; de *en-*, et *serrer*.

♦ 1 Vx. Enfermer (qqn) ; cacher, serrer (qqch.). — Pron. → cit. 1.

1 (...) lequel lui fit réponse que ses gens *(de Picrochole)* [...] s'étaient enserrés en La Roche Clermauld, et qu'il ne lui conseillait point de procéder outre, de peur du guet (...)
RABELAIS, Gargantua, XXX.

2 Il retourne chez lui ; dans sa cave il enserre
L'argent et sa joie à la fois.
LA FONTAINE, Fables, VIII, 2.

♦ 2 (1549). Entourer en serrant étroitement, de près. *Une gaine, un corset enserrait sa taille. Collier qui enserre le cou* (→ Col, cit. 4). *Il la tenait enserrée dans ses bras.* → **Embrasser**. *Le boa, la pieuvre enserrent leur victime.*

3 Pour elle, malgré la chaleur, elle portait une guimpe et un col de guipure qui lui enserrait le cou jusqu'aux oreilles.
F. MAURIAC, la Pharisienne, p. 19.

4 (...) la main (...) qui enserrait son poignet (...)
J. GREEN, Adrienne Mesurat, I, V, p. 48.

Par anal. *Le fleuve enserre la ville.* Par ext. *Tout ce que ce domaine enserre de prés, de vignes.* → **Englober**, **renfermer**.

Notre chair n'est que notre pulpe ; nos os, nos membranes, 5 nos nerfs, ne sont que la charpente du noyau où nous sommes enfermés, comme en un étui. C'est par exfoliation que l'enveloppe corporelle se dissipe ; mais l'amande qu'elle contient, l'être invisible qu'elle enserre, demeure indestructible.
Joseph JOUBERT, Pensées, I, XX.

(...) une étroite vallée que la montagne enserre de partout 6 comme un grand mur.
Alphonse DAUDET, le Petit Chose, I, V, p. 53.

(1870). Fig. *Liens qui enserrent l'âme.* → **Asservir**, **emprisonner**, **retenir** (→ Dégager, cit. 36).

Certainement, sans l'étau fatal qui m'enserrait, j'eusse aimé 7 Noémie deux ou trois ans après, mais j'étais voué au raisonnement ; la dialectique religieuse m'occupait déjà tout entier.
RENAN, Souvenirs d'enfance..., p. 96.

♦ ENSERRÉ, ÉE p. p. adj. *Taille enserrée. Être enserré par l'ennemi.*

Le Bouddha n'a-t-il raison de dire qu'enserré dans les seize 8 embarras, on perd le goût de la connaissance délicate ?
Paul MORAND, Bouddha vivant, p. 134.

CONTR. **Dégager**, **libérer**. ◊ HOM. 2. **Enserrer**.

2. ENSERRER [ɑ̃seʁe] v. tr. — 1718 ; de *en-*, *serre*, et suff. verbal.

Hortic. Mettre en serre. *Enserrer des orangers.*

HOM. 1. **Enserrer**.

ENSEUILLEMENT [ɑ̃sœjmɑ̃] n. m. — 1366 ; de *en-*, *seuil*, et suff. *-ement*.

Techn. Hauteur comprise entre l'appui d'une fenêtre et le plancher. *Cette fenêtre a un mètre d'enseuillement.*

ENSEVELIR [ɑ̃səvliʁ] v. tr. — Déb. XIIe ; de *en-*, et anc. franç. *sepelir*, *sevelir* «mettre un mort dans un tombeau» ; du lat. *sepelire* «enterrer, faire disparaître».

I ♦ 1 Littér. Mettre (un mort) au tombeau. → **Enterrer**, **sépulture** (donner la). *Il a été enseveli au cimetière de sa ville natale. On brûla les cadavres, faute de temps pour les ensevelir.*

Qui tôt ensevelit bien souvent assassine (...)
MOLIÈRE, l'Étourdi, II, 2.

J'ensevelis pour toujours dans le sein de la terre ce qu'elle 2 avait porté de plus parfait et de plus aimable.
Abbé PRÉVOST, Manon Lescaut, II.

Inhumer.

(...) deux indigènes creusaient un trou très profond et peu 2.1 large, ce qui nous laissa supposer qu'on ensevelit les morts verticalement, tout debout.
GIDE, Voyage au Congo, *in* Souvenirs, Pl., p. 784.

Par métaphore, fig. (le compl. désigne des choses mortes, finies, dont on consacre ainsi la disparition). Surtout au p. p.

(...) je vois s'élever un nouvel empire. Je quitte à peine ces 3 tombeaux où dorment les nations ensevelies, et j'aperçois un berceau chargé des destinées de l'avenir.
CHATEAUBRIAND, Mémoires d'outre-tombe, t. III, p. 33.

Mon voisin feuilletait un livre, des pages duquel s'échappa 4 à son insu une fleur desséchée (...) – «Cette fleur, me hasardai-je à lui dire, est sans doute le symbole de quelque doux amour enseveli (...)»
Aloysius BERTRAND, Gaspard de la nuit, p. 27.

L'immuable église, où sont restés ensevelis ses rêves de 5 foi, s'entoure des mêmes cyprès obscurs, comme une mosquée.
LOTI, Ramuntcho, II, II, p. 222.

♦ 2 Envelopper (qqn) dans un linceul. *Il est si pauvre qu'il n'a pas laissé un drap pour l'ensevelir. Malgré sa douleur, il voulut lui-même ensevelir son fils.*

(...) le chartreux est enterré, comme sur un champ de 6 bataille, sans bière ni linceul. Il est enseveli dans le pauvre habit blanc de son Ordre (...) Il est ainsi restitué à la poussière, pendant que ses frères assemblés pleurent et prient sur sa dépouille.
Léon BLOY, le Désespéré, p. 91.

Par métaphore :

7 Enfin, la sœur Marie-Angélique parle, et parle à Ramuntcho lui-même (...) Et c'est le contrebandier qui de nouveau baisse la tête, sentant bien que tout est fini, qu'elle est perdue pour jamais, la petite compagne de son enfance; qu'on l'a ensevelie dans un inviolable linceul (...) ils se comprennent et, l'un à l'autre, sans paroles, ils s'avouent qu'il n'y a rien à faire (...)
LOTI, *Ramuntcho*, II, XIII, p. 314-315.

Par anal. Envelopper comme d'un linceul.

8 Voiles, crêpes, habits, lugubres ornements,
Pompe où m'ensevelit sa première victoire.
CORNEILLE, *le Cid*, IV, 1 (var.).

9 Il (...) n'a plus cette grande soutane où il était enseveli.
Mme DE SÉVIGNÉ, 950, 30 janv. 1685.

II (XIIIe). **♦ 1 (Sujet n. de chose).** Faire disparaître sous un amoncellement (sans que la mort, l'anéantissement s'ensuivent nécessairement). *Le fleuve de lave, l'avalanche avait enseveli plusieurs villages. —* Au p. p. *Pyramide à demi ensevelie dans les sables. Être enseveli sous les ruines de sa propre maison.*

10 Voudront-ils que leur temple enseveli sous l'herbe...
RACINE, *Athalie*, III, 3.

11 (...) tout son corps était si profondément enseveli sous les décombres qu'il était impossible de l'en retirer.
BAUDELAIRE, Trad. E. POE,
«Les aventures d'Arthur Gordon Pym», XXI.

1.1 Il était arrivé plus d'une fois que le sol sans consistance s'effondrât, ensevelissant les femmes et les enfants qui travaillaient au fond du trou.
GIDE, *Voyage au Congo, in Souvenirs*, Pl., p. 739.

En emploi absolu :

1.2 Ce vent, s'il ne démolissait pas, il enterrait, il ensevelissait, et il était probable que, douze heures après le début de la tempête, la maison, le chenil, le hangar, l'enceinte, auraient disparu sous une égale épaisseur de neige.
J. VERNE, *le Pays des fourrures*, t. I, p. 236.

Par exagér. (surtout au passif et au p. p.). **→ Submerger.** *Être enseveli sous le travail.*

12 (...) j'étais enseveli sous un amas de billets parfumés.
CHATEAUBRIAND, *Mémoires d'outre-tombe*, t. II, p. 180.

13 Le salon était enseveli sous des housses.
MARTIN DU GARD, *les Thibault*, t. VI, p. 218.

♦ 2 (V. 1220). Fig. Enfouir en cachant. **→ Cacher.** *Ensevelir un secret dans son cœur. Ensevelir une découverte* (→ Découvrir, cit. 39). *Ensevelir sa vie dans un cabinet* (cit. 4) *d'études, dans la retraite. —* Au p. p. *Crime enseveli par l'oubli. Je l'ai trouvé enseveli dans son chagrin* (cit. 5), *dans ses méditations.* **→ Plonger.** *Être enseveli dans un profond sommeil.*

14 Surtout je redoutais cette mélancolie
Où j'ai vu si longtemps votre âme ensevelie.
RACINE, *Andromaque*, I, 1.

15 Elle vint me trouver et me représenta que mon époux ayant achevé son destin dans le royaume de Fez, comme on nous l'avait rapporté, il n'était pas raisonnable d'ensevelir plus longtemps mes charmes (...)
A.-R. LESAGE, *Gil Blas*, I, XI.

16 (...) la nuit profonde où je vais ensevelir ma honte.
LACLOS, *les Liaisons dangereuses*, Lettre CXLIII.

17 (...) une jeunesse ensevelie sous les glaces d'un profond chagrin, sous la fatigue des études obstinées, sous les teintes chaudes de quelque passion contrariée.
BALZAC, *Honorine*, Pl., t. II, p. 259.

18 Rien n'explique mieux la vie de province que le silence profond dans lequel est enseveli cette petite ville (...)
BALZAC, *le Député d'Arcis*, Pl., t. VII, p. 682.

19 — Maint joyau dort enseveli
Dans les ténèbres et l'oubli,
Bien loin des pioches et des sondes (...)
BAUDELAIRE, *les Fleurs du mal*, «Le guignon».

20 Les jours anciens recouvrent peu à peu ceux qui les ont précédés, sont eux-mêmes ensevelis sous ceux qui les suivent.
PROUST, *À la recherche du temps perdu*, t. XIII, p. 158.

21 (...) les pressentiments de la solitude coloniale énorme qui va les ensevelir bientôt eux et leur destin, les faire gémir déjà comme des agonisants.
CÉLINE, *Voyage au bout de la nuit*, p. 110.

♦ S'ENSEVELIR v. pron.

♦ 1 (1662). *S'ensevelir sous les décombres d'une ville, la défendre jusqu'à la mort. Les espoirs qu'il donnait se sont ensevelis avec lui.* **→ Disparaître.**

♦ 2 (V. 1640). *S'ensevelir dans l'étude, dans sa peine, dans ses pensées.* **→ Absorber** (s'). *S'ensevelir dans la retraite, dans la solitude.* **→ Isoler** (s').

22 Moi, renoncer au monde avant que de vieillir,
Et dans votre désert aller m'ensevelir !
MOLIÈRE, *le Misanthrope*, V, 4.

23 La belle chose de vouloir se piquer d'un faux honneur d'être fidèle, de s'ensevelir pour toujours dans une passion et d'être mort dès sa jeunesse à toutes les autres beautés qui nous peuvent frapper les yeux !
MOLIÈRE, *Dom Juan*, I, 2.

24 Si je m'étais tué, tout ce que j'ai été s'ensevelissait avec moi (...)
CHATEAUBRIAND, t. I, p. 132.

25 (...) il était venu s'ensevelir, au fond de ses marais... dans la plus inconcevable solitude.
E. FROMENTIN, *Dominique*, p. 42.

♦ ENSEVELI, IE p. p. adj. V. ci-dessus à l'article.

CONTR. Désensevelir, déterrer, exhumer. — Éterniser, ressusciter. — Évader (s'), sortir (de). ◊ DÉR. Ensevelissement, ensevelisseur. → COMP. Désensevelir.

ENSEVELISSEMENT [ɑ̃səvlismɑ̃] n. m. — V. 1155; de *ensevelir*.

♦ 1 Littér. Action d'ensevelir dans une tombe; résultat de cette action. *L'ensevelissement d'un cadavre dans la tombe.* **→ Enterrement, inhumation.** *Cérémonies qui accompagnent l'ensevelissement.* **→ Funérailles.**

1 (...) la fosse attendait sa future habitante, et tous les préparatifs de l'ensevelissement étaient terminés.
BAUDELAIRE, Trad. E. POE,
Nouvelles histoires extraordinaires, «Bérénice».

Le fait d'ensevelir dans un linceul. *Procéder à la toilette et à l'ensevelissement d'un mort. L'ensevelissement des morts figure au nombre des œuvres de miséricorde.*

2 Quand (...) nous eûmes à le déshabiller pour l'ensevelissement, la rigidité cadavérique était telle que (...)
BAUDELAIRE, *le Spleen de Paris*, «La corde».

♦ 2 (Av. 1896). Fait d'être enfoui, caché. *L'ensevelissement d'une ville sous les décombres. Ensevelissement d'une statue, d'un trésor. —* Par exagér. :

3 Reconnaissons qu'il y avait de la beauté dans cet ensevelissement des veuves sous des crêpes et des châles.
F. MAURIAC, *la Province*, p. 46.

Fig. (littér.). *L'ensevelissement du passé.* **→ Disparition.** — Le fait de se retirer loin du monde. *L'ensevelissement de Rancé après une vie orageuse.* **→ Isolement, retraite.**

CONTR. Déterrement, exhumation; résurrection, survivance.

ENSEVELISSEUR [ɑ̃səvlisœr] n. — Fin XIVe; de *ensevelir.*

♦ 1 Techn. Personne chargée de la toilette funèbre d'un mort. *Ensevelisseurs et embaumeurs.*

1 C'était merveille de la voir ainsi affairée à sa besogne d'ensevelisseuse, passant et repassant contre la lumière de la lampe posée à terre (...)
BERNANOS, *Monsieur Ouine*, p. 245.

♦ 2 Adj. (Littér. et rare). Qui ensevelit.

2 Léopold songeait à l'ensevelisseur de l'idole. Quel était-il, le fidèle qui, jadis, à l'heure où la foi nouvelle, avec des cris menaçants, escaladait la colline, saisit et coucha son dieu dans ce trou ?
M. BARRÈS, *la Colline inspirée*, p. 271.

ENSIFORME [ɑ̃sifɔʀm] adj. — 1541; du lat. *ensis* «épée», et -*forme*.

Didact. En forme d'épée. *Apophyse, cartilage, feuille ensiforme.*

ENSILAGE [ɑ̃silaʒ] ou (rare) **ENSILOTAGE** [ɑ̃si lɔtaʒ] n. m. — 1838, ensilage; ensilotage, 1873; de *en-*, et *silo*, ou de *ensiler, ensiloter.*

Agriculture.

♦ **1** Méthode de conservation des produits agricoles, spécialement des fourrages verts, en les mettant dans des silos. *L'ensilage (l'ensilotage) du grain, de l'herbe. Conservation par ensilage.*

♦ **2** (Seult *ensilage*). Fourrage conservé en silo. *Nourrir les bêtes avec de l'ensilage.*

ENSILER [ɑ̃sile] ou (rare) **ENSILOTER** [ɑ̃silɔte] v. tr. — 1865, ensiler au p. p.; ensiloter, 1890; de *en-*, et *silo*.

Agric. Mettre en silo* (des produits agricoles) en vue de (les) conserver. *Ensiler du blé, du grain, des fourrages, des betteraves.* → **Emmagasiner.**

DÉR. Ensilage ou ensilotage, ensileuse.

ENSILEUSE [ɑ̃siløz] n. f. — XXe, in G. L. L. F.; de *ensiler.*

♦ **1 Techn.** Appareil qui transporte le fourrage (broyé) dans les silos.

♦ **2** Machine qui coupe, hache et conditionne le fourrage destiné à la mise en silo.

ENSILOTAGE [ɑ̃silɔtaʒ] n. m.; **ENSILOTER** [ɑ̃si lɔte] v. tr. → **Ensilage; ensiler.**

ENSIMAGE [ɑ̃simaʒ] n. m. — 1669; de *ensimer.*

Techn. Opération par laquelle on ensime. *Huiles d'ensimage* : huiles végétales utilisées pour lubrifier les laines ou d'autres textiles.

Pour que les brins *(de fibranne)* puissent être transformés en fils, il faut leur incorporer une émulsion de corps gras : c'est l'*ensimage*, pratiqué de la même façon que dans la filature des textiles naturels. Un batteur donne le produit prêt à filer, qui ressemble à s'y méprendre à de la bourre de coton.
                   F. MEYER et L.-J. OLMER,
         le Papier et les Dérivés de la cellulose, p. 89-90.

ENSIMER [ɑ̃sime] v. tr. — 1723, Savary, mais antérieur (→ Ensimage); ensaimer, 1300; ensaïmez «engraissé», déb. XIIe; de *en-*, et *saim* «graisse», du lat. *sagina* «graisse». → Saindoux.

Techn. (filat.). Graisser, lubrifier (les fibres) pour faciliter le cardage et la filature. — Au p. p. *Matière ensimée.*

À sa base, ce four est muni de cent deux filières d'où sont tirés autant de brins que l'on réunit en un fil unique. Celui-ci est «ensimé» c'est-à-dire imbibé d'huile selon une pratique constante dans la filature des textiles naturels ou artificiels.   F. MEYER et P. GRIVET, le Verre, p. 101.

DÉR. Ensimage, ensimeuse.

ENSIMEUSE [ɑ̃simøz] n. f. — 1930; de *ensimer.*

Techn. Machine à ensimer. *L'ensimeuse permet de répartir uniformément les corps gras sur les fibres.*

EN-SOI [ɑ̃swa] n. m. invar. — Av. 1865, Proudhon, *in* P. Larousse «l'en soi des choses»; de *en* et *soi*, employé dans ce sens en philos., calque de l'all. *an sich*; diffusé par Sartre. → Soi.

Philos. Mode d'être de ce qui, étant privé de conscience*, n'est que ce qu'il est et ne peut (intentionnellement) devenir autre. — Syn. : *l'être en soi* (→ Soi). *L'en-soi et le pour-soi*.

L'en soi désigne la suffisance d'un être, le pour soi enferme une réflexion (...)
         ALAIN, Hegel, La philosophie de la nature (1932),
         in les Passions et la Sagesse, Pl., p. 1025.

ENSOLEILLÉ, ÉE adj. → **Ensoleiller.**

ENSOLEILLEMENT [ɑ̃sɔlɛjmɑ̃] n. m. — 1856; de *ensoleiller.*

♦ **1** État d'un lieu ensoleillé; temps pendant lequel un lieu est ensoleillé. *Un ensoleillement prolongé peut mûrir* (cit. 2) *le raisin. Journées d'ensoleillement d'une station balnéaire. L'ensoleillement d'un versant de colline, d'une rue. Cet appartement jouit d'un ensoleillement exceptionnel.*

♦ **2** Par métaphore (littér.). *L'ensoleillement de son regard.*

Les yeux étincelants, enflammés d'un ensoleillement radieux de gaîté.
      PROUST, Du côté de chez Swann, Pl., t. I, p. 340.

ENSOLEILLER [ɑ̃sɔleje] v. tr. — 1852; de *en-*, *soleil*, et suff. verbal.

♦ **1** Remplir de la lumière du soleil. *Les beaux jours vont bientôt ensoleiller la vallée.* — **Peint.** *Ensoleiller une toile, un paysage.*

♦ **2** (1894). **Fig.** Illuminer, remplir de bonheur. *La joie ensoleillait son regard*, le rendait radieux*.
(Abstrait). *Cet amour, cette amitié ensoleille ma vie* (→ Mettre un rayon de soleil dans..., sur...).

◆ **S'ENSOLEILLER** v. pron.

Devenir ensoleillé. *Les nuages s'étaient dissipés, la campagne tout entière s'ensoleillait.* — **Fig.** *Son visage, son regard s'ensoleilla tout à coup*, prit de l'éclat, un air de bonheur. *Sa vie s'est ensoleillée.*

C'était un homme très petit, mince, qui ne devait pas peser beaucoup plus lourd qu'un enfant. Mais ses yeux s'ensoleillaient à la moindre nouveauté.
    M. DURAS, les Petits Chevaux de Tarquinia, p. 45.

◆ **ENSOLEILLÉ, ÉE** p. p. adj.

♦ **1** Qui reçoit du soleil, qui est éclairé par le soleil. *Appartement, jardin ensoleillé. Pluie ensoleillée,* traversée de soleil. (→ Absorber, cit. 3). *Ville ensoleillée.*

Cheret, le peintre des bois ombreux, des clairières ensoleillées (...)
      Th. GAUTIER, Portraits contemporains, A. Glatigny.

Un jour, tout simplement (ne me console pas!)
Devant ma porte ensoleillée je m'étendrai.
           Francis JAMMES, Le poète et sa femme,
                     Ne me console pas.

(...) ce qui montait alors vers les terrasses encore ensoleillées (...)   CAMUS, la Peste, p. 203.

Pendant lequel il y a du soleil. *Un après-midi, un automne ensoleillé.*

♦ **2 Fig.** *Sourire, visage ensoleillé.* → **Lumineux, radieux.**

CONTR. Assombrir, enténébrer, ombrager. — Attrister, endeuiller. — Mélancolique, morne, terne, triste. ◊ **DÉR.** Ensoleillement.

ENSOMMEILLÉ, ÉE [ɑ̃sɔmeje] adj. — XVe; repris XIXe; p. p. de *ensommeiller.*

Qui reste sous l'influence du sommeil; mal réveillé. → **Assoupi, somnolent.** *Je n'ai pas des idées très nettes, je suis encore tout ensommeillé* (→ Endormi).

CONTR. Éveillé, réveillé.

ENSOMMEILLEMENT [ãsɔmɛjmã] n. m. — 1870; de *ensommeiller*.

♦ **1** Fait de prendre son sommeil, de s'ensommeiller, de s'endormir → **Endormissement; assoupissement**.

1 Ce qu'on aurait fait le jour, il arrive en effet, le sommeil venant, qu'on ne l'accomplisse qu'en rêve, c'est-à-dire après l'inflexion de l'ensommeillement (...)
PROUST, le Côté de Guermantes, Pl., t. II, p. 86.

♦ **2** Fig. (littér.). *L'ensommeillement de la nature à l'automne.* → **Engourdissement.** — Atmosphère de sommeil, de calme.

2 Quand le soir (...) j'eus repris seul le train, du moins je ne trouvai pas pénible la nuit qui vint; c'est que je n'avais pas à la passer dans la prison d'une chambre dont l'ensommeillement me tiendrait éveillé; j'étais entouré par la calmante activité de tous ces mouvements du train (...)
PROUST, À l'ombre des jeunes filles en fleurs, Pl., t. I, p. 654.

ENSOMMEILLER [ãsɔmeje] v. tr. — 1578, *s'ensommeiller*; repris XIXᵉ; de *ensommeillé*.

Littéraire.

♦ **1** Donner sommeil à qqn. *La longue marche a fatigué et ensommeillé l'enfant.* — Absolt. *Le grand air ensommeille.* → **Endormir.**

♦ **2** Fig. (littér.). Mettre dans un état analogue ou comparable au sommeil. *La nuit ensommeillait les rues.*

♦ **S'ENSOMMEILLER** v. pron.

Tomber dans le sommeil. → **Endormir** (s'). *Je m'ensommeille d'un coup.*

1 (...) le dîner où on bouffera encore, jusqu'à s'ensommeiller, ouf, dormir, encore une semaine de tirée.
A. SARRAZIN, l'Astragale, p. 41 (1964).

Par extension :

2 Le regard de Anne Desbaresdes s'évanouit lentement sous l'insulte, s'ensommeilla.
M. DURAS, Moderato cantabile, p. 113.

DÉR. Ensommeillé, ensommeillement.

ENSORCELANT, ANTE [ãsɔʀsəlã, ãt] adj. — 1605; p. prés. de *ensorceler*.

Qui ensorcelle, séduit irrésistiblement. → **Envoûtant, fascinant, séduisant** (→ Dispenser, cit. 3). *Un regard, un sourire ensorcelant. Une musique ensorcelante. Le charme ensorcelant des îles du Pacifique.*

ENSORCELER [ãsɔʀsəle] v. tr. [CONJUG.: *appeler*.] — XIIIᵉ, *ensorcerer*, déb. XIIᵉ; de *en-*, et *sorcer, sorcier*.

♦ **1** Soumettre (une personne, un animal) à l'action d'un sortilège, jeter un sort sur (un être). → **Charmer** (VX), **enchanter, envoûter.** *Ensorceler qqn par une formule, une incantation, un philtre. Le paysan l'accusait d'avoir ensorcelé son troupeau. Elle ensorcelait ses ennemis.*

1 Le diable ordonna à Michelle Chaudron d'ensorceler deux filles. Elle obéit à son seigneur ponctuellement. Les parents des filles l'accusèrent juridiquement de diablerie. Les filles furent interrogées et confrontées avec la coupable; elles attestèrent qu'elles sentaient continuellement une fourmilière dans certaines parties de leurs corps et qu'elles étaient possédées.
VOLTAIRE, Commentaire sur le Traité des délits et peines, IX, Des sorciers.

2 (...) il (*Urbain Grandier*) avait déjà été accusé d'ensorceler les religieuses, et examiné par de saints prélats, par des magistrats éclairés, par des médecins instruits qui l'avaient absous, et qui tous, indignés, avaient imposé silence aux démons de fabrique humaine.
A. DE VIGNY, Cinq-Mars, I, III.

Nous sommes loin du XVᵉ siècle; on ne voit plus au XVIIᵉ siècle le cas terrible avoué au livre du «Marteau des sorcières», quand le juge, tenant la sorcière liée à ses pieds, se sentait pris par son regard, ensorcelé au tribunal, défaillait sur son siège. 3
MICHELET, Hist. de France, XIII, 18.

Il faut qu'on l'ait ensorcelé, se dit de qqn dont la conduite paraît inexplicable et qui semble subir une influence puissante.

Il faut absolument qu'on m'ait ensorcelé : 4
Si j'en connais pas un, je veux être étranglé (...)
RACINE, les Plaideurs, II, 5.

♦ **2** (V. 1398). Captiver entièrement (qqn, l'esprit, les facultés), comme par un sortilège. *Ensorceler l'esprit de qqn.* → **Suggestionner, troubler.** — (Spécialt). Captiver érotiquement. *Ensorceler qqn par des manières câlines.* → **Charmer, enjôler** (→ Cajolerie, cit. 2). *Être ensorcelé par l'amour, par une femme.* → **Fasciner, séduire.** — Absolt. *Un poème, une musique qui ensorcelle.*

L'amour fut bien fort(e) poison 5
Qui m'ensorcela la raison (...)
RONSARD, le Premier Livre des amours, Amours de Cassandre, CCXXVIII.

Une jeune comédienne dont le roi est ensorcelé (...) 6
Mᵐᵉ DE SÉVIGNÉ, in LITTRÉ.

♦ **ENSORCELÉ, ÉE** p. p. adj.

♦ **1** Soumis à l'action d'un sortilège.

Par extension (d'une chose).
— Ne cherchez plus, leur dit-il, d'autres causes : 7
C'est ce poirier; il s'est ensorcelé.
LA FONTAINE, Gageure, II.

Par ext. Qui présente qqch. d'inexplicable et de quasi diabolique (→ Dévidage, cit. 1).

N. *Un ensorcelé.* → **Possédé.** *L'Ensorcelée,* roman de Barbey d'Aurevilly (1854).

C'était là le dernier degré de sortilège et de misère, monsieur : elle ne voulait pas guérir! Elle aimait le sort qu'on lui avait jeté. Les uns parlaient du berger (...) les autres de l'abbé de La Croix-Jugan (...) mais (...) pour qui, comme moi, nombre de fois les vit à l'église, lui, cet abbé noir dans la nuée de sa stalle, et elle, rouge comme le feu de la honte dans son banc (...) Il n'y a pas moyen de penser que le maître de cette misérable ensorcelée ait été un autre que ce prêtre, qui semblait le démon en habit de prêtre (...) 8
BARBEY D'AUREVILLY, L'ensorcelée, p. 197.

♦ **2** (Personnes). Soumis au charme de (qqn, qqch.). *Complètement ensorcelé, il ne pouvait plus quitter la pièce.*

CONTR. Désensorceler; désenchanter, désenvoûter, exorciser. ◊ DÉR. Ensorcelant, ensorceleur. — COMP. Désensorceler.

ENSORCELEUR, EUSE [ãsɔʀsəlœʀ, øz] n. — 1539; *ensorceleresse,* v. 1390; de *ensorceler*.

♦ **1** Vx. Enchanteur, sorcier.

♦ **2** (1868). Fig. et littér. Personne ensorcelante. *Cette femme est une ensorceleuse* (→ Charme, cit. 13).

♦ **3** Adj. (Av. 1648). Rare. Ensorcelant*. «*Un dernier coup d'œil ensorceleur*» (André Theuriet, in G. L. L. F.).

ENSORCELLEMENT [ãsɔʀsɛlmã] n. m. — V. 1390; *ensorcerement,* v. 1330; de *ensorceler*.

♦ **1** Action d'ensorceler. → **Enchantement, envoûtement.** *L'ensorcellement de qqn par un sorcier.* → aussi **Maraboutage** (franç. d'Afrique).

L'idée de condamnation, d'ensorcellement, reparaissait ainsi, mais de superstitieuse devenant religieuse, et d'absurde, presque raisonnable. 1
J. ROMAINS, les Hommes de bonne volonté, t. V, II, p. 14.

Par métonymie. *(Un, des ensorcellements).* Pratique de sorcellerie; état d'un être ensorcelé. → **Charme, enchantement, envoûtement, maléfice, sortilège.** *Il a fait un pacte avec le diable, je crains ses ensorcellements.*

♦ **2** Fig. Séduction irrésistible, notamment dans le domaine amoureux. → **Fascination.** *L'ensorcellement féminin* (→ Domination, cit. 4). *Mélomane qui éprouve l'ensorcellement de la musique.*

2   Je disais au Régent des raisons dont il sentait toute la force, mais son ensorcellement pour l'abbé Dubois était encore plus fort.   SAINT-SIMON, Mémoires, 467, 251.

3   Il eut l'idée de recourir à Hérodias. Il la haïssait pourtant. Mais elle lui donnerait du courage; et tous les liens n'étaient pas rompus de l'ensorcellement qu'il avait autrefois subi.   FLAUBERT, Trois contes, «Hérodias», II, p. 218.

CONTR. Désensorcellement; désenchantement, désenvoûtement.

ENSOUFRER [ãsufʀe] v. tr. — V. 1265; de *en-, soufre,* et suff. verbal.

Techn. (vx). Imprégner de soufre, de vapeurs de soufre. *Les chemises ensoufrées,* ou *chemises* (cit. 5) *ardentes.*

ENSOUILLAGE [ãsujaʒ] n. m. — D. i. (v. 1975); de *ensouiller.*

Techn. Opération par laquelle on enfouit (une canalisation, un câble...) dans une souille sous-marine.

ENSOUILLER [ãsuje] v. tr. — D. i.; de *en-, souille,* et suff. verbal.

Techn. Enfouir (une canalisation sous-marine) dans une souille. *Ensouiller un oléoduc, un câble sous-marin.*

DÉR. Ensouillage, ensouilleuse.

ENSOUILLEUSE [ãsujøz] n. f. — D. i. (v. 1975); de *ensouiller.*

Techn. Machine servant à l'ensouillage.

ENSOUPLE [ãsupl] ou (rare) **ENSUBLE** [ãsybl] n. f. — 1557; *ensobles,* fin XIᵉ; avec infl. de *souple;* du bas lat. *insubulum;* de *in-,* et lat. class. *subula* «alène».

Technique.

♦ **1** Cylindre d'un métier à tisser, sur lequel on monte les fils de chaîne. *Ensouple des brodeurs :* machine sur laquelle les brodeurs travaillent.

Il avait posé les deux ensubles sur la chanlatte et sur le tréteau, bien en face, de façon à placer de droit fil la soie cramoisie de la chape, qu'Hubertine venait de coudre aux coulisses.   ZOLA, le Rêve, p. 18.

♦ **2** Ensoupleau*.

DÉR. Ensoupleau.

ENSOUPLEAU [ãsuplo] n. m. — 1606; de *ensouple.*

Technique.

♦ **1** Gros cylindre d'un métier à tisser, sur lequel s'enroule l'étoffe au fur et à mesure qu'elle est tissée. → **Ensouple** (2.).

♦ **2** Cylindre sur lequel est montée la chaîne, dans un métier à tisser. → **Ensouple.**

Peu à peu la chaîne gagnait de notre côté, entraînée par la lente rotation de l'ensoupleau, large cylindre transversal auquel tous ses fils étaient rattachés.   Raymond ROUSSEL, Impressions d'Afrique, p. 130.

ENSOUTANÉ, ÉE [ãsutane] adj. — 1610, *ensoutané* «couvert d'une soutane»; de *en-, soutane,* et suff. *-é.*

Fam. et péj. Qui est vêtu d'une soutane, et, par ext., qui est prêtre, religieux. *«Braconnier ensoutané»* (Arène, *in* T. L. F.).

N. m. (1907). Prêtre, membre du clergé.

S'il est peu probable qu'il aille à Rome cette fois-ci, il y est peut-être déjà allé, ou rêve peut-être d'y aller pour voir son pape, pour se mêler à cette foule d'ensoutanés qui parcourent toutes les rues comme des essaims de mouches babillardes, gras ou osseux, enfants ou décatis.   Michel BUTOR, la Modification, p. 74.

DÉR. Ensoutaner.

ENSOUTANER [ãsutane] v. tr. — 1845; de *ensoutané.* Fam. et rare. (Péj.). Faire prendre la soutane à (qqn); faire devenir prêtre. *Ils ont ensoutané leur dernier fils.*

ENSTÉRAGE [ãsteʀaʒ] n. m. — Mil. XXᵉ; de *enstérer.* Techn. Action d'enstérer.

ENSTÉRER [ãsteʀe] v. tr. [CONJUG. : *céder.*] — 1930; de *en-, stère,* et suff. verbal.

Techn. Mettre (du bois, des bûches) en piles, par stères.

DÉR. Enstérage.

ENSUBLE [ãsybl] n. f. → **Ensouple.**

ENSUIFER [ãsɥife] v. tr. — 1757; de *en-, suif,* et suff. verbal.

Techn. Enduire de suif. → **Suiffer.**

ENSUITE [ãsɥit] adv. — 1532; pour *en suite;* encore écrit *en suite* au XVIIᵉ. → ci-dessous, cit. 2.

Ⅰ Loc. prép. **ENSUITE DE** : à la suite de. ♦ **1** (1652). Vx. Marque une succession d'actions dans le temps.

1   (...) cette troisième saignée fut bien cruelle, ensuite de la seconde (...)   Mᵐᵉ DE SÉVIGNÉ, 940, 5 nov. 1684.

♦ **2** (1636). Vx. Succession dans l'espace.

2   Je vous conjure de ne la lire point que vous n'ayez pris la peine de corriger ce que vous trouverez marqué en suite de cette épître.   CORNEILLE, Épître de l'Illusion, À Mˡˡᵉ M. F. D. R.

♦ **3** Vx au litt⁰. Par suite de. En conséquence de.

3   Nous pouvons donc définir la sensation (...) la première perception qui se fait en notre âme à la présence des corps que nous appelons objets, et ensuite de l'impression qu'ils font sur les organes de nos sens.   BOSSUET, Traité de la connaissance de dieu..., I, I.

Ⅱ Mod. **ENSUITE** : à la suite de, après, puis. ♦ **1** Dans le temps. Après cela, plus tard, par la suite. → **Subséquemment, ultérieurement** (→ Amasser, cit. 6). *On appelle aîné le premier enfant, puîné celui qui naît ensuite.*

4   (...) Diogène, sans dire mot, écrivit ceci ensuite (...)   RACINE, Traductions, Vie de Diogène le Cynique.

5   L'art d'enseigner n'est que l'art d'éveiller la curiosité des jeunes âmes pour la satisfaire ensuite (...)   FRANCE, le Crime de S. Bonnard, *in* Œ., t. II, p. 430.

On emploie *ensuite* sous forme elliptique avec une interrogation : *Qu'arrivera-t-il après? et ensuite?*

Fam. (pléonastique). *Et puis ensuite. Et puis ensuite, il faudra y aller.*

♦ **2** (1890). Dans l'espace. Derrière, en suivant. → **Après.** *La fanfare marchait en tête, ensuite venait le cortège.*

♦ **3** Fig. En second lieu, et de plus. *D'abord je ne veux pas; ensuite je ne peux pas.*

CONTR. Abord (d'), **avant, premier** (en premier lieu), **premièrement, tête** (en).

ENSUIVANT, ANTE [ɑ̃sɥivɑ̃, ɑ̃t] adj. et adv. — XVᵉ ; *ensivant*, déb. XIIIᵉ ; p. prés. de *ensuivre*.

Vieux (langue classique).

♦ **1** Adj. Qui vient après. → **Suivant**. *«Au mois de juillet ensuivant»* (Malherbe).

♦ **2** Adv. (XIIIᵉ). Plus tard.

ENSUIVRE (S') [ɑ̃sɥivʀ] v. pron. [CONJUG.: *suivre* ; défectif : inf. et 3ᴱ pers. seult.] — 1265 ; *ensuivre* «suivre», v. 1175 ; du lat. *insequi*, d'après *suivre*.

♦ **1** (En loc.). Venir à la suite, après.

1 Après cela viennent (...) les désespoirs, les enlèvements, et ce qui s'ensuit.
MOLIÈRE, les Précieuses ridicules, 4.

Loc. *Et tout ce qui s'ensuit* : et tout ce qui vient après, accompagne la chose. → Et tout le reste*.

2 Il faut un mariage, et tout ce qui s'ensuit ?
MOLIÈRE, les Femmes savantes, IV, 2.

♦ **2** Survenir en tant qu'effet naturel ou en tant que conséquence logique. → **Découler, procéder** (de), **résulter** (→ Dépopulation, cit. 1 ; dieu, cit. 11 ; duel, cit. 5). — Littér. *Un grand bien s'ensuivit de tant de maux* (Académie). — Loc. cour. *Jusqu'à ce que mort s'ensuive.*

3 Certaines données étant acceptées, certains résultats s'ensuivent nécessairement et inévitablement.
BAUDELAIRE, Trad. E. POE, Histoires grotesques et sérieuses, «Joueur d'échecs».

4 Ce qui s'ensuivit de ce retour se laisse aisément deviner.
Émile HENRIOT, Portraits de femmes, p. 206.

Impers. *Il s'ensuit que...* (→ Applaudir, cit. 21 ; démocratique, cit. 2). *Il s'ensuit de là que vous avez tort* (Littré). *Il ne s'ensuit pas de là, s'ensuit-il de là que vous ayez tort ?* (Littré). *D'où il s'ensuit que...* → **Suivre.**

5 D'où s'ensuit qu'on peut en sûreté de conscience suivre dans la pratique les opinions probables dans la spéculation (...)
PASCAL, Réfutation de la réponse à la 13ᵉ provinciale, *in* LITTRÉ.

6 D'où il s'ensuit que la liberté vient toujours de Dieu (...)
BOSSUET, Traité du Libre arbitre, 8.

7 Il s'ensuit de là que si je ne sais pas me modérer dans les rencontres (...)
BOURDALOUE, la Vraie et la Fausse Piété, 1.

8 Il s'ensuit que le comble du malheur pour un chrétien est de perdre absolument l'esprit de la prière (...)
BOURDALOUE, Prière, 1.

9 On constaterait l'assimilation du rapport de *conséquence* au rapport de *suite*, rien que dans les expressions comme *les suites d'une maladie* ou la locution *par suite*. C'est aussi le cas, alors que le rapport est marqué dans la principale à l'aide du verbe *il s'ensuit que* : *Se proposant l'honneur pour leur but*, il s'ensuit qu'*ils préfèrent à la vertu même* ; — *de ce que je possède cet heureux équilibre* (...) il ne s'ensuit pas que *je sois incapable d'éprouver* (...) *une véritable affection.*
F. BRUNOT, la Pensée et la Langue, p. 834.

Aux temps comp. *Il s'en est suivi*, ou (vx), *il s'en est ensuivi* (→ ci-dessous, cit. 10, 11).

REM. Certains, après Littré, expliquent la forme *il s'en est suivi* par la suppression du préfixe *en* du verbe, dans la forme *il s'en est ensuivi*, admettant ainsi qu'aux temps composés, *s'ensuivre* est toujours construit avec le pronom *en*, alors qu'aux temps simples, on a de nombreux exemples de construction sans complément *en* de, ou sans pronom. Par ailleurs, un passé composé «logique» *il s'est ensuivi*, comme *il s'est envolé*, avec ou sans compl. en *de*, n'est pas attesté. On peut donc penser qu'il ne s'agit pas de l'effacement du préfixe, mais de la séparation entre le préfixe et le radical, ce préfixe reprenant éventuellement à son compte l'anaphore. → aussi Suivre *(il suit de..., que...).*

.1 (...) l'arrivée de Narcense à X..., la bagarre qui s'en était suivie, son départ avec Le Grand, tout cela ne présageait rien de bon. R. QUENEAU, le Chiendent, p. 232.

Vx. **S'EN ENSUIVRE.**

10 *(Vois)* Quels inconvénients auraient pu s'en ensuivre !
MOLIÈRE, Amphitryon, II, 3.

11 (...) vous étonnerez-vous (...) s'il s'en est ensuivi un changement si épouvantable ?
BOSSUET, 2ᵉ sermon sur les démons, 1.

DÉR. Ensuivant.

ENSUQUÉ, ÉE [ɑ̃syke] adj. et n. — D. i. ; du provençal *ensuca* «assommé, idiot».

Région. (Provence). Assommé, endormi. *Être, se sentir ensuqué par l'alcool, par un somnifère.* — N. Abruti (t. d'injure). *Bande d'ensuqués.* — *Ce pauvre ensuqué.*

ENTABLEMENT [ɑ̃tabləmɑ̃] n. m. — XVIᵉ ; «plancher», v. 1130 ; var. *entaulement*, XIIIᵉ ; de *en-*, *table*, et suff. *-ement.*

♦ **1** Saillie qui est au sommet des murs d'un bâtiment et qui supporte la charpente de la toiture. — Partie de certains édifices qui surmonte une colonnade et comprend l'architrave, la frise et la corniche. *L'entablement d'un portique. Figure humaine qui soutient un entablement.* → **Cariatide.** *Entablement soutenu par un faux attique*. *Frise d'entablement décorée d'animaux.* → **Zoophore.**

1 (...) voici quatre écuyers de marbre (...) à genoux aux quatre coins de l'entablement d'un tombeau.
CHATEAUBRIAND, le Génie du christianisme, IV, II, VIII.

2 On apercevait un toit démesuré, des pignons à volutes, des mansardes à visières comme des casques, des cheminées pareilles à des tours, et des entablements couverts de dieux et de déesses immobiles.
HUGO, l'Homme qui rit, II, V, III.

3 (...) beaucoup de colonnes engagées, de frontons, d'entablements aux saillies monumentales (...)
J. ROMAINS, les Hommes de bonne volonté, t. V, XXVI, p. 252.

♦ **2** Partie saillante. — *Entablement d'une porte, d'un portail*, couronnement.

Entablement d'une fenêtre. → **Appui.**

(1870). Moulure ou saillie formant la corniche d'un meuble. *Entablement d'un buffet.*

♦ **3** Saillie naturelle surplombant un escarpement. *Les alpinistes se reposaient sur un entablement rocheux.*

ENTABLER [ɑ̃table] v. tr. — 1838 ; «faire un plancher», v. 1170 ; de *en-*, *table*, et suff. verbal.

Technique.

♦ **1** Ajuster (deux pièces) à demi-épaisseur. *Entabler les branches d'une paire de ciseaux. Entabler deux pièces de bois.* — Pron. *Pièces qui s'entablent sur un pivot.*

♦ **2** Ajuster (les deux lames d'une paire de ciseaux).

DÉR. Entablure.

ENTABLURE [ɑ̃tablyʀ] n. f. — 1864 ; «assemblement de planches», 1541 ; *entableüre* «entablement» ; v. 1160 ; de *entabler.*

Technique.

♦ **1** Endroit d'une paire de ciseaux où se rejoignent les deux lames.

♦ **2** (1870). Endroit où se réunissent deux pièces de bois entablées.

ENTACHER [ɑ̃taʃe] v. tr. — 1530; *entachié*, fin XIIᵉ, au sens 2; de *en-*, *tache*, et suff. verbal.

♦ **1** Vx. Souiller d'une tache. — Au p. p. *Linge entaché de sang.*

♦ **2** Marquer d'une tache morale. → **Gâter, salir, souiller, ternir.** *Cette condamnation entache son honneur.* — Littér. *Entacher qqn, la réputation de qqn d'infamie, d'opprobre.* — *Ces rumeurs persistantes avaient fini par entacher sa réputation.* → **Compromettre.** — Plus cour. au passif et au participe passé.

Au passif et au p. p. (plus cour.). **ENTACHÉ DE.** *Religion entachée de superstition.* — Gâté par. *Exégèse entachée d'hérésie, d'erreur.*

1　*(Les péchés)* Dont les humains ont les corps entachés.
　　　　　　　　　　　　　RONSARD, la Franciade, IV.

2　Cécile, jeune personne très rousse, dont le maintien, entaché de pédantisme, affectait la gravité judiciaire du président (...)
　　　　　　　　BALZAC, le Cousin Pons, Pl., t. VI, p. 556.

3　(...) la disparition de sa mère était, pour son fiancé du moins, une délivrance, la suppression du seul point noir qui, jusque-là, avait entaché leur avenir.
　　　　　　　MARTIN DU GARD, les Thibault, t. II, p. 245.

4　(...) ses conclusions *(de Ste-Beuve)* sur les hommes sont fâcheusement entachées d'envie et de rancune personnelle.
　　　　　　Émile HENRIOT, les Romantiques, p. 235.

(1835). Spécialt (dr.). *Acte, arrêt entaché de nullité*.* → **Vicié.**

CONTR. **Blanchir, réhabiliter.**

ENTAGE [ɑ̃taʒ] n. m. — 1876; «greffage», XVIᵉ; de *enter.*

Techn. Opération (frauduleuse) par laquelle on substitue du cuivre au métal d'un bijou, que l'on fore. → **Fourrage** (des monnaies).

ENTAILLAGE [ɑ̃tajaʒ] n. m. — 1836; autre sens, av. 1410; de *entailler.*

Techn. (rare). Action d'entailler. *L'entaillage d'une poutre. L'entaillage d'un arbre fruitier.*

ENTAILLE [ɑ̃taj] n. f. — V. 1130, «ouverture d'une fenêtre»; dé- verbal de *entailler.*

I ♦ **1** (1676). Coupure qui enlève une partie, laisse une marque allongée; cette marque. → **Brèche** (2.), **coche, coupure, cran, échancrure, encoche, entaillure, entamure, fente, hoche, raie, rainure, rayure, sillon.** *Entaille d'assemblage, d'encastrement dans une pièce de bois.* → **Adent, lioube, mortaise, rainure.** *Entaille où s'emboîtent les portes, les fenêtres.* → **Feuillure.** *Entaille pratiquée sur un arbre.* → **Enter; greffe, incision.** *Le surlé, entaille faite aux pins pour l'extraction de la résine.* — *Entailles pratiquées par le mineur* (→ Creuser, cit. 3). — *Entaille dans la lame d'un canif.* → **Onglet.** *Faire une entaille sur un caractère d'imprimerie* (→ **Créner**).

Par métaphore :

1　La lumière est un glaive; elle fait des entailles
　Dans le nuage ainsi qu'un bélier dans la tour (...)
　　　　　　　HUGO, l'Année terrible, janv. 1871, v.

Rare. Coupure naturelle. *Il y avait de profondes entailles dans le sol* (→ **Crevasse, faille**).

♦ **2** (1798). Incision* profonde faite dans les chairs au moyen d'un instrument tranchant. → **Balafre, blessure, coupure, estafilade, taillade.** *Il s'est fait une large entaille en coupant du pain.*

2　(...) le paraphant avec du sang qu'il se tira lui-même d'une entaille au bout du doigt.
　　　　　　　BAUDELAIRE, Trad. E. POE,
　　　　　　　les Aventures d'A. Gordon, Pym, VII.

Je me ferai des entailles par tout le corps, je me tatouerai, 　3
je veux devenir hideux comme un Mongol (...)
　　　　　　　RIMBAUD, Une saison en enfer, I, p. 43.

Avec une épine de la tige il se fit une entaille longitudinale 　4
sur la face inférieure du poignet gauche, ouvrant ainsi une
veine saillante et gonflée d'où il retira, pour le déposer
sur sa couche, un caillot de sang verdâtre entièrement
solidifié.
　　　　Raymond ROUSSEL, Impressions d'Afrique, p. 180.

II (1757). Techn. Pièce de bois fendue qui permet de fixer la scie que l'on affûte. Instrument qui permet au graveur de fixer les petites pièces qu'il ne pourrait tenir entre les doigts.

ENTAILLER [ɑ̃taje] v. tr. — V. 1120; de *en-*, et *tailler.*

A (Sujet n. de personne). ♦ **1** Couper en faisant une entaille*. → **Couper, creuser.** *Entailler une poutre.* → **Mortaiser.** *Entailler un arbre fruitier.* → **Inciser.**

Et avec un poinçon je veux (de) sur l'écorce 　　　　　　　1
Engraver de ton nom les six lettres à force,
Afin que les passants lisant Marion,
Fassent honneur à l'arbre entaillé de ton nom.
　　　　　RONSARD, Le Second Livre des amours,
　　　　　Amours de Marie, II, I, «Le voyage de Tours».

Former par une entaille. «*Une pente raide où la pioche des Bulgares avait (...) entaillé quelques marches*» (R. Vercel, *in* T. L. F.).

♦ **2** (1864, pron.; «tuer avec une arme tranchante», 1842). Faire une entaille (dans les chairs) à... *Il lui a entaillé le visage.* → **Blesser, écharper, entamer, taillader.** *S'entailler le doigt.* → **Charcuter** (se).

Un coup de couteau qu'il ne put parer lui entailla les chairs 　2
de l'épaule. 　　　　　J. VERNE, l'Île mystérieuse, p. 436.

♦ **3** Techn. Enclaver (une pièce de serrurerie) dans le bois.

B (Sujet de n. de la chose qui crée, délimite ou constitue une entaille). *Les courants, les eaux qui entaillent la roche. Les crevasses qui entaillent le sol.*

♦ **ENTAILLÉ, ÉE** p. p. adj. (Av. 1854).

Qui forme, constitue une entaille, une coupure. *Vallée entaillée dans un bloc de granit* (→ 1. Coche, cit.).

Qui présente une, des entaille(s).

DÉR. **Entaillage, entaille, entailloir, entaillure.**

ENTAILLOIR [ɑ̃tajwaʀ] n. m. — 1755; de *entailler.*
Techn. Outil servant à entailler.

ENTAILLURE [ɑ̃tajyʀ] n. f. — 1538; *entailléure* «sculpture», av. 1150; de *entailler.*

Rare, vieilli. Entaille. *Les entaillures du pommeau de son épée* (Chateaubriand, *in* T. L. F.).

ENTAME [ɑ̃tam] n. f. — 1675; «blessure due à un instrument tranchant», v. 1360; déverbal de *entamer.*

♦ **1** Premier morceau coupé d'une chose à manger. → **Bout.** *Entame du pain* (croûton), *d'un rôti. L'entame et le talon d'un jambon.*

L'apprenti, Léon, n'avait guère plus de quinze ans; c'était un enfant, mince, l'air très doux, qui volait les entames de jambon et les bouts de saucissons oubliés (...)
　　　　　ZOLA, le Ventre de Paris, t. I, p. 90-91.

Jeux. Premier pli, au bridge.

♦ **2** (1870). Rare. Action d'entamer. «*Après l'entame au biseau*» (Zola, *in* T. L. F.).

Fig. L'«*entame d'une conférence*» (L. Bloy, *in* T. L. F.). → **Commencement.**

ENTAMER [ãtame] v. tr. — Déb. XIIᵉ; du bas lat. *inta-minare* «souiller», proprt «toucher à», de *tangere* «toucher».

I ♦ **1** Couper (quelque chose d'intact) en en retranchant une partie. *Entamer un pain, un pâté.* → **Entame.** *Entamer une tartine à belles dents. Entamer une pièce de drap. Entamer une étoffe dans le bord.* → **Échancrer.** — Au p. p. *Pain, gigot entamé* (contr. : *intact, entier*).

♦ **2** (V. 1155). Le compl. désigne la chair, une partie du corps. Couper en incisant. → **Blesser, égratigner, inciser, ouvrir.** *Entamer la peau, la chair. Le coup lui entama l'os. S'entamer la joue en se rasant. S'entamer les doigts* (→ Couteau, cit. 13). → **Piquer.** *Gerçures qui entament les lèvres.*

1 Le dieu qui fait aimer prit son temps; il tira
Deux traits de son carquois : de l'un il entama
Le soldat jusqu'au vif; l'autre effleura la dame.
　　　　　LA FONTAINE, Contes, V, VI,
　　　　　　　«La matrone d'Éphèse».

2 Les sabres du Japon n'entament pas leur peau *(aux rhinocéros)*, les javelots et les lances ne peuvent la percer, elle résiste même aux balles du mousquet.
　　　　　BUFFON, Hist. nat. des animaux. Rhinocéros, t. III.

3 (...) une barbe comme la mienne, je parie qu'ils usent tout un paquet de lames avant de m'avoir entamé un poil.
　　　　　J. ROMAINS, les Hommes de bonne volonté, t. II,
　　　　　　　　　　　VI, p. 70.

♦ **3** (1580). Diminuer (un tout dont on n'a encore rien pris) en retranchant une partie. *Entamer un sac de bonbons, un litre de vin. Entamer ses provisions. Entamer son capital, son patrimoine.* → **Amoindrir, ébrécher, écorner.** — (Le compl. désigne une période de temps). *Entamer sa journée, l'année en faisant quelque chose, par une activité.* — Au p. p. *La journée est déjà bien entamée.*

4 Il n'entama point le fonds de son patrimoine qu'il conserva pour ses héritiers naturels.
　　　　　Mᵐᵉ DE GENLIS, Mˡˡᵉ La Fayette, *in* LITTRÉ.

5 Devant la porte du cimetière, les ronds-de-cuir tinrent un grave conciliabule sur le point de savoir si, véritablement, il y avait nécessité d'aller achever au bureau une journée à demi entamée déjà.
　　　　　COURTELINE, Messieurs les ronds-de-cuir,
　　　　　　　　　6ᵉ tableau, II, p. 227.

Spécialt (cartes). *Entamer une couleur,* en prendre la première carte pour l'abattre.

♦ **4** (XXᵉ). Le compl. désigne une chose concrète. Couper, pénétrer en portant atteinte à l'intégrité de. (Le sujet désigne le plus souvent une chose : outil, substance...). *Une matière tendre que la lime peut entamer.* → **Mordre.** *La rouille entame le fer.* → **Attaquer, corroder, manger, ronger.** *Le diamant entame le verre.* → **Rayer.** *L'incendie a entamé un pan de mur.* → **Détruire.** *Obus qui entame un retranchement.* → 1. **Brèche** (ouvrir une brèche).

6 Le feu n'a pu encore entamer le vieil arbre; il pousse droit le long du mur et couvre le côté préau sinistre d'un large éventail de feuilles jaunies.
　　　　　E. FROMENTIN, Un été dans le Sahara, p. 116.

(V. 1460). Spécialt. *Entamer le front des armées ennemies.* → **Percer.** *Les blindés réussirent à entamer la première ligne de résistance.*

♦ **5** (V. 1190). Abstrait. *Doutes qui entament une foi, une croyance.* → **Ébranler** (→ Croire, cit. 55). *Une argumentation que rien ne peut entamer. La jalousie entama leur amitié. Rien n'a entamé son crédit, sa réputation.* → **Effleurer, égratigner.**

7 Dès ce moment il dut entrevoir la perte de son crédit; car, dès que la confiance est entamée, elle est bientôt détruite.
　　　　　Abbé BARTHÉLEMY, Anacharis, 60, *in* LITTRÉ.

8 (...) la première espérance suffit à détruire ce que la peur et le désespoir n'avaient pu entamer.
　　　　　CAMUS, la Peste, p. 293.

Entamer l'équilibre, la santé morale de qqn. → **Compromettre, détruire.** *Rien n'entame sa volonté, son calme, son équilibre.*

♦ **6** (V. 1460). **ENTAMER (qqn).** Vx. Atteindre (qqn) dans sa réputation. → **Attaquer, blesser** (→ Chantage, cit. 1).

9 (...) cette confiance le rend moins précautionné, et les mauvais plaisants l'entament par cet endroit.
　　　　　LA BRUYÈRE, les Caractères, II, 36.

Mod. Commencer à convaincre, diminuer les réactions, les résistances de (qqn). → **Ébranler.** → Prendre l'ascendant (cit. 6) sur. *Entamer qqn dans sa confiance, dans ses droits.* → **Empiéter** (sur).

10 Les abominables calomnies qu'on lui fait entendre sur moi l'ont entamé et, comme il croit, d'après ce qu'on lui dit, que je suis un être fourbe et sans cœur, il n'a pas à craindre de me faire souffrir.　GIDE, Journal, 17 oct. 1929.

10.1 (...) toi, tu es déjà insatisfait. Tu n'as pas pour un sou de vanité. Tu domines toutes les situations... Rien ne peut t'entamer...　N. SARRAUTE, le Planétarium, p. 114.

II (V. 1283). Faire le début de, se mettre à faire (qqch.). → **Commencer, entreprendre.** *Entamer une affaire, un discours* (→ Déclamation, cit. 6), *un sujet.* → **Aborder, attaquer.** *Entamer une œuvre.* → **Ébaucher.** *Entamer une conversation, des relations.* → **Amorcer.** *Entamer des négociations, une discussion, des poursuites.* → **Ouvrir.** *Entamer une partie.* → **Engager.** *L'affaire a été mal entamée.* → **Emmancher, engrener.** *Entamer une chose par les deux bouts,* l'entreprendre sans s'arrêter à une méthode, en commençant par plusieurs côtés à la fois. — Pron. (passif). → ci-dessous, cit. 12.

11 (...) quelques affreux périls qu'il commence à prévoir dans la suite de son entreprise, il faut qu'il l'entame (...)
　　　　　LA BRUYÈRE, les Caractères, XII, 115.

12 Là fut mise en délibération une mesure d'où devait dépendre le sort futur de la monarchie. La discussion s'entama : je soutins seul avec M. Beugnot, qu'en aucun cas Louis XVIII ne devait admettre dans ses conseils M. Fouché.
　　　　　CHATEAUBRIAND, Mémoires d'outre-tombe, t. IV,
　　　　　　　　　　　　p. 37.

13 (...) tournant dans sa tête le discours qu'il allait faire à sa femme et ne sachant par quel bout entamer.
　　　　　G. SAND, François le Champi, IX, p. 77.

14 Puis, le sextuor qui occupait la tribune entama son morceau final.
　　　　　MARTIN DU GARD, les Thibault, t. IV, p. 265.

Absolt. *Il ne se décide pas à entamer.* → **Commencer, débuter.**

Spécialt (manège). *Entamer le chemin* (en parlant du cheval), se mettre en marche. — Absolt. *Entamer du pied droit, du pied gauche.*

15 Les chevaux entament le chemin, en galopant, par la jambe droite de devant, qui est plus avancée que la gauche.
　　　　　BUFFON, Hist. nat. des animaux, «Le cheval».

♦ **ENTAMÉ, ÉE** p. p. adj. Voir ci-dessus à l'article.

CONTR. V. Achever, finir. — (Du p. p.). Inentamé. ◊ DÉR. Entame, entamure. ◄ COMP. Inentamable, inentamé.

ENTAMURE [ãtamyʀ] n. f. — 1339, «blessure»; de entamer.

♦ **1** (1669). Vx. → **Entame.** *Entamure d'un pain.*

♦ **2** (1694). Techn. *Entamure d'une carrière,* les pierres du premier lit d'une carrière nouvellement exploitée.

ENTARTER [ãtaʀte] v. tr. — 1987; de *en-*, et *tarte*.
Fam. Plaquer une tarte à la crème sur le visage de (qqn, en particulier une personnalité que l'on veut ridiculiser). — On trouve aussi les dérivés *entartage*, n. m. et *entarteur, euse*, n.

ENTARTRAGE [ɑ̃taʀtʀaʒ] ou **ENTARTREMENT** [ɑ̃taʀtʀəmɑ̃] n. m. — 1907, R. Champly, *entartrage; entartrement*, 1922; de *entartrer*.

Action d'entartrer, de s'entartrer. *L'entartrage d'une chaudière. L'entartrement des tuyaux de chauffage central.* — Présence de tartre. *Un entartrage, un entartrement complet.*

ENTARTRER [ɑ̃taʀtʀe] v. tr. — 1907, R. Champly, *Le moteur d'automobile à la portée de tous; de en-, tartre,* et suff. verbal.

Recouvrir, incruster de tartre*. *Eau calcaire qui entartre les tuyaux, les chaudières.* — Pron. *Tonneaux qui s'entartrent.*

◆ **ENTARTRÉ, ÉE** p. p. adj. *Radiateur entartré. Canalisations entartrées.*

DÉR. Entartrage ou **entartrement.**

ENTASSEMENT [ɑ̃tasmɑ̃] n. m. — V. 1195, sens 2; de *entasser.*

◆ **1** (1538). Action d'entasser. → **Accumulation, amoncellement.** *L'entassement des marchandises dans un entrepôt.* — Choses entassées. → **Amas, pile, tas.** *Un entassement de livres* (→ **Échafaudage**), *de papiers sur une table. Quel entassement invraisemblable!* → **Capharnaüm, chantier, encombrement.** *Entassement de cadavres.* → **Charnier.** *Entassement de détritus, d'ordures dans un dépotoir.*

1   Rien ne donne l'idée d'un chaos, d'un univers encore aux mains du Créateur, comme une chaîne de montagne vue de haut (...) Ces blocs énormes, ces entassements pharaoniens réveillent l'idée d'une race de géants disparus, tant la vieillesse du monde est lisiblement écrite en rides profondes sur le front chenu et la face rechignée de ces montagnes millénaires.
           Th. GAUTIER, *Voyage en Espagne*, p. 190.

2   Les placards, dont il amena à lui les portes, lui montrèrent des entassements de rien du tout, des accumulations de loques épinglées, de cartons démolis, de coupons hors d'usage (...)
           COURTELINE, *Boubouroche, Nouvelle*, IV.

3   (...) l'affreux entassement des cadavres concentrationnaires.   CAMUS, *l'Homme révolté*, p. 100.

Spécialt. Action d'entasser de l'argent.

4   Pour la province, la richesse des nations consiste moins dans l'active rotation de l'argent que dans un stérile entassement.   BALZAC, *la Vieille Fille*, Pl., t. IV, p. 311.

◆ **2** Fait de s'entasser, d'être trop nombreux dans un lieu. → **Agglomération, assemblage** (cit. 17), **rassemblement.** *L'entassement d'une famille dans une seule pièce. L'entassement d'émigrants sur le pont d'un bateau. Entassement des moutons dans un fourgon.* — *C'était un entassement invraisemblable dans la salle.* → **Cohue, presse.**

5   La chose était impossible par excès de l'entassement de la foule.   SAINT-SIMON, *Mémoires*, IX, p. 464.

6   On sait quelles mœurs l'entassement du peuple doit produire.   ROUSSEAU, *Émile*, V.

7   Jean était à demi couché sur le pont, à la lueur naissante des étoiles, au milieu de l'entassement des flâneurs en vareuse blanche (...)   LOTI, *Matelot*, XXIV, p. 89.

◆ **3** (1660). Fig. Accumulation excessive et désordonnée. *Entassement de mots, de preuves* (→ Calculer, cit. 8; échafauder, cit. 4). *Entassement chaotique d'arguments.* → **Conglobation.**

8   L'entassement confus des mots et des phrases entrelacées.
           MARMONTEL, *Éléments de littérature, in* Œ., t. X, p. 210.

CONTR. Dispersion; désentassement, éparpillement.

ENTASSER [ɑ̃tase] v. tr. — V. 1165 au sens 2; de *en-, tas*, et suff. verbal.

◆ **1** (V. 1180). Mettre (des choses) en tas. → **Amonceler, empiler.** *Entasser des gerbes* (→ **Engerber, gerber**), *des caisses, des cageots, des dossiers, des papiers.* — (1530). Réunir en grand nombre (dans un même endroit). *Entasser des marchandises en vrac dans une caisse au lieu de les empaqueter. Entasser des livres, des souvenirs dans sa chambre.* → **Collectionner, emmagasiner.** *Entasser papiers sur papiers.*

1   (...) des hommes haletants, ouvriers, étudiants, sectionnaires, lisaient des proclamations, criaient : aux armes! brisaient les réverbères, dételaient les voitures, dépavaient les rues (...) entassaient pavés, moellons, meubles, planches, faisaient des barricades.
           HUGO, *les Misérables*, IV, X, IV.

2   Un temple aussi barbare que le dieu auquel il est destiné, de lourds fragments de roche brute entassés les uns sur les autres sans ciment, comme les blocs des constructions cyclopéennes (...)
           Th. GAUTIER, *Souvenirs de théâtre...*, p. 162.

3   Des coussins entassés sur son lit la soutenaient et la maintenaient presque assise.
           GIDE, *la Symphonie pastorale*, p. 153.

Rare (compl. au sing.). *Entasser une chose sur d'autres.*

Loc. *Entasser Pélion sur Ossa* (par allusion aux Géants qui tentèrent d'escalader le ciel en mettant le mont Pélion sur le mont Ossa) : tenter une entreprise démesurée (→ Escalade, cit. 1).

3.   Leur cœur un jour se révolta; mais elles le précipitèrent sous leur poitrine, entassant sur lui Ossa et Pélion.
           GIRAUDOUX, *Provinciales*, p. 44.

(1530). *Entasser de l'argent.* → **Économiser, épargner, thésauriser.** *Entasser sou sur sou.*

Absolt. *Les avares* (cit. 13) *n'ont qu'une passion : entasser.* → **Accumuler** (cit. 6), **amasser** (cit. 3).

4   Madame de Coislin, avare de même que beaucoup de gens d'esprit, entassait son argent dans les armoires. Elle vivait toute rongée d'une vermine d'écus qui s'attachait à sa peau : ses gens la soulageaient.
           CHATEAUBRIAND, *Mémoires d'outre-tombe*, t. II, p. 338.

5   Entasser des économies pour des héritiers qu'on ne verra jamais, quoi de plus insensé?
           RENAN, *Vie de Jésus*, X.

Réunir (des personnes) dans un espace trop étroit. → **Empiler, presser, serrer, tasser.** *Entasser des prisonniers dans une grange.*

6   Ils étaient là, neuf cents hommes, entassés dans l'ordure, pêle-mêle, noirs de poudre et de sang caillé, grelottant la fièvre, criant de rage; et on ne retirait pas ceux qui venaient à mourir parmi les autres.
           FLAUBERT, *l'Éducation sentimentale*, III, I.

◆ **2** (1530). Fig. Accumuler, multiplier. *Entasser des citations* (→ Compiler, cit.). *Entasser des mots injurieux* (→ Dédain, cit. 2). *Entasser arguments sur arguments, bévue sur bévue, sottise sur sottise* (→ fam. En remettre, en rajouter).

7   Quelques-uns, pour étendre leur renommée, entassent sur leurs personnes des pairies, des colliers d'ordre, des primaties, la pourpre,...
           LA BRUYÈRE, *les Caractères*, II, 26.

8   Nous ne savons jamais nous mettre à la place des enfants; nous n'entrons pas dans leurs idées, nous leur prêtons les nôtres; et suivant toujours nos propres raisonnements, avec des chaînes de vérités nous n'entassons qu'extravagances et qu'erreurs dans leur tête.
           ROUSSEAU, *Émile*, III.

9   (...) que de mensonges entassés pour cacher un seul fait!...
           BEAUMARCHAIS, *le Barbier de Séville*, II, 11.

◆ **S'ENTASSER** v. pron. (V. 1190).

♦ **1** Être entassé, former un tas. *Marchandises qui s'entassent sur un quai. Courrier en retard qui s'entasse dans un tiroir. Fruits peu appétissants qui s'entassent dans un plat* (→ Dessert, cit. 3).

10 (...) une devanture assez mal tenue où s'entassaient sans beaucoup d'ordre des vêtements tricotés en laines pâles, des pantoufles (...)
J. GREEN, Adrienne Mesurat, II, III, p. 165.

♦ **2** Aller, se trouver en grand nombre. *La foule s'entassait, les spectateurs s'entassaient dans la salle de spectacle.* → **Écraser** (s'), **presser** (se).

11 (...) quelle sorte de plaisir pouvait-on prendre à voir des troupeaux d'hommes avilis par la misère s'entasser, s'étouffer, s'estropier brutalement, pour s'arracher avidement quelques morceaux de pains d'épice foulés aux pieds et couverts de boue ?
ROUSSEAU, Rêveries..., 9ᵉ promenade.

12 Il y a de ces temples gréco-romains dans le sinistre quartier noir de Chicago ; du dehors ils ont encore bonne mine. Seulement, à l'intérieur, douze familles nègres, mangées aux poux et aux rats, s'entassent dans cinq ou six pièces.
SARTRE, Situations III, p. 98.

♦ **3** Fig. S'accumuler sans organisation. *Connaissances fragmentaires qui s'entassent dans le cerveau.*

◆ **ENTASSÉ, ÉE** p. p. adj. *Papiers entassés. — Argent péniblement entassé.*

(Personnes). *Voyageurs entassés dans le métro.* → aussi ci-dessus, cit. 6.

Fig. *Des mensonges entassés.* → ci-dessus, cit. 9.

CONTR. **Disperser, disséminer, éparpiller, semer. — Dépenser, dilapider, gaspiller, prodiguer. — Ranger.** ◊ DÉR. **Entassement, entasseur.**

ENTASSEUR, EUSE [ãtasœʀ, øz] n. — V. 1240 ; de *entasser.*

Rare, fam. Personne qui entasse, amasse avec avidité (de l'argent, des objets précieux). *Un entasseur, une entasseuse d'écus.*

1. ENTE [ãt] n. f. — V. 1140, au sens 2 ; déverbal de *enter.*

Technique (arbor., agric.).

♦ **1** (V. 1160). Scion qu'on prend à un arbre pour le greffer sur un autre. → **Greffon.** — Greffe opérée au moyen d'une ente.

♦ **2** Arbre sur lequel on a inséré un scion. *Avoir de jeunes entes dans son jardin. Tailler une ente* (→ Couper, cit. 2).

♦ **3** *Prune d'ente* ou *prune d'Agen,* qui, séchée, est appelée *pruneau.*

HOM. 1. Ante, 2. ante, formes des v. **enter** et **hanter.**

2. ENTE [ãt] n. f. → 1. Ante.

3. ENTE [ãt] n. f. → 2. Ante.

ENTÉLÉCHIE [ãteleʃi] n. f. — V. 1380, *endelechie* ; lat. *entelechia,* grec *entelekheia* «énergie agissante et efficace», de *entelekhôs,* de *en-,* et *telos* «achèvement».

Didactique.

♦ **1** Hist. philos. Chez Aristote, État de perfection, de parfait accomplissement de l'être (par opposition à l'être en puissance, inachevé et incomplet).

♦ **2** Principe métaphysique qui détermine un être à une existence définie. *L'âme, entéléchie du corps.*

1 (...) Ô lumière enrichie
D'un feu divin qui m'ard *(brûle)* si vivement,
Pour me donner l'être et le mouvement,

Êtes-vous pas ma seule Entéléchie ?
RONSARD, le Premier Livre des amours de Cassandre, LXVIII.

2 Gardons-nous d'imaginer des tendances au progrès, des principes directeurs, des élans vitaux, ou autres entéléchies (...)
Jean ROSTAND, l'Homme, VIII, p. 126.

♦ **3** (Dans la philos. de Leibniz). Monade.

ENTEMENT [ãtmã] n. m. — XIIᵉ ; de *enter.*

Vx. Action d'enter. → **Greffe.**

ENTENDANT, ANTE [ãtãdã, ãt] n. — XXᵉ ; p. prés. de *entendre.*

Personne qui peut entendre, qui jouit de ses facultés auditives. — (Qualifié par un adverbe). *Les mal entendants :* les personnes qui ont des problèmes auditifs (on écrit aussi *malentendant*).

— Oui, mais son estomac et son abdomen étaient agités de légers mouvements, imperceptibles de vous, grossier entendant, mais facilement interprétables de moi, subtile sourde.
A. ALLAIS, Contes et Chroniques, p. 257.

CONTR. **Sourd.**

ENTENDEMENT [ãtãdmã] n. m. — Déb. XIIᵉ, «intelligence» ; de *entendre,* II.

♦ **1** Philos. et cour. (sens large). Faculté de comprendre*. → **Compréhension, conception, intellection.** *Les opérations de l'entendement ; la démarche de l'entendement. L'entendement humain. Essai philosophique concernant l'entendement humain,* de Locke (1690). *Essais* (ou *enquête*) *sur l'entendement humain,* de D. Hume (1748). *Opposer l'entendement à l'imagination, aux sensations* (→ Circonscrire, cit. 5).

1 L'entendement humain, tant soit-il admirable,
Du moindre fait de Dieu sans Grâce n'est capable.
RONSARD, Disc. misères de ce temps,
Remontrance peuple France.

2 (...) notre imagination ni nos sens ne nous sauraient jamais assurer d'aucune chose si notre entendement n'y intervient.
DESCARTES, Discours de la méthode, IV.

3 L'entendement est la lumière que Dieu nous a donnée pour nous conduire.
BOSSUET, Traité de la connaissance de Dieu, I, 7.

4 Par ce mot, entendement pur, nous ne prétendons désigner que la faculté qu'a l'esprit de connaître les objets du dehors sans en former d'images corporelles dans le cerveau pour se les représenter.
MALEBRANCHE, De la recherche de la vérité, III, I, 1.

5 Comme tout ce qui entre dans l'entendement humain y vient par les sens, la première raison de l'homme est une raison sensitive ; c'est elle qui sert de base à la raison intellectuelle (...)
ROUSSEAU, Émile, II.

6 On juge par ce qu'on voit de ce qu'on ne voit pas ; du tout par la partie que l'on a sous les yeux. Faiblesse de nos sens et de l'entendement humain !
P.-L. COURIER, Œ., p. 30-31.

7 (...) l'étude avait agrandi son intelligence, la méditation avait aiguisé sa pensée, les sciences avaient élargi son entendement.
BALZAC, Séraphîta, Pl., t. X, p. 522.

Cour. (dans des expressions). Ensemble des facultés intellectuelles. → **Cerveau, cervelle** (fig.) **esprit, intellect, intelligence, jugement, raison, sens** (bons sens). → fam. **Comprenette, jugeote...** *Cela passe* (cit. 113), *dépasse l'entendement :* c'est incompréhensible. *Vérité qui se présente, s'offre à l'entendement.* — Absolt et vx. Raison, bon sens. *Perdre l'entendement :* devenir fou.

8 La façon de se vêtir présente lui fait *(à notre peuple)* incontinent condamner l'ancienne, d'une résolution si grande et d'un consentement si universel, que vous diriez que c'est une espèce de manie qui lui tourneboule ainsi l'entendement.
MONTAIGNE, Essais, I, XLIX.

9 L'oiseau chasseur lui dit *(au chapon)* : Ton peu d'entende-
ment
Me rend tout étonné (...)
LA FONTAINE, Fables, VIII, 21.

10 (...) le sentiment religieux est une passion d'amour et voilà
ce qu'ils ne comprendront jamais, ces pédagogues (...)
quand il pleuvrait des clefs de lumière pour leur ouvrir
l'entendement ! Léon BLOY, le Désespéré, I, p. 40.

11 (...) l'humeur de Blanche a quelque chose qui passe l'entendement ordinaire.
BERNANOS, le Dialogue des Carmélites,
in Œ. roman., Pl., p. 1570.

(Qualifié). Capacité intellectuelle (de qqn). *Avoir l'entendement vif; borné.*

Vieilli. *Homme, femme d'entendement*, intelligent(e).

♦ **2** Philos. **(Distingué de** *raison****).** **a** Chez Kant, Fonction de l'esprit qui consiste à relier les sensations
en systèmes cohérents au moyen de catégories*
(la raison faisant la synthèse des concepts de l'entendement). — Chez Schopenhauer, Faculté de lier
les représentations intuitives entre elles (la raison
formant et combinant des concepts abstraits).
b Forme discursive* de la pensée, s'exerçant sur
ce qui est empiriquement donné. *L'entendement
effectue les opérations discursives de l'esprit : conceptions, jugements, raisonnements, la raison s'applique à la connaissance de l'absolu.*

ENTENDEUR [ɑ̃tɑ̃dœʀ] n. m. — XIIIe, *entendere*; de
entendre.

♦ **1** Vx. Personne qui entend, comprend (bien ou
mal).

1 Je crois que les bons entendeurs pourront profiter à cette
lecture (...)
VOLTAIRE, Lettre à d'Argental, 17 mars 1765.

♦ **2** Loc. mod. *À bon entendeur, salut :* que celui qui
comprend bien en fasse son profit (s'emploie pour
souligner une menace, un avertissement voilé...).

Avec un calembour sur *salut* :

2 (...) tout acte manqué est un discours réussi, voire assez
joliment tourné, et que dans la lapsus c'est le bâillon qui
tourne sur la parole, et juste du quadrant qu'il faut pour
qu'un bon entendeur y trouve son salut.
LACAN, Écrits, p. 268.

Elliptiquement :

3 (...) je vous signale que je possède en entier la liste de ceux
de vos clients qui détiennent des Carrières d'Orval. À bon
entendeur. M. AYMÉ, Travelingue, p. 146.

REM. Le mot n'a pas de forme féminine attestée.

ENTENDRE [ɑ̃tɑ̃dʀ] v. tr. — V. 1050; «percevoir par
l'ouïe»; du lat. *intendere* «tendre vers», d'où «porter son
attention vers», «comprendre», sens dominant jusqu'au
XVIIe, et, par ext., «ouïr»; de *in-*, et *tendere*. → Tendre.

I ♦ **1** V. tr. ind. **ENTENDRE À... :** (vx) tendre* son attention vers, prêter attention à...; être occupé à...

1 (...) les bons avocats (...) tant distraits (...) du *(par le)*
droit d'autrui qu'ils n'ont temps ni loisir d'entendre à leur
propre. RABELAIS, le Tiers Livre, XXIX.

Par ext. Vx. Se prêter à (qqch.). → **Acquiescer;
accepter, approuver, consentir.** *«Il ne veut entendre
à aucun arrangement»* (Académie).

2 Achille n'entend à aucune composition.
RACINE, Livres annotés, Homère, XXII.

3 Les uns disent que j'ai bien fait d'entendre à un arrangement (...)
P.-L. COURIER, Au rédacteur du Courrier franç.,
1er févr. 1823.

Loc. Vx. *Ne savoir auquel entendre :* avoir affaire à
plusieurs personnes à la fois et ne pouvoir toutes
les satisfaire.

♦ **2** (V. 1121). V. tr. dir. Mod. **ENTENDRE QUE, ENTENDRE**
(et *inf.***) :** avoir l'intention*, le dessein de... → **Vou-**
loir. *J'entends qu'on m'obéisse; j'entends être obéi.*
→ **Exiger, prétendre.** *Faites comme vous l'entendez.*
→ **Désirer, préférer.** *Ici, chacun fait, chacun agit
comme il l'entend.* → À sa guise. *Je l'entends ainsi. Je
n'entends pas méconnaître ses droits. Qu'entendez-
vous faire maintenant ?* → **Compter.** — Loc. *Ne pas
l'entendre ainsi, ne pas l'entendre de cette oreille :*
avoir un autre avis sur la question, et agir pour
contrarier les intentions d'autrui.

4 J'entends et veux que tu apprennes les langues parfaitement. RABELAIS, Pantagruel, VIII.

5 (...) je n'entends point que vous ayez d'autres noms que
ceux qui vous ont été donnés par vos parrains et mar-
raines (...) MOLIÈRE, les Précieuses ridicules, 4.

6 Ma maladie aura toujours eu l'avantage qu'on me laisse
m'occuper comme je l'entends, ce qui est un grand point
dans la vie (...)
FLAUBERT, Correspondance, 90, janv. 1845.

7 Elle attendait de l'amant idéal qu'il fût un maître et un
dieu, mais le choisissait faible et humain parce qu'elle
entendait le dominer.
A. MAUROIS, Lélia..., III, IV, p. 157.

8 Il n'entendait pas changer l'ordre social. Il voulait que
chacun s'améliorât par la pensée.
J. CHARDONNE, l'Amour du prochain, p. 232.

II V. tr. dir. **A** ♦ **1** (V. 1080). Littér. Percevoir, saisir
par l'intelligence. → **Comprendre** (II.)**, concevoir,
saisir.** *Entendre le français, l'anglais* (→ Arabesque,
cit. 3). *Entendre un mot* (→ Attraction, cit. 2), *une
expression. Je ne vous entends pas, expliquez-vous
mieux. J'entends bien que vous n'en êtes pas responsable.* → **Admettre, confesser, reconnaître.** *Entendre
une plaisanterie.* → **Apprécier, goûter.** *Comment
entendez-vous cette phrase ?* → **Interpréter.** *Je n'entends pas ce que vous dites.* — REM. Dans ce type
d'exemples, ambigus avec le sens B ci-dessous, cette
acception est vieillie. — *Entendre un mot dans telle
ou telle acception* (cit.). *Entendre les moindres allusions* (→ Savoir ce que parler veut dire). *Entendre
qqch. à demi-mot* (cit. 2). *Faire entendre beaucoup
en peu de mots* (→ Dire, cit. 107). *Faire entendre qqch.
à qqn; faire entendre à qqn que...* (→ **Expliquer, montrer**). *Il se fait bien entendre de ses auditeurs.* —
Ne pas entendre un traître mot de, à : ne rien
connaître de, ne rien comprendre à.

9 Que sert, dit Salomon, toutes choses entendre,
Rechercher la nature et la vouloir comprendre,
Vouloir parler de tout, et toutes choses voir (...)
RONSARD, Élégies, XV.

10 Ceux qui n'entendront pas ces trois petits mots latins (...)
se les feront expliquer s'il leur plaît.
SCARRON, le Roman comique, I, XII.

11 (...) je n'entends point le latin (...) il faut parler chrétien,
si vous voulez que je vous entende.
MOLIÈRE, les Précieuses ridicules, 6.

12 Quand on se fait entendre, on parle toujours bien (...)
MOLIÈRE, les Femmes savantes, II, 6.

13 (...) il a bien de l'esprit, et entend fort finement tout ce qui
est bon. Mme DE SÉVIGNÉ, 848, 1er sept. 1680.

14 Que dirai-je, Madame, et comment dois-je entendre
Cet ordre, ce discours que je ne puis comprendre ?
RACINE, Mithridate, II, 6.

15 Les sots lisent un livre, et ne l'entendent point; les esprits
médiocres croient l'entendre parfaitement; les grands
esprits ne l'entendent quelquefois pas tout entier (...)
LA BRUYÈRE, les Caractères, I, 35.

16 (...) nous sommes d'accord sur deux ou trois points que
nous entendons, et nous disputons sur deux ou trois mille
que nous n'entendons pas.
VOLTAIRE, Micromégas, VII.

17 (...) feindre d'ignorer ce qu'on sait, de savoir tout ce qu'on
ignore; d'entendre ce qu'on ne comprend pas, de ne pas
ouïr ce qu'on entend (...)
BEAUMARCHAIS, le Mariage de Figaro, III, 5.

18 (...) on se paye de mots que l'on n'entend pas, et l'on se
figure être des génies transcendants.
CHATEAUBRIAND, Mémoires d'outre-tombe, t. II,
p. 204.

19 Perrault n'entend pas la poésie. Il ne l'entend pas, et pourtant il jette à ce propos mille pensées fort neuves, fort
spirituelles, et que la science critique a depuis plus ou
moins exploitées ; il a des ouvertures imprévues et heureuses. Il entend donc certaines parties du moins de la
poésie ; mais ce qui en est le fond et le fin il ne l'entend
pas.
SAINTE-BEUVE, Causeries du lundi, 29 déc. 1851,
t. V, p. 270.

20 (...) j'entends très bien l'italien, il y a du moins peu de
choses qui m'échappent quand on ne le parle pas trop
vite (...) FLAUBERT, Correspondance, t. II, p. 16.

21 ENTENDRE, CONCEVOIR, COMPRENDRE. Entendre et comprendre signifient saisir le sens ; ce qui les distingue de
concevoir qui signifie embrasser par l'idée : j'entends ou
je comprends cette phrase ; et non je la conçois. Au contraire, dans le vers de Boileau : Ce qui se conçoit bien
s'énonce clairement, entendre ou comprendre ne convien-
draient pas. La nuance est autre, entre comprendre et
entendre. Au fond, l'idée d'entendre est de faire attention
à, être habile dans, tandis que celle de comprendre est
prendre en soi : j'entends l'allemand, je le sais, j'y suis
habile ; je comprends l'allemand dirait moins.
LITTRÉ, Dict., art. Entendre.
Plus cour. (dans des loc.). En réponse. J'entends bien
ce que vous voulez dire, et, absolt, Oui, j'entends,
j'entends bien. — Entendez-vous ce que je viens de
vous dire ? — Absolt. Entendez-vous ? s'emploie pour
appuyer un ordre, une menace. Je vous chasserai,
entendez-vous ? — REM. Le double sens d'entendre est
sensible dans cet emploi absolu : c'est à la fois comprendre et entendre par l'oreille. — Vous m'entendez
bien : vous savez ce que je veux dire. — J'entends :
je sais ce que je veux dire.

22 (...) Suffit, vous m'entendez (...)
MOLIÈRE, les Femmes savantes, III, 4.

23 (...) il ne faut pas qu'on sache cela ? entendez-vous ?
MOLIÈRE, George Dandin, I, 2.

24 (...) tu comprends que j'en ai assez ; je veux savoir, tu
entends (...) Veux-tu parler ?
J. GREEN, Adrienne Mesurat, p. 50.
Laisser entendre, donner à entendre : laisser
deviner. → Insinuer. On lui donna à entendre qu'il
allait être renvoyé. On m'a laissé entendre que...
→ Je me suis laissé dire*...

25 (...) ils (les feuilletonistes) donnaient bénignement à
entendre que les auteurs étaient des assassins et des
vampires.
Th. GAUTIER, Préface de Mlle de Maupin,
éd. critique MATORÉ, p. 20.
Loc. Ne pas entendre malice, finesse, à une chose,
(vx) dans une chose, ne pas y voir de malice. Il
n'y entend pas malice, il faut lui pardonner. Faire
quelque chose sans y entendre malice : sans mauvaise intention (→ Innocemment, naïvement).

26 (...) que trouvez-vous là de sale ?... Pour moi, je n'y entends
point de mal.
MOLIÈRE, Critique de l'École des femmes, 3.
Entendre la plaisanterie, ne pas s'en offenser.
→ Prendre (bien prendre). — Loc. (Vx, langue class. ou
littér.). Entendre, ne pas entendre raillerie. Il n'entend
pas plaisanterie, raillerie là-dessus (Académie). —
Entendre la devise : se laisser conter fleurette.

♦2 Vx. Connaître à fond ; être habile dans...
Entendre l'algèbre, la politique. Entendre son métier.
— Mod. (en emploi négatif). Ne rien entendre à... Il
n'y entend rien (→ infra S'entendre à).

27 (...) M. de Reynie, qui entend si bien la police (...)
Mme DE SÉVIGNÉ, 849, 4 sept. 1680.

28 Elle entend la cuisine et l'office.
ROUSSEAU, Émile, V.

♦3 (Sujet n. de personne). Vouloir dire. Qu'entendez-
vous par ce mot ?, quel sens lui donnez-vous ? J'entends par là que... (→ C'est-à-dire que...).

29 Je viens de le tuer, de parole, je l'entends (...)
MOLIÈRE, l'Étourdi, II, 1.

30 Par le nom de Dieu, j'entends une substance infinie (...)
DESCARTES, Méditations métaphysiques,
II. (→ Dieu, cit. 2).

31 Il y a huit ans, j'étais comme vous un jeune élève du conservatoire de Naples, j'entends j'avais votre âge ; mais je
n'avais pas l'honneur d'être le fils de l'illustre maire de la
jolie ville de Verrières.
STENDHAL, le Rouge et le Noir, I, XXIII.

B (V. 1050). Mod. et cour. ♦1 Percevoir par le sens
de l'ouïe (un son). → Ouïr ; audio-, audi et comp. ;
audition, -acousie. Entendre qqch. avec peine. → Discerner, distinguer. Entendre qqch. clairement, distinctement, nettement. Bruit que l'on peut entendre
(→ Audible) que l'on peut à peine entendre, que
l'on ne peut pas entendre (→ Inaudible). Entendre
un bruit (cit. 5, 18, 19 ; → aussi Cachot, cit. 2 ;
cadence, cit. 6 ; castagnette, cit. 1 et 2), un son, une
voix (→ Argentin, cit. 3 ; casser, cit. 16). Entendre des
cris, des clameurs (cit. 3), des plaintes (→ Douleur, cit. 2). Entendre de la musique, un instrument
(→ Chalumeau, cit. 2). Entendre un battement, un
bourdonnement (cit. 8), un charivari (cit. 4), un cliquetis (cit. 1 et 2). J'ai cru entendre un coup de fusil.
Ne rien entendre, n'entendre aucun bruit (→ Accablement, cit. 8). Chuchotement, voix qu'on entend à
peine. Avez-vous entendu ce qu'il a dit ? Non, je n'ai
rien entendu (concerne ici la perception des sons, et
non la signification, mais celle-ci peut être impliquée). Il
n'entend rien : il n'y a pas de bruit audible, ou, il
est sourd. Il fit entendre un craquement. → Émettre.
Un grand bruit se fit entendre. — Entendre quelqu'un, un animal, entendre les sons, les bruits
qu'il produit. Attention, on va nous entendre !, nous
entendre marcher, agir, parler... Il me semble que
j'entends quelqu'un ; non, c'est le chien. J'ai entendu
sa voiture.

(Le compl. désigne une personne, et, par ext., la parole
humaine, le sens étant pris en considération). Parlez plus
fort, je vous entends mal. On n'entend que lui : il
parle tout le temps. Qu'est-ce qui se passe ? On ne
vous entend plus. Je n'ai pas entendu ce que vous
avez dit. J'ai entendu cela de sa propre bouche. Et
si on t'entendait ?
Loc. Iron. Il fallait l'entendre ! : ce n'était pas très
beau ou très agréable à entendre.

(Le compl. désigne l'auteur du bruit, la source sonore
et une proposition complément spécifie la nature des
sons). [a] Avec un infinitif. Entendre une voiture passer,
entendre passer une voiture. Entendre quelqu'un
parler, chanter, crier (→ Alarme, cit. 2). Entendre
sonner l'angélus. Entendre bruire (cit. 6) quelque
chose. — Loc. On entendrait une mouche voler : il
n'y a aucun bruit.
[b] Avec une propos. relative. Je l'entends qui parle,
qui chante, qui remue dans sa chambre. J'entends
le chien qui gratte, qui aboie à la porte.
[c] Avec un p. prés. Je l'ai entendu parlant à ma sœur.

32 (...) il me semble que j'entends un chien qui aboie.
MOLIÈRE, l'Avare, I, 5.

33 Entendez-vous dans les campagnes
Mugir ces féroces soldats ?
ROUGET DE LISLE, la Marseillaise.

34 Souvent, au bord d'une fosse dans laquelle on descendait
une bière avec des cordes, j'ai entendu le râlement de ces
cordes ; ensuite, j'ai ouï le bruit de la première pelletée de
terre tombant sur la bière : à chaque nouvelle pelletée, le
bruit creux diminuait ; la terre, en comblant la sépulture,

faisait peu à peu monter le silence éternel à la surface du cercueil.
CHATEAUBRIAND, Mémoires d'outre-tombe, t. II, p. 125.

35 Il entendait la parole haute et magistrale du grand-père, les violons, le cliquetis des assiettes et des verres, des éclats de rire, et dans toute cette rumeur gaie il distinguait la douce voix joyeuse de Cosette.
HUGO, les Misérables, V, VI, III.

36 À force de les entendre *(les cris, les menaces)*, on ne les entendait plus.
MICHELET, Hist. de la Révolution franç., I, p. 636.

37 (...) je poussai un cri (...) un cri si déchirant (...) que je l'entendis ! Les entraves de mon oreille se délièrent d'une manière brusque, le tympan craqua sous le choc de cette masse d'air sonore repoussée loin de moi avec énergie, et il se passa un phénomène nouveau dans l'organe condamné par la nature. Je venais d'entendre un son !
LAUTRÉAMONT, les Chants de Maldoror, II, p. 77.

38 Je n'ai pas besoin d'écouter pour entendre. Même avant d'entendre les voix, je connais déjà les pensées.
GIDE, Œdipe, I.

39 Entends ce bruit fin qui est continu, et qui est silence. Écoute ce qu'on entend lorsque rien ne se fait entendre.
VALÉRY, Autres rhumbs, L'ouïe, p. 42.

Loc. *Raconter, dire qqch. à qui veut l'entendre*, à tout le monde. — Fam. *Ce qu'il faut, qu'est-ce qu'il faut entendre !* (exprime l'indignation). *Il a fallu que je vienne ici pour entendre ça, pour entendre des choses pareilles !* — Loc. prov. *Il vaut mieux entendre ça que d'être sourd :* c'est une chose absurde.

39.1 ... elle racontait tout ça fort bien... à tous ceux qui voulaient l'entendre... et même aux autres qui y tenaient pas.
CÉLINE, Guignol's band, p. 197.

39.2 Qu'est-ce qu'elles se disent de faire tes voix ? Ses voix ! Enfin ! Il vaut mieux entendre ça que d'être sourd !
J. ANOUILH, l'Alouette, p. 34.

Entendre des voix : avoir des hallucinations auditives.
En entendre : entendre, recevoir (des reproches, des paroles désagréables, incroyables). *Il en a entendu ! J'en ai vu et entendu d'autres ! En entendre des vertes* et des pas mûres.*
Spécialt. *Entendre un mot, une tournure, une expression,* l'entendre employer, l'entendre dire. *On entend souvent..., on entend encore...* (→ Amuïr, cit.). *On entend parfois cette locution à la campagne :* elle est parfois en usage.

ENTENDRE avec un compl. verbal. — Inf. *J'ai entendu bouger, remuer* (→ ci-dessus : entendre quelqu'un bouger). *Entendre que...* (suivi de l'indicatif). *J'entends qu'on marche dans le jardin. «J'entends que vous me dites des nouvelles»* (Littré).

40 J'entends de tous côtés qu'on menace Pyrrhus (...)
RACINE, Andromaque, I, 1.

41 Quelquefois je le peux *(vous écrire)* l'après-midi, sous prétexte de chanter ou de jouer de la harpe ; encore faut-il que j'interrompe à chaque ligne pour qu'on entende que j'étudie.
LACLOS, les Liaisons dangereuses, Lettre LXXXII.

42 L'essentiel est qu'on entende pas que nous parlons.
J. ROMAINS, les Hommes de bonne volonté, t. II, IV, p. 38.

ENTENDRE DIRE (accompagné d'un compl. d'objet dir.). *Je les ai entendus dire des gros mots.* — *Entendre dire qqch. à qqn :* entendre qqn qui dit qqch. ou entendre ce qui est dit à qqn. *Je lui ai entendu dire qu'il était content. Je lui ai entendu dire qu'il avait bien travaillé* (ambigu).

43 *Je l'ai entendu dire à différentes personnes,* est une locution à laquelle il faut prendre garde ; car elle est amphibologique. Elle peut signifier : j'ai entendu qu'on le disait à différentes personnes, ou que différentes personnes le disaient. Il faut donc, quand on en use, bien considérer si le sens est suffisamment déterminé par le contexte. Même observation pour la phrase : *Je lui ai entendu dire cela...*
LITTRÉ, Dict., art. *Entendre.*

Il s'est entendu dire que... : il a entendu dire de lui que...

43 A la lueur des bougies sa beauté est encore plus évidente. S'est-elle entendu dire qu'on l'aimait ? Elle se tient là, souriante, prête pour une nuit qui n'aura pas lieu.
M. DURAS, Dix heures et demie du soir en été, p. 18.

Il s'est entendu dire qqch., que : il a entendu, il a dû entendre qu'on lui disait ; on lui a dit. → Se faire dire. *Je ne suis pas venu ici pour m'entendre dire des choses désagréables, que j'aurais dû agir autrement.*

Entendre quelqu'un parler de quelque chose. Entendre parler d'une chose, d'une nouvelle. → Apprendre, informer (être informé). *Je n'ai plus entendu parler de lui depuis longtemps. Je n'en ai jamais entendu parler.* → Je n'en ai pas eu vent*. — *Ne pas vouloir entendre parler d'une chose,* la rejeter sans même vouloir y prêter l'oreille.

44 Il n'en voulut jamais entendre parler (...)
BOSSUET, Hist. des Variations, 1.

45 J'étais si surpris de n'avoir point entendu parler de Nunez pendant tout ce temps-là, que je jugeai qu'il devait être à la campagne.
A. R. LESAGE, Gil Blas, VIII, I.

46 M. Bontemps ne voulait pas entendre parler de paix avant que l'Allemagne eût été réduite au même morcellement qu'au moyen âge, la déchéance de la maison de Hohenzollern prononcée, Guillaume ayant reçu douze balles dans la peau.
PROUST, À la recherche du temps perdu, t. XIV, p. 47.

Entendre dire : apprendre par la parole, par ce qui se dit. *J'ai entendu dire que...* (→ On dit que...). *Je ne l'ai pas entendu dire.*

47 J'entends dire que la tragédie mène à la pitié par la terreur, soit. Mais quelle est cette pitié ?
ROUSSEAU, Lettre à d'Alembert.

(Suivi d'un énoncé en discours direct). *On entendit soudain : tout le monde sur le pont !*
Loc. *Entendre quelque chose de ses oreilles, de ses propres oreilles. Le témoin l'a entendu de ses oreilles.*

48 Voici ce que j'ai entendu de mes propres oreilles et vu de ma propre vue. FRANCE, le Petit Pierre, XIX, p. 127.

49 Car l'écrivain qui compte est celui qui voit de ses yeux, entend de ses oreilles, touche de sa main, sent de tout son corps, et ne peut enfin que son œuvre ne trahisse ce qu'il est en lui d'unique et d'irremplaçable.
J. PAULHAN, les Fleurs de Tarbes, I, p. 43.

Fig. *Il ne l'entend pas de cette oreille :* il n'est pas d'accord, il refuse la proposition, la suggestion qu'on lui fait.

(Précédé de faire). *Faire entendre un son, une parole.* → Émettre, énoncer ; dire, exprimer. *Il fit entendre ces mots.* → Ces mots sortirent de sa bouche.

50 Dieu (...) fait entendre sa voix, quand il lui plaît, au milieu du bruit du monde.
BOSSUET, Oraison funèbre de Mⁱˡᵉ de La Vallière.

51 (...) à gauche, l'eau captive dans le bassin du port ne faisait entendre qu'un clapotis confus (...)
MARTIN DU GARD, les Thibault, t. III, p. 101.

Se faire entendre. → Bruire, résonner, sonner, tinter... *Un cri, une explosion, une voix se fit entendre.*

52 La voix de l'avenir semblait se faire entendre.
HUGO, Odes et Ballades, I, II, II.

53 Soudain, deux notes plaintives se firent entendre.
COCTEAU, les Enfants terribles, p. 25.

Absolt. *Écouter sans pouvoir entendre. Il entend, mais il n'écoute pas. Parlez plus fort, il entend mal.* Vx. *Il entend dur* (→ Il a l'oreille dure). *Il n'entend pas plus qu'une bûche*.* — Mod. *Il n'entend pas, il est sourd. N'entendre que d'une oreille. Refuser d'entendre, se boucher les oreilles pour ne pas entendre.* → *Faire la sourde oreille*. S'empêcher d'entendre* (→ Attention, cit. 14). *Aussi loin qu'on peut entendre* (→ À perte d'ouïe*).

54　Le son trop aigu n'est plus perceptible à l'oreille ; l'émotion trop aiguë n'est plus perceptible à l'intelligence. Il y a une limite pour comprendre comme pour entendre.
　　　　　　　　HUGO, l'Homme qui rit, II, v, I.

Spécialt. *Entendre juste* : avoir l'oreille musicale.

(Par rapport à la compréhension). Répétez, j'ai mal entendu. Tu dois partir, tu entends ? (ou : *entends-tu ?*). → **Compris ?** — Fam. *Tire-toi, t'entends ?* (→ aussi *supra* cit. 22).

Allus. biblique :

55　Fils de l'homme, vous demeurez au milieu d'un peuple qui ne cesse de m'irriter, au milieu de ceux qui ont des yeux pour voir, et ne voient point ; qui ont des oreilles pour entendre, et n'entendent point (...)
　　　　　　　BIBLE (SACY), Ézéchiel, XII, 2.

56　Que celui-là entende qui a des oreilles pour entendre.
　　　　　BIBLE (SACY), Évangile selon saint Mathieu, XIII, 9. (Cf. aussi Matthieu, XIII, 43 ; Marc, IV, 9, 23 ; VII, 16 ; Luc, VIII, 8 ; XIV, 35).

57　Ce jour-là, il trouva plus de bonheur auprès de son amie, car il songea moins constamment au rôle à jouer. Il eut des yeux pour voir et des oreilles pour entendre.
　　　　　STENDHAL, le Rouge et le Noir, I, XVI.

Prov. *Qui n'entend qu'une cloche* n'entend qu'un son. — Il n'est pire sourd* que celui qui ne veut pas entendre.*

♦ **2 Vx.** Apprendre par la rumeur publique (→ mod. Entendre dire... ; entendre parler de). **Mod.** *Qu'est-ce que j'entends ?,* qu'est-ce que j'apprends ?

58　Avez-vous jamais entendu une victoire plus glorieuse ?
　　　　　　　　BOSSUET, Pentecôte, II, 1.

59　(...) qu'entends-je de certains personnages qui ont des couronnes (...) ils viennent trouver cet homme *(le roi Guillaume)* dès qu'il a sifflé, ils se découvrent dans l'antichambre (...)
　　　　　LA BRUYÈRE, les Caractères, XII, 119.

♦ **3** (Le compl. désigne les paroles ou la personne qui s'exprime). Prêter l'oreille à... ; écouter avec attention. *Il faut d'abord entendre ses raisons.* — **Spécialt.** Écouter (les parties) lors d'un procès. *Entendez-le avant de le juger. Entendre les parties, les témoins, l'accusé. Ils l'ont condamné sans l'entendre. La cause* est entendue.* — **Prov.** *Qui n'entend qu'une partie n'entend rien.*

60　Elle n'entend ni pleurs, ni conseils, ni raison (...)
　　　　　　　RACINE, Bérénice, IV, 6.

61　— Mais on entend les gens, au moins, sans se fâcher.
　　— Moi, je veux me fâcher, et ne veux point entendre.
　　　　　　　MOLIÈRE, le Misanthrope, I, 1.

62　(...) ce n'est pas alors sur un mot que vous m'eussiez condamnée sans m'entendre.
　　　　　A. DE MUSSET, le Chandelier, I, 1.

63　C'est l'heure où le Khalyfe, avant la molle sieste (...)
　　Entend et juge, tue ou pardonne d'un geste,
　　Ayant l'honneur, la vie et la mort dans sa main.
　　　　　LECONTE DE LISLE, Poèmes tragiques, «Apothéose de Mouça-al-Kébir».

Loc. cour. *Entendre raison :* acquiescer à ce qui est raisonnable, juste (→ Affoler, cit. 8 ; chœur, cit. 4). *Il ne veut pas entendre raison, il refuse d'entendre raison, il n'entend aucune* (cit. 16) *raison, il n'entend ni rime ni raison. Faire entendre raison à qqn.* → **Convaincre, persuader.** *On n'arrive pas à lui faire entendre raison.* — *Ne vouloir rien entendre* (même sens). *Il, elle ne veut rien entendre.* → Il ne veut rien savoir*. *Quel entêté ; il ne veut rien entendre.*

64　(...) les chameaux étaient exaspérés et ne voulaient plus rien entendre.
　　　　　E. FROMENTIN, Un été dans le Sahara, p. 99.

♦ **4** Écouter en tant qu'auditeur* volontaire. → **Écouter.** *Entendre une histoire, un conteur. Aller entendre un concert, une conférence, une pièce de théâtre. Il y avait foule pour l'entendre* (→ **Auditoire**). *Ne manquez pas d'aller l'entendre, c'est une virtuose. Il se fait entendre à l'Opéra, au Théâtre-Français.*

→ **Chanter, jouer.** *Entendre un sermon ; entendre la messe* (→ **Assister**, cit. 13). *Venir entendre la parole de Dieu* (→ Annoncer, cit. 7). *Prêtre qui entend un fidèle en confession*.*

65　Elle revenait du village. Elle était allée entendre la messe dans l'église de Vergy.
　　　　　STENDHAL, le Rouge et le Noir, I, XXI.

Littér. Prêter l'oreille à..., écouter.

66　Entends, ma chère, entends la douce Nuit qui marche.
　　　　　BAUDELAIRE, les Nouvelles fleurs du mal, «Recueillement».

67　Mais, ô mon cœur, entends le chant des matelots.
　　　　　MALLARMÉ, Poésies, «Brise marine».

Loc. *À l'entendre... :* si on l'en croit, si on l'écoute. *À l'entendre, il est innocent. À vous entendre, il semble que...* (→ Baisser, cit. 31). *À l'entendre, l'affaire serait sérieuse.*

68　À l'entendre parler, il sait les secrets du Cabinet (...)
　　　　　MOLIÈRE, la Comtesse d'Escarbagnas, 1.

69　À entendre mon père, vous auriez juré que cette Révolution de 18.. qui nous avait mis à mal, était spécialement dirigée contre nous.
　　　　　Alphonse DAUDET, le Petit Chose, I, I, p. 6.

♦ **5** Le sujet désigne une puissance supérieure, Dieu. Écouter favorablement (les demandes, les prières). → **Exaucer.** *Que le ciel l'entende ! Dieu l'a entendu, a entendu ses prières. Ses plaintes ne furent jamais entendues.*

70　Sa plainte fut de l'Olympe entendue.
　　　　　LA FONTAINE, Fables, v, 1.

71　Dieux impuissants, dieux sourds, tous ceux qui vous implorent
　　Ne seront jamais entendus.　　RACINE, Esther, II, 8.

◆ **S'ENTENDRE** v. pron.

♦ **1** (Passif). **a** Vieilli ou littér. Être compris. *Ce mot peut s'entendre de diverses manières* (→ **Signifier**). *Comment doit s'entendre son attitude !* → **Interpréter** (s').

Loc. *Cela s'entend,* et, ellipt., *s'entend :* c'est évident, cela va sans dire, cela va de soi. → **Sûr** (bien sûr) ; **évidemment, naturellement.**

72　Ne connaîtrais-tu point quelque honnête faussaire
　　Qui servît ses amis, en le payant, s'entend.
　　　　　RACINE, les Plaideurs, I, 5.

73　Je ne regrette rien de cette Babylone impure que vous habitez ; s'entend je ne regrette que vous.
　　　　　P.-L. COURIER, Lettres, I, 323.

b Cour. Être entendu, ouï. *Sa voix ne s'entend pas à plus de trois mètres.* → **Porter.** — *Ce mot, cette tournure ne s'entend plus, s'entend encore.* → **Dire** (se), **employer** (s').

74　(...) *diffamé,* qui dérive de *fame,* qui ne s'entend plus.
　　　　　LA BRUYÈRE, les Caractères, XIV, 73.

♦ **2** (XIIIe). **Réfl. a** Être habile dans une chose, se connaître* à... — **Vx.** *S'entendre en musique, en affaires.* — **Mod.** *Il s'entend bien à ce travail, il s'y entend bien. Il s'entend à réussir les soufflés ; elle s'entend à conduire une moto.* **Loc. fam.** (vieilli) *Il s'y entend comme à ramer des choux* :* il n'y entend rien. — **Iron.** *Tu t'y entends !,* tu es bien fort, bien malin.

75　Le Français n'est ni poétique, ni plastique ; il ne s'entend pas plus en statues qu'en tableaux ; il est spirituel dans le sens le plus misérable du mot.
　　　　　Th. GAUTIER, les Grotesques, p. 261.

76　M. D..., l'homme rompu aux ficelles de théâtre (...) celui enfin qui a le mieux prouvé s'entendre à «enlever un succès...»
　　　　　VILLIERS DE L'ISLE-ADAM, Contes cruels, p. 189.

77　Sénac, qui s'entendait assez en femmes, en plaisirs et en sentiments (...)
　　　　　Émile HENRIOT, Portraits de femmes, p. 155.

b Entendre sa propre voix. *Tu ne t'entends pas! Tu ne t'es donc pas entendu :* tu ne te rends pas compte de ce que tu as dit. *S'entendre en disque* (→ Enregistrer, cit. 9), *à la radio.* — Loc. *On ne s'entend pas (plus), ici!* : il y a tellement de bruit qu'on n'entend plus sa propre voix (peut être compris au sens réciproque).

c (Vieilli). *Je m'entends :* je me comprends, je sais ce que je veux dire. → **Comprendre** (se).

77.1 Arsène n'a jamais été ce qui s'appelle... enfin je m'entends.
BERNANOS, Monsieur Ouine, *in* Œ. roman., Pl., p. 1504.

♦ **3** Récipr. **a** Entendre réciproquement les paroles d'autrui. *Ils ne peuvent pas s'entendre, ils sont trop loin.*

b Se comprendre l'un l'autre. *S'entendre à demi-mot.*

78 *(On voit)... partout où certains proverbes ou dictons sont de mise (...) les interlocuteurs s'entendre sur le* courant d'une expression, *et constamment user de clichés sans jamais buter à leur langage.*
J. PAULHAN, les Fleurs de Tarbes, p. 142.

Par ext. Plus cour. Se mettre d'accord (cit. 7). → **Associer** (s'), **concerter** (se). → Être d'intelligence* avec. *Ils s'entendent pour lui nuire. Entendez-vous d'abord avec vos supérieurs.* → **Consulter**. *Entendons-nous sur l'heure du rendez-vous.* → **Convenir**. *Entendons-nous bien!* : mettons-nous bien d'accord. *Il faut, il faudrait s'entendre,* se mettre d'accord (s'emploie pour insister sur la contradiction entre deux affirmations). *Il vaut mieux vous entendre avec lui.* → **Arranger** (s'). *S'entendre sur les buts à atteindre* (cit. 38).

79 (...) vous croyez bien que je ne veux point m'entendre avec vos ennemis. Mme DE SÉVIGNÉ, 1148, 11 mars 1689.

80 Les orateurs, unis pour détruire, ne s'entendaient ni sur les chefs à choisir, ni sur les moyens à employer (...)
CHATEAUBRIAND, Mémoires d'outre-tombe, t. II, p. 16.

81 Il *(l'aigle)* laisse les vautours s'entendre sur la terre (...)
HUGO, la Légende des siècles, XXI, «Masferrer», III.

82 Je ne crois pas beaucoup à la survie de ceux sur qui d'abord tout le monde s'entend. Je doute fort que nos petits-enfants, rouvrant ses livres, y trouvent à lire plus et mieux que nous n'y aurons lu.
GIDE, Journal, avr. 1906, p. 207.

Loc. fam. *Ils s'entendent comme larrons en foire,* très bien (pour faire quelque chose).

S'entendre avec quelqu'un, vivre en bonne intelligence avec lui. → **Accorder** (s'), **fraterniser, sympathiser.** — (Sans compl.). *Ils s'entendent très bien, à merveille. Ils s'entendent mal et se disputent sans cesse. Ils s'entendent comme chien et chat,* bien mal.

83 À propos des relations avec sa femme, X disait : «À force de silence nous sommes à peu près parvenus à nous entendre.» GIDE, Journal, 3 août 1934, p. 1214.

♦ **ENTENDU, UE** p. p. adj.

♦ **1** Littér. Dont le sens est saisi, compris.

84 Mais j'aurais dû sentir que ce langage n'est plus de saison dans notre siècle. Tâchons d'en prendre un qui soit mieux entendu. ROUSSEAU, Lettre à d'Alembert.

Par ext. Cour. → **Convenu, décidé.** *C'est une affaire entendue. C'est entendu, c'est bien entendu.* → C'est d'accord*, c'est dit*... *Vous m'écrivez? C'est entendu.* — (1870; *entendu et compris*). Ellipt. *Entendu!* → **Accord** (d'). *Vous viendrez? Entendu!*

85 Près de Goncourt, certes, je fus en contact avec certains écrivains de grand talent qui avaient l'esprit satirique, le don de l'ironie, et une bonne humeur narquoise, c'est entendu. Georges LECOMTE, Ma traversée, p. 257.

Loc. adv. (1690, comm.). **BIEN ENTENDU.** → **Assurément, évidemment, naturellement; sûr** (bien sûr, pour sûr). → Bronche, cit. 8; collaboration, cit. 1; concordat, cit. 2. *Vous accepterez? Bien entendu! Je suis allé*

le voir et bien entendu il venait de sortir. — Fam. et pop. *Comme de bien entendu* («appartient au langage concierge», écrivait A. Hermant).

Il n'y avait personne, comme de bien entendu. 86
J. GIONO, le Hussard sur le toit, p. 288.

Mais naturellement je dis ça pour faire bien car, comme 86 de bien entendu, tout le monde a son secret.
R. QUENEAU, le Chiendent, p. 316 (1932).

Loc. conj. (1694). Vx. *Bien entendu que...* → **Cependant, pourtant, toutefois.** *Voilà la règle, bien entendu qu'il y a des exceptions* (Littré).

Causons, comme si nous n'avions rien à démêler; bien 87 entendu que nous ne nous en aimerons pas davantage.
Mme DE CAYLUS, Souvenirs *in* LITTRÉ.

♦ **2** (Mil. XVIIe). Vx. (Avec un adv., *bien, mal...*). → **Compris, conçu.** Par ext. Disposé avec ou sans art, fait avec ou sans goût. → **Arrangé, assorti, composé.**

Dieu qui avait fait un ouvrage si bien entendu et si capable 88 de satisfaire tout ce qui entend.
BOSSUET, Traité de la connaissance de Dieu, IV, 8.

Les jardins étaient bien entendus et ornés de belles statues 89 de marbre (...) VOLTAIRE, Candide, XXV.

(...) un repas propre et bien entendu (...) 90
VOLTAIRE, Zadig, XX.

Mod. (Abstrait). Compris, mis en œuvre. *Zèle mal entendu. Sévérité mal entendue. Dans son intérêt bien entendu.*

À l'égard des personnes qu'un zèle sincère, quoique mal 91 entendu, pourra indisposer contre moi, j'en respecterai la cause, sans en craindre et sans en approuver l'effet.
D'ALEMBERT, Abus de la critique, Œ., t. IV, p. 285, *in* LITTRÉ.

Loin d'être une mauvaise mère, elle a une tendresse très 92 bien entendue pour ses enfants.
Mme DE GENLIS, Adèle et Théodore, t. I, Lettre XXI, p. 154, *in* LITTRÉ.

♦ **3** Vx ou régional. (Personnes). **ENTENDU À...** : qui s'entend bien à (qqch.), qui est habile à... → **Adroit, capable, compétent, connaisseur, habile, industrieux, ingénieux; courant** (au). *Un homme entendu aux affaires, entendu à tout, entendu à conduire les hommes.*

Un homme entendu à tout, voilà Perrault. De nos jours, 93 il eût construit tour à tour un chemin de fer et un vaude-ville. Il aurait donné ses idées pour le palais de cristal de Londres, et aurait perfectionné le daguerréotype.
SAINTE-BEUVE, Causeries du lundi, 29 déc. 1851, t. V, p. 259.

Absolt. → **Astucieux, fin, intelligent, malin.** *Il n'est pas très entendu.*

S'il y avait moins de dupes, il y aurait moins de ce qu'on 94 appelle des hommes fins ou entendus (...)
LA BRUYÈRE, les Caractères, XI, 26.

(...) il te regardait vendre tes bêtes et il trouvait que tu t'y 95 prenais mal. Tu étais un garçon de bonne mine, que tu paraissais actif et entendu (...)
G. SAND, la Mare au diable, IV, p. 34.

Mod. *Prendre un air entendu* (→ Air, cit. 9). *Faire un clin d'œil entendu, un sourire entendu* (→ **Complice**).

Je vois ce que c'est, dit le Petit Chose d'un air entendu (...) 96
Alphonse DAUDET, le Petit Chose, I, X, p. 125.

(1651). N. Vieilli, péj. *Faire l'entendu :* faire l'important, le capable (→ Faire le malin*).

(...) il fait l'entendu, comme s'il était sorti de la côte de 97 saint Louis (...) SCARRON, le Roman comique, I, 5.

(Ils) ont quelque teinture de cette science suffisante, et font 98 les entendus (...) PASCAL, Pensées, V, 327.

(...) l'orgueil, l'éternel orgueil, le besoin de briller et 99 d'étonner le monde par des mérites que l'on n'a pas!... Faire le malin et l'entendu...
COURTELINE, Boubouroche, Comédie, I, 1.

CONTR. (Du sens I) **Désintéresser** (se), **détourner** (se), **refuser.** — **Défendre, interdire.** — (Du sens II) **Ignorer, méconnaître, mésinterpréter.** — V. **Sourd** (être, rester sourd à...). **– Disputer** (se); **détester** (se), **haïr** (se)... **– Incompris, inentendu, inouï; ignare, ignorant, inhabile; incapable, incompétent, maladroit.** ◊ **DÉR. Entendant, entendement, entendeur, entente.** ◄ **COMP. Inentendu, malentendu; sous-entendre, sous-entendu. – Mésentente.**

ENTÉNÈBREMENT   [ātenɛbrəmā] n. m.   — 1880, Huysmans, *l'Art moderne*, p. 113; de *enténébrer*.

Littér. Action d'enténébrer, d'obscurcir, de rendre confus.

L'enfant voit des théories reconnaissables d'ancêtres dans lesquelles il note les origines de toutes les ressemblances connues d'homme à homme. Le monde des apparences gagne et déborde dans l'insensible, dans l'inconnu. Mais l'enténébrement de la vie arrive et désormais des états pareils ne se retrouvent plus.

A. ARTAUD, l'Ombilic des limbes, p. 134,
in D. D. L., II, 15.

ENTÉNÉBRER   [ātenebre] v. tr. [CONJUG.: *céder*.] — Fin XIIIᵉ; de *en*, *ténèbre*, et suff. verbal.

♦ **1** **Littér.** Envelopper de ténèbres*, plonger dans les ténèbres. → **Assombrir, obscurcir.** *Le crépuscule* (cit. 3) *enténébrait le ciel.*

1   Je courus de la *Vieille chapelle* à la cathédrale. Plus petite que celle d'Ulm, elle est plus religieuse et d'un plus beau style. Ses vitraux coloriés l'enténébrent de cette obscurité propre au recueillement.

CHATEAUBRIAND, Mémoires d'outre-tombe, t. VI,
p. 26.

Pron. *La plaine s'enténébrait.*

2   C'est que, maintenant, l'estuaire qui achève de s'enténébrer, et où ne se voient plus les amas d'habitations humaines, lui semble peu à peu devenir différent (...)

LOTI, Ramuntcho, I, XIII, p. 120.

2.1   (...) l'ombre épaisse s'enténébrant de bleu, tombant sur eux maintenant, les recouvrant comme une couche opaque et uniforme de peinture (...)

Claude SIMON, la Route des Flandres, p. 243.

♦ **2** (Av. 1848). **Abstrait.** Assombrir, attrister.

2.2   (...) le malheur ayant fait tomber les squames qui enténébraient son génie, le simple pitre qu'il avait été jusque-là fit enfin place au grand moraliste.

Léon BLOY, le Désespéré, p. 247.

3   Pendant des années (et c'était le secret de sa taciturnité), il avait à son insu tenu rigueur à sa mère de cette austérité inflexible. Il l'avait accusée de calomnier le monde, d'enténébrer la vie.

F. MAURIAC, le Mal, p. 99 (→ aussi Croix, cit. 11).

♦ **ENTÉNÉBRÉ, ÉE** p. p. adj. *Nuit enténébrée.* → **Obscur, sombre.** *Une salle enténébrée.*

3.1   Le sifflet du train qui file à travers la campagne enténébrée m'arrive du fond d'un univers fictif.

S. DE BEAUVOIR, Tout compte fait, p. 237.

Abstrait. *Un esprit enténébré.*

4   (...) cette nuit est enténébrée de désirs.

MICHELET, la Femme, p. 212.

5   (...) les souvenirs des songes (...) si enténébrés que souvent nous ne les apercevons pour la première fois qu'en pleine après-midi quand le rayon d'une idée similaire vient fortuitement les frapper (...)

PROUST, À la recherche du temps perdu, t. VI,
p. 105.

CONTR. Éclaircir. – Égayer. ◊ **DÉR. Enténébrement.**

ENTENTE   [ātāt] n. f. — V. 1170; 1121, «préoccupation»; de *entente*, (II., A.) «comprendre» et de *s'entendre*, 3, b.

♦ **1** **Vieilli.** Connaissance approfondie, compréhension d'une chose. → **Compréhension, intelligence.** «*L'entente des affaires*» (Académie).

1   Il y a dans le morceau d'Anacréon couleur, entente des lumières, vigueur et transparence (...)

DIDEROT, Salon de 1767.

Loc. Mod. (XIIIᵉ). À **DOUBLE ENTENTE :** qui a deux sens. *Mot, phrase... à double entente.* → **Ambigu, équivoque.**

♦ **2** (1831). **Mod.** Fait de s'entendre (3., b) de s'accorder; état, situation qui en résulte. *Arriver, parvenir à une entente.* → **Accommodement, accord, convention.** *Entente muette, tacite. Entente secrète, illégale.* → **Collusion, complicité** (cit. 3), **connivence, intelligence.** *Entente dirigée contre qqn.* → **Brigue, cabale, conspiration, ligue** (→ Association, cit. 14). *Entente avec un concurrent, un adversaire. Après entente avec les autorités... Agir par une entente mutuelle.* → **Concert** (de). *Des ententes difficiles.*

2   Comme par une entente muette, maintenant ils se fuyaient. LOTI, Pêcheur d'Islande, III, XIV, p. 204.

Écon. *Entente entre producteurs, entre entreprises.* → **Cartel, comptoir** (de vente), **trust.** *Les ententes, procédé de concentration* industrielle.* — **Admin.** *Entente préalable* (entre un assuré et la Sécurité sociale). *Entente directe* (entre médecin et assuré).

Spécialt. Collaboration politique entre États. → **Alliance, association** (internationale), **coalition, traité, union.** *Politique d'entente.*

Loc. *Entente cordiale :* rapprochement franco-britannique ébauché à l'époque de la Monarchie de Juillet, que Napoléon III tenta de poursuivre, et qui, reprise au début du XXᵉ siècle, aboutit à des accords signés en 1904. — *Triple Entente,* et, **absolt,** *l'Entente :* l'alliance de la France, la Russie et l'Angleterre contre l'Allemagne, en 1914. *Petite Entente :* accord de 1920 entre la Yougoslavie, la Tchécoslovaquie et la Roumanie.

3   (...) on le verra, dans la vieillesse, y revenir, à titre officiel pour réaliser, après trente-huit ans, cette «*entente cordiale*», que, rappellera-t-il alors, il a préconisée dès 1792, cette alliance qu'il n'a cessé de désirer parce qu'elle «aurait tenu la tige de la balance du monde.»

Louis MADELIN, Talleyrand, II, IX, p. 106.

3.1   Il n'empêche que l'entente cordiale fut un chef-d'œuvre de la diplomatie, tout artificiel, qui ne répondait pas au sentiment des deux peuples et qui n'eût peut-être jamais abouti sans les maladresses du Kaiser mégalomane.

F. MAURIAC, le Nouveau Bloc-notes 1958-1960,
p. 242.

Absolt. *L'entente, la bonne entente,* accord, harmonie entre personnes. *L'entente régnait.*

D'entente. Terrain d'entente. — Sourire, regard d'entente. Entente, bonne entente : relations amicales, bonne intelligence entre plusieurs personnes. → **Amitié, concorde, harmonie, union.** *Il règne entre eux une entente parfaite. Entente entre deux époux.* → **Affection, amour.** — *Entente charnelle, sexuelle.*

4   (...) ce qui est l'avenir, ce n'est pas la haine, c'est l'entente; ce n'est pas le roulement des bombardes, c'est la course des locomotives. HUGO, Paris, V, IV.

5   Antoine les suivit des yeux; ils suggéraient l'idée de l'entente modèle, du couple parfait.

MARTIN DU GARD, les Thibault, t. III, p. 228.

6   Il lui sembla que cette sonate était l'image de l'amour tel qu'elle l'eût rêvé, entente, harmonie, dialogue, effort courageux pour soulever la vie d'un couple vers des sommets héroïques.

A. MAUROIS, le Cercle de famille, III, XX, p. 335.

Par métaphore. *Entente entre choses.* → **Harmonie.**

♦ **3** (De entendre II., A.) **Rare.** Action d'entendre, de percevoir par l'ouïe (ex. de Goncourt, in T. L. F.).

CONTR. Chicane, conflit, contestation, contradiction, désaccord, discordance, discussion, dispute, dissentiment, haine, mésentente.

ENTER   [āte] v. tr. — V. 1155; du lat. pop. *imputare*, de *im-* (*in*-), et *putare* «tailler, émonder», spécialisé au

sens de «greffer» par croisement avec le grec *emphuton* «greffe».

♦ **1** Greffer* en insérant un scion. *Enter un prunier, une vigne. Enter un sauvageon. Enter sur un cognassier. Enter en écusson, en fente, en œillet.*

1   Le troisième tomba d'un arbre
Que lui-même il voulut enter;
           LA FONTAINE, Fables, XI, 8.

1.1   — L'Arthur! dit le père. Ce grand-là? Celui de la Félicie? Celui qui savait si bien enter la vigne?
          J. GIONO, le Grand Troupeau, *in* Œ. roman., Pl., p. 586.

Par métaphore. Au participe passé :

1.2   (...) dans l'Inde et la Perse, des dogmes et des rites nationaux, entés sur un même tronc primitif, ont donné naissance à deux religions différentes, celle des brâhmanes et celle des mages.
          Émile BURNOUF, la Science des religions, p. 35.

Par anal. *Enter une famille sur une autre :* allier, unir une famille à une autre par un mariage. — **Pron.** *Maison qui s'ente sur telle autre.*

2   Nous y voilà, s'écria le comte d'un air fin. En considération du mariage, car la vanité de madame Bontems n'a pas été peu chatouillée par l'idée d'enter les Bontems sur l'arbre généalogique des Grandville, la susdite mère donne sa fortune en toute propriété à la petite, en ne s'en réservant que l'usufruit.
          BALZAC, Une double famille, t. I, p. 959.

♦ **2** (V. 1220). **Fig., littér.** → **Fonder, greffer.** *Enter quelque chose sur quelque chose.* (Surtout passif et p. p.). *C'est un diplomate enté sur un financier* (Académie). → Doublé de. *Menus défauts qui se trouvent entés sur de réelles qualités,* qui en sont comme la rançon.

3   (...) ils entent sur cette extrême politesse que le commerce des femmes leur a donnée (...) un esprit de règle (...) et quelquefois une haute capacité (...)
          LA BRUYÈRE, les Caractères, XI, 99.

4   Faux raisonnements entés l'un sur l'autre.
          SAINT-SIMON, Mémoires, IX, p. 350.

5   Le mort enté sur le vivant corrompt le vivant.
          André SUARÈS, Trois hommes, «Dostoïevski», p. 248.

(Mil. XIIIe). **Par ext.** → **Adapter, insérer, joindre.**

6   (...) nous pouvons bien imaginer distinctement une tête de lion entée sur le corps d'une chèvre, sans qu'il faille conclure qu'il y ait au monde une chimère (...)
          DESCARTES, Discours de la méthode, IV.

♦ **3** (1676). **Techn.** *Enter deux pièces de bois d'une charpente,* les assembler* dans la même direction.

◆ **ENTÉ, ÉE** p. p. (→ ci-dessus), et adj. *Canne entée,* dont les parties sont emboîtées les unes dans les autres. (1671). **Blason.** Se dit d'un écu dont les partitions aux contours arrondis entrent les unes dans les autres. *Enté en pointe,* se dit de l'écu divisé par deux traits courbés qui vont du centre aux angles de la pointe.

DÉR. Entage, 1. ente, entement, entoir, enture.

ENTÉR-, ENTÉRO-, -ENTÈRE

Éléments, du grec *enteron* «intestin»; → les suiv. et Dysenterie, mésentère; on peut citer aussi *entéroclyse,* n. f. (fin XIXe) : «L'entéroclyse ou injections dans l'intestin» (*Année sc. et industr.* 1894 [1893], p. 381).

ENTÉRALGIE

[ãteRalʒi] n. f. — 1823, *in* D.D.L.; de *entér-* et *-algie,* du grec *algos,* douleur.
Méd. Douleur intestinale.

ENTÉRECTOMIE

[ãteREktɔmi] n. f. — 1898, Littré, *Dict. de médecine;* de *entér-,* et *-ectomie.*
Méd. Ablation d'une partie de l'intestin.

ENTÉRINEMENT

[ãteRinmã] n. m. — 1316, *enterignement;* de *entériner.*
Rare. Action d'entériner; son résultat. *L'entérinement des lettres de grâce. Conclure à l'entérinement d'un rapport.*

ENTÉRINER

[ãterine] v. tr. — V. 1250, «accomplir entièrement»; de l'anc. franç. *enterin* «complet, achevé», de *entier.*

♦ **1** **Dr.** Rendre définitif, valide (un acte) en l'approuvant juridiquement. → **Confirmer, enregistrer, homologuer, ratifier, sanctionner, valider.** *Entériner un acte de grâce. Entériner une requête.* — **Spécialt.** *Entériner un rapport d'experts,* l'approuver (en parlant du tribunal compétent).

1   (...) encore que le roi ait donné grâce à un homme, si (aussi) faut-il qu'elle soit entérinée (par le parlement).
          PASCAL, Pensées, XIV, 870.

Par ext. *Entériner une décision,* en confirmer la valeur en l'appliquant.

♦ **2** (Av. 1695). **Cour.** Admettre, rendre durable. → **Approuver, confirmer, consacrer.**

2   Si les écrivains et les académies n'avaient, ce que je ne crois pas, aucune vertu pour arrêter la décadence du langage, ils auraient, en tout cas, le devoir de ne pas entériner les fautes et les abus des ignorants et des irresponsables.
          DUHAMEL, Discours aux nuages, p. 44.

3   J'ai cent fois relevé chez les plus honnêtes professeurs d'histoire, dans les livres les plus objectifs, cette tendance à entériner l'événement accompli simplement parce qu'il est accompli.   SARTRE, Situations III, p. 52.

CONTR. Désapprouver, refuser, rejeter. ◊ DÉR. Entérinement.

ENTÉRIQUE

[ãteRik] adj. — 1855; de *entérite.*
Méd. Relatif aux intestins. *Douleurs entériques.*

ENTÉRITE

[ãteRit] n. f. — 1801; lat. mod. *enteritis* 1795; de *entér-,* et *-ite.*
Méd. et cour. Inflammation de la muqueuse intestinale, généralement accompagnée de colique, de diarrhée. → **Entérocolite, gastro-entérite.** *Entérite chronique. Entérite aiguë. Entérite des nouveau-nés* ou *entérite chotériforme*,* accompagnée de diarrhée verte et causée par le colibacille. *Entérite des adultes. Entérite folliculaire; couenneuse, glaireuse.*

   Par la chaleur je me méfie des œufs pour ton père... Il a de l'entérite.   CÉLINE, Mort à crédit, p. 377.

DÉR. Entérique, entéritique. ◊ COMP. Gastro-entérite.

ENTÉRITIQUE

[ãteRitik] adj. — 1863, *in* D.D.L.; de *entérite.*
Méd. De l'entérite. *Douleurs entéritiques.*

ENTÉRO-

→ **Entér-.**

ENTÉROBACTÉRIES

[ãteRobakteRi] n. f. pl. — XXe; de *entéro-,* et *bactérie.*
Biol. Famille de bactéries gram-négatives (lat. sc. *enterobacteriaceæ*) dont certaines sont pathogènes, qui colonisent le tube digestif de l'homme et des animaux (→ aussi **Salmonella**). «*La putréfaction de surface est provoquée par les pseudomonas, les acinétobacter et les entérobactéries*» (le Monde, 22 févr. 1977, p. 19). «*En réalité les premières espèces bactériennes qui s'installent durant la première semaine de vie sont en nombre relativement limité (...) Le bébé humain (...) offre généreusement l'hospitalité aux entérobactéries, le plus souvent Escherichia coli*» (la Recherche, n° 151, janv. 1984, p. 116). — **Au sing.** *Une entérobactérie.*

ENTÉROCOLITE [ɑ̃teʀɔkɔlit] n. f. — 1837, G. M. Billard, *Traité des maladies des enfants*, p. 426 ; de *entéro-*, et *colite*.

Méd. Inflammation simultanée des muqueuses de l'intestin grêle et du côlon. *Entérocolite mucomembraneuse.*

ENTÉROCOQUE [ɑ̃teʀɔkɔk] n. m. — 1899, in *Rev. gén. des sc.*, n° 13, p. 730 ; de *entéro-*, et *-coque*.

Méd. Streptocoque isolé des matières fécales, vivant en saprophyte dans l'intestin, mais pouvant devenir pathogène.

ENTÉROKINASE [ɑ̃teʀokinaz] n. f. — 1903, in *Rev. gén. des sc.*, n° 16, p. 884 ; du russe (Pavlov, 1899) ; de *entéro-*, grec *kinein* «mettre en mouvement», et *-ase*.

Biochim. Enzyme des glandes de la muqueuse duodénale, qui joue un rôle dans la digestion des protides.

DÉR. V. **Kinase.**

ENTÉROPTOSE [ɑ̃teʀɔptoz] n. f. — 1855 ; de *entéro-*, et *ptose.*

Méd. Descente d'un segment intestinal (surtout du côlon transverse) dans la cavité abdominale. *La distension de la paroi abdominale favorise l'entéroptose.*

ENTÉRO-RÉNAL, ALE, AUX [ɑ̃teʀorenal, o] adj. — 1926, A. Martinet, *Thérapeutique clinique* ; de *entéro-*, et *rénal.*

Méd. Qui se rapporte à l'intestin et au rein. *Syndrome entéro-rénal* : infection urinaire qui complique une infection intestinale chronique.

ENTÉRORRAGIE [ɑ̃teʀɔʀaʒi] n. f. — 1837, Billard, *Traité des maladies des enfants*, écrit *enterorrhagie* ; de *entéro-*, et *-rragie.*

Méd. Passage de sang rouge dans les selles, par hémorragie au niveau du gros intestin (→ Mélæna).

ENTÉRORRAPHIE [ɑ̃teʀɔʀafi] n. f. — 1824, Nysten, in D.D.L. ; de *entéro-*, et du grec *rhaphê* «suture».

Méd. Suture d'une plaie intestinale.

ENTÉROTOXINE [ɑ̃teʀotɔksin] n. f. — Av. 1953, Quillet ; de *entéro-*, et *toxine.*

Méd. Toxine produite dans l'intestin ou qui agit sur la muqueuse intestinale.

ENTÉROVACCIN [ɑ̃teʀovaksɛ̃] n. m. — 1922 ; de *entéro-*, et *vaccin.*

Méd. Vaccin introduit par voie buccale et absorbé par l'intestin.

ENTÉROVIRUS [ɑ̃teʀoviʀys] n. m. invar. — Mil. xxᵉ ; de *entéro-*, et *virus.*

Méd., biol. Groupe de virus qui s'établissent dans le tube digestif (→ **Poliovirus**). *«L'agent de l'hépatite A est un petit virus à ARN mesurant 27 nm (nanomètres) de diamètre (...) Il possède toutes les caractéristiques des entérovirus. Son enveloppe est formée de quatre chaînes polypeptidiques distinctes. Ce virus est assez résistant»* (*la Recherche*, n° 145, juin 1983, p. 863).

ENTERRAGE [ɑ̃teʀaʒ] n. m. — 1755 ; «enterrement», xivᵉ ; de *enterrer.*

Techn. Action de tasser de la terre autour d'un moule de fonderie ; son résultat.

ENTERREMENT [ɑ̃teʀmɑ̃] n. m. — V. 1165 ; de *enterrer.*

♦ **1** Action d'enterrer (un mort), de donner une sépulture à (un mort). → **Ensevelissement, inhumation, sépulture, tombeau** (mise au). *L'enterrement de quelqu'un, de Mᵐᵉ X. On ne peut procéder à l'enterrement qu'après déclaration du décès et obtention du permis d'inhumer. L'enterrement aura lieu au cimetière de..., dans le caveau de famille. Le droit canon interdit la crémation* et ne reconnaît que l'enterrement. Cadavre enseveli dans le linceul et mis au cercueil avant l'enterrement. Des pelletées de terre symboliques sont jetées (par le prêtre, par les proches...) après la déposition du cercueil, avant que les fossoyeurs ne procèdent à l'enterrement en comblant la fosse. — L'Enterrement du comte d'Orgaz*, tableau du Greco. *Un enterrement à Ornans*, tableau de Courbet.

Que c'est commode, un bon enterrement classique ! Le mort disparaît dans la fosse et sa mort avec lui. 0.1
　　　　　S. DE BEAUVOIR, la Force de l'âge, p. 620.

♦ **2** Ensemble des cérémonies qui précèdent et accompagnent l'enterrement. → **Funérailles** (→ Poussière, cit. 7.2). *Enterrement religieux, civil. Enterrement de première, deuxième, troisième, quatrième classe. Messe d'enterrement. Chanter le Dies irae, le De profundis à un enterrement* (→ De profundis, cit. 1). *Mettre le catafalque, sonner le glas pour un enterrement. Tentures d'enterrement. Porter un crêpe* (cit. 2) *à l'enterrement d'un parent. Enterrement sans fleurs ni couronnes. Aller à un enterrement, à l'enterrement de qqn. Un bel, un grand enterrement.*

(...) il amusa toutes ses heures dernières avec un soin 1
véhément, à disposer l'honneur et la cérémonie de son
enterrement, et somma toute la noblesse qui le visitait de
lui donner parole d'assister à son convoi.
　　　　　MONTAIGNE, Essais, I, III.

Tout Paris, vêtu d'enterrement (...) remplissait les salons 2
et la chambre du roi.
　　　　　SAINT-SIMON, Mémoires, in LITTRÉ.

Car les cercueils se firent alors plus rares, la toile manqua 3
pour les linceuls et la place au cimetière. Il fallut aviser.
Le plus simple (...) parut de grouper les cérémonies (...)
— Oui, dit Rieux, c'est le même enterrement *(que dans les
chroniques des anciennes pestes)*, mais nous, nous faisons
des fiches.
　　　　　CAMUS, la Peste, p. 193.

On parlait des enterrements de *première classe*, forcément 3.1
fort rares, comme d'un opéra fastueux et qui valait, aux
premiers appels du glas, qu'on gagnât l'avenue et son banc
de pierre, pour prendre place.
　　　　　Raymond ABELLIO, Ma dernière mémoire, t. I,
　　　　　p. 128.

♦ **3** (1636). Cortège funèbre. → **Convoi, deuil, obsèques.** *Se découvrir, se signer au passage d'un enterrement.*

Là, d'un enterrement la funeste ordonnance, 4
D'un pas lugubre et lent vers l'église s'avance (...)
　　　　　BOILEAU, Satires, VI.

Que lentement passent les heures 5
Comme passe un enterrement.
　　　　　APOLLINAIRE, Alcools, «À la santé».

(...) l'enterrement de ma grand-mère avec tous les ouvriers 6
de la Fabrique derrière le corbillard couvert de fleurs, une
foule que l'on sentait respectueuse et consternée.
　　　　　J. CHARDONNE, les Destinées sentimentales, p. 267.

Fig. *Aller d'un pas d'enterrement*, très lentement. *Faire une figure*, (fam.) *une gueule d'enterrement, avoir une mine d'enterrement*, lugubre, triste. *C'est une musique d'enterrement.*

Il avait bien fallu faire une musique assortissante. Ce fut 7
pourtant là-dessus que Mᵐᵉ de la Poplinière fonda sa censure, en m'accusant, avec beaucoup d'aigreur, d'avoir fait
une musique d'enterrement.
　　　　　ROUSSEAU, les Confessions, VII.

♦ 4 (1896). Fig. Fait de mettre fin à qqch. → **Échec, mort.** C'est l'enterrement de toutes leurs espérances, de toutes leurs illusions. → **Effondrement.** L'enterrement d'un projet de loi, d'un rapport. → **Abandon, rejet.**

Loc. *Un enterrement de première classe.*

a Le rejet, la mise à l'écart d'une personne ; l'abandon, le délaissement d'une idée, d'un projet.

8   On m'assure qu'à Genève, on s'est occupé de la question, je veux dire qu'on a formé une commission, laquelle a désigné un rapporteur. Ces deux opérations équivalent toujours devant les assemblées, quelles qu'elles soient, à un enterrement de première classe.
         Léon DAUDET, la Femme et l'Amour, III, p. 89.

b Endroit, réunion où l'on s'ennuie. *C'est l'enterrement de première classe, cette soirée !*

CONTR. Exhumation. — Résurrection. — Renouveau, vedette (mise en).

ENTERRER [ɑ̃tere] v. tr. — V. 1080, au sens 3 ; de *en-, terre,* et suff. verbal.

♦ 1 (Déb. XIIᵉ). Enfermer dans la terre. → **Enfouir.** *Enterrer des oignons de tulipes. Enterrer profondément une canalisation. Enterrer un trésor.*

1   (...) je ne sais si j'aurai bien fait d'avoir enterré dans mon jardin dix mille écus qu'on me rendit hier.
         MOLIÈRE, l'Avare, I, 4.

2   La tyrannie et la méfiance font que tout le monde y enterre son argent (...)
         MONTESQUIEU, l'Esprit des lois, XXII, II.

3   Comme on avait eu soin d'enterrer suffisamment les vases, les lauriers et les orangers avaient l'air de sortir de terre.
         STENDHAL, le Rouge et le Noir, II, VIII.

Fig. *Enterrer un secret, un chagrin dans son cœur.* → **Cacher.** — (1680). *Enterrer sa vie au couvent, ses charmes à la campagne...* → **Ensevelir.**

4   (...) se déguiser aux yeux du monde, et tenir enterrés les beaux talents (...)
         MOLIÈRE, le Médecin malgré lui, I, 5.

5   Ainsi, loin du palais où vous fûtes nourrie,
   Vous allez, belle Irène, enterrer votre vie !
         VOLTAIRE, Irène, IV, 1.

♦ 2 (1690). Par ext. Recouvrir d'un amoncellement. → **Engloutir, ensevelir** (→ Déjection, cit. 3). — (Surtout au passif et au p. p.). *Village enterré sous la lave, sous une avalanche. Être enterré sous les décombres.*

6   J'avais fait une excavation où je pouvais passer la tête et les épaules, mais la neige offrait maintenant un dur obstacle (...) Je comprenais parfaitement le danger de ma situation : j'étais enterré.   H. BOSCO, Hyacinthe, p. 150.

Par anal. Faire disparaître au milieu, au fond de quelque chose. *Son métier de bibliothécaire l'enterre dans les paperasses.* — (Plus cour. au passif et p. p.). *Archiviste enterré dans ses paperasses. — La neige enterrait la maison. — Au p. p. Maison enterrée,* tout à fait en contre-bas.

7   Le roi (*Charles VI*) était enterré dans un habit de velours noir, la tête chargée d'un chaperon écarlate, aussi de velours.   MICHELET, Hist. de France, VII, III.

Fig. *Être enterré dans ses pensées.*

8   Il tâcha bien de ne rien laisser paraître ; mais pour plus d'une quinzaine il fut enterré dans des rêvasseries aux heures de son repas (...)
         G. SAND, François le Champi, XIV, p. 109.

♦ 3 Déposer le corps de qqn dans la terre, et, par ext., dans une sépulture (→ **Caveau, tombe, tombeau**). → **Ensevelir.** *Enterrer quelqu'un sans cérémonie ; l'enterrer en grande pompe.* — (Le sujet désigne les personnes qui décident de l'enterrement). *On vient de l'enterrer.* — (Au passif et au p. p.). *Napoléon est enterré aux Invalides. Lieux où les morts sont enterrés.* → **Catacombe, cimetière, crypte, nécropole.** *Être enterré dans un cercueil (cit. 1) de chêne, de*

plomb. *Les fossoyeurs l'ont enterré dans la fosse commune. Ici est enterré.* → **Gésir** (ci-gît), **reposer** (ici repose). — *Vestale enterrée vivante.*

9   (...) je fis réflexion, au commencement du second jour, que son corps serait exposé, après mon trépas, à devenir la pâture des bêtes sauvages. Je formai la résolution de l'enterrer et d'attendre la mort sur sa fosse.
         Abbé PRÉVOST, Manon Lescaut, II, p. 226.

10   (...) des ordres transmis de loin arrivèrent trop tard pour prévenir une inhumation commune (...) ma sœur fut enterrée parmi les pauvres : dans quel cimetière fut-elle déposée ? dans quel flot immobile d'un océan de morts fut-elle engloutie ? Dans quelle maison expira-t-elle (...) Quand, en faisant des recherches, quand, en compulsant les archives des municipalités, les registres des paroisses, je rencontrais le nom de ma sœur, à quoi cela me servirait-il ? Retrouverais-je le même gardien de l'enclos funèbre ? retrouverais-je celui qui creusa une fosse demeurée sans nom et sans étiquette ? (...) Quel nomenclateur des ombres m'indiquerait la tombe effacée ?
         CHATEAUBRIAND, Mémoires d'outre-tombe, t. II, p. 361.

11   Mais cette fille miraculeuse était trop belle pour vivre longtemps ; aussi est-elle morte quelques jours après que j'eus fait sa connaissance, et c'est moi-même qui l'ai enterrée, un jour que le printemps agitait son encensoir jusque dans les cimetières. C'est moi qui l'ai enterrée, bien close dans une bière d'un bois parfumé et incorruptible comme les coffres de l'Inde.
         BAUDELAIRE, le Spleen de Paris, XXXVIII.

Par ext. Procéder ou participer aux cérémonies funèbres de (qqn). *C'est l'abbé X qui l'a enterré* (→ Curé, cit. 1). *Nous l'avons enterré hier.* → **Porter** (en terre).

12   Il aimait sa mère autant qu'il pouvait aimer et mit de l'amour-propre à la faire enterrer selon ses moyens.
         G. SAND, François le Champi, IV, p. 48.

13   Le fossoyeur achève le creusement de la fosse ; l'on y dépose le cercueil avec toutes les précautions prises en pareil cas ; quelques pelletées de terre inattendues viennent recouvrir le corps de l'enfant. Le prêtre des religions, au milieu de l'assistance émue, prononce quelques paroles pour bien enterrer le mort (...)
         LAUTRÉAMONT, les Chants de Maldoror, V.

Par métonymie. Causer la mort de ; survivre à...

Loc. (1864). *Il enterre tous ses malades,* en parlant d'un médecin inhabile. — (1718). *Vous nous enterrerez tous :* vous nous survivrez (→ Bâtir, cit. 54). — *Il faut laisser les morts enterrer les morts.* — Au p. p. *Il est mort et enterré,* sa mort remonte déjà à un certain temps.

14   Comment se porte son cocher ? — Fort bien : il est mort. — Mort ! — Oui. — Cela ne se peut (...) — Et moi je vous dis qu'il est mort et enterré.
         MOLIÈRE, l'Amour médecin, II, 2.

15   Sa maladie fit de rapides progrès, mais personne ne croyait à un dénouement fatal, tant on avait confiance dans l'athlétique organisation de Balzac. Nous pensions fermement qu'il nous enterrerait tous.
         Th. GAUTIER, Portraits contemporains, p. 128.

(Av. 1613). Fig. *Enterrer sa vie de garçon* (d'un jeune homme qui va se marier) : passer avec ses amis une dernière et joyeuse soirée de célibataire. — *Enterrer le carnaval :* se livrer aux dernières réjouissances du carnaval. — Fam. *Enterrer l'année :* réveillonner le 31 décembre. — *Enterrer un projet.* → **Abandonner.** — *Cet événement enterre leurs espérances.* → **Anéantir, détruire.** — Au p. p. *Une histoire enterrée, oubliée. Amours* (→ Dégoût, cit. 15), *superstitions* (→ Abêtissement, cit.), *croyances, illusions enterrées. Enterrer une fortune dans des travaux.* → **Engloutir.**

16   M. de Blacas (...) est l'entrepreneur des pompes funèbres de la monarchie ; il l'a enterrée à Hartwell, il l'a enterrée à Gand, il l'a réenterrée à Édimbourg et il la réenterrera à Prague au lieu d'ailleurs (...)
         CHATEAUBRIAND, Mémoires d'outre-tombe, t. VI, p. 89.

17   (...) le jour même où la malveillance, la sottise, la routine et l'envie coalisées ont essayé d'enterrer l'ouvrage.
BAUDELAIRE, l'Art romantique,
R. Wagner et Tannh., IV.

18   Avec la Saint-Théophile, voilà les vacances enterrées.
Alphonse DAUDET, le Petit Chose, I, IX.

◆ **4** Enfouir sous la terre (le corps d'un animal). *Enterrer son chat dans le jardin.*

◆ **5** Faire mourir en mettant sous la terre (en général sous la forme *enterrer quelqu'un vif, vivant,* pour éviter l'ambiguïté avec le sens 3).

18.1   (...) par une insigne cruauté, si la maladie devient trop grave ou qu'on en craigne la contagion, on n'attend pas que nous soyions mortes pour nous enterrer ; on nous enlève, et nous place où je t'ai dit encore toute vivante ; depuis dix-huit ans que je suis ici, j'ai vu plus de dix exemples de cette insigne férocité.
SADE, Justine, t. I, p. 167-168.

◆ **S'ENTERRER** v. pron. *Samson s'enterra sous le temple des Philistins.* — Loc. fig. (Vx.) *S'enterrer sous les ruines de la patrie :* ne pas survivre aux désastres de la patrie. — Mod. *S'enterrer en province, s'enterrer vivant dans un couvent.* → **Cacher** (se), **confiner** (se), **ensevelir** (s'), **isoler** (s'), **retirer** (se).

19   (...) mon dessein n'est pas de renoncer au monde, et de m'enterrer toute vive dans un mari.
MOLIÈRE, George Dandin, II, 2.

20   Sauf quelques hommes apostoliques, les cent trente et un évêques résident le moins qu'ils peuvent ; presque tous nobles, tous gens du monde, que feraient-ils loin du monde confinés dans une ville de province ? Se figure-t-on un grand seigneur, jadis abbé brillant et galant, maintenant évêque avec cent mille livres de rente et qui volontairement s'enterre pour toute l'année à Mende, à Condom, à Comminges, dans une bicoque ?
TAINE, les Origines de la France contemporaine,
t. I, I, p. 71.

◆ **ENTERRÉ, ÉE** p. p. adj. Voir à l'article (notamment 2., 3. : *mort et enterré,* et fig.).

N. *Un enterré vivant.*

CONTR. Déterrer. — Exhumer. — Produire. ◊ DÉR. Enterrage, enterrement, enterreur.

ENTERREUR, EUSE [ɑ̃tɛʀœʀ, øz] n. — 1552; de *enterrer.*

◆ **1** Rare. Personne qui enterre (un, des morts). → **Fossoyeur.**

◆ **2** N. m. Insecte nécrophore.

ENTÊTANT, ANTE [ɑ̃tɛtɑ̃, ɑ̃t] adj. — 1896; attestation isolée, XIIIᵉ; p. prés. de *entêter.*

Qui entête (1.). → **Enivrant, obsédant.** *Odeur entêtante. Parfum entêtant* (→ Acacia, cit. 2).

(...) étourdis, presque exténués par une musique obstinée, rapide, fuyante, entêtante, qui porte à l'extase, et qui ne se tait pas quand on la quitte, et qui m'obsède encore, certains soirs, à la façon même du désert.
GIDE, Journal, Feuilles de route, 7 avr. 1896.

(D'une sensation, d'une impression). Qui obsède. → **Lancinant, obsédant.**

EN-TÊTE [ɑ̃tɛt] n. m. — 1838; de *en-,* et *tête.*

◆ **1** Inscription imprimée ou gravée en tête (de papiers employés dans l'administration, le commerce...). *Papier à lettre à en-tête, portant la raison sociale de la maison. Des en-têtes commerciaux.*

Elle *(l'enveloppe)* contenait une espèce de circulaire polycopiée. À gauche, un en-tête sur deux lignes : «Le contrôle social, Foyer.»
J. ROMAINS, les Hommes de bonne volonté, t. III,
V, p. 88.

Gravure. Vignette placée en tête d'un chapitre, dans la partie supérieure de la page. *Édition illustrée d'en-tête, hors-texte et culs-de-lampe.*

Fig. Préambule.

◆ **2** Inform. Portion initiale d'un message, contenant des informations extérieures au texte.

ENTÊTÉ, ÉE [ɑ̃tete] adj. et n. → **Entêter** (p. p. adj.).

ENTÊTEMENT [ɑ̃tɛtmɑ̃] n. m. — 1649; «mal de tête», 1566; de *entêter.*

◆ **1** Vx. Mal de tête, étourdissement, vertige.

◆ **2** Vieilli. Parti pris favorable. → **Engouement.** *C'est un enthousiasme, un entêtement général.* — Par métonymie. *Être l'entêtement, la coqueluche* (cit. 1) *des dames.*

La prévention du peuple en faveur des grands est si aveugle, et l'entêtement pour leur geste, leur visage, leur ton de voix et leurs manières si général, que s'ils s'avisaient d'être bons, cela irait à l'idolâtrie.   1
LA BRUYÈRE, les Caractères, IX, 1.

◆ **3** Mod. Fait de persister dans un comportement volontaire sans tenir compte des circonstances, sans reconsidérer la situation. → **Aheurtement** (vx), **obstination, opiniâtreté** (cit. 6), **pertinacité.** *Il y met de l'entêtement. Un entêtement de mule, extrême. Faire une chose par entêtement.* → **Piquer** (se piquer au jeu). *Un doux entêtement. Son entêtement lui coûtera cher. Entêtement dans une attitude.* → **Persistance.** *Période d'entêtement* (→ Enfourcher, cit. 1). *Une fermeté, un entêtement dont nul obstacle n'aura raison.* → **Persévérance, ténacité** (→ Agir, cit. 13). — REM. Le passage du sens 2 au sens moderne est sensible dans la citation qui suit.

Rien ne ressemble plus à la vive persuasion que le mauvais entêtement : de là les partis, les cabales, les hérésies.   2
LA BRUYÈRE, les Caractères, XII, 1.

On ne put m'arracher l'aveu qu'on exigeait. Repris à plusieurs fois et mis dans l'état le plus affreux, je fus inébranlable. J'aurais souffert la mort, et j'y étais résolu. Il fallut que la force même cédât au diabolique entêtement d'un enfant, car on n'appela pas autrement ma constance. Enfin je sortis de cette cruelle épreuve en pièces, mais triomphant.   3
ROUSSEAU, les Confessions, I.

(...) il s'en allait avec un entêtement de brute ; il n'y avait plus ni force, ni prière, ni larmes capables de le retenir.   4
LOTI, Mon frère Yves, LII, p. 134.

«Ni la mer, ni la montagne, ne peuvent rien pour elle», affirma Mᵐᵉ de Fontanin, en secouant la tête, avec cet entêtement des êtres doux que possède une certitude inébranlable.   5
MARTIN DU GARD, t. VI, p. 111.

Caractère d'une personne têtue. *Cet enfant est d'un entêtement incroyable.*

Un, des entêtements : attitude, réaction d'une personne entêtée.

CONTR. **Abandon, découragement, docilité, inconstance, souplesse, versalité.**

ENTÊTER [ɑ̃tete] v. tr. — XIIIᵉ; de *en-, tête,* et suff. verbal.

I ◆ **1** Incommoder par des vapeurs, des émanations qui montent à la tête. *Le vin les a entêtés.* → **Étourdir.** *Ces fleurs, ces odeurs m'entêtent.*

Les chèvrefeuilles ne m'entêtent point.   1
Mᵐᵉ DE SÉVIGNÉ, in LITTRÉ.

(...) tant de guirlandes de roses que nous en étions entêtés (...)   2
MARMONTEL, Mémoires, in LITTRÉ.

(...) elle était comme ces gens qui aiment les fleurs, et que leur parfum entête.   3
R. RADIGUET, le Bal du comte d'Orgel, p. 123.

♦ **2** (XVIᵉ; «abrutir»). **Vx. ENTÊTER (qqn) DE (qqch.)** : remplir la tête de (qqn) d'une prévention aveuglément favorable pour (qqch.). *Il a fini par l'entêter de ce médecin à force de lui en dire du bien.* — REM. Le mot n'est vivant qu'au passif et au participe passé. → **Entêté.** *Il est entêté de cette idée, il ne veut pas en démordre.* → **Coiffé, engoué, entiché.**

4   Depuis que de Tartuffe on le voit entêté (...)
                         MOLIÈRE, *Tartuffe*, I, 2.

5   *(Elle)* me dit que, si les femmes savaient l'art d'entêter les hommes, elles en récompense les hommes n'ignoraient pas celui d'enjôler les femmes.
                         A.-R. LESAGE, *Gil Blas*, IX, VI.

6   (...) il est si entêté de ses opinions, qu'il les veut toujours suivre préférablement à celles des autres, de peur de paraître déférer aux lumières de quelqu'un.
                         A.-R. LESAGE, *Gil Blas*, XI, V.

Littér. *Entêter qqn dans (son idée, ses habitudes...).*

II Vx ou techn. Pourvoir d'une tête. *Entêter des épingles, des clous.*

♦ **S'ENTÊTER** v. pron.

♦ **1** Vx ou littér. **S'LCA‹ENTÊTER DE** (quelqu'un, quelque chose) : s'attacher violemment et inconsidérément à (quelqu'un, quelque chose). → **Engouer** (s'), **enticher** (s'). *Il s'est entêté de cet auteur et de ce système au point d'en changer toute sa conduite.*

7   (...) aussi n'est-il point à propos de les engager *(les filles)* dans des études dont elles pourraient s'entêter (...)
                         FÉNELON, *l'Éducation des filles*, I.

♦ **2** (Répandu XVIIIᵉ). **S'ENTÊTER À** (faire qqch.), **S'ENTÊTER DANS** (une opinion, une attitude) : persister avec obstination à (faire qqch.), dans (une attitude, une opinion). → **Aheurter** (s'), **buter** (se), **obstiner** (s'), **opiniâtrer** (s'). *S'entêter à vouloir, à faire quelque chose. S'entêter dans ses opinions. S'entêter dans une attitude* (→ Dissiper, cit. 9). — **Absolt.** *Il ne veut rien entendre, il s'entête.*

8   (...) il inclinait à s'entêter pour jamais dans son silence vis-à-vis de l'étranger et à laisser couler humblement la vie de son Ramuntcho près d'elle (...)
                         LOTI, *Ramuntcho*, I, I, p. 19.

9   Il s'entêtait à nourrir des rancunes et des chimères politiques qui le faisaient peu sociable et pareil à un exilé.
                         M. BARRÈS, *Leurs figures*, p. 14.

10 Voilà plusieurs jours déjà qu'il a compris que la guerre était inévitable, et qu'il serait fou, qu'il serait même criminel, de s'entêter dans l'opposition (...)
                         MARTIN DU GARD, *les Thibault*, t. VII, p. 77.

♦ **ENTÊTÉ, ÉE** p. p. adj.

♦ **1** (XIIᵉ). Qui fait preuve d'entêtement. → **Têtu.** *C'est un homme entêté, très entêté. Elle est encore plus entêtée que sa mère.* → **Obstiné, opiniâtre, persévérant.** *Être entêté comme un âne*, comme une mule. Entêté et querelleur.* → **Hutin** (vx). — *Enfant entêté, qui n'écoute rien, n'en fait qu'à sa tête.* → **Incorrigible, indocile.** — N. *Un entêté.* → (fam.) **Cabochard, cochon** (tête de).

11 La force de cervelle fait les entêtés, et la force d'esprit les caractères fermes.
                         Joseph JOUBERT, *Pensées*, IV, LIV.

11.1 Mais peut-on imaginer que cet entêté refusa de se déshabiller et de quitter sa redingote avant l'arrivée des médecins ?
                         G. LEROUX, *le Parfum de la dame en noir*, p. 348.

Esprit entêté. → **Entier, exclusif, intraitable, systématique.**

12 Les esprits entêtés regimbent contre l'insistance ; auprès d'eux on gâte tout en voulant tout emporter de haute lutte.
                      CHATEAUBRIAND, *Mémoires d'outre-tombe*, t. VI, p. 61.

(Choses). Qui manifeste de l'entêtement. *Une résistance entêtée.* → **Acharné, tenace.**

13 Mais l'erreur est plus entêtée que la foi et n'examine pas ses croyances.
                      PROUST, À la recherche du temps perdu, t. XI, p. 236.

♦ **2** (Correspond à *s'entêter*, 1). Vx. *Entêté de* (qqch., qqn) : qui manifeste un intérêt passionné pour (qqch., qqn).

14 (...) la sultane les recevait toujours avec toutes les démonstrations d'estime et de considération qu'elles pouvaient attendre d'une sœur qui n'était pas entêtée de sa dignité, et qui ne cessait de les aimer avec la même cordialité qu'auparavant.
                  A. GALLAND, *les Mille et une Nuits*, t. III, p. 443.

CONTR. Dégoûter. — Capituler, céder, changer. — Étêter. — (Du p. p. adj.). **Faible, fantasque, inconstant, versatile. — Complaisant, traitable.** ◊ **DÉR. Entêtant, entêtement.**

ENTHALPIE [ɑ̃talpi] n. f. — 1909, in *Rev. gén. des sc.*, nᵒ 12, p. 564; terme créé en français par le physicien néerlandais Kamerlingh Onnes; dér. sav. du grec *enthalpein* «réchauffer dans», de *en*- «dans», et *thalpein* «chauffer».

Phys. En thermodynamique, fonction d'état définie par la somme de l'énergie interne (U) d'un système et du produit de sa pression p par son volume V (U + pV). *La variation de l'enthalpie d'un système est, à pression constante, égale à l'énergie calorifique reçue.*

(...) il suffit d'écrire l'équation de la conservation de l'énergie qui exprime dans le cas d'un écoulement adiabatique de gaz parfait, l'égalité de la chute d'enthalpie dans la tuyère et de l'accroissement de l'énergie cinétique (...)
                J.-F. THÉRY, *les Carburants nouveaux*, p. 13.

ENTHOUSIASMANT, ANTE [ɑ̃tuzjasmɑ̃, ɑ̃t] adj. — 1845; p. prés. de *enthousiasmer.*

Qui enthousiasme. → **Passionnant.** *Une rencontre enthousiasmante. Ce n'est pas très enthousiasmant, mais c'est acceptable.*

(...) je me sentais, grâce à l'enthousiasmante beauté dont j'étais environné, en parfaite paix avec moi-même et avec l'univers (...)
                BAUDELAIRE, *le Spleen de Paris*, XV, «Le gâteau».

ENTHOUSIASME [ɑ̃tuzjasm] n. m. — 1546; grec *enthousiasmos* «transport divin», de *enthousia* «inspiration», de l'adj. *entheos, enthous* «inspiré par un dieu», de *en*- «dans», et *theos* «dieu». → Théo-.

♦ **1** Didact. (dans l'Antiquité). Délire sacré qui saisit l'interprète de la divinité. → **Inspiration.** *L'enthousiasme de la pythie, de la sibylle, des prophètes.* → **Ravissement, transe, transport.** *Chant exprimant l'enthousiasme.* → **Dithyrambe, hymne.**

1   (...) donna-t-on d'abord le nom d'enthousiasme (...) aux contorsions de cette pythie, qui sur le trépied de Delphes recevait l'esprit d'Apollon (...)?
              VOLTAIRE, *Dict. philosophique*, Enthousiasme.

2   *(La transe)* Mime de noirs enthousiasmes,
   Hâte les dieux, presse les spasmes
   De s'achever dans l'avenir !
              VALÉRY, *Poésies*, «Charmes», La pythie.

Par ext. *Enthousiasme poétique* : transports, exaltation du poète sous l'effet de l'inspiration* (→ Ardeur, cit. 27). → **Fureur** (vx). *Les partisans de l'enthousiasme s'opposent aux partisans de l'art, du travail. L'enthousiasme du poète lyrique.* → **Lyrisme.**

3   Vous ferez votre tragédie quand votre enthousiasme vous commandera ; car vous savez qu'il faut recevoir l'inspiration et ne la jamais chercher.
              VOLTAIRE, *Lettres*, 2907, 30 août 1766.

4   La première sève de l'enthousiasme créateur.
                D'ALEMBERT, *in* LITTRÉ, Dict., art. *Sève.*

5   Ainsi quand tu fonds sur mon âme,
      Enthousiasme, aigle vainqueur,
      Au bruit de tes ailes de flamme
      Je frémis d'une sainte horreur ;
      Je me débats sous ta puissance,
      Je fuis, je crains que ta présence
      N'anéantisse un cœur mortel,
      Comme un feu que la foudre allume,
      Qui ne s'éteint plus, et consume
      Le bûcher, le temple et l'autel (...)
      Non, jamais un sein pacifique
      N'enfanta ces divins élans,
      Ni ce désordre sympathique
      Qui soumet le monde à nos chants.
          LAMARTINE, Premières méditations,
                    «L'enthousiasme».

6   Ainsi, le principe de la poésie est strictement et simplement l'aspiration humaine vers une beauté supérieure, et la manifestation de ce principe est dans un enthousiasme, une excitation de l'âme, enthousiasme tout à fait indépendant de la passion qui est l'ivresse du cœur, et de la vérité qui est la pâture de la raison.
          BAUDELAIRE, Notes nouvelles sur E. Poe.

7   (...) je trouvais indigne, et je le trouve encore, d'écrire par le seul enthousiasme. L'enthousiasme n'est pas un état d'âme d'écrivain.   VALÉRY, Variété, p. 186.

Littér. État privilégié où l'homme, soulevé par une force qui le dépasse, se sent capable de créer. *L'enthousiasme de l'artiste, du savant, du musicien. Moments d'enthousiasme qui s'accompagnent de bonheur.*

8   (...) il *(le génie)* donne aux abstractions une existence indépendante de l'esprit qui les a faites ; il réalise ses fantômes, son enthousiasme augmente au spectacle de ses créations (...)   Encycl. (DIDEROT), art. *Génie.*

9   Entourés de ces grandes images (...) ils *(les athlètes grecs)* arrivaient à cet état extrême qu'ils appelaient l'enthousiasme, indiquant par ce mot que le dieu était en eux (...)
        TAINE, Philosophie de l'art, t. II, p. 179.

10   (...) il *(Pasteur)* faisait de l'enthousiasme «le dieu intérieur qui mène à tout.»   Henri MONDOR, Pasteur, p. 121.

♦ **2 Vx, littér.** Émotion extraordinaire de l'âme, qui se livre avec transport, avec générosité.

11   Qu'entendons-nous par enthousiasme ? Que de nuances dans nos affections ! Approbation, sensibilité, émotion, trouble, saisissement, passion, emportement, démence, fureur, rage : voilà tous les états par lesquels peut passer cette pauvre âme humaine.
      VOLTAIRE, Dict. philosophique, Enthousiasme.

12   (...) le spectacle de l'équité me remplit d'une douceur, m'enflamme d'une chaleur et d'un enthousiasme où la vie, s'il fallait la perdre, ne me tiendrait à rien ; alors il me semble que mon cœur s'étend au dedans de moi, qu'il nage ; je ne sais quelle sensation délicieuse et subite me parcourt partout ; j'ai peine à respirer, il s'excite à toute la surface de mon corps comme un frémissement (...) ; et puis les symptômes de l'admiration et du plaisir viennent se mêler sur mon visage avec ceux de la joie, et mes yeux se remplissent de pleurs.
      DIDEROT, Lettre à S. Volland, 18 oct. 1760.

♦ **3 Mod.** Émotion intense qui pousse à l'action dans la joie. *Élan**, *mouvement** *d'enthousiasme. Enthousiasme patriotique* (→ Citadelle, cit. 6), *guerrier, vertueux* (→ Chute, cit. 13). *L'enthousiasme religieux des premiers croisés. Enthousiasme dégénérant en fanatisme. Brûler d'enthousiasme. Apporter dans une entreprise tout son enthousiasme.* → **Ardeur, feu, flamme, passion, zèle** (→ aussi Avoir le feu* sacré). *Prudence, réserve qui fondent devant l'enthousiasme général, qui cèdent à l'enthousiasme.* → **Entraînement.** *Enthousiasme déchaîné.* → **Frénésie.** *Se laisser gagner par l'enthousiasme.* → **Enfièvrer** (s'), **exalter** (s').

13   À toutes les grandes époques de l'histoire, les hommes ont eu pour principe universel d'action un enthousiasme quelconque. Ceux qu'on appelait des héros, dans les siècles les plus reculés, avaient pour but de civiliser la terre (...)

Vint ensuite l'enthousiasme de la patrie : il inspira tout ce qui s'est fait de grand et de beau chez les Grecs et chez les Romains (...)   Mᵐᵉ DE STAËL, De l'Allemagne, I, 4.

14   (...) l'enthousiasme soutenu avec lequel les plus jeunes gens, à travers les ronces et les épines de la dialectique, couraient aux idées.
        TAINE, Philosophie de l'art, t. II, p. 102.

15   Enthousiaste, je le suis autant que personne ; mais je pense que la réalité ne veut plus d'enthousiasme (...) un âge matérialiste *(a été inauguré)* où il sera aussi difficile de faire triompher une pensée généreuse que de produire le son argentin du bourdon de Notre-Dame avec une cloche de plomb ou d'étain.
        RENAN, Souvenirs d'enfance, II, VII.

Cour. Émotion poussant à admirer. *Admiration allant jusqu'à l'enthousiasme. Remplir, transporter d'enthousiasme. Le spectacle déchaînait l'enthousiasme de la foule* (→ **Succès, triomphe**). *Des torrents, des vagues d'enthousiasme déferlèrent sur le stade. Enthousiasme irréfléchi, aveugle.* → **Emballement, engouement.** *Son enthousiasme pour la musique, le sport. Parler d'un artiste, d'un ouvrage avec enthousiasme* (→ Aspirer, cit. 4). → **Célébrer, exalter ;** → *Porter aux nues** ; avoir la bouche* pleine de. *Enthousiasme de commande. Refréner, refroidir, tuer, calmer l'enthousiasme* (→ Déchaîner, cit. 4 ; dégoûter, cit. 8). *Son enthousiasme décrut, diminua brusquement.*

16   Je n'ai jamais rencontré personne qui partageât mon enthousiasme *(pour Richardson)*, que je n'aie été tenté de le serrer entre mes bras et de l'embrasser.
          DIDEROT, Éloge de Richardson.

17   L'enthousiasme est le dernier degré de la passion. Quand elle est à son comble, elle voit son objet parfait ; elle en fait alors son idole ; elle le place dans le ciel, et comme l'enthousiasme de la dévotion emprunte le langage de l'amour, l'enthousiasme de l'amour emprunte aussi le langage de la dévotion.
      ROUSSEAU, Julie, Entretien sur les romans entre
          l'éditeur et un homme de lettres.

18   La joie des spectateurs se traduisait en exclamations bruyantes, et les compliments les plus flatteurs pour le taureau s'élançaient de toutes les bouches. Une nouvelle prouesse de l'animal vint porter l'enthousiasme au dernier degré de l'exaspération.
        Th. GAUTIER, Voyage en Espagne, p. 213.

19   Mais j'ai au moins un conseil à te donner, c'est de te défier de ton enthousiasme pour les hommes qui parviennent vite, et surtout pour Bonaparte.
      A. DE VIGNY, Servitude et Grandeur militaires,
                    III, IV.

20   J'ai perdu presque tout mon enthousiasme pour les grands écrivains. Leur basse et petite vanité a coupé le cou à mon admiration.   STENDHAL, Journal, p. 312.

21   Mon enthousiasme pour Robinson n'en fut pas un instant refroidi.   Alphonse DAUDET, Le Petit Chose, I, I.

22   Le plus grand signe du succès serait-il l'enthousiasme des gens bêtes ?   Ed. et J. DE GONCOURT, Journal, p. 263.

♦ **4** (XVIIᵉ). Émotion collective se traduisant par une excitation joyeuse. → **Allégresse.** *Fête célébrée dans l'enthousiasme. L'enthousiasme du peuple parisien au retour de Napoléon. Personnage populaire accueilli avec enthousiasme. Motions votées d'enthousiasme pendant la nuit du 4 août. Un enthousiasme indescriptible soulève la foule qui applaudit. Débordements d'enthousiasme.* → **Délire, ivresse.** — *J'accepte avec enthousiasme,* avec une grande joie.

23   Les manifestations d'une foule ivre d'enthousiasme ne le mèneraient à rien, et cet enthousiasme, en se déchaînant dans le vide, s'épuiserait et, promptement, s'éteindrait.
      Louis MADELIN, Hist. du Consulat et de l'Empire,
          l'Ascension de Bonaparte, XV, p. 211.

24   Mais tout cynisme fut bientôt noyé sous les torrents d'enthousiasme de l'Armistice.
        A. MAUROIS, Terre promise, p. 186.

♦ **5** Par métonymie. *(Un, des enthousiasmes).* Objet de l'enthousiasme. *La poésie, la musique furent ses premiers enthousiasmes.*

CONTR. Apathie, blasement (rare), détachement, écœurement, flegme, froideur, indifférence, insensibilité, scepticisme. ◊ **DÉR.** Enthousiasmer. V. Enthousiaste.

ENTHOUSIASMER [ɑ̃tuzjasme] v. tr. — Fin XVIᵉ ; de *enthousiasme.*

Remplir d'enthousiasme (2., 3. ou 4.). *Cette actrice a su charmer* et enthousiasmer le public. Un orateur, un tribun qui enthousiasme les foules.* → **Électriser, enflammer, exalter, galvaniser.** *Dictateur qui enthousiasme ses troupes.* → **Fanatiser.** *Enthousiasmer les cœurs.* → **Embraser, enivrer.** *Cette théorie, cette découverte, cette lecture m'enthousiasme.* → **Passionner, ravir.** — Passif. *Être enthousiasmé de, par qqch.*

1 Tout est merveilleux, je vous assure ; je suis enthousiasmé de l'air et des paroles.
MOLIÈRE, les Précieuses ridicules, 11.

2 (...) tout son être éclatait de joie, de santé et d'une espèce de turbulence intérieure qui le faisait inventer sans cesse quelque excentricité pleine de risque, par quoi il s'auréolait de prestige à mes yeux, et positivement m'enthousiasmait.   GIDE, Si le grain ne meurt, p. 91.

♦ **S'ENTHOUSIASMER** v. pron. *S'enthousiasmer de qqn, qqch.* (vieilli), *pour qqn, qqch.* → **Emballer** (s'), **engouer** (s'). — *Il s'enthousiasme aisément.* → **Échauffer** (s'), **enfiévrer** (s'), **enflammer** (s'), **exalter** (s'), **exciter** (s').

3 (...) il est vrai que je suis porté naturellement à négliger les défauts et à m'enthousiasmer des qualités.
DIDEROT, Lettre à S. Volland, 10 août 1759.

4 Il s'indigne et s'enthousiasme, on ne sait trop pourquoi, mais sincèrement je veux le croire (...)
GIDE, Journal, 8 déc. 1907, p. 255.

♦ **ENTHOUSIASMÉ, ÉE** p. p. adj. *Des auditeurs enthousiasmés.* → **Transporté.** — *Regard, air enthousiasmé.*

CONTR. Assommer, consterner, dégoûter, désenchanter, désenthousiasmer, écœurer, ennuyer, glacer, refroidir. ◊ **DÉR.** et **COMP.** Enthousiasmant. Désenthousiasmer.

ENTHOUSIASTE [ɑ̃tuzjast] adj. et n. — 1544 ; grec tardif *enthousiastês,* de *enthousiasmos.* → Enthousiasme.

A Adj. ♦ **1** Didact. Inspiré par la divinité (→ **Fanatique, visionnaire**).

1 Le philosophe n'est point enthousiaste, il ne s'érige point en prophète, il ne se dit point inspiré des dieux (...)
VOLTAIRE, Dict. philosophique, Philosophe.

♦ **2** Mod. Qui ressent de l'enthousiasme (2., 3. ou 4.) ; qui marque de l'enthousiasme. *Le grand acteur fut rappelé dix fois par une salle enthousiaste.* → **Transporté ; délire** (en). *Une jeunesse enthousiaste.* → **Exalté, passionné.** *Il est enthousiaste de son nouveau métier.* → **Enthousiasmé par...** *Un partisan*

enthousiaste des idées nouvelles. → **Fanatique, fervent.** — (Choses). *Il a reçu un accueil enthousiaste.* → **Chaleureux.** *Un éloge enthousiaste.* → **Enflammé, lyrique.** *Il fut salué à son arrivée par une ovation, des acclamations, des applaudissements enthousiastes.* → **Frénétique.**

Ne fit-on que des épingles, il faut être enthousiaste de son métier pour y exceller (...)   2
DIDEROT, Observations sur la sculpture,
in POUGENS.

(...) tel il était *(Victor Hugo)*, tel il est resté, un promeneur pensif, un homme solitaire mais enthousiaste de la vie, un esprit rêveur et interrogateur.   3
BAUDELAIRE, l'Art romantique, XXII, Victor Hugo.

Enthousiaste comme nous le sommes tous à vingt ans (...)   4
BALZAC, l'Auberge rouge, Pl., t. IX, p. 972.

B N. ♦ **1** Didact. Personne enthousiaste, inspirée par la divinité. — Spécialt. Membre de sectes anglaises (au XVIIᵉ siècle, notamment).

♦ **2** Cour. Personne qui s'enthousiasme facilement. *Les enthousiastes et les indifférents.*

Les enthousiastes du progrès scientifique, des sports, du bien commun. → **Zélateur.**

(...) le docteur, comme tous les enthousiastes, avait travaillé de son mieux à faire de son pupille un parfait prosélyte (...)   5
BAUDELAIRE, Trad. POE, Histoires extraordinaires,
les Souvenirs de M. Auguste Bedloe.

CONTR. Apathique, blasé, désabusé, flegmatique, froid, glacial, sceptique. ◊ **DÉR.** Enthousiastement.

ENTHOUSIASTEMENT [ɑ̃tuzjastəmɑ̃] adv. — Fin XIXᵉ ; de *enthousiaste.*

Rare. Avec enthousiasme.

Ni propriétaire, ni fermier, ni journalier, ni commerçant, ni industriel, ni fonctionnaire de l'État, ni rien du tout, Blaireau appartenait à cette classe d'êtres difficilement catégorisables et qui semblent, d'ailleurs, ne pas tenir enthousiastement à occuper une case déterminée sur le damier social.   A. ALLAIS, l'Affaire Blaireau, p. 21.

CONTR. Froidement.

ENTHYMÈME [ɑ̃timɛm] n. m. — XVᵉ, *emptimeme* ; lat. *enthymema,* grec *enthumêma,* «ce qu'on a dans la pensée» de *enthumasthaï* «déduire», de *en* «dans» et *thumos* «intelligence».

Log. Forme abrégée du syllogisme* dans laquelle on sous-entend l'une des deux prémisses ou la conclusion. *«Je pense, donc je suis», célèbre enthymème de Descartes. Certains slogans publicitaires sont des enthymèmes.*

On peut même sous-entendre l'une des deux prémisses, lorsqu'elle est évidente ; c'est ce qui fait l'enthymème, syllogisme abrégé qui convient beaucoup mieux à un raisonnement rapide, et que préfère l'orateur lorsqu'il veut être véhément et pressant (...)
MARMONTEL, Éléments de littératures, Œ., t. IX,
in POUGENS.

Achevé d'imprimer sur les presses de

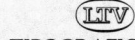

LA TIPOGRAFICA VARESE
Società per Azioni
Italie

Dépôt légal Octobre 2001
N° d'éditeur 10079448-(I)-(20) - OSBPI 40